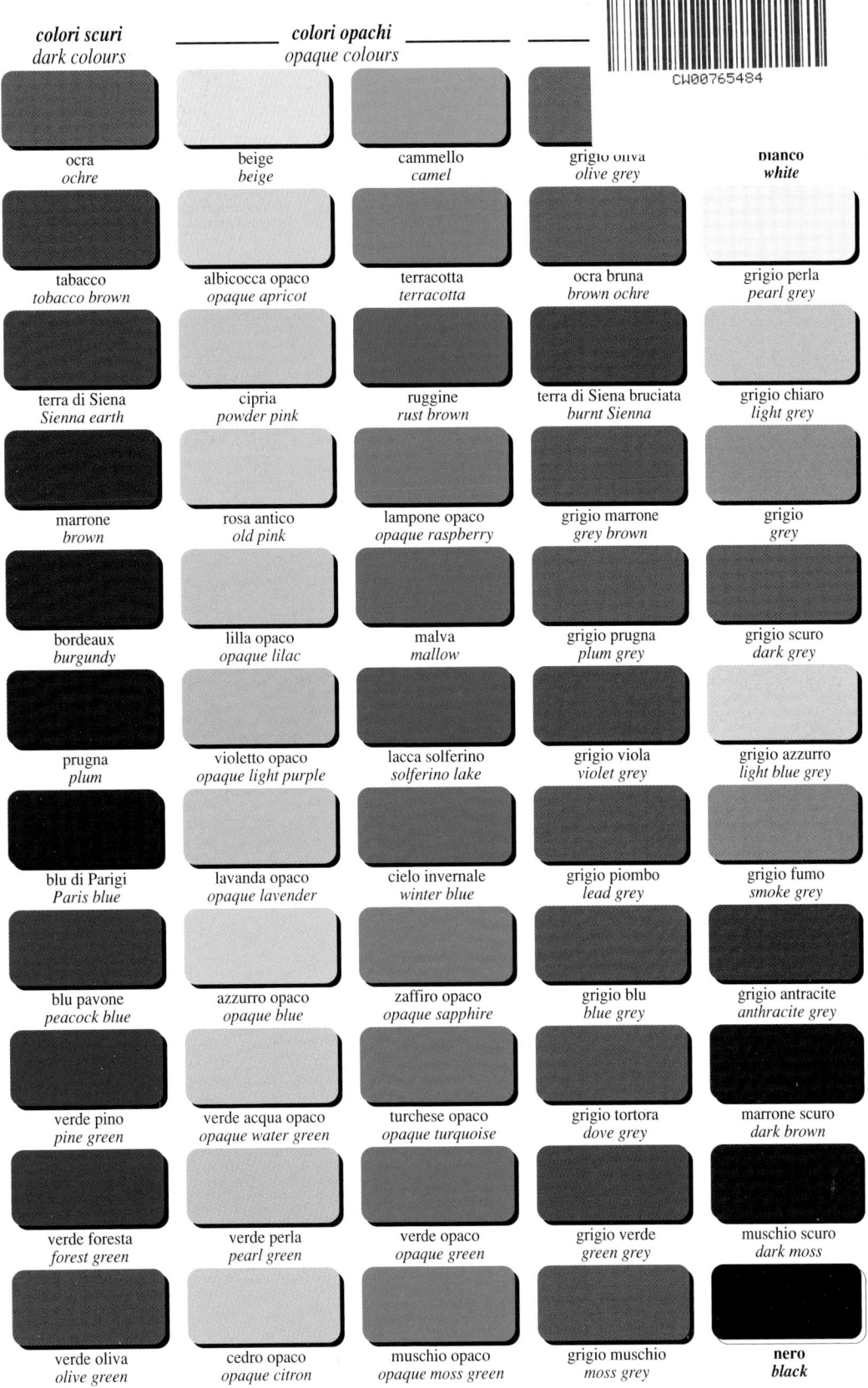

colori scuri
dark colours

colori opachi
opaque colours

ocra *ochre*	beige *beige*	cammello *camel*	grigio oliva *olive grey*	**bianco** *white*
tabacco *tobacco brown*	albicocca opaco *opaque apricot*	terracotta *terracotta*	ocra bruna *brown ochre*	grigio perla *pearl grey*
terra di Siena *Sienna earth*	cipria *powder pink*	ruggine *rust brown*	terra di Siena bruciata *burnt Sienna*	grigio chiaro *light grey*
marrone *brown*	rosa antico *old pink*	lampone opaco *opaque raspberry*	grigio marrone *grey brown*	grigio *grey*
bordeaux *burgundy*	lilla opaco *opaque lilac*	malva *mallow*	grigio prugna *plum grey*	grigio scuro *dark grey*
prugna *plum*	violetto opaco *opaque light purple*	lacca solferino *solferino lake*	grigio viola *violet grey*	grigio azzurro *light blue grey*
blu di Parigi *Paris blue*	lavanda opaco *opaque lavender*	cielo invernale *winter blue*	grigio piombo *lead grey*	grigio fumo *smoke grey*
blu pavone *peacock blue*	azzurro opaco *opaque blue*	zaffiro opaco *opaque sapphire*	grigio blu *blue grey*	grigio antracite *anthracite grey*
verde pino *pine green*	verde acqua opaco *opaque water green*	turchese opaco *opaque turquoise*	grigio tortora *dove grey*	marrone scuro *dark brown*
verde foresta *forest green*	verde perla *pearl green*	verde opaco *opaque green*	grigio verde *green grey*	muschio scuro *dark moss*
verde oliva *olive green*	cedro opaco *opaque citron*	muschio opaco *opaque moss green*	grigio muschio *moss grey*	**nero** *black*

ABBREVIAZIONI - *ABBREVIATIONS*

a. = aggettivo, *adjective*
abbr. = abbreviazione, *abbreviation*
aeron. = aeronautica, *aeronautics*
afferm. = affermativo, affermazione, *affirmative, affirmation*
agg. = aggettivo, aggettivale, *adjective, adjectival*
agric. = agricoltura, *agriculture*
alim. = industria alimentare, *foodstuff industry*
amm. = amministrazione, *administration*
anat. = anatomia, *anatomy*
angl. = anglismo, *Anglicism*
antiq. = antiquato, *dated*
antrop. = antropologia, *anthropology*
arald. = araldica, *armory*
arc. = arcaico, *archaic*
archeol. = archeologia, *archaeology*
archit. = architettura, *architecture*
art. = articolo, *article*
ass. = assicurazioni, *insurance*
assol. = assoluto, *absolute*
astrol. = astrologia, *astrology*
astron. = astronomia, *astronomy*
attr. = attributo, attributivo, *attribute, attributive*
Austral. = Australia, *Australia*
autom. = automobilismo, *motor cars*
avv. = avverbio, avverbiale, *adverb, adverbial*
biochim. = biochimica, *biochemistry*
biol. = biologia, *biology*
Borsa = borsa valori, *Stock Exchange*
bot. = botanica, *botany*
bur. = burocratico, *officialese*
card. = cardinale, *cardinal*
cfr. = confronta, *compare*
chim. = chimica, *chemistry*
chir. = chirurgia, *surgery*
cinem. = cinematografia, *film-making*
collett. = collettivo, *collective*
com. = comune, *common*
comm. = commercio, *business*
comm. est. = commercio estero, *foreign trade*
compar. = comparativo, *comparative*
compl. = complemento, *complement*
comput. = computer, informatica, *computing*
condiz. = condizionale, *conditional*
cong. = congiunzione, *conjunction*
congiunt. = congiuntivo, *conjunctive*
contraz. = contrazione, *contraction*
correl. = correlativo, *correlative*
costr. = costruzioni, *construction*
cronot. = cronotecnica, *time study*
def. = definizione, *definition*
demogr. = demografia, *demography*
deriv. = derivato, *derivative*
determ. = determinativo, *definite*
dial. = dialetto, *dialect*
difett. = difettivo, *defective*
dim. = diminutivo, *diminutive*
dimostr. = dimostrativo, *demonstrative*
dog. = dogana, *customs*
eccles. = ecclesiastico, *ecclesiastical*
ecol. = ecologia, *ecology*
econ. = economia, *economics*
edil. = edilizia, *building industry*
elettr. = elettricità, *electricity*
elettron. = elettronica, *electronics*
enfat. = enfatico, *emphatic*
equit. = equitazione, *horse riding*
escl. = esclamazione, *exclamation*
espress. = espressione, *expression*
estens. = estensione, *broader meaning*
etnol. = etnologia, *ethnology*
eufem. = eufemismo, *euphemism*
f. = femminile, sostantivo femminile, *feminine, feminine noun*
falegn. = falegnameria, *carpentry*
fam. = familiare, *colloquial*
farm. = farmacologia, *pharmacology*
femm. = femminile, *feminine*
ferr. = ferrovia, *railway*

fig. = figurato, *figurative*
filol. = filologia, *philology*
filos. = filosofia, *philosophy*
fin. = finanza, *finance*
fis. = fisica, *physics*
fis. nucl. = fisica nucleare, *nuclear physics*
fisc. = fisco, *taxes*
fisiol. = fisiologia, *physiology*
fon. = fonetica, *phonetics*
form. = formale, *formal*
fotogr. = fotografia, *photography*
franc. = francese, francesismo, *French, Gallicism*
fut. = futuro, *future*
generalm. = generalmente, *generally*
geogr. = geografia, *geography*
geol. = geologia, *geology*
geom. = geometria, *geometry*
giorn. = giornalismo, *journalism*
gramm. = grammatica, *grammar*
idiom. = idiomatico, *idiomatic*
idraul. = idraulica, *hydraulics*
imper. = imperativo, *imperative*
imperf. = imperfetto, *imperfect*
impers. = impersonale, *impersonal*
ind. = industria, *industry*
indecl. = indeclinabile, *indeclinable*
indef. = indefinito, *indefinite*
indeterm. = indeterminativo, *indefinite*
indic. = indicativo, *indicative*
indir. = indiretto, *indirect*
inf. = infinito, *infinitive*
infant. = infantile, *baby-talk*
Inghil. = Inghilterra, *England*
ingl. = inglese, anglicismo, *English, Anglicism*
inter. = interiezione, *interjection*
interr. = interrogativo, *interrogative*
inv. = invariato, invariabile, *invariable*
ipp. = ippica, *horse racing*
irl. = irlandese, *Irish*
iron. = ironico, *ironic*
irr. = irregolare, *irregular*
ital. = italiano, *Italian*
lat. = latino, latinismo, *Latin, Latinism*
leg. = legale, diritto, *legal, law*
lett. = letterario, *literary*
letter. = letteratura, *literature*
letteralm. = letteralmente, *literally*
ling. = linguistica, *linguistics*
loc. = locuzione, *idiom*
m. = maschile, sostantivo maschile, *masculine, masculine noun*
market. = marketing, *marketing*
masch. = maschile, *masculine*
mat. = matematica, *mathematics*
mecc. = meccanica, *mechanics*
med. = medicina, *medicine*
merid. = meridionale, *southern*
metall. = metallurgia, *metallurgy*
meteor. = meteorologia, *meteorology*
mil. = militare, *military*
min. = miniera, minerario, *mining*
miner. = mineralogia, *mineralogy*
miss. = missilistica, *rocketry*
mitol. = mitologia, *mythology*
mus. = musica, *music*
n. = nome, *noun*
naut. = nautico, *nautical*
neg. = negativo, *negative*
neur. = neurologia, *neurology*
num. = numero, *numeral*
numism. = numismatica, *numismatics*
NZ = Nuova Zelanda, *New Zealand*
ogg. = oggetto, *object*
oland. = olandese, *Dutch*
onom. = onomatopeico, *onomatopoeic*
ord. = ordinale, *ordinal*
org. az. = organizzazione aziendale, *management*
paleont. = paleontologia, *palaeontology*
part. = participio, *participle*

pass. = passato, *past*
pers. = persona, personale, *person, personal*
pitt. = pittura, *painting*
pl. = plurale, *plural*
poet. = poetico, *poetic language*
polit. = politica, *politics*
pop. = popolare, *slang*
poss. = possessivo, *possessive*
p. p. = participio passato, *past participle*
pred. = predicato, predicativo, *predicate, predicative*
pref. = prefisso, *prefix*
prep. = preposizione, *preposition*
pres. = presente, *present*
pron. = pronome, pronominale, *pronoun, pronominal*
prov. = proverbio, *proverb*
psic. = psicologia, *psychology*
pubbl. = pubblicità, *advertising*
q. = qualcuno, *someone*
qc. = qualche cosa, *something*
q.v., q.v. = quod vide, *see*
rag. = ragioneria, *accounting*
recipr. = reciproco, *reciprocal*
reg. = regolare, *regular*
region. = regionale, *regional*
relat. = relativo, *relative*
relig. = religione, *religion*
rem. = remoto, *remote*
retor. = retorica, *rhetoric*
ric. op. = ricerca operativa, *operational research*
rif. = riferito, *referring (to)*
rifl. = riflessivo, *reflexive*
sb. = *somebody*
scherz. = scherzoso, *jocular*
scient. = scientifico, *scientific*
scozz. = scozzese, *Scots*
scult. = scultura, *sculpture*
sett. = settentrionale, *northern*
sign. = significato, *meaning*
sim. = simile, *analogous*
sing. = singolare, *singular*
sociol. = sociologia, *sociology*
sogg. = soggetto, *subject*
sost. = sostantivo, *noun*
spagn. = spagnolo, *Spanish*
spec. = specialmente, *especially*
spreg. = spregiativo, *derogatory*
st. = *something*
stat. = statistica, *statistics*
stor. = storia, *history*
suff. = suffisso, *suffix*
superl. = superlativo, *superlative*
teatr. = teatro, *theatre*
tecn. = tecnica, *technology*
ted. = tedesco, *German*
tel. = telecomunicazioni, *telecommunications*
telef. = telefono, *telephone*
telegr. = telegrafo, *telegraph*
teol. = teologia, *theology*
tess. = tessile, *textile*
tipogr. = tipografia, *printing*
topogr. = topografia, *topography*
trasp. = trasporti, *transport*
tur. = turismo, *tourism*
TV = televisione, *television*
v. = verbo, *verb*
V. = vedi, *see*
vc. = voce, *word*
v. i. = verbo intransitivo, *intransitive verb*
v. i. pron. = verbo intransitivo pronominale, *intransitive pronominal verb*
v. reciproco = verbo reciproco, *reciprocal verb*
v. rifl. = verbo riflessivo, *reflexive verb*
v. t. = verbo transitivo, *transitive verb*
verb. = verbale, *verbal*
vet. = veterinaria, *veterinary science*
vezzegg. = vezzeggiativo, *term of endearment*
vocat. = vocativo, *vocative*
volg. = volgare, *taboo*
zool. = zoologia, *zoology*

il Ragazzini

DIZIONARIO
INGLESE ITALIANO
ITALIANO INGLESE

di Giuseppe Ragazzini

Quarta edizione

ZANICHELLI

SOMMARIO - *CONTENTS*

COLLABORATORI - *CONTRIBUTORS*

Per segnalazioni o suggerimenti relativi a questo libro, l'indirizzo a cui scrivere è:
Zanichelli editore – Redazioni Lessicografiche
Via Irnerio, 34 - 40126 Bologna
e-mail: lineacinque@zanichelli.it
sito web: www.zanichelli.it

Questo vocabolario accoglie anche parole che sono – o si pretende che siano – marchi registrati, senza che ciò implichi alcuna valutazione del loro stato giuridico; nei casi obiettivamente noti all'editore, comunque, il lemma è seguito dal simbolo®.

English sound data on the CD-ROM from the Concise Oxford Dictionary - Ninth Edition by permission of Oxford University Press© Oxford University Press 1995
English sound files on the CD-ROM© Cambridge University Press 2003
http://dictionary.cambridge.org. Used with permission.

Stampa: Finito di stampare nel maggio 2008 da Rotolito Lombarda - Pioltello (Milano).

Ristampa 2004-2009 *Revisione linguistica:* Lucia Cortese (*falsi amici*); Federica Ferrieri; Carla Hosnar (*economia e finanza*); Il Nove s.r.l., Bologna; Imprimatur, Torino (Sarah Birdsall, Stephan Cooper, Enrico Griseri, Sara Selvaggio; *note grammaticali:* Sarah Birdsall, Enrico Griseri, con la collaborazione di Nicola Poeta); Stefano Longo; Martin Manser (*note grammaticali*); Laura Montixi Comoglio; Maria Teresa Musacchio (*economia e finanza*); Adele Oliveri (*economia e finanza*); Maria Chiara Piccolo; Anna Ravano; Chris Rovai; Erica Tancon; Valentina Turri; Emanuele Vinassa de Regny; Karl Webster; Jon Wright; *le voci di informatica sono state curate dal* Dipartimento di Matematica e Informatica dell'Università di Udine *con la direzione scientifica di* Furio Honsell *e la collaborazione di* Marina Lenisa, Marino Miculan, Ivan Scagnetto ● *Collaborazioni redazionali:* Leyla Babaoglu; Sonia Barbieri; Francesca Biancani; Andrea Garetto; Federica Mascagni; Anna Rita Pasi; Chris Rovai; Elisabetta Zoni ● *Correzione bozze:* Lalinea; PAGE; Mattia Righi ● *Coordinamento redazionale:* John Johnson.
Le novità linguistiche per la sezione inglese sono state individuate con la collaborazione di Chambers Wordtrack.

monitoring our evolving language

Copertina: Miguel Sal (*progetto grafico e ideazione*); Exegi s.n.c. (*realizzazione*)
Supporto al rinnovamento delle soluzioni grafiche: Progetti Nuovi – Milano: Annamaria Testa, Paolo Rossetti, Bianca Maria Biscione
Progetto grafico delle pagine interne: Marco Brazzali con la collaborazione di Remigio Decarli
Elaborazione automatica dei testi, composizione: Marco Brazzali, Roberto Cagol, Emanuela Betti Motter, Elisabetta Marin, Mara Tasin, I.CO.GE Informatica s.r.l., Trento

Edizione in cd-rom *a cura di* Marco Brazzali, Roberto Cagol, Emanuela Betti Motter, Elisabetta Marin, I.CO.GE Informatica s.r.l., Trento ● *Pronuncia delle parole a cura di* Binari Sonori, Cinisello Balsamo (MI) ● *Pronunce sonore (fraseologia): Coordinamento:* Carlo Milan. *Voci:* Ruth Higgins, Pamela Malone-Carty, Shane Walshe, Kenneth Wynne; *Realizzazione tecnica:* Matthias Schubert ● *Atlante dei colori a cura di* Simona Fantetti e Claudia Petracchi, Graphiter, Roma ● *Coordinamento di montaggi, stampa e confezione:* Stefano Bulzoni, Massimo Rangoni.

Quarta edizione (2002)
Il piano di revisione è stato elaborato dall'editore con la collaborazione di Giuseppe Ragazzini e Anna Ravano.
Direzione: Giuseppe Ragazzini
Revisione generale e aggiornamento: Giuseppe Ragazzini con contributi di Marco Ragazzini e Paola Ragazzini (*sezione inglese-italiano*), Anna Ravano ● *Revisione linguistica:* Graham Cole, Andrew Ellis, John Johnson; Giuseppina Mancini (*informatica*); Luca Parisi (*sigle e abbreviazioni*) ● *Redazione:* John Johnson, Alessandra Stefanelli ● *Collaborazioni redazionali:* Mariella Ciuffreda, Andrea Garetto, Federica Mascagni; Lorna Baines ● *Nuove trascrizioni fonematiche:* John Johnson ● *Riscontro delle bozze:* Lalinea ● *Coordinamento redazionale:* Alessandra Stefanelli.

Terza edizione (1995)
Il piano di revisione è stato elaborato dall'editore con la collaborazione di Giuseppe Ragazzini e Anna Ravano. *Direzione:* Giuseppe Ragazzini. *Revisione generale e aggiornamento della sezione inglese-italiano:* Giuseppe Ragazzini con la collaborazione di Alessandra Stefanelli e con contributi di Renata Bandini, Marco Ragazzini e Paola Ragazzini. *Revisione generale e aggiornamento della sezione italiano-inglese:* Anna Ravano con la collaborazione di Stephen Hastings e di Alfredo Guaraldo e Severo Mosca e con contributi di Monica Harvey Slowikowska e Domenico Pecorari. *Le trascrizioni fonematiche inglesi sono tratte da una banca dati fornita su licenza dalla* Oxford University Press, *con integrazioni e revisioni di* Luciano Canepari e Alberto Venturi. *Sigle, abbreviazioni, simboli:* Enrico Righini. *Coordinamento redazionale:* Alessandra Stefanelli.

Seconda edizione (1984)
Il piano di revisione è stato elaborato, per conto dell'editore, da Miro Dogliotti con la collaborazione di Giuseppe Ragazzini. *Direzione:* Giuseppe Ragazzini. *Revisione generale e aggiornamento della sezione inglese-italiano:* Giuseppe Ragazzini con la collaborazione di Alessandra Stefanelli, James R. Modrall e Giovanna Alessandrello Vitale e contributi di Roberta Balboni e Rosella Fiorentini Rocca. *Revisione generale e aggiornamento della sezione italiano-inglese:* Adele Biagi con la collaborazione di Giovanna Alessandrello Vitale e di Laurence McGrow, James R. Modrall e Alessandra Stefanelli e contributi di Renato Ferrari, Paul Bayley, Lucia Wildt, Rosella Fiorentini Rocca e Beata Lazzarini. *Collaborazioni redazionali:* Roberta Balboni, Rosella Fiorentini Rocca, Beata Lazzarini. *Coordinamento redazionale:* Alessandra Stefanelli.

Prima edizione (1967)
Direttore: Giuseppe Ragazzini. *Supervisori. Per la sezione inglese:* Giuseppe Ragazzini. *Per la sezione italiana:* Adele Biagi e Giuseppe Ragazzini. *Redattori. Per la sezione inglese:* Giuseppe Ragazzini. *Per la sezione italiana:* Adele Biagi, Giuseppe Ragazzini, Camilla Roatta. *Contributi di:* Maria Antonini, Allan Bullock, Renato Ferrari, Andrew MacKenna, Lindsay Phillips. *Per le voci di botanica e zoologia:* Giovanna Bacchi; *nautica:* Giorgio Castellani; *diritto:* Raffaele Nobili; *matematica, fisica, meccanica applicata:* David Russi. *Coordinamento redazionale:* Anna Cimino.

PRESENTAZIONE - *FOREWORD*

Il rilevamento e la valutazione del cambiamento linguistico e il conseguente, continuo aggiornamento del testo, sono fattori chiave per la determinazione della migliore qualità di un dizionario rispetto ad altri. Per tale ragione, da quest'anno il dizionario Ragazzini si avvale della collaborazione della prestigiosa casa editrice britannica Chambers per l'individuazione di nuove parole inglesi, allo scopo di rimanere il dizionario di riferimento per chi traduce, chi impara una lingua straniera o per chiunque abbia semplicemente bisogno di uno strumento linguistico sempre aggiornato.

Tra le novità di quest'anno: il linguaggio dell'ecologia e della scienza ha fornito termini come *cap and trade, cybrid* e *food miles*; il linguaggio giornalistico ha portato in prima pagina parole come *biosecurity, cleanskin* e *superfood*; del linguaggio idiomatico inglese, con i suoi verbi frasali sempre in evoluzione, si sono diffusi *to big up, to max out* oltre a *ned* e *WAG*. Naturalmente, il cambiamento non interessa solo l'inglese, e quindi grande attenzione è stata dedicata anche all'italiano, grazie all'aggiornamento annuale dello Zingarelli, il vocabolario di italiano Zanichelli. Lo studio dell'evoluzione dell'italiano ha portato alla luce nuovi e importanti termini della lingua come *gufata, monomarca, naturopata, prezzemolino, sitografia, teocon,* oltre ai numerosi nuovi significati di parole già rilevate.

La raccolta di note d'uso è stata rivista e ampliata con l'aggiunta di approfondimenti che riguardano le sfumature di significato e aiutano a identificare ed evitare gli errori più frequenti di chi impara l'inglese. Oltre alla spiegazione di concetti grammaticali e problemi comuni di traduzione, alcune di queste note precisano, ad esempio, quando usare *amiable* al posto di *amicable*, come evitare confusione tra *historic* e *historical* o qual è la differenza tra *house* e *home*, un *artist* e un *artiste*.

Il cd-rom propone un'interessante novità audio: oltre alla pronuncia di tutti i lemmi inglesi, gia presenti da diversi anni, cliccando sull'apposito link si può ascoltare una selezione di frasi d'uso comune nell'inglese parlato, da *Good evening* e *Pleased to meet you* fino a frasi complesse, come, ad esempio, *What hours do you work?, I need to get to the shops before they close* o *What do you think of it so far?* Con il cd-rom, infine, si ha la possibilità di ascoltare le oltre 2000 frasi raccolte in più di 150 dialoghi basati su situazioni di vita quotidiana.

A tutti i collaboratori – i cui nomi sono elencati nella pagina dei crediti – desideriamo testimoniare la nostra gratitudine. Attendiamo con fiducia il giudizio dei lettori, grati a chi vorrà segnalarci eventuali manchevolezze o errori.

Chi desidera ricevere una parola al giorno del Ragazzini 2009 attraverso la posta elettronica può iscriversi gratuitamente al servizio *The Word of the Day*, collegandosi al sito Zanichelli (www.zanichelli.it) e seguendo i link. Sono disponibili anche i servizi *La parola del giorno* dallo Zingarelli e *Le Mot du jour* del dizionario Boch.

A key factor determining the superior quality of one dictionary compared to another is the extent to which language change is tracked down and evaluated, and the text updated as a result. For this very reason, as of this year new English words for the Ragazzini dictionary have been identified in collaboration with the prestigious British publisher Chambers, so as to remain the dictionary of choice for translators, learners or anyone who simply needs an up-to-date language tool.

Among this year's new features: ecology and science have given us words including cap and trade, cybrid *and* food miles; *terms like* biosecurity, cleanskin *and* superfood *have also made the headlines; and idiomatic English, with its constantly evolving phrasal verbs, has produced* to big up, to max out *as well as* ned *and* WAG. *Change does not just affect English of course, and so Italian has been given our full attention as well, thanks to the yearly editions of the Zingarelli, Zanichelli's Italian-language dictionary. As Italian evolves, research has brought new and important terms to light, such as* gufata, monomarca, naturopata, prezzemolino, sitografia, teocon, *besides many new meanings of common words.*

The collection of usage notes has been reviewed and enriched with the addition of notes examining nuances of meaning, and others to help the reader identify and avoid the most common errors committed by learners. Besides the explanations of grammatical concepts and common translation dilemmas, other notes explore, for example, when to use amiable *instead of* amicable, *how to avoid confusion between* historic *and* historical *or how to distinguish between* house *and* home, *or an artist and an* artiste.

The CD-ROM contains an fascinating new audio feature: in addition to the pronunciation of every English headword, which has been a feature of the dictionary in recent years, it is now possible to click on a link and listen to a selection of common phrases in colloquial English, from Good evening *and* Pleased to meet you *to more complex phrases, such as* What hours do you work?, I need to get to the shops before they close *or* What do you think of it so far? *Using the CD-ROM, it is now possible to listen to more than 2000 of these phrases divided into around 150 conversations based on real-life situations.*

We are grateful to all the contributors listed among the credits. We hope that our readers will appreciate our efforts, and invite them to inform us of any errors or omissions.

You can also receive a word a day from the Ragazzini 2009 by email. Subscribe to Word of the Day *for free, by going to the Zanichelli website (www.zanichelli.it) and following the links. An Italian-language service,* La parola del giorno, *is also available, as well as* Le Mot du jour *from the Boch French-Italian dictionary.*

maggio 2008   l'Editore   *May 2008*   *The Publisher*

GUIDA AL DIZIONARIO - *GUIDE TO THE DICTIONARY*

**Collocazione e
ordine dei vocaboli**
Il vocabolario registra come voci a
sé stanti le parole considerate come
entità singole.

Ordine interno delle singole voci
Le lettere **A**, **B**, **C**,... indicano le
possibili categorie grammaticali di
un vocabolo (sostantivo, aggettivo,
avverbio, ecc.)

Le cifre arabe (**1**, **2**, **3**...) indicano i
significati fondamentali.

I traducenti sono sovente:
– accompagnati da una spiegazione
  in italiano;
– seguiti dalla fraseologia
  esemplificativa.

**Arrangement and
order of terms**
The dictionary lists as separate
headwords simple words which are
considered as single units.

Order within each entry
The letters **A**, **B**, **C**, etc., indicate
the part of speech of a word (noun,
adjective, adverb, etc.)

Numbers (**1**, **2**, **3**, etc.) indicate
different meanings of the word.

The various meanings are often:
– accompanied by a brief
  explanation in Italian, and;
– followed by examples.

◆**bitter** ① /'bɪtə(r)/ **A** a. **1** amaro: b. chocolate, cioccolato amaro (o fondente) **2** (del
freddo, ecc.) aspro; pungente; **a b. winter**, un
inverno aspro; **a b. wind**, un vento pungen-
...
un'aspra lite **B** n. **1** ⓤ sapore amaro; amaro **2** ⓤ (GB) birra amara **3** (al pl.) amaro
(bevanda); bitter ● **b. apple**, coloquintide □
(GB) **b. lemon**, limonata amara □ **b. orange**,
arancia amara □ (fig.) **a b. pill to swallow**,
una pillola amara da ingoiare □ **b.-sweet** →
bittersweet.
bitter ② /'bɪtə(r)/ n. (naut.) volta (o giro) di
bitta ● (naut.) **b. end**, estremità (del cavo o
della catena dell'ancora) □ (fig.) **to the b. end**,
fino in fondo; fino alla fine; a oltranza: **to
fight to the b. end**, battersi a oltranza; **to
struggle on to the b. end**, lottare fino alla
fine; non mollare □ (fam.) **b.-ender**, uno che
tiene duro; oltranzista.

I vocaboli composti
Sono dati di solito sotto la voce del
primo elemento.

Il trattino
L'uso del trattino è in inglese
incerto e soggetto a continua
evoluzione: è consigliabile tenerne
conto nella ricerca dei vocaboli
composti inglesi. Occorre cercare
i nomi composti sotto il lemma
corrispondente al primo elemento
componente; non trovandolo, lo si
dovrà ricercare, seguendo l'ordine
alfabetico generale, come lemma a
sé stante.

Sono dati come lemmi autonomi
quegli aggettivi e quei sostantivi che
derivano da un verbo.

La sezione preceduta da un pallino
● tratta:

i tecnicismi;

– i nomi composti;

– le locuzioni speciali e le frasi
  idiomatiche;

– i proverbi.

È disposta in ordine alfabetico,
ma i composti e le locuzioni che
contengono il lemma come primo
elemento precedono quelli in cui il
lemma è in seconda posizione.

Compound entries
These are given under the
headword of the first component

Anyone looking for compound
words in English must be aware of
the fact that the use of the hyphen in
English is very uncertain, fluctuating
and continuously evolving.
Compound words will therefore be
found under the headword which
corresponds to the first component.
If not, they are in fact probably single
non-hyphenated words, and as such
will be found as separate headwords.

Derivation from a verb
Adjectives and nouns which derive
from verbs are given as separate
headwords.

The section of the entry preceded
by a bullet ● lists:

– technical meanings;

– compound nouns;

– idioms or figures of speech;

– proverbs.

The order within this section is
alphabetical, but compound nouns
having the headword as their first
element precede those having the
headword as their second element.

◆**bird** /bɜːd/ n. **1** uccello; volatile: **b. of prey**,
(uccello) rapace; uccello da preda; predato-
re; **b. feed**, mangime per uccelli; becchime;
...
ning old b., è una furbona **6** (slang GB) ragazza; tipa (fam.); pupa (pop.): **to pull the
birds**, avere successo con le ragazze **7**
(slang mil. USA) aquila (insegna di grado) ●
(USA) **b. banding**, inanellamento; anellamento □ (fam.) **b.-brained**, che ha un cer-
...
b. sanctuary, riserva per uccelli □ (eufem. o
scherz.) **the birds and the bees**, i rudimenti del sesso; i fatti della vita □ (bot.) **b.'s-eye**
(Veronica chamaedrys), veronica maggiore □
b.'s eye view, veduta dall'alto, a volo d'uccello (d'una città, ecc.); (fig.) visione globale
□ (cucina) **b.'s-nest soup**, zuppa di nidi di
rondine □ (fig.) **birds of a feather**, individui
dello stesso stampo; individui della stessa
risma □ **b. shot**, pallini da caccia □ (aeron.)
b.-strike, collisione di un aereo con uno
stormo di uccelli □ (GB) **b. table**, piccola
piattaforma su cui porre becchime per gli
uccelli □ **b.-watcher**, ornitologo dilettante
(che osserva gli uccelli); bird-watcher □ **b.-
-watching**, osservazione degli uccelli; bird-
-watching □ (fam.) **b. away with the birds**,
fuori di testa; giù di testa; matto; tocco □
(slang GB) **to do b.**, essere in galera; essere
dentro □ **an early b.**, un tipo mattiniero □ **to
eat like a b.**, mangiare come un uccellino □
(fam. USA) (strictly) **for the birds**, senza va-
...
meglio un uovo oggi che una gallina domani □ (prov.) **Birds of a feather flock together**, ogni simile ama il suo simile □ (prov.)
The early b. catches the worm, il mattino
ha l'oro in bocca; chi dorme non piglia pesci.

**Avverbi in -*ly* e -*mente* e sostantivi
in -*ness***
In genere, non sono registrati gli avverbi
che si possono ricavare facilmente
dagli aggettivi corrispondenti mediante
l'aggiunta del suffisso -*ly* in inglese e
del suffisso -*mente* in italiano, a meno
che l'ordine alfabetico li collochi a
notevole distanza dall'aggettivo stesso;
ma si sono accolti tutti quegli avverbi
che presentano qualche difficoltà o
particolarità semantica; e così ci si è
comportati anche nel caso dei numerosi
nomi astratti inglesi in -*ness*.

cheeky /'tʃiːkɪ/ a. (fam.) sfacciato; inso-
lente | **-ily** avv. | **-iness** n. ⓤ.

**Adverbs ending in -*ly* and -*mente*
and nouns ending in -*ness***
Generally speaking, adverbs which
can be easily derived from their
corresponding adjectives by adding
the suffixes -*ly* and -*mente* respectively,
have not been listed in the dictionary,
unless alphabetically removed from
their adjectives. However, all those
adverbs which present particular
semantic difficulties are listed. The
same criterion has been followed
for the many English abstract nouns
ending in -*ness*.

Falsi amici
Un falso amico è una parola simile a una parola italiana ma con un significato diverso.

◆**actually** /ˈæktʃʊəlɪ/ avv. **1** effettivamen-
non mi chiamo Laura ❶ **FALSI AMICI** • actually *non significa* attualmente.

False friends
A false friend is a word which is similar in English and Italian but which has different meanings.

Prefissi
Solo i prefissi e i prefissoidi più comuni sono trattati come voci a sé. (self-, un-, ecc.).

◆**self-** /sɛlf/ pref. auto-; di sé, in sé; di sé stesso, in sé stesso; personale; automatico; autonomo; naturale; spontaneo ● **self-abasement**, autoumiliazione; svilimento di sé
stesso □ **self-abnegation**, abnegazione; spi-
•••

Prefixes
Only the most common prefixes (e.g. self-, un-) are given separate entries.

Omografi
Gli omografi (le parole, cioè, che hanno uguale grafia ma significato diverso) costituiscono voci distinte e sono contrassegnati da un numero cardinale.

brogue① /brəʊg/ n. robusta scarpa sportiva.
brogue② /brəʊg/ n. forte accento regionale (*spec. irlandese o scozzese*).

Homographs
Homographs (i.e. words spelt the same way but having different meanings) are treated as separate entries, especially if they have different derivations. They are indicated with a circled figure.

Inglese e italiano di base
Le 4300 parole inglesi più importanti per il principiante sono segnalate con un rombo ◆. Lo stesso simbolo viene usato nella sezione italiana per indicare le 4400 parole dell'italiano fondamentale.

◆to **eat** /iːt/ (pass. *ate*, p. p. *eaten*) Ⓐ v. t. **1**
mangiare: *She was eating a pear*, stava
mangiando una pera; *This dish is best eat-*
•••

Basic English and Italian
The 4,300 most important English terms for learners are indicated with a diamond ◆. The 4,400 most important Italian terms are marked in the same way.

Note di cultura
Una nota sulla cultura, sulla storia o sui costumi dei paesi di lingua inglese.

Anglo-Saxon /ˈæŋgləʊˈsæksn/ Ⓐ a. e n.
anglosassone (*anche la lingua*) Ⓑ n. Ⓤ (*fam.*)
linguaggio volgare (*perché le parole volgari sono in genere monosillabi di origine anglosassone*) ❶ **CULTURA** • **Anglo-Saxon**: *detto anche*
Old English (*antico inglese*), *è la lingua che si
sviluppò in Inghilterra in seguito alle invasioni
degli angli e dei sassoni, due popoli distinti, che
invasero l'Inghilterra e vi si stabilirono tra la fine del IV e l'inizio del VII secolo d.C. Pur essen-*
•••

Cultural notes
A note on the culture, history and institutions of English-speaking nations.

Note d'uso
Il dizionario contiene circa 80 inserti grammaticali che aiutano il lettore a superare i problemi più comuni di interpretazione e di traduzione.

❶ **NOTA D'USO**
had better (spesso usato nella forma contratta **'d better**) è seguito dall'infinito senza **to**:
You'd better wait for a couple of days, faresti bene ad aspettare un paio di giorni (non
You'd better to wait); *You'd better read the
contract carefully before you sign it* (non
You'd better to read), ti conviene leggere il
contratto attentamente prima di firmarlo.

Usage notes
This dictionary contains around 80 usage notes to help the reader overcome common translation and interpretation problems.

Hottentot /ˈhɒtntɒt/ n. (*stor., ora offensivo*) **1** (pl. *Hottentots, Hottentot*) ottentotto **2** Ⓤ ottentotto (*la lingua*) ❶ **NOTA D'USO**
• *Per indicare questo popolo è preferito* **Khoikhoi** *o* **Nama**.

Nomi propri
I nomi propri (di persona e toponimi) che hanno la stessa grafia nelle due lingue non sono registrati, salvo quando a loro siano collegate locuzioni speciali. Nel corpo del dizionario si troveranno solo i nomi propri che presentino una traduzione.

Cabot /ˈkæbət/ n. (*stor.*) Caboto: *John C.*,
Giovanni Caboto.

Proper nouns
Those which are spelt identically in both languages have not been recorded, except for when they are connected with specific expressions. Those proper nouns which possess an Italianized translation can be found in the main body of the dictionary in the usual alphabetical order.

Forme flesse
La forma del plurale viene sempre indicata:
– se è «irregolare»;

– se esistono due plurali;

– nel caso di nomi che possono generale perplessità.

◆**child** /tʃaɪld/ n. (pl. ***children***) **1** bambino, bambina: **a problem c.**, un bambino diffici-
...

◆**fish** ① /fɪʃ/ n. **1** CU (pl. ***fish, fishes***) pesce: **an exotic f.**, un pesce esotico; **a shoal of f.**,
...

◆**potato** /pə'teɪtəʊ/ n. (pl. ***potatoes***) (*bot.*, *Solanum tuberosum*) patata: **roast potatoes**,
...

The plural form of a noun is only given:
– if it is 'irregular';

– if there are two plural forms;

– in the case of nouns which could be confusing.

La trascrizione fonematica
La corretta pronuncia dei vocaboli inglesi viene data, a fianco di ciascun lemma, mediante i simboli dell'Associazione Fonetica Internazionale.

◆**schedule** /'ʃɛdiuːl, *USA* 'skɛdʒəl/ n. **1** elenco; lista; distinta; prospetto; scaletta; specchietto; tabella: (*fin.*, *banca*) **s. of rates**,
...

Phonetic transcription
The correct pronunciation of the English words is given in the symbols of the IPA (International Phonetic Alphabet).

Countables e Uncountables
Per i nomi comuni inglesi è segnalato se siano 'numerabili' o no mediante tre simboli:
U uncountable, non numerabile (cioè, che non ammette l'uso al plurale)
UC o CU uncountable-countable o countable-uncountable (a seconda della prevalenza dell'uno o dell'altro uso).
    Quando, trattandosi di un nome comune, non appare alcun segnale, ciò vuol dire che il nome è 'numerabile', implicitamente.

cognition /kɒg'nɪʃn/ n. U **1** cognizione; conoscenza: **in full c. of the facts**, con piena cognizione dei fatti **2** (*antiq.*) percezione.

indignity /ɪn'dɪgnətɪ/ n. **1** CU trattamento indegno; affronto; offesa; oltraggio; umiliazione **2** azione indegna, atto turpe.

Countables and Uncountables
Three symbols are used to indicate whether English nouns are countable or not:
U = uncountable (that is, the noun has no plural form),
UC and CU = uncountable-countable, or countable-uncountable (according to the frequency of one or the other form).
    The absence of any symbol in the case of a common noun means that it is countable.

I verbi frasali
Ciascun verbo frasale è preceduto da un quadratone ■, ed è trattato come lemma autonomo.

to **brim** /brɪm/ **A** v. t. riempire fino all'orlo; colmare **B** v. i. **1** essere pieno fino all'orlo; essere colmo: **a brimming cup**, una tazza colma **2** – **to b. with**, essere colmo di; colmarsi, riempirsi di: *His eyes brimmed with tears*, gli si riempirono gli occhi di lacrime **3** – (*fig.*) **to b. with**, essere pieno di: **to be brimming with plans**, avere la testa piena di progetti **4** (*di lacrime*) affiorare; salire (*agli occhi*): *Tears brimmed in his eyes*, gli salirono le lacrime agli occhi; gli occhi gli si riempirono di lacrime.
■ **brim over** v. i. + avv. (*anche fig.*) traboccare: *He brimmed over with happiness*, l'animo gli traboccava di felicità.

Phrasal verbs
Each phrasal verb is preceded by a square ■ and is treated as a full entry.

Voci sistematiche
Quando una parola scientifica è di chiara derivazione spesso si trova sotto il termine di base.

neurobiology /njʊərəʊbaɪ'ɒlədʒɪ/ n. U neurobiologia ‖ **neurobiological** a. neurobiologico ‖ **neurobiologist** n. neurobiologo.

Compound entries
When the derivation of a scientific term is evident, it can often be found under the principal entry.

Il plurale

I plurali dei sostantivi sono indicati solo se:
– irregolari;

◆**uòmo** m. (pl. **uòmini**) **1** (*mammifero degli Ominidi*) man*: **u. delle caverne**, caveman;
...

– esistono due forme plurali, una maschile e una femminile.

◆**bràccio** m. (pl. **bràccia**, f., *nelle def. 1, 2, 3, 4*; **bràcci**, m., *nelle altre*) **1** arm: **avere le**
...

Plural forms of nouns are indicated only:
– when irregular;
– when two forms exist, one masculine and one feminine.

Forme femminili

Le forme femminili dei sostantivi costituiscono lemmi a sé stanti solo quando hanno traducenti e fraseologia propri.

Negli altri casi, la desinenza della forma femminile viene data tra parentesi subito dopo il corrispondente lemma maschile, con un eventuale lemma di rimando nel caso di forme lontane fra loro alfabeticamente.

padróna f. **1** (*proprietaria*) owner; (*di casa, albergo, ecc.*) landlady; (*donna che ha autorità, che comanda*) mistress: **p. di casa**, (*proprietaria*) owner; (*colei che comanda*) lady of the house; (*colei che riceve*) hostess; **p. della si-**
...

coautóre m. (f. **-trice**) coauthor; (*leg.*) joint author.

Feminine forms of nouns

These constitute headwords in their own right only when there are specifically feminine English equivalents and examples of usage.

Otherwise, the ending of the feminine form appears in brackets after the headword of the corresponding masculine form, with recourse to cross-referencing when the two forms are alphabetically removed from each other.

Forestierismi

Sono inclusi quei forestierismi che sembrano avere ormai acquisito pieno diritto di cittadinanza nell'uso comune della lingua italiana.

◆**computer** (*ingl.*) m. inv. computer: **c. da tavolo**, desktop computer; **c. portatile**, portable computer; laptop (computer); notebook; **animazione al c.**, computer animation; **giochi al c.**, computer games.

Foreign words

These are included when they appear to have gained full acceptance in the Italian language.

Accrescitivi, diminutivi, vezzeggiativi, peggiorativi

È stato ovviamente impossibile accogliere tutte le forme alterate di nomi di cui la lingua italiana è così ricca.

Sono però registrate voci che hanno significati autonomi rispetto al lemma non alterato.

◆**casèlla** f. **1** (*scomparto*) box; (*di casellario*) pigeonhole: **c. postale**, post-office (*o* P.O.) box **2** (*riquadro*) square; box.

Augmentatives, diminutives, terms of endearment, pejoratives

It has obviously been impossible to list all variant forms which so enrich the Italian language.

However, words which have quite independent meanings from the original headwords appear as full headwords.

Aggettivi

Per gli aggettivi che siano in effetti participi passati si rimanda generalmente al verbo da cui derivano. Anche qui, tuttavia, sono stati registrati come lemmi a sé stanti quegli aggettivi i quali, per varie ragioni richiedevano, a nostro avviso, una trattazione a parte.

sentito a. **1** (*avvertito vivamente*) strongly felt about; very real: **un problema molto s.**, a very real problem **2** (*udito*) – **per s. dire**, by hearsay **3** (*sincero*) heartfelt; sincere; fervent; deep: **sentite condoglianze**, heartfelt condolences; **sentite congratulazioni**, heartfelt congratulations; *Sentiti auguri!*, my very best wishes; *Sentiti ringraziamenti!*, my sincere thanks.

Adjectives

For adjectives which are in effect past participles, reference should be made to the verbs from which they derive, where relevant examples can be found. Here again, however, those adjectives which for various reasons require separate treatment have been listed as headwords in their own right.

Pronuncia italiana

La pronuncia italiana di ogni lemma è indicata dall'accento tonico: in neretto se esso è obbligatorio nella grafia; altrimenti in carattere più chiaro.
– L'accento acuto indica pronuncia chiusa della *e* e della *o*;
– un puntino sotto la *s* e la *z* indica suono sonoro;
– un puntino sotto il gruppo *gli* indica pronuncia dura della *g*.

◆**bòtte** f. **1** barrel; cask; butt: **b. da vino**, wine cask (*o* barrel); **b. a doppio fondo**,
...

mèẓẓa f. **1** (*mezz'ora*) half-hour: *Questo orologio non suona le mezze*, this clock does
...

gàngli̱o m. **1** (*anat.*) ganglion* **2** (*fig.*) nerve-centre; vital point.

Italian pronunciation

The pronunciation of each Italian headword is indicated by an accent, printed in bold face in the case of words in which it is obligatory in writing.
– An acute accent on *e* and *o* indicates closed pronunciation.
– Voiced *s* and *z* are indicated by a dot placed underneath.
– A similar dot under the cluster *gli* indicates that the *g* is pronounced hard.

Forme flesse irregolari

Le irregolarità delle forme flesse dei traducenti sono segnalate da un asterisco * posto in fine parola.

compatriòta m. e f. (fellow) countryman* (m.); (fellow) countrywoman* (f.); compatriot.

Irregular inflections

Irregular English words given as translations are indicated by an asterisk * placed at the end of the words.

SIMBOLI FONETICI - *PHONETIC SYMBOLS*

SIMBOLI

simboli

esempi

(vocali)

iː	bee [biː]	he [hiː]	please [pliːz]	pig [pɪg]	tree [triː]		
ɪ	it [ɪt]	is [ɪz]			pin [pɪn]		
ɛ	bed [bɛd]	hen [hɛn]	pen [pɛn]		yes [jɛs]		
æ	and [ænd]	cat [kæt]	hat [hæt]		man [mæn]		
ɑː	car [kɑː(r)]	large [lɑːdʒ]	park [pɑːk]		father [ˈfɑːðə(r)]		
ɒ	box [bɒks]	clock [klɒk]	dog [dɒg]		not [nɒt]		
ɔː	ball [bɔːl]	fork [fɔːk]	horse [hɔːs]		wall [wɔːl]		
ʊ	book [bʊk]	foot [fʊt]	full [fʊl]		look [lʊk]		
uː	blue [bluː]	goose [guːs]	fool [fuːl]		shoe [ʃuː]		
ʌ	cup [kʌp]	duck [dʌk]	nut [nʌt]		up [ʌp]		
ɜː	bird [bɜːd]	girl [gɜːl]	sir [sɜː(r)]		word [wɜːd]		
ə	a [ə]	the [ðə]	mother [ˈmʌðə(r)]		Saturday [ˈsætədeɪ]		

(dittonghi)

eɪ	name [neɪm]	plate [pleɪt]	table [teɪbl]	train [treɪn]	
əʊ	boat [bəʊt]	go [gəʊ]	goat [gəʊt]	those [ðəʊz]	
aɪ	eye [aɪ]	five [faɪv]	fly [flaɪ]	nine [naɪn]	
aʊ	cow [kaʊ]	how [haʊ]	mouse [maʊs]	house [haʊs]	
ɔɪ	boy [bɔɪ]	noise [nɔɪz]	oil [ɔɪl]	toy [tɔɪ]	
ɪə	dear [dɪə(r)]	ear [ɪə(r)]	here [hɪə(r)]	near [nɪə(r)]	
ɛə	care [kɛə(r)]	chair [tʃɛə(r)]	there [ðɛə(r)]	where [wɛə(r)]	
ʊə	boor [bʊə(r)]	moor [bʊə(r)]	poor [pʊə(r)]	sure [ʃʊə(r)]	

(semivocali)

w	win [wɪn]	wind [wɪnd]	woman [ˈwʊmən]	away [əˈweɪ]
j	year [jɪə(r)]	yes [jɛs]	yellow [ˈjɛləʊ]	you [juː]

(consonanti)

p	pen [pɛn]	pencil [pɛnsl]	pot [pɒt]	stop [stɒp]
b	boat [bəʊt]	book [bʊk]	boy [bɔɪ]	husband [ˈhʌzbənd]
t	table [teɪbl]	tree [triː]	train [treɪn]	pot [pɒt]
d	day [deɪ]	dog [dɒg]	door [dɔː(r)]	kind [kaɪnd]
k	car [kɑː(r)]	black [blæk]	cat [kæt]	clock [klɒk]
g	girl [gɜːl]	go [gəʊ]	good [gʊd]	egg [ɛg]
f	fish [fɪʃ]	floor [flɔː(r)]	foot [fʊt]	off [ɒf]
v	veil [veɪl]	very [ˈvɛrɪ]	vowel [vaʊəl]	seven [sɛvn]
θ	thank [θæŋk]	thick [θɪk]	thin [θɪn]	mouth [maʊθ]
ð	that [ðæt]	this [ðɪs]	then [ðɛn]	with [wɪð]
s	sit [sɪt]	sun [sʌn]	stone [stəʊn]	place [pleɪs]
z	zero [ˈzɪərəʊ]	zoo [zuː]	noise [nɔɪz]	pens [pɛnz]
ʃ	ship [ʃɪp]	shirt [ʃɜːt]	shoe [ʃuː]	fish [fɪʃ]
ʒ	leisure [ˈlɛʒə(r)]	measure [ˈmɛʒə(r)]	pleasure [ˈplɛʒə(r)]	treasure [ˈtrɛʒə(r)]
tʃ	chain [tʃeɪn]	chair [tʃɛə(r)]	chin [tʃɪn]	church [tʃɜːtʃ]
dʒ	jewel [ˈdʒuːəl]	jug [dʒʌg]	judge [dʒʌdʒ]	age [eɪdʒ]
h	hand [hænd]	head [hɛd]	hammer [ˈhæmə(r)]	hat [hæt]
m	man [mæn]	match [mætʃ]	mouth [maʊθ]	him [hɪm]
n	nail [neɪl]	name [neɪm]	nose [nəʊz]	pen [pɛn]
ŋ	king [kɪŋ]	ring [rɪŋ]	sing [sɪŋ]	song [sɒŋ]
r	rat [ræt]	room [ruːm]	very [ˈvɛrɪ]	around [əˈraʊnd]
l	leaf [liːf]	leg [lɛg]	full [fʊl]	pull [pʊl]
x[1]	loch [lɒx]	och [ɒx]	Buchan [ˈbʌxən]	

SEGNI

ˈ	(*accento alto*)	è l'accento tonico principale, e viene collocato prima della sillaba su cui cade;
ː	(*due punti*)	posti dopo il simbolo d'una vocale, indicano che essa è lunga;
(r)		posto in fine di parola, denota la presenza di una 'r' di collegamento;
˜	(*tilde*)	posto sopra una vocale, ne indica il suono nasale[2].

Note: [1] Questo suono si trova nelle parole gaeliche (irlandesi e scozzesi).

[2] I suoni nasali ricorrono soltanto in parole d'origine francese.

LA PRONUNCIA INGLESE E AMERICANA[1]
BRITISH AND AMERICAN PRONUNCIATION

1. -nu-, ne-, -du-, -tu-, -su-, ecc.

GB /njuː/, /djuː/, /tjuː/, /-zjuː-/
USA /nuː/, /duː/, /tuː/, /-zuː-/

new, nuclear, nude, due,
duty, stupid, tune, presume, ecc.

2. -t-, -tt-

GB /t/
USA flapped /t/[2]

city, atom, pretty, bottom, butter, ecc.

3. -ear-, -ir-, -or-, -ar-, -ar, -er, -or, ecc.
Nell'inglese americano la 'r' si pronuncia sempre dopo le vocali /ɑː/ e /ɜː/, e dopo la /ə/ finale, mentre in Inghilterra spesso viene trascurata.

GB /ɜː(r)/, /ɑː(r)/, /ə(r)/
USA /ɜːr/, /ɑːr/, /ər/

bird, earth, word, murder,
card, car, far, smart,
tower, writer, cover, motor, ecc.

4. -o-

GB /ɒ/
USA /ɑː/

bother, dog, God, top, ecc.

5. -a-, -au-

GB /ɑː/
USA /æ/

bath, dance, grass, laugh, ecc.

6. -ization

GB /-aɪ'zeɪʃn/
USA /-ɪ'zeɪʃn/

centralization, civilization, colonization, standardization, ecc.

7. -ory

GB /-rɪ/
USA /-ɔːrɪ/

dormitory, inventory, predatory, oratory, ecc.

8. -ary, -ery, -erry

GB /-rɪ/
USA /-ɛrɪ/

cemetery, missionary, strawberry, temporary, ecc.

9. Casi anomali

ballet /GB 'bæleɪ, USA bæl'eɪ/
Berkeley /GB 'bɑːklɪ, USA 'bɜːrklɪ/
Birmingham /GB 'bɜːmɪŋəm, USA 'bɜːrmɪŋhæm/
clerk /GB klɑːk, USA klɜːrk/
dahlia /GB 'deɪlɪə, USA 'dæljə/
depot /GB 'depəʊ, USA 'diːpəʊ/
derby /GB 'dɑːbɪ, USA 'dɜːrbɪ/
dynasty /GB 'dɪnəstɪ, USA 'daɪnəstɪ/
epoch /GB 'iːpɒk, USA 'ɛpək/
fracas /GB 'frækɑː, USA 'freɪkəs/
garage /GB 'gærɑːʒ, USA gə'rɑːdʒ/
herb /GB hɜːb, USA ɜːrb/
leisure /GB 'leʒə(r), USA 'liːʒər/
lever /GB 'liːvə(r), USA 'lɛvər/
lieutenant /GB lɛf'tɛnənt, USA luː'tɛnənt/
patronize /GB 'pætrənaɪz, USA 'peɪtrənaɪz/
predecessor /GB 'priːdɪsesə(r), USA 'prɛdəsɛsər/
premier /GB 'premɪə(r), USA prɪ'mɪr/
privacy /GB 'prɪvəsɪ, USA 'praɪvəsɪ/
rather /GB 'rɑːðə(r), USA 'ræðər/
schedule /GB 'ʃedjuːl, USA 'skedʒuːl/
sheik /GB ʃeɪk, USA ʃiːk/
simultaneous /GB sɪməl'teɪnɪəs, USA saɪməl'teɪnjəs/
tomato /GB tə'mɑːtəʊ, USA tə'meɪtəʊ/
vase /GB vɑːz, USA veɪz/
vitamin /GB 'vɪtəmɪn, USA 'vaɪtəmɪn/
z /GB zɛd, USA ziː/
zebra /GB 'zebrə, USA 'ziːbrə/
zenith /GB 'zɛnɪθ, USA 'ziːnɪθ/

Note: [1] Negli Stati Uniti e in Gran Bretagna si sentono una vasta gamma di pronunce diverse, e le varianti principali si sentono in entrambe le nazioni. Per motivi di spazio, il lemmario del dizionario privilegia la pronuncia inglese standard.
[2] flapped /t/, cioè la /t/ 'monovibrante', non è identica alla /d/ però si confonde spesso con quest'ultima.

AUTORI CITATI - *AUTHORS QUOTED*

Kingsley AMIS (1922-1995)
John ARDEN (1930-)
Wystan Hugh AUDEN (1907-1973)
Jane AUSTEN (1775-1817)
Francis BACON (1561-1626)
Elizabeth BARRETT BROWNING (1806-1861)
Samuel BECKETT (1906-1989)
Brendan BEHAN (1923-1964)
Saul BELLOW (1915-2005)
William BLAKE (1757-1827)
Robert BOLT (1924-1995)
Edward BOND (1934-)
Robert BROWNING (1812-1889)
Anthony BURGESS (1917-1993)
Robert BURNS (1759-1796)
William BURROUGHS (1914-1997)
George Gordon BYRON (1788-1824)
Truman CAPOTE (1924-1984)
Thomas CARLYLE (1795-1881)
Lewis CARROLL (1832-1898)
Raymond CHANDLER (1888-1959)
Agatha CHRISTIE (1890-1976)
Winston CHURCHILL (1874-1965)
James CLAVELL (1924-1994)
Samuel Taylor COLERIDGE (1772-1834)
Joseph CONRAD (1857-1924)
Gregory CORSO (1930-2001)
Stephen CRANE (1871-1900)
Walter DE LA MARE (1873-1956)
Emily DICKINSON (1830-1886)
John DONNE (1572-1631)
John DOS PASSOS (1896-1970)
Theodore DREISER (1871-1945)
Albert EINSTEIN (1879-1955)
Thomas Stearns ELIOT (1888-1965)
William FAULKNER (1897-1962)
Henry FIELDING (1707-1754)
Francis Scott FITZGERALD (1896-1940)
John FOWLES (1926-2005)
John GALSWORTHY (1867-1933)
Allen GINSBERG (1926-1997)
Robert GRAVES (1895-1985)
Thomas GRAY (1716-1771)
Graham GREENE (1904-1991)
Thomas HARDY (1840-1928)
Nathaniel HAWTHORNE (1804-1864)
Ernest HEMINGWAY (1899-1961)
Ted HUGHES (1930-1998)
Henry JAMES (1843-1916)
Samuel JOHNSON (1709-1784)
Ben JONSON (1572-1637)
James JOYCE (1882-1941)
John KEATS (1795-1821)
Rudyard KIPLING (1865-1936)
Charles LAMB (1775-1834)
Philip LARKIN (1922-1985)
David Herbert LAWRENCE (1885-1930)
Thomas Edward LAWRENCE (1888-1935)
Edward LEAR (1812-1888)

Doris LESSING (1919-)
Sinclair LEWIS (1885-1951)
Henry Wadsworth LONGFELLOW (1807-1882)
Norman MAILER (1923-2007)
Bernard MALAMUD (1914-1986)
Christopher MARLOWE (1564-1593)
John MASEFIELD (1878-1967)
Edgar Lee MASTERS (1869-1950)
Herman MELVILLE (1819-1891)
George MEREDITH (1828-1909)
Arthur MILLER (1915-2005)
John MILTON (1608-1674)
Vladimir NABOKOV (1899-1977)
Isaac NEWTON (1643-1727)
Eugene O'NEILL (1888-1953)
George ORWELL (1903-1950)
Samuel PEPYS (1633-1703)
Harold PINTER (1930-)
Edgar Allan POE (1809-1849)
Katherine Ann PORTER (1890-1980)
Mario PUZO (1920-1999)
Christina ROSSETTI (1830-1894)
Dante Gabriel ROSSETTI (1828-1882)
John RUSKIN (1819-1900)
Bertrand RUSSELL (1872-1970)
[Hector Hugh Munro] SAKI (1870-1916)
Jerome David SALINGER (1919-)
Carl SANDBURG (1878-1967)
William SAROYAN (1908-1981)
Walter SCOTT (1771-1832)
William SHAKESPEARE (1564-1616)
George Bernard SHAW (1856-1950)
Percy Bysshe SHELLEY (1792-1822)
Sir Philip SIDNEY (1554-1586)
Alan SILLITOE (1928-)
Muriel SPARK (1918-2006)
Herbert SPENCER (1820-1903)
Stephen SPENDER (1909-1995)
John STEINBECK (1902-1968)
Robert Louis STEVENSON (1850-1894)
Tom STOPPARD (1937-)
Jonathan SWIFT (1667-1745)
Algernon SWINBURNE (1837-1909)
Dylan Marlais THOMAS (1914-1953)
Mark TWAIN (1835-1910)
John Hoyer UPDIKE (1932-)
Evelyn WAUGH (1903-1966)
John WEBSTER (1570-1634)
Arnold WESKER (1932-)
Edith WHARTON (1862-1937)
Walt WHITMAN (1819-1892)
Oscar WILDE (1854-1900)
Thornton WILDER (1897-1975)
Tennessee WILLIAMS (1914-1983)
Pelham Grenville WODEHOUSE (1881-1975)
William WORDSWORTH (1770-1850)
Richard WRIGHT (1908-1960)
William Butler YEATS (1865-1939)

NOTE D'USO - *USAGE NOTES*

SEZIONE INGLESE-ITALIANO

a *o* an? → **a**
abbreviation → **to abbreviate**
abuse *o* misuse? → **to abuse**
to accept *o* to agree? → **to accept**
acronym
admission *o* admittance? → **admission**
adverse *o* averse? → **adverse**
to affect *o* to effect? → **to affect** ①
ago *o* before? → **ago**
alarm / allarme → **alarm**
all but → **all**
to allow
also / too → **also**
amend *o* emend? → **to amend**
amiable *o* amicable? → **amiable**
antique *o* ancient? → **antique**
any / some → **any**
anyone *o* any one? → **anyone**
appraise *o* apprise? → **to appraise**
around, round, *o* about? → **around**
artist *o* artiste? → **artist**
assassin, assassination, to assassinate → **assassin**
to assure, to ensure *o* to insure? → **to assure**
bail *o* bale? → **bail** ①
bath *o* bathe? → **bath**
begin, start *o* commence? → **to begin**
besides, except *o* apart from? → **besides**
biannual *o* biennial? → **biannual**
big, grand, great *o* large? → **big**
blend
to borrow *o* to lend? → **to borrow**
born *o* borne? → **born**
calendar, calender *o* colander? → **calendar**
callous *o* callus? → **callous**
can
can't help → **help**
canvas *o* canvass? → **canvas**
centre on *o* centre round? → **to centre**
chairman, chairwoman, *o* ...? → **chairman**
childish *o* childlike? → **childish**
classic *o* classical? → **classic**
cloth, clothes *o* clothing? → **cloth**
comparative
compare to *o* compare with? → **to compare**
complex *o* complicated? → **complex**
compounds → **compound** ①
compulsive *o* compulsory? → **compulsive**
conservatory / conservatorio → **conservatory**
contemptible *o* contemptuous? → **contemptible**
continual *o* continuous? → **continual**
could have → **could**
council *o* counsel? → **council**
to cultivate *o* to grow? → **to cultivate**
currant *o* current? → **currant**
to dare

to demand *o* to ask? → **to demand**
dependant, dependent → **dependant**
derisive *o* derisory? → **derisive**
diminutive, pejorative, terms of endearment → **diminutive**
discreet *o* discrete? → **discreet**
disinterested *o* uninterested? → **disinterested**
to divide in *o* to divide into → **to divide**
double negative → **negative** ①
draft *o* draught? → **draft**
due to *o* owing to? → **due** ①
e.g. *o* i.e.? → **e.g.**
each other *o* one another? → **each**
economic *o* economical? → **economic**
-ed *o* -t? → **participle**
elder *o* older? → **elder** ①
elicit *o* illicit? → **to elicit**
emotional *o* emotive? → **emotional**
engineer
enough
enquiry *o* inquiry; enquire *o* inquire? → **to inquire**
equable *o* equitable? → **equable**
fatal, fateful *o* mortal? → **fatal**
female *o* feminine? → **female**
fictional *o* fictitious? → **fictional**
to flaunt *o* to flout? → **to flaunt**
forever *o* for ever? → **forever**
to forget
fun *o* funny → **fun**
further *o* farther? → **further**
future
to give
go to / go and → **to go**
goodbye
graceful *o* gracious? → **graceful**
had better → **better** ①
handsome, pretty, beautiful → **handsome**
hanged *o* hung? → **to hang**
hardly
to have
to hear
hello
historic *o* historical? → **historic**
history *o* story? → **history**
hoard *o* horde? → **hoard**
home *o* house? → **home**
how ever *o* however; what ever *o* whatever? → **however**
human *o* humane? → **human**
if I were... *o* if I was...? → **to be**
illusion *o* delusion? → **illusion**
imaginary *o* imaginative? → **imaginary**
impracticable *o* impractical? → **impracticable**
instructional *o* instructive? → **instructional**
into *o* in to? → **into**
introductions → **introduction**
-ise *o* -ize? → **-ise**

it's o its? → **it** ①
lady o woman? → **lady**
to lay / to lie → **to lay**
less o fewer? → **less**
let's / let us → **to let**
licence o license? → **licence**
loath o loathe? → **loath**
to look forward to → **to look**
loose o lose? → **loose** ①
to make
male o masculine? → **male**
masterly o masterful? → **masterly**
may not → **may** ①
might o may? → **might** ①
to mind
momentary o momentous? → **momentary**
most
to need
next Tuesday → **Tuesday**
no sooner → **soon**
onto o on to? → **onto**
partially o partly? → **partial**
passive
practice o practise? → **practice**
prefer to o prefer than? → **to prefer**
present perfect / simple past → **present** ①
public, audience, spectators → **public**
quite
recover o re-cover? → **to recover**
to regret
regretful o regrettable? → **regretful**
to remember
restful, restive o restless? → **restful**
's: apostrofo e caso possessivo → **'s** ①
to say
scarcely
seasonable o seasonal? → **seasonable**
to see
sensible o sensitive? → **sensible**
shade o shadow? → **shade**
silicon o silicone? → **silicon**
slander o libel? → **slander**
sometime, sometimes o some time? → **sometime**
specially o especially? → **specially**
spelling
stationary o stationery? → **stationary**
staunch o stanch? → **to staunch**
to stop
straight o strait? → **straight**

subjunctive
to suggest
suit o suite? → **suit**
summon o summons? → **to summon**
sure to / sure that → **sure**
terrible o terrific? → **terrible**
to thank
they
thou
transverse o traverse? → **transverse**
triple o treble? → **triple**
to try
uncountable / countable → **uncountable**
unsociable o unsocial? → **unsociable**
up to o down to? → **up** ①
urban o urbane? → **urban**
used to → **to use**
vacant o vacuous? → **vacant**
vicious o viscous? → **vicious**
waive, waiver o waver? → **to waive**
wander o wonder? → **to wander**
weather, wether o whether? → **weather**
who o whom? → **who**
to wish
you o one? → **you**

SEZIONE ITALIANO-INGLESE

aiutare
arrivare
chi
come
da
diverso
entrambi
fa
già (yet / already) → **già**
inglese
Internet
lasciare
meno (less / fewer) → **meno**
molto
morire
nascere
pagare
per
perché
troppo
volere

NOTE DI CULTURA - *CULTURE NOTES*

NAZIONI - COUNTRIES

Britain
Cymru → **Wales**
Eire → **Ireland**
Great Britain → **great**
Ireland
Scotland
United Kingdom of Great Britain and Northern Ireland
→ **united**
Wales

SISTEMA SCOLASTICO - EDUCATION SYSTEM

A level
assignments
BA
Bachelor of Science → **BA**
college
Common Entrance → **preparatory**
comprehensive
eleven-plus → **eleven**
GCSE
grammar school → **grammar**
key stage → **key**
MA
Master of Arts, Master of Science → **MA**
Members of Parliament → **house**
Michaelmas term → **Michaelmas**
MSc → **MA**
O level
PhD
prep school → **preparatory**
public school → **public**
technical college → **technical**
tutor
university

FESTIVITÀ - PUBLIC HOLIDAYS

Admission Day → **admission**
Arbor Day
Armistice Day
bank holiday → **bank**
Bonfire Night → **guy**
Boxing Day
Christmas Day → **bank**
Dame → **pantomime**
Easter Monday → **bank**
Fourth of July → **fourth**
Good Friday → **bank**
Guy Fawkes Night → **guy**
Halloween
Independence Day → **fourth**
Kwanzaa
Labor Day → **labour**
Lady Day → **quarter**
maundy
May Day → **May**

Memorial Day → **memorial**
Michaelmas
Midsummer Day → **quarter**
New Year's Day → **bank**
pantomime
Poppy Day → **remembrance**
principal boy → **pantomime**
Quarter Days → **quarter**
Remembrance Day → **remembrance**
Samhain → **Halloween**
spring bank holiday → **bank**
summer bank holiday → **bank**
thanksgiving
Trick or treat? → **Halloween**
Veterans Day → **veteran**

ISTITUZIONI GOVERNATIVE E GIURIDICHE - GOVERNMENT AND LAW

Acts of Parliament → **act**
Assizes → **assize**
attorney
backbench
Bank of England → **city**
barrister
Big Ben → **big**
boroughs → **great**
cabinet
certiorari
Chancellor of the Exchequer → **chancellor**
Chancery Division → **chancery**
checks and balances → **check**
The City → **city**
clerk to the justices → **clerk**
common law → **common**
commonwealth
congress
Conservative Party → **Tory**
constitution
contempt of court → **contempt**
conveyancing → **solicitor**
coroner
council house → **council**
county
Court of Appeal → **court**
Crown Court → **supreme**
department
district attorney → **attorney**
Election Day → **election**
equity
Exchequer
Family Division → **chancery**
Greater London → **great**
habeas corpus
High Court of Justice → **supreme**
honourable
Horse Guards Parade → **to troop**
House of Commons → **parliament**

14

House of Lords → **parliament**
House of Representatives → **congress**
Houses of Parliament → **parliament**
Law Officer → **solicitor**
lawyer
Liberal Party → **Whig**
Lord → **house**
Maundy money → **Maundy**
Ministry → **department**
monarchy
MP → **house**
notary
office
parliament
Queen's Bench Division → **chancery**
Representatives → **congress**
Right Honourable → **honourable**
Royal Maundy → **Maundy**
royal prerogatives → **monarchy**
rule of law → **constitution**
Senate
Shadow Cabinet → **shadow**
solicitor
Solicitor General → **solicitor**
Speaker → **house**
state attorney → **attorney**
State Department → **department**
statute law → **statute**
Supreme Court → **supreme**
tenancy
three strikes and you're out → **strike**
Tory
trooping the colour → **to troop**
trust → **chancery**
vote-swapping → **vote swap**
Welsh Assembly → **Wales**
Whig
whip

STORIA E CULTURA - HISTORY AND CULTURE

aborigine
Act of Supremacy → **act**
Act of Union → **act**
allotment
Authorized Version → **authorized**
Bill of Rights → **constitution**
Black and Tans → **black**
Bloody Sunday → **bloody**
Book of Common Prayer → **book**
Church of England → **church**
Church of Scotland → **church**
Cinque Ports
commonwealth
D-Day
Declaration of Independence → **declaration**
Domesday Book
driving
East End → **east**

Enclosure Acts → **enclosure**
Good Friday Agreement → **Friday**
Great Fire of London → **great**
High Church → **church**
IRA, Irish Republican Army → **Sinn Fein**
jabberwocky
the Kirk → **church**
Land of Hope and Glory → **promenade**
London Bridge → **great**
King James Bible → **authorized**
kingmaker
Last Night of the Proms → **promenade**
Low Church → **church**
Magna Carta
The Monument → **great**
nonsense
poet laureate → **laureate**
Prince of Wales → **Wales**
Pudding Lane → **great**
the Raj
runcible spoon
Sinn Fein
War of the Roses → **rose**
West End → **east**
Yahoo

LINGUA - LANGUAGE

Anglo-Saxon
basic English → **basic**
BBC English → **BBC**
Cockney
Cymraeg → **Welsh**
English
Gaelic
Irish Gaelic → **Gaelic**
Manx Gaelic → **Gaelic**
Norman French → **Norman**
Old English → **Anglo-Saxon**
pidgin
Scottish Gaelic → **Gaelic**
split infinitive → **split**
Welsh

SPORT - SPORT

Boat Race → **boat**
Grand National → **grand**
Super Bowl → **super**
The Ashes → **ash**

TITOLI - TITLES

Miss
Miss/Mrs → **Ms**
Most Honourable → **honourable**
Ms

PESI E MISURE - WEIGHTS AND MEASURES

avoirdupois
pint
scala

Inglese • Italiano
English • Italian

a, A

A ①, **a** /eɪ/ **A** n. (pl. **A's**, **a's**; **As**, **as**) **1** A, a (*prima lettera dell'alfabeto ingl.*) **2** (**A**) (*mus.*) la (*nota e tonalità*): **A flat**, la bemolle **3** (**A**) (*a scuola*) voto massimo; «ottimo»; A **4** (**A**) (*comput.*) A (*corrisponde al valore decimale 10*) **B** a. attr. **1** (**A**) primo; di primo livello: (*trasp.*, *in GB*) **A-road**, strada statale **2** (**A**) più importante; di serie A: (*mus.*) **A-side**, lato A (*di un disco singolo*) ; **the A list**, le persone più importanti; i vip ● **a for Alpha**, a come Ancona □ (*moda*) **A-line**, a trapezio; svasato □ (*fam.*) **A1**, (agg.) ottimo, eccellente, in ottime condizioni; al cento per cento; (avv.) assolutamente, al cento per cento: **an A1 job**, un lavoro eccellente; **A1 safe**, sicuro al cento per cento □ **A-shape**, forma ad A □ A **sizes (A0,..., A10)**, serie di formati standard per la carta □ **A to Z**, stradario (*di città*); (*anche*) manuale completo, guida □ **from A to B**, da un punto all'altro □ **from A to Z**, dall'A alla Z.

A ② sigla **1** (**carte**, **ace**) asso **2** (**answer**) risposta **3** (*fam.*) □ **A level**.

●**a** /eɪ, ə/, **an** /æn, ən/ art. indeterm. (**an** è usato davanti a parola con suono iniziale vocalico) **1** (davanti a nome di persona o cosa indeterminata o non precedentemente specificata) un, uno, una: *I can see a boy, an ass and a horse*, vedo un ragazzo, un asino e un cavallo; **a ewe**, una pecora; **a university**, un'università; **a one-legged man**, un uomo con una gamba sola; **an SOS**, un SOS; **a jewel**, una gemma; **an honest man**, un uomo onesto; **an heir**, un erede; **a young girl**, una ragazzina **2** (davanti a termine «uncountable» accompagnato da aggettivo o loc. descrittiva) un, uno, una (*o idiom.*): **a sudden faintness**, una debolezza improvvisa; **a reluctance to speak**, una riluttanza a parlare **3** (davanti a nome di persona o cosa considerata come elemento rappresentativo di una classe) il, lo, la; i, gli, le (pl.): *A dog is an animal*, il cane è un animale; *A computer can only do what it is programmed to do*, i computer possono fare solo quello per cui sono programmati; **to smoke a pipe**, fumare la pipa; *I got you an Independent, they'd sold out of the Guardian*, ti ho preso l'Independent, il Guardian era finito **4** (davanti a nome proprio) un certo; un tale: *Mark, there's a Dave Fox on the phone for you*, Mark, c'è un certo Dave Fox al telefono per te **5** (davanti a nome proprio di persona nota) un, uno, una (*o idiom.*): *He thinks he's a Picasso*, si crede (un) Picasso **6** (davanti a termini indicanti misura) un, uno, una: **a dozen eggs**, una dozzina di uova; **a quarter of a loaf**, un quarto di pagnotta; **a hundred**, cento **7** (*rif. a prezzo, frequenza, ecc.*) al, allo, alla; per: **70 miles an hour**, 70 miglia all'ora; *It costs 6p a kilo*, costa sei pence al kilo; **twice a week**, due volte alla settimana **8** medesimo; stesso: *They are of an age [of a size]*, sono della stessa età [delle stesse dimensioni] **9** (idiom.) – **a few tools**, alcuni arnesi; **a great** (*o a good*) **many presents**, moltissimi regali; **what a shame!**, che peccato!; **what a disgrace!**, che vergogna!; (*lett.*) **many a man**, parecchi uomini; *He is a doctor*, è dottore; fa il medico; **to take a wife**, prendere moglie; **Devil of a man!**, diavolo d'uomo!

---

❶ NOTA: *a* o *an*?
In termini generali l'articolo *a* viene usato davanti alle consonanti e *an* davanti alle vocali: *a book, a pen; a member of parliament; an elephant; an opportunity.* Attenzione: con consonante e vocale ci si riferisce in questo caso a suoni, non a lettere. Alcune parole, come *European*, iniziano con lo stesso suono della parola *you*, mentre la parola *one* si pronuncia come se iniziasse per *w-*; in entrambi i casi si usa *a* invece di *an*: *a European, a one man band*. Allo stesso modo, si dice *an MA* (*Master of Arts*, laurea di secondo grado), non *a MA*, perché inizia con il suono *em* (→ **abbreviation, acronym**, per indicazioni sulla pronuncia delle sigle inglesi)

à /ə/ prep. (*arc.*) da: *St. Thomas à Becket*, San Tommaso da Becket.

A. abbr. **1** (**academician**) accademico **2** (**academy**) accademia **3** (*mus.*, **alto**) (A) **4** (**American**) americano **5** (**associate**) associato **6** (**Australian**) australiano.

a. abbr. **1** (**acreage**) dimensione in acri (*di un terreno*) **2** (*mus.*, **alto**) (A) **3** (*sport*, *ecc.*, **amateur**) dilettante **4** (**answer**) risposta **5** (*orari*, **arrives**) arrivo (a.).

@ /æt/ sigla (**at**) **1** (*comput.*) @ (*simbolo che separa il nome di account e di dominio negli indirizzi di e-mail*) **2** (*comm.*) a; al prezzo di: *Ten apples @ 20p each*, dieci mele a venti pence ciascuna.

AA sigla **1** (**Alcoholics Anonymous**) Alcolisti Anonimi (*associazione per il recupero dall'alcolismo*) **2** (**GB**, **Automobile Association**) Automobile Club (*cfr. ital. ACI*) **3** (*batteria*, **AA Size**), formato stilo.

AAA sigla **1** (**GB**, **Amateur Athletic Association**) Associazione dell'atletica dilettantistica **2** (**American** (o **Australian**) **Automobile Association**) Automobile Club d'America (o d'Australia) **3** (*batteria*, **AAA Size**), formato ministilo.

AAAS sigla (**American Association for the Advancement of Science**) Associazione americana per il progresso delle scienze.

AAD sigla (**analogue, analogue, digital**) registrazione analogica, editing analogico, masterizzazione digitale (*di un CD*).

AAMOF sigla (*Internet*, *telef.*, **as a matter of fact**) effettivamente; in effetti; per la verità.

A&E sigla (*med.*, **Accident and Emergency**) pronto soccorso (*reparto ospedaliero*) (PS).

A&R sigla (*mus.*, **Artists & Repertoire**), «talent scout» discografico.

aardvark /ˈɑːdvɑːk/ n. (*zool.*, *Orycteropus afer*) oritteropo.

aardwolf /ˈɑːdwʊlf/ n. (pl. **aardwolves**) (*zool.*, *Proteles cristatus*) protele crestato.

Aaron /ˈɛərən/ n. (*Bibbia*) Aronne ● **A.'s beard** (*bot.*, *Hypericum calycinum*) iperico **2** **A.'s rod**, (*Bibbia*) la verga d'Aronne; (*bot.*, *Verbascum thapsus*) tassobarbasso, verbasco, verga d'oro.

AARP sigla (*USA*, **American Association of Retired Persons**) Associazione Pensionati d'America.

AAV sigla (*biol.*, **adeno-associated virus**), virus adeno-associato.

AB sigla **1** (*marina mil.*, *in GB* **able seaman**) comune di 1ª classe **2** (*Canada*, **Alberta**) Alberta **3** (*lat.*: *Artium Baccalaureus*) (*USA*, **Bachelor of Arts**) laureato in lettere (*laurea di 1º grado*).

ABA sigla **1** (*GB*, **Amateur Boxing Association**) Associazione del pugilato dilettantistico **2** (*USA*, **American Bar Association**) Associazione forense americana **3** (*USA*, **American Booksellers Association**) Associazione dei librai americani.

aback /əˈbæk/ avv. **1** (*naut.*, *di vela*) accollo, a collo **2** (*arc.*) dietro; di dietro; all'indietro ● **to take sb. a.**, sorprendere q.; cogliere q. di sorpresa.

abacus /ˈæbəkəs/ n. (pl. **abaci**, **abacuses**) **1** abaco, abbaco; pallottoliere **2** (*archit.*) abaco.

abaft /əˈbɑːft/ avv. e prep. (*naut.*) a poppa; verso poppa; a poppavia: **a. the beam**, a poppavia del traverso.

abalone /æbəˈləʊni/ n. (*zool.*, *Haliotis tuberculata*) orecchia di mare.

abandon /əˈbændən/ n. Ⓤ entusiasmo sfrenato; sfrenatezza; trasporto; abbandono: **with gay a.**, entusiasticamente; sfrenatamente.

◆**to abandon** /əˈbændən/ v. t. **1** abbandonare; lasciare: *He abandoned his wife and children*, lasciò la moglie e i figli; *We had to a. our car and continue on foot*, fummo costretti ad abbandonare l'auto e continuare a piedi; (*naut.*) **to a. ship**, abbandonare la nave; **to a. sb. to his fate**, lasciare q. al suo destino **2** lasciare; rinunciare a; abbandonare: **to a. all hope**, lasciare ogni speranza; **to a. a plan**, rinunciare a un progetto; **to a. the search**, abbandonare le ricerche; (*sport*) **to a. a race**, abbandonare una corsa **3** (*sport*) sospendere (*una partita, ecc.*) **4** (*leg.*) desistere da (*un'azione giudiziaria*): **to a. prosecution**, desistere da un'azione ● **to a. oneself (to)**, abbandonarsi (a); lasciarsi andare (a): **to a. oneself to despair**, abbandonarsi alla disperazione.

◆**abandoned** /əˈbændənd/ a. **1** abbandonato: **a. children**, bambini abbandonati; **an a. house**, una casa abbandonata **2** entusiastico; sfrenato **3** (*spreg.*) senza ritegno; dissoluto.

abandonment /əˈbændənmənt/ n. Ⓤ **1** (*anche leg.*, *ass.*, *naut.*) abbandono: **a sense of a.** un senso di abbandono; (*leg.*) **child a.**, abbandono di minore **2** abbandono; rinuncia: **the a. of one's principles**, la rinuncia ai propri principi **3** (*leg.*) rinuncia; desistenza; recesso: **a. of action**, desistenza da un'azione; **a. of appeal**, rinuncia all'appello; **a. of contract**, recesso unilaterale dal contratto **4** → **abandon**.

abandonware /əˈbændənwɛə(r)/ n. Ⓤ (*comput.*) abandonware, software fuori mercato.

to abase /əˈbeɪs/ v. t. **1** abbassare; umiliare: *God abases the proud*, Dio abbassa i superbi **2** degradare ● **to a. oneself**, abbassarsi; umiliarsi; degradarsi: *He abased himself so far as to beg*, si abbassò fino al pun-

a

to di elemosinare ‖ **abasement** n. ▣ **1** umiliazione; mortificazione **2** degradazione.

to **abash** /ə'bæʃ/ v. t. confondere; imbarazzare; turbare ‖ **abashed** a. confuso; imbarazzato; turbato ‖ **abashment** n. ▣ confusione; imbarazzo; turbamento.

to **abate** /ə'beɪt/ **A** v. t. **1** abbassare; ribassare; diminuire; ridurre; calare: **to a. prices**, ribassare (o calare) i prezzi **2** alleviare; lenire; mitigare: *The pills will a. your pain*, le pillole ti allevieranno il dolore **3** por fine a, far cessare, eliminare, sopprimere: *We must a. air pollution*, dobbiamo eliminare l'inquinamento atmosferico **4** (*comm.*) defalcare; detrarre **5** (*fin.*) abbattere, ridurre (*un'imposta*) **6** (*leg.*) annullare; estinguere; eliminare **7** (*tecn.*) ribassare, sgrossare (*un pezzo, ecc.*) **B** v. i. **1** diminuire, ridursi, indebolirsi **2** (*del vento, ecc.*) calmarsi, placarsi **3** (*delle acque di piena, ecc.*) abbassarsi; calare di livello **4** (*leg.*: *di un appello, ecc.*) perdere validità; diventare nullo **5** (*leg.*: *di un lascito, ecc.*) ridursi.

abatement /ə'beɪtmənt/ n. ▣ **1** diminuzione, riduzione; calo, ribasso, riduzione (*di prezzi, ecc.*) **2** (*del vento, ecc.*) il calmarsi, il placarsi **3** (*delle acque, ecc.*) abbassamento **4** (*di un dolore, ecc.*) alleviamento; lenimento **5** eliminazione, soppressione: **a barrier for the a. of the noise of railway traffic**, una barriera per l'eliminazione del rumore del traffico ferroviario **6** (*comm.*) abbuono; defalcazione; detrazione **7** (*fin.*) abbattimento, riduzione (*di un'imposta, ecc.*) **8** (*leg.*) annullamento; estinzione; riduzione: **a. at law**, annullamento di una causa; **a. of a gift**, riduzione di una donazione **9** (*tecn.*) sgrosso ● (*leg.*) **a. of a nuisance**, eliminazione unilaterale di una molestia □ (*fin.*) **tax a.**, sgravio fiscale.

abatis /'æbətɪs/ n. (pl. **abatis**, **abatises**) (*mil.*) abbattuta.

abattoir /'æbətwɑː(r)/ (*franc.*) n. macello; mattatoio.

abaxial /æb'æksɪəl/ a. (*bot.*) abassiale.

abb /æb/ n. (*ind. tess.*) **1** trama **2** ▣ lana di qualità scadente.

abbacy /'æbəsɪ/ n. abbazia (*titolo e beneficio ecclesiastico*).

abbatial /ə'beɪʃəl/ a. (*relig.*) abbaziale; badiale (*lett.*).

abbess /'æbɪs/ n. (*relig.*) badessa.

abbey /'æbɪ/ n. **1** abbazia; badia **2** chiesa.

abbot /'æbət/ n. (*relig.*) abate.

abbr., **abbrev.** abbr. **1** (**abbreviated**) abbreviato **2** (**abbreviation**) abbreviazione (abbr.).

to **abbreviate** /ə'briːvɪeɪt/ v. t. abbreviare ‖ **abbreviated** a. abbreviato; accorciato; ridotto (*di una parola, ecc.*) ‖ **abbreviation** n. ▣◌ abbreviazione ‖ **abbreviator** n. (*stor.*) abbreviatore.

🛈 **NOTA**: *abbreviation*

Bisogna scrivere *Mr.* o *Mr*? Nell'uso britannico il punto si tralascia quando l'abbreviazione finisce con l'ultima lettera della parola nella sua forma estesa, non abbreviata: ad esempio *Mr* (da *Mister*), *Dr* (da *Doctor*), *St* (da *Street* o *Saint*). Al contrario, il punto si conserva quando l'ultima lettera dell'abbreviazione non è l'ultima lettera della parola nella sua forma estesa: ad esempio *Capt.* (da *Captain*), *Rev.* (da *Reverend*), *anon.* (da *anonymous*). La parola abbreviata viene pronunciata per esteso: "Mister" (*Mr*) "Doctor" (*Dr*) (→ **acronym**).

ABC① /ˌeɪbiː'siː/ n. ▣ **1** (*USA* **ABCs**, pl.) alfabeto; abbiccì: **to learn one's ABC**, imparare l'alfabeto **2** (*USA* **ABCs**, pl.) nozioni (pl.) basilari; fondamenti (pl.); abbiccì **3** guida (*alfabetica*); dizionario ● (*fam.*) **as easy as ABC**, facilissimo.

ABC② sigla **1** (*USA*, **American Broad-**

casting Company), Società americana di radiodiffusione **2** (**ABC Islands**) (**Aruba, Bonaire, Curaçao**) Aruba, Bonaire, Curaçao (*Antille Olandesi*) **3** (**Australian Broadcasting Corporation**; fino al 1983, **Australian Broadcasting Commission**) Ente radiotelevisivo australiano.

to **abdicate** /'æbdɪkeɪt/ **A** v. t. abdicare a; rinunciare a: **to a. the throne**, abdicare al trono **B** v. i. abdicare ‖ **abdication** n. ▣ abdicazione ‖ **abdicator** n. chi abdica.

abdomen /'æbdəmən/ (*anat.*) n. addome ‖ **abdominal** a. addominale.

abducens /æb'djuːsəns, *USA* -'duː-/ n. (pl. **abducentes**, **abducenses**) (*anat.*, = **a. nerve**) nervo abducente.

abducent /æb'djuːsnt, *USA* -'duː-/ a. (*fisiol.*) abducente.

to **abduct** /æb'dʌkt/ v. t. **1** rapire **2** (*fisiol.*) abdurre ‖ **abduction** n. ▣◌ **1** (*leg.*) rapimento **2** (*fisiol.*) abduzione ‖ **abductee** n. persona rapita; rapito ‖ **abductor** n. **1** rapitore **2** (*anat.*) abduttore.

abeam /ə'biːm/ avv. (*naut.*) al traverso: **a. of**, al traverso di.

abecedarian /ˌeɪbiːsiː'dɛərɪən/ **A** a. **1** ordinato alfabeticamente **2** (*fig.*) elementare **B** n. (*USA*) **1** scolaro che impara l'alfabeto **2** maestro elementare **3** (*fig.*) principiante.

abed /ə'bɛd/ avv. (*lett.*) a letto; sul letto.

Abel /'eɪbl/ n. Abele.

abele /ə'biːl/ n. (*bot.*, *Populus alba*) pioppo bianco; gattice.

abelmosk /'eɪbəlmɒsk/ n. (*bot.*, *Hibiscus abelmoschus*) abelmosco; ambretta.

Aberdonian /ˌæbə'dəʊnɪən/ **A** a. di Aberdeen **B** n. abitante (*o nativo*) di Aberdeen.

aberrant /æ'bɛrənt/ a. **1** (*zool.*, *bot.*) aberrante; atipico **2** aberrante, anormale ‖ **aberrance**, **aberrancy** n. ▣ aberrazione; deviazione (*dalla normalità*).

aberration /ˌæbə'reɪʃn/ n. ▣◌ **1** aberrazione; deviazione dalla norma; anomalia: **mental a.**, aberrazione mentale **2** (*scient.*) aberrazione: (*biol.*) **chromosome a.**, aberrazione cromosomica; (*astron.*) **diurnal a.**, aberrazione diurna; (*fis.*) **optical a.**, aberrazione ottica.

to **abet** /ə'bɛt/ v. t. **1** appoggiare; spalleggiare (*spec. in attività illecite*) **2** (*leg.*) istigare, rendersi complice di (*un delitto*) ‖ **abetment** n. ▣ (*leg.*) favoreggiamento; complicità ‖ **abetter**, **abettor** n. favoreggiatore; complice ‖ **abetting** n. ▣ (*leg.*) istigazione; favoreggiamento.

abeyance /ə'beɪəns/ n. ▣ (*leg.*) **1** sospensiva (*di legge, regolamento*): *This law is in (o has fallen into) a.*, questa legge è in sospensiva **2** quiescenza **3** vacanza (*di eredità*) ● (*fig.*) **to be in a.**, essere messo da parte; essere lettera morta.

to **abhor** /əb'hɔː(r)/ v. t. aborrire; detestare; non poter soffrire (*fam.*).

abhorrence /əb'hɒrəns/ n. ▣ aborrimento; avversione; ripugnanza.

abhorrent /əb'hɒrənt/ a. **1** contrario (a); incompatibile (con); alieno (da): *Violence is a. to my principles*, la violenza è contraria ai miei principi **2** detestabile; disgustoso; odioso; ripugnante.

abidance /ə'baɪdns/ n. ▣ osservanza; rispetto (*di una norma, una legge, ecc.*).

to **abide** /ə'baɪd/ (pass. e p. p. **abided**, **abode**), **A** v. t. (in frasi neg. e interr.) sopportare; tollerare; soffrire: *I can't a. noisy people*, non sopporto la gente rumorosa; *I can't a. him*, non lo posso soffrire **B** v. i. **1** (*di impressione, ricordo, ecc.*) durare; persistere; perdurare **2** (*arc.*) abitare; dimorare **3** (*arc.*) attendere.

■ **abide by** v. i. + prep. **1** osservare; rispet-

tare; attenersi a; mantenere: **to a. by the law**, osservare la legge; **to a. by a decision**, rispettare una decisione: **to a. by one's promise**, mantenere la promessa fatta **2** accettare: **to a. by the consequences of one's actions**, accettare le conseguenze delle proprie azioni.

abiding /ə'baɪdɪŋ/ a. **1** durevole; duraturo **2** costante; persistente.

Abigail /'æbɪgeɪl/ n. Abigail, Abigaille.

◆**ability** /ə'bɪlɪtɪ/ n. ▣◌ **1** capacità: **the a. to run a business**, la capacità di gestire un'impresa; **mental abilities**, capacità intellettuali; **reading a.**, capacità di lettura; il saper leggere; **a. to pay**, solvibilità; (*fisc.*) capacità contributiva **2** abilità; capacità; bravura: (al pl.) talento (sing.), doti: **an outstanding a. with figures**, una straordinaria bravura con i numeri; **creative abilities**, talento creativo; doti creative; **of proven a.**, di provata capacità ● **a. test**, test attitudinale □ **to the best of one's a.**, al meglio della propria capacità; facendo del proprio meglio.

abiogenesis /ˌeɪbaɪəʊ'dʒɛnəsɪs/ (*biol.*) n. ▣ abiogenesi ‖ **abiogenic** a. abiogenetico.

abiotic /ˌeɪbaɪ'ɒtɪk/ a. (*biol.*) abiotico.

abject /'æbdʒɛkt/ a. **1** miserevole; estremo; totale; assoluto: **a. failure**, miserevole fallimento; fallimento totale; **a. poverty**, estrema povertà; miseria nera; **a. victims**, miserevoli vittime; **in a. despair**, nella più assoluta disperazione **2** meschino; umilissimo: **an a. apology**, umilissime scuse **3** abietto; spregevole; miserabile; vile: **a. cowardice**, spregevole vigliaccheria ‖ **abjection**, **abjectness** n. ▣ **1** degradazione **2** abiezione ‖ **abjectly** avv. **1** miserevolmente **2** umilmente **3** in modo abietto; spregevolmente.

abjuration /ˌæbdʒʊ'reɪʃn/ n. ▣ **1** abiura **2** ritrattazione.

to **abjure** /æb'dʒʊə(r)/ v. t. **1** abiurare **2** ritrattare; ripudiare.

to **ablate** /æb'leɪt/ v. t. **1** (*med.*) asportare **2** (*scient.*) asportare mediante ablazione.

ablation /æb'leɪʃn/ n. ▣ **1** (*scient.*) ablazione **2** (*med.*) asportazione ● (*geol.*) **a. moraine**, morena d'ablazione.

ablative① /'æblətɪv/ a. e n. (*gramm.*) ablativo.

ablative② /æ'bleɪtɪv/ a. (*scient.*, *tecn.*) ablativo: **a. material**, materiale ablativo ● (*aeron.*) **a. shielding**, scudo ad ablazione; scudo termico.

ablaut /'æblaʊt/ (*ted.*) n. (*ling.*) apofonia.

ablaze /ə'bleɪz/ a. pred. e avv. **1** in fiamme **2** (*fig.*) fiammeggiante; splendente: *The Christmas tree was a. with lights*, l'albero di Natale era splendente di luci **3** (*fig.*) acceso; infervorato: *His face was a. with enthusiasm*, il suo viso era acceso d'entusiasmo.

◆**able** /'eɪbl/ a. **1** (pred., seguito da inf.) capace (di); in grado (di); che riesce (a); che può; che sa: *He is a. to look after himself*, è in grado di (o può) badare a se stesso; **to be a. to meet one's obligations**, essere in grado di far fronte ai propri impegni; *She's better a. to cope with such situations than I am*, sa affrontare situazioni simili meglio di me; *Will you be a. to come?*, potrai venire? **2** abile; capace; bravo; competente: **an a. teacher**, un bravo insegnante ● **a.-bodied**, sano e robusto; di sana costituzione; sano; privo di handicap □ (*marina mercantile, spec. USA*) **a.-bodied seaman**, marinaio scelto □ **a. seaman**, (*marina mercantile*) marinaio scelto; (*marina mil.*, *in GB*) comune di 1ª classe.

abled /'eɪbld/ a. privo di handicap; non disabile ● (*eufem.*) **differently a.**, disabile ‖ **ableism** n. ▣ discriminazione a favore dei non disabili.

abloom /ə'bluːm/ a. pred. e avv. (lett.) fiorito; in fiore.

ablush /ə'blʌʃ/ a. pred. e avv. (lett.) soffuso di rossore.

ablution /ə'bluːʃn/ n. abluzione.

ably /'eɪblɪ/ avv. con grande competenza; abilmente; con efficienza.

to **abnegate** /'æbnɪgeɪt/ v. t. (raro) 1 negarsi (qc.); rinunciare a 2 abiurare; rinnegare.

abnegation /æbnɪ'geɪʃn/ n. ◨ 1 rinuncia 2 (= self-a.) abnegazione; spirito di sacrificio 3 abiura.

abnormal /æb'nɔːml/ a. 1 anormale 2 (fig.) eccessivo ● (psic.) a. behaviour, comportamento anomalo □ (econ.) a. profit, extraprofitto □ (fin.) a. returns, rendimenti superiori alla media di mercato ‖ abnormality n. ◱◱ anormalità; anomalia ‖ abnormally avv. in modo anormale.

abo /'æbəʊ/ n. e a. (spreg., Austral.) aborigeno.

aboard /ə'bɔːd/ (naut., aeron.) Ⓐ avv. a bordo: to go a., salire a bordo; imbarcarsi; to take a., prendere a bordo; imbarcare Ⓑ prep. a bordo di: a. the «Queen Mary», a bordo della «Queen Mary» ● All a.!, (naut.) tutti a bordo!; (ferr.) in carrozza!, in vettura!

abode ① /ə'bəʊd/ n. 1 (lett., form. o leg.) dimora: of (o with) no fixed a., senza fissa dimora 2 ◨ (form.) residenza: place of a., luogo di residenza; right of a., diritto di residenza.

abode ② /ə'bəʊd/ pass. e p. p. di to abide.

aboil /ə'bɔɪl/ Ⓐ avv. in bollore Ⓑ a. pred. (lett.) bollente.

to **abolish** /ə'bɒlɪʃ/ v. t. abolire: to a. a customs duty, abolire un dazio doganale.

abolition /æbə'lɪʃn/ n. abolizione ‖ abolitionist n. e a. abolizionista (spec. con riferimento alla pena capitale o, stor., alla schiavitù) ‖ abolitionism n. ◨ abolizionismo.

abomasum /æbəʊ'meɪsəm/ (lat.) n. (pl. abomasa, abomasums) (zool.) abomaso.

A-bomb /'eɪbɒm/ n. (abbr. di atom bomb) bomba atomica.

abominable /ə'bɒmɪnəbl/ a. 1 abominevole; detestabile; odioso; obbrobrioso 2 (fam.) pessimo; orribile: an a. dinner, un pranzo pessimo; a. taste, pessimo gusto; a. weather, tempo orribile; tempo da lupi ● the A. Snowman, l'abominevole uomo delle nevi ‖ -bly avv.

to **abominate** /ə'bɒmɪneɪt/ v. t. 1 abominare; aborrire 2 (fam.) detestare; non poter soffrire.

abomination /əbɒmɪ'neɪʃn/ n. 1 ◨ abominazione; aborrimento; abominio 2 ◨ (fam.) ripugnanza; disgusto 3 infamia; obbrobrio ● an a. before God, una cosa che grida vendetta al cospetto di Dio □ to hold st. in a., aborrire qc.

aborigine /æbə'rɪdʒənɪ/ n. 1 aborigeno; indigeno 2 – A., aborigeno australiano

❶ CULTURA • **aborigine**: si stima che il numero degli abitanti indigeni dell'Australia all'arrivo della prima flotta inglese nel 1788, data storica dell'inizio della colonizzazione britannica, fosse tra i 200.000 e il mezzo milione. Nonostante ciò, al continente fu attribuito lo status giuridico di «terra nullius» («terra di nessuno»). La popolazione odierna non supera le 400 000 unità, mentre la popolazione totale dell'Australia è di circa 20 milioni ‖ **aboriginal** Ⓐ a. 1 aborigeno; indigeno; autoctono 2 – Aboriginal, aborigeno australiano Ⓑ n. 1 aborigeno; indigeno 2 – Aboriginal, aborigeno australiano 3 ◨ – Aboriginal, lingua aborigena australiana ‖ Aboriginality n. ◨ caratteristiche (pl.) o qualità (pl.) aborigene (spec. degli aborigeni australiani).

abort /ə'bɔːt/ n. (aeron., miss.) interru-

zione (di una missione, di un lancio); lancio fallito; missione fallita 2 (fam.) interruzione (di un'impresa, ecc.); (per estens.) impresa fallita, fallimento 3 (comput.) arresto, interruzione (di un programma).

to **abort** /ə'bɔːt/ Ⓐ v. i. 1 (biol.) abortire; avere un aborto 2 (biol.) atrofizzarsi; arrestarsi nello sviluppo 3 (aeron., miss.) interrompere una missione, un lancio, ecc. Ⓑ v. t. 1 (biol.) abortire; interrompere (una gravidanza); fare abortire: to a. a baby, interrompere una gravidanza; abortire; fare abortire una donna 2 (aeron., miss.) interrompere, far fallire (una missione, un volo) 3 interrompere; sospendere; annullare; cancellare: to a. an advertising campaign, sospendere una campagna pubblicitaria 4 (comput.) interrompere (l'esecuzione di un programma): to a. a print job, interrompere una stampa.

abortifacient /əbɔːtɪ'feɪʃnt/ a. e n. (med.) abortivo.

◆**abortion** /ə'bɔːʃn/ n. 1 ◱◱ interruzione (spec. volontaria) della gravidanza; aborto: induced a., aborto terapeutico; spontaneous a., aborto spontaneo; to legalize a., legalizzare l'aborto; to perform an a., praticare un aborto 2 (biol.) mancato sviluppo; atrofizzazione 3 piano fallito; fallimento 4 (comput.) interruzione dell'esecuzione (di un programma); aborto 5 (fam.) mostruosità; oscenità; aborto; schifo ● (fam.) a. pill, pillola abortiva; mifepristone □ (fam. spreg.) a. mill, abortificio □ a. rights, diritto (sing.) all'aborto.

abortionist /ə'bɔːʃənɪst/ n. chi procura aborti (spec. in modo clandestino).

abortive /ə'bɔːtɪv/ a. 1 abortito; fallito; vano: an a. attempt, un tentativo fallito 2 (biol.) abortivo; rudimentale; malformato ‖ -ly avv.

aboulia /ə'buːlɪə/ n. ◨ e deriv. → abulia, e deriv.

to **abound** /ə'baʊnd/ v. i. 1 abbondare; essere numeroso, abbondante: Fish no longer a. in the Adriatic, non c'è più abbondanza di pesci nell'Adriatico 2 – to a. in (o with), avere in abbondanza; abbondare di; essere ricco di: The region abounds in streams, la regione è ricca di torrenti.

◆**about** /ə'baʊt/ Ⓐ prep. 1 riguardo a; circa; su; di; intorno a; sul conto di: Tell me a. your holidays, raccontami delle tue vacanze; I've found out a. their movements, ho scoperto quali sono stati i loro movimenti; I don't know anything a. him, non so nulla di lui (o sul suo conto); a book a. Japan, un libro sul Giappone; what I like a. him, quello che mi piace di lui; I'm ringing a. my TV set, telefono per sapere del mio televisore; What are you going to do a. it?, cosa pensi di fare al riguardo?; Do something a. it!, fa' qualcosa (per risolvere il problema)!; There's nothing I can do a. it, non posso farci niente; I feel guilty a. the whole thing, mi sento in colpa per tutta la faccenda; to be a. st., riguardare qc.; avere a che fare con qc.; (di libro, film, ecc.) parlare di qc., trattare di qc.: Teaching is a. transferring knowledge and skills, l'insegnamento riguarda il trasferimento di conoscenze e abilità; This book is a. organic food, questo libro parla di cibi biologici 2 (in giro) a; intorno a: Newspapers were strewn a. the floor, c'erano giornali sparsi per pavimento 3 addosso a; su; con: I haven't any money a. me, non ho denaro con me; a. one's person, su di sé; addosso 4 in: There is something odd a. that man, c'è qualcosa di strano in quell'uomo; quell'uomo ha un che di strano; something unpleasant a. her voice, una nota sgradevole nella sua voce Ⓑ avv. 1 intorno; attorno; in giro; qua e là: to look a., guardarsi attorno; Don't leave your things lying a., non lascia-

re le tue cose in giro; There was nobody a., non c'era nessuno; il posto era deserto; There's a lot of flu a., c'è in giro (o circola) un sacco di influenza; to find one's way a., sapere dove andare; sapersi orizzontare 2 nei pressi; vicino: in giro: somewhere a. here, qui intorno; qui in giro; qui da qualche parte 3 nella direzione opposta: to face (o to turn) a., girarsi; fare dietrofront 4 (naut.) con le mure opposte: to put a ship a., virare di bordo; cambiare le mure; Ready a.!, pronti a virare! 5 quasi; circa; all'incirca; pressappoco: It's a. two o'clock, sono le due circa; sono circa le due; Give me a call a. five, fammi uno squillo verso le cinque; a. twenty, circa venti; una ventina; They're a. the same age, hanno all'incirca la stessa età; That looks a. right, direi che va bene; dovrebbe andar bene; ha l'aria di essere giusto 6 (nei verbi frasali) V. sotto il verbo ❶ NOTA: around, round, o about? → **around** Ⓒ a. 1 in moto; in attività: At 6 she's already up and a., alle sei è già alzata e in attività 2 prossimo (a); sul punto (di): a. to start, che sta per comunicare; He is a. to leave, sta per partire ● A. ship!, pronti a virare! ◻ How a..? → how □ just a. → just② □ What a..? → what ◻ while you are a. it, già che ci sei □ to be a. one's business, essere occupato dalle proprie faccende □ (fam. USA) not to be a. to, non avere intenzione di; non intendere, non essere intenzionato a: He's not a. to give up, non ha intenzione di (o non intende) rinunciare □ That's a. it, è tutto; e questo è quanto.

(to) **about-face** /əbaʊt'feɪs/ e deriv. → (to) about-turn.

to **about-ship** /ə'baʊtʃɪp/ v. i. (naut.) virare di bordo.

about-turn /ə'baʊt'tɜːn/ n. 1 (mil.) dietro front 2 inversione di marcia; dietro front, dietrofront 3 (fig.) dietro front; inversione di rotta; voltafaccia (spreg.) ● to do an about-turn, fare dietro front; (fig.) fare dietro front, cambiare radicalmente posizione, invertire la rotta, fare un voltafaccia (spreg.).

to **about-turn** /ə'baʊt'tɜːn/ v. i. 1 fare dietro front 2 invertire la marcia 3 (fig.) fare dietro front; invertire la rotta; fare un voltafaccia (spreg.).

◆**above** /ə'bʌv/ Ⓐ prep. 1 sopra, su (senza contatto); al di sopra di; più in alto di; a monte di: the lamp a. the table, la lampada (appesa) sopra il tavolo; to fly a. the clouds, volare al di sopra delle (o sopra le) nuvole; I live a. a bar, abito sopra un bar; a. sea level, sopra il (o sul) livello del mare; I couldn't make myself heard a. the noise, non riuscivo a farmi sentire al di sopra del chiasso; non riuscivo a sovrastare il chiasso; to keep one's head a. water, tenere la testa fuori dell'acqua 2 superiore a; sopra; al di sopra di; al di là di: All prices were a. $50, tutti i prezzi erano superiori ai 50 dollari; A general is a. a colonel, un generale è superiore a un colonnello; children a. six, i bambini sopra i sei anni; a. average, al di sopra della media; sopra la media; a. freezing point, sopra lo zero; a. suspicion, al di sopra di ogni sospetto; insospettabile; a. criticism, al di sopra di ogni critica; non criticabile; The results were a. our expectations, i risultati andarono al di là delle (o superarono le) nostre aspettative; to put safety a. everything else, mettere la sicurezza al di sopra di ogni altra cosa (o innanzi tutto); He's a. such things, lui è superiore a cose simili; lui disdegna cose simili 3 oltre; più di: There were a. a hundred soldiers, c'erano più di cento soldati; I wanted it a. all else, lo volevo più di ogni altra cosa Ⓑ avv. 1 sopra; di sopra: the flat a., il piano di sopra; from a., da sopra; dall'alto;

a

seen from a., visto dall'alto; **orders from a.**, ordini dall'alto **2** in cielo; in alto; lassù: **in the heavens a.**, nell'alto dei cieli; (*relig.*) **the things a.**, le cose celesti **3** oltre; più: **women of 20 and a.**, le donne di 20 anni e oltre; **150m or a.**, 150 metri o più **4** (*rif. a testo scritto*) sopra; in precedenza: *See a.*, vedi sopra; **as stated a.**, come detto sopra; **the fact mentioned a.**, i fatti menzionati sopra (*o summenzionati*) **5** (*rif. a temperatura*) sopra (lo zero): **ten degrees a.**, dieci gradi sopra **C** a. attr. (*rif. a testo scritto*) riportato sopra; già menzionato; summenzionato; succitato: **the a. address**, l'indirizzo riportato sopra; **the a. clause**, la clausola sopra riportata **D** n. – the a., **1** quanto (scritto *o* detto) sopra **2** (pl.) i summenzionati; i suddetti ● **a. all** (**else**), soprattutto □ **a. board**, (agg.) onesto, aperto, chiaro, in regola; (avv.) onestamente, apertamente, secondo le regole □ **a. and beyond the call of duty**, (andando) al di là del proprio dovere □ **a.-mentioned** (*o* a.-named), summenzionato; suddetto; di cui sopra □ (*fin.*) **a. the line** → **line** □ **a.-named**, sunnominato □ **a. reproach**, ineccepibile; irreprensibile □ **as a.**, come sopra □ **to be a. sb.**, (*di materia, ecc.*) essere troppo difficile per q. □ **to be a. doing st.**, essere incapace di fare qc. (*che si considera indegno di sé*); disdegnare di fare qc.; (al neg.) non farsi scrupolo di fare qc. (*di riprovevole*): *He's not a. lying*, non si fa scrupolo di mentire □ **to get a. oneself**, montarsi la testa; darsi un sacco d'arie.

aboveboard /ə'bʌvbɔːd/ = **above board** → **above**.

abr. abbr. **1** (**abridged**) ridotto (*di libro*) **2** (**abridgement**) riduzione (*di libro*).

abracadabra /ˌæbrəkə'dæbrə/ n. e inter. (*relig. e fig.*) abracadabra.

abradant /ə'breɪdənt/ → **abrasive**, B.

to **abrade** /ə'breɪd/ **A** v. t. **1** escoriare, escoriarsi, scorticarsi (*la pelle*) **2** (*geol.*) abradere (*rocce, ecc.*) **3** (*tecn.*) abradere, raschiare (*con la mola, ecc.*) **4** (*fig.*) irritare **B** v. i. **1** (*della pelle*) escoriarsi **2** (*tecn.*) abradersi: *This material abrades well*, questo materiale si abrade bene.

Abraham /'eɪbrəhæm/ n. Abramo ● (*relig.*) **A.'s bosom**, il seno d'Abramo.

abranchial /ə'bræŋkɪəl/ a. (*zool.*) abranchiato.

abrasion /ə'breɪʒn/ n. **1** (*med.*) abrasione; escoriazione; scorticatura **2** Ⓤ (*geol.*) abrasione **3** Ⓤ (*tecn.*) abrasione: **a. resistance**, resistenza all'abrasione **4** Ⓤ (*stor.*) abrasione (*di monete metalliche*).

abrasive /ə'breɪsɪv/ **A** a. **1** abrasivo: **a. belt**, nastro abrasivo; **a. paper**, carta abrasiva **2** (*fig.*) irritante; **a. remarks**, osservazioni irritanti **B** n. (*tecn.*) abrasivo ● **a. blasting**, sabbiatura □ **a. milling**, lavorazione per abrasione □ **abrasiveness** n. Ⓤ (*tecn.*) abrasività.

to **abreact** /æbrɪ'ækt/ v. t. (*psic.*) abreagire.

abreaction /æbrɪ'ækʃn/ n. Ⓤ (*psic.*) **1** abreazione **2** catarsi.

abreast /ə'brɛst/ avv. **1** fianco a fianco; (*anche naut., aeron.*) affiancato, affiancati: **to walk a.**, camminare fianco a fianco (*o affiancati*); **three a.**, in fila per tre; affiancati per tre **2** – a. of, all'altezza di; a fianco di; affiancato a; al passo con: **to come a. of**, portarsi all'altezza di; (*anche naut., aeron.*) affiancarsi a; *We drew a. of the bus*, ci affiancammo all'autobus; **to keep a. of**, mantenersi affiancato a; tenere il passo con **3** – a. of, al passo con (*fig.*); di pari passo con; informato, aggiornato su: **to keep a. of the times**, andare al passo coi tempi; **to keep a. of developments**, tenersi aggiornato sugli sviluppi della situazione.

to **abridge** /ə'brɪdʒ/ v. t. **1** abbreviare; ridurre; compendiare: *The novel has been abridged for children*, il romanzo è stato ridotto per i bambini **2** (*leg.*) ridurre, limitare (*diritti, ecc.*) || **abridged** a. abbreviato; ridotto; compendiato || **abridger** n. riduttore; compendiatore.

abridgement, **abridgment** /ə'brɪdʒmənt/ n. Ⓤ **1** abbreviazione; compendio; riduzione **2** (*leg.*) riduzione, limitazione (*di diritti, ecc.*).

abroach /ə'brəʊtʃ/ a. pred. (*di botte, ecc.*) forato; spillato: **to set a.**, spillare.

◆**abroad** /ə'brɔːd/ avv. **1** all'estero: **at home and a.**, in patria e all'estero; **to go a.**, andare all'estero; **from a.**, dall'estero **2** in circolazione; in giro: **to spread rumours a.**, spargere in giro voci; *There is discontent a.*, circola il malcontento **3** (*antiq.*) fuori: all'aperto: **to venture a.**, arrischiarsi a uscire **4** (*arc.*) in errore.

to **abrogate** /'æbrəgeɪt/ v. t. annullare; abolire; abrogare; revocare || **abrogation** n. Ⓤ annullamento; abolizione; abrogazione; revoca.

abrupt /ə'brʌpt/ a. **1** improvviso; repentino: **a. death**, morte repentina **2** brusco; rude; sbrigativo **3** erto; ripido; scosceso **4** slegato; sconnesso: **an a. style**, uno stile sconnesso **5** (*d'albero, ecc.*) tronco; mozzo ● (*di un veicolo*) **to come to an a. stop**, fermarsi all'improvviso || **abruptly** avv. **1** improvvisamente **2** bruscamente **3** a picco; ripidamente || **abruptness** n. Ⓤ **1** repentinità; subitaneità; precipitazione **2** rudezza, bruschezza (*di modi, ecc.*) **3** ripidezza (*di un monte, ecc.*) **4** sconnessione, discontinuità (*di stile, ecc.*).

ABS sigla **1** (*ted.*: *anti-blockier-system*) (*autom.*, **anti-lock braking system**) sistema antibloccaggio delle ruote (*in frenata*) **2** (*chim.*, **acrylonitrile-butadiene-styrene**) acrilonitrile-butadiene-stirene (*polimero plastico*) (ABS).

abs n. pl. (abbr. *fam. di* **abdominal muscles**) addominali.

abs. abbr. **1** (**absolute**) assoluto **2** (*leg.*, **abstract**) estratto.

Absalom /'æbsələm/ n. (*Bibbia*) Assalonne.

abscess /'æbses/ n. (*med.*) ascesso.

abscisic /æb'sɪsɪk/ a. (*bot.*, *biochim.*) abscissico.

abscissa /æb'sɪsə/ n. (pl. **abscissae**, **abscissas**) (*geom.*) ascissa.

abscission /æb'sɪʃn/ n. Ⓤ **1** (*med.*) escissione **2** (*bot.*) abscissione; distacco.

to **abscond** /əb'skɒnd/ v. i. **1** fuggire; scappare: *She tried to a. from a community home*, cercò di fuggire da un correzionale; *He absconded with the money*, scappò con il denaro **2** (*leg.*) rendersi irreperibile; darsi alla latitanza || **absconder** n. (*leg.*) latitante; fuggiasco; fuggitivo || **absconding** (*leg.*) **A** a. latitante; irreperibile **B** n. Ⓤ fuga; latitanza; irreperibilità.

abseil /'æbseɪl/ (*ted.*) n. (*alpinismo*) discesa a corda doppia.

to **abseil** /'æbseɪl/ (*ted.*) v. i. (*alpinismo*) discendere (*o calarsi*) a corda doppia.

◆**absence** /'æbsəns/ n. **1** Ⓤ Ⓒ assenza: **during my a.**, durante la mia assenza; **in the a. of the person in charge**, in assenza del responsabile; (*anche mil.*) **a. without leave**, assenza ingiustificata; **absences from work**, assenze dal posto di lavoro **2** Ⓤ mancanza; assenza: **in the a. of evidence**, in mancanza (*o assenza*) di prove **3** (*med.*) assenza ● **a. of mind**, distrazione; disattenzione; svagatezza; l'essere con la mente altrove □ **leave of a.**, congedo temporaneo; aspettativa □ (*leg.*) **to be tried in one's a.**,

essere processato in contumacia □ (*prov.*) **A. makes the heart grow fonder**, la lontananza rafforza gli affetti; si ama di più chi è lontano.

◆**absent** /'æbsənt/ **A** a. **1** assente: **a. from school**, assente da scuola; (*anche mil.*) **a. without leave**, assente ingiustificato **2** mancante; assente **3** (*di espressione, ecc.*) assente; distratto; svagato **B** prep. (*USA*) in assenza di; senza ● **a.-minded**, svagato □ **a.-mindedly**, distrattamente; svagatamente; con la mente altrove □ **a.-mindedness**, distrazione; svagatezza || **absently** avv. distrattamente; soprappensiero.

absentee /æbsən'tiː/ n. **1** assente; assenteista ● (*USA*) **a. ballot** (*o vote*), voto per corrispondenza □ **a. landlord**, proprietario terriero assenteista □ (*USA*) **a. voter**, votante per corrispondenza || **absenteeism** n. Ⓤ assenteismo.

to **absent oneself** /æb'sentwʌn'self/ v. t. + pron. rifl. assentarsi: **to absent oneself from a meeting**, assentarsi da una riunione.

absinth /'æbsɪnθ/ n. **1** assenzio **2** (*spesso* **absinthe**) liquore di assenzio.

◆**absolute** /'æbsəluːt/ **A** a. **1** assoluto; completo; totale: **a. beginner**, principiante assoluto (*o totale*); **a. silence**, silenzio assoluto **2** assoluto; illimitato; incondizionato: **a. authority**, autorità assoluta; **a. loyalty**, fedeltà assoluta **3** certo; reale; autentico; indiscusso; incontestabile; incontrovertibile: **an a. fact**, un fatto indiscusso; **a. proof**, prova incontrovertibile; (*leg.*) **a. right**, diritto incontestabile; **an a. nightmare**, un autentico incubo; *This is a. nonsense!*, è una vera sciocchezza! **B** n. (*filos.*) – the a., l'assoluto ● (*comput.*) **a. address**, indirizzo assoluto □ (*chim.*) **a. alcohol**, alcol assoluto □ (*leg.*) **a. assignment**, cessione incondizionata □ (*comput.*) **a. code**, codice assoluto □ (*leg.*) **a. discharge**, rilascio incondizionato □ (*leg.*) **a. duty**, obbligo inderogabile □ (*leg.*) **a. gift**, donazione irrevocabile □ (*diritto canonico; in Italia, ecc.*) **a. impediment**, impedimento dirimente □ (*leg.*) **a. liability**, responsabilità assoluta (*o oggettiva*) □ (*astron.*) **a. magnitude**, magnitudine assoluta □ **a. majority**, maggioranza assoluta □ **a. monarchy**, monarchia assoluta □ (*leg.*) **a. owner**, proprietario assoluto □ (*mus.*) **a. pitch**, orecchio assoluto □ (*polit.*) **a. privilege**, immunità parlamentare □ (*comput.*) **a. programming**, programmazione in assoluto (*o in codice oggetto*) □ (*fis.*) **a. temperature**, temperatura assoluta (*o termodinamica*) □ (*leg.*) **a. title**, titolo (*o diritto*) di proprietà assoluta (*in GB, solo per immobili registrati*) □ (*mat., stat.*) **a. value**, valore assoluto □ (*fis.*) **a. zero**, zero assoluto (− 273 °C) □ **absoluteness** n. Ⓤ assolutezza.

◆**absolutely** /'æbsəluːtlɪ/ avv. **1** assolutamente; completamente; tassativamente; totalmente; del tutto: *I trust her a.*, mi fido completamente di lei; *You're a. right*, hai perfettamente ragione; *I a. refuse to see him*, mi rifiuto tassativamente di vederlo **2** moltissimo; enormemente: *I a. adore it!*, lo adoro!; mi piace da pazzi!; *I'm a. starving*, muoio di fame; *He was a. livid*, era furente **3** (*come escl.*) (*fam.*) certamente; sicuro; senz'altro **4** in termini assoluti **5** (*gramm.*) in senso assoluto.

absolution /æbsə'luːʃn/ n. Ⓤ **1** (*relig.*) assoluzione **2** perdono: **to grant sb. a.**, perdonare q.

absolutism /'æbsəluːtɪzəm/ n. Ⓤ assolutismo; dispotismo || **absolutist** **A** n. assolutista **B** a. assolutistico.

to **absolve** /əb'zɒlv/ v. t. **1** (*relig.*) assolvere **2** scagionare (*da una colpa*); discolpare **3** sciogliere (*da una promessa*); liberare (*da un*

obbligo).

♦**to absorb** /əbˈsɔːb/ v. t. **1** assorbire (*un liquido, energia, ecc.*): *The walls a. the heat during the day*, le pareti assorbono il calore durante il giorno **2** (assorbire e) attutire: **to a. sound**, assorbire il rumore **3** assimilare; fare proprio; assorbire: **to a. new ideas**, fare proprie idee nuove **4** (*econ.*) assorbire: *Defence spending absorbs 15% of the national revenue*, le spese per la difesa assorbono il 15% delle entrate **5** inglobare; assorbire: *Small companies were absorbed into larger ones*, le piccole società furono assorbite da quelle grandi; *Foreign words are constantly absorbed into the language*, la lingua assorbe costantemente parole straniere **6** assorbire; avvincere; prendere: *Work absorbs him completely*, il lavoro lo assorbe completamente.

absorbable /əbˈsɔːbəbl/ a. assorbibile; che può essere assorbito ‖ **absorbability** n. ◻ capacità di essere assorbito.

absorbance /əbˈsɔːbəns/ n. ◻ (*chim., fis.*) assorbanza.

absorbed /əbˈsɔːbd/ a. pred. assorto; immerso: **a. in thought**, assorto nei propri pensieri; *He was a. in a book*, era immerso in un libro ‖ **absorbedly** avv. in modo assorto.

absorbent /əbˈsɔːbənt/ a. e n. assorbente ● (*USA*) **a. cotton**, cotone idrofilo ‖ **absorbency** n. ◻ assorbenza.

absorber /əbˈsɔːbə(r)/ n. **1** (*chim., fis., elettron.*) assorbitore **2** (*ind. chim.*) colonna (*o* torre) di assorbimento.

absorbing /əbˈsɔːbɪŋ/ a. **1** assorbente **2** avvincente; appassionante; coinvolgente ● (*edil.*) **a. well**, pozzo perdente ‖ **absorbingly** avv. in modo avvincente.

absorptiometer /əbsɔːpʃɪˈɒmɪtə(r)/ n. (*tecn.*) assorbimetro.

absorption /əbˈsɔːpʃn/ n. ◻ **1** (*biol., fis.*) assorbimento; assimilazione **2** assorbimento; inglobamento; incorporazione **3** profondo interesse; coinvolgimento; impegno: **a job that requires total a.**, un lavoro che richiede un coinvolgimento totale **4** (*econ.*) assorbimento ● **a. cost**, costo pieno; costo globale; **a. costing**, (sistema di) contabilità a costi pieni ‖ **absorptive** a. assorbente.

to abstain /əbˈsteɪn/ v. i. **1** astenersi (*da qc. o da fare qc.*): **to a. from smoking**, astenersi dal fumo (*o* dal fumare) **2** astenersi (*dal voto*) ‖ **abstainer** n. **1** chi si astiene; astenuto **2** astemio.

abstemious /æbˈstiːmɪəs/ a. frugale; sobrio; temperante ‖ **-ly** avv. ‖ **-ness** n. ◻.

abstention /əbˈstenʃn/ n. **1** ◻◻ astensione (*dal voto*) **2** ◻ astinenza; astensione ‖ **abstentionism** n. ◻ astensionismo.

abstergent /əbˈstɜːdʒənt/ a. e n. astergente; detergente.

abstinence /ˈæbstɪnəns/ n. ◻ astinenza (*spec. dagli alcolici*).

abstinent /ˈæbstɪnənt/ a. astinente; che si astiene: **a. from sugar**, che si astiene dallo zucchero.

abstract /ˈæbstrækt/ **A** a. **1** (*anche pitt., mat.*) astratto: **an a. noun**, un nome astratto; **a. painters**, pittori astratti **2** teorico; astratto: **in an a. manner**, in maniera teorica; teoricamente **B** n. **1** estratto (*anche leg.*); compendio; sommario: **an a. of a paper**, l'estratto di una relazione; (*banca*) **a. of account**, estratto conto; (*leg.*) **a. of record**, estratto di verbale; (*leg.*) **a. of title**, estratto di titolo di proprietà **2** opera astratta; quadro astratto **3** – **the a.**, l'astratto ● (*pitt.*) **a. expressionism**, espressionismo astratto □ (*ass.*) **a. loss**, perdita derivante da un danno non materiale □ **in the a.**, in astratto; in teoria.

to abstract /əbˈstrækt, æb-/ v. t. **1** riassumere; compendiare; estrarre **2** astrarre; fare astrazione da **3** (*eufem.*) sottrarre; rubare: *He abstracted money from the safe*, sottrasse del denaro dalla cassaforte **4** (*chim.*) estrarre; ricavare **5** (*tecn.*) rimuovere; separare.

abstracted /əbˈstræktɪd, æb-/ a. **1** distratto; soprappensiero **2** (*chim.*) estratto; ricavato **3** (*tecn.*) rimosso; separato ‖ **abstractedly** avv. distrattamente; soprappensiero.

abstraction /əbˈstrækʃn, æb-/ n. ◻ **1** (*filos., arte*) astrazione **2** astrazione; concetto astratto **3** ◻ distrazione; astrazione **4** ◻ (*leg.*) sottrazione (*di denaro, ecc.*) **5** ◻ (*chim.*) estrazione **6** ◻ (*tecn.*) rimozione; separazione.

abstractionism /əbˈstrækʃənɪzəm, æb-/ (*arte*) n. ◻ astrattismo ‖ **abstractionist** n. e a. astrattista.

abstruse /əbˈstruːs/ a. astruso; difficile ‖ **-ly** avv. ‖ **-ness** n. ◻.

absurd /əbˈsɜːd/ a. **1** assurdo; illogico **2** sciocco **3** ridicolo ‖ **-ly** avv. ‖ **-ness** n. ◻.

absurdity /əbˈsɜːdətɪ/ n. ◻◻ assurdità.

abt abbr. (*tecn.*) circa; all'incirca.

abulia /əˈbjuːlɪə, USA əˈbuː-/ (*psic.*) n. abulia ‖ **abulic** a. abulico.

abundance /əˈbʌndəns/ n. ◻ abbondanza.

abundant /əˈbʌndənt/ a. abbondante; copioso; ricco: **a. in st.**, ricco di qc. ‖ **abundantly** avv. **1** abbondantemente; in abbondanza; copiosamente **2** molto; decisamente: *She made it abundantly clear that I was no longer needed*, mi fece chiaramente capire che non c'era più bisogno di me.

♦**abuse** /əˈbjuːs/ n. ◻ **1** abuso; cattivo uso; uso smodato: **a. of power**, abuso di potere; **a. of confidence**, abuso di fiducia; **drug a.**, abuso di stupefacenti; uso di droga **2** ◻◻ abuso; pratica illecita: **to be open to a.**, prestarsi ad abusi; (*econ., leg.*) **a. of dominant position**, abuso di posizione dominante **3** ◻ insulti (pl.); ingiurie (pl.): **a stream of a.**, un torrente di insulti; **term of a.**, insulto; parola offensiva **4** ◻ violenza; violenze; maltrattamenti (pl.): **child a.**, maltrattamenti di minori; **physical a.**, violenze fisiche **5** ◻ (= **sexual a.**) violenza sessuale (*su minore*).

to abuse /əˈbjuːz/ v. t. **1** abusare di; fare cattivo uso di: **to a. sb.'s hospitality**, abusare dell'ospitalità di q.; **to a. one's power**, abusare del proprio potere; prevaricare **2** fare uso smodato di; abusare di; **to a. alcohol**, abusare di alcolici **3** insultare; ingiuriare **4** maltrattare; sottoporre a maltrattamenti (*o* a violenze): **to a. physically** (*o* to **physically a.**), sottoporre a violenze fisiche **5** violentare (*spec. un minore*): *She was (sexually) abused as a child*, era stata violentata da bambina ● (*eufem.*) **to a. oneself**, masturbarsi.

❶ **NOTA:** *abuse o misuse?*

Abuse e *misuse* indicano entrambi un trattamento scorretto o cattivo, ma hanno sfumature molto diverse e non devono essere confusi. *Abuse* è il termine dal significato più forte, perché si riferisce anche a un trattamento deliberatamente violento, crudele o improprio oppure a insulti: *to abuse a child*, abusare di un bambino; *to hurl abuse at someone*, gridare insulti a qualcuno. *Misuse*, invece, significa "usare in maniera scorretta o per uno scopo non appropriato": *to misuse public funds*, fare cattivo uso di fondi pubblici, commettere un peculato.

abuser /əˈbjuːzə(r)/ n. **1** chi fa abuso (*di qc.*): **drug a.**, chi abusa di stupefacenti; chi usa droghe **2** (*anche leg.*) chi maltratta; chi usa violenza su: **wife a.**, marito che picchia

la moglie; **child a.**, chi maltratta un minore; chi usa violenza su un minore.

abusive /əˈbjuːsɪv/ a. **1** offensivo; ingiurioso: **a. language**, insulti (pl.); linguaggio offensivo; **to become a.**, cominciare a lanciare insulti **2** violento; che usa maltrattamenti **3** (*leg.*) scorretto; illecito: **a. commercial practices**, pratiche commerciali scorrette ❶ FALSI AMICI • abusive *non significa* abusivo ‖ **-ly** avv. ‖ **-ness** n. ◻.

to abut /əˈbʌt/ v. i. **1** fare capo (a); confinare (con); essere a ridosso (di): *The church abutted on the Town Hall*, la chiesa era a ridosso del municipio **2** (*archit.*) poggiare (*su*).

abutment /əˈbʌtmənt/ n. **1** (*archit.*) spalla; piedritto **2** (*archit.*) appoggio **3** (*mecc.*) attestatura ● (*edil.*) **a. stone**, copriferrou.

abuttal /əˈbʌtl/ → **abutment**, def. 1 e 2.

abutter /əˈbʌtə(r)/ n. (*leg.*) proprietario di terreno limitrofo; confinante.

abutting /əˈbʌtɪŋ/ a. confinante; contiguo; adiacente ● **a. owner** → **abutter**.

abysm /əˈbɪzəm/ n. (*poet.*) abisso.

abysmal /əˈbɪzml/ a. **1** (*fam.*) totale; abissale: **a. ignorance**, ignoranza abissale; **an a. failure**, un fiasco totale **2** (*fam.*) pessimo; spaventoso: **a. quality**, pessima qualità: **in an a. state**, in condizioni spaventose **3** (*lett.*) abissale; profondissimo.

abysmally /əˈbɪzməlɪ/ avv. **1** enormemente; clamorosamente; spaventosamente: *The plan failed a.*, il piano fallì clamorosamente; **a. poor**, scadentissimo **2** malissimo; in modo pessimo, orrendo, scandaloso: *We were treated a.*, siamo stati trattati in modo pessimo.

abyss /əˈbɪs/ n. ◻ abisso; baratro: **on the edge of the a.**, sull'orlo dell'abisso ‖ **abyssal** a. **1** (*spec. geogr.*) abissale **2** (*geol.*) plutoniano.

Abyssinia /æbɪˈsɪnɪə/ n. (*geogr.*) Abissinia ‖ **Abyssinian** n. e a. abissino.

AC sigla **1** (**air conditioning**) aria condizionata **2** (*mil.*, **aircraftman**) aviere **3** (*anche* a.c.) (**alternating current**) corrente alternata (c.a.) **4** (*telef., USA*, **area code**) prefisso teleselettivo **5** (**Athletic Club**) club di atletica.

A/C sigla **1** (*comm.*, **account**) conto (c.to) **2** (**account current**) conto corrente (c/c) **3** (**air conditioning**) aria condizionata **4** (*mil.*, **aircraft**) aeromobile.

A1C, **A/1C** sigla (*mil., aeron.*, **Airman first class**) aviere scelto (Av. Sc.).

acacia /əˈkeɪʃə/ n. (*bot., Acacia*) acacia.

acad. abbr. **1** (**academic**) accademico **2** (**academy**) accademia.

academe /ˈækədiːm/ n. ◻ l'università; il mondo, l'ambiente universitario.

academese /əkædəˈmiːz/ n. ◻ gergo accademico.

academia /ækəˈdiːmɪə/ n. ◻ **1** il mondo accademico; l'ambiente universitario **2** la carriera universitaria.

♦**academic** /ækəˈdemɪk/ **A** a. **1** relativo agli studi, all'istruzione; scolastico: **a. achievement**, rendimento scolastico (*o* negli studi); **a. qualifications**, titoli di studio superiore; **a. standards**, livello (sing.) di insegnamento (*offerto da una scuola, ecc.*) **2** universitario; accademico: **the a. world**, il mondo, l'ambiente universitario; **a. year**, anno accademico; **a. staff**, corpo docente universitario **3** (*di scuola, programma, ecc.*) che dà importanza allo studio; intellettuale: **a. work**, lo studio, gli studi **4** (*di studente*) portato allo studio; studioso **5** (*arte*) accademico **6** accademico; astratto; teorico: **a. interest**, interesse accademico (*o* astratto); **an a. question**, una questione accademica **B** n. docente universitario; ricercatore uni-

a

versitario ● **a. bookseller**, libreria universitaria □ **a. dress**, toga e tocco accademici □ **a. freedom**, libertà di insegnamento e di ricerca.

academical /ˌækəˈdɛmɪkl/ **A** a. universitario; accademico. **B academicals** n. pl. (GB, antiq.) toga e tocco accademici.

academically /ˌækəˈdɛmɪklɪ/ avv. **1** intellettualmente; sul piano intellettuale; negli studi: **a. gifted**, intellettualmente dotato; molto portato per gli studi; **to do well a.**, essere bravo negli studi; andare bene a scuola **2** in modo accademico; accademicamente.

academician /əˌkædəˈmɪʃn/ n. **1** accademico (membro di un'accademia) **2** (USA) → **academic**, **B**.

academicism /ˌækəˈdɛmɪsɪzəm/, **academism** /əˈkædəmɪzəm/ n. □ accademismo.

academy /əˈkædəmɪ/ n. **1** accademia **2** scuola privata (a carattere aristocratico) ● **a. of music**, conservatorio □ **military a.**, accademia militare.

Acadia /əˈkeɪdɪə/ n. (geogr., stor.) Acadia (regione corrispondente al New Brunswick e alla Nuova Scozia) ‖ **Acadian** n. e a. **1** (stor.) (abitante) dell'Acadia **2** (abitante) della Louisiana di discendenza franco-canadese; → cajun **3** (geol.) acadiano.

acajou /ˈækəʒuː/ n. (bot., Anacardium occidentale) acagiù.

acanthus /əˈkænθəs/ n. (pl. **acanthuses**, **acanthi**) **1** (bot., Acanthus) acanto; acanto spinoso **2** (archit.) acanto.

acarids /ˈækərɪdz/ n. pl. (zool., Acaridae) acaridi.

acarpous /eɪˈkɑːpəs/ a. (bot.) acarpo.

acarus /ˈækərəs/ n. (pl. **acari**) (zool., Acarus) acaro.

ACAS /ˈeɪkæs/ sigla (GB, **Advisory, Conciliation and Arbitration Service**) Ente consultivo per la conciliazione e l'arbitrato.

acc. abbr. **1** (comm., **acceptance**) accettazione (di una cambiale) **2** (**according (to)**) secondo; a seconda (di) **3** (comm., **account**) conto.

to **accede** /ækˈsiːd/ v. i. **1** accedere; acconsentire: **to a. to a proposal**, accedere a una proposta; He acceded immediately, acconsentì immediatamente **2** assumere (una carica, il potere); prendere possesso; salire, ascendere (al trono) **3** aderire (a un'organizzazione, un trattato, ecc.) ● **the acceding countries**, i paesi candidati all'ingresso (in un'organizzazione, ecc.).

accelerant /əkˈsɛlərənt/ n. (chim.) acceleratore.

to **accelerate** /əkˈsɛləreɪt/ v. t. e i. accelerare ● (econ.) **accelerated depreciation**, ammortamento accelerato □ (autom.) **accelerating power**, capacità d'accelerazione; sprint.

acceleration /əkˌsɛləˈreɪʃn/ n. □ accelerazione **2** (autom.) ripresa ● (econ.) **a. premium**, premio di produttività.

accelerative /əkˈsɛləreɪtɪv/ a. accelerativo.

accelerator /əkˈsɛləreɪtə(r)/ n. (chim., econ., comput., fis., nucl., macc.) acceleratore ● (comput.) **a. card**, scheda acceleratrice □ (autom.) **a. pedal**, pedale dell'acceleratore □ (fig.) **to take one's foot off the a.**, rallentare; darsi una calmata (fam.).

accent /ˈæksənt/ n. **1** accento; inflessione: He speaks English with an Italian a., parla inglese con accento italiano **2** accento; segno di accento: The a. falls on the first syllable, l'accento cade sulla prima sillaba; **grave a.**, accento grave **3** (mus.) accento **4** (fig.) accento; enfasi; rilievo; risalto; importanza: **to place the a. on**, mettere in evidenza; sottolineare: The a. is on speed, è so-

prattutto importante la velocità.

to **accent** /ækˈsɛnt/ v. t. **1** accentare; mettere l'accento su **2** (mus.) accentare **3** (fig.) accentuare; mettere in evidenza; dare risalto a; sottolineare.

accented /ækˈsɛntɪd/ a. **1** che ha un particolare accento (spec. straniero): She spoke in heavily a. French, parlava francese con un marcato accento straniero **2** accentato.

accentor /ækˈsɛntɔr/ n. (zool.) uccello del genere Prunella.

accentual /ækˈsɛntʃʊəl/ a. accentuativo.

to **accentuate** /ækˈsɛntʃʊeɪt/ v. t. **1** rendere più evidente; accentuare; sottolineare; dare risalto a **2** pronunciare con enfasi.

accentuation /ækˌsɛntʃʊˈeɪʃn/ n. □ **1** (ling.) accentatura **2** prominenza; accentuazione **3** enfasi; risalto; accentuazione.

to **accept** /əkˈsɛpt/ v. t. **1** accettare; accogliere: **to a. a gift**, accettare un regalo; I can't a. this, non posso accettarlo; **to a. an invitation**, accettare (o accogliere) un invito; **to a. an offer**, accettare un'offerta: They wanted £220,000 but they accepted 217, volevano £220 000 ma hanno accettato 217; **to a. a request**, accogliere una richiesta; I was accepted as one of them, fui accettato (o accolto) come uno di loro **2** accettare; tenere per buono (o per vero): I accepted his explanation, accettai la sua spiegazione **3** riconoscere; ammettere: **to a. responsibility for st.**, riconoscere la propria responsabilità in qc.; I accept I was wrong, ammetto che avevo torto; It is generally accepted that..., si riconosce comunemente che... **4** (di apparecchio) accettare; prendere: This telephone only accepts phonecards, questo telefono accetta solo schede **5** (comm.) accettare; ammettere: **to a. a bill**, accettare una cambiale; **to a. for discount**, ammettere lo sconto.

❶ **NOTA**: *to accept o to agree?*
Il verbo to accept traduce "accettare" in molti dei suoi significati. Però per tradurre "accettare di fare qualcosa" si usa il verbo to agree: He didn't agree to play as sweeper, non ha accettato di giocare come libero.

acceptability /əkˌsɛptəˈbɪlətɪ/ n. □ accettabilità.

◆**acceptable** /əkˈsɛptəbl/ a. **1** accettabile; soddisfacente **2** accettabile; ammissibile; I'm sorry but that's just not a., mi dispiace ma questo non è ammissibile **3** bene accetto; gradito; gradevole; **-ness** n. □ **-bly** avv.

◆**acceptance** /əkˈsɛptəns/ n. **1** □ accettazione; accoglimento: **the a. of a present**, l'accettazione di un regalo; **the a. of a proposal**, l'accoglimento di una proposta; He reacted with resigned a., reagì con accettazione rassegnata **2** □ accettazione; ammissione; accoglienza: **his a. into the organization**, la sua ammissione all'organizzazione **3** □ (comm., banca) accettazione: **to present a bill for a.**, presentare una cambiale all'accettazione; **a. in blank** (o **blank a.**), accettazione in bianco; **in case of non-a.**, in caso di mancata accettazione **4** approvazione; consenso: The idea gained wide a., l'idea incontrò una vasta approvazione (o ampi consensi) ● (comm.) **a. bill**, cambiale accettata; accettazione □ **a. for honour** (o **supra protest**), accettazione per intervento □ (fin.) **a. house**, istituto d'accettazione bancaria (in GB) □ (fin.) **a. market**, mercato delle accettazioni □ (stat.) **a. region**, regione di accettazione □ (ind.) **a. sampling**, campionamento per accettazione □ (ind.) **a. trial**, prova di collaudo.

acceptation /ˌæksɛpˈteɪʃn/ n. □ **1** accezione; significato **2** (arc.) accoglienza favorevole.

◆**accepted** /əkˈsɛptɪd/ a. comunemente accettato; generalmente riconosciuto: **an a.**

truth, una verità comunemente accettata; **in the a. sense**, nel senso più comune del termine.

accepting /əkˈsɛptɪŋ/ a. (comm.) accettante ● (GB, fin.) **a. house**, istituto d'accettazione bancaria.

acceptor /əkˈsɛptə(r)/ n. **1** (comm.) accettante **2** (chim., fis. solare) accettore.

◆**access** /ˈæksɛs/ n. **1** □ accesso; adito; ingresso: **means of a.**, via di accesso; modo di accedere; **to offer easy a.**, offrire un facile accesso; **wheelchair a.**, accesso per disabili su sedia a rotelle; **side a.**, ingresso laterale **2** □ accesso; facoltà di accedere; possibilità di usare; possibilità di vedere: **a. to confidential information**, accesso a informazioni riservate; **free a. to a library**, libero accesso a una biblioteca; Do you have a. to a scanner?, hai modo di usare uno scanner?; My ex has a. to the children once a week, il mio ex marito può vedere i bambini una volta alla settimana **3** □ (comput.) accesso: **a. code**, codice d'accesso; **a. mode**, modalità d'accesso; **a. time**, tempo d'accesso; **read a.**, accesso in sola lettura; Internet a. provider, fornitore di accesso a Internet **4** accesso; attacco: **an a. of fever**, un attacco di febbre; **in an a. of anger**, in un accesso di rabbia ● **a. charge**, tariffa d'uso (di computer, telefono, ecc.) □ **a. course**, corso di ammissione all'università (per chi non ha i requisiti necessari) □ (TV) **a. programme**, programma d'accesso □ (autom.) **a. road**, strada d'accesso; raccordo autostradale □ (autom.) **a. sign**, segnale di entrata □ (TV) **a. television**, programmi (pl.) dell'accesso □ **to gain a. to**, accedere a; ottenere l'accesso a; entrare in.

to **access** /ˈæksɛs/ v. t. **1** (comput.) aver accesso a (dati, file, ecc.) **2** accedere a: The garage is accessed via a side door, al garage si accede da una porta laterale.

accessary /əkˈsɛsərɪ/ n. (leg.) → **accessory**.

accessibility /əkˌsɛsəˈbɪlətɪ/ n. **1** (anche fig.) accessibilità **2** (rif. a persona) disponibilità; affabilità.

accessible /əkˈsɛsəbl/ a. **1** (di luogo) accessibile; raggiungibile: **a. on foot**, raggiungibile a piedi **2** (di servizio, struttura, ecc.) disponibile; accessibile; a disposizione **3** (di concetto, testo, ecc.) comprensibile; accessibile **4** (di persona) disponibile; affabile **5** (di prezzo, ecc.) accessibile; alla portata **6** (comput.) accessibile.

accession /ækˈsɛʃn/ n. **1** □ entrata (in carica); assunzione (di carica pubblica); ascesa: **a. to power**, ascesa al potere **2** (= **a. to the throne**) ascesa al trono **3** □ adesione (a un'organizzazione, un trattato, ecc.); accessione; ingresso **4** □ adesione (a una richiesta, ecc.); assenso **5** acquisizione (in una raccolta, un catalogo, ecc.); accessione; aggiunta: the new accessions to our library, le nuove acquisizioni della nostra biblioteca; **a. number**, numero di inventario.

to **accessorize** /əkˈsɛsəraɪz/ v. t. provvedere d'accessori; accessoriare: **accessorized with st.**, accessoriato di qc.

accessory /əkˈsɛsərɪ/ **A** n. **1** accessorio: **bathroom a.**, accessorio per bagno; **car a.**, accessorio per auto; **fashion a.**, accessorio di abbigliamento **2** (leg.) complice: **a. to a crime**, complice di un delitto; **a. after the fact**, favoreggiatore; **a. before the fact**, istigatore; mandante **B** a. attr. **1** di, degli accessori: **a. designer**, creatore di accessori **2** accessorio; supplementare ● (anat.) **a. nerve**, accessorio del vago ‖ **accessorial** a. **1** accessorio; supplementare **2** (leg.) di complicità: **accessorial crime**, reato di complicità.

accidence /ˈæksɪdəns/ n. □ (gramm.)

a
b
c
d
e
f
g
h
i
j
k
l
m
n
o
p
q
r
s
t
u
v
w
x
y
z

morfologia.

◆**accident** /'æksɪdənt/ n. **1** incidente; disgrazia; infortunio (*ass.*); sinistro (*ass.*): **a. at sea**, incidente marittimo; **car a.**, incidente automobilistico (*o* d'auto); **accidents in the home**, incidenti domestici; *There has been an a.*, c'è stato un incidente; è successa una disgrazia; **to have an a.**, avere un incidente; (*fam.*) combinare un guaio; (*eufem.*) bagnarsi, sporcarsi; **to meet with an a.**, avere un incidente; *It all went without a.*, tutto si svolse senza incidenti **2** caso; evento fortuito: **a mere a.**, un puro caso; **by a.**, per caso; accidentalmente; *It was no a. that...*, non fu un caso che...; non fu per caso che... **3** (*filos.*) accidente ● (*GB*) **a. and emergency (department)**, (reparto di) pronto soccorso **1** a., senza incidenti; esente da incidenti □ (*org. az.*) **a. frequency rate**, tasso di frequenza degli incidenti sul lavoro □ **a. insurance**, assicurazione contro gli infortuni □ **a. prevention**, prevenzione contro gli infortuni; infortunistica □ **a.-prone**, soggetto a frequenti incidenti; facile agli incidenti □ **a.-proneness**, facilità agli incidenti; sinistrosità (*ass.*) □ **a. victim**, vittima di un incidente; sinistrato (*ass.*) □ **an a. waiting to happen**, una disgrazia annunciata □ **by a. of birth**, semplicemente per nascita □ **by a. or by design**, per caso o intenzionalmente □ **Accidents will happen**, sono cose che càpitano; può succedere a tutti.

accidental /æksɪ'dɛntl/ **A** a. **1** accidentale; casuale; fortuito: **a. damage**, danno accidentale; **a. death**, morte accidentale; infortunio mortale (*leg.*); **a. meeting**, incontro casuale (*o* fortuito) **2** accessorio; incidentale **B** n. (*mus.*) accidente; segno accidentale || **accidentally** avv. accidentalmente; fortuitamente; per caso ● (*iron.*) **accidentally on purpose**, fatto di proposito, ma facendolo apparire casuale.

acclaim /ə'kleɪm/ n. ⒰ acclamazione; plauso.

to **acclaim** /ə'kleɪm/ v. t. acclamare.

acclamation /æklə'meɪʃn/ n. ⒰ acclamazione: *The proposal was carried by a.*, la proposta fu approvata per acclamazione.

to **acclimate** /ə'klaɪmeɪt/ (*USA*) → **acclimatize**.

acclimation /æklaɪ'meɪʃn/ (*USA*) → **acclimatization**.

acclimatization /əklaɪmətaɪ'zeɪʃn, *USA* -tɪ'z-/ n. ⒰ acclimatazione;

to **acclimatize** /ə'klaɪmətaɪz/ v. t. e i. acclimatare, acclimatarsi; acclimare, acclimarsi: **to become acclimatized**, acclimatarsi.

acclivity /ə'klɪvəti/ n. **1** ⒰ acclività **2** (*raro*) pendio; erta; salita.

accolade /'ækəleɪd/ n. **1** onore; riconoscimento **2** lode; elogio **3** (*stor.*) accollata.

to **accommodate** /ə'kɒmədeɪt/ **A** v. t. **1** alloggiare; accogliere; ospitare; dare accoglienza a; sistemare: *Students are accommodated in single rooms*, gli studenti sono alloggiati in camere singole; *The hotel can a. 500 guests*, l'albergo può accogliere 500 persone **2** dare spazio a; avere spazio per; accogliere; poter contenere: *Each shelf can a. 20 CDs*, ogni scaffale può contenere 20 cd **3** venire incontro a; soddisfare; favorire; agevolare **4** conciliare; comporre: accomodare: **to a. a quarrel**, comporre una lite **5** fornire (qc.) a; accordare (qc.) a: **to a. sb. with a loan**, accordare un prestito a q. **B** v. i. **1** adattarsi; adeguarsi; conformarsi: *I had to a. with the local ways*, mi dovetti adattare alle usanze locali **2** (*fisiol., dell'occhio*) accomodare ● **to a. oneself**, adattarsi; adeguarsi; conformarsi: *They must a. themselves to circumstances*, devono adattarsi

alle circostanze ❶ **FALSI AMICI** ● to accommodate *non significa* accomodare *nei sensi di aggiustare, disporre e tornare comodo.*

accommodating /ə'kɒmədeɪtɪŋ/ a. **1** accomodante; compiacente **2** premuroso ● (*fin.*) **a. movements**, trasferimenti d'oro e valuta all'estero (*per sanare il deficit della bilancia dei pagamenti*) | **-ly** avv.

◆**accommodation** /əkɒmə'deɪʃn/ n. **1** ⒰ (*USA* anche al pl.) sistemazione (abitativa); alloggio; locali (pl.): **overnight a.**, sistemazione per la notte; **rented a.**, alloggio in affitto; **residential a.**, abitazione, abitazioni; **to find a.**, cercare un alloggio (o una camera in albergo, ecc.); *How did you find a.?*, come hai trovato alloggio?; **to move into new a.**, trasferirsi in un alloggio nuovo (o in locali nuovi); *The hotel offers a. for 150 guests*, l'albergo può ospitare 150 clienti **2** ⒰ (*tur.*) ricettività: **a. facilities**, strutture ricettive; ricettività **3** spazio (disponibile): *There was a. for only ten people*, c'era spazio solo per dieci persone **4** (al pl.) (*USA*) vitto e alloggio; pensione completa **5** ⒠ accomodamento; accordo: *They reached an a. with the opposition*, raggiunsero un accordo con l'opposizione **6** ⒰ adattamento; adeguazione **7** ⒰ (*comm.*) agevolazione; facilitazione; prestito: **a. for payment**, facilitazioni di pagamento **8** ⒰ (*fisiol.*) accomodazione (*dell'occhio*) ● (*GB*) **a. address**, indirizzo di comodo □ (*GB*) **a. agency**, agenzia immobiliare specializzata in affitti e locazioni □ (*comm.*) **a. bill**, cambiale di favore (o di comodo) □ (*naut.*) **a. ladder**, (scaletta del) barcarizzo □ **a. officer**, addetto alla sistemazione in alloggi privati (*di studenti universitari*) □ (*ind. petrolifera*) **a. platform** (o **a. rig**), piattaforma alloggio □ **a. road**, strada di accesso □ (*USA*) **a. train**, treno locale.

accommodationist /əkɒmə'deɪʃnɪst/ (*polit., USA*) **A** n. chi cerca il (o è favorevole a un) compromesso **B** a. incline al compromesso.

accommodator /ə'kɒmədeɪtə(r)/ n. **1** agevolatore; intermediario **2** (*USA*) domestico (o domestica) di rimpiazzo.

accompaniment /ə'kʌmpənɪmənt/ n. **1** cosa che si accompagna (a) **2** ⒰ (*mus.*) accompagnamento **3** (*cucina*) accompagnamento; contorno ● **to the a. of**, con l'accompagnamento di; accompagnato da.

accompanist /ə'kʌmpənɪst/ n. (*mus.*) accompagnatore, accompagnatrice.

◆to **accompany** /ə'kʌmpənɪ/ v. t. **1** (*form.*) accompagnare; scortare **2** (*mus.*) accompagnare **3** (*fig.*) accompagnare; accompagnarsi a: *Ignorance often accompanies self-conceit*, spesso l'ignoranza s'accompagna alla presunzione **4** (*cucina*) fare da contorno a; accompagnare: **a roast accompanied by sauté potatoes**, un arrosto con contorno di patatine saltate ● (*trasp.*) **accompanied luggage**, bagaglio appresso.

accomplice /ə'kʌmplɪs/ n. (*leg.*) complice.

to **accomplish** /ə'kʌmplɪʃ/ v. t. **1** compiere; completare; realizzare; perfezionare; portare a termine: *Did you a. your task?*, hai portato a termine il tuo compito? **2** compiere, aver passato (*una certa età*).

accomplished /ə'kʌmplɪʃt/ a. **1** compiuto: **an a. fact**, un fatto compiuto **2** compito; bene educato **3** abile; esperto; finito.

accomplishment /ə'kʌmplɪʃmənt/ n. **1** ⒰ compimento; completamento; realizzazione; attuazione **2** risultato; realizzazione; impresa **3** (*spec.* al pl.) talento; abilità: *Among her accomplishments were riding and fencing*, ella sapeva, fra l'altro, cavalcare e tirare di scherma.

◆to **accord** /ə'kɔːd/ n. ⒰ **1** accordo; intesa; trattato; concordato: **peace a.**, accordo di

pace **2** accordo; intesa, consenso; armonia: **to be completely in a.**, essere completamente d'accordo; concordare pienamente ● (*leg.*) **a. and satisfaction**, accordo (*delle parti: in un contratto*) di mutare la forma di estinzione di un debito; mutuo consenso □ **a. with**, in conformità con; in accordo con □ **of one's own a.**, di propria iniziativa; spontaneamente □ **with one a.**, di comune accordo; unanimemente; all'unanimità.

to **accord** /ə'kɔːd/ **A** v. t. accordare; concedere: **by the powers accorded to me**, per i poteri accordatimi; *I was accorded an extension*, mi fu concessa una dilazione; *He was accorded an enthusiastic welcome*, ricevette un'accoglienza entusiastica **B** v. i. accordarsi; concordare: *That does not a. to what you said to her*, ciò non concorda con quanto hai detto a lei.

accordance /ə'kɔːdəns/ n. ⒰ **1** (solo nella loc.:) **in a. with**, in conformità con; conformemente a; secondo **2** concessione.

accordant /ə'kɔːdənt/ a. **1** (*arc.*) in accordo; concorde **2** (*geol.*) concordante.

according as /ə'kɔːdɪŋæz/ loc. cong. secondo che: **according as it rains or not**, secondo che piova o no.

accordingly /ə'kɔːdɪŋlɪ/ avv. **1** in conformità; conformemente; di conseguenza: *We acted a.*, agimmo di conseguenza **2** pertanto; quindi: *They a. decided to abstain*, essi decisero pertanto di astenersi.

◆**according to** /ə'kɔːdɪŋtuː/ loc. prep. **1** secondo; in base all'autorità di; a detta di: **according to the Bible**, secondo la Bibbia **2** secondo; in conformità con: **according to plan**, secondo i piani; **according to what we decided**, secondo quanto abbiamo stabilito **3** secondo; in rapporto con; in proporzione di: *You will be paid according to the quality of your work*, sarai pagato secondo la qualità del tuo lavoro.

accordion /ə'kɔːdɪən/ (*mus.*) n. fisarmonica ● **a. door**, porta a libro (o a fisarmonica) || **accordionist** n. fisarmonicista.

to **accost** /ə'kɒst/ v. t. avvicinare; abbordare (*per strada*); rivolgere la parola a (q.); attaccar discorso con: *I was accosted by a stranger*, fui avvicinato da uno sconosciuto **2** (*leg.*) adescare || **accosting** n. (*leg.*) adescamento.

accouchement /ə'kuːʃməŋ, *USA* əkuːʃ'mɒːn/ n. ⒰ (*antiq.*) parto; degenza per parto.

◆**account** /ə'kaʊnt/ n. **1** resoconto; descrizione: *Give me an a. of what happened*, fammi un resoconto dell'accaduto; descrivimi quanto accaduto **2** (*econ., banca*) conto: **bank a.**, conto in banca; **current a.**, conto corrente; **deposit a.**, conto di deposito; **joint a.**, conto cointestato; **to have** (o **to keep**) **an a. at**, avere un conto aperto in (*un negozio*); **to have an a. with**, avere un conto presso (*una banca*); **to open an a.**, aprire un conto; **to pay money into an a.**, versare denaro su un conto; *Please charge it to my a.*, (*in banca*) me lo addebiti sul conto; (*in un negozio*) me lo metta sul conto; **to settle an a.**, saldare un conto; *What's the a. number?*, qual è il numero di conto? **3** (*econ.*) cliente (abituale) **4** (*rag.*) conto; rendiconto; (al pl.) scritture contabili, contabilità (sing.): **annual a.**, rendiconto annuale; **profit and loss a.**, conto profitti e perdite; conto economico; **to audit the accounts**, verificare i conti; **to do one's accounts**, fare i conti; **to keep the accounts**, tenere i conti (o la contabilità); **a. books**, libri contabili **5** (al pl.: **Accounts**) (*org. az.*) reparto (sing.) contabilità: *She works in accounts*, lavora in contabilità **6** ragione; causa; motivo: **on a. of**, a (o per) causa di; **on my a.**, per causa mia; per me; **on no a.**, per nessun motivo; in nessun ca-

so; **on this a.**, per questo motivo; **on several accounts**, per diversi motivi **7** Ⓤ conto; profitto; vantaggio; tornaconto: **on one's own a.**, per conto proprio; a proprio vantaggio; indipendentemente; **to put** (*o* **to turn**) **st. to** (**good**) **a.**, trarre profitto da qc.; mettere a frutto qc.; volgere qc. a proprio vantaggio; **to find one's a. in st.**, trovare il proprio tornaconto in qc. **8** Ⓤ importanza; valore; peso; considerazione: **of no a.**, senza importanza; **of some a.**, di una certa importanza; di un certo peso; **to hold in some a.**, tenere in qualche conto; **to make little a. of**, dare poca importanza a; **to take into a.** (*o* **to take a. of**), prendere in considerazione; tener conto di; **to take little a. of**, dare poca importanza a; **to take no a. of** (*o* **to leave out of a.**), non tenere in alcuna considerazione **9** (*Borsa, GB*) ciclo operativo **10** (*comput.*) codice utente; numero di conto; account ● (*rag.*) **a. balance**, saldo di un conto □ (*banca*) **a. charges**, spese di conto □ (*banca*) **a. current**, conto corrente □ (*Borsa*) **a. day**, giorno di liquidazione; giorno dei compensi □ (*org. az.*) **accounts department**, reparto contabilità □ (*org. az., spec. nel marketing e nelle vendite*) **a. executive = a. manager** → *sotto* □ (*banca*) **a. holder**, titolare di un conto; correntista □ (*org. az., spec. nel marketing e nelle vendite*) **a. manager**, account manager (*colui che è addetto alla gestione dei rapporti con specifici clienti abituali*) □ (*rag.*) **accounts payable**, conto fornitori; conto debitore; «creditori diversi» □ (*rag.*) **accounts receivable**, conto clienti; conto creditore; «debitori diversi» □ (*banca*) **a. rendered**, saldo a nuovo □ (*comm.*) **a. sales**, conto vendite (*a provvigione*) □ (*rag.*) **a. stated**, conto approvato (*dal debitore*); (*anche*) conto liquidato □ **to bring** (*o* **to call**) **sb. to a.**, chiedere conto di qc. a q.; esigere spiegazioni da q. □ **by** (*o* **from**) **all accounts**, a detta di tutti □ **by his own a.**, per sua stessa ammissione □ **to give a good a. of oneself**, dare una buona prova di sé; farsi onore □ **to have an a. to settle with sb.**, avere un conto da regolare con q. (*fig.*) □ **on a.**, in acconto; a credito: **to buy on a.**, comprare a credito □ **on all accounts**, sotto ogni aspetto □ **to square accounts with**, aggiustare (*o* sistemare) i conti con.

to **account** /ə'kaʊnt/ v. t. considerare; ritenere; reputare: *His speech was accounted a success*, il suo discorso fu considerato un successo.

■ **account for** v. i. + prep. **1** rendere conto di; dar conto di; spiegare; giustificare: *I have to a.* (*to him*) *for every penny I spend*, devo rendergli conto di ogni centesimo che spendo; *He cannot a. for his movements*, non è in grado di dar conto dei suoi movimenti **2** (spec. al passivo) ritrovare, rintracciare (*dopo un disastro, ecc.*): *All the people living in the building have been accounted for*, tutti gli abitanti del palazzo (sono stati rintracciati e) sono in salvo **3** rappresentare: *Oil imports a. for 30 per cent of the trade deficit*, le importazioni di petrolio rappresentano il 30% del disavanzo commerciale **4** (*eufem.*) abbattere; eliminare: *The anti-aircraft accounted for five enemy planes*, la contraerea abbatté cinque aerei nemici **5** (*eufem.*) sconfiggere; battere; eliminare □ (*prov.*) **There's no accounting for taste**, i gusti sono gusti.

accountability /əkaʊntə'bɪlətɪ/ n. Ⓤ **1** (*anche leg.*) responsabilità (verso q.); il dover rendere conto (*o* rispondere) del proprio operato: **political a.**, il dover rispondere agli elettori **2** l'essere spiegabile.

accountable /ə'kaʊntəbl/ a. **1** (*anche leg.*) responsabile (*verso q.*); che è tenuto a render conto; che deve rispondere: *I will hold you a. for what happens*, ti riterrò re-

sponsabile di quel che accade; *I'm only a. to the Committee*, io rispondo solo alla Commissione; **to be a. to no one**, non dover rispondere a nessuno delle proprie azioni **2** spiegabile; giustificabile ‖ **accountably** avv. **1** in modo responsabile; in modo trasparente **2** naturalmente; per ovvi motivi.

accountancy /ə'kaʊntənsɪ/ n. Ⓤ ragioneria; contabilità.

♦**accountant** /ə'kaʊntənt/ n. **1** ragioniere; contabile: **chartered a.** (*USA*: **certified public a.**), ragioniere iscritto all'albo **2** (*fam.*) commercialista ● (*in GB*) **A. and Comptroller General**, Ragioniere Generale delle Dogane.

accounting /ə'kaʊntɪŋ/ (*rag.*) Ⓐ n. Ⓤ contabilità: (*leg.*) **false a.**, falso in bilancio Ⓑ a. contabile; di contabilità: **a. books**, libri contabili; **a. department**, ufficio (*o* reparto) contabilità; **a. period**, esercizio; periodo di gestione contabile; **a. system**, sistema di contabilità; **a. year**, anno contabile (*o* finanziario).

to **accoutre**, (*USA*) to **accouter** /ə'kuːtə(r)/ v. t. **1** equipaggiare; attrezzare **2** (*mil.*) equipaggiare.

accoutrement, (*USA*) **accouterment** /ə'kuːtəmənt/ n. (di solito al pl.) **1** equipaggiamento; armamentario; attrezzatura **2** (*mil.*) equipaggiamento.

to **accredit** /ə'krɛdɪt/ v. t. **1** accreditare; fornire di credenziali: *Mr Wilson was accredited Ambassador to London*, il Sig. Wilson fu accreditato ambasciatore a Londra **2** riconoscere (*legalmente o ufficialmente: una scuola, un corso, ecc.*) **3** attribuire; accreditare **4** dare credito a (q. per qc.) **5** (*rag.*) accreditare; registrare a credito ‖ **accreditation** n. Ⓤ **1** accreditamento **2** riconoscimento **3** attribuzione.

accredited /ə'krɛdɪtɪd/ a. **1** accreditato: **a. journalists**, giornalisti accreditati **2** riconosciuto (*legalmente o ufficialmente*); (*market.*: *di prodotto*) riconosciuto puro; garantito.

to **accrete** /ə'kriːt/ v. i. concrescere; aggregarsi.

accretion /ə'kriːʃn/ n. Ⓤ **1** (*scient.*) accrescimento; accrezione **2** accrescimento; cresciuta; aumento ‖ **accretionary** a. (*scient.*) di accrescimento; di accrezione.

accrual /ə'kruːəl/ n. **1** Ⓤ (*econ., fin.*) accrescimento; accumulazione **2** Ⓤ (*fin., rag.*) competenza economica: **on an a. basis**, secondo il criterio della competenza economica; **a.-basis accounting**, contabilità secondo il criterio della competenza **3** (*rag.*) rateo.

to **accrue** /ə'kruː/ v. i. **1** derivare; provenire: **the advantages that a. to mankind from technological progress**, i vantaggi che derivano all'umanità dal progresso tecnologico **2** (*leg.: di un diritto, ecc.*) derivare; conseguire **3** (*econ., fin.*) accumularsi; (*di interessi e dividendi*) maturare, decorrere: *Interest accrues from January 1st*, gli interessi maturano dal 1° gennaio.

accrued /ə'kruːd/ a. **1** (*anche econ.*) accumulato **2** (*fin.*) maturato: **a. interest**, interessi maturati ● **a. asset** (*o* **income**, *o* **revenue**), rateo attivo □ **a. cost**, rateo passivo □ **a. liabilities**, ratei e risconti passivi □ (*rag.*) «**a. taxes**», «fondo tasse».

accruing /ə'kruːɪŋ/ Ⓐ a. (*econ., fin.*) che si accumula; (*di un interesse*) che matura Ⓑ n. Ⓤ (*anche econ.*) accumulazione: **the a. of taxes**, l'accumularsi delle imposte.

to **acculturate** /ə'kʌltʃəreɪt/ Ⓐ v. t. (*etnol., sociol.*) acculturare Ⓑ v. i. **1** acculturarsi **2** (*per estens.*) diventare colto ‖ **acculturation** n. Ⓤ (*etnol., sociol.*) acculturazione.

to **accumulate** /ə'kjuːmjʊleɪt/ Ⓐ v. t. ac-

cumulare; ammassare; mettere insieme: **to a. a huge fortune**, accumulare una grossa fortuna Ⓑ v. i. accumularsi; ammassarsi.

accumulated /ə'kjuːmjʊleɪtɪd/ a. accumulato ● **a. depreciation**, (*econ.*) deprezzamento (*di beni*); (*rag.*) (fondo di ammortamento maturato □ (*fin.*) **a. income** (*o* **profits**), utili (*di una società*) non distribuiti (*o* reinvestiti).

accumulation /əkjuːmjʊ'leɪʃn/ n. **1** Ⓤ accumulazione; (l') accumularsi; accumulo: **the a. of wealth**, l'accumulazione della ricchezza; **a. area**, area di accumulo **2** cumulo; mucchio **3** Ⓤ (*ass., fin.*) capitalizzazione, accumulazione: **a. period**, periodo di accumulazione; **a. plan**, piano di accumulazione **4** (*fin.*) premio di emissione (*di titoli*).

accumulative /ə'kjuːmjʊlətɪv/ a. cumulativo: **a. effect**, effetto cumulativo.

accumulator /ə'kjuːmjʊleɪtə(r)/ n. **1** chi accumula; accumulatore **2** (*elettr., mecc.*) accumulatore **3** (*ipp.*) scommessa multipla.

accuracy /'ækjərəsɪ/ n. Ⓤ accuratezza; esattezza; precisione; fedeltà.

♦**accurate** /'ækjərət/ a. accurato; esatto; preciso; fedele: **an a. description**, una descrizione esatta; **a. information**, informazioni esatte; **an a. instrument**, uno strumento preciso; **an a. likeness**, un ritratto fedele.

accursed /ə'kɜːsɪd, -st/ a. **1** maledetto **2** esecrando; detestabile.

accusal /ə'kjuːzl/ → **accusation**.

accusation /ækjuː'zeɪʃn/ n. Ⓤ Ⓒ **1** accusa: **to level an a.**, lanciare un'accusa; **in a tone of a.**, in tono d'accusa **2** (*leg.*) accusa; incriminazione: **to bring an a. against sb.**, accusare q.

accusative /ə'kjuːzətɪv/ a. e n. (*gramm.*) accusativo.

accusatorial /əkjuːzə'tɔːrɪəl/ a. (*leg.*) accusatorio: **a. system**, sistema accusatorio.

accusatory /ə'kjuːzətərɪ/ a. **1** (*leg.*) accusatorio: **the a. system**, il sistema accusatorio **2** accusatorio; di accusa: **a. words**, parole di accusa; **to point an a. finger at sb.**, puntare il dito contro q.

♦to **accuse** /ə'kjuːz/ v. t. **1** accusare: *He was accused of lying*, fu accusato di mentire **2** (*leg.*) accusare; incriminare ‖ **accused** a. e n. (*leg.*) accusato; imputato ‖ **accuser** n. (*anche leg.*) accusatore ‖ **accusing** a. accusatore; di accusa: **an accusing look**, uno sguardo di accusa.

to **accustom** /ə'kʌstəm/ v. t. abituare; avvezzare ● **to a. oneself**, abituarsi; avvezzarsi: *You've got to a. yourself to our way of life*, devi abituarti al nostro modo di vivere.

accustomed /ə'kʌstəmd/ a. **1** abituato; avvezzo: *He was a. to sleeping after lunch*, era abituato a dormire dopo pranzo; **to get a. to doing st.**, abituarsi a fare qc. **2** abituale; consueto; solito: *He spoke with a. ease*, parlò con la facilità che gli era consueta.

AC/DC sigla **1** (*elettr.*, **alternating current/direct current**) corrente alternata/corrente continua (c.a./c.c.) **2** (*fam.*, **bisexual**) bisessuale.

ace /eɪs/ Ⓐ n. **1** (*a carte, dadi e domino*) asso **2** (*di persona*) asso; campione: **a basketball ace**, un campione di basket; **flying ace**, asso dell'aviazione; **to be an ace at st.**, essere bravissimo a fare qc.; essere un asso in qc. **3** (*golf*) buca in uno **4** (*tennis, squash e pallavolo*) ace; servizio vincente **5** (*slang della droga, USA*); pasticca; spinello; canna **6** (*slang USA*) biglietto da un dollaro Ⓑ a. (*fam.*) **1** bravissimo; in gambissima: **an ace skater**, un bravissimo pattinatore; un asso del pattinaggio; **to be ace at st.**, essere bravissimo (*o* un asso) in qc. **2** fantastico; grandioso: «*What was the concert like?*»

«*It was ace*», «com'era il concerto?» «fantastico»; *We had an ace time at Jenny's party*, ci siano divertiti da pazzi alla festa di Jenny ● (*fam.*) **ace buddy**, amico del cuore; amicone □ (*fam. USA*) **ace in the hole**, asso nella manica (*fig.*); carta segreta □ (*slang USA*) **ace of spades**, (*spreg.*) negro; (*volg.*) vagina, topa (*pop.*) □ (*fam. GB*) **ace up one's sleeve**, asso nella manica (*fig.*); carta segreta □ **to hold all the aces**, avere tutti gli assi in mano (*fig.*); condurre il gioco (*fig.*) □ **to play one's ace**, giocare il proprio asso (*fig.*) □ **to trump sb.'s ace** → **to trump** □ **within an ace of**, sul punto di; a un pelo da; lì lì per; a un soffio da: *I came within an ace of slapping her face*, fui lì lì per mollarle uno schiaffo; **to come within an ace of death**, sfiorare la morte; **within an ace of winning**, a un soffio dalla vittoria.

to ace /eɪs/ (*fam.*) **A** v. t. **1** battere; stracciare; stendere **2** ammazzare; far fuori **3** (*USA*) passare a gonfie vele; superare brillantemente (*un esame, ecc.*) **4** (*golf*) fare (*una buca*) in uno **5** (*tennis, squash, pallavolo*) mettere a segno (*un ace*) **B** v. i. (*di veicolo*) andare come un bolide; andare sparato; essere una bomba.

acephalia /eɪsə'feɪlɪə/ (*biol., med.*) n. Ⓤ acefalia; **a. of a foetus**, acefalia di un feto ‖ **acephalous** a. (*anche metrica*) acefalo.

acerbic /ə'sɜːbɪk/ a. **1** acerbo; acido **2** (*fig.*) aspro; caustico; pungente; mordace ‖ **acerbity** n. Ⓤ **1** acerbità **2** (*fig.*) acredine; asprezza.

acerose /'æsərəʊs/ a. (*bot.*) aceroso; aghiforme.

acescence /ə'sɛsns/ n. Ⓤ acescenza ‖ **acescent** a. acescente.

acetabulum /æsɪ'tæbjʊləm/ n. (pl. *acetabula, acetabulums*) (*anche anat.*) acetabolo.

acetaldehyde /æsɪ'tældɪhaɪd/ n. (*chim.*) acetaldeide.

acetamide /æsɪ'tæmaɪd/ n. Ⓤ (*chim.*) acetammide.

acetate /'æsɪteɪt/ (*chim.*) n. Ⓤ Ⓒ acetato.

acetic /ə'siːtɪk/ a. (*chim.*) acetico: **a. acid**, acido acetico.

to acetify /ə'sɛtɪfaɪ/ v. t. e i. acetificare, acetificarsi ‖ **acetification** n. Ⓤ (*chim.*) acetificazione.

acetimeter /æsɪ'tɪmɪtə(r)/ n. (*chim.*) acetimetro.

acetone /'æsɪtəʊn/ n. Ⓤ (*chim., med.*) acetone.

acetous /'æsɪtəs/ a. **1** (*chim.*) acetificante **2** (*fig.*) pungente, acido, graffiante.

acetyl /'æsɪtɪl, ə'siːtl/ n. (*chim.*) acetile.

to acetylate /ə'sɛtɪleɪt/ (*chim.*) v. t. acetilare ‖ **acetylation** n. Ⓤ acetilazione.

acetylene /ə'sɛtɪliːn/ n. Ⓤ (*chim.*) acetilene.

Achaean /ə'kiːən/ a. e n. (*stor. greca*) acheo, achea.

ache /eɪk/ n. ⒸⓊ **1** dolore persistente; male: **stomach a.**, mal di pancia; **to be full of aches and pains**, avere dolori dappertutto; essere pieno di dolori (*o di acciacchi*) **2** pena; dolore; sofferenza.

to ache /eɪk/ v. i. **1** (*di parte del corpo*) dolere; far male: *My leg aches*, mi fa male la gamba; ho male alla gamba; (*fig.*) *My heart ached for her*, mi faceva una gran pena; mi stringeva il cuore pensare a lei **2** avere dolori; essere indolenzito: *I was aching all over*, avevo dolori dappertutto; ero tutto indolenzito **3** desiderare ardentemente; struggersi: *I ached to leave*, desideravo andarmene; *She ached for him*, si struggeva dal desiderio di vederlo.

achene /ə'kiːn/ n. (*bot.*) achenio.

Acheron /'ækərɒn/ n. (*mitol.*) Acheronte.

achievable /ə'tʃiːvəbl/ a. **1** conseguibile; raggiungibile **2** fattibile; realizzabile.

♦**to achieve** /ə'tʃiːv/ v. t. **1** compiere; portare a termine; realizzare **2** conseguire; ottenere; raggiungere; conquistare: **to a. an objective**, raggiungere uno scopo; **to a. a result**, conseguire (*o ottenere*) un risultato; *You will a. your ambition if you work hard*, otterrai ciò cui ambisci se lavorerai sodo.

♦**achievement** /ə'tʃiːvmənt/ n. **1** risultato (*positivo*); affermazione; successo; conquista; impresa: **scientific achievements**, risultati scientifici; conquiste della scienza; '*Immortality is not a gift, immortality is an a.*' E. LEE MASTERS, 'l'immortalità non è un dono: è una conquista'; *Managing it in three days was quite an a.*, farcela in tre giorni è stata una bella impresa **2** Ⓤ compimento; conseguimento; raggiungimento; realizzazione: **the a. of a goal**, il raggiungimento di uno scopo; **a sense of a.**, soddisfazione (*per ciò che si è compiuto*) **3** Ⓤ (*negli studi*) rendimento; profitto: **academic a.**, rendimento scolastico (*o negli studi*); **a. test**, test di profitto.

achiever /ə'tʃiːvə(r)/ n. persona che ha successo; vincente.

Achilles /ə'kɪliːz/ n. Achille ● **Achilles' heel**, il tallone di Achille □ **Achilles' tendon**, il tendine di Achille.

aching /'eɪkɪŋ/ a. **1** dolente; che fa male; indolenzito: **a. feet**, piedi doloranti **2** dolente; in pena; angosciato: **a. heart**, cuore angosciato **3** (*fig.*) doloroso; penoso: **an a. void**, un vuoto doloroso.

achingly /'eɪkɪŋlɪ/ avv. **1** dolorosamente; con dolore **2** moltissimo; disperatamente consapevole **2** moltissimo; disperatamente: **a. beautiful**, di una bellezza struggente; **a. funny**, spassosissimo; buffissimo.

achoo /ə'tʃuː/ (*USA*) → **atishoo**.

achromatic /ækrəʊ'mætɪk/ (*fis.*) a. acromatico: **a. lens**, lente acromatica ‖ **achromatism** n. Ⓤ acromatismo.

achy /'eɪkɪ/ a. dolorante; indolenzito.

acicular /ə'sɪkjʊlə(r)/ a. (*scient.*) acicolare, aciculare.

♦**acid** /'æsɪd/ **A** n. **1** (*chim.*) acido **2** (*fig.*) acidità; causticità **3** (*slang della droga*) LSD; acido: **to drop a.**, farsi di LSD; impasticcarsi **B** a. **1** (*chim.*) acido **2** acido; aspro; agro; acre **3** (*di colore*) acido: **a. green**, verde acido **4** (*fig.*) caustico; mordace; pungente **5** (*mus., arte, ecc.*) psichedelico; acido: **a. rock**, rock psichedelico ● (*GB*) **a. drop**, caramella agli agrumi □ (*slang*) **a.-head** (*o, USA*, **a. dropper**, **a. freak**), chi si droga con l'LSD; impasticcato □ (*meteor.*) **a. rain**, pioggia acida; pioggia acide □ (*geol.*) **a. soil**, suolo acido □ **a. test**, prova dell'acidità, (*fig.*) cartina di tornasole, prova del nove □ (*fin., rag.*) **a.-test ratio**, indice di liquidità primaria; margine di tesoreria □ (*chim.*) **a. value**, indice di acidità ‖ **acidly** avv. acidamente; causticamente.

acidic /ə'sɪdɪk/ a. (*chim.*) acido: (*geol.*) **a. rock**, roccia acida.

to acidify /ə'sɪdɪfaɪ/ (*chim.*) v. t. e i. acidificare, acidificarsi ‖ **acidification** n. Ⓤ acidificazione ‖ **acidifier** n. acidificatore.

acidimeter /æsɪ'dɪmɪtə(r)/ n. (*chim.*) acidimetro ‖ **acidimetry** n. Ⓤ acidimetria.

acidity /ə'sɪdɪtɪ/ n. Ⓤ **1** acidità **2** (*fig.*) causticità.

acidosis /æsɪ'dəʊsɪs/ n. Ⓤ (*med.*) acidosi.

♦**to acidulate** /ə'sɪdjʊleɪt/ v. t. (*chim.*) acidulare.

acidulous /ə'sɪdjʊləs/ a. acidulo.

acinose /'æsɪnəʊs/ a. (*anat.*) acinoso.

acinus /'æsɪnəs/ n. (pl. *acini*) (*bot., anat.*) acino.

ACK sigla (*comput.*, **acknowledgement**)

conferma di ricezione.

ack-ack /'ækæk/ (*mil., fam., antiq.*) **A** n. difesa antiaerea; (*artiglieria*) contraerea **B** a. antiaereo; contraereo; della contraerea.

♦**to acknowledge** /ək'nɒlɪdʒ/ v. t. **1** ammettere; riconoscere (*la verità di qc.*): *The company acknowledged that his dismissal was unfair*, la società riconobbe l'illegittimità del suo licenziamento; **to a. a mistake**, ammettere il proprio errore; riconoscere di aver sbagliato; **to a. defeat**, riconoscersi sconfitto; ammettere la sconfitta **2** riconoscere: *He is acknowledged as (o to be) the best in his field*, è riconosciuto come il migliore nel suo campo **3** riconoscere la validità di; attestare l'autenticità di: **to a. a claim**, riconoscere la validità di una rivendicazione; **to a. a contract**, attestare l'autenticità di un contratto; (*leg.*) **to a. a son**, riconoscere un figlio **4** esprimere gratitudine per; mostrarsi grato per: **to a. sb.'s help**, ringraziare q. per il suo aiuto; **to a. one's sources**, citare le proprie fonti **5** confermare il ricevimento di; mandare un cenno di riscontro per; accusare ricevuta di: **to a. (receipt of) st.**, accusare ricevuta di qc. **6** riconoscere (*la presenza di q.*); salutare: *He acknowledged me with a nod*, mi salutò con un cenno del capo.

acknowledge character /ək'nɒlɪdʒkærəktə(r)/ loc. n. (*comput.*) carattere di conferma.

acknowledgement, **acknowledgment** /ək'nɒlɪdʒmənt/ n. **1** Ⓒ (*anche leg.*) riconoscimento; ammissione: **the a. of a difficulty**, l'ammissione (*o il riconoscimento dell'esistenza*) di una difficoltà; **a. of liability**, ammissione di responsabilità; **the a. of a natural child**, il riconoscimento di un figlio naturale **2** Ⓤ segno di gratitudine (*o di riconoscenza, di apprezzamento*); riconoscimento: **in a. of**, in segno di riconoscenza per; come riconoscimento di **3** conferma (*o attestazione*) di ricevuta; avviso di ricevimento; riscontro: (*banca*) **a. slip**, scontrino (*di ricevuta*) **4** cenno di riconoscimento (*fatto a q.*); cenno di saluto: *He nodded in a.*, accennò un saluto col capo **5** (*al pl.*) (*in un libro*) ringraziamenti; crediti.

aclinic /ə'klɪnɪk/ a. acline ● (*geofisica*) **a. line**, equatore magnetico.

ACLU sigla (*USA*, **American Civil Liberties Union**) Unione americana per i diritti civili.

acme /'ækmɪ/ n. Ⓤ acme (*punto più alto*); culmine; apogeo: **the a. of one's hopes**, il culmine delle proprie speranze.

acne /'æknɪ/ n. (*med.*) acne.

acolyte /'ækəlaɪt/ n. **1** accolito (*anche fig.*); novizio **2** chierico.

aconite /'ækənaɪt/ n. (*bot.*, *Aconitum napellus*) aconito; napello.

aconitine /ə'kɒnɪtiːn/ n. Ⓤ (*chim.*) aconitina.

acorn /'eɪkɔːn/ n. ghianda ● (*zool.*) **a.-shell** (*Balanus*), balano.

acoustic /ə'kuːstɪk/ **A** a. **1** acustico: (*mus.*) **a. bass**, basso acustico; **a. absorption**, assorbimento acustico; (*comput.*) **a. coupler**, accoppiatore acustico; (*anat.*) **a. duct** (*o* **a. meatus**), canale (*o condotto*) uditivo; **a. engineer**, ingegnere (*o tecnico*) del suono; (*mus.*) **a. guitar**, chitarra acustica; (*naut.*) **a. mine**, mina acustica **2** fonoassorbente: **a. tiles**, tegole fonoassorbenti **B** n. acustica (*di una registrazione, uno studio di registrazione*) ‖ **acoustical** a. acustico.

acoustics /ə'kuːstɪks/ n. pl. **1** (col verbo al sing.) (*fis.*) acustica **2** (col verbo al pl.) acustica (sing.); proprietà acustiche.

acpt. abbr. (*comm.*, **acceptance**) accettazione (*di una cambiale*).

to acquaint /ə'kweɪnt/ v. t. (*form.*) infor-

a

mare; mettere al corrente; rendere edotto: **to a. sb. with st.**, informare q. di qc. ● **to a. oneself with**, imparare a usare; familiarizzarsi con □ **to be acquainted with**, conoscere; essere al corrente (*o a conoscenza*) di; essere edotto su □ **to become** (*o* **to get**) **acquainted with sb.**, venire a conoscenza di; fare la conoscenza di q.

acquaintance /əˈkweɪntəns/ n. **1** ⓤ conoscenza: **an lady of my a.**, una signora di mia conoscenza; *Some a. with computers is required*, si richiede una certa conoscenza dei computer; **to make sb.'s a.**, fare la conoscenza di q.; **to renew one's a. with**, rinnovare la propria conoscenza con **2** conoscente; conoscenza: **friends and acquaintances**, amici e conoscenti **3** ⓤ conoscenze (pl.); conoscenti (pl.); cerchia di conoscenti ● (*leg.*) **a. rape**, stupro compiuto da un amico o parente della vittima ‖ **acquaintanceship** n. ⓤ conoscenza.

acquest /æˈkwɛst/ n. (*leg.*) beni acquisiti (*non ereditati*).

to **acquiesce** /ækwɪˈɛs/ v. i. essere acquiescente; acconsentire (*senza grande entusiasmo*) ● **to a. in**, accettare (*senza far rimostranze*): *The other members acquiesced in his resignation*, gli altri soci accettarono senza protestare le sue dimissioni.

acquiescence /ækwɪˈɛsns/ n. ⓤ **1** (*anche leg.*) acquiescenza; tacito consenso **2** arrendevolezza, remissività.

acquiescent /ækwɪˈɛsnt/ a. **1** acquiescente; tacitamente consenziente **2** condiscendente; remissivo; arrendevole.

acquirable /əˈkwaɪərəbl/ a. acquisibile; acquistabile.

●to **acquire** /əˈkwaɪə(r)/ v. t. acquisire; acquistare; assumere; procurarsi: **to a. a skill**, acquisire un'abilità; **to a. a meaning**, assumere un significato; **to a. a reputation for**, procurarsi (*o farsi*) la fama di; **to a. a taste for st.**, imparare ad apprezzare qc. ● (*econ., fin.*) **to a. a business**, rilevare un'impresa □ (*leg.*) **to a. by prescription**, usucapire; acquisire per usucapione.

acquired /əˈkwaɪəd/ a. acquisito: (*biol.*) **a. character**, carattere acquisito; **a. taste**, gusto acquisito; cosa che si è imparata ad apprezzare col tempo ● (*med.*) **A. Immune Deficiency Syndrome** (abbr. **AIDS**), sindrome da immunodeficienza acquisita; AIDS.

acquirement /əˈkwaɪəmənt/ n. **1** ⓤ acquisizione (*di abilità, abitudine, ecc.*) **2** (al pl.) doti, qualità (*acquisite*).

acquirer /əˈkwaɪərə(r)/ n. (*anche fin.*) acquirente, acquisitore.

●**acquisition** /ækwɪˈzɪʃn/ n. **1** ⓤ (*econ.*) acquisizione; acquisto: **the a. of a brand**, l'acquisizione di un marchio; **the a. of a painting**, l'acquisto di un quadro; (*leg.*) **a. by prescription**, acquisto per usucapione **2** acquisizione, apprendimento (*di abilità, nozioni, ecc.*) **3** (*di cosa, persona*) acquisto: *Tom is a valuable a. for the team*, Tom è un buon acquisto per la squadra ● (*fin.*) **a. accounting**, contabilità di acquisizione □ (*fin.*) **a. offer**, offerta pubblica d'acquisto (abbr. **OPA**) □ (*econ., org. az.*) **mergers and acquisitions** (abbr. **M&A**), fusioni e acquisizioni.

acquisitive /əˈkwɪzətɪv/ a. **1** avido (*di beni materiali*); che tende ad accumulare **2** (*econ.*) che pratica una politica di acquisizioni ● (*leg.*) **a. prescription**, prescrizione acquisitiva; usucapione ‖ **-ly** avv. ‖ **-ness** n. ⓤ.

to **acquit** /əˈkwɪt/ v. t. **1** (*leg. e fig.*) assolvere; mandare assolto; prosciogliere: *The jury acquitted him*, la giuria lo assolse (*o lo mandò assolto*); **to a. sb. of a charge**, prosciogliere q. da un'accusa; **to a. sb. of murder** (*o* **on a murder charge**), prosciogliere q. dall'accusa di omicidio; **to a. sb. of a**

blame, assolvere q. da una colpa **2** liberare, esonerare (*da un obbligo, da un dovere*) **3** – **to a. oneself**, comportarsi: **to a. oneself well**, comportarsi bene; dare buona prova di sé; cavarsela bene; *He acquitted himself honorably*, si è comportato onorevolmente; se l'è cavata con onore ● (*arc.*) **to a. oneself of a duty**, adempiere un dovere.

acquittal /əˈkwɪtl/ n. ⓤ **1** (*leg.*) assoluzione; proscioglimento **2** adempimento, assolvimento (*di un dovere, ecc.*).

acquittance /əˈkwɪtns/ n. **1** ⓤ (*leg.*) esecuzione (*di un'obbligazione*); saldo, pagamento (*di un debito*) **2** dichiarazione liberatoria; quietanza; ricevuta.

●**acre** /ˈeɪkə(r)/ n. **1** acro (*misura di superficie, pari a 4046 mq*) **2** (al pl.) distesa, distese: **acres of woodland**, una distesa di boschi **3** (al pl.) terra (sing.); terreni **4** (al pl.) (*fam.*) un'infinità; un sacco di: **acres of space**, un sacco di spazio; **acres of carpeting**, moquettes dappertutto.

acreage /ˈeɪkərɪdʒ/ n. ⓤ superficie in acri (*di un terreno*).

acrid /ˈækrɪd/ a. (*anche fig.*) acre; aspro; pungente; molesto ‖ **acridity** n. ⓤ acredine; asprezza.

acrimonious /ækrɪˈməʊnɪəs/ a. acrimonioso; aspro; astioso.

acrimony /ˈækrɪmənɪ/ n. ⓤ acrimonia; asprezza; astiosità.

acrobat /ˈækrəbæt/ n. acrobata.

acrobatic /ækrəˈbætɪk/ a. acrobatico ‖ **-ally** avv.

acrobatics /ækrəˈbætɪks/ n. pl. **1** (*anche fig.*) acrobazie; numero (sing.) acrobatico: **to do** (*o* **to perform**) **a.**, fare acrobazie; eseguire un numero acrobatico; **mental a.**, acrobazie mentali **2** (col verbo al sing.) acrobazia; arte dell'acrobata.

acronym /ˈækrənɪm/ n. acronimo.

---

❶ NOTA: acronym

Gli acronimi (abbreviazioni composte da lettere iniziali), come NATO (*North Atlantic Treaty Organization*, Organizzazione del Trattato Nord-Atlantico) e UNESCO (*United Nations Educational, Scientific and Cultural Organization*, Organizzazione delle Nazioni Unite per l'Educazione, la Scienza e la Cultura) si scrivono senza punti. Tendenzialmente, gli acronimi vanno pronunciati come una parola unica, ma alcuni si pronunciano anche lettera per lettera. Per esempio *VAT* (*value-added tax*, imposta sul valore aggiunto) si pronuncia sia **V-A-T** sia come parola che fa rima con *bat*; *UFO* (*unidentified flying object*, oggetto volante non identificato) si pronuncia sia **U-F-O** sia come una parola non male inglese (→ anche **abbreviation**).

---

acrophobia /ækrəˈfəʊbɪə/ n. ⓤ (*psic.*) acrofobia.

acropolis /əˈkrɒpəlɪs/ n. acropoli; cittadella.

●**across** /əˈkrɒs/ **A** avv. **1** in larghezza; da una parte all'altra; da un capo all'altro: *The river is two miles a.*, il fiume misura due miglia in larghezza **2** dall'altra parte: **to go a.**, andare (*o* passare) dall'altra parte; attraversare (*la strada, ecc.*); **to jump a.**, saltare dall'altra parte (*di un fosso, ecc.*) **3** diagonalmente; in diagonale; di traverso: **the house a. from mine**, la casa in diagonale con la mia **4** (*nelle parole incrociate*) orizzontale: **5 a.**, 5 orizzontale **B** prep. **1** attraverso (*nel senso della larghezza*); di traverso a: **a. the field**, attraverso il campo; *She lay a. the bed*, era sdraiata di traverso sul letto; **a line a. a page**, una riga che attraversa una pagina **2** dall'altra parte di; oltre; al di là di; di là da: *There is a wood a. the river*, c'è un bosco oltre il (*o al di là del*) fiume; *I live a. the*

street, abito di fronte; *There's a ticket machine at the end of this street a. the road*, c'è un parchimetro alla fine di questa via dall'altro lato della strada; *He ran a. the street*, attraversò di corsa la strada; *He called me from a. the room*, mi chiamò dall'altra parte della stanza; *The reception's in the hotel a. the road from the registry office*, il ricevimento è nell'hotel di fronte all'ufficio anagrafe **3** dappertutto in; in tutto il, in tutta la: **a. the country**, in tutto il paese; dappertutto nel paese; **a. the world**, in tutto il mondo ● **a. the board** → **board**.

acrostic /əˈkrɒstɪk/ n. (*poesia*) acrostico.

acrylic /əˈkrɪlɪk/ (*chim.*) a. acrilico: **a. resin**, resina acrilica ‖ **acrylate** n. acrilato; resina acrilica.

●**act** /ækt/ n. **1** atto; azione; gesto: **an act of cruelty**, un atto di crudeltà; un azione crudele; **act of faith**, atto di fede; **the act of a desperate man**, il gesto di un disperato; **in the act of doing st.**, nell'atto di fare qc. **2** – (*leg.*) **Act**, legge (*approvata da un parlamento*): (*in GB*) **Act of Parliament**, legge del Parlamento; (*in USA*) **Act of Congress**, legge del Congresso; (*in USA*) **the Freedom of Information Act**, la legge sulla libertà dell'informazione **3** (*leg.*) provvedimento giudiziario; decreto; (= **act in law**) negozio giuridico **4** (al pl.) (*relig.* = **Acts of the Apostles**) Atti degli Apostoli **5** (*teatr.*) atto: **Act 3, Scene 1**, atto terzo, scena prima; **five-act tragedy**, tragedia in cinque atti; **one-act play**, atto unico **6** (*teatr., circo*) numero **7** (*fig.*) finzione; finta; scena; commedia; manfrina; numero: *It's all an act*, è tutta scena; è tutta una commedia; finge; **to put on an act**, fare la commedia; fingere; fare la scena; *She did her naive schoolgirl act*, fece la ragazzina ingenua ● (*leg.*) **act of bankruptcy**, azione (*del debitore insolvente*) che consente di dare inizio alla procedura fallimentare □ (*relig.*) **act of contrition**, atto di dolore (*o di contrizione*) □ (*stor. ingl.*) **Act of Supremacy**, Atto di Supremazia **❶ CULTURA ● Act of Supremacy:** *è la legge del 1534 che sancì la supremazia religiosa del sovrano inglese (allora Enrico VIII), segnando lo scisma tra la Chiesa di Roma e la Chiesa Anglicana* □ (*stor., GB*) **Act of Union**, Trattato di Unione **❶ CULTURA ● Act of Union → Scotland** □ (*leg.*) **act of God**, evento imprevedibile; caso di forza maggiore; calamità naturale □ (*leg.*) **act of war**, atto di guerra □ (*leg.*) **by act of law**, «ope legis» (*lat.*) □ (*fam. USA*) **to class up one's act**, fare meglio; migliorare le proprie prestazioni □ (*fam. USA*) **to clean up one's act**, darsi una regolata; mettersi in riga □ **to be caught in the act**, essere colto sul fatto (*o in flagrante*) □ (*fam.*) **to get one's act together**, organizzarsi; fare mente locale; prepararsi □ (*fam.*) **to get in on** (*o into*) **the act**, imitare (*o sfruttare*) un'idea di successo; sfruttare l'idea □ (*fam.*) **a hard** (*o tough*) **act to follow**, persona o prestazione difficile da emulare.

ACT sigla **1** (*GB*, **advance corporation tax**) tassa societaria anticipata **2** (**Australian Capital Territory**) territorio della capitale dell'Australia (*Canberra*).

●to **act** /ækt/ **A** v. i. **1** agire: *The time has come to act*, è venuta l'ora di agire; **to act quickly**, agire rapidamente; **to act on** (*o upon*) **sb.'s advice**, agire seguendo i consigli di q.; **to act on information**, agire in base a informazioni; **to act on behalf of** → *def.* **6 2** comportarsi; agire: **to act suspiciously**, comportarsi in modo sospetto; **to act like a fool**, comportarsi da stupido **3** (*di medicina, ecc.*) agire; avere effetto; fare effetto: *These pills act on the kidneys*, queste pillole agiscono sui reni **4** – **to act as**, fungere da; fare da; agire in qualità di: **to act as a guide**, fare (*o fungere*) da guida; (*comm.*) **to act as**

an agent for a firm, rappresentare una ditta; **to act as chairman**, presiedere **5** – **to act as**, funzionare da; avere l'effetto di: **to act as a deterrent**, funzionare da deterrente; avere un effetto deterrente **6** – **to act for**, agire per conto di; rappresentare **7** (*teatr.*) recitare: **to act in small roles**, recitare in piccole parti; *He can't act*, non sa recitare **8** fingere; fare finta; fare la commedia: *I had a feeling that he was acting*, avevo l'impressione che fingesse ⒷⅤ. t. **1** (*teatr.*) recitare; fare la parte di: **to act (the part of) Macbeth**, fare la parte di Macbeth; impersonare Macbeth **2** comportarsi come; fare: **to act one's role**, fare la propria parte; **to act the victim**, fare la vittima ● **to act one's age**, (*di adulto*) non fare il bambino □ **to act dumb**, fingere di non capire □ **to act the fool**, fare lo scemo □ **to act a part**, fare la commedia; fingere.

■ **act out** v. t. + avv. **1** rappresentare recitando; mimare; recitare **2** (*psic.*) mettere in atto; agire.

■ **act up** v. i. + avv. (*fam.*) **1** comportarsi male; fare una scena **2** (*di bambino*) fare i capricci; far disperare **3** (*di parte del corpo*) fare male; farsi sentire: *My knee is acting up again*, il mio ginocchio si fa di nuovo sentire **4** (*di apparecchio*) funzionare male; fare i capricci.

actable /ˈæktəbl/ a. **1** eseguibile; fattibile **2** (*teatr.*) rappresentabile; recitabile.

ACTH sigla (*med.*, **adrenocorticotropic hormone**) ormone adrenocorticotropo.

actin /ˈæktɪn/ n. Ⓤ (*biochim.*) actina.

acting /ˈæktɪŋ/ Ⓐ n. Ⓤ **1** (*teatr.*) (stile di) recitazione; interpretazione: **wooden a.**, recitazione legnosa **2** (*teatr.*) mestiere dell'attore: *I've done some a. on TV*, ho recitato in televisione **3** finzione; commedia (*fig.*); **It's just a. on his part**, è tutta una commedia la sua Ⓑ a. **1** (*teatr.*) di attore; di recitazione: **a. career**, carriera di attore; **a. lessons**, lezioni di recitazione **2** facente funzione (di); incaricato; reggente; interinale: **a. headmaster**, preside incaricato; **a. director**, facente funzione di direttore.

actinia /ækˈtɪnɪə/ n. (pl. **actiniae**, **actinias**) (*zool.*, *Actinia*) attinia; anemone di mare.

actinic /ækˈtɪnɪk/ (*fis.*, *fotogr.*) a. attinico: **a. ray**, raggio attinico || **actinism** n. Ⓤ attinismo; attinicità.

actinium /ækˈtɪnɪəm/ n. Ⓤ (*chim.*) attinio.

♦**action** /ˈækʃn/ n. **1** Ⓤ azione; comportamento; condotta: **line of a.**, linea di condotta; **plan of a.**, piano di azione; **a man of a.**, un uomo d'azione **2** Ⓒ azione; atto; gesto; intervento; provvedimento, provvedimenti; misura, misure: *His prompt a. prevented an accident*, il suo pronto intervento evitò un incidente; *It's time for a.*, è tempo di agire; **drastic a.**, misure drastiche; **to take a.**, agire; prendere provvedimenti **3** Ⓤ azione; effetto: **the a. of wind on soil**, l'azione del vento sul terreno **4** (*teatr.*, *cinem.*, *ecc.*) azione; vicenda **5** Ⓒ (*mil.*) azione; combattimento: **to clear for a.**, prepararsi al combattimento; **to be killed in a.**, essere ucciso in combattimento; *Did you to see any a.?*, hai combattuto?; sei stato in prima linea? **6** (*leg.*) azione legale; causa; querela: **a. at law**, azione in giudizio; causa: **a. for damages**, causa per danni; **a. of detinue**, azione di rivendicazione; **a. of recourse**, azione di regresso; **libel a.**, querela per diffamazione a mezzo stampa; **to bring an a. against sb.**, intentare (*o* fare) causa a q.; querelare q.; sporgere querela contro q. **7** Ⓤ (*mecc.*) movimento; azione; funzionamento: **engine in full a.**, motore funzionante a pieno regime **8** (*mecc.*, *di pianoforte, orologio, ecc.*) meccanismo; parti (pl.) meccaniche **9** (*mus.*, *di strumento a corde*) action (*distanza tra le corde e la tastiera*) **10** (*di fucile, ecc.*) (sistema di) caricamento e sparo **11** (= **industrial a.**) azione industriale; sciopero **12** (come escl.) (*cinem.*) azione! **13** Ⓤ (*fam.*) animazione; movimento; vita; azione: *Where's the a. in town?*, dov'è che si fa vita in città? **14** Ⓤ (*fam.*) attività illegale; affari (pl.) loschi **15** Ⓤ (*fam.*) attività sessuale; sesso ● (*polit.*) **a. committee** (*o* **a. group**), comitato di azione □ **a.-packed**, (*di film, ecc.*) pieno di azione, movimentato; (*di programma*) ricco, denso □ (*arte*) **a. painting**, action painting □ **a. point**, punto di intervento (*evidenziato in una discussione, ecc.*) □ (*TV, sport*) **a. replay**, ripetizione; replay □ **a. stations!**, (*mil.*) ai posti di combattimento!; (*fig. fam.*) tutti ai loro posti!, tutti pronti! □ (*comm.*: *di lettere*) **for a.**, in evidenza □ **in a.**, in attività; in azione; all'opera □ **to bring into a.**, mettere in atto; mettere in azione □ **to go into a.**, entrare in azione (*anche mil.*) □ **out of a.**, (*di persona*) fuori combattimento, fuori causa; (*di cosa*) fuori uso, fermo, guasto □ **to put st. into a.**, mettere in atto qc. □ (*fam.*) **a slice** (*o* **a piece**) **of the a.**, una fetta della torta; una parte □ (*prov.*) **Actions speak louder than words**, contano più i fatti delle parole.

actionable /ˈækʃənəbl/ a. **1** (*leg.*) perseguibile: **an a. offence**, un reato perseguibile **2** in base a cui agire; che consente d'intervenire: **a. information**, informazioni in base a cui agire; **a. strategies**, strategie finalizzate alla soluzione di un problema, ecc.

actioner /ˈækʃnə(r)/ n. film d'azione (*spesso violento*).

actionist /ˈækʃənɪst/ n. (*polit.*) fautore dell'azione diretta; interventista.

to **activate** /ˈæktɪveɪt/ v. t. **1** azionare; mettere in moto **2** (*chim.*, *fis.*, *comput.*) attivare; rendere attivo **3** (*mil. USA*) creare, allestire (*un corpo, ecc.*).

activated /ˈæktɪveɪtɪd/ a. (*chim.*) attivo: **a. carbon**, carbone attivo; **a. sludge**, fango attivo.

activation /æktɪˈveɪʃn/ n. Ⓤ (*fis.*, *chim.*, *comput.*) attivazione; **a. analysis**, analisi per attivazione; **a. energy**, energia di attivazione.

activator /ˈæktɪveɪtə(r)/ n. (*biol.*, *fis.*, *chim.*) attivatore.

♦**active** /ˈæktɪv/ a. **1** attivo: **a. member**, membro attivo; **a. population**, popolazione attiva; **an a. role**, un ruolo attivo; **a. volcano**, vulcano attivo **2** attivo; vivace; dinamico; energico: **an a. old man**, un vecchio attivo (*o* dinamico); **to lead an a. life**, fare vita attiva **3** effettivo; concreto; attivo; fattivo: **a. help**, un aiuto concreto; **to take an a. interest in st.**, interessarsi attivamente di qc.; **to take an a. part in st.**, prendere parte attiva in qc. **4** (*econ.*, *fin.*) attivo: **an a. balance of trade**, una bilancia commerciale in attivo **5** (*gramm.*) attivo **6** (*chim.*, *biol.*, *med.*) attivo: **a. immunity**, immunità attiva; **a. principle** (*o* **ingredient**), principio attivo □ **a. carbon** (*o* **a. charcoal**), carbone attivo **7** (*comput.*) attivo; in corso di esecuzione: **a. program**, programma in esecuzione; **a. window**, finestra attiva ● **a. citizen**, cittadino socialmente attivo nella comunità □ (*mil.*) **a. duty**, servizio permanente effettivo; servizio attivo □ (*mil.*) **a. list**, ruolo degli ufficiali in servizio attivo □ (*leg.*) **a. obligations**, gli obblighi attivi □ (*leg.*, *comm.*) **a. partner**, socio attivo; (*anche*) socio accomandatario □ **a. service**, (*mil.*) servizio in zona di combattimento; (*fig.*) servizio attivo **| -ness** n. Ⓤ.

ActiveX /ˈæktɪveks/ n. Ⓤ (*comput.*) ActiveX (*tecnologia che consente l'interazione di oggetti in un ambiente di rete*): **ActiveX controls**, controlli scritti utilizzando tecnologia ActiveX.

activism /ˈæktɪvɪzəm/ n. Ⓤ (*filos.*, *polit.*) attivismo

♦**activist** /ˈæktɪvɪst/ n. (*polit.*, *filos.*) attivista: **gay a.**, attivista gay; chi partecipa alla lotta per i diritti degli omosessuali; **peace a.**, pacifista.

♦**activity** /ækˈtɪvəti/ n. ⓊⒸ attività: **intellectual a.**, attività intellettuale; (*astron.*) **solar a.**, attività solare; **leisure activities**, attività del tempo libero.

♦**actor** /ˈæktə(r)/ n. **1** (*teatr.*, *cinem.*) attore, attrice: **theatre a.**, attore di teatro (*o* di prosa) **2** (*fig.*) uno che finge; attore, attrice; commediante: **to be a good a.**, saper fare la commedia; saper fingere; **to be a bad a.**, non saper fingere **3** (*leg.*) autore di un illecito civile ● (*teatr.*) **a.-manager**, impresario-attore.

♦**actress** /ˈæktrɪs/ n. **1** (*teatr.*, *cinem.*) attrice **2** (*fig.*) una che finge; attrice; commediante.

♦**actual** /ˈæktʃʊəl/ Ⓐ a. **1** effettivo; reale; (*di parole, ecc.*) testuale: **the a. cost**, il costo effettivo; (*ass.*) **a. loss**, perdita effettiva; **the a. result**, il risultato effettivamente ottenuto; **his a. words**, le sue testuali parole **2** vero e proprio; autentico (*ma a volte ha solo valore enfatico*): *I felt no a. pain*, non sentii un vero e proprio dolore; a dire il vero non sentii dolore; *I read out the content to him, but didn't show him the a. piece of paper*, gli lessi il contenuto, ma non gli feci vedere il foglio **3** (*form.*) presente; attuale: **the a. planetary alignment**, il presente allineamento planetario ❶ FALSI AMICI • *nell'inglese non formale* actual *non significa* attuale Ⓑ **actuals** n. pl. (*econ.*) prodotti attuali (*o* effettivi, reali) ● (*leg.*) **a. bad faith**, dolo effettivo □ (*leg.*) **a. bodily harm**, lesioni personali lievi □ (*sport*) **a. play**, gioco effettivo □ (*comm.*) **in a. cash**, in contanti □ **in a. fact**, in effetti; in realtà □ (*scherz. o iron.*, *GB*) **your** (*o* **yer**) **a.**, il famoso; il famigerato: *Is this your a. new theatre?*, sarebbe questo il famoso teatro nuovo?

actualism /ˈæktʃʊəlɪzəm/ (*filos.*) n. Ⓤ attualismo || **actualist** n. attualista.

actuality /æktʃʊˈælɪti/ n. **1** Ⓤ realtà: **in a.**, nella realtà **2** (al pl.) condizioni reali; situazione (sing.) reale; realtà: **the actualities of married life**, le realtà della vita di coppia ● (*radio*, *TV*) **a. programs**, programmi di attualità, documentari, sport, gastronomia, ecc. (*ossia tutti quei programmi che non sono notiziari, fiction o trasmissioni musicali*) ❶ FALSI AMICI • actuality *non significa* attualità.

actualization /æktʃʊəlaɪˈzeɪʃn, *USA* -lɪˈz-/ n. Ⓤ **1** realizzazione; attuazione **2** descrizione realistica **3** (*leg.*) ricostruzione (*di un delitto, ecc.*).

to **actualize** /ˈæktʃʊəlaɪz/ Ⓐ v. t. **1** realizzare; attuare **2** descrivere realisticamente **3** (*leg.*) ricostruire (*un delitto, ecc.*) Ⓑ v. i. realizzarsi; attuarsi.

♦**actually** /ˈæktʃʊəlɪ/ avv. **1** effettivamente; realmente; esattamente: **the words he a. said**, quello che lui effettivamente disse; *What did you a. see?*, che cosa hai visto esattamente (*o di preciso*)?; *I've never a. asked her, but I'm sure about it*, non gliel'ho mai chiesto esplicitamente, ma ne sono sicuro; *Before you a. start, make sure that…*, prima di cominciare, assicuratevi che… **2** (*enfatico*) sul serio; davvero: *You don't a. believe that, do you?*, non ci crederai mica, vero?; ti a questo in realtà non ci credi, vero?; *I a. thought he was going to shoot me*, pensai davvero che stesse per spararmi **3** addirittura: *He a. offered to drive me home*, si offrì addirittura di accompagnarmi a casa in macchina; *At this point she a. laughed*, a questo punto lei addirittura rise **4** in realtà

a

(*contrariamente a quanto si pensa o si dice*); di fatto; veramente: *The funny thing is that I a. like this job*, il buffo è che in realtà a me questo lavoro piace; *She's a. a rather good actress*, in realtà è piuttosto brava come attrice **5** a dire il vero; veramente: *A., I don't like beer*, a dire il vero, la birra non mi piace; *A., my name isn't Laura*, veramente, io non mi chiamo Laura ● **FALSI AMICI** ● *actually non significa* attualmente.

actuary /'æktʃʊərɪ/ n. attuario ‖ **actuarial** a. attuariale ● (*ass.*) **actuarial reserve**, riserva matematica.

to **actuate** /'æktʃʊeɪt/ v. t. **1** (*elettr., mecc.*) mettere in moto; azionare; attivare **2** (*form.*) spingere (*ad agire*); motivare: *What motives actuated him?*, quali motivi lo spinsero ad agire? ‖ **actuation** n. ⓤ **1** (*elettr., mecc.*) messa in moto; azionamento; attivazione **2** (*form.*) spinta (*ad agire*); motivazione ‖ **actuator** n. (*elettr., mecc.*) attuatore; attivatore.

acuity /ə'kju:ɪtɪ/ n. ⓤ **1** acuità: **visual a.**, acuità visiva **2** acutezza (*anche fig.*); acume; sagacia.

aculeate /ə'kju:lɪeɪt/ a. **1** (*bot., zool.*) aculeato **2** (*fig.*) pungente; mordace.

aculeus /ə'kju:lɪəs/ n. (pl. *aculei*) (*bot., zool.*) aculeo.

acumen /'ækjʊmən, ə'kju:-/ n. ⓤ acume; perspicacia ● **business a.**, senso degli affari.

acuminate /ə'kju:mɪnət/ a. acuminato.

acupressure /'ækjuːpreʃə(r)/ n. ⓤ (*med.*) acupressione; shiatsu.

acupuncture /'ækjʊpʌŋktʃə(r)/ (*med.*) n. ⓤ agopuntura ● **a. practitioner**, agopuntore ‖ **acupuncturist** n. agopuntore.

acute /ə'kju:t/ A a. (*dei sensi*) acuto; fine; fino: **a. sight**, vista acuta; **a. hearing**, udito fino; **an a. sense of smell**, un odorato fine **2** acuto; perspicace; penetrante **3** acuto; intenso; forte; grave; severo: **an a. pain**, un dolore acuto; **a. need**, acuto bisogno; **a. embarrassment**, grave imbarazzo; **an a. water shortage**, una grave scarsità d'acqua **4** aguzzo; acuminato **5** (*di suono*) acuto; penetrante **6** (*med.*) acuto; grave; (*per estens.*) in condizioni gravi, di urgenza: **a. appendicitis**, appendicite acuta; **a. rheumatism**, febbre reumatica; **a. patient**, paziente grave; caso grave; urgenza; **a. care**, terapia intensiva; **a. ward**, reparto di terapia intensiva **7** (*geom.*) acuto: **a. angle**, angolo acuto; **a.-angled**, acutangolo (*archit.*) **a. arch**, arco a sesto acuto **8** (*fon.*) acuto: **a. accent**, accento acuto B n. (*fon.*) accento acuto ‖ **acutely** avv. acutamente; intensamente ‖ **acuteness** n. ⓤ **1** acutezza; acume; perspicacia **2** intensità; gravità; severità **3** (*med.*) stadio acuto.

acyclic /eɪ'saɪklɪk/ a. (*chim., bot., fis.*) aciclico.

♦**A.D.** /eɪ'di:/ loc. avv. (abbr. di **Anno Domini**) dopo Cristo (abbr. d.C.): **in A.D. 410** (*o* **410 A.D.**), nel 410 d.C.

A/D /eɪ'di:/ a. (abbr. di **analogue to digital**) (*elettron.*) analogico-digitale.

ad ① /æd/ (abbr. *fam. di* **advertisement**) A n. **1** annuncio economico; inserzione: **to place** (*o* to put) **an ad in a paper**, mettere un'inserzione su un giornale; *We'll have to put an ad in the paper*, dovremo mettere un annuncio sul giornale; **small ads**, inserzioni; piccola pubblicità **2** annuncio pubblicitario; pubblicità; réclame (*franc.*); spot (*TV*): **a shampoo ad**, la pubblicità di uno sciampo B a. attr. pubblicitario: **ad agency**, agenzia pubblicitaria; **ad copy**, testo pubblicitario; **ad writer**, scrittore di testi pubblicitari.

ad ② /æd/ n. (abbr. di **advantage**) (*tennis*) vantaggio.

ADA sigla (*med.*, **adenosine deaminase**)

adenosina deaminasi (ADA).

adage /'ædɪdʒ/ n. adagio; massima; sentenza.

adagio /ə'dɑːdʒɪəʊ/ avv., a. e n. (pl. *adagios*) (*mus.*) adagio.

Adalbert /'ædəlbɜːt/ n. Adalberto.

Adam /'ædəm/ n. Adamo ● (*scherz. antiq.*) **A.'s ale**, l'acqua □ **A.'s apple**, il pomo di Adamo □ **not to know sb. from A.**, non conoscere affatto q.

adamant /'ædəmənt/ a. categorico; irremovibile; inflessibile; risoluto: *He is a. that a meeting should be held*, è categorico sul fatto che si debba tenere una riunione; *She's a. that she will not leave*, non intende assolutamente andarsene; *On that count I was a.*, su quel punto fui irremovibile; **a. opposition**, opposizione categorica.

adamantine /ædə'mæntaɪn/ a. **1** irremovibile; inflessibile; risoluto **2** (*lett.*) adamantino.

Adamic /ə'dæmɪk/ a. adamitico.

Adamite /'ædəmaɪt/ n. **1** discendente d'Adamo **2** (*stor. relig.*) adamita.

♦to **adapt** /ə'dæpt/ A v. t. adattare; modificare B v. i. adattarsi: *He adapted to the new rules quickly*, si adattò rapidamente alle nuove regole ● **to a. oneself**, adattarsi: *I a. myself to all circumstances*, mi adatto a tutte le circostanze.

adaptable /ə'dæptəbl/ a. **1** adattabile; modificabile **2** adattabile; che sa adattarsi ‖ **adaptability** n. ⓤ adattabilità.

adaptation /ædæp'teɪʃn/ n. **1** ⓤⓒ adattamento; modifica **2** ⓤⓒ (*biol.*) adattamento **3** (*teatr., cinem., TV*) adattamento.

adapter /ə'dæptə(r)/ n. **1** (*tecn., comput.*) adattatore **2** (*elettr.*) adattatore; riduttore; (*in GB, anche*) spina multipla **3** (*fotogr.*) riduttore **4** (*mecc.*) adattatore; raccordo **5** (*teatr., cinem., TV*) chi fa un adattamento; riduttore.

adaption /ə'dæpʃn/ n. ⓤ → **adaptation**.

adaptive /ə'dæptɪv/ a. adattativo, adattivo: (*econ.*) **a. expectations**, aspettative adattive.

adaptor /ə'dæptə(r)/ → **adapter**.

ADC sigla **1** (*mil.*, **aide-de-camp**) aiutante di campo **2** (*elettron.*, **analogue-digital converter**) convertitore analogico-digitale ● **A.D.C. (call)** (*telef.*, = **advice of duration and charge** (**call**)), interurbana con comunicazione del costo (*da parte del centralinista*).

ADD sigla **1** (**analogue, digital, digital**) registrazione analogica, editing digitale, masterizzazione digitale (*di un CD*) **2** (*med.*, **Attention Deficit Disorder**) disturbo da mancanza di attenzione.

♦to **add** /æd/ v. t. **1** aggiungere: *Add the milk to the mixture*, aggiungete il latte al composto; **to add a new wing to a building**, aggiungere una nuova ala a un edificio; *The loft conversion will add £50,000 to the value of the house*, la conversione del sottotetto aggiungerà £50 000 al valore della casa; *Is there anything to add to that?*, c'è altro da aggiungere?; *Could you add us to your mailing list?*, potrebbe aggiungerci alla vostra mailing list? **2** (*mat.*) addizionare; sommare: **to add 7 and 10**, sommare 7 a 10 **3** aggiungere; soggiungere: «*Besides, I don't like it*» *she added*, «e poi non mi piace» aggiunse ● **to add fuel to the flames** (*o* **to the fire**), gettare benzina sul fuoco □ **to add insult to injury**, aggiungere la beffa al danno □ **added to that**, in aggiunta a ciò.

■ **add in** v. t. + avv. aggiungere (*una quantità, una miscela, un elenco, un calcolo, ecc.*); includere; mettere dentro (*fam.*): *Add in the cheese and stir*, aggiungete il formaggio e mescolate; *You should add in the time you spent on research*, devi aggiungerci il tem-

po che hai impiegato nelle ricerche.

■ **add on** v. t. + avv. aggiungere (*in seguito, alla fine*): **to add on VAT**, aggiungere l'IVA; **to add on an extension**, aggiungere nuovi locali; *I've added it on at the end*, ce l'ho aggiunto in fondo; *Add on to that the fact that…*, aggiungici il fatto che…

■ **add to** A v. i. + prep. aumentare; far aumentare; accrescere; rafforzare; aggiungersi a: *It adds to our risk*, questo aumenta i nostri rischi; *His words added to my suspicion*, le sue parole rafforzarono il mio sospetto; **to add to friction between two people**, far aumentare l'attrito fra due persone B v. t. + prep. (al passivo) ampliare (*un edificio*); aggiungere nuove parti a: *The school has been added to*, la scuola è stata ampliata; alla scuola è stata aggiunta una nuova ala.

■ **add together** A v. t. + avv. addizionare; sommare B v. i. + avv. sommarsi; concorrere: *These data add together to give a clear picture of the situation*, questi dati concorrono a dare un quadro chiaro della situazione.

■ **add up** A v. t. + avv. addizionare; sommare; aggiungere B v. i. + avv. **1** sommarsi; accumularsi: *It's not much, but it soon starts adding up after a while*, non è molto ma dopo un po' le spese cominciano ad accumularsi **2** (*fam.*) avere una logica; tornare; quadrare: *His story didn't add up*, la sua storia non tornava; *It all adds up now*, tutto quadra ora; i conti tornano □ **to add up the bill**, fare il conto; calcolare il costo totale.

■ **add up to** v. i. + avv. + prep. **1** ammontare a; dare un totale di; dare come risultato: *It adds up to a total of £1,430*, ammonta a (o dà un totale di) 1430 sterline **2** (*fam.*) costituire; ammontare a; equivalere a; essere in sostanza; significare: *It all added up to another worry for us*, il tutto significava un'ulteriore fonte di preoccupazione per noi; *This adds up to saying that…*, ciò equivale a dire in sostanza che…; *What these decisions will add up to is anybody's guess*, è impossibile prevedere le conseguenze di queste decisioni; *It doesn't add up to much*, non è molto; non è un granché.

add. abbr. **1** (**addendum**) addendum, aggiunta **2** (**addition**) addizione **3** (**additional**) addizionale **4** (**address**) indirizzo.

added /'ædɪd/ a. **1** addizionato **2** aggiunto; in aggiunta; addizionale; supplementare; in più; ulteriore: **the a. costs**, i costi supplementari; **an a. advantage**, un ulteriore vantaggio; un vantaggio in più; (*market.*) **with no a. sugar**, senza aggiunta di zucchero; **a. to this**, in aggiunta a ciò; inoltre ● (*calcio, ecc.*) **a. time**, tempo (o minuti) da recuperare □ (*econ.*) **value a.**, valore aggiunto □ (*fisc.*) **value-a. tax** (abbr. **VAT**), imposta sul valore aggiunto.

addend /ə'dend/ n. (*mat.*) addendo.

addendum /ə'dendəm/ n. (pl. *addenda*) **1** aggiunta; (*di libro, ecc.*) appendice **2** (*mecc.*) addendum.

adder ① /'ædə(r)/ n. **1** addizionatrice **2** (*comput.*) addizionatore; sommatore.

adder ② /'ædə(r)/ n. **1** vipera (*in genere*) **2** (*zool., Vipera berus*) marasso **3** (*zool.*) – **horned a.** (*Bitis caudalis*), ceraste ● (*zool.*) **a.-fly** = **flying a.** → *sotto* □ (*bot.*) **a.'s tongue** (*Ophioglossum*), ofioglossa; lingua di serpente □ (*zool.*) **flying a.**, libellula.

addict /'ædɪkt/ n. **1** persona che ha una dipendenza fisica, -dipendente (suff.); -mane (suff.): **morphine a.**, morfinomane; **opium a.**, oppiomane **2** (= **drug a.**) tossicodipendente; tossicomane (*fam. scherz.*) appassionato (*di qc.*); patito; fanatico; -dipendente (suff.): **video game a.**, patito dei videogiochi; *TV a.*, videodipendente; teledipendente; *I'm a coffee a.*, non posso fare a

meno del caffè ❶ FALSI AMICI • addict *non significa* addetto.

to **addict** /ə'dɪkt/ v. t. indurre, spingere (*a un vizio*).

addicted /ə'dɪktɪd/ a. **1** schiavo (*di un vizio, ecc.*); dipendente: **a. to drink**, schiavo del bere (*o dell'alcol*); **a. to drugs**, tossicodipendente; schiavo della droga **2** (*fam.*) fanatico; patito; maniaco: **a. to computers**, fanatico del computer; **a. to dieting**, maniaco delle diete; *He's a. to the TV news*, non si perde un telegiornale • **to become a. to st.**, sviluppare una dipendenza da; assuefarsi a; diventare schiavo di; (*fam.*) appassionarsi a, diventare un fanatico di ❶ FALSI AMICI • addicted *non significa* addetto.

addiction /ə'dɪkʃn/ n. **1** ⓤ dipendenza (fisica); assuefazione; -mania (suff.); vizio (spreg.): **a. to alcohol**, dipendenza dall'alcol; vizio del bere; **drug a.**, dipendenza da farmaci; tossicodipendenza; **heroin a.**, dipendenza dall'eroina; eroinomania; **tobacco a.**, dipendenza da tabacco; vizio del fumo; **to develop an a.**, sviluppare una dipendenza **2** (*fam.*) passione; mania; amore fanatico: **an a. to comics**, una vera passione per i fumetti; *Eating chocolate is an a. with me*, per me il cioccolato è una droga ❶ FALSI AMICI • addiction *non significa* addizione.

addictive /ə'dɪktɪv/ a. **1** (*di droga, ecc.*) che dà assuefazione; che dà dipendenza **2** (*di divertimento, hobby, ecc.*) che diventa una passione; appassionante; che è come una droga.

add-in /'ædɪn/ (*comput.*) Ⓐ n. add-in; componente aggiuntivo (*spec. hardware*) Ⓑ a. add-in.

adding machine /'ædɪŋ məˈʃiːn/ loc. n. addizionatrice.

◆**addition** /ə'dɪʃn/ n. **1** ⓤ aggiunta: **the a. of sugar to the mixture**, l'aggiunta di zucchero al composto **2** (*di cosa*) aggiunta, (nuovo) acquisto, acquisizione; (*di persona*) (nuovo) acquisto, nuovo arrivo: **an a. to the team**, un nuovo acquisto per la squadra **3** ⓤ (*mat.*) addizione, addizioni; somma, somme: **to do simple a.**, fare semplici addizioni **4** ⓤ (*chim.*) addizione: **a. compound**, composto di addizione • **in a.**, in aggiunta; in più; inoltre ☐ **in a. to**, in aggiunta a; oltre a.

◆**additional** /ə'dɪʃənl/ a. addizionale; aggiuntivo; supplementare; extra; ulteriore; in aggiunta; in più: **a. charge**, (spesa) extra; supplemento; **a. costs**, costi addizionali (*o aggiuntivi*); **a. evidence**, ulteriori prove; **a. information**, ulteriori informazioni; **a. postage**, affrancatura supplementare • (*polit.*) **a. member system**, sistema elettorale misto di maggioritario e proporzionale (*si vota per un rappresentante e per una lista*) ☐ (*trasp.*) **a. stop**, fermata sussidiaria ☐ (*econ.*) **a. tax**, (imposta) addizionale; soprattassa ☐ (*sport*) **a. time**, (minuti di) recupero ☐ **a. worker**, operaio in aggiunta; extra ‖ **additionally** avv. in aggiunta; ulteriormente; in più; inoltre.

additive /'ædɪtɪv/ Ⓐ a. additivo; aggiuntivo Ⓑ n. (*chim., alim.*) additivo: **free from additives**, senza additivi.

to **addle** /'ædl/ v. t. e i. **1** confondere: **to a. sb.'s brain**, confondere il cervello a q.; rincitrullire **2** (*di uovo*) andare a male.

addle-brained /'ædlbreɪnd/, **addle-pated** /'ædəlpeɪtɪd/ a. (*fam.*) confuso (di mente); sciocco; balordo; stordito.

addled /'ædəld/ a. **1** (*di uovo*) andato a male **2** (*di mente, pensieri, ecc.*) confuso; stordito; intontito.

add-on /'ædɒn/ Ⓐ n. **1** aggiunta; complemento; accessorio **2** (*comput.*) add-on (*sistema hardware con funzionalità complementari*) **3** (*comput.*) add-on (*applicazione software che*

fornisce funzionalità addizionali a un pacchetto software) Ⓑ a. attr. aggiunto; aggiuntivo; complementare; accessorio: **add-on cost**, costo aggiuntivo • (*comput.*) **add-on memory**, memoria aggiunta.

◆**address** /ə'dres/ n. **1** indirizzo; recapito: **home a.**, indirizzo di casa; indirizzo privato; *My a. is 82, Pulborough Road*, il mio indirizzo è Pulborough Road 82; **a. book**, rubrica degli indirizzi **2** discorso ufficiale; indirizzo; allocuzione: **to make a national a.**, rivolgere un discorso alla nazione **3** (*antiq.*, = **social a.**) ⓤ modo di fare (*o di parlare*); modi (pl.) **4** (*comput.*) locazione in memoria o su disco (*dei dati*); identificativo univoco (*di un componente di una rete*): **a. bus**, bus d'indirizzamento; **a. manipulation**, manipolazione degli indirizzi **5** (*naut.*) raccomandazione (*in un contratto di noleggio*) • **form of a.**, titolo (*o formula*) con cui ci si rivolge a q. ☐ **of no fixed a.**, senza fissa dimora ☐ (*arc.*) **to pay one's addresses to a lady**, fare la corte a una signora.

to **address** /ə'dres/ v. t. **1** indirizzare (*una lettera, ecc.*) **2** rivolgersi a; rivolgere la parola a: **to a. sb. as «Doctor»**, rivolgersi a q. col titolo di «Dottore» **3** parlare a (*persone riunite*); rivolgersi a; tenere un discorso a: *He addressed the audience*, parlò (*o si rivolse*) al pubblico **4** rivolgere; indirizzare: *His words were addressed to you*, le sue parole erano rivolte a te; *A. your complaints to the director's office*, rivolgi le tue lamentele alla direzione **5** affrontare; prendere in mano: **to a. a problem**, affrontare un problema **6** (*comm., naut.*) raccomandare • **to a. oneself to**, dedicarsi a; applicarsi a; concentrarsi su; impegnarsi in ‖ **addressable** a. (*comput.*) indirizzabile ‖ **addressed** a. (*di busta, ecc.*) preindirizzato ‖ **addressee** n. **1** destinatario (*di una lettera*) **2** (*ling.*) interlocutore, interlocutrice ‖ **addresser**, **addressor** n. **1** chi rivolge la parola; (*ling.*) mittente **2** mittente (*di una lettera*).

addressing machine /ə'dresɪŋməʃiːn/ loc. n. macchina stampaindirizzi.

addressograph® /ə'dresəɡrɑːf/ n. targhettatrice.

to **adduce** /ə'djuːs, USA ə'duːs/ v. t. addurre; accampare (*una ragione*); citare (*come esempio o fonte*).

adducent /ə'djuːsənt/ a. (*fisiol.*) adduttore.

adducible /ə'djuːsəbl, USA ə'duː-/ a. adducibile; citabile.

to **adduct** /ə'dʌkt/ v. t. (*fisiol.*) addurre.

adduction /ə'dʌkʃn/ n. **1** citazione **2** (*fisiol.*) adduzione.

adductor /ə'dʌktə(r)/ n. (*anat.*) adduttore.

Adela /'ædɪlə/, **Adele** /ə'del/ n. Adele.

adenine /'ædənɪn/ n. (*biochim.*) adenina.

adenitis /ædɪ'naɪtɪs/ n. (*med.*) adenite.

adenoids /'ædɪnɔɪdz/ (*anat., med.*) n. pl. adenoidi ‖ **adenoidal** a. adenoideo.

adenoma /ædɪ'nəʊmə/ n. (pl. **adenomas**, **adenomata**) (*med.*) adenoma.

adenopathy /ædɪ'nɒpəθɪ/ n. ⓤⓒ (*med.*) adenopatia.

adenovirus /ædɪnəʊ'vaɪrəs/ n. (*med.*) adenovirus.

adept /ə'dept/ Ⓐ a. esperto; provetto: **a. at st.**, esperto in qc. Ⓑ n. esperto: *I became an a. at dealing with complaints*, diventai un esperto nel rispondere alle lamentele.

adequacy /'ædɪkwəsɪ/ n. ⓤ **1** adeguatezza; sufficienza **2** l'essere all'altezza (*di qc.*).

◆**adequate** /'ædɪkwət/ a. **1** adeguato; sufficiente: **a. for a need**, sufficiente a un bisogno **2** all'altezza: **to prove a. to a task**, dimostrarsi all'altezza di un compito **3** passabile; sufficiente; discreto | **-ly** avv.

ADF sigla **1** (*aeron.*, **automatic direction finder**) radiogoniometro **2** (**automatic document feeder**) alimentatore automatico di documenti.

to **adhere** /əd'hɪə(r)/ v. i. **1** aderire; attaccarsi: *It won't a. to rough surfaces*, non aderisce a superfici ruvide **2** aderire (*a un accordo, un progetto, ecc.*) **3** attenersi (*a una convinzione, ecc.*); seguire; essere fedele (a); rispettare: **to a. to a practice**, attenersi a una consuetudine ‖ **adherence** n. **1** (*tecn.*) aderenza **2** osservanza (*di una regola, una credenza, ecc.*); l'attenersi (*a un piano, ecc.*); obbedienza; fedeltà; rispetto **3** adesione ‖ **adherent** Ⓐ a. aderente Ⓑ n. aderente; seguace; fedele.

adhesion /əd'hiːʒn/ n. **1** ⓤ (*tecn., fis., biol.*) adesione; adesività **2** ⓤ adesione; appoggio; obbedienza; fedeltà **3** (*med.*) aderenza.

adhesive /əd'hiːsɪv/ Ⓐ a. adesivo: **a. label**, etichetta adesiva; **a. tape**, nastro adesivo Ⓑ n. adesivo | **-ly** avv. | **-ness** n. ⓤ.

to **adhibit** /æd'hɪbɪt/ v. t. (*form.*) **1** apporre (*una firma, ecc.*) **2** somministrare.

ad hoc /æd hɒk/ (*lat.*) Ⓐ a. **1** ad hoc; apposito: **an ad hoc committee**, una commissione ad hoc **2** dettato dall'esigenza immediata; contingente; improvvisato; d'emergenza; secondo le esigenze; caso per caso: **ad hoc decisions**, decisioni prese al momento; decisioni caso per caso; **ad hoc measures**, misure d'emergenza; **on an ad hoc basis**, secondo le esigenze; secondo i casi; caso per caso; all'occorrenza; in modo non sistematico Ⓑ avv. **1** ad hoc; appositamente **2** secondo il bisogno (*o le esigenze*); in un'emergenza; in modo non sistematico; caso per caso; in modo improvvisato.

adhocism /æd'hɒkɪzəm/ n. ⓤ l'affrontare i problemi su base contingente; politica basata sull'improvvisazione.

adhocracy /æd'hɒkrəsɪ/ n. ⓤ flessibilità organizzativa; burocrazia snella.

adiabatic /ædɪə'bætɪk/ a. (*fis., mecc.*) adiabatico: **a. chart**, diagramma adiabatico.

adiantum /ædɪ'æntəm/ n. (solo sing.) (*bot.*, *Adiantum*) adianto.

adieu /ə'djuː/ (*poet. o lett.*) Ⓐ inter. addio Ⓑ n. (pl. **adieus**, **adieux**) addio: **to bid sb. a.**, dire addio a q.; **to make o.'s adieus**, dire addio; congedarsi.

ad infinitum /æd ɪnfɪ'naɪtəm/ (*lat.*) loc. avv. all'infinito; per sempre.

ad interim /æd 'ɪntərɪm/ (*lat.*) loc. avv. e a. ad interim.

adipic /ə'dɪpɪk/ a. (*chim.*) adipico.

adipose /'ædɪpəʊs/ Ⓐ a. adiposo Ⓑ n. adipe ‖ **adiposity** n. ⓤ adiposità.

adit /'ædɪt/ n. (*ind. min.*) galleria d'accesso.

Adj., **Adjt** abbr. (*mil.*, **adjutant**) aiutante.

adjacent /ə'dʒeɪsənt/ a. **1** adiacente: (*geom.*) **a. angles**, angoli adiacenti **2** attiguo; contiguo ‖ **adjacency** n. ⓤ adiacenza; prossimità.

adjective /'ædʒɪktɪv/ (*gramm.*) n. aggettivo ‖ **adjectival** a. aggettivale.

to **adjoin** /ə'dʒɔɪn/ Ⓐ v. t. **1** essere attiguo (*o contiguo, adiacente*) a; confinare con: *My office adjoins the stairs*, il mio ufficio è attiguo alle scale **2** (*tecn.*) collegare; unire Ⓑ v. i. essere attigui (*o contigui, adiacenti*); confinare: *The two building lots a.*, i due lotti sono contigui ‖ **adjoining** a. attiguo; contiguo; adiacente.

to **adjourn** /ə'dʒɜːn/ v. t. e i. **1** rimandare, rinviare, differire; aggiornare; sospendere i lavori (*di deputati, congressisti, ecc.*): *The meeting adjourned at ten sharp*, la seduta fu tolta alle dieci in punto **2** passare (*da un luogo all'altro, spec. per rilassarsi, bere,*

ecc.); spostarsi: *When lunch was over, we adjourned to the library,* dopo la colazione, passammo in biblioteca; *Let's a. to the pub,* andiamo a bere qualcosa al pub ❶ **FALSI AMI-CI** • to adjourn *non significa* aggiornare *nei sensi di mettere al corrente, rinnovare, adeguare* ‖ **adjournment** n. rinvio; aggiornamento.

to **adjudge** /ə'dʒʌdʒ/ v. t. (ass.) **1** giudicare **2** (*arc.*) condannare: *The criminal was adjudged to jail,* il criminale fu condannato al carcere **3** aggiudicare; assegnare con sentenza • **to a. legal damages to sb.,** accordare un indennizzo a q. ‖ **adjudgement** n. **1** giudizio; sentenza **2** ⬚ aggiudicazione, assegnazione (*di un indennizzo, ecc.*).

to **adjudicate** /ə'dʒuːdɪkeɪt/ **A** v. i. **1** giudicare; decidere; pronunciarsi; emettere un giudizio: **to a. on a claim,** pronunciarsi su una rivendicazione **2** fare da giudice (*in un concorso, ecc.*) **B** v. t. **1** (*leg.*) giudicare; dichiarare: **to a. sb. bankrupt,** dichiarare q. fallito **2** fare da arbitro in; comporre: **to a. a dispute,** fare da arbitro in una controversia.

adjudication /əˌdʒuːdɪ'keɪʃn/ n. **1** ⬚ attività di chi giudica o delibera **2** giudizio; delibera; (delibera di) assegnazione • (*leg.*) **a. in bankruptcy,** dichiarazione di fallimento ⬚ (*leg.*) **a. order,** sentenza dichiarativa di fallimento ⬚ **a. panel,** commissione decisionale; giuria (*di una gara, ecc.*) ‖ **adjudicative** a. aggiudicativo ‖ **adjudicator** n. chi giudica; chi aggiudica; giudice; membro di giuria (*in un concorso*) ‖ **adjudicatory** a. decisorio.

adjunct /'ædʒʌŋkt/ **A** n. **1** aggiunta; appendice **2** impiegato aggiunto; subordinato **3** (*gramm.*) attributo; epiteto **4** (*filos.*) attributo secondario **B** a. aggiuntivo; accessorio ‖ **adjunctive** a. aggiuntivo.

to **adjure** /ə'dʒʊə(r)/ v. t. **1** intimare; ordinare **2** scongiurare; implorare; supplicare ‖ **adjuration** n. ⬚ implorazione; supplica.

♦to **adjust** /ə'dʒʌst/ **A** v. t. **1** sistemare (meglio); accomodare; aggiustare: **to a. one's hair,** sistemarsi i capelli; *He adjusted his tie,* si aggiustò la cravatta **2** regolare; mettere a punto; tarare; aggiustare: **to a. the stirrups,** regolare le staffe; **to a. the volume,** regolare il volume; **to a. one's aim,** aggiustare la mira; (*o aggiustare*) di sale (*una vivanda*) **3** ritoccare; rettificare; correggere: **to a. imbalances,** correggere gli squilibri; **to a. prices,** ritoccare (*o correggere*) i prezzi **4** (*ass.*) liquidare; regolare: **to a. a claim,** liquidare una richiesta di danni **B** v. i. **1** essere regolabile; essere adattabile; adattarsi **2** (*anche* **to a. oneself**) adattarsi; abituarsi; ambientarsi • (*demogr.*) **adjusted rate,** quoziente normalizzato ⬚ (*rag.*) **adjusting entry,** scrittura di rettifica.

adjustable /ə'dʒʌstəbl/ a. **1** adattabile; regolabile; sistemabile; modificabile; variabile: **a. back,** schienale regolabile; (*banca*) **a. rate,** tasso variabile; (*mecc.*) **a. spanner** (*USA:* **a. wrench**), chiave regolabile; chiave a rullino **2** liquidabile • (*fin.*) **a. peg,** parità mobile (*o variabile*) ⬚ (*banca, fin.*) **a.-rate mortgage** (abbr. **ARM**), mutuo a tasso variabile.

adjuster /ə'dʒʌstə(r)/ n. **1** regolatore **2** (*ass., USA*) perito **3** (*ass., naut.*) liquidatore (*d'avaria*) • (*mecc.*) **a. screw,** vite di regolazione.

adjustment /ə'dʒʌstmənt/ n. ⬚⬚ **1** modifica; variazione; aggiustamento; ritocco; rettifica; adeguazione; allineamento: (*econ.*) **prices a.,** allineamento (*o aggiustamento*) dei prezzi; **to make adjustments to st.,** apportare modifiche a qc.; ritoccare qc. **2** (*tecn.*) regolazione; messa a punto; registra-

zione; taratura **3** adattamento: **to make the a. to,** adattarsi a (*una situazione, ecc.*) **4** (*ass.*) liquidazione; regolamento: (*naut.*) **a. of average,** liquidazione (*o regolamento*) d'avaria • (*rag.*) **a. account,** conto generale (*o di riepilogo*) ⬚ (*mecc.*) **out of a.,** sregolato; non regolato; non tarato.

adjustor /ə'dʒʌstə(r)/ → **adjuster.**

adjutage /'ædʒʊtɪdʒ/ n. (*tecn.*) tubo di efflusso.

adjutant /'ædʒʊtənt/ a. e n. **1** assistente **2** (*mil.*) aiutante (*di stato maggiore*): **a. general,** aiutante maggiore; (*USA*) ufficiale amministratore di un'unità; (*naut.*) aiutante di bordo **3** (*zool., Leptoptilos dubius*; = **a. crane, a. stork**) marabù asiatico ‖ **adjutancy** n. (*mil.*) ⬚⬚ ufficio (*o grado*) di aiutante.

adjuvant /'ædʒʊvənt/ **A** a. ausiliare; che è d'aiuto **B** n. **1** coadiutore; cooperatore **2** (*farm.*) coadiuvante.

ad lib /æd'lɪb/ loc. avv. (abbr. di **ad libitum**) **1** a piacere; a volontà **2** improvvisando; «ex tempore»; là per là.

ad-lib /'ædlɪb/ a. pred. (*fam.*) improvvisato; estemporaneo; all'impronta; a braccio.

to **ad-lib** /æd'lɪb/ v. t. (*fam.*) **1** improvvisare (*battute, musica, ecc.*) **2** suonare (*jazz*) improvvisando.

Adm. abbr. **1** (**admiral**) ammiraglio **2** (**admiralty**) ammiragliato.

adman /'ædmæn/ n. (pl. **admen**) (*fam.*) (agente) pubblicitario • **a.'s vinyl,** pellicola pubblicitaria (*per autobus, ecc.*).

admass /'ædmæs/ a. attr. della (*o relativo alla*) pubblicità massiccia • **our a. society,** la nostra società, vittima della pubblicità massiccia.

to **admeasure** /æd'mɛʒə(r)/ v. t. (*arc.*) **1** commisurare **2** ripartire.

admeasurement /æd'mɛʒəmənt/ n. (*raro*) **1** misurazione; confronto **2** misura; dimensioni **3** equa distribuzione; ripartizione.

admin /'ædmɪn/ n. ⬚ (abbr. fam. di **administration**) (lavoro di) amministrazione; *I'm looking for any sort of office a. work,* cerco un qualsiasi lavoro di amministrazione in un ufficio; **to be in charge of a.,** occuparsi dell'amministrazione; **to help with (the) a.,** dare una mano nell'amministrazione; **a. staff,** personale amministrativo.

admin. abbr. **1** (**administration**) amministrazione (amm.ne) **2** (**administrative**) amministrativo **3** (**administrator**) amministratore (amm.re).

adminicle /æd'mɪnɪkl/ n. **1** (*arc.*) aiuto; appoggio; sostegno **2** (*leg.*) prova aggiuntiva; pezza d'appoggio (*fam.*).

to **administer** /əd'mɪnɪstə(r)/ **A** v. t. **1** amministrare (*la giustizia, una proprietà, i sacramenti*) **2** somministrare (*una medicina, una punizione*) **3** deferire, far prestare (*un giuramento*) **B** v. i. **1** fungere da amministratore **2** (*relig.*) officiare **3** – to **a. to,** essere d'aiuto, venire incontro a: **to a. to sb.'s needs,** venire incontro ai bisogni di q. • **to a. the law,** applicare la legge ⬚ • **a. relief,** fornire aiuti; dare assistenza ⬚ (*econ.*) **administered prices,** prezzi amministrati ‖ **administrable** a. **1** amministrabile **2** somministrabile.

to **administrate** /əd'mɪnɪstreɪt/ v. t. amministrare.

♦**administration** /ədˌmɪnɪ'streɪʃn/ n. ⬚ **1** amministrazione; attività amministrativa: **the a. of justice,** l'amministrazione della giustizia; **business a.,** amministrazione aziendale; **to spend time on a.,** dedicare del tempo all'attività amministrativa; **a. expenses,** spese d'amministrazione; **a. offices,** uffici amministrativi **2** – **the a.,** gli amministratori (pl.); l'amministrazione **3** (*polit.*)

governo; governo federale (*in USA*); amministrazione; esecutivo: **during the Clinton A.,** durante l'amministrazione Clinton **4** (*polit., USA*) agenzia governativa **5** somministrazione (*di medicine, punizioni, ecc.*) **6** (*leg.*) curatela: **a. of a bankrupt's estate,** curatela di un fallimento; **letters of a.,** nomina di curatore (*dei beni di una persona morta intestata*).

♦**administrative** /əd'mɪnɪstrətɪv/ a. **1** amministrativo; di amministrazione: **a. costs,** costi d'amministrazione; **a. law,** diritto amministrativo; **a. staff,** personale amministrativo **2** (*polit., USA*) governativo • (*rag.*) **a. audit,** revisione contabile interna ⬚ (*comput.*) **a. tools,** strumenti di amministrazione | **-ly** avv.

administrator /əd'mɪnɪstreɪtə(r)/ n. **1** amministratore **2** somministratore **3** (*leg.*) amministratore di eredità; curatore testamentario; amministratore di eredità • (*comput.*) **system a.,** amministratore di sistema ‖ **administratorship** n. ⬚ **1** funzione di amministratore **2** (*leg.*) amministrazione di eredità; curatela testamentaria.

administratrix /əd'mɪnɪstreɪtrɪks/ n. (pl. **administratrices**) **1** amministratrice di eredità; curatrice testamentaria.

admirable /'ædmərəbl/ a. **1** ammirabile; mirabile; ammirevole **2** eccellente; ottimo ‖ **admirably** avv. **1** mirabilmente; in modo ammirevole **2** a meraviglia; perfettamente; benissimo: *This offer suits me admirably,* questa offerta mi quadra a meraviglia.

admiral /'ædmərəl/ n. **1** ammiraglio **2** (**A.**) (*marina mil., in GB e in USA*), Ammiraglio di Squadra • (*naut.*) **A.'s flag,** insegna ammiraglia ⬚ (*marina mil., in GB*) **A. of the Fleet** (*il grado più elevato; cfr. ital.*) Ammiraglio di Squadra con incarichi speciali ‖ **admiralship** n. ⬚ ammiragliato (*grado e funzione*).

admiralty /'ædmərəltɪ/ n. **1** – (*in GB, stor.*) **the A.,** l'Ammiragliato (*il Ministero della Marina da Guerra, fino al 1964*) **2** (*leg.*) diritto marittimo; giurisdizione marittima: **a. action,** causa marittima; **a. law,** diritto marittimo • (*in GB*) **A. Board,** commissione del Ministero della difesa preposta alla Marina Militare ⬚ (*geogr.*) **A. Islands,** Isole dell'Ammiragliato.

♦**admiration** /ˌædmə'reɪʃn/ n. ⬚ **1** ammirazione **2** oggetto di ammirazione: *She was the a. of the whole town,* ella era oggetto dell'ammirazione di tutta la città.

♦to **admire** /əd'maɪə(r)/ v. t. **1** ammirare: *I a. your patience,* ammiro la tua pazienza **2** ammirare; contemplare con ammirazione: **to a. the view,** contemplare il panorama **3** (*fam.*) esprimere ammirazione per ‖ **admirer** n. ammiratore; ammiratrice ‖ **admiring** a. ammirato; ammirativo; di ammirazione: **an admiring look,** uno sguardo di ammirazione ‖ **admiringly** avv. con grande ammirazione.

admissible /əd'mɪsəbl/ a. ammissibile; accettabile ‖ **admissibility** n. ammissibilità.

♦**admission** /əd'mɪʃn/ n. **1** riconoscimento (*della verità di qc.*); ammissione; confessione: **a. of guilt,** ammissione di colpevolezza; **tacit a.,** implicito riconoscimento; **by** (*o on*) **your own a.,** per tua stessa ammissione; come tu stesso ammetti **2** ammissione; accettazione: **a. to a club,** ammissione a un circolo; **a. to the EU,** ammissione all'Unione Europea **3** ⬚ entrata; ingresso: **free a.,** ingresso libero; **to give a. to,** permettere l'ingresso; lasciar entrare; **a. fee,** prezzo del biglietto d'ingresso; **a. ticket,** biglietto d'ingresso **4** (prezzo di) ingresso: *A. is €2,* l'ingresso costa 2 euro **5** ⬚ ricovero (*in ospedale, ecc.*); accettazione; (*per estens.*) paziente

ricoverato, ricovero ● (*in USA*) **A. Day**, giorno dell'Ammissione ❶ **CULTURA** • **Admission Day**: *festa di alcuni Stati americani, per celebrare l'ammissione all'Unione* □ (*leg.*) **a. of evidence**, ammissione di prova.

❶ **NOTA**: *admission o admittance?*
Admittance si usa in contesti formali con il significato di "permesso di ingresso": *to gain admittance*, riuscire a entrare; si usa anche sui cartelli: *No admittance*, ingresso vietato. *Admission* è, invece, un termine meno formale che si riferisce all'ingresso in un luogo o all'accesso a un servizio e al prezzo che si paga per entrare o per accedere: *to apply for admission to the university*, fare domanda di ammissione all'università; *admission to the museum*, ingresso al museo.

♦to **admit** /əd'mɪt/ ☒ v. t. **1** ammettere; riconoscere; confessare: **to a. defeat**, riconoscere la propria sconfitta; **to a. having paid bribes**, ammettere di aver pagato tangenti; *He admitted five charges*, si riconobbe colpevole di cinque capi d'accusa; *I a. I was too hasty*, riconosco di essere stato troppo precipitoso **2** ammettere; accettare; lasciar entrare: **to be admitted to Oxford University**, essere ammesso all'università di Oxford; *We were admitted free*, ci hanno lasciato entrare gratis; l'ingresso era gratuito **3** (*di biglietto, ecc.*) consentire l'ingresso a; essere valido per: *This ticket only admits to the park*, questo biglietto consente solo l'ingresso al parco; **Admits two**, valido per due persone **4** ricoverare (*in ospedale, ecc.*) **5** accettare come valido; accogliere: **to a. a claim**, accogliere un reclamo; (*leg.*) **to a. evidence**, accettare prove ☒ v. i. **1 – to a. of**, ammettere; lasciare adito a: **to a. of a delay**, ammettere un ritardo; *It admits of no doubt*, non lascia adito a dubbi **2 – to a. to**, ammettere; riconoscere: **to a. to a crime**, riconoscersi colpevole di un crimine; *I a. to being sceptical about it*, riconosco di essere scettico in proposito; ammetto il mio scetticismo **3 – to a. to**, dare accesso a: *This door admits to the back garden*, questa porta dà accesso al giardino sul retro.

admittance /əd'mɪtns/ n. ⬚ **1** (permesso di) ingresso; entrata; ammissione: **to gain a.**, riuscire a entrare; **to refuse a.**, vietare l'ingresso; *No a.* (*cartello*), ingresso vietato **2** (*elettr.*) ammettenza ❶ **NOTA**: *admission o admittance?* → **admission**.

admitted /əd'mɪtɪd/ a. **1** ammesso; dichiarato; riconosciuto: (*leg.*) **a. assets**, attività ammesse (*in un fallimento*) **2** confesso; per propria ammissione: **an a. liar**, un bugiardo per propria ammissione.

admittedly /əd'mɪtɪdlɪ/ avv. certamente; certo; bisogna riconoscere che; va detto che: *It was a. too early to draw conclusions, but...*, era certo troppo presto per trarre delle conclusioni, ma...; *A., the boy is too young to understand*, va detto che il ragazzo è troppo piccolo per capire.

to **admix** /əd'mɪks/ ☒ v. t. **1** mescolare e aggiungere (qc.) a una miscela ☒ v. i. mescolarsi.

admixture /əd'mɪkstʃə(r)/ n. ⬚ mescolanza; miscela **2** aggiunta; miscela; aggiunta in una miscela **3** miscuglio **4** (*ind. tess.*) mescola.

to **admonish** /əd'mɒnɪʃ/ v. t. **1** ammonire: *I admonished him against being late*, lo ammonii a non arrivare in ritardo **2** esortare; avvertire **3** (*arc.*) mettere in guardia ‖ **admonisher** n. ammonitore ‖ **admonishment** n. ⬚ **1** ammonimento; rimprovero **2** esortazione; avvertimento.

admonition /ædmə'nɪʃn/ n. ⬚ ammonizione; rimprovero.

admonitory /əd'mɒnɪtərɪ/ a. ammonitorio.

ADN sigla (*Internet, telef.*, **any day now**),

uno di questi giorni, da un giorno all'altro.

ad nauseam /æd'nɔːzɪæm/ (*lat.*) loc. avv. a non finire; fino alla nausea; sino alla noia.

adnominal /æd'nɒmɪnl/ a. (*ling.*) adnominale.

ado /ə'duː/ n. ⬚ (spec. in frasi neg.) trambusto; confusione; agitazione: **much ado about nothing**, molto rumore per nulla; **without further** (*o* **more**) **ado**, senza ulteriore indugio; senza por tempo in mezzo; *So without further ado, I'll hand you over to Mr Maxwell*, allora senza ulteriori indugi vi lascio con il signor Maxwell.

adobe /ə'dəʊbɪ/ (*spagn.*) n. **1** adobe; mattone cotto al sole **2** (*in USA, negli Stati del Sud*) adobe; casa di mattoni cotti al sole.

adolescence /ædə'lɛsns/ n. ⬚ adolescenza.

adolescent /ædə'lɛsnt/ ☒ n. adolescente ☒ a. **1** di (*o* da) adolescente; adolescenziale **2** (*spreg.*) infantile; puerile.

Adolph /'ædɒlf/ n. Adolfo.

Adonis /ə'dəʊnɪs/ n. **1** (*mitol.*) Adone **2** (*fig.*) adone: *He's no A.*, non è un adone **3** (*bot., Adonis*) adonide **4** (*bot., Adonis vernalis*) adonide gialla.

♦to **adopt** /ə'dɒpt/ v. t. **1** (*leg.*) adottare **2** adottare, fare proprio (*un'idea, un metodo, una proposta, un testo*) **3** approvare (*una relazione, un bilancio, ecc.*) **4** assumere (*un atteggiamento, ecc.*) **5** (*polit., in GB*) scegliere come candidato ‖ **adoptable** a. adottabile.

adopted /ə'dɒptɪd/ a. **1** adottato: adottivo: **a. son**, figlio adottato (*o* adottivo) **2** di adozione: **one's a. country**, il paese di adozione.

adoptee /ædɒp'tiː/ n. (*leg.*) adottato, adottata.

adopter /ə'dɒptə(r)/ n. (*leg.*) adottante.

adoption /ə'dɒpʃn/ n. ⬚ **1** (*leg.*) adozione: **to give a child up for a.**, dare un bambino in adozione **2** adozione; scelta: **the a. of a plan**, l'adozione di un piano; **country of a.**, paese d'adozione **3** accettazione (*di relazione, bilancio, ecc.*).

adoptive /ə'dɒptɪv/ a. adottivo: **a. son**, figlio adottivo.

adorable /ə'dɔːrəbl/ a. adorabile; incantevole; delizioso | **-bly** avv. | **-ness** n. ⬚.

adoration /ædə'reɪʃn/ n. ⬚ **1** adorazione; venerazione **2** devozione; grande amore.

to **adore** /ə'dɔː(r)/ v. t. **1** adorare; venerare; amare molto **2** (*fam.*) adorare; piacere molto (impers.); andare pazzo per (*fam.*): *I simply a. it*, lo adoro; è la mia passione; ne vado pazzo ‖ **adorer** n. adoratore; adoratrice ‖ **adoring** a. adorante ‖ **adoringly** avv. con adorazione; con sguardo adorante.

to **adorn** /ə'dɔːn/ v. t. adornare; abbellire; ornare.

adornment /ə'dɔːnmənt/ n. **1** ⬚ decorazione; adornamento **2** ornamento.

ADP sigla **1** (*chim.*, **adenosine diphosphate**) adenosindifosfato **2** (*comput.*, **automatic data processing**) elaborazione automatica dei dati (EAD).

adrenal /ə'driːnl/ a. (*anat.*) surrenale: **a. glands**, ghiandole surrenali.

adrenaline /ə'drɛnəlɪn/, **adrenalin** /ə'drɛnəlɪn/ n. ⬚ (*biochim.*) adrenalina ● (*fig.*) **a.-charged**, adrenalinico; eccitante.

adrenergic /ædrə'nɜːdʒɪk/ a. (*fisiol.*) adrenergico.

adrenocorticotropic hormone /ə-driːnəʊkɔːtɪkəʊ'trɒpɪk 'hɔːməʊn/ loc. n. (*biol.*) ormone adrenocorticotropo.

adrenocorticotropin /ədriːnəʊkɔːtɪkəʊ'trəʊpɪn/ n. ⬚ (*biol.*) corticotropina.

Adrian /'eɪdrɪən/ n. Adriano.

Adrianople /eɪdrɪə'nəʊpl/ n. (*geogr.*)

Adrianopoli.

Adriatic /eɪdrɪ'ætɪk/ a. e n. (*geogr.*) Adriatico.

adrift /ə'drɪft/ avv. e a. pred. **1** (*naut. e fig.*) alla deriva: **to go a.**, andare alla deriva; **to cast a.**, lasciar andare alla deriva **2** (*fig.*) disorientato; spaesato: **to find oneself a.**, essere disorientato; non sapere che cosa fare **3** (*sport*) in svantaggio; sotto: **ten points a.**, sotto di dieci punti ● (*fam. GB*) **to come a.**, staccarsi; venire via □ (*fam.*) **to go a.**, andare storto; (*di oggetto*) sparire; volatilizzarsi.

adroit /ə'drɔɪt/ a. abile; accorto; destro; sagace | **-ly** avv. | **-ness** n. ⬚.

adscititious /ædsɪ'tɪʃəs/ a. (*lett.*) ascitizio; accessorio.

ADSL sigla (*comun.*, **asymmetric digital subscriber line**) linea d'abbonato digitale asimmetrica.

to **adsorb** /æd'sɔːb/ (*fis., chim.*) v. t. adsorbire.

adsorbent /æd'sɔːbənt/ a. e n. (*chim., fis., med.*) adsorbente.

adsorption /æd'sɔːpʃn/ n. ⬚ adsorbimento.

to **adulate** /'ædjʊleɪt/ v. t. adulare.

adulation /ædjʊ'leɪʃn/ n. ⬚ adulazione.

adulator /'ædjʊleɪtə(r)/ n. adulatore ‖ **adulatory** a. adulatorio.

♦**adult** /'ædʌlt, ə'dʌlt/ ☒ a. **1** adulto; maturo: **a. life**, vita adulta **2** da adulto **3** per adulti: **a. education**, insegnamento per gli adulti; educazione permanente **4** (*eufem.*) per (soli) adulti: **a. movie**, film per soli adulti ☒ n. adulto ‖ **adulthood** n. ⬚ età adulta; maturità.

adulterant /ə'dʌltərənt/ a. e n. adulterante.

adulterate /ə'dʌltərət/ a. **1** adulterato; alterato; sofisticato; spurio **2** adultero **3** di (*o* da) adultero; adulterino.

to **adulterate** /ə'dʌltəreɪt/ v. t. **1** adulterare; sofisticare; contraffare **2** corrompere (*un testo, ecc.*) **3** falsificare ‖ **adulteration** n. ⬚ **1** adulterazione; sofisticazione; contraffazione **2** corruzione (*di un testo, ecc.*) **3** falsificazione ‖ **adulterator** n. adulteratore; sofisticatore.

adulterer /ə'dʌltərə(r)/ n. adultero.

adulteress /ə'dʌltərɪs/ n. adultera.

adulterine /ə'dʌltəraɪn/ a. **1** adulterino **2** falso; contraffatto.

adulterous /ə'dʌltərəs/ a. adultero; di (*o* relativo a) adulterio.

adultery /ə'dʌltərɪ/ n. ⬚ adulterio.

to **adumbrate** /'ædʌmbreɪt/ v. t. **1** adombrare; accennare **2** far intravedere; far presagire **3** ombreggiare **4** abbozzare.

adumbration /ædʌm'breɪʃn/ n. ⬚ **1** adombramento; accenno **2** segno premonitore; presagio **3** ombreggiamento **4** abbozzo; schizzo.

adumbrative /ə'dʌmbrətɪv/ a. che adombra; allusivo.

adust /ə'dʌst/ a. (*arc.*) adusto; abbruciato; riarso.

adv. abbr. **1** (**advanced**) superiore **2** (*anche* **advt**) (**advertisement**) inserzione; annuncio pubblicitario **3** (*leg., Scozia*, **advocate**) avvocato.

ad val. → **ad valorem**.

ad valorem /ædvə'lɔːrəm/ avv. (*comm.*) ad valorem: **ad valorem tax**, imposta ad valorem.

♦**advance** /əd'vɑːns/ ☒ n. **1** ⬚ avanzamento; avanzata; (l')avanzare: **the army's a.**, l'avanzata dell'esercito; **with the a. of old age**, con l'avanzare dell'età **2** progresso: **technological a.**, il progresso tecnologico; *Surgery has made great advances*, la chi-

a

rurgia ha fatto grandi progressi **3** (*banca*, *comm.*) anticipo; anticipazione; acconto; prestito: *I asked for an a. on my salary*, chiesi un anticipo sullo stipendio; **advances on** (*o* **against**) **securities**, prestiti su titoli; **a. money**, acconto; anticipo **4** aumento; rialzo: **an a. in the cost of living**, un aumento del costo della vita; *Any a. on £150?*, (*a un'asta*) 150 sterline, chi offre di più? **5** (al *pl.*) approccio; approcci; avances (*franc.*): **to make advances to sb.**, tentare un approccio con q.; fare delle avances a q. **6** Ⓤ (*autom.*, *mecc.*) anticipo **7** Ⓤ (*comput.*) avanzamento (*della carta*, *ecc.*) Ⓑ **a. attr. 1** anticipato; in anticipo: **a. booking**, prenotazione anticipata; (*naut.*) **a. freight**, nolo anticipato; **a. payment**, pagamento anticipato; **a. notice**, preavviso **2** in avanscoperta; come avanguardia: **a. party**, gruppo in avanscoperta; gruppo inviato a preparare il terreno • **a. copy**, copia-saggio (*di un libro*) □ (*mil.*) **a. guard**, avanguardia □ (*USA*) **a. man**, incaricato che si occupa dei preparativi di una visita (*di un personaggio importante*) □ (*trasp.*) **a.-purchase excursion** → **APEX** □ **in a.**, anticipatamente; anticipato; in anticipo (*mil.*) in avanscoperta: **payment in a.**, pagamento anticipato; **to book in a.**, prenotare in anticipo; *We were sent in a.*, fummo mandati in avanscoperta □ **in a. of**, prima di; in anticipo su (*i tempi*, *ecc.*).

♦to **advance** /ədˈvɑːns/ Ⓐ v. i. **1** avanzare; muovere: *We advanced on the capital*, avanzammo sulla capitale; **to a. on the enemy**, muovere contro il nemico; **to a. into a region**, avanzare (*o* inoltrarsi) in una regione **2** progredire; fare progressi; avanzare **3** (*di prezzi*, *ecc.*) aumentare; salire Ⓑ v. t. **1** promuovere; favorire; far progredire: **to a. the cause for peace**, promuovere la causa della pace; **to a. one's career**, fare carriera; **to a. one's own interests**, favorire i propri interessi; fare il proprio interesse **2** anticipare (*una data*, *un evento*) **3** far avanzare; spostare in avanti; mettere avanti (*l'orologio*): (*scacchi*, *dama*) **to a. a piece**, far avanzare un pezzo **4** proporre; avanzare; accampare: **to a. a theory**, proporre una tesi; **to a. an opinion**, avanzare un'opinione; **to a. a claim**, avanzare una pretesa; accampare un diritto **5** anticipare (*denaro*); concedere (*un prestito*); prestare: *I will a. you a week's pay*, vi anticiperò una settimana di salario **6** far aumentare, far salire, alzare (*prezzi*, *percentuali*, *ecc.*) **7** (*autom.*, *mecc.*) anticipare (*l'accensione*).

♦to **advanced** /ədˈvɑːnst/ a. **1** avanzato; progredito: **a. countries**, paesi avanzati; **an a. nation**, una nazione progredita; **at an a. stage**, a uno stadio avanzato **2** avanzato; all'avanguardia: **a. techniques**, tecniche all'avanguardia; **a. views**, idee avanzate **3** (*rif. all'età*) avanzato; anziano: **a. years**, età avanzata; **a. in years**, in età avanzata; anziano **4** avanzato; superiore: **a. course**, corso avanzato; **a. studies**, studi superiori; **a. students**, studenti di un corso avanzato • (*fis. nucl.*) **a. gas-cooled reactor** (abbr. **AGR**), reattore avanzato raffreddato a gas; reattore AGR □ (*scuola*, *in GB*) **a. level** → **A level** □ (*ferr.*, *in GB*, *stor.*) **A. Passenger Train** (abbr. **APT**), treno ad alta velocità (abbr. **TAV**); Pendolino®.

advancement /ədˈvɑːnsmənt/ n. Ⓤ **1** avanzamento; progresso; promozione **2** (*di prezzi*) aumento; rialzo.

♦**advantage** /ədˈvɑːntɪdʒ/ n. **1** Ⓒ Ⓤ vantaggio; condizione di vantaggio; superiorità: **to have an a. over sb.**, avere un vantaggio su q.; essere in vantaggio su q.; **to give sb. an a.**, dare un vantaggio a q.; **to be at an a.**, essere in vantaggio (*o* in posizione di vantaggio); **to gain the a.**, passare in condizione di vantaggio; avvantaggiarsi; **to gain an a.**

over, acquistare un vantaggio su; (*org. az.*) **competitive a.**, vantaggio competitivo **2** Ⓤ Ⓒ vantaggio; convenienza; beneficio; profitto; interesse: **a. to both**, vantaggio reciproco; *It's to your a.*, va a tuo interesse; è nel tuo interesse; **to turn st. to one's a.**, volgere qc. a proprio vantaggio; trarre profitto da qc.: *They sold the goods to a.*, vendettero la merce con profitto **3** (*sport*) vantaggio: **a. rule**, regola del vantaggio **4** Ⓤ (*tennis*) vantaggio: **a. in**, vantaggio alla battuta; **a. out**, vantaggio alla rimessa; **A. Jones**, vantaggio a Jones **5** (*arc.*) interesse (usurario): *'Me thoughts you said, you neither lend nor borrow* / *Upon a.'* W. SHAKESPEARE, 'mi pare tu abbia detto che non presti e non prendi in prestito denaro a interesse' • (*antiq.*) **to have the a. of sb.**, essere in posizione di vantaggio rispetto a q. □ (*antiq.*) **You have the a. of me**, non ho il piacere di conoscerla (*mentre lei sa il mio nome*) □ **to show st. to a.**, mostrare qc. nella luce migliore; mettere in risalto qc. □ **to the best a.**, nel modo più vantaggioso □ **to take a. of sb.**, approfittarsi di q. (*anche eufem.*) □ **to take a. of st.**, approfittare di qc.; trarre profitto da qc.; sfruttare qc.

to **advantage** /ədˈvɑːntɪdʒ/ v. t. avvantaggiare; favorire.

advantageous /ædvənˈteɪdʒəs/ a. vantaggioso; proficuo.

advection /ædˈvekʃn/ n. Ⓤ (*meteor.*) advezione.

advent /ˈædvent/ n. **1** avvento; venuta **2** (*A.*) (*relig.*) l'Avvento: **A. Sunday**, prima domenica di Avvento; **A. calendar**, calendario dell'Avvento.

Adventist /ˈædventɪst/ (*relig.*) n. e a. avventista • **Seventh Day A.**, avventista del settimo giorno || **Adventism** n. Ⓤ avventismo.

adventitious /ædvenˈtɪʃəs/ a. **1** avventizio; accidentale; casuale; occasionale **2** (*bot.*) avventizio.

♦**adventure** /ədˈventʃə(r)/ n. **1** avventura; impresa emozionante **2** Ⓤ avventura; avventure: **to be in search of a.**, essere in cerca di avventure; **a journey full of a.**, un viaggio pieno di avventure; un viaggio avventuroso; **sense of a.**, spirito d'avventura **3** (*comm.*) speculazione commerciale; impresa a rischio **2** (*comput.*) **a. game**, gioco di avventura □ (*in GB*) **a. playground**, campo di giochi attrezzato per bambini.

to **adventure** /ədˈventʃə(r)/ Ⓐ v. t. rischiare (*denaro*, *la vita*) Ⓑ v. i. avventurarsi: **to a. into a desert**, avventurarsi in un deserto.

adventurer /ədˈventʃərə(r)/ n. **1** persona avventurosa; amante dell'avventura **2** avventuriero **3** (*arc.*) speculatore finanziario **4** (*stor.*) soldato di ventura; mercenario.

adventuress /ədˈventʃərɪs/ n. avventuriera.

adventurism /ədˈventʃərɪzəm/ n. Ⓤ avventurismo || **adventurist** n. e a. avventurista.

adventurous /ədˈventʃərəs/ a. **1** avventuroso **2** disposto a rischiare; amante dell'avventura.

♦**adverb** /ˈædvɜːb/ (*gramm.*) n. avverbio || **adverbial** Ⓐ a. avverbiale Ⓑ n. locuzione avverbiale; complemento.

adversarial /ædvəˈseərɪəl/ a. **1** antagonistico **2** (*leg.*) accusatorio.

adversary /ˈædvəsərɪ/ n. **1** avversario; antagonista **2** – (*relig.*) **the A.**, il Nemico; Satana.

adversative /ədˈvɜːsətɪv/ a. (*gramm.*) avversativo.

adverse /ˈædvɜːs/ a. **1** avverso; ostile; contrario **2** sfavorevole: **a. weather report**,

bollettino meteorologico sfavorevole **3** dannoso; nocivo **4** (*di vento*) contrario • (*leg.*) **the a. party**, la parte avversa; la controparte □ (*econ.*) **a. selection**, selezione avversa □ (*fin.*) **an a. trade balance**, una bilancia commerciale deficitaria (*o* passiva) || **adversely** avv. sfavorevolmente • **to be adversely affected by st.**, subire l'effetto negativo di qc.

🅘 **NOTA:** *adverse o averse?*
Adverse significa "sfavorevole, nocivo": *the adverse effects of drugs*, gli effetti nocivi della droga; *adverse comments about their behaviour*, commenti sfavorevoli sul loro comportamento. Non bisogna confondere *adverse* con *averse*, che si riferisce a una forte avversione (*aversion*) per qualcosa. *Averse* è seguito da *to*: *He was in principle not averse to the suggestion*, in teoria non era contrario al suggerimento; *Public institutions are usually averse to change*, le istituzioni pubbliche sono solitamente contrarie al cambiamento.

adversity /ədˈvɜːsətɪ/ n. Ⓤ Ⓒ avversità; sfortuna; calamità.

advert /ˈædvɜːt/ n. (*fam.* *GB*) → **advertisement**.

to **advert** /ədˈvɜːt/ v. i. (*form*) fare riferimento (a); rivolgere l'attenzione (a); trattare.

♦to **advertise** /ˈædvətaɪz/ Ⓐ v. t. **1** fare pubblicità a; reclamizzare; pubblicizzare; propagandare: **to a. a new product**, reclamizzare un prodotto nuovo; *It's advertised as indestructible*, viene reclamizzato come indistruggibile **2** mettere un annuncio (*o* un'inserzione) per (*offrire*); offrire mediante inserzione: **to a. a house**, mettere un'inserzione per vendere la casa; mettere in vendita una casa mediante inserzione; *Did you a. the room?*, hai messo un annuncio per la stanza?; *The house was advertised on Tuesday*, l'inserzione per la casa fu pubblicata martedì; **to a. a job**, mettere un inserzione per offrire un lavoro **3** annunciare; rendere noto; segnalare; rivelare; sbandierare: **to a. one's presence**, segnalare la propria presenza; **to a. one's ignorance**, sbandierare la propria ignoranza **4** (*arc.*) avvertire Ⓑ v. i. **1** fare pubblicità: **to a. on television**, fare pubblicità in televisione; trasmettere spot televisivi **2** mettere un'inserzione (*o* un annuncio); cercare mediante inserzione: *We advertised for a cook*, mettemmo un annuncio per trovare un cuoco; **to a. for a job**, cercare lavoro mettendo inserzioni 🅘 FALSI AMICI • advertise *non significa* avvertire 🅘 NOTA: *-ise o -ize?* → **-ise**.

♦**advertisement** /ədˈvɜːtɪsmənt, *USA* ædvəˈtaɪz-/ n. **1** annuncio pubblicitario; messaggio pubblicitario; pubblicità; réclame; spot (*TV*): **an a. for a brand of tea**, la pubblicità di una marca di tè **2** cartellone pubblicitario **3** annuncio (*su giornale*); inserzione; annuncio economico: **an a. for a shop assistant**, un'inserzione per un posto di commessa; **non-promotional a.**, annuncio non pubblicitario; **to put** (*o* **to place**) **an a. in a paper**, mettere un annuncio su un giornale; **to run an a.**, pubblicare un annuncio (*o* un'inserzione); **to answer an a.**, rispondere a un'inserzione **4** (*fig. fam.*) pubblicità; réclame: *He's not a good a. for his team*, non è una bella réclame (*o* non fa una bella pubblicità) alla sua squadra • **a. hoarding**, tabellone pubblicitario □ **a. rates**, tariffe pubblicitarie □ **classified advertisements**, piccola pubblicità 🅘 FALSI AMICI • advertisement *non significa* avvertimento.

advertiser /ˈædvətaɪzə(r)/ n. chi fa pubblicità; inserzionista.

♦**advertising** /ˈædvətaɪzɪŋ/ Ⓐ n. Ⓤ pubbli-

città: **to work in a.**, lavorare nella pubblicità; **beer a.**, la pubblicità della birra; *TV a.*, la pubblicità televisiva; gli spot televisivi; **roadside a.**, la pubblicità lungo le strade; i cartelloni pubblicitari B **a.** pubblicitario; di pubblicità: **a. agency**, agenzia di pubblicità; **a. agent**, agente pubblicitario; **a. board**, cartellone pubblicitario; **a. campaign**, campagna di pubblicità; **a. manager**, direttore dell'ufficio pubblicità; **a. expenses** (*o* **expenditure**), spese di pubblicità; spesa pubblicitaria; **a. revenue**, entrate pubblicitarie (*di giornale, rete TV, ecc.*) ● (*in GB*) **A. Standards Authority** (abbr. **ASA**), Autorità garante della pubblicità.

advertorial /ˌædvɜːˈtɔːrɪəl/ *n.* (*giorn.*) inserzione pubblicitaria camuffata da articolo.

♦**advice** /ədˈvaɪs/ *n.* **1** Ⓤ consiglio, consigli: *He gave me some good a.*, mi diede dei buoni consigli; *My a. is to wait*, il mio consiglio è di aspettare; *Let me give you a piece of a.*, lascia che ti dia un consiglio; *Take my a.*, segui i miei consigli; da' retta a me **2** Ⓤ parere (*di professionista*); raccomandazione; consiglio; consulenza: **legal a.**, consulenza legale; parere legale; **to take (legal) a.**, consultare un avvocato; chiedere un parere legale; **to take medical a.**, consultare un medico; **on my doctor's a.**, dietro raccomandazione (*o* consiglio) del mio medico **3** (*comm., fin.*) avviso; notifica: **a. note**, lettera d'avviso; (*banca*) avviso di accreditamento; (*comm.*) avviso di spedizione; (*Borsa*) **a. of deal**, avviso d'operazione compiuta; **as per a.**, come da avviso **4** (*arc.*) comunicazione; notizia; informazione.

advisability /ədˌvaɪzəˈbɪlətɪ/ *n.* Ⓤ opportunità.

advisable /ədˈvaɪzəbl/ *a.* consigliabile; opportuno | **-ness** *n.* Ⓤ | **-bly** *avv.*

♦**to advise** /ədˈvaɪz/ A **v. t. 1** consigliare; raccomandare: *Do you a. me to stay?*, mi consigli di restare?; **to a. a treatment**, consigliare una cura; *He advised me against it*, me lo sconsigliò; *You are advised to check the times beforehand*, si raccomanda di controllare preventivamente l'orario; *She advised me to finish the first year and then think about changing course*, mi ha consigliato di finire il primo anno e poi di pensare se cambiare il corso **2** dare consigli; essere consulente (di q.): *I a. him on money matters*, gli dò consigli in materia finanziaria **3** (*form.*) avvisare; informare: *We regret to a. you that…*, ci duole informarvi che… B **v. i. – to a. with**, consigliarsi con; consultarsi ❶ **NOTA:** *-ise o -ize?* → **-ise**.

advised /ədˈvaɪzd/ A **part. pass.** di **to advise**, A B **a. 1** prudente; considerato; cauto **2** deliberato; intenzionale **3** informato: **to keep sb. a.**, tenere informato q., tenere al corrente **4** consigliato ● **ill a.** = **ill-advised** → **ill** □ (*form.*) **You would be well a. to…**, faresti bene a…

advisedly /ədˈvaɪzɪdlɪ/ *avv.* **1** volutamente; intenzionalmente; a ragion veduta; con cognizione di causa: *…and I use the term a.*, …e uso questa parola a ragion veduta **2** con le dovute cautele; dopo matura riflessione.

advisement /ədˈvaɪzmənt/ *n.* Ⓤ (*spec. USA*) **1** attenta considerazione; lunga riflessione: **to take st. under a.**, prendere in considerazione qc. **2** consiglio.

♦**adviser, advisor** /ədˈvaɪzə(r)/ *n.* consulente; consigliere: **the legal a. to our company**, il consulente legale della nostra società ❶ **NOTA:** *council o counsel?* → **council**.

advisory /ədˈvaɪzərɪ/ *a.* che dà consigli; consultivo; di consulenza: **a. committee**, comitato consultivo; **a. opinion**, parere consultivo; **a. service**, servizio di consulenza; **in an a. capacity**, in veste di consulente;

con mansioni consultive ● (*fin.*) **a. funds**, fondi discrezionali.

advocaat /ˈædvəkɑːt/ *n.* Ⓤ Ⓒ liquore a base di brandy, uova e zucchero.

advocacy /ˈædvəkəsɪ/ *n.* Ⓤ **1** propugnazione, sostegno (*di una causa, ecc.*) **2** (*leg.*) avvocatura **3** (*leg.*) patrocinio.

advocate /ˈædvəkət/ *n.* **1** sostenitore; fautore; propugnatore; assertore **2** chi rappresenta q.; rappresentante **3** (*leg.*) patrocinatore **4** (*leg., in Scozia*) avvocato ● (*leg., in Scozia*) A. Depute, pubblico accusatore □ (*polit., nell'EU*) **a.-general**, avvocato generale □ (*eccles. e fig.*) **the Devil's A.**, l'avvocato del diavolo.

♦**to advocate** /ˈædvəkeɪt/ *v. t.* sostenere; essere in favore di; propugnare; perorare.

advocation /ˌædvəˈkeɪʃn/ *n.* Ⓤ (*leg.: in Scozia e in diritto canonico*) avocazione (*di una causa a un tribunale superiore*).

advowson /ədˈvaʊzn/ *n.* Ⓤ (*leg.: nel diritto canonico anglicano*) diritto di conferire un beneficio ecclesiastico.

adv. pmt. *abbr.* (*comm., advance payment*) pagamento anticipato.

adware /ˈædweə(r)/ *n.* Ⓤ (*comput.*) adware (*software che comprende al suo interno materiale pubblicitario*).

adynamia /ˌædaɪˈneɪmɪə/ (*med.*) *n.* Ⓤ adinamia || **adynamic** *a.* adinamico.

adytum /ˈædɪtəm/ *n.* (*pl.* **adyta**) (*archeol.*) abato (*di tempio greco*).

adz, adze /ædz/ *n.* **1** ascia (*a lama ricurva*) **2** (*stor.*) azza.

to adze /ædz/ *v. t.* tagliare, assottigliare, pulire (*con l'ascia*).

aedile /ˈiːdaɪl/ (*stor. romana*) *n.* edile || **aedileship** *n.* Ⓤ edilità.

AEEU *sigla* (*GB,* **Amalgamated Engineering & Electrical Union**) Sindacato unificato dei lavoratori metalmeccanici ed elettrici.

Aegean /iːˈdʒiːən/ *a. e n.* (*geogr.*) Egeo.

aegis /ˈiːdʒɪs/ *n.* Ⓤ **1** egida: **under the a. of**, sotto l'egida di **2** (*mitol.*) egida.

Aegisthus /iːˈdʒɪsθəs/ *n.* (*letter.*) Egisto.

aegrotat /ˈiːɡrəʊtæt/ (*lat.*) *n.* (*GB*) **1** certificato medico che attesta l'impossibilità di un candidato di sostenere un esame **2** diploma concesso a uno studente assente dagli esami per malattia.

Aeneas /ɪˈniːəs/ (*letter.*) *n.* Enea || **Aeneid** *n.* Eneide.

Aeolian ①, **aeolian** /iːˈəʊlɪən/ *a.* (*scient., geol.*) eolico: **a. deposit**, deposito eolico; **A. rocks**, rocce eoliche ● **A. harp** (*o* **a. harp**), arpa eolia.

Aeolian ② /iːˈəʊlɪən/ *a.* (*geogr., stor.*) eolio; eolico: **the A. dialect**, il dialetto eolico; **A. Islands**, Isole Eolie; (*mus.*) **A. mode**, modo eolio.

Aeolic /iːˈɒlɪk/ *a. e n.* eolico.

aeolipile /iːˈɒlɪpaɪl/ *n.* (*fis., stor.*) eolipila.

Aeolus /ˈiːələs/ *n.* (*mitol.*) Eolo.

aeon /ˈiːɒn/ *n.* **1** (*filos.*) eone **2** (*fig.*) eternità; secolo; millennio: *It seemed an a. to me*, mi parve un'eternità; **aeons ago**, secoli fa.

to aerate /ˈeəreɪt/ *v. t.* **1** aerare; arieggiare; ventilare; dare aria a; **to a. the topsoil**, aerare il terriccio **2** (*fisiol.*) ossigenare (*il sangue*) **3** gassare, rendere effervescente (*un liquido*) ● (*ind.*) **aerating agent**, gassificante.

aerated /ˈeəreɪtɪd/ *a.* **1** aerato **2** (*di bevanda*) gassato; effervescente; spumante: **a. wine**, vino spumante (*artificiale*) **3** (*fam. GB*) esaltato; gasato; agitato; infuriato: *Don't get so a.!*, non agitarti tanto!; non arrabbiarti! ● **a. bread**, pan buffetto.

aeration /eɪəˈreɪʃn/ *n.* Ⓤ **1** aerazione **2** ossigenazione (*del sangue*) **3** gassatura (*di*

un liquido*) ● (*chim., fis.*) **a. cell**, pila a ossigeno □ (*tecn.*) **a. tank**, vasca d'aerazione.

aerator /ˈeɪəreɪtə(r)/ *n.* (*tecn., mecc., metall.*) aeratore ● (*agric.*) **lawn a.**, tagliazolle.

aerial ① /ˈeərɪəl/ *a.* **1** aereo; sospeso: **a. cable**, cavo sospeso; (*USA*) **a. ladder**, scala aerea **2** aereo; dall'alto; aero- (*pref.*): **a. bombardment**, bombardamento aereo; **a. combat**, combattimento aereo; **a. photograph**, fotografia dall'aereo; aerofotogramma; (*cinem., TV*) **a. shots**, riprese dall'aereo (*o* all'alto); **a. survey**, rilevamento aereo; **a. view**, veduta dall'aereo **3** etereo; vago **4** (*bot.*) aereo **5** (*bot., zool.*) aericolo ● **a. cable car**, cabina di funivia (*compreso il carrello*) □ **a. camera**, camera aerofotografica □ (*USA*) **a. ladder truck**, autoscala □ (*pitt.*) **a. perspective**, prospettiva aerea □ **a. photogrammetry**, aerofotogrammetria □ **a. photography**, fotografia aerea; aerofotografia □ **a. railway** (*o* **ropeway**), funivia; teleferica □ (*mil.*) **a. torpedo**, aerosiluro □ **a. tramway**, teleferica.

aerial ② /ˈeərɪəl/ *n.* (*radio, TV*) antenna (*esterna*); aereo ● (*radio, TV*) **a. contractor** (*o* **fitter, installer, specialist**), antennista.

aerialist /ˈeərɪəlɪst/ *n.* (*USA*) trapezista (*di circo*); acrobata.

aerie /ˈeərɪ/ *n.* (*USA*) → **eyrie**.

aeriform /ˈeərɪfɔːm/ *a.* **1** aeriforme **2** immateriale; irreale.

to aerify /ˈeərɪfaɪ/ *v. t.* immettere aria in; aerare.

aerobatics /ˌeərəˈbætɪks/ *n. pl.* **1** acrobazie aeree **2** (*col verbo al sing.*) acrobatica aerea.

aerobe /ˈeərəʊb/ *n.* (*biol.*) aerobio.

aerobic /eəˈrəʊbɪk/ *a.* **1** (*biol.*) aerobico **2** di (*o per*) l'aerobica: **a. shoes**, scarpette per l'aerobica.

aerobics /eəˈrəʊbɪks/ *n. pl.* (*col verbo al sing.*) aerobica (*ginnastica*).

aerobus /ˈeərəbʌs/ *n.* aerobus.

aerodrome /ˈeərədrəʊm/ *n.* aerodromo.

aerodynamic /ˌeərədaɪˈnæmɪk/ *a.* (*fis.*) aerodinamico ● (*autom.*) **a. drag factor**, coefficiente di resistenza aerodinamica (*o* di penetrazione) □ **a. properties**, aerodinamicità.

aerodynamics /ˌeərədaɪˈnæmɪks/ *n. pl.* (*col verbo al sing.*) (*fis.*) aerodinamica.

aerodyne /ˈeərədaɪn/ *n.* (*aeron.*) aerodina.

aero engine /ˈeərəʊendʒɪn/ *n.* (*aeron., mecc.*) motore d'aereo; motore d'aviazione.

aerofoil /ˈeərəfɔɪl/ *n.* (*aeron.*) superficie aerodinamica; superficie portante.

aerogramme, (*USA*) **aerogram** /ˈeərəɡræm/ *n.* **1** marconigramma; radiotelegramma **2** aerogramma; lettera per posta aerea.

aerograph /ˈeərəɡrɑːf/ *n.* **1** (*meteor.*) meteorografo **2** aerografo; pistola a spruzzo.

aerographer /eəˈrɒɡrəfə(r)/ *n.* aerografista.

aerography /eəˈrɒɡrəfɪ/ *n.* Ⓤ (*geofisica*) aerografia.

aerolite /ˈeərəlaɪt/, **aerolith** /ˈeərəlɪθ/ *n.* (*geol.*) aerolito.

aerology /eəˈrɒlədʒɪ/ *n.* Ⓤ (*meteor.*) aerologia.

aeromechanics /ˌeərəmɪˈkæniks/ *n. pl.* (*col verbo al sing.*) aeromeccanica.

aerometer /eəˈrɒmɪtə(r)/ *n.* (*fis.*) aerometro.

aeromodelling, (*USA*) **aeromodeling** /ˈeərəˈmɒdəlɪŋ/ *n.* Ⓤ aeromodellismo || **aeromodeller**, (*USA*) **aeromodeler** *n.* aeromodellista.

aeronaut /ˈeərənɔːt/ *n.* aeronauta.

a

aeronautics /ˌɛərəˈnɔːtɪks/ n. pl. (col verbo al sing.) aeronautica || **aeronautic. aeronautical** a. aeronautico.

aerophagy /ˌɛəˈrɒfədʒɪ/ n. Ⓤ (med.) aerofagia.

aerophobia /ˌɛərəˈfəʊbɪə/ n. Ⓤ (psic.) aerofobia.

aeroplane /ˈɛərəpleɪn/ n. aereo; aeroplano: **commercial a.**, aereo da trasporto ● **model a.**, aeromodello.

aerosol /ˈɛərəsɒl/ n. ⓊⒸ (chim., med.) aerosol.

aerosoltherapy /ˌɛərəsɒlˈθerəpɪ/ n. Ⓤ (med.) aerosolterapia.

aerospace /ˈɛərəspeɪs/ Ⓐ n. Ⓤ **1** aerospazio **2** (fig.) industria aerospaziale Ⓑ a. aerospaziale: **a. industry**, industria aerospaziale; **a. medicine**, medicina aerospaziale.

aerostat /ˈɛərəstæt/ n. (aeron.) aerostato.

aerostatics /ˌɛərəˈstætɪks/ n. pl. (col verbo al sing.) aerostatica (parte dell'aeromeccanica) || **aerostatic** a. aerostatico.

aerostation /ˌɛərəˈsteɪʃn/ n. Ⓤ aerostatica (costruzione e impiego di aerostati).

aerotaxis /ˌɛərəʊˈtæksɪs/ n. (biol.) aerotassi.

aerotrain /ˈɛərətreɪn/ n. aerotreno (treno a cuscino d'aria).

aerotropolis /ˌɛərəʊˈtrɒpəlɪs/ n. (pl. **aerotropoli**) (econ., urbanistica) città aeroportuale (agglomerato urbano sviluppatosi intorno ad un aeroporto); aerotropoli.

aerugo /ɪˈruːgəʊ/ n. Ⓤ verderame in cristalli.

aery /ˈeɪərɪ/ Ⓐ a. (poet.) aereo; etereo Ⓑ n. → **aerie**.

Aesop /ˈiːsɒp/ n. (stor. letter.) Esopo.

aesthete. (USA) **esthete** /ˈiːsθiːt/ n. esteta.

aesthetic. (USA) **esthetic** /iːsˈθetɪk/ Ⓐ a. (anche **aesthetical**) **1** estetico **2** dotato di senso estetico Ⓑ n. (arte) estetica.

aesthetician. (USA) **esthetician** /ˌiːsˈtɪʃn/ n. **1** studioso di estetica **2** (USA) estetista; cosmetista.

aestheticism. (USA) **estheticism** /iːsˈθetɪsɪzəm/ n. Ⓤ **1** estetismo **2** gusto estetico; sensibilità estetica.

aesthetics. (USA) **esthetics** /iːsˈθetɪks/ (filos.) n. pl. (col verbo al sing.) estetica.

aestival. (USA) **estival** /iːˈstaɪvəl/ a. (raro o scient.) estivo; che avviene in estate.

to aestivate. (USA) **to estivate** /ˈiːstɪveɪt/ v. i. (zool.) passare l'estate in letargo.

aestivation. (USA) **estivation** /ˌiːstɪˈveɪʃn/ n. Ⓤ **1** (zool.) estivazione **2** (bot.) estivazione.

aether /ˈiːθə(r)/ n. Ⓤ etere || **aethereal** a. **1** etereo **2** (fig.) delicatissimo; raffinatissimo.

Aethiopia /ˌiːθɪˈəʊpɪə/ e deriv. → **Ethiopia**, e deriv.

aetiology. (USA) **etiology** /ˌiːtɪˈɒlədʒɪ/ (med.) n. Ⓤ eziologia, etiologia || **aetiological.** (USA) **etiological** a. eziologico, etiologico.

Aetna /ˈetnə/ (lat.) n. (geogr.) Etna.

AFAIK sigla (Internet, telef., **as far as I know**), per quanto ne so; per quel che mi risulta.

afar /əˈfɑː(r)/ avv. lontano; lungi: **from a.**, di (o da) lontano.

AFB sigla (mil., USA, **air force base**) base dell'Aeronautica militare.

afeared. **afeard** /əˈfɪəd/ a. (arc. o dial.) impaurito.

affable /ˈæfəbl/ a. affabile; bonario; cortese; alla mano || **affability** n. Ⓤ affabilità.

♦**affair** /əˈfeə(r)/ n. **1** affare; faccenda; fatto;

avvenimento; cosa: **a family a.**, una faccenda di famiglia; **a horrible a.**, una cosa orribile; (fam.) *The wedding was a big a.*, il matrimonio fu una cosa in grande **2** caso; affare; scandalo **3** (al pl.) (polit., econ.) affari: **affairs of state**, affari di Stato; **foreign affairs**, affari esteri; esteri; **to wind up one's affairs**, sistemare i propri affari **4** (= love a.) relazione (amorosa); storia (fam.) **5** (fam.) affare; coso: *She was wearing a black a.*, aveva su un affare nero ● **current affairs**, fatti di attualità; attualità □ (iron.) **A fine state of affairs!**, bella faccenda!; bella roba! □ **That's your own a.**, è affar tuo; sono fatti tuoi.

affect /ˈæfekt/ n. Ⓤ (psic.) affettività; affezione; affetto; attaccamento.

♦**to affect**① /əˈfekt/ v. t. **1** avere effetto su; influire su; incidere su; ripercuotersi su: *How does noise a. us?*, che effetto hanno i rumori su di noi?; **to a. prices**, incidere sui prezzi; **to a. adversely**, avere un effetto negativo su; influire negativamente su; pregiudicare **2** concernere; riguardare; interessare; toccare: *This decision will a. the firm's future*, questa decisione riguarda il futuro della ditta; *It affects me personally*, mi tocca personalmente **3** toccare; commuovere; turbare; scuotere: *The loss affected us deeply*, quella perdita ci toccò profondamente **4** nuocere a; avere un effetto negativo su; colpire: **to a. health**, nuocere alla salute; *We've been badly affected by the recession*, la recessione ci ha colpito duramente; *Our investments won't be affected*, i nostri investimenti non ne risentiranno **5** (di evento spiacevole, malattia, ecc.) colpire; interessare: *A large area was affected by the flood*, la piena ha colpito un'area vasta; *Osteoporosis mostly affects women*, l'osteoporosi colpisce soprattutto le donne.

ⓘ **NOTA:** *to affect o to effect?*
To affect non ha a che fare con l'affetto, ma principalmente significa "influenzare, influire su": *The housing market has been badly affected by the recession*, il mercato immobiliare è stato influenzato negativamente dalla recessione; *The strike is bound to affect the economy*, lo sciopero è destinato a influire sull'economia. In altri contesti, *to affect* può anche significare "fingere di avere o provare": *He sat there, affecting an air of nonchalance*, si sedette lì, fingendo un'aria di indifferenza.
Il sostantivo *effect* significa in primo luogo "effetto, risultato, conseguenza": *the effects of drugs on the body*, gli effetti delle droghe sul corpo; *The increases will take effect in January*, gli aumenti avranno effetto in gennaio. Come verbo *effect* si usa più raramente e in contesti formali, col significato "compiere, portare a termine, causare": *the reforms effected by the previous government*, le riforme portate a termine dal precedente governo.

to affect② /əˈfekt/ v. t. **1** affettare; ostentare: **to a. indifference**, ostentare indifferenza; **to a. a foreign accent**, parlare con accento affettatamente straniero **2** fingere; simulare: **to a. illness**, fingere di essere ammalato; **to a. interest**, fingere interesse **3** usare (o indossare) volentieri; sfoggiare: *She affected expensive fur coats*, sfoggiava lussuose pellicce.

affectation /ˌæfekˈteɪʃn/ n. **1** affettazione **2** posa; finzione.

affected① /əˈfektɪd/ a. **1** interessato; colpito; affetto (da malattia): **the a. area**, la zona interessata **2** disposto; incline: **positively a.**, bendisposto **3** commosso; scosso | **-ly** avv. | **-ness** n. Ⓤ.

affected② /əˈfektɪd/ a. **1** affettato; pretenzioso: **a. manners**, modi affettati; affet-

tazione **2** finto: **a. gaiety**, finta allegria.

affecting /əˈfektɪŋ/ a. commovente; toccante.

affection /əˈfekʃn/ n. **1** Ⓤ affetto; affettuosità; affezione: **to feel a. for**, provare affetto per **2** (form.) emozione; affetto **3** (al pl.) affetto, affetti; simpatia, simpatie; sentimenti; interesse sentimentale: *Her affections lie elsewhere*, i suoi sentimenti sono per un altro; **to win the affections of the people**, conquistarsi le simpatie della gente; **the object of his affections**, l'oggetto del suo affetto **4** (med.) affezione || **affectional** a. affettivo; di affetto.

affectionate /əˈfekʃənət/ a. affettuoso
ⓘ **FALSI AMICI** • *nell'inglese moderno* affectionate *non significa* affezionato | **-ly** avv.

affective /əˈfektɪv/ (psic.) a. affettivo || **affectivity** n. Ⓤ affettività.

afferent /ˈæfərənt/ a. (anat.) afferente.

to affiance /əˈfaɪəns/ v. t. (di solito al passivo) (lett.) fidanzare: *Prince Henry was affianced to Lady Jane*, il principe Henry venne fidanzato a Lady Jane.

affiant /əˈfaɪənt/ n. (leg., USA) autore di un → «affidavit».

affidavit /ˌæfɪˈdeɪvɪt/ n. (leg.) «affidavit»; deposizione scritta e giurata: **to swear** (fam.: **to make, to take**) **an a.**, fare un affidavit; (di giudice) **to take an a.**, ricevere un affidavit.

affiliate /əˈfɪlɪeɪt/ n. **1** affiliato; iscritto; socio **2** (fin., leg.) società affiliata, società collegata

to affiliate /əˈfɪlɪeɪt/ v. t. e i. **1** affiliare, affiliarsi; associare, associarsi **2** (leg.) affiliare, affiliarsi (un bambino) **3** (leg.) attribuire la paternità di **4** attribuire, ascrivere (qc. a q.) ● (fin.) **affiliated company** (o **firm**), società affiliata, società collegata.

affiliation /əfɪlɪˈeɪʃn/ n. ⓊⒸ **1** affiliazione; connessione; appartenenza (a un gruppo o a un partito politico) **2** (leg.) affiliazione **3** (leg.) attribuzione di paternità ● (leg.) **a. order**, sentenza di condanna (del padre) al mantenimento del figlio naturale minorenne.

affine /ˈæfaɪn/ n. (mat.) affine.

affined /əˈfaɪnd/ a. affine; congiunto.

affinity /əˈfɪnətɪ/ n. **1** (leg.) affinità; parentela acquisita **2** (biol., chim., ecc.) affinità: **elective a.**, affinità elettiva **3** attrazione; simpatia ● (banca, in GB) **a. card**, carta di credito il cui utilizzo comporta un piccolo versamento da parte della banca emittente a un ente benefico scelto dal titolare.

to affirm /əˈfɜːm/ v. t. e i. **1** affermare; asserire **2** (leg.) confermare; dichiarare solennemente; convalidare (un contratto, ecc.).

affirmance /əˈfɜːməns/ n. (leg.) conferma; convalida.

affirmant /əˈfɜːmənt/ n. (leg.) chi fa una dichiarazione solenne (in sostituzione del giuramento).

affirmation /ˌæfəˈmeɪʃn/ n. Ⓤ **1** affermazione; asserzione **2** (leg.) dichiarazione solenne (in sostituzione del giuramento) **3** (leg.) ratifica; conferma ● (leg.) **a. of contract**, accettazione (espressa o tacita) di un contratto.

affirmative /əˈfɜːmətɪv/ Ⓐ a. affermativo Ⓑ n. risposta affermativa; sì: **to answer in the a.**, rispondere affermativamente ● (USA) **a. action**, misure volte a favorire gli appartenenti a minoranze (per contrastare la discriminazione); discriminazione positiva || **affirmatively** avv. affermativamente; in modo affermativo.

affirmatory /əˈfɜːmətərɪ/ a. affermativo.

affirmer /əˈfɜːmə(r)/ n. affermatore.

affix /ˈæfɪks/ n. **1** aggiunta; appendice **2** (ling.) affisso || **affixal** a. (ling.) affissale.

to **affix** /ə'fɪks/ v. t. **1** affiggere; attaccare: **to a. a stamp**, attaccare un francobollo **2** aggiungere per iscritto (*in calce*); apporre (*firma o sigillo*) **3** attribuire (*una censura, ecc.*) ‖ **affixation, affixture** n. ⓤⓒ **1** apposizione (*di un sigillo, ecc.*) **2** (*ling.*) aggiunta di affissi.

afflatus /ə'fleɪtəs/ n. ⓤ afflato; estro poetico.

to **afflict** /ə'flɪkt/ v. t. affliggere.

affliction /ə'flɪkʃn/ n. ⓤⓒ **1** afflizione; dolore; acciacco: **the afflictions of old age**, gli acciacchi della vecchiaia **2** calamità.

afflictive /ə'flɪktɪv/ a. afflittivo (*raro*); che affligge.

affluent /'æfluənt/ Ⓐ a. **1** benestante; ricco; opulento: **the a. society**, la società del benessere; la società opulenta **2** (*arc.*) che scorre o fluisce liberamente Ⓑ n. **1** affluente; tributario **2** (pl. **the a.**) i benestanti; i ricchi ‖ **affluence** n. ⓤ **1** abbondanza di mezzi; ricchezza; opulenza: *He was used to living in affluence*, era abituato a vivere nell'abbondanza **2** abbondanza; ricchezza **3** (*arc.*) afflusso; affluenza (*di un liquido*) ❶ FALSI AMICI • *nell'inglese attuale* affluence *non significa* affluenza.

afflux /'æflʌks/ n. afflusso.

◆to **afford** /ə'fɔːd/ v. t. **1** (usato all'inf., preceduto da **can, could, to be able to**) permettersi (il lusso di); poter spendere (*denaro*); poter disporre di (*tempo*): *I cannot a. to pay that price*, non posso permettermi (di pagare) quel prezzo; *We can't a. to move*, non possiamo permetterci di traslocare; *With his salary he can a. fabulous holidays every summer*, col suo stipendio può permettersi vacanze di sogno ogni estate; *You can't a. another scandal*, non puoi permetterti un altro scandalo; *I couldn't a. the time*, non ne avevo il tempo **2** dare; offrire; produrre: *Books and music a. me great pleasure*, i libri e la musica mi danno un grande piacere.

affordable /ə'fɔːdəbl/ a. che ci si può permettere; disponibile; accessibile; alla portata (*di q.*) ‖ **affordability** n. ⓤ disponibilità (*di tempo, di denaro, ecc.*); il potersi permettere (*una spesa, ecc.*) ‖ **affordably** avv. in misura accessibile; alla portata: **affordably priced**, dal prezzo accessibile; alla portata di tutti.

affordance /ə'fɔːdəns/ n. ⓤ (*comput.*) affordance (*capacità di un oggetto o di un ambiente di suggerire all'utente come interagire con esso*).

to **afforest** /ə'fɒrɪst/ v. t. imboschire; mettere (*un terreno*) a bosco ‖ **afforestation** n. ⓤ imboschimento.

to **affranchise** /ə'fræntʃaɪz/ v. t. affrancare; liberare ‖ **affranchisement** n. ⓤ affrancamento; liberazione.

to **affreight** /ə'freɪt/ v. t. (*comm., naut., leg.*) noleggiare (*una nave intera o parte di essa*) ‖ **affreightment** n. **1** ⓤ noleggio (*di nave*) **2** contratto di trasporto marittimo (*delle merci*).

affricate /'æfrɪkət/ (*fon.*) n. affricata ‖ **affricated** a. affricato ‖ **affricative** a. affricativo.

affront /ə'frʌnt/ n. affronto; insulto; offesa: **an a. to one's pride**, un affronto al proprio orgoglio; **personal a.**, insulto personale; **to take a. at st.**, offendersi per qc.

to **affront** /ə'frʌnt/ v. t. **1** offendere; insultare; oltraggiare **2** (*arc.*) affrontare.

affusion /ə'fjuːʒn/ n. ⓤⓒ **1** (*med.*) affusione **2** (*relig.*) aspersione (*battesimale*).

Afghan /'æfgæn/ a. e n. afgano • **A. coat**, giaccone di montone (*col pelo all'interno e*

sporgente dagli orli) □ **A. hound**, levriero afgano.

afghan /'æfgæn/ n. **1** coperta, plaid (*spec. a riquadri e lavorata ai ferri o all'uncinetto*) **2** = **Afghan coat; Afghan hound → Afghan.**

aficionado /əfɪʃə'nɑːdəʊ/ (*spagn.*) n. aficionado; tifoso (*fam.*).

afield /ə'fiːld/ avv. **1** lontano: **to come from far a.**, venire da lontano; **to search farther a.**, cercare più lontano; allargare il raggio delle proprie ricerche **2** (*mil.*) sul campo (*di battaglia*).

afire /ə'faɪə(r)/ avv. e a. pred. (*anche fig.*) in fiamme; infocato; infiammato.

AFL sigla (*USA,* **American Football League**) Associazione del football americano.

aflame /ə'fleɪm/ avv. e a. pred. **1** in preda alle fiamme; in fiamme; che va a fuoco: **to set st. a.**, incendiare qc. **2** (*fig.*) infiammato; fiammeggiante; ardente: **to be a. with**, essere infiammato di; fiammeggiare per; ardere di.

AFL-CIO sigla (*USA,* **American Federation of Labor and Congress of Industrial Organizations**) Federazione americana del lavoro e associazione delle organizzazioni industriali (*associazione sindacale*).

afloat /ə'fləʊt/ avv. e a. pred. **1** a galla; galleggiante; alla deriva; fluttuante (*anche in aria*): **to keep a.**, mantenere [mantenersi] a galla (*anche fig.*); **to stay a.**, restare a galla; (*fig.*) riuscire a pareggiare il dare con l'avere; cavarsela **2** in mare; a bordo: **life a.**, vita a bordo **3** (*di ponte o altra parte della nave*) allagato **4** (*di notizia*) in circolazione; in giro **5** (*banca: di cambiali*) in circolazione; in sofferenza **6** (*slang USA*) libero; senza debiti **7** (*slang USA*) ubriaco; sbronzo • (*naut.*) **to get a ship a.**, disincagliare una nave □ **to set a.**, varare (*una nave e, fig., un'azienda, ecc.*)

aflutter /ə'flʌtə(r)/ a. pred. **1** (*di un uccello*) che batte le ali; starnazzante **2** (*fig.*) eccitato; emozionato; palpitante.

afoot /ə'fʊt/ avv. e a. pred. **1** in corso; avviato: *Preparations were well a.*, i preparativi erano ben avviati; *Something is a.*, sta succedendo qualcosa (*di poco chiaro*) **2** (*arc.*) a piedi.

afore /ə'fɔː(r)/ prep. (*arc. o dial.*) davanti a.

aforegoing /ə'fɔːgəʊɪŋ/ a. precedente.

aforehand /ə'fɔːhænd/ avv. anzitempo; con anticipo.

aforementioned /ə'fɔːmenʃnd/ a. summenzionato.

aforenamed /ə'fɔːneɪmd/ a. sunnominato.

aforesaid /ə'fɔːsed/ a. suddetto; predetto.

aforethought /ə'fɔːθɔːt/ a. premeditato • (*leg.*) **with malice a.**, con premeditazione.

aforetime /ə'fɔːtaɪm/ avv. (*arc.*) un tempo; una volta; in passato.

afoul /ə'faʊl/ a. pred. (*naut.*) ingarbugliato; impigliato; inceppato • **to run a. of**, (*naut. e fig.*) entrare in collisione con; (*fig., anche*) entrare in conflitto con, mettersi in urto con.

◆**afraid** /ə'freɪd/ a. pred. **1** che ha paura; spaventato; timoroso: **to be a. (of st., to do st., of doing st.)**, aver paura (di qc., di fare qc.); temere (qc., di fare qc.); *I'm a. of dogs*, ho paura dei cani; *She's a. to speak*, ha paura di parlare; *He's a. of losing his job*, teme (*o* ha paura) di perdere il lavoro; **to feel a.**, provare (*o* avere) paura **2** (*in espressioni di rincrescimento*) – *I'm a. I can't help you*, mi dispiace, ma non posso aiutarvi; purtroppo non posso aiutarvi; *I'm a. you cannot park here*, mi dispiace, ma lei non può parcheggiare qui; *Sorry, I'm a. I've sold out*, mi dispiace, purtroppo è esaurito; *I'm afraid the*

chilli con carne is finished, purtroppo il chilli con carne è finito; *I'm a. I don't understand*, non credo di aver capito; *I'm a. so*, purtroppo sì; temo di sì.

afresh /ə'freʃ/ avv. di nuovo; da capo: **to start a.**, cominciare da capo.

◆**African** /'æfrɪkən/ a. e n. africano • (*USA*) **A. American**, afroamericano □ (*Canada*) **A. Canadian**, afrocanadese □ (*in Sud Africa*) **A. National Congress** (abbr. **ANC**), Assemblea nazionale africana □ **A. studies**, africanistica (sing.) □ (*bot.*) **A. violet** (*Saintpaulia*), violetta africana; saintpaulia.

Africana /æfrɪ'kɑːnə/ n. pl. oggetti e curiosità africane.

Africander /æfrɪ'kændə(r)/ → **Afrikander.**

Africanism /'æfrɪkənɪzəm/ n. ⓤⓒ africanismo ‖ **Africanist** n. africanista.

to **Africanize** /'æfrɪkənaɪz/ v. t. africanizzare ‖ **Africanization** n. ⓤ africanizzazione.

Afrikaans /æfrɪ'kɑːns/ Ⓐ n. (*ling.*) afrikaans Ⓑ a. degli africander.

Afrikander /æfrɪ'kændə(r)/ n. **1** (*zool.*) bue con la gobba (*d'origine sudafricana*) **2** (*arc.*) → **Afrikaner.**

Afrikaner /æfrɪ'kɑːnə(r)/ n. (*geogr.*) africander, afrikander (*nativo del Sud Africa discendente dai boeri*).

Afro /'æfrəʊ/ n. (pl. **Afros**) (*fam., di capelli*) acconciatura afro; afro.

Afro-American /æfrəʊə'merɪkən/ a. e n. afroamericano.

Afro-Asian /æfrəʊ'eɪʃn/ a. e n. afroasiatico.

Afro-Asiatic /æfrəʊeɪʒɪ'ætɪk/ (*ling.*) a. afroasiatico; camito-semitico.

Afro-Caribbean /æfrəʊkærɪ'biːən/ a. e n. afro-caraibico.

Afrocentric /æfrəʊ'sentrɪk/ a. afrocentrico.

Afro-Cuban /æfrəʊ'kjuːbən/ a. afrocubano.

aft /ɑːft/ (*naut., aeron.*) Ⓐ avv. a poppa; verso poppa: **to go aft**, andare a poppa Ⓑ a. di poppa; a poppa: **aft deck**, ponte di poppa; **aft wind**, vento di (*o* in) poppa; vento in fil di ruota.

aft. abbr. (**after**) dopo.

◆**after** /'ɑːftə(r)/ Ⓐ prep. **1** dopo; dopo di: **a. the storm**, dopo il temporale; **a. Easter**, dopo Pasqua; **day a. day**, un giorno dopo l'altro; **A. you**, dopo di lei, prego; **a. that**, dopo di ciò; dopo che; *It must be a. 9*, devono essere passate le nove **2** (*nelle ore*) (*USA*) – **ten minutes a. one**, l'una e dieci; **at half a. nine**, alle nove e mezzo **3** dopo di: **one a. another**, uno dietro l'altro; *«How was work today?» «It was one thing a. another»*, «Com'è andata al lavoro oggi?» «È stata una cosa dietro l'altra»; *She came in a. me*, entrò dietro di me; *He shut the door a. him*, chiuse la porta dietro di sé; si chiuse dietro la porta **4** all'inseguimento di; a caccia di; in cerca di; sulle tracce di: *He ran a. me*, mi corse dietro; mi inseguì; *I've got the police a. me*, la polizia è sulle mie tracce (*o* mi sta dando la caccia); *What are you a.?*, che cosa cerchi?; *I'm a. a good phone*, sto cercando un buon telefono; *What is he a., I wonder*, mi chiedo a che cosa miri (*o* che cosa voglia) **5** (*rif. a nome proprio*) in onore di; in ricordo di: *She was called Virginia a. her grandmother*, fu chiamata Virginia in ricordo della nonna **6** secondo; alla maniera di; nello stile di; a imitazione di: **a. the Paris fashion**, secondo la moda di Parigi; **a. Raphael**, a imitazione di Raffaello; alla maniera di Raffaello **7** (*nei verbi frasali*) V. *sotto il verbo* Ⓑ avv. dopo: **the day a.**, il giorno dopo; il giorno seguente; *What comes a.?*, che

cosa viene dopo?; **long a.**, molto tempo dopo; **never a.**, mai più dopo di allora; **shortly a.**, poco dopo; di lì a poco; **soon a.**, poco dopo ◨ cong. dopo che: *A. he left, I spoke openly to her*, dopo che se ne fu andato, le parlai apertamente; *I don't trust him a. seeing what he's capable of*, non mi fido di lui dopo aver visto di cosa è capace ◨ a. 1 (*antiq.*) seguente; futuro: **in a. years**, negli anni seguenti (*o futuri*) 2 (*naut.*) di poppa; poppiero: **a. deck**, coperta di poppa ● **a. all**, dopo tutto; alla fin fine; in conclusione □ **a. dark**, a sera □ **a.-dinner speech**, discorso al termine di un pranzo ufficiale □ **a. my own heart**, come piace a me □ **a. hours**, dopo l'orario di chiusura (*di un locale, ecc.*); dopo l'orario di lavoro; fuori orario; (*Borsa*) (il) dopoborsa (*Borsa*) **a.-hours dealings**, operazioni del dopoborsa □ (*comm.*) **a.-sales service**, (servizio di) assistenza clienti □ (*banca, comm.: di cambiale*) **a. sight**, a certo tempo vista □ (*fin.*) **a. tax**, al netto delle imposte □ (*fin.*) **a.-tax** (agg.), al netto delle imposte; netto □ **a.-war**, del dopoguerra □ (*fam.*) **to be a. sb.**, rimproverare q., dare addosso a q.; (*anche*) assillare q., tormentare q. (*con richieste, ecc.*) □ (*Irl.*) **to be a. doing st.**, avere appena fatto qc.

afterbay /'ɑːftəbeɪ/ n. bacino a valle (*di una diga*).

afterbirth /'ɑːftəbɜːθ/ n. ◨ (*anat.*) placenta e annessi embrionari; seconda (*pop.*).

afterburner /'ɑːftəbɜːnə(r)/ n. (*aeron.*) postbruciatore.

aftercare /'ɑːftəkeə/ n. ◨ 1 (*med.*) assistenza postoperatoria 2 (*comm.*) assistenza clienti.

aftercooler /ɑːftə'kuːlə(r)/ n. (*tecn., mecc.*) n. postrefrigeratore ‖ **aftercooling** n. ◨ postrefrigerazione.

afterdamp /'ɑːftədæmp/ n. ◨ (*ind. min.*) gas residui dell'esplosione di grisou.

afterdeck /'ɑːftədek/ n. (*naut.*) ponte di poppa.

after-effect /'ɑːftə(r)ɪfekt/ n. conseguenza; effetto collaterale; postumo.

afterglow /'ɑːftəgləʊ/ n. ◨ 1 luce diffusa a occidente (*dopo il tramonto*); bagliore residuo; luminescenza secondaria (*meteor.*) 2 (*fig.*) sensazione piacevole (*che rimane dopo un'esperienza positiva*); soddisfazione 3 (*fotoelettricità*) bagliore residuo.

afterheat /'ɑːftəhiːt/ n. ◨ calore residuo (*di reattore nucleare*).

afterimage /'ɑːftə(r)ɪmɪdʒ/ n. (*fisiol.*) immagine postuma; immagine residua.

afterlife /'ɑːftəlaɪf/ n. ◨ 1 vita ultraterrena; vita dopo la morte; oltretomba 2 vita successiva (*a un dato evento*); (il) resto della vita.

aftermath /'ɑːftəmaθ/ n. ◨ 1 periodo immediatamente successivo (*a un evento drammatico*); indomani: *We lost sight of each other in the a. of the war*, ci perdemmo di vista nel periodo immediatamente successivo alla guerra 2 conseguenze (pl.); strascichi (pl.): **to suffer from the aftermath of the economic crisis**, risentire degli strascichi della crisi economica 3 (*agric.*) fieno di secondo taglio.

aftermost /'ɑːftəməʊst/ a. 1 (il) più arretrato; ultimo 2 (*naut.*) (il) più a poppa; (il) più vicino alla poppa.

♦**afternoon** /ɑːftə'nuːn/ ◨ n. pomeriggio: **this a.**, oggi (*o questo*) pomeriggio; **in the a.**, nel pomeriggio; di pomeriggio; **tomorrow a.**, domani pomeriggio; **at 3 in the a.**, alle tre di pomeriggio; *We would meet on Friday afternoons*, ci incontravamo il venerdì pomeriggio; *Good a.!*, (*dalle 12 al tramonto*) buongiorno!; (*dalla una certa ora*) buona sera! ◨ a. attr. pomeridiano; di (*o nel*) pomeriggio: **a. shift**, turno (di lavoro)

pomeridiano; **a. tea**, tè del pomeriggio ◨
afternoons avv. di (*o nel*) pomeriggio.

afterpains /'ɑːftəpeɪnz/ n. pl. (*med.*) dolori (*o morsi uterini*) dopo il parto.

after-party /'ɑːftəpɑːtɪ/ n. party dopoconcerto; party dopoteatro.

afterpiece /'ɑːftəpiːs/ n. (*teatr.*) farsa, atto unico, balletto, ecc. (*presentati a chiusura d'uno spettacolo teatrale*).

afters /'ɑːftəz/ n. pl. (*fam. GB*) dolce (*come portata di pranzo*): *What are we having for a.?*, che cosa c'è come dolce?

aftershave /'ɑːftəʃeɪv/ n. ◨ dopobarba: **a. lotion**, lozione dopobarba.

aftershock /'ɑːftəʃɒk/ n. (*geol.*) scossa secondaria; scossa di assestamento.

aftertaste /'ɑːftəteɪst/ n. 1 sapore che resta in bocca; retrogusto 2 (*fig.*) sensazione residua; ricordo.

afterthought /'ɑːftəθɔːt/ n. ripensamento.

aftertouch /'ɑːftətʌtʃ/ n. ◨ (*mus., di tastiera elettron.*) aftertouch; pressione di canale.

♦**afterwards** /'ɑːftəwədz/, **afterward** /'ɑːftəwəd/ (*USA*) avv. dopo; in seguito; poi; **straight a.**, subito dopo; *I'll tell you a.*, te lo dico dopo (*o poi*); *It was only a. that...*, fu solo in seguito (*o in un secondo tempo*) che...

afterword /'ɑːftəwɜːd/ n. postfazione.

afterworld /'ɑːftəwɜːld/ n. ◨ mondo di là; oltretomba; l'aldilà.

AG sigla 1 (*mil.*, **adjutant general**) aiutante generale 2 (*leg.*, **attorney general**) procuratore generale (P. G., Proc. Gen.).

Aga® /'ɑːɡə/ n. (*in GB*, = Aga cooker) cucina a gas (*o elettrica*) nello stile delle vecchie cucine economiche.

♦**again** /ə'ɡen, ə'ɡeɪn/ avv. 1 di nuovo; ancora; un'altra volta: **to try a.**, provare di nuovo; riprovare; *I'll try a.*, ci riprovo; *Do it a.!*, fallo di nuovo!; rifallo; *Say that a.!*, dillo ancora!; ridillo!; ripetilo!; **once a.**, ancora una volta; **to be oneself a.**, essere di nuovo quello di prima; tornare a essere sé stesso; *What's his name a.?*, mi ripeti il suo nome?; come hai detto che si chiama?; *How much is the room a.?*, mi ripeti quanto costa la stanza? 2 (in frase neg.) più: **never a.**, mai più; *He won't do that a.*, non lo farà più 3 e poi; inoltre; (*d'altra parte*: *A., would he accept the offer?*, e poi, accetterebbe l'offerta? ● **a. and a.**, più volte; ripetutamente; spesso □ **all over a.** → **over** □ **as much [as many] a.**, altrettanto [altrettanti] □ **and then a.**, d'altra parte; ma anche: *He might know, and then a. he might not*, potrebbe saperlo, ma potrebbe anche non saperlo (*o così come potrebbe non saperlo*) □ **but then a.**, però è vero che; ma del resto: *I didn't see it, but then a. I wasn't looking for it*, non l'ho visto, però è anche vero che non lo cercavo □ **now and a.**, di tanto in tanto; talvolta □ **yet a.**, di nuovo; ancora una volta; un'altra volta.

♦**against** /ə'ɡenst, ə'ɡeɪnst/ prep. 1 contro; in opposizione a; contrario (agg.): **to fight a. an enemy**, combattere contro un nemico; **to decide a.**, decidere contro qc.; *He's a. the idea*, lui è contrario all'idea; *Are you for or a. it?*, sei favorevole o contrario?; **a. the law**, contro la legge; **a. my will**, contro la mia volontà; **a. the light**, contro luce 2 in senso contrario a; in direzione opposta a; contro: **a. the current**, contro corrente; **a. the traffic**, in senso contrario al traffico; contromano; *It's rush hour, but we'll be going a. the traffic*, è l'ora di punta ma andremo nel senso opposto al traffico 3 contro; in vista di; in previsione di: **insurance a. theft**, assicurazione contro il furto; *He*

was warned a. pickpockets, fu messo in guardia contro i borsaioli; **to save a. a rainy day**, risparmiare in previsione dei giorni di magra; *I stiffened a. the pain*, mi irrigidii in previsione del dolore 4 contro; in cambio di: (*comm.*) **payment a. documents**, pagamento contro documenti 5 su; sullo sfondo di; contro: **black a. a white background**, nero su sfondo bianco; **outlined a. a blue sky**, profilato contro un cielo azzurro 6 rispetto a: *The dollar has fallen by 10% a. the yen*, il dollaro è sceso del 10% rispetto allo yen 7 (nei verbi frasali) V. sotto il verbo ● **as a.**, in confronto a; di contro a; contro: *There were over 1,000 people, as a. a few dozens the previous year*, c'erano più di mille persone, di contro alle poche decine dell'anno prima □ (*in una votazione*) **those a.**, quelli contrari; i voti contrari.

Agamemnon /ˌæɡə'memnən/ n. (*letter. greca*) Agamennone.

agami /'æɡəmɪ/ n. (*zool.*, *Psophia crepitans*) agami; trombettiere.

agamic /ə'ɡæmɪk/ a. (*biol.*) agamico.

agamogenesis /ˌæɡəməʊ'dʒenəsɪs/ n. ◨ (*biol.*) agamogenesi; agamia.

agape① /'æɡəpɪ/ n. (pl. **agapae**, **agapai**, **agapes**) (*stor. relig.*) agape.

agape② /ə'ɡeɪp/ avv. e a. pred. a bocca aperta (*per stupore, sorpresa, ecc.*).

agar-agar /ˌeɪɡɑː'eɪɡɑː(r)/ n. agar-agar.

agaric /'æɡərɪk/ n. (*bot.*, *Agaricus*) agarico.

agate /'æɡət/ n. 1 (*miner.*) agata 2 bilia (*d'agata o di vetro colorato*) 3 (*tipogr.*) corpo cinque e mezzo.

Agatha /'æɡəθə/ n. Agata.

agave /ə'ɡeɪvɪ/ n. (*bot.*, *Agave*) agave.

♦**age** /eɪdʒ/ n. 1 ◨ età; anni (pl.) (*di vita*): *I don't know his age*, non conosco la sua età; non so quanti anni abbia; *What age are you?*, quanti anni hai?; che età hai?; *She's 30 years of age*, ha trent'anni (di età); *John is my age*, John ha la mia stessa età; **a man of middle age**, un uomo di mezza età; **at the age of 42**, all'età di 42 anni; a 42 anni d'età; **at an early age**, in giovane età; **in our old age**, da vecchi; quando saremo vecchi; ora che siamo vecchi; '*Age cannot wither her, nor custom stale / Her infinite variety*', W. SHAKESPEARE, 'l'età non può avvizzirla, né può l'uso render stantìa / la sua infinita varietà' 2 età; epoca; periodo; evo; era: **the Stone Age**, l'età della pietra; **the Victorian Age**, il periodo vittoriano; **our age**, il nostro tempo; la nostra epoca; **through the ages**, attraverso i secoli 3 ◨ vecchiaia: **the weakness of age**, la debolezza della vecchiaia 4 (al pl.) (*fam.*) secoli; un secolo; un sacco di tempo; un'eternità: *I haven't heard from you in ages*, sono secoli che non ti sento; *It went on for ages*, è durato un'eternità; **ages ago**, un secolo fa; *I thought we had ages to do the essay*, pensavo di avere un sacco di tempo per fare il tema ● (*stat.*) **age bracket**, fascia d'età □ (*demogr.*) **age distribution**, distribuzione per età □ **age gap**, differenza di età □ **age group**, gruppo di coetanei; classe; (*stat.*) gruppo d'età □ (*metall.*) **age hardening**, aumento di durezza causato dall'invecchiamento □ **age limit**, limite d'età □ **age-long**, che esiste (*o che dura*) da molto tempo; lungo; antico □ (*leg.*) **age of consent**, età a cui si può consentire legalmente a rapporti sessuali □ **age of discretion**, l'età della ragione □ **age of retirement**, età pensionabile □ **age-old**, vecchissimo; secolare; (*di problema, ecc.*) annoso □ **age range**, fascia d'età □ **age-related**, legato all'età; dovuto all'età □ (*leg.*) **to be of age**, essere maggiorenne □ **to be of an age**, essere coetanei; avere la stessa età □ **to be of an age to do st.**, avere l'età per fare qc. □ **to be over-age**, avere superato i limiti d'età □ (*leg.*) **to come**

of age, diventare maggiorenne □ **to feel one's age**, sentire l'età (o il peso degli anni) □ (*leg.*) **full age**, maggiore età □ **the golden age**, (*mitol.*) l'età dell'oro; (*fig.*) periodo aureo (*di un paese, ecc.*) □ **to look one's age**, dimostrare la propria età □ (*fam.*) **ripe old age**, veneranda età □ **under age** (pred.), **under-age** (agg.), minorenne □ (*scherz.*) **Age before beauty!**, prima i più vecchi! (*invito ironico a passare per primi*) □ (*fam.*) **Be** (o **Act**) **your age!**, non fare il bambino!

to **age** /eɪdʒ/ **A** v. i. **1** invecchiare: *He has aged a lot*, è molto invecchiato **2** invecchiare; stagionare: *Our wine ages in casks*, il nostro vino invecchia in fusti **B** v. t. **1** invecchiare; far sembrare più vecchio **2** far invecchiare; far stagionare **3** determinare l'età di (*un animale o un oggetto*).

♦**aged** ① /'eɪdʒd/ a. **1** (pred.) (dell'età) di: **a girl a. six**, una bambina di sei anni; **children a. between 4 and 10**, i bambini di età compresa tra i 4 e i 10 anni **2** sottoposto a invecchiamento; invecchiato; stagionato.

aged ② /'eɪdʒɪd/ **A** a. anziano; vecchio: **a. relatives**, parenti anziani **B** n. pl. (**the a.**), gli anziani; i vecchi ‖ **agedness** n. ☐ età avanzata; vecchiaia.

ageing /'eɪdʒɪŋ/ **A** a. che invecchia **B** n. ☐ **1** (*anche demogr.*) invecchiamento; l'invecchiare: **the a. process**, il processo di invecchiamento **2** invecchiamento; stagionatura **3** (*fin., rag.*) analisi per età (*di partite di credito*).

ageism /'eɪdʒɪzəm/ n. ☐ discriminazione sulla base dell'età (*generalm. a danno degli anziani*) ‖ **ageist** **A** a. che fa discriminazioni sulla base dell'età **B** n. chi fa discriminazioni sulla base dell'età.

ageless /'eɪdʒləs/ a. **1** che non invecchia; sempre giovane; senza età **2** eterno.

♦**agency** /'eɪdʒənsɪ/ n. **1** agenzia: **advertising a.**, agenzia pubblicitaria; **news a.**, agenzia di stampa; (**real**) **estate a.**, agenzia immobiliare **2** ente; organismo; dipartimento (*governativo*): **aid a.**, ente assistenziale **3** (*comm.*) agenzia; rappresentanza: **sole a.**, rappresentanza esclusiva; **a. agreement** (o **a. contract**), contratto di rappresentanza **4** (*leg.*) mandato **5** ☐ azione; opera; intervento; mediazione: **by the a. of heat**, per l'azione del calore; **through the a. of**, per opera di; grazie a; grazie all'intervento di; **technologies that reduce human a.**, tecnologie che riducono l'intervento umano ● (*spec. econ., fin.*) **a. theory**, teoria della rappresentanza (*la teoria delle relazioni tra proponente e agente*).

♦**agenda** /ə'dʒendə/ n. **1** ordine del giorno; agenda: **the first item on the a.**, il primo punto dell'ordine del giorno **2** (*elenco delle*) cose da fare; programma; scaletta: **high on the a.**, in cima alle priorità; ai primi posti tra le cose da fare; di massima importanza ● (*polit.*) **A. 21**, Agenda 21 (*il programma di azione della comunità internazionale in materia di ambiente e sviluppo per il 21° secolo*) □ **hidden a.**, programma non dichiarato; intenzioni segrete □ **to set the a.**, decidere l'ordine del giorno; (*fig.*) decidere il programma, stabilire le priorità, determinare l'indirizzo (*di un'attività, una ricerca, ecc.*) □ (*fam.*) **What's on the a.?**, che programmi ci sono per oggi?; che si fa oggi? ❶ **FALSI AMICI** ● agenda *non significa* agenda *nel senso di taccuino con calendario.*

♦**agent** /'eɪdʒənt/ n. **1** (*comm.*) agente; rappresentante: **sole a.**, rappresentante esclusivo; **literary a.**, agente letterario **2** (*leg.*) mandatario **3** (*comm.*) titolare di agenzia; agente: (**real**) **estate a.**, agente immobiliare; **forwarding a.**, spedizioniere; **travel a.**, agente di viaggio **4** (= **land a.**) fattore (agricolo) **5** agente (segreto): agente del servizio segreto **6** agente (*naturale o chimico*): **cleansing a.**, agente pulente **7** agente; veicolo; causa: **an a. of change**, un agente modificatore **8** (*ling.*) agente ● (*polit., in Austr. e Canada*) **a.-general**, rappresentante all'estero di uno Stato della federazione o di una provincia □ (*leg.*) **a.'s lien**, diritto di ritenzione dell'agente □ **free a.** → **free** □ (*comput.*) **intelligent a.**, agente intelligente.

agent provocateur /'æʒɒn prɒvɒkə-'tɜ:(r)/ (*franc.*) loc. n. (pl. **agents provocateurs**) agente provocatore.

agglomerate /ə'glɒmərət/ a. e n. (*anche bot., geol.*) agglomerato.

to **agglomerate** /ə'glɒməreɪt/ **A** v. t. agglomerare **B** v. i. agglomerarsi.

agglomeration /əglɒmə'reɪʃn/ n. **1** ☐ agglomerazione **2** agglomerato.

agglomerative /ə'glɒmərətɪv/ a. agglomerante.

agglutinant /ə'glu:tɪnənt/ n. (sostanza) agglutinante.

agglutinate /ə'glu:tɪnət/ a. agglutinato.

to **agglutinate** /ə'glu:tɪneɪt/ (*anche biol., ling.*) **A** v. t. agglutinare **B** v. i. agglutinarsi.

agglutination /əglu:tɪ'neɪʃn/ n. ☐ (*biol., med., ling.*) agglutinazione.

agglutinative /ə'glu:tɪnətɪv/ a. (*ling.*) agglutinante.

agglutinin /ə'glu:tənɪn/ n. ☐ (*biochim.*) agglutinina.

agglutinogen /æglu:'tɪnədʒən/ n. (*biochim.*) agglutinogeno.

aggradation /ægrə'deɪʃn/ n. ☐ (*geol.*) sovralluvionamento.

to **aggrandize** /ə'grændaɪz/ v. t. **1** ingrandire; aumentare; accrescere (*autorità, potenza, ricchezza*) **2** esagerare; esaltare ‖ **aggrandizement** n. ☐ **1** ingrandimento; aumento **2** esagerazione; esaltazione.

to **aggravate** /'ægrəveɪt/ v. t. **1** aggravare; peggiorare **2** (*fam.*) esasperare; irritare; scocciare (*fam.*).

aggravating /'ægrəveɪtɪŋ/ a. **1** aggravante **2** (*fam.*) irritante; scocciante (*fam.*) ● (*leg.*) **a. circumstance**, (circostanza) aggravante.

aggravation /ægrə'veɪʃn/ n. ☐ **1** aggravamento; peggioramento **2** (*fam.*) esasperazione; irritazione; scocciatura.

aggregate /'ægrɪgət/ **A** a. **1** aggregato; complessivo; globale; totale: (*econ.*) **a. income**, reddito aggregato; reddito complessivo (*il reddito di tutti i cittadini di un paese, ottenuto sommando i redditi di ciascun abitante*); **a. demand** [**supply**], domanda [offerta] aggregata; **a. production**, produzione globale; produzione aggregata; (*sport*) **a. score**, punteggio complessivo; punteggio finale **2** (*geol., mat.*) aggregato **B** n. **1** aggregato; complesso: **in the a.**, nel complesso; in totale **2** (*comm.*) totale; somma complessiva **3** (*sport*) risultato complessivo (*in un campionato, ecc.*); punteggio finale: **on a.**, in totale; sommando i risultati parziali **4** (*edil.*) aggregato.

to **aggregate** /'ægrɪgeɪt/ **A** v. t. **1** aggregare; unire **2** accumulare; ammassare **3** (*raro*) ammontare; assommare a **B** v. i. **1** (*scient.*) aggregarsi **2** adunarsi; riunirsi.

aggregation /ægrɪ'geɪʃn/ n. ☐ **1** (*scient.*) aggregazione; aggregamento **2** accumulazione; accumulo ● (*fisc.*) **a. of incomes**, cumulo dei redditi □ (*leg.*) **a. of sentences**, cumulo delle pene inflitte.

aggregative /'ægrɪgeɪtɪv/ a. **1** aggregativo **2** complessivo ● (*mat., stat.*) **a. index**, indice aggregativo (*o sintetico*).

aggregator /'ægrəgeɪtə(r)/ n. (*comput.*) aggregatore, aggregatore (*sito web, programma o azienda che aggrega e organizza servizi e contenuti web offerti da aziende e siti diversi*).

aggression /ə'greʃn/ n. **1** ☐ aggressione **2** atto d'aggressione.

♦**aggressive** /ə'gresɪv/ a. **1** aggressivo **2** intraprendente; energico; agguerrito; grintoso ‖ **aggressively** avv. aggressivamente ‖ **aggressiveness** n. ☐ **1** aggressività **2** aggressività; energia; grinta.

aggressor /ə'gresə(r)/ n. aggressore.

to **aggrieve** /ə'gri:v/ v. t. (*lett.*) **1** addolorare; offendere (*nei sentimenti*) **2** ledere; fare torto a.

aggrieved /ə'gri:vd/ a. **1** dispiaciuto; risentito; offeso; addolorato: **to feel a.**, essere dispiaciuto (o risentito): *I was a. at their defection*, mi dispiacque la loro defezione **2** (*leg.*) leso: **the a. party**, la parte lesa.

aggro /'ægrəʊ/ n. ☐ (*fam. GB*) **1** violenza; teppismo **2** scocciature (pl.); grane (pl.); rotture (pl.).

aghast /ə'gɑ:st/ a. pred. **1** atterrito; inorridito: *'From that chamber, and from that mansion, I fled a.'* E.A. Poe, 'da quella camera, e da quella casa, fuggii atterrito' **2** sbigottito; scioccato; stupefatto.

agile /'ædʒaɪl, USA 'ædʒəl/ a. agile; destro; svelto; attivo ‖ **agility** n. ☐ agilità; destrezza; prontezza.

aging /'eɪdʒɪŋ/ → **ageing**.

agio /'ædʒɪəʊ/ n. (pl. **agios**) (*fin.*) aggio.

agiotage /'ædʒətɪdʒ/ n. ☐ (*fin.*) speculazione in titoli e valuta ❶ **FALSI AMICI** ● agiotage *non significa* aggiotaggio.

agism → **ageism**.

to **agist** /ə'dʒɪst/ v. t. (*leg.*) **1** ammettere al pascolo dietro pagamento (*bestiame di altri sul proprio terreno*); accettare in soccida **2** imporre una servitù pubblica su (*una proprietà, un proprietario*) ‖ **agister** n. soccidario ‖ **agistment** n. ☐ **1** ammissione di bestiame al pascolo; soccida **2** denaro ricavato da tale attività **3** servitù pubblica.

to **agitate** /'ædʒɪteɪt/ **A** v. t. **1** agitare; turbare; scuotere **2** (*arc.*) dibattere (*una questione*) **B** v. i. mobilitarsi; agitarsi: *We were agitating for new schools and hospitals*, ci agitavamo per ottenere nuove scuole e ospedali ‖ **agitated** a. agitato; turbato; scosso.

agitation /ædʒɪ'teɪʃn/ n. ☐ **1** agitazione; nervosismo: **in a state of a.**, in uno stato di (o in preda all') agitazione **2** agitazione; fermento **3** (*polit.*) agitazione **4** l'agitare (*un liquido, ecc.*) **5** (*med.*) tremore.

agitator /'ædʒɪteɪtə(r)/ n. **1** (*polit., generalm. spreg.*) agitatore **2** (*tecn.*) agitatore.

agitprop /'ædʒɪtprɒp/ n. ☐ (*polit.*) propaganda politica.

AGL sigla (*aeron.*, **above ground level**) altitudine rispetto al suolo.

agleam /ə'gli:m/ a. pred. brillante; luccicante; splendente: **eyes a. with interest**, occhi brillanti di interesse.

aglet /'æglɪt/ n. aghetto (*punta metallica di laccio da scarpe, busto, ecc.*); puntale.

aglow /ə'gləʊ/ a. pred. acceso; ardente; eccitato; raggiante.

AGM sigla **1** (**air-to-ground missile**) missile aria-terra **2** (*GB*, **annual general meeting**) assemblea generale degli azionisti; assemblea ordinaria (*si tiene a cadenza annuale*).

agnail /'ægneɪl/ n. (*med.*) **1** pipita **2** patereccio; giradito.

agnate /'ægneɪt/ **A** a. **1** (*leg.*) che discende in linea maschile **2** (*fig.*) affine **B** n. (*leg.*) agnato ‖ **agnatic** a. (*leg.*) agnatizio ‖ **agnation** n. ☐ (*leg.*) agnazione.

Agnes /'ægnɪs/ n. Agnese.

agnosia /əg'nəʊsɪə/ n. ☐ (*med.*) agnosia.

a

agnostic /æg'nɒstɪk/ (*filos.*) **a.** e **n.** agnostico || **agnosticism** n. Ⓤ agnosticismo.

♦**ago** /ə'gəʊ/ **avv.** fa; or è; or sono: **two months ago**, due mesi fa; **long ago**, molto tempo fa; *She was here a second ago*, era qui un secondo fa; **as long ago as 1950**, già nel 1950 ❶ NOTA: *fa → fa*③.

❶ **NOTA:** *ago o before?*
Ago si usa quando si quantifica il tempo trascorso rispetto al presente: *I visited Rome ten years ago*, ho visitato Roma dieci anni fa. Quando, invece, si quantifica il tempo trascorso rispetto al passato, si usa *before* o *previously*: *She left England in January 2007, saying she couldn't live far from her daughter, who had moved to Australia two years before* (o *previously*), lasciò l'Inghilterra nel gennaio del 2007, dicendo che non poteva vivere lontana da sua figlia, che si era trasferita in Australia due anni prima.

agog /ə'gɒg/ **avv.** e **a. pred.** impaziente; ansioso; eccitato; smanioso: **to be all a. to do st.**, essere smanioso di fare qc.; smaniare per fare qc.; non star più nella pelle dal desiderio di fare qc.

agon /'ægəʊn/ **n.** (pl. *agones*) (*stor. greca e fig.*) agone.

agonic line /ə'gɒnɪk laɪn/ **loc. n.** (*geofisica*) (linea) agona; linea agonica.

agonist /'ægənɪst/ **n. 1** (*stor. greca*) agonista **2** (*fisiol.*) (muscolo) agonista.

agonistic /ægə'nɪstɪk/ **a. 1** (*anche zool., biochim.*) agonistico **2** battagliero; combattivo; polemico.

to **agonize** /'ægənaɪz/ Ⓐ **v. i. 1** tormentarsi; angosciarsi; crucciarsi: **to a. over a decision**, tormentarsi per una decisione **2** lottare disperatamente; fare sforzi disperati Ⓑ **v. t.** tormentare; angosciare.

agonized /'ægənaɪzd/ **a. 1** angosciato; straziato: **an a. cry**, un grido angosciato **2** tormentato; doloroso: **an a. debate**, un dibattito tormentato.

agonizing /'ægənaɪzɪŋ/ **a. 1** straziante; atroce: **an a. death**, una morte straziante **2** tormentoso; angoscioso: **an a. wait**, un'attesa tormentosa.

agony /'ægənɪ/ **n. 1** ⓊⒸ forte sofferenza; tormento; angoscia; agonia; parossismo; strazio: **to be in a.**, soffrire atrocemente; avere dolori atroci; **to suffer agonies**, patire le pene dell'inferno; **an a. of grief**, un parossismo di dolore; **an a. of embarrassment**, un imbarazzo angoscioso **2** Ⓤ (= **death a.**) (*med.*) agonia ● (*giorn. GB*) **a. aunt**, titolare (f.) di una rubrica di risposte ai problemi personali dei lettori □ (*giorn. GB*) **a. column**, rubrica di risposte ai problemi personali dei lettori; (*anche*) rubrica per la ricerca di persone scomparse (o di oggetti smarriti, *ecc.*) □ (*giorn. GB*) **a. uncle**, titolare (m.) di una rubrica di risposte ai problemi personali dei lettori.

agora /'ægərə/ **n.** (pl. *agorae*, *agoras*) (*stor. greca*) agorà.

agoraphobia /ægərə'fəʊbɪə/ (*psic.*) **n.** Ⓤ agorafobia || **agoraphobe** n. agorafobo || **agoraphobic** a. e n. agorafobo.

agouti /ə'guːtɪ/ **n.** (pl. *agouti*, *agoutis*) (*zool.*, *Dasyprocta aguti*) aguti.

AGR sigla (*fis. nucl.*, **advanced gas--cooled reactor**) reattore avanzato raffreddato a gas; reattore AGR.

agr., **agric.** abbr. **1** (**agriculture**) agricoltura **2** (**agricultural**) agricolo.

agraphia /ə'græfɪə/ **n.** Ⓤ (*med.*) agrafia.

agrarian /ə'greərɪən/ Ⓐ **a.** agrario; agricolo; rurale: **an a. economy**, un'economia rurale; **a. reform**, riforma agraria (*stor. ingl.*) **the A. Revolution**, la rivoluzione agricola Ⓑ **n.** (*polit.*) fautore della ridistribuzione delle terre.

agrarianism /ə'greərɪənɪzəm/ **n.** Ⓤ **1** (*stor.*, *in GB*) movimento per le riforme agrarie **2** (*polit.*) movimento politico in favore della ridistribuzione delle terre.

♦to **agree** /ə'griː/ Ⓐ **v. i. 1** essere (o trovarsi) d'accordo; essere della stessa opinione; convenire: *They'll never a.*, non si troveranno mai d'accordo; **to a. on an issue**, essere d'accordo su una questione; **to a. with**, essere d'accordo con; convenire con; essere della stessa opinione di **2** mettersi d'accordo; trovare un accordo; accordarsi; concordare; convenire: *We failed to a.*, non riuscimmo a metterci d'accordo; **to a. on a price**, accordarsi su un prezzo; convenire un prezzo; **the terms agreed upon**, le condizioni convenute **3** (*di dichiarazione*, cifre, *ecc.*) concordare; essere concordi: *All the texts a.*, tutti i testi concordano (o sono concordi); *His story does not a. with the facts*, il suo racconto non concorda con i fatti; *The books do not a.*, i libri contabili non concordano **4** acconsentire; dire di sì; accettare: **to a. to a proposal**, acconsentire a una proposta; (*polit.*) **to a. to an amendment**, accettare un emendamento **5** (*gramm.*) concordare **6** – **to a. with**, approvare (*moralmente*): *I don't a. with violence*, non approvo la violenza **7** – **to a. with**, confarsi a; andare bene per; fare bene a; (*al neg. anche*) essere indigesto per: *A wet climate does not a. with me*, il clima umido non mi si confà; *Indian food doesn't a. with me*, non digerisco il cibo indiano Ⓑ **v. t. 1** essere d'accordo; convenire: *We agreed that something should be done*, fummo d'accordo che si dovesse fare qualcosa; *I a. it's an awkward situation*, convengo (o riconosco) che la situazione è imbarazzante; *Don't you a.?*, non sei d'accordo?; non trovi? **2** mettersi d'accordo; accordarsi: *We agreed to meet the next day*, ci accordammo di incontrarci il giorno dopo **3** accordarsi su; giungere a un accordo su; concordare; pattuire: *The unions have agreed to the government's proposal*, i sindacati hanno accettato la proposta del governo; *We agreed a date for the meeting*, concordammo una data per la riunione **4** acconsentire; accettare: *I agreed to speak to him*, acconsentii a parlargli; (*del fisco*) **to a. a tax return**, accettare una denuncia dei redditi **5** (*comm.*) fare quadrare (*un bilancio*); pareggiare (*partite di conti*) ● **to a. to differ**, convenire di rimanere ciascuno della propria opinione; rinunciare a convincersi l'un l'altro □ **I couldn't a. more**, sono pienamente d'accordo; sono d'accordissimo ❶ NOTA: *to accept o to agree? →* **to accept**.

agreeable /ə'griːəbl/ **a. 1** piacevole; gradevole; simpatico **2** ben disposto; disponibile; consenziente; che è d'accordo; che accetta: *We found him a.*, lo trovammo ben disposto (o disponibile); *I'm a.*, sono d'accordo; **to be a. to a proposal**, accettare una proposta; per me sta bene; *He's a. to meeting us*, consente ad incontrarci **3** accettabile; gradito: **a. conditions**, condizioni accettabili; **a compromise a. to both parties**, un compromesso accettabile da entrambe le parti || **agreeableness**, **agreeability** n. **1** piacevolezza; gradevolezza **2** disponibilità || **agreeably avv. 1** piacevolmente; gradevolmente; in modo confacente (o conforme); conformemente (a).

agreed /ə'griːd/ Ⓐ **a. 1** (*attr.*) convenuto; pattuito; concordato: **the a. terms**, le condizioni pattuite; **a. price**, prezzo convenuto; **a. rate**, tariffa concordata; **as a.**, come concordato; come d'accordo **2** (*pred.*) d'accordo; concorde: *We are a. on it, then*, dunque siamo d'accordo; *Is that a.?*, d'accordo? Ⓑ **inter.** d'accordo!

♦**agreement** /ə'griːmənt/ **n. 1** Ⓤ accordo; consenso; intesa: *There is wide a. on this issue*, c'è ampio consenso su questa questione; **to be in a. with st.**, essere d'accordo su qc. **2** accordo; intesa; patto; impegno: **trade a.**, accordo commerciale; **verbal a.**, impegno verbale; **to come to** (o **to reach**) **an a.**, giungere a un accordo; *Perhaps we could have come to some a.*, forse avremmo potuto raggiungere un accordo; **to enter into an a.**, stipulare un accordo **3** (*comm.*, *leg.*) contratto: **a. in writing**, contratto scritto; **under the terms of the a.**, secondo i termini del contratto **4** Ⓤ (*leg.*) composizione (*di una vertenza*); transazione **5** Ⓤ (*gramm.*) concordanza ● (*leg.*) **a. to sell**, contratto preliminare di vendita; compromesso (*di vendita*) □ **gentleman's a.**, accordo sulla parola □ **to nod in a.**, annuire; fare un cenno di assenso (*col capo*).

agrestic /ə'grestɪk/ **a.** (*poet.*, *lett.*) **1** agreste; rustico **2** ignorante; rozzo.

agribusiness /'ægrɪbɪznəs/ (*econ.*) **n. 1** Ⓤ attività (pl.) agroindustriali; settore agroindustriale; agribusiness **2** azienda del settore agroindustriale || **agribusinessman** n. (pl. *agribusinessmen*) operatore agroindustriale.

♦**agricultural** /ægrɪ'kʌltʃərəl/ **a.** agricolo; agrario; dell'agricoltura; d'agraria; agronomico: **a. co-operative**, cooperativa agricola; **a. (credit) bank**, banca di credito agrario; **a. college**, istituto agrario; scuola superiore d'agraria; **a. implements**, attrezzi agricoli; **A. Department**, Dipartimento dell'Agricoltura; **a. land**, terreno agricolo; **a. policy**, politica agraria; **a. research**, ricerca agronomica; **a. show**, fiera agricola; **a. subsidies**, sussidi all'agricoltura; **a. worker**, (lavorante) agrario || **agriculturalist** n. **1** agricoltore **2** esperto di agraria.

♦**agriculture** /'ægrɪkʌltʃə(r)/ **n.** Ⓤ **1** agricoltura **2** agraria || **agriculturist** n. **1** agricoltore **2** esperto di agraria.

agrimony /'ægrɪmənɪ/ **n.** (*bot.*, *Agrimonia*) agrimonia.

agriproduct /'ægrɪprɒdʌkt/ **n.** (*econ.*) prodotto agricolo.

agriscience /'ægrɪsaɪəns/ **n.** scienza applicata all'agricoltura.

agritourism /'ægrɪtʊərɪzəm/ **n.** Ⓤ agriturismo (*tipo di vacanza*).

agrobiology /ægrəʊbaɪ'ɒlədʒɪ/ **n.** Ⓤ agrobiologia || **agrobiologist** n. agrobiologo.

agrochemical /ægrəʊ'kemɪkl/ **n.** agrochimico; prodotto chimico per l'agricoltura.

agroecosystem /ægrəʊ'iːkəʊsɪstəm/ **n.** (*ecol.*) agroecosistema.

agroforestry /ægrəʊ'fɒrɪstrɪ/ **n.** Ⓤ coltura agroforestale.

agro-industry /ægrəʊ'ɪndəstrɪ/ (*econ.*) **n.** ⒸⓊ agroindustria || **agro-industrial** a. agroindustriale.

agronomics /ægrə'nɒmɪks/ **n. pl.** (col verbo al sing.) agronomia.

agronomy /ə'grɒnəmɪ/ **n.** Ⓤ agronomia || **agronomic**, **agronomical** a. agronomico || **agronomist** n. agronomo.

aground /ə'graʊnd/ **avv.** e **a. pred.** (*di natante*) in secco; arenato; incagliato: **to be a.**, essere in secco (o arenato); **to run** (o **to go**) **a.**, dare in secco; arenarsi; incagliarsi.

Agst. abbr. (*comm.*, **against**) contro.

ague /'eɪgjuː/ **n. 1** febbre ricorrente (*di solito malarica*, *con brividi*) **2** attacco di brividi || **agued** a. **1** colpito da febbre malarica **2** preso da forti brividi || **aguish** a. **1** soggetto a febbre malarica **2** malarico; simile a malaria **3** corso di brividi **4** (*fig.*) saltuario; a ondate.

♦**ah** /ɑː, ɔː/ **inter.** (*di dolore*, *di sorpresa*, *piacere*,

ecc.) ah!

aha /ɑːˈhɑː, əˈhɑː/ inter. **1** (*di scoperta, soddisfazione*) ah, ecco!; aha!; ah, bene! **2** (*di sorpresa*) ah! ● (*scherz.*) **aha moment**, momento in cui tutto diventa chiaro.

Ahab /ˈeɪhæb/ n. (*Bibbia*) Achab.

Ahasuerus /eɪhæzjʊˈɪərəs/ n. (*Bibbia*) Assuero.

♦**ahead** /əˈhed/ **A** avv. **1** avanti; davanti; più avanti: **to go a.**, andare avanti; proseguire; **to go on a.**, andare avanti (*precedendo*); *Go straight a.*, va' sempre avanti; continua diritto; *Look a.!*, guarda davanti a te!; *He concentrated on the road a.*, si concentrò sulla strada davanti a lui (*o che aveva davanti*); *The road a. is flooded*, la strada più avanti è allagata; *A., we saw a hut*, più avanti, vedemmo una capanna **2** avanti (*nel tempo*); davanti; in vista: **to look a.**, guardare avanti; guardare al futuro; *There are hard days a. for us*, abbiamo davanti giorni difficili; *There's trouble a.*, ci sono guai in vista **3** anzitempo; per tempo; in anticipo: **to plan a.**, fare progetti per tempo; **to book a.**, prenotare in anticipo **4** avanti; in vantaggio; in testa; in prima posizione: *They are far a. in technology*, sono molto avanti nella tecnologia; **to be a. in a subject**, essere avanti in una materia (scolastica); **to keep a.**, mantenersi in testa (*o* in prima posizione, in vantaggio); **a. by three points**, in vantaggio di tre punti **5** (*nei verbi frasali*) *V. sotto il verbo* **B** **ahead of** loc. prep. **1** davanti a (*nello spazio o nel tempo*): *There was a lorry a. of us*, c'era un camion davanti a noi; *I had a busy day a. of me*, avevo davanti a me (*o mi aspettava*) una giornata piena **2** più avanti di; avanti a; in vantaggio su: *He's a. of me in maths*, è avanti a me in matematica; **far a. of the competition**, in notevole vantaggio sulla concorrenza; *I finished ten seconds a. of him*, ho finito con dieci secondi di vantaggio su di lui; **to keep a. of**, mantenere il vantaggio su **3** in anticipo su; prima di: *We are a. of our production plans*, siamo in anticipo sui nostri piani di produzione; **a. of elections**, prima delle elezioni; **a. of schedule**, prima del giorno stabilito; in anticipo sulla tabella di marcia **4** (*rif. a fuso orario*) avanti rispetto a: *London is five hours a. of New York*, Londra è cinque ore avanti rispetto a New York **5** (*di prezzo, valore, ecc.*) superiore a: **a. of market value**, superiore al valore di mercato □ **a. of the field**, in testa a tutti; il migliore □ (*fam.*) **a. of the game**, in testa; in vantaggio; (*anche*) in anticipo sui tempi □ **a. of one's** (*o* its) **time**, in anticipo sui tempi; che precorre i tempi □ **a. of time**, in anticipo; prima □ **a. on points**, in vantaggio □ (*autom.*) **A. only**, divieto di svolta (a destra e a sinistra) (*cartello*).

a-head /ˈeɪhed/ n. (*slang USA*, = **acid head**) chi si droga con l'LSD; impasticcato.

ahem /əˈhm/ inter. (*per attrarre l'attenzione, ecc.*)

ahistorical /eɪhɪˈstɒrɪkl/ a. astorico.

ahoy /əˈhɔɪ/ inter. (*naut.*) ehi!; olè!: *Ship a.*, ehi, di bordo!; ohè, della nave!

ai /ˈɑːiː/ n. (pl. **ais**) (*zool.*, *Bradypus tridactylus*) bradipo tridattilo (*dell'America del Sud*); ai-ai.

AI sigla **1** (**Amnesty International**) Amnesty International (*associazione per i diritti dell'uomo*) **2** (**artificial insemination**) fecondazione artificiale **3** (*comput.*, **artificial intelligence**) intelligenza artificiale (IA) **4** (*vet.*, **avian influenza**) influenza aviaria.

♦**aid** /eɪd/ **A** n. **1** ⓤ aiuto; assistenza; soccorso; sostegno: **to go to the aid of**, andare in aiuto di; **with the aid of**, con l'aiuto di; **in aid of**, in aiuto di; a sostegno di **2** ⓤ aiuti (pl.) (*economici, umanitari, ecc.*); generi (pl.)

di soccorso: **food aid**, aiuti (*o* generi di soccorso) alimentari; **foreign aid**, aiuti dall'estero; **development aid**, aiuti allo sviluppo **3** ⓤ (*econ.*) sovvenzione; sussidio; aiuto: **to apply for financial aid**, fare domanda per una sovvenzione; **aids to agriculture**, sovvenzioni all'agricoltura **4** strumento, apparecchio che aiuta; sussidio; aiuto: **a hearing aid**, un apparecchio acustico; **a teaching aid**, un sussidio didattico; **audio-visual aids**, sussidi audiovisivi; **kitchen aids**, (piccoli) elettrodomestici per cucina; **aids and appliances**, materiale sussidiario; attrezzatura sussidiaria **5** assistente; aiuto **6** (*mil. USA*, = **aide**) aiutante di campo **7** (*stor.*) sussidio, imposta (*votato dal parlamento a favore del sovrano*) **B** a. attr. per l'aiuto; per l'assistenza; di soccorso; di aiuti; assistenziale: **aid agency**, organizzazione assistenziale; organizzazione umanitaria; **aid scheme**, programma di aiuti; programma assistenziale; **aid worker**, operatore di organizzazione assistenziale (*o* di organizzazione umanitaria); operatore umanitario; volontario ● **first aid**, pronto soccorso □ (*leg.*) **legal aid**, gratuito patrocinio □ (*fam. GB*) **What's all this in aid of?**, a che serve questo?; che è tutto questo?

to **aid** /eɪd/ **A** v. t. **1** aiutare; assistere; soccorrere **2** favorire; affrettare; promuovere: *This medicine will aid his recovery*, questa medicina affretterà la sua guarigione **B** v. i. essere d'aiuto; dare assistenza ● (*leg.*) **to aid and abet**, rendersi colpevole di concorso in reato e favoreggiamento.

aide /eɪd/, n. **1** (*spec. polit.*) assistente; aiuto **2** → **aide-de-camp**.

aide-de-camp /ˈeɪdəˈkɑːmp/ n. (pl. **aides-de-camp**) (*mil.*) aiutante di campo.

aide-memoire /ˈeɪdmeˈmwɑː/ n. (pl. **aides-memoires**, **aides-memoire**) memorandum; promemoria.

aider /ˈeɪdə(r)/ n. chi aiuta; soccorritore ● (*leg.*) **a. and abetter**, complice e istigatore □ **first aider**, operatore di pronto soccorso.

aiding /ˈeɪdɪŋ/ n. ⓤ il prestare aiuto (*o* soccorso) ● (*leg.*) **a. and abetting**, concorso in reato e favoreggiamento.

AIDS /eɪdz/ n. ⓤ (*med.*, abbr. di **acquired immune deficiency syndrome**) AIDS; sindrome da immunodeficienza acquisita: **AIDS deaths**, morti dovute all'AIDS; **AIDS-related**, legato all'AIDS; **AIDS-related complex** (abbr. **ARC**) complesso di sintomi legati all'Aids.

aigrette /ˈeɪgret/ (*franc.*) n. **1** (*zool.*) → **egret 2** aigrette; pennacchio; aspri **3** punta (*di parafulmine*).

aiguille /ˈeɪgwiːl/ (*franc.*) n. guglia (*cima, spec. delle Alpi*).

aiguillette /eɪgwɪˈlet/ n. (*mil.*) **1** aghetto, cordellina in punta (*di una spallina*) **2** (*per estens., mil.*) spallina stretta con cordelline d'oro appuntate al petto.

aikido /aɪˈkiːdəʊ/ (*giapponese*) n. ⓤ (*sport*) aikido.

to **ail** /eɪl/ **A** v. t. (*lett.*) addolorare; affliggere: *What ails you?*, cosa ti affligge? **B** v. i. essere sofferente; sentir dolore; sentirsi male.

ailanthus /eɪˈlænθəs/ n. (*bot.*, *Ailanthus altissima*) ailanto.

aileron /ˈeɪlərɒn/ n. (*aeron.*) alettone; alerone (*raro*).

ailing /ˈeɪlɪŋ/ a. indisposto; malaticcio; sofferente.

ailment /ˈeɪlmənt/ n. (*med.*) indisposizione; disturbo.

♦**aim** /eɪm/ n. **1** ⓤ mira: **to take aim**, prendere la mira; **to take aim at st.**, mirare a qc.; **to have good aim**, avere una buona mira **2** (*fig.*) mira; intenzione; intento; aspira-

zione; scopo: *It's our aim to set up a new branch*, è nostra intenzione aprire una nuova filiale; **my aim in life**, la mia aspirazione nella vita.

♦to **aim** /eɪm/ **A** v. i. **1** mirare (a); prendere di mira: **to aim at a target**, mirare a un bersaglio; **to aim for the head**, mirare alla testa; *I aimed at the window*, mirai alla (*o* presi di mira la) finestra; **to aim into the air**, mirare in aria **2** aspirare; proporsi; intendere: **to aim at doing** (*o* to do) **st.**, mirare a fare qc.; aspirare a fare qc.; proporsi di fare qc.; **to aim for** (*o* at) **st.**, mirare a qc.; avere come obiettivo qc.; **to aim for clarity**, mirare alla chiarezza; **to aim high**, avere grandi mire (*o* aspirazioni); puntare in alto **B** v. t. **1** puntare (*un'arma, un obiettivo, ecc.*): **to aim a gun**, puntare un fucile; *He aimed his camera at me*, puntò l'obiettivo su di me **2** tirare (qc.) (a): *I aimed a shoe at him*, gli tirai una scarpa **3** indirizzare; rivolgere; mirare: *He aimed his remark at me*, rivolse il suo rilievo a me; *The new advertising campaign is aimed at teenagers*, la nuova campagna pubblicitaria è rivolta (*o* è mirata) agli adolescenti.

aiming /ˈeɪmɪŋ/ n. ⓤ puntamento ● (*mil.*) **a. point**, segno; (*aeron.*) punto di sgancio □ (*mil.*) **a. post** (*o* a. **stake**), palina di mira.

aimless /ˈeɪmləs/ a. senza scopo; senza meta; gratuito; inutile; vuoto; inane: **an a. life**, una vita senza scopo; una vita vuota; **a. violence**, violenza gratuita; **an a. walk**, una passeggiata senza meta | **-ly** avv. | **-ness** n. ⓤ.

ain't /eɪnt/ vc. verb. (*fam. o dial.*) contraz. di **am not; are not, is not, has not, have not**.

♦**air** /eə(r)/ n. **1** ⓤ aria; atmosfera: **fresh air**, aria fresca; **in the air**, nell'aria; in aria; in volo; **in the open air**, all'aria aperta; **to rise into the air**, sollevarsi in aria; *There's trouble in the air*, c'è (*o* tira) aria di guai **2** ⓤ (*radio, TV*) etere; onde (pl.): **to be on the air**, essere in onda; parlare alla radio (*o* alla TV); **to be back on the air**, tornare in onda; **off the air**, non in onda; prima, dopo la trasmissione; **to go off the air**, finire (la trasmissione, il programma); *We go off the air in one minute*, il nostro programma termina tra un minuto **3** brezza leggera; aria **4** aria; espressione; aspetto; impressione; alone: **with an air of disdain**, con aria sdegnosa; *There was an air of mystery about it*, c'era un alone di mistero **5** (al pl.) arie; supponenza (sing.): **to give oneself airs**, darsi delle arie; **to put on airs**, metter su arie **6** (*mus.*) aria; motivo; melodia **7** ⓤ (*fam. USA*) aria condizionata **B** a. attr. d'aria; dell'aria; dall'aria; aereo; per via aerea; aero- (pref.): **air ambulance**, aeroambulanza; (*mil.*) **air attack**, attacco aereo (*o* dall'aria); **air bubble**, bolla d'aria; **air cargo**, carico aereo; **air disaster**, sciagura aerea; **air duct**, condotto dell'aria; **air parcel**, pacco per via aerea: **air supremacy**, supremazia aerea; dominio dell'aria ● **air alert**, allarme aereo □ (*autom.*) **air bag** → **airbag** □ (*mil.*) **air base**, base aerea □ (*aeron.*) **air beacon**, aerofaro; radiofaro □ (*GB*) **air bed**, materassino (*gonfiabile*) □ **air bladder**, (*zool.*) vescica natatoria; (*bot.*) vescica aerifera □ **air bleeder**, spurgo d'aria; sfiatatoio □ (*mil.*) **air blockade**, embargo (*o* blocco) aereo □ (*mecc.*) **air brake**, freno ad aria compressa; (*aeron.*) aerofreno □ **air bridge**, (*mil.*) ponte aereo; (*in aeroporto, GB*) corridoio telescopico □ **air carrier**, vettore aereo □ **air chamber**, camera d'aria (*nelle macchine idrauliche*) □ (*aeron. mil., in GB*) **Air Chief Marshal** (2° grado dall'alto; cfr. ital.) Generale di Armata Aerea con incarichi speciali □ (*tecn.*) **air cleaner**, filtro dell'aria □ (*aeron. mil., in GB*) **Air Commodore**, Generale di Brigata Aerea □ (*tecn.,*

mecc.) **air compressor**, compressore d'aria □ (*tecn., mecc.*) **air condenser**, condensatore ad aria; (*anche*) separatore di condensa □ **air-conditioned**, ad aria condizionata; climatizzato □ **air conditioner**, condizionatore d'aria; climatizzatore □ **air conditioning**, climatizzazione; condizionamento dell'aria □ (*aeron.*) **air controller**, controllore di volo □ (*tecn., mecc.*) **air-cooled**, raffreddato ad aria □ **air cooling**, raffreddamento ad aria □ **air corridor**, corridoio aereo □ (*trasp., aeron.*) **air courier**, corriere aereo □ (*mil.*) **air cover**, copertura (*o* protezione) aerea □ **air crash**, disastro aereo □ **air cushion**, cuscino gonfiabile; (*di veicolo*) cuscino d'aria □ (*tecn.*) **air drill**, perforatrice pneumatica, martello pneumatico; (*anche*) trapano ad aria compressa □ **air-dry**, stagionato □ **air fare**, tariffa aerea; (prezzo del) biglietto aereo □ (*autom., mecc.*) **air filter**, filtro dell'aria □ (*mil.*) **air force**, aeronautica militare; aviazione □ (*in USA*) **Air Force One**, l'aereo del Presidente degli USA □ **air-freshener**, deodorante per ambienti □ (*fam.*) **air guitar**, chitarra immaginaria che si finge di suonare □ **air gun**, fucile (*o* pistola) ad aria compressa; pistola a spruzzo □ (*mil.*) **air gunner**, mitragliere □ **air hole**, passaggio per l'aria; spiraglio d'aria; (*tecn.*) sfiatatoio; (*ind. min.*) fornello di ventilazione □ (*aeron.*) **air hostess**, hostess (*di volo*); assistente di volo □ (*med.*) **air hunger**, dispnea □ (*tecn.*) **air inlet** (*o* **air intake**) presa d'aria □ **air jacket**, (*aeron.*) giubbotto pneumatico; (*mecc.*) involucro per il raffreddamento ad aria □ **air kiss**, bacio dato senza contatto; gesto del bacio □ (*aeron.*) **air lane**, corridoio aereo □ **air letter**, aerogramma (*v. anche* → **airline** □ (*aeron.*) **air log**, dromografo □ (*aeron. mil., in GB*) **Air Marshal**, Generale di Squadra Aerea □ (*meteor.*) **air mass**, massa d'aria □ (*USA*) **air mattress**, materassino (*gonfiabile*) □ (*aeron.*) **air mile**, miglio □ (*aeron.*) **air miles**, Air Miles® *loc. n. pl.*, punti (*accumulati con frequenti viaggi aerei o altri acquisti*) che danno diritto a viaggi aerei gratuiti o altri benefici □ (*aeron. mil., in GB*) **air officer**, ufficiale d'aviazione (*di grado superiore a* «*group captain*», → **group**) □ **air piracy**, pirateria aerea □ **air pirate**, pirata dell'aria □ **air pistol**, pistola ad aria compressa □ (*bot.*) **air plant**, epifita □ (*zool.*) **air pocket**, vuoto d'aria □ (*ecol.*) **air pollution**, inquinamento atmosferico □ (*mil.*) **air power**, potenziale aereo; potenza aerea □ **air pump**, pompa pneumatica □ **air quotes**, segno di virgolette fatto nell'aria con le dita (*per indicare l'uso ironico o speciale di una parola*) □ **air rage**, comportamento violento o aggressivo di un passeggero a bordo di un aereo □ **air raid**, incursione aerea; bombardamento aereo □ **air-raid shelter**, rifugio antiaereo □ (*in tempo di guerra*) **air-raid warden**, incaricato di mantenere l'ordine durante un'incursione aerea □ **air-raid warning**, allarme aereo □ (*aeron. mil.*) **air rank**, grado di ufficiale □ **air rifle**, fucile ad aria compressa □ **air sac**, (*anat.*) alveolo; (*zool.*) sacco aereo □ **air-sea**, aeromarittimo; aeronavale: **air-sea rescue**, soccorso aeromarittimo; salvataggio aeronavale □ **air show**, esibizione aeronautica □ (*astrol.*) **air sign**, segno d'aria □ (*aeron.*) **air sock**, manica a vento □ **air station**, stazione aeroportuale; aeroscalo □ (*aeron. mil.*) **air squadron**, squadriglia (d'aerei) □ (*mil.*) **air strike** → **airstrike** □ **air survey**, rilevamento aereo □ **air taxi**, aerotaxi □ **air terminal**, aerostazione (*urbana*); terminal □ **air ticket**, biglietto d'aereo □ (*radio, TV*) **air time** → **airtime** □ (*mil.*) **air-to-air missile**, missile aria-aria □ (*aeron., mil.*) **air-to-air refuelling**, rifornimento in volo □ (*mil.*) **air-to--ground**, aria-terra □ (*mil.*) **air-to-surface**, aria-superficie □ **air traffic**, traffico aereo □

air traffic control, controllo del traffico aereo □ **air traffic controller**, controllore di volo; uomo radar (*fam.*) □ **air tube**, camera d'aria (*di pneumatico*) □ (*mil.*) **air umbrella**, copertura aerea □ (*mecc.*) **air valve**, valvola dell'aria □ **air vent**, cunicolo di ventilazione □ (*aeron. mil., in GB*) **Air Vice Marshal**, Generale di Divisione Aerea □ (*comm.*) **air waybill**, lettera di trasporto aereo □ (*aeron. mil.*) **air wing**, stormo (d'aerei) □ (*fam.*) **airs and graces**, modi affettati; pose; arie da gran dama □ **to build castles in the air**, fare castelli in aria □ **by air**, per via aerea; in aereo □ **to clear the air**, aerare (*una stanza*); cambiare aria; (*fig.*) eliminare i malintesi, i sospetti, ecc.; chiarire le cose □ (*fam.*) **to get the air**, essere piantato in asso; (*anche*) essere licenziato, essere mandato a spasso (*fam.*) □ (*fam. USA*) **to give sb. the air**, voltare le spalle, piantare in asso; (*anche*) licenziare, mandare a spasso q. (*fam.*) □ (*fam.*) **hot air**, parole vuote; chiacchiere □ (*up*) **in the air**, (*di progetto, ecc.*) incerto, non ancora deciso, vago, fumoso, in alto mare; (*di persona*) indeciso, in dubbio, perplesso, confuso □ (*di notizie, voci*) **to take air**, diffondersi; spargersi □ **to take the air**, prendere aria (*o* una boccata d'aria) □ **to take to the air**, prendere il volo; alzarsi in volo □ **thin air**, il nulla: **to vanish into thin air**, svanire nel nulla; **out of thin air**, dal nulla; **to produce st. out of thin air**, tirare qc. fuori dal nulla; inventare qc. □ **to be walking** (*o* **treading**) **on air**, essere euforico; essere al settimo cielo □ (*fam.*) **The air turned blue**, sono volate parole grosse □ (*fam.*) **You could cut the air with a knife**, la tensione era fortissima; l'atmosfera era elettrica.

to **air** /ɛə(r)/ *v. t.* **1** arieggiare; dare aria a; aerare; ventilare **2** rendere noto; diffondere; rendere di pubblica ragione **3** (*radio*) mandare in onda **4** (*slang USA*) abbandonare; lasciare □ (*fam. USA*) **to air one's dirty linen in public**, mettere in piazza i propri affari privati.

airbag /ˈɛəbæg/ *n.* (*autom.*) airbag.

airblast /ˈɛəblɑːst/ *n.* **1** getto d'aria **2** spostamento d'aria.

airboat /ˈɛəbəʊt/ *n.* (*trasp.*) idroscivolante.

airborne /ˈɛəbɔːn/ *a.* **1** trasportato dall'aria: **a. seeds**, semi trasportati dall'aria **2** (*aeron.*) aerotrasportato; aviotrasportato; aereo: **a. travel**, il viaggiare in aereo; viaggi aerei; **a. troops**, truppe aviotrasportate **3** (*aerodinamica*) aerosostentato **4** (*di aereo*) in volo: **to become a.**, staccarsi da terra.

airbrain /ˈɛəbreɪn/ *n.* (*slang USA*) stupido; cretino.

airbrick /ˈɛəbrɪk/ *n.* (*edil.*) mattone forato.

airbrush /ˈɛəbrʌʃ/ *n.* aerografo.

airburst /ˈɛəbɜːst/ *n.* esplosione in aria (*di una bomba nucleare o di un meteorite*).

airbus /ˈɛəbʌs/ *n.* (*aeron.*) aerobus.

to **air-condition** /ˈɛəkəndɪʃn/ *v. t.* dotare (*un locale*) di condizionamento dell'aria; condizionare l'aria di; climatizzare.

to **air-cool** /ˈɛəkuːl/ *v. t.* (*tecn., mecc.*) raffreddare ad aria.

♦**aircraft** /ˈɛəkrɑːft/ *n.* (*pl. inv.*) (*aeron.*) aeromobile; aereo; velivolo; apparecchio ● **a. carrier**, portaerei □ **a. components**, ricambi di aereo □ **light a.**, aereo da turismo.

aircraftman /ˈɛəkrɑːftmən/ *n.* (*pl. aircraftmen*) (*aeron. mil., in GB*) aviere semplice.

aircraftwoman /ˈɛəkrɑːftwʊmən/ *n.* (*pl. aircraftwomen*) (*aeron. mil., in GB*) aviere (*donna*) semplice.

aircrew /ˈɛəkruː/ *n.* (*aeron.*) equipaggio di volo.

airdate /ˈɛədeɪt/ *n.* (*radio, TV*) data di trasmissione.

airdrome /ˈɛədrəʊm/ *n.* (*USA*) aerodromo.

airdrop /ˈɛədrɒp/ *n.* lancio con il paracadute (*di truppe, viveri, ecc.*).

to **airdrop** /ˈɛədrɒp/ *v. t.* paracadutare (*truppe, viveri, ecc.*).

to **air-dry** /ˈɛədraɪ/ *v. t.* essiccare all'aria; stagionare.

Airedale /ˈɛədeɪl/ *n.* **1** (*geogr.*) Airedale **2** (= A. terrier) airedale (*specie di grosso terrier con pelo irsuto*).

airer /ˈɛərə(r)/ *n.* stendibiancheria a cavalletto.

airfield /ˈɛəfiːld/ *n.* campo d'aviazione.

airflow /ˈɛəfləʊ/ *n.* flusso (*o* corrente) d'aria ● (*tecn.*) **a. meter**, flussometro.

airfoil /ˈɛəfɔɪl/ (*USA*) → **aerofoil**.

airforce /ˈɛəfɔːs/ *n.* aeronautica militare.

airframe /ˈɛəfreɪm/ *n.* **1** (*aeron.*) cellula **2** (*miss.*) struttura **3** (*di deltaplano*) trapezio.

airfreight /ˈɛəfreɪt/ *n.* ⓤ trasporto (*o* nolo) aereo.

airglow /ˈɛəgləʊ/ *n.* ⓤ luminescenza atmosferica.

airhead /ˈɛəhed/ *n.* **1** (*mil.*) testa di ponte per aerei ed elicotteri **2** (*slang USA*) testa (*o* zucca) vuota; stupido; cretino.

airing /ˈɛərɪŋ/ *n.* **1** ⓤ ventilazione; arieggiatura; esposizione all'aria: **to give the sheets an a.**, far prendere aria alle lenzuola **2** ⓤ (*fig.*) divulgazione; manifestazione: **to give one's ideas an a.**, manifestare apertamente le proprie idee **3** passeggiata (*all'aria aperta*); boccata d'aria: **to go for an a.**, andare a prendere una boccata d'aria; *Give the dog an a. in the park*, fa' prendere al cane una boccata d'aria nel parco **4** (*radio, TV*) trasmissione; messa in onda ● **a. cupboard**, essicatoio ad aria calda (*per biancheria*).

to **air-launch** /ˈɛəlɔːntʃ/ *v. t.* (*mil.*) lanciare (*un missile, ecc.*) da un aereo.

airless /ˈɛələs/ *a.* **1** privo d'aria; dall'aria viziata **2** senza vento.

airlift /ˈɛəlɪft/ *n.* **1** ⓤ (*aerodinamica*) aerosostentazione **2** trasporto per via aerea **3** (*aeron.*) ponte aereo.

to **airlift** /ˈɛəlɪft/ *v. t.* (*aeron., mil.*) aerotrasportare ● **to a. st. to sb.**, rifornire q. di qc. (*materiali, viveri, ecc.*) mediante un ponte aereo.

♦**airline** /ˈɛəlaɪn/ *n.* **1** (*trasp.*) linea aerea; aerolinea; aviolinea **2** (*tecn.*) tubo dell'aria ● (*econ.*) **a. industry**, settore dell'aviazione civile □ (*aeron.*) **a. pilot**, pilota di linea □ **a. security**, la sicurezza dei voli dell'aviazione civile □ **a. strike**, sciopero delle linee aeree; sciopero aereo.

airliner /ˈɛəlaɪnə(r)/ *n.* (*trasp.*) aereo di linea.

airlock /ˈɛəlɒk/ *n.* **1** (*tecn.*) bolla d'aria; sacca d'aria **2** (*tecn.*) camera d'equilibrio.

airmail /ˈɛəmeɪl/ *n.* ⓤ posta aerea ● (*giorn.*) **a. edition**, edizione spedita per posta aerea □ **by a.**, per via aerea.

to **airmail** /ˈɛəmeɪl/ *v. t.* spedire per posta aerea.

airman /ˈɛəmən/ *n.* (*pl. airmen*) **1** aviatore **2** (*aeron. mil.*) aviere ● (*aeron. mil., in USA*) **a. basic**, aviere semplice □ **a. first class**, aviere scelto di prima classe □ **a. third class**, aviere scelto ‖ **airmanship** *n.* ⓤ abilità di aviatore; capacità come pilota.

airmiss /ˈɛəmɪs/ *n.* (*aeron.*) mancata collisione tra aerei.

airmobile /ɛəˈməʊbaɪl, *USA anche* -bəl, -biːl/ *a.* (*mil. USA*) aviotrasportato; elitrasportato.

airplane /ˈɛəpleɪn/ *n.* (*USA*) → **aeroplane**.

airplay /ˈɛəpleɪ/ *n.* (*radio*) tempo dedicato a un dato disco, musicista, pezzo, ecc.: **to**

get a lot of a., essere trasmesso sovente; *I failed to gain a.*, non trovai spazio alla radio; la radio mi ignorò; **prime-time a.**, spazio di grande ascolto.

♦**airport** /'ɛəpɔːt/ **A** n. aeroporto **B** a. attr. d'aeroporto; aeroportuale; aero- (pref.): **a. building**, aerostazione; **a. facilities**, strutture aeroportuali.

airproof /'ɛəpruːf/ a. a tenuta d'aria; ermetico.

airscrew /'ɛəskruː/ n. (*aeron.*) elica.

airshaft /'ɛəʃɑːft/ n. (*ind. min.*) pozzo di ventilazione.

airship /'ɛəʃɪp/ n. aeronave; dirigibile.

airsick /'ɛəsɪk/ a. sofferente di mal d'aria ‖ **airsickness** n. mal d'aria.

airside /'ɛəsaɪd/ n. (*aeron.*) zona aeroportuale oltre il controllo passaporti e doganale.

airspace /'ɛəspeɪs/ n. **1** spazio aereo (*di un dato paese*) **2** (*tecn.*) intercapedine; camera d'aria.

airspeed /'ɛəspiːd/ n. (*aeron.*) velocità rispetto all'aria; velocità relativa.

airstrike /'ɛəstraɪk/ n. (*mil.*) attacco aereo; incursione aerea; bombardamento, 'raid' (aereo).

airstrip /'ɛəstrɪp/ n. (*aeron.*) pista d'atterraggio (*anche di fortuna*).

airtight /'ɛətaɪt/ a. **1** a tenuta d'aria; ermetico **2** (*fig.*) ermetico; inattaccabile: **an a. alibi**, un alibi inattaccabile.

airtime /'ɛətaɪm/ n. ☃ (*radio, TV*) **1** tempo, spazio radiofonico o televisivo (*dedicato a una trasmissione, un inserzionista, ecc.*): **to buy commercial a.**, comprare spazi pubblicitari alla radio (*o* alla TV) **2** ora di trasmissione; ora in cui si va in onda **3** (*telef.*) traffico: **a. balance**, traffico (*o* credito) residuo.

airwaves /'ɛəweɪvz/ n. pl. (*radio, TV*) onde radio; frequenze; etere (sing.); (*per estens.*) (i) canali, (le) reti, (i) programmi: **the state's monopoly of the a.**, il monopolio statale delle frequenze; **on the national a.**, nei programmi nazionali; sui canali nazionali; **over the a.**, alla radio; in onda.

airway /'ɛəweɪ/ n. **1** via aerea; aerovia **2** (*ind. min.*) galleria di ventilazione **3** (*radio, TV*) canale **4** (*fisiol.*) via respiratoria.

airwoman /'ɛəwʊmən/ n. (pl. *airwomen*) aviatrice.

airworthy /'ɛəwɜːðɪ/ a. (*di un aereo*) atto alla navigazione (aerea); in buone condizioni ‖ **airworthiness** n. ☃ navigabilità (*di un aereo*); buone condizioni.

airy /'ɛərɪ/ a. **1** arioso; arieggiato **2** immateriale; etereo **3** gaio; vivace; lieve **4** grazioso; delicato **5** superficiale; leggero; frivolo ● (*fam.*) **a.-fairy**, immaginario; illusorio; campato in aria ‖ **airily** avv. **1** vivacemente **2** graziosamente **3** con leggerezza; a cuor leggero ‖ **airiness** n. ☃ **1** qualità di essere arioso (*o* ventilato) **2** gaiezza; vivacità **3** grazia; delicatezza **4** superficialità; leggerezza.

aisle /aɪl/ n. **1** (*archit.*: *di chiesa*) navata laterale **2** spazio fra due file di panche (*in chiesa*) **3** (*di teatro, carrozza ferroviaria, autobus, ecc.*) corridoio **4** passaggio (*tra due file di alberi*) **5** (*di supermercato*) corsia ‖ **aisled** a. (*di una chiesa*) a navate.

ait /eɪt/ n. (*nei toponimi*) isolotto (*fluviale*).

aitch /eɪtʃ/ n. acca; lettera h ● **to drop one's aitches**, non pronunciare l'acca iniziale (*spec. come caratteristica di una pronuncia inglese non standard comunemente associata a persone poco istruite e ai ceti meno abbienti*).

aitchbone /'eɪtʃbəʊn/ n. ☃ (*macelleria*) culatta.

ajar ① /ə'dʒɑː(r)/ avv. e a. pred. (*di porta, finestra, ecc.*) socchiuso; semiaperto.

ajar ② /ə'dʒɑː(r)/ avv. e a. pred. (*arc.*) in disarmonia; in disaccordo.

AK sigla (*USA*, **Alaska**) Alaska.

aka, **a.k.a.** sigla (**also known as**) alias; altrimenti noto come.

Akela /ɑː'keɪlə/ n. (*scoutismo*) Akela; capobranco.

akimbo /ə'kɪmbəʊ/ avv. (solo nella loc.:) (**with**) **arms a.**, con le mani sui fianchi (*e i gomiti in fuori*).

akin /ə'kɪn/ a. **1** consanguineo **2** (*fig.*) simile; affine.

akinesia /ækɪ'niːzɪə/ n. ☃ (*med.*) acinesia.

AL sigla **1** (*USA*, **Alabama**) Alabama **2** (*Canada*, **Alberta**) Alberta.

à la /ə'lɑ/ (*franc.*) prep. **1** (*cucina*) alla; alla moda di **2** (*fam.*) nello stile di; alla: **a hat à la Fellini**, un cappello alla Fellini.

alabaster /'æləbɑːstə(r)/ **A** n. ☃ alabastro **B** a. d'alabastro; alabastrino.

alabastrine /ælə'bɑːstrɪn/ a. alabastrino.

à la carte /ælə'kɑːt/ (*franc.*) avv. e a. (*di un pasto in ristorante*) alla carta.

alack /ə'læk/ inter. (*arc.*) ahimè!; ohimè!

alacrity /ə'lækrətɪ/ n. ☃ alacrità.

Aladdin /ə'lædɪn/ n. Aladino.

à la king /ælæ'kɪŋ/ loc. a. (*cucina*) cotto con panna e funghi.

alalia /æ'leɪlɪə/ n. (*psic.*) alalia.

à la mode /ælə'məʊd/ (*franc.*) avv. **1** di moda; alla moda **2** (*cucina: di manzo, ecc.*) brasato con vino e verdura **3** (*in USA: di un dessert*) con il gelato.

alar /'eɪlə(r)/ a. **1** alare **2** simile ad ala **3** (*biol.*) ascellare.

Alaric /'ælərɪk/ n. (*stor.*) Alarico.

♦**alarm** /ə'lɑːm/ n. **1** ☃ timore; allarme; preoccupazione: *There is no cause for a.*, non c'è motivo di allarme; **to feel a.**, essere in ansia, preoccupato, agitato; *The boy drew back in a.*, il ragazzo si ritrasse allarmato; **to take a. at st.**, allarmarsi per qc.; reagire con allarme a qc. **2** allarme: **to give** (*o* **to raise**) **the a.**, dare l'allarme; **false a.**, falso allarme **3** (*sistema di*) allarme: **burglar a.**, allarme antifurto; **fire a.**, allarme antincendio; **a. system**, impianto di allarme **4** (= **a. clock**) sveglia: **to set the a. at six**, mettere la sveglia alle sei ● (*scherma*) A.!, all'erta!; in guardia! □ **a. call**, richiamo di allarme (*di animale*); sveglia telefonica □ **a. bell**, campanello d'allarme (*anche fig.*).

❶ NOTA: *alarm / allarme*
In generale *alarm* significa "allarme" nel senso generico di "avvertimento di pericolo", ma ha anche l'accezione importante di "sveglia", nel senso di "orologio con suoneria". Quindi la frase *The alarm went off* ha due possibili significati: è suonato l'allarme oppure è suonata la sveglia.

to **alarm** /ə'lɑːm/ v. t. **1** mettere in apprensione; spaventare; turbare; allarmare **2** dare l'allarme a; mettere in stato d'allarme ‖ **alarmed** a. allarmato; preoccupato ‖ **alarming** a. allarmante; preoccupante ‖ **alarmism** n. ☃ allarmismo ‖ **alarmist A** n. allarmista **B** a. allarmistico.

alas /ə'læs/ inter. (*lett.*) ahimè!; ohimè!

Alaskan /ə'læskən/ a. e n. (abitante) dell'Alaska.

alate /'eɪleɪt/ a. (*bot., zool.*) alato.

Alawite /'æləwaɪt/ a. e n. (*relig.*) alauita; alawita.

alb /ælb/ n. (*relig.*) camice; alba.

albacore /'ælbəkɔː(r)/ n. (pl. *albacores*, *albacore*) (*zool., Thunnus alalunga*) alalonga; alalunga.

Alban /'ɔːlbən/ n. Albano.

Albanian /æl'beɪnɪən/ **A** n. e a. albanese **B** n. ☃ albanese (*la lingua*).

albatross /'ælbətrɒs/ n. (pl. *albatrosses*, *albatross*) (*zool., Diomedea*) albatro ● **an a. round sb.'s neck**, uno stigma incancellabile; (*anche*) un peso, un impedimento, una pietra al collo.

albedo /æl'biːdəʊ/ n. ☃ (*astron.*) albedo.

albeit /ɔːl'biːɪt/ cong. (*lett.*) benché; quantunque; sebbene: *The food was good, a. not as varied as promised*, il cibo era buono, benché non così vario come promesso.

Albert /'ælbət/ n. Alberto ● (*GB*) **A. chain**, catena di orologio (*con una sbarretta a un'estremità, da fissare all'occhiello*).

Albertine /æl'bɜːtaɪn/ n. Albertina.

albescent /æl'bɛsnt/ a. (*poet. o lett.*) biancheggiante.

Albigenses /ælbɪ'dʒɛnsiːz/ (*stor. relig.*) n. pl. Albigesi ‖ **Albigensian** a. e n. albigese.

albino /æl'biːnəʊ, *USA* -baɪ-/ n. (pl. *albinos*) albino ‖ **albinism** n. ☃ albinismo.

Albion /'ælbɪən/ n. (*geogr., poet.*) Albione.

albite /'ælbaɪt/ n. ☃ (*miner.*) albite.

♦**album** /'ælbəm/ n. (*anche mus.*) album.

albumen /'ælbjʊmən/ n. ☃ albume.

albumin /'ælbjʊmɪn/ (*biochim.*) n. albumina ‖ **albuminous** a. albuminoso.

albuminoid /æl'bjuːmɪnɔɪd/ a. e n. (*chim.*) albuminoide.

albuminuria /ælbjuːmɪ'njʊərɪə/ n. ☃ (*med.*) albuminuria.

alburnum /æl'bɜːnəm/ n. ☃ (*bot.*) alburno (*più com. sapwood*).

Alcaeus /æl'siːəs/ n. (*letter. greca*) Alceo.

alcaic /æl'keɪɪk/ (*poesia*) **A** a. alcaico **B** n. strofe alcaica.

alchemy /'ælkəmɪ/ n. ☃ alchimia ‖ **alchemic**, **alchemical** a. alchimistico ‖ **alchemist** n. alchimista ‖ **alchemistic** a. alchimistico ‖ to **alchemize** v. t. alchimizzare.

Alcibiades /ælsɪ'baɪədiːz/ n. (*stor. greca*) Alcibiade.

♦**alcohol** /'ælkəhɒl/ n. **1** ☃ (*chim.*) alcol, alcool **2** (*chim.*, = **ethyl a.**) alcol etilico; etanolo **3** ☃ alcolici (pl.); bevande (pl.) alcoliche: *I don't take a., thank you*, grazie, non bevo alcolici ● **a.-free**, analcolico; (*di locale, party, ecc.*) dove non si bevono alcolici, senza alcolici.

alcoholic /ælkə'hɒlɪk/ **A** a. **1** alcolico **2** (*med.*) alcolizzato **B** n. **1** (*med.*) alcolista; alcolizzato **2** (pl.) (gli) alcolici.

alcoholism /'ælkəhɒlɪzəm/ n. ☃ (*med.*) alcolismo; etilismo.

to **alcoholize** /'ælkəhɒlaɪz/ v. t. (*chim.*) alcolizzare ‖ **alcoholization** n. alcolizzazione.

alcoholometer /ælkəhɒ'lɒmɪtə(r)/ n. alcolimetro, alcolometro ‖ **alcoholometry** n. ☃ alcolimetria; alcolometria.

alcopop /'ælkəʊpɒp/ n. (*fam. GB*) bibita frizzante a contenuto alcolico.

alcove /'ælkəʊv/ n. **1** alcova **2** pergola; padiglione d'estate.

Alcuin /'ælkwɪn/ n. (*stor.*) Alcuino.

aldehyde /'ældɪhaɪd/ n. (*chim.*) aldeide.

alder /'ɔːldə(r)/ n. (*bot., Alnus*) ontano; alno ● (*bot.*) **a. buckthorne** (*o* **a. dogwood**) (*Rhamnus frangula*), frangola.

alderman /'ɔːldəmən/ n. (pl. *aldermen*) **1** (*in GB: fino al 1974*) consigliere comunale anziano, che durava in carica più degli altri e aveva particolari attribuzioni (*corrispondeva all'incirca all'ital.* assessore) **2** (*in GB: fino al 1977*) consigliere anziano del «Greater London Council» **3** (*in USA*) consigliere comunale ‖ **aldermanry** n. ☃ **1** (*stor.*) distretto che fa capo a un suo «alderman» **2** grado e dignità di «alderman» ‖ **aldermanship** n. ☃ (*stor.*) carica (*o* ufficio) di «alderman».

Aldine /'ɔːldaɪn/ **A** a. (*tipogr.*) aldino **B** n. **1** carattere aldino **2** edizione aldina.

Aldous /'ɔːldəs/ n. Aldo.

ale /eɪl/ n. ㉿ birra (*in origine, fatta senza luppolo*).

aleatory /'eɪliətəri/ a. (*anche leg.*) aleatorio: **a. contract**, contratto aleatorio.

alee /ə'liː/ avv. a. pred. (*naut., della barra del timone*) sottovento: *Helm's a.!*, barra sottovento!; *Hard a.!*, orza tutto!

alegar /'ælɪɡə(r)/ n. ㉿ **1** birra acida **2** aceto di malto.

alehouse /'eɪlhaʊs/ n. (*antiq. o dial.*) birreria ● **a. keeper**, birraio.

Alemannic /ælɪ'mænɪk/ a. e n. (*stor.*) alemanno.

alembic /ə'lɛmbɪk/ n. alambicco.

aleph /'ɑːlef/ n. ㉿ (*ling. e mat.*) alef.

alerion /ə'lɪərɪən/ n. (*arald.*) alerione.

♦**alert** /ə'lɜːt/ **A** a. **1** vigile; attento: **to keep a.**, essere vigile, stare ben attento; **to be a. to**, essere consapevole di (*un rischio, un problema, ecc.*) **2** vivace; pronto; intelligente **B** n. **1** allarme: **high a.**, allarme rosso; *There is a new cattle infection a.*, c'è un nuovo allarme per un'infezione del bestiame **2** ㉿ condizione (*o stato*) di allarme: **to be on the a.**, stare all'erta; essere in stato di allarme **3** (*comput.*) messaggio di avvertimento dal sistema (*spec. per segnalare un'operazione o una condizione pericolosa*) | **-ly** avv. | **-ness** n. ㉿.

to **alert** /ə'lɜːt/ v. t. mettere in stato d'allerta; allertare.

aleurone, **aleuron** /ə'lʊərən/ n. (*biochim.*) aleurone.

Aleutian /ə'luːʃən/ a. (*geogr.*) aleutino: **A. Islands**, Isole Aleutine.

A level /'eɪlɛvl/ loc. n. (*GB*, abbr. di **advanced level**) **1** esame finale a livello avanzato; *I've got my History A level tomorrow*, domani ho l'esame finale di storia a scuola ❶ **CULTURA** ● **A level**: *in GB, tranne che in Scozia* (→ **higher**), *è l'equivalente dell'esame di maturità. Viene sostenuto alla fine di un biennio di studi che va in genere dai 16 ai 18 anni ed è successivo al* «*GCSE*». *Le materie d'esame sono scelte dallo studente: in genere sono tre o quattro e ciascuna comporta un* **A level** *e una votazione specifica* **2** *promozione in tale esame.*

alevin /'ælɪvɪn/ n. avannotto (*spec. di salmone e di trota*).

Alexander /ælɪɡ'zɑːndə(r)/ n. Alessandro.

Alexandra /ælɪɡ'zɑːndrə/ n. Alessandra.

Alexandria /ælɪɡ'zɑːndrɪə/ n. (*geogr.*) Alessandria.

Alexandrian /ælɪɡ'zɑːndrɪən/ a. (*stor.*) **1** alessandrino (*di Alessandria d'Egitto e della sua civiltà*) **2** di Alessandro Magno.

alexandrine /ælɪɡ'zændraɪn, -ɪn/ a. e n. (*poesia*) (*verso*) alessandrino.

alexia /eɪ'lɛksɪə/ n. ㉿ (*psic.*) alessia.

alexipharmic /eɪlɛksɪ'fɑːmɪk/ n. (*farm.*) alessifarmaco (*lett.*); antidoto.

Alexis /ə'lɛksɪs/ n. Alessio.

ALF sigla (*GB*, **Animal Liberation Front**) Fronte di liberazione degli animali.

alfalfa /æl'fælfə/ n. ㉿ (*bot., Medicago sativa*) erba medica.

Alfred /'ælfrɪd/ n. Alfredo.

alfresco, **al fresco** /æl'frɛskəʊ/ (*ital.*) avv. e a. all'aperto: **an a. dinner**, un pranzo all'aperto.

alga /'ælɡə/ (*bot.*) n. (pl. **algae**, **algas**) alga ● (*ecol.*) **algae bloom**, fioritura di alghe || **algal** a. algale.

algebra /'ældʒɪbrə/ n. ㉿ algebra || **algebraic**, **algebraical** a. algebrico || **algebraist** n. algebrista.

Algerian /æl'dʒɪərɪən/ a. e n. algerino.

Algerine /'ældʒəraɪn/ a. e n. algerino.

algesia /æl'dʒiːzɪə/ (*med.*) n. ㉿ algesia || **algesic** a. algesico.

algid /'ældʒɪd/ a. (*poet. e med.*) algido.

Algiers /æl'dʒɪəz/ n. (*geogr.*) Algeri.

Algol /'ælɡɒl/ n. (*comput.*) Algol.

algology /æl'ɡɒlədʒɪ/ n. ㉿ (*bot.*) algologia.

Algonkian /æl'ɡɒŋkɪən/ a. **1** (*geol.*) algonchiano **2** (*etnol.*) → **Algonquian**.

Algonkin /æl'ɡɒŋkɪn/ → **Algonquin**.

Algonquian /æl'ɡɒŋkwɪən/ a. e n. (*etnol.*) algonchiano.

Algonquin /æl'ɡɒŋkwɪn/ n. (pl. **Algonquins** e **Algonquin**) algonchino (*anche il dialetto*).

algophobia /ælɡə'fəʊbɪə/ n. ㉿ (*psic.*) algofobia.

algorithm /'ælɡərɪðəm/ (*mat.*) n. algoritmo || **algorithmic** a. algoritmico.

alias /'eɪlɪəs/ **A** n. **1** pseudonimo; falso nome: **under an a.**, sotto falso nome **2** (*comput.*) alias (*abbreviazione definita dall'utente*) **B** avv. alias; altrimenti detto.

aliasing /'eɪlɪəsɪŋ/ n. ㉿ (*comput.*) aliasing; scalettamento.

alibi /'ælɪbaɪ/ n. (pl. **alibis**) **1** (*leg.*) alibi **2** (*fam.*) scusa; pretesto.

to **alibi** /'ælɪbaɪ/ v. t. (*fam.*) fornire un alibi a.

Alice /'ælɪs/ n. Alice. ● **A. band**, cerchietto (*per capelli*) □ **A. in Wonderland**, Alice nel Paese delle meraviglie.

Alicia /ə'lɪʃɪə/ n. Alice, Alessia.

alidade /'ælɪdeɪd/ n. (*topogr.*) alidada.

alien /'eɪlɪən/ **A** a. **1** straniero; estero: **a. visitors**, turisti stranieri; stranieri di passaggio; (*econ., fin.*) **a. corporation**, società estera **2** lontano (*dal proprio modo di pensare, di sentire*); estraneo; diverso; alieno: **cultures that are a. to us**, culture lontane dalla nostra; **a result entirely a. from the one expected**, un risultato completamente diverso da quello che ci si aspettava **3** contrario (*alle proprie idee, ecc.*); che ripugna: **principles that are a. to me**, principi che non mi appartengono (*o che mi ripugnano*) **4** (*fantascienza*) extraterrestre; alieno **B** n. **1** straniero; **aliens law**, legge sugli stranieri **2** (*fantascienza*) extraterrestre; alieno.

to **alien** /'eɪlɪən/ v. t. **1** (*leg.*) → **to alienate 2** (*poet.*) estraniare.

alienable /'eɪlɪənəbl/ (*leg.*) a. alienabile || **alienability** n. ㉿ alienabilità.

to **alienate** /'eɪlɪəneɪt/ v. t. **1** (*leg.*) alienare; trasferire (*spec. beni immobili*) **2** alienare, alienarsi; estraniare (*amici, ecc.*): **to a. sb.'s affection**, alienarsi l'affetto di q.

alienation /eɪlɪə'neɪʃn/ n. ㉿ (*leg., psic.*) alienazione: **mental a.**, alienazione mentale **2** (*fig.*) alienazione; disaffezione.

alienee /eɪlɪə'niː/ n. (*leg.*) cessionario.

alienism /'eɪlɪənɪzəm/ n. ㉿ **1** (*leg.*) condizione di straniero **2** (*med.*) studio delle alienazioni mentali; psichiatria.

alienist /'eɪlɪənɪst/ n. (*med.*) alienista; psichiatra.

alienor /eɪlɪə'nɔː(r)/ n. (*leg.*) alienatore; alienante; cedente.

alife, **A-life**, **Alife** /'eɪlaɪf/ n. (*comput.*, acronimo di **artificial life**) alife; vita artificiale (*branca dell'informatica*).

aliform /'ælɪfɔːm/ a. aliforme.

alight /ə'laɪt/ **A** a. pred. **1** acceso; che brucia **2** illuminato; (*fig.*) splendente (*in viso, per la gioia*) **B** avv. in (*o alle*) fiamme: **to set a.**, dar fuoco a qc.; incendiare qc.; dare qc. alle fiamme ● **to set sb. a.**, infiammare q.; accendere l'entusiasmo di q.

to **alight** /ə'laɪt/ v. i. (pass. e p. p. **alighted** e **alit**), v. i. **1** (*form.*) smontare (*da cavallo*); scendere (*da un veicolo*) **2** (*di uccello, ecc.*)

posarsi; scendere **3** – (*fig.*) **to a. on**, imbattersi in; trovare per caso.

to **align** /ə'laɪn/ **A** v. t. **1** allineare: **to a. the wheels**, allineare le ruote **2** – **to a. oneself with**, allinearsi (*o schierarsi*) con **B** v. i. **1** allinearsi; essere allineato (*o in linea*) **2** (*fig.*) allinearsi; schierarsi || **aligned** a. allineato.

alignment /ə'laɪnmənt/ n. **1** ㉿ (*anche comput.*) allineamento **2** schieramento: **a new a. of political parties**, un nuovo schieramento di partiti politici ● **in a.**, in linea; allineato □ **out of a.**, male allineato; non allineato; (*tecn.*) fuori asse.

♦**alike** /ə'laɪk/ **A** a. pred. simile; somigliante: *Father and son are very much a.*, padre e figlio si somigliano molto; **to look a.**, assomigliarsi; sembrare uguale **B** avv. similmente; allo stesso modo; in egual misura: **to treat everyone a.**, trattare tutti nello stesso modo; **popular with children and adults a.**, che piace sia ai bambini sia agli adulti.

aliment /'ælɪmənt/ n. ㉿ **1** (*anche fig.*) alimento **2** sostentamento; nutrimento **3** (*scozz., leg.*) alimenti (pl.).

alimentary /ælɪ'mɛntrɪ/ a. **1** alimentare; nutritivo **2** (*anat.*) digerente: **a. canal**, tubo digerente.

alimentation /ælɪmɛn'teɪʃn/ n. ㉿ alimentazione.

alimony /'ælɪmənɪ/ n. ㉿ (*leg., USA*) alimenti (pl.).

aliphatic /ælɪ'fætɪk/ a. (*chim.*) alifatico.

aliquot /'ælɪkwɒt/ n. (*mat.*) aliquota ● (*mat.*) **a. part**, aliquota.

♦**alive** /ə'laɪv/ a. pred. **1** (*anche fig.*) vivo; in vita: **to be buried a.**, essere sepolto vivo; **to keep a.**, tenere (*o mantenere*) in vita (*anche fig.*); mantenere vivo (*fig.*); *Hope was still a. among us*, la speranza era ancora viva tra di noi **2** vivace; animato; pieno di vita; vivo: **to come a.**, ravvivarsi; animarsi; vivacizzarsi **3** – **a. to**, consapevole di; conscio di; sensibile a: *We are a. to this possibility*, siamo consapevoli di questa possibilità; **a. to new ideas**, sensibile alle idee nuove **4** – **a. with**, animato da; pieno di: **eyes a. with merriment**, occhi pieni di ilarità **5** – **a. with**, brulicante di; formicolante di: *The rotten log was a. with ants*, il ceppo marcio brulicava di formiche ● (*fam.*) **a. and kicking**, vivo e vegeto (*anche fig.*); **a. and well**, che gode di ottima salute (*fig.*) □ **any man a.**, chiunque al mondo; chiunque altro □ **Look a.!**, muoviti!; sbrigati! □ **no man a.**, nessuno al mondo □ **the happiest man a.**, l'uomo più felice del mondo.

alizarin /ə'lɪzərɪn/ n. ㉿ (*chim.*) alizarina.

alkahest /'ælkəhɛst/ n. ㉿ (*alchimia*) solvente universale.

alkalescence /ælkə'lɛsns/, **alkalescency** /ælkə'lɛsnsɪ/ (*chim.*) n. ㉿ alcalescenza || **alkalescent** a. alcalescente.

alkali /'ælkəlaɪ/ n. (pl. **alkalis**, **alkalies**) (*chim.*) alcali; prodotto alcalino ● **a. metal**, metallo alcalino.

to **alkalify** /'ælkəlɪfaɪ/ v. t. e i. (*chim.*) alcalinizzare, alcalinizzarsi.

alkalimeter /ælkə'lɪmɪtə(r)/ (*chim.*) n. alcalimetro || **alkalimetry** n. ㉿ alcalimetria.

alkaline /'ælkəlaɪn/ (*chim.*) a. alcalino || **alkalinity** n. ㉿ alcalinità.

to **alkalize** /'ælkəlaɪz/ v. t. (*chim.*) alcalinizzare.

alkaloid /'ælkəlɔɪd/ n. (*chim.*) alcaloide.

alkanet /'ælkənɛt/ n. (*bot.*) **1** (*Alkanna tinctoria*) alcanna **2** (*Anchusa*) buglossa.

alkermes /æl'kɜːmiːz/ n. ㉿ alchermes.

alkyl /'ælkaɪl/ (*chim.*) n. alchile || **alkylation** n. alchilazione.

♦**all** /ɔːl/ **A** a. **1** tutto, tutta; tutti, tutte: **all day**, tutto il giorno; **all the year round**,

(per) tutto l'anno; *This is all the food we have*, questo è tutto il cibo che abbiamo; **in all honesty**, in tutta onestà; **with all my heart**, con tutto il cuore; **all my things**, tutte le mie cose; **all those books**, tutti quei libri; **all the others**, tutti gli altri; **all five candidates**, tutti e cinque i candidati; *That's £2.80 all together please*, sono £2,80 in tutto, prego **2** ogni: **all manner of people**, gente di ogni genere; **beyond all doubt**, fuor d'ogni dubbio **B pron. 1** tutto: *All was quiet in the house*, in casa tutto taceva; *That's all I want*, è tutto ciò che voglio; *All is not lost*, non tutto è perduto; *You're all I have left*, tu sei tutto quel che mi rimane; *She has it all*, ha tutto quello che si può desiderare; *He jumped into the river, clothes and all*, si gettò nel fiume, vestiti e tutto; **eleven in all**, undici in tutto **2** tutti, tutte: *They all told me the same thing*, mi hanno detto tutti la stessa cosa; **as you all** (*o* **all of you**) **know**, come voi tutti (*o* tutti voi) sapete; *We are all very glad*, siamo tutti molto contenti; **with us all** (*o* **with all of us**), con noi tutti; con tutti noi **C avv. 1** del tutto; completamente; tutto, tutta, ecc.: **all alone**, tutto solo; tutto da solo; **all worn out**, completamente sfinito; *She was dressed all in white*, era vestita tutta di bianco; *He's done it all by himself*, l'ha fatto tutto da solo **2** (dopo un numero) pari: **three all**, tre pari; tre a tre; (*tennis*) **thirty all**, trenta pari **D n.** – **one's all**, il massimo (*che uno può fare*); di tutto: **to do one's all**, fare di tutto; fare l'impossibile; **to give** (*o* **to put**) **one's all**, impegnarsi al massimo; mettercela tutta ● **all and sundry**, tutti; cani e porci (*spreg.*) □ **all along**, fin dal principio; fin dall'inizio, sempre: *I knew it all along*, lo sapevo fin dal principio; l'ho sempre saputo; *He's been planning it all along*, ha cominciato a progettarlo (*o* lo stava progettando) fin dall'inizio □ **all-American**, americano al cento per cento (*o* fino al midollo); tipicamente americano; americanissimo; (*anche*) composto di soli americani (*sport, di atleta universitario*) che si è classificato come il miglior dilettante a livello nazionale = (*USA*) **all around** = **all round** → *sotto* □ **all at once**, tutto a un tratto; di colpo: *The vision disappeared all at once*, la visione sparì tutto a un tratto □ **all but** (+ *agg.*), quasi; pressoché; quasi del tutto: **all but impossible**, pressoché impossibile; *The fog has all but lifted*, la nebbia si è quasi del tutto diradata □ **all one can do not to**, molto difficile non (*fare qc.*): *It was all I could do not to answer back*, è stato molto difficile (*o* ho fatto fatica) a non ribattere □ **all-clear** (*sign*), (segnale di) cessato allarme; (*fig.*) via libera, permesso di cominciare □ **all-comers**, tutti (quelli che vengono); chiunque venga; tutti i partecipanti; chiunque voglia partecipare: **open to all-comers**, aperto a tutti □ (*sport*) **all-comers record**, miglior prestazione registrata su un territorio nazionale, o regionale, ecc. □ **all-consuming**, divorante; smodato □ **all-day**, che dura un giorno intero; che dura tutto il giorno □ **all-embracing**, onnicomprensivo; globale □ **all-English**, esclusivamente inglese; tutto d'inglesi □ **to be all ears**, essere tutto orecchie □ **to be all eyes**, essere tutt'occhi □ (*fam. USA*) **all-fired**, **a. e avv.**, terribile; indiavolato; moltissimo: **all-fired hurry**, fretta indiavolata; **all-fired mad**, furibondo □ **All Fool's Day**, il primo d'aprile (*giorno del «pesce d'aprile»*) □ (*fam.*) **all for**, decisamente a favore di; d'accordissimo con □ **all get out** = **as all get out** → *sotto* □ (*relig.*) **All Hallows**, **All-Hallowmass**, Ognissanti □ **all-important**, di somma importanza; cruciale □ (*fam.*) **all in**, **a. pred.**, stanco morto; sfinito; a pezzi □ **all in**, **avv.**, **all-in**, **a.**, tutto incluso; tutto compreso; complessivo: **£350 all in**, 350 sterline tutto

compreso; **all-in price**, prezzo tutto compreso □ **all in all**, tutto sommato; tutto considerato; nel complesso □ **all-in-one**, tutto in uno; in un unico pezzo □ (*sport*) **all-in wrestling**, lotta libera □ **all-inclusive**, comprensivo di tutto; tutto compreso: **all-inclusive tour**, «inclusive tour»; viaggio tutto compreso □ **all-knowing**, onnisciente □ **all-male**, per (*o* di) soli uomini □ **all-night**, che dura tutta la notte; aperto (*o* che funziona) tutta la notte □ (*USA*) **all-nighter**, attività (*festa, ecc.*) che dura tutta la notte; nottata (*di lavoro, studio, ecc.*), tirata notturna; locale che resta aperto tutta la notte; uno che fa le ore piccole, nottambulo: **to pull an all-nighter**, lavorare (*o* studiare) tutta la notte; fare una tirata notturna □ **all of**, non meno di; almeno; come minimo: *It'll cost you all of $80*, ti costerà come minimo 80 dollari □ **all of a sudden**, tutt'a un tratto; improvvisamente □ **all one**, lo stesso; tutt'uno: *It's all one to me*, per me fa lo stesso (*o* è tutt'uno) □ **all or nothing**, senza via di mezzo: *It's all or nothing!*, o la va o la spacca!; **an all-or-nothing attempt**, un tentativo in cui ci si gioca tutto □ **all out**, **avv.** a tutta forza; mettendocela tutta; a più non posso; a oltranza; (*anche*) completamente: **to go all out for st.** (*o* **to do st.**), mettercela tutta per ottenere qc. □ (*fam.*) **all-out**, **a.** totale; incondizionato; a oltranza; a fondo; energico; accanito: **all-out attack**, attacco a fondo; attacco in piena regola; **all-out defence**, difesa a oltranza; **all-out effort**, sforzo massimo; **all-out support**, appoggio incondizionato; **all-out strike**, sciopero a oltranza □ **all over**, dappertutto; dovunque; completamente; da cima a fondo: *We looked all over for it*, l'abbiamo cercato dappertutto; *It's green all over*, è tutto verde; **all over the floor**, su tutto il pavimento; **all over France**, dovunque in Francia; in tutta la Francia; *The news was all over the town in no time*, in men che non si dica la notizia fece il giro della città; **all over the place** (*o*, *fam.*, **the map**, **the shop**), (sparso) dappertutto; in disordine; scompigliato; sconclusionato; caotico: (*fam.*) *That's him all over!*, è proprio da lui!; come lo riconosco! □ (*fam.*) **to be all over sb.**, fare un sacco di feste a q.; soffocare di abbracci, ecc.; (*anche*) sbaciucchiare; (*anche*, *sport*) dominare, imporsi su □ (*fam.*) **It's all over with him.**, per lui è finita; è spacciato □ **all-over**, su tutta la superficie; completo, integrale: **an all-over pattern**, un motivo che copre tutta la superficie; **an all-over tan**, un'abbronzatura integrale □ (*polit.*) **all-party**, di tutti i partiti; paritetico: **all-party support**, appoggio di tutti i partiti; **all-party talks**, trattative a cui partecipano tutti i partiti; **all-party committee**, commissione paritetica □ **all-pervading**, generale; generalizzato □ (*polizia*, *USA*) **all-points bulletin** (abbr. **APB**) avviso a tutte le unità; allarme generale □ **all-powerful**, onnipotente; onnipossente □ **all-purpose**, multiuso; polivalente; per uso generale; comune: **an all-purpose tool**, un attrezzo multiuso; **all-purpose flour**, farina comune; **all-purpose remedy**, un rimedio generale □ **all right**, **all-right** → **all right**, **all-right** □ (*ass.*) **all-risk policy**, polizza comprensiva di tutti i rischi □ **all round**, complessivamente □ **all-round**, eclettico; versatile; completo; polivalente; (*anche*) generale, globale, a tutto campo: **an all-round artist**, un artista versatile; **an all-round athlete**, un atleta completo; **all-round competence**, competenza in ogni campo; **all-round price**, prezzo tutto incluso; prezzo globale □ **all-rounder**, persona eclettica, versatile; (*sport*) atleta completo □ (*relig.*) **All Saints' Day**, Ognissanti □ (*GB*) **all-seater** (*di stadio*, *ecc.*) con solo posti a sedere □ **all-seeing**, onniveggente □ (*fam. GB*) **all-singing all-**

-dancing, multifunzionale; (*anche*) spettacolare □ (*relig.*) **All Souls' Day**, il Giorno dei morti □ **all-star**, (*cinem.*, *TV*, *teatr.*) composto di attori famosi: **an all star cast**, un cast di attori famosi □ **all-terrain bicycle**, mountain bike □ (*trasp.*) **all-terrain vehicle**, fuoristrada □ **all the** (+ comp.), tanto più; ancor più: *The task is all the more difficult because...*, il compito è reso ancor più difficile dal fatto che...; **all the better** [**worse**], tanto meglio [peggio]; *All the more reason for coming*, ragion di più per venire; **all the more so because**, tanto più che □ **all the same**, ugualmente; lo stesso; ciononostante; tuttavia; comunque: *He was punished all the same*, fu punito lo stesso; *All the same, you shouldn't have answered back*, comunque tu non avresti dovuto replicare a quel modo □ **It's all the same to me**, per me è uguale (*o* non fa differenza) □ **all the way**, fino in fondo; senza riserve: *I'm with you all the way*, sono con te fino in fondo; **to go all the way**, andare fino in fondo (*fig.*); (*slang USA*) avere rapporti sessuali completi □ **all-time**, di tutti i tempi; storico; massimo; assoluto: **all-time high**, livello massimo mai raggiunto; massimo storico; **all-time record**, primato assoluto; **my all-time favourite singer**, il mio cantante preferito in assoluto □ **all told**, in tutto: *There were twenty, all told*, ce n'erano venti in tutto □ **all too**, fin troppo: **all too obvious**, fin troppo evidente □ (*aeron.*) **all-traffic service**, servizio promiscuo □ (*aeron.*) **all-up weight**, peso lordo (*di aereo*) □ (*fam.*) **Is' all up with him**, è finita per lui; non c'è più speranza per lui; è spacciato □ **It's all very well, but...**, d'accordo, ma...; va benissimo, ma... □ (*radio*) **all-wave receiver**, ricevitore multibanda □ **all-weather**, per tutte le stagioni; (*tecn.*) ognitempo: (*aeron.*) **all-weather aircraft**, aereo ognitempo □ (*autom.*, *USA*) **all-wheel drive**, trazione integrale □ (*slang USA*) **all wet**, sbagliato; fuori strada; sballato □ **all-year**, che si trova (*o* che si può fare) tutto l'anno □ **above all**, soprattutto; prima di ogni altra cosa □ **after all**, dopo tutto; alla fin fine; in conclusione □ (*fam. USA*) **as all get out**, moltissimo; da morire; da pazzi: **as furious as all get out**, infuriato nero; imbufalito □ **at all**, (in frase neg.) affatto; assolutamente; (in frase condiz. o interr.) qualche, per caso: *He is not at all clever*, non è affatto intelligente; *I don't agree with you at all*, non sono affatto d'accordo con te; **for no reason at all**, senza alcun motivo; del tutto inspiegabilmente; **in no time at all**, immediatamente; in men che non si dica; *If you have any doubts at all...*, se ti venisse qualche dubbio...; *If he had any sense at all...*, se avesse un po' di buon senso...; *Is it at all possible to...?*, è per caso possibile...? □ **for all**, nonostante; a dispetto di; pur con: *for all my efforts*, a dispetto di tutti i miei sforzi; **for all that**, nonostante tutto □ **for all I care**, per quel che m'importa □ **for all I know**, per quel che so io; a quanto ne so io □ **not all that**, non così (come si potrebbe credere); non (poi) tanto: *It's not all that easy*, non è così facile; *I am not all that old*, non sono poi tanto vecchio □ (*fam.*) **not all there**, non tutto giusto; che ha qualche rotella fuor di posto; che non ci sta tutto con la testa □ **of all people**, **of all things** → **people**, **thing** □ **on all fours**, a quattro zampe; carponi; gattoni □ **when all is said and done**, in fin dei conti; alla fin fine; tutto considerato □ (*prov.*) **All's well than ends well**, tutto è bene quel che finisce bene.

a

❶ NOTA: *all but*

1 Davanti a un aggettivo o a un participio **all but** significa quasi (del tutto), pressoché: *Your article is all but perfect*, il tuo articolo è pressoché perfetto; *an all but forgotten event*, un fatto quasi completamente dimenticato; *These traditions have all but died out*, queste tradizioni sono quasi del tutto scomparse.

2 Davanti a un nome o a un pronome **all but** significa invece tutti tranne, perché in questo caso **all** non ha valore di avverbio ma di pronome: *All but one of the students passed the exam*, tutti gli studenti, tranne uno, superarono l'esame; *All but George agreed*, tutti furono d'accordo tranne George; *All but a few of these traditions are still alive*, quasi tutte (letteralmente tutte tranne alcune di) queste tradizioni sono ancora vive.

Allah /'ælə/ n. (*relig.*) Allah.

to **allay** /ə'leɪ/ v. t. **1** diminuire; alleviare; lenire **2** calmare; acquietare; placare: *He couldn't a. his thirst*, non riusciva a placare la sete **3** dissipare (*sospetti, ecc.*) **4** sedare (*apprensioni, timori, ecc.*).

◆**allegation** /ælɪ'geɪʃn/ n. asserzione; accusa (*non accompagnata da prove*): **his a. that he was kept prisoner**, la sua asserzione di essere stato tenuto prigioniero; **allegations of corruption**, accuse di corruzione; **to deny an a.**, respingere come infondata un'accusa.

to **allege** /ə'lɛdʒ/ v. t. affermare, sostenere (*senza prove*); accusare: *She alleges that the results have been tampered with*, sostiene che i risultati sono stati manipolati; *Mr Brown is alleged to have said that...*, Mr Brown avrebbe detto che...

◆**alleged** /ə'lɛdʒd/ a. presunto; supposto: **the a. murderer**, il presunto assassino; *He is investigated for a. fraud*, è indagato per frode ‖ **allegedly** avv. secondo quanto si asserisce; presumibilmente: **the man who allegedly planned the robbery**, l'uomo che si dice abbia (*o* che si presume abbia, *o* che avrebbe) progettato la rapina.

Alleghenian /ælɪ'geɪnɪən/ a. (*geol.*) allegheniano.

Alleghenies (the) /ælɪ'geɪnɪz/ n. pl. (*geogr.*) gli Allegheny.

allegiance /ə'liːdʒəns/ n. ⓤ **1** fedeltà (*di suddito a sovrano, di cittadino a governo*) **2** lealtà, devozione (*a una causa, a una persona*).

to **allegorize** /'ælɪgəraɪz/ Ⓐ v. t. **1** allegorizzare **2** interpretare allegoricamente Ⓑ v. i. allegorizzare.

allegory /'ælɪgərɪ/ n. ⓤ allegoria ‖ **allegorical· allegoric** a. allegorico ‖ **allegorically** avv. allegoricamente ‖ **allegorism** n. ⓤ allegorismo ‖ **allegorist** n. allegorista.

allegretto /ælɪ'grɛtəʊ/ (*ital.*) n. (pl. **allegrettos**) (*mus.*) allegretto.

allegro /ə'leɪgrəʊ/ (*ital.*) n. (pl. **allegros**) (*mus.*) allegro.

allele /ə'liːl/ n. (*biol.*) allele.

alleluia· alleluiah /ælɪ'luːjə/ inter. e n. alleluia.

Allen key /'ælənkɪ/ loc. n. (*tecn., GB*) girabrugole.

Allen screw /'ælənskruː/ loc. n. (*tecn.*) vite con testa a incavo esagonale; brugola; vite Allen.

Allen wrench /'ælənrɛntʃ/ (*USA*) → **Allen key**.

allergen /'ælədʒen/ n. (*biol.*) allergene.

allergist /'ælədʒɪst/ n. (*med.*) allergologo.

allergy /'ælədʒɪ/ (*med. e fig.*) n. ⓤ allergia (*med.*) **a. test**, test allergenico ‖ **allergic** a. allergico *I'm allergic to cats*, sono allergico ai gatti.

to **alleviate** /ə'liːvɪeɪt/ v. t. alleviare; leni-

re; attenuare ‖ **alleviation** n. ⓤ alleviamento; lenimento ‖ **alleviative** a. che allevia; lenitivo ‖ **alleviator** n. **1** chi (*o* ciò) che allevia; alleviatore **2** (*farm.*) lenitivo ‖ **alleviatory** a. che allevia; lenitivo.

alley /'ælɪ/ n. **1** vicolo: **blind a.**, vicolo cieco (*anche fig.*) **2** viale, vialetto (*di giardino o parco*) **3** (= **bowling a.**) (corsia di) bowling ● **a. cat**, gatto randagio; (*slang USA*) passeggiatrice, puttana **4** (*fam.*) **(right) up one's a.**, che fa proprio per q.; che sfagiola (*pop.*).

alleyway /'ælɪweɪ/ n. passaggio stretto; vicolo.

alliaceous /ælɪ'eɪʃəs/ a. (*bot.*) agliaceo; che sa (*o* che odora) di aglio.

◆**alliance** /ə'laɪəns/ n. ⓤⓒ **1** alleanza; **an a. between countries**, un'alleanza tra nazioni **2** unione (*di famiglie per matrimonio*) **3** (*bot.*) affinità ● **in a. with**, alleato con; in collaborazione con.

◆**allied** /'ælaɪd/ a. **1** alleato: **the a. forces**, le forze alleate **2** connesso; affine; collegato: **a. industries**, le industrie collegate (*o* affini); l'indotto **3** imparentato (*attraverso matrimonio*) **4** (*biol.*) affine: **a. species**, specie affini.

alligator /'ælɪgeɪtə(r)/ n. **1** (*zool., Alligator*) alligatore **2** (*tecn.*) arnese a ganasce dentate **3** (*slang USA*) uomo combattivo; (un) duro **4** (*slang USA*) fanatico di jazz; jazzista bianco ● (*spreg. USA*) **a. bait**, «esca per alligatori»; cibo scadente; negro del sud □ (*elettr.*) **a. clip**, coccodrillo □ (*bot.*) **a. pear**, avocado □ (*zool.*) **a. tortoise** (*Chelydra serpentina*), tartaruga azzannatrice □ (*tecn.*) **a. wrench**, chiave da tubista □ (*scherz.*) **«See you later, a.»**, «ciao»; «arrivederci».

allis shad /'ælɪsʃæd/ n. (*zool., Alosa alosa*) alosa; salacca.

to **alliterate** /ə'lɪtəreɪt/ v. i. **1** usare l'allitterazione **2** allitterare; formare allitterazione ‖ **alliteration** n. ⓤ allitterazione ‖ **alliterative** a. **1** (*di parola*) allitterante **2** (*di verso*) allitterato.

allocable /'æləkəbl/ → **allocatable**.

allocatable /ælə'keɪtəbl/ a. **1** (*fin., rag.*) assegnabile; stanziabile; allocabile (*angl.*) **2** (*comput.*) allocabile **3** (*mat.*) ripartibile **4** (*rag.*) ripartibile; distribuibile.

to **allocate** /'æləkeɪt/ v. t. **1** (*fin., rag.*) assegnare; stanziare; allocare **2** (*comput.*) allocare **3** (*mat.*) ripartire **4** (*org. az.*) assegnare (*lavoro*) **5** (*rag.*) ripartire; distribuire ● **to a. duties to an employee**, assegnare le mansioni a un impiegato □ **to a. funds to housing**, stanziare fondi per l'edilizia abitativa □ **to a. a sum of money for benefaction**, devolvere una somma di denaro per beneficenza.

allocation /ælə'keɪʃn/ n. ⓤⓒ **1** (*fin., rag.*) assegnazione; stanziamento; allocazione; somma stanziata **2** (*fin., rag.*) riparto; quota **3** (*comput.*) allocazione **4** (*mat.*) ripartizione **5** (*org. az.*) assegnazione (*di lavoro*) **6** (*rag.*) riparto, ripartizione; distribuzione (*leg.*) **a. of the burden of proof**, assegnazione dell'onere della prova □ (*rag.*) **a. of costs**, allocazione dei costi □ (*fin., rag.*) **a. of profits**, ripartizione degli utili □ (*econ.*) **a. of quotas**, assegnazione di quote □ (*econ.*) **a. of resources**, allocazione delle risorse ‖ **allocative** a. (*fin., rag., ecc.*) allocativo; che riguarda l'allocazione.

allocatur /ælə'keɪtə(r)/ (*lat.*) n. (*leg.*) certificato con il quale si certifica la liquidazione delle spese di giudizio.

allocution /ælə'kjuːʃn/ n. allocuzione.

allodium /ə'ləʊdɪəm/ (*stor.*) n. allodio ‖ **allodial** a. allodiale.

allogamy /ə'lɒgəmɪ/ n. ⓤ (*bot.*) allogamia; fecondazione incrociata.

allogeneic /æləʊdʒə'niːɪk/ a. (*med., biol.*)

allogenico.

allogenic /æləʊ'dʒenɪk/ a. (*ecol.*) allogenico.

allograft /'æləʊgrɑːft/ n. ⓤ (*chir.*) allotrapianto; alloinnesto.

allograph /'æləʊgrɑːf/ n. (*ling.*) allografo.

allogrooming /'æləʊgruːmɪŋ/ n. ⓤ (*etologia*) allopulizia; eteropulizia.

allomorph /'æləmɔːf/ n. (*chim. e ling.*) allomorfo ‖ **allomorphism** n. ⓤ (*chim.*) allomorfismo.

allonge /ə'lɒnʒ/ n. (*comm.*) allungo, coda (*di cambiale*).

allopathy /ə'lɒpəθɪ/ (*med.*) n. ⓤ allopatia ‖ **allopathic** a. allopatico ‖ **allopathist· allopath** n. (*medico*) allopatico.

allophone /'æləfəʊn/ n. **1** (*ling.*) allofono **2** (*Canada*) persona la cui lingua madre non è né francese né inglese (*spec. nel Québec*).

allosaurus /ælə'sɔːrəs/ n. (*paleont.*) allosauro.

to **allot** /ə'lɒt/ v. t. **1** assegnare; concedere **2** (*fin.*) ripartire, distribuire, assegnare (*azioni o obbligazioni*): **to a. the shares in full**, assegnare tutte le azioni sottoscritte □ **to a. money to cover expenses**, destinare denaro alla copertura delle spese.

allotment /ə'lɒtmənt/ n. **1** ⓤ (*anche leg.*) assegnazione, dotazione (*di fondi, ecc.*) **2** (*fin.*) ripartizione, riparto; attribuzione (*di una sottoscrizione*) **3** (*anche leg.*) cosa assegnata; somma destinata (*a uno scopo*) **4** ⓤ (*rag.*) ripartizione (*di ricavi*) **5** (*stor., in GB*) orto di guerra (*durante la prima guerra mondiale*) **6** (*in GB*) orto (*o* orticello) **❷ CULTURA** ● **allotment**: è un terreno della periferia che le autorità locali affittano ai privati. Questa pratica ha avuto inizio durante la prima guerra mondiale ● (*fin.*) **a. letter**, avviso di riparto □ (*fin.*) **a. money**, acconto di riparto.

allotrope /'ælətrəʊp/ (*chim.*) n. allotropo ‖ **allotropic· allotropical** a. allotropico ‖ **allotropy· allotropism** n. ⓤ allotropia.

allottee /æləˈtiː/ n. **1** (*leg.*) assegnatario **2** (*fin.*) assegnatario (*di titoli, in caso di riparto*).

◆to **allow** /ə'laʊ/ Ⓐ v. t. **1** autorizzare; permettere; lasciare; (al passivo anche) potere: **to a. sb. to do st.**, permettere a q. di fare qc.; autorizzare q. a fare qc.; *You're not allowed to park here*, non potete parcheggiare qui; *A. me to explain*, permetti che ti spieghi **2** (seguito da avv. o compl. di moto) lasciare (*o* permettere di) (*entrare, uscire, passare, ecc.*): **to a. in**, lasciar entrare; *They don't a. kids in the pub*, non fanno entrare i bambini nel pub; **to a. through**, permettere di passare **3** dare modo di; lasciare; permettere: *That win allowed me to pay off my debts*, quella vincita mi permise di pagare i debiti; *I stopped to a. him to catch up with me*, mi fermai per permettergli di raggiungermi **4** permettere; ammettere; accettare: *This allows only one explanation*, questo permette solo una spiegazione; *I won't a. such language*, non permetto che si usi un linguaggio simile **5** concedere; dare; passare: *I a. you three days to do it*, ti do tre giorni per farlo; *I a. my son fifty pounds a week*, passo a mio figlio cinquanta sterline alla settimana; *He allows himself one cigar a week*, si concede un sigaro alla settimana **6** calcolare; mettere in conto: *A. two extra inches for the hem*, calcolate cinque centimetri extra per l'orlo **7** (*comm.*) accordare (*una provvigione, uno sconto*); praticare: **to a. 5 per cent for cash payment**, accordare uno sconto del 5% per pagamento in contanti **8** ammettere; riconoscere; convenire: *You must a. he's been very discreet*, devi ammettere che è stato molto discreto **9** (*leg.*) accogliere; ammettere: **to a. a claim**, accogliere una richiesta; acco-

gliere un reclamo **10** (*dial.*, *USA*) affermare; sostenere **B** v. i. **1** – **to a. for**, tener conto di; calcolare: *We should a. for his age*, dobbiamo tener conto della sua età; **to a. for shrinkage**, tener conto del restringimento **2** – (*form.*) **to a. of**, ammettere; tollerare: *This rule doesn't a. of exceptions*, questa regola non ammette eccezioni ● *A. me*, permetta che faccia io; mi permetta □ **A. me to introduce...**, posso presentarle...?; permette che le presenti...? □ (*calcio*) **to a. a goal**, concedere un gol □ (*cartello*) **Dogs not allowed**, i cani non possono entrare.

❶ NOTA: *to allow*

1 to allow, **to permit** e **to forbid** si costruiscono con **to** + infinito quando il loro complemento oggetto (che corrisponde al complemento di termine italiano) viene espresso: *I forbid you to watch TV*, ti proibisco di guardare la televisione; *My parents won't allow me to go to the disco*, i miei genitori non mi permetteranno di andare in discoteca; *The doctor permitted the patient to drink coffee*, il medico consentì al paziente di bere caffè.

2 Quando invece il complemento oggetto non è espresso sono seguiti dal verbo alla forma in -*ing*: *Our teacher doesn't allow* (o *permit*) *using the dictionary during the exam*, il nostro insegnante non consente l'uso del dizionario durante l'esame; *The law forbids photocopying books*, la legge vieta di fotocopiare i libri

3 Sono comuni anche le corrispondenti forme passive: *Using the dictionary is allowed during the exam*, l'uso del dizionario è consentito durante l'esame; *We were forbidden to meet*, ci era (o ci fu) vietato di incontrarci; *Passengers are not permitted to talk to the driver*, ai passeggeri non è consentito parlare al conducente.

allowable /ə'lauəbl/ a. **1** ammissibile **2** accordabile **3** lecito **4** (*fin.*, *fisc.*) detraibile; deducibile ● **a. claim**, richiesta che si può accogliere; reclamo ammissibile □ (*fisc.*) **a. expenses**, oneri deducibili.

♦**allowance** /ə'lauəns/ n. **1** assegno; indennità: **a monthly a. for clothes**, un assegno mensile per il vestiario; **disablement a.**, assegno d'invalidità; **travelling a.**, indennità di viaggio **2** (*USA*) paghetta **3** (*comm.*) abbuono; deduzione; ribasso; sconto: **a. for leakage**, abbuono per colaggio; **a 3 per cent a.**, uno sconto del 3% **4** (*fisc.*) detrazione: **children a.**, detrazione per figli a carico; **personal a.**, detrazione personale; **tax a.**, detrazione fiscale **5** (*rag.*) fondo; riserva: **a. for depreciation**, fondo d'ammortamento **6** quantità ammessa; quantità in franchigia: **baggage a.**, bagaglio in franchigia **7** (*mecc.*) tolleranza; gioco ● **to make a. for st.**, tener conto di qc. □ **to make allowances for sb.**, mostrarsi comprensivi verso q.; essere indulgenti con q.; concedere attenuanti a q.

to **allowance** /ə'lauəns/ v. t. **1** razionare; mettere a razione **2** assegnare una somma di denaro a (q.).

allowedly /ə'lauədlɪ/ avv. per riconoscimento generale; notoriamente: *He is a. very rich*, è notoriamente molto ricco.

alloy /'ælɔɪ/ n. **1** (*metall.*) lega **2** lega; metallo non pregiato; (*fig.*) metallo vile, bassa lega.

to **alloy** /ə'lɔɪ/ **A** v. t. **1** fondere in una lega, legare (*metalli*) **2** abbassare il titolo di (*oro*, *ecc.*) **3** (*fig.*) alterare; svilire; guastare **B** v. i. (*di metalli*) entrare in lega; legarsi.

♦**all right** /ɔ:l'raɪt/ **A** loc. a. **1** che sta bene; che è a posto: *Are you all right?*, stai bene?; *I'm all right, thanks*, sto bene, grazie; va tutto bene, grazie (*a chi offre qc. da bere, ecc.*)

sto bene così, grazie; *I don't feel all right*, non mi sento bene; *Will you be all right?*, sei a posto così?; ce la farai?; *Is my hat all right?*, è a posto il mio cappello? **2** che va abbastanza bene; accettabile; discreto; abbastanza piacevole, simpatico, bravo, ecc.: *Your work is all right, but...*, il tuo lavoro va abbastanza bene, ma...; *We're doing all right*, stiamo procedendo discretamente; «*What was the film like?*» «*Oh, all right*», «com'era il film?» «si lasciava vedere» **3** che va bene; che si può fare: *Is it all right if...?*, va bene se...?; posso...? *If it's all right by* (o *with*) *you*, se ti va bene; se sei d'accordo; *That's all right by me*, per me va benissimo; d'accordo **B** loc. avv. **1** bene: *You're doing all right*, continua così che vai bene **2** (*come rafforzativo*) proprio; eccome: *That's him all right!*, è proprio lui!; *I found it all right*, l'ho trovato eccome; eccome se l'ho trovato **3** (*escl.*) (va) bene, d'accordo; (*prima di una domanda*) allora, e va bene ● (*fam.*) *It's all right for some!*, beati voi!, beato...!; c'è chi può! □ (*fam. GB*) **a bit of all right**, un bel tocco di figliola; un bocconcino; (*anche*) una bella cosa, una cosa mica male □ (*fam. GB*) **I'm all right Jack**, io sto benone (e gli altri si arrangino) □ **It's all right for you**, fai presto a dire; è facile per te □ **That's all right**, non importa; non preoccuparti; non c'è problema; (*anche*) non c'è di che, figurati.

all-right /ɔ:l'raɪt/ a. attr. **1** a posto; affidabile; simpatico **2** discreto; accettabile.

allsorts /'ɔ:lsɔ:ts/ n. pl. caramelle di liquirizia di varie forme.

allspice /'ɔ:lspaɪs/ n. [U] (*bot.*, *Pimenta officinalis*) pepe della Giamaica; pimento.

to **allude** /ə'lu:d/ v. i. alludere.

allure /ə'ljuə(r)/ n. [U] fascino; incanto; attrattiva.

to **allure** /ə'ljuə(r)/ v. t. allettare; lusingare; affascinare; sedurre.

allurement /ə'ljuəmənt/ n. **1** allettamento; adescamento; lusinga **2** [U] attrattiva; fascino; incanto.

alluring /ə'ljuərɪŋ/ a. allettante; affascinante; seducente.

allusion /ə'lu:ʒn/ n. [UC] allusione.

allusive /ə'lu:sɪv/ a. allusivo | **-ly** avv. | **-ness** n. [U].

alluvial /ə'lu:vɪəl/ (*geol.*) **A** a. alluvionale **B** n. materiale (o terreno) alluvionale ● **a. cone** (o **a. fan**), conoide di deiezione.

alluvion /ə'lu:vɪən/ n. **1** (*geol.*) → **alluvium** **2** alluvione; inondazione **3** (*leg.*) alluvione.

alluvium /ə'lu:vɪəm/ n. (pl. **alluviums**, **alluvia**) (*geol.*) alluvione; materiale alluvionale.

♦**ally** /'ælaɪ/ n. **1** alleato **2** sostenitore; compagno **3** (*bot.*, *zool.*) affine.

to **ally** /ə'laɪ/ **A** v. t. **1** alleare: **to a. oneself with sb.**, allearsi con q. **2** legare; associare **3** imparentare: *The Medici allied their family with the French dynasty*, i Medici imparentarono la loro famiglia con la dinastia francese **B** v. i. allearsi.

almagest /'ælmədʒɛst/ n. (*stor.*) almagesto.

alma mater /'ælmə 'mɑːtə(r)/ (*lat.*) loc. n. (pl. *alma maters*, *almae matres*) **1** università o college che si è frequentato **2** (*USA*) inno della propria università.

almanac /'ɔ:lmənæk/ n. almanacco.

almandine /'ælməndɪn/ n. [U] (*miner.*) almandino.

almighty /ɔ:l'maɪtɪ/ **A** a. **1** onnipotente; onnipossente (*lett.*); (*relig.*) **the A.**, l'Onnipotente **2** (*fam.*) grande; estremo; enorme **B** avv. (*fam.*) estremamente; enormemente || **almightiness** n. [U] onnipotenza.

almond /'ɑːmənd/ **A** n. **1** mandorla **2** (= **a. tree**) (*bot.*, *Amygdalus communis*) mandorlo **B** a. di mandorla; del sapore (o colore, forma) della mandorla: **a. eyes**, occhi a mandorla ● **a.-eyed**, dagli occhi a mandorla □ **a.-oil**, olio di mandorle □ **a. paste**, pasta di mandorle □ **a.-tumbler**, piccione tomboliere.

almoner /'ɑːmənə(r)/ n. (*stor.*) elemosiniere.

♦**almost** /'ɔ:lməust/ avv. quasi; pressoché: *We're a. there*, ci siamo quasi; **a. over**, quasi finito; *I a. fell asleep*, fui lì lì per addormentarmi.

alms /ɑːmz/ n. pl. (*antiq.*) elemosina; carità: **to give a.**, fare l'elemosina ● **a. box**, cassetta delle elemosine □ (*relig.*) **a. fee**, obolo di S. Pietro □ (*antiq.*) **a.-house**, ospizio di carità; ricovero di mendicità (o di vecchiaia).

almsgiving /'ɑːmzgɪvɪŋ/ n. [U] il fare la carità.

aloe /'æləu/ n. **1** (*bot.*, *Aloe*) aloe **2** (al pl., con il verbo al sing.) (= **bitter aloes**) aloe (*lassativo estratto dalle foglie di aloe*) **3** (*bot.*, = **American a.**, *Agave americana*), aloe americana; agave.

aloft /ə'lɒft/ avv. e a. pred. **1** in alto; alto; sollevato: **to hold st. a.**, tenere alto (o sollevato) qc.; **with arms a.**, con le braccia sollevate **2** (*naut.*) a riva, arriva; **to go a.**, salire (o montare) a riva; **from a.**, da riva; **A. there!**, ohè, arriva!

♦**alone** /ə'ləun/ a. pred. e avv. **1** solo; da solo: **to live a.**, vivere (da) solo; **to work a.**, lavorare da solo; *I felt very much a.*, mi sentivo molto solo; *I was not a. in thinking so*, non ero il solo a pensarla così; **all a.**, tutto solo; solo soletto (*fam.*) **2** solo; soltanto; solamente: **for you a.**, solo per te; *You can't live on bread a.*, non si vive di solo pane; *Time a. will tell*, solo col tempo si vedrà; *There are twenty pictures in this room a.*, solo in questa stanza ci sono venti quadri ● (*fam.*) **to go it a.**, fare da sé; vivere di solo (*dopo un divorzio, ecc.*) □ **to leave st. a.**, lasciar stare qc. □ (*fam.*) **to leave sb. a.**, lasciare in pace q.; lasciar stare q. □ **let a.** → **to let**.

♦**along** /ə'lɒŋ/ **A** prep. lungo; per: **a. the wall**, lungo il muro; **a. the way**, lungo la strada; per strada; *It should be somewhere a. here*, dev'essere qui in questa strada **B** avv. **1** avanti (o idiom.; *per indicare la continuazione di un'azione*): *Move a.!*, andate avanti!; circolare!; *We walked a. in silence*, continuammo a camminare (o proseguimmo) in silenzio; **further a.**, più avanti; *How's your book coming a.?*, come procede il tuo libro? **2** con sé; insieme: *Take it a.*, prendilo (o portalo) con te; *I've brought a. a friend*, ho portato un amico **3** (*idiom.*: *si riferisce a un luogo di arrivo*) – *They'll be soon*, arriveranno (o saranno qui) presto; *There should be one a. in a minute*, dovrebbe arrivarne uno tra un minuto; *A. came Jimmy*, ed ecco che arrivò Jimmy; *I went a. to the Jones's after dinner*, dopo cena andai dai Jones ● (*dial.*) **a. of**, a causa di; per via di □ **a. with**, insieme con □ **all a.** → **all**.

alongshore /ə'lɒŋʃɔ:(r)/ avv. lungo la spiaggia (o la costa).

♦**alongside** /ə'lɒŋsaɪd/ **A** avv. **1** accanto; accosto: *His car drew up a.*, la sua auto si accostò **2** (*naut.*) lungo bordo; sottobordo; accostato: **to come a.**, accostare; affiancare **B** prep. (*USA anche* **alongside of**): **a. the river bank**, lungo la riva del fiume **2** a fianco di; insieme con; accanto a: **to work a. sb.**, lavorare a fianco di q.; **a. each other**, fianco a fianco; uno accanto all'altro **3** insieme con; oltre a; in aggiunta a: *A. French, he's doing six other subjects*, oltre al france-

se ha altre sei materie.

aloof /ə'luːf/ a. **1** (pred.) distaccato; lontano; appartato: **to stay** (o **to hold oneself**) **a. from st.**, tenersi lontano da qc. **2** distaccato; che tiene le distanze; riservato: *He's rather a.*, è uno che tiene le distanze; **to speak in an a. tone**, parlare in tono distaccato ‖ **aloofly** avv. con distacco ‖ **aloofness** n. ⓤ distacco; riserbo.

alopecia /ælə'piːʃə/ n. ⓤ (*med.*) alopecia (*calvizie*).

aloud /ə'laʊd/ avv. forte; ad alta voce; a voce alta.

alow /ə'ləʊ/ avv. (*naut.*) abbasso.

alp /ælp/ n. **1** alpe; montagna **2** alpeggio (*pascolo estivo*).

alpaca /æl'pækə/ n. **1** (*zool.*, *Lama pacos*) alpaca **2** alpaca (*la lana*).

alpenhorn /'ælpənhɔːn/ (*ted.*) n. alpenhorn (*corno dei pastori svizzeri*).

alpenstock /'ælpənstɒk/ (*ted.*) n. alpenstock (*bastone da montagna*).

alpha /'ælfə/ n. ⓒⓤ **1** alfa (*prima lettera dell'alfabeto greco*) **2** (*fis.*, *astron.*) alfa **3** (*in GB*) voto massimo (*a scuola o all'università*) **4** (*radio*, *tel.*: A.) (la lettera) a; *Alpha* **•** **the a. and omega**, l'alfa e l'omega; il principio e la fine □ (*farm.*) **a. blocker**, alfabloccante □ (*fis. nucl.*) **a. decay**, decadimento alfa □ (*etologia*) **a. male**, maschio alfa □ (*fis. nucl.*) **a. particle**, particella alfa □ (*fis. nucl.*) **a. rays**, raggi alfa □ (*psic.*, *comput.*) **a. test**, test alfa.

♦**alphabet** /'ælfəbet/ n. **1** alfabeto **2** (*fig.*) (gli) elementi (pl.) costitutivi; (l') alfabeto **•** (*fam.*) **a. soup**, linguaggio pieno di sigle e acronimi.

alphabetical, **alphabetic** /ælfə-'betɪk(l)/ a. alfabetico; **-ly** avv.

to **alphabetize** /'ælfəbɪtaɪz/ v. t. alfabetizzare ‖ **alphabetization** n. ⓤ alfabetizzazione.

alphanumeric /ælfənjuː'merɪk, *USA* -nuː-/ (*comput.*) a. alfanumerico: **a. keyboard**, tastiera alfanumerica ‖ **alphanumerics** n. pl. codici (o caratteri) alfanumerici.

Alphonso /æl'fɒnzəʊ/ n. Alfonso.

alpine /'ælpaɪn/ a. **1** alpino; alpestre; di montagna: **a. garden**, giardino alpino; **a. scenery**, paesaggio alpestre **2** (A.) delle Alpi; alpino: **an A. village**, un paesino delle Alpi; **an A. glacier**, un ghiacciaio alpino **3** (*sport*, *anche* A.) alpinistico; alpino: **A. climbing**, scalate sulle Alpi; alpinismo: **a. sports**, sport alpinistici; **A. skiing**, lo sci alpino; (*sci*) **the A. combined**, la combinata alpina **•** (*zool.*) **a. accentor** (*Prunella collaris*), sordone □ (*geol.*) **A. orogeny**, orogenesi alpina □ **A. pasture**, alpeggio.

alpinism /'ælpɪnɪzəm/ n. ⓤ alpinismo ‖ **alpinist** n. alpinista.

Alps /ælps/ n. pl. (*geogr.*) (le) Alpi.

♦**already** /ɔːl'redɪ/ avv. **1** già; di già: *I've a. seen it*, l'ho già visto; *There are a. five*, ce ne sono già cinque **2** ormai: *It's a. too late*, è troppo tardi ormai **3** (*fam. USA*) insomma; una buona volta: *Enough a.!*, insomma, basta!; *Alright a.!*, e va bene! **①** NOTA: *già* (*yet* / *already*) → **già**.

♦**alright** /ɔːl'raɪt/ avv. (*spec. USA*) → **all right**.

Alsace /æl'sæs/ n. (*geogr.*) Alsazia.

Alsatian /æl'seɪʃn/ a. e n. **1** alsaziano **2** (*zool.*) alsaziano; pastore tedesco; cane lupo.

♦**also** /'ɔːlsəʊ/ avv. **1** anche; pure: *I've a. been to China*, sono stato anche in Cina; *That's a. my intention*, è anche la mia intenzione; *Did you a. speak to him?*, (con enfasi su **you**) gli hai parlato anche tu?; (con enfasi su **speak**) gli hai anche parlato?; (con enfasi su **him**) hai parlato anche a lui? **2** (a inizio frase) inoltre; e poi.

① NOTA: *also / too*

Also si pone prima del verbo, tranne nel caso di *to be* e dei verbi modali: *He also speaks German*, parla anche il tedesco; *Did you also visit Dublin?*, avete visitato anche Dublino?; *Not only is he incompetent, he is also self-important*, non soltanto è incompetente, ma anche presuntuoso.

Too e *as well* (quest'ultimo non molto comune nell'inglese americano) sono più colloquiali di *also* e vengono generalmente posti alla fine della frase: *He speaks German as well*; *Did you visit Dublin too?*; *Not only is he incompetent, he is self-important too*. *Too* e *as well* sono molto più frequenti di *also* con gli imperativi e nelle risposte brevi: *Help us as well!*, aiutate anche noi!; «*I am tired of his lies*» «*So am I* (o più formale *I am too*, informale *Me too*)», «sono stufo delle sue bugie» «anch'io».

Le frasi contenenti *too* e *as well* possono risultare ambigue: ad esempio, *I like climbing too* può voler dire 1) anche a me piace arrampicare oppure 2) mi piace anche arrampicare. In molti casi il contesto del discorso e, nel parlato, l'accento e l'intonazione sono sufficienti a eliminare l'ambiguità; tuttavia, se l'interpretazione corretta è la 1), nella lingua formale è possibile spostare *too* (ma non *as well*) subito dopo il soggetto: *I, too, like climbing*, anche a me piace arrampicare.

also-ran /'ɔːlsəʊræn/ n. **1** (*ipp.*) cavallo non piazzato **2** (*fig.*) concorrente (o candidato) perdente **3** (*fam.*) fallito; perdente.

Alt /ælt/, **Alt key** /'æltkiː/ n. (*comput.*) (tasto) Alt.

alt /ælt/ a. (*fam.*) alternativo: (*mus.*) **alt country**, country alternativo.

alt. abbr. **1** (**alternate**) alternato **2** (**alternatively**) alternativamente **3** (**altitude**) altitudine (alt.).

Altaic /æl'teɪk/ a. e n. (*ling.*) altaico.

altar /'ɔːltə(r)/ n. altare: **high a.**, altar maggiore **•** **a. boy**, chierichetto □ **a. cloth**, tovaglia da altare □ **a. rail**, balaustra d'altare □ **a. screen**, dossale □ (*fig.*) **to lead to the a.**, condurre all'altare; sposare.

altarpiece /'ɔːltəpiːs/ n. (*relig.*, *arte*) pala d'altare.

altazimuth /æl'tæzəməθ/ n. (*astron.*) altazimut **•** **a. mounting**, sistema altazimutale; teodolite □ **a. telescope**, telescopio con teodolite.

♦to **alter** /'ɔːltə(r)/ Ⓐ v. t. **1** cambiare; modificare: **to a. one's plans**, modificare i propri piani; *That does not a. the fact that...*, ciò non cambia il fatto che... **2** (*sartoria*) fare una modifica (o modifiche) a; ritoccare **3** (*edil.*) apportare modifiche a; modificare; ristrutturare; rifare (*fam.*): *I'm going to a. the living-room*, voglio rifare il soggiorno **4** (*USA*) (fam) sterilizzare (*un animale*) Ⓑ v. i. cambiare: *The situation had altered dramatically*, la situazione era radicalmente cambiata.

alterable /'ɔːltərəbl/ a. alterabile; modificabile ‖ **alterability** n. ⓤ alterabilità.

alteration /ɔːltə'reɪʃn/ n. ⓒⓤ **1** cambiamento; modifica **2** (*sartoria*) modifica; ritocco **3** (*fin.*) aggiustamento **4** (*edil.*) modifica; ristrutturazione ‖ **alterative** a. alterativo.

to **altercate** /'ɔːltəkeɪt/ v. i. altercare; litigare.

altercation /ɔːltə'keɪʃn/ n. alterco; lite.

altered /'ɔːltəd/ a. **1** mutato; modificato; diverso **2** (*psic.*) alterato.

alternant /ɔːl'tɜːnənt/ a. che (si) alterna; alternante.

alternate /ɔːl'tɜːnət/ Ⓐ a. **1** alterno; alternato: **on a. days**, a giorni alterni **2** (*bot.*,

geom.) alterno: **a. angles**, angoli alterni Ⓑ n. (*USA*) sostituto, sostituta **•** (*fin.*) **a. manager**, direttore (o amministratore) supplente □ (*comput.*) **a. track**, traccia alternativa ‖ **alternately** avv. alternamente; alternativamente.

to **alternate** /'ɔːltəneɪt/ v. t. e i. alternare, alternarsi; avvicendare, avvicendarsi **•** (*elettr.*) **alternating current**, corrente alternata.

alternation /ɔːltə'neɪʃn/ n. ⓒⓤ **1** alternazione; avvicendamento **2** (*agric.*, *biol.*, *fis.*) alternanza **•** (*agric.*) **a. of crops**, rotazione (o alternanza) delle colture □ (*biol.*) **a. of generations**, metagenesi.

♦**alternative** /ɔːl'tɜːnətɪv/ Ⓐ a. **1** alternativo: **a. proposal**, proposta alternativa; **a. route**, percorso alternativo, proposta alternativa **2** alternativo; antitradizionale; anticonformista: **a. lifestyle**, stile di vita alternativo; **a. energy**, energia alternativa; **a. medicine**, medicina alternativa Ⓑ n. **1** alternativa: **an a. to st.**, un'alternativa a qc.; **to find an a.**, trovare un'alternativa **2** alternativa; possibilità; scelta: *You've left me no a.*, non mi hai lasciato alternativa; **to have no (other) a.**, non avere (altra) scelta; non avere alternativa; *I have little* (o *no*) *a. but to...*, non ho altra scelta che... **3** (*fam.*, *mus.*, = **a. music**) musica alternativa **•** (*econ.*) **a. cost**, costo di sostituzione; costo-opportunità □ (*leg.*) **a. obligation**, obbligazione alternativa □ (*relig.*) **A. Service Book**, libro di preghiere alternativo **①** CULTURA **•** = **Book of Common Prayer** → **book** □ (*USA*) **a. school**, scuola che segue metodi e programmi non tradizionali ‖ **alternatively** avv. in alternativa; come altra scelta; altrimenti.

alternator /'ɔːltəneɪtə(r)/ n. (*elettr.*) alternatore: *There doesn't seem to be anything wrong with the a.*, non sembra che ci sia niente che non va con l'alternatore.

althaea /æl'θiːə/ n. **1** (*Althaea officinalis*) altea **2** (*Hibiscus syriacus*) ibisco.

Althea /æl'θiːə/ n. (*mitol.*) Altea.

altho /ɔːl'ðəʊ/ (*USA*) → **although**.

althorn /'ælθɔːn/ n. (*mus.*) saxhorn alto.

♦**although** /ɔːl'ðəʊ/ cong. **1** sebbene; benché; quantunque: *A. the flat is very small, it's got all mod cons*, benché sia molto piccolo, l'appartamento è attrezzatissimo **2** ma; però: *He said he'll fix it, a. I can't understand how*, ha detto che l'aggiusterà, ma io non capisco come.

altimeter /æl'tɪmɪtə(r)/ n. (*aeron.*, *topogr.*) altimetro.

altimetry /ɔːl'tɪmɪtrɪ/ n. ⓤ altimetria.

altitude /'æltɪtjuːd/ *USA* -tuːd/ n. ⓒⓤ **1** (*topogr.*) altitudine **2** (*geom.*) altezza **3** (*aeron.*) quota; altitudine: **cruising a.**, altitudine di crociera; **to lose a.**, perdere quota **4** (*astron.*) elevazione: **a. of a star**, elevazione di un astro **•** (*tecn.*) **a. chamber**, camera a depressione □ (*med.*) **a. sickness**, mal d'altitudine; mal di montagna ‖ **altitudinal** a. (*ecol.*) altitudinale: **altitudinal vegetation zone**, zona vegetativa altitudinale.

alto /'æltəʊ/ (*mus.*) Ⓐ n. (pl. *altos*) **1** contralto (*voce e cantante*) **2** spartito per contralto **3** (= **a. horn**) saxhorn alto Ⓑ a. **1** alto **2** contralto: **a. saxophone** (o **a. sax**), sassofono contralto **•** (*mus.*) **a. clarinet**, clarinetto contralto.

altocumulus /æltəʊ'kjuːmjʊləs/ n. (pl. *altocumuli*) (*meteor.*) altocumulo.

♦**altogether** /ɔːltə'geðə(r)/ Ⓐ avv. **1** del tutto; completamente: **a. different**, completamente diverso; tutt'altro; **non a. safe**, non del tutto sicuro **2** complessivamente; in tutto: **ten a.**, dieci in tutto **3** nel complesso; tutto considerato Ⓑ n. – (*fam.*) **in the a.**, nudo; in costume adamitico.

alto-rilievo /'æltəʊriːli:vəʊ/ (*ital.*) n. (pl.

alto-rilievos, **alto-rilievi**) (*arte*) altori-lievo.

altostratus /ˌæltəʊˈstreɪtəs/ n. (pl. **alto-strati**) (*meteor.*) altostrato.

altruism /ˈæltruːɪzəm/ n. ⓤ altruismo ‖ **altruist** n. altruista ‖ **altruistic** a. altruisti-co ‖ **altruistically** avv. altruisticamente.

ALU sigla (*comput.*, **arithmetic logic unit**) unità aritmetico-logica.

alum /ˈæləm/ n. ⓤ (*chim.*) allume.

to **alum** /ˈæləm/ v. t. trattare con allume; allumare.

alumina /əˈluːmɪnə/ n. ⓤ (*miner.*) allu-mina.

aluminium /ˌæljəˈmɪnɪəm/ n. ⓤ (*chim.*) al-luminio ● **a. bronze**, cupralluminio ▫ **hard a.**, dualluminio.

to **aluminize** /əˈluːmɪnaɪz/ (*metall.*) v. t. alluminare, alluminiare ● **aluminized steel**, acciaio calorizzato ‖ **aluminizing**, **aluminization** n. ⓤ alluminatura.

aluminosis /əluːmɪˈnəʊsɪs/ n.ⓤ (*med.*) al-luminosi.

aluminous /əˈluːmɪnəs/ a. (*chim.*) **1** allu-minoso; che contiene alluminio **2** che con-tiene allume.

aluminum /əˈluːmɪnəm/ (*USA*) → **alumin-ium**.

alumna /əˈlʌmnə/ n. (pl. **alumnae**) ex alunna; diplomata (*di una certa scuola*); lau-reata (*di una certa università*).

alumnus /əˈlʌmnəs/ n. (pl. **alumni**) ex alunno; diplomato (*di una certa scuola*); lau-reato (*di una certa università*).

alunite /ˈæljʊnaɪt/ n. ⓤ (*miner.*) alunite.

alveolar /ælˈvɪələ(r)/ a. (*anat.*, *fon.*) alveo-lare.

alveolus /ælˈvɪələs/ (*anat.*) n. (pl. **alveoli**) alveolo ‖ **alveolate** a. alveolato.

♦**always** /ˈɔːlweɪz, -wɪz/ avv. sempre: *He's a. complaining*, si lamenta sempre (*o* in continuazione); *I'm a. at home in the after-noon*, sono sempre a casa di pomeriggio; *I'll a. love you*, ti amerò (per) sempre; *If you don't like it here, you can a. leave*, se qui non ti piace, puoi sempre andartene ● (*spec. comput.*, *di connessione internet*) **a. on**, sem-pre acceso; sempre attivo.

alyssum /ˈælɪsəm/ n. (*bot.*, *Alyssum mariti-mum*) alisso.

Alzheimer's disease /ˈæltshaɪməz-dɪziːz/ loc. n. ⓤ (abbr. fam.: **Alzheimer's**) (*med.*) morbo di Alzheimer; Alzheimer (*fam.*).

♦**a.m.**, **A.M.**, am /eɪ'ɛm/ avv. (abbr. di *ante meridiem*) di mattina; antimeridiano: *It's 9 A.M.*, sono le 9 di mattina ● **the 10 a.m. (bus) from Abingdon**, l'autobus delle 10 da Abingdon.

♦**am** /æm, əm/ 1ª pers. sing. indic. pres. di **to be**.

AM sigla **1** (*elettron.*, **amplitude modula-tion**) modulazione d'ampiezza **2** (**associ-ate member**) socio semplice (*di club, istitu-zioni, ecc.*) **3** (*lat.*, *Artium Magister*) (*USA*) lau-reato in lettere (*laurea di 2° grado*).

Am. abbr. **1** (**America**) America **2** (**Amer-ican**) americano.

amalgam /əˈmælgəm/ n. ⓤⓒ (*chim.*, *med.*) amalgama.

to **amalgamate** /əˈmælgəmeɪt/ Ⓐ v. t. **1** (*metall.*) amalgamare **2** (*fig.*) amalgamare; fondere; unire insieme **3** (*econ.*, *fin.*) fonde-re; concentrare; incorporare Ⓑ v. i. **1** (*me-tall.*) amalgamarsi **2** (*econ.*, *fin.*) amalga-marsi; fondersi; concentrarsi: *Several smaller companies will a. to form a new concern*, parecchie piccole società si fonde-ranno per formare una nuova impresa.

amalgamated /əˈmælgəmeɪtɪd/ a. **1** (*metall.*) amalgamato **2** (*fig.*) amalgamato;

fuso ● **a. union**, sindacato che nasce dalla fusione di sindacati minori.

amalgamation /əmælgəˈmeɪʃn/ n. ⓤ **1** (*metall.*) amalgamazione **2** (*fig.*) amalga-mazione; accorpamento; fusione **3** (*econ.*, *fin.*) fusione; concentrazione; incorporazio-ne (*di società, ecc.*) ● (*fin.*, *leg.*) **a. agree-ment**, accordo di fusione ▫ **the a. of races**, la fusione di etnie diverse.

amalgamative /əˈmælgəmeɪtɪv/ a. che tende ad amalgamare.

amalgamator /əˈmælgəmeɪtə(r)/ n. **1** (*metall.*) amalgamatore **2** (*fig.*) chi amalga-ma, fonde, ecc. **3** (*fin.*) esperto in fusioni di società.

amanuensis /əmænjʊˈensɪs/ n. (pl. **amanuenses**) amanuense.

amaranth /ˈæmərænθ/ n. **1** (*bot.*, *Amaran-thus*) amaranto **2** ⓤ (*color*) amaranto **3** (*poet.*) fiore che non appassisce mai ‖ **amaranthine** a. (*lett.*) **1** di amaranto **2** amarantino; color amaranto.

amaryllis /ˌæməˈrɪlɪs/ n. (*bot.*, *Amaryllis belladonna*) amarilli; amarillide.

to **amass** /əˈmæs/ v. t. ammassare; accu-mulare ‖ **amassment** n. ⓤⓒ ammasso; ac-cumulo; cumulo.

amat. abbr. (*sport*, *ecc.*, **amateur**) dilet-tante.

♦**amateur** /ˈæmətə(r), -ət ʃə(r)/ Ⓐ n. dilet-tante Ⓑ a. attr. **1** dilettante: **a. painter**, pit-tore dilettante **2** amatoriale; dilettantistico: **a. boxing**, pugilato dilettantistico; **a. dra-matics**, teatro amatoriale; attività filodram-matica **3** (*spreg.*) dilettantesco ● **a. night**, serata del dilettante; (*fig.*) lavoro da dilet-tante, faccenda mediocre ‖ **amateurish** a. (*spreg.*) da dilettante; dilettantesco ‖ **ama-teurishness** n. ⓤ (*spreg.*) dilettantismo ‖ **amateurism** n. ⓤ dilettantismo.

amatory /ˈæmətərɪ/ a. (*poet.*) amatorio; erotico.

amaurosis /ˌæmɔːˈrəʊsɪs/ (*med.*) n. ⓤ amaurosi ‖ **amaurotic** a. amaurotico.

to **amaze** /əˈmeɪz/ v. t. stupire; meravislia-re; sorprendere; sbalordire.

amazed /əˈmeɪzd/ a. stupito; meravigliato; sorpreso; stupefatto ● **to be a. at st.**, stupir-si di qc.; sbalordire per qc.

amazement /əˈmeɪzmənt/ n. ⓤ stupore; meraviglia; sorpresa ● **to my a.**, con mio grande stupore.

♦**amazing** /əˈmeɪzɪŋ/ a. **1** stupefacente; sorprendente; sbalorditivo; strabiliante **2** (*fam.*) meraviglioso; fantastico ‖ **-ly** avv.

Amazon /ˈæməzən/ n. **1** (*mitol.*) amazzo-ne **2** (*anche* a.) (*fig.*) donna alta e atletica; amazzone **3** – (*geogr.*) **the A.**, il Rio delle Amazzoni ● (*zool.*) **a. ant** (*Polyergus rufe-scens*), formica amazzone ‖ **Amazonian** a. **1** (*mitol.*) amazzonio; di (*o* da) amazzone **2** (*geogr.*) del Rio delle Amazzoni; amazzo-nico.

Amazonia /ˌæməˈzəʊnɪə/ n. (*geogr.*) Amazzonia.

amazonite /ˈæməzənaɪt/ n. ⓤ (*miner.*) amazzonite.

Amb., **Ambass.** abbr. (**ambassador**) am-basciatore.

♦**ambassador** /æmˈbæsədə(r)/ n. amba-sciatore: **the British a. to Italy**, l'ambascia-tore britannico in Italia ● (*USA*) **a.-at-large**, ambasciatore a disposizione; ambasciatore itinerante ‖ **ambassadorial** a. di (*o* da) ambasciatore ‖ **ambassadorship** n. ⓤ am-basceria; carica (*o* ufficio) di ambasciatore.

ambassadress /æmˈbæsədrɪs/ n. amba-sciatrice.

amber /ˈæmbə(r)/ Ⓐ n. ⓤ **1** ambra **2** (co-lor) ambra (*autom.*, = **a. light**) (semaforo) giallo Ⓑ a. attr. ambrato; color ambra ● (*USA*) **a. alert**, 'allarme amber'; 'allerta am-

ber' (*procedura per la diffusione di informazioni sul sequestro di minori*).

ambergris /ˈæmbəgriːs/ n. ⓤ (*zool.*) am-bra grigia.

ambidexterity /ˌæmbɪdekˈsterətɪ/ n. ⓤ condizione di ambidestro.

ambidextrous /ˌæmbɪˈdekstrəs/ a. **1** ambidestro **2** (*di strumento*) per destrimani e mancini **3** (*eufem.*, *fam.*) ambidestro; bi-sessuale | **-ness** n. ⓤ.

ambience, **ambiance** /ˈæmbɪəns/ n. ⓤ **1** atmosfera; aria; ambiente **2** (*mus.*) musica ambient.

ambient /ˈæmbɪənt/ Ⓐ a. **1** ambientale; circostante; circostante: **the a. air**, l'aria cir-costante; **a. conditions**, condizioni ambien-tali; **a. temperature**, temperatura ambien-te **2** (*mus.*) ambient; della musica ambient: **a. music**, musica ambient Ⓑ n. ⓤ (*mus.*) musica ambient.

ambiguity /ˌæmbɪˈgjuːətɪ/ n. ⓤ ambiguità.

ambiguous /æmˈbɪgjʊəs/ a. **1** ambiguo; equivoco **2** poco chiaro; ambiguo | **-ly** avv. | **-ness** n. ⓤ.

ambit /ˈæmbɪt/ n. ⓤ (*lett.*) **1** adiacenza (*spec. di edificio*) **2** ambito **3** circonferenza; giro **4** campo; raggio d'azione.

♦**ambition** /æmˈbɪʃn/ n. **1** ⓤ ambizione: **a man of driving a.**, un uomo estremamente ambizioso **2** ambizione; aspirazione; so-gno: **my life's a.**, il sogno della mia vita; **the height of his a.**, la sua massima ambizione.

ambitious /æmˈbɪʃəs/ a. ambizioso: **an a. scheme**, un progetto ambizioso; **to be a. for sb.**, avere ambizioni per q. | **-ly** avv. | **-ness** n. ⓤ.

ambivalent /æmˈbɪvələnt/ a. incerto; in-deciso; ambivalente: *The government's po-sition on the issue is deeply a.*, la posizione del governo sulla questione è all'insegna della massima incertezza; **to feel a. about st.**, essere indeciso su qc. ‖ **ambivalence** n. ⓤ incertezza; indecisione; ambivalenza.

ambivert /ˈæmbɪvɜːt/ (*psic.*) n. soggetto che alterna momenti di estroversione ad al-tri d'introversione ‖ **ambiversion** n. ⓤ am-biversione; alternanza di momenti di estro-versione e di altri di introversione.

amble /ˈæmbl/ n. ⓤ **1** (*equit.*) ambio **2** an-datura rilassata; passo tranquillo: **at an a.**, con passo tranquillo **3** passeggiata placida.

to **amble** /ˈæmbl/ v. i. **1** (*equit.*) ambiare; andare all'ambio **2** camminare con passo tranquillo: *He ambled into the garden*, entrò in giardino con passo tranquillo **3** passeg-giare; andare a zonzo: **to a. through the countryside**, passeggiare per la campagna.

ambler /ˈæmblə(r)/ n. **1** (*equit.*) ambiato-re **2** persona che cammina com passo tran-quillo, che passeggia placidamente.

amblyopia /ˌæmblɪˈəʊpɪə/ n. ⓤ (*med.*) am-bliopia.

ambo /ˈæmbəʊ/ n. (pl. **ambos**, **ambones**) (*archit.*) ambone.

Ambrose /ˈæmbrəʊz/ n. Ambrogio ‖ **Am-brosian** a. ambrosiano (*di S. Ambrogio*): **Ambrosian chant**, canto ambrosiano.

ambrosia /æmˈbrəʊzɪə/ n. ⓤ (*anche fig.*) ambrosia ‖ **ambrosial**, **ambrosian** a. am-brosio; d'ambrosia; (*fig.*) delizioso.

ambry /ˈæmbrɪ/ n. **1** armadio a muro (*per arredi sacri*) **2** (*arc.*) ripostiglio.

ambsace /ˈeɪmzeɪs/ n. ambassi, ambasso (*punto minimo ai dadi*).

♦**ambulance** /ˈæmbjʊləns/ n. ambulanza ● (*fam. USA*) **a. chaser**, avvocato che s'av-vantaggia patrocinando le cause di vittime d'incidenti stradali.

ambulant /ˈæmbjʊlənt/ a. **1** ambulante **2** (*med.*: *di un paziente*) in grado di cammi-nare.

a

to **ambulate** /'æmbjʊleɪt/ v. i. camminare.

ambulation /æmbjə'leɪʃn/ n. ⓤ (*med.*) ambulazione; deambulazione.

ambulatory /'æmbjʊlətərɪ/ **A** a. 1 ambulatorio 2 ambulante 3 (*med.*) in grado di camminare 4 (*leg.*) modificabile; revocabile **B** n. (*archit.*) ambulacro; deambulatorio.

ambuscade /æmbə'skeɪd/ n. imboscata.

to **ambuscade** /æmbə'skeɪd/ v. t. e i. 1 tendere un'imboscata 2 tendere un agguato (a) 3 mettere (*truppe, ecc.*) in imboscata.

ambush /'æmbʊʃ/ n. 1 imboscata; agguato: **to make** (*o* **to lay**) **an a.**, tendere un'imboscata (*o* un agguato); **to lie in a.** (**for sb.**), mettersi in imboscata; stare in agguato (*anche, scherz.*: essere in attesa di q.) 2 ⓤ truppe (*o* armati) in imboscata.

to **ambush** /'æmbʊʃ/ → **to ambuscade**.

ameba /ə'miːbə/ e *deriv.* (*USA*) → **amoeba**, e *deriv.*

to **ameliorate** /ə'miːliəreɪt/ v. t. e i. migliorare ‖ **amelioration** n. ⓤ miglioramento ‖ **ameliorative** a. migliorativo ‖ **ameliorator** n. miglioratore.

amen /ɑː'mɛn/ *inter.* e n. amen; così sia ● (*fam.*) **to say a. to st.**, dichiararsi completamente d'accordo su qc.

amenability /əmiːnə'bɪlətɪ/ n. ⓤ 1 l'essere assoggettabile (*o* soggetto) 2 (*di cose*) l'essere riconducibile (*a qc.*) 3 (*di persone*) disponibilità.

amenable /ə'miːnəbl/ a. 1 assoggettabile; soggetto: *Foreigners are a. to the laws of the country*, gli stranieri sono soggetti alle leggi del paese 2 disponibile; che può essere ricondotto (*o* ridotto): **a. to reason**, che può essere ridotto alla ragione 3 suscettibile; sensibile; esposto: **a. to flattery**, sensibile all'adulazione 4 (*di cosa*) riconducibile; riducibile; che rientra in: **a. to the laws of physics**, riconducibile alle leggi della fisica ‖ **-ness** n. ⓤ ‖ **-bly** avv.

♦to **amend** /ə'mɛnd/ v. t. 1 emendare (*anche leg., polit.*); correggere; rettificare: **to a. a law**, emendare una legge; (*rag.*) **to a. an account**, rettificare un conto 2 migliorare.

❶ Nota: *amend* o *emend*?
Il verbo *to amend*, riferito per esempio a una legge o a un contratto, significa principalmente "emendare" nel senso di "migliorare facendo delle modifiche": *to amend the constitution*, emendare la costituzione; *The company may amend or vary the conditions of this contract at any time*, la compagnia può emendare o cambiare le condizioni del contratto in ogni momento. Anche *to emend*, parola meno diffusa, significa "emendare", ma nel senso di "correggere, togliere gli errori da": *to emend a text*, correggere un testo.

amendable /ə'mɛndəbl/ a. 1 emendabile; correggibile; rettificabile 2 migliorabile.

amendatory /ə'mɛndətərɪ/ a. (*USA*) emendativo; correttivo.

♦**amendment** /ə'mɛndmənt/ n. 1 emendamento (*anche leg., polit.*); correzione; rettifica: **to make an a. to a law**, apportare un emendamento a una legge; (*rag.*) **a. of entries**, rettifica di scritture contabili; (*USA*) **the Fifth A.**, il Quinto emendamento (alla costituzione) 2 miglioramento.

amends /ə'mɛndz/ n. pl. (col verbo al sing.) 1 ammenda; riparazione: **to make a.** (**for**), fare ammenda (di); riparare (a); farsi perdonare (qc.) 2 indennizzo; risarcimento.

amenity /ə'miːnətɪ/ n. 1 ⓤ amenità; piacevolezza (*di luoghi, persone*) 2 (pl.) aspetti gradevoli; attrattive; (*anche*) comfort: **the amenities of a place**, le attrattive di un luogo 3 (pl.) cortesie; gentilezze ● (*med., in GB*) **a. bed**, letto in camera singola.

amenorrhea /eɪmɛnə'riːə/ n. (*med.*) amenorrea.

ament① /ə'mɛnt/ (*bot.*) n. amento; gattino.

ament② /ə'mɛnt/ (*psic.*) n. amente ‖ **amentia** n. ⓤ amenza.

Amerasian /æmə'reɪʃn/ n. e a. (persona) di origine mista, americana e asiatica.

♦**American** /ə'mɛrɪkən/ **A** a. e n. 1 americano; statunitense 2 americano; delle Americhe **B** n. ⓤ americano (*la lingua*) ● (*nuoto*) **A. crawl**, crawl americano □ **the A. dream**, il sogno americano □ **A. English**, l'inglese parlato in America; l'americano □ (*sport*) **A. football**, football americano □ **A. Legion**, associazione americana degli ex combattenti □ **A. Indian**, amerindio; indiano d'America □ (*tur., USA*) **A. plan**, pensione completa □ (*stor.*) **the A. Revolution**, la Rivoluzione americana.

Americana /əmɛrɪ'kɑːnə/ n. pl. 1 oggetti (*quadri, mobili, foto, ecc.*) tipicamente americani; curiosità americane per collezionisti 2 documenti di americanistica.

Americanism /ə'mɛrɪkənɪzəm/ n. ⓤ americanismo ‖ **Americanist** n. americanista.

to **Americanize** /ə'mɛrɪkənaɪz/ **A** v. i. americanizzarsi; prendere la cittadinanza americana **B** v. t. americanizzare ‖ **Americanization** n. ⓤ americanizzazione.

americium /æmə'rɪsɪəm/ n. (*chim.*) americio.

Amerind /'æmərɪnd/ n. amerindio ‖ **Amerindian** n. e a. amerindio.

amethyst /'æməθɪst/ n. ⓤⓒ (*miner.*) ametista ‖ **amethystine** a. di ametista; color ametista.

AMEX /'eɪmɛks/ sigla 1 (**American Express**) American Express (*società emittente di carte di credito*) 2 (**American Stock Exchange**) borsa valori americana.

Amharic /æm'hærɪk/ a. e n. ⓤ amarico (*spec. la lingua*).

amiability /eɪmɪə'bɪlətɪ/ n. ⓤ amabilità; affabilità; affettuosità.

amiable /'eɪmɪəbl/ a. amabile; affabile; affettuoso ‖ **-ness** n. ⓤ ‖ **-bly** avv.

❶ Nota: *amiable* o *amicable*?
Sia *amiable* che *amicable* significano "amichevole", ma con sfumature diverse. *Amiable* significa "che appare piacevole e amichevole, affabile" soprattutto riferito al carattere delle persone: *an amiable expression on her face*, un'espressione amichevole sul suo viso; *He was an amiable, welcoming chap to be with*, era un tipo affabile e cortese. *Amicable* invece vuol dire "che mostra una disposizione cordiale, che ha tono e intenzioni amichevoli" e si usa in riferimento a discussioni, a relazioni interpersonali, e anche in ambito legale: *to part on amicable terms*, lasciarsi in termini cordiali; *to reach an amicable settlement*, raggiungere un accordo amichevole.

amianthus /æmɪ'ænθəs/, **amiantus** /æmɪ'æntəs/ n. ⓤ (*miner.*) amianto.

amicable /'æmɪkəbl/ a. amichevole ● (*leg.*) **a. agreement** (*o* **a. settlement**), accordo amichevole ‖ **-ness** n. ⓤ ‖ **-bly** avv.
❶ Nota: *amiable* o *amicable*? → **amiable**.

amice① /'æmɪs/ n. (*relig.*) amitto.

amice② /'æmɪs/ n. (*relig.*) mozzetta; cappuccio.

♦**amid** /ə'mɪd/ prep. 1 tra; fra; nel mezzo di: *He left a. general laughter*, uscì tra le risate di tutti i presenti; *The Cabinet met yesterday a. rumours of an imminent reshuffle*, il Gabinetto si è riunito ieri mentre circolavano voci di un imminente rimpasto 2 tra; fra; in mezzo ai: **a. rolling fields**, tra i campi ondulati.

amide /'æmaɪd/ n. (*chim.*) ammide.

amidships, (*USA*) **amidship** /ə'mɪdʃɪp(s)/ avv. (*naut.*) a mezza nave; al mezzo; al centro (*della nave*).

amidst /ə'mɪdst/ → **amid**.

amination /æmaɪ'neɪʃn/ n. ⓤ amminazione.

amine /'æmaɪn/ (*chim.*) n. ammina, amina.

amino acids /ə'miːnəʊ'æsɪdz/ n. pl. (*chim.*) amminoacidi, aminoacidi.

amino resin /ə'miːnəʊ'rɛzɪn/ n. (*chim.*) resina amminica.

amiss /ə'mɪs/ **A** a. pred. che non va; che sta male; inopportuno; fuori luogo; **Something is a.**, c'è qualcosa che non va; **There's nothing a.**, va tutto bene; non c'è niente di male **B** avv. male; in modo sbagliato; inopportunamente; fuori luogo: **to go a.**, andare storto; **to take it a.**, prenderla male; prendersela; offendersi; aversene a male; *It wouldn't come a.*, non ci starebbe male.

amitosis /æmɪ'təʊsɪs/ n. ⓤ (*biol.*) amitosi.

amity /'æmɪtɪ/ n. ⓤ amicizia; relazioni amichevoli; amistà (*lett.*).

ammeter /'æmiːtə(r)/ n. (*elettr.*) amperometro.

ammo /'æməʊ/ n. ⓤ abbr. fam. di **ammunition**.

Ammon /'æmən/ n. (*mitol.*) Ammone.

ammonia /ə'məʊnɪə/ (*chim.*) n. ⓤ ammoniaca.

ammoniacal /æməʊ'naɪəkl/, **ammoniac** /ə'məʊnɪæk/ a. ammoniacale.

ammoniated /ə'məʊnɪeɪtɪd/ a. ammoniacato.

ammonite /'æmənaɪt/ n. (*paleont.*) ammonite.

ammonium /ə'məʊnɪəm/ (*chim.*) n. ⓤ ammonio.

ammunition /æmjʊ'nɪʃn/ n. ⓤ 1 (*mil.*) munizioni (pl.) 2 (*fig.*) argomenti (pl.); tuccе (pl.) ● **a. belt**, cartucciera; (*di mitragliatrice*) nastro caricatore □ **a. pouch**, giberna.

amnesia /æm'niːzɪə/ n. ⓤ amnesia ‖ **amnesiac** n. chi soffre di amnesia.

amnesty /'æmnəstɪ/ n. (*anche leg.*) amnistia (*spec. concessa a prigionieri politici*).

to **amnesty** /'æmnəstɪ/ v. t. amnistiare.

amnio /'æmnɪəʊ/ n. (*med., fam.*) amniocentesi: **early a.**, amniocentesi precoce.

amniocentesis /æmnɪəʊsɛn'tiːsɪs/ n. (pl. **amniocenteses**) (*med.*) amniocentesi.

amnion /'æmnɪən/ (*anat.*) n. (pl. **amnions**, **amnia**) amnio ‖ **amniotic** a. amniotico.

amnioscope /æmnɪə'skəʊp/ (*med.*) n. amnioscopio ‖ **amnioscopy** n. ⓤⓒ amnioscopia.

amoeba /ə'miːbə/ (*zool.*) n. (pl. **amoebas**, **amoebae**) (*Amoeba*) ameba ‖ **amoebic** a. amebico ‖ **amoeboid** a. ameboide.

amoebaean /æmɪ'biːən/ a. (*poesia*) amebeo; scambievole.

amoebiasis /æmi:'baɪəsɪs/ n. ⓤ (*med.*) amebiasi.

amok /ə'mɒk/ avv. (solo nella loc.:) **to run a.** 1 essere in preda a furore omicida; essere preso da un raptus 2 (*fig.*) scatenarsi; diventare sfrenato; (*di situazione, ecc.*) impazzire.

♦**among** /ə'mʌŋ/ prep. 1 fra; tra; in mezzo a: **a. the trees**, fra gli alberi; **a. the crowd**, fra la (*o* in mezzo alla) folla; **one a. many**, uno fra tanti 2 tra; fra: **a. other things**, tra le altre cose; tra l'altro; *Don't quarrel a. yourselves*, non litigate fra voi; *The estate was divided a. his children*, la proprietà fu divisa fra i suoi figli; *I had to choose a. twenty*, dovetti scegliere tra venti; *They earned a fortune a. themselves*, fra loro,

misero insieme una fortuna.

amongst /ə'mʌŋst/ → **among**.

amontillado /əmɒntɪ'lɑːdəʊ/ (*spagn*.) n. (pl. **amontillados**) (bicchiere di) «amontillado» (*vino bianco secco*).

amoral /eɪ'mɒrəl/ a. amorale ‖ **amorality** n. ⓤ amoralità.

amoretto /æmə'retəʊ/ (*ital*.) n. (pl. **amoretti, amorettos, amorettoes**) (*arte*) amorino; puttino.

amorino /æmə'riːnəʊ/ (*ital*.) n. (pl. **amorini, amorinos**) → **amoretto**.

amorous /'æmərəs/ a. **1** amoroso; affettuoso **2** innamorato **3** erotico; sensuale ● **a. poetry**, poesia d'amore | **-ly** avv. | **-ness** n. ⓤ.

amorphism /ə'mɔːfɪzəm/ n. ⓤ (*scient*.) amorfismo.

amorphous /ə'mɔːfəs/ a. amorfo ‖ **amorphousness** n. ⓤ mancanza di forma.

amortizable /ə'mɔːtaɪzəbl/ a. (*comm.*, *fin*.) ammortabile; ammortizzabile.

amortization /əmɔːtaɪ'zeɪʃn/, *USA* æmərtɪ-/ n. ⓤ **1** (*comm.*, *fin*.) ammortamento; ammortizzamento **2** somma destinata ad ammortare un debito **3** (*leg.*, *stor.*) trasferimento (*di immobili*) in mano morta.

to amortize /ə'mɔːtaɪz/ v. t. **1** (*comm.*, *fin*.) ammortare, ammortizzare (*un debito, il costo di un'immobilizzazione, ecc.*) **2** (*leg.*, *stor.*) trasferire (*una proprietà*) in mano morta.

amortizement /ə'mɔːtaɪzmənt/ → **amortization**.

♦**amount** /ə'maʊnt/ n. **1** quantità; dose: a **considerable a. of patience**, una notevole quantità (*o dose*) di pazienza; **a fair a. of traffic**, un certo traffico; **in small amounts**, in piccole quantità (*o dosi*); *Obviously, the a. of work involved would affect the cost of the project*, naturalmente, la quantità di lavoro richiesto incide sul costo del progetto **2** somma; ammontare; importo: **the a. invoiced**, la somma fatturata; **the full a.**, l'intera somma; l'intero ammontare **3** (*mat. finanziaria*) montante ● (*rag.*) **a. brought** (*o* **carried**) **forward** (*o* **down**), somma riportata; riporto (a nuovo) □ (*rag.*) **a. written off**, cifra di deprezzamento □ **any a. of**, una gran quantità di; moltissimo; un sacco di (*fam.*) □ **No a. of washing will get this stain off**, la macchia non verrà mai via per quanto la si lavi.

to amount /ə'maʊnt/ v. i. **1** ammontare: *His losses a. to over £5m*, le sue perdite ammontano a oltre 5 milioni di sterline **2** equivalere (a): *His action amounts to treason*, la sua azione equivale a un tradimento; *It amounts to saying he is a liar*, è come dire che è un mentitore; *It amounts to the same thing*, è la stessa cosa; lo stesso; *It doesn't a. to much*, non è granché.

amour /ə'mʊə(r)/ (*franc*.) n. **1** amorazzo; tresca; relazione illecita **2** amante ● **a. propre** (*franc*.), amor proprio.

amp ① /æmp/ n. abbr. di **ampere**.

amp ② /æmp/ n. abbr. fam. di **amplifier**.

amp ③ /æmp/ n. (*slang USA*) **1** (abbr. di **ampoule**) fiala (di droga) **2** (al pl.) (abbr. di **amphetamines**) (pillole o capsule) di anfetamina.

amped /æmpt/ a. (*slang USA*) su di giri; gasato; sovreccitato.

ampere /'æmpeə(r)/ (*elettr*.) n. ampere ● **a.-hour**, amperora □ **a.-meter**, amperometro □ **a.-turn**, amperspira ‖ **amperage** n. ⓤ amperaggio.

ampersand /'æmpəsænd/ n. «e» commerciale; simbolo &.

amphetamine /æm'fetəmiːn/ n. (*farm*.) amfetamina, anfetamina.

amphibian /æm'fɪbɪən/ Ⓐ n. **1** (*zool*.)

anfibio **2** (*mil*.) mezzo anfibio; velivolo anfibio Ⓑ a. (*zool.*, *mil*.) anfibio.

amphibious /æm'fɪbɪəs/ a. (*biol.*, *trasp.*, *mil*.) anfibio.

amphibole /'æmfɪbəʊl/ n. (*miner*.) anfibolo.

amphibolite /æm'fɪbəlaɪt/ n. ⓤ (*miner*.) anfibolite.

amphibology /æmfɪ'bɒlədʒɪ/, **amphiboly** /æm'fɪbəlɪ/ n. ⓤ anfibologia; ambiguità ‖ **amphibolic** a. anfibolo; anfibologico; ambiguo.

amphibrach /'æmfɪbræk/ n. (*poesia*) anfibraco.

amphioxus /æmfɪ'ɒksəs/ n. (pl. **amphioxi, amphioxuses**) (*zool.*, *Branchiostoma lanceolatum*) anfiosso; lancetta.

amphipods /'æmfɪpɒdz/ n. pl. (*zool.*, *Amphipoda*) anfipodi.

amphiprostyle /æmfɪ'prəʊstaɪl/ a. e n. (*archit*.) anfiprostilo.

amphisbaena /æmfɪz'biːnə/ n. (pl. **amphisbaenas, amphisbaenae**) (*mitol.*, *zool.*) anfisbena.

amphitheatre, (*USA*) **amphiteater** /'æmfɪθɪətə(r)/ n. anfiteatro ‖ **amphitheatrical** a. ad anfiteatro.

Amphitrite /æmfɪ'traɪtɪ/ n. (*mitol*.) Anfitrite.

Amphitryon /æm'fɪtrɪən/ n. (*mitol. e fig.*) Anfitrione.

amphora /'æmfərə/ n. (pl. **amphorae, amphoras**) anfora.

ample /'æmpl/ a. **1** ampio; spazioso **2** abbondante; più che sufficiente: *There is a. evidence of his guilt*, vi sono prove più che sufficienti della sua colpevolezza **3** sufficiente; bastevole: *Supplies will be a. for two weeks*, le provviste saranno sufficienti per due settimane ‖ **ampleness** n. ⓤ **1** ampiezza **2** abbondanza ‖ **amply** avv. ampiamente.

amplification /æmplɪfɪ'keɪʃn/ n. **1** amplificazione; allargamento; accentuazione **2** aggiunta (*di materiale o di particolari*); integrazione; sviluppo; approfondimento.

amplifier /'æmplɪfaɪə(r)/ n. (*fis.*, *radio*) amplificatore.

to amplify /'æmplɪfaɪ/ Ⓐ v. t. **1** (*tecn.*) amplificare **2** ampliare; allargare; accentuare **3** integrare; sviluppare; approfondire Ⓑ v. i. sviluppare; approfondire: *I'd like to a. on that*, vorrei sviluppare quel punto.

amplitude /'æmplɪtjuːd/, *USA* -tuːd/ n. ⓤ **1** ampiezza; estensione **2** abbondanza **3** sufficienza **4** (*fis.*, *radio*) ampiezza: **a. modulation** (abbr. **AM**), modulazione d'ampiezza **5** (*astron.*, *naut.*) amplitudine.

ampulla /æm'pʊlə/ n. (pl. **ampullae**) (*relig.*, *biol.*) ampolla.

to amputate /'æmpjuteɪt/ v. t. amputare ‖ **amputation** n. ⓤ amputazione.

amputee /æmpjʊ'tiː/ n. amputato.

to amscray /'æmskreɪ/ v. i. (*slang USA*) battersela; squagliarsela.

amt abbr. (*comm.* **amount**) ammontare.

amtrac, amtrak /'æmtræk/ n. (*mil.*, *USA*; contraz. di **amphibious tractor**) cingolato anfibio (*da sbarco*).

Amtrak® /'æmtræk/ n. (*USA*, contraz. di **American Track**, *marchio registrato della* **National Railroad Passenger Corporation**) ente federale per i trasporti ferroviari interurbani.

amuck /ə'mʌk/ → **amok**.

amulet /'æmjʊlət/ n. amuleto.

to amuse /ə'mjuːz/ v. t. divertire, dilettare; svagare: *She amused her children with fairy tales*, divertiva i figli raccontando loro delle fiabe ● **to a. oneself**, divertirsi.

amused /ə'mjuːzd/ a. divertito: **an a.**

smile, un sorriso divertito; **to keep sb. a.**, divertire q.; intrattenere q. ● **He was not a.**, non l'ha trovato divertente; non l'ha presa bene.

amusement /ə'mjuːzmənt/ n. **1** ⓤ divertimento: **to our great a.**, con nostro gran divertimento; **to afford sb. a.**, divertire q. **2** divertimento; svago; passatempo **3** (al pl.) attrazioni (*di luna park, ecc.*) ● **a. arcade**, sala giochi (*con macchine mangiasoldi*) □ **a. machines**, giochi meccanici (*biliardini, slot machine, ecc.*); macchine da intrattenimento □ **a. park**, parco divertimenti; luna park.

amusing /ə'mjuːzɪŋ/ a. divertente; spassoso | **-ly** avv.

amygdala /ə'mɪgdələ/ n. (pl. **amygdalae**) (*anat*.) amigdala.

amygdalin /ə'mɪgdəlɪn/ (*chim*.) n. ⓤ amigdalina.

amygdaloid /ə'mɪgdəlɔɪd/ a. (*anche geol.*) amigdaloide.

amyl /'æmɪl/ (*chim*.) n. amile ● **a. alcohol**, alcol amilico ‖ **amylaceous** a. amilaceo; amidaceo.

amylase /'æmɪleɪz/ n. (*biochim*.) amilasi.

amylopsin /æmɪ'lɒpsɪn/ n. (*biochim*.) amilopsina.

amylose /'æmɪləʊs/ n. ⓤ (*biochim*.) amilosio.

♦**an** /æn, ən/ art. indeterm. un, uno, una (→ **a**①).

Anabaptism /ænə'bæptɪzəm/ (*stor. relig.*) n. ⓤ anabattismo ‖ **Anabaptist** Ⓐ n. anabattista Ⓑ a. anabattistico.

anabas /'ænəbæs/ n. (*zool.*, *Anabas scandens*) anabate.

anabatic /ænə'bætɪk/ a. (*meteor.*) (*del vento*) anabatico; ascendente.

anabolic /ænə'bɒlɪk/ a. anabolico ● (*chim.*) **a. steroids**, steroidi anabolizzanti.

anabolism /ə'næbəlɪzəm/ (*biol.*) n. ⓤ anabolismo.

anachronism /ə'nækrənɪzəm/ n. anacronismo ‖ **anachronistic**, (*raro*) **anachronistical** a. anacronistico ‖ **anachronistically** avv. anacronisticamente.

anacoluthon /ænəkə'luːθɒn/ n. (pl. **anacoluthons, anacolutha**) (*gramm.*) anacoluto.

anaconda /ænə'kɒndə/ n. (*zool.*, *Eunectes murinus*) anaconda.

Anacreon /ə'nækrɪɒn/ n. (*letter.*) Anacreonte ‖ **Anacreontic** Ⓐ a. anacreontico Ⓑ n. (*poesia*) **1** anacreonteo **2** anacreontica.

anacrusis /ænə'kruːsɪs/ n. (pl. **anacruses**) (*poesia*) anacrusi.

anadiplosis /ænədɪ'pləʊsɪs/ n. ⓤⓒ (pl. **anadiploses**) (*ling.*) anadiplosi.

anaemia, (*USA*) **anemia** /ə'niːmɪə/ n. ⓤ (*med.*) anemia ‖ **anaemic**, (*USA*) **anemic** a. (*anche fig.*) anemico.

anaerobe /æ'neərəʊb/ (*biol.*) n. anerobio, anaerobio ‖ **anaerobic** a. anerobico, anaerobico.

anaesthesia, (*USA*) **anesthesia** /ænɪs-'θiːzɪə/ n. ⓤ (*med.*) anestesia.

anaesthesiology, (*USA*) **anesthesiology** /ænɪsθiːzɪ'ɒlədʒɪ/ n. ⓤ (*med.*) anestesiologia.

anaesthetic, (*USA*) **anesthetic** /ænɪs-'θetɪk/ a. e n. (*med.*) anestetico.

anaesthetics, (*USA*) **anesthetics** /ænɪs-'θetɪks/ n. pl. (col verbo al sing.) (*med.*) anestesiologia.

anaesthetist, (*USA*) **anesthetist** /ə'niːs-θətɪst/ n. (*med.*) anestesista.

to anaesthetize, (*USA*) **to anesthetize** /ə'niːsθətaɪz/ (*med.*) v. t. anestetizzare ‖ **anaesthetization**, (*USA*) **anesthetization** n. anestesia.

anaglyph /'ænəglɪf/ n. (*arte e fotogr.*) anaglifo.

anagoge /'ænəgɒdʒɪ/ (*relig.*) n. ▣ anagogia || **anagogic, anagogical** a. anagogico.

anagram /'ænəgræm/ n. anagramma || **anagrammatic, anagrammatical** a. anagrammatico.

to **anagrammatize** /ænə'græmətaɪz/ v. t. anagrammare.

anal /'eɪnl/ a. 1 (*anat., psic.*) anale 2 (*fam.*) = **a.-retentive** → *sotto* ● (*psic.*) a. **stage**, fase anale □ **a. retention**, (med.) ritenzione delle feci; (psic.) ritenzione □ **a.--retentive**, (*psic.*) anale; (*fam.*) fanatico, maniacale, ossessivo.

analecta /ænə'lɛktə/, **analects** /'ænəlɛkts/ n. pl. analecta; (raccolta di) spigolature (o frammenti) letterari; miscellanea.

analemma /ænə'lɛmə/ n. (*astron.*) analemma.

analeptic /ænə'lɛptɪk/ a. e n. (*farm.*) analettico.

analgesia /ænæl'dʒiːzɪə/ n. ▣ (*med.*) analgesia || **analgesic** a. e n. (*farm.*) analgesico.

analog /'ænəlɒg/ (*USA*) **A** n. (*alim., chim.*) → **analogue**, **A**, *def. 2 e 3* **B** a. attr. (*comput.*) analogico: **a. computer**, elaboratore (o calcolatore) analogico; (*mus.*) **a. emulation synth**, sintetizzatore a emulazione analogica; **a. storage**, memoria analogica; **a.-to--digital converter**, convertitore analogico--digitale.

analogist /ə'nælədʒɪst/ n. analogista.

to **analogize** /ə'nælədʒaɪz/ **A** v. t. 1 rappresentare (o spiegare) con analogie 2 dimostrare l'analogia di **B** v. i. usare analogie.

analogous /ə'næləgəs/ a. (*scient., tecn.*) analogo | **-ly** avv.

analogue /'ænəlɒg/ **A** n. 1 parola (o cosa) analoga 2 (*biol.*) parte analoga; organo analogo 3 (*alim., anche* **meat a.**) sostituto della carne 4 (*chim.*) analogo **B** a. attr. (*comput.*) → **analog, B**.

analogy /ə'nælədʒɪ/ n. ▣ analogia (*in tutti i sensi*) || **analogic, analogical** a. (*anche leg.*) analogico || **analogically** avv. analogicamente.

analphabetic /ænælfə'bɛtɪk/ **A** a. 1 analfabetico: **a. writing**, scrittura analfabetica 2 analfabeta **B** n. analfabeta.

analysable /'ænəlaɪzəbl/ a. analizzabile.

analysand /æ'nælɪsænd/ n. (*psic.*) analizzando.

♦to **analyse** /'ænəlaɪz/ v. t. 1 analizzare; fare un'analisi di 2 (*USA*) psicoanalizzare || **analyser** n. (*anche scient., comput.*) analizzatore.

♦**analysis** /ə'næləsɪs/ n. (pl. **analyses**) (*anche scient., comput., psic.*) analisi ● (*econ.*) **cost-benefit a.**, analisi costi-benefici □ (*mat.*) **differential a.**, analisi differenziale □ (*chim.*) **elemental a.**, analisi elementare □ (*fin.*) **financial statement a.**, analisi dei bilanci □ **in the last** (o **final**) **a.**, in ultima analisi.

♦**analyst** /'ænəlɪst/ n. (*anche scient., psic.*) analista.

analytic /ænə'lɪtɪk/ a. → **analytical** 2 (*ling., logica*) analitico: **a. languages**, lingue analitiche.

analytical /ænə'lɪtɪkl/ a. analitico: **a. chemistry**, chimica analitica; **a. geometry**, geometria analitica; **a. mechanics**, meccanica analitica; **a. philosophy**, filosofia analitica | **-ly** avv.

analytics /ænə'lɪtɪks/ n. pl. (col verbo al sing.) (*filos.*) analitica.

to **analyze** /'ænəlaɪz/ e deriv. (*USA*) → **to analyse**, e deriv.

anamnesis /ænəm'niːsɪs/ n. (pl. **anamneses**) (*filos., med.*) anamnesi.

anamorphosis /ænəmɔː'fəʊsɪs/ n. (pl. **anamorphoses**) (*biol., ottica*) anamorfosi.

ananas /ə'nænəs/ n. (*bot., Ananas sativus*) ananas; ananasso.

anandrous /ə'nændrəs/ a. (*bot.*) senza stami.

anapaest, (*USA*) **anapest** /'ænəpiːst/ (*poesia*) n. anapesto || **anapaestic**, (*USA*) **anapestic** a. anapestico.

anaphase /'ænəfeɪz/ n. (*biol.*) anafase.

anaphora /ə'næfərə/ (*retor.*) n. ▣ anafora || **anaphoric** a. anaforico.

anaphoresis /ænəfə'riːsɪs/ n. ▣ (*chim., fis.*) anaforesi.

anaphylaxis /ænəfɪ'læksɪs/ (*med.*) n. ▣ anafilassi || **anaphylactic** a. anafilattico: **anaphylactic shock**, shock anafilattico.

anarch /'ænɑːk/ n. (*poet.*) ribelle; capo di rivoltosi.

anarchic, **anarchical** /ə'nɑːkɪk(l)/ a. anarchico | **-ally** avv.

anarchism /'ænəkɪzəm/ n. ▣ anarchia; anarchismo || **anarchist** n. anarchico.

anarchy /'ænəkɪ/ n. ▣ anarchia (*anche fig.*).

anasarca /ænə'sɑːkə/ n. (*med.*) anasarca.

anastatic /ænə'stætɪk/ a. (*tipogr.*) anastatico.

anastigmat /æn'æstɪgmæt/ (*fis., fotogr.*) n. obiettivo anastigmatico.

anastigmatic /ænəstɪg'mætɪk/ a. anastigmatico.

to **anastomose** /ə'næstəməʊs/ **A** v. t. (*med.*) anastomizzare **B** v. i. (*anat.: di tronchi vasali o nervosi*) essere comunicanti per anastomosi.

anastomosis /ænəstə'məʊsɪs/ n. (pl. **anastomoses**) (*anat., med.*) anastomosi.

anastrophe /ə'næstrəfɪ/ n. (*retor.*) anastrofe.

anathema /ə'næθəmə/ n. 1 (*relig. e fig.*) anatema 2 (*fig.*) cosa o persona aborrita: *A desk job is a. to him*, odia (o aborre) il lavoro d'ufficio.

to **anathematize** /ə'næθəmətaɪz/ v. t. 1 (*relig.*) anatematizzare; colpire con l'anatema 2 scagliare anatemi contro; imprecare contro.

Anatolian /ænə'təʊlɪən/ a. e n. anatolico.

anatomical, **anatomic** /ænə'tɒmɪk(l)/ a. anatomico | **-ly** avv.

anatomist /ə'nætəmɪst/ n. (*anche fig.*) anatomista.

to **anatomize** /ə'nætəmaɪz/ v. t. (*anche fig.*) anatomizzare.

anatomy /ə'nætəmɪ/ n. 1 ▣ (*anche fig.*) anatomia 2 (*fam.*) scheletro 3 (*fam.*) corpo 4 (*fig.*) analisi 5 (*fig.*) struttura.

ANC sigla (*polit.*, **African National Congress**) Assemblea nazionale africana (*Sud Africa*).

ancestor /'ænsɛstə(r)/ n. 1 antenato; avo 2 (*fig.*) antenato; prototipo 3 (*leg.*) ascendente 4 (*biol.*) progenitore.

ancestral /æn'sɛstrəl/ a. ancestrale; atavico; avito.

ancestress /æn'sɛstrɪs/ n. 1 antenata; ava 2 progenitrice.

ancestry /'ænsɛstrɪ/ n. 1 ▣ ascendenza; lignaggio 2 schiatta (*lett.*); razza; stirpe 3 (collett.) antenati; avi.

Anchises /æn'kaɪsiːz/ n. (*letter.*) Anchise.

anchor /'æŋkə(r)/ n. 1 (*naut.*) ancora: *The ship was at a.*, la nave era all'ancora 2 (*tecn.*) (dispositivo di) ancoraggio 3 (*agric., mecc.*) carro ancora 4 (*fig.*) àncora di salvezza 5 (*fig.*) appiglio 6 (*radio, TV*) conduttore, conduttrice (*di trasmissione in diretta,*

che coordina i collegamenti con i vari inviati) ● **a. berth**, posto di fonda; posto di ormeggio □ (*edil.*) **a. block**, blocchetto di fissaggio □ **a. buoy**, boa d'ancoraggio □ (*comm.*) **a. dues**, diritti d'ancoraggio □ **a. light**, fanale di ormeggio □ (*edil.*) **a. plate**, piastra di fissaggio □ **a. stock**, ceppo dell'ancora □ **a. watch**, guardia di porto (*quando la nave è all'ancora*) □ **to cast** (o **to drop**) **a.**, gettar l'ancora; dar fondo; (*fig.*) fermarsi, stabilirsi (*in un luogo*) □ **to come to a.**, mettersi all'ancora, ancorarsi □ **to drag a.**, strascinare l'ancora sul fondo, arare con l'ancora □ **to lie** (o **to ride**) **at a.**, essere all'ancora; essere alla fonda □ **to weigh a.**, levare l'ancora, salpare; (*fig.*) partire, andarsene □ *The a. bites* (o *holds*), l'ancora agguanta □ *The a. drags*, l'ancora ara.

to **anchor** /'æŋkə(r)/ **A** v. t. 1 (*anche fig.*) ancorare, fissare 2 (*radio, TV*) condurre (*una trasmissione in diretta, coordinando i collegamenti con i vari inviati*); essere l' → «anchorman» (*def. 1*) in **B** v. i. 1 (*naut.*) ancorarsi; gettare l'ancora 2 (*fig.*) fermarsi.

anchorage /'æŋkərɪdʒ/ n. 1 (*naut.*) ancoraggio 2 ▣ (*naut. e fig.*) ancoraggio; l'ancorare 3 ▣ (*comm.*) diritti (o tassa) d'ancoraggio 4 (*fig.*) punto d'appoggio; punto fermo; appiglio ● (*comm., naut.*) **a. dues**, diritti d'ancoraggio.

anchoress /'æŋkərɪs/ n. donna che vive da anacoreta.

anchorite /'æŋkəraɪt/, **anchoret** /'æŋkərɛt/ n. anacoreta || **anchoritic**, **anchoretical** a. anacoretico.

anchorman /'æŋkəmən/ n. (pl. **anchormen**) 1 (*radio, TV*) anchorman; conduttore (*di una trasmissione in diretta, che coordina i collegamenti con i vari inviati*) 2 (*sport*) ultimo frazionista 3 (*nel tiro alla fune*) uomo d'ancora **❶ NOTA D'USO** ● *L'uso del termine al plurale per indicare la categoria e quindi entrambi i sessi non è accettato da tutti. Cfr.* **anchor, anchorwoman**.

anchorperson /'æŋkəpɜːsn/ n. → **anchor**, *def. 6*.

anchorwoman /'æŋkəwʊmən/ n. (pl. **anchorwomen**) 1 (*radio, TV*) anchorwoman; conduttrice (*di una trasmissione in diretta, che coordina i collegamenti con i vari inviati*) 2 (*sport*) ultima frazionista.

anchovy /'æntʃəvɪ/ n. (*zool., Engraulis encrasicholus*) acciuga, alice: **a. paste**, pasta d'acciughe.

ancien régime /ɑːnsɪɑːn reɪ'ʒiːm/ loc. n. 1 – (*stor.*) Ancien Régime, ancien régime; le istituzioni della Francia prima della rivoluzione del 1789 2 (*per estens.*) ordine politico o sociale che è stato sostituito da un nuovo sistema più moderno.

♦**ancient** /'eɪnʃənt/ **A** a. 1 antico: **a. history**, storia antica; **a. buildings**, edifici antichi; **the a. world**, il mondo antico; l'antichità classica; **in a. times**, nei tempi antichi 2 (molto) vecchio; vecchissimo; vetusto; decrepito: **an a. bicycle**, una vecchissima bicicletta; **an a. dog**, un cane decrepito; **an a. fur coat**, una pelliccia vetusta **B** n. 1 (*arc.*) vegliardo 2 (al pl., *collett.*) (gli) antichi ● (*leg.*) **a. lights**, diritto alle luci; servitù di luce □ (*Bibbia*) **the A. of Days**, l'Antico dei Giorni (*Dio*) □ (*fam.*) *That's a. history!*, è roba vecchia!; è roba del passato! **❶ NOTA:** *antique o ancient?* → **antique**.

ancillary /æn'sɪlərɪ/ **A** a. 1 subordinato; dipendente 2 ausiliare; collaterale; secondario; sussidiario 3 (*leg.*) accessorio; complementare **B** n. 1 assistente; collaboratore; dipendente; persona di servizio ● (*econ.*) **a. benefit**, indennità aggiuntiva □ (*comput.*) **a. equipment**, apparecchiatura periferica.

ancipital /æn'sɪpɪtl/ a. (*bot.*) ancipite; gladiato.

ancon /'æŋkɒn/ n. (*archit.*) ancona.

♦**and** /ænd, ənd/ cong. **1** e; ed: **men and women**, uomini e donne; **for hours and hours**, per ore e ore; *He stood up and left.* si alzò e uscì; *And now to business!*, e adesso al lavoro! **2** (*nei numeri*) – **one hundred and ten**, centodieci; (*arc.*) **five and thirty**, trentacinque **3** (*mat.*) più: *Seven and three makes ten*, sette più tre fa dieci **4** (idiom.) – **more and more**, sempre più; **worse and worse**, sempre peggio; **better and better**, sempre meglio; *We waited and waited*, aspettammo non so quanto; *Let's go and ask*, andiamo a chiedere; *Try and come tomorrow*, cerca di venire domani; (*fam.*) **nice and warm**, bello caldo ● (*fam. USA*) **And how!**, eccome!; altroché! □ **and/or**, e/o; o... o..., o entrambi: *We accept money and/or goods in payment*, accettiamo in pagamento o denaro o merci, o entrambi □ **and so on**, e così via; eccetera.

AND /ænd/ n. (elettron., comput.) AND (*operatore booleano*): **AND operation**, operazione AND; **AND gate** (*o* **circuit**), porta (*o* circuito) AND.

Andalusian /ændə'lu:zɪən/ a. e n. andaluso.

andalusite /ændə'lu:saɪt/ n. ▣ (*miner.*) andalusite.

andante /æn'dæntɪ/ (*ital.*) n. (*mus.*) andante.

Andean /æn'di:ən/ a. (*geogr.*) andino.

andesite /'ændɪzaɪt/ n. ▣ (*geol.*) andesite.

Andes (the) /'ændi:z/ n. pl. (*geogr.*) le Ande.

andiron /'ændaɪən/ n. alare (*da camino*).

Andrew /'ændru:/ n. Andrea.

androcentric /ændrəʊ'sɛntrɪk/ a. androcentrico || **androcentrism** n. androcentrismo.

androecium /æn'dri:sɪəm/ n. (pl. *androecia*) (*bot.*) androceo.

androgen /'ændrədʒən/ n. (*biochim.*) (*ormone*) androgeno || **androgenic** a. androgeno.

androgenesis /ændrəʊ'dʒɛnəsɪs/ (*biochim.*) n. androgenesi || **androgenetic** a. androgenetico.

androgyne /'ændrədʒaɪn/ n. androgino.

androgynous /æn'drɒdʒənəs/ (*anche bot.*) a. androgino || **androgyny** n. ▣ androginia.

android /'ændrɔɪd/ n. androide (*automa*).

andrology /æn'drɒlədʒɪ/ n. ▣ (*med.*) andrologia.

Andromache /æn'drɒməkɪ/ n. (*letter.*) Andromaca.

Andronicus /æn'drɒnɪkəs/ n. (*letter.*) Andronico.

andropause /'ændrəpɔːz/ n. (*fisiol.*) andropausa || **andropausal** a. relativo all'andropausa, andropausale.

androphobia /ændrə'fəʊbɪə/ (*psic.*) n. ▣ androfobia.

androsterone /æn'drɒstərəʊn/ n. (*biochim.*) androsterone.

anecdotage /'ænɪkdəʊtɪdʒ/ n. ▣ **1** aneddotica **2** (*scherz.*) loquace età senile; garrula vecchiaia.

anecdote /'ænɪkdəʊt/ n. aneddoto || **anecdotal** a. **1** aneddotico **2** ricco di aneddoti **3** (*di testimonianza, resoconto, ecc.*) non confermato || **anecdotic, anecdotical** a. → **anecdotal**, def. 1 || **anecdotist** n. aneddotista.

anelectric /ænɪ'lɛktrɪk/ a. (*fis.*) anelettrico.

anemia /ə'ni:mɪə/ e deriv. (*USA*) → **anaemia**, e deriv.

anemograph /ə'ni:məgrɑ:f/ (*meteor.*) n. anemografo.

---

anemometer /ænɪ'mɒmɪtə(r)/ (*meteor.*) n. anemometro || **anemometry** n. ▣ anemometria.

anemone /ə'nɛmənɪ/ n. (*bot., Anemone*) anemone ● (*zool.*) **sea a.** (*Actiniaria*), anemone di mare; attinia.

anemophilous /ænɪ'mɒfələs/ (*bot.*) a. anemofilo || **anemophily** n. ▣ anemofilia.

anemoscope /'ænɪməskəʊp/ n. (*meteor.*) anemoscopio.

anent /ə'nɛnt/ prep. (*arc., scozz.*) riguardo a; circa.

aneroid /'ænərɔɪd/ a. (*fis.*) aneroide: **a. barometer**, barometro aneroide.

anesthesia /ænəs'θi:zɪə/ e deriv. (*USA*) → **anaesthesia**, e deriv.

aneurin /'ænjʊərɪn/ n. (*biochim.*) aneurina.

aneurism, aneurysm /'ænjʊərɪzəm/ (*med.*) n. aneurisma || **aneurismal, aneurysmal** a. aneurismatico.

anew /ə'nju:/ avv. **1** di nuovo; da capo: **to begin a.**, ricominciare da capo **2** in modo nuovo (*o* diverso).

anfractuous /æn'fræktʃʊəs/ a. anfrattuoso || **anfractuosity** n. anfrattuosità.

angary /'æŋgərɪ/ n. ▣ (*leg., naut.*) angaria; angheria.

angel /'eɪndʒəl/ n. **1** (*relig.*) angelo: **the a. of Death**, l'angelo della morte; **guardian a.**, angelo custode **2** (*fig.*) angelo; tesoro: *That girl is an a.!*, quella ragazza è un angelo!; *Be an a. and get me my glasses!*, sii gentile, portami gli occhiali! **3** (*fam.*) finanziatore (*di uno spettacolo, di un'impresa, ecc.*) **4** (*stor.*, = **a.-noble**) angelo (*antica moneta d'oro ingl. sulla quale figurava l'arcangelo Michele*) **5** (*slang USA*) omosessuale **6** (*slang USA*) vittima ricca (*di imbroglione, ecc.*); ricco pollo ● (*cucina*) **a. cake** (*USA*: **a.-food cake**), pandispagna □ (*slang USA*) **a. dust**, PCP; fenciclidina □ (*cucina*) (**o a.'s**) **hair**, capelli d'angelo □ (*iron.*) **the a. in the house**, l'angelo del focolare □ **a.-like**, angelico □ **a. of mercy**, angelo di misericordia; persona misericordiosa □ (*zool.*) **a. shark** (*S. squatina*), angelo di mare; squadro □ (*cucina, GB*) **angels on horseback**, ostriche avvolte nella pancetta e servite su un toast (*come aperitivo*) □ (*fam.*) **on the side of the angels**, schierato dalla parte giusta; nel giusto.

Angeleno /ændʒə'li:nəʊ/ n. abitante (*o* nativo) di Los Angeles.

angelfish /'eɪndʒəlfɪʃ/ n. (pl. *angelfish* o *angelfishes*) (*zool.*) chetodonte.

angelic /æn'dʒɛlɪk/, **angelical** /æn'dʒɛlɪkə/ a. angelico.

angelica /æn'dʒɛlɪkə/ n. (*bot., Angelica*) angelica.

Angeline /'ændʒəli:n/ n. Angelina.

Angelus /'ændʒələs/ n. ▣ (*relig.*) angelus.

♦**anger** /'æŋgə(r)/ n. collera; ira; rabbia.

to anger /'æŋgə(r)/ v. t. mandare in collera; far infuriare; far adirare: *I was angered by his indifference*, la sua indifferenza mi fece infuriare; **to be easily angered**, infuriarsi facilmente; essere collerico || **angered** a. adirato; infuriato; furioso.

Angevin /'ændʒəvɪn/ a. e n. (*stor.*) angioino.

angina /æn'dʒaɪnə/ n. (*med.*, = **a. pectoris**) angina.

angiogenesis /ændʒɪəʊ'dʒɛnəsɪs/ n. (pl. *angiogeneses*) ▣ (*fisiol.*) angiogenesi.

angiography /ændʒɪ'ɒgrəfɪ/ n. ▣ (*med.*) angiografia.

angiology /ændʒɪ'ɒlədʒɪ/ (*med.*) n. ▣ angiologia || **angiologist** n. angiologo.

angioma /ændʒɪ'əʊmə/ n. (pl. *angiomas*, *angiomata*) (*med.*) angioma.

angiosperms /ændʒɪəʊ'spɜ:mz/ n. pl.

(*bot., Angiospermae*) angiosperme.

Angl. abbr. (**Anglican**) anglicano.

♦**angle** /'æŋgl/ n. **1** (*geom.*) angolo: **acute a.**, angolo acuto; **right a.**, angolo retto; **to be at an a. with**, formare un angolo con; essere inclinato (*o* obliquo) rispetto a **2** angolatura; angolazione **3** punto di vista; prospettiva; angolazione; aspetto: **to consider st. from all angles**, considerare qc. da tutti i punti di vista; **from this a.**, da questa prospettiva; sotto questo profilo **4** taglio; angolatura; chiave di lettura; interpretazione: **to put an a. on a story**, dare un certo taglio a un articolo; *What's your a. on it?*, tu come lo interpreti?; tu come la vedi? **5** (*fam.*) interesse personale; motivo egoistico; tornaconto **6** ▣ (*sport*) angolazione ● **a. bracket**, mensola (*di sostegno: a «elle»*); (*tipogr.*) parentesi uncinata □ (*edil.*) **a. iron**, ferro a L; angolare; cantonale □ (*aeron.*) **a. of attack**, angolo d'incidenza □ (*aeron.*) **a. of descent**, angolo di planata □ (*ottica*) **a. of incidence**, angolo d'incidenza □ (*fis.*) **a. of refraction**, angolo di rifrazione □ (*ottica*) **a. of view**, angolo visuale □ (*cinem.*) **camera a.**, angolo di campo □ **from all angles**, da ogni parte □ (*slang USA*) **to play all the angles**, giocare tutte le carte che si hanno in mano (*fig.*).

to angle① /'æŋgl/ Ⓐ v. t. **1** disporre ad angolo (*o* di traverso); dare una certa inclinazione a; orientare: **to a. a chair**, disporre una sedia ad angolo **2** presentare in modo tendenzioso; dare una certa angolazione a **3** (*sport*) angolare: **to a. a ball**, angolare una palla (*o* un pallone) Ⓑ v. i. essere inclinato; piegare: **to a. down**, essere inclinato verso il basso; cadere di traverso; *The path angled into the wood*, il sentiero piegava nel bosco.

to angle② /'æŋgl/ v. i. **1** pescare (con la lenza): **to a. for trout**, pescare trote **2** (*fig.*, = **to a. for**), cercare di ottenere; andare a caccia di: **to a. for compliments**, cercare i complimenti || **angling** n. ▣ pesca con la lenza.

angled /'æŋgld/ a. **1** ad angoli; angolato **2** angoloso **3** (*sport, arald.*) angolato.

angler /'æŋglə(r)/ n. **1** pescatore con la lenza; cannista **2** (*fig.*) chi tende l'amo (*chi cerca di ottenere qc. con l'astuzia*) **3** (*zool., Lophius piscatorius*) rana pescatrice; lofio.

Angles /'æŋglz/ n. pl. (*stor.*) angli.

anglesite /'æŋglsaɪt/ n. (*miner.*) anglesite.

angleworm /'æŋglwɜ:m/ n. lombrico (*verme da esca*).

Anglian /'æŋglɪən/ Ⓐ a. anglico Ⓑ n. **1** anglo **2** ▣ anglico (*la lingua*).

Anglican /'æŋglɪkən/ (*relig.*) a. e n. anglicano || **Anglicanism** n. ▣ anglicanesimo.

Anglicism /'æŋglɪsɪzəm/ n. **1** anglicismo; anglismo; inglesismo **2** tratto (*o* caratteristica) inglese **3** abitudine (*o* usanza) inglese **4** ▣ = **Anglophilia** → **Anglophile** || **Anglicist** n. anglista.

to anglicize /'æŋglɪsaɪz/ v. t. anglicizzare.

Anglo /'æŋgləʊ/ n. (pl. *Anglos*) (*fam.*) **1** inglese; anglosassone **2** (*USA, spreg.*) bianco d'origine non latina **3** (*sport, GB*) giocatore della nazionale scozzese, gallese o irlandese che gioca per una squadra inglese.

Anglo-American /æŋgləʊə'mɛrɪkən/ Ⓐ a. angloamericano Ⓑ n. americano di origine inglese.

Anglo-Catholic /æŋgləʊ'kæθəlɪk/ n. (*relig.*) anglicano che simpatizza per la Chiesa cattolica (*pur senza convertirsi*).

Anglo-French /æŋgləʊ'frɛntʃ/ Ⓐ a. anglofrancese Ⓑ n. anglofrancese, franconormanno (*la lingua della corte e della giustizia inglesi fin verso il 1400*).

a

Anglo-Indian /æŋgləʊ'ɪndɪən/ a. e n. angloindiano.

Anglo-Irish /æŋgləʊ'aɪərɪʃ/ a. e n. angloirlandese ● (collett.) **the Anglo-Irish**, gli angloirlandesi.

Anglomania /æŋgləʊ'meɪnɪə/ n. ▣ anglomania || **Anglomaniac** n. anglomane.

Anglo-Norman /æŋgləʊ'nɔːmən/ a. e n. (stor., GB) **1** anglonormanno **2** (ling.) = **Norman French → Norman**.

Anglophile /'æŋgləʊfaɪl, -fɪl/ n. anglofilo || **Anglophilia** n. ▣ anglofilia || **Anglophilic** a. anglofilo.

Anglophobe /'æŋgləʊfəʊb/ n. anglofobo || **Anglophobia** n. ▣ anglofobia || **Anglophobic** a. anglofobo.

anglophone /'æŋgləʊfəʊn/ n. e a. anglofono.

Anglo-Saxon /æŋgləʊ'sæksn/ **A** a. e n. anglosassone (anche la lingua) **B** n. ▣ (fam.) linguaggio volgare (perché le parole volgari sono in genere monosillabi di origine anglosassone) ❶ **CULTURA** ● **Anglo-Saxon**: detto anche **Old English** (antico inglese), è la lingua che si sviluppò in Inghilterra in seguito alle invasioni degli angli e dei sassoni, due popoli distinti, che invasero l'Inghilterra e vi si stabilirono tra la fine del IV e l'inizio del VII secolo d.C. Pur essendo ormai pressoché incomprensibile ai parlanti inglesi, l'anglosassone è tuttavia alla base dell'inglese moderno: sono di origine antico-inglese molte parole fondamentali, come **father**, **bread**, o **water**, e molti termini legati ai toponimi, come **grove**, **bridge**, **town**, o **ham**.

Angolan /æŋ'gəʊlən/ a. e n. angolano.

angora /æŋ'gɔːrə/ n. ▣ angora; tessuto di lana d'angora ● **an a. sweater**, un maglione di lana d'angora.

Angora /æŋ'gɔːrə/ n. **1** (geogr., un tempo) Angora **2** (= **A. cat**) gatto d'Angora **3** (= **A. goat**) capra d'Angora **4** (= **A. rabbit**) coniglio d'Angora.

angostura /æŋgə'stjʊərə/ n. (bot., Cusparia officinalis) angostura.

♦**angry** /'æŋgrɪ/ a. **1** arrabbiato; in collera; adirato: **a. at** (o **about**) **st.**, arrabbiato per qc.; **a. with sb.**, arrabbiato (o in collera) con q.; **to get a.**, arrabbiarsi; andare in collera; **to make sb. a.**, far arrabbiare q.; far andare in collera q. **2** (di voce, ecc.) iroso; rabbioso **3** (del mare, ecc.) burrascoso; tempestoso; (del cielo) cupo, minaccioso **4** (di ferita, ecc.) infiammato ● **a. young man**, giovane contestatore □ (letter. ingl.) **the A. Young Men**, i giovani arrabbiati (gruppo di romanzieri e autori di teatro degli anni Cinquanta, critici dell' → «Establishment», def. 6) || **angrily** avv. irosamente; rabbiosamente; con rabbia.

angst /æŋst/ (ted.) n. ▣ (psic.) angoscia.

angstrom /'æŋstrəm/ n. (fis.) ångström.

anguine /'æŋgwɪn/ a. anguineo (lett.); serpentino.

anguish /'æŋgwɪʃ/ n. ▣ angoscia; angustia; tormento.

anguished /'æŋgwɪʃt/ a. **1** angosciato; angustiato **2** angoscioso; d'angoscia: **an a. cry**, un grido d'angoscia.

angular /'æŋgjʊlə(r)/ a. **1** (scient.) angolare: (mat., naut.) **a. distance**, distanza angolare; (mecc.) **a. velocity**, velocità angolare **2** angoloso (anche fig.); legnoso; spigoloso || **angularity** n. ▣ angolarità **2** angolosità (anche fig.); spigolosità.

angulate /'æŋgjʊleɪt/ a. angolato; (fatto) ad angoli; spigoloso.

angulation /æŋgjʊ'leɪʃn/ n. ▣ **1** (anche scherma, sci, ecc.) angolazione **2** misurazione degli angoli.

anharmonic /ænhɑː'mɒnɪk/ a. (scient.) anarmonico: (fis.) **a. oscillator**, oscillatore anarmonico.

anhydride /æn'haɪdraɪd/ n. ▣ (chim.) anidride.

anhydrite /æn'haɪdraɪt/ n. ▣ (miner.) anidrite.

anhydrous /æn'haɪdrəs/ a. (chim.) anidro.

anil /'ænɪl/ n. **1** (bot., Indigofera anil) anile **2** ▣ indaco (colore).

anile /'eɪnaɪl/ (detto di donna) a. senile; rimbambita || **anility** n. ▣ senilità; rimbambimento.

aniline /'ænɪliːn/ n. ▣ (chim.) anilina ● a. **dye**, colorante d'anilina.

animadversion /ænɪmæd'vɜːʃn/ n. **1** ▣ animadversione; posizione critica **2** rimprovero; biasimo; riprovazione.

to **animadvert** /ænɪmæd'vɜːt/ v. i. – **to a. on st.**, fare critiche a qc.; criticare qc.; (anche) fare osservazioni su qc.

♦**animal** /'ænɪml/ **A** a. **1** animale; degli animali; per animali; zoo- (pref.): **a. fats**, grassi animali; **a. behaviour**, comportamento degli animali; **a. lover**, amante degli animali; **a. testing**, esperimenti (o test) su animali **2** (spreg.) animalesco **B** n. **1** animale; bestia **2** mammifero ● (USA, leg.) **a. companion**, animale da compagnia □ **a. courage**, coraggio fisico □ **a. feed stuffs**, alimenti per animali (domestici) □ **a. husbandry**, allevamento degli animali; zootecnia □ (in GB) **a. liberation**, salvaguardia degli animali da sfruttamento o trattamento crudele □ **a. liberationist**, animalista □ **a. magnetism**, (fam. scherz.) sex appeal, attrazione fisica; (arc.) mesmerismo □ **a. rights**, i diritti degli animali □ **a.-rights activist** (o **campaigner**, **supporter**), animalista □ **a.-rights movement**, animalismo □ **a. spirits**, vivacità; esuberanza; (econ.) 'umore del pubblico' ❶ **CULTURA** ● **animal spirits**: termine coniato da John Maynard Keynes per indicare il clima di irrazionale fiducia o sfiducia che prevale in un dato mercato o sistema economico, condizionando l'esito delle politiche economiche □ **a completely different a.**, una cosa (o persona) del tutto diversa □ **There's no such a.**, non esiste nulla del genere.

animalcule /ænɪ'mælkjuːl/ n. microrganismo; microbo || **animalcular** a. microbico.

animalism /'ænɪməlɪzəm/ n. ▣ **1** animalità **2** sensualità **3** (filos.) animalismo.

animalist /'ænɪməlɪst/ (arte, filos.) n. animalista || **animalistic** a. animalistico.

animality /ænɪ'mælətɪ/ n. ▣ **1** animalità **2** regno animale.

animalization /ænɪməlaɪ'zeɪʃn, USA -lɪ'z-/ n. ▣ **1** (biol.) trasformazione in sostanza organica animale **2** abbrutimento.

to **animalize** /'ænɪməlaɪz/ v. t. **1** (biol.) trasformare in sostanza organica animale **2** abbrutire **3** (arte) rappresentare con attributi animali.

animate /'ænɪmət/ a. **1** animato; vivente **2** (fig.) animato; vivace.

to **animate** /'ænɪmeɪt/ v. t. **1** animare; movimentare **2** (fig.) incitare; incoraggiare; stimolare **3** (cinem.) animare.

animated /'ænɪmeɪtɪd/ a. **1** animato; movimentato; vivace: **an a. discussion**, una discussione animata; **an a. scene**, una scena movimentata; **to become a.**, animarsi **2** (cinem.) animato; di animazione: **a. cartoons**, cartoni animati; **a. feature film**, film di animazione **3** (comput.) animato: **a. gif**, gif animata.

animation /ænɪ'meɪʃn/ n. ▣ **1** animazione; vivacità; calore **2** (cinem., comput.) animazione: The a. was really amazing, l'animazione era davvero straordinaria.

animator /'ænɪmeɪtə(r)/ n. **1** animatore; intrattenitore **2** (cinem.) animatore.

anime /'ænɪmeɪ/ (giapponese) (abbr. di **animation**) n. **1** ▣ anime; cartoni animati di produzione giapponese **2** (anche **a. cartoon**) anime; cartone animato giapponese.

animism /'ænɪmɪzəm/ (filos.) n. ▣ animismo || **animist** n. animista || **animistic** a. animistico.

animosity /ænɪ'mɒsətɪ/ n. ▣ animosità; malanimo.

animus /'ænɪməs/ n. ▣ **1** animosità; malanimo **2** animus; intenzione **3** (psic.) animus.

anion /'ænaɪən/ (chim., fis.) n. anione || **anionic** a. anionico.

anise /'ænɪs/ n. (pl. **anises**, **anise**) (bot., Pimpinella anisum) anice (la pianta e il seme).

aniseed /'ænɪsiːd/ n. ▣ semi di anice.

anisette /ænɪ'zet/ n. ▣ anisetta (liquore).

anisotropic /ænaɪsə'trɒpɪk/ (fis., miner.) a. anisotropo || **anisotropy** n. ▣ anisotropia.

ankle /'æŋkl/ n. (anat.) caviglia: Do you think his a. is broken or just swollen?, credede che la caviglia sia rotta o che sia solo gonfia? ● (anat.) **a. bone**, astragalo □ **a.-deep**, che arriva alle caviglie □ **a. socks**, calzini corti □ **a. support**, cavigliera.

anklet /'æŋklət/ n. **1** ornamento (anello, catenella, ecc.) che si porta alla caviglia **2** cavigliera **3** (USA) calzino corto.

ankylosaur /æŋkɪləʊ'sɔː(r)/ n. (paleont.) anchilosauro.

to **ankylose** /'æŋkɪləʊz/ (med.) v. t. e i. anchilosare, anchilosarsi || **ankylosed** a. anchilosato.

ankylosis /æŋkɪ'ləʊsɪs/ n. ▣◻ (pl. **ankyloses**) (med.) anchilosi.

ankylostomiasis /æŋkɪlɒstə'maɪəsɪs/ n. ▣ (med.) anchilostomiasi.

Ann /æn/ n. Anna.

ann. abbr. **1** (**annals**) annali **2** (**annual**) annuale **3** (**annuity**) annualità.

anna /'ænə/ n. anna (moneta indiana non più in uso; valeva un sedicesimo di rupia).

Annabel, **Annabelle** /'ænəbel/, **Annabella** /ænə'belə/ n. Annabella.

annalist /'ænəlɪst/ n. annalista || **annalistic** a. annalistico.

annals /'ænlz/ n. pl. annali; cronache.

Anne /æn/ n. Anna.

to **anneal** /ə'niːl/ v. t. **1** ricuocere (vetri, metalli) **2** (fig.) fortificare; temprare.

annealing /ə'niːlɪŋ/ n. ▣ (metall.) ricottura ● (tecn.) **a. furnace** (o **oven**), forno di ricottura.

annelid /ə'nelɪdz/ n. pl. (zool.) anellide.

Annette /ə'net/ n. Annetta.

annex /'æneks/ (USA) → **annexe**.

to **annex** /ə'neks/ v. t. **1** (polit.) annettere **2** aggiungere **3** allegare; accludere: **to a. a clause**, allegare una clausola **4** (scherz.) prendere; appropriarsi di; portare via; rubare || **annexation** n. ▣◻ (polit.) annessione || **annexationist** n. (polit.) annessionista.

annexe /'æneks/ n. **1** (edificio) annesso; dipendenza (di un albergo, ecc.); dépendance (franc.) **2** allegato (a un documento).

to **annihilate** /ə'naɪəleɪt/ **A** v. t. **1** annientare; eliminare; cancellare; spazzar via **2** sconfiggere; sgominare **B** v. i. annientarsi; annullarsi.

annihilation /ənaɪə'leɪʃn/ n. ▣ **1** annientamento **2** sconfitta totale **3** (fis.) annichilazione.

annihilator /ə'naɪəleɪtə(r)/ n. annientatore.

♦**anniversary** /ænɪ'vɜːsərɪ/ n. e a. anniversario.

Anno Domini /'ænəʊ'dɒmɪnaɪ/ (lat.) **A**

loc. avv. (*di solito*, **A.D.**) dopo Cristo **B** loc. n. (*scherz.*) l'età; la vecchiaia.

to annotate /'ænəteɪt/ v. t. annotare; chiosare; commentare.

annotation /ænəˈteɪʃn/ n. ⓊⒸ annotazione; nota; chiosa.

annotator /'ænəteɪtə(r)/ n. annotatore; commentatore; chiosatore.

♦**to announce** /ə'naʊns/ **A** v. t. annunciare **B** v. i. 1 (*radio*, *TV*) fare l'annunciatore 2 (*in USA*) annunciare la propria candidatura (*alla Presidenza, ecc.*).

♦**announcement** /ə'naʊnsmənt/ n. 1 Ⓤ annuncio; comunicazione: **to make an a.**, dare un annuncio; annunciare 2 annuncio (*scritto*); avviso 3 dichiarazione ufficiale; comunicato; annuncio; proclama.

announcer /ə'naʊnsə(r)/ n. annunciatore (*spec. della radio e TV*).

♦**to annoy** /ə'nɔɪ/ v. t. seccare; irritare; dar noia a; infastidire; importunare; molestare.

annoyance /ə'nɔɪəns/ n. ⒸⓊ seccatura; molestia; disturbo; fastidio.

annoyed /ə'nɔɪd/ a. seccato; irritato; contrariato; infastidito: **to be a. at st.**, essere seccato per qc.

annoyer /ə'nɔɪə(r)/ n. persona fastidiosa; seccatore.

annoying /ə'nɔɪɪŋ/ a. irritante; seccante; molesto; fastidioso.

♦**annual** /'ænjʊəl/ **A** a. annuo; annuale: **a. festival**, festival annuale; **a. income**, (*econ.*) reddito annuo; (*fin.*) rendimento annuo; **a. report**, relazione annuale del bilancio; **a. salary**, stipendio annuo **B** n. 1 (*bot.*) pianta annua 2 annuario ● **a. general meeting** (abbr. **AGM**), assemblea generale degli azionisti; assemblea ordinaria □ (*fisc., in GB*) **a. return**, modulo di dichiarazione dei redditi □ (*bot.*) **a. ring**, anello di crescita ‖ **annually** avv. annualmente.

annuation /ænjʊ'eɪʃn/ n. Ⓤ 1 (*biol.*) variazione annua 2 (*ecol.*) osservazione annuale.

annuitant /ə'njuːɪtənt/ n. 1 beneficiario di una rendita annua (*o di un vitalizio*); vitaliziato 2 chi vive di rendita.

annuity /ə'njuːɪtɪ/ n. 1 (*fin.*) annualità 2 rendita annua ● (*fin.*) **a. bond**, cartella (*o* certificato) di rendita □ (*ass.*) **a. premium**, premio di vitalizio □ **a. unit**, rata di vitalizio □ **life a.**, vitalizio.

to annul /ə'nʌl/ v. t. annullare; revocare; rescindere; invalidare (*un risultato, ecc.*) ● (*leg.*) **to a. a contract**, risolvere un contratto □ (*leg.*) **to a. a judgment**, cassare una sentenza.

annular /'ænjʊlə(r)/ a. anulare: (*astron.*) **a. eclipse**, eclissi anulare.

annulate /'ænjʊlət/, **annulated** /'ænjʊleɪt(ɪd)/ a. inanellato; ad anelli ‖ **annulation** n. Ⓤ 1 formazione di anelli 2 struttura anulare.

annulet /'ænjʊlət/ n. 1 anellino; anelluccio 2 (*archit.*) collarino.

annullable /ə'nʌləbl/ a. annullabile; rescindibile; risolvibile; invalidabile.

annulment /ə'nʌlmənt/ n. Ⓤ annullamento (*anche di un matrimonio*); rescissione, risoluzione, invalidazione (*di un contratto*).

annum /'ænəm/ (*lat.*) n. - solo nella loc. avv.: **per a.**, all'anno: **salary: £30,000 per a.**, stipendio: 30 000 sterline all'anno.

to annunciate /ə'nʌnʃɪeɪt/ v. t. (*arc.*) proclamare; annunciare.

annunciation /ənʌnsɪ'eɪʃn/ n. annunciazione; annuncio ● (*relig.*) **the A.**, l'Annunciazione.

annunciator /ə'nʌnʃɪeɪtə(r)/ n. 1 annunciatore 2 segnalatore, avvisatore (*delle chiamate: in alberghi, uffici, ecc.*) 3 (*fis.*) qua-

dro di segnalazione (*spec. di ferrovia*).

anode /'ænəʊd/ n. 1 (*elettr.*) anodo 2 (*elettron.*) anodo; placca ‖ **anodic** a. anodico ● **anodic coating**, rivestimento anodico.

to anodise /'ænədaɪz/ e *deriv.* → **to anodize**, e *deriv.*

to anodize /'ænədaɪz/ (*chim.*) v. t. anodizzare ‖ **anodizer** n. anodizzatore ‖ **anodizing** **A** a. anodizzante **B** n. Ⓤ anodizzazione.

anodyne /'ænədaɪn/ **A** a. anodino **B** n. 1 medicamento anodino; calmante 2 (*fig.*) conforto; sollievo.

to anoint /ə'nɔɪnt/ v. t. ungere (*un sacerdote, un re*); consacrare ● **the anointed of God**, l'unto del Signore; il sovrano per diritto divino □ (*relig.*) **the Lord's Anointed**, l'Unto del Signore; Cristo.

anointing /ə'nɔɪntɪŋ/ n. Ⓤ unzione ● (*relig.*) **A. of the Sick**, estrema unzione; olio santo (*fam.*).

anointment /ə'nɔɪntmənt/ n. Ⓤ unzione; consacrazione.

anole /'ænəʊl/ n. (*zool., Anolis*) anolide.

anomalism /ə'nɒmlɪzəm/ n. Ⓤ 1 l'essere anomalo 2 anomalia.

anomalistic /ənɒmə'lɪstɪk/ a. (*astron.*) anomalistico.

anomalous /ə'nɒmələs/ a. anomalo; irregolare ● (*ottica*) **a. dispersion**, dispersione anomala □ (*fis., chim.*) **a. water**, acqua anomala | **-ly** avv. | **-ness** n. Ⓤ.

anomaly /ə'nɒmlɪ/ n. anomalia; irregolarità.

anomia /ə'nəʊmɪə/ n. (*med.*) anomia.

anomic /æ'nɒmɪk/ a. (*sociol. e stat.*) anomico ● (*med.*) **a. aphasia**, afasia anomica.

anomie /'ænəmɪ/ n. Ⓤ (*sociol. e stat.*) anomia.

anomy /'ænəmɪ/ n. (*sociol. e stat.*) anomia.

anon /ə'nɒn/ avv. (*arc.*) presto; tra poco; tra breve: '*Ah, half the hour is past! 'twill all be past a.!*' C. Marlowe, 'ah, mezz'ora è già passata, e presto sarà passata tutta!' ● **ever and a.**, di tanto in tanto.

anon. /ə'nɒn/ abbr. (**anonymous**) anonimo.

anonym /'ænənɪm/ n. 1 anonimo 2 (*raro*) pseudonimo.

anonymity /ænə'nɪmətɪ/ n. Ⓤ anonimia; anonimato.

anonymous /ə'nɒnɪməs/ a. 1 (*anche fig.*) anonimo 2 (*comput.*) anonimo: **a. access**, accesso anonimo (*a un servizio*); accesso senza autenticazione; **a. ftp**, ftp anonimo | **-ly** avv. | **-ness** n. Ⓤ.

anopheles /ə'nɒfɪliːz/ n. (inv. al pl.) (*zool., Anopheles*) anofele.

anorak /'ænəræk/ n. 1 (*moda*) giacca a vento (*con cappuccio*); eskimo 2 (*fam., spreg.*) individuo che coltiva un hobby solitario e ossessivo; tipo goffo e introverso.

anorexia /ænə'rɛksɪə/ (*med.*) n. Ⓤ anoressia ‖ **anorexiant** a. e n. anoressante.

anorexic /ænə'rɛksɪk/ a. e n. anoressico.

anosmia /ə'nɒsmɪə/ n. Ⓤ (*med.*) anosmia.

♦**another** /ə'nʌðə(r)/ a. e pron. 1 un altro: *I'll do it a. time*, lo farò un'altra volta; *Give me a.*, dammene un altro 2 un secondo; un nuovo: *It's going to be a. Vietnam*, sarà un secondo Vietnam 3 (con sost. pl.) altri, altre; in più; ancora: **a. twenty pounds**, altre venti sterline; *I waited a. ten minutes*, aspettai ancora dieci minuti □ (*polit., in GB*) **a. place**, l'altra Camera (*i Comuni o i Lord*) □ **one a.** → **one** □ **one way or a.**, in un modo o nell'altro □ **quite a. matter**, tutt'altra faccenda □ **taken one with a.**, alla rinfusa (*idiom.*) «**You are a liar!**» «**You're a.!**», «Sei un bugiardo!» «Anche tu!».

A.N. Other /eɪɛn'ʌθə(r)/ n. (*sport*) nominativo da stabilire (*in una lista di atleti o giocatori*).

ANOVA /ə'nəʊvə/ sigla (*stat.*, **analysis of variance**) analisi della varianza.

anoxia /æn'ɒksɪə/ (*tecn. e med.*) n. anossia ‖ **anoxic** a. anossico.

ANPR sigla (**Automatic Number Plate Recognition**) ANPR; riconoscimento automatico delle targhe dei veicoli.

Ansaphone® /'ɑːnsəfəʊn/ n. segreteria telefonica.

Anselm /'ænsɛlm/ n. Anselmo.

anserine /'ænsəraɪn/ a. 1 anserino (*d'oca o simile a oca*) 2 (*fig.*) sciocco; stupido 3 (*med.*) anserino.

ANSI sigla (**American National Standards Institute**) Istituto nazionale americano per la normalizzazione (*cfr. ital. «UNI»*).

♦**answer** /'ɑːnsə(r)/ n. 1 risposta; riscontro (*bur.*): **to give no a.**, non rispondere; **to get no a.**, non avere risposta; non avere riscontro; **to have no a.**, non saper rispondere; non avere una risposta da dare; **in a. to your letter**, in risposta (*bur.: in seguito*) alla vostra lettera 2 (*leg.*) comparsa di risposta; difesa (*nelle cause di divorzio*) 3 (*mat.*) soluzione 4 (*fig.*) risposta; rimedio; soluzione: **an a. to unemployment**, una risposta alla disoccupazione ● **Italy's a. to Disneyland**, la Disneyland italiana □ **to have an a. for everything**, avere la risposta sempre pronta □ (*fig.*) **to know all the answers**, saperla lunga.

♦**to answer** /'ɑːnsə(r)/ **A** v. t. 1 rispondere a: **to a. a letter [a question, a criticism]**, rispondere a una lettera [a una domanda, a una critica]; **to a. the phone [the bell]**, rispondere al telefono [al campanello]; **to a. the door**, andare ad aprire (la porta); *I'll a. the door, that'll be James*, vado io ad aprire, sarà James; *A. me!*, rispondimi!; *He refused to a.*, si rifiutò di rispondere; *She answered with a smile*, rispose con un sorriso 2 soddisfare; rispondere a; servire a: **to a. a need**, rispondere a un bisogno; **to a. a purpose**, rispondere (*o servire*) a uno scopo 3 (*di strumento, ecc.*) obbedire a; rispondere a: **to a. the helm**, rispondere al timone **B** v. i. servire (allo scopo); andare bene: *This bit of wire will a.*, questo pezzetto di fil di ferro andrà bene ● **to a. the call**, rispondere all'appello □ (*leg.*) **to a. a charge**, rispondere a un'accusa □ **to a. a description**, corrispondere a una descrizione □ **to a. a prayer**, esaudire una preghiera □ (*leg.*) **to a. a summons**, comparire in giudizio.

■ **answer back** v. i. + avv. 1 rispondere (con impertinenza) (*a un rimprovero*) 2 ribattere; controbattere.

■ **answer for** v. i. + prep. 1 rispondere di; rendere conto di; essere responsabile di: **to a. for one's actions**, rispondere delle proprie azioni; *I won't a. for the consequences*, non rispondo delle conseguenze; *You'll a. for it!*, sarai tu il responsabile!; la pagherai!; *He's got a lot to a. for*, è responsabile (*o* deve rendere conto) di molte cose 2 rispondere di; farsi garante di: *I cannot a. for his honesty*, non rispondo della sua onestà.

■ **answer to** v. i. + prep. 1 (*di strumento, ecc.*) obbedire a; rispondere a 2 essere responsabile verso; rispondere a: **I a. only to the director**, rispondo solo al direttore 3 fare i conti con; vedersela con: **You'll have me to a. to!**, te la vedrai con me! □ **to a. to a description**, corrispondere a una descrizione □ **to a. to the name of**, rispondere al nome di; chiamarsi.

♦**answerable** /'ɑːnsərəbl/ a. 1 che deve rendere conto (a); che risponde (a); responsabile (verso): *I'm a. to no one*, non devo render conto a nessuno; *He's only a. to Par-*

liament, deve rispondere del suo operato solo al Parlamento **2** che risponde (di); responsabile (di); garante (di): **to be a. for st.**, rispondere di qc.; essere responsabile di qc. **3** cui si può rispondere; che si può contro-battere || **answerability** n. ▣ (*leg.*) responsabilità.

answerback /'ɑ:nsəbæk/ n. (*comput.*) risposta (*di un terminale*); autorisposta.

answering /'ɑ:nsərɪŋ/ a. di risposta; in risposta: **an a. shout**, un grido di risposta ● **a. machine**, segreteria telefonica (*l'apparecchio*) □ **a. service**, (servizio di) segreteria telefonica.

answerphone /'ɑ:nsəfəʊn/ n. segreteria telefonica (*l'apparecchio*).

ant /ænt/ n. formica ● (*zool.*) **ant bear** → **aardvark** □ (*zool.*) **ant lion** → **antlion** □ (*zool.*) **ant thrush**, (*Formicarius*) formicario; (*Batara*) batara □ (*fig. fam.*) **to have ants in one's pants**, stare sui carboni ardenti (*fig.*); essere agitato, irrequieto, in ansia.

an't /ɑ:nt/ vc. verb. **1** (*fam.*) variante di **aren't** (contraz. di **are not**) **2** (*pop.*) contraz. di **am not, is not, have not, has not**.

anta /'æntə/ n. (pl. **antae**) (*archit.*) anta; stipite.

antacid /ænt'æsɪd/ a. e n. (*chim.*, *farm.*) antiacido.

antagonism /æn'tægənɪzəm/ n. ▣ antagonismo; rivalità.

antagonist /æn'tægənɪst/ n. **1** antagonista; avversario **2** (*anat.*) (muscolo) antagonista **3** (*farm.*) farmaco ad azione antagonistica.

antagonistic /æntægə'nɪstɪk/ a. antagonistico | **-ally** avv.

antagonization /æntægənaɪ'zeɪʃn, *USA* -nɪ'z-/ n. ▣ **1** contrapposizione **2** opposizione, resistenza (a q.).

to **antagonize** /æn'tægənaɪz/ v. t. **1** contrapporsi a **2** inimicarsi **3** opporsi a (q.); resistere a (q.).

antalgic /æn'tældʒɪk/ a. (*med.*) antalgico.

Antarctic /æn'tɑ:ktɪk/ a. e n. (*geogr.*) antartico.

Antarctica /æn'tɑ:ktɪkə/ n. ▣ (*geogr.*) Antartide.

ante /'æntɪ/ n. **1** (*poker*) posta (*quota iniziale del gioco*); invito (*quota aggiuntiva*): *The dealer called for an a. of five pounds*: *The dealer called for an a. of five pounds*, il mazziere fece un invito di cinque sterline **2** (*fam.*) quota pagata in anticipo ● **to raise** (*o* **to up**) **the a.**, (*poker*) alzare la posta; (*fig.*) alzare la posta, aumentare il rischio.

to **ante** /'æntɪ/ v. t. (*poker*) mettere come posta o come invito; fare un invito di: **to a. one chip**, fare l'invito di una fiche.

■ **ante up** v. t. e i. + avv. (*fam. USA*) pagare; sborsare; tirar fuori; cacciare (*fam.*).

anteater /'æntɪ:tə(r)/ n. (*zool.*) **1** (*Myrmecophaga tridactyla*) formichiere **2** (*anche* **spiny a.**; *Tachyglossus aculeatus*) echidna **3** (*anche* **scaly a.**; *Manis*) pangolino.

to **antecede** /'æntɪsi:d/ v. t. e i. (*raro*) precedere; antecedere (*raro*).

antecedent /æntɪ'si:dnt/ ◪ a. antecedente; precedente; anteriore ◧ n. **1** (*gramm.*, *mat.*) antecedente **2** (*mus.*) tema (*di una fuga*) **3** (pl.) (*leg.*) precedenti **4** (pl.) antenati ● **a. to**, prima di || **antecedence** n. ▣ precedenza; antecedenza.

antecessor /'æntɪsesə(r)/ n. **1** antecessore, predecessore (*in una carica, ecc.*) **2** (*leg.*) proprietario precedente.

antechamber /'æntɪʃeɪmbə(r)/ n. anticamera.

antedate /'æntɪdeɪt/ n. antidata.

to **antedate** /ænti'deɪt/ v. t. **1** antidatare, retrodatare (*una lettera, un documento*) **2** precedere || **antedating** n. ▣ retrodata-

zione.

antediluvian /æntɪdɪ'lu:vɪən/ ◪ a. (*anche fig.*) antidiluviano ◧ n. persona (*o cosa*) antidiluviana.

antefix /'æntɪfɪks/ n. (pl. **antefixes, antefixa**) (*archit.*) antefissa.

antelope /'æntɪləʊp/ n. (pl. **antelope, antelopes**) (*zool., Antilope*) antilope.

antemeridian /æntɪmə'rɪdɪən/ a. antimeridiano.

antenatal /ænti'neɪtl/ ◪ a. prenatale: (*med.*) **a. diagnosis**, diagnosi prenatale ◧ n. (*med.*) visita prenatale (*a donna incinta*) ● **a. clinic**, consultorio di maternità.

antenna /æn'tenə/ n. **1** (pl. **antennae**) (*zool.*) antenna **2** (pl. **antennas**) (*radio, TV, USA*) antenna **3** – **antennae** (pl.) (*fig.*) antenne; sesto senso.

antenuptial /ænti'nʌpʃl/ a. prematrimoniale.

antepenultimate /æntɪpɪ'nʌltɪmət/ a. terzultimo

anterior /æn'tɪərɪə(r)/ a. anteriore (*nel tempo e nello spazio*) || **anteriority** n. ▣ anteriorità || **anteriorly** avv. anteriormente.

anteroom /'æntɪru:m/ n. anticamera.

anthelion /æn'θi:lɪən/ n. (pl. **anthelia, anthelions**) (*astron.*) antelio.

anthelmintic /ænθel'mɪntɪk/ a. e n. (*farm.*) antielmintico.

anthem /'ænθəm/ n. **1** (*relig.*) antifona **2** coro religioso **3** inno: **the national a.**, l'inno nazionale.

anthemic /æn'θemɪk/ a. (*mus.*) che ha le caratteristiche di un inno.

anther /'ænθə(r)/ n. (*bot.*) antera.

antheridium /ænθə'rɪdɪəm/ n. (pl. **antheridia**) (*bot.*) anteridio.

anthesis /æn'θi:sɪs/ n. ▣ (*bot.*) antesi; fioritura.

anthill /'ænthɪl/ n. formicaio (*il mucchio di terra*); termitaio.

to **anthologize** /æn'θɒlədʒaɪz/ v. t. antologizzare.

anthology /æn'θɒlədʒɪ/ n. antologia || **anthological** a. antologico || **anthologist** n. antologista; compilatore di antologie.

Anthony /'æntənɪ/ n. Antonio.

anthozoans /ænθəʊ'zəʊəns/ n. pl. (*zool., Anthozoa*) antozoi.

anthracene /'ænθrəsi:n/ n. ▣ (*chim.*) antracene.

anthracite /'ænθrəsaɪt/ (*miner.*) n. ▣ antracite || **anthracitic** a. di antracite.

anthracosis /ænθrə'kəʊsɪs/ n. ▣ (*med.*) antracosi.

anthrax /'ænθræks/ n. ▣ (*vet., med.*) antrace; carbonchio: **cutaneous [pulmonary] a.**, antrace cutaneo [polmonare].

anthropic /æn'θrɒpɪk/ a. (*scient.*) antropico.

anthropocentric /ænθrəpə'sentrɪk/ (*filos.*) a. antropocentrico || **anthropocentrism** n. ▣ antropocentrismo.

anthropogenic /ænθrəpə'dʒenɪk/ a. **1** (*biol.*) antropogenico **2** (*ecol.*) antropogeno: **a. environment**, ambiente antropogeno.

anthropoid /'ænθrəpɔɪd/ a. e n. antropoide ● (*zool.*) **a. ape**, scimmia antropoide □ (*spreg.*) **that a. friend of yours**, quello scimmione del tuo amico.

anthropology /ænθrə'pɒlədʒɪ/ n. ▣ antropologia || **anthropological** a. antropologico || **anthropologist** n. antropologo.

anthropometry /ænθrə'pɒmɪtrɪ/ n. ▣ antropometria || **anthropometric, anthropometrical** a. antropometrico.

anthropomorph /'ænθrəpəmɔ:f/ n. ▣ antropomorfo.

anthropomorphic /ænθrəpə'mɔ:fɪk/ a.

1 antropomorfico **2** antropomorfo || **anthropomorphically** avv. antropomorficamente.

anthropomorphism /ænθrəpə'mɔ:fɪzəm/ n. ▣ antropomorfismo || to **anthropomorphize** v. t. attribuire forma umana (*o facoltà umane*) a (q. *o* qc.).

anthropomorphous /ænθrəpə'mɔ:fəs/ a. antropomorfo.

anthropophagi /ænθrə'pɒfəgaɪ/ n. pl. (gli) antropofagi.

anthropophagy /ænθrə'pɒfədʒɪ/ n. ▣ antropofagia || **anthropophagous** a. antropofago.

anthroposophy /ænθrə'pɒsəfɪ/ n. ▣ antroposofia.

anthroposphere /'ænθrəpəsfɪə(r)/ n. ▣ (*ecol.*) antroposfera.

anti /'æntɪ/ (*fam.*) ◪ n. (pl. **antis**) oppositore (di qc.); contestatore ◧ avv. e a. pred. contro, contrario (a qc.).

anti-abolitionist /æntɪæbə'lɪʃənɪst/ n. e a. (*stor. USA*) antiabolizionista.

anti-abortion /æntɪə'bɔ:ʃn/ a. attr. antiabortista || **anti-abortionist** n. antiabortista.

antiacid /æntɪ'æsɪd/ a. e n. (*chim., farm.*) antiacido.

anti-aircraft /æntɪ'eəkrɑ:ft/ a. antiaereo: **anti-aircraft gun**, cannone antiaereo.

antialiasing /æntɪ'eɪlɪəsɪŋ/ n. ▣ (*comput.*) anti-aliasing.

anti-allergic /æntɪə'lɜ:dʒɪk/ a. e n. (*farm.*) antiallergico.

antianxiety /æntɪæŋ'zaɪətɪ/ a. attr. (*farm.*) ansiolitico.

antiasthmatic /æntɪæs'mætɪk/ a. (*farm.*) antiasmatico.

antiatom /'æntɪætəm/ n. (*fis.*) antiatomo.

antiauthoritarian /æntɪɔ:θɒrɪ'teərɪən/ a. antiautoritario.

antibacterial /æntɪbæk'tɪərɪəl/ a. (*biol.*) antibatterico.

antiballistic /æntɪbə'lɪstɪk/ a. (*mil., miss.*) antibalistico.

antibiosis /æntɪbaɪ'əʊsɪs/ n. ▣ (*biol.*) antibiosi.

antibiotic /æntɪbaɪ'ɒtɪk/ n. e a. (*farm.*) antibiotico ● (*med.*) **a. assay**, antibiogramma; titolazione antibiotica.

antibody /'æntɪbɒdɪ/ n. (*biol.*) anticorpo.

anticancer /æntɪ'kænsə(r)/ a. (*farm.*) anticanceroso; antitumorale: **an a. drug**, medicina anticancerosa.

anticatarrhal, anti-cattarrhal /æntɪkə'tɑ:rəl/ a. (*farm.*) anticatarrale.

anticathode /æntɪ'kæθəʊd/ n. (*elettr., elettron.*) anticatodo.

Antichrist /'æntɪkraɪst/ n. (*relig.*) (l') Anticristo.

antichristian /æntɪ'krɪstʃən/ a. anticristiano.

anticipant /æn'tɪsɪpənt/ a. e n. (persona) che prevede (*o* si aspetta) (*che qc. avvenga*).

◆to **anticipate** /æn'tɪsɪpeɪt/ ◪ v. t. **1** prevedere; aspettarsi: *We failed to a. that problem*, non abbiamo previsto quel problema; *I anticipated some resistance on her part*, mi aspettavo una certa resistenza da parte di lei **2** prevenire; precedere, battere sul tempo: **to a. an opponent's move**, prevenire la mossa di un avversario; **to a. a question**, prevenire una domanda; **to a. sb.'s needs**, prevenire i bisogni di q. **3** pregustare: **to a. a holiday**, pregustare una vacanza **4** precorrere; anticipare: *His style anticipates that of the Impressionists*, il suo stile precorre quello degli impressionisti **5** (*form.*) menzionare prima del tempo; rendere noto in anticipo: **to a. the result of a test**, anticipare il risultato di un test **6** (*fin.*) pagare in

anticipo: **to a. an obligation**, pagare un debito in anticipo **7** (*fin.*) spendere in anticipo **B** v. i. agire in anticipo o prima del tempo; precorrere i tempi.

anticipated /æn'tɪsɪpeɪtɪd/ a. **1** previsto, sperato: (*fin.*) **a. earnings**, utili previsti; profitti sperati; **a. profit**, utile previsto **2** previsto, atteso: (*econ.*) **a. inflation**, inflazione prevista (*o* attesa) **3** (*fin.*: *di denaro, ecc.*) anticipato; pagato in anticipo **4** (*fin.*: *di denaro, ecc.*) impegnato ● (*rag.*) **a. liabilities**, ratei passivi □ (*fin.*) **a. results**, risultati previsionali, performance prevista (*di un'impresa, ecc.*).

anticipation /ænˌtɪsɪ'peɪʃn/ n. ⓤ **1** previsione; anticipazione; (*econ.*) **the a. of demand**, la previsione della domanda; **in a. of rain**, in previsione della pioggia; (*market*) **a. survey**, indagine previsionale **2** aspettativa; attesa; pregustazione: **with eager a.**, con attesa impaziente **3** prevenzione (*di un'azione, di un attacco, ecc.*) **4** (*fin.*) anticipazione di spesa; anticipo **5** (*mus.*) anticipazione **6** (*sport*) anticipo.

anticipative /æn'tɪsɪpeɪtɪv/ a. **1** di previsione; di attesa **2** (*di un atto*) preventivo **3** (*fin.*) di anticipazione; che anticipa.

anticipator /æn'tɪsɪpeɪtə(r)/ n. **1** chi prevede o si aspetta (qc.) **2** chi previene **3** (*fin.*) anticipatore; chi anticipa (*denaro*) **4** (*fin.*) chi fa uso anticipato (*di denaro, ecc.*).

anticipatory /ænˈtɪsɪpeɪtrɪ/ a. **1** di previsione; di attesa **2** che è in attesa **3** fatto (*o* accaduto) in anticipo **4** (*ling.*) prolettico ● (*rag.*) **a. account**, bilancio di previsione □ **a. feeling**, presentimento.

anticlerical /æntɪ'klerɪkl/ a. e n. anticlericale ‖ **anticlericalism** n. ⓤ anticlericalismo.

anticlimax /æntɪ'klaɪmæks/ n. **1** (*retor.*) anticlimax **2** perdita di tensione, di eccitazione; caduta nel banale; caduta; delusione: *After all those special effects, the last twenty minutes of the film are a bit of an a.*, dopo tutti quegli effetti speciali, gli ultimi venti minuti del film sembrano un po' mosci **3** sdrammatizzazione; distensione.

anticline /'æntɪklaɪn/ (*geol.*) n. anticlinale ‖ **anticlinal** a. e n. anticlinale.

anticlockwise /æntɪ'klɒkwaɪz/ a. e avv. (in senso) antiorario.

anticlotting /æntɪ'klɒtɪŋ/ a. (*farm.*) anticoagulante.

anticoagulant /æntɪkəʊ'ægjʊlənt/ a. e n. (*farm.*) anticoagulante.

anticommunism /æntɪ'kɒmjʊnɪzəm/ (*polit.*) n. ⓤ anticomunismo ‖ **anticommunist** a. e n. anticomunista.

anti-competitive /æntɪkɒm'petətɪv/ a. (*econ.*) anticoncorrenziale: (*GB*) **anti-competitive agreement = combination in restraint of trade → combination**.

anticonstitutional /æntɪkɒnstɪ'tjuːʃənl/ a. anticostituzionale.

anticorrosive /æntɪkə'rəʊsɪv/ a. anticorrosivo: **a. paint**, vernice anticorrosiva.

anti-crease /æntɪ'kriːs/ a. **1** (*di asciugabiancheria, ecc.*) che non sgualcisce **2** (*di tessuto*) antipiega; ingualcibile.

antics /'æntɪks/ n. pl. buffonate; buffonerie; stravaganze; pagliacciate.

anti-cyclical /æntɪ'saɪklɪkl, -sɪ-/ a. anticiclico.

anticyclone /æntɪ'saɪkləʊn/ (*meteor.*) n. anticiclone ‖ **anticyclonic** a. anticiclonico.

antidandruff /æntɪ'dændrʌf/ a. antiforfora.

antidazzle /æntɪ'dæzl/ a. (*autom.*) **1** (*di specchietto*) antiabbagliante **2** (*di luce, di faro*) anabbagliante: **a. headlights**, fari anabbaglianti.

antidemocratic, **anti-democratic** /æntɪdeməˈkrætɪk/ a. antidemocratico.

antidepressant /æntɪdɪ'presnt/ a. e n. (*farm.*) antidepressivo.

antidiphtheric /æntɪdɪf'θerɪk/ a. (*farm.*) antidifterico.

antidoping /æntɪ'dəʊpɪŋ/ a. antidoping: **a. rules**, regole antidoping.

antidote /'æntɪdəʊt/ (*med. e fig.*) n. antidoto; contravveleno ‖ **antidotal** a. pertinente a (*o* che serve di) antidoto.

antidumping, **anti-dumping** /æntɪ'dʌmpɪŋ/ a. (*econ.*) antidumping: **a. duty**, dazio doganale antidumping.

antielectron /æntɪ'lektrɒn/ n. (*fis. nucl.*) antielettrone.

antiemetic, **anti-emetic** /æntɪ'metɪk/ a. e n. (*farm.*) antiemetico.

anti-establishment /æntɪ'stæblɪʃmənt/ a. (*polit.*) contrario (*o* ostile) al sistema (dominante).

anti-European /æntɪjʊərə'piːən/ (*polit.*) **A** a. **1** antieuropeo **2** antieuropeistico **B** n. antieuropeista ‖ **anti-Europeanism** n. ⓤ atteggiamento antieuropeo.

anti-fascism, **antifascism** /æntɪ'fæʃɪzəm/ n. ⓤ antifascismo ‖ **anti-fascist**, **antifascist** a. e n. antifascista.

antifebrile /æntɪ'fiːbraɪl/ n. (*farm.*) antifebbrile; febbrifugo.

antifederalist /æntɪ'fedərəlɪst/ n. (*stor. americana, polit.*) antifederalista.

anti-feminism, **antifeminism** /æntɪ'femɪnɪzəm/ n. ⓤ antifemminismo ‖ **anti-feminist**, **antifeminist** a. e n. antifemminista.

antifermentative /æntɪfə'mentətɪv/ a. e n. antifermentativo.

antifertility /æntɪfɜː'tɪlətɪ/ a. antifecondativo ● (*farm.*) **a. agent**, anticoncezionale (sost.).

antifire /'æntɪfaɪə(r)/ a. contro l'incendio ● (*edil.*) **a. wall**, muro tagliafuoco.

antifogging /æntɪ'fɒgɪŋ/ a. e n. antiappannante.

antifouling /æntɪ'faʊlɪŋ/ a. (*naut.*) antincrostazione.

antifreeze /'æntɪfriːz/ n. **1** anticongelante; antigelo **2** (*slang USA*) bevanda alcolica; liquore ‖ **antifreezing** a. anticongelante.

antifriction /æntɪ'frɪkʃn/ a. (*mecc.*) antifrizione; antiattrito.

antigas /æntɪ'gæs/ a. antigas.

antigen /'æntɪdʒən/ n. (*biol.*) antigene.

antiglare /æntɪ'gleə(r)/ a. → **antidazzle**.

anti-global, **antiglobal** /æntɪ'gləʊbl/ a. (*polit.*) antiglobal; no global.

anti-globalization /æntɪgləʊbəlaɪ'zeɪʃn/ n. ⓤ (*polit.*) anti-globalizzazione ● **anti-globalization protestor**, (dimostrante) antiglobal; no global.

antigravity /æntɪ'grævətɪ/ a. e n. ⓤ (*fis.*) antigravità.

anti-G suit /æntɪ'dʒiːsuːt, -sjuːt/ loc. n. (*miss.*) tuta antigravità.

anti-hero /'æntɪhɪərəʊ/ n. (pl. **anti-heroes**) antieroe.

anti-heroine /'æntɪherəʊɪn/ n. antieroina.

antihistamine /æntɪ'hɪstəmɪn/ (*farm.*) n. antistaminico.

anti-hypertensive /æntɪhaɪpə'tensɪv/ a. e n. (*farm.*) antiipertensivo.

anti-icer /'æntɪaɪsə(r)/ n. (*aeron.*) dispositivo antighiaccio.

anti-imperialism /æntɪɪm'pɪərɪəlɪzəm/ (*polit.*) n. ⓤ antimperialismo ‖ **anti-imperialist** a. e n. antimperialista.

anti-inflammatory /æntɪɪn'flæmətrɪ/ a. (*farm.*) antinfiammatorio.

anti-inflationary /æntɪɪn'fleɪʃənrɪ/ a. (*econ.*) antinflazionistico; antinflativo: **anti-inflationary measures**, provvedimenti antinflazionistici.

antiknock /'æntɪnɒk/ a. e n. (*chim.*) antidetonante.

antilock, **anti-lock** /'æntɪlɒk/ a. (*autom.*) (solo nella loc.:) **a. braking system**, sistema antibloccaggio delle ruote.

antilogarithm /æntɪ'lɒgərɪðəm/ n. (*mat.*) antilogaritmo.

antimacassar /æntɪmə'kæsə(r)/ n. capezziera; coprischienale.

anti-malarial /æntɪmə'leərɪəl/ a. e n. (*farm.*) antimalarico.

antimasque /æntɪ'mɑːsk/ n. (*teatr., stor.*) intermezzo.

antimatter /'æntɪmætə(r)/ n. (*fis. nucl.*) antimateria.

antimilitarism /æntɪ'mɪlɪtərɪzəm/ n. ⓤ antimilitarismo ‖ **antimilitarist** a. e n. antimilitarista.

antimissile /'æntɪmɪsaɪl/ (*mil.*) **A** a. antimissile; antimissilistico: **an a. system**, un sistema antimissilistico **B** n. missile antimissile.

anti-mist /æntɪ'mɪst/ a. antiappannante.

antimonarchical /æntɪmə'nɑːkɪkl/ a. antimonarchico.

antimonarchist /æntɪ'mɒnəkɪst/ n. antimonarchico.

antimonite /'æntɪmənaɪt/ n. ⓤ (*miner.*) antimonite.

antimony /'æntɪmənɪ/ (*chim.*) n. ⓤ antimonio ‖ **antimonial** **A** a. antimoniale **B** n. **1** composto antimoniale **2** medicina a base di antimonio ‖ **antimonic** a. antimonico ‖ **antimonious** a. antimonioso.

antimycotic /æntɪmaɪ'kɒtɪk/ a. (*farm.*) antimicotico.

anti-national /æntɪ'næʃnl/ a. antinazionale.

antineuralgic /æntɪnjʊ'rældʒɪk/ a. e n. (*farm.*) antinevralgico.

antineutrino /æntɪnjuː'triːnəʊ/ n. (*fis. nucl.*) antineutrino.

antineutron /æntɪ'njuːtrɒn/ n. (*fis. nucl.*) antineutrone.

antinoise /æntɪ'nɔɪz/ a. antirumore; contro i rumori (molesti): **a. laws**, leggi contro i rumori ● (*autom.*) **a. paint**, (vernice) antirombo.

antinomy /æn'tɪnəmɪ/ (*filos., leg.*) n. ⓤ antinomia ‖ **antinomic** a. antinomico.

antinovel /'æntɪnɒvl/ n. (*letter.*) antiromanzo.

antinuclear /æntɪ'njuːklɪə(r)/ (*polit.*) a. antinucleare.

antinucleus /æntɪ'njuːklɪəs/ n. (pl. **antinuclei**, **antinucleuses**) (*fis. nucl.*) antinucleo.

antinuke /æntɪ'njuːk/ a. (*fam., spec. USA*) antinucleare.

Antioch /'æntɪɒk/ n. (*geogr., stor.*) Antiochia.

Antiochian /æntɪ'ɒkɪən/ a. e n. (*stor.*) antiocheno.

antioxidant /æntɪ'ɒksɪdənt/ a. e n. (*chim.*) antiossidante.

anti-papal /æntɪ'peɪpl/ a. antipapale.

antiparasitic /æntɪpærə'sɪtɪk/ a. e n. antiparassitario.

antiparticle /'æntɪpɑːtɪkl/ n. (*fis. nucl.*) antiparticella.

antipathetic /æntɪpə'θetɪk/, **antipathetical** /æntɪpə'θetɪkl/ a. **1** che prova antipatia **2** contrario; opposto; avverso: *He is a. to all liberal ideas*, è contrario a qualsiasi idea liberale **3** (*raro*) antipatico; inviso (a q.).

antipathic /æntɪ'pæθɪk/ a. (*med.*) che

presenta (*o che produce*) sintomi contrari.

antipathy /æn'tɪpəθɪ/ n. ⓤ **1** antipatia; avversione **2** contrasto; incompatibilità **3** ripugnanza; repulsione.

antipersonnel /æntɪpɜːsə'nɛl/ a. (*mil.*) antiuomo (*di bombe, mine e missili*): **a. weapon**, arma antiuomo.

antiperspirant /æntɪ'pɜːspɪrənt/ a. e n. antisudorifico.

antiphlogistic /æntɪflɒ'dʒɪstɪk/ a. e n. (*farm.*) antiflogistico.

antiphon /'æntɪfən/ n. (*mus.*, *relig.*) antifona.

antiphonal /æn'tɪfənl/ (*mus.*) 🅐 a. antifonale 🅑 n. antifonario.

antiphonary /æn'tɪfənərɪ/ n. (*mus.*) antifonario.

antiphony /æn'tɪfənɪ/ n. (*mus.*, *relig.*) **1** ⓤ antifonia **2** antifona.

antiphrasis /æn'tɪfrəsɪs/ n. (pl. **antiphrases**) (*retor.*) antifrasi.

antipodal /æn'tɪpədl/ 🅐 a. **1** agli antipodi; degli antipodi **2** (*fig.*) diametralmente opposto 🅑 n. (*bot.*) (cellula) antipode.

antipodean /æntɪpə'diːən/ 🅐 a. **1** agli antipodi; degli antipodi **2** (*lett. o scherz.*) australiano; neozelandese 🅑 n. (*lett. o scherz.*) australiano; neozelandese.

antipodes /æn'tɪpədiːz/ n. pl. (anche fig.) antipodi.

antipole /'æntɪpəʊl/ n. polo opposto; (*geom.*) antipolo.

anti-polio /æntɪ'pəʊlɪəʊ/ a. (*farm.*) antipolio • **anti-polio injection (vaccination)**, iniezione (vaccinazione) antipolio.

antipolitical /æntɪpə'lɪtɪkl/ a. antipolitico.

antipollution /æntɪpə'luːʃn/ a. attr. (*ecol.*) antinquinamento.

antipope /'æntɪpəʊp/ n. (*stor.*, *relig.*) antipapa.

antiproton /æntɪ'prəʊtɒn/ n. (*fis. nucl.*) antiprotone.

anti-psychotic /æntɪsaɪ'kɒtɪk/ (*med.*) 🅐 n. (= **anti-psychotic drug**) (farmaco) antipsicotico 🅑 a. antipsicotico.

antipyretic /æntɪpaɪ'rɛtɪk/ a. e n. (*farm.*) antipiretico; febbrifugo.

antiquarian /æntɪ'kweərɪən/ 🅐 a. antiquario: **a. bookshop**, libreria antiquaria 🅑 n. **1** collezionista (o raccoglitore, studioso) di cose antiche e di libri rari; antiquario (*lett.*) **2** formato maggiore della carta da disegno ‖ **antiquarianism** n. ⓤ antiquaria.

antiquary /'æntɪkwərɪ/ → **antiquarian**, B, *def. 1*.

antiquated /'æntɪkweɪtɪd/ a. antiquato; fuori moda; obsoleto.

♦**antique** /æn'tiːk/ 🅐 a. **1** antico; d'antiquariato: **a. furniture**, mobili d'antiquariato **2** anticato; antichizzato: **a. finish**, finitura anticata **3** antiquato; all'antica; arcaico **4** (*scherz.*) vetusto 🅑 n. **1** pezzo (o oggetto) d'antiquariato; (al pl., *anche*) antichità, antiquariato (sing.): **a. dealer**, antiquario; **a. shop**, negozio di antiquariato (o di antichità) **2** – the A., lo stile antico; l'arte antica.

❶ Nota: *antique o ancient?*
Sia *antique* sia *ancient* significano "antico", però con sfumature diverse. *Antique* si usa quasi esclusivamente per oggetti d'antiquariato o di un certo valore: *antique furniture*, mobili d'antiquariato. La parola che esprime l'idea di antichità in generale è, invece, *ancient*, che si utilizza per parlare della storia antica, di un palazzo antico e di tutto ciò che è semplicemente molto vecchio: *ancient history*, storia antica.

to **antique** /æn'tiːk/ 🅑 v. t. (generalm. al passivo) anticare; antichizzare 🅑 v. i. (*USA*) andare per negozi d'antiquariato; cercare

pezzi d'antiquariato ‖ **antiqued** a. anticato; antichizzato.

antiquity /æn'tɪkwətɪ/ n. **1** ⓤ antichità: **classical a.**, l'antichità classica **2** ⓤ antichità; vetustà **3** (al pl.) antichità; oggetti antichi; costumi antichi; avvenimenti antichi.

anti-racism /æntɪ'reɪsɪzəm/ (*polit.*) n. ⓤ antirazzismo ‖ **anti-racist** a. e n. antirazzista.

anti-radar, antiradar /æntɪ'reɪdɑː(r)/ a. (*mil.*, *tecn.*) antiradar: **anti-radar coating**, rivestimento antiradar.

anti-recession /æntɪrɪ'seʃn/ a. attr. (*econ.*) antirecessivo; anticrisi: **an anti-recession measure**, un provvedimento antirecessivo.

antireflection /æntɪrɪ'flekʃn/ a. (*tecn.*) antiriflettente: **a. coating**, rivestimento antiriflettente.

antireligious /æntɪrɪ'lɪdʒəs/ a. antireligioso.

antiretroviral /æntɪ'retrəʊvaɪrəl/ a. (*farm.*) antiretrovirale.

antirheumatic /æntɪruː'mætɪk/ a. e n. (*farm.*) antireumatico.

antiriot /æntɪ'raɪət/ a. antisommossa: **a. bullets**, proiettili antisommossa (*di gomma*).

anti-roll /æntɪ'rəʊl/ a. (*autom.*, *naut.*) antirollio: **anti-roll bar**, barra antirollio; barra stabilizzatrice; **anti-roll tank**, cassa antirollio • (*naut.*) **anti-roll fin**, aletta di rollio; pinna antirollio.

antirrhinum /æntɪ'raɪnəm/ n. (*bot.*, *Antirrhinum*) antirrino; bocca di leone.

antirust /æntɪ'rʌst/ a. e n. antiruggine.

anti-satellite, antisatellite /æntɪ'sætəlaɪt/ a. (*mil.*) antisatelliti: **anti-satellite missile**, missile antisatelliti.

antiscorbutic /æntɪskɔː'bjuːtɪk/ a. (*farm.*) antiscorbutico.

anti-Semitism /æntɪ'semɪtɪzəm/ n. ⓤ antisemitismo ‖ **anti-Semite** n. antisemita ‖ **anti-Semitic** a. antisemitico; antisemita.

antisense /'æntɪsens/ a₁ (*biol.*) antisenso.

antisepsis /æntɪ'sepsɪs/ n. ⓤ (*med.*) antisepsi.

antiseptic /æntɪ'septɪk/ 🅐 n. (*med.*) antisettico 🅑 a. **1** (*med.*) antisettico **2** (*anche fig.*) asettico.

antiserum /æntɪ'sɪərəm/ n. (pl. **antiserums**, **antisera**) (*farm.*) antisiero; siero immunizzante; immunsiero.

anti-skid, antiskid /æntɪ'skɪd/ a. (*autom.*) antisdrucciolevole; antiscivolo; antislittamento: **anti-skid plate**, piastra antislittamento.

anti-slavery, antislavery /æntɪ'sleɪvərɪ/ 🅐 n. ⓤ antischiavismo 🅑 a. attr. antischiavista.

anti-slip, antislip /æntɪ'slɪp/ a. (*metall.*) antisdrucciolevole: **anti-slip metal**, metallo antisdrucciolevole.

anti-slump /æntɪ'slʌmp/ → **anti-recession**.

anti-smoking /æntɪ'sməʊkɪŋ/ a. contro il fumo: **an anti-smoking campaign**, una campagna contro il fumo.

antisocial /æntɪ'səʊʃl/ (*psic.*) a. antisociale; asociale: **a. reaction**, reazione antisociale ‖ **antisociality** n. ⓤ asocialità.

anti-spam, antispam /æntɪ'spæm/ a. e n. ⓤ (*comput.*) anti-spam ‖ **anti-spamming** a. e n. ⓤ antispamming.

antispasmodic /æntɪspæz'mɒdɪk/ a. e n. (*farm.*) antispasmodico; antispastico; spasmolitico.

anti-splash /æntɪ'splæʃ/ a. antispruzzo • (*autom.*) **anti-splash guard**, paraspruzzi.

antistatic /æntɪ'stætɪk/ a. (*fis.*) antistatico.

anti-strike /æntɪ'straɪk/ a. antisciopero.

antistrophe /æn'tɪstrəfɪ/ n. (*letter. greca*) antistrofe.

antisubmarine /æntɪsʌbmə'riːn/ a. (*mil.*) antisommergibile: **a. missile**, missile antisommergibile.

antisymmetric /æntɪsɪ'metrɪk/ a. (*mat.*) antisimmetrico.

antitank /æntɪ'tæŋk/ a. (*mil.*) anticarro.

anti-terror /æntɪ'terə(r)/ a. attr. (*polit.*) antiterrorismo; contro il terrorismo.

anti-terrorism, antiterrorism /æntɪ'terərɪzəm/ 🅐 n. ⓤ antiterrorismo 🅑 a. attr. antiterrorismo; antiterroristico ‖ **anti-terrorist**, antiterrorist a. attr. antiterroristico; antiterrorismo.

anti-tetanus /æntɪ'tetənəs/ a. (*farm.*) antitetanico: **anti-tetanus injection**, (vaccinazione) antitetanica.

antitheft, anti-theft /æntɪ'θeft/ a. antifurto: **a. device**, dispositivo antifurto; **a. lock**, serratura antifurto • (*autom.*) **a. column lock**, bloccasterzo.

antithesis /æn'tɪθəsɪs/ n. ⓤⓒ (pl. **antitheses**) antitesi ‖ **antithetical**, **antithetic** a. antitetico ‖ **antithetically** avv. antiteticamente.

antitoxin /æntɪ'tɒksɪn/ (*biol.*, *med.*) n. antitossina ‖ **antitoxic** a. antitossico.

antitrades /æntɪ'treɪdz/ n. pl. (*meteor.*, *naut.*) controalisei.

antitrust /æntɪ'trʌst/ a. attr. (*econ.*, *fin.*) antitrust; antimonopolistico: **a. policy**, politica antitrust.

antitubercular /æntɪtjuː'bɜːkjʊlə(r)/ → **antituberculous**.

antituberculous /æntɪtjuː'bɜːkjʊləs/ a. (*farm.*, *med.*) antitubercolare.

antitumor, anti-tumor /æntɪ'tjuːmə(r)/ a. (*farm.*, *med.*) antitumorale.

antivenin /æntɪ'venɪn/ n. (*farm.*) antidoto; contravveleno.

antiviral /æntɪ'vaɪərəl/ a. e n. (*farm.*) (sostanza) antivirale.

antivirus /æntɪ'vaɪrəs/ n. (*comput.*) antivirus (*programma che rileva e/o neutralizza un virus*).

anti-vivisectionist, antivivisectionist /æntɪvɪvɪ'sekʃənɪst/ n. antivivisezionista.

antiwar /æntɪ'wɔː(r)/ a. contro la guerra: **an a. demonstration**, una dimostrazione contro la guerra.

antler /'æntlə(r)/ n. **1** corno ramificato (*di cervo e sim.*) **2** ramificazione (*di corno di cervidi*); palco ‖ **antlered** a. che ha corna ramificate.

antlion /'æntlaɪən/ n. (*zool.*, *Myrmeleon europaeus*) formicaleone (*l'insetto e la larva*).

antonomasia /æntənəʊ'meɪʃə/ (*retor.*) n. ⓤ antonomasia.

Antony /'æntənɪ/ n. Antonio.

antonym /'æntənɪm/ (*ling.*) n. antonimo; contrario ‖ **antonymous** a. antonimo; contrario ‖ **antonymy** n. ⓤ antonimia.

antrum /'æntrəm/ n. (pl. **antra**) (*anat.*) antro.

antsy /'æntsɪ/ a. (*pop. USA*) agitato; irrequieto; in ansia.

Antwerp /'æntwɜːp/ n. (*geogr.*) Anversa.

ANU sigla (**Australian National University**) Università nazionale australiana.

anurans /ə'njʊərənz/ n. pl. (*zool.*, *Anura*) anuri.

anuresis /ænjʊ'riːsɪs/ n. ⓤ (*med.*) anuresi; anuria.

anuria /ə'njʊərɪə/ n. ⓤ (*med.*) anuria; anuresi.

anus /'eɪnəs/ n. (pl. **anuses**, **ani**) (*anat.*) ano.

anvil /'ænvɪl/ n. (*anche anat.*) incudine.

anxiety /æŋ'zaɪətɪ/ n. **1** ⓤ ansia; ansietà; apprensione; preoccupazione; inquietudine: **in a state of a.**, in ansia; **to cause sb. a.**, mettere in apprensione q.; far stare in pena q. **2** (fonte di) preoccupazione **3** (fam.) forte desiderio; ansia; impazienza **4** (psic.) ansia.

anxiolytic /æŋksɪə'lɪtɪk/ a. (farm.) ansiolitico ● **a. agent**, ansiolitico (sost.).

anxious /'æŋkʃəs/ a. **1** in ansia; preoccupato; inquieto: **a. about the future**, preoccupato per il futuro; **a. phonecalls from parents**, telefonate preoccupate di genitori **2** pieno d'ansia; angoscioso **3** (fam.) vivamente desideroso; ansioso; impaziente: I am a. to meet him, sono impaziente di conoscerlo ‖ **anxiously** avv. ansiosamente; con impazienza.

any /'ɛnɪ/ **Ⓐ** a. **1** (in frasi interr., dubit. e condiz.) qualche; del, della, dei, degli, delle: If there is any trouble, let me know, se c'è qualche problema (o se ci sono problemi), fammelo sapere; Is there any wine in the house?, c'è del vino in casa?; Have you got any matches?, hai (dei) fiammiferi?; Have you got any hand luggage?, ha un bagaglio a mano?; Is that of any help?, è di qualche aiuto?; Would you like any coffee?, volete del caffè? **2** (in frasi neg.) alcuno, alcuna; nessuno, nessuna: He doesn't have any choice, non ha (alcuna o nessuna) scelta; I haven't any sisters, non ho sorelle; I did it without any help, l'ho fatto senza alcun aiuto; There isn't any bread, non c'è pane; I won't have any lunch, non voglio il pranzo; non pranzo **3** (in frasi afferm.) qualsiasi, qualunque: Any colour will do, qualsiasi colore andrà bene; Come at any time, vieni in qualunque momento (o quando vuoi); Any schoolboy knows that, qualunque ragazzino lo sa **Ⓑ** pron. **1** (in frasi interr., dubit. e condiz.) qualche, qualcuna: Have you seen any of these names before?, hai mai visto prima qualcuno di questi nomi? **2** (in frasi neg.) alcuno, alcuna; nessuno, nessuna: I don't know any of your friends, non conosco nessuno dei tuoi amici; I didn't buy any of them, non ne comperai nessuno; I haven't any, non ne ho **3** (in frasi afferm.) uno, una qualunque; chiunque: Choose any of these, scegline uno qualunque; Any of them can tell you, chiunque di loro può dirtelo **Ⓒ** avv. **1** (in frasi interr., dubit. e condiz.) un po'; in qualche misura: Are you any better today?, stai un po' meglio oggi?; Is it any good?, vale qualcosa?; è bello?; funziona? **2** (in frasi neg.) affatto; per niente; per nulla: I'm not feeling any stronger, non mi sento affatto più forte; It doesn't look any different, non sembra per nulla diverso; It isn't any good speaking to him, non serve a niente parlargli; (fam. USA) They didn't help us any, non ci aiutarono per niente ● **any more**, altro; oltre, ancora; più: Any more coffee?, volete dell'altro caffè?; **not any more**, non più; He doesn't live here any more, non vive più qui □ **any old how** → **old** □ **any one**, uno qualsiasi; uno purchessia; (anche) ciascun, ogni (singolo): Just give me any one, dammene uno qualsiasi; **any one in particular**, uno in particolare; **at any one time**, alla volta; per volta; **in any one year**, ogni anno; all'anno ❶ NOTA: anyone o any one? → **anyone** □ **hardly any** → **hardly** □ He wasn't having any, non ne voleva sapere; non ne volle sapere □ **if any**, se pur ce n'è (o ce ne sono): There are few honest people, if any, in this world, ci sono poche persone oneste, se pur ce ne sono, a questo mondo.

❶ NOTA: any / some
In una domanda 'aperta', cioè quando non si può prevedere se la risposta sarà positiva o negativa, si usano le **any-words**, cioè any, anyone, anybody, anything e anywhere: Have you got any change?, hai degli spiccioli?; Has anyone seen my watch?, (per caso) qualcuno ha visto il mio orologio?; Did he say anything about me?, ha detto qualcosa su di me?
Le **some-words** cioè some, someone, somebody, something e somewhere si usano invece nei seguenti casi:
a quando ci si attende una risposta positiva: You're so busy cooking: have you invited someone to dinner again?, sei così presa ai fornelli: hai di nuovo invitato a cena qualcuno?;
b quando si offre qualcosa: Would you like some cake?, vuoi un po' di torta?; Do you need something to write with?, hai bisogno di qualcosa per scrivere?;
c nelle richieste: May I have some more tea, please?, posso avere ancora un po' di tè?; Have you got some money to lend me?, hai un po' di soldi da prestarmi?

anybody /'ɛnɪbɒdɪ/ → **anyone**.

anyhow /'ɛnɪhaʊ/ avv. **1** → **anyway**, **B 2** in qualche modo; alla meno peggio; come capita: Clothes were thrown on the bed just a., sul letto c'erano vestiti buttati lì in qualche modo.

anymore /ɛnɪ'mɔː(r)/ avv. (USA) = **any more** → **any**.

anyone /'ɛnɪwʌn/ pron. indef. **1** (in frasi interr., dubit. e condiz.) qualcuno; nessuno: Is there a. here?, c'è nessuno (o qualcuno) qui?; If a. calls, I'm not at home, se viene qualcuno, io non sono in casa; Did you tell a. else?, l'hai detto a qualcun altro (o a nessun altro)?; Has a. given you anything to take with you?, qualcuno te ha dato qualcosa da portare con lei? **2** (in frasi neg.) nessuno: There isn't a., non c'è nessuno **3** (in frasi afferm.) chiunque: A. can do that, chiunque può farlo; A. else would have been afraid, chiunque altro avrebbe avuto paura; She's cleverer than a. I know, è la più intelligente che io conosca ❶ NOTA: they → **they** ● **a. who's a.**, tutti quelli che contano □ **a.'s guess** → **guess** □ **not just a.**, non uno qualunque.

❶ NOTA: anyone o any one?
Quando anyone è pronome indefinito con il significato di "chiunque, qualcuno", si scrive come una sola parola: Anyone could tell you the answer, chiunque potrebbe dirti la risposta; Do you know anyone else who could help? conosci qualcun altro che potrebbe aiutare? Altrimenti, si scrive con due parole separate: Any one of us could have scored a high mark, ognuno di noi avrebbe potuto segnare un punteggio alto; A maximum of six people are allowed in this lift at any one time, un massimo di sei persone alla volta possono entrare in questo ascensore.

anyplace /'ɛnɪpleɪs/ (spec. USA) → **anywhere**.

anything /'ɛnɪθɪŋ/ pron. indef. **1** (in frasi, interr. o dubit.) qualche cosa; qualcosa; niente; nulla: Can you see a.?, vedi nulla (o qualcosa)?; Is there a. else I can do?, c'è qualcos'altro (o nient'altro) che possa fare?; Have we got a. in the fridge?, abbiamo qualcosa in frigo?; Do you want a.?, vuoi qualcosa?; A. else?, nient'altro? **2** (in frasi condiz.) qualche cosa; qualcosa: If you find out a., let me know, se scopri qualcosa, fammelo sapere **3** (in frasi neg.) niente; nulla; nessuna cosa; alcunché: There isn't a. for you, non c'è niente per te; **without saying** a., senza dir niente; I wouldn't do that for a., non lo farei per nessuna cosa al mondo **4** (in frasi afferm.) qualunque cosa; di tutto; tutto quello che: qualsiasi cosa: A. is better than nothing, qualunque cosa è meglio di niente; A. can happen, può accadere di tutto; A. you say may be used in evidence against you, tutto quello dirai potrà essere usato come prova contro di te; A. for a quiet life!, darei qualsiasi cosa per una vita tranquilla!; He'll eat a., mangerebbe di tutto ● **a. but**, tutto fuorché; tutt'altro che: He is a. but clever, è tutt'altro che intelligente □ **A. goes**, tutto è permesso; va bene tutto □ **a. like**, in qualche modo simile; (in frase neg.) niente affatto come, per nulla simile a: Is this watch a. like yours?, questo orologio assomiglia al tuo?; He isn't a. like he used to be, non è affatto com'era un tempo □ **not... a. much**, non granché □ **as easy [as sweet, etc.] as a.**, facilissimo [dolcissimo, ecc.] □ **if a.**, se mai; anzi: The patient is, if a., worse, il malato, se mai, sta peggio □ (fam.) **like a.**, moltissimo; a non più posso; da matti: **to work like a.**, lavorare da matti (o a più non posso); It hurts like a., fa un male del diavolo □ **... or a.**, o altro; o qualcos'altro.

anytime /'ɛnɪtaɪm/ avv. (USA) in qualunque momento; a qualsiasi ora: I was thinking of Thursday afternoon, a. after three, pensavo giovedì, a qualsiasi ora dalle tre in poi.

anyway /'ɛnɪweɪ/ (USA, fam.) **anyways** /'ɛnɪweɪz/ avv. **1** comunque; in ogni caso: It's too late a., comunque, è troppo tardi; Who's going to believe you, a.?, e in ogni caso, chi ti crederà? **2** almeno; perlomeno; comunque: I can't go, not just now, a., non posso andarci, non adesso, almeno **3** lo stesso; comunque: I didn't like it, but I bought it a., non mi piaceva, ma l'ho comprato lo stesso; Thanks, a.!, grazie lo stesso! **4** ad ogni modo; insomma; be'; comunque: per farla breve: A., it's all over now, ad ogni modo, la faccenda è ormai chiusa; What are you doing here, a.?, be', e voi che ci fate qui?; Well, a., I went in and saw..., insomma, sono entrata e ho visto...

anywhere /'ɛnɪwɛə(r)/ **Ⓐ** avv. **1** (in frasi interr., dubit. e condiz.) in qualche luogo (o posto); da qualche parte: Would you like to go a. (else)?, vuoi andare da qualche (altra) parte? **2** (in frasi neg.) in nessun luogo (o posto); da nessuna parte: I can't find my credit card a., non trovo la mia carta di credito da nessuna parte; I can't find it a., non riesco a trovarlo da nessuna parte; I didn't look a. else, non ho cercato da nessun'altra parte **3** (in frasi afferm.) dovunque; in qualsiasi luogo (o posto); da qualunque parte; dappertutto: You can go a., puoi andare dovunque (o dappertutto); **a. you choose**, dove preferisci; **a. in the world**, in qualunque parte del mondo; dovunque al mondo; A. you go, it's always the same, dovunque tu vada, è sempre lo stesso; Put it a., mettilo dove vuoi (o in un posto qualsiasi) **Ⓑ** pron. un posto (qualsiasi); qualche posto: I don't have a. to sleep, non ho (un posto) dove dormire; Can you think of a. you may have seen it?, ti viene in mente qualche posto dove puoi averlo visto? ● **a. between 50 and 80 people**, tra le 50 e le 80 persone; dalle 50 alle 80 persone □ **Don't let it come a. near you**, non lasciare che ti si avvicini □ **It isn't a. (near) as good as the other one**, non è per niente buono come l'altro □ (fam.) **not to get a.**, non approdare a nulla.

anywise /'ɛnɪwaɪz/ avv. (spec. USA) in ogni modo; comunque.

Anzac /'ænzæk/ n. (abbr. di **Australian and New Zealand Army Corps**) **1** soldato del corpo di spedizione australiano e neo-

zelandese (*nella prima guerra mondiale*) **2** soldato australiano (*o* neozelandese).

Anzac Day /ˈænzæk deɪ/ *loc. n.* (*in Austral. e NZ*) l'anniversario (25 aprile) dello sbarco a Gallipoli (*nel 1915*).

ANZUS /ˈænzəs/ *sigla* (**Australia, New Zealand and United States** (**Security Treaty**)) Trattato di alleanza e collaborazione tra Australia, Nuova Zelanda e Stati Uniti.

A/O, a/o *sigla* (**account of**) per conto di.

AOB, a.o.b. *sigla* (**any other business**) varie ed eventuali.

A-OK, A-okay /eɪəʊˈkeɪ/ *a.* e *avv.* (*fam., USA*) **1** che funziona; tutto OK **2** ottimo; perfetto; OK.

AOL *sigla* (*USA*, **America Online**) America Online (*fornitore di accesso a Internet e servizi telematici*).

a/or *sigla* (**and/or**) e/o.

aorist /ˈɛərɪst/ *n.* (*gramm. greca*) aoristo.

aorta /eɪˈɔːtə/ (*anat.*) *n.* (*pl.* **aortas, aortae**) aorta || **aortal** *a.* aortico.

AP *sigla* (*USA*, **Associated Press**) stampa associata (*agenzia di stampa*).

Apache /əˈpætʃi/ *n.* (*pl. invar. o* **Apaches**) e *a.* apache.

apagoge /ˈæpəgəʊdʒi/ *n.* ⓤ (*filos.*) apagoge.

apanage /ˈæpənɪdʒ/ *n.* (*anche fig.*) appannaggio.

♦**apart** /əˈpɑːt/ *avv.* **1** a una certa distanza (l'uno dall'altro); distanti; distanziati: *The two villages are only 5 miles a.*, i due paesi sono distanti (*o* sono separati da) solo 5 miglia; *We were born six years a.*, siamo nati a distanza di sei anni (l'uno dall'altro); **with his legs a.**, a gambe divaricate; **far a.**, a grande distanza l'uno dall'altro; molto lontani fra loro; **further a.**, più distanziati; **wide a.**, molto distanziati **2** separato, separati; a parte: **to live a.**, vivere separati; **to drive a.**, separare; allontanare; *It's a world a.*, è un mondo a parte (*o* diverso, tutto speciale) **3** in disparte: **to stand a.**, stare (*o* tenersi) in disparte **4** da parte: **to set a.**, mettere da parte; accantonare **5** a parte: **joking a.**, a parte gli scherzi **6** a pezzi: **to come a.**, disfarsi; cadere a pezzi; **to fall a.**, cadere a pezzi; disgregarsi; **to take a.**, smontare; (*fig.*) stroncare, fare a pezzi ● **a. from**, a parte; oltre a; (*anche*) eccetto, a parte: *A. from being a colour I don't like, it's too tight*, a parte il fatto che è di un colore che non mi piace, è troppo stretto; *She's the only one I know, a. from Meg, that...*, è l'unica che conosco, a parte Meg, che...; **a. from everything else**, oltretutto ❶ NOTA: *besides, except o apart from?* → **besides** □ **to keep a.**, tenere separato, diviso, distinto; mantenersi in disparte, non partecipare □ **to tell a.**, distinguere (*uno dall'altro*).

apartheid /əˈpɑːtheɪt, -aɪt/ *n.* ⓤ (*stor.*) discriminazione e segregazione razziale (*nel Sud Africa*); apartheid.

aparthotel /əˈpɑːthəʊtɛl/ *n.* residence (*franc.*).

♦**apartment** /əˈpɑːtmənt/ *n.* **1** (*spec. USA*) appartamento **2** (= **a. block, a. building**, *USA*: **a. house**) palazzo di appartamenti; condominio **3** (al pl.) appartamento (*in un albergo o un palazzo*): **royal apartments**, appartamento reale ● **a. hotel**, residence.

apathetic /æpəˈθɛtɪk/ *a.* apatico; indifferente | **-ally** *avv.*

apathy /ˈæpəθi/ *n.* ⓤ apatia; indifferenza.

apatite /ˈæpətaɪt/ *n.* ⓤ (*miner.*) apatite.

APB *sigla* (*polizia*, *USA*, **all points bulletin**) avviso a tutte le auto.

ape /eɪp/ *n.* **1** scimmia (*antropomorfa, senza coda, ad es. gorilla, scimpanzé: cfr.* **monkey**) **2** (*spreg. USA*) scimmione; bestione **3** (*spreg.*

USA) negro **4** (*arc.*) imitatore ● **ape-like**, scimmiesco; da scimmia □ (*slang USA*) **to go ape** (*o, volg.*, **ape-shit**), impazzire (*anche per l'entusiasmo*); perdere la testa; andar fuori di testa; sballare; (*anche*) dar fuori di matto.

to ape /eɪp/ *v. t.* scimmiottare; imitare; fare la scimmia a (q.).

apeak /əˈpiːk/ *avv.* e *a. pred.* (*naut.*) a picco; verticale: *The anchor is a.*, l'ancora è a picco.

Apelles /əˈpɛliːz/ *n.* (*stor., pitt.*) Apelle.

apeman /ˈeɪpmæn/ *n.* (*pl.* **apemen**) uomo scimmia.

Apennines (**the**) /ˈæpənaɪnz/ *n. pl.* (*geogr.*) gli Appennini.

aperient /əˈpɪərɪənt/ *a.* e *n.* (*farm.*) lassativo.

aperiodic /eɪpɪərɪˈɒdɪk/ *a.* (*fis.*) aperiodico.

aperitif /əpɛrəˈtiːf/ (*franc.*) *n.* aperitivo.

aperture /ˈæpətʃə(r)/ *n.* **1** apertura; pertugio; spiraglio **2** (*fotogr.*) apertura.

apetalous /əˈpɛtələs/ *a.* (*bot.*) apetalo.

APEX /ˈeɪpɛks/ *n.* (*trasp.*, acron. di **Advance-Purchase Excursion**) tariffa APEX (*tariffa A/R con data prefissata, con prenotazione e pagamento almeno 14 giorni prima della partenza*).

apex /ˈeɪpɛks/ *n.* (*pl.* **apexes, apices**) (*geom. e fig.*) apice; vertice; sommità: **the a. of a triangle**, il vertice di un triangolo ● (*India*) **a. court**, corte suprema.

aphagia /əˈfeɪdʒɪə/ *n.* ⓤ (*med.*) afagia.

aphasia /əˈfeɪzɪə/ (*med.*) *n.* ⓤ afasia || **aphasic** /ə/ *a.* afasico; di (*o* da) afasia: **aphasic seizure**, crisi d'afasia Ⓑ *n.* (*malato*) afasico.

aphelion /æˈfiːlɪən/ *n.* (*pl.* **aphelia**) (*astron.*) afelio.

apheresis /əˈfɪərɪsɪs/ *n.* (*pl.* **aphaereses**) (*gramm.*) aferesi.

aphesis /ˈæfəsɪs/ *n.* (*pl.* **apheses**) (*gramm.*) aferesi.

aphid /ˈeɪfɪd/ *n.* → **aphis**.

aphis /ˈeɪfɪs/ *n.* (*pl.* **aphides**) (*zool.*) afide.

aphonia /eɪˈfəʊnɪə/ *n.* ⓤ (*med.*) afonia.

aphonic /eɪˈfɒnɪk/ *a.* **1** (*med.*) afono **2** (*fon.*) muto.

aphony /ˈæfəni/ *n.* → **aphonia**.

aphorism /ˈæfərɪzəm/ *n.* aforisma, aforismo || **aphoristic** *a.* aforistico || **aphoristically** *avv.* aforisticamente.

aphrodisiac /æfrəˈdɪzɪæk/ *a.* e *n.* afrodisiaco.

Aphrodite /æfrəˈdaɪti/ *n.* **1** (*mitol.*) Afrodite **2** (*zool.*) afrodite.

aphtha /ˈæfθə/ *n.* ⓤ (*med., vet.*) afta.

aphyllous /əˈfɪləs/ *a.* (*bot.*) afillo.

API *sigla* (*comput.*, **application programming interface**) interfaccia per programmi applicativi.

apiary /ˈeɪpɪəri/ *n.* apiario; alveare; arnia || **apiarian** *a.* relativo all'apicoltura; apistico || **apiarist** *n.* apicoltore, apicultore.

apical /ˈeɪpɪkl/ *a.* (*anche fon.*) apicale.

apiculture /ˈeɪpɪkʌltʃə(r)/ *n.* ⓤ apicoltura, apicultura || **apiculturist** *n.* apicoltore, apicultore.

apiece /əˈpiːs/ *avv.* **1** a testa; a ognuno; per uno, per ciascuno: *We gave them a pound a.*, demmo loro una sterlina a testa **2** l'uno; ciascuno: *Postcards cost 70p a.*, le cartoline costano 70 pence l'una.

apish /ˈeɪpɪʃ/ *a.* **1** scimmiesco **2** che imita (scioccamente) | **-ly** *avv.* | **-ness** *n.* ⓤ.

APL *sigla* (*comput.*, **automatic programming language**) linguaggio di programmazione automatica.

aplacental /eɪpləˈsɛntl/ (*zool.*) Ⓐ *a.* aplacentato Ⓑ *n. pl.* mammiferi aplacenta-

---

ti; aplacentali.

aplanatic /æpləˈnætɪk/ *a.* (*fis.*) aplanatico.

aplasia /əˈpleɪzɪə/ *n.* ⓤ (*med.*) aplasia.

aplenty /əˈplɛnti/ *avv.* e *a. pred.* in abbondanza.

aplomb /əˈplɒm/ *n.* aplomb (*franc.*); sicurezza; padronanza di sé; disinvoltura.

apnoea, apnea /æpˈniːə/ (*med.*) *n.* ⓤ apnea: **sleep a.**, apnea del (*o* da) sonno || **apnoeic, apneic** *a.* apnoico.

apocalypse /əˈpɒkəlɪps/ *n.* apocalisse ● (*relig.*) **the A.**, l'Apocalisse || **apocalyptic, apocalyptical** *a.* apocalittico || **apocalyptically** *avv.* apocalitticamente.

apochromatic /æpəkrəˈmætɪk/ *a.* (*fis.*) apocromatico.

to apocopate /əˈpɒkəpeɪt/ (*ling.*) *v. t.* apocopare; troncare.

apocope /əˈpɒkəpi/ *n.* (*ling.*) apocope; troncamento.

apocrypha /əˈpɒkrɪfə/ *n. pl.* (scritti) apocrifi.

Apocrypha /əˈpɒkrɪfə/ *n. pl.* (*relig.*) **1** libri apocrifi (*dell'Antico testamento*) **2** Vangeli apocrifi.

apocryphal /əˈpɒkrɪfl/ *a.* **1** apocrifo; spurio **2** (*relig.*) apocrifo.

apodal /ˈæpədl/ *a.* e *n.* (*zool.*) apodo.

apodeictic /æpəʊˈdaɪktɪk/ → **apodictic**.

apodictic /æpəʊˈdɪktɪk/ *a.* (*filos.*) apoditico.

apodosis /əˈpɒdəsɪs/ *n.* (*pl.* **apodoses**) (*gramm.*) apodosi.

apogee /ˈæpədʒiː/ (*astron. e fig.*) *n.* ⓤ apogeo || **apogean** *a.* (che è) all'apogeo.

apolitical /eɪpəˈlɪtɪkl/ *a.* apolitico.

Apollo, apollo /əˈpɒləʊ/ *n.* **1** (*mitol.*) Apollo **2** (*fig.*; *pl.* **apollos**) apollo.

Apollonian /æpəˈləʊnɪən/, **Apollonic** /æpəˈlɒnɪk/ *a.* (*lett.*) apollineo.

apologetic /əpɒləˈdʒɛtɪk/, **apological** /əpɒləˈdʒɛtɪkl/ *a.* **1** di scusa; umile; contrito: **a. behaviour**, un contegno contrito **2** apologetico: **an a. essay**, un saggio apologetico | **-ally** *avv.*

apologetics /əpɒləˈdʒɛtɪks/ *n. pl.* **1** scritti apologetici **2** (col verbo al sing.) apologetica.

apologia /æpəˈləʊdʒɪə/ *n.* (*pl.* **apologias, apologiae**) (*form.*) apologia; autodifesa || **apologist** *n.* apologista; apologeta.

♦**to apologize** /əˈpɒlədʒaɪz/ *v. i.* scusarsi; chiedere scusa: **to a. to sb. for st.** [**for doing st.**], scusarsi con q. di qc. [di, per aver fatto q.c.].

apologue /ˈæpəlɒg/ *n.* apologo.

♦**apology** /əˈpɒlədʒi/ *n.* **1** scuse (pl.); parole (pl.) di scusa: **to make an a. to sb.**, scusarsi con q.; fare le proprie scuse a q.; *I'll call her this evening and make my apologies*, la chiamo stasera e le faccio le mie scuse; **to offer one's apologies**, presentare le proprie scuse; *I owe you an a.*, ti devo delle scuse; **to send one's apologies**, inviare le proprie scuse; *Please accept my apologies again*, la prego di accettare di nuovo le mie scuse; **letter of a.**, lettera di scuse **2** (*form.*) apologia ● **a. for**, surrogato di; pallida imitazione di: *I was shown into an a. for a waiting-room*, fui fatto entrare in una stanzetta che avrebbe dovuto essere la sala d'aspetto □ **I make no a. for**, mi permetto di; mi sento libero di.

apophatic /æpəˈfætɪk/ (*teol., letter., ecc.*) *a.* apofatico || **apophasis** *n.* ⓤ apofasi.

apophony /əˈpɒfəni/ (*ling.*) *n.* ⓤ apofonia || **apophonic** *a.* apofonico.

apophthegm /ˈæpəʊθɛm/ *n.* (*retor.*) apoftegma.

apophysis /əˈpɒfəsɪs/ (*anat.*) *n.* (pl.

apophyses) apofisi || **apophyseal** a. apofisario.

apoplectic /ˌæpəˈplɛktɪk/ **A** a. **1** (*med.*) apoplettico: **a. stroke**, colpo apoplettico **2** (*fam.*) furibondo; infuriato **B** n. (*med.*) apoplettico.

apoplexy /ˈæpəplɛksɪ/ n. ⓤ (*med.*) apoplessia.

apoptosis /ˌæpɒpˈtəʊsɪs/ (*biol.*) n. ⓤⓒ (pl. **apoptoses**) apoptosi || **apoptotic** a. apoptotico.

aporia /əˈpɔːrɪə/ n. ⓤⓒ (*filos.*) aporia.

aport /əˈpɔːt/ avv. (*naut.*) verso sinistra.

aposiopesis /ˌæpəsaɪəʊˈpiːsɪs/ n. (pl. **aposiopeses**) (*retor.*) aposiopesi; reticenza.

apostasy /əˈpɒstəsɪ/ n. ⓤ apostasia.

apostate /əˈpɒsteɪt/ **A** n. apostata **B** a. reo di apostasia.

to **apostatize** /əˈpɒstətaɪz/ v. i. apostatare; diventare apostata.

a posteriori /ˌeɪpɒsterɪˈɔːrɪ/ (*lat.*) loc. avv. e agg. (*filos.*) a posteriori.

apostle /əˈpɒsl/ n. **1** (*relig.*) apostolo **2** (*fig.*) apostolo; propugnatore, fautore ● (*relig.*) **the Apostles' Creed**, il simbolo apostolico; il Credo.

apostolate /əˈpɒstələt/ n. ⓤⓒ apostolato.

apostolic /ˌæpəˈstɒlɪk/, **apostolical** /ˌæpəˈstɒlɪkl/ a. apostolico || **apostolicity** n. ⓤ apostolicità.

◆**apostrophe** ① /əˈpɒstrəfɪ/ (*gramm.*) n. apostrofo.

apostrophe ② /əˈpɒstrəfɪ/ n. (*retor.* o *form.*) apostrofe.

to **apostrophize** ① /əˈpɒstrəfaɪz/ v. t. (*gramm.*) apostrofare; mettere l'apostrofo davanti a.

to **apostrophize** ② /əˈpɒstrəfaɪz/ v. t. e i. (*retor.*) apostrofare.

apothecary /əˈpɒθəkərɪ/ n. **1** (*arc.*) farmacista **2** (*leg.*) farmacista abilitato a preparare galenici (*a Londra*) ● **a. jars**, vasi da farmacia.

apothecium /ˌæpəˈθiːsɪəm/ n. (pl. **apothecia**) (*bot.*) apotecio.

apothegm /ˈæpəθɛm/ (*USA*) → **apophthegm**.

apothem /ˈæpəθɛm/ n. (*geom.*) apotema.

apotheosis /əˌpɒθɪˈəʊsɪs/ n. (pl. **apotheoses**) (*anche fig.*) apoteosi; glorificazione.

to **apotheosize** /əˈpɒθɪəʊsaɪz/ v. t. deificare; glorificare; fare l'apoteosi di (q.).

apotropaic /ˌæpəʊtrəʊˈpeɪɪk/ a. apotropaico.

app /æp/ n. (*comput.*, abbr. di **application**) applicazione.

to **appal** /əˈpɔːl/ v. t. **1** inorridire; orripilare **2** sgomentare; sbigottire; scioccare || **appalled** a. **1** inorridito; orripilato **2** sgomento; sbigottito; scioccato.

Appalachian /ˌæpəˈleɪtʃən/ **A** a. (*geogr., geol.*) appalachiano **B** n. pl. (*geogr.*) – **the Appalachians** (*o* **the A. Mountains**), gli Appalachi; i Monti Appalachi.

appalling /əˈpɔːlɪŋ/ a. **1** spaventoso; orrendo; tremendo: **an a. crime**, un delitto orrendo; **an a. mistake**, un errore tremendo **2** (*fam.*) pessimo; disgustoso; orribile; orrido: **a. food**, cibo pessimo; **a. manners**, maniere disgustose; **a. weather**, tempo orribile.

appanage /ˈæpənɪdʒ/ → **apanage**.

apparatchik /ˌæpəˈrætʃɪk/ (*russo*) n. **1** (*polit., stor.*) uomo dell'apparato del PCUS **2** (*fig.*) uomo dell'apparato.

apparatus /ˌæpəˈreɪtəs/ n. (pl. **apparatuses**, **apparatus**) (*fisiol., ecc.*) apparato; (*ind., fis.*) apparecchio; impianto: **central-heating a.**, impianto di riscaldamento centrale; (*anat.*) **digestive a.**, apparato digerente; **political a.**, apparato politico ● (*filol.*) **a. criticus** (*lat.*), apparato critico (*di un testo*).

apparel /əˈpærəl/ n. ⓤ **1** (*relig.*) ricamo di abito talare; paramenti **2** (*lett.*) veste: **the white a. of winter**, la veste bianca dell'inverno **3** (*naut.*) armamento (*della nave*) **4** (*spec. USA*) abbigliamento; vestiario; abiti; confezioni: **children's a.**, confezioni per bambini.

◆**apparent** /əˈpærənt/ a. **1** evidente; chiaro; manifesto; palese: *It was a. that he was lying*, era evidente che mentiva **2** apparente: *Don't be taken in by his a. honesty!*, non lasciarti ingannare dalla sua apparente onestà! **3** (*astron.*) apparente; vero: **a. horizon**, orizzonte apparente; **a. magnitude**, magnitudine apparente; **a. noon**, mezzogiorno vero; **a. solar day**, giorno solare vero **4** (*fis., chim., ecc.*) apparente: **a. volume**, volume apparente; **a. weight**, peso apparente **5** (*leg.*) apparente: **a. damage**, danno apparente; **a. defect**, vizio apparente ● **for no a. reason**, senza motivo apparente □ (*leg.*) **heir a.** → **heir**.

◆**apparently** /əˈpærəntlɪ/ avv. **1** a quanto pare: *He a. intends to climb Everest*, a quanto pare intende scalare l'Everest **2** evidentemente; manifestamente.

apparition /ˌæpəˈrɪʃn/ n. **1** ⓤ apparizione **2** apparizione; spettro; fantasma **3** (*astron.*) apparizione.

apparitor /əˈpærɪtɔː(r)/ n. (*leg., stor.* o *diritto canonico*) apparitore; usciere; messo.

◆**appeal** /əˈpiːl/ n. **1** appello; richiamo; supplica; invocazione: **an a. to reason**, un appello alla ragione; *A note of a. rang in her voice*, nella sua voce c'era una nota di supplica appello **2** richiesta; appello; invocazione: **an a. for information**, una richiesta di informazioni; **an a. for a kidney donor**, un appello per trovare un donatore di rene; **an a. for help**, una richiesta (*o* un'invocazione) di aiuto **3** richiesta; raccolta di fondi: *The a. raised over a million pounds*, la raccolta di fondi fruttò oltre un milione di sterline; **to launch an a.**, indire una raccolta di fondi **4** attrazione; attrattiva; interesse; richiamo: *His films have a wide a.*, i suoi film hanno un grande richiamo (*o* sono molto popolari); *The idea had lost its a. for me*, l'idea aveva perso ogni interesse per me **5** (*leg.*) ricorso in appello; appello: **to file** (*o* **to lodge**) **an a.**, presentare un ricorso; fare ricorso; ricorrere in appello; interporre appello; **to win a case on a.**, vincere una causa in appello; **right of a.**, diritto di ricorrere in appello **6** (*sport*) richiesta di intervento dell'arbitro; protesta all'arbitro; (*cricket*) interpellanza (*grido di «How's that?» per chiedere l'eliminazione del battitore*) ● (*leg.*) **a. formercy**, ricorso in grazia □ **to make a. to**, ricorrere a; fare ricorso a.

to **appeal** /əˈpiːl/ **A** v. i. **1** fare appello; rivolgere un appello; richiedere; invocare; sollecitare: *He appealed to me for help*, fece appello a me perché mi aiutassi; **to a. for information**, sollecitare informazioni **2** fare appello; appellarsi; invocare: *I a. to your sense of justice*, mi appello al vostro senso di giustizia **3** attirare; attrarre; incontrare i gusti (di); interessare; piacere; dire: *His proposal appeals to me*, la sua proposta mi attrae; *Opera doesn't a. to him*, l'opera non gli piace (*o* non lo interessa, non gli dice niente); *This product doesn't seem to a. to our customers*, questo prodotto non sembra incontrare i gusti della nostra clientela **4** (*leg.*) appellarsi; ricorrere (*o* fare ricorso) in appello; presentare (*o* interporre) appello: **to a. against a judgment**, appellarsi contro (*o* appellare) una sentenza; **to a. to a higher court**, appellarsi all'autorità giudiziaria superiore **5** (*sport*) appellarsi all'arbitro **B**

v. i. (*leg.*) appellare (*una sentenza*) ● (*polit.*) **to a. to the country**, indire nuove elezioni.

appealable /əˈpiːləbl/ a. **1** cui si può fare appello **2** (*leg.*: *di una sentenza*) appellabile || **appealability** n. ⓤ (*leg.*) appellabilità.

appealer /əˈpiːlə(r)/ n. **1** chi fa appello (a q.) **2** (*leg.*) appellante.

appealing /əˈpiːlɪŋ/ a. **1** supplichevole: *She gave him an a. look*, gli gettò un'occhiata supplichevole **2** attraente; piacevole.

◆to **appear** /əˈpɪə(r)/ v. i. **1** apparire; comparire; mostrarsi; fare la propria comparsa; farsi vedere: **to a. from nowhere**, apparire dal nulla; **to a. upon the scene**, comparire sulla scena; *He didn't a. until late in the evening*, non si fece vedere fino a tarda sera **2** comparire; essere presente; figurare: *My name doesn't a. on the list*, il mio nome non figura nell'elenco **3** avere l'aria (di); apparire; parere; sembrare: *The patient appears to be better*, il paziente sembra (*o* ha l'aria di) stare meglio; il paziente appare migliorato; *The desk doesn't a. to have been touched*, la scrivania non appare toccata; *It appears to me that...*, mi pare che...; *It appears not*, sembra di no; a quanto pare no; *So it would a.*, così parrebbe; a quanto pare **4** (*leg.*) comparire; presentarsi in giudizio: **to a. at the bar** (*o* **before the court**), comparire in giudizio; **to a. for sb.**, comparire come difensore di q.; rappresentare q. in giudizio; *He appeared on several charges*, è comparso in tribunale sotto vari capi d'accusa **5** (*di attore, ecc.*) esibirsi; recitare; apparire: **to a. on TV**, apparire in televisione; *He will a. in 'Hamlet'*, reciterà nell'*Amleto* **6** (*di libro, articolo*) apparire; uscire; essere pubblicato.

◆**appearance** /əˈpɪərəns/ n. **1** apparizione; comparsa; arrivo: **in order of a.**, in ordine di apparizione; **the a. of the steam engine**, la comparsa (*o* l'avvento) della macchina a vapore **2** apparenza: **to judge by appearances**, giudicare dalle apparenze; **contrary to all appearances**, contro tutte le apparenze; contrariamente a ciò che appare (*o* a quanto sembra) **3** impressione; aria: *He gave the a. of being busy*, dava l'impressione (*o* aveva l'aria) di essere indaffarato **4** ⓒ aspetto: **physical a.**, aspetto fisico; **an unhealthy a.**, un aspetto poco sano; una brutta cera; **to be indifferent to one's a.**, non curarsi del proprio aspetto; *A smart a. is essential for this job*, per questo lavoro è essenziale una bella presenza **5** (*leg.*) comparizione; costituzione in giudizio **6** ⓒ (*di attore, ecc.*) comparsa; esibizione: *TV appearances*, comparse in televisione; **her first screen a.**, la sua prima comparsa sullo schermo **7** ⓤ (*di libro, articolo*) pubblicazione; uscita ● **by** (*o* **to**) **all appearances**, a quanto pare □ **to keep up appearances**, salvare le apparenze □ **for the sake of appearances**, per salvare le apparenze □ **to put in** (*o* **to make**) **an a.**, fare una breve comparsa; fare un'apparizione fugace; fare atto di presenza □ (*TV, cinem.*: *nei titoli di testa, ecc.*) **special appearances by...**, e con la partecipazione (straordinaria) di...

appearer /əˈpɪərə(r)/ n. (*leg.*) comparente.

appearing /əˈpɪərɪŋ/ a. **1** (*leg.*) che compare in giudizio: **the a. party**, la parte che compare in giudizio; il (*o* la) comparente **2** (*nei composti*) che ha un dato aspetto: **youthful-a.**, di aspetto giovanile.

appeasable /əˈpiːzəbl/ a. **1** placabile **2** appagabile.

to **appease** /əˈpiːz/ v. t. **1** placare (*con concessioni*); calmare; rabbonire; pacificare **2** sopire; placare; acquietare: **to a. one's conscience**, placare la propria coscienza; **to a. hunger**, acquietare la fame.

appeasement /əˈpiːzmənt/ n. ⓤ **1** pacificazione; acquietamento **2** (politica di) eccessive concessioni; acquiescenza; appeasement.

appellant /əˈpɛlənt/ n. (leg.) appellante; ricorrente.

appellate /əˈpɛlət/ a. (leg.) di appello: **a. jurisdiction**, giurisdizione d'appello ● (in USA) **A. Court**, Corte d'Appello (ve ne sono dodici).

appellation /æpəˈleɪʃn/ n. (form.) appellativo; denominazione.

appellative /əˈpɛlətɪv/ **A** a. **1** che serve a denominare **2** (gramm.) comune: **a. noun**, nome comune **B** n. **1** appellativo **2** (gramm.) nome comune.

appellee /æpɛˈliː/ n. (leg.) appellato; chi è convenuto in giudizio di appello.

appellor /əˈpɛlə(r)/ n. (leg., stor.) **1** imputato che accusa i complici **2** imputato che ricusa i giurati.

to append /əˈpɛnd/ v. t. **1** apporre: **to a. one's signature**, apporre la firma **2** aggiungere (per iscritto).

appendage /əˈpɛndɪdʒ/ n. **1** aggiunta; annesso **2** (anat.) appendice **3** (bot., zool.) appendice.

appendant /əˈpɛndənt/ **A** a. **1** aggiunto; accessorio; sussidiario **2** (leg.) incorporato; connesso **B** n. **1** cosa aggiunta (o connessa) **2** (leg.) pertinenza (di un immobile).

appendectomy /æpenˈdɛktəmɪ/, **appendicectomy** n. ⓤⓒ (med.) appendicectomia.

appendicitis /əpɛndɪˈsaɪtɪs/ n. ⓤ (med.) appendicite.

appendicular /æpənˈdɪkjʊlə(r)/ a. (anat., bot.) appendicolare.

appendix /əˈpɛndɪks/ n. (pl. *appendices*, *appendixes*) **1** appendice; aggiunta **2** (anat.) appendice ● **to have one's a. out**, farsi togliere l'appendice; farsi operare d'appendicite.

to apperceive /æpəˈsiːv/ v. t. (psic.) appercepire.

apperception /æpəˈsɛpʃn/ n. ⓤ (psic.) appercezione.

to appertain /æpəˈteɪn/ v. i. **1** essere pertinente (a); essere di pertinenza (di); spettare (a): **the duties appertaining to your office**, i doveri pertinenti alla (o connessi con la) tua carica **2** riferirsi (a); essere in relazione (con).

appetence /ˈæpɪtəns/, **appetency** /ˈæpɪtənsɪ/ n. ⓤ **1** brama; desiderio **2** attrazione (verso qc.); inclinazione; affinità.

appetite /ˈæpɪtaɪt/ n. appetito (spec. di cibo); (fig.) avidità; brama: **to spoil sb.'s a.**, guastare l'appetito a q. ● **a. depressant**, anoressante.

appetition /æpɪˈtɪʃn/ n. ⓤ (filos.) appetizione.

appetizer /ˈæpɪtaɪzə(r)/ n. **1** antipasto **2** aperitivo **3** (pl.) salatini; stuzzichini **4** (fig.) stimolo; allettamento.

appetizing /ˈæpɪtaɪzɪŋ/ a. **1** appetitoso **2** (fig.) allettante.

Appian Way /ˈæpɪənweɪ/ n. via Appia.

to applaud /əˈplɔːd/ v. t. e i. applaudire; plaudire.

applause /əˈplɔːz/ n. ⓤ **1** applauso, applausi; battimani **2** approvazione; consenso; plauso.

♦**apple** /ˈæpl/ n. **1** mela: **cooking a.**, mela da cuocere **2** (bot., Pirus malus, = **a. tree**) melo **3** (solo con agg.) (slang USA) tipo; tizio (V. sotto l'agg.) ● **a. brandy**, distillato di sidro □ **a.-cart** ➝ **applecart** □ **a.-cheeked**, con le guance rosse come mele □ **a. crumble**, apple crumble (dolce di mele coperte da un impasto sbriciolato di farina, burro e zucche-

ro) □ **a. green**, verde mela □ (fam. Austral.) **the A. Isle**, la Tasmania (nota produttrice di mele) □ (mitol. e fig.) **the a. of discord**, il pomo della discordia □ **the a. of sb.'s eye**, la pupilla degli occhi di q. □ **a. orchard**, meleto □ (USA) **a. pie**, torta di mele □ **a.-pie**, a. tipicamente americano (come la torta di mele); americano al 100% □ **a.-pie bed**, sacco nel letto (scherzo) □ (fam. USA) **a.-polisher** (fig.) lecchino; filone □ **a. sauce**, salsa di mele; (fam. USA) chiacchiere, sciocchezze, parole adulatorie □ (fam. GB) **apples and pears**, scale (termine di ➝ «rhyming slang», ➝ **to rhyme**) □ (fam.) **in a.-pie order**, in perfetto ordine □ (fam. USA) **How do you like them apples?**, embè, che ne dici? (iron.) □ (fam. Austral.) **She's** (o **She'll be**) **apples!**, va tutto bene; è tutto OK.

applecart /ˈæplkɑːt/ n. carretto di fruttivendolo; carretto delle mele ● **to upset the a.**, mandare tutto all'aria; scombussolare tutti i piani; rompere le uova nel paniere a q.

applejack /ˈæpldʒæk/ n. (USA) brandy distillato dalle mele; distillato di sidro.

to apple-polish /ˈæplpɒlɪʃ/ v. t. (fam. USA) cercare di ingraziarsi; lisciare; fare il lecchino con; dare del sapone a.

applet /ˈæplət/ n. (comput.) applet (applicazione progettata allo scopo di essere eseguita all'interno di un'altra applicazione): **java a.**, applet java.

appliance /əˈplaɪəns/ n. **1** apparecchio; arnese; congegno; dispositivo; (spec.) elettrodomestico: **time-saving appliances**, apparecchi che fanno risparmiare tempo; **safety a.**, dispositivo di sicurezza **2** (tecn.) applicazione **3** (pl.) attrezzature; accessori: **office appliances**, attrezzature per ufficio.

applicable /ˈæplɪkəbl/ a. **1** appropriato; pertinente; valido: **This rule is only a. to members**, questa regola è valida (o vale) solo per i soci; **Tick where a.**, (in un questionario) barrare le opportune caselle (o le caselle che interessano) **2** applicabile ‖ **applicability**. ⓤ applicabilità.

applicant /ˈæplɪkənt/ n. **1** richiedente (un impiego, l'ammissione, ecc.); aspirante (a un posto); candidato **2** (leg.) istante; ricorrente.

♦**application** /æplɪˈkeɪʃn/ n. **1** domanda (formale); richiesta; istanza (leg.): **job a.**, domanda di lavoro; (leg.) **a. for bail**, domanda di libertà provvisoria dietro cauzione; **to put in an a.**, inviare (o inoltrare) una domanda; (leg.) **to make an a. for st.**, rivolgere istanza di qc.; (comm.) **samples on a.**, campioni su richiesta; **a. form**, modulo (di richiesta, di iscrizione, ecc.); **There's an a. form at the back of the prospectus**, c'è un modulo di iscrizione sul retro del programma **2** ⓤ applicazione; messa in atto; impiego: **the a. of new methods**, l'impiego di nuovi metodi **3** ⓤⓒ applicazione (di crema, ecc.); mano (di vernice, ecc.): **the a. of ointment**, l'applicazione di un unguento; (med.) **for external a.**, per uso esterno **4** ⓤ applicazione; assiduità; diligenza **5** (comput., = **a. program**) applicazione; programma applicativo: **a. software**, software applicativo.

applicative /əˈplɪkətɪv/ a. **1** che si applica **2** applicabile.

applicator /ˈæplɪkeɪtə(r)/ n. **1** applicatore; chi applica **2** (tecn.) applicatore.

applied /əˈplaɪd/ a. applicato: **a. science**, scienza applicata ● (rag.) **a. cost**, costo imputato.

applier /əˈplaɪə(r)/ n. **1** richiedente; aspirante (a un posto) **2** applicatore; chi applica.

appliqué /əˈpliːkeɪ/ n. (moda) applicazione (in pizzo, ecc.).

to appliqué /əˈpliːkeɪ/ v. t. (moda) ornare (un abito, ecc.) con applicazioni.

♦**to apply** /əˈplaɪ/ **A** v. t. **1** applicare; mettere; spalmare; dare: **to a. a label**, applicare un'etichetta; **to a. paint**, dare la vernice **2** esercitare; impiegare; usare; applicare; azionare: **to a. pressure**, esercitare una pressione; **to a. a standard**, usare un criterio; **to a. a rule**, applicare una regola; **to a. the brakes**, azionare i freni **B** v. i. **1** rivolgersi: **to a. to the local authorities**, rivolgersi alle autorità locali; *I applied to him for help*, mi rivolsi a lui per aiuto; «**A. within**», (cartello) «rivolgersi all'interno» **2** fare domanda (o richiesta); richiedere: **to a. for a passport**, fare domanda per (o richiedere) il passaporto; **to a. for a job**, fare domanda per un posto di lavoro; *Have you applied to go to university?*, hai fatto domanda per l'università?; *How do you a.?*, come si presenta la domanda? **3** essere valido; essere pertinente; riguardare; riferirsi (a): *This rule no longer applies*, questa regola non è più valida; *My remark doesn't a. to you*, la mia osservazione non si riferisce a te ● **to a. oneself**, applicarsi; dedicarsi (a) (lavoro, studio, ecc.).

♦**to appoint** /əˈpɔɪnt/ v. t. **1** nominare; designare: *He has been appointed as sales director*, è stato nominato direttore vendite; **to a. sb. chairman**, nominare qc. direttore; **to a. a committee**, nominare una commissione; **to a. sb. to do st.**, designare q. per fare qc. **2** stabilire; fissare: **to a. a day**, fissare una data.

appointed /əˈpɔɪntɪd/ a. **1** nominato **2** fissato; stabilito; prescelto **3** (con avv.) arredato; ammobiliato: **elegantly a.**, arredato con eleganza.

appointee /əpɔɪnˈtiː/ n. persona designata (a ricoprire un incarico); incaricato.

♦**appointment** /əˈpɔɪntmənt/ n. **1** appuntamento: **to make an a.**, fissare (o prendere) un appuntamento; *I'll ring the doctor and make an a.*, chiamo il dottore e fisso un appuntamento; **to keep an a.**, rispettare un appuntamento; **to see sb. by a.**, ricevere q. su appuntamento; **a. book**, agenda per appuntamenti; *I've got an a. with Mrs Green at 10.30*, ho un appuntamento con la signora Green per le 10:30 **2** nomina; incarico; designazione: *His a. as (o to be) head of department came as no surprise*, la sua nomina a capo del dipartimento non sorprese nessuno **3** posizione; posto; carica; ufficio: **teaching a.**, posto di insegnante; **to take up an a. as**, assumere la carica di **4** (al pl.) arredo (sing.); mobilio (sing.) ● (comm.) **by a. to the Queen**, fornitori della Casa Reale ❶ **FALSI AMICI** ● appointment *non significa* appuntamento amoroso.

to apportion /əˈpɔːʃn/ v. t. **1** ripartire; fare le parti (o le porzioni) di (qc.) **2** distribuire; spartire **3** assegnare; stabilire: **to a. wages to work**, stabilire i salari in base al lavoro svolto **4** lottizzare (terreni).

apportionable /əˈpɔːʃənəbl/ a. **1** distribuibile; spartibile **2** lottizzabile **3** (ass., fin.) frazionabile.

apportionment /əˈpɔːʃnmənt/ n. ⓤ **1** ripartizione **2** (anche leg.) distribuzione; spartizione **3** lottizzazione (di terreni).

apposite /ˈæpəzɪt/ a. appropriato; adatto; giusto: **an a. example**, un esempio appropriato.

apposition /æpəˈzɪʃn/ n. ⓤ **1** (gramm.) apposizione **2** (leg.) apposizione (di sigillo) ‖ **appositional**, **appositive** a. (gramm.) in apposizione; di apposizione; appositivo.

appraisable /əˈpreɪzəbl/ a. valutabile; stimabile; periziabile.

appraisal /əˈpreɪzl/ n. ⓤⓒ (anche leg.) valutazione; stima; perizia.

to appraise /əˈpreɪz/ v. t. (anche leg.) valutare; stimare; periziare.

❶ **Nota:** *appraise o apprise?*
Il verbo *to appraise* significa "valutare qualcuno o qualcosa": *to appraise someone's work*, valutare il lavoro di qualcuno; *all procedures are regularly and rigorously appraised*, tutte le procedure sono valutate regolarmente e attentamente. Il verbo *to apprise*, invece, vuol dire "informare, avvertire, notificare": *They were fully apprised of all the particulars*, furono informati di tutti i particolari.

appraisement /ə'preɪzmənt/ n. **1** → **appraisal 2** (*anche leg.*) relazione di stima; rapporto peritale.

appraiser /ə'preɪzə(r)/ n. stimatore; (*leg.*) perito stimatore ● **a.'s report**, perizia.

appreciable /ə'priːʃəbl/ a. **1** apprezzabile; stimabile; valutabile **2** considerevole; notevole; sensibile: **an a. difference in pay**, una sensibile differenza di paga | **-bly** avv.

♦to **appreciate** /ə'priːʃɪeɪt/ Ⓐ v. t. **1** apprezzare; riconoscere il valore di: *They don't a. my work*, non apprezzano il mio lavoro **2** essere grato di (o per); provar piacere per: *I do a. your help*, ti sono davvero grato del tuo aiuto; *I appreciated being asked*, mi fece piacere che me lo chiedessero **3** rendersi conto di; capire; comprendere: *I fully a. your difficulties*, comprendo pienamente le tue difficoltà; *I a. that you have a commitment with them*, mi rendo conto che tu hai preso un impegno con loro Ⓑ v. i. (*fin.*) aumentare di valore; salire di prezzo; (*di valuta*) apprezzarsi: *Real estate has greatly appreciated*, il valore dei beni immobili è assai aumentato; *The euro will keep appreciating against the dollar*, l'euro continuerà ad apprezzarsi rispetto al dollaro.

appreciation /əpriːʃɪ'eɪʃn/ n. Ⓤ **1** apprezzamento; riconoscimento (*del valore di qc.*) **2** gratitudine **3** comprensione (*di una difficoltà altrui, ecc.*): *He showed no a. for my predicament*, non mostrò nessuna comprensione della mia difficile posizione **4** valutazione critica; giudizio critico; critica; commento: **an exercise in literary a.**, un esercizio di critica letteraria; **to write an a. of a prose passage**, scrivere un commento di un brano di prosa **5** (*fin.*) aumento di valore (o di prezzo); rivalutazione; plusvalenza; apprezzamento (*di una valuta*).

appreciative /ə'priːʃɪətɪv/, **appreciatory** /ə'priːʃɪətərɪ/ a. **1** elogiativo; d'apprezzamento **2** grato; riconoscente **3** che comprende.

to **apprehend** /æprɪ'hend/ v. t. **1** (*form.*) arrestare; catturare (*un ricercato*) **2** (*lett.*) comprendere; afferrare **3** (*arc.*) temere; paventare ● (*ass., leg.*) **apprehended risk**, rischio putativo.

apprehensible /æprɪ'hensəbl/ (*lett.*) a. comprensibile || **apprehensibility** n. Ⓤ comprensibilità.

apprehension /æprɪ'henʃn/ n. **1** ⓊⒸ apprensione; inquietudine; timore; ansietà **2** Ⓤ (*lett.*) comprensione; capacità d'intendere **3** Ⓤ (*form.*) arresto, cattura (*di ricercato*).

apprehensive /æprɪ'hensɪv/ a. **1** apprensivo; timoroso: **to be a. of st.**, aver timore di qc.; **to feel a. about st.**, provare (o essere in) apprensione per qc. **2** (*lett.*) pronto a capire; perspicace; intelligente **3** relativo alla comprensione | **-ly** avv.

apprehensiveness /æprɪ'hensɪvnəs/ n. Ⓤ **1** l'essere apprensivo; timore **2** facilità d'apprendimento; intelligenza; perspicacia.

apprentice /ə'prentɪs/ n. apprendista; tirocinante: **to bind sb. a. (to)**, collocare q. come apprendista (*presso*); **an a. plumber**, un apprendista idraulico.

to **apprentice** /ə'prentɪs/ v. t. mettere a mestiere (*o a bottega*); mettere (*o collocare*) come apprendista: *He was apprenticed to a tailor*, fu messo come apprendista presso un sarto.

apprenticeship /ə'prentɪsʃɪp/ n. ⓊⒸ apprendistato; tirocinio: **to serve one's a.**, fare il tirocinio.

to **apprise**, to **apprize** /ə'praɪz/ v. t. (*form.*) informare; avvertire; avvisare: **to a. sb. of st.**, informare q. di qc.; **to be apprised of st.**, essere messo al corrente di qc.
❶ **Nota:** *appraise o apprise?* → **appraise**.

appro /'æprəʊ/ n. (*comm. GB*) abbr. fam. di **approval** nella loc.: **on a.**, in esame; in prova.

♦**approach** /ə'prəʊtʃ/ n. **1** Ⓤ avvicinamento; (l')avvicinarsi; (l')approssimarsi: **the a. of winter**, l'avvicinarsi dell'inverno; **on our a.**, al nostro avvicinarsi; come ci avvicinammo **2** accesso; via d'accesso: *All approaches are blocked*, tutte le vie d'accesso sono bloccate; *Britain's western approaches*, le rotte marittime dell'Atlantico verso la Gran Bretagna; **a. road**, strada di accesso **3** modo di affrontare, di accostarsi (*a un lavoro, una questione, ecc.*); impostazione; approccio: **a casual a. to a problem**, un modo superficiale d'affrontare un problema; *Let's try a new a.*, proviamo con un nuovo approccio; proviamo ad affrontare (*o impostare*) la cosa in modo diverso **4** (*anche al pl.*) approccio (*per saggiare le intenzioni*); proposta (*di acquisto, ecc.*); avance (*franc.*): *They made approaches to us for a joint venture*, ci fecero delle avances per un'impresa in partecipazione **5** (*al pl.*) avances (*franc.*) amorose; proposte **6** approssimazione; cosa che si avvicina: *It was his nearest a. to a smile*, era ciò che in lui più si avvicinava a un sorriso ● (*naut.*) **a. course**, rotta di avvicinamento □ (*aeron.*) **a. path**, sentiero d'avvicinamento.

♦to **approach** /ə'prəʊtʃ/ Ⓐ v. i. avvicinarsi; approssimarsi: *The time is approaching when...*, si avvicina il momento in cui... Ⓑ v. t. **1** avvicinarsi a: *We were approaching the mountains*, ci avvicinavamo alle montagne; *I'm approaching retirement*, mi sto avvicinando alla pensione **2** avvicinare; rivolgere la parola a: *I was approached by a stranger*, fui avvicinato da uno sconosciuto **3** rivolgersi a (*q., con una proposta, una richiesta*); contattare; fare un'offerta a: *You can a. him directly*, puoi rivolgerti direttamente a lui; puoi contattarlo direttamente; **to a. bank about a loan**, rivolgersi a una banca per un prestito; *I've been approached by several art dealers about this painting*, ho ricevuto diverse offerte da mercanti d'arte per questo quadro **4** affrontare (*un lavoro, un problema*) **5** avvicinarsi a; essere vicino a: *The total figure approaches 3 million*, la cifra totale si avvicina ai tre milioni; **to a. perfection**, avvicinarsi alla perfezione.

approachable /ə'prəʊtʃəbl/ a. **1** (*di luogo*) accessibile; raggiungibile **2** (*di persona*) disponibile; affabile; accessibile || **approachability** n. Ⓤ **1** accessibilità **2** disponibilità; affabilità.

approaching /ə'prəʊtʃɪŋ/ a. che s'avvicina; imminente; ormai prossimo: **the a. storm**, la tempesta che s'avvicina; **an a. deadline**, una data di scadenza imminente.

to **approbate** /'æprəʊbeɪt/ v. t. (*USA*) **1** approvare **2** sanzionare.

approbation /æprə'beɪʃn/ n. Ⓤ **1** approvazione **2** sanzione || **approbative** a. approvativo; favorevole || **approbatory** a. approvativo; d'approvazione.

appropriable /ə'prəʊprɪəbl/ a. **1** di cui si può appropriare **2** (*fin.*) assegnabile; stanziabile.

♦**appropriate** /ə'prəʊprɪət/ a. **1** appropriato; adatto; adeguato; giusto: **an a. symbol**, un simbolo appropriato; **a. dress**, abbigliamento adatto (*all'occasione*); **a. to our needs**, adeguato alle nostre esigenze; *It is a. that the ceremony should be private*, è giusto che la cerimonia si svolga in privato; **if a.**, se è del caso **2** (*d'ente, organismo, ecc.*) competente: **the a. authorities**, le autorità competenti ● (*ecol.*) **a. technology**, tecnologia appropriata □ «**Delete as a.**», (*su un modulo*) «cancellare quello che non interessa» || **appropriateness** n. Ⓤ appropriatezza; adeguatezza.

to **appropriate** /ə'prəʊprɪeɪt/ v. t. **1** impossessarsi di; appropriarsi **2** (*fin.*) assegnare; destinare; stanziare: *More money should be appropriated for education*, si dovrebbero stanziare maggiori somme di denaro per l'istruzione **3** (*fin., rag.*) accantonare (*fondi*); ripartire (*utili*) **4** (*leg.*) appropriarsi indebitamente di; sottrarre; rubare.

appropriation /əprəʊprɪ'eɪʃn/ n. **1** appropriazione **2** cosa di cui ci si è appropriati **3** (*fin.*) assegnazione; destinazione (*a uno scopo*); stanziamento; impegno di spesa: **a. bills**, disegni di legge per stanziamenti in bilancio **4** (*fin., rag.*) accantonamento (*di fondi*); ripartizione, riparto: **a. account**, conto di accantonamento; prospetto di riparto (*degli utili*) **5** Ⓤ (*leg.*) appropriazione indebita.

appropriative /ə'prəʊprɪətɪv/ a. **1** incline ad appropriarsi **2** (*fin.*) che assegna, stanzia (→ **appropriation**).

appropriator /ə'prəʊprɪeɪtə(r)/ n. **1** appropriatore; chi si appropria (*di qc.*) **2** (*fin.*) chi assegna; chi stanzia **3** (*relig.*) detentore di beneficio ecclesiastico.

approvable /ə'pruːvəbl/ a. approvabile.

♦**approval** /ə'pruːvl/ n. Ⓤ **1** approvazione: **to win sb.'s a.**, guadagnarsi (*o ottenere*) l'approvazione di q.; **to nod in a.**, annuire in segno di approvazione **2** approvazione; autorizzazione; benestare: *I need your a.*, ho bisogno del vostro benestare; **subject to his a.**, condizionato alla sua approvazione **3** (*leg.*) omologazione; ratifica: **a. of the court**, omologazione del tribunale; **a. of a sentence**, ratifica di una sentenza ● (*sport*) **official a.**, omologazione (*di un primato, ecc.*) □ (*comm.*) **on a.**, in prova; in esame.

♦to **approve** /ə'pruːv/ Ⓐ v. t. approvare (*formalmente*); omologare; ratificare: **to a. a building plan**, approvare un progetto edilizio; **to a. a motion**, approvare una mozione; (*sport*) **to a. a record officially**, omologare un primato Ⓑ v. i. – **to a. of**, approvare: *I don't a. of your behaviour*, non approvo la tua condotta.

approved /ə'pruːvd/ a. approvato; accettato; riconosciuto: **the a. project**, il progetto approvato; **an a. agency**, un'agenzia riconosciuta ● (*in GB, stor.*) **a. school**, casa di correzione; riformatorio.

approver /ə'pruːvə(r)/ n. **1** approvatore; chi approva **2** (*leg., stor.*) reo confesso che testimonia contro i complici.

approving /ə'pruːvɪŋ/ a. d'approvazione; d'incitamento; favorevole: **with an a. smile**, con un sorriso d'approvazione | **-ly** avv.

approx. abbr. **1** → **approximate 2** → **approximately 3** → **approximation**.

♦**approximate** /ə'prɒksɪmət/ a. **1** approssimato; approssimativo **2** (*fin.*) molto simile; vicino **3** (*mat., tecn.*) approssimato.

to **approximate** /ə'prɒksɪmeɪt/ Ⓐ v. t. **1** avvicinarsi a: *The cost will a. one million pounds*, il costo si avvicinerà al milione di sterline **2** calcolare per approssimazione; arrotondare (*una cifra*) **3** (*mat., tecn.*) approssimare Ⓑ v. i. – **to a. to**, avvicinarsi a; essere molto simile a: *His poems a. to musical compositions*, le sue poesie si avvicinano alle composizioni musicali.

a

◆**approximately** avv. approssimativamente; pressappoco, all'incirca.

approximation /əprɒksɪ'meɪʃn/ n. [U] **1** approssimazione: **a rough a.**, un'approssimazione a grandi linee; una valutazione molto approssimativa **2** (*mat.*) valore approssimato **3** avvicinamento.

approximative /ə'prɒksɪmətɪv/ a. approssimativo | -**ly** avv.

appurtenance /ə'pɜːtɪnəns/ n. **1** cosa connessa (*ad altra*); accessorio; annesso **2** (*leg.*) pertinenza **3** (*leg.: di un immobile*) diritto accessorio **4** (pl.) (*leg.*) annessi e connessi.

appurtenant /ə'pɜːtɪnənt/ **A** a. **1** pertinente (a); che appartiene (a) **2** (*leg.*) annesso **B** n. → **appurtenance**, *def. 1*.

APR sigla (**annual percentage rate**) tasso annuo effettivo globale (TAEG).

Apr. abbr. (**April**) aprile (Apr.).

après-ski /æpreɪ'skiː/ (*franc.*) a. (*sport*) doposcì: **après-ski shoes**, scarpe doposcì.

apricot /'eɪprɪkɒt/ n. **1** albicocca **2** (*bot.*, *Prunus armeniaca*, = **a. tree**) albicocco **3** (color) albicocca.

◆**April** /'eɪprəl/ **A** n. [UC] aprile: **in A.**, in aprile, d'aprile; **in A. 2006**, nell'aprile del 2006; **on A. 10th** (*o* **on the 10th of A.**), il 10 aprile; **in early** [**late**] **A.**, all'inizio [alla fine] d'aprile; *We want it done by mid A.*, lo vogliamo pronto per metà aprile **B** a. attr. d'aprile: **A. showers**, le piogge d'aprile ● **A. fool**, vittima di un pesce d'aprile: *We made an A. fool of him*, gli facemmo un pesce d'aprile □ **A. Fools' Day**, il primo d'aprile (*come giorno degli scherzi*) □ **A. Fool('s Day) joke**, pesce d'aprile.

a priori /eɪpraɪ'ɔːraɪ/ (*lat.*) loc. avv. e agg. (*filos.*) a priori || **apriorism** n. [U] apriorismo || **aprioristic** a. aprioristico || **apriority** n. [U] apriorità.

apron /'eɪprən/ n. **1** grembiule, grembiale **2** (*mecc.*) grembiale; riparo; piastra metallica; pannello di protezione **3** (*in aeroporto*) piazzale; area di stazionamento **4** (*teatr.*, = **a. stage**) proscenio **5** (*ind.*) nastro trasportatore **6** (*tecn.*) platea antierosione (*di una diga*) **7** (*falegn.*) zeppa fermaferro (*della pialla*) **8** (*mil.*) schermo mimetico (*di un cannone*) ● **a. string**, laccio di grembiule □ (*fig.*) **to be tied to sb.'s a. strings**, essere attaccato alle sottane di q. || **aproned** a. con indosso un grembiule; in grembiule.

apropos /æprə'pəʊ/ **A** a. appropriato; adatto; opportuno **B** avv. a proposito; opportunamente; giustamente: *He spoke very a.*, disse cose molto giuste **C** prep. (*anche* **a propos of**) a proposito di; riguardo a: **a. your idea of branching out**, riguardo alla tua idea di espanderci ● **a. of nothing**, cambiando completamente discorso; di punto in bianco; senza nessun motivo.

apse /æps/ n. (*archit.*, *astron.*) abside.

apsidal /'æpsɪdl/ a. absidale; di abside.

apsis /'æpsɪs/ n. (pl. **apsides**) **1** (*archit.*) abside **2** (*astron.*) abside: **line of apsides**, linea degli absidi **3** (*relig.*) reliquiario.

apt /æpt/ a. **1** adatto; atto; appropriato; giusto; ben scelto: **apt behaviour**, comportamento appropriato; **an apt description**, una descrizione giusta (*o* felice); **an apt word**, un termine ben scelto **2** sveglio; pronto (*di mente*); intelligente: **an apt student**, uno studente intelligente **3** (*solo pred.*) incline; propenso; soggetto; che tende (*o* ha la tendenza) (a): *I am apt to catch colds*, vado soggetto a raffreddori; *He is apt to forget things*, tende a dimenticare le cose || **aptly** avv. in modo appropriato; a proposito || **aptness** → **aptitude**.

APT sigla (*ferr.*, **advanced passenger train**) treno passeggeri super rapido (*cfr.*

ital. «*pendolino*»).

apteral /'æptərəl/ a. (*zool.*, *scult.*, *archit.*) aptero, attero.

apterous /'æptərəs/ a. (*zool.*) aptero, attero.

aptitude /'æptɪtjuːd/ n. [U] **1** attitudine; predisposizione **2** tendenza; propensione **3** prontezza (*nell'apprendere*); intelligenza ● **a. test**, test attitudinale □ **a. testing**, uso di test attitudinali.

Apulia /ə'pjuːlɪə/ n. (*geogr.*) Puglia || **Apulian** a. e n. pugliese.

apyretic /æ'paɪretɪk/ a. apiretico.

aqua /'ækwə/ (*lat.*) n. (pl. **aquae**, **aquas**) (*chim.*) acqua; **a. regia**, acqua regia ● (*chim.*) **a. ammoniae**, (soluzione di) ammoniaca □ (*arc.*) **a. vitae**, acquavite.

aquabatics /ækwə'bætɪks/ n. pl. (col verbo al sing.) acrobazie nell'acqua.

aquacade /'ækwəkeɪd/ n. (*sport*, *USA*) spettacolo acquatico (*con musica e danze*).

aquaculture /'ækwəkʌltʃə(r)/ n. [U] **1** acquacoltura **2** idroponica || **aquaculturist** n. acquacoltore.

aquadrome /'ækwədrəʊm/ n. (*sport*) centro di gare di sci d'acqua.

aquafarm /'ækwəfɑːm/ n. allevamento di pesci (*o* ostriche, ecc.).

aqualung /'ækwəlʌŋ/ n. (*sport*) autorespiratore.

aquamarine /ækwəmə'riːn/ n. [U] **1** (*miner.*) acquamarina **2** (color) acquamarina.

aquanaut /'ækwənɔːt/ n. (*sport*) acquanauta; sommozzatore.

aquaplane /'ækwəpleɪn/ n. (*sport*) acquaplano (*la tavola galleggiante*).

to **aquaplane** /'ækwəpleɪn/ v. i. **1** (*sport*) andare sull'acquaplano **2** (*autom.*) subire l'effetto aquaplaning; slittare sul bagnato.

aquaplaning /'ækwəpleɪnɪŋ/ n. [U] **1** (*sport*) l'acquaplano (*l'attività*) **2** (*autom.*) aquaplaning.

aquaplanist /'ækwəpleɪnɪst/ n. (*sport*) acquaplanista.

aquarelle /ækwə'rel/ (*arte*) n. [UC] acquerello.

Aquarian /ə'kweərɪən/ (*astrol.*) **A** n. acquario; persona nata sotto il segno dell'Acquario **B** a. dell'Acquario.

aquarist /'ækwərɪst/ n. **1** direttore di acquario **2** frequentatore di acquari.

aquarium /ə'kweərɪəm/ n. (pl. **aquariums**, **aquaria**) acquario.

Aquarius /ə'kweərɪəs/ **A** n. **1** (*astron.*, *astrol.*) Acquario (*costellazione e XI segno dello zodiaco*) **2** (*astrol.*: pl. **Aquarii**, **Aquariuses**) (un) acquario; individuo nato sotto il segno dell'Acquario **B** a. (*astrol.*) dell'Acquario.

aquascope /'ækwəskəʊp/ n. (*naut.*, *tur.*) battello dal fondo in parte di vetro, per osservare il mondo subacqueo.

aquatic /ə'kwætɪk/ a. acquatico: **a. sports**, sport acquatici ● (*nuoto*, *ecc.*) **a. centre**, centro di sport acquatici.

aquatics /ə'kwætɪks/ n. pl. sport acquatici.

aquatint /'ækwətɪnt/ n. [UC] (*arte*) acquatinta.

aqueduct /'ækwɪdʌkt/ n. **1** acquedotto **2** (= **aqueductus**) (*anat.*) acquedotto.

aqueous /'eɪkwɪəs/ a. acqueo; acquoso.

aquiculture /'ækwɪkʌltʃə(r)/ e *deriv.* → **acquaculture**, e *deriv.*

aquifer /'ækwɪfə(r)/ n. (*geogr.*) strato acquifero; falda idrica (*o* acquifera).

aquilegia /ækwɪ'liːdʒɪə/ n. (*bot.*, *Aquilegia*) aquilegia.

aquiline /'ækwɪlaɪn/ a. aquilino: **a. nose**,

naso aquilino.

AR sigla (*USA*, **Arkansas**) Arkansas.

Arab /'ærəb/ **A** n. **1** arabo **2** cavallo arabo **B** a. arabo: **A. countries**, paesi arabi; **the A. League**, la Lega araba.

arabesque /ærə'besk/ **A** n. **1** arabesco **2** (*danza*) arabesque (*franc.*) **B** a. arabescato.

to **arabesque** /ærə'besk/ v. t. arabescare.

Arabian /ə'reɪbɪən/ **A** a. dell'Arabia; arabico; arabo: **the A. Desert**, il Deserto arabico; **the A. Sea**, il Mare arabico; **an A. stallion**, uno stallone arabo **B** n. **1** arabo; nativo dell'Arabia **2** cavallo arabo ● **the A. bird**, l'araba fenice □ **the A. Nights**, le Mille e una Notte.

Arabic /'ærəbɪk/ **A** n. [U] arabo (*la lingua*) **B** a. arabico; arabo: **A. art**, l'arte arabica; **A. numerals**, numeri arabi; cifre arabiche.

Arabicism /ə'ræbɪsɪzəm/ n. (*ling.*) arabismo.

to **Arabicize** /ə'ræbɪsaɪz/ v. t. arabizzare || **Arabicization** n. [U] arabizzazione.

Arabism /'ærəbɪzəm/ n. **1** (*ling.*) arabismo **2** [U] cultura e identità arabe; l'essere arabo **3** (*polit.*) atteggiamento a favore dei paesi arabi; appoggio al nazionalismo arabo || **Arabist** n. **1** arabista **2** (*polit.*) sostenitore dei paesi arabi o del nazionalismo arabo.

Arab-Israeli /ærəbɪz'reɪlɪ/ a. arabo-israeliano.

arable /'ærəbl/ **A** a. arabile; arativo **B** n. terreno arabile || **arability** n. [U] arabilità.

arachis /'ærəkɪs/ n. (*bot.*, *Arachis hypogaea*) arachide.

arachnids /ə'ræknɪdz/ n. pl. (*zool.*, *Arachnida*) aracnidi.

arachnoid /ə'ræknɔɪd/ **1** (*anat.*) aracnoide **2** (*zool.*) aracnide.

Aragon /'ærəgən/ n. (*geogr.*) Aragona || **Aragonese** a. e n. (*inv. al pl.*) aragonese.

aragonite /ə'rægənaɪt/ n. [U] (*miner.*) aragonite.

Aramaean, **Aramean** /ærə'miːən/ a. e n. (*stor.*) arameo.

Aramaic /ærə'meɪɪk/ **A** a. aramaico **B** n. [U] aramaico.

arapaima /ærə'paɪmə/ n. (*zool.*, *Arapaima*) arapaima.

araucaria /ærɔː'keərɪə/ n. (*bot.*, *Araucaria*) araucaria.

arbalest /'ɑːbələst/ (*stor.*, *mil.*) n. balestra || **arbalester** n. balestriere.

arbiter /'ɑːbɪtə(r)/ n. (*leg. e fig.*) arbitro: *He is the a. of fashion*, è l'arbitro della moda.

arbitrable /'ɑːbɪtrəbl/ a. (*leg.*) arbitrabile: **an a. dispute**, una controversia arbitrabile.

arbitrage /ɑːbɪ'trɑːʒ/ n. [U] **1** (*Borsa*) arbitraggio: **a. in securities**, arbitraggio su titoli **2** (*arc.*) arbitrato || **arbitrageur** (*franc.*) n. (*Borsa*) arbitraggista || **arbitraging** n. [U] (*Borsa*) arbitraggio.

arbitral /'ɑːbɪtrəl/ a. arbitrale.

arbitrament /ɑː'bɪtrəmənt/ n. **1** (*leg.*) arbitrato; arbitramento **2** (*leg.*) decisione (*o* lodo) arbitrale **3** (*sport*) (*raro*) arbitraggio.

arbitrary /'ɑːbɪtrərɪ/ a. **1** (*anche leg.*) arbitrario; dispotico **2** (*leg.*) discrezionale ● (*fisc.*) **a. assessment**, accertamento d'ufficio | -**ily** avv. | -**iness** n.

to **arbitrate** /'ɑːbɪtreɪt/ **A** v. i. arbitrare; fare da arbitro **B** v. t. arbitrare; sottoporre ad arbitrato: *Nations should a. their differences*, le nazioni dovrebbero sottoporre al loro discordie ad arbitrato ● **to a. a labour dispute**, arbitrare una vertenza sindacale.

arbitration /ɑːbɪ'treɪʃn/ n. **1** (*leg.*) arbitrato **2** (*sport*) (*raro*) arbitraggio ● (*leg.*) **a. award**, lodo arbitrale □ **a. board**, collegio

arbitrale □ **a. clause**, clausola arbitrale □ **a. fees**, diritti di arbitrato □ (*Borsa*) **a. of exchange**, arbitraggio di cambio.

arbitrator /'ɑːbɪtreɪtə(r)/ n. (*leg.*) arbitratore; arbitro (*tra due parti in causa*).

arbitress /'ɑːbɪtrɪs/ n. (*raro*) donna arbitro.

arbor① /'ɑːbə(r)/ n. (*mecc.*) albero (*di macchina*); asse; mandrino.

arbor② /'ɑːbə(r)/ (*USA*) → **arbour**.

Arbor Day /'ɑːbədeɪ/ loc. n. (*USA*) la festa degli alberi ❶ **CULTURA • Arbor Day:** *questa festa ebbe origine nel 1872 nel Nebraska, per incoraggiare il rimboschimento del territorio e gradualmente si estese a tutti gli Stati. Viene celebrata in date diverse a seconda del clima di ciascuno Stato.*

arboreal /ɑːˈbɔːrɪəl/ a. **1** arboreo **2** (*zool.*) arboricolo.

arboreous /ɑːˈbɔːrɪəs/ a. **1** arboreo **2** boschivo.

arborescent /ɑːbəˈresnt/ (*bot.*) a. arborescente ‖ **arborescence** n. Ⓤ arborescenza.

arboretum /ɑːbəˈriːtəm/ n. (pl. **arboretums, arboreta**) arboreto.

arboriculture /'ɑːbərɪkʌltə(r)/ n. Ⓤ arboricoltura ‖ **arboriculturist** n. arboricoltore.

arborist /'ɑːbərɪst/ n. = **tree surgeon** → **tree**.

arborization /ɑːbəraɪˈzeɪʃn, USA -rɪˈz-/ n. Ⓤ **1** (*biol.*) arborizzazione **2** (*anat.*) arborizzazione, ramificazione (*di nervi, vasi, capillari, ecc.*).

arbor vitae /ɑːbəˈviːtaɪ/ n. (*bot.*, *Thuja occidentalis*) tuja.

arbour, (*USA*) **arbor** /'ɑːbə(r)/ n. **1** pergola; pergolato **2** recesso ombroso **3** (*arc.*) giardino: *'His private arbours, and new-planted orchards'* W. SHAKESPEARE, 'i suoi giardini privati, e gli orti piantati di fresco' ‖ **arboured**, (*USA*) **arbored** a. **1** fornito di pergolato **2** alberato.

arbutus /ɑːˈbjuːtəs/ n. (*bot.*, *Arbutus unedo*) corbezzolo ● **a. berry**, corbezzola (*il frutto*).

arc /ɑːk/ n. (*geom.*, *fis.*, *astron.*) arco: (*metall.*) **arc furnace**, forno ad arco; **arc lamp**, lampada ad arco ● **arc lighting**, illuminazione con lampade ad arco □ (*mat.*) **arc secant**, arcosecante □ (*mat.*) **arc sine**, arcoseno □ (*metall.*) **an arc weld**, una saldatura ad arco □ **arc welding**, saldatura ad arco (*il processo*).

ARC sigla **1** (*med.*, **AIDS-related complex**) complesso dei sintomi correlati all'AIDS **2** (*USA*, **American Red Cross**) Croce Rossa americana (*cfr. ital. «CRI»*).

arcade /ɑːˈkeɪd/ n. **1** portico; colonnato; galleria **2** (*archit.*) arcata; fila d'archi e colonne **3** (*zool.*) cellula a galleria (*d'invertebrato*) **4** (= **shopping a.**), centro commerciale **5** (= **amusement a.**) sala giochi (*con macchine mangiasoldi*).

Arcadian /ɑːˈkeɪdɪən/ Ⓐ a. arcadico Ⓑ n. abitante d'Arcadia; arcade.

Arcady /'ɑːkədɪ/ n. (*poet.*) Arcadia.

arcane /ɑːˈkeɪn/ a. arcano; esoterico.

arcanum /ɑːˈkeɪnəm/ n. (pl. **arcana, arcanums**) **1** arcano; mistero **2** elisir (*degli alchimisti*).

♦**arch**① /ɑːtʃ/ n. **1** (*archit.*) arco; arcata: **pointed a.**, arco a sesto acuto; **proscenium a.**, arco di proscenio; **triumphal a.**, arco di trionfo; **the arches of a bridge**, le arcate di un ponte **2** (*come forma*) arco: **the arch of her eyebrows**, l'arco delle sue sopracciglia; **to form an a.**, formare un arco **3** (*anat.*) arco; arcata; (= **a. of the foot**) arco del piede: **dental a.**, arcata dentaria; **to have fallen arches**, avere i piedi piatti ● (*edil.*) **a. cen-**

ter, centina □ (*tecn.*) **a. dam**, diga ad arco.

arch② /ɑːtʃ/ a. principale; primo; arci-; ultra-: **an a. conservative**, un arciconservatore; **a. fanatic**, ultrafanatico; **a. opponent**, principale avversario; **a. rival**, grande rivale; (il) rivale più temibile ● **a.-enemy**, nemico acerrimo; grande nemico □ **the A.-Enemy**, Satana; il Nemico.

arch③ /ɑːtʃ/ a. **1** malizioso; birichino: **an a. smile**, un sorriso malizioso **2** furbo; astuto.

to **arch** /ɑːtʃ/ Ⓐ v. t. **1** inarcare; curvare ad arco; arcuare: **to a. one's back**, inarcare la schiena **2** (*arc.*) formare un arco su Ⓑ v. i. formare un arco; inarcarsi: **to a. over st.**, formare un arco sopra qc.

arch. abbr. **1** (**archaic**) arcaico **2** (**archaism**) arcaismo **3** (**architect**) architetto **4** (**architectural**) architettonico.

archaeol. abbr. **1** → **archaeological 2** → **archaeology**.

archaeology, (*USA*) **archeology** /ɑːkɪˈɒlədʒɪ/ n. Ⓤ archeologia ‖ **archaeological**, (*USA*) **archeological**, **archaeologic**, (*USA*) **archeologic** a. archeologico ‖ **archaeologist**, (*USA*) **archeologist** n. archeologo.

Archaeopteryx /ɑːkɪˈɒptərɪks/ n. (*paleont.*) archeopterige, archeotterige.

archaic /ɑːˈkeɪɪk/ a. arcaico | **-ally** avv.

archaism /ɑːˈkeɪɪzəm/ n. **1** (*ling.*) arcaismo **2** Ⓤ arcaicità ‖ **archaist** n. arcaista ‖ **archaistic** a. arcaistico.

to **archaize** /'ɑːkeɪaɪz/ Ⓐ v. t. rendere (*o far sembrare*) arcaico Ⓑ v. i. arcaizzare, arcaicizzare; usare arcaismi.

archangel /'ɑːkeɪndʒl/ n. arcangelo.

archbishop /'ɑːtʃˈbɪʃəp/ n. arcivescovo: **a.'s palace**, arcivescovato (*la sede*) ‖ **archbishopric** n. arcivescovado; arcivescovato (*l'ufficio e la diocesi*).

archdeacon /'ɑːtʃˈdiːkən/ n. arcidiacono ‖ **archdeaconry** n. **1** arcidiaconato **2** residenza di un arcidiacono.

archdiocese /'ɑːtʃˈdaɪəsɪs/ n. arcidiocesi.

archduchess /'ɑːtʃˈdʌtʃɪs/ n. arciduchessa.

archduke /'ɑːtʃˈdjuːk, USA -'duːk/ n. arciduca ‖ **archducal** a. arciducale ‖ **archduchy**, **archdukedom** n. arciducato (*il territorio*).

Archean /ɑːˈkiːən/ a. e n. Ⓤ (*geol.*) archeano.

arched /ɑːtʃt/ a. **1** provvisto di (*o coperto da*) un arco **2** ad arco; arcuato; **a. windows**, finestre ad arco; **a. feet**, piedi arcuati; **a. eybrows**, sopracciglia arcuate **3** inarcato: **a. back**, dorso inarcato.

arch-enemy /'ɑːtʃˈɛnəmɪ/ → **arch**②.

archeology e deriv. (*USA*) → **archaeology** e deriv.

Archeozoic /ɑːkɪəˈzəʊɪk/ (*geol.*) Ⓐ a. archeozoico: **the A. era**, l'era archeozoica Ⓑ n. Ⓤ – **the A.**, l'archeozoico.

archer /'ɑːtʃə(r)/ n. **1** (*stor. mil. e sport*) arciere **2** Ⓤ – (*astron.*, *astrol.*) **the A.**, il Sagittario (*costellazione e IX segno dello zodiaco*).

archerfish /'ɑːtʃəfɪʃ/ n. (*zool.*, *Toxotes jaculator*) pesce arciere

archery /'ɑːtʃərɪ/ n. Ⓤ **1** (*stor. mil. e sport*) tiro con l'arco **2** arco e annessi (*frecce, ecc.*) **3** (collett.) (*stor.*) (gli) arcieri.

archetype /'ɑːkɪtaɪp/ n. archetipo ‖ **archetypal** a. archetipo (*lett.*); originario; primitivo.

archfiend, **arch-fiend** /'ɑːtʃˈfiːnd/ n. (*raro*) arcidiavolo ● (*per antonomasia*) **the Arch-fiend**, Satana.

archiater /ɑːkɪˈeɪtə(r)/ n. (*stor.*) archiatra.

Archibald /'ɑːtʃɪbɔːld/ n. Arcibaldo.

archidiaconate /ɑːkɪdaɪˈækənət/ n. arcidiaconato ‖ **archidiaconal** a. arcidiaconale.

archiepiscopacy /ɑːtʃɪɪˈpɪskəpəsɪ/ n. arcivescovato (*l'ufficio*) ‖ **archiepiscopate** n. arcivescovato (*l'ufficio o la sede*); arcidiocesi.

archiepiscopal /ɑːtʃɪɪˈpɪskəpl/ a. arcivescovile; archiepiscopale.

archil /'ɑːtʃɪl/ n. (*bot.*, *Roccella*) oricello.

Archilochian /ɑːkɪˈləʊkɪən/ a. (*poesia*) archilocheo.

Archilochus /ɑːˈkɪləkəs/ n. (*stor.*, *letter.*) Archiloco.

archimandrite /ɑːkɪˈmændraɪt/ n. (*relig.*) archimandrita.

Archimedean /ɑːkɪˈmiːdɪən/ a. di Archimede; archimedeo ● (*mecc.*) **A. screw**, vite d'Archimede; coclea □ (*mat.*) **A. solid**, solido archimedeo.

Archimedes /ɑːkɪˈmiːdiːz/ n. (*stor.*) Archimede.

archipelago /ɑːkɪˈpeləgəʊ/ n. (pl. **archipelagoes**, **archipelagos**) (*geogr.*) arcipelago.

♦**architect** /'ɑːkɪtekt/ n. **1** architetto **2** (*fig.*) artefice.

architectonic /ɑːkɪtekˈtɒnɪk/ a. **1** architettonico **2** armonioso | **-ally** avv.

architectonics /ɑːkɪtekˈtɒnɪks/ n. pl. (col verbo al sing.) **1** architettonica **2** (*fig.*) struttura: **the a. of Bach's sonatas**, la struttura delle sonate di Bach.

architectural /ɑːkɪˈtektʃərəl/ a. architettonico ● **a. concrete**, cemento per ornamentazione □ **a. engineering**, ingegneria edile.

♦**architecture** /'ɑːkɪtektʃə(r)/ n. **1** Ⓤ architettura **2** (*anche comput.*) struttura; architettura.

architrave /'ɑːkɪtreɪv/ n. architrave (*di colonne*).

archival /ɑːˈkaɪvl/ a. archivistico.

archive /'ɑːkaɪv/ Ⓐ n. **1** (spesso al pl.) archivio (il luogo e i documenti): **the National Archives**, l'Archivio nazionale; **the BBC archives**, gli archivi della BBC **2** (*comput.*) archivio (*di dati*); disco (*o nastro, directory*) che contiene dati archiviati **3** (*comput.*) file che contiene dati in forma compressa Ⓑ a. attr. di archivio; archivistico: **a. material**, materiale di archivio.

to **archive** /'ɑːkaɪv/ v. t. **1** archiviare; mettere in archivio **2** (*comput.*) archiviare (*dati*) **3** (*comput.*) comprimere (*dati*) ‖ **archiving** n. Ⓤ archiviazione.

archivist /'ɑːkɪvɪst/ n. archivista.

archivolt /'ɑːkɪvəʊlt/ n. (*archit.*) archivolto.

archlute /'ɑːtʃluːt/ n. (*mus.*) arciliuto.

archly /'ɑːtʃlɪ/ avv. maliziosamente; con aria birichina; furbescamente.

archness /'ɑːtʃnəs/ n. Ⓤ maliziosità; malizia.

archon /'ɑːkən/ (*stor. greca*) n. arconte ‖ **archonship** n. Ⓤ arcontato.

archpriest /'ɑːtʃˈpriːst/ n. arciprete.

archstone /'ɑːtʃstəʊn/ n. (*archit.*) peduccio dell'arco; chiave di volta.

archway /'ɑːtʃweɪ/ n. passaggio ad arco; voltone.

arctic /'ɑːktɪk/ a. **1** (*geogr.*) artico **2** polare; molto freddo: **a. weather**, freddo polare **3** (*di oregione*) contro il freddo polare ● **the A.**, l'Artico; l'Artide □ **the A. Circle**, il Circolo Polare Artico.

Arcturus /ɑːkˈtjʊərəs/ n. (*astron.*) Arturo (*stella*).

arcuate /'ɑːkjʊət/, **arcuated** /'ɑːkjʊeɪtɪd/ a. arcuato.

a
b
c
d
e
f
g
h
i
j
k
l
m
n
o
p
q
r
s
t
u
v
w
x
y
z

a

ardent /'ɑːdnt/ **A** a. ardente; fervente; entusiastico **B** n. – (USA) **the a.**, l'alcol ● **a. spirits**, bevande alcoliche; liquori ‖ **ardency** n. ⓤ ardore; fervore; entusiasmo.

ardour, (USA) **ardor** /'ɑːdə(r)/ n. ardore; (fig.) fervore.

arduous /'ɑːdjʊəs/ a. **1** arduo; ripido; difficile; scabroso **2** strenuo; (del clima) rigido ‖ **arduousness** n. ⓤ **1** arduità (lett.); difficoltà **2** ripidezza **3** (del clima) rigidità.

♦are① /ɑː(r), ə(r)/ 2ª pers. sing., 1ª, 2ª e 3ª pers. pl. del pres. indic. di **to be**.

are② /ɑː(r)/ n. ara (misura di superficie).

♦area /'ɛərɪə/ n. **1** (geom.) area; superficie: *It's 10 square metres in a.*, ha un'area di 10 metri quadrati **2** area; regione; zona; distretto: **mined a.**, zona minata; **rural areas**, zone (o regioni) rurali; **postal a.**, distretto postale; (econ.) **free trade a.**, area di libero scambio **3** area; zona; spazio; parte: **dining a.**, zona pranzo; **landing a.**, zona d'atterraggio; **the affected a. of skin**, l'area cutanea colpita **4** ambito; settore; campo; raggio (d'azione) **5** (USA) → **areaway 6** (comput.) area, zona (di memoria, ecc.): **a. fill**, riempimento di aree (sullo schermo) **7** (calcio, = penalty) area di rigore; area (fam.) ● (mil.) **a. bombing**, bombardamento a tappeto □ (telef., USA) **a. code**, prefisso teleselettivo; indicativo interurbano □ (comm.) **a. manager**, area manager; capozona □ **a. number = a. code** → sopra ‖ **areal** a. areale.

areaway /'ɛərɪweɪ/ n. (USA) **1** spazio più basso del piano stradale che dà accesso a un seminterrato **2** passaggio tra due edifici.

areca /'ærɪkə/ n. (bot., Areca) areca.

ARELS sigla (GB, **Association of Recognised English Language Schools** (ora **Services**)) Associazione delle scuole d'inglese riconosciute dallo stato.

arena /ə'riːnə/ n. (anche fig.) arena: **the political a.**, l'arena politica.

arenaceous /ærə'neɪʃəs/ a. **1** (geol.) arenaceo **2** (bot.) arenicolo.

arenite /'ærənaɪt/ n. ⓤ (geol.) arenite.

♦aren't /ɑːnt/ vc. verb. **1** contraz. di **are not 2** (fam.) contraz. di **am not**.

areography /ɛərɪ'ɒɡrəfɪ/ n. ⓤ **1** (astron.) areografia **2** (biol.) biogeografia descrittiva.

areola /æ'rɪələ/ n. (pl. **areolae, areolas**) (anat.) areola.

areometer /ærɪ'ɒmɪtə(r)/ n. (fis.) areometro.

Areopagite /ærɪ'ɒpədʒaɪt/ n. (stor. greca) areopagita.

arête /æ'reɪt/ (franc.) n. (geogr.) ruga di circo glaciale.

argala /'ɑːɡələ/ n. (zool.) **1** (Leptoptilos dubius) marabù maggiore **2** (Leptoptilos crumeniferus) marabù d'Africa.

argali /'ɑːɡəlɪ/ n. (pl. **argalis, argali**) (zool., Ovis ammon) argali.

argent /'ɑːdʒənt/ n. e a. (arald.) argento; bianco argento.

argentan /'ɑːdʒəntæn/ n. ⓤ argentana; argentone; alpacca.

argentiferous /ɑːdʒən'tɪfərəs/ a. (miner.) argentifero.

argentine /'ɑːdʒəntaɪn/ **A** a. argentino; argenteo **B** n. **1** (metall.) → **argentan 2** (zool., Argentina sphyraena) argentina.

Argentine /'ɑːdʒəntaɪn/ a. e n. argentino ● (geogr.) **the A.**, l'Argentina.

Argentinian /ɑːdʒən'tɪnɪən/ n. e a. argentino.

argentite /'ɑːdʒəntaɪt/ n. ⓤ (miner.) argentite.

Argie /'ɑːdʒɪ/ n. (spreg. GB) argentino.

argie-bargie /ɑːdʒɪ'bɑːdʒɪ/ → **argy-bargy**.

argil /'ɑːdʒɪl/ n. ⓤ argilla (spec. da vasaio).

argillaceous /ɑːdʒɪ'leɪʃəs/ a. **1** argillaceo **2** argilloso.

argillite /'ɑːdʒɪlaɪt/ n. ⓤ (geol.) argillite.

Argive /'ɑːɡaɪv/ a. e n. **1** argivo; di Argo **2** greco; argivo.

argle-bargle /'ɑːɡl'bɑːɡl/ n. ⓤ (fam.) **1** chiacchiere (pl.); blatera; vaniloquio **2** → **argy-bargy**.

argol /'ɑːɡɒl/ n. ⓤ gromma; gruma; tartaro (di vino).

Argolis /'ɑːɡəlɪs/ n. (geogr., stor.) Argolide.

argon /'ɑːɡɒn/ n. ⓤ (chim.) argon, argo.

Argonaut /'ɑːɡənɔːt/ (mitol.) n. argonauta ‖ **Argonautic** a. argonautico.

argonaut /'ɑːɡənɔːt/ n. (zool., Argonauta argo) argonauta.

argosy /'ɑːɡəsɪ/ n. (poet.) nave mercantile.

argot /'ɑːɡəʊ/ (franc.) n. ⓤ gergo (di malfattori, ecc.); argot.

arguable /'ɑːɡjʊəbl/ a. **1** discutibile: **an a. decision**, una decisione discutibile **2** sostenibile: **an a. theory**, una teoria sostenibile.

arguably /'ɑːɡjʊəblɪ/ avv. probabilmente; si può sostenere che; è possibile che: *This is a. the worst incident so far*, questo è probabilmente il peggior incidente fin qui accaduto.

♦to argue /'ɑːɡjuː/ **A** v. i. **1** discutere; litigare: *We argued passionately until midnight*, discutemmo accaloratamente fino a mezzanotte; **to a. about** (o **over**) **money**, litigare per questioni di denaro; *We argued over who should go first*, discutemmo su chi dovesse andare per primo; *Don't a.* (**with** *me*)*!*, non discutere! **2** argomentare; ragionare; fornire ragioni: **to a. convincingly about st.**, sostenere qc. con argomenti convincenti; fornire ragioni convincenti a favore di qc.: **to a. for st.**, portare argomenti a favore di qc.; sostenere la necessità di qc.; **to a. against st.**, portare argomenti contro qc.; esporre le ragioni per cui si è contro qc.; (di ragione, elemento, ecc.) essere una prova contro qc., sconsigliare qc. **B** v. t. **1** sostenere; difendere con argomentazioni: **to a. a case**, difendere una causa; difendere una posizione (o un punto di vista); **to a. a point of view**, sostenere (o difendere) un punto di vista (o una tesi); **to a. a case against st.**, addurre argomenti contro qc.; **to a. a case for st.**, sostenere qc.; sostenere la necessità di qc.; *He argued that a poem cannot be translated*, sostenne che la poesia è intraducibile; *The company, he argues, will have to agree*, la società, secondo la sua tesi, non potrà non accettare **2** denotare; indicare: *What he said argues a profound knowledge of the subject*, quello che ha detto indica una profonda conoscenza dell'argomento ● **to a. st. away**, togliere di mezzo qc. (paure, perplessità, ecc.) col ragionamento; convincere (q.) ad abbandonare qc. □ **to a. sb. into st.**, persuadere q. a fare qc. □ **to a. sb. out of st.**, dissuadere q. dal fare qc.; convincere q. a non fare qc. □ **to a. the point**, mettersi a discutere; fare discussioni (su qc.) □ (fam. GB) **to a. the toss**, discutere una decisione già presa; perdere tempo in discussioni inutili.

■ **argue out** v. t. + avv. discutere a fondo; discutere fin nei dettagli.

to argufy /'ɑːɡjʊfaɪ/ v. i. (dial. o scherz.) discutere; cavillare; litigare (per un nonnulla).

♦argument /'ɑːɡjʊmənt/ n. **1** discussione; lite; litigio: **a silly a.**, una discussione stupida; un litigio su una cosa da nulla; **a bitter a.**, una lite feroce; **to have an a. about st.**, avere una discussione su qc.; litigare su qc.; **to accept st. without a.**, accettare qc. sen-

za discutere; **to get into an a. with sb.**, mettersi a discutere con qc.; mettersi a litigare con qc. **2** argomento; ragione; tesi; ragionamento; argomentazione: **a powerful a.**, una ragione forte; argomenti forti; **to bring arguments for st.**, portare argomenti a favore di qc.; **to illustrate one's a.**, illustrare la propria tesi; *I don't follow your a.*, non seguo il tuo ragionamento; *There's a flaw in his a.*, c'è un errore nel suo ragionamento; **to make an a. against st.**, portare argomenti forti contro qc.; *The same a. goes for...*, lo stesso ragionamento vale per... **3** ⓤ discussione; ragionamento: **to decide st. by a.**, decidere qc. discutendone **4** (lett.) argomento, sommario (di un libro, ecc.) **5** (mat.) argomento ● **beyond a.**, fuori discussione □ **both sides of an a.**, entrambi i lati di una questione □ **for the sake of a.**, per amor di discussione; come pura ipotesi; solo per fare un esempio □ **open to a.**, (di cosa) discutibile; (di persona) pronto a discutere.

argumentation /ɑːɡjʊmən'teɪʃn/ n. ⓤ **1** argomentazione; modo e metodo dell'argomentare; dialettica **2** discussione; dibattito.

argumentative /ɑːɡjʊ'mentətɪv/ a. **1** attinente all'argomento; dialettico **2** controverso; discutibile **3** (di persona) polemico.

Argus /'ɑːɡəs/ n. (mitol.) Argo.

argy-bargy /'ɑːdʒɪ 'bɑːdʒɪ/ n. ⓤ (fam.) battibecco; battibecchi; discussione; discussioni.

aria /'ɑːrɪə/ (ital.) n. (pl. **arias, arie**) (mus.) aria.

Ariadne /ærɪ'ædnɪ/ n. (mitol.) Arianna.

Arian /'ɛərɪən/ n. e a. **1** (stor. relig.) ariano (seguace della o pertinente alla dottrina di Ario) **2** → **Aryan**.

Arianism /'ɛərɪənɪzəm/ n. ⓤ (stor. relig.) arianesimo.

arid /'ærɪd/ a. arido (in ogni senso) ‖ **aridity, aridness** n. ⓤ aridità (in ogni senso).

Ariel /'ɛərɪəl/ n. (letter.) Ariele.

Arien /'ɛərɪən/ (astrol.) **A** n. ariete; persona nata sotto il segno dell'Ariete **B** a. dell'Ariete.

Aries /'ɛəriːz/ **A** n. **1** (astron., astrol.) Ariete (costellazione e I segno dello zodiaco) **2** (astrol.: pl. **Aries, Arietes**) (un) ariete; individuo nato sotto il segno dell'Ariete **B** a. (astrol.) dell'Ariete.

aright /ə'raɪt/ avv. (antiq. o dial.) bene; nel modo giusto.

aril /'ærɪl/ n. (bot.) arillo.

♦to arise /ə'raɪz/ (pass. **arose**, p. p. **arisen**), v. i. **1** insorgere; emergere; presentarsi: *A new difficulty has arisen*, è sorta una nuova difficoltà; **if the need arises**, se se ne presenterà necessità; all'occorrenza **2** nascere; avere origine; comparire; manifestarsi: *This practice arose in the fifties*, questa usanza nacque negli anni Cinquanta; *A sudden tension arose*, ci fu un'improvvisa tensione **3** provenire; derivare; risultare; nascere: **the problems arising from the difficult economic trend**, i problemi derivanti dalla difficile congiuntura economica; *The case arose out of a statement made by the Prime Minister*, la questione ebbe origine da una dichiarazione del primo ministro **4** (di cosa o, poet., di persona) alzarsi; levarsi; sorgere: *A breeze arose*, s'alzò una brezza; *'I will arise and go now, and go to Innisfree'* W.B. YEATS, 'ora mi alzo e vado, vado a Innisfree'.

arista /ə'rɪstə/ (bot.) n. arista; resta ‖ **aristate** a. aristato.

Aristarchus /ærɪ'stɑːkəs/ n. Aristarco.

aristocracy /ærɪ'stɒkrəsɪ/ n. ⓤ aristocrazia.

aristocrat /'ærɪstəkræt, USA ə'r-/ n. aristocratico.

aristocratic /ˌærɪstəˈkrætɪk/, **aristocratical** /ˌærɪstəˈkrætɪkl/ a. aristocratico | -ally avv.

Aristophanes /ˌærɪˈstɒfəniːz/ n. (stor. letter.) Aristofane.

Aristotelian /ˌærɪstəˈtiːlɪən/ a. e n. (filos.) aristotelico.

Aristotelianism /ˌærɪstəˈtiːlɪənɪzəm/ n. Ⓤ (filos.) aristotelismo.

Aristotle /ˈærɪstɒtl/ n. (stor.) Aristotele.

arithmetic ① /əˈrɪθmətɪk/ n. Ⓤ **1** (mat.) aritmetica: **good at a.**, bravo in aritmetica **2** somma, somme; calcolo, calcoli: **mental a.**, calcolo mentale; Your a. is wrong, i tuoi calcoli sono sbagliati; I did some a. on my own, feci qualche calcolo privato.

arithmetic ② /ˌærɪθˈmetɪk/ a. aritmetico: **a. calculations**, calcoli aritmetici; (stat.) **a. mean**, media aritmetica ● (comput.) **a.** (**logic**) **unit**, unità aritmeticologica □ (mat.) **a. progression**, progressione aritmetica □ (comput.) **a. statement**, istruzione di calcolo.

arithmetical /ˌærɪθˈmetɪk(l)/ → **arithmetic** ②.

arithmetician /əˌrɪθməˈtɪʃn/ n. aritmetico.

Arizonan /ˌærɪˈzəʊnən/, **Arizonian** /ˌærɪˈzəʊnɪən/ a. e n. (abitante) dell'Arizona.

ark /ɑːk/ n. **1** (Bibbia) arca: **the Ark of the Covenant**, l'Arca dell'Alleanza; Noah's ark, l'arca di Noè **2** (relig. ebraica, = Holy Ark) Arca (dove vengono conservati i rotoli della Torah) ● (fam.) **out of the ark**, antidiluviano; vecchio come il cucco (o come l'arca di Noè).

Arkansan /ɑːˈkænzn/ a. e n. (abitante) dell'Arkansas.

♦**arm** ① /ɑːm/ n. **1** (anat.) braccio: **upper arm**, parte superiore del braccio; Give me your arm, dammi il braccio; He grabbed me by the arm, mi afferrò per un braccio; **to fold one's arms**, incrociare le braccia; **in each other's arms**, abbracciati; **in one's arms**, in braccio; fra le braccia; He had a woman on his arm, dava il braccio a una donna; **under one's arm**, sotto il braccio; **with open arms**, a braccia aperte (anche fig.); **to link arms**, prendersi a braccetto; **to throw oneself into sb.'s arms**, gettarsi tra le braccia di q.; **to wave one's arms**, agitare le braccia; sbracciarsi **2** (zool.) arto **3** manica (di indumento) **4** bracciolo (di poltrona, ecc.) **5** braccio (di mare, ecc.) **6** (grosso) ramo (di albero) **7** ramo (fig.); braccio: **the legislative arm**, il ramo legislativo; Sinn Fein, the political arm of the IRA, Sinn Fein, il braccio politico dell'IRA **8** (tecn.) braccio ● (fam.) **an arm and a leg**, (rif. a costo o somma pagata) un occhio della testa □ **arm hold** → **armlock** □ **arm in arm** (**with sb.**) a braccetto (con q.) □ (nuoto) **arm pull**, trazione delle braccia □ (fam.) **arm-twisting**, il fare pressione (su qc.); metodi (pl.) coercitivi □ **arm-waving**, lo sbracciarsi; (fig.) lo sbracciarsi, l'agitarsi, comportamento esagitato □ **arm-wrestling**, braccio di ferro □ **arm's-length**, (di rapporto, ecc.) distante; distaccato □ (fam.) **as long as my arm**, lungo così; lungo due metri; (fig.) che non finisce più □ **at arm's length**, col braccio teso; di scosto da sé; (fig.) a distanza; (econ., leg., di accordo, prezzo, ecc.) a condizioni di mercato: He held the book at arm's length, reggeva il libro discosto da sé; **to keep st.** [**sb.**] **at arm's length**, tenere qc. [q.] a distanza □ **I'd give my right arm to...**, darei qualsiasi cosa per...; darei un occhio per... □ **the long arm of the law**, il braccio della legge □ (slang USA) **on the arm**, a credito; (anche) gratis □ (slang USA) **to put the arm on sb.**, fare pressione su q. (per ottenere denaro);

(anche) arrestare q., acciuffare q. □ (fam.) **with one arm tied behind one's back**, con una mano sola (fig.) □ **within arm's reach**, a portata di mano.

arm ② /ɑːm/ n. **1** (mil.) arma: **the artillery arm**, l'arma di artiglieria **2** (al pl.) → **arms**.

ARM sigla (banca, fin., **adjustable rate mortgage**) mutuo a tasso variabile.

to **arm** /ɑːm/ Ⓐ v. t. **1** armare: **to arm the rebels**, armare i ribelli **2** armare; togliere la sicura a (un fucile, ecc.); innescare (una bomba, ecc.) **3** armare; munire; fornire Ⓑ v. i. armarsi ● **to arm oneself**, armarsi; premunirsi (fig.): **to arm oneself against the cold**, premunirsi contro il freddo.

armada /ɑːˈmɑːdə/ n. flotta di navi da guerra; armata (navale o aerea): (stor.) **the** (**Invincible**) **A.**, l'Invincibile Armata.

armadillo /ˌɑːməˈdɪləʊ/ n. (pl. **armadillos**, **armadilloes**) (zool., Dasypus) armadillo.

Armageddon /ˌɑːməˈɡedn/ n. battaglia campale decisiva (da un luogo dell'Apocalisse).

armament /ˈɑːməmənt/ n. **1** Ⓤ l'armarsi; armamento **2** (pl.) armamenti: **the armaments race**, la corsa agli armamenti ● (mil.) **a. supply**, munizionamento.

armature /ˈɑːmətʃʊə(r)/ n. **1** armatura (in ogni senso) **2** (elettr.) indotto (di un motore elettrico).

armband /ˈɑːmbænd/ n. bracciale; fascia (al braccio).

♦**armchair** /ˈɑːmtʃeə(r)/ Ⓐ n. poltrona Ⓑ a. attr. (fig., spesso spreg.) – **a. strategist**, stratega da tavolino; **a. critic**, chi critica tanto per criticare; critico parolaio; **a. traveller**, chi fa viaggi solo con la fantasia.

♦**armed** /ɑːmd/ a. (anche fig.) armato: **a. with a gun**, armato di pistola; **a. neutrality**, neutralità armata; The tourists were a. with cameras, i turisti erano armati di macchina fotografica ● **a. forces** (o **a. services**), forze armate □ (leg.) **a. robbery**, rapina a mano armata □ **a. to the teeth**, armato fino ai denti.

Armenian /ɑːˈmiːnɪən/ Ⓐ a. e n. armeno Ⓑ n. Ⓤ armeno (la lingua).

armful /ˈɑːmfʊl/ n. bracciata (quanto sta sulle braccia); fascio (d'erba, ecc.).

armguard /ˈɑːmɡɑːd/ n. (sport) parabraccia; bracciale.

armhole /ˈɑːmhəʊl/ n. (sartoria) giromanica; scalfo.

armiger /ˈɑːmɪdʒə(r)/ n. (pl. **armigers**, **armigeri**) (stor.) armigero; scudiero.

armillary /ˈɑːmɪlərɪ/ a. (stor.) armillare.

Arminian /ɑːˈmɪnɪən/ (stor. relig.) a. e n. arminiano || **Arminianism** n. Ⓤ arminianesimo.

armistice /ˈɑːmɪstɪs/ n. armistizio ● (in GB) **A. Day**, anniversario (11 novembre) dell'Armistizio che pose fine alla Prima guerra mondiale.

armless ① /ˈɑːmləs/ a. privo di braccia; senza braccia.

armless ② /ˈɑːmləs/ a. disarmato; inerme.

armlet /ˈɑːmlət/ n. **1** bracciale; braccialetto **2** piccolo braccio (del mare, ecc.).

armlock /ˈɑːmlɒk/ n. **1** (lotta libera) chiave di braccio **2** (judo) presa a croce.

armor /ˈɑːmə(r)/ e deriv. (USA) → **armour**, e deriv.

Armorican /ɑːˈmɒrɪkən/ a. e n. (stor., geol.) armoricano.

armory /ˈɑːmərɪ/ n. Ⓤ araldica || **armorial** a. Ⓐ a. araldico; stemmato Ⓑ n. armerista; armoriale; libro di araldica ● **armorial bearings**, blasone; stemma.

armour, (USA) **armor** /ˈɑːmə(r)/ n. **1** armatura, corazza (di guerriero antico, animali, ecc.) **2** (mil.) corazza, blindatura (di navi,

carri armati, ecc.) **3** (collett.) (mil.) mezzi corazzati; unità blindate **4** scafandro **5** (arald.) stemma ● **a.-bearer**, scudiero □ **a.-clad**, corazzato; blindato □ **a. plate**, piastra metallica di protezione □ (mil.) **a.-plated**, blindato; corazzato □ (mil.) **a.-plating**, corazzatura; blindatura.

to **armour**, (USA) to **armor** /ˈɑːmə(r)/ v. t. corazzare; blindare.

armoured /ˈɑːməd/ a. (mil.) corazzato; blindato: **an a. division**, una divisione corazzata; **a. train**, treno blindato ● **a. cable**, cavo (elettrico) armato □ (mil.) **a. car**, autoblinda □ (di proiettile, ecc.) **a.-piercing**, perforante □ (mil.) **a. vehicles**, mezzi corazzati.

armourer, (USA) **armorer** /ˈɑːmərə(r)/ n. **1** armaiolo **2** (mil.) armiere.

armouring, (USA) **armoring** /ˈɑːmərɪŋ/ n. Ⓤ blindatura; corazzatura.

to **armour-plate**, (USA) to **armor-plate** /ˈɑːməpleɪt/ v. t. (anche mil.) blindare; corazzare.

armoury /ˈɑːmərɪ/ n. **1** armeria; arsenale **2** (USA) fabbrica d'armi **3** sala d'armi.

armpit /ˈɑːmpɪt/ n. **1** (anat.) ascella **2** (pop. USA) posto immondo; postaccio; buco (fig.); quartiere degradato.

armrest /ˈɑːmrest/ n. **1** bracciolo **2** (autom.) appoggiabraccio.

arms /ɑːmz/ n. pl. **1** armi; armamenti: **a. and ammunitions**, armi e munizioni; **to carry a.**, portare armi; essere armato; **to lay down a.**, deporre le armi (anche fig.) **2** (arald., = **coat of a.**) arme; blasone (sing.); stemma (sing.); simbolo (sing.) araldico ● **a. cache** (o **a. dump**), deposito d'armi nascosto □ (polit.) **a. control**, controllo degli armamenti □ (polit.) **a. dealer**, trafficante d'armi □ (polit.) **a. race**, corsa agli armamenti □ **a. smuggler**, contrabbandiere d'armi □ **a. smuggling**, contrabbando d'armi □ **to bear a.**, fare il soldato □ **a call to a.**, una chiamata alle armi □ **in a.**, armato; pronto a combattere □ **to take up a.**, prendere le armi; (fig.) iniziare una disputa, entrare in polemica □ **under a.**, in armi; in assetto di guerra □ **to be up in a. against st.**, protestare energicamente contro qc.; essere in rivolta contro qc.; essere furioso per qc.

armstand /ˈɑːmstænd/ n. (ginnastica) verticale sulle braccia.

armwork /ˈɑːmwɜːk/ n. (sport) gioco di braccia.

to **arm-wrestle** /ˈɑːmresl/ Ⓐ v. i. fare a braccio di ferro Ⓑ v. t. sfidare (q.) a braccio di ferro.

♦**army** /ˈɑːmɪ/ n. **1** (mil.) ♦esercito: **to join the a.**, arruolarsi nell'esercito; **standing a.**, esercito permanente; **a. officer**, ufficiale dell'esercito **2** (fig.) esercito; massa; schiera; stuolo: **the a. of the unemployed**, la massa dei disoccupati ● (zool.) **a. ant**, formica scacciatrice □ (fam. USA) **a. brat**, figlio di militare □ (USA) **a. center**, base militare dell'esercito □ **a. corps**, corpo d'armata □ **a. issue**, fornitura militare □ (in GB) **A. List**, ruolo degli ufficiali in servizio e della riserva □ **a. surplus**, residuati militari (o dell'esercito) □ (fam. spreg.) **You and whose a.?**, figurarsi!; ma non farmi ridere!

arnica /ˈɑːnɪkə/ n. (bot., Arnica montana) arnica.

Arnold /ˈɑːnld/ n. Arnoldo.

aroma /əˈrəʊmə/ n. (anche fig.) aroma; fragranza.

aromatherapy /əˌrəʊməˈθerəpɪ/ n. Ⓤ (med.) aromaterapia.

aromatic /ˌærəˈmætɪk/ Ⓐ a. (anche chim.) aromatico; fragrante Ⓑ n. **1** (bot.) pianta aromatica **2** (chim.) composto aromatico ● (cucina) **a. vinegar**, aceto aromatico | -ally avv.

aromatization /ˌærəʊmətaɪˈzeɪʃn, *USA* -tɪˈz-/ n. Ⓤ (*chim.*) aromatizzazione.

to **aromatize** /əˈrəʊmətaɪz/ v. t. **1** aromatizzare **2** (*chim.*) aromatizzare ‖ **aromatizing** a. (*ind.*) aromatizzante.

arose /əˈrəʊz/ pass. di **to arise**.

♦**around** /əˈraʊnd/ **A** avv. **1** attorno; intorno; in giro: **to glance a.**, dare un'occhiata intorno; **for miles a.**, per miglia intorno; nel raggio di miglia; *There were trees all a.*, tutt'intorno c'erano alberi **2** verso la direzione opposta: **to turn a.**, girarsi **3** in tondo; in cerchio; **to go a. and a.**, girare in tondo; **to gather a.**, disporsi in cerchio; formare un cerchio **4** di circonferenza: *The trunk is 5 metres a.*, il tronco misura cinque metri di circonferenza **5** (*fam.*) in giro; nei paraggi; qui; in circolazione: *I haven't seen her a.*, non l'ho vista in giro; **somewhere a. here**, qui vicino; da queste parti; *There's a lot of flu a.*, c'è in giro (*o* circola) molta influenza; *Let's do it when the boss isn't a.*, facciamolo quando non c'è in giro il capo; *They'll be a. tomorrow*, arrivano domani; *He's one of the best cooks a.*, è uno dei migliori cuochi in circolazione; *It's been a. for years*, esiste da anni; *Stay a.*, sta' nei paraggi; non allontanarti **6** (*in diversi verbi frasali*) *V. sotto il verbo* **B** prep. **1** attorno a; intorno a: **to sit a. the fire**, sedere intorno al fuoco; **the hills a. the village**, le colline intorno al paese; **a trip a. the world**, un viaggio intorno al mondo **2** dietro: **a. the corner**, dietro l'angolo; svoltato l'angolo **3** (*in giro*) per; intorno a: **books scattered a. the room**, libri sparsi per la stanza; **a walk a. the town**, una passeggiata per la città **4** nei pressi di; vicino: **somewhere a. Bristol**, nei pressi di (*o* vicino a) Bristol **5** intorno a; circa; verso (+ *ora*): **a. 1340**, intorno al 1340; nel 1340 circa; **a. five kilos**, intorno ai (*o* circa) cinque chili; **at a. 10**, verso le dieci; alle dieci circa **6** (*in diversi verbi frasali*) *V. sotto il verbo* ● **a.-the-clock**, ventiquattr'ore su ventiquattro; di continuo □ (*naut.*) **A. Alone**, Around Alone; regata in solitario intorno al mondo □ **to have sb. a.**, invitare q. a casa propria □ (*fam.*) **to have been a.**, conoscere il mondo; essere navigato; aver fatto le proprie esperienze □ **to know one's way a.**, conoscere la strada; saper girare (*in un luogo*) □ **the other way a.**, all'inverso; alla rovescia; al contrario.

❶ **NOTA:** *around, round, o about?*
Round o around (around è più comune nell'inglese americano) si usano entrambi in riferimento a un movimento circolare: *The hands go round the clock*, le lancette dell'orologio si muovono in tondo.
Da questa "circolarità", *around, round* derivano un significato di "dappertutto" nel senso di "tutto intorno", che appartiene anche a *about (around* è più comune nell'inglese americano): *The toys are scattered about (o around, round) the room*, i giocattoli sono sparpagliati per tutta la stanza.
Con il significato di "attorno", *about* è usato meno spesso rispetto a *round* (in inglese britannico) e *around* (in inglese americano): *The guests were seated round the table*, gli ospiti erano seduti attorno al tavolo.
About si usa più comunemente di *around* con il significato di "approssimativamente, circa": *The company has about a thousand employees*, la compagnia ha circa mille impiegati; *round about* si usa colloquialmente con lo stesso significato: *I think it's round about one o'clock*, penso sia circa l'una; ma *round* da solo non si usa mai in queste espressioni.

arousal /əˈraʊzl/ n. Ⓤ **1** (= **sexual a.**) eccitamento sessuale **2** eccitazione; eccitamento **3** risveglio (*fig.*): **an a. of interest**, un risveglio di interesse.

to **arouse** /əˈraʊz/ v. t. **1** destare; svegliare; risvegliare **2** suscitare; provocare; destare: *His behaviour aroused our indignation*, il suo comportamento suscitò la nostra indignazione **3** (*fig.*) eccitare; stimolare; scuotere.

arpeggio /ɑːˈpedʒɪəʊ/ (*ital.*) n. (pl. **arpeggios, arpeggi**) (*mus.*) arpeggio ● **a. playing**, arpeggiamento (*l'esecuzione di arpeggi*).

arquebus /ˈɑːkwɪbəs/ (*stor., mil.*) n. archibugio ‖ **arquebusier** n. archibugiere.

arr. abbr. **1** (*orari*, **arrival; arrives**) (in) arrivo; arriva (arr.) **2** (*mus.*, **arranged by**) arrangiato, adattato.

to **arraign** /əˈreɪn/ v. t. **1** (*leg.*) chiamare in giudizio (penale) **2** (*leg.*) contestare l'atto di accusa a (q.) **3** biasimare; criticare; mettere in dubbio (*un'asserzione*); trovar a ridire su.

arraignment /əˈreɪnmənt/ n. **1** Ⓤ (*leg.*) contestazione dell'atto di accusa **2** Ⓤ (*leg.*) chiamata in giudizio penale **3** biasimo; critica.

♦to **arrange** /əˈreɪndʒ/ **A** v. t. **1** sistemare; disporre; mettere in ordine: **to a. books on the shelves**, sistemare dei libri sugli scaffali; **to a. flowers**, disporre i fiori; **to a. one's affairs**, mettere ordine tra i propri affari **2** stabilire; fissare; combinare; organizzare; provvedere a: **to a. an appointment**, fissare un appuntamento; *I've already arranged to meet someone for lunch*, ho già preso un appuntamento con qualcuno per pranzo; **to a. hotel accommodation**, provvedere a una sistemazione alberghiera; fissare una camera in albergo; **to a. a meeting**, fissare un incontro; **to a. a marriage**, combinare un matrimonio; **as arranged**, come stabilito; come d'accordo; *If you want breakfast any earlier or later, that can be arranged*, se volete, possiamo provvedere a servirvi la colazione prima o più tardi; *I'll a. for you to have an ice-pack*, provvedo a farle avere una borsa del ghiaccio **3** raggiungere (*un accordo*); comporre (*una lite, una vertenza*); appianare (*una divergenza*): *Let us try to a. our differences*, cerchiamo di appianare le nostre divergenze; (*leg.*) **to a. a dispute**, comporre una vertenza **4** (*mus.*) orchestrare; arrangiare **5** adattare, ridurre (*un dramma per la radio, ecc.*) **6** (*mat.*) permutare **B** v. i. **1** prendere accordi; accordarsi; combinare: *We arranged to meet outside the cinema*, combinammo di incontrarci davanti al cinema; **to a. with sb. to do st.**, accordarsi con q. per fare qc.; **to a. for a baby-sitter**, fissare una baby-sitter **2** dare disposizioni; organizzare le cose; fare in modo (di): *I've arranged for you to be picked up at six*, ho organizzato che ti passino a prendere alle sei; *Can you a. to be back at ten?*, puoi fare in modo d'essere di ritorno alle dieci?

♦**arrangement** /əˈreɪndʒmənt/ n. **1** Ⓤ sistemazione; disposizione; ordinamento **2** disposizione; composizione: **flower a.**, composizione floreale **3** (*di solito al pl.*) piano; preparativo; organizzazione: **the arrangements for the wedding**, i preparativi per le nozze; *I was in charge of all the arrangements*, ero incaricato di tutta l'organizzazione **4** ⓊⒸ accordo; intesa; accomodamento; (*comm.*) concordato, compromesso: **by a. with**, in seguito ad accordi con; d'accordo con; **to come to an a.**, raggiungere un accordo; arrivare a un compromesso; **to make arrangements for st.**, provvedere per qc.; prendere accordi per qc.; fare preparativi per qc.; organizzare qc.; (*leg.*) **a. with creditors**, concordato con i creditori; concordato preventivo **5** (*mus.*) arrangiamento **6** ⓊⒸ (*mat.*) permutazione.

arranger /əˈreɪndʒə(r)/ n. **1** chi accomoda, riordina, ecc. **2** (*mus.*) arrangiatore.

arrant /ˈærənt/ a. (*lett., spreg.*) completo; perfetto; famigerato; matricolato: **an a. knave**, un furfante matricolato; **an a. fool**, un perfetto cretino.

arras /ˈærəs/ n. **1** arazzo **2** Ⓤ (*stor.*) arazzeria (collett.).

array /əˈreɪ/ n. **1** (*anche mil.*) schieramento; schiera (*anche fig.*); spiegamento; ordine: **in battle a.**, in ordine di battaglia; **in loose a.**, in ordine sparso; **an impressive a. of data**, una schiera (*o* una sfilza) impressionante di dati **2** assortimento; mostra: **a vast a. of TV sets**, un grande assortimento di televisori **3** Ⓤ (*lett.*) abbigliamento; abiti, vestiti; ricco vestiario **4** (*leg.*) lista di persone da cui trarre i nominativi dei giurati; (*anche*) lista dei giurati **5** (*comput.*) array; matrice; gruppo di elementi uguali **6** (*mat., stat.*) fila; serie numerica **7** (*tecn.*) allineamento; (disposizione a) schiera; rete: **aerial a.**, rete di antenne; **a. radar**, radar a schiera.

to **array** /əˈreɪ/ v. t. **1** disporre; collocare in ordine; schierare, spiegare (*truppe, spec. in battaglia*) **2** (*lett., anche fig.*) abbigliare; adornare **3** (*leg.*) insediare, fare l'appello di (*una giuria*).

arrear /əˈrɪə(r)/ n. (per lo più al pl.) **1** arretrati (*differenza a saldo*) **2** (lavoro) arretrato **3** (*mil., arc.*) retroguardia ● **arrears of wages**, salario arretrato; (gli) arretrati (*fam.*) □ (*leg.*) **to be in arrears**, essere moroso □ **to be in a. of sb.**, essere in arretrato rispetto a q. □ **in a.**, in arretrato (*spec. coi pagamenti*).

arrearage /əˈrɪərɪdʒ/ n. Ⓤ **1** l'essere in arretrato (*con i pagamenti, ecc.*); morosità **2** (spesso al pl.) arretrati; debiti.

arrest /əˈrest/ n. **1** ⓊⒸ (*leg.*) arresto; fermo (*di polizia*): **a. by warrant**, arresto su mandato di cattura; **under a.**, in (stato di) arresto; (*mil.*) agli arresti; **under house a.**, agli arresti domiciliari **2** Ⓤ (*leg.*) sospensione: **a. of judgement**, sospensione di giudizio **3** (*med.*) arresto: **cardiac a.**, arresto cardiaco **4** (*mecc.*) arresto; fermo.

♦to **arrest** /əˈrest/ v. t. **1** (*leg.*) arrestare **2** fermare; arrestare: *You can't a. progress*, non si può fermare il progresso **3** attirare (*l'attenzione, ecc.*).

arrestable /əˈrestəbl/ a. (*leg.*) che prevede l'arresto: **an a. offence**, un reato che prevede l'arresto.

arrester /əˈrestə(r)/ n. **1** persona che arresta **2** dispositivo d'arresto **3** (*aeron.*) gancio e cavi d'appontaggio (*su una portaerei*) **4** (*elettr.*) scaricatore a terra (*di parafulmine*).

arresting /əˈrestɪŋ/ a. **1** che colpisce; che fa colpo; singolare: **an a. notion**, un'idea che colpisce **2** che arresta; che esegue l'arresto: **the a. officer**, il poliziotto che esegue l'arresto ● (*aeron.*) **a. gear**, dispositivo d'appontaggio ‖ **arrestingly** avv. in modo che colpisce.

arrestment /əˈrestmənt/ n. Ⓤ (*leg., in Scozia*) sequestro dei beni (*di un debitore*).

arrhythmia /əˈrɪðmɪə/ (*med.*) n. Ⓤ aritmia ‖ **arrhythmic, arrhythmical** a. aritmico.

arris /ˈærɪs/ n. (pl. **arris, arrises**) (*archit.*) spigolo (*spec. di colonna dorica*) ● (*edil.*) **a. fillet**, listello a V.

♦**arrival** /əˈraɪvl/ n. **1** Ⓤ arrivo; venuta; comparsa: **on** (*o* **upon**) **my a.**, al mio arrivo; **the a. of spring**, l'arrivo della primavera; **her a. on the scene**, la sua comparsa (in scena); **time of a.**, ora di arrivo; (*ferr.*) **a. platform**, marciapiede d'arrivo **2** avvento; arrivo; comparsa: **the a. of mobile phones**, l'avvento dei telefonini **3** persona che arriva; arrivato: **the late arrivals**, quelli che arrivano in ritardo; gli ultimi arrivati; **a new a.**, un nuovo arrivato; (*anche*) un nuovo na-

to **4** (al pl., *in aeroporto*) (gli) arrivi: *You can drop me off outside arrivals*, puoi farmi scendere davanti agli arrivi **5** nuovo arrivo; novità.

♦to **arrive** /ə'raɪv/ v. i. **1** arrivare; giungere: **to a. late**, arrivare in ritardo; **to a. in England [in London]**, arrivare in Inghilterra [a Londra]; **to a. at a port**, arrivare in un porto; **to a. at a meeting**, arrivare a una riunione; *We arrived at our destination*, arrivammo a destinazione; *The right moment never arrived*, il momento giusto non arrivò mai **2** arrivare; giungere; raggiungere; pervenire: **to a. at a decision**, arrivare a (o giungere a, raggiungere) una decisione **3** (*fig.*) arrivare; affermarsi: *He has arrived professionally*, ha raggiunto il successo professionale; si è affermato professionalmente. ❶ NOTA: *arrivare → arrivare.*

arriviste /æri'viːst/ (*franc.*) n. arrivista ‖ **arrivisme** n. ▣ arrivismo.

arrogance /'ærəgəns/, **arrogancy** /'ærəgənsi/ n. ▣ arroganza; alterigia; tracotanza.

arrogant /'ærəgənt/ a. arrogante; altezzoso; tracotante | **-ly** avv.

to **arrogate** /'ærəgeɪt/ v. t. **1** arrogarsi (*un diritto, ecc.*); pretendere indebitamente **2** attribuire (qc.) ad altri indebitamente ● **to a. to oneself**, arrogarsi (*un diritto, un titolo, ecc.*).

arrogation /ærə'geɪʃn/ n. ▣ **1** pretesa ingiusta **2** attribuzione indebita **3** asserzione ingiustificata.

arrow /'ærəʊ/ n. **1** freccia; dardo; strale (*poet.*) **2** (*simbolo*) freccia ● (*mecc.*) **a. engine**, motore a V ‖ **a.-headed characters**, caratteri cuneiformi □ (*stor., mil.*) **a. slit**, feritoia □ (*aeron.*) **a. wings**, ali a freccia □ **time's a.**, la freccia del tempo ‖ **arrowy** a. **1** di (o simile a) freccia **2** (*fig.*) aguzzo; acuto.

arrowhead /'ærəʊhed/ n. **1** punta di freccia **2** (*comput.*) freccia direzionale **3** (*bot., Sagittaria sagittifolia*) sagittaria; erba saetta.

arrowroot /'ærəʊruːt/ n. **1** (*bot., Maranta arundinacea*) maranta **2** arrowroot (*la fecola che se ne ricava*).

arse /ɑːs/ n. (*volg. GB*) **1** culo (*volg.*) **2** scocciatore (*pop.*); rompiballe (*volg.*) **3** imbecille; coglione (*volg.*); testa di cazzo (*volg.*) ● **a. about face**, alla rovescia □ (*spreg.*) **a.-bandit**, omosessuale; finocchio □ **a.-licker** (*o* **a.-kisser**), leccaculo □ **a.-licking** (*o* **a.-kissing**), il leccare il culo; leccaculismo □ **a. over tit**, a gambe all'aria □ **Get off your a.!**, datti da fare!; muovi il culo! □ **not to know one's a. from one's elbow**, essere un incompetente; non capire un cazzo (di qc.) □ **My a.!**, col cazzo! □ **up one's a.**, pretenzioso; serioso; intellettualistico (→ **ass②**).

to **arse about** /ɑːs ə'baʊt/, to **arse around** /ɑːs ə'raʊnd/ v. i. + avv. (*volg.*) **1** fare il cretino **2** fare casino **3** bighellonare; non fare un cazzo (*volg.*).

arsehole /'ɑːshəʊl/ n. (*volg. GB*) **1** buco del culo (*volg.*) **2** coglione, testa di cazzo (*volg.*) **3** rompicoglioni, stronzo (*volg.*).

arsenal /'ɑːsənl/ n. (*anche fig.*) arsenale: **nuclear a.**, arsenale nucleare (*di un paese*).

arsenate /'ɑːsəneɪt/ n. (*chim.*) arseniato.

arsenic① /'ɑːsnɪk/ n. ▣ (*chim.*) arsenico.

arsenic② /ɑː'senɪk/ (*chim.*) a. di arsenico; arsenico ‖ **arsenical** a. arsenicale.

arsenide /'ɑːsənaɪd/ n. (*chim.*) arseniuro.

arsenious /ɑː'siːnɪəs/, **arsenous** /'ɑːsənəs/ a. (*chim.*) arsenioso.

arsenopyrite /ɑːsɪnəʊ'paɪraɪt/ n. ▣ (*miner.*) arsenopirite.

to **arse off** /'ɑːs ɒf/ v. i. + avv. (*volg. GB*) alzare le chiappe; levarsi dalle palle (*volg.*).

to **arse up** /'ɑːs ʌp/ v. t. + avv. (*volg. GB*) in-

---

casinare, mandare in vacca (*pop.*).

arsine /'ɑːsiːn/ n. ▣ (*chim.*) arsina.

arsis /'ɑːsɪs/ n. (pl. *arses*) (*poesia e mus.*) arsi.

arson /'ɑːsn/ (*leg.*) n. ▣ incendio doloso ‖ **arsonist** n. colpevole di incendio doloso; incendiario; piromane.

arsy-versy /ɑːsɪ'vɜːsɪ/ a. e avv. (*fam. GB*) **1** alla rovescia; a capocchia **2** incasinato; nel caos.

♦**art①** /ɑːt/ n. ▣ **1** arte: **sacred art**, arte sacra; **works of art**, opere d'arte; **art form**, forma d'arte; forma artistica; **art history**, storia dell'arte **2** ▢ opere (pl.) d'arte; ‖ (*fig.*) **an exhibition of African art**, una mostra d'arte africana; **art gallery**, galleria d'arte; **art dealer**, mercante d'arte **3** (*anche fig.*) arte: **the art of tapestry**, l'arte dell'arazzo; **the art of conversation**, l'arte della conversazione; **the fine arts**, le belle arti **4** (al pl.) materie umanistiche; (belle) lettere: *Faculty of Arts*, facoltà di lettere; **an arts graduate**, un laureato in lettere; **arts subjects**, materie umanistiche **5** (*slang*, collett.) foto segnaletiche (*della polizia*) ● **art college**, accademia di belle arti □ (*med.*) **art therapy**, arteterapia; art therapy □ **arts and crafts**, arti decorative e artigianato □ **art director**, (*pubbl.*) art director, direttore artistico; (*teatr.*) direttore di scena □ **art editor**, grafico; impaginatore □ **art for art's sake**, l'arte per l'arte □ (*cinem.*) **art house**, cinema d'essai □ (*cinem.*) **art-house** a., d'autore; d'essai □ **art paper**, carta patinata □ **art school**, scuola di belle arti □ (*in GB*) **Arts Council**, ente che sovvenziona le arti figurative e dello spettacolo (*finanziato dal governo ma indipendente*) □ (*fam.*) **to have got st. down to a fine art**, aver fatto un'arte di qc.; essere un maestro di qc.

art② /ɑːt/ vc. verb. (*arc.*) 2ª pers. sing. pres. indic. di **to be**.

art. abbr. **1** (**artificial**) artificiale **2** (**artist**) artista.

artefact /'ɑːtɪfækt/ n. **1** manufatto; oggetto di produzione artigianale **2** (*scient.*) artefatto.

Artemis /'ɑːtɪmɪs/ n. (*mitol.*) Artemide.

artemisia /ɑːtə'miːzɪə/ n. (*bot., Artemisia*) artemisia.

arterial /ɑː'tɪərɪəl/ a. (*fisiol.*) arterioso; arteriale (*raro*) ● (*autom.*) **a. road**, strada di grande comunicazione; arteria.

to **arterialize** /ɑː'tɪrɪəlaɪz/ v. t. trasformare (*il sangue venoso*) in arterioso ‖ **arterialization** n. ▣ arterializzazione, arterizzazione; trasformazione (*del sangue venoso*) in arterioso.

arteriole /ɑː'tɪərɪəʊl/ n. (*med.*) arteriola (*arteria terminale*).

arteriosclerosis /ɑːtɪərɪəʊsklɪ'rəʊsɪs/ (*med.*) n. ▣ arteriosclerosi ‖ **arteriosclerotic** a. e n. arteriosclerotico.

arteriotomy /ɑːtɪərɪ'ɒtəmɪ/ n. ▣ (*chir.*) arteriotomia.

arterious /ɑː'tɪərɪəs/ a. (*fisiol.*) arterioso.

arteritis /ɑːtə'raɪtɪs/ n. ▣ (*med.*) arterite.

artery /'ɑːtərɪ/ n. **1** (*anat.*) arteria **2** (*trasp.*) arteria; grande strada di comunicazione.

artesian /ɑː'tiːzɪən/ a. (*anche geol.*) artesiano: **a. well**, pozzo artesiano.

artful /'ɑːtfl/ a. **1** astuto; furbo; ingannevole; scaltro **2** abile; destro; magistrale **3** artificiale; artificioso | **-ly** avv. | **-ness** n. ▣.

arthralgia /ɑː'θrældʒə/ n. ▣ (*med.*) artralgia.

arthritis /ɑː'θraɪtɪs/ (*med.*) n. ▣ artrite ‖ **arthritic** a. e n. artritico.

arthropod /'ɑːθrəpɒd/ n. (*zool.*, pl. ***arthropods***, pl. scient. *Arthropoda*) artropode.

---

arthrosis /ɑː'θrəʊsɪs/ n. ▣ (*med.*) artrosi.

Arthur /'ɑːθə(r)/ n. **1** Arturo **2** (*letter.*) Artù ‖ **Arthurian** a. (*letter.*) arturiano (*di re Artù*).

artichoke /'ɑːtɪtʃəʊk/ n. **1** (*bot., Cynara scolymus*) carciofo **2** (*slang USA*) vecchia racchia; racchiona **3** (*slang USA*) vecchia puttana **4** (*slang USA*) borsellino; portafoglio.

♦**article** /'ɑːtɪkl/ n. **1** articolo: oggetto: prodotto: **a. of clothing**, articolo di vestiario; **articles of value**, oggetti di valore; **the articles we deal in**, gli articoli che noi trattiamo; **finished a.**, articolo finito; prodotto finito **2** (*giorn.*) articolo; pezzo: **leading a.**, (articolo di) fondo **3** (*leg.*) articolo; (al pl., *anche*) regolamenti, statuto (sing.): **a. of the constitution**, un articolo della costituzione; **articles of association**, statuto (*di società di capitali*); **articles of partnership**, atto costitutivo (*di società di persone*); **under A. 7**, all'articolo 7; in base all'articolo 7 **4** (al pl.) (= **articles of apprenticeship**) contratto (sing.) di praticantato (*spec. presso uno studio legale, notarile, di architetto o di commercialista*): **to be in articles**, fare praticantato; **to take articles**, entrare come praticante **5** (al pl.) (*naut.*) clausole d'ingaggio; contratto (sing.) di arruolamento **6** (*gramm.*) articolo: **definite a.**, articolo determinativo **7** (*slang GB*) tipo; soggetto; individuo ● (*relig.*) **an a. of faith**, articolo di fede □ (*naut.*) **a. of gear**, attrezzo □ (*leg.*) **articles of accusation**, capi d'accusa □ (*stor., in GB e USA*) **articles of war**, codice militare □ **in the a. of death**, in articulo mortis; in punto di morte □ **the Thirty-nine Articles**, i trentanove articoli (*dichiarazione ufficiale della dottrina della Chiesa anglicana*).

to **article** /'ɑːtɪkl/ v. t. (*generalm. al passivo*) impegnare con contratto di praticantato (*spec. presso uno studio legale, notarile, di architetto o di commercialista*) ● (*in GB*) **articled clerk**, praticante (spec. notarile); giovane di studio.

articular /ɑː'tɪkjʊlə(r)/ a. (*anat.*) articolare.

articulate /ɑː'tɪkjʊlət/ a. **1** (*di persona*) che sa esprimersi bene; che parla bene; che sa esporre le proprie idee **2** (*di discorso*) ben formulato; articolato **3** (*di suono, parola*) chiaro; distinto; articolato **4** (*mecc., anat.*) articolato ‖ **articulateness** n. ▣ **1** il sapersi esprimere bene **2** chiarezza espositiva **3** (*mecc., anat.*) l'essere articolato.

to **articulate** /ɑː'tɪkjʊleɪt/ Ⓐ v. t. **1** esprimere con parole; trovare le parole adatte per: **to a. one's emotions**, esprimere con parole le proprie emozioni **2** pronunciare distintamente; articolare; scandire **3** (*mecc., anat.*) articolare; rendere snodato Ⓑ v. i. (*mecc., anat.*) essere articolato; essere snodato.

articulated /ɑː'tɪkjʊleɪtɪd/ a. **1** (*mecc., anat.*) snodato; articolato: **a. joint**, giunto snodato; **a. lorry** (*o* **a. vehicle**), autoarticolato **2** (*di pensiero, ecc.*) espresso con chiarezza; ben formulato; articolato.

articulation /ɑːtɪkjʊ'leɪʃn/ n. ▣ᴄ **1** formulazione (*di un pensiero, ecc.*); esposizione **2** pronuncia (o dizione) chiara **3** (*fon.*) articolazione **4** (*anat.*) articolazione **5** (*mecc.*) articolazione; snodo.

articulator /ɑː'tɪkjʊleɪtə(r)/ n. (*anat., fon.*) articolatore.

artifact /'ɑːtɪfækt/ (*USA*) → **artefact**.

artifice /'ɑːtɪfɪs/ n. ▣ abilità; ingegnosità; scaltrezza **2** artificio; espediente; stratagemma.

artificer /ɑː'tɪfɪsə(r)/ n. **1** (*mil.*) artificiere **2** (*arc.*) abile artigiano **3** (*arc.*) artefice; inventore.

♦**artificial** /ɑːtɪ'fɪʃl/ a. **1** artificiale: **a. fertilization**, fecondazione artificiale; **a. lake**,

a

lago artificiale; **a. light**, luce artificiale; **a. limb**, arto artificiale **2** artificiale; artificioso: **an a. division**, una divisione artificiale **3** artefatto; artificioso; insincero; falso: **an a. smile**, un sorriso artefatto (o falso) **4** finto: **a. flowers**, fiori finti ● (*ind.*) **a. flavouring**, aggiunta di aromi artificiali □ (*aeron.*) **a. horizon**, orizzonte artificiale; indicatore di assetto □ (*med.*) **a. kidney**, rene artificiale □ **a. insemination**, inseminazione artificiale □ (*comput.*) **a. intelligence**, intelligenza artificiale □ (*comput.*) **a. life**, Alife; vita artificiale (*branca dell'informatica*) □ (*leg.*) **a. person**, persona giuridica □ (*med.*) **a. respiration**, respirazione artificiale □ (*genetica*) **a. selection**, selezione artificiale □ (*antiq.*) **a. silk**, seta artificiale; viscosa ‖ **artificiality** n. **1** Ⓤ artificialità; artificiosità **2** Ⓤ artificiosità; insincerità; falsità **3** elemento artificiale; caratteristica artificiale ‖ **artificialness** n. Ⓤ artificialità ‖ **artificially** avv. artificialmente.

artillery /ɑː'tɪlərɪ/ n. **1** Ⓤ artiglieria **2** balistica **3** (*slang*) arma da fuoco; pistola; fucile **4** (*slang della droga*) ago e siringa (*per bucarsi*).

artilleryman /ɑː'tɪlərɪmən/ n. (pl. *artillerymen*) (*mil.*) artigliere.

artiodactyl, **artiodactyle** /ɑːtɪəʊ-'dæktɪl/ n. (*zool.*) artiodattilo.

artisan /ɑːtɪ'zæn, *USA* 'ɑːtɪzən/ n. artigiano ● (*leg.*) **a.'s lien**, diritto di ritenzione (*per riparazioni effettuate, ecc.*) □ (*econ.*) **a. production**, produzione artigianale ‖ **artisanal a.** artigianale.

♦**artist** /'ɑːtɪst/ n. **1** artista (*anche fig.*) **2** (con attrib.) (*slang*) esperto (*in un dato campo, generalm. criticabile*); artista: **con-a.**, esperto imbroglione; artista della truffa; **bullshit-a.**, contabale; trombone; parolaio; **flimflam a.**, imbonitore; artista del raggiro.

🛈 NOTA: *artist o artiste?*

Artist è qualcuno che dipinge, disegna o scolpisce, sia per lavoro che per passione; in riferimento a uno scrittore o a un interprete, come un attore, un musicista o un ballerino, *artist* viene usato meno frequentemente. *Artiste*, invece, è un intrattenitore professionista: *a circus artiste*, un artista circense.

artiste /ɑː'tiːst/ (*franc.*) n. artista (*spec. di varietà, ecc.*); fantasista.

artistic /ɑː'tɪstɪk/, **artistical** /ɑː'tɪstɪkl/ a. **1** artistico: **a. talent**, talento artistico; **a. gymnastics**, ginnastica artistica **2** amante delle arti; dotato di senso artistico | **-ally** avv.

artistry /'ɑːtɪstrɪ/ n. Ⓤ **1** qualità artistica **2** abilità artistica; maestria.

artless /'ɑːtləs/ a. **1** innocente; ingenuo **2** naturale; schietto; semplice; spontaneo **3** senz'arte; goffo; rozzo; grezzo | **-ly** avv. | **-ness** n. Ⓤ.

art nouveau /ɑːnuː'vəʊ/ (*franc.*) loc. n. (*stor., arte*) art nouveau; (stile) liberty.

artsy /'ɑːtsɪ/ (*USA*) → **arty**.

artwork /'ɑːtwɜːk/ n. **1** Ⓤ (*editoria*) materiale iconografico; materiale illustrativo; illustrazioni (pl.); grafica Ⓤ opere (pl.) d'arte **3** opera d'arte.

arty /'ɑːtɪ/ (*fam.*) a. **1** artistico; che ama l'arte **2** (*spreg.*) che ha pretese artistiche; pseudoartistico; intellettualoide ● (*spreg.*) **a.-crafty**, (*di persona*) che ha pretese artistiche, pseudoartistico; maniaco dell'artigianato; (*di cosa*) pseudoartistico □ (*spreg., volg.*) **a.-farty**, pseudoartistico; intellettualoide; pretenzioso ‖ **artiness** n. Ⓤ (l'avere) pretese artistiche; sfoggio d'interessi artistici.

arugula /ə'ruːgələ/ n. Ⓤ (*USA, bot., Eruca sativa, Diplotaxis tenuifolia*) rucola; ruchetta.

arum /'ɛərəm/ n. (*bot., Arum*) aro; gigaro ●

(*bot.*) **a. lily** (*Zantedeschia aethiopica*), calla (dei fioristi).

aruspex /ə'rʌspeks/ n. (pl. *aruspices*) aruspice.

Aryan /'ɛərɪən/ a. e n. ariano (*di stirpe; o la lingua*).

aryl /'ærɪl/ n. (*chim.*) arile ● **a. compound**, composto arilico.

♦**as**① /æz, əz/ Ⓐ avv., prep. e cong. **1** (nei compar.: **as... as**) (così...) come; tanto... quanto; tutto... che: **a bird as big as a cat**, un uccello grosso come un gatto; *You are as rich as he (is)*, tu sei (tanto) ricco quanto lui; *I have as many books as you (have)*, ho tanti libri quanti ne hai tu; *I can give you as much money as you want*, posso darti tutto il denaro che vuoi **2** (correl. di **such**, **so**, **same**) che; di; da: *The rain was so heavy as to force us to shelter under a tree*, la pioggia era così forte da costringerci (o che fummo costretti) a ripararci sotto un albero; **poets such as** (o **such poets as**) *Donne and Marvell*, poeti quali Donne e Marvell; **so as not to be seen**, così da non essere visto; *They had the same difficulties as you (had)*, incontrarono le stesse difficoltà che incontraste voi (o le vostre stesse difficoltà); *I work in the same firm as his wife*, lavoro nella stessa ditta di sua moglie; *He is the same as before*, è lo stesso di prima **3** come; in qualità di; in quanto; nel modo in cui: *I like him as a person*, mi piace come persona; *She works as a fashion designer*, lavora come disegnatrice di moda; **his skill as a craftsman**, la sua abilità come (o di) artigiano; **speaking as a friend**, per parlare da amico; *I'm going to the masked ball as Dracula*, vado al ballo in maschera vestito da Dracula; *You're late as usual*, sei in ritardo come al solito; **as is obvious**, com'è ovvio; **as you can see**, come puoi vedere; **as I was saying**, come dicevo; *Do as I tell you!*, fa' come ti dico! **4** poiché; dato che; siccome; giacché: *As it was late, we hurried up*, poiché era tardi, ci affrettammo **5** mentre; quando; come: *I saw them as I was getting into the cinema*, li vidi mentre entravo nel cinema; **as a child**, da bambino **6** benché; sebbene; per quanto; come: *Rich as he is, he isn't happy*, benché ricco (o ricco com'è), non è felice; *Improbable as it may sound*, per quanto sembri improbabile; per improbabile che possa sembrare Ⓑ pron. relat. (correl. di **such**) (*antiq.*) che; quale: *Such as don't know me*, coloro che non mi conoscono ● **as against** (o **as compared with**), in confronto a; di contro a □ **as agreed upon**, come d'accordo; secondo gli accordi presi □ **as and when**, a tempo debito; al momento opportuno □ **as... as any...**, non meno... di...; non inferiore a... per...; uno dei più...: **good a reason as any**, un motivo non meno valido degli altri (o di qualunque altro); *His new thriller is as gripping as any I've seen recently*, il suo nuovo thriller è uno dei più emozionanti che abbia visto ultimamente □ **as... as that**, così; tanto: *Is it really as late as that?*, è davvero così tardi?; *Come on, it's not as serious as all that*, andiamo, non è poi tanto grave! □ **as at** (+ *data*), (*banca*) «valuta»; (*rag.: di bilancio*) «chiuso al»: *We have credited your account with $10,000 as at March 1st*, abbiamo accreditato 10 000 dollari sul vostro conto, valuta 1° marzo □ **as far as** → **far** □ **as for**, quanto a; riguardo a: **as for him**, quanto a lui □ **as from** = **as of** → *sotto* □ **as if**, come se; quasi che; quasi: *He acted as if he were mad*, agì come se fosse pazzo; *He shook his head as if to say: «Don't do it!»*, scosse il capo come per (o quasi) dire: «Non farlo!»; *It isn't as if he were rich*, non che sia ricco; *As if I cared!*, sai che m'importa!; m'importa assai! □ (*fam.*) **As if!**, figurati!; macché! □ (*leg.*)

as is, nello stato in cui si trova □ **as it is**, di fatto; in realtà; sta di fatto che; (*in fine frase*) già: *As it is, things are getting worse*, in realtà le cose vanno per il peggio; *I've plenty of things to do as it is*, ho già tante cose da fare □ **as it were**, per così dire; diciamo così □ **as late as**, **as long as** → **late**②, **long**② □ **as many**, **as much** → **many**, **much** □ (*form.*) **as of** (+ *giorno o data*), a partire da; con inizio da: **as of today**, a partire da oggi; **as of April 1**, a partire dal 1° aprile □ (*comm.*) **as per**, come da: **as per sample**, come da campione □ **as recently as**, non più tardi di □ **as regards**, per ciò che riguarda; quanto a □ **as soon as** → **soon** □ **as though** → **as if** □ **as to**, quanto a; riguardo a: **as to me**, quanto a me; *No decision has been taken yet as to his appointment*, quanto alla sua nomina, non è stata presa ancora una decisione □ **as well**, **as well as** → **well**② □ **as yet**, ancora; finora; fino ad allora: *He hasn't come as yet*, non è ancora venuto; finora, non è venuto □ **as you go**, via via; gradatamente □ (*mil.*) **As you were!**, al tempo!

as② /æs/ n. (pl. *asses*) (*stor.*) asse (*misura e moneta romana*).

A/S sigla **1** (*comm.*, **account sales**) conto vendite **2** (*comm.*, **after sight**) a vista **3** (*comm.*, **alongside**) lungo bordo, sottobordo.

ASA sigla **1** (*GB*, **Advertising Standards Authority**) Autorità garante della pubblicità **2** (*USA*, **American Standards Association**) Associazione americana per la normalizzazione **3** (*USA*, **American Statistical Association**) Associazione americana di statistica.

asafoetida /æsə'fɛtɪdə/ n. **1** (*bot., Ferula assafoetida*) assafetida **2** (*farm.*) assafetida.

ASAP, **a.s.a.p.** sigla (**as soon as possible**) il più presto possibile; *Please tell him to call me ASAP, it's very urgent*, gli dica per favore di chiamarmi al più presto, è molto urgente.

asbestine /æz'bestɪn/ a. di (o simile a) asbesto; incombustibile.

asbestos /æs'bestɒs/ n. Ⓤ (*miner.*) asbesto; amianto ● **a. cement** (o **a. lumber**, **a. wood**), fibrocemento; Eternit® □ **a. flexboard**, cartone flessibile d'amianto ‖ **asbestosis** n. Ⓤ (*med.*) asbestosi.

ASBO /'æzbəʊ/ sigla (*GB, leg.,* **antisocial behaviour order**), provvedimento contro il comportamento antisociale.

ascarid /'æskərɪd/ n. (pl. *ascarids*, *ascarides*) (*zool., Ascaris*) ascaride.

to ascend /ə'send/ (*form.*) Ⓐ v. t. **1** salire; salire su per; scalare (*un monte, ecc.*): **to a. the stairs**, salire le scale; **to a. a peak**, scalare una vetta; **to a. the throne**, salire al trono; **to a. the hierarchy**, salire su per la gerarchia **2** risalire: **to a. a river**, risalire un fiume Ⓑ v. i. salire; ascendere: **to a. to third level**, salire al terzo livello; **to a. to heaven**, salire al cielo.

ascendance /ə'sendəns/ → **ascendancy**.

ascendancy /ə'sendənsɪ/ n. Ⓤ **1** supremazia; predominio; autorità **2** ascendente; influenza: **moral a.**, autorità morale **3** – (*stor.*) **the A.**, la dominazione della minoranza protestante anglo-irlandese in Irlanda (*spec. nei secoli XVIII e XIX*); (*per estens.*) la minoranza protestante anglo-irlandese ● **to be in the a.**, avere la supremazia (o il predominio) □ **to gain a.**, ottenere il predominio; riuscire a imporsi; acquistare ascendente.

ascendant /ə'sendənt/ Ⓐ n. **1** (*astrol.*) ascendente **2** ascendente; antenato Ⓑ a. **1** in ascesa **2** predominante; dominante **3** (*astrol.*) ascendente ● **in the a.**, in ascesa; emergente.

ascendence /ə'sendəns/, **ascendent** /ə-

'sɛndənt/ → **ascendance**; **ascendant**.

ascender /ə'sɛndə(r)/ n. (*calligrafia, ti-pogr.*) **1** asta ascendente **2** lettera ascendente.

ascending /ə'sɛndɪŋ/ a. (*astron., mus.*) ascendente ● (*anat.*) **a. colon**, colon ascendente.

ascension /ə'sɛnʃn/ n. ① **1** ascensione; ascesa **2** – (*relig.*) A., Ascensione: **A. day**, il giorno dell'Ascensione ‖ **ascensional** a. ascensionale.

ascent /ə'sɛnt/ n. **1** ascesa; salita; (*alpinismo*) ascensione, arrampicata, scalata: **a balloon a.**, un'ascesa in mongolfiera; **the a. of Everest**, la scalata dell'Everest **2** (*fig.*) ascesa; salita: **a. to power**, ascesa al potere **3** salita; pendio.

to **ascertain** /æsə'teɪn/ v. t. accertare, accertarsi di; assicurarsi di; constatare: **to a. the facts**, accertare i fatti; **to a. what really happened**, accertarsi di come sono andate davvero le cose.

ascertainable /æsə'teɪnəbl/ a. accertabile.

ascertainment /æsə'teɪnmənt/ n. ① accertamento ● (*stat.*) **a. error**, errore non campionario.

ascesis /ə'siːsɪs/ n. ① ascesi.

ascetic /ə'sɛtɪk/ **A** a. ascetico **B** n. asceta ‖ **ascetical** a. ascetico ‖ **ascetically** avv. asceticamente ‖ **asceticism** n. ① **1** ascetismo **2** ascetica (*dottrina*).

ascidians /ə'sɪdɪənz/ n. pl. (*zool.*, *Ascidiacea*) ascidiacei.

ASCII /'æskiː/ sigla (*comput.*, **American Standard Code for Information Interchange**) codice standard americano per l'interscambio di informazioni.

Asclepiad /æ'skliːpɪæd/ (*poesia*) n. asclepiadeo ‖ **Asclepiadean** a. e n. (*verso*) asclepiadeo.

asclepiad /æ'skliːpɪæd/ n. (*bot.*) pianta delle asclepiadacee.

asclepias /ə'skliːpɪəs/ n. (*bot.*) **1** → **asclepiad 2** (*Gentiana asclepiadea*) asclepiade.

ascorbic /ə'skɔːbɪk/ a. (*chim.*) ascorbico: **a. acid**, acido ascorbico.

ascot /'æskət/ n. ascot; plastron.

ascribable /ə'skraɪbəbl/ a. ascrivibile.

to **ascribe** /ə'skraɪb/ v. t. ascrivere; attribuire.

ascription /ə'skrɪpʃn/ n. ① l'ascrivere; attribuzione.

ascriptive /ə'skrɪptɪv/ a. ascrittivo: **a. group**, comunità ascrittiva.

ascus /'æskəs/ n. (pl. **asci**) (*bot.*) asco.

asdic /'æzdɪk/ n. (acronimo di **Anti-Submarine Detection Investigation Committee**) (*naut.*) ecogoniometro; sonar.

ASEAN /'æsɪən/ sigla (**Association of Southeast Asian Nations**) Associazione degli Stati del Sud-Est Asiatico.

asepsis /ə'sɛpsɪs/ n. ① (*med.*) asepsi ‖ **aseptic** a. **1** (*med.*) asettico **2** (*fig.*) gelido; freddo.

asexual /eɪ'sɛkʃʊəl/ (*biol.*) a. asessuale; asessuato ‖ **asexuality** n. ① asessualità.

ash ① /æʃ/ n. (*bot.*, *Fraxinus*) frassino (*anche il legno*) ● **ash grove**, frassineto □ **ash key**, samara (*seme alato*).

ash ② /æʃ/ n. **1** ① cenere **2** (*anche ash grey*) grigio cenere **3** (pl.) ceneri (*anche di un defunto*) **4** (al pl., *sport*) – **the Ashes**, il trofeo di cricket tra l'Inghilterra e l'Australia ❶ CULTURA ● **The Ashes**: *il nome di questo trofeo risale alla prima sconfitta in casa dell'Inghilterra nel 1882, allorché su un giornale sportivo compare l'ironico annuncio della «morte del cricket inglese» le cui ceneri sarebbero state trasportate in Australia. L'anno seguente, quando*

furono gli inglesi a vincere, gli australiani consegnarono loro l'urna delle supposte «ceneri», che diventò il trofeo del torneo, da allora conservato sempre in Inghilterra, anche quando viene vinto dall'Australia □ **ash bin**, pattumiera □ **ash--blond hair**, capelli biondo cenere □ (*USA*) **ash can**, pattumiera; (*slang*) bomba di profondità □ (*geol.*) **ash cone**, cono di cenere (*vulcanica*) □ **ash pan** (*o* **ash pit**), ceneraio, ceneratoio □ (*relig.*) **Ash Wednesday**, il Mercoledì delle Ceneri, le Ceneri □ **to burn to ashes**, incenerire, ridurre in cenere: *The enemy burnt the fort to ashes*, il nemico ridusse in cenere il forte □ **to haul the ashes**, rimestare le ceneri □ (*slang*) **to haul sb.'s ashes**, picchiare, menare q. (*pop.*); (*anche*) fare una sveltina con q. (*pop.*) □ **to reduce to ashes**, ridurre in cenere; incenerire □ **to be burnt** (*o* **reduced**) **to ashes**, andare in cenere; incenerirsi: *My house was burnt to ashes*, la mia casa andò in cenere.

♦**ashamed** /ə'ʃeɪmd/ a. pred. vergognoso; che ha (*o* prova) vergogna: **to be a. of st.**, vergognarsi (*o* avere, provare vergogna) di qc.; **to be** (*o* **to feel**) **a. to do st.** (*o* **of doing st.**), vergognarsi di fare qc.; *You ought to be a. of yourself!*, dovresti vergognarti!; vergognati!; *It's nothing to be a. of*, non c'è nulla di cui vergognarsi; non c'è da vergognarsene.

ashen ① /'æʃn/ a. del frassino; di frassino.

ashen ② /'æʃn/ a. **1** di cenere **2** cenerino; color cenere **3** cinereo; cereo; livido: **a.--faced**, dal viso cinereo (*o* cereo); cereo in viso.

Ashkenazi /æʃkə'nɑːzɪ/ a. e n. askenazita.

ashlar, **ashler** /'æʃlə(r)/ n. **1** (*edil.*) (*anche* **a. veneer**) pietra da taglio; concio; pietra squadrata (*per costruzione o rivestimento*) **2** ① (= **ashlaring**) muratura in pietra squadrata (*o* da taglio); bugnato ● **rusticated a.**, bugnato rustico.

ashlaring /'æʃlərɪŋ/ n. ① (*edil.*) muratura in pietra da taglio; bugnato.

ashore /ə'ʃɔː(r)/ avv. a riva; a terra: **to go a.**, scendere a terra; sbarcare; **to put sb. a.**, sbarcare q.; mettere a terra q.; **to be washed a.**, essere trasportato (*o* gettato) a riva.

♦**ashtray** /'æʃtreɪ/ n. portacenere; posacenere.

ashwood /'æʃwʊd/ n. ① legno di frassino; frassino.

ashy /'æʃɪ/ a. **1** di (*o* coperto di) cenere **2** cenerino; cinereo.

♦**Asian** /'eɪʃn/ a. e n. asiatico; orientale: **the A. community in Britain**, la comunità asiatica in Gran Bretagna; **A. languages**, lingue orientali ● **A. American**, americano di origine asiatica □ (*med.*) **A. flu**, l'asiatica (*influenza*) □ **A. studies**, orientalistica.

Asiatic /eɪʃɪ'ætɪk/ a. e n. asiatico; orientale ❶ NOTA D'USO ● *Per riferirsi alle persone è spesso preferito* **Asian**.

ASIC sigla (*elettr.*, **application-specific integrated circuit**) circuito integrato per applicazioni specifiche.

♦**aside** /ə'saɪd/ **A** avv. da (una) parte; in disparte; via: **to push a.**, spingere da una parte; **to put a.**, mettere da parte; accantonare; **to set a.**, mettere da parte; mettere via; **to step a.**, farsi da parte; scostarsi; **to draw sb. a.**, prendere q. in disparte; (*V. anche sotto i vari verbi frasali*) **B** n. **1** (*teatr.*) a parte; a solo **2** digressione; divagazione ● (*spec. USA*) **a. from**, a parte; fatta eccezione per; a prescindere da.

asinine /'æsɪnaɪn/ a. da asino; asinino; asinesco; stupido; sciocco ‖ **asininity** n. ① asinità; asinaggine; stupidità.

ask /ɑːsk/ n. ① **1** (*comm.*, = **ask price**) prezzo di offerta; prezzo trattabile **2** (*Borsa*, =

ask price) corso lettera (*di titoli*); cambio lettera (*di valute estere*); prezzo lettera (*di merci*) **3** (*fam., spec. sport*) punteggio (risultato, ecc.) da raggiungere: *That's a pretty tough ask*, pretende molto (*dal giocatore, dalla squadra, ecc.*).

♦to **ask** /ɑːsk/ **A** v. t. **1** chiedere; domandare: *He asked to go*, chiese di poter andare; *I asked her what she wanted*, le chiesi che cosa volesse; *I'll go and ask that guard if he's seen her*, vado a chiedere a quella guardia di sicurezza se l'ha vista; **to ask a question**, fare una domanda; *He asked my pardon*, mi chiese perdono; *I forgot to ask his name*, ho dimenticato di chiedere come si chiama; *I would like to ask a favour of you*, vorrei chiederti un favore; *They're asking $500 to do it*, per farlo chiedono (*o* vogliono) 500 dollari; *I've been asked not to give out staff mobile numbers*, mi è stato richiesto di non dare il numero di cellulare del nostro personale **2** pretendere; chiedere; esigere: *That's asking a lot!*, questo è pretendere un po' troppo! **3** invitare: *They asked me to lunch*, mi invitarono a pranzo (*V. anche i verbi frasali che seguono*) **B** v. i. **1** chiedere; informarsi: *He asked about my work*, mi chiese del mio lavoro; **to ask around**, chiedere in giro; informarsi: *I'll ask around and see if I can get you a ticket*, chiedo in giro per vedere di trovarti un biglietto **2** = **to ask for** → *sotto* ● (*USA*) **don't ask, don't tell**, (**don't pursue**), non chiedere, non dire, (non perseguitare) (*politica dell'esercito americano secondo la quale gli omosessuali possono servire nell'esercito purché non rivelino il loro orientamento sessuale*) □ (*fam.*) **I ask you!**, ma dimmi tu!; domando e dico!; ma si può? □ **Don't ask me!**, non lo so!; boh! □ (*fam.*) **Ask me another!**, non ne ho la minima idea □ (*fam.*) **if you ask me**, se vuoi sapere la mia; secondo me □ (*fam.*) **You may well ask!**, buona domanda! □ (*spesso scherz.*) **Ask, and it shall be given you**, chiedete e vi sarà dato ❶ NOTA: *to demand o to ask?* → **to demand**.

■ **ask after** v. i. + prep. informarsi sulla salute di; chiedere (notizie) di: *My sister asked after you*, mia sorella mi ha chiesto come stavi (*o* mi ha chiesto di te).

■ **ask along** v. t. + avv. invitare (*a unirsi a q.*): *Let's ask Jim along*, invitiamo anche Jim; diciamo anche a Jim di venire.

■ **ask back** v. t. + avv. **1** chiedere la restituzione di; volere indietro **2** ricambiare l'invito di; invitare (*a propria volta*).

■ **ask for** v. i. + prep. **1** chiedere: **to ask for silence**, chiedere (di fare) silenzio; **to ask him for a pay rise**, gli ho chiesto un aumento di stipendio **2** chiedere di parlare a; chiedere di; cercare: *You should ask for the manager*, devi chiedere di parlare al direttore; *He was asking for you*, ti cercava; voleva parlarti **3** richiedere: *That asks for a lot of patience*, ciò richiede molta pazienza □ (*fam.*) **to be asking for trouble**, andare in cerca di guai □ (*fam.*) **You asked for it!**, la sei voluta!

■ **ask in** v. t. + avv. invitare a entrare; far entrare.

■ **ask out** v. t. + avv. **1** invitare a uscire insieme; chiedere di uscire **2** invitare fuori (*a cena, ecc.*).

■ **ask over**, **ask round** v. t. + avv. invitare a casa propria (*per una breve visita*).

■ **ask up** v. t. + avv. invitare a salire (al piano di sopra); dire a (q.) di salire.

askance /ə'skæns/, **askant** /ə'skænt/ avv. di traverso; in tralice; di sbieco: **to look a. at**, guardare di traverso; dare un'occhiata in tralice a; (fig.) guardare con sospetto; non vedere di buon occhio.

askari /'æskərɪ/ n. (pl. **askaris**, **askari**) ascaro.

a

asker /'ɑːskə(r)/ **n.** richiedente; chi s'informa.

askew /ə'skjuː/ **A avv.** di traverso; a sghembo; di sghimbescio; obliquamente: **to wear one's hat a.**, portare il cappello di traverso **B a.** sghembo; obliquo; storto: *The picture you've hung is a.*, il quadro che hai appeso è storto.

asking /'ɑːskɪŋ/ **n.** ▣ il chiedere; l'informarsi: **if you don't mind my a.**, se non ti secca che te lo chieda; se posso chiederlo ● (*comm.*, *Borsa*) **a. price** → **ask**, *def.* 2 □ (*fam.*) **for the a.**, a disposizione; per chi lo vuole; per chi lo vuole: *The bike is yours for the a.*, la bicicletta è tua quando la vuoi.

ASL sigla (*USA*, **American Sign Language**) lingua dei segni americana (*cfr. ital.* «*LIS*»).

aslant /ə'slɑːnt/ **A avv.** a sghembo; di traverso; obliquamente **B prep.** di traverso a; attraverso.

♦**asleep** /ə'sliːp/ **avv. e a. pred.** **1** addormentato: **to be a.**, dormire; **to be fast a.**, dormire profondamente; dormire sodo; **to fall a.**, addormentarsi **2** (*fig.*) addormentato; distratto **3** addormentato; intorpidito: *My arm is a.*, mi si è intorpidito il braccio ● (*fam. USA*) **a. at the switch** (*o* **at the wheel**), distratto; addormentato □ **to be a. on one's feet**, cascare dal sonno; dormire in piedi.

aslope /ə'sləup/ **avv. e a. pred.** in pendio; in pendenza; inclinato.

asocial /eɪ'səuʃl/ **a. 1** asociale **2** egoistico; egoista ‖ **asociality n.** ▣ **1** asocialità **2** egoismo.

asp /æsp/ **n.** (*zool.*) **1** (*Naja haje*) aspide di Cleopatra **2** (*Vipera aspis*) vipera.

ASP sigla (*comput.*, **application service provider**) fornitore di servizi gestionali.

asparagine /ə'spærədʒiːn/ **n.** (*biochim.*) asparagina.

asparagus /ə'spærəgəs/ **n.** ▣ (*bot.*, *Asparagus officinalis*) asparago, asparagi ● **a. plot**, asparageto.

aspartame /ə'spɑːteɪm/ **n.** ▣ (*chim.*) aspartame.

aspartic /ə'spɑːtɪk/ **a.** (*chim.*) aspartico: **a. acid**, acido aspartico.

♦**aspect** /'æspɛkt/ **n. 1** aspetto; angolo; profilo; punto di vista: **from every a.**, sotto ogni aspetto; da tutti i punti di vista **2** (*edil.*, *di edificio*) esposizione; (*per estens.*) lato; (*di locale*, *ecc.*) vista; affaccio: *That house has a southern a.*, quella casa ha un'esposizione a mezzogiorno; **to have a double a.**, godere di doppia vista; affacciarsi su due lati **3** (*lett.*) aspetto; aria; apparenza; espressione **4** (*ling.*) aspetto (verbale) **5** (*astrol.*) aspetto **6** (*biol.*) aspetto stagionale ● **a. ratio**, (*tecn.*) rapporto altezza-larghezza; (*aeron.*) allungamento alare; (*TV*) rapporto di formato ‖ **aspectual a.** (*ling.*) aspettuale.

aspen /'æspən/ **A n.** (*bot.*, *Populus tremula*) tremola, tremolo; pioppo tremulo **B a. 1** di (*o* simile a) pioppo tremulo **2** (*arc. o lett.*) tremulo; timoroso.

aspergillosis /æspɜːdʒɪ'ləusɪs/ **n.** ▣ (*med. e zool.*) aspergillosi.

aspergillum /æspə'dʒɪləm/ **n.** (*pl.* **aspergilla**, **aspergillums**) (*relig.*) aspersorio.

aspergillus /æspə'dʒɪləs/ **n.** (*pl.* **aspergilli**) (*bot.*, *Aspergillus*) aspergillo.

asperity /ə'spɛrəti/ **n. 1** ▣ asprezza; asperità (*di superficie*, *suoni*, *ecc.*); ruvidezza, durezza, severità (*di carattere*) **2** inclemenza, rigore (*del clima*) **3** (*pl.*) irregolarità (*del terreno*) **4** (*pl.*) rigori; sofferenze.

to asperse /ə'spɜːs/ **v. t. 1** denigrare; calunniare **2** (*relig.*) aspergere.

aspersion /ə'spɜːʃn/ **n. 1** denigrazione; calunnia: **to cast aspersions on sb.**, calunniare (*o* denigrare) q. **2** (*relig.*) aspersione.

aspersory /ə'spɜːsəri/ **n.** (*relig.*) aspersorio.

asphalt /'æsfælt/ **n.** ▣ asfalto ● **a. layer**, asfaltatore □ **a. laying**, asfaltatura □ **a. road**, strada asfaltata □ **a. spreader**, asfaltatrice.

to asphalt /'æsfælt/ **v. t.** asfaltare.

asphaltic /æs'fæltɪk/ **a.** (*geol.*) asfaltico.

asphaltite /æs'fæltaɪt/ **n.** ▣ (*geol.*) asfaltite.

asphodel /'æsfədɛl/ **n.** (*pl.* **asphodels**, **asphodel**) (*bot.*, *Asphodelus ramosus*) asfodelo.

asphyxia /æs'fɪksɪə/ (*med.*) **n.** ▣ asfissia ‖ **asphyxial a.** di asfissia; asfittico ‖ **asphyxiant A a.** asfissiante **B n.** sostanza asfissiante.

to asphyxiate /æs'fɪksɪeɪt/ **v. t. e i.** asfissiare; soffocare ● **asphyxiating gas**, gas asfissiante ‖ **asphyxiation n.** ▣ asfissia; soffocamento.

asphyxy /æs'fɪksɪ/ → **asphyxia**.

aspic① /'æspɪk/ **n.** (*arc. o poet.*) aspide.

aspic② /'æspɪk/ **n.** ▣ gelatina (di carne): **chicken in a.**, pollo in gelatina; aspic di pollo.

aspic③ /'æspɪk/ **n.** ▣ (*bot.*) spigo; lavanda.

aspidistra /æspɪ'dɪstrə/ **n.** (*bot.*, *Aspidistra*) aspidistra.

aspirant /ə'spaɪərənt/ **A a.** aspirante; che aspira; ambizioso **B n.** aspirante; candidato.

aspirate /'æspərət/ **A a.** aspirato **B n.** (*fon.*) aspirata.

to aspirate /'æspəreɪt/ **v. t.** (*fon.*, *med.*) aspirare.

aspirating engine /æspəreɪtɪŋ'ɛndʒɪn/ loc. n. (*autom.*) motore ad aspirazione.

aspiration /æspə'reɪʃn/ **n. 1** ▣ (*fisiol. e fon.*) aspirazione **2** (*fig.*) aspirazione; ambizione.

aspirator /'æspəreɪtə(r)/ **n.** aspiratore (*apparecchio*).

to aspire /ə'spaɪə(r)/ **v. i.** aspirare; ambire; agognare: **to a. to** (*o* **after**) **st.**, aspirare a qc.; ambire (a) qc.

aspirin /'æsp(ə)rɪn/ **n.** ▣ (*pl.* **aspirins**, **aspirin**) (*farm.*) aspirina®.

aspiring /ə'spaɪərɪŋ/ **a.** aspirante; che aspira; ambizioso.

asquint /ə'skwɪnt/ **A avv. 1** di sbieco; di traverso; al modo degli strabici **2** (*fig.*) biecamente; in modo losco **B a. pred.** storto; strabico ● **to look a.**, guardare con occhio bieco (*o* in modo losco); guardare di sbieco.

ass① /æs/ **n. 1** (*zool.*, *Equus asinus*) asino; somaro **2** (*fig.*) stupido: *Don't be an ass!*, non essere stupido!; non essere ridicolo! ● **to make an ass of oneself**, fare la figura dello stupido; rendersi ridicolo; fare una figuraccia ● **wild ass**, asino selvatico; onagro.

♦**ass**② /æs/ **n.** (*volg. slang*, *spec. USA*) **1** culo (*volg.*); chiappe (pl.) **2** (*buco del*) culo (*volg.*) **3** donna o donne (*considerate dal punto di vista sessuale*); la fica (*volg.*) **4** sesso; scopate (pl.) (*volg.*) **5** idiota; testa di cazzo (*volg.*) ● **ass-backwards**, al contrario, a rovescio; (*fig.*) incasinato, malfatto, a capocchia □ **ass-chewing**, sfuriata; cazziatone (*volg.*) □ **ass-fuck**, inculata, inchiappettata (*volg.*) □ **ass-kisser**, leccaculo (*volg.*) □ (*spreg.*) **ass-peddler**, puttana (*volg.*) □ (*anche*) marchettaro (*pop.*) □ **ass-wipe**, carta igienica; (*fig.*) bastardo, stronzo (*volg.*) □ **You bet your ass!**, puoi scommetterci! □ **to burn sb.'s ass**, fare incazzare q. (*volg.*) □ **to bust one's ass**, sgobbare; farsi il culo (*o il mazzo*) (*volg.*) □ **to bust sb.'s ass**, arrestare q. □ **to cover one's ass**, pararsi il culo (*volg.*); essere un paraculo □ **to fix sb.'s ass**, sistemare q.; conciare q. per le feste; fregare q. □ **to get one's ass in gear**, darsi una mossa;

muovere il culo (*volg.*) □ **to get off one's ass**, darsi una mossa; muovere il culo (*volg.*) □ **to get sb. off sb.'s ass**, togliere q. dai piedi (*o* dalle scatole, dalle palle, *volg.*) a q. □ **to have sb.'s ass**, fare un culo così a q. (*volg.*) □ **My ass!**, macché!; un corno!; col cavolo!; balle! □ **Your ass is grass**, sei fottuto, ce l'hai in culo (*volg.*) □ (*USA*) **My ass is in a sling**, sono in un bel casino; sono nella merda (*volg.*) □ (*USA*) **My ass is on the line**, ci vado di mezzo io; ci rischio il culo (*volg.*) □ **It's going to be your ass**, saranno cazzi amari per te (*volg.*) □ **In a pig's ass!**, col cavolo; col cazzo! (*volg.*) □ **Kiss my ass!**, vaffanculo! □ **not to know one's ass from one's elbow**, non capire un tubo di qc.; non capire una mazza di qc. (*volg.*) □ **on one's ass, nei casini; nella merda** (*volg.*); senza un soldo □ **to be on sb.'s ass**, stare addosso a q.; rompere q. □ **to save one's ass**, salvarsi; togliersi dai casini; (*come loc. rafforzativa*) per niente, neanche per sbaglio □ **up the ass**, a bizzeffe; in fottio di (*volg.*) □ **to work one's ass off**, sgobbare; farsi il culo (*o il mazzo*) (*volg.*).

ass., **assoc.** abbr. **1** (**associate**) associato **2** (*anche* **assn**) (**association**) associazione.

assagai /'æsəgaɪ/ **n.** zagaglia.

to assagai /'æsəgaɪ/ **v. t.** colpire con la zagaglia.

to assail /ə'seɪl/ **v. t. 1** assalire (*anche fig.*); assaltare: *I am assailed by a doubt*, mi assale un dubbio **2** affrontare con decisione, in modo assai deciso (*una difficoltà*, *ecc.*) ● **to a. sb. with questions**, investire q. di domande.

assailable /ə'seɪləbl/ **a.** (*anche fig.*) attaccabile.

assailant /ə'seɪlənt/ **n.** assalitore.

assassin /ə'sæsɪn/ **n.** assassino (*spec. di personaggio politico, ecc.*).

🛈 **NOTA:** *assassin, assassination, to assassinate*

Assassin e *to assassinate* significano "assassino" e "assassinare", però nell'inglese moderno si usano solo in riferimento all'assassinio di un personaggio di un certo rilievo per motivi politici o religiosi: *Benazir Bhutto has been assassinated*, Benazir Bhutto è stata assassinata; *the attempted assassination of the Pope*, il tentato assassinio del Papa. In altri contesti si usano *murder, murderer* e derivati.

to assassinate /ə'sæsɪneɪt/ **v. t.** assassinare (*un personaggio politico, ecc.*) ‖ **assassination n.** ▣ assassinio.

♦**assault** /ə'sɔːlt/ **n. 1** (*mil.*) assalto; attacco **2** (*leg.*) aggressione; minaccia di violenza fisica; vie (pl.) di fatto **3** (= **sexual a.**) violenza carnale; tentativo di stupro **4** (*fig.*) attacco; assalto; aggressione (verbale) **5** (*scherma*) assalto ● (*leg.*) **a. and battery**, percosse; aggressione □ (*mil.*) **a. course**, percorso di guerra □ (*mil.*, *naut.*) **a. craft**, mezzo d'assalto □ (*mil.*) **a. gun**, cannone semovente □ (*mil.*) **a. units**, mezzi d'assalto □ **to make an a. on**, (*mil.*) dare l'assalto a; sferrare un attacco a; (*fig.*) attaccare □ (*mil.*) **to take by a.**, espugnare (*una fortezza*, *ecc.*).

to assault /ə'sɔːlt/ **v. t. 1** aggredire; assalire; attaccare **2** (*leg.*) aggredire **3** (*mil.*) attaccare; sferrare un attacco a ● **to sexually a.** (*o* **to sexually a.**), tentare di usare violenza a; molestare sessualmente.

assay /ə'seɪ/ **n. 1** (*miner.*) saggio; saggiatura; analisi: **gold ore a.**, saggio di minerale aurifero; **wet a.**, analisi a umido; **dry a.**, analisi a secco **2** campione da saggiare **3** (*fig. arc.*) tentativo arduo ● **a. bar**, barra campione; tocchino □ **a. master**, saggiatore ufficiale (*di metalli preziosi*) □ **a. value**, tenore (*di un minerale*) in metallo prezioso

to **assay** /əˈseɪ/ **A** v. t. **1** (*miner.*) saggiare **2** (*fig.*) tentare; intraprendere (*qc. di difficile*) **B** v. i. risultare al saggio (*o* all'analisi): *This ore assays high in gold*, al saggio, questo minerale grezzo risulta ricco d'oro ‖ **assayer** n. (*ind.*) saggiatore ‖ **assaying** n. ⓤ (*miner.*) saggio; saggiatura.

assegai, to **assegai** /ˈæsɪɡaɪ/ → **assagai**, to **assagai**.

assemblage /əˈsɛmblɪdʒ/ n. ⓤⓒ **1** adunata; assembramento; raduno **2** riunione, raccolta (*di cose*) **3** (*mecc.*) montaggio; assemblaggio **4** (*arte*) assemblaggio **5** insieme di piatti; coperto (*a tavola*).

to **assemble** /əˈsɛmbl/ v. t. e i. **1** riunire, riunirsi; radunare, radunarsi **2** (*mecc.*) montare; assemblare **3** (*comput.*) assemblare.

assembler /əˈsɛmblə(r)/ n. **1** (*mecc.*) montatore; assemblatore **2** (*comput.*) assemblatore, programma assemblatore.

assembling /əˈsɛmblɪŋ/ n. ⓤ **1** (*mecc.*) montaggio; assemblaggio **2** (*comm.*) assiemaggio: **the a. of goods**, l'assiemaggio delle merci ● **a. bay**, reparto montaggio □ **a. line**, catena di montaggio □ **a. shop**, officina di montaggio.

♦**assembly** /əˈsɛmblɪ/ n. ⓤⓒ **1** adunanza; adunata; riunione **2** assemblea: (*polit.*) **legislative a.**, assemblea legislativa **3** ⓤ (il) riunirsi; associazione: **right of a.**, diritto di associazione **4** (*mil.*) (segnale di) adunata **5** (*mecc.*) montaggio: **a. shop**, officina di montaggio; **a. line**, catena di montaggio **6** (*mecc.*) insieme dei componenti (*di una macchina*) **7** ⓤ (*comput.*) assemblaggio **8** (*comput.*) insieme di parti (*di un programma, ecc.*) ● (*grafica*) **a. drawing**, disegno d'insieme □ (*comput.*) **a. language**, linguaggio assemblatore □ **a. hall** (*o* **a. room**), sala delle riunioni; aula per convegni; sala da concerto, ecc.; (*ind.*) officina di montaggio.

assemblyman /əˈsɛmblɪmən/ n. (pl. **assemblymen**) membro d'assemblea (*anche legislativa*).

assent /əˈsɛnt/ n. ⓤ **1** assenso; consenso **2** benestare; approvazione ● (*in GB*) **royal a.**, sanzione sovrana □ **with one a.**, all'unanimità.

to **assent** /əˈsɛnt/ v. i. **1** assentire; acconsentire **2** – **to a. to**, approvare: **to a. to a proposal**, approvare una proposta.

assentient /əˈsɛnʃnt/ **A** a. assenziente **B** n. chi assente.

assenting /əˈsɛntɪŋ/ a. consenziente.

to **assert** /əˈsɜːt/ v. t. **1** asserire; affermare; sostenere: **to a. one's innocence**, affermare la propria innocenza; **to a. one's authority**, affermare la propria autorità **2** rivendicare; difendere; far valere (*un diritto*) **3** (*leg., USA*) reclamare il diritto a: **to a. immunity from prosecution**, reclamare il diritto all'immunità dall'azione penale ● **to a. oneself**, farsi valere; farsi avanti; imporsi ‖ **asserter** n. assertore; propugnatore.

assertion /əˈsɜːʃn/ n. ⓤⓒ **1** asserzione; affermazione **2** rivendicazione; difesa (*dei propri diritti*) ● (*leg.*) **a. under oath**, asseverazione con giuramento; dichiarazione giurata.

assertive /əˈsɜːtɪv/ a. **1** assertivo (*lett.*); dogmatico **2** che si fa valere; che si fa avanti; che s'impone **3** (*ling.*) assertivo | **-ly** avv. | **-ness** n. ⓤ.

assertor /əˈsɜːtə(r)/ → **asserter**.

♦to **assess** /əˈsɛs/ v. t. **1** valutare; stimare; determinare; accertare: **to a. damages**, stimare i danni; **to a. the value of st.**, stimare il valore di qc.; valutare qc. **2** giudicare; valutare; soppesare: **to a. the effects of st.**, valutare gli effetti di qc.; **to a. a student's progress**, valutare i progressi di uno studente **3** (*fisc.*) accertare (*un reddito*); stabi-

lire il valore imponibile di (*un bene*): *The estate was assessed at one million euros*, l'imponibile della proprietà fu stabilito in un milione di euro; **to be assessed for** (*o* **to**) **income tax**, essere soggetto a imposta sul reddito; essere tassato.

assessable /əˈsɛsəbl/ a. **1** stimabile; valutabile; accertabile **2** (*fisc.*) accertabile; imponibile: **a. income**, (reddito) imponibile; **a. profit**, reddito imponibile (d'impresa); **a. value**, valore imponibile **3** (*fisc.*) tassabile ● (*ass.*) **a. insurance**, assicurazione a contributo straordinario.

assessed /əˈsɛst/ a. **1** (*di danno, ecc.*) stimato; valutato; calcolato **2** (*fisc.*) accertato; imponibile; gravato da imposta: **a. income**, (reddito) imponibile; **a. taxes**, imposte accertate; **a. value**, valore accertato; (*di immobile*) valore catastale.

♦**assessment** /əˈsɛsmənt/ n. ⓤ **1** determinazione; stima; valutazione; accertamento: (*ass.*) **a. of damages**, valutazione dei danni **2** valutazione; giudizio (*anche a scuola*): **a pessimistic a. of the situation**, un giudizio pessimistico sulla situazione; (*GB*) **continuous a.**, valutazione continua (*degli studenti, in luogo degli esami o in aggiunta ad essi*) **3** (*fisc.*) accertamento; (*per estens.*) imposta (tributaria), tassa: **a. of taxation** (*o* **tax a.**), accertamento tributario (*o* fiscale, d'imposta); **a. on income**, accertamento dei redditi; **my tax a. for 2003**, le mie imposte sul reddito per il 2003 **4** (*fisc.*) imposta ricorrente: **a. on landed property**, imposta fondiaria **5** (*fisc.*) iscrizione a ruolo (*di un'imposta*) **6** (*fisc.*) contributo (*pagato a un ente locale*) per oneri di urbanizzazione ● (*fisc.*) **a. book**, ruolo delle imposte □ (*ass.*) **a. insurance**, assicurazione a contributo □ (*ass.*) **a. of the loss**, regolamento (*o* liquidazione) del sinistro.

assessor /əˈsɛsə(r)/ n. **1** stimatore; valutatore; perito **2** (*in GB*) esaminatore; correttore (*di elaborati scolastici*) **3** (*fisc.*) funzionario del fisco; agente delle imposte **4** (*leg.*) consulente tecnico (*di un giudice: nelle cause civili*).

♦**asset** /ˈæsɛt/ n. **1** punto di forza; vantaggio; risorsa; qualità; dote; pregio: *The greatest a. of this house is its garden*, il pregio maggiore di questa casa è il giardino; *Health is a great a.*, la salute è un gran vantaggio; *Patience is her main a.*, la pazienza è il suo maggior punto di forza **2** (*di persona*) elemento prezioso; risorsa; ottimo acquisto **3** (al pl.) (*econ., leg.*) beni; patrimonio (sing.) **4** (*leg.*) asse ereditario **5** (al pl.) (*fin., rag.*) attività (pl.); attivo (sing.): **assets and liabilities**, attivo e passivo; (*leg.*) **bankruptcy assets**, attivo fallimentare; **current assets**, attività correnti; **fixed assets**, attività fisse; immobilizzazioni; **a. value**, valore dell'attivo (*di una società*); valore patrimoniale ● (*rag.*) **a. accounts**, conti elementari (*o* patrimoniali) □ (*banca, fin.*) **a. administration**, gestione patrimoniale □ (*fin.*) **a. allocation**, allocazione delle attività (*tecnica di gestione di fondi*) □ (*rag., USA*) **a. and liability statement**, stato (*o* situazione) patrimoniale; bilancio annuale □ (*fin.*) **assets brought in** (*o* **into a business**), apporto (a un'azienda) □ (*fin.*) **a. life**, vita di un bene strumentale □ (*fin.*) **a. management**, gestione delle attività; gestione patrimoniale □ (*fin.*) **a. ratio**, rapporto di attività □ (*rag.*) **assets side**, colonna delle attività; parte dell'avere; attivo □ (*fin.*) **a.-stripping**, scorporo delle attività ● **FALSI AMICI** ● **asset** *non significa* assetto.

to **asseverate** /əˈsɛvəreɪt/ v. t. asseverare; asserire; dichiarare ‖ **asseveration** n. ⓤⓒ asseverazione; asserzione.

to **ass-fuck** /ˈɑːsfʌk/ v. t. (*volg. USA*) inculare, inchiappettare (*volg.*).

asshole /ˈæshəʊl/ n. (*volg. USA*) **1** buco del culo (*volg.*) **2** testa di cazzo (*volg.*); coglione (*volg.*) **3** rompicoglioni (*volg.*); stronzo (*volg.*) ● **a. buddy**, amico del cuore; amicone: *They're a. buddies*, sono amiconi; sono culo e camicia (*pop.*) □ **a. country**, posto orrendo; posto di merda (*volg.*).

to **assibilate** /əˈsɪbəleɪt/ (*fon.*) v. t. e i. assibilare, assibilarsi ‖ **assibilation** n. ⓤ assibilazione.

assiduity /ˌæsɪˈdjuːɪtɪ, *USA* -duː-/ n. ⓤ **1** assiduità; diligenza **2** (pl.) attenzioni; premure.

assiduous /əˈsɪdjʊəs/ a. **1** assiduo; diligente **2** premuroso | **-ly** avv. | **-ness** n. ⓤ.

assign /əˈsaɪn/ n. **1** (*leg.*) avente causa; avente diritto **2** (*leg.*) cessionario.

to **assign** /əˈsaɪn/ v. t. **1** assegnare: **to a. a seat**, assegnare un posto a sedere; **to a. a pension**, assegnare una pensione **2** assegnare; destinare; nominare **3** stabilire; fissare: *Has a day been assigned for the meeting?*, è stato fissato il giorno dell'incontro? **4** attribuire; trovare: *The doctor was unable to a. a cause for my illness*, il medico non riuscì a trovare la causa della mia malattia **5** (*leg.*) cedere, alienare, devolvere, trasferire (*beni immobili e mobili*) **6** (*leg.*) cedere, trasferire, devolvere (*diritti, brevetti, ecc.*).

assignable /əˈsaɪnəbl/ a. **1** assegnabile **2** destinabile (*a un dato compito*) **3** (*di incontro, ecc.*) che si può fissare **4** attribuibile: **a. to several causes**, attribuibile a varie cause **5** (*leg.*) cedibile; alienabile; trasferibile ‖ **assignability** n. ⓤ (*leg.*) cedibilità; alienabilità; trasferibilità.

assignation /ˌæsɪɡˈneɪʃn/ n. **1** ⓤ assegnazione **2** ⓤ destinazione (*a un dato compito*) **3** (*form.*) appuntamento; incontro segreto; convegno amoroso **4** ⓤ attribuzione **5** ⓤ (*leg.*) alienazione (*di beni*); trasferimento, cessione (*di proprietà o di diritti*).

assignee /ˌæsaɪˈniː/ n. **1** (*leg.*) avente diritto; avente causa **2** (*leg.*) cessionario **3** (*comm.*) mandatario ● (*leg.*) **a. in bankruptcy**, curatore (*o* liquidatore) del fallimento.

♦**assignment** /əˈsaɪnmənt/ n. **1** compito; incarico; nomina; mansione: **to be on a special a.**, avere un incarico speciale; **to get a foreign a.**, (*di funzionario, giornalista, ecc.*) essere nominato (*o* inviato, ecc.) all'estero **2** (*a scuola*) compito per casa: *Make sure you get all your assignments in on time*, fa' in modo di consegnare tutti i compiti in tempo **3** ⓤ assegnazione, attribuzione (*di un incarico, ecc.*); nomina (*di persona*): (*leg.*) **a. of counsel to a defendant**, nomina del difensore d'ufficio per un imputato **4** ⓤ (*mil.*) nomina; destinazione **5** ⓤ (*comput.*) assegnazione, attribuzione (*di un valore a una variabile, ecc.*) **6** ⓤ (*leg.*) cessione; alienazione; trasferimento; devoluzione: **a. for the benefit of creditors**, cessione dei beni (*di un debitore insolvente*) ai creditori; **a. in bankruptcy**, cessione dei beni di un fallito; **a. of a claim**, alienazione di un diritto (*da far valere in giudizio*); (*anche*) cessione di un credito; **a. of property**, cessione (*o* alienazione) di un bene; **a. of a patent**, cessione di un brevetto; **a. of shares**, trasferimento di azioni.

assignor /əˈsaɪnə(r)/ n. **1** (*leg.*) cedente; alienante **2** (*comm.*) mandante.

assimilable /əˈsɪmɪləbl/ a. **1** assimilabile; assorbibile **2** incorporabile **3** paragonabile ‖ **assimilability** n. ⓤ assimilabilità.

to **assimilate** /əˈsɪmɪleɪt/ **A** v. t. **1** assimilare, assorbire (*anche fig.*): **to a. food**, assimilare il cibo; **to a. facts**, assimilare i fatti; **to a. immigrants**, assimilare gli immigrati **2** incorporare: *The Roman Empire assimilated many smaller states*, l'Impero Romano

a

incorporò molti stati minori **3** (*fon.*) assimilare **4** (*sociol.*) integrare **B** v. i. **1** assimilarsi; essere assimilato (o assorbito): **to a. in a new community**, assimilarsi in una nuova comunità **2** (*fon.*) assimilarsi **3** (*sociol.*) integrarsi.

assimilation /əsɪmɪˈleɪʃn/ n. ☐ **1** assimilazione; assorbimento **2** incorporazione **3** (*fon.*) assimilazione **4** (*sociol.*) integrazione.

assimilative /əˈsɪmɪlətɪv/, **assimilatory** /əˈsɪmɪlətrɪ/ a. assimilativo (→ **assimilation**).

assist /əˈsɪst/ n. **1** (*USA*) aiuto **2** (*sport*) assist (*ultimo passaggio che dà buone possibilità di segnare*).

♦to **assist** /əˈsɪst/ **A** v. t. **1** assistere; aiutare; coadiuvare: **to a. sb. in his work**, aiutare q. nel lavoro; coadiuvare q. **2** aiutare; soccorrere; prestare assistenza (finanziaria) a: **to a. sb. with a loan**, aiutare q. con un prestito; (*naut.*) **to a. a ship in distress**, soccorrere una nave in pericolo **B** v. i. **1** dare assistenza; prestare aiuto; coadiuvare **2** assistere; intervenire; presenziare; essere presente; partecipare: **to a. at a ceremony**, intervenire (o presenziare) a una cerimonia; **to a. at an operation**, assistere a un intervento chirurgico ● (*eufem.*) **to a. the police with their inquiries**, essere interrogato dalla polizia; essere trattenuto dalla polizia per accertamenti.

♦**assistance** /əˈsɪstəns/ n. ☐ assistenza; aiuto: **financial a.**, aiuto finanziario; **economic a.**, aiuti economici; **with the a. of**, con l'aiuto di; **to come to sb.'s a.**, venire in aiuto di q.: *Can I be of any a.?*, posso essere d'aiuto?

♦**assistant** /əˈsɪstənt/ **A** n. **1** assistente; aiutante; aiuto; collaboratore **2** vice; sostituto **3** chi assiste; addetto; assistente: **care a.**, chi assiste una persona; **catering a.**, addetto al catering **4** (= **shop a.**) commesso, commessa (*di negozio*) **B** a. attr. aiuto; vice; aggiunto: **a. accountant**, aiuto contabile; **a. director**, (*comm.*) vicedirettore; (*giorn.*) aiuto regista; (*giorn.*) **a. editor**, vicedirettore; (*anche*) vicoredattore; (*comm.*) **a. manager**, vicedirettore; **a. secretary**, vicesegretario ● (*università, in USA*) **a. professor**, docente di grado intermedio tra l' → «instructor» (*def. 2*) e l' → «associate professor» (→ **associate**) ☐ (*calcio*) **a. referee**, guardalinee.

assistantship /əˈsɪstəntʃɪp/ n. (*università, in USA*) posto di assistente-ricercatore (*per giovani laureati*).

assisted /əˈsɪstɪd/ a. assistito ● (*econ., in GB*) **a. area**, zona depressa e assistita dal governo ☐ (*med.*) **a. conception**, fecondazione assistita ☐ (*leg.*) **a. party**, parte che beneficia del gratuito patrocinio ☐ (*in GB*) **a. place**, posto in scuola privata sovvenzionato con borsa di studio statale ☐ **a. suicide**, suicidio assistito (*da un medico*).

assize /əˈsaɪz/ n. (generalm. al pl.) (*leg., stor., in GB*) Corte (o sessione) d'Assise ❶ CULTURA ● **Assizes**: erano assemblee giudiziali di origine feudale in vigore fino al 1971, sostituite ora dalla → «Crown Court» (→ **crown**) nel penale e dalla → «High Court of Justice» (→ **high**), nel civile.

associable /əˈsəʊʃɪəbl/ a. associabile ‖ **associability** n. ☐ associabilità.

associate /əˈsəʊʃɪət/ a. **1** associato; con- (*pref.*); **a. director**, (*comm.*) vicedirettore; (*teatr.*) vicedirettore artistico; (*giorn.*) **a. editor**, condirettore; (*cinem.*) **a. producer**, produttore associato **2** associato; aggiunto: **a. member**, socio aggiunto **B** n. **1** socio; collega; compagno: **business a.**, socio in affari; (*USA*) **sales a.**, addetto alle vendite **2** membro subordinato (*di associa-*

zione o di istituto) **3** cosa collegata (*con un'altra*): *Health is an a. to happiness*, la salute concorre a dare la felicità **4** (*USA*) diplomato da un → «junior college» (→ **junior**): **a. in music**, diplomato in musica **5** (*leg.*, = a. in crime) complice ● (*in USA*) **a. degree**, diploma universitario (*rilasciato da un* → «junior college», → **junior**) ☐ (*leg.*) **a. judge**, ausiliare (*di un giudice della* → «Supreme Court», → **supreme**) ☐ (*università, in USA*) **a. professor**, professore associato (*grado intermedio tra* → «assistant professor», → **assistant**, *e* → «full professor», → **full**).

♦to **associate** /əˈsəʊʃɪeɪt/ **A** v. t. **1** associare (*mentalmente*); collegare: *I a. that place with peace and quiet*, associo quel posto alla tranquillità **2** (al passivo) – **to be associated with**, essere legato a; accompagnare; andare congiunto a: **ailments that are associated with old age**, i disturbi legati alla vecchiaia **3** (*al passivo*) – **to be associated with**, avere a che fare con; essere coinvolto in; avere rapporti con: *I don't want to be associated with his project*, non voglio avere a che fare con il suo progetto **B** v. i. **1** associarsi; unirsi **2** – **to a. with**, essere collegato con; avere a che fare con **3** – **to a. with**, frequentare; avere rapporti con: *Don't a. with people of doubtful reputation*, non frequentare persone di dubbia fama ● **to a. oneself** → *sopra*, **B**, *def. 1 e 2*.

♦**associated** /əˈsəʊʃɪeɪtɪd/ a. **1** associato; collegato **2** (*fin., di società*) consociata.

♦**association** /əsəʊsɪˈeɪʃn/ n. **1** (*anche leg.*) associazione (*senza personalità giuridica*); società: *Young Men's Christian A.*, associazione cristiana della gioventù; **a free a. of equals**, una libera associazione di eguali **2** ☐ l'associare; l'associarsi **3** rapporto; relazione; collegamento; associazione; concomitanza **4** ☐ rapporti (pl.) (personali); contatti (pl.); frequentazione **5** associazione mentale; ricordo; connotazione: *That word triggered pleasant associations*, quella parola evocava associazioni (o suscitava ricordi) piacevoli **6** (*ecol.*) associazione ● (*sindacalismo*) **a. agreement**, accordo di categoria ☐ (*sport*) **a. football**, gioco del calcio (*nome ufficiale, generalm. abbr. in* **soccer**).

associationism /əsəʊsɪˈeɪʃənɪzəm/ (*psic.*) n. ☐ associazionismo ‖ **associationist** n. associazionista.

associative /əˈsəʊʃɪətɪv/ a. associativo ● (*mat.*) **a. law**, legge associativa ☐ (*comput.*) **a. memory** (o storage), memoria associativa ☐ (*mat.*) **a. property**, proprietà associativa.

assonance /ˈæsənəns/ n. ☐ (*ling., poesia*) assonanza.

assonant /ˈæsənənt/ a. (*ling., poesia*) assonante.

to **assonate** /ˈæsəneɪt/ v. i. (*ling., poesia*) essere in assonanza.

to **assort** /əˈsɔːt/ **A** v. t. distribuire in gruppi; suddividere; classificare **B** v. i. **1** (*biol.*) distribuirsi; essere distribuito **2** – **to a. with**, armonizzarsi con; concordare con; rientrare in **3** – **to a. with**, frequentare.

assorted /əˈsɔːtɪd/ a. assortito: **a. buttons**, bottoni assortiti.

assortment /əˈsɔːtmənt/ n. assortimento.

asst abbr. (**assistant**) assistente, aiuto, vice.

to **assuage** /əˈsweɪdʒ/ v. t. (*form.*) alleviare; lenire; mitigare **2** placare; appagare; calmare; sedare: **to a. one's thirst**, calmare la sete ‖ **assuagement** n. ☐ (*form.*) **1** alleviamento; lenimento; sollievo **2** appagamento.

assumable /əˈsjuːməbl/ a., *USA* əˈsuː-/ a. presumibile; assumibile, ecc. (→ **to assume**).

♦to **assume** /əˈsjuːm/, *USA* əˈsuːm/ v. t. **1**

presumere; supporre; ipotizzare; partire dall'assunto (che); assumere; credere; dare per certo (*senza prove*); dare per scontato: *Let us a. he is right*, supponiamo (o partiamo dall'assunto) che abbia ragione; *I assumed she was married*, credevo che fosse sposata; *You're assuming too much*, dài troppe cose per scontate **2** assumere, assumersi; prendere, prendersi: **to a. a debt**, assumersi un debito; **to a. control**, prendere (o assumere) il comando; **to a. office**, assumere una carica; **to a. full responsibility for st.**, assumersi la piena responsabilità di qc. **3** arrogarsi; attribuirsi: **to a. a right**, arrogarsi un diritto **4** assumere; prendere; acquistare; acquisire: *The phenomenon has assumed alarming proportions*, il fenomeno ha assunto dimensioni allarmanti; **to a. significance**, acquistare importanza **5** assumere; affettare; fingere: **to a. indifference**, affettare indifferenza ❶ FALSI AMICI ● *to assume non significa* assumere *nel senso di prendere alle proprie dipendenze.*

assumed /əˈsjuːmd, *USA* əˈsuː-/ a. **1** presunto; supposto **2** finto; falso: **under an a. name**, sotto falso nome **3** affettato; ostentato; finto: **a. humility**, ostentata umiltà.

assuming /əˈsjuːmɪŋ, *USA* əˈsuː-/ **A** a. (*arc.*) presuntuoso; supponente; arrogante **B** **assuming that** cong. ipotizzando che; supponendo che; dando come assunto che.

♦**assumption** /əˈsʌmpʃn/ n. **1** assunto; presupposto; ipotesi; supposizione; presunzione: **a wrong a.**, una supposizione errata; **to start from the a. that...**, partire dal presupposto che...; **on the a. that**, in base all'assunto che; supponendo che; **to make assumptions**, formulare supposizioni; partire da una serie di assunti **2** ☐ (*filos.*) assunzione **3** ☐ assunzione; accettazione: **a. of power**, assunzione del potere; **a. of responsibilities**, assunzione di responsabilità; **the a. of an obligation**, l'accettazione di un obbligo **4** – (*relig.*) **the A.**, l'Assunzione (*dogma e festa*) **5** ☐ presunzione; supponenza; arroganza **6** ☐ affettazione; ostentazione: **an a. of indifference**, un'ostentazione d'indifferenza ● (*leg.*) **a. of ownership**, entrata in possesso (*di un bene*) ☐ (*ass.*) **a. of risk**, assunzione (o accettazione) del rischio ❶ FALSI AMICI ● assumption *non significa* assunzione *nel senso di* nomina a un impiego.

assumptive /əˈsʌmptɪv/ a. **1** presunto; ipotetico; supposto **2** (*arc.*) presuntuoso; supponente; arrogante.

assurance /əˈʃʊərəns/ n. **1** assicurazione; promessa: *She gave me her a. that she would step down*, mi diede assicurazione che si sarebbe dimessa **2** ☐ sicurezza; fiducia in sé **3** ☐ fiducia; certezza: **the a. of victory**, la certezza della vittoria **4** (*ass., GB*) assicurazione: **life a.**, assicurazione sulla vita.

♦to **assure** /əˈʃʊə(r)/ v. t. **1** assicurare; garantire; affermare con sicurezza: *I can a. you*, te l'assicuro; *I was assured I would pay nothing*, mi fu assicurato che non avrei pagato nulla; *He assured himself of their support*, si assicurò del loro appoggio; *Victory was now assured*, la vittoria era ormai garantita **2** promettere; garantire: *He assured me of his help*, mi garantì il suo aiuto **3** (*ass., GB*) assicurare: **to a. one's life**, fare un'assicurazione sulla vita; assicurarsi sulla vita.

❶ NOTA: *to assure, to ensure o o insure?*
Si usa *to assure* con il significato di "assicurare" a qualcuno che qualcosa è vero, è certo, soprattutto per dissipare dubbi e preoccupazioni: *I assure you that the statistics quoted are entirely correct*, ti assicuro che le statistiche citate sono entirely correct. To *ensure* è un termine più formale; significa "rendere certo, garantire" qualcosa, assicuran-

dosi che questa accada come previsto o in maniera conforme alle aspettative: *A judge has been appointed to ensure fair treatment of all cases*, è stato nominato un giudice per garantire che tutti i casi vengano trattati in maniera imparziale. In inglese americano, *to ensure* ha anche lo stesso significato di *to insure*.

Nel campo assicurativo, *to assure* e *to insure*, *assurance* e *insurance* hanno significati distinti. *To assure* e *assurance* si usano in riferimento ad avvenimenti e circostanze certi, soprattutto per la morte, quindi ci si assicura sulla vita stipulando una *life assurance*. Se invece si stipula un'assicurazione per proteggersi da rischi o perdite che potrebbero non verificarsi, come malattie, furti o incendi, si usano *insure* e *insurance*: *Insure yourself against illness*, assicurati contro la malattia; *Insure your house and furnishings*, assicura la casa e i mobili. Questa distinzione tra *to insure* / *insurance* e *to assure* / *assurance*, tuttavia, nel linguaggio quotidiano non sempre viene fatta.

♦**assured** /ə'ʃʊəd/ **A** a. **1** (= self-a.) sicuro di sé; fiducioso **2** sicuro; certo; garantito: **an a. income**, una rendita sicura; *You can rest a. that...*, puoi star certo che... **B** n. (*ass.*, *GB*) assicurato (*per lo più, sulla vita*) **-ly** avv. **-ness** n. ◊.

assurer /ə'ʃʊərə(r)/ n. (*spec. GB*) assicuratore.

assurgent /ə'sɜːdʒənt/ a. **1** (*arald.*) che si eleva **2** (*bot.*) ascendente.

assy /'æsɪ/ a. (*volg. USA*) **1** arrogante; prepotente; stronzo (*volg.*) **2** impudente; sfacciato.

Assyria /ə'sɪrɪə/ n. (*geogr.*, *stor.*) Assiria.

Assyrian /ə'sɪrɪən/ **A** a. e n. assiro **B** n. ◊ assiro (*la lingua*).

Assyriology /əsɪrɪ'ɒlədʒɪ/ n. ◊ assiriologia ‖ **Assyriologist** n. assiriologo.

AST sigla (**Atlantic Standard Time**) fuso orario dell'Atlantico (*GMT-4*).

astable /eɪ'steɪbl/ a. (*elettron.*) astabile.

astatic /eɪ'stætɪk/ a. (*fis.*) astatico: **a. needle**, ago astatico.

astatine /'æstətiːn/ n. ◊ (*chim.*) astato.

aster /'æstə(r)/ n. (*bot.*, *Callistephus chinensis*) aster; astro della Cina.

asterisk /'æstərɪsk/ n. (*tipogr.*) asterisco; stelloncino.

to **asterisk** /'æstərɪsk/ v. t. segnare con un asterisco.

asterism /'æstərɪzəm/ n. **1** (*astron.*) asterismo; piccola costellazione **2** (*miner.*) asterismo **3** (*tipogr.*) triangolo di tre asterischi.

astern /ə'stɜːn/ avv. (*naut.*) **1** a poppa; di poppa; a poppavia: **to carry st. a.**, trasportare qc. a poppa; **to drop** (*o* **to fall**) **a.**, scadere di poppa; **a. of**, a poppavia di **2** indietro: **full speed a.!**, pari indietro tutta; indietro a tutta forza ● **to follow a. of**, mettersi nella scia di □ **to form a.**, accodarsi □ **to go a.**, retrocedere; andare indietro.

asteroid /'æstərɔɪd/ **A** a. a forma di stella **B** n. **1** (*astron.*) asteroide **2** (*pl.*) (*zool.*, *Asteroidea*) asteroidei ‖ **asteroidal** a. asteroidale.

asthenia /æs'θiːnɪə/ n. ◊ (*med.*) astenia ‖ **asthenic** a. e n. astenico.

asthenosphere /əs'θiːnəsfɪə(r)/ n. ◊ (*geol.*) astenosfera.

asthma /'æsmə/ (*med.*) n. ◊ asma ‖ **asthmatic** a. e n. asmatico.

astigmatism /ə'stɪɡmətɪzəm/ (*med.*, *ottica*) n. ◊ astigmatismo ‖ **astigmatic** a. astigmatico.

astir /ə'stɜː(r)/ a. pred. **1** alzato; in piedi: *You are a. at such an early hour?*, sei in piedi così di buon'ora? **2** in fermento; in moto;

in agitazione; brulicante (*di gente, ecc.*): *The locals were already a.*, la gente del posto era già in fermento; *The square was a. with tourists*, la piazza brulicava di turisti.

to **astonish** /ə'stɒnɪʃ/ v. t. stupire; sorprendere; meravigliare: *You really a. me!*, mi stupisci davvero!; *I was astonished by the news*, fui sorpreso dalla notizia; *She was astonished at seeing* (*o* to see) *me*, fu sorpresa di vedermi.

astonished /ə'stɒnɪʃt/ a. stupito; sorpreso; sbalordito; meravigliato ● **an a. look**, uno sguardo di stupore □ **to be a. at st.**, essere stupito (*o* stupirsi, meravigliarsi) di qc.

astonishing /ə'stɒnɪʃɪŋ/ a. stupefacente; sorprendente; straordinario.

astonishment /ə'stɒnɪʃmənt/ n. ◊ stupore; sorpresa; meraviglia.

to **astound** /ə'staʊnd/ v. t. riempire di stupore; sbalordire; strabiliare; lasciare stupefatto; lasciare attonito (*o* allibito) ‖ **astounded** a. stupefatto; sbalordito; strabiliato; attonito; allibito: **to be astounded by sb.'s daring**, essere sbalordito dall'ardimento di q.; *I was astounded at his nerve*, la sua faccia tosta mi lasciò allibita ‖ **astounding** a. stupefacente; sbalorditivo; strabiliante; che lascia attonito (*o* allibito).

astraddle /ə'strædl/ **A** avv. e a. pred. a cavalcioni **B** prep. a cavalcioni di.

astragal /'æstrəɡl/ n. **1** (*archit.*) astragalo (*tondino*) **2** (*USA*) → **astragalus**.

astragalus /æ'stræɡələs/ n. (pl. *astragali*) (*anat.*; *bot.*, *Astragalus*) astragalo.

astrakhan /æstrə'kæn/ **A** n. ◊ astrakan **B** a. attr. d'astrakan.

astral /'æstrəl/ a. astrale: **a. lamp**, lampada astrale ● **a. body**, (*astron.*) corpo celeste; (*parapsicologia*) corpo astrale □ **a. dome**, astrocupola; cupola d'aereo (*per osservare gli astri*).

astray /ə'streɪ/ avv. e a. pred. fuori strada (*anche fig.*); smarrito; sviato: **to go a.**, andar fuori strada; smarrirsi; sviarsi; (*fig.*) traviarsi ● **to lead sb. a.**, sviare q.; traviare q.

astride /ə'straɪd/ **A** avv. e a. pred. **1** a cavalcioni **2** a gambe divaricate **B** prep. **1** a cavalcioni di: **a. the chair**, a cavalcioni della sedia **2** – **a. of**, in senso trasversale; attraverso: *The soldiers were posted a. of the road*, i soldati erano schierati attraverso la strada ● **to ride a.**, cavalcare (*a cavalcioni*; *non all'amazzone*) □ **to stand a.**, stare a gambe larghe.

astringent /ə'strɪndʒənt/ **A** a. **1** astringente **2** (*fig.*) duro; rigido; severo **3** (*fig.*) (*del vino, del tono, ecc.*) asciutto **B** n. ◊ (*farm.*) astringente ‖ **astringency** n. ◊ **1** potere astringente **2** (*fig.*) durezza; rigidità; severità **3** (*fig.*) asciuttezza (*del vino, del lo stile, ecc.*).

astrionics /æstrɪ'ɒnɪks/ n. pl. (col verbo al sing.) elettronica aerospaziale.

astrobiology /æstrəʊbaɪ'ɒlədʒɪ/ n. ◊ astrobiologia ‖ **astrobiological** a. astrobiologico ‖ **astrobiologist** n. astrobiologo.

astrochemistry /æstrəʊ'kemɪstrɪ/ n. ◊ astrochimica ‖ **astrochemist** n. astrochimico.

astrocompass /æstrəʊ'kʌmpəs/ n. (*aeron.*, *naut.*) astrobussola.

astrodome /'æstrədəʊm/ = **astral dome** → **astral**.

astrodynamic /æstrəʊdaɪ'næmɪk/ a. astrodinamico.

astrodynamics /æstrəʊdaɪ'næmɪks/ n. pl. (col verbo al sing.) astrodinamica.

astrogation /æstrə'ɡeɪʃn/ n. ◊ **1** (*naut.*) navigazione astronomica **2** (*miss.*) navigazione spaziale.

astrogeology /æstrəʊdʒɪ'ɒlədʒɪ/ n. ◊ astrogeologia.

astrograph /'æstrəɡrɑːf/ n. (*astron.*) astrografo.

astrolabe /'æstrəʊleɪb/ n. (*stor. naut.*) astrolabio.

astrology /ə'strɒlədʒɪ/ n. ◊ astrologia ‖ **astrologer** n. astrologo ‖ **astrological**, **astrologic** a. astrologico ‖ **astrologically** avv. astrologicamente.

astrometry /ə'strɒmɪtrɪ/ n. ◊ (*astron.*) astrometria.

astronaut /'æstrənɔːt/ n. astronauta; cosmonauta ‖ **astronautical**, **astronautic** a. astronautico; cosmonautico.

astronautics /æstrə'nɔːtɪks/ n. pl. (col verbo al sing.) astronautica; cosmonautica.

astronavigation /æstrənævɪ'ɡeɪʃn/ n. ◊ (*naut.*) navigazione astronomica.

astronomical, **astronomic** /æstrə'nɒmɪk(l)/ a. (*anche fig.*) astronomico: **a. figures**, cifre astronomiche; *The house prices around here are a.*, i prezzi delle case qui intorno sono esagerati ‖ **astronomically** avv. astronomicamente.

astronomy /ə'strɒnəmɪ/ n. ◊ astronomia ‖ **astronomer** n. astronomo.

astrophotography /æstrəʊ'fəʊtəɡrɑːfɪ/ n. ◊ astrofotografia ‖ **astrophotographer** n. fotografo astronautico; astrofotografo.

astrophysics /æstrəʊ'fɪzɪks/ n. pl. (col verbo al sing.) astrofisica ‖ **astrophysical** a. astrofisico ‖ **astrophysicist** n. astrofisico.

astute /ə'stjuːt/, *USA* ə'stuːt/ a. **1** avveduto; sagace **2** astuto; furbo; scaltro **-ly** avv. **-ness** n. ◊.

asunder /ə'sʌndə(r)/ avv. **1** a pezzi; in pezzi: **to fall a.**, andare in pezzi; rompersi; frantumarsi; **to tear a.**, fare a pezzi; stracciare **2** separatamente ● **to come a.**, separarsi; disgiungersi □ **to pull a.**, separare; staccare.

ASV sigla (*Bibbia*, **American Standard Version**) versione standard americana.

aswarm /ə'swɔːm/ a. pred. brulicante (di); affollato (da).

aswim /ə'swɪm/ a. pred. nuotante (in); che nuota (in).

asylum /ə'saɪləm/ n. **1** asilo; rifugio **2** ◊ (*stor.*) diritto di asilo **3** ◊ (*polit.*) asilo politico **4** ospizio; casa di ricovero ● **a. seeker**, chi chiede l'asilo politico □ **lunatic a.**, manicomio.

asymmetric, **asymmetrical** /æsɪ'metrɪk(l)/ a. asimmetrico ● (*mecc.*) **a. rotor**, rotore asimmetrico □ (*polit.*) **a. warfare**, la guerra asimmetrica ‖ **-ally** avv.

asymmetry /eɪ'sɪmɪtrɪ/ n. ◊ asimmetria.

asymptote /'æsɪmptəʊt/ (*geom.*) n. asintoto ‖ **asymptotic** a. asintotico.

asynchronism /æ'sɪŋkrənɪzəm/ (*fis.*, *mecc.*) n. ◊ asincronismo ‖ **asynchronous** a. asincrono.

asyndeton /æ'sɪndɪtən/ n. (pl. *asyndetons*, *asyndeta*) (*ling.*) asindeto.

♦**at** /æt, ət/ prep. **1** (*luogo*) a, ad; in; da: **at home**, a casa; **at school**, a scuola; **at my place**, a casa mia; **at the top of the page**, in cima alla pagina; **at the door**, alla porta; sulla porta; **at the conference**, al congresso; **at the barber's**, dal barbiere; **to sit at a table**, essere seduto a un tavolo; *I called at your office*, sono passato dal tuo ufficio; *We arrived at the airport*, arrivammo all'aeroporto **2** (*posizione*) a; di: **at a distance**, a una certa distanza; **at an angle**, d'angolo; inclinato **3** (*direzione*) in direzione di; a, ad; con; contro; addosso: **to wave at sb.**, agitare la mano in direzione di q.; salutare q. agitando la mano; *He pointed at the picture*, indicò il quadro; *She smiled at me*, mi sorrise; **to aim at a target**, mirare a un bersa-

a

glio; *He threw a stone at the dog*, tirò un sasso al cane; *They're shooting at us*, ci stanno sparando (addosso *o* contro); *He rushed at me*, mi si precipitò addosso; *Don't be mad at me!*, non arrabbiarti con me! **4** (*tempo*) a, ad; in: **at midday**, a mezzogiorno; **at six o'clock**, alle sei; *He's starting at 8.30*, comincia alle 8:30; **at night**, di notte; *The last train to Upminster is at 12.15*, l'ultimo treno per Upminster è alle 12:15; **at Easter**, a Pasqua; **at dinner**, a pranzo; **at the moment**, al momento; in questo momento; **at that time**, a quell'epoca; **at the age of 20**, all'età di vent'anni; **at the next election**, alle prossime elezioni **5** (*condizione*) in; a: **at peace**, in pace; **at war**, in guerra; **at rest**, in riposo; **at work**, al lavoro; **at his best**, al suo meglio; **at a disadvantage**, in svantaggio **6** (*causa*) a; per; di; su: **my surprise at her remark**, la mia sorpresa alla sua osservazione; **to laugh at st.**, ridere di qc.; **at my request**, su mia richiesta; **at their invitation**, su loro invito **7** (*attività*) in; a: **to be good** (*o* **clever**) **at st.**, essere bravo (*o* abile) in qc. (*o* a fare qc.); *He's a genius at cards*, è un genio alle carte; **to work at st.**, lavorare a qc.; *Let's play at being soldiers!*, giochiamo ai soldati! **8** (*modo*) a; di; con: **at a gallop**, al galoppo; **at a run**, di corsa; **at leisure**, con comodo; **at random**, a caso; a casaccio; **at will**, a volontà **9** (*misura, velocità, frequenza, prezzo, ecc.*) a: **at 35 degrees**, a 35 gradi; **at 70 kmph**, a 70 km all'ora; *It was sold at a low price*, fu venduto a basso prezzo; **at regular intervals**, a intervalli regolari ● **at all** → **all** □ **at first** → **first**② □ **at last** → **last**① □ **at least** → **least** □ **at most** → **most** □ **at once** → **once** □ **at that** → **that**① □ **at worst** → **worst** □ (*fam.*) **At him** [**them**, **etc.**]!, dàgli!; addosso! □ **to be at st.**, mettere mano a qc.; fare qc.; combinare qc.: *They've been at my papers*, hanno rovistato nelle mie carte; *What are the children at now?*, che cosa stanno combinando i bambini?; *Tom's at it again*, Tom ha ricominciato (*a fare qc., generalm. di criticabile*); Tom ha riattaccato (*o* ci si è rimesso); ci risiamo con Tom.

ATA sigla (*comput.*, **advanced technology attachment**) ATA (*interfaccia per trasferimento parallelo di dati da e verso dispositivi di memoria di massa*).

AT&T sigla (*USA*, **American Telephone and Telegraph**) AT&T (*società di telecomunicazioni*).

ataraxia /ˌætəˈræksɪə/, **ataraxy** /ˈætəræksɪ/ (*filos.*) n. ⓤ atarassia || **ataractic**, **ataraxic** a. atarassico.

atavistic /ˌætəˈvɪstɪk/ a. atavico; atavistico || **atavism** n. ⓤ atavismo.

ataxia /əˈtæksɪə/, **ataxy** /əˈtæksɪ/ (*med.*) n. ⓤ atassia || **ataxic** a. atassico.

ATB sigla (**all-terrain bike**) «mountain bike».

ATC sigla (**air traffic control**) controllo del traffico aereo.

atchoo /əˈtʃuː/ (*USA*) → **atishoo**.

ate /ɛt, eɪt/ pass. di **to eat**.

atelier /ˈætəljeɪ/ (*franc.*) n. atelier (*di un artista*).

Athanasius /ˌæθəˈneɪʃəs/ (*stor. relig.*) n. Atanasio || **Athanasian** a. e n. (seguace) di Atanasio.

atheism /ˈeɪθɪɪzəm/ n. ⓤ ateismo || **atheist** n. ateo; ateista || **atheistic**, **atheistical** a. ateo; ateistico.

Athena /əˈθiːnə/ n. (*mitol.*) Atena.

athenaeum, (*USA*) **atheneum** /ˌæθɪˈniːəm/ n. **1** ateneo; società letteraria (*o* scientifica) **2** biblioteca; sala di lettura.

Athene /əˈθiːniː/ n. (*mitol.*) Atena.

Athens /ˈæθɪnz/ n. (*geogr.*) Atene || **Athenian** a. e n. ateniese.

---

athirst /əˈθɜːst/ a. pred. **1** (*arc.*) assetato **2** (*fig.*) avido; bramoso; desideroso.

◆**athlete** /ˈæθliːt/ n. atleta ● (*med.*) **a.'s foot**, piede d'atleta.

athletic /æθˈletɪk/ a. (*sport*) **1** atletico: **an a. club**, società (di) atletica **2** atletico; forte; muscoloso: **an a. build**, un fisico atletico | **-ally** avv.

athleticism /æθˈletɪsɪzəm/ n. ⓤ atletismo.

athletics /æθˈletɪks/ n. pl. (anche col verbo al sing.) atletica.

athodyd /ˈæθəʊdaɪd/ n. (acronimo di **aero-thermodynamic duct**) (*aeron.*) statoreattore; autoreattore.

at-home /ətˈhəʊm/ n. (*antiq.*) periodo in cui si riceve (*in una casa privata*): **at-home day**, giorno di ricevimento.

athwart /əˈθwɔːt/ avv. e prep. **1** di traverso (a); obliquamente (rispetto a) **2** in opposizione (a); in contrasto (con) **3** (*naut.*) al traverso (di); di traverso.

athwartship /əˈθwɔːtʃɪp/ a. (*naut.*) trasversale: **a. bulkhead**, paratia trasversale || **athwartships** avv. per madiere; da banda a banda.

atilt /əˈtɪlt/ avv. e a. pred. **1** inclinato; di sghembo **2** (*stor. e fig.*) con la lancia in resta ● **to ride** (*o* **to run**) **a.**, (*stor.*) correre la giostra, giostrare, torneare; (*fig.*) combattere (a) lancia in resta, andare all'attacco.

atishoo /əˈtɪʃuː/ inter. (*di starnuto*) eccì!; etcì!; ecciù.

Atl. abbr. (**Atlantic**) atlantico.

Atlantean /ˌætlənˈtiːən/ a. **1** (*mitol.*) di Atlante **2** (*fig., lett.*) possente; fortissimo **3** (*mitol.*) dell'Atlantide **4** (*geogr.*) (dei monti) dell'Atlante.

Atlantic /ətˈlæntɪk/ (*geogr.*) **A** a. atlantico: **the A. coast**, la costa atlantica; **the A. Ocean**, l'Oceano Atlantico **B** n. – **the A.**, l'Atlantico ● (*stor.*) **the A. Charter**, il Patto atlantico.

Atlanticism /ətˈlæntɪsɪzəm/ (*polit.*) n. ⓤ atlantismo || **Atlanticist** n. atlantista; fautore dell'atlantismo.

Atlantis /ətˈlæntɪs/ n. (*geogr., mitol.*) Atlantide.

atlas /ˈætləs/ n. **1** (*geogr., anat.*: pl. **atlases**) atlante **2** (*archit.*: pl. **atlantes**) atlante, telamone (*cariatide maschile*).

Atlas /ˈætləs/ n. **1** (*mitol.*) Atlante (*gigante mitico*) **2** (*geogr.*) Atlante (*catena di monti*).

atm. abbr. (**atmospheric**) atmosferico.

ATM sigla **1** (*comun.*, **asynchronous transfer mode**) modalità di trasferimento asincrono (*tecnologia per reti di telecomunicazioni*) **2** (*banca*, **automatic** (*o* **automated**) **teller machine**) cassa automatica per prelievo o versamento (*cfr. ital. «Bancomat»*).

◆**atmosphere** /ˈætməsfɪə(r)/ n. **1** (*geogr.*) atmosfera **2** aria; atmosfera **3** (*fig.*) atmosfera; aria: **an a. of calm**, un'atmosfera di calma; **gloomy a.**, atmosfera cupa; **a place full of a.**, un posto pieno di atmosfera **4** (*fig. fam.*) atmosfera tesa; tensione **5** (*fis.*) atmosfera.

atmospheric, **atmospherical** /ˌætməsˈferɪk(l)/ a. **1** atmosferico: **a. disturbance**, perturbazione atmosferica; **a. pressure**, pressione atmosferica **2** (*fig.*) che crea un'atmosfera; suggestivo: **a. lighting**, illuminazione che crea un'atmosfera; luci (pl.) soffuse; **a. music**, musica suggestiva.

atmospherics /ˌætməsˈferɪks/ n. pl. **1** (*radio*, *TV*) interferenze atmosferiche; disturbi atmosferici; scariche **2** (*meteor.*) fenomeni atmosferici **3** (*fig.*) effetti che creano un'atmosfera; atmosfera (sing.).

at. no. abbr. (*fis.*, **atomic number**) numero atomico.

---

atoll /ˈætɒl/ n. (*geogr.*) atollo.

◆**atom** /ˈætəm/ n. **1** (*fis.*) atomo: **nitrogen a.**, atomo d'azoto **2** (*fig.*) briciolo, briciola; pezzetto: *There isn't an a. of truth in it*, non contiene un briciolo di verità ● **a. bomb**, bomba atomica □ **atoms of dust**, particelle di polvere □ (*fig.*) **to blow** (*o* **to crush**, **to smash**) **to atoms**, annientare; polverizzare.

atomic /əˈtɒmɪk/ a. **1** (*fis.*) atomico: **a. beam**, fascio atomico; **a. mass**, massa atomica; **a. number**, numero atomico; **a. physics**, fisica atomica; **a. weight**, peso atomico **2** atomico; nucleare: **a. bomb**, bomba atomica; **a. clock**, orologio atomico; **a. plant**, centrale atomica; **a. power**, energia nucleare; **a. warfare**, guerra atomica; **a. weapon**, arma nucleare | **-ally** avv.

atomicity /ˌætəˈmɪsɪtɪ/ n. ⓤ (*fis.*) atomicità.

atomism /ˈætəmɪzəm/ (*filos.*) n. ⓤ atomismo || **atomist** n. atomista || **atomistic** a. atomistico.

atomistics /ˌætəˈmɪstɪks/ n. pl. (col verbo al sing.) (*chim.*) atomistica.

to atomize /ˈætəmaɪz/ v. t. atomizzare, polverizzare, nebulizzare (*un liquido*) || **atomization** n. ⓤ atomizzazione, nebulizzazione, polverizzazione (*di un liquido*).

atomizer /ˈætəmaɪzə(r)/ n. atomizzatore, nebulizzatore, polverizzatore (*di liquidi in genere*); spruzzatore (*di profumo*).

atonal /eɪˈtəʊnl/ (*mus.*) a. atonale || **atonality** n. ⓤ atonalità.

to atone /əˈtəʊn/ v. i. fare ammenda; espiare: **to a. for st.**, espiare qc.; fare ammenda di qc.; riparare a qc.

atonement /əˈtəʊnmənt/ n. ⓤⓒ **1** ammenda; riparazione; espiazione **2** (*teol.*) – **the A.**, la riconciliazione dell'uomo con Dio; la Redenzione ● (*relig. ebraica*) **the Day of A.**, il Giorno dell'Espiazione; Yom Kippur.

atony /ˈætənɪ/, **atonia** /eɪˈtəʊnɪə/ n. ⓤ (*fon., med.*) atonia || **atonic** **A** a. **1** (*fon.*) atono **2** (*med.*) atonico **B** n. (*fon.*) sillaba (*o* parola) atona || **atonicity** n. ⓤ (*fon.*) atonicità.

atop /əˈtɒp/ avv. e prep. (*lett.*) in cima (a).

ATP sigla **1** (*chim.*, **adenosine triphosphate**) adenosintrifosfato **2** (*sport*, **Association of Tennis Professionals**) Associazione tennisti professionisti.

atrabilious /ˌætrəˈbɪlɪəs/ a. **1** (*med.*) atrabiliare, ipocondriaco **2** (*raro*) malinconico **3** (*raro*) irascibile.

atrazine /ˈætrəziːn/ n. ⓤ (*chim.*) atrazina.

Atreus /ˈeɪtrɪəs/ n. (*mitol.*) Atreo.

atrip /əˈtrɪp/ a. pred. (*naut.*) **1** (*di ancora*) spedata **2** (*di vela*) alzata a segno **3** (*di pennone*) ghindato (*o* issato) e pronto per essere incrociato.

atrium /ˈeɪtrɪəm/ n. (pl. **atria**, **atriums**) **1** (*anat., archit., archeol.*) atrio **2** sagrato (*di chiesa medievale*) || **atrial** a. (*anat.*) atriale.

atrocious /əˈtrəʊʃəs/ a. **1** atroce; feroce **2** (*fam.*) orribile; orrendo; pessimo; di pessimo gusto: **an a. dress**, un vestito di pessimo gusto; **a. weather**, tempo pessimo || **atrociously** avv. **1** atrocemente **2** orrendamente || **atrociousness** n. ⓤ atrocità.

atrocity /əˈtrɒsɪtɪ/ n. **1** atrocità **2** (*fam.*) orrore; mostruosità; oggetto orrendo.

atrophy /ˈætrəfɪ/ n. ⓤ (*med. e fig.*) atrofia || **atrophic** a. atrofico.

to atrophy /ˈætrəfɪ/ v. t. e i. (*med. e fig.*) atrofizzare, atrofizzarsi.

atropine, **atropin** /ˈætrəpɪn/ n. ⓤ (*bot., med.*) atropina.

Atropos /ˈætrəpɒs/ n. (*mitol.*) Atropo.

attaboy /ˈætəbɔɪ/ inter. (*fam., spec. USA*) **1** coraggio!; forza! **2** bravo!; avanti!

◆**to attach** /əˈtætʃ/ **A** v. t. **1** attaccare; fis-

sare; legare; collegare; connettere; unire: **to a. a price tag to st.**, arraccare a qc. il cartellino del prezzo **2** allegare; accludere; unire: *Please a. a copy of your diploma*, la preghiamo di allegare una copia del suo diploma **3** apporre: **to a. one's signature**, apporre la propria firma **4** annettere; attribuire: **to a. great importance to st.**, annettere grande importanza a qc. **5** (*leg.*) sequestrare; pignorare **6** (*leg.*) arrestare **7** (*spec. mil.*) assegnare; destinare: *Captain B. was attached to the 11th regiment*, il capitano B. fu assegnato all'11° reggimento B v. i. **1** essere annesso (o connesso); comportare: **the prerogatives that a. to the office of president**, le prerogative connesse con la carica di presidente; *No salary attaches to this appointment*, questa nomina non comporta retribuzione alcuna **2** (*leg.*) avere effetto (o efficacia): *The clause has ceased to a.*, la clausola ha cessato d'avere effetto ● (*trasp., naut.*) **to a. demurrage**, far decorrere le controstallie □ **to a. oneself**, unirsi a; entrare a far parte di: **to a. oneself to a group**, unirsi a un gruppo.

attachable /ə'tætʃəbl/ a. **1** attaccabile; fissabile; collegabile **2** che si affeziona **3** attribuibile **4** (*leg.*) sequestrabile; pignorabile.

attaché /ə'tæʃeɪ, *USA* ætæ'ʃeɪ/ (*franc.*) n. **1** addetto (*d'ambasciata*); attaché: **military a.**, attaché militare; **press a.**, addetto stampa **2** (*USA*, = a. case) valigetta portadocumenti; cartella (*di cuoio*).

attached /ə'tætʃt/ a. **1** attaccato; collegato; connesso **2** attiguo; annesso **3** accluso; allegato; annesso: *Please fill in and return the a. form*, si prega di compilare e restituire il modulo allegato **4** attaccato; affezionato: **to grow a. to sb.**, affezionarsi a q. **5** assegnato (*ad altro ufficio, sezione, ecc.*); distaccato **6** (*mil.*) aggregato.

attachment /ə'tætʃmənt/ n. **1** U attaccamento; affetto **2** legame d'affetto; relazione affettiva: **to form an a. to sb.**, affezionarsi a q.; stabilire una relazione affettiva con q. **3** (*tecn.*) pezzo d'unione; (*di apparecchio*) accessorio **4** (*comput.*) allegato (*di posta elettronica*) **5** U assegnazione temporanea (*ad altro ufficio, sezione, ecc.*): **to be on a. to**, essere assegnato a; essere in temporaneamente in forza presso **6** U (*spec. mil.*) assegnazione; destinazione **7** U (l')attaccare; fissaggio **8** U (*leg.*) sequestro; pignoramento: **a. of assets**, sequestro conservativo di beni; **a. of real property**, sequestro immobiliare ● (*leg.*, *in GB*) **a. of earnings**, detrazione dallo stipendio (*di un debitore, per ordine del tribunale*) □ **a. parenting**, legame genitoriale empatico; l'essere genitori secondo l'approccio della teoria dell'«attachment».

◆**attack** /ə'tæk/ n. Uc **1** (*mil.*) attacco: **nuclear a.**, attacco nucleare **2** assalto; aggressione: **knife a.**, aggressione col coltello **3** attacco (*verbale*); critiche (pl.): **a bitter a. on the Prime Minister**, un duro attacco al Primo ministro; **open to a.**, esposto alle critiche **4** attacco, accesso (*di malattia*): **a heart a.**, un attacco di cuore; **an a. of nerves**, un attacco di nervi **5** (*sport*) attacco; azione offensiva; incursione; avanzata; discesa **6** (*sport, collett.*) attaccanti (pl.); attacco **7** (*mus.*) attacco ● **to come under a.**, subire un attacco; essere attaccato □ **to go on the a.**, andare all'attacco □ **under a.**, attaccato.

◆**to attack** /ə'tæk/ A v. t. **1** (*mil.*) attaccare **2** assalire; aggredire: *He was attacked by two armed youths*, fu aggredito da due giovani armati **3** attaccare (*verbalmente*); criticare **4** (*di malattia, sostanza, parassita, ecc.*) aggredire **5** affrontare energicamente (*un problema*) **6** mettersi a, attaccare a (*fare qc.*): *He attacked his meal at once*, si mise (o at-

taccò) subito a mangiare B v. i. (*sport*) attaccare; (*calcio, anche*) fare una discesa.

attackable /ə'tækəbl/ a. attaccabile; assalibile.

attacker /ə'tækə(r)/ n. **1** assalitore; aggressore **2** (*mil.*) attaccante **3** (*sport*) attaccante; (*calcio, anche*) avanti, punta.

attacking /ə'tækɪŋ/ a. attaccante; all'attacco; d'attacco: **a. planes**, aerei attaccanti; **a. force**, forza d'attacco; (*sport*) **a. play**, gioco all'attacco.

attagirl /'ætəgɜːl/ inter. (*fam., spec. USA*) (*rif. a una donna*) → **attaboy**

to attain /ə'teɪn/ A v. t. **1** raggiungere; arrivare a: *She attained the age of ninety*, arrivò all'età di novant'anni **2** conseguire; ottenere; raggiungere: *I hope he will a. his end*, spero che conseguirà il suo scopo B v. i. – **to a. to**, arrivare a; raggiungere.

attainability /ətemə'bɪlətɪ/ n. U l'essere ottenibile (o raggiungibile); accessibilità.

attainable /ə'teɪnəbl/ a. raggiungibile; ottenibile; accessibile | **-ness** n. U.

attainder /ə'teɪndə(r)/ n. (*leg., stor.*) perdita dei beni e dei diritti civili (*come conseguenza di condanna o di proscrizione*).

attainer /ə'teɪnə(r)/ n. chi ottiene un risultato (*spec.* a scuola, all'università): **low-** (o **high-**) **a.**, chi ottiene scarsi (o ottimi) risultati scolastici; chi ha uno scarso (o un ottimo) rendimento scolastico.

attainment /ə'teɪnmənt/ n. **1** U conseguimento; raggiungimento; attuazione: **the a. of an international market**, l'attuazione di un mercato internazionale **2** risultato raggiunto; cosa conseguita; realizzazione; successo: *He is famous for his literary attainments*, è famoso per i suoi successi letterari **3** (*spec. al pl.*) cognizioni; preparazione; cultura.

attaint /ə'teɪnt/ n. (*leg., stor.*) perdita dei beni e dei diritti civili; morte civile.

to attaint /ə'teɪnt/ v. t. **1** (*leg., stor.*) privare dei beni e dei diritti civili **2** macchiare; disonorare **3** (*raro: di una malattia*) colpire.

attar /'ætə(r)/ n. U olio essenziale, essenza (*di fiori*): **a. of roses**, essenza di rose.

◆**attempt** /ə'tempt/ n. **1** tentativo; sforzo: **an a. at escaping** (o **to escape**), un tentativo d'evasione; **an a. at irony**, un tentativo di fare dell'ironia; **record a.**, tentativo di battere un primato; sfida a un primato; **to make an a.**, fare un tentativo; **in an a. to**, nel tentativo di **2** attentato: **to make an a. on sb.'s life**, attentare alla vita di q.; fare un attentato contro q.

◆**to attempt** /ə'tempt/ v. t. **1** tentare; cercare; sforzarsi di; cimentarsi in: *He attempted a task beyond his powers*, si cimentò in un lavoro superiore alle sue forze; **to a. suicide**, tentare il suicidio; **to a. to do st.**, tentare di fare qc. **2** (*alpinismo*) tentare la scalata a; sfidare **3** (*arc.*) attentare a: **to a. sb.'s life**, attentare alla vita di q.

attemptable /ə'temptəbl/ a. tentabile.

attempted /ə'temptɪd/ a. tentato: **a. murder**, tentato omicidio; **a. crime**, tentativo di reato.

attempter /ə'temptə(r)/ n. **1** chi tenta; chi si sforza (*di fare qc.*) **2** attentatore.

◆**to attend** /ə'tend/ A v. t. **1** essere presente a; presenziare a; assistere a; partecipare a; intervenire a; andare a: **to a. a funeral**, andare a un funerale; presenziare a un funerale; **to a. a meeting**, partecipare a una riunione; *The meeting was well attended*, la partecipazione alla riunione è stata elevata; alla riunione hanno partecipato in molti **2** frequentare; andare a; seguire: **to a. church regularly**, frequentare la chiesa; andare regolarmente in chiesa; **to a. classes**, frequentare le lezioni; **to a. sb.'s lessons**, se-

guire le lezioni di q. **3** (*form.*) accompagnare; assistere; scortare; essere al seguito di: *The president is attended by his own doctor*, il presidente è accompagnato dal suo dottore personale; **to be attended by one's bodyguard**, essere scortato dalla propria guardia del corpo; *Twenty maids of honour attended the young queen*, venti damigelle erano al seguito della regina **4** (generalm. al passivo) (*form.*) accompagnare; seguire; fare seguito a: *The construction of the theatre was attended by several difficulties*, la costruzione del teatro avvenne tra molte difficoltà; *His efforts were attended by success*, i suoi sforzi furono coronati dal successo B v. i. **1** – **to a. to**, occuparsi di; badare a; attendere a: **to a. strictly to business**, occuparsi solo d'affari; (*leg.*) **to a. to a case**, occuparsi di una causa; **to a. to sb.'s needs**, attendere ai bisogni di q.; occuparsi di q.; *I have my own business to a. to*, devo badare ai miei affari; (*in un negozio, ecc.*) *Is anybody attending to you?*, La stanno servendo? **2** – **to a. to**, aver cura di; assistere; accudire a: **to a. to the wounded**, assistere i feriti; *He was attended by a nurse*, era accudito da un'infermiera **3** – **to a. to**, prestare attenzione a; ascoltare; dare ascolto a: *He didn't a. to a single word I said*, non prestò attenzione a una sola parola di quello che dissi; *Please a. to me*, ti prego di ascoltarmi **4** – **to a. on** (o **upon**), scortare; essere al seguito (o al servizio) di: *The prince had lots of people attending on him*, il principe aveva molte persone al suo seguito ❶ **FALSI AMICI** ● to attend *non significa* attendere *nel senso di* aspettare.

attendance /ə'tendəns/ n. Uc **1** frequenza; presenza: **a. at school**, frequenza scolastica; **church a.**, il frequentare la chiesa; l'andare in chiesa; osservanza; **compulsory a.**, frequenza obbligatoria **2** pubblico; spettatori (pl.) presenti; presenze (pl.): **a poor a.**, pubblico scarso; poche presenze **3** (l')essere a disposizione (di q.); assistenza: **to be in a. on sb.**, assistere q.; essere al seguito di q. (*un sovrano, ecc.*); **medical a.**, assistenza medica ● (*in GB*) **a. allowance**, indennità d'accompagnamento (*di un invalido*) □ (*leg.*, *in GB*) **a. centre**, centro di rieducazione (*di minori*) □ **a. check** (o **a. fee**), gettone di presenza □ (*leg.*) **a. in court**, comparizione in giudizio □ **a. money** (o **a. pay**), indennità di presenza □ (*a scuola*) **a. register** (o **a. book**), registro delle presenze □ **a. sheet**, foglio delle presenze □ **to be in a.**, essere presente; assistere; essere al servizio (di q.); presenziare; fare la damigella di nozze □ **to take the a.**, prendere le presenze (*a scuola*); fare l'appello.

attendant /ə'tendənt/ A a. **1** che accompagna; concomitante; connesso: **war and its a. calamities**, la guerra e le sventure che l'accompagnano; **a. circumstances**, circostanze concomitanti **2** che assiste; che accompagna; che è al seguito: **to be a. on sb.**, accompagnare q.; essere al seguito di q. B n. **1** guardiano; sorvegliante; custode; inserviente; addetto; assistente: **museum a.**, custode di museo; **swimming pool a.**, addetto alla piscina; bagnino; (*aeron.*) **flight a.**, assistente di volo; **garage a.**, garagista; benzinaio; **cloakroom a.**, guardarobiere **2** accompagnatore; persona del seguito: **the queen and her attendants**, la regina e le dame del suo seguito (o e il suo seguito) **3** (persona) presente, frequentatore (*spec. rif. a funzione, cerimonia, ecc.*): **regular church a.**, uno che va regolarmente in chiesa; osservante.

◆**attention** /ə'tenʃn/ n. U **1** attenzione: **to attract** (o **to catch**) **sb.'s a.**, attirare l'attenzione di q.; **to bring st. to sb.'s a.**, portare qc. all'attenzione di q.; **to draw sb.'s a. to**

a b c d e f g h i j k l m n o p q r s t u v w x y z

st., far notare qc. a q.; **to pay a. to st.**, prestare (*o fare*) attenzione a qc.; badare a qc.; *Pay a., please!*, (state) attenti, per favore!; **to turn one's a. to st.**, rivolgere la propria attenzione a qc. **2** assistenza; cure (pl.); manutenzione: *The building needs urgent a.*, l'edificio necessita di interventi urgenti; **medical a.**, assistenza medica **3** (al pl.) attenzioni; interesse (*sing.*); premure; cortesie **4** (*mil.*) attenti: **A.!**, attenti!; **to come to a.**, mettersi sull'attenti ● (*med.*) **a. deficit disorder**, disturbo da mancanza di attenzione □ **a.-seeking**, (*di persona*) che cerca di attirare l'attenzione; che vuol essere sempre al centro dell'attenzione □ **a. span**, capacità di attenzione (*o di concentrazione*) □ (*su una busta*) **(for the) a. of**, all'attenzione di □ **It has come to my a. that...**, mi è giunta informazione che □ (*form.*) **to pay one's attentions to a girl**, fare la corte a una ragazza.

attentive /ə'tɛntɪv/ a. **1** attento; che presta attenzione **2** assiduo; premuroso; cortese; sollecito; riguardoso: **to be a. to sb.**, essere premuroso con q. | **-ly** avv. | **-ness** n. Ⓤ.

attenuate /ə'tɛnjʊeɪt/ a. **1** esile **2** rarefatto.

to **attenuate** /ə'tɛnjʊeɪt/ Ⓐ v. t. **1** assottigliare **2** (*anche fis., elettron.*) attenuare **3** (*med.*) diluire; rarefare (*le secrezioni*) **4** (*med.*) far diminuire la virulenza di; indebolire Ⓑ v. i. assottigliarsi; attenuarsi ● (*med.*) **attenuated vaccine**, vaccino attenuato.

attenuation /ətɛnjʊ'eɪʃn/ n. Ⓤ **1** assottigliamento **2** (*anche fis., elettron.*) attenuazione.

attenuator /ə'tɛnjʊeɪtə(r)/ n. (*elettron.*) attenuatore.

to **attest** /ə'tɛst/ v. t. e i. **1** attestare; testimoniare; dimostrare; essere prova di: *He attested to my innocence*, egli attestò la mia innocenza; *The ruins of the town a.* (*to*) *the high level of civilization of its inhabitants*, le rovine della città dimostrano l'alto grado di civiltà dei suoi abitanti; *His words attested his honesty*, le sue parole erano prova della sua onestà **2** affermare (*con giuramento*); far prestare giuramento (a) **3** autenticare; legalizzare; vidimare: **to a. a signature**, autenticare una firma ● (*leg.*) **attested affidavit**, atto notorio □ (*leg.*) **attested copy**, copia vidimata, copia autenticata (*di un documento*) □ (*in GB*) **attested milk**, latte a norma di legge (*pastorizzato, ecc.*).

attestable /ə'tɛstəbl/ a. **1** attestabile; dimostrabile **2** (*leg.*) legalizzabile; vidimabile.

attestant /ə'tɛstənt/ → **attester**.

attestation /ætɛ'steɪʃn/ n. Ⓤ **1** attestazione; attestato; testimonianza; prova **2** il sottoporre a giuramento **3** autenticazione; legalizzazione; vidimazione.

attester, attestor /ə'tɛstə(r)/ n. **1** attestatore (*raro*); chi fa un'attestazione, ecc. (→ **attestation**) **2** (*leg.*) testimone.

Att.-Gen. abbr. (*USA*, **attorney general**) procuratore generale; ministro della giustizia.

Attic /'ætɪk/ Ⓐ a. attico: **A. salt**, sale attico (*spirito degli ateniesi*); **A. tastes**, gusti attici Ⓑ n. dialetto attico.

attic /'ætɪk/ n. **1** (*archit.*) attico **2** (*edil.*) soffitta; solaio.

atticism /'ætɪsɪzəm/ n. Ⓤ (*ling., letter.*) atticismo.

to **atticize** /'ætɪsaɪz/ v. i. atticizzare.

attire /ə'taɪə(r)/ n. Ⓤ **1** (*form.*) abito; abbigliamento; vesti **2** (*zool.*) palchi delle corna (*di un cervo*).

to **attire** /ə'taɪə(r)/ v. t. vestire; abbigliare.

♦**attitude** /'ætɪtjuːd, *USA* -tuːd/ n. **1** posi-

zione; atteggiamento: **a conciliatory a.**, una posizione conciliatoria; **a. of mind**, abito mentale; **to have the right a. towards st.**, tenere l'atteggiamento giusto nei confronti di qc.; affrontare qc. nel modo giusto; *You're taking the wrong a. over this*, hai assunto l'atteggiamento sbagliato su questa faccenda **2** modo di pensare; modo di vedere (qc.); posizione (*nei confronti di*): **her a. to religion**, le sue opinioni sulla religione; *What's your a. towards their plan?*, che cosa ne pensate del (*o come vedete il*) loro progetto? **3** atteggiamento (*del corpo*); posa; attitudine: **to strike an a.**, assumere una posa; mettersi in posa **4** Ⓤ (*slang USA*) strafottenza; aggressività: **to have an a.**, comportarsi con strafottenza **5** Ⓤ (*slang USA*) grinta; piglio aggressivo: **with a.**, grintoso **6** (*aeron.*) assetto di volo ❶ **FALSI AMICI** • *attitude non significa attitudine nel senso di predisposizione* ‖ **attitudinal** a. relativo all'atteggiamento; dell'atteggiamento ❶ **FALSI AMICI** • *attitudinal non significa attitudinale*.

to **attitudinize** /ætɪ'tjuːdɪnaɪz, *USA* -'tuː-/ v. i. posare; essere affettato ‖ **attitudinizer** n. posatore, posatrice; persona affettata.

Attn abbr. (**for the attention of**) (alla) cortese attenzione di (c.a.).

♦**attorney** /ə'tɜːnɪ/ (*leg.*) n. **1** procuratore; mandatario; rappresentante: **a. in fact**, procuratore di fatto **2** (*spec. in USA*, = **a.-at-law**) procuratore legale; avvocato: **plaintiff's a.**, avvocato di parte civile **3** (*in USA*) procuratore (*magistrato che sostiene l'accusa*): *US a.*, procuratore federale; **district a.**, procuratore distrettuale ● **A. General**, (*in GB*) «Attorney General» ❶ **CULTURA** • **Attorney General**: *è il principale magistrato della Corona, nominato dal Primo Ministro. Appartiene al partito di maggioranza ed è membro del governo. Il suo vice è il → «Solicitor General»*, → **solicitor**; (*in USA*) «Attorney General», Procuratore Generale ❶ **CULTURA** • **Attorney General**: *è la più alta carica di funzionario di giustizia a livello federale, a capo del dipartimento di giustizia federale. Viene nominato dal Presidente e fa parte del Gabinetto* □ (*leg.*) **a.'s lien**, privilegio (*o diritto di ritenzione*) del procuratore □ (*leg.*, *in USA*) **a.'s office**, procura (*ufficio del procuratore*) □ (*in USA*) **district a.**, procuratore distrettuale (*federale*) ❶ **CULTURA** • **district attorney**: *è il magistrato a capo di un distretto federale. È nominato dal Presidente e ha un mandato di 4 anni* □ **letter of a.**, procura (*il documento*) □ **power of a.**, procura (*l'autorità conferita*) □ (*in USA*) **prosecuting a.** (*o* **state a.**), procuratore capo ❶ **CULTURA** • **state attorney**: *è a capo del dipartimento di giustizia di uno Stato. Viene eletto a suffragio universale* ‖ **attorneyship** n. Ⓤ carica (*o ufficio*) di procuratore (V. sopra).

♦to **attract** /ə'trækt/ v. t. attrarre; attirare: *Honey attracts flies*, il miele attira le mosche; *Filings are attracted by a magnet*, la limatura (*di ferro*) è attratta dalla calamita; **to a. attention**, attirare l'attenzione; **to a. tourists**, attirare i turisti; *I wasn't attracted by the idea*, l'idea non mi attirava ‖ **attractable** a. che può essere attirato (*o attratto*).

attractant /ə'træktənt/ n. (*biol.*) sostanza attraente.

♦**attraction** /ə'trækʃn/ n. **1** Ⓤ attrazione; fascino; richiamo **2** attrazione; spettacolo **3** attrattiva: **the attractions of life in Paris**, le attrattive del vivere a Parigi **4** (*astron., fis.*) attrazione **5** Ⓤ (*ling.*) attrazione.

♦**attractive** /ə'træktɪv/ a. **1** che attrae; attraente; allettante; invitante: **an a. idea**, un'idea che attira; **an a. price**, un prezzo allettante **2** (*di persona*) attraente; affascinante **3** (*fis.*) attrattivo; d'attrazione: **a. power**, forza d'attrazione ● (*leg.*) **a. nuisance**, cosa

attraente ma potenzialmente pericolosa (*spec. per un bambino*) ‖ **attractively** avv. **1** in modo attraente **2** (*fis.*) attrattivamente ‖ **attractiveness** n. Ⓤ **1** attrattiva; bellezza; fascino **2** (*fis.*) forza d'attrazione.

attributable /ə'trɪbjʊtəbl/ a. attribuibile.

attribute /'ætrɪbjuːt/ n. **1** (*anche gramm.*) attributo **2** (*comput.*) attributo (*specificazione aggiuntiva dei tag HTML/XML*) **3** (*stat.*) carattere qualitativo ● (*org. az.*) **a. sampling**, campionamento qualitativo □ (*tecn.*) **attributes testing**, prova per attributi.

to **attribute** /ə'trɪbjuːt/ v. t. attribuire; ascrivere.

attribution /ætrɪ'bjuːʃn/ n. Ⓤ attribuzione.

attributive /ə'trɪbjʊtɪv/ Ⓐ a. (*anche gramm.*) attributivo Ⓑ n. (*gramm.*) attributo.

attrited /ə'traɪtɪd/ a. logoro (*per attrito*).

attrition /ə'trɪʃn/ n. Ⓤ **1** attrito; logorio **2** logoramento: **war of a.**, guerra di logoramento **3** (*relig.*) attrizione.

to **attune** /ə'tjuːn, *USA* ə'tuːn/ Ⓐ v. t. accordare; armonizzare; mettere in sintonia Ⓑ v. i. abituarsi; accordarsi; armonizzarsi; entrare in sintonia ‖ **attuned** a. **1** abituato; adattato **2** armonizzato; in sintonia.

ATV sigla (*autom.*, **all-terrain vehicle**) veicolo fuoristrada.

at. Wt abbr. (*fis.*, **atomic weight**) peso atomico (pA).

atypical /eɪ'tɪpɪkl/ a. atipico.

aubergine /'əʊbəʒiːn/ n. (*bot.*, *Solanum melongena*) melanzana (*la pianta e il frutto*).

Aubrey /'ɔːbrɪ/ n. Alberico.

auburn /'ɔːbən/ a. e n. (color) biondo rame; (colore) castano chiaro con riflessi ramati.

♦**auction** /'ɔːkʃn/ n. **1** Ⓤ (*leg.*) incanto (*procedura di vendita all'asta*) **2** (= **a. sale**) vendita all'asta (*o all'incanto*); asta (*pubblica*) **3** (*bridge*) dichiarazione ● **a. bid**, licitazione □ **a. by inch of candle**, asta a candele vergini □ **a. by public outcry**, asta (*o incanto*) col pubblico banditore □ **a. house**, casa d'aste □ (*econ., Borsa*) **a. market**, mercato a licitazione, mercato ad asta □ (*leg.*) **a. ring**, sindacato d'asta (*proibito dalla legge*) □ **a. room**, sala (*delle*) aste □ **to put st. up for a.**, mettere qc. all'asta □ **to sell st. by** (*o at*) **a.**, vendere qc. all'asta.

to **auction** /'ɔːkʃn/ v. t. (*anche* **to a. off**) **1** mettere (*o vendere*) all'asta (*o all'incanto*) **2** (*USA*) appaltare (*un lavoro, ecc.*).

auctioneer /ɔːkʃə'nɪə(r)/ n. banditore (*di aste*).

to **auctioneer** /ɔːkʃə'nɪə(r)/ Ⓐ v. t. vendere all'asta Ⓑ v. i. fare il banditore (*di aste*).

audacious /ɔː'deɪʃəs/ a. **1** audace; intrepido **2** temerario **3** insolente; impudente; sfacciato | **-ly** avv. | **-ness** n. Ⓤ.

audacity /ɔː'dæsətɪ/ n. Ⓤ **1** audacia **2** temerarietà **3** impudenza.

audibility /ɔːdə'bɪlətɪ/ n. Ⓤ udibilità ● (*fis.*) **a. threshold**, soglia di udibilità.

audible /'ɔːdəbl/ a. udibile; intelligibile; percepibile ● (*fis.*) **a. tone**, tono (*o frequenza*) udibile.

audibly /'ɔːdəblɪ/ avv. distintamente; in modo udibile.

♦**audience** /'ɔːdɪəns/ n. **1** pubblico; spettatori (pl.); ascoltatori (pl.); uditorio; (pubblico dei) lettori: **to have a large a.**, avere un vasto pubblico; **a. participation**, partecipazione del pubblico; **a. reactions**, reazioni del pubblico **2** udienza: **to grant an a.**, concedere (*o accordare*) un'udienza ● **a. hall**, sala delle udienze □ **a. rating** (*o* **a. figures**), indice d'ascolto ❶ **NOTA**: *public, audience, spectators* → **public**.

audio /'ɔːdɪəʊ/ n. e a. (pl. *audios*) audio ● **a. cassette**, audiocassetta □ (*fis.*) **a. frequency**, audiofrequenza; frequenza audio □ **a. system**, impianto stereo □ **a. tape**, nastro per registrazione □ **a. typist**, chi trascrive da un nastro registrato.

audioblog /'ɔːdɪəʊblɒg/ n. (*comput.*) blog in formato audio.

audiobook /'ɔːdɪəʊbʊk/ n. audiolibro.

audio-engineer /ɔːdɪəʊendʒɪ'nɪə(r)/ n. tecnico del suono.

audiogram /'ɔːdɪəʊgræm/ n. (*anche med.*) audiogramma.

audio-lingual /ɔːdɪəʊ'lɪŋgwəl/ a. audio-linguistico.

audiology /ɔːdɪ'ɒlədʒɪ/ n. Ⓤ (*med.*) audiologia ‖ **audiologist** n. audiologo.

audiometry /ɔːdɪ'ɒmətrɪ/ (*med.*) n. Ⓤ audiometria ‖ **audiometer** n. audiometro ‖ **audiometric** a. audiometrico ‖ **audiometrist** n. audiometrista.

to **audiotype** /'ɔːdɪəʊtaɪp/ v. t. trascrivere da un nastro registrato.

audio-visual /ɔːdɪəʊ'vɪʒʊəl/ a. audiovisivo: **audio-visual aids**, sussidi audiovisivi; audiovisivi.

audiphone /'ɔːdɪfəʊn/ n. (*med.*) audifono.

audit /'ɔːdɪt/ n. **1** (*comm., leg.*) revisione contabile; revisione dei conti: **to carry out the yearly a.**, eseguire la revisione annuale dei conti; **to be under a.**, essere sottoposto a revisione contabile; **a. firm**, società di revisione contabile; **a. report**, relazione del revisore dei conti **2** (*USA*) verificato **3** controllo; verifica ● (*in GB*) **A. Commission**, organo preposto al controllo delle spese degli enti locali □ (*in GB*) **National A. Office** → **national**.

to **audit** /'ɔːdɪt/ v. t. **1** (*comm., leg.*) rivedere, verificare (*conti, bilanci, ecc.*); sottoporre a revisione dei conti (*una società, ecc.*) **2** controllare; verificare **3** (*USA*) seguire (*un corso di lezioni*) come uditore.

auditee /ɔːdɪ'tiː/ n. organizzazione oggetto di revisione contabile.

auditing /'ɔːdɪtɪŋ/ n. Ⓤ (*comm., leg.*) **1** revisione contabile; revisione dei conti; auditing **2** controllo; verifica ● **a. firm**, società di revisione contabile □ **a. standards**, principi di revisione contabile.

audition /ɔː'dɪʃn/ n. **1** audizione (*prova di un cantante, ecc.*); (*radio, TV, teatr.*) provino **2** Ⓤ (*fisiol.*) udito.

to **audition** /ɔː'dɪʃn/ Ⓐ v. t. sottoporre a un'audizione; far fare un provino a (q.) Ⓑ v. i. sostenere un'audizione; fare un provino.

auditive /'ɔːdɪtɪv/ a. auditivo, uditivo: (*anat.*) **the a. canal**, il canale uditivo.

auditor /'ɔːdɪtə(r)/ n. **1** (*comm., leg.*) revisore di conti; auditor; revisore di bilanci **2** (*a scuola, USA*) uditore ● **auditors' certificate**, certificazione di bilancio □ **auditors' committee**, collegio dei revisori di conti; collegio sindacale □ (*in GB*) **A.-General**, Revisore Generale dei Conti (*dello Stato*) □ **a.'s report**, relazione del revisore di conti ‖ **auditorial** a. (*comm., leg.*) relativo alla revisione dei conti; di revisione.

auditorium /ɔːdɪ'tɔːrɪəm/ n. (pl. *auditoriums, auditoria*) **1** platea, spazio riservato al pubblico (*in un teatro, ecc.*) **2** auditorio; sala per concerti **3** parlatorio (*di un convento*).

auditorship /'ɔːdɪtəʃɪp/ n. Ⓤ (*comm., leg.*) ufficio di revisore di conti.

auditory /'ɔːdɪtrɪ/ a. uditivo; acustico: (*anat.*) **a. canal**, meato uditivo; **a. nerve**, nervo acustico (*o uditivo*).

au fait /əʊ'feɪ/ (*franc.*) loc. a. bene informato; al corrente; a conoscenza: **to be au fait with**, essere bene informato su; essere

al corrente (*o* a conoscenza) di.

Aug. abbr. (**August**) agosto (Ago.).

auger /'ɔːgə(r)/ n. **1** trivella (*da falegname*); verrina **2** (*ind. min.*) trivella (elicoidale) ● **a. bit**, punta a tortiglione (*o* a serpentina) □ **a. boring**, perforazione a trivella □ (*min.*) **a. mining**, estrazione a trivella (*o* a coclea).

aught /ɔːt/ (*arc.*) Ⓐ pron. alcunché; alcuna cosa: **for a. I know**, per quel che ne so io Ⓑ avv. affatto; in alcun modo; assolutamente ● **for a. I care**, per quel che me n'importa.

augment /'ɔːgmənt/ n. (*ling.*) aumento.

to **augment** /ɔːg'ment/ v. t. e i. aumentare (*anche ling.*); accrescere; crescere.

augmentable /ɔːg'mentəbl/ a. aumentabile.

augmentation /ɔːgmen'teɪʃn/ n. **1** Ⓤ aumento (*anche stat.*); accrescimento **2** cosa (*o* parte) aggiunta **3** Ⓤ (*mus.*) aumentazione.

augmentative /ɔːg'mentətɪv/ Ⓐ a. **1** (*stat.*) aumentativo **2** (*gramm.*) accrescitivo Ⓑ n. (*gramm.*) accrescitivo. ● Ⓞ NOTA: *diminutive, pejorative, terms of endearment* → **diminutive**.

augmented /ɔːg'mentɪd/ a. **1** aumentato; accresciuto **2** (*mus.*) aumentato; eccedente ● (*comput.*) **a. reality**, realtà aumentata.

augur /'ɔːgə(r)/ n. **1** (*stor. romana*) augure **2** (*per estens.*) indovino; profeta.

to **augur** /'ɔːgə(r)/ Ⓐ v. t. lasciar presagire; lasciar sperare in; promettere: **to a. victory**, promettere la (*o* lasciar sperare nella) vittoria; *This new fact augurs no good*, questo nuovo fatto non lascia presagire nulla di buono Ⓑ v. i. essere di augurio (*o* auspicio, *o* presagio): **to a. badly** (*o* **ill**), essere di cattivo auspicio; **to a. well**, essere di buon auspicio ‖ **augural** a. augurale.

augury /'ɔːgjʊrɪ/ n. **1** Ⓤ arte di prevedere il futuro; divinazione **2** pronostico; auspicio; presagio.

♦**August** /'ɔːgəst/ Ⓐ n. ⓊⒸ agosto (*per gli esempi d'uso* → **April**) Ⓑ a. attr. d'agosto; agostano: **A. drought**, siccità agostana; **A. holidays**, ferie d'agosto; **A. grapes**, uva agostana.

august /ɔː'gʌst/ a. augusto; maestoso; nobile; venerabile: **a. lineage**, nobile lignaggio; **a. presence**, augusta presenza ‖ **augustly** avv. augustamente ‖ **augustness** n. Ⓤ maestosità; maestà; nobiltà.

Augustan /ɔː'gʌstən/ Ⓐ a. **1** (*stor. romana*) augusteo **2** (*letter. ingl.*) dell'età augustea; augusteo Ⓑ n. (*letter. romana o ingl.*) scrittore dell'età augustea.

Augustine /ɔː'gʌstɪn/ n. **1** Agostino: *St A. of Hippo*, sant'Agostino d'Ippona **2** (*relig.*) (frate) agostiniano.

Augustinian /ɔːgə'stɪnɪən/ a. e n. (*relig.*) agostiniano.

Augustinianism /ɔːgə'stɪnɪənɪzəm/, **Augustinism** /ɔː'gʌstɪnɪzəm/ n. Ⓤ (*filos.*) agostinismo.

Augustus /ɔː'gʌstəs/ n. (*stor. romana*) Augusto.

auk /ɔːk/ n. (*zool., Alca*) uccello degli Alcidi ● (*zool.*) **great auk** (*Pinguinus impennis*), alca.

auld /'ɔːld/ a. (*scozz.*) vecchio ● **a. lang syne**, il (bel) tempo passato; i bei tempi andati □ (*fam.*) **A. Reekie**, «la Vecchia (Città) piena di fumo»; Edimburgo.

aulic /'ɔːlɪk/ a. (*raro*) aulico.

♦**aunt** /ɑːnt/ n. zia ● **A. Sally**, (*nelle fiere paesane*) gioco consistente nell'abbattere, tirando palle, un pupazzo di legno; il pupazzo stesso; (*fig.*) bersaglio di critiche, oggetto di scherno □ (*fam., antiq.*) **My sainted a.**, mamma mia!; Dio mio!

auntie /'ɑːntɪ/, **aunty** /'ɑːntɪ/ n. (*fam.*) **1** zietta **2** (*GB*) – **Auntie**, la BBC.

au pair /əʊ'peə(r)/ (*franc.*) a. e n. (ragazza) alla pari.

to **au pair** /əʊ'peə(r)/ v. i. lavorare come (*o* fare la) ragazza alla pari.

aura /'ɔːrə/ n. (pl. *auras, aurae*) **1** effluvio; emanazione **2** aria, atmosfera (*fig.*): **an a. of peace**, un'aria di pace **3** (*fig.*) aureola; alone **4** (*med.*) aura (*nell'epilessia*) **5** (*parapsicologia*) aura.

aural /'ɔːrəl/ a. **1** (*fis., fisiol.*) auricolare: **a. signal**, segnale auricolare **2** (*leg.*) auricolare: **a. witness**, testimone auricolare **3** (*elettron.*) audio: **a. radio range**, radiofaro a frequenza audio; (*TV*) **a. signal**, segnale audio **4** (*naut.*) acustico: **a. null**, zero acustico **5** (*pubbl.*) uditivo, sonoro: **a. code**, codice uditivo; **a. environment**, contesto sonoro.

aureate /'ɔːrɪət/ a. (*lett.*) dorato; aureo.

aurelia /ɔː'riːlɪə/ n. (*zool.*) **1** crisalide (*di lepidottero*) **2** (*Aurelia*) medusa aurelia.

aureola /ɔː'riːələ/ n. (pl. *aureolas, aureolae*) → **aureole**.

aureole /'ɔːrɪəʊl/ n. aureola.

Aureomycin® /ɔːrɪəʊ'maɪsɪn/ n. Ⓤ (*farm.*) aureomicina.

auric /'ɔːrɪk/ a. (*chim.*) aurico.

auricle /'ɔːrɪkl/ n. **1** (*bot.*) organo auricolato **2** (*zool.*) orecchio esterno **3** (*anat.*) auricola, orecchietta, atrio (*del cuore*) **4** (*anat.*) padiglione auricolare.

auricula /ɔː'rɪkjʊlə/ n. (pl. *auriculas, auriculae*) **1** (*bot., Primula auricula*) auricola; orecchio d'orso (*pop.*) **2** (*anat.*) padiglione auricolare.

auricular /ɔː'rɪkjʊlə(r)/ a. (*anche fig.*) auricolare; dell'orecchio; (*leg.*) **a. confession** [**witness**], confessione [testimone] auricolare.

auriculate /ɔː'rɪkjʊlət/ a. (*bot.*) auricolato.

auriferous /ɔː'rɪfərəs/ a. (*ind. min.*) aurifero.

aurochs /'ɔːrɒks/ n. (pl. *aurochs, aurochses*) (*zool.*) **1** (*Bos primigenius*) uro **2** (*Bison bonasus*) bisonte europeo.

aurora /ɔː'rɔːrə/ n. (pl. *auroras, aurorae*) (*anche poet., fig.*) aurora: **a. australis**, aurora australe; **a. borealis**, aurora boreale ‖ **auroral** a. aurorale; dell'aurora.

Aus., Austral. abbr. **1** (**Australia**) Australia **2** (**Australian**) australiano.

to **auscultate** /'ɔːskəlteɪt/ (*med.*) v. t. auscultare ‖ **auscultation** n. Ⓤ auscultazione ‖ **auscultator** n. chi ausculta.

ausforming /'ɔːsfɔːmɪŋ/ n. Ⓤ ausforming; «ausformatura».

auspex /'ɔːspeks/ n. (pl. *auspices*) (*stor. romana*) auspice.

auspice /'ɔːspɪs/ n. **1** auspicio (*osservazione di uccelli fatta dall'auspice*) **2** predizione **3** (pl.) auspici; patronato; protezione: **under the auspices of**, sotto gli auspici di.

auspicious /ɔː'spɪʃəs/ a. di lieto auspicio; benaugurante; fausto; propizio ‖ **auspiciously** avv. sotto buoni auspici.

Aussie /'ɒzɪ/ a. e n. (abbr. *fam.* di **Australian**) australiano.

austere /ɒ'stɪə(r)/ a. **1** austero; severo; sobrio; semplice **2** (*di vino*) amarognolo **3** (*di frutto*) aspretto ‖ **austereness** n. Ⓤ austerità.

austerity /ɒ'sterətɪ/ n. **1** Ⓤ (*anche econ.*) austerità **2** (pl.) disagi; privazioni ● (*econ.*) **a. budget**, bilancio d'austerità □ (*econ.*) **an a. programme**, un programma d'austerità.

Austin /'ɒstɪn/ n. Agostino.

austral /'ɔːstrəl/ a. (*geogr.*) australe; meridionale.

Australasian /ɒstrə'leɪʃn/ a. e n. australasiano.

Australian /ɒ'streɪlɪən/ a. e n. australiano ● (*sport*) **A. rules**, football australiano.

Australopithecus /ɒstrələʊ'pɪθɪkəs/ n. (*paleont.*) australopiteco.

Austria-Hungary /'ɒstrɪə'hʌŋgərɪ/ n. (*stor.*) Austria-Ungheria.

Austrian /'ɒstrɪən/ a. e n. austriaco.

austringer /'ɒstrɪndʒə(r)/ n. (*falconeria*) astoriere.

Austro-Asiatic /ɒstrəʊeɪʃɪ'ætɪk/ a. (*geogr.*) austroasiatico.

Austro-Hungarian /'ɒstrəʊhʌŋ'gεərɪən/ a. (*stor.*) austroungarico.

autarchy /'ɔːtɑːkɪ/ n. ⒰ **1** autocrazia; governo dispotico; dispotismo **2** (*econ.*) autarchia ‖ **autarchic, autarchical. 1** autocratico; dispotico **2** (*econ.*) autarchico.

autarky /'ɔːtɑːkɪ/ (*econ.*) n. ⒰ autarchia ‖ **autarkic** a. autarchico.

autecology /ɔːtɪ'kɒlədʒɪ/ n. ⒰ (*ecol.*) autecologia.

auteur /ɔː'tɜː(r)/ (*franc.*) n. (*cinem.*) auteur-regista: **a. film**, film d'autore.

authentic /ɔː'θentɪk/ a. **1** autentico; genuino **2** degno di fede; attendibile; fondato **3** (*leg.*) autentico: **a. deed**, atto autentico **4** (*fam.*) sincero ‖ **-ally** avv.

to **authenticate** /ɔː'θentɪkeɪt/ v. t. **1** (*leg.*) autenticare; legalizzare; vidimare **2** provare l'autenticità di (*un'opera*); dimostrare la verità di (*un fatto*) **3** avvalorare; convalidare.

authentication /ɔːθentɪ'keɪʃn/ n. ⒰ **1** (*leg.*) autenticazione; legalizzazione; vidimazione **2** riconoscimento dell'autenticità **3** (*comput.*) autenticazione (*identificazione dell'utente basata su username e password*).

authenticity /ɔːθen'tɪsətɪ/ n. ⒰ **1** autenticità; genuinità **2** fondatezza; validità; veridicità **3** (*fam.*) sincerità.

♦**author** /'ɔːθə(r)/ n. **1** autore, autrice **2** scrittore, scrittrice **3** artefice; autore ‖ **authorial** a. dell'autore; relativo all'autore.

authoress /'ɔːθərɪs/ n. (*antiq. o iron.*) autrice; scrittrice.

authoring /'ɔːθərɪŋ/ n. ⒰ (*comput.*) authoring (*creazione di contenuti spec. multimediali e interattivi*).

authoritarian /ɔːθɒrɪ'teərɪən/ Ⓐ a. autoritario; dispotico Ⓑ n. fautore del dispotismo; assolutista ‖ **authoritarianism** n. ⒰ (*polit.*) autoritarismo.

authoritative /ɔː'θɒrətətɪv/ a. **1** autorevole **2** autoritario ● (*leg.*) **a. decision**, sentenza che crea un precedente □ (*leg.*) **a. precedent**, precedente vincolante ‖ **authoritativeness** n. ⒰ **1** autorevolezza **2** carattere (*o tono*) autoritario; perentorietà.

♦**authority** /ɔː'θɒrətɪ/ n. **1** ⒰ autorità: **to exercise one's a.**, esercitare la propria autorità; **those in a.**, quelli che comandano; *Who's in a. here?*, chi comanda qui?; **on sb.'s a.**, per ordine di q.; **under sb.'s a.**, secondo gli ordini di q. **2** ⒰ autorizzazione; permesso; delega (*ad agire*): *He has my a. to do it*, ha la mia autorizzazione a fare ciò; **to have no a. to do st.**, non avere l'autorizzazione di (*o non essere autorizzato a*) fare qc.; **to give a. to do st.**, dare l'autorizzazione a (*o il permesso di*) fare qc.; (*comm.*) **a. to pay**, autorizzazione a fare pagamenti **3** ⒰ autorevolezza; autorità: **to speak with a.**, parlare con autorevolezza; **to carry a lot of a.**, essere molto autorevole; **an air of a.**, un'aria autorevole; **a. figure**, figura autorevole **4** ⒰ (*spesso al pl.*) autorità; ente: **the highest a. in the country**, la massima autorità del paese; *We won't have to deal with a.*, non dovremo consultare le autorità; **health authorities**, autorità sanitarie; **local**

authorities, enti locali **5** (*polit., econ.*) organismo di controllo e vigilanza; autorità; authority **6** esperto; autorità: *She's an a. on marine biology*, è un'autorita in materia di biologia marina; **the leading authorities**, i massimi esperti **7** testo autorevole: **to consult one's authorities**, consultare i propri testi **8** fonte (*d'informazione*): *I have it on good a.*, lo so da fonte autorevole (*o sicura*).

authorization /ɔːθəraɪ'zeɪʃn, USA -rɪ'z-/ n. ⒰ **1** concessione; autorizzazione; (*banca*) **a. of credit**, concessione di credito; (*leg.*) **a. to proceed**, autorizzazione a procedere **2** (*comput.*) autorizzazione (*all'accesso a risorse riservate*).

to **authorize** /'ɔːθəraɪz/ v. t. **1** autorizzare: **to a. the payment of travelling expenses**, autorizzare il pagamento delle spese di viaggio **2** (*fin.*) autorizzare la spesa di (*una data somma*).

authorized /'ɔːθəraɪzd/ a. autorizzato ● (*fin.*) **a. capital** (*o* a. stock), capitale nominale ● (*fin.*) **a. issue**, emissione autorizzata □ **the A. Version**, la traduzione della Bibbia ❶ CULTURA • **Authorized Version**: *la «versione autorizzata» della Bibbia* (*1611*)*, detta anche la* **King James Bible** *perché commissionata da re Giacomo I d'Inghilterra* (*VI di Scozia*)*, è uno dei testi più importanti di tutta la letteratura inglese per la bellezza della sua prosa e la sua influenza sull'inglese moderno, ed è ancor oggi la versione della Bibbia più conosciuta e citata.*

authorless /'ɔːθələs/ a. (*di un libro, ecc.*) senz'autore; anonimo.

authorship /'ɔːθəʃɪp/ n. ⒰ **1** paternità (*di un libro, di un'idea, ecc.*) **2** fonte, origine (*di una notizia, ecc.*) **3** professione di scrittore.

autism /'ɔːtɪzəm/ (*psic.*) n. ⒰ autismo ‖ **autistic** a. autistico.

auto① /'ɔːtəʊ/ (*fam., spec. USA*) Ⓐ n. (*pl. autos*) auto Ⓑ a. attr. (*USA*) automobilistico; d'auto; per auto: **the a. industry**, l'industria automobilistica; **a. parts**, ricambi per auto.

auto② /'ɔːtəʊ/ abbr. di **automatic**.

autoanalyzer /ɔːtəʊ'ænəlaɪzə(r)/ n. (*chim.*) autoanalizzatore.

autoantibody /ɔːtəʊ'æntɪbɒdɪ/ n. (*med.*) autoanticorpo.

autobank /'ɔːtəbæŋk/ n. (*banca*) Bancomat.

autobiography /ɔːtəbaɪ'ɒgrəfɪ/ n. ⒰ autobiografia ‖ **autobiographer** n. chi scrive la propria biografia ‖ **autobiographical, autobiographic** a. autobiografico ‖ **autobiographically** avv. autobiograficamente.

autobus /'ɔːtəbʌs/ n. (*pl. autobuses, autobusses*) (*USA*) autobus.

autocatalysis /ɔːtəkə'tæləsɪs/ n. ⒰ (*chim., biol., stat.*) autocatalisi.

autochanger /'ɔːtəʊtʃeɪndʒə(r)/ n. (*autom.*) caricatore CD; CD changer (*ingl.*).

autochthon /ɔː'tɒkθən/ n. (*pl. autochthons, autochthones*) (*form.*) **1** autoctono; aborigeno **2** (*zool.*) animale autoctono **3** (*bot.*) pianta autoctona ‖ **autochthonous, autochthonic** a. autoctono ‖ **autochthony** n. ⒰ autoctonia.

autoclave /'ɔːtəʊkleɪv/ n. **1** autoclave **2** pentola a pressione.

to **autoclave** /'ɔːtəʊkleɪv/ v. t. sterilizzare in autoclave.

autocorrection /ɔːtəʊkə'rekʃn/ n. ⒰Ⓒ (*comput.*) correzione automatica.

autocorrelation /ɔːtəʊkɒrə'leɪʃn/ n. (*elettron., stat.*) autocorrelazione.

autocracy /ɔː'tɒkrəsɪ/ n. **1** ⒰ autocrazia **2** governo (*stato, ecc.*) autocratico.

autocrat /'ɔːtəkræt/ n. (*anche fig.*) autocrate.

autocratic /ɔːtə'krætɪk/, **autocratical** /ɔːtə'krætɪkl/ a. autocratico; dispotico ‖ **-al-**

ly avv.

autocross /'ɔːtəʊkrɒs/ n. (*sport*) autocross.

Autocue® /'ɔːtəʊkjuː/ n. (*cinem., TV*) gobbo.

auto-da-fé /ɔːtəʊdə'feɪ/ (*portoghese*) n. (pl. *autos-da-fé*) (*stor.*) autodafé.

to **autodestruct** /ɔːtəʊdɪ'strʌkt/ v. i. (*mil., miss., USA*) autodistruggersi.

autodidact /ɔːtəʊ'daɪdækt/ n. autodidatta ‖ **autodidactic** a. autodidattico.

autodrome /'ɔːtədrəʊm/ n. (*sport*) autodromo.

autodyne /'ɔːtədaɪn/ n. (*elettron.*) autodina.

autoecology → **autecology**.

autoerotic /ɔːtəʊɪ'rɒtɪk/ a. (*psic.*) autoerotico ‖ **autoeroticism, autoerotism** n. ⒰ autoerotismo.

auto-feed /'ɔːtəfiːd/ n. (*comput.*) alimentazione automatica.

autofinancing /ɔːtəʊ'faɪnænsɪŋ/ n. ⒰ (*fin.*) autofinanziamento.

autofocus /ɔːtəʊ'fəʊkəs/ n. (*fotogr.*) autofocus.

autogamy /ɔː'tɒgəmɪ/ (*biol.*) n. ⒰ autogamia ‖ **autogamous** a. autogamo.

autogenesis /ɔːtəʊ'dʒenəsɪs/ n. ⒰ autogenesi; generazione spontanea.

autogenic /ɔːtəʊ'dʒenɪk/ a. autogeno ● (*psic.*) **a. training**, training autogeno.

autogenous /ɔː'tɒdʒənəs/ a. autogeno ● (*med.*) **a. vaccine**, autovaccino □ (*metall.*) **a. welding**, saldatura autogena.

autogiro /ɔːtəʊ'dʒaɪərəʊ/ n. (pl. *autogiros*) (*aeron.*) autogiro; giroplano.

autograft /'ɔːtəgrɑːft/ n. (*med.*) autotrapianto; autoinnesto.

autograph /'ɔːtəgrɑːf/ Ⓐ n. **1** autografo: **to sign one's a.**, dare un autografo **2** (*manoscritto, documento*) autografo Ⓑ a. **1** autografo: **a. letter**, lettera autografa **2** di autografi; di firme autografe: (*banca*) **a. book**, libro delle firme autografe (*dei clienti*).

to **autograph** /'ɔːtəgrɑːf/ v. t. **1** scrivere (*o firmare*) di proprio pugno **2** fare un autografo su; firmare; autografare ‖ **autographed** a. con l'autografo; firmato; autografato.

autography /ɔː'tɒgrəfɪ/ n. ⒰ **1** autografia; l'essere autografo **2** (*tipogr.*) autografia (*tecnica in disuso*) ‖ **autographic, autographical** a. autografo; autografico.

autogrooming /'ɔːtəʊgruːmɪŋ/ n. ⒰ (*etologia*) autopulizia.

autogyro /ɔːtəʊ'dʒaɪərəʊ/ n. (pl. *autogyros*) (*aeron.*) autogiro; giroplano.

autohypnosis /ɔːtəhɪp'nəʊsɪs/ n. ⒰ (*psic.*) autoipnosi.

autoignition /ɔːtəʊɪg'nɪʃn/ n. ⒰ (*autom., mecc.*) autoaccensione.

autoimmune /ɔːtəʊɪ'mjuːn/ (*med.*) a. autoimmune ‖ **autoimmunity** n. ⒰ autoimmunità.

to **autoimmunize** /ɔːtəʊ'ɪmjʊnaɪz/ (*med.*) v. t. autoimmunizzare.

autointoxication /ɔːtəʊɪntɒksɪ'keɪʃn/ n. ⒰ (*med.*) autointossicazione.

autolysis /ɔː'tɒləsɪs/ n. ⒰ (*chim., med.*) autolisi.

automagically /ɔːtəʊ'mædʒɪkəlɪ/ avv. (*fam., comput.*, contraz. di **automatically** e **magically**) automagicamente (*cioè, in modo automatico e come per magia*).

automat /'ɔːtəmæt/ n. (*spec. USA*) **1** tavola calda a gettoni **2** distributore automatico (*di cibi o bevande*).

to **automate** /'ɔːtəmeɪt/ v. t. automatizzare ‖ **automated** a. automatizzato; automatico; computerizzato: (*banca*) **automated**

teller machine, sportello automatico.

◆**automatic** /ɔ:tə'mætɪk/ **A** a. **1** automatico: (*autom.*) **a. gearbox**, cambio automatico; **a. rifle**, fucile automatico; (*econ.*) **a. pay increase**, aumento di stipendio automatico; scatto di stipendio **2** (*di gesto, ecc.*) meccanico; inconscio **B** n. **1** arma automatica **2** (*autom.*) (veicolo con) cambio automatico **3** lavatrice automatica **4** (*fam.*) distributore automatico (*di bevande, ecc.*) ● **a. machine**, distributore automatico □ (*aeron.*) **a. pilot**, pilota automatico □ (*comm.*) **a. selling**, vendita mediante distributori automatici □ (*banca, USA*) **a. teller machine** (abbr. **ATM**), bancomat □ **a. timer**, timer (*di elettrodomestico*) □ **a. vendor**, distributore automatico □ (*psic.*) **a. writing**, scrittura automatica □ (*tecn.*) **on a.**, su «automatico» □ (*fam.*) **to be on a. pilot**, fare le cose automaticamente (*o* come un automa); andare avanti per inerzia | **-ally** avv.

automaticity /ɔ:təmə'tɪsətɪ/ n. Ⓤ automaticità.

automation /ɔ:tə'meɪʃn/ n. (*mecc., ind.*) automazione.

automatism /ɔ:'tɒmətɪzəm/ n. Ⓤ (*filos., psic., ecc.*) automatismo.

to **automatize** /ɔ:'tɒmətaɪz/ v. t. automatizzare.

automaton /ɔ:'tɒmətən/ n. (pl. ***automata, automatons***) automa.

automobile /'ɔ:təməbi:l/ (*spec. USA*) n. automobile.

automotive /ɔ:tə'məʊtɪv/ a. **1** (*mecc., mil.*) semovente; ad autopropulsione; autopropulso **2** (*ferr.*) automotore **3** (*ind.*) automobilistico; dell'automobile: **the a. industry**, l'industria automobilistica.

autonomic /ɔ:tə'nɒmɪk/ a. (*anat., fisiol., bot.*) autonomo.

autonomous /ɔ:'tɒnəməs/ a. **1** (*di uno stato, ecc.*) autonomo; indipendente **2** (*anat., biol., fisiol.*) autonomo.

autonomy /ɔ:'tɒnəmɪ/ n. **1** Ⓤ autonomia **2** comunità autonoma ‖ **autonomist** n. autonomista.

autophobia /ɔ:tə'fəʊbɪə/ n. Ⓤ (*psic.*) autofobia.

autopilot /'ɔ:təʊpaɪlət/ n. (*aeron., naut.*) pilota automatico ● (*fam. fig.*) **to go into a.**, mettere il pilota automatico; agire in modo meccanico.

autoplasty /'ɔ:təplæstɪ/ (*med.*) n. Ⓤ𝒸 autoplastica ‖ **autoplastic** a. autoplastico.

autopsy /'ɔ:təpsɪ/ n. (*leg., med.*) autopsia.

auto reverse, autoreverse /'ɔ:təʊrə-vɜ:s/ n. (*tecn.*) autoreverse (*ingl.*) (*funzione che rende automatico l'ascolto successivo dei due lati di una cassetta*).

autosave /'ɔ:təʊseɪv/ n. (*comput.*) salvataggio automatico.

autosome /'ɔ:təsəʊm/ n. (*biol.*) autosoma ‖ **autosomal** a. autosomale.

autosuggestion /ɔ:təsə'dʒestʃən/ (*psic.*) n. Ⓤ autosuggestione ‖ **autosuggestive** a. autosuggestivo.

autotimer /'ɔ:təʊtaɪmə(r)/ n. regolatore automatico, timer (*di forno, ecc.*).

autotroph /'ɔ:təʊtrɒf/ (*biol.*) n. organismo autotrofo ‖ **autotrophic** a. autotrofo.

autotype /'ɔ:tətaɪp/ n. **1** (*tipogr.*) autotipia (*il risultato*) **2** (*fotogr.*) autotipo; foto al carbone **3** (*per estens.*) facsimile, riproduzione.

to **autotype** /'ɔ:tətaɪp/ v. t. (*fotogr.*) fotografare al carbone.

autowinder /'ɔ:təwaɪndə(r)/ n. (*fotogr.*) winder; dispositivo di avanzamento automatico (*della pellicola*).

autoworker /'ɔ:tɜ:kə(r)/ n. (*ind. USA*) operaio dell'industria automobilistica.

autoxidation /ɔ:tɒksɪ'deɪʃn/ n. Ⓤ (*chim.*) autossidazione.

◆**autumn** /'ɔ:təm/ **A** n. Ⓤ𝒸 (*anche fig.*) autunno **B** a. d'autunno; autunnale: **a. equinox**, equinozio d'autunno; **a. weather**, tempo autunnale; **a. fashions**, modelli autunnali ‖ **autumnal** a. autunnale: **autumnal equinox**, equinozio d'autunno.

◆**auxiliary** /ɔ:g'zɪlɪərɪ/ **A** a. **1** ausiliario; di appoggio; di riserva: (*comput.*) **a. memory** (*o storage*), memoria ausiliaria; **a. ship**, nave ausiliaria; **a. staff**, personale ausiliario; (*aeron.*) **a. parachute**, paracadute di riserva **2** (*gramm.*) ausiliare: **a. verb**, verbo ausiliare **B** n. **1** ausiliare (*persona*) **2** (*USA*) gruppo ausiliario; organizzazione di volontari **3** (al pl.) (*mil.*) ausiliari; milizie ausiliarie **4** (*naut.*) nave ausiliaria.

auxin /'ɔ:ksɪn/ n. Ⓤ (*biochim.*) auxina.

auxology /ɔ:k'sɒlədʒɪ/ n. Ⓤ (*med.*) auxologia.

auxotrophy /ɔ:k'sɒtrəfɪ/ (*biol.*) n. Ⓤ auxotrofia ‖ **auxotrophic** a. auxotrofico.

AV sigla **1** (**audio-visual**) audiovisivo **2** (*Bibbia*, **Authorized Version**) versione autorizzata (*traduzione ufficiale della Chiesa Anglicana, 1611*).

av. abbr. **1** (**avenue**) viale (V.le) **2** (**average**) medio; media.

avail /ə'veɪl/ n. Ⓤ profitto; vantaggio; utilità (*usato soprattutto in frasi quali:*) **to be of no a.**, essere inutile; non servire a nulla; **to be of little a.**, servire a poco; **to little a.**, con scarso profitto; **to no a.** (*o without a.*), senza profitto; inutilmente.

to **avail** /ə'veɪl/ **A** v. i. giovare; servire; essere utile: *Courage doesn't a. here*, qui il coraggio non serve **B** v. t. giovare a; servire a; essere d'aiuto a: *My presence could a. him nothing now*, la mia presenza ora non gli poteva essere di alcun giovamento ● **to a. oneself (of)**, valersi (di); trarre profitto (da).

availability /əveɪlə'bɪlətɪ/ n. Ⓤ **1** disponibilità (*di persone o cose*): (*fin.*) **a. of capital**, disponibilità di capitali **2** accessibilità **3** validità (*di un documento, ecc.*) **4** (*comput.*) disponibilità (*di un sistema*) ● (*di un'azienda, di un operatore*) **a. of finance**, disponibilità finanziarie.

◆**available** /ə'veɪləbl/ a. **1** disponibile; a disposizione; libero: *Brochures are a. from our office*, nel nostro ufficio è disponibile un pieghevole; *Our staff will be a. to help and advise you*, il nostro personale sarà a vostra disposizione per aiuto e consigli; *I was wondering if you had any rooms a. for the nights of the 15th, 16th and 17th of October?*, vorrei sapere se avete camere disponibili per le notti del 15, 16 e 17 ottobre; **a. seats**, posti liberi; **to make st. a. to sb.**, mettere qc. a disposizione di q.; **by all a. means**, con tutti i mezzi a disposizione **2** reperibile; in vendita: **a. from the best shops**, reperibile nei migliori negozi **3** (*fin.*) utilizzabile: *This credit is a. up to April 30th, 2003*, questo credito è utilizzabile fino al 30 aprile 2003 **4** valido; valevole ● (*fin.*) **a. assets**, attività disponibili; disponibilità (*banca*) **a. cash**, disponibilità di cassa □ (*fin.*) **a. funds**, fondi disponibili (*o liquidi*) □ (*comm.*) **a. stocks**, giacenze disponibili □ **not to be a. for comment**, non intendere fare dichiarazioni | **-ness** n. Ⓤ | **-bly** avv.

avalanche /'ævəlɑ:nʃ/ n. **1** (*anche fig.*) valanga **2** (*elettron.*) valanga; effetto valanga: **a. diode**, diodo a valanga.

avant-garde /ævɒŋ'gɑ:d/ (*arte, letter.*) **A** n. avanguardia **B** a. attr. d'avanguardia; avanguardista ‖ **avant-gardism** n. avanguardismo; movimento d'avanguardia ‖ **avant-gardist** n. avanguardista.

avarice /'ævərɪs/ n. Ⓤ avidità (*di denaro, ecc.*); cupidigia ❶ **Falsi amici** • avarice *non significa* avarizia.

avaricious /ævə'rɪʃəs/ a. avido; (*di denaro, ecc.*); cupido ❶ **Falsi amici** • avaricious *non significa* avaro | **-ly** avv. | **-ness** n. Ⓤ.

avast /ə'vɑ:st/ inter. (*naut.*) basta!; agguanta!

avatar /ævə'tɑ:(r)/ n. Ⓤ **1** (*relig. induista*) avatar **2** (*fig.*) incarnazione **3** (*fig.*) manifestazione; apparizione **4** (*comput.*) avatar (*icona che identifica una persona o una situazione nel mondo virtuale*).

ave /'ɑ:veɪ/ inter. e n. **1** ave; salve **2** – (*relig.*) Ave, Ave Maria ● **the ave bell**, l'avemaria (*la campana dell'Angelus*).

Ave. abbr. (**avenue**) viale (V.le).

to **avenge** /ə'vendʒ/ v. t. vendicare; fare vendetta di: **to a. a friend**, vendicare un amico; **to a. an insult**, vendicare un insulto ● **to a. oneself (on)**, vendicarsi (di) □ **to be avenged**, vendicarsi ‖ **avenger** n. vendicatore ‖ **avenging** a. che si vendica; vendicatore.

avens /'ævənz/ n. (inv. al pl.) (*bot., Geum urbanum*) cariofillata; garofanaia; ambretta selvatica; erba benedetta.

Aventine /'ævəntaɪn/ n. (*geogr., stor., polit.*) Aventino.

aventurine, aventurin /ə'ventʃərɪn/ n. Ⓤ (*miner.*) avventurina; venturina.

◆**avenue** /'ævənju:/, *USA* -nu:/ n. **1** viale (*USA*) via; corso **3** (*fig.*) via d'accesso; via; strada: **new avenues of research**, nuove strade di ricerca; **an a. to success**, una via per successo; **to explore every a.**, non lasciare nessuna strada inesplorata; tentare ogni strada.

to **aver** /ə'vɜ:(r)/ v. t. **1** asserire; affermare **2** (*leg.*) dichiarare, asserire (*in dibattito*): *'For all averred, / I had killed the bird / That made the breeze to blow'* S.T. Coleridge, 'poiché tutti affermavano / che avevo ucciso l'uccello / che faceva spirare la brezza' **3** (*leg., arc.*) dimostrare; provare.

◆**average** /'ævərɪdʒ/ **A** n. **1** (*mat., stat.*) media: **on (an) a.**, in media; **above a.**, sopra la media; **below a.**, sotto la media; **up to the a.**, pari alla media; **weighted a.**, media ponderata; *This data doesn't affect the a.*, questi dati sono ininfluenti per la media **2** Ⓤ (*ass., naut.*) avaria: **general a.**, avaria generale; **particular a.**, avaria particolare **3** (al pl.) (*Borsa*) quotazioni medie **B** a. attr. **1** medio; comune; ordinario: **a man of a. intelligence**, un uomo d'intelligenza media; **a. speed**, velocità media; **the a. temperature in June**, la temperatura media di giugno; **of a. height**, di statura media **2** mediocre: *The film was only a.*, il film era mediocre **3** (*scient.*) medio: (*stat.*) **a. deviation**, scarto medio; (*econ.*) **a. income**, reddito medio; (*demogr.*) **a. population**, popolazione media **4** (*ass., naut.*) d'avaria: **a. adjuster** (*o stater*), liquidatore d'avaria; **a. adjustment** (*o assessment, o statement*), liquidazione (*o regolamento*) d'avaria; **a. bond**, compromesso d'avaria; **a. agreement**, chirografo d'avaria; **a. declaration**, costituto d'avaria; **a. survey**, perizia d'avaria; **a. surveyor**, perito (*o commissario*) d'avaria ● **a. rate**, (*ass.*) tariffa media; (*fin.*) saggio medio (*di più mutui*); (*Borsa*) corso medio; (*fisc.*) aliquota media □ (*econ.*) **a. wage**, salario medio.

to **average** /'ævərɪdʒ/ **A** v. t. **1** fare, ottenere, produrre in media: *He averages about ten goals a season*, fa in media una decina di gol per campionato; *This plant averages ten cars a day*, questo stabilimento produce in media dieci auto al giorno; *We averaged 60mph*, abbiamo viaggiato a una media di 60 miglia all'ora **2** essere una media; ammontare in media a: *Losses will a. 15 per*

a

cent, le perdite ammonteranno in media al 15% **3** ripartire in modo proporzionale; distribuire in proporzione: (*comm.*, *naut.*) **to a. a loss**, ripartire una perdita in modo proporzionale; (*fin.*) **to a. profits among the partners**, distribuire gli utili fra i soci in proporzione (*alle quote possedute*) **4** (*mat.*, *stat.*) mediare; calcolare (*o fare*) la media di **B** v. i. (*Borsa*) coprirsi; «mediare» i prezzi dei titoli acquistati: **to a. down**, coprirsi al ribasso; **to a. up**, coprirsi al rialzo.

■ **average out A** v. t. + avv. calcolare; fare la media di **B** v. i. + avv. **1** raggiungere un'equa distribuzione; pareggiarsi **2 − to a. out at**, essere in media di; risultare in media di: *The cost averaged out at £5 per page*, il costo risultò in media di 5 sterline a pagina.

averager /ˈævərɪdʒə(r)/ n. **1** chi fa una media **2** (*Borsa*) averager (*cfr.* **to average**, **B**).

averaging /ˈævərɪdʒɪn/ **A** a. che è nella media; che fa una media di **B** n. ▫ **1** (*mat.*, *stat.*) il fare la media **2** (*fin.*) ripartizione proporzionale (*di utili, ecc.*) **3** (*Borsa*) copertura: **a. down**, copertura al ribasso; **a. up**, copertura al rialzo ● (*rag.*) **a. account**, conto di ripartizione.

averment /əˈvɜːmənt/ n. **1** ▫ l'asserire; asserzione; affermazione **2** (*leg.*) dichiarazione, asserzione; affermazione di fatti (*in giudizio*) **3** (*leg.*, *arc.*) prova.

Avernus /əˈvɜːnəs/ n. (*geogr.*, *mitol.*) Averno.

Averroism /æˈveˈrəʊɪzəm/ (*filos.*) n. ▫ averroismo || **Averroist** n. averroista.

averse /əˈvɜːs/ a. **1** avverso, contrario (a); alieno (da): *I'm not a. to (having) the occasional cigarette*, non sono contrario a fumare una sigaretta di tanto in tanto **2** riluttante; maldisposto **3** (*bot.*) opposto | **-ly** avv. ❶ **Nota**: *adverse o averse?* → **adverse**.

averseness /əˈvɜːsnəs/ → **aversion**, *def. 1 e 3*.

aversion /əˈvɜːʃn/ n. **1** ▫ avversione; ripugnanza; antipatia **2** (*fam.*) persona antipatica; cosa che ripugna: *John is my pet a.*, John è la mia antipatia numero uno **3** ▫ riluttanza.

aversive /əˈvɜːsɪv/ a. **1** che mostra avversione; disgustato **2** (*psic.*) avversivo: **a. behaviour**, comportamento avversivo ● **a. magic**, pratiche magiche per scongiurare un pericolo.

to avert /əˈvɜːt/ v. t. **1** distogliere, allontanare (*lo sguardo, il pensiero*) **2** evitare; prevenire: **to a. atomic war**, evitare la guerra atomica; **to a. a road accident**, prevenire un incidente stradale || **avertable** a. **1** allontanabile **2** evitabile; prevenibile.

avg. abbr. (**average**) medio.

avgas /ˈævɡæs/ n. ▫ (*aeron.* USA) benzina avio.

avian /ˈeɪvɪən/ a. **1** (*zool.*) aviario; relativo agli uccelli **2** (*vet.*) aviario; dei polli: **a. influenza**, influenza aviaria.

aviary /ˈeɪvɪərɪ/ n. aviario; uccelliera; voliera.

to aviate /ˈeɪvɪeɪt/ v. i. (*raro*) **1** viaggiare in aeroplano **2** pilotare un aereo.

aviation /ˌeɪvɪˈeɪʃn/ n. ▫ aviazione ● (*aeron.*, *ass.*) **a. broker**, broker aeronautico; mediatore di aerei (*noleggi e assicurazioni*) □ (*ass.*) **a. risk**, rischio aeronautico.

aviator /ˈeɪvɪeɪtə(r)/ n. aviatore ● **a. glasses**, occhiali da aviatore.

aviatrix /ˈeɪvɪətrɪks/ n. (pl. *aviatrixes*) (*antiq.*) aviatrice.

aviculture /ˈeɪvɪkʌltʃə(r)/ n. avicoltura, avicultura || **aviculturist** n. avicoltore, avicultore.

avid /ˈævɪd/ a. **1** avido; accanito; appassio-

nato: **an a. reader**, un avido lettore **2 − a. for**, avido di; bramoso di: **a. for news**, avido di notizie || **avidity** n. ▫ avidità; bramosia.

avifauna /ˈeɪvɪfɔːnə/ n. ▫c̄ (*zool.*) avifauna.

avionics /eɪvɪˈɒnɪks/ n. pl. **1** (*aeron.*, *elettron.*) dispositivi avionici; apparecchiature avioniche **2** (col verbo al sing.) avionica.

aviso /əˈvaɪzəʊ/ n. (pl. *avisos*) (*naut.*, *stor.*) avviso (*nave*).

avitaminosis /æˌvɪtəmɪˈnəʊsɪs/ n. ▫ (*med.*) avitaminosi.

avocado /ˌævəˈkɑːdəʊ/ n. (pl. *avocados*, *avocadoes*) (*bot.*) **1** (*Persea gratissima*) avocado **2** (= **a. pear**) (frutto dell') avocado.

avocation /ˌævəˈkeɪʃn/ n. **1** svago; passatempo; interesse; hobby **2** occupazione secondaria **3** (*fam.*) vocazione.

avocet /ˈævəsɛt/ n. (*zool.*, *Recurvirostra avocetta*) avocetta; monachina.

◆**to avoid** /əˈvɔɪd/ v. t. **1** evitare: **to a. an accident**, evitare un incidente; **to a. disappointment**, evitare una delusione (*o di essere delusi*); **to a. making a mistake**, evitare (*di fare*) un errore; *He narrowly avoided defeat*, evitò la sconfitta di stretta misura **2** evitare; schivare: **to a. a parked car**, evitare (*o schivare*) un'auto in sosta; *We avoided each other*, ci evitammo l'un l'altro; *I want to a. the city centre*, voglio evitare (di passare per) il centro **3** sfuggire a; evitare; eludere; aggirare: **to a. arrest**, sfuggire all'arresto; *He avoided my eye*, evitò di incrociare il mio sguardo; *He avoided answering my question*, evitò di rispondere alla (o eluse la) mia domanda **4** (*leg.*) invalidare; annullare; rescindere; risolvere (*un contratto, ecc.*) ● (*fam.*) **to a. st. like the plague**, evitare qc. come la peste □ (*fisc.*) **to a. taxation**, eludere le imposte.

avoidable /əˈvɔɪdəbl/ a. **1** evitabile; che può (*o poteva*) essere evitato: *The accident was easily a.*, l'incidente era facilmente evitabile **2** (*leg.*) invalidabile, annullabile; rescindibile **3** (*fisc.*, di imposta) eludibile ● (*econ.*) **a. costs**, costi evitabili.

avoidance /əˈvɔɪdəns/ n. ▫ **1** l'evitare; lo sfuggire; l'eludere; aggiramento; elusione: *Our aim is the a. of waste*, il nostro intento è di evitare gli sprechi **2** (*leg.*) invalidazione; annullamento; rescissione, risoluzione (*di un contratto, ecc.*) ● (*leg.*) **a. clause**, clausola risolutiva □ (*fisc.*) **tax a.**, elusione fiscale.

avoirdupois /ˌævədəˈpɔɪz/ n. ▫ «avoirdupois» ❶ **Cultura** • avoirdupois: *è uno dei due sistemi storici di misure di peso nei paesi anglosassoni; l'altro, per i medicinali e i preziosi, è il troy; V. tabella «Pesi e misure» in appendice.*

to **avow** /əˈvaʊ/ v. t. (*form.*) ammettere; confessare; dichiarare apertamente: *He avowed that he had never read the letter*, ammise di non aver mai letto la lettera; *I a. my interest in it*, confesso il mio interesse nella cosa.

avowable /əˈvaʊəbl/ a. (*form.*) ammissibile; confessabile.

avowal /əˈvaʊəl/ n. ▫c̄ (*form.*) ammissione; confessione.

avowed /əˈvaʊd/ a. dichiarato; ammesso; riconosciuto; confesso: **an a. enemy of capitalism**, un nemico dichiarato del capitalismo; **his a. ignorance of music**, la sua confessa ignoranza della musica; **their a. purpose**, il loro scopo dichiarato; *He's the a. father of several illegitimate children*, riconosce di essere padre di numerosi figli illegittimi || **avowedly** avv. per ammissione (*o confessione*) esplicita; apertamente; dichiaratamente: **an avowedly political choice**, una scelta dichiaratamente politica.

avulsion /əˈvʌlʃn/ n. (*med.*, *leg.*) avul-

sione.

avuncular /əˈvʌŋkjʊlə(r)/ a. **1** di zio; da zio **2** (*fig.*) benevolo (*verso una persona giovane o inesperta*); paterno; affettuoso.

AWACS /ˈeɪwæks/ sigla (*mil.*, *aeron.*, **Airborne Warning and Control System**) sistema di allarme e controllo aerotrasportato.

◆to **await** /əˈweɪt/ v. t. **1** (*form.*) attendere; aspettare; essere in attesa di: *We are awaiting instructions*, siamo in attesa di istruzioni; **prisoners awaiting trial**, detenuti in attesa di processo; **eagerly awaited**, atteso con impazienza **2** attendere; aspettare; essere in serbo per: *Worse trials awaited him*, lo attendevano prove più dure.

◆**awake** /əˈweɪk/ a. pred. **1** sveglio; **I'm still a.**, sono ancora sveglio; **to keep sb. a.**, tenere sveglio q.; **to lay a.**, rimanere sveglio (a letto); **to shake sb. a.**, svegliare q. con uno scrollone; **wide a.**, ben sveglio; perfettamente sveglio **2 − a.** to, consapevole, conscio di: **to be a. to a danger**, essere consapevole di un pericolo.

to **awake** /əˈweɪk/ (pass. *awoke*, *awaked*, p. p. *awoken*, *awaked*) **A** v. t. **1** svegliare; risvegliare: *The noise awoke him*, il rumore lo svegliò **2** (*fig.*) risvegliare; destare: **to a. old memories**, destare antichi ricordi **B** v. i. **1** svegliarsi; risvegliarsi: *I awoke to find her gone*, al mio risveglio scoprii che lei se n'era andata **2** (*fig.*) risvegliarsi; destarsi **3 − to a. to**, rendersi conto di; aprire gli occhi su; *They awoke to their predicament when it was too late*, si resero conto della loro drammatica situazione quando era ormai troppo tardi.

to **awaken** /əˈweɪkn/ v. t. (*lett.*) **1** svegliare; destare **2** (*fig.*) destare, risvegliare (*sentimenti, ricordi, ecc.*) **3 − to a. to**, rendere (q.) consapevole di; aprire gli occhi (a q.) su.

awakening /əˈweɪkənɪn/ n. ▫ **1** (*form.*) risveglio **2** (*fig.*) risveglio alla realtà; presa di coscienza: **a rude a.**, un brusco risveglio alla realtà; un'amara sorpresa **3** (*fig.*) nascita; inizio.

◆**award** /əˈwɔːd/ n. **1** premio: *He's the winner of several international awards*, ha vinto diversi premi internazionali; **the Enterpreneur of the Year A.**, il Premio «Imprenditore dell'anno» **2** onorificenza; riconoscimento; medaglia: (*mil.*) **a. for valour**, medaglia al valore **3** ▫ conferimento; assegnazione; aggiudicazione: **the a. of the Nobel Prize**, il conferimento del premio Nobel; **a. of prizes**, assegnazione dei premi; premiazione; **the a. of a contract**, l'aggiudicazione di un appalto **4** borsa di studio **5** (*leg.*) (somma aggiudicata come) risarcimento **6** (*leg.*) lodo arbitrale; giudizio arbitrale ● **a. ceremony**, cerimonia della premiazione □ (*ass.*) **a. of damages**, liquidazione del danno □ (*Austral.*) **a. wage**, salario minimo □ **a. winner**, premiato (sost.) □ **a.-winning**, premiato (agg.).

to **award** /əˈwɔːd/ v. t. **1** assegnare; conferire; dare; concedere: **to a. prizes**, assegnare premi; premiare; *He was awarded the Nobel prize*, gli fu conferito il premio Nobel; **to a. sb. a study grant**, assegnare a q. una borsa di studio; (*mil.*) **to be awarded the Military Cross**, ricevere la croce di guerra **2** (*leg.*) aggiudicare; assegnare: *Part of the estate was awarded to the widow*, parte della proprietà fu aggiudicata alla vedova; **to a. a contract**, aggiudicare un appalto; **to a. a pay rise**, dare un aumento di stipendio; **to a. custody of a child to the mother**, assegnare la custodia del figlio alla madre; *He was awarded damages*, ottenne il risarcimento del danno subìto **3** (*sport*) concedere; convalidare (*un gol, ecc.*); concedere, comminare, decretare (*una punizione, un ri-*

gore) ‖ **awarding** n. Ⓤ **1** assegnazione; conferimento **2** (*leg.*) aggiudicazione; assegnazione **3** (*sport*) concessione, convalida (*di un gol, ecc.*).

awardable /əˈwɔːdəbl/ a. (*leg.*) (*di un indennizzo, ecc.*) assegnabile; aggiudicabile.

awardee /əwɔːˈdiː/ n. **1** (*leg.*) assegnatario (*di un pagamento, ecc.*) **2** vincitore (*di un premio*); premiato.

awarder /əˈwɔːdə(r)/ n. **1** chi concede; chi assegna; chi conferisce **2** (*leg.*) aggiudicatore **3** (*leg., raro*) arbitro.

♦**aware** /əˈwɛə(r)/ a. **1** consapevole; conscio: **to be a. of**, essere consapevole di; rendersi conto di; accorgersi di; **acutely a.**, acutamente consapevole; **well a.**, ben consapevole **2** al corrente; informato: *I wasn't a. he was in financial difficulties*, non ero al corrente (o non sapevo) delle sue difficoltà finanziarie; **to make sb. a. of**, informare q. di; mettere q. al corrente di **3** preparato; sensibile: **politically a.**, politicamente preparato; che ha idee politiche chiare; **environmentally a.**, sensibile ai problemi dell'ambiente ● **as far as I'm a.**, per quanto ne so; per quel che mi risulta.

awareness /əˈwɛənəs/ n. Ⓤ consapevolezza, coscienza; senso; sensibilità; preparazione: **a growing a. of the risks involved**, una crescente consapevolezza dei rischi connessi; **to raise public a. about st.**, sensibilizzare il pubblico a qc.; **national a.**, coscienza nazionale; (il) senso di essere nazione; **religious a.**, coscienza religiosa; senso religioso; **a. campaign**, campagna di sensibilizzazione.

awash /əˈwɒʃ/ avv. e a. pred. **1** coperto d'acqua; allagato; spazzato dalle onde: *We found the streets a.*, trovammo le strade allagate; *The deck was a.*, il ponte di coperta era spazzato dalle onde **2** a fior d'acqua; affiorante; in affioramento: **rocks a.**, scogli affioranti; (*naut.*) **to proceed a.**, (*di sottomarino*) navigare in affioramento **3** – (*fig.*) **a. with**, pieno di; inondato da: *The country is a. with oil*, il paese galleggia sul petrolio; *The village was a. with tourists*, il paesino era pieno di turisti **4** (*pop. USA*) ubriaco; sbronzo.

♦**away** /əˈweɪ/ Ⓐ avv. **1** via; lontano: *He is a.*, è via; è assente; *Why were you a.?*, perché eri assente?; **a. from home**, lontano da casa; *The boss is a. on business*, il capo è fuori per lavoro; **a. on holiday**, in vacanza; *She's a. in Scotland*, is in Scozia; **to give st. a.**, dar via qc.; regalare qc.; **to keep people a. from st.**, tenere la gente lontana da qc.; **to run a.**, scappar via; scappare di casa; **to be swept a.**, essere spazzato via; *They're a.!*, sono partiti!; *Stay a. from me!*, stammi lontano!; *My house is a mile a.*, la mia casa è a un miglio di distanza; *Christmas is two weeks a.*, mancano due settimane a Natale **2** (*di oggetto*) (*messo*) via; al sicuro; da parte; riposto: **to put st. a.**, mettere via qc.; mettere da parte qc.; riporre qc.; *I locked it a. in my safe*, lo chiusi al sicuro in cassaforte **3** (*fam., rif. a persona*) a posto; a cavallo: *If he accepts, we'll be a.!*, se saremo a cavallo! **4** (usato con verbi per indicare esaurimento, scomparsa; per es.): **to boil a.**, evaporare a forza di bollire; **to die a.**, (*di suono, luce*) spegnersi; morire **5** (usato con verbi per indicare continuazione, alacrità; per es.): **to be working a.**, lavorare alacremente; *She was singing a.*, cantava a tutto spiano; *He was scribbling a.*, scribacchiava con impegno Ⓑ inter. **1** vattene, andatevene!; via! **2** (*sport*) via!; partenza! Ⓒ a. (*sport*) fuori casa; in trasferta: **a. game**, partita in trasferta (o fuori casa); *We never do well a. from home*, non andiamo mai bene quando siamo in trasferta; **the a. team**, la squadra che gioca fuori casa; la squadra ospite Ⓓ n. (*sport, fam.*) **1** partita fuori casa **2** vittoria fuori casa ● **a. back in 1950**, nel lontano 1950 □ **a. back in March**, nel marzo scorso □ (*lett.*) **A. with...!**, basta con...! □ (*fam.*) **a. with the birds**, matto; tocco; via di testa □ (*fam. scozz.*) **A. with you!**, ma dài!; ma va'! □ **well a.**, bene avviato; a buon punto; (*fam.*) che dorme beato; (*anche*) sbronzo, partito (*fam.*).

awe /ɔː/ n. Ⓤ **1** timore reverenziale; soggezione: **to hold** (o **to keep**) **sb. in awe**, tenere q. in soggezione; **to stand** (o **to be**) **in awe of sb.**, aver soggezione di q.; **in awe**, con soggezione; intimorito; impressionato; ammirato **2** (*arc.*) aura di soggezione ● **awe-inspiring**, che incute timore; solenne; grandioso; maestoso; impressionante □ **awe-struck → awestruck**.

to awe /ɔː/ v. t. ispirare timore reverenziale; ispirare soggezione a; sbigottire; impressionare: *We were awed by the vastness of the desert*, la vastità del deserto ci riempì di soggezione; *He was awed into silence*, la soggezione lo fece ammutolire.

aweather /əˈwɛðə(r)/ avv. (*naut.*) al vento; sopravvento.

aweigh /əˈweɪ/ a. pred. (*naut.*) **1** (*di ancora*) pendente; spedata **2** (*di nave*) pronta a salpare.

aweless /ˈɔːləs/ a. senza timore; intrepido.

awesome /ˈɔːsəm/ a. **1** che incute timore reverenziale; che sgomenta; che sbigottisce; tremendo; impressionante: **the a. sight of the approaching whirlwind**, la vista impressionante della tromba d'aria che si avvicinava; **a. responsibility**, responsabilità tremenda **2** imponente; maestoso; solenne **3** (*fam.*) favoloso; mitico; fichissimo (*pop.*) | **-ly** avv. | **-ness** n. Ⓤ.

awestricken /ˈɔːstrɪkən/, **awestruck** /ˈɔːstrʌk/ a. intimorito; sbigottito.

♦**awful** /ˈɔːfl/ Ⓐ a. **1** terribile; orribile; spaventoso; atroce: **an a. crime**, un delitto orribile; **a. screams**, grida terribili **2** pessimo; orribile; atroce: **a. manners**, maniere atroci; *She looks a. in that hat*, è orribile con su quel cappello; quel cappello le sta malissimo; (*scherz.*) *Oh, you're a.!*, sei terribile! **3** che sta male: *I feel a.*, sto malissimo; (*anche*) mi sento in colpa, mi sento un verme; *You look a.*, hai una gran brutta cera **4** (*fam.*) grande; enorme; tremendo: **a. thirst**, sete tremenda; *He's an a. bore*, è un tremendo seccatore; **to make an a. fuss**, fare il diavolo a quattro; piantare un casino tremendo (*pop.*) **5** (*arc.*) che ispira reverenziale timore Ⓑ avv. (*fam.*) moltissimo; terribilmente: **a. long**, terribilmente lungo; lunghissimo; *You're a. nice*, sei un tesoro! ● **an a. lot**, moltissimo; un sacco; da morire □ **an a. lot of**, un mucchio di; un sacco di.

awfully /ˈɔːflɪ/ avv. **1** (*fam.*) molto; assai: **an a. good dinner**, un pranzo ottimo; *I'm a. sorry*, mi dispiace tanto; *Thanks a.!*, grazie infinite! **2** malissimo; in modo pessimo; atrocemente: **to behave a.**, comportarsi malissimo (o in modo inqualificabile); **to play a.**, suonare (o giocare) atrocemente.

awfulness /ˈɔːfəlnəs/ n. Ⓤ **1** spaventosità; atrocità **2** pessima qualità; estrema bruttezza; atrocità **3** (*arc.*) imponenza; maestosità.

awhile /əˈwaɪl/ avv. per un po'; ancora un po' (*di tempo*): **stay a.**, fermati un po' (*con me, con noi*).

♦**awkward** /ˈɔːkwəd/ a. **1** goffo; sgraziato; maldestro **2** impacciato; a disagio; imbarazzato **3** imbarazzante; delicato; poco opportuno: **a. questions**, domande imbarazzanti; **an a. situation**, una situazione delicata; **at an a. time**, in un momento poco opportuno **4** scomodo: *He was sitting in an a. position*, sedeva in una posizione scomoda **5** difficile da usare; scomodo; poco maneggevole **6** difficile; che crea problemi, difficoltà: *He's just being a.*, lo fa per creare difficoltà; **to make things a. for sb.**, creare grosse difficoltà a q.; rendere la vita difficile a q.; (*fam.*) **an a. customer**, un tipo difficile ● **a. age**, (*spec. dell'adolescenza*) età critica; età ingrata □ (*fam.*) **the a. squad**, quelli fanno ostruzionismo; i guastafeste; i rompiscatole ‖ **awkwardly** avv. **1** goffamente; in modo sgraziato; malamente **2** con imbarazzo, in modo impacciato; a disagio **3** in modo imbarazzante **4** in modo inopportuno; malauguratamente **5** imprevedibilmente ‖ **awkwardness** n. Ⓤ **1** goffaggine **2** imbarazzo; impaccio **3** scomodità; difficoltà **4** inopportunità **5** imprevedibilità.

awl /ɔːl/ n. lesina; punteruolo.

awn /ɔːn/ n. Ⓤ (*bot.*) barba, arista (*di grano e altri cereali*).

awning /ˈɔːnɪŋ/ n. tenda (o tendone) da sole ● (*naut.*) **a. deck**, ponte tenda; coperta di manovra.

awoke /əˈwəʊk/ (*raro*) pass. di **to awake**.

awoken /əˈwəʊkən/ p. p. di **to awake**.

AWOL /ˈeɪwɒl/ a. e n. (acronimo di **Absent Without Official Leave**) (*mil.*) assente senza permesso ufficiale ● (*fam.*) **to go AWOL**, assentarsi senza permesso; tagliare la corda (*fam.*); (*di macchine, ecc.*) guastarsi.

awry /əˈraɪ/ avv. e a. pred. **1** storto; (di) sbieco; di traverso: **to have one's tie a.**, avere la cravatta storta **2** stortamente, storto; male; a monte (*fig.*): *All my schemes have gone a.*, tutti i miei progetti sono andati a monte.

(to) **ax** /æks/ n. (*USA*) → (to) **axe**.

axe /æks/ n. **1** ascia; accetta; scure; mannaia **2** (*stor.*, = **battle-axe**) azza **3** (*alpinismo*, = **ice axe**) piccozza **4** (*fam.*, = **pick-axe**) piccone **5** (*fig.*) decapitazione **6** (*fam.*) licenziamento in tronco **7** (*pop. USA*) chitarra; strumento musicale ● **axe-hammer**, accetta-martello □ **axe helve**, manico dell'ascia □ (*fam.*) **to get the axe**, rimettterci la testa; (*fam.*) essere licenziato in tronco; (*di un progetto, ecc.*) essere accantonato □ (*fam.*) **to give sb. the axe**, licenziare q. in tronco □ (*fam.*) **to have an axe to grind**, avere un interesse personale; tirare l'acqua al proprio mulino; avere un chiodo fisso (*fig.*), avere una fissa (*fam.*).

to **axe** /æks/ v. t. **1** scortecciare con l'ascia **2** (*fig.*) ridurre (o tagliare) drasticamente (*spese, personale, ecc.*) **3** (*fam.*) licenziare.

axel /ˈæksəl/ n. (*pattinaggio artistico*) axel.

axeman /ˈæksmæn/ n. **1** omicida folle (*che usa un'ascia*) **2** (*econ., fam.*) chi riduce drasticamente le spese o il personale; tagliatore di teste **3** (*mus., fam.*) chitarrista rock o jazz.

axial /ˈæksɪəl/ (*scient., tecn.*) a. assiale: (*geol., fis.*) **a. plane**, piano assiale; (*anat.*) **a. skeleton**, scheletro assiale ● (*mecc.*) **a.-flow compressor**, compressore assiale ‖ **axiality** n. Ⓤ assialità ‖ **axially** avv. in senso assiale; lungo l'asse.

axil /ˈæksɪl/ n. (*bot.*) ascella.

axile /ˈæksaɪl/ a. (*bot.*) assile.

axilla /ækˈsɪlə/ (*anat., bot.*) n. (pl. *axillae*, *axillas*) ascella ‖ **axillary** a. ascellare.

axiology /æksɪˈɒlədʒɪ/ n. Ⓤ (*filos.*) assiologia.

axiom /ˈæksɪəm/ n. assioma ‖ **axiomatic**, **axiomatical** a. assiomatico ‖ **axiomatically** avv. assiomaticamente.

axis /ˈæksɪs/ n. (pl. *axes*) **1** (*mat., fis.*) asse: **the x-a.**, l'asse delle ascisse; **a. of a lens**, asse ottico; (*astron.*) **a. of revolution**, asse di rivoluzione; (*mecc.*) **a. of rotation**, asse di

a

rotazione **2** (*anat.*) asse: **a. of pelvis**, asse pelvico **3** – (*stor.*) **the A.**, l'Asse (*Roma-Berlino*) ● (*mil.*) **a. of sighting**, linea di mira □ (*geol.*) **a. trough**, fossa assiale.

axle /'æksəl/ *n.* **1** (*mecc.*) asse (*di una ruota o rotella*): **coupled a.**, asse accoppiato **2** (*ferr.*, *mecc.*) assale ● (*ferr.*) **a. box**, boccola □ (*autom.*) **a. distance**, interasse □ (*autom.*) **a. shaft**, semiasse.

axletree /'æksəltriː/ *n.* (*mecc.*) asse fisso; assale; sala ● **a. spindle**, alberino; fusello.

axolotl /'æksə'lɒtəl/ *n.* (*zool.*, *Ambystoma*) axolòtl.

axon /'æksɒn/ *n.* (*anat.*) assone; cilindrasse.

ayah /'aɪə/ *n.* (*India*) cameriera (*o bambinaia*) indiana.

ayatollah /aɪə'tɒlə/ *n.* **1** (*relig.*, *polit.*) ayatollah **2** (*fig.*) estremista; integralista.

aye①, **ay** /aɪ/ **A** *avv.* **1** (*arc. o dial.*) sì **2** (*naut.*) – **aye aye**, sissignore; signorsì **B** *n.* sì; voto favorevole: *The ayes have it*, vincono i sì; i sì sono in maggioranza.

aye② /eɪ/ *avv.* (*poet. o scozz.*) sempre: **for aye**, per sempre.

aye-aye /'aɪaɪ/ *n.* (*zool.*, *Daubentonia madagascariensis*) aye-aye (*lemure notturno*).

Ayurveda /'ɑːjuːveɪdə/ (*med.*) *n.* Ayurveda || **Ayurvedic** a. ayurvedico.

AZ *sigla* (*USA*, **Arizona**) Arizona.

azalea /ə'zeɪlɪə/ *n.* (*bot.*, *Azalea*) azalea.

azarole /'æzərəʊl/ *n.* (*bot.*, *Crataegus azarolus*) lazzeruolo.

azeotrope /ə'ziːətrəʊp/ (*chim.*, *fis.*) *n.* azeotropo || **azeotropic** a. azeotropico: **azeotropic mixture**, miscela azeotropica || **azeotropism** azeotropismo.

azide /'eɪzaɪd/ *n.* (*chim.*) azide; azoidrato.

azimuth /'æzɪməθ/ *n.* (*astron.*) azimut ● **a. circle**, (*astron.*) arco azimut; (*strumento*) cerchio azimutale □ **a. compass**, bussola azimutale; bussola di rilevamento □ (*mil.*) **a. rate**, velocità di brandeggio (*di un cannone*).

azimuthal /'æzɪmjuːθəl/ a. (*astron.*, *fis.*) azimutale: **a. chart**, carta azimutale; **a. projection**, proiezione azimutale.

azine /'eɪzɪːn/ *n.* (*chim.*) azina.

azobenzene /eɪzəʊ'benziːn/ *n.* (*chim.*) azobenzene.

azo compound /'eɪzəʊkɒmpaʊnd/ *n.* (*chim.*) azocomposto.

azo dyes /'eɪzəʊdaɪz/ *n. pl.* (*chim.*) azoco-

loranti; coloranti azoici.

azo group /'eɪzəʊgruːp/ *n.* (*chim.*) azonio.

Azoic /ə'zəʊɪk/ a. e *n.* (*geol.*) azoico.

Azores (the) /ə'zɔːz/ *n. pl.* (*geogr.*) le Azzorre.

azorubine /æzəʊ'ruːbaɪn/ *n.* □ (*chim.*) azorubina; carmoisina.

azote /ə'zəʊt/ (*chim.*, *arc.*) *n.* azoto (*cfr.* **nitrogen**).

azotemia /æzə'tiːmɪə/ *n.* □ (*med.*) azotemia.

azotic /eɪ'zɒtɪk/ a. (*chim.*) azotico.

azoturia /æzə'tʊrɪə/ *n.* □ (*med.*, *vet.*) azoturia.

AZT *abbr.* (*med.*, **azidothymidine**) azidotimidina, zidovudina (*farmaco anti-AIDS*).

Aztec /'æztɛk/ (*stor.*) a. e *n.* azteco || **Aztecan** a. azteco.

azulene /'æʒuliːn/ *n.* □ (*chim.*) azulene.

azure /'æʒə(r)/ **A** a. azzurro **B** *n.* □ **1** azzurro (*colore*) **2** (*poet.*) (l') azzurro; (il) cielo.

azurine /'æʒʊraɪn/ a. (*raro*) azzurrino.

azurite /'æʒʊraɪt/ *n.* (*miner.*) azzurrite.

azygous /'æzɪɡəs/ a. e *n.* (*anat.*) azygos; (organo) impari: **a. vein**, vena azygos.

b, B

B ①, **b** /biː/ **A** n. (pl. **B's**, **b's**; **Bs**, **bs**) **1** B, b (*seconda lettera dell'alfabeto ingl.*) **2** (*mus.*) si (*nota e tonalità*): **B flat**, si bemolle; **B natural**, si naturale **3** (*a scuola*) voto equivalente a «buono»; B: *I hope I did well enough to get a B*, spero di essere andata bene abbastanza da prendere un B **4** (*comput.*) B (*corrisponde al valore decimale 11*) **B** a. attr. **1** secondo; di secondo livello; secondario: **B-level**, (di) secondo livello; **plan B**, piano alternativo; (*trasp., in GB*) **B-road**, strada secondaria; **B worker**, dipendente di livello intermedio **2** meno importante; di second'ordine; di serie B; secondario: (*cinem.*) **B movie**, film di di serie B; (*mus.*) **B-side**, lato B (*di un disco singolo*) ● **b for Bravo**, b come Bologna □ **B sizes** (B0,..., B10) serie di formati standard per la carta.

B ② sigla **1** (*mil. USA*, **bomber**) bombardiere (*seguito dal numero di modello*) **2** (*scacchi* **bishop**) alfiere **3** – B & B (*o* B&B, **b and b**) (*tur.*, **bed and breakfast**), alloggio e prima colazione (*in una pensione, ecc.*); casa privata (*o* pensione) che offre alloggio e prima colazione.

B. abbr. **1** (*relig.*, **Baptist**) battista **2** (**baron**) barone **3** (**Bible**) Bibbia **4** (**British**) britannico.

b, b. abbr. **1** (*cricket*, **ball**) palla **2** (*mus.*, **basso**) basso **3** (**billion**) miliardo (MLD) **4** (**book**) libro **5** (**born**) nato (n.).

BA sigla **1** (**Bachelor of Arts**) laurea di primo grado in lettere; (*dopo un nome di persona*) laureato in lettere (*con detta laurea*) ❶ CULTURA • BA: *è un titolo universitario che si ottiene dopo 3-4 anni di studi e non richiede generalmente l'elaborazione di una tesi. Ci sono fondamentalmente due tipi di* **bachelor's degree**: *a indirizzo umanistico* (BA) *e a indirizzo scientifico* (**BSc**, **Bachelor of Science**), *ma a Oxford e Cambridge si usa BA per entrambi gli indirizzi. Cfr.* **MA**, **PhD 2** (**British Airways**) linee aeree britanniche **3** (**British Association** [**for the Advancement of Science**]) Associazione britannica (per l'avanzamento della scienza) **4** (*slang USA*, **bad attitude**) individuo antisociale; tipo difficile.

baa /baː/ n. belato; bèe (*fam.*) ● (*infant.*) **baa-lamb**, agnellino.

to **baa** /baː/ (pass. e p. p. *baaed*, *baa'd*), v. i. belare; emettere belati; fare bee (*fam.*) || **baaing** n. ☑ belato, belati.

BAA sigla (*GB*, **British Airports Authority**) (*ora* **BAA plc**), Ente britannico per gli aeroporti.

to **bab** /bæb/ v. i. (*slang USA*) parlare; chiacchierare.

baba /ˈbaːbaː/ n. (*cucina*) babà: **rum b.**, babà al rum.

Babbitt /ˈbæbɪt/ n. (*spreg. antiq. USA*) uomo d'affari dalla mentalità conformistica e ristretta.

babbitt /ˈbæbɪt/ n. ☑ (*metall.*, = b. metal) metallo antifrizione.

to **babbitt** /ˈbæbɪt/ v. t. (*mecc.*) rivestire con metallo antifrizione.

babble /ˈbæbl/, **babblement** /ˈbæblmənt/ n. (solo sing) **1** vocio; cicaleccio; chiacchierio; voci (pl.) confuse: **a b. of voices**, un cicaleccio; una confusione di voci; **a**

b. of discontent, un vocio di proteste **2** chiacchiere (pl.); ciance (pl.); blatera; sproloquio **3** balbettio (*di bambino piccolo*); balbettamento; prime parole (pl.) **4** cinguettio **5** mormorio (*di acqua*); gorgoglio; ciangottio **6** (*telef.*) diafonia multipla.

to **babble** /ˈbæbl/ **A** v. i. **1** chiacchierare a ruota libera; ciarlare; parlare a vanvera **2** lasciarsi sfuggire qc. (*verità, segreto, ecc.*): *He babbled to his colleagues*, si lasciò sfuggire il segreto con i colleghi **3** balbettare; farfugliare **4** (*di bambino piccolo*) balbettare, cominciare a dire le prime parole **5** (*di acqua*) mormorare; gorgogliare; ciangottare **B** v. t. **1** (*anche* **to babble out**) lasciarsi sfuggire (*la verità, un segreto, ecc.*) **2** balbettare; farfugliare **3** (*di bambino piccolo*) balbettare ‖ **babbler** n. **1** chiacchierone; ciarlone **2** uno che non sa tenere un segreto; chiacchierone **3** → **babbling brook** → **babbling** ‖ **babbling** **A** a. **1** ciarliero **2** (*di acqua*) mormorante; ciangottante; chiacchierino **B** n. ☑ **1** cicaleccio; chiacchierio; chiacchiericcio **2** (*di acqua*) mormorio; gorgoglio; ciangottio ● (*rhyming slang, Austral.*) **babbling brook**, cuoco.

babe /beɪb/ n. **1** (*lett.*) bambino; bimbo: **a b. in arms**, un bimbo in fasce; un neonato **2** (*fam.*, = **b. in arms**, *USA* **b. in the woods**) sprovveduto; pulcino nella stoppa; imbranato (*fam.*) **3** (*slang spec. USA*) bella ragazza; bambola, pupa (*pop.*); (*vocat.*) piccola, bambola, pupa **4** (*slang*) bel ragazzo; bellone (*fam.*); figo (*pop.*) **5** (*vocat.*) (*slang*) amico, bello mio.

Babel /ˈbeɪbl/ n. (*stor.*) Babele.

babel /ˈbeɪbl/ n. babele; confusione.

babesiosis /bəbiːzɪˈəʊsɪs/, **babesiasis** /baːbɪˈzaɪəsɪs/ n. ☑ (*vet.*) babesiosi; piroplasmosi.

Babi /ˈbaːbɪ/ n. (*relig.*) seguace del babismo.

babirusa /bæbɪˈruːsə/ n. (*zool.*, *Babirussa babirussa*) babirussa.

Babism /ˈbaːbɪzəm/ n. ☑ (*relig.*) babismo.

baboon /bəˈbuːn/ n. **1** (*zool.*, *Papio cynocephalus*) babbuino **2** (*spreg.*) scimmione; babbuino ‖ **baboonery** n. ☑ comportamento da babbuino; buffoneria ‖ **baboonish** a. da babbuino; sciocco; goffo.

babouche /baːˈbuːʃ/ n. babbuccia.

babu /ˈbaːbuː/ n. (*in India*) **1** «babu» (*titolo maschile di rispetto*) **2** impiegato.

babushka /bəˈbʊʃkə/ n. (*USA*) fazzoletto da testa legato sotto il mento (*nello stile tradizionale delle contadine russe*).

♦**baby** /ˈbeɪbɪ/ **A** n. **1** bambino, bambina; bimbo, bimba; neonato, neonata; bebè (*fam.*): *Mary's just had a b.*, Mary ha appena avuto un bambino; **a newborn b.**, un neonato; **to be expecting a b.**, aspettare un figlio; *Have you been trying for a b.?*, state cercando di avere un bambino? **2** piccolo (*di animale*) **3** persona più giovane (*di un gruppo*): **the b. of the family**, il più giovane (*di una propria famiglia*): *My b.'s left me*, la mia ragazza mi ha lasciato **5** (*vocat.*) (*fam.*) bambina; bimba; piccola: *Hello, b.!*, ciao, piccola! **6** (*spreg.*) persona infantile; bambino, bambina: *Don't be*

such a b.!, non fare il bambino!; non essere infantile! **7** (*fam.*) responsabilità (*di q.*); faccenda; roba; creatura: *I'm sorry, but this plan is your b.*, mi spiace, ma questo progetto è roba tua **8** (*fam., di oggetto*) affare; gioiellino: *This b. can do 200 mph*, questo gioiellino fa 200 miglia all'ora **B** a. attr. **1** di bambino; per bambini; da bambino; infantile: **b.-battering**, maltrattamento di bambini; violenze (pl.) ai bambini; **b. food**, alimenti (pl.) per bambini; **b. scales**, bilancia pesabambini; **b. talk**, linguaggio infantile; linguaggio usato con i bambini; **b. wear**, abbigliamento per bambini **2** piccolo; neonato: **b. boy**, maschietto; bambino; neonato; **b. elephant**, piccolo d'elefante; elefantino; **b. girl**, femminuccia; bambina; neonata **3** piccolo; di dimensioni ridotte; in versione ridotta; baby (*fam.*): **b. car**, piccola automobile; utilitaria **4** (*agric.*) giovane: **b. carrots**, carote giovani; carotine ● **b. batterer**, chi è violento con i bambini; chi picchia i bambini □ **b. beef**, (carne di) vitello giovane (*tra i 3 e i 12 mesi*) □ **b. blue**, celeste □ (*fam.*) **b. blues**, occhi azzurri; (*per estens.*) occhi □ (**the**) **b. blues**, depressione post partum □ (*fam. Canada, Austral.*) **b. bonus**, assegni (pl.) familiari (*per chi ha un bambino piccolo*) □ (*fam.*) **b. boom**, boom delle nascite (*spec. dopo la 2ª guerra mondiale*); boom demografico □ (*fam.*) **b. boomer**, persona nata durante il → «baby boom» (*sopra*) □ (*GB*) **b.-bouncer**, seggiolino appeso a sostegni elastici (*per insegnare a un bambino a camminare*) □ **b. buggy®**, (*GB*) passeggino; (*USA e Canada, fam.*) carrozzina □ (*fam.*) **b. bust**, forte calo delle nascite □ (*USA*) **b. carriage**, carrozzina (*per bambini*) □ **b. cord**, cordone ombelicale □ (*fam. USA*) **b. doll**, ragazza graziosa; bambola; pupa (*pop.*) □ **b.-doll (pyjamas)**, baby-doll □ (*fam.*) **b.-face**, uomo dai lineamenti infantili; uomo con la faccia di bambino □ **b.-faced**, dalla faccia di bambino □ (*scherz. o spreg.*) **b. farm**, asilo infantile privato □ (*mus.*) **b. grand**, pianoforte a mezza coda □ (*spreg. USA*) **b. kisser**, uomo politico impegnato in una campagna elettorale (*che bacia i bambini per accattivarsi le simpatie*); politicante □ (*spec. Sud Africa*) **b. marrows**, zucchini □ (*GB*) **b.-minder**, persona che bada a bambini altrui (*durante il giorno*); baby-sitter □ **b. oil**, olio per neonati □ **b. pin**, spillo da balia (*bot.*) **b.'s breath** (*Gypsophila paniculata*), nebbia □ **b.-sitter**, **b.-sitting** → **to baby-sit** □ (*fam.*) **b. snatcher**, ladro di bambini; (*GB, specialm. di donna*) chi ha una relazione con un partner molto più giovane □ **b. tooth**, dente di latte □ **b.-walker**, girello □ (*fig.*) **to be left holding the b.**, essere lasciato nei guai; ritrovarsi con tutta la responsabilità addosso □ (*fig.*) **to throw the b. out with the bathwater**, buttare via il bambino con l'acqua sporca ‖ **babyhood** n. ☑ prima infanzia.

to **baby** /ˈbeɪbɪ/ v. t. (*fam.*) coccolare; vezzeggiare.

babyish /ˈbeɪbɪʃ/ a. **1** infantile; da bambini; per bambini **2** (*spreg.*) infantile; bambinesco; puerile ‖ **babyishly** avv. infantilmente; puerilmente ‖ **babyishness** n. ☑ **1** infantilismo; aspetto infantile **2** puerilità.

Babylon /'bæbɪlən/ n. (*stor.*) Babilonia (*la città*).

Babylonia /ˌbæbɪ'ləʊnɪə/ n. (*stor.*) Babilonia (*il regno*) ‖ **Babylonian** a. e n. babilonese: (*Bibbia*) **the Babylonian Captivity**, la cattività babilonese.

to **baby-sit** /'beɪbɪsɪt/ (pass. e p. p. **baby--sat**) **A** v. i. fare la (o il) baby-sitter (*generalm. di sera*) **B** v. t. **1** badare a (*un bambino*) **2** (*fam.*) badare a (*animale, cosa, ecc., altrui*) **3** (*slang, polizia*) nascondere, proteggere (*un testimone a un processo*) **4** (*slang, droga*) assistere (*un novellino o una persona in crisi da astinenza*) ‖ **baby-sitter** n. **1** baby-sitter **2** chi svolge le attività di **to baby-sit**, def. 2-4 ‖ **baby-sitting** n. U **1** baby-sitting; baby-sitteraggio **2** attività di **to baby-sit**, def. 2-4.

BAC sigla (*biol.*, **bacterial artificial chromosome**) cromosoma artificiale batterico.

baccalaureate /ˌbækə'lɔːrɪət/ n. **1** baccalaureato; laurea di primo grado: *International B.*, baccalaureato internazionale **2** (*USA*) discorso pronunciato al conferimento dei diplomi di laurea di primo grado.

baccarat /'bækəraː, -'raː/ (*franc.*) n. U baccarà (*gioco di carte*).

baccate /'bækeɪt/ a. (*bot.*) **1** fornito di bacche **2** bacciforme.

Bacchae /'bækiː/ n. pl. (*stor. relig.*) baccanti.

bacchanal /'bækənl/ **A** n. **1** (*stor. relig.*) adoratore o seguace di Bacco; sacerdote o sacerdotessa di Bacco; baccante (f.) **2** (*lett.*) baccanale; orgia; gozzoviglia **3** → **bacchanalian B** a. = **bacchanalian** → **Bacchanalia**.

Bacchanalia /ˌbækə'neɪlɪə/ n. pl. (*stor. relig.*) baccanali ‖ **bacchanalian A** a. **1** relativo ai baccanali **2** orgiastico **B** n. (*lett.*) chi fa baldoria; orgiasta; gaudente.

bacchant /'bækənt/ n. (pl. **bacchants**, **bacchantes**) **1** (*stor. relig.*) sacerdote di Bacco; seguace di Bacco **2** chi fa baldoria; orgiasta ‖ **bacchante** n. (*stor. relig.*) baccante (f.); sacerdotessa di Bacco.

Bacchic /'bækɪk/ a. **1** bacchico **2** orgiastico.

bacchius /bæ'kaɪəs/ (*lat.*) n. (pl. **bacchii**) (*poesia*) baccheo.

Bacchus /'bækəs/ n. (*mitol.*) Bacco.

baccy /'bækɪ/ n. U (*fam.*) tabacco.

bach /bætʃ/ n. (*slang USA*) scapolo.

to **bach** /bætʃ/ v. i. (*slang USA*) vivere da scapolo.

bachelor /'bætʃələ(r)/ n. **1** celibe; scapolo: **a confirmed b.**, uno scapolo impenitente; uno scapolone; **an eligible b.**, un buon partito **2** laureato (*con laurea di primo grado*): **B. of Science**, laureato in scienze; **b.'s (degree)**, laurea di primo grado ❶ CULTURA • → **BA 3** (*stor.*, = **b.-at-arms**) baccelliere; scudiero **4** (*zool.*) mammifero o uccello maschio senza compagna (*perché il maschio dominante gli impedisce di accoppiarsi*): **b. seal**, foca maschio senza compagna ● (*USA*) **b. apartment**, monolocale □ (*bot.*) **b.'s buttons**, (*Ranunculus acris*) ranuncolo comune; botton d'oro; (*Bellis perennis*) margheritina; (*Centaurea cyanus*) fiordaliso □ **b. girl**, giovane donna che fa vita indipendente; single (f.) indipendente □ (*USA*) **b. mother**, ragazza madre □ (*USA*) **b. pad**, appartamentino da scapolo □ (*USA*) **b. party**, festa di addio al celibato □ (*iron.*) **b.'s wife**, donna ideale ‖ **bachelorhood** n. U celibato.

bachelorette /ˌbætʃələ'ret/ n. **1** (*fam. USA*) ragazza non sposata; single (f.) **2** (*Canada*) appartamentino da scapolo.

Bach flower remedies /baːk 'flaʊə 'remədiːz/ loc. n. pl. fiori di Bach.

bacilliform /bə'sɪlɪfɔːm/ a. (*biol.*) bacilli-

forme.

bacillus /bə'sɪləs/ (*biol.*) n. (pl. **bacilli**) bacillo ‖ **bacillary** a. bacillare.

♦ **back** ① /bæk/ n. **1** (*di essere umano, anat. e fig.*) schiena; dorso; spalle (pl.): **to be lying on one's b.** essere sdraiato sulla schiena; essere supino; *He was shot in the b.*, gli hanno sparato alla schiena; **at my b.**, alle mie spalle; dietro di me; **b. pains**, dolori di schiena **2** (*di animale*) groppa; groppone; dorso **3** (*di cosa*) retro; dietro; dorso; rovescio; tergo; (*di sedia, ecc.*) schienale; (*di locale, veicolo*) parte posteriore, fondo: *Can you see okay from the b.?*, si vede bene dal fondo?; (*di libro*) ultime pagine, fondo: **the b. of a building**, la facciata posteriore di un edificio; **the b. of a hand**, il dorso di una mano; **the b. of an envelope**, il retro di una busta; **the b. of a knife**, il dorso di un coltello; **the b. of a lorry**, la parte posteriore di un camion; **at the b. of** (*USA* **in b. of**), dietro (a); nel (o sul) retro di; **at the b. of the shop**, nel retro del negozio: *The changing room is at the b. of the shop on the right*, il camerino è in fondo al negozio sulla destra; (*fam. GB*) **round the b.**, sul retro (*di un edificio*) **4** (*calcio, hockey, ecc.*) difensore; terzino; (*rugby*) **the backs**, i tre quarti; la difesa; la terza linea **5** (al pl.) – **the Backs** (*di Cambridge, che scendono al fiume Cam*) ● **b.-breaking**, massacrante; che spezza la schiena; che stronca □ (*nuoto*) **b. crawl**, dorso □ **the b. of the head** (o **of the neck**), la nuca □ **the b. of the mouth**, il retrobocca □ **b. to b.** (avv.), **b.-to-b.** (agg.), schiena contro schiena; dorso a dorso; addossati; (*spec. USA*) in successione, uno di seguito all'altro, consecutivi □ (*fin.*) **b.-to-b. credit**, credito sussidiario (*o controcredito*) □ (*GB*) **b. to front**, con il davanti dietro; al contrario; alla rovescia; a rovescio; (*fig.*) da cima a fondo, alla perfezione, a menadito: **to put on one's jumper b. to front**, mettersi il golf al contrario; **to know st. b. to front**, sapere qc. a menadito □ **at the b. of one's mind**, a livello semiconsapevole; in qualche punto della memoria: *I heard a little voice at the b. of my mind*, sentii una vocina dentro di me; *I've always had this notion in the b. of my mind*, è un'idea che mi sono sempre portato dietro; **to push a thought to the b. of one's mind**, allontanare un pensiero □ (*fig.*) **at sb.'s b.**, a sostegno di q.; dietro a q.: *He has the whole party at his b.*, ha dietro di sé tutto il partito □ (*fam.*) **at** (o **in**, **to**) **the b. of beyond**, lontanissimo; in capo al mondo; in un posto sperduto; a casa del diavolo (*fam.*) □ (*fig.*) **behind sb.'s b.**, alle spalle di q.; all'insaputa di q.; di nascosto a q.: *They're laughing at me behind my b.*, ridono alle mie spalle; mi ridono dietro; *They decided it behind my b.*, l'hanno deciso a mia insaputa □ **to get sb.'s b. up** = **to put sb.'s b. up** → **sotto** □ (*fam.*) **to get sb. off sb.'s b.**, togliere q. di dosso a q.; levare q. di torno a q. □ (*fam.*) **to get off sb.'s b.**, smettere di assfissiare q.; lasciar respirare q. □ (*fam.*) **to have one's b. to the wall**, essere con le spalle al muro; essere alle corde □ **to live off sb.'s b.**, vivere alle spalle di q. □ **to be on one's b.**, essere malato; essere costretto a letto; (*fig.*) essere ridotto male (*vinto, indifeso, ecc.*) □ (*fam.*) **to be on sb.'s b.**, assfissiare q.; non lasciar respirare q.; stare addosso a q. □ **to put one's b. into st.**, impegnarsi a fondo in qc.; mettersi sotto il buzzo buono; mettercela tutta; darci dentro (*fam.*) □ **to put sb.'s b. up**, irritare q.; indispettire q.; far arrabbiare q. □ **to see the b. of sb.**, togliersi di torno q.; levarsi dai piedi q. □ **to turn one's b.**, volgere le spalle (*fuggendo*) □ **to turn one's b. on sb.**, voltare le spalle a q.; piantare in asso q. □ **to turn one's b. on st.**, voltare le spalle a qc.; (*fig.*) rifiutare (*un lavoro, ecc.*) □ **Watch your b.**

(**with...**)!, sta' attento (a...)!; non ti fidare (di...)! □ **when sb.'s b. is turned**, quando q. non vede; mentre q. è distratto □ (*fig.*) **with one's b. to the wall**, con le spalle al muro.

♦ **back** ② /bæk/ a. **1** posteriore; di dietro; sul retro; sul fondo: **b. door**, porta sul retro; porta di servizio; **b. garden**, giardino sul retro; **b. legs**, zampe posteriori; **the b. rows**, le file in fondo; le ultime file; (*autom.*) **b. seat**, sedile posteriore; **b. shop**, retrobottega **2** in posizione arretrata; secondario; fuori mano: **b. road**, strada secondaria (*di campagna*); **b. street**, via secondaria; stradina; vicolo **3** remoto, lontano (*nel tempo*) **4** arretrato: **b. issue**, numero arretrato (*di giornale, ecc.*); **b. orders**, ordinativi arretrati; ordinazioni inevase; **b. pay**, paga arretrata; arretrati (*di salario o stipendio*); **b. taxes**, imposte arretrate **5** all'indietro; a rovescio; contrario; di rimando; di ritorno: **b. current**, flusso contrario; (*sport*) **b. dive**, tuffo all'indietro; (*sport*) **b. pass**, passaggio all'indietro; retropassaggio **6** (*fon.*) velare; gutturale ● **b. alley**, vicolo (*sul retro di un edificio o tra due edifici*) □ **b.-alley** (agg.), clandestino; illegale □ (*GB*) **b. bench**, seggio della Camera dei Comuni non nella prima fila (*occupato da un semplice deputato*); (al pl., *per estens.*) deputati, parlamentari: **the Tory b. benches**, i (seggi dei) deputati conservatori □ **b.-bencher** → **backbencher** □ (*GB*) **b.--boiler**, caldaia installata nel focolare di un camino (*come elemento di una caldaia retrostante*) □ **b. catalogue**, (*di casa discografica*) catalogo dei dischi disponibili; (*di casa editrice*) catalogo delle opere disponibili □ (*USA*) **b. country**, entroterra rurale (*scarsamente popolato*) □ **b.-door** (agg.), nascosto; occulto; di soppiatto; surrettizio; subdolo; disonesto; illecito: **b.-door tax rise**, aumento fiscale occulto; **b.-door methods**, metodi subdoli; metodi disonesti; (*USA*) **b.-door man**, amante (*di donna sposata*) □ **b. end**, parte posteriore; estremità posteriore; fondo; (*fam.*) posteriore, didietro; parte finale (*di un periodo di tempo*); (*fig.*) aspetto che non si vede: **the b. end of the year**, l'ultima parte dell'anno □ **b. back-end** (agg.), finale; conclusivo; (*comput.*) back-end (*applicazione dedicata alla gestione di una risorsa, a supporto di servizi front-end*) □ (*fin.*) **b.-end load**, spese di riscatto; commissione di uscita □ (*ling.*) **b.--formation**, retroformazione □ (*naut.*) **b. freight**, nolo di ritorno; sopranolo □ (*calcio, ecc.*) **b. heel**, colpo di tacco (*all'indietro*) □ (*sport*) **b. line**, linea di fondo □ **b. lot** → **backlot** □ (*sport, GB*) **b.- marker**, ultimo (*in una gara*); fanalino di coda (*scherz.*) □ (*fam.*) **b. number**, numero arretrato (*di giornale, ecc.*); (*fig.*) persona di idee arretrate, cosa fuori moda □ (*mecc.*) **b. nut**, dado di tenuta □ (*fin.*) **b. office**, uffici amministrativi, back office (*in una società di servizi finanziari, gli uffici che non vengono in contatto con il pubblico*) □ (*eufem. GB*) **b. passage**, retto; ano □ (*mecc.*) **b. pressure**, contropressione; spinta di perforazione □ (*cinem.*) **b. projection**, proiezione per trasparente; trasparente □ **b. room**, stanza sul retro; sala interna (*di club, ecc.*); (*fig.*) centro decisionale occulto □ **b.--room** (agg.), dietro le quinte; segreto; occulto: **b.-room deal**, accordo segreto; **b.--room boy**, chi lavora dietro le quinte; ricercatore, scienziato (*impegnato in un lavoro segreto*) □ (*oceanografia*) **b. rush**, massimo del riflusso □ **b.-seat driver**, (*autom.*) passeggero pronto a dare consigli sul modo di guidare; (*fig.*) persona sempre pronta a dare consigli, consigliere non richiesto □ (*GB*) **b. shift**, secondo turno (*di lavoro*) □ **b. slang**, gergo nel quale le parole vengono pronunciate a ritroso (*per es.* **ynnep** per **penny**) □ (*sport, GB*) **b. straight**, dirittura opposta a quella di arrivo □ **b.-street** (agg.), clandestino; illegale: **b.-street abortion**, aborto clan-

destino □ (*fam. USA*) **b. talk**, risposte (pl.) impertinenti (*a un genitore, un superiore*) □ **on the b. burner → burner** □ (*fig.*) **to take a b. seat**, accettare un posto (*o un ruolo*) di secondo piano; stare nell'ombra □ (*fig.*) **through** (*o by*) **the b. door**, surrettiziamente; di soppiatto; per la porta di servizio; illecitamente; con metodi disonesti.

♦**back** ③ /bæk/ *avv.* **1** indietro; all'indietro; in senso contrario; a ritroso: **to look b.**, guardare indietro; voltarsi a guardare; **to move b.**, farsi indietro; retrocedere; **to send b.**, mandare indietro; rimandare; *He leant b. in his chair*, si appoggiò allo schienale della sedia; *I bent the tube b.*, piegai il tubo in senso contrario **2** addietro; prima; fa; or sono; indietro: **a few years b.**, alcuni anni prima; alcuni anni fa; **some time b.**, qualche tempo prima; qualche tempo fa; **to go b. a few years**, tornare indietro di qualche anno; risalire a qualche anno addietro; **to go b. in time**, risalire nel tempo; **b. in 1980**, nel 1980; **b. in the last century**, nel secolo scorso **3** nel posto (*o nella condizione*) di prima; al proprio posto; di nuovo; di ritorno: *Put it b.!*, rimettilo al suo posto!; *B. to your seats!*, tornate ai vostri posti!; *It takes an hour there and b.*, ci vuole un'ora per andare là e tornare; *I'll be b. in just a moment*, sarò di ritorno in un attimo; *He'll be b. on Monday*, torna lunedì; *We are b. to where we started*, siamo tornati al punto di partenza; **to be b. to normal**, tornare normale; normalizzarsi; *I put my shoes b. on*, mi rimisi le scarpe; **b. from school**, di ritorno da scuola; **b. home**, a casa; da noi; nel nostro paese; in patria; **b. in Italy**, in Italia; da noi in Italia; **b. in fashion**, di nuovo di moda **4** di nuovo di moda: *Knee boots are b.*, gli stivali sono tornati (*o sono di nuovo*) di moda **5** a propria volta; in cambio; in restituzione: **to answer b.**, ribattere; replicare; **to give b.**, restituire; ridare; dare indietro; **to look b. at sb.**, restituire lo sguardo a q.; **to pay b.**, ripagare; restituire; **to write b. to sb.**, rispondere alla lettera di q. **6** (*sport USA*) sotto: *We are ten points b.*, siamo sotto di cinque punti ● **as far b. as I can remember**, da quando ho memoria □ **b. and forth**, avanti e indietro; su e giù □ **b. from**, discosto da: **b. from the road**, discosto dalla strada □ (*USA*) **b. of**, dietro (a) □ (*fam.*) **to be b. to square one**, essere di nuovo (*o essere tornato*), ritrovarsi al punto di partenza □ **b.-to-nature** (agg.), naturistico; ecologico; biologico □ **b.-to-work injunction**, ingiunzione di riprendere il lavoro.

to **back** /bæk/ **A** *v. t.* **1** far indietreggiare; far retrocedere; far rinculare; (*autom.*) far fare retromarcia a: **to b. one's horse**, far rinculare il cavallo; **to b. one's car**, fare retromarcia; **to b. the car into the garage**, entrare nel garage in retromarcia **2** appoggiare; dare il proprio appoggio a; sostenere; spalleggiare: **to b. a candidate**, appoggiare un candidato **3** sostenere finanziariamente; finanziare: **to b. a scheme**, finanziare un progetto **4** corroborare; sostanziare: **to b. one's argument with facts**, avvalorare la propria tesi con dei fatti **5** (*comm., leg.*) avallare; garantire: **to b. a bill**, avallare una cambiale **6** puntare su; scommettere su: **to b. a winner**, puntare su un cavallo vincente (*anche fig.*) **7** (*generalm.* al passivo) foderare; rinforzare **8** (*mus.*) accompagnare (*un cantante, un solista*): **a male singer backed by a female quartet**, un cantante accompagnato da un quartetto di voci femminili **9** fare da sfondo a; essere sullo sfondo di: **the hills that b. the village**, le colline sullo sfondo del paese **10** (*naut.*) pennellare, appennellare (*l'ancora*) **11** (*naut.*) mettere a collo, accollare (*una vela*) **B** *v. i.* **1** indietreggiare; retrocedere; (*autom.*) fare retro-

marcia, procedere a marcia indietro: **to b. out of**, uscire a ritroso (*o rinculando*) da; uscire a marcia indietro da; **to b. into a lane**, entrare in un vicolo a marcia indietro; *I backed into a stationary car*, facendo retromarcia ho urtato contro un'auto ferma **2** (*del vento*) girare in senso antiorario **3 – to b. onto**, (*di edificio*) affacciarsi (*o dare*) sul retro su; avere sul retro: *The hotel backs onto the railway*, il retro dell'albergo dà sulla ferrovia ● **to b. and fill**, (*naut.*) mettere a collo e far servire le vele; (*fig.*) essere indeciso, tentennare, vacillare □ (*leg.*) **to b. a warrant**, rendere esecutivo un mandato (*del giudice di un'altra contea*) □ **to b. water**, (*naut.*) sciare; (*fig.*) fare marcia indietro □ (*naut.*) **to b. the oars**, sciare □ (*fig.*) **to b. the wrong horse**, puntare sul cavallo perdente.

■ **back away** *v. i.* + *avv.* **1** indietreggiare; rinculare; retrocedere; arretrare; ritirarsi: *I backed away from the window*, mi allontanai dalla finestra **2** prendere le distanze; rinunciare a sostenere (qc.); tirarsi indietro; fare marcia indietro: **b. away from a plan**, rinunciare a sostenere un progetto.

■ **back down** *v. i.* + *avv.* **1** cedere; rinunciare; fare marcia indietro: *He was forced to b. down*, fu costretto a cedere; **to b. down from** (*o on*), recedere da; rinunciare a; ritirare; fare marcia indietro su; rimangiarsi **2** (*leg.*) recedere; rinunciare a un diritto; ritirare un'accusa.

■ **back off** *v. i.* + *avv.* **1** indietreggiare; retrocedere **2** rinunciare; tirarsi indietro; fare marcia indietro: **to b. off from** (*o on*) st., rinunciare a qc.; recedere da qc.; ritirare qc. **3** smettere; lasciar perdere; piantarla (*fam.*): *Just b. off, will you?*, la vuoi smettere?; piantala, OK?

■ **back out** *v. i.* + *avv.* **1 → to back**, **B** *def.* 1 **2** ritirarsi; tirarsi indietro; recedere; fare marcia indietro: **to b. out at the last moment**, tirarsi indietro all'ultimo momento; **to b. out of a deal**, ritirarsi da un affare.

■ **back up** **A** *v. t.* + *avv.* **1** appoggiare; sostenere; spalleggiare: **to b. up a plan**, sostenere un progetto; **to b. sb. up in an argument**, appoggiare q. in una discussione **2** fare da rinforzo a; aiutare; coadiuvare: *The firemen are backed up by volunteers*, i vigili del fuoco sono aiutati da volontari **3** corroborare; portare argomenti a sostegno di; avvalorare; confermare **4** (*comput.*) fare una copia di **5** (al passivo) (*autom.*) formare una coda; formare un ingorgo: *The traffic was backed up for 6 km*, c'era una coda di 6 km **6** (*di diga*) infrenare (*le acque*) **7** (*tipogr.*) stampare in volta **B** *v. i.* + *avv.* **1** indietreggiare; retrocedere; (*autom.*) fare marcia indietro, fare retromarcia **2** accumularsi (*per ritardo, ostacolo, ecc.*); ammassarsi **3** (*autom.*) formare una coda; formare un ingorgo (*di acque ostruite*) accumularsi; salire di livello **5** (*slang USA, droga*) bucarsi; farsi una pera.

backache /'bækeɪk/ *n.* ☐ mal di schiena.

backasswards /bæk'æswɔːd/ *avv.* (*volg. USA*) = **ass-backwards → ass**②.

backbench /'bækbentʃ/ (*polit.*, *in GB*) *n.* **1** banco della Camera dei Comuni in cui siedono i deputati senza incarichi ufficiali (*del governo o dell'opposizione*) **2** (al pl.) (*fig.*) (i) deputati senza incarichi ufficiali; le ultime file ❶ CULTURA ● *Nella* House of Commons *i banchi dei deputati sono disposti sui due lati lunghi della sala: i rappresentanti del partito al governo siedono alla destra del Presidente (→* Speaker, *def. 2), quelli dell'opposizione a sinistra. I* backbenches *sono i banchi che stanno dietro alla prima fila, dove siedono i membri del governo e dall'altro quelli del Gabinetto Ombra dell'opposizione* ‖ **backbencher** *n.* deputato (*che non ha incarichi di governo*

o che, se all'opposizione, non fa parte del Gabinetto Ombra); semplice deputato; parlamentare.

to **backbite** /'bækbaɪt/ (pass. **backbit**, p. p. **backbitten**, **backbit**), *v. t.* e *i.* fare della maldicenza; sparlare (di q.); parlare alle spalle (di q.) ‖ **backbiter** *n.* maldicente; malalingua ‖ **backbiting** **A** *n.* lo sparlare (di q.); maldicenza; pettegolezzi (pl.) malevoli **B** *a.* maldicente; pettegolo, pettegola.

backblocks /bæk'blɒks/ (*Austral. e NZ*) *n. pl.* regioni dell'interno (scarsamente popolate).

backboard /'bækbɔːd/ *n.* **1** asse che forma (*o che sostiene*) il fondo di qc.; (*di quadro antico*) retro, verso **2** (*med.*) asse (*per sostenere la schiena di un ferito*) **3** (*basket*) tabellone.

backbone /'bækbəʊn/ *n.* **1** (*anat.*) spina dorsale; colonna vertebrale **2** ☐ (*fig.*) fermezza; carattere; spina dorsale: **to have no b.**, essere privo di carattere; non avere spina dorsale **3** (*fig.*) sostegno principale; struttura portante; ossatura; nerbo **4** (*comput.*) dorsale ● (*fig.*) **to the b.**, fino al midollo; da capo a piedi.

backbreaker /'bækbreɪkə(r)/ *n.* (*fam.*) lavoro faticoso; faticaccia; sfacchinata.

backbreaking /'bækbreɪkɪŋ/ *a.* **1** (*di attività, lavoro*) sfiancante; massacrante **2** (*di utensile*) che complica il lavoro (*perché inefficiente*).

backchannel /'bæktʃænəl/ **A** *n.* canale di informazioni riservato o segreto **B** *a.* riservato; privato; segreto.

backchat /'bæktʃæt/ *n.* ☐ (*fam. GB*) risposte (pl.) impertinenti o sfacciate (*spec. a genitori, superiori, ecc.*): *Don't give me any of your b.!*, basta con le risposte impertinenti!

backcloth /'bækklɒθ/ *n.* (*teatr. GB*) → **backdrop**.

to **backcomb** /'bækkəʊm/ *v. t.* cotonare (*i capelli*) ‖ **backcombing** *n.* ☐ cotonatura.

backcourt /'bækkɔːt/ *n.* **1** (*GB*) cortile sul retro (*di una casa*) **2** (*tennis, ecc.*) fondo campo **3** (*basket*) zona di difesa.

backcross /'bækkrɒs/ *n.* ☐ (*biol.*) reincrocio; incrocio (*di un ibrido*) con un genitore.

to **backcross** /'bækkrɒs/ *v. t.* (*biol.*) reincrociare; incrociare (*un ibrido*) con un genitore.

to **backdate** /bæk'deɪt/ *v. t.* **1** retrodatare (*un documento*); antidatare **2** rendere retroattivo ‖ **backdating** *n.* ☐ **1** retrodatazione **2** retroattività.

backdoor /'bækdɔː(r)/ *n.* (*comput.*) backdoor; trapdoor (*accesso non documentato a un programma o a un sistema di sicurezza*).

backdown /'bækdaʊn/ *n.* **1** cedimento; abbandono; rinuncia **2** (*leg.*) recessione; rinuncia a un diritto.

backdraught, (*USA*) **backdraft** /'bækdrɑːft/ *n.* ☐ fiammata di ritorno (*in un incendio, un'esplosione in miniera, ecc.*).

backdrop /'bækdrɒp/ *n.* **1** (*teatr.*) fondale **2** (*fig.*) sfondo; ambientazione; scenografia.

backer /'bækə(r)/ *n.* **1** sostenitore; fautore; patrono **2** (= **financial b.**) finanziatore **3** scommettitore (*su cavalli, ecc.*) **4** (*leg.*) garante; avallante (*di cambiale, ecc.*).

backfall /'bækfɔːl/ *n.* (*lotta greco-romana*) schienata.

backfield /'bækfiːld/ *n.* ☐ (*football americano*) **1** zona di difesa **2** difesa (*i giocatori e la posizione*).

backfill /'bækfɪl/ (*ind. min.*) *n.* ☐ materiale di riempimento.

to **backfill** /'bækfɪl/ *v. t.* riempire (*una zona scavata*) con materiale di riempimento.

backfire /'bækfaɪə(r)/ *n.* **1** ☐ (*autom.*) ri-

torno di fiamma **2** incendio controllato.

to **backfire** /'bækfaɪə(r)/ v. i. **1** (*autom.*) produrre (*o* avere) un ritorno di fiamma **2** appiccare un incendio controllato **3** (*fig.*, *di azione, piano, ecc.*) avere l'effetto contrario (a quello voluto); rivelarsi controproducente: **to b. on sb.**, ritorcersi contro q.

backflip /'bækflɪp/ n. salto mortale all'indietro.

backgammon /bæk'gæmən, 'bækgæ-/ n. ⓤ backgammon; tavola reale; tric-trac; sbaraglio.

♦**background** /'bækgraʊnd/ n. **1** sfondo; fondo; fondale (*di scena, paesaggio*): *The trees in the b. were bare*, gli alberi sullo sfondo erano spogli; **against a b. of hills**, contro uno sfondo di colline; **b. music**, musica di fondo; sfondo musicale **2** fondo, sfondo (*di quadro, scritta, ecc.*): **black letters on a red b.**, lettere nere su fondo rosso **3** secondo piano; sfondo; posizione defilata: **to remain in the b.**, restare sullo sfondo (*o* in secondo piano); restare nell'ombra **4** (*di evento, opera, ecc.*) sfondo; quadro; collocazione: **a work's historical b.**, la collocazione storica di un'opera **5** ambiente (*di provenienza*); origine familiare; provenienza; retroterra; background: **people from different backgrounds**, persone provenienti da ambienti diversi; persone di provenienza sociale diversa; *Her South-American b. proved an asset*, il suo background sudamericano si dimostrò un vantaggio **6** formazione; preparazione; insieme di esperienze; bagaglio culturale: *He has the right b. for this job*, ha la preparazione che ci vuole per questo lavoro; **to have a teaching b.**, avere esperienza di insegnamento **7** circostanze (pl.); fatti (pl.); precedenti (pl.); antefatto **8** insieme di informazioni (*su una data situazione*); dati (pl.); inquadramento (*di un problema, un argomento*); preparazione: **b. reading**, letture di inquadramento; letture preparatorie **9** (*cinem., radio*) sottofondo; fondo; effetti (pl.) (*o* rumori, pl.) di fondo: **b. noise**, rumore di fondo **10** (*econ.,* = **economic b.**) congiuntura **11** (*comput.*) – **in the b.**, in background; **b. service**, servizio in background ‖ **backgrounder** n. (*polit. USA*) **1** (riunione *o* conferenza stampa in cui vengono date) informazioni di base (*su una situazione*) **2** comunicato stampa (*distribuito allo stesso scopo*).

backgrounder /'bækgraʊndə(r)/ n. (*polit. USA*) conferenza stampa.

backhand /'bækhænd/ Ⓐ n. **1** (*tennis, ecc.*) rovescio: *She has a good b.*, ha un buon rovescio **2** manrovescio **3** grafia (*o* scrittura) inclinata a sinistra Ⓑ a. attr. **1** dato col dorso della mano; a rovescio: **b. slap**, manrovescio **2** (*tennis, ecc.*) di rovescio: **b. shot**, rovescio; **b. return**, risposta di rovescio Ⓒ avv. **1** col dorso della mano; con un colpo a rovescio; di rovescio **2** (*tennis, ecc.*) di rovescio.

to **backhand** /'bækhænd/ v. t. **1** (*tennis, ecc.*) colpire di rovescio **2** colpire con un manrovescio.

backhanded /'bækhændɪd/ Ⓐ a. **1** dato col dorso della mano; dato di rovescio: **a b. slap in the face**, un manrovescio **2** (*tennis, ecc.*) di rovescio: **b. stroke**, rovescio **3** (*di commento, critica, lode, ecc.*) che sottintende (*o* potrebbe sottintendere) il contrario di quel che dice; ambiguo; indiretto: **a b. compliment**, una critica che in realtà è un elogio; un complimento che nasconde una critica; una critica travestita da elogio; un elogio travestito da critica **4** (*di scrittura*) inclinato verso sinistra Ⓑ avv. col dorso della mano; con un manrovescio; con un (colpo di) rovescio: *Jack hit him b.*, Jack gli assestò un colpo di rovescio (*o* un manrovescio).

backhander /'bækhændə(r)/ n. **1** man-

---

rovescio: '*Ripton delivered a smart b. on Richard's mouth*' G. MEREDITH, 'Ripton assestò un secco manrovescio sulla bocca di Richard' **2** (*tennis, ecc.*) rovescio **3** (*fam. GB*) bustarella; mazzetta; tangente.

to **back-heel** /bæk'hiːl/ v. t. (*calcio, ecc.*) colpire di tacco.

backhoe /'bækhəʊ/ (= **b. loader**) n. (*tecn.*) escavatore a cucchiaia rovescia; retroescavatore.

♦**backing** /'bækɪŋ/ n. **1** ⓤ sostegno (*o* rinforzo) posteriore; rivestimento (posteriore); dorso; supporto: **a cardboard b.**, un dorso di cartone; **waterproof b.**, rivestimento impermeabile **2** ⓤ sostegno; appoggio; (collett.) sostenitori (pl.); seguito: *I have the b. of the party leadership*, ho l'appoggio della direzione del partito; **financial b.**, sostegno finanziario; finanziamento **3** ⓤ (*comm., leg.*) avallo (*di cambiale*) **4** ⓤ (*mus.*) accompagnamento (*di cantante o solista*): **b. track**, base; **b. vocals**, accompagnamento vocale **5** ⓤ arretramento; moto all'indietro; (*autom.*) marcia indietro **6** ⓤ (*naut.*) fasciame interno **7** ⓤ (*fin.*) copertura (*di un'emissione di banconote*): **gold b.**, copertura aurea ● (*comput.*) **b. store**, memoria ausiliaria.

backland /'bæklænd/ n. **1** (*anche* **backlands**, pl.) entroterra rurale (*scarsamente popolato*) **2** terreno incolto sul retro (*di una zona edificata*).

backlash /'bæklæʃ/ n. **1** forte reazione collettiva (*a un comportamento, una politica, un movimento, ecc.*): **a b. against feminism**, una reazione al femminismo; **public b. against racism**, la reazione dell'opinione pubblica contro il razzismo; **an authoritarian b.**, una reazione autoritaria **2** (*di molla, ecc.*) scatto all'indietro; rinculo **3** ⓤ (*mecc.*) gioco (*di pezzi lenti o logori*); lasco **4** (*mecc.*) passo perduto (*o* morto) **5** (*elettron.*) corrente inversa.

backless /'bækləs/ a. **1** senza dorso; senza schiena **2** (*di indumento*) molto scollato sulla schiena; a schiena nuda: **b. bra**, reggiseno a schiena nuda.

backlight /'bæklaɪt/ n. ⓤ (*cinem., fotogr.*) controluce.

to **backlight** /'bæklaɪt/ (pass. e p. p., **backlit** e **backlighted**), (*cinem., fotogr.*) v. t. illuminare (in) controluce ‖ **backlighting** n. (*illuminazione in*) controluce.

backline /'bæklaɪn/ n. **1** (*sport*) linea di fondo **2** (*mus.*) strumentazione (*in un concerto rock, ecc.: batteria, amplificatori, microfoni, ecc.*); backline.

backlist /'bæklɪst/ n. (*editoria*) catalogo delle opere disponibili.

backlit /'bæklɪt/ pass. e p. p. di **to backlight**.

backload /'bækləʊd/ n. carico di ritorno (*di camion*).

to **backload** /'bækləʊd/ v. t. trasportare nel viaggio di ritorno.

backlog /'bæklɒg/ n. **1** cumulo (*di lavoro arretrato, di ordinazioni inevase, ecc.*); arretrato: *They've got a huge b. of orders*, hanno una montagna di ordini arretrati; (*comm.*) **b. of orders**, (lista delle) ordinazioni inevase **2** (*USA*) riserva; fondo di riserva **3** (*USA*) grosso ceppo (*sul retro del camino*).

backlot, **back lot** /'bæklɒt/ n. (*cinem.*) backlot (*area esterna a uno studio cinematografico per l'allestimento di set all'aperto*).

backmost /'bækməʊst/ a. (il) più indietro; (il) più arretrato; (l') ultimo.

backpack /'bækpæk/ n. **1** zaino **2** equipaggiamento portato a spalla; sacco portato a spalla.

to **backpack** /'bækpæk/ Ⓐ v. i. **1** fare escursioni con lo zaino; fare trekking **2** viaggiare con lo zaino Ⓑ v. t. portare a spal-

---

la; portare in uno zaino ‖ **backpacker** n. **1** escursionista con lo zaino; trekker **2** turista che viaggia con lo zaino; saccopelista ‖ **backpacking** n. ⓤ **1** (il fare) escursioni con lo zaino; trekking: *I'm thinking of going backpacking in Australia with my boyfriend*, sto pensando di andare a fare un viaggio zaino in spalla in Australia con il mio ragazzo; **a month's backpacking in the Himalayas**, un mese di trekking sull'Himalaya **2** turismo con lo zaino: **backpacking holidays**, vacanze in giro con lo zaino.

to **backpedal** /'bækpedl/ v. i. **1** pedalare all'indietro **2** (*fig.*) arretrare; retrocedere **3** (*fig.*) fare macchina indietro; fare marcia indietro: *The minister backpedalled fast*, il ministro fece una veloce marcia indietro; **to b. on st.**, rimangiarsi qc.

backplate /'bækpleɪt/ n. **1** piastra posteriore **2** (*edil.*) piastra d'ancoraggio.

backprojection /bækprə'dʒekʃn/ = **back projection → back②**.

backrest /'bækrest/ n. schienale.

backsaw /'bæksɔː/ n. (*tecn.*) saracco a costola (*o* a dorso rigido).

backscatter /'bækskætə(r)/ n. ⓤ **1** (*fis. nucl.*) retrodiffusione **2** (*elettr.*) retrodiffusione; radiazione di ritorno **3** (*elettr.*) eco di ritorno (*di un bersaglio: a un radar*).

to **backscatter** /'bækskætə(r)/ v. t. (*fis. nucl.*) retrodiffondere (*particelle, ecc.*) ‖ **backscattering → backscatter.**

backscratcher /'bækskrætʃə(r)/ n. (manina) grattaschiena.

backscratching /'bækskrætʃɪŋ/ n. ⓤ (*fam.*) scambio di favori.

backset /'bækset/ n. (*USA*) **1** scacco; sconfitta **2** mulinello; gorgo.

backsheesh /'bækʃiːʃ/ → **baksheesh**.

backside /'bæksaɪd/ n. **1** parte posteriore; lato posteriore; didietro **2** (*fam.*) sedere; didietro; posteriore; deretano.

backsight /'bæksaɪt/ n. (*d'arma da fuoco*) tacca di mira; mirino posteriore.

backslapper /'bækslæpə(r)/ n. cordialone; simpaticone; amicone.

backslapping /'bækslæpɪŋ/ Ⓐ n. ⓤ **1** il dare pacche sulle spalle **2** (*fig.*) congratulazioni (pl.) calorose; (*spreg.*) sfoggio di congratulazioni, incensamenti (pl.) Ⓑ a. **1** che dà pacche sulle spalle **2** (*fig.*) cordialone; simpaticone.

backslash /'bækslæʃ/ n. (*comput.*) il carattere '\'; barra inversa; backslash.

to **backslide** /'bækslaɪd/ (pass. e p. p. **backslid**), v. t. **1** (*relig.*) ricadere nel vizio (*o* nel peccato, nell'errore) **2** ricadere in un vizio o in una cattiva abitudine (*per es. ricominciare a fumare, interrompere una dieta*); cedere; recidivare ‖ **backslider** n. chi ricade nel peccato ‖ **backsliding** n. ⓤ **1** (*relig.*) ricaduta nel vizio (*o* nel peccato, nell'errore) **2** ricaduta in una cattiva abitudine; cedimento.

backspace /'bækspeɪs/ n. ⓤ **1** (*anche* **b. key**) tasto di ritorno (*di macchina per scrivere, computer, ecc.*): (*comput.*) **b. delete**, cancellazione fatta premendo il tasto di ritorno **2** arretramento (*di uno o più spazi*).

to **backspace** /'bækspeɪs/ v. i. battere il tasto di ritorno (*sulla tastiera*); tornare indietro (*di uno o più spazi*) ‖ **backspacer** n. → **backspace**, def. 1.

backspin /'bækspɪn/ n. ⓤ (*golf, biliardo, ecc.*) backspin; effetto per disotto, rotazione all'indietro (*impressi alla palla*).

to **backstab** /'bækstæb/ v. t. attaccare proditoriamente; pugnalare alle spalle (*fig.*) ‖ **backstabber** n. chi pugnala alle spalle (*fig.*); traditore ‖ **backstabbing** Ⓐ n. ⓤ attacco proditorio; pugnalata alle spalle (*fig.*); tradimento Ⓑ a. proditorio; traditore; vi-

gliacco.

backstage /'bæksteɪdʒ/ **A** avv. **1** (*teatr.*) dietro le quinte; dietro la scena; nel retropalco; nel retroscena: *She's adored b.*, è adorata da tutti quelli che lavorano dietro le quinte **2** in segreto; di nascosto; di soppiatto; dietro le quinte: *It was all planned b.*, è stato tutto organizzato dietro le quinte **B** a. **1** (*teatr.*) dietro le quinte; del retroscena; del retropalco: **b. pass**, permesso di accedere al retropalco **2** segreto; nascosto; occulto; che si svolge dietro le quinte.

backstairs /'bæksteəz/ **A** n. pl. scala di servizio; scala sul retro **B** a. (*anche* **backstair**) segreto; nascosto; clandestino; (di) sottobanco: **b. deals**, accordi segreti; accordi di sottobanco; intrallazzi; **b. gossip**, pettegolezzi; voci di corridoio.

backstay /'bæksteɪ/ n. **1** (*naut.*) paterazzo **2** (*tecn.*) cavo di sostegno; cavo di controventatura; strallo **3** rinforzo posteriore (*di scarpa*).

backstitch /'bækstɪtʃ/ n. ⊍ cucitura a punti sovrapposti.

to **backstitch** /'bækstɪtʃ/ v. t. e i. cucire a punti sovrapposti.

backstop /'bækstɒp/ n. **1** protezione sul fondo (*di qc.*) **2** sostegno; appoggio **3** misura di emergenza; ultima risorsa **4** (*baseball*) rete di protezione **5** (*baseball*) ricevitore.

to **backstop** /'bækstɒp/ v. i. **1** (*baseball*) fare da ricevitore **2** sostenere; appoggiare **3** subentrare a (q.) in un'emergenza.

backstretch /'bækstretʃ/ n. (*sport, USA*) dirittura opposta a quella di arrivo.

backstroke /'bækstrəʊk/ n. **1** ⊍ (*sport*) (nuoto sul) dorso: **to do (the) b.**, nuotare sul dorso; fare il dorso; **b. swimmer**, dorsista **2** (*mecc.*) corsa di ritorno (*del pistone*) **3** colpo di rovescio; manrovescio.

to **backstroke** /'bækstrəʊk/ (*nuoto*) v. i. nuotare sul dorso; fare il dorso ‖ **backstroker** n. dorsista.

backswimmer /'bækswɪmə(r)/ n. (*zool.*, *Hydrometra stagnorum*) idrometra.

backsword /'bæksɔːd/ n. **1** spada a un taglio **2** bastone da combattimento.

to **backtrack** /'bæktræk/ **A** v. i. **1** (*anche fig.*) tornare indietro; tornare sui propri passi **2** fare marcia indietro; rimangiarsi quanto detto: **to b. on an agreement**, rimangiarsi un accordo **B** v. t. (*USA*) seguire; rintracciare; monitorare ‖ **backtracking** n. ⊍ **1** (*comput.*) backtracking; ritorno indietro (*nella ricerca di dati*) **2** (*org. az.*) mantenimento in servizio dei dipendenti più anziani (*quando si riduce la manodopera*).

backup /'bækʌp/ n. **1** ⊍ appoggio; sostegno; supporto: **technical b.**, supporto tecnico; (*fin.*) **b. line of credit**, linea di credito di sostegno **2** ⊍ (*mil.*) copertura: **aircraft b.**, copertura dell'aviazione; **b. artillery**, artiglieria di copertura **3** ⊍ riserva; rincalzo; rinforzo; rimpiazzo: **b. generator**, generatore di riserva; **b. troops**, truppe di rincalzo **4** ⊍ (*comput.*) backup (*di dati*); copiatura **5** (*comput.*, = **copy**) copia di riserva; copia di backup **6** (*solo sing.*) accumulo; gran massa: **a b. of sewage**, un accumulo di liquami **7** (*autom., USA*) coda; ingorgo **8** (*mus.*) accompagnamento (*di cantante*) **9** (*tipogr.*) volta; stampa in volta.

backup light /'bækʌp laɪt/ loc. n. (*autom., USA*) luce (*o* fanalino) della retromarcia.

backward /'bækwəd/ **A** a. **1** (*volto o diretto*) all'indietro; a ritroso; di ritorno; regressivo: **a b. glance**, un'occhiata all'indietro; (*sport*) **b. dive**, tuffo all'indietro; (*sport*) **b. pass**, passaggio all'indietro; retropassaggio; **a b. step**, (*anche fig.*) un passo indietro; (*mecc.*) **b. stroke**, corsa di ritorno (*di pistone*) **2** arretrato; retrogrado; sottosviluppa-

to: **b. areas**, zone sottosviluppate; **b. countries**, paesi arretrati **3** tardo di mente; ritardato: **a b. child**, un bambino ritardato **4** esitante; timido; riluttante; restio: **a b. suitor**, un corteggiatore timido; **b. in doing st.**, esitante (*o* restio) a fare qc. **5** tardivo; in ritardo: **b. spring**, primavera tardiva **B** avv. → **backwards** ● (*fam. GB*) **b. in coming forward**, riluttante a farsi avanti; che si fa pregare; timido □ (*org. az.*) **b. integration**, integrazione a monte □ **b.-looking**, retrivo; retrogrado; antiquato; passatista; reazionario □ (*comput.*) **b. printing**, stampa da destra a sinistra □ (*fisc.*) **b. shifting (of taxes)**, traslazione d'imposta all'indietro □ (*elettr.*) **b. wave**, onda di ritorno; onda regressiva ‖ **backwardly** avv. **1** all'indietro; a ritroso **2** timidamente; con riluttanza ‖ **backwardness** n. ⊍ **1** arretratezza; sottosviluppo **2** esitazione; riluttanza; timidezza **3** ritardo mentale; tardività **4** tardività (*di stagione, di prodotto, ecc.*).

backwardation /ˌbækwəˈdeɪʃn/ n. ⊍ **1** (*Borsa merci, mercati valutari*) sconto (*l'ammontare di cui il prezzo a pronti, più le spese di immagazzinaggio, supera il prezzo a termine*) **2** (*Borsa, stor.*) deporto (*da parte di chi vende titoli, per posticiparne la consegna*); riporto passivo.

♦**backwards** /'bækwədz/ avv. **1** indietro (*nello spazio o nel tempo*): **to look b.**, guardare indietro; (*fig.*) riandare al passato; **b. and forwards**, avanti e indietro **2** all'indietro; a ritroso; in senso inverso; alla rovescia: **to walk b.**, camminare all'indietro (*o* a ritroso): **to say the alphabet b.**, dire l'alfabeto alla rovescia **3** col davanti dietro; alla rovescia ● (*comput.*) **b. compatible**, compatibile con le versioni precedenti □ (*fam.*) **to bend** (*o* **to fall**, **to lean**) **over b.**, fare l'impossibile; farsi in quattro □ **to know st. b.** (*USA*: **b. and forwards**), conoscere qc. da cima a fondo; sapere qc. a menadito.

backwash /'bækwɒʃ/ n. ⊍ (*o solo sing.*) **1** riflusso dell'onda; flutto di ritorno; risacca **2** rigurgito; scia **3** (*aeron.*) scia dell'elica **4** (*fig.*) ripercussioni (pl.); strascichi (pl.); conseguenze (pl.).

backwater /'bækwɔːtə(r)/ n. **1** distesa di acqua stagnante (*separata dalla corrente d'un fiume o dal mare*) **2** luogo isolato e tranquillo: *We are enjoying our rural b.*, ci godiamo il nostro tranquillo posticino in campagna **3** (*spreg.*) luogo o situazione isolati o statici; luogo sonnolento; palude: **a cultural b.**, una palude culturale; **an economic b.**, una regione economicamente depressa.

backwoods /'bækwʊdz/ n. pl. **1** (*spec. negli USA*) zona boschiva e selvaggia **2** regione lontana e poco popolata; posto isolato; posto in capo al mondo; (*per estens.*) zona culturalmente arretrata.

backwoodsman /'bækwʊdzmən/ n. (pl. *backwoodsmen*) **1** abitante di una zona boschiva e selvaggia **2** (*fam. USA*) individuo rozzo; zotico; zoticone **3** (*polit. fam., in GB*) membro della Camera dei Lord che va di rado alle sedute.

backyard /ˌbæk'jɑːd/ n. **1** (*GB*) cortile posteriore; cortile dietro casa **2** (*USA*) giardino dietro casa; giardino sul retro **3** (*fig. fam.*) casa propria (*come qc. da proteggere da intrusioni*): *They don't want an airport in their own b.*, non vogliono un aeroporto dietro casa; *Not in my (own) b.!*, non qui da noi!; non vicino a casa nostra! (*rif. a installazioni considerate nocive o pericolose*) **4** (*fig. fam.*) (il proprio) ambiente di lavoro; (la propria) sfera di interessi.

♦**bacon** /'beɪkən/ n. ⊍ pancetta affumicata; bacon ● (*zool.*) **b. beetle** (*Dermestes lardarius*) dermeste □ (*fam.*) **to bring home the b.**, guadagnarsi da vivere; guadagnare per mantenere la famiglia; (*anche*) riuscire (*in*

qc.), ottenere risultati, farcela □ (*fam.*) **to save one's b.**, salvare la pelle; portare a casa la pelle.

Bacon /'beɪkən/ n. (*stor. filos.*) **1** (= **Roger Bacon**) (Ruggero) Bacone **2** (= **Francis Bacon**) (Francesco) Bacone ‖ **Baconian** **A** a. **1** (*filos.*) baconiano **2** (*letter.*) relativo alla teoria baconiana (*che vuole F. Bacone autore dei drammi shakespeariani*) **B** n. **1** (*filos.*) seguace di F. Bacone **2** (*letter.*) sostenitore della teoria baconiana.

bacteremia (*USA*), **bacteraemia** /bæktə'riːmɪə/ n. ⊍ (*med.*) batteriemia.

bacteria /bæk'tɪərɪə/ (*biol.*) n. pl. batteri.

bacterial /bæk'tɪərɪəl/ a. batterico.

bactericide /bæk'tɪərɪsaɪd/ n. (*med.*) battericida ‖ **bactericidal** a. battericida.

bacteriocin /bæk'tɪərɪəʊsɪn/ n. ⊍ (*biol.*) batteriocina.

bacteriological /bækˌtɪərɪə'lɒdʒɪkl/ a. batteriologico: **b. warfare**, guerra batteriologica ‖ **-ly** avv.

bacteriology /bækˌtɪərɪ'ɒlədʒɪ/ n. ⊍ batteriologia ‖ **bacteriologist** n. batteriologo.

bacteriolysis /bækˌtɪərɪ'ɒləsɪs/ n. ⊍⊍ (pl. *bacteriolyses*) (*biol.*) batteriolisi ‖ **bacteriolytic** a. batteriolitico.

bacteriophage /bæk'tɪərɪəfeɪdʒ/ n. (*biol.*) batteriofago.

bacteriostasis /bækˌtɪərɪəʊ'steɪsɪs/ (*biol.*) n. ⊍ batteriostasi. ‖ **bacteriostat** n. sostanza batteriostatica ‖ **bacteriostatic** a. batteriostatico.

bacterium /bæk'tɪərɪəm/ (*biol.*) → **bacteria**.

Bactrian camel /'bæktrɪən'kæml/ loc. n. (*zool.*, *Camelus bactrianus*) cammello.

♦**bad** /bæd/ **A** a. (compar. *worse*; superl. relat. *worst*) **1** scadente; di cattiva qualità; cattivo; brutto; malfatto; scorretto; sbagliato; che va male: **a bad crop**, un cattivo raccolto; **bad management**, cattiva gestione; **a bad translation**, una brutta traduzione; **a very bad performance**, un'esecuzione pessima; **bad weather**, brutto tempo; tempo cattivo; **a bad shot**, un colpo andato a vuoto, un tiro fallito; (*fig.*) una congettura sbagliata; *Business is bad*, gli affari vanno male; *His French is very bad*, il suo francese è molto scorretto **2** insufficiente; scarso; debole; poco: **bad light**, luce scarsa; **bad eyesight**, vista debole **3** malato; debole; dolente; menomato: **a bad leg**, una gamba che fa male; una gamba malandata; **a bad tooth**, un dente guasto; **to have a bad heart**, essere malato di cuore; *I've been bad all week*, è tutta la settimana che sto poco bene **4** — **bad at**, negato per; incapace di (fare qc.); non bravo in: **bad at figures**, non bravo in matematica; negato per la matematica; **to be bad at names**, non ricordare mai i nomi; non avere memoria per i nomi **5** sgradevole; spiacevole; cattivo; brutto; negativo; sconveniente; offensivo: **bad breath**, alito cattivo; alito pesante; **bad grace**, malagrazia; malgarbo; **bad news**, brutte notizie; (*fam.*) **a bad job**, un brutto affare; **bad manners**, maleducazione; **bad-mannered**, maleducato; **bad reviews**, recensioni negative; **bad temper**, cattivo umore; malumore; irritazione; **to be in a bad temper**, essere di malumore; **bad-tempered**, irritabile; irascibile; **bad words**, parolacce **6** dannoso; nocivo; malsano; negativo: **bad air**, aria malsana; *Smoking is bad for your health*, il fumo è dannoso alla salute; *Eggs are bad for my liver*, le uova sono nocive per il mio fegato (*o* mi fanno male al fegato); **a bad effect**, un effetto negativo **7** andato a male; guasto; marcio; cattivo: **bad apples**, mele marce; **bad eggs**, uova guaste; **bad meat**, carne andata a male; **to go bad**, andare a male; guastarsi; marcire **8** cattivo; malva-

b

gio: **bad-hearted**, cattivo d'animo; malvagio **9** (*di bambino*) disubbidiente; cattivo **10** sfavorevole; inopportuno; brutto: *They've come at a bad time*, sono venuti in un brutto momento; **bad luck**, cattiva sorte; sfortuna **11** forte; grave; intenso; grosso; brutto: **a bad accident**, un grave incidente; **a bad cold**, un forte (*o* un brutto) raffreddore; **a bad blunder**, un grosso errore; una grossa gaffe; **bad traffic**, traffico intenso **12** non valido; nullo; senza effetto; falso: (*leg.*) **a bad title**, un titolo (di proprietà) non valido; **a bad coin**, una moneta falsa **13** (*comm., fin.*) inesigibile; in sofferenza; insolvente; scoperto: **bad debt**, credito inesigibile; **bad debtor**, debitore insolvente; **bad cheque**, assegno a vuoto; assegno scoperto; **bad loans**, crediti in sofferenza **14** (*slang USA*) (compar. **badder**, superl. relat. **baddest**) eccezionale; fico, figo (*pop.*); ganzo (*pop.*); bestiale (*pop.*) **B** avv. **1** (*fam.*) male **2** (*slang USA*) molto **C** n. **1** ciò che è cattivo; (il) cattivo; (il) male **2** – **the bad**, (pl.) (*relig.*) i cattivi; i malvagi; i reprobi ● (*volg. USA*) **bad-ass** → **badass** □ bad blood, astio; rancore; cattivo sangue □ (*fam.*) **bad break**, sfortuna; jella; sfiga (*pop.*) □ (*fam. antiq.*) **bad egg**, poco di buono (*pop. USA*) **bad eye**, occhiataccia □ **bad faith**, malafede □ (*antiq. GB*) **bad form**, cattiva educazione: *It's bad form to speak aloud*, non sta bene parlare ad alta voce □ (*fam. USA*) **the bad guy**, il cattivo (*in un film, ecc.*) □ (*fam.*) **bad-hair day**, giorno in cui tutto va storto; giornata no □ **bad language**, linguaggio offensivo (*o* sconveniente); parolacce (pl.); turpiloquio □ (*fam.*) **bad lot**, poco di buono; tipaccio □ **bad money**, (*econ.*) moneta cattiva (*che si svaluta rapidamente*) □ (*slang USA*) **bad-mouth**, critiche (pl.) malevole; maldicenze (pl.); malignità (pl.) □ (*fam. USA*) **bad news** (come pred.), seccatore, rompiscatole; tipo pericoloso, tipaccio; seccatura, scocciatura (*fam.*); rottura (*pop.*); cosa pericolosa □ (*volg. USA*) **bad shit**, situazione pericolosa; merda (*volg.*); sfiga (*pop.*): **to be in bad shit**, essere nella merda □ (*fam.*) **Can't be bad!**, mica male! □ (*fam.*) **to feel bad**, sentirsi male □ (*fam.*) **to feel bad about st.**, essere dispiaciuto per qc.; sentirsi in colpa per qc. □ **from bad to worse**, di male in peggio □ **to have a bad time**, vedersela brutta; passarsela male; passare un brutto quarto d'ora □ **to get a bad name**, avere una cattiva reputazione □ (*slang*) **to have got it bad**, (rif. a malattia) essersela presa brutta, essere proprio malpreso; (rif. a innamoramento) essersi preso una cotta in piena regola, essere innamorato cotto □ **in a bad way**, nei guai; molto malmesso; (rif. a salute) malconcio, malandato □ (*USA*) **in bad with sb.**, in disgrazia presso q.; nei guai con q.: **to get in bad with sb.**, cadere in disgrazia presso q.; mettersi nei guai con; guastarsi con q.; urtarsi con q. □ **to go to the bad**, andare in rovina; rovinarsi; (di persona) prendere una brutta strada □ **Is it as bad as all that?**, va proprio così male?; siamo davvero a questo punto? □ (*fam. USA*) **My bad!**, è colpa mia! □ (*fam.*) **not (so) bad**, non male; non malvagio; discreto: *It's not a bad idea*, l'idea non è male; non è un'idea malvagia; *This pizza isn't bad at all!*, niente affatto male questa pizza!; *Not (so) bad!*, non (c'è) male!; mica male! □ **to take the bad with the good**, accettare la cattiva sorte insieme con la buona; prendere la vita con filosofia □ (*fam.*) **to be taken bad**, sentirsi male □ (*comm.*) **to the bad**, in perdita; in passivo; sotto: *As a result of the deal, I'm £500 to the bad*, nell'affare ci ho rimesso 500 sterline □ (*GB*) **It's too bad!**, è incredibile!; è una vergogna!; roba da matti! □ **(That's) too bad!**, che disdetta; che rabbia!; (*anche*) che peccato!; tanto peggio!: *Too bad, but it can't be helped*, che rabbia,

ma non possiamo farci niente; *Too bad that he didn't turn up!*, peggio per lui se non è venuto!; *That's not too bad*, non è così male.

badass, **bad-ass** /ˈbædæs/ (*slang USA*) **A** n. **1** duro; tipo tosto **2** tipo aggressivo; violento **B** a. **1** duro; tosto; cazzuto (*volg.*) **2** aggressivo; violento **3** eccellente; fico (*pop.*); bestiale (*pop.*).

baddie /ˈbædɪ/ → **baddy**.

baddish /ˈbædɪʃ/ a. piuttosto cattivo.

baddy /ˈbædɪ/ n. (*fam.*) (il) cattivo (*in un film, ecc.*).

bade /beɪd/ pass. di **to bid**, def. 5.

badge /bædʒ/ n. **1** distintivo; targhetta di riconoscimento; cartellino di identificazione; tesserino; badge **2** emblema; contrassegno **3** (*fig.*) simbolo; segno; prova **4** (*mil.*) gallone ● (*autom.*) **b. engineering**, l'immettere sul mercato un modello di poco diverso da un altro già esistente con altro nome.

badger /ˈbædʒə(r)/ n. **1** (*zool., Meles meles*) tasso **2** pelliccia o pelo di tasso **3** pennello di peli di tasso **4** (*fam. USA*) abitante (*o* nativo) del Wisconsin (*dal tasso, simbolo di questo Stato*) ● (*sport, stor.*) **b.-baiting**, l'aizzare i cani contro un tasso □ (*slang USA*) **b. game**, adescamento di un uomo in una situazione compromettente a scopo di ricatto □ **b.-legged**, con una gamba più corta dell'altra □ (*fam. USA*) **the B. State**, il Wisconsin.

to **badger** /ˈbædʒə(r)/ v. t. assillare; importunare; infastidire; tormentare: **to b. sb. into doing st.**, assillare q. fino a quando non fa qc.; ottenere a furia di insistenze che q. faccia qc.

badinage /ˈbædɪnɑːʒ/ (*franc.*) n. ▣ battute (pl.) scherzose; celie (pl.); motteggio.

badlands /ˈbædlændz/ n. pl. **1** regione arida e tormentata **2** (*geogr.*) regione calanchiva; calanchi **3** – (*geogr., USA*) **the B.**, i calanchi del Sud Dakota e del Nebraska nordoccidentale.

♦**badly** /ˈbædlɪ/ avv. (compar. **worse**; superl. relat. **worst**) **1** male; malamente: **b. made**, fatto male; malfatto; **to behave b.**, comportarsi male; **to do b.**, andare male; avere un cattivo risultato **2** seriamente; gravemente; duramente: **b. damaged**, seriamente danneggiato; **b. hurt**, ferito gravemente; *The region has been b. affected by the drought*, la regione è stata duramente colpita dalla siccità **3** molto; assai; grandemente; fortemente; intensamente; urgentemente: **b. disappointed**, molto deluso; *I b. wanted to see him again*, avevo una gran voglia di rivederlo; **to need st. b.** (*o* **to be b. in need of st.**), avere urgente (*o* assoluto) bisogno di qc. ● **to be b. off**, avere pochi quattrini; trovarsi in cattive acque; passarsela male □ **to be b. off for**, mancare di; essere sfornito di; essere carente di: *Our school is b. off for audio-visual aids*, la nostra scuola è carente di audiovisivi □ **to feel b. about st.**, essere molto dispiaciuto per qc.

badman /ˈbædmæn/ n. (pl. **badmen**) (*USA*) bandito; fuorilegge.

badminton /ˈbædmɪntən/ n. ▣ (*sport*) badminton; gioco del volano.

to **bad-mouth** /ˈbædmaʊθ/ v. t. (*fam. USA*) parlare male di; sparlare di.

badness /ˈbædnəs/ n. ▣ **1** cattiveria; malvagità **2** cattiva qualità **3** stato di cattiva conservazione **4** brutezza; scorrettezza **5** dannosità; nocività **6** (*del tempo, ecc.*) inclemenza; brutte condizioni.

BAF sigla (*GB*, **British Athletic Federation**) Federazione atletica britannica.

baffle /ˈbæfl/ n. **1** (*mecc.*) schermo; deflettore; diaframma **2** (*ind. costr.*) pannello acustico **3** (*elettron.*) schermo a diaframma; «baffle» ● **b. board**, tavola di protezione; (*naut.*) paraspruzzi □ **b. plate**, placca di

diaframma □ (*edil.*) **b. wall**, parete insonorizzata.

to **baffle** /ˈbæfl/ v. t. **1** lasciare perplesso; confondere; sconcertare **2** render vano; vanificare; frustrare; impedire **3** (*tecn.*) deviare ‖ **bafflement** n. ▣ perplessità; sconcerto; confusione ‖ **baffling** a. **1** che lascia perplesso; sconcertante; che confonde; difficile da spiegare o da risolvere; misterioso: **a baffling explanation**, una spiegazione che lascia perplessi; **a baffling individual**, un individuo dalla personalità sconcertante **2** (*meteor., di vento*) variabile; incostante ‖ **bafflingly** avv. in modo sconcertante; con effetto sconcertante.

bafflegab /ˈbæfəlgæb/ n. ▣ (*fam. USA*) discorso astruso; fumisteria.

BAFTA /ˈbæftə/ sigla (*GB*, **British Academy of Film and Television Arts**) Accademia britannica delle arti cinematografiche e televisive.

♦**bag** /bæg/ n. **1** sacco; sacca: **golf bag**, sacca da golf **2** sacchetto: **a bag of toffees**, un sacchetto di caramelle; **paper bag**, sacchetto di carta; **shopping bag**, sportina; shopper; **freezer bag**, sacchetto per congelatore **3** borsetta; borsa **4** valigia; valigetta; borsa da viaggio: **a bag for an overnight trip**, una (valigetta) ventiquattrore; **to pack one's bags**, fare i bagagli; fare le valigie; (*fig.*) fare le valigie, fare fagotto **5** (*quantità*) sacco; sacchetto; borsa **6** (*caccia*) carniere; selvaggina uccisa **7** mammella (*di animale*) **8** (*anat.*) sacco; vescica **9** (al pl.) (*antiq. GB*) calzoni (larghi); pantaloni **10** (*fam. spreg.*) vecchiaccia; megera; strega: **nosy old bag**, vecchiaccia curiosa; vecchia ficcanaso; *That silly old bag!*, stupida vecchia! **11** (*slang*) interesse principale; attività preferita; (il proprio) genere; (la propria) specialità: *Jogging isn't my bag*, non sono un patito del jogging **12** (*slang USA*) bustina, dose (*di droga*) **13** (al pl.) (*fam.*) borse (*sotto gli occhi*) **14** (al pl.) (*fam.*) un sacco (di); un mucchio (di); una caterva (di): **bags of money**, un mucchio di soldi; **bags of room**, un sacco di spazio; *We've got bags*, ne abbiamo a bizzeffe **15** (*baseball*) sacco, sacchetto, cuscino (*di una base*) ● (*fig.*) **bag and baggage** (loc. avv.), con le proprie cose; armi e bagagli; (*per estens.*) con tutto quanto, al completo; completamente: *They threw her out bag and baggage*, l'hanno buttata fuori casa □ **bag carrier**, portaborse □ **bag lady**, barbona (*che gira con i suoi averi in sacchetti di plastica*) □ **bag of bones**, persona pelle e ossa; scheletro; sacco d'ossa □ (*fam.*) **bag of nerves**, persona molto tesa; fascio di nervi □ (*fam.*) **bag of tricks**, attrezzatura; arnesi; armamentario; (*per estens.*) repertorio di idee, espedienti, ecc.: **the whole bag of tricks**, tutto quanto □ (*fam.*) **bag of wind**, parolaio; trombone □ (*USA*) **bag people**, barboni □ (*stor.*) **bag-wig**, parrucca del sec. XVIII (*coi capelli raccolti in una reticella*) □ **in the bag**, (*fam.*) sicuro; certo; cosa fatta; in tasca; (*USA*) rovinato, andato a pallino; (*slang USA*) al soldo di q., corrotto: *It's in the bag!*, è cosa fatta!; ormai ce l'abbiamo in tasca! □ (*fam.*) **to be left holding the bag**, essere lasciato nei guai.

to **bag** /bæg/ **A** v. t. **1** mettere in una borsa (*o* in un sacco); insaccare **2** (*caccia*) prendere; catturare; abbattere; mettere in carniere: *We bagged two partridges*, prendemmo due pernici **3** (*fam.*) ricevere; prendere; beccarsi (*fam.*): **to bag an award**, prendere un premio **4** (*fam.*) assicurarsi; accaparrarsi; mettersi in tasca: *He's bagged the best seat*, si è preso il posto migliore **5** (*fam.*) rubare; intascare; mettersi in tasca **6** (*naut.*) gonfiare (*una vela*) **7** (*aeron. mil.*) abbattere (*un aereo nemico*) **8** (*slang*) arrestare; acciuffare; acchiappare **9** (*fam. Au-*

stral.) criticare **B** v. i. **1** gonfiarsi **2** (*anche* **to bag out**) (*di indumento, spec. calzoni*) essere cascante; fare le borse: **to bag at the knees**, fare le borse ai ginocchi **3** (*naut., di vela*) fare sacco ● (*infant.*) **Bags I!**, è mio!; prendo io!; faccio io!; *Bags I the cream puff!*, il bignè alla crema è mio!; *Bags I sleep in mummy's bed!*, dormo io nel letto della mamma! □ (*slang USA*) **to bag it**, marinare la scuola; fare forca; (*anche*) piantarla, darci un taglio.

bagasse /bə'gæs/ n. Ⓤ (*ind. dello zucchero*) bagassa.

bagatelle /ˌbægə'tɛl/ (*franc.*) n. **1** bagattella; bazzecola; inezia **2** (*mus.*) bagattella **3** (*gioco*) bagattella.

bagel /'beɪɡl/ n. (*alim.*) bagel; panino a ciambella.

bagful /'bæɡfʊl/ n. Ⓤ **1** (*quantità*) sacco; sacchetto; borsa **2** carniere pieno **3** (*fig.*) sacco, mucchio (*di cose*).

baggage /'bæɡɪdʒ/ n. **1** Ⓤ (*spec. USA*) bagaglio, bagagli: **to see one's b. though customs**, passare il controllo bagagli (*aeron.*) **b. allowance**, peso consentito (*di bagaglio*); **b. check**, scontrino del bagaglio; **b. identification tag**, cartellino del bagaglio **2** Ⓤ (*mil.*) salmeria, salmerie **3** Ⓤ (*rif. a idee, opinioni, esperienze, ecc.*) peso; ingombro; bagaglio: **theoretical b.**, il peso della teoria; **emotional b.**, bagaglio emotivo **4** (*arc.*) sgualdrina; donna di malaffare; bagascia **5** (*arc.*) ragazzetta sfrontata; monella ● **b. animals**, animali da soma (*o da tiro*) □ (*ferr., USA*) **b. car**, bagagliaio □ **b. carousel**, nastro (trasportatore) bagagli □ (*ferr., USA*) **b. master**, addetto al servizio merci □ (*ferr., USA*) **b. rack**, portabagagli (*a rastrelliera*) (*aeron.*) **b. reclaim**, (zona del) ritiro bagagli □ (*ferr., USA*) **b. room**, deposito bagagli a mano □ (*mil.*) **b. train**, salmerie.

bagger /'bæɡə(r)/ n. **1** insaccatore **2** (*tecn.*) insaccatrice; insacchettatrice.

Baggie®, **baggie** /'bæɡɪ/ n. (*USA*) sacchetto di plastica (*spec. per alimenti*).

baggies /'bæɡɪz/ n. pl. **1** calzoni larghi e flosci **2** calzoncini larghi; boxer.

bagging /'bæɡɪn/ n. Ⓤ **1** tela da sacchi **2** (*fam. Austral.*) critiche (pl.); attacchi (pl.).

baggy /'bæɡɪ/ a. **1** (*di indumento*) largo; abbondante; cascante; sformato; che fa le borse: **b. clothes**, abiti larghi e cascanti; **b. coat**, giacca sformata; **b. trousers**, calzoni con le borse **2** gonfio; rigonfio: **b. eyes**, occhi gonfi; occhi con le borse ‖ **baggily** avv. senza forma; con l'aria rigonfia ‖ **bagginess** n. Ⓤ l'essere rigonfio (*o cascante*); gonfiezza; l'essere largo o cascante; (*di pantaloni*) borse.

bagman /'bæɡmən/ n. (pl. **bagmen**) **1** (*fam. antiq., GB*) commesso viaggiatore **2** (*slang USA*) chi consegna (*o riscuote*) mazzette o il pizzo; esattore **3** (*fam. Canada*) chi raccoglie fondi (*per un partito*) **4** (*fam. USA*) barbone (*che gira con i suoi averi in sacchetti di plastica*) **5** (*antiq., Austral.*) vagabondo.

bagnio /'bɑːnjəʊ/ n. **1** (*arc.*) bordello **2** (*stor.*) bagni (pl.) pubblici; bagno turco **3** (*stor., in Asia*) prigione.

bagpipe /'bæɡpaɪp/ n. (*generalm.* al pl.) cornamusa; zampogna: **to play the bagpipes**, suonare la cornamusa; **b. music**, musica di cornamuse ‖ **bagpiper** n. suonatore di cornamusa; cornamusaro; zampognaro.

to **bag-snatch** /'bæɡˌsnætʃ/ v. t. scippare ‖ **bag-snatcher** n. scippatore ‖ **bag-snatching** n. Ⓤ scippo; scippi.

baguette /bæ'ɡɛt/ n. **1** baguette; filone di pane **2** (= **b. diamond**) baguette: **b. cut**, taglio a baguette.

bah /bɑː/ inter. (*per indicare disprezzo, disgusto*) uff!; figurati!

Baha'i, **Bahai** /bɑː'hɑːɪ/ (*relig.*) **A** n. **1** Ⓤ bahaismo **2** bahaista **B** a. bahaista.

Bahaism /bɑː'hɑːɪzəm/ n. Ⓤ (*relig.*) bahaismo.

Bahamas (the) /bə'hɑːməz/ n. (*geogr.*) le (isole) Bahama.

Bahamian /bə'heɪmɪən/ a. e n. (abitante) delle Bahamas; bahamiano.

Bahraini /bɑː'reɪnɪ/ n. e a. (nativo, abitante) del Bahrain.

bail① /beɪl/ n. Ⓤ **1** (*leg.*) cauzione (*per la libertà provvisoria*); libertà provvisoria (dietro cauzione): **release on b.**, rilascio dietro cauzione; **to grant b.**, concedere la libertà provvisoria dietro cauzione; **to refuse b.**, rifiutare la domanda di libertà provvisoria; **out on b.**, in libertà provvisoria (*dietro cauzione*); a piede libero **2** (*comm., leg.*) garanzia ● (*leg.*) **b. bond**, cauzione (*il documento*) □ (*leg.*) **b. bondsman**, garante di cauzione □ **to forfeit** (*fam.* **to jump**) **b.**, non comparire in giudizio dopo aver ottenuto la libertà provvisoria dietro cauzione □ (*leg.*) **to go** (*o* **to stand**) **b. for sb.**, pagare la cauzione per q.; rendersi garante per q.; (*fig. fam.*) garantire per q. ‖ **bailable** a. (*leg., di reato*) che consente la concessione della libertà provvisoria dietro cauzione.

❶ **NOTA:** *bail o bale?*

Queste due parole si pronunciano allo stesso modo, ma hanno significati molto diversi. *Bail* è il denaro che si paga come cauzione, a garanzia della comparizione di una persona arrestata in tribunale: *He was released after an initial hearing on 5000 pounds bail*, fu rilasciato dopo un'udienza preliminare su versamento di una cauzione di 5000 sterline. *Bale* è una balla, un grande fascio: *bales of hay*, balle di fieno; usato come verbo significa "imballare": *to bale hay*, imballare il fieno.

bail② /beɪl/ n. (*naut.*) gottazza; sassola.

bail③ /beɪl/ n. **1** (*cricket*) traversa (*della porta*) **2** tramezzo di stalla **3** (*di macchina per scrivere*, = **b. rod**) barra fermacarta.

bail④ /beɪl/ n. **1** semicerchio di sostegno (*per es. di telone di carro*) **2** manico semicircolare (*di secchio, bricco, ecc.*).

to **bail**① /beɪl/ v. t. **1** (*leg.*) ottenere la libertà provvisoria di (*q., dietro pagamento di cauzione*) **2** (*comm., leg.*) consegnare (*merci*) in deposito (*a garanzia di un adempimento*).

■ **bail out** v. t. + avv. **1** (*leg.*) far uscire di prigione dietro pagamento di cauzione; ottenere la libertà provvisoria di **2** togliere, tirare fuori (q.) da guai, difficoltà, ecc.; soccorrere (*finanziariamente*); salvare (*un'azienda, ecc.*).

to **bail**② /beɪl/ v. t. (*naut.*) **1** aggottare; sgottare **2** – **to b. water**, sgottare.

■ **bail out** **A** v. t. + avv. → to **bail**② **B** v. i. + avv. **1** (*aeron.*) lanciarsi col paracadute (*in un'emergenza*) **2** chiamarsi fuori (*da un progetto, ecc.*); tirarsi fuori; mollare **3** (*fam.*) mollare tutto; svignarsela; sloggiare.

bailee /beɪ'liː/ n. (*leg.*) detentore di beni mobili (*equivale, di caso in caso, agli ital.*: depositario – *di merci a garanzia* –; comodatario; locatario; creditore pignoratizio; ecc.): **b. for hire**, depositario a titolo oneroso; **b.'s lien**, diritto di ritenzione del depositario.

bailer /'beɪlə(r)/ n. (*naut.*) gottazza; sassola.

bailey /'beɪlɪ/ n. (*di castello*) **1** mura (pl.) esterne; bastioni (pl.) **2** corte intermedia ● (*in GB*) **the Old B.**, l'Old Bailey (*tribunale penale di Londra*).

Bailey bridge /'beɪlɪbrɪdʒ/ loc. n. (*mil.*) ponte Bailey.

bailiff /'beɪlɪf/ n. **1** (*leg., in GB*) aiuto di uno → «sheriff» (*def. 1 e 2*); ufficiale giudiziario (*che può anche eseguire arresti*) **2** (*leg.,*

in USA) commesso di tribunale **3** fattore, amministratore (*di una grande tenuta*) **4** (*stor.*) balivo.

bailiwick /'beɪlɪwɪk/ n. **1** (*leg.*) giurisdizione, ufficio di un → «bailiff» (*def. 1*) **2** (*stor.*) giurisdizione, ufficio di balivo **3** (*fig.*) (il proprio) ambito di competenza; (la propria) sfera d'azione.

bailment /'beɪlmənt/ n. Ⓤ (*leg.*) detenzione di beni mobili (*equivale agli ital.*: deposito – *di merci, a garanzia* –; comodato; locazione; pegno di merci; ecc.): **b. lease**, locazione con opzione di acquisto; **b. of goods**, pegno di merci.

bailor /'beɪlə(r)/ n. (*leg.*) chi consegna beni mobili (*equivale agli ital.*: depositante – *di merci, a garanzia* –; comodante; concedente; debitore pignoratizio; ecc.).

bailout /'beɪlaʊt/ n. **1** (*aeron.*) lancio di emergenza (col paracadute) **2** (*fig.*) (operazione di) salvataggio finanziario (*spec. di azienda*).

bailsman /'beɪlzmən/ n. (pl. **bailsmen**) (*leg.*) garante, mallevadore (*chi offre o paga la cauzione per q.*).

to **bail up** /beɪl'ʌp/ v. t. + avv. **1** assicurare (*un animale*) a un tramezzo **2** (*Austral., di bandito*) assaltare e derubare.

bain-marie /bænmə'riː/ n. (pl. **bains-marie**) (*cucina*) bagnomaria (*recipiente*): **to cook in a bain-marie**, cuocere a bagnomaria.

bairn /beən/ n. (*scozz.*) bambino; figlio.

bait /beɪt/ n. **1** (*pesca*) esca: **live b.**, pesciolini (*o vermi, ecc.*) usati come esca; **b.-casting**, pesca con canna ed esca **2** (*fig.*) esca; lusinga; allettamento ● (*fig.*) **to rise to the b.**, reagire come previsto; abboccare □ (*pesca e fig.*) **to take the b.**, abboccare.

to **bait** /beɪt/ **A** v. t. **1** fornire di esca: **to b. a hook with bread**, mettere del pane come esca su un amo; *'In baiting a mouse-trap with cheese, always leave room for the mouse'* SAKI, 'quando mettete del formaggio in una trappola per topi, lasciate sempre lo spazio per il topo' **2** (*fig.*) tormentare; stuzzicare; punzecchiare **3** (*fig.*) lusingare; allettare **4** (*stor.*) aizzare i cani contro (*un animale innocuo o incatenato, per divertimento*) **B** v. i. (*arc.*) fermarsi (*in una locanda*) per ristorarsi ‖ **baiting** n. Ⓤ **1** (*stor.*) l'aizzare cani contro un animale innocuo o incatenato (*per divertimento*) ● **bear-baiting**, combattimento di cani contro un orso alla catena **2** (*fig.*) scherno; irrisione.

bait and switch /beɪtən'swɪtʃ/ loc. n. (pl. **bait and switches**) (*comm.*) tecnica di vendita che usa articoli civetta; (estens.) pubblicità ingannevole: **bait-and-switch product**, articolo civetta.

baize /beɪz/ n. Ⓤ (*ind. tess.*) panno (*generalm.*) verde (*per tavoli, biliardi, ecc.*); tappeto verde ● (**green**) **b. door**, porta (rivestita di panno verde) tra i quartieri della servitù e le stanze padronali; (*anche*) porta tra un ufficio e il suo retro.

bake /beɪk/ n. **1** Ⓤ cottura al forno; cottura alla piastra **2** Ⓤ cibo cotto al forno o alla piastra: **vegetable b.**, verdure al forno **3** (*USA, spec. nei composti*) picnic in cui si mangia cibo cotto alla piastra; barbecue ● (*USA*) **b. sale**, vendita di torte e biscotti (*per raccolta di fondi, beneficenza, ecc.*).

♦to **bake** /beɪk/ **A** v. t. **1** cuocere al forno; cuocere alla piastra: **to b. a cake**, cuocere una torta; fare una torta; **to b. fish on a stone**, cuocere il pesce su una pietra; *I b. my own bread*, faccio il pane in casa **2** esporre al calore del sole **3** (*del sole*) cuocere; indurire **4** (*metall.*) cuocere **B** v. i. **1** cuocere al forno; fare pane, dolci, ecc. **2** cuocersi (*al forno, alla piastra*) **3** cuocersi, indurirsi (*al sole*) **4** – **to be baking**, (*fam.*) avere un gran

b

caldo; arrostire; morire dal caldo.

baked /'beɪkt/ a. (cotto) al forno; (cotto) alla piastra: **b. apples**, mele al forno; **b. beans**, fagioli al forno in salsa di pomodoro; **b. potatoes**, patate in camicia (o in giacchetta).

bakehouse /'beɪkhaʊs/ n. (antiq.) (locale del) forno; panificio.

Bakelite® /'beɪkəlaɪt/ n. ⌴ bachelite.

baker /'beɪkə(r)/ n. **1** fornaio; panettiere: **b.'s (shop)**, panetteria; panificio; forno **2** forno portatile **3** alimento adatto per la cottura al forno • **a b.'s dozen**, tredici.

bakery /'beɪkərɪ/ n. **1** panetteria; panificio; forno: **b. worker**, panificatore; operaio di panificio **2** (comm.) pane, torte e biscotti.

bakeshop /'beɪkʃɒp/ n. (USA) panificio; panetteria; forno.

bakeware /'beɪkweə(r)/ n. ⌴ recipienti da forno (tortiere, pirofile, teglie, piastre, ecc.).

baking /'beɪkɪŋ/ Ⓐ n. **1** ⌴ cottura al forno; cottura alla piastra; (per estens.) il fare torte, biscotti, ecc.: *She's good at b.*, fa delle ottime torte **2** ⌴ cottura al sole **3** infornata (di pane) **4** (tecn.) cotta (di mattoni) Ⓑ a. **1** da cuocere al forno: **b. apples**, mele da cuocere al forno **2** da, per forno; da torte: **b. dish**, contenitore da forno; pirofila; **b. parchment**, carta da forno; (USA) **b. sheet**, piastra per biscotti; **b. tin**, teglia; tortiera; **b. tray**, piastra da forno **3** caldissimo; rovente: (del tempo) **b. hot**, torrido; **in b. sunshine**, sotto un sole rovente • **b. powder**, lievito (artificiale) in polvere □ (chim.) **b. soda**, bicarbonato (di sodio).

baksheesh /'bækʃiːʃ/ (persiano) n. ⌴ **1** mancia **2** elemosina **3** bustarella.

balaclava /bælə'klɑːvə/ n. (anche b. helmet) passamontagna.

balalaika /bælə'laɪkə/ n. (mus.) balalaica.

♦**balance** /'bæləns/ n. **1** ⌴ equilibrio; bilico: **to keep one's b.**, mantenersi in equilibrio; stare in equilibrio (o in bilico); **to lose one's b.**, perdere l'equilibrio; **to knock sb. off b.**, dare a q. una spinta facendogli perdere l'equilibrio; **lack of b.**, mancanza d'equilibrio **2** equilibrio mentale; calma; padronanza di sé: **to keep one's b.**, mantenere la calma; rimanere padrone di sé; dominarsi: **to lose one's b.**, perdere l'equilibrio mentale **3** (situazione di) equilibrio; bilanciamento: **political b.**, equilibrio politico; **to maintain a b.**, mantenere un equilibrio; **to restore the b.**, ristabilire l'equilibrio; **to throw st. out of b.**, squilibrare qc.; distruggere l'equilibrio di qc. **4** disposizione equilibrata; armonia; simmetria **5** bilancia (a piatti o a molla) **6** forza preponderante; peso: **the b. of opinion**, l'opinione preponderante; *The b. of evidence lies in his favour*, le prove pesano a suo favore **7** (mecc., = **b. wheel**) bilanciere (di orologio): **b. spring**, molla del bilanciere **8** (mecc., = **b. weight**) contrappeso **9** contrappeso; correttivo: **to act as a b. to st.**, fare da contrappeso a qc.; (USA, polit.) **checks and balances**, garanzie costituzionali **10** (econ., fin.) bilancia: **b. of indebtedness**, posizione patrimoniale sull'estero; **b. of payments**, bilancia dei pagamenti; **b. of trade**, bilancia commerciale; esportazioni nette **11** (fin., rag., = **final b.**) bilancio (consuntivo): **b. sheet**, stato patrimoniale; **b.-sheet items**, voci di bilancio; capitoli del bilancio **12** (fin., rag.) conguaglio; pareggio **13** (banca, rag.) differenza a saldo; saldo: **b. due**, saldo debitore; **b. in (o on) hand**, saldo di cassa; **bank b.**, (saldo del) conto in banca; **credit b.**, saldo a credito; **debit b.**, saldo a debito; **minimum b.**, saldo attivo minimo; **b. (carried forward) to next account**, saldo a nuovo; *Could you tell me the account b. please?*, potrebbe dirmi il saldo del conto?; *Your account shows a b. of £500*,

il vostro conto presenta un saldo di 500 sterline; **to settle the b.**, pagare il saldo; **b. book**, libro dei saldi; libro dei bilanci di verifica **14** ciò che resta; resto; rimanenza; residuo **15** ⌴ (acustica) bilanciamento (di stereo) **16** ⌴ (aeron.) stabilità di assetto **17** – the **B.**, (astron., astrol.) la Bilancia • (ginnastica) **b. beam**, asse (o trave) di equilibrio □ (ecol.) **b. of nature**, equilibrio naturale □ (demogr.) **b. of migration**, saldo migratorio □ (spec. polit.) **b. of power**, equilibrio delle forze; equilibrio di potere ◆ **to hold the b. of power**, essere l'ago della bilancia □ (polit.) **b. of terror**, equilibrio del terrore □ in the b., incerto; in dubbio; in bilico: **to hang in the b.**, essere incerto; essere in bilico □ off b., squilibrato □ on b., tutto considerato; a conti fatti □ out of b., sbilanciato; squilibrato □ **to strike a b.**, trovare il giusto mezzo; trovare il giusto equilibrio; raggiungere un compromesso □ **to throw st. into the b.**, gettare qc. sulla bilancia (fig.) □ **to throw sb. off b.**, far perdere l'equilibrio a q.; (fig.) confondere q., sbilanciare q., cogliere q. in contropiede □ **to tip** (o **to swing**) **the b. in favour of** [against], far pendere la bilancia a favore di [contro] □ **to turn the b.**, dare il tracollo alla bilancia □ **to weigh st. in the b.**, soppesare qc. (fig.).

to **balance** /'bæləns/ Ⓐ v. t. **1** tenere in equilibrio (o in bilico); mettere in equilibrio; bilanciare: **to b. an umbrella on the tip of one's finger**, tenere in equilibrio un ombrello sulla punta di un dito; *He balanced the bottle on his head*, si mise la bottiglia in equilibrio sulla testa **2** valutare (confrontando); soppesare: **to b. the risks against the potential benefits**, valutare i rischi rispetto ai benefici potenziali; **to b. the pros and cons**, soppesare vantaggi e svantaggi **3** (anche tecn.) bilanciare; equilibrare: **to b. the scales**, equilibrare i piatti della bilancia **4** garantire una composizione bilanciata a; bilanciare **5** (anche **to b. out**) controbilanciare; bilanciare; compensare: *His enormous expenses are balanced (out) by his large income*, le sue enormi spese sono bilanciate dalle sue grosse entrate **6** (fin., rag.) bilanciare; conguagliare; chiudere in pareggio, pareggiare; far quadrare (due partite contabili): **to b. accounts**, pareggiare i conti; conguagliare le partite; **to b. the budget**, pareggiare il bilancio; **to b. the books**, far quadrare il bilancio **7** (nel ballo) avvicinarsi e poi allontanarsi dal (partner); eseguire un «balance» con il (partner) Ⓑ v. i. **1** essere (o stare) in equilibrio; tenersi in equilibrio (o in bilico); bilanciarsi **2** (anche **to b. out**) bilanciarsi; equilibrarsi; compensarsi **3** (fin., rag.) essere (o chiudere) in pareggio: *Profits and losses b.*, gli utili e le perdite sono in pareggio **4** (anche **to b. out**) (rag.: di conti) quadrare **5** (nel ballo) avvicinarsi e poi allontanarsi dal partner; eseguire un «balance» • (fin. e fig.) **to b. each other (out)**, bilanciarsi; compensarsi.

balanced /'bælənst/ a. **1** equilibrato; bilanciato; ben costruito; ben dosato: **b. diet**, dieta equilibrata (o bilanciata); (econ.) **b. growth**, sviluppo equilibrato; **a b. curriculum**, un corso di studi ben costruito; **a b. team**, una squadra ben scelta **2** ponderato; equilibrato; obiettivo: **b. judgment**, giudizio ponderato; **a b. view of the situation**, un quadro obiettivo della situazione **3** (di persona) equilibrato; assennato **4** (fin., rag.) (chiuso) in pareggio; pareggiato: **b. budget**, bilancio in pareggio **5** (fin.) bilanciato: **b. fund**, fondo bilanciato; **b. investment strategy**, strategia d'investimento bilanciata **6** (aeron., naut.) compensato: **b. rudder**, timone compensato.

balancer /'bælənsə(r)/ n. **1** chi mantiene l'equilibrio **2** acrobata; equilibrista **3**

(zool., di insetto) bilanciere **4** (mecc.) (macchina) bilanciatrice **5** (elettron.) bilanciatore.

balancing /'bælənsɪŋ/ n. ⌴ **1** (il) bilanciare; bilanciamento; controbilanciamento **2** (il) soppesare; valutazione **3** (mecc.) bilanciamento; equilibratura **4** (fin., rag.) chiusura in pareggio **5** (scient., tecn.) bilanciamento **6** (aeron., naut.) compensazione • **b. act**, numero di equilibrista; (fig.) gestione di una situazione delicata, esercizio di diplomazia □ **b. date**, (rag.) data di chiusura dei conti; (banca) epoca □ (rag.) **b. entry**, scrittura rettificativa.

balas /'bæləs/ n. ⌴ (miner., = **b. ruby**) balascio.

balboa /bæl'bəʊə/ n. balboa (moneta di Panama).

♦**balcony** /'bælkənɪ/ n. **1** balcone; terrazzino; loggia **2** (teatr.) prima galleria; balconata **3** (cinem.) balconata || **balconied** a. fornito di balcone (o di balconi).

bald /bɔːld/ a. **1** calvo; pelato (fam.): **b. head**, testa calva; testa pelata; (di persona) **b.-headed**, calvo; pelato; senza capelli; **to go b.**, diventare calvo **2** (di animale) senza pelo; (di uccello) implume **3** (di monte) nudo, brullo; (di albero) spoglio **4** (fig.) nudo; disadorno; essenziale: **a b. statement of the facts**, una nuda esposizione dei fatti **5** (fig.) diretto; schietto; esplicito; immediato: **a b. question**, una domanda esplicita **6** (fig.) evidente; manifesto: **a b. lie**, un'evidente menzogna **7** (autom.: di pneumatico) liscio; consumato **8** (zool.) con macchie bianche; (di cavallo) con una macchia bianca sulla fronte, stellato • (zool.) **b. eagle** (Haliaeetus leucocephalus), aquila di mare dalla testa bianca; aquila testabianca; (nello stemma degli USA) aquila calva □ (fam.) **as b. as a coot**, pelato come una palla da biliardo (o come un uovo, come un ginocchio) □ (fam.) **b.-headed**, a capofitto; a testa bassa: **to go b.-headed at st.**, gettarsi a capofitto (o a testa bassa) in qc.

baldachin, **baldaquin** /'bɔːldəkɪn/ n. baldacchino.

balderdash /'bɔːldədæʃ/ n. ⌴ sciocchezze (pl.); stupidaggini (pl.).

baldhead /'bɔːldhɛd/ n. **1** persona calva; testa pelata (fam.) **2** animale (spec. cavallo) con una macchia bianca sulla fronte.

baldie → **baldy**.

balding /'bɔːldɪŋ/ a. che perde i capelli; che diventa calvo.

baldly /'bɔːldlɪ/ avv. **1** nudamente **2** schiettamente; esplicitamente; senza riguardi: **to put it b.**, per dirla schietta; per dirla in parole povere; **to speak b.**, parlare schietto; non aver peli sulla lingua.

baldmoney /'bɔːldmʌnɪ/ n. (bot., Meum athamanticum) finocchiella; finocchio alpino.

baldness /'bɔːldnəs/ n. ⌴ **1** calvizie **2** essenzialità; nudità; essenzialità **3** schiettezza; esplicitezza; immediatezza **4** evidenza.

baldpate /'bɔːldpeɪt/ n. **1** persona calva; zucca pelata (fam.) **2** (zool., Anas americana) fischione americano; anatra americana.

baldric /'bɔːldrɪk/ n. bandoliera; balteo; budriere (stor.).

Baldwin /'bɔːldwɪn/ n. Baldovino.

baldy /'bɔːldɪ/ n. (fam.) uomo calvo; testa pelata (fam.); zucca pelata (fam.).

bale① /beɪl/ n. (comm.) balla (di merce) ❶ **Nota: bail o bale?** → **bail**①.

bale② /beɪl/ n. ⌴ (arc. o poet.) **1** (il) male **2** dolore; angoscia; ambascia.

to **bale**① /beɪl/ v. t. imballare; mettere in balle.

to **bale**② /beɪl/ (GB) → **to bail**②.

Balearic Islands /bælɪærɪk'aɪləndz/, **Balearics** /bælɪ'ærɪks/ n. pl. (geogr.) Isole

Baleari.

baleen /bə'li:n/ n. fanone; osso di balena ● (*zool.*) **b. whale**, misticeto.

balefire /'beɪlfaɪə(r)/ n. **1** (*USA*) falò **2** rogo funebre; pira (*lett.*).

baleful /'beɪlfl/ a. **1** minaccioso; sinistro; bieco: **a b. glance**, un'occhiata minacciosa **2** funesto; malefico; nocivo; pernicioso ‖ **balefully** avv. **1** minacciosamente **2** con effetti funesti; perniciosamente.

baler /'beɪlə(r)/ n. **1** imballatore **2** imballatrice (*macchina*) **3** (*agric.*) pressaforaggio; pressafieno; pressa per balle.

Balinese /ba:lɪ'ni:z/ a. e n. balinese.

balk /bɔːk/ n. **1** (*agric.*) porca **2** ostacolo; impedimento; intralcio **3** (*edil.*) grossa trave di legno **4** (*sport: baseball*) balk; fallo (*del lanciatore*) **5** (*biliardo*) punto di acchito: **b. area**, quadro di battuta; **b. line**, linea di acchito.

to **balk** /bɔːk/ **A** v. t. **1** ostacolare; intralciare; impedire **2** privare; frustrare: **to b. sb. of st.**, privare q. di qc.; impedire a q. di ottenere qc. **3** (*arc.*) rifiutare (*un'opportunità, ecc.*); perdere; lasciarsi sfuggire **B** v. i. **1** (*di cavallo*) impuntarsi; rifiutarsi: **to b. at an obstacle**, impuntarsi davanti a un ostacolo; rifiutare un ostacolo **2** esitare; titubare; tirarsi indietro: **to b. at st.**, esitare davanti a qc.

to **Balkanize** /'bɔːlkənaɪz/ (*polit.*) v. t. balcanizzare ‖ **Balkanization** n. Ⓤ balcanizzazione.

Balkans /'bɔːlkənz/ (*geogr.*) n. pl. (i) Balcani ‖ **Balkan a.** balcanico.

balky /'bɔːlkɪ/ a. **1** (*di cavallo*) recalcitrante **2** (*di persona*) riluttante; difficile **3** (*di oggetto, macchina, ecc.*) difficile da usare; che funziona male; riottoso.

♦**ball** ① /bɔːl/ n. **1** palla; sfera; globo: **a wooden b.**, una palla (*o una sfera*) di legno; **the b. of the eye**, il globo oculare; la palla dell'occhio; **b. of flame**, palla di fuoco **2** gomitolo: **a b. of string**, un gomitolo di spago; **a b. of wool**, un gomitolo di lana **3** (*sport*) palla; pallone; pallina: **tennis b.**, palla da tennis; **to kick a b.**, dare calci a un pallone; **b. control**, controllo della palla; palleggio **4** (*sport*) lancio; tiro; palla: **a high b.**, una palla alta; **a difficult b.**, una palla difficile **5** (*sport, fam. USA*) baseball **6** (*mil. stor.*) palla; proiettile: **musket b.**, palla di moschetto; **to load with b.**, caricare (*un cannone*) a palla **7** (*anat.*) parte arrotondata; polpastrello: **b. of the foot**, polpastrello del piede; **b. of the thumb**, polpastrello del pollice **8** (al pl.) (*volg.*) coglioni; palle: (*USA*) **to gripe sb.'s balls**, far girare le palle a q.; **to have sb.'s balls**, strappare le palle a q.; fare un culo così a q. **9** → **balls** ● **b. and chain**, palla e catena (*di prigioniero*); (*fig.*) palla al peso, piede; (*slang GB*) moglie □ (*mecc.*) **b.-and-socket joint**, giunto sferico □ (*mecc.*) **b. bearing**, cuscinetto a sfere □ (*sport*) **b. boy**, raccattapalle (m.) □ (*fam.*) **b.-breaker** (*o* **b.-buster**, donna dominatrice, donna castratrice □ (*sport*) **b. carrier**, portatore di palla □ **b. game**, (*sport*) gioco con la palla; (*USA*) partita di baseball; (*fig. fam.*) affare, faccenda, cosa: **a whole new b. game**, una cosa del tutto nuova □ (*sport*) **b. girl**, raccattapalle (f.) □ (*meteor.*) **b. lightning**, lampo globulare □ (*fam. USA*) **b. of fire**, tipo dinamico, iperattivo; ciclone; vulcano □ (*fam. USA*) **(the whole) b. of wax**, tutta quanta la faccenda; tutto quanto □ **b. pen**, penna a sfera □ **b. player** → **ballplayer** □ (*mecc.*) **b. valve**, valvola a sfera □ (*volg.*) **Balls to you!**, affanculo! □ **balls-up** → **balls-up** □ (*fig. USA*) **to carry the b.**, essere responsabile; essere al comando; prendersi la responsabilità □ (*volg.*) **to chew sb.'s balls off**, fare una sfuriata a q.; levare la pelle a q.; fare un cazzia-

tone a q. (*volg.*) □ **to have the b. at one's feet**, avere la via del successo aperta (*o davanti a sé*); avere un'occasione a portata di mano □ (*volg. USA*) **to have one's balls in a squeeze**, essere con le spalle al muro; essere tenuto per le palle (*volg.*) □ (*volg. USA*) **to have sb.'s balls in a squeeze = to squeeze sb.'s balls** → *sotto* □ (*fam. USA*) **to have something on the b.**, essere in gamba; saperci fare □ (*fig.*) **to keep the b. rolling**, mantener vivo qc. (*l'interesse, la conversazione, ecc.*); mandare avanti qc. □ (*fig.*) **on the b.**, sveglio; informato; preparato; in gamba □ (*fig. USA*) **to play b.**, collaborare; starci □ **to start** (*o* **to set**) **the b. rolling**, cominciare; dare l'avvio; dare il via □ (*volg.*) **to squeeze sb.'s balls**, mettere q. con le spalle al muro; tenere q. per le palle (*volg.*) □ (*fig.*) **to take one's eye off the b.**, distrarsi; deconcentrarsi □ **three balls**, tre palle (*insegna del monte dei pegni*) □ **The b. is in your court**, tocca a te agire; è il tuo turno.

ball ② /bɔːl/ n. **1** danza; ballo: **to open the b.**, aprire le danze; (*fig.*) dare inizio a un'attività **2** (*slang USA*) baldoria; festa sfrenata **3** (*volg. USA*) pomiciata; rapporto sessuale; scopata (*volg.*) ● (*fig. slang*) **to have a b.**, divertirsi un mondo; spassarsela; andare a nozze (con qc.).

to **ball** /bɔːl/ **A** v. t. **1** appallottolare; aggomitolare **2** serrare, stringere (*un pugno*) **3** (*volg. USA*) scopare **B** v. i. → **to b. up**, **B** ● (*slang USA*) **to b. the jack**, andare a tutta birra.

■ **ball up** **A** v. t. + avv. (*volg. USA*) pasticciare; impapocchiare; incasinare (*pop.*) **B** v. i. + avv. appallottolarsi; raggomitolarsi.

ballad /'bæləd/ n. **1** ballata (*componimento poetico popolare*) **2** (*mus.*) ballata; canzonetta sentimentale.

ballade /bæ'la:d/ (*franc.*) n. **1** (*stor. lett.*) ballata; canzone a ballo **2** (*mus.*) ballata.

balladry /'bælədrɪ/ n. Ⓤ **1** (*collett.*) ballate **2** arte di comporre ballate.

ballast /'bæləst/ n. **1** (*aeron., naut.*) zavorra: **in b.**, in zavorra; senza carico **2** (*ferr., ind. costr.*) massicciata; pietrisco **3** (*tecn.*) zavorra; ballast **4** (*elettr.*) regolatore di corrente **5** (*fig.*) equilibrio mentale; fermezza **6** (*scherz.*) pancia ● (*elettr., autom.*) **b. resistor**, resistore autoregolatore □ (*naut.*) **b. tank**, cassa di zavorra; (*di sottomarino*) cassa d'assetto.

to **ballast** /'bæləst/ v. t. **1** zavorrare **2** (*fig.*) render fermo, solido; equilibrare; stabilizzare **3** massicciare (*una strada, ecc.*).

ballasting /'bæləstɪŋ/ n. Ⓤ zavorramento; zavorratura.

ballcock /'bɔːlkɒk/ n. (*tecn.*) galleggiante (*a palla, di serbatoio*).

ballerina /bælə'ri:nə/ (*ital.*) n. ballerina.

ballet /'bæleɪ/ (*franc.*) n. balletto (*classico: spettacolo e corpo di ballo*) ● **b. dancer**, ballerino, ballerina □ **b. girl**, ballerina □ **b. master [mistress]**, maestro [maestra] di danza; coreografo [coreografa] □ **b. shoe**, scarpetta da ballo □ **b. skirt**, tutù.

balletwear /'bælɪweə(r)/ n. Ⓤ indumenti e scarpette da ballo.

ballgown /'bɔːlgaʊn/ n. (*moda*) abito da ballo (*lungo: per donna*).

ballista /bə'lɪstə/ n. (pl. **ballistae, ballistas**) (*stor.*) balista; balestra.

ballistic /bə'lɪstɪk/ a. (*mil.*) balistico: **b. missile**, missile balistico ● (*slang USA*) **to go b.**, imbufalirsi; schizzare in orbita (*per la rabbia, ecc.*).

ballistics /bə'lɪstɪks/ n. pl. (col verbo al sing.) balistica.

to **ballock** /'bælək/, **ballocks** /'bæləks/ → **to bollock, bollock**.

balloon /bə'lu:n/ n. **1** (= **hot-air b.**) pallo-

ne (*aerostatico*); mongolfiera; aerostato: (*mil.*) **b. barrage**, sbarramento di palloni frenati; **captive b.**, pallone frenato **2** palloncino (*per bimbi*) **3** (*fam.*) fumetto (*nei giornalini*); nuvoletta **4** (*chim.*) pallone (*di vetro: da distillazione*) **5** (*med.*) palloncino (*per insufflazione*) **6** (*slang USA*) preservativo ● (*aeron.*) **b. basket** (*o* **b. car**), navicella □ (*meteor.*) **b. drag**, pallone frenante □ (*fin. USA*) **b. mortgage**, mutuo ipotecario con elevata rata finale □ (*naut.*) **b. sail**, pallone (*vela*) □ (*moda*) **b. sleeve**, manica a sbuffo □ (*autom.*) **b. tyre**, grosso pneumatico a bassa pressione □ (*fam.*) **The b. went up**, successe il finimondo □ (*fam. GB*) **when the b. goes up**, quando comincia il bello; quando si comincia a ballare (*fig.*); quando scoppia la bomba (*fig.*).

to **balloon** /bə'lu:n/ **A** v. t. **1** gonfiare (*come un pallone*) **2** (*med.*) insufflare (*a scopo diagnostico o terapeutico*) **B** v. i. **1** viaggiare in pallone **2** gonfiarsi **3** (*fig.*) crescere.

ballooning /bə'lu:nɪŋ/ n. Ⓤ **1** l'andare in pallone (*o in mongolfiera*) **2** (*Borsa, USA*) aumento dei prezzi; spinta al rialzo **3** (*med.*) (*fam. USA*) incensamento, adulazione; sviolinatura (*fam.*).

balloonist /bə'lu:nɪst/ n. **1** aeronauta **2** (*mil.*) aerostiere.

♦**ballot** ① /'bælət/ n. **1** (solo sing.) (*polit., leg.*) voto (*o votazione*) a scrutinio segreto: **by b.**, col voto segreto; mediante votazione; **to put st. to the b.**, mettere ai voti qc.; **to take a b.**, passare ai voti; votare; **a postal b.**, voto per corrispondenza; **first b.**, primo turno (*elettorale*); **second b.**, secondo turno (*elettorale*); **ballottaggio 2** (= **b. paper**) (*polit.*) scheda elettorale **3** – (*polit.*) **the b.**, (numero dei) voti; esito di una votazione; responso delle urne: **51% of the b.**, il 51% dei voti **4** (*polit.*) lista di candidati **5** (*un tempo*) palla (*o pallina*) per votazioni ● **b. box**, urna elettorale; (*per estens.*) elezioni, votazione □ **b.-rigging**, broglio elettorale, brogli elettorali □ **to rig the b.**, fare brogli elettorali; truccare le elezioni.

ballot ② /'bælət/ (*franc.*) n. (*comm.*) piccola balla; balletta.

to **ballot** /'bælət/ **A** v. i. votare a scrutinio segreto: **to b. for st.**, mettere ai voti qc. **B** v. t. far votare a scrutinio segreto.

ballpark /'bɔːlpɑːk/ (*USA*) **A** n. campo di baseball ● (*fam.*) **all over the b.**, sconclusionato; incasinato (*pop.*) □ (*fam.*) **in the b.**, plausibile; ragionevolmente accurato □ (*fam.*) **in the same b.**, dello stesso ordine; dello stesso livello; simile **B** a. attr. approssimativo: **a b. figure**, una cifra approssimativa.

ballplayer /'bɔːlpleɪə(r)/ n. **1** (*calcio*) palleggiatore; giocatore con un buon controllo della palla **2** (*rugby*) rugbista **3** (*USA*) giocatore di baseball.

ballpoint /'bɔːlpɔɪnt/ n. (= **b. pen**) penna a sfera; biro.

ballroom /'bɔːlru:m/ n. sala da ballo ● **b. dancing**, ballo da sala.

balls /bɔːlz/ n. pl. (*volg.*) **1** coraggio; fegato (*fam.*): **He's got plenty of b.**, ha fegato da vendere **2** stupidaggini (pl.); fesserie (pl.) (*pop.*): **balle** (pl.); **cazzate** (pl.) (*volg.*): **That's a load of b.**, sono tutte fesserie; **to talk b.**, dire cazzate.

balls-ache /'bɔːlzeɪk/ n. (*volg. GB*) **1** rottura di palle (*o di coglioni*) **2** rompipalle, rompiballe, rompicoglioni.

to **balls-ache** /'bɔːlzeɪk/ v. i. (*volg. GB*) scocciare; rompere (*fam.*); menarla (*pop.*); rompere le palle (*o i coglioni*) (*volg.*) ‖ **balls-aching** a. (*volg.*) scocciante; che rompe.

balls-up /'bɔːlzʌp/ n. (*slang volg. GB*) casino; incasinamento; papocchio: **to make a**

b

balls-up of st., incasinare; impapocchiare qc.

to **balls up** /bɔːlzˈʌp/ (pass. e p. p. **ballsed up**), v. t. (*volg. GB*) pasticciare; impapocchiare; incasinare (*pop.*); mandare in vacca (*pop.*); mandare a puttane (*volg.*).

ballsy /ˈbɔːlzɪ/ a. (*slang USA*) grintoso; di fegato; duro.

bally /ˈbælɪ/ (*slang GB, antiq.*) **A** a. dannato; maledetto **B** avv. maledettamente.

ballyhoo /ˈbælɪˈhuː/ n. ⓤ (*fam.*) **1** baccano; frastuono **2** pubblicità sensazionale; montatura pubblicitaria; strombazzata **3** sciocchezze; balle (*pop.*).

to **ballyhoo** /ˈbælɪˈhuː/ v. t. (*fam.*) strombazzare (*un prodotto*).

to **ballyrag** /ˈbælɪræg/ → to **bullyrag**.

balm /baːm/ n. ⓒⓤ **1** balsamo (*anche fig.*) **2** sostanza aromatica.

balminess /ˈbaːmɪnəs/ n. ⓤ **1** fragranza **2** (*fig.*) gentilezza; mitezza **3** (*slang*) l'essere svanito (*o* svampito).

balmoral /bælˈmɒrəl/ n. (*mil.*) berretto scozzese.

balmy /ˈbaːmɪ/ a. **1** balsamico; fragrante **2** (*fig.*) mite; temperato; tiepido: **a b. climate**, un clima mite; **b. days**, giornate tiepide **3** → **barmy**.

balneotherapy /bælnɪəˈθerəpɪ/ n. ⓤ (*med.*) balneoterapia.

baloney /bəˈləʊnɪ/ n. ⓤ **1** (*fam.*) fandonie; sciocchezze; balle (*pop.*) **2** (*spec. USA*) mortadella (*da* **Bologna sausage**).

balsa /ˈbɔːlsə/ n. **1** (*bot., Ochroma lagopus*) balsa (= **balsawood**) (legno di) balsa.

balsam /ˈbɔːlsəm/ n. **1** ⓤ (*anche fig.*) balsamo **2** (*bot., Impatiens balsamina*) balsamina; begliuomini **3** (*bot., Impatiens noli-tangere*) noli me tangere ● (*bot.*) **b. fir** (*Abies balsamea*), abete del balsamo || **balsamic A** a. balsamico **B** n. (= **balsamic preparation**) medicamento balsamico.

Balthazar /bælˈθəˈzɑː(r)/ n. Baldassarre.

Baltic /ˈbɔːltɪk/ a. e n. (*geogr.*) Baltico: **the B. Sea**, il Mar Baltico.

Baltimore /ˈbɔːltɪmɔː(r)/ n. (*geogr.*) Baltimora.

baluster /ˈbæləstə(r)/ n. (*archit.*) **1** balaustro; colonnino **2** (pl.) → **balustrade**.

balustrade /bæləˈstreɪd/ n. (*archit.*) balaustrata; balaustra.

bambino /bæmˈbiːnəʊ/ (*ital.*) n. (pl. **bambinos**, **bambini**) **1** bambino (*in Italia*) **2** (*arte*) bambino Gesù (*l'immagine sacra*).

bamboo /bæmˈbuː/ n. (pl. **bamboos**) bambù (*pianta e canna*) ● **b. grove**, boschetto di bambù □ (*polit., stor.*) **the b. curtain**, la cortina di bambù.

to **bamboozle** /bæmˈbuːzl/ v. t. **1** (*fam.*) ingannare; imbrogliare; turlupinare **2** abbindolare: *She bamboozled him into marrying her*, lo abbindolò così bene da farsi sposare || **bamboozlement** n. ⓤ (*fam.*) inganno; imbroglio; turlupinatura; abbindolamento || **bamboozler** n. imbroglione; turlupinatore; abbindolatore.

◆**ban** ① /bæn/ n. **1** proibizione; divieto; (messa al) bando: **ban on smoking** (*o* **smoking ban**), divieto di fumare; messa al bando delle sigarette; (*autom.*) **driving ban**, proibizione di guidare; ritiro della patente; **to impose** (*o* **to put**) **a ban on st.**, proibire qc.; imporre il bando (di qc.; mettere al bando qc.; **to lift a ban**, rimuovere un divieto; **under a ban**, al bando; proibito **2** esclusione; interdizione: **ban on holding public office**, interdizione dai pubblici uffici **3** (*stor.*) messa al bando **4** (*stor.*) proclama **5** (*arc.*) maledizione.

ban ② /bæn/ n. (*stor.*) bano (*in Ungheria*).

to **ban** /bæn/ v. t. **1** proibire; interdire: **to ban sb. from holding public office**, interdi-

re q. dai pubblici uffici **2** (*relig.*) mettere all'indice **3** (*arc.*) maledire.

banal /bəˈnɑːl/ a. banale; comune; ordinario || **banality** n. ⓒ banalità; luogo comune.

◆**banana** /bəˈnɑːnə/ n. **1** banana: **bunch of bananas**, casco di banane; **b. grower**, bananicoltore, bananiero; **b. growing**, bananicoltura; **b. skin**, buccia di banana; (*fig.*) incidente, gaffe, passo falso, buccia di banana **2** (*bot.*, = **b. tree**, *Musa sapientium*) banano **3** (*slang USA*) naso (grosso); nasone **4** (*volg. USA*) pene ● (*naut.*) **b. boat**, bananiera □ (*polit. spreg.*) **b. republic**, repubblica delle banane □ (*alim.*) **b. split**, banana split □ (*slang USA*) **second b.**, (*teatr.*) spalla; (*fig.*) vice, aiuto □ (*slang USA*) **top b.**, (*teatr.*) primo attore comico; (*fig.*) pezzo grosso.

bananas /bəˈnɑːnəz/ a. (*slang*) matto; pazzo; fuori di testa: **to drive sb. b.**, fare ammattire q.; mandare q. fuori di testa; **to go b.**, perdere la testa (*per agitazione, entusiasmo, collera, ecc.*); dare di matto; dare i numeri; dare in smanie.

banc /bæŋk/ n. (*leg., stor.*) banco ● (*leg.*) (*di un consesso*) **in b.**, in seduta plenaria.

band ① /bænd/ n. **1** fascetta metallica **2** banda, striscia (*di stoffa, di colore*); fascia; nastro; riga: **a white cup with a red b. around it**, una tazza bianca con una riga rossa intorno **3** (*mecc.*) cinghia; correggia; nastro **4** (*fin.*) banda; fascia: **bands of fluctuation**, bande di oscillazione (*delle monete*) **5** (*geol.*) banda; lamina **6** cerchio (*di botte*) **7** (pl.) baverina (*di collare ecclesiastico, ecc.*) **8** (*elettr., radio*) banda: **b. filter**, filtro di banda; **b. switch**, commutatore di banda (*o* d'onda); **quad b.** (attr.), quadribanda **9** (*comput.*) banda: **b. selector**, selettore di banda **10** (*legatoria*) cordoncino ● (*tecn.*) **b. saw**, sega a nastro □ (*fis.*) **b. spectrum**, spettro a bande □ **b. string**, fettuccia; striscia di cuoio □ **b. wheel**, puleggia.

◆**band** ② /bænd/ n. **1** gruppo; compagnia; banda (*spreg.*): **a b. of outlaws**, una banda di fuorilegge **2** (*mus.*) banda musicale; orchestra (*jazz o da ballo*); complesso: **brass b.**, orchestra di ottoni; **rock b.**, complesso rock; *They've hired a b.*, hanno ingaggiato un gruppo **3** (*zool.*) branco.

to **band** ① /bænd/ v. t. **1** assicurare con una fascia o bandella **2** (*USA*) identificare (*un uccello*) con una fascetta **3** marcare con una striscia (*di colore contrastante*) **4** assegnare a uno scaglione; scaglionare **5** (*scuola*) ripartire (*allievi*) in classi.

to **band** ② /bænd/ v. i. (*generalm.* **to b. together**) unirsi (*con un fine*); associarsi; fare causa comune: *They banded together to oppose the plan*, si unirono per opporsi al progetto.

bandage /ˈbændɪdʒ/ n. **1** bendaggio **2** benda; fascia.

to **bandage** /ˈbændɪdʒ/ v. t. bendare; fasciare || **bandaging** n. ⓤ bendatura; fasciatura.

Band-Aid® /ˈbændeɪd/ **A** n. (*USA*) «band-aid»; cerotto **B** a. attr. (*fig.*) d'emergenza; provvisorio; temporaneo: **a Band-Aid solution**, una soluzione d'emergenza.

bandanna, **bandana** /bænˈdænə/ n. bandana; foulard di seta o cotone a colori vivaci.

bandbox /ˈbændbɒks/ n. cappelliera.

banded /ˈbændɪd/ a. **1** a bande **2** (*geol.*) laminato; stratificato.

banderole, **banderol** /ˈbændərəʊl/ n. **1** banderuola (*di lancia*) **2** (*naut.*) pennone, pennoncello (*di nave*) **3** (*archit.*) cartiglio.

bandicoot /ˈbændɪkuːt/ n. (*zool.*) **1** (= **b. rat**) (*Mus malabaricus*) topo gigante **2** (*Perameles*) perameles.

bandit /ˈbændɪt/ n. (pl. **bandits**, **banditti**)

bandito; brigante || **banditry** n. ⓤ banditismo; brigantaggio.

bandmaster /ˈbændmɑːstə(r)/ n. capobanda (*di musicanti*).

bandoleer, **bandolier** /bændəˈlɪə(r)/ n. (*mil.*) bandoliera.

bandoline /ˈbændəliːn/ n. brillantina solida; fissatore.

bandsman /ˈbændzmən/ n. (pl. **bandsmen**) bandista (*spec. di banda militare*); componente di un complesso musicale; musicante.

bandstand /ˈbændstænd/ n. palco della banda (*o* dell'orchestra).

B&W sigla (**black and white**) bianco e nero (BN, b/n).

bandwagon /ˈbændwægən/ n. **1** carro della banda (*in una parata, un corteo*) **2** (*fig.*) attività di successo; causa alla moda: **to climb** (*o* **to get**, **to jump**) **on the b.**, seguire una moda (che ha o promette successo); affrettarsi a imitare q.

bandwidth /ˈbændwɪdθ/ n. (*fis., comput.*) larghezza di banda.

bandy ① /ˈbændɪ/ **A** n. **1** (*sport*) antica varietà di hockey **2** mazza da 'bandy' **B** a. (*di gambe*) arcuato: **b.-legged**, dalle gambe storte, arcuate ● **b. leg**, ginocchio varo.

bandy ② /ˈbændɪ/ n. carro indiano.

to **bandy** /ˈbændɪ/ v. t. **1** (*generalm.* **to b. about** *o* **around**) ripetere (*un nome, una storia, ecc.*); parlare o discutere apertamente di: *Figures were bandied about freely*, circolavano le cifre più disparate; **a much bandied-about name**, un nome che è sulla bocca di molti **2** scambiarsi (*con animosità*): **to b. accusations**, scambiarsi accuse; **to b. words with sb.**, discutere con q.; avere un battibecco con q. **3** rilanciarsi (*una palla, ecc.*).

bane /beɪn/ n. ⓤ **1** rovina; flagello; piaga **2** tormento; incubo **3** (*lett.*) veleno mortale **4** (*arc. o poet.*) morte.

baneberry /ˈbeɪnbrɪ/ n. (*bot., Actaea spicata*) actea; barba di capra.

baneful /ˈbeɪnfl/ a. (*arc. o lett.*) **1** pernicioso; malefico: **a b. effect**, un effetto malefico **2** velenoso; mortale ● **-ly** avv.

◆**bang** /bæŋ/ **A** n. **1** botta; colpo violento; cozzo: **a b. on the head**, una botta in testa **2** forte rumore secco; botto; fracasso; bang: *The door closed with a b.*, la porta si chiuse con fracasso **3** scoppio; esplosione; detonazione; colpo; botto **4** (*fig.*) forte impatto; successo; colpo: **to make a b.**, avere successo; fare colpo **5** (*slang USA*) divertimento; piacere; eccitazione; gusto; goduria: **to get a b. out of st.**, provarci gusto (o godere) a fare qc. **6** (generalm. al pl.) frangetta (*sulla fronte*) **7** (*USA*) (*slang USA*) impeto; slancio **8** (*slang della droga*) buco; pera **9** (*volg.*) scopata, chiavata: **quick b.**, sveltina; bottarella **10** (*comput.*) punto esclamativo **B** avv. **1** (*GB*) esattamente; dritto; proprio; in pieno: *The snowball hit me b. on the forehead*, la palla di neve mi colpì in piena fronte; **b. in the middle**, proprio al centro; nel bel mezzo (di qc.); **b. on time**, puntualissimo; in perfetto orario; spaccando il secondo; (*fam.*) **b. on**, esatto; azzeccato; perfetto; centrato **2** (*GB*) completamente; del tutto: **b. up to date**, attualissimo **C** inter. bang!; bum! ● (*slang*) **b. for one's** (*o* **the**) **buck**, convenienza; rapporto costo/beneficio: *We got the biggest b. for our buck*, abbiamo fatto un vero affare □ (*fam. GB*) **b. to rights**, in flagrante, con le mani nel sacco; (*anche*) sistemato, a posto □ **to go b.**, esplodere; scoppiare; fare bum: *B. went the gun*, bum! fece il fucile; (*fam.*) *B. go my hopes of a pay rise!*, addio speranze di un aumento di stipendio! □ (*fam.*) **with a b.**, di colpo; (*anche*) in modo spettacolare, a meraviglia, col botto (*fam.*):

to go off (*o* **over**) **with a b.**, riuscire a meraviglia; avere un successo strepitoso □ **not with a b. but a whimper** (*da un verso di T. S. Eliot*), senza fare grande impressione; in modo anonimo.

to **bang** /bæŋ/ **A** v. t. **1** colpire; dare un colpo su; battere; urtare; picchiare: *He banged the table with his fist*, batté un pugno sul tavolo; *I banged my head against a beam*, ho picchiato la testa (*o* ho dato una testata) contro una trave **2** sbattere; sbatacchiare: *He went out banging the door*, se ne andò sbattendo la porta; **to b. pots**, sbatacchiare pentole; **to b. a drawer shut**, chiudere un cassetto con fracasso; **to b. down the phone**, sbattere giù il telefono; *Jean banged the book down on the table*, Jean sbatté il libro sul tavolo **3** (*USA*) tagliare a frangetta (*i capelli*) **4** (*volg.*) sbattere; chiavare; scopare **B** v. i. **1** picchiare; bussare: **to b. on the door**, bussare alla porta **2** scoppiare; esplodere **3** sbattere; urtare (*contro qc.*): *There is a shutter banging somewhere*, c'è una persiana che sbatte da qualche parte: **to b. open**, aprirsi con fracasso (*sbattendo contro il muro*); *My elbow banged against the table*, il mio gomito urtò il tavolo **4** (*con compl. di direzione*) muoversi rumorosamente: **to b. about a room**, muoversi rumorosamente in una stanza **5** (*slang, USA*) bucarsi; farsi una pera; farsi ● (*sport*) **to b. home**, mettere a segno (*un tiro*) **6** (*Borsa, fin.*) deprimere, far crollare: **to b. the market**, far crollare il mercato (*con la vendita di un elevato quantitativo di merci o di titoli*) □ (*fig.*) **It's just like banging your head against a brick wall**, è come battere la testa nel muro.

■ **bang about** (*o* **around**) **A** v. i. + avv. muoversi rumorosamente; fare fracasso: *They were banging about in the next room*, stavano facendo fracasso nella stanza vicina **B** v. t. + avv. malmenare; maltrattare; strapazzare.

■ **bang away** v. i. + avv. **1** (*fam.*) lavorare indefessamente; darci dentro (*fam.*): **to b. away at st.**, lavorare indefessamente a q.c. **2** (*volg.*) scopare alla grande; scopare come un riccio.

■ **bang into** v. i. + prep. **1** andare a sbattere contro; urtare contro **2** (*fam.*) imbattersi in (q.).

■ **bang on about** v. i. + avv. e prep. (*fam.*) parlare senza sosta di; non fare altro che parlare di; concionare su; insistere con la solfa di (*fam.*): *He banged on about the new company policies*, non ha fatto altro che parlare delle nuove politiche aziendali.

■ **bang out** v. t. + avv. suonare (*un motivo musicale*) con energia (*ma senza troppa abilità*); strimpellare con entusiasmo **2** produrre in fretta e alla bell'e meglio; sfornare; buttar fuori: **to b. out slogans**, sfornare slogan.

■ **bang up** **A** v. t. + avv. **1** (*fam. USA*) rovinare; scassare (*fam.*); sprecare (*un'occasione*): **to b. up one's car**, scassare la macchina; **to b. up one's elbow**, farsi male al gomito **2** (*generalm. al passivo*) (*slang GB*) mettere in prigione; mettere dentro, sbattere in galera (*pop.*) **3** (*slang*) mettere incinta **B** v. i. + avv. (*slang USA*) bucarsi; farsi una pera; farsi.

banger /'bæŋə(r)/ n. (*GB*) **1** petardo; mortaretto; botto (*fam.*) **2** (*fam.*) salsiccia: (*GB*) **bangers and mash**, salsicce con purè di patate **3** (*fam.*) (*di auto, ecc.*) vecchia carcassa; catenaccio; macinino.

banging /'bæŋɪŋ/ **A** n. ⓤ (serie di) forti colpi; detonazioni (*pl.*): *There was a furious b. on the door*, ci furono colpi furiosi alla porta; bussarono furiosamente alla porta **B** a. **1** che sbatte; sbatacchiante: **a b. door**, una porta che sbatte **2** che picchia; martel-

lante: **b. noise**, rumore martellante; rumore di colpi; **b. headache**, mal di testa martellante **3** (*slang*) fantastico; da sballo.

Bangladeshi /bæŋglə'deʃɪ/ a. e n. (abitante *o* nativo) del Bangladesh.

bangle /'bæŋgl/ n. braccialetto; cerchietto (*da polso, per la caviglia, ecc.*).

bang-up /'bæŋʌp/ a. (*fam. USA*) eccellente; ottimo; fantastico.

banian /'bænɪən/ n. **1** sensale bengalese **2** tunica indiana ● (*bot.*) **b. tree** (*Ficus bengalensis*) baniano.

to **banish** /'bænɪʃ/ v. t. **1** bandire; esiliare; mandare in esilio **2** scacciare (*pensieri, ecc.*); bandire: **to b. all fear**, bandire ogni timore || **banishment** n. ⓤ bando; esilio.

banister /'bænɪstə(r)/ n. **1** balaustro **2** (anche al pl.) ringhiera (*di scala*) **3** (anche al pl.) balaustrata.

banjo /'bændʒəʊ/ n. (pl. **banjos, banjoes**) **1** (*mus.*) banjo; bangio **2** (*slang*) padella **3** (*slang Austral.*) badilone || **banjoist** n. suonatore di banjo.

◆**bank** ① /bæŋk/ n. **1** argine, sponda, riva (*di fiume, lago, ecc.*) **2** scarpata; scarpa; sponda; pendio; terrapieno **3** pendenza (*di curva soprelevata*); soprelevazione **4** cumulo; banco; ammasso: **a b. of fog**, un banco di nebbia; **a b. of clouds**, un banco di nubi; un ammasso di nuvole; **banks of snow**, cumuli di neve **5** (*geol., geogr.*) bassofondo; banco: **b. deposit**, deposito di bassofondo; **b. reef**, banco di scogliera **6** (*biliardo*) sponda: **b. shot**, tiro di sponda **7** (*aeron.*) sbandamento, inclinazione trasversale (*per la virata*): **b.--and-turn indicator**, inclinometro trasversale ● (*USA*) **b. barn**, granaio (*o* fienile) costruito a ridosso di un pendio (*come riparo dal vento*).

◆**bank** ② /bæŋk/ **A** n. **1** banca; banco; istituto bancario: **the B. of England**, la Banca d'Inghilterra; **State B.**, banca di stato; **central b.**, banca centrale **2** (*gioco d'azzardo*) banco **3** raccolta; deposito; banca; riserva: (*med.*) **blood b.**, banca del sangue; emoteca; (*med.*) **kidney b.**, banca dei reni **B** a. attr. **1** di banca; in banca; bancario: **b. account**, conto in banca; conto bancario; **b. advance**, anticipazione bancaria; **b. balance**, saldo in banca; **b. cashier**, cassiere di banca; **b. charges**, spese (*o* commissioni) bancarie; **b. clerk**, impiegato di banca; bancario; **b. interest**, interesse bancario; **b. liquidity**, liquidità bancaria; **b. loan**, prestito (*o* mutuo) bancario; **b. official**, funzionario di banca **2** (*Borsa*) dei (titoli) bancari: **the b. sector**, il settore dei bancari ● **b. bill**, (*GB*) effetto bancario; cambiale (*o* tratta) bancaria; (*USA*) banconota □ **b. book**, libretto di deposito (*o* a risparmio) □ **b. card**, carta assegni □ **b. commission**, commissione (*o* provvigione) bancaria □ **b. credit**, credito bancario □ **b. credit transfer**, bonifico (bancario) □ **b. deposit**, deposito bancario □ (*leg.*) **b. disclosure**, rivelazione di segreto bancario □ **b. discount**, sconto bancario □ **b. draft**, tratta bancaria; assegno circolare □ (*in GB*) **b. giro**, giroconto □ **b. holding company**, holding bancaria □ (*p. es., in GB*) **b. holiday**, giorno in cui le banche sono chiuse; festività legale ❶ **CULTURA • bank holiday**: *così chiamate perché in origine prevedevano la chiusura delle banche. Alcune corrispondono a festività presenti anche in Italia, come* **New Year's Day** (*Capodanno*), **Easter Monday** (*Lunedì dell'Angelo*), **May Day** (*in GB si festeggia il primo lunedì di maggio*), **Good Friday** (*Venerdì Santo*), **Christmas Day** (*Natale*) *e* **Boxing Day** (*Santo Stefano*). *Altri non hanno corrispondenti, come* **Spring Bank Holiday** (*l'ultimo lunedì di maggio*) *e* **Summer Bank Holiday** (*l'ultimo lunedì di agosto*) □ **b. holiday weekend**, (*in GB*) il fine settimana «lungo» (*esteso a un lunedì per la presenza di un bank holiday*); ponte □ **b.**

hours, orario di sportello □ **b. manager**, direttore di banca □ **b. money**, moneta scritturale □ **b. note** → **banknote** □ **b. of deposit**, banca di deposito □ **b. of discount**, banca di sconto □ **the B. for International Settlements**, la Banca dei Regolamenti Internazionali □ **b. of issue**, banca di emissione □ **b. overdraft**, credito allo scoperto; scoperto di conto corrente (*assistito da fido*) □ **b. rate** (**of discount**), tasso ufficiale di sconto □ **b. reserve**, riserva bancaria □ **b. run**, assalto agli sportelli □ **b. statement**, estratto conto (*di conto corrente*) □ **b. teller**, sportellista; cassiere di banca □ **to break the b.**, (*al gioco*) far saltare il banco; (*fig., generalm. al neg.*) mandare in rovina, rovinare.

bank ③ /bæŋk/ n. **1** fila; serie; batteria: **a b. of speakers**, una fila di amplificatori; **a b. of dials**, una fila di quadranti **2** fila di tasti; tastiera (*di organo, macchina per scrivere, ecc.*) **3** (*naut., stor.*) banco di rematori; fila di remi **4** (*comput.*) banco: **b. select**, selezione di banco; **memory b.**, banco di memoria.

to **bank** ① /bæŋk/ **A** v. t. **1** (anche **to b. up**) ammassare; ammucchiare; accumulare: *The flood had banked litter up against the wall*, la piena aveva ammassato detriti contro il muro **2** (anche **to b. up**) proteggere con un cumulo di qc. (*terra, neve, ecc.*); accumulare (*terra, neve, ecc.*) contro; arginare (*un fiume, ecc.*): *We banked (up) our hut with earth*, accumulammo terra contro la capanna **3** (anche **to b. up**) rincalzare (*un fuoco*) **4** soprelevare (*una curva*) **5** (*aeron.*) inclinare (*un aereo, nella virata*) **6** (*biliardo*) colpire (*una palla*) di sponda **B** v. i. **1** (*generalm.* **to b. up**) accumularsi; ammucchiarsi; addensarsi in banchi: *Black clouds soon banked up*, presto si addensarono nuvole nere **2** (*aeron.*) inclinarsi in virata **3** (*autom.*) prendere una curva su due ruote.

to **bank** ② /bæŋk/ **A** v. t. depositare (*o* mettere) in banca; versare: **to b. a cheque**, versare un assegno **B** v. i. **1** essere cliente (*di una banca*); avere un conto (*presso una banca*): *Who do you b. with?*, di quale banca sei cliente?; qual è la tua banca?; dove hai il conto? **2** possedere (*o* gestire, dirigere) una banca (*o* banche) **3** (*gioco d'azzardo*) tenere il banco.

■ **bank on** v. i. + prep. contare su; fare affidamento su: *You can b. on my help*, puoi contare sul mio aiuto.

bankable /'bæŋkəbl/ a. **1** (*comm.*) bancabile; presentabile a una banca (*per lo sconto*): **b. bills**, cambiali bancabili **2** (*fam., spec. di attore, ecc.*) di sicuro successo; che è garanzia di successo.

bankbook /'bæŋkbʊk/ n. libretto di banca.

banked /bæŋkt/ a. rialzato; soprelevato: **b. curve** (*o* **b. corner**), curva rialzata (*in una pista, ecc.*).

◆**banker** ① /'bæŋkə(r)/ n. **1** banchiere; (alto) funzionario di banca **2** (al pl.) (*per estens.*) banca: *Who are your bankers?*, di quale banca sei cliente? **3** (*gioco d'azzardo*) chi tiene il banco; banchiere **4** (*GB*) scommessa vincente **5** (*totocalcio, GB*) pronostico fisso; fissa ● **b.'s acceptance**, accettazione bancaria □ **b.'s card**, carta assegni □ **b.'s draft**, «bank draft» (*via di mezzo tra l'assegno circolare e la credenziale*) □ (*fam. USA*) **b.'s hours**, orario di lavoro ridotto; giornata corta □ **b.'s lien**, diritto di ritenzione della banca □ **b.'s mortgage**, ipoteca a favore della banca □ (*GB*) **b.'s order**, ordine di pagamento (*di un cliente alla sua banca*) □ **b.'s references**, referenze bancarie.

banker ② /'bæŋkə(r)/ n. **1** barca per la pesca del merluzzo **2** pescatore di merluzzi (*sui banchi di Terranova*) **3** (*GB*) locomotiva ausiliaria (*per pendenze*).

banker ③ /'bæŋkə(r)/ n. **1** banco di lavoro

b

(*di artigiano*) **2** banco di muratore.

banket /'bæŋkɪt/ n. (*ind. min.*) conglomerato aurifero (*in Sud Africa*).

banking ① /'bæŋkɪŋ/ n. Ⓤ **1** argine (*di fiume, ecc.*); arginatura **2** soprelevazione (*di curva*) **3** pesca sui banchi (*spec. di Terranova*) **4** (*aeron.*) sbandamento, inclinazione trasversale (*per la virata*).

♦**banking** ② /'bæŋkɪŋ/ **Ⓐ** n. Ⓤ **1** attività bancaria; operazioni (pl.) bancarie; servizi (pl.) bancari: **free b.**, operazioni bancarie gratuite; **online b.**, servizi bancari on line **2** tecnica bancaria **3** finanza bancaria: (*fin.*) **investment b.**, attività di intermediazione, di collocamento e di gestione di titoli mobiliari **Ⓑ a. attr.** di banca; in banca; bancario: **b. account**, conto in banca; conto bancario; **b. law**, diritto bancario ● (*comput.*) **b. automation**, automazione nelle banche ▢ **b. firm** (*o* **b. house**), istituto di credito; azienda bancaria ▢ **b. hours**, orario di sportello ▢ **b. secrecy**, segreto bancario.

banknote /'bæŋknəʊt/ n. biglietto di banca; banconota.

bankroll /'bæŋkrəʊl/ n. (*USA*) **1** rotolo di banconote **2** (*fig.*) risorse finanziarie (*di una persona, un'azienda*); fondi; conto in banca.

to **bankroll** /'bæŋkrəʊl/ (*fam. USA*) v. t. finanziare; foraggiare || **bankroller** n. finanziatore; foraggiatore.

bankrupt /'bæŋkrʌpt/ **Ⓐ** a. **1** (*leg.*) fallito: **to be made b.**, essere dichiarato fallito; **to go** (*o* **to become**) **b.**, far fallimento; fallire **2** (*fig.*) finito; rovinato; fallito: **a b. politician**, un uomo politico finito **3** (*fig.*) privo: **b. of intelligence**, privo d'intelligenza; **to be morally b.**, essere del tutto privo di valori morali **Ⓑ** n. (*leg.*) fallito; bancarottiere: **b.'s estate**, massa fallimentare; **b.'s indebtedness**, debito complessivo del fallito.

to **bankrupt** /'bæŋkrʌpt/ v. t. **1** (*leg.*) far fallire **2** (*fig.*) mandare in rovina; rovinare.

bankruptcy /'bæŋkrʌpsɪ/ n. Ⓤ Ⓒ (*leg.*) fallimento **2** (*fig.*) fallimento; bancarotta: **to force sb. into b.**, costringere q. al fallimento; far fallire q.; **the b. of my plans**, la bancarotta dei miei progetti ● **b. adjudication**, sentenza dichiarativa di fallimento ▢ **b. court**, tribunale fallimentare ▢ **b. judge**, giudice fallimentare ▢ **b. law**, diritto fallimentare ▢ **b. liabilities**, passivo (*o* massa passiva) del fallimento ▢ **b. notice**, preavviso di fallimento ▢ **b. petition**, istanza di fallimento; istanza fallimentare ▢ **b. proceedings**, procedimento fallimentare ▢ **b. receiver** (*o* **receiver in b.**), → **receiver**, def. 4 ▢ **b. trustee**, curatore fallimentare.

banner /'bænə(r)/ **Ⓐ** n. **1** bandiera; stendardo; vessillo: (*anche fig.*) **to join** (*o* **to follow**) **the b. of**, mettersi sotto la bandiera di **2** striscione (*in un corteo, allo stadio, ecc.*) **3** (= **b. headline**) titolo (*di giornale*) a tutta pagina **4** (*comput.*) banner (*elemento grafico di una pagina web a contenuto pubblicitario*) **Ⓑ a. attr.** (*fam. USA*) eccellente; eccezionale; straordinario; favoloso (*fam.*): **a b. year**, un'annata eccezionale || **bannered** a. imbandierato; impaveseato.

banneret ① /'bænə'rɛt/, **bannerette** /bænə'rɛt/ n. bandierina.

banneret ② /'bænərət/ n. (*stor.*) (*anche* **knight b.**) banderese.

bannister /'bænɪstə(r)/ → **banister**.

bannock /'bænək/ n. (*scozz.*) focaccia tonda di farina d'avena o d'orzo.

banns /bænz/ n. pl. (*leg.*, = **b. of matrimony**) pubblicazioni di matrimonio: **to call** (*o* **to put up**) **the b.**, fare (*o* esporre) le pubblicazioni (matrimoniali).

banquet /'bæŋkwɪt/ n. banchetto; convito.

to **banquet** /'bæŋkwɪt/ **Ⓐ** v. t. offrire un

banchetto a (q.) **Ⓑ** v. i. banchettare.

banqueter /'bæŋkwɪtə(r)/ n. banchettante; commensale; convitato.

banqueting /'bæŋkwɪtɪŋ/ n. Ⓤ il banchettare ● **b. hall** (*o* **room**), sala per banchetti.

banquette /bæŋ'kɛt/ n. **1** banchina (*di strada*) **2** (*mil.*) banchina di tiro (*di trincea*) **3** (*in una carrozza*) sedile dietro il conducente **4** marciapiede **5** (*in un ristorante*) panchetta.

Banquo /'bæŋkwəʊ/ n. (*letter.*) Banco.

banshee /'bænʃiː/ n. (*mitol.*: *in Irlanda*) spirito (*di donna*) il cui lamento è presagio di morte.

bantam /'bæntəm/ n. **1** gallo, gallina «bantam» **2** (*fig.*) persona piccola ma ardimentosa **3** (*boxe*, = **bantamweight**) bantam; peso gallo.

banter /'bæntə(r)/ n. Ⓤ bonaria presa in giro; punzecchiature scherzose; canzonatura; motteggio.

to **banter** /'bæntə(r)/ **Ⓐ** v. t. stuzzicare; prendere in giro in modo bonario; canzonare; motteggiare **Ⓑ** v. i. parlare in modo scherzoso; dire facezie || **banterer** n. canzonatore, canzonatrice; burlone, burlona || **bantering** n. Ⓤ motteggio; canzonatura.

Bantu /bæn'tuː, *USA* 'bæntuː/ a. e n. (pl. *Bantu*, *Bantus*) bantu; bantù.

banyan /'bænɪən/ n. (*bot.*, *Ficus bengalensis*) baniano.

baobab /'beɪəbæb/ n. (*bot.*, *Adansonia digitata*) baobab.

bap /bæp/ n. (*spec. scozz.*) grosso panino; schiacciato e soffice.

Bapt. abbr. (*relig.*, **Baptist**) battista.

to **baptise** /bæp'taɪz/ → **to baptize**.

baptism /'bæptɪzəm/ n. **1** (*relig.*) battesimo **2** (*fig.*) battesimo; iniziazione: (*mil. e fig.*) **b. of fire**, battesimo del fuoco || **baptismal** a. (*relig.*) battesimale.

baptist /'bæptɪst/ n. **1** battezzatore; chi battezza **2** – (*relig.*) **B.**, battista ● (*relig.*) **John the B.**, Giovanni Battista.

baptistery, **baptistry** /'bæptɪstərɪ/ n. **1** (*archit.*) battistero **2** (*relig.*) fonte battesimale.

to **baptize** /bæp'taɪz/ v. t. (*relig. e fig.*) battezzare.

♦**bar** ① /bɑː(r)/ n. **1** sbarra; barra; spranga; stecca: *There were bars across the window*, c'erano sbarre alla finestra **2** (*metall.*) lingotto; verga; lingotto: **gold in bars** (*o* **bar gold**), oro in lingotti **3** (*rif. a varie sostanze*) pezzo; stecca; tavoletta; barretta: **a bar of chocolate**, una tavoletta di cioccolato; **a bar of soap**, un pezzo di sapone; una saponetta; **bar soap**, sapone in pezzi; saponette **4** (*GB*) elemento (*di stufa elettrica*) **5** striscia, stria, barra (*di luce, di colore*) **6** (*geogr.*) barra (*di sabbia o fango*) **7** (*arald.*) fascia **8** (*mus.*) battuta: *He played the first bars of the tune*, suonò le prime battute del motivo **9** (*sport*: *salto*) asticella; (*ginnastica*) sbarra; staggio (*delle parallele*); (*salto*: *di spalliera*) **10** (*calcio*, = **crossbar**) traversa **11** (al pl.) (*ginnastica*, = **parallel bars**) parallele **12** (al pl.) (*ciclismo*, = **handlebars**) manubrio **13** banco (*di mescita*); bancone **14** bar; sala bar; (con attr.) banco o locale (*dove si consuma un dato cibo o bevanda*): **singles bar**, bar per single; **coffee bar**, bar; **sandwich bar**, banco panini; paninoteca; **wine bar**, osteria; cantina; enoteca; (*a una festa, un matrimonio, ecc.*) *Is there a free bar?*, le consumazioni al bar sono gratuite? **15** – **the bar**, (*in tribunale*) sbarra, barra (*che divide la corte dal pubblico*); (*per estens., anche fig.*) tribunale, giudizio: **to appear at the bar**, comparire in giudizio; **the prisoner at the bar**, il detenuto alla sbarra; l'imputato; *He was condemned at*

the bar of public opinion, fu condannato dal tribunale dell'opinione pubblica **16** – (*leg.*) **the Bar**, l'avvocatura; la professione forense; il foro; (*GB*) l'insieme dei «barristers» (→ **barrister**): (*GB*) **to be called to the Bar**, essere ammesso all'esercizio della professione di «barrister»; (*GB*) **to be called within the Bar**, essere nominato «King's (*o* Queen's) Counsel» (→ **counsel**) **17** ostacolo; impedimento; preclusione; (*leg.*) divieto, sospensione; (*anche*) decadenza, prescrizione (*di un'azione legale*): **a bar to success**, un ostacolo al successo; **a bar on exports of artifacts**, un divieto alle esportazioni di oggetti d'arte; (*leg.*) **bar of the statute of limitations**, prescrizione; (*leg.*) **bar to action**, impedimento procedurale **18** (*mil.*, *USA*) grado (*lamina metallica*) ● **bar billiards**, biliardo a stecche corte; biliardino ▢ (*stat.*) **bar chart**, grafico a barre (*o* a colonne) ▢ (*mus.*) **bar chord**, (accordo) barré ▢ (*mecc.*) **bar clamp**, morsetto a barra ▢ (*comput.*) **bar code**, codice a barre ▢ (*comput.*) **bar code reader**, lettore di codice a barre ▢ (*metall.*) **bar drawing**, trafilatura ▢ (*fam.*) **bar fly**, cliente abituale di bar ▢ (*metall.*) **bar folder**, piegatrice (*di barre*) ▢ (*USA*) **bar girl**, ragazza che intrattiene i clienti di un bar incoraggiandoli a bere; «entraineuse» (*franc.*) ▢ (*USA*) **bar graph** = **bar chart** → *sopra* ▢ (*fam. USA*) **bar jockey** (*o* **bar lizard**), cliente di un bar ▢ **bar-keeper** = **barkeeper** ▢ (*mus.*) **bar line**, sbarretta; stanghetta ▢ (*spec. pubbl.*) **bar-person**, barista (m. e f.) ▢ (*arald.*) **bar sinister** = **bend sinister** → **bend** ▢ **bar snacks**, stuzzichini; cibo da tavola fredda ▢ **bar stool**, sgabello di bar ▢ (*sartoria*) **bar tack**, punti (pl.) di rinforzo ▢ (*archit.*) **bar tracery**, traforo decorativo (*di finestra*) ▢ **to be behind bars**, essere dietro le sbarre; essere al fresco; vedere il sole a scacchi.

bar ② /bɑː(r)/ prep. eccetto; eccettuato; tranne: **bar none**, nessuno escluso; senza eccezioni; **bar accidents**, salvo imprevisti.

bar ③ /bɑː(r)/ n. (*fis.*) bar (*unità di misura di pressione*).

to **bar** /bɑː(r)/ v. t. **1** sbarrare; sprangare; chiudere: **to bar the door**, sprangare la porta; **to bar the road**, sbarrare la strada; **to bar in**, chiudere dentro; sbarrare l'uscita a; **to bar oneself in**, barricarsi dentro; **to bar out**, chiudere fuori (*sbarrando la porta*) **2** ostacolare; impedire; proibire; vietare: *What bars him from going where he likes?*, che cosa gli impedisce di andare dove vuole? **3** vietare l'accesso a: **to bar tourists**, vietare l'accesso ai turisti **4** escludere; eccettuare: *He was barred from the contest*, fu escluso dalla competizione **5** (*leg.*) far sospendere (*un'azione giudiziaria*) **6** segnare con strisce; striare; rigare; listare: *The bird's feathers were barred with red*, le penne dell'uccello erano striate di rosso; *The wall was barred with light*, il muro era segnato da strisce di luce ● (*leg.*) **barred by the statute of limitations**, caduto in prescrizione; prescritto ▢ **no holds barred**, (*lotta*) senza esclusione di colpi; (*fig.*) senza esclusione di colpi, senza restrizioni, a tutto campo.

● **bar up** v. t. + avv. sbarrare (*porte, finestre, ecc., con assi o tavole*).

bar. abbr. **1** (**barometer**) barometro **2** (**barometric**) barometrico **3** (*anche* **Bar.**, **Barr.**) (**barrister**) avvocato.

Barabbas /bə'ræbəs/ n. (*Bibbia*) Barabba.

barb ① /bɑːb/ n. **1** barba (*peli sul muso di animali*); barba (*di penna d'uccello*); cirro, barba (*di pesci*) **2** barbiglio (*di freccia, arpione, ecc.*) **3** ardiglione (*di amo da pesca*) **4** punta (*di filo spinato*) **5** soggolo (*di talune suore*) **6** frecciata; motto (*o* osservazione) pungente.

barb ② /bɑːb/ n. barbero (*cavallo di Barberia*).

to **barb** /bɑːb/ v. t. munire di barbigli (*una freccia*), di ardiglione (*un amo*); ecc. (→ **barb** ①).

barback /'bɑːbæk/ n. aiuto barista.

Barbadian /bɑːˈbeɪdɪən/ a. e n. (abitante *o* nativo) delle Barbados.

barbarian /bɑːˈbeərɪən/ **A** n. **1** (*stor.*) barbaro **2** (*fig.*) individuo ignorante, incolto; selvaggio **B** a. **1** barbaro **2** (*fig.*) primitivo; rozzo; selvaggio.

barbaric /bɑːˈbærɪk/ a. **1** barbaro; barbarico; primitivo **2** crudele | **-ally** avv.

barbarism /'bɑːbərɪzəm/ n. **1** (*ling.*) barbarismo **2** Ⓤ barbarie.

barbarity /bɑːˈbærətɪ/ n. **1** Ⓤ barbarie; inciviltà **2** Ⓤ barbarie; crudeltà; efferatezza **3** barbarie; atto barbaro (*o* efferato, crudele).

to **barbarize** /'bɑːbəraɪz/ **A** v. t. imbarbarire; barbarizzare **B** v. i. imbarbarire, imbarbarirsi || **barbarization** n. Ⓤ imbarbarimento.

barbarous /'bɑːbərəs/ a. **1** crudele; barbaro; brutale **2** barbarico; primitivo; selvaggio **3** rozzo; barbaro | **-ly** avv. | **-ness** n. Ⓤ.

Barbary /'bɑːbərɪ/ n. (*geogr. stor.*) (*anche* B. States) Barberia ● (*zool.*) B. **ape** (*Macaca sylvana*), bertuccia □ B. **horse**, (cavallo) berbero.

barbastelle /bɑːbəˈstɛl/ n. (*zool., Barbastella Barbastellus*) barbastello.

barbate /'bɑːbeɪt/ a. (*zool., bot.*) barbato.

◆**barbecue** /'bɑːbɪkjuː/ n. **1** barbecue; grande graticola **2** barbecue; grigliata all'aperto **3** Ⓤ (*USA*) carne arrostita all'aperto; grigliata ● b. **sauce**, salsa piccante.

to **barbecue** /'bɑːbɪkjuː/ v. t. (*cucina*) arrostire (*carne, pesce, ecc.*) alla griglia; grigliare all'aperto.

barbed /bɑːbd/ a. **1** dentato; dentellato: a b. **arrow**, una freccia dentellata (*o* con barbigli) **2** (*bot.*) barbato **3** (*fig.*) acuto, pungente: b. **words**, parole pungenti ● b. **wire**, filo (di ferro) spinato □ b.-**wire fence**, reticolato.

barbel /'bɑːbl/ n. **1** (*zool., Barbus; Barbus fluviatilis*) barbo, barbio **2** (*zool.*) barbiglio (*di un pesce*).

barbell /'bɑːbɛl/ n. **1** (*sollevamento pesi*) bilanciere **2** (*ginnastica*) manubrio.

barber /'bɑːbə(r)/ n. **1** barbiere; parrucchiere ● b.'s **block**, portaparrucche □ b.'s **chair**, poltrona da barbiere; (*slang USA*) sedile da astronauta: *It's like a b.'s chair that fits all buttocks'* W. SHAKESPEARE, 'è come la poltrona del barbiere che va bene per tutte le natiche' □ b.'s **pole**, palo a spirali rosse e bianche (*insegna dei barbieri*) □ (*GB*) b.'s **shop**, negozio (*o* bottega) di barbiere; barbieria, salone (*region.*) □ (*stor.*) b. **surgeon**, cerusico.

barberry /'bɑːbərɪ/ n. (*bot., Berberis vulgaris*) crespino.

barbershop /'bɑːbəʃɒp/ (*USA*) **A** n. negozio (*o* bottega) di barbiere **B** a. (*mus.*) relativo a un genere di canzoni sentimentali cantate da un coro a quattro voci maschili: «barbershop»: b. **quartet**, quartetto di voci maschili; quartetto «barbershop».

barbet /'bɑːbɪt/ n. (*zool., Capitonidae*) barbuto (*uccello variopinto dell'America centrale e del Sud America*).

barbette /bɑːˈbɛt/ n. (*stor. mil.*) barbetta.

barbican /'bɑːbɪkən/ n. (*mil.*) barbacane (*di fortezza*).

barbie /'bɑːbɪ/ (*slang Austral.*) → **barbecue**.

Barbie doll /'bɑːbɪdɒl/ loc. n. (*fam. USA*) donna attraente ma insipida; bambola vuo-

ta; bambolona (*fam.*).

barbiturate /bɑːˈbɪtʃʊrɪt/ n. (*chim., farm.*) barbiturico; barbiturato.

barbituric /bɑːbɪˈtjʊərɪk/ a. (*chim.*) barbiturico.

barbs /bɑːbz/ n. pl. (*slang USA*) barbiturici.

barbule /'bɑːbjuːl/ n. (*bot., zool.*) barbula.

barcarole, **barcarolle** /'bɑːkərəʊl, bɑːkəˈr-/ n. (*mus.*) barcarola.

BArch abbr. (**Bachelor of Architecture**) laureato in architettura (*laurea di 1° grado*).

barchan /bɑːˈkɑːn/ n. (*geogr.*) barcana; duna a mezzaluna.

to **bar-code** /'bɑːkəʊd/ (*market.*) v. t. munire (*una confezione*) di un codice a barre || **bar-coding** n. Ⓤ applicazione di codici a barre (*a confezioni di prodotti di largo consumo*).

bard ① /bɑːd/ (*arc., poet. o lett.*) n. bardo: **the B. (of Avon)**, il bardo di Avon (*Shakespeare*) || **bardic** a. di (*o* da) bardo || **bardism** n. Ⓤ arte dei bardi.

bard ② /bɑːd/ n. (*stor.*) barda (*armatura di cavallo*).

to **bard** /bɑːd/ v. t. (*stor.*) bardare (*un cavallo*).

◆**bare** /beə(r)/ a. **1** nudo; scoperto: b. **feet**, piedi nudi; b. **head**, testa scoperta; capo nudo; **to strip sb. b.**, denudare q.; spogliare q. **2** spoglio; nudo; brullo; vuoto; disadorno: a b. **cell**, una nuda cella; b. **hills**, colline brulle; a b. **tree**, un albero spoglio; a b. **room**, una stanza disadorna; *The cupboard was b.*, la credenza era vuota; **to strip st. b.**, spogliare qc.; svuotare qc.; b. **of**, privo di; senza **3** semplice; essenziale; nudo; puro: **the b. essentials**, i fatti essenziali; **the b. truth**, la nuda verità **4** appena sufficiente; mero; minimo; risicato: a b. **handful of people**, solo un pugno di persone; a b. **majority**, una maggioranza risicata (*o* di stretta misura); **the b. minimum**, lo stretto necessario **5** (*di spada, di pugnale*) sguainato ● (*fig.*) **the b. bones**, l'essenziale (*di qc.*); gli elementi essenziali □ b.-**bones** (agg.), essenziale; di base; senza accessori: b.-**bones expenses**, spese di base; a b.-**bones computing system**, un sistema informatico senza accessori □ (*leg.*) b. **contract**, contratto di comodato (*o* a titolo gratuito) □ b.-**faced** → **barefaced** □ b.-**knuckled**, (*boxe*) senza guanti; (*fig.*) senza scrupoli, senza riserve □ (*econ.*) **the b. subsistence level**, il minimo vitale □ **to earn a b. living**, guadagnare appena di che vivere □ **in one's b. skin**, in costume adamitico □ **to lay b.**, mettere a nudo; rivelare; svelare □ **with one's b. hands**, a mani nude; con le proprie mani.

to **bare** /beə(r)/ v. t. **1** scoprire; denudare; mettere a nudo: **to b. one's head**, scoprirsi il capo; (*di animale*) **to b. one's teeth**, mostrare (*o* scoprire) i denti **2** mettere a nudo; rivelare: **to b. one's soul**, mettere a nudo il proprio animo; **to b. one's thoughts**, rivelare i propri pensieri **3** snudare, sguainare (*una spada*).

bareback /'beəbæk/ a. e avv. **1** senza sella; a pelo; a bisdosso: **to ride b.**, cavalcare a pelo **2** (*slang USA*) senza preservativo.

barebacked /'beəbækt/ **A** a. (*di cavallo*) senza sella **B** avv. → **bareback**.

bareboat charter /'beəbəʊtˈtʃɑːtə(r)/ loc. n. (*naut.*) contratto di noleggio a scafo nudo; noleggio a tempo-locazione.

barefaced /'beəfeɪst/ a. **1** sfacciato; spudorato; sfrontato: a b. **lie**, una menzogna spudorata **2** dal viso scoperto **3** senza barba | **-ly** avv. | **-ness** n. Ⓤ.

barefisted /'beəfɪstɪd/ a. e avv. a mani nude; senza guantoni.

barefoot /'beəfʊt/ a. e avv. a piedi nudi; scalzo: **to go b.**, andare in giro scalzo ||

barefooted a. scalzo; senza scarpe.

barehanded /'beəhændɪd/ a. e avv. **1** a mani nude; senza utensili (*attrezzi, ecc.*) **2** inerme.

bareheaded /'beəhedɪd/ a. e avv. a capo scoperto; senza cappello.

barelegged /'beəlegd/ a. e avv. a gambe nude.

◆**barely** /'beəlɪ/ avv. **1** appena; a mala pena; a stento; a fatica; quasi… non: *I b. know him*, lo conosco appena; *I could b. hear it*, lo sentivo a stento; faticavo a sentirlo; b. **visible**, visibile a stento; che quasi non si vede: *They are b. distinguishable from one another*, li si distingue a fatica; si stenta a distinguerli; *They represent b. 10% of the population*, rappresentano il 10% scarso della popolazione; *He had b. gone five minutes before the phone rang*, se n'era andato da nemmeno cinque minuti quando squillò il telefono **2** scarsamente; in modo essenziale: b. **furnished room**, una stanza con pochi mobili (*o* con mobilio essenziale) **3** (*arc.*) apertamente; esplicitamente.

bareness /'beənəs/ n. Ⓤ **1** nudità **2** scarsezza; povertà **3** semplicità.

barf /bɑːf/ n. (*fam.*) conato di vomito ● (*aeron., naut.*) b. **bag**, sacchetto per il vomito; (*fig.*) individuo disgustoso.

to **barf** /bɑːf/ v. i. (*fam.*) vomitare.

◆**bargain** /'bɑːgɪn/ n. **1** accordo; patto: **to make a b. with**, accordarsi con; fare un patto con; **to reach a b.**, giungere a un accordo: «*Will you sell it for £100?*» «*Yes*» «*Then it's a b.*», «*Me lo vendi per cento sterline?*» «*Sì*» «*Affare fatto*» **2** affare; occasione: *At this price, it's a b.*, a questo prezzo è un affare; a **real b.**, un vero affare; un affarone: *What a b.!*, che affare!; b. **price**, prezzo d'occasione (*o* di liquidazione) **3** (*anche leg.*) contratto di compravendita ● b. **basement**, reparto occasioni (*di un grande magazzino*) □ **to go b.-hunting**, andare in cerca di occasioni (*o* di saldi) □ b.-**hunter**, chi va in cerca di occasioni; chi va a caccia di saldi □ (*leg.*) b. **money**, caparra □ (*market.*) b. **pack**, pacco offerta □ (*fam. leg.*) b. **plea**, ammissione di colpa per un solo reato, più lieve degli altri (*che così non sono perseguiti*) □ (*market.*) b. **purchasing**, acquisti in blocco □ b. **sale**, vendita speciale; vendita delle rimanenze □ **to drive a hard b.**, trattare un affare soltanto a proprio vantaggio; imporre condizioni dure (*o* onerose) □ **into the b.**, per giunta, per soprammercato; in più □ **to keep one's side of the b.**, stare ai patti □ (*fig.*) **to make the best of a bad b.**, far buon viso a cattiva sorte □ **to strike a b.**, raggiungere un accordo; concludere un affare □ (*prov.*) **A b. is a b.**, i patti sono i patti.

to **bargain** /'bɑːgɪn/ **A** v. i. **1** contrattare; mercanteggiare; tirare sul prezzo: b. **over st.**, tirare sul prezzo di qc. **2** contrattare; fare una trattativa; accordarsi **3** (*leg.*) patteggiare **B** v. t. **1** dare, cedere (*in cambio*): *I bargained my old computer for his bicycle*, gli cedetti il mio vecchio computer in cambio della sua bicicletta **2** pattuire; accordarsi su || **bargainer** n. **1** chi mercanteggia; chi tira sul prezzo **2** chi conduce una trattativa.

■ **bargain away** v. t. + avv. vendere per poco (*o* a poco prezzo); svendere (*anche fig.*).

■ **bargain for** v. i. + prep. aspettarsi; prevedere; mettere in conto: *I hadn't bargained for this difficulty*, non avevo previsto (*o* messo in conto) questa difficoltà; *That's more than I bargained for*, è più di quanto avessi messo in conto.

bargaining /'bɑːgɪnɪŋ/ n. Ⓤ **1** mercanteggiamento **2** contrattazione; trattativa sindacale: **collective b.**, contrattazione collettiva **3** (*leg.*) patteggiamento ● a b. **chip** (*o* a b. **counter**), un oggetto di scambio; una

b

contropartita (*nelle trattative*); un asso nella manica (*fig.*) □ **b. power**, potere contrattuale □ **b. procedure**, procedura delle trattative.

barge ① /bɑːdʒ/ n. **1** chiatta; pontone (*per il trasporto di merci*) **2** lancia da parata (*per gli ufficiali superiori d'una nave da guerra*) **3** grande barca a remi (*per feste*) ● **b. pole**, pertica.

barge ② /bɑːdʒ/ n. (*edil.*) frontone ● (*edil.*) **b. course**, corso di mattoni inclinati (*che regge i travetti dello sporto*).

to **barge** /bɑːdʒ/ **A** v. t. trasportare su chiatta **B** v. i. muoversi in modo lento e pesante.

■ **barge about** v. i. + avv. (*o prep.*) (*fam.*) correre a scavezzacollo (*o a rotta di collo*).

■ **barge against** v. i. + prep. (*fam.*) (andare a) sbattere contro; urtare contro (q. *o* qc.).

■ **barge around** v. i. + avv. (*o prep.*) → **barge about**.

■ **barge in** v. i. + avv. (*fam.*) **1** irrompere; entrare in furia **2** interloquire bruscamente; intromettersi.

■ **barge into** v. i. + prep. (*fam.*) **1** interloquire in, interrompere (*una conversazione, un discorso*) **2** (andare a) sbattere contro (q.); urtare **3** imbattersi in (q.) **4** irrompere, entrare di furia in (*una stanza, ecc.*).

bargeboard /bɑːdʒbɔːd/ n. (*edil.*) asse di finitura, mantovana (*tavola sagomata posta sotto la grondaia*).

bargee /bɑːdʒiː/ n. chiattaiolo; barcaiolo.

bargello /bɑːdʒɛləʊ/ (*ital.*) n. ⓤ (*ricamo*) punto fiamma.

bargeman /bɑːdʒmən/ n. (pl. **bargemen**) (*USA*) → **bargee**.

to **bar-hop** /bɑːhɒp/ v. i. (*slang USA*) fare il giro dei bar (*o dei locali notturni*).

barista /bəˈrɪstə/ (*ital.*) n. (pl. **baristas**) barista (*spec. di caffetteria*).

barite /ˈbeəraɪt/ n. ⓤ (*miner.*, *spec. USA*) baritina; barite.

baritone /ˈbærɪtəʊn/ **A** n. (*mus.*) **1** baritono **2** flicorno baritono; bombardino **B** a. attr. baritonale ● (*mus.*) **b. sax**, sassofono baritono.

barium /ˈbeərɪəm/ n. ⓤ (*chim.*) bario ● (*med.*) **b. meal**, solfato di bario; pasto (*fam.* pappa) di bario (*per esami radiologici*).

bark ① /bɑːk/ n. **1** abbaio; latrato **2** (*fam.*) tosse **3** (*fam.*) risata forte e secca **4** (*fam.*) secco urlo ● (*prov.*) **His b. is worse than his bite**, can che abbaia non morde.

bark ② /bɑːk/ n. ⓤ **1** corteccia; scorza **2** concia; scorza (*di talune piante*) per tingere ● **b.-peeler**, scortecciatore.

bark ③ /bɑːk/ n. **1** (*naut.*) brigantino a palo **2** (*poet.*) barca.

to **bark** ① /bɑːk/ **A** v. i. **1** abbaiare, latrare (*di cani, ecc.*) **2** parlare in tono iroso; sbraitare: **to b. at sb.**, apostrofare q. in tono iroso **3** (*fam.*) tossire **B** v. t. **1** (*anche* **to b. out**) gridare, urlare (*un ordine, ecc.*) **2** (*fam.*) propagandare, strombazzare (*merce*) ● **to b. at the moon**, abbaiare alla luna → (*fig.*) **to b. up the wrong tree**, essere fuori strada; aver preso una pista falsa.

to **bark** ② /bɑːk/ v. t. **1** scortecciare (*un albero*) **2** conciare (*cuoio*) **3** (*fam.*) scorticare, sbucciare (*la pelle*): *The boy fell and barked his knees*, il ragazzo cadde e si sbucciò le ginocchia.

barkeep /bɑːkiːp/ n. (*slang USA*) → **barkeeper**.

barkeeper /ˈbɑːkiːpə(r)/ n. **1** barista **2** proprietario (*o proprietaria*) di bar.

barkentine /ˈbɑːkəntiːn/ n. (*naut.*, *USA*) goletta.

barker ① /ˈbɑːkə(r)/ n. **1** abbaiatore; chi urla; chi sbraita; strillone **2** (*fam.*) imbonitore di fiera **3** (*fam. USA*) pistola.

barker ② /ˈbɑːkə(r)/ n. **1** scortecciatore **2** (*tecn.*) scortecciatoio (*arnese*) **3** (*tecn.*) scortecciatrice (*macchina*).

barking ① /ˈbɑːkɪŋ/ **A** a. (*fam. GB*, = **b. mad**) completamente pazzo; pazzo furioso; fuori di testa **B** n. ⓤ **1** abbaiamento **2** (*fam.*) tosse secca.

barking ② /ˈbɑːkɪŋ/ n. ⓤ scortecciamento; scortecciatura ● (*tecn.*) **b. drum**, tamburo scortecciatore □ **b. machine**, scortecciatrice.

barley /ˈbɑːlɪ/ n. ⓤ (*bot.*, *Hordeum vulgare*) orzo ● **b. meal**, farina d'orzo □ **b. sugar**, zucchero d'orzo □ **b. water**, infuso d'orzo; orzata (*acqua d'orzo*) □ (*GB*) **b. wine**, birra molto alcolica, dal sapore leggermente dolce.

barleycorn /ˈbɑːlɪkɔːn/ n. **1** ⓤ orzo **2** chicco d'orzo.

barm /bɑːm/ n. ⓤ **1** lievito di birra; fermento **2** schiuma (*di malto che fermenta*).

barmaid /ˈbɑːmeɪd/ n. barista (*donna*).

barman /ˈbɑːmən/ n. (pl. **barmen**) barista (m.) ● ❶ NOTA D'USO • *L'uso del termine al plurale per indicare la categoria e quindi entrambi i sessi non è accettato da tutti. Cfr.* **bartender**, **barwoman**.

Barmecide /ˈbɑːmɪsaɪd/ a. fittizio; illusorio; deludente: **B. feast**, banchetto illusorio o fittizio; pasto deludente (*perché scarso*).

bar mitzvah /bɑːˈmɪtsvə/ n. (*relig. ebraica*) **1** «bar mizvà» (*cerimonia del compimento del 13° anno di età di un maschio*) **2** ragazzo che raggiunge la maggiore età.

barmpot /ˈbɑːmpɒt/ a. (*slang GB*) svitato; svampito; svaporato; tocco.

barmy /ˈbɑːmɪ/ a. **1** che contiene lievito **2** schiumoso **3** (*fam.*) tocco (*nel cervello*); mattoide; svitato (*fam.*).

barn /bɑːn/ n. **1** granaio; fienile; capannone agricolo **2** (*USA*) rimessa, deposito (*di tram, camion, ecc.*) ● (*fam. USA*) **b.-burner**, evento di enorme interesse; cosa che fa sensazione □ **b. dance**, festa campestre, in cui si balla una specie di quadriglia □ **a b. of a place**, un edificio (*o locale*) enorme e squallido: *They live in a b. of a country house*, abitano in una casa di campagna enorme □ (*zool.*) **b. owl** (*Tyto alba*), barbagianni □ (*zool.*, *USA*) **b. swallow** (*Hirundo rustica*), rondine □ (*fig.*) **not to be able to hit a b. door**, essere un pessimo tiratore.

Barnabas /ˈbɑːnəbəs/ n. (*Bibbia*) Barnaba.

Barnabite /ˈbɑːnəbaɪt/ n. (*relig.*) barnabita.

Barnaby /ˈbɑːnəbɪ/ n. Barnaba.

barnacle /ˈbɑːnəkl/ n. **1** (*zool.*) cirripede **2** (*zool.*, *Branta leucopsis*; = **b. goose**) oca facciabianca; bernacla.

Barnard /ˈbɑːnəd/ n. Bernardo.

barney /ˈbɑːnɪ/ n. (*fam. Austral.*) baruffa; lite; litigio.

to **barney** /ˈbɑːnɪ/ v. i. (*fam. Austral.*) far baruffa; litigare.

to **barnstorm** /ˈbɑːnstɔːm/ (*USA*) **A** v. i. **1** (*teatr.*) girare una regione dando una serie di rappresentazioni **2** (*polit.*) girare una regione o un distretto tenendo comizi elettorali **3** (*aeron.*) fare esibizioni di acrobazie aeree **B** v. t. **1** (*teatr.*) girare (*una regione*) dando rappresentazioni **2** (*polit.*) girare (*una regione, un distretto*) tenendo comizi || **barnstormer** n. **1** (*teatr.*) attore girovago; guitto **2** (*polit.*) politico impegnato in comizi elettorali (*in una regione o un distretto*) **3** (*aeron.*) aviatore che compie acrobazie aeree || **barnstorming** a. (*di attore, esibizione, ecc.*) a forti tinte; clamoroso; trionfante; trascinante.

barnyard /ˈbɑːnjɑːd/ n. aia (*di fattoria*) ● **b. fowls**, pennuti da cortile □ **b. humour**,

umorismo rozzo; umorismo pecoreccio.

barogram /ˈbærəɡræm/ n. (*meteor.*) barogramma.

barograph /ˈbærəɡrɑːf/ n. (*meteor.*) barografo.

barometer /bəˈrɒmɪtə(r)/ (*meteor.*) n. barometro || **barometry** n. ⓤ barometria.

barometric, **barometrical** /bærəʊˈmetrɪk(l)/ a. barometrico: **b. fuse**, spoletta barometrica; **b. pressure**, pressione barometrica; |-**ally** avv.

baron /ˈbærən/ n. **1** (*stor.*) barone; nobile; feudatario **2** barone (*della nobiltà ingl.*) **3** (*spec. USA*) magnate; grande industriale: **beef b.**, magnate della carne in scatola.

baronage /ˈbærənɪdʒ/ n. ⓤ **1** baronia; baronaggio **2** (collett.) (i) baroni; (la) nobiltà **3** albo dei baroni; annuario dei nobili.

baroness /ˈbærənɪs/ n. baronessa.

baronet /ˈbærənɪt/ n. baronetto.

baronetage /ˈbærənɪtɪdʒ/ n. ⓤ **1** (collett.) (i) baronetti **2** albo dei baronetti **3** → **baronetcy**.

baronetcy /ˈbærənɪtsɪ/ n. ⓤ rango (*o titolo*) di baronetto.

barony /ˈbærənɪ/ n. ⓤ baronia (*rango e possedimento*) || **baronial** a. di (*o da*) barone; baronale; baronesco.

baroque /bəˈrɒk/ **A** a. **1** (*arte*) barocco (*anche fig.*) **2** (*di una perla*) scaramazza **B** n. **1** ⓤ (*arte*) barocco **2** perla scaramazza; scaramazza.

baroscope /ˈbærəʊskəʊp/ n. (*fis.*) baroscopio.

barostat /ˈbærəʊstæt/ n. (*anche aeron.*) barostato.

barque /bɑːk/ n. → **bark** ③.

barquentine /ˈbɑːkəntiːn/ n. (*naut.*) goletta.

barrack /ˈbærək/ n. **1** (al pl.) (*mil.*) caserma: **to order the troops back to barracks**, far rientrare le truppe in caserma **2** palazzone squallido; casermone; falansterio ● (*mil.*) **b. room**, camerata □ (*fam.*) **b.-room lawyer**, chi, pur se incompetente, pretende di dare consigli giuridici □ (*GB*) **b. square**, cortile di caserma ❶ FALSI AMICI • barrack *non significa* baracca.

to **barrack** ① /ˈbærək/ v. t. (*mil.*) accasermare; acquartierare || **barracking** n. ⓤ accasermamento; acquartieramento.

to **barrack** ② /ˈbærək/ v. t. (*fam. GB e Austral.*) interrompere rumoreggiando; fischiare ● (*Austral.*) **to b. for**, tifare per; incitare (*una squadra, ecc.*) || **barracking** n. ⓤ interruzioni (pl.) continue (*di un oratore, ecc.*); subisso di fischi.

barracuda /bærəˈkjuːdə/ n. (pl. **barracuda**, **barracudas**) (*zool.*, *Sphyraena barracuda*) barracuda.

barrage /ˈbærɑːʒ, *USA* bəˈrɑːʒ/ n. **1** sbarramento: **balloon b.**, sbarramento di palloni (*aerostatici*) **2** diga **3** (*mil.*, = **b. fire**) tiro di sbarramento: **creeping b.**, tiro di sbarramento che si sposta con l'avanzare delle proprie truppe **4** (*fig.*) serie ininterrotta; fuoco di fila (*di domande, ecc.*) **5** (*sport*) spareggio ● (*mil.*) **b. balloon**, pallone di sbarramento.

to **barrage** /ˈbærɑːʒ, *USA* bəˈrɑːʒ/ v. t. **1** (*mil.*) sottoporre a un tiro di sbarramento **2** (*fig.*) sottoporre (q.) a un fuoco di fila di domande, ecc.; tempestare (*di domande, ecc.*).

barratry /ˈbærətrɪ/ n. ⓤ **1** baratteria **2** (*leg.*, *in GB, fino al 1967*) istigazione alle liti; eccessiva e molesta litigiosità **3** (*leg.*, *naut.*) baratteria (*frode a danno dell'armatore*) **4** (*leg.*, *in Scozia*) peculato || **barrator** n. **1** (*stor.*) barattiere **2** (*leg.*, *stor.*) istigatore di liti **3** (*leg.*, *naut.*) colpevole del reato di baratteria.

barre /bɑː(r)/ n. **1** (*danza*) sbarra (*per eser-*

cizi) **2** (*mus.*) (accordo) barré.

barré /'bæreɪ/ (*franc.*) n. (*mus.*) barré.

barred /bɑːd/ a. **1** sbarrato; munito di sbarre; sprangato; ostruito **2** a strisce; striato **3** proibito; vietato ● (*fig., fam.*) b. **debt**, debito prescritto □ (*zool.*) b. **woodpecker** (*Dendrocopus minor*), picchio minore.

♦**barrel** /'bærəl/ n. **1** barile; botte; fusto **2** (*misura di capacità*) barile **3** (*fig. fam.*) (un) mucchio; (un) sacco: **a b. of laughs**, un sacco di risate; uno spasso; una cosa tutta da ridere; **to have a b. of fun**, divertirsi un sacco; spassarsela **4** barilotto (*di orologio o di obiettivo fotografico*) **5** (*mus.*) cilindro (*di organo, ecc.*) **6** canna (*di fucile, ecc.*) **7** cannello (*di penna da scrivere*) **8** serbatoio (*di penna stilografica*) **9** tamburo (*di rivoltella*) **10** cassa (*di tamburo*) **11** (*naut.*) tamburo avvolgicavo **12** (*di cavallo, ecc.*) tronco ● (*archit.*) b.**-ceiling**, soffitto a botte □ b.**-chested**, dal torace largo e sporgente □ b. **organ**, organetto di Barberia; organino □ b. **tub**, bigoncia □ (*archit.*) b. **vault**, volta a botte; fornice □ (*fam. USA*) **cash on the b.**, in contanti; sull'unghia □ (*fam.*) **over a b.**, con le spalle al muro; impotente: **to have sb. over the b.**, tenere q. in pugno; avere q. per la gola □ (*fam.*) **to scrape the b.**, raschiare il fondo del barile (*fig.*) □ (*fam.*) **with both barrels**, a tutto spiano; senza ritegno.

to **barrel** /'bærəl/ Ⓐ v. t. **1** mettere in barili, imbarilare; mettere in botti, imbottare **2** (*fig.*) mettere da parte (*o* in serbo) Ⓑ v. i. (*fam. spec. USA*) andare a rotta di collo; precipitarsi; guidare a tutta birra; andare sparato.

barrelful /'bærəlfʊl/ n. barile, botte (*quanto sta in un barile o in una botte*).

barrelhouse /'bærəlhaʊs/ n. (*USA*) **1** bar d'infimo ordine; bettola **2** bordello **3** (*mus.*) stile di jazz fortemente percussivo; «barrelhouse».

barren /'bærən/ Ⓐ a. **1** arido; brullo **2** (*anche fig.*) sterile; infecondo; improduttivo **3** scialbo; privo d'interesse; vuoto **4** privo (di): **b. of value**, privo di valore; senza valore Ⓑ n. (*generalm.* al pl.) distesa sterile; landa | **-ly** avv. | **-ness** n. Ⓤ.

barrette /bə'ret/ n. (*USA*) fermacapelli.

barricade /bærɪ'keɪd/ n. **1** barricata **2** steccato, barriera (*anche fig.*) **3** (*nelle corse di cavalli*) cancelli di partenza.

to **barricade** /bærɪ'keɪd/ v. t. **1** barricare (*una porta, una casa*) **2** sbarrare con barricate (*una strada*).

♦**barrier** /'bæriə(r)/ n. **1** barriera; transenna **2** (*di stazione*) cancello **3** sbarramento; barriera; impedimento; ostacolo: **language barriers**, barriere linguistiche; (*comm. est.*) **barriers to trade**, barriere agli scambi commerciali; (*econ.*) **barriers to entry**, barriere all'entrata ● b. **beach**, barriera litorale □ b. **cream**, crema protettiva □ b. **lake**, lago di sbarramento □ (*med.*) b. **method**, contraccezione mediante dispositivo intrauterino □ b. **reef**, barriera corallina.

barring /'bɑːrɪŋ/ prep. eccetto; eccettuato; salvo; tranne: **b. accidents**, salvo incidenti; salvo imprevisti.

barrister /'bærɪstə(r)/ n. (*leg.*, = **b.-at-law**; in Inghil. e nel Galles) «barrister»; avvocato patrocinante (*nei tribunali superiori*) ❶ CULTURA ● **barrister**: *è il solo avvocato abilitato a patrocinare nei tribunali di grado superiore, non ha generalmente rapporti diretti con il cliente, con cui tratta tramite un →* «*solicitor*» (*def. 1*); *cfr. scozz.* **advocate** ❶ NOTA: *council o counsel?* → **council**.

barroom /'bɑːruːm/ n. (*USA*) spaccio d'alcolici; bar.

barrow① /'bærəʊ/ n. **1** (= **wheelbarrow**) carriola **2** (= **coster's b.**) carrettino (*spinto a mano*) **3** (= **handbarrow**) carrello, barella

(*per spostare sacchi, ecc.*) ● b. **boy** (*o* b. **man**), venditore ambulante.

barrow② /'bærəʊ/ n. **1** collina; monte (*spec. nei toponimi*) **2** (*archeol.*) tumulo.

barstool /'bɑːstuːl/ n. sgabello di bar.

Bart abbr. (**baronet**) baronetto.

bartender /'bɑːtendə(r)/ n. banconiere; banconiera; banchista; barista.

barter /'bɑːtə(r)/ n. Ⓤ (*anche leg.*) baratto; permuta; scambio: (*econ.*) b. **economy**, economia basata sul baratto.

to **barter** /'bɑːtə(r)/ Ⓐ v. t. **1** barattare; scambiare: **to b. a thing for** (*o* **against**) **another**, barattare una cosa con un'altra **2** (*spesso* **to b. away**) (*fig.*) barattare: **to b. away freedom for social security**, barattare la libertà con la sicurezza sociale Ⓑ v. i. fare baratti ‖ **barterer** n. chi fa baratti.

Bartholomew /bɑː'θɒləmjuː/ n. Bartolomeo.

bartizan /'bɑːtɪzæn/ n. (*archit., stor. mil.*) bertesca.

barware /'bɑːweə(r)/ n. Ⓤ attrezzature e accessori da bar.

barwoman /'bɑːwʊmən/ n. (pl. **barwomen**) barista (f.).

barycentre /'bærɪsentə(r)/ (*fis., geom.*) n. baricentro ‖ **barycentric** a. baricentrico.

barye /'bærɪ/ n. (*fis.*) baria; microbar (*unità di misura di pressione*).

baryon /'bærɪɒn/ (*fis. nucl.*) n. barione ● b. **number**, numero barionico ‖ **baryonic** a. barionico.

barysphere /'bærɪsfɪə(r)/ n. Ⓤ (*geol.*) barisfera.

baryta /bə'raɪtə/ n. Ⓤ (*chim.*) barite; ossido di bario.

barytes /bə'raɪtiːz/ n. → **barite**.

baryton /'bærɪtɒn/ n. (*mus. stor.*) viola baryton.

barytone /'bærɪtəʊn/ (*mus.*) → **baritone**.

basal /'beɪsl/ a. **1** (*scient.*) basale; di base: b. **metabolism**, metabolismo basale **2** basilare; fondamentale.

basalt /'bæsɔːlt, *USA* bə'sɔːlt/ n. Ⓤ **1** (*geol.*) basalto **2** (*stor.*, = **basaltware**) tipo di porcellana nera (*che si faceva nel tardo '700*) ‖ **basaltic** a. (*geol.*) basaltico.

bascule /'bæskjuːl/ n. **1** (*mecc.*) bilico **2** basculla; bascula **3** = b. **bridge** → *sotto* **4** braccio di ponte a bilico ● b. **barrier**, sbarra a bilico (*di passaggio a livello*) □ b. **bridge**, ponte a bilico; ponte levatoio.

♦**base**① /beɪs/ n. **1** base (*anche geom.*): **the b. of a mountain**, la base di un monte; **the b. of a triangle**, la base di un triangolo **2** (*archit.*) basamento; piedistallo; zoccolo: **the b. of a statue**, il basamento di una statua; **the b. of a column**, lo zoccolo di una colonna **3** fondamento; punto di partenza; costituente fondamentale; base: (*fin.*) **capital b.**, base di capitale; (*fin.*) **monetary b.**, base monetaria; **economic b.**, base economica; **b. price**, prezzo base **4** sede centrale; centro di controllo; (*anche mil.*) base: **naval b.**, base navale; **supply b.**, base di rifornimento; **operational b.**, base operativa; *Our company's b. is in Manchester*, la sede centrale della nostra società è a Manchester; (*alpinismo*) **b. camp**, campo base **5** (*chim., biochim.*) base: **b. pair**, coppia di basi; **b. pairing**, appaiamento delle basi (*del DNA*) **6** (*mat.*) base **7** (*baseball*) base: **home b.**, casa base; **off b.**, fuori base; **b. hit**, battuta con la quale un giocatore consegue la prima base **8** (*arald.*) punta **9** (*slang USA*) cocaina raffinata; crack ● (*comput.*) b. **address**, indirizzo di base □ (*fin.*) b. **currency**, valuta di base □ (*mecc.*) b. **elbow**, (tubo a) gomito con base □ b. **jump**, salto con paracadute da un punto fisso □ b. **jumping**, il

saltare col paracadute da un punto fisso □ (*fin.*) b. **lending rate**, tasso d'interesse passivo (*praticato dalle banche ai clienti*) □ (*geol.*) b. **level**, livello di base □ (*econ.*) b. **pay** [**salary, wage**], paga [stipendio, salario] base □ (*stat.*) b. **period**, periodo base □ b. **rate**, (*fin.*) tasso bancario di riferimento; (*fam.*) tasso ufficiale di sconto; (*stat.*) saggio base □ (*cronot.*) b. **time**, tempo base □ b. **unit**, (*fis.*) unità fondamentale; (*anche*) base (*mobiletto da cucina*) □ (*fig. fam. USA*) **to catch sb. off b.**, prendere q. alla sprovvista; cogliere q. impreparato □ (*fig. fam. USA*) **to get to first b.**, ottenere un successo iniziale; cominciare bene □ (*fam. USA*) **off b.**, fuori strada; sbagliato; sballato (*pop.*): *You're way off b.*, sei completamente fuori strada □ (*fam. USA*) **to touch b. with sb.**, mettersi in contatto con q.; farsi vivo con q.

base② /beɪs/ Ⓐ a. basso; vile; spregevole; meschino; egoistico; ignobile: **a b. man**, un uomo spregevole; un vile; **a b. motive**, un motivo ignobile Ⓑ n. (*mus., arc.*) → **bass**③ ● (*bot.*) b. **broom** (*Genista tinctoria*), ginestrella □ **a b. coin**, una moneta di bassa lega; una moneta vile □ b. **Latinity**, la bassa latinità □ b. **metal**, metallo vile □ b.**-minded**, d'animo vile; meschino; ignobile ‖ **basely** avv. vilmente; spregevolmente; ignobilmente ‖ **baseness** n. Ⓤ bassezza morale; ignobilità; meschinità.

♦to **base** /beɪs/ v. t. **1** basare; fondare: *What do you b. your conclusions on?*, su che cosa basi le tue conclusioni?; *The story is based on real events*, il racconto si basa su fatti veramente accaduti **2** (*normalmente al passivo*, **to be based**) avere la propria sede; avere base (a, in); risiedere: *We are based in Paris*, abbiamo base a Parigi; **a Rome-based theatre company**, una compagnia teatrale che ha come base Roma.

♦**baseball** /'beɪsbɔːl/ n. (*sport*) **1** Ⓤ baseball; pallabase **2** palla da baseball ● b. **bat**, mazza da baseball □ b. **cap**, berretto da baseball (*con visiera larga, regolabile sulla nuca*)

baseboard /'beɪsbɔːd/ n. (*edil., USA*) battiscopa; zoccolo.

♦**based** /beɪst/ a. pred. con sede a; con gli uffici a: *They're b. on the outskirts of Bombay*, la loro sede è nella periferia di Bombay; *That firm is b. in London*, quell'azienda ha gli uffici a Londra Ⓑ a. (*nei composti*) a base di; basato su: **oil-b. sauces**, salse a base d'olio, **computer-b. systems**, sistemi basati sul computer.

Basel /'bɑːzl/ n. (*geogr.*) Basilea.

baseless /'beɪsləs/ a. **1** senza base **2** (*fig.*) senza fondamento, infondato ‖ **baselessness** n. Ⓤ infondatezza.

baseline /'beɪslaɪn/ n. **1** (*topogr.*) linea di base; base di rilevamento **2** (*elettron.*) linea di base **3** (*tecn.*) linea di riferimento **4** (*sport*) linea di fondo **5** (*tennis*) fondocampo: b. **rally**, scambio da fondocampo.

baseload /'beɪsləʊd/ n. Ⓤ (*elettr.*) carico di base; carico minimo.

baseman /'beɪsmən/ n. (pl. **basemen**) (*baseball*) base (*il giocatore*).

♦**basement** /'beɪsmənt/ n. **1** (piano) interrato; seminterrato: **b. flat**, appartamento in un seminterrato **2** (*edil., geol., mecc.*) basamento; (*mecc., anche*) base ● (*anat.*) b. **membrane**, membrana basale.

bash /bæʃ/ n. **1** (*fam.*) colpo; urto violento; forte botta: **a b. on the head**, una botta in testa **2** (*fam. USA*) festa sfrenata; baldoria **3** (solo sing.) (*fam. GB*) tentativo; prova: *He'll have a b. at anything*, è pronto a cimentarsi in qualunque cosa; *Ok, let's give it a b.*, e va bene, proviamo!

to **bash** /bæʃ/ v. t. (*fam.*) **1** battere, colpire, urtare (*la testa, ecc.*) **2** (*fig.*) attaccare; criticare aspramente.

▪ **bash about** (*o* ***around***) v. t. + avv. malmenare; maltrattare.
▪ **bash in** v. t. + avv. **1** sfondare, abbattere (*una porta, ecc.*) **2** (*fam.*) spaccare, fracassare (*la faccia, la testa a q.*).
▪ **bash on** v. i. + avv. (*fam.*) tirare avanti; seguitare con poca voglia.
▪ **bash up** v. t. + avv. **1** fracassare; distruggere; rovinare **2** (*fam.*) pestare; picchiare a sangue.

bashful /ˈbæʃfl/ a. **1** timido; ritroso **2** eccessivamente modesto | **-ly** avv. | **-ness** n. U.

bashing /ˈbæʃɪŋ/ n. **1** (solo al sing.) maltrattamenti (pl.): (*di oggetto*) **to take a b.**, essere strapazzato, malmenato **2** (solo al sing.) botte (pl.); (*generalm. nei composti*) pestaggio (*di appartenenti a un gruppo ostracizzato*): *He deserves a good b.*, si merita un fracco di botte; *Paki-b.*, pestaggio dei pachistani (*da parte di gruppi intolleranti*) **3** U attacco verbale; critiche (pl.) feroci; stroncatura: **press-b.**, attacchi ai giornalisti; (*polit.*) **union-b.**, critiche feroci ai sindacati **4** (solo al sing.) sconfitta; batosta; legnate (pl.): *We took a b.*, ce le hanno suonate.

♦**basic** /ˈbeɪsɪk/ A a. **1** fondamentale; essenziale; primario; basilare; di base; che è alla base (di qc.): **b. rules**, regole fondamentali; regole di base; **b. industry**, industria di base; (*econ.*) **b. needs**, bisogni primari; **B. English**, inglese di base ⊕ CULTURA • **basic English**: *venne così chiamata una forma semplificata di inglese, composta da circa 850 parole e con una grammatica facilitata, elaborata nel 1930 dal linguista C. K. Ogden allo scopo di creare una lingua internazionale*; *Water is b. to all life*, l'acqua è alla base di qualsiasi forma di vita **2** (*chim., geol., metall.*) basico: **b. rocks**, rocce basiche **3** (*fam.*) molto semplice; primitivo; spartano; rudimentale; elementare: **b. accommodation**, sistemazione spartana; *The food here is rather b.*, la cucina qui è molto semplice ● (*fisc.*) **b. abatement**, abbattimento alla base (*di un imponibile*) □ (*econ.*) **b. capital goods**, beni strumentali essenziali □ **b. crop**, raccolto principale; prodotto agricolo di base □ (*econ.*) **b. income**, reddito minimo □ (*econ.*) **b. pay** [**salary, wages**], paga [stipendio, salario] base □ (*scient.*) **b. research**, ricerca fondamentale □ (*mil. USA*) **b. training**, addestramento di base B n. → **basics**.

BASIC /ˈbeɪsɪk/ sigla (*comput.*, **Beginner's All Purpose Symbolic Instruction Code**) codifica di istruzioni simbolica universale per principianti (*linguaggio di programmazione*).

♦**basically** /ˈbeɪsɪklɪ/ avv. **1** fondamentalmente; sostanzialmente; essenzialmente: **a b. sound idea**, un'idea sostanzialmente valida **2** in sostanza; in pratica; in fondo.

basicity /bəˈsɪsətɪ/ n. U (*chim.*) basicità.

♦**basics** /ˈbeɪsɪks/ n. pl. **1** nozioni fondamentali; principi; fondamenti; rudimenti; basi: **the b. of computer graphics**, i principi della grafica al computer; **to teach sb. the b. of chemistry**, insegnare a q. i rudimenti della chimica **2** cose fondamentali; elementi di base: **to get back to b.**, tornare a concentrarsi sulle cose fondamentali **3** alimenti di base; beni di primaria necessità.

to **basify** /ˈbeɪsɪfaɪ/ v. t. (*chim.*) basificare.

basil /ˈbæzl/ n. U (*bot.*, *Ocimum basilicum*) basilico.

Basil /ˈbæzl/ n. Basilio.

basilar /ˈbæsɪlə(r)/ a. **1** basilare **2** (*anat.*) basale; di base.

basilica /bəˈzɪlɪkə/ n. (pl. ***basilicas***, ***basilicae***) basilica ‖ **basilical**, **basilican** a. basilicale.

basilisk /ˈbæzɪlɪsk/ n. (*mitol.*; *zool.*, *Basiliscus*) basilisco ● **a b. glance**, uno sguardo da basilisco (*perfido*; *malvagio*).

basin /ˈbeɪsn/ n. **1** bacino; bacile; bacinella; catino **2** (*geogr.*) bacino: **the Po b.**, il bacino del Po **3** (*naut.*) bacino: **repairing b.**, bacino di carenaggio; **b. trials**, prove in bacino **4** (*metall.*) bacino (*o* bacinella) di colata.

basinet /beɪsɪˈnet/ n. (*stor.*) bacinetto.

♦**basis** /ˈbeɪsɪs/ n. (pl. ***bases***) **1** base; fondamento; principio **2** presupposto; base; basi: *We should provide the b. for further development*, dobbiamo creare le basi per futuri sviluppi; **on an economic b.**, su basi economiche **3** modo di procedere: **on a daily b.**, ogni giorno; quotidianamente; **on a regular b.**, in modo regolare; con regolarità; **on a part-time b.**, a orario ridotto; con orario part-time **4** (*Borsa merci*) base (*differenza tra il prezzo a termine e il prezzo a pronti di un prodotto*) ● (*fin.*) **b. point**, punto base □ (*fin. USA, di un titolo*) **b. price**, prezzo base (*espresso in termini di rendimento percentuale alla scadenza*); (*econ.*) **b. rate**, tariffa base (*di un servizio*).

to **bask** /bɑːsk/ v. i. **1** crogiolarsi: *He was basking in the sun*, si crogiolava al sole **2** (*fig.*) bearsi: *The courtier basked in the king's favour*, il cortigiano si beava del favore del re.

♦**basket** /ˈbɑːskɪt/ n. **1** paniere; cesto; cesta; cestino; canestro: **shopping b.**, paniere della spesa; **wastepaper b.**, cestino della carta straccia; **wire b.**, cestino di fil di ferro **2** cesto, cesta, paniere (*il contenuto*) **3** (*basket*) canestro; cesto: **to make** (*o*, *fam.*, **to shoot**) **a b.**, fare canestro (*o* cesto) **4** (*aeron.*) navicella (*di pallone aerostatico*) **5** (*fin., econ., stat.*) paniere: **b. of currencies**, paniere monetario (*o* di valute); **b. trading**, operazioni su panieri di titoli; **market b.**, paniere di mercato (*per misurare l'andamento dell'inflazione*) **6** (*fam. USA*) bocca dello stomaco **7** (*slang, eufem. di* **bastard**) figlio di... **8** (*slang USA*) genitali maschili; pacco (*pop.*) ● (*fam.*) **b. case**, (*di persona*) derelitto, rottame, nevrotizzato; (*econ.*) industria decotta, paese economicamente disastrato; (*slang USA, antiq.*) amputato di braccia e gambe □ **b. chair**, sedia di vimini □ **b. hilt**, elsa (*di spada*) a cesto □ **b. maker**, cestaio; canestraio; panieraio □ (*ind. tess.*) **b. weave**, (armatura a) panama □ **b. weaving** → **basketry** □ (*bot.*) **b.-willow** (*Salix viminalis*), salice da vimini □ (*econ.*) **shopping b.**, paniere (degli acquisti, della spesa) □ (*fam. GB*) **silly old b.**, vecchia scema ‖ **basketful** n. cesto, cesta, paniere (*il contenuto*).

to **basket** /ˈbɑːskɪt/ v. t. (*raro*) **1** mettere in un cesto **2** cestinare.

♦**basketball** /ˈbɑːskɪtbɔːl/ (*sport*) A n. **1** U pallacanestro; basket **2** pallone da basket B a. attr. di basket; di pallacanestro; cestistico: **a b. court**, un campo di basket; **a b. club**, una società cestistica; **b. player**, giocatore di pallacanestro; cestista.

basketry /ˈbɑːskɪtrɪ/ n. U **1** arte del cestaio **2** arte di intrecciare vimini, giunco, fil di ferro, ecc. **3** oggetti (pl.) fatti con vimini (*o giunco, fil di ferro intrecciato, ecc.*); ceste (pl.); panieri (pl.).

basketwork /ˈbɑːskɪtwɜːk/ n. U **1** lavoro in vimini **2** → **basketry**, *def. 1 e 2*.

basking shark /ˈbɑːskɪŋʃɑːk/ loc. n. (*zool.*, *Cetorhinus maximus*) squalo elefante; squalo pellegrino.

Basle → **Basel**.

Basque /bɑːsk, *USA* bæsk/ A a. e n. basco B n. U basco (*la lingua*).

basque /ˈbæsk/ A a. (*moda*) tagliato a punta sul davanti; con baschina B n. (= **b. bodice**) corpino con baschina.

bas-relief /ˈbæsrɪliːf/ n. UC (*arte*) bassorilievo.

bass① /bæs/ n. (pl. ***bass***, ***basses***) (*zool.*, *Perca fluviatilis*) pesce persico ● **sea b.** (*Labrax lupus*), spigola; branzino.

bass② /bæs/ → **bast**.

♦**bass**③ /beɪs/ (*mus.*) A n. **1** voce di basso **2** basso (*cantante*) **3** note basse **4** (parte di) basso: **figured b.**, basso cifrato (*o* numerato); **thorough b.**, basso continuo; **b. clef**, chiave di basso **5** U (*di sistema audio*) bassi (pl.) **6** (*fam.*, = **double b.**) contrabbasso **7** (*fam.*, = **b. guitar**) basso; basso elettrico B a. (*rif. a strumento mus.*) basso: **b. clarinet**, clarinetto basso; **b. drum**, grancassa; **b. flugelhorn**, flicorno basso grave; bombardone; **b. tuba**, bassotuba; **b. viol**, basso di viola.

bassackwards /ˈbæsækwədz/ avv. (*scherz., volg. USA*) = **ass-backwards** → **ass**②.

basset① /ˈbæsɪt/ n. (*cane*) basset hound.

basset② /ˈbæsɪt/ n. U bassetta (*gioco di carte*).

basset③ /ˈbæsɪt/ n. (*geol.*) lembo di filone che affiora.

to **basset** /ˈbæsɪt/ v. i. (*geol.*) affiorare (→ **basset**③).

basset-horn /ˈbæsɪthɔːn/ n. (*mus., un tempo*) corno di bassetto; clarinetto in fa; clarinetto contralto.

bassinet /bæsɪˈnet/ n. culla di vimini.

bassist /ˈbeɪsɪst/ n. (*mus.*) suonatore di contrabbasso; bassista.

basso /ˈbæsəʊ/ (*ital.*), (*mus.*) A n. (pl. ***bassos***, ***bassi***) **1** basso (*cantante*): **b. profundo**, basso profondo **2** voce di basso B a. di (*o* da) basso.

bassoon /bəˈsuːn/ (*mus.*) n. fagotto ● **double b.**, controfagotto ‖ **bassoonist** n. suonatore di fagotto; fagottista.

basso-rilievo /ˈbæsəʊ rɪˈljeɪvəʊ/ (*ital.*) n. (pl. ***basso-rilievos***) (*arte*) bassorilievo.

basswood /ˈbæswʊd/ n. **1** (*bot.*, *Tilia americana*) tiglio americano **2** U legno del tiglio americano (*usato per fare mobili*).

bast /ˈbæst/ n. **1** (*bot.*) libro **2** (= **b. fibre**) rafia.

♦**bastard** /ˈbɑːstəd/ A n. **1** (*arc. o spreg.*) bastardo; figlio illegittimo **2** (*fam. spreg.*) bastardo; figlio di un cane; carogna **3** (*fam.*) tipo; tizio: **lucky b.**, fortunato; fortunello; uno che ha culo (*volg.*); **poor b.**, poveraccio; povero diavolo **4** (*fam.*) cosa fastidiosa o difficile; rogna; scocciatura B a. **1** (*arc. o spreg.*) bastardo; illegittimo **2** spurio; deteriore; di qualità inferiore **3** irregolare; eterogeneo; bastardo: **b. type**, carattere tipografico bastardo ● (*bot.*) **b. cedar**, cedro bastardo; (*USA*) sequoia □ (*mecc.*) **b.-cut file**, lima bastarda □ (*tipogr.*) **b. title**, occhiello □ (*zool.*) **b. wing**, alula ‖ **bastardy** n. U condizione di bastardo; illegittimità; bastardaggine.

to **bastardize** /ˈbæstədaɪz/ v. t. **1** (*leg., stor.*) dichiarare illegittimo (*un bambino*) **2** imbastardire; corrompere ‖ **bastardization** n. U **1** (*leg. stor,*) dichiarazione d'illegittimità **2** imbastardimento; corruzione.

to **baste**① /beɪst/ v. t. (*sartoria*) imbastire (*in senso proprio*).

to **baste**② /beɪst/ v. t. (*cucina*) ungere con burro fuso o grasso (*la carne che arrostisce*).

to **baste**③ /beɪst/ v. t. (*fam.*) **1** battere; bastonare; picchiare **2** attaccare (*a parole*); ingiuriare; sgridare.

basted /ˈbeɪstɪd/ a. (*slang USA*) ubriaco fradicio; sbronzo perso.

bastinado /bæstɪˈneɪdəʊ/ n. (pl. ***bastinadoes***) (*stor.*) bastonatura delle piante dei piedi (*punizione o tortura*).

to **bastinado** /bæstɪˈneɪdəʊ/ v. t. (*stor.*) bastonare sulle piante dei piedi (*come punizione o tortura*).

basting ① /ˈbeɪstɪŋ/ n. (*sartoria*) **1** ⓤ imbastitura **2** filo da imbastire.

basting ② /ˈbeɪstɪŋ/ n. ⓤⓒ (*fam.*) **1** bastonatura; fracco di botte **2** sgridata; lavata di capo.

bastion /ˈbæstɪən/ n. bastione (*anche fig.*); baluardo; spalto.

Basutoland /bəˈsuːtəʊlænd/ n. (*geogr.*) Basutoland (*ora Lesotho*).

♦**bat** ① /bæt/ n. pipistrello ● **as blind as a bat**, cieco come una talpa □ (*fam.*) **to have bats in the belfry**, essere tocco (*o strambo*) □ (*fam.*) **like a bat out of hell**, a tutta velocità; come un bolide; all'impazzata □ (*fam. spreg.*) **old bat**, vecchia; vecchiarda; vecchia befana.

♦**bat** ② /bæt/ n. **1** (*sport*) mazza: **cricket bat**, mazza da cricket **2** (*sport*) racchetta (*da ping-pong*) **3** (*baseball e cricket*) battuta; turno di battuta: **to be at bat**, essere di battuta; avere la battuta **4** (*sport, spec. cricket*) battitore **5** (*aeron.*) paletta di segnalazione **6** bastone; randello **7** (*fam.*) bastonata; colpo ● **at a fair bat**, a discreta velocità; con buona andatura □ (*baseball*) **to be in bat**, avere la battuta □ (*cricket*) **to carry one's bat**, essere ancora in gioco alla fine del proprio turno di battuta □ (*fam.*) **at full bat**, a tutto spiano □ (*GB*) **off one's own bat**, di propria iniziativa; di testa propria; da solo; senza aiuto □ (*fig. GB*) **to play a straight bat**, agire con correttezza; fare un gioco leale □ (*fam. USA*) **right off the bat**, sul colpo; alla prima; subito; immediatamente; su due piedi; senza pensarci su.

to **bat** ① /bæt/ v. t. e i. **1** (*baseball, cricket*) battere; essere alla battuta; avere la battuta **2** (*ping-pong*) battere, colpire (*con la racchetta*) **3** colpire con la mano ● (*fam. USA*) **to bat for sb.**, difendere gli interessi di q.; sostenere q.; intervenire in difesa di q. □ (*GB, fig.*) **to bat on a sticky wicket**, trovarsi in difficoltà; essere a mal partito.

■ **bat around** (*o* **about**) (*fam. USA*) Ⓐ v. i. + avv. andarsene in giro; girellare Ⓑ v. t. + avv. discutere (*un'idea, una proposta*); soppesare.

■ **bat out** v. t. + avv. (*fam. USA*) scrivere o comporre in fretta; buttare giù.

to **bat** ② /bæt/ v. t. battere (*le palpebre, le ciglia*) ● (*fig.*) **without batting an eye** (*o an eyelid*), senza batter ciglio.

batata /bəˈtɑːtə/ n. (*bot., Ipomoea batatas*) batata; patata dolce.

Batavian /bəˈteɪvɪən/ a. e n. (*geogr., stor.*) batavo.

batch /bætʃ/ n. **1** infornata (*di pane*) **2** complesso di cose (*o persone*); gruppo; mucchio: **a b. of students from France**, un gruppo di studenti dalla Francia **3** (*comm.*) lotto, partita (*di merce*) **4** (*comput.*) batch (*file di testo che lancia eseguibili non interattivi*) **5** (*chim., fis.*) carica; mescola ● (*comput.*) **b. processing**, esecuzione batch □ (*econ.*) **b. production**, produzione per lotti.

to **batch** /bætʃ/ v. t. **1** (*tecn.*) dosare (*i materiali per una mescola*) **2** (*comput.*) programmare a lotti (*senza interazione umana*) ‖ **batcher** n. **1** dosatore **2** (*ind. costr.*) tramoggia dosatrice (*di cemento*) ‖ **batching** n. ⓤ dosatura.

batchmate /ˈbætʃmeɪt/ n. (*India*) compagno di classe.

bate ① /beɪt/ n. soluzione alcalina (*per ammorbidire pelli da concia*).

bate ② /beɪt/ n. (*fam. antiq. GB*) irritazione; rabbia.

to **bate** /beɪt/ v. t. ammorbidire (*pelli*) in una soluzione alcalina.

bated /ˈbeɪtɪd/ a. - solo nella loc. **with b. breath**, col fiato sospeso; ansiosamente.

batfish /ˈbætfɪʃ/ n. (pl. **batfish**, **batfishes**) (*zool., Oncocephalus vespertilio*) pesce pipistrello.

♦**bath** /bɑːθ/ n. **1** vasca da bagno; acqua del bagno: **to run a b.**, far scendere l'acqua per il bagno; riempire la vasca da bagno; *Your b. is ready*, il bagno è pronto **2** bagno (*per igiene*): **to take** (*o to have*) **a b.**, fare un bagno; **to give sb. a b.**, fare il bagno a q. **3** (*stanza da*) bagno **4** (*al pl.*) bagni pubblici; terme **5** (*GB*) piscina coperta **6** (*chim., tecn.*) bagno: **dye b.**, bagno di colore ● **b. attendant**, bagnino □ (*GB*) **b. cubes**, sali da bagno a cubetti □ **b. foam**, bagnoschiuma □ **b. heater**, scaldabagno □ **b. mat**, stuoia da bagno; scendibagno □ **b. salts**, sali da bagno □ **b. scale**, pesapersone □ **b. sponge**, spugna da bagno □ **b. towel**, telo da bagno □ (*slang USA*) **to take a bath**, subire una grossa perdita finanziaria; (*Borsa*) scottarsi le dita, rimetterci le penne (*fam.*).

❶ NOTA: *bath o bathe?*
A bath è la vasca in cui si fa il bagno, di conseguenza *to bath someone* o *to give someone a bath*, significa "fare il bagno a qualcuno". *Bathe* invece si riferisce al bagno al mare, in piscina o in un fiume; come verbo significa "fare il bagno" nel senso di nuotare, ma anche "immergere, immergersi": *to bathe in the sea*, fare il bagno nel mare; *to bathe a wound with water*, lavare una ferita. In inglese americano *to bathe* può anche essere sinonimo di *to bath*, nel senso di "fare il bagno a qualcuno".

to **bath** /bɑːθ/ Ⓐ v. t. fare il bagno a (*un bambino, un invalido, ecc.*) Ⓑ v. i. fare il bagno; lavarsi.

Bath bun /ˈbɑːθbʌn/ loc. n. (*alim., GB*) brioche con uva passa ricoperta di glassa.

Bath chair, **bath chair** /ˈbɑːθtʃɛə(r)/ loc. n. sedia a rotelle (*per invalidi, spec. con tettuccio*).

bathe /beɪð/ n. (solo sing.) bagno (*di mare o in fiume, lago, una piscina, ecc.*): **to have** (*o to go for*) **a b. in the sea**, (andare a) fare un bagno nel mare ❶ NOTA: *bath o bathe?* → **bath**.

to **bathe** /beɪð/ Ⓐ v. i. **1** fare il bagno (*per igiene*) **2** fare il bagno, fare i bagni (*al mare, in piscina, ecc.*) **3** (*anche fig.*) immergersi: essere immerso Ⓑ v. t. **1** (*USA*) fare il bagno a: **to b. the baby**, fare il bagno al bambino **2** lavare (*una ferita, ecc.*) **3** bagnare (*gli occhi, la fronte, ecc., per rinfrescarli*) **4** (*di mare, ecc.*) bagnare **5** (*fig.*) immergere; inondare: *The wood was bathed in moonlight*, il bosco era immerso nel chiarore lunare.

bather /ˈbeɪðə(r)/ n. **1** bagnante **2** (*al pl.*) (*Austral.*) costume da bagno.

bathetic /bəˈθetɪk/ a. che segna una caduta di tono.

bathhouse /ˈbɑːθhaʊs/ n. **1** stabilimento balneare **2** cabina (*per bagnanti*).

bathing /ˈbeɪðɪŋ/ n. ⓤ balneazione; (*il fare*) bagni: «No B.», «divieto di balneazione»; *B. is safe here*, qui si può fare il bagno ● **b. box** (*o* **b. cabin**, **b. hut**), cabina □ **b. cap**, cuffia da bagno □ **b. costume** (*o* **b. suit**), costume da bagno □ (*stor.*) **b. machine**, cabina montata su ruote (*con cui raggiungere la linea dell'acqua*) □ **b. resort**, stazione balneare □ (*GB*) **b. trunks**, calzoncini da bagno.

batholith /ˈbæθəlɪθ/ n. (*geol.*) batolite.

bathometer /bəˈθɒmɪtə(r)/ n. batometro; batimetro.

bathos /ˈbeɪθɒs/ n. caduta di tono; caduta nel ridicolo.

bathrobe /ˈbɑːθrəʊb/ n. **1** accappatoio **2** (*USA*) vestaglia.

♦**bathroom** /ˈbɑːθruːm/ n. **1** stanza da bagno; bagno **2** (*USA*) bagno (*con water*); gabinetto; toilette ● (*fam.*) **b. break**, pausa bagno □ **b. fixtures**, impianti igienico-sanitari

□ (*USA*) **b. scales**, bilancia da bagno; pesapersone.

Bathsheba /ˈbæθʃɪbə/ n. (*Bibbia*) Betsabea.

bathtub /ˈbɑːθtʌb/ n. (*USA*) **1** vasca da bagno **2** (*spec.*) tinozza da bagno; bagnarola **3** (*fig.*); piccola barca.

bathwater /ˈbɑːθwɔːtə(r)/ n. acqua del bagno; acqua sporca.

bathyal /ˈbæθɪəl/ a. (*oceanografia*) batiale.

bathymetry /bəˈθɪmətrɪ/ (*scient.*) n. ⓤ batimetria ‖ **bathymetric** a. batimetrico.

bathyscaphe /ˈbæθɪskæf/ n. (*naut.*) batiscafo.

bathysphere /ˈbæθɪsfɪə(r)/ n. (*naut.*) batisfera.

batik /bæˈtiːk/ n. (*ind. tess.*) batik.

batiste /bæˈtiːst/ n. ⓤ batista, battista (*tela finissima*).

batman /ˈbætmən/ n. (pl. **batmen**) (*mil., GB*) attendente.

bat mitzvah /bæt ˈmɪtsvə/ n. (*relig. ebraica*) **1** «bat mitzvà» (*cerimonia del compimento del 12° anno di età di una ragazza*) **2** ragazza che raggiunge la maggiore età.

baton /ˈbætn, *anche* bəˈtɒn/ n. **1** bastone (*da poliziotto*); manganello; sfollagente **2** bacchetta (*di direttore d'orchestra*) **3** bastone di comando: *Marshal's b.*, bastone da Maresciallo **4** (*arald.*) bastone; bastone scorciato (*in uno stemma*) **5** (*atletica*) testimone: **b. passing**, passaggio del testimone **6** (*al pl.*) (*alle carte*) bastoni ● **b. charge**, carica con gli sfollagente □ **b. gun**, fucile che spara proiettili di gomma (*o di plastica*) □ **b. round**, proiettile di gomma (*o di plastica*) □ (*spec. USA*) **b. twirler**, ragazza che agita e lancia in aria una mazza (*dando il ritmo e segnando il passo nei cortei*); majorette.

to **baton** /ˈbætn, *USA* bəˈtɒn/ v. t. picchiare con lo sfollagente; manganellare.

to **baton-charge** /ˈbætntʃɑːdʒ/ v. t. caricare (*la folla, ecc.*) con gli sfollagente.

batrachian /bəˈtreɪkɪən/ (*zool.*) Ⓐ n. batrace Ⓑ a. dei batraci.

bats /bæts/ a. (*slang*) strambo; matto; pazzo ● *He's gone b.*, è ammattito!; è andato giù di testa; ha dato di matto (*pop.*).

batsman /ˈbætsmən/ n. (pl. **batsmen**) **1** (*sport*) battitore (*nel cricket*) **2** (*aeron.*) segnalatore (*per l'atterraggio di aeroplani su una pista o su una portaerei*).

batt /bæt/ n. ⓤ ‖ **batting**, *def. 1* **2** (*edil.*) lana di vetro (*per isolamenti*).

battalion /bəˈtælɪən/ n. **1** (*mil.*) battaglione **2** (*fig.*) folta schiera.

battels /ˈbætlz/ n. pl. retta (*trimestrale*) di college (*a Oxford*).

batten ① /ˈbætn/ n. **1** listello, assicella, tavoletta (*per pavimenti in legno, ecc.*): **b. door**, porta a listelli; **b. wall**, parete ad assicelle **2** (*edil.*) traversa di porta **3** asse; tavolone **4** (*naut.*) serretta **5** (*aeron.*) scudo di prora.

batten ② /ˈbætn/ n. (*ind. tess.*) battente (*del telaio*).

to **batten** ① /ˈbætn/ v. t. **1** chiudere con rinforzi di legno **2** (*edil.*) applicare traverse a (*una porta*) ● **to b. down the hatches**, (*naut.*) chiudere (*o rinforzare*) con serrette i boccaporti; (*fig.*) prepararsi per un'emergenza (*o a dare battaglia*); correre ai ripari.

to **batten** ② /ˈbætn/ v. i. **1** ingrassare **2** – **to b. on**, ingozzarsi di; ingrassarsi (*o prosperare*) a spese di: *He battened on the poor peasants*, s'ingrassava a spese dei poveri contadini.

battenberg /ˈbætənbɜːg/ n. (*ind. tess.*) buratto.

batter ① /ˈbætə(r)/ n. (*sport*) battitore (*nel baseball*) ● **b.'s box**, box di battuta.

batter ② /ˈbætə(r)/ n. (*edil.*) inclinazione

(*di parete*); scarpa • **b. level**, clinometro □ **b. post**, paracarro.

batter ③ /'bætə(r)/ n. **1** (*cucina*) pastella **2** (*tipogr.*) carattere rotto.

to **batter** ① /'bætə(r)/ Ⓐ v. t. **1** picchiare; colpire: *He was battered to death*, fu picchiato a morte; fu ucciso a forza di botte; **to b. to pieces**, fare a pezzi a furia di colpi; fracassare; sfasciare **2** battere con violenza; percuotere; flagellare (*fig.*): *The waves battered the rocks*, le onde battevano (contro) gli scogli **3** (*anche leg.*) sottoporre (*un bambino, il coniuge*) a violenza, maltrattamenti **4** (*mil.*) battere (*con l'artiglieria*) **5** (generalm. al passivo) (*anche fig.*) ammaccare; danneggiare: *His reputation has been badly battered*, la sua reputazione ha subito un fiero colpo Ⓑ v. i. battere con violenza, picchiare (*contro qc.*): **to b. at** (*o* **on**) **the door**, picchiare alla porta; tempestare di colpi la porta.

■ **batter about** v. t. + avv. malmenare; strapazzare; maltrattare.

■ **batter down** v. t. + avv. abbattere; buttare giù; sfondare: *The police battered the door down*, la polizia abbattè la porta.

to **batter** ② /'bætə(r)/ v. i. (*di muro*) assottigliarsi (*dal basso verso l'alto*); fare scarpa.

battered ① /'bætəd/ a. **1** sottoposto a violenze fisiche, a maltrattamenti; maltrattato: **a b. wife**, una moglie sottoposta a maltrattamenti; **b. children**, bambini maltrattati **2** malmenato; strapazzato; malconcio; scassato; sfasciato: **b. and bruised**, malconcio e pieno di lividi; **a b. old car**, una vecchia auto scassata; un vecchio macinino • **b. child syndrome**, sindrome del bambino maltrattato.

battered ② /'bætəd/ a. (*cucina*) tuffato nella pastella e fritto.

batterer /'bætərə(r)/ n. (nei composti) (*anche leg.*) chi maltratta; chi picchia: **baby b.**, chi maltratta bambini; **wife b.**, uomo violento che picchia la moglie.

battering /'bætərɪŋ/ n. □ **1** il battere; il picchiare colpi (*alla porta, ecc.*) **2** (*mil.*) il battere in breccia; cannoneggiamento **3** (*anche leg.*) violenza, violenze fisiche (*spec. a coniuge, partner o bambino*); maltrattamento, maltrattamenti: **baby b.**, maltrattamento di bambini; **wife b.**, violenza domestica **4** attacco violento; critica severa; stroncatura **5** sconfitta; batosta; bastonata **6** forte perdita; tracollo • (*stor. mil.*) **b. ram**, ariete (*per assedio*) □ **to take a b.**, essere maltrattato; essere strapazzato (*dalla critica, ecc.*); essere stroncato; subire una batosta; prenderle sode; (*di valuta, azioni, ecc.*) subire una forte perdita (*o* un tracollo).

♦**battery** /'bætərɪ/ n. **1** (*elettr., autom.*) batteria; pila: *The b. has gone flat*, si è scaricata la batteria; la batteria è scarica; **to charge a b.**, caricare una batteria; **b. case**, alloggiamento della batteria; **b. cell**, elemento di batteria; **b. charger**, caricabatterie; **b.-operated**, a batteria; a pila; alimentato a pile; **storage b.**, accumulatore **2** (*mil.*) batteria: **anti-aircraft b.**, batteria contraerea; **coast b.**, batteria costiera; **horse b.**, batteria ippotrainata **3** (*mil.*) posizione di tiro; postazione: *The heavy guns were in b.*, l'artiglieria pesante era in postazione **4** serie (*di utensili*); batteria; **a b. of kitchen utensils**, una batteria da cucina **5** gruppo; serie; batteria; infilata; sfilza: **a b. of tests**, una batteria di test; **a b. of reporters**, un'infilata di giornalisti **6** allevamento (*di polli, ecc.*); batteria: **b. farm**, allevamento di polli in batteria; **b. hens**, polli di allevamento **7** □ (*leg.*) percosse; aggressione **8** – (*baseball*) **the B.**, il lanciatore e il ricevitore.

batting /'bætɪŋ/ n. **1** □ (*cricket, baseball*) (il) battere; battuta **2** (*cricket*) (i) battitori (pl.) **3** (*ind. tess.*) imbottitura di cotone in fogli (*per trapunte, ecc.*) Ⓑ a. attr. (*sport*)

che batte; che è alla battuta; di battuta; di battitore: **b. average**, (*baseball*) media delle battute effettuate; (*cricket*) media dei punti fatti da un battitore; (*fig., di auto, ecc.*) performance; **b. crease**, linea di battuta; (*baseball*) **b. glove**, guanto del battitore; (*baseball, cricket*) **b. order**, ordine di battuta; **b. side** (*o* **team**), squadra alla battuta.

♦**battle** /'bætl/ n. **1** battaglia; combattimento; scontro: **the B. of Waterloo**, la battaglia di Waterloo; **to die in b.**, morire in battaglia (*o* in combattimento); **to do** (*o* **to join**) **b. (with)**, dare battaglia (a); **to give b. (to)**, dare battaglia (a) **2** (*fig.*) battaglia; lotta; scontro; conflitto: **b. for power**, lotta per il potere **3** (*fig.*) battaglia; campagna: **the b. against drugs**, la battaglia contro la droga • (*naut.*) **b. cruiser**, incrociatore da battaglia □ **b. cry**, grido di guerra; (*fig.*) motto, slogan □ (*mil.*) **b. dress**, uniforme da campo □ **b. fatigue**, nevrosi da combattimento □ **b. of attrition**, battaglia di logoramento □ (*stor.*) **the B. of Britain**, la Battaglia d'Inghilterra □ **b. plane**, aereo da combattimento □ (*fig.*) **b. royal**, lotta accanita; disputa accesa □ **b. stations**, posti di combattimento □ **It's half the b.**, è la cosa più importante □ **in b. array**, in ordine di battaglia □ **a losing b.**, una causa persa (in partenza) □ **pitched b.**, battaglia campale.

to **battle** /'bætl/ v. i. combattere; lottare; battagliare: **to b. against an illness**, lottare contro una malattia; **to b. against the wind**, lottare contro il vento; **to b. for st.**, lottare per qc.; **to b. on**, continuare a lottare; tener duro; non mollare • **to b. it out**, essere impegnato in uno scontro (*fino alla sua conclusione*); disputarsi qc.

battleaxe, (*USA*) **battleax** /'bætəlæks/ n. **1** (*stor.*) azza **2** ascia di guerra (*dei Pellerossa*) **3** (*fam.*) donna autoritaria, dominatrice; caporale (*fig.*).

battledore /'bætldɔː(r)/ n. (*arc.*) **1** □ (= **b. and shuttlecock**) (gioco del) volano **2** racchetta (*da volano*) **3** spatola (*per bucato*) **4** pala (*di fornaio*).

battledress /'bætldrɛs/ n. □ (*mil.*) tenuta da combattimento.

battlefield /'bætlfiːld/, **battleground** /'bætlgraʊnd/ n. **1** campo di battaglia **2** (*fig.*) terreno di scontro; oggetto di controversia • (*polit., USA*) **b. state**, Stato incerto (*nelle elezioni presidenziali*).

battlement /'bætlmənt/ (*archit., stor.*) n. (di solito al pl.) spalto merlato; merlatura || **battlemented** a. merlato.

battlepiece /'bætlpiːs/ n. (*arte*) quadro (*o* bassorilievo, ecc.) che rappresenta una battaglia.

battleship /'bætlʃɪp/ n. (*marina mil.*) corazzata.

battue /bæ'tuː/ (*franc.*) n. **1** battuta di caccia **2** battuta (*azione dei battitori*) **3** selvaggina presa in una battuta **4** (*fig.*) strage; massacro.

batty /'bætɪ/ a. (*slang*) **1** matto; pazzo **2** strambo; eccentrico.

bauble /'bɔːbl/ n. **1** fronzolo; gingillo; ciondolo **2** (*stor.*) bastone di giullare.

baud /bɔːd/ n. (*comput.*) baud (*unità di misura della larghezza di banda di un canale*) • **b. rate**, velocità (di trasmissione) in baud.

baulk, to **baulk** /bɔːlk/ (*GB*) → **balk**, to **balk**.

bauxite /'bɔːksaɪt/ n. □ (*miner.*) bauxite.

Bavaria /bə'veərɪə/ n. (*geogr.*) Baviera.

Bavarian /bə'veərɪən/ a. e n. bavarese • (*cucina*) **B. cream**, bavarese (*dolce*).

bawdy /'bɔːdɪ/ Ⓐ a. licenzioso; indecente; sconcio; scurrile; boccaccesco: '*Come, sing me a b. song; make me merry*' W. SHAKESPEARE, 'orsù, cantatemi una canzone licen-

ziosa; rallegratemi un poco!' Ⓑ n. licenziosità; linguaggio boccaccesco; sconcezze || **bawdily** avv. licenziosamente; scurrilmente || **bawdiness** n. □ licenziosità; indecenza; sconcezza; scurrilità.

bawl /bɔːl/ n. **1** urlo; grido **2** (*fam.*) pianto rumoroso.

to **bawl** /bɔːl/ Ⓐ v. i. **1** urlare; sbraitare: **to b. at sb.**, urlare a q. **2** (*fam., di bambino*) piangere rumorosamente; strillare Ⓑ v. t. urlare || **bawling** Ⓐ n. □ **1** urla (pl.); grida (pl.) **2** pianto, pianti; strilli (pl.) Ⓑ a. che strilla; che piange rumorosamente.

■ **bawl out** Ⓐ v. i. + avv. urlare; gridare: **to b. out to sb.**, chiamare a gran voce q. Ⓑ v. t. + avv. **1** urlare; sbraitare; gridare; dire a gran voce; cantare a squarciagola: *The officer bawled out an order*, l'ufficiale sbraitò un ordine **2** (*fam. USA*) fare una sfuriata a; dare una strigliata a; strapazzare || **bawling-out** n. (*fam. USA*) sfuriata; strigliata; stapazzata.

♦**bay** ① /beɪ/ n. (*geogr.*) **1** baia, insenatura (*di mare, lago*) **2** recesso (*fra i monti*) **3** (*USA*) radura semicircolare.

bay ② /beɪ/ n. **1** recesso; scomparto; alcova: **horse bay**, posta (*di cavallo nella stalla*) **2** area, zona (*adibita a uso speciale*): **loading bay**, area di carico **3** (*archit.*) campata **4** (*ferr., GB*, = **bay platform**) settore di marciapiede **5** (*trasp.*) banchina (*di autobus*) **6** (generalm. con attr.) (*tecn.*) scomparto; vano: (*aeron.*) **bomb bay**, vano bombe; **engine bay**, vano motore **7** (*autom.*) posto macchina **8** (*comput.*) alloggiamento (*per periferiche spec. in computer portatili*) • **bay window**, (*archit.*) bovindo.

bay ③ /beɪ/ n. abbaio; abbaiamento; latrato • **at bay**, (*di animale cacciato*) costretto a far fronte ai cani, intrappolato; (*fig.*) alle strette, con le spalle al muro, alle corde, in trappola: **to be** (*o* **to stand**) **at bay**, (*di animale*) essere costretto a far fronte ai cani; (*fig.*) essere con le spalle al muro, essere alle corde, essere in trappola □ **to bring to bay**, bloccare, intrappolare (*una preda*); (*fig.*) mettere con le spalle al muro, mettere alle corde □ **to keep** (*o* **to hold**) **at bay**, tenere a bada; tenere lontano.

bay ④ /beɪ/ n. **1** (*bot.*, *Laurus nobilis*, = **bay tree**, **bay laurel**) alloro; lauro: (*cucina*) **bay leaf**, (foglia di) alloro **2** (al pl.) corona di alloro; lauro.

bay ⑤ /beɪ/ a. e n. (cavallo) baio: **dapple bay**, baio pomellato.

to **bay** /beɪ/ Ⓐ v. i. **1** abbaiare; latrare: **to bay at the moon**, abbaiare alla luna **2** – (*fig.*) **to bay for**, chiedere, reclamare a gran voce Ⓑ v. t. (*arc.*) abbaiare a.

bayadere /baɪə'dɪə(r)/ n. **1** baiadera **2** (*ind. tess.*) tessuto baiadera (*a righe orizzontali, di vivaci colori*).

Bayard /'beɪəd/ n. **1** (*stor.*) Baiardo (*intrepido cavaliere francese*) **2** (*letter.*) Baiardo (*il cavallo di Rinaldo*).

bayard /'beɪəd/ (*arc.*) Ⓐ a. (*di cavallo*) baio Ⓑ n. cavallo baio.

bayberry /'beɪbərɪ/ n. **1** (*bot.*) *Pimenta acris* (*pianta tropicale*) **2** (*bot.*, *Myrica*) mirica **3** □ pimento; pepe della Giamaica.

bayonet /'beɪənɪt/ n. baionetta • (*elettr.*) **b. base**, zoccolo (*di lampadina*) a baionetta □ (*spec. fotogr.*) **b. mount**, innesto a baionetta □ **b. thrust**, baionettata (*il colpo*) □ **b. wound**, baionettata (*la ferita*) □ **to fix bayonets**, inastare le baionette □ (*mil.*) **Fix bayonets!**, baionett'in canna!

to **bayonet** /'beɪənɪt/ v. t. colpire con la baionetta; dare una baionettata a • **to b. sb. into doing st.**, costringere con le baionette q. a fare qc.

bayou /'baɪuː/ n. (*USA*) ramo paludoso (*di fiume*).

bay rum /'beɪrʌm/ n. ⓤ (*cosmesi*, *farm.*) bay-rum; estratto di *Pimenta acris* ● (*bot.*)
bay rum tree → **bayberry**, def. 1.

bazaar, **bazar** /bə'zɑː(r)/ n. **1** (*in Oriente*) bazar; strada (*o quartiere*) dei negozi **2** bazar; negozio di articoli vari **3** vendita di beneficenza.

bazillion /bə'zɪljən/ n. (*fam.*, *scherz.*) cifra assurda; fantastilione (*fam.*).

bazoo /bə'zuː/ n. (*slang USA*) **1** bocca; becco (*fig.*): **to keep one's b. shut**, tenere il becco chiuso **2** pernacchia.

bazooka /bə'zuːkə/ n. **1** (*mil.*) bazooka; cannoncino anticarro **2** (*slang USA*) pene; cazzo (*volg.*) **3** (pl.) (*slang USA*) → **bazooms**.

bazooms /bə'zuːmz/ n. pl. (*slang USA*) seni turgidi; tette sode (*pop.*).

B2B, **b2b** sigla (*org. az.*, **business to business**) (relativo a) transazioni commerciali elettroniche di beni e servizi tra aziende.

BBAN sigla (*banca*, **Basic Bank Account Number**) coordinate bancarie nazionali.

BBC sigla (*GB*, **British Broadcasting Corporation**) Ente britannico di radiodiffusione ● BBC English, l'inglese della BBC ❶ **CULTURA** • BBC English: *una forma standard della pronuncia inglese usata tradizionalmente associata ai giornalisti e presentatori della BBC, usata anche nell'insegnamento dell'inglese come seconda lingua.*

BBL sigla (*Internet*, *telef.*, **be back later**) torno più tardi.

Bbq abbr. (*fam.*, **barbecue**) barbecue.

BBS sigla (*comput.*, **bulletin board system**) bacheca elettronica, banca dati.

♦**BC** sigla **1** (**before Christ**) avanti Cristo (a.C.) **2** (*Canada*, **British Columbia**) Columbia Britannica.

B2C, **b2c** sigla (*org. az.*, **business to consumer**) (relativo a) transazioni commerciali elettroniche di beni e servizi tra aziende e consumatori finali.

BCC sigla (*comput.*, **blind carbon copy**) copia per conoscenza nascosta.

BCD sigla (*comput.*, **binary-coded decimal**) decimale codificato in binario.

BCE sigla (**before common era**) prima dell'era volgare (a.C.).

BCh abbr. (*lat.*: *Baccalaureus Chirurgiae*) (**Bachelor of Surgery**) laureato in chirurgia (*laurea di 1° grado*).

BCL sigla (**Bachelor of Civil Law**) laureato in diritto civile (*laurea di 1° grado*).

BCNU sigla (*Internet*, *telef.*, **grafia fam.** di **be seeing you**) ci vediamo (più tardi); ci si vede.

BD sigla (**Bachelor of Divinity**) laureato in teologia (*laurea di 1° grado*).

B/D sigla (*comm.*, **bank draft**) tratta bancaria; assegno circolare.

BDD sigla (*med.*, **body dismorphic disorder**) disturbo da dismorfismo corporeo (*preoccupazione patologica per il proprio aspetto fisico*).

Bde abbr. (*mil.*, **brigade**) brigata (Brig.).

bdellium /'delɪəm/ n. **1** (*bot.*, *Commiphora*) bdellio **2** ⓤ bdellio (*gommaresina*).

BDS sigla (**Bachelor of Dental Surgery**) laureato in odontoiatria (*laurea di 1° grado*).

BDSM sigla (acronimo di **Bondage & Discipline, Domination & Submission, Sadism & Masochism**) bondage e disciplina, dominazione e sottomissione, sadismo e masochismo (BDSM).

♦**to be** /biː, bɪ/ (pass. *was*, *were*, p. p. *been*), v. i. **1** essere (*copula*): *This is a book*, questo è un libro; *«Hello, is that Phil?» «Yes it is, who's speaking?»*, «Pronto, sei Phil?» «Sì, sono io, con chi parlo?»; *«Is that you?» «Yes, it's me»*, «sei tu?» «sì, sono io»; *He is*

too old, è troppo vecchio; *You're late*, sei in ritardo; *It's cold today*, oggi fa freddo; *How far is it?*, quant'è lontano?; quanto dista? **2** (nella coniugazione passiva) essere: *He was not invited*, non fu invitato; *I was told he had left*, mi fu detto che era partito; *She didn't want to be seen*, non voleva essere vista; *The castle is said to be haunted*, si dice che nel castello ci siano i fantasmi; *This detail has been known for months*, questo particolare è noto da mesi **3** essere; esistere: *I think, therefore I am*, penso, dunque sono; *He is no more*, non è più; *There's something wrong here*, c'è qualcosa che non va qui; *There must be an answer to that*, deve esserci una risposta; *There once was a king*, c'era una volta un re **4** essere; trovarsi: *Where am I?*, dove sono?; dove mi trovo?; *Jillian is at school now*, Jillian è (o si trova) a scuola ora; *How long have you been here?*, da quando sei qui?; *There he is*, eccolo (là)!; *Here I am*, eccomi!; presente! **5** venire; provenire: *She's from Japan*, viene dal Giappone; è giapponese **6** (nei tempi composti, seguito dalla prep. **to**) essere stato; aver visitato; essere andato: *I've been to London twice*, sono stato a Londra due volte; *Have you ever been to France?*, sei mai stato in Francia? **7** (al passato o al futuro) essere stato; essere venuto; essere passato: *Has anyone been here during my absence?*, c'è stato (o è venuto) nessuno durante la mia assenza?; *She'll be here any minute now*, sarà qui (o arriverà) a minuti; *The doctor has been and gone*, il dottore è venuto e se n'è già andato; *Has the number 28 been?*, il numero 28 è già passato? **8** avvenire; aver luogo: *The meeting will be tomorrow at 3pm*, la riunione avrà luogo domani alle quindici **9** essere; costare: *How much is it?*, quant'è?; quanto costa?; *This hat is $90*, questo cappello costa 90 dollari; *«That's £29.99». «How would you like to pay?»*, «Sono £29.99» «Come vuole pagare?» **10** fare (*come professione o mestiere*); diventare: *My son wants to be a doctor*, mio figlio vuole fare il medico; *I'm an electrician*, faccio l'elettricista **11** (*mat.*) ammontare a; fare: *Two and two is four*, due più due fa quattro; *Three from ten is seven*, dieci meno tre fa sette **12** stare (*di salute*): *How are you?*, come stai?; *Tom's not well*, Tom non sta bene **13** essere; significare; rappresentare: *She is everything to me*, lei è (o significa) tutto per me; *What is this money?*, che cos'è questo denaro?; *Let A be the base of the triangle*, sia A la base del triangolo **14** essere fatto (di): *This cup is solid gold*, questa coppa è di oro massiccio **15** stare; rimanere; fermarsi; trattenersi: *Will you be here long?*, ti fermerai a lungo qui? **16** metterci: *I shan't be long*, non ci metterò molto; non starò via molto **17** – **to be for**, essere per; essere in favore di; tifare per (*fam.*); parteggiare per: *I am for the freedom of the press*, sono per la (o in favore della) libertà di stampa **18** (solo pres. e pass., seguito da un inf.) dovere (*per obbligo, impegno, destino*): *You are not to see him again*, non devi vederlo più; *The committee is to meet on Friday*, la commissione si riunisce venerdì; *What was I to do?*, che cosa dovevo fare?; *They were never to meet again*, non dovevano rivedersi mai più ❶ **NOTA**: *future* → **future 19** (solo pres. e pass., seguito da un inf. passivo) potere: *It is to be seen all over the country*, lo si può vedere in tutto il paese; *The ring was nowhere to be found*, l'anello era introvabile **20** (nella forma progressiva) – *What are you doing?*, che cosa stai facendo?; *It's snowing*, sta nevicando; nevica; *He's been asking for you*, ha chiesto di te; *I'll be waiting for you*, ti aspetterò; *We are being watched*, ci stanno osservando; *A new bridge was being built*, si stava costruendo

un nuovo ponte ❶ **NOTA**: *future* → **future 21** (seguito dal part. pres. di un verbo di moto, in frase che contenga una locuzione temporale, esprime un futuro non remoto, un proposito o un'intenzione) – *We are flying to Los Angeles tomorrow*, domani partiamo per Los Angeles ❶ **NOTA**: *future* → **future 22** (al passato, nelle frasi ipotetiche) – **if I were you**, se fossi in te; *Were she to find out, what would you do?*, se lei lo scoprisse, tu che faresti? **23** (in alcune loc.) avere: **to be afraid**, aver paura; temere; **to be right**, avere ragione; **to be wrong**, avere torto; *He is over thirty*, ha più di trent'anni **24** (Nei casi in cui te be è seguito da un avv. o da una prep.). V. l'avv. o la prep. (*per es.*, **to be about** → **about**; **to be back** → **back**; *ecc.*) □ **to be born**, nascere; avere origine □ (*slang*) **to be had**, essere fregato; farsi fregare: *Boy, was I had!*, accidenti, se mi hanno fregato! □ **to be oneself**, essere se stesso; comportarsi in modo naturale □ (*fam.*) **not to be oneself**, non essere perfettamente lucido □ **be that as it may**, comunque; ciò nondimeno □ (*fam.*) **He's been and (gone and) sold the house**, ha preso su e ha venduto la casa □ **as it were**, per così dire □ **as (o that) was**, com'era chiamato allora □ **the bride to-be**, la futura sposa □ **for the time being**, per il momento □ **Let it be!**, e sia!; lascia stare!; lascia perdere! □ **Is that all right?**, va bene così? □ **So be it**, così sia; e sia.

❶ **NOTA**: *if I was...* o *if I was...?*

L'espressione *if I were you* è comune per introdurre un consiglio: *If I were you, I wouldn't marry him*, se fossi in te, non lo sposerei. Sempre di più nell'inglese corrente si usa l'espressione *if I was* al posto della forma *if I were*, tradizionalmente considerata più corretta. In frasi che iniziano con *if*, *were* spesso corrisponde al congiuntivo imperfetto italiano: *If I were 30 years younger, I would emigrate*, se fossi 30 anni più giovane, emigrerei; *If I were a king, I'd give everyone 1 million pounds*, se fossi un re, darei un milione di sterline a testa. *If I was* si usa, invece, per introdurre qualcosa di reale o possibile, e quindi si traduce in italiano con il modo indicativo: *If I was wrong, then I apologize*, se mi sono sbagliato, allora mi scuso. → *anche* **subjunctive**.

BE sigla **1** (**Bachelor of Education**) laureato in pedagogia (*laurea di 1° grado*) **2** (**Bachelor of Engineering**) laureato in ingegneria (*laurea di 1° grado*) **3** (**Board of Education**) Ministero dell'istruzione.

B/E sigla **1** (*comm.*, **bill of entry**) bolletta d'entrata (*doganale*) **2** (*anche* **b/e**, **BE**) (**bill of exchange**) cambiale.

♦**beach** /biːtʃ/ n. **1** spiaggia; lido: **sandy b.**, spiaggia sabbiosa; **b. bag**, borsa da spiaggia; **b. ball**, pallone da spiaggia; **b. hat**, cappello da spiaggia **2** ghiaia marina ● (*autom.*) **b. buggy**, fuoristrada per terreni sabbiosi; dune buggy □ (*slang USA*) **b. bum**, bullo da spiaggia □ (*slang USA*) **b. bunny**, (*di ragazza*) tipo da spiaggia □ (*USA*) **b. carrier**, borsa da spiaggia □ (*zool.*) **b. flea** (*Talitrus locusta*), pulce di mare □ (*bot.*) **b.-grass** (*Ammophila arenaria*), ammofila □ (*bot.*) **b. plum** (*Prunus maritima*), prugno delle coste atlantiche del Nord America; (*anche*) prugna dello stesso □ **b. suit**, prendisole □ **b. umbrella**, ombrellone □ (*sport*) **b. volleyball**, beach volley □ (*naut.*) **on the b.**, a terra; senza imbarco.

to beach /biːtʃ/ 🅰 v. t. **1** tirare in secco (*o a riva*) (*un'imbarcazione*) **2** tirare a riva (*un pesce*) **3** (al passivo) (*di animale marino*) arenarsi; spiaggiare **4** (*fig.*) mettere nei guai; lasciare nelle peste 🅱 v. i. (*di animale marino*) arenarsi; spiaggiare.

beachboy /'biːtʃbɔɪ/ n. (*USA*) **1** bagnino **2** istruttore di nuoto.

a
b
c
d
e
f
g
h
i
j
k
l
m
n
o
p
q
r
s
t
u
v
w
x
y
z

b

beachchair /'bi:tʃtʃeə(r)/ n. (USA) sedia a sdraio; sdraio.

beachcomber /'bi:tʃkəʊmə(r)/ n. **1** frangente; cavallone che si frange **2** vagabondo che vive raccogliendo rifiuti e rottami sulla spiaggia ‖ **beachcombing** n. ▢ raccolta di rifiuti e rottami sulla spiaggia.

beached /bi:tʃt/ a. **1** (di natante) tirato in secco (o a riva) **2** (di animale marino) arenato; spiaggiato **3** (fig.) nei guai; nelle peste.

beachhead /'bi:tʃhed/ n. (mil.) testa di ponte (o di sbarco).

Beach-la-Mar /'bi:tʃlə'mɑː(r)/ loc. n. lingua franca usata nei porti dei Mari del Sud.

beachwear /'bi:tʃweə(r)/ n. ▢ (collett.) articoli (di vestiario) da spiaggia.

beacon /'bi:kən/ n. **1** (un tempo) fuoco di segnalazione **2** faro (per navi o aeroplani) **3** (in GB) semaforo di passaggio pedonale: **flashing b.**, semaforo a luce intermittente **4** torre per segnalazioni **5** segnalatore, strumento per segnalazioni; (fig.) segnale; guida; richiamo **6** (radio) radiofaro **7** (aeron.) aerofaro **8** (naut.) boa luminosa; gavitello luminoso ● **b. fire**, falò.

to **beacon** /'bi:kn/ **A** v. t. **1** illuminare (la via o la rotta); guidare **2** provvedere di fuochi di segnalazione (o di fari) **B** v. i. **1** splendere di luce viva (come di faro) **2** (fig.) servire da guida.

bead /bi:d/ n. **1** grano (di rosario); perlina (di collana) **2** mirino (di fucile) **3** bolla, goccia (di liquido); perla (di sudore) **4** schiuma (di birra, ecc.) **5** (archit.) bastoncino; fusaiola; tondino **6** (chim.) goccia di fondente **7** (mecc.) cordone; modanatura; nervatura **8** (pl.) (relig.) rosario; collana ● (chim.) **b. test**, saggio alla perla di borace ▢ **to draw a b. on sb.** [st.], prendere bene di mira (o mirare con cura a) q. [qc.] ▢ (relig.) **to tell** (o **count, to say**) **one's beads**, dire il rosario.

to **bead** /bi:d/ **A** v. t. **1** provvedere di grani; ornare di perle; imperlare **2** (tecn.) nervare **B** v. i. formare grani (o perle); imperlarsi ‖ **beading** n. ▢ **1** decorazione di perline **2** (archit.) modanatura a tondini **3** ▢ bolle (pl.), schiuma (di birra, ecc.) **4** (mecc.) nervatura; bordatura.

beadle /'bi:dl/ n. **1** (USA) usciere di tribunale **2** mazziere (nei cortei delle università, ecc.) **3** (arc.) scaccino; sagrestano.

beadwork /'bi:dwɜːk/ n. ▢ (moda) guarnizione di perline.

beady /'bi:dɪ/ a. **1** tondo, piccolo e luccicante (come una perlina): **b. eyes**, occhi piccoli e luccicanti **2** (moda) adorno di perline; imperlato ● (fam.) **He's got his b. eye on you**, ti tiene d'occhio.

beagle /'bi:gl/ n. **1** beagle; bracchetto inglese **2** (USA) aiuto sceriffo.

beagling /'bi:glɪŋ/ n. ▢ caccia alla lepre con 'beagle'.

beak /bi:k/ n. **1** becco (di uccello); rostro (di rapaci) **2** becco (parte sporgente, di forma curva); bocca (d'insetto, pesce, tartaruga); beccuccio (di teiera, di vaso, ecc.) **3** (slang) becco (pop.); naso adunco **4** rostro (di nave antica) **5** corno (d'incudine) **6** (slang, antiq.) magistrato **7** (slang, antiq.) insegnante; preside (di scuola).

to **beak** /bi:k/ v. t. (spec. USA) beccare.

beaked /bi:kt/ a. **1** munito di becco **2** becco; adunco **3** (naut.) rostrato.

beaker /'bi:kə(r)/ n. **1** (chim., farm.) becher (recipiente cilindrico con beccuccio) **2** (archeol., lett.) calice; nappo; coppa.

beakful /'bi:kfʊl/ n. imbeccata (quanto sta nel becco).

beakless /'bi:kləs/ a. senza becco; senza beccuccio.

beaky /'bi:kɪ/, **beaklike** /'bi:klaɪk/ a. a becco; simile a un becco.

be-all and end-all (the) /'bi:ɔːlənd-ɛndɔːl/ loc. n. (la) cosa più importante; l'essenziale.

beam /bi:m/ n. **1** trave **2** (naut.) baglio; larghezza massima (di nave) **3** (naut.) traverso; fianco: **abaft the b.**, a poppavia del traverso; **before the b.**, a proravia del traverso; **on the port b.**, al traverso a sinistra; **on the starboard b.**, al traverso a dritta **4** (naut.) fuso (dell'ancora) **5** (ind. tess.) subbio (di telaio) **6** asta; giogo (di bilancia) **7** bure (di aratro); timone (di carro) **8** (radio) fascio d'onde corte; portata, raggio d'azione (di altoparlante o microfono); segnale unidirezionale (di radiofaro) **9** (zool.) asta (di corna ramificate) **10** raggio (di luce, di calore, di elettroni; anche fig.) **11** sorriso radioso; aspetto raggiante **12** (slang) sedere; didietro ● (radio) **b. aerial** (o **antenna**), antenna a fascio ▢ **b. bridge**, ponte a travate (edil.) ▢ **b. ceiling**, soffitto con travi a vista ▢ **b. compass**, compasso a verga ▢ (naut.) **b.-ends**, testate del baglio ▢ (fis. nucl.) **b. hole**, canale d'irradiazione ▢ (miss.) **b. rider**, missile comandato a fascio ▢ (naut.) **b. sea**, mare al traverso ▢ (comput.) **b. storage**, memoria a raggi ▢ (mil.) **b. weapon**, arma a raggi mortali (laser, ecc.) ▢ **broad in the b.**, (di nave) larga; (slang: di persona) dal sedere grosso ▢ **off (the) b.**, (di aereo) sulla rotta sbagliata; (slang: di persona) fuori strada, in errore ▢ **on (the) b.**, (di nave) al traverso; (di aereo) sulla rotta giusta; (slang: di persona) che segue la direzione (o la strada) giusta, nel giusto ▢ (naut.) **on her beam-ends**, (di imbarcazione) (sbandata) sul fianco; ingavonata ▢ (fam.) **on one's beam-ends**, senza soldi; al verde; sul lastrico.

to **beam** /bi:m/ **A** v. t. **1** irradiare, irraggiare (luce, bontà, ecc.) **2** (radio, TV) orientare (un'emissione) mediante antenna direzionale **3** (aeron.) guidare (o localizzare) (un aereo) con un segnale unidirezionale **B** v. i. **1** essere raggiante (di gioia) **2** sorridere radiosamente **3** (del sole) sfavillare; splendere.

beamer /'bi:mə(r)/ n. (cricket) palla lanciata direttamente verso la testa o il corpo del battitore (lancio non ammesso).

beaming /'bi:mɪŋ/ **A** a. **1** (del sole, ecc.) splendente **2** raggiante (di gioia); radioso: **a b. smile**, un sorriso radioso **B** n. ▢ **1** irraggiamento **2** (anche fis.) irradiazione.

beamy /'bi:mɪ/ a. **1** (naut.: di imbarcazione) largo; capace **2** radiante; raggiante; radioso.

bean /bi:n/ n. **1** (bot., Phaseolus vulgaris) fagiolo (seme, baccello e pianta) **2** chicco, grano (di caffè, cacao, ecc.) **3** (fam. antiq.) soldo: **We haven't got a b.**, siamo senza un soldo (o senza il becco di un quattrino); siamo in bolletta; **not worth a b.**, che non vale un soldo (o un fico secco) **4** (slang) testa; zucca (fam.); capoccia (dial.) **5** (anche al pl., in frasi neg.) (slang USA) niente; (un) tubo (pop.); (un) fico secco: **He doesn't know beans**, non sa un tubo ● (fam.) **bean counter**, contabile, amministratore (spec. che guarda al centesimo) ▢ (alim.) **b. curd**, tofu ▢ (slang spreg. USA) **b. eater**, messicano, cubano; (anche) bostoniano ▢ **b. pod**, baccello ▢ (alim.) **b. sprouts** (o **b. shoots**), germogli di soia ▢ **b. tree**, albero che produce baccelli ▢ (fam.) **full of beans**, pieno di energia; vivace; allegro ▢ (fam. GB) **to know how many beans make five**, sapere il fatto proprio; essere sveglio ▢ (fam. antiq. GB) **old b.**, vecchio mio ▢ (slang) **to spill the beans**, spifferare tutto; vuotare il sacco.

to **bean** /bi:n/ v. t. (slang USA) colpire (q.) sulla testa.

beanbag /'bi:nbæg/ n. **1** sacchetto di fagioli (come giocattolo) **2** grosso cuscino imbottito di polistirolo (usato come sedile).

beanery /'bi:nərɪ/ n. (slang USA) ristorante economico; tavola calda scadente.

beanfeast /'bi:nfi:st/ n. (fam. GB) **1** pranzo annuale offerto dal datore di lavoro ai suoi dipendenti **2** festa; party.

beano /'bi:nəʊ/ n. (pl. beanos) **1** (slang) festa; baldoria **2** (slang) divertimento; spasso **3** (USA) tombola.

beanpole /'bi:npəʊl/ n. **1** (agric.) tutore; palo di sostegno (per rampicanti) **2** (fam.) spilungone, spilungona.

beanstalk /'bi:nstɔːk/ n. gambo di pianta di fagiolo.

◆ **bear** /beə(r)/ **A** n. **1** (pl. bears, bear) (zool.) orso: **b. cub**, cucciolo d'orso; orsacchiotto **2** orsacchiotto (giocattolo) **3** (fig.) uomo rozzo o sgraziato **4** (fig.) omone; orso **5** (Borsa) speculatore al ribasso; ribassista; orso **6** (pl. bears, bear) (slang USA) poliziotto (spec. della stradale): **b. in the air**, elicottero della polizia; **b. trap**, pattuglia della stradale con radar **7** (slang USA) compito difficile; rogna; osso duro; grana **B** a. (Borsa) al ribasso; ribassista: **b. campaign**, campagna ribassista; **b. market**, mercato al ribasso; mercato ribassista; orso; **b. sale**, vendita allo scoperto ● (stor.) **b.-baiting**, combattimento di cani contro un orso incatenato ▢ (bot.) **b.'s breech** (Acanthus mollis), acanto ▢ **b. fight**, corpo a corpo ▢ **b. garden**, (stor.) recinto degli orsi; (fig.) pandemonio, finimondo, caos ▢ **b. hug**, (lotta) cintura frontale; (fig. fam.) forte abbraccio ▢ **b. pit**, fossa degli orsi (in uno zoo, ecc.) ▢ (fam. GB) **to be like a b. with a sore head**, essere intrattabile.

to **bear**① /beə(r)/ (pass. **bore**, p. p. **borne** o anche **born**, ma soltanto nel senso di: generato, nato) v. t. e i. **1** portare; reggere; sostenere; recare, serbare (un segno, ecc.): **to b. a sword**, portare la spada; **Six columns b. the roof**, sei colonne reggono il tetto; **This support won't b. your weight**, questo appoggio non può sostenere il tuo peso; **They bore out the body**, portarono fuori il cadavere; **to b. the marks** (o **signs, traces**) **of st.**, portare i segni di qc.; **to b. the name** [title, signature, date], portare il nome [il titolo, la firma, la data]; **to b. all expenses**, sostenere tutte le spese **2** sopportare; tollerare: The wounded soldier bore the pain bravely, il soldato ferito sopportò coraggiosamente il dolore; I cannot b. that boy, non riesco a sopportare (o non posso soffrire) quel ragazzo **3** generare; partorire: She bore him two children, ella gli generò due figli ❶ NOTA: nascere → **nascere 4** dare, produrre; dare frutti, fruttificare: (di un albero) **to b. apples** [pears], dare mele [pere]; This plant bears every other year, questa pianta dà frutti un anno sì e un anno no **5** (fin.) dare, fruttare: These treasury bonds b. ten per cent interest, questi buoni del Tesoro danno il dieci per cento d'interesse **6** dirigersi (verso); voltare, girare (a): **to b. (to the) left**, spostarsi a sinistra; prendere a sinistra; svoltare a sinistra; tenersi a sinistra; You must b. to the right of the hill, devi tenerti alla destra della collina ● **to b. arms**, portare le armi ▢ **to b. the brunt**, sostenere tutto il peso; fare lo sforzo maggiore ▢ **to b. sb. company**, fare compagnia a q. ▢ **to b. comparison with sb.** (st.), reggere al confronto con q. (qc.) ▢ **to b. enquiry** (o investigation), uscire indenne da un'indagine: His business won't b. enquiry, i suoi affari non possono uscire indenni da un'indagine (o sono poco puliti) ▢ **to b. false witness**, (leg.) deporre il falso ▢ **b. fruit**, portare (o dare) frutto ▢ **to b. a grudge**, portare rancore; volerne (a q.) ▢ **to b. a hand**, dare una mano; aiutare ▢ **to b. hard**, sopportare a fatica (o a malincuore); mal sopportare ▢ **to b. hard on**, gravare su; opprimere: Indirect

taxation bears hard on the poor, le imposte indirette gravano sui non abbienti □ **to b. heavily on st.**, incidere molto su qc. □ **to b. in mind**, tener presente; ricordare: *B. in mind that the train leaves at eleven sharp*, ricordati che il treno parte alle undici precise □ **to b. a loss**, sopportare una perdita □ **to b. a meaning**, avere un significato □ **to b. oneself**, condursi; comportarsi: *She bore herself with dignity*, si comportò con dignità □ **to b. the palm**, riportare la palma □ **to b. a part in st.**, avere mano in qc.; sostenere una parte in qc. □ **to b. a resemblance to sb. [st.]**, essere simile, somigliare a q. [qc.] □ *(leg.)* **to b. witness**, testimoniare; deporre □ **to bring to b.** → **to bring** □ **not to b. repeating**, essere irripetibile (o sconveniente) □ **Grin and b. it!**, stringi i denti e tieni duro! ❶ **Nota:** *born o borne?* → **born**.

▪ **bear away** Ⓐ v. t. + avv. **1** portare via **2** ottenere, vincere (*un premio, ecc.*); portare via (*fam.*) Ⓑ v. i. + avv. **1** deviare, scostarsi **2** (*naut.*) scostarsi dalla rotta.

▪ **bear back** v. i. + avv. farsi indietro; fare largo: '*Stand back; room; b. back*' W. SHAKESPEARE, 'State indietro; largo!; fatevi indietro!'.

▪ **bear down** Ⓐ v. i. + avv. **1** gravare (*anche fig.*); premere (con forza): *Heavy taxes bore down on the people*, imposte pesanti gravavano sul popolo **2** (*fig.*) avere la mano pesante (*con q.*) **3** venire (o avvicinarsi) con foga o minacciosamente; puntare (su); piombare (su): *He bore down on me with a face like thunder*, puntò su di me con una faccia da temporale; *The bus was bearing down on us at full speed*, l'autobus ci veniva addosso a tutta velocità **4** (*naut.*) andare a vela **5** (*di partoriente*) spingere Ⓑ v. t. + avv. **1** portare (qc.) giù **2** (*form.*) vincere; superare: **to b. down all resistance**, vincere ogni resistenza □ (*naut.*) **to b. down on**, accostare (*un'altra nave*) da sopravvento; poggiare su.

▪ **bear off** v. i. + avv. (*naut.*) prendere il largo.

▪ **bear on** v. i. + prep. **1** essere pertinente a; avere rapporto (o relazione) con: *This fact doesn't b. on the matter*, questo fatto non ha relazione con la questione **2** gravare su; opprimere: **to b. hard on the taxpayers**, gravare sui contribuenti.

▪ **bear out** v. t. + avv. confermare, avvalorare (*quello che asserisce q.*): *The story was born out by the eye-witness*, il racconto fu avvalorato dal testimone oculare; *I'll b. you out*, confermerò le tue dichiarazioni.

▪ **bear up** Ⓐ v. t. + avv. **1** sostenere (*un principio, ecc.*) **2** fare forza (o coraggio) a; sostenere, sorreggere: *She is borne up by her faith*, è sorretta dalla fede Ⓑ v. i. + avv. **1** farsi forza (o coraggio); reggere, resistere: *B. up!*, fatti forza!; coraggio!; *Her father's death was a terrible shock, but she's bearing up well*, la morte del padre è stata un colpo terribile, ma lei si fa forza (o regge bene) **2** reggere; essere credibile: *The suspect's story doesn't b. up at all*, la versione fornita dal sospetto non regge affatto (o non sta in piedi) **3** (*naut.*) poggiare □ (*naut.*) **to b. up for**, fare rotta su; dirigere verso □ **to b. up to**, avvicinarsi a; (*naut.*) accostarsi a.

▪ **bear upon** → **bear on**.

▪ **bear with** v. i. + prep. aver pazienza con; sopportare; *B. with me one minute*, (abbia) un attimo di pazienza.

to **bear** ② /bɛə(r)/ (*Borsa*) Ⓐ v. i. speculare al ribasso Ⓑ v. t. causare un ribasso di (*azioni, titoli, ecc.*) ● **to b. the market**, fare operazioni al ribasso; vendere allo scoperto.

bearable /'bɛərəbl/ a. sopportabile; tollerabile.

bearberry /'bɛəbəri/ n. Ⓤ (*bot.*, Arctosta-

phylos uva-ursi) uva ursina.

bearbind /'bɛəbaind/ n. (*bot.*, Convolvulus arvensis) vilucchio.

bearcat /'bɛəkæt/ n. **1** (*zool.*, Arctictis binturong) binturong **2** (*zool.*, Ailurus fulgens) panda minore **3** (*slang USA*) persona assai resistente; mulo (*fig.*) **4** (*slang USA*) cosa eccezionale, straordinaria; bomba (*fig.*).

♦ **beard** /bɪəd/ n. **1** barba (*d'uomo o d'animale*): **to grow a b.**, farsi crescere la barba; **to wear a b.**, portare la barba **2** (*bot.*) resta (*di cereale*) **3** (*slang USA*) individuo barbuto; barba **4** (*astron.*) chioma **5** (*slang*) persona di facciata, di copertura; testa di legno **6** (*slang*) accompagnatore di una donna (*spec. di una lesbica*) che si fa passare per suo amante ‖ **bearded** a. **1** barbuto **2** (*bot.*) aristato ‖ **beardless** a. **1** senza barba; imberbe **2** senza barba; sbarbato.

to **beard** /bɪəd/ v. t. affrontare; sfidare ● (*fig.*) **to b. the lion in his den**, affrontare q. risolutamente.

bearer /'bɛərə(r)/ n. **1** (*anche comm.*) portatore; (*di lettera*) latore: *He is the b. of good news*, è latore di buone notizie; **a cheque payable to b.**, un assegno pagabile al portatore **2** (*archit.*) elemento portante; supporto **3** (*di pianta, preceduto da agg.*) albero da frutti: *This tree is a good b.*, quest'albero dà molti frutti **4** (= **pallbearer**) chi porta la bara; necroforo **5** (*mecc., tipogr.*) corona (*di cilindro*) ● **b.'s bank book**, libretto al portatore □ **b. bond**, obbligazione (*di un ente pubblico*) al portatore □ (*banca*) **b. cheque**, assegno al portatore □ **b. debenture**, obbligazione al portatore □ (*mil.*) **b. of a flag of truce**, parlamentare □ **b. of passport**, titolare di passaporto.

♦ **bearing** ① /'bɛəriŋ/ n. **1** Ⓤ connessione; relazione; rapporto; attinenza; influenza; portata: *This has no b. on our topic*, questo non ha nessuna attinenza con (o non riguarda) il nostro argomento **2** (*naut., aeron.*) rilevamento: **to take a compass b.**, fare un rilevamento alla bussola; **relative b.**, rilevamento polare; **radio b.**, rilevamento radio; radiorilevamento **3** (al pl.) – **one's bearings**, la propria posizione; l'orientamento: **to lose one's bearings**, perdere l'orientamento; perdersi; (*fig.*) confondersi, essere disorientato, perdere la bussola; **to get one's bearings**, orientarsi (*anche fig.*) **4** Ⓤ sopportazione: **beyond (all) b.**, al di là di ogni sopportazione; insopportabile **5** Ⓤ portamento **6** condotta; comportamento **7** Ⓤ capacità di produrre (o generare): *This mare is past b.*, questa cavalla è troppo vecchia per figliare; (*di pianta*) **to be in b.**, dare frutti; essere produttivo; **child-b.** → **childbearing 8** (*mecc.*) cuscinetto; supporto: **ball b.**, cuscinetto a sfere; **b. cap**, testa supporto del cuscinetto **9** (*archit.*) supporto, sostegno (*di trave*) **10** (*arald.*) insegna campita.

bearing ② /'bɛəriŋ/ a. **1** che porta; portante; che sostiene; di sostegno: (*mecc.*) **b. axle**, assale portante; (*edil.*) **b. pile**, palo portante (*di fondazione*); (*costr.*) **b. plate**, piastra d'appoggio; (*edil., mecc.*) **b. surface**, superficie portante; (*edil.*) **b. timber**, trave portante **2** (nei composti) che produce; -fero (suff.): **fruit-b.**, fruttifero; (*fin.*) **interest-b.**, fruttifero; **oil-b.**, petrolifero.

bearish /'bɛəriʃ/ a. **1** da orso; rude; sgarbato; sgraziato; scontroso; scorbutico: **b. manners**, maniere rudi (o scontrose) **2** (*Borsa*) ribassista; orientato, tendente al ribasso; che tende a provocare un ribasso: **b. market**, un mercato con tendenza al ribasso ● (*Borsa*) **b. trend**, tendenza al ribasso; andamento ribassista ‖ **bearishly** avv. **1** rudemente; scontrosamente **2** (*Borsa*) al ribasso ‖ **bearishness** n. Ⓤ **1** rudezza; scontrosità **2** (*Borsa*) tendenza al ribasso.

bearskin /'bɛəskin/ n. **1** pelle d'orso **2** colbacco (*di pelo d'orso*).

beast /bi:st/ n. **1** bestia; animale **2** (*fig.*) bestia; bestione; animale (*persona grossolana o intrattabile*) **3** istinti animali: *It's the b. in him*, sono i suoi istinti animali **4** – (*Bibbia*) **the B.**, la Bestia (*simbolo dell'Anticristo*) **5** (*slang USA*) ragazza (*anche non brutta*) **6** (*volg. spreg. USA*) puttana da due soldi; battona **7** (*slang USA*) eroina; LSD **8** (*slang USA*) macchina volante (*missile, razzo, ecc.*) ● **b. of burden**, bestia da soma □ **b. of a cold**, brutto raffreddore □ **b. of prey**, animale da preda □ **wild b.**, bestia feroce ❶ FALSI AMICI • beast *non significa* bestia *nel senso di persona ignorante.*

beastie /'bi:sti/ n. (*vezzegg.*) bestiola.

beastlike /'bi:stlaik/ a. da bestia; bestiale.

beastly /'bi:stli/ Ⓐ a. **1** bestiale; brutale **2** (*fam.*) odioso; orribile; schifoso: **a b. cold**, un raffreddore terribile; **this b. war**, questa orribile guerra; questa guerra schifosa; **b. weather**, tempo schifoso; tempo da cani **3** (*fam.*) cattivo; odioso: **to be b. to sb.**, comportarsi in modo odioso con q. Ⓑ avv. (*fam., con concetti negativi*) assai; molto; maledettamente: *It's b. cold*, fa un freddo cane (o un freddo bestiale) ‖ **beastliness** n. Ⓤ **1** bestialità; brutalità **2** (*fam.*) sgradevolezza **3** (*fam.*) cattiveria; odiosità.

beasty /'bi:sti/ n. (*slang USA*) persona o cosa bestiale (*pop.*); persona o cosa eccezionale, magnifica, splendida.

♦ **beat** /bi:t/ Ⓐ n. ⒸⓊ **1** rumore ritmico; battito; colpi (pl.) ritmati; (*di tamburo*) rullo; **the b. of the waves on the rocks**, il rumore delle onde che si frangono sugli scogli **2** (*fisiol.*) battito; pulsazione **3** (*mus.*) tempo (di battuta); ritmo: **three beats to the bar**, tre tempi per battuta; **a strong b.**, un ritmo energico; **to follow the b.**, andare a tempo; **to be off the b.**, essere fuori tempo; **to be on the b.**, andare a tempo **4** (*metrica*) accento ritmico **5** attimo (*di pausa, esitazione, ecc.*) **6** (*fis.*) battimento **7** zona, quartiere (*assegnato a un poliziotto di ronda, a una sentinella*); (*per estens.*) turno di pattuglia, di ronda, di servizio: **to be on the b.**, essere di pattuglia, di ronda; essere in servizio **8** (*spec. di giornalista, rappresentante, prostituta, ecc.*) zona, area, distretto (*da coprire nel proprio lavoro*); giro **9** (*fam.*) ambito di interesse; sfera di attività; competenza: *That's off my b.*, non me ne intendo; non è affar mio **10** (*giorn.*) colpo; scoop **11** (*naut.*) bordata; bordo **12** esponente della «beat generation»; beatnik; beat **13** (*nuoto, scherma*) battuta Ⓑ a. **1** (*fam. USA*) stanchissimo; esausto: **dead b.**, stanco morto; distrutto **2** (*slang USA*) malconcio; malandato; male in arnese; squattrinato; senza un soldo **3** (*letter. USA*) beat: **a b. poet**, un poeta beat; **b. literature**, letteratura beat; **the b. generation**, la «beat generation»; gli scrittori e poeti beat (*fam. USA*) **b.-up**, malconcio; sgangherato; scassato.

♦ to **beat** /bi:t/ (pass. *beat*, p. p. *beaten*, *beat*) Ⓐ v. t. **1** battere; picchiare; percuotere: *He beats his children*, picchia i figli; **to b. a drum**, battere un tamburo; **to b. a carpet**, battere un tappeto; **to b. sb. to death**, picchiare a morte q.; **to b. into submission**, indurre con le botte all'obbedienza **2** battere; martellare: **to b. gold**, battere l'oro; **to b. st. into a thin sheet**, battere qc. fino a ridurlo a una lamina **3** sbattere; battere; agitare: *The cock was beating its wings*, il gallo sbatteva le ali **4** (*cucina*) sbattere; mescolare; montare (*panna*): **to b. an egg**, sbattere un uovo; *B. a half a pint of cream into the mixture*, incorporare al composto mezza pinta di panna **5** battere; vincere; sconfiggere: *He b. me at chess*, mi ha battuto a

b

scacchi; **to b. the competition**, battere la concorrenza; *They fought bravely but were beaten*, combatterono valorosamente ma furono sconfitti **6** superare; battere: **to b. the world record**, battere il record mondiale **7** (*fam.*) essere migliore di; superare; battere: *You can't b. that hotel for comfort*, quell'albergo è insuperabile per il comfort; (*fam.*) *You can't b. a good film*, non c'è niente di meglio di (*o niente battle*) un buon film **8** (*slang USA*) evitare; scampare a: **to b. the chair**, evitare la sedia elettrica; **to b. the rap**, evitare una condanna; evitare una punizione; cavarsela **9** (*fam.*) lasciare perplesso; sconcertare: *It beats me how he can be so stupid*, non finisco di stupirmi della sua stupidità; (*It*) *beats me!*, non capisco proprio!; non lo so! **10** arrivare prima di; essere più svelto di; precedere; evitare (precedendo); battere: *I wanted to buy that painting, but I was beaten to it*, volevo comprare quel quadro ma mi hanno preceduto; *We left early to b. the traffic*, siamo partiti presto per evitare il traffico **11** (*caccia*) battere **12** (*fam. USA*) defraudare: *I was beaten out of my inheritance*, sono stato defraudato della mia eredità **B** v. i. **1** battere; picchiare; pulsare: *The rain was beating on the roof*, la pioggia batteva sul tetto; *Her heart b. fast*, le batteva forte il cuore; **to make sb.'s heart b. faster**, far battere più forte il cuore a q.; accelerare i battiti del cuore di q. **2** (*di ali, ecc.*) sbattere **3** (= **to b. to windward**) (*naut.*) bordeggiare; stare sui bordi ● (*fam.*) **to b. about** (*o* **around**) **the bush**, menare il can per l'aia; girare attorno a una questione; fare tanti giri di parole; tergiversare □ **to b. the air**, pestare l'acqua nel mortaio □ **to b. sb. at his own game**, battere q. con le sue stesse armi (*o al suo stesso gioco*) □ (*slang USA*) **to b. the band**, a più non posso; a tutto spiano; da pazzi □ **to b. sb. black and blue**, pestare q.; far nero di botte q. □ **to b. one's breast**, battersi il petto (*fig.*) □ (*fam. USA*) **to b. the bushes** (**for st.**), cercare (qc.) dappertutto (*o in lungo e in largo*) □ **to b. the clock**, finire entro il tempo stabilito; farcela in tempo □ (*slang USA*) **to b. one's gums**, parlare a vanvera; sbattere la lingua □ (*fam.*) **to b. the hell** (*o* **the living daylights**) **out of sb.**, riempire q. di botte; dare un fracco di botte a q.; (*slang*) = **to b. sb. hollow**, battere q. alla grande; suonarle a q.; stracciare q. □ **to b. st. into sb.**, far entrare (*o* cacciare) a forza qc. (*nozioni, concetti, ecc.*) in testa a q. □ (*fam.*) **to b. the pants off sb.** → **to b. sb. hollow** □ **to b. a path**, aprire un sentiero, un passaggio □ **to b. a path to sb.'s door**, arrivare a frotte da q. (*per ottenere qc.*); fare la coda davanti alla porta di q. □ **to b. a (hasty) retreat**, battere in ritirata □ (*volg.*) **to b. sb. shitless**, massacrare q. di botte □ (*mus.*) **to b. time**, (*o* marcare) il tempo □ (*mil.*) **to b. to arms**, suonare a raccolta □ (*slang*) **B. it!**, fila via!; sparisci!; smamma! □ **That beats everything** (*o* **all**)!, questa le batte tutte!; questo è il colmo! □ (*slang*) **Can you b. that?**, questa è grossa!; è il colmo!; è roba da matti! □ (*prov.*) **If you can't b. them, join them**, se non puoi batterli, unisciti a loro.

■ **beat about** v. i. + avv. **1** agitarsi; annaspare; sbatacchiare: **to b. about for st.**, cercare affannosamente qc. (*una soluzione, una via d'uscita, ecc.*) **2** (*naut.*) restare sopravvento bordeggiando.

■ **beat back** v. t. + avv. respingere; mettere in fuga; volgere in fuga.

■ **beat down** **A** v. t. + avv. **1** abbattere; buttare giù: *Lots of trees were beaten down by the storm*, molti alberi furono abbattuti dalla tempesta; **to b. down a door**, abbattere una porta **2** domare; reprimere: **to b. down a revolt**, domare una rivolta **3** portare (*un venditore a un prezzo più basso*); far scendere:

I succeeded in beating him down from £1,300 to £1,000, sono riuscito a portarlo da 1300 a 1000 sterline **B** v. i. + avv. **1** (*del sole*) battere a picco; picchiare forte (*fam.*) **2** (*della pioggia*) scrosciare; cadere a dirotto; battere con forza.

■ **beat in** v. t. + avv. **1** far entrare a forza; cacciare dentro **2** sfondare (*una porta, ecc.*) **3** (*cucina*) incorporare (*uova, ecc.*) sbattendo.

■ **beat off** **A** v. t. + avv. respingere: **to b. off an attack**, respingere un attacco; **to b. off an attempt**, respingere un tentativo **B** v. i. + avv. (*volg.*) masturbarsi; farsi le seghe (*volg.*).

■ **beat out** **A** v. t. + avv. **1** far uscire a forza; cacciar fuori **2** spegnere (*fiamme*) battendovi sopra **3** (*mus.*) suonare (*un motivo, con uno strumento a percussione*) **4** (*tecn.*) spianare a martellate; raddrizzare: **to b. out a dented panel**, spianare una lamiera ammaccata **B** v. i. + avv. (*naut.*) uscire bordeggiando □ (*fam.*) **to b. one's brains out**, lambiccarsi il cervello; spremersi le meningi; scervellarsi □ (*slang*) **to b. sb.'s brains out**, dare un fracco di botte a q.; massacrare q. di botte □ (*slang*) **to b. it out**, battersela; svignarsela.

■ **beat up** **A** v. t. + avv. **1** (*fam.*) picchiare selvaggiamente; pestare; riempire di botte **2** sbattere (*uova, ecc.*); montare (*albume, panna*): **to b. up egg whites until they become stiff**, montare a neve la chiara d'uovo **3** (*boxe*) lavorarsi (*l'avversario*) **B** v. i. + avv. **1** (*naut.*) bordeggiare **2** (**to b. up on**) (*USA*) picchiare, pestare (q.).

beat-'em-up /'bi:təmʌp/ n. (*comput., videogiochi*) (gioco) picchiaduro.

◆**beaten** /'bi:tn/ **A** p. p. di **to beat B** a. **1** battuto; sconfitto **2** picchiato; battuto **3** (*di uovo*) sbattuto; (*di panna*) montata **4** (*di metallo, lamiera, ecc.*) battuto; lavorato al martello; spianato: **b. gold**, oro battuto **5** (*di sentiero, strada*) battuto: **to follow the b. path**, seguire un sentiero battuto (*o una strada battuta*) (*anche fig.*) **6** stanco; esausto; stremato **7** (*slang USA*) drogato; fatto (*pop.*) ● **off the b. track** (*o* **path**), isolato, fuori mano; (*fig.*) insolito, fuori dell'ordinario.

beater /'bi:tə(r)/ n. **1** strumento per battere: **carpet b.**, battitappeto **2** persona che picchia; tipo manesco: **a wife b.**, uno che picchia la moglie **3** (*spec. nella caccia*) battitore **4** (*cucina*) frusta; frullino: **egg b.**, frusta (*o* frullino) per le uova; sbattiuova **5** (*ind. tess.*) battitore; aspa; volante **6** (*ind. cartaria*) macchina sfibratrice.

beatific /bi:ə'tɪfɪk/ a. **1** beatifico **2** gioioso; beato.

beatification /bi:ætɪfɪ'keɪʃn/ n. ① (*relig.*) beatificazione.

to **beatify** /bi:'ætɪfaɪ/ v. t. **1** rendere beato; far felice **2** (*relig.*) beatificare.

◆**beating** /'bi:tɪŋ/ n. **1** ① il battere; il pulsare; battito; pulsazione **2** (*solo sing.*) botte (pl.); percosse (pl.); legnate (pl.); bastonate (pl.): *That boy deserves a good b.*, quel ragazzo merita una buona dose di legnate **3** sconfitta; batosta (*fam.*): *The other side gave us a good b.*, l'altra squadra ce le ha suonate sode; **to take a b.**, prenderle sode; subire una batosta **4** ① (*tecn.*) battitura; raddrizzatura: (*autom.*) **panel b.**, raddrizzatura delle lamiere ● (*fam.*) **It will take some b.**, ce ne vorrà per batterlo (*o per fare meglio*); sarà duro da superare.

beatitude /bi:'ætɪtjuːd/ n. **1** ① beatitudine; piena felicità **2** (*relig.*) beatitudine.

beatnik /'bi:tnɪk/ **A** n. **1** beatnik **2** (*per estens.*) capellone **B** a. attr. → **beat** ②, *def. 2*.

Beatrice /'bɪətrɪs/, **Beatrix** /'bɪətrɪks/ n. Beatrice.

beau /bəʊ/ (*franc.*) n. (pl. **beaux**, **beaus**) (*arc. o lett.*) **1** bellimbusto; damerino; cicisbeo **2** innamorato; amante; vagheggino.

beau monde /'bəʊ'mɒnd/ (*franc.*) loc. n. (pl. **beau mondes**, **beaux mondes**) (il) bel mondo; l'alta società.

beaut /bjuːt/ (*slang Austral.*) **A** n. bellezza (*fig.*); cosa o persona fantastica; eccellente, favolosa **B** a. fantastico; favoloso.

beauteous /'bjuːtɪəs/ a. (*poet.*) bello; vago: *'It is a b. evening, calm and free'* W. WORDSWORTH, 'bella e chiara è la sera, e senza vento'.

beautician /bjuː'tɪʃn/ n. estetista.

beautifier /'bjuːtɪfaɪə(r)/ n. **1** abbellitore **2** cosa che abbellisce.

◆**beautiful** /'bjuːtɪfl/ **A** a. **1** (molto) bello; bellissimo; magnifico; stupendo: **a b. girl**, una ragazza bellissima **a b. poem**, una bella poesia; **a b. voice**, una voce magnifica; **b. weather**, tempo stupendo **2** eccellente; ottimo; meraviglioso: *He spoke a b. French*, parlava un francese eccellente ❶ NOTA: *handsome, pretty, beautiful* → **handsome B** n. - (*filos.*) **the b.**, il bello; la bellezza ● **the b. people**, la bella gente (*i ricchi, i VIP, ecc.*); (*anche stor.*) gli hippy, i figli dei fiori || **beautifully** avv. meravigliosamente; mirabilmente; stupendamente; in modo eccellente ❶ NOTA: *handsome, pretty, beautiful* → **handsome**

to **beautify** /'bjuːtɪfaɪ/ v. t. abbellire; adornare.

◆**beauty** /'bjuːtɪ/ n. **1** ① bellezza; beltà (*lett.*): *'B. is truth: truth b.'* J. KEATS, 'la bellezza è verità, la verità bellezza' **2** (*spec. rif. a donna*) bellezza: *His sister is a real b.*, sua sorella è una vera bellezza; *Jane was no b.*, Jane non era (certo) una bellezza **3** (al pl.) bellezze: **the beauties of our region**, le bellezze della nostra regione **4** (*fam.*) cosa stupenda; bellezza, meraviglia; gioiellino: *Your new car is a b.*, la tua macchina nuova è un gioiellino; *That black eye you've got is a real b.!*, hai un occhio nero che è una meraviglia! **5** aspetto positivo; (il) bello; (il) vantaggio: *That's the b. of it!*, questo è il bello! ● **b. case**, beauty-case, beauty □ **b. clinic**, istituto di bellezza ● **b. contest**, concorso di bellezza □ **b. parlour** (*o* **b. salon**, USA **b. shop**), istituto di bellezza □ **b. products**, prodotti di bellezza □ **b. queen**, reginetta; miss □ (*scherz.*) **b. sleep**, il sonno salutare; sonno che mantiene belli □ **b. spot**, luogo famoso per la sua bellezza; (*anche*) neo (*artificiale o naturale*) □ **B. and the Beast**, la Bella e la Bestia □ (*prov.*) **B. is in the eye of the beholder**, non è bello ciò che è bello, è bello ciò che piace □ (*prov.*) **B. is only skin-deep**, l'abito non fa il monaco.

beaver ① /'biːvə(r)/ n. (pl. **beaver**, **beavers**) **1** (*zool., Castor*) castoro **2** pelliccia (*o* berretto) di castoro **3** felpa (*per soprabiti, ecc.*) **4** (*slang antiq.*) barba **5** (*slang*) uomo barbuto **6** (*fam.*, = **eager b.**) gran lavoratore; stacanovista **7** (*volg. USA*) topa, passera (*volg.*); le donne; la fica (collett., *volg.*) ● (*slang USA*) **b. flick**, filmetto porno □ **b. lodge**, tana di castoro □ (*zool.*) **b.-rat** (*Hydromys chrysogaster*), idromide orientale.

beaver ② /'biːvə(r)/ n. (*stor. mil.*) baviera, ventaglia (*della visiera dell'elmo*).

to **beaver** /'biːvə(r)/ v. i. (*fam.*, di solito to **b. away**) lavorar sodo; darsi da fare; darci sotto.

bebop /'biːbɒp/ n. ① (*mus.*) be-bop (*varietà di jazz*).

BEc abbr. (**Bachelor of Economics**) laureato in economia (*laurea di 1° grado*).

to **becalm** /bɪ'kɑːm/ v. t. (*naut.*) abbonacciare ● (*naut.*) **to be becalmed**, restare in panna (*o* in bonaccia).

became /bɪ'keɪm/ pass. di **to become**.

◆**because** /bɪˈkɒz/ *cong.* perché; poiché; per il fatto che: «*Why can't you go now?*» «*B. I'm busy*», «perché non puoi andarci ora?» «perché ho da fare»; *Just b. she's old doesn't mean she can't do it*, solo perché è vecchia non significa che non possa farlo.

◆**because of** /bɪˈkɒzəv/ *prep.* per; a causa di; grazie a: *I didn't come back because of the rain, but because it was getting late*, sono tornato non per la pioggia, ma perché si faceva tardi; *I got the job because of my uncle's influence*, ebbi il posto grazie all'autorevole intervento di mio zio; *I couldn't hear the dialogue because of all the people talking*, non riuscivo a sentire i dialoghi per colpa di tutta la gente che parlava.

beccafico /bɛkəˈfiːkəʊ/ (*ital.*) *n.* (pl. ***beccaficos***, ***beccaficoes***) (*zool.*, *Sylvia borin*) beccafico.

béchamel /beɪʃəˈmɛl/ (*franc.*) *n.* ⓤ (*cucina*; *anche* **b. sauce**) besciamella.

bêche-de-mer /ˌbɛʃdəˈmɛə(r)/ *n.* (pl. ***bêches-de-mer***, ***bêche-de-mer***) **1** (*zool.*, *Holothuria*) oloturia; cetriolo di mare; trepang **2** → **Beach-la-Mar**.

Bechuanaland /ˌbɛtʃʊˈɑːnəlænd/ *n.* (*geogr.*, *stor.*) Beciuania (*ora* Botswana).

beck① /bɛk/ *n.* (*ingl. sett.*) ruscello.

beck② /bɛk/ *n.* ⓤ cenno, segno (*del capo*, *della mano*): **to be at sb.'s b. and call**, essere agli ordini di q.; prendere ordini da q.

becket /ˈbɛkɪt/ *n.* (*naut.*) stroppo; canestrello.

to beckon /ˈbɛkən/ Ⓐ *v. t.* chiamare con un cenno; fare cenno a: *He beckoned (to) me to join him*, mi fece cenno di raggiungerlo Ⓑ *v. i.* fare cenni; (*fig.*) chiamare, invitare: *The open sea beckons*, il mare aperto c'invita.

Becky /ˈbɛkɪ/ *n.* dim. di → **Rebecca**.

to becloud /bɪˈklaʊd/ *v. t.* (*anche fig.*) annuvolare; coprire di nuvole ● **to b. sb.'s mind**, confondere (*o* offuscare) la mente di q.

◆**to become** /bɪˈkʌm/ (pass. **became**, p. p. **become**) Ⓐ *v. i.* **1** (seguito da sost.) diventare; divenire: **to b. an adult**, diventare adulto; **to b. king**, diventare re **2** (seguito da agg.) diventare, divenire; farsi (*ma spesso vi corrisponde un verbo specifico*): **to b. old**, diventare vecchio; invecchiare; **to b. angry**, arrabbiarsi; **to b. cloudy**, rannuvolarsi; **to b. fat**, diventare grasso; ingrassare; **to b. rich**, diventare ricco; arricchire; *It has b. much colder*, si è fatto molto più freddo **3** (*in frasi interr. e dubit.*) – **to b. of**, succedere a; esserne di: *What has b. of the old playground?*, che ne è del vecchio campo da giochi?; *Whatever became of that French colleague of yours?*, che fine ha fatto quel tuo collega francese?; *I wonder what'll b. of her now*, chissà che ne sarà di lei ora Ⓑ *v. t.* (*form.*) **1** addirsi; convenirsi; confarsi a: *Such words do not b. a person in his position*, parole simili non si addicono a una persona nella sua posizione **2** donare; star bene a: *Your new dress doesn't b. you*, il vestito nuovo non ti sta bene ● (*leg.*) **to b. applicable**, entrare in vigore □ (*comm.*) **to b. due**, scadere □ (*leg.*) **to b. final**, passare in giudicato □ **to b. vacant**, rendersi vacante; (*di un posto di lavoro*) liberarsi.

becoming /bɪˈkʌmɪŋ/ *a.* (*form.*) **1** conveniente; che s'addice; che si confà: *Swearing is not b. to a lady*, le imprecazioni non s'addicono a una signora **2** grazioso; che sta bene; che dona: **a b. hat**, un cappello grazioso (*o che dona*) ‖ **becomingness** *n.* ⓤ (*form.*) **1** convenienza; appropriatezza (*raro*) **2** bella apparenza; grazia; eleganza.

◆**bed** /bɛd/ *n.* **1** letto; giaciglio: **to be in bed**, essere a letto; **to go to bed**, andare a letto;

to make the bed, fare (*o* rifare) il letto; **to put sb. to bed**, mettere a letto q. (*un bambino*); **to read in bed**, leggere a letto; *Time for bed!*, è ora di andare a letto (*o a dormire*)!; *Reading before bed helps me sleep*, leggere prima di andare a letto mi aiuta a dormire; **double bed**, letto matrimoniale (*o a due piazze*); **single bed**, letto singolo (*o a una piazza*); **spare bed**, letto in più; letto per gli ospiti; **a 100-bed hospital**, un ospedale con cento letti **2** aiuola, aiola; pezzetto di terreno (*coltivato*): **a bed of roses**, un'aiuola di rose; **a bed of strawberries**, un pezzo di terra coltivato a fragole **3** alveo, letto (*di fiume*); fondo (*di lago, mare*) **4** base; fondo; strato: **a bed of concrete**, una base di cemento; **a bed of leaves**, uno strato di foglie; **a chicken salad on a bed of lettuce**, un'insalata di pollo su una base di lattuga **5** (*ind. costr.*) fondo stradale; massicciata: **railroad bed**, massicciata di ferrovia **6** (*geol.*) strato: **bed of clay**, strato di argilla **7** (*con attr.*) (*pesca*) banco: **oyster bed**, banco di ostriche **8** (*chim.*) letto **9** (*edil.*) letto (*della malta*) **10** (*mecc.*) bancale, banco (*di macchina utensile*) **11** platea (*di caldaia*) **12** (*USA*) pianale (*di camion*) ● **bed and board**, vitto e alloggio □ (*tur.*) **bed and breakfast**, alloggio e prima colazione (*in una pensione, ecc.*); casa privata (*o* pensione) che offre alloggio e prima colazione □ **bed-clothes**, biancheria e coperte da letto □ **bed-cover**, copriletto □ **bed jacket**, liseuse □ **bed linen**, biancheria da letto □ (*archit.*) **bed moulding**, modanatura □ **bed net**, zanzariera da letto □ **bed of nails**, letto di chiodi (*di fachiro, ecc.*); (*fig.*) letto di spine, letto di Procuste □ (*fig.*) **a bed of roses**, un letto di rose; rose e fiori □ (*fig.*) **a bed of thorns**, un letto di spine; una posizione delicata, difficile □ **bed-space**, posto letto: **bed-space availability**, disponibilità di posti letto □ **bed warmer**, scaldaletto; scaldino □ **bed-wetter** → **bedwetter** □ **bed-wetting** → **bedwetting** □ (*slang USA*) **bed-wise**, esperto (*di sesso*); che conosce il sesso □ (*arc.*) **to be brought to bed of**, dare alla luce; partorire □ **feather bed**, materasso di piume □ (*fig.*) **to get into bed with sb.**, fare un accordo con q. (*per ricavarne un vantaggio*); mettersi in combutta con q. □ (*fig.*) **to get out of bed on the wrong side**, alzarsi con la luna di traverso (*o di cattivo umore*) □ (*eufem.*) **to go to bed with sb.**, andare a letto con q. □ (*fam. GB*) **to be in bed with sb.**, mettersi con q. (*per ricavarne un vantaggio*); essere in combutta con q. □ **to keep to one's bed**, essere costretto a letto: essere allettato □ (*giorn.*) **to put to bed**, impaginare (*un giornale*) □ **to take to one's bed**, mettersi a letto (*per indisposizione*); allettarsi □ (*fam. eufem.*) **to take sb. to bed**, portare a letto q. □ (*prov.*) **You've made your bed and must lie in it**, l'hai voluto tu e ora non puoi tirarti indietro; hai voluto la bicicletta? ora pedala!

to bed /bɛd/ Ⓐ *v. t.* **1** → **to bed down**, A, *def. 1* **2** (*bot.*) mettere a dimora; trapiantare **3** fissare (*su un letto di posa*); piantare saldamente; conficcare: *The masons were bedding bricks in the mortar*, i muratori fissavano i mattoni nella calcina; *The arrow bedded itself in the tree trunk*, la freccia si conficcò nel tronco dell'albero **4** disporre in strati **5** (*fam. eufem.*) portarsi a letto (*una donna*); andare a letto con Ⓑ *v. i.* **1** (*di animale*) mettersi a giacere **2** (*geol.*) stratificarsi.

▪ **bed down** Ⓐ *v. t. + avv.* **1** sistemare per la notte; dare da dormire a; mettere a dormire **2** fare il letto a (*un animale*) **3** → **to bed**, A, *def. 5* Ⓑ *v. i. + avv.* sistemarsi per la notte; passare la notte (*su un giaciglio di fortuna*).

▪ **bed in** Ⓐ *v. t. + avv.* **1** fissare; piantare saldamente **2** (*mil.*) piazzare (*un cannone*,

ecc.) Ⓑ *v. i. + avv.* (*anche fig.*) fissarsi; stabilirsi.

▪ **bed out** *v. t. + avv.* (*bot.*) mettere a dimora; svasare; trapiantare.

BEd /biːˈɛd/ *abbr.* (**Bachelor of Education**) laureato in pedagogia (*laurea di 1° grado*).

to bedaub /bɪˈdɔːb/ *v. t.* **1** imbrattare; (*fig.*) dipingere male: **to b. the walls with slogans**, imbrattare le pareti di slogan **2** adornare eccessivamente; abbigliare in modo sgargiante.

to bedazzle /bɪˈdæzl/ *v. t.* abbagliare; accecare; (*fig.*) confondere.

bedbug /ˈbɛdbʌg/ *n.* (*zool.*, *Cimex lectularius*) cimice dei letti.

bedchamber /ˈbɛdtʃeɪmbə(r)/ *n.* (*arc.*) stanza da letto; camera.

beddable /ˈbɛdəbl/ *a.* (*slang, di persona attraente*) da portare a letto; materassabile (*pop.*).

bedded /ˈbɛdɪd/ *a.* **1** coricato; a letto **2** (*geol.*) stratificato.

bedder /ˈbɛdə(r)/ *n.* **1** chi fa i letti (*spec. in un college*) **2** (*bot.*) piantina da giardino **3** (*GB*) camera da letto.

bedding /ˈbɛdɪŋ/ *n.* ⓤ **1** biancheria da letto; coperte e materassi (pl.) **2** lettiera **3** fondo stradale **4** coltivazione di piante in aiuole **5** (*geol.*) stratificazione sottile **6** (*edil.*) allettamento; strato di malta: **b. dots**, punti di livellatura ● **b. out**, messa a dimora, trapianto (*di fiori, ecc.*) □ **b. plant**, piantina da giardino □ (*geol.*) **b. thrust**, scorrimento di strato.

beddy-byes /ˈbɛdɪbaɪz/, **beddy-bye** /ˈbɛdɪbaɪ/ *n.* (*infant.*) letto; nanna: *Time for beddy-byes!*, (è) ora di andare a nanna!

Bede /biːd/ *n.* (*stor.*) Beda.

to bedeck /bɪˈdɛk/ *v. t.* adornare; ornare: **to b. oneself with jewels**, adornarsi di gioielli.

to bedevil /bɪˈdɛvl/ *v. t.* **1** affliggere; tormentare; assillare **2** rendere caotico; confondere ‖ **bedevilment** *n.* ⓤ **1** assillo; afflizione; tormento; tribolazione **2** (*arc.*) pandemonio; gran confusione.

to bedew /bɪˈdjuː, *USA* -ˈduː/ *v. t.* (*poet.*) irrorare; bagnare (*di rugiada o di stille*).

bedfast /ˈbɛdfɑːst/ *a.* costretto a letto.

bedfellow /ˈbɛdfɛləʊ/ *n.* **1** compagno di letto **2** (*fig.*) compagno.

bedgown /ˈbɛdgaʊn/ *n.* camicia da notte (*da donna*).

to bed-hop /ˈbɛdhɒp/ *v. i.* (*slang*) saltare da un letto all'altro; avere un'attività sessuale intensa e promiscua.

to bedim /bɪˈdɪm/ *v. t.* (*anche fig.*) offuscare; velare.

bedlam /ˈbɛdləm/ *n.* **1** (*arc.*) manicomio (*da Bedlam, manicomio di S. Maria di Betlemme a Londra*) **2** ⓤ (*fig. fam.*) baraonda; sarabanda, confusione; bolgia; pandemonio ‖ **bedlamite** *n.* (*arc.*) matto; pazzo.

bedmaker /ˈbɛdmeɪkə(r)/ *n.* chi rifà i letti (*nei college*).

bedmate /ˈbɛdmeɪt/ *n.* compagno, compagna di letto; coniuge.

bedouin /ˈbɛduɪn/ *a. e n.* (pl. ***bedouin***, ***bedouins***) **1** beduino **2** (*fig.*) nomade; zingaro.

bedpan /ˈbɛdpæn/ *n.* padella (*per ammalati*).

bedplate /ˈbɛdpleɪt/ *n.* **1** (*di un motore*) basamento (*di una macchina, ecc.*) piastra di fondazione **2** (*di un forno*) platea.

bedpost /ˈbɛdpəʊst/ *n.* colonna (*di letto a baldacchino*) ● **between you and me, and the b.**, detto fra noi; in confidenza.

to bedraggle /bɪˈdrægl/ *v. t.* inzaccherare: **a bedraggled dress**, un vestito inzac-

b

cherato ● **a bedraggled part of the town**, un quartiere malandato.

bedrail /'bedreɪl/ n. sponda di sicurezza (*per letti*).

bedridden /'bedrɪdn/ a. costretto a letto; allettato.

bedrock /'bedrɒk/ n. Ⓤ **1** (*geol.*) substrato roccioso **2** (*fig.*) base; fondamento: **the b. of democracy**, il fondamento della democrazia; **b. principles**, principi di fondo.

bedroll /'bedrəʊl/ n. (*USA*) rotolo di coperte (*per dormirci sopra: spec. dei cowboy*).

♦**bedroom** /'bedruːm/ n. camera (*o stanza*) da letto: **single b.**, camera singola (*o a un letto*); **double b.**, camera a due letti ● (*slang*) **b. eyes**, occhi languidi; sguardo invitante □ (*fam.*) **b. scene**, scena erotica; scena di sesso □ **b. secrets**, i segreti della camera da letto □ (*USA*) **b. suburb**, quartiere dormitorio.

Beds /bedz/ abbr. (*GB*, **Bedfordshire**) la Contea di Bedford.

bedside /'bedsaɪd/ n. Ⓤ **1** lato (*o fianco*) del letto **2** (*fig.*) capezzale (*di malato*): *I was at his b. when he died*, ero al suo capezzale quando morì ● **b. book**, libro da leggere a letto □ **b. carpet**, scendiletto □ **b. literature**, letture «leggere»; letteratura amena □ **b. manner**, modo di trattare i malati (*di medico o infermiere*): *That nurse has a good b. manner*, quell'infermiera ha molto garbo (*o ci sa fare*) con i malati □ **b. reading**, letture della sera (*a letto*) □ **b. rug**, scendiletto □ **b. table**, comodino.

bedsit /'bedsɪt/, **bedsitter** /'bedsɪtə(r)/ n. (*fam. GB*) monolocale.

bedsore /'bedsɔː(r)/ n. (*med.*) piaga da decubito.

bedspace /'bedspeɪs/ n. Ⓤ numero di letti; capacità ricettiva (*di un albergo, ospedale, ecc.*).

bedspread /'bedspred/ n. copriletto; coperta (*da letto*).

bedstead /'bedsted/ n. lettiera; fusto del letto.

bedtime /'bedtaɪm/ n. Ⓤ l'ora di andare a letto ● **b. stories**, favole per addormentare i bambini; (*fig.*) racconti inverosimili; (*telef.*) fiabe della buonanotte (*servizio ausiliario in GB*).

bedwetter, **bed-wetter** /'bedwetə(r)/ n. **1** chi soffre di enuresi (*med.*); chi fa la pipì a letto (*fam.*); piscialletto (*fam.*, **scherz.** *o* spreg.) **2** (*fig.*, *fam.*) vigliacco; pivello; pisciasotto (*volg.*) ‖ **bedwetting, bed-wetting** n. Ⓤ enuresi; il fare la pipì a letto (*fam.*).

♦**bee**① /biː/ n. **1** (*zool.*) ape **2** (*fam. USA*) riunione (*per lavorare insieme o divertirsi*): **sewing bee**, riunione di cucito ● (*fam. USA*) **spelling bee**, gara di ortografia ● (*apicoltura*) **bee-bread**, miscela di miele e polline □ (*zool.*) **bee-eater** (*Merops apiaster*), gruccione; grottaione □ **bee glue**, propoli □ (*fam.*) **the bee's knees**, persona (*o cosa*) eccezionale; il meglio; il massimo; il top (*fam.*): *He thinks he is the bee's knees*, crede d'essere chissà chi (*o* chissà cosa) d'ape □ **to have a bee in one's bonnet**, avere un'idea fissa; essere fissato: *He's got a bee in his bonnet against mobiles*, è fissato contro i cellulari.

bee② /biː/ n. (*naut.*, *anche* **bee block**) anello di metallo; golfare; orecchia; maschetta.

bee③ /biː/ n. Ⓤ bi; lettera b.

Beeb (the) /biːb/ n. Ⓤ (*fam.*) la BBC.

beech /biːtʃ/ n. **1** (pl. **beeches**, **beech**) (*bot.*, *Fagus silvatica*) faggio **2** (legno di) faggio ● (*zool.*) **b.-marten** (*Martes foina*), faina □ (*chim.*) **b. mast**, faggina □ (*bot.*) **b.-nut**, faggina, faggiola.

beechwood /'biːtʃwʊd/ n. faggeta; fag-

---

geto.

♦**beef** /biːf/ n. Ⓤ (carne di) manzo; carne di bue; carne bovina: **tinned b.**, manzo in scatola; (*GB*) **b. on the bone**, carne con l'osso; **b. cubes**, dadi di carne **2** (pl. **beeves**, **beefs**, **beef**) bovino da macello: **b. cattle**, bovini (*o bestiame*) da macello **3** (*fam.*) forza muscolare; muscolosità; muscoli (pl.); fisico muscoloso **4** Ⓤ (*fam.*) forza; energia; grinta **5** (pl. **beefs**) (*slang USA*) uomo nerboruto; omaccione; maciste **6** (pl. **beefs**) (*fam.*) obiezione; protesta; rimostranza; mugugno (*fam.*) **7** (pl. **beefs**) (*slang USA*) accusa; capo d'accusa; incriminazione: **narco b.**, incriminazione per droga ● (*GB*) **b. tea**, brodo di estratto di carne; brodo ristretto □ **b. tomato**, pomodoro cuore di bue □ (*cucina*) **b. Wellington**, carne di manzo spalmata di paté e cotta nella pasta sfoglia □ (*fam. USA, rif. a un'idea, un progetto vago*) **Where's the b.?**, dov'è la sostanza?; stringi stringi, in che cosa consiste?

to **beef** /biːf/ v. i. (*fam.*) lagnarsi; protestare; brontolare; mugugnare.

■ **beef up** v. t. + avv. (*fam.*) **1** rinforzare; rafforzare **2** dare più corpo (*o sostanza*) a; rimpolpare **3** esagerare; gonfiare; pompare.

beefburger /'biːfbɜːgə(r)/ n. (*cucina*) hamburger di manzo.

beefcake /'biːfkeɪk/ n. Ⓤ (*fam.*) **1** fisico da culturista **2** sfoggio di muscoli **3** fotografie di «Mister Muscolo».

beefeater /'biːfiːtə(r)/ n. **1** guardiano della Torre di Londra **2** (*fam. USA*) inglese.

beefsteak /'biːfsteɪk/ n. (*cucina*) bistecca.

beefy /'biːfɪ/ a. **1** nerboruto; muscoloso; robusto **2** corpulento ‖ **beefiness** n. Ⓤ nerbo; muscolosità; robustezza.

beehive /'biːhaɪv/ n. alveare; arnia.

beekeeping /'biːkiːpɪŋ/ n. Ⓤ apicoltura ‖ **beekeeper** n. apicoltore.

beeline /'biːlaɪn/ n. (*fam.*) linea retta ● **to make a b. for st.**, andare dritto filato (*o* difilato) verso qc.; correre subito da qc.

Beelzebub /bɪ'elzɪbʌb/ n. Belzebù.

♦**been** /biːn/ p. p. di **to be**.

beep /biːp/ n. **1** bip; segnale acustico **2** colpo di clacson **3** squillo (*del telefono, ecc.*).

to **beep** /biːp/ Ⓐ v. i. **1** emettere un segnale acustico; fare bip **2** (*di clacson*) suonare **3** (*autom.*) suonare il clacson Ⓑ v. t. **1** suonare (*il clacson*) **2** chiamare col cicalino **3** far squillare (*il telefono*).

beeper /'biːpə(r)/ n. cercapersone; cicalino.

♦**beer** /bɪə(r)/ n. **1** Ⓤ birra: **a glass of b.**, una birra: **draught b.**, birra alla spina; **b. crate**, cassetta di birra **2** (bicchiere di) birra **3** (con attr.) bevanda non alcolica (*estratta da piante o radici*): **ginger b.**, bibita gassata aromatizzata allo zenzero ● (*fam. GB*) **It's not all b. and skittles**, non è tutto rose e fiori; non è un letto di rose □ **b. belly**, ventre sporgente; grossa pancia; pancione (*fam.*) □ **b. garden**, giardino di pub (*dove si serve birra*) □ (*fam.*) **b. gut**, ventre sporgente; grossa pancia; pancione; panzone (*fam.*) □ **b. mat**, sottobicchiere □ (*fam.*) **b. money**, regalia; mancia □ **b. pump**, apparecchio per spillare la birra (*in un pub*) □ (*fam.*) **b.-up**, gran bevuta di birra; bisboccia □ **small b.**, (*arc.*) birra leggera; (*fig.*) inezia, inezie; bazzeccola, bazzeccole; persona di poco conto; nullità; scartina: **£1,000 is small b. compared to what we could make**, mille sterline sono un'inezia a confronto con quanto potremmo ricavarci.

beerhouse /'bɪəhaʊs/ n. (*GB*, *stor.*) birreria.

beery /'bɪərɪ/ a. **1** di (*o simile a*) birra **2** che sa di birra: **b. breath**, alito che sa di bir-

---

ra **3** brillo; sbronzo (*spec. di birra*).

beestings /'biːstɪŋz/ n. pl. (*zool.*) colostro (*di vacca*).

beeswax /'biːzwæks/ n. Ⓤ **1** cera vergine **2** (*slang USA*) affari.

beeswing /'biːzwɪŋ/ n. **1** pellicola del vino (*di tartaro*) **2** vino invecchiato.

beet /biːt/ n. ⒸⓊ **1** (*bot.*, *Beta vulgaris*) barbabietola **2** (*fam.*) → **beetroot** ● **b. sugar**, zucchero di barbabietola.

beetle① /'biːtl/ n. **1** coleottero (*spec. se grosso e nero*); scarafaggio; scarabeo **2** (= **black b.**) scarafaggio **3** (*fig.*) persona miope **4** ® (*autom.*, *fam.*) Maggiolino (*la vecchia Volkswagen*) ● (*agric.*) **b. bank**, striscia di terreno verde ai margini di un campo (*che offre un habitat agli insetti; usata in alternativa ai pesticidi*) □ (*slang*) **b.-crushers**, grossi stivali; scarponi; (*anche*) piedoni.

beetle② /'biːtl/ n. mazzuolo; mazzuola; martello di legno ● (*fig.*) **b.-brain** (*o* **b.-head**), testa di legno; zuccone; idiota.

beetle③ /'biːtl/ a. **1** prominente; sporgente **2** irsuto; ispido ● **b.-browed**, dalle sopracciglia ispide (*o assai folte*); (*fig.*) accigliato.

to **beetle**① /'biːtl/ v. i. **1** sporgere; strapiombare **2** (*di sopracciglia*) essere sporgente e folto **3** (*del fato, ecc.*) incombere minaccioso ● **beetling crags**, dirupi a strapiombo ‖ **beetling eyebrows**, sopracciglia sporgenti e folte.

to **beetle**② /'biːtl/ v. t. mazzolare; battere col mazzuolo.

beetroot /'biːtruːt/ n. ⒸⓊ (*bot.*, *Beta vulgaris rubra*) barbabietola rossa ● (*fam.*) **as red as a b.**, rosso come un gambero.

beeves /biːvz/ pl. di **beef**.

beezer /'biːzə(r)/ n. (*slang*) naso grosso; proboscide (*fig.*), nasone.

BEF sigla (*mil.*, *stor.*, *GB*, **British Expeditionary Force**) Corpo di spedizione britannico (*durante la prima e seconda guerra mondiale*).

to **befall** /bɪ'fɔːl/ (pass. **befell**, p. p. **befallen**), v. t. e i. (*form.*) accadere; capitare; succedere: *A serious accident befell him*, gli successe un grave incidente.

to **befit** /bɪ'fɪt/ (*form.*) v. t. addirsi; confarsi; convenire: *This language does not b. you*, questo linguaggio non ti si confà ‖ **befitting** a. adatto; conveniente; confacente.

to **befog** /bɪ'fɒg/ v. t. **1** avvolgere nella nebbia; annebbiare **2** (*fig.*) rendere oscuro; oscurare; offuscare; ottenebrare.

to **befool** /bɪ'fuːl/ v. t. deridere; ridicolizzare.

♦**before** /bɪ'fɔː(r)/ Ⓐ avv. **1** prima; in passato; già: **the day b.**, il giorno prima; **three years b.**, tre anni prima; *Haven't we met b.?*, non ci siamo già incontrati?; *Haven't you seen that film b.?*, non hai mai visto quel film?; **long b.**, molto tempo prima; *I haven't seen one of those phones b.*, è la prima volta che vedo uno di quei telefoni **2** davanti; avanti; in testa Ⓑ prep. **1** prima di: **b. ten o'clock**, prima delle dieci; **b. the last war**, prima dell'ultima guerra; **b. Christ**, prima di Cristo; avanti Cristo; **long b. that**, molto prima di ciò (*o* d'allora); **b. everything else**, prima di ogni altra cosa; prima di tutto **2** prima di; davanti a: **the name b. mine**, il nome prima del mio (*in un elenco*); **to put honesty b. self-interest**, porre l'onestà davanti (*o* anteporre l'onestà) al proprio interesse **3** davanti a; di fronte a; sotto gli occhi di: **the problem b. us**, il problema che ci sta davanti; **b. my very eyes**, sotto i miei occhi **4** all'esame di; davanti a: **the proposal b. the committee**, la proposta all'esame della commissione **5** alla presenza di; davanti a; dinanzi a; al cospetto di: *I swear it*

b. *God*, lo giuro davanti a Dio; **to appear b. a judge**, comparire davanti a un giudice **6** a disposizione di; davanti a: *A large sum of money was placed b. the researchers*, una grossa somma di denaro fu messa a disposizione dei ricercatori: *We have a long day b. us*, abbiamo davanti (*o* ci aspetta) una lunga giornata **C cong. 1** prima che; prima di: *Get out b. I lose my patience!*, vattene prima che perda la pazienza! *Write it down b. you forget it*, scrivilo prima di dimenticartelo; *It wasn't long b. we heard a low rumble*, non passò molto che udimmo un rumoreggiare cupo **2** piuttosto che: *He would die b. he would apologize*, preferirebbe morire piuttosto che chiedere scusa • (*Borsa*) **b.-hours dealings**, precontrattazioni □ **b. long**, fra non molto; fra breve; fra poco □ (*fin.*) **b.-tax**, al lordo delle imposte; (*di profitto, reddito, utile*) lordo ❶ **NOTA:** *ago o before?* → **ago**.

♦**beforehand** /bɪˈfɔːhænd/ **A avv.** in precedenza; prima; preventivamente; in anticipo: *Make a list of what you need b.*, prepara prima l'elenco di quello che ti occorre; *Seats must be booked b.*, è necessario prenotare i posti in anticipo **B a. pred.** – (*arc.*) **to be b. with sb.**, precedere q.

to **befoul** /bɪˈfaʊl/ **v. t. 1** insudiciare; imbrattare **2** (*fig.*) infamare.

to **befriend** /bɪˈfrɛnd/ **v. t.** aiutare; assistere; soccorrere.

to **befuddle** /bɪˈfʌdl/ **v. t. 1** confondere; sconcertare **2** istupidire, stordire (*con bevande alcoliche*) || **befuddled a.** confuso; sconcertato • **befuddled with wine**, stordito dal vino || **befuddlement n.** ⓤ **1** confusione; sconcerto **2** istupidimento.

♦to **beg** /bɛg/ **A v. t. 1** elemosinare; mendicare; chiedere in elemosina: **to beg a meal**, elemosinare un pasto **2** chiedere (*umilmente o come favore*): **to beg a favour of sb.**, chiedere un favore a q.; **to beg sb.'s forgiveness**, chiedere perdono a q.; **to beg leave to do st.**, chiedere il permesso di fare qc. **3** pregare; supplicare: *I begged him to help me*, lo pregai di aiutarmi **4** (*form.*) chiedere (il permesso) di: *I beg to differ*, (se permettete,) non sono d'accordo; *I beg to second the motion*, desidero appoggiare la mozione **5** (*di cane*) mettersi seduto con le zampe anteriori sollevate **B v. i. 1** mendicare; chiedere l'elemosina: *He is too proud to beg*, è troppo orgoglioso per chiedere l'elemosina; **to beg for money**, chiedere l'elemosina **2** (**to beg of**) supplicare; implorare: *I begged of him not to get into trouble*, lo implorai di non mettersi nei guai • **to beg the question**, fare una petizione di principio; dare per scontato qc.; (*anche, ora molto comune*) rendere inevitabile la domanda □ (*bur., comm., antiq.*) **We beg to inform you that...**, ci pregiamo informarVi che...□ **to be going begging**, essere disponibile, libero, ecc. (*perché nessuno lo vuole*).

■ **beg off v. i.** + *avv.* scusarsi e rifiutare (*un invito, ecc.*); esimersi.

began /bɪˈgæn/ pass. di **to begin**.

to **beget** /bɪˈgɛt/ (pass. **begot**, p. p. **begot**, **begotten**), **v. t. 1** generare; mettere al mondo **2** (*fig.*) generare; produrre; causare: *War begets destruction and poverty*, la guerra produce distruzioni e miseria || **begetter n. 1** (*form.*) genitore, genitrice; padre, madre **2** (*fig.*) autore, autrice; ideatore, ideatrice.

beggar /ˈbɛgə(r)/ **n. 1** mendicante; accattone **2** povero **3** (*fam., spesso scherz.*) individuo; birbante; birichino: *That boy is a fine little b., isn't he?*, quel ragazzo è un bel birichino, non è vero? • (*bot.*) **b.'s lice** (*Galium aparine*), attaccamani; attaccaveste □ **a little b.**, un furfantello □ (*fam.*) **lucky b.**, tipo fortunato □ (*fam.*) **poor b.**, disgraziato; sfortu-

nato □ (*prov.*) **Beggars can't be choosers**, chi è nel bisogno non può fare lo schifiltoso.

to **beggar** /ˈbɛgə(r)/ **v. t.** ridurre in miseria (*o* sul lastrico); impoverire: *He beggared his father by going on running into debt*, ridusse in miseria suo padre a forza di far debiti • **to b. comparison**, essere incomparabile □ **to b. (all) description**, essere indescrivibile; essere troppo bello per dirsi a parole.

beggarly /ˈbɛgəlɪ/ **a. 1** di (*o* da) mendicante; mendico; assai povero **2** meschino; sordido **3** misero; povero; di scarso valore; meschino • **a b. fellow**, un pezzente || **beggarliness n.** ⓤ **1** mendicità; estrema povertà **2** meschinità; sordidezza.

beggar-my-neighbour, (*USA*) **beggar-my-neighbor** /ˈbɛgə maɪˈneɪbə(r)/ **n.** ⓤ rubamazzo (*gioco di carte*) • (*econ., stor.*) **beggar-my-neighbour policy**, politica di svalutazione della moneta e di restrizioni alle importazioni mirata a riversare su altri paesi il costo di una recessione.

beggary /ˈbɛgərɪ/ **n.** ⓤ **1** mendicità; estrema povertà **2** condizione di mendicante.

begging /ˈbɛgɪŋ/ **a.** di richiesta; che questua; questuante; mendicante: **b. bowl**, ciotola di mendicante; (*fig.*) richiesta di aiuto; **b. friar**, frate questuante; **b. letter**, lettera di richiesta di un'offerta in beneficenza.

♦to **begin** /bɪˈgɪn/ (pass. **began**, p. p. **begun**), **v. t. e i.** iniziare; cominciare; incominciare: *Suddenly he began talking (o to talk)*, improvvisamente cominciò a parlare; *He began by saying he would not speak long*, cominciò col dire che non avrebbe parlato a lungo • **to b. again**, ricominciare □ **to b. at the beginning**, cominciare dal principio □ **to b. on st.**, dare inizio a qc.; mettersi a fare qc. □ **to b. with**, (tanto) per cominciare; per prima cosa; anzitutto □ (*prov.*) **Well begun is half done**, chi ben comincia è a metà dell'opera.

❶ **NOTA:** *begin, start o commence?*

Tutti questi verbi vengono usati con il significato di "iniziare", ma hanno sfumature diverse. *To commence* è un termine formale, raramente usato nel parlato: *Building of the bypass commenced in 2006 and was completed a year later*, la costruzione della circonvallazione è cominciata nel 2006 e si è conclusa un anno dopo. *To start* (a differenza di *to begin o to commence*) si usa anche nel senso di "partire, far partire", sia col significato di "avviare, mettere in moto" – *The engine won't start*, il motore non parte, *to start a machine*, mettere in moto una macchina – sia in quello di "mettersi in viaggio": *If we start early, we'll miss the traffic*, se partiamo presto, non troveremo traffico.

♦**beginner** /bɪˈgɪnə(r)/ **n. 1** iniziatore; chi inizia, chi comincia qc. **2** principiante; esordiente; novizio: **complete b.**, principiante assoluto; completo novellino; **beginners' course**, corso per principianti; **b.'s luck**, fortuna del principiante; *There's a 40-hour French course for beginners*, c'è un corso di francese di 40 ore per principianti.

♦**beginning** /bɪˈgɪnɪŋ/ **n. 1** inizio; principio; esordio: **at the b. of the year**, all'inizio dell'anno; **the b. of the end**, il principio della fine; **the beginnings of a change**, gli inizi (*o* i primi accenni) di un mutamento **2** origine; fonte: *This was the b. of all his troubles*, questa fu per lui la fonte di ogni guaio; **humble beginnings**, umili origini; **the beginnings of English Literature**, le origini della letteratura inglese.

begone /bɪˈgɒn/ **inter.** (*lett.*) vattene!; andatevene!

begonia /bɪˈgəʊnɪə/ **n.** (*bot., Begonia*) begonia.

begot /bɪˈgɒt/ pass. e p. p. di **to beget**.

begotten /bɪˈgɒtn/ p. p. di **to beget** • (*relig.*) **the Only B.**, l'Unigenito.

to **begrime** /bɪˈgraɪm/ **v. t.** imbrattare; sporcare; annerire.

to **begrudge** /bɪˈgrʌdʒ/ **v. t. 1** invidiare: *We don't b. him his success*, non gli invidiamo il suo successo **2** lesinare: *Some husbands b. their wives every penny*, alcuni mariti lesinano il centesimo alle loro mogli.

to **beguile** /bɪˈgaɪl/ **v. t. 1** ingannare; abbindolare **2** ingannare, far passare (*il tempo*) **3** allettare; sedurre; distrarre: *Don't b. him from his work*, non distrarlo dal suo lavoro • **to b. sb. into doing st.**, far fare qc. a q. con l'inganno □ **to b. sb. off** (*o* **out of**) **st.**, privare q. di qc. con l'inganno || **beguilement n. 1** inganno **2** allettamento; seduzione || **beguiler n. 1** ingannatore **2** allettatore; seduttore || **beguiling a. 1** ingannevole **2** allettante; seducente; accattivante || **beguilingly avv. 1** ingannevolmente **2** in modo allettante *o* seducente.

beguine ① /ˈbɛgiːn/ (*stor. relig.*) **n.** beghina || **beguinage n.** beghinaggio.

beguine ② /bɪˈgiːn/ **n.** (*mus.*) béguine.

begum /ˈbeɪgəm/ **n.** (*stor.*) begum; regina (*o* principessa) indiana.

begun /bɪˈgʌn/ p. p. di **to begin**.

♦**behalf** /bɪˈhɑːf/ **n.** (soltanto nell'espress.:) – **on b. of** (*USA* **in b. of**), nell'interesse di; a favore di; per; per conto di; a nome di: *I was surprised by his intervention on my b.*, mi sorprese il suo intervento a mio favore; *Please give it to her on my b.*, per favore daglielo da parte mia; *On b. of everybody here, I'd like to thank our host*, a nome di tutti i presenti desidero ringraziare il nostro anfitrione; **to sign on sb.'s b.**, firmare per conto di q.; (*leg.*) **on b. of a third party**, per conto terzi.

♦to **behave** /bɪˈheɪv/ **v. i. 1** comportarsi; agire; condursi: **to b. oddly**, comportarsi in modo strano; **to b. well**, comportarsi bene; **to b. like a gentleman**, comportarsi da gentiluomo **2** comportarsi bene: *I want you to b. at the Martins'*, ti prego di comportarti bene dai Martin **3** (*di cosa*) comportarsi; funzionare; andare: *My car has been behaving well so far*, la mia auto per ora va bene • **to b. oneself**, comportarsi bene: *Behave yourself!*, comportati bene! □ **badly behaved** (*o* **ill-behaved**), maleducato □ **well-behaved**, educato; ammodo.

behavior /bɪˈheɪvjə(r)/ e deriv. (*USA*) → **behaviour**, e deriv.

♦**behaviour**, (*USA*) **behavior** /bɪˈheɪvjə(r)/ **A n.** ⓤ **1** condotta; comportamento; modo di comportarsi; contegno: *I'm ashamed of your b.*, mi vergogno della tua condotta; **good b.**, buona condotta; **rude b.**, comportamento villano **2** (*di animale*) comportamento **3** (*di cosa*) comportamento; funzionamento **B a. attr.** comportamentale: (*biol.*) **b. genetics**, genetica comportamentale; (*psic.*) **b. therapy**, terapia comportamentale • **to be on one's best b.**, comportarsi in modo inappuntabile.

behavioural, (*USA*) **behavioral** /bɪˈheɪvjərəl/ **a.** (*psic.*) comportamentale; comportamentale: **b. model**, modello comportamentale; **b. economics**, economia comportamentale; **b. finance**, finanza comportamentale.

behaviourism, (*USA*) **behaviorism** /bɪˈheɪvjərɪzəm/ (*psic.*) **n.** ⓤ comportamentismo; behaviorismo || **behaviourist**, (*USA*) **behaviorist A n.** comportamentista; behaviorista **a.** comportamentistico; behavioristico || **behaviouristic**, (*USA*) **behavioristic a.** comportamentistico, behavioristico.

to **behead** /bɪˈhɛd/ **v. t.** decapitare || **beheading n.** ⓤⓒ decapitazione.

beheld /bɪˈhɛld/ pass. e p. p. di **to behold**.

b

behemoth /bɪˈhiːməθ/ n. cosa (o animale) enorme; mastodonte; colosso; mostro.

behest /bɪˈhɛst/ n. (lett.) comando; ordine: **at sb.'s behest**, dietro (o per) ordine di q.

♦**behind** /bɪˈhaɪnd/ **A** avv. **1** dietro; di dietro; indietro: *He was sitting b.*, era seduto dietro; *Look b.*, guarda indietro!; **to fall** (o **to drop**) **b.**, rimanere indietro; **from b.**, da dietro; **far b.**, molto indietro; **a long way b.**, molto indietro; **a short distance b.**, poco indietro; poco prima **2** indietro (*nel tempo*); in arretrato: **to be b. with one's work**, essere indietro col lavoro *I've fallen b. with my payments*, sono in arretrato (o indietro) con i miei pagamenti **B** prep. **1** dietro (di, a); alle spalle di: **b. the curtain**, dietro la tenda; *Stay right b. me*, stammi dietro; *He shut the door b. him*, chiuse la porta dietro di sé; *Look b. you!*, guardati alle spalle!; **b. my back**, dietro di me; alle mie spalle (*anche fig.*); *We were stuck b. a lorry for one hour*, siamo rimasti bloccati dietro a un camion per un'ora; *His best days are well b. him*, i suoi giorni migliori sono ormai cosa del passato; *He left b. him a huge estate*, alla sua morte lasciò un enorme patrimonio **2** in sostegno di; in appoggio di; con: *We're right b. you*, siamo con te; ti appoggiamo **3** dietro; responsabile di: *He was b. his partner's death*, c'era lui dietro la morte del socio **4** (nascosto) dietro; sotto: *There was much uncertainty b. that resolution*, c'era molta incertezza dietro quella decisione **5** più indietro di; indietro rispetto a; dietro (di, a): *She's b. her schoolmates in French*, è più indietro dei compagni in francese; *They are years b. most Western countries*, sono indietro di anni rispetto alla maggioranza dei paesi occidentali; *London is one hour b. Rome*, Londra è un'ora indietro rispetto a Roma; *I'm six points b. the score leader*, sono cinque punti dietro al capoclassifica **C** n. (*fam.*) didietro; sedere; deretano. ● (*fig.*) **b. the scenes**, dietro le quinte; in segreto □ **b. time** (o **b. schedule**), in ritardo (*rispetto a un'orario, una tabella di marcia*): *The train is running b. schedule*, il treno viaggia in ritardo □ **b. the times**, antiquato; (*fam.*) fuori moda □ (*autom.*) **to be b. the wheel**, essere al volante □ **to leave b.**, dimenticare (*di prendere*); lasciare: *I must have left my umbrella b.*, devo aver dimenticato l'ombrello.

behindhand /bɪˈhaɪndhænd/ a. pred. in ritardo; in arretrato; indietro: **to be b. with one's rent**, essere in arretrato con l'affitto.

to **behold** /bɪˈhəʊld/ (pass. e p. p. **beheld**), v. t. (*lett.*) **1** vedere; scorgere **2** contemplare; guardare; mirare.

beholden /bɪˈhəʊldən/ a. pred. obbligato; riconoscente; grato; in debito (*fig.*).

beholder /bɪˈhəʊldə(r)/ n. osservatore; spettatore.

to **behove** /bɪˈhəʊv/ v. t. impers. (*form.*) **1** essere doveroso per; essere d'uopo che: *It behoves us to investigate the matter*, è d'uopo che noi andiamo a fondo della questione **2** (solo al neg.) addirsi: *It ill behoves him to act like that*, non gli addice un comportamento simile.

beige /beɪʒ/ n. e a. beige.

Beijing /beɪˈdʒɪŋ/ n. (*geogr.*) Pechino.

♦**being** /ˈbiːɪŋ/ n. **1** ▣ essere; esistenza; vita: **in b.**, esistente; in essere □ **to come into b.**, avere origine; nascere; **to bring into b.**, dare origine; creare; far nascere; stabilire; **way of b.**, modo di vivere; vita **2** (il proprio) essere; anima: *She loved him with all her b.*, lei lo amava con tutta l'anima **3** essere vivente; creatura: **a human b.**, un essere umano; **beings from outer space**, esseri extraterrestri **4** (*filos.*, *relig.*) essere; ente: **the Supreme B.**, l'Ente Supremo.

to **bejewel** /bɪˈdʒuːəl/ v. t. ingioiellare.

to **belabour**, (*USA*) to **belabor** /bɪˈleɪbə(r)/ v. t. **1** battere, bastonare, picchiare violentemente **2** (*fig.*) attaccare a fondo; assalire (*con domande, ecc.*) **3** (*fig.*) dilungarsi (o insistere) su (*un argomento, ecc.*).

Belarus /belaˈruːs/ n. (*geogr.*) Bielorussia.

belated /bɪˈleɪtɪd/ a. **1** tardo; tardivo: *His b. repentance isn't any good*, il suo tardo pentimento non serve a nulla **2** (*arc.*) sorpreso dalle tenebre; colto dal calar della notte: **b. travellers**, viaggiatori sorpresi dalle tenebre ‖ **belatedly** avv. tardivamente; in ritardo ‖ **belatedness** n. ▣ ritardo; tardività.

belay /bɪˈleɪ/ n. (*alpinismo*) attacco (*della corda*).

to **belay** /bɪˈleɪ/ v. t. e i. **1** (*naut.*) dare volta (a): *B. there!*, volta! **2** (*alpinismo*) assicurare (*una corda, ecc.*); assicurarsi **3** (solo all'imper.) (*naut.*, *slang*) cessare; fermare: *B. that!*, basta!; ferma!; agguanta! ● (*naut.*) **belaying pin**, caviglia.

belch /bɛltʃ/ n. **1** eruttazione; rutto **2** vomito; cosa vomitata **3** eruzione (*di vulcano*) **4** scoppio (*d'arma da fuoco, del gas, ecc.*) **5** (*slang USA*) lagnanza; protesta.

to **belch** /bɛltʃ/ v. t. e i. **1** eruttare; ruttare: *The volcano started belching ashes and lava*, il vulcano cominciò a eruttare ceneri e lava **2** eruttare, vomitare (*parole sconce, ecc.*) ● **to b. forth** (o **out**), eruttare.

to **beleaguer** /bɪˈliːgə(r)/ v. t. **1** (*form.*) assediare; cingere d'assedio **2** (*fig.*) assediare; mettere alle strette; mettere in difficoltà; assillare ‖ **beleaguered** a. **1** (*form.*) assediato; cinto d'assedio **2** (*fig.*) assediato (*da avversari, critici, ecc.*); messo alle strette; in difficoltà; assillato: *The beleaguered minister eventually agreed to resign*, il ministro messo alle strette alla fine accettò di dimettersi.

belemnite /ˈbɛləmnaɪt/ n. (*paleont.*) belemnite (*fossile*).

belfry /ˈbɛlfrɪ/ n. campanile; torretta; cella campanaria.

Belgian /ˈbɛldʒən/ a. e n. belga ● **B. endive**, indivia belga; insalata belga; (*USA*) cicoria.

Belgic /ˈbɛldʒɪk/ a. (*stor.*) belga (*degli antichi Belgi*).

Belgium /ˈbɛldʒəm/ n. (*geogr.*) Belgio.

Belgrade /bɛlˈgreɪd/ n. (*geogr.*) Belgrado.

Belial /ˈbiːlɪəl/ n. (*Bibbia*) Belial; (lo) spirito del male; Satana.

to **belie** /bɪˈlaɪ/ v. t. (*form.*) **1** celare; mascherare; nascondere: *His words b. his thoughts*, le sue parole mascherano quello che pensa **2** smentire: *Don't b. your good name*, non smentire il tuo buon nome **3** deludere: *All hopes for peace were soon belied*, ogni speranza di pace andò in breve delusa.

♦**belief** /bɪˈliːf/ n. **1** (il) credere; credenza; fede; fiducia: **b. in God**, (il) credere in Dio; credenza in Dio; fede in Dio; *My b. in doctors was rather shaken by that*, la mia fiducia nei medici ne fu alquanto scossa **2** cosa in cui si crede; credenza; principio in cui si crede; (al pl., *anche*) credo, fede: *Christian beliefs*, (i principi della) fede cristiana; **political beliefs**, credo politico; **popular beliefs**, credenze popolari **3** convinzione; convincimento; persuasione: *He acted in the mistaken b. that he had a right to it*, agì nell'erronea convinzione di averne il diritto; *It is my b. that...*, è mia convinzione che...; sono persuaso che... ● **beyond b.**, incredibile; da non credersi; oltre ogni credere □ **to the best of my b.**, per quanto ne so.

believable /bɪˈliːvəbl/ a. credibile ‖ **believability** n. ▣ credibilità.

♦to **believe** /bɪˈliːv/ **A** v. t. **1** credere: *I b. you*, ti credo; *I can't b. it!*, non ci posso credere!; *Don't b. what he says*, non credere a quello che lui ti dice; *I can't b. he did such a thing*, stento a credere (o mi sembra incredibile) che abbia fatto una cosa simile; *I could hardly b. my eyes*, quasi non credevo ai miei occhi; *He still has to pay me, would you b. it?*, pensa che deve ancora pagarmi!; ci credi che deve ancora pagarmi! **2** credere; ritenere; reputare: *I b. they're married*, credo che siano sposati; *I b. so*, credo di sì; *I believed him to be an honest man*, lo reputavo un uomo onesto; *Two people are believed to have died*, si ritiene che vi siano due vittime; *He is widely believed to be planning a comeback*, sono in molti a credere che stia progettando un ritorno sulle scene ❶ **NOTA**: *to say* (*passive*) → **to say** **B** v. i. – **to b. in**, credere in; aver fede in; aver fiducia in: **to b. in God**, credere in Dio; **to b. in progress**, credere nel progresso; **to b. in doing st.**, credere che sia utile (o che sia giusto, che faccia bene) fare qc.; *They don't b. in doctors*, non hanno fiducia nei medici ● **b. it or not**, che tu lo creda o no; per incredibile che possa sembrare □ **b. (you) me**, credi a me; (*fam.*) **Don't you b. it!**, non è affatto vero!; figurati!; non illuderti! ● (*USA*) **I don't b. it!**, è incredibile!; è pazzesco!; roba da pazzi! □ **to make b.**, fare finta; fingere; far mostra.

believer /bɪˈliːvə(r)/ n. **1** chi crede (*a qc.*): **a b. in ghosts**, uno che crede ai fantasmi **2** sostenitore; fautore: **a b. in solar power**, un sostenitore dell'energia solare **3** (*relig.*) credente.

Belisha beacon /bəˈliːʃəˈbiːkən/ loc. n. (*autom.*) luce intermittente gialla (*a un passaggio pedonale*).

to **belittle** /bɪˈlɪtl/ v. t. sminuire; minimizzare.

♦**bell** ① /bɛl/ n. **1** campana; campanello; campanaccio; sonaglio: **church bells**, campane di chiesa; (*naut.*) **ship's b.**, campana di bordo; **bicycle b.**, campanello di bicicletta; **warning b.**, campanello di allarme **2** rintocco; tocco; suono di campana **3** suono di campanello; squillo: **after the b.**, (*a scuola*) dopo che è suonato il campanello; alla fine della lezione **4** suoneria (*di sveglia*) **5** (preceduto da un numero) (*naut.*) rintocco (*della campana di bordo, che suona ogni mezz'ora*): **at three bells in the middle watch**, ai tre rintocchi della seconda comandata (*ossia all'una e mezza di notte*); **eight bells**, gli otto rintocchi (*inizio di un turno di guardia*) **6** (*biol.*) organo campanulato **7** (= **diving b.**) campana d'immersione **8** (*mus.*) campana, padiglione (*di strumento a fiato*) **9** (al pl.) (*mus.*, = **tubular bells**) campane tubolari; carillon **10** (al pl.) (*mus.*) vibrafono (*nel jazz*) **11** (*boxe*) gong; suono del gong **12** (al pl.) (*fam. USA*) pantaloni a zampa di elefante ● (*archit.*) **b. arch**, arco a campana □ (*fam.*) **bells and whistles**, accessori; ammennicoli; fronzoli □ (*relig. e fig.*) **b., book and candle**, scomunica □ **b.-bottom trousers** (o **b.-bottoms**), pantaloni a zampa d'elefante □ (*naut.*) **b.-buoy**, boa a campana □ (*USA*) **b. captain**, capofattorino d'albergo □ **b. clapper**, batacchio di campana □ (*mecc.*) **b. crank (lever)**, leva a squadra □ (*mat., stat.*) **b. curve**, curva a campana □ **b. glass**, campana di vetro □ **b. jar**, campana di vetro (*anche fig.*) □ **b. metal**, bronzo per campane □ **b. pull**, cordone (o maniglia) di campanello □ **b. push**, bottone (o pulsante) di campanello □ **b.-ringer**, campanaro; (*slang USA*) venditore porta a porta; (*anche*) galoppino elettorale □ **b.-ringing**, il suonare le campane (*spec. in gruppo*); l'arte di suonare le campane (o del campanaro) □ **b.-shaped**, a campana; scampanato; svasato; (*scient.*)

campaniforme □ **b. tent**, tenda a cono □ **b. tower**, torre campanaria; campanile □ (*fam. GB*) **born within the sound of Bow Bells**, londinese autentico, cockney autentico (*nato nel cuore di Londra, fin dove si possono sentire le campane della chiesa di St Mary-le-Bow*) □ (*fam. GB*) **to give sb. a b.**, dare un colpo di telefono a q.; fare uno squillo a q. □ **to ring a b.**, non giungere nuovo; essere vagamente familiare; dire qualcosa: *Doesn't this name ring a b.?*, questo nome non ti dice qualcosa? □ (*slang*) **to ring sb.'s b.**, essere sessualmente attraente; tirare (*pop.*) □ (*slang USA*) **to ring the b.**, essere quello che ci vuole; essere l'ideale; volerci proprio □ **saved by the bell**, salvato in extremis □ (*fam. USA*) **with bells on**, eccome; certamente; entusiasticamente.

bell ② /bɛl/ *n.* **1** bramito (*di cervo in amore*) **2** abbaio (*di cane da caccia*).

to **bell** ① /bɛl/ **Ⓐ** *v. t.* **1** fornire di campana (*o di campanello*); attaccare un campanello (*o un sonaglio*) a **2** scampanare; allargare a campana **3** (*fam. GB*) dare un colpo di telefono a; fare uno squillo a **Ⓑ** *v. i.* **1** risuonare **2** (*anche* **to b. out**) allargarsi a campana; essere scampanato ● **to b. the cat**, prendere su di sé un rischio; rischiare per tutti.

to **bell** ② /bɛl/ *v. i.* **1** (*di cervo in amore*) bramire **2** (*spec. di cane da caccia*) abbaiare.

belladonna /bɛlə'dɒnə/ *n.* Ⓤ (*bot., Atropa belladonna*) belladonna.

bellboy /'bɛlbɔɪ/ *n.* ragazzo d'albergo; boy; fattorino.

belle /bɛl/ (*franc.*) *n.* bella; reginetta (*di bellezza*).

belles-lettres /'bɛl'letrə/ *n. pl.* (*franc.*) (col verbo al sing.) belle lettere; lettere ‖ **belletrism** *n.* ‖ bellettrismo ‖ **belletrist** *n.* bellettrista; letterato ‖ **belletristic** *a.* bellettristico; letterario.

bellflower /'bɛlflaʊə(r)/ *n.* (*bot.*) campanula; campanella.

bellhop /'bɛlhɒp/ *n.* (*USA*) → **bellboy**.

bellicose /'bɛlɪkəʊs/ *a.* bellicoso ‖ **bellicosity** *n.* Ⓤ bellicosità.

bellied /'bɛlɪd/ *a.* (nei composti:) con pancia; dalla pancia: **a yellow-b. insect**, un insetto dalla pancia gialla; **round-b.**, panciuto.

belligerence /bə'lɪdʒərəns/, **belligerency** /bə'lɪdʒərənsɪ/ (*anche leg.*) *n.* Ⓤ belligeranza ‖ **belligerent** *a.* e *n.* belligerante.

bellow /'bɛləʊ/ *n.* **1** muggito **2** barrito **3** urlo simile a un muggito **4** fragore (*delle onde, ecc.*).

to **bellow** /'bɛləʊ/ **Ⓐ** *v. i.* **1** (*di toro, tuono, ecc.*) muggire; mugghiare **2** (*di elefante*) barrire **3** urlare; sbraitare: **to b. with pain**, urlare dal dolore; **to b. at sb.**, sbraitare a q. **Ⓑ** *v. t.* (*anche* **to b. out**) urlare; sbraitare: **to b. out orders**, urlare ordini ‖ **bellowing** *n.* ⓤ muggito prolungato; muggiti (pl.).

bellows /'bɛləʊz/ *n. pl.* **1** mantice; soffietto **2** (*fig.*) polmoni **3** (*fotogr.*) soffietto **4** (*mus.*) mantice ● **a pair of b.**, un soffietto.

bellwether /'bɛlweðə(r)/ *n.* **1** pecora guidaiola; pecora con un campanello al collo (*che guida il gregge*) **2** (*fig.*) chi (*o cosa che*) prende la posizione di testa; leader indiscusso; caporione **3** (*Borsa, fin.*) titolo guida **4** (*fig.*) indizio; presagio.

◆**belly** /'bɛlɪ/ *n.* ventre; pancia; addome: **big b.**, grosso ventre; gran pancia; pancione; **protruding b.**, ventre sporgente **2** stomaco; pancia: **with an empty b.**, pancia vuota; affamato; **on an empty b.**, a stomaco vuoto; a digiuno **3** (*di aereo, nave*) ventre; pancia **4** (*di oggetto*) pancia; protuberanza **5** (*naut., di vela*) pancia **6** (*mus.*) cassa di risonanza ● **b.-band**, sottopancia (*del cavallo, ecc.*) □ **b.-belt**, ventriera; panciera □ **b. bumping** = **b.-to-b.** → *sotto* □ (*fam.*)

b. button, ombelico □ **b. dance**, danza del ventre □ **b. dancer**, danzatrice che esegue la danza del ventre □ (*fam.*) **b. flop**, panciata (*in acqua*); spanciata (*tuffandosi*); tuffo di pancia □ (*slang*) **b. gun**, pistola a canna corta □ (*aeron.*) **b. hold**, capacità di carico (*di merci*) nella stiva; stivaggio □ (*aeron.*) **b.-landing**, atterraggio sulla pancia □ (*fam.*) **b. laugh**, risata grassa (*o fragorosa*) □ **b.-pinched**, a pancia vuota; affamato □ (*slang USA*) **b. robber**, affamatore; sfruttatore □ (*volg. USA*) **b.-to-b.**, sbattipancia, scopata (*volg.*) □ (*USA*) **b. whop** = **b. flop** → *sopra* □ **b.-worship**, culto del ventre; ghiottoneria; golosità □ (*slang USA*) **to go b.-up** → **to belly-up** □ (*fam.*) **to have a b. laugh**, spanciarsi, sbellicarsi dalle risa.

to **belly** /'bɛlɪ/ **Ⓐ** *v. i.* far pancia (*d'un muro, ecc.*) **Ⓑ** *v. t.* (*del vento*) gonfiare (*le vele*) ● **to b. out**, (*del vento*) gonfiare (*le vele*); gonfiarsi (*di vele al vento*).

bellyache /'bɛlɪeɪk/ *n.* **1** mal di pancia **2** (*fig., slang*) lagna; mugugno; brontolio; lamentela.

to **bellyache** /'bɛlɪeɪk/ *v. i.* (*slang*) frignare; lagnarsi; mugugnare; brontolare ‖ **bellyacher** *n.* (*slang*) mugugnone; brontolone; lagna; pittima.

to **bellyflop** /'bɛlɪflɒp/ *v. i.* spanciare (*tuffandosi*); dare una spanciata.

bellyful /'bɛlɪfʊl/ *n.* scorpacciata ● (*fam.*) **I've had a b. of...**, ne ho le scatole piene di...

to **belly-up** /'bɛlɪ'ʌp/ *v. i.* (*slang USA*) **1** andare a gambe all'aria (*fig.*); fallire **2** crepare; tirare le cuoia **3** arrendersi; sottomettersi.

◆to **belong** /bɪ'lɒŋ/ *v. i.* **1** (*di persona*) avere posto (*o il proprio posto*) (in); appartenere (a); essere legato (a); avere legami (con); essere membro (di): *I feel I really b. here*, sento che questo è il mio posto; *He doesn't b. anywhere*, non ha legami con niente; *Which party do you b. to?*, di che partito sei?; qual è il tuo partito?; **to b. together**, andare insieme; essere legati **2** (*di oggetto*) andare (messo); stare: *These files b. in the second cabinet*, queste cartelle vanno nel secondo schedario; *This stuff belongs outside*, questa roba va messa fuori; *Put it back where it belongs*, rimettilo al suo posto **3** fare parte (di); appartenere (a); concernere; essere di pertinenza (di): *Entomology belongs under zoology*, l'entomologia appartiene alla zoologia **4** spettare (a); andare (a); essere (di): *All the credit for this belongs to my wife*, tutto il merito di ciò spetta a mia moglie **5** essere di proprietà (di); appartenere (a): *This house belongs to my father*, questa casa appartiene a q.

belonging /bɪ'lɒŋɪŋ/ *n.* Ⓤ (l')appartenere; appartenenza; legame: **a sense of b.**, un senso di appartenenza; un senso di legame profondo ‖ **belongingness** *n.* Ⓤ **1** senso di appartenenza; legame **2** appropriatezza; idoneità.

belongings /bɪ'lɒŋɪŋz/ *n. pl.* cose, effetti (*di proprietà personale*): **to collect one's b.**, raccogliere le proprie cose; **personal b.**, proprie cose; gli effetti personali.

Belorusian, Belorussian /bɛlə'rʌʃən/ *a.* e *n.* bielorusso.

Belorussia /bɛlə'rʌʃə/ → **Belarus**.

beloved /bɪ'lʌvɪd/ **Ⓐ** *a.* **1** diletto; amato; adorato: **my b. wife**, la mia adorata moglie **2** (*pred.*) amato; prediletto; favorito: **a book much b. of English children**, un libro molto amato dai bambini inglesi **Ⓑ** *n.* amato, amata; amore; diletto, diletta.

◆**below** /bɪ'ləʊ/ **Ⓐ** *avv.* **1** sotto; di sotto; sottostante (agg.): *Write your name here b.*, scrivi il tuo nome qui sotto; **the floor b.**, il piano di sotto; il piano inferiore (*o sottostante*); **in the valley b.**, nella valle sotto-

stante **2** al piano inferiore (*o di sotto*): **the flat b.**, l'appartamento al piano inferiore **3** a valle **4** (*in un testo*) sotto; più avanti: *See b.*, vedi sotto; vedi più avanti; *See p. 45 b.*, vedi sotto a p. 45; **the table b. left**, la tabella in basso a sinistra **5** (*naut.*) sottocoperta: **to go b.**, scendere sottocoperta **6** (*fam.*) sotto (zero): **10° b.**, 10° sotto (zero) **7** (*lett.*) (qui) sulla terra; quaggiù **Ⓑ** *prep.* **1** sotto; sotto a: **the caption b. the picture**, la didascalia sotto la figura; **a skirt b. the knee**, una gonna sotto il ginocchio; **b. (the) sea level**, sotto il livello del mare; (*naut.*) **b. deck**, sottocoperta; *The ship disappeared b. the horizon*, la nave scomparve all'orizzonte **2** a valle di; più in basso di: **a few miles b. the village**, poche miglia a valle del villaggio **3** inferiore a; al di sotto di; sotto: **a figure b. 500**, una cifra inferiore a 500; **children b. (the age of) ten**, i bambini sotto i dieci anni; **b. average**, sotto la media; **temperatures b. zero**, le temperature sotto lo zero **4** inferiore (rispetto) a; subordinato a; sotto a: *He is b. me in rank*, egli è inferiore di grado rispetto a me; **a major is b. a colonel**, il grado di maggiore è inferiore a quello di colonnello; **those b. me**, i miei subordinati; i miei sottoposti **5** indegno di ● **b. the belt** → **belt** □ (*econ., fin.*) **b.-the-line**, (*di capitolo d'entrata o di spesa del bilancio*) straordinario □ **b. freezing**, sotto (lo) zero □ **b. (the) ground**, sottoterra □ (*market.*) **b. (market) price**, al di sotto del prezzo di mercato; sottoprezzo □ (*Borsa, fin.*) **b. the market**, ordine di acquisto o di vendita di un titolo al di sotto del prezzo di mercato □ (*Borsa, fin.*) **b. par**, sotto la pari □ (*antiq. GB*) **b. stairs**, nei quartieri della servitù (*posti nel seminterrato*); tra la servitù.

Belshazzar /bɛl'ʃæzə(r)/ *n.* (*Bibbia*) Baldassarre.

◆**belt** /bɛlt/ *n.* **1** cintura; cinturone; cintola; cinta; cinghia: **a leather b.**, una cintura di cuoio **2** (*autom., aeron.*, = **seat b.**) cintura di sicurezza **3** (*mecc.*) cinghia; nastro: **conveyor b.**, nastro trasportatore; **fan b.**, cinghia del ventilatore; **b. drive**, trasmissione a cinghia **4** (*mil.*) cartuccera (*di mitragliatrice*) **5** (*judo, karate, ecc.*) cintura (*fascia e persona*): **black b.**, cintura nera **6** (*USA*) tangenziale; raccordo anulare **7** zona; cintura; fascia: **green b.**, cintura di verde; (*astron.*) **asteroid b.**, fascia di asteroidi; **industrial b.**, cintura industriale **8** – (*fam.*) **the b.**, colpi (pl.) di cinghia; cinghiate (pl.) **9** (*fam.*) colpo; botta sberla ● (*fam. GB*) **b.-and-braces**, (fatto, deciso, ecc.) per duplice precauzione □ **b. elevator**, elevatore a nastro □ (*USA*) **b. line**, anello ferroviario; circolare (*di autobus o filobus*) □ **b.-tightening**, il tirare la cinghia; il fare economia; vita frugale □ **below the b.**, sotto la cintola (*o la cintura*); (*fig.*) slealmente; sleale, scorretto: **to hit sb. b. the belt**, (*boxe*) colpire q. sotto la cintura; (*fig.*) assestare un colpo basso a q.; (*di commento, ecc.*) essere un colpo basso □ (*fig.*) **to tighten one's b.**, stringere (*o tirare*) la cinghia, fare economie □ (*fig.*) **under one's b.**, in mano; in tasca; al proprio attivo; (*anche*) nello stomaco, in pancia: *He has two degrees under his b.*, ha in tasca due lauree; *I have ten years as a manager under my b.*, ho al mio attivo dieci anni di dirigenza; *He's already got a few under his b.*, ha già bevuto qualche bicchiere.

to **belt** /bɛlt/ **Ⓐ** *v. t.* **1** allacciare la cintura di: *I belted my coat*, mi allaccio la cintura del cappotto **2** (*anche* **to b. on**) cingere; allacciarsi al fianco: **to b. on a sword**, cingere una spada **3** legare, assicurare (*con una cintura, una cinghia*) **4** prendere a cinghiate **5** colpire con forza; scagliare; scaraventare **6** (*fam.*) picchiare **Ⓑ** *v. i.* **1** (*di indumento, ecc.*) allacciarsi, chiudersi (*con una cintura*) **2**

(con avv. o compl. di direzione) (*fam. GB*) andare a gran velocità; precipitarsi; correre; galoppare; andare a tutta birra (*fam.*): **to b. along (the motorway)**, andare a tutta birra (in autostrada); *He belted down the lane*, si buttò in corsa giù per il sentiero; **to b. out**, uscire di botto; schizzare fuori; *We belted up to Scotland*, ci precipitammo in Scozia; (*di pioggia*) *It's absolutely belting down!*, piove a dirotto!

■ **belt out** **A** v. i. + avv. → **to belt**, **B**, *def. 2* **B** v. t. + avv. (*fam.*) **1** cantare a squarciagola **2** (*di radio, ecc.*) suonare a tutto volume.

■ **belt up** v. i. + avv. **1** (*autom., aeron.*) allacciarsi la cintura (di sicurezza) **2** (*spec. all'imper.*) (*fam.*) tacere, chiudere la bocca; fare silenzio: *B. up!*, taci!; zitto!; acqua in bocca! → **to belt**, **B**, *def. 2*.

belted /'bɛltɪd/ *a.* **1** munito di cinta; con la cintura: **a b. raincoat**, un impermeabile con la cintura **2** a bande; a strisce.

belting /'bɛltɪŋ/ *n.* **1** ⓤ materiale per cinture **2** ⓤ (*collett.*) cinture (pl.); cinghie (pl.) **3** cinghiate (pl.) **4** (*fam.*) botte (pl.); percosse (pl.); pestaggio.

beltway /'bɛltweɪ/ (*USA*) **A** n. **1** (*autom.*) anello di circonvallazione; tangenziale; raccordo anulare **2** (*per estens., anche spreg.*) – B., Washington DC; il governo federale **B** a. attr. (*anche spreg.*) – B., di (*o* da) Washington DC; dal (*o* del) governo federale.

beluga /bə'luːgə/ *n.* (*inv. al pl.*) (*zool.*) **1** (*Huso huso*) storione bianco (*del Mar Nero e del Caspio*); ladano **2** (*Delphinapterus leucas*) beluga.

belvedere /'bɛlvədɪə(r)/ *n.* (*archit.*) belvedere.

BEM sigla (*stor., GB*, **British Empire Medal**) Medaglia dell'Impero britannico.

to **bemire** /bɪ'maɪə(r)/ v. t. (*arc.*) infangare; inzaccherare.

to **bemoan** /bɪ'məʊn/ v. t. piangere; lamentare; rimpiangere.

to **bemuse** /bɪ'mjuːz/ v. t. confondere; sconcertare; lasciare perplesso ‖ **bemused** *a.* confuso; sconcertato; perplesso ‖ **bemusedly** avv. con aria sconcertata; con aria perplessa ‖ **bemusement** *n.* ⓤ confusione; sconcerto; perplessità.

ben ① /bɛn/ *n.* (*scozz., irl.; geogr., spec. nei toponimi*) picco; vetta; monte.

ben ② /bɛn/ (*scozz.*) **A** avv. e prep. dentro **B** a. interno; interiore **C** n. stanza interna (*di una tipica casetta di due stanze*).

Benares /bɪ'nɑːrɪz/ *n.* (*geogr.*) Benares; Varanasi.

◆**bench** /bɛntʃ/ *n.* **1** panca; panchina; sedile **2** scanno, seggio (*di giudice o vescovo*) **3** banco (di lavoro): **carpenter's b.**, banco da falegname; (*mecc.*) **b. lathe**, tornio da banco **4** (*naut.*) banco (*di barca*) **5** – (*leg.*) **the b.**, la funzione di giudice; (*in tribunale*) il giudice, la corte; (*collett.*) la magistratura, i giudici (pl.), i magistrati (pl.): **to address the b.**, rivolgersi al giudice (*o* alla corte); **to be on the b.**, essere giudice, far parte della magistratura; **to be raised to the b.**, essere nominato giudice; **to retire from the b.**, lasciare la magistratura; andare in pensione **6** (al pl.) (*polit., in GB*) seggi, banchi (*su cui siedono i parlamentari*); (*per estens.*) parlamentari, deputati: **the Tory benches**, i banchi dei conservatori; i deputati conservatori **7** – (*sport*) **the b.**, la panchina (*dell'allenatore e delle riserve*); (*per estens.*) la panchina, l'allenatore, le riserve (pl.): **on the b.**, in panchina **8** (*geol.*) ripiano; terrazzo; argine naturale **9** (*ind. min.*) banco orizzontale **10** palco (*nelle mostre canine*) ● **b. mark** → **benchmark** □ (*autom.*) **b. seat**, sedile posteriore unito □ **b. table**, sedile di pietra (*lungo una parete o intorno a una colonna, in un edificio religioso*) □ (*ind.*) **b. test**, prova al

banco □ **b. warmer** → **benchwarmer** □ (*leg. USA*) **b. warrant**, mandato di cattura (*emesso da un giudice*) □ (*sport e fig.*) **to warm the b.**, fare panchina; stare in panchina.

to **bench** /bɛntʃ/ v. t. **1** munire di panche (*o* panchine) **2** fare partecipare (*un cane*) a una mostra **3** (*sport USA*) richiamare in panchina.

bencher /'bɛntʃə(r)/ *n.* (*leg., in GB*) membro del consiglio di uno dei quattro → «Inns of Court» (→ **inn**).

benchmark /'bɛntʃmɑːk/ **A** n. **1** punto di riferimento; parametro **2** (*fin.*) benchmark; parametro oggettivo di rendimento **3** (*edil.*) caposaldo **4** (*topogr.*) caposaldo altimetrico (*sul livello del mare*) **5** (*comput.*) benchmark; valutazione delle prestazioni **B** a. comparativo; di comparazione: (*org. az.*) **b. index**, indice di comparazione; **b. job**, azione comparativa; **b. tasting**, degustazione comparativa (*di vini, ecc.*).

to **benchmark** /'bɛntʃmɑːk/ v. t. (*econ., market., fin.*) valutare utilizzando parametri di riferimento (→ **benchmark**): *They b. their products against the competition*, valutano la bontà dei propri prodotti mettendoli a confronto con quelli dei concorrenti ‖ **benchmarking** n. ⓤ benchmarking; fare uso di → **benchmark**.

to **bench-test** /'bɛntʃtɛst/ v. t. (*ind., mecc.*) testare al banco; sottoporre alla prova al banco.

benchtop /'bɛntʃtɒp/ a. attr. da banco: **b. band saw**, sega a nastro da banco.

benchwarmer /'bɛntʃwɔːmə(r)/ n. **1** (*sport*) riserva; panchinaro (*pop.*) **2** (*fig.*) partecipante inattivo; scaldaseggiola (*fam.*).

benchwork /'bɛntʃwɜːk/ n. ⓤ (*ind.*) lavoro eseguito al banco.

bend ① /bɛnd/ n. **1** curva; svolta; ansa (*di fiume*): *The road made a sharp b. to the right*, la strada faceva una brusca curva a destra **2** piegamento; flessione: **forward bends**, flessioni in avanti **3** curvatura; piegatura; gomito: **a b. in a pipe**, un gomito in un tubo **4** (*naut.*) nodo (*per unire due corde, o per legare una corda a un oggetto*) **5** (al pl.) – **the bends**, male (sing.) dei palombari, malattia (sing.) dei cassoni ● (*metall.*) **b. test**, prova di piegamento **2** (*fam.*) **round** (*o* **around**) **the b.**, fuori di testa; matto: **to drive sb. round the b.**, far impazzire q.; far ammattire q.; **to go round the b.**, ammattire; uscire di testa.

bend ② /bɛnd/ n. (*arald.*) banda ● **b. sinister**, sbarra.

◆to **bend** /bɛnd/ (*pass. e p. p. bent*) **A** v. t. **1** piegare; curvare; incurvare: **to b. a piece of wire**, piegare un pezzo di fil di ferro; *He bent the bar into a ring*, piegò la sbarra fino a ottenere un anello; **to b. one's back**, curvare la schiena (*anche fig.*); **to b. one's head**, chinare il capo (*anche fig.*); **to b. one's knees**, piegare i ginocchi; inginocchiarsi; **to b. st. double**, piegare in due qc. **2** tendere (*un arco*) **3** (*fig.*) piegare: *I bent her to my wishes*, la piegai ai miei desideri **4** (*fig.*) dirigere: **to b. one's gaze on st.**, rivolgere lo sguardo su qc.; **to b. one's mind on st.**, rivolgere la mente a qc.; concentrarsi su qc.; *He bent all his efforts to that one goal*, rivolse tutti i suoi sforzi a quell'unica meta; *He bent his steps homewards*, volse i suoi passi (*o* si diresse) verso casa **5** (*naut.*) legare, dar volta a (*una fune*): inferire (*una vela*) **B** v. i. **1** curvarsi; incurvarsi; piegarsi: *This wood bends easily*, questo legno si piega facilmente **2** (*di persona*) chinarsi; piegarsi; curvarsi: **to b. forward**, piegarsi in avanti; protendersi; sporgersi; **to b. over a book**, chinarsi su un libro **3** (*fig.*) cedere; piegarsi: **to b. to undue pressure**, cedere a indebite pressioni; **to b. before**

sb.'s wishes, piegarsi ai desideri di q.; **to b. to sb.'s demands**, cedere alle richieste di q. **4** (*di strada, fiume, ecc.*) girare; fare una curva; voltare; svoltare: *The road bends to the right*, la strada volta (*o* svolta) a destra **5** rivolgersi (a qc.); concentrarsi (su qc.): **to b. to a task**, rivolgere la mente a un compito; concentrarsi su un compito ● (*fam.*) **to b. sb.'s ear**, assillare q. (*di parole*); fare una testa di così a q. (*fam.*) □ (*fam. USA*) **to b. one's elbow**, bere; alzare il gomito □ (*fig.*) **to b. one's knee**, chinarsi (davanti a q.); rendere omaggio (a q.) □ **to b. the rules**, fare uno strappo alle regole; stiracchiare le regole □ **to b. one's way**, volgersi, dirigersi (*verso un luogo*)

■ **bend back**, **A** v. t. + avv. piegare all'indietro; ripiegare; raddrizzare (*piegando all'indietro*) **B** v. i. + avv. piegarsi all'indietro.

■ **bend down** **A** v. t. + avv. ripiegare l'angolo di (*una pagina, ecc.*); fare un'orecchia a **B** v. i. + avv. piegarsi; chinarsi: *I bent down to pick up the gun*, mi chinai a raccogliere la pistola.

■ **bend in** v. t. e i. + avv. piegare, piegarsi in dentro (*o* verso l'interno).

■ **bend over** v. i. + avv. piegarsi, chinarsi in avanti: *B. over, so I can fix your collar*, china la testa, che ti sistemo il colletto □ **to b. over backwards**, fare l'impossibile; fare i salti mortali; farsi in quattro (*per aiutare q., ecc.*).

bended /'bɛndɪd/ a. piegato; curvo ● **on b. knees**, in ginocchio.

bender /'bɛndə(r)/ n. **1** persona (*o* cosa) che piega; piegatrice (*macchina*) **2** (*slang*) gran bevuta; sbevazzata; bisboccia: **to go on a b.**, ubriacarsi; sbronzarsi **3** (*slang GB, spreg.*) checca; cullattone.

bending /'bɛndɪŋ/ n. ⓤ **1** piegamento; flessione **2** curvatura a vapore (*del legno*) **3** (*metall.*) piegatura.

bendlet /'bɛndlət/ n. (*arald.*) cotissa.

bendy /'bɛndɪ/ a. **1** flessibile; pieghevole **2** (*di strada, ecc.*) pieno di curve; tortuoso ‖ **-iness** n. ⓤ.

◆**beneath** /bɪ'niːθ/ **A** avv. **1** di sotto; sotto; sottostante (agg.): *The soil b. was dry*, il terriccio sotto (*o* sottostante) era asciutto **2** (più in basso; sotto; sottostante (agg.): *We looked at the river b.*, guardammo il fiume sotto di noi **3** sotto; dietro: *His frivolous answer gave no hint of the irritation b.*, la sua risposta leggera non lasciò trapelare l'irritazione che si celava dietro **B** prep. **1** al di sotto di; sotto; sotto a: **the network of tunnels b. a modern city**, la rete di gallerie sotto una città moderna; **b. the merciless sun**, sotto il sole implacabile **2** al di sotto di; inferiore a: **a job b. my skills**, un lavoro al di sotto delle mie capacità; *A captain is b. a major*, il grado di capitano è inferiore a quello di maggiore; *She married b. her*, si sposò con un uomo di condizione sociale inferiore **3** (*nascosto*) dietro; sotto: *Colour showed b. the layer of plaster*, sotto (*o* dietro) lo strato di gesso si intravedeva del colore; *There is kindness b. his gruff exterior*, c'è della bontà dietro la sua facciata ruvida **4** non degno di; indegno di: **b. one's dignity**, indegno di sé; indecoroso; disdicevole; *Nothing is b. him*, non c'è nulla che egli consideri indegno di sé; è disposto a qualsiasi indegnità; **b. contempt**, ignobile; indegno; **b. notice**, che non vale la pena prendere in considerazione; di nessun interesse; trascurabile.

Benedict /'bɛnɪdɪkt/ n. Benedetto.

Benedictine /bɛnɪ'dɪktɪn/ a. e n. (*relig.*) benedettino.

benediction /bɛnɪ'dɪkʃn/ n. benedizione.

benedictory /bɛnɪ'dɪktərɪ/ a. benedicente; di benedizione.

benefaction /bɛnɪ'fækʃn/ n. ⓤⓒ benefi-

cenza; opera buona.

benefactor /'bɛnɪfæktə(r)/ n. benefattore, benefattrice.

benefactress /'bɛnɪfæktrɪs/ n. benefattrice.

benefice /'bɛnɪfɪs/ n. beneficio ecclesiastico; prebenda ‖ **beneficed** a. che gode di un beneficio ecclesiastico ● **a beneficed clergyman**, un beneficiato; un beneficiario.

beneficent /bə'nɛfɪsnt/ a. benefico; caritatevole ● **a b. man**, un uomo benefico ‖ **neficence** n. ⓤ beneficenza; generosità.

beneficial /bɛnɪ'fɪʃl/ a. **1** che dà beneficio; che reca giovamento; che fa bene; giovevole: *Country life will be b. to your children*, la vita di campagna recherà giovamento ai tuoi figli **2** (*relig.*) beneficiale ● **b. association**, società di mutuo soccorso □ (*leg.*) **b. interest**, interesse (*o* diritto) di un beneficiario □ (*leg.*) **b. owner**, beneficiario, proprietario effettivo (*secondo la → «equity»*, *def. 2*) □ (*fisc.*) **b. rate**, contributo per oneri di urbanizzazione.

beneficiary /bɛnɪ'fɪʃərɪ/ n. **1** beneficiato; chi gode di un beneficio ecclesiastico **2** (*leg.*) = **beneficial owner** → **beneficial 3** (*leg.*) proprietario fiduciario di un → «trust» (*def. 6*) **4** (*ass.*, *leg.*) beneficiario **5** chi trae beneficio (*o* vantaggio; *da qc.*): *The main b. of these capital movements was the USA*, questi movimenti di capitali sono andati soprattutto a vantaggio degli Stati Uniti.

beneficiation /bɛnɪfɪʃɪ'eɪʃn/ n. ⓤ (*metall.*) arricchimento (*del minerale*).

◆**benefit** /'bɛnɪfɪt/ n. **1** ⓤ vantaggio; utilità; beneficio; giovamento: *I've had the b. of a happy childhood*, ho avuto il vantaggio di un'infanzia felice; **to derive b. from st.**, trarre beneficio (*o* giovamento) da qc.; *For the b. of latecomers, I'm going to repeat the instructions*, ripeterò le istruzioni a beneficio dei ritardatari; **a measure taken for the b. of future generations**, una misura presa a vantaggio delle generazioni future **2** ⓤ (*GB*) indennità; sussidio; assegno: **child b.**, assegni familiari; **unemployment b.**, sussidio di disoccupazione; **medical benefits**, assistenza medica; **to be on b.**, prendere il sussidio di disoccupazione **3** (*teatr.*) spettacolo di beneficenza; (*per un attore*) beneficiata: **b. concert**, concerto di beneficenza; **b. night**, serata di beneficenza; beneficiata **4** (*sport*) evento di beneficenza: **b. match**; incontro di beneficenza; partita del cuore ● **b. association** (*o* **b. society**), società di mutuo soccorso □ (*econ.*) **b.-cost analysis**, analisi costi-benefici □ **b. of clergy**, (*leg. stor.*) immunità del clero; (*oggi*) approvazione ecclesiastica: **to live together without b. of clergy**, convivere senza essersi sposati in chiesa □ (*fisc.*) **b. theory of taxation**, teoria delle prestazioni e controprestazioni □ **to give sb. the b. of the doubt**, concedere a q. il beneficio del dubbio.

to **benefit** /'bɛnɪfɪt/ 🅐 v. t. giovare a; arrecare beneficio a; avvantaggiare; andare a vantaggio di; favorire: *Sunshine and exercise will b. you*, il sole e il moto ti gioveranno; **a law that only benefits the well-off**, una legge che va a vantaggio solo delle classi abbienti; *These measures will b. tourism*, queste misure favoriranno il turismo 🅑 v. i. trarre giovamento (*o* beneficio) (da); beneficiare (di); trarre profitto (*o* vantaggio) (da): **to b. from a therapy**, trarre giovamento da una cura; *These are plants that will b. from frequent watering*, queste sono piante che prospereranno con abbondanti innaffiature; *Weak hair benefits by being trimmed regularly*, ai capelli deboli fa bene essere spuntati regolarmente.

Benelux /'bɛnɪlʌks/ sigla (*geogr.*, **Belgium, the Netherlands and Luxembourg**) Benelux (Belgio, Olanda e Lussem-burgo).

benevolent /bə'nɛvələnt/ a. **1** benevolo; benevolente (*lett.*) **2** benefico; filantropico; assistenziale; caritatevole: **b. fund**, fondo di assistenza; **b. organization**, organizzazione di beneficenza; ente benefico ‖ **benevolence** n. **1** ⓤ benevolenza **2** atto benevolo; dono generoso **3** (*stor.*) prestito forzoso; contribuzione straordinaria.

BEng /biː'ɛndʒ/ abbr. (**Bachelor of Engineering**) laureato in ingegneria (*laurea di 1º grado*).

Bengal /bɛŋ'gɔːl/ n. (*geogr.*) Bengala ● **B. light**, bengala.

Bengalese /bɛŋgə'liːz/ a. e n. (*inv. al pl.*) (*stor.*) bengalese.

Bengali /bɛŋ'gɔːlɪ/ 🅐 a. bengalese 🅑 n. **1** (*pl.* **Bengalis**, **Bengalis**) bengalese **2** ⓤ bengali (*la lingua*).

benighted /bɪ'naɪtɪd/ a. **1** (*antiq.*, *o iron.*) ottenebrato; ignorante: **poor, b. savages**, poveri selvaggi ignoranti **2** arretrato: **a b. country**, un paese arretrato **3** (*arc.*) sorpreso dalla notte (*o* dalle tenebre).

benign /bə'naɪn/ a. **1** benigno (*anche med.*); benevolo; favorevole: **a b. climate**, un clima benigno; **a b. smile**, un sorriso benigno **2** cordiale; cortese ‖ **benignity** a. **1** ⓤ benignità; benevolenza **2** atto di benevolenza; favore.

benignant /bə'nɪgnənt/ a. (*spec. di un sovrano*) benigno; benevolo.

benjamin /'bɛndʒəmɪn/ n. **1** ⓤ (*chim.*, *med.*) benzoino (*la sostanza*) **2** (*bot.*, *Styrax benzoin*; = **b. tree**) benzoino.

Benjamin /'bɛndʒəmɪn/ n. Beniamino.

bennet /'bɛnɪt/ n. (*bot.*) **1** (*Geum urbanum*, = **herb b.**) cariofillata; garofanaia; erba benedetta **2** (*Conium maculatum*) cicuta maggiore **3** (*Valeriana officinalis*) valeriana.

bent① /bɛnt/ 🅐 pass. e p. p. di **to bend** 🅑 a. **1** curvo; ricurvo; piegato; storto: **a piece of b. wire**, un pezzo di fil di ferro piegato **2** chino; curvo; piegato: **b. back**, schiena curva; **b. heads**, teste chine **3** intenzionato; deciso, risoluto: *My son is b. on becoming an actor* (*o on an acting career*), mio figlio è deciso a fare l'attore; **to be b. on having a good time**, essere intenzionato a divertirsi **4** (*slang GB*) disonesto; corrotto: **a b. copper**, uno sbirro corrotto **5** (*slang GB*, *spreg.*) invertito **6** (*slang USA*) drogato; fatto; flippato **7** (*pop.*) **7** (*slang USA*) squattrinato; al verde **8** (*slang, di denaro*) sporco ● (*slang USA*) **b. out of shape**, furibondo, imbufalito, nero; (*anche*) agitatissimo, fuori di testa.

bent② /bɛnt/ n. **1** inclinazione; disposizione; talento; bernoccolo (*fam.*): **a b. for music** (*o* **a musical b.**), una disposizione per la musica; **to be of a scientific b.**, essere portato per le scienze; **to have a b. for**, avere inclinazione (*o* disposizione) per; essere portato per; avere il bernoccolo di (*fam.*); **to have a practical b.**, essere portato per le attività manuali; **to follow one's b.**, seguire la propria inclinazione **2** (*ind. costr.*) struttura trasversale portante a traliccio ● **at** (*o* **to**) **the top of one's b.**, al massimo; moltissimo.

bent③ /bɛnt/ n. **1** (*bot.*, *Agrostis*; = **b. grass**) agrostide **2** (*bot.*, *Ammophila arenaria*) sparto pungente **3** (*bot.*, *Cynosurus cristatus*) gramigna canaiola **4** (*ingl. sett.*) brughiera.

benthic /'bɛnθɪk/ a. (*biol.*) bentonico.

benthos /'bɛnθɒs/ n. **1** ⓤ (*biol.*) benthos, bentos **2** fondo marino.

bentonite /'bɛntənaɪt/ n. ⓤ (*geol.*) bentonite.

to **benumb** /bɪ'nʌm/ v. t. **1** intorpidire; intirizzire: *The awful cold benumbed the explorers*, il freddo terribile intirizziva gli esploratori **2** (*fig.*) paralizzare (*la mente, la volontà*); inebetire; istupidire.

benzaldehyde /ben'zældɪhaɪd/ n. ⓤ (*chim.*) benzaldeide.

Benzedrine® /'bɛnzədriːn/ n. ⓤ (*farm.*) benzedrina.

benzene /'bɛnziːn/ n. ⓤ (*chim.*) benzene; benzolo ● **b. ring**, anello benzenico □ **b. series**, serie benzenica.

benzine /'bɛnziːn/ n. ⓤ (*chim.*) benzina (*per motori d'aeroplano e per smacchiare*).

benzoic /ben'zəʊɪk/ (*chim.*) a. benzoico ‖ **benzoate** n. benzoato.

benzoin /'bɛnzəʊɪn/ n. **1** (*bot.*, *Styrax benzoin*) benzoino **2** ⓤ (*chim.*, *med.*) benzoino.

benzol /'bɛnzɒl/ n. ⓤ (*chim.*) benzolo.

benzopyrene /'bɛnzəʊpaɪriːn/ n. ⓤ (*chim.*) benzopirene.

benzoyl /'bɛnzəʊɪl/ n. ⓤ (*chim.*) benzoile ● **b. chloride**, cloruro di benzoile.

benzyl /'bɛnzɪl/ n. ⓤ (*chim.*) benzile ● **b. alcohol**, alcol benzilico.

to **bequeath** /bɪ'kwiːð/ v. t. **1** (*leg.*) lasciare in eredità; legare (*per testamento*) **2** (*fig.*) lasciare (*dietro di sé*); trasmettere; tramandare.

bequest /bɪ'kwɛst/ n. (*leg.*) lascito, legato (*testamentario*).

to **berate** /bɪ'reɪt/ v. t. sgridare; rimproverare.

Berber /'bɜːbə(r)/ a. e n. berbero.

berberry /'bɜːbərɪ/ n. (*bot.*, *Berberis vulgaris*) crespino.

to **bereave** /bɪ'riːv/ (*pass. e p. p.* **bereaved**, **bereft**), v. t. **1** (*spec. al passivo*) colpire con un lutto; privare (*di un familiare*); orbare (*lett.*): *He was bereaved of all his children*, perse tutti i figli; gli morirono tutti i figli **2** (*lett.*) privare (*della vita, speranza, felicità, ecc.*) ‖ **bereavement** n. ⓤ **1** perdita; lutto **2** privazione.

bereaved /bɪ'riːvd/ 🅐 a. colpito da lutto 🅑 n. pl. – **the b.**, i familiari del defunto; i dolenti.

bereft /bɪ'rɛft/ 🅐 pass. e p. p. di **to bereave** 🅑 a. **1** (*form.*) privo; spoglio: **b. of meaning**, privo di significato; **b. of all hope**, privo d'ogni speranza; disperato; **b. of vegetation**, privo di vegetazione **2** abbandonato; solo; sperduto: *He felt totally b. when his wife died*, con la morte della moglie si sentì del tutto sperduto.

beret /'bɛreɪ, USA bə'reɪ/ (*franc.*) n. **1** (*berretto*) basco (*berretta (da prete)*)

berg① /bɜːg/ n. iceberg.

berg② /bɜːg/ n. (*sudafricano*) monte (*spec. nei toponimi*) ● **b. wind**, vento caldo proveniente dal nord (*nel Sud Africa*).

bergamot /'bɜːgəmɒt/ n. **1** (*bot.*, *Citrus bergamia*) bergamotto **2** ⓤ essenza di bergamotto **3** (*pera*) bergamotta **4** (*bot.*, *Mentha aquatica*; = **b. mint**) menta acquatica.

bergen /'bɜːgən/ n. (*GB*) zaino militare (*con struttura di sostegno*).

beriberi /'bɛrɪ'bɛrɪ/ n. ⓤ (*med.*) beriberi.

berk /bɜːk/ n. (*fam. GB*) stupido; idiota; fesso (*pop.*).

berkelium /bɜː'kiːlɪəm/ n. ⓤ (*chim.*) berkelio.

Berks. /bɑːks/ abbr. (*GB*, **Berkshire**) la Contea del Berkshire.

berlin /bɜː'lɪn/ n. berlina (*carrozza o automobile*).

Berlin /bɜː'lɪn/ n. (*geogr.*) Berlino ● **B. gloves**, guanti di lana fatti a mano □ **B. wool**, lana fine per lavori a maglia ‖ **Berliner** n. berlinese.

berline /bɜː'liːn/ n. → **berlin**.

berm /bɜːm/ n. **1** (*ind. costr.*) berma **2** (*geol.*) berma; cresta litorale.

Bermuda /bə'mjuːdə/ n. (*polit.*) (le) Bermuda (pl.); (le) Bermude (pl.): **in B.**, alle

b

Bermuda ● (*bot.*) **B. grass** (*Cynodon dacty-lon*), gramigna 2 (*naut.*) **B. rig**, (attrezzatura) bermudiana; (attrezzatura) Marconi □ (*moda*) **B. shorts**, bermuda □ **the B. Triangle**, il Triangolo delle Bermude.

bermudas /bə'mjuːdəz/ *n. pl.* (*moda*) bermuda.

Bermudas (the) /bə'mjuːdəz/ *n. pl.* (*geogr.*) le Bermuda.

Bermudian /bə'mjuːdɪən/ *a. e n.* bermudiano; (abitante) delle Bermuda.

Bern /bɜːn/ *n.* (*geogr.*) Berna.

Bernard /'bɜːnəd, bə'nɑːd/ *n.* Bernardo.

Bernardine① /'bɜːnədiːn/ *n.* Bernardina.

Bernardine② /'bɜːnədiːn/ (*relig.*) **A** a. 1 di San Bernardo 2 cistercense **B** n. monaco cistercense.

Berne /bɜːn/ → **Bern**.

berried /'berɪd/ *a.* 1 (*bot.*) fornito di bacche 2 (*zool.*) fornito di uova (*detto di pesci o crostacei*).

berry /'berɪ/ *n.* 1 (*bot.*) bacca 2 chicco (*d'uva, di grano, di caffè*) 3 uovo (*di pesci o crostacei*) 4 (*slang GB*) sterlina 5 (*slang USA*) dollaro.

to **berry** /'berɪ/ *v. i.* 1 produrre bacche 2 cogliere bacche.

berserk /bə'sɜːk/ *a.* pazzo furioso; forsennato: **to go b.**, diventare una furia; perdere la testa; **b. rage**, rabbia folle.

berserker /bɜː'zɜːkə(r)/ *n.* (*stor.*) guerriero scandinavo (*che combatteva come un invasato*).

berth /bɜːθ/ *n.* 1 cuccetta, letto (*in nave o treno*): **a two-berth compartment**, uno scompartimento a due posti letto 2 (*naut.*) ancoraggio; attracco; posto di fonda (*o d'ormeggio*): **to shift b.**, cambiare posto di ormeggio; **foul b.**, cattivo ormeggio 3 (*fig. fam.*) impiego; posto ● (*naut.*) **b. freight**, nolo a collettame □ **to give a wide b. to**, (*naut.*) tenersi al largo di; (*fig.*) girare al largo di, stare alla larga da (q.).

to **berth** /bɜːθ/ *v. t.* 1 ancorare, attraccare (*una nave*); ormeggiare al molo 2 provvedere (*un passeggero*) di cuccetta (*o letto*).

Bertha /'bɜːθə/ *n.* Berta.

Bertram /'bɜːtrəm/ *n.* Bertrando.

beryl /'berəl/ *n.* (*miner.*) berillo.

beryllium /bə'rɪlɪəm/ *n.* 🔲 (*chim.*) berillio.

to **beseech** /bɪ'siːtʃ/ (*pass. e p. p.* **besought**, USA *anche* **beseeched**), *v. t.* implorare; supplicare; scongiurare: *He beseeched us to leave*, ci supplicò di andare via; **to b. sb.'s forgiveness**, implorare il perdono di q. ‖ **beseeching** a. implorante; supplichevole; supplice (*lett.*) ‖ **beseechingly** avv. in tono supplichevole; con sguardo supplichevole.

to **beseem** /bɪ'siːm/ *v. t.* (*arc.*) addirsi a ‖ **beseeming** a. convenevole; adatto.

to **beset** /bɪ'set/ (*pass. e p. p.* **beset**), *v. t.* 1 (*di problema, dubbio, ecc.*) assediare; assillare; tormentare: *Disturbing dreams began to b. him*, cominciò a essere tormentato da sogni inquietanti; *The task was b. with difficulties*, l'incarico era irto di difficoltà 2 assalire; attaccare; assediare; circondare.

besetting /bɪ'setɪŋ/ *a.* 1 assillante; incombente: **a b. problem**, un problema assillante 2 (*di difetto, vizio, ecc.*) abituale; inveterato: **b. sin**, difetto primo; vizio inveterato.

◆**beside** /bɪ'saɪd/ *prep.* 1 accanto a; presso; vicino a; al fianco di: *She was sitting b. him*, lei gli sedeva accanto; *I was walking b. her*, camminavo al suo fianco 2 a paragone di; in confronto a; rispetto a: *His conduct looks logical b. hers*, la condotta di lui appare logica in confronto a quella di lei 3 oltre (a); in aggiunta a: **several people agreed b. us**,

diverse persone furono d'accordo oltre a noi ● **b. oneself**, fuori di sé (*per gioia, dolore, ecc.*) □ **b. the point** (*o* **b. the question**), non pertinente; che non c'entra.

◆**besides** /bɪ'saɪdz/ **A** avv. 1 in aggiunta; ancora; in più: *Good food, good company and much more b.*, buon cibo, compagnia piacevole e molto altro ancora 2 inoltre; per di più; e poi; del resto; d'altronde: *I don't need a new hat, b., this one's too expensive*, non mi occorre un cappello nuovo, e poi questo è troppo caro; *B., I'm much too tired*, del resto, sono davvero troppo stanco **B** prep. oltre (a); in aggiunta a; a parte: *There were many other students b. him*, c'erano molti altri studenti, oltre a lui; *B. being an excellent skier, he's also a good climber*, oltre a essere un ottimo sciatore, è anche un buon arrampicatore; *Did anybody else speak b. him?*, a parte lui, parlò nessun altro?

❶ NOTA: *besides, except o apart from?*
Besides significa "a parte" nel senso di "oltre a, in aggiunta": *He speaks three other languages besides English and Italian*, parla altre tre lingue, oltre all'inglese e all'italiano. *Except* si usa quando si parla o scrive di qualcosa o qualcuno che non è incluso, quindi significa "a parte" nel senso di "tranne, eccetto": *Everyone understood except me*, tutti hanno capito tranne me. *Apart from* può essere utilizzato con entrambi i significati: *He speaks three other languages apart from English and Italian*, parla altre tre lingue, oltre all'inglese e l'italiano; *Everyone understood apart from me*, tutti hanno capito tranne me.

to **besiege** /bɪ'siːdʒ/ *v. t.* 1 assediare: *Venice was besieged by the Austrians*, Venezia fu assediata dagli Austriaci 2 (*fig.*) assillare; tempestare; importunare: **to be besieged with requests**, essere assillato da richieste ‖ **besieger** n. assediante.

to **besmear** /bɪ'smɪə(r)/ *v. t.* 1 (*lett.*) impiastrare; impiastricciare; imbrattare 2 (*fig.*) insudiciare; sporcare.

to **besmirch** /bɪ'smɜːtʃ/ *v. t.* 1 infangare (*un nome, una reputazione, ecc.*); macchiare; insozzare; screditare 2 (*lett.*) imbrattare; sporcare; insudiciare.

besom /'biːzəm/ *n.* 1 granata; scopa (*di frasche*); ramazza 2 (*scozz., spreg.*) donna; ragazza.

besotted /bɪ'sɒtɪd/ *a.* 1 infatuato; innamorato; che ha perso la testa (*per q. o qc.*): *He was completely b. with her*, si era infatuato di lei; aveva perso la testa per lei; era innamorato cotto di lei (*fam.*); *Youths are b. by the new fashion*, i giovani hanno perso la testa per la nuova moda; **to become b. with**, infatuarsi di; perdere la testa per; **a b. husband**, un marito innamorato cotto 2 istupidito; abbrutito (*dal bere, ecc.*) 3 ubriaco (*di potere, ecc.*).

besought /bɪ'sɔːt/ *pass. e p. p.* di to **beseech**.

to **bespangle** /bɪ'spæŋgl/ *v. t.* (*lett.*) ornare di cose luccicanti; ornare di lustrini.

to **bespatter** /bɪ'spætə(r)/ *v. t.* 1 inzaccherare; impillaccherare; spruzzare (di); macchiare 2 (*fig.*) diffamare.

to **bespeak** /bɪ'spiːk/ (*pass.* **bespoke**, *p. p.* **bespoken**, **bespoke**), *v. t.* 1 essere indizio di; rivelare; denotare: *His manners b. a European education*, i suoi modi rivelano una formazione culturale europea 2 prenotare; riservare; ordinare (*merci*): *All the rooms were already bespoken*, tutte le camere erano già prenotate.

bespectacled /bɪ'spektəkld/ *a.* (*form.*) che porta gli occhiali; occhialuto.

bespoke /bɪ'spəʊk/ **A** *pass. e p. p.* di to **bespeak** **B** a. 1 (fatto) su misura; su ordi-

nazione: **b. shoes**, scarpe fatte su misura 2 (*di artigiano*) che lavora su ordinazione: **a b. shoemaker**, un calzolaio che lavora su ordinazione; **b. tailor**, sarto che confeziona abiti su misura 3 (*comput.*) personalizzato.

bespoken /bɪ'spəʊkən/ *p. p.* di to **bespeak**.

to **besprinkle** /bɪ'sprɪŋkl/ *v. t.* aspergere; cospargere; spruzzare.

Bess /bes/, **Bessie**, **Bessy** /'besɪ/ *n.* dim. di → **Elizabeth**.

◆**best** /best/ **A** a. (superl. relat. di **good**) 1 (il) migliore: **my b. friend**, il mio miglior amico; **the b. price**, il prezzo migliore; **the b. results**, i risultati migliori; **the b. things in life**, le cose migliori della vita; *He's the very b.*, è decisamente il migliore; è il migliore che ci sia; *May the b. man win*, vinca il migliore 2 (il) più saggio; (il) più giusto; (il) più consigliabile; (il) migliore: *What is the b. thing to do?*, qual è la cosa migliore da fare?; *It's b. to leave things are they are*, è meglio lasciare le cose come sono; *Do whatever you think b.*, fai come meglio credi **B** avv. (superl. di **well**) 1 meglio (di tutti, di tutto); nel modo migliore; al meglio: *I know her b.*, io la conosco meglio (di tutti); *I study b. late in the evening*, studio meglio la sera tardi; *Who did b.?*, chi ha fatto meglio?; chi ha avuto il miglior risultato?; *It can be b. seen under a microscope*, si vede al meglio con un microscopio 2 di più; più di tutti: *Which of these novels do you like b.?*, quale di questi romanzi ti piace di più?; *He is the b. loved doctor in the hospital*, è il medico più amato dell'ospedale; *This article sells b.*, questo articolo si vende più di tutti 3 preferibilmente; meglio: **a term that is b. avoided**, un termine che è meglio (o preferibile) evitare **C** n. 1 – the **b.**, il, la migliore: *Julie's always been the b. at sports*, Julie è sempre stata la migliore negli sport 2 – the **b.**, il meglio: *I want my children to have nothing but the b.*, voglio che i miei figli abbiano soltanto il meglio; **to bring out the b. in sb.**, tirar fuori il meglio di; spingere q. a dare il meglio di sé 3 – one's **b.**, il proprio meglio; il meglio di sé: **to do one's (very) b.**, fare del proprio meglio; *I didn't do my b. last time*, non ho dato il meglio di me l'ultima volta; fare di tutto; fare tutto quello che si può; cercare in tutti i modi (di): *I did my b. to reassure him*, feci di tutto per tranquillizzarlo; **to try one's b.**, fare del proprio meglio; sforzarsi 4 – one's **b.**, le condizioni migliori (*di q. o qc.*); la forma migliore: **at one's b.**, nelle migliori condizioni; nella forma migliore; al meglio (di sé); **past its b.**, (*di alimento, prodotto*) non più fresco 5 – one's **b.**, il vestito migliore (*o* più bello, più elegante): **to wear one's b.**, avere indosso il vestito più bello; (*scherz.*) **one's Sunday b.**, il vestito della domenica (*o* della festa); il vestito bello; l'abito buono 6 (*sport*) prestazione migliore; primato; record: **personal b.**, record personale 7 (*in fondo a una lettera, spec. USA*) cari saluti: *See you soon, b., Gary*, arrivederci a presto e cari saluti, Gary ● (*market.*) **B. before April 2004**, da consumarsi preferibilmente entro il marzo 2004 □ (*market.*) **b.-before date**, data di scadenza □ (*cinem.*) **b. boy**, aiuto capo-elettricista □ **b. buy**, miglior acquisto (*consigliato da un'associazione di consumatori, ecc.*) □ **the b. man**, il testimone dello sposo □ **the b. (of it)**, la parte migliore; il bello: *The b. of the joke is that John didn't know*, il bello dello scherzo è che John non lo sapeva □ (*sport*) **the b. of three, five, seven, etc.**, quattro (o sei, ecc.) partite più la bella: **b. of five tournament**, torneo al meglio dei cinque set (o delle cinque partite, ecc.); *Let's play b. of five*, giochiamo al meglio dei cinque set (o partite, ecc.) □ **the b. of both worlds**, il meglio di due situazio-

ni □ (*fam. GB*) **The b. of British!**, buona fortuna! □ **the b. of the bunch**, il migliore di tutti □ **They're the b. of friends**, sono ottimi amici; sono amicissimi □ **B. of luck!**, buona fortuna!; auguri! □ **the b. part of**, la maggior parte di; quasi: *It took us the b. part of an hour to get there*, ci mettemmo quasi un'ora per arrivare □ (*econ., org. az.*) **b. practice**, procedura ottimale; **best practice** □ (*fam. scherz. GB*) **the b. thing since sliced bread**, cosa (*o* persona) eccellente, straordinaria □ **b.-seller** → **bestseller** □ **b.-selling** → **bestselling** □ **B. wishes!**, auguri!; (*in fondo a una lettera*) cordiali saluti!, tante (buone) cose! □ **All the b.!**, cordiali saluti!; tante (buone) cose! □ **to be (all) for the b.**, andare a finir bene; andare per il meglio (alla fine); finire nel migliore dei modi (*nelle circostanze*) □ **as b. one can**, come meglio si può; al meglio delle proprie capacità □ **at b.**, nel migliore dei casi; al massimo; nella migliore delle ipotesi; quanto meno; (*comm., fin.*) al meglio: *His reaction was at b. excessive*, la sua reazione è stata quanto meno eccessiva; *This is at b. a makeshift shelter*, al massimo, questo è un riparo d'emergenza; **to sell at b.**, vendere al meglio □ **at the b. of times**, nel migliore dei casi; quando va bene □ **for the b.**, a fin di bene; per il bene di tutti; al meglio □ **to get the b. of**, avere la meglio su; dimostrarsi più forte di; prevalere su □ **had b.**, meglio di tutto sarebbe; converrebbe: *You had b. do it at once*, faresti meglio a farlo subito; *We'd b. leave him alone*, è meglio lasciarlo solo □ **to hope for the b.**, sperare che tutto vada per il meglio □ **one's level b.**, il proprio meglio; tutto quanto si può fare □ **to look one's b.**, essere elegante; stare benissimo; fare un'ottima figura; essere in forma smagliante □ **to make the b. of st.**, rassegnarsi a fare buon viso a qc.; accettare qc. con filosofia; (*anche*) sfruttare qc. nel miglior modo possibile, fare il miglior uso possibile di qc. □ (*GB*) **to make the b. of a bad bargain** (*o* **of a bad job**), fare buon viso a cattiva sorte (*o* a cattivo gioco); prenderla con filosofia; fare di necessità virtù □ **to make the b. of things**, adattarsi (alla situazione); tirare avanti (alla meglio) □ **to the b. of my ability**, come meglio so fare; per quel che posso □ **to the b. of my knowledge**, per quel che ne so io □ **to the b. of my power**, come meglio posso; per quanto è nei miei poteri □ **with the b. of them**, alla pari dei migliori; senza essere secondo a nessuno: *I can dive with the b. of them*, quanto a tuffi non sono secondo a nessuno.

to **best** /bɛst/ v. t. superare; avere la meglio su, spuntarla con.

bestial /ˈbɛstɪəl/ a. **1** bestiale; brutale **2** lussurioso; osceno.

bestiality /bɛstɪˈælətɪ/ n. **1** Ⓤ bestialità; brutalità **2** depravazione; lussuria; oscenità **3** Ⓤ (*leg.*) bestialità (*rapporti sessuali con bestie*) **4** azione bestiale; brutalità.

to **bestialize** /ˈbɛstɪəlaɪz/ v. t. abbrutire; rendere bestiale.

bestiary /ˈbɛstɪərɪ/ n. (*stor. letter.*) bestiario.

to **bestir** /bɪˈstɜː(r)/ v. t. agitare; scuotere ● **to b. oneself**, agitarsi, scuotersi; (*fig.*) muoversi, darsi da fare.

best-off /ˈbɛstɒf/ a. che sta meglio (*di tutti*); il più ambiente; il più ricco.

to **bestow** /bɪˈstəʊ/ v. t. (*form.*) concedere; conferire: *More honours were bestowed on him*, gli furono conferite altre onorificenze ‖ **bestowal** n. **1** concessione (*di un privilegio, ecc.*); conferimento **2** (*leg.*) legato.

to **bestrew** /bɪˈstruː/ (pass. *bestrewed*, p. p. *bestrewed*, *bestrewn*), v. t. **1** disseminare; cospargere **2** ricoprire: *Bits of paper bestrewed the floor*, pezzetti di carta erano sparsi sul pavimento.

to **bestride** /bɪˈstraɪd/ (pass. *bestrode*, *bestrid*, p. p. *bestridden*, *bestrid*, *bestrode*), v. t. **1** stare a cavallo di; sedere, stare a cavalcioni di: **to b. a fence**, sedere a cavalcioni di uno steccato **2** stare a gambe larghe su (*una persona a terra*) **3** stare in sella; montare **4** (*fig.*) dominare; torreggiare su **5** (*arc.*) scavalcare; attraversare; inarcarsi su.

bestseller, **best-seller** /bɛstˈselə(r)/ n. **1** best seller; libro (*o* autore, disco, ecc.) di grande successo **2** (*comm.*) articolo assai venduto (*o* che si vende bene) ‖ **bestselling**, **best-selling** a. che si vende bene; di successo.

bet /bɛt/ n. **1** scommessa: **to make** (*o* **to have**) **a bet**, fare una scommessa; **to place a bet with a bookmaker**, fare una scommessa con un allibratore; **to take** (*o* **to accept**) **a bet on st.**, accettare una scommessa su qc.; **to do st. for a bet**, fare qc. per scommessa **2** puntata; posta ● (*fam.*) **all bets are off**, la partita è chiusa; non se ne fa niente □ (*fam.*) **a bad bet**, una cosa (*o* una persona) che non dà affidamento; un rischio: *He's a bad bet for marriage*, non dà nessun affidamento come marito □ (*fam.*) **one's best bet**, la cosa migliore da farsi: *That's your best bet*, è la cosa migliore che puoi fare □ (*fam.*) **to call off all bets**, sospendere tutto; non farne più niente □ (*fam.*) **a good bet**, una scelta sicura; (la) scelta (*o* la soluzione) migliore □ **to hedge one's bets**, giocare su più fronti (*per minimizzare il rischio*); tenersi equidistante; tenere il piede in due staffe; barcamenarsi □ (*fam.*) **a safe bet**, una cosa quasi sicura (*o* molto probabile): *It's a safe bet that...*, è probabile che...; puoi scommettere che... □ **a sure bet to do st.**, una cosa (*o* persona) che farà sicuramente qc.: *Bill's a sure bet to win*, Bill vincerà sicuramente □ (*fam.*) **My bet is that...**, scommetto che... □ **It's anyone's bet!**, chi lo sa!; vattelapesca!

●to **bet** /bɛt/ (pass. e p. p. *bet*, *betted*), v. t. e i. scommettere; puntare: **to bet on horses**, scommettere sui cavalli (*o* alle corse); *I bet ten pounds on Astra*, scommisi dieci sterline su Astra; *I'm ready to bet against him winning*, sono pronto a scommettere che lui non vincerà; *I bet you twenty dollars she won't accept*, scommettiamo venti dollari che lei non accetta?; *I bet you he didn't know*, scommetto che lui non lo sapeva; vuoi scommetterci che lui non lo sapeva?; *I bet you'll enjoy yourselves*, secondo me vi divertirete ● (*fam.*) **to bet one's boots** (*o* **one's bottom dollar**, **one's shirt**), scommettere qualunque cifra; scommetterci la camicia □ (*fam.*) **I wouldn't bet on it**, io non ne sarei così sicuro; io non ci giurerei □ (*slang*) **You bet!**, altro che!; eccome no!; ci puoi scommettere!; lo credo bene! □ (*fam.*) **Want to bet?**, scommettiamo?

bet. abbr. (**between**) fra, tra.

beta /ˈbiːtə, *USA* ˈbeɪtə/ n. Ⓒ Ⓤ **1** beta (*seconda lettera dell'alfabeto greco; astron.*) **2** votazione (*o* classifica) di «buono» (*inferiore a «ottimo»*) **3** (*comput.*) beta (*programma nella versione che precede la commercializzazione*) ● (*med.*) **b.-blocker**, betabloccante □ (*fis. nucl.*) **b. particle**, particella beta □ **b. plus**, (*comm.*) di qualità intermedia fra la seconda e la prima; (*nei voti scolastici*) a metà tra «buono» e «ottimo» (*fis.*) **b. rays**, raggi beta (*Borsa, fin.*) **b. coefficient**, coefficiente beta (*misura della volatilità di un titolo azionario*) □ (*comput.*) **b. test**, test beta (*ultima fase del test*).

to **betake oneself** /bɪˈteɪkwʌnˈself/ (pass. *betook*, p. p. *betaken*), v. t. + pron. rifl. (*lett.*) recarsi; condursi: *He betook himself to the patient's*, si recò a casa del malato.

betatron /ˈbiːtətrɒn/ n. (*fis. nucl.*) betatrone.

betel /ˈbiːtl/ n. Ⓤ Ⓒ (*bot., Piper betle*) betel ● **b. nut**, noce di betel.

bête-noire /bɛtˈnwɑː(r)/ (*franc.*) n. (pl. *bêtes-noires*) bestia nera (*fig.*).

bethel /ˈbeθl/ n. **1** luogo sacro **2** cappella per marinai **3** cappella non conformista (*non anglicana*).

Bethlehem /ˈbeθlɪhem/ n. (*geogr.*) Betlemme.

to **betide** /bɪˈtaɪd/ v. i. (*lett. o poet.*) accadere; avvenire: *We shall persevere, whatever may b.*, continueremo, accada quel che accada ● (*lett. o scherz.*) **Woe b...!**, guai a...!

to **betoken** /bɪˈtəʊkən/ v. t. (*form.*) **1** far presagire; far prevedere **2** denotare; minacciare (*fig.*): *The sky is overcast and betokens snow*, il cielo è coperto e minaccia neve.

betony /ˈbetənɪ/ n. Ⓤ (*bot., Betonica officinalis*) bettonica, betonica.

betook /bɪˈtʊk/ pass. di **to betake**.

to **betray** /bɪˈtreɪ/ v. t. (*anche fig.*) tradire; denunciare, rivelare, palesare: **to b. one's country**, tradire la patria; **to b. a secret**, tradire un segreto; *His face betrayed his feelings*, il suo viso tradiva i suoi sentimenti; *His grimace betrayed his dissatisfaction*, la smorfia rivelava la sua scontentezza ● **to b. oneself**, tradirsi ‖ **betrayal** n. Ⓤ tradimento ‖ **betrayer** n. traditore.

to **betroth** /bɪˈtrəʊð/ v. t. (*antiq.*) fidanzare; promettere in matrimonio: **to be betrothed to sb.**, fidanzarsi con q.; essere fidanzato con q. ‖ **betrothal** n. Ⓤ (*antiq.*) fidanzamento ‖ **betrothed** n. (*antiq.*) fidanzato, fidanzata; promesso (sposo), promessa (sposa).

Betsy /ˈbetsɪ/ n. dim. di → **Elizabeth**.

♦**better**① /ˈbetə(r)/ Ⓐ a. **1** (compar. di **good**) migliore; meglio: *This is a b. book than the first*, questo libro è migliore del primo; *Haven't you got any b. clothes?*, non hai un abito migliore?; *The play was far b. than I expected*, la commedia era assai migliore di quel che pensavo; *He's b. than his brother at maths*, in matematica è più bravo del fratello; *I know a b. way to do it*, conosco un metodo migliore **2** (compar. di **well**; solo pred.) meglio (*di aspetto, di salute*); migliorato: **to be b.**, andare meglio; stare meglio (*di salute*); *That's b.*, così va meglio; **to feel b.**, sentirsi meglio; stare meglio; **to get b.**, migliorare; andare meglio; **to look b.**, stare meglio (*di aspetto*); avere miglior cera (*o* aspetto); *The lamp looks b. here*, la lampada sta meglio qui; *You look b. in yellow*, stai meglio vestita di giallo; il giallo ti sta meglio Ⓑ avv. (compar. di **well**) **1** meglio; in modo migliore: *He can speak English b. than me*, parla l'inglese meglio di me; *I could have answered the last essay question b.*, avrei potuto rispondere meglio all'ultima domanda; **b. made**, fatto meglio; **b. and b.**, sempre meglio; di bene in meglio **2** più; di più: *I like it b. without sugar*, mi piace di più (*o* lo preferisco) senza zucchero; *Which film did you like b.?*, quale dei due film ti è piaciuto di più?; **b. known**, più noto; più conosciuto; *You're b. fit to run the firm*, sei più adatto tu a dirigere la ditta Ⓒ n. **1** – **the b.**, il, la migliore (*tra due*) **2** la cosa migliore (*tra due*); il meglio **3** (al pl.) – **one's betters**, quelli che sono superiori per esperienza *o* posizione sociale; le persone più autorevoli: **to respect one's elders and betters**, rispettare chi è più vecchio e più autorevole ● **the** (+ compar.) **... the b.**,... meglio è: *The sooner you come the b.*, più presto vieni meglio è; *The less you know the b.*, meno ne sai meglio è □ **one's b. feelings**, la

parte migliore di sé □ (*fam.*) **one's b. half**, la propria metà; la propria moglie; il proprio marito □ **b. off**, più ricco; in posizione migliore: *In the end I was £1,000 b. off*, alla fine mi ritrovai più ricco di mille sterline; *We're b. off without it*, ne facciamo a meno volentieri □ **the b. part of**, più della metà di; buona parte di; quasi tutto: **the b. part of my salary**, più della metà del mio stipendio; **the b. part of an hour**, quasi un'ora □ (*comm.*) **b.-quality oils**, le qualità migliori di petrolio □ (*USA*) **b. than**, più di: *It took me b. than a year*, mi ci è voluto più di un anno □ **all the b.**, molto meglio □ **to be b. than one's word**, fare più di quanto si era promesso □ **the b. to**, per... meglio: *I leaned over the b. to see*, mi sporsi per vedere meglio □ **for b. or worse**, nel bene e nel male; nella buona e nella cattiva sorte; comunque vadano le cose □ **for the b.**, in meglio; per il meglio: **to change for the b.**, cambiare in meglio; migliorare □ **to get the b. of**, avere la meglio su; vincere; prevalere su; superare; dominare: *Curiosity got the b. of me*, la curiosità mi vinse □ **to go one b.**, fare un po' meglio (*di prima, di un altro*); superare di un poco: *He always has to go one b. than you*, deve sempre fare un po' meglio degli altri □ **had b.**, sarebbe meglio; è meglio; converrebbe: *You'd b. go*, faresti meglio ad andare (*o ad andartene*); è meglio se te ne vai; *He'd b. be careful*, farebbe bene a (*o gli conviene*) stare attento; *We'd b. do something quickly*, qui dobbiamo fare qualcosa alla svelta; *I'd b. leave now, or I'll be late*, sarà meglio che vada via subito o farò tardi □ **to have the b. of** → **to get the b. of** → **to know b.** → **to know b. little b. than**, quasi; poco meno che: *He's little b. than a cheat*, è un imbroglione o poco ci manca □ **no b. than**, non... altro che; nient'altro che: *He is no b. than a thief*, non è altro che un ladro □ (*antiq. eufem.*) **She's no b. than she should be**, è una poco di buono □ **so much the b.**, tanto meglio □ **to think b. of** → **to think** □ (*prov.*) **B. late than never**, meglio tardi che mai □ **B. luck next time**, la prossima volta andrà meglio □ (*prov.*) **B. safe than sorry**, la prudenza non è mai troppa; meglio eccedere in prudenza □ (*prov.*) **B. the devil you know** (**than the devil you don't know**), mai lasciare la via vecchia per la nuova.

❶ **NOTA:** *had better*
had better (spesso usato nella forma contratta '**d better**) è seguito dall'infinito senza **to**: *You'd better wait for a couple of days*, faresti bene ad aspettare un paio di giorni (non ~~You'd better to wait~~); *You'd better read the contract carefully before you sign it* (non ~~You'd better to read~~), ti conviene leggere il contratto attentamente prima di firmarlo.

better ② /ˈbɛtə(r)/ n. scommettitore; scommettitrice.

to **better** /ˈbɛtə(r)/ v. t. e i. **1** migliorare; diventare migliore **2** superare; migliorare: **to b. the world record**, migliorare il record del mondo □ **to b. oneself**, migliorare le proprie condizioni (di vita); migliorare la propria istruzione: *He has gone to America to b. himself*, è andato in America per migliorare le sue condizioni.

betterment /ˈbɛtəmənt/ n. ⒰ **1** miglioramento **2** (*leg.*) miglioria (*a un terreno, ecc.*) ● (*fisc.*) **b. charge** (*o* **levy**), imposta di miglioria (*su beni immobili*).

better-off /ˈbɛtərɒf/ a. che sta meglio (*più abbiente; più ricco; più in forma, ecc.*).

betting /ˈbɛtɪŋ/ n. ⒰ lo scommettere; (le) scommesse: *The b. is ten to one*, le scommesse si accettano dieci a uno ● **b. laws**, leggi sulle scommesse □ **b. machine**, totalizzatore □ **b. shop**, agenzia ippica; sala corse (*in GB*).

bettor /ˈbɛtə(r)/ (*USA*) → **better** ②.

Betty /ˈbɛtɪ/ n. dim. di → **Elizabeth**.

♦**between** /bɪˈtwiːn/ Ⓐ prep. **1** tra, fra (*rif. di solito a due persone, cose o gruppi*): *The Atlantic Ocean lies b. Europe and America*, l'Oceano Atlantico si estende fra l'Europa e l'America; *I commute b. Reading and London*, faccio il pendolare fra Reading e Londra; *A knowing look passed b. them*, tra di loro passò uno sguardo d'intesa; **b. meals**, fra i pasti; fra un pasto e l'altro; **children b. 8 and 12**, i bambini tra gli otto e i dodici anni; **to choose b. two options**, scegliere tra due opzioni; **b. two fires**, fra due fuochi **2** (*rif. a due o più, con l'idea di condivisione*) tra; insieme; unendo gli sforzi: *We collected a hundred pounds b. us*, raccogliemmo tra tutti cento sterline; *Jack and the woman b. them they lifted the trunk*, Jack e la donna sollevarono insieme il baule; *We finished the cake b. us*, tra tutti e due finimmo la torta; *One bathroom had to be shared b. ten people*, un bagno doveva servire a dieci persone; *B. the house, the kids, and everything, I'm rushed off my feet*, tra la casa, i bambini e tutto il resto, sono sempre di corsa Ⓑ avv. **1** in mezzo (*a due cose o persone*): *I can see nothing b.*, non vedo niente in mezzo **2** nell'intervallo (*di tempo*); in mezzo ● **b. the devil and the deep blue sea** (*o, fam.*, **b. a rock and a hard place**), fra l'incudine e il martello □ **b. ourselves** (*o* **b. you and me**; *fam.* **b. you, me and the gatepost** *o* **the bedpost**), detto fra noi; in confidenza □ (**in**) **b. times** (*o* **whiles**), negli intervalli □ **to come b.** → **to come** □ **in b.**, in mezzo a; in un punto tra; una via di mezzo tra; tra l'uno e l'altro; tra i due estremi; in mezzo: **somewhere in b. my place and the school**, a un certo punto tra casa mia e la scuola; **a colour that is in b. green and grey**, un colore che è una via di mezzo tra il verde e il grigio; **in b. mouthfuls**, tra un boccone e l'altro; **in b. sneezes**, tra uno starnuto e l'altro; *There was nothing in b. to block the view*, in mezzo non c'era nulla che impedisse la vista □ **to stand b.** → **to stand**.

betwixt /bɪˈtwɪkst/ prep. e avv. (*lett.*) fra; tra; in mezzo a; nel mezzo; in mezzo ● (*fam.*) **b. and between**, in mezzo; a metà strada; né l'uno né l'altro; una via di mezzo; (agg.) intermedio.

BeV /bɛv/ n. (*fis.*) GeV.

bevatron /ˈbɛvətrɒn/ n. (*fis. nucl.*) bevatron.

bevel /ˈbɛvl/ n. **1** smussatura; angolo smussato **2** (*falegn.*) ugnatura **3** (*mecc.*) bisello; smusso **4** (*falegn.*, = **b. square**) squadra falsa (*o* zoppa) ● **b. cut**, taglio a unghia □ (*autom., mecc.*) **b. drive**, coppia di riduzione □ **b. edge**, punta smussata □ (*mecc.*) **b. gear**, ingranaggio conico; coppia conica □ (*mecc.*) **b. wheel**, ruota dentata conica.

to **bevel** /ˈbɛvl/ Ⓐ v. t. **1** smussare **2** (*ind.*) molare (*un vetro, un cristallo*) a smusso: **a bevelled mirror**, uno specchio molato a smusso Ⓑ v. i. essere smussato ‖ **beveller** (*USA*) **beveler** n. smussatore ‖ **bevelling** (*USA*) **beveling** n. smussatura; smusso.

beverage /ˈbɛvərɪdʒ/ n. bevanda; bibita ● **b. dispenser**, distributore automatico di bevande.

bevvy /ˈbɛvɪ/ n. (*slang GB*) **1** bicchiere (*spec. di birra*) **2** bevuta; bisboccia; trincatina.

to **bevvy** /ˈbɛvɪ/ v. i. bere; trincare.

bevy ① /ˈbɛvɪ/ n. **1** gruppo, frotta (*spec. di donne, ragazze*) **2** stormo d'uccelli (*spec. di quaglie*) **3** branco (*spec. di caprioli*) **4** (*fam. USA*) collezione (*di oggetti*).

(to) **bevy** ② → (to) **bevvy**.

to **bewail** /bɪˈweɪl/ v. t. e i. lamentare; piangere; lamentarsi: *I b. the loss of my best friend*, piango la perdita del mio miglior amico.

to **beware** /bɪˈweə(r)/ v. t. e i. (spec. all'inf., all'imper. e dopo i verbi modali) guardarsi da; stare in guardia; stare attento; fare attenzione a; badare a: **to b. (of) generalizations**, guardarsi dalle generalizzazioni (*o* dal generalizzare); *B. of pickpockets*, attenti ai borseggiatori; *B.!*, attento!; sta' in guardia!; '*B. the ides of March!*' W. SHAKESPEARE, 'guardati dalle idi di Marzo!'.

to **bewilder** /bɪˈwɪldə(r)/ v. t. confondere; sconcertare; rendere perplesso; disorientare; frastornare: *My words seemed to b. him*, le mie parole parvero sconcertarlo ‖ **bewildered** a. confuso; sconcertato; perplesso; disorientato; frastornato; smarrito; stordito ‖ **bewildering** a. sconcertante; stupefacente; che lascia disorientato, smarrito ‖ **bewilderment** n. ⒰ confusione; perplessità; disorientamento; smarrimento; sconcerto.

to **bewitch** /bɪˈwɪtʃ/ v. t. **1** stregare **2** ammaliare; affascinare; incantare: *The beauty of the girl bewitched him*, la bellezza della ragazza lo affascinò ‖ **bewitching** a. affascinante; seducente; ammaliante; ammaliatore ‖ **bewitchingly** avv. in modo affascinante; con fare seducente ‖ **bewitchment** n. ⒰ **1** stregoneria; magia **2** malia; incantesimo.

bey /beɪ/ n. bei, bey (*governatore turco*).

beylik /ˈbeɪlɪk/ n. beilicato (→ **bey**).

♦**beyond** /bɪˈjɒnd/ Ⓐ avv. **1** al di là; più in là; oltre: *There is nothing b.*, più in là non c'è nulla; **a view of the lake and the mountains b.**, la vista del lago e, più in là, delle montagne **2** più avanti (*nel tempo*); oltre: *The heat wave continued into the following week and b.*, l'ondata di caldo continuò per tutta la settimana successiva e oltre Ⓑ prep. **1** al di là di; oltre; di là; più in là di: **b. the river**, al di là del (*o* oltre il) fiume; **b. the sea**, di là dal mare; oltremare; **b. the initial stages**, oltre la fase iniziale; *You can't go b. that point*, non si può andare oltre quel punto **2** (*fig.*) dopo; oltre; al di là di; che supera: **b. midnight**, oltre la mezzanotte; **b. the grave**, oltre la tomba; **b. the age of 15**, oltre i 15 anni; *The level of inflation has gone b. 10%*, il tasso d'inflazione ha superato il 10%; *He has progressed b. me*, mi ha superato (*negli studi, nella carriera, ecc.*) **3** superiore alle forze (*o* capacità) di: *That task was clearly b. him*, quel compito era chiaramente superiore alla sue forze; *This is really b. me*, è troppo difficile per me; non arrivo a capirlo; *It's b. me why he did it*, non riesco a capire perché l'abbia fatto **4** (in frase neg.) oltre a; in aggiunta a: *I had got nothing left b. the clothes I was wearing*, non mi era rimasto altro che quello che avevo addosso; *You won't find out anything b. what you already know*, non troverai nulla di più di quello che già sai Ⓒ n. – **the b.**, l'aldilà; la vita ultraterrena; l'oltretomba ● **b. belief** → **belief** □ **b. compare**, incomparabile □ **b. control**, che sfugge al controllo; incontrollabile; irrefrenabile: **forces b. our control**, forze che sfuggono al nostro controllo □ **b. one's depth** → **depth** □ **b. help**, senza speranza; condannato; perduto; irrecuperabile: *I fear they're b. my help*, purtroppo non posso fare niente per loro □ **b. hope**, non più rimediabile; non più salvabile; irrecuperabile; senza speranza □ **b. a joke** → **joke** □ **b. measure**, oltremisura; oltremodo □ **b. question**, fuori questione; indiscutibile; indiscutibilmente □ **b. sb.'s reach**, fuori della portata di q.; irraggiungibile da q. □ **b. reason**, irragionevole □ (*leg.*) **b. reasonable doubt**, oltre ogni ragionevole dubbio □ **b. recognition**, irriconoscibile: **to change b. recognition**, diventare irriconoscibile □ **b. repair**, non riparabile; irrecuperabile □ **b.**

the pale, inammissibile; inaccettabile □ **b. a shadow of a doubt**, senza ombra di dubbio; al di là di ogni dubbio □ **b. one's wildest dreams**, al di là di ogni possibile immaginazione; completamente inimmaginabile; del tutto inaspetato □ (*fam.*) **the back of b.** → **back** ① □ **the great b.**, l'ignoto.

bezant /'bɛznt/ n. (*numism.*) bisante.

bezel /'bɛzl/ n. **1** spigolo inclinato (*di cesello, ecc.*) **2** (corona del) castone; sfaccettatura (*di gemma tagliata*) **3** (*ind.*) castone **4** (*dell'orologio e sim.*) lunetta, filetto.

to **bezel** /'bɛzl/ v. t. **1** smussare **2** sfaccettare.

bezique /bɪ'ziːk/ n. bazzica (*gioco di carte*).

b.f. sigla (*comm.*, **brought forward**) riporto.

BFF sigla (*slang*, *Internet*, **best friends** (o **friend**) **for ever**) amici (*o amico, ecc.*) del cuore per sempre.

BFI sigla (**GB**, **British Film Institute**) Istituto britannico per il cinema.

BFN sigla (*Internet*, *telef.*, **bye for now**) a più tardi; ciao.

BFPO sigla (**GB**, **British Forces** (o **Field**) **Post Office**) posta militare britannica.

bhaji /'bɑːdʒɪ/ n. (*cucina indiana*) **1** bhaji (*tipo di* → **pakora**) **2** curry semplice di verdure.

bhang /bæŋ/ n. (*slang*) (*droga*) hascisc, ascisc; marijuana.

bhangra /'bæŋɡrə/ n. ⓤ (*mus.*) bhangra (*musica e ballo moderni tipici del subcontinente indiano*).

bhp abbr. (*mecc.*, **brake horse-power**) potenza al freno.

bi /baɪ/ (*slang*) → **bisexual, B**, *def. 2.*

Biafran /bɪ'æfrən/ a. e n. biafrano; (abitante) del Biafra.

biannual /baɪ'ænjʊəl/ a. semestrale | **-ly** avv.

🟊 NOTA: *biannual o biennial?*
Biannual significa "due volte all'anno": *to have a biannual medical examination*, fare una visita medica due volte all'anno. *Biennial* vuol dire "che si verifica ogni due anni": *a biennial festival*, festival biennale.

bias /'baɪəs/ **A** n. ⓤⓒ **1** deviazione; inclinazione (*dalla linea retta*) **2** (*sartoria*) sbieco: **to cut on the b.**, tagliare di sbieco **3** (*bocce*) peso (*o* rigonfio) che dà effetto alla boccia; forza d'effetto **4** (*fig.*) inclinazione; tendenza; propensione (*per qc.*) **5** (*fig.*) prevenzione; pregiudizio: *He had a b. against coeducational schools*, aveva un pregiudizio contro le scuole miste **6** (*elettr.*, *elettron.*) tensione base di griglia; polarizzazione **7** (*stat.*) distorsione; (*anche*) errore sistematico **8** (*leg.*) prevenzione (*contro q.*); parzialità **B** a. e avv. (*sartoria*) di sbieco: **b. band**, striscia tagliata di sbieco ● (*autom.*) **b.-belted tyre**, (pneumatico) cinturato □ (*sartoria*) **b. binding**, fettuccia; sbieco □ (*stat.*) **b. error**, errore sistematico.

to **bias** /'baɪəs/ v. t. **1** influenzare (*specie indebitamente*); condizionare: *Politicians use mass media to b. the voters*, gli uomini politici si servono dei mass media per influenzare gli elettori **2** (*elettr.*, *elettron.*) polarizzare; dare una tensione di griglia a.

biased /'baɪəst/ a. **1** influenzato; prevenuto; parziale: *He is b. against our plan*, è prevenuto contro il nostro progetto **2** (*stat.*) affetto da errore sistematico; distorto: **b. estimator**, stimatore distorto ● **b. opinion**, pregiudizio; preconcetto.

biathlon /baɪ'æθlən/ (*sport*) n. ⓤ biatlon || **biathlete** n. biatleta.

biaxial /baɪ'æksɪəl/ a. **1** (*fis.*) biassiale **2** (*miner.*) biassico.

bib ① /bɪb/ n. **1** bavaglino **2** pettorina, pet-

tino (*di grembiule*) **3** (*slang USA*) tovagliolo **4** → **bibcock** ● (**GB**) **bib and brace**, salopette da lavoro □ (**USA**) **bib overalls**, salopette da lavoro □ (*fam. scherz.*) **one's best bib and tucker**, l'abito migliore; l'abito della festa; abbigliamento elegante.

bib ② /bɪb/ n. (*zool.*, *Gadus luscus*) gado barbato.

to **bib** /bɪb/ v. i. (*arc.*) trincare; sbevazzare.

Bib. abbr. **1** (**Bible**) Bibbia **2** (**biblical**) biblico.

bibber /'bɪbə(r)/ n. beone; bevitore: a **wine-b.**, un bevitore di vino.

bibcock, **bib cock** /'bɪbkɒk/ n. rubinetto.

◆**Bible** /'baɪbl/ n. **1** – (*relig.*) **the B.**, la Bibbia **2** copia della Bibbia; Bibbia, bibbia: **the family B.**, la Bibbia di famiglia **3** – (*fam.*) b., bibbia: *That book was his b.*, quel libro era la sua bibbia ● (*fam. USA*) **B.-basher** (o **B.-pounder**, **B.-thumper**), ardente predicatore evangelico; predicatore infervorato e apocalittico □ (*fam. USA*) **B.-bashing** (o **B.-pounding**, **B.-thumping**), (*di predicatore o predicazione*) ardente; infervorato □ (*in USA*) **the B. Belt**, aree dell'Arkansas, Missouri e Tennessee dove è diffuso il fondamentalismo protestante; il Sud e il Centro fondamentalista □ **B. oath**, giuramento sulla Bibbia □ (*ind.*) **B. paper**, carta bibbia (*sottile e forte*) □ **B. studies**, biblistica.

biblical /'bɪblɪkl/ a. biblico | **-ly** avv.

biblicist /'bɪblɪsɪst/ n. **1** biblista; studioso della Bibbia **2** chi prende la Bibbia alla lettera.

bibliog. abbr. **1** → **bibliographer** **2** → **bibliographical** **3** → **bibliography**.

bibliography /bɪblɪ'ɒɡrəfɪ/ n. ⓤ bibliografia || **bibliographer** n. bibliografo || **bibliographical**, **bibliographic** a. bibliografico.

bibliolatry /bɪblɪ'ɒlətrɪ/ n. ⓤ bibliolatria.

bibliomancy /'bɪblɪəʊmænsɪ/ n. ⓤ bibliomanzia.

bibliomania /bɪblɪəʊ'meɪnɪə/ n. ⓤ bibliomania || **bibliomaniac** n. bibliomane.

bibliometrics /bɪblɪəʊ'metrɪks/ n. pl. (col verbo al sing.) bibliometria.

bibliophile /'bɪblɪəfaɪl/ n. bibliofilo || **bibliophilist** n. bibliofilo || **bibliophily** n. ⓤ bibliofilia.

bibliopole /'bɪblɪəpəʊl/ n. bibliopola (*raro, scherz.*); libraio.

bibulous /'bɪbjʊləs/ a. **1** bibulo; assorbente **2** bibulo (*raro, lett.*); beone; dedito al bere.

BIC sigla (*banca*, **bank identifier code**) codice di identificazione bancaria (*utilizzato nei pagamenti internazionali*).

bicameral /baɪ'kæmərəl/ (*polit.*) a. bicamerale || **bicameralism** n. ⓤ bicameralismo.

bicarb /baɪ'kɑːb/ n. ⓤ (abbr. *fam. di* **bicarbonate**) bicarbonato.

bicarbonate /baɪ'kɑːbənət/ n. (*chim.*) bicarbonato.

bice /baɪs/ n. ⓤ (*antiq.*) **1** (= **b. blue**) (colore) azzurro; verdeazzurro **2** (= **b. green**) (colore) verdegiallo.

bicellular /baɪ'seljʊlə(r)/ a. (*biol.*) bicellulare.

bicentenary /baɪsen'tiːnərɪ, *USA* -'sentənerɪ/ a. e n. bicentenario.

bicentennial /baɪsen'tenɪəl/ a. e n. (*spec. USA*) **1** bicentennale **2** bicentenario.

bicephalous /baɪ'sefələs/ a. bicefalo.

biceps /'baɪseps/ n. **1** (*anat.*) bicipite **2** (*fig.*) forza muscolare.

bichloride /baɪ'klɔːraɪd/ n. (*chim.*) bicloruro.

bichromate /baɪ'krəʊmeɪt/ n. (*chim.*) bicromato.

bicipital /baɪ'sɪpɪtl/ a. **1** bicipite; con due teste **2** (*anat.*) del bicipite.

bicker /'bɪkə(r)/ n. ⓤ battibecco; bisticcio; lite.

to **bicker** /'bɪkə(r)/ v. i. **1** battibeccare; bisticciare; litigare **2** (*lett.*, *d'acqua*) borbottare; gorgogliare **3** (*lett.*, *di pioggia*) picchiettare **4** (*lett.*, *di luce, fiamma*) brillare; risplendere || **bickering** n. ⓤ battibecchi (pl.); bisticci (pl.).

bicoastal /baɪ'kəʊstəl/ a. (*USA*) relativo a entrambe le coste (degli Stati Uniti).

bicolour, (*USA*) **bicolor** /'baɪkʌlə(r)/, **bicoloured**, (*USA*) **bicolored** /'baɪkʌləd/ a. bicolore.

biconcave /baɪ'kɒnkeɪv/ a. biconcavo.

biconvex /baɪ'kɒnveks/ a. biconvesso.

bicultural /baɪ'kʌltʃərəl/ a. biculturale || **biculturalism** n. ⓤ biculturalismo.

bicuspid /baɪ'kʌspɪd/ **A** a. bicuspide **B** n. (dente) premolare.

◆**bicycle** /'baɪsɪkl/ n. bicicletta; **to ride** (**on**) **a b.**, andare in bicicletta; **lady's b.**, bicicletta da donna; **b. chain**, catena di bicicletta; **b. pump**, pompa di bicicletta ● **b. clip**, molletta fermacalzoni □ (*calcio*) **b. kick**, rovesciata □ **b. motocross** → **BMX** □ **b. path**, pista ciclabile.

to **bicycle** /'baɪsɪkl/ v. i. andare in bicicletta; pedalare || **bicyclist** n. ciclista.

◆**bid** ① /bɪd/ n. **1** (*comm.*) offerta (*spec. a un'asta*): *There were no bids for the vase*, non ci furono offerte per il vaso; **to make a bid for st.**, fare un'offerta per qc. **2** (*Borsa*, *fin.*) prezzo di domanda; denaro; prezzo (*o* cambio, corso) denaro; prezzo d'inventario (*di quota di fondo d'investimento*) **3** (*fin.*, = **takeover bid**) offerta pubblica di acquisto (abbr. **OPA**); **hostile bid**, offerta di acquisto ostile **4** (*comm.*) offerta (negli appalti e nei mercati ad asta): **to invite bids**, indire una gara d'appalto; **to put in a bid for a contract**, fare un'offerta per un appalto; **advertisement for bids**, bando d'appalto; **sealed-bid auction**, asta (*con offerte*) in busta chiusa **5** tentativo, sforzo (*per ottenere qc.*): **a bid for independence**, un tentativo per conquistare l'indipendenza; uno sforzo per rendersi indipendente; **a rescue bid**, un tentativo di soccorso; **to make a bid for freedom**, tentare la fuga; tentare l'evasione; **to make a strong bid for the title**, fare un serio sforzo di vincere il titolo; *He made a bid for the party's leadership*, puntò alla direzione del partito; **measures taken in a desperate bid to rescue the country's economy**, misure prese nel disperato sforzo di salvare l'economia del paese **6** (*a carte*) dichiarazione; licitazione: *It's your bid*, sta' a te dichiarare ● (*ass.*, *banca*) **bid bond**, garanzia dell'offerta; garanzia passiva (*per partecipare a una gara d'appalto*) □ (*Borsa*) **bid market**, mercato della domanda □ (*Borsa*) **bid/offer spread**, scarto denaro/lettera □ (*Borsa*) **bid price**, prezzo di domanda; denaro.

to **bid** ① /bɪd/ (*pass. e p. p.* **bid**), **A** v. t. **1** (*comm.*) offrire; fare un'offerta (*spec. all'asta*): *I bid £10,000 for the painting*, offrii diecimila sterline per il quadro; *Who is going to bid?*, chi fa un'offerta?; **to bid against sb. at an auction**, competere con q. a un'asta **2** (*a carte*) dichiarare: **to bid two spades**, dichiarare due picche; *It's your turn to bid*, tocca a te dichiarare **B** v. i. **1** – (*comm.*) **to bid for** (o *USA*, **to bid on**), fare un'offerta per ottenere (*un appalto*); partecipare a (*una gara d'appalto*): *We're going to bid for the contract to build the new school*, parteciperemo alla gara d'appalto per la costruzione della nuova scuola **2** – (*fin.*) **to bid for**, fare un'offerta di acquisto di (*una società per azioni*) **3** – **to bid for**, cercare di conquistare (*o* di prendere, ottenere); impe-

gnarsi per: **to bid for the presidency**, cercare di conquistare la presidenza; **to bid for victory**, impegnarsi per la vittoria **4** – (USA) **to bid on**, fare un'offerta per (un oggetto) (→ **B** def. 1).

■ **bid in** v. t. + avv. ricomprare (un oggetto) all'asta.

■ **bid off** v. t. + avv. aggiudicarsi (un oggetto a un'asta).

■ **bid up** v. t. + avv. **1** far salire il prezzo di (un oggetto messo all'asta: con offerte sempre più alte) **2** (a carte) fare una dichiarazione superiore (a quella dell'avversario); rilanciare.

to **bid** ② /bɪd/ (pass. **bid** o **bade**, p. p. **bid** o, arc., **bidden**) v. t. (arc. o lett.) **1** augurare: **to bid sb. farewell**, dire addio a q.; **to bid sb. goodbye**, salutare q. (nell'accomiatarsi); **to bid sb. goodnight**, augurare (o dare) la buonanotte a q. **2** comandare; ordinare: Do as you are bid!, fa' quel che ti si ordina (o ti si dice) **3** (di solito non seguito da to) invitare: She bade him sit down, lo invitò a sedersi ● **to bid fair to**, promettere di: Our efforts bid fair to succeed, i nostri sforzi promettono d'avere successo.

biddable /'bɪdəbl/ a. **1** docile **2** (di una mano di carte) che consente di dichiarare.

bidden /'bɪdn/ p. p. di **to bid** ②.

bidder /'bɪdə(r)/ n. **1** (comm.) offerente (a un'asta): **to sell st. to the highest b.**, vendere qc. al maggior offerente **2** (comm.) concorrente, offerente (a una gara d'appalto) **3** (a carte) dichiarante.

bidding ① /'bɪdɪŋ/ n. [U] **1** (comm.) il fare offerte (a un'asta o in una gara di appalto); licitazione **2** offerte (a un'asta o d'appalto); licitazioni: B. was slack, le offerte erano scarse **3** (a carte) dichiarazione; licitazione ● (fin.) **b. company**, società che intende acquisirne un'altra □ (comm., leg.) **competitive b.**, licitazione concorrenziale.

bidding ② /'bɪdɪŋ/ n. [U] (form.) **1** comando; ordine: **to do sb.'s b.**, eseguire gli ordini di q.; **to be at sb.'s b.**, essere agli ordini di q. **2** cenno; invito.

biddy /'bɪdɪ/ n. **1** (dial.) gallina; pollo **2** (slang, spesso **old b.**) vecchia pettegola; vecchia bisbetica **3** (slang USA) domestica.

to **bide** /baɪd/ (pass. **bided** o **bode**, p. p. **bided**), v. t. e i. (arc. o lett. ser ne pl. anche arc.: comune solo nell'espress.) : **to b. one's time**, attendere il momento opportuno.

bidet /'biːdeɪ/ (franc.) n. bidè.

bidirectional /baɪdɪ'rekʃnəl/ a. bidirezionale.

biennial /baɪ'enɪəl/ **A** a. biennale **B** n. **1** pianta biennale **2** biennale; manifestazione (o evento, ricorrenza) biennale || **biennially** avv. ogni due anni ❶ NOTA: biannual o biennial? → biannual.

biennium /baɪ'enɪəm/ n. (pl. **biennia**, **bienniums**) biennio.

bier /bɪə(r)/ n. catafalco; cataletto.

biff /bɪf/ n. (slang) colpo; percossa; botta.

to **biff** /bɪf/ v. t. (slang) colpire; picchiare.

biffin /'bɪfɪn/ n. mela rossa (da cuocere).

biffy /'bɪfɪ/ n. (spec. USA) gabinetto esterno (spesso sprovvisto di sistema di scarico).

bifid /'baɪfɪd/ a. (biol., anat.) bifido.

bifilar /baɪ'faɪlə(r)/ a. (elettr., elettron.) bifilare.

bifocal /baɪ'fəʊkl/ **A** a. bifocale **B** n. (al pl.) occhiali con lenti bifocali.

bifoliate /baɪ'fəʊlɪət/ a. (bot.) che ha due foglie.

bifurcate /'baɪfɜːkeɪt/ a. biforcuto.

to **bifurcate** /'baɪfəkeɪt/ v. t. e i. biforcare, biforcarsi || **bifurcation** n. (anche scient.) biforcazione.

♦ **big** /bɪg/ a. **1** grosso; voluminoso; vasto; grande: **a big head**, una testa grossa; **a big house**, una grande casa; They're a bit big, mi stanno un po' grandi; He has got a big heart, ha un gran cuore; è generoso **2** (attr.) grande (d'età); maggiore: You're a big boy now, ormai sei grande; **my big brother**, il mio fratello maggiore **3** importante; notevole; grande; grosso; serio; forte: **big news**, grosse novità; **a big success**, un grande successo; a big mistake, un grosso errore; **a big decision**, una decisione importante; **a big landowner**, un grosso possidente; **the big day**, il gran giorno; **the Big Four** [Five, Six, etc.], i (o le) quattro [cinque, sei, ecc.] Grandi (banche, società, ecc.); **a big rise in prices**, un forte aumento dei prezzi; **a big appetite**, un forte appetito; **a big eater**, un gran mangiatore; **a big spender**, uno che spende e spande; uno spendaccione; He's very big in showbiz, è molto importante (o è un pezzo grosso) nel mondo dello spettacolo **4** (fam.) ambizioso; grande; grandioso: **big plans**, progetti ambiziosi **5** (fam.) entusiasta; gran: **a big soccer fan**, un gran tifoso (o un patito) del calcio **6** (pred.) (fam., spesso iron.) generoso: That's very big of you!, è molto generoso da parte tua; che generosità! **7** (fam.) famoso; molto in voga; di successo **8** – (arc., di donna) big with, incinta di ● (fam. USA) **the Big Apple**, New York □ **big-ass** → **bigass** □ **the big bad wolf**, il lupo cattivo □ (mus.) **big band**, big band; grande orchestra jazz o da ballo □ (astron.) **the big bang**, il big bang □ (fin., in GB) **the Big Bang**, la deregolamentazione e computerizzazione della Borsa Valori di Londra (il 27 dicembre 1986) □ **big-bellied**, panciuto; (di femmina) incinta, gravida □ (in GB) **Big Ben**, il Big Ben ❶ CULTURA • Big Ben: è propriamente il nome della campana della torre del Parlamento a Londra, fusa nel 1856 e così chiamata in onore di Benjamin Hall, allora direttore dei lavori pubblici; ormai il nome viene anche usato per indicare la torre stessa e l'orologio, famoso per la sua accuratezza e per essere usato come segnale orario dalla BBC □ (fin., in USA) **the Big Board**, il cartellone delle quotazioni (alla Borsa Valori di New York); la Borsa Valori di New York □ **big-boned**, di forte ossatura; robusto □ **Big Brother**, Grande Fratello; dittatore □ (fam. USA) **big bucks** = **big money** → sotto □ (fam.) **big bug** → **bigwig** □ **big business**, attività commerciale redditizia; (anche) i grandi società, le grandi imprese, la grande industria □ **big cat**, grosso felino (leone, tigre, leopardo, ecc.) □ (fam. scherz.) **big cheese**, pezzo grosso □ (astron.) **big crunch**, «big crunch» (collasso della materia con cui avrà fine la vita dell'universo) □ (slang USA) **big daddy**, capo; capoccia; boss □ (slang USA) **big deal**, roba grossa; pezzo grosso: **to make a big deal out of st.**, fare un sacco di storie per qc.; fare un affare di stato (o un dramma) di qc.; (iron.) Big deal!, sai che roba!; bell'affare!; **no big deal**, niente di speciale; roba da poco; What's the big deal?, e con ciò?; embè? □ (in GB) **big dipper**, (le) montagne russe (nei luna park) □ (astron., USA) **the Big Dipper**, l'Orsa Maggiore □ (mecc.) **big end**, testa (di pistone) □ (fam. USA) **the Big Easy**, New Orleans □ **big game**, le grosse fiere (come preda di caccia): **big-game hunting**, caccia grossa □ (USA) **big government**, governo (o Stato) troppo assistenziale; Stato troppo invadente; statalismo □ (fam. USA) **big gun**, pezzo grosso; persona influente □ **big hair**, pettinatura cotonata; testa cotonata □ (fam.) **big-head**, tipo presuntuoso; tipo spocchioso □ (fam.) **big-headed**, presuntuoso; spocchioso □ **big-hearted**, generoso; buono □ (iron.) **big idea**, idea grandiosa; gran progetto; trovata; alzata d'ingegno □ (iron.) ● **the big house**, la casa più importante (di un villaggio, un circondario); la casa dei signori □ (fam. USA) **big league**, (baseball) la serie A; (fig. fam) i grandi, i campioni □ (fam. USA) **big-league**

(agg.), grosso; importante; serio □ (fam.) **big money**, somme enormi; un sacco di soldi; soldi a palate: This is where the big money is, qui si fanno un sacco di soldi □ (fam.) **big-mouth**, uno che parla troppo o a sproposito; chiacchierone; lingua lunga □ (fam.) **big-mouthed**, chiacchierone; che ha la lingua lunga; che non sa tenere la lingua a posto □ (fam.) **big name**, persona famosa; grosso nome □ (fam.) **big noise** = **big shot** → sotto □ (slang USA) **a big one**, (un biglietto da) mille dollari □ (USA) **the big one**, il grande evento; il grande momento; il gran giorno; 'quello grosso' (uragano, terremoto, ecc.) □ **the big screen**, il grande schermo; il cinema □ (fam.) **big science**, la grande ricerca scientifica □ (fam.) **big shot**, pezzo grosso; persona influente □ (fam.) **big-shot** (agg.), importante; influente; grosso □ (fin., stor.) **the big slump**, il tracollo (della Borsa Valori) di Wall Street (nel 1929) □ (fam. GB) **the Big Smoke**, Londra □ (fam.) **the big stick**, la maniera forte; l'uso della forza; il bastone □ (fam. USA) **big talk**, promesse vuote; millanterie; vanterie; spacconate □ (fam. USA) **big-ticket** (agg.), costoso; caro □ (slang) **the big time**, l'apice di una professione, una carriera, un'attività; (per estens.) il successo, la fama: **to hit** (o **to make it to**) **the big time**, arrivare al successo; sfondare □ (slang) **big-time** (agg.), molto importante; grosso; di alto livello □ (slang) **big time** (avv.), molto; alla grande (fam.): You've screwed it up big time!, hai fatto proprio un gran casino □ (slang) **big-timer**, personaggio di primo piano; pezzo grosso; peso massimo □ **the big top**, il tendone (del circo) □ (bot., USA) **big tree** (Sequoiadendron giganteum), sequoia gigante □ **big wheel**, ruota gigante (di luna park); (slang) pezzo grosso □ (anat.) **big toe**, alluce □ **to get** (o **to grow**) **big** (o **bigger**), ingrossare; ingrandire; ingrassare; crescere □ (fam.) **to go over big**, avere successo; andare forte □ (fam.) **in a big way**, moltissimo; enormemente; alla grande (fam.): They do a lot of entertaining in a big way, ricevono moltissimo; danno un sacco di ricevimenti □ (fam.) **to make it big**, avere un gran successo; sfondare □ (fam.) **to talk big**, vantarsi; fare lo sbruffone; sparare le grosse □ **to think big**, pensare in grande; fare grandi progetti □ (fam.) **too big for one's boots** (o, antiq., **breeches**; USA **pants**), che si dà un sacco d'arie; che si è montato la testa; presuntuoso.

❶ NOTA: big, grand, great o large?
Gli aggettivi big e large si usano entrambi con il significato di "grande" con riferimento alle dimensioni. Big è più comune nel parlato: He is big for his age, è grande per la sua età. Large è più formale: a large government grant, una grande sovvenzione statale. Great si usa, invece, per indicare qualcosa di imponente, importante, meraviglioso o famoso: a great writer, un grande scrittore. Per indicare qualcosa di grandioso e imponente, oltre a great, si usa grand (a grand staircase, un grandioso scalone), che si trova anche in alcuni toponimi (the Grand Canal, il Canal grande), ma che in genere non ha il significato di "famoso e importante"; per esempio, "un grande scrittore" non si traduce con a grand writer.
Large e great si usano per le quantità: large (o great) quantities of copper, grandi quantità di rame; a large (o great) sum of money, una grande quantità di denaro. Great viene usato anche in riferimento a sentimenti: in great pain, molto addolorato; I have great respect for your views, ho un grande rispetto per le tue opinioni. In queste ultime frasi usare large al posto di great sarebbe sbagliato.

bigamy /'bɪɡəmɪ/ n. [U] (leg.) bigamia ||

bigamist n. bigamo ‖ **bigamous** a. **1** bigamo **2** (leg.) che costituisce reato di bigamia.

bigarade /'bɪgəreɪd/ n. (bot., Citrus aurantium amara) arancio amaro; (il frutto) arancia amara.

bigass /'bɪgæs/ (volg. USA) **A** a. **1** enorme; gigantesco **2** pretenzioso; presuntuoso **3** che ha il culo grosso; culone (volg.) **B** n. **1** pallone gonfiato (fig.); presuntuosone **2** culone, culona (volg.).

bigeminal /baɪ'dʒɛmɪnl/ a. (med.) bigemino.

biggish /'bɪgɪʃ/ a. piuttosto grosso.

bighead /'bɪghɛd/ n. (fam.) individuo pieno di sé; borioso; presuntuoso.

bighorn sheep /'bɪghɔːn'ʃiːp/ loc. n. (USA, zool., Ovis canadensis) bighorn; pecora (selvatica, munita di grosse corna) delle Montagne Rocciose.

bight /baɪt/ n. **1** baia; insenatura **2** ansa (d'un fiume) **3** (naut.) cappio; doppino (di cavo).

bigmouth, **big mouth** /'bɪgmaʊθ/ n. (slang) chiacchierone; persona maligna, maldicente; linguaccia (fam.).

bigness /'bɪgnəs/ n. ⓤ grossezza; grandezza.

bigot /'bɪgət/ n. fanatico; intollerante; settario; integralista ❶ FALSI AMICI • bigot non significa bigotto ‖ **bigoted** a. fanatico; intollerante; settario; integralistico ‖ **bigotry** n. ⓤ fanatismo; intolleranza; settarismo; integralismo ❶ FALSI AMICI • bigotry non significa bigotteria.

to big up /bɪg'ʌp/ v. t. + avv. (fam.) esaltare; cantare le lodi; fare il panegirico di: He's been bigging up his new band for months, but he hasn't invited us to a gig yet, sono mesi che canta le lodi della sua nuova band ma non ci ha ancora invitati a un concerto.

bigwig /'bɪgwɪg/ n. (fam.) persona importante; pezzo grosso; alto papavero.

bijection /baɪ'dʒɛkʃn/ (mat.) n. biiezione; corrispondenza biunivoca; biunivocità ‖ **bijective** a. biiettivo; biunivoco.

bijou /'biːʒuː/ (franc.) n. (pl. **bijoux**) bigiù, bijou; gioiello **‖ bijouterie** n. ⓤ bigiotteria.

♦**bike** /baɪk/ n. (fam.) **1** bicicletta; bici (fam.) **2** motocicletta; moto (fam.) • (slang GB) On your b.!, pedala!; smamma! (fam.).

to **bike** /baɪk/ (fam.) **A** v. i. andare in bicicletta (o in motocicletta): **to b. to work**, andare al lavoro in bicicletta **B** v. t. **1** (GB) mandare (una lettera, ecc.) col pony **2** – **to b. it**, andare in bicicletta o motocicletta (in un posto).

bikelane /'baɪkleɪn/ → **bikeway**.

biker /'baɪkə(r)/ n. (fam.) **1** motociclista (spec. appartenente a una banda); motociclettaro (pop.) **2** ciclista.

bikeway /'baɪkweɪ/ n. (USA) pista ciclabile.

bikini /bɪ'kiːnɪ/ n. (moda) bikini • **b. briefs**, slip femminili □ **b. line**, linea del bikini (al di sopra della quale ci si depila).

bilabial /baɪ'leɪbɪəl/ a. e n. (fon.) bilabiale.

bilabiate /baɪ'leɪbɪət/ a. (bot.) bilabiato.

bilateral /baɪ'lætərəl/ **A** a. bilaterale: **b. agreement**, accordo bilaterale **B** n. discussione (o riunione) bilaterale • **b. contract**, contratto bilaterale (o sinallagmatico) □ (scient.) **b. symmetry**, simmetria bilaterale ‖ **bilateralism** n. ⓤ (comm. est., econ., med.) bilateralismo ‖ **bilaterality** n. ⓤ bilateralità • (leg.) **bilaterality of contract**, bilateralità del contratto; sinallagma.

bilberry /'bɪlbrɪ/ n. (bot., Vaccinium myrtillus) mirtillo.

bile /baɪl/ n. (fisiol. fig.) bile.

bilestone /'baɪlstəʊn/ n. (med.) calcolo biliare.

bilge /bɪldʒ/ n. **1** (naut.) opera viva; carena **2** (naut.) sentina; assecco **3** ⓤ (= b. water) acqua di sentina **4** ⓤ (fam.) sciocchezze (pl.); stupidaggini (pl.): **romantic b.**, stupidaggini romantiche; romanticherie; romanticume • **b. block**, puntello di bacino □ **b. keel**, chiglia di rollio; aletta antirollio □ **b. pump**, pompa di sentina □ **b. ways**, taccate.

to **bilge** /bɪldʒ/ **A** v. t. (naut.) aprire una falla nella sentina di (una nave) **B** v. i. (naut.) avere una falla; fare acqua.

biliary /'bɪlɪərɪ/ a. **1** (fisiol.) biliare **2** (fig.) bilioso; collerico.

bilinear /baɪ'lɪnɪə(r)/ a. (mat.) bilineare.

bilingual /baɪ'lɪŋgwəl/ a. e n. bilingue: **b. dictionary**, un dizionario bilingue; **b. children**, bambini bilingui ‖ **bilingualism** n. ⓤ bilinguismo.

bilious /'bɪlɪəs/ a. **1** bilioso: **a b. temper**, un carattere bilioso **2** (fisiol.) biliare: **a b. dysfunction**, una disfunzione biliare ‖ **biliousness** n. ⓤ **1** temperamento bilioso **2** (med.) attacco di bile; crisi epatica.

bilirubin /bɪlɪ'ruːbɪn/ n. (biochim.) bilirubina.

bilirubinemia /bɪlɪruːbɪ'niːmɪə/ n. ⓤ (med.) bilirubinemia.

bilk /bɪlk/ n. **1** frode; inganno **2** imbroglione; truffatore.

to **bilk** /bɪlk/ v. t. **1** imbrogliare; truffare **2** sottrarre a (q. con l'inganno).

bill① /bɪl/ n. **1** becco (di uccello) **2** muso a becco, rostro (di tartaruga, ecc.) **3** (geogr.) promontorio; punta **4** (naut.) unghia, becco (dell'ancora) **5** (slang USA) naso.

♦**bill②** /bɪl/ n. **1** conto; fattura; nota; bolletta: **the hotel b.**, il conto dell'albergo; **the phone b.**, la bolletta del telefono; Can we have the b. please?, ci porta il conto per favore?; **to settle a b.**, pagare un conto; saldare una fattura; The rent is £500 a month, all bills included, l'affitto è £500 al mese spese incluse **2** (leg.) progetto di legge; disegno di legge: **the new environmental b.**, il nuovo progetto di legge sull'ambiente; **to present a b.**, presentare un progetto di legge; The b. was returned to the House of Commons, il disegno di legge venne rimandato alla Camera dei Comuni **3** cartellone (teatrale); manifesto; locandina: My name was heading the b., il mio nome era in testa al cartellone **4** cartellone pubblicitario; manifesto; affisso; avviso: **to post** (o **to stick**) **a b.**, affiggere un manifesto (o un avviso); **b. sticker**, attacchino; **b. posting** (o **b. sticking**), affissione **5** (comm., rag., = b. of exchange) cambiale; tratta; effetto: **b. at sight**, cambiale a vista; (banca) **b. for collection**, effetto all'incasso; **b. payable on demand**, cambiale a richiesta; cambiale pagabile a presentazione; **b. to order**, cambiale all'ordine; **bills payable**, effetti passivi; **bills receivable**, effetti attivi; **to accept** (o **to take up**) **a b.**, accettare una cambiale; **to discount a b.**, scontare una cambiale; **to honour a b.**, onorare (o pagare) una cambiale; **to present a b. for discount**, presentare una cambiale allo sconto **6** (USA) banconota; biglietto: **a ten-dollar b.**, un biglietto da dieci dollari **7** (comm., leg.) certificato; distinta; bolla; bolletta; polizza: (dog.) **b. of entry**, bolletta d'entrata doganale; (comm., naut.) **b. of lading**, polizza di carico; (ind.) **b. of materials**, distinta dei materiali; distinta di base; (comm.) **b. of parcel**, bolla di consegna; (ind.) **b. of quantities**, distinta dei materiali e preventivo di spesa; distinta di costruzione; **b. of sale**, atto di vendita; atto di cessione **8** (fin., = Treasury b.) titolo di Stato **9** (naut.) ruolo, ruolino: **b. of watch**, ruolino dei turni di guardia **10** (slang USA) bi-

glietto da cento dollari; (anche) (biglietto da un) dollaro • (banca) **b. book**, scadenzario effetti □ (comm.) **b. broker**, agente di sconto □ **b. collector**, esattore □ (banca) **bills department**, ufficio portafoglio □ (rag.) **b. diary**, scadenzario delle fatture □ (banca) **bills in hand**, portafoglio □ (leg. GB) **b. of costs**, parcella □ **b. of fare**, (antiq.) lista delle vivande; menù; (fig.) programma, offerta □ (trasp.) **b. of freight**, lettera di vettura □ (comm. USA) **b. of goods**, consegna; spedizione; (fam.) promessa fasulla, bidone: **to sell sb. a b. of goods**, imbrogliare q.; fregare q. (fam.); tirare il bidone a q. (fam.) □ (naut.) **b. of health**, certificato sanitario; patente sanitaria: **clean b. of health**, (naut.) patente di sanità netta; (per estens., rif. a persona) certificato di sana costituzione; (fig.) approvazione, nullaosta □ (leg. stor. o USA) **b. of indictment**, atto d'accusa; incriminazione □ (polit.) **B. of Rights**, dichiarazione dei diritti dell'uomo; carta delle libertà; (stor., in GB) costituzione del 1689; (stor., in USA) i primi dieci emendamenti della Costituzione del 1791 □ (dog.) **b. of sight**, (bolletta con) richiesta di visita preventiva □ (dog.) **b. of sufferance**, bolletta di merce in franchigia doganale □ (rag.) **b. rendered**, conto presentato □ **b. stamp**, bollo cambiario □ (fam.) **to fit** (o **to fill**) **the b.**, essere quello che ci vuole; essere l'ideale; essere perfetto □ (fam.) **to foot the b.**, pagare il conto (o le spese); tirare fuori i soldi □ **to top the b.**, (teatr.) avere il nome in cima al cartellone; (fig.) essere l'attrazione principale (di uno spettacolo).

bill③ /bɪl/ n. **1** (stor.) alabarda **2** alabardiere **3** → **billhook**.

to **bill①** /bɪl/ v. i. (di uccelli) becchettarsi • **to b. and coo**, (di innamorati) tubare; scambiarsi tenerezze.

to **bill②** /bɪl/ v. t. **1** far pagare; addebitare a; mandare il conto (o la fattura) a; fatturare (comm.): Are you going to b. me for it?, me lo farete pagare?; We were billed £1,500 for the repairs, la fattura per le riparazioni è stata di 1500 sterline **2** (teatr.) annunciare in programma; mettere in cartellone: She is billed to play the Queen in «Hamlet», apparirà nella parte della Regina in «Amleto» **3** descrivere; definire; presentare; pubblicizzare; reclamizzare: He's been billed as «the new John Travolta», l'hanno definito (o ne parlano come) «il nuovo John Travolta»; It's being billed as the match of the year, viene definita come la partita dell'anno **4** ricoprire di manifesti.

Bill /bɪl/ n. dim. di → **William**.

billabong /'bɪləbɒŋ/ n. (Austral.) pozza d'acqua (a fianco di un corso d'acqua); pozza di fiume.

billboard /'bɪlbɔːd/ n. (USA) quadro per le affissioni; tabellone (pubblicitario).

billet① /'bɪlɪt/ n. **1** (mil.) biglietto (o buono) d'alloggio **2** (mil.) alloggio (in casa privata): **to be in billets**, essere alloggiati presso privati **3** (fam.) alloggio (temporaneo) **4** (fam.) impiego; posto (di lavoro).

billet② /'bɪlɪt/ n. **1** ceppo (di legna da ardere); ciocco **2** (metall.) billetta **3** (archit.) modanatura.

to **billet** /'bɪlɪt/ v. t. (mil.) alloggiare, acquartierare (spec. presso privati): **to be billeted on sb.**, essere alloggiato (o acquartierato) presso q.

billet-doux /bɪleɪ'duː/ n. (pl. **billets-doux**) (antiq. o scherz.) lettera d'amore; biglietto galante.

billfold /'bɪlfəʊld/ n. (USA) portafoglio.

billhook /'bɪlhʊk/ n. falcetto; roncola; pennato.

billiard /'bɪlɪəd/ a. attr. di (o da) biliardo: **b. ball**, palla da biliardo; **b. cue**, stecca da

biliardo; **b.-room** (*o* **b. saloon**), sala da biliardo; **b. spot**, acchito; **b. table**, tavolo da biliardo; biliardo.

billiards /'bɪlɪədz/ *n. pl.* (col verbo al sing.) biliardo.

Billie /'bɪlɪ/ *n.* (dim. di → **Wilhelmina**).

billing /'bɪlɪŋ/ *n.* Ⓤ **1** il far pagare (a q.); l'addebitare (a q.) **2** (*comm.*) fatturazione; **b. clerk**, impiegato addetto alla fatturazione; **b. machine**, fatturatrice (*macchina*) **3** (*comm.*) (il) fatturato **4** (*pubbl.*) stanziamento globale di un'agenzia **5** (*teatr.*) posizione di un nome sul cartellone: **top b.**, posizione di preminenza (*sul cartellone*) **6** l'essere definito (*o* descritto, pubblicizzato) (*in un certo modo*).

billingsgate /'bɪlɪŋzgeɪt/ *n.* Ⓤ (*fam.*) linguaggio sguaiato, volgare (*da* **B.**, *il maggiore mercato del pesce a Londra*).

♦**billion** /'bɪlɪən/ *n.* **1** miliardo; bilione **2** (*antiq.*, *GB*) milione di milioni; trilione (*1 seguito da 12 zeri*) ‖ **billionth** e *n.* (*mat.*) miliardesimo.

billionaire /bɪlɪə'neə(r)/ *n.* miliardario, miliardaria.

billow /'bɪləʊ/ *n.* **1** ammasso; grande voluta: **billows of clouds**, ammassi di nuvole; **billows of smoke**, grandi volute di fumo **2** (*poet.*) onda; maroso.

to **billow** /'bɪləʊ/ *v. i.* **1** (*di stoffa, indumento*, *vela, ecc.*) gonfiarsi (*al vento, ecc.*); essere gonfio **2** (*di fumo, vapore, ecc.*) flutturare in grandi volute; (*di nuvola*) gonfiarsi: *Smoke was billowing out of the chimney*, dal comignolo uscivano grandi volute di fumo **3** (*fig.*) gonfiarsi ‖ **billowing** *a.* **1** (*di stoffa, indumento*, *vela, ecc.*) gonfio; svolazzante; ondeggiante **2** (*di fumo, ecc.*) fluttuante in grandi volute; (*di nuvola*) gonfio **3** (*di terreno, ecc.*) ondulato ‖ **billowy** *a.* **1** (*lett.*, *di mare, ecc.*) che si gonfia; ondoso **2** V. **billowing**.

billy ① /'bɪlɪ/ *n.* (*pl.* **billies, billys**) (*anche* **b. club**, *USA*) sfollagente; manganello (*dei poliziotti*).

billy ② /'bɪlɪ/ *n.* (*Austral.*, = **billycan**) pentolino; gavetta.

Billy /'bɪlɪ/ *n.* dim. di → **William**.

billycan /'bɪlɪkæn/ → **billy** ②.

billycart /'bɪlɪkɑ:t/ *n.* (*Austral.*) **1** carretto a mano **2** go-kart; carretto; carriolo.

billy goat, billygoat /'bɪlɪgəʊt/ *n.* (*fam.*) capra maschio; caprone; becco.

billy-o, billy-oh /'bɪlɪəʊ/ *n.* Ⓤ (*fam.*, soltanto nella loc.:) **like billy-o**, con forza, con violenza; a più non posso; a tutto spiano: **to run like billy-o**, correre a più non posso ● **to rain like billy-o**, piovere a catinelle (*o* a dirotto).

bilobate /baɪ'ləʊbeɪt/ *a.* (*anat.*, *bot.*) bilobato.

bilocation /baɪləʊ'keɪʃn/ *n.* Ⓤ (*parapsicologia*) bilocazione.

bilocular /baɪ'lɒkjʊlə(r)/ *a.* (*biol.*) bilocular.

biltong /'bɪltɒŋ/ (*sudafricano*) *n.* Ⓤ liste di carne disseccata al sole.

bimane /'baɪmeɪn/ (*zool.*) *n.* animale bimano (*uomo o primate*) ‖ **bimanal, bimanous** *a.* bimano.

bimbo /'bɪmbəʊ/ *n.* (*slang*) ragazza bella ma vuota; bambola; bellona svampita
❶ **FALSI AMICI** ● bimbo *non significa* bimbo.

bimestrial /baɪ'mɛstrɪəl/ *a.* bimestrale.

bimetallic /baɪmɪ'tælɪk/ *a.* (*econ.*) a bimetallico ‖ **bimetallism** *n.* Ⓤ bimetallismo.

bimillenary /baɪ'mɪlənrɪ/ *n.* bimillenario.

bimonthly /baɪ'mʌnθlɪ/ Ⓐ *a.* **1** bimestrale **2** (*improprio*) bimensile Ⓑ *n.* pubblicazione bimestrale Ⓒ *avv.* **1** ogni due mesi **2** (*improprio*) due volte al mese.

♦**bin** /bɪn/ *n.* **1** contenitore; ricettacolo; de-

posito; bidone; cassonetto; silo: **bread bin**, scatola del pane; portapane; **coal bin**, cassa del carbone; **litter bin**, portarifiuti; **ore bin**, silo per minerale **2** (*GB*, = **rubbish bin**) pattumiera; secchio (*o* bidone) dell'immondizia: **wheelie bin**, bidone dell'immondizia (su ruote): **to throw st. in the bin**, buttare qc. nella pattumiera; **fit for the bin**, da buttare; buono per l'immondizia **3** sezione di rastrelliera (*per bottiglie di vino*) **4** (*slang*, = **loony bin**) manicomio ● (*GB*) **bin bag**, sacco (*di plastica*) per l'immondizia □ (*GB*) **bin-liner**, sacchetto per pattumiera □ (*enologia*) **special bin**, riserva speciale.

to **bin** /bɪn/ *v. t.* **1** gettare via; buttare **2** cestinare; buttar via; respingere **3** (*enologia*) mettere in riserva speciale.

binarization /baɪnərɪ'zeɪʃn/ *n.* Ⓤ (*mat.*, *comput.*) binarizzazione.

binary /'baɪnərɪ/ Ⓐ *a.* (*scient.*) binario: (*mat.*, *comput.*) **b. addition**, addizione binaria; (*comput.*) **b. code**, codice binario (*comput.*) **b. digit**, cifra binaria; (*comput.*) **b. search**, ricerca binaria (*o* dicotomica); (*chim.*) **b. compound**, composto binario; (*astron.*) **b. star**, stella binaria (*o* doppia) Ⓑ *n.* (*astron.*) stella binaria.

binate /'baɪneɪt/ *a.* (*bot.*) binato.

binaural /bɪ'nɔ:rəl/ *a.* **1** (*fisiol.*) binaurale **2** (*tecn.*) biauricolare: **b. stethoscope**, stetoscopio biauricolare.

bind /baɪnd/ *n.* Ⓤ **1** (*fam.*) seccatura; scocciatura (*fam.*): *It's a real b., having to fetch them*, è una bella scocciatura dover andare a prenderli **2** (*fam.*) difficoltà; guaio; grana; pasticcio: **to be in a b.**, trovarsi in difficoltà (*o* nei pasticci); **to put sb. in a b.**, mettere q. in una posizione difficile; creare delle grane per q. **3** (*form.*) vincolo: **moral b.**, vincolo morale **4** (*mus.*) legatura.

to **bind** /baɪnd/ (*pass. e p. p.* **bound**) Ⓐ *v. t.* **1** legare; assicurare: *They bound my hands*, mi legarono le mani; **to b. sb. hand and foot**, legare q. mani e piedi; *He was bound and gagged*, fu legato e imbavagliato; **to b. st. fast**, assicurare bene qc. **2** (*fig.*) legare; unire; tenere unito: *A common ideal binds them together*, li unisce un ideale comune **3** vincolare; obbligare; legare: **to b. sb. to secrecy**, vincolare q. a mantenere il segreto **4** allogare come apprendista; mettere a bottega: *He was bound to a tailor for three years*, fu messo a bottega da un sarto per tre anni **5** rilegare (*un libro*): **to b. a book in cloth**, rilegare un libro in tela **6** fascicolare (*documenti, ecc.*) **7** bordare; profilare **8** rendere compatto; rassodare; amalgamare; far legare: **to b. the soil**, rendere compatto il terreno; *Add an egg to b. the mixture*, aggiungete un uovo per legare il composto **9** costipare (*l'intestino*) Ⓑ *v. i.* **1** rassodarsi; legare; coagularsi; amalgamarsi: *Heat makes clay b.*, il calore fa rassodare l'argilla **2** (*chim.*) legare **3** (*mecc.*) grippare, gripparsi; incepparsi; bloccarsi: *Rust has caused the lock to b.*, la serratura s'è bloccata per la ruggine ● **to b. oneself**, impegnarsi (*a fare qc.*); vincolarsi.

■ **bind down** *v. t.* + *avv.* vincolare; legare; obbligare.

■ **bind off** (*USA, nel lavoro a maglia*) *v. t.* e *i.* + *avv.* chiudere (un punto).

■ **bind out** *v. t.* + *avv.* (*spec. USA*) → **to bind**, **A**, *def. 4.*

■ **bind over** *v. t.* + *avv.* (*di solito al passivo*) (*leg.*, *in GB*) obbligare *a*: *He was bound over to keep the peace for two years*, dovette impegnarsi solennemente a tenere una buona condotta per due anni.

■ **bind up** *v. t.* + *avv.* **1** bendare; fasciare **2** avvolgere: **to b. st. up in cloth**, avvolgere qc. in un pezzo di stoffa **3** raccogliere e tirare su (*i capelli*) **4** legare, confezionare (*un pacco, ecc.*) **5** rilegare (*in un unico volume*).

binder /'baɪndə(r)/ *n.* **1** persona (*o* cosa) che lega **2** legatore, rilegatore (*di libri*): *The book is at the b.'s*, il libro è in legatoria (*o* è a rilegare) **3** (*chim.*, *ind. costr.*) legante; agglomerante **4** (*agric.*) (*un tempo*) mietilega, mietilegatrice (*dei covoni*) **5** (*ass.*) polizza d'assicurazione provvisoria **6** (*leg.*) caparra confirmatoria **7** raccoglitore; legatura mobile; fascicolatore (*per giornali, ecc.*) **8** (*edil.*) tirante.

bindery /'baɪndərɪ/ *n.* legatoria.

binding ① /'baɪndɪŋ/ *a.* **1** impegnativo; vincolante; obbligatorio: **a b. offer**, un'offerta vincolante; **legally b.**, vincolante per legge; **to have no b. force**, non essere vincolante **2** (*scient.*) legante; di legame: (*chim.*) **b. agent**, agente legante; (*fis.*) **b. energy**, energia di legame.

binding ② /'baɪndɪŋ/ *n.* ⓊⒸ **1** il legare; legatura **2** legatura, rilegatura (*d'un libro*); fascicolatura: **b. machine**, fascicolatrice (*macchina*) **3** nastro; bordo; bordura; laccio; fettuccia **4** (*chim.*, *ind. costr.*) legante; agglomerante **5** (*mecc.*) grippaggio; inceppamento **6** (*di sci*) attacco.

bindweed /'baɪndwi:d/ *n.* (*bot.*) rampicante (*del genere Convolvulus, ecc.*); convolvolo; vilucchio.

bine /baɪn/ *n.* **1** gambo di (pianta) rampicante **2** (pianta) rampicante.

binge /bɪndʒ/ *n.* (*fam.*) **1** gran bevuta; bisboccia; gozzoviglia; abbuffata frenetica: **a three-day b.**, una bisboccia durata tre giorni; tre giorni di gozzoviglie; **the Christmas b.**, le abbuffate del periodo natalizio; **to go on a b.**, fare bisboccia; darsi ai bagordi; ubriacarsi; gozzovigliare **2** attività svolta freneticamente; frenesia; abbuffata: **buying b.**, acquisti frenetici; spese folli; **b. drinking**, il bere un bicchiere dietro l'altro (*spec. dopo una settimana di semi-astinenza*); **b. eating**, abbuffate; attacchi bulimici.

to **binge** /bɪndʒ/ *v. i.* (*fam.*) ingozzarsi; abbuffarsi: **to b. on chocolate**, abbuffarsi di cioccolata ‖ **binger** *n.* (*fam.*) persona che si ingozza di qc.

bingo /'bɪŋgəʊ/ Ⓐ *n.* Ⓤ bingo (*gioco simile alla tombola*) Ⓑ *inter.* **1** tombola! **2** (*come escl.*) (*fam.*) oplà!; sorpresa!; tombola!; centro!

binman /'bɪnmən/ *n.* (*pl.* **binmen**) (*fam.*) spazzino; scopino; netturbino.

binnacle /'bɪnəkl/ *n.* (*naut.*) chiesuola.

binocs /bɪ'nɒks/ *n. pl.* (*fam.*) binocolo.

binocular /bɪ'nɒkjʊlə(r)/ *a.* binoculare: **b. vision**, visione binoculare.

binoculars /bɪ'nɒkjʊləz/ *n. pl.* (*anche*, *sing.*, **pair of b.**) binocolo.

binomial /baɪ'nəʊmɪəl/ (*mat.*) Ⓐ *a.* binomiale Ⓑ *n.* binomio.

bins /bɪnz/ *n. pl.* (*fam.*) binocolo.

binturong /'bɪntjurɒŋ/ *n.* (*zool.*, *Arctictis binturong*) binturong.

binuclear /baɪ'nju:klɪə(r)/, *USA* -'nu:-/, **binucleate** /baɪ'nju:klɪət/ (*spec. biol.*) *a.* binucleato.

bio ① /'baɪəʊ/ *a. attr.* **1** biologico; bio- **2** (*mil.*) batteriologico: **bio and chemical weapons**, armi chimiche e batteriologiche.

bio ② /'baɪəʊ/ *n.* (*fam.*) **1** biografia **2** biologia.

bioactivity /baɪəʊæk'tɪvɪtɪ/ (*biochim.*, *fisiol.*) *n.* Ⓤ bioattività ‖ **bioactive** *a.* bioattivo.

bioanalytical /baɪəʊænə'lɪtɪkl/ *a.* (*biol.*, *chim.*) bioanalitico: **b. chemistry**, chimica bioanalitica.

bioassay /baɪəʊə'seɪ/ *n.* (*chim.*, *biol.*) prova biologica.

bioastronautics /baɪəʊæstrə'nɔːtɪks/ *n. pl.* (col verbo al sing.) bioastronautica.

bioavailability /baɪəʊəveɪlə'bɪlətɪ/ (*bio-*

chim., *fisiol.*) n. ⃞ biodisponibilità || **bioavailable** a. biodisponibile.

bio-bibliography /ˌbaɪəʊbɪblɪˈɒɡrəfɪ/ n. biobibliografia.

biocatalyst /baɪəʊˈkætəlɪst/ n. (*biochim.*) biocatalizzatore.

biochemistry /baɪəʊˈkemɪstrɪ/ n. ⃞ biochimica || **biochemical** a. biochimico || **biochemist** n. biochimico.

biocide /ˈbaɪəʊsaɪd/ (*biol.*) n. ⃞ biocida || **biocidal** a. biocida.

bioclastic /baɪəʊˈklæstɪk/ a. (*geol.*) bioclastico.

bioclimatology /baɪəʊklaɪməˈtɒlədʒɪ/ n. ⃞ bioclimatologia.

biocoenosis /baɪəʊsɪˈnəʊsɪs/ n. (*ecol.*) biocenosi.

biocompatible /baɪəʊkəmˈpætɪbl/ a. biocompatibile || **biocompatibility** n. ⃞ biocompatibilità.

biocontamination /baɪəʊkəntæmɪˈneɪʃn/ n. biocontaminazione.

biocontrol /ˈbaɪəʊkəntrəʊl/ n. e a. attr. (*biol.*, contraz. di **biological control**) (dì o da) controllo biologico.

biodefence, (*USA*) **biodefense** /ˈbaɪəʊdɪfens/ n. ⃞ (*scient.*, *polit.*) difesa contro le armi biologiche; bio-difesa.

biodegradable /baɪəʊdɪˈɡreɪdəbl/ a. biodegradabile || **biodegradability** n. ⃞ biodegradabilità.

to **biodegrade** /baɪəʊdɪˈɡreɪd/ v. i. biodegradarsi || **biodegradation** n. ⃞ biodegradazione.

biodiesel /ˈbaɪəʊdiːsəl/ n. ⃞ (*autom.*) biodiesel (*gasolio con l'aggiunta di idrocarburi derivati da oli vegetali*).

biodiversity /baɪəʊdaɪˈvɜːsətɪ/ n. ⃞ biodiversità.

biodynamics /baɪəʊdaɪˈnæmɪks/ n. pl. (col verbo al sing.) biodinamica.

bioelectricity /baɪəʊɪlekˈtrɪsətɪ/ n. ⃞ bioelettricità || **bioelectric**, **bioelectrical** a. bioelettrico.

bioelectronics /baɪəʊɪlekˈtrɒnɪks/ n. pl. (col verbo al sing.) bioelettronica.

bioengineering /baɪəʊendʒɪˈnɪərɪŋ/ n. ⃞ bioingegneria || **bioengineer** n. bioingegnere.

bioequivalence /baɪəʊɪˈkwɪvələns/ (*biochim.*, *fisiol.*) n. bioequivalenza || **bioequivalent** a. bioequivalente.

bioethics /baɪəʊˈeθɪks/ n. pl. (col verbo al sing.) bioetica || **bioethical** a. bioetico.

biofeedback /baɪəʊˈfiːdbæk/ n. ⃞ (*psic.*) biofeedback.

biofuel /ˈbaɪəʊfjuːəl/ n. ⃞⃞ biocarburante.

biog /ˈbaɪɒɡ/ n. (*fam.*) biografia.

biogas /ˈbaɪəʊɡæs/ n. biogas.

biogenesis /baɪəʊˈdʒenəsɪs/ n. ⃞ biogenesi || **biogenetic** a. biogenetico.

biogenetics /baɪəʊdʒəˈnetɪks/ n. pl. (col verbo al sing.) biogenetica.

biogenic /baɪəʊˈdʒenɪk/ a. **1** biogenico **2** biogeno || **biogenous** a. biogeno.

biogeography /baɪəʊdʒɪˈɒɡrəfɪ/ n. ⃞ biogeografia.

biography /baɪˈɒɡrəfɪ/ n. ⃞ biografia || **biographee** n. biografato || **biographer** n. biografo || **biographic**, **biographical** a. biografico || **biographically** avv. biograficamente.

biohazard /ˈbaɪəʊhæzəd/ n. rischio biologico.

bioinformatician /baɪəʊɪnfəmæˈtɪʃn/ n. (*biol.*) bioinformatico; esperto di bioinformatica.

bioinformatics /baɪəʊɪnfɔːˈmætɪks/ n. pl. (col verbo al sing.) bioinformatica.

biol. abbr. **1** (**biological**) biologico **2** (**bi-**

ology) biologia (biol.).

biologic /baɪəˈlɒdʒɪk/ (*biol.*, *farm.*) **A** n. farmaco biologico **B** a. → **biological**.

biological, **biologic** /baɪəˈlɒdʒɪk(l)/ a. **1** (*biol.*) biologico: (*fisiol.*) **b. clock**, orologio biologico; **b. half-life**, emivita biologica **2** naturale; biologico: (*agric.*) **b. control**, lotta biologica (*contro i parassiti*); **b. detergent**, detersivo biologico; **b. parent**, genitore naturale **3** (*mil.*) batteriologico: **b. warfare**, guerra batteriologica | **-ly** avv.

◆**biology** /baɪˈɒlədʒɪ/ n. ⃞ biologia || **biologist** n. biologo.

bioluminescence /baɪəʊluːmɪˈnesns/ n. bioluminescenza.

biomarker /ˈbaɪəʊmɑːkə(r)/ n. (*med.*) biomarcatore.

biomass /ˈbaɪəʊmæs/ n. (*ecol.*) biomassa.

biomaterial /ˈbaɪəʊmətɪərɪəl/ n. (*biol.*) biomateriale.

biomathematics /ˈbaɪəʊmæθəˈmætɪks/ n. (col verbo al sing.) biomatematica.

biome /ˈbaɪəʊm/ n. (*ecol.*) bioma.

biomechanics /baɪəʊmɪˈkænɪks/ n. pl. (col verbo al sing.) biomeccanica.

biomedicine /baɪəʊˈmedsɪn/ n. ⃞ biomedicina || **biomedical** a. biomedico.

biometeorology /baɪəʊmiːtɪəˈrɒlədʒɪ/ n. ⃞ biometeorologia.

biometrics /baɪəʊˈmetrɪks/ n. pl. (col verbo al sing.), **biometry** n. ⃞ (*stat.*) biometria || **biometric**, **biometrical** a. biometrico: **biometric card**, carta di credito biometrica (*con le impronte digitali del titolare*) || **biometrician**, n. biometrista.

bionic /baɪˈɒnɪk/ a. (*scient. e fig. fam.*) bionico.

bionics /baɪˈɒnɪks/ n. pl. (col verbo al sing.) bionica.

bionomics /baɪəʊˈnɒmɪks/ n. pl. (col verbo al sing.) bionomia.

biopharmaceutical /baɪəʊfɑːməˈsjuːtɪkl/ (*biol.*, *farm.*) **A** a. biofarmaceutico **B** n. **biologic, A.**

biopharmaceutics /baɪəʊfɑːməˈsjuːtɪks, USA -ˈsuː-/ n. pl. (col verbo al sing.) biofarmaceutica.

biophotonics /baɪəʊfəʊˈtɒnɪks/ n. pl. (col verbo al sing.) biofotonica.

biophysics /baɪəʊˈfɪzɪks/ n. pl. (col verbo al sing.) biofisica || **biophysical** a. biofisico || **biophysicist** n. biofisico.

biopic /ˈbaɪəʊpɪk/ n. (*fam.*) film biografia.

biopiracy /ˈbaɪəʊpaɪrəsɪ/ n. ⃞ (*biol.*) biopirateria.

bioprocess /ˈbaɪəʊprəʊses/ n. (*biochim.*) bioprocesso.

biopsy /ˈbaɪɒpsɪ/ (*med.*) n. ⃞⃞ biopsia ● **bone marrow b.**, mielopuntura □ **needle b.**, agobiopsia.

bioreactor /baɪəʊrɪˈæktə(r)/ n. (*biol.*, *ind.*) bioreattore.

biorhythm /ˈbaɪəʊrɪðəm/ (*fisiol.*, *sport*) n. bioritmo || **biorhythmic** a. bioritmico.

biorobotics /baɪəʊrəʊˈbɒtɪks/ n. (col verbo al sing.) biorobotica.

BIOS /ˈbaɪɒs/ sigla (*comput.*, **basic input-output system**) sistema elementare di ingresso e uscita (BIOS).

bioscopy /baɪˈɒskəpɪ/ n. ⃞ (*med.*) bioscopia.

biosecurity /baɪəʊsɪˈkjʊərɪtɪ/ n. ⃞ (*biol.*, *ecol.*) biosicurezza.

biosensor /ˈbaɪəʊsensə(r)/ n. (*biol.*) biosensore.

biosimilar /baɪəʊˈsɪmɪlə(r)/ (*farm.*) **A** a. biosimilare **B** n. farma cobiosimilare.

biosocial /baɪəʊˈsəʊʃəl/ a. biosociale || **osociology** n. ⃞ biosociologia || **biosociologist** n. biosociologo.

biosphere /ˈbaɪəʊsfɪə(r)/ n. ⃞ biosfera.

biostatistics /baɪəʊstəˈtɪstɪks/ (*demogr.*) n. pl. (con il verbo al sing.) biostatistica || **biostatistician** n. biostatistico.

biosynthesis /baɪəʊˈsɪnθəsɪs/ n. ⃞ biosintesi.

biota /baɪˈəʊtə/ n. ⃞ (*ecol.*) biota.

biotech /ˈbaɪəʊtek/ n. ⃞ → **biotechnology**.

biotechnology /baɪəʊtekˈnɒlədʒɪ/ n. ⃞ (*genetica*) biotecnologia || **biotechnological** a. biotecnologico || **biotechnologist** n. biotecnologo.

bioterror /ˈbaɪəʊterə(r)/ n. → **bioterrorism**.

bioterrorism /baɪəʊˈterərɪzəm/ n. ⃞ bioterrorismo || **bioterrorist** n. bioterrorista.

biotherapy /baɪəʊˈθerəpɪ/ n. ⃞ (*med.*) bioterapia.

biotic /baɪˈɒtɪk/ a. (*ecol.*) biotico: **b. community**, comunità biotica; biocenosi.

biotin /ˈbaɪətɪn/ n. ⃞ (*biochim.*) biotina; vitamina H.

biotite /ˈbaɪətaɪt/ n. ⃞ (*miner.*) biotite.

biotope /ˈbaɪəʊtəʊp/ n. (*biol.*, *ecol.*) biotopo.

biotype /ˈbaɪətaɪp/ n. (*ecol.*) biotipo.

bioweapon /ˈbaɪəʊwepən/ n. (contraz. di **biological weapon**) arma biologica.

biparous /ˈbɪpərəs/ a. (*biol.*) biparo.

bipartisan /baɪpɑːtɪˈzæn/ a. bipartisan; consociativo; che vede unite la maggioranza e l'opposizione || **bipartisanship** n. ⃞ atteggiamento bipartisan; politica bipartisan; consociativismo.

bipartite /baɪˈpɑːtaɪt/ a. **1** (*bot.*) bipartito **2** costituito da due parti **3** (*polit.*) bipartitico; bipartito: **b. agreement**, accordo bipartitico.

bipartition /baɪpɑːˈtɪʃn/ n. ⃞ bipartizione.

bipedal /ˈbaɪpedl/ (*zool.*) a. bipede || **biped** a. e n. bipede.

biphasic /baɪˈfeɪzɪk/ a. (*scient.*) bifasico.

bipinnate /baɪˈpɪneɪt/ a. (*bot.*) bipinnato.

biplane /ˈbaɪpleɪn/ a. e n. (*aeron.*) biplano.

bipod /ˈbaɪpɒd/ n. (*mecc.*, *mil.*, *naut.*) bipiede: **the b. of a sub-machine gun**, il bipiede di un fucile mitragliatore.

bipolar /baɪˈpəʊlə(r)/ (*fis.*) a. bipolare ● (*med.*) **b. disorder**, disturbo bipolare || **bipolarity** n. ⃞ bipolarità.

biquadratic /baɪkwɒdˈrætɪk/ (*mat.*) **A** n. equazione biquadratica **B** a. biquadratico: **b. equation**, equazione biquadratica.

biracial /baɪˈreɪʃl/ a. che rappresenta o comprende due razze diverse (*spec. bianchi e neri*).

birational /baɪˈræʃənl/ a. (*mat.*) birazionale.

birch /bɜːtʃ/ n. **1** (= **b. tree**) (*bot.*, *Betula alba*) betulla: **b. rod**, verga di betulla (*usata per sferzare*) **2** – (*stor.*) **the b.**, l'uso della verga; fustigazione; frustate (pl.) || **birchen** a. di betulla.

to **birch** /bɜːtʃ/ v. t. (*stor.*) fustigare; sferzare.

◆**bird** /bɜːd/ n. **1** uccello; volatile: **b. of prey**, (uccello) rapace; uccello da preda; predatore; **b. feed**, mangime per uccelli; becchime; **b.'s nest**, nido d'uccello **2** (*fam.*) volatile commestibile: pollo, tacchino, gallina, fagiano, ecc.: *Put the b. in the oven*, metti il pollo in forno; informa la bestia (*scherz.*) **3** (*sport*) piattello (*nel tiro al piattello*) **4** (*fam. spec. USA*) aeroplano; astronave; razzo; satellite **5** (*fam. antiq.*) tipo, tipa; individuo: *He's a rum b.*, è un tipo strano; *She's a cunning old b.*, è una furbona **6** (*slang GB*) ragazza; tipa (*fam.*); pupa (*pop.*): **to pull the birds**, avere successo con le ragazze **7**

(*slang mil. USA*) aquila (*insegna di grado*) ● (*USA*) **b. banding**, inanellamento; anellamento □ (*fam.*) **b.-brained**, che ha un cervello di gallina; stupido; sciocco □ **b. call** → **birdcall** □ **b.-catcher**, uccellatore □ **b.-catching**, uccellagione □ (*slang USA*) **b. colonel**, colonnello (*che porta l'insegna dell'aquila*) □ (*USA*) **b. dog**, cane da penna; (*fam.*) investigatore (*incaricato di ritrovare q.*), segugio, cane da riporto □ **b. fancier**, avicoltore; venditore di uccelli; (*slang*) uno che corre dietro alle ragazze, donnaiolo □ **b. feeder**, distributore automatico di semi per uccelli □ (*med.*) **b. flu**, influenza aviaria; influenza dei polli □ (*USA*) **b. house**, nido artificiale (*di legno*) □ (*slang USA*) **b. in the air**, elicottero della polizia □ **b.-like**, di (*o da uccello*) □ **b. of ill omen**, uccello del malauguirio □ (*zool.*) **b. of paradise** (*Paradisea*), uccello del paradiso □ **b. of passage**, uccello di passo (*o migratore*); (*fig. GB*) uno che non si ferma mai a lungo in un posto, visitatore di passaggio □ **b. ringing**, inanellamento; anellamento □ **b. sanctuary**, riserva per uccelli □ (*eufem. o scherz.*) **the birds and the bees**, i rudimenti del sesso; i fatti della vita □ (*bot.*) **b.'s-eye** (*Veronica chamaedrys*), veronica maggiore □ **b.'s eye view**, veduta dall'alto, a volo d'uccello (*d'una città, ecc.*); (*fig.*) visione globale □ (*cucina*) **b.'s-nest soup**, zuppa di nidi di rondine □ (*fig.*) **birds of a feather**, individui dello stesso stampo; individui della stessa risma □ **b. shot**, pallini da caccia □ (*aeron.*) **b.-strike**, collisione di un aereo con uno stormo di uccelli □ (*GB*) **b. table**, piccola piattaforma su cui porre becchime per gli uccelli □ **b.-watcher**, ornitologo dilettante (*che osserva gli uccelli*); bird-watcher □ **b.-watching**, osservazione degli uccelli; bird-watching □ (*fam. GB*) **away with the birds**, fuori di testa; giù di testa; matto; tocco □ (*slang GB*) **to do b.**, essere in galera; essere dentro □ **an early b.**, un tipo mattiniero □ **to eat like a b.**, mangiare come un uccellino □ (*fam. USA*) (**strictly**) **for the birds**, senza valore, sballato; idiota; buono per i merli □ (*slang*) **to get the b.**, essere licenziato; essere cacciato; (*GB*) essere fischiato, essere spernacchiato, essere stroncato □ (*slang*) **to give sb. the b.**, licenziare q., dare il benservito a q.; (*GB*) fischiare q., spernacchiare q., stroncare q. □ (*slang USA*) **to give** (*o to flip*) **sb. the b.**, mostrare a q. il medio tenuto ritto con le altre dita ripiegate (*gesto sconcio*); fare un gesto sconcio a q. □ (*fam. USA*) **to have a b.**, dare fuori di matto (*per ira o agitazione*); dare in smanie □ (*fam.*) **The b. has flown**, l'uccello ha preso il volo (*fig.*) □ **to kill two birds with one stone**, prendere due piccioni con una fava □ (*fam.*) **A little b. told me**, me l'ha detto l'uccellino □ (*prov.*) **A b. in the hand is worth two in the bush**, meglio un uovo oggi che una gallina domani □ (*prov.*) **Birds of a feather flock together**, ogni simile ama il suo simile □ (*prov.*) **The early b. catches the worm**, il mattino ha l'oro in bocca; chi dorme non piglia pesci.

to **bird** /bɜːd/ *v. i.* andare a caccia di uccelli; uccellare.

birdbath /'bɜːdbɑːθ/ *n.* vaschetta per uccelli (*in giardino, ecc.*).

birdbrain /'bɜːdbreɪn/ *n.* (*fam.*) persona stupida, sciocca; cervello di gallina.

birdcage /'bɜːdkeɪdʒ/ *n.* **1** gabbia per uccelli; uccelliera **2** (*fam. USA*) cella di prigione; gabbia.

birdcall /'bɜːdkɔːl/ *n.* **1** ⓤ richiamo (*o verso*) di uccello **2** richiamo per uccelli; strumento che imita il richiamo di un uccello.

to **bird-dog** /'bɜːdɒɡ/ (*slang*) **Ａ** *v. t.* **1** seguire; pedinare **2** andare a caccia di **Ｂ** *v. i.* fare ricerche (*per conto di q.*).

birder /'bɜːdə(r)/ *n.* (*USA*) **1** ornitologo dilettante; birdwatcher **2** allevatore di uccelli.

birdie /'bɜːdɪ/ *n.* **1** (*fam.*) uccellino **2** (*golf*) «birdie» (*buca fatta con un colpo sotto la norma*).

birdlime /'bɜːdlaɪm/ *n.* ⓤ vischio; pania.

birdman /'bɜːdmæn/ *n.* (*pl.* **birdmen**) **1** ornitologo **2** uccellatore **3** (*fam. USA*) aviatore.

birdseed /'bɜːdsiːd/ *n.* ⓤ mangime per uccelli; becchime.

birdsong /'bɜːdsɒŋ/ *n.* ⓤ canto degli uccelli.

birefringent /baɪrɪ'frɪndʒənt/ (*fis.*) *a.* birifrangente || **birefringence** *n.* ⓤ birifrangenza; birifrazione.

bireme /'baɪriːm/ *n.* (*stor.*) bireme.

biretta /bɪ'retə/ *n.* berretta da prete.

to **birl** /bɜːl/ *v. t.* (*scozz.*) far ruotare; far piroettare.

Biro® /'baɪərəʊ/ *n.* (*pl.* **biros**) biro; penna a sfera.

♦**birth** /bɜːθ/ *n.* ⓒⓤ **1** nascita: **at b.**, alla nascita; **deaf from b.**, sordo dalla nascita: **b. date**, data di nascita; **b. weight**, peso alla nascita **2** parto: **a difficult b.**, un parto difficile **3** (*al pl.*) (*demogr.*) nascite; nati **4** nascita; origine; discendenza; natali; lignaggio: *English by b.*, inglese di nascita; **of noble b.**, di nobili natali; di alto lignaggio; *I'm proud of my b.*, sono orgoglioso delle mie origini **5** (*fig.*) nascita; inizio; origine; principio: **the b. of a party**, la nascita di un partito ● **b. canal**, canale del parto □ **b. certificate**, certificato (*o atto*) di nascita □ **b. control**, controllo delle nascite; contraccezione; metodi (*pl.*) contraccettivi: **b. control method**, metodo contraccettivo; **to practice b. control**, usare metodi contraccettivi □ **b. parent**, genitore naturale □ **b. register**, registro delle nascite □ **b. sign**, (il proprio) segno zodiacale □ **to give b. to**, mettere al mondo, dare alla luce, partorire; (*fig.*) produrre, causare.

♦**birthday** /'bɜːθdeɪ/ *n.* **1** compleanno: **my twentieth b.**, il mio ventesimo compleanno; *It's my mother's b. today*, oggi è il compleanno di mia madre; **to share a b. with sb.**, compiere gli anni lo stesso giorno di q.; **b. cake**, torta di compleanno; **b. card**, biglietto di auguri per un compleanno; **b. party**, festa di compleanno; *Would you like to come to my b. party on Saturday?*, ti piacerebbe venire alla mia festa di compleanno sabato?; *When is your b.?*, quand'è il tuo compleanno? **2** (*fig.*) anniversario della nascita, della fondazione, ecc. ● (*in GB*) **B. Honours**, onorificenze conferite il giorno del compleanno ufficiale del sovrano □ (*scherz.*) **in one's b. suit**, nudo; in costume adamitico.

birthing pool /'bɜːθɪŋ puːl/ *loc. n.* vasca da parto.

birthmark /'bɜːθmɑːk/ *n.* macchia (*sulla pelle*); voglia.

birthplace /'bɜːθpleɪs/ *n.* **1** luogo di nascita; luogo nativo **2** (*fig.*) luogo di origine; culla.

birthrate /'bɜːθreɪt/ *n.* (*demogr.*) indice (*o tasso*) di natalità.

birthright /'bɜːθraɪt/ *n.* (*leg.*) **1** diritto di nascita **2** primogenitura.

birthwort /'bɜːθwɜːt/ *n.* (*bot.*, *Aristolochia clematitis*) aristolochia.

BIS *sigla* (**Bank of International Settlements**) Banca dei regolamenti internazionali (BRI).

Biscay /'bɪskeɪ/ *n.* (*geogr.*) Biscaglia.

♦**biscuit** /'bɪskɪt/ *n.* **1** (*GB*) biscotto **2** (*USA*) focaccina dolce **3** (*ind.*) biscotto; biscuit **4** ⓤ color biscotto □ (*slang GB*) **That takes the b.!**, questo è il colmo!; questa le batte tutte!

to **bisect** /baɪ'sekt/ **Ａ** *v. t.* **1** tagliare in

due **2** (*geom.*) bisecare **Ｂ** *v. i.* **1** biforcarsi **2** (*geom.*) bisecarsi || **bisecting** *a.* (*geom.*) bisecante || **bisection** *n.* ⓤⓒ (*geom.*) bisezione || **bisector** *n.* (*geom.*) bisettrice; bisecante.

bisexual /baɪ'sekʃʊəl/ **Ａ** *a.* **1** (*biol.*) bisessuale **2** bisessuale; bivalente (*sessualmente*) **Ｂ** *n.* **1** (*biol.*) ermafrodito **2** bisessuale; persona bivalente || **bisexuality** *n.* ⓤ **1** (*biol.*) bisessualità **2** bisessualità; bivalenza sessuale.

♦**bishop** /'bɪʃəp/ *n.* **1** vescovo **2** (*scacchi*) alfiere || **bishopric** *n.* **1** diocesi **2** episcopato; vescovado.

bismuth /'bɪzməθ/ *n.* ⓤ (*chim.*) bismuto.

bison /'baɪsn/ *n.* (*pl.* **bison**, **bisons**) (*zool.*, *Bison*) bisonte.

bisque① /bɪsk/ *n.* (*sport*, *spec. croquet*) vantaggio di un punto o della battuta, per ogni partita (*concesso al giocatore più debole nel momento di sua scelta*).

bisque② /bɪsk/ *n.* (*ind.*) biscuit, biscotto (*ceramica non verniciata*).

bisque③ /bɪsk/ *n.* (*cucina*) zuppa di crostacei.

bissextile /bɪ'sekstaɪl/ **Ａ** *a.* bisestile **Ｂ** *n.* anno bisestile.

bistable /baɪ'steɪbl/ (*fis.*) *a.* bistabile || **bistability** *n.* ⓤ bistabilità.

bister /'bɪstə(r)/ (*USA*) → **bistre**.

bistort /'bɪstɔːt/ *n.* (*bot.*, *Polygonum bistorta*) bistorta.

bistoury /'bɪstərɪ/ *n.* (*med.*) bisturi.

bistre, (*USA*) **bister** /'bɪstə(r)/ **Ａ** *n.* ⓤ bistro **Ｂ** *a.* color bistro.

bistro /'biːstrəʊ/ (*franc.*) *n.* bistrot; bistrò.

bisulphate /baɪ'sʌlfeɪt/ *n.* (*chim.*) bisolfato.

bisulphite /baɪ'sʌlfaɪt/ *n.* (*chim.*) bisolfito.

♦**bit**① /bɪt/ *n.* **1** pezzo; pezzetto; frammento: **a bit of string**, un pezzo di spago; **bits of paper**, pezzetti di carta; **bits of broken china**, frammenti di porcellana; *He ate every bit of his cake*, mangiò il dolce fino all'ultimo boccone **2** parte; pezzo; punto; episodio; brano; scena: **the bit about the storm**, (*in un film, un romanzo, ecc.*) l'episodio della tempesta; **the best bit in the whole play**, la scena migliore della commedia **3** (*davanti ad alcuni sostantivi non numerabili indica l'unità*) – **a bit of information**, un'informazione; **a bit of good news**, una bella notizia; **every single bit of evidence**, ogni singola prova; **few bits of furniture**, pochi mobili **4** – **a bit**, un po'; un poco: **a bit of fun**, un po' di divertimento; **a bit of money**, un po' di soldi; **a bit annoyed**, un po' seccato; **a bit too short**, un po' troppo corto; *I'd like to hear a bit more about it*, vorrei saperne un po' di più; *I did a bit of teaching*, ho insegnato per qualche tempo; ho fatto un po' di insegnamento; *I think it needs a bit more salt*, credo che manchi un pizzico di sale; *Wait a bit*, aspetta un po' (*o un momento*); **for a bit**, per un po'; **quite a bit**, un bel po'; parecchio **5** (*con un attr.*) (*fam.*) comportamento; scena; numero; solfa; messinscena; manfrina (*fam.*): *He's into his martyr bit again*, ha riattaccato a fare il martire; *I hate the whole publicity bit*, odio tutta la pubblicità **6** (*fam. GB*) moneta (*di basso valore*): **a sixpenny bit**, una moneta da sei pence (*prima della decimalizzazione*) **7** (*fam. USA*) 12,50 centesimi di dollaro: **two bits**, un quarto di dollaro; **four bits**, mezzo dollaro **8** (*teatr.*) = **bit part** → *sotto* **9** (*slang*) ragazza; donna; bambola; pupa **10** (*slang USA*) condanna al carcere: **a 60-day bit**, una condanna a due mesi **11** (*al pl.*) (*fam. GB*) genitali maschili; affari; pendagli (*fam.*). ● **a bit at a time** (*o* **bit by bit**), un po' alla volta; a poco a poco □ **a bit much**, un po' troppo; una pretesa esa-

gerata: *I think it's a bit much expecting me to work on a Saturday*, mi pare un po' troppo pretendere che lavori di sabato □ **a bit of a**, un certo; un discreto; un po': **a bit of a bore**, un discreto seccatore; *It was a bit of a disappointment*, è stata un po' una delusione; *He's a bit of a painter*, dipinge un po' □ (*fam. GB*) **a bit of all right** (*o of crumpet, of skirt*), una bella ragazza; un bel pezzo di ragazza □ (*fam. GB*) **a bit of a lad**, un donnaiolo; un sottaniere □ (*GB*) **a bit on the side**, una scappatella coniugale □ (*teatr.*) **bit part**, particina; comparsata □ (*teatr.*) **bit player**, attore che fa particine □ **a bit thick → a bit much** □ (*fam.*) **bits and pieces**, frammenti; pezzetti; poca roba; (*anche* **bits and bobs**) cose varie, oggetti vari, aggeggi vari, roba, armamentario, cianfrusaglie, carabattole: **the few bits and pieces that still remain**, le poche cose che ancora restano; *She left taking all her bits and pieces with her*, se n'è andata prendendo con sé tutte le sue cose (*o* il suo armamentario) □ (*fam. GB*) **to do one's bit**, fare il proprio dovere; fare la propria parte □ **every bit as**, altrettanto; tanto (quanto); non meno (di): *My work is every bit as good as his*, il mio lavoro è altrettanto buono quanto il suo (*o* non è di meno del suo) □ **every little bit of it**, tutto quanto □ **a fair bit**, un bel po'; una discreta quantità □ **to give sb. a bit of one's mind**, dirne quattro a q. □ **not a bit**, per nulla; niente affatto: **not a bit afraid**, per nulla impaurito; *He's not a bit like his brother*, non assomiglia affatto a sua fratello □ **Not a bit of it!**, macché!; niente affatto!; neanche per sogno!; (*come risposta a un ringraziamento*) ma di nulla!, si figuri! □ **to bits**, in mille pezzi; in briciole: **to be falling to bits**, cadere a pezzi; *The vase was shattered to bits*, il vaso andò in mille pezzi; *The house was blown to bits*, la casa fu disintegrata dall'esplosione □ (*fam.*) **to bits**, moltissimo; da morire; da pazzi: *I love her to bits*, le voglio un bene dell'anima; l'amo da morire □ (*slang USA*) **the whole bit**, tutto quanto.

bit② /bɪt/ n. **1** morso (*finimento*) **2** punta (*di trapano*) **3** tagliente (*di pialla*) **4** morsa (*di tenaglie*) **5** ingegno (*di chiave*) • **to champ** (*o to chafe*) **at the bit**, essere impaziente; mordere il freno □ **to get** (*o to take*) **the bit between one's teeth**, cominciare con entusiasmo; mettercisi di buzzo buono; partire in quarta.

bit③ /bɪt/ pass. e p. p. di **to bite**.

bit④ /bɪt/ n. (*mat., comput.*) bit; cifra binaria • **bit density**, densità di bit □ **bit handling**, manipolazione di bit □ **bit pattern**, configurazione binaria □ **bit rate**, velocità di trasmissione di bit.

to **bit** /bɪt/ v. t. **1** mettere il morso a (*un cavallo*) **2** (*fig.*) imbrigliare; frenare.

bitartrate /baɪˈtɑːtreɪt/ n. (*chim.*) bitartrato.

bitch /bɪtʃ/ n. **1** cagna; lupa; volpe femmina **2** (*fam.*) donna odiosa; strega; stronza (*pop.*): *My boss is a b.*, la mia capa è una stronza; *You lying b.!*, sporca bugiarda! **3** (*spreg., arc.*) puttana; cagna **4** (*slang USA*) – **a b.**, cosa difficile; rogna; grana; casino; rottura: *This is going to be a b. to fix*, sarà un bel casino aggiustarlo; *This drawer is a b. to open*, questo stronzo di cassetto non si apre **5** (*slang USA*) cosa schifosa; schifo **6** (*slang USA*) reclamo; protesta: **to pitch a b.**, fare reclamo; piantare una grana; fare casino • (*fam. spec. USA*) **b. slap**, ceffone (*dato spec. a una donna*); (*fig.*) schiaffo, critica pesante, insulto.

to **bitch** /bɪtʃ/ (*slang*) **A** v. i. **1** lagnarsi; lamentarsi; brontolare; mugugnare; rompere **2** criticare; dire malignità; sparlare: **to b. about sb.**, criticare q.; **to b. at each other**, beccarsi; bisticciare **B** v. t. (*anche* **to b. up**)

rovinare; incasinare (*pop.*); mandare a puttane (*volg.*).

■ **bitch off** v. i. + avv. (*slang*) fare imbestialire; fare incazzare (*volg.*).

bitchen /ˈbɪtʃɪn/ a. → **bitching**.

bitchery /ˈbɪtʃərɪ/ n. ⓤ (*fam.*) **1** malignità; cattiveria **2** maldicenze (pl.); malignità (pl.); cattiverie (pl.).

bitching /ˈbɪtʃɪŋ/ (*slang USA*) **A** a. fantastico; strepitoso; da sballo; in gambissima **B** avv. moltissimo; da matti; da sballo.

bitchslap /ˈbɪtʃslæp/ n. = **bitch-slap → bitch**.

bitchy /ˈbɪtʃɪ/ a. (*fam.*) maligno; cattivo; stronzo (*fam.*) ‖ **bitchily** avv. malignamente; con cattiveria; in modo stronzo (*fam.*) ‖ **bitchiness** n. ⓤ malignità; cattiveria; stronzaggine (*fam.*).

♦**bite** /baɪt/ n. ⓒⓤ **1** (l')addentare; morso; morsicatura: **a playful b.**, un morso dato per gioco **2** morso; boccone: **to take a b. out of st.**, staccare un morso da qc. **3** spuntino; boccone: *I had a b. before coming here*, ho mangiato un boccone prima di venire; *Do you want to get a b. to eat?*, ti va di mettere qualcosa sotto i denti? **4** (*cucina*) pezzetto; bocconcino: **cheese bites**, bocconcini di formaggio **5** morso; morsicatura; puntura: **snake b.**, morso di serpente; **mosquito bites**, punture di zanzara **6** sapore forte o aspro **7** mordente; forza **8** (*dell'aria, del vento*) morso: *There's a b. in the air*, c'è un'aria pungente; fa freschetto **9** (*odontoiatria*) chiusura (*dei denti, della mascella*) **10** (*odontoiatria*) impronta **11** (*fotoincisione*) morsura; acidatura **12** (*pesca*) abbocco: *Getting any bites?*, abboccano? **13** (*slang USA*) somma spettante; parte; fetta **14** (*slang USA*) costo; prezzo; somma da pagare • **bites of information**, (brevi) informazioni □ **b.-size** (*o* **b.-sized**) (agg.), piccolo; breve; corto: **to cut into b.-sized pieces**, tagliare a cubetti □ (*fam. USA e Austral.*) **to put the b. on sb.**, chiedere un prestito a q.; bussare a soldi con q.; dare una stoccata a q. □ (*fam. GB*) **a second b. at the cherry**, una seconda occasione □ (*fam.*) **to take a b. out of**, ridurre considerevolmente; essere un salasso per.

♦to **bite** /baɪt/ (pass. **bit**, p. p. **bitten**, **bit**) **A** v. t. **1** mordere; addentare; azzannare: *My dog bites*, il mio cane morde; *The cat bit my finger*, il gatto mi morse il dito; **to b. a thread in two**, spezzare un filo con i denti; (*scherz.*) *I'm not going to b. you!*, non mordo mica! **2** (*di insetto, animale con chele, ecc.*) pungere; mordere; pizzicare **3** staccare con un morso: *I bit a large piece out of the roll*, diedi un grosso morso al panino **4** (*di acido*) corrodere; intaccare **5** (*di rimprovero*) ferire; pungere **6** tormentare; assillare; irritare: *What's biting you?*, che hai?; cosa c'è che non va? **7** (al passivo) (*fam.*) essere imbrogliato; farsi fregare; farsi bidonare **B** v. i. **1** (*di pesce*) abboccare **2** lasciarsi convincere; accettare; crederci; abboccare **3** (*di ruota, utensile, ecc.*) far presa; prendere; mordere **4** (*naut.: dell'ancora*) mordere; tenere **5** (*di situazione, misura, ecc.*) farsi sentire (*spiacevolmente*): *The recession is beginning to b.*, la recessione comincia a farsi sentire • (*fam.*) **to b. the bullet**, stringere i denti e affrontare q.; farsi forza □ **to b. the dust**, mordere la polvere; (*anche*) essere ucciso □ **to b. the hand that feeds one**, essere ingrato verso un benefattore; sputare nel piatto in cui si mangia □ (*fig.*) **to b. one's lip**, mordersi le labbra □ **to b. one's nails**, mangiarsi le unghie □ **to b. one's tongue**, mordersi la lingua (*per non parlare*) □ (*fam.*) **to be bitten by the...**, bug, essere conquistato da (*un'attività, uno hobby, ecc.*); appassionarsi a; diventare un patito di □ (*prov.*) **Once bitten, twice shy**, il gatto scottato teme l'acqua

fredda ‖ **biter** n. chi morde • **the biter bitten** (*o bit*), il gabbatore gabbato; i pifferi di montagna; chi la fa l'aspetti.

■ **bite at** v. i. + prep. fare l'atto (*o cercare*) di mordere.

■ **bite back** v. t. + avv. **1** restituire un morso a **2** trattenersi dal dire: *I bit my remark back*, trattenni il commento che stavo per fare; **to b. one's words back**, mordersi le labbra; trattenersi.

■ **bite into** v. i. + prep. **1** addentare; dare un morso a: *I bit into my sandwich*, addentai il sandwich **2** penetrare in; intaccare; mordere **3** (*chim.: di acido*) corrodere.

■ **bite off** v. t. + avv. **1** staccare (*o portar via*) con un morso **2** interrompere (*un'osservazione*) □ (*fam.*) **to b. off more than one can chew**, fare il passo più lungo della gamba □ (*fam.*) **to b. sb.'s head off**, rispondere male a q.; arrabbiarsi con q.; saltare addosso a q.

■ **bite on** v. i. + prep. **1** stringere tra i denti; mordere: *Teething babies need something to b. on*, i bambini che mettono i denti hanno bisogno di qualcosa da mordere **2** (*di ruota, ecc.*) far presa su **3** (*di tassa, ecc.*) colpire.

biting /ˈbaɪtɪŋ/ a. **1** (*di insetto, ecc.*) che morde; che punge **2** (*del freddo*) pungente; (*del vento*) tagliente, sferzante **3** mordace; caustico; sferzante; sarcastico: **b. remarks**, osservazioni sarcastiche • **-ly** avv.

bitmap /ˈbɪtmæp/ n. (*comput.*) bitmap; immagine.

bitonal /baɪˈtəʊnəl/ (*mus.*) a. bitonale ‖ **bitonality** n. ⓤ bitonalità.

bitt /bɪt/ n. (gener. al pl.) (*naut.*) bitta.

to **bitt** /bɪt/ v. t. (*naut.*) abbittare.

bitten /ˈbɪtn/ p. p. di **to bite**.

♦**bitter**① /ˈbɪtə(r)/ **A** a. **1** amaro: **b. chocolate**, cioccolato amaro (*o fondente*) **2** (*del freddo, ecc.*) aspro; pungente; **a b. winter**, un inverno aspro; **a b. wind**, un vento pungente **3** risentito; arrabbiato; acrimonioso: *He still feels b. about the way he was treated*, è ancora risentito per come l'hanno trattato **4** addolorato; doloroso; duro; amaro: **a b. disappointment**, un'amara delusione; **b. hardships**, privazioni dolorose; **b. experience**, dura esperienza; **b. tears**, lacrime amare; **b. truths**, verità sgradevoli **5** aspro; accanito; feroce: **b. enmity**, aspra inimicizia; **b. hatred**, odio accanito; **b. fighting**, aspri combattimenti; **a b. quarrel**, un'aspra lite **B** n. **1** ⓤ sapore amaro; amaro **2** ⓤ (*GB*) birra amara **3** (al pl.) amaro (*bevanda*); bitter • **b. apple**, coloquintide □ (*GB*) **b. lemon**, limonata amara □ **b. orange**, arancia amara □ (*fig.*) **a b. pill to swallow**, una pillola amara da ingoiare □ **b.-sweet → bittersweet**.

bitter② /ˈbɪtə(r)/ n. (*naut.*) volta (*o giro*) di bitta • (*naut.*) **b. end**, estremità (*del cavo o della catena dell'ancora*) □ (*fig.*) **to the b. end**, fino in fondo; fino alla fine; a oltranza: **to fight to the b. end**, battersi a oltranza; **to struggle on to the b. end**, lottare fino alla fine; non mollare □ (*fam.*) **b.-ender**, uno che tiene duro; oltranzista.

bitterish /ˈbɪtərɪʃ/ a. amarognolo.

bitterling /ˈbɪtəlɪŋ/ n. (*zool., Rhodeus amarus*) rodeo (*pesce*).

bitterly /ˈbɪtəlɪ/ avv. **1** amaramente; duramente: **b. disappointed**, amaramente deluso; **to regret st. b.**, rimpiangere amaramente qc. **2** intensamente; fortemente; aspramente; ferocemente: **to hate st. b.**, odiare qc. ferocemente; **to be b. critical of sb.**, criticare aspramente q.; **b. opposed to st.**, fortemente contrario a q. **3** con risentimento; con astio; con rabbia **4** in modo pungente, aspro, ecc.: *It's b. cold*, fa un freddo pungente.

b

bittern ① /'bɪtən/ n. (zool., Botaurus stellaris) tarabuso.

bittern ② /'bɪtən/ n. (chim.) acqua madre.

bitterness /'bɪtənəs/ n. ▢ **1** amarezza; sapore amaro **2** acredine; rabbia; acrimonia; rancore **3** amarezza; pena **4** intensità; asprezza.

bittersweet /'bɪtəswiːt/ △ a. **1** agrodolce (anche fig.) **2** (di cioccolata) «demi-amer» (franc.) ᴮ n. (bot., Solanum dulcamara) dulcamara.

bitty /'bɪtɪ/ a. **1** (GB) frammentario; disorganico; spezzettato **2** (fam. USA) piccolo; piccino.

bitumen /'bɪtʃəmɪn, USA bɪ'tuːmən/ n. ▢ bitume • b. sprinkler, bitumatrice ‖ **bituminous** a. bituminoso.

to **bituminize** /'bɪtʃəmɪnaɪz, USA -tʊ-/ v. t. **1** bitumare, bituminare **2** bitumizzare; trattare con bitume ‖ **bituminization** n. ▢ **1** bitumatura **2** bitumizzazione.

bituminized /'bɪtʃəmɪnaɪzd/ a. trattato con bitume • b. felt, cartonfeltro.

bivalence /baɪ'veɪləns/ (chim.) n. ▢ bivalenza ‖ **bivalent** a. bivalente.

bivalve /'baɪvælv/ (zool., bot.) a. e n. bivalve ‖ **bivalved** a. bivalve.

bivouac /'bɪvuæk/ n. bivacco.

to **bivouac** /'bɪvuæk/ (part. pres. **bivouacking**, pass. e p. p. **bivouacked**), v. i. bivaccare.

biweekly /baɪ'wiːklɪ/ △ a. **1** quindicinale **2** (improprio) bisettimanale ᴮ n. pubblicazione quindicinale (o bisettimanale) ᴄ avv. **1** ogni due settimane **2** due volte la settimana.

biyearly /baɪ'jɪəlɪ/ △ a. **1** biennale **2** (improprio) semestrale ᴮ avv. **1** ogni due anni **2** ogni sei mesi; semestralmente.

biz /bɪz/ n. ▢ (abbr. slang di **business**) attività; mestiere; ambiente, mondo professionale: **the music biz**, il mondo musicale • (slang) **to do the biz**, funzionare; avere successo; riuscire.

bizarre /bɪ'zɑː(r)/ a. bizzarro; eccentrico; stravagante | **-ness** n. ▢.

bizarrely /bɪ'zɑːlɪ/ avv. bizzarramente; in modo eccentrico • **b. enough**, stranamente; curiosamente.

bizarrerie /bɪ'zɑːrərɪ/ (franc.) n. ▢ bizzarria; eccentricità.

bk abbr. **1** (**bank**) banca **2** (**book**) libro.

BL sigla **1** (**Bachelor of Law**) laureato in legge (laurea di 1º grado) **2** (**Barrister-at-Law**) patrocinatore legale (a tutti i livelli) **3** (GB, **British Library**) Biblioteca nazionale britannica.

Bl. abbr. (relig., **Blessed**) Beato.

B/L, b/l, b.l. sigla (comm., **bill of lading**) polizza di carico.

blab /blæb/ n. ▢ **1** chiacchiere; ciance **2** chiacchierone.

to **blab** /blæb/ △ v. i. **1** blaterare; cianciare; parlare troppo **2** (fam.) rivelare un segreto; raccontare tutto ᴮ v. t. rivelare (un segreto), spiattellare; spifferare.

blabber /'blæbə(r)/ n. **1** ▢ chiacchiere (pl.); ciance (pl.) **2** pettegolezzi (pl.) **3** → **blabbermouth**.

to **blabber** /'blæbə(r)/ v. i. **1** parlare troppo; cianciare **2** fare pettegolezzi; spiattellare segreti.

blabbermouth /'blæbəmaʊθ/ n. (fam.) **1** chiacchierone **2** pettegolo.

♦ **black** /blæk/ △ a. **1** (di color) nero: **a b. skirt**, una gonna nera; **b. smoke**, fumo nero; **b. ants**, formiche nere; **The sky was b.**, il cielo era nero **2** (di caffè o tè) nero; senza latte **3** (anche **B.**) nero; dei neri; (in USA, anche) afroamericano: **two b. men**, due neri; **a b. American**, un nero americano; un afroa-

mericano; **b. English**, dialetto inglese parlato dai neri americani; **B. Studies**, studi afroamericani; **the b. vote**, il voto dei neri (o degli afroamericani) **4** nero; cupo; tetro; brutto; truce; orribile; tragico: **a b. day**, un giorno nero; un giorno orribile; **b. despair**, nera disperazione; **to be in a b. mood**, essere di umor nero; **Things look b.**, la situazione è grave; **to paint a b. picture of st.**, fare un quadro nero di qc. **5** furioso; nero; minaccioso: **a b. look**, un'occhiata furiosa; un'occhiataccia; **to be b. in the face**, avere l'aria furiosa; **to look as b. as thunder**, essere infuriato; avere una faccia da temporale **6** (antiq.) malvagio; nero: **b. deeds**, azioni malvage; malefatte; **b. ingratitude**, nera ingratitudine; **b.-hearted**, dall'anima nera; malvagio **7** illegale; nero; in nero; sommerso, sporco: **b. economy**, economia sommersa; **b. market**, mercato nero; borsa nera; **b. marketeer**, borsanerista; borsaro nero; **b. money**, denaro sporco **8** (antiq., GB) boicottato (dai sindacati in sciopero): **b. goods**, merci boicottate. ᴮ n. **1** ▢ nero (colore o sostanza): **painted in b. and yellow**, dipinto di giallo e nero **2** ▢ abiti (pl.) neri; nero: **to dress in b.**, vestire di nero; **to put on b.**, vestirsi a lutto; mettere il lutto **3** ▢ oscurità; nero; buio **4** (scacchi e dama: **B.**) il Nero **5** (biliardo) palla nera **6** (anche **B.**) nero; persona di pelle nera. • **B. Africa**, l'Africa nera ▢ **b. and blue**, coperto di lividi: **to beat sb. b. and blue**, riempire q. di lividi ▢ **b. and tan** (sost.), varietà di terrier (cane); (GB) miscela di birra amara e di birra forte; (stor.) **the B. and Tans**, i Black and Tans ❶ CULTURA • **Black and Tans**: il corpo britannico di ausiliari formato in gran parte da ex militari, inviato in Irlanda nel 1920 a sostegno della Royal Irish Constabulary, la polizia irlandese, e famoso per la durezza dei suoi metodi repressivi; così chiamato dai colori dell'uniforme ▢ **b. and white**, (fotogr., TV, cinem.) in bianco e nero; (fig.) assolutistico, senza sfumature ▢ **the b. art**, la magia nera; la negromanzia ▢ (zool.) **b. bear** (Ursus americanus), orso nero ▢ (fam. GB) **b. beetle**, scarafaggio ▢ (judo, karate) **b. belt**, cintura nera ▢ (med. stor.) **b. bile**, bile nera; atrabile ▢ (fis.) **b. body**, corpo nero ▢ (mus.) **b. bottom**, black bottom (danza diffusa in USA negli anni Venti) ▢ (aeron.) **b. box**, scatola nera ▢ (fig.) strumento misterioso; sistema occulto ▢ (lett.) **b.-browed**, adirato; scuro in viso ▢ (bot.) **b. bryony** (Tamus communis), tamaro; vite nera ▢ (cucina) **b. butter**, burro color nocciola con aceto ▢ (scherma) **b. card**, cartellino nero (dell'arbitro) ▢ **the B. Continent**, il continente nero ▢ (in GB) **the B. Country**, la zona industriale delle Midlands occidentali ▢ (stor.) **the B. Death**, la peste nera ▢ (miner.) **b. diamond**, carbonado ▢ (fam.) **b. dog**, depressione; melanconia ▢ **b. eye**, occhio nero, occhio pesto: **to give sb. a b. eye**, fare un occhio nero a q. ▢ **b.-eyed bean**, fagiolo dall'occhio (o con l'occhio nero) ▢ **b. flag**, (stor.) bandiera nera (dei pirati, ecc.); (autom.) bandierina nera ▢ (zool.) **b. fly** → **blackfly** ▢ (geogr.) **the B. Forest**, la Foresta nera ▢ (relig.) **B. Friar**, (frate) domenicano ▢ (agric.) **b. frost**, gelo nero, freddo intenso (senza neve né brina) ▢ **b. game** (collett.), fagiano di monte (come selvaggina) ▢ **b. gold**, oro nero (petrolio) ▢ (zool.) **b. grouse** (Lyrurus tetrix), fagiano di monte (come selvaggina) ▢ **b. hat** hacker, hacker malevolo (astron., fis.) **b. hole**, buco nero ▢ **b. humour**, umorismo nero ▢ **b. ice**, verglas (franc.); vetrato ▢ (banca) **b. interest**, interessi attivi ▢ (fig., geogr.) **b. ivory**, l'avorio nero (gli schiavi africani) ▢ **b. jack** = **b. flag** → sopra ▢ (fin.) **b. knight**, cavaliere nero; chi lancia un'OPA ostile ▢ (ind.) **b. lead**, piombaggine; grafite ▢ (tipogr.) **b. letter**, carattere gotico ▢ (fis.) **b. light**, raggi ultravioletti e infrarossi; luce nera ▢ **b. list**

→ **blacklist** ▢ (USA) **b. lung**, silicosi ▢ **b. magic**, la magia nera; la negromanzia ▢ (slang) **B. Maria**, furgone cellulare ▢ **b. mark**, nota di biasimo • **b. mass**, messa nera ▢ **B. Monday**, (fin.) il lunedì nero (il 19 ottobre 1987, giorno del crollo della Borsa di New York); (arc.) lunedì di Pasqua ▢ (relig.) **B. Monk**, (frate) benedettino ▢ (polit.) **B. Muslim**, musulmano nero ▢ **b. oil**, petrolio grezzo ▢ **b.-on-b.**, (di colori) nero su nero; (fig.) invisibile o volutamente offuscato; (spec. di crimine, ecc.) di un nero nei confronti di un altro nero: **b.-on-b. print**, fantasia nero su nero; **b.-on-b. violence**, violenza commessa da un nero su un altro nero; **b.-on-b. racism**, razzismo di un nero nei confronti di un altro nero ▢ (slang USA) **b. operator**, agente segreto ▢ (polit.) **B. Panther**, Pantera nera ▢ (polit.) **B. Power**, Potere nero; Black Power ▢ (banca) **b. products**, numeri neri ▢ (cucina) **b. pudding**, sanguinaccio; migliaccio ▢ (in GB) **B. Rod**, usciere della Camera dei Lord ▢ (agric.) **b. rot**, marciume nero ▢ (bot.) **b. salsify**, scorzonera ▢ (geogr.) **the B. Sea**, il Mar Nero ▢ (fig.) **b. sheep**, pecora nera ▢ (zool.) **b. skimmer** (Rhynchops nigra), rincope nero ▢ **b. spot**, zona calda; punto caldo; situazione critica; (autom.) punto pericoloso, punto della morte; (di radioricevente, ecc.) zona d'ombra; (zool., Diplocarpon rosae) fungo delle rose ▢ (fotogr.) **b. strip**, pecetta ▢ (zool.) **b. swan**, cigno nero • **b. tie**, cravatta a farfalla nera; (per estens.) abito da sera, smoking ▢ **b.-tie** (agg.), formale; in cui è d'obbligo l'abito da sera ▢ **b. water**, acque luride ▢ (zool.) **b. widow** (Latrodectus mactans), vedova nera ▢ (fam. Austral.) **beyond the b. stump**, in una zona remota dell'interno; in capo al mondo ▢ **to be in sb.'s b. books**, essere nel libro nero di q.; non essere nelle grazie di q. ▢ (fig.) **in b. and white**, per iscritto; nero su bianco; (anche) senza sfumature, in modo semplicistico, o tutto nero o tutto bianco: **to have st. down in b. and white**, mettere qc. per iscritto; mettere nero su bianco; **to see things in b. and white**, vedere le cose in modo semplicistico ▢ **in the b.**, (banca) in credito, in nero; (econ.) in attivo • **not as b. as one is painted**, non così nero come lo si dipinge ▢ **to swear b. is white**, negare l'evidenza dei fatti ❶ NOTA D'USO • Black è il termine più in uso e più accettato per le persone di pelle nera.

to **black** /blæk/ v. t. **1** annerire; sporcare **2** pulire con piombaggine (stufe, ecc.) **3** lucidare di nero (le scarpe) **4** (antiq. GB) boicottare (merci, un'azienda, ecc.) • **to b. sb.'s eye**, fare un occhio nero a q.

■ **black out** △ v. t. + avv. **1** annerire **2** cancellare: **to b. out a name**, cancellare un nome (con un frego); **The swarm blacked out the light**, lo sciame cancellò la luce **3** fare buio in (una stanza); oscurare **4** interrompere l'erogazione di energia elettrica a; causare un blackout in **5** (TV) oscurare (un programma) ᴮ v. i. + avv. **1** diventare nero **2** perdere i sensi; svenire.

to **blackball** /'blækbɔːl/ v. t. votare contro (chi ha fatto domanda di ammissione a un club); bocciare.

blackberry /'blækbrɪ/ n. **1** (bot., = **b. bush**, Rubus fruticosus) rovo **2** mora (di rovo) ‖ **blackberrying** n. ▢ raccolta delle more • **to go blackberrying**, andare per more.

blackbird /'blækbɜːd/ n. **1** (zool., Turdus merula) merlo **2** (stor.) negro o polinesiano catturato come schiavo.

blackboard /'blækbɔːd/ n. lavagna (per scrivere).

blackcap /'blækkæp/ n. (zool., Sylvia atricapilla) capinera.

blackcurrant /blæk'kʌrənt/ n. (bot., Ribes nigrum) ribes nero.

to **blacken** /'blækən/ v. t. **1** annerire;

offuscare **2** tingere (*o* lucidare) di nero **3** (*fig.*) denigrare; screditare; macchiare; disonorare: **to b. sb.'s name**, denigrare q.; **to b. sb.'s reputation**, macchiare (*o* infangare) la reputazione di q. **B v. i.** annerirsi; farsi nero, scuro; oscurarsi.

blackface /'blækfeɪs/ n. **1** (*zool.*) razza di ovino dal muso nero **2** ▢ (*teatr.*) annerimento del viso; trucco da negro: *Al Jolson in b.*, Al Jolson truccato da negro.

blackfellow /'blækfeləʊ/, **blackfella** /'blækfelə/ n. (*Austral.*, *spec.* detto da un aborigeno) aborigeno; nero.

blackfly /'blækflaɪ/ n. (*zool.*) **1** (*Aphis fabae*) pidocchio delle piante; afide **2** simulide.

blackguard /'blægɑːd/ n. (*antiq.*) canaglia; furfante; farabutto.

to **blackguard** /'blægɑːd/ v. t. (*antiq.*) ingiuriare.

blackhead /'blækhed/ n. punto nero (*sulla pelle*); comedone.

blacking /'blækɪŋ/ n. ▢ **1** lucido nero (*da scarpe*) **2** (*antiq. GB*) boicottaggio di un'azienda o di merci (*da parte di un sindacato*).

blackish /'blækɪʃ/ a. nerastro; nerognolo.

blackjack /'blækdʒæk/ n. **1** (*alle carte*) blackjack; ventuno **2** (*polizia, USA*) sfollagente **3** bandiera nera (*dei pirati*) **4** (*bot.*, = **b. oak**, *Quercus marilandica*) quercia del Maryland **5** (*stor.*) boccale di cuoio catramato **6** ▢ (*ind. min.*) blenda ricca di ferro.

to **blackjack** /'blækdʒæk/ v. t. (*USA*) **1** colpire con lo sfollagente; manganellare **2** (*fig.*) costringere con le minacce.

to **blacklead** /'blæked/ (*tecn.*) v. t. grafitare.

blackleg /'blækleg/ n. **1** (*GB*) crumiro **2** ▢ (*vet.*) carbonchio; antrace maligno.

to **blackleg** /'blækleg/ v. t. (*GB*) fare il crumiro.

blacklist /'blæklɪst/ n. lista nera; libro nero.

to **blacklist** /'blæklɪst/ v. t. mettere sulla lista nera; schedare.

blackly /'blæklɪ/ avv. **1** in modo minaccioso; minacciosamente **2** con rabbia; irosamente.

blackmail /'blækmeɪl/ n. ▢ **1** (*leg.*) ricatto; estorsione: **to give in to b.**, cedere al ricatto **2** (= **b. money**) denaro pagato a un ricattatore **3** ricatto: **moral b.**, ricatto morale.

to **blackmail** /'blækmeɪl/ v. t. ricattare: **to b. sb. into doing st.**, costringere q. a fare qc. ricattandolo ‖ **blackmailer** n. ricattatore, ricattatrice.

blackness /'blæknəs/ n. ▢ **1** nerezza; oscurità **2** (*sociol., polit.*) negritudine.

blackout /'blækaʊt/ n. **1** (*in tempo di guerra*) oscuramento **2** blackout; interruzione della corrente elettrica **3** (*per estens.*) interruzione delle comunicazioni; soppressione di notizie **4** perdita dei sensi; svenimento **5** vuoto di memoria **6** (*TV*) oscuramento totale ● **b. blinds**, tende oscuranti ▢ **news** (*o* **press**) **b.**, silenzio stampa ▢ **radio b.**, silenzio radio.

Blackshirt /'blækʃɜːt/ n. (*polit., stor.*) camicia nera; fascista.

blacksmith /'blæksmɪθ/ n. fabbro ferraio; maniscalco ● **b.'s (forge,** *o* **shop)**, fucina; bottega di maniscalco; mascalcia.

blacksploitation /blæksplɔɪ'teɪʃn/ n. ▢ (*slang USA*) → **blaxploitation**.

blackthorn /'blækθɔːn/ n. **1** (*bot.*, *Prunus spinosa*) prugnolo; prugno selvatico **2** bastone di prugnolo.

blacktop /'blæktɒp/ n. ▢ (*USA*) **1** bitume **2** manto d'asfalto; asfalto ● **b. paver**, spandibitume ▢ **b. road**, strada asfaltata.

to **blacktop** /'blæktɒp/ v. t. asfaltare.

bladder /'blædə(r)/ n. **1** (*anat.*) vescica: **to empty one's b.**, vuotare la vescica; urinare; **gall b.**, vescica biliare; **swim b.**, vescica natatoria (*dei pesci*) **2** camera d'aria: **football b.**, camera d'aria di pallone **3** (*bot.*) pericarpio gonfio ● (*bot.*) **b. campion** (*Silene vulgaris*), erba del cucco; silene; strigoli (pl.) ▢ (*bot.*) **b. senna** (*Colutea arborescens*), colutea arborescente; vescicaria ▢ (*zool.*) **b. worm**, cisticerco.

bladderwort /'blædəwɜːt/ n. (*bot., Utricularia*) otricolaria; erba vescica.

bladderwrack /'blædəræk/ n. (*bot., Fucus vesiculosus*) quercia marina.

◆**blade** /bleɪd/ n. **1** lama: **knife b.**, lama di coltello; **razor b.**, lama (*o* lametta) di rasoio; **two-b. razor**, rasoio bilama **2** (*fig.*) lama; spadaccino; schermidore **3** pala (*di remo, elica, ecc.*) **4** (= **b. bone**) osso piatto; scapola **5** (*bot.*) foglia allungata; filo (*d'erba*): **a b. of wheat**, una foglia di grano; **wheat in the b.**, grano in erba **6** (*bot.*) lamina (*di foglia*) **7** (*fam. antiq.*) giovanotto vivace; moscardino **8** (*ferr.*, = **switch b.**) ago (*di scambio*) **9** (*autom.*) racchetta, spazzola (*di tergicristallo*) **10** (*fotogr.*) lamella **11** (*zool.*) fanone (*di balena*) ‖ **bladed a. 1** con (*o* munito di) lama: **bladed tools**, utensili con lama **2** (*bot.: del grano*) in erba **3** (*tecn.*) con pala; a pale; a palette; palettato: **double-bladed**, a due pale; **three-bladed**, a tre pale.

blader /'bleɪdə(r)/ n. (*slang USA*) pattinatore a rotelle.

blaeberry /'bleɪbərɪ/ n. (*scozz.*) (*bot., Vaccinium myrtillus*) mirtillo.

blag /blæg/ n. (*slang GB*) **1** furto; rapina; colpo; scippo **2** chiacchiere imbonitrici; balle.

to **blag** /blæg/ v. t. (*slang GB*) **1** rubare; rapinare; scippare **2** procurarsi con mezzi subdoli; mungere; scroccare.

blah① /blɑː/ a. (*fam. USA*) **1** banale; insulso; insipido; che non dice niente **2** depresso; moscio; abbacchiato.

◆**blah**② /blɑː/ n. **1** ▢ (*anche* **blah-blah**) (*fam. GB*) vuote chiacchiere; vuotaggini; blablà **2** (al pl.: **the blahs**) (*fam. USA*) depressione, abbacchiatura; paturnie.

blain /bleɪn/ n. (*med.*) pustola; vescichetta.

blamable /'bleɪməbl/ a. (*USA*) → **blameable**.

◆**blame** /bleɪm/ n. ▢ **1** colpa; responsabilità: **a share of the b.**, una parte della colpa; *The b. lies with us*, la colpa è nostra; **to apportion b.**, stabilire chi è la colpa **2** biasimo; riprovazione; critiche (pl.) ● **to bear the b.**, assumersi la responsabilità; accollarsi il biasimo ▢ **to lay** (*o* **to put**) **the b. on sb.**, dare la colpa a q. ▢ **to lay the b. for st. at sb.'s door**, far ricadere la responsabilità di qc. su q. ▢ **to take** (*o* **to shoulder**) **the b. (for st.)**, prendere su di sé la colpa (di qc.); addossarsi la colpa (di qc.).

◆to **blame** /bleɪm/ v. t. **1** dare la colpa a; accusare: *If anything goes wrong, don't b. me*, se qualcosa va male, non dare la colpa a me; *He blamed his failure on his partners*, diede la colpa del suo fallimento ai soci; *Who is to b.?*, di chi è la colpa (*o* la responsabilità)?; chi è il colpevole (*o* il responsabile)?; *Nobody is to b.*, non è colpa di nessuno **2** biasimare; criticare: **to b. oneself for st.**, rimproverarsi qc. ● **I can't b. you**, non posso biasimarti; non posso fartene una colpa ▢ **You've got only yourself to b.**, la colpa è solo tua; il responsabile sei solo tu.

blameable /'bleɪməbl/ a. biasimevole; colpevole.

blamed /bleɪmd/ a. (*fam.*, *USA*) stupido; accidenti di: *The b. train got in late*, quello stupido treno è arrivato in ritardo.

blameful /'bleɪmfəl/ a. biasimevole; ri-

provevole.

blameless /'bleɪmləs/ a. innocente; senza colpa; irreprensibile: *He's not entirely b.*, non è del tutto senza colpa; **a b. life**, una vita irreprensibile | **-ly** avv. | **-ness** n. ▢.

blameworthy /'bleɪmwɜːðɪ/ a. biasimevole; riprovevole; di cui va incolpato q.

to **blanch** /blɑːntʃ/ **A** v. t. **1** sbiancare; sottoporre a imbianchimento; decolorare: **to b. celery**, sottoporre a imbianchimento il sedano (*sotterrandone i gambi*) **2** mondare, pelare (*frutta o verdura, scottandole*) **3** (*cucina*) sbollentare **B** v. i. sbiancare; impallidire: *He blanched with terror*, sbiancò dal terrore ● (*fig.*) **to b. over**, tentare di nascondere (*uno scandalo, un difetto, ecc.*).

Blanche /blɑːntʃ/ n. Bianca.

blancher /'blɑːntʃə(r)/ n. **1** sbiancatore **2** (*agente*) sbiancante.

blanching /'blɑːntʃɪŋ/ n. ▢ **1** imbianchimento; sbiancamento **2** (*cucina*) sbollentatura; scottatura; scottata.

blancmange /blə'mɒnʒ/ n. ▢ (*cucina*) biancomangiare.

bland /blænd/ a. **1** anodino; piatto; neutro; privo di espressione; privo di attrattiva; scialbo; insipido; che sa di poco: *He gave a b. description of the event*, descrisse l'avvenimento in modo anodino; **a b. smile**, un sorriso scialbo; **a b. expression**, un'espressione neutra **2** (*di cibo*) poco invogliante; insipido; scipito **3** moderato; limitato: **b. optimism**, moderato ottimismo **4** blando; leggero: **a b. diet**, una dieta leggera; **a b. medicine**, una medicina blanda ‖ **blandness** n. ▢ **1** piattezza; mancanza di attrattiva; inespressività; insipidezza **2** (*di cibo*) insipidezza; scipitaggine **3** limitatezza **4** carattere blando.

to **blandish** /'blændɪʃ/ v. t. blandire; lusingare.

blandishment /'blændɪʃmənt/ n. ▢ **1** lusinga; moina **2** (pl.) blandizie; lusinghe.

◆**blank** /blæŋk/ **A** a. **1** (*di superficie, sfondo*) uniforme; neutro; vuoto; cieco: **b. screen**, schermo senza immagine; schermo vuoto; **a b. wall**, una parete bianca; un muro liscio; un muro cieco **2** non scritto; non compilato; senza scritta; bianco; in bianco: **a b. form**, un modulo in bianco (*o* non compilato); **a b. page**, una pagina bianca; **to sign in the b. space**, firmare nello spazio in bianco; (*comm.*) **a b. cheque**, un assegno in bianco; (*comm., banca*) **a b. endorsement**, una girata in bianco; (*comm., banca*) **b. acceptance**, accettazione in bianco; (*banca*) **b. credit**, credito in bianco (*o* allo scoperto); (*comput.*) **b. key**, tasto senza dicitura **3** non registrato; vuoto **4** senza espressione; inespressivo; vuoto; vacuo; assente: **a b. look**, uno sguardo vacuo; uno sguardo senza espressione; lo sguardo di chi non capisce; **a b. expression**, un'espressione indecifrabile; *My question was met with a b. stare*, la mia domanda incontrò uno sguardo fisso e inespressivo; **to look b.**, avere un'espressione vuota; avere un'espressione indecifrabile; avere l'espressione di chi non ha capito; *My mind went b.*, mi si svuotò il cervello; ebbi momento di amnesia (*o* un vuoto di memoria) **5** vuoto; sterile: *Those were b. years*, quelli furono anni vuoti **6** assoluto; completo; netto: **a b. refusal**, un netto rifiuto **B** n. **1** spazio vuoto; spazio in bianco: *Leave a b. for the name*, lascia uno spazio in bianco per il nome **2** modulo (in bianco) **3** cartuccia a salva (*o* a salve); colpo a salva (*o* a salve): **ten rounds of b.**, dieci salve; **b. firing**, sparo a salve **4** vuoto mentale; lacuna mentale: *My mind was a complete b.*, avevo in testa il vuoto assoluto; non ricordavo più nulla; **to have a complete b.**, avere un vuoto di memoria **5** vuoto (*d'affetti, ecc.*): *There is a*

great b. in my life, c'è un gran vuoto nella mia vita **6** lineetta, trattino (*in sostituzione di una parola irriferibile*) **7** (*mil., sport*) centro del bersaglio **8** biglietto (*di lotteria*) non vincente **9** (*mecc.*) pezzo tranciato; pezzo grezzo; **a key b.**, una chiave grezza ● **b. cartridge**, cartuccia a salva (*o a salve*) □ (*letter. ingl.*) **b. verse**, versi sciolti (*spec. pentapodie giambiche*) □ **to draw a b.**, fare fiasco; fare cilecca; fare un buco nell'acqua □ **to give sb. a b. cheque**, dare carta bianca a q. □ (*fam.*) **to shoot blanks**, fare ipotesi campate in aria; (*scherz., di uomo*) non riuscire a mettere incinta una donna.

to **blank** /blæŋk/ **A** v. t. **1** → **to b. out, A,** *def. 1 e 2* **2** (*sport, USA*) dare cappotto a; lasciare a zero **3** (*mecc.*) tranciare **4** sostituire con un trattino (*una parola irriferibile*) **5** (*slang GB*) far finta di non vedere; snobbare; ignorare **B** v. i. → **to b. out, B.**

■ **blank out A** v. t. + avv. **1** cancellare; rimuovere; annullare: **to b. out a memory,** cancellare un ricordo **2** vuotare: **to b. out one's mind,** vuotare la mente; fare il vuoto mentale **B** v. i. + avv. **1** oscurarsi; vuotarsi: *The screen blanked out,* lo schermo si oscurò; dallo schermo scomparve l'immagine **2** addormentarsi; perdere conoscenza.

♦**blanket** /'blæŋkɪt/ **A** n. **1** coperta **2** (*fig.*) manto; coltre; strato: **a b. of clouds,** una coltre di nuvole; **a b. of snow,** un manto di neve **3** (*fig.*) cappa: **a b. of silence,** una cappa di silenzio **B** a. attr. generale; globale; che copre tutti i casi; a tappeto: **a b. invitation,** un invito generale (*o rivolto a tutti*); **a b. ban,** una proibizione generale; (*radio, TV*) **b. coverage,** reportage completo (*su un avvenimento*); copertura completa; (*ass.*) **b. insurance policy,** polizza di assicurazione globale; polizza scudo; (*leg.*) **b. mortgage,** ipoteca generale ● (*med., GB*) **b. bath,** lavaggio a letto (*di un paziente*) □ (*USA*) **b. coat,** giaccone pesante □ **b. stitch,** punto a smerlo □ (*fig.*) **to be born on the wrong side of the b.,** essere figlio illegittimo.

to **blanket** /'blæŋkɪt/ v. t. **1** coprire con una coperta **2** (*fig.*) ricoprire; ammantare: '[*The dust*] settled on roofs, blanketed the weeds and trees' J. STEINBECK, 'la polvere si posava sui tetti, ricopriva le piante e gli alberi'; *The mountains were blanketed with snow,* i monti erano ammantati di neve **3** (*d'una legge, ecc.*) applicarsi in modo uniforme a (*vari casi*) **4** (*naut.*) rubare il vento a (*un'imbarcazione*) **5** archiviare (*un problema*); coprire, mettere a tacere (*uno scandalo*) **6** far rimbalzare (q.) su una coperta tesa **7** (*radio*) disturbare la ricezione di (*apparecchi riceventi*).

blanketing /'blæŋkɪtɪŋ/ n. ⓤ **1** stoffa per coperte **2** (*collett.*) coperte **3** (*radio*) copertura di segnale.

blankety-blank /'blæŋkɪtɪ'blæŋk/ (*fam.: da* **blank**②, *def. 8*) **A** n. puntini (*di omissione*); ... (*oppure un eufem. qualsiasi*): *You blankety-blank!,* pezzo di m...!; fessacchiotto!; *She's a blankety-blank,* è una poco di buono; è una p... **B** a. benedetto (*per «dannato», «maledetto», ecc.*): **those blankety-blank commercials,** quei benedetti spot pubblicitari; quegli spot pubblicitari del c... .

blanking /'blæŋkɪŋ/ n. ⓤ **1** cancellazione **2** (*mecc.*) tranciatura.

blankly /'blæŋklɪ/ avv. **1** in modo assente, privo d'espressione: *He looked at me b.,* mi guardò in modo assente **2** del tutto; completamente ● **He denied b.,** negò recisamente.

blankness /'blæŋknəs/ n. ⓤ **1** vacuità; aria assente; espressione vacua; mancanza d'interesse **3** sterilità; improduttività.

blare /blɛə(r)/ n. ⓤ **1** squillo **2** strombettio; chiasso; frastuono.

to **blare** /blɛə(r)/ **A** v. i. **1** (*di tromba*) squillare **2** (*d'automobile*) strombazzare **3** (*della radio, ecc.*) andare a tutto volume **B** v. t. (*di solito* **to b. out**) **1** strombazzare: **to b. out the news of the victory,** strombazzare la notizia della vittoria **2** gridare; urlare: **to b. out a threat,** urlare una minaccia **3** tenere a tutto volume (*la radio, ecc.*) ● **to b. away,** strombazzare, suonare, ecc., a tutto spiano.

blarney /'blɑːnɪ/ n. ⓤ (*fam.*) chiacchiere (pl.) convincenti; blandizie (pl.); belle parole (pl.); sviolinata (*fam.*).

to **blarney** /'blɑːnɪ/ v. t. e i. blandire; riempire di chiacchiere, di belle parole; sviolinare (*fam.*).

blasé /'blɑːzeɪ/ (*franc.*) a. blasé; disincantato; indifferente; scettico.

to **blaspheme** /blæs'fiːm/ v. t. e i. bestemmiare; maledire; imprecare ● (*relig.*) **to b. (against) God,** bestemmiare (*in senso proprio*) ‖ **blasphemer** n. bestemmiatore; chi impreca ● (*relig.*) **blasphemer against God,** bestemmiatore (*in senso proprio*).

blasphemous /'blæsfəməs/ a. blasfemo; empio.

blasphemy /'blæsfəmɪ/ n. ⓤⒸ bestemmia; empietà.

♦**blast** /blɑːst/ n. **1** ⓤ spostamento d'aria (*causato da un'esplosione*); onda d'urto **2** esplosione; deflagrazione; scoppio: **atomic b.,** esplosione atomica **3** (*fig.*) duro attacco; offensiva **4** colpo di vento; ventata; raffica; folata: **a cold b.,** una raffica gelida; **a b. of sleet,** una folata di nevischio **5** corrente d'aria; getto; soffio: **a b. of steam,** un getto di vapore **6** squillo (*di tromba*); suono (*di corno, ecc.*): **[***He***] rung forth his challenge b. again'** W. SCOTT, 'fece risonare di nuovo il suo squillo di sfida' **7** (*fam.*) severo rimprovero; urlata **8** carica d'esplosivo **9** (*fam. USA*) gran divertimento; goduria; sballo: **to have a b.,** spassarsela da matti **10** (*fam. USA*) festa chiassosa; bisboccia **11** (*slang USA*) iniezione (*di droga*); buco ● (*tecn.*) **b. burner,** bruciatore per soffieria □ (*tecn.*) **b. cleaning,** pulitura con aria compressa; sabbiatura □ (*fam.*) **a b. from the past,** cosa o persona che ricompare o viene ricordata dopo lungo tempo □ (*metall.*) **b. furnace,** forno fusorio; altoforno □ **b.-hole,** (*ind. min.*) foro (*o fornello*) di mina; (*mecc.*) bocca d'entrata (*di pompa d'acqua*) □ (*ferr.*) **b. pipe,** scappamento (*di locomotiva a vapore*) □ **b. powder,** polvere da mina □ (*fam.*) (**at**) **full b.,** a tutto volume; a tutto spiano; (*anche*) a tutta velocità, a tutto gas, a tutta birra □ (*di altoforno*) **in b.,** in funzione □ (*di altoforno*) **out of b.,** spento.

to **blast** /blɑːst/ **A** v. t. **1** danneggiare; distruggere; disseccare; fare appassire; fare inaridire: *The oak was blasted by lightning,* la quercia fu distrutta dal fulmine; *The icy wind blasted the flowers,* il vento gelido fece appassire i fiori **2** far saltare in aria; far brillare (*mine*); aprire (*una galleria*) facendo scoppiare mine: *The rearguard blasted the bridges,* la retroguardia fece saltare i ponti **3** deludere; frustrare (*speranze, aspettative, ecc.*) **4** (*tecn.*) pulire con aria compressa; sabbiare **5** (*slang*) maledire: *B. that fellow!,* al diavolo (quel tizio)! **6** (*slang USA*) freddare; far secco; uccidere **7** (*slang USA*) drogare **8** (*sport, slang USA*) battere (*o sconfiggere*) seccamente **B** v. i. **1** squillare **2** (*slang*) sparare **3** (*slang USA*) drogarsi; fumare marijuana ● **to b. a road,** aprire una strada con le mine.

■ **blast away A** v. t. + avv. **1** eliminare (*o sgombrare*) con l'esplosivo **2** (*fig.*) eliminare (*barriere, ostacoli, ecc.*) **B** v. i. + avv. **1** sparare a tutto spiano; (*mil.*) sparare a raffica; (*di cannoni*) sparare ininterrottamente **2** (*della radio, ecc.*) andare a tutto volume; (*di una banda, ecc.*) suonare a tutto volume.

■ **blast down** v. t. + avv. **1** abbattere (*o demolire*) con l'esplosivo **2** uccidere (q.) con una bomba (*o con un'arma da fuoco*); freddare.

■ **blast off** v. i. + avv. (*di missile o razzo*) partire.

■ **blast out A** v. t. + avv. **1** aprire con l'esplosivo **2** (*fig.*) eliminare (*barriere, ecc.*) **3** (*mus.*) suonare a tutto volume **B** v. i. + avv. (*autom., fam.*) partire a razzo (*o a tutta birra*).

■ **blast past** v. i. + prep. (*autom., fam.*) superare (q.) a velocità pazzesca: *A police car blasted past us,* una pantera (della polizia) ci superò come un fulmine.

■ **blast through** v. t. + prep. aprire (*un tunnel, ecc.*) con l'esplosivo in (*una montagna, ecc.*).

blasted /'blɑːstɪd/ a. **1** distrutto; disseccato; inaridito **2** (*fig.*) deluso; frustrato **3** (*fam.*) dannato; maledetto.

blasting /'blɑːstɪŋ/ n. ⓤ **1** abbattimento (*con esplosivi*) **2** scoppio, brillamento (*di mine*) **3** (*edil.*) demolizione **4** (*tecn.*) pulitura con aria compressa; sabbiatura **5** (*radio*) distorsione da sovraccarico ● **b. cap,** detonatore □ **b. fuse,** miccia □ **b. oil,** nitroglicerina.

blastoderm /'blæstəʊdɜːm/ n. (*biol.*) blastoderma.

blast-off, blastoff /'blɑːstɒf/ n. (*miss.*) lancio, partenza (*di un razzo, ecc.*).

blastoma /blæ'stəʊmə/ n. (*med.*) blastoma.

blastomere /'blæstəʊmɪə(r)/ n. (*biol.*) blastomero.

blastomyces /blæstə'maɪsɪz/ n. (*biol.*) blastomicete ‖ **blastomycosis** n. ⓤ (*med.*) blastomicosi.

blastula /'blæstjʊlə/ n. (pl. *blastulae, blastulas*) (*biol.*) blastula.

blat /blæt/ n. (*USA*) belato.

to **blat** /blæt/ v. i. (*USA*) **1** belare **2** chiacchierare ad alta voce; ciarlare ● (*fam. USA*) **to b. out,** rivelare, tradire (*un segreto*).

blatancy /'bleɪtnsɪ/ n. ⓤ **1** chiassosità; rumorosità **2** invadenza; sfacciataggine **3** vistosità.

blatant /'bleɪtnt/ a. **1** chiassoso; rumoroso **2** invadente; sfacciato **3** appariscente; vistoso **4** flagrante; evidente; manifesto: **a b. lie,** una bugia manifesta | **-ly** avv.

blather /'blæðə(r)/ n. ⓤ (*slang USA*) ciance; discorsi a vanvera.

to **blather** /'blæðə(r)/ v. i. (*slang USA*) cianciare; parlare a vanvera; blaterare.

blaxploitation /ˌblæksplɔɪ'teɪʃn/ n. ⓤ (*USA*) sfruttamento commerciale della cultura dei neri (*spec. nei film di azione*).

blazar /'bleɪzɑː(r)/ n. (*astron.*) blazar (*denominazione di una classe di galassie*).

blaze① /bleɪz/ n. ⓒⓤ **1** vampa; fiamma vivida; vampata; bella fiamma: *The logs soon burst into a b.,* i ceppi fecero presto una bella fiammata; *The whole house was in a b.,* tutta la casa era in fiamme **2** grosso incendio: **wood blazes,** incendi di boschi **3** scatto; scoppio; slancio: **in a b. of anger,** in uno scatto d'ira; **in a b. of oratory,** in uno slancio oratorio **4** splendore; (*fig.*) piena luce: *The city was a b. of lights in the night,* la città era uno splendore di luci nella notte; *The hero was in a b. of glory,* l'eroe era nella piena luce della (*o circonfuso dalla*) gloria ● **a b. of colours,** un tripudio di colori □ **a b. of gun-fire,** una raffica di fucileria □ **a b. of publicity,** un'ondata di pubblicità □ (*slang*) **like blazes,** come una furia; impetuosamente □ (*slang*) **Go to blazes!,** va' al diavolo! □ **What the blazes!,** che diamine! □ «**Will you lend me your car?**» «**Like blazes!**», «vuoi prestarmi l'auto?» «neanche per sogno!»; «col cavolo!».

blaze② /bleɪz/ n. **1** stella; macchia bianca (*sul muso d'un animale*) **2** segnavia; incisione (*sulla corteccia d'un albero*).

to **blaze**① /bleɪz/ v. i. **1** ardere; bruciare; fiammeggiare: *His eyes were blazing with fury*, aveva gli occhi fiammeggianti d'ira **2** ardere; risplendere: *The sun was blazing in the sky*, il sole ardeva nel cielo ● **to b. away**, continuare a bruciare, ardere ininterrottamente; (*mil.*, *ecc.*) sparare subito; (*anche*) continuare a sparare; (*fig.*) lavorare con entusiasmo, d'impeto; parlare in fretta, accalorandosi: *'He remembered that Clemenza had told him not to* [*sit down*]*, to come out of the toilet and b. away'* M. Puzo, 'ricordò che Clemenza gli aveva detto di non mettersi a sedere, ma di uscire dal bagno e sparare subito' □ **to b. away at a speaker**, tempestare di domande un oratore □ **to b. up**, divampare, prender fuoco; (*d'incendio*) scoppiare; (*fig.*) infiammarsi (*d'ira*) □ **blazing anger**, ira furente □ **a blazing fire**, un fuoco che divampa □ **blazing heat**, caldo rovente ● **a blazing house**, una casa in fiamme □ **a blazing lie**, una bugia sfacciata; una bugiona □ **blazing red**, rosso fiammante □ (*nella caccia*) **a blazing scent**, una traccia assai facile da fiutare □ **a blazing sun**, un sole cocente.

to **blaze**② /bleɪz/ v. t. **1** segnare, incidere (*alberi*) **2** indicare, segnare (*un sentiero*) ● **to b. a trail**, segnare un sentiero (*in un bosco*); (*fig.*) aprire una via nuova, precorrere i tempi.

to **blaze**③ /bleɪz/ v. t. (*spec.* **to b. abroad**) diffondere; divulgare: *He likes to b. abroad scandals*, gli piace divulgare notizie scandalistiche.

blazer /ˈbleɪzə(r)/ n. **1** blazer; giacca da sportivo; giacca con bottoni dorati o argentei (*spesso con stemma, della scuola, ecc., sul taschino*) sportiva, a colori vivaci **2** divulgatore (*di notizie*) **3** (*slang*) sfacciata menzogna.

blazing /ˈbleɪzɪŋ/ a. → **to blaze**①.

blazon /ˈbleɪzn/ n. **1** blasone; stemma gentilizio **2** (*arald.*) descrizione esatta d'un blasone.

to **blazon** /ˈbleɪzn/ v. t. (*spesso* **to b. abroad, forth, out**) diffondere; divulgare; proclamare **2** (*arald.*) blasonare; descrivere, disegnare (*un blasone*).

blazonry /ˈbleɪznrɪ/ n. ◨ **1** (*arald.*) descrizione di un blasone **2** (*collett.*) blasonario; blasoni **3** (*fig.*) sfoggio; parata; esibizione fastosa.

to **bleach** /bliːtʃ/ v. (*ind. tess.*) **1** ◨ candeggiante; candeggina **2** ◨◨ candeggio; sbianca; imbianchimento.

to **bleach** /bliːtʃ/ Ⓐ v. t. **1** (*ind. tess.*) imbiancare; sbiancare; candeggiare **2** sbiancare; decolorare; scolorire: **to b. one's hair**, sbiancarsi i capelli **3** imbianchire (*carta*) Ⓑ v. i. **1** imbianchire; sbiancarsi **2** impallidire; scolorire; trascolorare.

bleacher /ˈbliːtʃə(r)/ n. (*ind. tess.*) **1** candeggiatore **2** ◨ sbianca; candeggiante; candeggina **3** recipiente per candeggiare **4** (al pl.) (*sport, USA*) posti di gradinata (*in uno stadio*); (i) popolari.

bleaching /ˈbliːtʃɪŋ/ n. ◨ (*ind. tess.*) imbianchimento; candeggio; sbianca ● **b. powder**, polvere da sbianca.

bleak① /bliːk/ n. (*zool., Alburnus albidus, Alburnus lucidus*) alburno; alborella; avola.

bleak② /bliːk/ a. **1** desolato; brullo; spoglio; esposto alle intemperie: **a b. moor**, una brughiera desolata **2** (*rif. al tempo*) freddo; rigido: **a b. February**, un febbraio rigido **3** squallido; spoglio; freddo; inospitale: **a b. room**, una stanza fredda e spoglia **4** tetro; fosco; cupo; deprimente: **b. prospects**, fosche prospettive **5** (*rif. a persona*) freddo; scostante ‖ **bleakly** avv. **1** tetramente **2**

freddamente ‖ **bleakness** n. ◨ **1** desolazione; squallore **2** tetraggine; cupezza; freddezza.

blear /blɪə(r)/ a. → **bleary**, *def. 1*.

bleary /ˈblɪərɪ/ a. (*degli occhi o della vista*) stanco e annebbiato; velato ‖ **blearily** avv. **1** con occhi stanchi e annebbiati **2** confusamente; in modo indistinto.

bleat /bliːt/ n. **1** belato **2** (*fig.*) lamento; piagnucolio.

to **bleat** /bliːt/ v. i. **1** belare **2** (*fig.*) lamentarsi; piagnucolare: **to b. on about st.**, non fare che lamentarsi di q.; piagnucolare continuamente su q. ‖ **bleater** n. persona lamentosa; pittima; piagnucolone ‖ **bleating** n. ◨ **1** il belare; belati **2** (*fig.*) piagnucolio; piagnisteo.

bleb /blɛb/ n. **1** vescichetta **2** bolla d'aria.

bled /blɛd/ Ⓐ pass. e p. p. di **to bleed** Ⓑ a. (*tipogr.*) rifilato; al vivo.

bleed /bliːd/ n. **1** (*tipogr.*) rifilatura **2** (= **b. page**) pagina al vivo; pagina rifilata **3** (*mecc.*) spurgo; spillatura: **b. valve**, valvola di scarico (*o di spurgo*).

to **bleed** /bliːd/ (*pass. e p. p.* **bled**) Ⓐ v. i. **1** sanguinare; perdere sangue: **to b. profusely**, sanguinare abbondantemente; **to b. to death**, morire dissanguato; dissanguarsi – **to b. for**, versare il proprio sangue per; dare la vita per **3** (*di colore, tinta, ecc.*) diffondersi; spargersi **4** (*tipogr., di illustrazione*) essere al vivo **5** (*di pianta*) stillare linfa Ⓑ v. t. **1** (*med., stor.*) salassare **2** (*fam.*) spillare soldi a: *He was bled for every penny he had*, gli hanno spillato fino all'ultimo centesimo **3** (*mecc.*) spurgare (*un impianto idraulico*): (*autom.*) **to b. the brakes**, spurgare i freni **4** (*bot.*) estrarre la linfa da (*una pianta*) **5** (*mecc.*) prelevare (*vapore*) **6** (*tipogr.*) rifilare ● **to b. like a pig**, grondare sangue □ **to b. sb. dry** (*o* **white**), (*fig.*) dissanguare, svenare; ridurre sul lastrico □ **My heart bleeds (for)**, mi sanguina il cuore (per).

bleeder /ˈbliːdə(r)/ n. **1** (*fam. GB*) tipo antipatico; stronzo (*pop.*) **2** (*con attr.*) (*fam. GB*) tipo: **a lucky b.**, un tipo fortunato; *Poor b.!*, poveraccio! **3** (*fam. USA*) chi estorce denaro; sanguisuga **4** (*elettr.*, = **b. resistor**) resistore zavorra **5** (*mecc.*) valvola di spurgo **6** (*fam.*) persona soggetta a emorragie; emofiliaco **7** (*med., stor.*) flebotomo.

bleeding /ˈbliːdɪŋ/ Ⓐ a. **1** sanguinante; che sanguina: **a b. nose**, un naso sanguinante **2** (*slang GB antiq.*) disgraziato; stupido; maledetto: *You b. fool!*, maledetto stupido!; *Where's the b. ticket?*, dove accidenti è il biglietto? Ⓑ n. ◨ **1** (*med.*) emorragia: **internal b.**, emorragia interna **2** (*med., stor.*) salasso **3** (*mecc.*) spurgo **4** (*fotogr.*) frangia **5** (*tipogr.*) rifilatura Ⓒ avv. (*slang GB, antiq.*) moltissimo: *He's so b. lazy!*, è un tale pelandrone! ● (*tecn.*) **b. edge**, ultramoderno (*anche in senso negativo, non ancora perfetto*) □ (*spreg. spec. USA*) **b. heart**, persona dal cuore tenero (*spec. riguardo ai problemi sociali*) □ (*spreg. spec. USA*) **b.-heart liberal**, sinistroide; socialistoide.

bleep /bliːp/ n. **1** bip; segnale acustico **2** → **bleeper**.

to **bleep** /bliːp/ Ⓐ v. i. fare bip Ⓑ v. t. (*fam., anche* **to b. for sb.**) chiamare (q.) con un cercapersone (*o col cicalino*) ● (*radio, TV*) **to b. out**, censurare (*una parola*).

bleeper /ˈbliːpə(r)/ n. (*ingl.*) cercapersone; cicalino.

blemish /ˈblɛmɪʃ/ n. ◨◨ macchia; difetto (*fisico o morale*); magagna; pecca ● **b.-free** (*o* **without b.**), immacolato; impeccabile; perfetto.

to **blemish** /ˈblɛmɪʃ/ v. t. **1** guastare; rovinare **2** macchiare (*la reputazione*) **3** sfigurare; sciupare.

to **blench** /blɛntʃ/ v. i. sussultare (*per timo-*

re); trasalire.

blend /blɛnd/ n. **1** miscela; mistura; miscuglio dosato: **a b. of coffee**, una miscela di caffè **2** fusione; unione (*di colori, suoni, gusti, ecc.*) **3** (*ling.*) parola macedonia.

❶ NOTA: *blends*

I **blends** (spesso chiamati in italiano "parole-macedonia") consistono nella fusione di due parole, almeno una delle quali viene contratta: ad esempio, **brunch** deriva da **breakfast + lunch** e indica un pasto consumato a metà mattina in sostituzione sia della colazione che del pranzo. Talvolta, anziché fra due parole autonome, la fusione avviene fra un prefisso o un suffisso e un'altra parola: è il caso di **prequel**, che deriva da **pre-** e **sequel** e indica un'opera che narra un antefatto di un'altra opera uscita in precedenza. Questo metodo di formazione delle parole ha cominciato ad affermarsi a partire dalla seconda metà del 1800. Spesso i **blends** hanno vita breve, ma talvolta riescono a imporsi: alcuni esempi ben consolidati sono **smog**, da **smoke + fog**, cioè letteralmente nebbia causata dal fumo; **motel**, da **motor + hotel**; **to guesstimate**, che significa calcolare a occhio e croce e deriva da **to guess** (tirare a indovinare) + **to estimate** (fare una stima); **bit**, **blend** di **binary** e **digit**, quindi letteralmente cifra binaria; **Chunnel**, da **Channel + tunnel**, vale a dire il tunnel sotto la Manica; **emoticon**, da **emotion + icon**, cioè appunto emoticon o faccina. Non è raro che un **blend** generi altre parole di struttura analoga, creando così un nuovo suffisso: ad esempio, sul modello di **workaholic** – che significa maniaco del lavoro, stacanovista, lavoro-dipendente, e deriva da **work + alcoholic** (alcolizzato) – sono nate fra le altre **shopaholic**, fanatico (o forzato) dello shopping, e **chocaholic** (o **chocoholic**), maniaco della cioccolata, cioccolato-dipendente.

to **blend** /blɛnd/ (*pass. e p. p.* **blended**) Ⓐ v. t. mescolare; miscelare: *Painters b. colours*, i pittori mescolano i colori Ⓑ v. i. **1** mescolarsi; fondersi (*anche fig.*): **substances that do not b.**, sostanze che non si mescolano; **where sky and ocean b.**, dove il cielo si fonde con il mare **2** (*di colori*) fondersi; sfumare (*l'uno nell'altro*) ● **to b. (in) well**, armonizzare; intonarsi: *She chose a colour that blended well with her skin*, ella scelse un colore in armonia con la sua carnagione.

blende /blɛnd/ n. ◨ (*miner.*) blenda.

blender /ˈblɛndə(r)/ n. **1** mescolatore **2** (*spec. USA*) frullatore (*cfr. ingl.* **liquidizer**).

blending /ˈblɛndɪŋ/ n. ◨ **1** miscelatura **2** mescolanza (*di colori*) **3** (*ind.*) mescolatura.

blenny /ˈblɛnɪ/ n. (*zool., Blennius*) blennio; bavosa.

blent /blɛnt/ pass. e p. p. di **to blend**.

blepharitis /blɛfəˈraɪtɪs/ n. ◨ (*med.*) blefarite.

blesbok /ˈblɛzbɒk/ n. (pl. **blesbocks**, **blesbock**) (*zool., Damaliscus albifrons*) damalisco dalla fronte bianca.

◆to **bless** /blɛs/ (*pass. e p. p.* **blessed, blest**) v. t. **1** benedire: *God b. you!*, (che) Dio ti benedica! **2** (*relig.*) benedire, consacrare (*il pane e il vino, una chiesa, ecc.*) ● **B. his** [**her**] **heart!**, povero caro [povera cara]!: *He just doesn't have any money sense, b. his heart!*, non ci sa proprio fare coi soldi, povero caro! □ **B. him** [**her, etc.**]!, poverino! [poverina, ecc.]!; (*anche*) che gentile!, che tesoro! □ (*fam. antiq.*) **B. me!** (*o* **b. my soul!**), perbacco!; santo cielo!; mamma mia! □ (*arc.*) **to b. oneself**, farsi il segno della croce; segnarsi □ **B. you!**, (*a chi starnuta*) salute!; (*come ringraziamento*) sei un tesoro!, grazie mille! □ **to be blessed with**, avere la fortuna di avere; avere il dono di; godere di: *He's been blessed with a tolerant nature*, ha

b

il dono di un carattere tollerante; *Our region has been b. with a mild climate*, la nostra regione gode di un clima mite □ (*antiq.*) **I'll be blessed!**, perbacco!; perdinci!; caspiterina! □ (*fam.*) **(I'll be) blessed if I know!**, non ne ho la più pallida idea! □ (*fam.*) **I'll be blessed if I'll speak to him again!**, non gli parlerò più neanche morto! □ **not to have a penny to b. oneself with**, non avere il becco di un quattrino.

blessed /'blɛsɪd/ *a.* **1** (*relig.*) santo; beato; benedetto: **the B. Sacrament**, il Santissimo Sacramento; **the B. Virgin**, la Beata Vergine; **the B.**, i Beati, le anime beate; **B. are the meek**, beati i mansueti **2** beato; benedetto; fortunato: **B. ignorance!**, beata ignoranza! **3** (*eufem.*) benedetto; santo: *I have yet to finish that b. work*, devo ancora finire quel benedetto lavoro; **every b. day**, tutti i santi giorni ‖ **blessedness** n. Ⓤ **1** (*relig.*) beatitudine (*celeste*) **2** felicità ‖ **blessedly** avv. fortunatamente; per fortuna; grazie al cielo.

blessing /'blɛsɪŋ/ *n.* **1** (*relig.*) benedizione **2** preghiera di ringraziamento (*prima o dopo i pasti*); benedicite **3** (*fig.*) benedizione; dono del cielo: *A true friend is a great b.*, un amico sincero è un dono del cielo **4** fortuna; miracolo: *It was a b. they weren't injured*, è stata una fortuna che non si siano fatti male **5** (*fam.*) approvazione; benessere; beneplacito: *The plan has had his b.*, il progetto ha avuto il suo benestare ● **a b. in disguise**, un male apparente da cui deriva un bene: *Maybe it's a b. in disguise*, forse non tutto il male vien per nuocere □ (*fig.*) **to count one's blessings**, considerarsi fortunato; ringraziare la sorte (per le proprie fortune) □ **a mixed b.**, un vantaggio e uno svantaggio insieme; una cosa che ha dei pro e dei contro.

blest /blɛst/ *pass.* e *p. p.* di **to bless**.

blether /'blɛðə(r)/ *n.* Ⓤ (*scozz.*) ciance; discorsi a vanvera.

to **blether** /'blɛðə(r)/ *v. i.* (*scozz.*) cianciare; parlare a vanvera; blaterare.

blew /blu:/ *pass.* di **to blow**① e (**2**).

blight /blaɪt/ *n.* ⓊⒸ **1** (*bot.*) avvizzimento, moria, carbone, golpe, ruggine (*delle piante*) **2** (*fig.*) influsso malefico; rovina **3** (*edil.*) degrado: **inner-city b.**, il degrado dei centri delle città ● **to cast a b. on sb.'s life**, rattristare la vita a q.

to **blight** /blaɪt/ *v. t.* **1** danneggiare; fare appassire (*piante*) **2** (*fig.*) fare intristire, rattristare: *His life was blighted by poverty*, la sua vita fu rattristata dalla miseria **3** deludere; frustrare: *All my expectations were blighted*, tutte le mie speranze furono deluse.

blighter /'blaɪtə(r)/ *n.* (*slang GB, antiq.*) **1** individuo odioso; disgraziato **2** individuo; tipo: *Poor little b.!*, poverino!

Blighty /'blaɪtɪ/ *n.* (*slang GB, antiq.*) **1** Ⓤ l'Inghilterra; la casa; la patria **2** (*gergo mil., stor.*) ferita che assicura il rimpatrio (*spec. nella 1ª guerra mondiale*).

blimey /'blaɪmɪ/ *inter.* (*slang, indica sorpresa*) accidenti!; perbacco!

blimp /blɪmp/ *n.* **1** (*stor.*) dirigibile floscio **2** (*anche colonel B.*) (*fam.*) reazionario ottuso e borioso; codino; parruccone **3** (*fam. USA*) grassone; ciccione.

♦**blind**① /blaɪnd/ Ⓐ *a.* **1** cieco: **a b. man**, un cieco; **in one eye**, cieco da un occhio; guercio; **b. from birth**, cieco dalla nascita; **to go** (*o* **to become**) **b.**, diventare cieco; perdere la vista; **the b.**, i ciechi **2** cieco; che non riesce a vedere; che si rifiuta di vedere: **b. to the truth**, cieco davanti alla verità **3** cieco; sconsiderato; irrazionale: **b. anger**, cieca furia; **b. faith**, fede cieca; **b. haste**, fretta sconsiderata; **the b. forces of nature**,

le forze cieche della natura; **b. destiny**, la sorte cieca **4** (*aeron.*) cieco; strumentale: **b. flight** (*o* **b. flying**), volo cieco (*o* strumentale); **b. landing**, atterraggio cieco **5** (*fatto*) alla cieca; al buio; a scatola chiusa: **b. testing**, test alla cieca; (*sport*) **b. pass**, passaggio alla cieca; (*comm.*) **b. selling**, vendite a scatola chiusa **6** non visibile; senza visuale; cieco: (*autom.*) **b. corner**, curva cieca **7** senza aperture; cieco; murato; chiuso; ostruito: **a b. wall**, un muro cieco; **a b. alley**, un vicolo cieco (*anche fig.*); **a b. window**, una finestra cieca (*o* finta); **a b. pipe**, un tubo ostruito **8** buio; oscuro: **a b. dungeon**, una carcere oscuro **9** (*slang*; = **b. drunk**) ubriaco fradicio Ⓑ *avv.* **1** senza vedere; alla cieca: **to fly b.**, volare alla cieca; **to taste wines b.**, assaggiare vini con gli occhi bendati **2** senza le informazioni necessarie; senza preparazione ● **b. pig** = **b. tiger** → *sotto* □ (*Internet, di messaggio di posta elettronica*) **b. carbon copy**, copia per conoscenza nascosta □ **b. date**, appuntamento al buio (*con q. che s'incontra per la prima volta*) □ (*anat.*) **b. gut**, intestino cieco □ **b. man's buff**, moscacieca (*gioco*) □ (*mil.*) **b. shell**, granata inesplosa □ **b. side**, lato nascosto alla visuale (*di q.*); lato cieco □ **b. spot**, (*anat.*) punto cieco; macchia cieca; (*fig.*) punto cieco, zona cieca; (*di persona*) incapacità di capire (*qc.*), cecità mentale; (*radio, TV*) punto in zona d'ombra; (*radar*) punto in zona morta □ (*legatoria*) **b. stamping**, impressione a secco □ (*cucito*) **b. stitch**, soppunto; sottopunto □ (*market.*) **b. test**, prova del paracchi □ (*slang USA*) **b. tiger**, spaccio illegale di alcolici □ **b. tooling** = **b. stamping** → *sopra* □ **b. track**, sentiero difficile da seguire (*o* rintracciare) □ (*ferr.*) binario morto □ (*fin., polit.*) **b. trust**, gestione fiduciaria cieca □ (*radio, TV*) **b. zone**, zona d'ombra; zona morta □ (*as*) **b. as a bat** (*o* **as a mole**), cieco come una talpa □ (*cucina*) **to bake b.**, far cuocere in forno (*una sfoglia*) senza ripieno □ **It's (a case of) the b. leading the b.**, è come un cieco che guida un altro cieco □ (*fam.*) **not a b. bit of**, nessunissimo; neanche un briciolo di; il benché minimo □ **to turn a b. eye (to)**, fingere di non vedere (*qc.*) (*spec. di sbagliato, di illecito*).

blind② /blaɪnd/ *n.* **1** schermo (*contro la luce*); ostacolo (*alla vista*) **2** avvolgibile (*di finestra*); (= **Venetian b.**) (tenda alla) veneziana **3** (*USA*) paraocchi (*di cavallo*) **4** (*caccia, spec. USA*) nascondiglio **5** pretesto; schermo, paravento (*fig.*) **6** (*poker*) buio; (*anche*) fiche obbligatoria (*per chi è di mano*): **to go b.**, giocare al buio **7** (*slang*) bicchierata; bisboccia; sbronzatura **8** (*slang*) sbornia; sbronza ● (*poker*) **b. opening**, apertura al buio □ (*poker*) **b. raise**, controbuio □ **b. roller**, avvolgibile; serranda □ (*poker*) **to raise the b.**, fare il controbuio □ **roller b.**, tendina a ghigliottina (*che s'avvolge su un rullo*) □ **vertical b.**, veneziana a stecche verticali.

to **blind** /blaɪnd/ Ⓐ *v. t.* **1** (*anche fig.*) accecare; abbagliare: *I was blinded by the dust*, fui accecato dalla polvere; *He was blinded of one eye*, rimase cieco da (*o* perse) un occhio; *He was blinded by the headlights of a car*, fu abbagliato dai fari di un'automobile **2** oscurare; opacizzare **3** eclissare; confondere; far sfigurare **4** (*mil.*) blindare **5** (*radio*) schermare Ⓑ *v. i.* (*slang ingl.*) (*autom.*) andare a tutta birra (*o* a tutto spiano).

blinded /'blaɪndɪd/ *a.* **1** accecato; cieco: **b. in one eye**, cieco da un occhio **2** (*fig.*) accecato (*dalla passione, dall'ira, ecc.*).

blinder /'blaɪndə(r)/ *n.* **1** accecatore **2** (*slang USA*) cosa eccezionale, cannonata, schianto (*fig.*) **3** (*USA, di solito al pl.; di cavallo e fig.*) paraocchi **4** (*pop.*) bisboccia; sbronzatura: **to go on a b.**, sbronzarsi **5** (*slang, sport*) prestazione brillante; gara fantastica.

blindfold /'blaɪndfəʊld/ Ⓐ *n.* benda (*per coprire gli occhi*) Ⓑ *a.* con gli occhi bendati Ⓒ *avv.* **1** con gli occhi bendati **2** (*fig.*) con gli occhi bendati; a occhi chiusi: *I can do it b.*, posso farlo con gli occhi bendati.

to **blindfold** /'blaɪndfəʊld/ *v. t.* bendare (*q.*); bendare gli occhi a: *The prisoners were blindfolded*, ai prigionieri furono bendati gli occhi.

blinding /'blaɪndɪŋ/ Ⓐ *n.* Ⓤ **1** accecamento; abbagliamento **2** getto di ghiaietto (*su strada catramata*) Ⓑ *a.* accecante; abbagliante.

blindly /'blaɪndlɪ/ *avv.* **1** alla cieca; senza vedere: *He ran b. down the corridor*, corse alla cieca lungo il corridoio **2** (*fig.*) ciecamente; a occhi chiusi; pedissequamente: **to follow fashion b.**, seguire ciecamente la moda; **to trust sb. b.**, fidarsi a occhi chiusi di q.

blindness /'blaɪndnəs/ *n.* Ⓤ (*anche fig.*) cecità ● **deaf-b.**, sordo-cecità, sordocecità.

to **blindside** /'blaɪndsaɪd/ *v. t.* (*fam. USA*) **1** sorprendere di fianco (*approfittando della mancanza di visuale dell'altro*) **2** cogliere alla sprovvista.

to **blind-stitch** /'blaɪndstɪtʃ/ *v. t.* cucire a soppunto.

blindworm /'blaɪndwɜːm/ *n.* (*zool.*) **1** (*Caecilia gracilis*) cecilia **2** (*Anguis fragilis*) orbettino.

bling /blɪŋ/, **bling-bling** /'blɪŋblɪŋ/ *n.* Ⓤ (*slang*) gioielli (*spec. se vistosi e volgari*).

to **bling up** /blɪŋ'ʌp/ *v. t.* + *avv.* (*fam.*) ingioiellare; rendere più luccicante, più appariscente.

blink /blɪŋk/ *n.* **1** ammiccamento; ammicco; battito di ciglia **2** balenio; bagliore fugace; lampo (*di luce*) **3** rapida occhiata ● (*fig.*) **in the b. of an eye** (*o* **of an eyelid**), in un batter d'occhio; in un baleno □ (*fam., di apparecchio, ecc.*) **on the b.**, guasto; fulminato; fuso.

to **blink** /blɪŋk/ Ⓐ *v. i.* **1** battere le palpebre; ammiccare: **to b. at**, guardare qc. ammiccando **2** (*di luce*) brillare a intervalli; ammiccare; (*di segnale luminoso*) lampeggiare **3** essere sorpreso; sbarrare gli occhi: *This'll make you b.!*, questo ti farà sbarrare gli occhi!; *He blinked at me*, mi guardò sorpreso **4** (*solo al neg.*) manifestare una reazione; battere ciglio: *He didn't b. when he heard the results*, ascoltò i risultati senza batter ciglio **5** (*fig.*) dare segni di debolezza, cedere, fare marcia indietro (*in un confronto*): *The EU blinked first in its battle with the USA over tariffs*, la UE è stata la prima a cedere nella battaglia tariffaria con gli USA Ⓑ *v. t.* ammiccare (*le palpebre*): *She blinked her eyes nervously*, batté le palpebre nervosamente ● **to b. away one's tears**, frenare le lacrime battendo le palpebre □ (*fam. GB*) **B. and you miss it!**, (*di qc. di molto breve o piccolo*) non fai quasi a tempo a vederlo!

blinker /'blɪŋkə(r)/ *n.* **1** (*al pl.*) (*GB*) paraocchi (*di cavallo e fig.*): **to look at st. without blinkers on**, guardare qc. senza paraocchi **2** (*USA*) lampeggiatore; semaforo a luce intermittente.

to **blinker** /'blɪŋkə(r)/ *v. t.* mettere il paraocchi a (*un cavallo e fig.*).

blinkered /'blɪŋkəd/ *a.* **1** con i paraocchi **2** (*fig.*) con i paraocchi; ristretto; ottuso; gretto: **b. opinions**, idee ristrette; **to be b.**, avere i paraocchi; essere di idee ristrette.

blinking /'blɪŋkɪŋ/ Ⓐ *a.* **1** (*di luce*) intermittente **2** (*slang GB*) maledetto: **b. nuisance**, una maledetta seccatura; **a b. fool**, un perfetto idiota Ⓑ *avv.* (*slang GB*) moltissimo: **b. great**, enorme.

blip /blɪp/ *n.* **1** (suono acuto di) bip (*ma più breve di* → «**bleep**», *def. 1*) **2** (*elettron.*) segna-

le di ritorno **3** (*radar*) puntino (*sullo schermo*) **4** (*radio*) blip (*suono emesso in luogo di una parolaccia*) **5** (*spec. econ.*) deviazione temporanea dalla norma; anomalia; caso singolo **6** (*slang USA*) cinque cent; (*fig.*) pochi soldi **7** (*slang USA*) piccolo inconveniente; bazzecola; inezia.

blipper /ˈblɪpə(r)/ n. (*autom.*, = **remote b.**) telecomando di chiusura centralizzata.

bliss /blɪs/ n. ⓤ grande gioia; felicità; beatitudine: **sheer b.**, pura gioia; felicità perfetta; una meraviglia; un sogno; *It's sheer b. to be lying on this beach*, che meraviglia starsene sdraiati su questa spiaggia!

blissful /ˈblɪsfl/ a. **1** felice; beato (*anche iron.*): **b. ignorance**, beata ignoranza **2** (*fam.*) meraviglioso; da sogno ‖ **blissfully** avv. beatamente; idillicamente: **blissfully unaware of criticism**, beatamente ignaro delle critiche ‖ **blissfulness** n. ⓤ felicità perfetta; beatitudine.

blister /ˈblɪstə(r)/ n. **1** vescica (*sulla pelle*); pustola **2** bolla (*su foglie, legno, in un metallo, ecc.*); blister **3** (*med.*) vescicante **4** (*farm.*) blister **5** (*aeron.*) cupola trasparente (*d'aeroplano*) **6** (*slang arc.*) dura critica; aspro rimprovero **7** (*slang arc.*) seccatore; piaga (*fig.*) **8** (*pop. USA*) puttana; battona ● (*zool.*) **b. beetle** (o **b. fly**) (*Lytta vesicatoria*), cantaride □ (*bot.*) **b. buttercup** (*o* **b. plant**) (*Ranunculus sceleratus*), sardonia □ **b. gas**, gas vescicante □ (*market., farm.*) **b. pack**, blister; confezione consistente in un involucro trasparente incollato su una base di alluminio □ (*metall.*) **b. steel**, acciaio vescicolare.

to **blister** /ˈblɪstə(r)/ Ⓐ v. t. **1** produrre vesciche su **2** (*tecn.*) far gonfiare (*la vernice, ecc.*) **3** (*med.*) applicare un vescicante a Ⓑ v. i. coprirsi di vesciche: *His feet b. easily*, i suoi piedi sono soggetti a coprirsi di vesciche.

blistering /ˈblɪstərɪŋ/ Ⓐ a. **1** (*del tempo*) afoso; (*del caldo*) soffocante **2** (*di un rimprovero*) aspro **3** (*di un attacco*) furioso; violento Ⓑ n. (*tecn.*) rigonfiamento; vescicatura (*di vernice, ecc.*).

BLit /ˌbiːˈlɪt/ abbr. (**Bachelor of Literature**) laureato in letteratura (*laurea di 1° grado*).

blithe /blaɪð/ a. **1** (*poet.*) allegro; gaio; gioioso **2** sconsiderato; superficiale; avventato ‖ **blithely** avv. **1** allegramente **2** in modo incurante (*o* sconsiderato, avventato) ‖ **blitheness** n. ⓤ gaiezza; allegria ‖ **blithesome** a. allegro; gaio; gioioso.

blithering /ˈblɪðərɪŋ/ a. (*spreg.*) completo; assoluto; perfetto: **a b. idiot**, un perfetto cretino.

BLitt /ˌbiːˈlɪt/ abbr. (*lat.*: *Baccalaureus Litterarum*) (**Bachelor of Letters**) laureato in lettere (*laurea di 1° grado*).

blitz /blɪts/ n. **1** (*mil.*) blitz; attacco improvviso; incursione **2** – (*stor.*) **the B.**, il bombardamento aereo di Londra (*1940-41*) **3** (*fig. fam.*) periodo di intensa attività (*per eliminare qc.*); ripulisti: *We had a b. on all those unanswered letters*, abbiamo fatto fuori tutta quella corrispondenza inevasa; **a b. on the kitchen**, una pulizia da cima a fondo in cucina **4** (*fig., rif. a pubblicità*) battage; bombardamento: **an advertising b.**, un battage pubblicitario ❶ FALSI AMICI • blitz *non significa* blitz *nel senso di irruzione della polizia*.

to **blitz** /blɪts/ v. t. (*mil. e fig.*) **1** attaccare; sottoporre a incursioni aeree **2** danneggiare; distruggere: **blitzed areas**, zone danneggiate (*o* distrutte) da bombardamento aereo **3** (*fig. fam.*) far fuori; demolire; annientare.

blitzkrieg /ˈblɪtskriːɡ/ (*ted.*) n. (*mil.*) guerra lampo.

blizzard /ˈblɪzəd/ n. blizzard; bufera di neve; tormenta.

blk abbr. **1** (**black**) nero **2** (**block**) blocco; isolato (*negli indirizzi*) **3** (**bulk**) in blocco; all'ingrosso.

to **bloat**① /bləʊt/ Ⓐ v. t. gonfiare (*d'aria, d'acqua*) Ⓑ v. i. gonfiarsi.

to **bloat**② /bləʊt/ v. t. affumicare e salare (*aringhe*).

bloated /ˈbləʊtɪd/ a. **1** gonfio (*d'aria o di liquido*); enfiato: **b. stomach**, ventre gonfio **2** gonfio di cibo; pieno; rimpinzato **3** esagerato; eccessivo; cresciuto a dismisura; sovradimensionato; elefantiaco: **b. bureaucracy**, burocrazia elefantiaca.

bloater /ˈbləʊtə(r)/ n. **1** aringa affumicata **2** scombro affumicato.

blob /blɒb/ n. **1** goccia (*di liquido, cera, vernice, ecc.*) **2** piccola macchia o spruzzo (*di colore*) **3** grumo **4** (*fam.*) zero punti (*in un gioco*).

bloc /blɒk/ n. (*polit., econ., fin.*) blocco: **the b. of the left-wing parties**, il blocco dei partiti di sinistra; **trade b.**, blocco commerciale.

block /blɒk/ n. **1** blocco (*squadrato*); blocchetto; pane; mattonella; tavoletta: **a b. of marble**, un blocco di marmo; **a b. of butter**, un pane di burro; **a b. of ice cream**, una mattonella di gelato; **a b. of chocolate**, una tavoletta di cioccolato; **wooden blocks**, blocchi (*o* blocchetti) di legno; (*edil.*) **b. paving**, lastricato a blocchetti; (*metall.*) **b. tin**, stagno in pani **2** (*GB*) grande edificio; palazzo: **b. of flats**, palazzo di abitazione; condominio; caseggiato; **office b.**, palazzo di uffici **3** isolato: *We went round the b.*, facemmo il giro dell'isolato **4** quantità unitaria; blocco; pacchetto; lotto: (*Borsa*) **b. of shares**, pacchetto di azioni; pacchetto azionario: **b. booking**, prenotazione in blocco; (*comm.*) **b. offer**, offerta in blocco; (*Borsa*) **b. trade** (*o* **b. order**), compravendita di grossi lotti di titoli **5** (*GB*) blocco (*per appunti, disegno*) **6** blocco; ostruzione; intasamento; ingorgo: **a b. in the drain**, un intasamento nel tubo di scarico; **road b.**, blocco stradale; **traffic b.**, ingorgo di traffico; **mental b.**, blocco psicologico; **writer's b.**, il blocco dello scrittore **7** (*sport*) opposizione; (*calcio, ecc.*) blocco, arresto, chiusura, intercettazione; (*del portiere*) parata **8** (= **butcher's b.**) tagliere (*di macellaio*) **9** ceppo (*del boia*): **to be sent to the b.**, essere condannato alla decapitazione **10** (*tipogr.*) cliché (*anche*) zoccolo (*di cliché*) **11** forma (*per cappello, parrucca*) **12** (*tecn.*) puleggia **13** (*naut.*) bozzello: **double b.**, bozzello doppio **14** (*al pl.*) (*sport*, = **starting blocks**) blocchi di partenza: **b. start**, partenza dai blocchi **15** (*autom., mecc.*) ceppo; ganascia: **b. brake**, freno a ceppo (*o* a ganascia) **16** (*mecc.*, = **cylinder b.**, **engine b.**) blocco motore; mono **17** (*comput.*) blocco: **b. sort**, selezione a blocchi; **b. gap**, interblocco **18** (= **auction b.**) palco (*per vendite all'asta*): **on the b.**, in vendita; messo all'asta **19** (*Austral., NZ*) lotto da coltivazione; (*anche*) appezzamento **20** (*slang*) testa; zucca; capoccia: **to knock sb.'s b. off**, spaccare la testa a q.; sfondare il cranio a q.; *He's off his b.*, è matto; è fuori di testa **21** – (*slang GB*) **b.**, cella d'isolamento ● (*naut.*) **b. and tackle**, paranco □ **b. capitals** (*o* **b. letters**), lettere maiuscole; stampatello **1** (*mat., tecn.*) **b. diagram**, diagramma a blocchi □ (*polit.*) **b. grant**, contributo generale □ (*ferr.*) **b. system**, sistema di blocco □ (*in GB*) **b. vote**, voto plurimo □ **building b.** → **building**, B □ in **b. form**, (*di testo scritto*) a paragrafi spaziati e senza rientranze; a blocchi □ (*fam. USA*) **to have been round the b.**, saperla lunga; essere il fatto proprio; saperla lunga; essere navigato; essere scafato □ (*fam.*) **to put** (*o* **to lay**) **one's head on**

the b., giocarsi la reputazione, la carriera □ (*fig.*) **slow out of the blocks**, lento cominciare, a partire.

♦to **block** /blɒk/ Ⓐ v. t. **1** bloccare; ostruire; intasare; ostacolare: **to b. the traffic**, bloccare il traffico; *The line was blocked by a landslide*, la linea era bloccata da una frana; **blocked drains**, scarichi intasati; **blocked nose**, naso intasato; naso chiuso **2** impedire la vista di; nascondere: **to b. the view**, impedire la visuale; **to b. the sun**, nascondere il sole **3** bloccare; impedire; fermare; neutralizzare: **to b. sb.'s escape**, impedire la fuga di q.; **to b. a project**, bloccare un progetto; **to b. sb.'s way**, sbarrare la strada a q.; **to b. an attack**, neutralizzare un attacco **4** (*fin., banca*) bloccare: **to b. an account**, bloccare un conto; **blocked currency**, valuta non convertibile; *I'm going to have to call the bank and b. my cards*, dovrò chiamare la banca e bloccare le mie carte **5** (*sport*) bloccare; ostacolare; intercettare; stoppare (*un avversario, un tiro*) **6** modellare (*un cappello, ecc.*) su una forma Ⓑ v. i. (*sport*) chiudersi (*in difesa*); andare a chiudere; (*pallavolo*) fare muro.

■ **block in** v. t. + avv. **1** riempire lo sfondo di (*un disegno*) **2** abbozzare; schizzare; buttar giù a grandi linee **3** (*fig.*) descrivere a grandi linee; fare uno schizzo di **4** (*autom.*) chiudere (*un'altra automobile, parcheggiando male*).

■ **block off** v. t. + avv. **1** bloccare (*un passaggio, ecc.*); chiudere; impedire l'accesso a **2** nascondere (alla vista); coprire.

■ **block out** v. t. + avv. **1** nascondere (alla vista), coprire: *The clouds have blocked out the sun*, le nuvole hanno nascosto il sole **2** → abbozzare; delineare; tratteggiare: (*teatr.*) **to b. out a scene**, allestire (*o* montare) una scena **3** (*fotogr., tipogr.*) scontornare.

■ **block up** v. t. + avv. intasare, ostruire (*uno scarico, ecc.*); tappare: *My nose is blocked up*, ho il naso tappato.

blockade /blɒˈkeɪd/ n. **1** (*mil., polit.*) blocco: **to raise a b.**, togliere il blocco; **to run a b.**, forzare (*o* rompere) il blocco **2** ostruzione; impedimento ● (*mil.*) **b. runner**, persona (*o* nave) che forza (*o* ha forzato) un blocco.

to **blockade** /blɒˈkeɪd/ v. t. **1** (*mil.*) mettere il blocco a; stringere d'assedio: **to b. a port**, mettere il blocco a un porto **2** bloccare: *The strikers have blockaded the streets*, gli scioperanti hanno bloccato le strade ‖ **blockader** n. (*mil.*) chi effettua un blocco.

blockage /ˈblɒkɪdʒ/ n. ⓊⒸ blocco; ostruzione; occlusione; ingorgo.

blockboard /ˈblɒkbɔːd/ n. (*ind. del legno*) (compensato) impiallacciato.

blockbuster /ˈblɒkbʌstə(r)/ n. **1** (*mil., stor.*) bomba ad alto potenziale; superbomba **2** (*fam.*) spettacolo di grande successo; film di cassetta; kolossal cinematografico **3** (*fam.*) libro di grande successo; grosso best-seller **4** (*fam. USA*) speculatore edilizio che pratica il → «blockbusting», B.

blockbusting /ˈblɒkbʌstɪŋ/ Ⓐ a. di grande successo; di cassetta Ⓑ n. ⓤ (*fam. USA*) incentivazione a vendere l'abitazione a un prezzo inferiore a quello di mercato (*nel timore dell'arrivo nel quartiere di appartenenti a una minoranza sgradita*).

blocker /ˈblɒkə(r)/ n. **1** chi blocca **2** (*sport*) intercettatore; stoppatore **3** (*pallavolo*) uomo a muro; muro (*giocatore*): **end b.**, muro d'ala.

blockhead /ˈblɒkhed/ n. **1** forma (*per cappelli o parrucche*) **2** (*fig.*) testa di legno; stupido; testone; zuccone; balordo.

blockhouse /ˈblɒkhaʊs/ n. **1** (*mil.*) fortino; casamatta **2** casa di tronchi squadrati.

a
b
c
d
e
f
g
h
i
j
k
l
m
n
o
p
q
r
s
t
u
v
w
x
y
z

blocking /'blɒkɪŋ/ n. ⓤⓒ **1** intasamento **2** il rinforzare con blocchi **3** (polit.) blocco (di un disegno di legge) **4** (chim., edil., elettron., miss.) bloccaggio **5** (metall.) sbozzatura **6** (sport) blocco; bloccaggio; stoppata **7** (pallavolo) murata.

blockish /'blɒkɪʃ/ a. stupido; ottuso; tardo (di comprendonio).

blog /blɒg/ n. (comput.) blog; diario on line; diario di rete ‖ **blogger** n. autore di blog; chi tiene un blog; blogger.

to **blog** /blɒg/ v. i. (comput., Internet) scrivere un blog.

blogosphere /'blɒgəsfɪə(r)/ n. ⓤ (comput., fam.) l'insieme dei siti web personali e dei blog; blogosfera.

♦**bloke** /bləʊk/ n. (fam. GB, Austral.) uomo; individuo; tipo; tizio: a **nice b.**, un tipo simpatico; The blokes have gone to the pub, gli uomini sono andati al pub ‖ **blokeish** a. da uomo; maschile; mascolino.

blond /blɒnd/ a. → **blonde, A**.

♦**blonde** /blɒnd/ **A** a. (di capelli, di persona) biondo: **b. man**, uomo biondo; biondo; biondino **B** n. **1** donna dai capelli biondi; bionda; biondina **2** (colore) biondo (di capelli).

♦**blood** /blʌd/ **A** n. **1** ⓤ sangue: **to lose b.**, perdere sangue; sanguinare; **to give** (o to **donate**) **b.**, donare il sangue; My b. ran cold, mi si gelò il sangue; **related by b.**, consanguinei; dello stesso sangue **2** (antiq., GB) giovanotto alla moda; moscardino **B** a. attr. (fisiol., med.) **1** di (o del) sangue; sanguigno; ematico (scient.): **b. transfusion**, trasfusione (di sangue); **b. loss**, perdita di sangue; perdita ematica; **b. group** (o type), gruppo sanguigno **2** (scient.) ematologico: **b. chemistry**, chimica ematologica ● **b. alcohol concentration** (o level), concentrazione alcolica nel sangue □ (fam.) **b. and guts**, sangue e violenza (al cinema, ecc.) □ **b.- and-thunder** (agg.), a forti tinte; violento □ **b. bank**, banca del sangue; emoteca □ **b. bath**, bagno di sangue; massacro □ **b. brother**, fratello per patto di sangue □ (fisiol.) **b. cell**, cellula ematica □ (med.) **b. clot**, grumo di sangue; embolo □ (med.) **b. count**, esame emocromocitometrico; emocromo □ **b.-curdling**, orripilante; raccapricciante □ **b. donor**, donatore di sangue □ (zool., med.) **b. fluke**, schistosoma □ **b. heat**, temperatura corporea □ (antiq.) **b. horse**, (cavallo) purosangue □ **b. lust**, sete di sangue; istinto sanguinario □ **b. money**, compenso dato a un sicario; (anche) risarcimento pagato ai parenti dell'ucciso, guidrigildo (stor.) □ **b. orange**, arancia sanguigna; sanguinello □ (biol.) **b. plasma**, plasma sanguigno □ (med.) **b. poisoning**, avvelenamento del sangue; setticemia □ (fisiol.) **b. pressure**, pressione sanguigna □ (med.) **b. pressure monitor**, sfigmomanometro elettronico □ (alim.) **b. pudding**, migliaccio; sanguinaccio □ **b.-red**, rosso sangue; di colore sanguigno □ **b. relation** (o **b. relative**), consanguineo □ **b. relationship**, consanguineità □ **b. royal**, sangue reale □ (alim.) **b. sausage** = **b. pudding** → sopra □ **b. sports**, gli sport della caccia □ (med.) **b. substitute**, sangue artificiale □ (med.) **b. sugar**, glicemia □ (med.) **b. test**, esame del sangue □ (med.) **b. typing**, tipizzazione del sangue □ (anat.) **b. vessel**, vaso sanguigno; vaso ematico □ **There is bad b. between them**, non c'è buon sangue fra loro □ **His b. is up**, è furioso; è furibondo □ **to be after sb.'s b.**, voler ammazzare q. □ **to be out for sb.'s b.**, chiedere la testa di q. □ **to be** (o to **run**) **in sb.'s b.**, avercelo nel sangue □ **first b.**, primo sangue sparso (in un duello, in un incontro di boxe); (fig.) primo vantaggio, primo punto □ **to get b. from** (o **out of**) **a stone** (USA, **of a turnip**), cavar sangue da una rapa □ **to have**

sb.'s b. on one's hands, essere responsabile della morte di q.; avere la morte di q. sulla coscienza □ **in cold b.**, a sangue freddo □ **in hot b.**, in un impeto d'ira □ **to let b.**, cavar sangue; salassare □ **of the b. (royal)**, di sangue reale □ **to make sb.'s b. boil**, far ribollire il sangue a q. □ (fig.) **new b.**, elementi giovani; forze nuove □ (fig.) **to smell b.**, fiutare la preda □ **to spill the b. of**, versare il sangue di □ (fig.) **to sweat b.**, sudar sangue □ (fig.) **to taste b.**, assaggiare il successo □ **young b.** = **new b.** → sopra □ (prov.) B. **is thicker than water**, il sangue non è acqua □ (prov.) B. **will tell**, buon sangue non mente.

to **blood** /blʌd/ v. t. **1** (med.) salassare; cavar sangue a **2** assuefare (un cane da caccia) al gusto del sangue **3** (mil. e fig.) sottoporre (q.) al battesimo del fuoco.

blooded /'blʌdɪd/ a. (nei composti:) **blue-b.**, di sangue blu; nobile; aristocratico; **hot-b.**, dal sangue caldo.

bloodhound /'blʌdhaʊnd/ n. **1** (cane) segugio di Sant'Uberto; limiere **2** segugio; bracco (fig.); agente investigativo; detective **3** (mil.) missile terra-aria.

bloodily /'blʌdɪlɪ/ avv. **1** sanguinosamente **2** crudelmente.

bloodiness /'blʌdɪnəs/ n. ⓤ **1** crudeltà **2** istinto sanguinario.

bloodless /'blʌdləs/ a. **1** senza sangue; esangue; anemico **2** insensibile; freddo; crudele **3** (fig.) debole; fiacco; senza sangue nelle vene **4** incruento: **a b. victory**, una vittoria incruenta.

bloodletting /'blʌdletɪŋ/ n. ⓤⓒ **1** (med., stor.) salasso **2** → **bloodshed**.

bloodmobile /'blʌdməbi:l/ n. (USA) autoemoteca.

bloodroot /'blʌdru:t/ n. (bot., Sanguinaria canadensis) sanguinaria.

bloodshed /'blʌdʃed/ n. ⓤ spargimento di sangue; massacro.

bloodshot /'blʌdʃɒt/ a. (dell'occhio) iniettato di sangue; rosso.

bloodstain /'blʌdsteɪn/ n. macchia di sangue ‖ **bloodstained** a. macchiato di sangue (anche fig.).

bloodstock /'blʌdstɒk/ n. ⓤ cavalli di razza (pl.).

bloodstone /'blʌdstəʊn/ n. (miner.) **1** eliotropio **2** ematite.

bloodstream /'blʌdstri:m/ n. ⓤ (fisiol.) flusso sanguigno.

bloodsucker /'blʌdsʌkə(r)/ n. **1** sanguisuga; mignatta **2** (fig. fam.) usuraio; strozzino; dissanguatore; vampiro.

bloodthirsty /'blʌdθɜ:stɪ/ a. assetato di sangue; sanguinario.

bloody ① /'blʌdɪ/ a. **1** insanguinato; sanguinante: **a b. handkerchief**, un fazzoletto insanguinato; **b. nose**, naso che sanguina; **to give sb. a b. nose**, far sanguinare il naso a q. con un pugno **2** sanguinoso: **a b. battle**, una battaglia sanguinosa **3** sanguinario: **b. regime**, un regime sanguinario □ B. **Mary**, (stor.) Maria la Sanguinaria; (anche) bloody mary (cocktail) □ (fam. GB) **b.- minded**, ostinato per partito preso, che fa il piantagrane □ (fam. GB) **b.-mindedness**, ostinazione per partito preso, voglia di piantar grane (stor.) □ B. **Sunday**, la domenica di sangue ❶ **CULTURA • Bloody Sunday**: il 30 gennaio 1972 a **Londonderry** (o **Derry**), nell'Irlanda del Nord, l'esercito britannico, in circostanze ancora controverse, aprì il fuoco durante un corteo per i diritti civili. Morirono 14 persone. Viene considerato da molti l'avvenimento che ha maggiormente stimolato la ripresa della lotta armata da parte dei repubblicani irlandesi. Come **Bloody Sunday** risale a un altro massacro avvenuto a Dublino il 21 novembre 1920 durante

la guerra civile.

♦**bloody** ② /'blʌdɪ/ **A** a. **1** (slang volg., GB) (in escl. di rabbia, irritazione) maledetto; della malora; del cazzo (volg.): You b. fool!, maledetto idiota!; It's a b. nuisance!, che rottura di scatole!; che menata!; I can't hear a b. thing!, non sento un un cazzo di niente!; Move your b. foot!, sposta quel cazzo di piede!; B. hell!, maledizione!; porco mondo!; cazzo! **2** (slang volg., GB) (in escl. di sorpresa, o come enfasi) – It cost a b. fortune, è costato un fracco di soldi; **not a b. one**, neanche uno; neanche mezzo **3** (antiq. GB) sgradevole; antipatico; seccante: Don't be so b.!, non essere così antipatico! **B** avv. (slang volg., GB) molto: It's b. cold outside, fuori fa un freddo cane; **you'll b. well do as you're told**, farai quello che ti si dice, perdio!; Not b. likely!, neanche per sogno!

to **bloody** /'blʌdɪ/ v. t. insanguinare; macchiare di sangue.

bloom ① /blu:m/ n. ⓤ **1** (anche fig.) fiore; fioritura: The roses are in b., le rose sono in fiore; Jane is in the b. of youth, Jane è nel fiore della giovinezza **2** freschezza; splendore (della carnagione, ecc.); colorito roseo **3** pruina (su uva, susine, ecc.); lanugine; peluria (di frutti, foglie) **4** (su un monte) efflorescenza **5** (ecol.) fioritura (delle alghe) **6** (TV) bagliore ● (fig.) **to take the b. off st.**, fare avvizzire (o inaridire) qc.

bloom ② /blu:m/ n. **1** (metall.) lingotto sgrossato di laminatoio; massello; blumo; sbozzo **2** massa di vetro fuso.

to **bloom** ① /blu:m/ v. i. **1** fiorire; sbocciare; essere in fiore **2** (fig.) fiorire; sbocciare; svilupparsi: The little girl had bloomed into a beautiful woman, la ragazzina era diventata una donna bellissima **3** (fig.) essere fiorente; risplendere: **to be blooming with health**, risplendere di salute; You're positively blooming!, sei un fiore; sei uno splendore!

to **bloom** ② /blu:m/ v. t. (metall.) massellare; blumare; sbozzare.

bloomer ① /'blu:mə(r)/ n. **1** (un tempo) abito femminile costituito da una gonna corta e da calzoni lunghi, stretti alla caviglia **2** (pl.) (fam.) calzoncini da ginnastica (per ragazze).

bloomer ② /'blu:mə(r)/ n. **1** (bot.) pianta che fiorisce (nei composti:) **a late b.**, una pianta che fiorisce tardi; Saguaros are night bloomers, i fiori del saguaro sbocciano di notte **2** (fam. antiq.) errore madornale; topica; strafalcione **3** (slang USA) affare andato a male; fiasco (fig.).

bloomer ③ /'blu:mə(r)/ n. (metall.) forno per blumi ‖ **bloomery** n. blumeria.

blooming ① /'blu:mɪŋ/ a. e avv. (slang GB antiq.) **1** (esprime irritazione) – It's a b. waste of time, è tempo cacciato via; He's a b. fool, è un perfetto cretino; He thinks he's a b. genius!, si crede un genio, quell'idiota!; This is b. ludicrous!, questa è una pagliacciata! **2** (esprime enfasi) – **a b. good meal**, un fior di pranzo.

blooming ② /'blu:mɪŋ/ n. ⓤ (metall.) produzione di blumi ● **b. mill**, laminatoio per blumi (o per lingotti).

bloomy /'blu:mɪ/ a. **1** fiorente; in fiore **2** lanuginoso; vellutato **3** pruinoso.

blooper /'blu:pə(r)/ n. **1** (fam., spec. USA) gaffe; magra; sfondone; strafalcione; papera (fig.) **2** (radio) radioricevitore che emette un segnale parassita.

blossom /'blɒsəm/ n. **1** ⓒ fiore (di alberi da frutta): **cherry b.**, fiori di ciliegio **2** fioritura: The peach trees are in b., i peschi sono in fiore ‖ **blossoming A** a. **1** (di pianta) che dà fiori; da fiore **2** (anche fig.) in fiore **B** n. (anche fig.) fioritura ‖ **blossomy** a. **1** simile a un fiore **2** fiorito.

to blossom /'blɒsəm/ v. i. **1** fiorire; sbocciare **2** essere in fiore **3** (*fig.*) svilupparsi; fiorire; sbocciare: *Romance blossomed between them*, tra di loro sbocciò una passione romantica **4** aprirsi; animarsi, diventare più vivace: *Linda blossomed in the new environment*, nel nuovo ambiente Linda si animò **5** – (*fig.*) **to b. into**, diventare: **to b. into womanhood**, diventare donna.

blot ① /blɒt/ n. **1** macchia (*spec. d'inchiostro*); sgorbio **2** macchia (*fig.*); difetto; vergogna: **a b. on one's escutcheon**, una macchia sul proprio onore; *It's a b. on the whole town*, è una vergogna per l'intera città ● (*fig.*) **a b. on the landscape**, un orrore; un pugno in un occhio (*fig.*).

blot ② /blɒt/ n. (*nel gioco della tavola reale*) pedina in pericolo.

to blot /blɒt/ **A** v. t. **1** macchiare (*spec. d'inchiostro*); sporcare **2** macchiare (*una reputazione, ecc.*) **3** asciugare (*con la carta assorbente*) **B** v. i. macchiarsi ● (*GB*) **to b. one's copybook**, macchiarsi la reputazione; rovinare un passato senza macchia (*commettendo un'infrazione*).

■ **blot out** v. t. + avv. **1** cancellare (*con un frego*): *The signature had been blotted out*, la firma era stata cancellata **2** nascondere; oscurare: *A cloud blotted out the sun*, una nuvola nascose il sole; **to b. out the view**, impedire la vista **3** cancellare; sopprimere; rimuovere: **to b. out a memory**, cancellare un ricordo.

blotch /blɒtʃ/ n. **1** macchia della pelle; chiazza **2** grossa macchia (*d'inchiostro, di colore*); scarabocchio; sgorbio.

to blotch /blɒtʃ/ **A** v. t. macchiare; scarabocchiare **B** v. i. coprirsi di macchie.

blotched /'blɒtʃt/, **blotchy** /'blɒtʃɪ/ a. pieno di macchie (*o di chiazze*); (*di animale*) maculato.

blotter /'blɒtə(r)/ n. **1** (tampone di) carta assorbente **2** (*USA*) registro, brogliaccio: **police b.**, registro degli arresti.

blotting /'blɒtɪŋ/ a. (nei composti) assorbente: **b. pad**, tampone di carta assorbente ● **b. paper**, carta assorbente.

blotto /'blɒtəʊ/ a. (*slang*) ubriaco fradicio; sbronzo.

◆**blouse** /blaʊz/ n. **1** camicetta (*da donna*) **2** camiciotto di tela (*da contadino o bracciante*) **3** (*mil.*) giubba.

to bloviate /'bloʊvieɪt/ v. i. (*USA*) sproloquiare; parlarsi adosso ‖ **bloviation** n. (*USA*) sproloquio.

◆**blow** ① /bləʊ/ n. **1** colpo di vento; raffica; ventata **2** boccata d'aria (fresca) **3** soffiata (*in uno strumento a fiato*); suono (*di corno, ecc.*); squillo (*di tromba*) **4** soffiata (*di naso*) **5** (*fam.*) forte vento; burrasca **6** (*fam. USA*) vanteria; fanfaronata **7** (*slang*) marijuana; fumo; tiro **8** (*slang*) cocaina; sniffo.

blow ② /bləʊ/ n. **1** colpo; percossa: **to exchange blows**, picchiarsi **2** colpo; mazzata: *The loss of his son was a great b. to him*, la perdita del figlio fu per lui un grave colpo **3** attacco improvviso; colpo di mano; sforzo violento ● **b.-by-b.** (agg.), (*di resoconto, ecc.*) dettagliato; particolareggiato □ **at one b.**, in un (sol) colpo; in una volta □ **to come to blows**, venire alle mani; passare a vie di fatto □ **to soften** (*o* **to cushion**) **the b.**, (*anche fig.*) attutire (*o* attenuare) il colpo □ **to strike a b. for** [**against**] **sb.**, scendere in campo a favore di [contro] q. □ **without striking a b.**, senza colpo ferire.

blow ③ /bləʊ/ n. Ⓤ fioritura: **in full b.**, in piena fioritura.

◆**to blow** ① /bləʊ/ (*pass.* ***blew***, p. p. ***blown***)
A v. i. **1** (*del vento*) soffiare; tirare: *The wind was blowing hard*, il vento soffiava forte; *A cool breeze was blowing*, tirava un'arietta fresca **2** (*di persona*) soffiare: *I blew on my tea to cool it*, soffiai sul tè per raffreddarlo **3** sbuffare; soffiare: *I was soon puffing and blowing*, ben presto cominciai ad ansimare e sbuffare **4** essere spinto (*o* sospinto) dal vento; essere agitato; volare; sventolare; sbattere: *The curtains were blowing in the breeze*, le tende erano mosse dalla brezza; *My hat blew away*, il mio cappello volò via; *A feather blew into the room*, una piuma volò nella stanza; **to b. about**, essere sospinto di qua e di là dal vento; essere scompigliato dal vento; *The kite blew away*, l'aquilone volò via **5** (*di strumento a fiato, sirena, ecc.*) suonare: *A trumpet blew*, suonò una tromba; *I heard a hooter blowing*, sentii suonare una sirena **6** (*elettr., di fusibile, ecc.*) fondersi, saltare; (*di lampadina*) bruciarsi **7** (*autom., di pneumatico*) scoppiare; forarsi **8** (*di mosca*) deporre le uova **9** (*di balena*) soffiare: *There she blows!*, balena in vista!; soffia! **10** (*fam.*) vantarsi; autoincensarsi **11** (*fam., mus.*) suonare jazz o rock con entusiasmo **12** (*slang*) andarsene via; filar via; sloggiare (*pop.*); tagliare la corda (*pop.*) **13** (*slang USA*) fare schifo **B** v. t. **1** (*del vento, ecc.*) sospingere; portare: **leaves blown by the wind**, foglie portate dal vento; *The wind blew in the smoke*, il vento portò dentro il fumo; *The blast blew him against the wall*, l'esplosione lo scaraventò contro il muro; **to be blown off course**, (*di nave*) essere sospinta fuori rotta dal vento; (*fig., di progetto*) venire stravolto **2** emettere dalla bocca (*aria, fiato, ecc.*); soffiare: **to b. smoke rings**, fare anelli di fumo; *He blew the smoke into my face*, mi soffiò in faccia il fumo **3** muovere soffiando; soffiare: *I blew the ash off the table*, soffiai via la cenere dal tavolo **4** soffiare in (*uno strumento a fiato*); suonare: **to b. a trumpet**, suonare una tromba; **to b. one's whistle**, soffiare nel fischietto; suonare il fischietto; (*sport, di arbitro*) fischiare **5** soffiare (*il vetro*); dare forma soffiando a (*un oggetto di vetro*) **6** far esplodere; far saltare (*in aria*): **to b. st. to pieces**, (*di esplosione*) mandare in pezzi qc.; ridurre in briciole qc.; distruggere qc. **7** (*elettr.*) fondere, far saltare (*un fusibile*); fulminare, bruciare (*una lampadina*) **8** (*autom., mecc.*) fondere: **to b. the engine**, fondere il motore **9** (*fam.*) spendere (*una grossa somma di denaro*); far fuori (*fam.*): *I decided to b. all my savings on a trip round the world*, decisi di spendere tutti i miei risparmi in un viaggio intorno al mondo **10** (*fam.*) sprecare, sciupare, buttar via (*un'occasione, ecc.*); rovinare; fare fiasco in; toppare (*pop.*); cannare (*pop.*): *You've just blown your chances for promotion*, ti sei appena giocato la promozione; *I blew it!*, me la sono giocata!; rovinato tutto!; ho fatto fiasco!; ho cannato! **11** rivelare: **to b. sb.'s cover**, rivelare la vera identità di q.; far saltare la copertura di q.; tradire q.; **to b. one's cover**, rivelare la propria identità; farsi scoprire; tradirsi **12** (*di solito all'imper., p. p. **blowed**) (*fam. GB*) mandare al diavolo (*o* all'inferno); far venire un colpo a: *B. the risk!*, al diavolo il rischio!; *B. the expense!*, al diavolo i soldi!; crepi l'avarizia!; *B. it!*, al diavolo!; accidenti!; *Well, b. me!*, accidenti!; mi venga un colpo!; mi possano...! *I'll be blowed if...!*, che mi venga un colpo se...!; non mi sogno nemmeno di...! **13** (*fam. USA*) offrire; pagare a: **to b. sb. to a meal**, invitare a pranzo q.; offrire un pranzo a q. **14** (*slang*) fumare (*marijuana*) **15** (*volg. USA*) fare un pompino a ● **to b. away the cobwebs → cobweb** □ **to b. the bellows**, tirare il mantice □ **to b. bubbles**, fare le bolle di sapone □ **to b. cold on st.**, essere poco entusiasta di qc. □ (*fam. USA*) **to b. one's cookies**, vomitare □ (*fam. USA*) **to b. the door off st.**, superare qc. alla grande; sbaragliare qc. □ (*fam.*) **to b. a fuse**, perdere la pazienza; infuriarsi; andare fuori dai gangheri □ (*fam. antiq. GB*) **to b. the gaff**, rivelare un segreto; spifferare tutto □ (*fam.*) **to b. a gasket**, perdere la pazienza; infuriarsi; andare fuori dai gangheri; esplodere □ **to b. one's own horn = to b. one's own trumpet** → *sotto* □ (*fig.*) **to b. hot and cold**, essere indeciso; tentennare □ **to b. sb. a kiss**, mandare un bacio a q. □ **to b. kisses**, gettare baci □ **to b. one's lid = to b. one's top** → *sotto* □ (*teatr.*) **to b. one's lines**, impaperarsi □ (*fam. USA*) **to b. one' s lunch**, vomitare □ (*slang*) **to b. sb.'s mind**, essere entusiasmante, travolgente; far sballare q. (*pop.*); □ (*di droga*) far sballare q., dare lo sballo a q. □ (*slang USA*) **B. on it!**, piantala!; dacci un taglio! □ **to b. one's nose**, soffiarsi il naso □ **to b. open**, (*del vento*) aprire, spalancare (*una porta, ecc.*); (*di porta, ecc.*) aprirsi di colpo, spalancarsi □ (*fam.*) **to b. st. out of the water**, distruggere qc.; mandare all'aria qc.; (*anche*) screditare qc., demolire qc. □ **to b. shut**, (*del vento*) chiudere (*una porta, ecc.*); (*di porta, ecc.*) chiudersi sbattendo □ **to b. st. sky-high**, far saltare in aria (*con un esplosivo*); (*fig.*) distruggere, demolire (*una teoria, ecc.*); (*anche*) sparare (*una notizia*), far scoppiare uno scandalo su qc.: *This'll b. his alibi sky-high*, questo demolirà completamente il suo alibi □ (*fam.*) **to b. sb.'s socks off** → **sock** □ (*fam. USA*) **to b. one's top** (*o* **stack**), infuriarsi; perdere la pazienza; perdere le staffe; andar fuori dai gangheri □ (*slang USA*) **to b. town**, partire all'improvviso; fare fagotto; squagliarsela; svignarsela □ (*fig.*) **to b. one's own trumpet**, cantarsi da solo le proprie lodi; autoincensarsi; battersi la grancassa; □ (*slang*) **to b. the whistle on** (**st., sb.**), denunciare pubblicamente, rivelare (*un'attività illegale o un colpevole di illegalità*) □ **to b. with the wind**, muoversi secondo come tira il vento, essere incostante.

■ **blow away** v. t. + avv. **1** (*di vento, esplosione, ecc.*) portare via: *His right arm was blown away by a grenade*, il braccio destro gli è stato portato via da una granata **2** (*fam.*) uccidere; far fuori; accoppare **3** (*fam.*) entusiasmare; stendere (*fam.*).

■ **blow down** v. t. + avv. (*di vento, ecc.*) abbattere; buttare giù □ (*slang GB*) **B. me down!**, accidenti!; mi possano...!

■ **blow in** v. i. + avv. **1** (*fam.*) arrivare all'improvviso; capitare **2** (*di pozzo di petrolio*) cominciare a produrre.

■ **blow off A** v. i. + avv. **1** infuriarsi; esplodere **2** (*slang GB*) mollare una scoreggia; spazzazzare **B** v. t. + avv. **1** lasciar fuoriuscire; scaricare: **to b. off steam**, scaricare vapore; (*fig. fam.*) sfogare la tensione, sfogarsi, scaricarsi **2** (*di esplosione, ecc.*) strappare; staccare; portare via (*fam. USA*) non andare a; non presentarsi a; saltare; marinare: **to b. off classes**, marinare la scuola **4** (*fam. USA*) annullare; lasciar perdere.

■ **blow out A** v. i. + avv. **1** (*di candela, fiamma, ecc.*) spegnersi **2** (*anche* **to b. itself out**) (*di temporale, ecc.*) esaurirsi; passare; cessare **3** (*di pneumatico*) scoppiare **4** (*elettr., di apparecchio*) saltare; fulminarsi **5** (*di gas, ecc.*) fuoriuscire; erompere **B** v. t. + avv. **1** spegnere (*soffiando*): **to b. out a candle**, spegnere una candela **2** (*elettr.*) far saltare (*un fusibile, ecc.*) **3** far uscire (*gas, petrolio, ecc.*) **4** gonfiare (*d'aria, ecc.*): **to b. out one's cheeks**, gonfiare le guance; **to feel blown out**, sentirsi gonfio (*dopo un pasto*) **5** far scoppiare (*un pneumatico e sim.*) **6** (*di apparecchio*) guastare (*fam.*) **7** (*slang USA*) sconfiggere; stracciare; sbaragliare **8** (*slang USA*) annullare (*un impegno, ecc.*); cancellare □ **to b. sb.'s brains out**, sparare in testa a q.; far saltare le cervella a q. □ **to b. one's brains out**, spararsi alla tempia; farsi saltare le cervella.

■ **blow over** v. i. + avv. **1** (*di temporale, ecc.*) passare, esaurirsi; placarsi **2** passare; pla-

b

carsi; perdere d'interesse, essere dimenticato; finire nel dimenticatoio: *Such things soon b. over*, cose come queste passano presto; *The scandal blew over in a few weeks*, lo scandalo finì nel dimenticatoio nel giro di qualche settimana.
■ **blow up** **A** v. i. + avv. **1** esplodere; scoppiare **2** (*di edificio, ecc.*) essere distrutto (*da un'esplosione*); saltare in aria **3** (*di temporale, ecc.*) scoppiare; (*di vento*) alzarsi **4** (*di progetto. ecc.*) fallire; fare fiasco; rivelarsi infondato **5** (*di scandalo, lite, ecc.*) scoppiare; esplodere **6** gonfiarsi (*d'aria, di gas*) **7** (*fam.*) perdere la pazienza; perdere le staffe; esplodere; andare in bestia **B** v. t. + avv. **1** fare esplodere, far scoppiare (*una mina, ecc.*) **2** demolire (*con esplosivo*); far saltare (in aria): *The rearguard blew up the bridge*, la retroguardia fece saltare il ponte **3** gonfiare (*con aria, gas*): **to b. up a balloon**, gonfiare un palloncino **4** esagerare; gonfiare; montare: *The whole thing has been blown up*, la faccenda è stata gonfiata (*o montata*): **to b. st. up out of all proportion**, esagerare (*o gonfiare*) qc. a dismisura **5** (*fotogr.*) ingrandire; fare un ingrandimento di **6** (*fam.*) rimproverare; fare una ramanzina a: *I got blown up for leaving early*, mi sono presa una ramanzina per essere uscita prima.
to **blow** ② /bləʊ/ (pass. **blew**, p. p. **blown**), v. i. (*raro*) fiorire; sbocciare; dischiudersi.
blowback /ˈbləʊbæk/ n. **1** ritorno di fiamma (*di un motore*); vampata (*d'arma da fuoco e fig.*) **2** ⓤ (*fig.*) conseguenze (*spec. negative o non volute, di un'operazione di disinformazione compiuta dai servizi segreti*) **3** (*chim.*) «blowback».
blow-dry /ˈbləʊdraɪ/ n. asciugatura (*di capelli, ecc.*) con il fon; messa in piega a fon ● **to give sb. a blow-dry**, asciugare i capelli a q. con il fon.
to **blow-dry** /ˈbləʊdraɪ/ v. t. asciugare (e mettere in piega: *i capelli*) con il fon; fonare.
blow-dryer /bləʊˈdraɪə(r)/ n. asciugacapelli; fon.
blower /ˈbləʊə(r)/ n. **1** soffiatore: **glass b.**, soffiatore (*di vetro*) **2** valvola di tiraggio (*di una stufa*) **3** (*ind.*) soffiatore **4** (*mecc.*) compressore **5** sfiatatoio (*di una miniera*) **6** (*fam.*) telefono **7** (*slang*) balena.
blowfly /ˈbləʊflaɪ/ n. (*zool.*) mosca carnaria; moscone della carne.
blowgun /ˈbləʊɡʌn/ n. (*USA*) cerbottana.
blowhard /ˈbləʊhɑːd/ n. (*fam. USA*) fanfarone; sbruffone; spaccone.
blowhole /ˈbləʊhəʊl/ n. **1** (*zool.*) sfiatatoio (*di balena*) **2** (*ind.*) soffiatura (*difetto di fusione o di saldatura*); bolla **3** (*di una foca*) buco (*o foro*) nel ghiaccio (*per respirare*).
blow-in /ˈbləʊɪn/ n. (*fam. Austral.*) nuovo arrivato; nuovo arrivo.
blowing /ˈbləʊɪŋ/ n. ⓤⒸ **1** respirazione affannosa **2** (*ind.*) soffiatura (*del vetro, ecc.*) **3** (*ind.*) rigonfiamento (*della gomma*) ● (*tecn.*) **b. agent**, agente schiumogeno □ **b. apparatus**, mantice (*d'organo*) □ **b. up**, esplosione; (*fam.*) sgridata □ (*fam.*) **b. cat**, musicista jazz.
blowjob, blow-job /ˈbləʊdʒɒb/ n. (*volg.*) pompino, bocchino (*volg.*).
blowlamp /ˈbləʊlæmp/ n. (*ind.*) lampada per saldare.
blown ① /bləʊn/ **A** p. p. di **to blow** ① **B** a. **1** senza fiato; sfiatato **2** (*ind.*) sfinito; stramato **3** (*di cibo*) guasto, andato a male ● **b. glass**, vetro soffiato □ (*edil.*: *del cemento, ecc.*) **b.-in**, iniettato: **b.-in insulating material**, materiale isolante iniettato □ (*slang USA*) **b. out**, intontito (*o istupidito*) dalla droga.
blown ② /bləʊn/ **A** p. p. di **to blow** ② **B** a. (*di fiore*) dischiuso, sbocciato; (*anche*, = **overblown**) spampanato.

blowoff, blow-off /ˈbləʊɒf/ n. **1** (*ind.*) scarico, spurgo (*di vapore, acqua, ecc.*) **2** (*aeron.*) espulsione a scoppio **3** (*fam. GB*) scoreggia; peto.
blowout /ˈbləʊaʊt/ n. **1** scoppio (*d'ira*); rivolta, tumulto **2** (*autom.*) scoppio (*di un pneumatico*) **3** (*elettr.*) fusione, «salto» (*di un fusibile*) **4** (*elettr.*) estinzione (*di un arco voltaico*) **5** (*geol.*) cavità eolica **6** (*idrologia*) fontanazzo; risorgenza (*dell'acqua*) **7** eruzione (*di un pozzo petrolifero*) **8** (*slang*) mangiata; abbuffata; scorpacciata.
blowpipe /ˈbləʊpaɪp/ n. **1** soffione (*tubo per soffiare nel fuoco*) **2** (*ind.*) cannello (*ferruminatorio; ossidrico: per soffiare il vetro*) **3** cerbottana.
blowsy, blowzy /ˈblaʊzɪ/ a. (*spec. di donna*) **1** rosso in viso; paonazzo; congestionato **2** sciatto; trasandato.
blowtorch /ˈbləʊtɔːtʃ/ n. (*ind., USA*) lampada per saldare.
blowup /ˈbləʊʌp/ n. **1** esplosione; scoppio **2** scoppio d'ira; esplosione **3** (*fotogr.*) ingrandimento; gigantografia.
(to) **blow-wave** /ˈbləʊweɪv/ → (to) **blow-dry**.
blowy /ˈbləʊɪ/ a. (*fam.*) di vento; ventoso; battuto dal vento: **a b. day**, una giornata di vento.
BLT sigla (**bacon, lettuce and tomato** (**sandwich**)) (sandwich) con bacon, lattuga e pomodori.
to **blub** /blʌb/ (*pop.*) → **to blubber**.
blubber /ˈblʌbə(r)/ n. **1** ⓤ grasso di balena **2** ⓤ (*fam.*) grasso animale; ciccia **3** (*gergo naut.*) medusa.
to **blubber** /ˈblʌbə(r)/ **A** v. i. piagnucolare; frignare **B** v. t. dire piangendo (*o singhiozzando*): *He blubbered* (*out*) *the whole truth*, piangendo confessò tutta la verità.
bludgeon /ˈblʌdʒən/ n. randello.
to **bludgeon** /ˈblʌdʒən/ v. t. **1** randellare; prendere a randellate **2** (*fig.*) minacciare; intimidire ● **to b. sb. into doing st.**, costringere con minacce q. a fare qc.
♦**blue** /bluː/ **A** a. **1** azzurro; turchino; blu: **b. eyes**, occhi azzurri; **b. sky**, cielo azzurro; **b. smoke**, fumo azzurrino; **b. fox**, volpe azzurra **2** livido (*in volto*); cianotico: **to go b.**, diventare cianotico **3** triste; depresso; d'umor nero: **to be feeling b.**, essere depresso; essere giù di corda (*o di morale, di giri*) (*fam.*) **4** (*polit.*) conservatore **5** (*fam.*) indecente; spinto; scollacciato: **b. jokes**, barzellette spinte **6** pornografico; porno; a luci rosse: **a b. film** (*USA*: **a b. movie**), un film porno; un pornofilm **7** (*slang USA*) sbronzo **B** n. **1** ⓤ (*color*) azzurro; turchino; blu: **dark b.**, blu (scuro) **deep b.**, azzurro intenso; turchino; blu; **light b.**, azzurro chiaro; celeste; **navy b.**, blu scuro; blu marino; **sky b.**, azzurro cielo; celeste **2** abiti (pl.) blu; blu; azzurro: **dressed in b.**, vestito di blu – **the b.**, il cielo; il mare; il blu **4** ⓤ turchinetto (*usato nelle lavanderie*) **5** (*polit.*) conservatore: **a true b.**, un conservatore intransigente **6** (al pl.: **the blues**) (*fam.*) depressione; malinconia; tristezza; umor nero: **to have the blues**, essere depresso (*o malinconico, triste*) **7** (al pl., col verbo al sing. o al pl.) (*mus.*) blues **8** (*sport, in GB*) atleta di una squadra universitaria di Oxford o di Cambridge; riconoscimento assegnato a uno di questi atleti **9** (*slang USA*) sbirro **10** (*slang Austral.*) errore; gaffe; magra (*pop.*) **11** (*slang Austral.*) combattimento; lotta **12** (al pl.: **the Blues**) (*in GB*) le Guardie Reali a cavallo ● (*fam.*) **b. about the gills** → **gill** □ ⓤ (*metall.*) **b. annealing**, ricottura al blu □ **b. baby**, bambino cianotico (*alla nascita*); bambino blu □ **b. black**, nero notte □ **b. blood**, sangue blu □ **b.-blooded**, di sangue blu; nobile □ **b. book**,

(*ingl.*) libro azzurro (*relazione di atti del Parlamento*); (*USA*) registro di persone importanti; (*fam. USA*) esame, test (*a scuola*) □ (*telef. USA*) **b. box**, dispositivo elettronico che elimina la registrazione degli addebiti per le chiamate in teleselezione □ (*alim.*) **b. cheese**, formaggio con venature verdastre (*Stilton, Danish Blue, gorgonzola, ecc.*) □ **b. chip**, (*poker*) fiche blu (*che vale più di tutte*); (*Borsa*) blue chip, titolo guida, azione sicura, titolo d'élite □ **blue-chip** (agg.), (*fin.*) (*di titolo*) sicuro; (*di società*) solida; (*polit.*: *di seggio parlamentare*) sicuro; (*in genere*) prestigioso, di prima qualità □ **b. coat**, persona che indossa una giacca blu (*spec. di uniforme*); poliziotto; marinaio (*fig.*) □ **b.-collar** (agg.), operaio: **a b.-collar union**, un sindacato operaio; **b.-collar worker**, operaio (sost.); colletto blu; tuta blu □ (*USA*) **b. cross**, mutua (*per l'assistenza medica*) □ (*fam.*) **the b. devils**, la depressione: **to have the b. devils**, essere depresso □ (*marina mil., in GB*) **the b. ensign**, la bandiera della riserva navale □ **b.-eyed**, dagli occhi azzurri; (*fam.*) favorito, prediletto; ingenuo, innocente; (*per i neri*) bianco; di pelle bianca: **sb.'s b.-eyed boy**, il cocco di q. □ **b. funk**, panico; fifa (*fam.*): **to be in a b. funk**, avere una fifa tremenda □ **b.-grey**, grigio azzurro □ (*zool.*, *Lepus timidus*) **b. hare**, lepre delle Alpi □ **b. helmet**, casco blu; soldato dell'ONU □ **b. jeans**, blue jeans □ (*fam. USA*) **b. law**, legge statale che regola l'apertura dei negozi, dei luoghi di divertimento, ecc., di domenica; (*stor.*, *nel periodo coloniale*) legge che proibiva passatempi e divertimenti di domenica □ (*geogr.*) **B. Nile**, Nilo Blu □ (*mus. jazz*) **b. note**, blue note □ (*mil.*) **b.-on-blue** (**incident**), incidente da fuoco amico □ (*naut.*, *GB*) **B. Peter**, bandiera di partenza (*azzurra con un rettangolo bianco al centro*); segnale di partenza □ **b. riband** (*o* **b. ribbon**), nastro azzurro; (*sport, in USA*) coccarda (*come premio*); (*in GB*) nastro dell'Ordine della Giarrettiera □ **b.-ribbon** (agg.), eccellente; di prima qualità □ **b. rinse**, tinta (*o tintura*) blu per i capelli: (*fam., spreg.*) **b.-rinse brigade**, tardone dai capelli blu (*spec. se simpatizzano per i conservatori*) □ (*zool.*) **b. shark** (*Prionace glauca*), squalo azzurro; verdesca; verdone □ (*USA*) **b.-sky** (agg.), non applicativo; puro; teorico; speculativo: **b.-sky research**, ricerca pura □ (*USA*) **b.-sky laws**, legge per la tutela dei piccoli investitori □ (*miner.*) **b. spar**, lazulite □ (*polit., USA*) **b. state**, Stato i cui abitanti votano in prevalenza per il Partito democratico □ (*zool.*) **b. tit**, (*Parus caeruleus*) cinciarella □ (*chim.*) **b. vetriol**, vetriolo azzurro; solfato di rame □ **b. water**, alto mare □ (*zool.*) **b. whale**, (*Sibbaldus musculus*) balenottera azzurra □ **b. with cold**, livido dal freddo □ **once in a b. moon**, di rado; a ogni morte di papa □ **out of the b.**, (avv.) improvvisamente, inaspettatamente, dal nulla; (agg.) improvviso, repentino, inaspettato □ **to run like a b. streak**, correre a rotta di collo □ (*fam.*) **till one is b. in the face**, fino a non poterne più; fino alla nausea; mille volte: *You can call that boy till you're b. in the face, but he won't come*, puoi sgolarti a chiamarlo, quel ragazzo, tanto non viene □ (*fam.*) **to scream** (*o* **to shout**) **b. murder**, strillare come un ossesso.
to **blue** /bluː/ v. t. **1** rendere blu; tingere in blu **2** (*metall.*) brunire (*un metallo*) **3** (*in lavanderia*) trattare con il turchinetto **4** (*chim.*) azzurrare.
Bluebeard /ˈbluːbɪəd/ n. (*folklore e fig.*) Barbablù.
bluebell /ˈbluːbɛl/ n. (*bot.*) **1** (*in Scozia, Inghil. sett. e USA*: *Campanula rotundifolia*) campanula; campanella **2** (*in Inghil. merid. e in USA*: *Muscari comosum*) cipollaccio; giacinto delle vigne.

blueberry /'blu:brɪ/ n. (*bot.*, *Vaccinium myrtillus*) mirtillo.

bluebird /'blu:bɜ:d/ n. **1** (*zool.*, *Sialia*) uccello azzurro **2** (*slang USA*) pantera (*fig.*); auto della polizia.

bluebonnet /'blu:bɒnɪt/ n. **1** berretto piatto scozzese di lana blu **2** (*bot.*, *Centaurea cyanus*) fiordaliso **3** (*bot.*, *Lupinus subcarnosus*) tipo di lupino (*in USA*, *simbolo dello stato del Texas*); centaurea.

bluebottle /'blu:bɒtl/ n. **1** (*zool.*, *Calliphora vomitoria*) moscone azzurro **2** (*bot.*, *Centaurea cyanus*) fiordaliso **3** (*slang GB*, *antiq.*) poliziotto; piedipiatti; sbirro.

bluefish /'blu:fɪʃ/ n. (pl. **bluefish**, **bluefishes**) (*zool.*, *Pomatomus saltator*) pomatomo; ballerino; pesce serra; pesce azzurro.

bluegrass /'blu:grɑ:s/ n. **1** (*bot.*, *Poa pratensis*) fienarola **2** (*mus.*, *USA*) bluegrass (*varietà di musica country*) ● (*in USA*) **the B. State**, il Kentucky.

blueing /'blu:ɪŋ/ → **bluing**.

blueish /'blu:ɪʃ/ a. bluastro; azzurrognolo.

bluejacket /'blu:dʒækɪt/ n. marinaio (*della marina mil.*).

blueness /'blu:nəs/ n. Ⓤ azzurro; azzurrità (*lett.*).

bluenose /'blu:nəʊz/ n. (*fam. USA*) **1** puritano; bigotto; bacchettone; moralista **2** (*in Canada*) abitante della Nuova Scozia.

to **blue-pencil** /'blu:pensl/ v. t. **1** segnare con la matita blu **2** (*fig. fam.*) fare tagli su (*un testo*); censurare; eliminare.

blueprint /'blu:prɪnt/ n. **1** copia cianografica; cianografia **2** piano; progetto; programma **3** modello: **to act as a b.**, fungere da modello.

to **blueprint** /'blu:prɪnt/ v. t. **1** cianografare **2** (*fig.*) programmare; progettare.

bluesman /'blu:zmən/ n. (pl. **bluesmen**) (*mus.*) cantante (*o* suonatore) di blues.

bluestocking /'blu:stɒkɪŋ/ n. **1** donna intellettuale *o* con pretese di esserlo; «bas bleu» (*franc.*); intellettualoide **2** (*zool.*, *Recurvirostra americana*) avocetta americana.

bluestone /'blu:stəʊn/ → **bluejack**.

bluetit /'blu:tɪt/ n. **blue tit** → **blue**.

Bluetooth ® /'blu:tu:θ/ n. (*comput.*) Bluetooth (*sistema di comunicazione a microonde a corto raggio*).

bluff ① /blʌf/ a. **1** (*di dirupo*, *scogliera*, *ecc.*) scosceso; a precipizio **2** (*di prua di nave*) tozza e rigonfia **3** (*di modo di fare*) brusco; reciso; sgarbato; (*anche*) franco; sincero.

bluff ② /blʌf/ n. **1** scogliera alta e scoscesa **2** promontorio a picco **3** (*naut.*) grossa prua.

bluff ③ /blʌf/ n. **1** (*poker*) bluff **2** (*fig.*) bluff; inganno **3** → **bluffer** ● **to call sb.'s b.** (*o* **the b.**), (*a poker*) (andare a) vedere; (*fig.*) costringere q. a mettere le carte in tavola.

to **bluff** /blʌf/ v. t. e i. **1** (*poker*) bluffare **2** (*fig.*) bluffare; ingannare (*un avversario*) con minacce a vuoto ● **to b. sb. into believing** (*o* **thinking**) **st.**, far credere qc. a q. con un bluff (*o* bluffando) □ (*fam.*) **to b. it** (*o* **one's way**) **out**, cavarsela con un bluff.

bluffer /'blʌfə(r)/ n. (*poker e fig.*) bluffatore.

bluing /'blu:ɪŋ/ n. Ⓤ **1** brunitura (*dei metalli*) **2** turchinetto (*usato in lavanderia*); trattamento col turchinetto **3** (*chim.*) azzurraggio.

bluish /'blu:ɪʃ/ a. bluastro; azzurrognolo.

blunder /'blʌndə(r)/ n. errore madornale; sbaglio grossolano; cantonata; sfondone (*fam.*): **to make a b.**, fare un errore madornale; prendere una cantonata.

to **blunder** /'blʌndə(r)/ Ⓐ v. i. **1** commettere un errore: **to b. badly**, commettere un grosso errore **2** muoversi in modo goffo *o* alla cieca; andare a tentoni: *He blundered down the corridor*, percorse il corridoio a tentoni Ⓑ v. t. (*di solito* **to b. out**) rivelare stupidamente; lasciarsi sfuggire ● **to b. into st.**, andare a sbattere contro qc.; ritrovarsi dentro qc. (*una situazione spiacevole, per imperizia, superficialità, ecc.*) □ **to b. upon st.**, trovare per caso, imbattersi in qc. ‖ **blunderer** n. confusionario; pasticcione; arruffone ‖ **blundering** a. goffo; maldestro; pasticciato.

blunderbuss /'blʌndəbʌs/ n. (*stor.*, *mil.*) archibugio; trombone.

blunge /blʌndʒ/ v. t. (*ind. ceramica*) impastare (*l'argilla*, *ecc.*) con l'acqua.

blunt /blʌnt/ Ⓐ a. **1** non affilato; senza filo: **a b. blade**, una lama senza filo **2** senza punta; spuntato; dalla punta arrotondata; smussato: **a b. pencil**, una matita senza punta **3** brusco; reciso; rude (*soprattutto a parole*) **4** franco; schietto; bruscamente sincero: **b. words**, parole schiette; *I'm going to be b.*, sarò franco; parlerò fuori dai denti Ⓑ n. ago passanastro ● **b. instrument**, corpo contundente; (*fig.*) sistema rozzo ‖ **bluntly** **avv.** con franchezza; con schiettezza; recisamente; fuori dai denti: **to put it bluntly**, per dire le cose come stanno; per dirla schietta ‖ **bluntness** n. Ⓤ **1** mancanza di punta *o* taglio; smussatura **2** (*fig.*) franchezza; schiettezza.

to **blunt** /blʌnt/ Ⓐ v. t. **1** spuntare; smussare **2** attutire; smorzare Ⓑ v. i. spuntarsi; smussarsi.

blur /blɜ:(r)/ n. **1** macchia; sbavatura **2** visione confusa (*o* sfocata); ricordo sfocato (*o* vago) **3** cosa appena visibile.

to **blur** /blɜ:(r)/ Ⓐ v. t. rendere confuso (*o* indistinto); annebbiare; far velo a; velare, sfocare: *Tears blurred my vision*, le lacrime mi velarono la vista; *A mist blurred the landscape*, una foschia annebbiava il paesaggio Ⓑ v. i. diventare confuso (*o* indistinto); perdere i contorni; velarsi; annebbiarsi; sfocarsi.

blurb /blɜ:b/ n. (*editoria*) **1** (*testo sulla*) quarta di copertina; risvolto **2** soffietto editoriale.

blurred /blɜ:d/ a. **1** sfocato; indistinto; annebbiato; confuso; incerto: **a b. photo**, una foto sfocata; **a b. picture**, un'immagine sfocata (*o* indistinta); **b. vision**, vista confusa *o* sbavato: **b. writing**, scrittura sbavata; (*tipogr.*) **b. print**, stampa sbavata ● (*TV*, *radar*) **b. zone**, zona d'incertezza □ **to become b.**, sfocarsi; annebbiarsi; perdere i contorni; sbavare.

blurry /'blɜ:rɪ/ a. confuso; indistinto; vago.

to **blurt** /blɜ:t/ v. t. (*anche* **to b. out**) dire senza riflettere; sbottare (in); lasciarsi uscire di bocca; lasciarsi sfuggire: **to b. out a secret**, lasciarsi sfuggire un segreto.

blush /blʌʃ/ n. **1** rossore (*di timidezza, modestia, imbarazzo*) **2** Ⓤ colore roseo; colorito roseo ● **at first b.**, a tutta prima; di primo acchito □ (*scherz.*) **Spare** (*o* **Save**) **my blushes!**, non farmi arrossire (*di modestia*)!

to **blush** /blʌʃ/ v. i. **1** arrossire (*per timidezza, modestia, imbarazzo*): *'Man is the only animal that blushes. Or needs to'* M. TWAIN, 'l'uomo è l'unico animale che arrossisca. O che ne abbia bisogno' **2** diventare rosa *o* rosso; soffondersi di rosso ‖ **blushing** a. **1** rosso in viso; soffuso di rossore **2** timido; vergognoso ‖ **blushingly avv.** arrossendo; con un rossore di imbarazzo; vergognandosi.

blusher /'blʌʃə(r)/ n. Ⓤ (*cosmesi*) fard; rossetto per le guance; belletto.

bluster /'blʌstə(r)/ n. Ⓤ **1** forti raffiche (pl.); buriana **2** parole (pl.) spavalde e aggressive; vuote minacce (pl.).

to **bluster** /'blʌstə(r)/ Ⓐ v. i. **1** (*di vento, pioggia, ecc.*) infuriare; soffiare a raffiche **2** parlare in tono spavaldo e aggressivo; fare l'arrogante; strepitare Ⓑ v. t. dire in tono spavaldo e aggressivo ‖ **blusterer** n. spavaldo; arrogante; gradasso ‖ **blustering** a. **1** (*di vento, pioggia, ecc.*) a raffiche; furioso; violento **2** spavaldo e aggressivo; arrogante.

blustery /'blʌstərɪ/ a. **1** (*di tempo, giornata*) ventoso **2** (*di vento*) a raffiche **3** spavaldo e aggressivo; minaccioso.

Blvd abbr. (**boulevard**) boulevard (*grande viale alberato*).

BM sigla **1** (**Bachelor of Medicine**) laureato in medicina (*laurea di 1º grado*) **2** (**British Museum**) Museo nazionale britannico.

BMA sigla (*GB*, **British Medical Association**) Ordine dei medici britannici.

BMD sigla (*med.*, **bone mineral density** (**test**)), mineralometria ossea computerizzata (MOC).

BMI sigla (*med.*, **body mass index**), indice di massa corporea.

BMP sigla (*comput.*) (abbr. di **bitmap**) bitmap; immagine.

BMus abbr. (**Bachelor of Music**) laureato in musica (*laurea di 1º grado*).

BMX sigla (**bicycle motocross**) bici da cross (*lo sport e il mezzo*).

bn abbr. (**billion**) miliardo (MLD).

Bn abbr. **1** (**baron**) barone **2** (**battalion**) battaglione.

BN abbr. (**banknote**) banconota.

BNP sigla (*GB*, *polit.*, **British National Party**), Partito nazionale britannico.

BO, **bo** /ˌbi:'əʊ/ n. **1** Ⓤ (acronimo di **body odour**) cattivo odore; puzzo di sudore **2** (acronimo di **box office**) (*USA*) incasso (*a teatro*); capacità di attrarre il pubblico; richiamo ● **This film is still BO**, questo è ancora un film di cassetta □ (*eufem.*) **to have terrible BO**, puzzare (di sudore) da matti.

bo /bəʊ/ n. (pl. **boes**) (*vocat.*) (*slang USA*) amico; compare; socio.

b.o. sigla **1** (**branch office**) succursale **2** (*comm.*, **buyer's option**) contratto a premio del compratore.

boa /'bəʊə/ n. (*zool.*, *Boa*) boa: **boa constrictor**, serpente boa **2** (*moda*) boa.

boar /bɔ:(r)/ n. **1** verro **2** (*zool.*, *Sus scropha*; = **wild b.**) cinghiale.

◆**board** /bɔ:d/ n. **1** asse; assicella; tavola: **ironing b.**, asse per stirare; **cheese b.**, tagliere per formaggio; **surf b.**, tavola da surf **2** tavoliere (*di vari giochi*); scacchiera; tabellone: **b. games**, giochi da tavoliere (*o* da scacchiera); giochi giocati su un tabellone **3** (*elettr.*) pannello **4** (*comput.*) scheda; piastra: **graphics b.**, scheda grafica **5** (= **blackboard**) lavagna **6** (= **notice-b.**) tabellone; bacheca; pannello; quadro (murario): **to put a notice up on the b.**, affiggere un avviso sul tabellone (*o* in bacheca) **7** Ⓤ vitto, pasti (*in una pensione, ecc.*): **b. and lodging**, vitto e alloggio; **full b.**, pensione completa **8** comitato; consiglio; commissione; collegio: **b. of arbitrators**, collegio arbitrale; **b. of directors**, consiglio d'amministrazione; **b. of examiners**, commissione esaminatrice; **b. of governors**, consiglio di amministrazione (*di scuola, ospedale, ecc.*); **b. of inquiry**, commissione d'inchiesta; **b. of management**, comitato direttivo; direzione (*di fabbrica*); **b. chairman**, presidente del consiglio di amministrazione; **b. meeting**, riunione (*o* seduta) del consiglio **9** (*naut.*) murata; fianco; bordo **10** (*naut.*) bordata; bordo **11** (al pl.) (*legatoria*) copertina: **a book in cloth boards**, un libro dalla coper-

b

tina in tela **12** (al pl.: **the boards**) (*antiq. o scherz.*) (le tavole del) palcoscenico; le scene (*fig.*): **to tread the boards**, calcare le scene ● **b. foot**, piede quadrato per pollice (*misura cubica per legname*) □ (*in GB*) **the B. of Inland Revenue**, l'Ufficio delle Imposte Dirette e delle Imposte di Bollo; l'Amministrazione Finanziaria; il Fisco □ **B. of Trade**, (*in GB, stor.*) Ministero del Commercio; (*in USA*) Camera di commercio □ **across the b.**, (avv.) in modo generale; in modo indiscriminato; a tutti i livelli; dappertutto; a 360°; (*ipp., USA*) piazzato; (agg., *anche* **across-the-b.**) generale; indiscriminato: *Prices fell across the b.*, i prezzi crollarono dappertutto; *I backed Black Prince across the b.*, scommisi su Black Prince piazzato; **across-the-b. tariff cuts**, riduzioni generali delle tariffe doganali □ **on b.**, a bordo (*di un veicolo*): **on b. the bus**, sull'autobus; **to get sb. on b.**, (*naut., aeron.*) imbarcare q.; (*fig.*) imbarcare, far entrare (*in un'impresa*); (*naut., aeron.*) **to go on b.**, imbarcarsi □ **to go by the b.**, (*naut.*: *di albero, ecc.*) essere spazzato via, cadere in mare; (*fig.*: *di progetto, ecc.*) fallire, venir meno, essere rifiutato, essere trascurato □ **to take st. on b.**, recepire, accettare qc. (*un'idea nuova, situazione, ecc.*) □ **to sweep the b.**, far piazza pulita (*di premi, punti, ecc.*); vincere tutto; trionfare.

to **board** /bɔːd/ **Ⓐ** v. t. **1** coprire (o rivestire) con assi: **boarded floor**, pavimento di assi **2** tenere a pensione **3** (*naut.*) abbordare; arrembare **4** (*naut., aeron.*) salire a bordo di; imbarcarsi su **5** salire su, montare su (*un veicolo*): *We boarded the Rome train at 11 am.*, alle undici salimmo sul treno per Roma **Ⓑ** v. i. **1** salire a bordo; imbarcarsi: *You should be boarding from gate twelve, but keep an eye on the monitors for any changes*, dovrebbe imbarcarsi al gate dodici ma controlli gli schermi in caso di cambiamenti **2** (*di aereo*) essere pronto all'imbarco **3** essere a pensione; alloggiare: *I boarded with a nice old lady*, ero a pensione da una simpatica vecchietta **4** essere un convittore.

■ **board out** v. t. + avv. **1** mettere a pensione **2** mettere (*un animale*) in una pensione per animali.

■ **board up** v. t. + avv. chiudere (o sbarrare) con assi: **to b. up doors and windows**, chiudere con assi porte e finestre.

boarder /'bɔːdə(r)/ n. **1** pensionante: **to take in boarders**, tenere pensionanti; fare pensione **2** convittore, convittrice **3** (*naut.*) chi abborda (*una nave*); chi va all'arrembaggio **4** chi sale su una nave, un aereo, un treno, ecc.

boarding /'bɔːdɪŋ/ n. Ⓤ **1** assito; tavolato; tavolame **2** copertura con tavole **3** pensione; il tenere (o essere) a pensione: *I was tired of b. and so I rented a flat*, ero stanco di stare a pensione e così affittai un appartamento **4** (*naut.*) abbordaggio; arrembaggio **5** (*naut., aeron.*) imbarco; salita a bordo ● (*aeron.*) **b. area**, sala di imbarco □ (*naut., aeron.*) **b. card**, carta d'imbarco □ **b. fee**, retta (*di collegio, convitto*) □ **b. house**, pensione □ **b. kennel**, pensione per cani; canile □ (*naut., aeron.*) **b. pass**, carta d'imbarco □ **b. school**, collegio; convitto; pensionato (*per studenti*).

boardroom /'bɔːdruːm/ n. **1** sala del consiglio d'amministrazione **2** consiglio di amministrazione; amministratori (pl.); direzione.

boardsailing /'bɔːdseɪlɪŋ/ (*sport*) n. Ⓤ windsurf; tavola a vela ‖ **boardsailor** n. praticante del windsurf; windsurfista.

boardwalk /'bɔːdwɔːk/ n. **1** assito percorribile, passerella (*su sabbia, acquitrino, ecc.*).

boarhound /'bɔːhaʊnd/ n. cane (danese) per la caccia al cinghiale.

boarish /'bɔːrɪʃ/ a. **1** di (o da) cinghiale **2** (*fig.*) maialesco; bestiale; lascivo, osceno; feroce.

boast /bəʊst/ n. **1** vanteria; millanteria: **an idle b.**, una vuota vanteria **2** vanto; motivo di orgoglio: *It is my proud b. that...*, mi faccio vanto di...; **to make b. of st.**, farsi vanto di qc.

to **boast**① /bəʊst/ **Ⓐ** v. i. vantarsi; gloriarsi; millantarsi: **to b. about st.**, vantarsi di qc. **Ⓑ** v. t. vantare: *Our town boasts a Roman theatre*, la nostra città vanta un teatro romano.

to **boast**② /bəʊst/ v. t. (*scult.*) sbozzare ‖ **boaster**② n. (*scult.*) scalpello da sbozzo.

boaster① /'bəʊstə(r)/ n. millantatore; spaccone; smargiasso.

boaster② /'bəʊstə(r)/ n. (*scult.*) scalpello da sbozzo.

boastful /'bəʊstfl/ a. vanaglorioso; presuntuoso; tronfio ‖ **boastfully** avv. presuntuosamente; in modo tronfio ‖ **boastfulness** n. Ⓤ vanagloria; millanteria; presunzione.

◆**boat** /bəʊt/ n. **1** (*naut.*) imbarcazione; barca; battello; lancia; nave: **ship's b.**, barca da pesca; peschereccio; **ship's b.**, lancia **2** (*naut., fam.*) sottomarino **3** salsiera (*a barchetta*) **4** (*chim.*) navicella; crogiolo ● (*naut.*) **b. deck**, ponte delle lance □ (*naut.*) **b. drill**, esercitazione di salvataggio □ (*zool.*) **b.-fly** (*Notonecta glauca*), notonetta □ (*naut.*) **b.-hook**, gaffa; gancio d'accosto □ (*moda*) **b. neck**, scollatura a barchetta □ **b. people**, boat people; profughi in espatrio clandestino su battelli □ (*sport*) **b. race**, gara di canottaggio □ (*sport*) **the B. Race**, la gara di canottaggio tra le università di Oxford e Cambridge ❶ CULTURA ● **Boat Race**: *questa gara ebbe origine per iniziativa di Charles Merivale e di Charles Wordsworth, studenti rispettivamente di Cambridge e di Oxford. Dal 1845 si svolge annualmente sul Tamigi a Londra, tra Putney e Mortlake* □ **b.-shaped**, a forma di barca; a barchetta □ **b. show**, salone della nautica □ (*mus.*) **b. song**, barcarola □ **b. train**, treno in coincidenza con un battello □ **to burn one's boats**, bruciarsi (o far saltare) i ponti alle spalle □ **to be in the same b.**, essere nella stessa barca (*fig.*) □ **to miss the b.**, arrivare troppo tardi; perdere un'occasione; perdere il treno □ (*fam.*) **just off the b.**, credulone; nato ieri □ (*fam. GB*) **to push the boat out**, fare le cose in grande (*per una festa, ecc.*) □ **to rock the b.**, turbare lo status quo; agitare le acque; fare maretta □ **to take to the boats**, (*naut.*) salire sulle scialuppe; (*fig.*) mollare tutto e mettersi in salvo.

to **boat** /bəʊt/ **Ⓐ** v. i. andare in barca: *We boated to the island*, andammo (in barca) fino all'isola; **to go boating**, fare una gita in barca; andare in barca **Ⓑ** v. t. **1** trasportare su una barca: **to b. across**, traghettare **2** mettere in barca; tirare in barca: **to b. the oars**, tirare i remi in barca.

boatel, **botel** /bəʊ'tel/ n. **1** albergo (*lungo un fiume*) per turisti in barca **2** nave albergo.

boater /'bəʊtə(r)/ n. **1** (*moda, stor.*) paglietta; cappello di paglia (*per uomo*) **2** chi va in barca per diporto.

boatful /'bəʊtfʊl/ n. carico di barca; barcata.

boathouse /'bəʊthaʊs/ n. rimessa (o riparo) per barche.

boating /'bəʊtɪŋ/ n. Ⓤ l'andare in barca per diporto; nautica da diporto.

boatload /'bəʊtləʊd/ n. (*naut.*) carico (*di merci, passeggeri*); barcata.

boatman /'bəʊtmən/ n. (pl. **boatmen**) **1** barcaiolo; battelliere **2** noleggiatore di barche.

boatswain /'bəʊsn/ n. (*naut.*) nostromo.

boatyard /'bəʊtjɑːd/ n. (*naut.*) cantiere per piccole imbarcazioni.

bob① /bɒb/ n. **1** movimento rapido su e giù; sobbalzo: **a bob of the head**, un cenno del capo; un veloce abbassarsi della testa **2** veloce riverenza.

bob② /bɒb/ n. **1** (taglio di capelli a) caschetto: **to wear one's hair in a bob**, portare i capelli a caschetto **2** peso; piombo; piombino **3** sughero (*di lenza*) **4** (*sport*) bob: **bob run** (o **track**), pista da bob **5** (*poesia*) verso breve (*in fine di strofa*) **6** coda mozza (*di cavallo*) **7** (*slang USA*) plastica riduttiva: **nose bob**, plastica al naso.

bob③ /bɒb/ n. (pl. inv.) (*fam. GB, stor.*) scellino: **ten bob**, dieci scellini ● (*fam.*) **a few bob**, un bel po' (di soldi).

bob④ /bɒb/ n. insieme di rintocchi di campana.

to **bob**① /bɒb/ **Ⓐ** v. i. **1** muoversi su e giù; sobbalzare; ballonzolare; saltellare: **to bob on the water**, ballonzolare sull'acqua; **to bob up and down**, muoversi su e giù; ballonzolare; saltellare; **to bob up**, venire a galla; riemergere di colpo; (*fig.*) comparire all'improvviso, saltar fuori **2** fare la riverenza; fare un veloce inchino **3 – to bob for**, cercare di afferrare con i denti (*spec. frutta, come gioco di società*): **to bob for apples**, cercare di mordere una mela (*come gioco di società*) **Ⓑ** v. t. muovere su e giù; far sobbalzare; far saltellare: **to bob one's head**, fare un breve cenno del capo (*come saluto o ringraziamento*) ● **to bob and weave**, (*boxe*) fare scarti veloci col corpo; (*fig.*) tergiversare, svicolare □ **to bob a curtsy**, fare una riverenza; fare un inchino.

to **bob**② /bɒb/ **Ⓐ** v. t. **1** tagliare (*i capelli*) a caschetto: **bobbed hair**, capelli a caschetto; caschetto di capelli **2** mozzare (*la coda a un cavallo*) **Ⓑ** v. i. (*sport*) andare in bob.

Bob /bɒb/ n. dim. di → **Robert** ● (*fam. GB*) **and Bob's your uncle!**, ed è fatta!; e oplà!

bobber /'bɒbə(r)/ n. **1** (*sport*) bobbista **2** (*pesca*) galleggiante; sughero.

bobbin /'bɒbɪn/ n. **1** rocchetto; bobina; spola; (*per merletti*) fusello **2** (*elettr.*) bobina; rocchetto ● **b. lace**, merletto al tombolo (o a fuselli).

bobbinet /'bɒbɪnet/ n. pizzo a rete (*fatto a macchina, a imitazione dei merletti al tombolo*).

bobbing /'bɒbɪŋ/ n. (*sport*) il bob (l'attività).

bobble① /'bɒbl/ n. (*ingl.*) pompon: **b. hat**, berretto con pompon.

bobble② /'bɒbl/ n. (*fam. USA*) sbaglio.

to **bobble** /'bɒbl/ **Ⓐ** v. i. sobbalzare **Ⓑ** v. t. (*sport, USA*) lasciarsi sfuggire, perdere (*la palla*); sprecare (*la palla*).

bobby /'bɒbɪ/ n. (*fam. GB, antiq.*) poliziotto: **the b. on the beat**, il poliziotto di quartiere.

Bobby /'bɒbɪ/ → **Bob**.

bobby-dazzler /'bɒbɪdæzlə(r)/ n. (*fam. GB, antiq.*) persona o cosa meravigliosa, fantastica; roba da lustrarsi gli occhi (*fam.*).

bobby pin /'bɒbɪpɪn/ loc. n. (*USA*) molletta per i capelli; forcina.

bobby-socks, **bobby-sox** /'bɒbɪsɒks/ (*USA*) n. pl. calzini corti ● **in one's bobby-socks days**, da ragazzina; da adolescente. ‖ **bobby-soxer** n. (*antiq.*) ragazzina (*che porta i calzini corti*); adolescente.

bobcat /'bɒbkæt/ n. (pl. **bobcats**, **bobcat**) (*zool., Lynx rufus*) lince rossa.

bobolink /'bɒbəlɪŋk/ n. (*zool., Dolichonyx oryzivorus*) bobolink.

bobsled /'bɒbsled/ (*USA*), **bobsleigh** /'bɒbsleɪ/ (*GB*) n. (*sport*) bob; guidoslitta.

to **bobsled** /'bɒbsled/ (*USA*), to **bobsleigh** /'bɒbsleɪ/ (*GB*) v. i. (*sport*) andare in bob ‖ **bobsledding** (*USA*), **bobsleighing** (*GB*) n.

Ⓤ (*sport*) il bob (*l'attività*).

bobstay /'bɒbsteɪ/ n. (*naut.*) briglia del bompresso.

bobtail /'bɒbteɪl/ n. **1** cane o cavallo con la coda mozza **2** coda mozza.

bobwhite /'bɒbwaɪt/ n. (*USA*; *zool.*, *Colinus virginianus*; = **b. quail**) quaglia della Virginia.

Boche /bɒʃ/ n. (pl. *Boches*, *Boche*) e a. (*slang spreg.*, *antiq.*) tedesco; crucco (*pop.*).

bock /bɒk/ n. birra tedesca, forte e scura.

bod /bɒd/ n. (*slang*) **1** corpo **2** (*fam. GB*) individuo; tipo; tizio.

bode /bəʊd/ pass. di **to bide**.

to **bode** /bəʊd/ v. i. (*form.*) far presagire; promettere; preannunciare: *This bodes no good*, ciò non promette nulla di buono ● **to b. ill** (**well**), essere di cattivo (buono) augurio.

bodice /'bɒdɪs/ n. **1** corpetto; corpino **2** busto; bustino ● (*fam. spreg. o scherz.*) **b.-ripper**, romanzo (*o* film) erotico di ambientazione storica.

bodied /'bɒdɪd/ a. (nei composti:) dal corpo: **a big-b. man**, un uomo dal corpo grosso.

bodiless /'bɒdɪləs/ a. senza corpo; incorporeo.

bodily /'bɒdəlɪ/ Ⓐ a. fisico; corporale; corporeo: (*leg.*) **b. harm**, lesione corporale; **b. functions**, funzioni fisiche; **in b. form**, in forma corporea; con corpo Ⓑ avv. **1** fisicamente, in persona; in carne e ossa: **b. present**, fisicamente presente **2** di peso; di forza: **to lift sb. up b.**, sollevare q. di peso **3** tutti insieme; come un sol uomo.

boding /'bəʊdɪŋ/ Ⓐ n. Ⓒ presagio; presentimento Ⓑ a. presago.

bodkin /'bɒdkɪn/ n. **1** ago passanastro; infilanastri **2** (*stor.*) spillone (*da capelli*) **3** (*tipogr.*) pinzette **4** (*arc.*) stiletto.

Bodleian /bɒd'liːən/ Ⓐ a. bodleiano Ⓑ n. – **the B.** (**Library**), la biblioteca bodleiana (*dell'università di Oxford*).

♦ **body** /'bɒdɪ/ n. **1** corpo (*di persona o animale*): **b. temperature**, temperatura corporea; **b. weight**, peso corporeo **2** (= **dead b.**) corpo (*morto*); cadavere **3** busto; tronco; torso **4** (*fam.*, *antiq.*) persona; tipo: **a fretful old b.**, una vecchietta ansiosa **5** parte principale o centrale; corpo: **the b. of a letter**, il corpo di una lettera **6** quantità; insieme; raccolta; corpo; massa: **a b. of facts**, una quantità di fatti; **a considerable b. of opinion**, una parte consistente dell'opinione pubblica; **a substantial b. of evidence**, prove sufficienti; **a b. of laws**, un corpo (*o* una raccolta) di leggi; **a b. of water**, una massa (*o* uno specchio) d'acqua; (*meteor.*) **a b. of cold air**, una massa d'aria fredda **7** gruppo; corpo; reparto (*mil.*): **a b. of experts**, un gruppo di esperti; **teaching b.**, corpo insegnante; **a b. of cavalry**, un reparto di cavalleria **8** ente; organo; corpo: **a legislative b.**, un organo legislativo; **governing b.**, ente amministrativo; **public b.**, ente pubblico **9** oggetto; corpo; solido: **a falling b.**, un corpo che cade; un corpo soggetto alla legge di gravità; (*astron.*) **heavenly b.**, corpo celeste; (*med.*) **a foreign b.**, un corpo estraneo **10** (*autom.*) carrozzeria; scocca; cassone (*d'autocarro*) ● **b.-builder**, operaio del reparto carrozzeria; carrozziere; **b. repair**, lavoro di carrozzeria; **b. repairer**, carrozziere **11** (*aeron.*) fusoliera **12** body (*indumento*) **13** consistenza (*di liquido*) **14** corpo (*del vino, ecc.*) **15** corpo, volume (*dei capelli*) ● **b. and soul** (avv.), completamente; del tutto; anima e corpo □ **b. armour** (*USA* **b. armor**), abbigliamento antiproiettile □ (*arte*) **b. art**, body art □ (*USA*) **b. bag**, sacco di plastica (*per cadavere*) □ **b. belt**, panciera, ventriera □ **b. blow**, (*boxe*) colpo al corpo; (*fig.*) duro colpo, batosta □ (*sport: spec. hockey su ghiaccio*)

b. check, placcaggio □ (*fisiol.*) **b. clock**, orologio biologico □ (*leg.*) **b. corporate**, persona giuridica; ente giuridico □ **b. count**, numero dei caduti; numero delle vittime □ (*cinem.*) **b. double**, controfigura per scene di nudo □ (*psic.*) **b. image**, immagine corporea; immagine (che si ha) del proprio corpo □ **b. language**, linguaggio del corpo; gesti ed espressioni facciali □ **b. linen**, biancheria intima □ (*zool.*) **b. louse**, pidocchio dell'uomo □ (*med.*) **b. mass index**, indice di massa corporea □ **b. odour**, cattivo odore (*del corpo*) □ **b. painting**, pittura sul corpo; body painting □ **b. piercing**, piercing □ the **b. politic**, l'insieme dei cittadini di uno Stato; la Nazione; lo Stato □ **b.-popping**, danza caratterizzata da movimenti a scatti del corpo simili a quelli di un robot □ **b. search**, perquisizione personale □ **b. shield**, scudo antisommossa □ (*autom.*) **b. shop**, reparto carrozzeria; carrozzeria □ (*stor.*) **b. snatcher**, trafugatore di cadaveri □ **b. stocking**, calzamaglia; body □ **b. suit**, body □ **b. swerve**, scarto del corpo (*per evitare qc.*); finta □ **b. warmer**, giubbotto imbottito senza maniche □ **in a b.**, tutti insieme; compatti; come un sol uomo □ (*fam.*) **to keep b. and soul together**, sopravvivere; riuscire a tirare avanti, a campare □ (*fam.*) **Over my dead b.** !, piuttosto morto!; dovrai passare sul mio cadavere! (*per fare qc.*).

to **body** /'bɒdɪ/ v. t. **1** (*anche* to **b. forth**) dare forma concreta a; concretizzare **2** (*autom.*) carrozzare; montare la carrozzeria di.

bodyboard /'bɒdɪbɔːd/ n. tavola da surf su cui si sta sdraiati.

bodybuilder /'bɒdɪbɪldə(r)/ n. culturista || **bodybuilding** n. Ⓤ body-building; culturismo.

bodyguard /'bɒdɪɡɑːd/ n. guardia del corpo.

to **body-search** /'bɒdɪsɜːtʃ/ v. t. sottoporre (*una persona*) a perquisizione personale.

bodyspray /'bɒdɪspreɪ/ n. spray per il corpo.

to **body-surf** /'bɒdɪsɜːf/ v. i. fare il surf a corpo libero; lasciarsi portare dai cavalloni.

to **body-swerve** /'bɒdɪswɜːv/ v. t. (*calcio, ecc.*) fintare (*un avversario*).

bodywear /'bɒdɪweə(r)/ n. Ⓤ (collett.) corsetteria (*busti, guaine, ecc.*).

bodywork /'bɒdɪwɜːk/ n. Ⓤ **1** (*autom.*) carrozzeria **2** fisioterapie; massaggi || **bodyworker** n. operaio carrozziere.

Boeotia /bɪ'əʊʃɪə/ n. (*geogr.*) Beozia || **Boeotian** a. e n. nativo della Beozia; beota.

Boer /bəʊə(r), bɔː(r)/ a. e n. boero.

B of E sigla (*GB*, **Bank of England**) Banca d'Inghilterra.

boff① /bɒf/ n. (*slang USA*) **1** botta; colpo; pugno; schiaffo **2** (*volg.*) scopata, chiavata, botta.

boff② /bɒf/ (*fam.*, *GB*) → **boffin**.

to **boff** /bɒf/ v. t. (*slang USA*) **1** colpire; picchiare **2** (*volg.*) sbattere, scopare, chiavare (*volg.*).

boffin /'bɒfɪn/ n. (*slang*) cervellone (*pop.*); esperto, scienziato (*di un progetto segreto*).

boffo /'bɒfəʊ/ (*slang USA*) Ⓐ a. **1** (*di spettacolo teatrale, film, ecc.*) di enorme successo; di cassetta: **to be b. box office**, avere un enorme successo di pubblico **2** (*di recensione, ecc.*) entusiastico **3** (*di risata*) fragoroso Ⓑ n. spettacolo di enorme successo.

bog /bɒɡ/ n. **1** pantano; palude **2** torbiera **3** – **the bog** (*fam. GB*) il gabinetto; il cesso ● **bog earth**, torba □ (*miner.*) **bog iron ore**, limnite □ (*bot.*) **bog moss**, sfagno □ (*fam. spreg.*) **bog-trotter**, irlandese.

to **bog** /bɒɡ/ v. t. (*anche* to **bog down**) impantanare: **to become bogged down**, restare impantanati; impantanarsi; **to get bogged down in small details**, impantanarsi nei dettagli.

■ **bog in** v. i. + avv. (*Austral.*) mettersi sotto con entusiasmo.

bogan /'bəʊɡən/ n. (*fam.*, *Austral.*, *spec. spreg.*) persona di scarsa cultura o di bassa estrazione sociale.

bogey① /'bəʊɡɪ/ n. **1** fantasma; folletto; spirito maligno **2** spauracchio; babau; uomo nero **3** (*slang*) caccola (*del naso*) **4** (*slang USA*) poliziotto **5** (*gergo mil.*) aereo non identificato.

bogey② /'bəʊɡɪ/ n. (*golf*) **1** (*in GB*) norma **2** (*in USA*) uno (*un colpo*) sopra la norma.

bogeyman /'bəʊɡɪmæn/ n. (pl. **bogeymen**) **1** (*infant.*) babau; orco; mangiabambini **2** (*fig.*) spauracchio; terrore.

to **boggle** /'bɒɡl/ Ⓐ v. i. **1** sobbalzare; trasalire **2** esitare; indugiare: **to b. at declaring war**, esitare a dichiarare guerra Ⓑ v. t. **1** colpire; impressionare; sbalordire: **to b. sb.'s mind**, lasciare q. allibito (*o* di stucco) **2** abborracciare ● **The mind boggles!**, è inconcepibile; c'è da restare allibiti (*o* senza fiato); l'idea mi fa tremare le vene e i polsi.

boggy /'bɒɡɪ/ a. pantanoso; paludoso.

bogie /'bəʊɡɪ/ n. **1** (*ferr.*) carrello ferroviario **2** (*autom.*) carrello a tre assi **3** rullo portante (*di cingolo di trattore o carro armato*) **4** (*ind. min.*) carrello **5** → **bogy**.

bogle /'bəʊɡl/ → **bogey**①.

bogof /'bɒɡɒf/ sigla (*market.*, **buy one get one for free**) compri due paghi uno; due al prezzo di uno.

Bogota /bəʊɡə'tɑː, bɒ-/ n. (*geogr.*) Bogotà.

bog-standard /bɒɡ'stændəd/ a. (*fam. ingl.*, *spesso spreg.*) normale; ordinario; senza fronzoli; qualunque: **a bog-standard camera**, una macchina fotografica senza fronzoli.

bogus /'bəʊɡəs/ a. artefatto; contraffatto; falso; finto ● (*fin.*) **b. company**, società fantasma □ **b. share**, azione fasulla.

bogy /'bəʊɡɪ/ → **bogey**①.

bogyman /'bəʊɡɪmæn/ n. → **bogeyman**.

Bohemia /bəʊ'hiːmɪə/ n. (*geogr.*) Boemia.

Bohemian /bəʊ'hiːmɪən/ a. e n. **1** boemo **2** (*arte*) bohémien; (di, da) artista || **Bohemianism** n. Ⓤ bohème.

Bohunk /'bəʊhʌŋk/ n. (*spreg. USA*) **1** oriundo dell'Europa centro-orientale (*boemo, ceco o ungherese*): *'Across the river all the way to the corner of Riverside and Main, where the drugstore was, lived Bohunks and Polaks'* J. Dos Passos, 'di là dal fiume, fino all'incrocio di Riverside e Main, dov'era il negozio, vivevano boemi e polacchi' **2** operaio non qualificato **3** persona stupida; fesso; imbecille.

boil① /bɔɪl/ n. **1** Ⓤ punto di ebollizione; bollore: **to bring to the b.**, portare a bollore (*o* a ebollizione); **to come to the b.**, alzare il bollore; **at** (*o* **on**) **the b.**, in ebollizione; in bollore; che sta bollendo; **off the b.**, che ha smesso di bollire **2** bollita ● (*fig.*) **to go off the b.**, perdere interesse o entusiasmo.

boil② /bɔɪl/ n. **1** (*med.*) bolla; foruncolo **2** (*ind. del vetro*) bollicina; pulica, puliga.

♦ to **boil** /bɔɪl/ Ⓐ v. i. **1** bollire **2** (*fig.*) bollire; ribollire: *My blood was boiling*, mi sentivo ribollire il sangue Ⓑ v. t. **1** far bollire **2** lessare; cuocere (*un uovo*) alla coque **3** mettere sul fuoco (*una pentola, ecc.*); mettere su: *I'll b. the kettle*, metto su il bollitore **4** (*fig.*) far ribollire ● **to b. dry**, (far) evaporare (*a forza di bollire*) □ **to keep the pot boiling**, tener desto l'interesse.

■ **boil away** v. i. + avv. **1** continuare a bollire **2** evaporare del tutto (*a forza di bollire*).

■ **boil down** Ⓐ v. i. + avv. **1** condensarsi (*o*

ridursi) bollendo **2** – **to b. down to**, trattarsi in sostanza di; significare alla fine; ridursi a: *It all boils down to asking for a loan*, insomma, si tratta in sostanza di chiedere un prestito **B** *v. t.* + *avv.* **1** ridurre (*un liquido, mediante bollitura*); far condensare; far restringere **2** (*fig.*) condensare, riassumere (*una relazione, ecc.*).

■ **boil over** *v. i.* + *avv.* **1** (*di liquido in ebollizione*) traboccare; scappare (*fam.*) **2** (*fig.*: *di situazione*) degenerare; esplodere: *The quarrel boiled over into an open fight*, la lite degenerò in lotta aperta **3** (*fig.*: *di emozione*) traboccare; esplodere **4** (*fig.*: *di persona*) perdere le staffe; arrabbiarsi.

■ **boil up** **A** *v. t.* + *avv.* **1** (far) bollire **2** scaldare, riscaldare (*un cibo liquido*) **B** *v. i.* + *avv.* **1** (*di ira, ecc.*) esplodere **2** (*di situazione*) essere sul punto di esplodere; arroventarsi, farsi rovente: *Trouble is boiling up in the region*, la situazione si sta arroventando nella regione.

boiled /ˈbɔɪld/ *a.* **1** bollito, lesso: **b. potatoes**, patate lesse **2** cotto a bagnomaria: **a b. sweet**, un dolce cotto a bagnomaria ● **b. beef**, bollito di manzo; lesso □ **b. eggs**, uova alla coque □ **b. ham**, prosciutto cotto □ (*slang*) **b. shirt**, camicia inamidata □ (*GB*) **b. sweet**, caramella dura.

♦**boiler** /ˈbɔɪlə(r)/ *n.* **1** caldaia **2** scaldaacqua (*ad accumulo*); scaldabagno **3** bollitore **4** (*antiq.*) bollitore per biancheria **5** (*fam. GB*) gallina da lessare ● **b. room**, locale delle caldaie; (*fam. USA*) agenzia che vende per telefono titoli azionari, ecc. □ (*GB*) **b. suit**, tuta da lavoro.

boilermaker /ˈbɔɪləmeɪkə(r)/ *n.* **1** calderaio; fabbricante di caldaie **2** ⃞ (*slang USA*) whisky seguito da una birra.

boilerplate /ˈbɔɪləpleɪt/ *n.* ⃞ **1** lamiera per caldaie **2** (*giorn.*, *USA*) testo stereotipato **3** (*comput.*) blocco fisso (*di dati, ecc.*) **4** (*leg.*) clausola standard (*in un contratto, ecc.*); modulo standardizzato **5** espressioni (pl.) stereotipate; luoghi (pl.) comuni.

boiling /ˈbɔɪlɪŋ/ **A** *n.* ⃞ **1** ebollizione **2** bollitura **B** *a.* **1** bollente; *It was absolutely b. all week long*, ha fatto un caldo infernale per tutta la settimana **2** (*fig.*) agitato; bollente; in stato di eccitazione ● (*fam.*) **a b. hot day**, una giornata di caldo infernale □ (*ind. tess.*) **b. off**, sgommatura □ **b. plate**, fornello elettrico a piastra □ **b. point**, punto d'ebollizione; (*fig.*) stato d'eccitazione □ **b. ring**, fornello elettrico □ **b. temperature**, temperatura di ebollizione.

boisterous /ˈbɔɪstərəs/ *a.* **1** allegro e chiassoso **2** (*del tempo, degli elementi*) forte; violento; tempestoso; turbolento: **a b. wind**, un forte vento; **a b. sea**, un mare tempestoso | **-ly** *avv.* | **-ness** *n.* ⃞.

bold /bəʊld/ *a.* **1** audace; ardito; coraggioso; baldanzoso: **a b. decision**, una decisione audace; *He was b. enough to speak up*, ebbe il coraggio di farsi sentire **2** spavaldo; sfacciato; sfrontato; impudente **3** nitido; netto; vivido; chiaro; marcato: **b. outlines**, contorni netti; **a b. geometric pattern**, un motivo geometrico marcato; **b. writing**, calligrafia chiara **4** deciso; sicuro: *He painted with quick, b. strokes*, dipingeva a pennellate rapide e sicure **5** (*di scogliera, costa*) scosceso; a picco ● **as b. as brass**, con una bella faccia tosta □ **b.-faced** → **boldfaced** □ (*tipogr.*) **b. type**, neretto; grassetto ● **to be** (*o* **to make**) **so b. as to**, osare; permettersi di □ **to make b. with**, prendersi la libertà con (q.); servirsi liberamente di (qc.) | **-ly** *avv.* | **-ness** *n.* ⃞.

boldface /ˈbəʊldfeɪs/ *n.* ⃞ (*tipogr.*) neretto; grassetto.

boldfaced /ˈbəʊldfeɪst/ *a.* **1** impudente; sfacciato **2** (*tipogr.*) in neretto; in grassetto.

bole ① /bəʊl/ *n.* tronco d'albero.

bole ② /bəʊl/ *n.* (*miner.*) bolo.

bole ③ /bəʊl/ *n.* (*grafica*) mordente (*per lamine d'oro*).

bolero /bəˈlɛərəʊ/ *n.* (pl. **boleros**) (*moda, mus.*) bolero.

bolete /bəˈliːt/ *n.* (*bot.*, *spec. boletus edulis*) boleto.

bolide /ˈbəʊlaɪd/ *n.* (*astron.*) bolide; aerolito.

Bolivian /bəˈlɪvɪən/ *a. e n.* boliviano.

boll /bəʊl/ *n.* (*bot.*) capsula (*spec. del cotone e del lino*) ● (*zool.*) **b. weevil** (*Anthonomus grandis*), antonomo del cotone (*parassita*).

bollard /ˈbɒlɑːd/ *n.* **1** (*autom.*) pilastrino spartitraffico **2** pilastrino di chiusura (*di una strada: al traffico*); dissuasore di sosta (*o* di transito): **retractable b.**, pilastrino (*di ferro, ecc.*) amovibile **3** (*naut.*) bitta.

to **bollix up** /ˈbɒlɪksʌp/ *v. t.* (*volg. USA*) → **to bollocks up**.

to **bollock** /ˈbɒlək/ *v. t.* (*volg. GB*) fare una cazziata (*o un cazziatone*) a; cazziare || **bollocking** *n.* ⃞ cazziata; cazziatone.

bollocks /ˈbɒləks/ *n. pl.* (*volg. GB*) **1** coglioni; palle **2** (*col verbo al sing.*) fesserie (pl.); fregnacce (pl.); stronzate (pl.); cazzate (pl.) ● **B. to that!**, chi se ne frega!; col cazzo!

bollocks-up /ˈbɒləksʌp/ *n.* (*volg. GB*) incasinatura; casino; papocchio.

to **bollocks up** /ˈbɒləksʌp/ *v. t.* (*volg. GB*) rovinare; incasinare; impapocchiare; mandare in vacca; mandare a puttane.

bollux → **bollocks**.

bologna /bəˈləʊnɪə/, **bologna sausage** /bəˈləʊnɪ(ə) ˈsɒsɪdʒ/ *n.* ⃞ (*alim.*) mortadella; bologna.

Bolognese /bɒləˈneɪz/ **A** *a.* **1** bolognese **2** (*cucina*) alla bolognese **B** *n.* **1** bolognese **2** ⃞ (*il*) bolognese (*il dialetto*).

bolometer /bəʊˈlɒmɪtə(r)/ *n.* (*fis.*) bolometro.

boloney /bəˈləʊnɪ/ *n.* ⃞ **1** (*spec. USA*) mortadella **2** fandonia; frottola; panzana; fesseria (*pop.*).

Bolshevik /ˈbɒlʃəvɪk/ *n.* (pl. **Bolsheviks**, **Bolsheviki**) **1** (*stor.*) bolscevico **2** (*per estens.*) marxista; comunista || **Bolshevism** *n.* ⃞ (*stor.*) bolscevismo || **Bolshevist** *a. e n.* bolscevico.

bolshy, **bolshie** /ˈbɒlʃɪ/ *a. e n.* (*fam. spreg. GB*) **1** comunista; rosso; sovietico **2** riottoso; ribelle; che ha da discutere; che fa il piantagrane; che inveisce: **to be in a b. mood**, aver voglia di piantare grane; essere intrattabile | **-iness** ⃞.

bolster /ˈbəʊlstə(r)/ *n.* **1** capezzale, guanciale (alla francese) **2** imbottitura **3** (*mecc.*) piano (*o* intelaiatura) d'appoggio **4** (*tecn.*) supporto; mensola.

to **bolster** /ˈbəʊlstə(r)/ *v. t. e i.* **1** sostenere; (*fig.*) appoggiare **2** imbottire **3** (*un tempo: di collegiali*) prendere (*o* prendersi) a cuscinate **4** (*econ.*, *fin.*) rafforzare; sostenere: **to b. demand**, rafforzare la domanda; **to b. the currency**, sostenere la moneta ● **to b. sb.'s morale**, tirar su il morale a q. □ **to b. up**, rafforzare; ravvivare: **to b. up sb.'s pride**, ravvivare l'orgoglio di q. □ **to b. up a statement**, appoggiare (*o* sostenere, puntellare) un'asserzione.

bolt ① /bəʊlt/ *n.* **1** bullone: **b. head**, testa del bullone **2** catenaccio; chiavistello; paletto; spranga **3** otturatore (*d'arma da fuoco*) **4** freccia, dardo (*spec. di balestra*) **5** saetta; fulmine **6** rotolo (*di carta*); rotolo, pezza (*di stoffa*) ● **a b. from** (*o* **out of**) **the blue**, un fulmine a ciel sereno □ (*mecc.*) **b.-on**, (agg.) fissabile con bulloni; imbullonabile; (*fig.*) che può essere aggiunto all'occorrenza; (sost) parte imbullonabile, (*fig.*) aggiunta □ (*naut.*) **b.-rope**, gratile; ralinga □ **b. upright**, eretto; diritto come un fuso; impalato □

(*fam.*) **to have shot one's b.**, aver sparato l'ultima cartuccia; aver giocato l'ultima carta.

bolt ② /bəʊlt/ *n.* balzo, scatto (*per fuggire*); fuga improvvisa: **to make a b. for the door**, lanciarsi verso la porta ● **b.-action rifle**, fucile con otturatore a cilindro □ **b.-hole**, rifugio □ (*fam.*) **to make a b. for it**, darsela a gambe; squagliarsela.

to **bolt** ① /bəʊlt/ **A** *v. t.* **1** (*mecc.*) imbullonare **2** mettere il paletto a; chiudere col catenaccio, sprangare **B** *v. i.* **1** (*mecc.*) imbullonarsi **2** (*di porta, finestra*) chiudersi col paletto (*o* col catenaccio) ● **to b. sb. in** [out], chiudere q. dentro [fuori] || **bolting** *n.* ⃞ **1** imbullonatura **2** chiusura col catenaccio; sprangatura.

to **bolt** ② /bəʊlt/ **A** *v. i.* **1** (*di animale spaventato*) fuggire, scappar via; (*di cavallo, ecc.*) imbizzarrirsi, prendere la mano **2** fuggire di corsa; prendere la fuga; scappare; darsela a gambe (*fam.*): *The man bolted down the lane*, l'uomo fuggì giù per il vicolo; *His partner bolted with the money*, il suo socio è scappato con il denaro **3** (*USA*) abbandonare un partito **4** (*di pianta*) fiorire anzitempo **B** *v. t.* **1** (*caccia*) far uscire dalla tana **2** (*anche* **to b. down**) mangiare velocemente, trangugiare; ingollare: **to b. down one's food**, mangiare velocemente; buttar giù il cibo **3** (*USA*) abbandonare (*un partito*) **4** dire all'improvviso; esclamare; dire avventatamente **5** arrotolare (*carta, stoffa*) || **bolting** ② *n.* ⃞ il tagliare la corda; fuga improvvisa.

to **bolt** ③ /bəʊlt/ *v. t.* abburattare; setacciare || **bolter** ① *n.* buratto; setaccio; staccio || **bolting** ③ *n.* abburattatura; setacciatura.

bolter ② /ˈbəʊltə(r)/ *n.* **1** cavallo ombroso; cavallo in fuga **2** (*USA*) transfuga politico.

bolus /ˈbəʊləs/ *n.* **1** (*fisiol.*) bolo (alimentare) **2** (*med.*) bolo; grossa pillola.

♦**bomb** /bɒm/ *n.* **1** (*mil.*) bomba: (*aeron. mil.*) **to drop a b.**, gettare una bomba; sganciare una bomba; **depth b.**, bomba di profondità; **smoke b.**, bomba fumogena **2** bomba; ordigno: **time b.**, bomba a tempo; **b. attack**, attentato dinamitardo; **to plant a b.**, nascondere una bomba **3** – **the b.**, la bomba atomica; l'atomica **4** (= **volcanic b.**) (*geol.*) bomba vulcanica **5** (*slang USA, spec. di spettacolo*) fiasco clamoroso **6** – (*fam. GB*) **a b.**, un mucchio di soldi; una barca di soldi; una fortuna; un patrimonio: **to make a b.**, fare un mucchio di soldi; **to cost a b.**, costare una fortuna (*o* un patrimonio) **7** (*come attr.*) (*slang USA*) – **the b.**, cosa o persona fantastica, mitica; un mito; una cannonata: **You're the b.!**, sei grande! **8** (*sport, slang USA*) passaggio lungo; cannonata (*pop.*) **9** (*slang*) macchina potente; bolide; bomba **10** (*slang, droga*) grosso spinello; cannone ● (*aeron.*) **b. bay**, vano bombe □ (*chim.*) **b. calorimeter**, bomba calorimetrica □ **b. disposal**, disinnesco di bombe □ **b.-disposal expert**, artificiere □ **b.-disposal squad** (*o* **unit**), squadra di artificieri □ (*naut.*, *stor.*) **b. ketch**, bombarda □ **b.-proof**, a prova di bomba □ **b. scare** (*o* **b. threat**), allarme per una bomba (*di terroristi*) □ **b. shelter**, rifugio a prova di bomba; rifugio antiatomico □ **b.-site**, area (urbana) distrutta dalle bombe □ **b. thrower**, lanciabombe □ (*naut.*, *stor.*) **b. vessel**, bombarda □ (*med.*) **cobalt b.**, bomba al cobalto □ (*fig. fam.*) **to drop a b.**, dare una notizia bomba □ (*fam. GB*) **to go down a b.**, avere un gran successo; piacere da pazzi □ (*fam. GB*) **to go like a b.**, andare a tutta velocità; correre come un razzo; (*di auto*) filare, essere una bomba; (*di evento*) avere un grande successo, andare a gonfie vele; riuscire benissimo □ (*fig. fam.*) **to put a b. under sb.**, dare una scossa (*o* uno scrollone) a q.; mettere il pepe sotto la coda a q.

□ (*fam. GB*) **to sell like a b.**, andare a ruba.

to **bomb** /bɒm/ **A** v. t. (*mil.*) bombardare (*dall'aria*) **B** v. i. **1** (*fam. GB*) filare a tutta velocità; andare sparati; andare a tutta birra: **to b. down the motorway**, andare sparati in autostrada; fare l'autostrada a tavoletta **2** (*fam. USA*) (*di spettacolo, ecc.*) fare fiasco.

■ **bomb out** v. t. + avv. distruggere la casa di (q.) con un bombardamento aereo: *We were bombed out*, abbiamo avuto la casa distrutta da un bombardamento.

■ **bomb up** v. t. + avv. (*mil., aeron.*) caricare di bombe (*un aereo*).

bombard /'bɒmbɑːd/ n. **1** (*mus.*) bombarda **2** (*stor. mil.*) bombarda.

to **bombard** /bɒm'bɑːd/ v. t. **1** bombardare (*anche atomi*) **2** (*fig.*) bombardare, bersagliare, tempestare (*di domande, richieste*).

bombardier /bɒmbə'dɪə(r)/ n. **1** (*aeron.*) bombardiere (*l'uomo*) **2** (*mil.*) sottufficiale d'artiglieria.

bombardment /bɒm'bɑːdmənt/ n. ᵁᶜ (*mil., fis.*) bombardamento.

bombardon /bɒm'bɑːdn/ n. (*mus.*) bombardone.

bombast /'bɒmbæst/ n. ᵁ magniloquenza; discorso altisonante; parole pompose; stile ampolloso ‖ **bombastic** a. altisonante; reboante; pomposo.

Bombay /bɒm'beɪ/ n. (*geogr.*) Bombay; Mumbai.

bombed /bɒmd/ a. **1** bombardato (*dall'aria*) **2** → **bombed-out**, def. 2 e 3.

bombed-out /bɒmd'aʊt/ a. **1** sinistrato, senzatetto (*per un bombardamento*) **2** (*fam.*) ubriaco fradicio **3** (*fam.*) completamente fatto (*di droga*); flippato.

bomber /'bɒmə(r)/ n. **1** bombardiere (*aeroplano e soldato*) **2** attentatore; dinamitardo; bombarolo (*pop.*) **3** (*slang USA*) bomba (*di droga*) ● (*moda*) **b. jacket**, giubbotto imbottito; bomber.

bombing /'bɒmɪŋ/ n. ᵁᶜ **1** (*mil., aeron.*) bombardamento; lancio di bombe: **b. raid**, bombardamento aereo; **carpet b.**, bombardamento a tappeto **2** attentato dinamitardo: **car b.**, attentato con autobomba; **b. attack**, attentato terroristico (*con bomba o autobomba*); **b. campaign**, serie di attentati dinamitardi; campagna del terrore **3** (*fam.*) imbrattamento (*di muri o monumenti*) con bombolette di vernice o di spray.

bombmaker, **bomb maker** /'bɒ(m)meɪkə(r)/ n. chi fabbrica bombe.

bombshell /'bɒmʃɛl/ n. **1** (*mil., antiq.*) granata **2** (*fig.*) fulmine a ciel sereno; bomba: *The news came as a b.*, la notizia fu un fulmine a ciel sereno **3** (*fam.*) donna affascinante; bellezza strepitosa: bomba: **a blonde b.**, una bionda strepitosa.

bombsight /'bɒmsaɪt/ n. (*aeron. mil.*) congegno di puntamento; traguardo del bombardiere.

bona fide /'bəʊnə'faɪdɪ/ (*lat.*) **A** avv. (*leg.*) in buona fede **B** a. **1** che è (o è fatto) in buona fede: (*leg.*) **bona fide holder**, detentore in buona fede; terzo di buona fede **2** autentico; genuino; sincero.

bona fides /'bəʊnə'faɪdiːz/ (*lat.*) n. ᵁ (*leg.*) buona fede.

bonanza /bə'nænzə/ (*spagn.*) **A** n. **1** fonte di enormi guadagni; miniera d'oro (*fam.*); pacchia (*fam.*) **2** abbondanza; profusione; ricchezza: **oil b. in the North Sea**, ricchi giacimenti petroliferi nel Mare del Nord **3** (*spec. USA*) filone d'oro (o d'argento) **B** a. prospero; produttivo; abbondante; fortunato; **a b. year**, un anno prospero; un'annata eccellente.

bonbon /'bɒnbɒn/ n. bonbon; caramella.

♦ **bond** /bɒnd/ n. **1** vincolo; legame: **bonds of kinship**, vincoli di parentela; **a b. of affection**, un legame affettivo **2** (*leg.*) impegno scritto; patto; accordo: **to enter into a b. with sb.**, stipulare un accordo (o fare un patto) con q.; impegnarsi con q. **3** ᵁ (*leg.*) garanzia; cauzione **4** (*fin.*) obbligazione, cartella, titolo a reddito fisso: **bearer b.**, obbligazione al portatore; **government** (o **State**) **b.**, titolo di Stato; **registered b.**, obbligazione nominativa; **savings bonds**, buoni di risparmio; **b. certificate**, certificato obbligazionario; **b. funds**, fondi obbligazionari; **b. issue**, emissione obbligazionaria; **b. market**, mercato delle obbligazioni; **b. yield**, rendimento obbligazionario **5** ᵁ (*dog.*) vincolo (o deposito) doganale: **ex b.**, sdoganato; **in b.**, in magazzino doganale; da sdoganare; **to take out of b.**, sdoganare **6** (al pl.) (*lett.*) catene; ceppi; vincoli (*lett.*); (*per estens.*) prigionia (*sing.*), schiavitù (*sing.*): **in bonds**, in ceppi; in prigione; in schiavitù **7** (*chim., = chemical b.*) legame: **double b.**, legame doppio **8** ᵁ (*fis.*) coesione; aderenza **9** (*edil.*) collegamento **10** ᵁ (*ind.*) legante; agglutinante; agglomerante **11** ᵁ (*ind. costr.*) apparecchiatura; connessione per sovrapposizione ● **b. clay**, argilla plastica (o da impasto) □ (*leg.*) **b. creditor**, creditore chirografario □ (*dog.*) **b. note**, buono di prelievo □ **b. paper**, carta da lettere di qualità □ (*dog.*) **b. warrant**, fede di deposito; nota di pegno □ *His word is as good as his b.*, la sua parola vale quanto una firma.

to **bond** /bɒnd/ **A** v. t. **1** far aderire; unire; legare; connettere **2** creare un legame tra; legare; unire: *We are bonded by a strong team spirit*, siamo legati da un forte spirito di squadra **3** (*leg.*) vincolare (*con un impegno scritto*) **4** (*comm.*) mettere (*merce*) in deposito doganale **5** (*fin.*) emettere obbligazioni su; ipotecare **6** (*elettr.*) collegare; mettere a massa **B** v. i. **1** (*chim.*) legarsi **2** (*ind. costr.*) connettersi **3** stabilire un forte legame (*affettivo, di amicizia, di interessi, ecc.*); legarsi; sodalizzare: *She found it difficult to b. with her baby*, ebbe difficoltà a stabilire un legame affettivo con il figlio neonato; *The team needs time to b. together*, alla squadra occorre tempo per amalgamarsi.

bondage /'bɒndɪdʒ/ n. ᵁ **1** servitù; schiavitù; servaggio (*lett.*) **2** (*fig.*) schiavitù; vincolo oppressivo **3** pratiche (pl.) sessuali sadomasochistiche.

bonded /'bɒndɪd/ a. **1** unito; fissato; incollato; legato **2** vincolato; legato **3** unito (*da un forte legame affettivo, di amicizia, ecc.*); legato **4** (*chim.*) legato **5** (*leg.*) cauzionato; garantito **6** (*di persona*) vincolato da impegno scritto; sotto obbligo contrattuale: **b. labour**, lavoro coatto; **b. labourers**, manodopera coatta **7** (*di debito*) garantito da obbligazioni **8** (*dog.: di merci*) sotto vincolo doganale: **b. goods**, merce sotto vincolo doganale; merci da sdoganare; **b. warehouse**, magazzino doganale; deposito franco **9** (*tur.*) (*di operatore*) assicurato.

bondholder /'bɒndhəʊldə(r)/ n. (*fin.*) possessore di obbligazioni (o di buoni del Tesoro); obbligazionista.

bonding /'bɒndɪŋ/ **A** a. **1** che lega; che unisce; che connette, legante; di legame: **b. agent**, legante; (*ind. costr.*) **b. course**, corso di legatura; (*chim.*) **b. electron**, elettrone di legame **2** vincolante **3** che forma un legame affettivo; che forma uno stretto sodalizio **B** n. ᵁ **1** formazione di un forte legame affettivo; formazione di uno stretto sodalizio: **male b.**, formazione di uno stretto sodalizio maschile **2** (*comm.*) deposito (*di merci, in un magazzino doganale*) **3** (*chim.*) formazione di legame **4** (*elettr.*) collegamento a massa **5** (*tecn.*) collegamento.

bondmaid /'bɒndmeɪd/ n. (*stor.*) giovane schiava.

bondman /'bɒndmən/ n. (pl. **bondmen**) (*stor.*) schiavo: *'Who is here so base that he would be a b.?'* W. SHAKESPEARE, 'chi di voi è così spregevole da voler vivere da schiavo?'.

bondsman /'bɒndzmən/ n. (pl. **bondsmen**) **1** (*leg.*) garante; mallevadore; fideiussore **2** → **bondman**.

bondswoman /'bɒnd(z)wʊmən/ n. (pl. **bondswomen**) (*stor.*) schiava.

♦ **bone** /bəʊn/ n. **1** ᵁᶜ osso: **a broken b.**, un osso rotto; *The dog was gnawing at a b.*, il cane rosicchiava un osso; **fragments of b.**, frammenti di osso (o di ossa); **b. structure**, struttura ossea; **b. handle**, manico d'osso **2** lisca, spina (*di pesce*) **3** (al pl.) scheletro (sing.); ossa; resti; spoglie (mortali) **4** stecca (*di busto*) **5** (al pl.) struttura (sing.) essenziale; impalcatura (sing.); scheletro (sing.): **the bones of a plan**, lo scheletro di un progetto **6** (al pl.) (*fam. USA*) dadi **7** (al pl.) castagnette **8** (pl. col verbo al sing.) (*slang naut.*) medico di bordo; dottore **9** (al pl.) (*slang USA*) dollari ● (*chim.*) **b. ash**, cenere d'ossa □ (*geol.*) **b. bed**, strato ossifero □ (*chim.*) **b. black**, nero animale; carbone d'ossa □ **b. china**, bone china; porcellana tenera □ **b.-dry**, completamente asciutto; secco come un osso; secchissimo □ (*med.*) **b. graft**, trapianto osseo □ **b.-idle** (o **b.-lazy**), molto pigro; sfaticato; pelandrone □ (*anat.*) **b. marrow**, midollo osseo □ **b. meal**, farina d'ossa □ (*fig.*) **b. of contention**, oggetto di contesa; pomo della discordia □ **b.-setter**, conciaossa; aggiustaossa □ **b.-tired** (o **b.-weary**), sfinito; esausto □ **the bare bones**, l'essenziale (*di qc.*); gli elementi essenziali □ **bred in the b.** → **to breed** □ **close to the b.** = **near the b.** → sotto □ (*fig.*) **to cut to the b.**, ridurre all'osso (*prezzi, ecc.*) □ **to have a b. to pick with sb.**, avere una critica da rivolgere a q.; voler mettere in chiaro qc. con q. □ (*fam.*) **to feel** (o **to know**) **st. in one's bones**, sentirsi dentro qc.; essere certo di q.; sentirsi qc. nelle ossa □ (*fam.*) **to make no bones about st.**, non esitare a (o non farsi scrupolo di) dire qc.; non fare mistero di qc.; dire qc. senza peli sulla lingua: *He made no bones about his being prejudiced against us*, non ha fatto mistero di essere prevenuto contro di noi □ (*fam.*) **to make old bones**, vivere fino a tarda età; campare cent'anni (*fam.*) □ **near the b.**, (*di osservazione*) che colpisce sul vivo; (*di barzelletta, ecc.*) spinto, pesante □ (*cucina*) **off the b.**, (*di carne*) senza l'osso □ (*cucina*) **on the b.**, (*di carne*) con l'osso □ **to pick a b.**, scarnire un osso □ **to be all skin and b.**, essere pelle e ossa □ (*fam. Austral.*) **to point the b. at sb.**, denunciare q.; tradire q. □ **to the b.**, fino all'osso; fino al midollo; completamente: **chilled** (o **frozen**) **to the b.**, gelato fino al midollo □ (*fam.*) **to tweak sb.'s funny b.**, far ridere q. □ (*fam.*) **to work one's fingers to the b.**, lavorare sodo; sgobbare.

to **bone** /bəʊn/ **A** v. t. **1** disossare **2** spinare, togliere le spine a (*un pesce*) **3** snocciolare (*ciliegie, olive, ecc.*) **4** rinforzare con stecche (*un busto*) **5** fertilizzare con farina d'ossa **6** (*slang antiq.*) sgraffignare (*fam.*); rubare **B** v. i. (*slang, anche* **to b. up**) studiare sodo; sgobbare (*fam.*).

boned /bəʊnd/ a. **1** ossuto **2** (*di un pollo, ecc.*) disossato **3** (*di pesce*) senza lische; spinato **4** fornito di stecche.

bonehead /'bəʊnhɛd/ n. (*slang*) testa di rapa; idiota; cretino; scimunito; stupido.

boneless /'bəʊnləs/ a. **1** senz'ossa; disossato **2** (*di pesce*) senza spine **3** (*fig.*) senza spina dorsale; smidollato.

boner /'bəʊnə(r)/ n. **1** (*slang*) sproposito; sfondone; gaffe: **to pull a b.**, dire uno spro-

b

posito; fare una gaffe; dirla grossa **2** (*slang USA*) erezione (*del pene*).

boneshaker /'bəʊnʃeɪkə(r)/ n. (*fam. GB*) **1** (*di veicolo*) macinino; vecchia carcassa **2** (*stor.*) bicicletta senza pneumatici.

boneyard /'bəʊnjɑ:d/ n. (*scherz. USA*) cimitero.

bonfire /'bɒnfaɪə(r)/ n. falò; fuoco ● (*in GB*) **B. Night**, la notte dei falò (*il 5 novembre*; = **Guy Fawkes Night** → **Guy**).

bong ① /bɒŋ/ n. suono profondo (*come di campana*); dong.

bong ② /bɒŋ/ n. pipa ad acqua (*per fumare marijuana*).

bongo /'bɒŋgəʊ/ n. (pl. **bongos**, **bongoes**) (*mus.*) bongo.

bonhomie /'bɒnɒmɪ/ (*franc.*) n. ▣ bonomia; affabilità.

bonito /bə'ni:təʊ/ n. (pl. **bonitos**, **bonito**) (*zool.*) bonito (*tonno striato*) ● **plain b.** (*Auxis thazard*), tambarello.

bonk /bɒŋk/ n. **1** (*fam.*) colpo; botta **2** (*volg. GB*) scopata; trombata.

to **bonk** /bɒŋk/ Ⓐ v. t. **1** (*fam.*) battere; picchiare; dare una botta a: **to b. sb. on the head**, dare una botta in testa a q. **2** (*volg. GB*) scopare, scoparsi; trombare Ⓑ v. i. (*volg. GB*) scopare.

bonkers /'bɒŋkəz/ a. pred. (*slang*) matto; pazzo; fuori (di testa): **stark raving b.**, matto da legare; completamente pazzo; che dà i numeri; **to drive sb. b.**, fare impazzire q.; **to go b.**, impazzire; diventare matto; uscire di testa.

bonnet /'bɒnɪt/ n. **1** berretto scozzese (*da uomo, senza tesa*) **2** cappellino (*da donna o bambina, senza tesa*); cuffia **3** (*fam.*) cappellino da donna (*in genere*) **4** (*mecc.*) cofano (*d'automobile*); coperchio (*di valvola, ecc.*); parascintille (*del fumaiolo di una locomotiva*) **5** (*naut.*) vela di riserva **6** (*aeron.*) tettuccio **7** (= **war b.**) copricapo di penne (*degli indiani d'America*).

to **bonnet** /'bɒnɪt/ v. t. **1** mettere il berretto (*o il cappellino, la cuffia*) a (q.) **2** calcare il berretto sugli occhi a (q.).

bonnie /'bɒnɪ/ (*scozz.*), → **bonny**.

bonny /'bɒnɪ/ (*soprattutto scozz.*) a. **1** bello; piacevole; grazioso; attraente **2** dall'aspetto sano; robusto, vigoroso; florido.

bonsai /'bɒnsaɪ/ n. bonsai.

◆**bonus** /'bəʊnəs/ n. **1** indennità; pagamento straordinario; gratifica; premio: **cost-of living b.**, indennità di carovita: **Christmas b.**, gratifica natalizia; **productivity b.**, premio di produzione; **retirement b.**, indennità di buonuscita; liquidazione **2** (*fin. GB*) dividendo straordinario **3** (*ass.*) riduzione; bonus: **no-claims b.**, bonus-malus **4** (*fam.*) cosa gradita; piacevole sorpresa: **an added b.**, un soprappiù gradito ● (*fin. GB*) **b. issue**, emissione riservata gratuita (*d'azioni*) □ **incentive b. scheme**, piano di incentivi □ (*fin.*) **b. shares**, azioni gratuite.

bon vivant /bɒnvi:'vɒn/ (*franc.*), **bon viveur** /bɒnvi:'vɜ:(r)/ (*franc.*) n. viveur, bon vivant.

bon voyage /bɒnvɔɪ'jɑ:ʒ/ (*franc.*) loc. inter. buon viaggio.

bony /'bəʊnɪ/ a. **1** osseo; tutt'ossa **2** (*di pesce*) pieno di lische (*o di spine*) **3** ossuto; magro **4** simile a (*o duro come*) un osso.

bonze /bɒnz/ n. (*relig.*) bonzo.

boo /bu:/ n., **booh** /bu:/ Ⓐ inter. **1** (*per intimorire*) bu! **2** (*di disapprovazione, disprezzo*) poh!, uff!; (*a teatro, ecc.*) buu! **3** (*per scacciare*) passa via!; pussa via! (*pop.*) Ⓑ n. **1** mormorio di disapprovazione (*a teatro, ecc.*); 'buu' di disapprovazione **2** (*slang USA*) marijuana ● (*fam.*) **to say boo**, dire beh; fiatare □ **He wouldn't say boo to a goose**, è timidissimo; ha paura perfino della sua ombra.

to **boo** /bu:/ v. i. e t. **1** disapprovare; protestare; fischiare: *The play was booed by the gallery*, la commedia fu fischiata dal loggione; *He was booed off the stage*, l'hanno costretto a suon di fischi a lasciare la scena **2** spaventare; scacciare (*gridando*).

boob /bu:b/ n. **1** (*fam. GB*) errore sciocco; cantonata; topica; granchio **2** (*fam. GB*) gaffe; magra; toppa **3** (*slang USA*) sciocco; babbeo; citrullo **4** (al pl.) (*slang*) poppe; tette; zinne ● (*moda GB*) **b. tube**, corpetto stretch senza spalline □ (*fam. USA*) **the b. tube**, il televisore; la televisione; la tivù □ (*slang*) **b. job**, plastica al seno: **to have a b. job**, rifarsi le tette.

to **boob** /bu:b/ Ⓐ v. t. (*slang*) fallire, fare fiasco in (*un esame, ecc.*) Ⓑ v. i. (*fam. GB*) **1** fare un errore sciocco; prendere una cantonata; prendere un granchio **2** fare una gaffe; toppare.

boo-boo /'bu:bu:/ (*fam.*) → **boob**, def. 1.

booby /'bu:bɪ/ n. **1** stupido; tonto; zoticone ● (*slang USA*) **b. hatch**, ospedale psichiatrico; manicomio □ **b. prize**, premio dato all'ultimo classificato; premio di consolazione □ **b. trap**, ordigno esplosivo camuffato da oggetto innocuo, trappola esplosiva; (*anche*) scherzo per cui un oggetto, messo in bilico su una porta socchiusa, cade in testa al primo che l'apre.

to **booby-trap** /'bu:bɪtræp/ v. t. **1** collocare una trappola esplosiva dentro (*o su*); **to booby-trap a car**, nascondere una bomba su un'auto; **booby-trapped car**, autobomba **2** mettere in bilico un oggetto su (*una porta socchiusa, per farlo cadere in testa al primo che l'apre*).

boodle /'bu:dl/ n. (*slang USA*) **1** banda; combriccola; masnada **2** denaro falso **3** bustarella, mazzetta, tangente (*fig.*) **4** bottino (*di malviventi*).

boodler /'bu:dlə(r)/ n. (*slang USA*) **1** vagabondo che passa l'inverno in prigione per stare al caldo **2** tangentista; tangentiere.

boogie /'bu:gɪ/ n. **1** (*slang spreg. USA*) negro **2** (*mus.*) → **boogie-woogie**.

boogie-woogie /'bu:gɪ 'wu:gɪ/ n. (*mus.*) boogie-woogie.

boohoo /bu:'hu:/ n. ▣ pianto rumoroso; frignata; strilli.

to **boohoo** /bu:'hu:/ v. i. piangere forte; frignare; strillare.

◆**book** /bʊk/ n. **1** libro: **a history b.**, un libro di storia; **a recipe b.**, un libro di ricette; **picture b.**, libro illustrato **2** (*letter.*) libro (*sezione di un'opera*): **the B. of Genesis**, il Libro del Genesi; **B. II**, Secondo libro **3** quaderno; registro: **b. of complaints**, registro dei reclami; **exercise b.**, quaderno (di scuola); **guest b.**, registro dei clienti; (*comput.*) → **guestbook**; **visitors' b.** registro dei visitatori **4** (*mus.*) libretto **5** (*teatr.*) copione **6** blocchetto; libretto: **a b. of stamps**, un blocchetto di francobolli; **a b. of tickets**, un blocchetto di biglietti; **a b. of matches**, una bustina di fiammiferi; **cheque b.**, libretto degli assegni **7** – (*telef., fam.*) **b.**, la guida telefonica; elenco del telefono: *I'm not in the b. yet*, non sono ancora sull'elenco **8** – (*relig.*) **the B.**, la Bibbia: **to swear on the B.**, giurare sulla Bibbia **9** (*rag.*) libro contabile; registro; (al pl.) libri contabili, conti, contabilità (*sing.*): **to close one's books**, chiudere i conti; **to keep the books**, tenere la contabilità; **b. balance**, saldo contabile; **b. entry**, scrittura contabile **10** (*Borsa*) book; esposizione complessiva (*di un operatore*) **11** elenco delle scommesse (*tenuto da un allibratore*): **to keep a b. on st.**, accettare scommesse su qc.; **to start a b.**, cominciare ad accettare scommesse **12** (*sport*) taccuino (*dell'arbitro*) **13** (*slang USA*) sala corse ● **b. account**, conto aperto (*presso un negozio*) □ **b. club**,

club del libro □ **b. cover**, sopraccoperta □ (*leg.*) **b. debt**, credito secondo i libri contabili; credito chirografario □ **b. fair**, fiera del libro □ **b. jacket**, sopraccoperta □ **b.-learning**, cultura libresca □ (*relig.*) **the B. of Common Prayer**, il libro di preghiere della Chiesa Anglicana ❶ **CULTURA • Book of Common Prayer**: *è il testo liturgico ufficiale della Chiesa anglicana, scritto in gran parte da Thomas Cranmer e pubblicato nel 1549. È uno dei tre testi (gli altri due sono la Bibbia nella «Authorized Version»,* → **authorized***, e le opere di Shakespeare) che hanno maggiormente influenzato la lingua inglese. Oggi in molte chiese è in uso una versione semplificata e modernizzata detta the* **Alternative Service Book***, pubblicata nel 1980* □ (*rag.*) **b. of entries** (*o of original entry*), libro giornale □ (*relig.*) **b. of hours**, libro d'ore; breviario □ (*comm.*) **b. of invoices**, copiafatture □ **b. of words**, (*mus.*) libretto; (*fam. GB*) libretto delle istruzioni □ **b. post**, servizio a tariffa ridotta per la spedizione di libri □ **b. token**, buono libro □ **the b. trade**, l'editoria; l'industria libraria □ (*comm., leg.*) **b. value**, valore contabile; valore d'inventario □ **to bring sb. to b.**, costringere q. a dare conto di qc.; chiamare q. alla resa dei conti □ **by the b.**, secondo le regole; correttamente: **to go by the b.**, attenersi alle regole □ **to be a closed b.**, essere un libro chiuso (*fig.*) □ (*fam.*) **to cook the books**, truccare i libri contabili □ (*fam.*) **every... in the b.**, tutti quanti i...; tutti i.. dal primo all'ultimo □ (*slang USA*) **to hit the books**, studiare sodo; sgobbare □ **in sb.'s bad** (*o* **black**) **books**, nel libro nero di q.; in disgrazia presso q. □ **in sb.'s good books**, nelle grazie di q. □ (*fam.*) **in my b.**, secondo me; per come la vedo io □ **in the book**, nel regolamento: **not in the b.**, irregolare; vietato; proibito □ **to know sb. like a b.**, conoscere q. a fondo (*o come un libro aperto*) □ **off the books** (avv.), **off-the-books** (agg.), (*econ., fin.*) in nero, fuoribusta; (*fig.*) (di) nascosto □ **on the books**, messo in lista, iscritto (*come socio*); (*comm.*) registrato □ (*fam. USA*) **one for the b.**, cosa straordinaria, memorabile; caso unico □ **to be an open b.**, essere un libro aperto (*fig.*) □ (*slang*) **to run a b.**, (*ipp.*) accettare scommesse; (*USA*) avere il conto aperto (*in un negozio*) □ **to speak by the b.**, parlare con cognizione di causa □ **to suit one's b.**, andare a pennello; fare comodo □ **to talk like a b.**, parlare come un libro stampato □ (*leg., fam.*) **to throw the b. at sb.**, dare il massimo della pena a q.; (*per estens.*) rimproverare severamente q. □ **without b.**, a memoria □ (*fam.*) **to have written the b.** (on st.), essere un esperto (di qc.).

to **book** /bʊk/ v. t. **1** prenotare; fissare; riservare: **to b. a table at a restaurant**, prenotare un tavolo al ristorante; **to b. a seat on a flight**, prenotare un posto in aereo; **to b. early**, prenotare per tempo; *I'll b. the conference room on the second floor*, prenoto la sala conferenze al secondo piano **2** scritturare: **to b. a band**, scritturare un'orchestra da ballo **3** contestare una contravvenzione a; multare: *I was booked on a charge of speeding*, fui multato per eccesso di velocità **4** (*calcio*) ammonire per iscritto; **to get booked**, essere ammonito **5** (*fam.*) arrestare **6** (*antiq.*) annotare; registrare ● (*slang USA*) **to b. it**, filar via; (*anche*) studiare sodo, sgobbare; contarci, scommetterci: *You can b. it*, contaci!; puoi scommetterci!

■ **book in** Ⓐ v. i. + avv. registrarsi (*in un albergo*) Ⓑ v. t. + avv. prenotare una camera d'albergo per (q.).

■ **book out** v. i. + avv. registrarsi in partenza (*da un albergo*); lasciare l'albergo.

bookable /'bʊkəbl/ a. **1** che si può prenotare; prenotabile **2** (*fam.*) multabile; passibile di contravvenzione **3** (*calcio*) che meri-

ta l'ammonizione: *He was sent off for two b. offences*, è stato espulso per doppia ammonizione.

bookbinder /'bʊkbaɪndə(r)/ n. legatore; rilegatore di libri || **bookbindery** n. legatoria || **bookbinding** n. ⒰ legatura; rilegatura di libri.

♦**bookcase** /'bʊkkeɪs/ n. libreria; scaffali (pl.) per libri.

bookcrossing /'bʊkrɒsɪŋ/ n. ⒰ bookcrossing; passalibro.

booked /bʊkt/ a. **1** prenotato; riservato; munito di biglietto: **b. seats**, posti prenotati; *I'm b. for London*, ho un biglietto per Londra; **to be heavily b.**, avere molte prenotazioni; *You've a single room b.*, ha una prenotazione per una camera singola **2** (*di artista, ecc.*) scritturato **3** (*calcio: di giocatore*) ammonito **4** (*comm.: di ordinativo*) registrato ● **b. solid**, tutto prenotato; tutto esaurito □ (**fully**) **b. up**, (*di albergo, ristorante, ecc.*) tutto prenotato, al completo; che ha il tutto esaurito; (*di persona*) impegnato; (*di artista*) scritturato: *I'm booked up for the next six months*, sono impegnato per i prossimi sei mesi.

bookend /'bʊkend/ n. reggilibro, reggilibri.

bookie /'bʊkɪ/ n. (*slang*) allibratore.

♦**booking** /'bʊkɪŋ/ n. **1** prenotazione: **early b.**, prenotazione anticipata; **ticket b.**, vendita di biglietti; **b. clerk**, addetto alla prenotazioni; addetto alla biglietteria; **b. office**, ufficio prenotazioni; biglietteria; *I can't access the b. page*, non riesco ad accedere alla pagina delle prenotazioni **2** (*teatr.*) scritturazione **3** (*calcio*) ammonizione.

bookish /'bʊkɪʃ/ a. **1** relativo ai libri **2** amante dei libri (*o della lettura*); d'inclinazioni letterarie **3** libresco; pedante || **bookishly** avv. con pedanteria; librescamente || **bookishness** n. ⒰ **1** amore per i libri; inclinazioni letterarie **2** pedanteria.

bookkeeping /'bʊkiːpɪŋ/ n. ⒰ contabilità; computisteria ● **b. machine**, macchina contabile || **bookkeeper** n. contabile; computista.

♦**booklet** /'bʊklət/ n. libriccino; libretto; opuscolo.

bookmaker /'bʊkmeɪkə(r)/ (*ipp.*) n. allibratore; bookmaker || **bookmaking** n. ⒰ accettazione di scommesse; attività degli allibratori.

bookmark /'bʊkmɑːk/ n. **1** segnalibro **2** (*comput.*) bookmark; segnalibro.

to **bookmark** /'bʊkmɑːk/ v. t. (*comput.*) creare un bookmark di.

bookmobile /'bʊkməʊbiːl/ n. (*USA*) bibliobus; autolibro.

bookplate /'bʊkpleɪt/ n. ex libris.

bookrest /'bʊkrest/ n. leggio.

bookseller /'bʊksələ(r)/ n. libraio ● **b.'s (shop)**, libreria || **bookselling** n. ⒰ attività di libraio.

bookshelf /'bʊkʃelf/ n. (pl. **bookshelves**) scaffale per libri; (al pl., *anche*) libreria (*mobile*) ● (*fam.*) **to hit the bookshelves**, (*di libro*) essere in libreria (*in una certa data*).

♦**bookshop** /'bʊkʃɒp/ n. libreria (*negozio*).

bookstall /'bʊkstɔːl/ n. **1** bancarella (*di libri*) **2** (*GB*) edicola; chiosco.

bookstand /'bʊkstænd/ n. **1** leggio **2** bancarella, edicola (*per la vendita di libri*).

bookstore /'bʊkstɔː(r)/ n. (*spec. USA*) libreria (*negozio*).

booksy /'bʊksɪ/ a. (*fam. GB*) che ha pretese letterie; che si dà arie da erudito.

bookwork /'bʊkwɜːk/ n. ⒰ **1** lavoro contabile **2** studio sui libri; lavoro di testa; teoria (*di contro a pratica*).

bookworm /'bʊkwɜːm/ n. **1** (*zool.*) tar-

---

ma; tignola **2** (*fig.*) topo di biblioteca.

Boolean /'buːlɪən/ a. (*mat.*, *comput.*) booleano; di Boole: **B. algebra**, algebra di Boole; **B. logic**, logica booleana; **B. function**, funzione booleana; **B. operator**, operatore booleano.

boom ① /buːm/ n. **1** (*naut.*) boma; asta di coltellaccio **2** (*mecc.*) braccio (*di gru o di escavatore*) **3** sbarramento di tronchi (*attraverso un fiume o all'imboccatura d'un porto*) **4** (*cinem.*, *TV*) giraffa ● (*ferr.*, *USA*) **b. car**, carro con gru □ (*naut.*) **b. sheet**, scotta di randa □ (*naut.*) **b. tackle**, paranco di ritenuta del boma □ (*fig. fam.*) **to let down** (*o* **to lower**) **the b. on sb.**, applicare la scure a q. (*fig.*); sottoporre q. a misure restrittive.

boom ② /buːm/ n. **1** rimbombo; rombo **2** (*aeron.*) bang: **sonic b.**, bang sonico ● (*fam. USA*) **b. box**, stereo portatile (*assai rumoroso*) □ **b. car**, automobile con radio o mangianastri tenuto a tutto volume.

♦**boom** ③ /buːm/ n. **1** boom; rapida espansione; rapida crescita: **property b.**, boom del mercato immobiliare; **a b. in sales**, un rapido aumento delle vendite; un boom di vendite; **b. year**, anno di boom **2** improvvisa popolarità ● (*econ.*) **b. market**, mercato effervescente; mercato in forte espansione □ **b. town**, città divenuta prospera all'improvviso.

to **boom** ① /buːm/ v. t. **1** (*anche* **to b. off**) separare (*un braccio d'acqua*) con una barriera di tronchi **2** (*naut.*) (*anche* **to b. out**) mettere (*le vele*) a coltellaccio.

to **boom** ② /buːm/ Ⓐ v. i. rimbombare; rombare; parlare con voce profonda Ⓑ v. t. indicare con un suono cupo: *The clock boomed the hour*, l'orologio batté l'ora con un suono cupo.

to **boom** ③ /buːm/ Ⓐ v. i. **1** espandersi; fiorire; prosperare; andare a gonfie vele: *Business was booming in the eighties*, gli affari andavano a gonfie vele negli anni ottanta **2** (*fin.: di titoli*) aumentare di valore; salire (*di prezzo*): *Stocks were beginning to b.*, i titoli cominciavano a salire Ⓑ v. t. **1** fare espandere; fare prosperare; promuovere: *War boomed the heavy industries*, la guerra ha fatto prosperare l'industria pesante **2** fare pubblicità; lanciare: *They are trying to b. a new product*, cercano di lanciare un prodotto nuovo **3** (*sport*) calciare (*o* tirare) forte.

boomer /'buːmə(r)/ n. **1** (*zool.*, *Aplodontia rufa*) castoro di montagna **2** (*zool.*, *Macropus giganteus*) canguro gigante (*il maschio*) **3** (*pop. USA*) operaio stagionale.

boomerang /'buːməræŋ/ n. **1** boomerang **2** (*fig.*) boomerang; azione controproducente; accusa che ricade su chi l'ha lanciata; argomento che si ritorce contro chi l'ha usato.

to **boomerang** /'buːməræŋ/ v. i. sortire l'effetto contrario; ritorcersi (contro); ricadere (su).

booming /'buːmɪŋ/ a. (*econ.*) fiorente; in rapida espansione.

boon ① /buːn/ n. vantaggio; beneficio; (*fig.*) dono; manna: *Free education is a great b.*, l'istruzione gratuita è un grande beneficio.

boon ② /buːn/ a. allegro; piacevole: **a b. companion**, un compagnone; un buontempone; un simpaticone.

boondocks /'buːndɒks/ n. pl. (*fam. USA*) **1** boscaglia; giungla **2** zona isolata, selvaggia; luogo sperduto.

boondoggle /'buːndɒgl/ n. (*fam. USA*) **1** oggetto artigianale (*cesto, ecc.*) di vimini (*o di cuoio*) **2** (*fig.*) cattedrale nel deserto; (*fig.*) impresa (*o progetto*) irrealizzabile e inutile (*e che fa sprecare tempo e denaro*).

boor /'bʊə(r)/ n. **1** (*arc.*) contadino **2** ma-

---

leducato; villano; zoticone; bifolco (*fig.*).

boorish /'bʊərɪʃ/ a. maleducato; rozzo; zotico | **-ly** avv. | **-ness** n. ⒰.

♦**boost** /buːst/ n. **1** aiuto; spinta; incoraggiamento; incentivo: **to give a b. to the economy**, dare una spinta all'economia **2** aumento; crescita; incremento **3** lancio pubblicitario; spinta promozionale **4** (*fis.*) aumento (*di pressione ecc.*) **5** ⒰ (*mecc.*) sovralimentazione **6** ⒰ (*aeron.*) pressione di alimentazione.

to **boost** /buːst/ v. t. **1** aumentare; far crescere; dare una spinta a; incrementare: **to b. oil production**, aumentare la produzione di petrolio; **to b. sales**, incrementare le vendite **2** incoraggiare; sollevare; tirare su: **to b. sb.'s confidence**, dare più fiducia a q.; rendere q. più sicuro di sé; **to b. sb.'s morale**, portare in alto il morale di q.; **to b. sb.'s ego**, far sentire importante, intelligente q. **3** pubblicizzare; promuovere; spingere **4** (*fis.*) aumentare (*la pressione, ecc.*) **5** (*elettr.*) elevare (*la tensione*) **6** (*mecc.*) sovralimentare (*un motore*) **7** (*slang USA*) taccheggiare; rubare.

booster /'buːstə(r)/ n. **1** (*mecc.*) booster; elevatore (*di pressione, ecc.*); sovralimentatore **2** (*radio*) amplificatore **3** (*TV*) preamplificatore **4** (*miss.*, = **b. rocket**) primo stadio; razzo vettore; razzo ausiliario **5** (*med.*) richiamo; (= **b. shot**) iniezione di richiamo **6** cosa che incoraggia; fonte di incoraggiamento: **confidence b.**, iniezione di fiducia; **morale b.**, cosa che tira su di morale **7** (*USA*) promotore **8** (*slang USA*) taccheggiatore ● (*autom.*) **b. cushion**, cuscino su cui far sedere un bambino (*perché possa usare la cintura di sicurezza*) □ (*autom.*) **b. seat**, seggiolino (*per bambino*) □ (*radio*, *TV*) **b. station**, ripetitore; ritrasmettitore.

♦**boot** ① /buːt/ n. **1** scarpa alta; scarpa robusta; scarpone: **army boots**, scarponi militari; **football boots**, scarpe da calcio; **mountain boots**, scarponi da montagna; **walking boots**, scarponcini; pedule **2** stivale; stivaletto: **riding boots**, stivali da equitazione **3** (*stor.*) stivale spagnolo, stivaletto malese (*strumento di tortura*) **4** (*fam.*) calcio; pedata **5** – (*fam.*) **the b.**, licenziamento; benservito: **to give sb. the b.**, licenziare q.; mettere alla porta q.; buttare fuori q.; **to get the b.**, essere licenziato; essere messo alla porta; essere buttato fuori **6** (*autom.*, *GB*) bagagliaio; baule **7** (*autom.*) rinforzo interno (*di pneumatico*) **8** (*autom.*) parapolvere (*dei freni idraulici*) **9** (*autom.*, *USA*, = **Denver b.**) ceppo bloccaruota **10** (*comput.*, = **b. -up**) caricamento iniziale; avvio: **b. block**, blocco d'avvio; **b. disk**, dischetto di avvio **11** (*mil. fam.*, *USA*) recluta della marina o dei marines in addestramento **12** (*slang USA*) eccitazione; piacere; gusto **13** (*slang USA*, *spreg.*) negro **14** (al pl.) → **boots** ● (*fam.*) **boots and all**, senza riserve; senza mezze misure □ (*mil.*, *stor.*) **b. and saddle**, buttasella □ (*mil.*) **b. camp**, centro di addestramento reclute □ (*fam.*) **b. cream**, crema da scarpe; lucido; cera □ (*fam.*) **b. puller**, cavastivali □ (*GB*) **b. sale**, vendita all'aperto (*dal bagagliaio dell'auto*) di oggetti domestici usati □ (*calcio*) **b. stud**, tacchetto, bollino (*di scarpa*) □ (*fam.*) **b. tree**, forma per scarpe □ (*fam.*) **to fill one's boots**, fare il pieno (*di soldi, cibo, ecc.*) □ (*fam.*) **to fill sb.'s boots**, sostituire degnamente q. □ **to hang up one's boots**, (*calcio, ecc.*) appendere le scarpe, smettere di giocare; (*fig.*) andare in pensione □ (*fig.*) **to lick sb.'s boots**, lustrare gli stivali a q.; leccare i piedi a q. □ (*fam. GB*) **to put the b. in** (*o* **into sb.**), prendere a calci (*uno che è a terra*); (*fig.*) infierire (su q.), colpire (q.) quando è a terra, fare il maramaldo □ (*fig.*) **The b. is on the other foot**, le parti si sono invertite; la musica è cambiata □ **You can bet your**

boots on it, puoi scommetterci; puoi giurarci.

boot② /buːt/ n. (solo nella loc.:) **to b.**, per giunta; per di più; per soprammercato.

to **boot** /buːt/ Ⓐ v. t. **1** calzare; mettere le scarpe a **2** dare un calcio a; calciare: **to b. st. into st.**, mandare qc. con un calcio dentro qc. **3** (comput.) inizializzare; avviare **4** (autom., USA) bloccare con i ceppi Ⓑ v. i. (comput.) avviarsi.
■ **boot around** v. t. + avv. prendere a calci.
■ **boot out** v. t. + avv. (fam.) licenziare; espellere; buttar fuori.
■ **boot up** v. t. e i. + avv. (comput.) avviare, avviarsi.

bootblack /'buːtblæk/ n. lustrascarpe.

booted /'buːtɪd/ a. (fig.) – solo nella loc. **b. and spurred**, pronto per partire.

bootee /'buːtiː/ n. **1** stivaletto (da donna o bambino) **2** scarpina di lana (per un bimbo piccolo); babbuccia; scarpina.

booth /buːð/ n. **1** baraccone (di una fiera) **2** bancarella coperta (da un assito o telone) **3** cabina: **polling b.** (o **voting b.**), cabina (di seggio) elettorale; **telephone b.**, cabina telefonica **4** (mil.) garitta **5** (in un locale pubblico) séparé: 'The three of them sat at the only round table, Sollozzo refusing a b.' M. PUZO, 'i tre si sedettero all'unico tavolo rotondo che c'era, dopo che Sollozzo aveva rifiutato un séparé'.

bootie /'buːtɪ/ → **bootee**.

bootjack /'buːtdʒæk/ n. cavastivali.

bootlace /'buːtleɪs/ n. stringa (da scarpa pesante, scarpone o stivale); laccio ● (GB) **b. tie**, cravatta sottile.

bootleg /'buːtleg/ Ⓐ n. **1** alcolico distillato clandestinamente o venduto illegalmente **2** disco registrato abusivamente (a un concerto, ecc., e poi rivenduto); disco pirata Ⓑ a. attr. **1** (di liquore) distillato clandestinamente; venduto illegalmente; illegale; di contrabbando **2** (di disco, ecc.) pirata.

to **bootleg** /'buːtleg/ v. t. e i. **1** distillare o vendere clandestinamente (un alcolico); contrabbandare **2** produrre o distribuire abusivamente (un disco, ecc.) ‖ **bootlegger** n. **1** distillatore clandestino (o contrabbandiere, spacciatore) di alcolici **2** produttore o venditore (di dischi, ecc.) pirata ‖ **bootlegging** n. Ⓤ **1** contrabbando di alcolici **2** vendita (di dischi, ecc.) pirata.

bootless /'buːtləs/ a. (arc.) inutile; vano: 'And trouble deaf heaven with my b. cries' W. SHAKESPEARE, 'e disturbo il sordo Cielo con i miei vani lamenti'.

bootlicker /'buːtlɪkə(r)/ n. leccapiedi; lustrastivali; lecchino; ruffiano.

bootmaker /'buːtmeɪkə(r)/ n. calzolaio; stivalaio.

boots /buːts/ n. (inv. al pl.) (antiq. GB) lustrascarpe, portabagagli, facchino (in un albergo).

bootstrap /'buːtstræp/ n. **1** tirante (di scarpa alta, di stivale) **2** (comput.) bootstrap; inizializzazione; avvio; caricamento ● **b. method**, il fare da sé ‖ **to pull oneself up by one's (own) bootstraps**, farcela da solo; farcela con le proprie forze; farsi da sé.

to **bootstrap** /'buːtstræp/ v. t. (comput.) inizializzare; avviare ● **to b. oneself**, farcela (da solo); farcela (con le proprie forze): **to b. oneself out of st.**, tirarsi fuori (da solo) da qc. ‖ **bootstrapper** n. (fam. USA) chi si è fatto da sé.

booty① /'buːtɪ/ n. **1** bottino (di guerra) **2** premio; guadagno.

booty② /'buːtɪ/ n. (USA, volg.) sedere; culo.

booze /buːz/ n. Ⓤ (slang) **1** alcol; alcolici; il bere **2** (= **b.-up**) bevuta; bisboccia; gozzoviglia; baldoria ● **to hit the b.**, darsi al bere;

attaccarsi alla bottiglia.

to **booze** /buːz/ v. i. (slang) bere (alcolici); sbevazzare; trincare; fare bisboccia ‖ **boozer** n. **1** beone; spugna **2** (fam.) bar; pub; bettola; taverna ‖ **boozy** a. **1** ubriaco; bevuto; sbronzo **2** alcolico; bevereccio: **boozy party**, party bevereccio; bisboccia.

bop /bɒp/ n. **1** Ⓤ (mus.) → **bebop 2** (slang spec. USA) forte colpo; colpaccio ● **bop bag**, pupazzo gonfiabile ‖ **bopper** n. adolescente fanatica del be-bop; ragazzina musicomane.

bo-peep /bəʊˈpiːp/ n. gioco del cucù, nascondino ● **to play bo-peep**, giocare a nascondino; fare cucù; (fig.) essere evasivo.

bora /'bɔːrə/ n. Ⓤ (meteor.) bora.

boracic /bəˈræsɪk/ a. (chim.) borico.

borage /'bɒrɪdʒ/ n. (bot., Borago officinalis) borragine.

borate /'bɔːreɪt/ n. (chim.) borato.

borax /'bɔːræks/ n. Ⓤ (chim.) borace.

Bordeaux /bɔːˈdəʊ/ n. (inv. al pl.) **1** bordeaux (vino rosso francese) **2** Ⓤ (colore) bordeaux; (colore) bordò ● (agric., chim.) **B. mixture**, poltiglia bordolese (anticrittogamico).

◆**border** /'bɔːdə(r)/ n. **1** orlo; bordo, bordatura; bordura: **a lace b.**, un orlo di pizzo **2** (di giardino) bordura; aiuola (lunga e stretta): **a b. of flowers**, una bordura di fiori; **herbaceous b.**, aiuola piantata a erbe e fiori perenni **3** (anche fig.) confine; frontiera: **southern b.**, confine meridionale; **the Swiss b.**, la frontiera svizzera; **across the b.**, al di là del confine; oltreconfine; **b. incident**, incidente di frontiera; **b. town**, città di confine **4** margine; limitare **5** (= **the B.**, o **the Borders**) (geogr.) la zona di confine fra l'Inghilterra e la Scozia **6** – (geogr.) **the B.**, il confine tra la Repubblica irlandese e l'Irlanda del Nord.

to **border** /'bɔːdə(r)/ Ⓐ v. t. **1** bordare; orlare: The scarf was bordered with a fringe, lo scialle era bordato con una frangia **2** confinare con: Spain borders France along the Pyrenees, la Spagna confina con la Francia lungo i Pirenei **3** delimitare; fare da confine a; fiancheggiare; costeggiare: My field is bordered by a brook, il mio campo è delimitato da un ruscello; A dense wood borders the northern shore of the lake, una densa foresta si stende lungo la sponda nord del lago Ⓑ v. i. **1** – **to b. on**, confinare con **2** – **to b. on**, rasentare: **an attitude bordering on provocation**, un atteggiamento che rasenta la provocazione.

borderer /'bɔːdərə(r)/ n. abitante di zona di confine (spec. di quella tra l'Inghilterra e la Scozia).

borderland /'bɔːdəlænd/ n. **1** zona di confine **2** (fig.) zona intermedia; zona di confine; zona grigia: **the b. between science and science fiction**, la zona grigia tra scienza e fantascienza **3** zona ai margini; margini (pl.): **to live on the b. of society**, vivere ai margini della società.

borderline /'bɔːdəlaɪn/ Ⓐ n. **1** (linea di) confine **2** (fig.) linea di separazione; linea di confine: **the b. between sanity and insanity**, la linea di confine tra la salute mentale e la follia Ⓑ a. attr. **1** che rientra di stretta misura (in una categoria); ai limiti **2** che è difficile collocare in una di due categorie; dubbio; incerto: **b. choice**, scelta difficile **3** (scient.) borderline.

bordure /'bɔːdjʊə(r)/ n. (arald.) bordura.

bore① /bɔː(r)/ n. **1** foro; pozzo (per trovare acqua, ecc.) **2** (mecc.) camera cilindrica; diametro interno (di tubo, ecc.) **3** (autom.) alesaggio (diametro di un cilindro di motore) ● **b. gauge**, calibro di alesaggio **4** (mil.) anima (d'arma da fuoco) **5** scandaglio ● (mil.) **b. diameter**, calibro □ (ind. min.) **b.-hole**, pozzo

di trivellazione.

bore② /bɔː(r)/ n. **1** persona noiosa; seccatore; scocciatore **2** noia; barba (fam.).

bore③ /bɔː(r)/ n. Ⓤ (geogr.) onda di marea (che risale un fiume).

bore④ /bɔː(r)/ pass. di **to bear**①.

to **bore**① /bɔː(r)/ v. t. **1** forare; perforare; trivellare; scavare: Oil wells are made by boring the ground, i pozzi petroliferi si scavano trivellando il terreno; A new tunnel will be bored under the Alps, si scaverà una nuova galleria sotto le Alpi **2** (mecc.) alesare; barenare Ⓑ v. i. **1** perforarsi: Soft materials b. easily, i materiali teneri sono facili a perforarsi **2** farsi largo; spingersi avanti **3** (di cavallo) spingere la testa in avanti ● **to b. a hole**, fare (o praticare) un foro □ **to b. for oil**, fare trivellazioni in cerca di petrolio □ (di un tarlo) **to b. into the wood**, forare il legno □ **to b. one's way**, aprirsi un varco; farsi largo (tra la folla).

◆to **bore**② /bɔː(r)/ v. t. tediare; annoiare: **to b. to death** (o **to tears**), annoiare a morte.

boreal /'bɔːrɪəl/ a. boreale.

Boreas /'bɒrɪæs/ n. Borea.

◆**bored** /bɔːd/ a. annoiato; stanco; stufo: **a b. expression**, un'espressione annoiata; I'm b. with this life, sono stufo di questa vita; **b. to death** (o **b. to tears**, o, fam., **b. stiff**), annoiato a morte; I was so b. I almost fell asleep, ero così annoiato che mi sono quasi addormentato; I was b. of the same old hairstyle and fancied a change, ero stufa dello stesso vecchio taglio e avevo voglia di cambiare.

boredom /'bɔːdəm/ n. Ⓤ noia; tedio.

borer /'bɔːrə(r)/ n. **1** trivella **2** operaio scavapozzi; minatore addetto al trivellamento **3** (mecc.) alesatore; barenatore **4** (mecc.) alesatrice (macchina) **5** (zool.) tarlo **6** (fam.) baco (della frutta).

boric /'bɔːrɪk/ a. (chim.) borico: **b. acid**, acido borico.

boring① /'bɔːrɪŋ/ n. Ⓤ ‖ **1** (ind. min.) perforazione; trivellazione; sondaggio ● **b. head**, testa di trivellazione **2** (ind. costr.) perforazione **3** (mecc.) alesatura; alesaggio; barenatura **4** (pl.) trucioli di alesatura ● (mecc.) **b. bar**, bareno; barra alesatrice □ (mecc.) **b. machine** (o **b. mill**), alesatrice; barenatrice □ (ind. min.) **b. rod**, asta di perforazione □ (ind. min.) **b. test**, sondaggio.

◆**boring**② /'bɔːrɪŋ/ a. **1** noioso; tedioso; barboso (fam.): **a b. job**, un lavoro noioso **2** banale; monotono; piatto; scialbo: **b. food**, cibo monotono | **-ly** avv.

◆**born** /bɔːn/ Ⓐ p. p. di **to bear**① Ⓑ a. nato: **to be b.**, nascere: I was b. in Bangor, sono nato a Bangor; I was b. on the 21st of July, sono nata il 21 luglio; Our second child was b. in January, a gennaio è nato il nostro secondo figlio; **b. to a single mother**, nato da madre nubile; **b.** nato per soffrire; **a b. leader**, un leader nato; **a newly b. baby**, un neonato: French.-b., francese di nascita Ⓞ NOTA: nascere → **nascere** ● **b. and bred**, nato e cresciuto; fino al midollo □ **b. of**, nato da; generato da; frutto di: **caution b. of experience**, una prudenza nata dall'esperienza □ (di attore) **b. in a trunk**, figlio d'arte □ **b. on the wrong side of the blanket**, (figlio) illegittimo □ **b. to be hanged**, destinato a finire sulla forca □ **b. under a lucky star**, nato sotto una buona stella □ **b. with a silver spoon in one's mouth**, nato con la camicia □ **in all my b. days**, in tutta la mia vita; in vita mia □ **I wasn't b. yesterday!**, non sono nato ieri! □ (fam.) **They don't know they are b.**, non sanno quanto sono fortunati; hanno la vita facile □ (prov.) **There's one b. every minute**, la mamma dei cretini è sempre incinta.

❶ NOTA: *born o borne?*
Born e *borne* sono entrambi participi passati del verbo *to bear*, ma *born* ha il solo significato di "generato, nato"; *to be born*, quindi, significa "nascere, venire al mondo": *She was born in 1987*, è nata nel 1987; *to be born with a hole in the heart*, essere nato con un soffio al cuore. *Born* si usa anche come aggettivo e si traduce con "nato" nel senso di "naturale, innato": *He is a born teacher*, è un insegnante nato. *Borne* è il participio passato di *to bear* nel suo significato di "dare, produrre, sostenere, sopportare": *She has borne him five girls*, gli ha dato cinque figlie; *Responsibility must be borne by the individual*, la responsabilità deve essere assunta dall'individuo; *The additional costs must be borne by the customer*, i costi aggiuntivi devono essere a carico del cliente.

born-again /bɔːnəˈgɛn/ **A** a. **1** (*relig.*) convertito (*a un Cristianesimo entusiasta, di tipo evangelico*); rinato (in Cristo) **2** (*fig.*) che si è convertito entusiasticamente a qc.; che ha l'entusiasmo dei neoconvertiti: *Mike is a born-again vegetarian*, Mike è un convertito all'alimentazione vegetariana **B** n. cristiano rinato in Cristo; cristiano convertito.

borne /bɔːn/ p. p. di **to bear**① **❶ NOTA:** *born o borne?* → **born**.

boron /ˈbɔːrɒn/ (*chim.*) n. ◻ boro ‖ **boride** n. ◻ boruro.

♦**borough** /ˈbʌrə/ n. **1** (*in GB*) città o cittadina sede di collegio elettorale **2** (*in GB*) distretto amministrativo di Londra (*ve ne sono 32*); borough **3** (*in USA*) distretto amministrativo di New York (*ve ne sono cinque*); borough ● **b. council**, consiglio di un borough; consiglio comunale □ (*stor. ingl.*) **pocket b.** (*o* **rotten b.**), collegio elettorale con pochissimi elettori in cui la scelta del rappresentante è in mano a una persona o una famiglia influente; borgo putrido.

♦**to borrow** /ˈbɒrəʊ/ **A** v. t. **1** prendere in (*o a*) prestito; ottenere in prestito; farsi prestare: *I've borrowed Jim's bicycle*, ho preso in prestito la bici di Jim; mi sono fatto prestare la bici di Jim; *Can I b. your pen for a second?*, mi presti un attimo la tua penna?; *I'll ask the barman if we can b. some darts*, chiedo al barista se possiamo prendere le freccette in prestito **2** mutuare; derivare; fare proprio; copiare: **a word borrowed from Russian**, una parola presa (*o* un prestito) dal russo; **to b. sb.'s idea**, copiare l'idea di q. **3** (*mat.*) riportare; portare **B** v. i. contrarre un prestito; prendere denaro a prestito; contrarre un mutuo: **to b. from the bank**, contrarre un prestito con la banca ● (*fam. USA*) **to b. trouble**, andare a cercarsi i problemi; preoccuparsi inutilmente □ (*fig.*) **borrowed plumes**, penne di pavone (*fig.*); penne altrui □ **to be living on borrowed time**, avere i giorni contati.

❶ NOTA: *to borrow o to lend?*
To borrow significa "prendere a prestito con l'intenzione di restituire": *to borrow a book from the library*, prendere a prestito un libro in biblioteca; *Can I borrow your camera?*, posso prendere a prestito la tua macchina fotografica? *To lend* vuol dire "prestare qualcosa a qualcuno per un periodo di tempo limitato": *I lent him 100 pounds*, gli ho prestato 100 sterline; *I lent her my stapler*, le ho prestato la mia cucitrice.

borrower /ˈbɒrəʊə(r)/ n. **1** chi prende qc. in prestito **2** (*comm.*) mutuatario ● *'Neither a b. nor a lender be'* W. SHAKESPEARE, 'non prendere soldi in prestito e non darne'.

borrowing /ˈbɒrəʊɪŋ/ n. ◻ **1** (*comm.*) assunzione di prestito **2** (*fin.*, anche pl.) indebitamento **3** (*banca*) raccolta **4** (*ling.*) prestito ● (*fin.*) **b. company**, società mutuataria □ (*fin.*) **b. rate**, tasso passivo □ (*banca*) **b.**

transactions, operazioni passive.

borscht /bɔːʃt/, **borsch** /bɔːʃ/ n. ◻ (*cucina*) zuppa di barbabietole (*russa o polacca*).

borstal /ˈbɔːstl/ n. (*stor.*) correzionale; riformatorio.

bort /bɔːt/ n. (*ind. min.*) **1** bort; diamante industriale **2** (*collett.*) schegge di diamante **3** (*collett.*) polvere di diamante.

borzoi /ˈbɔːzɔɪ/ n. (*zool.*) borzoi; levriero russo.

boscage /ˈbɒskɪdʒ/ n. boschetto; gruppo d'arboscelli, d'arbusti.

bosh① /bɒʃ/ n. ◻ e inter. (*slang ingl.*) **1** sciocchezze; fesserie; cavolate **2** pasticcio; casino (*pop.*).

bosh② /bɒʃ/ n. (*metall.*) sacca (*parte inferiore di altoforno*).

bosky /ˈbɒskɪ/ a. boscoso; ombroso.

bos'n /ˈbəʊsn/ → **bosun**.

Bosnian /ˈbɒznɪən/ a. e n. bosniaco.

bosom /ˈbuzəm/ n. **1** petto femminile; seno: **ample b.**, seno abbondante **2** (*sartoria*) petto **3** (*lett.*) petto; seno; cuore (*fig.*): **to carry st. in one's b.**, portare qc. sul seno (*o* sul cuore); **to clasp sb. to one's b.**, stringersi q. al seno (*o* al cuore); *I felt a tremor in my b.*, sentii un tremore nel petto **4** (*fig., lett.*) seno: **in the b. of one's family**, in seno alla propria famiglia ● **b. buddy** (*o* **b. friend**), amico del cuore (*o* prediletto) ‖ **bosomy** a. (*di donna*) dall'ampio seno; dal seno prosperoso; pettoruta.

boson /ˈbəʊzɒn/ n. (*fis. nucl.*) bosone.

♦**boss**① /bɒs/ n. (*fam.*) **1** capo; principale: *The b. wants to see you*, il capo vuole vederti **2** chi comanda; capo; capoccia: *I'll show him who's the b. round here!*, gli faccio vedere io chi comanda qui dentro! **3** (*USA*) capo di un'organizzazione politica; caporione; boss ● **to be one's own b.**, essere indipendente; svolgere un lavoro indipendente; non avere superiori.

boss② /bɒs/ n. **1** bozza; protuberanza; borchia (*di scudo, ecc.*) **2** (*mecc.*) mozzo; punzone **3** (*archit.*) bugna; bozza; aggetto; risalto; rosone (*di lacunare*) ● (*slang*) **b.-eyed**, strabico (*naut.*) **b. of the screw**, mozzo dell'elica ● (*slang antiq.*) **to make a b. shot at st.**, fare un tentativo (sfortunato) di colpire qc.

to boss① /bɒs/ v. i. e t. (*fam.*) farla da drone; spadroneggiare; dare ordini (a q.); comandare a bacchetta (*spesso* **to b. about**, **to b. around**) ● (*fig.*) **to b. the show**, farla da padrone.

to boss② /bɒs/ v. t. **1** ornare di borchie (*o* bugne) **2** (*mecc.*) punzonare **3** lavorare a sbalzo.

bossa nova /bɒsəˈnəʊvə/ (*portoghese*) n. (*mus.*) bossa nova.

bossy① /ˈbɒsɪ/ a. (*fam.*) autoritario; prepotente; tirannico ● (*fam. GB*) **b.-boots**, persona autoritaria; uno che dà ordini a tutti.

bossy② /ˈbɒsɪ/ a. adorno di borchie (*o* bugne).

Bostonian /bɒˈstəʊnɪən/ a. e n. (abitante o nativo) di Boston; bostoniano.

bosun, **bo'sun** /ˈbəʊsn/ n. (contraz. di **boatswain**) (*naut.*) nostromo; nocchiere.

bot /bɒt/ n. (abbr. di **robot**) **1** (*comput.*) bot (*programma che si esegue automaticamente*) **2** (*comput.*) bot (*avversari manovrati dal computer in certi giochi*) **3** → **robot**.

bot. abbr. **1** (**botanical**) botanico **2** (**botany**) botanica **3** (**bottle**) bottiglia.

BoT abbr. (*stor.*, *GB*, **Board of Trade**) Ministero del commercio (*fino al 1970*; cfr. **DTI**).

botanic /bəˈtænɪk/, **botanical** /bəˈtænɪkl/ a. botanico: **b. garden**, orto botanico; **b. specimen**, esemplare botanico.

botanist /ˈbɒtənɪst/ n. botanico; studioso

di botanica.

to botanize /ˈbɒtənaɪz/ v. i. **1** studiare botanica (*dal vivo*) **2** raccogliere piante (*per studio*).

botany /ˈbɒtənɪ/ n. ◻ botanica.

botch /bɒtʃ/ n. (*fam.*, = **b.-up**) lavoro malfatto; raffazzonatura; pasticcio; pastrocchio; casino (*pop.*): *He's made a b. of fixing the tap*, ha fatto un pasticcio invece di aggiustare il rubinetto; **to make a b. of things**, fare un pasticcio; incasinare tutto.

to botch /bɒtʃ/ v. t. e i. (*fam.*, = **to b. up**) raffazzonare; pasticciare; incasinare (*pop.*) ‖ **botched** a. malfatto; pasticciato; scombinato: **a botched attempt**, un tentativo fallito (*perché maldestro*) ‖ **botcher** n. raffazzonatore; pasticcione; casinista (*pop.*).

♦**both** /bəʊθ/ **A** a. e pron. ambedue; entrambi; tutt'e due; l'uno e l'altro: *We were b. present* (*o B. of us were present*), eravamo entrambi presenti; *We b. agreed*, fummo d'accordo entrambi; *We b. work at the hospital*, entrambi lavoriamo in ospedale; *I hate them b.*, li odio tutti e due; **b. my brothers**, entrambi i miei fratelli; i miei due fratelli; **on b. sides**, da ambo i lati **❶ NOTA:** *entrambi* → **entrambi** **B** cong. **1** b... **and**, sia... sia (*o* che); tanto... quanto; vuoi... vuoi: *The rule applies to b. men and women*, la regola vale sia per gli uomini sia per le donne; **b. in peace and in war**, tanto in pace quanto in guerra **2** a un tempo; nello stesso tempo; insieme; anche: **b. good and nourishing**, è buono e insieme nutriente ● **b. ways**, in entrambi i modi; per un verso e per l'altro; nei due sensi; da una parte e dall'altra; all'andata e al ritorno; (*ipp.: di cavallo*) piazzato: *I backed Black Prince b. ways*, scommisi su Black Prince piazzato □ **to have it b. ways**, avere l'una e l'altra cosa (*incompatibili tra loro*); avere la botte piena e la moglie ubriaca; tenere il piede in due staffe: *You can't have it b. ways*, o questo o quello; bisogna scegliere; non si può avere la botte piena e la moglie ubriaca.

bother /ˈbɒðə(r)/ n. **1** ◻ fastidio; incomodo; seccatura: *It's not worth the b.*, non vale l'incomodo; non ne vale la pena; *Could you do it, if it isn't too much b.?*, puoi farlo se non ti è troppo d'incomodo?; *It's no b.!*, nessun disturbo!; *I'm sorry to put you to all this b.*, mi spiace darti tutto questo fastidio **2** (solo sing.) (causa di) fastidio: *I hope he hasn't been a b.*, spero che non ti abbia dato troppo fastidio **3** (solo sing.) agitazione; preoccupazione **4** (come escl.) (*fam. GB*) uffa!; accidenti! ● **to go to the b. of doing st.**, prendersi la briga di fare qc. □ (*fam.*) **no b.**, senza problemi; facilmente.

♦**to bother** /ˈbɒðə(r)/ **A** v. t. **1** infastidire; dare fastidio a; incomodare; importunare; seccare: *Sorry to b. you*, scusa se ti disturbo **2** (*di parte del corpo*) fare male a; farsi sentire: *My leg is bothering me a bit today*, la gamba si fa un po' sentire oggi **3** preoccupare; disturbare; innervosire: **to b. oneself** (*o* **one's head**) **with st.**, preoccuparsi di qc. **4** (all'imper., come escl. di irritazione) (*fam. GB*) uffa!; accidenti! **B** v. i. **1** (di solito in neg.) prendersi il disturbo; disturbarsi; prendersi la briga; interessarsi; preoccuparsi: *Don't b. fixing it*, non disturbarti ad aggiustarlo; non stare ad aggiustarlo; *Don't b. putting the shoes in the box, I'll keep them on*, non si preoccupi di mettere le scarpe nella scatola, le tengo ai piedi; *I didn't b. to read the fine print*, non mi presi la briga di leggere le clausole scritte in piccolo; *He rarely bothers with details*, non si preoccupa quasi mai dei dettagli; *Why b. if no one's interested?*, a che scopo se non interessa a nessuno?; *I don't know why I b.*, non so proprio chi me lo fa fare **2** preoccuparsi; prendersela: *Don't b. about them*, non

a
b
c
d
e
f
g
h
i
j
k
l
m
n
o
p
q
r
s
t
u
v
w
x
y
z

preoccuparti per loro; lasciali perdere ● **to be bothered**, essere preoccupato; preoccuparsi: *I'm not bothered about losing the job*, non mi preoccupa perdere il posto □ **I can't be bothered (to do it)**, non ne ho voglia (di farlo) □ **I can't be b. with him!**, non ho tempo da perdere per lui!

botheration /bɒðə'reɪʃn/ (*fam. antiq.*) inter. uffa!; accidenti!

bothersome /'bɒðəsəm/ a. fastidioso; seccante.

Botox® /'bəʊtɒks/ n. ⓤ (*med.*) botox (*tossina botulinica purificata, usata per trattamenti estetici*); botulino (*fam.*).

♦**bottle** /'bɒtl/ n. **1** bottiglia: **a b. of wine**, una bottiglia di vino; **a wine b.**, una bottiglia da vino; **b. glass**, vetro di bottiglia **2** – (*fam.*) **the b.**, il bere; la bottiglia: **to be a slave of the b.**, essere schiavo del bere; **to hit the b.**, bere molto; darsi al bere; attaccarsi alla bottiglia; *He's back on the b.*, ha ricominciato a bere; **off the b.**, che ha smesso di bere **3** boccetta; flacone **4** (= **baby's b.**) (*GB*) poppatoio; biberon: **b.-fed**, allattato col biberon; allattato artificialmente; **b.-feeding**, allattamento artificiale **5** bombola (*per gas*) **6** ⓤ (*slang GB*) coraggio; fegato: *He's got b.!*, ha del fegato!; **to lose one's b.**, perdere il coraggio; perdersi d'animo ● (*enologia*) **b. age**, età di invecchiamento in bottiglia □ **b. baby**, bambino allattato artificialmente □ **b. bank**, campana per il vetro; raccoglitore per vetri □ (*spreg.*) **b. blonde**, bionda ossigenata □ **b. green**, verde bottiglia □ (*zool.*) **b.-nose** (*o* **b.-nosed**) **dolphin** (*Tursiops truncatus*), tursiope □ (*zool.*) **b.-nose** (*o* **b.-nosed**) **whale** (*Hyperoodon*), iperodonte □ **b. opener**, apribottiglie □ (*GB*) **b. party**, festa in cui ogni invitato porta una bottiglia □ **b. rack**, portabottiglie □ (*fam. USA*) **b. tan**, abbronzatura artificiale □ **b. warmer**, scaldabiberon □ (*fam.*) **b.-washer**, sguattero; lavapiatti □ **in b.**, (*di vino*) in bottiglia; imbottigliato □ **over a b.**, bevendoci sopra: *Let's discuss it over a b.*, discutiamone bevendoci sopra.

to **bottle** /'bɒtl/ v. t. **1** imbottigliare; mettere in bottiglia **2** mettere sotto vetro (*frutta, ecc.*); mettere in conserva **3** (*slang GB, anche* **to b. it**) farsi prendere dalla paura; avere un attacco di fifa ‖ **bottled** a. **1** (*di liquido*) in bottiglia; imbottigliato **2** (*di frutta, ecc.*) sotto vetro; in conserva **3** (*di gas*) in bombola ‖ **bottler** n. **1** imbottigliatore **2** (*ind.*) imbottigliatrice (*macchina*) ‖ **bottling** n. ⓤ imbottigliamento.

▪ **bottle out** v. i. + avv. (*slang GB*) tirarsi indietro (*per paura*); rinunciare: *He bottled out of the deal*, si è preso paura e ha rinunciato all'affare.

▪ **bottle up** v. t. + avv. soffocare; tenersi dentro: **to b. up one's emotions**, soffocare le proprie emozioni; *Don't b. it up!*, non tenertelo dentro!

bottlebrush /'bɒtlbrʌʃ/ n. **1** scovolino per bottiglie **2** (*bot.*, *Callistemon*) callistemon.

to **bottle-feed** /'bɒtlfiːd/ (*pass. e p. p.* **bottle-fed**), v. t. allevare artificialmente; allattare col biberon.

bottleneck /'bɒtlnek/ n. **1** collo di bottiglia **2** (*di strada, ecc.*) strettoia; restringimento **3** (*fig.*) strozzatura; rallentamento; collo di bottiglia: (*econ.*) **a b. in production**, una strozzatura nella produzione.

♦**bottom** /'bɒtəm/ n. **1** fondo; parte inferiore: **the b. of a page**, il fondo di una pagina; **the b. of a box**, il fondo di una scatola; **at the b. of the stairs**, in fondo alle scale; **at the b. of my suitcase**, sul fondo della mia valigia **2** fondo; lato inferiore; base; disotto: *He placed the glass b. up*, depose il bicchiere capovolto **3** fondo; punto più lontano: **at the b. of the road**, in fondo alla strada **4** (*di*

mare, *lago*) fondo; (*di fiume*) fondo, letto: *I can't touch b.*, non tocco (il fondo); **to go to the b.**, andare a fondo; (*naut.*) colare a picco; **to send to the b.**, mandare a fondo; (*naut.*) mandare a picco **5** fondo; punto più basso; livello infimo; minimo: **at the b. of a hierarchy**, in fondo a una gerarchia; *Defeat sent West Ham to the b. of the division*, La sconfitta ha spedito West Ham in fondo alla classifica **6** cosa o persona in fondo a qc.; ultimo: *John is b. of the class*, John è l'ultimo della classe; **to come b.**, classificarsi ultimo **7** sedile (*di sedia*): **straw-covered b.**, sedile impagliato **8** (*fam.*) sedere; deretano: **to smack sb.'s b.**, sculacciare q. **9** (*naut.*) carena; opera viva **10** (*naut., arc.*) nave da carico **11** (*anche al pl.*) slip (*di bikini*); pantaloni (*di pigiama*) **12** (*autom.*) prima marcia **13** ⓤ (*di cavallo, antiq.*) resistenza; carattere **14** (*fonderia*) suola (*di forno*) **15** (*ind.*) fondello **16** (*al pl.*) (*chim.*) residui (*di lavorazione*) ● a. attr. **1** (il) più basso; ultimo in basso; primo dal basso: **the b. shelf**, lo scaffale più in basso; **b. floor**, piano terra **2** minimo; il più basso: (*Borsa*) **b. price**, prezzo minimo; *This is our b. price*, questo è il prezzo più basso che possiamo fare ● (*fam.*) **one's b. dollar**, l'ultimo dollaro che si ha; (*fig.*) l'ultimo centesimo □ **b. drawer**, primo cassetto dal basso; (*stor., GB*) corredo (*da sposa*) □ (*econ., fin.*) **b. fisher**, operatore che compra titoli al prezzo minimo □ (*econ., fin.*) **b. fishing**, acquisto di titoli al prezzo minimo □ (*autom.*) **b. gear**, marcia bassa; prima (*velocità*) □ **the b. line**, il totale (*di un conto, un bilancio, ecc.*); l'utile netto; la perdita netta; l'ultimo prezzo accettabile; (*fig.*) la conclusione, la sostanza, il succo; (*come avv.*) in conclusione, insomma, in soldoni: **the company's b. line**, gli utili della società; *The b. line is, who's going to do it?*, insomma, chi è che lo fa? □ **The b. has fallen out of the market**, i prezzi sono crollati □ **b. up**, capovolto □ **b.-up** (agg.), che viene dal basso; che parte dal fondo (*o dalla base*) □ (*fam.*) **Bottoms up!**, (alla) salute!; cin cin! □ **at (the) b.**, in fondo alla pagina; in calce □ **at b.**, in fondo, fondamentalmente: *He's a good boy at b.*, in fondo, è un bravo ragazzo □ **at the b. of st.**, all'origine di qc.; dietro qc.; sotto qc.: *I wonder who's at the b. of it*, vorrei proprio sapere chi c'è dietro □ (*slang*) **You can bet your b. dollar on it**, ci puoi scommettere la testa □ **from the b. of my heart**, con tutto cuore; dal profondo del cuore □ **to get to the b. of a matter**, andare a fondo di una faccenda; trovare la soluzione di un problema □ **to knock the b. out of st.**, mandare in rovina qc.; far crollare qc.; demolire qc. (*una tesi, ecc.*); dimostrare l'infondatezza di qc. □ (*econ.*) **race to the b.**, corsa al ribasso (*con riferimento al servizio pubblico e alle imposte*) □ (*fam.*) **to start at the b. of the ladder**, cominciare dalla gavetta.

to **bottom** /'bɒtəm/ a v. t. **1** rifare il fondo a (*una sedia, un tegame, ecc.*) **2** fondare; basare: **to b. an argument on st.**, fondare (*o basare*) un argomento su qc. **3** andare a fondo di (*una questione*) b v. i. **1** (*naut.: di sottomarino*) posarsi sul fondo **2** essere fondato (*o basato*) su.

▪ **bottom out** v. i. + avv. toccare il fondo (*e poi stabilizzarsi o riprendersi*): *House prices have bottomed out*, il prezzo degli immobili ha toccato il fondo.

bottomless /'bɒtəmləs/ a. **1** senza fondo; sfondato: **a b. boat**, una barca sfondata **2** profondissimo; senza fondo; insondabile: **a b. pit**, un abisso senza fondo; (*fig.*) un pozzo senza fondo, un pozzo di San Patrizio **3** inesauribile; illimitato; senza fondo: **b. resources**, risorse illimitate.

bottommost /'bɒtə(m)məʊst/ a. superl.

relat. (il) più in basso; (l') ultimo in basso.

bottomry /'bɒtəmrɪ/ n. ⓤ (*naut., stor.*) cambio marittimo: **b. loan**, prestito a cambio marittimo.

botty /'bɒtɪ/ n. (*infant. GB*) culetto; sederino; popò.

botulin /'bɒtjʊlɪn/ n. (*med.*) botulino ‖ **botulism** (*med.*) n. ⓤ botulismo.

botulinum toxin /bɒtjʊ'laɪnəm 'tɒksɪn/ (*med.*) → **botulin**.

bouclé /buː'kleɪ/ n. ⓤ filato bouclé.

boudoir /'buːdwɑː(r)/ n. (*stor. o scherz.*) boudoir.

bouffant /'buːfɒŋ/ (*franc.*) a a. **1** (*dei capelli*) gonfi; cotonati **2** (*di indumento*) sbuffante b n. acconciatura gonfia; capelli cotonati.

bougainvillea, **bougainvillaea** /buːgən'vɪlɪə/ n. (*bot.*, *Bougainvillea spectabilis*) buganvillea.

bough /baʊ/ n. ramo (*d'albero, spec. se grosso*).

bought /bɔːt/ pass. e p. p. di **to buy** ● (*rag.*) **b. account**, conto degli acquisti (*a provvigione*) □ **b. contract**, (*banca*) borderò d'acquisto; (*Borsa*) distinta d'acquisto □ (*rag.*) **b. journal**, libro acquisti □ **b. note**, (*comm.*) conto acquisti; (*Borsa*) nota d'acquisto □ (*econ.*) **b.-out parts**, pezzi fatti costruire in appalto; prodotti dell'indotto.

bougie /'buːʒiː/ (*franc.*) n. **1** (*arc.*) candela **2** (*med.*) candeletta; sonda.

bouillon /'buːjɒn/ (*franc.*) n. ⓤ (*cucina*) brodo ● **b. cube**, dado per brodo.

boulder /'bəʊldə(r)/ n. masso tondeggiante (*per erosione naturale*) ● (*geol.*) **b. clay**, deposito morenico.

boulevard /'buːl(ə)vɑːd/ (*franc.*) n. viale; stradone.

boulter /'bəʊltə(r)/ n. (*pesca*) palamite; palangaro.

♦**bounce** /baʊns/ n. **1** rimbalzo (*di palla, ecc.*): **to catch a ball on the b.**, prendere una palla al balzo **2** sobbalzo; salto **3** ⓤ elasticità (*di una superficie o di una palla, ecc.*) **4** rapido aumento; (*Borsa*) rimbalzo (*di corsi azionari, ecc.*) **5** ⓤ (*fam.*) slancio; brio; vivacità; verve (*franc.*) ● (*radio*) **b. back**, eco ● (*slang USA*) **to get the b.**, essere licenziato; essere sbattuto fuori; (*anche*) essere piantato, mollato, scaricato □ (*slang USA*) **to give sb. the b.**, licenziare; sbattere fuori; (*anche*) piantare, mollare, scaricare □ (*fam.*) **on the b.**, di seguito; in successione; uno dietro l'altro.

to **bounce** /baʊns/ a v. i. **1** (*di palla, ecc.*) rimbalzare: *The ball bounced off the wall*, la palla colpì il muro e rimbalzò indietro **2** (*di luce, suono, ecc.*) rimbalzare; essere respinto; (*di luce, anche*) rifrangersi **3** (*di superficie*) essere elastico a saltellare; muoversi su e giù: *The kids were bouncing up and down on the bed*, i bambini facevano i salti sul letto **5** slanciarsi; precipitarsi; irrompere: *The girl bounced into the room*, la ragazza entrò di slancio nella stanza **6** (*di veicolo*) procedere sobbalzando: *The bus bounced down the uneven road*, l'autobus si mosse sobbalzando giù per la strada sconnessa **7** (*fam.*: *di assegno*) essere respinto da una banca (*perché emesso a vuoto o allo scoperto*): *The bank bounced my check*, la banca non ha onorato il mio assegno **8** (*comput.*) tornare indietro (*di messaggio di posta elettronica*): *Your message bounced*, il tuo messaggio è tornato indietro **9** (*aeron.*) piastrellare; rimbalzare b v. t. **1** far rimbalzare: **to b. a ball against a wall**, far rimbalzare una palla contro un muro **2** far rimbalzare (*un'onda, un suono, ecc.*); rifrangere (*la luce*) **3** far saltellare (*un bambino*): **to b. a baby on one's knees**, far saltellare un bambino sulle ginocchia **4** (*fam.*: *di banca*) respingere (*un as-*

segno) **5** (*slang USA*) licenziare; buttare fuori; mandare a spasso **6** (*slang USA*) buttare (q.) fuori; cacciar via con la forza ● (*di prezzi, ecc.*) **to b. higher**, impennarsi □ (*fam. GB*) **to b. sb. into (doing) st.**, spingere q. a fare qc.; fare pressione perché q. faccia qc. □ (*fam.*) **to b. st. off sb.**, sentire il parere di q. su qc.; provare qc. su q. (*per studiarne le reazioni*) □ (*fam.*) **to b. off sb.**, (*di impressione, avvenimento, ecc.*) lasciare indifferente q.; non lasciare il segno su q. □ (*fam.*) **to be bouncing off the walls**, essere agitatissimo; essere furibondo; essere fuori di sé □ **bounced cheque**, assegno scoperto; assegno a vuoto.
■ **bounce around** v. t. + avv. discutere (*un'idea, un progetto, ecc.*); sentire il parere di altri su.
■ **bounce back** v. i. + avv. **1** tornare di rimbalzo; rimbalzare indietro **2** (*comput.: di e-mail*) tornare indietro; tornare al mittente **3** (*fig.*) riprendersi (*dopo un insuccesso, ecc.*); rimettersi in piedi.
bouncer /'baʊnsə(r)/ n. **1** buttafuori (*di bar o locale notturno*) **2 = baby b.** → **baby 3** (al pl.) (*slang USA*) tette **4** (*fam.*) assegno scoperto; assegno a vuoto.
bouncing /'baʊnsɪŋ/ a. **1** che rimbalza; che balza su e giù **2** (*di assegno*) respinto da una banca; a vuoto **3** sano; vivace; esuberante.
bouncy /'baʊnsɪ/ a. **1** che rimbalza; elastico: **a b. toy**, un giocattolo che rimbalza; **a b. floor**, un pavimento elastico **2** (*di persona*) pieno di vita; brioso; animato; pimpante **3** (*di musica*) pieno di ritmo; ritmato; vivace. ● **b. castle**, castello di gomma (*per giochi di bambini*).
bound ① /baʊnd/ n. **1** (generalm. al pl.) confine; limite: *There are no bounds to his greediness*, la sua avidità non conosce limiti **2** (*mat.*) limite; estremo ● **to go beyond the bounds of reason**, essere irragionevole □ **out of bounds**, proibito, vietato: *These premises are out of bounds to military personnel*, l'accesso a questo locale è proibito ai militari □ **to place st. out of bounds**, proibire l'accesso a qc. □ **within bounds**, entro i limiti fissati; nei dovuti limiti; a freno: *He cannot keep his temper within bounds*, non riesce a tenere a freno i nervi.
bound ② /baʊnd/ n. **1** rimbalzo **2** balzo; salto; saltello ● (*fig.*) **to advance by leaps and bounds**, fare passi da gigante □ **to hit the ball on the first b.**, colpire la palla al primo rimbalzo.
bound ③ /baʊnd/ a. **1** diretto (a); in viaggio (per): *This ship is b. for Naples*, questa nave è diretta a Napoli; **homeward b.**, diretto verso casa; diretto in patria (*o al paese di origine*); sulla via del ritorno **2** destinato (a); indirizzato (a); per: **produce b. for export**, prodotti agricoli destinati all'esportazione; *He's b. for a disappointment*, è destinato a restare deluso.
♦**bound** ④ /baʊnd/ ▲ pass. e p. p. di **to bind** Ⓑ a. **1** (generalm. in composti) trattenuto; bloccato: **snow-b.**, bloccato dalla neve **2** vincolato; obbligato; tenuto; che ha il dovere (di): **to be bound by a strict timetable**, essere vincolato a una rigida tabella di marcia; *I feel b. to help them*, mi sento in obbligo di aiutarli; *I'm b. to go*, devo andare; *I'm b. to say that...*, devo dire che...; **legally b.**, obbligato (*o vincolato*) per legge; **morally b. to do st.**, moralmente obbligato a fare qc.; (*leg.*) **b. under oath**, sotto il vincolo del giuramento **3** destinato; che deve per forza; che non può non; destinato: *She's b. to find out sooner or later*, prima o poi lei dovrà per forza scoprirlo; *Tom's b. to know*, Tom lo saprà senz'altro; *The plan is b. to succeed*, il piano è destinato a riuscire; *It is b. to rain*, pioverà di sicuro **4** (*di libro*) rilegato: **b. volumes**, volumi rilegati; **leather-b.**, rilegato in pelle;

half-b., rilegato in mezza pelle **5** (*chim.: di elemento*) combinato **6** (*med.*) costipato **7** (*ling.*) – **b. form**, affisso ● **b. up in**, concentrato in; tutto preso da; impegnato in: *He's too b. up in his own problems*, è troppo preso dai suoi problemi □ **b. up with**, legato a, strettamente connesso con □ (*fam. antiq.*) **I'll be b.!**, di sicuro!; ci scommetto!
to **bound** ① /baʊnd/ v. t. **1** delimitare; fare da confine a: *Italy is bounded to the north by the Alps*, l'Italia è delimitata a nord dalle Alpi **2** porre limiti a; contenere; frenare.
to **bound** ② /baʊnd/ v. i. **1** rimbalzare **2** (*anche fig.*) balzare; saltare; saltellare: *He bounded down the stairs*, scese le scale a balzi; *My heart bounded with joy*, il cuore mi balzava in petto per la gioia.
♦**boundary** /'baʊndrɪ/ n. **1** (*geogr., polit.*) (linea di) confine: *A lake marks the b. between the two regions*, un lago segna il confine tra le due regioni **2** (*geol.*) limite; confine: **b. layer**, strato limite (*o di confine*) **3** (*scient.*) contorno; limite; frontiera ● **b. line**, (linea di) confine; linea di demarcazione □ **b. stone**, cippo di confine.
bounded /'baʊndɪd/ a. (*mat.*) limitato: **b. set**, insieme limitato; (*econ.*) **b. rationality**, razionalità limitata.
bounden /'baʊndən/ a. (*lett.*) sacrosanto: **one's b. duty**, il proprio sacrosanto dovere.
bounder /'baʊndə(r)/ n. (*fam. GB, antiq.*) mascalzone; uomo senza scrupoli.
boundless /'baʊndləs/ a. illimitato; sconfinato; immenso ‖ **boundlessness** n. Ⓤ sconfinatezza; immensità.
bounteous /'baʊntɪəs/ a. **1** generoso; liberale; munifico **2** dato con larghezza; abbondante; copioso | **-ly avv.** | **-ness** n. Ⓤ.
bountiful /'baʊntɪfl/ a. **1** generoso; liberale; munifico **2** abbondante; copioso: **a b. harvest**, un raccolto copioso | **-ly avv.** | **-ness** n. Ⓤ.
bounty /'baʊntɪ/ n. **1** Ⓤ generosità; liberalità; munificenza **2** dono generoso **3** premio (d'incoraggiamento); ricompensa: (*econ.*) **a b. on exports**, un premio all'esportazione **4** (*mil.*) premio d'arruolamento (*o* di rafferma) **5** taglia (*per la cattura di banditi o di animali nocivi*): **b. hunter** (*o* **b. killer**), cacciatore di taglie; **to put a b. on sb.**, mettere una taglia su q.
bouquet /bu'keɪ/ n. **1** mazzo di fiori; mazzolino **2** aroma, profumo (*spec. del vino*) **3** complimento; elogio.
bourbon /'bʊəbən/ n. Ⓤ bourbon; whisky americano.
Bourbon /'bʊəbən/ n. **1** (*stor.*) Borbone **2** (*stor. e fig.*) borbonico.
bourdon /'bʊədn/ n. (*mus.*) **1** bordone **2** registro (*di organo, campane, ecc.*).
bourgeois /'bʊəʒwɑː/ (*franc.*) n. e a. (inv. al pl.) borghese ‖ **bourgeoisie** n. Ⓤ borghesia.
bourn ① /bɔːn/ n. ruscello; torrentello.
bourn ② /bɔːn/ n. (*poet.*) **1** meta; obiettivo **2** (*arc.*) confine; limite: *'the undiscover'd country from whose b. / No traveller returns'* W. SHAKESPEARE, 'la terra inesplorata dai cui confini nessun viaggiatore mai ritorna'.
bourse /bʊəs/ (*franc.*) n. (*fin.*) borsa valori (*in Francia, ecc.*).
to **bouse** /buːz/ → **to bowse**.
boustrophedon /ˌbuːstrə'fiːdən/ a. (*archeol.*) bustrofedico.
bout /baʊt/ n. **1** breve periodo di attività intensa: **a b. of exercise**, un intenso periodo di esercizi fisici; **a b. of violence**, un'esplosione (*o* uno scoppio) di violenza; **a b. of generosity**, un accesso di generosità; **drinking b.**, bevuta; bisboccia **2** (*sport*) incontro (*di boxe o di lotta*) **3** (*med. e fig.*) at-

tacco; accesso: **a b. of flu**, un attacco d'influenza; **a b. of fear**, un attacco di paura.
boutique /buːˈtiːk/ (*franc.*) n. (*moda*) boutique.
bovid /'bəʊvɪd/ n. (*zool.*) bovide.
bovine /'bəʊvaɪn/ a. **1** bovino **2** (*fig.*) lento; inerte; ottuso.
Bovril® /'bɒvrəl/ n. Ⓤ estratto di carne bovina (*da diluirsi per fare una bevanda*).
bovver /'bɒvə(r)/ n. Ⓤ (*slang GB*) violenze (pl.) teppistiche; disordini (pl.); pestaggi (pl.) ● **b. boys**, teppisti; hooligan □ **b. boots**, stivaletti con rinforzi metallici.
bow ① /bəʊ/ n. **1** (nodo a) fiocco; nastro legato in un fiocco: *Her hair was tied in a bow*, i suoi capelli erano trattenuti da un fiocco **2** arco (*arma*): **to bend** (*o* **to draw**) **the bow**, tendere l'arco **3** (*mus.*) archetto; arco **4** (*archit.*) arco in aggetto **5** (= **rainbow**) arcobaleno **6** (*spec. USA*) stanghetta (*degli occhiali*) **7** anello (*di chiave, di forbici*) ● **bow collector**, pantografo (*di locomotore elettrico, ecc.*) □ (*grafica*) **bow compass** (*o* **compasses**), balaustrino □ (*mecc.*) **bow drill**, trapano ad arco □ **bow-fronted**, (*di mobile*) con la parte anteriore bombata □ **bow legs**, gambe arcuate; ginocchio varo □ **bow-legged**, dalle gambe arcuate □ **bow saw**, seghetta ad arco □ **bow tie**, cravatta a farfalla; cravattino □ (*archit.*) **bow window**, bovindo □ **to have many strings to one's bow**, avere molte frecce al proprio arco.
bow ② /baʊ/ n. **1** inchino: *He gave a low bow*, fece un profondo inchino **2** (*judo*) saluto ● **to make one's bow**, esordire; debuttare; (*anche*) ritirarsi (*dalle scene, dalla vita pubblica*) □ **to take a bow**, (*teatr.*) (venire alla ribalta e) fare un inchino per ringraziare il pubblico; (*anche*) ricevere le congratulazioni, prendersi gli applausi.
bow ③ /baʊ/ n. (anche al pl.) (*naut.*) mascone; prua; prora: **from bow to stern**, da prora a poppa; **on the port bow**, per il mascone di sinistra; di prua a sinistra; **on the bow**, per prua; di (*o* a) proravia; a 45° dalla prua ● (*naut.*) **bow-chaser**, pezzo in caccia; cannone cacciatore prodiero □ **bow-heavy** (*o* **down by the bow**), appruato □ (*canottaggio*) **bow oar**, remo di prua; (*il vogatore*) prodiere □ (*naut.*) **bow thruster**, propulsore di prua, elica prodiera di manovra □ (*naut.*) **bow wave**, onda di prora □ **a (warning) shot across the bows**, un segnale di avvertimento a q.
to **bow** ① /bəʊ/ ▲ v. t. **1** inarcare; piegare ad arco **2** suonare (*un violino, ecc.*) con l'archetto Ⓑ v. i. inarcarsi; curvarsi.
to **bow** ② /baʊ/ ▲ v. i. **1** (*spesso* **to bow down**) inchinarsi; fare un inchino: *We bowed (down) before the queen*, c'inchinammo alla regina **2** fare un cenno del capo (*di assenso, di saluto*): *He bowed to me as I passed him*, mentre gli passavo accanto, mi fece un cenno di saluto **3** (*fig.*) cedere; chinarsi; chinare il capo; rassegnarsi: **to bow to the inevitable**, chinare il capo di fronte all'inevitabile; **to bow to pressure from high up**, cedere a pressioni che vengono dall'alto; **to bow to sb.'s wishes**, cedere ai desideri di q.; *I bow to your greater experience*, mi tiro indietro davanti alla tua maggior esperienza Ⓑ v. t. chinare; piegare: **to bow one's head**, chinare il capo (*anche fig.*); *They bowed their heads before the king*, chinarono la testa davanti al re ● **to bow and scrape**, profondersi in inchini e salamelecchi; essere servile □ **to bow to no one**, non cederla a nessuno □ **bowing acquaintance**, conoscenza superficiale.
■ **bow down** ▲ v. t. + avv. **1** incurvare; piegare: *The apple tree was bowed down with fruit*, il peso dei frutti faceva piegare il melo **2** prostrare: **to be bowed down with grief**, essere prostrato dal dolore **3** opprimere:

The people were bowed down by tyranny, il popolo era oppresso dalla tirannia **B** v. i. + avv. **1** → **to bow**, **A** *def. 1* **2** cedere; piegarsi; arrendersi.

■ **bow in** v. t. + avv. accogliere, salutare con un inchino: *I was bowed into the room by a liveried footman*, un domestico in livrea mi introdusse con un inchino nella stanza.

■ **bow out** **A** v. t. + avv. salutare con un inchino (*q. che esce*) **B** v. i. + avv. ritirarsi; rinunciare (*a un'attività, una posizione, ecc.*); cedere il posto: *The time has come for me to bow out*, per me è arrivato il momento di cedere il posto ad altri; **to bow out of politics**, ritirarsi dalla politica; rinunciare alla politica.

to **bowdlerize** /'baʊdləraɪz/ v. t. espurgare (*un libro, un autore*) ‖ **bowdlerization** n. ⓤ espurgazione (*di un libro, ecc.*).

bowel /'baʊəl/ n. **1** (spesso al pl.) (*anat.*) viscere; intestino; budella (pl.): **to empty one's bowels**, liberare l'intestino; andare di corpo; **b. movement**, andata di corpo; evacuazione; defecazione **2** (al pl.) intestino (sing.); visceri; budella **3** (al pl.) (*fig.*) viscere; ventre (sing.); profondità: **in the bowels of the earth**, nelle viscere della terra.

bower① /'baʊə(r)/ n. **1** pergola; pergolato; padiglione (*in un giardino*); recesso ombroso **2** (*poet.*) dimora; casetta; villetta ● (*zool.*) **b.-bird** (*Ptilonorhynchus*), uccello giardiniere.

bower② /'baʊə(r)/ n. (*naut.*) ancora di servizio; ancora di posta: **best** [**small**] **b.**, grande [piccola] ancora di posta.

bowfin /'baʊfɪn/ n. (*zool.*, *Amia calva*) amia.

bowie /'baʊɪ/, **bowie knife** /'baʊɪnaɪf/ loc. n. (*USA*) lungo coltello da caccia.

bowing /'baʊɪŋ/ n. ⓤ (*mus.*) archeggio; tocco dell'archetto.

◆**bowl**① /baʊl/ n. **1** scodella; ciotola; terrina: **soup b.**, scodella per minestra; **mixing b.**, terrina (*per impastare*); **salad b.**, insalatiera; **sugar b.**, zuccheriera **2** (contenuto di una) scodella, ciotola: **a b. of soup**, una scodella di minestra **3** parte concava (*di oggetto*); incavo; tazza; vasca; vaschetta: **the b. of a spoon**, l'incavo d'un cucchiaio; **the b. of a pipe**, il fornello d'una pipa; **toilet b.**, tazza del water; **a sink unit with twin bowls**, un lavello a due vasche **4** (*geogr.*) bacino **5** (*USA*) stadio; arena; anfiteatro.

bowl② /baʊl/ n. **1** boccia **2** (al pl. col verbo al sing.) gioco delle bocce (*spec. su prato*).

to **bowl** /baʊl/ **A** v. i. **1** giocare a bocce **2** giocare a bowling **3** (*cricket*) lanciare; essere al lancio (*o alla battuta*); eseguire lanci **B** v. t. **1** (*bocce*, *bowling*) tirare, far rotolare (*una boccia*) **2** spingere, far rotolare (*un cerchio*) **3** (*cricket*) lanciare (*la palla al battitore*) **4** (*cricket*) → **to bowl out 5** segnare (*un certo numero di punti, con un lancio o un tiro*) **6** (seguito da avv.) muoversi velocemente; filare (→ **to bowl along**).

■ **bowl along** v. i. + avv. **1** (*autom.*, *USA*) andare a tutta birra; filare: *We were bowling along at 100 miles an hour*, filavamo a 160 all'ora **2** procedere bene; filar via liscio.

■ **bowl out** v. t. + avv. (*cricket*) **1** eliminare al wicket (*un battitore*) **2** eliminare tutti i battitori di (*una squadra*); battere (*una squadra*).

■ **bowl over** **A** v. t. + avv. **1** buttare a terra; travolgere **2** sorprendere grandemente (*spec. in modo positivo*); lasciare senza parole; affascinare e conquistare: *I was bowled over by his generous offer*, la sua generosa offerta mi lasciò senza parole; **B** v. i. + avv. (*di veicolo*) capovolgersi; rovesciarsi; cappottare.

bowler① /'baʊlə(r)/ n. **1** giocatore di bocce **2** giocatore di bowling **3** (*cricket*) lancia-

tore.

bowler② /'baʊlə(r)/ n. (= **b. hat**) cappello duro; bombetta.

bowlful /'baʊlfʊl/ n. scodellata.

bowline /'baʊlɪn/ n. (*naut.*) **1** bolina **2** (= **b. knot**) gassa d'amante ● (*naut.*) **on a b.**, stretto di bolina.

bowling /'baʊlɪŋ/ n. **1** gioco delle bocce **2** (= **tenpin b.**) bowling **3** (*cricket*) lancio; lanci ● **b. alley**, corsia di bowling; (locale in cui si gioca a) bowling □ **b. ball**, palla (*o boccia*) da bowling □ **b. club**, società bocciofila □ **b. green**, prato in cui si gioca a bocce; campo di bocce □ **b. lane**, corsia di bowling □ **b. pin**, birillo.

bowman① /'baʊmən/ n. (pl. **bowmen**) (*stor. e sport*) arciere.

bowman② /'baʊmən/ n. (pl. **bowmen**) (*canottaggio*) vogatore di punta; prodiere.

to **bowse** /baʊz/ v. t. (*naut.*) alare su un paranco; parancare.

bowser /'baʊzə(r)/ n. **1** ® (*aeron.*, *mil.*) autocisterna (*per rifornimenti in aeroporto o di veicoli militari*) **2** (*Austral.*) distributore di benzina.

bowshot /'baʊːʃɒt/ n. ⓤ portata d'arco: **within b.**, a tiro d'arco.

bowsprit /'baʊsprɪt, 'baʊ-/ n. (*naut.*) (albero di) bompresso.

Bow Street /'baʊstriːt/ loc. n. (*leg.*) il Tribunale penale di Londra (*dal nome della strada*) ● (*stor.*) **Bow Street Runner**, poliziotto londinese (*appartenente al corpo creato nel 1748*).

bowstring /'baʊstrɪŋ/ n. corda dell'arco.

bow-wow **A** inter. /'baʊ'waʊ/ bau bau; bu bu **B** n. /'baʊwaʊ/ **1** (*infant.*) bau-bau; cane **2** (*slang USA*) pistola; fucile **3** (*slang USA*) racchia; racchiona.

bowyer /'baʊjə(r)/ n. fabbricante di archi.

◆**box**① /bɒks/ n. **1** scatola; cassetta; cassa: **biscuit box**, scatola per biscotti; (*aeron.*) **black box**, scatola nera; **hat box**, scatola per cappelli; cappelliera; **letter box**, cassetta (*o buca*) per le lettere; **tool box**, cassetta degli attrezzi; **a box of matches**, una scatola di fiammiferi; **box-shaped**, a (forma di) scatola; (*edil.*) scatolare **2** (contenuto di una) scatola (*o* cassetta, cassa): *He ate a whole box of chocolates*, si è mangiato un'intera scatola di cioccolatini **3** (= **telephone box**) cabina telefonica **4** (= **signal box**) (*ferr.*) cabina di segnalazione **5** (= **sentry box**) garitta (*di sentinella*) **6** (*leg.*) banco (*di tribunale*): **jury box**, banco della giuria; **witness box**, banco dei testimoni **7** (*caccia, pesca*) capanno: **shooting box**, capanno da caccia **8** palco (*spec. di teatro*): **press box**, palco della stampa; **royal box**, palco reale; **box seat**, posto in un palco; **box owner**, palchettista **9** – (*fam. GB*) **the box**, la TV; la tivù; la tele: **on the box**, alla TV; in TV **10** (= **post-office box**, **P.O Box**) casella postale: **box number**, numero di casella postale; **Box 34**, casella postale n. 34 **11** (*slang*) cassa da morto; bara **12** (*tecn.*) alloggiamento; sede **13** (*autom.*, = **gearbox**) scatola del cambio **14** cassoncino (*di carro merci*) **15** box (*di cavallo*); posta (*nella stalla*) **16** cassetta (*di carrozza*): **box seat**, posta a cassetta **17** (*sport*, *GB*) conchiglia (*a protezione dell'inguine*) **18** riquadro; casella: *Tick the box if the answer is yes*, se la risposta è sì spuntare la casella **19** (*giorn.*) riquadro; palchetto **20** (*autom.*, *in GB*) quadrato a righe trasversali gialle (*a un incrocio, non si può impegnare neanche a semaforo verde*) **21** (*calcio*) area di rigore; area (*fam.*) **22** (*baseball*) pedana (*del lanciatore*) **23** (*fam. GB*, = **Christmas box**) regalo o mancia (*dati a Natale al postino, ai fornitori, ecc.*) **24** (*slang*) grossa radio portatile **25** (*slang*) cassaforte; bestia (*gergale*) **26** (*volg.*)

genitali maschili; pacco (*pop.*) **27** (*slang volg.*) topa; fica ● (*edil.*) **box beam**, trave scatolare □ **box bed**, letto con base piena; letto con cassetti; (*anche*) letto ad armadio □ (*fotogr.*) **box camera**, macchina fotografica a cassetta □ (*mecc.*) **box coupling**, giunto a manicotto □ (*mecc.*, *USA*) **box end wrench**, chiave poligonale doppia; chiave a stella doppia □ (*edil.*) **box girder**, trave scatolare □ (*autom.*, *in GB*) **box junction**, incrocio contrassegnato da un «box» (*V. sopra, def. 20*) □ (*USA*) **box lunch**, colazione confezionata in una scatola □ (*fam.*) **box of tricks**, aggeggio ingegnoso; piccolo marchingegno; (*anche*) repertorio di idee, espedienti, ecc. □ (*teatr.*, *cinem.*) **box office**, botteghino □ (*teatr.*, *cinem.*) **box-office success** (*o* **hit**), successo di cassetta □ (*tecn.*) **box pallet**, pallet a cassa □ (*sartoria*) **box pleat**, cannone □ (*baseball*) **box score**, punteggio della gara □ (*fam.*) **box-shifter**, ditta che si preoccupa solo del fatturato (*e non dell'assistenza ai clienti*) □ (*USA*) **box social**, asta di piatti pronti per raccogliere fondi □ (*mecc.*, *GB*) **box spanner**, chiave a tubo □ **box spring**, molla (*di materasso, poltrona, ecc.*) □ (*ferr.*) **box wagon**, carro merci coperto □ (*mecc.*, *USA*) **box wrench**, chiave a tubo □ (*fam. USA*) **in a box**, in difficoltà; nei guai; nei casini (*fam.*) □ (*fam. Austral.*) **out of the box**, eccellente; straodinario □ (*fam.*) **to think outside the box**, guardare un problema da un'ottica nuova, senza preconcetti □ (*autom.*) **three-box car**, (auto a) tre volumi □ (*autom.*) **two-box car**, (auto a) due volumi.

box② /bɒks/ n. (*di solito* **box on the ear**) ceffone; schiaffo.

box③ /bɒks/ n. (pl. **box**, **boxes**) (*bot.*, *Buxus sempervirens*; = **box tree**) bosso.

to **box**① /bɒks/ v. t. **1** (*anche* **to box up**) mettere in scatola (*o in scatole*); confezionare in scatole; inscatolare; mettere in casse; incassare **2** racchiudere in un riquadro; riquadrare.

■ **box in** v. t. + avv. **1** bloccare; chiudere; impedire i movimenti di: **to box in a competitor**, chiudere un avversario; *My car was boxed in by a van*, la mia macchina era bloccata da un furgone **2** bloccare; impedire; impastoiare: *We're boxed in by all sorts of rules*, siamo impastoiati da un'infinità di regole **3** rinchiudere; confinare; imprigionare: **to feel boxed in**, sentirsi prigioniero; sentirsi in gabbia.

■ **box off** v. t. + avv. **1** recintare; delimitare **2** separare; tenere distinto.

■ **box out** v. t. + avv. (*fam.*) escludere; tagliare fuori.

■ **box up** v. t. + avv. **1** → **to box**①, *def. 1* **2** → **to box in**, *def. 2*.

to **box**② /bɒks/ **A** v. t. **1** (*boxe*) battersi con; incontrare **2** (nella loc.:) **to box sb.'s ears**, dare un ceffone (*o uno schiaffo*) a q. **B** v. i. (*sport*) boxare; tirare di boxe ● (*fam. GB*) **to box clever**, muoversi con astuzia; giocare d'astuzia.

to **box**③ /bɒks/ v. t. (solo nella loc.:) **to box the compass**, (*naut.*) nominare nell'ordine le 32 quarte della bussola; (*fig.*) cambiare radicalmente idea; fare un cambiamento a 180 gradi.

boxcar /'bɒkskɑː(r)/ n. (*ferr.*, *USA*) carro merci coperto.

boxed /bɒkst/ a. **1** inscatolato; in scatola; confezionato in scatole **2** (*tipogr.*) inserito in un riquadro; riquadrato ● (*editoria*) **b. set**, edizione in cofanetto.

boxer /'bɒksə(r)/ n. **1** (*sport*) pugile **2** boxer (*tipo di cane*) ● **b. shorts**, mutande da uomo a calzoncino; boxer.

boxing① /'bɒksɪŋ/ n. ⓤ **1** (*comm.*) imballaggio (*in casse*); inscatolamento **2** (*ind. costr.*) cassaforma; armatura (*di legno*) ● **b. machine**, inscatolatrice.

boxing ② /'bɒksɪŋ/ n. Ⓤ (*sport*) pugilato; boxe • **b. gloves**, guantoni □ **b. ring**, quadrato; ring □ **b. weights**, pesi (*delle categorie di pugili*).

Boxing Day /'bɒksɪŋdeɪ/ loc. n. (*in GB*) il 26 dicembre; Santo Stefano ❶ CULTURA • Boxing Day: *deriva da* box, *nel significato di dono, mancia; in origine era il giorno in cui si offrivano doni ai domestici e ai fornitori.* = **bank holiday** → **bank** ②.

boxroom /'bɒksruːm/ n. (*GB*) stanzino; sgabuzzino; ripostiglio.

boxwood /'bɒkswʊd/ n. Ⓤ legno di bosso; bosso.

boxy /'bɒksɪ/ a. **1** squadrato **2** (*di spazio, locale*) ristretto; angusto.

♦**boy** /bɔɪ/ 🅐 n. **1** ragazzo; fanciullo: **little boy**, bambino; ragazzino; maschietto; **big boy**, ragazzo grande; giovanotto; *Careful, my boy!*, attento, ragazzo mio! **2** figlio (maschio); bambino: **my brother's boy**, il figlio di mio fratello; *Is it a boy or a girl?*, è maschio o femmina?; *He has two children: a boy and a girl*, ha due figli: un maschio e una femmina; **her baby boy**, il suo bambino **3** (con attr.) garzone; fattorino; ragazzo: **delivery boy**, ragazzo delle consegne; fattorino **4** (con attr.) uomo; individuo; uno: **a local boy**, uno del posto; **a city boy**, uno di città **5** (al pl.) (*fam.*) amici; compagni; colleghi; ragazzi: *He's at the pub with the boys*, è al pub con gli amici; **our boys**, i nostri (ragazzi) **6** (*antiq., spreg. USA*) negro **7** (*vocat.*) (*a un cane*) bello: *Down, boy!*, giù, bello! 🅑 a. attr. giovane; piccolo: **boy actor**, piccolo attore; **boy wonder**, piccolo genio 🅒 inter. (*slang USA*) accidenti!; urca!; mamma mia! (*mus.*) **boy band**, gruppo pop formato da ragazzi attraenti; boy band □ **a boy-meets--girl story**, la classica storia romantica □ **boy next door**, ragazzo della porta accanto; bravo ragazzo □ (*fam.*) **boy racer**, giovane automobilista spericolato □ **boy-scout**, giovane esploratore, boy scout □ (*fam., antiq.*) **the boys in blue**, i poliziotti; la polizia □ **Boys will be boys**, i ragazzi sono ragazzi! □ (*fam.*) **big boy**, uomo importante; pezzo grosso; capo □ (*fam. antiq.*) **my dear boy**, amico mio; mio caro □ (*fam.*) **new boy on the block**, nuovo arrivato (*in un lavoro*); nuovo □ **old boy**, ex alunno; (al vocat., *antiq.*) amico mio, vecchio mio □ (*fam.*) **the old boy**, (il proprio) padre; il vecchio □ (*fam.*) **That's my boy!**, bravo!

boyar /bəʊ'jɑː(r)/ n. (*stor., in Russia*) boiardo; boiaro.

boycott /'bɔɪkɒt/ n. boicottaggio.

to **boycott** /'bɔɪkɒt/ v. t. boicottare || **boycotter** n. boicottatore || **boycotting** n. Ⓤ boicottaggio.

♦**boyfriend** /'bɔɪfrɛnd/ n. ragazzo (fisso); amico; fidanzato; amante; uomo.

boyhood /'bɔɪhʊd/ n. Ⓤ fanciullezza; adolescenza (*di maschi*).

boyish /'bɔɪɪʃ/ a. **1** di (*o* da) ragazzo; fanciullesco **2** puerile || **boyishly** avv. con aria (*o* con fare) da ragazzino; fanciullescamente: *He smiled boyishly*, fece un sorriso da ragazzino || **boyishness** n. Ⓤ **1** fanciullaggine **2** puerilità.

bozo /'bəʊzəʊ/ n. (*slang USA*) bestione; bisteccone.

BP sigla **1** (*GB*, **British Pharmacopoeia**) Prontuario farmaceutico britannico **2** (*GB*, **British Petroleum**) Società britannica per il petrolio e il gas naturale.

Bp abbr. (*relig.*, **bishop**) vescovo.

bp sigla **1** (*biochim.*, **base pair**) coppia di basi (*negli acidi nucleici*) **2** (*comm.*, **basis point**) punto base **3** (*fis.*, **boiling point**) punto d'ebollizione.

BPharm /biː'fɑːm/ abbr. (**Bachelor of Pharmacy**) laureato in farmacia (*laurea di*

1º *grado*).

BPhil /biː'fɪl/ abbr. (**Bachelor of Philosophy**) laureato in filosofia (*laurea di 1º grado*).

bpi sigla (*comput.*, **bits per inch**) bit per pollice.

bpm abbr. (**beats per minute**) **1** (*med.*) pulsazioni al minuto **2** (*mus.*) battute al minuto.

BPR sigla (*comm.* **business process re--engineering**) innovazione di processo.

bps /biː'piːɛs/ n. Ⓤ (= **bit per second**) (*comput.*) bps (*unità di misura per la velocità nella trasmissione dei dati*).

BR sigla (*GB*, *una volta*, **British Railways** *o* **British Rail**) Ferrovie britanniche.

Br. abbr. **1** (**British**) britannico **2** (*relig.*, **brother**) fratello (fra).

bra /brɑː/ n. (abbr. di **brassiere**) reggiseno; reggipetto • (*spreg. USA*) **bra-burner**, femminista militante (*spec. negli anni Sessanta*); accesa femminista.

Brabantio /brə'bæntɪəʊ, -nʃɪəʊ/ n. (*letter.*) Brabanzio.

brace /breɪs/ n. **1** fermaglio; (*mecc.*) grappa, rinforzo, sostegno **2** (*ind. costr.*) controvento; putrella **3** (al pl., *GB*) bretelle **4** (*med.*) busto ortopedico **5** (*USA anche al pl*) (*med.*) arco ortodontico; apparecchio (*fam.*) **6** (pl. **brace**) (*spec. nella caccia*) coppia, paio, due: **two b. of hares**, due coppie di lepri **7** (*tipogr.*) graffa **8** (*mus.*) legatura **9** (= **b. and bit**) trapano a manubrio; girabecchino **10** (*falegn.*) menarola **11** (*naut.*) braccio; femminella **12** (*mus.*) tiranti (*di tamburo*) **13** (al pl.) (*slang*) manette • (*mecc.*) **b. drill**, trapano a codolo.

to **brace** /breɪs/ v. t. **1** fermare; assicurare; (*mecc.*) collegare, sostenere, rinforzare **2** (*fig.*: *dell'aria, del clima*) tonificare; rinvigorire **3** (*naut.*) bracciare **4** (*ind. costr., aeron.*) controventare; irrigidire **5** (*slang USA*) affrontare; mettere (q.) alle strette • (*naut.*) **to b. about** (*o* **around**), bracciare per virare di bordo; controbracciare □ (*naut.*) **to b. in** (*o* **to**), bracciare a sopravvento □ **to b. oneself**, fare (*o* farsi) forza; puntellarsi; prepararsi; tenersi forte: *He braced himself for the exam*, si fece forza in vista dell'esame; *B. yourself for a shock!*, preparati a ricevere un colpo! □ **to b. up**, rinvigorire, tirar su (*fig.*); tirarsi su (*di morale*); (*naut.*) bracciare di punta.

braced /breɪst/ a. **1** (*ind. costr.*) rinforzato; controventato **2** (*di pneumatico*) cinturato.

bracelet /'breɪslət/ n. **1** braccialetto; catenella (*da portare al polso*) **2** (pl.) (*slang*) manette.

bracer ① /'breɪsə(r)/ n. (*sport*) bracciale (*d'arciere o schermidore*).

bracer ② /'breɪsə(r)/ n. (*fam.*) bicchierino; cicchetto.

brachial /'breɪkɪəl/ a. (*anat.*) brachiale.

brachiopod /'breɪkɪəpɒd/ n. (*zool.*, *Brachiopoda*) brachiopode.

brachycephaly /bræki'sɛfəli/ (*anat.*) n. Ⓤ brachicefalia || **brachycephalic**, **brachycephalous** a. brachicefalo.

brachylogy /bræ'kɪlədʒɪ/ n. Ⓤ brachilogia.

bracing ① /'breɪsɪŋ/ n. **1** Ⓤ (*ind. costr.*) controventamento; controventatura **2** (*mecc.*) rinforzo d'irrigidimento.

bracing ② /'breɪsɪŋ/ a. corroborante; tonificante.

bracken /'brækən/ n. (pl. **bracken**, **brackens**) **1** (*bot.*, *Pteridium aquilinum*) felce aquilina **2** felceto, felceta.

♦**bracket** /'brækɪt/ n. **1** parentesi: **round b.**, parentesi tonda; **square b.**, parentesi quadra; **in brackets**, fra parentesi **2** gruppo; fascia; categoria; scaglione (*fisc.*) **in-**

come **b.**, fascia (*o* scaglione) di reddito; (*fisc.*) **b. creep**, slittamento degli scaglioni (*causato dall'inflazione*) **3** (*archit.*, *mecc.*) mensola; supporto; staffa; sostegno: **wall b.**, mensola a muro **4** (*edil.*) beccatello **5** (*elettr.*) braccio (*portalampada, ecc.*) **6** (*mil.*) forcella.

to **bracket** /'brækɪt/ v. t. **1** mettere fra parentesi; chiudere in parentesi **2** raggruppare; accorpare; considerare alla stessa stregua; mettere insieme **3** provvedere di mensole (*o* staffe); staffare **4** (*mil.*) sparare a forcella su; bombardare a forcella || **bracketing** n. Ⓤ **1** il mettere tra parentesi **2** raggruppamento; accorpamento **3** (*mecc.*) sostegni (pl.); staffe (pl.); supporti (pl.) **4** (*ind. costr.*) nervatura di sostegno **5** (*mil.*) tiro a forcella.

brackish /'brækɪʃ/ a. salmastro.

bract /brækt/ (*bot.*) n. brattea || **bracteal** a. bratteale || **bracteate** a. bratteato.

brad /bræd/ n. (*falegn.*) **1** chiodo senza testa **2** chiodino a testa laterale.

bradawl /'brædɔːl/ n. punteruolo a punta piatta.

bradycardia /brædɪ'kɑːdɪə/ n. Ⓤ (*med.*) bradicardia.

bradyseism /'brædɪsaɪzəm/ (*geol.*) n. Ⓤ bradisismo.

brae /breɪ/ n. (*scozz.*) spalla di monte; pendio; fianco di collina.

brag /bræg/ n. Ⓤ vanteria, vanterie; millanteria, millanterie; sbruffonata, sbruffonate.

to **brag** /bræg/ v. i. e t. vantare, vantarsi; millantare, millantarsi: *'Nor shall Death b. thou wander'st in his shade'* J. DONNE, 'né la Morte si vanterà che tu vaghi nella sua ombra'.

braggadocio /brægə'dəʊtʃɪəʊ/ n. Ⓤ vanteria; millanteria; spacconeria.

braggart /'brægət/ n. millantatore; spaccone; sbruffone; smargiasso.

Brahman /'brɑːmən/ n. bramino; bramano || **Brahmanic**, **Brahmanical** a. braminico; bramanico || **Brahmanism** n. Ⓤ bramanismo; bramanesimo.

Brahmin /'brɑːmɪn/ n. **1** bramino **2** (*fig. USA*) intellettuale; letterato **3** (*spreg.*) snob || **Brahminical**, **Brahminic** a. braminico || **Brahminism** n. Ⓤ bramanismo; bramanesimo.

braid /breɪd/ n. Ⓤ spighetta; cordoncino; passamano; gallone: **gold b.**, spighetta dorata; galloni dorati **2** treccia (*di capelli, paglia, ecc.*).

to **braid** /breɪd/ v. t. **1** intrecciare (*capelli, nastri, ecc.*) **2** guarnire di spighetta (*o* cordino, passamano, *ecc.*) || **braided** a. **1** intrecciato **2** guarnito di spighetta (*o* cordino, passamano, *ecc.*) || **braiding** n. Ⓤ **1** l'intrecciare; intrecciatura; intreccio **2** guarnizioni (pl.); passamaneria.

brail /breɪl/ n. (*naut.*) imbroglio; cima per serrare le vele.

to **brail** /breɪl/ v. t. (*naut.*) imbrogliare (*le vele, ecc.*).

Braille ® /breɪl/ n. Ⓤ caratteri Braille (*per ciechi*); Braille.

to **braille** /breɪl/ v. t. stampare (*o* scrivere) in caratteri Braille.

♦**brain** /breɪn/ n. **1** (*anat.*) cervello: **b. cell**, cellula cerebrale: **b. injury**, lesione cerebrale **2** (al pl.) (*alim.*) cervella **3** Ⓤ (anche al pl.) capacità intellettuale; intelligenza; mente; cervello; testa: **to have brains**, avere cervello; essere intelligente; **a fine b.** (*o* **plenty of b.**), una testa notevole **4** (anche al pl.) (*di persona*) cervello; mente direttiva: **the best brains in the country**, i migliori cervelli del paese; *He's the brains of the enterprise*, è il cervello dell'impresa • (*med.*) **b. damage**,

a b c d e f g h i j k l m n o p q r s t u v w x y z

cerebropatia; danno cerebrale □ (*med.*) **b.- -damaged**, cerebroleso; che ha subito un danno cerebrale □ **b.-dead**, (*med.*) che presenta morte cerebrale, che presenta un encefalogramma piatto; (*fig. fam.*) deficiente, decerebrato, che ha l'encefalogramma piatto □ (*med.*) **b. death**, morte cerebrale □ **b. drain**, fuga dei cervelli □ (*fam.*, *USA*) **b. fart**, vuoto di memoria (*o* di amnesia) □ (*med.*) **b. fever**, febbre cerebrale; meningite □ (*med.*) **b. haemorrhage**, emorragia cerebrale; ictus □ **b.-sick** (agg.), malato di mente □ **b. surgeon**, neurochirurgo □ **brains trust**, (*USA*: **b. trust**), équipe di esperti; squadra di consulenti; brain trust □ **to beat** (*o* to **cudgel, to rack**) **one's brains**, lambiccarsi il cervello; scervellarsi □ **to blow out one's brains**, farsi saltare le cervella □ **to have st. on the b.**, avere il chiodo fisso su qc.; essere ossessionato da qc. □ **to make sb.'s b. reel**, far girare il cervello a q. □ **to pick sb.'s brains**, ricorrere all'esperienza di q.; consultare q.; chiedere lumi a q.

to **brain** /breɪn/ v. t. dare una botta in testa a; spaccare la testa a.

brainbox /'breɪnbɒks/ n. (*fam. GB*) cervellone; genio.

braincase /'breɪnkeɪs/ n. (*anat.*) scatola cranica.

brainchild /'breɪntʃaɪld/ n. (pl. **brainchildren**) (*fig.*) parto della mente; idea; invenzione; frutto dell'ingegno.

brained /breɪnd/ a. (nei composti) dal cervello: **bird-b.**, dal cervello di gallina; **large-b.**, dal cervello grosso.

brainiac /'breɪniæk/ a. (*fam. USA*) molto intelligente; che ha un gran cervello

brainless /'breɪnləs/ a. sciocco; stupido; deficiente.

brainpan /'breɪnpæn/ n. 1 (*anat.*) scatola cranica 2 (*slang USA*) testa.

brainpower /'breɪnpaʊə(r)/ n. ⓤ intelligenza; capacità mentale.

brainstem /'breɪnstem/ n. (*anat.*) tronco encefalico.

brainstorm /'breɪnstɔ:m/ n. 1 (*med.*) raptus improvviso; aberrazione mentale 2 (*fam. USA*) trovata geniale; idea brillante || **brainstorming** n. ⓤ libera esposizione di idee; brainstorming.

brainteaser /'breɪntiːzə(r)/ n. (*fam.*) rompicapo, rebus.

to **brainwash** /'breɪnwɒʃ/ v. t. fare il lavaggio del cervello a ● (*fam.*) **to b. sb. into doing st.**, far fare qc. a q. facendogli il lavaggio del cervello; suggestionare q. fino a fargli fare qc. || **brainwashing** n. ⓤ lavaggio del cervello.

brainwave /'breɪnweɪv/ n. 1 (*fisiol.*) onda cerebrale 2 (*fam.*) idea brillante; lampo di genio.

brainy /'breɪni/ a. (*fam.*) 1 intelligente; sveglio; in gamba 2 intelligente; ingegnoso.

to **braise** /breɪz/ v. t. (*cucina*) brasare ● **braised veal**, brasato di vitello □ **braising steak**, manzo da brasato.

brake① /breɪk/ n. 1 (*mecc.*) freno: **air b.**, freno ad aria compressa; **disc b.**, freno a disco; **emergency b.**, (*ferr.*) freno d'emergenza; (*autom.*) freno a mano; **foot b.**, freno a pedale; **hand b.**, freno a mano; **to put on the brakes**, azionare i freni; frenare 2 freno; limitazione: **a b. on expenditure**, un freno alla spesa pubblica ● **b. block**, ceppo del freno; (*di bicicletta*) pattino □ **b. calipers**, pinze del freno (*di bicicletta*) □ (*autom.*) **b. drum**, tamburo del freno □ **b. hanger**, arresto del freno (*di bicicletta*) □ **b. lever**, leva del freno (*di bicicletta*) □ (*autom.*) **b. light**, fanalino di stop; luce di frenata □ (*autom.*) **b. lining**, guarnizione del freno; ferodo® □ (*autom.*) **b. pad**, pastiglia del freno □ (*aeron.*) **b. parachute**, paracadute freno;

paracadute di coda □ (*mecc.*, *autom.*) **b. shoe**, ganascia del freno □ (*autom.*) **b. test**, prova al freno □ (*ferr.*) **b. van**, (carro con) garitta del frenatore; carro di servizio (*o* del personale viaggiante).

brake② /breɪk/ n. (*bot.*, *Pteridium aquilinum*, = **b. fern**) felce aquilina.

brake③ /breɪk/ n. (*poet.*) boschetto; macchia.

brake④ /breɪk/ n. 1 (*ind. tess.*) gramola; maciulla; scotola 2 gramola (*arnese dei pastai*) 3 (*ind.*) impastatrice 4 (*agric.*) erpice pesante 5 (*stor.*) ruota (*tortura*).

brake⑤ /breɪk/ → **break**②.

to **brake**① /breɪk/ Ⓐ v. t. 1 (*mecc.*) frenare 2 frenare; porre un freno a Ⓑ v. i. (*mecc.*) frenare; azionare i freni; decelerare; rallentare: **to b. hard**, frenare di colpo; pigiare sul freno; **to b. to a halt**, rallentare e fermarsi.

to **brake**② /breɪk/ v. t. 1 gramolare, maciullare, scotolare (*canapa*, *lino*) 2 impastare (*con la gramola*) 3 (*agric.*) erpicare.

brakeman /'breɪkmən/ n. (pl. **brakemen**) 1 (*USA*) → **brakesman** 2 (*bob*) frenatore.

brakesman /'breɪksmən/ n. (pl. **brakesmen**) (*ferr.*) frenatore.

braking /'breɪkɪŋ/ n. ⓤ (*mecc.*) frenatura; frenata: (*autom.*) **b. distance**, spazio di frenata; (*mecc. e fig.*) **b. effect**, effetto frenante; **b. system**, impianto frenante.

bramble /'bræmbl/ n. 1 (*bot.*, *Rubus fruticosus*) rovo 2 (= **brambleberry**) mora (*di rovo*) ● **b.-bush**, roveto || **brambly** a. 1 pieno di rovi 2 pungente; spinoso.

brambling /'bræmblɪŋ/ n. (*zool.*, *Fringilla montifringilla*) peppola.

bran /bræn/ n. ⓤ crusca; semola ● **b. mash**, beverone di crusca.

♦**branch** /brɑːntʃ/ n. 1 ramo (*d'albero*): **main b.**, ramo principale 2 ramo, braccio (*di fiume*, *lago*) 3 diramazione; ramo; (*ferr.*) **b. line**, diramazione; linea secondaria; **the American b. of our family**, il ramo americano della nostra famiglia 4 (*di ufficio*, *ecc.*) succursale; filiale; agenzia: **b. manager**, direttore di filiale; **b. office**, filiale; succursale; **b. post office**, succursale d'ufficio postale 5 (*di partito*, *sindacato*) sezione; ufficio (*o* rappresentanza) locale 6 (*di organizzazione*) divisione; ala; braccio 7 (*di disciplina*) ramo; branca: **a b. of learning**, un ramo dello scibile; **a b. of medicine**, una branca della medicina 8 (*tecn.*) diramazione; derivazione: (*elettr.*) **b. circuit**, circuito derivato 9 (*mat.*) ramo.

to **branch** /brɑːntʃ/ v. i. 1 (*di pianta*) ramificare; mettere rami; ramificarsi 2 (*di strada*, *ecc.*) biforcarsi; diramarsi; suddividersi: *The road branches after the bend*, dopo la curva la strada si biforca; **to b. off st.**, diramarsi da qc.; dipartirsi da qc.; allontanarsi da qc.; **to b. off the main road**, diramarsi dalla strada principale; prendere una diramazione della strada principale || **branched** a. (*scient.*, *tecn.*) ramificato || **branchlet** n. ramoscello || **branchy** a. ramoso; fronzuto.

■ **branch off** v. i. + avv. 1 (*di strada*, *ecc.*) diramarsi; allontanarsi: *A lane branched off into the wood*, un sentiero si allontanava verso il bosco 2 deviare; prendere una deviazione.

■ **branch out** v. i. + avv. 1 → **to branch**, def. 1 2 (*di strada*, *ecc.*) diramarsi; allontanarsi 3 estendere la propria attività; ampliare il proprio giro d'affari; espandersi: **to b. out into advertising**, allargarsi alla pubblicità; cominciare a occuparsi anche di pubblicità.

branchia /'bræŋkɪə/ (*zool.*) n. (pl. **branchiae**) branchia || **branchial** a. branchiale

|| **branchiate** a. branchiato.

♦**brand** /brænd/ n. 1 (*comm.*) marca: **a new b. of washing powder**, una nuova marca di detersivo in polvere; **top-selling brands**, le marche più vendute 2 (*comm.*, = **b. name**) nome commerciale; marchio 3 varietà; tipo; genere: **the Swedish b. of socialism**, la varietà svedese del socialismo; il socialismo di marca svedese 4 marchio (a fuoco) 5 (*fig.*) marchio; stigma: **a b. of infamy**, un marchio d'infamia 6 (*arc.*) marchio (*arnese*) 7 tizzone; face (*poet.*) 8 (*poet.*) spada; brando (*poet.*) ● (*pubbl.*, *market.*) **b. image**, immagine della marca □ (*market.*) **b. leader**, il prodotto più venduto della sua classe; la marca più venduta □ (*comm.*) **b. loyalty**, fedeltà alla marca □ (*comm.*) **b. manager**, brand manager □ (*comm.*) **b.-new**, nuovissimo; nuovo di zecca □ (*market.*) **b. positioning**, posizionamento competitivo.

to **brand** /brænd/ v. t. 1 marcare (*a fuoco*); marchiare (*bestiame*, *ecc.*) 2 (*anche fig.*) segnare in modo indelebile 3 stigmatizzare; bollare; tacciare: **to be branded as a liar**, essere bollato come mentitore; essere tacciato di menzogna || **branded** a. (*comm.*) di marca || **branding** n. ⓤ 1 marchiatura (*del bestiame*, *ecc.*) 2 (*comm.*) invenzione (*o* attribuzione) di un marchio di fabbrica 3 stigmatizzazione ● **branding iron**, ferro per marchiare; marchio.

to **brandish** /'brændɪʃ/ v. t. brandire (*un'arma e fig.*).

brandy /'brændi/ n. ⓤ brandy; acquavite (*di vino*) ● **b. glass**, bicchiere da brandy □ **b. snap**, biscotto allo zenzero e al brandy (*spesso ripieno di panna montata*).

brank-ursine /bræŋk'ɜːsaɪn/ n. (*bot.*, *Acanthus mollis*) acanto; branca ursina.

brantgoose /'bræntɡuːs/, **brant** /'brænt/ n. (*spec. USA*) → **brent goose**.

brash① /bræʃ/ a. (*fam.*) 1 arrogante; sfrontato; sfacciato 2 vistoso; appariscente; volgare 3 (*di colore*) sgargiante; chiassoso | **-ly** avv. | **-ness** n. ⓤ.

brash② /bræʃ/ n. ⓤ 1 frammenti (*di roccia o ghiaccio*) 2 rami (*o* ramoscelli) potati; (*frascame da*) potatura.

brass /brɑːs/ n. 1 ⓤ ottone: **b. plate**, targa d'ottone; **b. sheet**, lamiera d'ottone; **b. tacks**, chiodini di ottone 2 (con verbo sing. o pl.) – (*mus.*) **the b.**, gli ottoni 3 ⓒ recipienti o oggetti (pl.) d'ottone; ottoni (pl.) 4 (*GB*) targa funeraria (d'ottone) 5 ⓤ (*fam.*) sfacciataggine; impudenza; faccia tosta; faccia di bronzo: *She had the b. to ask me*, ha avuto la faccia tosta di chiedermelo 6 ⓤ (*slang*) soldi (pl.); quattrini (pl.); grana 7 ⓤ – (*slang USA*) **the b.**, pezzi (pl.) grossi; alti papaveri (pl.); ufficiali (pl.) superiori 8 (*mecc.*) bronzina ● (*mus.*) **b. band**, banda (di ottoni); fanfara □ (*fam.*) **b. farthing**, niente; nulla; un fico (secco): *I don't care a b. farthing*, non me ne importa un fico (secco) □ (*gergo mil. GB*) **b. hat**, ufficiale superiore □ (*USA*) **b. knuckles**, pugno (di) ferro (*arma*) □ (*slang*) **b.-monkey weather**, tempo da lupi □ (*fam.*) **to have the b. neck to...**, avere la faccia tosta di... □ **b.-plating**, ottonatura □ (*in GB*) **b. rubbing**, ricalco di figure e iscrizioni su targhe d'ottone (*nelle chiese*); copia ottenuta per ricalco □ (*fam.*) **to get down to b. tacks**, venire al sodo; mettersi a lavorare (*o* a parlare) sul serio □ **top b.**, V. sopra, def. 7.

brassard /bræ'sɑːd/ n. bracciale (*d'armatura o fascia per distintivo*).

brassed off /brɑːst'ɒf/ a. (*slang GB*) esasperato; arcistufo (*fam.*); scocciato (*fam.*).

brasserie /'bræsəri/ (*franc.*) n. birreria; piccolo ristorante.

brassiere /'bræsɪə(r)/ n. (*form.*) reggipetto; reggiseno.

to **brass-plate** /brɑːs ˈpleɪt/ **v. t.** ottonare.

brassware /ˈbrɑːsweə(r)/ **n.** ⓤ ottoname.

brassy /ˈbrɑːsɪ/ Ⓐ **a. 1** di (o simile a) ottone **2** sfacciato; sfrontato; impudente **3** (di suono) penetrante; metallico **4** sgargiante; chiassoso Ⓑ **n.** → **brassie** ‖ **brassiness n.** ⓤ sfacciataggine; sfrontatezza.

brat /bræt/ **n.** (scherz. o spreg.) marmocchio; monello.

brattice /ˈbrætɪs/ **n.** (ind. min.) tramezzo di ventilazione.

bravado /brəˈvɑːdəʊ/ **n.** ⓤ spavalderia; aria spavalda; baldanza: **an act of b.**, un'azione spavalda.

♦**brave** /breɪv/ Ⓐ **a. 1** coraggioso; valoroso; prode; impavido: **a b. rescue operation**, una coraggiosa operazione di soccorso; It was very b. of you, sei stato molto coraggioso **2** (lett.) splendido; magnifico • (generalm. iron.) **b. new world**, mondo meraviglioso (perché progredito, tecnologizzato, ecc., ma che potrebbe rivelarsi disumano) Ⓑ **n. 1** (pl.) – **the b.**, i prodi; i valorosi: **the b. who died in action**, i valorosi caduti in battaglia **2** (arc.) guerriero pellerossa ❶ FALSI AMICI • brave non significa bravo ‖ **bravely** avv. coraggiosamente; valorosamente ‖ **bravery n.** ⓤ **1** valore; coraggio: **act of bravery**, atto di valore; **a medal for bravery**, una medaglia la valore **2** (lett.) splendore; magnificenza.

to **brave** /breɪv/ **v. t.** affrontare; sfidare: **to b. the cold**, affrontare il freddo; I braved my family's disapproval, sfidai la disapprovazione della famiglia • **to b. it out**, affrontare con coraggio la situazione.

bravo① /ˈbrɑːvəʊ/ (ital.) Ⓐ **inter.** bravo!, brava!; bene!: 'B., little girl» she said in her husky voice, and Margot would have liked to scratch her face' V. NABOKOV, «brava, ragazzina», disse con la sua voce rauca, e Margot avrebbe voluto graffiarla in faccia Ⓑ **n. 1** (pl. **bravos**) grido di approvazione; plauso **2** (radio, tel.: B.) (la lettera) b; Bravo.

bravo② /ˈbrɑːvəʊ/ (ital.) **n.** (pl. **bravos**, **bravoes**, **bravi**) (stor.) bravo; bravaccio; sgherro; sicario.

bravura /brəˈvjʊərə/ (ital.) Ⓐ **n.** ⓤ **1** (mus., teatr., ecc.) sfoggio di bravura; virtuosismo **2** sfoggio di baldanza; spavalderia Ⓑ **a.** (mus., teatr., ecc.) virtuosistico; di bravura: **a b. performance**, un'esibizione virtuosistica; **b. passage**, brano virtuosistico.

brawl /brɔːl/ **n.** rissa; alterco: **drunken b.**, rissa tra ubriachi.

to **brawl** /brɔːl/ **v. i.** rissare; litigare violentemente ‖ **brawler n.** attaccabrighe; rissaiolo ‖ **brawling** Ⓐ **a.** rissoso Ⓑ **n.** ⓤ rissa; risse; alterco; alterchi.

brawn /brɔːn/ **n.** ⓤ **1** forza muscolare (spesso in opposizione all'intelligenza); muscoli (pl.): **more b. than brain**, più muscoli che cervello **2** (cucina, GB) soppressata; coppa di testa ‖ **brawny** **a.** muscoloso; robusto; forte; forzuto ‖ **brawniness n.** ⓤ muscolosità; forza fisica.

bray /breɪ/ **n. 1** raglio **2** voce forte e stridente **3** suono alto e stridente: **a b. of trumpets**, uno stridente squillo di trombe.

to **bray** /breɪ/ Ⓐ **v. i. 1** ragliare **2** emettere un suono forte e stridente: **to b. with laughter**, scoppiare in una risata stridente Ⓑ **v. t.** dire con voce forte e stridente; gridare; berciare: He brayed his approval, lanciò grida sganherate di approvazione.

braze /breɪz/ **n.** ⓤⓒ (metall.) brasatura forte; saldobrasatura.

to **braze**① /breɪz/ **v. t. 1** fare, rivestire, decorare con ottone; ottonare **2** (fig.) indurire.

to **braze**② /breɪz/ **v. t.** (metall.) saldare con brasatura forte (o saldobrasatura); brasare.

brazen /ˈbreɪzn/ **a. 1** (= **b.-faced**) sfacciato; sfrontato; impudente; spudorato: (anche scherz.) **b. hussy**, (ragazza) sfacciata; **a b. lie**, una spudorata menzogna; **b. cheek**, solenne faccia tosta; faccia di bronzo **2** (lett. o poet.) di (o simile a) ottone **3** (di suono) penetrante; squillante ‖ **brazenly** avv. sfacciatamente; impudentemente; spudoratamente ‖ **brazenness n.** ⓤ sfrontatezza; impudenza; spudoratezza.

to **brazen** /ˈbreɪzn/ **v. i.** solo come to **b. it out**, affrontare (e superare) qc. con spavalda faccia tosta.

brazier① /ˈbreɪzɪə(r)/ **n.** braciere.

brazier② /ˈbreɪzɪə(r)/ **n.** ottonaio; calderaio.

Brazil /brəˈzɪl/ **n.** ⓤ **1** (geogr.) Brasile **2** (= **B. wood**) brasile (legno rosso) **3** (color) rosso arancio.

Brazilian /brəˈzɪlɪən/ **a. e n.** brasiliano • (cosmesi) **B. wax**, ceretta alla brasiliana.

brazing /ˈbreɪzɪŋ/ **n.** ⓤ (metall.) brasatura forte; saldobrasatura.

BRCA sigla (biol., **breast cancer (gene)**) (gene) (ritenuto responsabile per lo sviluppo del tumore della mammella): **BRCA carrier**, portatore di gene BRCA.

♦**breach** /briːtʃ/ **n.** ⓒ **1** infrazione; violazione; il venir meno (a qc.); rottura; (leg.) inadempimento, inadempienza: **b. of contract**, inadempimento di contratto; inadempienza contrattuale; **b. of duty**, il venir meno a un dovere; **in b. of**, in violazione di **2** incrinatura (nei rapporti); frattura; rottura **3** breccia; squarcio; varco: The guns made a b. in the town walls, i cannoni aprirono una breccia nelle mura **4** (naut.) il frangersi delle onde; frangenti (pl.) **5** salto (di balena, fuor d'acqua) • (leg.) **b. of close**, violazione di un divieto d'accesso o (leg.) **b. of the peace**, violazione (o turbamento) dell'ordine pubblico □ (leg.) **b. of promise**, rottura di promessa (spec., un tempo, di matrimonio) □ (leg.) **b. of trust**, abuso di fiducia □ **to step into the b.**, prendere il posto di q. (assente o impedito); subentrare.

to **breach** /briːtʃ/ **v. t. 1** aprire una breccia (o un varco, uno squarcio) in (qc.) **2** (leg.) rompere (un accordo); venir meno a (una promessa) Ⓑ **v. i. 1** irrompere **2** (di balena) fare un salto fuori dall'acqua.

♦**bread** /bred/ **n.** ⓤ **1** pane: **a loaf of b.**, una pagnotta; un pane; **b. and cheese**, pane e formaggio; **b. roll**, panino; **to bake b.**, cuocere il pane; fare il pane; Do you want that on white or brown b.?, lo vuole con pane bianco o integrale? **2** (= **daily b.**) sostentamento; pane; cibo **3** (relig.) pane; ostia **4** (slang antiq.) denaro; quattrini (pl.); soldi (pl.); grana (pop.) • **b. and butter**, pane imburrato; (fig.) mezzi di sussistenza; il pane: **to earn one's b. and butter**, guadagnarsi il pane □ **b.-and-butter letter**, lettera di ringraziamento per ospitalità ricevuta □ (cucina) **b.-and-butter pudding**, dolce al forno fatto con fette di pane imburrate, uvetta, latte e uova □ **b. and circuses**, panem et circenses (lat.) □ **b.-basket**, cestino del pane; (fig.) regione che produce molto grano, granaio; (slang) stomaco □ **b. bin** (USA: **b. box**), contenitore per il pane; scatola del pane □ (cucina) **b. coating**, impanatura □ **b. knife**, coltello per il pane □ (cucina) **b. pudding**, budino di pane □ (cucina) **b. sauce**, salsa al latte addensata con pane grattugiato □ **b.-stick** → **breadstick** □ (relig.) **to break b.**, somministrare la comunione; (anche) comunicarsi, fare la comunione □ (form.) **to break b. with sb.**, mangiare con q. □ **to cast one's b. upon the waters**, dare senza atten-

dersi nulla in cambio □ **to know which side one's b. is buttered (on)**, saper fare il proprio interesse; saper bene dalla parte di chi conviene stare □ **to be on b. and water**, essere a pane e acqua □ **to take the b. out of sb.'s mouth**, levare il pane di bocca a q. □ **to want one's b. buttered on both sides**, volere più del dovuto; volere la botte piena e la moglie ubriaca □ (prov.) **Man cannot live by b. alone**, non si vive di solo pane.

to **bread** /bred/ **v. t.** (cucina) impanare ‖ **breaded** **a.** impanato ‖ **breading n.** ⓤ impanatura.

breadboard /ˈbredbɔːd/ **n. 1** tagliere per il pane **2** (elettr., tecn.) circuito stampato per prototipi.

breadcrumb /ˈbredkrʌm/ **n. 1** mollica **2** (pl.) briciole; pangrattato.

to **breadcrumb** /ˈbredkrʌm/ **v. t.** impanare.

breadfruit /ˈbredfruːt/ **n.** (bot.) **1** frutto dell'albero del pane **2** (= **b. tree**, Artocarpus incisa) albero del pane.

breadline /ˈbredlaɪn/ **n.** indigenza; povertà; linea di povertà: **on the b.**, indigente; **below the b.**, sotto la linea di povertà.

breadstick /ˈbredstɪk/ **n.** grissino.

breadstuff /ˈbredstʌf/ **n.** ⓤ **1** cereali per panificazione **2** prodotti di panetteria; pani e focacce.

breadth /bredθ/ **n.** ⓤ **1** larghezza; ampiezza; (di stoffa) altezza: **three metres in b.**, tre metri di larghezza **2** (fig.) larghezza; ampiezza; vastità: **b. of mind** (o **of vision**), larghezza di vedute; apertura mentale; **his b. of knowledge**, la vastità della sua cultura ‖ **breadthways**, **breadthwise** avv. nel senso della larghezza; in larghezza; per il largo.

breadwinner /ˈbredwɪnə(r)/ **n.** chi guadagna il pane per sé e per la famiglia; (il) sostegno della casa.

♦**break**① /breɪk/ **n.** ⓒ **1** rottura; frattura (anche med.); squarcio; varco: **a b. in the clouds**, uno squarcio fra le nuvole; **a b. in the traffic**, un varco nel traffico; **b. of continuity**, soluzione di continuità **2** rottura di rapporti: **a b. in diplomatic relations**, una rottura dei rapporti diplomatici **3** infrazione; violazione: **security b.**, violazione delle misure di sicurezza **4** interruzione; sospensione; pausa; sosta; stacco; break; intervallo: **coffee b.**, pausa (per il) caffè; (radio, TV) **commercial breaks**, interruzioni pubblicitarie; spot; pubblicità; **the Easter b.**, le vacanze di Pasqua; **without a b.**, senza interruzione (o sosta); ininterrottamente; **to have** (o **take**) **a b.**, fare una sosta (o una pausa, un intervallo, uno stacco) **5** (GB, a scuola) ricreazione; intervallo: We had English and physics before morning b., abbiamo avuto inglese e fisica prima dell'intervallo del mattino **6** periodo di riposo; vacanza; stacco: **a b. from work**, un periodo di riposo dal lavoro; I need a b., ho bisogno di un po' di vacanza; ho bisogno di staccare un po'; **a weekend b.**, un weekend di vacanza **7** (elettr.) interruzione (di circuito) **8** cambiamento improvviso; distacco; taglio: **a b. in the weather**, un cambiamento del tempo; **a b. from** (o **with**) **tradition**, un taglio con la (o un distacco dalla) tradizione; **a b. with the past**, un taglio col passato **9** scatto, slancio (spec. per fuggire); fuga: **a b. from jail** (o **a jail b.**), un'evasione dal carcere; **to make a b. for freedom**, tentare la fuga (o l'evasione); The deer made a b. for the thicket, il cervo si slanciò verso il folto d'alberi **10** (fam.) occasione; opportunità; chance: **big b.**, grande occasione; **bad b.**, sfortuna; jella; sfiga (pop.); **lucky b.**, colpo (o botta) di fortuna; I finally got my b., finalmente ebbi un colpo di fortuna; **to get the**

b

breaks, avere fortuna **11** (*spec. Borsa*) calo improvviso, caduta (*dei prezzi*) **12** (*geol.*) frattura; litocrasi **13** (*mecc.*) rottura; guasto **14** (*jazz*) assolo improvvisato **15** (*metrica*) cesura **16** (*tipogr.*) spazio, stacco (*tra due capoversi*) **17** (*tipogr.*) puntini (pl.) di sospensione; trattone (*come segno di sospensione*) **18** (*biliardo*) primo colpo di stecca **19** (*biliardo*) serie di tiri consecutivi riusciti; punti segnati (*in un turno di gioco*) **20** (*tennis*, = **service b.**, **b. of serve**) break: **to win the b.**, ottenere il break; **to be two breaks down**, essere sotto di due break; aver subìto due break; **b. point**, break point; palla break **21** (*cricket*) deviazione della palla al rimbalzo; (*anche*) palla deviata **22** (*boxe e rugby*) break **23** (*calcio, ecc.*) incursione; penetrazione; discesa **24** (*basket*) break; sfondamento; vantaggio (*o* svantaggio) incolmabile **25** (*atletica*) falsa partenza **26** (*equit., ipp.*) rottura dell'andatura **27** (*ipp.*) partenza: **even b.**, partenza coi cavalli allineati **28** (*baseball*) deviazione, curva (*della palla battuta*) **29** (*ciclismo*) fuga; (*anche*) gruppo in fuga **30** (*slang USA*) gaffe; topica ● (*tipogr.*) **b. line**, ultima riga; righino □ (*comm., naut.*) **b. of bulk**, inizio della discarica □ (*lett.*) **b. of day**, alba □ (*fam.*) **an even b.**, un trattamento equo; pari opportunità: *I'm just asking for an even b.*, chiedo solo d'essere trattato come tutti □ (*fam.*) **Give me a b.!**, dammi una possibilità!; lasciami provare!; (*anche escl. di esasperazione*) ma piantala!, ma fammi il piacere!, figurarsi! □ (*fam.*) **to make a b. for it**, scappare; darsela a gambe □ **to make a clean b.**, rompere definitivamente con qc.; dare un taglio netto □ **to make the b.**, cambare vita (*o* lavoro); dare un taglio a tutto.

break② /breɪk/ **n.** **1** grande vagonnette, giardiniera (*carrozza aperta a quattro ruote, con sedili contrapposti*) **2** (*autom.*) break; giardinetta; familiare.

♦to **break** /breɪk/ (pass. ***broke***, p. p. ***broken***) **A** **v. t.** **1** rompere; infrangere; spezzare: **to b. a bottle**, rompere una bottiglia; *He broke his arm*, si ruppe un braccio; **to b. one's neck**, rompersi il collo (*o* l'osso del collo); **to b. a seal**, spezzare un sigillo; (*di fiume*) **to b. its banks**, rompere gli argini; **to b. the sound barrier**, infrangere la barriera del suono; **to b. sb.'s heart**, spezzare il cuore a q. **2** staccare (spezzando); spezzare: **to b. a piece of bread from a loaf**, staccare un pezzo di pane da una pagnotta; **to b. a branch off a tree**, spezzare un ramo da un albero **3** guastare; rompere: *I've broken the food mixer*, ho rotto il frullatore **4** suddividere; dividere; frazionare: **to b. a word into syllables**, dividere una parola in sillabe **5** cambiare (*una banconota, spec. pagando qc. e ricevendo un resto*); spicciolare: **to b. a £50 note**, cambiare un biglietto da 50 sterline **6** interrompere; spezzare; rompere: **to b. the silence**, rompere il silenzio; (*elettr.*) **to b. a circuit**, interrompere un circuito elettrico; *A cry broke my train of thought*, un grido interruppe il filo dei miei pensieri; *We broke our journey at Lucca*, interrompemmo il viaggio a Lucca; facemmo tappa a Lucca **7** porre fine a; spezzare: **to b. the deadlock**, porre fine all'impasse; uscire dal punto morto; **to b. a vicious circle**, spezzare un circolo vizioso; **to b. the drought**, porre fine alla siccità; **to b. a siege**, spezzare un assedio **8** frenare; attutire; smorzare: **to b. a fall**, attutire una caduta; *These trees b. the force of the wind*, questi alberi smorzano l'impeto del vento **9** fiaccare; domare; stroncare; spezzare: **to b. sb.'s spirit**, fiaccare lo spirito di q.; spezzare q.; *The revolt was broken*, la rivolta fu domata; **to b. a horse**, domare un cavallo **10** spezzare lo spirito (*o* la resistenza) di (*una persona*); spezzare; far crollare **11** rovinare (*una persona*): **to b. sb. financially**, mandare in rovina q.; far fallire q.; *That scandal broke him politically*, quello scandalo fu la sua rovina **12** (*mil.*) degradare; radiare **13** battere, superare, migliorare (*un primato*): *He's broken his own record*, ha battuto il suo stesso primato **14** venir meno a; non tener fede a; non mantenere: **to b. an engagement**, non tener fede a un impegno; **to b. a diet**, non mantenere una dieta; **to b. faith**, venir meno alle promesse (*o* alla parola data); **to b. a promise**, venir meno a una promessa **15** (*leg.*) infrangere; violare: **to b. a rule**, infrangere una regola; **to b. the law**, violare la legge **16** comunicare, dare (*una notizia spiacevole*): *I had to b. the news to him*, ho dovuto dargli io la notizia; *B. it to her gently*, diglielo con delicatezza **17** sciogliere al vento (*una vela, una bandiera*) **18** (*agric.*) rompere, dissodare (*il terreno*) **19** (*cricket*) abbattere (*il wicket con un lancio*) **B** **v. i.** **1** rompersi; infrangersi; spezzarsi: *It fell and broke*, è caduto e si è rotto; *Her bones break easily*, le sue ossa si rompono facilmente; **to b. in two**, rompersi in due pezzi; spezzarsi in due; **to b. into fragments**, andare in frantumi (*o* in pezzi) **2** (*di onda, ecc.*) frangersi; infrangersi; rompersi **3** (*di macchina, apparecchio*) guastarsi; rompersi **4** (*delle nuvole*) diradarsi **5** sparpagliarsi; disperdersi: **to b. and run**, sparpagliarsi e fuggire **6** (*elettr., mecc.*) aprirsi; interrompersi **7** sospendere il lavoro; fare una pausa (*o* un intervallo, uno stacco); staccare: *At 11 we broke for coffee*, alle 11 facemmo una pausa per il caffè **8** (*del tempo, spec. bello*) finire; mettersi al brutto **9** (*di temporale, ecc.*) scoppiare **10** (*del giorno o dell'alba*) cominciare; spuntare: *Dawn was breaking*, spuntava l'alba **11** (*di notizia, ecc.*) diffondersi; essere divulgato; diventare di dominio pubblico; (*di scandalo*) scoppiare: *The story soon broke*, la storia si diffuse ben presto; la notizia diventò presto di dominio pubblico; (*TV*) **breaking news**, notizie dell'ultima ora; ultimissime **12** (*della voce*) incrinarsi; spezzarsi; rompersi; (*di voce maschile, nella pubertà*) cambiare, diventare più profonda: *Her voice broke as he gave me the news*, nel darmi la notizia gli si spezzò la voce *His voice is breaking*, sta cambiando la voce **13** (*fam.*: *di situazione, ecc*) andare; mettersi: *Things were breaking badly*, le cose si mettevano male **14** (*comm.*: *di prezzi*) crollare **15** (*fisiol.*: *del liquido amniotico*) rompersi **16** (*di pesce*) saltare fuori dall'acqua **17** (*ling.*: *di vocale*) dittongare; mutarsi in dittongo **18** (*sport*) (*di giocatore*) scattare, puntare, andare a rete; (*di squadra*) attaccare **19** (*calcio*: *della palla*) rimbalzare (*verso q.*) **20** (*boxe, lotta*) separarsi: *B.!*, break! **21** (*rugby*) sciogliere la mischia **22** (*equit., ipp.*) (*del cavallo*) rompere l'andatura; rompere **23** (*ipp.*) partire: *The horses broke even*, i cavalli sono partiti allineati bene **24** (*basket*) sfondare **25** (*baseball, cricket*: *della palla*) deviare (*dopo la battuta o il rimbalzo*) **26** (*tennis*) ottenere il break **27** (*biliardo*) fare il primo colpo (*che sparpaglia le palle*); aprire il gioco ● (*leg.*) **to b. an alibi**, dimostrare la falsità di un alibi □ (*fam.*) **to b. one's back**, ammazzarsi di fatica; spezzarsi la schiena; sgobbare □ **to b. sb.'s back**, spezzare le reni a q.; uccidere q. □ **to b. the back of**, completare la parte più ardua di; fare il grosso di; dare una bella botta a □ **to b. the bank** → **bank**② □ (*form.*) **to b. bread with sb.**, mangiare con q. □ (*naut.*) **to b. bulk**, iniziare la discarica □ (*fig.*) **to b. a butterfly on a wheel**, fare spreco d'energia per una cosa da poco □ **to b. camp**, smontare le tende; levare il campo □ **to b. clear**, liberarsi; sganciarsi; (*sport*) smarcarsi; (*sport*) andare in fuga □ (*di selvaggina*) **to b. cover**, uscire allo scoperto □ **to b. even**, chiudere in pareggio; pareggiare i conti; non avere perdite □ **to b. free**, liberarsi; sciogliersi (*da una stretta*); fuggire □ **to b. new** (*o* **fresh**) **ground**, (*di scoperta, ecc.*) essere innovatore, essere pionieristico; (*di persona*) innovare, essere un pioniere □ **to b. a habit**, abbandonare un'abitudine inveterata: **to b. the smoking habit**, smettere di fumare □ **to b. sb. of a habit**, far smettere a q. un'abitudine; togliere un vizio a q. □ **to b. jail**, evadere □ (*gergo teatr.*) **B. a leg!**, in bocca al lupo! □ **to b. loose** = **to b. free** → *sopra* □ **to b. open**, forzare, scassinare (*una porta, ecc.*) □ (*stor.*) **to b. sb. on the wheel**, mettere q. alla tortura della ruota □ (*mil.*) **to b. ranks**, rompere le file (*o* le righe) □ **to b. a safe**, scassinare una cassaforte □ (*tennis*) **to b. the opponent's serve**, strappare il servizio all'avversario □ **to b. st. short**, porre fine a (qc.) prima del tempo; interrompere □ **to b. the skin**, lacerare la pelle □ **to b. step**, rompere il passo □ **to b. a strike**, far fallire uno sciopero (*utilizzando crumiri, ecc.*) □ (*naut.*: *di sottomarino*) **to b. surface**, affiorare □ (*eufem.*) **to b. wind**, emettere un peto; fare un vento.

■ **break away** **A** **v. t. + avv.** spezzare (e rimuovere): *We broke away the lower branches*, spezzammo i rami più bassi. **B** **v. i. + avv.** **1** liberarsi (*da una stretta, ecc.*); fuggire: *He broke away from the guards and ran*, si liberò dalle guardie e scappò **2** rompere i rapporti (*con q.*): *He broke away from his old pals*, ruppe ogni rapporto (*o* tagliò i ponti) con i suoi vecchi amici **3** allontanarsi; separarsi; distaccarsi; staccarsi: *The left wing broke away from the party*, l'ala sinistra si staccò dal partito **4** (*di parte di oggetto*) staccarsi; venir via **5** (*sport*) fare uno stacco; staccarsi dal gruppo; staccare il gruppo; andare in fuga.

■ **break down** **A** **v. t. + avv.** **1** abbattere: **to b. down a door**, abbattere una porta **2** demolire; smantellare: **to b. down old cars**, demolire auto vecchie **3** abbattere; spezzare: **to b. down class barriers**, abbattere le barriere tra le classi; *We broke down the enemy's resistance*, spezzammo la resistenza del nemico **4** suddividere; scomporre; articolare: *Profits can be broken down under three headings*, gli utili si possono suddividere in tre voci; *The report is broken down into five chapters*, il rapporto si articola in cinque capitoli **5** analizzare in dettaglio **6** (*chim.*) decomporre; scomporre **B** **v. i. + avv.** **1** (*mecc.*) rompersi; guastarsi; avere un guasto; fermarsi per un guasto; andare in panne: *The lorry broke down after a few miles*, dopo poche miglia, il camion ebbe un guasto **2** (*autom.*) avere una panne: *I broke down on a country lane*, ebbi una panne in una stradina di campagna **3** venir meno; interrompersi; spezzarsi; saltare; fallire: *All communication had broken down*, ogni comunicazione era saltata; *The peace talks broke down*, la conferenza di pace fallì; *There's a risk of their marriage breaking down*, c'è il rischio che il loro matrimonio finisca **4** crollare; subire un tracollo: *His resistance broke down*, la sua resistenza crollò; *His health broke down*, la sua salute subì un tracollo **5** (*di persona*) perdere il controllo di sé; crollare; (*anche*) commuoversi, non riuscire a trattenere le lacrime: *He broke down and cried* (*o* *broke down in tears*), scoppiò a piangere; scoppiò in lacrime **6** suddividersi; articolarsi: essere classificabile **7** sgretolarsi; sfaldarsi **8** (*chim.*) decomporsi; scomporsi: *Inside our body, food breaks down into various substances*, dentro il nostro corpo, il cibo si scompone in varie sostanze.

■ **break forth** **v. i. + avv.** erompere; irrompere, scaturire, sgorgare: **to b. forth into song**, prorompere in un canto; *Light broke*

forth, irruppe la luce.

■ **break in** Ⓐ v. i. + avv. **1** irrompere; fare irruzione: *The police broke in during the meeting*, la polizia fece irruzione durante la riunione **2** entrare (*con scasso*): *The burglar broke in through a window*, il ladro entrò da una finestra **3** intromettersi; interrompere; interloquire: «*I know him too*» *Lucy broke in*, «Anch'io lo conosco» si intromise Lucy; **to b. in on sb.**, interrompere q.; **to b. in on** (*o upon*) **sb.'s thoughts**, interrompere i pensieri di q. Ⓑ v. t. + avv. **1** domare, scozzonare (*un cavallo, ecc.*) **2** addestrare; impratichire **3** portare (*un paio di scarpe nuove, ecc., per ammorbidirle*); fare il piede a.

■ **break into** v. i. + prep. **1** irrompere in; fare irruzione in: *The police broke into the house*, la polizia fece irruzione nella casa **2** entrare (*con scasso*): *The burglar broke into the store*, lo scassinatore entrò nel negozio; *My car was broken into*, mi hanno aperto la macchina; mi hanno forzato la portiera della macchina **3** farsi strada in; sfondare in: **to b. into movies**, sfondare nel cinema **4** interrompere; intromettersi in: **to b. into a conversation**, interrompere una conversazione; **to b. into sb.'s privacy**, interferire con la privacy di q. **5** mettersi improvvisamente a; prorompere in; scoppiare a: **to b. into cheers**, prorompere (*o scoppiare*) in applausi; **to b. into laughter**, scoppiare a ridere; **to b. into a run**, mettersi a correre; spiccare la corsa; **to b. into song**, mettersi a cantare; intonare una canzone; **to b. into tears**, scoppiare in lacrime **6** intaccare (*risparmi, scorte, razioni, ecc.*); usare (*una banconota di grosso taglio*).

■ **break off** Ⓐ v. i. + avv. **1** spezzarsi; staccarsi: *The glass stem broke off in my hands*, lo stelo del bicchiere mi si spezzò in mano; *The pole had broken off at its base*, il palo si era spezzato alla base **2** interrompersi: *The talks broke off without any arrangement being reached*, le trattative si interruppero senza che fosse stato raggiunto un accordo; *He broke off in mid-sentence*, si interruppe nel bel mezzo della frase **3** fare una pausa (nel lavoro); fermarsi; staccare Ⓑ v. t. + avv. **1** staccare; spezzare; rompere: **to b. off a piece of chocolate**, staccare un pezzo di cioccolata **2** rompere, porre fine a (*un rapporto*): **to b. off diplomatic relations**, rompere le relazioni diplomatiche; *She decided to b. off their engagement*, decise di rompere il fidanzamento; **to b. it off with sb.**, rompere una relazione sentimentale con q.; rompere con q. **3** interrompere: **to b. off work**, interrompere il lavoro; **to b. off negotiations**, interrompere i negoziati.

■ **break out** Ⓐ v. i. + avv. **1** scoppiare; esplodere: *A fire broke out*, scoppiò un incendio; *Panic broke out*, scoppiò il panico; *World War II broke out in 1939*, la seconda guerra mondiale scoppiò nel 1939 **2** spuntare; comparire: *Beads of sweat broke out on his forehead*, sulla sua fronte spuntarono goccioline di sudore; '*And the buds that b.* / *Out of the briar's boughs*' W. DE LA MARE, 'e le gemme che spuntano / dai rami del rovo' **3** – **to b. out in**, (*della pelle, del corpo*) coprirsi di: *He broke out in red spots*, si coprì di macchioline rosse; **to b. out in a cold sweat**, coprirsi di sudore freddo; (*fig.*) cominciare a sudare freddo, avere i sudori freddi **4** – **to b. out of**, fuggire da; evadere da; liberarsi da: **to b. out of a POW camp**, fuggire da un campo di prigionia; **to b. out of jail**, evadere dal carcere **5** prorompere; scoppiare: **to b. out laughing**, scoppiare a ridere **6** (*di bandiera o vela*) dispiegarsi; spiegarsi **7** (*mil.*) rompere l'accerchiamento **8** (*archit.: di un comignolo, ecc.*) sporgere; aggettare Ⓑ v. t. + avv. **1** (*fam.*) aprire (*una bottiglia, ecc., per celebrare*) **2** spiegare (*una bandiera, una vela*) **3** (*naut.*) spedare (*l'anco*-

ra).

■ **break through** Ⓐ v. i. + avv. **1** aprirsi un varco; riuscire a passare; sfondare: *At last the tanks broke through*, alla fine i carri armati riuscirono a sfondare **2** apparire; comparire; rivelarsi **3** (*del sole, della luna*) apparire (*da dietro le nuvole*); spuntare; fare capolino **4** ottenere il successo; fare grossi progressi, fare dei passi importanti (*nella scienza, ecc.*) Ⓑ v. t. + prep. **1** aprirsi un varco in; sfondare: **to b. through a wall**, aprirsi un varco in un muro; *The crowd broke through the lines of policemen*, la folla sfondò i cordoni della polizia **2** (*del sole, della luna*) apparire (*o spuntare*) fra; fare capolino fra: *The moon was breaking through the clouds*, la luna faceva capolino fra le nuvole **3** fare breccia in; vincere: **to b. through sb.'s shyness**, vincere la timidezza di q.

■ **break up** Ⓐ v. i. + avv. **1** spezzarsi; andare in pezzi; rompersi; sfasciarsi: *The boat broke up on the rocks*, la barca si sfasciò sugli scogli **2** (*di relazione*) finire, fallire; (*di una coppia*) lasciarsi, rompere: *Mary has broken up with her boyfriend*, Mary ha rotto col suo ragazzo **3** (*di riunione, ecc.*) sciogliersi; interrompersi; finire; terminare; (*di assembramento*) disperdersi; (*di combattenti*) separarsi, staccarsi; (*di famiglia*) sfasciarsi, dispendersi; (*mil.*) sbandarsi: *The party broke up*, il gruppo si sciolse; la festa finì; *At night the demonstrators broke up*, a sera i dimostranti si dispersero **4** suddividersi; frazionarsi; scomporsi (*anche mat.*) **5** (*di scuola, ecc., GB*) chiudere per le vacanze: *When does your school* (*o do you*) *b. up?*, quando cominciate le vacanze? **6** (*di persona*) crollare; cedere; andare in pezzi: *He's not one to b. up under the strain*, non è il tipo da crollare sotto lo sforzo **7** (*fam.*) scoppiare a ridere; sbellicarsi (dalle risa) Ⓑ v. t. + avv. **1** rompere in pezzi; fare a pezzi; spezzare; spezzettare: **to b. up a bar of chocolate**, spezzettare una tavoletta di cioccolato; **to b. up a loaf into chunks**, fare a pezzi una pagnotta **2** disgregare; frammentare: *Frost breaks up the soil*, il gelo disgrega il terreno **3** demolire; smantellare: **to b. up old ships**, smantellare vecchie navi **4** rompere (*una relazione*): **to b. up a marriage**, rompere un matrimonio **5** smembrare; disgregare; smantellare; disperdere; sciogliere (*una riunione, ecc.*); metter fine a; disperdere; (*mil.*) sbandare: **to b. up a home**, disgregare una famiglia; distruggere un ambiente familiare (*o un focolare*); **to b. up an organization**, smantellare un'organizzazione; **to b. up a company**, smembrare una società; **to b. up a business**, liquidare un'azienda; **to b. up a gathering**, sciogliere un assembramento; *The police broke up the demonstration*, la polizia disperse la folla dei dimostranti; **to b. up a fight**, metter fine a una rissa; *B. it up!*, (*a litiganti, ecc.*) separatevi !; smettetela! **6** suddividere; frazionare; scomporre (*anche mat.*): **to b. up a job into a series of activities**, suddividere un lavoro in una serie di attività; **to b. up an estate**, frazionare una proprietà; **to b. up a sentence into clauses**, scomporre un periodo in frasi **7** prostrare; far crollare; distruggere: *The news of her death broke him up*, la notizia della sua morte lo prostrò **8** (*fam.*) far morire dal ridere; far sbellicare (dalle risa) **9** (*tipogr.*) interrompere, intervallare (*un testo con illustrazioni*).

■ **break with** v. i. + prep. **1** rompere con; troncare i rapporti con: **to b. with one's family**, rompere con la propria famiglia **2** abbandonare; lasciare; rompere con (qc.): **to b. with a party**, lasciare (*o rompere con*) un partito; **to b. with tradition**, rompere con la tradizione; **to b. with the past**, dare un taglio al passato; **to b. with a habit**, liberarsi di un'abitudine.

breakable /'breɪkəbl/ a. **1** fragile; che si può rompere **2** (*di codice, ecc.*) decifrabile || **breakables** n. pl. oggetti fragili.

breakage /'breɪkɪdʒ/ n. **1** Ⓤ rottura; guasto **2** (*al pl.*) rottami **3** (*al pl.*) danni (*dovuti a rottura*): *He paid a large sum for breakages*, pagò una grossa somma per i danni causati.

breakaway /'breɪkəweɪ/ Ⓐ n. **1** allontanamento; distacco; allontanamento: **a b. from tradition**, un abbandono dalla tradizione **2** (*polit.*) scissione; secessione **3** (*spec. sport*) attacco; incursione **4** (*ciclismo, ecc.*) fuga **5** (*ipp.*) falsa partenza **6** (*USA*) parte di oggetto da staccare o rompere Ⓑ a. attr. **1** (*polit.*) scissionistico; secessionistico: **b. faction**, fazione di dissidenti; ala scissionistica **2** (*ciclismo*) in fuga: **b. rider**, uomo in fuga; fuggitivo ● (*cinem.*) **b. set**, scenario che si smonta facilmente.

breakback /'breɪkbæk/ n. (*tennis*) controbreak (*riconquista del servizio perso*): **to get a b.**, fare il controbreak.

break-dance → **break-dancing**.

to **break-dance** /'breɪkdɑːns/ v. i. ballare il break dance || **break-dancer** n. ballerino di break dance.

break-dancing /'breɪkdɑːnsɪŋ/ n. Ⓤ break dance.

breakdown /'breɪkdaʊn/ n. **1** (*mecc.*) guasto; interruzione; (*autom.*) panne; (*naut.*) avaria, guasto alle macchine: **to have a b.** avere un guasto; (*autom.*) restare in panne **2** interruzione; sospensione; fallimento: **a b. in communication**, un'interruzione delle comunicazioni; **a b. in the talks**, un fallimento dei negoziati **3** collasso; esaurimento; cedimento; crollo: **nervous b.**, collasso nervoso; esaurimento nervoso **4** dissesto; sfacelo; crollo: **a b. of society**, lo sfacelo della società **5** Ⓤ (*chim., fis.*) disgregazione **6** scomposizione: **the b. of light into colours**, la scomposizione della luce nei vari colori **7** descrizione dettagliata; elenco specificativo; specifica; distinta: **a b. of costs**, una specifica dei costi **8** (*econ., fin.*) analisi, classificazione, scomposizione: **b. analysis**, analisi stratificata **9** (*USA*) «breakdown» (*danza dei neri d'America*) **10** (*lotta greco-romana*) schienata ● **b. crane**, autogrù □ (*autom.*) **b. gang**, squadra di soccorso □ **b. lorry** = **b. truck** → *sotto* □ (*autom.*) **b. recovery** (*o b. service*), soccorso stradale □ (*ferr.*) **b. train**, convoglio di soccorso □ (*autom.*) **b. truck** (*o van*), carro attrezzi (*o di soccorso*); autogrù, autosoccorso □ (*elettr.*) **b. voltage**, tensione di scarica.

breaker /'breɪkə(r)/ n. **1** chi (*o cosa che*) rompe, interrompe, ecc... ● **to break 2** (*autom.*) sfasciacarrozze; demolitore d'auto **3** frangente (*ondata*) **4** frantoio (*per spezzare rocce o carbone*) **5** (*elettr.,* = **circuit b.**), interruttore **6** (*autom.,* = **contact b.**) ruttore **7** (*leg.*) violatore; trasgressore **8** (*ind.*) sfilacciatrice (*di stracci, ecc.*) **9** (*slang*) ballerino di break dance **10** (*slang*) radioamatore ● (*autom.*) **b. arm**, martelletto (*di ruttore*) □ (*autom.*) **b. points**, puntine platinate; puntine (*fam.*); contatti.

break-even /breɪk'iːvən/ (*econ.*) Ⓐ n. pareggio (*dei conti*) Ⓑ a. di pareggio o di equilibrio: **break-even analysis**, analisi del punto di pareggio; **break-even chart**, diagramma di redditività; profittogramma; **break-even point**, punto di pareggio.

breakfall /'breɪkfɔːl/ n. (*arti marziali*) caduta con appoggio.

♦**breakfast** /'brekfəst/ n. Ⓤ (prima) colazione: **a b. of bacon and eggs**, una colazione a base di uova e pancetta; *I never eat b.*, non faccio mai colazione al mattino; **at the b. table**, al tavolo della prima colazione; a colazione; *Is b. included?*, la colazione è in-

clusa? ● (*USA*) **b. nook**, angolo della colazione (*in una cucina*) □ **b. television**, televisione del primo mattino □ **b. time**, l'ora di colazione □ (*fam.*) **to have sb. for b.**, battere facilmente q.; fare un sol boccone di q.

to **breakfast** /'brɛkfəst/ v. i. fare (la prima) colazione.

break-in /'breɪkɪn/ n. **1** irruzione **2** (*leg.*) effrazione; scasso.

breaking /'breɪkɪŋ/ n. ⓤ **1** rottura; frattura; spaccatura **2** (*elettr.*) interruzione **3** (*leg.*) infrazione; violazione **4** (*ling.*) dittongazione ● (*leg.*) **b. and entering**, effrazione □ **b. bulk**, (*naut.*) inizio della discarica; (*leg.*) apertura di colli a scopo di furto □ **b. in**, domatura (*di cavalli*); (*fig.*) addestramento, periodo di pratica □ (*leg.*) **b. of seals**, violazione dei sigilli □ **b. point**, limite di rottura; (*fig.*) punto di rottura, limite di sopportazione □ **b.-up**, demolizione, smantellamento; disgregazione.

breakneck /'breɪknɛk/ a. velocissimo; rapidissimo, vertiginoso; a rotta di collo: **at a b. speed**, a velocità folle; a rotta di collo; velocissimamente; **b. advances in technology**, progressi rapidissimi nella tecnologia; **b. race**, corsa a rotta di collo.

break-off /'breɪkɒf/ n. rottura; interruzione.

break-out /'breɪkaʊt/ n. **1** evasione; fuga **2** (*mil.*, *sport*) contrattacco; controffensiva **3** inizio; scoppio.

breakpoint /'breɪkpɔɪnt/ n. (*comput.*) punto di interruzione.

breakthrough /'breɪkθruː/ n. **1** importante passo avanti; progresso; conquista: **a major b. in the fight against cancer**, un importante successo nella lotta contro il cancro **2** (*spec. mil. e sport*) sfondamento; penetrazione: **to make a b.**, effettuare uno sfondamento; riuscire a sfondare.

break-up. **breakup** /'breɪkʌp/ n. ⓤⓒ **1** rottura, scioglimento, fine (*di una relazione*) **2** frantumazione; (*anche fis., chim.*) disgregazione **3** smantellamento (*anche naut.*). demolizione **4** frazionamento; scorporo; (*anche polit.*) smembramento **5** disgelo primaverile ● (*comm.*) **break-up value**, valore di realizzo (*di un'azienda*).

breakwater /'breɪkwɔːtə(r)/ n. frangiflutti; frangimare; frangionde.

bream /briːm/ n. (pl. **bream**, **breams**) (*zool.*, *Abramis brama*) abramide comune.

to **bream** /briːm/ v. t. (*naut.*) bruschinare (*la carena d'una barca*).

◆**breast** /brɛst/ n. **1** (*anat.*) mammella; seno **2** petto; torace: **b.-high**, che arriva al petto **3** (*fig.*) petto; seno; cuore **4** (*alim.*) petto: **chicken breasts**, petti di pollo **5** (*sartoria*) petto **6** (*archit.*) parapetto ● (*med.*) **b. cancer**, cancro della mammella; cancro al seno □ **b. collar**, pettorale (*finimento*) □ **b. drill**, trapano a petto □ **b.-fed** = **breastfed** → to **breastfeed** □ **b. harness**, pettorale (*di cavallo*) □ **b. implant**, protesi al seno □ **b. milk**, latte materno □ **b.-pin**, spilla da cravatta □ **b. pocket**, taschino (*di giacca*) □ **b. pump**, tiralatte □ (*naut.*) **b. rope**, traversino □ (*archit.*) **b. wall**, muro di sostegno □ **to beat one's b.**, battersi il petto □ **to make a clean b. of it**, confessare tutto; togliersi un peso dalla coscienza.

to **breast** /brɛst/ v. t. **1** affrontare; tener testa a **2** muovere contro (q.) **3** prendere di petto (*un'erta*); scalare (*un monte*) ● (*sport*) **to b. the tape**, tagliare il nastro (*o il traguardo*) col petto.

breastbone /'brɛstbəʊn/ n. (*anat.*) sterno.

breasted /'brɛstɪd/ a. (nei composti:) **broad-b.**, dal petto largo; **double-b.**, a doppio petto; **single-b.**, a un petto; monopetto.

to **breastfeed**, to **breast-feed**

/'brɛstfiːd/ (pass. e p. p. **breastfed, breast-fed**), v. t. allattare al seno ‖ **breastfed, breast-fed a.** allattato al seno; lattante ‖ **breastfeeding, breast-feeding** n. ⓤ allattamento al seno.

breastmilk /'brɛstmɪlk/ n. ⓤ = **breast-milk** → **breast**.

breastplate /'brɛstpleɪt/ n. **1** (*stor.*) petto (*armatura del busto*) **2** pettorale (*di cavallo*) **3** piastrone (*parte inferiore della corazza d'una tartaruga*) **4** targa con iscrizione (*su una bara*).

breaststroke /'brɛststrəʊk/ n. ⓤ (*sport*) nuoto a rana; la rana (*fig.*) ● **b. swimmer**, ranista.

breastsummer /'brɛsəmə(r)/ n. (*archit.*) architrave.

breastwork /'brɛstwɜːk/ n. **1** (*mil.*) riparo difensivo di media altezza; parapetto **2** (*naut.*) parapetto di murata (*del castello di prua e del ponte di poppa*) **3** (pl.) (*slang USA*) petto; seno; davanzale (*fig.*).

◆**breath** /brɛθ/ n. **1** ⓤ respiro; fiato; alito: **bad b.**, alito cattivo (*o pesante*); **to hold one's b.**, trattenere il fiato (*o il respiro*); (*fig.*) trattenere il fiato, essere col fiato sospeso; **to recover one's b.**, riprendere fiato; **out of b.**, senza fiato **2** inspirazione; respiro; soffio: **a deep b.**, un respiro profondo; (**one's) last b.**, l'ultimo respiro; **to take a b.**, fare un respiro; inspirare **3** lieve soffio; alito: **a b. of wind**, un alito di vento **4** accenno; cenno; traccia; ombra; sospetto: **a b. of spring**, un accenno di primavera; **a b. of scandal**, un sospetto di scandalo **5** (*fon.*) espirazione ● **a b. of (fresh) air**, una boccata d'aria fresca; (*fig.*) una ventata d'aria fresca □ **the b. of life**, necessità vitale; ragione di vita □ (*sport*) **b.-held diving**, immersione in apnea □ (*autom.*) **b. test**, alcoltest; prova del fiato, prova del palloncino □ **to catch b.**, trattenere di colpo il respiro; (*anche*) riprendere fiato □ (*fam. USA*) **to change b.**, bere un bicchierino; rifarsi la bocca □ **to draw b.**, inspirare; respirare; (*per estens.*) essere in vita □ **with one's dying** (*o* **last**) **b.**, in punto di morte □ **to gasp for b.**, ansimare □ **to get one's b. (back)**, riprendere fiato □ (*fam.*) **Don't hold your b.**, ce n'è da aspettare!; aspetta e spera! □ **in a b.**, in un soffio □ **in the next b.**, (*rif. a qualcosa che si dice*) l'istante successivo □ **in the same b.**, (*rif. a qualcosa che si dice*) contemporaneamente, simultaneamente □ **Not a b. was heard**, non s'udiva un sussurro □ **to pause for b.**, fare una pausa per riprender fiato □ **to save one's b.**, risparmiare il fiato; tacere □ **to be short of b.**, avere il respiro corto □ **under** (*o* **below**) **one's b.**, sottovoce □ **to take b.**, riprendere fiato □ **to take sb.'s b. away**, far restare q. senza fiato; mozzare il fiato a q. □ **to waste one's b.**, sprecare il fiato □ **with one's last b.**, fino all'ultimo respiro.

breathable /'briːðəbl/ a. **1** respirabile **2** (*tess.*) traspirante: **b. fabric**, tessuto traspirante.

to **breathalyse** /'brɛθəlaɪz/ v. t. sottoporre all'alcoltest; far fare la prova del palloncino ‖ **breathalyser**. (*USA*) **Breathalyzer**® n. etilometro; alcoltest; palloncino (*fam.*).

◆to **breathe** /briːð/ Ⓐ v. i. **1** respirare: **to b. deeply**, respirare profondamente; **to b. hard**, respirare con difficoltà; ansare; ansimare; *The injured man was still breathing*, il ferito respirava ancora **2** (*poet., del vento*) alitare; soffiare lievemente **3** (*del vino*) respirare Ⓑ v. t. **1** respirare; aspirare: **the air we b.**, l'aria che respiriamo; **to b. poisonous gas**, respirare gas velenoso **2** emettere; soffiare: **to b. a sigh of relief**, emettere un sospiro di sollievo; **to b. smoke over sb.**, soffiare fumo su q.; **to b. fire**, soffiare fuoco **3** mormorare; sussurrare; dire pia-

no: **to b. a word into sb.'s ear**, mormorare una parola all'orecchio di q. **4** emanare; dare un'impressione di: **to b. simplicity**, dare l'impressione di semplicità **5** ispirare; infondere: **to b. new life into a party**, infondere nuova vita in un partito; *He breathed confidence into his followers*, infondeva fiducia nei suoi seguaci **6** (*fon.*) pronunciare come sorda (*una consonante*); rendere sordo (*un fonema*) ● **to b. again**, riprendere fiato; (*fig.*) sentirsi sollevato □ (*fam.*) **to b. down sb.'s neck**, stare addosso a q.; stare col fiato sul collo a q.; (*anche*) stare alle calcagna di q. □ **to b. forth**, esalare □ **to b. freely**, respirare liberamente; (*fig.*) sentirsi sollevato □ **to b. in**, inspirare; inalare; respirare: **to b. in through one's nose**, inspirare dal naso; **to b. in noxious fumes**, respirare esalazioni nocive □ **to b. one's last**, esalare l'ultimo respiro □ **to b. out**, espirare □ **to b. short**, avere il fiato corto; ansimare; ansare **as long as I b.**, finché avrò vita; finché campo □ **not to b. a word** (*o a syllable*), non far parola; non fiatare.

breathed /brɛθt, def. 2 anche briːð/ a. **1** (nei composti:) **foul-b.**, dall'alito cattivo; **long-b.**, che ha molto fiato **2** (*fon.*: *di fonema*) sordo.

breather /'briːðə(r)/ n. **1** chi respira (*in un certo modo; per es.*:) **a mouth-b.**, chi respira con la bocca **2** (*fam.*) breve sosta (*o pausa*) (*per riprendere fiato*): **to take a b.**, fare una pausa; tirare il fiato **3** (*tecn.*) sfiatatoio; presa d'aria.

breathing /'briːðɪŋ/ n. **1** ⓤ respirazione; respiro: **shallow b.**, respiro corto; (*med.*) **b. trouble**, difficoltà di respirazione **2** (*arc.*) alito (*di vento*); soffio (*d'aria*) **3** ⓤ emissione di voce **4** (*fon. greca*) spirito: **rough** [**smooth**] **b.**, spirito aspro [dolce] ● **b. apparatus**, respiratore, autorespiratore (*di subacqueo*) □ **b. in**, inspirazione □ **b. out**, espirazione □ **b. space**, attimo di tregua; (un) po' di respiro.

breathless /'brɛθləs/ a. **1** senza fiato; col fiato corto; trafelato; ansante; ansimante **2** senza fiato; col fiato sospeso: **b. with fear**, senza fiato per la paura **3** che lascia o che è senza fiato; teso; ansioso; spasmodico; angoscioso: **b. haste**, fretta indiavolata; **a b. silence**, un silenzio assoluto; un silenzio teso; **b. expectation**, attesa ansiosa **4** senza un alito di vento; soffocante; afoso: **b. air**, aria soffocante ‖ **breathlessly avv. 1** senza fiato **2** con il fiato sospeso ‖ **breathlessness** n. ⓤ affanno; difficoltà di respirazione; (*med.*) dispnea.

breathtaking /'brɛθteɪkɪŋ/ a. mozzafiato; da batticuore; assai avvincente; sbalorditivo.

to **breath-test** /'brɛθtɛst/ v. t. sottoporre (q.) all'alcoltest.

breathy /'brɛθɪ/ a. **1** (*di voce*) in cui si sente il respiro; in cui c'è ansito, concitato; anelante; (*per estens., anche di cosa detta*) emozionato, eccitato, entusiasta **2** (*mus.*: *di strumento a fiato*) dal suono pieno d'aria; dal timbro soffiato | **-ily avv.** | **-iness** n. ⓤ

breccia /'brɛtʃɪə/ (*ital.*) n. ⓤ (*geol.*) breccia.

Brechtian /'brɛktɪən/ a. (*letter.*) brechtiano.

bred /brɛd/ Ⓐ pass. e p. p. di **to breed** Ⓑ a. (nei composti:) **city-b.**, cresciuto in città; **ill-b.**, maleducato; **well-b.**, educato; che ha buone maniere.

breech /briːtʃ/ n. **1** (*mil.*: *di arma da fuoco*) culatta **2** (*anat.*, *arc.*) podice; deretano ● (*med.*) **b. birth** (*o* **b. delivery**), parto podalico □ (*mil.*) **b. block** (*o* **b. plug**), otturatore □ (*mil.*) **b.-loader**, arma da fuoco a retrocarica □ (*mil.*) **b.-loading**, a retrocarica □ (*med.*) **b. presentation**, presentazione podalica.

breechcloth /'briːtʃklɒθ/, **breachclout** /'briːtʃklaʊt/ n. (USA) perizoma.

breeches /'brɪtʃɪz/ n. pl. **1** calzoni al ginocchio; (stor.) brache **2** (= **riding b.**) calzoni alla cavallerizza **3** (fam.) calzoni; pantaloni ● (naut.) **b. buoy**, va e vieni □ **too big for one's b.** → **big** □ (fam.: di donna, spec. moglie) **to wear the b.**, comandare; portare i calzoni.

breeching /'brɪtʃɪŋ/ n. **1** imbraca (parte di finimento) **2** (mil.) imbracatura (di cannone) **3** (tecn.) raccordo ● **b. strap**, straccale (di bestia da soma).

breed /briːd/ n. **1** (zool.) razza (spec. ottenuta per selezione); specie: **breeds of dogs**, razze canine **3** (fig.) varietà: **a new b. of journalists**, una nuova razza di giornalisti; **a dying b.**, una razza in via d'estinzione; **a b. apart**, una razza tutta speciale **4** (arc.) progenie; discendenza; stirpe; razza.

♦to **breed** /briːd/ (pass. e p. p. **bred**) **A** v. t. **1** far riprodurre (un animale); accoppiare; (per estens.) allevare: **to b. horses**, allevare cavalli **2** selezionare (una specie animale o vegetale); produrre, ottenere (una varietà): **to b. a new variety of rose**, ottenere un nuovo tipo di rosa; **cattle bred for meat**, bestiame allevato per la carne; **a dog bred for speed**, un cane selezionato per la velocità; **to be bred in captivity**, nascere in cattività **3** allevare; educare; addestrare (fin dalla nascita): **He was bred for his role**, è stato addestrato a questo ruolo fin dalla nascita; **born and bred in the country**, nato e cresciuto in campagna **4** (fig.) generare; produrre; dare luogo a: **Violence breeds violence**, la violenza genera violenza **5** (fis. nucl.) produrre materiale fissile **B** v. i. **1** (di animali) riprodursi; figliare **2** (fig.) nascere; avere origine; propagarsi ● **to b. like rabbits** (o **flies**), essere prolifici come conigli □ **bred in the bone**, profondamente radicato; convinto.

breeder /'briːdə(r)/ n. **1** animale (o pianta) da riproduzione **2** allevatore: **horse b.**, allevatore di cavalli **3** riproduttore; animale (o pianta) da riproduzione **4** (spreg., gergo degli omosessuali) eterosessuale; etero **5** (fis. nucl., = **b. reactor**) reattore autofertilizzante.

breeding /'briːdɪŋ/ n. ꔖ **1** procreazione; riproduzione: **the b. season**, il periodo della riproduzione **2** (zootecnia, agric. = **selective b.**) selettocultura **3** allevamento; -coltura: **cattle b.**, allevamento del bestiame; **sheep b.**, allevamento di pecore; **silkworm b.**, bachicoltura; sericoltura **4** (buona) educazione; buone maniere: **to have b.**, essere una persona educata; **good b.**, buona educazione ● **b. farm**, allevamento (il luogo); stazione di monta □ **b. ground**, (zool.) terreno di riproduzione; luogo di cova; (fig.) terreno fertile, humus, focolaio, vivaio.

breeze① /briːz/ n. **1** brezza; venticello **2** (con attr.) (naut.) brezza; vento: **gentle b.**, brezza tesa; **land b.**, brezza di terra; **moderate b.**, vento moderato; **strong b.**, vento forte **3** (fam.) cosa facilissima; cosa da niente; scherzetto; bazzecola; passeggiata **4** (fam.) litigio; baruffa: **We had a bit of b.**, abbiamo litigato ● (fam.) **to get the b. up**, agitarsi; spaventarsi □ (fam.) **to have the b. up**, essere agitato; avere paura □ (fam. USA) **to hit the b.**, andarsene; alzare i tacchi; smammare (pop.) □ (fam. USA) **to shoot the b.**, parlare del più e del meno; fare quattro chiacchiere.

breeze② /briːz/ n. ꔖ (edil.) scorie di coke (o di carbone di legna) ● (GB) **b. block**, blocco di calcestruzzo di scorie □ **b. concrete**, calcestruzzo di scorie (di coke).

to **breeze** /briːz/ v. i. (con avv. o compl. di direzione) muoversi, andare, venire veloce-

mente e con disinvoltura: **He breezed in**, had a look around and breezed out, è arrivato, ha dato un'occhiata in giro e se n'è andato; **to b. through**, attraversare velocemente (una stanza, ecc.); superare facilmente (un esame, ecc.).

breezeway /'briːzweɪ/ n. (USA) passaggio coperto (generalm. tra una casa e il garage).

breezy /'briːzɪ/ a. **1** arioso; arieggiato; ventilato **2** vivace; brioso; disinvolto; spigliato ‖ **breezily** avv. disinvoltamente; spigliatamente; allegramente ‖ **breeziness** n. ꔖ **1** (dell'aria) freschezza; (di luogo) ariosità **2** vivacità; brio; disinvoltura; spigliatezza.

Bren /'brɛn/, **Bren gun** /'brɛngʌn/ loc. n. (mil., stor.) Bren (mitra leggero).

brent goose /'brɛnt'guːs/, **brent** /'brɛnt/ n. (pl. **brent geese**, **brent**, **brents**) (zool., Branta bernicla) oca colombaccio.

brethren /'brɛðərən/ n. pl. (di **brother**, def. 3) **1** (di una società, ecc.) fratelli **2** (relig.) confratelli.

Breton /'brɛtɒn/ a. e n. bretone.

breve /briːv/ n. **1** (stor.) breve (papale) **2** (tipogr.) segno di breve **3** (mus.) (segno di) breve (pari a due semibrevi).

brevet /'brɛvɪt/ n. **1** (stor.) brevetto; carica onoraria **2** (mil.) grado onorario.

to **brevet** /'brɛvɪt/ v. t. (mil.) conferire un grado onorario a (q.).

breviary /'briːvɪərɪ/ n. (relig.) breviario.

brevier /brə'vɪə(r)/ n. (tipogr.) corpo 8.

brevity /'brɛvətɪ/ n. ꔖ **1** brevità (della vita, ecc.) **2** concisione.

brew /bruː/ n. **1** infuso; bevanda; pozione; intruglio (spreg.) **2** miscela, qualità (di tè o caffè): **an exotic b.**, una miscela esotica **3** (GB) (tazza di) tè **4** (tipo di) birra **5** (fig.) mistura.

to **brew** /bruː/ **A** v. t. **1** fabbricare, fare (bevande fermentate) **2** mettere in infusione, preparare (tè, ecc.): **Shall I b. some tea?**, preparo il tè? **3** (fig.) macchinare; tramare; preparare: **He is brewing mischief**, sta macchinando qualche birbonata **B** v. i. **1** (di birra, ecc.) essere in fermentazione; fermentare **2** (di tè, ecc.) essere in infusione: **Let it b. for three minutes**, lascialo in infusione per tre minuti **3** (fig.) prepararsi; addensarsi: **A storm was brewing**, si stava preparando un temporale; minacciava un temporale; **There is something brewing**, sta per succedere qualcosa; qualcosa bolle in pentola ● (fam.) **to b. up**, fare il tè (o il caffè) ‖ **brewer** n. fabbricante di birra; birraio ● (fam. scherz., GB) **brewer's droop**, impotenza temporanea (causata dal troppo bere) □ **brewer's yeast**, lievito di birra ‖ **brewery** n. fabbrica di birra ‖ **brewing** n. ꔖ **1** fabbricazione della birra **2** quantità di birra prodotta in una volta.

brewhouse /'bruːhaʊs/ n. fabbrica di birra.

brewpub /'bruːpʌb/ n. (USA) pub (che produce in loco la birra che vende).

brew-up /'bruːʌp/ n. (fam. GB) preparazione del tè (o del caffè): **We're having a brew-up**, stiamo facendoci un tè.

briar /'braɪə(r)/ n. **1** (bot., Erica arborea) erica **2** (bot.) rovo; rosa selvatica (e altre piante dei generi Rubus e Rosa) **3** (bot.) tralcio spinoso (di dette piante) **4** (= **b. pipe**) pipa di radica ● (bot.) **b. root**, radica.

bribe /braɪb/ n. **1** somma di denaro usata per corrompere; bustarella, mazzetta, tangente (fam.) **2** allettamento; esca (fig.).

to **bribe** /braɪb/ v. t. **1** corrompere; comprare (fam.); subornare (leg.): **to b. a witness**, subornare un teste; **to b. sb. into keeping quiet**, comprare il silenzio di q.; **He was bribed into giving them the papers**,

consegnò loro le carte in cambio di una bustarella; **to b. one's way into a post**, arrivare a una posizione attraverso la corruzione **2** indurre (con promesse, doni, ecc.) ‖ **bribable** a. corruttibile ‖ **briber** n. corruttore; subornatore (leg.).

bribery /'braɪbərɪ/ n. ꔖ corruzione (a mezzo di denaro, doni, ecc.); (leg.) subornazione: **to be open to b.**, essere corruttibile; **a b. scandal**, uno scandalo di tangenti.

bric-a-brac /'brɪkəbræk/ (franc.) n. ꔖ chincaglierie (pl.); bric-à-brac; cianfrusaglie (pl.); anticaglie (pl.).

♦**brick** /brɪk/ n. **1** ꔖ mattone; laterizio: **built in b.** (o **b.-built**), (costruito) in mattoni; di mattoni; **a b. wall**, un muro di mattoni **2** pezzo rettangolare; cubetto; blocchetto **3** blocchetto di legno (per il gioco delle costruzioni) **4** mattonella (di gelato) **5** (fam. GB, antiq.) vero amico; angelo; tesoro: **Celia, you're a b.!**, Celia, sei un angelo! ● **bricks and mortar**, edifici (pl.); case (pl.); (come investimento) il mattone, la casa, gli immobili (pl.); (anche) il settore immobiliare □ (comput., econ.) **b.-and-mortar**, tradizionale (ossia non appartenente alla «new economy») □ **b.-earth**, argilla per mattoni □ **b. flooring**, ammattonato □ **b. hammer**, martello da muratore □ **b. kiln**, fornace da mattoni □ **b. pavement**, ammattonato □ **b. red**, rosso mattone □ **b. veneer**, rivestimento di mattoni (di casa, su una struttura di legno); (Austral.) casa con questo rivestimento □ (fam.) **to be a b.** (o **a few bricks**) **short of a load**, essere un po' picchiato; non essere tutto giusto □ (fam.) **to come down on sb. like a ton of bricks**, fare una sfuriata a q.; levare il pelo a q.; mangiarsi vivo q. □ **to come up against a b. wall**, andare a sbattere contro un muro (fig.) □ (fam.) **to drop a b.**, fare una gaffe; dirla grossa □ (slang USA) **to hit the bricks**, uscire in strada; scioperare; scendere in strada; uscire di prigione □ **to make bricks without straw**, fare qc. senza avere i mezzi necessari.

to **brick** /brɪk/ v. t. costruire, pavimentare con mattoni; ammattonare, mattonare ● **to b. up**, murare (con mattoni: una finestra, ecc.).

brickbat /'brɪkbæt/ n. **1** pezzo di mattone (spec. se usato come proiettile) **2** (fam.) commento duro; critica spietata; attacco.

brickfield /'brɪkfiːld/ n. mattonaia.

brickie /'brɪkɪ/ n. (fam. ingl.) muratore.

bricklayer /'brɪkleɪə(r)/ n. muratore ‖ **bricklaying** n. ꔖ arte muraria; mestiere del muratore.

brickmaker /'brɪkmeɪkə(r)/ n. mattonaio; fabbricante di mattoni ‖ **brickmaking** n. ꔖ fabbricazione di mattoni.

brickwork /'brɪkwɜːk/ n. ꔖ muratura in mattoni; superficie di mattoni; ammattonato; opere (pl.) laterizie: **The facade is decorated with b.**, la facciata ha una decorazione in mattoni.

brickworks /'brɪkwɜːks/ n. pl. (col verbo al sing.) fabbrica di laterizi; mattonificio.

brickyard /'brɪkjaːd/ n. mattonaia; mattonificio.

bricolage /brɪkə'laːʒ/ n. ꔖ bricolage; (il) fai-da-te.

bricoleur /brɪkə'lɜː(r)/ n. chi fa del bricolage; appassionato del fai-da-te.

bridal /'braɪdl/ a. **1** della sposa; da sposa: **b. veil**, velo da sposa **2** nuziale: **b. cake**, torta nuziale; **the b. party**, la sposa e il suo seguito; **b. suite**, suite nuziale; **b. wear**, abbigliamento da sposa; (USA) **b. registry**, lista di nozze.

bride /braɪd/ n. sposa; sposa novella; futura sposa: **the b. and bridegroom**, la sposa e lo sposo; gli sposi; **b.-to-be**, futura sposa; **child b.**, sposa bambina.

bridegroom /'braɪdgruːm/ n. sposo; spo-

so novello; futuro sposo.

bridesmaid /'braɪdzmeɪd/ n. damigella d'onore (*di sposa*) ● (*fam.*) **to be always the b. and never the bride**, essere un eterno secondo; essere un gregario.

bridewell /'braɪdwl/ n. (*arc.*) casa di correzione; correzionale; riformatorio.

♦**bridge** ① /brɪdʒ/ n. **1** ponte: **a b. across the Cam**, un ponte sul Cam; **a b. over the motorway**, un ponte sull'autostrada; **b. of boats**, ponte di barche; **railway b.**, ponte della ferrovia **2** (*fig.*) ponte; collegamento; passaggio; trampolino di lancio **3** (*naut.*) ponte di comando; plancia **4** (*naut.*, = **fore and aft b.**) passerella (*a bordo*) **5** (*anat.*) dorso, ponte (*del naso*) **6** ponticello (*di occhiali*) **7** (*odontoiatria*) ponte **8** (*mus.*) ponticello (*di strumento a corda*) **9** (*geol.* = **land b.**) ponte continentale **10** (*elettr.*) ponte; collegamento (*o derivazione*) in parallelo: **b. circuit**, circuito a ponte (*o a portale*) **11** (*biliardo*) strega **12** (*lotta*) ponte ● **b. crane**, gru a ponte □ **b.-builder**, pontiere; (*fig.*) mediatore □ **b.-building**, construzione di ponti; (*fig.*) promozione di rapporti amichevoli, opera di mediazione □ (*naut.*) **b. deck**, ponte di comando; plancia □ (*fin. USA*) **b. loan**, prestito compensativo; finanziamento ponte □ (*naut.*) **b. house**, cassero centrale □ (*GB*) **b. roll**, panino morbido di forma allungata □ **the B. of Sighs**, il Ponte dei Sospiri (*a Venezia e a Cambridge*) □ (*mus.*) **b. passage**, passaggio □ **to build bridges**, stabilire relazioni amichevoli; fare da mediatore; fare da pontiere □ **to burn one's bridges**, bruciare (*o tagliarsi*) i ponti alle spalle □ **We'll cross the b. when we come to it**, ci penseremo quando sarà il momento □ (*prov.*) **Don't cross your bridges before you come to them**, non fasciarti la testa prima d'esserla rotta.

bridge ② /brɪdʒ/ n. ⓤ (*gioco di carte*) bridge ● **b. player**, bridgista.

to **bridge** /brɪdʒ/ v. t. **1** costruire un ponte su (*un fiume, ecc.*) **2** collegare con un ponte **3** (*di passerella, ecc.*) fare da ponte su; passare sopra a; attraversare: *A plank bridged the stream*, un'asse faceva da ponte sul ruscello **4** (*fig.*) essere a cavallo di (*due epoche, due situazioni, ecc.*); coprire **5** (*fig.*) collegare; fare da ponte fra **6** (*fig.*) colmare; superare: **to b. a gap**, colmare un divario, una lacuna, un distacco; colmare le distanze **7** (*elettr.*) collegare (*o derivare*) in parallelo.

bridgehead /'brɪdʒhed/ n. **1** (*mil.*) testa di ponte **2** (*fig.*) caposaldo ● (*mil.*) **to establish a b.**, attestarsi.

Bridget /'brɪdʒɪt/ n. Brigida.

bridgework /'brɪdʒwɜːk/ n. ⓤ **1** (*odontoiatria*) ponte; ponti **2** costruzione di ponti.

bridging /'brɪdʒɪŋ/ Ⓐ n. ⓤ **1** costruzione di un ponte (*su qc.*) **2** (*elettr.*) collegamento (*o derivazione*) in parallelo **3** (*alpinismo*) arrampicata in opposizione (*in un camino*) Ⓑ a. **1** (*di struttura*) che fa da ponte; che collega **2** (*fig.*) che fa da ponte; di collegamento; di passaggio; intermedio **3** (*fin.*) compensativo; ponte: **b. finance**, finanziamento ponte; **b. loan**, prestito compensativo; prestito ponte.

bridle /'braɪdl/ n. **1** briglia: **to give a horse the b.**, dare (*o allentare*) la briglia a un cavallo **2** (*fig.*) freno; briglia **3** (*naut.*) patta d'oca; cima d'ormeggio **4** (*anat.*) frenulo; legamento **5** (*mecc.*) briglia; cravatta ● **b. hand**, mano sinistra □ (*GB*) **b. path**, sentiero (*o pista*) per cavalli □ **b. reins**, redini.

to **bridle** /'braɪdl/ Ⓐ v. t. **1** mettere la briglia a, imbrigliare (*un cavallo, ecc.*) **2** (*fig.*) tenere a freno; frenare: **to b. one's tongue**, frenare la lingua, Ⓑ v. i. adombrarsi; risen-

tirsi.

bridleway /'braɪdlweɪ/ n. (*GB*) sentiero (*o pista*) per cavalli.

bridoon /brɪ'duːn/ n. (*equit.*) redini e morso (*in un pezzo unico*) ● (*equit.*) **b. rein**, redine del morso.

brief ① /briːf/ n. **1** (*GB*) direttive (pl.); istruzioni (pl.): **design b.**, direttive per la progettazione; **to work to a b.**, seguire delle direttive **2** (*GB*) incarico; compito; mandato: *My b. is to investigare the matter*, sono incaricato di investigare la faccenda; *It is not within my b.*, non rientra nei miei compiti (*o nel mio mandato*) **3** (*leg.*) comparsa; memoria; esposto **4** (*leg.*) causa affidata a un → «barrister»: **to hold a b. for sb.**, essere il difensore di q.; **to take a b.**, accettare di difendere q. **5** (*fam., leg.*) → «barrister»; difensore **6** (*leg., USA*) conclusioni (pl.) presentate alla Corte; verbale di un processo **7** (*eccles.*) breve papale **8** (al pl.) mutandine; slip ● (*GB*) **b. bag**, cartella (da avvocato); borsa □ (*GB*) **to hold no b. for**, non prendere le difese di; non difendere: *I hold no b. for such a solution*, non difendo questa soluzione.

♦**brief** ② /briːf/ a. **1** breve; corto: **b. encounter**, breve incontro **2** conciso; breve: *I will be b.*, sarò breve **3** (*di indumento*) cortissimo; ridottissimo; succinto ● **in b.**, in breve; in poche parole: **the news in b.**, i titoli principali (*di un telegiornale, ecc.*).

to **brief** /briːf/ v. t. **1** dare istruzioni a; informare; ragguagliare: **to b. pilots before a mission**, dare istruzioni ai piloti prima di una missione; *I briefed her on the new measures*, la ragguagliai sulle nuove misure **2** (*leg.*) dare istruzioni a (un → «barrister»).

briefcase /'briːfkeɪs/ n. borsa portadocumenti; cartella (*per documenti*); ventiquattrore.

briefing /'briːfɪŋ/ n. ⓤ **1** (il dare) istruzioni, informazioni (pl.): *I was given a full b.*, mi furono date tutte le istruzioni; fui messo pienamente al corrente: **b. paper**, relazione (informativa) **2** (*mil.*) briefing; istruzioni (pl.): (*aeron.*) **b. room**, sala istruzioni **3** riunione informativa; briefing: **press b.**, briefing per la stampa.

briefless /'briːfləs/ a. **1** senza istruzioni **2** (*leg., GB*: *di* → «barrister») senza cause; senza clienti.

♦**briefly** /'briːflɪ/ avv. **1** brevemente; per un breve momento; per un attimo **2** concisamente; succintamente **3** (detto) in breve.

briefness /'briːfnəs/ n. ⓤ brevità; concisione.

brier /'braɪə(r)/ → **briar**.

brig ① /brɪg/ n. (*naut.*) brigantino.

brig ② /brɪg/ n. (*scozz.*) ponte.

brig ③ /brɪg/ n. (*slang USA*) galera; gattabuia; prigione.

♦**brigade** /brɪ'geɪd/ n. **1** (*mil.*) brigata **2** corpo: **the fire b.**, il corpo dei vigili del fuoco **3** (*fam.*) gruppo; schiera; banda; quelli che: **the tough-line b.**, quelli che sono per la linea dura; i duri; **the fur-coat b.**, quelli che portano la pelliccia; le signore impellicciate.

to **brigade** /brɪ'geɪd/ v. t. (*mil.*) costituire in brigata; unire in brigata.

brigadier /brɪgə'dɪə(r)/ n. **1** (*stor.*, *in Europa*) brigadiere **2** – B. (*mil.*, *in GB*) Brigadier Generale; (*un tempo*, *in Italia*) Generale di Brigata ● **B. General**, (*mil.*, *in USA*) Brigadier Generale; (già) Generale di Brigata; (*aeron. mil.*, *in USA*) Generale di Brigata Aerea.

brigand /'brɪgənd/ n. brigante; bandito ‖ **brigandage**, n. ⓤ brigantaggio; banditismo ‖ **brigandish** a. brigantesco; banditesco.

brigantine /'brɪgəntaɪn/ n. (*naut.*) brigantino.

Brig.-Gen. abbr. (*mil.*, **brigadier general**) generale di brigata.

♦**bright** /braɪt/ Ⓐ a. **1** lucente; luminoso; splendente; vivo; brillante; luccicante: **a b. gem**, una gemma lucente; **b. light**, luce viva (*o forte, intensa*); **b. eyes**, occhi splendenti; **eyes b. with tears**, occhi luccicanti di lacrime **2** pieno di luce; pieno di sole; soleggiato: **a b. room**, una stanza luminosa; **a b. sky**, un cielo luminoso; **b. days**, giornate di sole; **b. weather**, tempo soleggiato; **a b. spell**, una schiarita **3** (*di colore*) brillante; vivace, vivo, luminoso; (*di oggetto*) dai colori vivaci: **b. colours**, colori vivaci; **b. red**, rosso vivo; **b. flowers**, fiori dai colori vivaci **4** intelligente; sveglio: **a b. face**, una faccia intelligente; **a b. little girl**, una ragazzina sveglia; **b. idea**, idea intelligente; bell'idea **5** (*di umore, sorriso, ecc.*) allegro; vivace; luminoso **6** (*di futuro, ecc.*) brillante; prospero; roseo: **b. prospects** (*o outlook*), prospettive rosee **7** (*comm.*: *di attività*) vivace; animato Ⓑ avv. (*poet. o lett.*) luminosamente: **to shine b.**, splendere; brillare; (*di sole*) splendere alto ● **b. and early**, di buon'ora; di buon mattino; (come agg.) mattiniero (*fam.*) **(as) b. as a button**, sveglio; in gamba □ **b.-eyed**, dagli occhi brillanti (*o vivaci*); (*fig.*) vivace, sveglio □ (*fam.*) **b.-eyed and bushy-tailed**, pieno di energia; superattivo; pimpante □ **the b. lights**, le luci e la vita (*di una città*) □ (*fam. iron.*, *GB*) **b. spark**, intelligentone; furbone; genio □ **b. young thing**, giovane brillante (*spec. negli anni '20*) □ **to look on the b. side of things**, vedere il lato positivo.

to **brighten** /'braɪtn/ (*anche* **to b. up**) Ⓐ v. t. **1** rendere più luminoso o vivace; illuminare: *This'll b. (up) the colour of your hair*, questo renderà più luminoso il colore dei tuoi capelli; *The prospect brightened his eyes*, la prospettiva gli fece brillare gli occhi **2** far brillare di più (*un metallo, ecc.*); lucidare; lustrare **3** rallegrare; ravvivare; schiarire, rianimare; allietare: *Flowers will b. (up) this room*, i fiori rallegreranno questa stanza; **things that b. our lives**, cose che allietano la vita Ⓑ v. i. **1** diventare più luminoso o vivace; brillare più intensamente; illuminarsi: *Her eyes brightened*, i suoi occhi si illuminarono **2** (*del tempo, ecc.*) schiarirsi; rischiarare; rasserenarsi **3** (*di viso, ecc.*) illuminarsi; rischiararsi; (*di umore, ecc.*) rasserenarsi **4** (*di situazione, prospettiva*) migliorare; schiarirsi ● (*tecn.*) **brightening agent**, brillantante; sostanza per brillantaggio.

brightly /'braɪtlɪ/ avv. **1** luminosamente; vivacemente; intensamente: **to shine b.**, brillare; splendere; **b. coloured**, a colori vivaci; **a b. lit room**, una stanza illuminata a giorno; *A fire was burning b. in the fireplace*, un fuoco vivace ardeva nel camino **2** allegramente: *She spoke b.*, parlò in tono allegro.

brightness /'braɪtnəs/ n. ⓤ **1** luminosità; splendore; lucentezza **2** (*di colore*) vivacità; vividezza **3** (*di viso, voce, ecc.*) vivacità; allegria **4** intelligenza **5** (*TV*) luminosità **6** (*Borsa*) vivacità; buon andamento.

brights /braɪts/ n. pl. **1** colori vivaci; colori brillanti **2** (*autom., USA*) (fari) abbaglianti: **to turn up one's b.**, mettere gli abbaglianti.

brightwork /'braɪtwɜːk/ n. ⓤ **1** (*naut.*) parti metalliche lucidate **2** (*autom.*) cromature.

Brigid /'brɪdʒɪd/ n. Brigida.

brill ① /brɪl/ n. (pl. **brill, brills**) (*zool.*, *Rhombus laevis*) rombo liscio.

brill ② /brɪl/ a. (*fam. GB antiq.*) stupendo; fantastico; favoloso.

brilliance /'brɪlɪəns/, **brilliancy** /'brɪlɪənsɪ/ n. ⓤ **1** splendore; luminosità; lucentezza; brillantezza **2** (*mus.*) intensità **3** intelligenza brillante; grande abilità; talento; brillantezza; genialità.

♦**brilliant** ① /'brɪlɪənt/ a. **1** brillante; lucente; splendente **2** che ha talento; geniale; brillante: **a b. invention**, un'invenzione geniale; **a b. scientist**, un brillante scienziato **3** splendido; magnifico; brillante; magistrale: **a b. idea**, un'idea geniale; una splendida idea; **a b. teacher**, un magnifico insegnante; **a b. speaker**, un eccellente oratore; **a b. success**, uno splendido successo; **a b. performance**, un'interpretazione magistrale **4** (*di colore*) vivace; vivo **5** (*fam. GB*) fantastico; favoloso | **-ly** avv.

brilliant ② /'brɪlɪənt/ n. brillante: **b. cut**, taglio a brillante.

brilliantine /'brɪlɪəntiːn/ n. brillantina.

Brillo-pad ® /'brɪləʊpæd/ n. spugnetta ruvida per cucina.

brim /brɪm/ n. **1** orlo, bordo (*di tazza, bicchiere, ecc.*); margine, sponda (*di fiume, ecc.*) **2** falda, tesa (*del cappello*) **3** (*slang USA*) cappello ● **full to the b.**, pieno fino all'orlo; colmo.

to **brim** /brɪm/ Ⓐ v. t. riempire fino all'orlo; colmare Ⓑ v. i. **1** essere pieno all'orlo; essere colmo: **a brimming cup**, una tazza colma **2 – to b. with**, essere colmo di; colmarsi, riempirsi di: *His eyes brimmed with tears*, gli si riempirono gli occhi di lacrime **3** – (*fig.*) **to b. with**, essere pieno di: **to be brimming with plans**, avere la testa piena di progetti **4** (*di lacrime*) affiorare; salire (*agli occhi*): *Tears brimmed in his eyes*, gli salirono le lacrime agli occhi; gli occhi gli si riempirono di lacrime.

■ **brim over** v. i. + avv. (*anche fig.*) traboccare: *He brimmed over with happiness*, l'animo gli traboccava di felicità.

brimful /'brɪmfʊl/ a. **1** pieno fino all'orlo; colmo **2** (*fig.*) pieno; traboccante: **b. of confidence**, pieno di fiducia.

brimless /'brɪmləs/ a. **1** senza orlo **2** (*di cappello*) senza tesa.

brimmed /brɪmd/ a. (nei composti) (*di cappello*) con tesa (*di un certo tipo*): **broad-b.**, con (o a) tesa larga.

brimstone /'brɪmstəʊn/ n. ⓤ **1** (*chim., arc.*) zolfo **2** (*zool.*: = **b. butterfly**, Gonepteryx rhamni*) cedronella.

brindle /'brɪndl/ Ⓐ n. **1** marrone o fulvo pezzato o striato **2** animale (*spec. domestico*) con tale mantello Ⓑ a. (*anche* **brindled**) (*del mantello di animale, spec. domestico*) pezzato; striato.

brine /braɪn/ n. **1** ⓤ acqua salsa (o salmastra) **2** ⓤ salamoia **3** ⓤ (*poet. o scherz.*) mare **4** (*chim.*) soluzione salina ● **b. pan** (o **b. pit**), salina □ **b. spring**, sorgente d'acqua salata ❶ **FALSI AMICI** ● brine *non significa* brina.

to **brine** /braɪn/ v. t. **1** mettere in salamoia **2** bagnare con acqua salmastra.

♦to **bring** /brɪŋ/ (pass. e p. p. **brought**), v. t. e i. **1** portare (con sé): *B. the book here, please*, per favore, porta qui il libro; *Can I b. a friend?*, posso portare un amico?; *She had brought her knitting with her*, si era portata (dietro) il lavoro a maglia **2** portare; far venire; far accorrere; attirare: *Her cries brought her neighbours running*, le sue grida fecero accorrere i vicini; *What brings you here?*, che cosa ti porta qui?; che ci fai qui?; *The fair brings thousands of visitors to the city*, la fiera attira in città migliaia di visitatori; **to b. st. to sb.'s mind**, ricordare qc. a q.; far pensare a q. a qc. **3** portare; apportare; contribuire con: **to b. one's experience to st.**, apportare la propria esperienza a qc. **4** portare; procurare; dare; far

venire; causare; cagionare; determinare: **to b. good luck**, portare fortuna; **to b. trouble**, portare (o procurare) guai; **to b. relief**, dare sollievo; **to b. satisfaction**, procurare soddisfazione; *It brought tears to my eyes*, mi fece salire le lacrime agli occhi; *The answer brought a smile to his face*, la risposta le fece sorridere **5** fruttare; rendere: *His novels b. him £80,000 pounds a year*, i suoi romanzi gli rendono ottantamila sterline all'anno; *This picture will b. me £1,000*, questo quadro mi frutterà mille sterline; *Second-hand cars b. a good price now*, le automobili di seconda mano si vendono a un prezzo alto ora **6** convincere (q. a fare qc.); riuscire (a far fare qc. a q.): *In the end I brought him to see the wisdom of my plan*, alla fine riuscii a fargli capire la bontà del mio piano ● (*leg.*) **to b. an action (against sb.)**, fare causa (a q.); sporgere querela (contro q.): **to b. a libel action**, sporgere querela per diffamazione □ (*leg.*) **to b. sb. before a court**, portare q. in tribunale □ **to b. st. before st.**, sottoporre qc. a qc. (*una commissione, un'assemblea, ecc.*) □ (*leg.*) **to b. a charge against sb.**, muovere un'accusa a q. □ (*fam. USA*) **to b. home the bacon** → **bacon** □ **to b. st. home to sb.**, far capire qc. a q.; aprire gli occhi a q. su qc. □ **to b. st. on oneself**, procurarsi da solo qc. (*di negativo*); tirarsi addosso qc. (*fig.*) □ **to b. oneself to do st.**, riuscire a fare qc.; farcela a fare qc.; sentirsela di fare qc.; avere il coraggio di fare qc.: *I couldn't b. myself to watch*, non ce la feci a guardare; *I just cannot b. myself to tell him the truth*, non ho il coraggio di dirgli la verità □ **to b. sb. to account**, esigere spiegazioni da q.; chiedere conto di qc. a q. □ **to b. st. to the attention** (*o* **notice**) **of**, portare qc. all'attenzione di; far notare qc. a □ **to b. to bear**, esercitare; mettere in azione (o in opera); fare uso di; far valere: **to b. pressure to bear on**, esercitare pressioni su; *He brought his experience to bear on the situation*, fece valere la sua esperienza in quella situazione □ **to b. st. to an end** (o **close**), porre fine a qc.; chiudere qc. □ **to b. sb. to justice**, portare q. davanti alla giustizia (o in tribunale) □ **to b. sb. to his senses**, far intendere ragione a q.

■ **bring about** v. t. + avv. **1** causare; provocare; determinare a; determinare: **to b. about a transformation**, provocare (o determinare) una trasformazione; **to b. about a reconciliation**, portare a una riconciliazione; *The collapse of the firm was brought about by wrong investments*, il crollo della ditta fu la conseguenza di investimenti sbagliati **2** (*naut.*) far virare di bordo (*un nave*).

■ **bring along** v. t. + avv. **1** portare con sé; portarsi dietro: *I've brought along some design proposals so I can get an idea the kind of style you are looking for*, ho portato con me alcune proposte di design in modo da farmi un'idea del tipo di stile che cercate **2** (*del sole, ecc.*) far crescere (*un raccolto, ecc.*) **3** far fare progressi a; far progredire; addestrare; tirar su.

■ **bring around** → **to bring round**.

■ **bring back** v. t. + avv. **1** riportare; restituire: *Can you b. me back home?*, puoi riportarmi a casa?; **to b. back a book to the library**, restituire un libro alla biblioteca; *B. them back when you've finished*, restituitele quando avete finito; **to b. sb. back to health**, restituire la salute a q.; rimettere q. in salute; **to b. back to life**, riportare in vita **2** portare (*ritornando*): *Here's something I've brought back from my trip*, ecco una cosa che ho portato dal mio viaggio **3** reintrodurre; reinstaurare; ripristinare: **to b. back a tax**, reintrodurre una tassa **4** riportare (o richiamare) alla memoria (o alla mente): *His words brought back happy memories*, le sue parole richiamavano alla mente ricordi

felici; *Seeing her brought it all back*, rivederla mi riportò tutto in mente.

■ **bring down** v. t. + avv. **1** portare giù; far scendere; abbassare; calare: **to b. down the curtain**, calare il sipario **2** (*aeron.*) far atterrare; portare a terra **3** abbattere (*una preda, un aereo*) **4** far cadere; far crollare; rovesciare; abbattere: **to b. down the government**, rovesciare il governo **5** (*sport*) atterrare (*un avversario*); falciare; mettere a terra **6** abbassare (*un prezzo, un valore*); far calare (*o scendere*); far diminuire; ridurre: **to b. down inflation**, far scendere l'inflazione; **to b. down air fares**, ridurre le tariffe aeree; **to b. down the temperature**, far scendere la temperatura **7** attirare (*guai, ecc., su q.*); tirare addosso: *He brought down all sorts of trouble on himself*, si è tirato addosso un sacco di guai **8** (*fam. USA*) deprimere **9** (*mat.*: *in un'operazione aritmetica*) abbassare **10** (*rag.*) portare in diminuzione (*una somma, ecc.*) □ (*teatr.*) **to b. the house down**, far crollare il teatro per gli applausi; suscitare un uragano di risate □ (*fam.*) **to b. sb. down a peg or two**, far abbassare la cresta a q.

■ **bring forth** v. t. + avv. **1** (*form.*) produrre; presentare; portare alla luce **2** (*arc. o poet.*) portare; condurre **3** (*arc. o poet.*) dare alla luce.

■ **bring forward** v. t. + avv. **1** anticipare la data (o l'ora) di: *The wedding has been brought forward to June 5*, la data delle nozze è stata anticipata al 5 giugno **2** (*rag.*) riportare (*una cifra, ecc.*): **amount brought forward**, riporto **3** avanzare, proporre; presentare alla discussione (*un progetto, ecc.*) **4** (*leg.*) addurre; produrre (*prove, ecc.*).

■ **bring in** v. t. + avv. **1** portare dentro; portare in casa; mettere al riparo: **to b. in the washing**, portare in casa il bucato; **to b. in the harvest**, mettere al riparo il raccolto **2** far intervenire; far partecipare; far entrare; chiedere la collaborazione o il parere di; chiamare: **to b. in an expert**, chiedere il parere di un esperto **3** assumere; chiamare: **to b. in extra staff**, assumere nuovo personale **4** (*polizia*) portare (*un sospetto, ecc.*) alla centrale o al posto di polizia **5** introdurre (*un argomento, ecc.*) **6** introdurre (*una legge, un prodotto, una moda*): **to b. in reforms**, introdurre riforme **7** guadagnare; portare a casa: *He brings in £3,000 a month*, guadagna 3000 sterline al mese **8** fruttare; far guadagnare; rendere **9** (*fin.*) apportare (*capitali, ecc.*) **10** (*leg.*) emettere, pronunciare (*un verdetto*): *The jury brought in a verdict of not guilty*, la giuria ha pronunciato un verdetto di assoluzione **11** (*sport*) mettere in campo (*un giocatore*) **12** (*sport*) totalizzare, realizzare, incassare (*punti, ecc.*).

■ **bring into** v. t. + prep. **1** far entrare in (*un'impresa, un lavoro, ecc.*); far partecipare a; tirar dentro a **2** coinvolgere in **2** portare, mettere in (*una determinata condizione o stato*) **3** chiamare in causa in; tirare in ballo in: *I don't want to be brought into it*, non voglio entrarci; non voglio essere messo in mezzo; *Don't b. the children into it!*, lascia fuori i bambini da questa faccenda! **4** introdurre, inserire (*un argomento, ecc.*: *in una trattativa, ecc.*) □ **to b. into account**, mettere in conto; **to b. into being**, creare; dare inizio a; fondare; **to b. into contact**, mettere in contatto; **to b. into dispute**, mettere in discussione; **to b. into fashion**, rendere di moda; lanciare; (*leg.*) **to b. into force**, far entrare in vigore; applicare (*una legge, ecc.*); **to b. into play**, far entrare in gioco; **to b. into use**, utilizzare.

■ **bring off** v. t. + avv. **1** concludere (con successo); portare a buon fine; realizzare; riuscire a fare: **to b. off a deal**, concludere un affare; **to b. off a plan**, realizzare un progetto; (*calcio*) **to b. off a save**, fare una parata (difficile); *Did you b. it off?*, ci sei riu-

a b c d e f g h i j k l m n o p q r s t u v w x y z

b

scito? **2** (*naut.*) portare in salvo **3** (*volg.*) portare all'orgasmo; far venire (*pop.*).

■ **bring on** v. t. + avv. **1** fare venire; far entrare; portare; (*sport*) mettere in campo (*un giocatore*): *B. on the elephants!*, fate entrare gli elefanti!; avanti gli elefanti!; *B. on the cake!*, portate la torta! **2** provocare (*qc. di sgradevole*); procurare; far venire; essere la causa di: *A sudden change in lifestyle can b. on depression*, un improvviso cambiamento nel tenore di vita può provocare la depressione; *What brought on this cold?*, che cosa ti ha fatto venire questo raffreddore? **3** (*del tempo*) giovare a, fare bene a (*un raccolto*) **4** far progredire; far fare progressi a; migliorare: *A stay in England will b. on your English*, un soggiorno in Inghilterra migliorerà il tuo inglese.

■ **bring out** v. t. + avv. **1** estrarre; tirare fuori; **The man brought out a lighter**, l'uomo tirò fuori un accendino; **I brought out a few German words**, tirai fuori qualche parola in tedesco **2** rivelare; tirar fuori; mettere in evidenza; mettere in risalto; far risaltare: **to b. out the best in sb.**, tirar fuori il meglio da q.; *The red dress brought out her dark complexion*, il vestito rosso metteva in risalto la sua carnagione scura **3** chiarire; spiegare: **to b. out the meaning of a passage**, chiarire il significato di un brano **4** pubblicare; far uscire: **to b. out a new dictionary**, pubblicare un dizionario nuovo **5** (*del tempo*) far aprire; far sbocciare (*piante, ecc.*) **6** (*market.*) lanciare; mettere sul mercato **7** (mettere a proprio agio e) far parlare (*una persona timida e silenziosa*); far uscire dal guscio: *She needs to be brought out*, ha bisogno di qualcuno che la faccia uscire dal suo guscio **8** (*GB*) far scendere in sciopero **9** (*di lavoratore all'estero*) chiamare, far venire (*la famiglia*); farsi raggiungere da **10** (*antiq.*) presentare ufficialmente in società (*una ragazza*) **11** – (*med.*) **to b. out in**, far venire (*un esantema*) a: *Strawberries b. me out in spots*, le fragole mi fanno venire l'orticaria.

■ **bring over** v. t. + avv. **1** portare (con sé): *B. over your wife next time*, la prossima volta, porta anche tua moglie; *I'll bring it over when it's ready*, glielo porto io quando è pronto **2** convincere (*al proprio punto di vista*); tirare dalla propria parte; guadagnare alla propria causa: *I'll try to b. him over to our side*, cercherò di convincerlo a passare dalla nostra parte **3** (*di lavoratore all'estero*) far venire, chiamare (*la famiglia*); farsi raggiungere da.

■ **bring round** v. t. + avv. **1** far rinvenire; far tornare in sé **2** convincere; persuadere: *I'm sure I can b. him round (to my point of view)*, sono sicuro che riuscirò a convincerlo **3** (*naut.*) far virare di bordo (*una nave*) **4** (= **to b. round to**) portare (*la conversazione, ecc.*) su (*un argomento*).

■ **bring through** Ⓐ v. t. + avv. far guarire; salvare Ⓑ v. t. + prep. far superare (*una difficoltà, un pericolo, ecc.*) a: *Can the government b. us through this crisis?*, è in grado il governo di farci superare questa crisi?

■ **bring to** v. t. + avv. **1** far rinvenire; far riprendere i sensi a **2** (*naut.*) mettere in panna (*una nave*); costringere (*una nave*) a mettere in panna.

■ **bring together** v. t. + avv. riunire; riavvicinare; riconciliare.

■ **bring up** Ⓐ v. t. + avv. **1** far salire (*prezzi, ecc.*); far crescere; far lievitare **2** allevare; crescere; educare; tirar su (*fam.*): *My grandmother brought up eight children*, mia nonna ha cresciuto otto figli; **to be brought up as a Catholic**, ricevere un'educazione cattolica; *I've been brought up to believe in tolerance*, mi hanno insegnato a credere nella tolleranza; **well brought up**, bene educato **3** sollevare (*un argomento, ecc.*); proporre; mettere sul tappeto; men-

zionare; tirare in ballo: *I'll b. this the matter up at the next meeting*, solleverò la questione alla prossima riunione; *There's no need to b. this story up now*, non è il caso di tirare in ballo questa faccenda **4** (*fam.*) vomitare; rimettere; tirar su **5** (*leg.*) portare in tribunale; portare davanti al giudice **6** (*mil.*) mettere in campo (*truppe*); impiegare **7** (*naut.*) arrestare (*una nave, affondando l'ancora o andando in secco*) Ⓑ v. i. + avv. (*naut.*: *di nave*) fermarsi (*all'ancora o dando in secco*) □ **to b. sb. up against st.**, costringere q. ad affrontare qc. □ **to b. st. up against sb.**, portare, produrre qc. (*prove e sim.*) contro q. □ (*leg.*) **to b. sb. up before the court**, portare q. in tribunale; citare q. □ **to b. up the rear**, (*mil.*) essere (o stare) alla retroguardia; (*fig.*) venire per ultimo, chiudere la fila; (*in una corsa*) essere in coda, chiudere la corsa □ **to b. sb. up short**, arrestare q.; bloccare di colpo q.: *I was brought up short by a sudden cry*, fui arrestato da un grido improvviso □ **to b. up to standard** (o **to scratch**, **to the mark**), portare a un livello accettabile □ **to b. up to date**, aggiornare.

bring-and-buy /'brɪŋən'baɪ/ n. (= **bring and buy sale**) vendita di beneficenza.

bring-down /'brɪŋdaʊn/ n. (*fam.*) **1** cosa deludente; delusione; cosa che smonta **2** persona col muso lungo; faccia da funerale.

brink /brɪŋk/ n. **1** orlo, ciglio, bordo, margine (*di precipizio, ecc., o di fiume, ecc.*) **2** (*fig.*) orlo; punto (estremo): **on the b. of st.**, sull'orlo di; **to be on the b. of doing st.**, essere sul punto di fare qc.

brinkmanship /'brɪŋkmənʃɪp/ n. Ⓤ **1** politica del rischio calcolato **2** rischio calcolato.

briny /'braɪnɪ/ Ⓐ a. salato; salso; salmastro Ⓑ n. (*poet.*) mare.

brioche /'briːɒʃ, *USA* briˈoʊʃ/ (*franc.*) n. brioche.

briquette /brɪˈkɛt/, **briquet** /brɪˈkɛt/ n. bricchetta; mattonella.

brisk /brɪsk/ a. **1** attivo; vivace, energico; alacre, spedito; spiccio: **a b. walk**, una camminata a passo spedito; **a b. walker**, un buon camminatore; **b. manners**, modi energici; modi spicci, **at a b. pace**, a ritmo veloce; a passo svelto (o spedito); di buon passo **2** (*Borsa, econ., fin.*) animato; attivo; dinamico, intenso; vivace; forte: **b. market**, mercato dinamico; **b. trading**, contrattazioni vivaci; **b. demand**, forte domanda; **to do a b. business**, fare ottimi affari; andare bene **3** (*dell'aria, ecc.*) frizzante; pungente **briskly** avv. alacremente; speditamente; energicamente ‖ **briskness** n. Ⓤ **1** attività; vivacità; energia **2** (*Borsa, econ., fin.*) animazione; vivacità.

brisket /'brɪskɪt/ n. (*cucina*) punta di petto.

bristle /'brɪsl/ n. **1** pelo ispido; setola; (al pl., anche) barba corta e ispida **2** Ⓤ setola, setole (*di spazzolino, ecc.*).

to **bristle** /'brɪsl/ v. i. **1** (*di capelli*) rizzarsi; (*di pelo*) drizzarsi, arruffarsi **2** (*di animale*) rizzare il pelo **3** (*fig., di persona*) reagire con irritazione; impermalirsi; inalberarsi; arrabbiarsi; **to b. with indignation**, reagire con indignazione; indignarsi **4** – **to b. with**, essere irto di; essere pieno di; pullulare di; brulicare di: *The field bristled with thistle*, il campo era irto di cardi; *His speech bristles with quotations*, il suo discorso è pieno di citazioni ‖ **bristling** a. **1** ispido; irsuto: **a bristling beard**, una barba ispida **2** (*fig.*) energico; vivace; aggressivo.

bristly /'brɪslɪ/ a. **1** setoloso **2** ispido, irsuto **3** (*fig.*) intrattabile.

Bristol /'brɪstl/ n. (*geogr.*) Bristol ● **B. board**, cartoncino bristol □ (*fam.*) (**shipshape and**) **B. fashion**, in perfetto ordine.

bristols /'brɪstlz/ n. pl. (*slang GB*) poppe,

tette.

Brit /brɪt/ a. e n. (*fam.*) britannico.

Britain /'brɪtn/ n. **1** (= **Great B.**) la Gran Bretagna; il Regno Unito **2** (*stor.*) Britannia ● (*stor.*) **the Battle of B.**, la Battaglia d'Inghilterra ❶ CULTURA • **Britain**: *viene usato correntemente come sinonimo di →* «**United Kingdom**» (*Regno Unito*, → **united**). = **Great Britain** → **great**.

Britannia /brɪˈtænɪə/ n. **1** (*stor.*) Britannia **2** Britannia (*figura femminile che personifica la Gran Bretagna*).

Britannic /brɪˈtænɪk/ a. (*antiq.*) britannico: **Her** (o **His**) **B. Majesty**, Sua Maestà Britannica.

britches /'brɪtʃɪz/ (*USA*) → **breeches**.

Briticism /'brɪtɪsɪzəm/ n. Ⓤ anglicismo; anglismo.

British /'brɪtɪʃ/ Ⓐ a. britannico; inglese (*fam.*): **the B. Empire**, l'Impero britannico; **B.-born**, nato nel Regno Unito; britannico di nascita Ⓑ n. pl. – **the B.**, i cittadini britannici; il popolo (sing.) britannico; gli inglesi (*fam.*). ● **the B. Academy**, l'Accademia britannica (*ente culturale per la promozione degli studi letterari e umanistici*) □ (*trasp.*) **B. Airways**, linee aeree britanniche □ (*geogr.*) **B. Columbia**, la Columbia Britannica □ **the B. disease**, l'eccessivo ricorso allo sciopero (*spec. negli anni '60 e '70*) □ (*ling.*) **B. English**, l'inglese parlato nel Regno Unito; l'inglese britannico □ (*geogr.*) **the B. Isles**, le Isole Britanniche (*Gran Bretagna, Irlanda, le Isole Scilly, l'Isola di Wight, l'Isola di Man e le altre isole minori dell'arcipelago*; cfr. **Great Britain**) □ (*in GB*) **B. Summer Time** (abbr. **BST**), l'ora estiva □ (*in GB*) **the B. Tourist Authority**, l'Ente britannico per il turismo □ (*fam.*) **The best of B.** (**luck**)!, buona fortuna! ‖ **Britisher** n. (*fam. USA*) cittadino britannico; inglese ‖ **Britishism** n. Ⓤ anglicismo; anglismo ‖ **Britishness** n. Ⓤ britannicità.

Briton /'brɪtn/ n. **1** suddito britannico; inglese (*fam.*) **2** (*stor.*) britanno.

Britpop /'brɪtpɒp/ n. Ⓤ (*mus.*) pop inglese; Britpop.

Brittany /'brɪtənɪ/ n. (*geogr.*) Bretagna.

brittle /'brɪtl/ a. **1** fragile; friabile **2** (*di situazione, ecc*) fragile **3** (*di risata, ecc.*) nervoso; teso **4** (*di persona, comportamento*) freddo e in apparenza disinvolto (*ma con un sottofondo di nervosismo*) ● (*med.*) **b. bone disease**, decalcificazione; osteoporosi.

Brittonic /brɪˈtɒnɪk/ a. → **Brythonic**.

bro /brəʊ/ n. (*fam, abbr. di* **brother**) **1** fratello **2** (come vocat.) fratello; amico.

Bro. /brəʊ/ abbr. (*relig.*) fratello; fra'.

broach /brəʊtʃ/ n. **1** (*archit.*) guglia **2** (*mecc.*) broccia; spina **3** scalpello (*da muratore*) **4** spina (*per botti*) **5** spilla; spillone.

to **broach** /brəʊtʃ/ Ⓐ v. t. **1** provvedere (*una botte*) di spina **2** spillare (*una botte, o vino, ecc. da una botte*) **3** affrontare, toccare (*un argomento*) **4** (*mecc.*) brocciare Ⓑ v. t. e i. (*naut.*: *di solito* **to b. to**) straorzare (*una nave*).

♦**broad** /brɔːd/ Ⓐ a. **1** largo; ampio; esteso; spazioso: **b. back**, schiena ampia; spalle larghe; **b.-backed**, dalle spalle larghe; **b. hips**, fianchi larghi; (*ferr.*) **b. gauge**, scartamento largo; **a b. smile**, un ampio sorriso; **a b. valley**, una valle larga; un'ampia valle; **a mile b.**, largo un miglio **2** vasto; ampio: **a b. range of topics**, una vasta gamma di argomenti **3** aperto; tollerante: **a b. mind**, una mente aperta; **a b. view**, un punto di vista tollerante **4** generale; generico: **a b. rule**, una regola generale; **a b. statement**, una dichiarazione generale; **in a b. sense**, in senso lato; **in b. outline**, in linee generali **5** chiaro; evidente; scoperto; esplicito: **a b. hint**, un accenno scoperto; un'allusione esplicita **6** (*di accento regionale*) marcato,

spiccato: **a b. Southern accent**, un marcato accento del Sud; **to speak b. Scots**, parlare in dialetto scozzese **7** scollacciato; spinto; grasso: **b. humour**, umorismo spinto **8** (*fon.*) aperto 🅱 n. **1** (il) largo; parte larga (di qc.). **2** (*slang USA*) donna ● (*in GB, stor.*) **b. arrow**, freccia dalla punta larga (*marchio sui beni di proprietà dello Stato*) □ **b.-based**, a larga base: **a b.-based government**, un governo a larga base; (*fin., Borsa*) **b.-based index**, indice di Borsa (*rappresentativo dell'intero mercato*) □ (*bot.*) **b. bean** (*Vicia faba*), fava □ **b.-brim**, cappello a larga tesa □ **b.-brush**, generale; generalizzato; a grandi linee □ (*relig., in GB*) **B. Church**, Chiesa latitudinaria □ (*GB*) **b. church**, gruppo, partito, ecc., che accoglie molte correnti □ **b. in the beam**, (*naut., di nave*) larga al baglio; (*di donna*) dai fianchi larghi □ (*sport USA*) **b. jump**, salto in lungo (*specialità*) □ **b.-leaved** → **broadleaf** (*polit.*) **b. left**, coalizione di sinistra □ **b.-minded** → **broadminded** □ (*naut.*) **b. reach**, gran lasco □ **b.-spectrum** (agg.), ad ampio spettro □ (*edil.*) **b. tool**, scalpello a punta larga □ **in b. daylight**, in pieno giorno □ **with a b. brush**, a grandi linee; in termini generali □ (*fam.*) **It's as b. as it is long**, fa lo stesso; è la stessa cosa | **-ness** n. 🆄.

broadband /'brɔːdbænd/ (*tecn.*) 🅰 n. banda larga 🅱 a. a banda larga.

♦**broadcast** /'brɔːdkɑːst/ 🅰 n. 🆄 **1** (*radio, TV*) tramissione in: **live b.**, trasmissione in diretta; **news b.**, notiziario; giornale radio; telegiornale **2** (*agric.*) semina a spaglio 🅱 a. **1** radiodiffuso; teletrasmesso **2** radiofonico; televisivo; radiotelevisivo 🅲 avv. (*agric.*) a spaglio.

to **broadcast** /'brɔːdkɑːst/ (pass. e p. p. **broadcast, broadcasted**), v. t. **1** diffondere, spargere (*una notizia*): **to b. st. to the world**, dire qc. ai quattro venti **2** (*radio, TV*) trasmettere; radiodiffondere; teletrasmettere **3** (*agric.*) seminare a spaglio, spargere (*seme, ecc.*) con la mano.

broadcaster /'brɔːdkɑːstə(r)/ n. **1** (*radio, TV*) giornalista, conduttore o commentatore radiofonico o televisivo; personalità radiofonica o televisiva **2** (*radio, TV*) emittente (radiofonica o televisiva) **3** (*agric.*) distributore a spaglio.

♦**broadcasting** /'brɔːdkɑːstɪŋ/ n. 🆄 **1** (*radio, TV*) diffusione; trasmissione: **radio b.**, radiodiffusione; **satellite b.**, diffusione via satellite (*radio, TV*) emittenza radiotelevisiva; la radio e la televisione; programmi (pl.) radiotelevisivi: **the future of b.**, il futuro della radio e della televisione; **commercial b.**, i programmi commerciali; le emittenti commerciali; **b. manager**, il direttore dei programmi; **b. station**, stazione radiotrasmittente (*o* teletrasmittente); emittente; **b. studio**, auditorio radiofonico (*o* televisivo); sala di trasmissione **3** (*agric.*) semina a spaglio.

broadcloth /'brɔːdklɒθ/ n. (tessuto) pettinato a doppia altezza.

to **broaden** /'brɔːdn/ v. t. e i. (*spesso* **to b. out**) ampliare, ampliarsi; allargare, allargarsi.

broadleaf /'brɔːdliːf/ a. e n. (*bot.*) latifoglia.

broadleaved /brɔːd'liːvd/ a. → **broadleaf**

broadloom /'brɔːdluːm/ 🅰 n. tappeto tessuto in un sol pezzo 🅱 a. tessuto in un sol pezzo.

broadly /'brɔːdlɪ/ avv. **1** ampiamente; largamente **2** in generale; in linea di massima: **b. speaking**, parlando in generale.

broadminded /brɔːd'maɪndɪd/ a. di mente aperta; di larghe vedute; liberale; tollerante || **broadmindedness** n. 🆄 larghez-

za di vedute; liberalità; tolleranza.

broadsheet /'brɔːdʃiːt/ n. **1** pieghevole; opuscolo; volantino **2** (*di giornale*) formato normale **3** (*fam. USA*) giornale autorevole e assai diffuso.

broadside /'brɔːdsaɪd/ 🅰 n. **1** (*naut.*) bordata: **to fire a b.**, sparare una bordata **2** (*fig.*) attacco violento; bordata; invettiva **3** volantino 🅱 avv. (*GB*) (*USA*, **broadside on**) **1** (*naut.*) con la fiancata rivolta verso **2** di fianco; sul fianco; sulla fiancata; di traverso: *The bus hit the car b. (on)*, l'autobus urtò la fiancata dell'auto.

to **broadside** /'brɔːdsaɪd/ v. t. (*USA*) colpire sul fianco (*un veicolo, ecc.*).

broadsword /'brɔːdsɔːd/ n. spadone.

broadtail /'brɔːdteɪl/ n. (*zool.*) breitschwanz.

brocade /brə'keɪd/ n. 🆄 (*ind. tess.*) broccato.

to **brocade** /brə'keɪd/ v. t. ornare (*una stoffa*) con disegni in rilievo; broccare.

brocatelle /brɒkə'tɛl/ n. 🆄 (*ind. tess.*) broccatello.

broccoli /'brɒkəlɪ/ n. 🆄 (*bot., cucina*) broccolo.

brochure /'brəʊʃə(r), *USA* brəʊ'ʃʊə(r)/ n. fascicolo; opuscolo; pieghevole.

brochureware /brəʊ'ʃʊəwɛə(r)/ n. 🆄 (*comput.*) brochureware (*materiale informativo in rete basato su documentazione cartacea preesistente*).

brock /brɒk/ n. (*zool., Meles, GB*) tasso.

brocket /'brɒkɪt/ n. (*zool.*) **1** cervo di due anni **2** (*Mazama*) mazama.

broderie anglais /brəʊdərɪ ɑːŋ'gleɪz/ loc. n. 🆄 sangallo.

brogue ① /brəʊg/ n. robusta scarpa sportiva.

brogue ② /brəʊg/ n. forte accento regionale (*spec. irlandese o scozzese*).

broil /brɔɪl/ n. (*lett.*) lite; rissa; tumulto.

to **broil** /brɔɪl/ 🅰 v. t. **1** (*USA*) cuocere a fuoco vivo; cuocere alla griglia; grigliare **2** esporre a calore intenso (*del sole, ecc.*); arrostire 🅱 v. i. essere esposto a calore intenso; arrostire (*fig.*).

broiler /'brɔɪlə(r)/ n. **1** (= **b. chicken**) pollo da fare alla griglia **2** (*fam.*) giornata torrida **3** (*cucina, USA*) griglia; graticola ● **b. house**, allevamento in batteria di polli (*da fare alla griglia*).

broiling /'brɔɪlɪŋ/ a. caldissimo; arroventato; bollente; torrido.

broke /brəʊk/ 🅰 pass. di **to break** 🅱 a. (*fam.*) senza soldi; in bolletta; spiantato; rovinato; fallito: *I'm b.*, non ho un soldo; sono in bolletta; **to go b.**, andare in rovina; fallire ● (*fam.*) **to go for b.**, rischiare il tutto per tutto.

♦**broken** /'brəʊkən/ 🅰 p. p. di **to break** 🅱 a. **1** rotto; spezzato; infranto; in pezzi: **a b. chair**, una sedia rotta; **a b. leg**, una gamba rotta; **b. bones**, ossa spezzate; *Is his ankle b.?*, la caviglia è rotta?; si è rotto la caviglia?; **b. glass**, vetri infranti; frammenti di vetro **2** non funzionante; rotto; guasto: **a b. clock**, un orologio rotto; **a b. radio**, una radio guasta **3** infranto; violato; non mantenuto: **b. pact**, patto infranto; **b. promise**, promessa non mantenuta **4** (*di relazione*) rotto; finito; fallito: **a b. engagement**, un fidanzamento rotto; **a b. marriage**, un matrimonio finito **5** interrotto; discontinuo; a tratti: **b. line**, linea tratteggiata; (*autom.*) riga discontinua; **b. clouds**, nuvolosità (sing.) irregolare; **a b. journey**, un viaggio interrotto più volte; **b. sleep**, sonno disturbato (*o* agitato) **6** accidentato; sconnesso; irregolare: **b. ground**, terreno accidentato **7** abbattuto; distrutto; spezzato: **a b. man**, un uomo distrutto; **b. spirit**, spirito spezzato; **a b.**

heart, un cuore spezzato (*o* infranto); **b.-hearted**, dal cuore spezzato **8** stentato; approssimativo: *He answered in b. French*, rispose in un francese stentato **9** (*di cavallo*) domato ● **b.-backed**, con la schiena rotta □ (*mus.*) **b. chord**, accordo arpeggiato □ **b.-down**, (*di edificio, ecc.*) malridotto, malandato, fatiscente; (*di macchina, ecc.*) guasto, inservibile; (*di cavallo*) sfiancato □ (*fam.*) **b. English**, inglese stentato, maccheronico □ **b. health**, salute malferma □ **b. home**, famiglia con genitori separati o divorziati: *He comes from a b. home*, è figlio di genitori divorziati □ (*mat.*) **b. numbers**, numeri fratti; frazioni □ **b. reed**, persona debole e inaffidabile □ (*ind. costr.*) **b. stone**, pietrisco □ (*naut.*) **b. water**, mare increspato; maretta □ (*vet.*) **b. wind**, bolsaggine □ (*di cavallo*) **b.-winded**, bolso || **brokenly** avv. **1** a scatti; in modo irregolare; spasmodicamente; con interruzioni **2** con voce rotta || **brokeness** n. 🆄 **1** irregolarità; configurazione accidentata **2** spasmodicità; discontinuità.

♦**broker** /'brəʊkə(r)/ n. **1** intermediario; mediatore; sensale **2** (*ass.*) broker **3** (*Borsa, in USA*) commissionario di borsa; operatore in titoli **4** (*Borsa, stor., in GB*: = **stockbroker**) mediatore di borsa; agente di cambio **5** (*trasp., naut.*) broker marittimo ● (*Borsa*) **b. contract** (*o* **agreement**), contratto di borsa (*o* di commissione) □ (*Borsa*) **b.'s contract note**, fissato bollato; fissatino (*fam.*) □ (*Borsa, in GB*) **b.-dealer**, operatore (*o* mediatore) di borsa; commissionario, agente di cambio □ (*fin.*) **b.'s loan**, prestito (*concesso da una banca*) a un operatore di borsa □ (*trasp., naut.*) **b.'s order**, permesso di caricazione delle merci □ (*trasp., naut.*) **b.'s return**, distinta del broker.

brokerage /'brəʊkərɪdʒ/ n. 🆄 **1** mediazione; senseria (*il compenso*) **2** intermediazione **3** (*Borsa, fin.*) brokerage; brokeraggio ● **b. commission** (*o* **fee**), mediazione; senseria; commissione □ (*fin.*) **b. house**, casa di brokeraggio; società d'intermediazione mobiliare.

broking /'brəʊkɪŋ/ n. 🆄 (*GB*) attività di sensale; lavoro di mediatore (*o* di broker) ● (*fin.*) **b. house**, casa di brokeraggio; società d'intermediazione mobiliare □ (*fin.*) **b. operations**, operazioni di brokeraggio.

brolly /'brɒlɪ/ n. (*fam. GB*) ombrello.

bromic /'brəʊmɪk/ (*chim.*) a. bromico: **b. acid**, acido bromico || **bromate** n. bromato.

bromide /'brəʊmaɪd/ n. **1** (*chim., farm.*) bromuro **2** luogo comune; osservazione trita; banalità ● (*fotogr.*) **b. paper**, carta al bromuro.

to **brominate** /'brəʊmɪneɪt/ (*chim.*) v. t. bromurare || **bromination** n. 🆄 bromurazione.

bromine /'brəʊmiːn/ n. 🆄 (*chim.*) bromo.

bromoform /'brəʊməfɔːm/ n. 🆄 (*farm.*) bromoformio.

bronchi /'brɒŋkaɪ/ n. pl. → **bronchus**.

bronchial /'brɒŋkɪəl/ a. (*anat., med.*) dei bronchi; bronchiale; bronco-: **b. asthma**, asma bronchiale; **b. pneumonia**, broncopolmonite; **b. tube**, bronco.

bronchiole /'brɒŋkɪəʊl/ n. (*anat.*) bronchiolo.

bronchitis /brɒŋ'kaɪtɪs/ (*med.*) n. 🆄 bronchite || **bronchitic** a. e n. che ha (*o* che riguarda) la bronchite; bronchitico.

bronchoconstrictor /'brɒŋkəʊkənstrɪktə(r)/ n. (*farm.*) broncocostrittore.

bronchography /brɒŋ'kɒgrəfɪ/ n. 🆄 (*med.*) broncografia.

bronchopneumonia /brɒŋkəʊnjuːˈməʊnɪə/ n. 🆄 (*med.*) broncopolmonite.

bronchoscope /'brɒŋkəskəʊp/ (*med.*) n. broncoscopio || **bronchoscopy** n. 🆄 broncoscopia.

a b c d e f g h i j k l m n o p q r s t u v w x y z

b

bronchus /'brɒŋkəs/ n. (pl. **bronchi**) (anat.) bronco; bronco principale (o di primo ordine): **primary b.**, bronco principale.

bronco /'brɒŋkəʊ/ (spagn.) n. (pl. **broncos**) (USA) «bronco»; cavallo selvatico o semiselvatico.

broncobuster /'brɒŋkəʊbʌstə(r)/ n. (fam.) domatore di cavalli selvatici o semiselvaggi.

brontosaurus /brɒntə'sɔːrəs/ n. (paleont.) brontosauro.

Bronx cheer /'brɒŋks'tʃɪə(r)/ loc. n. (slang USA) pernacchia.

bronze /brɒnz/ **A** n. **1** bronzo **2** (oggetto di) bronzo **3** color bronzo **4** (= b. medal) medaglia di bronzo **B** a. **1** di bronzo; bronzeo **2** color bronzo; bronzeo ● the B. Age, l'età del bronzo.

to **bronze** /brɒnz/ v. t. **1** bronzare (metalli) **2** abbronzare ‖ **bronzed** a. **1** (metall.) bronzato **2** abbronzato ‖ **bronzer** n. **1** bronzatore **2** lozione o crema abbronzante; autoabbronzante ‖ **bronzing** n. ⓤ **1** (metall.) bronzatura **2** abbronzatura ‖ **bronzy** a. bronzeo.

brooch /brəʊtʃ/ n. spilla.

brood /bruːd/ n. **1** covata (di uccelli, ecc.): **a b. of chicks**, una covata di pulcini **2** (fam.) figliolanza; prole **3** (spesso spreg.) nidiata (di bimbi); branco, frotta (d'uomini o animali) ● **b. hen**, gallina covaticcia; chioccia □ **b. mare**, cavalla da riproduzione; fattrice.

to **brood** /bruːd/ v. t. **1** (di animale) covare **2** meditare (tristemente); rimuginare: to **b. on** (o **over**) st., meditare su qc. **3** incombere; sovrastare minacciosamente ‖ **brooder** n. **1** animale che cova **2** persona meditabonda; persona che rimugina **3** incubatrice (per pulcini o maialini) ‖ **brooding** **A** n. ⓤ **1** covatura; cova **2** meditazione, meditazioni **B** a. attr. **1** che cova **2** meditabondo; tristemente assorto; che rimugina **3** che incombe minaccioso; cupo.

broody /'bruːdɪ/ a. **1** (di uccello) che vuole covare; pronto a covare; covaticcio: **b. hen**, gallina covaticcia; chioccia **2** (di persona) immerso in tristi pensieri; meditabondo; silenzioso e assorto; che rimugina **3** (fam., di donna) che ha voglia di avere un figlio ‖ **broodiness** n. ⓤ **1** (di animale) disposizione alla cova **2** (di persona) atteggiamento meditabondo; malinconia.

brook /brʊk/ n. **1** ruscello; torrente **2** (equit.) fossato ‖ **brooklet** n. ruscelletto; torrentello.

to **brook** /brʊk/ v. t. (di solito in frasi neg.) sopportare; tollerare: I cannot b. his insolence, non posso sopportare la sua insolenza.

broom /bruːm/ n. **1** (bot., Genista; Cytisus) ginestra **2** scopa; granata ● (prov.) **A new b. sweeps clean**, scopa nuova scopa bene.

to **broom** /bruːm/ v. t. spazzare; scopare.

broomball /'bruːmbɔːl/ (sport) n. ⓤ broomball (tipo di hockey giocato con scopino e scarpe antiscivolo).

broomcorn /'bruːmkɔːn/ n. ⓤ (bot., Sorghum vulgare) saggina; sorgo.

broomrape /'bruːmreɪp/ n. (bot., Orobanche) succiamele; lupa.

broomstick /'bruːmstɪk/ n. manico di scopa.

Bros. /brɒs/ abbr. (comm., **brothers**) fratelli (F.lli).

broth /brɒθ/ n. **1** ⓤ brodo (di carne) **2** (biol.) brodo (di coltura).

brothel /'brɒθl/ n. bordello; postribolo; casino ● **b.-keeper**, tenutaria di bordello.

♦**brother** /'brʌðə(r)/ n. **1** fratello: **big b.**, fratello maggiore; **little b.**, fratello minore; fratellino **2** compagno; collega **3** (relig.: pl. spesso **brethren**) fratello; confratello **4** (slang USA) amico; fratello **5** (slang dei neri, USA) fratello; fratello nero **6** (di oggetto) simile; parente stretto **7** (come escl.) accidenti! ● **b. german** (pl. **brothers german**), fratello germano (o carnale) □ **b.-in-arms**, compagno d'armi; commilitone □ **b.-in-law** (pl. **brothers-in-law**), cognato ‖ **brotherhood** n. **1** ⓤ fratellanza; cameratismo **2** (relig.) confraternita **3** (rif. a professione) ordine; categoria; associazione **4** (USA) sindacato ‖ **brotherliness** n. ⓤ fraternità; sentimenti (pl.) fraterni; fratellanza ‖ **brotherly** **A** a. fraterno: **brotherly love**, amore fraterno **B** avv. fraternamente.

brougham /'bruːəm/ n. **1** (nell'Ottocento) brum; carrozza chiusa a quattro ruote, per due passeggeri **2** automobile con guida esterna; limousine (franc.).

brought /brɔːt/ pass. e p. p. di **to bring**.

brouhaha /'bruːhɑːhɑː/ n. ⓤ (fam. antiq. o form.) confusione; trambusto.

brow /braʊ/ n. **1** sopracciglio; (per estens.) fronte: **a troubled b.**, una fronte rabbuiata **2** (fig.) ciglio; orlo; cima (di un colle) **3** (naut.) passerella da sbarco ● **to knit** (o **to bend, to pucker) one's brows**, aggrottare le ciglia ‖ **browed** a. (nei composti) dalle sopracciglia: **heavy-browed**, che ha sopracciglia folte.

browband /'braʊbænd/ n. (equit.) frontale (dei finimenti).

to **browbeat** /'braʊbiːt/ (pass. **browbeat**, p. p. **browbeaten**), v. t. intimidire; intimorire; minacciare: to **b. sb. into doing st.**, costringere q. a fare qc. con minacce (o prepotenze); **to be browbeaten into silence**, essere ridotto al silenzio.

♦**brown** /braʊn/ **A** a. **1** (color) marrone; bruno; castano scuro: **a b. hat**, un cappello marrone; **b. eyes**, occhi marroni (o castani); **b. hair**, capelli castano scuri; **b.-haired**, dai capelli castani **2** (di pelle, carnagione) scuro; abbronzato: **to get b.**, abbronzarsi; **b.-skinned**, scuro di pelle; di pelle scura **B** n. **1** ⓤ marrone; bruno; castano scuro **2** ⓤ abiti color marrone; marrone: **dressed in b.**, vestito di marrone **3** (biliardo) bilia marrone ● (GB) **b. ale**, birra scura □ (bot.) **b. algae** (pl.), alghe brune □ (as) **b. as a berry**, abbronzatissimo □ **b. bag**, sacchetto di carta (marrone); (USA) sacchetto della colazione □ (zool.) **b. bear** (Ursus arctos), orso bruno □ (sport) **b. belt**, cintura marrone (di judo o karate) □ **b. bread**, pane integrale; pane nero □ **b. coal**, lignite □ (astron.) **b. dwarf**, stella nana marrone □ **b. envelope**, busta di carta marroncina; (per estens., GB) lettera ufficiale (mandata da un ufficio pubblico) □ (comm.) **b. goods**, televisori, stereo, computer, ecc. (di contro agli elettrodomestici per la casa) □ **b. paper**, carta da imballaggio, carta da pacchi **2** (volg. USA) **b.-nose** → **brown-noser** □ **b.-out** → **brownout** □ (zool.) **b. owl**, allocco; gufo selvatico (scoutismo) B. **Owl**, capo branco (delle lupette) □ **b. rice**, riso integrale; riso non brillato □ (agric.) **b. rot**, muffa delle piante □ (stor.) **B. Shirt**, camicia bruna; nazista □ **b. sugar**, zucchero greggio; zucchero scuro; (slang USA) eroina □ (zool.) **b. trout**, trota salmonata □ **in a b. study**, assorto nei propri pensieri; meditabondo.

to **brown** /braʊn/ **A** v. t. **1** (cucina) rosolare **2** abbronzare **B** v. i. **1** (cucina) rosolarsi **2** abbronzarsi.

■ **brown off** v. t. + avv. (fam., GB) irritare; scocciare; stufare □ **browned off**, irritato; scocciato; stufo.

to **brown-bag** /'braʊnbæg/ v. i. **1** portarsi il pranzo sul lavoro (in un sacchetto di carta) **2** portarsi le bevande alcoliche al ristorante.

brownfield site /'braʊnfiːldsaɪt/ loc. n. terreno urbano o industriale abbandonato (destinato a bonifica e ricostruzione).

brownie /'braʊnɪ/ n. **1** fata buona; folletto benigno **2** – B. (= B. Guide), giovane guida; coccinella; ragazza della sezione giovanile (8-11 anni) delle **Girl Guides** (giovani esploratrici) **3** (USA) dolce di cioccolato con nocciole **4** (slang USA) bicchierino di whisky ● (fam. scherz.) **B. point**, nota di merito; approvazione; elogio.

brownish /'braʊnɪʃ/ a. tendente al marrone; brunastro.

brownness /'braʊnnəs/ n. ⓤ color bruno (o marrone).

to **brown-nose** /'braʊnnəʊz/ v. t. (volg. USA) leccare i piedi (o il culo) a (q.) ‖ **brown-noser** n. leccapiedi; leccaculo (volg.) ‖ **brown-nosing** n. ⓤ leccapiedismo; leccaculismo (volg.).

brownout /'braʊnaʊt/ n. (USA) oscuramento parziale o calo di elettricità (dovuto a sovraccarico).

brownstone /'braʊnstəʊn/ n. (USA) **1** ⓤ (edil.) arenaria di color bruno rossastro **2** (elegante) casa di arenaria.

browse /braʊz/ n. **1** occhiata in giro (in un negozio, ecc.): Can I have a b.?, posso dare un'occhiata in giro?; posso curiosare? **2** lettura veloce; scorsa; sfogliata: to have a b. through st., dare un'occhiata (o una scorsa) a qc.; sfogliare qc.; Leave it with me, I'll have a b. later, lascialo a me, ci darò un'occhiata più tardi **3** ⓤ ramoscelli, foglie e germogli (brucati dagli animali).

to **browse** /braʊz/ v. t. e i. **1** dare un'occhiata in giro (in un negozio, ecc.); gironzolare; curiosare: to **b. around a store**, gironzolare in un negozio; I'm just browsing, do solo un'occhiata **2** sfogliare leggendo qua e là; dare una scorsa: to **b. through some books**, curiosare tra (o sfogliare) alcuni libri **3** brucare **4** (comput.) navigare (in Internet) ‖ **browser** n. **1** chi curiosa (in un negozio, fra libri, ecc.) **2** animale da pascolo **3** (comput.) browser; programma di navigazione (in Internet) ‖ **browsing** n. ⓤ **1** il curiosare (in un negozio); giretto per curiosità; occhiata **2** sfogliata; scorsa **3** il brucare; brucatura **4** (comput.) navigazione (in Internet).

brucellosis /bruːsə'ləʊsɪs/ n. ⓤ (med., vet.) brucellosi.

brucite /'bruːsaɪt/ n. ⓤ (miner.) brucite.

bruin /'bruːɪn/ n. (fam.) orso bruno (nelle fiabe).

bruise /bruːz/ n. **1** livido; ecchimosi; contusione; ammaccatura **2** (su frutta) ammaccatura.

to **bruise** /bruːz/ **A** v. t. **1** farsi un livido su; prodursi un'ecchimosi (o una contusione) su; ammaccarsi: to **b. one's leg**, farsi un livido su una gamba **2** ammaccare (frutta) **3** (fig.) ferire; offendere **4** pestare; sminuzzare; frantumare **B** v. i. **1** farsi dei lividi; coprirsi di lividi: My skin bruises easily, sono facile ai lividi **2** (di frutta) ammaccarsi ‖ **bruised** a. **1** contuso; ammaccato; con lividi: **badly bruised**, coperto di lividi; tutto un livido **2** (di frutta) ammaccato; tocco **3** ferito; offeso; ammaccato: **bruised pride**, orgoglio ferito **4** sminuzzato; frantumato ‖ **bruiser** n. (fam.) **1** uomo aggressivo; attaccabrighe **2** uomo grande e grosso; omaccione **3** pugile professionista ‖ **bruising** **A** a. **1** che provoca lividi o contusioni **2** (di incontro, partita, ecc.) violento; senza esclusione di colpi **3** (di sconfitta, ecc.) cocente **B** n. ⓤ contusioni (pl.); lividi (pl.); ammaccature (pl.).

bruit /bruːt/ n. **1** (poet.) rumore; diceria; voce **2** (med.) rumore anormale; soffio.

to **bruit** /bruːt/ v. t. (lett.) diffondere (una voce, una notizia) ● to **b. about**, propalare.

Brum /brʌm/ n. ⓤ (geogr., fam.) Birmingham.

Brummie /'brʌmɪ/ n. (fam.) abitante (o

nativo) di Birmingham.

brunch /brʌntʃ/ n. 🔊 brunch; pasto unico a metà mattina (*che fa da prima e seconda colazione*).

brunette /bruːˈnɛt/ n. e **a.** (donna) bruna; brunetta.

Brunhild /ˈbruːnhɪld/ n. Brunilde.

brunt /brʌnt/ n. 🔊 impatto; urto; peso maggiore: **to bear** (*o* **to take**) **the b. of**, sostenere l'urto (*o* l'impatto) di; sopportare il peggio di; essere il più colpito da; subire le conseguenze più pesanti di; *The b. of the attack was born by the first division*, la prima divisione subì l'urto dell'attacco; *Education will take the b. of the cuts*, sarà la scuola a soffrire di più per i tagli; i tagli maggiori toccheranno alla scuola.

◆**brush** ① /brʌʃ/ n. **1** spazzola; spazzolino: **soft b.**, spazzola morbida; **wire b.**, spazzola metallica **2** (*anche pitt.*) pennello: **shaving b.**, pennello da barba; **b. stroke**, tratto (*o* colpo) di pennello; (*anche fig.*) pennellata **3** ▯ spazzolata: *She gave her hair a good b.*, si diede una buona spazzolata ai capelli **4** lieve tocco (*sfiorando*); sfioramento: *I felt the b. of her lips*, mi sentii sfiorare dalle sue labbra **5** incontro (*spiacevole*); breve scontro; scaramuccia: **to have a b. with death**, sfiorare la morte; vedere la morte da vicino; **to have a b. with the law**, avere a che fare (*o* avere problemi) con la giustizia **6** (*USA*) → **brush-off 7** (*autom., elettr.*) spazzola: **b. holder**, portaspazzole; portacarboni **8** (*al pl.*) (*mus.*) spazzole **9** coda (*di volpe*) (*equit.*) **b. and rails**, siepe con barriera ▯ (*elettr.*) **b. discharge**, scarica a fiocco; scintillio.

brush ② /brʌʃ/ n. ▯ **1** (*USA*) boscaglia; sottobosco **2** (*USA*) sterpi (pl.); sterpaglia **3** (*Austral.*) foresta pluviale.

to **brush** /brʌʃ/ **A** v. t. **1** spazzolare; pulire con una spazzola (*o* uno spazzolino): **to b. one's hair**, spazzolarsi i capelli; **to b. one's teeth**, pulirsi i denti (con lo spazzolino): **to b. mud off one's shoes**, togliere il fango dalle scarpe con una spazzola **2** sfiorare; toccare lievemente (passando) **3** (*cucina*) spennellare: **to b. with oil**, spennellare d'olio **B** v. i. passare sfiorando: **to b. against st.**, passare vicino a qc. sfiorandolo; sfiorare qc. nel passare; **to b. past** (*o* **by**) **st.**, passare in fretta accanto a qc.

▪ **brush aside** v. t. + avv. **1** scostare (*o* allontanare) con un gesto della mano; spingere da parte; scacciare **2** mettere da parte; respingere; ignorare; accantonare; lasciar cadere: **to b. aside all objections**, ignorare tutte le obiezioni.

▪ **brush away** v. t. + avv. togliere (*o* allontanare) con un gesto della mano; scacciare; spazzare via: **to b. away the crumbs**, spazzar via le briciole; **to b. away the flies**, scacciare le mosche; **to b. away one's tears**, asciugarsi le lacrime.

▪ **brush down** v. t. + avv. **1** spazzolare (*dall'alto in basso*): **to b. oneself down**, spazzolarsi **2** (*fam.*) sgridare; dare una ripassata a.

▪ **brush off** **A** v. t. + avv. **1** togliere con una spazzolata **2** cacciar via con un gesto della mano **3** rifiutarsi di dare ascolto a; ignorare; snobbare; respingere: *I wanted to speak to her, but she brushed me off*, volevo parlare con lei, ma mi ignorò; *The minister brushed off my question*, il ministro ignorò la mia domanda **B** v. i. + avv. (*di macchia, ecc.*) andarsene (*o* scomparire) con una spazzolata.

▪ **brush up** v. t. + avv. (*anche* **to brush up on**) dare una ripassata (*o* una rinfrescata) a: *I must b. up (on) my English*, devo dare una ripassata al mio inglese.

brushed /brʌʃt/ **a. 1** (*ind. tess.*) felpato; morbido: **b. wool**, lana morbida **2** (*metall.*)

opacizzato.

brush-off /ˈbrʌʃɒf/ n. (*fam.*) secco rifiuto; snobbata: **to get the brush-off**, ricevere un secco rifiuto; essere snobbato; essere scaricato; **to give sb. the brush-off**, ignorare q.; snobbare q.; scaricare q.

brush-up /ˈbrʌʃʌp/ n. (*GB*) **1** rassettata (*ai vestiti, ecc.*); rinfrescata: **to give oneself a brush-up**, darsi una rassettata; rassettarsi **2** (*rif. a conoscenze*) rinfrescata; spolverata; ripassata: **a brush-up French course**, un corso per rinfrescare il proprio francese.

brushwood /ˈbrʌʃwʊd/ n. ▯ **1** rami (pl.) tagliati; sterpi (pl.); ramaglia **2** sottobosco; boscaglia.

brushwork /ˈbrʌʃwɜːk/ n. ▯ (*pitt.*) pennellata, pennellate; tocco: **soft b.**, pennellata morbida.

brushy /ˈbrʌʃɪ/ a. pieno di cespugli e arbusti; sterposo.

brusque /brʊsk/ a. brusco; aspro; rude | **-ly** avv. | **-ness** n. ▯.

brussels /ˈbrʌslz/ n. pl. (*fam.*) cavoletti di Bruxelles.

Brussels /ˈbrʌslz/ n. (*geogr.*) Bruxelles ● **B. sprouts** (*Brassica oleracea gemmifera*), cavoletti di Bruxelles.

brutal /ˈbruːtl/ a. **1** brutale; crudele: **a b. crime**, un delitto brutale **2** duro; violento; brutale: **the b. facts**, la dura realtà; **b. sincerity**, sincerità brutale | **-ly** avv.

Brutalism /ˈbruːtəlɪzəm/ n. ▯ (*arte*) brutalismo.

brutality /bruːˈtælɪtɪ/ n. brutalità: **police b.**, violenza della polizia; la polizia violenta.

to **brutalize** /ˈbruːtəlaɪz/ v. t. **1** abbrutire; rendere insensibile **2** brutalizzare; trattare brutalmente ‖ **brutalization** n. ▯ **1** abbrutimento **2** brutale maltrattamento.

brute /bruːt/ **A** n. **1** (*di persona*) bruto; mostro; bestia **2** animale (grosso); bestia **3** omaccione; bestione **4** (*fam.*) cosa ingombrante; bestione **5** (*fam.*) cosa difficile; rogna; casino (*pop.*) **B** a. **1** bruto; animalesco; animale **2** bruto: **b. force** [**matter**], forza [materia] bruta **3** grezzo; bruto: **b. facts**, i fatti bruti.

brutish /ˈbruːtɪʃ/ a. **1** brutale; bestiale; da bruto; disumano; inumano **2** ignorante; grossolano; rozzo; stupido ‖ **brutishly** avv. da bruto; bestialmente; rozzamente ‖ **brutishness** n. ▯ brutalità; bestialità.

Brutus /ˈbruːtəs/ n. (*stor.*) Bruto.

bruxism /ˈbrʌksɪzəm/ n. ▯ (*med.*) bruxismo.

bryology /braɪˈɒlədʒɪ/ n. ▯ (*bot.*) briologia.

bryony /ˈbraɪənɪ/ n. (*bot.*, *Bryonia alba*, *Bryonia dioica*) brionia; vite bianca; fescera; barbone.

bryophyte /ˈbraɪəfaɪt/ n. pl. (*bot.*) briofita.

Brythonic /brɪˈθɒnɪk/ (*ling.*) **A** a. brittonico; britannico **B** n. ▯ gruppo brittonico (*gallese, cornico e bretone*).

bs sigla **1** (*comm.*, **balance sheet**) bilancio **2** (*comm.*, **bill of sale**) nota di vendita.

b.s. /biːˈɛs/ n. (acronimo *eufem. per* **bullshit**) balle; sciocchezze; fesserie ● **b.s. artist**, raccontaballe,; ballista.

to **b.s.** /biːˈɛs/ v. i. (*slang USA*) raccontare balle; dire fesserie.

BS sigla **1** (**Bachelor of Surgery**) dottore in chirurgia **2** (*USA*) → **BSc 3** (**boy scout**) giovane esploratore **4** (**bullshit**) balle; (*anche*) cazzate; stronzate **5** (*GB*, **British Standard**) standard britannico.

BSc sigla (**Bachelor of Science**) laureato in scienze (*laurea di 1° grado*); *cfr.* **BA** e **MSc**.

BSc (**Econ**) abbr. (**Bachelor of Science in the Faculty of Economics**) laureato in

scienze economiche (*laurea di 1° grado*).

BSc (**Eng**) abbr. (**Bachelor of Science in the Faculty of Engineering**) laureato in ingegneria (*laurea di 1° grado*).

BSE sigla (*med.*, **bovine spongiform encephalopathy**) encefalopatia spongiforme bovina (*mucca pazza*).

BSI sigla (*GB*, **British Standards Institution**) Ente britannico per la normalizzazione (*cfr.* ital. «UNI»).

BSL sigla (*GB*, **British Sign Language**) lingua dei segni inglese (*cfr.* ital. «LIS»).

BSocSc, **BSSc** abbr. (**Bachelor of Social Sciences**) laureato in scienze sociali (*laurea di 1° grado*).

BST sigla (**British Summer Time**) ora legale britannica (*GMT-1*).

BT sigla (**British Telecom**) Società telefonica britannica.

Bt abbr. (**baronet**) baronetto.

btl. abbr. (**bottle**) bottiglia.

BTO /biːtiːˈəʊ/ n. (*fam. USA*; acronimo di **Big Time Operator**) faccendiere; procacciatore d'affari; grosso intrallazzatore.

BTW, **btw** sigla (*fam.*, **by the way**) a proposito; incidentalmente.

bubal, **bubale** /ˈbjuːbl/ n. (*zool.*, *Antilope bubalis*) bubalo.

bubble /ˈbʌbl/ n. **1** bolla: **air b.**, bolla d'aria; **soap b.**, bolla di sapone; **to blow bubbles**, fare le bolle di sapone **2** ribollimento; gorgoglio **3** emozione che gonfia: **a b. of laughter**, una risata che gorgoglia in gola **4** situazione o stato d'animo effimeri o illusori; cosa gonfiata; montatura: **the b. of sb.'s self-confidence**, l'illusoria sicurezza di sé di q.; **to burst sb.'s b.**, disilludere q.; smontare q.; ridimensionare q.; sgonfiare q. **5** (*econ.*, *Borsa*) (*rialzo effimero dei prezzi destinato a rientrare*): **real estate b.**, bolla immobiliare; **speculative b.**, bolla speculativa **6** cupola o calotta trasparente **7** (*med.*) camera sterile **8** (al pl.) (*fam.*) champagne (*sing.*); bollicine (*fam.*) ● **b. bath**, bagnoschiuma; (*anche*) bagno con tanta schiuma ▯ (*slang*) **b.-brain**, testa (*o* zucca) vuota; stupido ▯ (*aeron.*) **b. canopy**, cupola di vetro; tettuccio ▯ (*autom.*) **b. car**, piccola automobile a tre ruote con cupola di vetro (*o* *fis.*) **b. chamber**, camera a bolle ● **b. gum**, gomma da masticare; chewing-gum; cicca (*fam.*) ▯ **b.-head** = **b.-brain** → *sopra* ▯ (*tecn.*) **b.-jet printer**, stampante a getto d'inchiostro ▯ (*comput.*) **b. memory**, memoria a bolle ▯ (*market.*) **b. pack**, blister ▯ (*comput.*) **b. sort**, ordinamento a bolle ▯ (*naut.*) **b. sextant**, sestante a bolla ▯ (*market.*) **b. wrap**, foglio di plastica a bolle; pluriboll®.

to **bubble** /ˈbʌbl/ **A** v. t. fare ribollire; fare gorgogliare **B** v. i. **1** formare bolle (*o* bollicine); ribollire; gorgogliare **2** (*elettr.*) bollire (*d'una batteria sotto carica*) ● **to b. over**, (*di liquido che bolle*; e. *fig.*: *d'eccitazione, di zelo*) traboccare ▯ **to b. over with happiness**, sprizzare felicità ▯ **to b. with wrath**, ribollire d'ira.

bubble-and-squeak /ˌbʌblənˈskwiːk/ n. ▯ (*GB*) (*cucina*) avanzo di cavoli e patate fritto in padella.

bubbling /ˈbʌblɪŋ/ n. ▯ ribollimento; gorgogliamento.

bubbly /ˈbʌblɪ/ **A** a. **1** pieno di bolle (*o* bollicine) **2** ribollente; gorgogliante **3** a forma di bolla; tondeggiante **4** (*fig.*) vivace; allegro; spumeggiante **B** n. (*slang*) champagne.

bubo /ˈbjuːbəʊ/ n. (pl. **buboes**) (*med.*) bubbone.

bubonic /bjuːˈbɒnɪk/ a. bubbonico: **b. plague**, peste bubbonica.

buccal /ˈbʌkl/ a. (*anat.*) buccale; boccale; della bocca.

b

buccaneer /ˌbʌkəˈnɪə(r)/ n. **1** bucaniere; pirata; (al pl., collett.) la filibusta (stor.) **2** avventuriero senza scrupoli; pirata.

to **buccaneer** /ˌbʌkəˈnɪə(r)/ v. i. fare il bucaniere; pirateggiare ‖ **buccaneering** Ⓐ n. Ⓤ filibusteria; pirateria Ⓑ a. piratesco; da filibustiere.

buccinator /ˈbʌksɪneɪtə(r)/ n. (anat.) (muscolo) buccinatore.

Bucephalus /bjuːˈsefələs/ n. (stor.) Bucefalo.

Bucharest /bjuːkəˈrest/ n. (geogr.) Bucarest.

buck① /bʌk/ n. **1** (pl. **bucks**, **buck**) maschio di cervo, daino, camoscio, antilope, lepre, coniglio, canguro **2** (pl. inv.) antilope africana **3** (equit.) sgroppata; salto del montone **4** (arc.) giovanotto alla moda; damerino; moscardino **5** (spreg. USA) giovane pellerossa; giovane nero ● (zool.) **b. hound**, levriero per la caccia al cervo □ (slang mil. USA) **b. private**, soldato semplice □ **b. tooth**, dente incisivo sporgente, da coniglio.

buck② /bʌk/ n. (slang USA) dollaro: **five bucks**, cinque dollari, **a few bucks**, qualche dollaro; un po' di soldi ● **big bucks**, un sacco di soldi; soldi a palate; cifre da capogiro □ **to make a fast** (o **quick**) **b.**, fare soldi alla svelta.

buck③ /bʌk/ n. (poker) oggetto posto come promemoria davanti a chi deve fare le carte ● (fam.) **to pass the b.**, scaricare la responsabilità di qc. su un altro; fare a scaricabarile; passare la patata bollente □ (fam.) **The b. stops here**, tocca a me decidere, la responsabilità ultima è mia.

to **buck** /bʌk/ Ⓐ v. i. **1** (di cavallo, mulo) sgroppare; dare sgroppate **2** (fam. USA: di veicolo) procedere a strappi; strappare **3** (USA) attaccare a testa bassa (come un caprone) **4** (fam.) resistere; fare resistenza (fam.) **5** – (USA) **to b. for**, darsi da fare per; mettercela tutta per: **to b. for promotion**, darsi da fare per ottenere una promozione **6** (elettr.) opporsi; agire in opposizione Ⓑ v. t. **1** (anche **to b. off**) gettare di sella; disarcionare **2** (fam. USA) resistere, opporsi a; sfidare, lottare contro: **to b. change**, opporsi ai cambiamenti; **to b. the system**, lottare contro il sistema; **to b. the trend**, andare in controtendenza; **to b. the world**, sfidare il mondo intero.

▪ **buck up** Ⓐ v. i. + avv. (fam.) **1** (GB) sbrigarsi; darsi una mossa **2** rincuorarsi; farsi coraggio; tirarsi su: B. up!, coraggio!; non darti per vinto! Ⓑ v. t. + avv. (fam.) **1** (GB) sbrigarsi; darsi una mossa **2** rincuorare; fare coraggio a; tirare su □ (fam. GB) **to b. up one's ideas**, mettersi sotto; darsi una regolata.

buckaroo /ˈbʌkəruː/ n. (slang USA) cowboy; mandriano; vaccaro.

buckbean /ˈbʌkbiːn/ n. Ⓒ (bot., Menyanthes trifoliata) trifoglio d'acqua.

buckboard /ˈbʌkbɔːd/ n. (USA) carro scoperto; carrozza a quattro ruote, con sedile scoperto che poggia su balestre.

bucked /bʌkt/ a. pred. soddisfattissimo; felicissimo; orgogliosissimo.

bucker /ˈbʌkə(r)/ n. cavallo recalcitrante (o che dà sgroppate).

buckeroo /ˈbʌkəruː/ → **buckaroo**.

◆**bucket** /ˈbʌkɪt/ n. **1** secchio; secchia **2** secchiello (da spiaggia): **b. and spade**, secchiello e paletta **3** (idraul.) cucchiaia, tazza (di draga) **4** (mecc.) tazza (di elevatore); benna; pala caricatrice; cucchiaia **5** pala (di ruota ad acqua) **6** (costr. idrauliche) dissipatore (di sfioratore) **7** (naut.) bugliolo **8** vagoncino (di teleferica) **9** (slang USA) prigione **10** (basket, slang USA) canestro, cesta **11** (al pl.) (fam.) grande quantità ● **b. dredger**, draga a noria; draga a tazze □ (autom.,

aeron.) **b.-seat**, sedile anatomico □ (fam. spreg.) **b. shop**, (USA) agenzia (generalm. non autorizzata) di compravendita titoli, valori, ecc.; (GB) agenzia turistica poco affidabile che pratica prezzi stracciati □ (USA) **b. truck**, autogru (per riparazione di linee aeree, potatura di alberi, ecc.) □ **to cry buckets**, piangere a dirotto □ (slang, antiq.) **to kick the b.**, morire; tirare le cuoia, crepare (fam.) □ **It's coming down in buckets**, piove a dirotto (o a catinelle); diluvia.

to **bucket** /ˈbʌkɪt/ v. i. (fam.) **1** (anche **to b. down**) (GB) piovere a dirotto (o a catinelle); diluviare **2** (con avv. di direzione) (di veicolo) correre; filare; andare a tutta birra.

bucketful /ˈbʌkɪtful/ n. secchio; secchiata.

buckeye /ˈbʌkaɪ/ n. (USA) **1** (bot., Aesculus glabra) ippocastano dell'Ohio **2** (fam.) abitante (o nativo) dell'Ohio ● **B. State**, l'Ohio.

buckhorn /ˈbʌkhɔːn/ n. Ⓤ corno di daino (per manici di coltelli, ecc.).

bucking /ˈbʌkɪŋ/ n. (di un equino) lo sgroppare; sgroppate.

buckle /ˈbʌkl/ n. **1** fibbia; fermaglio **2** (metall.) gobba; rigonfiamento **3** (sci) gancio (di scarpone).

to **buckle** /ˈbʌkl/ Ⓐ v. t. **1** (spesso **to b. up**, **to b. on**) affibbiare; fermare con una fibbia; agganciare (uno scarpone) **2** collegare; unire **3** (mecc.) curvare, deformare (un metallo) Ⓑ v. i. **1** affibbiarsi; agganciarsi **2** (di metallo) deformarsi; cedere; storcersi: The andirons buckled in the fire, gli alari si deformarono al fuoco; The wheel buckled in the accident, nell'incidente la ruota si storse ● **to b. down to st.**, prepararsi a fare qc.; mettersi a fare qc. con impegno □ **to b. into one's seat**, assicurarsi al sedile con la cintura (di sicurezza) □ **to b. on one's sword**, cingere la spada □ (fig.) **to b. under an attack**, cedere terreno a un attacco □ **to b. up**, allacciarsi la cintura (di sicurezza).

buckler /ˈbʌklə(r)/ n. (stor. mil.) piccolo scudo rotondo.

buckling /ˈbʌklɪŋ/ n. Ⓤ **1** (mecc.) deformazione; schiacciamento **2** (aeron.) ingobbamento **3** (metall.) imbozzamento; rigonfiamento.

buck-naked /ˌbʌkˈneɪkɪd/ a. (slang USA) completamente nudo; nudo come un verme.

bucko /ˈbʌkəʊ/ n. **1** (irl.; spec. al vocat.) giovanotto **2** (fam. USA) attaccabrighe; prepotente; gradasso.

buckram /ˈbʌkrəm/ Ⓐ n. Ⓤ tela rigida (usata in legatoria, ecc.) Ⓑ a. attr. di tela rigida: **b. cover**, copertina.

Bucks /bʌks/ abbr. (**Buckinghamshire**) la Contea di Buckingham.

bucksaw /ˈbʌksɔː/ n. (falegn.) sega a telaio (a lama tesa).

buckshee /bʌkˈʃiː/ a. (slang antiq.) gratuito; gratis.

buckshot /ˈbʌkʃɒt/ n. (caccia) pallettoni.

buckskin /ˈbʌkskɪn/ n. **1** Ⓤ pelle di daino (o di camoscio) **2** pelle scamosciata **3** (pl.) calzoni (o guanti, scarpe) di pelle scamosciata.

buckthorn /ˈbʌkθɔːn/ n. (bot.) **1** (Rhamnus) ramno **2** (Rhamnus cathartica) spino cervino.

bucktooth /ˌbʌkˈtuːθ/ n. (pl. **buckteeth**) = **buck tooth** → **buck**.

buckwheat /ˈbʌkwiːt/ n. Ⓤ **1** (bot., Fagopyrum esculentum) grano saraceno **2** farina di grano saraceno (con cui in USA si fanno focacce dette **b. cakes**).

bucolic /bjuːˈkɒlɪk/ Ⓐ a. **1** bucolico; pastorale **2** rurale; rustico Ⓑ n. (letter.) bucolica; poema pastorale.

bud① /bʌd/ n. **1** (bot.) gemma; germoglio; getto **2** (bot.) boccio; bocciolo **3** (biol.)

gemma, germe (di un organismo) **4** (fig.) cosa ancora in germe; persona immatura ● **in (the) bud**, in boccio □ (fig.) **to nip st. in the bud**, stroncare qc. sul nascere.

bud② /bʌd/ → **buddy**, def. 1

to **bud** /bʌd/ Ⓐ v. i. **1** (bot.) germogliare; gettare **2** (bot.) sbocciare: **budded roses**, rose sbocciate **3** (fig.) spuntare; nascere **4** (biol.) riprodursi per gemmazione Ⓑ v. t. **1** (bot.) fare germogliare; fare sbocciare **2** (agric.) innestare; inserire (una gemma) **3** (biol.) fare riprodurre per gemmazione ● (sport) **a budding champion**, un campione in erba, un campioncino □ (zool.) **budding horns**, corna che spuntano.

Buddha /ˈbʊdə/ n. (relig.) Budda.

Buddhism /ˈbʊdɪzəm/ n. Ⓤ buddismo ‖ **Buddhist** Ⓐ n. buddista Ⓑ a. buddista; buddistico ‖ **Buddhistic**, **Buddhistical** a. buddistico.

budding /ˈbʌdɪŋ/ n. Ⓤ **1** (bot.) riproduzione per innesto **2** (biol.) gemmazione.

buddy /ˈbʌdɪ/ n. **1** (fam.) amico; compagno: They're buddies, sono amici; Hey, b.! This your bag?, ehi, amico! è tua questa borsa? **2** (USA) persona che assiste un malato di AIDS ● **b.-b.**, amico intimo; pappa e ciccia (fam. spreg.) ● **b. movie**, film che ha come protagonisti due amici maschi □ **b. system**, sistema di assistenza scambievole tra amici.

to **buddy** /ˈbʌdɪ/ v. i. (fam., spec. USA) fare amicizia (con q.) ● **to b. around with sb.**, legare (o far comunella) con q. □ **to b. up with sb.**, dividere l'appartamento con q.; fare amicizia con q. □ **to b. up to sb.**, ingraziarsi, adulare, blandire q.

to **budge** /bʌdʒ/ Ⓐ v. i. **1** scostarsi; smuoversi; muoversi: I won't b. an inch, non mi sposterò di un pollice; (econ.) Prices didn't b., i prezzi sono rimasti invariati **2** (fig.) cambiare idea Ⓑ v. t. **1** scostare; smuovere: I can't b. the door; it's too heavy, non riesco a scostare la porta; è troppo pesante **2** (fig.) smuovere; far cambiare idea a (q.).

budgerigar /ˈbʌdʒərɪɡɑː(r)/ n. (zool., Melopsittacus undulatus) melopsittaco; pappagallino ondulato; parrocchetto canoro.

◆**budget** /ˈbʌdʒɪt/ Ⓐ n. **1** (fin., rag.) bilancio preventivo; budget: **advertising b.**, bilancio pubblicitario; **household b.**, bilancio familiare; **to balance the b.**, pareggiare il bilancio; **to go over b.**, superare (o sforare) il budget; **to stay within b.**, stare dentro il bilancio; **under b.**, (di spesa) inferiore a quanto preventivato; We need to know how far our budget will stretch, abbiamo bisogno di sapere fino a quanto arriverà il nostro budget **2** – (polit.) **the B.**, bilancio dello Stato **3** (fin., rag.) preventivo (di cassa) **4** somma disponibile, disponibilità (pl.); mezzi (pl.): **on a tight b.**, con disponibilità limitate; al risparmio; **within one's b.**, accessibile; a portata di tasca Ⓑ a. **1** (fin., rag.) del, di bilancio; da budget: **b. appropriation**, stanziamento di bilancio; **b. committee**, (org. az.) comitato di budget; (polit.) commissione di bilancio; **b. deficit**, deficit (o disavanzo) di bilancio; **b. planning**, pianificazione del bilancio; **b. surplus**, avanzo di bilancio **2** economico; conveniente; a basso costo: **b. flights**, voli a basso costo ● (GB) **b. account**, (banca) conto per il pagamento di utenze; (comm.) conto di credito (in un negozio) □ (fin. econ.) **b. constraint**, vincolo di bilancio □ (in GB) **B. Day**, giorno in cui il Cancelliere dello Scacchiere presenta il bilancio in parlamento □ **b. year**, anno finanziario □ **to be on a b.**, avere disponibilità limitate.

to **budget** /ˈbʌdʒɪt/ Ⓐ v. i. **1** (fin., rag.) impostare un bilancio (di previsione); fare un bilancio preventivo **2** programmare le pro-

prie spese: **to b. weekly**, programmare le proprie spese su base settimanale **3** – (*fin., rag.*) **to b. for**, programmare; preventivare; mettere in preventivo: (*econ.*) **to b. for a surplus**, programmare per ottenere un residuo attivo; **to b. for a new car**, preventivare l'acquisto di un'auto nuova **4** – **to b. for**, mettere in conto; prevedere; preventivare; mettere in preventivo **B** v. t. **1** (*fin., rag.*) mettere in bilancio; stanziare in bilancio; preventivare: **to b. cuts**, preventivare tagli; *The programme is budgeted at 10m*, il costo preventivato del programma è di 10 milioni di euro **2** pianificare, programmare (*il proprio tempo, ecc.*).

budgetary /ˈbʌdʒɪtrɪ/ a. (*fin., rag.*) pertinente a bilancio (preventivo); di bilancio; budgetario: **b. control**, controllo budgetario; **b. funds**, stanziamento di bilancio; **the b. powers of the European Parliament**, le competenze del Parlamento Europeo in materia di bilancio.

budgeted /ˈbʌdʒɪtɪd/ a. (*fin., rag.*) messo a bilancio; preventivato: **b. cost**, costo preventivato; **the b. figure**, la cifra iscritta a bilancio.

budgeting /ˈbʌdʒɪtɪŋ/ n. ⓤ **1** (*fin., rag.*) preparazione e applicazione del bilancio preventivo; pianificazione aziendale integrata **2** pianificazione del bilancio; pianificazione delle spese.

budgie /ˈbʌdʒɪ/ n. abbr. fam. di **budgerigar**.

buff /bʌf/ **A** n. **1** ⓤ pelle di bufalo (*o di bue*); cuoio grosso soffice (*che se ne ricava*) **2** ⓤⓒ (*ind.*) cuoio per pulitrici; pulitrice rivestita di cuoio **3** ⓤ color camoscio **4** ⓤ (*fam.*) – **in the b.**, nudo **5** (*fam.*) patito; appassionato: **cinema b.**, patito del cinema; cinefilo **B** a. **1** scamosciato **2** color camoscio **3** (*slang, USA*) palestrato; pompato.

to **buff** /bʌf/ v. t. **1** (*mecc.*) pulire, lucidare (*un metallo, ecc.*) con pelle scamosciata (*o con una pulitrice*) **2** scamosciare (*il cuoio*).

buffalo /ˈbʌfələʊ/ n. (pl. **buffalo, buffaloes, buffalos**) **1** (*zool., Bubalus bubalis*) bufalo indiano **2** (*USA: zool., Bison bison*) bisonte americano **3** (*mil.*) mezzo corazzato anfibio **4** (*slang USA*) omone; omaccione **5** (*slang USA*) grassona; balena (*fig.*) ● (*zool.*) **b. fish**, pesce bufalo (*ciprinoide dei fiumi del Nord America*) □ **b. herd**, mandria di bufali □ (*USA*) **b. run**, pista di bisonti.

to **buffalo** /ˈbʌfələʊ/ v. t. (*fam. USA*) **1** confondere; sconcertare; intimidire **2** truffare; fare fesso ● **to b. sb. down**, dare una bella lezione a q. □ **to b. up**, ingrassare.

buffer① /ˈbʌfə(r)/ n. **1** (*autom.*) paraurti; (*ferr.*) respingente; (*mecc.*) paracolpi **2** (*tecn.*) pulitrice; operaio addetto alla pulitrice **3** (*chim.*) tampone **4** (*fin.*) stock di riserva **5** (*comput.*, = **b. store**) buffer; memoria intermedia (*o di transito*); tampone **6** (*slang antiq.*) stupido; stolto; imbecille ● (*comput.*) **b. area**, area di parcheggio □ (*chim.*) **b. solution**, soluzione tampone □ (*polit.*) **b. state**, stato cuscinetto □ (*econ.*) **b. stock**, scorte tampone; scorte cuscinetto.

buffer② /ˈbʌfə(r)/ n. (*pop. antiq., di solito* **old b.**) **1** vecchio; vecchietto **2** uomo all'antica **3** imbecille; stupido.

to **buffer** /ˈbʌfə(r)/ v. t. (*chim.*) tamponare.

buffet① /ˈbʌfɪt/ n. **1** schiaffo; pugno **2** (*fig.*) colpo: **the buffets of fate**, i colpi della sorte (avversa).

buffet② /ˈbʊfeɪ, USA bəˈfeɪ/ n. **1** credenza; buffet **2** tavola di rinfreschi; buffet (*di stazione, ecc.*) **3** (= **b. supper**) cena in piedi ● (*ferr.*) **b. car**, vagone con servizio di bar; carrozza ristoro □ **cold b.**, tavola fredda.

to **buffet** /ˈbʌfɪt/ **A** v. t. **1** colpire (*con la mano o col pugno*); schiaffeggiare **2** battere; urtare; (*del fato*) avversare: *The*

ship was buffeted by the waves, la nave era battuta dalle onde **B** v. i. combattere; lottare; farsi largo picchiando; aprirsi un varco con la forza: *He buffeted his way to the door*, si fece strada verso la porta a forza di pugni.

buffeting /ˈbʌfɪtɪŋ/ n. ⓤ (*tecn., aeron.*) buffeting; sbattimento; oscillazioni anormali.

buffing /ˈbʌfɪŋ/ n. ⓤ **1** (*mecc.*) pulitura, lucidatura (*di metalli;* → **to buff**) **2** scamosciatura (*del cuoio*) ● **b. wheel**, disco (*rivestito di pelle scamosciata, ecc.*) di pulitrice.

buffoon /bəˈfuːn/ n. buffone; pagliaccio: **to play the b.**, fare il buffone || **buffoonery** n. **1** ⓤ buffoneria; buffonaggine **2** buffoneria; buffonata; pagliacciata.

bug /bʌg/ n. **1** (*zool., spec. USA*) piccolo insetto **2** (*fam.*) germe; microbo; virus; infezione virale; forma influenzale: **flu bug**, (virus dell')influenza; *It's a bug going around*, è un'influenza che circola **3** (*zool.*, = **true bug**) insetto emittero **4** guasto; difetto; errore; magagna; (*comput.*) errore di programma, baco (*fam.*): **the millennium bug**, il baco del millennio **5** (*fam.*) passione; mania; smania; pallino (*fam.*): *He's been bitten by the glider bug*, gli è venuta la passione dell'aliante **6** (*fam. USA*) fanatico; appassionato; fanatico **7** (*fam.*) microspia; cimice (*fam.*) ● (*slang*) **bug hunter**, entomologo □ (*slang*) **big bug**, pezzo grosso; personaggio potente □ (*fam.*) **to put a bug in sb.'s ear**, mettere una pulce nell'orecchio a q.; dare una dritta a q.

to **bug** /bʌg/ v. t. **1** (*fam.*) installare una microspia (*o* microspie) in; piazzare una cimice in: *This room is bugged*, in questa stanza ci sono microspie **2** (*fam.*) intercettare (*una comunicazione*); mettere sotto controllo (*un telefono*) **3** (*fam.*) infastidire; scocciare **4** (*fam.*) irritare; far venire il nervoso a; mandare in bestia

■ **bug off** v. i. + avv. (*fam.*) togliersi dai piedi; smammare.

■ **bug out** v. i. + avv. (*fam. USA*) **1** andarsene in fretta, filar via; far fagotto **2** tirarsi indietro; defilarsi **3** (*di occhi*) essere sporgente.

bugaboo /ˈbʌgəbuː/ n. (pl. **bugaboos**) **1** orco; lupo mannaro **2** (*anche fig.*) spauracchio; babau.

bugbear /ˈbʌgbeə(r)/ → **bugaboo**.

bug-eyed /ˈbʌgaɪd/ a. (*fam. USA*) dagli occhi sporgenti.

♦**bugger** /ˈbʌgə(r)/ n. **1** (*volg.*) bastardo; stronzo; coglione **2** (con agg.) (*volg.*) tipo; individuo: **silly b.**, scemo; idiota; **crafty old b.**, furbacchione; marpione; **poor b.**, povero diavolo; povero fesso; minchione; **little b.**, (*di bambino*) marmocchio; birbante **3** (*volg.*) cosa tiritera o difficile; casino; rottura; rogna **4** (*volg. GB*) aggeggio; marchingegno **5** (*leg. o volg.*) sodomita ● (*volg.*) **I don't give a b.!**, non me ne frega un cazzo! □ (*volg.*) **to play silly buggers**, fare lo scemo; sprecare il tempo in scemenze.

to **bugger** /ˈbʌgə(r)/ v. t. **1** (*leg. o volg.*) sodomizzare **2** (*volg.*) rovinare; scassare; fottere **3** (*anche* **to b. up**) (*volg.*) incasinare, mandare a puttane ● (*volg.*) **B. (it)!**, cazzo!; merda!; affanculo! □ (*volg.*) **B. them!**, che vadano a farsi fottere □ (*volg.*) **I'll be buggered!** (*o* **B. me!**), porca miseria!; ammazza!; cazzo!

■ **bugger about** (*o* **around**) (*volg.*) **A** v. i. + avv. sprecare il tempo in cazzate; non fare un cazzo **B** v. t. + avv. rompere le palle a; rompere.

■ **bugger off** v. i. + avv. (*volg.*) filare via; levarsi dalle palle.

bugger-all /ˈbʌgərɔːl/ pron. (*volg.*) niente; un tubo; un cazzo (*volg.*): *He knows bug-*

ger-all about football, di calcio non ne sa un cazzo; *He spends the whole day doing bugger-all*, non fa un cazzo dalla mattina alla sera; *It makes bugger-all difference to me*, non fa un cazzo di differenza per me.

buggered /ˈbʌgəd/ a. pred. (*volg. GB*) **1** stanco morto; a pezzi **2** guasto; scassato; fottuto (*volg.*) ● **(I'm) b. if I know!**, non ne so un cazzo!

buggery /ˈbʌgərɪ/ n. ⓤ (*leg. o volg.*) sodomia ● (*volg.*) **all to b.**, incasinato; andato a puttane, fottuto (*volg.*) □ (*volg.*) **like b.**, moltissimo; da matti; (*anche*) macché, manco per il cazzo (*volg.*).

bugging /ˈbʌgɪŋ/ n. ⓤ (*fam.*) **1** installazione di microspie (*o di cimici*): **b. device**, microspia; cimice **2** intercettazioni (pl.) telefoniche; intercettazione ambientale.

buggy① /ˈbʌgɪ/ a. **1** infestato da cimici (*o* insetti, *in genere*) **2** (*comput., di programma*) difettoso; pieno di errori (*o di bachi*) **3** (*slang USA*) pazzo.

buggy② /ˈbʌgɪ/ n. **1** calesse; calessino **2** (*ind.*) carrello **3** (= **baby b.**) carrozzina, passeggino (*per bambini*) **4** (= **moon b.**) veicolo lunare **5** (*golf*) buggy **6** (*slang*) vecchia automobile; macinino.

bughouse /ˈbʌghaʊs/ n. (*slang USA*) manicomio.

bugle① /ˈbjuːgl/ n. **1** (*in origine* **b. horn**) corno da caccia **2** (*mil.*) piccola tromba; trombetta **3** (*stor.*) buccina (*romana*).

bugle② /ˈbjuːgl/ n. (*bot., Ajuga reptans*) bugola; morandola.

to **bugle** /ˈbjuːgl/ v. i. e t. (*mil.*) suonare la tromba; chiamare a raccolta, suonare (*la ritirata, ecc.*) con la tromba || **bugler** n. (*mil.*) trombettiere.

bugloss /ˈbjuːglɒs/ n. (*bot., Anchusa officinalis*) buglossa.

build /bɪld/ n. ⓤ (*di persona*) corporatura; fisico: **sturdy b.**, corporatura robusta; **powerful b.**, fisico possente **2** (*spec. di veicolo*) struttura; linea.

♦to **build** /bɪld/ (pass. e p. p. **built**) **A** v. t. **1** costruire; edificare; erigere: **to b. new schools**, costruire nuove scuole; **to b. a road**, costruire (*o* fare) una strada; **to b. a ship**, costruire una nave; **to b. a wall**, costruire (*o* erigere) un muro; *A swallow has built its nest under my roof*, una rondine ha fatto il nido sotto il mio tetto **2** fabbricare; assemblare: **to b. a car**, fabbricare un'automobile **3** creare; costruire; formare; sviluppare: **to b. a business**, creare un'azienda; metter su un'impresa; **to b. confidence**, creare fiducia; **to b. a relationship**, sviluppare una relazione; **to b. an army**, creare un esercito **4** → **to b. up, A def. 3 5** (*comput.*) sviluppare (*un programma*); creare (*un database, ecc.*) **6** – **to b. on** (*o* **upon**), basare su; fondare su: **to b. a theory on facts**, basare una teoria sui fatti; **to b. all one's hopes on st.**, fondare o (riporre) ogni speranza in qc. **7** – **to b. on** (*o* **upon**), fare affidamento; contare su (qc.) **B** v. i. **1** costruire: *They are building in this district*, costruiscono in questo quartiere **2** (*di uccello*) nidificare **3** → **to b. up, B def. 2 4** – **to b. on** (*o* **upon**), basarsi su; far tesoro di (*conoscenze, esperienza, ecc.*) ● (*fig.*) **to b. bridges** → **bridge** □ (*fig.*) **to b. on sand**, costruire sulla sabbia.

■ **build in** (*o* **into**) v. t. + avv. (*o* prep.) **1** (*edil.*) incassare: **to b. in a wardrobe** (*o to* **b. a wardrobe into a wall**), costruire un armadio a muro **2** inserire; incorporare: **to b. a clause into a contract**, inserire una clausola in un contratto.

■ **build on** v. t. + avv. (*edil.*) aggiungere: *The attic was built on later*, la mansarda è stata aggiunta dopo.

■ **build up** **A** v. t. + avv. **1** (*edil.*) edificare,

b

costruire in (*una zona*); coprire di costruzioni: *The fields where we used to play have been built up*, i campi dove giocavamo sono ora coperti di case **2** costituire progressivamente; creare; formare; mettere in piedi; accumulare; mettere insieme: **to b. up a big business**, creare a poco a poco una grossa azienda; *The small firm was built up into a big concern*, la piccola ditta crebbe fino a diventare una grande azienda; **to b. up a fortune**, accumulare (*o* mettere insieme) una fortuna; **to b. up a library**, costituire (*o* mettere insieme) una biblioteca; **to b. up a good reputation**, farsi una buona reputazione; **to b. up reserves**, costituire riserve; *Don't b. your hopes up*, non sperarci troppo; non farci troppo affidamento **3** incrementare; far crescere; espandere; rafforzare; potenziare; irrobustire: **to b. up speed**, aumentare la velocità; **to b. up one's strength**, irrobustirsi; rimettersi in forze **4** far diventare (*a forza di lodi, pubblicità, ecc.*); promuovere; pubblicizzare; gonfiare, pompare (*fam.*): *She had built him up as her saviour*, parlandone lei ne aveva fatto il suo salvatore; *The press built it up*, è stato gonfiato dalla stampa; la stampa ci ha ricamato su; *We built her up into a film star*, l'abbiamo fatta diventare una stella del cinema **B** v. i. + avv. **1** accumularsi; addensarsi: *Clouds were building up in the west*, a ovest si addensavano le nuvole **2** svilupparsi; crescere; aumentare; rinforzarsi: *Traffic is building up*, il traffico sta aumentando; *Pressure built up fast*, la pressione aumentò velocemente; *The noise built up to a roar*, il rumore crebbe fino a diventare un frastuono; **to b. up to a climax**, raggiungere l'acme.

♦**builder** /'bɪldə(r)/ n. **1** costruttore; imprenditore edile: **railway b.**, costruttore di ferrovie; **a firm of builders**, un'impresa edile **2** operaio (edile): *The builders have nearly finished the bathroom*, gli operai hanno quasi finito il bagno **3** creatore; costruttore; edificatore **4** cosa che crea, che forma, che sviluppa (qc.): **character-b.**, cosa che forma il carattere ● (*GB*) **builders' merchant**, fornitore di materiali per l'edilizia □ **empire b.** → **empire**.

♦**building** /'bɪldɪŋ/ **A** n. **1** ◻ costruzione: **the b. of roads**, la costruzione di strade **2** ◻ edilizia; costruzioni (pl.) **3** ◻ creazione; costruzione: **the b. of good relationships**, la creazione di buoni rapporti; **the b. of suspense**, la creazione di una suspense **4** edificio; fabbricato; costruzione; stabile **B** a. **1** edile; edilizio; da costruzione: **b. contractor**, imprenditore edile; **b. materials**, materiali edilizi (*o* da costruzione); **b. permit**, licenza edilizia; **b. stone**, pietra da costruzione; **b. trade**, edilizia; settore edilizio; **b. worker**, (operaio) edile; **b. yard**, cantiere edile; *What kind of b. work are you having done?*, che tipo di lavori di costruzione dovete far fare? **2** edificabile; fabbricabile: **b. land**, terreno edificabile; **b. lot**, area edificabile; sito fabbricabile ● **b. block**, cubo, cubetto, mattoncino (*per il gioco delle costruzioni*); (*fig.*) elemento costitutivo, mattone: **a set of b. blocks**, il gioco delle costruzioni; **the b. blocks of our society**, gli elementi basilari della nostra società; **software b. blocks**, componenti di software; **b. cleaners**, ripulitori di esterni (*di edifici*) □ (*leg.*) **b. lease**, affitto di terreno (*di solito per 99 anni*) con diritto di costruzione; costituzione di diritto di superficie; locazione per costruzione □ **b. site**, area edificabile; (*anche*) cantiere edile □ (*naut.*) **b. slip**, scalo di costruzione □ (*fin., in GB*) **b. society**, istituto di credito immobiliare □ **b. surveyor**, perito edile; geometra.

build-up /'bɪldʌp/ n. **1** accrescimento;

accumulo; incremento; crescita: (*med.*) **a build-up of blood in the brain**, un accumulo di sangue nel cervello **2** (*anche mil.*) concentrazione; potenziamento: **military build-up**, potenziamento delle proprie forze armate **3** (*del traffico*) intensificazione **4** (*comm.*) campagna pubblicitaria; lancio (pubblicitario) **5** (*meteor.*) addensamento (*di nuvole*) **6** (*fam.*) periodo preparatorio (*di una festa, ecc.*): **the build-up to Christmas**, il periodo prenatalizio (*quello dei preparativi*).

built /bɪlt/ **A** pass. e p. p. di **to build** **B** a. **1** (nei composti:) fatto; costruito; fabbricato: **brick-b.**, (fatto) di mattoni; *German-b.*, fatto (*o* fabbricato) in Germania **2** (nei composti:) (*di persona*) di corporatura; dal fisico: **heavily b.**, di grossa corporatura; dal fisico pesante; **lightly b.**, dal fisico esile; **well-b.**, robusto, ben piantato ● **b.-in**, (*edil.*) incassato, a muro; (*mecc.*) incorporato; (*comput.*) integrato, interno; (*fig.*) incorporato, incluso, automatico, intrinseco, implicito, connaturato: **b.-in wardrobe**, armadio a muro; **b.-in antenna**, antenna incorporata; (*comput.*) **b.-in check**, controllo interno (*o* automatico); (*comput.*) **b.-in test**, test integrato; (*fin.*) **b.-in flexibility**, flessibilità automatica (*dei tassi di cambio*); (*econ.*) **b.-in stabilizer**, stabilizzatore automatico; **b.-in escape clause**, clausola risolutiva inserita (*in un contratto*); **b.-in resistance**, resistenza connaturata □ **b.-up**, (*edil.*) edificato, coperto di edifici; (*anche*) composto, a strati; (*di tacco, ecc.*) rialzato: **b.-up area**, agglomerato urbano; abitato; **b.-up beam**, trave metallica composta; **b.-up heels**, rialzi (*per scarpe*).

bul. abbr. (**bulletin**) bollettino.

bulb /bʌlb/ n. **1** (*di pianta, termometro, capello, ecc.*) bulbo; (*di pianta*) tubero: (*anat.*) **hair b.**, bulbo capillifero **2** (*elettr., = light b.*) lampada; lampadina elettrica **3** (*radio*) valvola termoionica ● **b. socket**, portalampada.

bulbil /'bʌlbɪl/ n. (*bot.*) bulbillo.

bulbous /'bʌlbəs/ a. bulboso.

Bulgar /'bʌlɡɑː(r)/ n. bulgaro.

Bulgarian /bʌl'ɡeərɪən/ **A** a. e n. bulgaro **B** n. ◻ bulgaro (*la lingua*).

bulge /bʌldʒ/ n. **1** protuberanza; sporgenza; bombatura; rigonfiamento **2** aumento improvviso; rialzo; impennata: **a b. in the birthrate**, un aumento delle nascite **3** (*stat.*) punta **4** (*naut.*) controcarena **5** (*geogr., mil.*) saliente **6** (*slang USA*) vantaggio: **to have the b. on sb.**, avere un vantaggio su q. ● (*stor.*) **the Battle of the B.**, la battaglia delle Ardenne □ (*scherz.*) **the battle of the B.**, la lotta contro il grasso superfluo.

to **bulge** /bʌldʒ/ **A** v. i. **1** gonfiarsi; essere rigonfio **2** (*anche* **to b. out**) incurvarsi in fuori; sporgere: *His belly bulges (out)*, ha la pancia che sporge **3** essere stracolmo, traboccare: *His pockets b. with coins*, ha le tasche stracolme di monetine **B** v. t. gonfiare (*una borsa, ecc., riempiendola*).

bulging /'bʌldʒɪŋ/ a. **1** protuberante; sporgente; bombato; gonfio; rigonfio: **b. eyes**, occhi sporgenti **2** pieno zeppo; stracolmo; rigonfio: **a b. wallet**, un portafogli rigonfio; **a bag b. with shopping**, una borsa zeppa di acquisti.

bulgy /'bʌldʒɪ/ a. (*fam.*) **1** rigonfio **2** (*dello stomaco, ecc.*) protuberante.

bulimia /bju:'lɪmɪə/ (*med.*) n. ◻ bulimia ‖ **bulimic** a. bulimico.

bulk /bʌlk/ n. **1** grande massa; mole; quantità; volume **2** ◻ – **the b. of**, la maggior parte di; il grosso di: *The b. of his property went to his son*, il grosso della sua proprietà andò al figlio **3** ◻ (*naut.*) spazio di stiva **4** ◻ fibre (*che fanno massa nell'intestino*) ● (*comm.*) **b. buying**, acquisti in blocco □

(*naut.*) **b. cargo**, carico alla rinfusa □ (*naut.*) **b. carrier**, nave rinfusiera □ (*USA*) **b. mail**, posta a tariffa ridotta; stampe □ (*comm.*) **b. order**, grosso ordinativo □ (*comm.*) **b. sale**, vendita all'ingrosso □ (*chim., stat.*) **b. sampling**, campionamento di massa □ (*comm.*) **b. selling**, vendite in blocco □ (*naut.*) **to break b.**, iniziare la discarica; cominciare a scaricare □ (*naut.*) **to load in b.**, caricare alla rinfusa (*grano, carbone, ecc.*) □ (*comm.*) **to sell in b.**, vendere in blocco.

to **bulk** /bʌlk/ **A** v. i. **1** fare massa; ammassarsi **2** crescere di volume; gonfiarsi **B** v. t. **1** ammassare; accumulare **2** trasportare alla rinfusa ● (*fig.*) **to b. large**, (*di un problema ecc.*) avere (*o* assumere) gran rilevanza □ **to b. up**, accumulare (*una somma, ecc.*); ammassare (*pesce, ecc.*); (*fam.*) aumentare, crescere: *We hope student numbers will b. up this year*, speriamo che il numero degli studenti aumenterà quest'anno □ **to b. up to**, assommare a.

bulkhead /'bʌlkhed/ n. **1** (*naut., aeron.*) paratia: **fire b.**, paratia tagliafuoco **2** (*aeron.*) ordinata di forza **3** (*ind. costr.*) muratura di sostegno (*in una galleria*).

bulky /'bʌlkɪ/ a. **1** grosso; voluminoso **2** ingombrante ‖ **bulkiness** n. ◻ grossezza; voluminosità.

bull ① /bʊl/ **A** n. **1** toro; bufalo (maschio) **2** maschio (*dei grandi mammiferi*) **3** (*Borsa*) speculatore al rialzo **4** – (*astron., astrol.*) **the B.**, il Toro **5** → **bull's-eye**, *def. 1* **6** (*slang USA*) poliziotto **7** (*slang USA*) asso (*alle carte*) **8** bulldog **9** (*slang spreg.*) lesbica mascolina **B** a. **1** (*di grande mammifero*) maschio: **b. elephant**, elefante maschio **2** taurino; di (*o* da) toro: **b. neck**, collo taurino; **b.-necked**, dal collo taurino **3** (*Borsa*) al rialzo; tendente al rialzo; rialzista: **b. market**, mercato rialzista (*o* al rialzo); **b. campaign**, campagna rialzista; **b. operations**, operazioni al rialzo □ (*stor.*) **b.-baiting**, spettacolo popolare, in cui si aizzano cani contro un toro incatenato □ (*autom.*) **b. bar**, protezione metallica anteriore □ **b. calf**, torello □ **b.'s-eye** → **bull's-eye** □ (*mus. fam., USA*) **b. fiddle**, contrabbasso □ **b.-headed**, testardo, ostinato; precipitoso □ (*tecn.*) **b.-nosed**, arrotondato sul davanti (*o* di lato) □ (*zool.*) **b.-of-the-bog** (*Botaurus stellaris*), tarabuso □ (*sport*) **b. point**, punto di vantaggio □ **b. position**, posizione lunga □ **b. pup**, cucciolo di bulldog (*Borsa*) **b. purchase**, acquisto allo scoperto □ (*Borsa*) **b. run**, corsa al rialzo □ (*zool.*) **b. shark**, (*Carcharhinus leucas*) squalo leuca □ **b. terrier**, bull terrier □ **to go at st. like a b. at a gate**, gettarsi a testa bassa (*o* in quarta) contro qc.; affrontare qc. a testa bassa □ **like a b. in a china shop**, come un elefante in una cristalleria □ **to take the b. by the horns**, prendere il toro per le corna.

bull ② /bʊl/ n. bolla (*editto, decreto papale*).

bull ③ /bʊl/ n. ◻ (*fam.*) fesserie (pl.); balle (pl.); fregnacce (pl.): **a lot** (*o* **a load**) **of b.**, un mucchio di fesserie ● (*USA*) **b. session**, discussione di gruppo informale □ (*USA*) **to shoot the b.**, raccontare balle; spararle grosse; (*anche*) chiacchierare del più e del meno, cazzeggiare (*pop.*).

to **bull** /bʊl/ **A** v. i. (*Borsa*) **1** speculare (*o* giocare) al rialzo **2** (*slang USA*) → **to bull-shit B** v. t. causare un rialzo di (*azioni, titoli*) ● (*Borsa*) **to b. the market**, comprare allo scoperto.

bullace /'bʊləs/ n. (*bot., Prunus domestica insitita*) susino selvatico; prugnolo da siepe.

bullate /'bʊleɪt/ a. (*bot., med.*) bolloso; coperto di bolle.

bulldog /'bʊldɒɡ/ **A** n. **1** (*cane*) bulldog **2** pistola di grosso calibro **3** (*ind.*) refrattario per rivestimento di suola di forno **4** (*fam., nelle università di Oxford e Cambridge*) assisten-

te del → «proctor» (*def. 1*) **5** (*slang USA*) investigatore privato **6** (*slang USA*) prima edizione del mattino (*d'un quotidiano*) ● **b. clip**, fermaglio a pinza (*per fogli*) **B** a. attr. coraggioso; tenace.

to **bulldoze** /'buldəuz/ v. t. **1** spianare con un bulldozer **2** (*fam.*) angariare; costringere con minacce; intimorire; intimidire.

bulldozer /'buldəuzə(r)/ n. **1** (*mecc.*) bulldozer; apripista **2** (*metall.*) pressa orizzontale a eccentrici **3** (*fig. fam.*) bullo (*fam.*).

♦**bullet** /'bulət/ n. **1** pallottola; proiettile: **rubber b.**, proiettile di gomma; **spent b.**, pallottola morta; **tracer b.**, proiettile tracciante **2** (*tipogr.*) pallino nero ● (*spreg.*) **b. head**, testa piccola e tonda; (*spreg.*) **b.-headed**, dalla testa piccola e tonda □ (*fin.*) **b. loan**, prestito con rimborso finale in un'unica soluzione; prestito bullet □ **b. point**, punto evidenziato (*da un pallino, in un elenco*) □ **b.-proof**, antiproiettile; blindato; corazzato; **b.-proof glass**, vetro blindato (*o antiproiettile*); **b.-proof vest**, giubbotto antiproiettile □ **b. resistant**, antiproiettile □ (*ferr.*) **b. train**, treno giapponese ad alta velocità □ **to bite the b.** → **to bite** □ (*fam.*) **to give sb. the b.**, licenziare; dare il benservito a □ (*fam.*) **to get the b.**, essere licenziato □ **like a b.**, come un razzo; come un fulmine; sparato (*fam.*) □ (*prov.*) **Every b. has its billet**, ogni proiettile va a segno; non ci si può battere contro la sorte.

bulleted /bulitid/ a. (*tipogr.*) – solo nella loc.: **b. list**, elenco puntato.

bulletin /'bulətin/ n. **1** bollettino; comunicato **2** (*radio, TV*) notiziario ● (*USA*) **b. board**, tabellone; bacheca □ (*comput.*) **b. board**, bacheca informatica.

bullfight /'bulfait/ n. corrida ‖ **bullfighter** n. torero ‖ **bullfighting** n. ◎ corride (pl.); tauromachia.

bullfinch ① /'bulfintʃ/ n. (*zool., Pyrrhula pyrrhula*) ciuffolotto maggiore.

bullfinch ② /'bulfintʃ/ n. (*equit., nella corsa campestre*) folta siepe che fiancheggia un fossato.

bullfrog /'bulfrɒg/ n. (*zool., Rana catesbeiana*) rana toro.

bullhead /'bulhɛd/ n. **1** (*zool., Cottus gobio*) ghiozzo, magnarone **2** (*zool., Ameiurus nebulosus*) pesce gatto.

bullion /'buliən/ n. ◎ **1** (*econ., fin.*) oro (*o argento*) in lingotti; metalli (pl.) preziosi: **gold b.**, oro in lingotti; **the b. market**, il mercato dei preziosi; **b. point**, punto dell'oro; **b. reserve**, riserva metallica **2** (*sartoria*) grillotti (pl.); canutiglia.

bullish /'bulıʃ/ a. **1** sicuro di sé; fiducioso; ottimista **2** (*Borsa*) in rialzo; tendente al rialzo; rialzista: **a b. market**, un mercato tendente al rialzo; **b. trend**, tendenza al rialzo; andamento rialzista; **b. dealer**, rialzista ‖ **-ly** avv. ‖ **-ness** n. ◎.

bullock /'bulək/ n. **1** giovenco; manzo **2** (*spec. USA*) torello.

bullpen /'bulpɛn/ n. (*fam. USA*) **1** camera di sicurezza **2** sala d'attesa **3** dormitorio di college maschile **4** sala di college femminile (*dove gli studenti aspettano le ragazze*) **5** (*sport: boxe*) ring **6** (*sport: baseball*) zona del campo in cui si scaldano i lanciatori; (*anche*) 'parco' lanciatori (collett.).

bullring /'bulrıŋ/ n. arena (*per corride*).

bull's-eye, bullseye /'bulzaı/ n. **1** centro del bersaglio; barilotto **2** colpo che fa centro **3** (*fig.*) osservazione che fa centro **4** (*naut.*) occhio di bue; oblò; portellino **5** (*archit., fotogr.*) occhio di bue **6** (*GB*) grossa caramella rotonda di menta ● **to hit the bull's-eye** (*o* **to score a bull's-eye**) fare centro (*anche fig.*).

bullshit /'bulʃit/ (*slang volg.*) n. ◎ **1** caz-

zate (pl.); coglionate (pl.); stronzate (pl.); fregnacce (pl.): **to talk b.**, dire cazzate **2** balle (pl.); sparate (pl.) ● **b. artist**, contaballe; ballista; uno che le spara grosse □ **It's all b.**, sono tutte cazzate; sono tutte balle.

to **bullshit** /'bulʃit/ (*pass. e p. p. **bullshitted** e **bullshat**,*) **A** v. i. (*slang volg.*) **1** dire cazzate; cazzeggiare **2** contare balle; spararle grosse **B** v. t. prendere per il culo (*o* per i fondelli); contare balle a ‖ **bullshitter** n. contaballe; ballista; uno che le spara grosse.

bulltrout /'bultraut/ n. (*zool., Salmo trutta*) trota comune.

bully ① /'buli/ n. prepotente; attaccabrighe; bullo (*fam.*) ● (*fam. GB*) **b. boy**, prepotente; bravaccio; teppista □ (*fam. GB*) **b.-boy** (agg.), teppistico; intimidatorio: **b.-boy tactics**, intimidazioni; sistemi teppistici □ (*USA*) **b. pulpit**, posizione di autorità.

bully ② /'buli/ a. (*fam.*) magnifico; straordinario ● **B. for you!**, bravissimo!; buon per te!

bully ③ /'buli/ n. (*anche* **b. beef**) (*fam.*) carne di manzo in scatola.

bully ④ /'buli/ n. (*sport, spesso* **b.-off**) messa in gioco (*nell'hockey su prato*)

to **bully** /'buli/ v. t. intimorire; intimidire; fare il prepotente con; fare il bullo con (*fam.*): **to b. sb. into st.**, costringere q. con minacce a fare qc.

bullying /'buliıŋ/ n. ◎ bullismo; prepotenza; prepotenze; vessazione, vessazioni: **b. in the workplace** (*o* **workplace b.**), vessazioni sul lavoro.

to **bully off** /'bulıɒf/ v. i. + avv. (*hockey*) (*di due giocatori*) contendersi la palla; dare inizio al gioco.

to **bullyrag** /'bulıræg/ v. t. (*fam. USA*) maltrattare; strapazzare; vittimizzare.

bulrush /'bulrʌʃ/ n. **1** (*Scirpus lacustris*) giunco di palude; nocco **2** (*Typha latifolia*) stiancia **3** (*Cyperus papyrus*) papiro

bulwark /'bulwək/ n. **1** (*anche fig.*) baluardo; bastione; spalto **2** frangiflutti; pennello; molo **3** (*di solito al pl.*) (*naut.*) murata; parapetto di murata: **main bulwarks**, murata principale.

♦**bum** ① /bʌm/ n. (*fam. GB*) sedere; deretano; culo ● **bums and tits**, nudi femminili; culi e tette □ (*ginnastica*) **bums and tums**, GAG □ **bums on seats**, spettatori; presenze; pubblico (sing.).

bum ② /bʌm/ n. (*slang USA*) **1** vagabondo; barbone **2** fannullone; buono a nulla **3** (con attr.) (*spreg.*) fanatico (*di un'attività, praticata per esibizionismo*): **beach bum**, tipo da spiaggia ● **to give sb. the bum's rush**, buttare fuori q. □ **on the bum**, dedito al vagabondaggio; che fa vita da vagabondo, da barbone; (*di macchina, ecc.*) guasto, scassato.

bum ③ /bʌm/ a. (*slang USA*) **1** che non vale niente; malfatto; pessimo; brutto; schifoso: **a bum job**, un lavoro malfatto; **bum advice**, consigli pessimi; **to have a bum time**, annoiarsi a morte **2** che non funziona; scassato **3** falso; fasullo: **bum check**, assegno falso ● **bum deal**, fregatura; bidone □ **bum rap**, accusa infondata; condanna ingiusta; critica ingiusta ● **bum steer**, informazione errata; indizio falso.

to **bum** /bʌm/ (*slang USA*) **A** v. i. (*anche* **to bum around**) **1** fare vita da vagabondo **2** vagabondare; gironzolare; andare a zonzo; fare il giramondo **3** vivere di scrocco; scroccare **B** v. t. scroccare: **to bum ten dollars off a friend**, scroccare dieci dollari a un amico; **to bum a ride**, scroccare un passaggio.

■ **bum out** v. t. + avv. (*slang USA*) **1** scoraggiare; deprimere; buttar giù (*fam.*) **2** irritare; dare ai nervi a.

bumbag /'bʌmbæg/ n. (*slang GB*) (*moda*)

marsupio.

bumbershoot /'bʌmbəʃuːt/ n. (*fam.*) ombrello.

to **bumble** /'bʌmbl/ v. i. **1** (con avv. o compl. di direzione) muoversi goffamente o incespicando: **to b. out**, uscire incespicando **2** borbottare; bofonchiare: **to b. on about st.**, continuare a borbottare di qc.; cianciare confusamente di qc. **3** ronzare.

bumblebee /'bʌmblbiː/ n. (*zool., Bombus*) bombo.

bumbling /'bʌmblıŋ/ a. (*fam.*) **1** goffo; maldestro; pasticcione; confusionario; imbranato **2** (*di parole*) borbottato; confuso.

bumboat /'bʌmbəut/ n. (*naut.*) battello di servizio; bettolina.

bumboy /'bʌmbɔı/ n. (*slang volg.*) marchetta.

bumf /bʌmf/ n. ◎ (*slang GB*) **1** scartoffie (pl.); pezzi (pl.) di carta **2** (*antiq.*) carta igienica.

bumfluff /'bʌmflʌf/ n. ◎ (*slang GB*) accenno di barba (*di adolescente*); prima peluria.

bumkin /'bʌmkın/ n. (*naut.*) buttafuori.

bummaree /bʌmə'riː/ n. (*GB*) **1** mediatore (*al mercato del pesce di Billingsgate, a Londra*) **2** facchino (*al mercato della carne di Smithfield, a Londra*).

bummer /'bʌmə(r)/ n. (*slang*) **1** scocciatura; menata (*pop.*); rottura (*pop.*) **2** persona scocciante; rompiscatole (*pop.*) **3** cosa fallita o deludente; delusione; fiasco; bidone **4** (*droga*) brutto viaggio; brutto trip **5** (*USA*) fannullone; scroccone.

bump /bʌmp/ n. **1** colpo sordo; urto; botta: **a b. on the head**, una botta in testa **2** sobbalzo; scossa **3** rumore sordo; botto; bum: **to go b.**, fare rumore; fare bum **4** gonfiore, protuberanza; bernoccolo **5** (*di strada, ecc.*) gobba; cunetta **6** (*fig. scherz.*) bernoccolo: **the b. of mathematics**, bernoccolo della matematica **7** (*slang USA*) promozione; aumento della paga **8** (*slang USA*) uccisione; assassinio **9** (*slang USA*) sveltina **10** (*pallavolo*) bagher **11** (*baseball*) smorzata **12** (*canottaggio*) il raggiungere o toccare con la prua l'imbarcazione che precede (*ottenendo il diritto di precederla alla partenza nella gara successiva*) ● **to come down with a b.**, tornare di colpo sulla terra (*fig.*) □ (*fam.*) **things that go b. in the night**, rumori notturni misteriosi.

♦to **bump** /bʌmp/ **A** v. i. **1** – **to b. against** (*o* **into**), urtare (contro); andare a sbattere contro: **to b. into st.**, andare a sbattere contro qc.; (*autom.*) tamponare qc.; *I bumped against the table*, andai a sbattere contro (*o* urtai) la tavola **2** – (*fam.*) **to b. into**, imbattersi in (q.); incontrare per caso (q.): *I'll see you Friday if I don't b. into you before*, ci vediamo venerdì se non ci incontriamo per caso prima **3** (con avv. o compl. di direzione) muoversi sobbalzando: *The car bumped along*, l'automobile procedeva sobbalzando **B** v. t. **1** urtare; andare a sbattere contro **2** picchiare; battere; sbattere: *I bumped my head on the step*, picchiai la testa contro il gradino **3** scuotere; far sobbalzare; spingere a scossoni (*in una data direzione*): *He bumped the trolley down the ramp*, spinse il carrello traballante giù per la rampa; **to b. a child on one's knee**, far saltellare un bambino sulle ginocchia; **to b. st. out of the way**, scostare qc. con uno spintone **4** (*slang USA*) estromettere; rimuovere; mettere da parte; soppiantare **5** (*tur.*) lasciare a terra (*un passeggero prenotato su un volo*) **6** → **to b. up**; **to b. off**, **A 7** (*canottaggio*) raggiungere e toccare un'imbarcazione, ottenendo il diritto di precederla alla partenza nella gara successiva) ● (*slang*) **to b. and grind**, (*spec. di spogliarellista*) ballare dimenando il bacino e facendo la mossa.

a b c d e f g h i j k l m n o p q r s t u v w x y z

b

■ **bump off** v. t. + avv. (*slang*) uccidere; ammazzare; far fuori (*pop.*).
■ **bump up** v. t. + avv. (*fam.*) **1** aumentare; alzare; far salire; gonfiare: **to b. up the average**, alzare la media; *They bumped me up to $200 a week*, mi portarono a 200 dollari la settimana **2** promuovere inaspettatamente (*o immeritatamente*).
bumper /'bʌmpə(r)/ **A** n. **1** (*autom.*) paraurti **2** (*ferr.*, *USA*) respingente **3** (*naut.*) parabordo **4** (*ind. min.*) basamento **5** (*metall.*) formatrice a scossa **6** (*antiq.*) bicchiere colmo **B** a. attr. abbondante; eccezionale: **a b. crop**, un raccolto eccezionale; **b. issue**, numero speciale (*di rivista, con più pagine*); **a b. crowd**, una gran folla ● **b. car**, autoscontro (*la vetturetta*) □ **b. cars**, autoscontro (sing.) (*la pista*) □ (*autom.*, *USA*) **b. sticker**, adesivo con slogan, per paraurti □ (*autom.*: *del traffico*) **b.-to-b.**, con le auto una attaccata all'altra; in fila serrata.
bumph → **bumf**.
bumpkin ① /'bʌmpkɪn/ n. individuo goffo, maldestro; bifolco; zotico.
bumpkin ② → **bumkin**.
bumptious /'bʌmpʃəs/ a. presuntuoso; arrogante; borioso ‖ **bumptiousness** n. ☐ presunzione; arroganza; boria.
bumpy /'bʌmpɪ/ a. **1** (*di terreno, strada, ecc.*) irregolare; accidentato; ineguale **2** (*di un viaggio, di un volo*) pieno di sobbalzi; tutto scosse ● (*fig. fam.*) **to have a b. time**, attraversare un periodo di alti e bassi ‖ **bumpily** avv. con sobbalzi; con scossoni; in modo ballonzolante; traballando ‖ **bumpiness** n. ☐ irregolarità, l'essere accidentato (*di terreno, strada, ecc.*).
bun ① /bʌn/ n. **1** panino dolce; ciambella; focaccina **2** crocchia; chignon ● (*fam. antiq.*) **to have a bun in the oven**, essere incinta.
bun ② /bʌn/ n. **1** (*slang*) coniglio **2** (*slang*) scoiattolo **3** (*slang USA*) sedere; (al pl.) chiappe (*pop.*), natiche.
◆**bunch** /bʌntʃ/ n. **1** grappolo; mazzo; fascio: **a b. of grapes**, un grappolo d'uva; **a b. of flowers**, un mazzo di fiori; **a b. of bananas**, un casco di banane **a b. of keys**, un mazzo di chiavi **2** (*fam.*) gruppo (*di persone*); combriccola; compagnia; banda; branco, manica (*spreg.*): **a b. of students**, un gruppo di studenti; *All told, they're a good b. of kids really*, tutto sommato, sono dei bravi ragazzi; **a b. of crooks**, una manica di imbroglioni **3** (*fam. USA*) grande quantità; mucchio **4** (al pl.) codini (*di capelli*): **to wear one's hair in bunches**, portare i codini **5** (*sport*) gruppo; plotone: **b. finish**, arrivo in gruppo ● (*slang GB*) **b. of fives**, pugno; (*anche*) cazzotto, castagna.
to **bunch** /bʌntʃ/ **A** v. t. **1** raggruppare; raccogliere in un mazzo (*o in mazzi*) **2** drappeggiare (*una stoffa, un vestito*) **B** v. i. **1** raggrupparsi; raccogliersi in un mazzo (*o in mazzi*) **2** (*mil.*, *press*) (*anche* **to b. up**) stringersi, serrare le file; (*ciclismo*) raggrupparsi, formare un gruppo **3** (*del traffico*) appesantirsi ● **to b. together**, fare capannello □ (*di stoffa*) **to b. up**, raggrinzirsi.
bunchy /'bʌntʃɪ/ a. **1** che cresce a grappoli **2** che ha mazzi (*o grappoli*) **3** (*di una vena di minerale, ecc.*) irregolare.
bunco /'bʊŋkəʊ/ n. (pl. **buncos**) (*fam. USA*) imbroglio; truffa (*spec. al gioco e con l'aiuto di complici*) ● **b. artist** (*o* **b. steerer**), imbroglione; truffatore; compare □ **b. squad**, squadra antitruffa.
to **bunco** /'bʊŋkəʊ/ v. t. (*fam. antiq.*) imbrogliare; truffare.
buncombe /'bʌŋkəm/ → **bunkum**.
bundle /'bʌndl/ n. **1** fascio; fastello: **a b. of letters**, un fascio di lettere; **a b. of firewood**, una fascina di legna da ardere **2** in-

volto; pacco; fagotto **3** (*anat.*, *bot.*) fascio **4** (*slang USA*) (un bel) gruzzolo **5** (*slang USA*) (bel pezzo di) ragazza **6** (*slang USA*) bustina, stecca (*di droga*) **7** (*comput.*, **software bundle**) pacchetto software (*combinazione di software venduti insieme, spesso ad un prezzo conveniente, o forniti in dotazione*) ● (*fig.*, generalm. al neg.) **a b. of fun** (*o of laughs*), cosa o persona spassosa; spasso; massimo dell'allegria: *He's no b. of fun*, è tutt'altro che un tipo spassoso □ (*fig.*) **a b. of nerves**, un fascio di nervi (*nervosismo*).
to **bundle** /'bʌndl/ **A** v. t. **1** legare (qc.) in un fascio (*o fagotto*); affastellare; impacchettare **2** (seguito da **away**, **off**, **out**, **into**) mettere (qc.) alla rinfusa; mandare, spedire (q.) in tutta fretta: *He bundled everything into the case*, mise ogni cosa alla rinfusa dentro la cassa; *I bundled him off to my office*, lo spedii in tutta fretta al mio ufficio **3** (seguito da **into**) spingere (q.) con violenza, ficcare: *The kidnapped girl was bundled into the car*, la ragazza rapita fu ficcata in macchina a viva forza **4** (*comput.*) vendere (*spec. software*) in pacchetti **B** v. i. (seguito da **away**, **off**, **out**) andarsene in gran fretta; far fagotto: *We bundled off*, facemmo fagotto ● **to b. up**, fare un fagotto (*o un pacco*) di (qc.); impacchettare; infagottarsi, avvolgersi (*in scialli, ecc.*) ‖ **bundling** n. ☐ (*econ.*, *market.*) vendita a pacchetto; raggruppamento.
bunfight /'bʌnfaɪt/ n. (*fam. scherz. GB*) **1** ricevimento pomeridiano formale o ufficiale; tè formale **2** discussione accalorata.
bung ① /bʌŋ/ n. **1** (*ind.*) grosso turacciolo; tappo (*di botte, ecc.*); zipolo **2** (*di solito* **b.-hole**) cocchiume.
bung ② /bʌŋ/ n. (*slang GB*) bustarella; mazzetta; tangente.
to **bung** ① /bʌŋ/ v. t. **1** mettere il tappo a (*una botte, ecc.*); tappare **2** gettare; scagliare **3** (*fam. GB*) mettere (*in fretta*); cacciare; ficcare: *B. it in here!*, mettilo qui!; caccialo qui!
■ **bung up** v. t. + avv. (*fam. GB*) tappare; bloccare; intasare: **to bung up a hole**, tappare un buco; **to bung up the drains**, intasare lo scarico □ **bunged-up nose**, naso tappato (*o chiuso*).
to **bung** ② /bʌŋ/ v. t. (*slang GB*) dare una bustarella, una mazzetta a.
◆**bungalow** /'bʌŋɡələʊ/ n. **1** bungalow **2** (*in GB*) casa o villetta a un solo piano.
bungee-jumping /'bʌndʒɪdʒʌmpɪŋ/ loc. n. ☐ (*sport*) salto dal ponte con un cavo elastico.
bungle /'bʌŋɡl/ n. lavoro malfatto; pasticcio.
to **bungle** /'bʌŋɡl/ **A** v. t. **1** fare male; pasticciare; incasinare (*fam.*) **2** sprecare (*un'occasione*); mandare all'aria (*un piano, ecc.*) **B** v. i. fare pasticci; rovinare tutto; mostrarsi incompetente ‖ **bungled** a. pasticciato; goffo; malriuscito ‖ **bungler** n. confusionario; pasticcione; incompetente; incapace ‖ **bungling** a. **1** confusionario; incompetente **2** goffo; da incompetente.
bunion /'bʌnɪən/ n. (*med.*) borsite dell'alluce.
bunk ① /bʌŋk/ n. **1** letto (*stretto e in genere fissato al muro, spec. in un letto a castello*) **2** (*su una nave, un treno, ecc.*) cuccetta ● **b. bed**, letto a castello □ (*fam. GB*) **b.-up**, spinta, aiuto per salire; (*slang*) veloce rapporto sessuale, sveltina (*fam.*), bottarella (*fam.*).
bunk ② /bʌŋk/ n. (*slang GB*) partenza di nascosto; fuga: **to do a b.**, scappare di nascosto; squagliarsela; tagliare la corda; fare fagotto.
bunk ③ /bʌŋk/ n. ☐ (*slang*) sciocchezza, sciocchezze; fesseria, fesserie (*pop.*); balla, balle (*pop.*).

to **bunk** ① /bʌŋk/ v. i. (*fam.*) dormire (*in una cuccetta o letto improvvisato*); arrangiarsi, sistemarsi per la notte: **to b. together**, dormire insieme (*nella stessa casa, stanza, ecc.*); **to b. with sb.**, dividere la camera con q.; **to b. (down) on the floor**, dormire per terra; **to b. over at a friend's**, arrangiarsi per la notte da un amico.
■ **bunk up** (*slang GB*) **A** v. t. + avv. dare una spinta a (q. *per aiutarlo a salire*) **B** v. i. + avv. (*di solito* **to b. up with**) **1** dividere il letto con **2** andare a letto con.
to **bunk** ② /bʌŋk/ v. i. (*slang GB*) scappare di nascosto; squagliarsela; tagliare la corda; fare fagotto.
■ **bunk in** v. i. + avv. (*slang GB*) intrufolarsi; infilarsi senza permesso.
■ **bunk off** (*slang GB*) **A** v. i. → **to bunk** ② **B** v. i. e t. marinare (la scuola); bigiare (*region.*); fare sega (*region.*); non andare (in ufficio, ecc.).
bunker /'bʌŋkə(r)/ n. **1** (*naut.*) carbonile; stiva per il carbone **2** (*mil.*) bunker; fortino; casamatta **3** (*golf*) bunker; ostacolo (*artificiale*) **4** (*fig.*) rifugio.
to **bunker** /'bʌŋkə(r)/ **A** v. t. **1** (*golf*) mandare (*la palla*) in bunker **2** (*fig.*) mettere (q.) in difficoltà **3** (*naut.*) rifornire di carburante **B** v. i. (*naut.*) rifornirsi di carburante ● **to be bunkered**, (*golf*) avere la palla in bunker; (*fig.*) essere in difficoltà.
bunkering /'bʌŋkərɪŋ/ n. ☐ (*naut.*) caricamento dei carbonili ● (*naut.*) **b. station**, stazione di rifornimento.
bunkhouse /'bʌŋkhaʊs/ n. (*USA*) casa dei mandriani (*o dei cowboy: in un ranch*).
bunkum /'bʌŋkəm/ n. ☐ **1** balle; fandonie; fesserie **2** (*polit.*, *USA*) oratoria da strapazzo.
◆**bunny** /'bʌnɪ/ n. **1** (*infant.*, *anche* **b. rabbit**) coniglietto **2** (= **b. girl**) coniglietta (*di un Playboy Club*) **3** (*fam. USA*) ragazza (*spec. al seguito di attori, sportivi, ecc.*) **4** (con attr.) (*slang USA*) tipo; individuo: **dumb b.**, fesso; **sick b.**, malato mentale ● **b. hop**, saltello in posizione accovacciata □ (*fam. spreg.*) **b. hugger**, animalista fanatico □ (*sci*, *fam. USA*) **b. slope**, pista per principianti; campetto.
bunt /bʌnt/ n. **1** parte che si gonfia, fondo, pancia (*di vela*); pancia, fondo, sacco (*di rete da pesca, ecc.*) **2** (*aeron.*) virata imperiale **3** (*USA*, *baseball*) smorzata; (*anche*) palla smorzata ● (*naut.*) **b.-line**, caricammezzo.
to **bunt** /bʌnt/ **A** v. i. **1** (*naut.*: *di una vela*) gonfiarsi **2** (*aeron.*) fare una virata imperiale **3** (*baseball*) smorzare la palla **B** v. t. **1** (*aeron.*) mettere (*un aereo*) in virata imperiale **2** (*USA*, *baseball*) smorzare; battere (*la palla*) con un colpo smorzato.
bunting ① /'bʌntɪŋ/ n. ☐ **1** (*ind. tess.*) stamigna, stamina (*stoffa per bandiere, ecc.*) **2** (*collett.*) bandiere; pavesi **3** (*market.*) bandiere, vessilli e stendardi.
bunting ② /'bʌntɪŋ/ n. (*USA*) sacchetto per neonato.
bunting ③ /'bʌntɪŋ/ n. (*zool.*, *Emberiza*) zigolo.
buoy /bɔɪ, *USA* buːˈiː/ n. **1** (*naut.*) boa; gavitello **2** (*naut.*, = **life b.**) salvagente **3** (*fig.*) sostegno; appoggio ● **b. rope**, grippia □ **to pick up a b.**, ormeggiarsi a una boa.
to **buoy** /bɔɪ, *USA* buːˈiː/ v. t. (*naut.*) **1** provvedere di boe; disporre le boe su **2** (*talvolta* **to b. up**) segnare la posizione di (qc.) con boe: **to b. a wreck**, segnare con boe la posizione di un relitto ● **to b. up**, tenere a galla; venire a galla; (*fig.*) appoggiare, sostenere, incoraggiare; (*econ.*, *fin.*) **to b. up the market**, sostenere il mercato.
buoyage /'bɔɪədʒ/ n. ☐ (*naut.*) **1** (*collett.*) boe **2** sistema di segnalazione a mezzo di boe **3** (*comm.*) diritti di boa.

buoyancy /'bɔɪənsɪ/ n. ⓤ **1** galleggiabilità: *Cork has more b. than wood*, il sughero ha una galleggiabilità superiore a quella del legno **2** (*fis.*) spinta idrostatica **3** (*naut.*) spinta di galleggiamento **4** (*aeron.*) spinta aerostatica; forza ascensionale **5** (*fig.*) capacità di recupero; brio; allegria; vivacità; esuberanza **6** (*comm.*, *fin.*) esuberanza; vitalità; slancio; tendenza al rialzo: *The property market b. is set to continue*, lo slancio del mercato immobiliare è destinato a perdurare ● (*naut.*) **b. tank**, cassa di emersione (*di un sottomarino*) □ **centre of b.**, (*fis.*) centro di galleggiamento; (*naut.*) centro di carena.

buoyant /'bɔɪənt/ a. **1** galleggiabile; capace di galleggiare (*o di tenere a galla*) **2** (*naut.*) galleggiante; galleggiabile **3** (*fig.*) ottimisticamente esuberante; brioso; allegro; vivace; pieno di risorse **4** (*comm.*, *fin.*: *di un mercato, ecc.*) esuberante, in recupero; in espansione; tendente al rialzo: *All areas of our business are feeling the positive impact of a b. market*, tutte le nostre aree di attività risentono l'effetto di un mercato in espansione **5** (*fin.*: *di una moneta*) sostenuto; vivace.

bur /bɜː(r)/ n. **1** (*ind. tess.*) lappola **2** (*bot.*) lappa, lappola; strappalana (*pop.*): '*I am a kind of bur; I shall stick*' W. SHAKESPEARE, 'sono una specie di lappola: mi attacco' **3** (*bot.*: *della castagna*) riccio **4** (*bot.*) pianta con lappole; bardana **5** (*fig.*) persona appiccicaticcia (*o importuna*); seccatore.

bur. abbr. **1** (**bureau**) ufficio **2** (**buried**) sepolto.

Burberry® /'bɜːbərɪ/ n. impermeabile Burberry.

to **burble** /'bɜːbl/ v. i. **1** gorgogliare; (*dello stomaco*) brontolare **2** ribollire (*di rabbia, ecc.*) **3** trabocccare (*d'allegria, ecc.*) ● to **b. about st.**, chiacchierare di qc.

burbot /'bɜːbət/ n. (pl. **burbot**, **burbots**) (*zool.*, *Lota lota*) bottatrice.

♦**burden** /'bɜːdn/ n. **1** carico; fardello; peso; soma: **beast of b.**, bestia da soma **2** (*fig.*) fardello; peso; carico; gravame: **a b. of care**, un fardello di affanni; **the b. of years**, il peso degli anni; **b. of taxation**, gravame fiscale, carico tributario; **to bear a heavy b.**, portare un grosso fardello; **to make sb.'s life a b.**, rendere la vita insopportabile a q. **3** – **the b.**, onere: **the b. of proof**, l'onere della prova **4** – **the b.**, tema principale (*di un discorso, ecc.*); tenore; succo **5** (*mus.*) ritornello **6** ⓤ (*naut.*) portata; portata lorda **7** (*elettr.*) carico totale **8** (*fin.*, *rag.*) costo fisso (*o indiretto*).

to **burden** /'bɜːdn/ v. t. **1** gravare; imporre un onere (*o un peso*) a; oberare: **to b. with taxation**, gravare di tasse **2** opprimere; affliggere; importe (qc.) a: *I won't b. you with the whole story*, non voglio affliggerti con tutta la storia **3** → **burdened**.

burdened /'bɜːdnd/ a. **1** carico; sotto il peso (di); appesantito; sovraccarico: *He arrived b. by a huge suitcase*, arrivò trascinando un'enorme valigia **2** oberato; gravato: **b. with debts**, gravato da debiti; **b. with responsibilities**, oberato di responsabilità; **b. estate**, proprietà gravata da oneri.

burdensome /'bɜːdnsəm/ a. gravoso; oneroso; opprimente || **burdensomeness** n. ⓤ gravosità; onerosità.

burdock /'bɜːdɒk/ n. (*bot.*) **1** (*Arctium lappa*) bardana; lappola; lappa **2** → **butterbur**.

bureau /'bjʊərəʊ/ n. (pl. **bureaus**, **bureaux**) **1** scrivania (*o scrittoio*) con cassetti **2** (*USA*) cassettiera; cassettone **3** ufficio; agenzia: **an information b.**, un'agenzia d'informazioni **4** (*USA*) ufficio governativo (*o federale*); dipartimento; sezione: **Federal**

B. of Investigation (abbr. **FBI**), Sezione investigativa della polizia federale ● (*fin.*) **b. de change** (*franc.*), agenzia di cambio; ufficio cambi.

bureaucracy /bjʊə'rɒkrəsɪ/ n. ⓤ burocrazia.

bureaucrat /'bjʊərəkræt/ n. burocrate || **bureaucratic** a. burocratico.

bureaucratese /bjʊəˌrɒkrəti:z/ n. ⓤ burocratese; gergo della burocrazia.

bureaucratism /bjʊə'rɒkrətɪzəm/ n. ⓤ burocratismo.

to **bureaucratize** /bjʊə'rɒkrətaɪz/ v. t. burocratizzare || **bureaucratization** n. ⓤ burocratizzazione.

burette /bjʊə'ret/ (*franc.*) n. (*chim.*) buretta; provetta graduata.

burg /bɜːg/ n. **1** (*stor.*) città fortificata **2** (*fam. USA*) città.

burgee /'bɜːdʒi/ n. (*naut.*) guidone; bandiera sociale.

burgeon /'bɜːdʒən/ n. (*poet.*) gemma; germoglio.

to **burgeon** /'bɜːdʒən/ v. i. (*form.*) **1** germogliare; gemmare **2** (*fig.*, *di solito* to **b. out**, to **b. forth**) fiorire; crescere (*o svilupparsi*) rapidamente.

♦**burger** /'bɜːgə(r)/ n. (*fam.*) **1** hamburger; medaglione (*di carne*); svizzera **2** panino con hamburger.

burgess /'bɜːdʒɪs/ n. **1** cittadino (*di un* **borough**) **2** (*stor.*, *in GB*) rappresentante parlamentare d'una città (*o di un'università*).

burgh /'bʌrə/ n. (*arc. o scozz.*) città; borgo; municipio.

burgher /'bɜːgə(r)/ n. (*arc. o scherz.*) cittadino (*spec. borghese*).

burglar /'bɜːglə(r)/ n. (*leg.*) scassinatore; ladro di appartamenti ● **b. alarm**, impianto d'allarme; antifurto (*in un edificio*) □ **b.-proof**, a prova di ladri || **burglary** n. ⓤⓒ (*leg.*) violazione di domicilio; furto con scasso; furto (*in una casa, ecc.*).

to **burglarize** /'bɜːgləraɪz/ (*USA*) → to **burgle**.

to **burgle** /'bɜːgl/ v. t. **1** scassinare; commettere un furto con scasso in; rubare in (*una casa, ecc.*): *Their house was burgled*, gli hanno rubato in casa; gli sono entrati i ladri in casa **2** rubare in casa di: *We've been burgled twice*, abbiamo avuto i ladri due volte.

burgomaster /'bɜːgəmɑːstə(r)/ n. borgomastro.

burgoo /bɜː'guː/ n. ⓤ **1** (*gergo naut.*) porridge molto denso **2** (*USA*) stufato o zuppa densa (*servita all'aperto*); (*per estens.*) party all'aperto in cui si mangia questo piatto.

burgrave /'bɜːgreɪv/ n. (*stor.*) burgravio.

Burgundy /'bɜːgəndɪ/ n. **1** (*geogr.*) Borgogna **2** – **b.**, borgogna; vino di Borgogna **3** (*colore*) bordeaux: *It's a b. scarf with thin yellow stripes down it*, è una sciarpa bordeaux con delle strisce sottili gialle || **Burgundian** a. e n. borgognone.

burial /'berɪəl/ n. **1** ⓤⓒ sepoltura; seppellimento; inumazione; tumulazione **2** funerale: *The b. is usually a week to ten days after death*, il funerale di solito si svolge una settimana o dieci giorni dopo la morte ● **b. ground**, cimitero □ **b. mound**, tumulo; tomba □ **b. place**, cimitero; sepoltura; tomba □ **b. service**, ufficio funebre; esequie (pl.).

burin /'bjʊərɪn/ n. (*arte*) bulino.

burk /bɜːk/ → **berk**.

burka, **burkha** /'bʊəkə/ n. burqa; burka.

to **burke** /bɜːk/ v. t. (*arc.*) **1** uccidere per soffocamento **2** soffocare; mettere a tacere; passare sotto silenzio.

Burkina /bɜː'kiːnə/ n. (*geogr.*) Burkina Faso || **Burkinian** a. e n. burkinese.

burl ① /bɜːl/ n. **1** nodo (*di stoffa, legno*) **2** (*USA*) escrescenza nodosa (*di albero, usata in artigianato*).

burl ② /bɜːl/ n. (*fam. Austral.*) tentativo: *Let's give it a b.!*, facciamo un tentativo!; proviamo!

to **burl** /bɜːl/ v. t. (*ind. tess.*) rifinire togliendo i nodi.

burlap /'bɜːlæp/ n. ⓤ tela ruvida (*di juta, canapa, lino*); tela da sacchi.

burlesque /bɜː'lesk/ Ⓐ n. **1** ⓒ caricatura; parodia **2** ⓤ scena comico-grottesca; pagliacciata; ridicolo: **to degenerate into b.**, scadere in una pagliacciata **3** ⓤ (*letter. ingl.*) burlesque **4** (*teatr.*, *USA*) burlesque (*spettacolo di varietà generalm. con spogliarello*) Ⓑ a. attr. caricaturale; parodistico.

to **burlesque** /bɜː'lesk/ v. t. parodiare; imitare; mettere in ridicolo.

burly /'bɜːlɪ/ a. corpulento; tarchiato; atticciato.

Burma /'bɜːmə/ n. (*geogr.*) Birmania || **Burmese** Ⓐ a. (inv. al pl.) birmano Ⓑ n. ⓤ birmano (*la lingua*).

Burman /'bɜːmən/ = **Burmese** → **Burma**.

♦**burn** ① /bɜːn/ n. **1** (*med.*) ustione; scottatura **2** (*segno di*) bruciatura: **cigarette burns**, bruciature da sigaretta **3** ⓤ (*sensazione di*) bruciore; irritazione da sfregamento: **a b. in the throat**, un bruciore in gola **4** (*ind.*) cottura; calcinazione **5** (*miss.*) accensione (*di razzo, ecc.*) **6** (*slang GB*) sigaretta; paglia (*pop.*); cicca (*pop.*) **7** (*slang USA*) fregatura; bidone ● (*fam.*) **slow b.**, ira crescente silenziosa (*rivelata solo dal viso*): **to do a slow b.**, cominciare a fumare; prepararsi a esplodere □ (*fam. sport*) **to go for the b.**, spingersi al massimo (*cercando di superare la soglia del dolore*).

burn ② /bɜːn/ n. (*scozz.*) ruscello.

♦to **burn** /bɜːn/ Ⓐ v. t. (pass. e p. p. **burned**, **burnt** ❶ NOTA: *participle* : *participle*) **1** bruciare; ardere; dare alle fiamme; incenerire: **to b. wood**, bruciare (*o ardere*) legna; *They were burnt alive*, furono bruciati vivi; *We burnt the papers*, bruciammo i documenti; **to b. a flag**, bruciare (*o dare fuoco a*) una bandiera **2** (*del sole*) bruciare; abbronzare: *His face was burnt by the sun*, aveva il viso bruciato dal sole **3** scottare; ustionare; bruciare: *I've burnt my hand*, mi sono scottato una mano; **to b. oneself**, scottarsi; ustionarsi **4** (*cucina*) bruciare: *I've burnt the chicken*, ho bruciato il pollo **5** (*di macchina, ecc.*) usare (*un combustibile*); andare a: **to b. coal**, andare a carbone; **a lamp that burns oil**, una lampada a olio **6** fare (*con il fuoco*): **to b. a hole in one's jacket**, farsi un buco nella giacca (*con la sigaretta, ecc.*) **7** (*al passivo*) **to get burned**, restare scottato (*da un'esperienza*) **8** (*al passivo*) **to get burned**) subire una forte perdita finanziaria (*in un affare, ecc.*); perdere un sacco di soldi **9** (*med.*) cauterizzare (*una ferita, ecc.*) **10** marchiare a fuoco (*bestiame, ecc.*) **11** (*comput.*) masterizzare (*un cd*) **12** (*chim.*) combinare con l'ossigeno **13** (*tecn.*) cuocere; calcinare **14** (*miss.*) accendere (*un razzo*) **15** (*tecn.*) tagliare (*metalli*) con la fiamma ossidrica (*o col cannello ferruminatorio*) **16** (*slang USA*) imbrogliare; fregare; bidonare (*pop.*) **17** (*slang USA*) giustiziare sulla sedia elettrica **18** (*slang USA*) ammazzare (*con un'arma da fuoco*); freddare; far fuori **19** (*slang USA*) far girare le scatole; fare incavolare **20** (*slang USA*) stare addosso a; tormentare **21** (*slang USA*) battere; superare; bruciare Ⓑ (pass. e p. p. **burned**, **burnt**), v. i. **1** bruciare; ardere; andare a fuoco: *A fire was burning in the fireplace*, nel camino ardeva il fuoco; *The house is burning*, sta andando a fuoco la casa; *The fire was burning out of control*, l'incendio ardeva indomabile; **to b. low**, ardere

piano: bruciare a fiamma bassa **2** (*di cibo*) bruciare; bruciarsi: *The bread has burnt*, il pane si è bruciato; *Something's burning!*, sta bruciando qualcosa! **3** (*di luce*) ardere; brillare: *A light was burning in the window*, dietro la finestra brillava una luce **4** (*della pelle, ecc.*) bruciare; scottare: *His forehead was burning with fever*, la sua fronte scottava di febbre; *My face was burning*, avevo la faccia in fiamme (*per la vergogna, l'ira, ecc.*): *My eyes b.*, mi bruciano gli occhi **5** (*di liquido, crema, ecc., sulla pelle*) bruciare **6** (*fig.*) ardere; bruciare: **to b. with anger**, bruciare per la rabbia **7** (*fig.*) ardere dal desiderio (*di fare qc.*); fremere dalla voglia (di): *She was burning to meet him*, ardeva dal desiderio d'incontrarlo **8** (*fam.*) bruciare all'inferno; finire all'inferno **9** (*chim.*) combinarsi con l'ossigeno **10** (*fis. nucl.*) subire una fusione; fondersi **11** (*miss.: di razzo*) accendersi; restare acceso **12** viaggiare ad alta velocità; (*autom.*) bruciare la strada, andare sparato **13** (*slang USA*) infuriarsi; incavolarsi; imbufalirsi **14** (*slang USA*) andare sulla sedia elettrica ● (*stor.*) **to b. sb. at the stake**, bruciare sul rogo; essere mandato al rogo □ (*volg. USA*) **to b. sb.'s ass**, fare incazzare q. □ **to b. one's boats** (*o bridges*), tagliarsi i ponti alle spalle □ **to b. the candle at both ends**, andare a letto tardi e alzarsi presto (*per lavorare*); lavorare troppo; esaurirsi □ **to b. charcoal**, fare il carbone di legna □ **to b. clear**, (*di candela, ecc.*) fare una bella luce; far luce (bene) □ *That money is burning a hole in his pocket*, ha una gran voglia (*o non vede l'ora*) di spendere quei soldi □ (*fam.*) **to b. the midnight oil**, lavorare fino a notte tarda □ (*autom., slang USA*) **to b. rubber**, sgommare □ **to b. to ashes** (*o to the ground*), incenerire, incenerirsi □ **to b. to a crisp** (*o to a frazzle*), bruciare completamente; ridurre in cenere; carbonizzare □ (*fam.*) **to have money to b.**, avere denaro da buttar via; poter spendere e spandere □ (*fam.*) **My ears are burning**, mi fischiano le orecchie (*fig.*) □ **to get one's fingers burnt**, scottarsi le dita (*in un affare, ecc.*); rimanere scottato.

■ **burn away** **A** v. i. + avv. **1** ardere (con forza): *The camp fire was burning away*, il fuoco dell'accampamento ardeva **2** consumarsi (bruciando): *The candle has burnt away*, la candela s'è consumata **B** v. t. + avv. bruciare; distruggere con il fuoco: *His skin had been burnt away*, il fuoco gli aveva distrutto la pelle; era gravemente ustionato.

■ **burn down** **A** v. t. + avv. distruggere (*un edificio, ecc.*) con il fuoco; incenerire: *The enemy burnt down the village*, il nemico distrusse il villaggio appiccandovi il fuoco **B** v. i. + avv. **1** (*di fuoco, ecc.*) cominciare a spegnersi; (*del gas, ecc.*) bruciare a fiamma bassa **2** (*di edificio, ecc.*) essere distrutto dal fuoco; bruciare: *My house burnt down in 1980*, la mia casa fu distrutta dal fuoco nel 1980.

■ **burn in** (*o into*) v. t. + avv. (*o prep.*) **1** imprimere a fuoco (in); incidere a fuoco (in, su): **to b. one's name into a tree**, incidere a fuoco il proprio nome su un albero **2** (*tecn.*) saldare (*pezzi, ecc.*) con il cannello ferruminatorio **3** (*fig.*) imprimere in modo indelebile (*nella mente, ecc.*): *That scene was burnt into my memory*, quella scena mi si impresse indelebilmente nella memoria.

■ **burn off** v. t. + avv. distruggere, eliminare, rimuovere con il fuoco; bruciare: *My hair was burnt off*, mi si bruciarono i capelli; **to b. off the stubble**, bruciare le stoppie.

■ **burn out** **A** v. t. + avv. **1** distruggere (*internamente*) con il fuoco; sventrare con il fuoco: *The theatre was burnt out*, il teatro è stato sventrato dal fuoco **2** (*tecn.*) asportare con la fiamma; bruciar via **3** (*mecc.*) fondere: **to b. out the bearings**, fondere le

bronzine **4** *V. sotto*, **B** *def. 1 e 5* **5** – **to b. out of**, cacciare con il fuoco da: *They were burnt out of their homes*, li costrinsero ad abbandonare le case incendiandole **B** v. i. + avv. **1** (*anche* **to b. itself out**) (*di fuoco, candela, ecc.*) estinguersi, spegnersi (*per mancanza di combustibile*) **2** (*elettr.*) bruciarsi; fulminarsi **3** (*mecc.*) fondersi: *The engine has burnt out*, il motore ha fuso **4** (*miss., di razzo*) spegnersi **5** (*anche* **to b. oneself out**), logorarsi, esaurirsi emotivamente (*per essere sottoposti a un'attività stressante*) **6** (*miss., fam.: di un razzo*) spegnersi.

■ **burn together** v. t. + avv. (*tecn.*), saldare (*pezzi, ecc.*) con il cannello ferruminatorio.

■ **burn up** **A** v. t. + avv. **1** distruggere con il fuoco; bruciare; ridurre in cenere; incenerire: *Arsonists are burning up the woods in Sardinia*, dei piromani stanno distruggendo i boschi della Sardegna **2** consumare; bruciare: **to b. up calories**, bruciare calorie; **to b. up energy**, consumare energia; **to b. up fuel**, consumare carburante **3** (*fam.*) ossessionare; rodere (*fig.*): *He's burnt up with envy*, è roso dall'invidia **4** (*fam.*) percorrere a gran velocità; divorare: **to b. up the motorway**, divorare l'autostrada **5** (*fam. USA*) arrabbiare; far infuriare **6** (*slang USA*) sgridare; mangiare la faccia a (q.) **7** (*slang USA*) truffare; fregare; bidonare (*pop.*) **B** v. i. + avv. **1** (*di fuoco*) bruciare con più forza; divampare; ravvivarsi **2** essere distrutto dal fuoco; bruciare completamente; essere ridotto in cenere: *The dry leaves burnt up in a second*, le foglie secche furono ridotte in cenere in un attimo **3** (*miss.: di razzo, ecc.*) bruciare (*al rientro nell'atmosfera*) **4** (*fam. USA*) arrabbiarsi; infuriarsi **5** (*slang USA*) morire sulla sedia elettrica.

burned /bɜːnd/ a. → **burnt**.

burned out /'bɜːnd'aʊt/ a. (*USA*) = **burnt-out** → **burnt**.

burner /'bɜːnə(r)/ n. **1** becco a gas; bruciatore: **oil b.**, bruciatore a nafta; **Bunsen b.**, becco Bunsen **2** fornello (*a gas*); fiamma; piastra (*di stufa*): **a three-b. stove**, una stufa a tre fiamme **3** cosa che brucia o consuma qc.: *Jogging is a calorie b.*, il jogging fa bruciare calorie **4** (*tecn.*) chi brucia; chi cuoce; addetto al taglio con il cannello: **brick b.**, operaio che cuoce mattoni; fornaciaio; **charcoal b.**, chi brucia legna per farne carbone; carbonaio **5** (*comput., di cd-rom*) masterizzatore **6** (*slang USA*) sedia elettrica ● (*fam. USA*) **fast b.**, persona che ha avuto un successo rapido; vincente □ (*fam. USA*) **to put st. on the back b.**, accantonare qc. (*una questione, ecc.*); tenere in sospeso qc.; mettere in lista di attesa qc. □ (*fam. USA*) **to put st. on the front b.**, dare la precedenza a qc. (*una questione, ecc.*); considerare prioritario qc. □ (*fam. USA*) **slow b.**, persona o cosa che si sviluppa o si impone lentamente; uno che ha i suoi tempi.

burnet /'bɜːnɪt/ n. (*bot.*) **1** (*Poterium sanguisorba*) salvastrella **2** (*Pimpinella saxifraga*) tragoselino becchino.

burning /'bɜːnɪŋ/ **A** a. **1** che brucia; in fiamme; ardente; incendiato; acceso: **a b. village**, un villaggio in fiamme; **a b. match**, un fiammifero acceso; **b. coals**, carboni ardenti; braci **2** che brucia; che scotta: **b. sands**, sabbia che scotta **3** urgente; scottante: **a b. issue**, un problema scottante **4** forte; ardente; grave; cocente: **b. ambition**, ardente ambizione; **b. shame**, cocente vergogna **B** n. **U 1** incendio **2** (*odore di*) bruciato: *I can smell b.*, sento odore di bruciato; **a smell of b.**, un odore di bruciato **3** (*mecc.*) combustione; fusione **4** (*tecn.*) calcinazione; cottura **5** (*metall.*) bruciatura ● (*Bibbia*) **the b. bush**, il roveto ardente □ **b. fever**, febbre alta □ (*stor.*) **b. glass**, specchio ustorio □ **b. hot**, rovente □ **b. oil**, petrolio per

illuminazione □ (*caccia*) **b. scent**, traccia facile da seguire a fiuto.

burnish /'bɜːnɪʃ/ n. **U** brunitura; lucidatura; lustratura.

to **burnish** /'bɜːnɪʃ/ v. t. e i. brunire, brunirsi; lucidare, lucidarsi: *This metal burnishes well*, questo metallo si brunisce bene || **burnished** a. brunito; lucidato; levigato || **burnisher** n. **1** brunitore **2** (*metall.*) brunitoio || **burnishing** n. **U** brunitura; lucidatura.

burnous, (*USA*) **burnoose** /bɜː'nuːs/ n. burnus (*mantello con cappuccio degli arabi*).

burnout, **burn-out** /'bɜːnaʊt/ n. **1** (*solo sing.*) (*ind. aeron.*) fine della combustione; spegnimento del combustibile **2** (*solo sing.*) (*miss.*) punto di esaurimento (*nella traiettoria*) **3** (*solo sing.*) logoramento, esaurimento emotivo (*dovuto ad attività stressante*); burn-out **4** persona esaurita (*per aver svolto un'attività stressante*) **5** (*elettr.*) interruzione (*per corto circuito*) **6** **U** (*mecc.*) guasto per surriscaldamento; fusione (*del motore*) **7** (*slang USA*) drogato; tossico.

burnt /bɜːnt/ **A** pass. e p. p. di to **burn B** a. **1** bruciato; arso; carbonizzato: **b. wood**, legna bruciata; **a b. roast**, un arrosto bruciato **2** scottato, bruciato (*dal sole*) **3** (*med.*) ustionato; scottato ● **b. almond**, mandorla tostata □ **b. lime**, calce viva □ **b. offering**, (*relig.*) olocausto, sacrificio; (*scherz.*) cibo o pasto bruciato □ **b.-out**, sventrato dal fuoco; distrutto dal fuoco; (*elettr.*) fulminato; (*di motore, ecc.*) fuso; (*di persona*) logorato, esaurito emotivamente (*da un'attività stressante*), stressato, scoppiato (*fam.*); (*fam. USA*) drogato □ (*pitt.*) **b. Sienna**, terra di Siena bruciata □ (*pitt.*) **b. umber**, terra d'ombra bruciata.

burn-up /'bɜːnʌp/ n. (*fam., autom.*) corsa folle; gara: **to do a burn-up**, correre come pazzi.

burp /bɜːp/ n. (*slang*) rutto (*pop.*) ● (*slang USA*) **b. gun**, pistola automatica; mitra leggero.

to **burp** /bɜːp/ **A** v. i. (*slang*) ruttare (*pop.*) **B** v. t. (*fam.*) far fare un ruttino a (*un bambino*).

burr① /bɜː(r)/ n. **1** alone nebuloso (*della luna o di una stella*) **2** (*metall.*) sbavatura; bava; ricciolo **3** (*mecc.*) rondella; riparella; rosetta **4** (= **b. drill**) fresa, trapano (*da dentista*) **5** (*mecc.*) fresa a lima **6** pietra silicea (*usata per macine, mole e frese*) **7** nodo (*di legno, d'impiallacciatura*).

burr② /bɜː(r)/ → **bur**.

burr③ /bɜː(r)/ n. **1** ronzio (*di macchina, ecc.*) **2** pronuncia arrotata della erre (*spec. in certe parlate regionali in GB*): **to speak with a soft b.**, parlare arrotando un po' la erre **3** accento regionale: **a Scottish b.**, una pronuncia scozzese.

to **burr**① /bɜː(r)/ v. t. (*metall.*) togliere la bava (*a un pezzo da lavorare*); sbavare.

to **burr**② /bɜː(r)/ v. i. **1** (*di macchina, ecc.*) emettere un ronzio **2** arrotare la erre (*spec. in certe parlate regionali in GB*) **3** parlare con accento regionale.

burred /bɜːd/ a. (*metall.*) sbavato: **b. wire**, filo sbavato.

burring /'bɜːrɪŋ/ n. **U 1** (*ind. tess.*) slappolatura **2** (*metall.*) sbavatura ● **b. machine**, (*ind. tess.*) slappolatrice; (*ind. metall.*) sbavatrice.

burro /'bʊrəʊ/ (*spagn.*) n. (*slang USA*) asinello; somarello.

burrow /'bʌrəʊ/ n. cunicolo; covo; tana (*sotterranea: di coniglio, volpe, ecc.*).

to **burrow** /'bʌrəʊ/ **A** v. i. **1** (*di animale*) aprire un cunicolo; farsi il covo (*o la tana*) (*per estens.*) vivere in tane: **to b. through wood**, scavare cunicoli nel legno **2** (*con*

compl. di luogo) rintanarsi; nascondersi: **to b. underground**, rintanarsi sottoterra; **to b. under the blankets**, rintanarsi sotto le coperte **3** indagare; investigare; frugare: **to b. into the archives**, frugare negli archivi **B** v. t. scavare (*una tana, ecc.*) ‖ **burrower** n. (*zool.*) (animale) scavatore.

bursa /ˈbɜːsə/ (*lat.*) n. (*anat.*) borsa; cavità.

bursar /ˈbɜːsə(r)/ n. **1** (*GB*) economo, tesoriere (*di college universitario o scuola*) **2** (*scozz.*) borsista ‖ **bursarial** a. relativo a → **bursar** o a → **bursary** ‖ **bursarship** n. **1** economato (*la carica*) **2** (*scozz.*) borsa di studio.

bursary /ˈbɜːsərɪ/ n. **1** economato, tesoreria (*di college universitario o scuola*) **2** (*scozz.*) borsa di studio.

bursitis /bɜːˈsaɪtɪs/ n. Ⓤ (*med.*) borsite.

burst /bɜːst/ **Ⓐ** n. **1** rottura; fenditura; squarcio **2** (*rif. a manifestazione improvvisa*) esplosione; scoppio; accesso; scroscio; raffica; fiammata: **a b. of laughter**, uno scoppio di risate; **a b. of applause**, uno scroscio di applausi; **a b. of heavy rain**, un forte scroscio di pioggia; **a b. of flames**, una fiammata; una vampata; **a b. of thunder**, un colpo di tuono; **a b. of machine-gun fire**, una raffica di mitragliatrice; **a b. of speed**, uno scatto; un'accelerata improvvisa; **to put on a b. of speed**, fare uno scatto; scattare in avanti; **a b. of enthusiasm**, una fiammata d'entusiasmo; **a b. of anger**, uno scoppio (*o* accesso) d'ira **3** sforzo intenso; tirata **B** pass. e p. p. di **to burst** Ⓒ a. squarciato; rotto; scoppiato: **a b. pipe**, un tubo scoppiato.

♦**to burst** /bɜːst/ (pass. e p. p. *burst*) **Ⓐ** v. i. **1** esplodere; scoppiare (*anche fig.*): *The boilers burst and a fire broke out*, le caldaie esplosero e scoppiò un incendio; *One of the tyres has burst*, è scoppiato un pneumatico; *When the storm burst, we took refuge in a hut*, quando scoppiò il temporale, ci rifugiammo in una capanna; *If you go on eating, you'll b.*, se continui a mangiare, scoppierai; *I felt as if my heart would b.*, mi sentivo scoppiare il cuore **2 – to be bursting with**, essere pieno zeppo di: *Florence is bursting with tourists*, Firenze è invasa dai stranieri; *The cupboard is bursting with food*, la credenza è zeppa di roba da mangiare **3 – to be bursting with**, essere gonfio di (*un'emozione*); scoppiare di: **to be bursting with pride**, scoppiare d'orgoglio; *The children are bursting with joy*, i bambini non stanno in sé dalla gioia **4 – to be bursting to**, morire (*o* bruciare, scoppiare) dalla voglia di (*fare qc.*): *She's bursting to tell him the good news*, muore dalla voglia di dargli la buona notizia **5** (*con compl. di direzione*) uscire con forza; erompere; prorompere; irrompere; fare irruzione: *A scream burst from him*, dalla sua bocca proruppe un grido; *The crowd burst through the gates*, la folla irruppe dai cancelli; *The headmaster burst into the classroom*, il preside irruppe nell'aula; *The police burst into the room*, la polizia fece irruzione nella stanza **6** (*di diga, ecc.*) cedere **7** (*di fiume in piena*) straripare; tracimare; rompere; esondare **8** (*med.*) scoppiare; perforarsi **B** v. t. **1** far scoppiare; fare esplodere: **to b. a balloon**, far esplodere (*o* scoppiare) un palloncino **2** sfondare; forzare; rompere; spaccare: *The flooded river has burst its banks*, il fiume in piena ha rotto gli argini **3** (*del caldo, ecc.*) fare spuntare (*i germogli, ecc.*) **4** (*med.*) causare la rottura di (*un vaso sanguigno, ecc.*); causare la perforazione di: *You'll b. a blood vessel if you're not careful*, ti scoppierà una vena se non stai attento **5** (*comput., tipogr.*) separare; strappare (*i fogli di un modulo continuo*) ● **to be bursting at the seams**, (*di persona*) (sentirsi) scoppiare

(*per aver mangiato troppo*); (*di locale*) essere strapieno, rigurgitare, traboccare □ (*fam.*) **to be bursting (to go to the toilet)**, scoppiare (dalla voglia di andare al gabinetto) □ **to b. sb.'s bubble** → **bubble**, *def. 4* □ **to b. free**, (riuscire a) liberarsi; divincolarsi □ **to b. open**, aprirsi di colpo, spalancarsi; aprire di colpo, spalancare □ **to b. one's sides with laughter** (*o* **to be laughing fit to b.**), ridere a crepapelle; sbellicarsi dalle risate □ **full to bursting (point)**, pieno zeppo; stracolmo □ **to be ready to b.**, essere sul punto di esplodere (*fig.*).

■ **burst in** **Ⓐ** v. i. + avv. **1** irrompere; fare irruzione; precipitarsi dentro **2** interloquire; intromettersi **3 – to b. in on** (*o* **upon**), interrompere; irrompere in: **to b. in upon a discussion**, interrompere una discussione; **to b. in on sb.**, disturbare q. (*arrivando all'improvviso*) **B** v. t. + avv. abbattere; sfondare: *Open up or I'll b. in the door*, aprite o sfondo la porta.

■ **burst into** v. i. + prep. **1 → to burst, A** *def. 5* scoppiare a; mettersi a; prorompere in: **to b. into laughter**, scoppiare in una risata (*o* a ridere); **to b. into song**, mettersi a cantare; prorompere in un canto; *She burst into tears*, scoppiò in lacrime; *He burst into angry words*, proruppe in parole grosse □ **to b. into bloom** (*o* **blossom**), fiorire all'improvviso □ **to b. into flames**, prendere (*o* andare a) fuoco all'improvviso □ **to b. into a furious rage**, andare su tutte le furie □ **to b. into leaf**, mettere le foglie; germogliare □ **to b. into view**, apparire all'improvviso.

■ **burst on** v. i. + prep. → **burst upon**.

■ **burst out** v. i. + avv. uscire all'improvviso; prorompere; fuoriuscire; saltar fuori; sfuggire; scappare **2** prorompere; esclamare: *«I'm fed up», he burst out*, «sono stufo», proruppe **3** (seguito da gerundio) scoppiare a; mettersi a: *He burst out laughing*, scoppiò a ridere □ **to b. out of one's clothes**, non stare più nei vestiti (*per essere cresciuto*); scoppiare dentro ai vestiti.

■ **burst through** v. i. + avv. irrompere; uscire all'improvviso; fuoriuscire.

■ **burst upon** v. i. + prep. (*di significato, verità, ecc.*) essere di colpo chiaro a; rivelarsi di colpo a.

burster /ˈbɜːstə(r)/ n. **1** cosa che esplode, scoppia, ecc. (→ **to burst**) **2** (*mil.*) carica di dispersione **3** (*comput., tipogr.*) strapperina.

burton① /ˈbɜːtn/ n. (*naut.*, = **b.-tackle**) paranchino; candeletta.

burton② /ˈbɜːtn/ n. (solo nella loc. *slang GB*) **to go for a b.** (*o* **a B.**), morire; restarci; lasciarci la pelle; (*di oggetto*) rompersi, partire; (*di progetto, ecc.*) andare in fumo, andare a monte.

Burundian /bəˈrʊndɪən/ a. e n. (*geogr.*) burundese.

♦**to bury** /ˈberɪ/ v. t. **1** seppellire; sotterrare; inumare: **to b. the dead**, seppellire i morti; **to be buried alive**, essere sepolto vivo; **to lie buried**, essere sepolto; giacere; *He has already buried two wives*, ha già sepolto due mogli **2** seppellire (*sotto qc.*); nascondere sotto terra; sotterrare: **to b. a treasure**, sotterrare un tesoro; *My bag was buried under a heap of coats*, la mia borsetta era sepolta sotto un mucchio di cappotti; *They were buried under the debris*, furono sepolti dalle macerie **3** dimenticare; seppellire; mettere una pietra sopra: **to b. old grudges**, seppellire vecchi rancori; **to b. a quarrel**, dimenticare una lite **4** nascondere; cacciare; sprofondare: *He buried his face in his hands*, nascose la faccia tra le mani; *He buried his hands in his pockets*, sprofondò le mani nelle tasche; *His head was buried in a newspaper*, era sprofondato nella lettura di

un giornale **5 – to b. itself**, (*di proiettile, ecc.*) conficcarsi; piantarsi; penetrare a fondo **6 – to b. oneself**, seppellirsi; immergersi; sprofondarsi: **to b. oneself in the country**, seppellirsi (*o* ritirarsi) in campagna; *He buried himself in work*, si immerse nel lavoro □ **to b. the hatchet**, fare la pace; seppellire l'ascia di guerra □ **to b. one's head in the sand**, fare lo struzzo □ (*ind. costr.*) **to b. in concrete**, annegare nel calcestruzzo □ **to be buried in st.**, essere immerso in qc.; essere assorto in qc.

burying /ˈberɪɪŋ/ a. che seppellisce; di, da sepoltura: (*zool.*) **b. beetle** (*Necrophorus*), necroforo; **b. ground**, cimitero; **b. place**, tomba; cimitero.

♦**bus** /bʌs/ n. (pl. **buses**, **busses**) **1** autobus; bus (*fam.*): **by bus**, in autobus; con l'autobus; **on the bus**, sull'autobus; **bus service**, servizio d'autobus; **bus stop**, fermata d'autobus **2** (*USA*) pullman; torpedone **3** (*slang, antiq.*) grossa automobile; aeroplano **4** (*elettron., comput.*) bus: **data bus**, bus dei dati □ **bus boy** → **busboy** □ **bus conductor**, bigliettaio (d'autobus) □ **bus fare**, tariffa (o biglietto) d'autobus □ **bus lane**, corsia riservata agli autobus; corsia preferenziale □ **bus line**, autolinea; società d'autotrasporti (*per passeggeri*) □ **bus shelter**, pensilina (*di fermata d'autobus*) □ **bus station**, autostazione □ **bus terminal**, capolinea □ (*fig.*) **to miss the bus**, lasciarsi sfuggire un'occasione; perdere l'autobus (*fam.*).

to bus /bʌs/ **Ⓐ** v. i. (*fam.*) andare (o viaggiare) in autobus **B** v. t. **1** trasportare in autobus **2** (*USA*) portare in autobus (*ragazzi*) a una scuola in un quartiere diverso da quello in cui vivono per promuovere l'integrazione razziale **3** (*USA*) ritirare i piatti sporchi (*in un ristorante*); sparecchiare; lavorare come «busboy».

busbar /ˈbʌsbɑː(r)/ n. (*elettr.*) barra collettrice (o di distribuzione).

busboy /ˈbʌsbɔɪ/ n. (*USA*) aiuto cameriere (*di ristorante, che ritira i piatti sporchi o sparecchia*).

busby /ˈbʌzbɪ/ n. (*mil.*) colbacco.

♦**bush**① /bʊʃ/ **Ⓐ** n. **1** cespuglio; cespo; arbusto **2** boscaglia; macchia; folto (d'alberi); sottobosco **3** Ⓤ (*in Australia*) **the b.**, il bush; le zone disabitate e coperte di boscaglia **4** terreno a macchia; zona selvaggia o incolta **5** folto di peli; ciuffo: **a b. of hair**, un ciuffo di capelli **6** Ⓤ (*slang volg.*) pelo del pube (*generalm. femminile*); cespuglio (*pop.*) **7** (*stor.*) frasca (*come insegna di osteria*) **B** a. (*fam. USA*) **1** provinciale; buzzurro **2** rozzo; dilettantesco; scadente ● **b. medicine**, medicina tradizionale (*a base di erbe e piante*) □ **b. fire** → **bushfire** □ (*Austral.*) **b. ballad**, ballata tradizionale (*che parla della vita nel bush*) (*mus., Austral.*) **b. band**, complesso che suona musica tradizionale (*Austral.*) **b. lawyer**, uno che si dà arie di avvocato, pseudoavvocato □ (*baseball, USA*) **b. league**, serie di squadre provinciali □ **b.-league** (agg.), mediocre; di serie-B; di mezza tacca □ (*slang USA*) **b. parole**, evasione; fuga □ (*fam. Austral.*) **b. reckoning**, calcolo approssimativo (o a spanne); valutazione approssimata □ (*bot.*) **b. rope**, liana □ (*scherz.*) **b. telegraph**, tam-tam; telegrafo della giungla; (*fig.*) passaparola, tam-tam □ **b. tea**, tè di foglie di arbusti (*Austral.*) tè fatto all'aperto (*in un pentolino*) □ **to beat the bushes** → **to beat** □ (*Austral.*) **to go b.**, scegliere la vita rude; inselvatichirsi □ (*Austral.*) **to take to the b.**, sparire; scomparire dalla circolazione.

bush② /bʊʃ/ n. **1** (*mecc.*) boccola; bussola **2** (*elettr.*) rivestimento (o guaina) isolante ● (*edil.*) **b.-hammer**, martellina; bocciarda.

to bush① /bʊʃ/ v. i. **1** (*di pianta*) infittirsi **2** (*di capelli, ecc.*) fare cespuglio.

b

to **bush** ② /bʊʃ/ v. t. **1** (*mecc.*) mettere una boccola a; imboccolare; imbussolare **2** (*elettr.*) rivestire con una guaina isolante.

bushbaby /'bʊʃbeɪbɪ/ n. (*zool.*, *Galago galago*) galagone.

bushcat /'bʊʃkæt/ n. (*zool.*, *Felis serval*) gattopardo africano; servalo.

bushcraft /'bʊʃkrɑːft/ n. Ⓤ tecnica della sopravvivenza nel bush australiano.

bushed /bʊʃt/ a. **1** esausto; stanco morto; a pezzi **2** (*Austral.*) sperduto nel bush **3** (*fam. Austral.*) confuso; perplesso.

bushel /'bʊʃl/ n. **1** «bushel» (*misura di capacità per cereali, pari a 36,37 litri in GB e a 35,24 litri in USA*) **2** staio ● (*fig.*) **to hide one's light under a b.**, mettere la fiaccola sotto il moggio; tenere celate le proprie virtù.

bushfire /'bʊʃfaɪə(r)/ n. ⒸⓊ incendio boschivo (*che si estende rapidamente*) ● **to spread like b.**, divampare; estendersi a macchia d'olio.

bushhammer /'bʊʃhæmə(r)/ n. =→ **bush-hammer** → **bush**②.

to **bush-hammer** /'bʊʃhæmə(r)/ v. t. (*edil.*) martellinare; bocciardare.

bushing /'bʊʃɪŋ/ n. → **bush**②.

bushman /'bʊʃmən/ n. (pl. **bushmen**) chi vive nel bush australiano.

Bushman /'bʊʃmən/ n. (pl. **Bushmen**) (*antrop.*) boscimano ⓘ **NOTA D'USO** • *Per indicare questo popolo è spesso preferito* **San** *o* **Khoisan**.

bushranger /'bʊʃreɪndʒə(r)/ n. (*Austral.*) evaso che si è dato alla macchia; bandito.

to **bushwack** /'bʊʃwæk/ Ⓐ v. i. **1** aprirsi un varco (*o* viaggiare) nei boschi (*o* nella giungla) **2** darsi alla macchia; fare la guerriglia Ⓑ v. t. attaccare; tendere un'imboscata a (q.).

bushwalking /'bʊʃwɔːkɪŋ/ n. Ⓤ (*Austral.*) (il fare) escursioni nel bush: **to go b.**, fare escursioni (*o* un'escursione) nel bush.

to **bushwhack** /'bʊʃwæk/ Ⓐ v. i. **1** (*Austral.*) vivere nel bush **2** (*USA*) viaggiare nella boscaglia; aprirsi la strada tra la vegetazione Ⓑ v. t. tendere un'imboscata a; attaccare di sorpresa ‖ **bushwhacker** n. **1** (*Austral.*) chi vive nel bush **2** (*USA*) chi vive in una regione boscosa e isolata.

bushy /'bʊʃɪ/ a. **1** cespuglioso; folto; irsuto: **b. eyebrows**, sopracciglia folte **2** simile a un pennello: **a b. tail**, una coda a pennello ‖ **bushiness** n. Ⓤ **1** cespugliosità **2** densità della vegetazione.

busily /'bɪzɪlɪ/ avv. attivamente; alacremente: **to be b. doing st.**, essere alacremente qc.; essere indaffarato (*o* tutto preso) a fare qc.; darsi da fare per fare qc.; affrettarsi a fare qc.

♦**business** /'bɪznəs/ n. **1** Ⓤ affare, affari; attività commerciale; commercio: *B. is booming*, gli affari vanno a gonfie vele; **to do b. with sb.**, fare affari con q.; *We're doing less b. than last year*, la nostra attività è diminuita rispetto all'anno scorso; **to go into b.**, darsi agli affari; mettersi in affari; **to go out of b.**, cessare l'attività; ritirarsi dall'attività; fallire; **to transact b.**, trattare affari; *He is no longer in b.*, non è più in affari; **b. activity**, attività commerciale; **b. appointment**, appuntamento d'affari; **b. associate**, collega d'affari; socio; **the b. community**, il mondo degli affari **2** Ⓤ attività; lavoro; occupazione; ramo (d'affari): **a profitable b.**, un'attività che rende bene; *What b. are you in?*, che attività svolgi?; **to be back in b.**, avere ripreso l'attività; (*di negoziante*) avere riaperto; *I'm here on b.*, sono qui per affari; **the insurance b.**, il ramo delle assicurazioni; le assicurazioni; *He's in the oil b.*, lavora nel ramo petrolifero; si occupa di petrolio **3**

azienda; compagnia; impresa; ditta: *He's running a small b.*, ha una piccola attività; dirige una piccola azienda; *They have sold their b.*, hanno venduto la ditta; **a family b.**, un'impresa familiare; **a delivery b.**, una ditta di consegne a domicilio **4** Ⓤ compito; dovere; cosa che spetta, che tocca: *It's my b. to make sure things are running smoothly*, è compito mio assicurarmi che tutto funzioni; *You had no b. changing the date*, non avevi nessun diritto di (*o* non toccava a te) cambiare la data **5** (*solo sing.*) faccenda; affare; cosa; storia: **a strange b.**, una strana faccenda; **a risky b.**, una cosa rischiosa; *I'm fed up with the whole b.*, sono stufo di tutta la faccenda; *What a b.!*, che roba!; che storia!; **to go about one's b.**, occuparsi delle proprie faccende; *That's none of your b.* (*o* *That's no b. of yours*), non è affar tuo; la faccenda non ti riguarda; *Mind your own b.!*, fatti gli affari tuoi!; bada agli affari (*o* ai fatti) tuoi! **6** Ⓤ cosa da fare; cosa all'ordine del giorno: *Mind your b. with him?*, che hai a fare con lui?; **the b. of the meeting**, l'ordine del giorno della riunione; **to make it one's b. to do st.**, preoccuparsi di fare qc. **7** Ⓤ (*teatr.*) azione mimica **8** – (*fam.*) **the b.**, tutto quanto **9** (*come pred.*) – (*slang GB*) **the b.**, una cosa fantastica; una roba straordinaria; (*anche*) autentico, genuino: *This bike's the b.!*, questa moto è fantastica! **10** Ⓤ (*eufem.*, *GB*) bisogni (pl.) (*di animale*) ● **b. address**, indirizzo d'ufficio; recapito □ **b. administration**, gestione aziendale □ **b. agent**, agente (*o* procacciatore) d'affari □ **b. angel** → **angel**, *def. 3* □ (*econ.*) **b. barometer**, barometro economico □ **b. card**, biglietto da visita (*professionale*) □ (*aeron.*) **b. class**, business class □ (*econ.*) **b. climate**, situazione congiunturale □ **b. college**, scuola aziendale □ (*econ.*) **b. combine**, concentrazione di aziende □ **b. consultant**, commercialista; consulente d'impresa □ (*econ.*) **b. cycle**, ciclo economico □ **b. day**, giorno lavorativo □ **b. economics**, economia aziendale □ **b. economist**, aziendalista □ (*fam.*) **b. end**, estremità funzionante (*di un oggetto*); punta; apertura; bocca: **the b. end of a knife**, la punta di un coltello; *Where's the b. end of this thing?*, da che parte si usa questo affare? □ **b. ethics**, comportamento professionale; deontologia □ **b. executive**, dirigente d'impresa (*di alto livello*) □ **b. game**, gestione simulata (*di aziende, affari, ecc.*) □ **b. hours**, orario d'ufficio; orario di esercizio; orario di apertura □ **b. law**, diritto commerciale □ **b. leader**, capitano d'industria □ **b. letter**, lettera commerciale; lettera d'affari □ **b. lunch**, pranzo (*o* colazione) d'affari □ **b. management**, gestione aziendale; amministrazione degli affari □ **b. manager**, dirigente aziendale □ **b. mathematics**, computisteria □ **b. model**, modello imprenditoriale □ **b. name**, nome dell'azienda; ragione sociale □ (*econ.*) **b. outlook**, congiuntura □ **b. park**, zona commerciale (*di una città*) □ **b. person**, uomo o donna d'affari □ **b. premises**, locali (*di un'azienda*) □ **b. recovery**, ripresa dell'attività commerciale □ (*USA*) **b. reply mail**, servizio di risposta affrancata □ **b. school**, scuola aziendale □ (*comput.*) **b. software**, software per le aziende □ (*comm.*) **b. strategy**, strategia aziendale □ **b. studies**, (studi di) amministrazione aziendale □ (*USA*) **b. suit**, (abito) completo □ **b. survey**, indagine congiunturale □ **b.-to-b.** (abbr. **B2B**, **b2b**), (relativo a) transazioni commerciali elettroniche di beni e servizi tra aziende □ (*org. az.*) **b.-to-consumer** (abbr. **B2C**, **b2c**), (relativo a) transazioni commerciali elettroniche di beni e servizi tra aziende e consumatori finali □ (*econ.*) **b. trends**, tendenze congiunturali; evoluzione (sing.) della congiuntura □ **b. trip**, viaggio d'affari □ **b. unit**, unità operativa (*che può essere identifi-*

cata come centro di profitti) □ **b. visitor**, operatore (*a una fiera, ecc.*) □ (*fin., rag.*) **b. year**, anno sociale; esercizio □ (*econ.*) **big b.**, la grande industria; il grande capitale □ (*fam.*) **to do the b.**, funzionare; avere successo; riuscire □ **to get down to b.**, mettersi al lavoro; cominciare; mettersi sotto □ (*slang USA*) **to give sb. the b.**, picchiare q.; suonarle a q.; dirne quattro a q.; dare una ripassata a q.; uccidere q., accoppare q.; imbrogliare q. □ **Good b.!**, bene!; ben fatto! □ (*fam.*) **We're in b.!**, siamo pronti (a cominciare)!; siamo a posto!; siamo a cavallo! □ (*fam.*) **to be in the b. of**, occuparsi di; avere intenzione di; avere come scopo: *We're in the b. of winning*, il nostro scopo è vincere; *I'm not in the b. of paying for everybody*, non intendo pagare per tutti □ (*fam.*) **like nobody's b.**, benissimo; moltissimo; a gran velocità; a tutto spiano □ **to make a great b. of st.**, fare qc. in modo ostentato; fare qc. facendo una gran scena □ (*fam.*) **to mean b.**, fare sul serio; non scherzare □ (*fam.*) **poor b.**, affari magri; (*anche*) cattivo modo di condurre gli affari □ **to set up in b.**, mettere su un'attività propria; mettersi in proprio (*o* per conto proprio) □ **to talk b.**, parlare d'affari; (*fig.*) parlare di lavoro, parlare di bottega □ **B. as usual**, l'attività si svolge regolarmente; tutto è come al solito; è tornata la normalità; (*cartello su un negozio: dopo una calamità, ecc.*) siamo aperti □ (*prov.*) **B. is b.**, gli affari sono affari □ (*prov.*) **B. before pleasure**, prima il dovere, poi il piacere.

businesslike /'bɪznɪslaɪk/ a. efficiente; pratico; serio.

♦**businessman** /'bɪznəsmən/ n. (pl. **businessmen**) uomo d'affari; operatore economico.

♦**businesswoman** /'bɪznəswʊmən/ n. (pl. **businesswomen**) donna d'affari.

busing /'bʌsɪŋ/ n. (*USA*) trasporto di ragazzi in scuole pubbliche di quartieri diversi da quelli in cui vivono per promuovere l'integrazione razziale.

busk /bʌsk/ n. (*un tempo*) stecca (*di busto*).

to **busk** /bʌsk/ v. i. suonare (*o* cantare) per le strade; fare l'artista di strada ‖ **busker** n. artista di strada; suonatore (*o* cantante) ambulante.

buskin /'bʌskɪn/ n. **1** stivaletto **2** (*stor., teatr.*) coturno **3** (*fig., lett.*) tragedia ● (*fig., lett.*) **to put on the b.**, calzare il coturno ‖ **buskined** a. **1** che porta stivaletti **2** (*stor., teatr.*) che calza il coturno.

busload /'bʌsləʊd/ n. (carico di) passeggeri di un autobus: **a b. of schoolkids**, un autobus pieno di scolari.

busman /'bʌsmən/ n. (pl. **busmen**) conducente (*o* bigliettaio) di autobus ● (*fig.*) **b.'s holiday**, vacanza passata facendo più o meno quel che si fa nei giorni feriali.

buss ① /bʌs/ n. (*antiq. o USA*) bacio.

buss ② /bʌs/ n. (*naut.*) battello per la pesca delle aringhe.

to **buss** /bʌs/ v. t. e i. (*antiq. o USA*) baciare.

bussing /'bʌsɪŋ/ → **busing**.

bust ① /bʌst/ n. **1** petto (*di donna*); seno; busto: **big b.**, seno abbondante □ **b. measurement**, circonferenza seno **2** (*scult.*) busto.

bust ② /bʌst/ n. **1** (*econ.*) congiuntura negativa; recessione **2** (*slang USA*) retata o irruzione (*della polizia*): **a drugs b.**, una retata di spacciatori **3** (*slang USA*) arresto (*spec. per droga*) **4** (*slang*) fallimento; bancarotta **5** (*slang USA*) schifezza; fiasco **6** (*slang USA*) colpo; pugno; cazzotto **7** (*slang USA*) bevuta; sbevazzata; bisboccia: **beer b.**, bevuta di birra **8** (*slang mil. USA*) degradazione.

bust ③ /bʌst/ Ⓐ pass. e p. p. di **to bust** Ⓑ a. (*slang*) **1** rotto; scassato **2** fallito; in bancarotta: **to go b.**, fallire, fare fallimento; an-

dare in rovina.

to **bust** /bʌst/ (pass. e p. p. busted o bust) **A** v. t. **1** (fam.) rompere; spaccare; fracassare; sfasciare; scassinare; far saltare; far scoppiare: *He busted my nose*, mi ha spaccato il naso; **to b. a safe**, scassinare una cassaforte; *I've busted a tyre*, mi è scoppiata una gomma **2** (slang USA) colpire; dare, mollare un pugno a: *He busted me on the nose*, mi mollò un pugno sul naso **3** (slang USA) arrestare (spec. per droga); beccare; pizzicare **4** (slang USA) (della polizia) fare irruzione in; fare una retata di **5** (slang) fare un furto con scasso in; fare un colpo in; svaligiare **6** (slang) mandare in rovina, in malora; far fallire **7** (slang USA) fare fiasco in; (a scuola) essere bocciato in, cannare (pop.): **I busted math**, ho cannato matematica **8** (slang mil. USA) degradare: *He got busted to private*, è stato degradato a soldato semplice **9** (slang USA) domare (un cavallo) **B** v. i. **1** (fam.) rompersi; spaccarsi; scassarsi; fracassarsi; scoppiare: *The main pipe has busted*, s'è spaccato il tubo principale **2** (slang) sconfiggere; distruggere • (volg. USA) **to b. one's ass**, ammazzarsi di lavoro; farsi un culo così (volg.) □ (slang) **to b. a gut**, crepare dal ridere; ridere a crepapelle; (anche) fare l'impossibile (per riuscire a fare qc.), fare i salti mortali, dannarsi l'anima □ (fam. USA) **to b. st. wide open**, portare alla luce (un imbroglio, ecc.); denunciare; far scoppiare (un caso).

■ **bust along** v. i. + avv. (slang USA) andare sparato (o a tutta birra).

■ **bust down** v. t. + avv. (fam.) buttare giù, abbattere (una porta, ecc.).

■ **bust in** v. i. + avv. (slang USA) irrompere; fare irruzione.

■ **bust out** (slang USA) **A** v. t. + avv. **1** far fuggire di prigione; far evadere **2** spennare (spec. ai dadi) **B** v. i. + avv. **1** fuggire di prigione; evadere **2** perdere tutto (ai dadi, ecc.).

■ **bust up** **A** v. t. + avv. **1** (fam.) rovinare; mandare all'aria; mandare in malora; distruggere; demolire: **to b. up a marriage**, mandare all'aria un matrimonio; **to b. up an organization**, smantellare un'organizzazione **2** (slang USA) picchiare; pestare; riempire di botte **B** v. i. + avv. (fam.) **1** litigare violentemente **2** (di coppia) lasciarsi (dopo una lite, ecc.); rompere; piantarsi.

bustard /'bʌstəd/ n. (zool., Otis tarda) otarda, ottarda • (zool.) **little b.** (Otis tetrax), gallina prataiola; fagianella.

buster /'bʌstə(r)/ n. (slang) **1** (nei composti) demolitore; stroncatore; acchiappa- (fam.); ammazza- (fam.): **gang b.**, stroncatore di bande criminali; acchiappabanditi; **union b.**, antisindacalista spinto **2** cosa o persona eccezionale; cannone; cannonata **3** bambino robusto; ercolino **4** (USA) domatore di cavalli **5** (vocat. USA) amico bello; compare, bel tomo.

bustier /'bʌstɪeɪ/ n. (moda) top aderente e senza spalline.

bustle① /'bʌsl/ n. ⓤ animazione; andirivieni; affaccendarsi; traffico; confusione.

bustle② /'bʌsl/ n. (stor., moda) sellino.

to **bustle** /'bʌsl/ **A** v. i. **1** affaccendarsi; darsi da fare; muoversi: **to b. about**, andare su e giù, affaccendarsi **2** – **to b. with**, essere pieno di, essere affollato di; brulicare di **B** v. t. sollecitare; sospingere; intruppare: *We were bustled into the room*, fummo sospinti nella stanza ‖ **bustler** n. persona che si dà un gran daffare; armeggione ‖ **bustling** a. **1** affaccendato **2** (di luogo) molto animato; pieno di animazione: **a bustling town**, una cittadina molto animata.

■ **bustle up** v. i. + avv. (fam.) muoversi; sbrigarsi; darsi una mossa.

bustline /'bʌstlaɪn/ n. (sartoria) circonfe-

renza seno.

bust-out /'bʌstaʊt/ n. (slang USA) evasione.

bust-up /'bʌstʌp/ n. (slang GB) **1** lite violenta; scontro **2** rottura (di relazione, matrimonio, ecc.).

busty /'bʌstɪ/ a. (fam., di donna) pettoruta; forte di seno.

busway /'bʌsweɪ/ n. (autom.) strada o corsia riservata agli autobus.

♦**busy** /'bɪzɪ/ a. **1** occupato; indaffarato; affaccendato; preso: *He's a very b. man*, è sempre molto occupato; *I'm rather b.*, sono un po' preso; **to be b. with st.**, essere preso da qc.; occuparsi di qc.; affaccendarsi con qc.: *He's b. packing*, sta facendo (o è occupato a fare) le valigie; *We're b. discussing it just now*, ne stiamo discutendo proprio ora; *This'll keep them b. for a while*, questo li terrà occupati per un po' **2** animato; molto attivo; pieno d'attività; pieno di traffico; trafficato: **a b. town**, una città animata; **a b. road**, una strada piena di traffico (o trafficata); **a b. crossroads**, un incrocio di gran traffico; **to lead a b. life**, fare vita molto attiva; essere sempre occupatissimo: *Restaurants and cafeterias are very b.*, i ristoranti e le tavole calde hanno molto lavoro; **a very b. day**, una giornata piena **3** (telef., spec. USA) occupato: «Line b.», «(il numero è) occupato»; **b. signal** (o **b. tone**), segnale di linea occupata **4** (di decorazione, motivo, ecc.) eccessivamente elaborato; troppo complicato; sovraccarico • **as b. as a bee**, indaffaratissimo □ **busy bee**, persona indaffarata □ **to get b.**, darsi da fare; sbrigarsi; mettersi al lavoro; mettersi sotto.

to **busy** /'bɪzɪ/ v. t. – **to b. oneself doing st.**, essere occupato a fare qc.; **to b. oneself with st.**, occuparsi di; darsi da fare con; trafficare con; armeggiare con; *He busied himself in the kitchen*, sfaccendò in cucina.

busybody /'bɪzɪbɒdɪ/ n. (spreg.) intrigante; ficcanaso.

busyness /'bɪzɪnɪs/ n. ⓤ l'essere indaffarato.

♦**but**① /bʌt, bət/ **A** cong. **1** (con valore avversativo) ma; però; eppure; tuttavia: *It's old but still working*, è vecchio ma (o però) funziona ancora; *I studied hard but failed all the same*, studiai molto ma fui ugualmente bocciato; *I like to go out, but not in the evening*, esco volentieri, ma non di sera; *I'd like to come with you, but I'm busy*, mi piacerebbe venire con te, ma ho da fare **2** (enfat.: per esprimere sorpresa, ecc.) ma: *I knew he was a clever boy. But solving that problem in five minutes!*, sapevo ch'era un ragazzo intelligente. Ma risolvere quel problema in cinque minuti!; **But how wonderful!**, ma che meraviglia!; **But why?**, ma perché? **3** (intensivo) ma; ma proprio: *He's so rich that he owns not one but four cars*, è così ricco che possiede non una ma quattro macchine **4** ma; se non che: *My horse would have come in first but he fell at the finish*, il mio cavallo sarebbe arrivato primo, se non che cadde nel finale **5** (per cambiare discorso) ma: *But now to our main subject*, ma passiamo ora all'argomento principale **6** (form., in frasi neg.) che: *I was in no doubt but that this was the case*, non avevo dubbi che si trattasse proprio di questo; *There's no doubt but (that) he is guilty*, non c'è dubbio che sia colpevole **7** (in frasi ipotetiche) se non: *There was nothing else to do but dismiss him*, non c'era altro da fare che (o se non) licenziarlo **8** (form., in frasi neg.) che: *He isn't such a fool but he can see that he's wrong*, non è tanto stupido da non capire d'aver torto **B** prep. **1** eccetto; salvo; tranne; meno: *Nobody went but me*, non andò nessuno eccetto me; **any day but Sunday**, tutti i giorni tranne la domenica; **in all but**

two cases, in tutti i casi meno due; **the next but one**, il penultimo; **the last but two**, il terzultimo ❶ NOTA: **all but → all** **2** che; altro che; se non: *We had no choice but to follow him*, non avemmo altra scelta che seguirlo; *I haven't told anybody but you*, non l'ho detto che (o se non) a te; *Who but your father would help you?*, chi t'aiuterebbe se non tuo padre? **3** (preceduto da **can not**, **could not**) non: *I could not but let him in*, non potevo non farlo entrare; *I couldn't help but hear*, non potei fare a meno di sentire **C** avv. **1** solo; soltanto: *If I had but known*, se solo l'avessi saputo; **to name but a few**, per nominarne solo alcuni; *I can but try again*, posso solo provare di nuovo **2** (rafforzativo) proprio; – **everyone, but everyone**, tutti, ma proprio tutti; *Go home, but quick!*, va a casa, e fa presto!; *He's rich, but I mean rich!*, è ricco, ma proprio ricco ricco!; *I'm going to fix them, but good!*, vedrai come li sistemo! **D** n. ma; obiezione: *Forget the buts!*, lascia perdere i ma!; *He's full of ifs and buts*, è una persona tutta ma e se • **but for**, eccetto che per; a parte; se non fosse per: *The square was empty but for two policemen*, la piazza era vuota, tranne per due poliziotti; *They'd have killed me but for your intervention*, se non fossi intervenuto tu mi avrebbero ammazzato □ **but then** (o **but then again**), (ma) d'altra parte; però è vero che □ (fam.) **and no buts about it**, senza protestare; e niente storie!

but② /bʌt/ n. (scozz.) stanza sul davanti • **but and ben**, casetta di due stanze (una sul davanti e una interna).

but③ /bʌt/ (scozz.) **A** avv. e prep. fuori **B** a. esterno **C** n. cucina (di una casetta) • **but and ben**, casetta di due stanze.

butadiene /bjuːtə'daɪiːn/ n. ⓤ (chim.) butadiene.

butane /'bjuːteɪn/ n. ⓤ (chim.) butano • **b. pipeline**, butanodotto.

butanol /'bjuːtənɒl/ n. ⓤ (chim.) butanolo.

butch /bʊtʃ/ (slang) **A** a. **1** maschio; virile; macho **2** (di donna) mascolina; viriloide **B** n. **1** lesbica mascolina **2** maschione; omaccione **3** (USA) omosessuale (m.) con ruolo attivo.

♦**butcher** /'bʊtʃə(r)/ n. **1** macellaio: **b.'s (shop)**, macelleria **2** macellatore **3** (fig.) massacratore; macellaio **4** (fam. USA) venditore di dolciumi (o giornali, ecc.) (nei teatri, sui treni, ecc.) **5** – (rhyming slang, GB) **b.'s, butchers**, occhiata; guardata • **b.'s bill**, conto del macellaio; (fig.) elenco dei caduti (in battaglia) □ (zool.) **b.-bird** (Lanius excubitor), averla maggiore □ **b.'s block**, tagliere di macellaio □ (bot.) **b.'s broom** (Ruscus aculeatus), pungitopo □ **b.'s hook**, gancio da macellaio; (anche) V. def. 5 □ (GB) **b.'s meat**, carne di macelleria; carne fresca.

to **butcher** /'bʊtʃə(r)/ v. t. **1** macellare **2** massacrare; fare strage di **3** (fam.) rovinare; massacrare; fare scempio di.

butcherly /'bʊtʃəlɪ/ a. da macellaio; brutale; sanguinario.

butchery /'bʊtʃərɪ/ n. **1** (GB) macello; mattatoio **2** ⓤ macellazione **3** (antiq. GB) macelleria **4** ⓤ macello; strage; scempio.

butene /'bjuːtiːn/ n. ⓤ (chim.) butene.

butler /'bʌtlə(r)/ n. maggiordomo • **b.'s pantry**, office.

butt① /bʌt/ n. grossa botte (di 600 litri circa).

butt② /bʌt/ n. **1** impugnatura, manico (d'utensile) **2** (mil.) calcio (di arma da fuoco) **3** ceppo (di un albero); (= **b.-end**) mozzicone, moncone **4** mozzicone di sigaretta; cicca **5** (terrapieno dietro il) bersaglio **6** (pl.) tiro a segno; poligono (di tiro) **7** (fig.) bersaglio; oggetto di beffe (o critiche); zimbello **8** mira; scopo; fine **9** (slang USA) cicca (nel

b

senso di sigaretta) **10** (*slang USA*) deretano; didietro; chiappe (*pop.*): *Get off your b. and do your homework*, alza le chiappe e va a fare il compito! **11** (*falegn.*) cerniera **12** (*mecc.*, = **b. joint**) giunto di testa **13** (*conceria*) scagnello; cuoio spesso (*della parte posteriore dell'animale*) • (*slang USA*) **b. boy**, gregario (*di una gang*) □ **b.-end**, V. sopra, def. 3 □ (*slang USA*) **b.-legging**, contrabbando di sigarette.

butt③ /bʌt/ n. (*zool.*, *Hippoglossus hippoglossus*) ippoglosso.

butt④ /bʌt/ n. **1** cozzo; cornata; incornata **2** (*anche sport*) testata: *The goat gave me a b. in the stomach*, la capra mi diede una testata nello stomaco • **to come** (**full**) **b. against qt.**, andare a sbattere (in pieno) contro qc.

to **butt**① /bʌt/ v. t. **1** far combaciare **2** (*tecn.*) fare giunti di testa.

to **butt**② /bʌt/ v. i. e t. **1** cozzare, andare a cozzare, dar di cozzo; urtare (contro q., qc.): *He butted against a tree in the dark*, nel buio andò a cozzare contro un albero **2** incornare; avanzare (o muoversi) a testa bassa; fare l'atto di cozzare (*come fanno gli animali forniti di corna*) **3** accostare; appoggiare: *B. the pole against the wall*, appoggia il palo contro il muro! **4** sporgere; venire in fuori **5** (*boxe*) dare una testata a (*un avversario*) • (*slang*) **to b. in**, intromettersi; dare consigli non richiesti; interferire; ficcanasare (*pop.*) □ (*slang*) **to b. out**, andarsene; girare al largo; smetterla di ficcanasare (*pop.*).

◆**butter** /ˈbʌtə(r)/ n. ▯ burro: **melted b.**, burro fuso; **cocoa b.**, burro di cacao • (*fam. USA, antiq.*) **b.-and-egg man**, ricco agricoltore o uomo d'affari di provincia □ (*bot.*) **b.-and-eggs** (*Linaria vulgaris*), linaria; linaiola □ (*bot.*) **b. bean** (*Phaseolus lunatus*), fagiolo americano; fagiolo di Lima • **b. curler**, arricciaburro • **b. dish**, burriera; portaburro □ **b. knife**, coltellino da burro □ **b. muslin**, mussolina □ (*bot.*) **b. tree** (*Bassia butyracea*), albero del burro □ (*fam.*) **to look as if b. wouldn't melt in one's mouth**, avere l'aria ingenua; avere l'aria da santarellina.

to **butter** /ˈbʌtə(r)/ v. t. imburrare.
■ **butter up** v. t. + avv. adulare; lisciare; dare del sapone a (*fam.*).

butterbur /ˈbʌtəbə(r)/ n. (*bot.*, *Petasites officinalis*) farfaraccio.

buttercream /ˈbʌtəkriːm/ n. (*cucina*) impasto di burro e zucchero.

buttercup /ˈbʌtəkʌp/ n. (*bot.*) **1** (*Ranunculus acris*) botton d'oro; ranuncolo **2** (*Ranunculus bulbosus*) ranuncolo bulboso **3** (*slang USA*) fiorellino (*fig.*); ragazza carina dall'aria innocente.

buttered /ˈbʌtəd/ a. imburrato.

butterfingers /ˈbʌtəfɪŋgəz/ n. (*fam.*) persona dalle mani di pasta frolla (o di burro) || **butterfingered** a. (*fam.*) dalle mani di pasta frolla (o di burro).

butterfish /ˈbʌtəfɪʃ/ n. (*zool.*) **1** (*Pholis gunnellus*) gunnello **2** (*Poronotus triacanthus*) pesce burro.

◆**butterfly** /ˈbʌtəflaɪ/ n. **1** farfalla **2** (*fig.*) persona frivola; farfallina; farfallone **3** ▯ – (*nuoto*) **the b.**, (*nuoto a*) *farfalla*: **b. kick**, battuta (di gambe) a farfalla; **b. stroke**, (stile a) farfalla; **b. swimmer**, farfallista **4** (*autom.*) deflettore **5** (al pl.) crampi allo stomaco (*per l'agitazione*) • agitazione (sing.); nervosismo (sing.) • (*bot.*) **b. bush** (*Buddleia davidii*), buddleia □ (*scient e fig.*) **b. effect**, effetto farfalla □ (*zool.*) **b. fish**, (*in genere*) chetodonte; (*Blennius ocellaris*) bavosa occhiuta; (*Pantodon buchholzi*) pesce farfalla □ **b. net**, retino per farfalle; retino acchiappafarfalle □ (*mecc.*) **b. nut**, galletto; dado ad alette □ (*mecc.*) **b. valve**, valvola a farfalla.

buttermilk /ˈbʌtəmɪlk/ n. ▯ siero (*del lat-*

---

te); latticello (*pop.*).

butternut /ˈbʌtənʌt/ n. (= **b. tree**) (*bot.*, *Iuglans cinerea*) noce cinereo americano; noce oleoso.

butterscotch /ˈbʌtəskɒtʃ/ n. caramella dura, a base di burro, zucchero bruciato, ecc.

butterwort /ˈbʌtəwɜːt/ n. (*bot.*, *Pinguicula vulgaris*) pinguicola.

buttery① /ˈbʌtərɪ/ a. **1** di burro **2** burroso; ricco di burro **3** coperto di burro; sporco di burro.

buttery② /ˈbʌtərɪ/ n. **1** dispensa **2** spaccio, posto di ristoro (*in talune università inglesi*).

buttock /ˈbʌtək/ n. **1** natica **2** (pl.) deretano; sedere **3** (talvolta pl., *naut.*) anca; giardinetto **4** (*lotta*) colpo d'anca; ancata **5** (*macelleria*) girello e controgirello (*di bue*).

to **buttock** /ˈbʌtək/ v. t. (*lotta*) atterrare (*l'avversario*) con un'ancata.

◆**button** /ˈbʌtn/ n. **1** bottone; bottoncino (*per colletto*): *One of the buttons has come off my jacket*, mi si è staccato un bottone della giacca; **to fasten** (o **to do up**) **a button**, abbottonare un bottone; *She undid her blouse buttons*, lei sbottonò la camicetta **2** (= **push b.**) pulsante; bottone **3** (*alim.*) pastiglia: **chocolate buttons**, pastiglie di cioccolato **4** (*bot.*) gemma; bocciolo; bottone **5** (*bot.*, = **b. mushroom**) fungo non ancora maturo **6** (*scherma*) bottone (*del fioretto*) **7** (*USA*) distintivo (*da occhiello*) **8** (al pl.) – (*fam. antiq.*, *GB*) **Buttons**, paggio in livrea; fattorino **9** (*slang USA*) (punta del) mento **10** (*slang USA*) clitoride; grilletto (*pop.*) • **b.-back**, (*di sedia, poltrona, ecc.*) capitonné □ **b.-down**, (*di colletto*) con i bottoni sulle punte, button-down; (*di camicia*) che ha il colletto con i bottoni sulle punte; (*USA, di persona*) conformista; tradizionalista; conservatore (*sci*) **b.-lift** (o **b.-tow**), ski-lift □ (*slang USA*) **b. man**, piccolo mafioso; picciotto; (*anche*) assassino prezzolato; sicario □ (*moda*) **b.-through** (agg.), (*di indumento*) abbottonato da cima a fondo □ (*moda*) **b.-through** (dress), chemisier (*franc.*) □ (*fam.*) **to be a b. short**, essere corto di comprendonio □ (*fig.*) **to have all one's buttons**, avere tutte le rotelle a posto; esserci tutto □ (*fig.*) **to have some buttons missing**, mancare di qualche venerdì (o di qualche rotella); non esserci tutto □ (*fam.*) **I don't to give a b.**, non me ne importa un fico; me ne sbatto □ (*fam.*) **on the b.**, esattamente; in perfetto orario; (*anche*) azzeccato, centrato □ **panic b. → panic** □ (*fam.*) **to press buttons**, usare la propria influenza; rivolgersi a qualcuno che conta □ **to press the b.**, dare il via □ (*fam. USA*) **to press** (o **to push**) **sb.'s b.**, far scattare una reazione in q.; eccitare q.; provocare q. □ (*fig.*) **to take sb. by the b.**, fermare q. (*per parlargli*) □ **not worth a b.**, che non vale niente || **buttonless** a. senza bottoni.

to **button** /ˈbʌtn/ Ⓐ v. t. **1** abbottonare: **to b. sb. into a coat**, abbottonare il cappotto a q. **2** fornire (o ornare) di bottoni **3** (*scherma*) toccare Ⓑ v. i. abbottonarsi: *This blouse buttons down the back*, questa camicetta si abbottona dietro • (*slang*) Ⓑ. **it!**, chiudi la bocca!; cuciti la bocca! □ **to b. one's lips**, tacere; zittirsi; cucirsi la bocca || **buttoning** n. ▯ abbottonatura.
■ **button up** Ⓐ v. t. + avv. **1** abbottonare: *B. up your jacket*, abbottonati la giacca **2** (*fam.*) concludere; portare a termine: **to b. up a deal**, concludere un affare Ⓑ v. i. + avv. (*fam.*) tacere; stare zitto.

buttoned /ˈbʌtnd/ a. **1** abbottonato **2** (nei composti) che ha un certo tipo di bottoni: **pearl-b.**, che ha bottoni di madreperla • **b. up**, riservato; abbottonato; (*di affare, lavoro, ecc.*) concluso.

---

buttonhole /ˈbʌtnhəʊl/ n. **1** asola; occhiello **2** fiore portato (o da mettere) all'occhiello • **b. scissors**, forbici per occhielli □ (*cucito*) **b. stitch**, punto a smerlo.

to **buttonhole** /ˈbʌtnhəʊl/ v. t. **1** (*sartoria*) fare le asole (o gli occhielli) a **2** fare il punto occhiello **3** bloccare (*q., per parlargli*) || **buttonholer** n. **1** dispositivo per gli occhielli (*di macchina da cucire*) **2** occhiellatrice (*macchina*) **3** attaccabottoni (*fig.*).

buttonhook /ˈbʌtnhʊk/ n. **1** allacciascarpe **2** allacciaguanti.

buttonwood /ˈbʌtnwʊd/ n. (*bot.*, *Platanus occidentalis*) platano americano.

buttress /ˈbʌtrɪs/ n. **1** (*edil.*) contrafforte; sperone **2** (*fig.*) appoggio; sostegno.

to **buttress** /ˈbʌtrɪs/ v. t. **1** (*edil.*) sostenere, rinforzare (*con un contrafforte o sperone*) **2** (*fig.*, *spesso* **to b. up**) appoggiare; rafforzare: **to b. up an argument with solid facts**, rafforzare una tesi con fatti concreti.

butty① /ˈbʌtɪ/ n. (*dial. GB*) sandwich; panino.

butty② /ˈbʌtɪ/ n. (*GB*) **1** (*ind. miner.*, *stor.*) capogruppo (*di minatori a cottimo*); subappaltatore: **b. gang**, gruppo di minatori a cottimo **2** (*gergo dei minatori*) amico; compare.

butyl /ˈbjuːt(a)ɪl/ (*chim.*) Ⓐ a. ▯ butile Ⓑ a. attr. butilico: **b. alcohol**, alcol butilico; butanolo; **b. rubber**, gomma butilica.

butylene /ˈbjuːtɪliːn/ n. ▯ (*chim.*) butilene.

butyric /bjuːˈtɪrɪk/ (*chim.*) a. butirrico || **butyrate** n. butirrato.

butyrometer /bjuːtɪˈrɒmɪtə(r)/ n. (*chim.*) butirrometro.

buxom /ˈbʌksəm/ (*di donna*) a. prosperosa; avvenente; formosa; florida || **buxomness** n. ▯ formosità; avvenenza; floridezza.

buy /baɪ/ n. (*fam.*) acquisto; compera: **a good buy**, un buon acquisto; un affare (*fam.*); **a bad buy**, un cattivo acquisto; un bidone (*fam.*) • **buy-back**, riacquisto (*in genere*); (*Borsa, fin.*) acquisto di azioni proprie; (*comm. est.*) compensazione; acquisto dei prodotti di un impianto costruito all'estero • **buy-in**, (*fin.*) rilevamento, acquisto del pacchetto di maggioranza (*di una società*); (a un'asta) riscatto; (*org. az.*) operazione di stoccaggio □ (*Borsa*) **buy on close** [*on opening*], ordine d'acquisto in chiusura [in apertura] □ (*Borsa*) **buy order**, ordine di compera (o d'acquisto).

◆to **buy** /baɪ/ (pass. e p. p. **bought**), v. t. **1** acquistare; comprare: *I bought this book here last week*, ho comprato questo libro qui la settimana scorsa; *I bought her a present*, le comprai un regalo; **to buy for cash**, comprare a contanti; **to buy on credit**, comprare a credito; **to buy st. from** (o **off**) **sb.**, comprare qc. da q.; *His wealth was dearly bought*, la sua ricchezza era stata acquistata a caro prezzo **2** comprare; corrompere **3** (*fam. USA*) credere; bere (*fam.*); cascarci (*fam.*): *I don't buy it!*, non ci credo!; non la bevo!; non ci casco! **4** (*fam. USA*) credere; essere convinto da; accettare → (*slang USA*) **to buy the farm** = **to buy it** → *sotto* □ (*fin.*) **to buy for forward delivery**, comprare a termine □ (*fam.*) **to buy st. for a song**, comprare qc. per quattro soldi □ (*slang*) **to buy it**, morire; lasciarci la pelle; restarci (*Borsa*) **to buy long**, acquistare titoli in previsione di un rialzo □ **to buy on easy terms**, comprare con agevolazioni di pagamento □ **to buy on instalments**, comprare a rate □ **to buy a pig in a poke**, comprare qc. a occhi chiusi; impegnarsi in qc. senza riflettere □ (*fam.*) **to buy time**, guadagnare tempo □ **to buy wholesale**, comprare all'ingrosso □ **all that money can buy**, tutto ciò che il denaro può procurare.
■ **buy back** v. t. + avv. **1** ricomprare; riac-

quistare **2** (*Borsa, fin.*) riacquistare, acquistare (*azioni proprie*) **3** (*comm. est.*) acquistare in regime di compensazione.

■ **buy forward** v. t. + avv. (*Borsa, fin.*) comprare a termine.

■ **buy in** Ⓐ v. i. + avv. **1** (*fin.*) comprare una quota del capitale di una società **2** (*fin.*: *di banca centrale*) acquistare valuta nazionale (*per sostenerla nel mercato dei cambi*) **3** (*org. az.*) fare grosse scorte; approvvigionarsi Ⓑ v. t. + avv. **1** (*org. az.*) fare una grossa scorta di; stoccare **2** (*a un'asta*) riscattare (*un oggetto che non si vende neanche al prezzo di riserva*) □ (*fin.*) **to buy one's way in**, diventare socio con un apporto di capitale.

■ **buy into** Ⓐ v. i. + prep. **1** (*Borsa, fin.*) comprare titoli (*o una quota del capitale*) di (*una società per azioni*) **2** (*fam.*) accettare; sottoscrivere: **to buy into an opinion**, sottoscrivere un'opinione Ⓑ v. t. + prep. – (*fin.*) **to buy oneself into**, ottenere il controllo di (*qc.*) acquistando titoli o una quota di capitale.

■ **buy off** v. t. + avv. pagare (*q.*) perché taccia; tacitare; comprare il silenzio di.

■ **buy out** v. t. + avv. **1** (*comm.*) comprare in blocco (*merce*) **2** (*comm., fin.*) rilevare la parte (*o la quota*) di: **to buy out a partner**, rilevare la parte di un socio; **to buy out the other shareholders**, rilevare tutte le azioni degli altri azionisti **3** (*comm., fin.*) rilevare (*un negozio, un'azienda, una società*); comprare il pacchetto di maggioranza di (*una società per azioni*); acquisire (*una società*) **4** comprare (*fig.*), acquisire il controllo di (*una città, ecc.*) **5** (*mil.*) ottenere ottenere l'esonero di (*q.*) pagando.

■ **buy over** v. t. + avv. (*GB*), → **buy off**.

■ **buy up** v. t. + avv. (*comm.*) **1** comprare (*o acquistare*) in blocco **2** fare incetta di; rastrellare; incettare (*merce, ecc.*) **3** (*fin.*) rastrellare (*azioni*) **4** (*fin.*) comprare il pacchetto di maggioranza di (*una società per azioni*).

buyable /ˈbaɪəbl/ a. acquistabile; che si può comprare.

♦**buyer** /ˈbaɪə(r)/ n. **1** (*anche leg.*) acquirente, compratore **2** (*org. az.*) addetto agli acquisti; direttore dell'ufficio acquisti; buyer ● (*comm. est.*) **b. countries**, paesi acquirenti □ (*Borsa, fin., market.*) **buyers'market**, mercato dei compratori; mercato al ribasso (*econ.*) **b.'s monopoly**, monopsonio □ (*Borsa*) **b.'s option**, opzione d'acquisto; contratto a premio del compratore; dont □ (*econ., market.*) **b. power**, potere del compratore □ (*leg.*) **at (the) b.'s risk**, a rischio (o pericolo) del compratore.

buying /ˈbaɪɪŋ/ Ⓐ a. **1** che compra; acquirente **2** d'acquisto: **b. price**, prezzo d'acquisto; (*org. az.*) **b. policy**, politica degli acquisti (*o approvvigionamenti*) Ⓑ n. Ⓤ (*anche leg.*) acquisto ● (*comm.*) **b. agent**, agente di acquisto □ **b. and selling**, compravendita □ **b. commission**, commissione d'acquisto; provvigione per acquisti □ (*fin.*) **b.-in** → **buy-in** → **to buy**; (*di una banca centrale*) acquisto di valuta nazionale (*per sostenerla nel mercato dei cambi*); (*org. az.*) stoccaggio □ (*Borsa*) **b. interest**, interessamento del pubblico □ (*Borsa*) **b. long**, acquisto (*di titoli o merci*) in vista di un rialzo □ **b. power**, (*econ.*) potere d'acquisto; (*market.*) potenziale d'acquisto □ (*banca*) **b. rate**, cambio d'acquisto (*di valute*) □ **b.-up**, (*econ., market.*) accaparramento, incetta; (*Borsa, fin.*) rastrellamento (*di azioni*).

buyout /ˈbaɪaʊt/ n. **1** (*comm.*) acquisto in blocco (*di merce*) **2** (*fin.*) acquisizione del pacchetto di maggioranza, rilevamento (*di una società*): **management b.** → **management**; **leveraged b.**, acquisizione con capitale di prestito.

buzz /bʌz/ n. **1** ronzio **2** brusio; bisbiglia-

re diffuso **3** (*fam.*) telefonata; colpo di telefono (*fam.*); squillo (*fam.*): *Give me a b.*, dammi un colpo di telefono; fammi uno squillo **4** (*fam.*) voce che circola; pettegolezzo **5** (*elettron.*) corsa critica **6** (*fam.*) eccitazione; euforia ● (*fam.*) **b. bomb**, bomba volante □ **b. cut**, taglio di capelli cortissimo (*fatto con la macchinetta*); rapata □ **b. phrase**, espressione in voga; espressione che va di moda; slogan corrente □ (*USA*) **b. saw**, sega circolare (*cfr. ingl.* **circular saw**, *sotto* **circular**, *A, def. 1*) □ **b. term, b. word**, → **buzzword**.

to **buzz** ① /bʌz/ Ⓐ v. i. **1** ronzare; fare un brusio **2** bisbigliare, sussurrare (*senza tregua o in tono eccitato*) **3** pettegolare; spargere voci **4** (*di notizia, voce*) essere diffusa; circolare **5** (*delle orecchie*) fischiare: *My ears are buzzing*, mi fischiano le orecchie Ⓑ v. t. **1** informare segretamente (*q.*); diffondere, riferire (*una voce*) **2** far ronzare (*le ali, ecc.*) **3** (*aeron.*) sorvolare a bassa quota **4** (*elettr.*) segnalare (*o chiamare*) con un cicalino (*o con un citofono*) **5** (*slang, anche* **to b. up**) chiamare al telefono (*o al citofono*); dare un colpo di telefono, telefonare (*o citofonare*) a (*q.*): **to b. for the secretary**, chiamare la segretaria al citofono ● **to b. about** (*o* **around**), correre qua e là; agitarsi: '*The forest seemed a vast hive of men buzzing about in frantic circles*' S. CRANE, 'la foresta pareva un enorme alveare di soldati che correvano qua e là in cerchi pazzeschi' □ (*slang*) **to b. along**, filare, andare forte (*in auto, ecc.*) □ (*slang*) **to b. off**, filare, smammare, cavarsi dai piedi (*fam.*) □ **to b. stones**, scagliare sassi con tutta la forza.

to **buzz** ② /bʌz/ v. t. finire; scolarsi (*slang*) (*una bottiglia di vino*).

buzzard /ˈbʌzəd/ n. **1** (*zool., Buteo buteo*) poiana; bozzago **2** (*fig. fam.*) vecchia cornacchia (*fig.*); vecchiaccio **3** (*slang USA*) pollo; tacchino **4** (*slang USA*) distintivo di un ufficiale americano (*in realtà, un'aquila*).

buzzer /ˈbʌzə(r)/ n. **1** insetto che ronza **2** persona che bisbiglia **3** (*elettr.*) vibratore a cicala; cicalino; segnalatore acustico **4** (*elettr.*) cicalino: **to press the b.**, premere (*o usare*) il cicalino **5** (*slang USA*) distintivo d'investigatore; tessera (*di riconoscimento*): *The detective flashed his b.*, l'investigatore mostrò la sua tessera.

buzzing /ˈbʌzɪŋ/ Ⓐ a. ronzante Ⓑ n. Ⓤ ronzio; brusio.

buzzword /ˈbʌzwɜːd/ n. termine in voga; parola che va di moda ● (*comput., fam.*) **b.--compliant**, che supporta funzionalità che vanno di moda.

BVM sigla (*lat.*: *Beata Virgo Maria*) (*relig.*, **Blessed Virgin Mary**) la Beata Vergine Maria (BVM).

BW sigla **1** (*mil.*, **biological warfare**) guerra biologica **2** (*fotogr.*, *TV*, **black and white**) bianco e nero (BN, b/n).

BWR sigla (**boiling-water reactor**) reattore (*nucleare*) ad acqua bollente.

bx abbr. (**box**) scatola, cassetta.

♦**by** /baɪ, bɪ, bə/ Ⓐ prep. **1** (*di luogo*) presso; vicino a; davanti a; su; per; da; attraverso; via: *He was sitting by me*, era seduto vicino a me; **a house by the sea**, una casa sul mare; *There's a mirror over there by the ladies' shoes*, c'è uno specchio vicino alle scarpe da donna; *I go by their house every day*, passo davanti alla loro casa ogni giorno; *Could we have that table by the window?*, potremmo avere quel tavolo davanti alla finestra?; *I got in by the back door*, entrai dalla porta di dietro; *I went to Naples by Rome*, andai a Napoli via Roma **2** (*tempo*) per; entro; da; a: *I'll finish it by tomorrow*, lo finirò per (*o entro*) domani; *I'll be gone by 8.30 tomorrow*, sarò andata via per le 8:30

domani; **by night**, di notte; **by moonlight**, al chiaro di luna (*mezzo o strumento*) a; con; da; per; di: **driven by electricity**, azionato dall'elettricità; **to read by candlelight**, leggere a lume di candela; **to take sb. by the hand**, prendere q. per mano; **to hold st. by the handle**, tenere qc. per il manico; **made by hand**, fatto a mano; **to send by air**, spedire per via aerea; **to travel by train**, viaggiare in treno; *I'm going by bus*, vado in autobus; **by post**, per posta; *What do you mean by that?*, che vuoi dire con ciò?; **to divide a number by another**, dividere un numero per un altro; *He apologized by saying he didn't know*, si scusò col dire (*o dicendo*) che non lo sapeva **4** (*modo*) per; a; secondo; da: **by accident**, per caso; **by mistake**, per errore; **taken by surprise**, colto di sorpresa; **by degrees**, per gradi; (*leg.*) **by proxy**, per procura; **by my watch**, secondo il (*o stando al*) mio orologio; **to judge by appearances**, giudicare dalle apparenze; **judging by my standards**, giudicando secondo i miei criteri **5** (*agente*) da; di: *America was discovered by Columbus*, l'America fu scoperta da Colombo; *It's a novel by Luke Dawson*, è un romanzo di Luke Dawson; *Who's this song by?*, di chi è questa canzone? **6** (*misura, calcolo, distanza*) a; per; di: **to sell st. by the litre**, vendere qc. a litro; **to buy by retail**, comprare al minuto; **to work by the hour**, lavorare a ore; **to win by half a mile**, vincere per mezzo miglio; *Oil prices have gone up by 5%*, i prezzi del petrolio sono saliti del 5%; *The room is six feet by ten*, la stanza è sei piedi per dieci **7** (*naut.*) – **north by east**, nord quarta nord-est; **south-east by east**, sud-est quarta est Ⓑ avv. **1** vicino; accanto: *We live close by*, abitiamo vicino; **to keep st. by**, tenere qc. a portata di mano; *He stole the vase when nobody was by*, rubò il vaso quando nessuno era lì vicino **2** oltre: *The car sped by*, l'automobile passò oltre velocemente **3** da parte; in disparte; via: *He has laid by some money for his old age*, ha messo da parte un po' di denaro per la vecchiaia **4** (*slang USA*) a casa mia (*o nostra*): *Come by for a drink*, vieni da noi a bere qualcosa ● **by all means**, certamente; senz'altro □ **by and large**, nell'insieme; nel complesso; in generale □ **by appointment**, per appuntamento □ **by the by** (*o by the bye*), incidentalmente; a proposito □ **by the day**, (*di lavoro*) a giornata □ **by daylight**, alla luce del giorno □ **by the dozen**, a dozzine □ **by far**, di gran lunga: **by far the best student**, di gran lunga il migliore degli studenti □ **by heart**, a memoria □ **by law**, secondo la legge; per legge □ **by nature**, per natura, secondo natura; di natura □ **by now**, ormai: *He should have arrived by now*, ormai dovrebbe essere già arrivato □ (**all**) **by oneself**, da solo; da sé; in disparte: *He was sitting by himself*, era seduto in disparte; *He's done it by himself*, l'ha fatto da sé □ **by rail**, per ferrovia □ **by the side of**, al fianco di □ **by then**, allora: *You'll be a man by then*, sarai già uomo allora □ **by trade**, di mestiere □ **by twos**, due a due; due alla volta □ **by the way**, cammin facendo; (*anche*) a proposito, incidentalmente □ **by way of**, come; a mo' di.

by-bidder /ˈbaɪbɪdə(r)/ n. chi fa offerte fittizie (*a un'asta*: *per favorire il venditore*).

by-bidding /ˈbaɪbɪdɪŋ/ n. Ⓤ (il fare) offerte fittizie (*a un'asta*).

bye ① /baɪ/ n. **1** cosa secondaria (*o di scarsa importanza*) **2** Ⓤ (*sport*) passaggio, per sorteggio, del turno eliminatorio **3** Ⓤ (*golf*) buche non fatte alla fine di una partita (*e rimandate alla successiva*) **4** (*cricket*) punto realizzato mediante una palla non colpita dal battitore: **leg bye**, punto (*realizzato quando il battitore tocca la palla con la gamba*) ● **by**

a b c d e f g h i j k l m n o p q r s t u v w x y z

the bye, incidentalmente; a proposito.

◆**bye**② /baɪ/, **bye-bye** /baɪ'baɪ/ inter. (*fam.*) arrivederci!; ciao!. ❶ NOTA: *goodbye* → **goodbye**.

bye-byes /'baɪbaɪz/ n. (*infant.*) nanna: **to go to bye-byes**, andare a (far la) nanna.

by-election /'baɪɪlekʃn/ n. (*polit.*) elezione suppletiva.

Byelorussia /bɪeləʊ'rʌʃə/, **Byelorussian** /bɪeləʊ'rʌʃn/ → **Belorussia**, **Belorussian**.

bygone /'baɪgɒn/ **A** a. passato; remoto; antico **B** n. (di solito, al pl.) cosa passata ● **Let bygones be bygones**, mettiamoci una pietra sopra; (*prov.*) acqua passata non macina più.

by-law /'baɪlɔː/ n. (*leg.*) **1** legge locale; ordinanza (*del sindaco, ecc.*) **2** statuto municipale; statuto di società (*o* associazione; *non finanziaria*) **3** legge suppletiva; leggina (*fam.*).

byline /'baɪlaɪn/ n. **1** (*giorn.*) nome dell'autore (*sotto il titolo di un articolo*); (*estens.*) firma **2** (*sport, spec. calcio*) linea di fondo (*del campo*); linea di fondocampo.

byname /'baɪneɪm/ n. soprannome; nomignolo.

BYO /biːwaɪ'əʊ/, **BYOB** /biːwaɪəʊ'biː/, **BYOG** /biːwaɪəʊ'dʒiː/ (acronimo *di* bring your own bottle o bring your own grog) (*Austral.*) **A** n. ristorante (o pranzo, party) in cui ci si porta da bere **B** a. attr. dove ci si porta da bere.

bypass /'baɪpɑːs/ n. **1** (*autom.*) tangenziale; circonvallazione **2** (*autom.*) svincolo: **the** A2 b. to the Docks, Continental Ferries and Dover Town Centre, lo svincolo della A2 per i bacini portuali, i traghetti per la Francia e il centro di Dover **3** (*tecn.*) derivazione **4** (*mecc.*) (*nei tubi del gas, ecc.*) bipasso; by-pass; tubo di derivazione **5** (*elettr.*) ramo in parallelo; shunt **6** (*elettron.*) by--pass **7** (*med.: alta chirurgia*) by-pass; bipasso ● (*elettr.*) **b. capacitor**, condensatore di fuga □ (*aeron.*) **b. engine**, motore a derivazione (*o* a bipasso).

to **bypass** /'baɪpɑːs/ v. t. **1** (*autom.*) seguire la tangenziale di, girare attorno a (*una città*); evitare (*il traffico*) **2** fornire (*una città*) di tangenziale; bypassare **3** (*fig., anche sport*) aggirare, evitare (*un ostacolo, un avversario, ecc.*) **4** (*mecc.*) provvedere (*un tubo, ecc.*) di bipasso **5** (*elettr.*) derivare; shuntare **6** (*elettron., med.*) bypassare ● (*elettr.*) **to b. a circuit**, escludere un circuito.

bypath /'baɪpɑːθ/ n. sentiero secondario; viottolo solitario ● (*fig.*) **the bypaths of history**, i retroscena della storia.

by-play /'baɪpleɪ/ n. Ⓤ (*spec. USA*) (*teatr.*) controscena; azione secondaria (*per lo più mimica*) dei personaggi minori.

by-product /'baɪprɒdʌkt/ n. **1** (*ind.*) sottoprodotto **2** (*fig.*) effetto collaterale; conseguenza.

byre /'baɪə(r)/ n. stalla per bovini; vaccheria.

byroad /'baɪrəʊd/ n. strada secondaria; strada fuori mano.

Byronic /baɪ'rɒnɪk/ a. (*letter.*) byroniano.

byssaceous /bɪ'seɪʃəs/ a. (*bot.*) bissaceo.

byssus /'bɪsəs/ n. (pl. *byssuses*, *byssi*) **1** (*ind. tess.*) bisso **2** (*zool.*) bisso (*sostanza secreta da molluschi lamellibranchi*).

bystander /'baɪstændə(r)/ n. **1** astante; spettatore **2** (*ass., leg.*) terzo; terzo leso.

byte /baɪt/ n. (*comput.*) byte (*serie di otto bit*) ● **b.-addressable computer**, computer con indirizzo a byte □ **b. mode**, modalità di trasferimento a byte.

bytecode /'baɪtkəʊd/ n. (*comput.*) bytecode; codice intermedio (*tra linguaggi ad alto livello e linguaggi macchina*).

byway, **by-way** /'baɪweɪ/ n. **1** strada secondaria; strada fuori mano **2** scorciatoia **3** (*fig.*) via traversa **4** (*fig.*) parte poco nota (*di disciplina, argomento, ecc.*) ● **the byways of history**, i retroscena della storia.

byword /'baɪwɜːd/ n. **1** sinonimo (*fig.*); simbolo; personificazione: *His name is a b. for holiness*, il suo nome è sinonimo di santità **2** (*di persona*) favola; zimbello **3** proverbio ● **His bad manners have become a b. for everybody**, la sua maleducazione è diventata proverbiale.

by-your-leave /baɪjə'liːv/ n. (solo nella loc.:) – **without so much as a by-your--leave**, senza neanche chiedere il permesso.

Byzantine /bɪ'zæntaɪn/ a. e n. (*anche fig.*) bizantino ‖ **Byzantinism** n. Ⓤ (*anche fig.*) bizantinismo.

Byzantium /bɪ'zæntɪəm/ n. (*stor.*) Bisanzio.

BZP sigla (*farm.*, **Benzylpiperazine**) benzilpiperazina (BZP).

c, C

C① , c/si:/ n. (pl. **C's**, **c's**; **Cs**, **cs**) **1** C, c (*terza lettera dell'alfabeto ingl.*) **2** (*mus.*) do (*nota e scala corrispondente*) **3** terzo d'una serie **4** votazione (o classifica) di «mediocre»: **a C in biology**, un mediocre in biologia **5** (*comput.*) C (*linguaggio di programmazione*): **C-sharp → C#**. **6** (*comput.*) C (*corrisponde al valore decimale 12*) ● **c for Charlie**, c come Como □ (*med.*) **c-section**, taglio cesareo.

C② sigla **1** (*mil.*, **cargo**) aereo da trasporto (*seguito dal numero di modello*) **2** (**century**) secolo **3** (**cold**) freddo (*sui rubinetti*) **4** (*polit.*, *GB*, **Conservative**) conservatore ● **C-bomb** (*mil.*, = **cobalt bomb**), bomba al cobalto.

C. abbr. 1 (**cape**) capo **2** (**captain**) capitano.

c. abbr. 1 (*lat.*: *circa*) (**about**) circa, intorno a **2** (**carat**) carato **3** (**cent**) centesimo (*di dollaro, ecc.*) **4** (**cubic**) cubo.

C# /si:'ʃɑːp/ sigla (*comput.*) C#; C-sharp (*linguaggio di programmazione*).

C++ /si:plʌs'plʌs/ n. Ⓤ (*comput.*) C++ (*linguaggio di programmazione*).

CA sigla **1** (*USA*, **California**) California **2** (*GB*, **chartered accountant**) ragioniere iscritto all'albo; revisore dei conti.

ca. sigla (*lat.*: *circa*) **about**, circa, intorno a.

ca' → **ca'canny.**

C/A sigla **1** (**capital account**) conto capitale **2** (**credit account**) conto di credito **3** (**current account**) conto corrente.

CAA sigla (*GB*, **Civil Aviation Authority**) Ente per l'aviazione civile.

cab /kæb/ n. **1** (*autom.*) taxi; tassì **2** cabina (*di guida*) (*di camion, ecc.*) **3** (*stor.*) carrozza da nolo; vettura di piazza ● **cab driver**, (*autom.*) tassista; (*stor.*) vetturino, fiaccheraio □ **cab rank**, posteggio di taxi.

to **cab** /kæb/ v. i. **1** andare in taxi **2** (*stor.*) andare in carrozza da nolo.

CAB sigla (*GB*, **Citizens Advice Bureau**) Ufficio di consulenza al cittadino (*di norma gestito da volontari*).

cabal /kə'bæl/ n. cricca; conventicola; camarilla.

cabala /kə'bɑːlə/ n. e deriv. → **cabbala**, e deriv.

cabana /kə'bɑːnə/ (*spagn.*) n. (*spec. USA*) capanno (*da spiaggia*).

cabaret /'kæbəreɪ/ n. (*franc.*) Ⓐ n. ⓊⒸ cabaret; caffè concerto Ⓑ a. attr. cabarettistico.

cabbage /'kæbɪdʒ/ n. **1** (*bot.*, *Brassica oleracea capitata*) cavolo cappuccio **2** (*fam.*) rapa (*fig.*); testa (o torso) di cavolo (*fig.*); babbeo **3** Ⓤ (*slang USA*) soldi; denaro ● (*zool.*) **c. butterfly** (*Pieris brassicae*), cavolaia □ (*bot.*) **c. lettuce** (*Lactuca sativa capitata*), lattuga cappuccina ● **c. patch**, cavolaia, cavolaio □ (*bot.*) **c. rose** (*Rosa centifolia*), rosa centifoglia □ (*zool.*) **c. white** = **c. butterfly** → sopra.

cabbala /kə'bɑːlə/ n. **1** (*relig.*) → **Kabbalah 2** (*fig.*) cabala; scienza occulta; dottrina esoterica ‖ **cabbalist** n. cabalista ‖ **cabbalistic** a. (*zool.*) esoterico.

cabbie, **cabby** /'kæbɪ/ n. (*fam.*) **1** tassista **2** (*stor.*) vetturino.

caber /'keɪbə(r)/ n. tronco d'abete sfrondato

to (*usato nello sport scozzese detto **tossing the c.**, «lancio del tronco»*).

cabin /'kæbɪn/ n. **1** cabina (*di nave, aeroplano, stazione ferroviaria, ecc.*) **2** (*di funivia*) cabina (*escluso il carrello*); telecabina **3** capanna; baita **4** (*spec. tur.*) chalet; bungalow ● (*aeron.*) **c. baggage**, bagaglio a mano □ (*naut.*) **c. boy**, mozzo; aiuto cameriere di bordo □ (*naut.*) **c. class**, seconda classe □ (*aeron.*) **c. crew** (o **c. staff**) personale di bordo □ (*naut.*) **c. cruiser**, cabinato □ **c. fever**, stress da isolamento (*vita isolata o lunga permanenza al chiuso*) □ (*naut.*) **c. passenger**, passeggero di seconda classe.

cabined /'kæbɪnd/ a. (*antiq.*) in uno spazio angusto; allo stretto.

♦**cabinet** /'kæbɪnɪt/ n. **1** armadietto; mobiletto; stipo; vetrina, vetrinetta: **display c.** (o **glass-fronted c.**), vetrina; mobiletto a vetri; **filing c.**, schedario; **liquor c.**, mobile bar; **medicine c.**, armadietto dei medicinali **2** (*anche* C.) (*polit.*, *in GB*, *Canada*, *ecc.*) gabinetto; consiglio dei ministri: **shadow c.**, gabinetto ombra; (*GB*) C. **Office**, Presidenza del Consiglio dei Ministri; **c. minister**, ministro che fa parte del gabinetto; membro del gabinetto; **c. reshuffle**, rimpasto ministeriale **3** (*anche* C.) (*polit.*, *in USA*) organo consultivo del Presidente ● **CULTURA** ● **Cabinet**: *nel Regno Unito è l'organo ristretto di governo composto dai principali ministri, scelti dal primo ministro in seguito a consultazione con il sovrano. Negli USA è un organo consultivo non istituzionale formato dai capi dei principali dipartimenti governativi, scelti dal Presidente.* ● **c. maker**, stipettaio.

cabinet-maker /'kæbɪnət 'meɪkə(r)/ n. ebanista ‖ **cabinet-making** n. Ⓤ ebanisteria.

♦**cable** /'keɪbl/ n. **1** cavo; fune; canapo: **carrying c.**, fune portante (*di funicolare*) **2** (*naut.*) cavo; gomena; catena: **anchor c.**, cavo dell'ancora; catena dell'ancora **3** (*telef.*) cavo; filo: **to lay a c.**, posare un cavo; *The cable's not connected to the PC*, il cavo non è collegato al PC **4** (*naut.*, = **c.'s length**) gomena (*misura di lunghezza pari a 200 iarde o 182,9 metri in GB e a 240 iarde o 219,4 metri in USA*) **5** cablogramma **6** (*archit.*) rudente **7** (*fin.*, = **c. rate**) cambio cablografico; cablo **8** (*lavoro a maglia*) treccia **9** = **c. television** → sotto ● **c. address**, indirizzo telegrafico □ (*naut.*) **c. bend**, nodo di gomena □ (*naut.*) **c. buoy**, boa di cavo sottomarino □ **c. car**, cabina (di funivia); telecabina; carrello (di teleferica); vagone (di funicolare); (*anche*) tram a fune; funivia □ (*elettr.*) **c. carrier**, portafili □ **c. layer**, installatore (o posatore) di cavi □ (*naut.*) **c.-laid rope**, torticcio □ (*naut.*) **c. locker**, pozzo delle catene □ **c. railway**, funicolare □ (*TV*) **c.-ready**, in grado di ricevere programmi via cavo □ (*fotogr.*) **c. release**, scatto flessibile □ (*naut.*) **c. ship**, (nave) posacavi □ (*lavoro a maglia*) **c. stitch**, punto treccia □ (*banca*) **c. transfer**, rimessa telegrafica; bonifico telegrafico □ **c. television**, televisione via cavo.

to **cable** /'keɪbl/ Ⓐ v. t. **1** mandare un cablogramma a **2** trasmettere per cablogramma; cablare **3** (spec. al passivo) (*elettr.*, *telef.*) installare cavi in; cablare **4** (*archit.*)

decorare con rudenti Ⓑ v. i. inviare un cablogramma: **to c. for st.**, richiedere per cablogramma.

cablecast /'keɪblkɑːst/ n. (*TV*) teletrasmissione via cavo.

to **cablecast** /'keɪblkɑːst/ (pass. e p. p. *cablecast*, *cablecasted*), v. t. (*TV*) teletrasmettere via cavo.

cablegram /'keɪblgræm/ n. cablogramma; cablo.

cablet /'keɪblɪt/ n. **1** piccolo cavo; cavetto **2** (*naut.*) torticcio (*di diametro inferiore ai 10 cm*); gomenetta.

cableway /'keɪblweɪ/ n. **1** cavo di teleferica o funivia **2** teleferica; funivia.

cabling /'keɪblɪŋ/ n. Ⓤ **1** (*elettr.*) cablaggio; cablatura **2** (*archit.*) rudenti (pl.) **3** (*ind. tess.*) ritorcitura.

cabman /'kæbmən/ n. (pl. *cabmen*) **1** (*USA*) tassista **2** (*stor.*) vetturino.

cabochon /'kæbəʃɒn/ (*franc.*) Ⓐ n. cabochon Ⓑ a. attr. a cabochon.

caboodle /kə'buːdl/ n. (*slang*) – (solo nella loc.) **the whole** (**kit and**) **c.**, tutto quanto; tutta la baracca; tutti quanti; tutta la banda.

caboose /kə'buːs/ n. **1** (*ferr.*, *USA*) vagone del personale viaggiante (*in coda a un treno*) **2** (*naut.*, *arc.*) cambusa; cucina di bordo **3** (*slang USA*) gattabuia; prigione.

Cabot /'kæbət/ n. (*stor.*) Caboto: *John C.*, Giovanni Caboto.

cabotage /'kæbətɪdʒ/ (*franc.*) n. Ⓤ (*naut.*) cabotaggio.

cabriolet /'kæbrɪəleɪ, *USA* kæbrɪə'leɪ/ (*franc.*) n. (*autom.*) cabriolet.

cabstand /'kæbstænd/ n. posteggio di taxi.

ca'canny, **ca' canny** /kɔː'kænɪ/ Ⓐ n. **1** cautela; prudenza; moderazione **2** (*antiq.*, = **ca'canny strike**) sciopero bianco Ⓑ a. cauto; prudente.

cacao /kə'kɑːəʊ/ n. (pl. *cacaos*) (*bot.*, *Theobroma cacao*) cacao (*cfr.* **cocoa**) ● **c. bean**, seme di cacao ● **c. butter**, burro di cacao □ **c. nibs**, chicchi di cacao tostati.

cachalot /'kæʃəlɒt/ n. (*zool.*, *Physeter macrocephalus*) capodoglio.

cache /kæʃ/ n. **1** quantitativo nascosto (*di armi, viveri, droga, ecc.*); provvista segreta: **a c. of drugs**, un quantitativo di droga nascosto; **arms c.**, arsenale nascosto **2** deposito segreto (o clandestino); nascondiglio **3** (*comput.*, = **c. memory**) (memoria) cache.

to **cache** /kæʃ/ v. t. **1** nascondere (*armi, viveri, ecc.*); lasciare in un deposito **2** (*comput.*) salvare (*dati*) nella memoria cache **3** (*comput.*) fornire di (memoria) cache.

cachectic /kə'kektɪk/ a. (*med.*) cachettico.

cache-sexe /'kæʃˈseks/ (*franc.*) n. cache-sexe; slip ridottissimo; slippino (*spec. di artista di varietà o di spogliarellista*).

cachet /'kæʃeɪ, *USA* kæ'ʃeɪ/ (*franc.*) n. **1** Ⓤ prestigio; distinzione; status **2** sigillo; marchio distintivo **3** (*farm.*) cachet; cialdino.

cachexia /kə'keksɪə/, **cachexy** /kə'keksɪ/ n. Ⓤ (*med.*) cachessia.

to **cachinnate** /'kækɪneɪt/ v. i. ridere smodatamente ‖ **cachinnation** n. Ⓤ ca-

chinno (*lett.*); riso smodato ‖ **cachinnatory** a. di cachinno.

cachou /kəˈʃuː/ n. **1** (*antiq.*) pastiglia aromatica (*per l'alito*) **2** (*bot., Acacia catechu*) catecù.

cacique /kæˈsiːk/ n. cacicco (*anche fig.*).

cack /kæk/ n. ⓤ (*GB, volg.*) **1** cacca; merda **2** (*fig.*) robaccia; schifezza.

cack-handed /kækˈhændɪd/ a. (*fam. GB*) **1** maldestro; pasticcione; con le mani di pastafrolla; imbranato (*fam.*) **2** (*spreg.*) mancino | -ly avv. | -ness n. ⓤ.

cackle /ˈkækl/ n. **1** (*di gallina*) coccodè; (*di anatra*) schiamazzo **2** ⓤ risate (pl.) stridule **3** chiacchierio; schiamazzo ● (*fam.*) **to cut the c.**, smetterla con le chiacchiere; darci un taglio (*fam.*).

to **cackle** /ˈkækl/ Ⓐ v. i. **1** (*di gallina*) chiocciare, fare coccodè; (*di anatra*) schiamazzare **2** ridere in modo stridulo; ridacchiare **3** parlare con voce stridula **4** ciarlare; sproloquiare; blaterare Ⓑ v. t. dire (qc.) con voce stridula (*o* ridacchiando).

cackling /ˈkæklɪŋ/ Ⓐ a. **1** che chioccia; schiamazzante **2** stridulo Ⓑ n. ⓤ **1** (il) chiocciare; coccodè (pl.); schiamazzi (pl.) **2** risate (pl.) stridule.

cacodemon, **cacodaemon** /kækəˈdiːmən/ n. cacodemone; spirito maligno; persona maligna.

cacodyl /ˈkækədail/ n. ⓤ (*chim.*) cacodile.

cacography /kəˈkɒɡrəfi/ n. ⓤ cacografia.

cacophony /kəˈkɒfəni/ n. ⓤⓒ cacofonia ‖ **cacophonous** a. cacofonico.

cactus /ˈkæktəs/ n. (pl. **cactuses**, **cacti**) (*bot., Cactus*) cactus.

cad /kæd/ n. (*spreg. antiq. o scherz.*) mascalzone, canaglia (*spec. nei rapporti con le donne*).

CAD /kæd/ sigla (*comput.*, **computer-aided design**) progettazione assistita dal computer.

cadastre, **cadaster** /kəˈdæstə(r)/ n. catasto ‖ **cadastral** a. catastale: **cadastral survey**, mappa catastale.

cadaver /kəˈdævə(r)/ n. (*med. o poet.*) cadavere: **c. dog**, cane da cadavere (*usato dalla polizia per il ritrovamento dei cadaveri*) ‖ **cadaveric** a. cadaverico.

cadaverous /kəˈdævərəs/ a. cadaverico; pallidissimo.

CADCAM sigla (*comput.*, **computer-aided design**, **computer-aided manufacture**) progettazione e fabbricazione assistita dal computer.

caddie /ˈkædi/ n. (*golf*) caddie; portabastoni.

Caddie /ˈkædi/ n. (*fam. USA*) Cadillac (*l'automobile*).

caddis /ˈkædis/ n. **1** → **caddis fly**, **caddis worm 2** (*ind. tess.*) tessuto di lana grezza.

caddis fly /ˈkædisflai/ loc. n. (*zool.*) friganea.

caddish /ˈkædiʃ/ a. da canaglia; da mascalzone; canagliesco.

caddis worm /ˈkædiswɜːm/ loc. n. (*zool.*) larva di friganea (*usata come esca*).

caddy ① /ˈkædi/ n. → **caddie**.

caddy ② /ˈkædi/ n. = **tea caddy** → **tea**.

Caddy /ˈkædi/ n. → **Caddie**.

caddying /ˈkædiɪŋ/ n. ⓤ (*golf*) attività del **caddie**.

cadence /ˈkeidns/ n. ⓤ cadenza; ritmo ‖ **cadenced** a. cadenzato; ritmico.

cadency /ˈkeidnsi/ n. ⓤ **1** (*araldica*) discendenza da un ramo cadetto **2** (*USA*) cadenza; ritmo.

cadenza /kəˈdɛnzə/ (*ital.*) n. ⓤ (*mus.*) cadenza.

cadet /kəˈdɛt/ n. **1** (*mil.*) cadetto; allievo ufficiale: **an Air-Force c.**, un cadetto del-

l'aeronautica **2** (*figlio*) cadetto ● **c. branch**, ramo cadetto (*di una famiglia*) □ (*naut.*) **c. ship**, nave scuola □ **c. school**, scuola militare ‖ **cadetship** n. ⓤ posizione (*o* grado) di cadetto.

to **cadge** /kædʒ/ (*fam.*) Ⓐ v. t. scroccare; elemosinare: **to c. a meal off sb.**, scroccare un pasto a q. Ⓑ v. i. vivere a scrocco; fare lo scroccone ‖ **cadger** n. scroccone.

cadi /ˈkɑːdi/ n. cadì.

Cadiz /kəˈdɪz/ n. (*geogr.*) Cadice.

Cadmean /kædˈmiːən/ a. (*mitol.*) di Cadmo ● (*fig.*) **a C. victory**, una vittoria di Pirro (*o* di Cadmo).

cadmium /ˈkædmiəm/ (*chim.*) n. ⓤ cadmio ● **c. cell**, pila al cadmio □ **c.-plating**, cadmiatura □ **c. yellow**, giallo di cadmio ‖ **cadmic** a. del cadmio; cadmico.

Cadmus /ˈkædməs/ n. (*mitol.*) Cadmo.

cadre /ˈkɑːdə(r), *USA* ˈkædri/ n. **1** gruppo; contingente; organico **2** (*polit.*) cellula, gruppo (*di attivisti*) **3** membro di un gruppo, di un organico **4** (*polit.*) quadro.

caduceus /kəˈdjuːsiəs, *USA* -ˈduː-/ n. (pl. **caducei**) (*mitol.*) caduceo.

caducity /kəˈdjuːsəti, *USA* -ˈduː-/ n. ⓤ **1** (*anche biol.*) caducità **2** fugacità.

caducous /kəˈdjuːkəs, *USA* -ˈduː-/ a. (*biol.*) caduco.

CAE sigla (*comput.*, **computer-aided engineering**) ingegneria assistita dall'elaboratore.

caecum /ˈsiːkəm/ (*anat.*) n. (pl. **caeca**) (*intestino*) cieco ‖ **caecal** a. cecale.

Caesar /ˈsiːzə(r)/ n. **1** Cesare **2** (*fig.*) cesare; imperatore; autocrate ● (*fig.*) **C.'s wife**, persona al di sopra di ogni sospetto.

Caesarean, **Caesarian** /sɪˈzeəriən/ Ⓐ a. **1** (*stor.*) cesariano **2** cesareo Ⓑ n. **1** (*stor.*) seguace di Giulio Cesare **2** sostenitore del cesarismo **3** (*med.*) taglio cesareo ● (*med.*) **C. section**, taglio cesareo.

Caesarism /ˈsiːzərɪzəm/ (*polit.*) n. ⓤ cesarismo.

caesium /ˈsiːziəm/ n. ⓤ (*chim.*) cesio.

caesura /sɪˈzjʊərə/ n. (pl. **caesuras**, **caesurae**) (*poesia*) cesura.

CAF sigla (*comm.*, **cost and freight**) costo e nolo.

◆**café** /ˈkæfei, *USA* kæˈfei/ n. **1** caffè; bar (*che non vende alcolici*) **2** tavola calda ● **c. bar**, bar (*che vende alcolici*) □ **c. curtain**, tendina che copre la parte inferiore della finestra □ **c. society**, frequentatori (pl.) dei caffè e dei night-club alla moda; café society.

cafeteria /kæfəˈtɪəriə/ n. **1** (*ristorante*) self-service; tavola calda **2** mensa (*aziendale, scolastica, ecc.*).

cafetière /kæfətˈjeə(r)/ (*franc.*) n. caffettiera a pressione-infusione.

caff /kæf/ n. (*fam. GB*) bar (*che non vende alcolici*).

caffeine /ˈkæfiːn/ n. ⓤ (*chim.*) caffeina ● **c.-free**, decaffeinato ‖ **caffeinated** a. che contiene caffeina.

caftan /ˈkæftæn/ n. caffetano; caftano.

◆**cage** /keidʒ/ n. **1** gabbia (*per animali, ecc.*, e *fig.*) **2** prigione; gabbia **3** (*anche edil.*) ingabbiatura; armatura **4** (*ind. min.*) gabbia **5** cabina (*dell'ascensore*) **6** (*sport*) cesto (*di basket*); porta (*di hockey*) ● **c. bird**, uccello da gabbia.

to **cage** /keidʒ/ v. t. **1** mettere in gabbia; tenere in gabbia **2** mettere in prigione; mettere in gattabuia (*fam.*) ‖ **caged** a. in gabbia; prigioniero.

cagey /ˈkeidʒi/ (*fam.*) a. astuto; furbo; guardingo; circospetto ‖ **caginess** n. ⓤ astuzia; furbizia; circospezione.

cagoule /kəˈɡuːl/ (*franc.*) n. (*moda*) mantella impermeabile, con cappuccio.

cahoots /kəˈhuːts/ n. pl. (*fam.*) – (solo nella loc.): **to be in c. (with)**, essere in combutta (*o* in lega) (con); essere pappa e ciccia (con) (*pop.*).

CAI sigla (*comput.*, **computer-aided** (*o* **assisted**) **instruction**) insegnamento assistito dall'elaboratore.

caiman /ˈkeimən/ n. (*zool., Caiman*) caimano: **spectacled c.** (*Caiman crocodylus*), caimano dagli occhiali.

Cain /kein/ n. (*anche fig.*) Caino ● (*fam.*) **to raise C.**, fare il finimondo, l'iradiddio.

Cainozoic /kainəˈzɔik/ a. e n. → **Cenozoic**.

caique /kaiˈiːk/ n. (*naut.*) caicco.

cairn /keən/ n. (*scozz.*) **1** cairn; tumulo di pietre (*come monumento funebre, segno di confine, ecc.*) **2** (*per estens.*) cippo di confine **3** (= **c. terrier**) terrier piccolo e irsuto.

cairngorm /ˈkeənɡɔːm/ n. ⓤ (*miner.*) quarzo affumicato.

caisson /ˈkeisn/ n. **1** (*costr.*) cassone pneumatico (*per fondazioni, ecc.*) **2** (*costr. idrauliche*) barca portacassone **3** (*mil.*) cassone; cassonetto **4** (*costr. navali*) cassone d'immersione ● (*med.*) **c. disease**, malattia dei cassoni; embolia gassosa.

caitiff /ˈkeitif/ n. e a. (*arc.*) (individuo) spregevole, vile.

to **cajole** /kəˈdʒəʊl/ v. t. blandire; convincere con blandizie o lusinghe: **to c. sb. into** [**out of**] **doing st.**, persuadere q. a fare [a non fare] qc. con blandizie o lusinghe; **to c. st. out of sb.**, ottenere qc. da q. con blandizie o lusinghe ‖ **cajolement**, **cajolery** n. ⓤ allettamento; blandizie (pl.); lusinghe (pl.).

Cajun /ˈkeidʒən/ (*USA*) Ⓐ n. **1** abitante (*o* nativo*) della Luisiana di origine francese **2** ⓤ (*lingua*) «Cajun» Ⓑ a. attr. tipico di un «Cajun».

◆**cake** /keik/ n. **1** torta; focaccia dolce: **a fruit c.**, una torta di frutta; **wedding c.**, torta di nozze **2** tortina; pasta **3** crocchetta; polpetta: **fish cakes**, crocchette di pesce **4** tortino (*salato*): **savoury leek c.**, tortino di porri **5** blocco compatto; pane; pezzo; tavoletta: **a c. of ice**, un blocco di ghiaccio; **a c. of soap**, un pezzo di sapone; una saponetta; **a c. of chocolate**, una tavoletta di cioccolato; **a c. of wax**, un pane di cera **6** (*fig.*) – **the c.**, i finanziamenti (pl. = da dividersi); i fondi (pl.); la torta: *We too want a slice of the c.*, anche noi vogliamo una fetta della torta ● (*cucina*) **c. decorator**, siringa per dolci □ (*USA*) **c. flour**, farina per dolci; farina per torte □ (*cosmesi*) **c. make-up**, cipria compatta □ **c. mix**, miscela per torte □ (*USA*) **c. pan**, tortiera □ **c. shop**, pasticceria □ (*GB*) **c. tin**, tortiera □ (*antiq.*) **cakes and ale**, le cose belle della vita; i piaceri della vita; gli spassi □ (*fam.*) **a piece of c.**, una cosa da nulla; una bazzecola; un gioco da ragazzi; una passeggiata □ (*fam.*) **to have one's c. and eat it**, avere la botte piena e la moglie ubriaca □ (*fam.*) **to sell like hot cakes**, andare a ruba □ (*fam. USA*) **That takes the c.!**, questa le batte tutte!; questo è il colmo!

to **cake** /keik/ Ⓐ v. t. rapprendersi su; incrostare, incrostarsi su: *His shoes were all caked with mud*, aveva le scarpe tutte incrostate di fango Ⓑ v. i. rapprendersi; indurirsi; incrostarsi ‖ **caked** a. rappreso; indurito; incrostato: **caked blood**, sangue rappreso.

cakewalk /ˈkeikwɔːk/ n. **1** (*danza*) cakewalk **2** (*fam.*) cosa facilissima; gioco da ragazzi, passeggiata; bazzecola.

to **cakewalk** /ˈkeikwɔːk/ v. i. **1** ballare il cake-walk **2** (*fam.*) ottenere senza sforzo.

CAL sigla (*comput.*, **computer-aided** (*o* **assisted**) **learning**) istruzione assistita dall'elaboratore.

Calabar bean /ˈkæləbɑːbiːn/ loc. n. (*bot.*,

Physostigma venenosum) fava del Calabar.
calabash /'kæləbæʃ/ n. **1** (*bot.*, *Lagenaria vulgaris*) zucca a fiasco **2** (*bot.*, = **c. tree**, *Crescentia cujete*) crescenzia; calabassa **3** pipa o recipiente ricavati da tale frutto; calabassa.

calaboose /kælə'buːs/ n. (*fam. USA*) galera; prigione; gattabuia.

calabrese /'kæləbriːs/ n. (*alim.*) broccoli (pl.).

Calabrian /kə'læbrɪən/ a. e n. calabrese.

calamander /'kæləmændə(r)/ n. calamandra (*legno pregiato*).

calamari /kælə'maːrɪ/ n. pl. (*alim.*) calamari.

calamine /'kæləmaɪn/ n. (*miner.*) **1** (*USA*) calamina **2** (*in GB*) smithsonite ● (*farm.*) **c. lotion**, lozione alla calamina (*contro le ustioni*).

calamint /'kæləmɪnt/ n. (*bot.*, *Satureja calamintha*) calaminta; nepitella.

calamity /kə'læmətɪ/ n. **1** calamità; disastro; catastrofe **2** calamità; disastri; catastrofi ● (*fam. USA*) **c. howler**, uccello del malaugurio; cassandra; profeta di sventure ‖ **calamitous** a. calamitoso.

calamus /'kæləməs/ n. (pl. *calami*) (*bot.*) **1** (*Calamus*) calamo **2** (*Acorus calamus*) calamo aromatico; erba di Venere.

calash /kə'læʃ/ n. **1** calesse (*per lo più fornito di mantice*) **2** mantice (*di carrozza*) **3** (*nel sec. XVIII*) cappuccio da donna (*spec. di seta*).

calcaneum /kæl'keɪnɪəm/ → **calcaneus**.

calcaneus /kæl'keɪnɪəs/ (*anat.*) n. (pl. *calcanei*) calcagno.

calcar /'kælkɑː(r)/ n. (*bot.*, *zool.*) sperone.

calcareous /kæl'keərɪəs/ a. calcareo.

calceolaria /kælsɪə'leərɪə/ n. (*bot.*, *Calceolaria*) calceolaria.

calcic /'kælsɪk/ a. (*chim.*) calcico.

calcicole /'kælsɪkəʊl/ (*ecol.*, *bot.*) n. organismo calcicolo ‖ **calcicolous** a. calcicolo.

calciferol /kæl'sɪfərɒl/ n. (*biochim.*) calciferolo; vitamina D$_2$.

calciferous /kæl'sɪfərəs/ a. (*chim.*, *geol.*) calcifero.

calcifuge /'kælsɪfjuːdʒ/ (*ecol.*, *bot.*) organismo calcifugo.

to **calcify** /'kælsɪfaɪ/ (*chim.*, *med.*) v. t. e i. calcificare, calcificarsi ‖ **calcific** a. calcificante ‖ **calcification** n. calcificazione.

calcimine /'kælsɪmaɪn/ n. tinta a calce.

to **calcine** /'kælsaɪn/ (*chim.*) **A** v. t. **1** calcinare **2** ridurre in cenere **B** v. i. **1** calcinarsi **2** ridursi in cenere ‖ **calcination** n. calcinazione; calcinatura.

calcite /'kælsaɪt/ n. (*miner.*) calcite.

calcitonin /kælsɪ'təʊnɪn/ n. (*biochim.*) calcitonina.

♦calcium /'kælsɪəm/ n. (*chim.*) (*med.*) **c. antagonist**, calcioantagonista; **c. carbide**, carburo di calcio; **c. chloride**, cloruro di calcio; **c. cyanamide**, calciocianammide; **c. hydroxide**, idrossido di calcio; **c. oxide**, ossido di calcio; calce viva.

calcrete /'kælkriːt/ n. (*geol.*) crostone calcareo.

calc-spar /'kælkspaː(r)/ n. (*miner.*) calcite.

calculable /'kælkjʊləbl/ a. calcolabile ‖ **calculability** n. qualità d'essere calcolabile.

♦to calculate /'kælkjʊleɪt/ **A** v. t. **1** calcolare; computare: **to c. the volume of st.**, calcolare il volume di qc. **2** calcolare; prevedere: *We c. that this will only benefit a small number of people*, calcoliamo che questo andrà a vantaggio di un numero ristretto di persone **3** (*fam. USA*) credere; ritenere; supporre **4** (al passivo) essere studiato (per); avere come scopo (di); mirare, tende-

re, essere volto (a): *The move was calculated to increase the voters' confidence*, la mossa mirava ad (o intesa ad) accrescere la fiducia dell'elettorato **B** v. i. fare calcoli (o conti).

■ **calculate on** (o **upon**) v. i. + prep. contare su; fare calcolo su; mettere in conto: *We c. upon five hundred people being there*, contiamo sulla partecipazione di cinquecento persone; *Don't c. on his agreeing to sign this contract*, non contate che lui accetti di firmare questo contratto.

calculated /'kælkjʊleɪtɪd/ a. **1** calcolato **2** deliberato; intenzionale; calcolato: **a c. insult**, un insulto deliberato; (*anche polit.*) **c. risk**, rischio calcolato.

calculating /'kælkjʊleɪtɪŋ/ a. **1** calcolatore; da calcolo: **c. machine**, (macchina) calcolatrice **2** astuto; scaltro; calcolatore.

♦calculation /kælkjʊ'leɪʃn/ n. **1** calcolo, calcoli: **to make a c. of st.**, fare il calcolo di qc.; calcolare qc.; **to do calculations**, fare i calcoli; **on the basis of our c.**, secondo i nostri calcoli; **This is confirmed by c.**, questo è confermato dai calcoli **2** calcolo, calcoli; previsione, previsioni; valutazione; stima: **on a rough c.**, secondo una stima approssimativa; **political calculations**, valutazioni politiche; **to get one's calculations wrong**, sbagliare i propri calcoli **3** calcolo: **cold c.**, freddo calcolo.

calculative /'kælkjʊleɪtɪv/ a. **1** relativo al calcolo **2** che fa (o che tende a fare) i propri calcoli; calcolatore.

♦calculator /'kælkjʊleɪtə(r)/ n. **1** (macchina) calcolatore; calcolatrice: **pocket c.**, calcolatrice tascabile **2** (*persona*) calcolatore.

calculus /'kælkjʊləs/ n. **1** (pl. *calculuses*) (*mat.*) calcolo: **differential c.**, calcolo differenziale; **integral c.**, calcolo integrale **2** (pl. *calculi*) (*med.*) calcolo.

caldera /kæl'dɛərə/ n. (*geol.*) caldera.

caldron /'kɔːldrən/ n. (*USA*) → **cauldron**.

Caledonian /kælɪ'dəʊnɪən/ **A** a. **1** (*stor.*) caledone **2** (*geol.*) caledoniano **B** n. **1** (*stor.*) caledone **2** (*poet.*, *scherz.*) scozzese.

calefacient /kælɪ'feɪʃnt/ a. e n. (*fis.*, *med.*) calefacente.

calendar /'kæləndə(r)/ n. **1** calendario: **desk c.**, calendario da tavolo; **the Gregorian c.**, il calendario gregoriano; **school c.**, calendario scolastico **2** elenco; lista **3** (*di orologio*) datario ● **c. day**, giorno solare; giorno civile □ **c. month**, mese civile □ **c. watch**, orologio con datario □ **c. year**, anno solare; anno civile □ (*stat.*) **c. year table**, tavola per contemporanei.

❶ **NOTA**: *calendar, calender o colander?*
Calendar significa "calendario", prevalentemente nel senso della tabella che riporta i giorni, le settimane e i mesi dell'anno: *to put holiday dates on the calendar*, segnare i giorni di vacanza sul calendario; *the year's sporting calendar*, il calendario sportivo dell'anno; *a rent of 2000 pounds per calendar month*, un affitto di 2000 sterline al mese. *Calender* significa "pressa"; *colander* è lo "scolapasta" o il "colino". Queste tre parole si pronunciano in modo molto simile.

to **calendar** /'kæləndə(r)/ v. t. **1** registrare; includere in calendario, in un programma, in un elenco **2** ordinare, esaminare, schedare (*documenti, ecc.*).

calender /'kæləndə(r)/ n. (*tecn.*) calandra; cilindratoio; pressa (*per carta o tessuti*) ❶ **NOTA**: *calendar, calender o colander?* → **calendar**.

to **calender** /'kæləndə(r)/ v. t. (*tecn.*) calandrare: **calendered paper**, carta calandrata.

calends /'kælɪndz/ n. pl. calende.

calendula /kə'lɛndjʊlə/ n. (*bot.*, *Calendula*

officinalis) calendola; fiorrancio.

calenture /'kæləntʃʊə(r)/ n. (*med.*) febbre con delirio (*causata da un colpo di sole*).

calf① /kɑːf/ n. (pl. *calves*) **1** (*zool.*) vitello **2** (*zool.*) piccolo di grosso mammifero (*elefante*, *balena*, *ecc.*) **3** (pelle di) vitello **4** blocco di ghiaccio alla deriva ● **c.-bound**, rilegato in pelle di vitello □ **c.-like**, da vitello; vitellino □ **c. love**, amore adolescenziale; cotta giovanile □ **c.'s teeth**, denti di latte □ (*fig.*) **the golden c.**, il vitello d'oro □ (*di vacca*) **in** (o **with**) **c.**, gravida; pregna □ (*fig.*) **to kill the fatted c.**, uccidere il vitello grasso; far festa in onore di q. □ (*di vacca*) **to slip one's c.**, perdere il vitello; abortire.

calf② /kɑːf/ n. (pl. *calves*) (*anat.*) polpaccio.

calfskin /'kɑːfskɪn/ n. pelle di vitello.

Caliban /'kælɪbæn/ n. (*letter.*) Calibano.

caliber /'kælɪbə(r)/ (*USA*) → **calibre**.

to **calibrate** /'kælɪbreɪt/ (*mecc.*) v. t. **1** calibrare; determinare il calibro di (*un tubo, ecc.*) **2** tarare (*uno strumento di misurazione*) ‖ **calibration** n. calibratura; taratura ‖ **calibrator** n. calibratore.

calibre, (*USA*) **caliber** /'kælɪbə(r)/ n. **1** (*mecc.*) calibro **2** (*fig.*) calibro; valore; levatura: **of high c.**, di calibro elevato; di grande valore.

caliche /kæ'liːtʃɪ/ n. (*geol.*) caliche.

calico /'kælɪkəʊ/ n. (*ind. tess.*) **1** calicò; tela di cotone **2** (*USA*) cotonina (*stampata*).

California /kælɪ'fɔːnɪə/ n. (*geogr.*) California ‖ **Californian** a. e n. californiano.

californium /kælɪ'fɔːnɪəm/ n. (*chim.*) californio.

Caligula /kə'lɪgjʊlə/ n. (*stor. romana*) Caligola.

caliper /'kælɪpə(r)/ (*USA*) → **calliper**.

caliph /'kælɪf/ n. califfo ‖ **caliphate** n. califfato.

calisthenics (*USA*) → **callisthenics**.

calix /'keɪlɪks/ n. (pl. *calices*) (*relig.*) calice; coppa.

calk① /kɔːk/ e deriv. → **caulk**.

calk② /kɔːk/ n. rampone, ferro (*su una scarpa*, *un ferro di cavallo*, *ecc.*).

to **calk** /kɔːk/ v. t. decalcare (*un disegno*).

♦call /kɔːl/ n. **1** grido; invocazione; richiamo; chiamata; voce: **a c. for help**, un grido (o un'invocazione) di aiuto; **the c. of the sea**, il richiamo del mare; **the c. of duty**, la voce del dovere; *Give me a c. when you're ready*, chiamami (o dammi una voce) quando sei pronto; *This is the last c. for Flight Z 87*, ultima chiamata per il volo Z 87; (*teatr.*) *This is your five minute c.*, in scena tra cinque minuti **2** (*di uccello*) verso; grido; richiamo **3** appello; invito: **a c. for action**, un invito ad agire; **a c. for order**, un invito all'ordine; **a c. to strike**, un appello allo sciopero; **a c. to free the hostages**, un appello per la liberazione degli ostaggi; **to put out a c. for st.**, diramare un appello per qc. **4** richiesta; domanda: **a c. for reforms [for a pay rise]**, una richiesta di riforme [di aumento salariale]; (*fin.*) **c. for funds**, richiesta di fondi; *There is little c. for this kind of article*, c'è poca richiesta per un simile articolo **5** telefonata; chiamata: **to make a c.**, fare una telefonata; *If you want to make external calls, dial 0 for the line*, se volete effettuare chiamate esterne, premere 0 per avere la linea; **to return sb.'s c.**, telefonare a q. (*in risposta a una sua telefonata*); **to take a c.**, prendere una telefonata; rispondere (al telefono); *I don't want to take that c. right now*, non voglio prendere la chiamata adesso; *A c. for you*, c'è una telefonata per te; *I got a c. from Tom yesterday*, ieri mi ha telefonato Tom; *I'll give you a c. tomorrow*, ti chiamo

(*o* ti telefono) domani **6** (*anche leg.*) convocazione; chiamata: **a c. to the Palace**, una convocazione del sovrano; *The ambassador received a c. to the Foreign Office*, l'ambasciatore fu convocato al Ministero degli Esteri **7** vocazione; chiamata: **his c. to be a missionary**, la sua vocazione a fare il missionario **8** (in frasi neg. e interr.) bisogno; motivo: *There's no c. to shout*, non c'è bisogno di gridare (*o* di alzare la voce); *Is there any c. for me to worry?*, c'è motivo che io mi preoccupi? **9** visita (*spec. ufficiale* o *professionale*); **to make** (*o* **to pay**) **a c. on sb.**, fare visita a q.; *The doctor is out on a c.*, il medico è fuori per una visita; (*med.*) **house c.**, visita a domicilio **10** (*ferr.*) fermata, sosta **11** (*naut.*) scalo: **port of c.**, porto di scalo **12** (*mil.*) adunata: **to sound the c.**, suonare l'adunata **13** (*in albergo, ecc.*) sveglia: *I asked the night porter for a five o'clock c.*, chiesi al portiere di notte di darmi la sveglia alle cinque **14** (*caccia*) richiamo: **a duck c.**, un richiamo per anatre **15** (*fin.*) richiesta di pagamento **16** (*fin.*) richiamo dei decimi (*sulle azioni sottoscritte*) **17** (*fin., USA*) richiamo di titoli **18** (*Borsa*) = **c. option** → *sotto* **19** (*comput.*) chiamata (*di un sottoprogramma, ecc.*): **c. instruction**, istruzione di chiamata **20** (*sport*) richiamo, segnalazione, fischio (*dell'arbitro*); (*anche*) decisione dell'arbitro **21** (*a bridge*) (turno di) chiamata: *Whose c. is it?*, a chi tocca chiamare? ● **c.-bell**, campanello ◻ **c. bird**, (uccello da) richiamo ◻ (*GB*) **c. box**, cabina telefonica ◻ **c. boy** → **callboy** ◻ **c. centre** (*USA* **c. center**), call center (*fornitore di servizi, tramite telefono*) ◻ (*banca*) **c. deposit**, deposito a richiesta (*non vincolato*) ◻ (*telef.*) **c. diverter**, commutatore telefonico ◻ (*leg.*) **c. for bids** (*o* **for tenders**), (bando di) gara d'appalto ◻ **c. girl**, (ragazza) squillo ◻ (*USA*) **c. house**, casa d'appuntamenti; bordello ◻ (*org. az.*) **c.-in pay**, indennità di pronta disponibilità ◻ (*radio, TV, USA*) **c.-in (program)**, programma con telefonate (*del pubblico*) in diretta ◻ (*fin.*) **c. letter**, lettera di richiamo dei decimi ◻ (*radio, TV, USA*) **c. letters**, = **c. sign** → *sotto* ◻ (*banca*) **c. loan**, prestito (rimborsabile) a richiesta (*con il preavviso di 24 ore*) ◻ **c. money**, (*Borsa*) denaro investito a brevissima scadenza; (*banca*) → **c. loan** ◻ **c. note**, richiamo (*di uccello*) ◻ (*USA*) **c. number**, segnatura (*di libro di biblioteca*) ◻ (*eufem.*) **c. of nature**, bisogno fisiologico ◻ (*leg.*) **c. on guarantor**, chiamata in garanzia ◻ (*fin.*) **c. on shares**, richiamo dei decimi ◻ (*Borsa*) **c. option**, contratto a premio del compratore (*o* da pagare); (contratto) dont; opzione di dont (*o* d'acquisto) ◻ **c.-out**, chiamata (*di riparatore, ecc.*): **c.-out charge**, (diritto di) chiamata ◻ (*GB, antiq.*) **c.-over**, appello (*a scuola*) ◻ (*fin.*) **c. premium**, premio di rimborso (*o* di richiamo) ◻ (*fin.*) **c. price**, prezzo di riscatto ◻ (*fin., Borsa, GB*) **c. rate**, tasso di interesse passivo su denaro a richiesta ◻ (*radio*) **c. sign** (*o* **c. signal**), segnale di chiamata; nominativo ◻ (*leg., in Inghil.*) **c. to the Bar**, abilitazione all'esercizio della professione forense ◻ (*mil.*) **c. to quarters**, ritirata ◻ **c.-up**, (*mil.*) chiamata alle armi, (*di riservisti*) richiamo; (i) richiamati (collett.); (*sport*) convocazione (*di un giocatore*) ◻ (*mil.*) **c.-up papers**, cartolina precetto ◻ **calls on one's time**, impegni ◻ **at c.** = **on c.** → *sotto* ◻ **to have first c. on st.**, avere diritto per primo a qc. ◻ (*telef.*) **free c.**, telefonata gratuita; numero verde ◻ (*naut.*) **«no calls»**, «senza scali intermedi» ◻ **on c.**, a disposizione, reperibile; (*di medico*) di servizio, di reperibilità; (*fin.: di titolo*) pagabile a richiesta; esigibile a vista ◻ (*leg.*) **on first c.**, in prima convocazione ◻ (*teatr.*) **to take a c.**, essere chiamato alla ribalta ◻ **within c.**, a portata di voce.

♦to **call** /kɔːl/ **A** v. t. **1** gridare; dire forte: *Joan called my name*, Joan gridò il mio nome **2** chiamare (*per attirare l'attenzione; per far venire, anche per telefono*): *I called her but she didn't stop*, la chiamai ma lei non si fermò; *He called me aside* [*to the window*], mi chiamò in disparte [alla finestra]; **to c. the lift**, chiamare l'ascensore; *Shall I c. you a taxi?*, ti chiamo un taxi?; *C. the police*, chiama la polizia! **3** telefonare; chiamare: *Please c. me at 6*, telefonami alle 6, per favore **4** svegliare; chiamare: *What time would you like to be called in the morning?*, a che ora vuole essere svegliato domani? **5** convocare; chiamare; citare (*leg.*): *I was called before the committee*, fui convocato davanti alla commissione; **to c. a court martial**, convocare una corte marziale; **to be called to give evidence**, essere chiamato a testimoniare; essere citato come testimone **6** (al passivo) essere chiamato; sentire la vocazione **7** indire; convocare; proclamare: **to c. a meeting**, indire una riunione; **to c. an election**, indire le elezioni generali; **to c. a strike**, proclamare uno sciopero **8** dare (*un nome*) a; chiamare; mettere (*un nome*) a: *We're going to c. her Lucy*, la chiameremo Lucy; *What are we going to c. the new model?*, che nome daremo al nuovo modello? **9** chiamare (*con un dato nome, titolo, ecc.*): *I was always called by my surname*, venivo sempre chiamata per cognome; *Please, c. me Sheila*, la prego, mi chiami Sheila **10** (al passivo) chiamarsi; avere nome; (*rif. a soprannome, ecc.*) essere chiamato, essere detto; (*di libro, film, ecc.*) intitolarsi, essere intitolato, avere come titolo: *What's this thing called?*, come si chiama questo?; *What's the book called?*, qual è il titolo del libro?; *His friend was called Jasper*, il suo amico si chiamava Jasper; *King John, also called John Lackland*, Re Giovanni, detto anche Giovanni Senzaterra **11** definire; dire; chiamare: *I wouldn't c. him a close friend*, non lo definirei un amico intimo; *That's what I c. a miracle*, io questo lo chiamo (*o* per me è) un miracolo; *She calls herself an artist*, si definisce un'artista; dice di essere un'artista **12** dare a (*q. del…*): *He called me a cheat*, mi ha dato dell'imbroglione **13** (*sport: di arbitro, ecc.*) dichiarare: **to c. the ball in**, dichiarare buona la palla **14** (*bridge*) dichiarare **15** (*fin.*) richiamare (*un titolo*) **16** (*danza: nella quadriglia, ecc.*) annunciare (*i passi o le figure*) **17** (*comput.*) chiamare, richiamare (*un sottoprogramma, ecc.*) **B** v. i. **1** chiamare: *I heard you c.*, ti ho sentito chiamare; **Duty calls!**, il dovere chiama! **2** (*d'uccello, ecc.*) emettere il richiamo; chiamare **3** telefonare; chiamare: *I'm calling about your ad*, telefono per il suo annuncio; *Where was he calling from?*, da dove chiamava?; *Who's calling, please?*, scusi, chi parla? **4** andare; venire; passare; far visita; andare a trovare: *Has anybody called?*, è venuto nessuno?; *The nurse called every day*, l'infermiera passava tutti i giorni; **to c. at the bank**, passare in banca; **to c. into the post office**, passare all'ufficio postale; *We called on our neighbours to see if everything was all right*, passammo dai vicini per vedere se andava tutto bene ● **to c. sb.'s attention to st.**, richiamare l'attenzione di q. su qc. ◻ **to c. the banns**, fare le pubblicazioni (matrimoniali) ◻ **to c. sb.'s bluff** → **bluff**③ ◻ (*fin.*) **to c. bonds**, riscattare obbligazioni ◻ (*leg.*) **to c. a case**, chiamare una causa; fissare un'udienza ◻ (*telef., USA*) **to c. collect**, fare una telefonata a carico del destinatario ◻ (*aeron., trasp.*) **to c. a flight**, annunciare un volo ◻ **to c. a halt**, dare l'alt; fermare ◻ **to c. into being**, dar vita a; creare ◻ **to c. into play**, chiamare in gioco; mettere in moto ◻ **to c. into** (*o* **in**) **question**, mettere in dubbio ◻ **to c. it** (*seguito da una cifra*), fare…; *Let's c. it $100*, facciamo cento dollari ◻ (*fam.*) **to c. it a day**, aver lavorato abbastanza; fare punto (e basta); chiuderla lì: *It's getting dark: let's c. it a day!*, si fa buio: chiudiamola qui; *I think we'll c. it a day there*, credo che concluderemo qui ◻ **to c. it quits**, considerarsi pari; chiudere la faccenda; chiuderla lì; (*anche*) farla finita, lasciare tutto, chiudere: *Take these ten pounds and let's c. it quits*, prendi queste dieci sterline e chiudiamola lì ◻ **to c. sb. names**, insultare q. ◻ (*fam. USA*) **to c. the shots**, essere quello che decide, che comanda; comandare ◻ **to c. a spade a spade**, dire pane al pane; parlare chiaro ◻ **to c. to account**, chiamare alla resa dei conti; chiedere conto a q. (di qc.) ◻ **to c. to arms**, chiamare alle armi ◻ **to c. to mind**, richiamare alla mente (*o* alla memoria) ◻ **to c. to order**, richiamare all'ordine ◻ **to c. the tune**, essere quello che decide, che comanda; comandare; dirigere la musica ◻ **to c. st. one's own**, dire che qc. ci appartiene: *The study was the only place I could c. my own*, lo studio era l'unico posto che potevo dire (*o* che fosse) veramente mio ◻ (*leg., in GB*) **to be called to the Bar**, essere ammesso all'esercizio della professione forense ◻ (*leg., in GB*) **to be called within the Bar**, essere nominato → «King's (*o* Queen's) Counsel» (→ **counsel**) ◻ (*eufem. fam.*) **Don't c. us, we'll c. you**, la chiameremo noi; le faremo sapere (*equivalente a una risposta negativa data a un candidato, un postulante, ecc.*) ◻ (*radio*) **London calling**, qui Londra.

■ **call at** v. i. + prep. **1** → **to call**, **B**, *def. 4* **2** (*naut.*) fare scalo a: *Our ship called at Genoa*, la nostra nave fece scalo a Genova **3** (*ferr.*) fermare a: *the Cardiff train calling at Bristol and Newport*, il treno per Cardiff che ferma a Bristol e a Newport.

■ **call away** v. t. + avv. **1** chiamare; far venire via: *I called the children away*, chiamai i bambini; dissi ai bambini di venir via **2** (spec. al passivo) chiamare altrove (*per lavoro, ecc.*): *Mr Brown has been called away*, il signor Brown è dovuto andare via **3** distogliere; distrarre: *Don't c. him away from his work*, non distoglierlo dal suo lavoro!

■ **call back** **A** v. t. + avv. **1** chiamare (*per far tornare indietro*); richiamare **2** richiamare; ritelefonare a: *I'll c. you back later*, ti richiamo più tardi **3** ritirare (*prodotti difettosi, ecc.*); togliere dal commercio **4** ritrattare **B** v. i. + avv. ripassare; ritornare: *I'll c. back next week*, ripasserò la settimana prossima.

■ **call by** v. i. + avv. (*fam.*) passare (a far visita); fare un salto.

■ **call down** **A** v. t. + avv. **1** far scendere **2** invocare: **to c. down a blessing** [**a curse**] **on sb.**, invocare la benedizione [la maledizione] celeste su q. **3** (*fam. USA*) sgridare; criticare **B** v. i. + avv. gridare (verso il basso): *«Who's there with you?» he called down to me*, «chi c'è lì con te?» mi gridò (*dalla finestra, dalla tromba delle scale, ecc.*).

■ **call for** v. i. + prep. **1** chiedere: **to c. for help**, chiedere aiuto; **to c. for the bill**, chiedere il conto; *He called for a full report*, chiese un resoconto completo **2** chiamare; far venire: *Let's c. for the waiter*, chiamiamo il cameriere **3** chiedere; richiedere; esigere; meritare: *We're going to c. for his resignation*, chiederemo le sue dimissioni; *This task calls for special attention*, questo lavoro esige un'attenzione speciale; *Your plan calls for a lot of money*, il tuo progetto richiede un mucchio di soldi; *This calls for a celebration!*, bisogna festeggiare!; *This calls for champagne!*, qui ci vuole lo champagne! **4** (*GB*) andare (*o* passare) a prendere; ritirare: *I'll c. for you at 9*, passo a prenderti alle nove ◻ (*leg.*) **to c. for bids** (*o* **for tenders**), invitare a presentare offerte (*in una gara d'appalto*); bandire una gara d'appalto ◻ (*fin.*) **to c. for subscribed capital**,

richiamare i decimi □ (*a carte*) **to c. for trumps**, chiamare briscola.
■ **call forth** v. t. + avv. (*form.*) **1** far nascere; suscitare; generare; causare; essere causa di: **to c. forth a response**, suscitare una reazione **2** tirar fuori; fare appello a: *He had to c. forth all his strength*, dovette fare appello a tutta la sua forza.
■ **call in** Ⓐ v. t. + avv. **1** chiamare (*in casa*); far entrare: *We'd better c. the children in*, sarà meglio chiamare in casa i bambini **2** fare intervenire; chiamare; chiedere l'aiuto di: *They had to c. in the police*, dovettero fare intervenire la polizia; **to c. in an expert**, chiamare un esperto **3** (*fin.*) ritirare (*monete*) dalla circolazione **4** ritirare (*prodotti difettosi: dal mercato*) **5** chiedere la restituzione di **6** richiedere il pagamento di (*denaro prestato, ecc.*) Ⓑ v. i. + avv. **1** andare (*o venire*) a trovare; passare: *C. in when you are in town*, quando sei in città, vieni a trovarci (*o passa da noi*); **to c. in at**, fare una (breve) visita a; passare da; *If I call in about 9.30 do you reckon you'll have the job finished?*, se passo verso le 9:30 pensi che avrai finito il lavoro? **2** telefonare, chiamare (*in ufficio*): *Tom has just called in saying he'll be late*, Tom ha appena chiamato per dire che farà tardi □ **to c. in sick**, telefonare per dire che si è malati; darsi malato per telefono.
■ **call into** v. i. + prep. → **to call**, B, *def. 4*.
■ **call off** v. t. + avv. **1** richiamare (*per far cessare un attacco*): *He called off his dogs*, richiamò i cani **2** annullare; disdire; revocare; cancellare; sospendere; interrompere: **to c. off a trip**, annullare una gita; **to c. off a strike**, revocare uno sciopero; **to c. off a meeting**, disdire una riunione; *They decided to c. off the search*, decisero di sospendere le ricerche.
■ **call on** v. t. + prep. **1** → **to call**, B, *def. 4* **2** invitare (*a fare qc.*); pregare (*di fare qc.*): *I will now c. on Mr Jones to give his report*, prego ora Mr Jones a presentare la sua relazione **3** rivolgersi a; sollecitare (*q. a fare qc.*); chiedere a (*q. di fare qc.*); chiedere l'intervento di: *Pakistan has called on the United Nations to intervene*, il Pakistan ha chiesto all'ONU d'intervenire; **to c. on God to help**, chiedere l'aiuto di Dio; *I felt called on to act*, mi sentii chiamato ad agire **4** ricorrere a; fare ricorso a; fare appello a: **to c. on all one's strength [one's patience]**, fare appello a tutte le proprie forze [a tutta la propria pazienza].
■ **call out** Ⓐ v. i. + avv. gridare, chiamare a gran voce: «*Watch it!*», *he called out to me*, «attento!», mi gridò; **to c. out for st.**, chiedere qc. a gran voce; reclamare qc. Ⓑ v. t. + avv. **1** chiamare a voce alta **2** leggere (*o dire*) a voce alta: *He called out the name of the winner*, disse ad alta voce il nome del vincitore **3** chiamare (*per un'emergenza, in aiuto*); far venire; fare intervenire: **to c. out the fire brigade**, chiamare i pompieri; **to c. out the army**, fare intervenire l'esercito **4** (*GB*) far scendere in sciopero: *The union leader called out the miners*, il segretario del sindacato fece scendere in sciopero i minatori **5** (*arc., GB*) sfidare a duello.
■ **call over** v. t. + avv. **1** chiamare (*q., di lontano*): *I'll call the waiter over*, chiamo il cameriere **2** leggere ad alta voce (*un elenco, ecc., per fare l'appello*).
■ **call round** v. i. + avv. fare una (breve) visita; passare: *I'll c. round at Mary's on my way home*, passerò da Mary tornando a casa.
■ **call up** v. t. + avv. **1** (*fam*) telefonare a; chiamare: *I'll c. you up tonight*, ti chiamo questa sera **2** (*GB*) chiamare alle armi; richiamare **3** (*sport*) selezionare, convocare (*un giocatore*) **4** evocare, chiamare (*spiriti, ecc.*) **5** evocare, richiamare alla mente, ri-

svegliare (*ricordi, ecc.*) **6** (*fin.*) richiamare: **called-up capital**, capitale richiamato **7** (*comput.*) richiamare (a video).
■ **call upon** → **call on**, *def. 2 e 3*.
calla /'kælə/ n. (*bot.*) **1** (*Calla palustris*) calla **2** (*Zantedeschia aethiopica* = **c. lily**) calla dei fioristi; calla (*fam.*).
callable /'kɔːləbl/ a. **1** chiamabile **2** (*fin.*) richiamabile **3** (*fin.*) ricattabile, rimborsabile ● (*fin.*) **c. bond**, obbligazione riscattabile □ (*fin.*) **c. capital**, capitale richiamabile □ **c. loan** = **call loan** → **call**.
callback /'kɔːlbæk/ n. **1** ritiro (*dal mercato*); richiamo (*di prodotti difettosi*) **2** (*stat.*) richiamo **3** (*telef.*) chiamata di risposta (*di chi è stato già chiamato*) **4** (*spec. USA*) seconda audizione, seconda intervista (*di un candidato*) ● (*di un artigiano*) **c. pay**, extra per lavoro fuori orario.
callboy /'kɔːlbɔɪ/ n. **1** ragazzo, fattorino (*d'albergo, ecc.*) **2** (*teatr.*) buttafuori **3** (*fam. USA*) ragazzo squillo; gigolo (*franc.*).
called party /'kɔːldpɑːtɪ/ loc. n. (*telef.*) abbonato richiesto; persona chiamata (*o cercata*).
caller /'kɔːlə(r)/ n. **1** chi chiama, grida, ecc. (→ **to call**) **2** chi fa una breve visita; visitatore, visitatrice **3** chi fa una telefonata: **an anonymous c.**, l'autore di una telefonata anonima; *We've had lots of callers today*, oggi abbiamo avuto molte chiamate; oggi hanno chiamato in molti **4** chi estrae e chiama i numeri (*in una tombola, ecc.*) **5** (*danza: nella quadriglia, ecc.*) chi dirige la danza (*annunciando i passi o le figure*).
calligraphy /kə'lɪɡrəfɪ/ n. Ⓤ calligrafia ‖ **calligrapher** n. calligrafo ‖ **calligraphic** a. calligrafico ‖ **calligraphist** n. calligrafo.
calling /'kɔːlɪŋ/ Ⓐ a. che chiama (che telefona, ecc.) Ⓑ n. Ⓤ **1** il chiamare, gridare, ecc. (→ **to call**); appello, richiamo **2** vocazione; chiamata **3** professione; occupazione; mestiere ● **c. card**, biglietto da visita; (*telef., USA*) carta di credito telefonica □ **c. hours**, orario delle visite □ **c.-off**, annullamento, cancellazione, rinvio □ (*telef.*) **c. party**, richiedente □ (*comput.*) **c. sequence**, sequenza di chiamata □ (*comput.*) **c. terminal**, terminale chiamante.
calliper /'kælɪpə(r)/ n. (*spesso al pl.*) **1** (*anche* **c. compasses**) (*tecn.*) compasso per tracciare; compasso di spessore **2** (*anche* **c. splint**) (*med.*) tutore ortopedico (*per gambe deboli, ecc.*) ● **c. brake**, freno a pinze (*di bicicletta, ecc.*).
callisthenics /kælɪs'θenɪks/ n. pl. **1** (*col verbo al sing.*) callistenia; ginnastica ritmica **2** (*col verbo al pl.*) esercizi di ginnastica ritmica.
callosity /kə'lɒsətɪ/ n. **1** callosità **2** Ⓤ (*fig.*) durezza, insensibilità.
callous /'kæləs/ Ⓐ a. insensibile; indifferente; privo di sentimenti; impervio (*ai sentimenti*); cinico; crudele: **a c. attitude to people's suffering**, un atteggiamento insensibile verso le sofferenze umane; *'I wouldn't believe you could have grown so c. to all feeling of respect'* E. O'NEILL, 'non avrei creduto che tu potessi diventare così impervio a ogni sentimento di rispetto' Ⓑ n. → **callus** ‖ **calloused** a. calloso ‖ **callously** av. con durezza; senza pietà ‖ **callousness** n. Ⓤ **1** callosità **2** (*fig.*) durezza, insensibilità.

❶ **Nota:** *callous o callus?*
Callous è un aggettivo che significa "crudele, privo di sentimenti": *a callous, cold-blooded murder*, un delitto crudele, a sangue freddo; *How could you be so callous?*, come potevi essere così crudele? *Callus* si pronuncia allo stesso modo, ma significa "callo", un'area di pelle ispessita e dura: *feet encrusted with calluses*, piedi ricoperti di calli.

callow /'kæləʊ/ a. inesperto; immaturo; imberbe: **a c. youth**, un giovane inesperto ‖ **-ness** n. Ⓤ.
callus /'kæləs/ n. (pl. **calluses**, **calli**) **1** callo **2** (*med.*) osseo **3** (*bot.*) callosità; callo ❶ **Nota:** *callous o callus?* → **callous**.
◆**calm** /kɑːm/ Ⓐ n. Ⓤ (*di situazione, luogo*) calma; quiete; tranquillità **2** Ⓤ (*di persona*) calma **3** Ⓤ calma (*di vento*) **4** Ⓤ (*naut.*) calma Ⓑ a. **1** (*di persona o luogo*) calmo; tranquillo: *Keep c.!*, state calmi; calma!; *The region is now c.*, la regione ora è tranquilla **2** (*di mare*) calmo: **to grow c.**, calmarsi **3** (*del tempo*) senza vento ● (*meteor.*) **c. belt**, zona delle calme tropicali □ (*anche fig.*) **the c. before the storm**, la quiete prima della tempesta ● (*di mare, ecc.*) **as c. as a millpond**, calmissimo; liscio come l'olio.
to **calm** /kɑːm/ v. t. (*anche* **to c. down**) calmare; acquietare; placare: **to c. one's nerves**, calmare i propri nervi; *I tried to c. him down*, cercai di calmarlo ● **to c. oneself**, calmarsi.
■ **calm down** Ⓐ v. t. + avv. → **to calm**, A Ⓑ v. i. + avv. calmarsi; acquietarsi; *Just try and calm down, you'll be all right*, cerca di calmarti, vedrai che non è niente.
calmative /'kɑːlmətɪv/ a. e n. (*farm.*) calmante; sedativo.
calmly /'kɑːmlɪ/ av. con calma; tranquillamente.
calmness /'kɑːmnəs/ n. Ⓤ calma; quiete; tranquillità.
calomel /'kæləmel/ n. Ⓤ (*chim., farm.*) calomelano.
Calor gas® /'kæləɡæs/ loc. n. (*GB*) gas per uso domestico (*in bombole*).
caloric /'kælərɪk/ a. (*fis., biol.*) calorico.
calorie /'kælərɪ/ n. (*fis., biol.*) caloria ● **c. content**, contenuto calorico □ **c. count**, conteggio delle calorie □ **c. intake**, assunzione calorica.
calorific /kælə'rɪfɪk/ a. **1** (*fis.*) calorifico: **c. value**, potere calorifico **2** (*del cibo*) calorico: **c. value**, valore calorico.
calorimeter /kælə'rɪmɪtə(r)/ (*fis.*) n. calorimetro ‖ **calorimetric** a. calorimetrico ‖ **calorimetry** n. Ⓤ calorimetria.
calotte /kə'lɒt/ n. **1** calotta, papalina; zucchetto (*dei preti*) **2** (*archit., geol., tecn.*) calotta.
calque /kælk/ n. (*ling.*) calco.
caltrop /'kæltrəp/ n. **1** (*stor. mil.*) tribolo; triangolo **2** (*bot., Centaurea calcitrapa*) cardo stellato **3** (*bot., Trapa natans*) castagna d'acqua **4** (*bot., Tribulus*) tribolo.
calumet /'kæljʊmet/ n. calumet (*pipa degli Indiani d'America, simbolo di pace*).
to **calumniate** /kə'lʌmnɪeɪt/ (*form.*) v. t. calunniare ‖ **calumniation** n. Ⓤ calunnia ‖ **calumniator** n. calunniatore ‖ **calumniatory** a. calunnioso; diffamatorio.
calumny /'kæləmnɪ/ n. Ⓤ calunnia; diffamazione ‖ **calumnious** a. calunnioso; diffamatorio.
Calvary /'kælvərɪ/ n. **1** (*relig.*) il Calvario **2** (*arte, anche* **c.**) Crocefissione.
to **calve** /kɑːv/ v. t. e i. **1** (*di una vacca*) figliare; partorire **2** (*di un iceberg o ghiacciaio*) lasciar cadere (*un blocco di ghiaccio*) ● (*naut.*) **calved ice**, blocco di ghiaccio alla deriva.
calves /kɑːvz/ pl. di **calf**① e (**2**).
Calvin /'kælvɪn/ n. Calvino: *John C.*, Giovanni Calvino.
Calvinism /'kælvɪnɪzəm/ (*relig.*) n. Ⓤ calvinismo ‖ **Calvinist** n. e a. calvinista ‖ **Calvinistic**, **Calvinistical** a. calvinista.
calx /kælks/ n. (pl. **calces**, **calxes**) **1** residuo calcinato **2** calce viva; ossido di calcio.
calycanthus /kælɪ'kænθəs/ n. (*bot., Calycanthus floridus*) calicanto d'estate.

a b c d e f g h i j k l m n o p q r s t u v w x y z

C

calypso /kə'lɪpsəʊ/ n. (pl. **calypsos**, **calypsoes**) (mus.) calipso (canto e ballo delle Antille).

Calypso /kə'lɪpsəʊ/ n. (mitol.) Calipso.

calyptra /kə'lɪptrə/ n. (bot.) calittra, caliptra.

calyx /'keɪlɪks/ n. (pl. **calyces**, **calyxes**) (bot.) calice.

CAM sigla (comput., **computer-aided manufacturing**) produzione assistita dall'elaboratore.

cam /kæm/ n. (autom., mecc.) camma; eccentrico.

camaraderie /kæmə'rɑːdrɪ/ (franc.) n. ⓤ cameratismo.

camber /'kæmbə(r)/ n. 1 (tecn.) bombatura; curvatura 2 (archit.) freccia 3 (autom.) camber; inclinazione delle ruote anteriori ● (autom.) **c. angle**, angolo di camber; campanatura □ (archit.) **c. arch**, arco scemo □ (naut.: di una nave) **c.-keeled**, dalla chiglia inarcata.

to **camber** /'kæmbə(r)/ Ⓐ v. t. (tecn.) curvare; bombare Ⓑ v. i. (tecn.) avere una certa curvatura (nel punto mediano).

cambium /'kæmbɪəm/ (lat.) n. (pl. **cambiums**, **cambia**) (bot.) cambio.

Cambodia /kæm'bəʊdɪə/ n. (geogr.) Cambogia || **Cambodian** a. e n. cambogiano.

Cambrian /'kæmbrɪən/ Ⓐ a. 1 (geogr. o poet.) gallese; del Galles 2 (geol.) cambriano Ⓑ n. – **the C.**, il Cambriano; il periodo cambriano.

cambric /'keɪmbrɪk/ (ind. tess.) Ⓐ n. ⓤ cambrì; (tela) batista Ⓑ a. di cambrì: **cotton c.**, cotone di cambrì ● **c. muslin**, percalle.

Cambridge blue /'keɪmbrɪdʒblu:/ loc. n. 1 ⓤ azzurro chiaro; celeste 2 (sport) membro di una squadra dell'università di Cambridge.

Cambs abbr. (**Cambridgeshire**) la Contea di Cambridge.

camcorder /'kæmkɔːdə(r)/ n. (contraz. di **camera** e **recorder**) (TV) camcorder; videocamera portatile.

came ① /keɪm/ pass. di **to come**.

came ② /keɪm/ n. lamina (o bacchetta) di piombo (per vetrata).

camel /'kæml/ n. 1 (zool., Camelus bactrianus; = **Bactrian c.**) cammello 2 ⓤ (color) cammello 3 (costr. idrauliche) cassone pneumatico ● (mil.) **c. corps**, truppe cammellate □ **c. driver**, cammelliere □ **c.-hair** (o **c.'s-hair**), (ind. tess.) (pelo di) cammello; (per pennelli) (pelo di) scoiattolo: **a c.-hair coat**, un cappotto di cammello □ **c. train**, carovana di cammelli □ (zool.) **Arabian c.** (Camelus dromedarius), dromedario □ (prov.) **the straw that breaks the c.'s back**, la goccia che fa traboccare il vaso.

cameleer /kæmɪ'lɪə(r)/ n. cammelliere.

camellia, (USA) **camelia** /kə'miːlɪə/ n. (bot., Camellia japonica) camelia.

camelopard /kə'mɛləpɑːd/ n. (zool., arc.) camelopardo.

camelry /'kæməlrɪ/ n. ⓤ (mil.) truppe cammellate.

cameo /'kæmɪəʊ/ n. (pl. **cameos**, **cameoes**) 1 cammeo 2 (cinem., teatr.; anche **c. role**) cammeo.

♦**camera** ① /'kæmərə/ n. 1 macchina fotografica 2 (cinem.) macchina da presa; cinepresa; cinecamera 3 (TV) telecamera ❶ FALSI AMICI ● camera *non significa* stanza ● (fotogr.) **c. case**, custodia di macchina fotografica □ (TV) **c. crew**, troupe televisiva □ **c. phone**, telefono cellulare con fotocamera □ (tipogr.) **c. ready**, pronto per la fotoincisione □ **c.-shy**, che non ama essere fotografato o ripreso □ (TV) **c. tube**, tubo di ripresa □ (TV) **to be on c.**, essere in onda.

camera ② /'kæmərə/ n. (pl. **camerae**) uf-

ficio privato di giudice ● **in c.**, (leg.) in sessione segreta, a porte chiuse; (fig.) in segreto.

cameraman /'kæmərəmæn/ n. (pl. **cameramen**) (cinem., TV) cameraman; operatore.

camera obscura /kæmərə əb'skjʊərə/ (lat.) loc. n. (pl. **camera obscuras**) (fis.) camera oscura.

camerawork /'kæmərəwɜːk/ n. ⓤ (cinem.) uso della macchina da ripresa; riprese (pl.): The c. was really impressive, le riprese erano davvero di grande effetto.

Cameroon /kæmə'ruːn/ n. (geogr.) Camerun || **Cameroonian** n. e a. camerunese.

camiknickers /'kæmɪnɪkəz/ (fam.) n. pl. (moda, GB) pagliaccetto (da donna).

camisole /'kæmɪsəʊl/ n. 1 corto négligé; corta sottoveste 2 (stor.) copribusto.

camlet /'kæmlət/ n. ⓤ (ind. tess.) cammellotto.

camo /'kæməʊ/ n. ⓤ abbr. fam. di **camouflage**.

camomile /'kæməmaɪl/ n. 1 (bot., Anthemis nobilis) camomilla romana 2 (bot., Matricaria chamomilla) camomilla comune; matricaria 3 (farm.) camomilla ● **c. tea**, (infuso di) camomilla.

Camorra /kə'mɒrə/ (ital.) n. (anche stor.) camorra.

camouflage /'kæməflɑːʒ/ Ⓐ n. 1 ⓤ (mil., bot. e zool.) mimetizzazione 2 ⓤ (mil.) stoffa mimetica; uniforme mimetica 3 ⓤⒸ copertura; travestimento; camuffamento; mascheramento Ⓑ a. attr. 1 (mil.) mimetico; da mimetizzazione 2 (bot., zool.) mimetico.

to **camouflage** /'kæməflɑːʒ/ (franc.) v. t. 1 (mil., bot. e zool.) mimetizzare 2 camuffare; mascherare ● (mil., bot. e zool.) **to c. oneself**, mimetizzarsi.

♦**camp** ① /kæmp/ n. 1 campo; accampamento; attendamento; campeggio (tur.); camping (tur.): **military c.**, accampamento militare; **refugee c.**, campo profughi; **labour c.**, campo di lavoro (coatto); **to make c.**, accamparsi; **to break** (o to strike) **c.**, levare il campo; levare le tende; **to pitch c.**, montare il campo; piantare le tende; accamparsi; Let's go back to c., torniamo all'accampamento 2 campo; partito; parte: **the anti-war c.**, il campo dei contrari alla guerra; Which c. is he in?, da che parte sta?; **to go over to the other c.**, cambiare campo; passare nell'altro campo ● **c. bed**, letto da campo; brandina □ **c. fever**, febbre tifoide □ **c. fire** → **campfire** □ **c. follower**, civile al seguito dell'esercito; (anche) vivandiera, (spreg.) prostituta; (fig.) simpatizzante, sostenitore □ (USA) **c. meeting**, raduno religioso all'aperto □ **c. site** → **campsite** □ **c. stool**, seggiolino pieghevole □ **c. stove**, fornello da campo □ (GB) **c. holiday**, villaggio turistico □ **summer c.**, campeggio estivo (per ragazzi); colonia estiva.

camp ② /kæmp/ Ⓐ n. ⓤ 1 (teatr., cinem.) recitazione caricata; teatralità esagerata; gigionismo; kitsch voluto 2 effeminatezza esagerata o ostentata; mossette (pl.) Ⓑ a. 1 (cinem., teatr.) volutamente caricato; teatrale; da gigione; volutamente kitsch 2 affettato; lezioso 3 (di uomo) ostentatamente effeminato; da checca (pop.) 4 di, da, per gay ● (scherz. fam.) **as c. as a row of pink tents**, vistosamente o ostentatamente gay.

to **camp** ① /kæmp/ Ⓐ v. i. 1 accamparsi; attendarsi 2 (tur.) fare campeggio; campeggiare 3 (fig.) installarsi in permanenza Ⓑ v. t. accampare (truppe, ecc.) ● **to go camping**, andare in campeggio; fare del campeggio.

■ **camp out** v. i. + avv. 1 dormire in tenda; dormire all'addiaccio 2 sistemarsi alla bell'e meglio per la notte; accamparsi.

to **camp** ② /kæmp/ v. i. – **to c. it up** 1 (cinem., teatr.) recitare calcando le tinte; dare un'interpretazione effeminata (o per sonaggio 2 comportarsi in modo esageratamente o ostentatamente effeminato; fare la checca (pop.).

♦**campaign** /kæm'peɪn/ n. (mil., polit., pubblicità) campagna: **advertising c.**, campagna pubblicitaria; **election c.**, campagna elettorale; **to launch a c.**, lanciare una campagna contro [a favore di] qc.; **to launch a c.**, lanciare una campagna.

to **campaign** /kæm'peɪn/ v. i. fare (o partecipare a) una campagna (elettorale, sociale, ecc.); condurre una campagna: **to c. against** [for] st., fare una campagna contro [a favore di] qc.

campaigner /kæm'peɪnə(r)/ n. 1 chi partecipa a una campagna (elettorale, sociale, ecc.); attivista; sostenitore attivo: **civil rights c.**, sostenitore attivo dei diritti civili 2 (mil.) reduce di molte campagne; veterano ● (mil. e fig.) **old c.**, veterano.

campanology /kæmpə'nɒlədʒɪ/ n. ⓤ arte o pratica di suonare le campane || **campanologist** n. esperto di campane.

campanula /kæm'pænjʊlə/ n. (bot., Campanula) campanula.

campanulate /kæm'pænjʊleɪt/ a. (bot.) campanulato.

camper /'kæmpə(r)/ n. 1 campeggiatore, campeggiatrice; campeggista 2 (autom., USA; anche **camper van**, GB) camper.

campfire /'kæmpfaɪə(r)/ n. fuoco di bivacco; fuoco di accampamento.

campground /'kæmpgraʊnd/ n. (USA) (area di) campeggio; camping.

camphor /'kæmfə(r)/ n. 1 – **c. tree** (bot., Cinnamomum camphora), albero della canfora; canforo 2 ⓤ (chim.) canfora ● **c. ball**, pallottola di canfora.

camphorate /'kæmfəreɪt/ n. (chim.) canforato.

to **camphorate** /'kæmfəreɪt/ v. t. canforare.

camphorated /'kæmfəreɪtɪd/ a. canforato; **c. oil**, olio canforato.

camphoric /kæm'fɒrɪk/ a. (chim.) canforico.

camping /'kæmpɪŋ/ n. ⓤ (il fare) campeggio ● **c. equipment**, attrezzatura da campeggio □ **c. ground** (o **c. site**), campeggio (il luogo); camping □ **c. holiday**, vacanza in campeggio; vacanza in tenda.

campion /'kæmpɪən/ n. (bot., Lychnis) licnide.

campsite /'kæmpsaɪt/ n. 1 (GB) campeggio; camping 2 (USA) posto tenda (o roulotte).

campus /'kæmpəs/ (lat.) n. (pl. **campuses**, **campi**) 1 campus (universitario); (per estens.) università; mondo universitario 2 (USA) area su cui sorge una istituzione (scuola, ospedale, ecc.).

campy /'kæmpɪ/ → **camp** ②, B, def. 1 e 2.

camshaft /'kæmʃɑːft/ n. (autom., mecc.) albero a camme (o degli eccentrici, o della distribuzione).

♦**can** ① /kæn, kən/ v. modale

can, come tutti i verbi modali, ha caratteristiche particolari:
- ha significato di pres. o di futuro;
- non ha forme flesse (-s alla 3ª pers. sing. pres., -ing, -ed), non è mai usato con ausiliari e non ha tempi composti; la forma del passato, solo per alcuni significati, è **could**; in sostituzione dei modi e tempi mancanti si usano, secondo il significato, quelli di **to be able** o di **to be possible**;
- le interrogative sono formate mediante la semplice posposizione del soggetto;
- la forma negativa è **cannot**, spesso abbre-

viato in **can't**;
• l'infinito che segue non ha la particella *to*;
• viene usato nelle *question tags*

1 (*esprime abilità, conoscenza, capacità*) – *'He who can, does. He who cannot, teaches'* GB SHAW, 'chi sa fare, fa; chi non sa fare, insegna'; *Can he speak English?*, parla inglese?; sa l'inglese?; *I can take care of myself*, posso (*o so*) badare a me stesso; *He cannot dance*, non sa ballare; (*anche*) non può ballare (*per es. perché ha una gamba rotta*); *I honestly can't tell you*, non so proprio dirtelo; *I cannot lift this suitcase*, non riesco (*o non ce la faccio*) a sollevare questa valigia; *Can you move your toes?*, riesci a muovere le dita del piede?; *We can't afford it*, non possiamo permettercelo; *See if you can make him understand*, vedi se riesci a farglielo capire; *You can be nice when you want to*, sai essere simpatico quando vuoi; *I can't see*, non ci vedo; *Can you see that sparrow on the hedge?*, lo vedi quel passero sulla siepe?; *Can you hear me?*, mi sentite?; *I can smell something burning*, sento odore di bruciato **2** (*esprime possibilità*) – *This dish can be prepared the day before*, questo piatto può essere preparato il giorno prima; *Traces of a fresco can still be seen on the wall*, sul muro sono ancora visibili (*o si possono ancora vedere*) le tracce di un affresco; *I'm sure we can find a solution to this problem*, sono sicuro che troveremo una soluzione per questo problema; *This situation can't be allowed to go on*, non si può lasciare che questa situazione perduri; *How can you expect me to believe that?*, come puoi pensare che io ci creda?; *The sea along this coast can be very rough*, il mare può essere molto mosso lungo questa costa; *Life can be difficult*, la vita è difficile a volte **3** (*esprime autorizzazione o permesso, concessi o richiesti*) – *I cannot vote yet*, non posso ancora votare; *Can you go now*, puoi andare, ora; *Can you tell me or is it a secret?*, me lo puoi dire o è un segreto?; *Can I speak to the manager?*, posso parlare con il direttore?; *Can I interrupt you for just a second?*, posso interromperti solo un attimo? **4** (*esprime richiesta*) – *Can I have a clean glass?*, posso avere un bicchiere pulito?; *Can you give me a lift?*, puoi darmi un passaggio?; *Can't you be a bit more tolerant?*, non puoi essere un po' più tollerante? **5** (*esprime offerta, suggerimento*) – *What can I do for you?*, che cosa posso fare per te?; (*in un negozio, ecc.*) in che cosa posso servirla?, desidera?; *What can I get you to drink?*, cosa posso offrirti da bere?; *You can take it if you like it*, puoi prenderlo se ti piace; *We can have lunch now if you wish*, possiamo pranzare ora se volete; *We can always come back later*, possiamo sempre tornare più tardi **6** (*esprime sorpresa o incredulità*) – *He cannot have forgotten*, non può averlo dimenticato; non è possibile che l'abbia dimenticato; *It can't be true*, non può essere vero; *You can't be serious!*, non dirai mica sul serio!; *Where can they have gone?*, dove possono essere andati?; dove saranno andati?; *Whatever can he want?*, che cosa vorrà mai? **7** (*con valore rafforzativo di un verbo di pensiero, opinione, ecc.*) – *I cannot understand why he behaved as he did*, non capisco perché si sia comportato a quel modo; *You can't think how glad I am*, non puoi credere quanto sia felice ● **can but** → **but**①, **B**, *def. 3* □ **cannot help** → **to help** □ **as fast as you can**, il più velocemente possibile; più in fretta che puoi □ **as soon as you can**, appena puoi; appena possibile; più presto che puoi □ **as happy as can be**, felicissimo □ **as quietly as can be**, col massimo silenzio; piano piano; zitti zitti.

❶ NOTA: *can*

Quando **can** o **could** precedono un verbo di percezione, spesso in italiano non vanno tradotti. La forma **could** + verbo di percezione corrisponde in genere all'imperfetto anziché al passato prossimo o remoto italiani: *I can hear the kids playing in the garden*, sento i bambini giocare in giardino; *He could see the refugees wading across the river*, vedeva i profughi che guadavano il fiume.

❶ NOTA: *can* o *may*?

Can corrisponde a "potere" soprattutto nel senso di "avere il permesso di fare qualcosa" e di "essere in grado"; il verbo *may* significa principalmente "concedere o ricevere il permesso di fare qualcosa" oppure "essere probabile". Con il significato di "avere il permesso", *may* si usa nei contesti formali, *can* invece in quelli più informali: *Can I come to lunch?*, posso venire a pranzo? *May I suggest a few amendments?*, posso suggerire alcuni cambiamenti? In effetti questi verbi possono essere ambigui: *He can walk to school* potrebbe significare sia "ha il permesso di andare a scuola a piedi" che "è in grado di andare a scuola a piedi"; *He may leave tomorrow* potrebbe significare sia "ha il permesso di partire domani" che "è probabile che parta domani".

♦**can**② /kæn/ n. **1** recipiente (metallico); latta; fusto; bidone: **a petrol can**, un bidone (*o* una latta) di benzina; **a can of paint** [**of oil**], una latta di vernice [d'olio] **2** barattolo (*di alluminio, per alimenti*); scatola; scatoletta; lattina: **a can of peas**, una scatola di piselli; **a can of beer**, una lattina di birra; *Could you get me a can of drink?*, potresti portarmi una bibita in lattina? **3** (*slang USA*) – **the can**, la latrina; il cesso **4** (*slang*) – **the can**, la galera; la gattabuia **5** (*slang USA*) sedere; chiappe (pl.); culo (*pop.*) **6** (*slang USA*) automobile (*spec. scassata*); macinino (*fig.*) **7** (*slang mil., USA*) cacciatorpediniere **8** (*slang USA*) cassaforte **9** (*al pl.*) (*slang*) auricolari **10** (*al pl.*) (*slang USA*) tette; zinne ● (*fig.*) **a can of worms**, un problema difficile (*e potenzialmente scomodo e imbarazzante*); una situazione ingarbugliata; un ginepraio: *His question opened up a nice can of worms*, la sua domanda ci mise davanti a un bel ginepraio □ (*spec. USA*) **can opener**, apriscatole; (*slang USA*) arnese da scasso, grimaldello □ **can vendor**, distributore automatico di lattine (*di birra, ecc.*) □ (*fig. fam.*) **to carry the can**; prendersi la colpa (*al posto di q.*); pagare (*per qc.*) □ (*fam.*) **in the can** (*cinem., TV, di film, ecc.*) finito, pronto per la distribuzione; (*fig.*) fatto, pronto, cosa fatta: *The contract is almost in the can*, il contratto è quasi cosa fatta.

to **can** /kæn/ v. t. **1** mettere in scatola, inscatolare (*alimenti o bevande*) **2** (*fam. USA*) buttare fuori; cacciare; licenziare **3** (*fam. USA*) abbandonare (*un progetto, ecc., perché insoddisfacente*); bocciare; cestinare **4** (*slang USA*) mettere in galera; sbattere dentro **5** (*slang cinem., TV, USA*) finire (*un film*); approvare (*una ripresa*) **6** (*slang USA*) smettere; piantarla: **Can that noise!**, smetila di far rumore!; **Can it!**, piantala!

Can. abbr. **1** (**Canada**) Canada **2** (**Canadian**) canadese.

Canada /'kænədə/ n. (*geogr.*) Canada ● (*chim.*) **C. balsam**, balsamo del Canada □ (*zool.*) **C. goose** (*Branta canadensis*), oca del Canada.

Canadian /kə'neɪdɪən/ a. e n. canadese ● **C. French**, il francese parlato in Canada □ (*bot.*) **C. pondweed** (*Elodea canadensis*), elodea; peste d'acqua.

canal /kə'næl/ n. **1** canale (*in ogni senso, eccetto quello di passaggio naturale marittimo*) **2** fiume reso navigabile (*con chiuse, ecc.*) ● **c. boat**, chiatta □ (*trasp.*) **c. carrier**, impresa di

trasporti su canali □ (*fis. nucl., stor.*) **c. ray**, raggio canale □ (*geogr.*) **the C. Zone**, la Zona del Canale (di Panama).

to **canal** /kə'næl/ v. t. **1** provvedere di canali **2** aprire un canale in.

to **canalize** /'kænəlaɪz/ v. t. **1** canalizzare **2** (*anche fig.*) incanalare; convogliare ‖ **canalization** n. ① **1** (*med.*) canalizzazione **2** (*anche fig.*) incanalamento.

canapé /'kænəpeɪ, *USA* kænə'peɪ/ (*franc.*) n. **1** (*cucina*) canapè; tartina; stuzzichino.

canard /kæ'nɑːd/ (*franc.*) n. **1** frottola; notizia falsa; fandonia **2** (*aeron.*) canard.

canary /kə'nɛərɪ/ n. **1** (*zool., Serinus canarius*) canarino **2** (= **c. wine**) vino delle Canarie **3** ① (= **c. yellow**) (color) giallo canarino **4** (*slang USA*) cantante (*donna*) d'orchestra jazz; ragazza; donna **5** (*slang USA*) informatore della polizia; canarino (*fig.*) ● (*bot.*) **c. grass** (*Phalaris canariensis*), canaria; scagliola.

Canary /kə'nɛərɪ/ a. – (*geogr.*) **the C. Islands** (*o* **the Canaries**), le Canarie.

canasta /kə'næstə/ n. ① canasta (*il gioco e il gruppo di almeno sette carte*).

Canberra /'kænbərə/ n. (*geogr.*) Canberra.

canc. abbr. (**cancelled**) annullato, cancellato.

cancan /'kænkæn/ n. cancan (*ballo francese*).

cancel /'kænsl/ n. **1** (*tipogr.*) pagina o testo stampati in sostituzione di un altro **2** (*tipogr.*) soppressione **3** (*tipogr.*) testo soppresso **4** annullo postale **5** (*mus., USA*) bequadro ● (*comput.*) **c. button**, annulla □ **c. key**, cancella □ **c. character**, carattere di cancellazione.

♦to **cancel** /'kænsl/ v. t. **1** annullare, cancellare (*un avvenimento, un impegno, ecc.*); disdire; sopprimere; sospendere: **to c. a meeting**, annullare una riunione; **to c. a match**, sospendere una partita; **to c. a flight**, annullare (*o cancellare*) un volo; **to c. a subscription**, disdire un abbonamento; **to c. a visit**, disdire una visita **2** cancellare; annullare; revocare; rescindere; abrogare: **to c. a contract**, rescindere un contratto; **to c. a debt**, cancellare un debito; **to c. an order**, cancellare un'ordinazione; **to c. a visa**, revocare un visto **3** annullare, obliterare (*con un segno, un timbro, ecc.*): **to c. a stamp**, annullare un francobollo **4** (*mat.*) elidere (*fattori comuni*) **5** sopprimere.

■ **cancel out** **A** v. t. + avv. **1** (*mat.*) annullare (*due fattori uguali*); semplificare (*un'equazione*) **2** compensare; controbilanciare; neutralizzare **B** v. i. + avv. **1** (*mat.*) elidersi a vicenda **2** (*anche* **to c. each other out**) controbilanciarsi; compensarsi; neutralizzarsi a vicenda.

cancellable /'kænsələbl/ a. **1** cancellabile **2** (*leg.*) annullabile; abrogabile; rescindibile.

cancellation /kænsə'leɪʃn/ n. ① **1** ① (*di evento, ordinazione, ecc.*) annullamento; (*di treno, volo, ecc.*) soppressione; cancellazione; (*di prenotazione, ecc.*) disdetta; rinuncia: *There is a charge of 10% if you cancel less than 48 hours before your date of stay*, c'è una penale del 10% se disdice meno di 48 ore prima della data di arrivo; (*di visto, ecc.*) revoca; (*di partita, ecc.*) sospensione **2** (*econ., leg.*) (*di debito, ecc.*) revoca; (*di contratto, ecc.*) risoluzione, rescissione **3** (*segno di*) cancellatura **4** (*di francobollo, ecc.*) annullo; obliterazione **5** (*elettron.*) cancellazione ● (*leg.*) **c. clause**, clausola risolutiva.

cancellous /'kænsələs/ a. (*anat.: di osso*) poroso; spugnoso.

Cancer /'kænsə(r)/ **A** n. **1** (*astron.*) Can-

cro: **the Tropic of C.**, il Tropico del Cancro **2** (*astrol.*) (segno del) Cancro **3** (*astrol.*) persona nata sotto il segno del Cancro; Cancro, cancro **B** a. (*astrol.*) del Cancro ‖ **Cancerian** (*astrol.*) **A** n. → **Cancer A**, *def. 3* **B** a. del Cancro.

♦**cancer** /'kænsə(r)/ n. **cu** (*med. e fig.*) cancro ● **c.-causing**, cancerogeno □ **c. patient**, malato di cancro; canceroso (*med.*) □ **c. research**, ricerca sul cancro □ (*fam.*) **c. stick**, sigaretta.

cancerology /kænsə'rɒlədʒɪ/ (*med.*) n. **u** cancerologia; oncologia.

cancerous /'kænsərəs/ a. (*med.*) canceroso.

C&E sigla (*GB*, **Customs and Excise (Department)**) Dipartimento delle dogane e delle imposte.

candela /kæn'dɛlə/ n. (*fis.*) candela.

candelabra /kændəl'ɑːbrə/ n. sing. improprio per **candelabrum**.

candelabrum /kændə'lɑːbrəm/ n. (pl. **candelabra**, **candelabrums**) (grosso) candeliere; candelabro.

to **candle** /'kændl/ v. t. controllare la freschezza di (*un uovo*) sollevandolo controluce.

C&F sigla (*comm.*, **cost and freight**) costo e nolo.

candid /'kændɪd/ a. **1** franco; esplicito; schietto; sincero; candido: *Do you want to know my c. opinion?*, vuoi sapere la mia opinione schietta? **2** equanime; imparziale **3** (*di foto, ecc.*) preso all'insaputa del soggetto; istantaneo ● (*cinem.*, *TV*) **c. camera**, candid camera; telecamera nascosta □ **c. photography**, fotografia-verità ‖ **candidly** avv. francamente; schiettamente; sinceramente ‖ **candidness** n. **u** franchezza; schiettezza; sincerità.

♦**candidate** /'kændɪdət/ n. **1** candidato: **a c. for this post [for the presidency]**, un candidato a questo posto [alla presidenza]; **parliamentary c.**, candidato al parlamento; **to stand as a c. (in an election)**, candidarsi a un'elezione; **the successful c.**, il candidato vincitore; (*nelle offerte di lavoro*) il candidato ideale; **unsuccessful c.**, candidato sconfitto; candidato respinto (o bocciato) **2** (*fig.*) cosa o persona destinata a (qc.); candidato ‖ **candidacy**, (*GB*) **candidature** n. candidatura.

candied /'kændɪd/ a. candito: **c. fruit**, frutta candita; canditi (pl.) ● **c. peel**, scorzette d'arancia candite.

♦**candle** /'kændl/ n. **1** candela **2** (*fis., arc.*, = **international c.**) candela ● **c.-end**, moccolo (di candela) □ **c. holder**, candeliere □ **c. maker**, candelaio □ **c.-snuffer**, smoccolatoio □ (*fig.*) **to burn the c. at both ends**, lavorare o divertirsi giorno e notte; sperperare le proprie energie (*andando a letto tardi e alzandosi presto*); non risparmiarsi; riposare troppo poco □ **not worth the c.**, che non vale la pena (o la candela) □ **He cannot (o isn't fit to) hold a c. to...**, non regge al confronto con...; non è alla pari di...; non è all'altezza di... □ (*fig.*) **The game is not worth the c.**, il gioco non vale la candela; la spesa non vale le l'impresa.

candlelight /'kændllaɪt/ n. **u** lume di candela: **by c.**, a lume di candela.

candlelit /'kændlɪt/ a. illuminato da candele: a lume di candela: **a c. dinner**, una cena a lume di candela.

Candlemas /'kændlməs/ n. **u** (*relig.*) (festa della) Candelora.

candlepower /'kændlpaʊə(r)/ n. **u** (*fis.*) (intensità luminosa in) candele; candelaggio: **a 40-c. lamp**, una lampadina da 40 candele.

candlestick /'kændlstɪk/ n. candeliere.

candlewick /'kændlwɪk/ n. **1** lucignolo; stoppino **2** (*ind. tess.*) ciniglia.

can-do /kæn'duː/ a. (*fam.*) attivo; fattivo; costruttivo; energico.

candour, (*USA*) **candor** /'kændə(r)/ n. **u 1** franchezza; schiettezza; sincerità **2** imparzialità; onestà.

C&W sigla (abbr. di **country and western** → **country**).

♦**candy** /'kændɪ/ n. **1** **u** (*GB*) zucchero candito **2** **u** (*USA*, = **sugar c.**) caramelle (pl.); dolciumi (pl.) **3** (*USA*) caramella; confetto **4** **u** (*slang USA*) cocaina; coca (*pop.*) **5** (*spec. USA*) persona o cosa bella ma insignificante: **arm c.**, accompagnatore (o accompagnatrice) bello e giovane (*spec. se presente a una serata di società*) ● (*USA*) **c. apple**, mela caramellata □ (*slang USA*) **c.-ass**, smidollato; fifone; cagasotto (*pop.*) □ (*USA*) **c. bar**, barretta di cioccolato con ripieno □ (*USA*) **c. cane**, bastoncino di zucchero candito (*a righe e a forma di bastone da passeggio*) □ (*di stoffa*) **c.-striped**, a righine colorate (*su fondo bianco*) □ (*fam., USA*) **c.-striper**, volontaria di ospedale.

to **candy** /'kændɪ/ **A** v. t. candire; ricoprire di zucchero candito; caramellare **B** v. i. (*di frutto, ecc.*) diventare candito; caramellarsi.

candyfloss /'kændɪflɒs/ n. **u** (*GB*) **1** zucchero filato **2** (*fig.*) cosa senza sostanza.

candytuft /'kændɪtʌft/ n. (*bot.*, *Iberis umbellata*) iberide di Creta.

cane /keɪn/ n. **1** canna (*di bambù, da zucchero, ecc.*) **2** (= **sugar c.**) canna (da zucchero) **3** fusto (*di palma sottile*); stelo (*di pianta esile, come more, lamponi, ecc.*) **4** **u** giunco; canna, bambù (*per mobili, ecc.*): **c. chair**, poltroncina di giunco **5** canna; bastone da passeggio **6** sostegno, tutore (*per piante*) **7** verga, bacchetta (*per punizioni corporali*) **8** – **the c.**, la verga; vergate (pl.); punizione corporale: **to give sb. the c.**, assestare vergate a q.; punire qc. con la verga; fustigare ● (*bot.*) **c. apple** (*Arbutus unedo*), corbezzolo □ (*edil.*) **c.-mesh ceiling**, soffitto a cannicci □ **c. sugar**, zucchero di canna.

to **cane** /keɪn/ v. t. **1** rivestire (*il fondo di sedie, ecc.*) di bambù **2** punire con la verga; prendere a vergate; fustigare.

canebrake /'keɪnbreɪk/ n. (*USA*) canneto.

canework /'keɪnwɜːk/ n. **u** (*edil.*) incannicciata; incannicciatura.

canicular /kə'nɪkjʊlə(r)/ a. canicolare.

canid /'kænɪd/ n. (*zool.*) canide.

canine /'keɪnaɪn/ **A** a. canino; di (o da) cane: **c. devotion**, devozione da cane; **our c. friends**, i nostri amici cani **B** n. **1** (= **c. tooth**) (dente) canino **2** (*scherz.*) cane **3** (*zool.*) canide ● **c. squad**, squadra cinofila (*della polizia*).

caning /'keɪnɪŋ/ n. **u 1** il prendere a vergate; fustigazione **2** (*edil.*) incannicciatura.

canister /'kænɪstə(r)/ n. **1** scatola metallica, barattolo (smaltato) **2** – (*mil.*) **c. of tear gas**, candelotto di gas lacrimogeno **3** **u** (*stor., mil.*, = **c. shot**) mitraglia (*per cannoni*) **4** (*mil.*) filtro (*di maschera antigas*).

canker /'kæŋkə(r)/ n. **1** **u** (*med.*) stomatite aftosa; noma **2** **u** (*vet.*) rogna auricolare (*di gatti, cani, ecc.*); cancro del fettone (*dei cavalli*) **3** **u** (*agric.*) cancro (*del pero, melo, ecc.*) **4** (*fig.*) cancro (*fig.*); morbo; male; vizio.

to **canker** /'kæŋkə(r)/ **A** v. t. **1** infettare; ulcerare **2** (*fig.*) corrompere **B** v. i. **1** infettarsi; ulcerarsi **2** (*fig.*) corrompersi.

cankerous /'kæŋkərəs/ a. **1** (*agric.*) canceroso; cancheroso (*pop.*) **2** (*fig.*) malefico; corrompitore.

canna /'kænə/ n. (*bot.*, *Canna*) canna.

cannabidiol /'kænə'bɪdɪɒl/ n. **u** (*farm., biochim.*) cannabidiolo.

cannabinoid /'kænəbɪnɔɪd/ n. (*chim.*) cannabinoide.

cannabinol /'kænəbɪnɒl/ n. (*chim.*) cannabinolo.

cannabis /'kænəbɪs/ n. **1** (*bot.*, *Cannabis sativa*) canapa **2** (*bot.*, *Cannabis indica*) canapa indiana **3** **u** (*farm.*) hascisc; marijuana.

canned /kænd/ a. **1** (*di alimenti*) inscatolato; in scatola; in lattina: **c. food**, alimenti in scatola; scatolame; **c. goods**, scatolame; **c. beer**, birra in lattina **2** (*fam. spreg., di musica, applausi, ecc.*) registrato; preregistrato: (*TV*) **c. laughter**, risate preregistrate **3** (*fam. fig.*) preconfezionato (*fig.*); precotto (*fig.*) **4** (*slang USA*) ubriaco; sbronzo **5** (*slang USA*) licenziato ● (*mecc.*) **c. motor**, motore per pompa sommersa □ (*comput.*) **c. software**, software standard.

cannel /'kænl/ n. (= **c. coal**) carbon fossile bituminoso.

cannellini beans /kænə'liːnɪ biːnz/ loc. n. pl. (*alim.*) (fagioli) cannellini.

cannelloni /kænə'ləʊnɪ/ (*ital.*) n. **u** (*cucina*) cannelloni (pl.).

canner /'kænə(r)/ n. (*ind.*) **1** inscatolatore; operaio conserviero **2** industriale conserviero; conserviere.

cannery /'kænərɪ/ n. stabilimento per la produzione di alimenti in scatola; conservificio.

cannibal /'kænɪbl/ **A** n. cannibale **B** a. attr. cannibalesco; di (o da) cannibale ‖ **cannibalism** n. **u** cannibalismo ‖ **cannibalistic** a. cannibalesco.

to **cannibalize** /'kænɪbəlaɪz/ (*tecn.*) v. t. demolire (*una macchina, ecc., per ricavarne pezzi utilizzabili*); cannibalizzare ‖ **cannibalization** n. **u** cannibalizzazione.

cannily /'kænɪlɪ/ avv. astutamente; con accortezza; con prudenza.

canning /'kænɪŋ/ **A** n. **u 1** (*ind.*) conservazione di cibi in scatola; inscatolamento **2** registrazione (*di musica su dischi*); incisione **B** a. attr. **1** di inscatolazione; conserviero: **the c. industry**, l'industria conserviera **2** inscatolatore: **c. machine**, inscatolatrice.

cannon /'kænən/ n. (pl. **cannon** nella *def. 1*; **cannons** nelle altre) **1** (*mil., stor.*) cannone; (collett.) cannoni, artiglieria **2** (*mil., di aereo, carro armato*) cannoncino; mitragliatrice pesante **3** (*biliardo, GB*) carambola **4** (*slang USA*) pistola; cannone (*pop.*) ● (*vet.*) **c. bone**, stinco; cannone □ **c. fodder**, carne da cannone □ **c.-shot**, palla di cannone; cannonata.

to **cannon** /'kænən/ **A** v. i. **1** (*biliardo, GB*) fare carambola **2** – **to c. against** (o **into**), urtare violentemente contro; andare a sbattere contro **3** – **to c. off**, rimbalzare a grande velocità da **B** v. t. (*biliardo, GB*) far fare carambola a.

cannonade /kænə'neɪd/ n. (*mil.*) cannoneggiamento; bombardamento.

to **cannonade** /kænə'neɪd/ v. t. e i. cannoneggiare; bombardare.

cannonball /'kænənbɔːl/ n. **1** (*mil.*) palla di cannone **2** (*USA*, anche **c. dive**) tuffo di piedi col corpo rannicchiato ● (*tennis*) **c. serve**, servizio forte e diritto □ **human c.**, uomo proiettile (*di circo*).

cannoneer /kænə'nɪə(r)/ n. (*stor., mil.*) cannoniere.

♦**cannot** /'kænɒt/ vc. verb. modale neg. → **can①**.

cannula /'kænjʊlə/ (*lat.*) n. (pl. **cannulas**, **cannulae**) (*med.*) cannula; catetere.

canny /'kænɪ/ a. **1** cauto; circospetto; guardingo **2** astuto; accorto; avveduto **3** (*scozz. e ingl. sett.*) simpatico; piacevole; bello: **a c. lass**, una bella ragazza; (*di prezzo*) **a c. penny**, è costato un bel po' di soldi **4** (*scozz.*) fortunato **ca' c.** → **ca'canny** ‖ **can-**

niness n. ⬜ astuzia; furberia; accortezza; prudenza.

canoe /kə'nuː/ n. canoa ● (*fig. fam.*) **to paddle one's own c.**, essere autonomo (*o* indipendente).

to **canoe** /kə'nuː/ Ⓐ v. i. andare in canoa: **to c. down a river**, scendere un fiume in canoa Ⓑ v. t. trasportare su canoa.

canoeing /kə'nuːɪŋ/ (*sport*) n. ⬜ canoismo ‖ **canoeist** n. canoista.

canola /kə'nəʊlə/ (*USA*) → **rape**②.

canon① /'kænən/ n. **1** canone; regola; principio **2** (*relig.*) canone **3** (*letter.*) canone; corpus: **the Shakespearian c.**, il corpus shakespeariano **4** (*mus.*) canone: **in c.**, a canone ● (*leg.*, *relig.*) **c. law**, diritto canonico.

canon② /'kænən/ n. (*relig.*) canonico.

cañon /'kænjən/ → **canyon**.

canoness /'kænənəs/ n. (*relig.*) canonichessa.

canonic /kə'nɒnɪk/ a. **1** (*mus.*) di canone; a canone **2** → **canonical**.

canonical /kə'nɒnɪkl/ Ⓐ a. **1** (*relig.*) canonico: **c. hours**, ore canoniche; **c. Gospels**, vangeli canonici **2** (*letter.*) appartenente a un canone letterario, a un corpus **3** (*scient.*, *tecn.*) canonico: (*stat.*) **c. variate**, variabile canonica **4** (*fig.*) canonico; regolare; valido; autorevole Ⓑ n. (al pl.) (*relig.*) paramenti (*sacerdotali*).

canonicity /kænə'nɪsəti/ n. ⬜ canonicità.

canonist /'kænənɪst/ (*leg.*, *relig.*) n. canonista.

to **canonize** /'kænənaɪz/ (*relig.*) v. t. canonizzare ‖ **canonization** n. ⬜ canonizzazione.

canonry /'kænənrɪ/ n. (*relig.*) **1** canonicato **2** (collett.) canonici.

to **canoodle** /kə'nuːdl/ v. i. (*slang*, *antiq.*) sbaciucchiarsi; pomiciare (*pop.*).

Canopic jar /kə'nəʊpɪk dʒɑː(r)/ loc. n. (*archeol.*; *anche* **Canopic vase**, **Canopic urn**) canopo.

canopied /'kænəpɪd/ a. **1** a baldacchino: **c. bed**, letto a baldacchino **2** (*di balcone*, *ecc.*) munito di tenda.

canopy /'kænəpi/ n. **1** baldacchino; (*fig.*) volta: **the c. of heaven**, la volta celeste **2** (*archit.*) sporgenza ornamentale a guisa di tetto **3** (*aeron.*) calotta (*di paracadute*); tettuccio trasparente (*della cabina di pilotaggio d'un aereo*) **4** cappa (*non aspirante: della cucina*).

to **canopy** /'kænəpi/ v. t. **1** fornire di baldacchino; fare da baldacchino a **2** (*fig.*) coprire, fare da volta a (qc.).

canst /kænst/ vc. verb. (*arc.*) 2ª pers. sing. di **can**.

cant① /ænt/ Ⓐ n. ⬜ **1** luoghi (pl.) comuni religiosi o moralistici; linguaggio da bigotto; discorsi (pl.) ipocriti; ipocrisie (pl.) **2** discorso o discorsi pieni di banalità; luoghi (pl.) comuni **3** gergo; linguaggio specialistico (*di una professione o un ambiente*): **thieves' c.**, gergo dei ladri; lingua furbesca Ⓑ a. (*di parole*, *ecc.*) **1** insincero; da ipocrita **2** trito; scontato: **as the c. phrase goes**, per usare un'espressione scontata **3** gergale; specialistico.

cant② /kænt/ n. **1** pendenza; inclinazione; deviazione dalla verticale **2** scossa, spinta, urto (*che sbilancia o rovescia*) **3** (*architt.*) angolo smussato **4** (*costr. stradali*) soprelevazione **5** (*costr. navali*) ordinata (*o* costa) deviata ● **c. board**, asse smussata (*a mecc.*) **c. file**, lima triangolare piatta □ **c. hook** (*o* **c. dog**), asta con uncino (*per spostare tronchi d'albero*); raffio.

to **cant**① /kænt/ v. i. (*antiq.*) **1** fare discorsi da bigotto; parlare in modo ipocrita **2** dire banalità **3** parlare in gergo.

to **cant**② /kænt/ Ⓐ v. t. **1** inclinare; rovesciare **2** (*architt.*) smussare Ⓑ v. i. **1** inclinarsi; rovesciarsi **2** essere inclinato; avere un'inclinazione **3** (*naut.*, *anche* **to c. round**) sbandare; ingavonarsi.

♦**can't** /kɑːnt/ contraz. di **cannot** (→ **can**①).

Cantab /'kæntæb/ a. (abbr. di **Cantabrigensis**, *lat.*) (*nei titoli di studio*): *Andrew Jones, MA* (*Cantab*), Andrew Jones, MA (Università di Cambridge).

Cantabrigian /kæntə'brɪdʒɪən/ Ⓐ a. **1** di Cambridge: cantabrigiano **2** dell'Università di Cambridge Ⓑ n. membro dell'Università di Cambridge.

cantaloupe, **cantaloup** /'kæntəluːp/ n. cantalupo (*varietà di melone*).

cantankerous /kæn'tæŋkərəs/ (*fam.*) a. irascibile; litigioso; intrattabile; stizzoso ‖ **-ly** avv. | **-ness** n. ⬜.

cantata /kæn'tɑːtə/ (*ital.*) n. (*mus.*) cantata.

canteen /kæn'tiːn/ n. **1** mensa (*di scuola*, *fabbrica*, *ecc.*) **2** borraccia **3** (*GB*) astuccio (*o* cassetta) per set di posate ● (*spreg.*, *in GB*) **c. culture**, (insieme di) atteggiamenti razzisti o discriminatori (*attribuiti alla polizia*) ❶ **FALSI AMICI** • canteen *non significa* cantina.

canter /'kæntə(r)/ n. (*equit.*) **1** canter; piccolo galoppo: **at a c.**, al piccolo galoppo; **to break into a c.**, mettere il cavallo al piccolo galoppo **2** giro al piccolo galoppo; galoppata ● (*fig.*) **at** (*o* **in**) **a canter**, con facilità, senza sforzo.

to **canter** /'kæntə(r)/ (*equit.*) Ⓐ v. i. andare al piccolo galoppo Ⓑ v. t. far andare (*un cavallo*) al piccolo galoppo.

Canterbury /'kæntəbri/ n. Canterbury (*città del Kent*): «**The C. Tales**», «I Racconti di Canterbury» (*di Geoffrey Chaucer*) ● (*bot.*) **C. bell**, (*Campanula medium*) giulietta; (*Campanula trachelium*) imbutini (pl.); (*Campanula glomerata*) campanula a mazzi.

canterbury /'kæntəbri/ n. (mobiletto) portaspartiti.

cantharides /kæn'θærɪdiːz/ n. pl. **1** (col verbo al sing. o al pl.; *farm.*) cantaride **2** → **cantharis**.

cantharis /'kænθərɪs/ n. (pl. **cantharides**) (zool., *Lytta vesicatoria*) cantaride.

cantharus /'kænθərəs/ (*lat.*) n. (pl. **canthari**) (*archeol.*) cantaro.

canticle /'kæntɪkl/ n. cantico ● (*Bibbia*) **The C. of Canticles**, il Cantico dei Cantici.

cantilever /'kæntɪliːvə(r)/ n. (*edil.*, *mecc.*) cantilever; trave (*o* elemento) a sbalzo (*o* a mensola) ● **c. bridge**, ponte a cantilever □ **c. roof**, pensilina □ (*aeron.*) **c. wing**, ala a sbalzo ‖ **cantilevered** a. a sbalzo; a mensola; cantilever.

to **cantillate** /'kæntɪleɪt/ (*mus.*, *relig.*) v. t. cantillare ‖ **cantillation** n. cantillazione.

canting /'kæntɪŋ/ a. **1** ipocrita; bigotto; da santocchio **2** che parla in gergo.

cantle /'kæntl/ n. **1** (*antiq.*) pezzo; cantuccio (*di pane*) **2** paletta (*parte posteriore della sella*).

canto /'kæntəʊ/ (*ital.*) n. (pl. **cantos**) (*letter.*) canto (*parte di un poema*).

canton /'kæntən/ n. **1** cantone (*della Svizzera*) **2** regione; distretto **3** (*arald.*) cantone **4** (*architt.*) spicchio (*di volta*) ‖ **cantonal** a. cantonale.

to **canton** (*def. 1* /kæn'tɒn/, *def. 2* /kən'tuːn/) v. t. **1** dividere in cantoni **2** (*mil.*) accantonare, acquartierare (*truppe*).

Cantonese /kæntə'niːz/ a. e n. ⬜ cantonese.

cantonment /kæn'tuːnmənt/ n. (*mil.*) **1** accantonamento; acquartieramento **2** quartiere; alloggio di truppe.

cantor /'kæntɔː(r)/ (*mus.*) n. **1** (*di chiesa*) primo cantore; (*anche*) maestro del coro **2**

(*di sinagoga*) cantore ‖ **cantorial** a. di cantore.

cantrip /'kæntrɪp/ n. (*scozz.*) **1** incantesimo; fattura (*di strega*) **2** brutto tiro; scherzo.

Canuck /kə'nʌk/ a. e n. (*spreg.*) **1** franco-canadese (*la lingua*) **2** (*spec. USA*) canadese.

Canute /kə'njuːt, USA -'nuːt/ n. (*stor.*) Canuto.

canvas /'kænvəs/ n. **1** ⬜ tela olona (*da tende*, *imballaggio*, *ecc.*) **2** (*pitt.*) tela **3** tenda; telone (*spec. di circo*) **4** ⬜ (*fig.*) circo **5** (*naut.*) tela da vele; vele, velatura **6** ⬜ canovaccio (*per ricami* e *fig.*) **7** (*sartoria*) imbottitura **8** ⬜ (*pugil.*) tappeto: **to be on the c.**, essere al tappeto (*anche fig.*) ● **c. hose**, manichetta di tela □ **c. jacket**, camicia di forza □ **c. town**, tendopoli □ **under c.**, (*mil.*) in tenda, sotto le tende; attendato; (*naut.*) alla vela, a vele spiegate □ (*naut.*) **under light c.**, con le sole vele sussidiarie.

❶ **NOTA:** *canvas o canvass?*

Il sostantivo *canvas* significa "tela": *an oil painting on canvas*, un dipinto a olio su tela; *a canvas travelling bag*, una sacca da viaggio di tela. *To live or sleep under canvas* significa "vivere o dormire in tenda".

To canvass si pronuncia come *canvas*, ma vuol dire "sollecitare il voto, fare propaganda elettorale" o "sondare, fare un sondaggio": *Candidates are canvassing support before the election*, i candidati stanno cercando sostegno prima delle elezioni; *to canvass public opinion*, sondare l'opinione pubblica.

canvasback /'kænvəsbæk/ n. (*zool.*, *Aythya valisineria*) moretta americana.

canvass /'kænvəs/ n. **1** sollecitazione (*di voti*, *ordinazioni*, *ecc.*); propaganda **2** sondaggio d'opinione **3** esame approfondito; discussione esauriente.

to **canvass** /'kænvəs/ Ⓐ v. t. **1** (*polit.*) sollecitare il voto di; fare propaganda elettorale presso: **to c. voters**, sollecitare il voto degli elettori **2** (*polit.*) fare propaganda (*in campagna*) elettorale in (*una regione*); fare il galoppino elettorale in **3** (*comm.*) girare (*una zona*) per propagandare, per vendere porta a porta **4** fare un sondaggio, un'inchiesta presso; sondare: *We canvassed all members for their opinions*, facemmo un sondaggio presso tutti i soci **5** esaminare; vagliare; discutere: *Various possibilities were canvassed*, furono esaminate diverse possibilità **6** (*fig.*) sondare la bontà di (*un'idea*, *ecc.*); avanzare (*una proposta*, *ecc.*); proporre; promuovere: *His name has been canvassed*, è stato avanzato il suo nome **7** cercare (*appoggio*, *solidarietà*, *ecc.*) **8** (*USA*, *antiq.*) scrutinare (*voti*) Ⓑ v. i. **1** (*polit.*) sollecitare voti; fare propaganda elettorale (*in un'area*, *casa per casa*): **to c. for the Labour candidate**, fare propaganda per il candidato laburista **2** (*comm.*) battere una zona per raccogliere ordinazioni **3** – **to c. for**, cercare di procurarsi; andare a caccia di; fare propaganda per: **to c. for new customers**, cercare di procurarsi nuovi clienti; (*polit.*) **to c. for votes**, andare a caccia di voti; fare il galoppino elettorale ❶ **NOTA:** *canvas o canvass?* → **canvas**.

canvasser /'kænvəsə(r)/ n. **1** galoppino elettorale **2** (*comm.*) piazzista **3** (*GB*) raccoglitore di fondi (*o* di sottoscrizioni).

canvassing /'kænvəsɪŋ/ n. ⬜ **1** (*polit.*) sollecitazione di voti; propaganda casa per casa **2** (*comm.*) sollecitazione di ordinazioni; propaganda capillare; vendita porta a porta.

canyon /'kænjən/ n. (*geogr.*) canyon, cañón.

canyoning /'kænjənɪŋ/ n. ⬜ (*sport*) torrentismo.

caoutchouc /'kaʊtʃʊk/ n. ⚏ (*ind.*) caucciù.

♦**cap** ① /kæp/ n. **1** berretto (*con o senza visiera*): **cloth** (*o* **flat**) **cap**, berretto floscio; coppola; **sailor's cap**, berretto da marinaio; **student's cap**, berretto goliardico **2** (*spesso con attr.*) cuffia; calotta: **nurse's cap**, cuffia da infermiera; **shower cap**, cuffia da doccia **3** (*mil.*) bustina; berretto **4** (*sport*) berretto; (*equit.*) cap; (*pallanuoto*) calottina; **baseball cap**, berretto da baseball; **jockey's cap**, berretto da fantino **5** (*sport*, *GB*) berretto dato a un giocatore scelto per una data squadra *spec.* la nazionale; (*per estens.*) presenza; selezione: *He won three caps for Scotland*, è stato per tre volte nella nazionale scozzese **6** (*sport*, *GB*) giocatore con presenza in una data squadra *spec.* la nazionale: **a former England cap**, un ex giocatore della nazionale inglese **7** (= **square cap**) tocco accademico **8** cappuccio (*di penna, ecc.*); tappo (*di bottiglia, ecc.*) **9** (*fig.*) cappuccio; copertura: **a cap of snow on the hill**, un cappuccio di neve sulla collina **10** (*mecc.*) cappello; cappellotto; coperchio **11** (*elettr.*) calotta; cappuccio; attacco (*di lampada*) **12** (*autom.*) tappo (*del radiatore, ecc.*) **13** (*fotogr.*) copriobiettivo; tappo **14** (*naut.*, = **cap of mast**) testa di moro **15** (*mil.*, = **percussion cap**) capsula (*anche di arma giocattolo*) **16** (*med.*) capsula, corona (*di dente*) **17** (*bot.*) cappella (*di fungo*) **18** (*zool.*) cappuccio (*di uccello*) **19** (*fin.*) limite massimo; tetto (*di spesa*); plafond (*franc.*): *We must put a cap on state spending*, dobbiamo porre un limite alla spesa pubblica **20** (*fam. GB*, = **Dutch cap**) diaframma (*contraccettivo*) **21** (*slang USA*) capsula (*di droga*); pasticca (*pop.*) ● (*stor.*) **cap and bells**, berretto con campanelli (*insegna di giullare*) □ **cap and gown**, tocco e toga (*universitari*) □ **cap in hand**, col berretto in mano; (*fig.*) umilmente □ (*stor.*) **cap of liberty**, berretto frigio □ (*mecc.*) **cap screw**, vite a testa cilindrica (*per metalli*) □ **cap shoe**, scarpa con la mascherina (*moda*) **cap sleeve**, manica ad aletta □ **cardinal's cap**, berretta cardinalizia □ **fool's cap**, berretto da giullare □ **starched cap**, crestina (*di cameriera*) □ **to pass the cap round**, fare una colletta; far girare il cappello □ (*fam.*) **to put on one's thinking cap**, mettersi a pensare; riflettersi su □ (*fam., di donna*) **to set one's cap at sb.**, mettere gli occhi addosso a q.; cercare di accalappiare q. □ **to throw one's cap in the air**, gettare in aria il cappello; (*fig.*) ballare dalla felicità, fare salti di gioia □ (*prov.*) **If the cap fits (wear it)**, se la cosa ti riguarda, prendine nota; a buon intenditor (*poche parole*).

cap ② /kæp/ n. **1** (abbr. *slang di* **captain**) capitano **2** (*slang USA*) tizio; capo (*rivolgendosi a uno sconosciuto*).

to **cap** /kæp/ v. t. **1** chiudere con un cappuccio; tappare (*con un tappo metallico, ecc.*): **to cap a pen**, mettere il cappuccio a una penna **2** (*spec. al passivo*) incappucciare, ricoprire (*di qc.*): *The hills were capped with snow*, le colline erano incappucciate di neve **3** (*med.*) incapsulare (*un dente*) **4** (*autom.*) ricostruire (*uno pneumatico*) **5** (*fig.*) coronare: *She capped her career with a Nobel prize*, coronò la sua carriera con il premio Nobel **6** concludere (*una citazione, una battuta, ecc.*) **7** far seguito a (*qc., con qc. di meglio*): **to cap a joke**, raccontare una barzelletta migliore della precedente; *Cap that if you can!*, vedi se riesci a far meglio! **8** (*fin.*) (*spec. al passivo*) porre un limite, un tetto di spesa, un plafond a **9** (al passivo) (*sport, GB*) essere selezionato (*per una nazionale*): *He was capped by* (*o* **for**) *Wales*, fu selezionato per la nazionale gallese **10** (*archit.*) mettere il capitello a (*una colonna*) **11** (*ind. petro-*

lifera) chiudere (*un pozzo*) **12** (*in Scozia*) conferire la laurea a ● **to cap it all**, come ciò non bastasse; per coronare l'opera ● **to cap them all**, che li batte tutti.

cap. abbr. **1** (**capacity**) capacità **2** (**capital** (**letter**)) lettera maiuscola; maiuscolo **3** (*lat.*: *caput*) (**chapter**) capitolo (cap.).

CAP /kæp/ sigla (**Common Agricultural Policy**) Politica agricola comune (PAC).

♦**capability** /ˌkeɪpə'bɪlətɪ/ n. **1** capacità; idoneità: **the c. to do** (*o* **of doing**) **st.**, la capacità di fare qc.; **production c.**, capacità produttiva **2** proprietà (*di un metallo, ecc.*) **3** capacità; abilità; attitudine; potenzialità: **a boy of great capabilities**, un ragazzo che ha grandi capacità; *This is within* [*beyond*] *my capabilities*, questo rientra nelle [va al di là delle] mie capacità **4** (*mil.*) potenziale: **nuclear c.**, potenziale nucleare; **war c.**, potenziale bellico **5** capacità; funzioni (pl.); risorse (pl.): **technical capabilities**, capacità tecniche; (*comput.*) **graphics c.**, funzioni grafiche.

♦**capable** /'keɪpəbl/ a. **1** – **c. of**, capace di; in grado di: **c. of looking after one's interests**, in grado di badare ai propri interessi; **c. of carrying passengers**, in grado di portare passeggeri; **c. of flight**, in grado di volare; **c. of mercy**, capace di misericordia; *He's c. of anything*, è capace di tutto **2** – **c. of**, suscettibile di; che può: **c. of improvement**, suscettibile di miglioramento; **c. of being removed**, che può essere rimosso; rimuovibile; **c. of misinterpretation**, suscettibile di fraintendimento; che può essere frainteso **3** capace; abile; competente; esperto: **a c. administrator**, un amministratore capace; **c. hands**, mani esperte ● (*leg.*) **c. of contracting**, che ha capacità giuridica.

capacious /kə'peɪʃəs/ a. capace; capiente; ampio; spazioso | **-ly** avv. | **-ness** n. ⚏.

capacitance /kə'pæsɪtəns/ n. ⚏ (*elettr.*) capacità ● **c. meter**, capacimetro.

to **capacitate** /kə'pæsɪteɪt/ v. t. rendere capace (*di fare qc.*).

capacitive /kə'pæsɪtɪv/ a. (*elettr.*) capacitivo: **c. reactance**, reattanza capacitiva.

capacitor /kə'pæsɪtə(r)/ n. (*elettr.*) condensatore.

♦**capacity** /kə'pæsətɪ/ n. **1** (o solo sing.) capacità; capienza; (*di camion e sim.*) portata: **measures of c.**, misure di capacità; **seating c.**, numero di posti a sedere; capienza **2** ⚏ (o solo sing.) (*ind.*) capacità produttiva; rendimento: **at full c.**, a piena capacità; a pieno regime; al massimo; **excess** (*o* **surplus**) **c.**, capacità eccedente **3** ⚏ capacità; dote; disposizione; attitudine: **creative capacities**, capacità creative; creatività; **a c. to maintain discipline**, la capacità di tenere la disciplina; **to have a c. for learning**, avere attitudine ad apprendere; **to have a c. for friendship**, essere portato a fare amicizie; **to have a c. for hard work**, essere un gran lavoratore **4** (*leg.*) capacità: **c. to act**, capacità d'agire (*in giudizio, ecc.*); **c. to contract**, capacità giuridica (o di contrarre) **5** funzione; posizione; qualità; ruolo; veste: **in an advisory c.**, in qualità di consigliere; con funzioni consultive; *I was acting in my c. as magistrate*, ho agito nella mia qualità di magistrato; **in an official c.**, in veste ufficiale; **in one's private c.**, in veste di privato cittadino; **in a private c.**, a titolo personale **6** ⚏ (o solo sing.) (*autom., mecc.*) cilindrata **7** ⚏ (o solo sing.) (*ind. costr.; idraul.*) portata **8** (*elettr.*) → **capacitance 9** ⚏ (o solo sing.) (*comput.*, = **storage c.**) capacità (*di memoria*); potenza ● **c. audience**, sala piena; tutto esaurito □ (*econ.*) **c. costs**, costi di piena utilizzazione (*della capacità produttiva*) □ **c. crowd**, pienone; il tutto esaurito □ **c. test**, test attitudinale □ (*econ.*) **c. utilization**, utilizzazione della capacità

produttiva □ **filled to c.**, completamente pieno; al completo; (*di locale, anche*) con un pienone.

cap-and-trade /ˌkæpən'treɪd/ loc. n. ⚏ (*econ., ecol., USA*) sistema di permessi di emissione negoziabili (*che fissano un livello massimo di inquinamento*).

cap-a-pie /ˌkæpə'piː, USA -'peɪ/ avv. (*lett.*) da capo a piedi.

caparison /kə'pærɪsn/ n. **1** (*stor.*) gualdrappa (*di cavallo da battaglia*) **2** bardatura (*anche fig.*); vesti e ornamenti sontuosi.

to **caparison** /kə'pærɪsn/ v. t. **1** (*stor., mil.*) bardare; mettere la gualdrappa a (*un cavallo*) **2** (*fig.*) adornare; abbigliare.

cape ① /keɪp/ n. capo; promontorio: **C. Horn**, Capo Horn; **the C.** (**of Good Hope**), il Capo di Buona Speranza ● (*stor.*) **C. Colony**, la colonia del Capo □ (*bot.*) **C. gooseberry** (*Physalis alkekengi*), alchechengi.

cape ② /keɪp/ n. cappa; mantella; mantellina.

capelin /'kæpəlɪn/ n. (*zool., Mallotus villosus*) capelan (*pesce dell'Atlantico sett.*).

caper ① /'keɪpə(r)/ n. **1** (*bot., Capparis spinosa*) cappero **2** (*cucina*) cappero **3** (al pl.) (*cucina*) gemme fiorali di cappero sott'aceto.

caper ② /'keɪpə(r)/ n. **1** saltello; capriola: **to cut a c.**, fare un saltello (*per la gioia, ecc.*) **2** (*fam.*) monelleria; scappata; birichinata **3** (*fam.*) impresa (*spec. insolita o stravagante*); avventura; trovata; numero: *I'm too old for such capers*, sono troppo vecchio per trovate del genere **4** (*fam. USA*) impresa criminosa (*senza violenza*); colpo; affare: **to pull a caper**, fare un colpo **5** (*TV, cinem.*) commedia: **a legal c.**, una commedia di ambiente legale.

to **caper** /'keɪpə(r)/ v. i. saltellare (allegramente); sgambettare; saltabeccare.

capercaillie /ˌkæpə'keɪljɪ/, **capercailzie** /ˌkæpə'keɪlzɪ/ n. (*zool., Tetrao urogallus*) gallo cedrone; urogallo.

Capetian /kə'piːʃən/ a. e n. (*stor.*) capetingio.

Cape Town /'keɪptaʊn/ n. (*geogr.*) Città del Capo.

Cape Verde Islands /ˌkeɪp'vɜːdaɪləndz/ loc. n. pl. (*geogr.*) Isole di Capo Verde.

capful /'kæpfəl/ n. (quanto può stare in un) berretto: **a c. of nuts**, un berretto pieno di noci.

capias /'keɪpɪæs/ (*lat.*) n. (*leg., stor.*) mandato di cattura.

capillarity /ˌkæpɪ'lærətɪ/ n. ⚏ (*fis.*) capillarità.

capillary /kə'pɪlərɪ/ **A** a. (*fis., anat.*) capillare **B** n. (*anat.*) (vaso) capillare ● (*fis.*) **c. attraction**, adesione capillare; capillarità.

♦**capital** ① /'kæpɪtl/ **A** a. **1** (*leg.*) capitale: **c. crime** (*o* **c. offence**), reato capitale; **c. punishment**, pena capitale; **c. sentence**, condanna a morte **2** (*tipogr.*) maiuscolo: **c. letter**, lettera maiuscola; *Is "autumn" written with a c. A?*, «autunno» si scrive con la A maiuscola? **3** capitale; serio: **of c. importance**, di capitale importanza **4** (*fam. GB, antiq.*) eccellente; di prim'ordine; magnifico; splendido; coi fiocchi: **a c. fellow**, un uomo eccellente; una persona di prim'ordine; **a c. dinner**, un pranzo coi fiocchi **B** inter. benissimo! ottimamente!; eccellente! **C** n. **1** (= **c. city**) capitale (f.): **state c.**, capitale di stato; **the world's fashion c.**, la capitale mondiale della moda **2** (*econ., fin., comm.*) capitale (m.): **c. and interest**, capitale e interessi; montante; **invested c.**, il capitale investito; **c. and labour**, capitale e lavoro; *I started with a very small c.*, cominciai con un capitale molto ridotto; *'C. is a*

thing that will take as much and give you as little as it can' J. GALSWORTHY, 'il capitale è quella cosa che ti prende il massimo possibile e ti dà il minimo possibile' **3** (*tipogr.*) (lettera) maiuscola: **printed in capitals**, stampato in lettere maiuscole (*o in maiuscolo*) ● **c. account**, (*comm. est., fin., rag.*) conto capitale □ (*fisc.*) **c. allowance**, detrazione per ammortamento; deduzioni in conto capitale □ (*fin.*) **c. appreciation**, aumento di valore (*di un immobile*); plusvalenza □ (*fin., rag.*) **c. appropriation**, impegno di capitali □ (*rag.*) **c. assets**, capitale fisso (*o immobilizzato*); immobilizzazioni □ (*fin.*) **c. base**, base di capitale □ (*fin.*) **c. budget**, budget (*o piano*) degli investimenti □ (*fin.*) **c. contribution**, apporto di capitale □ (*fin.*) **c. deepening**, intensificazione del capitale; aumento del rapporto capitale-lavoro □ (*fin.*) **c. equipment**, beni strumentali (*impianti e macchinari*) □ (*fin., rag.*) **c. expenditure**, spese in conto capitale; spese d'impianto; immobilizzazioni □ (*econ., fin.*) **c. export**, esportazione di capitali □ (*fin.*) **c. flight**, fuga di capitali □ (*fin.*) **c. flow**, movimento (*o flusso*) di capitali □ (*fin.*) **c. gains**, capital gain; guadagno in conto capitale; plusvalenze speculative (*di Borsa*) □ (*fisc.*) **c. gains tax**, imposta sulle plusvalenze □ (*fin., GB*) **c. gearing**, rapporto d'indebitamento; indice di patrimonializzazione; rapporto capitale/prestiti □ (*econ.*) **c. goods**, beni capitali; beni strumentali □ (*econ., fin.*) **c. increase**, aumento di capitale □ (*econ., fin.*) **c. inflow**, afflusso di capitali (*in un paese*) □ (*econ.*) **c.-intensive**, ad alto impiego di capitale; che richiede forti investimenti □ (*econ., fin.*) **c. investment**, investimento di capitali □ (*fin.*) **c. issue**, emissione di capitale □ (*fisc.*) **c. levy** = **c. tax** → *sotto* □ (*fin., USA*) **c. leverage** = **c. gearing** → *sopra* (*Borsa, fin.*) **c. loss**, minusvalenza, perdita in conto capitale □ (*fin.*) **c. market**, mercato finanziario (*o dei capitali*) □ (*fin.*) **c. movements**, movimenti dei capitali □ (*fin.*) **c. outflow**, deflusso di capitali (*da un paese*) □ (*fin.*) **c. outlay** = **c. expenditure** → *sopra* □ (*fin.*) **c./output ratio**, rapporto capitale/prodotto □ (*banca*) **c. ratio**, coefficiente di capitalizzazione □ (*banca*) **c. requirement**, requisiti (pl.) patrimoniali □ (*fin.*) **c. reserve**, riserva statutaria (*di una società*) □ (*fin.*) **c. share**, quota sociale; partecipazione □ (*mil., naut.*) **c. ship**, grossa nave da guerra □ (*fin., USA*) **c. stock**, capitale azionario (*o sociale*) □ (*fin.*) **c. structure**, struttura del capitale □ **c. sum**, (*ass.*) massimale assicurato; (*fin.*) capitale (*distinto dagli interessi*) □ **c. surplus**, (*econ., fin.*) eccedenza di capitali; (*fin., USA*) surplus di capitale, sovrapprezzo delle azioni □ (*fisc.*) **c. tax**, imposta patrimoniale □ (*fin.*) **c. transfer**, trasferimento di capitali (*o finanziario*) □ (*GB, fisc., stor.*) **c. transfer tax**, imposta sui trasferimenti di capitale (*o sulla cessione di beni*); imposta di successione (*in vigore in GB dal 1975 al 1986; sostituita dalla «inheritance tax»*) □ (*fin., rag.*) **c. turnover**, indice di rotazione del capitale □ (*fin.*) **c. watering**, annacquamento del capitale □ (*fin.*) **c. widening**, ampliamento del capitale □ **to make c. out of st.**, trarre vantaggio da qc.; sfruttare qc.: *I don't intend to make moral c. out of it*, non intendo trarne un vantaggio morale □ (*fam.*) **fast with a c. F**, velocissimo □ (*fam.*) **rich with a c. R**, ricchissimo; ricco sfondato □ (*fam.*) **It was luck with a c. L**, è stata una fortuna con la F maiuscola.

capital ② /'kæpɪtl/ n. (*archit.*) capitello.

capitalism /'kæpɪtəlɪzəm/ n. Ⓤ (*econ.*) capitalismo.

capitalist /'kæpɪtəlɪst/ Ⓐ a. (*econ.*) capitalista Ⓑ n. **1** (*econ.*) capitalista **2** (*polit.*) fautore del capitalismo || **capitalistic** a. (*econ.*) capitalistico.

capitalizable /'kæpɪtəlaɪzəbl/ a. (*econ., fin.*) capitalizzabile.

capitalization /ˌkæpɪtəlaɪˈzeɪʃn, USA -lɪˈz-/ n. Ⓤ **1** (*econ., fin.*) capitalizzazione **2** (*fin., rag.*) capitale complessivo (*d'una società*) **3** uso delle maiuscole ● (*fin.*) **c. issue**, emissione di azioni gratuite; aumento gratuito di capitale.

to capitalize /'kæpɪtəlaɪz/ v. t. **1** (*econ., fin.*) capitalizzare; dotare (*un'impresa, ecc.*) di capitali; finanziare **2** (*rag.*) calcolare (*o realizzare*) il valore attuale di (*un'annualità, una rendita, ecc.*) **3** (*rag.*) valutare il capitale complessivo di (*una società*) **4** scrivere in maiuscolo (*o in lettere maiuscole*) ● (*fig.*) **to c. on st.**, far tesoro di qc.; volgere a proprio profitto qc.; trarre vantaggio da qc.

capitalized /'kæpɪtəlaɪzd/ a. (*fin., rag.*) capitalizzato ● (*fin.*) **c. income**, reddito capitalizzato □ **c. value**, (*econ., fin.*) valore capitalizzato □ (*fin., rag.*) valore attuale.

capitally /'kæpɪtəlɪ/ avv. (*fam. GB, antiq.*) in modo eccellente; ottimamente; benissimo.

capitate /'kæpɪteɪt/, **capitated** /'kæpɪteɪtɪd/ a. (*bot.*) capitato.

capitation /ˌkæpɪˈteɪʃn/ n. (*fisc., stor.*) capitazione; testatico ● (*in GB*) **c. grant**, stanziamento di fondi (*dello Stato*) commisurato al numero dei membri di un ente locale.

Capitol /'kæpɪtl/ n. Campidoglio (*tempio e colle a Roma; sede del Congresso americano a Washington o del congresso di uno stato americano*).

Capitoline /kəˈpɪtəlaɪn/ Ⓐ n. Colle Capitolino; Campidoglio Ⓑ a. capitolino (*del tempio e colle, a Roma*).

capitular /kəˈpɪtjʊlə(r)/ Ⓐ a. (*relig.*) capitolare (*di un capitolo di canonici o simili*) Ⓑ n. **1** (*relig.*) canonico di un capitolo **2** (al pl.) capitolari; statuti di un capitolo.

capitulary /kəˈpɪtjʊlərɪ/ n. (*stor.*) capitolare; raccolta di ordinanze (*spec. dei re Carolingi*).

to capitulate /kəˈpɪtjʊleɪt/ v. i. capitolare; venire a patti; arrendersi.

capitulation /kəˌpɪtjʊˈleɪʃn/ n. Ⓤ **1** capitolazione; resa **2** (al pl.) (*stor.*) capitolazioni.

capitulum /kəˈpɪtjʊləm/ (*lat.*) n. (pl. *capitulums, capitula*) (*anat.*) capitello.

capo /'kæpəʊ/ (*ital.*) n. (*mus.*) capotasto (*pezzetto di ebano o avorio sulla tastiera di strumento a corde*).

capon /'keɪpən/ n. cappone.

to capot /kəˈpɒt/ (*franc.*) n. cappotto (*a carte*).

to capot /kəˈpɒt/ (*franc.*) v. t. dare cappotto a (q.) (→ **capot**).

capotasto /ˌkæpəʊˈtæstəʊ/ (*ital.*) n. (*mus.*) → **capo**.

capote /kəˈpəʊt/ (*franc.*) n. **1** mantello con cappuccio **2** mantice, capote (*d'automobile*).

capped /kæpt/ a. (*sport*) selezionato per la nazionale: **England's most c. player**, il giocatore con più presenze nella nazionale inglese.

capper /'kæpə(r)/ n. (*fam. USA*) colmo; tocco finale.

capping /'kæpɪŋ/ n. **1** (*mecc.*) rivestimento metallico **2** (*autom.*) cornice (*di finestrino*) **3** (*archit.*) capitello **4** (*geol.*) cappellaccio, cappello (*di un giacimento poco profondo*) **5** Ⓤ (*ind. petrolifera*) (materiale per la) chiusura a tenuta (*di un pozzo*).

cappuccino /ˌkæpʊˈtʃiːnəʊ/ (*ital.*) n. (pl. **cappuccinos**) cappuccino (*bevanda*).

capric /'kæprɪk/ a. (*chim.*) caprinico.

capriccio /kəˈprɪtʃɪəʊ/ (*ital.*) n. (pl. *capriccios, capricci*) (*mus.*) capriccio.

caprice /kəˈpriːs/ n. **1** ⓊⒸ capriccio **2** (*mus.*) capriccio.

capricious /kəˈprɪʃəs/ a. capriccioso; incostante; volubile || **capriciousness** n. Ⓤ capricciosità; incostanza; volubilità.

Capricorn /'kæprɪkɔːn/ (*astrol.*) Ⓐ n. **1** Ⓤ Capricorno (*X segno dello zodiaco*) **2** (un) capricorno; persona nata sotto il segno del Capricorno Ⓑ a. del Capricorno || **Capricornian** n. e a. → **Capricorn, A, def. 2; B**.

Capricornus /'kæprɪˈkɔːnəs/ n. (*astron.*) (costellazione del) Capricorno.

caprine /'kæpraɪn/ a. caprino; di (*o da*) capra.

capriole /'kæprɪəʊl/ n. **1** (*equit.*) capriola, sgroppata **2** (*balletto*) capriola; balzo.

to capriole /'kæprɪəʊl/ v. i. **1** (*equit., di cavallo*) sgroppare; impennarsi **2** (*balletto*) fare una capriola.

capri pants /kəˈpriː pænts/ n. pl. (*moda*) pantaloni aderenti a metà polpaccio.

caproic /kəˈprəʊɪk/ a. (*chim.*) caproico: **c. acid**, acido caproico.

caprolactam /ˌkæprəʊˈlæktæm/ n. (*chim.*) caprolattame.

caps /kæps/ n. pl. (abbr. di **capitals**) (*tipogr., comput.*) maiuscole; carattere maiuscolo: **c. lock**, blocco delle maiuscole; **all in caps**, tutto maiuscolo.

capsicum /'kæpsɪkəm/ n. **1** (*bot., Capsicum*) capsico **2** Ⓤ (*cucina*) peperoncino.

capsize /kæpˈsaɪz/, n. (*naut.*) capovolgimento; scuffia.

to capsize /kæpˈsaɪz/ (*naut.*) Ⓐ v. t. capovolgere, rovesciare Ⓑ v. i. capovolgersi; rovesciarsi; fare scuffia; scuffiare ❶ NOTA: *-ise o -ize?* → **-ise**.

capstan /'kæpstən/ n. **1** (*naut.*) argano; cabestano: **to work the c.**, virare all'argano **2** (*di registratore, ecc.*) rullo di trascinamento ● (*mecc.*) **c. lathe**, tornio a torretta (*o a revolver*).

capstone /'kæpstəʊn/ n. **1** (*archit.*) pietra di coronamento; chiave di volta **2** (*fig.*) ultimo tocco; coronamento (*di un'opera*).

capsule /'kæpsjuːl/ Ⓐ n. **1** (*farm.*) capsula **2** (*anat., bot.*) capsula **3** (*di bottiglia*) capsula **4** (*miss.*, = **space c.**) capsula (*spaziale, orbitale*): **manned c.**, capsula con equipaggio umano **5** (*fig. USA*) schema; sommario; sunto Ⓑ a. attr. condensato; sintetico; succinto: **c. account**, una descrizione sintetica || **capsular a.** (*anat.*) capsulare || **capsulate a.** (*biol.*) capsulato.

to capsule /'kæpsjuːl/ (*USA*) → **to capsulize**.

to capsulize /'kæpsjuːlaɪz/ v. t. **1** incapsulare **2** capsulare (*una bottiglia, ecc.*) **3** (*fig. USA*) schematizzare; riassumere.

Capt. abbr. (*mil.*, = **captain**) capitano (Cap.).

◆ **captain** /'kæptɪn/ n. **1** (*naut.*) capitano; comandante **2** (*aeron.*) comandante **3** (*mil.*) capitano: **C. Miller**, il Capitano Miller **4** (*marina mil., in GB e in USA*) Capitano di Vascello **5** (*aeron. mil., in USA*) Capitano **6** (*in USA*) capitano (*di polizia*); comandante di compagnia (*dei vigili del fuoco*) **7** (*sport*) capitano **8** (*scuola, GB*) capoclasse **9** (*stor.*) condottiero **10** (*USA*) capocameriere ● (*stor.*) **c. of fortune**, capitano di ventura □ **c. of industry**, capitano d'industria; grande industriale □ (*naut.*) **c. of the top**, capocoffa □ (*naut.*) **c.'s protest**, dichiarazione (*o testimoniale*) d'avaria.

to captain /'kæptɪn/ v. t. **1** (*naut., mil.*) comandare **2** (*sport*) capitanare (*una squadra*).

captaincy /'kæptɪnsɪ/ n. Ⓒ Ⓤ **1** (*mil.*) grado di capitano **2** (*sport*) ruolo di capitano; galloni (pl.) di capitano.

captainship /'kæptɪnʃɪp/ n. Ⓒ Ⓤ **1** (*mil.*) grado di capitano **2** comando; guida: *He assumed the c. of the enterprise*, egli assunse

a b c d e f g h i j k l m n o p q r s t u v w x y z

la guida dell'impresa.

CAPTCHA sigla (*comput.*, **Completely Automated Public Turing Test to tell Computers and Humans Apart**) captcha; test a domande e risposte per determinare se l'utente sia un umano (*spesso consistente in una sequenza di lettere e numeri deformati da riprodurre sulla tastiera*).

♦**caption** /'kæpʃn/ n. **1** (*giorn.*) didascalia; dicitura; scritta **2** (*cinem.*, *TV*) sottotitolo **3** (*leg.*) parte iniziale (*di documento*); rubrica.

to **caption** /kæpʃn/ v. t. (generalm. al passivo) **1** fornire (o corredare) di didascalia; titolare **2** (*cinem.*, *TV*) sottotitolare.

captious /'kæpʃəs/ a. (*form.*) capzioso; insidioso; sofistico | **-ly** avv. | **-ness** n. Ⓤ.

to **captivate** /'kæptɪveɪt/ v. t. **1** cattivarsi (*l'affetto, ecc. di q.*) **2** attirare (*l'attenzione di q.*) **3** affascinare; incantare; ammaliare || **captivating** a. accattivante; affascinante; seducente || **captivation** n. Ⓤ attrazione; fascino; seduzione.

captive /'kæptɪv/ Ⓐ n. prigioniero: **to be taken c.**, essere fatto prigioniero Ⓑ a. **1** prigioniero **2** (*di animale*) prigioniero; in cattività; in gabbia: **a c. bird**, un uccello in gabbia **3** (*econ.*, *market.*) vincolato: **c. customer**, cliente vincolato; **c. market**, mercato vincolato; **c. outlet**, punto di vendita vincolato; **c. shop**, impianto vincolato ● (*pubblicità*) **c. audience**, pubblico involontario di un messaggio pubblicitario **c. balloon**, pallone frenato □ (*ind. costr.*, *idraul.*) **c. water**, acqua infrenata (*da una diga*).

captivity /kæp'tɪvəti/ n. Ⓤ prigionia, (*di animale o lett.*) cattività: **to be kept in c.**, essere tenuto prigioniero; (*di animale*) essere tenuto in cattività; **to release from c.**, liberare (dalla prigionia); mandare libero; **to reproduce in c.**, riprodursi in cattività; *He fell into English c.*, cadde prigioniero degli inglesi; (*Bibbia*) **the Babylonian C.**, la cattività babilonese.

captor /'kæptə(r)/ n. chi cattura; chi fa prigioniero.

capture /'kæptʃə(r)/ n. Ⓤ **1** (*anche geogr.*, *fis. nucl.*) cattura **2** conquista; presa (*di possesso*): **the c. of the city**, la conquista della città **3** persona o animale catturato; preda **4** (*econ.*) conquista (*di un mercato*) **5** (*mil.*) aggancio (*di un bersaglio*).

♦to **capture** /'kæptʃə(r)/ v. t. **1** catturare; far prigioniero **2** (*anche fig.*) conquistare; impadronirsi di: (*econ.*) **to c. a market**, conquistare un mercato **3** (*fig.*) catturare; attirare; colpire: **to c. the imagination**, colpire la fantasia; **to c. the attention**, attirare l'attenzione **4** (*fig.*) cogliere; rendere (*in una descrizione, ecc.*): **to c. an atmosphere**, rendere un'atmosfera **5** (*geogr.*, *fis. nucl.*) catturare **6** (*a dama, a scacchi*) mangiare (*un pezzo*) ● **to c. the headlines**, fare notizia.

Capuchin /'kæpjuʃɪn/ Ⓐ n. **1** (*relig.*) (frate) cappuccino **2** (*moda, stor.*) mantella con cappuccio (*da donna*) **3** → **capuchin** Ⓑ a. (*relig.*) **1** cappuccino **2** di, da cappuccino, di cappuccini.

capuchin /'kæpjuʃɪn/ n. (*zool.*, = **c. monkey**, *Cebus capucinus*) cebo cappuccino.

capybara /kæpɪ'bɑːrə/ n. (*zool.*, *Hydrochoerus capybara*) capibara.

♦**car** /kɑː(r)/ Ⓐ n. **1** automobile; auto; macchina (*fam.*); vettura **2** (con attrib.) (*ferr.*) vagone; carrozza: **first-class car**, carrozza di prima classe: **sleeping-car**, vagone letto; **dining-car**, vagone ristorante; **buffet car**, carrozza ristoro **3** (*ferr. USA*, = **railroad car**) vettura; carrozza; carro: **freight car**, carro merci **4** (*USA*) tram; vettura tranviaria **5** carrello, vagoncino chiuso (*di teleferica*) **6** (*aeron.*) navicella (*di aerostato o dirigibile*) **7** (*ind. min.*) vagoncino; vagonetto **8** gabbia, cabina (*dell'ascensore*) **9** (*poet.*) car-

ro: **triumphal car**, carro trionfale Ⓑ a. attr. automobilistico; di, per automobile (*o automobili, auto*); auto-; auto (*posposto*); in auto: **the car industry**, l'industria automobilistica; **car alarm**, antifurto per auto; **car accessories**, accessori (per l') auto; autoaccessori; **car chase**, inseguimento in auto; **car crash**, incidente d'auto; scontro automobilistico; **car ferry**, traghetto per automobili (*o per auto*); **car insurance**, assicurazione auto; **car trip**, viaggio in auto ● **car-accessory manufacturer**, accessorista (*fabbricante*) □ **car-accessory supplier** (*o* **dealer**), accessorista (*venditore*) □ **car-body builder**, carrozziere (*costruttore*) □ **car-body repairer**, carrozziere (*riparatore*) □ **car bomb**, autobomba □ (*GB*) **car-boot sale**, vendita all'aperto, da parte di privati, di oggetti domestici usati (*generalm. esposti nel bagagliaio dell'auto*) □ **car breaker**, sfasciacarrozze; demolitore d'auto □ **car-care products**, articoli per l'automobile (*additivi, spray, ecc.*) □ (*USA*) **car-carrier**, bisarca; cicogna □ **car dealer** (*o* **distributor**), concessionario d'auto; autoconcessionario □ **car hire**, autonoleggio □ **car licence**, permesso di circolazione; libretto (*fam.*) □ (*GB*) **car park**, parcheggio □ (*GB*) **car-park attendant**, posteggiatore □ **car phone**, telefono da auto □ **car pool** → **carpool** □ **car radio**, autoradio □ **car-recovery service**, soccorso stradale; autosoccorso □ **car registration**, immatricolazione di automobile □ **car rental**, autonoleggio; nolo auto □ **car sharing**, uso collettivo di una sola automobile (*per recarsi al lavoro, ecc.*); car sharing □ **car sick** → **carsick** □ **car sickness**, mal d'auto □ **car show**, autosalone □ **car stylist**, progettista (*o stilista*) d'auto; carrozziere □ **car tax**, tassa di circolazione (*per l'auto*); bollo □ **car theft**, furto d'auto □ **car topper**, portapacchi (*o altro contenitore, sul tetto dell'auto*); (*anche*) piccola imbarcazione (*che si può portare sul tetto dell'auto*) □ **car transporter**, bisarca; cicogna □ **car trimmer**, tappezziere per auto □ **car trimming**, tappezzeria per auto □ **car wash**, autolavaggio □ **car worker**, operaio dell'industria automobilistica.

carabineer, **carabinier** /kærəbɪ'nɪə(r)/ n. (*stor.*, *mil.*) soldato (*in origine, di cavalleria*) armato di carabina.

caracal /'kærəkæl/ n. (*zool.*, *Lynx caracal*) caracal; lince del deserto.

caracole, **caracol** /'kærəkəʊl/ n. (*equit.*) caracollo.

to **caracole**, to **caracol** /'kærəkəʊl/ v. i. (*equit.*) caracollare.

caracul /'kærəkuːl/ → **karakul**.

carafe /kə'ræf/ n. caraffa.

caramel /'kærəmɛl/ n. **1** Ⓤ caramello; zucchero caramellato **2** caramella morbida (*zucchero, latte e burro*) **3** Ⓤ color caramello.

to **caramelize** /'kærəməlaɪz/ v. t. caramellare (*lo zucchero*).

carapace /'kærəpeɪs/ n. (*zool.*) carapace (*di tartaruga, ecc.*).

carat /'kærət/ n. carato.

caravan /'kærəvæn/ n. **1** (*stor. o fig.*) carovana **2** carrozzone, carro coperto (*di girovaghi, ecc.*) **3** (*autom.*, *GB*) roulotte; caravan ● **c. route**, (pista) carovaniera □ (*autom.*, *GB*) **c. site** (*o* **c. park**), campeggio di roulotte; roulottopoli.

caravanning, **caravaning** /'kærəvænɪŋ/ n. (*autom.*, *GB*) turismo in roulotte; (il) fare vacanze in roulotte || **caravanner**, **caravaner** n. **1** carovaniere **2** (*autom.*, *GB*) roulottista; caravanista.

caravanserai /kærə'vænsəraɪ/ n. caravanserraglio.

caravel, **caravelle** /'kærəvɛl/ n. (*stor. naut.*) caravella.

caraway /'kærəweɪ/ n. (*bot.*, *Carum carvi*)

carvi; cumino tedesco (*o dei prati*) ● **c. oil**, olio essenziale (*o essenza*) di carvi.

carb /kɑːb/ n. **1** (*autom.*, *fam.*) carburatore **2** (*fam.* abbr. di **carbohydrate**) carboidrato: **low-c. diet**, dieta povera di carboidrati.

carbamic /kɑː'bæmɪk/ (*chim.*) a. carbammico || **carbamate** n. carbammato.

carbamide /'kɑːbəmaɪd/ n. Ⓤ (*chim.*) carbammide.

carbide /'kɑːbaɪd/ n. Ⓤ (*chim.*) carburo.

carbine /'kɑːbaɪn/ n. carabina || **carbineer** → **carabineer**.

carbohydrate /kɑːbə'haɪdreɪt/ n. (*chim.*) carboidrato.

carbolic /kɑː'bɒlɪk/ a. (*chim.*) fenico: **c. acid**, acido fenico; fenolo.

to **car-bomb** /'kɑːbɒm/ v. t. attaccare con un'autobomba || **car-bomber** n. autista di autobomba; terrorista su un'autobomba.

♦**carbon** /'kɑːbən/ n. **1** Ⓤ (*chim.*) carbonio **2** (*chim.*, = **c. atom**) atomo di carbonio **3** Ⓤ (*elettr.*) carbone **4** (foglio di) carta carbone **5** = **c. copy** → **sotto** ● (*elettr.*) **c. arc**, arco a carbone □ **c. black**, nerofumo □ (*elettr.*, *autom.*) **c. brush**, spazzola di carbone □ **c. copy**, copia carbone; (*fig.*) copia identica; replica perfetta □ (*ecol.*, *econ.*) **c. credits**, crediti di emissione □ (*biol.*, *astron.*) **c. cycle**, ciclo del carbonio □ **c. dating**, datazione al carbonio (14) □ (*chim.*) **c. dioxide**, anidride carbonica; biossido di carbonio □ **c. fibre**, fibra di carbonio □ (*ecol.*) **c. footprint**, impatto delle attività umane sull'ambiente (*in termini di emissioni di CO₂*) □ (*fis. nucl.*) **c.-14**, carbonio 14; radiocarbonio □ (*chim.*) **c. monoxide**, monossido di carbonio □ (*ecol.*) **c. neutral**, che non immette anidride carbonica nell'atmosfera; a basso consumo di energia fossile □ **c. paper**, carta carbone □ (*fotogr.*) **c. process**, processo al carbone □ (*ecol.*) **c. sink**, pozzo di (assorbimento del) carbonio □ (*metall.*) **c. steel**, acciaio al carbonio □ (*fisc.*) **c. tax**, imposta sulle emissioni di fumi da combustibili fossili; ecotassa.

carbonaceous /kɑːbə'neɪʃəs/ a. (*scient.*) carbonaceo; carbonioso.

carbonado /kɑːbə'neɪdəʊ/ n. (pl. **carbonados**) (*miner.*) carbonado.

carbonate /'kɑːbəneɪt/ n. (*chim.*) carbonato.

to **carbonate** /'kɑːbəneɪt/ v. t. **1** (*chim.*) trasformare in carbonato **2** addizionare d'anidride carbonica; gassare.

carbonated /'kɑːbəneɪtɪd/ a. addizionato d'anidride carbonica; gassato: **c. water**, acqua gassata.

carbonation /kɑːbə'neɪʃn/ n. Ⓤ (*chim.*) carbonatazione.

to **carbon-copy** /'kɑːbənkɒpi/ v. t. (*antiq.*) copiare con la carta carbone.

carbonic /kɑː'bɒnɪk/ a. (*chim.*) carbonico: **c. acid**, acido carbonico.

carboniferous /kɑːbə'nɪfərəs/ Ⓐ a. (*geol.*, *anche* **C.**) carbonifero Ⓑ n. – (*geol.*) **the C.**, il Carbonifero.

carbonite /'kɑːbənaɪt/ n. Ⓤ (*miner.*) carbonite.

carbonium ion /kɑː'bəʊnɪəmaɪən/ loc. n. (*chim.*) ione carbonio.

to **carbonize** /'kɑːbənaɪz/ Ⓐ v. t. **1** carbonizzare **2** (*metall.*) carburare; cementare Ⓑ v. i. carbonizzarsi || **carbonization** n. Ⓤ carbonizzazione.

carbonless /'kɑːbənləs/ a. (*chim.*) senza carbonio ● **c. paper**, carta autocopiante.

carborundum® /kɑːbə'rʌndəm/ n. Ⓤ (*ind.*) carborundum.

carboxyl /kɑː'bɒksɪl/ (*chim.*) n. carbossile || **carboxylic** a. carbossilico.

carboy /'kɑːbɔɪ/ n. (*ind.*) damigiana (*per liquidi corrosivi*).

carbuncle /ˈkɑːbʌŋkl/ n. **1** (*vet.*) carbonchio **2** (*miner.*) rubino tagliato a cabochon **3** color rubino **4** (*med.*) favo; grosso foruncolo || **carbuncular** a. **1** (*vet.*) carbonchioso **2** (*med.*) foruncoloso; pustoloso ● (*vet.*) **carbuncular fever**, carbonchio.

to **carburet** /ˈkɑːbjʊrɛt/ v. t. **1** (*chim.*, *autom.*) carburare **2** (*chim.*) combinare con carbonio.

carburetion /kɑːbjʊˈrɛʃn/ → **carburation**.

carburetted /ˈkɑːbəˈrɛtɪd/ a. dotato di carburatore.

carburettor /kɑːbəˈrɛtə(r)/, **carburetor** (*USA*) n. (*chim.*, *autom.*) carburatore.

to **carburize** /ˈkɑːbjʊraɪz/ v. t. **1** (*metall.*) carburare; cementare **2** (*chim.*) → **to carburet** || **carburization** n. ◻ **1** (*metall.*) carburazione; cementazione **2** (*chim.*) → **carburation**.

carcass, **carcase** /ˈkɑːkəs/ n. **1** corpo (*di animale morto*); carcassa **2** (*macelleria*) carcassa **3** (*cucina*) carcassa (*di volatile cotto*) **4** (*spreg. o scherz.*) corpo (*umano*); carcassa; ossa (pl.) **5** (*autom.*) carcassa (*di pneumatico*) **6** (*edil.*) armatura (*di fabbricato*) **7** (*naut.*) ossatura (*di nave*) **8** (*fig.*) (vecchia) carcassa; veicolo scassato.

carcinogen /kɑːˈsɪnədʒən/ n. (*med.*) (agente) cancerogeno.

carcinogenesis /kɑːsɪnəˈdʒɛnəsɪs/ (*med.*) n. ◻ carcinogenesi; oncogenesi.

carcinogenic /kɑːsɪnəˈdʒɛnɪk/ a. cancerogeno.

carcinoma /kɑːsɪˈnəʊmə/ (*med.*) n. (pl. **carcinomas**, **carcinomata**) carcinoma.

♦**card** ① /kɑːd/ n. **1** biglietto; cartoncino: **Christmas c.**, cartoncino di Natale; biglietto di auguri; **get-well c.**, biglietto d'auguri di pronta guarigione **2** cartolina **3** (= **visiting c.**, *USA* **calling c.**) biglietto da visita **4** scheda (*per schedario*) **5** tessera; tesserino; carta: **identity c.**, carta d'identità; **membership c.**, tessera di socio; (*in negozio*) *Have you got a club c.?*, ha la carta fedeltà? **6** scheda (*magnetizzata*); carta: (*banca*) carta di credito; *Which credit cards do you take?*, quali carte di credito accettate?; *Can you put it on this credit c. please?*, può addebitarlo su questa carta di credito?: **telephone c.**, scheda telefonica **7** (= **playing c.**) carta (*da gioco*): **a game of cards**, una partita a carte; **a pack of cards**, un mazzo di carte; **to play (at) cards**, giocare a carte; **c. game**, gioco di carte **8** (*comput.*) scheda: **graphics c.**, scheda grafica; **punch c.**, scheda perforata **9** (*demogr.*) scheda anagrafica **10** (*org. az.*) cartellino marcatempo **11** (*sport*) cartellino (*dell'arbitro*): **yellow [red] c.**, cartellino giallo [rosso] **12** (*ipp.*) programma (*delle corse*) **13** (*golf*) carta del punteggio **14** cartella (*di tombola*) **15** (*fam. USA*) tipo eccentrico; tipo ameno; sagoma: *He's quite a c.!*, è proprio una sagoma! **16** (*slang USA*) dose, bustina (*di droga*) **17** (al pl.) (*fam. GB*) libretto di lavoro ● **c.-carrying**, tesserato, iscritto (agg.); (*fig.*) convinto, dichiarato, autentico ● (*USA*) **c. catalog**, schedario (*di biblioteca, ecc.*) ◻ **c. dealer**, chi dà le carte (*al gioco*); cartaio ◻ (*comput.*) **c. feed**, alimentatore di schede ◻ **c. file**, schedario ◻ (*leg.*) **c. fraud**, uso fraudolento di carte di credito ◻ **c.-holder**, tesserato (sost.); titolare di una tessera (*o di una carta di credito, ecc.*); abbonato; socio, iscritto ◻ **c. index**, schedario (*di biblioteca, ecc.*) ◻ **c.-indexing**, schedatura ◻ (*fin.*) **c. issuer**, emittente di carte di credito ◻ **c. key**, scheda magnetica (*per porta*) ◻ (*rag.*) **c. ledger**, mastro a schede; partitario a fogli mobili ◻ **c. member**, tesserato (sost.); iscritto (*a un club, ecc.*) ◻ **c. phone**, telefono a scheda ◻ **c.-room**, sala da gioco ◻ **c.-sharper**, baro (*alle carte*) ◻ **c. swipe**, lettore di carta magnetica (*spec. di carta di credito, ecc.*) ◻ **c. table**, tavolino da gioco ◻ (*org. az.*) **c. time recorder**, orologio marcatempo a cartellini ◻ (*in GB*) **c. vote**, voto plurimo (*fam. GB*) **to ask for one's cards**, licenziarsi ◻ (*fam. GB*) **to get one's cards**, essere licenziato ◻ (*fig.*) **to have a c. up one's sleeve**, avere ancora una carta da giocare; avere un asso nella manica ◻ (*fam.*) **to hold all the cards**, avere tutte le carte in mano ◻ **in the cards** (*USA*), **on the cards** (*GB*), assai probabile; quasi sicuro ◻ (*fig.*) **to play one's cards well** (*o* **right**), giocare bene le proprie carte ◻ **to play** (*o* **to keep**) **one's cards close to one's chest**, fare un gioco coperto; non sbottonarsi ◻ (*fig.*) **to put** (*o* **to lay**) **one's cards on the table**, mettere le carte in tavola; giocare a carte scoperte (*anche fig.*) **a sure** (*o* **safe**) **c.**, una carta sicura ◻ **to throw up one's cards**, darsi per vinto; abbandonare la partita.

card ② /kɑːd/ n. (*ind. tess.*) **1** scardasso **2** carda; cardatrice.

to **card** ① /kɑːd/ v. t. **1** annotare su cartellini; schedare **2** (*slang USA*) chiedere i documenti (*d'identità*) a q.

to **card** ② /kɑːd/ v. t. (*ind. tess.*) **1** scardassare **2** cardare.

Card. abbr. (**cardinal**) cardinale (Card.).

cardamom, **cardamum** /ˈkɑːdəməm/, **cardamon** /ˈkɑːdəmən/ n. (*bot.*, *Elettaria cardamomum*) cardamomo.

cardan joint /ˈkɑːdæn ˈdʒɔɪnt/ loc. n. (*mecc.*, *GB*) giunto cardanico.

cardboard /ˈkɑːdbɔːd/ Ⓐ n. ◻ cartone Ⓑ a. attr. **1** di cartone: **a c. box**, una scatola di cartone **2** (*fig.*) di cartapesta; stereotipato ● **c. city**, baraccopoli; bidonville.

carder /ˈkɑːdə(r)/ n. (*ind. tess.*) **1** scardassatore; cardatore, cardatrice **2** cardatrice, carda (*macchina*).

cardiac /ˈkɑːdiæk/ Ⓐ a. **1** (*anat.*, *med.*) cardiaco: **c. insufficiency** (*o* **c. failure**), insufficienza cardiaca **2** (*med.*) cardiologico; di cardiologia: **c. services**, servizi di cardiologia Ⓑ n. **1** (*farm.*) cardiotonico **2** (*med.*, *fam.*) cardiopatico ◻ **c. neurosis**, cardionevrosi ◻ **c. pacing**, stimolazione artificiale del cuore ◻ **c. tamponade**, tamponamento cardiaco; tamponamento di Rose ◻ **c. valve**, valvola cardiaca.

cardigan /ˈkɑːdɪgən/ n. cardigan.

cardinal /ˈkɑːdɪnl/ Ⓐ a. **1** fondamentale; capitale; cardinale: **c. rule**, regola fondamentale; **c. error**, errore capitale; **c. points**, punti cardinali; **c. sin**, (*relig.*) peccato capitale; (*fig.*) errore imperdonabile; (*relig.*) **c. virtues**, virtù cardinali **2** rosso cardinale **3** (*zool.*) del legamento, del cardine (*di un mollusco bivalve*) Ⓑ n. **1** (*relig.*) cardinale: C. **Hume**, il cardinale Hume **2** (*mat.*, = **c. number**) (numero) cardinale **3** (= **c. red**) rosso cardinale **4** (*zool.*, *Richmondena cardinalis*; = **c. bird**, **c. grosbeak**) cardinale rosso ● (*relig.*) **c. altar**, altar maggiore ◻ (*bot.*) **c. flower** (*Lobelia cardinalis*), lobelia cardinalis; lobelia acquatica ◻ **c.'s hat**, cappello cardinalizio.

cardinalate /ˈkɑːdɪnəleɪt/ n. ◻ (*relig.*) **1** cardinalato; ufficio di cardinale; (*fig.*) la porpora (*cardinalizia*) **2** (collett.) (i) cardinali.

cardinality /kɑːdɪˈnælətɪ/ n. ◻ (*mat.*) cardinalità.

cardinalship /ˈkɑːdɪnlʃɪp/ → **cardinalate**, def. 1.

carding /ˈkɑːdɪŋ/ n. ◻ (*ind. tess.*) **1** cardatura; scardassatura **2** fibre (pl.) (*di lana, ecc.*) cardate ● **c. machine**, cardatrice; carda ◻ **c. wool**, lana da carda.

cardiogenic /kɑːdɪəʊˈdʒɛnɪk/ a. (*med.*) cardiogenico.

cardiogram /ˈkɑːdɪəʊgræm/ n. (*med.*) cardiogramma.

cardiograph /ˈkɑːdɪəʊgrɑːf/ (*med.*) n. cardiografo || **cardiography** n. ◻ cardiografia.

cardioid /ˈkɑːdɪɔɪd/ n. (*mat.*) cardioide.

cardiology /kɑːdɪˈɒlədʒɪ/ n. ◻ cardiologia || **cardiological** a. cardiologico || **cardiologist** n. cardiologo.

cardiomegaly /kɑːdɪəʊˈmɛgəlɪ/ n. (*med.*) cardiomegalia.

cardiopathy /kɑːdɪˈapəθɪ/ n. ◻ (*med.*) cardiopatia.

cardiopulmonary /kɑːdɪəʊˈpʌlmənrɪ/ a. (*med.*) cardiopolmonare.

cardiorespiratory /kɑːdɪəʊrɪˈspɪrətrɪ/ a. (*med.*) cardiorespiratorio.

cardiotonic /kɑːdɪəʊˈtɒnɪk/ a. e n. (*farm.*) cardiotonico.

cardiovascular /kɑːdɪəʊˈvæskjʊlə(r)/ a. (*med.*) cardiovascolare.

carditis /kɑːˈdaɪtɪs/ n. ◻ (*med.*) cardite.

cardo /ˈkɑːdəʊ/ (*lat.*) n. (pl. **cardines**) (*stor.*, *archeol.*) cardo; cardine.

cardoon /kaˈduːn/ n. (*bot.*, *Cynara cardunculus*) cardo.

cardy /ˈkɑːdɪ/ n. (*GB*) abbr. fam. di **cardigan**.

♦**care** /keə(r)/ n. **1** ◻ cura; attenzione; accuratezza; precisione; (*anche leg.*) diligenza: *Do it with the utmost c.*, fallo con la massima cura; **to take c.**, fare attenzione, stare attento; avere cura; badare: *Take c. not to crease it*, sta' attento a non spiegazzarlo; **Handle with c.**, maneggiare con cura; (*scritto su una cassa, ecc.*) fragile; **to take c. over st.** (*o* **in doing st.**), fare qc. con cura (*o* diligenza); porre cura in (*o* nel fare) qc.; **with due c.**, con la dovuta attenzione; con le cure necessarie; con i dovuti riguardi **2** ◻ cura, cure, (il) prendersi cura; assistenza; attenzioni (pl.); protezione; custodia: **the c. of the elderly**, l'assistenza agli anziani; **medical c.**, assistenza medica; cure mediche; **health c.**, assistenza sanitaria; **hospital c.**, cure ospedaliere; **skin [hair] c.**, cura della pelle [dei capelli]; **customer c.**, (servizio di) assistenza alla clientela; **to be in sb.'s c.**, essere affidato a (*o* alle cure di) q.; essere in custodia presso q.; **the children in my c.**, i bambini che mi sono stati affidati; **to leave st. into sb.'s c.**, affidare qc. a q. (*o* alle cure di q.); lasciare qc. in custodia presso q.; **under sb.'s c.**, affidato a q. **3** ◻ preoccupazione, preoccupazioni; pensiero, pensieri: *He hasn't a c. in the world*, non ha un pensiero al mondo; **free from c.**, libero da preoccupazioni **4** ◻ (*leg.*, *in GB*) affidamento (*di minore*) a un ente assistenziale: **to take a child into c.**, affidare un bambino a un ente assistenziale; **c. order**, ordinanza d'affidamento (*di un minore a un ente assistenziale*) ● **c. assistant**, assistente sanitario ◻ **c. label**, etichetta con le istruzioni per il lavaggio (*di un indumento*) ◻ (*med.*) **c. in the community** = **community care** ≈ **community** (*negli indirizzi*) **c. of** (abbr. **c/o**), presso ◻ (*USA*) **c. of general delivery**, fermo posta ◻ **c. package**, pacco dono; pacco viveri ◻ (*GB*) **c. worker**, assistente sociale ◻ (*fam. antiq.*) **Have a c.!**, fa' attenzione!; sta' attento! ◻ (*med.*) **intensive c.**, terapia intensiva ◻ (*fam.*) **Take c.!**, sta' attento!; fa' attenzione!; *Take c., bye!*, stammi bene, ciao! ◻ **to take c. of**, occuparsi di; badare a; pensare a: *I'll take c. of it*, me ne occupo io; ci penso io; *Everything has been taken c. of*, è tutto a posto (*perché se n'è già occupato q.*) ◻ **to take c. of oneself**, badare a se stesso; cavarsela; (*rif. alla salute*) riguardarsi.

♦to **care** /keə(r)/ v. i. **1** (*spesso al neg.*) pre-

occuparsi; tenerci; interessare, stare a cuore, importare (costruz. impers.): *I don't c.*, non m'importa; non m'interessa; me ne infischio (*fam.*); *I don't c. what she says*, non m'importa (di) quel che dice lei; *I don't c. about money*, non m'importa dei soldi; i soldi non mi interessano; *Who cares?*, che importa?; chi se ne infischia? (*fam.*); *I do c. whether you're happy or not*, mi importa molto la tua felicità **2** voler bene; importare di (impers.); *Do you really c. for me?*, mi vuoi davvero bene?; ti importa davvero di me?; *I didn't know you cared!*, non sapevo che ti importasse di me! **3 – to c. for**, piacere (impers.): *I don't c. for beer*, non mi piace la birra **4 – to c. for**, avere (o prendersi) cura di; assistere: *The sick must be cared for*, si deve aver cura dei malati **5** volere; desiderare: (*form.*) *Do you c. to comment?*, vuole dire qualcosa a questo proposito?; (*form.*) *Would you c. to sit down?*, vuole accomodarsi?; (*form. o iron.*) *Would you c. to explain yourself?*, ti spiace (o vuoi essere così gentile da) spiegarti?; (*form.*) *Would you c. for a drink?*, posso offrirti qualcosa da bere?; *It's yours for as long as you c. to keep it*, è tuo per tutto il tempo che vorrai tenerlo ● **as if I cared!**, sai che m'importa! □ **for all I c.**, per quel che me ne importa; per quel che m'interessa □ **I couldn't c. less** (*anche, USA*, **I could care less**), non me ne importa niente; me ne infischio; me ne frego (*pop.*): *I couldn't c. less who said it*, me ne infischio di chi l'ha detto □ **He cares only for himself**, pensa solo a sé stesso; è un grande egoista □ **any... you c. to name**, ogni genere di... □ **He was past caring**, ormai non gli importava più; era diventato del tutto indifferente.

CARE /kɛə(r)/ sigla (*USA*, **Cooperative for Assistance and Relief Everywhere**) Cooperativa per l'aiuto e l'assistenza ovunque (*organizzazione umanitaria*).

to **careen** /kə'ri:n/ **A** v. *t.* (*naut.*) **1** carenare; abbattere (*una nave*) in carena **2** far sbandare **B** v. *i.* **1** (*naut.*) abbattersi in carena; sbandare **2** (*autom., spec. USA*) procedere sbandando ‖ **careenage** n. ☐ (*naut.*) **1** carenaggio **2** spese di carenaggio ‖ **careening** n. ☐ **1** (*naut.*) carenaggio; carenamento **2** sbandamento.

♦**career** /kə'rɪə(r)/ n. **1** carriera; lavoro (*con possibilità di avanzamento*); professione: **an army c.**, una carriera militare; **to build up one's c.**, fare carriera; **to take up a c.**, abbracciare una carriera; intraprendere una professione; *You must have a c.: what about nursing?*, devi scegliere una professione: che ne dici di fare l'infermiera? (*carriera in ogni altro senso*) ● **careers advisor = careers officer** → *sotto* □ **c. break**, interruzione temporanea dell'attività lavorativa (*spec. di donna*): **to take a c. break**, smettere di lavorare per un certo tempo □ **c. diplomat**, diplomatico di carriera □ **careers guidance**, orientamento professionale □ (*GB*) **careers master**, psicotecnico □ **c.-minded**, che vuole far carriera; in carriera; (*in GB*) **careers office**, centro d'orientamento professionale □ (*in GB*) **careers officer**, consulente d'orientamento professionale □ **c. planning**, pianificazione delle mansioni professionali □ **a c. position**, un posto di ruolo □ **c. structure**, sviluppo della carriera (*in un'azienda*): **a good c. structure**, buone prospettive di far carriera □ **c. woman**, donna in carriera □ (*antiq.*) **in full c.**, di gran carriera.

to **career** /kə'rɪə(r)/ v. *i.* (*seguito da avv. o prep.*) andare a gran velocità; andare di gran carriera; precipitarsi: **to c. about**, scorrazzare qua e là; **to c. off the road**, uscire di strada a gran velocità; *He careered down the stairs*, si precipitò giù per le scale.

careerism /kə'rɪərɪzəm/ n. ☐ carrierismo;

arrivismo ‖ **careerist** n. carrierista; arrivista.

carefree /'kɛəfri:/ a. libero da preoccupazioni; spensierato.

♦**careful** /'kɛəfl/ a. **1** attento (*a qc.*); cauto; prudente: **a c. driver**, un automobilista prudente; *This need c. handling*, deve essere maneggiato con cura; (*fig., di situazione, ecc.*) deve essere affrontato con tatto, è una faccenda delicata; *Be c.!*, sta' attento; fa' attenzione!; bada!; *Be c. how you cut it*, sta' attento a come lo tagli; *Be c. you don't drop it*, attenta a (o bada di) non lasciarlo cadere; *C., it's hot!*, attento, scotta! **2** (*anche* **c. with one's money**) parsimonioso **3 – c. of** (*o about*), attento a (*difendere, proteggere, ecc.*), sollecito di: **c. of one's reputation**, sollecito del proprio buon nome **4** accurato; attento; diligente: **a c. search**, un'accurata ricerca; **a c. worker**, uno che lavora con grande diligenza; **after c. consideration**, dopo attenta riflessione | **-ness** n. ☐.

♦**carefully** /'kɛəfli/ avv. attentamente; con cura; con cautela; con prudenza: **c. chosen words**, parole scelte con cura; **to drive c.**, guidare con prudenza; *Listen c.!*, ascoltate con attenzione!

caregiver /'kɛəgɪvə(r)/ n. (*USA*) → **carer**.

caregiving /'kɛəgɪvɪŋ/ n. ☐ → **caring**.

♦**careless** /'kɛələs/ a. **1** (*di persona*) disattento; negligente; sbadato: *It was c. of you to leave it here*, è stata una sbadataggine da parte tua lasciarlo qui **2** (*di azione, lavoro, ecc.*) sbadato; distratto; frutto di distrazione; trascurato; sciatto; abborracciato: **a c. glance**, un'occhiata distratta; **a c. mistake**, un errore di distrazione; **c. workmanship**, fattura abborracciata **3** incauto; sconsiderato; imprudente: **a c. driver**, un automobilista imprudente; **c. words**, parole imprudenti; parole dette senza pensare; **c. with one's money**, sconsiderato nell'uso del denaro **4** incurante; indifferente: **a c. attitude**, un atteggiamento incurante; **to be c. of st.**, non curarsi di qc.; *They did their duty, c. of danger*, fecero il loro dovere, senza curarsi dei pericoli **5** libero da preoccupazioni; spensierato **6** naturale; istintivo; spontaneo; non studiato; disinvolto: *She has a c. grace*, ha una grazia istintiva ‖ **carelessly** avv. **1** sbadatamente; distrattamente; incautamente **2** con indifferenza; con nonchalance ‖ **carelessness** n. ☐ **1** trascuratezza; distrazione; sbadataggine; negligenza **2** indifferenza; nonchalance (*franc.*) **3** spensieratezza.

carer /'kɛərə(r)/ n. (*GB*) **1** familiare o amico che assiste un anziano (*o un malato, un disabile*) a domicilio **2** assistente domiciliare; badante.

caress /kə'rɛs/ n. carezza.

to **caress** /kə'rɛs/ v. *t.* **1** (*anche fig.*) accarezzare; carezzare **2** coccolare; vezzeggiare ‖ **caressing** a. carezzevole.

caret /'kærət/ (*lat.*) n. (*tipogr.*) caret (*il carattere* `⌃`); accento circonflesso.

caretaker /'kɛəteɪkə(r)/ n. **1** custode; guardiano; sorvegliante **2** portinaio; portiere **3** (*USA*) chi assiste; infermiere **4** (*in un ufficio*) interino ● (*polit.*) **c. government**, governo di tecnici; governo di transizione □ (*sport*) **c. manager**, allenatore provvisorio.

careworn /'kɛəwɔ:n/ a. **1** logorato (*o segnato*) dalle preoccupazioni **2** oberato dalle preoccupazioni; pieno di pensieri.

carfare /'kɑ:fɛə(r)/ n. (*USA*) prezzo della corsa (*o del biglietto*).

cargo /'kɑ:gəʊ/ n. (*pl.* **cargoes, cargos**) (*naut., aeron.*) carico: **a c. of coal**, un carico di carbone; **c. in bulk** (*o bulk c.*), carico alla rinfusa; **to take on c.**, imbarcare il carico; caricare ● (*aeron.*) **c. hold**, stiva ● **c. ship** [**plane**], nave [aereo] da carico.

carhop /'kɑ:hɒp/ n. (*USA, antiq.*) cameriere (*o cameriera*) di un ristorante drive-in.

Carib /'kærɪb/ n. (*pl.* **Caribs, Carib**) **1** caraibo; caribo **2** ☐ caraibico; caribico (*la lingua*).

Caribbean /kærə'bi:ən/ **A** a. caraibico; caribico **B** n. (*pl.* **Caribbeans, Caribbean**) (*geogr.*) caraibo; caribo ● **the C. Sea**, il Mar dei Caraibi.

caribou /'kærɪbu:/ n. (*pl.* **caribou, caribous**) (*zool., Rangifer caribou*) caribù.

caricature /'kærɪkətʃʊə(r)/ n. ☐ caricatura.

to **caricature** /'kærɪkətʃʊə(r)/ v. *t.* fare la caricatura di; mettere in caricatura; parodiare ‖ **caricatural** a. caricaturale ‖ **caricaturist** n. caricaturista.

caries /'kɛəri:z/ n. ☐ (*med., bot.*) carie.

carillon /kə'rɪljən, USA 'kærələn/ (*franc.*) n. (*mus.*) carillon.

carina /kə'raɪnə/ (*lat.*), (*anat., bot., zool.*) n. (*pl.* **carinae, carinas**) carena ‖ **carinal** a. della carena ‖ **carinate, carinated** a. carenato.

♦**caring** /'kɛərɪŋ/ **A** a. **1** che si prende cura del prossimo; premuroso; pieno di calore umano; sensibile al benessere altrui; attento al sociale: **a c. attitude**, un atteggiamento premuroso; **a c. and loving brother**, un fratello premuroso e affettuoso **2** assistenziale; dell'assistenza (*sociale o sanitaria*): **c. associations**, le associazioni assistenziali; **the c. professions**, le professioni di coloro che si dedicano all'assistenza **B** n. ☐ **1** (l') occuparsi di q. (*malato, anziano, ecc.*); premure (pl.); cure (pl.): *The problem is, who will be doing the c.?*, il problema è chi si occuperà di lui [di loro, ecc.]? **2** assistenza sociale e sanitaria: **unpaid c.**, assistenza volontaria.

Carinthia /kə'rɪnθɪə/ n. (*geogr.*) Carinzia.

cariole /'kærɪəʊl/ → **carriole**.

carious /'kɛərɪəs/ a. (*med.*) cariato.

carjacking /'kɑ:dʒækɪŋ/ n. furto di automobile (*con violenza al guidatore*) ‖ **carjacker** n. chi si impadronisce con la violenza di un'automobile.

carline /'kɑ:lɪn/ n. (*bot.*) **1** (*Carlina acaulis*) carlina (bianca) **2** (*Carlina vulgaris*) carlina comune.

Carlism /'kɑ:lɪzəm/ (*stor.*) n. ☐ carlismo ‖ **Carlist** n. carlista.

carload /'kɑ:ləʊd/ n. (*trasp.*) carico completo; pieno carico.

Carlovingian /kɑ:ləʊ'vɪndʒɪən/ a. e n. (*stor.*) carolingio.

carmaker /'kɑ:meɪkə(r)/ n. (*autom.*) costruttore d'automobili; industriale dell'automobile.

carman /'kɑ:mən/ n. (*pl.* **carmen**) **1** (*USA*) manovratore; conducente di tram (*o di autobus*) **2** carrettiere **3** trasportatore (*su gomma*) **4** (*ferr., USA*) manutentore.

Carmelite /'kɑ:məlaɪt/ **A** a. carmelitano **B** n. (frate) carmelitano ● **C. nun**, (suora) carmelitana.

carminative /'kɑ:mɪnətɪv/ a. e n. (*farm.*) carminativo.

carmine /'kɑ:maɪn/ n. ☐ e a. (color) carminio.

carmoisine /'kɑ:mwɑ:zi:n/ n. ☐ (*chim.*) azorubina; carmoisina.

carnage /'kɑ:nɪdʒ/ n. ☐ carneficina; strage; macello (*fig.*).

carnal /'kɑ:nl/ a. **1** carnale; fisico; terreno; temporale: **c. lust**, concupiscenza carnale **2** sensuale; lascivo; impudico ● (*spec. leg.*) **c. knowledge**, congiunzione carnale □ **c. pleasures**, i piaceri della carne ‖ **carnality** n. ☐ **1** carnalità; temporalità **2** sensualità; lascivia; impudicizia.

carnation /kɑːˈneɪʃn/ **A** a. incarnato; carnicino; (color) rosa; roseo **B** n. (*bot.*, *Dianthus caryophyllus*) garofano.

carnelian /kɑːˈniːliən/ n. (*miner.*) corniola; cornalina.

carnet /ˈkɑːneɪ, *USA* kɑːˈneɪ/ n. (*autom.*, *dog.*) carnet.

carnie /ˈkɑːnɪ/ → **carny**.

carnival /ˈkɑːnɪvl/ n. **cu** **1** carnevale **2** festa popolare; fiera **3** (*USA*) luna park; baracconi (pl.) **4** (*fig.*) festa; trionfo; orgia ● **c. balloons**, palloncini carnevaleschi □ **c. pageant** (*o* **c. parade**), parata di carnevale.

carnivore /ˈkɑːnɪvɔː(r)/ n. **1** (*zool.*) carnivoro **2** (*bot.*) pianta carnivora.

carnivorous /kɑːˈnɪvərəs/ a. (*zool.*, *bot.*) carnivoro.

carny /ˈkɑːnɪ/ (*slang USA*) **A** n. **1** luna park; baracconi (pl.); fiera **2** chi lavora in un luna park (*o* in una fiera) **B** a. di, da luna park; di, da fiera.

carob /ˈkærəb/ n. **1** (*bot.*, *Ceratonia siliqua*) carrubo **2** carruba.

carol /ˈkærəl/ n. **1** (= **Christmas c.**) canto di Natale; canto natalizio **2** canto gioioso ● (*relig.*) **c. service**, funzione religiosa con canti di Natale □ **c. singer**, cantante di canti di Natale (*spec. gruppi che vanno di casa in casa chiedendo soldi o altro compenso*) □ **c. singing**, il cantare canti di Natale.

to **carol** /ˈkærəl/ **A** v. i. **1** cantare gioiosamente; cantare allegramente **2** andare di casa in casa a cantare canti di Natale **B** v. t. dire allegramente; canticchiare; trillare; cinguettare: «*Goodbye!*» *Meg carolled*, «arrivederci!» trillò Meg.

Carol /ˈkærəl/ n. Carola.

Carolean /kærəˈliːən/ a. → **Caroline**, **B**, *def. 2*.

Caroline /ˈkærəlaɪn/ **A** n. Carolina **B** a. **1** (*stor.*) carolino; carolingio: (*paleografia*) **C. minuscule**, scrittura carolina **2** (*stor.*) (del tempo) di Carlo I e Carlo II d'Inghilterra ● (*geogr.*) **the C. Islands** (*o* **the Carolines**), le isole Caroline.

Carolingian /kærəˈlɪndʒɪən/ a. e n. (*stor.*) **1** carolingio **2** (*paleografia*) carolino: **C. minuscule**, scrittura carolina.

Carolinian /kærəˈlɪnɪən/ **A** a. **1** → **Caroline 2** della Carolina del Nord o del Sud (*in USA*) **B** n. abitante della Carolina del Nord o del Sud.

caroller /ˈkærələ(r)/ n. = **carol singer** → **carol**.

carolling, (*USA*) **caroling** /ˈkærəlɪŋ/ n. **u** = **carol singing** → **carol**.

carom /ˈkærəm/ n. (*USA*) **1** (*biliardo*) carambola **2** urto e rimbalzo; carambola ● **c. billiards**, (*gioco del*) biliardo senza buche.

to **carom** /ˈkærəm/ (*spec. USA*) **A** v. i. **1** urtare (contro qc.) e rimbalzare; far carambola; carambolare **2** (*biliardo*) (*di bilia*) carambolare; (*di giocatore*) fare carambola **B** v. t. (*biliardo*) far carambolare (*una bilia*).

carotene /ˈkærətiːn/ n. **u** (*chim.*) carotene.

carotid /kəˈrɒtɪd/ (*anat.*) **A** n. carotide **2** a. carotideo.

carousal /kəˈrauzl/, **carouse** /kəˈrauz/ n. gozzoviglia; sbevazzata; baldoria.

to **carouse** /kəˈrauz/ v. i. bere smodatamente; sbevazzare; gozzovigliare.

carousel /kærəˈsel/ n. **1** (*USA*) giostra **2** (*aeron.*, = **luggage c.**) nastro trasportatore (*per i bagagli*) **3** (*tecn.*) caricatore circolare di diapositive **4** (*stor.*) carosello; giostra.

carp /kɑːp/ n. (pl. **carp**, **carps**) (*zool.*, *Cyprinus carpio*) carpa.

to **carp** /kɑːp/ v. i. cavillare; trovare da ridire; lamentarsi ● **to c. at sb.**, infastidire, tormentare q. (*con le proprie lamentele*) □ **to c. on**

(*o* **about**) **st.**, lagnarsi (*o* lamentarsi) di qc.; criticare qc.

carpal /ˈkɑːpl/ a. (*anat.*) del carpo; carpale ● (*med.*) **c. tunnel syndrome**, sindrome del tunnel carpale.

Carpathian /kɑːˈpeɪθɪən/ a. carpatico ● (*geogr.*) **the C. Mountains**, i Carpazi.

Carpathians /kɑːˈpeɪθɪənz/ (*geogr.*) n. pl. (*geogr.*) (i) Carpazi.

carpel /ˈkɑːpl/ (*bot.*) n. carpello; carpofillo.

carpenter /ˈkɑːpəntə(r)/ n. **1** carpentiere; falegname **2** (*naut.*) maestro d'ascia ● (*zool.*) **c. ant** (*Camponotus*), formica che rode il legno □ (*zool.*) **c. bee** (*Xilocopa*), ape legnaiola.

to **carpenter** /ˈkɑːpəntə(r)/ v. i. fare il carpentiere.

carpentry /ˈkɑːpəntrɪ/ n. **u** **1** (*attività*) carpenteria; falegnameria **2** opera di carpenteria; parti (pl.) in legno (*di un locale, ecc.*).

carper /ˈkɑːpə(r)/ n. cavillatore; chi trova sempre da ridire; criticone.

♦**carpet** /ˈkɑːpɪt/ n. **1** (= **fitted c.**, *GB*: **wall-to-wall c.**, *USA*) moquette; *The builders have covered all the carpets, but there's still dust everywhere*, i muratori hanno coperto tutta la moquette ma c'è ancora polvere ovunque **2** tappeto (*spec. orientale*) **3** (*fig.*) tappeto; coltre; manto: **a c. of daisies**, un tappeto di margheritine; **a c. of fresh snow**, un manto di neve fresca ● **c. bag**, sacca da viaggio □ **c. bed**, aiuola con fiori che formano un disegno □ (*zool.*) **c. beetle** (*Anthrenus*), antreno □ **c. cleaner**, battitappeto; lavamoquette □ **c. fitter**, posatore di moquette □ **c. fitting**, posa in opera di moquette □ (*arc.*) **c. knight**, eroe da salotto □ **c. rods**, aste fermaguida □ **c. slipper**, pantofola chiusa □ (*zool.*) **c. snake**, (*Morelia spilotes*) pitone diamantino; (*Lycodon aulicus*) licodonte aulico □ **c.-sweeper**, battitappeto □ **c. tile**, riquadro di moquette □ **c. underlay**, sottotappeto □ **on the c.**, sul tappeto, in discussione □ (*fam.*, *di persona*) **to be on the c.**, prendersi una lavata di capo (*o* un cicchetto); essere strigliato; essere cicchettato □ (*fam.*) **to pull the c. from under sb.'s feet**, ritirare il proprio appoggio a q., mollare q. □ **to sweep st. under the c.**, (cercare di) far passare qc. sotto silenzio; nascondere qc.

to **carpet** /ˈkɑːpɪt/ v. t. **1** mettere la moquette in (*una stanza*) **2** ricoprire con un tappeto (*una scala*) **3** (*fig.*) ricoprire con un tappeto (*o* un manto, *di fiori, neve, ecc.*); tappezzare **4** (*fam.*) fare una lavata di capo a q; strigliare; fare un cicchetto a; cicchettare.

to **carpet-bag** /ˈkɑːpɪtbæg/ v. i. (*USA*) svolgere l'attività di **carpetbagger**.

carpetbagger /ˈkɑːpɪtbægə(r)/ n. (*USA*) **1** (*stor.*) avventuriero nordista nel Sud (*dopo la guerra di secessione 1861-65*); politicante nordista **2** (*polit.*) candidato estraneo al collegio elettorale in cui si presenta **3** (*per estens.*) profittatore; opportunista.

to **carpet-bomb** /ˈkɑːpɪtbɒm/ v. t. (*aeron. mil.*) bombardare a tappeto ‖ **carpet-bombing** n. bombardamento a tappeto.

carpeted /ˈkɑːpɪtɪd/ a. **1** coperto da moquette; moquettato **2** (*fig.*) tappezzato (*di fiori, ecc.*).

carpeting /ˈkɑːpɪtɪŋ/ n. **u** **1** moquette **2** tessuto da tappeti **3** (*fam. GB*) lavata di capo; strigliata; cicchetto.

carphone /ˈkɑːfəʊn/ n. (*telef.*) cellulare (*fam.*) telefonino) per autoveicolo.

carpology /kɑːˈpɒlədʒɪ/ n. **u** (*bot.*) carpologia.

carpool /ˈkɑːpuːl/ n. (*USA*) **1** accordo per l'utilizzo comune di un'automobile (*per andare al lavoro, a scuola, ecc.*) **2** gruppo di per-

sone che si accordano in questo senso ‖ **carpooling** n. **u** utilizzo comune di un'automobile.

carport /ˈkɑːpɔːt/ n. (*autom.*) garage di lamiera ondulata, ecc.; garage esterno (*alla casa*); tettoia per auto.

carpus /ˈkɑːpəs/ (*lat.*) n. (pl. **carpi**) (*anat.*) carpo.

carrack /ˈkærək/ n. (*naut.*, *stor.*) caracca.

carrageen, **carragheen** /ˈkærəgiːn/ n. (*bot.*, *Chondrus crispus*) musco d'Irlanda.

carrel, **carrell** /ˈkærəl/ n. posto individuale di consultazione (*in una biblioteca*).

♦**carriage** /ˈkærɪdʒ/ n. **1** carrozza (*di solito a quattro ruote*); vettura: **a hackney c.**, una vettura di piazza **2** (*ferr.*, *GB*, = **railway c.**) carrozza (*o* vettura) ferroviaria; vagone (ferroviario); vagone **3** (*mil.*, = **gun c.**) affusto su ruote (*di cannone*) **4** **u** (*GB*) trasporto (*di cose e persone*): **c. by rail [by sea]**, trasporto per ferrovia [via mare]; **c. charges**, spese di trasporto **5** **u** (*comm.*) porto; spese di trasporto: **c. forward** (*o* **c. unpaid**), porto assegnato; **c. free** (*o* **c. paid**), franco di porto; **c. paid**, franco di porto **6** (solo sing.) portamento; atteggiamento; contegno **7** (*mecc.*) carrello (*di tornio, di macchina da scrivere, ecc.*) **8** **u** approvazione (*d'una mozione*) ● **c. and pair**, carrozza a due cavalli; tiro a due □ (*GB*) **c. clock**, orologio da carrozza □ **c. company**, impresa di trasporti □ **c. drive**, viale di accesso (*a una villa*) □ **c. entrance**, passo carraio (*in un edificio*) □ (*USA*) **c. house**, rimessa per carrozze (*convertita in casa di abitazione*); (*anche*) garage con abitazione al piano superiore □ **c. lever**, leva d'interlinea (*di macchina da scrivere*); leva di spaziatura □ (*comm.*) **c. note**, lettera di vettura; bolletta di spedizione □ **c. release**, tasto di sblocco del carrello (*di macchina da scrivere*) □ **c. return**, ritorno del carrello (*di macchina da scrivere*), a capo ● **c. road**, rotabile □ **the c. trade**, il lavoro per una clientela ricca.

carriageway /ˈkærɪdʒweɪ/ n. (*autom.*, *GB*) carreggiata (*di autostrada*) ● **dual c.**, autostrada a doppia carreggiata (*con spartitraffico*).

carrick bend /ˈkærɪk bend/ loc. n. nodo vaccaio; nodo di tonneggio.

♦**carrier** /ˈkærɪə(r)/ n. **1** portatore, portatrice; latore, latrice: **water c.**, portatore d'acqua **2** (*comm.*) vettore, corriere; spedizioniere **3** (*GB*, = **c. bag**) sacchetto (*di carta, plastica*); sportina; borsina **4** portapacchi (*di bicicletta, ecc.*) **5** (*marina mil.*, = **aircraft c.**) portaerei **6** compagnia telefonica **7** (= **c. pigeon**) piccione viaggiatore **8** (*med.*, *biol.*) portatore **9** (*chim.*) veicolo; portatore **10** (*elettr.*, = **c. wave**) (onda) portante **11** (*fis.*, = **charge c.**) portatore; trasportatore **12** (*tecn.*) sostegno; supporto; carrello; elemento portante ● (*med.*) **c. culture**, coltura portatrice □ (*telef.*) **c. current**, corrente vettrice □ (*ind. petrolifera*) **c. rig**, piattaforma di servizio □ (*miss.*) **c. rocket**, razzo vettore □ (*comm.*) **c.'s liability**, responsabilità del vettore.

carriole /ˈkærɪəʊl/ n. **1** (*stor.*) calessino a un posto **2** slitta canadese.

carrion /ˈkærɪən/ **A** n. **u** carogna: **to feed on c.**, nutrirsi di carogne **B** a. **1** in putrefazione **2** che si nutre di carogne ● (*zool.*) **c. beetle**, necroforo □ (*zool.*) **c. crow** (*Corvus corone*), cornacchia nera.

carronade /kærəˈneɪd/ n. (*stor.*, *marina mil.*) carronata.

♦**carrot** /ˈkærət/ n. **1** (*bot.*, *Daucus carota*) carota **2** (*fig.*) offerta allettante; incentivo; carota **3** (al pl.) (*fam.*) = **c. top** → *sotto* ● (*fig.*) **the c. and stick approach**, il metodo del bastone e della carota □ (*fam.*) **c. top**, pel di carota; (persona dai) capelli rossi.

carroty /ˈkærətɪ/ a. (*di capelli*) color carota.

carrousel /ˌkærəˈsɛl/ → **carousel**.

carry /ˈkærɪ/ n. **1** (solo sing.) trasporto **2** Ⓤ portata (di cannone, voce, ecc.) **3** Ⓤ (mil.) posizione in cui si tiene un'arma (spec. il fucile) **4** (mat.) riporto **5** Ⓤ (golf) distanza coperta (dalla palla) **6** (USA, stor.) trasporto via terra (di merci, ecc.) tra due vie d'acqua.

♦to **carry** /ˈkærɪ/ Ⓐ v. t. **1** (anche fig.) trasportare; portare: **to c. a stretcher**, trasportare una barella; **to carry a bag**, portare una borsa; I carried the trunk into the study, portai il baule nello studio; **to c. a message**, portare un messaggio; **to c. passengers**, portare, trasportare passeggeri; **to c. goods to their destination**, trasportare merci a destinazione; Seeds can be carried on the wind, i semi possono essere trasportati dal vento; My search carried me to Iceland, la mia ricerca mi portò in Islanda **2** (anche fig.) portare, avere (con sé); portare addosso: I never c. an umbrella, non porto mai l'ombrello; **to c. cash**, avere con sé denaro contante; portare del contante con sé; **to c. a weapon**, essere armato; **to c. happy memories**, portare dentro di sé ricordi felici **3** portare; sostenere; reggere: Eight pillars c. the weight of the roof, otto pilastri portano (o reggono) il peso del tetto; Will this ladder c. me?, reggerà al mio peso questa scala?; **to c. a baby in one's arms**, portare un bambino in braccio; (anche fig.) **to c. a burden**, portare un peso **4** (rif. a parte del corpo) tenere; avere: **to carry one's head high**, tenere alta la testa; (fig.) andare a testa alta; **to c. one's arm in a sling**, avere un braccio al collo **5** (med.) trasmettere, essere portatore di, diffondere (una malattia, un virus) **6** essere incinta di; aspettare **7** riportare (una dicitura, un simbolo, ecc.): This product carries no sell-by date, su questo prodotto non è segnata la data di scadenza **8** (giorn., TV) riportare (una notizia, un annuncio; ecc.); pubblicare; trasmettere: **to carry a story**, pubblicare un articolo; All the main papers carried the news, la notizia era su tutti i giornali principali; **to c. advertising**, trasmettere pubblicità **9** avere; contenere; comportare; implicare: **to c. a two-year guarantee**, avere una garanzia di due anni; (fin.) **to c. interest**, dare un interesse, essere gravato da interesse; His answer carried a threat, la sua risposta conteneva una minaccia; **to c. authority**, avere autorità; essere autorevole; **to c. conviction**, essere convincente; This plan carries with it several risks, questo piano comporta diversi rischi **10** (leg.) comportare; prevedere; essere passibile di: Such crimes c. heavy penalties, tali crimini sono passibili di gravi pene **11** far approvare, far passare (una mozione, una legge, ecc.): **to c. a motion**, far approvare una mozione, una delibera; The motion was carried, la mozione fu approvata **12** conquistare (alla propria causa); convincere; portare dalla propria parte: He failed to c. the cabinet, non riuscì a portare dalla sua il gabinetto **13** conquistare (il favore di); trascinare: The speaker carried his audience with him, l'oratore conquistò l'uditorio **14** (USA) conquistare, assicurarsi (uno Stato, una costituente, ecc.) in un'elezione **15** reggere (l'alcol) **16** (comm., anche **to c. in stock**) trattare, vendere, tenere, essere fornito di (una merce) **17** (di terreno, ecc.) produrre (frutti, ecc.); nutrire, dare alimento a (bestiame) **18** (mat.) riportare, portare (una cifra): I write down 9 and c. 3, scrivo 9 e porto 3 **19** (rag.) registrare Ⓑ v. i. **1** (di rumore, voce, ecc.) essere udibile (a una certa distanza); arrivare; raggiungere: The noise carried for kilometres, il rumore era udibile per chilometri (o arrivava a chilometri di distanza) **2** (di cannone, ecc.) avere una (certa) portata **3** (di proiettile, ecc.) percorrere (una certa distanza); arrivare a destinazione

4 (di donna) essere incinta **5** – (slang USA) **to be carrying**, essere armato; portare la pistola **6** – (slang USA) **to be carrying**, avere con sé della droga ● (Per le espressioni idiomatiche → sotto il sostantivo) **to c. one's age well**, portare bene la propria età □ **to c. all before one**, avere un successo travolgente; stravincere □ (fig.) **to c. the ball**, essere responsabile; essere al comando; prendersi la responsabilità □ **to c. the blame (for)**, essere responsabile (di) (qc. di negativo); meritare il biasimo (per); essere da biasimare (per) □ **to c. the day**, riportare la vittoria; vincere; trionfare □ (fig.) **to c. further**, sviluppare; elaborare; spingere oltre: I'd like to c. your analogy further, vorrei sviluppare la tua analogia □ (teatr.) **to c. the house**, conquistare il pubblico □ **to c. into effect**, mettere in atto □ **to c. st. to extremes**, portare qc. all'estremo limite; portare qc. all'eccesso □ (fig.) **to c. st. too far**, esagerare con qc.; passare il segno □ **to c. a joke too far**, spingere uno scherzo troppo in là □ **to c. oneself**, avere un dato portamento (o modo di fare); comportarsi: He carried himself with class, aveva un portamento distinto □ **to c. one's point**, far prevalere il proprio punto di vista; spuntarla □ **to c. the responsibility for st.**, essere responsabile di q.; avere la responsabilità di qc. □ (rag.) **to c. to account**, mettere in conto □ (fig.) **to c. a torch for sb.**, essere innamorato cotto di q. (spec., senza essere ricambiato) □ He can't c. a tune, è stonato □ **to c. weight**, (di un argomento) aver peso, essere; essere convincente; (di persona) avere autorità; (ipp.) essere handicappato, partire in condizione di svantaggio □ (prov.) **to c. coals to Newcastle** → **coal**.

■ **carry about** v. t. + avv. **1** portare (con sé, abitualmente); avere con sé; portare in giro **2** (fig.) serbare, conservare (un ricordo, ecc.).

■ **carry across** v. t. + prep. trasportare dall'altra parte di (un fiume, ecc.); traghettare.

■ **carry along** v. t. + avv. **1** portare con sé **2** (fig.) trascinare, entusiasmare (il pubblico, ecc.).

■ **carry around** → **carry about**.

■ **carry away** v. t. + avv. **1** portare via (di peso, con la forza) **2** → **to carry off**, def. 2 e 3 **3** trascinare; entusiasmare; (al passivo) lasciarsi trascinare (o trasportare) (da un'emozione forte); (per l'ira, ecc., anche) perdere il controllo **4** (naut.) perdere (un pennone, ecc., per rottura).

■ **carry back** v. t. + avv. **1** riportare; restituire **2** riportare (con la memoria); far riandare: His words carried me back to my youth, le sue parole mi fecero riandare alla mia giovinezza **3** (fin., fisc.) riportare (perdite di gestione, ecc.) a esercizi precedenti (è consentito in USA e in GB).

■ **carry down** v. t. + avv. trasmettere, tramandare (un'usanza, ecc.).

■ **carry forward** v. t. + avv. **1** far progredire; far andare avanti **2** (fin., fisc.) riportare (perdite di gestione, ecc.) a esercizi successivi (è consentito in USA e in GB) **3** (rag.) riportare, portare a nuovo.

■ **carry off** v. t. + avv. **1** portare via (con la forza) **2** (eufem., di malattia) portarsi via **3** vincere (un premio, ecc.); assicurarsi; portarsi a casa **3** riuscire a fare; concludere con successo: He carried it off, against all odds, ce la fece (o ci riuscì), contro ogni previsione.

■ **carry on** Ⓐ v. i. + avv. **1** continuare; andare avanti; proseguire; procedere: Very well, c. on (with it), benissimo, continua (o procedi) pure; Do c. on!, prego, continuate pure!; We carried on talking, continuammo a parlare; C. on with your work!, su avanti col tuo lavoro!; He carried on as treasurer, continuò a essere il tesoriere; We carried on

down the road, continuammo lungo la strada; Carry on until you come to the traffic lights, continua fino al semaforo **2** (fam.) comportarsi **3** (fam.) fare baccano; fare cagnara (fam.) **4** (fam.) essere arrabbiato; fare scene; fare un can can (fam.); (anche) farla lunga: When I arrived, Jim was carrying on about a missing letter, quando arrivai, Jim stava facendo un can can per una lettera che non si trovava; **to c. on something dreadful**, fare un sacco di scene; essere su tutte le furie **5** (fam. GB) avere una storia (con q.); intendersela, farsela (fam.): She's been carrying on with her neighbour for months, se la intende col vicino da mesi Ⓑ v. t. + avv. **1** continuare; procedere con; mandare avanti: **to c. on a discussion**, continuare una discussione; **to c. on a tradition**, continuare (o mantener viva) una tradizione; **to c. on one's life**, continuare con la solita vita; He carried on the business after his father's death, dopo la morte del padre mandò avanti lui l'azienda **2** eseguire; fare; svolgere; compiere; portare avanti: **to c. on experiments**, eseguire esperimenti; **to c. on a conversation**, fare conversazione; conversare; **to c. on a war**, condurre una guerra.

■ **carry out** v. t. + avv. **1** portare a termine; eseguire; svolgere; compiere; fare: **to c. out a task**, portare a termine (o eseguire) un compito; **to c. out an order**, eseguire un ordine; (comm.) eseguire (o evadere) un'ordinazione; **to c. out a plan**, eseguire (o portare a termine, condurre a buon fine) un piano; **to c. out an investigation**, svolgere un'indagine; **to c. out a survey [a search, a test]**, eseguire (o fare) un sondaggio d'opinione [una perquisizione, un esperimento]; **to c. out research**, svolgere ricerche; fare ricerca; **to c. out repairs**, eseguire riparazioni **2** adempiere; mantenere; tener fede a: **to c. out a promise**, mantenere una promessa; **to c. out sb.'s wishes**, adempiere i desideri di q.; **to c. out a threat**, mettere in atto (o mantenere) una minaccia.

■ **carry over** Ⓐ v. t. + avv. **1** trasferire, estendere (a un contesto diverso): The same principle has been carried over to education, lo stesso principio è stato esteso all'istruzione **2** rimandare; rinviare; lasciare in sospeso (fino a): These questions will have to be carried over to the next meeting, questi problemi dovranno essere rimandati alla prossima riunione; Can I c. my points over to next year?, i miei punti restano validi anche l'anno prossimo? **3** (Borsa) riportare: **to c. over stock**, riportare titoli **4** (rag.) portare a nuovo; riportare Ⓑ v. i. + avv. **1** trasferirsi, essere trasferito, passare, estendersi (a un contesto diverso): This right will c. over to his heirs, questo diritto passerà ai suoi eredi **2** (al passivo) – (di abitudine e sim.) **to be carried over from**, rimanere da; derivare da; portarsi dietro da (pers.).

■ **carry through** Ⓐ v. t. + avv. **1** portare a termine (o a compimento); condurre a buon fine; compiere; realizzare: **to c. through a plan**, portare a termine un progetto **2** (sostenere e) salvare: Only her faith carried her through, solo la sua fede la sostenne e le permise di salvarsi Ⓑ v. t. + prep. aiutare a superare (una difficoltà, ecc.); far superare: His endurance carried him through those terrible hardships, la sua resistenza gli fece superare quelle terribili privazioni.

carryall /ˈkærɪɔl/ n. **1** (USA) grossa borsa floscia; borsone **2** (USA) automobile con due sedili uno di fronte all'altro **3** (stor.) carrozza a un cavallo con due sedili.

carry-back /ˈkærɪbæk/ n. (fin., fisc.) riporto (di perdite di gestione, ecc.) a un esercizio precedente.

carrycot /ˈkærɪkɒt/ n. (GB) culla portatile.

carry-forward /ˈkærɪfɔːwəd/ n. **1** (*fin., fisc.*) riporto (*di perdite di gestione, ecc.*) a un esercizio successivo **2** (*rag.*) riporto (*a nuovo conto*).

carrying /ˈkærɪɪŋ/ **A** a. che porta; portante: **c. cable**, fune portante (*di funivia*) **B** n. ⓤ **1** il portare; il trasportare; trasporto **2** (*leg., polit.*) approvazione (*di un disegno di legge*) **3** (*rag.*) registrazione; il registrare ● **c. capacity**, (*trasp.*) capacità di carico, portata; (*ecol.*) capacità biologica □ **c. charge**, (*fin., USA*) (maggiorazione di) spesa per pagamento rateale; (*econ.* = **c. cost**) costo di conservazione □ **c. forward**, (*Borsa*) riporto-proroga, riporto (*l'azione*); (*fin., fisc.*) riporto (*di perdite*) a esercizi successivi (*l'azione*); (*rag.*) riporto (*il riportare a nuovo conto*) □ **c. out**, compimento, esecuzione (*di un compito, ecc.*); effettuazione; (*comm.*) esecuzione; evasione (*di un ordinativo*); (*anche leg.*) adempimento □ (*fam.*) **carryings-on**, chiasso; cagnara; casino (*fam.*); (*anche*) attività scandalosa, traffici sessuali, tresche □ **c. over** = **c. forward** → *sopra* □ (*Borsa*) **c.-over day**, giorno dei riporti □ (*econ.*) **the c. trade**, l'industria dei trasporti; il settore trasporti □ (*fin., rag.*) **c. value**, valore contabile.

carry-on /ˈkærɪɒn/ **A** n. ⓤⓒ (*GB, fam.*) confusione; scena, scene; mucchio di storie; casino: *All that carry-on just for a broken cup!*, quante scene per una tazzina rotta! **B** a. (*aeron., di bagaglio*) a mano: **carry-on baggage**, bagaglio a mano; **carry-on bag**, borsa da viaggio.

carryout /ˈkærɪaʊt/ a. e n. (*USA e scozz.*) (cibo o bevanda) da asporto.

carry-over /ˈkærɪəʊvə(r)/ n. **1** (*comm.*) residuo, rimanenza; (*rag.*) riporto (*a nuovo conto*) **2** (*fin., fisc.*) → **carry-forward 3** (*Borsa*) riporto-proroga; riporto: **carry-over day**, giorno dei riporti; **carry-over transaction**, operazione di riporto.

carsick /ˈkɑːsɪk/ a. che soffre il mal d'auto ‖ **carsickness** n. ⓤ mal d'auto.

cart /kɑːt/ n. **1** carretta; barroccio; carretto (*anche a mano*) **2** carro agricolo (*a due ruote*) **3** (*spec. USA*) carrello (*di supermercato*); carrello (*da cucina*) **5** (*golf*) cart ● **c. horse**, cavallo da tiro □ **c. road** (*o* **c. track, c. way**), strada carreggiabile; carraia □ **c. rut**, carreggiata; solco delle ruote □ (*fig.*) **to put the c. before the horse**, mettere il carro davanti ai buoi.

to **cart** /kɑːt/ v. t. **1** trasportare con un carro **2** (*fam.*) portare, trasportare (*un oggetto pesante*): *He had to c. the bin back to the garage*, dovette ritrasportare il bidone fino in garage; *It's heavy and I don't want to c. it around with me*, è pesante e non voglio trascinarmelo in giro **3** portare (q.) di peso (*o a forza*): *The disruptor was carted out*, il disturbatore fu portato via di peso; *He was carted off to hospital*, l'hanno portato di corsa all'ospedale.

cartage /ˈkɑːtɪdʒ/ n. ⓤ **1** trasporto a mezzo di carri **2** (*comm.*) spese di trasporto con carri.

carte /kɑːt/ n. ⓤ quarta (*posizione nella scherma*).

carte blanche /ˈkɑːtˈblɑːnʃ/ (*franc.*) n. ⓤ carta bianca (*fig.*).

cartel /kɑːˈtel/ n. **1** (*stor.*) cartello di sfida **2** (*econ.*) cartello; accordo per fissare i prezzi o ripartire il mercato **3** (*polit.*) cartello; coalizione.

to **cartelize** /ˈkɑːtɪlaɪz/ (*econ.*) **A** v. t. cartellizzare **B** v. i. formare un cartello ‖ **cartelization** n. ⓤ costituzione di cartelli; cartellizzazione.

carter /ˈkɑːtə(r)/ n. (*antiq.*) carrettiere; barocciaio.

Cartesian /kɑːˈtiːzɪən/ (*filos., mat.*) a. e n. cartesiano ‖ **Cartesianism** n. ⓤ cartesianismo.

cartful /ˈkɑːtfʊl/ n. carrettata; barrocciata.

Carthage /ˈkɑːθɪdʒ/ (*geogr., stor.*) n. Cartagine ‖ **Carthaginian** a. e n. cartaginese.

Carthusian /kɑːˈθjuːzɪən/ a. e n. (monaco) certosino.

cartilage /ˈkɑːtəlɪdʒ/ n. (*anat.*) cartilagine ‖ **cartilaginous** a. cartilaginoso; cartilagineo.

cartload /ˈkɑːtləʊd/ n. carrettata.

cartogram /ˈkɑːtəʊɡræm/ n. (*geogr., stat.*) cartogramma.

cartography /kɑːˈtɒɡrəfɪ/ n. ⓤ cartografia ‖ **cartographer** n. cartografo ‖ **cartographic, cartographical** a. cartografico.

cartomancer /ˈkɑːtəmænsə(r)/ n. cartomante.

cartomancy /ˈkɑːtəmænsɪ/ n. ⓤ cartomanzia.

carton /ˈkɑːtn/ n. **1** scatola (*di cartone*); cartone; contenitore (*a parallelepipedo*); imballaggio; confezione: **a c. of eggs**, una scatola di uova; **a c. of milk**, un cartone (*o una confezione*) di latte; **a c. of cigarettes**, una stecca di sigarette **2** centro del bersaglio (*il disco bianco interno*).

♦**cartoon** /kɑːˈtuːn/ n. **1** vignetta (umoristica); disegno umoristico; disegno satirico **2** (= **c. strip, strip c.**) fumetto; striscia: *«Hamlet» in cartoons*, «Amleto» a fumetti **3** (*cinem.*, = **animated c.**) cartone (*o disegno*) animato **4** (*pitt., ecc.*) cartone; disegno preparatorio.

to **cartoon** /kɑːˈtuːn/ **A** v. i. **1** fare disegni umoristici (*o animati*) **2** (*pitt., ecc.*) disegnare un cartone **B** v. t. disegnare la caricatura (*di q., qc.*); mettere in caricatura.

cartoonery /kɑːˈtuːnərɪ/ n. ⓤ **1** vignettistica (*la tecnica*) **2** (*collett.*) vignettistica; vignette.

cartoonist /kɑːˈtuːnɪst/ n. **1** caricaturista; vignettista **2** disegnatore di cartoni animati **3** (*cinem.*) cartonista.

cartouche, cartouch /kɑːˈtuːʃ/ (*franc.*) n. **1** (*archit.*) cartoccio; cartiglio **2** (*stor. mil.*) cartoccio (*per la polvere da sparo*) **3** (*mil.*) cartuccia.

cartridge /ˈkɑːtrɪdʒ/ n. **1** (*mil.*) cartuccia **2** astuccio (*o serbatoio*) cilindrico; cartuccia (*di un filtro, ecc.*) (*fotogr.*) caricatore; rullino **4** (*comput.*) cartuccia: *I'll get a new c. from the store room*, vado a prendere una cartuccia nuova in magazzino **5** (*di registratore*) cassetta; caricatore ● **c. belt**, cartucciera; giberna □ **c. box**, cassetta da munizioni □ **c. case**, bossolo (*di cartuccia*) □ (*autom.*) **c. filter**, filtro cilindrico; cartuccia (*fam.*) □ (*mil.*) **c. magazine**, caricatore (*d'arma da fuoco*) □ **c. paper**, carta opaca da disegno □ **c. pen**, penna con serbatoio.

cartulary /ˈkɑːtjʊlərɪ, USA -tʃʊlərɪ/ n. (*arc., leg.*) cartulario, cartolario.

cartwheel /ˈkɑːtwiːl/ n. **1** ruota (*o da carro*) **2** (*ginnastica*) ruota: **to turn cartwheels**, fare la ruota **3** (*slang USA*) dollaro d'argento **4** (*slang USA*) compressa di droga.

cartwright /ˈkɑːtraɪt/ n. carradore; carraio.

caruncle /ˈkærəŋkl/ n. (*anat., bot., zool.*) caruncola.

to **carve** /kɑːv/ (*pass.* **carved**; p. p. **carved**, *arc.* **carven**) **A** v. t. **1** (*arte*) intagliare (*legno, pietra, avorio, ecc.*); scolpire: **to c. a piece of wood into a doll**, scolpire una bambola da un pezzo di legno **2** scolpire; ricavare (*scolpendo o intagliando*): *The statue was carved from* (*o out of*) *local stone*, la statua fu scolpita in pietra locale **3** incidere (*una scritta*); intagliare; scolpire: *The boy carved his name on a tree*, il ragaz-

zo incise il suo nome su un albero **4** trinciare, scalcare (*carne, ecc.*); tagliare (*a fette*): **to c. a chicken**, trinciare un pollo; *Can I c. you some more roast?*, ti taglio un'altra fetta di arrosto? **5** aprire, ricavare, fare: (*tagliando, scavando, ecc.*): **to c. a passage**, aprire un passaggio **B** v. i. **1** fare l'intagliatore (*o l'incisore*) **2** (*a tavola*) tagliare, fare le parti (*di un arrosto, ecc.*): *Will you c.?*, tagli tu la carne [il pollo, ecc.]? ● (*sci*) **to c. a turn**, curvare di lamina; curvare spigolando □ (*fig.*) **carved in stone** (*o* **on tablets of stone**), immutabile; inderogabile.

■ **carve out** v. t. + avv. **1** ricavare (*scavando, incidendo*); scavare **2** creare (*all'interno di un ambito più vasto*); ritagliare; ritagliarsi; farsi: **to c. out a new market**, creare un nuovo mercato; **to c. out a niche for oneself**, ritagliarsi uno spazio (*o una nicchia*); *He carved out a career (for himself) in the second-hand business*, si è fatto una carriera nell'usato.

■ **carve up** v. t. + avv. **1** suddividere, spartire (*un territorio, un mercato, ecc.*) **2** sfregiare (*con una lama*); accoltellare; fare a fette (*fam.*) **3** (*fam., autom.*) tagliare la strada a (*q., in un sorpasso*).

carvel /ˈkɑːvəl/ n. (*naut.*) caravella ● (*naut.: di bastimento*) **c.-built**, a fasciame affrontato.

carver /ˈkɑːvə(r)/ n. **1** (*arte*) intagliatore; incisore; scultore in legno **2** scalco; chi trincia (*carne, ecc.*) **3** trinciante; coltello da scalco.

carvery /ˈkɑːvərɪ/ n. ristorante specializzato in arrosti di carne.

carve-up /ˈkɑːvʌp/ n. (*fam. GB, spreg.*) **1** spartizione (*di un mercato, un bottino, ecc.*) **2** gara, concorso, ecc., truccati; combino; truffa.

carving /ˈkɑːvɪŋ/ n. **1** ⓤ (l')intagliare, (arte dell')intaglio **2** ⓤ (*collett.*) intagli (pl.) **3** oggetto intagliato; intaglio; scultura **4** ⓤ (il) trinciare; (il) tagliare (*carne, ecc.*); (arte dello) scalco; scalcheria: **to do the c.**, tagliare; scalcare; **c. fork**, forchetta da scalco; **c. knife**, trinciante; coltello da scalco **5** (*sci*) (il) curvare di lamina; carving.

caryatid /kærɪˈætɪd/ n. (pl. **caryatids, caryatides**) (*archit.*) cariatide.

caryopsis /kærɪˈɒpsɪs/ n. (pl. **caryopses, caryopsides**) (*bot.*) cariosside.

cascade /kæˈskeɪd/ n. **1** cascata **2** (*fig.*) cascata (*di merletti, perle, scintille, ecc.*); drappeggio **3** (*elettr.*) cascata **4** (*elettron.*) valanga **5** (*comput.*) cascata (*disposizione delle finestre che consente la visibilità di più d'una nello stesso momento*) ● (*chim.*) **c. cooler**, raffreddatore a pioggia (*fis. nucl.*) **c. shower**, sciame a cascata.

to **cascade** /kæˈskeɪd/ **A** v. i. **1** scendere (*o venir giù*) a cascata **2** (*fig.*) venir giù a dirotto **B** v. t. (*elettr.; anche* **to cascade-connect**) collegare in cascata.

cascara /kæˈskɑːrə/ n. **1** (*bot., Rhamnus purshiana*; = **c. buckthorn**) cascara **2** (*farm.*, = **c. sagrada**) cascara sagrada (*lassativo*).

♦**case** ① /keɪs/ n. **1** caso; occasione; situazione; eventualità; caso esemplare; esempio: **in some cases**, in alcuni casi; **c. by c.**, caso per caso; *We'll make an exception in your c.*, nel tuo caso faremo un'eccezione; *My c. is different*, la mia situazione è diversa; **a classic c. of pearls before swine**, un classico esempio di perle gettate ai porci **2** (*med.*) caso; (*rif. a persona*) caso, malato, paziente: **ten cases of meningitis**, dieci casi di meningite; **a mental c.**, un malato mentale; *The next c. was a little girl*, il caso (*o il paziente*) seguente era una bambina **3** caso (poliziesco); inchiesta: **a murder c.**, un caso di omicidio; *The police are investigating the*

c., la polizia sta svolgendo indagini sul caso; **to be on a c.**, occuparsi di un caso **4** (*leg.*) causa; processo; caso giudiziario: **a libel c. against «The Sun»**, una causa per diffamazione contro il «Sun»; **divorce c.**, causa di divorzio; **famous cases**, cause celebri; **the c. before the court**, la causa in giudizio; **to lose [to win] a c.**, perdere [vincere] una causa; *The case will be heard next week*, la causa sarà discussa la prossima settimana **5** (*leg.*) tesi; argomenti e prove (pl.): **the c. for the defence [for the prosecution]**, la tesi della difesa [dell'accusa]; **to have a good c.**, avere argomenti e prove valide; avere una pretesa fondata; *He has no c.*, la sua posizione è indifendibile; la sua pretesa non è fondata **6** argomenti (pl.); ragioni (pl.); motivi (pl.): **a c. for [against] st.**, argomenti a favore [contro] qc.; **to make out a good c. for [against]**, portare buone ragioni a favore di [contro]; sostenere (attaccare) con argomenti forti; **to state one's c.**, esporre le proprie ragioni; *There is a strong c. for restricting traffic in the town centre*, ci sono ottime ragioni per limitare il traffico in centro **7** (*rif. a persona*) tipo; caso: **a hard c.**, un tipo difficile; un osso duro; **a hopeless c.**, un caso senza speranza **8** (*fam., antiq.*) tipo curioso (*o* eccentrico); sagoma **9** (*gramm.*) caso: **object c.**, caso accusativo ● **c. conference**, riunione (*di insegnanti, assistenti sociali, ecc.*) per discutere di un caso particolare □ (*ling.*) **c. grammar**, grammatica dei casi □ **c. history**, storia di un caso (*come parte di una casistica*); (*med.*) anamnesi □ **a c. in point**, un esempio significativo; un esempio calzante □ **a c. of mistaken identity**, uno scambio di persona □ (*leg.*) **c. law**, diritto giurisprudenziale, giurisprudenza (*complesso delle sentenze emesse in passato*) □ (*med.*) **c. sheet**, cartella clinica □ (*anche econ.*) **c. study**, studio di un caso specifico; studio analitico; (al pl., *anche*) casistica; (*fig.*) esempio istruttivo, caso esemplare □ **c.-study method**, metodo dei casi specifici; casistica □ **as is the c.**, come è; come avviene: *Is voting compulsory here, as is the c. in Australia?*, è obbligatorio votare qui, come lo è in Australia? □ **as the c. may be**, a seconda del caso □ (*slang USA*) **to be on sb.'s c.**, stare addosso a q., rompere q. (*pop.*); stressare q. (*pop.*) □ (*slang USA*) **to get off sb.'s c.**, lasciare in pace qc.; piantarla (*fam.*); smetterla di rompere (*pop.*) □ **if that is the c.**, in tal caso; se le cose stanno così □ **in any c.**, in ogni caso; a ogni modo; comunque □ **in c.**, nel caso che; caso mai: *In c. you haven't heard, I'd better tell you...*, nel caso tu non lo sappia, sarà bene che ti dica...; **in c. it rains**, nel caso che piova; caso mai piovesse □ **in c. of**, in caso di: **in c. of fire**, in caso di incendio; **in c. of need**, in caso di bisogno; al bisogno; all'occorrenza; occorrendo □ **in that c.**, in tal caso □ **It's a c. of...**, si tratta di; non c'è che...: *It's a c. of knowing when to stop*, si tratta di sapere quando fermarsi □ **just in c.**, non si sa mai: *I'll buy some more sugar, just in c.*, compro dell'altro zucchero, non si sa mai □ **I rest my c.**, (*leg., a conclusione di un'arringa*) ho concluso; (*fig.*) ho detto tutto, non ho altro da aggiungere □ **should that be the c.**, se così fosse; in tal caso □ **That is the c.**, le cose stanno proprio così □ **That is not the c.!**, non è vero!; le cose non stanno così!

◆**case** ② /keɪs/ n. **1** astuccio; fodero; custodia; cassetta; porta-: **jewelry c.**, astuccio per gioielli; portagioielli; **violin c.**, custodia di violino; **cigarette c.**, portasigarette; **glass c.**, vetrina; teca **2** involucro; fodera; guaina; (*di salumi*) pelle: **umbrella c.**, fodera di ombrello **3** (*mil.*) fodero (*di fucile, arma bianca*); fondina (*di pistola, ecc.*) **4** cassa; scatolone; (*di bottiglie*) cassa (da 12): **packing c.**, cassa da imballaggio; **a grandfather**

clock in a mahogamy c., una pendola con la cassa di mogano; **a c. of Merlot**, una cassa (di 12 bottiglie) di Merlot **5** (*GB, = suit-case*) valigia **6** (*bot.*) involucro; baccello **7** bossolo (*di cartuccia*) **8** intelaiatura, telaio (*di porta, finestra*) **9** copertina (*di libro*) **10** (*tipogr.*) cassa (*di caratteri*); (*per estens.*) carattere maiuscolo o minuscolo: **lower c.**, minuscolo; **upper c.**, maiuscolo **11** (*mecc.*) → **casing**, def. 2 ● (*di un tipo*) **c. binding**, rilegatura in cartone; cartonatura □ **c.--bound**, rilegato in cartone; cartonato □ (*comput.*) **c. sensitive**, sensibile alle maiuscole/minuscole □ (*mil., stor.*) **c. shot**, mitraglia (*da cannone*).

to **case** /keɪs/ v. t. **1** mettere in una cassa (*o* in un astuccio, ecc.); chiudere; racchiudere **2** rinfoderare; ringuainare (*un'arma*) **3** (*slang USA*) fare una ricognizione di; studiare: **to c. the joint**, fare una ricognizione sul posto (*di un colpo progettato*).

CASE sigla (*comput.*, **computer-aided software engineering**) ingegneria del software assistita dall'elaboratore.

casebook /ˈkeɪsbʊk/ n. **1** (*leg.*) repertorio commentato di giurisprudenza **2** (*GB*) registro (*o* schedario) di casi (*di medico, investigatore, ecc.*) **3** (*USA*) antologia di testi (*su un dato argomento*).

to **case-harden** /ˈkeɪshɑːdn/ v. t. **1** (*metall.*) cementare (*a fuoco*) **2** temprare (*vetro*); indurire (*legno*) **3** (*fig.*) rendere duro, insensibile ‖ **case-hardened** a. indurito; reso insensibile; incallito ‖ **case-hardening** n. (*metall.*) cementazione a fuoco; carbocementazione.

casein /ˈkeɪsiːɪn/ n. ⊙ (*chim.*) caseina.

caseload /ˈkeɪsləʊd/ n. (*tecn.*) numero complessivo dei casi da esaminare (*per un medico, un assistente sociale, ecc.*).

casemate /ˈkeɪsmeɪt/ n. (*mil.*) casamatta.

casement /ˈkeɪsmənt/ n. **1** (*edil.*) intelaiatura, telaio (*di finestra*) **2** (*spesso* **c. window**) finestra a battenti (*o* a cerniera) ● **c. cloth**, stoffa di cotone usata per tendine.

caseous /ˈkeɪsɪəs/ a. (*biol.*) caseoso.

casework /ˈkeɪswɜːk/ n. ⊙ assistenza sociale ‖ **caseworker** n. assistente sociale.

◆**cash** ① /kæʃ/ Ⓐ n. ⊙ **1** (denaro) contante; contanti: **to pay (in) c.**, pagare in contanti; *C. or credit?*, paga in contanti o con carta di credito?; «And for c.?» «Let's say £45», «E se pago in contanti?» «Facciamo £45» **2** denaro (contante); soldi (pl.) (*fam.*); liquido; capitali (pl.) liquidi: **short of c.**, a corto di liquido; a corto di soldi; **an inflow of c.**, un afflusso di capitali liquidi Ⓑ a. attr. **1** di contante: (*banca*) **c. withdrawal**, prelievo di contante **2** in contanti; per contanti; in denaro (liquido): **c. payment**, pagamento in contanti; **c. price**, prezzo per contanti; **c. terms**, condizioni per pagamento in contanti; *We don't give c. refunds*, non diamo rimborsi in contanti **3** (*rag.*) di cassa: **c. balance**, rimanenza (*o* saldo) di cassa; **c. deficit**, disavanzo di cassa; **c. budget**, preventivo di cassa ● **c. account**, (*rag.*) conto cassa; (*banca*) conto corrente □ **c. adjustment**, conguaglio in contanti □ (*banca*) **c. advance**, anticipo in contanti □ (*comm.*) **c. against documents**, pagamento contro documenti □ **c. and carry**, vendita con pagamento in contanti (*e trasporto della merce a opera del cliente*); grande magazzino che vende per contanti (*e pratica forti sconti ai dettaglianti*); centro grossisti □ (*rag.*) **c. assets**, attivo di cassa; attività di pronto realizzo □ **c. bar**, bar a pagamento (*a un ricevimento, ecc.*) □ (*rag.*) **c.-basis accounting**, contabilità basata sul criterio di cassa □ (*rag.*) **c.-basis method**, metodo del criterio di cassa □ (*fin.*) **c. bond**, buono fruttifero □ (*ass., Borsa*) **c. bonus**, bonus in contanti □

(*rag.*) **c.-book**, libro cassa; giornale di cassa □ **c. box**, cassa (*la scatola*) □ (*banca, GB*) **c. card**, carta di prelievo contante; carta (*o* tessera) Bancomat® □ (*banca*) **c.-carrying service**, servizio trasporto valori □ **c. clerk**, cassiere ● (*fin.*) **c. cow**, azienda (prodotto, investimento, ecc.) ad alta redditività; vacca da mungere; gallina dalle uova d'oro □ macchina per far soldi (*fam.*) □ (*banca*) **c. credit**, credito di cassa □ (*agric.*) **c. crop**, prodotto agricolo destinato alla vendita ● **c. department**, ufficio cassa □ (*GB*) **c. desk**, cassa (*di negozio e sim.*) □ (*comm.*) **c. discount**, sconto per contanti □ (*banca, GB*) **c. dispenser**, sportello automatico; sportello Bancomat® □ **c. down**, in contanti; a pronta cassa □ (*fin.*) **c. flow**, cash flow, flusso di cassa; (*anche*) insieme delle disponibilità finanziarie utilizzabili (*in un'azienda*), liquidità: **c.-flow problems**, problemi di liquidità □ (*rag., fin.*) **c.-flow statement**, rendiconto finanziario □ **c. in hand**, in contanti; pronta cassa □ (*banca*) **c. machine**, sportello automatico □ **c. memo**, scontrino di cassa □ (*comm.*) **c. on delivery**, pagamento alla consegna; contrassegno □ (*comm.*) **c. on hand**, fondo (*di cassa*) □ (*fam.*) **c. on the nail**, pagamento sull'unghia □ (*rag.*) **c. outlay**, esborso □ (*banca, GB*) **c. point**, sportello automatico; sportello Bancomat® □ **c.-point card = c. card** → sopra □ (*rag.*) **c. ratio**, rapporto della riserva bancaria; (*rag.*) rapporto di liquidità □ **c. register**, registratore di cassa □ (*fin.*) **c. reserves**, riserve liquide; capitale liquido □ (*rag.*) **c. short**, ammanco di cassa □ (*rag.*) **c. shorts and overs**, ammanchi ed eccedenze di cassa □ **c. slip**, scontrino di cassa □ (*fam.*) **c.--strapped**, a corto di soldi; al verde □ (*comm., Borsa*) **c. transaction**, operazione per contanti (o a pronti) □ (*ass.*) **c. value**, valore di riscatto (*di una polizza sulla vita*) □ (*rag.*) **c. voucher**, buono (di) cassa; scontrino (o ricevuta) di cassa □ **c. warrant**, mandato di riscossione □ (*comm.*) **c. with order**, contanti all'ordinazione □ **by c.** (o for c.), in contanti; per contanti; a pronti □ **to be in [out of] c.**, avere [essere senza] denaro (*fam.*: soldi) □ (*rag.*) **on a c. basis**, con il criterio di cassa.

cash ② /kæʃ/ n. (inv. al pl.) (*stor.*) moneta indiana (*o* cinese) di basso valore.

to **cash** /kæʃ/ v. t. **1** incassare; riscuotere; convertire in contanti; cambiare: *I need to c. a cheque*, devo riscuotere un assegno; *She refused to c. my cheque*, rifiutò di cambiarmi l'assegno **2** (*fin.*) convertire in contanti; monetizzare; realizzare.

■ **cash in** v. t. + avv. **1** incassare; riscuotere: **to c. in an insurance policy**, riscuotere una polizza assicurativa **2** (*fam.*) approfittare (*di qc., per ricavarne vantaggi*); sfruttare (*una situazione*): *He was quick to c. in on my perplexity*, fu veloce ad approfittare della mia perplessità ● **to c. in one's chips**, (*al gioco*) incassare le fiches; (*fig. fam. USA*) morire, schiattare, tirare le cuoia (*fam.*); (*anche*) ritirarsi, abbandonare la partita.

■ **cash out** v. i. + avv. (*USA*) realizzare vendendo attività, beni, ecc.

■ **cash up** v. i. + avv. fare il conto degli incassi (*a fine giornata*); fare cassa.

cashable /ˈkæʃəbl/ a. **1** incassabile; riscuotibile; esigibile **2** (*fin.*) monetizzabile; realizzabile.

cashew /ˈkæʃuː/ n. (*bot., Anacardium occidentale*) anacardio; acagiù ● **c. apple**, pomo di acagiù □ **c. nut**, noce di acagiù.

cashier /kæˈʃɪə(r)/ n. cassiere ● (*banca, USA*) **c.'s check**, assegno che il cassiere trae sulla banca stessa (*cfr. ital. «assegno circolare»*) □ **c.'s desk**, cassa □ **c.'s office**, ufficio cassa.

to **cashier** /kæˈʃɪə(r)/ v. t. **1** (*mil.*) radiare (*un ufficiale*) **2** licenziare (*un funzionario*).

cashing /'kæʃɪŋ/ n. ⬛ **1** l'incassare; incasso **2** (*fin.*) monetizzazione; realizzazione; realizzo.

cashless /'kæʃləs/ a. senza denari; senza contanti.

cashmere /'kæʃmɪə(r)/ n. ⬛ cashmere; lana del Kashmir.

cashpoint /'kæʃpɔɪnt/ n. (*banca, GB*) sportello Bancomat®: **c. card**, tessera magnetica di Bancomat; *Could you tell me where the nearest c. is?*, mi saprebbe dire dov'è il bancomat più vicino?

casing /'keɪsɪŋ/ n. **1** (*edil.*) telaio, intelaiatura (*di finestra, ecc.*); infisso **2** (*mecc.*) astuccio; carcassa; corpo; cuffia; involucro protettivo; scatola; (*del motore*) carter: (*autom.*) **gearbox c.**, scatola del cambio **3** (*autom.*) copertone; gomma **4** (*ind. petrolifera*) casing; (tubazione di) rivestimento (*di un pozzo*) **5** budello per salumi; pelle (*di salsiccia*) **6** (*tecn.*) alloggiamento; contenitore; astuccio: **a steel c.**, un astuccio di acciaio.

casino /kə'siːnəʊ/ (*ital.*) n. (pl. **casinos**) casinò.

cask /kɑːsk/ n. **1** fusto (*di legno*); barile; botte **2** misura di capacità (*di valore variabile*).

to **cask** /kɑːsk/ v. t. imbarilare; mettere in barili; imbottare; mettere in botti.

casket /'kɑːskɪt/ n. **1** cofanetto; scrigno; astuccio **2** (*USA*) bara (*spec. se lussuosa*); urna (cineraria).

Caspar, Casper /'kæspə(r)/ n. Gaspare.

Caspian Sea /'kæspɪən siː/ loc. n. (*geogr.*) (il) Mar Caspio.

casque /kæsk/ n. (*stor., poet.*) casco; elmo.

cassation① /kæ'seɪʃn/ n. ⬛⬛ (*leg.*) annullamento, cassazione (*d'una sentenza; spec. in Italia, Francia, ecc.*).

cassation② /kæ'seɪʃn/ n. (*mus.*) cassazione.

cassava /kə'sɑːvə/ n. **1** (*bot., Manihot utilissima*) manioca **2** ⬛ farina di manioca; cassava **3** ⬛ fecola di manioca; tapioca.

casserole /'kæsərəʊl/ n. (*cucina*) **1** (= **c. dish**) casseruola da forno (*con coperchio, di ghisa, coccio, ecc.*); (*di vetro*) pirofila **2** piatto (*di carne o pesce e verdure*) cotto al forno in casseruola; stufato al forno: **beef c.**, stufato al forno di manzo; *Is there any pasta in the c.?*, c'è della pasta nel piatto al forno?

to **casserole** /'kæsərəʊl/ v. t. (*cucina*) cuocere al forno in casseruola.

cassette /kə'set/ n. (*mus., TV*) cassetta ● **c. deck**, piastra di registrazione ● **c. player** (o **c. recorder**), registratore a cassette; mangianastri, mangiacassette □ **c. tape**, audiocassetta; videocassetta; cassetta.

cassia /'kæsɪə/ n. **1** (*bot., Cassia*) cassia **2** ⬛ (*farm.*) cassia (*la polpa*).

cassiterite /kə'sɪtəraɪt/ n. ⬛ (*miner.*) cassiterite.

Cassius /'kæsɪəs/ n. Cassio.

cassock /'kæsək/ n. abito (*o veste*) talare, tonaca (*del clero anglicano*): **to wear the c.**, vestire l'abito talare.

cassowary /'kæsəweərɪ/ n. (*zool., Casuarius*) casuario.

cast /kɑːst/ n. **1** (col verbo al sing o al pl.) (*teatr., cinem.*) attori (pl.); cast (di attori): **an all-star c.**, un cast di grandi nomi; **a strong c.**, un bel cast di attori **2** lancio (*di rete, lenza, dadi, ecc.*); tiro **3** calcio; stampo; forma: **plaster c.**, stampo in gesso; **face c.**, maschera facciale **4** (*med.*, = **plaster c.**) ingessatura; gesso **5** (*fonderia*) getto; fusione; colata; gettata **6** pezzo fuso; scultura (*in metallo*): **a bronze c.**, una scultura in bronzo **7** (*form.*) conformazione; aspetto; carattere; tipo (*di mente, ecc.*): **a c. of features**, fisionomia; fattezze; lineamenti; *That gave an odd c. to his face*, ciò dava un che di strano alla

sua faccia; **c. of mind**, mentalità; forma mentis **8** leggero strabismo: **to have a c. in one's eye**, avere un leggero strabismo **9** (*zool.*) muta; pelle abbandonata (*nella muta*) **10** sfumatura; tonalità.

◆to **cast** /kɑːst/ (pass. e p. p. **cast**) A v. t. **1** gettare; buttare; lanciare; scagliare; tirare: **to c. oneself at sb.'s feet**, gettarsi ai piedi di q.; **to c. dice**, lanciare i dadi; **to c. anchor**, gettare l'ancora; **to c. nets**, lanciare le reti; **to c. a glance**, gettare uno sguardo; dare un'occhiata; **to c. a light** [a shadow] on st., (*anche fig.*) gettar luce [un'ombra] su qc.; *He was c. into prison*, fu gettato in prigione; *'And we were casting them by thousands into the fire, to the worst of deaths, not to win the war, but that the corn, and rice and oil of Mesopotamia might be ours'* T.E. LAWRENCE, 'e noi li gettavamo a migliaia sul campo di battaglia, alla peggiore delle morti, non per vincere la guerra, ma per impadronirci del grano, del riso e del petrolio della Mesopotamia' **2** (*metall., arte*) colare (*in stampo*); fondere, gettare (*metallo, statue, ecc.*): **to c. a bronze statue**, gettare una statua di bronzo; **to c. a bell**, fondere una campana **3** (*teatr., cinem.*) assegnare, distribuire le parti; assegnare un dato ruolo a: *The play has not been cast yet*, le parti della commedia non sono ancora state assegnate; *She was cast as Ophelia*, le fu assegnato il ruolo di Ofelia **4** (*zool.*) mutare (*la pelle, le corna*); cambiare (*le penne*) B v. i. **1** (*zool.*) partorire prima del tempo **2** (*di uccelli*) rigettare; rimettere **3** (*naut.*) abbattere; accostare **4** (*caccia: di cane*) cercare l'usta ● **to c. aspersions on st.**, denigrare qc. □ **to c. one's ballot**, votare; dare il proprio voto □ **to c. the blame on sb.**, dare la colpa a q. □ **to c. caution to the wind**, gettare la prudenza ai quattro venti □ **to c. doubt on st.**, mettere in dubbio qc. □ **to c. an eye over st.**, dare un'occhiata a qc.; buttare l'occhio su qc. □ **to c. a horoscope**, fare un oroscopo □ (*naut.*) **to c. the lead**, gettare lo scandaglio □ **to c. loose**, liberarsi, staccarsi (*da q.*); (*naut.*) liberare dalle rizze, sciogliere (*la velatura*) □ (*fig.*) **to c. one's nets wide**, cercare in un ampio raggio; allargare al massimo le proprie ricerche □ (*di cavallo*) **to c. a shoe**, perdere un ferro □ **to c. a spell on st.**, lanciare un incantesimo su; fare un incantesimo a; (*anche fig.*) stregare □ **to c. a vote**, dare un voto; votare □ *The die is cast*, il dado è tratto □ (*fig.*) **to be c. in a... mould**, essere di tipo... □ (*prov.*) **Ne'er a clout, till May be out**, aprile non ti scoprire.

■ **cast about for, cast around for** v. i. + avv. e prep. guardarsi intorno in cerca di; cercare; andare alla ricerca di: **to c. about for a solution**, cercare una soluzione.

■ **cast aside** v. t. + avv. **1** gettare da un lato **2** scartare, smettere (*indumenti, ecc.*) **3** abbandonare; mettere da parte: *After he had what he wanted, he c. her aside*, una volta ottenuto quello che voleva, l'ha abbandonata; **to c. convention aside**, mettere da parte le convenzioni.

■ **cast away** v. t. + avv. **1** gettare (o buttare) via; scartare **2** (al passivo) (*naut.*) fare naufragio (*su una terra sconosciuta o deserta*); naufragare: *He was c. away on a small island*, fece naufragio su un'isoletta.

■ **cast back** v. t. + avv. – (nella loc.:) **to c. one's mind back**, riandare col pensiero; ritornare con la mente.

■ **cast down** v. t. + avv. **1** abbassare (*gli occhi, lo sguardo, ecc.*) **2** (*fig.*) abbattere; deprimere.

■ **cast in** v. t. + avv. – (nella loc.:) **to c. in one's lot with**, legare la propria sorte a quella di; schierarsi dalla parte di.

■ **cast off** A v. t. + avv. **1** scartare, smettere (*abiti, scarpe, ecc.*) **2** (*anche fig.*) liberarsi di; sbarazzarsi di: **to c. off one's shoes**, sba-

razzarsi delle scarpe; **to c. off prejudices**, liberarsi dei pregiudizi **3** (*lavoro a maglia*) intrecciare (*maglie, per chiudere*); chiudere **4** (*naut.*) sciogliere (*le cime*); mollare (*gli ormeggi, ecc.*) B v. i. + avv. (*naut.*) mollare gli ormeggi: **C. off!**, molla!

■ **cast on** v. t. + avv. (*lavoro a maglia*) avviare (*maglie*); mettere su.

■ **cast out** v. t. + avv. espellere; cacciare; bandire □ (*mat.*) **to c. out nines**, fare la prova del nove.

■ **cast round** → **cast about**.

■ **cast up** v. t. + avv. **1** (*del mare, delle onde*) gettare a riva (o sulla spiaggia) **2** (*mat., antiq.*) addizionare, sommare (*cifre*).

Castalia /kæ'steɪlɪə/ (*mitol.*) n. Castalia ‖ **Castalian** a. castalio.

castanets /kæstə'nets/ n. pl. nacchere; castagnette.

castaway /'kɑːstəweɪ/ A n. (*naut.*) naufrago (*su una terra sconosciuta o deserta*) B a. **1** che ha fatto naufragio **2** di naufrago, di naufraghi.

caste /kɑːst/ A n. casta B a. attr. di casta; castale ● **c. mark**, distintivo della propria casta; (*fig.*) segno di condizione sociale □ (*fig.*) **to lose c.**, perdere prestigio; scendere nella scala sociale.

castellan /'kɑːstɪlən/ n. castellano.

castellated /'kæstəleɪtɪd/ a. **1** (*di un edificio*) turrito **2** (*di luogo*) ricco di castelli; fortificato **3** (*mecc.*) – **c. nut**, dado a corona.

castellation /kæstə'leɪʃn/ n. **1** ⬛ fortificazione **2** (al pl.) spalti merlati.

caster /'kɑːstə(r)/ n. **1** lanciatore; chi getta, ecc. **2** (*metall.*) fonditore; modellatore **3** (*USA*) spargizucchero; spargipepe **4** (*pesca*) larva di mosca (*usata come esca*) **5** (*mecc.*) → **castor**①, def. 1 ● **c. of horoscopes**, chi trae oroscopi.

caster sugar /'kɑːstəʃʊgə(r)/ loc. n. ⬛ (*alim.*) zucchero semolato.

to **castigate** /'kæstɪgeɪt/ (*form.*) v. t. **1** rimproverare severamente; criticare aspramente **2** (*antiq.*) punire; castigare ‖ **castigation** n. ⬛⬛ critica severa ‖ **castigator** n. critico severo; censore.

Castile /kæ'stiːl/ n. (*geogr.*) Castiglia.

Castilian /kæ'stɪlɪən/ A a. e n. castigliano B n. ⬛ castigliano (*la lingua*).

casting /'kɑːstɪŋ/ n. **1** (*metall.*) getto; colata; pezzo fuso **2** (*zool.*) muta (*del pelo, delle penne*) **3** escrementi (*di uccelli o vermi*) **4** ⬛ (*cinem., teatr.*) assegnazione delle parti ● (*cinem.*) **c. director**, direttore del casting □ (*metall.*) **c. ladle**, siviera □ **c. net**, giacchio; ritrecine (*rete da pesca*) □ (*mat.*) **c. out nines**, prova del nove □ **c. vote**, voto decisivo.

cast iron /kɑːst'aɪən/ A loc. n. (*metall.*) ghisa B **cast-iron** a. **1** di ghisa **2** (*fig.*) ferreo; di ferro; **a cast-iron stomach**, uno stomaco di ferro; **a cast-iron alibi**, un alibi di ferro **3** (*fig.*) fisso; rigido; inflessibile: **cast-iron rules**, regole rigide; **a cast-iron will**, una volontà inflessibile ● (*metall.*) **cast-iron furnace**, cubilotto.

◆**castle** /'kɑːsl/ n. **1** (*anche fig.*) castello **2** (*scacchi, antiq.*) torre ● **to build castles in the air** (o **in Spain**), fare castelli in aria □ (*prov.*) **An Englishman's home is his c.**, la casa dell'inglese è il suo castello (*nessuno deve turbare la «privacy»*).

to **castle** /'kɑːsl/ v. t. (*scacchi*) arroccare.

castling /'kɑːslɪŋ/ n. ⬛ (*scacchi*) arroccamento; arrocco.

cast-off /'kɑːstɒf/ A a. **1** scartato **2** (*d'abito, scarpe, ecc.*) smesso: *'Huckleberry was always dressed in the cast-off clothes of full-grown men'* M. TWAIN, 'Huckleberry portava sempre gli abiti smessi degli adulti' **3** (*fig.*) abbandonato; respinto; ex: **cast-off lovers**, ex amanti B n. (*anche* **castoff**) **1** in-

C

dumento smesso: **my sister's cast-offs**, gli abiti smessi di mia sorella **2** (*slang USA*) innamorato respinto; amante abbandonato; ex.

Castor /'kɑːstə(r)/ n. (*mitol.*) Castore.

castor ① /'kæstə(r)/ n. **1** (*mecc.*) ruota orientabile, rotella girevole (*di poltrona, ecc.*) **2** → **caster**, *def. 3*.

castor ② /'kæstə(r)/ n. **1** Ⓤ (*cosmesi*) castoreo, castorio **2** (*fam.*) berretto di pelo (*di castoro o coniglio*).

castor ③ /'kɑːstə(r)/ n. (*vet.*) castagna (*placca cornea del cavallo*).

castor bean /'kɑːstəbiːn/ loc. n. **1** seme di ricino **2** (*bot., USA*) ricino.

castoreum /kæ'stɔːriəm/ n. Ⓤ (*cosmesi*) castoreo.

castor oil /'kɑːstər 'ɔil/ loc. n. olio di ricino ● (*bot.*) **castor-oil plant** (*Ricinus communis*), ricino.

castor sugar → **caster sugar**.

to **castrate** /kæ'streɪt/ v. t. **1** (*anche fig.*) castrare **2** (*fig.*) mutilare; espurgare (*un testo, ecc.*) || **castration** n. Ⓤ **1** castrazione; castratura; evirazione **2** (*fig.*) castrazione; mutilazione ● (*psic.*) **castration complex**, complesso di castrazione.

Castroism /'kæstrəʊɪzəm/ (*polit.*) n. Ⓤ castrismo || **Castroist** n. e a. castrista.

casual /'kæʒʊəl/ Ⓐ a. **1** noncurante; indifferente; disinvolto: *Mary tried to look c.*, Mary cercò d'assumere un'aria indifferente (*o disinvolta*) **2** superficiale; distratto; fatto alla leggera; disinvolto: **a c. observer**, un osservatore superficiale (*o distratto*); **a c. look**, un'occhiata distratta; **a c. remark**, un'osservazione fatta in modo distratto (*o, fam.*, buttata lì); **to do st. in a c. way**, fare qualcosa in modo approssimativo **3** (*di abbigliamento*) sportivo; casual **4** rilassato; informale: **a c. atmosphere**, un'atmosfera rilassata **5** occasionale; saltuario; avventizio: **c. jobs**, lavori saltuari; **c. sex**, rapporti sessuali facili; avventure (sessuali) **6** casuale; accidentale; fortuito; involontario: **a c. meeting**, un incontro fortuito Ⓑ n. **1** (= c. **worker**) lavoratore avventizio **2** (*mil.*) militare assegnato temporaneamente a un'unità **3** (al pl.) abiti, scarpe, ecc. sportivi; abbigliamento casual ● **c. wear**, abbigliamento sportivo; abiti sportivi.

casualization /ˌkæʒʊəlaɪˈzeɪʃn/ n. Ⓤ flessibilizzazione (*dell'occupazione*).

to **casualize** /'kæʒʊəlaɪz/ v. t. rendere flessibile (*l'occupazione*).

casually /'kæʒʊəli/ avv. **1** in modo noncurante; con aria indifferente; distrattamente **2** disinvoltamente; con naturalezza **3** (*rif. ad abbigliamento*) in modo informale; in modo casual **4** saltuariamente **5** casualmente; accidentalmente.

casualness /'kæʒʊəlnəs/ n. Ⓤ **1** noncuranza; indifferenza **2** disinvoltura; nonchalance (*franc.*) **3** occasionalità **4** casualità.

♦**casualty** /'kæʒʊəlti/ n. **1** ferito (*in incidente, in guerra*); infortunato (*ind.*) **2** morto, vittima (*in incidente, in guerra, ecc.*); caduto (*mil.*); (al pl., *anche*) perdite (*mil.*): *The earthquake caused a lot of casualties*, il terremoto fece molte vittime; **heavy casualties**, perdite pesanti; **c. figures**, numero delle vittime; numero delle perdite (*o dei caduti*) (*mil.*) **3** (*fig.*) vittima: **a c. of retrenchment**, una vittima dei tagli di spesa **4** (*med., GB*, = c. **department**, *o* c. **ward**), (reparto di) pronto soccorso: **to rush sb. to c.**, portare q. di corsa al pronto soccorso: *I'd better take him to c., just to be on the safe side*, sarà meglio che lo porti al pronto soccorso, per essere sicuri **5** (*ass.*) incidente; sinistro.

casuarina /ˌkæʒʊəˈriːnə/ n. (*bot., Casuari-*

na) casuarina.

casuist /'kæʒʊɪst/ n. **1** (*relig.*) casista, casuista **2** (*fig.*) sofista; cavillatore || **casuistic, casuistical a. 1** (*relig.*) casistico, casuistico **2** (*fig.*) sofistico; cavilloso.

casuistry /'kæʒʊɪstri/ n. Ⓤ **1** (*relig.*) casistica, casuistica **2** (*fig.*) sofismi (pl.); cavilli (pl.).

casus belli /'kɑːsʊs 'bɛliː/ (*lat.*) n. (inv. al pl.) (*polit.*) casus belli.

♦**cat** ① /kæt/ n. **1** gatto, gatta: *We've got a cat; would that be a problem for you?*, abbiamo un gatto; sarebbe un problema per te? **2** (*zool., Felix catus*) felino: **the big cats**, i grandi Felidi (*leone, tigre, ecc.*); **the cat family**, i Felidi; i felini (*fam.*) **3** (*fig. fam.*) donna maligna, dispettosa, strega **4** → **cat-o'-nine-tails 5** bastoncino appuntito (*usato nel gioco della lippa*) Ⓖ (*zool.*) → **catfish 7** (*naut.*) → **cathead 8** (*naut.*) → **catboat 9** (*slang USA, spec. in ambito jazz*) uomo; tipo; (*per estens.*) appassionato di jazz, jazzomane ● (*fam.*) **cat-and-dog life**, vita di continui litigi □ **cat-and-mouse game**, il gioco del gatto col topo □ **cat burglar**, ladro acrobata □ (*naut.*) **cat davit**, gru di capone □ **cat door** = **cat flap** → *sotto* □ **cat-eyed**, che ha occhi da gatto; che ci vede anche al buio □ **cat flap**, gattaiola; sportello per il gatto □ **cat-like**, (agg.) da gatto, simile a un gatto, felino, (*di passo, ecc., anche*) furtivo, silenzioso; (avv.) come un gatto, con movenze feline □ **cat litter**, lettiera per gatti □ **cat's cradle**, ripiglino (*gioco*); figura del ripiglino; (*fig.*) intrico, labirinto □ **cat's-eye**, (*miner.*) occhio di gatto; (*autom.*) catarifrangente, catadiottro □ (*bot.*) **cat's foot**, (*Nepeta hederacea*) edera terrestre; (*Antennaria dioica*) bambagia selvatica, coda di gatto □ **cat's-paw**, zampa di gatto; (*meteor.*) bava di vento; (*naut.*) nodo di gancio doppio; (*fig.*) strumento (involontario, *di q.*), burattino □ (*bot.*) **cat's tail** (*Typha latifolia*), stiancia; tifa; bio-do □ (*elettron.*) **cat's-whisker**, baffo di gatto □ (*fam.*) **the cat's whiskers** (*o pyjamas, miaow*), cosa (*o persona*) eccellente; il non plus ultra; il massimo: *He thinks he's the cat's whiskers*, si crede un dio; si crede d'essere chissà chi □ (*fin., slang*) **cats and dogs**, titoli di scarso valore; titoli ad alto contenuto speculativo □ (*fig.*) **to bell the cat** → **to bell** □ (*fam.*) **not to have a cat's chance**, non avere la minima (*fam.*, uno straccio di) probabilità □ (*fam.*) **to fight like cat and dog**, essere come cane e gatto; litigare in continuazione □ **to fight like Kilkenny cats**, battersi fino alla distruzione reciproca □ (*fig. fam.*) **to let the cat out of the bag**, lasciarsi sfuggire un segreto □ (*fam.*) **to be like a cat on hot bricks** (*o, USA*, **on a hot tin roof**), essere nervosissimo; stare sui carboni ardenti □ (*fam. GB*) **to look like the cat that got the cream**, avere l'aria soddisfatta (*o goduta*) □ **to look like something the cat brought in** (*o dragged in*), essere malridotto (*o malconcio*); essere in uno stato da far pietà □ **enough to make a cat laugh**, ridicolo; assurdo; che fa ridere i polli □ **to play cat and mouse with**, fare il gioco del gatto col topo con; divertirsi a tormentare □ (*fig. GB*) **to put** (*o* **to set**) **the cat among the pigeons**, mettere in subbuglio; suscitare un vespaio; gettare un sasso in piccionaia □ (*antiq.*) **to rain cats and dogs**, piovere a dirotto (*o a catinelle*) □ (*fig. fam.*) **to see which way the cat jumps**, stare a vedere come si mettono le cose; vedere come butta □ (*scherz.*) **Cat got your tongue?**, hai perso la lingua? □ (*fam.*) **The cat's out of the bag**, il segreto è stato rivelato; qualcuno si è lasciato scappare il segreto □ (*fam.*) **There are more ways than one to skin a cat**, c'è più di un modo di affrontare la cosa □ **There isn't enough room to swing a cat**,

non c'è spazio per rigirarsi □ (*prov.*) **A cat may look at a king**, anche un gatto può guardare un re (*cioè: anche chi è in basso ha i suoi diritti*) □ (*prov.*) **All cats are grey in the dark** (*o* **At night all cats are grey**), di notte (*o* al buio) tutti i gatti sono neri □ (*prov.*) **When the cat's away, the mice will play**, quando il gatto non c'è, i topi ballano.

cat ② /kæt/ n. (abbr. *fam. di* **catamaran**) catamarano.

cat ③ /kæt/ n. (abbr. *fam. di* **catalytic converter**) marmitta catalitica.

to **cat** /kæt/ Ⓐ v. t. (*naut.*) caponare (*l'ancora*) Ⓑ v. i. **1** (*slang*) rimettere; vomitare **2** (*slang USA*) parlare in modo malevolo; malignare. ■ **cat around** v. i. + avv. (*slang USA*) andare a donne, a uomini.

CAT sigla **1** (*aeron., clear-air turbulence*) turbolenza in aria serena **2** (**computerized axial tomography**) TAC (tomografia assiale computerizzata): **to have a CAT scan**, fare una TAC **3** (**computer-assisted testing**) verifica assistita dall'elaboratore **4** (*GB*, **College of Advanced Technology**) Istituto superiore di tecnologia.

cat. abbr. **1** (**catalogue**) catalogo **2** (**category**) categoria.

catabolism /kə'tæbəlɪzəm/ (*biol.*) n. Ⓤ catabolismo || **catabolic** a. catabolico.

catabolite /kə'tæbəlaɪt/ n. (*biol.*) catabolita.

catachresis /ˌkætə'kriːsɪs/ n. Ⓤ Ⓒ (pl. *catachreses*) (*retor.*) catacresi.

cataclasis /ˌkætə'kleɪsɪs/ n. Ⓤ (*geol.*) cataclasi.

cataclysm /'kætəklɪzəm/ n. (*geol. e fig.*) cataclisma.

cataclysmic /ˌkætə'klɪzmɪk/ a. **1** di (*o* causato da) un cataclisma **2** che ha la natura di un cataclisma; disastroso.

catacomb /'kætəkəʊm/ n. catacomba (*anche fig.*).

catadioptric /ˌkætədaɪ'ɒptrɪk/ a. (*fis.*) catadiottrico.

catafalque /'kætəfælk/ n. catafalco.

Catalan /'kætəlæn/ Ⓐ a. catalano Ⓑ n. **1** catalano **2** Ⓤ catalano (*la lingua*).

catalectic /ˌkætə'lɛktɪk/ a. (*poesia*) catalettico.

catalepsy /'kætəlɛpsi/ n. (*med.*) Ⓤ catalessi; catalessia || **cataleptic a. e n.** catalettico.

catalexis /ˌkætə'lɛksɪs/ n. Ⓤ (*ling.*) catalessi.

♦**catalogue**, (*USA*) **catalog** /'kætəlɒg/ n. **1** catalogo **2** (*USA*) annuario (*d'università*) **3** (*fig.*) serie; sequenza: **a c. of defeats**, una serie di sconfitte ● (*comm.*) **c. price**, prezzo di catalogo □ **master c.**, catalogo generale.

to **catalogue**, (*USA*) to **catalog** /'kætəlɒg/ v. t. catalogare; mettere in catalogo || **cataloguer**, (*USA*) **cataloger** n. catalogatore, catalogatrice.

Catalonia /ˌkætə'ləʊnɪə/ n. (*geogr.*) Catalogna || **Catalonian** Ⓐ a. catalano Ⓑ n. **1** catalano **2** Ⓤ catalano (*la lingua*).

catalpa /kə'tælpə/ n. (*bot., Catalpa*) catalpa.

to **catalyse** e deriv. (*GB*) → to **catalyze** e deriv.

catalysis /kə'tæləsɪs/ n. Ⓤ Ⓒ (pl. *catalyses*) (*chim.*) catalisi.

catalyst /'kætəlɪst/ n. **1** (*chim. e fig.*) catalizzatore **2** (*autom.*) catalizzatore; marmitta catalitica: **c.-fitted**, dotato di catalizzatore.

catalytic /ˌkætə'lɪtɪk/ a. (*chim.*) catalitico: **c. cracking**, cracking catalitico ● (*autom.*) **c. converter**, marmitta catalitica.

to **catalyze** /'kætəlaɪz/ v. t. (*chim. e fig.*)

catalizzare.

catalyzer /'kætəlaɪz(r)/ n. (*autom.*) catalizzatore; marmitta catalitica.

catamaran /kætəmə'ræn/ n. (*naut.*) catamarano.

catamite /'kætəmaɪt/ n. (*arc.*) cinedo.

catamount /'kætəmaʊnt/ n. (*zool.*) 1 (*Felis concolor*) puma; coguaro 2 (*Lynx lynx*) lince.

catamountain /kætə'maʊntɪn/ n. (*zool.*) 1 (*Felis silvestris*) gatto selvatico 2 (*Felis pardus*) leopardo.

cataphoresis /kætəfə'riːsɪs/ n. ▣ (*chim.*) cataforesi.

cataplasm /'kætəplæzəm/ n. (*med.*) cataplasma.

cataplexy /'kætəplɛksɪ/ (*med.*) n. ▣ cataplessia ‖ **cataplectic** a. cataplettico.

catapult /'kætəpʌlt/ n. 1 (*stor. mil., ecc.*) catapulta 2 fionda; frombola (*lett.*) ● (*naut.*) **c. aircraft**, velivolo catapultabile (*da una nave*).

to **catapult** /'kætəpʌlt/ v. t. 1 (*anche fig.*) catapultare (*un aereo, ecc.*) 2 tirare (*o colpire*) con la fionda; frombolare.

cataract /'kætərækt/ n. 1 (*geogr., idraul.*) cateratta 2 (*med.*) cataratta 3 (*fig.*) diluvio; pioggia torrenziale.

catarrh /kə'tɑː(r)/ (*med.*) n. catarro ‖ **catarrhal** a. catarrale.

catarrhine, **catarhine** /kə'tɑːraɪn/ a. e n. (*zool.*) (scimmia) catarrina.

catastasis /kə'tæstəsɪs/ n. ▣ (*ling.*) catastasi.

catastrophe /kə'tæstrəfɪ/ n. 1 catastrofe 2 (*geol.*) cataclisma ● (*mat.*) **c. theory**, teoria delle catastrofi.

catastrophic /kætə'strɒfɪk/, **catastrophical** /kætə'strɒfɪkl/ a. catastrofico ‖ **catastrophically** avv. catastroficamente.

catastrophism /kə'tæstrəfɪzəm/ (*geol.*) n. ▣ catastrofismo ‖ **catastrophist** n. catastrofista.

catatonia /kætə'təʊnɪə/ n. ▣ (*med.*) catatonia ‖ **catatonic** a. catatonico.

catbird /'kætbɜːd/ n. (*zool.*, *Dumetella carolinensis*) uccello gatto ● (*fam. USA*) **in the c. seat**, in posizione di vantaggio; in posizione di prestigio.

catboat /'kætbəʊt/ n. (*naut.*) catboat.

catcall /'kætkɔːl/ n. 1 fischio (*di derisione o disapprovazione*) 2 fischio di ammirazione (*per una donna*).

to **catcall** /'kætkɔːl/ v. i. 1 fischiare (*per disapprovazione*) 2 lanciare fischi di ammirazione (*a una donna*).

catch /kætʃ/ n. 1 (*spec. sport*) presa (*della palla*); presa al volo 2 (*pesca*) pesca; presa; retata; pescato: **to haul in one's c.**, tirare a bordo il pescato (*o le reti*); **to make a good c.**, fare una buona pesca 3 (*fig. fam.*) partito (*matrimoniale*): *That man is a good c.*, quell'uomo è un buon partito 4 gancio; fermaglio; chiusura a scatto; fermo (*di porta*); arresto (*di ingranaggio*): **safety c.**, chiusura di sicurezza; arresto 5 (*fam.*) inghippo; trappola; trucco: *There's a c.*, c'è un tranello; *What's the c.?*, dov'è l'inghippo? 6 breve arresto o esitazione (*della voce o del respiro, per l'emozione*) 7 (*mus.*) canzone a canone (*con testo umoristico*) 8 ▣ (*gioco*) chiapparello; acchiappino ● **C.-22** (**situation**), circolo vizioso; situazione da comma 22.

♦to **catch** /kætʃ/ (*pass. e p. p. **caught***) Ⓐ v. t. 1 prendere; afferrare; pigliare; acchiappare (al volo); agguantare: *I caught the ball on the rebound*, presi la palla di rimbalzo; *I caught him as he fell*, lo afferrai mentre cadeva; *I caught him by the neck*, lo agguantai per il collo 2 catturare; prendere; acchiappare: **to c. a fish [a rabbit]**, prendere un pesce [un coniglio]; **to c. a mouse [a but-**

terfly], acchiappare un topo [una farfalla]; **to c. a murderer**, catturare (*o prendere*) un assassino 3 (*del vento, ecc.*) afferrare; portare via; trascinare via 4 sorprendere; cogliere; prendere: **to c. sb. stealing**, sorprendere q. che ruba; *I caught him at the whisky again*, lo colsi di nuovo a bere whisky; **to c. sb. by surprise**, cogliere q. di sorpresa; (*su una terra sconosciuta o deserta*); *They were caught in a blizzard in the mountains*, sono stati sorpresi da una bufera di neve in montagna 5 (*seguito da compl.*) (*anche fig.*) prendere; impigliare; chiudere; intrappolare: *I caught my foot in the rope*, inciampai nella corda; *He caught his fingers in the door*, si chiuse le dita nella porta; **to get caught in st.**, restare impigliato (*o preso, intrappolato*) in qc.; *We were caught in a vicious circle*, eravamo presi in un circolo vizioso 6 colpire; prendere: *The bullet caught him in the chest*, la pallottola lo colpì al petto 7 urtare; battere: *I caught my head on the edge of the table*, battei la testa contro l'orlo del tavolo 8 dare, assestare, mollare (*fam.*) (*un colpo*) a: *I caught him a blow on the chin*, gli assestai un pugno sul mento 9 chiudere (*un gancio*); agganciare, allacciare (*un fermaglio, ecc.*) 10 (*seguito da compl., spesso al passivo*) chiudere; stringere; raccogliere; assicurare: *She wore her hair caught in a bun*, portava i capelli raccolti in uno chignon 11 prendere; contrarre (*una malattia*): **to c. a cold**, prendere il raffreddore; **to c. a disease off sb.**, prendere una malattia da q. 12 farsi contagiare (*fig.*); lasciarsi prendere da: *We caught the general enthusiasm*, ci lasciammo contagiare dall'entusiasmo generale 13 raggiungere: *You'll c. him if you run*, se corri lo raggiungi 14 prendere (*un mezzo di trasporto*): **to c. a bus**, prendere l'autobus 15 arrivare in tempo per (*fare o vedere qc.*); riuscire a vedere, sentire, ecc.; riuscire a prendere (*un treno, ecc.*): **to c. the last mail**, arrivare in tempo per l'ultima levata della posta; *I want to c. the 7 o'clock news*, voglio riuscire a vedere (*o non voglio perdere*) il telegiornale delle sette; *Did he c. his plane in the end?*, è poi riuscito a prendere il suo aereo?; *Hi Tim, I'm glad I've caught you*, ciao Tim, sono contenta di essere riuscita a trovarti 16 attirare; attrarre; prendere; catturare: **to c. sb.'s attention**, attirare l'attenzione di q.; *My eye was caught by a miniature*, il mio occhio fu attratto da una miniatura 17 cogliere; notare; sentire; percepire; distinguere: *I caught signs of impatience*, colsi segni di impazienza; **to c. a smell**, sentire un odore 18 sentire; afferrare; capire: *I didn't c. what he said*, non ho afferrato quel che ha detto; *Do you c. my meaning?*, capisci che cosa intendo? 19 rendere; cogliere: **to c. a likeness**, cogliere una somiglianza; *His film exactly catches the mood of the fifties*, il suo film coglie alla perfezione l'atmosfera degli anni Cinquanta 20 raccogliere (*un liquido*) 21 (*radio, TV*) prendere; ricevere; captare 22 (*baseball*) ricevere 23 (*cricket*) → **catch out** Ⓑ v. i. 1 prendere fuoco; accendersi; cominciare a bruciare: *The sticks quickly caught*, i rametti presero subito fuoco 2 (*di motore*) ingranare; mettersi in moto, partire 3 (*bot.*) prendere; attecchire, allignare 4 prendere, far presa; attaccarsi; (*di serramenti, ecc.*) chiudere; (*mecc.*) ingranare, innestarsi: *The hook didn't c.*, il gancio non prese (*sulla parete, ecc.*); *The lock won't c.*, la serratura non chiude 5 (*seguito da compl.*) impigliarsi; restare attaccato; rimanere preso: *My jacket caught on a nail*, mi s'impigliò la giacca a un chiodo 6 (*med.*) (*di male*) essere contagioso; diffondersi facilmente 7 prendere piede (*di femmina di animale*) restare pregna; ingravidarsi 9 (*baseball*) fare il ricevitore; giocare nel ruolo di ricevitore ●

to c. sb. at it, cogliere (*fam.* pescare) q. sul fatto (*o in flagrante*) □ **to c. one's breath**, trattenere il respiro; restare col respiro mozzo □ (*fam.*) **to c. sb. bending**, cogliere q. alla sprovvista; prendere in contropiede □ **to c. sb.'s eye**, attirare l'attenzione di q. □ **to c. sb.'s fancy**, piacere a q. □ **to c. fire**, prendere fuoco □ (*fam.*) **to c. sb. flat-footed**, cogliere q. alla sprovvista □ **to c. a glimpse of**, vedere di sfuggita; scorgere; intravedere □ (*fam. USA*) **to c. hell**, prendersi una strigliata; beccarsi un cazziatone (*pop.*) □ **to c. hold of st.**, afferrare qc. □ (*fam.*) **to c. it (in the neck)**, buscarsi una sgridata; buscarle; prenderle □ **to c. sb. in the act**, cogliere q. in flagrante (*o sul fatto*) □ **to c. the light**, riflettere la luce; mandare un riverbero □ (*fam.*) **to c. sb. napping**, cogliere q. di sorpresa; cogliere q. impreparato □ **to c. sb. off balance**, cogliere q. alla sprovvista; prendere in contropiede □ **to c. sb. on the wrong foot**, prendere q. in contropiede (*anche fig.*) □ **to c. oneself**, trattenersi: **to c. oneself in time**, trattenersi in tempo; sorprendersi; trovarsi a: *She caught herself smiling*, si sorprese a sorridere □ **to c. sb. red-handed**, cogliere q. in flagrante (*o sul fatto*) □ **to c. sight of**, scorgere; intravedere □ **to c. the sun**, essere in posizione soleggiata; (*GB*) abbronzarsi □ (*fam.*) **to c. sb. with his trousers** (*USA*: **pants**) **down**, sorprendere q. (*in una situazione imbarazzante o illegale*); cogliere q. sul fatto □ **to be caught like a rat in a hole**, essere preso in trappola □ **to be caught short**, rimanere a corto di qc.; (*Borsa*) essere allo scoperto; (*fam. USA*) avere urgente bisogno del gabinetto; avere un bisogno urgente □ (*fam.*) **You won't c. me doing it!**, non mi ci prendi di sicuro a farlo; figùrati se lo faccio! □ (*fam.*) **I wouldn't be caught dead in that place**, in quel posto non ci andrei neanche morto.

■ **catch at** v. t. + prep. (*anche fig.*) (cercare di) afferrare (*o afferrarsi a, attaccarsi a, aggrapparsi a*): *Mike caught at my arm*, Mike mi afferrò un braccio; *Roots caught at my feet*, le radici mi facevano inciampare; **to c. at sb.'s attention**, afferrare l'attenzione di q. □ **to c. at straws** → **straw**.

■ **catch in** v. t. + avv. (*sartoria*) fare una ripresa in; riprendere; stringere.

■ **catch on** v. t. + avv. 1 (*di una moda, ecc.*) attecchire; prendere piede; diffondersi; diventare di moda; avere successo: *The new hairstyle has caught on quickly*, la nuova acconciatura ha preso piede in fretta 2 – **to c. on to**, capire; comprendere; afferrare: *He never caught on to what I was doing*, non comprese mai che cosa facevo; **to c. on an idea**, afferrare un'idea; arrivare a capire.

■ **catch out** v. t. + avv. 1 cogliere in fallo; prendere in castagna; pescare (*fig.*) 2 prendere alla sprovvista; prendere in contropiede; cogliere (*o prendere*) di sorpresa; sorprendere: *We were caught out by the oil crisis*, fummo presi alla sprovvista dalla crisi del petrolio; **to be caught out by the weather**, essere sorpreso dal cattivo tempo 3 (*cricket*) eliminare (*un battitore*) al volo.

■ **catch up** Ⓐ v. t. + avv. 1 afferrare; agguantare; prendere su (*fam.*): *He caught up the money and ran*, afferrò i soldi e scappò 2 raggiungere (*q.*): *Go ahead, I'll c. you up later*, andate avanti, io vi raggiungo dopo 3 – **to be caught up in**, essere preso, afferrato; trascinato da; lasciarsi catturare; afferrare, trascinare da: *I was caught up in a whirlwind of parties*, fui preso dentro una girandola di feste; **to be caught up in one's work**, essere preso (*o assorbito*) dal lavoro 4 – **to be caught up in**, trovarsi coinvolto (*o preso, invischiato*) in; trovarsi (*o finire*) in mezzo a: **to be caught up in a brawl**, trovarsi in mezzo a una rissa; *I don't want to be caught up in his dealings*, non finire in-

vischiato nei suoi intrallazzi **B** v. i. + avv. **1** mettersi in pari; recuperare terreno; rimontare (*sport*); far segnare una ripresa (*econ.*): *The new students must c. up*, gli studenti nuovi devono mettersi in pari; **to c. up on one's work**, rimettersi in pari col lavoro; *I've got a lot of paperwork to c. up on*, devo sbrigare un mucchio di pratiche arretrate **2** – **to c. up on**, aggiornarsi su; mettersi al corrente di: **to c. up on the local news**, aggiornarsi sulle notizie locali; *We've got so much to c. up on!*, (*di due che si ritrovano*) abbiamo tante cose da raccontarci! **3** – **to c. up with**, raggiungere (q.); (*fig.*) trovare, scovare; (*di situazione spiacevole, ecc.*) cominciare a lasciare un segno su; (*anche fig.*) scambiare le ultime notizie con.

catchable /'kætʃəbl/ a. **1** prendibile; afferrabile; catturabile **2** raggiungibile (→ **to catch**).

catch-all /'kætʃɔːl/ **A** n. (*spec. USA*) ripostiglio; sgombraroba **B** a. attr. (*di clausola, di articolo, ecc.*) onnicomprensivo.

catch-as-catch-can /ˌkætʃəzkætʃˈkæn/ **A** n. a) (*arc.*) lotta libera; catch **B** a. attr. improvvisato, disorganizzato; in cui ci si deve arrangiare.

catch basin /'kætʃ beɪsn/ loc. n. (*tecn.*) bacino artificiale (*di raccolta delle acque*); pozzetto di raccolta.

catch crop /'kætʃ krɒp/ loc. n. (*agric., GB*) coltura intercalare.

catcher /'kætʃə(r)/ n. **1** persona che afferra, che prende, ecc. **2** (*mecc.*) arresto (*dente, ecc.*) **3** (*idraul.*, = c. basin) separatore **4** (*elettron.*) ricettore **5** (*baseball*) ricevitore.

catchfly /'kætʃflaɪ/ n. (*bot., Silene*) silene; erba del cucco; strigoli (pl.).

catching /'kætʃɪŋ/ a. **1** (*anche fig.*) contagioso **2** attraente; seducente ● (*leg.*) **c. bargain**, contratto capzioso; patto leonino.

catchline /'kætʃlaɪn/ n. **1** (*tipogr., GB*) titolo (*di giornale*) in evidenza **2** slogan pubblicitario.

catchment /'kætʃmənt/ n. **1** □ captazione d'acqua; raccolta delle acque **2** acqua piovana di raccolta **3** (*geogr.*, = c. area, c. basin) bacino imbrifero; bacino pluviale **4** (= c. area) bacino di utenza ● **c. drain**, canale collettore.

catchpenny /'kætʃpenɪ/ a. (*spreg.*) da due soldi; vistoso ma dozzinale.

catchphrase /'kætʃfreɪz/ n. frase tipica (*di q.*); tormentone; espressione di moda; slogan.

catchplate /'kætʃpleɪt/ n. (*mecc.*) menabrida.

catchup /'kætʃʌp/ n. → **ketchup**.

catch-up /'kætʃʌp/ n. □ (*fam.*) (il) portarsi alla pari; (il) mettersi in pari ● (*USA*) **to play catch-up**, cercare di portarsi alla pari, di raggiungere, di recuperare.

catchweed /'kætʃwiːd/ n. (*bot., Galium aparine*) attaccamani; attaccavesti.

catchword /'kætʃwɜːd/ n. **1** parola a effetto; parola di moda **2** slogan; motto **3** (*tipogr.*) esponente, testatina (*in un dizionario*).

catchy /'kætʃɪ/ a. **1** facile da ricordare; (*di una canzone, ecc.*) orecchiabile: **a c. slogan**, uno slogan che si ricorda **2** che attira; che fa colpo; catturante: **a c. title**, un titolo che attira **3** (*di domanda, ecc.*) insidioso; trappoloso **4** spasmodico; intermittente; a scatti.

catechesis /ˌkætɪˈkiːsɪs/ n. (pl. **catecheses**) **1** □ (*relig.*) catechesi **2** (libro di) catechismo.

catechetical /ˌkætəˈketɪkl/ a. (*relig.*) catechetico.

catechetics /ˌkætɪˈketɪks/ n. pl. (col verbo al sing.) (*teol.*) catechetica.

catechism /'kætəkɪzəm/ (*relig.*) n. cate-

chismo || **catechismal** a. catechistico || **catechist** n. catechista.

to **catechize** /'kætəkaɪz/ v. t. **1** (*relig.*) catechizzare **2** (*per estens.*) istruire mediante domande e risposte || **catechizer** n. (*relig.*) catechizzatore.

catecholamine /ˌkætəˈkəʊləmiːn/ n. □ (*biochim.*) catecolamina.

catechu /'kætətʃuː/ n. **1** (*bot., Acacia catechu*) catecù **2** □ (*chim., farm.*) catecù; cacciù.

catechumen /ˌkætəˈkjuːmen/ n. (*relig.*) catecumeno.

categorical /ˌkætəˈɡɒrɪkl/ a. **1** categorico; fermissimo: **a c. denial**, una smentita categorica; *He's quite c. about it*, è categorico su questo punto **2** (*filos.*) categoriale ● (*filos.*) **c. imperative**, imperativo categorico | **-ly** avv. | **-ness** n. □.

to **categorize** /'kætəɡəraɪz/ v. t. categorizzare; classificare || **categorization** n. □ categorizzazione; classificazione.

◆**category** /'kætəɡərɪ/ n. (*anche filos.*) categoria || **categorial** a. (*filos.*) categoriale.

catenary /kəˈtiːnərɪ/ **A** a. (*fis., tecn.*) a catenaria **B** n. **1** (*fis.*) catenaria **2** (*tecn.*) catena di sospensione **3** (*ferr.*) linea aerea di contatto ● (*ind. costr.*) **c. bridge**, ponte sospeso.

to **catenate** /'kætɪneɪt/ v. t. concatenare; collegare in catena || **catenation** n. □ concatenamento; collegamento in catena.

to **cater** /'keɪtə(r)/ **A** v. i. **1** provvedere cibi, bevande, ecc.; organizzare la ristorazione (*o il servizio, il rinfresco*) (*per una funzione*); fare il catering: *Who's catering?*, chi provvede al servizio?; chi fa il catering?; **to c. for a wedding**, organizzare (*o fare il catering per*) un ricevimento di nozze **2** – **to c. for**, venire incontro alle esigenze di; occuparsi di; fornire servizi, assistenza a; (*comm.*) fare l'assistenza a (*un prodotto*); accogliere, sistemare (*visitatori, pazienti, ecc.*): *Vegetarians diets are catered for*, sono disponibili menu per vegetariani; *Our centre can c. for 200 people a day*, il nostro centro è in grado di occuparsi di 200 persone al giorno; *All makes of cars are catered for here*, si fornisce assistenza a ogni tipo d'automobile **3** – **to c. for** (*o to*), soddisfare; rivolgersi a: **to c. for** (*o to*) **all tastes**, soddisfare tutti i gusti; accontentare tutti; rivolgersi a tutti; **to c. to sb.'s demands**, soddisfare le esigenze di q.; **a newspaper catering for all opinions**, un giornale che dà spazio a tutte le opinioni **B** v. t. organizzare la ristorazione (*o il servizio, il rinfresco*) di; occuparsi del catering di; provvedere a (*un pasto*).

cater-cornered /ˌkeɪtəˈkɔːnəd/, **cater-corner** /ˌkeɪtəˈkɔːnə(r)/ avv. e a. (*fam., USA*) diagonalmente; in diagonale; di sbieco: *The bank is cater-cornered from* (*o to*) *the theatre*, la banca è in diagonale di fronte al teatro.

caterer /'keɪtərə(r)/ n. **1** fornitore di cibi e bevande; approvvigionatore; organizzatore di banchetti, pranzi, ecc.; (al pl., *anche*) ditta di catering: *Meals are provided by outside caterers*, i pasti sono forniti da una ditta di catering **2** ristoratore; proprietario di ristorante.

catering /'keɪtərɪŋ/ n. □ **1** approvvigionamento (*di cibi e bevande*); preparazione di pasti; ristorazione; (servizio di) catering: **the demands of modern c.**, le esigenze della ristorazione moderna; **to work in c.**, occuparsi di ristorazione (*o di catering*); **the c. at Malpensa**, il catering della Malpensa; **educational c.**, ristorazione per le scuole **2** cibi e bevande forniti (*per un banchetto, ecc.*): **to provide the c. for**, preparare il buffet (i pasti, ecc.) per; fare il catering per ● (*econ.*) **the c. trade**, il settore della ristorazione.

caterpillar /'kætəpɪlə(r)/ n. **1** (*zool.*) bru-

co **2** (= **c. track, c. tread**)® cingolo (*di trattore*) **3** (= **c. track, c. tractor**) (*marchio*) trattore a cingoli, caterpillar; cingolato.

caterwaul /'kætəwɔːl/ n. **1** miagolio (*di gatti in amore*) **2** miagolio; lagna stridula.

to **caterwaul** /'kætəwɔːl/ v. i. **1** miagolare (*di gatti in amore*) **2** miagolare; lanciare grida stridule; lagnarsi **3** litigare, azzuffarsi (come gatti).

catfight /'kætfaɪt/ n. (*fam.*) lite (*specialm. fra donne*); litigio.

catfish /'kætfɪʃ/ n. (*zool., Amieiurus nebulosus*) pesce gatto.

catgut /'kætɡʌt/ n. □ **1** minugia (*per strumenti musicali*) **2** (*med.*) catgut; filo per suture.

Cath /kæθ/ n. dim. di → **Catherine**.

Cath. abbr. **1** (**cathedral**) cattedrale **2** (**Catholic**) cattolico.

Cathar /'kæθɑː(r)/ n. e a. (*relig.*) cataro || **Catharism** n. □ catarismo; eresia catara.

catharsis /kəˈθɑːsɪs/ n. □ (pl. **catharses**) **1** catarsi **2** (*med.*) evacuazione.

cathartic /kəˈθɑːtɪk/ **A** a. (*anche* **cathartical**) **1** catartico **2** (*farm.*) purgativo **B** n. (*farm.*) purga; purgante.

Cathay /kæˈθeɪ/ n. (*geogr., stor.*) Catai.

cathead /'kæthed/ n. (*naut.*) capone; grua dell'ancora.

◆**cathedral** /kəˈθiːdrəl/ n. cattedrale; duomo ● **c. city**, città sede di cattedrale.

Catherine /'kæθərɪn/ n. Caterina ● **C. wheel**, girandola (*fuoco artificiale*).

catheter /'kæθɪtə(r)/ n. (*med.*) catetere.

to **catheterize** /'kæθɪtəraɪz/ (*med.*) v. t. cateterizzare || **catheterization** n. □ cateterismo.

cathode /'kæθəʊd/ (*elettr.*) **A** n. catodo **B** a. attr. catodico: **c. rays**, raggi catodici ● **c.-ray tube**, tubo catodico || **cathodic** a. catodico.

catholic /'kæθəlɪk/ a. **1** eclettico: **c. tastes**, gusti eclettici **2** (*form.*) generale; universale.

◆**Catholic** /'kæθəlɪk/ a. e n. (= Roman C.) cattolico: **the C. Church**, la Chiesa Cattolica ● (*stor. ingl.*) **C. Emancipation**, estensione dei diritti civili ai cattolici (*avvenuta nel 1839*).

Catholicism /kəˈθɒlɪsɪzəm/ n. □ (*relig.*) cattolicesimo.

Catholicity /ˌkæθəˈlɪsətɪ/ n. □ (*relig.*) cattolicità; cattolicesimo.

catholicity /ˌkæθəˈlɪsətɪ/ n. □ **1** (*di gusti, cultura*) eclettismo; vastità **2** (*form.*) universalità.

to **catholicize** /kəˈθɒlɪsaɪz/ v. t. e i. **1** (*form.*) rendere (*o diventare*) universale (*o liberale, eclettico, ecc.*) **2** (*relig.*) convertire, convertirsi al cattolicesimo.

cathouse /'kæthaʊs/ n. (*slang USA*) bordello; casino.

Catiline /'kætɪlaɪn/ n. (*stor.*) Catilina.

cation /'kætaɪən/ n. (*fis.*) catione.

catkin /'kætkɪn/ n. (*bot.*) gattino; amento.

catlick /'kætlɪk/ n. (*fam.*) lavata frettolosa; lavata del gatto.

catmint /'kætmɪnt/ n. (*bot., Nepeta cataria*) gattaia; erba gatta.

catnap /'kætnæp/ n. sonnellino; pisolino **2** to **catnap** v. i. fare un sonnellino (*o un pisolino*); chiudere gli occhi.

catnip /'kætnɪp/ n. → **catmint**.

Cato /'keɪtəʊ/ n. (*stor.*) Catone.

cat-o'-nine-tails /ˌkætəˈnaɪnteɪlz/ n. (inv. al pl.) gatto a nove code (*staffile*).

catoptrics /kəˈtɒptrɪks/ (*fis.*) n. pl. (col verbo al sing.) catottrica, catoptrica || **catoptric** a. catottrico, catoptrico.

CATS sigla (*scuola, GB*, **credit accumula-**

tion transfer scheme) piano di acquisizione e trasferimento dei crediti scolastici.

catsuit /'kætsuːt/ n. (*GB*) tuta elasticizzata (*da donna*).

catsup /'kætsəp/ (*USA*) → **ketchup**.

cattail /'kætteɪl/ n. (*bot.*, *Typha latifolia*) tifa; stiancia; biodo.

cattery /'kætərɪ/ n. (*GB*) **1** pensione per gatti; casa del gatto (*fam.*) **2** allevamento di gatti.

cattish /'kætɪʃ/ → **catty**.

cattle /'kætl/ n. (col verbo al plur.) **1** bestiame (sing.) bovino; bovini **2** bestiame (sing.) grosso (*in genere*) ● **c. breeder**, allevatore di bestiame □ **c. breeding**, allevamento del bestiame □ (*GB*) **c. cake**, mangime in blocchi (*per bestiame*) □ (*teatr.*, *cinem.*) (*fam. USA*) **c. call**, audizione generale per parti minori e comparse □ (*fig.*, *scherz.*, *di viaggio in condizioni disagevoli*) **c. class**, classe bestiame □ (*Austr.*, *NZ*) **c. dog**, cane addestrato per lavorare col bestiame; cane da mandria □ (*Austr.*) **c.-duffing**, furto di bestiame □ **c. fair**, fiera del bestiame □ **c.-feeder**, macchina per alimentare il bestiame a dosi costanti □ **c. grid** (*GB*), **c. guard** (*USA*), griglia di sbarre metalliche su un fossato (*per impedire il passaggio del bestiame*) □ **c. market**, mercato del bestiame; (*fam. GB*) le ragazze da marito □ (*vet.*) **c. plague**, peste bovina □ **c. prod**, sperone □ **c. shed**, stalla (per bovini) □ (*ferr.*) **c. truck** (o **wagon**), carro bestiame.

cattleman /'kætlmən/ n. (pl. **cattlemen**) **1** bovaro; mandriano **2** allevatore di bestiame.

catty /'kætɪ/ a. **1** dispettoso; maligno **2** felino; da gatto | **-iness** n. Ⓤ.

catty-cornered /ˌkætɪˈkɔːnəd/, **catty-corner** /ˌkætɪˈkɔːnə(r)/ → **cater-cornered**.

Catullus /kəˈtʌləs/ n. (*stor. letter.*) Catullo.

CATV sigla (**community antenna television**) televisione ad antenna centralizzata.

catwalk /'kætwɔːk/ n. passerella.

Caucasian /kɔːˈkeɪzɪən/ a. e n. caucasico.

Caucasus /'kɔːkəsəs/ n. (*geogr.*) **1** Caucaso **2** Caucasia.

caucus /'kɔːkəs/ n. **1** (*spec. USA*) caucus; riunione ristretta dei capi di un partito (*per decidere la linea politica, ecc.*); riunione al vertice **2** (*ingl.*) gruppo di iscritti; fazione (*che propone candidati, ecc.*) **3** (*spreg.*) cricca politica.

to **caucus** /'kɔːkəs/ v. i. (*spec. USA*) **1** tenere una riunione politica ristretta **2** partecipare a un «caucus».

caudal /'kɔːdl/ a. (*zool.*) caudale.

caudate /'kɔːdeɪt/ a. (*zool.*) caudato.

caught /kɔːt/ pass. e p. p. di **to catch**.

caul /kɔːl/ n. (*anat.*) **1** amnio **2** omento (*parte del peritoneo*).

cauldron /'kɔːldrən/ n. caldaia; calderone.

cauliflower /'kɒlɪflaʊə(r)/ n. (*bot.*, *Brassica oleracea botrytis*) cavolfiore ● (*cucina*, *GB*) **c. cheese**, cavolfiori gratinati al formaggio □ **c. ear**, orecchio a cavolfiore.

caulis /'kɔːlɪs/ n. (pl. **caules**) (*bot.*, *raro*) caule; fusto.

caulk /kɔːk/ n. Ⓤ (*costr. navali*) materiale per calafataggio.

to **caulk** /kɔːk/ v. t. (*costr. navali*) calafatare **2** (*metall.*) cianfrinare, presellare **3** chiudere, turare (*fessure, con stoppa, ecc.*); stuccare.

caulking /'kɔːkɪŋ/ n. Ⓤ **1** (*costr. navali*) calafataggio **2** (*costr. navali*) materiale per calafataggio **3** (*metall.*) cianfrinatura; presellatura ● **c. chisel** (*o tool*), cianfrino; presella □ **c. gun**, pistola turapori □ **c. iron**, ferro da calafato; (*anche*) cianfrino.

causal /'kɔːzl/ a. e n. causale.

causality /kɔːˈzælətɪ/ n. Ⓤ causalità.

causation /kɔːˈzeɪʃn/ n. Ⓤ **1** il causare; l'esser causato **2** causalità **3** (*leg.*) rapporto di causalità.

causative /'kɔːzətɪv/ a. (*anche gramm.*) causativo.

♦to **cause** /kɔːz/ n. **1** causa: **c. and effect**, causa ed effetto; **the c. of the delay**, la causa del ritardo **2** motivo; ragione: *There is no c. for regret*, non c'è motivo di rammaricarsi; **to give c. for concern**, creare motivo di preoccupazione; **without a c.**, senza motivo; senza ragione **3** causa; ideale: **to fight for a good c.**, battersi per una buona causa; in **the c. of liberty**, per la causa della (o per la) libertà **4** (*leg.*) causa: **to plead a c.**, perorare una causa, (*anche fig.*) **a lost c.**, una causa persa ● **c. célèbre** (*franc.*), processo celebre; caso famoso □ (*leg.*) **c. list**, elenco delle cause a ruolo □ (*leg.*) **c. of action**, fondamento della propria azione; diritto sostanziale □ **all in a good c.**, per una buona causa □ **to make common c. (with)**, fare causa comune (con) □ (*spec. leg.*) **to show c.**, provare il proprio diritto □ **with good c.**, a ragione; con giusta causa □ **without good c.**, senza una buona ragione; senza un legittimo motivo □ **the underlying c.**, la causa che sta alla radice; la ragione di fondo.

♦to **cause** /kɔːz/ v. t. **1** causare; essere causa di; provocare; produrre; dare; procurare; creare: *What causes tides?*, qual è la causa delle maree?; **to c. an accident**, causare (o provocare) un incidente; **to c. inflation**, essere causa di inflazione; **to c. cancer**, essere causa di cancro; provocare il cancro; **to c. damage**, provocare (o produrre) danni; **to c. anxiety**, preoccupare; agitare; **to c. problems**, dare problemi **2** (seguito da un verbo all'inf.) fare; indurre: *They caused me to miss my bus*, mi fecero perdere l'autobus.

causeless /'kɔːzləs/ a. **1** senza causa (*apparente*); fortuito **2** senza ragione; immotivato; ingiustificato.

causeway /'kɔːzweɪ/ n. **1** strada rialzata (*attraverso paludi, ecc.*) **2** marciapiede elevato.

to **causeway** /'kɔːzweɪ/ v. t. provvedere di strada rialzata (o di marciapiede).

caustic /'kɔːstɪk/ Ⓐ a. (*chim. e fig.*) caustico; (*fig.*) mordace, pungente: **c. soda**, soda caustica; **a c. remark**, un'osservazione caustica Ⓑ n. **1** (*chim.*) caustico; sostanza caustica **2** (*ottica*) caustica ‖ **caustically** avv. causticamente; mordacemente ‖ **causticity** n. Ⓤ causticità; (*fig.*) mordacità.

to **cauterize** /'kɔːtəraɪz/ (*med.*) v. t. cauterizzare ‖ **cauterization** n. Ⓤ cauterizzazione.

cautery /'kɔːtərɪ/ n. (*med.*) **1** cauterio **2** Ⓤ cauterizzazione.

caution /'kɔːʃn/ n. **1** Ⓤ cautela; precauzione; circospezione; prudenza: **to exercise c.**, usare prudenza; essere prudente; **to throw c. to the wind**, dimenticare ogni prudenza, abbandonare ogni precauzione **2** avvertimento; ammonimento: **a word of c.**, un avvertimento **3** (*leg.*) diffida: *The judge dismissed him with a c.*, il giudice lo rilasciò con diffida **4** (*leg.*, *polizia*) avvertimento a un arrestato che le sue dichiarazioni potranno essere utilizzate come prova contro di lui; notifica dei diritti: *He's under c.*, gli sono stati notificati i suoi diritti **5** (*slang antiq.*) tipo ameno, sagoma (*fam.*) ● (*leg.*, *GB*) **c. money**, cauzione (*a garanzia di buona condotta, ecc.*); deposito cauzionale.

to **caution** /'kɔːʃn/ v. t. **1** avvertire; mettere in guardia **2** ammonire; diffidare.

cautionary /'kɔːʃənrɪ, *USA* -nerɪ/ a. di avvertimento; che mette in guardia; ammonitorio ● **c. measures**, misure precauzionali □

c. tale, racconto moraleggiante (*generalm. per bambini*).

♦**cautious** /'kɔːʃəs/ a. cauto; prudente; circospetto; guardingo | **-ly** avv. | **-ness** n. Ⓤ.

Cav. abbr. (*mil.*, **cavalry**) cavalleria.

cavalcade /ˌkævlˈkeɪd/ n. **1** corteo di persone a cavallo; sfilata storica **2** sfilata di carrozze (o d'automobili).

cavalier /ˌkævəˈlɪə(r)/ Ⓐ n. **1** − (*stor.*) C., sostenitore di Carlo I d'Inghilterra; realista; cavaliere **2** (*arc.*) cavaliere; uomo (d'armi) a cavallo **3** (*arc.*) cavalier servente; cicisbeo Ⓑ a. sprezzante; altezzoso; arrogante; noncurante; senza riguardi: *They were all irritated by his c. attitude*, i suoi modi arroganti irritarono tutti; **a c. disregard for conventions**, un disinteresse sprezzante per le convenzioni | **-ly** avv.

cavalry /'kævlrɪ/ n. Ⓤ **1** (*spec. stor.*) cavalleria; (collett.) cavalleggeri **2** (*mil.*) mezzi corazzati leggeri ● (*mil.*) **c. sword**, sciabola □ **c. twill**, twill; stoffa (*di lana*) spigata (*spec. per pantaloni*) ‖ **cavalryman** n. (pl. **cavalrymen**) (*spec. stor.*) cavalleggero, cavalleggere; soldato di cavalleria.

♦**cave**① /keɪv/ n. caverna; grotta; spelonca ● **c. art**, arte paleolitica; arte rupestre □ (*paleont.*) **c. bear**, orso delle caverne □ **c. dweller**, uomo delle caverne, cavernicolo □ **c. dwelling**, abitazione rupestre □ **c. painting**, pittura rupestre; arte rupestre ❶ **FALSI AMICI** ● **cave** *non significa* cava.

cave② /'keɪvɪ/ (*lat.*) inter. (*gergo scolastico antiq.*) attenzione!; state in guardia!

to **cave** /keɪv/ v. i. **1** esplorare grotte; fare della speleologia **2** → **to cave in**.

■ **cave in** Ⓐ v. i. + avv. **1** (*di tetto, ecc.*) cedere; crollare; sprofondare **2** (*di una superficie*) cedere; incavarsi; essere sfondato: *The door caved in at the first kick*, la porta cedette al primo calcio **3** (*di persona*) cedere; crollare: **to c. in to sb.'s demands**, cedere alle richieste di q. Ⓑ v. t. + avv. **1** far sprofondare; far crollare **2** sfondare; schiacciare: *The blow caved his skull in*, il colpo gli sfondò il cranio.

caveat /'kævɪæt/ (*lat.*) n. **1** (*leg.*) intimazione, diffida (*generalm. a un giudice o a un pubblico ufficiale, affinché si astengano dal compimento di determinati atti*) **2** avvertimento; ammonimento ● (*leg.*) **c. emptor**, caveat emptor (*lat.*) (*principio per cui l'acquirente deve, all'atto dell'acquisto, fare attenzione a eventuali difetti di fabbricazione, confezione e sim.*) ‖ **caveator** n. (*leg.*) chi presenta un «caveat» (*def. 1*); opponente.

cave-in /'keɪvɪn/ n. (*di tetto, ecc.*; *fig.*, *di persona*) crollo, cedimento.

caveman /'keɪvmæn/ n. (pl. **cavemen**) **1** uomo delle caverne, cavernicolo, troglodita **2** (*fig.*) cavernicolo, troglodita.

caver /'keɪvə(r)/ n. speleologo dilettante.

cavern /'kævən/ n. caverna; grotta (*spec. se grande*).

cavernous /'kævənəs/ a. **1** cavernoso; simile a una caverna: (*anat.*) **c. sinus**, seno cavernoso **2** (*di suono*) cupo; cavernoso.

cavesson /'kævɪsn/ n. (*equit.*) cavezzone.

cavewoman /'keɪvwʊmən/ n. (pl. **cavewomen**) donna delle caverne; cavernicola.

caviar, **caviare** /'kævɪɑː/ n. Ⓤ caviale ● **It's c. to the general**, è come gettare perle ai porci.

cavil /'kævl/ n. cavillo.

to **cavil** /'kævl/ v. i. cavillare: **to c. at** (o **about**) st., cavillare su qc. ‖ **caviller**, (*USA*) **caviler** n. cavillatore; cavillatrice ‖ **caviling**, (*USA*) **caviling** a. cavilloso.

caving /'keɪvɪŋ/ n. Ⓤ speleologia (*come sport o hobby*).

cavitation /ˌkævɪˈteɪʃn/ n. Ⓤ **1** (*chim.*, *mecc.*) cavitazione **2** (*tecn.*) vaiolatura (*del*

C

cemento, di un metallo) **3** (*med.*) formazione di cavità.

cavity /'kævətɪ/ n. **1** (*anche anat.*) cavità **2** (*mecc.*, *edil.*) intercapedine **3** carie (*dei denti*) ● (*edil.*) **c. wall**, muro a intercapedine.

to **cavort** /kə'vɔːt/ v. i. **1** saltare; saltabeccare; ballonzolare **2** (*fig.*) spassarsela (*spec. sessualmente*) **3** (*del cavallo*) corvettare.

cavy /'keɪvɪ/ n. (*zool.*, *Cavia*) cavia; porcellino d'India.

caw /kɔː/ n. gracchio; gracchiata.

to **caw** /kɔː/ v. i. (*di corvo, ecc., e fig.*) gracchiare ‖ **cawing** n. ⓤ (il) gracchiare; gracchi (pl.); gracchiate (pl.).

cay /keɪ/ n. banco corallino (*o* di sabbia); isolotto (*spec. nei Caraibi*).

cayenne /keɪ'ɛn/ n. ⓤ (= C. **pepper**) (*bot.*, *Capsicum annuum*) pepe di Caienna.

cayman /'keɪmən/ n. → **caiman**.

Cayman Islands /'keɪmən aɪləndz/ loc. n. pl. (*geogr.*) isole Cayman.

CB sigla **1** (*radio*, **citizens' band**) banda cittadina: **CB radio**, radio di radioamatori; **CB-er**, radioamatore **2** (*titolo*, *GB*, **Companion of the Order of the Bath**) compagno dell'ordine del bagno.

C2B sigla (*comput.*, **consumer-to-business**) dal consumatore al produttore (*transazioni elettroniche su proposta del consumatore*).

CBC sigla (**Canadian Broadcasting Corporation**) Ente radiofonico canadese.

CBE sigla (*titolo*, *GB*, **Commander of the Order of the British Empire**) comandante dell'ordine dell'Impero Britannico.

CBI sigla (*GB*, **Confederation of British Industry**) Confederazione dell'industria britannica (*cfr. ital. «Confindustria»*).

CBS sigla (*USA*, **Columbia Broadcasting System**) Rete radiotelevisiva di Columbia.

CC sigla **1** (*GB*, **city council**) consiglio comunale **2** (*GB*, **county council**) consiglio di contea **3** (**Cricket Club**) «cricket club».

C2C sigla (*comput.*, **consumer-to-consumer**) da consumatore a consumatore (*per es.: aste on line*).

cc sigla **1** (**carbon copy**) copia carbone; copia per conoscenza **2** (**cubic centimetre**) centimetro cubo; cm³.

CCD sigla **1** (*elettron.*, **charge-coupled device**) dispositivo ad accoppiamento di carica **2** (*zool.*, *biol.*, **colony collapse disorder**) CCD (*disturbo da dissolvimento della colonia*).

c-commerce /'siː kɒmɜːs/ n. ⓤ = **collaborative commerce** → **collaborative**.

CCR sigla (*USA*, **Commission on Civil Rights**) Commissione sui diritti civili.

CCTV sigla (**closed-circuit television**) televisione a circuito chiuso ● **CCTV access control system**, videocitofono (*il sistema*) □ **CCTV telesurveillance**, controllo a distanza mediante TV a circuito chiuso.

ccw. abbr. (**counterclockwise**) in senso antiorario.

◆**CD** ① /siː'diː/ n. (acronimo di **compact disc**) (*comput.*, *mus.*) CD, compact disc (*comput.*, *mus.*) ● **CD burner**, masterizzatore □ **CD compilation**, compilation su CD □ **CD drive**, lettore di CD (*interno*) □ **CD player**, lettore di CD □ **CD video**, video CD; CD video.

CD ② sigla **1** (*med.*, **Caesarean delivery**) parto cesareo **2** (**civil defence**) difesa civile **3** (*franc.*: *Corps Diplomatique*) (**Diplomatic Corps**) Corpo diplomatico; CD.

cd sigla (*comm.*, **cash discount**) sconto di cassa, sconto per pagamento in contanti.

CDC sigla (*USA*, **Centers for Disease Control and Prevention**) Centro per il controllo e la prevenzione delle malattie infettive.

CD-I sigla (**compact disc-interactive**)

compact disc interattivo.

CDN sigla (*targa autom.*, **Canada**) Canada.

Cdn abbr. (**Canadian**) canadese.

cDNA sigla (*biol.*, **complementary DNA**) DNA complementare.

Cdr abbr. (*marina mil.*, **commander**) capitano di fregata.

CD-R sigla (**compact disc-recordable**) compact disc registrabile.

Cdre abbr. (*marina mil.*, **commodore**) commodoro.

CD-ROM /siːdiː'rɒm/ n. (acronimo di **compact disc read-only memory**) (*comput.*) CD-ROM; cd-rom.

CD-RW sigla (**compact disc-rewritable**) compact disc riscrivibile.

CDT sigla **1** (**Central Daylight Time**) ora legale del fuso orario centrale (*l'ora legale adottata negli Stati centrali degli USA*) **2** (**craft**, **design and technology**) (*a scuola*, *in GB*) educazione artistica e tecnica.

CDV sigla (**compact disc-video**) compact disc video; CD video.

CE sigla **1** (**Church of England**) Chiesa d'Inghilterra **2** (**civil engineer**) ingegnere civile **3** (**common era**) era volgare.

cease /siːs/ n. ⓤ (solo nella loc.) **without c.**, incessantemente; senza posa.

◆to **cease** /siːs/ Ⓐ v. i. cessare; smettere; finire: *The rain has ceased*, la pioggia è cessata; **to c. to exist**, cessare di esistere; **to c. to be payable**, non essere più pagabile; **to c. doing st.**, smettere di fare qc.; *You never c. to amaze me*, non finisci mai di stupirmi Ⓑ v. t. cessare; smettere; sospendere; porre termine a: **to c. fire**, cessare il fuoco; **to c. payment**, sospendere i pagamenti.

cease and desist /siːsəndd'sɪst/ (*leg.*, *spec. USA*) loc. n. diffida; cease and desist (*richiesta di mutamento di una condotta, pena l'avviamento di un'azione legale*): **cease-and-desist order**, diffida (*emessa da un'autorità*); **cease-and-desist letter**, diffida (*per iniziativa privata*).

◆**ceasefire** /'siːsfaɪə(r)/ n. (*mil.*) **1** (il) cessate il fuoco (*l'ordine*) **2** tregua; sospensione delle ostilità; cessate il fuoco.

ceaseless /'siːsləs/ a. incessante; continuo | **-ly** avv. | **-ness** n. ⓤ.

Cecil /'sɛsl, 'sɪsl/ n. Cecilio.

Cecile /se'siːl, **Cecily** /'sɛsɪlɪ/ n. Cecilia.

cecum /'siːkəm/ (*USA*) → **caecum**.

cedar /'siːdə(r)/ n. **1** (*bot.*, *Cedrus*) cedro ⓤ cedro (*il legno*) ● **c. of Lebanon** (*Cedrus libani*), cedro del Libano □ **c. wood**, legno di cedro.

to **cede** /siːd/ v. t. cedere (*un diritto, un territorio, ecc.*); concedere.

cedilla /sɪ'dɪlə/ n. (*tipogr.*) cediglia.

cee, ce /siː/ n. ci; lettera c.

Ceefax /'siːfæks/ n. ⓤ (*TV*) servizio di teletext della BBC.

to **ceil** /siːl/ v. t. **1** soffittare (*una stanza*) **2** rivestire di assi, intonacare (*un soffitto*) **3** rivestire internamente (*una nave*).

ceilidh /'keɪlɪ/ (*irl.*) n. serata di intrattenimento con musica tradizionale irlandese (*o* scozzese), balli e racconti.

◆**ceiling** /'siːlɪŋ/ n. **1** (*edil.*) soffitto **2** (*fig.*, *spec. econ.*) tetto; limite massimo; plafond a; plafone: **to set a c. to**, fissare un tetto a; mettere un plafond a; **price c.**, livello massimo di prezzo; calmiere (*forma di controllo dei prezzi*) **3** (*aeron.*) quota di tangenza; altitudine massima **4** (*meteor.*) base di un banco nubi **5** (*naut.*) fasciame interno (*di nave*) ● **c. price**, (*borsa*, *fin.*) prezzo massimo; (*econ.*) prezzo di calmiere □ (*di prezzi, ecc.*) **to go through the c.**, sfondare il tetto □ (*fig.*, *fam.*) **to hit the c.**, andare su tutte le furie.

celadon /'sɛlədɒn/ n. ⓤ e a. **1** (*color*) ver-

de pallido **2** (*ceramica*) «céladon»; porcellana (cinese) verde-grigia.

celandine /'sɛləndaɪn/ n. (*bot.*, *Chelidonium maius*) celidonia; erba da porri.

celeb /'sɛlɛb/ n. (abbr. *fam. USA* di **celebrity**) celebrità; persona famosa.

celebrant /'sɛləbrənt/ n. (*relig.*) celebrante.

◆to **celebrate** /'sɛləbreɪt/ Ⓐ v. t. **1** celebrare; festeggiare: **to c. a birthday** [**an anniversary**], celebrare un compleanno [un anniversario]; **to c. a success**, festeggiare un successo **2** (*relig.*) celebrare; officiare **3** celebrare; onorare Ⓑ v. i. far festa: *We must c. with champagne!*, dobbiamo stappare una bottiglia di champagne!

celebrated /'sɛləbreɪtɪd/ a. celebre; famoso; illustre; rinomato.

◆**celebration** /sɛlə'breɪʃn/ n. **1** ⓤ (il) celebrare; celebrazione: **the c. of the firm's 30th anniversary**, la celebrazione dei trent'anni della ditta; **Mozart celebrations**, le celebrazioni mozartiane **2** ⓤ festeggiamento; festa; celebrazione: **a day of c.**, un giorno di festa; **a cause for c.**, un motivo per festeggiare; **a family c.**, una festa di famiglia; **street celebrations**, festeggiamenti per le strade **3** ⓤ (*relig.*) celebrazione.

celebrator /'sɛləbreɪtə(r)/ n. celebratore.

celebratory /sɛlə'breɪtərɪ/ a. celebrativo; di celebrazione; per festeggiare: **a c. banquet**, un banchetto celebrativo; *Let's have a c. drink*, beviamo qualcosa per festeggiare.

celebrity /sə'lɛbrətɪ/ Ⓐ n. **1** ⓤ celebre; persona celebre (*o* famosa); personaggio famoso **2** ⓤ celebrità; fama Ⓑ a. attr. **1** celebre; famoso: **a c. chef**, uno chef famoso **2** formato da celebrità **3** di una celebrità; fatto da una celebrità: **c. biographies**, biografie di persone famose; **a c. cookbook**, un libro di cucina scritto da una persona famosa; **a c. concert**, un concerto tenuto da una celebrità del mondo musicale.

celeriac /sə'lɛrɪæk/ n. (*bot.*, *Apium graveolens rapaceum*) sedano rapa.

celerity /sə'lɛrɪtɪ/ n. ⓤ celerità; velocità; sveltezza.

celery /'sɛlərɪ/ n. ⓤ (*bot.*, *Apium graveolens*) sedano.

celesta /sə'lɛstə/ n. (*mus.*) celeste, celesta (*strumento*).

celeste /sə'lɛst/ → **celesta**.

celestial /sə'lɛstɪəl/ Ⓐ a. **1** (*astron.*) celeste: **c. equator**, equatore celeste; **a c. map**, una mappa celeste; **c. pole**, polo celeste; **the c. sphere**, la sfera celeste **2** (*dei cieli*) celeste; celestiale: **a c. being**, una creatura celeste **3** (*fig.*) celestiale; paradisiaco: **c. happiness**, felicità celestiale Ⓑ n. (*astron.*, = **c. body**) corpo celeste ● **the C. Empire**, il Celeste Impero (*la Cina*) □ (*astron.*) **c. globe**, planetario □ **c. navigation**, navigazione stellare (*o* celeste); astronavigazione.

celestine /'sɛləstaɪn/ n. ⓤ (*miner.*) celestina, celestite.

Celestine /'sɛləstaɪn/ n. **1** Celestina **2** Celestino.

celestite /'sɛləstaɪt/ n. → **celestine**.

celibacy /'sɛlɪbəsɪ/ n. ⓤ celibato (*spec. per voto religioso*): *'Marriage has many pains, but c. has no pleasure'* S. Johnson, 'il matrimonio ha molte pene, ma il celibato non ha alcun piacere' **2** castità.

celibate /'sɛlɪbət/ Ⓐ a. **1** celibe **2** casto Ⓑ n. **1** celibe **2** persona casta.

◆**cell** /sɛl/ n. **1** cella (*di monastero, prigione, alveare*) **2** (*biol.*) cellula **3** (*polit.*) cellula **4** (*elettr.*) elemento (*di batteria, ecc.*); cella; pila **5** (*autom.*) elemento (*di radiatore*) **6** (*chim.*, *elettr.*, *fis. nucl.*) cella; **sun c.**, cella solare **7** (*comput.*) cella di memoria **8** (*comput.*) cella (*di foglio elettronico*) **9** (*stat.*) ca-

sella **10** (*aeron.*) cellula **11** (*edil.*) intercapedine **12** (*fam. USA*) → **cellphone** ● c. **block**, blocco (*di prigione*) □ (*biol.*) c. **cycle**, ciclo cellulare □ (*biol.*) c. **division**, divisione cellulare; mitosi □ (*biol.*) c.-**mediated**, cellulomediato □ (*telef.*) c. **phone** → **cellphone** □ (*biol.*) c. **wall**, parete cellulare □ (*biol.*) pro-**grammed c. death**, apoptosi; morte cellulare programmata.

cellar /'sɛlə(r)/ n. **1** scantinato; sottosuolo; sotterraneo **2** (= **wine c.**) cantina **3** (*fig.*) riserva (*o* scorta) di vini ● c.-**flap**, (ribalta della) botola.

to **cellar** /'sɛlə(r)/ v. t. mettere (*vino, ecc.*) in cantina.

cellarage /'sɛlərɪdʒ/ n. ▫ **1** superficie di cantina **2** scantinato **3** spese di magazzinaggio (*in cantina*).

cellarer /'sɛlərə(r)/ n. celleraio, cellerario (*in un monastero*).

cellaret /sɛlə'rɛt/ n. bar; controbuffet; mobiletto per bottiglie di vino, liquori, ecc.

cellarman /'sɛləmən/ n. (pl. ***cellarmen***) cantiniere.

cellmate /'sɛlmeɪt/ n. compagno di cella.

cello /'tʃɛləʊ/ (*mus.*) n. (pl. ***cellos, celli***) violoncello ‖ **cellist** n. violoncellista.

cellobiose /sɛlə'baɪəʊs/ n. (*chim.*) cellobiosio.

cellophane® /'sɛləfeɪn/ n. ▫ cellofan, cellophane.

cellphone /'sɛlfəʊn/ n. (*telef.*) (telefono) cellulare; telefonino (*fam.*).

cellular /'sɛljʊlə(r)/ a. **1** (*scient., tecn.*) cellulare; a cella; a celle; (*biol.*) c. **activity**, attività cellulare; (*telef.*) c. **telephone**, telefono cellulare; (*biol.*) c. **tissue**, tessuto cellulare **2** in cella; in celle; cellulare; c. **confinement**, segregazione cellulare **3** (*ind. tess.*) a nido d'ape: c. **blanket**, coperta a nido d'ape ● (*comput.*) c. **automaton**, automa cellulare □ (*tecn.*) c. **glass**, vetro cellulare.

cellulite /'sɛljʊlaɪt/ n. ▫ cellulite.

cellulitis /sɛljʊ'laɪtɪs/ n. ▫ (*med.*) cellulite.

celluloid /'sɛljʊlɔɪd/ n. ▫ **1** ® celluloide **2** (*fam. antiq.*) pellicola cinematografica (*o* fotografica).

cellulose /'sɛljʊləʊs/ **A** n. ▫ (*biochim.*) cellulosa **B** a. **1** (*chim.*) cellulosico: c. **ether**, etere cellulosico **2** di celluloide ● (*chim., fotogr., ecc.*) c. **acetate**, acetilcellulosa □ c. **spraying**, verniciatura alla cellulosa ‖ **cellulosic** a. (*chim.*) cellulosico.

celosia /sɪ'ləʊsɪə/ n. (*bot., Celosia*) celosia.

Celsius /'sɛlsɪəs/ **A** n. scala Celsius; scala centigrada: **30 degrees C.**, 30 gradi sulla scala Celsius; 30 gradi centigradi **B** a. centigrado: **C. temperature**, temperatura misurata in gradi centigradi.

celt /sɛlt/ n. (*archeol.*) utensile preistorico (*di pietra o bronzo*) a forma di cesello (*o* di ascia).

Celt /kɛlt, sɛlt/ n. (*stor.*) celta.

Celtiberian /kɛltaɪ'bɪərɪən/ n. celtibero; celtiberico

Celtic /'kɛltɪk, 'sɛltɪk/ **A** a. celtico **B** n. ▫ lingue (pl.) celtiche; gruppo linguistico celtico ● **C. cross**, croce celtica □ **the C. fringe**, le regioni celtiche della Gran Bretagna (*Scozia, Irlanda, Galles e Cornovaglia*) □ (*mus.*) **C. harp**, arpa celtica; arpa irlandese ‖ **Celticism** n. **1** uso (*o* costume) celtico **2** (*ling.*) celtismo.

cement /sɪ'mɛnt/ n. ▫ **1** cemento (*anche geol., anat.*): **high-temperature cements**, cementi resistenti alle alte temperature **2** adesivo, mastice; stucco **3** (*fig.*) legame; cemento **4** (*med.*) cemento dentario ● c. **factory**, cementificio □ (*edil.*) **c. gun**, pistola spruzzacemento (*mecc.*) c. **mixer**, betoniera; impastatrice di cemento (*slang USA*) c. **overcoat** (*o* **shoes**), sepoltura

nel cemento fresco (*di una vittima dei gangster*) □ c. **plaster**, intonaco di gesso.

to **cement** /sɪ'mɛnt/ v. t. **1** cementare **2** (*med.*) otturare con cemento **3** (*fig.*) cementare; consolidare: **to c. an alliance**, consolidare un'alleanza.

cementation /si:mɛn'teɪʃn/ n. ▫ (*edil., chim., geol., metall.*) cementazione.

cementer /sɪ'mɛntə(r)/ n. **1** (*ind.*) cementiere **2** cementista; operaio cementiero **3** cementatore **4** (*USA*) vulcanizzatore (*di pneumatici*).

cementite /sɪ'mɛntaɪt/ n. ▫ (*metall.*) cementite.

cemetery /'sɛmətrɪ/ n. cimitero.

CEng /si:'ɛndʒ/ abbr. (*GB*, **chartered engineer**) ingegnere iscritto all'albo.

cenobite /'si:nəʊbaɪt/ n. cenobita.

cenotaph /'sɛnətɑːf/ n. cenotafio.

Cenozoic /si:nə'zəʊɪk/ a. e n. (*geol.*) cenozoico ● (*geol.*) **the C.**, il Cenozoico; l'era cenozoica.

to **cense** /sɛns/ v. t. incensare; spargere incenso su.

censer /'sɛnsə(r)/ n. incensiere; turibolo ● c.-**bearer**, turiferario.

censor /'sɛnsə(r)/ n. censore (*in ogni senso, anche stor.*).

to **censor** /'sɛnsə(r)/ v. t. censurare.

censorial /sɛn'sɔːrɪəl/ a. censorio.

censorious /sɛn'sɔːrɪəs/ a. incline a criticare; ipercritico ‖ **censoriousness** n. ▫ tendenza all'ipercritica; petulanza critica; atteggiamento censorio.

censorship /'sɛnsəʃɪp/ n. ▫ **1** censura **2** (*stor. romana*) censorato.

censurable /'sɛnʃərəbl/ a. censurabile; biasimevole.

censure /'sɛnʃə(r)/ n. ▫ riprovazione; biasimo; censura.

to **censure** /'sɛnʃə(r)/ v. t. riprovare; biasimare; criticare; censurare.

census /'sɛnsəs/ n. **1** (*stat.*) censimento **2** (*stor. romana*) censo ● c. **data**, dati censuari □ c.-**paper**, modulo per censimento □ c. **taker**, censitore.

●**cent** /sɛnt/ n. **1** (*anche fig.*) centesimo: **five cents in the dollar**, cinque centesimi per ogni dollaro; *I haven't got a c.*, non ho un centesimo **2** → **per cent** ● (*fam.*) **to put in one's two cents' worth**, intervenire; dire la propria □ (*fam. USA*) **a red c.**, (neppure) un soldo; un soldo bucato; il becco di un quattrino: *I don't have a red c.*, non ho un soldo; non ho (il becco di) un quattrino.

cent. abbr. **1** (*fis.*, **centigrade**) centigrado (agg.) **2** (**central**) centrale **3** (**century**) secolo (sec.).

centaur /'sɛntɔː(r)/ n. (*mitol.*) centauro.

Centaurus /sɛn'tɔːrəs/ n. ▫ (*astron.*) Centauro.

centaury /'sɛntɔːrɪ/ n. (*bot.*) **1** (*Centaurea*) centaurea **2** (*Erythraea centaurium*) centaurea minore; cacciafebbre (*pop.*).

Centcom /'sɛntkɒm/ abbr. (*mil.*, **central command**) comando centrale.

centenarian /sɛntɪ'neərɪən/ **A** a. centenario; che ha cent'anni **B** n. (vecchio) centenario.

centenary /sɛn'ti:nərɪ/ **A** a. centenario; che ricorre ogni cent'anni **B** n. **1** centenario (*centesimo anno a partire da un evento*) **2** centennio.

●**centennial** /sɛn'tɛnɪəl/ **A** a. centennale; centenne (*lett.*) **B** n. (celebrazione di) centenario ● c. **pinetrees**, pini centenari.

●**center** /'sɛntə(r)/ e deriv. (*USA*) → **centre**, e deriv.

centesimal /sɛn'tɛsɪml/ a. centesimale.

centigrade /'sɛntɪgreɪd/ a. centigrado: **a c. thermometer**, un termometro centigra-

do; **c. scale**, scala centigrada.

centigram, **centigramme** /'sɛntɪgræm/ n. centigrammo.

centile /'sɛntaɪl/ n. → **percentile**.

centilitre, (*USA*) **centiliter** /'sɛntɪli:tə(r)/ n. centilitro.

◆**centimetre**, (*USA*) **centimeter** /'sɛntɪmi:tə(r)/ n. centimetro.

centipede /'sɛntɪpi:d/ n. (*zool.*) centopiedi.

cento /'sɛntəʊ/ n. (pl. ***centoes, centos, centones***) (*letter., mus.*) centone.

◆**central** /'sɛntrəl/ **A** a. **1** centrale: c. **heating**, riscaldamento centrale; (*polit.*) c. **government**, governo centrale **2** nel centro (*di una città*); centrale: c. **location**, ubicazione centrale; posizione centrale; *My flat is very c.*, il mio appartamento è molto centrale **3** principale; centrale; fondamentale; essenziale: **the c. purpose**, lo scopo principale; **to play a c. role**, avere un ruolo centrale; **c. to st.**, che è al centro di qc.; essenziale per qc. **B** n. (*USA*) centrale telefonica; centralino ● **C. African Republic**, Repubblica Centrafricana □ **C. America**, l'America Centrale; il Centroamerica □ **C. American**, dell'America Centrale ● **C. Asia**, Asia centrale □ (*fin.*) c. **bank**, banca centrale □ (*USA, Canada*) c. **casting**, ufficio casting □ (*leg.*) **the C. Criminal Court**, il Tribunale Penale Centrale (*di Londra, noto anche come «Old Bailey»*) □ **C. European Time**, ora dell'Europa centrale (*GMT+1*) □ (*autom.*) c. **locking**, chiusura centralizzata □ (*anat.*) c. **nervous system**, sistema nervoso centrale □ (*econ.*) c. **planning**, pianificazione centrale □ (*stor.*) **the C. Powers**, le Potenze centrali □ (*fin.*) c. (**exchange**) **rates**, parità centrali (*delle valute*) □ (*autom., GB*) c. **reservation**, aiuola spartitraffico (*d'autostrada*) □ **C. Time**, ora degli Stati centrali degli USA e di zone del Canada □ (*fon.*) c. **vowel**, vocale centrale.

centralism /'sɛntrəlɪzəm/ (*polit.*) n. ▫ centralismo ‖ **centralist** n. e a. attr. centralista.

centrality /sɛn'trælətɪ/ n. ▫ centralità.

to **centralize** /'sɛntrəlaɪz/ v. t. e i. centralizzare; accentrare, accentrarsi; rendere, diventare centrale ‖ **centralization** n. ▫ centralizzazione; accentramento ‖ **centralizer** n. accentratore, accentratrice.

centrally /'sɛntrəlɪ/ avv. **1** in posizione centrale; al centro; nel centro; centralmente; **to position st. c.**, collocare qc. in posizione centrale; **c. located**, situato in posizione centrale; situato nel centro (di una città); centrale **2** in modo centralizzato: c.-**heated**, dotato di riscaldamento centrale; (*econ.*) **c. planned economy**, economia a pianificazione centrale; economia dirigista **3** fondamentalmente; essenzialmente.

◆**centre**, (*USA*) **center** /'sɛntə(r)/ n. **1** centro; zona, parte, punto centrale: **at the c. of the region**, al centro della regione; **a c. of learning**, un centro di cultura; (*fis.*) **c. of gravity**, centro di gravità; baricentro; **city c.**, centro (città); **conference c.**, centro congressi; **shopping c.**, centro commerciale; **sports c.**, centro sportivo **2** (*fig.*) centro; nucleo centrale; cuore: **at the c. of attention**, al centro dell'attenzione: **at the c. of a debate**, al centro di una discussione **3** (*polit.*) centro: **left [right] of c.**, a sinistra [destra]; **c. right**, centrodestra; di centrodestra; **c. left**, centrosinistra; di centrosinistra; **c. party**, partito di centro **4** (*mecc.*) perno; fulcro; punta (*di macchina utensile*) **5** (*sport*: *giocatore*) centrocampista; (*hockey*) centro; (*basket*) centro, pivot **6** (*calcio: tiro*) passaggio al centro; traversone **7** (*biol.*) nucleo **8** (*edil.*) centina ● (*calcio*) c. **back**, terzino centrale; stopper □ (*di ponte*) c. **bay**, campata mediana □ (*falegn.*) c. **bit**, punta a

C

centro □ (*mecc.*) **c. distance**, interasse □ (*baseball*) **center field**, settore centrale del campo esterno □ (*baseball*) **center fielder**, estremo centro □ **c. forward**, (*calcio*) centrattacco, centravanti; (*basket*) pivot □ (*sport*) **c. half**, centromediano, mediano centrale, centrosostegno □ **c. line**, (*autom.*) mezzeria □ **c. of attraction**, (*fis.*) cosa o persona al centro di attrazione; (*fig.*) centro dell'attenzione □ (*naut.*) **c. of buoyancy**, centro di spinta □ (*tecn.*) **c. punch**, punzone per centri □ **c. rail**, rotaia centrale (*in ferrovia a cremagliera*) □ (*sport*) **c. spot**, dischetto di centrocampo; (*biliardo*) acchito centrale □ (*giorn.*) **c. spread** → **centrefold** □ **c. stage**, (*teatr.*) centro del palcoscenico; (*fig.*) centro della scena, (*avv.*) al centro della scena: **to take c. stage**, occupare il centro della scena □ **soft c.**, ripieno morbido (*di cioccolatino*) □ (*USA*) **to have a soft c.**, avere il cuore tenero.

to **centre**, (*USA*) to **center** /'sɛntə(r)/ **A** v. t. **1** (*anche mecc.*) centrare; porre al centro: **to c. a wheel**, centrare una ruota □ trovare il centro di; (*tipogr.*) collimare **3** (*calcio, rugby, ecc.*) mettere (*o* passare) (*la palla*) al centro **4** accentrare; concentrare; focalizzare; imperniare: **to c. one's hopes on sb.**, accentrare le proprie speranze su q.; **to c. a discussion on** (*o* around) **a topic**, concentrare la discussione su un argomento **5** (*al passivo*) (*di attività*) svolgersi principalmente, concentrarsi (*in un dato luogo*) **B** v. i. **1** – **to c. around** (*o* on) concentrarsi su; accentrarsi su; convergere su **2** – **to c. around** (*o* on) incentrarsi su; riguardare soprattutto; vertere soprattutto su; essere imperniato su; ruotare intorno a: *Talks will c. on the question of representation*, i colloqui verteranno soprattutto sulla questione della rappresentatività; *All local activity centres around the casinos*, le attività locali ruotano tutte intorno ai casinò **3** (*sport*) centrare; traversare.

❶ NOTA: *centre on* **o** *centre round?*
Alcuni ritengono che *to centre around* (o *to centre round* o *to centre about*) siano forme non corrette e preferiscono *to centre on*: *A new development centred on the motorway section is planned*, si pianifica un nuovo sviluppo imperniato sul tratto autostradale.

centreboard /'sɛntəbɔːd/ n. (*naut.*) deriva mobile; chiglia (*o* lama, pinna) di deriva.

centrefold /'sɛntəfəʊld/ n. **1** (*giorn.*) doppia pagina centrale (*di rivista*), paginone centrale **2** (*per estens.*) foto di ragazza nuda o seminuda; foto di pin-up.

centreless /'sɛntələs/ a. senza centro; senza centri: (*mecc.*) **c. grinder**, rettificatrice senza centri.

centrepiece /'sɛntəpiːs/ n. **1** centrotavola **2** (*fig.*) elemento principale (*o* centrale); cuore; pezzo forte.

centric /'sɛntrɪk/, **centrical** /'sɛntrɪkl/ (*scient.*) a. centrico ‖ **centricity** n. centralità.

centrifugal /sɛn'trɪfjʊgl/ **A** a. centrifugo: **c. force**, forza centrifuga; **c. pump**, pompa centrifuga **B** n. (*mecc.*, = machine) centrifuga.

centrifuge /'sɛntrɪfjuːdʒ/ n. (*mecc.*) centrifuga.

to **centrifuge** /'sɛntrɪfjuːdʒ/ v. t. centrifugare (*latte, ecc.*) ‖ **centrifugation** n. centrifugazione.

centring /'sɛntrɪŋ/ n. **1** (*edil.*) centina, centinatura **2** (*mecc.*) centraggio; centratura ● (*mecc.*) **c. machine**, centratrice.

centripetal /sɛn'trɪpɪtl/ a. centripeto: **c. force**, forza centripeta.

centrist /'sɛntrɪst/ (*polit.*) n. e a. attr. centrista ‖ **centrism** n. centrismo.

centroid /'sɛntrɔɪd/ n. (*geom.*) baricentro (*di un triangolo*).

centromere /'sɛntrəmɪə(r)/ n. (*biol.*) centromero ‖ **centromeric** a. centromerico.

centrosome /'sɛntrəʊsəʊm/ n. (*biol.*) centrosoma.

centuple /'sɛntjʊpl/ a. e n. centuplo.

to **centuple** /'sɛntjʊpl/ v. t. centuplicare.

centurion /sɛn'tjʊərɪən, *USA* -'tʊr-/ n. (*stor. romana*) centurione.

♦**century** /'sɛntʃərɪ/ n. **1** secolo: **the nineteenth c.**, il secolo diciannovesimo; **c.-old**, secolare; vecchio di secoli **2** (*sport: cricket*) cento punti (pl.) **3** (*stor. romana*) centuria ● (*bot.*) **c. plant**, agave americana; aloe americana.

CEO sigla (*USA*, **Chief Executive Officer**) amministratore delegato; capo del consiglio di amministrazione.

cep /sɛp/ n. (*bot.*, *Boletus edulis*) (fungo) porcino.

cephalic /sɪ'fælɪk/ a. (*anat.*) cefalico ● (*antrop.*) **c. index**, indice cefalico.

cephalopod /'sɛfələʊpɒd/ n. (*zool.*) cefalopode.

cepheid /'siːfɪɪd/ n. (*astron.*) cefeide.

CEPIS sigla (*comput.*, **Council of European Professional Informatics Societies**), CEPIS (*organizzazione europea non-profit per la promozione della conoscenza informatica*).

'**cept** /sɛpt/ abbr. *fam. di* **except**.

♦**ceramic** /sə'ræmɪk/ **A** a. **1** ceramico; di ceramica: **c. mosaic**, mosaico ceramico **2** della ceramica; ceramico **B** n. **1** □ ceramica (*materiale e arte*) **2** (al pl.) oggetti di ceramica; ceramiche ● (*cucina*) **c. hob**, piano di cottura in vetroceramica □ (*ind.*, *edil.*) **c. tiles**, piastrelle ‖ **ceramicist** n. ceramista.

cerastes /sə'ræstiːz/ n. (inv. al pl.) (*zool.*, *Cerastes cornutus*) ceraste; vipera cornuta.

Cerberus /'sɜːbərəs/ n. (*mitol.*) Cerbero.

cercopithecoid /sɜːkə'pɪθəkɔɪd/ n. (*anche c. monkey*) (*zool.*, *Cercopithecus*) cercopiteco.

cere /sɪə(r)/ n. (*zool.*) cera, ceroma (*nella mandibola di vari uccelli*).

♦**cereal** /'sɪərɪəl/ **A** n. **1** cereale; (al pl., *anche*) granaglie **2** □ (*cucina*) cereali (pl.); fiocchi (pl.) d'avena, di frumento, ecc.: **a bowl of c. and milk**, una tazza di cereali col latte **B** a. cereale ● **c. grower**, cerealicoltore □ **c. growing**, cerealicoltura.

cerebellum /serə'beləm/ (*anat.*) n. (pl. **cerebella**, **cerebellums**) cervelletto; cervelletto ‖ **cerebellar** a. cerebellare.

cerebral /'serəbrəl/ a. **1** (*anat.*) cerebrale: **c. cortex**, corteccia cerebrale **2** (*fig.*) cerebrale ● (*med.*) **c. palsy**, paralisi cerebrale; paralisi cerebrale spastica ‖ **cerebralism** n. □ cerebralismo.

cerebration /serə'breɪʃn/ n. □ (*form. o scherz.*) cerebrazione; lavorio del cervello; elucubrazione.

cerebrospinal /serəbrəʊ'spaɪnl/ a. (*anat.*) cerebrospinale.

cerebrum /'serəbrəm/ n. (pl. **cerebrums**, **cerebra**) (*anat.*) cervello.

cerecloth /'sɪəklɒθ/ n. **1** □ tela cerata; incerata **2** (*stor.*) pezzo di tela cerata.

ceremonial /serə'məʊnɪəl/ **A** a. cerimoniale; di (*o* da) cerimonia; solenne, formale, rituale: **c. dress**, abito da cerimonia **B** n. **1** cerimoniale; etichetta **2** (*relig.*) rituale ● **c. funeral**, esequie solenni ‖ **ceremonialism** n. □ ‖ (*relig.*) ritualismo □ formalismo **ceremonialist** n. **1** (*relig.*) ritualista **2** formalista.

ceremonious /serə'məʊnɪəs/ a. **1** cerimonioso **2** solenne | **-ly** avv. | **-ness** n. □.

♦**ceremony** /'serəmənɪ/ n. □ **1** cerimonia

2 (*relig.*) cerimonia; rito **3** (collett.) cerimonie (pl.); convenevoli (pl.); complimenti (pl.): **with due c.**, con le cerimonie di rito; **without c.**, senza complimenti; *Please, don't stand on c.*, ti prego, non far complimenti **4** mera formalità.

Ceres /'sɪəriːz/ n. (*mitol.*) Cerere.

cerise /sə'riːz/ (*franc.*) a. e n. □ (color) rosso ciliegia.

cerium /'sɪərɪəm/ (*chim.*) n. □ cerio.

cermet /'sɜːmɪt/ n. □ (*ind.*) metalloceramica.

cerography /sɪə'rɒgrəfɪ/ n. □ cerografia.

ceroplastic /sɪərəʊ'plæstɪk/ a. ceroplastico.

cerous /'sɪərəs/ a. (*chim.*) ceroso.

cert /sɜːt/ n. (abbr. *fam. GB di* **certainty**) **1** cosa certa **2** (*ipp.*) cavallo dato come sicuro **3** persona che riuscirà sicuramente in qc. ● **a dead c.**, una cosa assolutamente certa.

cert. abbr. **1** (**certificate**) certificato **2** (**certified**) abilitato; garantito.

♦**certain** /'sɜːtn/ **A** a. **1** certo; sicuro: *Are you c. about it?*, ne sei certo?; *I'm c. that...*, sono sicuro che...; *You can be c. that...*, puoi star sicuro che... **2** certo; sicuro; indubbio; garantito: *One thing is c.: he won't resign*, una cosa è certa: lui non darà le dimissioni; *He's c. to arrive tomorrow*, è cosa certa che arriverà domani; *Nothing could be more c. to fail*, farà fiasco di sicuro; il suo insuccesso è garantito **❶ NOTA:** *sure to* / *sure that* → **sure 3** certo; indefinito; indeterminato: **a c. amount of money**, una certa quantità di denaro; **c. people**, certe persone; certa gente; **a c. Mr Smith**, un certo Mr Smith; **to a c. extent**, fino a un certo punto **B** pron. alcuni, alcune; taluni, talune: *C. of the partners don't agree*, alcuni dei soci non sono d'accordo ● **for c.**, senz'altro; di sicuro; senza fallo (*lett.*) □ **to make c.**, accertarsi; assicurarsi (*che qc. sia fatto*) □ **to make c. of st.**, accertarsi di qc. □ **to my c. knowledge**, lo dico con sicurezza; lo so per certo.

♦**certainly** /'sɜːtnlɪ/ avv. certamente; senza dubbio; certo; senz'altro; indubbiamente ● **C. not!**, no di certo!

certainty /'sɜːtntɪ/ n. **1** □ certezza; sicurezza **2** cosa certa; fatto certo **3** persona che riuscirà sicuramente in qc. ● (*leg.*) **c. in law**, certezza del diritto □ **for a c.**, sicuramente; di certo □ (*econ.*) **c. equivalent**, equivalente certo (*somma di denaro che, se percepita con assoluta certezza, avrebbe lo stesso valore di un progetto rischioso*).

CertEd abbr. di → **Certificate in Education**, (→ **certificate**).

certifiable /sɜːtɪ'faɪəbl/ a. **1** attestabile **2** (*med.*) da ricoverare in manicomio; da internare.

♦**certificate** /sə'tɪfɪkət/ n. **1** certificato; attestato; diploma **2** (*fin.*) cartella (*d'azioni, obbligazioni, ecc.*): **c. for one** [**for more than one**] **share**, cartella unitaria [multipla] **3** (*naut.*) brevetto (*di capitano*) **4** (*comput.*) certificato ● (*naut.*) **c. of average**, certificato d'avaria □ **c. of character**, certificato di buona condotta □ (*dog.*) **c. of clearing outwards**, certificato d'uscita □ (*banca*) **c. of deposit**, certificato di deposito □ (*leg.*) **c. of discharge**, certificato di riabilitazione (*di un fallito*) □ (*GB*) **C. of Education**, diploma di qualificazione all'insegnamento nella scuola secondaria □ (*comm.*) **c. of origin**, certificato di origine □ (*naut.*) **c. of registry**, certificato d'immatricolazione (*di una nave*) □ (*naut.*) **c. of seaworthiness**, certificato di navigabilità □ (*fin.*) **c. of subscription**, certificato di sottoscrizione di azioni.

to **certificate** /sə'tɪfɪkeɪt/ v. t. **1** certificare; attestare **2** (*leg.*) autorizzare per mezzo di certificato; abilitare.

certification /sɜːtɪfɪ'keɪʃn/ n. □ **1** certi-

ficazione; attestazione **2** (*leg.*) legalizzazione; autenticazione (*di un documento, ecc.*) ● (*comput.*) **c. authority**, autorità di certificazione ◻ (*comm.*) **c. mark**, marchio d'origine.

certified /'sɜːtɪfaɪd/ *a.* **1** munito di certificato (*o di documentazione*); documentato; vidimato: (*leg.*) **a c. transfer**, una cessione documentata; un trasferimento vidimato **2** (*leg., di atto, ecc.*) legalizzato; autenticato: **c. copy**, copia autenticata **3** dichiarato idoneo; vidimato; abilitato (*all'esercizio di una professione*); ufficiale: (*GB*) **c. accountant** (*USA*, **c. public accountant**), contabile abilitato; ragioniere iscritto all'albo; **c. cause of death**, causa ufficiale di morte **4** (*fam.*) matto; pazzo; da internare ● **c. advertisements**, (annunci pubblicitari con) offerte di lavoro ◻ (*banca*) **c. cheque**, assegno con copertura garantita ◻ (*USA*) **c. mail**, corrispondenza raccomandata semplice ◻ **c. milk**, latte garantito immune da germi ◻ (*agric.*) **c. stock**, pianta, piante garantite (*indenni da parassiti*).

certifier /'sɜːtɪfaɪə(r)/ *n.* chi certifica; chi attesta.

to **certify** /'sɜːtɪfaɪ/ *v. t.* **1** certificare; attestare **2** (*leg.*) legalizzare; autenticare (*un atto, ecc.*) **3** dichiarare pazzo (*da parte di un medico*) **4** dichiarare idoneo; vidimare; abilitare (*all'esercizio di una professione*) **5** (*banca*) garantire (*un assegno, ecc.*).

certiorari /ˌsɜːtɪəˈreərɪ/ *n.* (*leg.*) **1** (*in GB*) ordine della → «Queen's Bench Division» (→ **queen**) con il quale viene annullata una decisione di una corte inferiore **2** (*in USA*) richiesta degli atti di un processo (*da parte di una corte superiore a quella in cui si è svolto il processo, per poter procedere alla revisione dello stesso*) ❶ CULTURA ● **certiorari**: *il termine deriva dal latino legale e significa «(desideriamo) essere informati».*

certitude /'sɜːtɪtjuːd, *USA* -tuːd/ *n.* ◻ certezza; sicurezza; convinzione.

cerulean /səˈruːlɪən/ *a. e n.* (*color*) ceruleo.

cerumen /səˈruːmɛn/ *n.* ◻ cerume ‖ **ceruminous** a. ceruminoso.

ceruse /'sɪəruːs/ *n.* (*chim.*) cerussa; biacca di piombo.

cerussite /'sɪərəsaɪt/ *n.* ◻ (*miner.*) cerussite.

cervical /'sɜːvɪkl/ *a.* (*anat.*) **1** cervicale; relativo al collo dell'utero: (*med.*) **c. cancer**, cancro al collo dell'utero ● (*med.*) **c. smear**, striscio vaginale **2** cervicale: **c. vertebrae**, vertebre cervicali.

cervicitis /sɜːvɪ'saɪtɪs/ *n.* ◻ (*med.*) cervicite.

cervid /'sɜːvɪd/ *n.* (*zool.*) cervide.

cervix /'sɜːvɪks/ *n.* (pl. **cervices**, **cervixes**) (*anat.*) cervice.

Cesarean, **Cesarian** /sɪˈzɛərɪən/ (*USA*) → **Caesarean**.

cesium /'siːzɪəm/ (*USA*) → **caesium**.

cessation /sɛ'seɪʃn/ *n.* ◻ cessazione; arresto; pausa; sospensione: **c. from work**, sospensione del lavoro.

cesser /'sɛsə(r)/ *n.* ◻ (*leg.*) cessazione; estinzione (*di un diritto, ecc.*).

cession /'sɛʃn/ *n.* ◻ (*leg., polit.*) cessione (*di diritti, territori, ecc.*).

cessionary /'sɛʃənərɪ/ *n.* (*leg.*) cessionario.

cesspit /'sɛspɪt/, **cesspool** /'sɛspuːl/ *n.* **1** pozzo nero **2** (*fig., di luogo o ambiente*) cloaca; fogna; sentina.

cestode /'sɛstəʊd/ *n.* (*zool.*) cestode.

cestoid /'sɛstɔɪd/ **A** *n.* (*zool.*) cestode **B** *a.* **attr.** (*zool.: di verme*) nastriforme.

CET sigla (**Central European Time**) fuso orario dell'Europa centrale (*GMT+1*).

cetacean /sɪˈteɪʃn/ **A** *a.* dei cetacei; appartenente ai cetacei **B** *n.* (*zool.*) cetaceo.

cetaceous /sɪˈteɪʃəs/ *a.* (*zool.*) dei cetacei; appartenente ai cetacei.

cetane /'siːteɪn/ *n.* ◻ (*chim.*) cetano: **c. number** (*o* **rating**), numero di cetano.

ceterach /'sɛtəræk/ *n.* (*bot.*, *Ceterach officinarum*) cedracca; erba ruggine; spaccapietra.

Ceylon /sɪˈlɒn/ *n.* (*stato*) Ceylon (*ora Sri Lanka*) ● (*geogr.*) **the isle of C.**, l'isola di Ceylon ‖ **Ceylonese** a. e n. (inv. al pl.) singalese, cingalese.

CF sigla **1** (*mil.*, *GB*, **chaplain to the Forces**) cappellano militare **2** (*comm.*, **cost and freight**) costo e nolo **3** (*med.*, **cystic fibrosis**) fibrosi cistica.

c.f., **c/f** sigla (*comm.*, **carried forward**) riporto.

CFC sigla (*chim.*, **chlorofluorocarbon**) clorofluorocarburo (*CFC*).

CFE sigla (*GB*, **college of further education**) istituto di istruzione superiore.

CFI, **cfi** sigla (*comm.*, **cost, freight, and insurance**) costo, assicurazione e nolo.

CFO sigla (*org. az.*, **Chief Financial Officer**) direttore amministrativo e finanziario; Chief Financial Officer.

CFS sigla (*med.*, **chronic fatigue syndrome**) sindrome da stanchezza cronica.

CGI sigla (*comput.*) **1** (**common gateway interface**) CGI (*software per interfacciare un linguaggio di programmazione con le risorse di un web server*) **2** (**computer graphic imagery**) CGI (*tecnologie usate per produrre immagini interamente create al calcolatore*).

cgs sigla (*fis.*, **centimetre-gram-second (unit)**) (unità) centimetro-grammo massa-secondo (*CGS*).

CGT sigla (**capital gains tax**) imposta sui redditi di capitale.

Ch. abbr. **1** (**chapter**) capitolo (cap.) **2** (**church**) chiesa.

cha-cha /'tʃɑːtʃɑː/ *n.* (*mus.*) cha-cha-cha (*ballo sudamericano*).

chaconne /ʃæˈkɒn/ *n.* (*mus.*) ciaccona.

chad /tʃæd/ *n.* **1** ◻ coriandoli (*che si staccano da una scheda o un nastro perforati*) **2** coriandolo.

chador /'tʃædə(r)/ *n.* chador.

chafe /tʃeɪf/ *n.* **1** sfregamento; attrito **2** irritazione (*prodotta da sfregamento*) **3** (*fig., antiq.*) irritazione; stizza.

to **chafe** /tʃeɪf/ **A** *v. t.* **1** sfregare dolorosamente (*la pelle*); irritare **2** massaggiare, strofinare (*per riscaldare, ecc.*) **3** (*fig.*) irritare; seccare (*qualcuno*) **B** *v. i.* **1** (*di parte del corpo*) irritarsi (*in seguito a sfregamento*) **2** (*di cosa*) sfregare (*su, contro qc.*) **3** (*fig.*) irritarsi; spazientirsi; seccarsi (*fam.*): **to c. at a delay**, irritarsi per un ritardo ● (*fig.*) **to c. at the bit**, mordere il freno.

chafer /'tʃeɪfə(r)/ *n.* (*zool.*) **1** coleottero (*in genere*) **2** → **cockchafer**.

chaff /tʃæf/ *n.* **1** ◻ pula; loppa **2** paglia; fieno (*usati come foraggio*) **3** canzonatura bonaria; celie (pl.); battute (pl.) **4** sciocchezze (pl.) **5** (*aeron. mil.*) paglietta antiradar ● (*agric.*) **c.-cutter**, trinciapaglia ◻ (*fig.*) **to separate** (*o* **to sort out**) **the wheat from the c.**, separare il grano dal loglio; cernere i buoni dai cattivi.

to **chaff** /tʃæf/ *v. t.* **1** trinciare (*paglia, ecc.*) **2** (*slang antiq.*) prendersi gioco di; prendere in giro; canzonare; stuzzicare.

to **chaffer** /'tʃæfə(r)/ *v. i.* mercanteggiare; tirare sul prezzo.

chaffinch /'tʃæfɪntʃ/ *n.* (*zool.*, *Fringilla coelebs*) fringuello.

chaffy /'tʃæfɪ/ *a.* **1** coperto di (*o simile a*) pula **2** (*fig.*) inutile; senza valore; insignificante.

chafing dish /'tʃeɪfɪŋdɪʃ/ loc. *n.* scaldavivande.

chagrin /'ʃægrɪn, ʃəˈgriːn/ (*franc.*) *n.* ◻ (*form.*) dispiacere; disappunto; imbarazzo; mortificazione.

to **chagrin** /'ʃægrɪn, ʃəˈgriːn/ *v. t.* (*di solito al passivo*) (*form.*) dispiacere; mortificare ● **to be** [**to feel**] **chagrined at** (*o* **by**) st., essere [sentirsi] deluso (*o mortificato*) per qc.; provare disappunto per qc.

◆ **chain** /tʃeɪn/ *n.* ◻ **1** catena: **bicycle c.**, catena di bicicletta; **gold c.**, catena d'oro; catenina d'oro; **a dog on a c.**, un cane alla catena **2** (al pl.) catene (*per prigionieri*); ferri; ceppi: **to keep in chains**, tenere in catene; tenere incatenato **3** (*geogr., chim. stat.*) catena **4** (*fig.*) catena (*di persone, di negozi, ecc.*): **to form a** (**human**) **c.**, formare una catena umana; **hotel c.**, catena di alberghi **5** (*fig.*) catena (*di eventi, ecc.*); concatenamento; serie **6** (al pl.) (*naut.*) landa **7** (al pl.) (*fig.*) catene **8** (*misura*) chain (*pari a 20 metri circa*) ● (*stor., mil.*) **c. armour** = **c. mail** → sotto ◻ **c. bridge**, ponte sospeso a catene ◻ (*naut.*) **c. cable**, catena (*d'ancora*) ◻ (*tecn.*) **c. conveyor**, trasportatore a catena ◻ (*mecc.*) **c. drive**, trasmissione a catena ◻ **c. gang**, squadra di forzati incatenati ◻ **c. guard**, copricatena, carter (*di bicicletta*) ◻ **c. letter**, lettera di una catena di Sant'Antonio ◻ (*meteor.*) **c. lightning**, saetta ◻ **c. link**, anello di catena ◻ **c.-link fence**, reticolato ◻ (*naut.*) **c. locker**, pozzo delle catene ◻ (*stor., mil.*) **c. mail**, cotta di maglia ◻ (*archit.*) **c. moulding**, modanatura a catena ◻ **c. of custody** (*di prodotto forestale*) certificazione della catena di lavorazione (*o della rintracciabilità*); (*leg.*) rintracciabilità, scheda di presa in carico ◻ **c. of command**, linea gerarchica ◻ **c. of office**, catena cerimoniale (*di funzionario*) ◻ (*chim. e fig.*) **c. reaction**, reazione a catena ◻ (*fis.*) **c. reactor**, reattore nucleare ◻ **c. ring**, corona dentata (*di bicicletta*) ◻ (*mat.*) **c. rule**, regola catenaria ◻ **c. saw**, motosega portatile ◻ (*mil., stor.*) **c. shot**, palle (pl.) incatenate (*usate come proiettile*) ◻ **c. smoker**, chi fuma una sigaretta dopo l'altra; fumatore accanito ◻ (*cucito*) **c. stitch**, punto catenella ◻ **c. store**, negozio (*o grande magazzino*) che fa parte di una catena ◻ (*mecc.*) **c. stretcher**, tendicatena (*di bicicletta, ecc.*) ◻ (*mecc.*) **c. wheel** → **chainwheel** ◻ **to pull the c.**, tirare lo sciacquone (*del gabinetto*) ◻ (*slang USA*) **to pull** (*o* **to jerk, to yank**) **sb.'s c.**, prendere in giro q.; sfottere (*pop.*); prendere per i fondelli (*pop.*); (*anche*) irritare; rompere (*pop.*).

to **chain** /tʃeɪn/ *v. t.* (*anche* **to c. up**) **1** incatenare; tenere in catene **2** legare con una catena; mettere alla catena (*un cane, ecc.*).

to **chain-smoke** /'tʃeɪnsməʊk/ *v. i.* fumare una sigaretta dopo l'altra (*o accanitamente*).

chainwheel /'tʃeɪnwiːl/ *n.* **1** (*mecc.*) puleggia per catena **2** (al pl.) moltipliche (*di bicicletta*).

◆ **chair** /tʃɛə(r)/ *n.* **1** sedia; seggiola: **padded c.**, sedia col sedile imbottito; **reclining c.**, sedia reclinabile; **to take a c.**, sedersi; accomodarsi **2** poltrona: **the dentist's c.**, la poltrona del dentista **3** posizione; carica; seggio: **the editorial c.**, la posizione di direttore responsabile (*di un giornale*); **the presidential c.**, il seggio presidenziale **4** cattedra universitaria: **the c. of Italian**, la cattedra d'italiano; **to hold a c.**, avere una cattedra; essere professore **5** ruolo di presidente (*di una riunione, un'assemblea, ecc.*); presidenza: **to be in the c.**, avere la presidenza; **to take the c.**, assumere la presidenza **6** presidente, presidentessa (*di una riunione, un'assemblea, ecc.*): *Mrs Ann Jackson is C. of the Linguistics Association*, Mrs Ann Jackson è Presidentessa dell'Associazione di

C

Linguistica; **to address the c.**, rivolgersi al presidente **7** (*USA*, = **electric c.**) sedia elettrica **8** (*ferr.*) ganascia; supporto metallico della rotaia **9** (*mecc.*) supporto **10** (*stor.*, = **sedan c.**) portantina ● **c. back**, schienale □ **c. bed**, poltrona letto □ (*sci*) **c. lift**, seggiovia □ (*fam. USA*) **c. warmer**, scaldaseggiole; fannullone □ **high c.**, seggiolone (*per bambini*).

to **chair** /tʃɛə(r)/ v. t. **1** presiedere (*una riunione, ecc.*); essere presidente di (*un'organizzazione, ecc.*) **2** (*GB*) portare in trionfo (*il vincitore di una gara, ecc.*).

chairlady /'tʃɛəleɪdɪ/ → **chairwoman**.

◆**chairman** /'tʃɛəmən/ n. (pl. *chairmen*) **1** presidente (*d'assemblea, comitato, organizzazione, ecc.*): **c. of the board (of directors)**, presidente del consiglio d'amministrazione; **C. Mao**, il presidente Mao **2** (*in USA*) direttore di dipartimento universitario **3** (*stor.*) portatore di portantina ‖ **chairmanship** n. ⓤ presidenza.

❶ **NOTA:** *chairman, chairwoman, o ...?*
Da più parti si sostiene che l'uso tradizionale di parole che terminano in -man (ad es. *chairman, cameraman, fireman, policeman, workman*) escluda le donne dalla categoria in questione. In molti casi si sono diffusi termini alternativi che comprendono al loro interno entrambi i generi: ad esempio *chair, chairperson, camera operator, firefighter, police officer, worker*. Di conseguenza, l'uso di uno di questi termini al plurale (in questo caso *chairmen*) per indicare la categoria e quindi entrambi i sessi non è accettato da tutti.

chairperson /'tʃɛəpɜːsn/ n. **1** presidente (m. e f.) (*d'assemblea, comitato, organizzazione, ecc.*) **2** (*in USA*) direttore (*uomo o donna*) di dipartimento universitario.

chairwoman /'tʃɛəwʊmən/ n. (pl. *chairwomen*) **1** presidentessa, presidente (f.) (*d'assemblea, comitato, organizzazione, ecc.*) **2** (*in USA*) direttore (*donna*), direttrice di dipartimento universitario ❶ **NOTA:** *chairman, chairwoman, o ...?* → **chairman**.

chaise /ʃeɪz/ n. **1** calesse **2** carrozza da nolo **3** (*USA*) chaise longue; poltrona a sdraio.

chaise longue /ʃeɪz'lɒŋ/ loc. n. (pl. *chaises longues*) **1** dormeuse (*franc.*) **2** (*USA*) poltrona a sdraio; chaise longue.

chakra /'tʃɑːkrə/ n. (*filos.*) chakra.

chalaza /kə'leɪzə/ n. (pl. *chalazae*) (*zool.*) calaza.

chalcedony /kæl'sedənɪ/ n. ⓤ (*miner.*) calcedonio.

chalcography /kæl'kɒɡrəfɪ/ n. ⓤ calcografia.

chalcopyrite /kælkəʊ'paɪraɪt/ n. ⓤ (*miner.*) calcopirite.

Chaldea /kæl'diːə/ n. (*geogr., stor.*) Caldea.

Chaldean /kæl'diːən/ a. e n. (*stor.*) caldeo.

chalet /'ʃæleɪ, USA ʃæ'leɪ/ (*franc.*) n. chalet.

chalice /'tʃælɪs/ n. **1** calice; coppa **2** (*relig.*) calice.

chalk /tʃɔːk/ n. **1** ⓤ (*miner.*) gesso: **c. hills**, colline di gesso **2** ⓤ⒞ gesso (*per scrivere, disegnare*); gessetto: **a piece of c.**, un gesso; un gessetto; **coloured chalks**, gessetti colorati; **c. drawing**, disegno con i gessetti colorati; **c. mark**, segno fatto col gesso; **c. pit**, cava di gesso; **c.-stripe**, righina bianca (*su stoffa*); (a. attr.) (*di abito*) gessato ● (*GB*) **c. and talk**, metodi di insegnamento tradizionali (*che usano le parole e la lavagna*) □ (*fam. USA*) **c. talk**, lezione o conferenza con uso di gesso e lavagna □ **as like** (*o as different*) **as c. and cheese**, diversissimi; diversi come più non si potrebbe □ (*GB*) **by a long c.**, di gran lunga □ (*fam.*) **not by a long c.**, per niente; niente affatto.

to **chalk** /tʃɔːk/ v. t. **1** scrivere, disegnare col gesso **2** strofinare, sfregare col gesso: **to c. a clue**, strofinare col gesso la punta di una stecca da biliardo **3** (*tecn.*) trattare con gesso **4** (*GB*) segnare sul conto (*di q.*) **5** (*agric.*) gessare; ammendare, fertilizzare col gesso.

■ **chalk out** v. t. + avv. delineare, abbozzare (*un piano, ecc.*).

■ **chalk up** v. t. + avv. **1** scrivere col gesso; segnare (*punti, ecc.*) col gesso **2** conseguire, ottenere (*un risultato, un guadagno, ecc.*); (*sport e fig.*) totalizzare: **to c. up ten victories**, totalizzare dieci vittorie **3** (*fam.*) segnare sul conto (*di q.*): **C. it up to me**, segnalo sul mio conto; mettimelo sul conto **4** – **to c. up to**, attribuire a (*una causa*); dare la colpa, dare il merito (*di qc.*) a □ **to c. st. up to experience**, considerare qc. (*di spiacevole*) come un'esperienza (*o come lezione salutare*).

chalkboard /'tʃɔːkbɔːd/ n. (*USA*) lavagna (*scolastica, ecc.*).

chalkface /'tʃɔːkfeɪs/ n. (*GB*) – (solo nella loc.) **at the c.**, in classe; nella pratica dell'insegnamento.

chalkpit /'tʃɔːkpɪt/ n. = **chalk pit** → **chalk**.

chalkstone /'tʃɔːkstəʊn/ n. (*med.*) tofo.

chalky /'tʃɔːkɪ/ a. **1** gessoso **2** (*fig.*) pallido; terreo ‖ **chalkiness** n. ⓤ qualità (*del terreno*) d'essere gessoso.

◆**challenge** /'tʃælɪndʒ/ n. **1** (*anche sport, ecc.*) sfida: **a c. to a duel** [**to a game of tennis**], una sfida a duello [a una partita di tennis]; **to issue a c.**, lanciare una sfida a duello; **to take up a c.**, accettare una sfida **2** compito (*o impresa, obiettivo*) impegnativo; sfida: *We are faced with a big challenge*, abbiamo davanti un obiettivo impegnativo; **to accept the c.**, accettare la sfida; **to rise to the c.**, dimostrarsi all'altezza della sfida; *I enjoy the c.*, trovo la sfida stimolante **3** (*sport, polit., ecc.*) sfida (*al detentore di un titolo, di una carica*): **Arsenal's title c.**, la sfida dell'Arsenal per la conquista del titolo: **John Brown's leadership c.**, la candidatura di John Brown a nuovo leader **4** (*mil.*) chi va là; altolà **5** contestazione; il mettere in dubbio (*o in discussione*): **a c. to the government's economic policy**, una contestazione della politica economica del governo; *That is a c. to my veracity*, questo significa mettere in dubbio la mia veridicità; **to be open to c.**, prestare il fianco a obiezioni, a contestazioni; essere criticabile **6** (*leg.*) obiezione; eccezione; ricusazione (*di un giurato*) **7** (*polit. USA*) invalidazione (*di un voto*) ● (*sport*) **c. trophy**, (trofeo) challenge.

to **challenge** /'tʃælɪndʒ/ v. t. **1** (*anche sport, ecc.*) sfidare: *He challenged him to a game of chess*, l'ha sfidato a una partita di scacchi; *I challenged her to prove her innocence*, l'ho sfidata a dimostrare la sua innocenza **2** costituire una sfida per; mettere alla prova; stimolare: *That difficult task challenged his ingenuity*, quel difficile compito metteva alla prova la sua ingegnosità **3** (*mil.*) dare il chi va là (*o l'alto là*) a **4** contestare; mettere in dubbio (*o in discussione*): **to c. sb.'s authority**, contestare l'autorità di q.; **to c. an account**, contestare un rendiconto **5** (*leg.*) fare opposizione a; impugnare; ricusare (*un giurato*) **6** (*polit. USA*) invalidare (*una votazione*).

challengeable /'tʃælɪndʒəbl/ a. **1** che si può sfidare **2** contestabile **3** (*leg.*) eccepibile; impugnabile; (*di giurato o giuria*) ricusabile.

challenged /'tʃælɪndʒd/ a. **1** sfidato **2** contestato **3** (*leg.*) impugnato; (*di giurato*) ricusato **4** (*eufem. USA*) – preceduto da avv.) che ha un dato handicap: **physically c.**, che ha un handicap fisico; disabile; **the visually**

c., coloro che hanno un handicap visivo; i non vedenti ● (*scherz.*) **attention-challenged**, distratto; incapace di concentrazione □ (*scherz.*) **vertically c.**, piccolo di statura.

challenger /'tʃælɪndʒə(r)/ n. **1** (*anche sport*) sfidante; rivale **2** (*leg.*) chi ricusa (*un giurato*); chi impugna (*una sentenza*).

challenging /'tʃælɪndʒɪŋ/ a. **1** sfidante; che sfida **2** di sfida; provocatorio; polemico: **a c. look**, un'occhiata di sfida (*o provocatoria*); **a c. statement**, un'affermazione polemica **3** impegnativo; stimolante; che costituisce una sfida: **a c. idea**, un'idea stimolante (*o assai interessante*).

chalybeate /kə'lɪbɪət/ **A** a. ferruginoso **B** n. acqua (*medicina, ecc.*) ferruginosa.

chalybite /'kælɪbaɪt/ n. ⓤ (*miner.*) siderite; carbonato di ferro.

◆**chamber** /'tʃeɪmbə(r)/ n. **1** (*form.*) camera; sala; aula: **council c.**, camera di consiglio; **burial c.**, camera mortuaria **2** (*polit.*) camera (legislativa): **the lower** [**upper**] **c.**, la camera bassa [alta] **3** (al pl.) (*leg., GB*) ufficio (sing.) di giudice (*presso il tribunale*) **4** (al pl.) (*leg., GB*) studio (sing.) di uno o più avvocati; studio (sing.) legale **5** (*arc. o poet.*) camera privata; camera da letto **6** (*tecn.*) camera **7** (*d'arma da fuoco*) camera di scoppio (*o di caricamento*) **8** caverna; camera sotterranea **9** (*anat., bot., zool.*) camera; cavità **10** (*ind. min.*) camera d'abbattimento sotterranea ● (*leg.*) **c. counsel**, avvocato che tiene ufficio di consulente, ma non esercita in tribunale □ (*mus.*) **c. music**, musica da camera – **C. of Commerce**, Camera di Commercio □ (*polit.*) **C. of Deputies**, Camera dei deputati □ **c. of horrors**, camera degli orrori □ (*mus.*) **C. of Trade**, Associazione dei commercianti □ (*mus.*) **c. orchestra**, orchestra da camera □ **c. pot**, vaso da notte □ (*leg.*) **in chambers**, a porte chiuse.

to **chamber** /'tʃeɪmbə(r)/ v. t. **1** alloggiare; ospitare **2** (*rif. ad arma da fuoco*) inserire nella camera di caricamento.

chambered /'tʃeɪmbəd/ a. **1** (*d'arma da fuoco*) munito di camera di caricamento **2** (*archeol.*) contenente una camera mortuaria **3** (*anat., bot., zool.*) contenente una o più cavità ● (*zool.*) **c. nautilus** (*Nautilus*), nautilo.

chamberlain /'tʃeɪmbəlɪn/ n. **1** ciambellano **2** (*stor.*) camerlengo; camerario ‖ **chamberlainship** n. ⓤ ufficio (*o carica*) di ciambellano.

chambermaid /'tʃeɪmbəmeɪd/ n. cameriera d'albergo.

chambray /'ʃæmbreɪ/ n. ⓤ (*ind. tess.*) cambrì.

chameleon /kə'miːlɪən/ n. (*zool., Chamaeleo*) camaleonte (*anche fig.*) ‖ **chameleonic** a. camaleontico (*anche fig.*).

chamfer /'tʃæmfə(r)/ n. **1** (*mecc.*) bisello; smussatura; smusso **2** (*archit.*) modanatura; smussatura **3** (*falegn.*) scanalatura ● (*mecc.*) **c. angle**, angolo di smusso □ (*mecc.*) **c. bit**, punta per bisellare (*o per smussare*) □ (*mecc.*) **c. plane**, pialletto per bisellare (*o per smussare*); incorsatoio.

to **chamfer** /'tʃæmfə(r)/ v. t. **1** (*mecc.*) smussare (*uno spigolo, ecc.*); bisellare **2** (*falegn.*) scanalare.

chamfering /'tʃæmfərɪŋ/ n. ⓤ **1** (*mecc.*) bisellatura; smussatura **2** (*falegn.*) scanalatura.

chammy /'ʃæmɪ/ n. → **chamois**, def. 2.

chamois /'ʃæmwɑː/ n. (inv. al pl.) **1** (*zool., Rupicapra rupicapra*) camoscio **2** (= **c. leather**) pelle di camoscio; pelle scamosciata.

chamomile /'kæməmaɪl/ n. → **camomile**.

champ① /tʃæmp/ n. ⓤ masticazione rumorosa.

champ② /tʃæmp/ n. (fam.) campione (sportivo).

to **champ** /tʃæmp/ v. t. e i. (anche to c. at) masticare rumorosamente (foraggio, ecc.); mordere ● (del cavallo e fig.) to c. at the bit, mordere il freno.

champagne /ʃæmˈpeɪn/ (franc.) n. ⓤⓒ champagne ● c.-coloured, color champagne.

champaign /ˈtʃæmpeɪn/ n. ⓤⓒ (lett.) aperta campagna; pianura.

champers /ˈʃæmpəz/ n. (fam. GB) champagne.

champerty /ˈtʃæmpətɪ/ n. ⓤ (leg.) patto di quota lite (è proibito in GB e in Italia).

champignon /ˈʃæmˈpɪnjən/ (franc.) n. champignon; fungo coltivato.

♦**champion** /ˈtʃæmpɪən/ Ⓐ n. 1 (sport) campione: **world c.**, campione del mondo 2 difensore; paladino; campione: **a c. of minority rights**, un difensore dei diritti delle minoranze; **a c. of the faith**, un paladino della fede 3 (stor., di cavaliere) campione Ⓑ a. 1 (attr.) campione: **a c. boxer**, un campione di pugilato 2 (fam. o dial., GB) stupendo; grandioso Ⓒ avv. (fam. o dial., GB) benissimo; stupendamente: **a the grande** ❶ **FALSI AMICI** ● champion non significa campione nel senso scientifico e commerciale di piccolo saggio.

to **champion** /ˈtʃæmpɪən/ v. t. sostenere la causa di; difendere; battersi per, farsi paladino di.

♦**championship** /ˈtʃæmpɪənʃɪp/ n. ⓤ 1 (sport) campionato 2 difesa, sostegno (d'una causa, ecc.) ● (tennis) **c. point**, punto della vittoria nel campionato; punto che vale il campionato.

♦**chance** /tʃɑːns/ Ⓐ n. 1 ⓤⓒ caso; sorte; fortuna: I don't want to leave anything to c., non voglio lasciar nulla al caso; Many discoveries were made by c., molte scoperte furono fatte per caso; **by a lucky c.**, per un caso fortunato 2 probabilità; possibilità; possibilità di cavarsela: He has no c. of success, non ha alcuna probabilità di successo; He stands a fair c. of winning, ha discrete probabilità di vincere 3 (solo sing.) opportunità; occasione: This is a unique c.; don't miss it!, questa è un'occasione unica; non perderla!; **to give sb. a c. to**, offrire a q. la possibilità di; dare modo a q. di; **when you get the c.**, quando ti capita (l'occasione) 4 azzardo; rischio: **to take chances**, correre rischi; rischiare; I'm taking no chances, non intendo rischiare 5 (leg.) caso fortuito 6 (stat.) probabilità Ⓑ a. attr. casuale; fortuito; accidentale: **a c. acquaintance**, una conoscenza casuale; **a c. meeting**, un incontro fortuito ● **a c. in a million**, una combinazione straordinaria; (anche) una probabilità assai remota □ **the c. of a lifetime**, un'occasione unica, irripetibile □ (fam.) **C. would be a fine thing!**, magari!; fosse vero! □ (The) **chances are that...**, è molto probabile che... □ **as c. would have it**, il caso volle che...; per combinazione □ **by any c.**, per caso (fam.) **given a c.**, avendone la possibilità; potendo □ (fam.) **given half a c.**, con un po' di fortuna; se solo potessi; se solo avessi potuto □ (fam.) **No c.** (o **Not a c.)!**, macché; neanche per sogno!; niente da fare! □ **on the c. of** (o **on the off c. of)**, casomai; nell'eventualità che ■ **not to stand a c.**, non avere nessuna probabilità (di riuscita, successo, vittoria, ecc.) □ **to stand a poor c. of**, avere poche probabilità di □ **to take one's chances**, rischiare; correre il rischio.

to **chance** /tʃɑːns/ Ⓐ v. i. accadere per caso; succedere; capitare; darsi il caso che: I chanced to meet him, mi capitò d'incontrar-

lo; I chanced to find one in a small shop, ne ho trovato uno per caso in un negozietto Ⓑ v. t. (form.) 1 rischiare; mettere a repentaglio: **to c. all one's money**, rischiare tutto il proprio denaro 2 arrischiare; arrischiarsi a fare: I chanced a peek at it, arrischiai una sbirciatina ● (fam.) **to c. one's arm** (o **one's luck**), correre il rischio; rischiare; tentare la sorte □ (fam.) **to c. it**, rischiare; tentare: What do you say, shall we c. it?, che ne dici, rischiamo (o tentiamo)?

■ **chance on, chance upon** v. i. + prep. imbattersi in; trovare per caso.

chancel /ˈtʃɑːnsl/ n. (archit.) coro e presbiterio (di chiesa).

chancellery /ˈtʃɑːnslrɪ/ n. 1 cancelleria (ufficio, carica, sede di cancelliere) 2 cancelleria di ambasciata (o di consolato).

♦**chancellor** /ˈtʃɑːnsələ(r)/ n. 1 (stor., polit.) cancelliere 2 primo segretario d'ambasciata (o di consolato) 3 (in GB) alto funzionario; alto magistrato: **C. of the Exchequer**, Cancelliere dello Scacchiere ❶ **CULTURA** ● **Chancellor of the Exchequer**: è il ministro che riunisce le funzioni di ministro del tesoro, delle finanze e del bilancio. È responsabile della politica monetaria del paese e fa parte del gabinetto. **the Lord (High) C.** il Lord Cancelliere ❶ **CULTURA** ● **Lord (High) Chancellor**: è la massima autorità giudiziaria britannica; è capo della magistratura, membro del gabinetto e presidente della House of Lords 4 (in GB e Canada) presidente onorario (di un'università) 5 (in USA) rettore (di talune università); (in qualche college) direttore amministrativo ‖ **chancellorship** n. ⓤⓒ 1 cancellierato 2 presidenza; rettorato.

chancellory /ˈtʃɑːnslrɪ/ → **chancellery**.

chancer /ˈtʃɑːnsə(r)/ n. (fam.) profittatore; opportunista.

chancery /ˈtʃɑːnsərɪ/ n. (leg.) 1 (in GB) corte di giustizia del Lord Cancelliere 2 (in USA) «corte d'equità» (→ **equity**) 3 (stor.) cancelleria ● (leg., in GB) **C. Division**, una delle tre sezioni dell'Alta Corte di Giustizia ❶ **CULTURA** ● **Chancery Division**: è la sezione che si occupa del **trust**, del diritto di proprietà e delle controversie tra società; le altre sono la **Family Division** (diritto familiare) e la → «Queen's Bench Division» (→ **queen**) □ **in c.**, (leg.) in contestazione; (fig.) in una situazione difficile, senza via d'uscita.

chancre /ˈtʃæŋkə(r)/ n. (med.) 1 ulcera 2 sifiloma iniziale ● **soft c.** → **chancroid**.

chancroid /ˈtʃæŋkrɔɪd/ n. (med.) ulcera molle; ulcera venerea.

chancy /ˈtʃɑːnsɪ/ a. (fam.) incerto; avventato; rischioso.

chandelier /ˌʃændəˈlɪə(r)/ n. lampadario (a più bracci).

chandelle /ʃænˈdɛl/ (franc.) n. (aeron.) candela ● **c. climb**, salita (o volo) a candela.

chandler /ˈtʃɑːndlə(r)/ n. 1 (un tempo) fabbricante (o venditore) di candele; candelaio 2 (antiq.) droghiere 3 commerciante (in taluni composti): **corn c.**, commerciante in granaglie; **ship's c.**, fornitore navale.

chandlery /ˈtʃɑːndlrɪ/ n. 1 (un tempo) (negozio in cui si vendono) candele, sapone, ecc.; drogheria 2 (commercio di) generi alimentari (o coloniali).

♦**change** /tʃeɪndʒ/ n. 1 ⓒⓤ cambiamento; variazione; mutamento; alterazione: **a c. of direction [of plan]**, un cambiamento di direzione [di programma]; **c. in price**, variazione di prezzo; **a c. for the better**, è un cambiamento in meglio; **social c.**, cambiamenti sociali; **to make changes**, fare cambiamenti; He's against c., è contrario ai cambiamenti 2 cambio; ricambio; sostituzione: **a c. of clothes**, un cambio d'abiti; abiti di ricambio; **a c. of socks**, un paio di calze di ricambio; (autom.) **c. of tyres**, cambio di

gomme; **a c. of government**, un cambio di governo 3 ⓤ spiccioli (pl.); moneta (spicciola); monetine (pl.): **loose c.** (o **small c.)**, spiccioli; **exact c.**, denaro contato; Can you give me c. for a 10-pound note?, può cambiarmi un biglietto da dieci sterline?; I'll ask for some c., chiedo se hanno da cambiare; Have you got any c. for the pool table?, hai spiccioli per il tavolo da biliardo? 4 ⓤ resto (di denaro): Keep the c.!, tenga il resto!; You gave me the wrong c., ha sbagliato a darmi il resto; **57 cent c.**, 57 centesimi di resto; «No c. given», la macchina non dà resto 5 – (fam.) **the c.** (o **the c. of life**), la menopausa 6 – (arc.) **the C.**, la Borsa Valori 7 (al pl.) concerto di campane ● **a c. of air**, un cambiamento d'aria □ (econ.) **c. in demand [supply]**, variazione della domanda [dell'offerta] (a parità di prezzo) □ **c. of heart**, mutamento d'opinione; ripensamento □ (USA) **c. purse**, portamonete; borsellino □ **c. ringing**, la tecnica di suonare le campane con variazioni continue (secondo l'uso inglese) □ **for a c.**, (tanto) per cambiare; per fare qualcosa di diverso □ (fam. GB) **to get no c. out of sb.**, non cavare un ragno da un buco con q. □ **to make a c.**, costituire un cambiamento (o una novità); essere qualcosa di diverso □ **to ring the changes**, suonare le campane a concerto; (fig.) variare, introdurre variazioni.

♦to **change** /tʃeɪndʒ/ Ⓐ v. t. 1 cambiare; trasformare; modificare; mutare: **to c. the subject**, cambiare argomento; **to c. shape**, mutare forma; trasformarsi; **to c. a liquid into a gas**, trasformare un liquido in un gas; The prince was changed into a frog, il principe fu mutato in rana; Success changed him, il successo lo trasformò 2 cambiare; scambiare, scambiarsi; fare un cambio: **to c. trains [buses]**, cambiare treno [autobus]; **to c. jobs**, cambiare lavoro; I'll take it back to the shop and c. it for a green one, lo riporto al negozio e lo cambio con uno verde; **to c. places with sb.**, scambiarsi di posto con q.; (fig.) fare cambio con q., essere al posto di q. 3 cambiare (denaro, banconote, ecc.): **to c. dollars into euros**, cambiare dollari in euro 4 sostituire (un pezzo, ecc.); cambiare: **to c. a bulb [a wheel]**, cambiare una lampadina [una ruota]; Do you know how to c. the cartridge?, sai come si cambia la cartuccia? Ⓑ v. i. 1 cambiare; mutare; mutarsi; trasformarsi: Tom has changed a lot, Tom è molto cambiato; The steady flow changed to a trickle, il flusso regolare diventò uno sgocciolio; The lights changed from red to green, il semaforo passò dal rosso al verde 2 cambiarsi (d'abito): **to c. for dinner**, cambiarsi per la cena; She changed into a pair of jeans, (si cambiò e) indossò un paio di jeans; **to c. out of**, togliersi (un indumento, per indossarne un altro) 3 cambiare (mezzo di trasporto): We have to c. at Crewe, dobbiamo cambiare a Crewe 4 (autom.) cambiare: **to c. into third**, (cambiare e) mettere la terza ● **to c. address**, cambiare indirizzo □ **to c. a baby**, cambiare un bambino □ **to c. the bed**, fare il cambio delle lenzuola; cambiare le lenzuola □ (sport) **to c. ends**, cambiare campo □ (del tempo, ecc.) **to c. for the better [for the worse]**, migliorare [peggiorare] □ (autom.) **to c. gear**, cambiare (marcia) □ **to c. hands**, cambiare mano; (fig.) passare in altre mani, cambiare di proprietario: No money changed hands, non c'è stato passaggio di denaro □ **to c. one's mind**, cambiare idea (o opinione); mutar (di) parere; avere un ripensamento □ (anche fig.) **to c. one's tune**, cambiar tono; mutare registro; cambiare musica □ **to c. one's ways**, cambiare vita □ (fig.) **to c. sides**, passare dall'altra parte, mutar bandiera □ **to c. step**, cambiare passo (marciando) □ (trasp., ferr.) «All c.!», «fine della cor-

C

sa!» □ **to get changed**, cambiarsi (d'abito).

■ **change back** A v. t. + avv. cambiare di nuovo (*ridando l'aspetto originale*); ritrasformare (in); riportare (a) B v. i. + avv. cambiare di nuovo (*riprendendo l'aspetto originale*); ritrasformarsi; tornare quello di prima; tornare ad essere; ridiventare: *He has changed back to the man I knew*, è ridiventato l'uomo che conoscevo.

■ **change down** v. i. + avv. (*autom., GB*) scalare marcia.

■ **change off** v. i. + avv. darsi il cambio (*in un'attività*); fare a turno.

■ **change over** A v. i. + avv. **1** darsi il cambio **2** scambiarsi di posto; fare cambio (di posto) **3** passare (*da una situazione o un sistema a un altro*) convertirsi: *Britain changed over to the decimal system in 1971*, l'Inghilterra passò al sistema decimale nel 1971 B v. t. + avv. scambiare di posto; spostare.

■ **change round** A v. i. + avv. **1** scambiarsi di posto; fare cambio (di posto) **2** (*del vento*) cambiare direzione; girare **3** (*sport*) cambiare campo; fare il cambio di campo B v. t. + avv. scambiare di posto; invertire (l'ordine di).

■ **change up** v. i. + avv. (*autom., GB*) mettere (o inserire, passare a) una marcia più alta.

changeability /tʃeɪndʒə'bɪlɪt/ n. Ⓤ mutevolezza; incostanza; variabilità.

changeable /'tʃeɪndʒəbl/ a. mutevole; incostante; variabile; alterabile: **c. weather**, tempo variabile | **-ness** n. Ⓤ | **-bly** avv.

changeful /'tʃeɪndʒfl/ a. mutevole; incostante; variabile.

changeless /'tʃeɪndʒləs/ a. immutabile; costante.

changeling /'tʃeɪndʒlɪŋ/ n. bambino (*spec. strano o ritardato*) che si pensa sia stato lasciato in luogo di un altro rapito dalle fate.

changelog /'tʃeɪndʒlɒg/ n. (*comput.*) changelog (*file di registrazione delle modifiche apportate a un sito web o a un progetto di software*).

changeover /'tʃeɪndʒəʊvə(r)/ n. **1** conversione (*da una situazione o un sistema a un altro*); passaggio: **the c. to the euro**, il passaggio all'euro; **c. period**, periodo di transizione **2** (*elettr.*) commutazione **3** (*sport*) cambio di campo **4** (*sport*) sostituzione (*di un giocatore*) **5** (*sport, staffetta*) cambio ● (*elettr.*) **c. switch**, commutatore.

changer /'tʃeɪndʒə(r)/ n. (*elettr.*) commutatore ● (*elettr.*) **frequency c.**, variatore di frequenza.

changeround /'tʃeɪndʒəraʊnd/ n. **1** scambio **2** conversione; passaggio **3** (*sport*) cambio di campo.

changing /'tʃeɪndʒɪŋ/ A a. **1** che cambia; in trasformazione **2** mutevole; variabile B n. Ⓤ (il) cambiare; cambio: **the C. of the Guard**, il cambio della guardia (*del sovrano inglese*) **2** cambiamento ● (*GB*) **c. room**, spogliatoio; camerino: *Where's the c. room?*, dov'è il camerino? □ (*mat.*) **c. scales**, tavole di riduzione.

♦**channel** /'tʃænl/ n. **1** (*geogr.*) canale (*naturale*) **2** (*geogr.*) **the C. (o the English C.)**, il Canale della Manica; la Manica **3** (*di fiume*) alveo **4** (*naut.*) passaggio navigabile (*in acque altrimenti insicure*); rotta **5** (*anat.*) canale; condotto **6** (*fig.*) passaggio; corridoio **7** (*TV*) canale: **to change channels**, cambiare canale **8** (*fig.*) canale; via; mezzo; iter: **a c. of communication**, una via di comunicazione (*o di dialogo*); **distribution c.**, canale di distribuzione; **through diplomatic channels**, per via diplomatica; **through official channels**, tramite le vie ufficiali; **though the proper channels**, seguendo l'iter ordinario **9** (*metall.*, = **c. bar**, **c. iron**) ferro a U

(*o a C*) **10** (*anche archit.*) scanalatura **11** (*ric. op.*) stazione **12** (*slang USA*) vena in cui bucarsi ● (*geogr.*) **the C. Islands**, le Isole normanne; le Isole del Canale □ **C. Islander**, nativo o abitante delle Isole normanne □ (*TV*) **c. surfing**, zapping □ **the C. Tunnel**, il tunnel sotto la Manica.

to **channel** /'tʃænl/ v. t. **1** incanalare (*un liquido*); convogliare **2** destinare (*finanziamenti, ecc.*): **to c. money into social expenditure**, incanalare le risorse finanziarie verso le spese sociali **3** (*fig.*) convogliare; incanalare: *Aid was channelled through various NGOs*, gli aiuti vennero convogliati attraverso varie ONG **4** (*fig.*) comunicare; trasmettere (*informazioni, messaggi, ecc.*) **5** (*archit.*) scanalare **6** scavare un canale in **7** (*tecn.*) cannellare, intagliare (*marmo, ecc.*) **8** (*di persona*) mettere in comunicazione (*lo spirito di un defunto*).

to **channel-hop** /'tʃænlhɒp/ v. i. (*TV, fam. USA*) fare lo zapping; cambiare canale di continuo; saltare da un canale all'altro || **channel-hopper** n. fanatico dello zapping.

channelling, (*USA*) **channeling** /'tʃænlɪŋ/ n. **1** scavo di canali; canalizzazione **2** (*archit.*) scanalatura **3** incanalatura (*di acque e fig.*) **4** canalizzazione (*di messaggi, ecc.*) **5** (*spiritismo*) messa in comunicazione (*dello spirito di un defunto*).

to **channel-surf** /'tʃænlsɜːf/ (*TV, fam. USA*) → **to channel-hop**.

chant /tʃɑːnt/ n. **1** (*mus., relig.*) salmodia; canto: **Gregorian c.**, canto gregoriano **2** canto monotono; cantilena **3** slogan (*ripetuto in coro*).

to **chant** /tʃɑːnt/ v. t. e i. **1** (*mus., relig.*) salmodiare; cantare **2** ripetere in coro; scandire: **to c. a slogan**, scandire uno slogan.

chanter /'tʃɑːntə(r)/ n. **1** (*mus., relig.*) cantore di oratorio; corista **2** (*mus.*) canna melodica (*di cornamusa*).

chanterelle /tʃæntə'rel/ n. (*bot., Cantharellus cibarius*) gallinaccio; cantarello; finferlo.

Chanticleer /tʃæntɪ'klɪə(r)/ n. Ⓤ (*lett. o scherz.*) (nome proprio del) gallo: *'My lungs began to crow like a c.'* W. SHAKESPEARE, 'i miei polmoni si misero a cantare come fa il gallo'.

chantry /'tʃɑːntrɪ/ n. **1** cappellania; lascito per messe di suffragio **2** (= **c. chapel**) cappella per le messe di suffragio.

chanty /'tʃɑːntɪ/ → **shanty**②.

Chanukkah /'hænʊkə/ n. → **Hanukkah**.

♦**chaos** /'keɪɒs/ n. Ⓤ caos; confusione; disordine: **to reduce the country to c.**, far precipitare il paese nel caos; **to create utter c.**, creare il caos più totale; **in a state of c.**, nel caos; caotico **2** (*lett.*) (il) caos.

chaotic /keɪ'ɒtɪk/ a. caotico | **-ally** avv.

chap① /tʃæp/ n. screpolatura (*della pelle*).

chap② /tʃæp/ n. **1** mascella (*spec. di animale*); (al pl.) fauci **2** guancia (*di suino*) ● (*arc.*) **c.-fallen**, dal viso lungo (*fig.*); scoraggiato; mesto.

♦**chap**③ /tʃæp/ n. (*fam., antiq., GB*) individuo; tipo: *He's a funny c.*, è un tipo buffo; **you English chaps**, voi inglesi; **Hullo, old c.!**, ciao, vecchio mio!; *Look out, chaps!*, attenti, ragazzi!

to **chap** /tʃæp/ v. t. e i. screpolare, screpolarsi: *My lips c. easily*, le labbra mi si screpolano facilmente.

chap. abbr. (**chapter**) capitolo (cap.).

chaparral /tʃæpə'ræl/ n. (*USA*) chaparral; macchia di cespugli e rovi.

chapatti /tʃə'pɑːtɪ/ n. (*cucina indiana*)

chapati.

chapbook /'tʃæpbʊk/ n. (*stor.*) **1** opuscolo con ballate e racconti (*venduto da ambulanti*) **2** opuscolo religioso (*venduto da ambulanti*).

chapel /'tʃæpl/ A n. **1** cappella **2** (*relig., in GB*) luogo di culto nonconformista (*evangelico, metodista, ecc.*) **3** (*relig., in GB*) servizio religioso (*nonconformista*); funzione: *We met after c.*, ci incontrammo dopo il servizio **4** (*USA*) camera mortuaria **5** (*in GB*) sezione di sindacato (*spec. in una casa editrice o in una tipografia*) B a. attr. (*relig., in GB*) nonconformista (*evangelico, metodista, ecc.*): *In my village they were all c.*, nel mio paese erano tutti nonconformisti ● (*relig., in GB*) **c. goer**, nonconformista □ (*relig., in GB*) **c. of ease**, cappella (anglicana) che serve chi abita lontano dalla chiesa parrocchiale □ (*GB*) **c. of rest**, camera mortuaria □ **c. royal**, cappella reale.

chaperon, **chaperone** /'ʃæpərəʊn/ n. **1** chaperon **2** accompagnatore, sorvegliante di bambini.

to **chaperon**, to **chaperone** /'ʃæpərəʊn/ v. t. **1** fare da chaperon a **2** accompagnare, sorvegliare (*bambini*).

chaperonage /'ʃæpərənɪdʒ/ n. Ⓤ **1** (il) fare da chaperon **2** (il) fare da accompagnatore (*di bambini*).

chaplain /'tʃæplɪn/ (*relig.*) n. cappellano (*anche militare*) || **chaplaincy** n. ufficio di cappellano; cappellanato.

chaplet /'tʃæplət/ n. **1** corona (*o serto*) di fiori **2** filza di grani; (*relig.*) rosario; corona del rosario **3** filza di perline; collana **4** filza d'uova di rospo **5** (*archit.*) modanatura a grani (*o a perline*).

chapped /tʃæpt/ a. (*di pelle*) screpolato.

chappy①, **chappie** /'tʃæpɪ/ n. (*slang GB*) individuo; tipo; tizio.

chappy② /'tʃæpɪ/ a. screpolato.

chaps /tʃæps/ n. pl. (*spec. USA*) copricalzoni di cuoio (*usati dai cowboys*); cosciali.

♦**chapter** /'tʃæptə(r)/ n. **1** capitolo (*di libro*): **in c. 7**, nel capitolo 7 **2** (*fig.*) capitolo; fase; periodo; epoca: **a new c. in my life**, un capitolo nuovo nella mia vita **3** (*relig.*) capitolo **4** (*spec. USA*) sezione; rappresentanza locale (*di un'organizzazione*) ● (*relig.*) **c. house**, sala capitolare; capitolo □ **c. and verse**, (*della Bibbia*) capitolo e versetto; (*fig.*) fonte precisa, riferimento esatto □ (*leg., USA*) **C. 11**, amministrazione controllata □ (*fam.*) **a c. of accidents**, una serie di eventi spiacevoli (*o di contrattempi, di incidenti*) □ (*fig.*) **to the end of the c.**, sino alla fine; per sempre.

char① /tʃɑː(r)/ n. (pl. **char**, **chars**) (*zool., Salvelinus alpinus*) salmerino.

char② /tʃɑː(r)/ n. (*GB*, abbr. di **charwoman**) donna di servizio a ore; donna delle pulizie.

char③ /tʃɑː(r)/ n. Ⓤ **1** materiale bruciacchiato; sostanza carbonizzata **2** → **charcoal**.

to **char**① /tʃɑː(r)/ v. i. (*GB*) fare la donna di servizio a ore; lavorare come donna delle pulizie.

to **char**② /tʃɑː(r)/ v. t. e i. **1** carbonizzare, carbonizzarsi **2** bruciacchiare, bruciacchiarsi; annerire (*per effetto del fuoco*).

charabanc /'ʃærəbæŋ/ n. **1** (*un tempo*) giardiniera; carrozza con sedili trasversali (*per escursioni, gite, ecc.*) **2** (*autom.*) pullman torpedone.

♦**character** /'kærəktə(r)/ A n. **1** carattere; natura: **the two sides of his c.**, i due lati del suo carattere; **the British national c.**, il carattere nazionale britannico; **to be a good judge of c.**, saper giudicare il carattere delle persone; **strength of c.**, forza di caratte-

re; *It's in keeping with his c.*, è nel suo carattere; è da lui; **a man of c.**, un uomo di carattere **2** carattere distintivo; atmosfera; personalità: **a village full of c.**, un paesino pieno di atmosfera **3** ▣ reputazione; buon nome: **an attack on his c.**, un attacco al suo buon nome **4** personaggio (*di romanzo, film, ecc.*): **a cartoon c.**, un personaggio dei fumetti; *He plays a c. named Joe*, interpreta un personaggio di nome Joe **5** individuo; tipo; personaggio; soggetto: **a suspicious c.**, un individuo sospetto; **a bad c.**, un cattivo soggetto; un brutto tipo **6** (*fam.*) (tipo) originale; tipo ameno; sagoma: *He's quite a c.*, è proprio una sagoma! **7** qualità; funzione: **in my c. as**, nella mia qualità di **8** (*comput., tipogr.*) carattere **9** (*biol.*) carattere **10** (*antiq.*) attestato di servizio; benservito; referenze (pl.): *The maid was given an excellent c.*, la cameriera ricevette un ottimo benservito ▣ **a. attr. 1** del carattere **2** (*psic.*) caratteriale; caratterologico **3** (*comput., tipogr.*) di, dei caratteri: **c. map**, mappa dei caratteri; **c. recognition**, riconoscimento di caratteri ● (*cinem.*) **c. actor [actress]**, caratterista ◻ **c. assassination**, campagna diffamatoria ◻ **c. builder**, cosa (esperienza, ecc.) che serve a formare il carattere ◻ (*cinem.*) **c. part**, parte da caratterista ◻ **c. reference**, referenze (pl.) ◻ (*leg.*) **c. witness**, testimone della buona reputazione di q. ◻ **in c.**, tipico di q.; da lui [lei, ecc.] ◻ **out of c.**, in contrasto col proprio carattere; non da lui [lei, ecc.]; (in modo) insolito; (in modo) sorprendente.

◆**characteristic** /ˌkærəktəˈrɪstɪk/ ▣ **a.** caratteristico; tipico; peculiare; distintivo ▣ **n. 1** caratteristica; tratto caratteristico **2** (*mat.*) caratteristica | **-ally** avv.

◆to **characterize** /ˈkærəktəraɪz/ **v. t. 1** caratterizzare; essere tipico di; (al passivo) essere caratterizzato (*da*), avere come tratto caratteristico (*o* distintivo) **2** definire; descrivere; dipingere: *He characterized the report as incomplete and superficial*, definì la relazione incompleta e superficiale || **characterization n.** ▣ caratterizzazione.

characterless /ˈkærəktələs/ **a.** senza carattere; ordinario; comune.

characterology /ˌkærəktəˈrɒlədʒɪ/ (*psic.*) **n.** ▣ caratterologia || **characterological, characterologic a. 1** caratterologico **2** caratteriale.

charade /ʃəˈrɑːd, *USA* ʃəˈreɪd/ **n. 1** (*spreg.*) farsa; cosa grottesca **2** (al pl.) sciarada (sing.) mimata (*gioco di società*).

charbroiled /ˈtʃɑːbrɔɪld/ **a.** (*cucina, USA*) (cotto) alla griglia (*su un fuoco di carbone*).

charcoal /ˈtʃɑːkəʊl/ **n. 1** ▣ carbone (*di legna*); carbonella **2** carboncino (*da disegno*) ● **c. black**, nerofumo (*un tempo*) **c.-burner**, carbonaio; (*anche*) stufa a carbone ◻ **c. drawing**, disegno a carboncino.

charcuterie /ʃɑːˈkuːtərɪ/ **n. 1** affettati; salumi **2** salumeria.

chard /tʃɑːd/ **n.** (*bot., Beta vulgaris cicla*; = **Swiss c.**) bietola (*di cui si mangiano foglie e gambi cotti*).

◆**charge** /tʃɑːdʒ/ **n. 1** (*comm.*) spesa; costo; prezzo richiesto: *What's the c. for a single?*, qual è il prezzo (*o* il costo) d'una (camera) singola?; **admission c.**, prezzo d'ingresso; **service c.**, (costo del) servizio; **free of c.**, gratuito; gratuitamente; gratis **2** (*leg.*, = **criminal c.**) accusa; capo d'accusa; capo d'imputazione: *He was arrested on a c. of murder*, fu arrestato sotto l'accusa di omicidio; **to bring a c. against sb.**, formulare un'accusa contro q.; **to drop a c.**, lasciar cadere un'accusa **3** accusa; addebito: **to counter a c.**, controbattere a un'accusa; *That'll leave you open to charges of negligence*, la cosa ti esporrà all'accusa di negligenza **4** (*rag.*) addebito; imputazione: **cap-**

ital charges, imputazioni in conto capitale **5** ▣ (posizione di) responsabilità; cura: *Who's in c. here?*, chi è il responsabile qui?; *I'll leave you in c.*, affido a te la responsabilità; **in** (*o* under) **my c.**, affidato alle mie cure; sotto la mia responsabilità **6** persona (*o* cosa) affidata alle cure di q.; persona di cui ci si occupa: *The nursemaid was looking after her charges*, la bambinaia badava ai piccoli affidati alle sue cure **7** (*form.*) ingiunzione; ordine; istruzioni (pl.) **8** (*leg.*) onere, gravame; vincolo (*su un bene*): **c. on land**, vincolo su immobili; **c. on securities**, vincolo su titoli **9** (*mil., ecc.*) carica (*stor.*) **the C. of the Light Brigade**, la carica della Brigata leggera; **the c. of a bull**, la carica di un toro **10** (*mil.*) (segnale di) carica **11** (*elettr.*) carica: **on c.**, sotto carica: *I haven't got much c. left*, non mi rimane molta carica **12** (*fis.*) carica: **positive [negative] c.**, carica positiva [negativa] **13** carica (*d'esplosivo, ecc.*) **14** carica; forza; impatto: **the emotional c. of a scene**, la carica emotiva di una scena **15** (*slang*) eccitazione; brivido **16** (*slang USA*) buco; iniezione di droga **17** (*arald.*) emblema; figura ● (*USA*) **c. account**, (*banca*) conto di credito; (*anche*) conto aperto (con un negozio e sim.) ◻ **c. card**, carta di credito con saldo a ricezione dell'estratto conto; carta acquisti (*emessa da una catena di grandi magazzini*) ◻ (*fis.*) **c. carrier**, portatore di carica ◻ (*leg.*) **c. certificate**, certificato ipotecario ◻ (*GB*) **c. hand**, vicecaposquadra (*d'operai*); vice-capofficina ◻ (*med., GB*) **c. nurse**, caposala ◻ (*leg.*) **c. of costs**, addebito di spese giudiziali ◻ (*rag.*) **c.-off**, storno dall'attivo ◻ (*leg., GB*) **c. sheet**, elenco degli arrestati e dei capi d'accusa (*in una centrale di polizia*) ◻ (*trasp.*) **charges forward**, spese assegnate ◻ (*fisc.*) **charges levied on imports**, imposizioni all'esportazione ◻ **at one's own c.**, a proprie spese ◻ **at no extra c.**, senza costi aggiuntivi ◻ **to give sb. in c.**, consegnare q. alla polizia ◻ **to lay st. to sb.'s c.**, fare carico a q. di qc.; accusare q. di qc. ◻ **to make a c. for st.**, far pagare qc. ◻ **to press** (*o* to prefer) **charges against sb.**, denunciare formalmente q. ◻ **to return to the c.**, tornare alla carica (*fig.*) ◻ **to take c. of**, prendersi cura di; occuparsi di; pensare a ◻ (*della polizia*) **to take sb. in c.**, arrestare q.

◆to **charge** /tʃɑːdʒ/ ▣ **v. t. 1** far pagare; chiedere (*un prezzo*); prendere: *How much do they c. for delivery?*, quanto fanno pagare (*o* quanto chiedono per, quanto costa) la consegna?; *They've charged us for two desserts we didn't have*, ci hanno fatto pagare due dolci che non abbiamo preso; *They charged me £40 for the book*, mi fecero pagare il libro 40 sterline; *We c. an 8% commission*, prendiamo l'8% di commissione; **to c. for admission**, far pagare l'ingresso; **to c. double**, far pagare (*o* chiedere, volere) il doppio **2** addebitare; mettere in conto; (*per estens.*) comprare (qc.) con carta di credito: *Please c. it to my account*, me lo addebiti in (*o* me lo metta sul) conto, per favore **3** accusare; (*leg., anche*) incriminare: *She was charged with accepting bribes*, fu accusata di aver preso tangenti; *He was charged with theft*, fu accusato di furto **4** incaricare; affidare l'incarico a; ordinare a; ingiungere a; dare istruzioni a: *He was charged with organizing the meeting*, gli fu dato l'incarico di organizzare la riunione **5** caricare (*anche sport*); andare alla carica di; attaccare; precipitarsi contro **6** (*elettr.*) caricare (*una batteria, ecc.*) **7** (*mil.*) caricare (*un'arma*) **8** (*tecn. o form.*) riempire (*un contenitore, un bicchiere, ecc.*): **C. your glasses and let us drink a toast**, riempite i bicchieri e facciamo un brindisi **9** (*mil.*) puntare; mettere (*un'arma*) in posizione di sparo **10** (*tecn.*) saturare; gassare (*un liquido*) **11** (al passivo) essere carico; essere saturo: *The air was*

charged with tension, l'aria era carica di tensione **12** (*rag.*) imputare a (*un conto*) **13** (*fisc.*) tassare; gravare d'imposta: **to c. goods by the pound**, tassare merci a un tanto la libbra ▣ **v. i. 1** (*mil. e sport*) caricare; andare alla carica **2** (seguito da avv. o compl.) gettarsi; lanciarsi; precipitarsi: *He charged down the lane*, si precipitò giù per il vialetto; **to c. off**, allontanarsi di corsa, di gran carriera **3** (*di batteria, accumulatore*) caricarsi; essere sotto carica **4** (*slang USA*) imbottirsi di droga.

■ **charge off** v. t. + avv. **1** → **to charge, B, def. 2 2** (*rag.*) stornare dall'attivo; mettere al passivo **3** attribuire; ascrivere.

chargeable /ˈtʃɑːdʒəbl/ **a. 1** (*leg.*) accusabile, imputabile (di); passibile d'un'imputazione: **c. with embezzlement**, passibile dell'imputazione di peculato **2** imputabile (a) **3** (*comm.*) addebitabile; a carico (*di q.*): *The customs duty is c. to the buyer*, il dazio doganale è a carico dell'acquirente **4** (*fisc.*) tassabile: (*dog.*) **c. with customs duty**, soggetto a dazio doganale **5** (*rag.*) (*di una spesa, ecc.*) imputabile || **chargeability n.** ▣ qualità d'essere imputabile, addebitabile, ecc.

chargeback /ˈtʃɑːdʒbæk/ n. (*fin., USA*) storno di addebito (*su carta di credito*).

to **charge-cap** /ˈtʃɑːdʒkæp/ v. t. (*fin., GB*) imporre un tetto massimo ai tributi (*imposti da un'autorità locale*).

chargé d'affaires /ˈʃɑːʒeɪ dəˈfeə(r)/ (*franc.*) loc. n. (pl. **chargés d'affaires**) (*polit.*) incaricato d'affari.

charger /ˈtʃɑːdʒə(r)/ n. **1** persona (*o* cosa) che carica, ecc. (→ **to charge**) **2** (*stor.*) cavallo da battaglia; destriero **3** (*stor., mil.*) caricatore; calcatoio **4** (*autom., elettr.*) caricabatterie.

charging /ˈtʃɑːdʒɪŋ/ n. ▣ᴄ **1** il caricare; caricamento **2** (*leg.*) imputazione; accusa **3** (*fisc.*) prelievo fiscale; tassazione **4** (*rag.*) addebito; imputazione ● (*leg.*) **c. lien**, diritto di pegno presso terzi ◻ (*leg.*) **c. order**, ordine di pignoramento (*dei beni di un debitore*) ◻ (*elettr.*) **c. set**, gruppo alimentatore ◻ (*elettr.*) **c. voltage**, tensione di carica.

to **chargrill** /ˈtʃɑːɡrɪl/ v. t. cuocere alla griglia a fuoco vivo.

chariot /ˈtʃærɪət/ n. (*stor.*) carro (*da guerra; trionfale*); cocchio.

to **chariot** /ˈtʃærɪət/ v. t. (*lett.*) trasportare su un cocchio.

charioteer /ˌtʃærɪəˈtɪə(r)/ n. auriga.

charism /ˈkarɪzəm/ n. (*teol. e fig.*) carisma.

charisma /kəˈrɪzmə/ n. (pl. **charismas, charismata**) (*relig. e fig.*) carisma.

charismatic /ˌkærɪzˈmætɪk/ **a.** (*teol. e fig.*) carismatico; **a c. leader**, un capo carismatico.

charitable /ˈtʃærɪtəbl/ **a. 1** caritatevole; filantropico: **a c. institution**, un'istituzione filantropica **2** benevolo; comprensivo; indulgente: **a c. interpretation of sb.'s acts**, un'interpretazione benevola delle azioni di q. | **-ness n.** ▣ | **-bly** avv.

◆**charity** /ˈtʃærətɪ/ n. **1** ▣ carità; amore del prossimo: **out of c.**, per pura carità **2** ente di beneficenza (*o* benefico); organizzazione benefica; opera pia; opera di carità: **an international c.**, un'organizzazione benefica internazionale **3** ▣ beneficenza; attività (pl.) benefiche; opere (pl.) benefiche; carità: **to give to c.**, dare in beneficenza; **to allocate a sum for c.**, destinare una somma a scopi benefici; **to live on c.**, vivere di carità (*o* di elemosine); **c. ball [bazaar]**, ballo [vendita] di beneficenza ● **c. card**, biglietto d'auguri natalizi venduto a fini di beneficenza; (*banca, in GB*) carta di credito il cui utilizzo comporta un piccolo versamento da

C

parte della banca emittente a un ente benefico scelto dal titolare □ (*GB*) **c. shop**, negozio che vende articoli usati, a fini di beneficenza □ **c. school**, scuola finanziata da un ente benefico □ **c. walk**, marcia sponsorizzata per beneficenza □ **c. work**, opere di beneficenza; attività assistenziale; volontariato □ **c. worker**, volontario; chi fa del volontariato □ (*prov.*) **C. begins at home**, la carità comincia a casa propria.

charivari /ˌʃɑːrɪˈvɑːrɪ, *USA* ʃərɪvəˈriː/ n. **1** (*stor.*) caccia al cornuto (*rito di condanna sociale*) **2** scampanacciata (*fatta a una coppia di sposi novelli*) **3** (*per estens.*) chiasso; baccano.

charlady /ˈtʃɑːleɪdɪ/ n. (*GB*) donna di servizio a ore; donna delle pulizie.

charlatan /ˈʃɑːlətən/ n. ciarlatano ‖ **charlatanism, charlatanry** n. ⓤ ciarlataneria.

Charlemagne /ˈʃɑːləmeɪn/ n. (*stor.*) Carlo Magno, Carlomagno.

Charles /tʃɑːlz/ n. Carlo ● (*astron. arc.*) **C.'s Wain**, l'Orsa Maggiore.

charleston /ˈʃɑːlstən/ n. ⓤ charleston (*il ballo e la musica*).

to **charleston** /ˈʃɑːlstən/ v. i. ballare il charleston.

Charley /ˈtʃɑːlɪ/ n. dim. di → **Charles**.

charley horse /ˈtʃɑːlɪhɔːs/ loc. n. (*fam. USA*) crampo alla gamba o al braccio.

Charlie /ˈtʃɑːlɪ/ n. dim. di → **Charles 2** → **charlie**, *def. 1* **3** (*radio, tel.*) (la lettera) c; Charlie **4** (*anche* collett.) (*slang USA*) vietcong.

charlie /ˈtʃɑːlɪ/ n. **1** (*fam. GB*) stupido; citrullo; fesso (*fam.*): *I felt a proper c.*, mi sono sentito un vero fesso **2** (al pl.) (*fam. GB*) tette; poppe **3** ⓤ (*slang*) cocaina; coca.

charlock /ˈtʃɑːlɒk/ n. (*bot., Sinapis arvensis*) senape selvatica.

Charlotte /ˈʃɑːlət/ n. Carlotta.

charlotte /ˈʃɑːlət/ n. (*cucina*) charlotte.

charm /tʃɑːm/ n. **1** ⓤ fascino; charme (*franc.*): **a man of great c.**, un uomo di grande fascino **2** (al pl.) attrattive; bellezze: **a town full of hidden charms**, una città piena di bellezze nascoste **3** formula magica; incantesimo **4** amuleto; talismano; portafortuna: **a lucky c.**, un portafortuna; un amuleto; **a c. bracelet**, un braccialetto portafortuna **5** ⓤ (*fis. nucl.*) charm; incanto ● **c. offensive**, manovre per accattivarsi q.; operazione di seduzione; corte spietata □ **c. school**, scuola di bon ton; scuola di portamento □ (*fam.*) **to work like a c.**, andare (o funzionare) a meraviglia □ (*fam.*) **to turn on the c.**, sfoderare tutto il proprio fascino.

to **charm** /tʃɑːm/ v. t. e i. **1** incantare; affascinare; deliziare: *I was charmed by her manner*, il suo modo di fare mi affascinò; *I'll be charmed to meet him*, sarà un vero piacere conoscerlo **2** incantare: **to c. snakes**, incantare serpenti; **to c. st. away**, far scomparire qc. con una formula magica (o un incantesimo) ● **to c. sb. into doing st.**, indurre q. col proprio fascino a fare q.

charmed /tʃɑːmd/ a. **1** incantato; magico **2** fortunato; felice: **to lead a c. life**, essere sempre fortunato; essere uno a cui vanno tutte bene **3** (*fis.*) incantato ● (*fig.*) **c. circle**, gruppo di privilegiati.

charmer /ˈtʃɑːmə(r)/ n. **1** persona affascinante; ammaliatore, ammaliatrice **2** incantatore, incantatrice: **a snake c.**, un incantatore di serpenti.

♦**charming** /ˈtʃɑːmɪŋ/ a. incantevole; delizioso: **a c. smile**, un sorriso incantevole ● **Prince C.**, il Principe Azzurro | **-ly** avv.

charmless /ˈtʃɑːmləs/ a. senza fascino; privo di attrattiva.

charnel house /ˈtʃɑːnlhaʊs/ loc. n. **1** (*stor.*) ossario; carnaio **2** (*fig.*) luogo di

massacro; carnaio.

Charon /ˈkɛərən/ n. (*mitol.*) Caronte.

♦**chart** /tʃɑːt/ n. **1** diagramma; grafico: **flow c.**, diagramma di flusso; **temperature c.**, grafico della temperatura; **organization c.**, organigramma **2** tabella; quadro: **calorie c.**, tabella delle calorie **3** carta; mappa; (*naut.*) carta nautica **4** (al pl.) – **the charts**, la classifica delle canzoni di successo; la hit-parade: (*mus.*) **to top the charts**, essere primo in hit-parade **5** (*astrol.*, = **birth c.**, **natal c.**) tema astrale ● (*slang USA*) **c. buster**, gruppo, disco in testa alla classifica; grosso successo musicale □ (*naut.*) **c. house** (o **c. room**), sala nautica □ (*fam.*) **c.-topping**, primo nella hit-parade □ (*rag.*) **c. of accounts**, piano dei conti □ (*meteor.*) **wind c.**, carta dei venti.

to **chart** /tʃɑːt/ **Ⓐ** v. t. **1** (*naut.*) fare una carta di **2** (*naut.*) tracciare (*una rotta*) sulla carta **3** riportare su un grafico o un diagramma; registrare **4** (*anche* **to c. out**) fare un piano o; progettare; pianificare: *He charted out his behaviour for the future*, fece un piano di condotta per il futuro **5** registrare; descrivere, seguire (nel suo sviluppo): **to c. the history of st.**, descrivere la storia (o seguire le tappe) di qc. **Ⓑ** v. i. (*di disco, ecc.*) entrare in classifica.

♦**charter** /ˈtʃɑːtə(r)/ n. **1** (documento di) concessione (*da parte di un governo o di un sovrano*); statuto; carta; patente: (*stor.*) **the Great C.**, la Magna Charta; (*in GB*) **by Royal C.**, per decreto reale **2** (*leg.*) atto istitutivo; carta; statuto: **the C. of the United Nations** (o **UN C.**), la Carta delle Nazioni Unite **3** (*in GB*) (con attrib.) carta dei diritti **4** ⓤ (*comm.*) noleggio; nolo: **c. service**, servizio di noleggio **5** (*comm.*) nave o aereo noleggiato; charter **6** viaggio (in un charter) ● (*naut.*) **c. broker**, broker marittimo, sensale di noli □ (*aeron.*) **c. flight**, volo charter □ (*fig.*) **a c. for**, una licenza di (*fare qc. di criticabile o riprovevole*); carta bianca per (*aeron.*, *naut.*) **c. freight**, nolo contrattuale □ **c. market**, mercato dei noli □ **c. member**, socio fondatore □ **c. party**, (*comm.*) contratto di noleggio; (*anche*) passeggeri di un charter □ (*in USA*) **c. school**, scuola privata legalmente riconosciuta.

to **charter** /ˈtʃɑːtə(r)/ v. t. **1** (*di governo, sovrano, ecc.*) concedere uno statuto, un documento, un privilegio, un'esenzione a **2** (*comm.*) noleggiare (*una nave, un aereo, ecc.*).

chartered /ˈtʃɑːtəd/ a. **1** (*in GB*, club, istituto, ecc.) istituito con statuto reale (o con patente regia): **c. company**, società commerciale istituita con patente regia **2** (*in GB*, di ragioniere, ingegnere, ecc.) iscritto all'albo (*dell'Institute of Chartered Accountants*): **c. accountant**, ragioniere iscritto all'albo **3** (*comm.*) con un contratto di noleggio; noleggiato; charter: (*naut.*) **c. freight**, nolo stabilito per contratto; **c. coach**, pullman noleggiato; **c. plane**, con un volo charter.

charterer /ˈtʃɑːtərə(r)/ n. (*comm.*) noleggiatore (*di navi o d'aerei*).

charterhouse /ˈtʃɑːtəhaʊs/ n. (*archit., relig.*) certosa.

Chartism /ˈtʃɑːtɪzəm/ (*stor.*) n. ⓤ cartismo ‖ **Chartist** n. fautore (o seguace) del cartismo; cartista.

chartreuse /ʃɑːˈtrɜːz/ (*franc.*) n. **1** (*archit., relig.*: *in Francia*) certosa; monastero certosino **2** chartreuse, certosino (*liquore*) **3** color verde pallido.

charwoman /ˈtʃɑːwʊmən/ n. (pl. **charwomen**) (*antiq., GB*) donna delle pulizie (*in case private, uffici, negozi, ecc.*) a giornata (o a ore).

chary /ˈtʃɛərɪ/ a. **1** cauto; prudente; attento: **a c. investor**, uno che è prudente nei suoi investimenti **2** parsimonioso; frugale;

parco: *He is c. with compliments*, è parco di complimenti **3** timido **4** avaro; tirchio.

Charybdis /kəˈrɪbdɪs/ n. (*geogr., mitol.*) Cariddi.

chase① /tʃeɪs/ n. **1** ⓤ inseguimento; caccia: **car c.**, inseguimento in auto; **to give c.**, dare la caccia; inseguire; lanciarsi all'inseguimento; (*anche fig.*) **in c. of**, a caccia di **2** (*sport*) – **the c.**, la caccia (*GB, spesso in nomi di luogo*) riserva di caccia **4** animale, nave, ecc., inseguiti; preda.

chase② /tʃeɪs/ n. **1** solco; scanalatura **2** (*edil.*) traccia; incassatura: **in c.**, sottotraccia **3** (*mil.*) canna (*di fucile*); volata (*di cannone*) **4** (*tipogr.*) telaio (*per impaginare*) **5** castone (*per gemma*).

♦to **chase**① /tʃeɪs/ **Ⓐ** v. t. **1** inseguire; dare la caccia a: *The police were chasing me*, la polizia mi stava dando la caccia **2** (*fig.*) inseguire; andare alla ricerca di; rincorrere: **to c. success**, inseguire il successo; **to c. 3** (*seguito da avv. o compl.*) scacciare; cacciare; mettere in fuga: **to c. birds**, mettere in fuga gli uccelli; *C. those sheep out of the field!*, caccia via quelle pecore dal campo! **4** → **to chase up 5** (*fam. USA*) assillare; stare addosso a **Ⓑ** v. i. (seguito da compl.) affrettarsi; correre; precipitarsi: **to c. about a place**, correre su e giù per un luogo; *They chased down the motorway*, percorsero a tutta velocità l'autostrada ● (*calcio*) **to c. the game**, attaccare a fondo a rischio di farsi 'infilare' dall'avversario in contropiede: *Once we conceded that first goal we were chasing the game and left ourselves open at the back*, una volta concesso quel primo gol ci siamo concentrati in attacco lasciando aperta la difesa ● (*fam.*) **Go (and) c. yourself**, vattene!; sparisci!

■ **chase after** v. i. + prep. **1** inseguire; rincorrere; correre dietro a **2** correre dietro a (*donne, ecc.*).

■ **chase down** v. t. + avv. **1** (*USA*) → **to chase up 2** (*fam.*) bere dopo (*una bevanda*): **to c. down coffee with a whisky**, bere un whisky dopo il caffè.

■ **chase up** v. t. + avv. **1** andare in cerca di (*informazioni, persone, ecc.*); (riuscire a) trovare; rintracciare; scovare: **to c. up important documents**, cercare dei documenti importanti; *He has chased up several new members*, è riuscito a trovare diversi nuovi soci **2** cercare di recuperare (*crediti inesigibili*) **3** investigare su.

to **chase**② /tʃeɪs/ v. t. **1** (*mecc.*) scanalare; filettare **2** (*edil.*) mettere sottotraccia; incassare **3** cesellare (*un metallo*); lavorare a sbalzo **4** incastonare (*una gemma*) ‖ **chased** a. **1** cesellato **2** (*edil.*) sottotraccia; incassato.

chaser① /ˈtʃeɪsə(r)/ n. **1** chi insegue; chi dà la caccia; cacciatore, inseguitore **2** (*aeron. mil.*) intercettore **3** (*marina mil.*) nave da inseguimento: **submarine c.**, caccia-sommergibili **4** (*fam.*) bicchierino di liquore dopo altra bevanda (*di solito meno forte*); ammazzacaffè.

chaser② /ˈtʃeɪsə(r)/ n. **1** cesellatore; incisore **2** cesello.

chasing /ˈtʃeɪsɪŋ/ n. ⓤ **1** cesellatura; lavoro a sbalzo **2** (*mecc.*) filettatura **3** scanalatura; solco **4** (*edil.*) traccia; incassatura ● **c. machine**, filettatrice □ **c. tool**, utensile per cesellare.

chasm /ˈkæzəm/ n. **1** (*anche fig.*) abisso; baratro **2** lacuna; iato; vuoto.

chassis /ˈʃæsɪ/ n. (pl. **chassis**, **chassisses**) **1** telaio; châssis (*d'automobile, ecc.*); autotelaio **2** (*aeron.*) carrello (*di un aereo*) **3** (*mil.*) slitta (*su cui si muove l'affusto del cannone*) **4** (*elettr., elettron.*) telaio **5** (*slang, rif. a donna*) carrozzeria; corpo ● (*autom.*) **c. welding**, saldatura del telaio.

chaste /tʃeɪst/ a. **1** casto; puro **2** (di linguaggio) pudico; onesto **3** (di stile) semplice; lineare; disadorno; severo | **-ly** avv.

to **chasten** /'tʃeɪsn/ v. t. **1** (spec. al passivo) far riflettere; far mettere giudizio; impartire una lezione **2** (arc., spec. di Dio) castigare, correggere castigando || **chastening** a. che fa riflettere; che fa mettere giudizio.

chasteness /'tʃeɪstnəs/ → **chastity**.

to **chastise** /tʃæˈstaɪz/ v. t. castigare, punire (severamente): **to c. a boy by spanking him**, castigare un ragazzo con le sculacciate || **chastisement** n. ⓤ castigo; punizione (severa o corporale) || **chastiser** n. castigatore, castigatrice; punitore, punitrice ❶ NOTA: -ise o -ize? → -**ise**.

chastity /'tʃæstətɪ/ n. ⓤ **1** castità; purezza **2** semplicità, severità (di stile, di gusti) • (stor.) **c. belt**, cintura di castità.

chasuble /'tʃæzjʊbl/ n. (relig.) casula, pianeta (di sacerdote).

♦**chat** /tʃæt/ n. **1** chiacchierata; quattro chiacchiere (fam.): We had a long c., facemmo una lunga chiacchierata **2** (eufem.) discorsetto (di rimprovero); due chiacchiere: I must have a c. with him, devo fargli un discorsetto; devo dirgli un paio di cose **3** (comput.) chat (comunicazione interattiva online in tempo reale) • (TV, radio, GB) **c. show**, talk show; programma con interviste di ospiti celebri.

to **chat** /tʃæt/ v. i. **1** chiacchierare; fare due (o quattro) chiacchiere; ciarlare: He was chatting with (o to) Mary, stava chiacchierando con Mary **2** (comput.) chattare. ◼ **chat up** v. t. + avv. (fam.) attaccare discorso con (q.); agganciare.

chatelaine /'ʃætəleɪn/ (franc.) n. **1** castellana **2** padrona di casa • catenella per reggere chiavi, ecc. (portata alla cintura).

chatline /'tʃætlaɪn/ n. (telef.) servizio telefonico che mette in contatto diverse persone per conversazioni di vario tipo; chat line.

chatroom /'tʃætruːm/ n. **1** (comput.) stanza di chat **2** (radio, TV) stanza in cui si tiene un 'chat show'.

chattel /'tʃætl(z)/ n. (per lo più pl.) (leg.) bene mobile; diritto mobiliare e immobiliare (escluso il «freehold», A, def. 1) • (leg., USA) **c. mortgage**, ipoteca sui beni mobili □ (leg.) **chattels personal**, beni mobili (denaro, merci, ecc.) □ (leg.) **chattels real**, beni reali (non in proprietà assoluta; per es., un affitto, un raccolto in erba, ecc.) □ **to treat sb. as a c.**, trattare q. come un oggetto che si possiede.

chatter /'tʃætə(r)/ n. **1** chiacchiera; ciarla **2** (di scimmie, uccelli, ecc.) schiamazzo; cicaleccio **3** ⓤ il battere (dei denti) **4** ⓤ (mecc.) vibrazione; rumore; (di valvola) battimento **5** ⓤ tarattata.

to **chatter** /'tʃætə(r)/ v. i. **1** ciarlare; chiacchierare; parlar troppo, dicendo sciocchezze **2** (di scimmie, uccelli, ecc.) schiamazzare **3** (di denti) battere: His teeth chattered, batteva i denti (per il freddo o la paura) **4** (mecc.) vibrare; far rumore; (di valvola) battere.

chatterbox /'tʃætəbɒks/ n. (fam.) chiacchierone, chiacchierona.

chatterer /'tʃætərə(r)/ n. chi chiacchiera; chiacchierone.

chattering /'tʃætərɪŋ/ Ⓐ a. che chiacchiera; ciarlante Ⓑ n. **1** chiacchierio; ciarlio (raro) **2** il battere (dei denti) **3** (mecc.) vibrazione; battimento • (spreg.) **the c. classes**, i cultori del blablà intellettuale; gli intellettualoidi.

chatty /'tʃætɪ/ a. **1** chiacchierino; loquace **2** (di conversazione) amichevole; alla buona || **chattiness** n. ⓤ loquacità; scilinguagnolo (sciolto).

chat-up /'tʃætʌp/ a. attr. (fam., spec. nella loc.) – **chat-up line**, battuta per agganciare una ragazza (o un ragazzo).

Chaucerian /tʃɔːˈsɪərɪən/ Ⓐ a. chauceriano Ⓑ n. seguace o studioso di Chaucer.

chauffeur /'ʃəʊfə(r), USA ʃəʊˈfɜː(r)/ (franc.) n. conducente (di automobile privata); autista • **a c.-driven car**, un'automobile (a nolo) con l'autista.

to **chauffeur** /'ʃəʊfə(r), USA ʃəʊˈfɜː(r)/ Ⓐ v. i. fare l'autista Ⓑ v. t. (anche to c. **around**) fare da autista a (q.); scarrozzare (fam.).

chauvinism /'ʃəʊvɪnɪzəm/ n. ⓤ nazionalismo esasperato; sciovinismo || **chauvinist** n. nazionalista esasperato; sciovinista || **chauvinistic** a. sciovinistico; sciovinista.

chav /tʃæv/ n. (fam. slang GB) giovane teppista; giovinastro.

chaw /tʃɔː/ n. cicca (pezzo di tabacco da masticare).

to **chaw** /tʃɔː/ v. t. (slang scherz.) masticare (spec. tabacco).

ChB abbr. (lat. Chirurgiae Baccalaureus) (**Bachelor of Surgery**) laureato in chirurgia (laurea di 1° grado).

CHD abbr. (med., **coronary heart disease**) coronaropatia.

ChE abbr. (**chemical engineer**) ingegnere chimico.

♦**cheap** /tʃiːp/ Ⓐ a. **1** poco costoso; economico; a buon mercato; conveniente; (di prezzo) basso: **c. clothes**, vestiti a buon mercato; Meat is c. here, la carne costa poco qui; **the cheaper seats**, i posti più economici; It works out cheaper to rent it, costa meno (o conviene di più) affittarlo **2** (di negozio, negoziante) che pratica prezzi bassi; che vende a basso prezzo **3** dozzinale; scadente; di scarso valore; da pochi soldi: **c. pictures**, quadri dozzinali **4** di cattivo gusto; volgare: **a c. joke**, una barzelletta volgare **5** facile; squallido; meschino: **a c. trick**, un tiro meschino **6** (slang USA) di facili costumi; poco serio **7** (fam. USA) avaro; spilorcio Ⓑ avv. a buon mercato; a buon prezzo; per poco: I got it c., l'ho avuto a buon mercato; **to be going c.**, vendersi a basso prezzo; This DVD was going c., questo DVD era in sconto • (GB) **c. and cheerful**, a buon mercato ma allegro, carino, simpatico, ecc.; senza pretese □ **c. and nasty**, dozzinale e pacchiano; da quattro soldi □ (ferr., in GB) **c. day return**, biglietto di andata e ritorno a prezzo ridotto (dopo le 10 del mattino) □ (ferr., ecc.) **c. fare**, tariffa ridotta □ **c. labour**, lavoro mal retribuito; lavoro nero □ (fin.) **c. money**, denaro a buon mercato; credito facile □ (slang) **c. shot**, colpo basso □ **c. trip**, gita popolare (a tariffa ridotta) □ (fam.) **to get off c.**, cavarsela a buon mercato □ **to hold sb. c.**, tenere q. in poco conto; disprezzare q. □ **on the c.**, con poca spesa; in economia; tirando al risparmio.

to **cheapen** /'tʃiːpən/ v. t. e i. **1** (di prezzi) calare, diminuire; ridurre il prezzo di (un articolo e sim.), deprezzare **2** sminuire l'importanza di; screditare; deprezzare (fig.) • **to c. oneself**, perdere dignità; screditarsi; sottovalutarsi.

cheapish /'tʃiːpɪʃ/ a. **1** abbastanza conveniente; piuttosto a buon mercato **2** alquanto dozzinale; piuttosto scadente.

cheap-jack /'tʃiːpdʒæk/ a. (fam.) **1** che vende articoli da quattro soldi **2** da poco (prezzo); da quattro soldi; dozzinale.

cheaply /'tʃiːplɪ/ avv. **1** a buon prezzo; a buon mercato; economicamente **2** in modo dozzinale **3** volgarmente; in modo grossolano.

cheapness /'tʃiːpnəs/ n. ⓤ **1** l'essere a buon mercato; basso costo; convenienza; modicità (di prezzo) **2** scarso valore **3** grossolanità; volgarità.

cheapo /'tʃiːpəʊ/ (fam.) Ⓐ a. che costa poco; da pochi soldi Ⓑ n. cosa che costa poco.

cheapskate /'tʃiːpskeɪt/ n. (fam. spec. USA) avaro; spilorcio; taccagno.

cheat /tʃiːt/ n. **1** imbroglione; truffatore **2** baro **3** inganno; imbroglio; frode; truffa; bidone (fam.); fregatura; inghippo (dial.) **4** (videogiochi) cheat; trucco (codice che permette al giocatore di acquisire poteri speciali, passare il livello, ecc.) • (fam. USA) **c. sheet**, foglietto di appunti (usato di nascosto).

♦to **cheat** /tʃiːt/ v. t. e i. **1** ingannare; imbrogliare; frodare; truffare; bidonare (fam.); fregare (pop.) **2** barare (al gioco): **to c. at cards**, barare alle carte **3** (fam.) – **to c. on**, tradire (il partner); mettere le corna a • **to c. death**, farla in barba alla morte □ **to c. sb. out of st.**, defraudare q. di qc.; sottrarre qc. a q. con l'inganno □ **to c. time**, ingannare il tempo.

cheater /'tʃiːtə(r)/ n. **1** imbroglione; truffatore; bidonatore, bidonista (pop.) **2** baro.

cheating /'tʃiːtɪŋ/ Ⓐ a. **1** che inganna; ingannatore; ingannevole **2** (fam.) infedele: **a c. husband**, un marito infedele Ⓑ n. ⓤ **1** inganni (pl.); imbrogli (pl.); raggiri (pl.) **2** (leg.) dolo contrattuale.

Chechen /'tʃetʃen/ a. e n. ceceno.

Chechnya, **Chechenia** /'tʃetʃnɪə/ n. (geogr.) Cecenia.

♦**check** ① /tʃek/ n. **1** verifica; controllo; esame; riscontro: **to keep a c. on st.**, tenere qc. sotto controllo; tenere d'occhio qc.; monitorare **2** freno (fig.); ostacolo; impedimento: Reason acts as a c. on feelings, la ragione fa da freno ai sentimenti; The accident was a sudden c. on my career, quell'incidente fu un ostacolo improvviso per la mia carriera **3** arresto; fermata improvvisa; battuta d'arresto: **a c. to production**, un arresto della produzione **4** scontrino; contromarca; tagliando: **luggage c.**, scontrino del bagaglio **5** disegno (o stoffa) a quadri; riquadro **6** (USA) → **cheque 7** (USA) conto (di ristorante o bar) **8** (USA) gettone (di gioco d'azzardo); fiche **9** (USA, = **c. mark**) spunta; segno di controllo; visto **10** (tecn.) screpolatura; incrinatura; (metall.) cricca **11** ⓤ (a scacchi) scacco (al re): You're in c.!, scacco al re! **12** (stat.) prova **13** (nella caccia) perdita della traccia • **c.-back**, controllo alla rovescia □ (comput.) **c. bit**, bit di controllo □ (comput.) **c. box**, casella di controllo □ (autom.) **c. clerk**, controllore; revisore □ (autom.) **c. control**, quadro di controllo elettronico (sul cruscotto) □ **c. list** → **checklist** □ (mecc.) **c. nut**, controdado □ **c.-till**, registratore di cassa (in un negozio) □ **checks and balances**, (sistema di) controlli e limitazioni; freni e contrappesi; (polit.) garanzie costituzionali ❶ CULTURA · **checks and balances**: è un sistema di controlli costituzionali negli USA grazie al quale i diversi organi di governo (Presidente, Congresso e Corte Suprema) limitano reciprocamente i propri poteri. Furono stabiliti dalla Costituzione degli USA, nel 1787. □ (fam. USA) **to hand in one's checks**, morire; tirare le cuoia (pop.) □ **to keep in c.**, tenere a freno (o sotto controllo).

check ② /tʃek/ inter. **1** (a scacchi) scacco al re! **2** (fam. USA) d'accordo!; benissimo!

♦to **check** /tʃek/ Ⓐ v. t. **1** controllare; verificare; esaminare; ispezionare: **to c. the accounts**, verificare i conti; **to c. the luggage**, controllare i bagagli; **to c. st. against**, verificare qc. confrontandolo con; collazionare qc. con; **to c. a vase for cracks**, controllare un vaso per assicurarsi che non vi siano crepe; **to have one's eyes checked**, farsi esaminare la vista **2** assicurarsi di; verificare l'esistenza di: **to c. the availability of seats**, verificare la disponibilità di posti; **to c. with sb. that**, chiedere a

q. conferma che **3** tenere a freno (*o* sotto controllo); trattenere: *Try and c. your anger*, cerca di tenere a freno l'ira!; *I wanted to answer but I checked myself*, volevo rispondere ma mi trattenni **4** porre un freno a; ridurre: **to c. speed**, ridurre la velocità; rallentare **5** arrestare; fermare; bloccare: *At last galloping inflation was checked*, finalmente l'inflazione galoppante fu arrestata **6** (*sport*) contenere, respingere (*un attacco*); bloccare, marcare, stoppare (*un avversario*) **7** (*antiq.*) rimproverare; ammonire **8** (*USA*) → **to c. in**, *def. 3* **9** (*USA*) prendere in consegna (*bagagli* o *merci*) **10** (*USA*) → **to c.** **11** (*fam. USA*) guardare: **C. that car!**, guarda quella macchina! **12** contrassegnare con quadretti; quadrettare **13** (*scacchi*) dare scacco a **14** (*tecn.*) screpolare; incrinare **15** (*comput.*) verificare **B** *v. i.* **1** concordare; corrispondere: *The accounts c.*, i conti concordano (*o* tornano) **2** (*tecn.*: *della vernice, ecc.*) screpolarsi; incrinarsi (**3** *a scacchi*) dare scacco al re **4** (*poker*) ritirarsi; passare; non starci (*fam.*) **5** (*di cani da caccia*) arrestarsi fiutando la traccia **6** (*sport*) controllare la palla.

■ **check in** **A** *v. i. + avv.* **1** registrarsi (*in albergo*) **2** (*aeron.*) presentarsi all'accettazione; fare il check-in: *I don't have to check in till 7.30 tomorrow evening*, è sufficiente che faccia il check in alle 7:30 di domani sera **3** (*org. az.*) timbrare il cartellino in entrata; montare **B** *v. t. + avv.* **1** registrare (*un cliente in arrivo a un hotel*) **2** (*aeron.*) fare l'accettazione di (*un passeggero, del bagaglio*); fare il check-in di **3** (*ferr.*) depositare (*il bagaglio in stazione*).

■ **check into** *v. i. + prep.* registrarsi in (*un albergo*); prendere una camera in.

■ **check off** *v. t. + avv.* spuntare (*con un segno*); verificare spuntando; mettere la spunta a.

■ **check on** **A** *v. i. + prep.* controllare; verificare; fare il controllo di **B** *v. i. + avv.* → **to c. up on**.

■ **check out** **A** *v. i. + avv.* **1** pagare il conto e lasciare (*l'albergo*); liberare la camera **2** (*org. az.*) timbrare il cartellino in uscita; smontare **3** (*USA*) pagare alla cassa (*in un supermercato, ecc.*) **4** (*di nomi, cifre, ecc.*) corrispondere **5** (*fam. USA*) dimostrarsi vero, accurato, ecc. **6** (*slang*) morire; crepare (*pop.*) **B** *v. t. + avv.* **1** (*fam.*) controllare; verificare; indagare su; prendere informazioni su: **to c. out an alibi**, controllare un alibi **2** (*fam.*) ispezionare; perquisire **3** (*spec. USA*) registrare (*qc. in uscita: merci, clienti di albergo, ecc.*); battere il prezzo di (*un articolo, in un supermercato*) **4** prendere in prestito (*un libro da una biblioteca*); ritirare (*un oggetto depositato*) **5** (*slang, USA*) osservare attentamente (*q. o qc.*) □ (*fam.*) **to c. st. out with sb.**, consultarsi con q. (*o* sentire il parere di q.) su qc.

■ **check over** *v. t. + avv.* **1** controllare a fondo; verificare attentamente; *Can I check the sofa over?*, posso controllare il divano per bene? **2** (*med.*) sottoporre (q.) a una visita generale.

■ **check through** *v. t. + prep.* **1** controllare a fondo; verificare attentamente **2** ispezionare (*bagagli, ecc.*) □ (*dog.*) **to c. through customs**, passare la dogana.

■ **check up** **A** *v. t. + avv.* **1** fare controlli su; controllare **2** fare indagini su; indagare su **3** (*med.*) sottoporre a un checkup (*o* a un controllo generale) **B** to **check up on** *v. i. + avv. + prep.* fare controlli su; investigare su; appurare.

checkbook /ˈtʃɛkbʊk/ *n.* (*banca, USA*) libretto degli assegni.

checkbox /ˈtʃɛkbɒks/ *n.* (*comput.*) casella di spunta.

checked /tʃɛkt/ *a.* a scacchi; a quadri;

quadrettato: **a c. tablecloth**, una tovaglia a scacchi.

checker ① /ˈtʃɛkə(r)/ *n.* **1** chi esamina, controlla, verifica, ecc. **2** (*USA*) cassiere, cassiera (*di supermercato*) **3** (*USA*) guardarobiera **4** (*USA*) addetto a un deposito bagagli **5** (*sport, ind.*) cronometrista; tempista.

checker ② /ˈtʃɛkə(r)/ *n.* (*USA*) **1** → **chequer 2** (*al pl., col verbo al sing.*) (gioco della) dama **3** pedina della dama.

checkerboard /ˈtʃɛkəbɔːd/ *n.* (*USA*) scacchiera.

check-in /ˈtʃɛkɪn/ *n.* **1** registrazione (*in albergo*) **2** (*spec. al pl.*) cliente appena arrivato (*in un albergo*); arrivo **3** (= **check-in time**) ora d'arrivo **4** (*aeron.*) check-in, controllo dei viaggiatori in partenza: **check-in clerk**, addetto al controllo dei viaggiatori in partenza; (*aeron.*) **check-in desk**, banco di accettazione.

checking /ˈtʃɛkɪŋ/ *n.* Ⓤ controllo; verifica; ecc. ● (*banca, USA*) **c. account**, conto corrente □ **c. board**, cartellone (*della tombola*) □ **c. room** → **checkroom** □ (*comput.*) **c. routine**, routine di controllo.

checklist /ˈtʃɛklɪst/ *n.* (*anche comput.*) lista di controllo.

checkmate /ˈtʃɛkmeɪt/ *n. e inter.* (*anche fig.*) scacco matto.

to **checkmate** /ˈtʃɛkmeɪt/ *v. t.* (*anche fig.*) dare scacco matto a.

check-off /ˈtʃɛkɒf/ *n.* quota sindacale; trattenuta (*per contributi sindacali*).

checkout /ˈtʃɛkaʊt/ *n.* **1** (= **c. counter**, **check-point**) cassa (*di supermercato, ecc.*) **2** (*in albergo*) pagamento e partenza: **c. time**, ora entro cui si deve lasciare libera una camera.

checkpoint /ˈtʃɛkpɔɪnt/ *n.* **1** (*autom., mil., sport, ecc.*) posto di controllo **2** (*comput.*) punto di controllo ● (*comput.*) **c. recovery** (*o* **restart**), ripristino (*di una procedura*) a partire dal punto di controllo.

checkrein /ˈtʃɛkreɪn/ *n.* (*equit.*) martingala.

checkroom /ˈtʃɛkruːm/ *n.* (*USA*) **1** guardaroba (*di locale pubblico*) **2** deposito bagagli.

checksum /ˈtʃɛksʌm/ *n.* (*comput.*) somma di controllo.

checkup /ˈtʃɛkʌp/ *n.* **1** (*med.*) checkup; esame medico generale: **to have a c.**, fare un checkup; **to give sb. a c.**, fare un checkup a q.; *I just want a c., how much is that?*, vorrei solo un controllo, quanto costa? **2** (*mecc.*) revisione (*di un'auto, ecc.*) **3** (*rag.*) verifica dei conti.

cheddar /ˈtʃɛdə(r)/ *n.* Ⓤ (*alim.*) cheddar (*formaggio compatto, di colore bianco o giallo*).

♦**cheek** /tʃiːk/ *n.* **1** guancia; gota: **c. to c.**, guancia a guancia **2** (*fam.*) sfacciataggine; faccia tosta (*fam.*); sfrontatezza; insolenza: *He had the c. to ask me for more money*, ebbe la faccia tosta di chiedermi dell'altro denaro; **plenty of c.**, una bella faccia tosta; *Enough of your c.!*, non essere insolente! **3** (*al pl.*) (*mecc.*) ganasce (*di morsa*); (*naut.*) maschette (*d'albero*); (*edil.*) montanti d'una porta **4** (*slang*) natica; chiappa (*pop.*) ● **c. by jowl (with)**, fianco a fianco; molto vicino (a) □ (*stor.*) **c. guard**, guanciale (*di elmo*) □ to **turn the other c.**, porgere l'altra guancia.

to **cheek** /tʃiːk/ *v. t.* essere sfacciato con; fare l'insolente con.

cheekbone /ˈtʃiːkbəʊn/ *n.* (*anat.*) zigomo.

cheekpiece /ˈtʃiːkpiːs/ *n.* (*equit.*) montante del morso; portamorso.

cheeky /ˈtʃiːkɪ/ *a.* (*fam.*) sfacciato; insolente | **-ily** *avv.* | **-iness** *n.* Ⓤ.

cheep /tʃiːp/ *n.* pigolio.

to **cheep** /tʃiːp/ *v. i.* pigolare.

cheer /tʃɪə(r)/ *n.* **1** acclamazione; evviva; urrà; grido di incoraggiamento: *Three cheers for Jack!*, tre urrà per Jack! **2** (*lett.*, = **good c.**) allegrezza; allegria; ottimismo: **to give c.**, infondere ottimismo **3** Ⓤ (*arc. o lett.*) cibi e vivande che allietano; buona tavola; ricca imbandigione allegra □ (*lett.*) **to make good c.**, fare onore al cibo □ (*lett.*) Be of good c.!, sta' di buon animo; rallegrati! □ (*arc.*) **What c.?**, come stai? □ (*fam.*) Cheers, mate!, grazie!; salute!

♦to **cheer** /tʃɪə(r)/ *v. t. e i.* applaudire; acclamare: *Everyone cheered the chairman*, tutti applaudirono il presidente.

■ **cheer on** *v. i. + avv.* incitare; incoraggiare: *They were cheering on the team*, incoraggiavano la squadra.

■ **cheer up** **A** *v. t. + avv.* **1** rallegrare; rincuorare; tirare su (di morale): *The news cheered me up a little*, la notizia mi rincuorò un poco **2** rendere più allegro (*un ambiente, ecc.*); ravvivare; allietare **B** *v. i. + avv.* rallegrarsi; rincuorarsi; rasserenarsi: *He soon cheered up when he saw his presents*, si rallegrò presto quando vide i suoi regali; **Cheer up!**, su, coraggio!; su con la vita!

cheerer /ˈtʃɪərə(r)/ *n.* **1** applauditore, applauditrice **2** incoraggiatore, incoraggiatrice; chi tira su il morale.

cheerful /ˈtʃɪəfl/ *a.* **1** allegro; gioioso; lieto; animato; sorridente: **a c. grin**, un sorriso allegro; *There's very little to be c. about*, c'è ben poco di che stare allegri **2** che dà allegria; allegro; vivace; leggero: **c. colours**, colori allegri (*o* vivaci) **3** confortante; ottimistico: **c. news**, notizie confortanti **4** cordiale; disponibile; alacre; volonteroso | **-ly** *avv.* | **-ness** *n.* Ⓤ.

cheeriness /ˈtʃɪərɪnəs/ *n.* Ⓤ → **cheery**.

cheering /ˈtʃɪərɪŋ/ **A** *a.* **1** plaudente; acclamante **2** che rallegra; confortante **B** *n.* Ⓤ applausi (pl.); acclamazioni (pl.).

♦**cheerio** /tʃɪərɪˈəʊ/ *inter.* (*fam.*) **1** (*GB*) arrivederci; ciao **2** (*antiq., nei brindisi*) evviva!; (alla) salute!

cheerleader /ˈtʃɪəliːdə(r)/ *n.* **1** ragazza pompon **2** sostenitore entusiasta.

cheerleading /ˈtʃɪəliːdɪŋ/ *n.* Ⓤ **1** l'insieme delle attività delle ragazze pompon **2** tifo entusiasta.

cheerless /ˈtʃɪələs/ *a.* squallido; tetro; malinconico; triste: **a c. room**, una stanza squallida; **a c. prospect**, una triste prospettiva | **-ly** *avv.* | **-ness** *n.* Ⓤ.

cheerly /ˈtʃɪəlɪ/ *avv.* (*naut.*) di buona lena; alla svelta.

♦**cheers** /tʃɪəz/ *inter.* (*fam.*) **1** (*nei brindisi*) evviva!; (alla) salute!; cin cin! **2** (*GB*) arrivederci; ciao **3** grazie.

cheery /ˈtʃɪərɪ/ *a.* allegro; festoso; cordiale || **cheeriness** *n.* Ⓤ allegria; festosità; cordialità.

♦**cheese** /tʃiːz/ *n.* **1** Ⓤ Ⓒ formaggio: *I don't like c.*, il formaggio non mi piace; **grated c.**, formaggio grattugiato; **French cheeses**, formaggi francesi **2** (forma di) formaggio **3** oggetto simile a una forma di formaggio; grosso disco; tozzo cilindro ● **c. bowl**, formaggiera □ **c. counter**, banco del formaggio (*in un supermercato*) □ (*in GB*) **c.-cutter**, tagliaformaggio (*asse fornita di un filo metallico*) □ **c. dish**, formaggiera □ (*slang USA*) **c.-eater**, informatore della polizia; spia □ (*zool.*) **c. mite** (*Acarus siro*), acaro del formaggio □ **c. rennet**, caglio; (*bot., Galium verum*) caglio, erba zolfina, presuola □ **c. sandwich**, sandwich al formaggio □ **c. straw**, bastoncino al formaggio □ (*slang USA*) **to eat c.**, tradire (i compagni); fare la spia (*slang USA*) **big c.**, pezzo grosso; gran capo □ (*fam. GB*) **Hard c.!**, tanto peggio per te, lui, ecc.! □ (*slang USA*) **a load of c.**, un sacco di balle (*a chi si fa fotografare in posa*) «**Say c.!**», «sorriso!».

to **cheese** /'tʃiːz/ v. t. (*slang*) – (solo nell'inter.) **C. it!**, (*antiq.*) smettila!; piantala! (*fam.*); taci!; (*USA*) battiamocela!; filiamo!

■ **cheese off** v. t. + avv. (*fam. GB*) scocciare; irritare; dare sui nervi: *It really cheesed me off*, mi ha proprio dato sui nervi; **to get cheesed off**, scocciarsi; irritarsi.

cheeseboard /'tʃiːzbɔːd/ n. vassoio dei formaggi.

cheeseburger /'tʃiːzbɜːgə(r)/ n. (*cucina*) hamburger al formaggio (*panino farcito di carne di manzo tritata, con dentro una fettina di formaggio tostato*).

cheesecake /'tʃiːzkeɪk/ n. **1** torta (dolce) al formaggio; cheesecake **2** (*fam.*) foto (pl.) di belle ragazze seminude; (*per estens.*) ragazze (pl.) provocanti; maggiorate (pl.); pin-up (pl.).

cheesecloth /'tʃiːzklɒθ/ n. U̅ (*ind. tess.*) buratto; stamigna.

cheesemonger /'tʃiːzmʌŋgə(r)/ n. formaggiaio (*venditore*).

cheese-paring /'tʃiːzpeərɪŋ/ A̅ a. spilorcio; taccagno B̅ n. U̅ spilorceria; taccagneria.

cheesy /'tʃiːzɪ/ a. **1** che ha il sapore, la consistenza, ecc. del formaggio: **c. smell**, odore di formaggio; **c. sauce**, salsa che sa di formaggio **2** (*fam.*) volgare; di cattivo gusto; dozzinale; squallido **3** (*slang*) falso; ipocrita; meschino: **a c. grin**, un gran sorriso falso | **-iness** n. U̅.

cheetah /'tʃiːtə/ n. (*zool.*, *Acinonyx jubatus*) ghepardo.

chef /ʃef/ (*franc.*) n. chef; capocuoco (*d'albergo, di nave da crociera, ecc.*).

chela ① /'tʃeɪlə/ n. (*relig.*) chela; novizio buddista.

chela ② /'kiːlə/ n. (pl. *chelae*) (*zool.*) chela.

chelate /'kiːleɪt/ a. e n. (*chim.*) chelato.

Chelsea bun /tʃelsɪ 'bʌn/ loc. n. (*GB*) brioche con uvetta, ricoperta di zucchero.

Chelsea pensioner /tʃelsɪ 'penʃənə(r)/ loc. n. (*in GB*) veterano ospite del Chelsea Royal Hospital.

chem. abbr. **1** → **chemical 2** (**chemistry**) chimica.

♦**chemical** /'kemɪkl/ A̅ a. chimico: **c. reaction**, reazione chimica; **c. laboratory**, laboratorio chimico; **c. engineering**, ingegneria chimica B̅ n. (spesso al pl.) sostanza chimica; prodotto chimico ● (*ind.*) **chemicals factory**, impianto chimico; stabilimento chimico □ **c. rubber**, gomma sintetica □ **c. warfare**, guerra chimica □ **c. weapon**, arma chimica □ **heavy chemicals**, prodotti chimici usati nell'industria e nell'agricoltura ‖ **chemically** avv. chimicamente ● (*med.*) **chemically dependent**, (*di persona*) dipendente da alcol o droghe.

chemiluminescence /kemɪluːmɪ-'nesns/ n. (*chim.*) chemiluminescenza.

chemise /ʃə'miːz/ (*franc.*) n. **1** (*moda*) chemisier **2** sottoveste.

chemisette /ʃemɪ'zet/ (*franc.*) n. **1** negligé di pizzo **2** davantino di pizzo.

chemism /'kemɪzəm/ n. U̅ (*chim.*, *med.*) chimismo.

♦**chemist** /'kemɪst/ n. **1** chimico **2** (*GB*) farmacista ● **c.'s** (**shop**), farmacia.

♦**chemistry** /'kemɪstrɪ/ n. U̅ **1** chimica **2** (*fig.*) dinamiche (pl.) interne (*di un fenomeno, un processo*) **4** (*fig.*) attrazione istintiva (*tra due persone*); feeling ● **c. set**, piccolo chimico (*gioco*).

chemo /'kiːməʊ/ n. U̅ (*fam.*) chemioterapia.

chemoprophylaxis /kiːməʊprɒfɪ-'læksɪs/ n. chemioprofilassi ‖ **chemoprophylactic** a. chemioprofilattico.

chemoreceptor /kiːməʊrɪ'septə(r)/ n.

chemiorecettore.

chemosphere /'keməsfɪə(r)/ n. (*meteor.*) chemosfera.

chemosynthesis /kiːməʊ'sɪnθəsɪs/ n. U̅ (*biochim.*) chemiosintesi.

chemotaxis /kiːməʊ'tæksɪs/ n. U̅ (*biol.*) chemiotassi.

chemotherapeutic /kiːməʊθerə-'pjuːtɪk/ a. e n. (*farm.*) chemioterapico.

chemotherapy /kiːməʊ'θerəpɪ/ (*med.*) n. U̅ chemioterapia.

chemotropism /kiːməʊ'trəʊpɪzəm/ n. U̅ (*biol.*) chemiotropismo.

chemtrail /'kemtreɪl/ n. (*aeron.*, *USA*) scia chimica.

chenille /ʃə'niːl/ n. U̅ (*ind. tess.*) ciniglia.

♦**cheque**, (*USA*) **check** /tʃek/ n. (*banca*) assegno (*bancario*): **to cash a c.**, incassare un assegno; **to pay by c.**, pagare con assegno; **to make out** (*o* **to write**) **a c.**, fare un assegno; **blank c.**, assegno in bianco; **crossed c.**, assegno sbarrato; **open c.**, assegno non sbarrato; *The cheques will take five working days to clear*, per l'accredito degli assegni ci vogliono cinque giorni lavorativi ● (*banca*) **c. account**, conto corrente □ (*GB*) **c. (guarantee) card**, carta assegni □ **c. requisition**, richiesta di assegno (*modulo*) □ **c. to bearer**, assegno al portatore □ **c. to order**, assegno all'ordine.

chequebook /'tʃekbʊk/ n. (*banca*) libretto degli assegni ● **c. journalism**, giornalismo sensazionale (*a base di interviste o testimonianze esclusive pagate a caro prezzo*).

to **chequer**, (*USA*) to **checker** /'tʃekə(r)/ v. t. **1** (*spec. al passivo*) disegnare (*o disporre*) a scacchi (*spec. alternando i colori*); quadrettare **2** variare (*un disegno, ecc.*).

chequerboard /'tʃekəbɔːd/ n. scacchiera.

chequered /'tʃekəd/ a. **1** a scacchi; a quadri; quadrettato **2** variegato: **a c. career**, una carriera variegata **3** (*fig.*) alterno; fortunoso: **a c. lot**, una sorte alterna ● (*sport: autom.*) **c. flag**, bandierina a scacchi.

chequers, (*USA*) **checkers** /'tʃekə(r)z/ n. pl. **1** disegno a scacchi; scacchi **2** (col verbo al sing.) gioco della dama.

to **cherish** /'tʃerɪʃ/ v. t. **1** aver caro; tenere in gran conto; adorare; prediligere **2** avere gran cura di; curare teneramente: *She cherishes her children*, ha gran cura dei suoi bambini **3** conservare, serbare nell'animo, avere il culto di (*una memoria, ecc.*); nutrire (*un sentimento*); accarezzare (*idee di gloria, ecc.*): *He cherishes the memory of his mother*, ha il culto della memoria di sua madre.

cheroot /ʃə'ruːt/ n. sigaro spuntato da entrambe le parti.

♦**cherry** /'tʃerɪ/ A̅ n. **1** ciliegia **2** (= **c. tree**; *bot.*, *Prunus avium*) ciliegio **3** U̅ (legno di) ciliegio **4** U̅ color ciliegia **5** (solo sing.) (*volg.*) verginità B̅ a. **1** di (legno di) ciliegio: **a c. cabinet**, uno stipo di ciliegio **2** color ciliegia; rosso come una ciliegia: **c. red**, rosso ciliegia; **c. cheeks**, guance rosse come ciliegie ● (*bot.*) **c. bay** = **c. laurel** → *sotto* □ (*infant.*) **c. bob**, due ciliegie unite per il gambo □ **c. brandy**, brandy di ciliege □ (*bot.*) **c. laurel** (*Prunus laurocerasus*), lauroceraso □ **c. picker**, chi raccoglie ciliegie; (*tecn.*) autocestello; idroscala □ **c. pie**, torta di ciliege □ (*bot.*, *Heliotropium peruvianum*) eliotropio peruviano, vaniglia dei giardini □ (*bot.*) **c. plum** (*Prunus cerasifera*), mirabolano □ **c. tomato**, pomodorino.

to **cherry-pick** /'tʃerɪpɪk/ v. t. scegliere il meglio di ‖ **cherry-picking** A̅ a. che sceglie il meglio; esigente B̅ n. U̅ (*fin.*, *Borsa*) l'atto di investire scegliendo i titoli con il miglior rendimento e da porre in portafoglio.

chert /tʃɜːt/ n. U̅ (*geol.*) selce.

cherub /'tʃerəb/ n. (pl. *cherubs*, *cherubim*) **1** (*relig.*) cherubino (*anche fig.*) **2** (*arte*) amorino; cupido; putto.

cherubic /tʃə'ruːbɪk/ a. di (*o* da) cherubino.

cherubim /'tʃerəbɪm/ n. → **cherub**.

chervil /'tʃɜːvɪl/ n. (*bot.*, *Anthriscus cerefolium*) cerfoglio.

Ches. abbr. (**Cheshire**) (contea del) Cheshire.

Cheshire /'tʃeʃə(r)/ n. Cheshire (*contea dell'Inghilterra centro-occidentale*) ● **C. cheese**, formaggio del Cheshire □ **to grin like a C. cat**, sorridere a tutti denti.

chess /tʃes/ n. U̅ (gioco degli) scacchi: **a game of c.**, una partita a scacchi; **to play c.**, giocare a scacchi; **c. set**, scacchiera e pezzi degli scacchi.

chessboard /'tʃesbɔːd/ n. scacchiera.

chessman /'tʃesmæn/ n. (pl. *chessmen*) pezzo (*degli scacchi*).

chesspiece /'tʃespiːs/ n. pezzo degli scacchi (*esclusi i pedoni*).

chessplayer /'tʃespleɪə(r)/ n. giocatore, giocatrice di scacchi; scacchista.

♦**chest** /tʃest/ n. **1** (*anat.*) torace; petto: **a broad c.**, un ampio torace; **c. pains**, dolori al petto **2** (*med.*, *fam.*) petto; polmoni (pl.): *He's got a weak c.*, è delicato di polmoni; **c. trouble**, disturbo alle vie respiratorie; malattia polmonare **3** cassa; cassapanca: **an oak c.**, una cassa di quercia **4** (*fig.*, *GB*) cassa; fondi (pl.); tesoro: **the community c.**, la cassa della comunità ● (*med.*) **c. cold**, tracheobronchite □ (*ginnastica*) **c. expander**, estensore □ **c. freezer**, congelatore a bancone □ **c. of drawers**, cassettone □ (*baseball*) **c. protection**, armatura protettiva del tronco; corazza □ (*moda*) **c. size**, circonferenza del torace; busto □ **c. voice**, voce di petto □ (*mus.*: *di nota*) **from the c.**, di petto □ (*fam.*) **to get st. off one's c.**, levarsi un peso dallo stomaco; sfogarsi □ **medicine c.**, cassetta dei medicinali □ **to throw out one's c.**, sporgere il petto in fuori; impettirsi.

to **chest** /tʃest/ v. t. (*sport*) colpire (*o* arrestare: *la palla*) con il petto ● **to c. the ball down**, mettere la palla a terra stoppandola con il petto.

chested /'tʃestɪd/ a. (nei composti, per es.:) **broad-c.**, dall'ampio petto; (*di donna*) **flat-c.**, senza petto (*o* seno); piallata (*fam.*).

chesterfield /'tʃestəfiːld/ n. **1** divano imbottito, con braccioli alti come lo schienale **2** soprabito maschile a un petto, col bavero di velluto.

chestnut /'tʃesnʌt/ A̅ n. **1** castagna: **roasted** (*o* **hot**) **c.**, castagna arrosto; caldarrosta **2** (*bot.*, *Castanea sativa*; = **c. tree**) castagno **3** U̅ (legno di) castagno **4** (*bot.*, *Aesculus hippocastanum*; = **horse c.**) ippocastano **5** cavallo sauro **6** (*vet.*) castagna; castagnetta B̅ a. **1** castano: **c. hair**, capelli castani **2** (*di cavallo*) sauro ● **c. brown**, (color) castano □ (*fig.*) **an old c.**, aneddoto, battuta, argomento, canzone, ecc., arcinota; cosa risaputa; cosa trita e ritrita □ (*fig.*) **to pull sb.'s chestnuts out of the fire**, cavar le castagne dal fuoco a q.

chesty /'tʃestɪ/ a. (*fam.*) **1** (*di donna*) pettoruta; popputa **2** (*GB*) catarroso: **c. cough**, tosse catarrosa; *She's a bit c.*, ha un po' di catarro (*o* un po' di tosse) **3** (*slang USA*) borioso; tronfio; vanaglorioso.

cheval glass /ʃə'væl glɑːs/, **cheval mirror** /ʃə'væl mɪrə(r)/ loc. n. specchio a bilico; psiche.

chevalier /ʃevə'lɪə(r)/ n. **1** cavaliere (*di ordine cavalleresco straniero*) **2** (*stor.*) cavaliere.

chevet /ʃə'veɪ/ n. (*archit.*) capocroce.

cheviot /'tʃɛvɪət, -iːv-/ n. **1** (zool.) pecora dei monti Cheviot **2** Ⓤ (ind. tess.) cheviot; (stoffa di) lana cheviot.

chevron /'ʃɛvrən/ n. **1** (archit.) modanatura a zigzag **2** (mil.) gallone a forma di «V» o di «Λ» (portato sulla manica, in alto) **3** (arald.) scaglione.

chevrotain /'ʃɛvrəʊteɪn/, **chevrotin** /'ʃɛvrəʊtɪn/ n. (zool., Tragulus; Hyemoschus) gazzella d'acqua; tragolo.

chew /tʃuː/ n. **1** masticamento; masticata **2** cicca (di tabacco) **3** caramella da masticare **4** oggetto da masticare (per un cane, ecc.).

to chew /tʃuː/ Ⓐ v. t. **1** masticare: **to c. tobacco**, masticare tabacco **2** mordere ripetutamente; mordicchiare; rosicchiare: **to c. one's lips**, mordicchiarsi le labbra **3** (volg. USA) fare un pompino a, spompinare (volg.) Ⓑ v. i. **1** masticare **2** rodere; rosicchiare; mordicchiare: **to c. at a fingernail**, mordicchiarsi un'unghia; **to c. on a bone**, rosicchiare un osso **3** (fig.) meditare; riflettere; rimuginare: **to c. on an idea**, meditare su un'idea ● (volg. USA) **to c. sb.'s ass**, fare un cazziatone a q. (pop.) □ **to c. the cud**, (dei bovini) ruminare; (fig. fam.) ruminare, rimuginare, ponzare □ (slang USA) **to c. sb.'s ear off**, intontire q. di chiacchiere; fare una testa così a q. (fam.) □ (slang USA) **to c. face**, baciarsi □ (fam.) **to c. the fat** (o the rag), parlare del più e del meno; parlare a ruota libera □ **to c. a hole in st.**, fare un buco in qc. a forza di rosicchiare □ (cinem., teatr.) **to c. the scenery**, gigioneggiare.

■ **chew out** v. t. + avv. (fam. USA) strapazzare; strigliare; cicchettare; cazziare (pop.).

■ **chew over** v. t. + prep. (fam.) **1** rimuginare (o ruminare) su; meditare su **2** discutere a fondo.

■ **chew up** v. t. + avv. **1** masticare bene (cibo) **2** distruggere con i denti; mangiare: Puppies like to c. up slippers, ai cuccioli piace mangiare le pantofole **3** (fig.) rovinare; distruggere.

chewed up /tʃuːd ʌp/ a. (slang USA) **1** preoccupato; seccato; scocciato (pop.) **2** malandato; malconcio; a pezzi (fig.).

chewing gum /'tʃuːɪŋ ɡʌm/ loc. n. Ⓤ chewing gum; gomma da masticare ● (fam.) **chewing gum for the eyes** (o for the mind), spettacolo (film, libro, ecc.) di nessun valore.

chewy /'tʃuːɪ/ a. (di cibo) che si deve masticare a lungo; di consistenza gommosa.

chi /kaɪ/ n., pl. **chis** chi (ventiduesima lettera dell'alfabeto greco).

Chian /kaɪən/ a. di Chio.

chiasma /kaɪˈæzmə/ n. (pl. **chiasmas**, **chiasmata**) (anat.) chiasma.

chiasmus /kaɪˈæzməs/ (retor.) n., pl. **chiasmi** chiasmo || **chiastic** a. chiastico.

chic /ʃiːk/ Ⓐ n. Ⓤ eleganza Ⓑ a. chic; elegante.

Chicago /ʃɪˈkɑːɡəʊ/ n. (geogr.) Chicago || **Chicagoan** a. e n. (abitante o nativo) di Chicago.

chicane /ʃɪˈkeɪn/ n. **1** artificio; imbroglio; cavillo legale **2** (bridge) chicane **3** (autom., sport) chicane.

to chicane /ʃɪˈkeɪn/ v. t. e i. **1** imbrogliare; ingannare **2** ottenere con artifici (o raggiri): He chicaned the old man out of his fortune, con raggiri ottenne dal vecchio tutto il suo denaro.

chicanery /ʃɪˈkeɪnərɪ/ n. Ⓤ trucchi (pl.) legali; imbrogli (pl.); rigiri (pl.).

Chicano /tʃɪˈkɑːnəʊ/ n. (pl. **Chicanos**) (USA) chicano; americano di origine messicana.

chi-chi /'ʃiːʃiː/ Ⓐ a. (fam.) pretenzioso; affettato; vistoso Ⓑ n. Ⓤ pretenziosità; vistosità.

chick /tʃɪk/ n. **1** pulcino **2** uccellino (implume) **3** (termine affettuoso) pulcino (fig.); bambino **4** (fam.) ragazza; ragazza fissa; innamorata; pollastra, pollastrella (fig. pop.) ● **the chicks**, i piccoli (d'una famiglia) (fam.) **c. flick**, film per ragazze (spec. sentimentale).

chickabiddy /tʃɪkəˈbɪdɪ/ n. pulcino, coccolo (termine affettuoso).

chickadee /'tʃɪkədiː/ n. **1** (zool., Parus atricapillus) cincia bigia **2** (fam. USA) pulcino (fig.); bambino.

◆**chicken** /'tʃɪkɪn/ Ⓐ n. **1** pollo; pollastro, pollastra **2** Ⓤ (carne di) pollo: **roast c.**, pollo arrosto **3** (fam. GB) cocco, cocca **4** (slang) fifone; vigliacco; coniglio **5** sfida a una prova di coraggio: **to play c.**, sfidarsi a una prova di coraggio **6** (gergo mil., USA) aquila (insegna di grado) Ⓑ a. pred. (slang) pauroso; vigliacco; codardo ● (cucina) **c. à la king**, pollo in salsa cremosa con funghi e peperoni □ (fam.) **a c.-and-egg situation**, un problema insolubile; la storia dell'uovo e della gallina □ (med.) **c. breast**, petto carenato; petto di pollo (pop.) □ (cucina) **c. curry**, pollo al curry □ **c. farm**, allevamento di polli □ **c. farmer**, pollicoltore; avicoltore □ **c. farming**, pollicoltura; avicoltura □ **c. feed**, mangime per polli; (slang) somma di denaro trascurabile; spiccioli □ (cucina, USA) **c.-fried steak**, bistecca sottile impanata e fritta □ (slang) **c.-hawk**, guerrafondaio che in passato ha evitato il servizio militare □ **c.-hearted** (o **c.-livered**), pusillanime; timido; vile □ **c. run**, pollaio; recinto per i polli □ **c. wire**, rete metallica leggera (a maglie esagonali) □ (fig.) **to count one's chickens before they are hatched**, vendere la pelle dell'orso prima d'averlo ammazzato □ (fam.) He's no (spring) c., non è un giovincello □ (fam.) His chickens have come home to roost, ora deve pagarne le conseguenze; i nodi sono venuti al pettine.

to chicken out /tʃɪkɪnˈaʊt/ v. i. + avv. (fam.) tirarsi indietro (per paura); non avere il coraggio (di fare qc.): He chickened out of telling his wife, non ebbe il coraggio di dirlo alla moglie.

chickenpox /'tʃɪkɪnpɒks/ n. Ⓤ (med.) varicella.

chickenshit /'tʃɪkɪnʃɪt/ (volg., USA) Ⓐ a. **1** fifone; cagasotto **2** fesso, del cavolo Ⓑ n. Ⓤ **1** fesseria; stronzata **2** stronzo.

chickling /'tʃɪklɪŋ/ n. (bot., Lathyrus sativus) cicerchia.

chickpea /'tʃɪkpiː/ n. (bot., Cicer arietinum) cece.

chickweed /'tʃɪkwiːd/ n. (bot., Stellaria media) centonchio; erba gallina.

chicle /'tʃɪkl/ n. Ⓤ lattice della sapota (per la gomma da masticare).

chicory /'tʃɪkərɪ/ n. Ⓤ **1** (bot., Cichorium intybus) cicoria **2** (USA) (bot., Cichorium endivia) indivia.

to chide /tʃaɪd/ (pass. **chided**, **chid**, p. p. **chided**, **chid**, **chidden**), Ⓐ v. t. (lett.) **1** rimproverare; rimbrottare; rampognare **2** incitare (con rimproveri); spingere: **to c. into action**, spingere ad agire Ⓑ v. i. (lett.) protestare ad alta voce.

◆**chief** /tʃiːf/ Ⓐ n. **1** capo; capoclan; capotribù: **a Highland c.**, un capoclan scozzese **2** capo; comandante; dirigente: **c. of police**, capo della polizia **3** (al vocat.) (slang USA) capo **4** (arald.) capo Ⓑ a. **1** principale; più importante; primo: **my c. aim**, il mio scopo primo; **our c. ally**, il nostro alleato più importante **2** primo; capo: **c. inspector**, ispettore capo; **c. accountant**, ragioniere capo; capo contabile ● **c. clerk**, capufficio □ (in GB) **c. constable**, capo della polizia d'una contea o d'una regione □ (fam.) **c. cook and bottle-washer**, factotum □ (econ.) **c. econo-**

mist, economista capo □ (naut.) **c. engineer**, direttore (o primo ufficiale) di macchina □ (polit.) **the C. Executive**, il capo dell'esecutivo; (in USA) il Presidente degli Stati Uniti □ (org. az.) **c. executive officer**, amministratore delegato (di società di capitali) □ (org. az.) **c. financial officer**, direttore amministrativo e finanziario (di società) □ (in USA) **C. Justice**, presidente della Corte suprema □ (org. az.) **c. information officer**, direttore informatico (di società) □ (in GB) **c. inspector**, ispettore capo (di polizia) □ (aeron. mil., in USA) **c. master sergeant**, maresciallo di 1ª □ **c. of staff**, (mil.) capo di stato maggiore; (polit., in USA) capo dell'Ufficio della Casa Bianca □ (org. az.) **c. operating officer**, direttore generale (di società) □ (marina mil., in GB e in USA) **c. petty officer**, grado intermedio tra quelli ital. di «capo di 1ª classe» e «aiutante» □ (org. az.) **c. privacy officer**, responsabile della privacy □ **c. rabbi**, rabbino capo □ (org. az.) **c. risk officer**, responsabile della gestione del rischio □ (polizia, in GB) **c. superintendent**, sovrintendente capo □ **c. surgeon**, primario chirurgo □ (aeron. mil., in GB) **c. technician**, sergente maggiore □ **c. town**, (città) capoluogo □ (mil., in USA) **c. warrant officer**, (esercito) maresciallo maggiore; (marina mil.) grado massimo di sottufficiale (superiore all'ital. «aiutante») □ (fam.) **too many chiefs and not enough Indians**, troppi che comandano e nessuno che obbedisce; troppi generali e nessun soldato.

chiefly /'tʃiːflɪ/ avv. principalmente; soprattutto; per lo più.

chieftain /'tʃiːftən/ n. **1** (scozz.) capo ereditario di un clan **2** capotribù **3** (poet.) condottiero; capitano || **chieftaincy**, **chieftainship** n. Ⓤ l'esser capo di un clan o di una tribù; comando.

chiffchaff /'tʃɪftʃæf/ n. (zool., Phylloscopus collybita) luì piccolo.

chiffon /'ʃɪfɒn, USA ʃɪˈfɒn/ (franc.) Ⓐ n. Ⓤ chiffon; velo crespo Ⓑ a. attr. di chiffon.

chiffonier /ʃɪfəˈnɪə(r)/ (franc.) n. **1** chiffonier **2** (GB) credenza con alzata a vetrina.

chifforobe /'ʃɪfəurəʊb/ n. (USA) guardaroba con cassettiera.

chigger /'tʃɪɡə(r)/ (USA) → **chigoe**.

chignon /'ʃiːnjɒn/ (franc.) n. (di capelli) chignon; crocchia.

chigoe /'tʃɪɡəʊ/ n. (zool., Tunga penetrans) pulce penetrante.

chihuahua /tʃɪˈwɑːwɑː/ n. (zool.) chihuahua (cane).

chilblain /'tʃɪlbleɪn/ n. (med.) gelone || **chilblained** a. affetto da geloni; coperto da geloni.

◆**child** /tʃaɪld/ n. (pl. **children**) **1** bambino, bambina: **a problem c.**, un bambino difficile; We've lost one of the children, non troviamo uno dei bambini **2** (anche fig.) figlio, figlia: I have two married children, ho due figli sposati; She's an only c., è figlia unica **3** discendente; figlio **4** (fig.) sprovveduto; bambino: He's a c. in money matters, è uno sprovveduto in materia di denaro ● (leg.) **c. abuse**, maltrattamento di minore; abuso di minore □ (in GB) **c. benefit**, assegno familiare (per figli a carico) □ **c.-centred**, pedocentrico □ **c.-centred education**, pedocentrismo □ (in GB) **c. guidance**, assistenza psicologica e sociale ai minori □ (econ.) **c. labour**, lavoro minorile □ **c. mortality**, mortalità infantile (o minorile) □ **c. murder**, infanticidio □ (fig.) **the c. of one's imagination**, il prodotto della propria immaginazione □ **c. prodigy**, bambino prodigio □ (leg.) **c. molester**, pedofilo □ (leg.) **c. support**, alimenti per i figli □ **c.-wife**, moglie bambina □ **children's home**, istituto sociale per l'infanzia (per bambini disadattati, abbandonati, con famiglie disastrate, ecc.) □ **children hospital**,

ospedale pediatrico □ **children's wear**, abiti per bambini; abbigliamento per bambini □ **from a c.**, fin dall'infanzia; fin da piccolo □ (*fam.*) **It's c.'s play**, è un gioco da ragazzi □ (*arc.*) **with c.**, incinta; in stato interessante: **to get a girl with c.**, mettere incinta una ragazza.

childbearing /'tʃaɪldbɛərɪŋ/ *n.* Ⓤ il mettere al mondo figli; l'avere figli; maternità: **the trend towards later c.**, la tendenza ad avere figli in età avanzata; **c. outside marriage**, l'avere figli fuori del matrimonio; **of c. age**, in età fertile ● (*scherz.*) **c. hips**, fianchi generosi.

childbed /'tʃaɪldbed/ *n.* Ⓤ puerperio ● (*med.*) **c. fever**, febbre puerperale.

childbirth /'tʃaɪldbɜːθ/ *n.* Ⓤ parto.

childcare /'tʃaɪldkeə(r)/ *n.* Ⓤ **1** cura dei figli **2** cura o sorveglianza di bambini; assistenza all'infanzia: **to pay for c.**, pagare perché qualcuno badi ai figli; **private c.**, asili (pl.) nido privati ● **c. facilities**, strutture assistenziali per l'infanzia; asili nido □ **c. support**, assistenza alle madri con figli piccoli.

Childermas /'tʃaɪldəmæs/ *n.* Ⓤ (*relig.*, *arc.*, = C. Day) festa dei Santi Innocenti (o degli Innocenti) (*28 dicembre*).

◆**childhood** /'tʃaɪldhʊd/ *n.* Ⓤ infanzia: **in early c.**, nella prima infanzia; **c. friends**, amici d'infanzia ● **second c.**, seconda infanzia; senilità.

childish /'tʃaɪldɪʃ/ *a.* **1** fanciullesco; infantile **2** puerile; infantile; sciocco: **a c. answer**, una risposta infantile | **-ly** *avv.* | **-ness** *n.* Ⓤ.

❶ **Nota:** *childish* **o** *childlike?*
Childish significa "infantile" anche nel senso di "immaturo, puerile": *childish moods and outbursts of temper*, umori infantili e scatti d'ira; *Stop being so childish!*, smettila di essere così infantile! Anche *childlike* significa "infantile", ma si usa in riferimento alle virtù positive dell'infanzia, come l'entusiasmo e la semplicità, quando sono possedute da adulti: *childlike simplicity*, la semplicità di un bambino.

childless /'tʃaɪldləs/ *a.* senza figli ● **c. marriage**, unione sterile | **-ness** *n.* Ⓤ.

childlike /'tʃaɪldlaɪk/ *a.* **1** fanciullesco; infantile **2** semplice; schietto; innocente; fiducioso; ingenuo ❶ **Nota:** *childish* **o** *childlike?* → **childish**.

childminder /'tʃaɪldmaɪndə(r)/ *n.* (*GB*) badante di bambini; baby-sitter.

childminding /'tʃaɪldmaɪndɪŋ/ *n.* babysitteraggio.

childproof /'tʃaɪldpruːf/ *a.* che un bambino non può aprire, ecc.; di sicurezza; a prova di bambino: (*autom.*) **c. locks**, serrature di sicurezza.

children /'tʃɪldrən/ *pl.* di **child**.

childrenswear /'tʃɪldrənzweə(r)/ *n.* = **children's wear** → **child**.

chile /'tʃɪli/ (*USA*) → **chilli**.

Chile /'tʃɪli/ *n.* (*geogr.*) Cile ● (*mecc.*) **C. mill**, molazza □ (*bot.*) **C. pine**, araucaria ‖ **Chilean** *a.* e *n.* cileno.

chili /'tʃɪli/ (*USA*) → **chilli**.

chiliasm /'kɪliæzəm/ (*relig.*) *n.* Ⓤ chiliasmo; millenarismo ‖ **chiliast** *n.* chiliaste; millenarista ‖ **chiliastic** *a.* chiliastico; millenaristico.

chill /tʃɪl/ Ⓐ *n.* **1** freddo: *There's a c. in the air*, fa freddino; **to take the c. off st.**, rendere qc. meno freddo; portare qc. a temperatura ambiente **2** sensazione di freddo; brivido (*di paura, febbre*): *I felt a c. run down my spine*, sentii un brivido corrermi giù per la schiena **3** (*med.*) infreddatura **4** (*fig.*) (senso di) gelo: *The news of the riots cast a c. over the whole town*, la notizia dei tumulti

gettò un senso di gelo su tutta la città; *A c. came over him*, si sentì gelare **5** (*fig.*) maniere (pl.) gelide; accoglienza gelida; gelo; raffreddamento **6** (*metall.*, = **c. mold**) conchiglia: **c. casting**, fusione in conchiglia Ⓑ *a.* **1** (*anche fig.*) freddo; gelido: **a c. wind**, un vento gelido; **a c. welcome**, un'accoglienza fredda (*o* glaciale) **2** (*fig.*) che mette i brividi; agghiacciante ● (*slang USA*) **the big c.**, la morte.

to **chill** /tʃɪl/ Ⓐ *v. t.* **1** raffreddare: **to c. the air**, raffreddare l'aria **2** mettere al fresco (*acqua, vino, ecc.*); far raffreddare; refrigerare **3** intirizzire: *The icy water chilled me to the bone*, l'acqua gelida m'intirizzì fino alle ossa **4** (*fig.*) raggelare: *The news chilled my blood*, la notizia mi raggelò il sangue **5** (*metall.*) temprare; fondere in conchiglia **6** (*slang USA*) freddare; uccidere Ⓑ *v. i.* **1** (*di acqua, vino, ecc.*) raffreddarsi **2** (*anche* **to c. out**) rilassarsi **3** (*fam. USA*, *anche* **to c. out**) calmarsi; darsi una calmata.

chilled /tʃɪld/ *a.* **1** raffreddato; raggelato (*anche fig.*); intirizzito **2** (*di alimento*) refrigerato; raffreddato (*in frigorifero, ecc.*) **3** (*di vino, ecc.*) molto fresco **4** (*metall.*) fuso in conchiglia; conchigliato.

chiller /'tʃɪlə(r)/ *n.* **1** (*ind. chim.*) scambiatore refrigerante **2** (*fam.*) racconto o storia agghiacciante.

chilli /'tʃɪli/ *n.* (pl. ***chillies, chillis***) **1** (*bot.*, *Capsicum*) peperoncino rosso **2** (= **c. sauce**) salsa di peperoncino rosso **3** Ⓤ (= **c. con carne**) carne di manzo con questa salsa.

chilliness /'tʃɪlinəs/ *n.* Ⓤ **1** freddo **2** (*fig.*) freddezza, gelidità.

chilling /'tʃɪlɪŋ/ Ⓐ *a.* agghiacciante; raggelante; gelido; glaciale Ⓑ *n.* Ⓤ **1** refrigerazione **2** congelamento **3** (*metall.*) raffreddamento rapido; fusione in conchiglia.

chill-out /'tʃɪlaʊt/ *n.* (*fam.*) cosa rilassante; luogo in cui ci si rilassa.

chilly /'tʃɪli/ *a.* **1** freddo: **a c. room**, una stanza fredda; *It's a bit c., isn't it?*, fa un po' freddino, vero? **2** (*fig.*) freddo; gelido: **a c. manner**, maniere fredde; freddezza; **a c. stare**, un'occhiata gelida **3** infreddolito: *I feel c. today*, mi sento infreddolito oggi ● **to get** (*o* **to grow**) **c.**, prendere freddo; gelarsi, raggelarsi.

chimaera /kaɪˈmɪərə/ → **chimera**.

chime ① /tʃaɪm/ *n.* **1** suono di campane; rintocco; (al pl., *anche*) scampanio **2** concerto di campane **3** suoneria (*d'orologio, a più toni*); carillon **4** (al pl.) campanello (*di porta*) a carillon **5** (al pl.) (*mus.*) campane tubolari **6** (*fig.*) suono armonioso, melodico, gioioso **7** Ⓤ (*fig.*) armonia; accordo.

chime ② /tʃaɪm/ *n.* capruggine (*di botte*).

to **chime** /tʃaɪm/ Ⓐ *v. i.* **1** (*di campane*) rintoccare; suonare a festa; scampanare **2** (*fig.*) risuonare: *His last words chimed in my ears*, le sue ultime parole mi risuonavano nelle orecchie **3** dare, emettere un suono (*o* un rintocco) come di campana **4** ripetere in modo monotono (*o* cantilenante) Ⓑ *v. t.* **1** suonare (*campane*); battere (*una campana*) **2** (*d'orologio*) battere (*le ore*): *The clock chimed midday*, l'orologio batté mezzogiorno **3** – **to c. with**, accordarsi con; essere in sintonia con.

■ **chime in** *v. i.* + *avv.* **1** intervenire, interloquire (*generalm. per dichiararsi d'accordo*); approvare **2** – **to c. in with**, concordare con; essere in armonia con.

chimera /kaɪˈmɪərə/ *n.* **1** (*mitol. e fig.*) chimera **2** (*zool.*, *Chimaera monstruosa*) chimera mostruosa **3** (*biol.*) chimera ‖ **chimeric, chimerical** *a.* **1** chimerico **2** fantasioso; visionario.

◆**chimney** /'tʃɪmni/ *n.* **1** camino **2** = **c. stack** → *sotto* **3** tubo di vetro (*di lampada a*

olio) **4** (*geol.*) camino (*di vulcano*) **5** (*alpinismo*) camino ● **c. breast**, stipite, stipiti (*del camino*) □ **c. cap**, comignolo □ **c. corner**, angolo del focolare □ **c. flue**, canna fumaria □ (*GB*) **c. piece**, mensola del camino; caminiera □ **c. pot**, comignolo □ **c. stack**, (*di fabbrica, ecc.*) ciminiera, fumaiolo; (*GB*) gruppo di comignoli □ **c. sweep** (*o* **c. sweeper**), spazzacamino □ (*zool.*) **c. swift** (*Chaetura pelagica*), rondone americano □ **c. top**, comignolo.

chimp /tʃɪmp/ (*fam.*) → **chimpanzee**.

chimpanzee /ˌtʃɪmpænˈziː/ *n.* (*zool.*, *Pan troglodytes*) scimpanzé.

◆**chin** /tʃɪn/ *n.* mento: **double c.**, doppio mento; **receding c.**, mento sfuggente; **up to the c.**, fino al mento ● (*med.*) **c. bandage**, mentiera □ (*mus.*) **c. rest**, mentoniera (*di violino*) □ **c. strap**, (*mil.*) sottogola (*di elmetto, ecc.*); (*sport*) sottogola □ (*fam.*) (**Keep your**) **c. up!**, coraggio! □ (*fam.*) **to take it on the c.**, affrontare avversità (sconfitte, ecc.) con coraggio.

to **chin** /tʃɪn/ Ⓐ *v. t.* **1** (*ginnastica*) toccare (*la sbarra*) con il mento **2** (*fam.*) colpire sul mento Ⓑ *v. i.* (*fam. USA*) chiacchierare.

china /'tʃaɪnə/ Ⓐ *n.* Ⓤ **1** porcellana fine: **pieces of c.**, oggetti di porcellana; porcellane **2** oggetti (pl.) di porcellana; porcellane (pl.): **broken c.**, piatti, ecc., rotti; frammenti di piatti, ecc. **3** (spec. nella loc. **me old c.**) (*slang GB*) amico; compagno Ⓑ *a.* di porcellana; di porcellana: **c. plate**, piatto di porcellana; **c. shop**, negozio di porcellane; **c. cabinet** (*o* **c. closet**), vetrina (*mobile*).

China /'tʃaɪnə/ *n.* Cina ● **C. ink**, inchiostro di China □ (*bot.*) **C. rose** (*Rosa chinensis*) rosa della Cina □ (*bot.*) **C. root** (*Smilax china*), china; radice di china □ (*geogr.*) **the C. Sea**, il Mare della Cina □ **C. syndrome**, sindrome cinese □ **C. tea**, tè cinese □ (*polit.*) **C. watcher**, sinologo.

china bark /'tʃaɪnə bɑːk/ *loc. n.* Ⓤ corteccia di china.

china blue /tʃaɪnə 'bluː/ *loc. n.* e *a.* azzurro chiaro.

china clay /tʃaɪnə kleɪ/ *loc. n.* Ⓤ (*miner.*) caolino.

Chinaman /'tʃaɪnəmən/ *n.* (pl. ***Chinamen***) **1** (*arc.* o *spreg.*) cinese (m.) **2** (*cricket*) lancio con effetto (*effettuato da un lanciatore mancino che manda la palla alla sinistra del battitore destrimano*).

Chinatown /'tʃaɪnətaʊn/ *n.* quartiere cinese; Chinatown.

chinaware /'tʃaɪnəweə(r)/ *n.* Ⓤ oggetti (*stoviglie, ecc.*) di porcellana; porcellane.

chinch /tʃɪntʃ/ *n.* (*zool.*, *USA*) cimice.

chinchilla /tʃɪn'tʃɪlə/ *n.* **1** (*zool.*, *Chinchilla lanigera*) cincilla **2** Ⓤ cincillà (*il pelo*) **3** (= **c. fur**) pelliccia di cincilla; cincillà.

chin-chin /tʃɪn'tʃɪn/ (*fam.*) Ⓐ *inter.* **1** (*brindisi*) cincin!; (alla) salute! **2** salve!; addio! Ⓑ *n.* **1** saluto cortese **2** brindisi.

Chindia /'tʃɪndɪə/ *n.* Ⓤ (*econ.*, acron. di ***China*** e ***India***) Cina e India e le loro economie.

chine /tʃaɪn/ *n.* **1** (*macelleria*) lombata **2** cresta (*di monte*).

to **chine** /tʃaɪn/ *v. t.* (*macelleria*) tagliare (*carne, ecc.*) lungo la spina dorsale.

Chinese /tʃaɪˈniːz/ Ⓐ *a.* cinese Ⓑ *n.* **1** (inv. al pl.) cinese (m. e f.) **2** cinese (*la lingua*) **3** (*fam. GB*) pasto cinese; cucina cinese **4** (*fam.*, *GB*) (ristorante) cinese ● **C. boxes**, scatole cinesi (anche *fig.*) □ (*fam.*) **C. burn**, sfregatura energica del polso o dell'avambraccio che provoca bruciore; (gli) spilli (*fam.*) □ (*bot.*) **C. cabbage** (*o* **C. leaves**), cavolo cinese □ **C. chequers** (*USA* **C. checkers**), dama cinese (*fam. USA*) **C. fire drill**, confusione; caos; casino (*fam.*) □ (*bot.*, *antiq.*) **C. gooseberry**, kiwi □ **C. lantern**, lan-

terna cinese; lampioncino; (*bot.*, *Physalis alkekengi*) alchechengi □ C. **pavilion**, padiglione alla cinese □ C. **puzzle**, puzzle a incastro complesso; puzzle cinese; (*fig.*) rompicapo, matassa intricata □ (*fig.*) C. **wall**, ostacolo insormontabile; muro (*fig.*) □ (*GB*) C. **whispers**, telefono senza fili, passaparola (*gioco*) □ C. **white**, bianco di zinco.

chink① /tʃɪŋk/ n. **1** fessura; spiraglio; interstizio **2** stretta lama di luce (*che penetra da uno spiraglio*) **3** (*fig.*) punto debole; crepa ● a c. **in sb.'s armour**, il punto debole di q.

chink② /tʃɪŋk/ n. Ⓤ tintinnio (*di bicchieri, monete, ecc.*).

Chink /tʃɪŋk/ n. (*slang spreg.*) cinese: C. **joints**, ristoranti cinesi.

to **chink** /tʃɪŋk/ Ⓐ v. i. tintinnare Ⓑ v. t. far tintinnare.

Chinkie, **Chinky** /'tʃɪŋkɪ/ n. **1** (*fam.*) ristorante cinese (*con asporto*) **2** (*slang spreg.*) cinese.

chinless /'tʃɪnləs/ a. **1** dal mento sfuggente; senza mento **2** (*fig.*) smidollato ● (*slang GB*) c. **wonder**, nobile smidollato; cretino blasonato.

chino /'tʃiːnəʊ/ n. (*USA*) **1** Ⓤ stoffa cachi di cotone **2** (al pl.) pantaloni di questa stoffa.

chinoiserie /ʃɪn'wɑːzərɪ, *USA* ʃiːnwɑːzə'riː/ (*franc.*) n. (*arte*) **1** Ⓤ stile decorativo che imita l'arte cinese **2** Ⓤ cineserie (pl.) **3** cineseria.

chinstrap /'tʃɪnstræp/ n. soggolo (*di copricapo militare*).

chintz /tʃɪnts/ n. Ⓤ chintz, cinz (*tessuto di cotone stampato a colori*).

chintzy /'tʃɪntsɪ/ a. **1** di chintz, di chinz; ricoperto di chintz **2** dai colori vistosi; pacchiano **3** (*fam. USA*) taccagno.

chin-up /'tʃɪnʌp/ n. (*sport, USA*) sollevamento sulle braccia.

chinwag /'tʃɪnwæg/ n. (*fam. GB*) chiacchierata.

to **chinwag** /'tʃɪnwæg/ v. t. (*fam. GB*) fare una chiacchierata.

♦**chip**① /tʃɪp/ n. **1** frammento; pezzetto; scheggia; scaglia; truciolo: **chocolate chips**, schegge di cioccolato **2** scheggiatura: There is a c. **in this cup**, c'è una scheggiatura in questa tazza **3** (*GB*) patatina fritta (*a bastoncino*): **fish and chips**, pesce e patatine fritte **4** (*USA*, = **potato c.**) patatina (fritta) (*sottile*) **5** tassello di legno (*per canestri, ecc.*) **6** (*al poker e sim.*) gettone, fiche **7** (*comput.*) chip; microcircuito integrato **8** (*sport*) tiro (o colpo) corto a scavalcare; (*calcio, ecc.*) pallonetto; (*golf*) chip **9** (al pl.) (*slang antiq. o USA*) soldi; grana (*pop.*): I'm in the chips, sono pieno di soldi; ho un bel po' di grana ● (*GB*) **c. and PIN**, (sistema di) pagamento tramite bancomat o carta di credito che prevede la digitazione del PIN; **c. basket**, cestello della friggitrice □ (*Austral.*) **c. heater**, scaldabagno a legna □ (*fig.*) **a c. off the old block**, figlio (o figlia) dello stesso stampo del padre (*o della madre*) □ **c. pan**, friggitrice (*apparecchio*) □ **c. shop**, negozio di «fish and chips» □ (*fam. GB*) **to have had one's chips**, aver perso; essere spacciato □ (*fig.*) **to have a c. on one's shoulder**, covare un risentimento generalizzato; essere pieno di astio; avercela con il mondo intero □ (*fig. fam.*) **when the chips are down**, alla resa dei conti.

chip② /tʃɪp/ n. (*nella lotta*) sgambetto.

to **chip**① /tʃɪp/ Ⓐ v. t. **1** tagliare (*rimuovendo pezzetti*); scalpellare; tagliuzzare **2** scheggiare: **to c. the edge of a plate**, scheggiare l'orlo d'un piatto **3** intagliare; incidere **4** (*cucina*) tagliare a bastoncino (*patate, ecc.*) **5** (*sport*) fare (*un tiro corto*); calciare (*un pallonetto*) Ⓑ v. i. **1** scheggiarsi: Chinaware chips easily, le porcellane si scheggiano facilmente **2** (*di vernice, ecc.*) scrostarsi; saltare; venir via **3** (*di uova*) schiudersi **4** (*calcio,*

ecc.) eseguire un pallonetto.

■ **chip away** v. t. + avv. scrostare (*con ripetuti colpetti*): **to c. away the old paint**, scrostare la vernice vecchia.

■ **chip away at** v. t. + avv. + prep. **1** colpire (*un blocco di marmo, ecc.*) ripetutamente (*con un arnese tagliente*); scheggiare; scalpellare **2** (*fig.*) demolire a poco a poco; intaccare.

■ **chip in** Ⓐ v. i. + avv. **1** contribuire (*a una colletta, ecc.*); starci: We all chipped in to buy her a mobile phone, facemmo una colletta per comprarle un cellulare; **to c. in with st.**, contribuire con qc.; metterci qc. (*fam.*) **2** (*fam. GB*) interloquire; intromettersi; interrompere Ⓑ v. t. + avv. (*fam.*) contribuire (*a una colletta, un lavoro, ecc.*) con; metterci (*fig.*): Everybody chipped in a few pounds, tutti contribuirono con qualche sterlina.

■ **chip off** Ⓐ v. t. + avv. raschiar via; scalpellare; staccare; far saltare Ⓑ v. i. + avv. venir via; staccarsi; saltare.

to **chip**② /tʃɪp/ v. t. (*nella lotta*) fare lo sgambetto a.

chipboard /'tʃɪpbɔːd/ n. Ⓤ (*ind.*) **1** cartone grigio; cartone per scatole **2** truciolato: **c. panel**, pannello di truciolato.

chipmunk /'tʃɪpmʌŋk/ n. (*zool.*) **1** (*Tamias striatus*) tamia; cipmunk **2** (*Eutamias sibiricus*) scoiattolo americano; borunduk.

chipolata /tʃɪpə'lɑːtə/ n. (*alim., GB*) piccola salsiccia.

Chippendale /'tʃɪpəndeɪl/ a. e n. Ⓤ (stile) Chippendale (*di mobili del '700 inglese*).

chipper① /'tʃɪpə(r)/ n. **1** (*tecn.*) scriccatore (*arnese*) **2** (*falegn.*) chippatrice.

chipper② /'tʃɪpə(r)/ a. (*fam. USA*) **1** allegro; su di giri; di buon umore; euforico (*fam.*) **2** energico; robusto; vigoroso.

chipping /'tʃɪpɪŋ/ n. Ⓤ **1** (al pl.) trucioli (*di legno*) **2** (al pl.) ghiaietto; ghiaino **3** (*metall.*) scriccatura; sbavatura.

chippy /'tʃɪpɪ/ Ⓐ a. (*slang USA*) irritabile; stizzoso; astioso Ⓑ n. **1** (*fam. GB*) negozio di «fish and chips» **2** (*fam. GB*) falegname **3** (*fam. USA*) prostituta; puttana (*pop.*).

chipset /'tʃɪpset/ n. (*comput.*) chipset (*circuiteria di controllo*).

chiral /'kaɪrəl/ a. (*chim.*) chirale.

chirograph /'kaɪrəgræf/ (*leg.*) n. chirografo; documento scritto.

chiromancy /'kaɪrəʊmænsɪ/ n. Ⓤ chiromanzia || **chiromancer** n. chiromante.

chiropody /kɪ'rɒpədɪ/ n. Ⓤ chiropodia; cosmesi e igiene dei piedi || **chiropodist** n. pedicure; callista; podologo.

chiropractic /kaɪrəʊ'præktɪk/ (*med.*) n. chiropratica; chiroterapia || **chiropractor** n. chiropratico; chiroterapeuta; chiroterapista.

chiropteran /kaɪ'rɒptərən/ (*zool.*) n. chirottero.

chirp /tʃɜːp/ n. **1** cinguettio (*d'uccelli, di bimbi*); trillo **2** stridio (*di cicale e grilli*) **3** (*radio, ecc.*) disturbo.

to **chirp** /tʃɜːp/ Ⓐ v. i. **1** cinguettare (*anche fig.*); trillare **2** stridere; frinire (*di cicale, grilli*) Ⓑ v. t. dire con voce stridula.

chirpy /'tʃɜːpɪ/ a. allegro; vivace; vispo | -ily avv. | -iness n. Ⓤ.

chirr /tʃɜː(r)/ n. trillo prolungato; stridio (*di cavalletta, ecc.*).

to **chirr** /tʃɜː(r)/ v. i. stridere, trillare (*di cavalletta, ecc.*).

chirrup /'tʃɪrəp/ n. **1** cinguettio **2** lo schioccar la lingua (*per incitare un cavallo*).

to **chirrup** /'tʃɪrəp/ v. i. **1** cinguettare **2** schioccare la lingua (→ **chirrup**).

chisel /'tʃɪzl/ n. **1** cesello; scalpello; bulino **2** (*agric.*) dissodatore **3** (*slang*) inganno; bidone, fregatura, fregata (*pop.*).

to **chisel** /'tʃɪzl/ v. t. e i. **1** cesellare; scalpellare **2** (*slang antiq. o USA*) imbrogliare;

ingannare; defraudare; bidonare, fregare (*pop.*).

chiselled /'tʃɪzld/ a. (*anche fig.*) cesellato: **finely c. features**, lineamenti ben cesellati.

chiseller /'tʃɪzələ(r)/ n. **1** cesellatore **2** (*slang antiq. o USA*) imbroglione; truffatore; bidonista.

chit① /tʃɪt/ n. (*fam. antiq. o USA*) **1** bambino; marmocchio **2** (*anche* c. **of a girl**) ragazzetta (*spec.* vivace e impertinente).

chit② /tʃɪt/ n. (*fam.*) **1** biglietto; promemoria **2** nota, noticina (*di conto lasciato in sospeso o pagato*); ricevuta.

chital /'tʃɪtl/ n. (*zool., Cervus axis*) cervo pomellato.

chitchat /'tʃɪttʃæt/ n. Ⓤ (*fam.*) **1** chiacchierata; quattro chiacchiere **2** Ⓤ pettegolezzi (pl.).

chitin /'kaɪtɪn/ (*biochim.*) n. Ⓤ chitina || **chitinous** a. chitinoso.

chiton /'kaɪtn/ n. (*stor. greca, zool.*) chitone.

to **chitter** /'tʃɪtə(r)/ v. i. (*spec. USA*) (*di uccelli*) cinguettare.

chitterlings /'tʃɪtəlɪŋz/ n. pl. trippa (*spec. di maiale*).

chitty /'tʃɪtɪ/ n. (*fam.*) (→ **chit**②).

chivalry /'ʃɪvəlrɪ/ n. Ⓤ **1** (*stor.*) cavalleria **2** (*fig.*) condotta cavalleresca; cavalleria (*fig.*) || **chivalric**, **chivalrous** a. (*stor. e fig.*) cavalleresco.

chive /tʃaɪv/ n. **1** (al pl.) (*bot., Allium schoenoprasum*) erba cipollina; aglio cipollino **2** singola pianta di erba cipollina.

to **chivvy** /'tʃɪvɪ/ v. t. incitare; pungolare: **to c. sb. into action**, incitare q. ad agire; **to c. along**, pungolare; mettere fretta a.

chlamydospore /klæ'mɪdəspɔː(r)/ n. (*bot.*) clamidospora.

chlamys /'klæmɪs/ n. (pl. **chlamyses**, **chlamydes**) (*stor. greca*) clamide.

chloracne /klɔː'ræknɪ/ n. Ⓤ (*med.*) cloracne.

chloral /'klɔːrəl/ n. Ⓤ (*chim.*) cloralio.

chloramphenicol /klɔːræm'fenɪkɒl/ n. Ⓤ (*farm.*) cloramfenicolo.

chloric /'klɔːrɪk/ (*chim.*) a. clorico: **c. acid**, acido clorico || **chlorate** n. clorato.

chloride /'klɔːraɪd/ n. Ⓤ (*chim.*) cloruro: **sodium c.**, cloruro di sodio ● **c. of lime**, cloruro di calce.

to **chlorinate** /'klɔːrɪneɪt/ (*chim.*) v. t. **1** clorurare **2** clorare, trattare con cloro (*l'acqua, ecc.*) || **chlorination** n. Ⓤ **1** clorurazione **2** (*dell'acqua, ecc.*) clorazione.

chlorine /'klɔːriːn/ n. Ⓤ (*chim.*) cloro.

chlorite /'klɔːraɪt/ n. Ⓤ **1** (*chim.*) clorito **2** (*miner.*) clorite.

chlorofluorocarbon /klɔːrəflɔːrə'kɑːbən/ n. (*chim.*) clorofluorocarburo (CFC).

chloroform /'klɒrəfɔːm/ n. Ⓤ (*chim., med.*) cloroformio.

to **chloroform** /'klɒrəfɔːm/ v. t. (*med.*) cloroformizzare.

Chloromycetin® /klɔːrəʊmaɪ'siːtɪn/ n. Ⓤ (*farm.*) cloromicetina.

chlorophyll, **chlorophyl** /'klɒrəfɪl/ n. Ⓤ (*bot.*) clorofilla.

chlorosis /klə'rəʊsɪs/ (*med., bot.*) n. Ⓤ clorosi || **chlorotic** a. clorotico.

chlorothiazide /klɔːrə'θaɪəzaɪd/ n. ⓊⒸ (*med.*) clorotiazide.

chlorous /'klɔːrəs/ a. (*chim.*) cloroso.

chlorpromazine /klɔː'prəʊməziːn/ n. Ⓤ Ⓒ (*med.*) clorpromazina.

ChM abbr. (*lat. Chirurgiae Magister*) (**Master of Surgery**) medico chirurgo.

choc /tʃɒk/ n. (*fam. GB*) cioccolatino ● c.**-ice**, mattonella di gelato ricoperta di cioc-

colato.

chocaholic /tʃɒkə'hɒlɪk/ → **chocoholic**.

choccy /'tʃɒkɪ/ n. (pl. **choccies, chockies**) (fam.) **1** ⓤ cioccolato **2** cioccolatino.

chock /tʃɒk/ n. **1** bietta; cuneo; zeppa (per tener ferma una botte, una ruota, ecc.); calzatoia **2** (naut.) calastra; cuneo; sella **3** (naut.) bocca di rancio; passacavo **4** (al pl.) (aeron.) tacchi (per il carrello) ● (fam. GB) **c.-a-block**, pieno zeppo; stipato; ingombro; intasato: **roads c.-a-block with cars**, strade intasate (dal traffico) □ (fam.) **c.-full**, pieno zeppo, stracolmo.

to **chock** /tʃɒk/ v. t. **1** fermare (una botte, una ruota, ecc.) con una bietta (o con un cuneo) **2** (naut.) mettere (un'imbarcazione) sulle calastre **3** (aeron.) mettere i tacchi alle ruote del carrello ● **to c. up**, stipare.

chocker /'tʃɒkə(r)/ a. (fam.) **1** (GB) stufo; scocciato **2** (Austral.) zeppo; traboccante; stracolmo.

chocoholic /tʃɒkə'hɒlɪk/ n. maniaco della cioccolata; chi è golosissimo di cioccolato.

♦**chocolate** /'tʃɒklɪt/ Ⓐ n. **1** ⓤ cioccolato; cioccolata: **a bar of c.**, una stecca (o una barretta) di cioccolato; **milk c.**, cioccolato al latte; **plain c.**, cioccolato fondente; **cooking c.**, cioccolato fondente per cucina **2** ⓤ (= **hot c.**) cioccolata (in tazza) **3** cioccolatino: **a box of chocolates** (o a c. box), una scatola di cioccolatini **4** color cioccolato Ⓑ a. **1** di cioccolato; color cioccolato: **c. mousse**, mousse al cioccolato **2** color cioccolato ● (fam.) **c.-box**, (di paesaggio, ecc.) oleografico, da cartolina □ (USA) **c. chip cookie**, pasticcino ripieno di schegge di cioccolato □ **c.-coated**, ricoperto di cioccolato □ **c. cream**, cioccolatino ripieno □ **c. fingers**, biscotti a bastoncino, ricoperti di cioccolato □ **c. milk**, latte con cioccolata in polvere.

♦**choice** /tʃɔɪs/ Ⓐ n. Ⓤ **1** scelta: **to make a c.**, fare la propria scelta; scegliere; **freedom of c.**, libertà di scelta; **to be faced with a difficult c.**, trovarsi davanti a (o dover fare) una scelta difficile **2** possibilità di scelta; facoltà di scelta; alternativa: **to have a clear c.**, avere davanti una chiara alternativa; **We have a c. between three routes**, possiamo scegliere fra tre percorsi; **I have little c.**, non ho alternative; per me, c'è poco da scegliere; **I had no c. but to obey**, non mi restò (altra scelta) che obbedire **3** assortimento; scelta: **a wide c. of TV sets**, un grande assortimento di televisori; **limited c.**, scelta limitata **4** cosa scelta; linea d'azione, ecc., scelta: **Ireland was my first c. for a holiday**, l'Irlanda è stata la mia prima scelta per le vacanze; **Blain is the best c. for director**, Blain è la persona da scegliere come direttore Ⓑ a. attr. **1** (spec. di frutta, carne, ecc.) scelto; di prima qualità: **c. peaches**, pesche scelte; **c. goods**, merce scelta (o di prima scelta) **2** (spec. iron.) ben scelto: **a few c. epithets**, due o tre epiteti ben scelti ● (sport) **c. of ends**, scelta del campo □ **at c.**, a scelta □ **by c.**, per libera scelta; di preferenza □ **to have one's c.**, fare a modo proprio; fare come si vuole □ **to have** (o to get) **first c.**, scegliere per primo □ **of c.**, preferito; (med.) di elezione □ **of one's c.**, che si è scelto; preferito; a scelta; a piacere □ **to take one's c.**, fare la propria scelta; scegliere: **Take your c.!**, scegli pure! ‖ **choicely** avv. **1** attentamente; con grande cura **2** squisitamente ‖ **choiceness** n. ⓤ eccellenza, squisitezza (di qualità).

choir /'kwaɪə(r)/ n. **1** (mus.) coro (spec. di chiesa): **church c.**, coro di chiesa; **a male-voice c.**, un coro di voci maschili; **a five-part c.**, un coro in cinque parti **2** (archit.) coro ● **c. book**, corale (libro) □ **c. loft**, galleria del coro □ **c. practice**, prove del coro □ (in GB) **c. school**, scuola maschile i cui studenti cantano nel coro di una chiesa ● **c.**

stall, stallo del coro.

to **choir** /'kwaɪə(r)/ v. i. cantare in coro.

choirboy /'kwaɪəbɔɪ/ n. giovane corista (m.); ragazzo del coro.

choirgirl /'kwaɪəgɜːl/ n. giovane corista (f.); ragazza del coro.

choirman /'kwaɪəmən/ n. (pl. **choirmen**) (GB) corista (m.).

choirmaster /'kwaɪəmɑːstə(r)/ n. maestro del coro.

choke① /tʃəʊk/ n. **1** soffocamento (anche fig.); strangolamento **2** sensazione (o rantolo) di chi soffoca **3** (autom., mecc., = c. valve) diffusore; valvola dell'aria: **to pull the c. out**, togliere l'aria; disinserire lo starter **4** (elettr., = c. coil) bobina d'arresto; «choke» **5** strozzatura; ingorgo (in un tubo, ecc.) **6** (lotta) strangolamento.

choke② /tʃəʊk/ n. cuore filamentoso del carciofo.

to **choke** /tʃəʊk/ Ⓐ v. t. **1** soffocare (anche fig.); strangolare: **to c. sb. to death**, uccidere q. soffocandolo; soffocare q.; strangolare q. **2** ostruire; intasare; ingorgare: **Sand has choked the water pipe**, la sabbia ha ostruito la conduttura dell'acqua; **The road was choked (up) with traffic**, la strada era intasata di traffico **3** soffocare, far morire (una pianta, ecc.) **4** (autom.) chiudere l'aria a (un carburatore) **5** lasciare senza parole (o senza fiato): '**The idea simply choked her. Warmed-over meat, when they might as well have had it fresh**' K.A. PORTER, 'l'idea la lasciò senza parole. Carne riscaldata, quando potevano averla fresca!' **6** dire con voce soffocata Ⓑ v. i. **1** soffocare; sentirsi soffocare; strozzarsi: **to c. on a fish bone**, strozzarsi con una lisca; farsi andare per traverso una lisca; **to c. with rage**, soffocare dalla rabbia; **to c. to death**, morire soffocato **2** ansimare e tossire **3** sentirsi la gola stretta (dal pianto) **4** ostruirsi; ingorgarsi; intasarsi.

■ **choke back** v. t. + avv. frenare (la rabbia, ecc.); reprimere; soffocare (le lacrime, ecc.).

■ **choke down** v. t. + avv. inghiottire (a fatica); ingollare; mandar giù.

■ **choke off** v. t. + avv. **1** impedire, bloccare; soffocare **2** liberarsi di; sbarazzarsi di.

■ **choke up** Ⓐ v. t. + avv. **1** → to choke, def. 1, 2, 3, 5 **2** (al passivo) essere soffocato dalle lacrime, dalla commozione, ecc.; sentirsi la gola stretta (dal pianto) Ⓑ v. i. + avv. → A, def. 2.

choke chain /'tʃəʊk tʃeɪn/ loc. n. collare a strangolo.

choked /tʃəʊkt/ a. **1** soffocato; strozzato; strangolato: **c. voice**, voce soffocata (o strozzata); **to be c. with laughter**, soffocare dalle risa **2** → to choke up, A, def. 2.

choke damp /'tʃəʊkdæmp/ loc. n. ⓤ (ind. min.) miscela di gas asfissianti (ma non esplosivi).

chokehold /'tʃəʊkhəʊld/ n. stretta alla gola ● (fig.) **to have a c. on sb.**, avere q. in proprio potere; aver preso q. per la gola.

choke point /'tʃəʊkpɔɪnt/ loc. n. (USA) punto di congestione del traffico; punto critico.

choker /'tʃəʊkə(r)/ n. **1** persona (o cosa) che soffoca **2** (collana a) girocollo **3** (fam.) colletto alto e rigido **4** (fam. GB) gran delusione; grosso dispiacere **5** (autom.) strettoia (della strada) per frenare il traffico.

chokey /'tʃəʊkɪ/ n. (slang antiq.) prigione; galera; gattabuia (pop.).

choking /'tʃəʊkɪŋ/ a. **1** soffocante; asfissiante: **a c. cloud of dust**, una nuvola di polvere soffocante; (mil.) **c. gas**, gas asfissiante **2** di soffocamento: **a c. sensation**, una sensazione di soffocamento **3** strozzato, soffocato (per l'emozione): **in a c. voice**, con voce strozzata.

choky /'tʃəʊkɪ/ Ⓐ a. **1** soffocante **2** soffocato (dal pianto, da emozione) Ⓑ n.→ **chokey**.

cholagogue /'kɒləgɒg/ (med., farm.) n. colagogo.

cholangiography /kəlændʒɪ'ɒgrəfɪ/ n. ⓤ (med.) colangiografia.

cholecyst /'kəʊlɪsɪst/ n. (anat.) colecisti; cistifellea.

cholecystectomy /kəʊlɪsɪs'tektəmɪ/ n. ⓊⒸ (med.) colecistectomia.

cholecystitis /kəʊlɪsɪ'staɪtɪs/ n. ⓤ (med.) colecistite.

choler /'kɒlə(r)/ n. ⓤ (lett.) **1** bile; umore bilioso **2** collera; irritabilità; bile (fig.).

cholera /'kɒlərə/ (med.) n. ⓤ colera ‖ **choleraic** a. **1** colerico **2** coleroso.

choleric /'kɒlərɪk/ a. collerico; irascibile; bilioso.

cholesterol /kə'lestərɒl/ n. ⓤ (biochim.) colesterolo; colesterina.

choliamb /'kəʊlɪæmb/ (poesia) n. coliambo ‖ **choliambic** a. coliambico.

cholic /'kəʊlɪk/ a. (chim.) colico.

choline /'kəʊlɪn/ n. ⓤ (biol.) colina.

cholinergic /kəʊlɪ'nɜːdʒɪk/ a. e n. (farm.) colinergico.

cholo /'tʃəʊləʊ/ (spagn.) n. (pl. **cholos**) (GB) cholo.

to **chomp** /tʃɒmp/ v. t. e i. (fam.) masticare rumorosamente.

chondrite /'kɒndraɪt/ n. ⓤ (miner.) condrite.

chondritis /kɒn'draɪtɪs/ n. (med.) condrite.

choo-choo /'tʃuːtʃuː/ n. (infant. o scherz.) ciuf-ciuf; treno.

chook /tʃuːk/ n. (fam. Austral.) **1** pollo; cappone; gallina **2** (spreg.) vecchia.

♦to **choose** /tʃuːz/ v. (pass. **chose**, p. p. **chosen**), v. t. e i. **1** scegliere; optare per: **C. for yourself**, scegli da te; **I chose the lesser of two evils**, scelsi il male minore; **There isn't much to c. from**, c'è poco da scegliere **2** preferire; decidere (di fare qc.): **He chose to remain at home**, decise di stare a casa; **I chose not to go**, preferii non andare **3** (fam.) desiderare; volere: **Do whatever you c.**, fa' quello che vuoi; **He does what he chooses**, lui fa quello che vuole (o che gli pare e piace); **whenever you c.**, quando vuoi tu; quando preferisci; **as you c.**, come vuoi tu ● (sport: calcio, ecc.) **to c. ends**, fare scelta del campo □ **I cannot c. but**, devo proprio; non ho altra scelta che: **I cannot c. but sell**, non ho altra scelta che vendere □ **if you c.**, se ti va; se ti garba □ **There is little to c. between the two**, non c'è differenza fra i due; tanto vale l'altro.

choosy, choosey /'tʃuːzɪ/ a. (fam.) di difficile contentatura; schizzinoso; esigente; schifiltoso; pignolo: **He's very c. with his food**, è assai schizzinoso nel mangiare.

♦**chop**① /tʃɒp/ n. **1** colpo (d'ascia, scure, ecc.); colpo secco (dato verticalmente con la mano) **2** (cucina) costoletta, braciola (spec. di maiale o di montone): **pork c.**, braciola di maiale **3** (naut.) maretta **4** (tennis) colpo di taglio dall'alto verso il basso; chop **5** (boxe) gancio corto **6** (slang: **the c.**) licenziamento; bocciatura (di un progetto); taglio; abolizione: **to get** (o to be given) **the c.**, essere licenziato, essere bocciato, abolito, tagliato; **for the c.**, destinato al licenziamento; destinato a essere abolito, tagliato, ecc. **7** (slang) **the c.**, uccisione; ammazzamento: **He's for the c.**, lo ammazzeranno.

chop② /tʃɒp/ n. (generalm. al pl.) mascella; mandibola ● **c.-fallen**, avvilito; depresso □ (fam. USA) **to bust one's chops**, sgobbare; mettercela tutta □ (fam. USA) **to bust sb.'s chops**, stare addosso a q.; sfottere q. □ **to**

lick one's chops, leccarsi le labbra (*o i baffi*) (*per il piacere del cibo o per avidità*).

chop ③ /tʃɒp/ n. ⓤ (*fam. Austral.*) – (solo nella loc.) **not much c.**, che non vale molto; non un granché.

♦to **chop** ① /tʃɒp/ Ⓐ v. t. **1** tagliare a pezzi, a pezzetti: **to c. wood**, tagliare (*o spaccare*) la legna **2** (*cucina*) tagliare a pezzetti; fare a pezzetti; tritare (*grossolanamente*); trinciare; sminuzzare: **to c. into cubes [into rounds]**, tagliare a cubetti [a rondelle]; *Finely c. some parsley*, tagliare finemente del prezzemolo **3** (*fig.*) tagliare (*fondi, ecc.*); ridurre (*spese*) **4** (*tennis*) tagliare (*una palla*) verso il basso **5** (*naut.*) fare maretta **6** (*slang USA*) far fuori; eliminare; uccidere Ⓑ v. i. colpire (*con arma da taglio*); vibrare colpi; menare fendenti a: **to c. at st.**, menare fendenti a qc. ● **to c. logic**, cavillare □ **to c. to pieces**, fare a pezzi; ridurre in pezzi □ **to c. one's way through the underwood**, aprirsi un varco nel sottobosco.

▪ **chop back** v. t. + avv. **1** tagliare (*per ridurre, contenere qc.*) **2** tagliare, ridurre drasticamente (*spese, finanziamenti, ecc.*).

▪ **chop down** v. t. + avv. abbattere, tagliare (*alberi, ecc.*).

▪ **chop off** v. t. + avv. **1** tagliare; mozzare; recidere: *'The Queen said: «C. off his head!»'* L. CARROLL, 'la regina disse: «Tagliategli la testa!»' **2** (*fig.*) interrompere (*uno che sta parlando*).

▪ **chop up** v. t. + avv. **1** fare a pezzi (*o a pezzetti*); sminuzzare, tritare **2** (*fig.*) fare a pezzi, spezzettare.

to **chop** ② /tʃɒp/ v. i. (*del vento, ecc.*) mutare direzione; girare ● (*fam. GB*) **to c. and change**, cambiare in continuazione; cambiare idea continuamente.

chop-chop /'tʃɒp'tʃɒp/ avv. (*slang*) presto; in fretta; subito.

chophouse /'tʃɒphaʊs/ n. ristorante economico; trattoria.

chopper /'tʃɒpə(r)/ n. **1** chi taglia; chi trincia; chi trita **2** ascia corta; mannaia (*da macellaio*) **3** (*agric.*) trinciaforaggi; trinciapaglia **4** (*elettr., elettron., ottica, ecc.*) chopper; modulatore meccanico **5** (*slang*) elicottero **6** (*sport*) chopper (*motocicletta*) **7** (al pl.) (*slang*) denti; dentiera **8** (*volg.*) pene; cazzo (*volg.*).

to **chopper** /'tʃɒpə(r)/ (*slang*) Ⓐ v. i. andare in elicottero Ⓑ v. t. trasportare in elicottero.

chopping /'tʃɒpɪŋ/ n. ⓤ **1** (il) tagliare **2** (*elettr., ottica, ecc.*) modulazione **3** (*elettron.*) livellamento ● **c. board**, tagliere □ **c. block**, tagliere; (*stor.*) ceppo del boia □ (*fig.*) **on the c. block**, che rischia di essere abolito □ **c. knife**, mannaietta.

choppy /'tʃɒpɪ/ a. **1** (*del mare*) corto; rotto; increspato **2** (*del vento*) incostante; variabile **3** (*dello stile, ecc.*) disuguale; discontinuo ● (*naut.*) **c. sea**, maretta; mare rotto ‖ **choppiness** n. ⓤ (*naut.*) maretta; mare mosso.

chopstick /'tʃɒpstɪk(s)/ n. (per lo più al pl.) bacchetta, bastoncino (*per mangiare*).

chop suey /tʃɒp 'suːɪ/ loc. n. (*cucina*) chop suey (*pezzetti di verdura, carne o pesce, serviti con riso caldo*).

choral /'kɔːrəl/ Ⓐ a. corale; di coro Ⓑ n. → **chorale** ● **c. service**, funzione religiosa con canti corali □ **full c. service**, funzione nella quale ogni parte è cantata e non letta (*simile alla messa cantata della Chiesa cattolica*) ‖ **chorally** avv. coralmente.

chorale /kɔː'rɑːl/ n. **1** (*relig., mus.*) corale: **a Bach c.**, un corale di Bach **2** (*spec. USA*) coro.

chord ① /kɔːd/ n. (*mus.*) accordo: **major [minor] c.**, accordo maggiore [minore]; **a diminished 7th c.**, un accordo di settima diminuita.

chord ② /kɔːd/ n. **1** (*arc.*) corda (*di strumento musicale*) **2** (*geom., aeron.*) corda: **the c. of a circle**, la corda di un cerchio **3** (*anat.*) → **cord 4** (*edil.*) trave principale; catena ● (*fig.*) **to strike** (*o to touch*) **a c. with sb.**, toccare (il cuore di) q.; trovare ascolto presso q. □ (*fig.*) **to strike** (*o to touch*) **the right c.**, toccare il tasto giusto.

chordal /'kɔːdl/ a. **1** di (*o simile a*) corda **2** (*mus.*) di un accordo.

chordate /'kɔːdeɪts/ n. (*zool.*) cordato.

chordophone /'kɔːdəfəʊn/ n. (*mus.*) cordofono.

chore /tʃɔː(r)/ n. **1** lavoro di routine; lavoro domestico; lavoretto: **to do the chores**, fare i lavori di casa (*o le faccende domestiche*) **2** lavoro fastidioso, ingrato; lavoraccio.

chorea /kə'riːə/ (*med.*) n. ⓤ corea; ballo di San Vito (*pop.*).

to **choreograph** /'kɒrɪəgræf/ (*teatr.*) v. t. fare la coreografia di (*uno spettacolo*) ‖ **choreographer** n. coreografo, coreografa.

choreography /kɒrɪ'ɒgrəfɪ/ n. ⓤ coreografia ‖ **choreographic** a. coreografico ‖ **choreographically** avv. coreograficamente.

choriamb /'kɒrɪæmb/ n. → **choriambus**.

choriambus /kɒrɪ'æmbəs/ (*poesia*) n. (pl. **choriambi**, **choriambuses**) coriambo ‖ **choriambic** a. coriambico.

choric /'kɒrɪk/ a. del coro; a mo' di coro (*per es., nella tragedia greca*).

chorine /'kɔːriːn/ n. (*fam. USA*) ballerina di fila.

chorion /'kɔːrɪən/ n. (*biol.*) corion, corio ‖ **chorionic** a. coriale.

chorister /'kɒrɪstə(r)/ n. **1** corista (*spec. se bambino*) **2** (*USA*) maestro del coro (*nelle chiese*).

chorography /kə'rɒgrəfɪ/ n. ⓤ corografia ‖ **chorographer** n. corografo ‖ **chorographical** a. corografico.

choroid /'kɔːrɔɪd/ (*anat.*) Ⓐ n. coroide Ⓑ a. coroideo: **c. coat** (*o c. membrane*), membrana coroidea; coroide.

chorology /kə'rɒlədʒɪ/ n. ⓤ (*geogr.*) corologia.

chortle /'tʃɔːtl/ n. risata soddisfatta; risatina chioccia (→ **to chortle**).

to **chortle** /'tʃɔːtl/ v. i. ridacchiare (*di piacere, ecc.*).

chorus /'kɔːrəs/ n. **1** (*mus.*) coro (*gruppo di cantori*) **2** (*teatr., mus.*) corpo di ballo **3** (*mus.*) ritornello; refrain (*franc.*): **to join in the c.**, unirsi al ritornello **4** (*mus.*) canzone a più voci; coro **5** (*teatr. greco*) coro **6** (*teatr. elisabettiano*) personaggio che recita il prologo e l'epilogo **7** (*coro di voci, di uccelli, ecc.*): **a c. of protest**, un coro di proteste; **in c.**, in coro ● **c. girl**, ballerina di fila (*in un musical*) □ **c. line**, ballerine (pl.) di fila (*in un musical*) □ **c. singer**, corista.

to **chorus** /'kɔːrəs/ v. i. e t. parlare, dire in coro; fare coro.

chose ① /tʃəʊz/ pass. di **to choose**.

chose ② /ʃəʊz/ (*franc.*) n. (*leg.*) bene mobile; diritto mobiliare; bene immateriale.

chosen /'tʃəʊzn/ Ⓐ p. p. di **to choose** Ⓑ a. attr. scelto; prescelto; preferito; eletto: **your c. career**, la carriera da te scelta; **the c. people**, il popolo eletto Ⓒ n. pl. (*relig.*) – **the c.**, gli eletti (*da Dio*) ● **the c. few**, i pochi eletti; gli eletti.

chough /tʃʌf/ n. (*zool., Pyrrhocorax*) gracchio.

choux pastry /ʃuː 'peɪstrɪ/ loc. n. ⓤ (*cucina*) pasta chou.

chow /tʃaʊ/ n. **1** (*zool.*) (= chow-chow) chow chow **2** (*slang antiq.*) roba da man-

giare; pasto; rancio ● (*cucina*) **c. mein**, piatto (cinoamericano) di pezzetti di carne e verdure varie, spesso guarnito con fettuccine.

chow-chow /'tʃaʊtʃaʊ/ n. **1** ⓤ conserva di scorza d'arancio, zenzero, ecc., con salsa di senape **2** (*zool.*) → **chow**, *def. 1*.

chowder /'tʃaʊdə(r)/ n. ⓤ **1** zuppa di pesce, molluschi, ecc., stufati con verdura **2** zuppa densa di verdura o cereali.

chowderhead /'tʃaʊdəhed/ n. (*fam. USA*) zuccone; testa di rapa; testa di cavolo.

CHP sigla (**combined heat and power**) cogenerazione (*sistema di riscaldamento*).

Chr. abbr. **1** (**Christ**) Cristo **2** (**Christian**) cristiano.

chrestomathy /krɛ'stɒməθɪ/ n. ⓤ (*letter.*) crestomazia.

chrism /'krɪzəm/ n. (*relig.*) crisma.

chrisom /'krɪzəm/ n. **1** veste lustrale (*messa ai bimbi per il battesimo*) **2** → **chrism**

Chrissake /kraɪ'seɪk/ inter. (*fam.*) – (solo nella loc.) **for C.**, santiddio!; Dio buono!

Christ /kraɪst/ n. Cristo ● **the C. Child**, Gesù Bambino □ (*bot.*) **C.'s thorn** (*Lycium europeum*), agutoli; spinacristi; spino santo □ **before C.**, avanti Cristo.

Christadelphian /krɪstə'delfɪən/ n. e a. (*relig.*) cristadelfiano.

to **christen** /'krɪsn/ v. t. **1** (*relig.*) battezzare (*anche fig.: una nave, ecc.*) **2** (*fig.*) dare un nome a (q.) **3** inaugurare (*un oggetto nuovo: un'automobile, ecc.*).

Christendom /'krɪsndəm/ n. ⓤ cristianità (*il complesso dei cristiani*).

christening /'krɪsnɪŋ/ n. ⓤⓒ (*relig.*) battesimo (*la cerimonia*).

♦**Christian** /'krɪstʃən/ a. e n. cristiano ● (*relig.*) **C. Brothers**, Fratelli delle scuole cristiane □ **C. era**, era cristiana □ **C. name**, nome (di battesimo) □ (*relig.*) **C. Science**, Scienza Cristiana; Scientismo □ (*relig.*) **C. Scientist**, scientista; seguace dello Scientismo □ **C. year**, anno del calendario gregoriano ❶ NOTA D'USO • *In contesti ufficiali si è portati a preferire* **first name**, **given name** *o* **forename** *a* **Christian name** *in quanto privi di connotazione religiosa.*

Christianity /krɪstɪ'ænətɪ/ n. ⓤ **1** cristianesimo **2** cristianità.

to **Christianize** /'krɪstʃənaɪz/ Ⓐ v. t. cristianizzare; convertire al cristianesimo Ⓑ v. i. convertirsi al cristianesimo ‖ **Christianization** n. ⓤ conversione al cristianesimo; cristianizzazione.

christie /'krɪstɪ/ n. (*sci*) cristiania.

Christlike /'kraɪstlaɪk/ a. simile a Cristo ● **C. patience**, pazienza evangelica □ **to lead a C. life**, fare una vita da santo.

♦**Christmas** /'krɪsməs/ Ⓐ n. ⓤⓒ (abbr. **Xmas**) **1** (= C. Day) (giorno di) Natale: *I spent C. with my family*, ho trascorso il giorno di Natale con i miei; *What did you get for C.?*, che regali hai ricevuto a Natale? **2** (periodo di) Natale; periodo natalizio; feste (pl.) natalizie: **at C.**, per Natale; a Natale; **closed over C.**, chiuso durante le feste natalizie Ⓑ a. di Natale; natalizio: **C. dinner**, pranzo di Natale; **C. holidays**, vacanze di Natale; **C. present**, regalo di Natale; strenna natalizia ● (*GB*) **C. box**, mancia natalizia (*al postino, al lattaio, ecc.*) □ **C. cake**, dolce di Natale (*con frutta secca e ricoperto di marzapane e glassa*) □ (*bot.*) **C. cactus** (*Schlumbergera bridgesii*), cactus di Natale □ **C. card**, cartoncino (o biglietto) d'auguri natalizi □ **C. carol**, canto di Natale □ **C. Eve**, la vigilia di Natale □ (*bot.*) **C. flower** (*Poinsettia pulcherrima*), stella di Natale □ **C. pudding**, pudding di Natale (*a base di frutta secca e spezie e irrorato di brandy*) □ (*bot.*) **C. rose** (*Helleborus niger*), rosa di Natale □ (*in GB*) **C. stocking**, calza appesa per i

doni di Babbo Natale □ **C. tree**, albero di Natale □ **Merry C.**! (o *Happy C.!*), Buon Natale! ‖ **Christmassy** a. (*fam.*) natalizio; che ricorda il Natale.

Christmastide /ˈkrɪsməstaɪd/, **Christmastime** /ˈkrɪsməstaɪm/ n. ⓤ (periodo delle) feste natalizie.

Christocentric /krɪstəʊˈsentrɪk/ a. cristocentrico.

Christology /krɪˈstɒlədʒɪ/ n. ⓤ cristologia.

Christopher /ˈkrɪstəfə(r)/ n. Cristoforo.

chromate /ˈkrəʊmeɪt/ n. (*chim.*) cromato ● (*metall.*) **c. treatment**, cromatazione.

chromatic /krəˈmætɪk/ n. cromatico: (*elettron.*) **c. aberration**, aberrazione cromatica; (*mus.*) **c. scale**, scala cromatica; (*med.*) **c. vision**, visione cromatica.

chromaticity /krəʊməˈtɪsətɪ/ n. ⓤ (*fis.*) cromaticità.

chromatid /ˈkrəʊmətɪd/ n. (*biol.*) cromatidio.

chromatin /ˈkrəʊmətɪn/ n. (*biol.*) cromatina.

chromatism /ˈkrəʊmətɪzəm/ n. ⓤ (*fis.*) cromatismo.

chromatograph /krəˈmætəɡrɑːf/ n. cromatografo (*strumento*).

to **chromatograph** /krəˈmætəɡrɑːf/ v. t. (*chim.*) cromatografare.

chromatography /krəʊməˈtɒɡrəfɪ/ (*chim.*) n. ⓤ cromatografia ‖ **chromatographic** a. cromatografico.

chromatophore /krəʊˈmætəfɔː(r)/ n. (*biol.*) cromatoforo.

chrome /krəʊm/ Ⓐ n. ⓤ **1** (*chim.*, *fam.*) cromo **2** (*fam.*) cromature (*su una moto, ecc.*) Ⓑ a. attr. al cromo; (*fotogr.*) **c. alum**, allume di cromo; **c. leather**, cuoio al cromo; **c. steel**, acciaio al cromo; (*chim.*) **c. yellow**, giallo di cromo; giallo cromo.

to **chrome** /krəʊm/ v. t. cromare.

chromic /ˈkrəʊmɪk/ a. (*chim.*) cromico: **c. acid**, acido cromico.

chromite /ˈkrəʊmaɪt/ n. ⓤ (*miner.*) cromite.

chromium /ˈkrəʊmɪəm/ n. ⓤ (*chim.*) cromo ● **c.-plated**, cromato □ **c.-plating**, cromatura □ **c. steel**, acciaio al cromo.

to **chromium-plate** /krəʊmɪəmˈpleɪt/ v. t. cromare.

chromo /ˈkrəʊməʊ/ n. (pl. **chromos**) (abbr. *fam.*) cromolitografia (*la riproduzione*).

chromogenic /krəʊməˈdʒenɪk/ a. cromogeno.

chromolithograph /krəʊməʊˈlɪθəɡrɑːf/ n. cromolitografia (*la riproduzione*) ‖ **chromolithographic** a. cromolitografico ‖ **chromolithography** n. ⓤ cromolitografia (*il processo*).

chromophore /ˈkrəʊməfɔː(r)/ n. (*chim.*) cromoforo.

chromosome /ˈkrəʊməsəʊm/ (*biol.*) Ⓐ n. cromosoma Ⓑ a. attr. cromosomico: **c. map**, mappa cromosomica; **c. number**, numero cromosomico ‖ **chromosomal** a. cromosomico.

chromosphere /ˈkrəʊməsfɪə(r)/ n. ⓤ (*astron.*) cromosfera.

chromous /ˈkrəʊməs/ a. (*chim.*) cromoso.

chron. abbr. **1** (**chronicle**) cronaca **2** (**chronological**) cronologico **3** (**chronology**) cronologia.

chronic /ˈkrɒnɪk/ Ⓐ a. **1** (*med.*) cronico: **c. patient**, malato cronico **2** (*fig.*) cronico; radicato: **c. unemployment**, disoccupazione cronica **3** (*fig.*, *di persona*) inguaribile; inveterato; incallito; accanito: **a c. grumbler**, uno che si lamenta sempre; un brontolone inguaribile; **a c. liar**, un inguaribile bugiardo; **a c. smoker**, un fumatore accanito **4**

(*slang GB*) orribile; pessimo; che fa schifo (*fam.*): *The film was c.*, il film faceva schifo Ⓑ n. (*med.*) (malato) cronico ● (*med.*) **c. fatigue syndrome**, sindrome da fatica cronica.

chronically /ˈkrɒnɪklɪ/ avv. **1** in modo cronico: **to be c. ill**, avere una malattia cronica; **the c. sick**, i malati cronici **2** perennemente; costantemente: **c. short of money**, perennemente al verde.

chronicity /krəˈnɪsətɪ/ n. ⓤ cronicità (*d'un male e fig.*).

chronicle /ˈkrɒnɪkl/ n. cronaca (*narrazione storica*); cronistoria.

to **chronicle** /ˈkrɒnɪkl/ v. t. fare la cronaca (o la cronistoria) di (qc.); annotare, narrare (*in ordine cronologico*).

chronicler /ˈkrɒnɪklə(r)/ n. cronista (*scrittore di cronache*).

chronogram /ˈkrɒnəɡræm/ n. cronogramma.

chronograph /ˈkrɒnəɡrɑːf/ n. cronografo ‖ **chronographic** a. cronografico.

chronological, **chronologic** /krɒnəˈlɒdʒɪk(l)/ a. cronologico ‖ **-ly** avv.

chronology /krəˈnɒlədʒɪ/ n. **1** ⓤ (*scienza*) cronologia **2** cronologia; elenco cronologico; tavola cronologica ‖ **chronologist** n. cronologista; cronologo.

chronometer /krəˈnɒmɪtə(r)/ n. cronometro.

chronometry /krəˈnɒmɪtrɪ/ n. ⓤ **1** cronometria **2** (*anche sport*) cronometraggio ‖ **chronometric**, **chronometrical** a. cronometrico.

chronostratigraphy /krɒnəʊstrəˈtɪɡrəfɪ/ n. ⓤ (*geol.*) cronostratigrafia.

chronotherapy /krɒnəʊˈθerəpɪ/ n. ⓤ (*neuropsicologia*) cronoterapia.

chrysalid /ˈkrɪsəlɪd/ → **chrysalis**.

chrysalis /ˈkrɪsəlɪs/ n. (pl. **chrysalises**, **chrisalides**) (*zool.*) crisalide.

chrysanth /krɪˈzænθ/ n. (*fam. GB*) crisantemo.

chrysanthemum /krɪˈsænθəməm/ n. (*bot.*) **1** (*Chrysanthemum*) crisantemo **2** (*Chrysanthemum segetum*) crisantemo delle messi.

chryselephantine /krɪsəlɪˈfæntaɪn/ a. (*arte*) criselefantino.

chrysoberyl /ˈkrɪsəʊberɪl/ n. ⓤ (*miner.*) crisoberillo.

chrysolite /ˈkrɪsəlaɪt/ n. (*miner.*) crisolito.

chrysoprase /ˈkrɪsəpreɪz/ n. (*miner.*) crisoprasio, crisopraso.

chrysotile /ˈkrɪsətaɪl/ n. ⓤⓖ (*miner.*) crisotilo.

chthonic /ˈθɒnɪk/ a. ctonio.

chub /tʃʌb/ n. (pl. **chub**, **chubs**) (*zool.*, *Leuciscus cephalus*) cavedano.

chubby /ˈtʃʌbɪ/ a. paffuto: **a c. little girl**, una ragazzina paffuta; una paffutella ● **c.--cheeked**, dalle guance paffute | **-iness** n. ⓤ.

chuck① /tʃʌk/ n. **1** buffetto; colpetto (*sotto il mento, ecc.*) **2** (*fam. GB*, *antiq.*) – **the c.**, il licenziamento; gli otto giorni: **to give sb. the c.**, dare a uno gli otto giorni; licenziarlo, mandarlo a spasso; **to get the c.**, essere licenziato; essere mandato a spasso.

chuck② /tʃʌk/ n. **1** (*mecc.*) mandrino; morsa; morsetto **2** (*mecc.*) morsa (*morsa di tornio, a tre ganasce*) **3** (*macelleria*) spalla: **c. steak**, bistecca di spalla **4** (*slang*) roba da mangiare ● (*USA*) **c. wagon**, carro delle provviste con fornello (*per lavoratori all'aperto, cowboy, ecc.*).

chuck③ /tʃʌk/ Ⓐ n. **1** il chiocciare, chioccolio (*verso di richiamo, della chioccia*) **2** (*vezzegg. fam.*) pulcino; cocco Ⓑ inter. pio pio (*per chiamare i polli*).

⬩to **chuck**① /tʃʌk/ v. t. **1** buttare; tirare; gettare: *C. me the towel!*, buttami l'asciugamano!; *He chucked the empty bottle into the lake*, gettò la bottiglia vuota nel lago **2** lasciare; piantare; mollare (*fam.*); scaricare (*fam.*): **to c. a job**, lasciare un lavoro; *She was chucked by her boyfriend*, fu piantata dal suo ragazzo **3** dare un buffetto (*sotto il mento*).

■ **chuck about** v. t. + avv. (*fam.; anche* **chuck around**) **1** buttare (o gettare) qua e là **2** scialacquare (*denaro*) □ **to c. one's weight about**, darsi arie da padrone; spadroneggiare; credersi un padreterno.

■ **chuck away** v. t. + avv. (*fam.*) **1** buttare via, gettare via, disfarsi di **2** lasciarsi sfuggire, sprecare (*un'occasione, ecc.*).

■ **chuck down** v. t. + avv. (*fam.*) gettare giù (*dall'alto*) □ **It's chucking it down**, sta diluviando; vien giù a catinelle.

■ **chuck in** v. t. + avv. (*fam.*) **1** gettare dentro; ributtare dentro **2** aggiungere; dare in aggiunta; fare buon peso con **3** abbandonare (*il lavoro, gli studi, ecc.*); piantare (*fam.*); rinunciare a (un tentativo) □ **to c. in one's cards** (**o one's hand**), (*poker*) buttare via le carte; (*fig.*) darsi per vinto, arrendersi, cedere □ **to c. it** (**all**) **in**, mollare tutto; chiudere bottega (*fig.*) □ (*boxe e fig.*) **to c. in the towel**, gettare la spugna ● **C. it in!**, piantala!; smettila!

■ **chuck off** v. t. + avv. (*fam.*) **1** gettare (o buttare) a terra; far cadere **2** liberarsi di; sbarazzarsi di.

■ **chuck out** v. t. + avv. (*fam.*) **1** buttare (o gettare, lanciare) fuori **2** buttare (o gettare) via; disfarsi di **3** buttare fuori; sbattere fuori; cacciare □ (*fam.*) **chucking-out time**, ora di chiusura (*dei pub*).

■ **chuck together** v. t. + avv. **1** ammucchiare alla rinfusa; gettare insieme **2** mettere insieme alla bell'e meglio; abborracciare **3** (*spec. al passivo*) far incontrare: *They were chucked together by the civil war*, fu la guerra civile che li fece incontrare.

■ **chuck up** Ⓐ v. t. + avv. (*fam.*) **1** vomitare; tirar su (*fam.*) **2** lasciare; mollare (*fam.*); piantare (*fam.*): **to c. up one's job**, mollare il lavoro Ⓑ v. i. + avv. (*fam.*) vomitare; dare di stomaco □ **to c. it up**, mollare tutto; chiudere bottega (*fig.*) □ **C. it up!**, piantala!; smettila!

to **chuck**② /tʃʌk/ v. t. (*mecc.*) ammorsare; bloccare (*un pezzo*) nel mandrino.

to **chuck**③ /tʃʌk/ v. i. chiocciare (*della gallina*).

chucker /ˈtʃʌkə(r)/ n. (*fam.*) **1** chi lancia (o getta, ecc.; → **to chuck**①) **2** (*cricket*) lanciatore che effettua un lancio falloso (*spec. raddrizzando il gomito durante il lancio*).

chucker-out /ˈtʃʌkəraʊt/ n. (*fam. GB*) buttafuori (*di locale notturno, ecc.*).

chuckle /ˈtʃʌkl/ n. **1** riso soffocato **2** il chiocciare (*della gallina*).

to **chuckle** /ˈtʃʌkl/ v. t. **1** ridere di soppiatto; ridacchiare: *'At last he began to c. with glee and self-satisfaction'* S. CRANE, 'alla fine cominciò a ridacchiare tutto contento e soddisfatto di sé' **2** chiocciare (*delle galline*) ● **to c. over st.**, esultare tra sé per qc.

chucklehead /ˈtʃʌklhed/ n. (individuo) sciocco, stupido; testone, zuccone (*fam.*) ‖ **chuckleheaded** a. (*fam.*) sciocco; stupido; tonto.

chucklesome /ˈtʃʌklsʌm/ a. che fa ridacchiare; spassoso.

chuddies /ˈtʃʌdɪz/ n. pl. (*fam.*, *GB*) mutande; mutandine.

chuff /tʃʌf/ n. ciuf ciuf, sbuffo (*di locomotiva e sim.*).

to **chuff** /tʃʌf/ v. i. fare ciuf ciuf; sbuffare.

chuffed /tʃʌft/ a. (*slang GB*) arcicontento;

soddisfattissimo; gongolante; goduto.

chug /tʃʌg/ n. piccolo scoppio, scoppiettio (*di motore*).

to **chug** /tʃʌg/ v. i. **1** (*di motore e sim.*) scoppiettare **2** (*seguito da avv. o compl.*) (*di veicolo*) procedere scoppiettando; procedere senza fretta: *The boat was chugging up the river*, la barca risaliva scoppiettando il fiume **3** (*di tubo*) emettere piccole esplosioni **4** (*aeron.*) vibrare (*per combustione irregolare*).

chukka /tʃʌkə/, **chukker** /tʃʌkə(r)/ n. (*polo*) tempo (*di una partita: di 7 minuti e mezzo*).

chum ① /tʃʌm/ n. (*fam. antiq.*) amico; compagno: **school chums**, compagni di scuola.

chum ② /tʃʌm/ n. (*pesca, USA*) pastura.

to **chum** ① /tʃʌm/ v. i. (*fam., antiq.*) – **to c. up with sb.**, fare amicizia con q.; essere amico di q.

to **chum** ② /tʃʌm/ v. i. (*pesca, USA*) pescare usando pastura.

chummy /tʃʌmɪ/ a. (*fam.*) amichevole; cameratesco | **-ily** avv. | **-iness** n. ꢀ.

chump /tʃʌmp/ n. **1** (*macelleria, GB*) taglio alto (*con l'osso*): **c. chop**, braciola **2** (*fam.*) (*individuo*) sciocco, stupido; testone, zuccone (*fam.*) **3** (*fam., GB*) – (solo nelle loc.) **to be off one's c.**, essere via con la testa; essere mezzo matto; **to go off one's c.**, andar via di testa; impazzire.

chunder /tʃʌndə(r)/ n. ꢀ vomito.

to **chunder** /tʃʌndə(r)/ v. i. (*slang*) vomitare.

chunk /tʃʌŋk/ n. (*fam.*) **1** (grosso) pezzo (*di qc.*) **2** (*fam.*) (un) bel pezzo; (una) bella fetta; (una) bella porzione: **to spend quite a c. of one's wages**, spendere un bel po' del salario.

to **chunk** /tʃʌŋk/ v. t. (*USA*) dividere in pezzi.

chunky /tʃʌŋkɪ/ a. (*fam.*) **1** pesante; grosso; spesso: **c. earrings**, orecchini pesanti; **c. yarns**, filati grossi; **a c. sweater**, un maglione pesante **2** (*di persona*) ben piantato; tarchiato **3** (*di cibo*) che contiene pezzi grossi: **c. jam**, marmellata con pezzi di frutta | **-iness** n. ꢀ.

Chunnel /tʃʌnl/ n. ꢀ (contraz. di **Channel** e **tunnel**) (*fam.*) tunnel sotto la Manica.

chunter /tʃʌntə(r)/ n. ꢀ (*slang GB*) ciarle (pl.); ciance (pl.); blablà.

to **chunter** /tʃʌntə(r)/ v. i. (*slang GB*) **1** borbottare **2** brontolare **3** (*seguito da avv. o compl.*) procedere adagio e rumorosamente.

chupatti /tʃəˈpɑːtɪ/ → **chapatti**.

♦**church** /tʃɜːtʃ/ Ａ n. ꢀ **1** chiesa (*edificio e luogo di culto*): **the frescoes in this c.**, gli affreschi di questa chiesa; **to go to c.**, andare in chiesa; (*anche*) essere praticante **2** (*spesso* C.) Chiesa, chiesa (*comunità di cristiani*): **the Orthodox C.**, la Chiesa ortodossa; **the C. of Rome**, la Chiesa di Roma; **the Catholic C.**, la Chiesa cattolica; **the separation of c. and state**, la separazione tra Chiesa e Stato **3** funzione religiosa: *I met her after c.*, la incontrai dopo la funzione Ｂ a. **1** (attr.) di chiesa; della chiesa; ecclesiastico; parrocchiale; clericale; religioso: **the c. bells**, le campane della chiesa; **c. choir**, coro di chiesa; **c. register**, registro parrocchiale; **c. burial**, sepoltura religiosa; **c. party**, partito clericale; **c. property**, beni ecclesiastici; **c. wedding**, matrimonio in chiesa; **matrimonio religioso 2** (pred.) (*antiq.*) anglicano (*di contro a* **chapel**, *«nonconformista»*): *Are they c. or chapel?*, sono anglicani o nonconformisti? ● (*in GB*) **C. Commissioners**, commissari ecclesiastici (*nominati dal Governo, gestiscono le risorse finanziarie della Chiesa anglicana*) □ **C. father**, padre della Chiesa □ (*fam. USA*) **c. key**, apriscatole con la punta a triangolo □ **the C. Mil-**

itant, la Chiesa militante □ **the C. of England** (*o* **English C.**, **Anglican C.**), la Chiesa anglicana ❶ Ｃᴜʟᴛᴜʀᴀ • **Church of England**: *nata nel 1534 con l' →* «*Act of Supremacy*» (*→* **act**)*, la Chiesa anglicana ha mantenuto gran parte delle strutture e della liturgia della tradizione cattolica. Nel corso dei secoli si sono formate due correnti al suo interno: la* **High Church**, *più conservatrice e vicina alla Chiesa cattolica, e la* **Low Church***, più rigorosamente protestante* □ (*relig.*) **the C. of Scotland**, la Chiesa di Scozia ❶ Ｃᴜʟᴛᴜʀᴀ • **Church of Scotland**: *è la chiesa ufficiale scozzese, a organizzazione presbiteriana; secondo il Trattato di unione tra Scozia e Inghilterra del 1707 è indipendente dallo Stato e quindi anche dalla Chiesa anglicana. È chiamata anche* **the Kirk** □ **c. planting**, fondazione di nuove chiese □ **c. school**, scuola religiosa □ **c. service**, servizio divino; funzione religiosa □ (*ling.*) **C. Slavonic**, slavo ecclesiastico □ **c. square**, sagrato □ **the C. Triumphant**, la Chiesa trionfante □ **as poor as a c. mouse**, povero in canna □ **to go into the C.** (*o* **to enter the C.**), prendere gli ordini; farsi prete □ **to be received into the Catholic C.**, convertirsi al cattolicesimo.

churchgoer /tʃɜːtʃɡəʊə(r)/ n. chi va in chiesa; osservante; praticante || **churchgoing** n. ꢀ l'andare in chiesa; l'essere praticante.

Churchillian /tʃɜːˈtʃɪlɪən/ a. churchilliano.

churchman /tʃɜːtʃmən/ n. (pl. **churchmen**) **1** ecclesiastico; uomo di chiesa **2** appartenente a una chiesa (*spec. alla chiesa anglicana*) || **churchmanship** n. ꢀ appartenenza a una chiesa.

churchwarden /tʃɜːtʃˈwɔːdn/ n. **1** (*Chiesa anglicana*) coadiutore laico (*scelto dal parroco o eletto dai fedeli; ogni parrocchia ne ha due*); sagrestano **2** (*Chiesa episcopale*) amministratore laico (*di una parrocchia*); fabbriciere **3** (*fam., GB*) lunga pipa di terracotta.

churchwoman /tʃɜːtʃˈwʊmən/ n. (pl. **churchwomen**) **1** donna appartenente a una chiesa **2** religiosa; donna di chiesa.

churchy /tʃɜːtʃɪ/ a. **1** (*spreg.*) bigotto **2** di chiesa; da chiesa.

churchyard /tʃɜːtʃjɑːd/ n. cimitero, camposanto (*presso una chiesa*).

churl /tʃɜːl/ n. **1** individuo rozzo e volgare; villano; zotico **2** (*arc.*) avaro **3** (*arc.*) contadino; villano.

churlish /tʃɜːlɪʃ/ a. villano; zotico; volgare | **-ly** avv. | **-ness** n. ꢀ.

churn /tʃɜːn/ n. **1** zangola **2** bidone del latte ● **c. dasher** (*o* **c. staff**), paletta della zangola □ (*mecc.*) **c. drill**, sonda a percussione □ **c. milk**, latticello; siero del latte □ (*econ., market.*) **c. rate**, tasso di abbandono (*dei clienti di un'azienda*).

to **churn** /tʃɜːn/ Ａ v. t. **1** agitare, sbattere (*latte o panna*) in una zangola **2** fare (*il burro*) **3** → **to churn up** Ｂ v. i. **1** fare il burro con la zangola **2** (*delle acque, del mare, ecc.*) agitarsi; ribollire; spumeggiare **3** (*dello stomaco, ecc.*) torcersi (*per la paura, ecc.*) **4** (*di idee, ecc.*) frullare (*per la testa*).

■ **churn out** v. t. + avv. sfornare (*romanzi, idee, ecc.*); produrre a getto continuo, in quantità.

■ **churn up** v. t. + avv. **1** agitare, far ribollire, far spumeggiare (*acqua, ecc.*): *The propeller churned up the water*, l'elica faceva ribollire l'acqua **2** smuovere, sommuovere, sconvolgere (*terreno, ecc.*).

churner /tʃɜːnə(r)/ n. zangolatore.

churning /tʃɜːnɪŋ/ n. ꢀ **1** il fare il burro con la zangola; zangolatura **2** quantità di burro fatta in una volta **3** (*fig.*) forte agitazione; ribollimento (*anche fig.*) **4** (*Borsa*) animazione provocata da speculatori: **c. of**

portfolios, serie di operazioni fittizie.

churr, to churr /tʃɜː(r)/ → **chirr**, to chirr.

chute ① /ʃuːt/ n. **1** cascata (*d'acqua*); rapida **2** (*idrologia*) taglio del meandro **3** scivolo; piano inclinato: **a coal c.**, uno scivolo per il carbone **4** telone a scivolo (*dei pompieri*) **5** (*ind. min.*) fornello di getto **6** (*sport*) pista inclinata ● **c. spillway**, sfioratore a scivolo □ (*USA*) **chutes and ladders**, gioco simile al gioco dell'oca (*gli scivoli fanno indietreggiare, le scale avanzare*).

chute ② /ʃuːt/ n. (*fam.*, abbr. di **parachute**) paracadute.

chutney /tʃʌtnɪ/ n. ꢀ chutney (*salsa indiana a base di frutta o verdura e spezie*).

chutzpah /hʊtspə/ (*yiddish*) n. ꢀ (*fam. USA*) faccia tosta.

chyle /kaɪl/ (*fisiol.*) n. ꢀ chilo.

chyme /kaɪm/ n. ꢀ (*fisiol.*) chimo.

chymosin /kaɪməsɪn/ n. ꢀ (*biochim.*) chimosina.

chytridiomycosis /kɪtrɪdɪəʊmaɪˈkəʊsɪs/ n. ꢀ (*zool., biol.*) chitridiomicosi.

CI sigla (*geogr.*, **Channel Islands**) Isole normanne; Isole della Manica.

CIA sigla (*mil., USA*, **Central Intelligence Agency**) Agenzia centrale per le informazioni; CIA.

ciabatta /tʃəˈbætə/ (*ital.*, = **c. bread**) n. ꢀ ciabatta (*forma di pane*).

ciao /tʃaʊ/ (*ital.*) inter. ciao.

ciborium /sɪˈbɔːrɪəm/ n. (pl. **ciboria**, **ciboriums**) **1** (*archit.*) ciborio **2** (*relig.*) ciborio; tabernacolo **3** (*relig.*) ciborio; pisside.

cicada /sɪˈkɑːdə/ n. (pl. **cicadas**, **cicadae**) (*zool., Cicada*) cicala.

cicatrice /sɪkətrɪs/ → **cicatrix**.

cicatrix /sɪkətrɪks/ (*med.*) n. (pl. **cicatrices**, **cicatrixes**) cicatrice || **cicatricial** a. cicatriziale.

to **cicatrize** /sɪkətraɪz/ (*med.*) v. t. e i. cicatrizzare, cicatrizzarsi || **cicatrization** n. ꢀ cicatrizzazione.

cicely /sɪsəlɪ/ n. (*bot.*, Myrrhis odorata; = **sweet c.**) finocchiella.

Cicely /sɪsəlɪ/ n. Cecilia.

Cicero /sɪsərəʊ/ n. (*stor. romana*) Cicerone.

cicerone /tʃɪtʃəˈrəʊnɪ/ (*ital.*) n. (pl. **cicerones**, **ciceroni**) cicerone; guida turistica.

Ciceronian /sɪsəˈrəʊnɪən/ Ａ a. ciceroniano Ｂ n. studioso di Cicerone.

CID sigla (*polizia, GB*, **Criminal Investigation Department**) Divisione investigazioni criminali (*polizia giudiziaria*).

cider /saɪdə(r)/ n. ꢀ **1** (*GB*) sidro **2** (*USA*, = **apple c.**) succo di mele ● **c. apple**, mela da sidro □ **c.-press**, pressa da mele (*per fare il sidro*) □ **c. vinegar**, aceto di sidro □ (*USA*) **hard c.**, sidro (*succo fermentato*) □ (*USA*) **sweet c.**, sidro; mele non fermentato.

CIF, **c.i.f.** sigla (*comm.*, **cost, insurance, freight**) costo, assicurazione e nolo.

cig /sɪg/ n. (abbr. *fam.* di **cigarette**) sigaretta.

cigar /sɪˈɡɑː(r)/ n. sigaro ● **c. case**, portasigari □ **c. cutter**, tagliasigari □ **c. end**, mozzicone di sigaro; cicca (*fam.*) □ **c. holder**, bocchino (*per sigaro*) □ **c. maker**, sigaraio □ **c.-shaped**, a forma di sigaro □ (*slang USA*) **Give the man a c.!**, la risposta è esatta!; centro!

♦**cigarette** /sɪɡəˈret/ n. sigaretta: *Before I forget, I'll have twenty cigarettes as well please*, prima che mi dimentichi, mi dà anche un pacchetto di sigarette, per favore? ● **c. case**, portasigarette □ **c. end** (*o* **stub**, **butt**), mozzicone di sigaretta; cicca (*fam.*) □ **c. girl**, sigaraia □ **c. holder**, bocchino (*per sigarette*) □ **c. lighter**, accendisigari; accendino □ **c. machine**, distributore automatico di

sigarette ● **c. paper**, cartina per sigarette.

cigarillo /ˌsɪgə'rɪləʊ/ n. (pl. **cigarillos**) sigaretto.

ciggy /'sɪgɪ/ n. (*fam. GB*) sigaretta.

cilantro /sɪ'læntrəʊ/ n. ⓤ (*alim.*) (foglie di) coriandolo.

cilia /'sɪlɪə/ n. pl. **1** (*anat.*) ciglia (*degli occhi*) **2** (*bot., zool.*) ciglia (*vibratili*).

ciliary /'sɪlɪərɪ/ a. (*bot., zool.*) ciliare.

ciliate /'sɪlɪeɪt/ (*bot., zool.*) Ⓐ n. ciliato Ⓑ a. ciliato, cigliato.

ciliated /'sɪlɪeɪtɪd/ a. → **ciliate, B**.

cilice /'sɪlɪs/ n. (*un tempo*) cilicio.

cilium /'sɪlɪəm/ n. (pl. **cilia**) (*biol., anat.*) ciglio.

cimbalom /'sɪmbələm/, **cimbalon** /'sɪmbələn/ n. (*mus.*) cimbalom.

Cimbrian /'sɪmbrɪən/ a. e n. (*geogr., stor.*) cimbro.

Cimmerian /sɪ'mɪərɪən/ n. e a. cimmerio.

C-in-C sigla (*mil.*, **commander in chief**) comandante in capo; comandante supremo.

cinch /sɪntʃ/ n. **1** (*fam.*) cosa sicura; certezza assoluta: *It's a c. he will win*, è sicuro che vincerà **2** (*fam.*) cosa facile; inezia; passeggiata (*fig. fam.*): *Can I? It's a c.!*, se ci riesco? per me è una passeggiata! **3** (*USA*) sottopancia (*per cavallo da sella*).

to **cinch** /sɪntʃ/ v. t. **1** (*USA*) stringere il sottopancia a (*un cavallo*) **2** (*slang*) sigillare, assicurare (*la vittoria, ecc.*).

cinchona /sɪŋ'kəʊnə/ n. ⓤ (*farm.*, = **c. bark**) corteccia di china.

cinchonine /'sɪŋkənaɪn/ n. ⓤ (*chim.*) cinconina.

cincture /'sɪŋktʃə(r)/ n. (*lett.*) **1** recinzione; cinta (*di mura*) **2** (*relig.*) cintura **3** (*archit.*) filetto; listello.

to **cincture** /'sɪŋktʃə(r)/ v. t. cingere; attorniare.

cinder /'sɪndə(r)/ n. **1** carbone, pezzetto di carbone (*che brucia senza fiamma*) **2** (al pl.) carbonella; brace, braci; cenere **3** (*geol.*) cenere vulcanica; scoria vulcanica **4** (*metall.*) scoria ● (*edil., USA*) **c. block**, blocco di calcestruzzo di scorie □ (*geol.*) **c. cone**, cono di cenere vulcanica □ (*edil.*) **c. concrete**, calcestruzzo di scorie □ (*sport*) **c. path** (*o* **c. track**), pista di cenere □ **burnt to a c.**, ridotto in cenere; carbonizzato ‖ **cindery** a. simile a (*o che contiene*) scorie (*o* cenere).

Cinderella /sɪndə'relə/ n. (*anche fig.*) Cenerentola.

cineaste /'sɪnɪæst/ n. cinefilo; cineamatore.

cine camera /'sɪnɪkæmərə/ loc. n. cinecamera; cinepresa; macchina da presa.

cine film /'sɪnɪfɪlm/ loc. n. pellicola per riprese cinematografiche.

♦**cinema** /'sɪnəmə/ n. ⓤⓒ cinematografo; cinema (*l'industria e il locale*) ● **c.-goer**, frequentatore abituale dei cinematografi; appassionato di cinema: *I go to the c. quite a lot*, vado molto spesso al cinema.

Cinemascope® /'sɪnəməskəʊp/ n. ⓤ cinemascope.

cinematheque /'sɪnəmətɛk/ n. cineteca.

cinematic /sɪnɪ'mætɪk/ a. cinematografico; del cinema.

cinematograph /sɪnɪ'mætəgrɑːf/ n. (*stor.*) proiettore cinematografico.

cinematographer /sɪnɪmə'tɒgrəfə(r)/ n. direttore della fotografia.

cinematography /sɪnəmə'tɒgrəfɪ/ n. ⓤ cinematografia; fotografia cinematografica ‖ **cinematographic** a. cinematografico ‖ **cinematographically** avv. cinematograficamente.

cinéma-vérité /sɪnəmɑː 'verɪteɪ/ (*franc.*) n. ⓤ cinema-verità.

cinephile /'sɪnəfaɪl/ n. cineamatore; cinefilo.

cineplex /'sɪnɪplæks/ n. (cinema) multisala.

cine-projector /sɪnɪprə'dʒektə(r)/ n. proiettore cinematografico; cineproiettore.

Cinerama® /sɪnɪ'rɑːmə/ n. ⓤ cinerama.

cineraria /sɪnə'reərɪə/ n. (*bot.*, *Senecio cruentus*) cineraria.

cinerarium /sɪnə'reərɪəm/ n. (pl. **cineraria**) urna cineraria.

cinerary /'sɪnərərɪ/ a. cinerario: **c. urn**, urna cineraria.

cinereous /sɪ'nɪərɪəs/ a. cinereo.

Cingalese /sɪŋgə'liːz/ → **Sinhalese**.

cingulum /'sɪŋgjələm/ n. (pl. **cingula**) (*anat.*) cingolo.

cinnabar /'sɪnəbɑː(r)/ n. ⓤ **1** (*miner.*) cinabro **2** (*pitt.*) cinabro; vermiglione.

cinnamic /sɪ'næmɪk/ a. (*chim.*) cinnamico.

cinnamon /'sɪnəmən/ Ⓐ n. (*bot.*) **1** (*Cinnamomum*) cinnamomo **2** (*Cinnamomum zeylanicum*) cannella **3** ⓤ (= **c. bark**) cannella Ⓑ a. **1** color giallo-bruno (*o* cannella) **2** (*alim.*) alla cannella; con cannella ● (*zool.*) **c. bear**, orso bruno.

cinque /sɪŋk/ n. (il) cinque (*delle carte o dei dadi*).

cinquecento /tʃɪŋkwɪ'tʃentəʊ/ (*ital.*) n. ⓤ (il) Cinquecento (*il secolo e lo stile*).

cinquefoil /'sɪŋkfɔɪl/ n. **1** (*bot.*, *Potentilla reptans*) pentafillo; potentilla **2** (*archit.*) pentalobo; cinquefoglie **3** (*arald.*) cinquefoglie.

Cinque Ports /'sɪŋk'pɔːts/ n. pl. (*stor.*, in *GB*) (i) Cinque porti (confederazione delle cinque antiche città portuali di Dover, Hastings, Hythe, Romney e Sandwich nell'Inghilterra sudorientale, cui poi si aggiunsero Winchester e Rye) ❶ CULTURA • **Cinque Ports**: in passato questa confederazione, nata in epoca medievale e presieduta da un *Lord Warden and Admiral of the Cinque Ports* di nomina regia, forniva navi alla Corona in cambio di diversi privilegi commerciali e amministrativi; oggi mantiene alcune prerogative in materia di salvataggio e altri diritti marittimi.

CIO sigla (*org. az.*, **Chief Information Officer**) direttore informatico; Chief Information Officer.

cipher /'saɪfə(r)/ n. **1** ⓒⓤ cifra (*segno convenzionale*); scrittura in cifra (*o* cifrata) **2** (*mat., antiq.*) zero; (*fig.*) persona di nessun conto; nullità **3** cifrario **4** monogramma; (lettere) iniziali intrecciate ● **c. code**, cifrario □ **c. key**, chiave di cifra; cifrario □ **c. language**, linguaggio cifrato □ **c. machine**, congegno usato per decifrare testi in cifra; decifratore (*macchina*).

to **cipher** /'saɪfə(r)/ Ⓐ v. i. scrivere in cifra Ⓑ v. t. **1** cifrare, trascrivere in cifra (*un messaggio, ecc.*) **2** (*USA*) decifrare.

cipolin /'sɪpəlɪn/ n. cipollino (*marmo a righe verdi e bianche*).

circ. abbr. **1** (**circular**) circolare **2** (**circumference**) circonferenza.

circa /'sɜːkə/ (*lat.*) prep. (abbr. **c.**) circa; intorno a: *He died c. 1050*, morì intorno al 1050.

circadian /sɜː'keɪdɪən/ a. (*biol.*) circadiano; circadiale.

Circassian /sɜː'kæsɪən/ a. e n. circasso.

Circe /'sɜːsɪ/ n. **1** (*mitol.*) Circe **2** (*fig.*) ammaliatrice.

circinate /'sɜːsɪnət/ a. (*bot.*) circinato.

♦**circle** /'sɜːkl/ n. **1** (*geom.*) cerchio; circonferenza; circolo **2** cerchio: **to form a c.**, formare un cerchio; (*di persone*) fare cerchio; **to sit in a c.**, sedere in cerchio; *The boat described a c.*, la barca descrisse un cerchio; **widening circles**, cerchi sempre più ampi **3** (*geogr.*) circolo: *the Arctic C.*, il circolo polare artico **4** (*astron.*) cerchio; orbita **5** galleria (*di teatro*): **dress c.**, prima galleria; **upper c.**, seconda galleria **6** ambiente; cerchia; circolo: **a c. of friends**, una cerchia di amici; **artistic circles**, ambienti artistici; il mondo dell'arte; **high circles**, ambienti aristocratici; (*polit.*) **inner c.**, cerchia ristretta (*di chi detiene il potere*); *We move in different circles*, frequentiamo ambienti diversi **7** ciclo: **the c. of the seasons**, il ciclo delle stagioni **8** (*archeol.*) circolo di pietre monumentali **9** (*trasp.*, = **c. line**) linea (*o* strada) circolare **10** (*sport: nei lanci*) pedana circolare; (*hockey*, = **striking c.**) cerchio di tiro ● **to come full c.**, fare il giro completo; chiudere il cerchio: *'The wheel is come full c.'* W. SHAKESPEARE, 'la ruota ha compiuto il suo giro' □ **family c.**, ambito familiare; (*teatr.*) seconda galleria □ (*geom.*) **great c.**, cerchio massimo □ **to go round in circles**, girare in tondo; (*fig.*) girare a vuoto □ **to have circles under one's eyes**, avere gli occhi cerchiati (*fam.*) □ **to run circles round sb.**, essere di gran lunga superiore a q.; dare dei punti a q. □ (*fam.*) **to run in circles**, agitarsi senza costrutto □ (*anche fig.*) **to square the c.**, trovare la quadratura del cerchio.

to **circle** /'sɜːkl/ Ⓐ v. t. **1** girare intorno a; fare il giro di; circumnavigare (*naut.*): *The earth circles the sun*, la terra gira intorno al sole; *Magellan circled the earth*, Magellano circumnavigò la terra **2** (spec. al passivo) circondare; cingere; racchiudere **3** (*mil.*) accerchiare, aggirare (*il nemico*) **4** cerchiare; fare un cerchio intorno a (*un nome, ecc.*) **5** (*ginnastica*) circondurre (*le braccia*) Ⓑ v. i. **1** muoversi in cerchio; girare in tondo **2** volteggiare: *The aeroplane was circling* (*around*) *above us*, l'aeroplano volteggiava sopra di noi ● **to c. back**, tornare al punto di partenza descrivendo un cerchio □ (*ginnastica*) **to c. the bar**, fare la grande volta □ (*fam. USA*) **to c. the wagons**, fare quadrato.

circlet /'sɜːklət/ n. cerchietto (*ornamentale, per il capo*).

circs /sɜːks/ n. pl. (abbr. *fam.* di **circumstances**) circostanze.

♦**circuit** /'sɜːkɪt/ n. **1** circuito; giro perimetrale; cinta (*di mura*): **external c.**, circuito esterno; **hydraulic c.**, circuito idraulico **2** (*sport, GB*) circuito; pista **3** giro (*anche di lavoro, d'ispezione, ecc.*): (*sport*) **a c. of the track**, un giro di pista; *We did* (*o* made) *a complete c. of the lake*, facemmo il giro completo del lago; *The captain made a c. of the trenches*, il capitano fece un giro d'ispezione delle trincee **4** (*teatr.*) (luoghi visitati in una) tournée regolare; giro: **the night-club c.**, il giro dei night-club; *They were doing the provincial theatre c.*, erano in tournée nei teatri di provincia **5** serie di eventi simili: **the best films from the international festival c.**, i migliori film presentati ai vari festival cinematografici internazionali **6** (*sport*) serie fissa di eventi, di incontri; circuito: **the F1 c.**, il campionato di Formula 1; il circuito di Formula 1; *the tennis c.*, il tennis professionistico; il circuito tennistico **7** itinerario fisso (*di un conferenziere, ecc.*); giro: *He decided to hit the lecture c.*, decise di fare il conferenziere itinerante **8** (*comm.*) catena (*di teatri, cinema, ecc.*) **9** (*leg.*, in Inghil. e nel Galles) giro (*di un giudice*) in un circuito giudiziario **10** (*leg.*, in Inghil. e nel Galles) circuito giudiziario **11** (*elettr.*) circuito; (*elettr.*) **integrated c.**, circuito integrato **12** (*astron.*) rivoluzione; orbita ● (*elettr.*) **c. board**, circuito stampato □ (*elettr.*) **c. breaker**, interruttore automatico □ (*leg.*) **c. court**, corte di un circuito giudiziario □ (*elettr., radio, TV*) **c. diagram**, schema circuitale; schema elettrico □ (*leg.*) **c. judge**, giudice itinerante □ (*elettr.*) **c. switching**, commutazione di circuito □

(*sport*) **c. training**, allenamento a circuito; esercizi (pl.) a circuito □ (*elettr.*) **short c.**, corto circuito.

circuitous /sɜːˈkjuːɪtəs/ a. **1** non in linea retta; indiretto; tortuoso; che fa un lungo giro: *We got there by a c. route*, arrivammo là facendo un lungo giro **2** (*fig.*) tortuoso; preso alla larga: **a c. line of reasoning**, un ragionamento tortuoso || **circuitously** avv. in modo indiretto; tortuosamente; facendo un lungo giro || **circuitousness, circuity** n. ⓤ tortuosità; l'essere indiretto.

circuitry /ˈsɜːkɪtrɪ/ n. ⓤ (*elettr., elettron.*) **1** circuiteria; collegamenti (pl.) elettrici **2** schema di un circuito.

circular /ˈsɜːkjʊlə(r)/ 🅐 a. **1** circolare: **a c. orbit**, un'orbita circolare; **a c. letter**, una (lettera) circolare; (*banca*) **c. letter of credit**, lettera di credito circolare; **a c. ticket**, un biglietto (ferroviario) circolare; **a c. note**, una lettera circolare di credito (*simile al travellers'cheque*); **a c. saw**, una sega circolare; **a c. tour** (*o* **trip**), un viaggio circolare **2** indiretto; tortuoso; vizioso: **a c. argument**, un argomento vizioso 🅑 n. **1** (*autom.*) circonvallazione; raccordo anulare **2** circolare (*pubblicitaria, ecc.*) ● **c. bus line**, circolare (*d'autobus*): **inner [outer] c. bus line**, circolare interna [esterna] □ (*sport: autom.*) **c. course**, circuito chiuso □ (*fam. USA*) **c. file**, il cestino della carta straccia □ (*mat.*) **c. function**, funzione periodica □ (*autom.*) **c. road**, raccordo anulare ● **c. staircase**, scala a chiocciola.

circularity /sɜːkjʊˈlærətɪ/ n. ⓤ **1** l'essere circolare; forma circolare **2** (*stat.*) circolarità.

to **circularize** /ˈsɜːkjʊləraɪz/ v. t. **1** rendere circolare: (*di un'astronave, ecc.*) **to c. one's orbit**, rendere circolare la propria orbita **2** (*comm.*) mandare circolari a (q.).

to **circulate** /ˈsɜːkjʊleɪt/ 🅐 v. i. **1** (*fisiol., fin., ecc.*) circolare **2** diffondersi; divulgarsi: *The news of his arrival soon circulated through the town*, la notizia del suo arrivo si diffuse subito per la città **3** (*fam.*) girare (*di una persona, della terra, ecc.*) **4** (*comm., USA*) spedire circolari 🅑 v. t. far circolare; mettere in circolazione; diffondere: *Never c. gossip!*, non diffondere mai pettegolezzi!

circulating /ˈsɜːkjʊleɪtɪŋ/ 🅐 a. circolante: **c. library**, biblioteca circolante 🅑 n. ⓤ circolazione ● (*fin.*) **c. assets**, attività correnti □ **c. capital**, (*fin.*) capitale circolante; (*rag.*) capitale d'esercizio □ (*mat.*) **c. decimal**, numero periodico □ (*fin.*) **the c. medium**, il circolante □ (*mecc.*) **c. pump**, pompa di circolazione (*dell'acqua*).

circulation /sɜːkjʊˈleɪʃn/ n. ⓤ **1** circolazione (*in ogni senso*): (*econ.*) **the c. of money**, la circolazione monetaria; **to take out of c.**, togliere dalla circolazione **2** diffusione, divulgazione (*di notizie, ecc.*) **3** diffusione (*spec. di un giornale*): *This newspaper has a c. of about six hundred thousand*, questo giornale ha una diffusione di circa seicentomila copie **4** (*idrologia*) portata **5** (*mat.*) circuitazione ● (*fam.: di una persona*) **to be back in c.**, essere di nuovo in circolazione.

circulator /ˈsɜːkjʊleɪtə(r)/ n. **1** chi mette in circolazione monete, diffonde notizie, ecc. (→ **to circulate**) **2** (*mat.*) funzione periodica.

circulatory /ˈsɜːkjʊlətrɪ/ a. (*scient.*) circolatorio: (*med.*) **c. failure**, collasso circolatorio.

circumambient /sɜːkəmˈæmbɪənt/ a. circostante.

to **circumambulate** /sɜːkəmˈæmbjʊleɪt/ (*lett. o scherz.*) v. t. e i. **1** girare attorno (a) **2** (*fig.*) menar il can per l'aia; tergiversare || **circumambulation** n. ⓤ **1** il girare attorno **2** (*fig.*) tergiversazione || **cir-**

cumambulatory a. indiretto; tortuoso; (*fig.*) che tergiversa.

circumcentre, (*USA*) **circumcenter** /ˈsɜːkəmsentə(r)/ n. (*geom.*) circocentro.

circumcircle /ˈsɜːkəmsɜːkl/ n. (*geom.*) circonferenza circoscritta.

to **circumcise** /ˈsɜːkəmsaɪz/ v. t. circoncidere ❶ **Nota**: *-ise o -ize?* → **-ise**.

circumcision /sɜːkəmˈsɪʒn/ n. ⓤⓒ circoncisione.

circumference /səˈkʌmfərəns/ (*geom.*) n. circonferenza || **circumferential** a. della circonferenza.

circumflex /ˈsɜːkəmfleks/ 🅐 n. accento circonflesso 🅑 a. circonflesso: **c. accent**, accento circonflesso; (*anat.*) **c. nerve**, nervo circonflesso; nervo ascellare.

to **circumflex** /ˈsɜːkəmfleks/ v. t. circonflettere; munire di accento circonflesso.

to **circumfuse** /sɜːkəmˈfjuːz/ v. t. **1** (*raro*) spargere (*o* versare) intorno **2** (*fig.*) confondere: **circumfused with light**, confuso di luce.

circumlocution /sɜːkəmləˈkjuːʃn/ n. ⓤⓒ circonlocuzione || **circumlocutory** a. circonlocutorio; perifrastico.

circumlunar /sɜːkəmˈluːnə(r)/ a. (*astron., miss.*) circumlunare.

to **circumnavigate** /sɜːkəmˈnævɪgeɪt/ v. t. circumnavigare || **circumnavigation** n. ⓤ circumnavigazione || **circumnavigator** n. circumnavigatore.

circumpolar /sɜːkəmˈpəʊlə(r)/ a. (*astron.*) circumpolare.

to **circumscribe** /ˈsɜːkəmskraɪb/ v. t. **1** (*anche geom.*) circoscrivere **2** incidere (*l'orlo d'una moneta*) **3** limitare; restringere.

circumscription /sɜːkəmˈskrɪpʃn/ n. **1** circoscrizione; territorio circoscritto **2** iscrizione (*sull'orlo di una moneta*) **3** ⓤ limitazione; restrizione.

circumsolar /sɜːkəmˈsəʊlə(r)/ a. (*astron.*) circumsolare.

circumspect /ˈsɜːkəmspekt/ a. circospetto; cauto; guardingo | **-ly** avv.

circumspection /sɜːkəmˈspekʃn/ n. ⓤ circospezione; cautela.

◆**circumstance** /ˈsɜːkəmstəns/ n. **1** (di solito al pl.) circostanza; occasione; caso; evento: **favourable [adverse] circumstances**, circostanze favorevoli [avverse]; **a set of circumstances**, un insieme di circostanze; **due to unforeseen circumstances**, a causa di circostanze imprevedibili; **in** (*o* under) **the circumstances**, date le circostanze; **in** (*o* under) **any c.**, in qualunque circostanza (o caso); **in** (*o* under) **no circumstances**, in nessuna occasione; in nessun caso **2** (al pl.) condizioni finanziarie: **in bad** (*o* reduced, straitened) **circumstances**, in cattive condizioni finanziarie; in ristrettezze ● **circumstances beyond our control**, cause di forza maggiore ● **through force of c.**, spinto dalla necessità.

circumstantial /sɜːkəmˈstænʃl/ a. **1** circostanziale **2** circostanziato; particolareggiato: **a c. report**, un rapporto circostanziato **3** (*leg.*) indiziario: **c. evidence**, prove indiziarie **4** secondario; accidentale | **-ly** avv.

circumstantiality /sɜːkəmstænʃɪˈælɪtɪ/ n. ⓤ **1** l'essere circostanziato (o particolareggiato); ricchezza di particolari **2** l'essere accidentale.

to **circumstantiate** /sɜːkəmˈstænʃɪeɪt/ v. t. circostanziare; dettagliare.

to **circumvallate** /sɜːkəmˈvæleɪt/ (*mil.*) v. t. cingere di mura; circonvallare || **circumvallation** n. cerchia di mura; circonvallazione.

to **circumvent** /sɜːkəmˈvent/ v. t. **1** circonvenire; circuire; insidiare; raggirare **2** aver la meglio su (q.); intrappolare **3** fru-

strare (*speranze*); aggirare, eludere (*la legge*): **to c. US attempts to restrict the spread of atomic weapons**, frustrare i tentativi americani di limitare la diffusione delle armi atomiche.

circumvention /sɜːkəmˈvenʃn/ n. ⓤ circonvenzione; il circuire; l'essere circuito; raggiro.

circumvolution /sɜːkəmvəˈluːʃn/ n. circonvoluzione; avvolgimento.

circus /ˈsɜːkəs/ n. **1** circo (equestre) **2** (*stor.*) circo; arena **3** (*fam., di gruppo di persone*) banda; carrozzone (*fig.*) **4** (*fam.*) baraonda, caos **5** (*nei nomi di luogo, GB*) piazza più o meno rotonda nella quale confluiscono più strade (*per es.*: **Piccadilly C.**, *a Londra*) **6** (*geogr.*) cerchio, anfiteatro (*di monti, colline*).

cire perdue /sɛr pɛrˈduː/ loc. n. ⓤ (*scult.*) (tecnica della) cera persa; fusione a cera persa.

cirque /sɜːk/ n. (*geogr.*) circo glaciale.

cirrhosis /səˈrəʊsɪs/ (*med.*) n. cirrosi: **c. of the liver**, cirrosi epatica || **cirrhotic**. a. e n. cirrotico.

cirriped, cirripede /ˈsɪrɪped/ n. (*zool.*) cirripede.

cirrocumulus /sɪrəʊˈkjuːmjʊləs/ n. ⓒ (pl. **cirrocumuli**) (*meteor.*) cirrocumulo.

cirrostratus /sɪrəʊˈstrætəs/ n. ⓒ (pl. **cirrostrati**) (*meteor.*) cirrostrato.

cirrus /ˈsɪrəs/ n. ⓒ (pl. **cirri**) (*meteor., biol.*) cirro.

CIS sigla (**Commonwealth of Independent States**) Comunità degli Stati indipendenti (CSI).

cisalpine /sɪsˈælpaɪn/ a. cisalpino.

cislunar /sɪsˈluːnə(r)/ a. (*astron., miss.*) cislunare.

cismontane /sɪsˈmɒnteɪn/ a. cismontano.

cispadane /ˈsɪspədeɪn/ a. cispadano.

cissy /ˈsɪsɪ/ → **sissy**.

cist /sɪst/ n. (*archeol.*) **1** cista **2** tomba preistorica (*di pietra*).

Cistercian /sɪsˈtɜːʃn/ a. e n. (monaco) cistercense.

cistern /ˈsɪstən/ n. **1** cisterna; serbatoio d'acqua **2** cassetta, vaschetta (*di sciacquone*) **3** vaschetta (*di barometro*).

cistus /ˈsɪstəs/ n. (*bot., Cistus*) cisto.

cit. abbr. **1** (**citation**) citazione **2** (**cited**) citato **3** (**citizen**) cittadino.

citable /ˈsaɪtəbl/ a. **1** citabile **2** encomiabile.

citadel /ˈsɪtədəl/ n. cittadella; fortezza; roccaforte (*anche fig.*).

citation /saɪˈteɪʃn/ n. **1** ⓒ citazione; menzione; riferimento **2** (*mil.*) citazione; encomio **3** motivazione (*di un premio*) **4** (*leg. USA*) citazione in giudizio; mandato di comparizione.

◆to **cite** /saɪt/ v. t. **1** citare; menzionare **2** addurre **3** (*mil.*) citare; encomiare **4** (*leg.*) citare; convocare.

CITES /ˈsaɪtiːz/ sigla (**Convention on International Trade in Endangered Species**) Convenzione sul commercio internazionale delle specie in via di estinzione.

cither /ˈsɪθə(r)/, **cithern** /ˈsɪθən/ → **cittern**.

citified /ˈsɪtɪfaɪd/ a. (*spesso spreg.*) di città; da cittadino; alla cittadina; sofisticato.

◆**citizen** /ˈsɪtɪzn/ n. **1** (*leg.*) cittadino: **a French c.**, un cittadino francese **2** abitante (*di una data città*) ● (*in GB*) **Citizens' Advice Bureau**, Ufficio di informazioni civiche; Servizio civico di consulenza sociale e legale □ (*leg.*) **c.'s arrest**, arresto eseguito da un privato cittadino (*ammesso dalla legge in GB e USA, in alcune circostanze*) □ (*radio*) **citizens'**

band, banda cittadina □ (*giorn.*) **c. journalism**, giornalismo partecipativo □ **c. of the world**, cittadino del mondo; cosmopolita □ **fellow c.**, concittadino ∥ **citizenhood** n. ⊍ (*lett.*) cittadinanza ∥ **citizenry** n. ⊍ cittadinanza (*il complesso dei cittadini*) ∥ **citizenship** n. ⊍ cittadinanza (*l'esser cittadino*) ● **good citizenship**, civismo.

citric /ˈsɪtrɪk/ (*chim.*) **a.** citrico: **c. acid**, acido citrico ∥ **citrate** n. citrato.

citriculture /ˈsɪtrɪkʌltʃə(r)/ n. ⊍ (*agric.*) coltivazione di agrumi.

citrin /ˈsɪtrɪn/ n. ⊍ (*biol.*) citrina; vitamina P.

citrine /sɪˈtriːn/ **A** a. citrino; (*color*) giallo verdastro **B** n. ⊍ (*miner.*) (*quarzo*) citrino.

citron /ˈsɪtrən/ **A** n. **1** (*bot.*, *Citrus medica*) cedro **2** scorza di cedro candita **B** a. e n. ⊍ (*color*) citrino; (*color*) giallo verdastro.

citronella /sɪtrəˈnɛlə/ n. **1** ⊍ olio essenziale (*o essenza*) di citronella **2** (*bot.*, *Cymbopogon nardus*) citronella; nardo.

citrus /ˈsɪtrəs/ n. (pl. *citruses*, *citrus*) agrume ● **c. fruits**, agrumi □ **c. fruit grower**, agrumicoltore □ **c. fruit growing**, agrumicoltura □ **c. juicer**, spremiagrumi □ **c. plantation**, agrumeto ∥ **citrous** a. degli (*o relativo agli*) agrumi ● (*agric.*) **citrous area**, zona agrumicola □ (*bot.*) **citrous tree**, pianta di agrumi.

cittern /ˈsɪtɜːn/ n. (*mus.*) cetera.

♦**city** /ˈsɪtɪ/ n. **1** (*grande*) città **2** (*stor.*, *in GB*) città sede vescovile e dotata di statuto speciale **3** (*in GB*) – **the C. (of London)**, la «City» di Londra; (*per estens.*) gli ambienti finanziari, il mondo della finanza e degli affari ● **CULTURA • The City**: *è il centro storico di Londra, oggi area amministrativa autonoma sotto la giurisdizione del sindaco, nonché uno dei principali centri finanziari e commerciali dell'Occidente, sede della Bank of England, della Borsa e di molte società finanziarie* ● **c. boundary**, cinta daziaria □ **c. centre**, centro (della città) □ **c. council**, consiglio municipale □ **c. councillor**, consigliere comunale □ (*giorn.*) **c. desk**, redazione finanziaria; (*USA*) cronaca cittadina □ **c. dweller**, abitante di città; cittadino □ (*giorn.*) **c. editor**, (*GB*) caporedattore finanziario; (*USA*) redattore della cronaca cittadina □ **c. fathers**, amministratori locali □ **c. hall**, municipio □ **c. plan**, piano regolatore □ **c. planner**, urbanista □ **c. planning**, urbanistica □ (*fam.*) **c. slicker**, tipo sofisticato; (*per estens.*) furbacchione, dritto □ (*stor.*) **c. state**, città-stato □ (*in GB*) **C. Technology College**, scuola secondaria a indirizzo scientifico-tecnologico (*finanziata congiuntamente dal governo e dalle industrie e ubicata nel centro delle città*).

civet /ˈsɪvɪt/ n. **1** (*zool.*, *Civettictis civetta*; = **c. cat**) civetta zibetto **2** (*zool.*, *Bassariscus astutus*; = **c. cat**) bassarisco astuto **3** ⊍ zibetto (*profumo*).

civic /ˈsɪvɪk/ **a.** civico; civile: **c. virtues**, virtù civiche, civili □ **c. centre**, centro delle attività amministrative e ricreative (*di una città*) □ (*teatr.*) **c. company**, compagnia stabile □ **c.-minded**, che ha senso civico.

civics /ˈsɪvɪks/ n. pl. (col verbo al sing.) educazione civica.

civies /ˈsɪviːz/ = **civvies** → **civvy**.

♦**civil** /ˈsɪvl/ a. **1** civile; pubblico; statale: **c. aviation**, aviazione civile; (*in GB*) **the C. Service**, la pubblica amministrazione; la funzione pubblica; il pubblico impiego; **c. war**, guerra civile; *Tim's not very religious so they're going to have a c. ceremony at a registry office*, Tim non è molto religioso quindi faranno una cerimonia civile in comune **2** (*leg.*) civile: **c. liability**, responsabilità civile; **c. wrong**, illecito civile **3** cortese; garbato; urbano; civile: **a c. answer**, una risposta garbata ● (*leg.*) **c. commotion**, di-

sordini (pl.) □ (*leg.*, *polit.*) **c. death**, perdita dei diritti civili; morte civile □ **c. defence**, difesa territoriale; protezione civile □ **c. disobedience**, disubbidienza civile □ **c. engineer**, ingegnere civile; (al pl., collett.) genio civile □ **c. engineering**, ingegneria civile □ (*leg.*) **c. law**, diritto civile; (*anche*) diritto che discende dal diritto romano □ **c. liberties**, libertà civili □ (*in GB*) **the C. List**, l'appannaggio della casa reale; la lista civile □ (*leg.*) **c. litigation**, controversia (*o causa*) civile □ **c. magistrates**, magistratura civile □ **c. marriage**, matrimonio civile □ **c. rights**, diritti civili □ (*in GB*) **c. servant**, funzionario pubblico; impiegato statale □ (*leg.*) **c. union**, unione civile; patto civile di solidarietà □ **c. year**, anno civile (*di 365 giorni*) □ (*detto di un avvocato*) **to do c. work**, essere un civilista; fare il civile (*fam.*).

♦**civilian** /sɪˈvɪliən/ **A** a. civile; borghese (*non militare*); da borghese: **c. aircraft**, aereo civile; **the c. authorities**, le autorità civili; **c. casualties**, vittime tra la popolazione civile; **c. clothes**, abiti borghesi; **c. life**, vita da borghese; *His c. occupation was teaching*, da borghese, la sua occupazione era l'insegnamento **B** n. **1** civile; borghese (*non militare*) **2** (*leg.*, *antiq. o USA*) civilista.

to **civilise** /ˈsɪvɪlaɪz/ e deriv. → **to civilize**, e deriv.

civility /sɪˈvɪlətɪ/ n. **1** ⊍ cortesia; educazione; civiltà **2** (al pl.) espressioni o parole di cortesia.

civilization /sɪvəlaɪˈzeɪʃn, *USA* -lɪˈz-/ n. **1** ⊍⊍ civiltà: **progress and c.**, il progresso e la civiltà; **modern c.**, la civiltà moderna; **ancient civilizations**, le civiltà antiche **2** ⊍ civiltà; paesi (pl.) civili; popoli (pl.) civili: **to live far from c.**, vivere lontano dalla civiltà **3** ⊍ incivilimento; civilizzazione.

to **civilize** /ˈsɪvəlaɪz/ v. t. incivilire; civilizzare; ingentilire ∥ **civilizable** a. civilizzabile ∥ **civilizer** n. civilizzatore, civilizzatrice.

civilized /ˈsɪvəlaɪzd/ a. **1** civilizzato; civile **2** gentile, cortese ● **to become c.**, incivilirsi.

civilly /ˈsɪvəlɪ/ avv. **1** civilmente; cortesemente; educatamente, garbatamente **2** (*leg.*) civilmente; secondo il diritto civile.

civvy /ˈsɪvɪ/ n. (*fam.*) **1** civile; borghese **2** (al pl.) abiti civili; borghese: **in civvies**, in borghese ● (*GB*) **c. street**, vita civile; vita da borghese.

CJ sigla (*leg.*, **chief justice**) presidente di un'Alta corte di giustizia.

CJD sigla (*med.*, **Creutzfeldt-Jakob disease**) malattia di Creutzfeldt-Jakob.

CKO sigla (*org. az.*, **Chief Knowledge Officer**) responsabile della gestione della conoscenza; Chief Knowledge Officer (CKO).

cl abbr. (**centilitre**, **centiliter**) centilitro.

cl. abbr. **1** (**class**) classe **2** (**clerk**) impiegato **3** (**clergyman**) sacerdote.

clack /klæk/ n. **1** rumore secco; schianto; schiocco (*della frusta, della lingua*) **2** (*fam.*) chiacchiere; schiamazzo **3** il chiocciare (*della gallina*).

to **clack** /klæk/ v. i. **1** fare un rumore secco (*come di zoccoli sul pavimento*); schioccare; tempestare (*fig.*): **clacking teleprinters**, telescriventi che tempestano (*battono furiosamente*) **2** far schioccare la lingua **3** (*fig.*) chiacchierare ad alta voce; blaterare; schiamazzare **4** chiocciare (*di gallina*).

clad /klæd/ **A** pass. e p. p. *arc.* di **to clothe** **B** a. **1** (nei composti) vestito: **well-c. girls**, ragazze vestite bene **2** (*fig.*) rivestito **3** (*tecn.*: *di metallo*) rivestito.

to **clad** /klæd/ v. t. (*tecn.*) rivestire (*un metallo*).

cladding /ˈklædɪŋ/ n. ⊍ **1** (*edil.*) rivestimento: **stone c.**, rivestimento in pietra **2**

(*falegn.*) rivestimento **3** (*tecn.*) rivestimento (*di un metallo*); camicia; guaina.

clade /kleɪd/ (*biol.*) n. clade ∥ **cladism** n. ⊍ cladismo ∥ **cladistic** a. cladistico ∥ **cladistics** n. pl. (col verbo al sing.) cladistica.

claim /kleɪm/ n. **1** asserzione; affermazione; dichiarazione: **conflicting claims about the cause of the accident**, affermazioni contrastanti sulla causa dell'incidente; **his c. that he was kept prisoner**, la sua dichiarazione di essere stato tenuto prigioniero **2** (*leg.*) rivendicazione, affermazione (*d'un diritto*); richiesta, domanda (*di riconoscimento d'un diritto*); diritto (*di cui si chiede il riconoscimento*); titolo: **Britain's c. on that territory**, la rivendicazione di quel territorio da parte britannica; **wage claims**, rivendicazioni salariali; *He has a c. to the property*, rivendica la proprietà; *The Duke had no c. on the throne*, il duca non aveva alcun diritto al trono; *He has no c. on me*, non mi può imporre nulla; non ho nessun dovere verso di lui; **to lay a c. on** (*o* **to stake a c. to**) st., avanzare pretese su, rivendicare, vantare il proprio diritto a qc. **3** (*comm.*) reclamo: **to lodge** (*o* **to put in**) **a c.**, presentare un reclamo **4** (*leg.*) eccezione; istanza; ricorso: **c. and counterclaim**, domanda principale e riconvenzionale **5** (*ass.*) richiesta di risarcimento; denuncia di sinistro: **a c. for damages**, una richiesta di risarcimento dei danni **6** somma rivendicata **7** (= **mining c.**) concessione (mineraria): **to stake out a c.**, segnare (*con paletti, ecc.*) i confini di una concessione mineraria **8** (*sport*: *del portiere*) presa; parata ● (*ass.*) **c. adjuster**, perito liquidatore □ (*ass.*, *naut.*) **c. agent**, commissario d'avaria □ (*ass.*) **claims assessor**, perito; stimatore □ (*fisc.*) **c. for discharge**, domanda di sgravio □ (*ass.*) **c. form**, modulo per richiesta di rimborso □ (*USA*) **c. holder**, concessionario di miniere □ (*USA*) **c. jumper**, chi occupa abusivamente il terreno di una concessione mineraria altrui □ **c. on sb.'s time**, richiesta di attenzione; impegno: *I have many claims on my time*, sono occupatissimo; ho molti impegni □ **c. to fame**, possibile motivo di fama □ (*ass.*) **no-c. bonus** (*o* **no-c. discount**), sconto per mancanza di sinistri; bonus-malus.

♦to **claim** /kleɪm/ **A** v. t. **1** affermare; sostenere; asserire; pretendere: *She claims she's never seen the man before*, sostiene di non aver mai visto quest'uomo; *He claimed to be innocent*, sosteneva d'essere innocente; *I don't c. to be an expert*, non dico (*o non pretendo*) di essere un esperto **2** reclamare; rivendicare; chiedere (formalmente); esigere: *Both parties c. victory*, entrambi i partiti rivendicano la vittoria; **to c. compensation**, pretendere un indennizzo; *Nobody claimed that wallet*, nessuno chiese (la restituzione di) quel portafoglio; *I only c. my due*, mi limito a rivendicare i miei diritti; **to c. the throne**, rivendicare il trono **3** (*ass.*) chiedere; avanzare richiesta di: **to c. damages**, chiedere il risarcimento dei danni; chiedere i danni **B** v. i. (*ass.*) fare domanda di rimborso (*o* di risarcimento (a q.)) ● **to c. acquaintance with sb.**, affermare di conoscere q. □ **to c. sb.'s attention**, esigere l'attenzione di q. □ **to c. credit for st.**, rivendicare il merito di qc. □ **to c. expenses**, chiedere il rimborso spese □ **to c. the lives of 1,000 people**, fare mille vittime; costare la vita a mille persone (*trasp.*) □ **to c. one's luggage**, ritirare i bagagli □ **to c. responsibility for st.**, rivendicare qc.; dichiararsi responsabile di qc.

■ **claim back** v. t. + avv. **1** esigere la restituzione di **2** farsi rimborsare; farsi risarcire.

claimable /ˈkleɪməbl/ a. rivendicabile; esigibile.

claimant /'kleɪmənt/ n. **1** rivendicatore; chi fa un ricorso, un reclamo (*per ottenere qc.*); ricorrente; istante (*bur.*) **2** (*leg.*) attore (*in giudizio*) ● (*leg.*) **the rightful c.**, l'avente diritto.

Claire /kleə(r)/ n. Clara; Chiara.

clairvoyance /kleə'vɔɪəns/ n. ☐ chiaroveggenza ‖ **clairvoyant** a. e n. chiaroveggente.

clam /klæm/ n. **1** (*zool.*) mollusco bivalve; bivalve edule **2** (al pl.) molluschi; frutti di mare **3** (*fam.*) uno che non parla; tomba **4** (*slang USA*) dollaro ● (*cucina*) **c. chowder**, zuppa di molluschi con verdura e spesso latte ☐ (*USA*) **c. house**, ristorante specializzato in frutti di mare.

to **clam** /klæm/ v. i. cercare (o raccogliere) molluschi.

■ **clam up** v. i. + avv. (*fam.*) zittirsi; rifiutarsi di parlare; cucirsi la bocca (*fam.*).

clamant /'kleɪmənt/ a. pressante; impellente.

clambake /'klæmbeɪk/ n. (*USA*) **1** picnic in riva al mare **2** (*fam.*) picnic in riva al mare; party assai divertente **3** (*fam.*) festa (o riunione) chiassosa; riunione affollata.

clamber /'klæmbə(r)/ n. arrampicata difficile.

to **clamber** /'klæmbə(r)/ v. i. arrampicarsi (*con difficoltà, spec. usando mani e piedi*): **to c. up a scaffold**, arrampicarsi su un'impalcatura; **to c. over a fence**, scavalcare uno steccato.

clamdiggers /'klæmdɪɡəz/ n. pl. (*moda*) pantaloni alla pescatora; pantaloni a tre quarti.

clammy /'klæmɪ/ a. umido e viscido; appiccicaticcio | **-ily** avv. | **-iness** n. ☐.

clamor, to **clamor** /'klæmə(r)/ (*USA*) → **clamour**, to **clamour**.

clamorous /'klæmərəs/ a. **1** chiassoso; rumoreggiante; vociante; schiamazzante: **a c. crowd**, una folla rumoreggiante **2** (*rif. a protesta, richiesta, ecc.*) a gran voce; insistente ❶ **FALSI AMICI** ● clamorous *non significa* clamoroso *nel senso di causa di scalpore.*

clamour, (*USA*) **clamor** /'klæmə(r)/ n. **1** ☐ clamore; schiamazzo; vocio **2** richiesta (*fatta in modo rumoroso*); lagnanza; rimostranza.

to **clamour**, (*USA*) to **clamor** /'klæmə(r)/ ⒶA v. i. **1** fare un grande clamore; rumoreggiare; schiamazzare; vociare **2** protestare (*contro q. o qc.*); far rimostranze (*a gran voce*) **3** – to **c. for**, chiedere, invocare (*a gran voce*) ⒷB v. t. esprimere (*disapprovazione, ecc.*) con clamori ● **to c. sb. down**, mettere a tacere q. con alte grida.

clamp ① /klæmp/ n. **1** grappa (*di ferro*); (*mecc.*) morsa, morsetto (*a vite*); pinza; ganascia: **a skate with clamps**, un pattino a ganasce **2** (*elettr.*) morsetto; serrafilo **3** (*naut.*, = **c. strake**) controdormiente; sottodormiente **4** (*autom.*) ceppo bloccaruote **5** (*elettron.*) circuito livellatore ● (*tecn.*) **c. jaw**, tenaglia ☐ (*mecc.*) **c. screw**, vite di contatto ☐ **adjustable c.**, morsetto a mano.

clamp ② /klæmp/ → **clump**.

clamp ③ /klæmp/ n. **1** cumulo, mucchio (*di mattoni da cuocere*) **2** (*GB*) mucchio (*di patate o altra verdura coperto di paglia o terra*).

to **clamp** ① /klæmp/ ⒶA v. t. **1** (*tecn.*) bloccare; chiudere (*con una grappa*); stringere (*in una morsa*) **2** stringere; serrare: **to c. one's teeth**, stringere i denti; *He had a cigar clamped in his mouth*, stringeva in bocca un sigaro; **to c. one's mouth shut**, chiudere la bocca di scatto; zittirsi **3** premere; mettere con forza: **to c. a hand over one's mouth**, premersi una mano sulla bocca **4** (*fig.*) imporre (*una misura, ecc.*) con la forza: **to c. a curfew on the population**, imporre il copri-

fuoco alla popolazione **5** (*autom.*) bloccare (*un'auto*) con i ceppi ⒷB v. i. stringersi; serrarsi: *His hands clamped around the girl's throat*, le sue mani si serrarono intorno alla gola della ragazza; *A hand clamped on to his shoulder*, una mano gli strinse la spalla.

■ **clamp down on** v. i. + avv. + prep. prendere misure rigorose contro; dare un giro di vite a: **to c. down on drunk drivers**, introdurre sanzioni severe contro chi guida in stato di ubriachezza.

■ **clamp together** v. t. + avv. stringere; serrare.

to **clamp** ② /klæmp/ → **clump**.

to **clamp** ③ /klæmp/ v. t. accumulare; ammassare; ammucchiare.

clampdown /'klæmpdaʊn/ n. (*fam.*) severe misure (pl.) restrittive o repressive; giro di vite: **a c. on corruption**, misure severe contro la corruzione; **a c. on public expenditure**, un giro di vite alla spesa pubblica.

clamping /'klæmpɪŋ/ n. ☐ **1** (*mecc.*) bloccaggio **2** (*autom.*) blocco delle ruote (*di un veicolo in sosta vietata*) ● (*ferr.*) **c. bolt**, caviglia ☐ (*elettron.*) **c. circuit**, circuito livellatore ☐ (*ferr.*) **c. pin**, caviglia a becco ☐ **c. zone**, zona di divieto di sosta, pena il blocco delle ruote.

clamshell /'klæmʃel/ n. **1** valve (pl.) di mollusco **2** oggetto con chiusura a incastro.

clan /klæn/ n. **1** (*spec. in Scozia*) clan **2** (*fig.*) gruppo (*di persone unite da comuni interessi*); clan **3** (*fam.*) famiglia (*numerosa*); tribù; clan.

clandestine /klæn'destɪn/ a. clandestino: **c. press**, stampa clandestina | **-ly** avv.

clandestinity /klændə'stɪnətɪ/ n. clandestinità.

clang /klæŋ/ n. **1** suono metallico; clangore; fragore **2** (*di un veicolo*) sferragliamento.

to **clang** /klæŋ/ ⒶA v. i. **1** risuonare con clangore (o con fragore): *A gong clanged*, risuonò forte un gong; **to c. shut**, chiudersi con fragore; *The swords clanged together*, le spade cozzarono con fragore **2** (*di veicolo*) sferragliare ⒷB v. t. **1** far risuonare; suonare (*in modo da far strepito*): **to c. the bell**, scampanellare con forza **2** chiudere, sbattere fragorosamente: *He changed the gate in my face*, mi sbatté il cancello in faccia.

clanger /'klæŋə(r)/ n. (*fam. GB*) errore madornale; gaffe: **to drop a c.**, fare una gaffe.

clangour, (*USA*) **clangor** /'klæŋɡə(r)/ n. ☐ clangore; fragore ‖ **clangorous** a. che risuona con clangore; fragoroso.

clank /klæŋk/ n. rumore metallico (*acuto, ma breve*): **the c. of chains**, il rumore delle catene.

to **clank** /klæŋk/ v. t. e i. (*far*) risuonare (*catene, ecc.*) con suono metallico; sferragliare ‖ **clanking** n. ☐ rumore (o suono) metallico; sferragliamento.

clannish /'klænɪʃ/ a. **1** di un clan **2** che ha spirito di clan (o di corpo) **3** (*spreg.*) di parte; chiuso (*fig.*); troppo selettivo | **-ly** avv. | **-ness** n. ☐.

clanship /'klænʃɪp/ n. ☐ sistema del clan (*in Scozia*).

clansman /'klænzmən/ n. (pl. **clansmen**) membro di un clan.

clap ① /klæp/ n. **1** colpo secco; scoppio; applauso; battimano: **a c. of thunder**, uno scoppio di tuono; *There weren't many claps*, ci furono pochi applausi **2** colpo (*dato con la palma della mano, anche in segno d'affetto o incoraggiamento*); colpetto; manata; pacca ● **c.-net**, rete da uccellatore (o da entomologo).

clap ② /klæp/ n. ☐ – **the c.**, (*volg.*) la blenorragia, la gonorrea; lo scolo (*volg.*).

to **clap** /klæp/ ⒶA v. t. **1** battere (*le mani; per applaudire, riscaldarle, ecc.*; anche, *le ali*): *As the curtain went down, everyone clapped hands*, quando calò il sipario, tutti applaudirono **2** dare una pacca a: **to c. sb. on the back**, dare una pacca sulla schiena a q. **3** (*fam.*) mettere: **to c. one's hand over one's mouth**, mettersi la mano sulla bocca; **to c. the handcuffs on sb.**, mettere le manette a q. ⒷB v. i. battere le mani; applaudire: **to c. in time with the music**, battere le mani al ritmo della musica ● **to c. sb.'s cheek**, dare un buffetto affettuoso sulla guancia a q. ☐ (*fam.*) **to c. eyes on**, vedere; scorgere: *I haven't clapped eyes on him for years*, sono anni che non lo vedo ● **to c. hold of st.**, afferrare qc. ● **to c. sb. in jail [in irons]**, sbattere q. in prigione [in catene].

■ **clap on** v. t. + avv. (*fam.*) **1** mettere con forza o in fretta; cacciare: **to c. on one's hat**, cacciarsi in testa il cappello **2** (*autom.*) sbattere dentro (*i freni, ecc.*) **3** (*naut.*) spiegare (*le vele*); aggiungere (*velatura*) **4** (*fig.*) imporre, aggiungere (*tasse, ecc.*).

■ **clap together** v. t. + avv. (*fam.*) fare in fretta; mettere insieme; improvvisare.

■ **clap up** v. t. + avv. (*fam.*) fare; concludere.

clapboard /'klæpbɔːd/ n. (*edil.*, *USA*) assicella per rivestimento esterno ● **c. house**, casa rivestita di tali assicelle; casa di legno.

to **clapboard** /'klæpbɔːd/ v. t. rivestire (*una casa*) d'assicelle (→ **clapboard**).

clapometer /klæp'ɒmɪtə(r)/ n. applausometro.

clapped-out /'klæpt'aʊt/ a. (*fam.*) **1** rovinato; guasto; scassato; sgangherato **2** esausto; stanco morto; fuso (*fam.*).

clapper /'klæpə(r)/ n. **1** chi batte le mani; chi applaude **2** battaglio (*di campana*) **3** battente (*di porta*) **4** raganella **5** (*slang*) lingua **6** (*teatr.*) membro della claque; clacchista ● (*cinem.*) **c. boy**, ciacchista ☐ (*fam.*) **to run like the clappers**, correre a gambe levate (o come il fulmine, a più non posso).

clapperboard /'klæpəbɔːd/ n. (*cinem.*) tavoletta del ciac; ciac.

clapsticks /'klæpstɪks/ n. pl. (*cinem.*) tavoletta e asticciola del ciac; ciac.

claptrap /'klæptræp/ n. ☐ (*fam.*) **1** imbonimento **2** sproloquio; sfilza di paroloni; esagerazioni; balle (*fig.*).

claque /klæk/ n. (*franc.*) n. claque ‖ **claqueur** n. claqueur; clacchista.

Clare /kleə(r)/ n. Clara; Chiara.

clarendon /'klærəndən/ n. ☐ (*tipogr.*) clarendon (*tipo di neretto, ora poco usato*).

claret /'klærət/ ⒶA n. **1** vino rosso leggero (*in origine, della regione di Bordeaux*) **2** (*color*) rosso violaceo ⒷB a. (*color*) rosso violaceo; paonazzo ● **c. cup**, bevanda ghiacciata di vino rosso, succo di limone, zucchero, brandy (o sherry, ecc.).

clarification /klærɪfɪ'keɪʃn/ n. ☐Ⓒ **1** chiarificazione **2** chiarimento.

clarifier /'klærɪfaɪə(r)/ n. **1** chiarificatore **2** (*tecn.*) chiarificatore (*apparecchio*).

to **clarify** /'klærɪfaɪ/ ⒶA v. t. **1** chiarificare; purificare (*un liquido, ecc.*) **2** (*form.*) chiarificare; chiarire: *You must c. your meaning*, devi chiarire il significato delle tue parole ⒷB v. i. chiarificarsi; schiarirsi; diventare limpido – (*ind. alimentare*) **clarifying agents**, agenti chiarificanti.

clarinet /klærɪ'net/ (*mus.*) n. clarinetto ● **Bb c.**, clarinetto soprano in Si b ☐ **Eb c.**, clarinetto piccolo in Mi b ‖ **clarinettist** n. clarinettista.

clarion /'klærɪən/ ⒶA n. **1** tromba militare (*antica*); chiarina: *'The cock's shrill c., or the echoing horn'* T. GRAY, 'l'acuta tromba del gallo, o l'echeggiante corno' **2** squillo di chiarina ⒷB a. attr. squillante ● **a c. call**, uno squillo di tromba; (*fig.*) un fervido appello.

to **clarion** /'klærɪən/ v. t. **1** proclamare a suon di tromba **2** (*fig.*) strombazzare.

clarity /'klærətɪ/ n. ⓤ chiarezza (*di un liquido* e *fig.*); lucidità (*fig.*).

clary /'kleərɪ/ n. (*bot.*, *Salvia sclarea*) sclarea; erba moscatella.

♦**clash** /klæʃ/ n. **1** scontro: **a c. with the police**, uno scontro con la polizia **2** contrasto; conflitto; scontro; urto: **c. of ideas**, scontro d'idee; **c. of interests**, conflitto di interessi; **personality c.**, scontro di personalità; **c. of wills**, contrasto (*tra persone*) **3** discordanza; dissonanza; disarmonia; stridore: **c. of colours**, disarmonia di colori **4** coincidenza indesiderata; concomitanza; sovrapposizione; accavallamento: **a c. in the timetable**, una sovrapposizione nell'orario **5** frastuono (*di oggetti metallici che cozzano insieme*); clangore (*lett.*); (*d'ingranaggi*) stridore: **c. of cymbals**, frastuono di piatti; **the c. of swords**, il clangore delle spade; **c. of gears**, stridore di ingranaggi **6** (*sport*) scontro; contatto fisico; contrasto: **c. of heads**, scontro frontale (*o* di testa).

to **clash** /klæʃ/ Ⓐ v. i. **1** scontrarsi: *The police and the demonstrators clashed in the square*, la polizia e i dimostranti si scontrarono nella piazza **2** (*di persone*) scontrarsi; urtarsi; essere in disaccordo **3** (*di idee, interessi, ecc.*) scontrarsi; entrare in conflitto; essere in conflitto; essere in contrasto **4** (*di date, impegni, ecc.*) coincidere **5** (*di colori, ecc.*) non andare d'accordo; fare a pugni, stridere; stonare **6** (*di oggetti metallici*) cozzare; sbattere: *The daggers clashed together*, i pugnali cozzarono l'uno contro l'altro **7** (*mecc.: d'ingranaggi*) stridere **8** (*sport*) scontrarsi; entrare in contatto fisico Ⓑ v. t. battere insieme (*oggetti metallici*); far risuonare con fragore ● (*autom.*) **to c. the gears**, far stridere le marce; grattare (*fam.*).

clasp /klɑːsp/ n. **1** fermaglio; fibbia; gancio **2** abbraccio **3** stretta (*della mano*): '*Her c. of his hand relaxed, and she fell asleep*' T. HARDY, 'la stretta con cui lei lo teneva per mano si allentò, ed ella si addormentò' ● **c. knife**, coltello a serramanico.

to **clasp** /klɑːsp/ v. t. **1** affibbiare; agganciare **2** stringere; afferrare; tenere stretto: *He clasped my arm*, mi strinse il braccio; **to c. sb.'s hand**, stringere la mano a q.; **to c. one's hands**, giungere le mani (*intrecciando le dita*) **3** stringere; abbracciare: *I clasped her in my arms*, la strinsi fra le braccia; **to c. each other**, abbracciarsi.

clasper /'klɑːspə(r)/ n. **1** chi stringe; chi abbraccia **2** (al pl.) (*zool.*) appendici prensili (*di pesci o insetti*) **3** (al pl.) (*bot.*) viticci.

♦**class** /klɑːs/ Ⓐ n. **1** classe; categoria; tipo; ordine; livello: **a first-c. actor**, un attore di prim'ordine; **low-c. goods**, merce di qualità scadente; *I'm not in his c.*, non sono al suo livello **2** (*biol.*) classe **3** ⓊⒸ classe (sociale); ceto: **the middle classes**, i ceti medi; la borghesia; **the working c.**, la classe operaia; **divisions**, divisioni sociali **4** (al pl.) (*arc.*) – **the classes**, le classi alte **5** ⓤ (*fam.*) classe; stile: *That woman has c.*, quella donna ha classe **6** (*a scuola*) classe (*di studenti*); scolaresca: **in front of the c.**, davanti a tutta la classe; **to be bottom [top] of the c.**, essere l'ultimo [il primo] della classe; **c. size**, dimensioni di una classe; numero di studenti per classe **7** lezione; (al pl.) corso: *I've got a c. at ten*, ho una lezione alle dieci; *What time do classes begin?*, a che ora cominciano le lezioni; **to give a c.**, fare lezione; **to take classes in French**, seguire un corso di francese; **evening classes**, corsi serali **8** (*trasporti*) classe: **to travel first c.**, viaggiare in prima classe; **tourist c.**, classe turistica; **a second-c. ticket**, un biglietto di seconda classe **9** (*GB, università*) livello di classificazione agli esami: *She got a first c. in His-*

tory, ottenne il massimo dei voti in storia **10** (*USA*) studenti che si laureano in un dato anno: **the c. of 1955**, i laureati del 1955 **11** (*boxe, lotta*) categoria **12** (*comput.*) classe (*di un programma*): **c. hierarchy**, gerarchia delle classi Ⓑ a. (*fam.*) **1** (attrib.) eccellente; di prim'ordine: **a c. player**, un giocatore di prim'ordine **2** (pred.) che ha stile; che ha classe: *Jane is real c.*, Jane ha davvero classe ● (*fam. USA*) **c. act**, persona o cosa eccellente □ (*leg.*) **c. action**, azione contro una società o un ente, intentata da un individuo a nome di un'intera categoria di danneggiati; azione di categoria □ **c.-conscious**, che ha coscienza di classe; (*anche*) sensibile alle differenze di classe sociale; classista □ **c. consciousness**, coscienza di classe; (*anche*) classismo □ **c. list**, elenco dei laureati in base al voto di laurea □ (*ling.*) **c. marker**, classificatore □ **c.-ridden**, dominato dalle differenze sociali □ **c. struggle**, lotta di classe □ **to be in a c. of one's own**, essere senza pari; essere un fuoriclasse; non avere eguali.

to **class** /klɑːs/ v. t. classificare ● (*nelle mostre*) **not classed**, fuori concorso.

class. abbr. **1** (**classical**) classico **2** (**classification**) classificazione.

♦**classic** /'klæsɪk/ Ⓐ a. **1** classico: **c. style**, stile classico; **c. literature**, letteratura classica; **the old c. films**, i vecchi classici del cinema **2** classico; tipico; esemplare: **a c. case of paranoia**, un classico caso di paranoia; **the c. English landscape**, il tipico paesaggio inglese; (*fam.*) *Jim said that? That's c.!*, Jim ha detto così? Tipico! **3** (*di abito*) di linea classica Ⓑ n. **1** (*di scrittore o opera*) classico: **a modern c.**, un classico moderno **2** (*sport*) classica **3** (*fam.*) cosa eccellente; cosa magistrale; capolavoro **4** (al pl.) – **the Classics**, i classici (*greci e latini*) **5** (al pl.) – **Classics**, le lettere classiche; gli studi classici: **professor of Classics**, professore di lettere classiche **6** (al pl.) (*ipp.*) – **the Classics**, le cinque corse più importanti per cavalli di tre anni.

❶ NOTA: classic o classical?

L'aggettivo *classic* significa "classico" nel senso di "esemplare, tipico": *a classic example of 1930s Art Deco*, un classico esempio di Art Deco degli anni '30; *the classic religious allegory «Pilgrim's Progress»*, la classica allegoria religiosa «Pilgrim's Progress». Il sostantivo *classic* viene usato con lo stesso senso, cioè si riferisce a un libro (*o* un film, ecc.) che è diventato punto di riferimento. *Classics* sono gli studi classici e le opere che ne compongono il patrimonio culturale.

Invece, l'aggettivo *classical* si usa per cose che hanno forma o stile tradizionali, in contrapposizione a quelli moderni: *classical architecture*, architettura classica; *classical music* si riferisce alla musica colta dei secoli XVIII e XIX. *Classical* si riferisce anche allo studio delle lingue e letterature classiche: *Classical Studies* è sinonimo di *Classics*, studi classici.

♦**classical** /'klæsɪkl/ a. **1** (*lett.*) classico; dei classici (*latini e greci*): **c. Latin**, latino classico; **c. mythology**, mitologia classica; **c. scholar**, studioso dei classici; classicista; **c. education**, istruzione classica **2** (*mus.*, *arte*, *econ.*, *fis.*) classico; tradizionale: **c. ballet**, balletto classico; **c. music**, musica classica; (*anche*) musica (classica) del tardo Settecento e primo Ottocento; **c. economics**, economia classica **3** noto; classico | **-ly** avv. | **-ness** n. ⓤ ❶ NOTA: *classic o classical?* → **classic**.

classicality /klæsɪ'kælətɪ/ n. ⓤ **1** classicità **2** cultura classica.

classicism /'klæsɪsɪzəm/ n. ⓤ **1** classicismo **2** erudizione classica.

classicist /'klæsɪsɪst/ Ⓐ n. **1** classicista **2** (*all'università*) professore di lettere classiche Ⓑ a. classicistico.

to **classicize** /'klæsɪsaɪz/ Ⓐ v. t. classicizzare; rendere classico Ⓑ v. i. classicheggiare; usare (*o* affettare) uno stile classico.

classifiable /'klæsɪfaɪəbl/ a. classificabile.

classification /klæsɪfɪ'keɪʃn/ n. ⓤ **1** classificazione (*anche biol.*); classifica **2** graduatoria **3** (*rag.*) imputazione (*di spese e sim.*) **4** (*polit.*, *leg.*) segretazione (*di un documento, ecc.*) **5** (*sport*) classifica: **race c.**, classifica della corsa.

classificatory /klæsɪfɪ'keɪtrɪ/ a. di (*o* relativo a) classificazione.

classified /'klæsɪfaɪd/ a. **1** classificato; ordinato in classi **2** (*di documento, ecc.*) segretato **3** (*di giornale*) diviso per spese sportivi (*spec. del calcio*) **4** (*di strada: in GB*) contrassegnato da una lettera (*A*, *B*, *ecc.*) e da una cifra (*1*, *2*, *ecc.*) ● **c. advertisements**, annunci divisi per categorie; piccola pubblicità (*nei giornali*).

classifier /'klæsɪfaɪə(r)/ n. classificatore; classificatrice.

to **classify** /'klæsɪfaɪ/ v. t. **1** classificare; assegnare a una classe **2** (*rag.*) imputare **3** segretare (*un documento, ecc.*).

classless /'klɑːsləs/ a. **1** senza classi: **a c. society**, una società senza classi **2** (*fam.*) senza classe; che non ha classe.

classmate /'klɑːsmeɪt/ n. compagno di classe (*a scuola*).

classroom /'klɑːsruːm/ n. aula (*scolastica*); classe ● **c. practice**, esercitazioni in classe.

classwork /'klɑːswɜːk/ n. ⓤ (*a scuola*) compito in classe.

classy /'klɑːsɪ/ a. (*fam.*) eccellente; di buon gusto; di alta moda; di classe: **a c. dress**, un abito di alta classe | **-iness** n. ⓤ.

clastic /'klæstɪk/ a. (*geol.*) clastico: **c. rocks**, rocce clastiche.

clatter /'klætə(r)/ n. ⓤ **1** acciottolio (*di stoviglie, ecc.*); lo sbattere (*di una porta, di una valvola di motore*); (*di un veicolo*) sferragliamento; (*di un meccanismo, ecc.*) ticchettio: *We heard the c. of the typewriters*, udimmo il ticchettio delle macchine da scrivere **2** (*fig.*) parlottio, vocio.

to **clatter** /'klætə(r)/ Ⓐ v. t. acciottolare (*stoviglie, ecc.*); far sbattere: *I tried hard not to c. the dishes on the tray*, facevo ogni sforzo per non far sbattere i piatti sul vassoio Ⓑ v. i. **1** produrre un (rumore di) acciottolio; sbattere (*anche, mecc.: di una valvola*); (*di un meccanismo*) ticchettare; (*di un veicolo*) sferragliare **2** (*fig.*) vociare; parlottare ● **to c. along** [**down**], muoversi [cadere] con un rumore di acciottolio.

Claude /klɔːd/ n. Claudio.

claudication /klɔːdɪ'keɪʃn/ n. ⓤ (*med.*) claudicazione.

♦**clause** /klɔːz/ n. **1** (*gramm.*) frase; proposizione **2** (*leg.*, *comm.*) clausola ● (*leg.*) **c. of a will**, disposizione testamentaria.

claustral /'klɔːstrəl/ a. claustrale.

claustrophobia /klɔːstrə'fəʊbɪə/ (*psic.*) n. ⓤ claustrofobia || **claustrophobe** n. claustrofobo || **claustrophobic** a. **1** affetto da claustrofobia; claustrofobo **2** che dà claustrofobia; claustrofobico.

clavate /'kleɪveɪt/ a. (*scient.*) claviforme.

clave /kleɪv/ pass. arc. di **to cleave**②.

clavichord /'klævɪkɔːd/ n. (*mus.*) clavicordo, clavicordio.

clavicle /'klævɪkl/ (*anat.*) n. clavicola || **clavicular** a. clavicolare.

claviform /'klævɪfɔːm/ a. (*scient.*) claviforme.

claw /klɔ:/ n. **1** artiglio; unghione; (per estens.) zampa: (fig.) **to pare** (o **to clip, to cut**) **sb.'s claws**, tagliare gli artigli a q.; rendere innocuo q. **2** chela (di crostaceo); pinza (di scorpione, ecc.) **3** (di martello) granchio; coda di rondine **4** (spreg. o scherz.) grinfia; zampa; mano: Take off your claws!, giù le zampe! ● **c. bar**, palanchino; piede di porco □ **c. hammer**, martello a granchio (da carpentiere) □ **c.-hammer coat**, giacca a coda di rondine □ **c. hatchet**, accetta a granchio □ (fam.) **to get one's claws into sb.**, riuscire ad avere q. tra le grinfie; dire cose sgradevoli su q.; (di donna) accalappiare q.

to **claw** /klɔ:/ **A** v. t. **1** artigliare; ghermire; tirare a sé con gli artigli; graffiare; dilaniare **2** scavare raspando (o grattando) **3** aprire (un varco) con gli artigli (o con le unghie) **B** v. i. **1** – **to c. at**, cercare di graffiare, di artigliare **2** – **to c. for**, tentare di afferrare, di aggrapparsi a: **to c. for the handle**, cercare di afferrare la maniglia ● **to c. one's way**, avanzare aprendosi la strada a fatica (usando le mani).

■ **claw away** v. t. + avv. rimuovere raspando.

■ **claw back** v. t. + avv. **1** (fin.) recuperare (una spesa sociale, ecc.) **2** riconquistare (un vantaggio, ecc.).

■ **claw off** v. i. + avv. (naut.) allontanarsi a fatica (da una costa sottovento).

clawback /'klɔ:bæk/ n. (fin.) **1** ▣ recupero (spec. di somme erogate per spese sociali: mediante l'aumento della tassazione) **2** somma recuperata.

clay /kleɪ/ **A** n. ▣ **1** argilla (anche fig.); creta **2** (poet.) creta umana (o mortale) **3** (tennis) terra battuta; terra rossa: **c. court**, campo di terra rossa **B** a. attr. argilloso; di argilla; fittile: **c. marl**, marna argillosa; **c. pot**, vaso di argilla; vaso fittile ● **c.-cold**, freddo come il marmo; insensibile (di solito, di morti) □ (geol.) **c. mineral**, minerale delle argille □ **c. pigeon**, piattello (nel tiro al piattello) □ (sport) **c. pigeon shooting**, tiro al piattello □ **c. pipe**, pipa di terracotta □ (geol.) **c. stone**, roccia argillosa □ (fig.) **to have feet of c.**, avere i piedi di argilla ‖ **clayey** a. argilloso: **a clayey soil**, un terreno argilloso.

claymation® /kleɪ'meɪʃn/ n. ▣ (cinem.) sistema di animazione che usa figurine di plastilina; plastilina animata.

claymore /'kleɪmɔ:(r)/ n. (stor.) spada scozzese a doppio taglio.

♦**clean** /kli:n/ **A** a. **1** pulito: **c. hands**, mani pulite; **a c. wound**, una ferita pulita **2** puro; pulito: **c. air**, aria pulita **3** (di carta) bianco; non scritto; pulito: **a c. sheet of paper**, un foglio bianco **4** netto; nitido; preciso; accurato: **a c. cut**, un taglio netto; **c. profile**, profilo puro; **the c. lines of a car**, la linea pulita di un'auto; **c. fracture**, frattura netta **5** decente; innocente; pulito: **c. jokes**, barzellette pulite; It's all good c. fun, è un divertimento innocente **6** (sport) corretto; leale; sportivo; pulito: **c. fight**, combattimento leale; (boxe) **c. blow**, colpo pulito **7** (ecol.) pulito: **c. energy**, energia pulita; **c. fuel**, carburante pulito **8** (mil.) non radioattivo; poco radioattivo; (anche) decontaminato: **c. bomb**, bomba pulita **9** (relig.) puro; incontaminato **10** (leg.) senza precedenti; pulito; onesto: **c. life**, vita onesta; (autom.) **c. driving licence**, patente pulita (senza annotazioni di infrazioni); He has had a c. record for three years, sono tre anni che ha la fedina penale pulita **11** (fam.) non armato; pulito: 'I frisked him. I've frisked thousands of young punks. He's c.' M. PUZO, 'L'ho perquisito io. Ne ho perquisiti a migliaia di questi giovinastri. È pulito' **12** (fam.) senza un soldo; ripulito; pulito: They left him c. of money, lo lasciarono pulito (di denaro) **B**

avv. **1** in modo da pulire bene; a fondo: **to scrub the floor c.**, strofinare il pavimento fino a pulirlo bene **2** (fam.) completamente, interamente; del tutto: **to be c. wrong**, aver torto marcio: I c. forgot about it, me ne dimenticai completamente; They got c. away, se la sono filata; The knife went c. through his arm, il coltello gli trapassò il braccio da parte a parte **3** lealmente; in modo corretto: He doesn't play the game c., non gioca in modo corretto **4** (sport) in modo pulito (o regolare); senza commettere errori: (tiro a segno) **to shoot c.**, sparare senza commettere errori **C** n. (solo al sing.) (fam.) pulita; ripulita: **to give st. a c.**, dare una pulita a qc.; I'll give the bathroom a good c. when this programme finishes, darò una bella pulita al bagno appena finisce questo programma; If it's just a checkup and a c. it's £60, se è solo controllo e pulizia costa £60 ● (comm.) **c. acceptance**, accettazione incondizionata (di una cambiale) □ (sollevamento pesi) **c. and jerk**, slancio □ (med., naut.) **c. bill of health**, patente sanitaria netta; certificato di sana costituzione; (fig.) approvazione, nullaosta □ **c. copy**, bella (o buona) copia ● **c.-cut**, netto, ben delineato, nitido; (di persona) perbene, (dall'aria) ammodo; **c.-cut features**, fattezze ben delineate; **c.-cut precision**, estrema precisione; **a c.-cut young man**, un giovanotto dall'aria ammodo □ (fig.) **c.-handed**, che ha le mani pulite; innocente □ **c.-handedness**, coscienza pulita; onestà □ **c.-limbed**, (ben) proporzionato; snello □ **c.-living**, che conduce una vita sana o morigerata □ **c.-minded**, pulito (fig.); onesto □ (naut.) **c. on board**, netto a bordo □ (comput., elettron.) **c. room**, ambiente a contaminazione controllata □ **c.-shaven**, sbarbato; ben rasato; senza barba o baffi □ (fig.) **c. sheet**, pagina bianca; fedina penale pulita □ (naut.) **c. ship**, nave pulita (spec. una petroliera); nave in libera pratica □ **c. timber**, legno pulito (senza nodi) □ (fig.) **a c. tongue**, un linguaggio castigato □ (fam.) **as c. as a new pin** (o **as a whistle**), pulitissimo; pulito come uno specchio □ (fam.) **to come c.** (about st.), dire la verità (su qc.) □ (fig.) **to have a c. slate**, essere libero da debiti, impegni, ecc. □ (fam.) Keep it c.!, niente volgarità, per favore! □ **to make a c. breast of st.**, confessare qc. interamente; liberarsi di un peso ● **to make a c. sweep of st.**, fare piazza pulita di qc. □ **to show a c. pair of heels**, fuggire a gambe levate; scappare; (sport) staccare □ (fig.) **to start off with a c. slate**, ripartire da zero (senza pendenze o trascorsi sulle spalle).

♦to **clean** /kli:n/ **A** v. t. pulire: **to c. one's shoes**, pulirsi le scarpe; **to c. one's teeth**, pulirsi (o lavarsi) i denti; **to c. fish**, pulire il pesce **B** v. i. **1** fare le pulizie; pulire **2** pulirsi; rassettarsi: Tile floors c. well, i pavimenti di ceramica si puliscono bene ● (fam. USA) **to c. house**, fare piazza pulita; fare un ripulisti (fam.) □ **to c. one's plate**, vuotare (o ripulire) il piatto.

■ **clean down** v. t. + avv. **1** pulire a fondo **2** strigliare (cavalli).

■ **clean off** **A** v. t. + avv. rimuovere (pulendo); togliere **B** v. i. + avv. (di macchia, ecc.) venir via.

■ **clean out** **A** v. t. + avv. **1** svuotare e ripulire; sgombrare; fare pulizia in; rassettare: **to c. out the fridge**, svuotare e pulire il frigo; **to c. out the garage**, sgombrare il garage **2** togliere; sgombrare; rimuovere: **to c. out the debris**, sgombrare i detriti **3** (fam.) ripulire; fare piazza pulita in: The burglars cleaned out my house, i ladri mi hanno ripulito la casa **4** (fam.) ripulire; ridurre al verde; vuotare le tasche a: I'm completely cleaned out, mi hanno completamente ripulito **5** (slang) ammazzare; far fuori **B** v. i. + avv. (fam.) andarsene in fretta; filare; sgom-

berare.

■ **clean up** **A** v. t. + avv. **1** pulire a fondo; mettere in ordine; rassettare: **to c. the kitchen up**, mettere in ordine la cucina e pulire; tirare su (lo sporco, ecc.): C. up the mess you've made!, pulisci il pasticcio che hai fatto! **3** (ecol.) disinquinare **4** (mil.) rastrellare, bonificare (una zona) **5** (fig.) ripulire, fare pulizia in (un'organizzazione, un partito, ecc.); rastrellare (un quartiere malfamato, ecc.) **6** (slang USA) guadagnare; vincere; mettersi in tasca: **to c. up a fortune**, guadagnare una fortuna **B** v. i. + avv. **1** fare le pulizie **2** (USA) lavarsi **3** (fam.) fare grossi guadagni; fare un sacco di soldi; vincere una fortuna (alle corse, ecc.) **4** (fam.) vincere tutti i premi; fare piazza pulita dei premi **5** (fam. USA: di un drogato) disintossicarsi □ (fam.) **to c. up one's act**, mettersi in riga; darsi una regolata □ (rag.) **to c. up a balance-sheet**, risanare un bilancio.

cleanable /'kli:nəbl/ a. che si può pulire.

♦**cleaner** /'kli:nə(r)/ n. **1** addetto (o addetta) alle pulizie; donna (o uomo) delle pulizie: We have a c. who comes twice a week, abbiamo una donna delle pulizie che viene due volte alla settimana **2** proprietario (o gestore) di lavanderia **3** (al pl.) lavanderia automatica; lavasecco **4** arnese (o macchina) per pulire; lava-: **carpet c.**, lavamoquette **5** (mecc.) depuratore, filtro (dell'aria, dell'olio d'un motore) **6** detersivo: **oven c.**, detersivo per forno ● (slang GB) **to take sb. to the cleaners**, ripulire q.; ridurre q. sul lastrico; (anche) dare una batosta a q., stracciare q.

cleaning /'kli:nɪŋ/ n. **1** ▣ pulitura **2** ▣ pulizie (pl.): **to do the c.**, fare le pulizie **3** (fam.) guadagno, profitto **4** (slang GB) sconfitta; batosta (fig.) ● **c. cloth**, straccio per pulire □ **c. contractor**, impresa di pulizie □ **c. lady**, donna delle pulizie □ **c. machine**, pulitrice (macchina) □ **c. product**, prodotto detergente; detersivo □ **c. rod**, scovolo (per pulire la canna del fucile) □ **c. up**, ripulita; (ecol.) disinquinamento; (mil.) rastrellamento; bonifica.

cleanliness /'klɛnlɪnəs/ n. ▣ pulizia (come abitudine, qualità).

cleanly /'klɛnlɪ/ a. **1** pulito; tenuto pulito **2** (fam.) amante della pulizia **B** avv. **1** in modo pulito; con pulizia **2** con precisione; di netto.

cleanness /'kli:nnəs/ n. ▣ **1** pulizia (come qualità o condizione) **2** nitidezza, purezza (di lineamenti, ecc.) **3** purezza (dell'aria, ecc.).

clean-out /'kli:naʊt/ n. (fam.) **1** pulizia a fondo; ripulita (anche fig.); repulisti (fam.) **2** bonifica (di un quartiere malfamato, ecc.) **3** (mil.) rastrellamento; bonifica.

to **cleanse** /klɛnz/ v. t. **1** pulire a fondo; nettare; detergere (la pelle) **2** (fig.) purificare, lavare, mondare (dal peccato) **3** (med.) depurare (il sangue, ecc.) **4** (polit.) epurare **5** (Bibbia) guarire (dalla lebbra).

cleanser /'klɛnzə(r)/ n. **1** pulitore; addetto alle pulizie **2** detersivo **3** smacchiatore **4** (tecn.) purificatore **5** (farm.) depurativo (del sangue, ecc.).

cleansing /'klɛnzɪŋ/ **A** a. detergente: **c. cream**, crema detergente **B** n. ▣ **1** detersione; pulitura **2** (fig.) purificazione; lavacro (fig.) **3** (med.) depurazione (del sangue, ecc.) **4** (polit.) epurazione **5** (Bibbia) guarigione ● **c. agent**, detersivo; smacchiatore □ (eufem., polit., mil.) **ethnic c.**, pulizia etnica □ (in GB) **c. department**, nettezza urbana.

cleanskin /'kli:nskɪn/ n. **1** individuo incensurato **2** (Austral. = **cleanskin wine**) vino di qualità imbottigliato senza marchio.

clean-up /'kli:nʌp/ n. (fam.) **1** pulizia a fondo; ripulita **2** risanamento, bonifica; ripulita (fam.): **a clean-up campaign**, una

campagna di risanamento sociale **3** (*slang USA*) grosso guadagno; grossa vincita; bel colpo.

♦**clear** /klɪə(r)/ **A** a. **1** chiaro; nitido; preciso; lucido: **c. instructions**, istruzioni chiare; *The photo isn't c.*, la foto non è nitida; **a c. mind**, una mente lucida; lucidità mentale; **to have a c. picture of st.**, avere un'idea ben precisa di qc. **2** chiaro; limpido; luminoso; sereno; trasparente: **c. water**, acqua limpida; **c. eyes**, occhi limpidi: **a c. flame**, una fiamma luminosa; **a c. day**, una giornata serena **3** (*di suono*) chiaro; limpido: **a c. voice**, una voce chiara **4** chiaro; evidente; esplicito; netto; inequivocabile; incontestabile: **a c. case of corruption**, un evidente caso di corruzione; **c. majority**, maggioranza netta; (*leg.*) **c. title**, titolo incontestabile; *I made it c. to him that…*, gli dissi chiaramente che…; *Have you been quite c. to her?*, sei stato chiaro con lei? **5** certo; sicuro: *I am c. on that point*, ne sono sicuro; *He's not c. about his plans*, non ha le idee chiare su che cosa farà **6** aperto; libero; sgombro: *The road is c. for traffic*, la strada è aperta al traffico (*o* è transitabile); **a c. view of the lake**, una vista aperta sul lago; **to have a c. view of st.**, riuscire a vedere chiaramente qc.; **c. of ice**, libero dai ghiacci; **c. of obstruction**, libero da impedimenti; sgombro; **c. of clouds**, sgombro da nuvole; senza nuvole; **c. of danger [of debts]**, libero da pericoli [dai debiti] **7** libero; senza impegni: *I have a c. day on Tuesday*, ho il martedì libero **8** – **c. of**, che non tocca (qc.); staccato da; sollevato da; ben discosto da: **c. of the ground**, sollevato da terra; **c. of the wall**, staccato dal muro **9** (*di somma di denaro*) netto: (*rag.*) **c. profit**, utile netto; **c. of taxes**, al netto delle tasse **10** completo; intero: **a c. month**, un mese intero **11** (*leg.*) prosciolto (*da un'accusa*): *You are c. now*, sei prosciolto da ogni accusa, ora **12** (*sport*: *di giocatore*) smarcato **13** (*sport, spec. ciclismo*) in fuga **14** (*ipp.*: *di percorso*) netto; senza penalità **15** (*ling.*) chiaro **16** (*di messaggio, ecc.*) in chiaro; non cifrato **B** avv. **1** in modo chiaro; chiaro: **loud and c.**, forte e chiaro **2** (*fam.*) completamente; interamente: **three hours c.**, tre ore intere; **c. through the town**, da un capo all'altro della città **3** in disparte; ben discosto; a debita distanza; alla larga: **to keep c. of**, tenersi lontano da; stare alla larga da; **to get c. of**, allontanarsi da; (*sport*) staccare, lasciare indietro, sganciarsi da; **to jump c.**, scansarsi con un salto **C** n. **1** luogo aperto **2** → **clearance** ● **c. conscience**, coscienza tranquilla; coscienza pulita □ **c.-cut**, ben delineato; netto; chiaro; nitido: **c.-cut rules**, regole chiare; **a c.-cut distinction**, una differenza netta; **a c.-cut profile**, un profilo nitido □ (*leg.*) **c. days**, giorni effettivi; giorni utili □ (*leg.*) **c. estate**, proprietà (immobiliare) libera da gravami □ **c.-eyed**, dagli occhi limpidi; (*fig.*) acuto, realistico □ **a c. head**, mente lucida; idee chiare □ **c.-headed**, lucido; che ha idee chiare; lucido □ **c. honey**, miele liquido □ **c. of suspicion**, al di fuori di ogni sospetto □ **c.-sighted**, perspicace □ **c.-sightedness**, perspicacia □ **c. skin**, pelle liscia □ (*cucina*) **c. soup**, brodo; consommé (*franc.*) □ **All c.!**, cessato pericolo!; cessato allarme!; (*fam.*) via libera! □ (*fam.*) **as c. as a bell**, perfettamente udibile; chiarissimo □ (*fam.*) **as c. as day** (*o* **daylight**), chiaro come il sole; lampante □ (*fam.*) **as c. as mud**, oscuro; incomprensibile □ **to get st. c.**, capire bene qc. □ **in c.**, in chiaro; non in codice □ **to get a c. look at st.**, riuscire a vedere bene qc. □ **in the c.**, libero; al sicuro; fuori pericolo; (*anche*) libero da sospetti, scagionato, senza debiti □ **Keep c.!** (*cartello*), lasciare libero il passaggio! □ **Let's get this c.**, chiariamo bene questo punto □ **to make oneself c.**, chiarire il proprio pensiero; spiegarsi: (*con irritazione*) *Do I make myself c.?*, mi sono spiegato? □ **out of a c. sky**, inaspettatamente; di punto in bianco.

♦to **clear** /klɪə(r)/ **A** v. t. **1** liberare; sgombrare; far sgombrare; sbarazzare; vuotare: **to c. an area**, sgombrare (*o* far sgombrare) una zona; *All the roads have been cleared of the snow*, tutte le strade sono state liberate dalla neve; **to c. the ground**, sgombrare il terreno (*anche fig.*): **to c. one's plate**, vuotare il piatto; **to c. the way**, sgombrare il passaggio; fare via libera; **to c. the table**, liberare (*o* sgombrare) il tavolo; (*dopo un pranzo*) sparecchiare (la tavola); *I cleared a space for my books*, feci un po' di posto per i miei libri; (*leg.*) **to c. the court**, far sgombrare l'aula **2** sturare; stasare; liberare: **to c. a blocked drain**, sturare uno scarico intasato; **to c. a blocked nose**, liberare un naso otturato **3** togliere; levare; rimuovere; eliminare: *Could you please c. all this stuff off the table?*, ti spiace levare questa roba dal tavolo?; (*comm.*) **to c. stocks**, eliminare le giacenze **4** aprire, aprirsi (*un passaggio*): **to c. a path through the jungle**, aprirsi un sentiero attraverso la giungla **5** disperdere; dissolvere **6** passare vicino a (*senza toccare*); evitare; scansare: *The plane cleared the tree-tops*, l'aereo passò sopra le cime degli alberi; *The ship managed to c. the rocks*, la nave riuscì a evitare gli scogli **7** (*anche sport*) superare con un salto; saltare: **to c. a fence**, superare (*o* saltare) uno steccato; (*atletica*) **to c. the bar**, superare l'asticella **8** (*leg.*) prosciogliere (*da un'accusa*); discolpare: *He's been cleared of a doping charge*, è stato prosciolto dall'accusa di doping **9** pagare, saldare, estinguere (*un debito*) **10** autorizzare; approvare; dare il benestare a: *The plan needs to be cleared with headquarters*, il progetto deve essere autorizzato dalla direzione; *You have to be cleared by security first*, prima dovrai superare il controllo del servizio di sicurezza; *I'll have to c. it with my wife first*, devo prima sentire mia moglie **11** ottenere l'autorizzazione, il benestare per; far approvare: **to c. a project with the municipal authorities**, ottenere l'autorizzazione dal comune per un progetto **12** (*trasp.*) autorizzare (*un aereo, una nave, ecc., a partire, entrare, ecc.*): (*aeron.*) **to c. a plane for take off**, autorizzare un aereo al decollo **13** autorizzare lo sbarco di (*passeggeri*); autorizzare la discarica (*di merci*) **14** (*dog.*, *anche* **to c. through the customs**) sdoganare; svincolare; sdaziare **15** (*banca, fin.*) compensare; far passare (*un assegno, ecc.*) attraverso la stanza di compensazione; addebitare (o accreditare) in conto **16** (*fam.*) guadagnare al netto (*una certa somma di denaro*): *I hope to c. £10,000 at least*, spero di guadagnarci almeno diecimila sterline **17** (*market.*) smaltire, liquidare (*scorte, giacenze, ecc.*) **18** (*comput.*) cancellare (*caratteri, una videata*); azzerare (*la memoria*) **19** (*di ufficio postale*) smistare (*corrispondenza*) **20** (*calcio*) disimpegnare, ribattere, respingere (*la palla dall'area di rigore, ecc.*) **21** decodificare (*un messaggio cifrato*) **B** v. i. **1** (*di liquido, ecc.*) schiarirsi; diventare chiaro (*o* limpido) **2** (*del cielo, del tempo*) schiarirsi; rasserenarsi **3** (*di viso, ecc.*) schiarirsi; distendersi; illuminarsi; rasserenarsi **4** liberarsi; tornare normale; (*di pelle*) tornare liscia **5** scomparire (*gradatamente*); sparire; (*di nebbia*) dissolversi **6** (*di strada*) sgombrarsi; svuotarsi **7** (*di schermo*) cancellarsi **8** (*banca*: *di assegno*) passare attraverso la stanza di compensazione; essere addebitato (*o* accreditato) in conto: *How long will the cheques take to c.?*, quanto ci vuole perché gli assegni siano accreditati? **9** (*banca, fin.*) effettuare operazioni di compensazione **10** (*naut.*) salpare (*espletate le pratiche doganali*) **11** (*sport*) liberare, respingere, disimpegnare; (*del portiere*) rinviare, salvare ● **to c. the air**, cambiare aria; (*di temporale*) rinfrescare l'aria; (*fig.*) chiarire la situazione, allentare la tensione □ (*naut.*) **to c. the anchor**, disimpegnare l'ancora □ (*banca*) **to c. a bill**, incassare una cambiale □ (*dog.*) **to c. customs**, passare la dogana □ **to c. the decks (for action)**, (*naut., mil.*) sgombrare i ponti per il combattimento; (*fig.*) prepararsi (all'azione), sgombrare il campo □ (*comm.*) **to c. one's expenses**, coprire le spese □ (*tecn.*) **to c. a fault**, eliminare un guasto □ **to c. the land**, disboscare il terreno □ (*econ.*) **to c. the market**, portare il mercato in equilibrio; pareggiare la domanda e l'offerta □ **to c. one's mind**, chiarirsi le idee □ **to c. sb.'s name**, ristabilire il buon nome di q.; dimostrare l'innocenza di q. □ (*comm.*) **to c. a parcel of goods**, liquidare una partita di merce □ (*dog., naut.*) **to c. a ship inwards [outwards]**, spedire una nave in entrata [in uscita] □ **to c. one's throat**, schiarirsi la gola □ (*fig.*) **to c. the way for**, aprire la strada a □ (*su uno schermo*: *a un ingresso sorvegliato*) **'cleared'**, 'accesso consentito'.

■ **clear away** **A** v. t. + avv. **1** sgombrare; levare, portar via; rimuovere: **to c. away the debris**, sgombrare i detriti **2** eliminare, togliere di mezzo (*sospetti, ecc.*) **3** dissipare (*la nebbia*) **B** v. i. **1** (*di nebbia, nubi, ecc.*) dissiparsi; andare via **2** sparecchiare.

■ **clear in** v. i. + avv. (*naut.*) entrare in porto (*espletate le pratiche doganali*).

■ **clear off** **A** v. t. + avv. **1** (*comm.*) pagare, saldare, estinguere (*un debito*) **2** sparecchiare (*la tavola*) **3** smaltire, sbrigare (*lavoro arretrato*) **4** (*market.*) svendere (*merce*) **B** v. i. + avv. **1** (*fam.*) filare; sloggiare; sparire; togliersi dai piedi; squagliarsela **2** (*USA*) sparecchiare.

■ **clear out** **A** v. t. + avv. **1** pulire; sturare; stasare (*uno scolo, ecc.*) **2** sgombrare; liberare: **to c. out one's drawers**, sgombrare i cassetti **3** buttare via, disfarsi di (*roba vecchia, ecc.*) **B** v. i. + avv. **1** (*fam.*) filare via; sloggiare; sparire; togliersi dai piedi **2** (*naut.*) salpare (*espletate le pratiche doganali*).

■ **clear up** **A** v. t. + avv. **1** ripulire; fare pulizia in; mettere ordine in **2** sgombrare; togliere di mezzo **3** chiarire; mettere in chiaro; spiegare: **to c. up a matter**, chiarire una faccenda **4** risolvere (*un problema, un caso, ecc.*) **5** sbrigare, smaltire (*un lavoro, spec. arretrato*) **B** v. i. + avv. **1** (*del tempo*) schiarirsi; rasserenarsi; mettersi al bello **2** (*di disturbo fisico*) guarire; risolversi; passare, scomparire **3** fare pulizia; mettere in ordine.

clearance /ˈklɪərəns/ n. **1** [U] liberazione (*da un ostacolo*); rimozione (*della neve, ecc.*); sgombro (*delle strade, ecc.*): (*mil.*) **mine c.**, rimozione delle mine; sminamento **2** spazio libero; spazio franco; distanza; (*naut.*) franco: *There is only a three-foot c. between the locomotive and the tunnel wall*, fra la locomotiva e la parete della galleria c'è uno spazio franco di tre soli piedi **3** (*ind. costr.*) altezza (*di un ponte, un cavalcavia, ecc.*): **a suspension bridge with a c. of 200 feet (above water)**, un ponte sospeso che ha un'altezza di 200 piedi sul pelo dell'acqua; **c. height** (*o* **head c.**), altezza libera (*in un sottopassaggio, ecc.*) **4** [UC] (*dog.*) sdoganamento, svincolo (*di merce*); pratica di sdoganamento (*di nave, per entrare in porto o salpare*); libera pratica: *No ship can leave port without c.*, nessuna nave può salpare senza libera pratica **5** [U] (*fin.*) compensazione (*di debiti e crediti, con scambio d'assegni, ecc.*); [C] operazione di compensazione **6** autorizzazione (*a lasciare un impiego statale, ecc.*) **7** (*mecc.*) gioco, luce (*fra due parti di un congegno*) **8** (*sport*) disimpegno; respinta; parata, salvataggio; (*calcio*)

goal line c., respinta sulla linea (di porta); salvataggio in extremis **9** (*polit.*, = **security c.**) dichiarazione ufficiale che una persona non è un rischio per la sicurezza dello Stato; autorizzazione a usare materiale che costituisce segreto di Stato; nulla osta di sicurezza **10** (al pl.) (*stor.*) – the Clearances = **Highland Clearances → Highland ●** (*fin.*) c. house = **clearing house → clearing** □ (*naut.*) **c. inwards**, permesso d'entrata in porto; spedizione in dogana □ (*naut.*) **c. outwards**, permesso di uscita dal porto □ **c. papers**, documenti di sdoganamento □ **c. sale**, (vendita di) liquidazione (*delle rimanenze*); svendita □ (*med.*) **c. test**, clearance (test) □ (*dog.*) **c. through (the) customs**, sdoganamento (*di merce*).

clearing /'klɪərɪŋ/ n. **1** Ⓤ il liberare; lo sgombrare **2** sgombero; rimozione **3** terreno disboscato; radura; spiazzo **4** Ⓤ (*fin.*) clearing; compensazione **5** Ⓤ (*comm. est.*) clearing (*fra due Stati: senza movimenti di valuta*) **6** Ⓤ (*dog.*) → **clearance**, def. 4 **7** Ⓤ (*market.*) smaltimento (*di scorte*) **8** Ⓤ levata (*della posta*) ● (*rag.*) **c. account**, conto di giro □ (*comm. est.*) **c. agreement**, accordo di clearing □ (*fin.*, *in GB*) **c. bank**, banca che aderisce alla stanza di compensazione di Londra □ (*rag.*) **c. entry**, partita di giro □ **c. hospital**, ospedale da campo (*per lo smistamento dei feriti*) □ **c. house**, (*fin.*) stanza di compensazione; (*per estens.*) punto di smistamento (*spec. di informazioni*) □ (*Borsa*) **c. sheet**, foglio di liquidazione □ **c.-out sales**, liquidazione delle rimanenze; liquidazioni; saldi.

◆**clearly** /'klɪəlɪ/ avv. **1** in modo chiaro; con chiarezza; chiaramente: **to speak c.**, parlare in modo chiaro **2** chiaramente; nettamente: **c. visible**, chiaramente visibile; **c. marked**, chiaramente indicato **3** evidentemente; indubbiamente; senza dubbio: *C., there will have to be an enquiry*, è evidente che dovrà esserci un'inchiesta.

clearness /'klɪənəs/ n. Ⓤ **1** chiarezza; limpidezza; l'esser distinto (*o manifesto*) **2** l'esser libero (*o sgombro*) (*da ostacoli, ecc.*).

clear-out /'klɪəraʊt/ n. (*fam. GB*) **1** sgombero; ripulita **2** licenziamento.

clear-up /'klɪərʌp/ n. **1** sgombero; rimozione (*di macerie, ecc.*): **clear-up operation**, operazione di sgombero **2** (*polizia*) soluzione di un delitto: **clear-up rates**, percentuale dei delitti risolti.

clearway /'klɪəweɪ/ n. (*autom.*) tratto di strada con divieto di fermata (*fuori città*); strada di transito veloce; superstrada.

clearwing /'klɪəwɪŋ/ n. (*zool.*, = **clearwing moth**) sesia; trochilia.

cleat /kliːt/ n. **1** bietta; cuneo **2** striscia di rinforzo **3** (*mecc.*) costola (*di un cingolo*) **4** (*naut.*) galloccia; tacchetto **5** (*sport*) tacchetto **6** (al pl.) (*sport*) scarpette con tacchetti; scarpette da calcio ● **cleated shoes**, scarpe bullonate; scarpe con tacchetti.

cleavable /'kliːvəbl/ a. fissile; spaccabile.

cleavage /'kliːvɪdʒ/ n. Ⓒ Ⓤ **1** fenditura; spaccatura **2** (*geol.*) clivaggio; sfaldatura: **c. planes**, piani di clivaggio **3** (*biol.*) scissione **4** (*fig.*) divisione; disaccordo; disparità di vedute: **a sharp c. between the rich and the poor**, una netta divisione tra i ricchi e i poveri **5** solco (*tra i seni di una donna*); décolleté (*franc.*).

to **cleave** ① /kliːv/ (pass. *clove*, *cleft*, p. p. *cloven*, *cleft*) Ⓐ v. t. **1** fendere; spaccare; spezzare: **to c. a log of wood in two**, spaccare in due un ceppo di legno; **to c. sb.'s head open**, spaccare la testa a q.; **to c. the air [the water]**, fendere l'aria [l'acqua]; *'O Hamlet! thou hast cleft my heart in twain'* W. Shakespeare, 'oh Amleto! mi hai spezzato il cuore!' **2** (*fig.*) scindere; separare; dis-

sociare, disunire Ⓑ v. i. fendersi; spaccarsi: *Fir wood cleaves well*, il legno di abete si spacca agevolmente ● (*di nave*) **to c. through the water**, solcare le acque □ **to c. one's way through a thick wood**, aprirsi la strada in una fitta boscaglia.

to **cleave** ② /kliːv/ (pass. *cleaved*, *cleft*, *clove*, arc. *clave*, p. p. *cleaved*, *cloven*, *cleft*), v. i. (*lett.*) **1** aderire, stare attaccato (a) **2** (*fig.*) essere devoto, rimanere fedele (a q., a qc.).

cleaver /'kliːvə(r)/ n. **1** chi fende; chi spacca **2** mannaia (*di macellaio*).

cleavers /'kliːvəz/ n. pl. (col verbo al sing.) (*bot.*, *Galium aparine*) attaccavesti; attaccamani.

cleaving /'kliːvɪŋ/ n. Ⓤ il fendere; lo spaccare (→ **to cleave** ①).

clef /klef/ n. (*mus.*) chiave: **treble c.**, chiave di sol (*o di violino*).

cleft ① /kleft/ n. fenditura; fessura; spacco; crepaccio ● (*agric.*) **c. graft**, innesto a spacco □ **a c. in the rocks**, un crepaccio nelle rocce.

cleft ② /kleft/ pass. e p. p. di **to cleave** ① ● (*med.*) **c. lip**, labbro leporino; labioschisi □ (*med.*) **c. hand**, mano fessa; mano a pinza □ (*med.*) **c. palate**, palatoschisi; palato leporino; gola lupina □ (*med.*) **c. tongue**, lingua bifida □ (*fam.*) **to be in a c. stick**, essere tra l'incudine e il martello; non sapere che pesci pigliare.

clefting /'kleftɪŋ/ n. Ⓤ (*ling.*) scissione.

cleg /kleg/ n. (*zool.*, *Tabanus*) tafano.

cleistogamy /klaɪ'stɒgəmɪ/ (*bot.*) n. Ⓤ cleistogamia || **cleistogamic**, **cleistogamous** a. cleistogamo.

clematis /'klemətɪs/ n. (pl. *clematises*, *clematis*) (*bot.*, *Clematis*) clematide.

clemency /'klemənsɪ/ n. Ⓤ **1** clemenza **2** (*fig.: del tempo*) mitezza **3** (*fig.: del carattere*) dolcezza; mitezza.

clement /'klemənt/ a. **1** clemente **2** (*fig.*) mite **3** (*fig.*) dolce; mite.

Clement /'klemənt/ n. Clemente.

clementine /'klemənti:n/ n. mandarancio; clementina.

Clementine /'kleməntaɪn/ n. Clementina.

clench /klentʃ/ n. **1** lo stringere (*i pugni, i denti*) **2** (*tecn.*) ribaditura (*di chiodi*) **3** chiodo ribadito **4** forte presa; stretta.

to **clench** /klentʃ/ Ⓐ v. t. **1** stringere (*i denti, i pugni*) **2** afferrare saldamente **3** → **to clinch**, A def. 1, 2, 3, 4 Ⓑ v. i. **1** (*dello stomaco, ecc.*) stringersi **2** → **to clinch**, B, def. 1 ● **clenched fist**, pugno chiuso (*saluto comunista*).

clencher /'klentʃə(r)/ n. → **clincher**.

clepsydra /'klepsɪdrə/ n. (pl. *clepsydrae*, *clepsydras*) clessidra; orologio ad acqua.

clerestory /'klɪəstərɪ/ n. **1** (*archit.*) lanternino; lucernario a vetrata verticale **2** (*di pullman, ecc.*) finestratura superiore.

clergy /'klɜːdʒɪ/ n. Ⓤ (*relig.*) clero.

clergyman /'klɜːdʒɪmən/ n. (pl. *clergymen*) ecclesiastico; sacerdote; (*spec.*) ministro (*o pastore*) anglicano ● **c.'s suit**, clergyman.

clergywoman /'klɜːdʒɪwʊmən/ n. (pl. *clergywomen*) donna che è stata ordinata sacerdote.

cleric /'klerɪk/ n. ecclesiastico; religioso; chierico.

clerical /'klerɪkl/ Ⓐ a. **1** ecclesiastico; di (*o da*) pastore anglicano: **c. collar**, colletto da pastore anglicano (*alto e bianco, che si allaccia dietro*) **2** d'ufficio; relativo (*o dovuto*) a un impiegato; impiegatizio: **c. duties**, mansioni d'impiegato **3** (*polit.*) clericale Ⓑ

n. **1** (*polit.*) clericale **2** (al pl.) abiti sacerdotali ● **c. error**, errore materiale (*o di trascrizione*) □ **the c. staff**, gli impiegati; il personale □ **c. worker**, impiegato | **-ly** avv.

clericalism /'klerɪkəlɪzəm/ (*polit.*) n. Ⓤ clericalismo || **clericalist** n. clericale.

clerihew /'klerɪhjuː/ n. strofetta umoristica di quattro versi riguardante un personaggio famoso (*dal nome dello scrittore E. Clerihew Bentley*).

◆**clerk** /klɑːk, *USA* klɜːk/ n. **1** impiegato, impiegata; addetto; (*stor.*) copista; scrivano: **bank c.**, impiegato di banca; **filing c.**, archivista; addetto all'archivio **2** (*USA*, = **salesclerk**) commesso, commessa (*di negozio*) **3** (*USA*, = **desk clerk**) receptionist **4** (*in GB*, = **town c.**) segretario comunale **5** (*leg.*, *USA*) assistente giudiziario **6** (*relig.*) amministratore laico (*di cattedrale, parrocchia, ecc.*) **7** (*leg.*, = **c. in holy orders**) ecclesiastico; religioso; sacerdote ● (*sport*) **c. of the course**, commissario di gara (*in atletica e corse su pista*) □ **c. of the court**, cancelliere di tribunale □ (*in GB*) **C. of the House (of Commons)**, Segretario Generale della Camera dei Comuni □ (*GB*) **c. of (the) works**, sovrintendente ai lavori; ispettore di lavori in appalto □ (*leg.*, *in GB*) **c. to the justices**, ausiliare del giudice di pace ❶ Cultura ● **clerk to the justices**: *è un funzionario di giustizia, di solito barrister o solicitor, con almeno 5 anni di attività professionale*.

to **clerk** /klɑːk, *USA* klɜːk/ v. i. (*fam. USA*) **1** lavorare come commesso (*di negozio*) **2** (*leg.*) lavorare come assistente giudiziario.

clerkly /'klɑːklɪ, *USA* 'klɜːk-/ a. **1** di (*o da*) impiegato; impiegatizio **2** (*USA*) di (*o da*) commesso (*di negozio*) **3** erudito **4** (*arc.*) da scrivano; da copista.

clerkship /'klɑːkʃɪp, *USA* 'klɜːk-/ n. **1** lavoro impiegatizio **2** (*USA*) lavoro di commesso **3** (*leg.*) cancelliere di tribunale.

◆**clever** /'klevə(r)/ a. **1** intelligente; pronto; sveglio: **a c. girl**, una ragazza intelligente; **a c. face**, una faccia intelligente **2** bravo; abile; destro: **to be c. at maths**, essere bravo in matematica; **c. at doing st.**, bravo a fare qc.; *She's c. with her hands*, è abile nei lavori manuali; ha molta manualità **3** (*di progetto, idea, ecc.*) ingegnoso; intelligente; abile: **a c. device**, un dispositivo ingegnoso; **a c. move**, una mossa intelligente **4** (*fam. spreg.*) astuto; furbo: **c. tricks**, stratagemmi astuti; *It wasn't too c., giving him the keys*, non è stata una bella idea dargli le chiavi; **to get c. with sb.**, fare il furbo con q. ● (*fam. spreg.*) **c.-c.**, che si dà arie da intelligentone; che si crede furbo □ (*fam., iron., GB*) **c. clogs**, intelligentone; furbone □ (*fam. spreg.*) **c. Dick**, primo della classe (*fig.*); intelligentone; sapientone; cacasenno (*pop.*) □ (*fam. GB*) **not too c.**, che non si sente molto bene □ (*fam.*) **too c. by half**, che vuole fare il furbo □ **He was too c. for me!**, me l'ha fatta! (*anche iron.*) **How c. of you!**, bravo!; che bella idea!; complimenti! || **cleverly** avv. abilmente; intelligentemente || **cleverness** n. Ⓤ **1** intelligenza; prontezza **2** abilità; bravura; destrezza **3** (*di piano, idea, ecc.*) ingegnosità; astuzia **4** (*fam. spreg.*) furberia.

clevis /'klevɪs/ n. **1** gancio d'attacco (*dell'aratro*) **2** (*mecc.*) maniglione con perno **3** (*ind. min.*) staffa d'attacco.

clew /kluː/ n. **1** (*naut.*) bugna **2** gomitolo (*di solito rif. al filo d'Arianna*) **3** (*arc.*) → **clue** ● (*naut.*) **c. garnet**, caricascotte (*delle vele basse*) □ (*naut.*) **c. iron**, canestrello □ (*naut.*) **c. line**, caricascotte (*delle vele quadre*) □ (*naut.*) **c. patch**, quadrello □ (*naut.*) **c. ring**, anello della bugna.

to **clew** /kluː/ v. t. (*arc.*) aggomitolare.

■ **clew down** v. t. + avv. (*naut.*) imbrogliare (*una vela*).

■ **clew up** v. t. + avv. (*naut.*) alare, tirare su

(una vela).

cliché /'kliːʃeɪ, *USA* kliːˈʃeɪ/ *(franc.)* n. **1** cliché; luogo comune; frase fatta **2** stereotipo **3** *(tipogr.)* cliché.

clichéd /'kliːʃeɪd, *USA* kliːˈʃeɪd/ a. stereotipato; banale; trito; vieto.

click /klɪk/ n. **1** scatto; clic *(di interruttore, grilletto, ecc.)* **2** schiocco *(di dita, della lingua)* **3** ticchettio: **a c. of heels on the pavement**, un ticchettio di tacchi sul marciapiede **4** *(comput.)* clic: **left c.**, clic sinistro; **right c.**, clic destro **5** *(fon.)* clic, click; consonante avulsiva ● *(ling.)* **c. language**, lingua caratterizzata da consonanti avulsive □ *(comput., econ.)* **c.-and-mortar**, impresa con operazioni sia tradizionali sia online □ *(comput.)* **c. rate**, numero di accessi *(a una pagina web)*; frequenza di click *(misura dell'efficacia di un banner)*.

♦**to click** /klɪk/ Ⓐ v. i. **1** scattare; fare clic: *The latch clicked as the door went shut*, il saliscendi scattò quando la porta si chiuse; *Cameras were clicking furiously*, le macchine fotografiche scattavano senza sosta; **to c. into place**, andare a posto con uno scatto; **to c. shut**, chiudersi con uno scatto **2** *(seguito da avv. o compl.)* muoversi ticchettando: *She clicked down the corridor*, percorse il corridoio ticchettando **3** *(fam.)* essere di colpo chiaro; accendersi una lampadina *(fam.)*: *At last it clicked: she was his wife*, finalmente mi si accese una lampadina: era sua moglie **4** *(fam.)* andare subito d'accordo; simpatizzare; intendersi subito: *We just clicked*, abbiamo subito simpatizzato **5** *(fam.)* avere successo; sfondare: **to c. with**, avere immediato successo presso; piacere subito a **6** *(fam. USA)* andare bene; funzionare: **if it clicks**, se tutto va bene; se le cose vanno per il verso giusto **7** *(fam. USA)* combaciare; collimare: *The fingerprints don't c.*, le impronte digitali non combaciano **8** *(comput.)* fare clic; cliccare: **to c. on an icon**, cliccare su un'icona; *C. on the download icon and the computer will ask you where you want to save the document*, clicca sull'icona del download e il computer ti chiederà dove vuoi salvare il documento Ⓑ v. t. **1** far scattare *(un interruttore, ecc.)* **2** schioccare *(le dita, la lingua)* **3** battere insieme *(con un colpo secco)*: *The sentry clicked his heels and turned*, la sentinella batté i tacchi e fece dietrofront.

▪ **click off** v. t. + avv. spegnere *(azionando un interruttore)*.

▪ **click on** Ⓐ v. t. + avv. accendere *(azionando un interruttore)* Ⓑ v. i. + avv. accendersi.

▪ **click out** v. i. + avv. spegnersi.

clickable /'klɪkəbl/ a. *(comput.)*, cliccabile.

click-beetle /'klɪkbiːtl/ n. *(zool.)* elateride.

click-clack /'klɪk'klæk/ n. Ⓤ clic clac; clicchettio; ticchettio.

to click-clack /'klɪk'klæk/ v. i. ticchettare.

clicker /'klɪkə(r)/ n. *(fam.)* **1** tagliatore capo *(di stoffa, carta, cuoio)* **2** *(tipogr.)* compositore capo.

clickety-click /'klɪkətɪ'klɪk/, **clickety--clack** /'klɪkətɪ'klæk/ → **click-clack**.

♦**client** /'klaɪənt/ n. **1** cliente *(spec. di professionista)* **2** assistito *(da un servizio sociale)*; mutuato **3** *(comput.)* (computer o applicazione) client **4** *(stor. romana)* cliente ● *(econ.)* **c. group**, fascia di clientela □ *(econ.)* **the c. industries**, i settori utilizzatori *(di un prodotto o d'una materia prima)* □ *(comput.)* **c.--server**, client-server □ *(polit.)* **c. state**, stato cliente; satellite.

clientage /'klaɪəntɪdʒ/ n. Ⓤ clientela.

clientele /kliːɒn'tɛl, *USA* klaɪən-/ n. Ⓤ clientela.

clientelism /kliːɑːn'tɛlɪzəm/ n. Ⓤ clientelismo || **clientelistic** a. clientelistico.

cliff /klɪf/ n. rupe; dirupo; falesia; scogliera: **the white cliffs of Dover**, le bianche scogliere di Dover || **cliffy** a. dirupato; scosceso.

cliffhanger /'klɪfhæŋə(r)/ n. **1** episodio di serial che si chiude su una nota di forte suspense; *(per estens.)* film, racconto, ecc., mozzafiato **2** evento *(gara, elezione, ecc.)* ricco di suspense, da cardiopalmo.

cliffhanging /'klɪfhæŋɪŋ/ a. ricco di suspense; mozzafiato.

cliffside /'klɪfsaɪd/ n. parete di un dirupo, di una scogliera.

clifftop /'klɪftɒp/ n. cima di un dirupo, di una scogliera.

climacteric /klaɪ'mæktərɪk/ Ⓐ a. **1** *(fisiol.)* climaterico **2** *(fig.)* critico; cruciale Ⓑ n. **1** *(fisiol.)* climaterio; età critica **2** *(fig.)* periodo critico *(o cruciale)*.

climactic /klaɪ'mæktɪk/ a. **1** *(retor.)* in progressione; in gradazione ascendente **2** che raggiunge o conduce al punto culminante o cruciale *(→ climax)*.

♦**climate** /'klaɪmət/ n. clima *(anche fig.)*: **cold climates**, i climi freddi; **the present Italian political c.**, il clima dell'attuale situazione politica italiana ● *(ecol.)* **c. change**, cambiamento climatico □ *(econ.)* **c. control**, climatizzazione || **climatic** a. climatico: **climatic conditions**, condizioni climatiche || **climatically** avv. climaticamente.

climatology /klaɪmə'tɒlədʒɪ/ n. Ⓤ climatologia || **climatological, climatologic** a. climatologico || **climatologist** n. climatologo.

climatotherapy /klaɪmətə'θɛrəpɪ/ n. Ⓤ *(med.)* climatoterapia.

climax /'klaɪmæks/ n. **1** punto saliente *(o culminante)*; punto di massima tensione; apice; culmine; acme: *The crisis reached its c. in June*, la crisi raggiunse il punto di massima tensione in giugno; **to build up to a c.**, aumentare di tensione; essere in crescendo; **the c. of a feast**, il culmine della festa **2** *(fisiol.)* orgasmo **3** *(ecol., = c. community)* climax **4** *(retor.)* climax; gradazione ascendente; crescendo graduale.

to climax /'klaɪmæks/ Ⓐ v. t. portare *(un evento)* al punto saliente, culminante Ⓑ v. i. **1** raggiungere il punto culminante; culminare: *His words climaxed to a moving close*, le sue parole culminarono in una chiusura commovente **2** *(fisiol.)* raggiungere l'orgasmo ● **to c. one's career**, raggiungere l'apice della carriera.

climb /klaɪm/ n. **1** arrampicata; salita; scalata; ascensione **2** pendio; salita: **a steep c.**, una salita ripida; **at the foot of the c.**, ai piedi della salita **3** *(aeron.)* salita **4** *(fig.)* salita; ascesa; scalata: **the c. of the dollar**, la salita del dollaro; **the long c. out of the recession**, la lunga risalita dalla recessione; **c. to power**, ascesa al potere ● *(aeron.)* **c. indicator**, variometro □ *(aeron.)* **c.-out**, salita; il prender quota *(al decollo)* □ *(aeron.)* **rate of c.**, velocità ascensionale.

♦**to climb** /klaɪm/ Ⓐ v. t. **1** arrampicarsi su; salire (su); *(alpinismo)* scalare: **to c. a tree [a rope]**, arrampicarsi su un albero [una corda]; **to c. a hill**, salire su (per) una collina; **to c. a mountain**, salire su un monte; scalare una montagna; **to c. a ladder**, salire su una scala a pioli; **to c. the stairs**, salire le scale **2** salire (per gradi) in *(una classifica, ecc.)*: *His CD climbed the charts*, il suo cd è salito in classifica Ⓑ v. i. **1** *(anche di pianta)* salire; arrampicarsi: *We climbed on in silence*, continuammo a salire in silenzio; **to c. on a table**, salire su un tavolo; *The ivy has climbed up the wall*, l'edera s'è arrampicata su per il muro **2** *(di strada, ecc.)* salire; inerpicarsi: *The path climbed steeply*, il sentiero saliva ripido **3** *(di aereo)* alzarsi; prendere quota **4** *(seguito da avv. o compl.)* salire, scendere *(con difficoltà o sforzo)*: **to c. down a cliffside**, calarsi lungo un dirupo; **to c. into a car**, salire in macchina; **to c. into bed**, infilarsi nel letto; **to c. out of a hole**, uscire da una buca; **to c. out of the window**, uscire dalla finestra *(arrampicandosi sul davanzale)*; **to c. over a wall**, scavalcare un muro **5** *(fig.)* *(di valori, prezzi, ecc.)* aumentare, salire **6** *(fig.)* salire per gradi; arrivare: *He has climbed to success*, è arrivato al successo; *He climbed to power in five years*, in cinque anni riuscì ad arrivare al potere **7** *(sport: calcio, ecc.)* andare in elevazione; saltare ● *(fam.)* **to c. on the bandwagon** → **bandwagon** □ *(fam.)* **to be climbing the walls**, essere agitatissimo; essere fuori di sé.

▪ **climb down** v. i. + avv. **1** → **to climb B, def. 4 2** *(fig.)* cedere; venire a più miti pretese; fare marcia indietro.

climbable /'klaɪməbl/ a. **1** scalabile **2** accessibile; superabile ● *(autom.)* **maximum c. gradient**, pendenza massima superabile.

climbdown /'klaɪmdaʊn/ n. marcia indietro; ritirata.

climber /'klaɪmə(r)/ n. **1** arrampicatore; scalatore **2** (pianta o uccello) rampicante **3** rampone di ferro *(che si applica alle scarpe, per salire su pali, ecc.)* **4** *(fig. fam.)* arrampicatore sociale **5** *(ciclismo)* scalatore ● **rock c.**, rocciatore □ **social c.**, arrampicatore sociale; arrivista.

climbing /'klaɪmɪŋ/ Ⓐ a. *(bot., zool.)* rampicante Ⓑ n. Ⓤ **1** l'arrampicarsi; il salire **2** *(sport)* arrampicata: **free c.**, arrampicata libera **3** *(sport, mountain c.)* alpinismo **4** *(sport, = rock c.)* (le) scalate (pl.); (le) arrampicate (pl.); (il fare) roccia ● **c. boots**, scarpe da roccia; pedule □ **c. expedition**, spedizione alpinistica □ *(zool.)* **c. fish** = **anabas** □ **c. frame**, castello *(di travetti o di tubi metallici: per giochi di bimbi)* □ **c. iron**, rampone *(da alpinista)* □ *(zool.)* **c. perch** = **anabas** □ *(bot.)* **c. plant**, (pianta) rampicante □ *(ginnastica)* **c. pole**, pertica □ *(ginnastica)* **c. rope**, fune □ **c. shoes** = **c. boots** *sopra* □ *(aeron.)* **c. speed**, velocità di salita □ *(sport)* **c. wall**, parete = **mountain c.**, alpinismo.

clime /klaɪm/ n. *(poet.)* clima; regione.

clinch /klɪntʃ/ n. **1** Ⓤ ribaditura *(di chiodi)*; Ⓒ chiodo ribadito **2** *(boxe)* clinch; *(lotta)* corpo a corpo **3** *(naut.)* legatura con mezzo collo; gassa **4** *(slang)* lungo abbraccio appassionato **5** Ⓤ il concludere, stringere *(un argomento, ecc.)* ● **c. nail**, ribattino.

to clinch /klɪntʃ/ Ⓐ v. t. **1** ribadire *(un chiodo, ecc.)* **2** fissare, assicurare (qc.) con un chiodo ribadito **3** *(fig.)* stringere, concludere *(un argomento, un affare, ecc.)*; decidere *(una questione)* **4** *(naut.)* legare *(una cima)* con un mezzo collo **5** → **to clench, A, def. 1 6** conquistare *(un titolo)*; vincere *(un set di tennis, ecc.)* Ⓑ v. i. **1** *(di chiodo, ecc.)* tenere **2** *(boxe)* legare; tenere *(con le braccia l'avversario)*; *(lotta)* fare un corpo a corpo **3** *(slang)* abbracciarsi appassionatamente ● **with clinched fists**, con i pugni chiusi.

clincher /'klɪntʃə(r)/ n. **1** persona *(o attrezzo ecc.)* che ribadisce; ribaditore; ribaditoio *(arnese)*; ribaditrice *(macchina)* **2** *(fam. USA)* argomento decisivo, che taglia la testa al toro; fattore decisivo.

clinching /'klɪntʃɪŋ/ n. Ⓤ ribaditura *(di chiodi)*.

cline /klaɪn/ n. *(biol.)* cline.

to cling /klɪŋ/ (pass. e p. p. **clung**), v. i. **1** aderire strettamente; stare attaccato: *Her wet dress clung to her body*, l'abito bagnato

le aderiva al corpo **2** stringersi; abbarbicarsi: *The child was clinging to its mother*, il bimbo si stringeva alla mamma **3** aggrapparsi (*a un amico, ecc.*): *He clings to his old friend*, si aggrappa al suo unico amico **4** (*di un odore, ecc.*) restare addosso a (q.); impregnare (qc.) ● **to c. on to**, tenersi stretto a □ **to c. to a hope**, aggrapparsi a una speranza □ **to c. to the past** (*o* **to one's memories**), vivere nel passato; rimanere attaccato ai propri ricordi □ **to c. together**, stare attaccati; stringersi l'uno all'altro.

cling film® /'klɪŋfɪlm/ loc. n. Ⓤ (*GB*) pellicola adesiva (*per avvolgere alimenti, ecc.*).

clinging /'klɪŋɪŋ/ a. **1** (*d'abito*) aderente; attillato **2** eccessivamente dipendente (*da un'altra persona*); appiccicoso (*fig.*); (*di bambino*) che sta attaccato alle gonne della mamma.

clingstone /'klɪŋstəʊn/ n. (*bot.*) (pesca, ciliegia, susina) duracina.

clingy /'klɪŋɪ/ → **clinging**.

♦**clinic** /'klɪnɪk/ n. **1** (*med.*) ambulatorio; clinica (*di ospedale*); consultorio **2** (*med.*) periodo di ricevimento (*in un consultorio, ecc.*); (*ore di*) ambulatorio: **to hold clinics**, ricevere i pazienti; fare ambulatorio **3** (*med.*) studio medico polispecialistico; clinica polispecialistica **4** (*med.*) lezione col caso clinico; lezione al letto del paziente **5** (*di professionista, politico, ecc.*) (ore di) ricevimento **6** (*USA*) lezione; breve corso.

♦**clinical** /'klɪnɪkl/ a. **1** (*med.*) clinico: **c. death**, morte clinica; **c. thermometer**, termometro clinico; **c. medicine**, clinica medica (*disciplina*); **c. psychology**, psicologia clinica; **c. trials**, sperimentazione clinica **2** (*fig.*) oggettivo; distaccato; freddo; scientifico **3** (*di locale, ecc.*) disadorno; spoglio; asettico; essenziale.

clinically /'klɪnɪklɪ/ avv. **1** (*med.*) clinicamente; sotto il profilo clinico: **c. dead**, clinicamente morto **2** freddamente; con distacco; con fredda efficienza ● **c. clean**, scrupolosamente pulito ● **c. white**, di un bianco ospedaliero.

clinician /klɪ'nɪʃn/ n. (*med.*) clinico.

clink① /klɪŋk/ n. Ⓤ tintinnio (*di monete, bicchieri, chiavi, ecc.*).

clink② /klɪŋk/ n. (*slang*) prigione; galera; gattabuia (*pop.*).

to clink /klɪŋk/ Ⓐ v. i. tintinnare; tinnire (*lett.*) Ⓑ v. t. far tintinnare.

clinker /'klɪŋkə(r)/ n. **1** (*edil.*, = **c. brick**) clinker (*mattone duro usato per rivestimenti*) **2** scoria (*di fornace*): **basic, vitreous c.**, scoria basica, vetrosa **3** (*geol.*) massa di lava indurita **4** (*slang USA*) fallimento; insuccesso; fiasco (*fig.*) **5** (*slang USA*) nota falsa; stecca **6** (*slang USA*) sbaglio; cantonata; granchio (*fig.*) **7** (*slang USA*) moneta sonante; denaro; quattrini.

clinker-built /'klɪŋkəbɪlt/ a. (*naut., di imbarcazione*) a fasciame cucito (*o sovrapposto*).

clinking /'klɪŋkɪŋ/ Ⓐ a. tintinnante Ⓑ n. Ⓤ tintinnio.

clinkstone /'klɪŋkstəʊn/ n. Ⓤ (*miner.*) varietà di fonolite.

clinometer /klaɪ'nɒmɪtə(r)/ n. clinometro.

clip① /klɪp/ n. **1** clip; graffa; graffetta; grappa; fascetta; fermaglio; molletta: **cable c.**, fascetta fermacavo (*di bicicletta, ecc.*) **2** (*mecc.*) chiodo a gancio; anello d'attacco (*per tubi*); (*elettr., ecc.*) morsetto **3** (*mil.*) caricatore; nastro **4** clip; orecchino a clip: **two diamond clips**, due clip di brillanti ● **c. fastener**, bottone automatico □ (*elettr.*) **c. lead**, cavetto a pinza.

clip② /klɪp/ n. **1** tosatura; tosa (*delle pecore*) **2** taglio (*di capelli*); spuntata; scorciata **3** ritaglio (*di giornale*) **4** (*fam.*, = **c. on the ear**) scappellotto **5** (*solo sing.*) (*fam.*) andatura; passo: **to hit a good c.**, marciare ad andatura sostenuta **6** (*cinem.*) inserto filmato; clip: *Here's a c. of the crash*, ecco un clip dell'incidente **7** (*al pl.*) tosatrice; macchinetta (*fam.*) **8** (*sport*) colpetto, tocchetto (*dato alla palla*) ● (*comput.*) **c. art**, clip art □ (*slang USA*) **c. artist**, imbroglione; truffatore; bidonista (*pop.*); baro □ (*slang*) **c. joint**, locale con prezzi esagerati; locale dove pelano □ (*fam. USA*) **at a c.**, alla volta; per volta.

to clip① /klɪp/ Ⓐ v. t. fermare con una graffa (*o con un fermaglio, con una clip*); attaccare (*insieme*); graffare: *Please, c. these sheets together*, per favore, attacca insieme questi fogli Ⓑ v. i. (*anche* **to c. on**) agganciarsi.

to clip② /klɪp/ Ⓐ v. t. **1** tagliare (*spec.*) con forbici; spuntare, scorciare **2** tosare: **to c. sheep** [**a hedge**], tosare pecore [una siepe] **3** limare; tosare: **to c. a coin**, limare una moneta **4** ritagliare: **to c. an article from a newspaper**, ritagliare un articolo da un giornale **5** (*nella pronuncia*) troncare: **to c. one's g's**, troncare i gerundi (*pronunciando* goin', speakin', *per* going, speaking) **6** forare, bucare, obliterare (*un biglietto, ecc.*) **7** (*fam.*) dare una sberla (*o uno scappellotto, un colpo*) a: **to c. sb. round the ear**, dare uno scappellotto a q. **8** (*slang*) imbrogliare; spogliare (*q. del suo denaro*); pelare (*fam.*); tosare (*fam.*): *Don't go to that shop: they'll c. you*, non andare in quel negozio: ti pelano **9** (*slang USA*) accoppare; fare fuori, fare secco (*pop.*) **10** (*sport*) colpire leggermente (*la palla*) Ⓑ v. i. (*seguito da avv. o compl.*) muoversi rapidamente; filare; sfrecciare ● **to c. sb.'s claws**, mozzare gli artigli a q. □ **to c. coupons**, staccare tagliandi; (*fin.*) staccare cedole □ **to c. sb.'s wings**, tarpare le ali a q.

clipboard /'klɪpbɔːd/ n. **1** portablocco con molla **2** (*comput.*) appunti.

clip-clop /'klɪp'klɒp/ n. Ⓤ **1** (*del cavallo*) clop clop; cloppette **2** (*di persona*) zoccolio.

to clip-clop /'klɪp'klɒp/ v. i. **1** (*del cavallo*) fare clop clop **2** (*di persona*) zoccolare.

clip-on /'klɪpɒn/ Ⓐ a. che si attacca con una clip; a clip Ⓑ n. **1** (*orecchino a clip*) clip **2** (*al pl.*) lenti da sole che si agganciano sugli occhiali da vista.

clipped /'klɪpt/ a. **1** tosato; spuntato **2** (*di pronuncia dell'ingl.*) veloce e secco; rapido e asciutto (*percepito come raffinato o aristocratico*).

clipper /'klɪpə(r)/ n. **1** tagliatore; tosatore (*di pecore*) **2** (*al pl.*) arnese per tagliare, rifilare o tosare; tosatrice; tronchesine (*per unghie*); macchinetta (*per capelli*); tagliasiepi; tosasiepi **3** (*naut.*, = **c. ship**) clipper **4** (*aeron.*) clipper **5** (*elettr., elettron.*) clipper.

clippie /'klɪpɪ/ n. (*fam. antiq.*) bigliettaia (*o fattorina*) di autobus.

clipping① /'klɪpɪŋ/ n. **1** Ⓤ taglio (*di capelli, ecc.*); tosatura (*di pecore*) **2** (*USA*) ritaglio (*di giornale, ecc.*) **3** (*metall.*) sbavatura **4** (*fin., stor.* = **coin c.**) tosatura (*delle monete metalliche*) **5** (*al pl.*) frammenti tagliati; ritagli; pezzetti: **nail clippings**, pezzetti d'unghie tagliate; **grass clippings**, erba tagliata ● **c. bureau** [**service**], agenzia [servizio] di ritagli di stampa.

clipping② /'klɪpɪŋ/ a. **1** tagliente **2** veloce.

clique /kliːk/ n. chiesuola (*fig.*); conventicola; cricca.

cliquey, cliquy /'kliːkɪ/, **cliquish** /'kliːkɪʃ/ a. **1** di chiesuola; ristretto; esclusivo **2** che tende a isolarsi ‖ **cliquishness** n. Ⓤ tendenza a formare chiesuole (*o gruppi ristretti*); gretto spirito di gruppo.

clit /klɪt/ n. (*slang*) clitoride; grilletto (*pop.*).

clitic /'klɪtɪk/ a. (*gramm.*) clitico.

clitoridectomy /klɪtərɪ'dɛktəmɪ/ n. Ⓤ (*chir.*) clitoridectomia.

clitoris /'klɪtərɪs/ (*anat.*) n. clitoride ‖ **clitoral**, (*raro*) **clitoridal** a. clitorideo.

Cllr abbr. (**councillor**) consigliere.

cloaca /kləʊ'eɪkə/ n. (pl. *cloacae*) cloaca (*anche fig.*) ‖ **cloacal** a. cloacale.

cloak /kləʊk/ n. **1** mantello; manto **2** (*fig.*) manto; copertura: **a c. of secrecy**, un manto di segretezza; **under the c. of**, sotto il manto di ● **c.-and-dagger**, segreto; cospiratorio; di spionaggio; di mistero.

to cloak /kləʊk/ v. t. **1** coprire con un mantello **2** (*fig.*) ammantare; mascherare; dissimulare; nascondere.

cloakroom /'kləʊkruːm/ n. **1** guardaroba (*di teatro, albergo, ecc.*) **2** (*ferr.*) deposito bagagli **3** (*eufem.*) gabinetto, latrina; bagno (*eufem.*) ● **c. attendant**, guardarobiera □ (*ferr.*) **c. ticket**, scontrino di deposito.

clobber /'klɒbə(r)/ n. Ⓤ (*collett.*) (*fam. GB*) vestiti (pl.); roba.

to clobber /'klɒbə(r)/ v. t. (*fam.*) **1** picchiare; pestare; riempire di botte **2** colpire duramente; dare una batosta a **3** sconfiggere sonoramente; darle sode; suonarle a **4** attaccare; strapazzare.

cloche /klɒʃ/ (*franc.*) n. **1** campana di vetro (*per proteggere piante*) **2** (*moda, stor.*, = **c. hat**) cloche; cappello a cloche.

♦**clock**① /klɒk/ n. **1** orologio (*che non si porta sulla persona*) **2** orologio marcatempo **3** (*fam.*) cronometro: **to stop the c.**, fermare il cronometro **4** (*autom., fam.*) contachilometri; contamiglia; tachimetro **5** (*slang GB*) faccia ● **c. card**, cartellino di presenza, cartellino segnatempo (*in fabbrica*) □ **c. face** (*o* **c. dial**), quadrante □ **c.-radio**, radiosveglia □ (*comput.*) **c. speed**, velocità di clock □ **c. tower**, torre dell'orologio □ (*fam. spreg.*) **c.-watcher**, chi non vede l'ora che finisca il lavoro (la lezione, ecc.) □ **c.-watching**, (lo) stare sempre a guardare l'orologio; svogliatezza □ **against the c.**, (lottando) contro il tempo; con i minuti contati: **to work against the c.**, combattere contro il tempo; lavorare con i minuti contati □ **around the c.** = **round the c.** → *sotto* □ **to beat the c.**, stare dentro il tempo prescritto; stare nei tempi □ **by the c.**, secondo l'orologio; orologio alla mano: *It's two by the c.*, sono le due secondo l'orologio; l'orologio fa le due; **to do st. by the c.**, fare qc. tenendo d'occhio l'orologio □ **to kill the c.** = **to run out the c.** → *sotto* □ **four** [**five, ecc.**] **o'clock**, le quattro [le cinque, ecc.] □ **to punch the c.**, timbrare il cartellino (*sul lavoro*) □ **to put** (*o* **to set**) **the c. back**, mettere indietro l'orologio; (*fig., anche*) tornare indietro (*nel tempo*), riportare indietro l'orologio, tornare al passato □ **to put the c. forward** (*o on, o USA* **to set ahead the c.**), mettere avanti l'orologio □ **round the c.**, 24 ore su 24; giorno e notte: **to work round the c.**, lavorare giorno e notte; **round-the-c. watch**, sorveglianza continua □ (*sport, USA*) **to run out the c.**, trattenere la palla; far melina (*pop.*) □ **to watch the c.**, guardare sempre l'orologio (*in ansiosa attesa che qc. finisca*).

clock② /klɒk/ n. baghetta; freccia (*motivo ornamentale d'una calza*).

to clock /klɒk/ v. t. **1** cronometrare (*una corsa, un corridore, ecc.*) **2** (*nelle corse*) fare, realizzare (*un certo tempo*) **3** (*fam. GB*) ritoccare il contachilometri di (*un'auto usata*) **4** (*slang, GB*) vedere; notare; fissare **5** (*slang, GB*) dare un pugno a q.; mollare un cazzotto a (*pop.*); fare a cazzotti con.

■ **clock in** v. i. + avv. (*di lavoratore*) timbrare il cartellino all'entrata, marcare in entrata; (*per estens.*) cominciare (a lavorare), monta-

re (*fam.*): *I can clock in when I like, we've got flexitime at our office*, posso timbrare quando voglio, in ufficio abbiamo orari flessibili.
- **clock off** (*GB*) → **to clock out**.
- **clock on** (*GB*) → **to clock in**.
- **clock out** v. i. + avv. (*di lavoratore*) timbrare il cartellino all'uscita, marcare in uscita; (*per estens.*) smettere di lavorare, staccare, smontare (*fam.*).
- **clock up** v. t. + avv. **1** (*autom.*) raggiungere, fare (*una certa velocità*); fare, percorrere (*un certo numero di kilometri*) **2** raggiungere, fare (*un certo numero di ore, anni, ecc.*) **3** totalizzare (*un certo numero di punti*) **4** ottenere, mettere a segno (*una vittoria, ecc.*).

clocklike /ˈklɒklaɪk/ a. preciso come un orologio; cronometrico.

clockmaker /ˈklɒkmeɪkə(r)/ n. orologiaio; fabbricante d'orologi.

clockwise /ˈklɒkwaɪz/ **A** a. (che gira) in senso orario; destrorso **B** avv. in senso orario; nel senso delle lancette dell'orologio.

clockwork /ˈklɒkwɜːk/ **A** n. ⓤ **1** meccanismo (*d'orologio*) **2** carica, molla (*di un giocattolo*) **3** (meccanismo a) orologeria (*di una bomba*) **B** attr. **1** a orologeria; a molla: **c. toys**, giocattoli a molla **2** (*fig.*) preciso, esattissimo **3** (*fig.*) troppo regolare; sempre uguale; monotono ● **like c.**, come un orologio (o un cronometro); con perfetta regolarità □ **Everything went like c.**, tutto andò liscio come l'olio.

clod /klɒd/ n. **1** zolla; zolla erbosa; blocco d'argilla **2** (*slang*) stupido; zuccone; imbranato; persona goffa, sgraziata **3** ⓤ (*di bue macellato*) petto grosso ● (*agric.*) **c.-breaker** (*o* **c.-crusher**), frangizolle.

to **clod** /klɒd/ v. t. e i. lanciare zolle (contro q.); colpire con zolle.

cloddy /ˈklɒdɪ/ a. pieno di zolle.

clodhopper /ˈklɒdhɒpə(r)/ n. **1** zoticone; persona goffa, sgraziata **2** scarpone; scarpa pesante.

clog /klɒɡ/ n. **1** ceppo legato alla gamba di un animale (*per impedirgli di muoversi*); ceppo; pastoia **2** (*fig.*) intasamento; ostacolo; ostruzione; intoppo **3** zoccolo (*calzatura*); zoccoletto **4** (= **c. dance**) ballo rustico (*con gli zoccoletti*).

to **clog** /klɒɡ/ **A** v. t. **1** (*anche* **to c. up**) ostruire; otturare; intasare: *The valves were clogged with dust*, le valvole erano ostruite dalla polvere **2** ostacolare; impedire: *These measures will c. the markets*, questi provvedimenti ostacoleranno i mercati **B** v. i. **1** (*anche* **to c. up**) ostruirsi; otturarsi; intasarsi **2** diventare denso (*o fitto, spesso*); rapprendersi: *Clogged oil does not flow*, l'olio rappreso non fluisce.

cloggy /ˈklɒɡɪ/ a. **1** grumoso; nodoso **2** appiccicoso; viscoso.

cloister /ˈklɔɪstə(r)/ n. **1** (*relig.*) chiostro; monastero; convento **2** (*archit.*) porticato; portico **3** ⓤ (*fig.*) **the c.**, la vita monastica.

to **cloister** /ˈklɔɪstə(r)/ v. t. chiudere in convento ● **to c. oneself**, appartarsi; isolarsi.

cloistered /ˈklɔɪstəd/ a. **1** (*relig.*) di clausura: **c. nun**, suora di clausura **2** isolato dal mondo; in isolamento: **to lead a c. life**, vivere isolati dal mondo **3** (*archit.*) con chiostro.

cloistral /ˈklɔɪstrəl/ a. claustrale.

clomp /klɒmp/ n. rumore di passi pesanti; tonfo.

to **clomp** /klɒmp/ v. i. camminare con passo pesante.

clonal /ˈkləʊnl/ a. (*biol.*) clonale.

clone /kləʊn/ n. **1** (*biol.*) clone **2** (*fig.*) riproduzione perfetta; duplicato, clone (*fig.*).

to **clone** /kləʊn/ v. t. (*genetica*) clonare.

clonic /ˈklɒnɪk/ a. (*med.*) clonico: **c.**

spasm, spasmo clonico; clono.

cloning /ˈkləʊnɪŋ/ n. ⓤ (*genetica*) clonazione.

clonk /klɒŋk/ n. **1** rumore sordo **2** (*slang*) colpo; botta.

to **clonk** /klɒŋk/ **A** v. i. fare un rumore sordo **B** v. t. (*slang*) colpire, picchiare; battere (*la testa*).

clonus /ˈkləʊnəs/ n. (*med.*) clono.

clop /klɒp/ n. ⓤ **1** rumore di zoccoli; clop; cloppete **2** (*di una persona*) zoccolio.

to **clop** /klɒp/ v. i. **1** (*del cavallo*) fare clop (o cloppete) **2** (*di una persona*) zoccolare.

♦**close** ① /kləʊs/ **A** a. **1** vicino; ravvicinato: *The school is c. to the church*, la scuola è vicina alla chiesa; **at c. range**, a distanza ravvicinata; **c. escort**, scorta ravvicinata **2** stretto; prossimo: **c. collaboration**, stretta collaborazione; **to have c. links with**, avere stretti legami con **3** fitto; serrato; compatto: **c. weave**, trama fitta; **c. print**, caratteri fitti; **c. stitches**, punti fitti; (*mil.*) **c. ranks**, ranghi serrati; **c. reasoning**, ragionamenti serrati **4** combattuto fino all'ultimo; serrato; vinto di stretta misura: **c. contest**, gara serrata; lotta serrata (*in un'elezione, ecc.*); **c. victory**, vittoria di stretta misura; (*sport*) **c. finish**, finale sul filo di lana **5** intimo; stretto; vicino; legato; unito: **c. friend**, amico intimo; **c. relatives**, parenti stretti; parenti prossimi; **c. adviser**, consigliere particolare; *The two brothers are very c.*, i due fratelli sono molto legati; *We've always been very c.*, siamo sempre stati molto amici **6** accurato; preciso; serrato: **c. examination**, esame accurato; **c. inspection**, controllo attento; **c. questioning**, interrogatorio serrato; **to pay c. attention to**, fare molta attenzione a **7** molto simile all'originale; fedele; accurato; scrupoloso: **c. resemblance**, stretta (*o forte*) somiglianza; **c. translation**, traduzione aderente all'originale: *They are a c. match*, sono molto simili **8** riservato; abbottonato (*fam.*): *He's very c. about his trips*, è molto riservato sui (*o non parla mai dei*) suoi viaggi **9** ben custodito; segreto; celato: **a c. secret**, un segreto ben custodito; **to keep st. c.**, tenere qc. celato, segreto **10** afoso; soffocante; poco arieggiato: **c. weather**, tempo afoso; *It is very c. in here*, manca l'aria qui dentro; **c. smell**, odore di chiuso **11** (*fon.*) chiuso: **a c. vowel**, una vocale chiusa **12** (= **c.-fisted**) avaro; taccagno; tirchio **B** avv. vicino; accanto; dappresso: *Don't come too c.*, non avvicinarti troppo; non venirmi vicino; *The exams are getting c.*, gli esami si avvicinano; **to draw c.**, avvicinarsi; approssimarsi; **c. behind us**, subito dietro di noi; **to follow c. behind**, venire subito dietro; seguire dappresso; *We live c. to the stadium*, abitiamo vicino allo stadio; *We were c. to victory*, eravamo vicini alla vittoria; *She was c. to tears*, stava per piangere; **to come c. to perfection**, avvicinarsi alla perfezione ● **c. at hand**, a portata di mano; vicino; **c. by**, vicino; nelle vicinanze □ (*fam.*) **a c. call** (*o thing*) = **c. shave** → *sotto* □ (*mil.*) **c. combat**, combattimento ravvicinato □ (*fin.*) **c. company**, società controllata dai suoi direttori o a ristretta partecipazione azionaria (*non più di cinque soci*) □ **c. confinement**, segregazione cellulare □ (*fin., USA*) **c. corporation** = **c. company** → *sopra* □ (*d'erba, di capelli*) **c.-cropped** (*o* **c.-cut**), tagliato raso; rasato □ **c. custody**, rigorosa custodia, segregazione (*di un detenuto*) □ (*comm.*) **c.-cut price**, prezzo ristrettissimo □ **c. enough**, piuttosto vicino; più o meno □ (*sport*) **c. finish**, arrivo serrato; arrivo in gruppo □ **c.-fisted**, spilorcio; avaro; tirchio □ **c.-fistedness**, avarizia; tirchieria □ (*d'abito*) **c.-fitting**, aderente; attillato □ (*aeron.*) **c. formation**, formazione chiusa □ (*di legno, ecc.*) **c.-grained**,

a grana fitta; a struttura compatta □ (*naut.*) **c.-hauled**, di bolina stretta □ **c.-in**, a distanza ravvicinata; (*anche, USA*) vicino al centro □ (*di comunità, famiglia, ecc.*) **c.-knit**, compatto, molto unito □ (*sport*) **c. marking**, marcatura stretta □ (*di rete*) **c.-meshed**, a maglie fitte □ **c.-mouthed** (*o* **c.-lipped**), reticente; riservato □ **c. on** (*seguito da numero*), quasi: **c. on ten hours**, quasi dieci ore □ **c. quarters**, stretta vicinanza: **at c. quarters**, dappresso; da vicino; **in c. quarters**, in uno spazio ristretto; gomito a gomito; (*mil.*) **to come to c. quarters**, venire in contatto (*col nemico*) □ (*di gara, elezione, ecc.*) **c.-run**, combattuto fino in fondo; molto tirato; vinto (*o perso*) di stretta misura □ **c. season**, stagione in cui la caccia e la pesca sono chiuse □ **c.-set**, molto accostato, molto vicini: **c.-set eyes**, occhi molto accostati □ **a c. shave**, una rasatura a fondo; (*fig. fam.*) rischio evitato per un soffio (*o per un pelo*): *I wasn't hit, but it was a c. shave*, non fui colpito, ma solo per un pelo; *We've had a c. shave*, l'abbiamo scampata bella □ **c.-spaced** = **c.-set** → *sopra* □ (*stor.*) **c.-stool**, comoda □ **c. to**, quasi; (*anche*) da vicino, dappresso, a distanza ravvicinata: **c. to £1,000**, quasi mille sterline; **seen from c. to**, visto da vicino □ **c. to sb.'s heart**, che sta molto a cuore di q. □ (*fig.*) **c. to home**, spiacevolmente vero; che tocca sul vivo; che brucia □ **c. to the wind**, (*naut.*) serrando il vento; (*fig.*) sul filo del rasoio, al margine della legalità □ **c. up**, vicino; da vicino □ **to come c. to doing st.**, essere lì lì per fare qc.: *I came c. to slapping her in the face*, fui lì lì per schiaffeggiarla □ (*mil.*) **in c. order**, in ordine chiuso □ **in c. touch with**, a stretto contatto con □ **to keep a c. eye on st.**, tenere d'occhio attentamente qc.; stare bene attento a qc. □ **to keep a c. watch on sb.**, fare buona guardia a q. □ (*fam.*) **That was c.!**, c'è mancato un pelo! □ **too c. for comfort**, un po' troppo vicino; pericolosamente vicino; che tocca troppo da vicino □ (*slang USA*) **C., but no cigar!**, ci sei quasi!; ci sei andato vicino!

close ② (*def. 1* /kləʊs/, *def. 2, 3, 4, 5, 6, 7 e 8* /kləʊz/) n. **1** chiuso; recinto; terreno cintato (*intorno a una cattedrale, una scuola, ecc.*) **2** chiusa, conclusione (*di lettera, discorso, ecc.*) **3** chiusura; fine; termine; stretta finale (*nelle trattative, ecc.*): *There will be a collection at the c. of the meeting*, ci sarà una colletta alla fine della riunione **4** (*leg.*) podere (*o fondo*) recintato **5** (*della caccia, della pesca*) chiusura **6** (*fin.*) **c. of business**, chiusura (*alla Borsa Valori*): *Tin shares strengthened at the c.*, le azioni dello stagno si rafforzarono in chiusura **7** (*radio, TV*) fine delle trasmissioni **8** (*mus.*) finale ● (*Borsa, fin.*) **at the c.**, in chiusura: **to go down at the c.**, chiudere al ribasso; **to go up at the c.**, chiudere al rialzo □ **to come** (*o* **to draw**) **to a c.**, giungere al termine; finire.

♦to **close** /kləʊz/ **A** v. t. **1** chiudere; serrare: **to c. the door** [**a book, one's mouth**], chiudere la porta [un libro, la bocca]; (*banca, rag.*) **to c. an account**, chiudere un conto; (*elettr.*) **to c. a circuit**, chiudere un circuito; **to c. one's days**, chiudere la vita; morire **2** chiudere; tappare: **to c. one's ears**, tapparsi le orecchie **3** concludere; portare a termine; chiudere: **to c. a deal**, concludere un affare; **to c. a meeting**, chiudere una riunione; togliere una seduta; (*leg.*) **to c. the sitting**, togliere l'udienza **4** (*di nave*) accostare (*un'altra nave, ecc.*) **5** (*comput.*) chiudere (*un accesso al file, ecc.*); annullare **B** v. i. **1** chiudersi; serrarsi: *The window closed*, la finestra si chiuse **2** chiudere: *The office closes at 12 A.M.*, l'ufficio chiude alle 12; *The factory closed last year*, la fabbrica ha chiuso l'anno scorso **3** giungere al termine; finire; chiudere: *The meeting closed at eight o'clock*, la riunione finì alle otto; *I will c.*

C

with an anecdote, chiuderò con un aneddoto **4** (*fin.*) chiudere, quotare in chiusura (*alla Borsa Valori*): *Our shares closed at £10*, le azioni in nostro possesso hanno chiuso a dieci sterline **5** (*ipp.*) rimontare; farsi sotto ● (*leg.*) **to c. a bankruptcy**, chiudere un fallimento □ (*banca*) **to c. doors**, chiudere gli sportelli ■ **to c. a gap → gap** (*Borsa, fin.*) **to c. a position**, pareggiare □ (*mil.*) *C. right!*, serrare a destra! □ (*naut.*) **to c. the wind**, serrare il vento.

■ **close around**, **close about** v. t. + prep. **1** chiudersi intorno a; stringere; circondare: *His fist closed around the stick*, il suo pugno strinse il bastone **2** circondare; avvolgere: *Fog closed around me*, la nebbia mi avvolse **3** circondare, accerchiare (*il nemico, ecc.*).

■ **close down** Ⓐ v. i. + avv. **1** (*di azienda, impianto, ecc.*) chiudere; cessare l'attività **2** (*radio, TV, GB*) cessare (le trasmissioni) (*fino al giorno seguente*) Ⓑ v. t. + avv. **1** chiudere (*un'azienda, un impianto, ecc.*); cessare (*un'attività, ecc.*) **2** (*nelle corse*) colmare (*un distacco*).

■ **close in** v. i. + avv. **1** avvicinarsi da ogni parte; farsi sotto: *The enemy was closing in*, il nemico si faceva sotto da ogni parte **2** (*della notte, della nebbia, ecc.*) calare **3** (*delle giornate*) accorciarsi □ **to c. in on** (*o* **upon**), avvolgere, circondare, calare su: *The natives closed in on us*, gli indigeni ci circondarono; *Night closed in on them*, la notte calò su di loro.

■ **close off** v. t. + avv. **1** chiudere; isolare: *The northbound carriageway has been closed off owing to a serious accident*, la corsia nord è stata chiusa per un grave incidente **2** escludere, chiudere (*il flusso dell'acqua, ecc.*).

■ **close out** Ⓐ v. t. + avv. (*USA*) **1** (*comm.*) smaltire (*merce in giacenza, ecc.*) svendendola **2** chiudere; concludere Ⓑ v. i. + avv. (*market.*) fare una liquidazione □ **to c. out an account**, bilanciare un conto.

■ **close up** Ⓐ v. i. + avv. **1** (*di ferita, apertura, fiori, ecc.*) chiudersi **2** chiudere: *The bank closes up at noon*, la banca chiude a mezzogiorno **3** (*fig.*) chiudersi nel silenzio; tacere **4** (*di viso*) perdere ogni espressione **5** (*mil.*) serrare le file (*o* i ranghi) **6** (*sport*) chiudersi (in difesa) Ⓑ v. t. + avv. **1** chiudere: **to c. up shop**, chiudere bottega (*anche fig.*) **2** chiudere; bloccare; ostruire: **to c. up a road** [**a well**], bloccare una strada [chiudere un pozzo] □ **to c. up on**, avvicinarsi; arrivare vicino a.

■ **close with** v. t. + prep. **1** (*comm.*) accordarsi con; raggiungere un accordo con: *At last I succeeded in closing with the tax inspector*, alla fine riuscii a raggiungere un accordo con l'ispettore del fisco **2** accettare (*un'offerta*) accordarsi su **3** (*mil.*) dare (*o* impegnare) battaglia con; attaccare.

close button /'kləʊzbʌtən/ loc. n. (*comput.*) bottone annulla.

♦**closed** /kləʊzd/ a. chiuso (*anche fig., mat.*); serrato: **a c. door**, una porta chiusa; *Sorry, the kitchen's c.*, mi dispiace, la cucina è chiusa; **a c. society**, una società chiusa; (*mat.*) **a c. set**, un insieme chiuso; **a c. mind**, una mentalità chiusa (*o* ristretta) ● (*fig.*) **a c. book**, una cosa di cui si ignora tutto; (*anche*) una storia finita □ (*elettr.*) **c. circuit**, circuito chiuso □ (*TV*) **c.-circuit television**, televisione a circuito chiuso □ **c. company = close company → close** (*leg.*) **c.-door session**, seduta a porte chiuse □ **c.-end**, a termine □ (*fin.*) **c.-end** (**investment**) **fund** (*o* **c.-end trust**), fondo (d'investimento) chiuso (*o* a capitale fisso) □ (*fin.*) **c.-end lease**, locazione senza riscatto □ (*leg.*) **c. hearing**, udienza a porte chiuse □ **c.-in**, ristretto; angusto □ (*comput.*) **c.-loop**, a ciclo chiuso □ (*demogr.*) **c.

population, popolazione chiusa □ (*USA*) **c. season**, stagione in cui la caccia o la pesca sono chiuse □ **c. shop**, azienda che assume soltanto gli iscritti a un certo sindacato; il sistema relativo □ (*fon.*) **c. syllable**, sillaba chiusa □ (*leg.*) **behind c. doors**, a porte chiuse □ **«C. for repairs»**, «chiuso per riparazioni» □ (*market., tur.*) **«C. Mondays»**, (*cartello*) «chiusura di lunedì».

close-down /kləʊzdaʊn/ n. **1** Ⓤ Ⓒ (*ind.*) chiusura (*di una fabbrica e sim.*) **2** (*radio, TV, GB*) segnale di fine trasmissione.

♦**closely** /'kləʊslɪ/ avv. **1** da vicino: **to follow sb. c.**, seguire q. da vicino; **to hold sb. c.**, stringere forte q.; tener stretto q. **2** fittamente; fitto; densamente: **c. written**, scritto fitto; **c. packed**, densamente stipato; pigiato; ammassato **3** moltissimo; fortemente; strettamente: *This insect c. resembles a gadfly*, questo insetto somiglia moltissimo a un tafano; **c. connected with**, strettamente collegato con; **c. related to**, strettamente connesso a; affine a **4** accuratamente; attentamente; in modo serrato: *Watch him c.!*, guardalo attentamente!; sorveglialo da vicino!; tienilo d'occhio!; **to question sb. c.**, interrogare q. a fondo; sottoporre a interrogatorio serrato ● **a c.-guarded secret**, un segreto ben custodito □ (*sport*) **c. marked**, marcato stretto; marcatissimo.

closeness /'kləʊsnəs/ n. Ⓤ **1** vicinanza; prossimità **2** (*grado d'*) intimità; stretto legame: *You know the c. of our friendship*, tu conosci il grado d'intimità della nostra amicizia **3** fittezza, compattezza (*di tessuto, ecc.*) **4** accuratezza, esattezza, precisione (*di copia, ritratto, ecc.*) **5** segretezza; riservatezza **6** mancanza di spazio; ristrettezza **7** mancanza d'aria; afa **8** (*fam.*) avarizia; spilorceria; tirchieria.

close-out /'kləʊzaʊt/ n. (*comm. USA*, = **close-out sale**) liquidazione; saldo; svendita.

♦**closet** /'klɒzɪt/ Ⓐ n. **1** (*spec. USA*) armadio a muro **2** (*spec. USA*) ripostiglio; stanzino **3** (*arc.*) gabinetto Ⓑ a. **attr.** non dichiarato; tenuto nascosto; cripto-; in segreto: **a c. bisexual**, un bisessuale in segreto, **a c. communist**, un criptocomunista ● (*lett.*) **c. play** (*o* **c. drama**), lavoro teatrale destinato alla lettura, piuttosto che alla recitazione □ **to come out of the c.**, uscire allo scoperto (*spec.* rivelando la propria omosessualità).

to **closet** /'klɒzɪt/ v. t. (per lo più al passivo) chiudere (*a colloquio privato, in riunione segreta*): *He was closeted with the minister for over one hour*, ebbe col ministro un colloquio privato di oltre un'ora; **to be closeted together**, essere in colloquio privato; essere in riunione segreta; **to c. oneself with sb.**, chiudersi a discutere con q.

closeted /'klɒzɪtɪd/ a. → **closet B**.

close-up /'kləʊsʌp/ Ⓐ n. (*cinem., fotogr., TV, fig.*) primo piano Ⓑ a. **1** da vicino; ravvicinato: **close-up view**, veduta ravvicinata **2** (*di resoconto, ecc.*) dettagliato; in presa diretta.

closing /'kləʊzɪŋ/ Ⓐ n. Ⓤ chiusura (*anche di attività, ecc.*): **Sunday c.**, chiusura domenicale; **the c. of the local paper**, la chiusura del giornale locale Ⓑ a. di chiusura; ultimo; finale: **c. date**, ultimo giorno; ultima data utile: *What's the c. date for enrolment?*, qual è l'ultima data utile per l'iscrizione?; **c. time**, orario di chiusura; **c. speech**, discorso di chiusura; **in the c. days of May**, negli ultimi giorni di maggio ● (*rag.*) **c. account**, conto sintetico □ (*rag.*) **c. balance**, saldo di chiusura □ (*rag.*) **c. down**, cessazione d'esercizio □ **a c. down sale**, liquidazione per cessata attività ■ **a c. of ranks**, un serrate le file (*o* i ranghi) □ (*Borsa*) **c. price**, prezzo di chiusura (*Borsa*) **c. rate**, corso (*o* cambio) di chiusura □ **early-c. day**,

giorno di chiusura pomeridiana (*dei negozi*) □ **C. time!**, si chiude!

closure /'kləʊʒə(r)/ n. ⒸⓊ **1** chiusura; conclusione; fine; termine: **tight c.**, chiusura ermetica; **zipper c.**, chiusura lampo; (*mil.*) **the c. of a town**, la chiusura di una città (*ai civili*) **2** (*in parlamento*) sospensione del dibattito (*per passare ai voti*); chiusura **3** (*scient.*) chiusura ● **to apply the c.**, approvare la mozione di chiusura.

to **closure** /'kləʊʒə(r)/ v. t. (*in parlamento*) votare la sospensione di (*un dibattito*).

clot /klɒt/ n. **1** grumo; coagulo (*di sangue*) **2** grumo, zacchera (*di fango*) **3** (*fam.*) stupido; zuccone; testa di legno (*pop.*) ● (*med.*) **c. on the brain**, embolo cerebrale.

to **clot** /klɒt/ Ⓐ v. i. coagularsi; rapprendersi, raggrumarsi Ⓑ v. t. **1** coagulare; far rapprendere; raggrumare **2** incrostare, impiastrare (*di qc.*): **to be clotted with blood** [**mud**], essere incrostato di sangue [fango].

♦**cloth** /klɒθ/ n. **1** Ⓤ stoffa; tessuto: **wool c.**, stoffa di lana; **waterproof c.**, tessuto impermeabile; **c. bag**, borsa di stoffa **2** straccio; panno; pezza; strofinaccio **3** (= **tablecloth**) tovaglia: **to lay the c.**, stendere la tovaglia; **altar c.**, tovaglia d'altare **4** Ⓤ – (*fig.*) **the c.**, l'abito talare; il clero: **a man of the c.**, un religioso **5** panno (*di biliardo*) **6** (*naut.*) ferzo (*di vela*) **7** Ⓤ (*naut.*) velame; vele (pl.) ● **c.-beam**, subbio (*di telaio*) □ **c. binding**, rilegatura in tela □ **c. bound**, rilegato in tela □ (*GB*) **c. cap**, berretto di panno con visiera rigida (*considerato tipico della classe operaia*) □ (*GB*) **c.-cap**, di (*o* da) operaio (*scherz. GB*) **c.-eared** [**c.-ears**], che [chi] non sente (*perché distratto, insensibile, ecc.*); sordo □ (*fam.*) **c. head**, stupido; zuccone □ **c. in the piece**, stoffa in pezza □ **c.-maker**, fabbricante di stoffe □ **c. of gold** [**of silver**], stoffa intessuta d'oro [d'argento].

❶ NOTA: *cloth, clothes o clothing?*
Cloth è una stoffa di fibre naturali o sintetiche tessute o lavorate a maglia, oppure un pezzo di tessuto usato per asciugare, pulire, coprire qualcosa, ecc.: *a dish cloth*, uno strofinaccio; *a soft damp cloth*, una pezza morbida e umida. Il plurale di *cloth* è *cloths*: *Where do you keep your cloths and washing up liquid?*, dove tieni gli strofinacci e il detersivo?

Clothes significa, invece, "vestiti, indumenti" ed è un sostantivo soltanto plurale; al singolare si usano espressioni formali come *garment*, *piece of clothing* o *article of clothing* oppure il nome specifico del tipo di vestito (*shirt, dress, trousers*, ecc.).

to **clothe** /kləʊð/ (pass. e p. p. **clothed**, *arc.* **clad**), v. t. **1** vestire: **to feed and c. one's children**, nutrire e vestire i propri figli; *She was clothed in silk*, era vestita di seta; **fully clothed**, completamente vestito **2** rivestire; ricoprire; ammantare: *Green leaves clothed the trees*, le foglie verdi rivestivano gli alberi; *The land was clothed in snow*, la terra era ammantata di neve **3** (*naut.*) invelare, fornire (*una nave, ecc.*) di velatura; attrezzare (*un albero*).

♦**clothes** /kləʊðz/ n. pl. collett. **1** abiti; vestiti; indumenti; vestiario (sing.); abbigliamento (sing.): **children's c.**, vestiti per bambini; **summer c.**, abiti estivi; **to put on one's c.**, vestirsi; **to take off one's c.**, svestirsi; **without any c. on**, senza niente addosso; nudo **2** biancheria e coperte da letto ● **c. basket**, cesta del bucato □ **c. brush**, spazzola per abiti □ **c.-conscious**, che ci tiene a vestir bene □ **c. dryer**, asciugabiancheria; asciugatrice □ **c. hanger**, gruccia; ometto; stampella □ **c. hook**, attaccapanni a muro □ **c.-horse**, cavalletto (*per bucato*); stenditoio; (*fam. spreg.*) manichino (*persona dal fisico elegante e ricercata nel vestire*) ● **c.-line**, corda

del bucato □ **c. moth**, tarma; tignola □ **c. peg** (*USA*: **c. pin**), molletta da bucato □ **c. post** (*o* **c. pole**), palo (*fisso*) della corda del bucato □ **c.-press**, armadio (*per biancheria*) □ **c. prop**, palo della corda del bucato, con la punta a forcella □ **c. shop**, negozio d'abbigliamento □ **c. tree** (*o* **c. stand**), attaccapanni a stelo □ (*USA*) **c. valet**, stiraabiti; stiracalzoni; appendiabiti ● **to sleep in one's c.**, dormire vestito ❶ NOTA: *cloth, clothes o clothing?* → **cloth**.

clothier /'kləʊðɪə(r)/ *n.* **1** fabbricante di stoffe **2** negoziante di stoffe (*o* abiti) **3** merciaio.

♦**clothing** /'kləʊðɪŋ/ *n.* ⓤ **1** abbigliamento; vestiario: **an item** (*o* **an article**) **of c.**, un capo di vestiario; **the c. industry** (*o* **trade**), l'industria dell'abbigliamento **2** copertura; rivestimento: **protective c.**, rivestimento protettivo ● (*ind. tess.*) **c. wool**, lana da carda ❶ NOTA: *cloth, clothes o clothing?* → **cloth**.

Clotho /'kləʊθəʊ/ *n.* (*mitol.*) Cloto.

clotted /'klɒtɪd/ *a.* **1** coagulato; rappreso: **c. cream**, panna rappresa (*di latte bollito lentamente*) **2** incrostato (*di qc.*); impiastrato; appiccicato: **clotted hair**, capelli appiccicati in ciocche (*per il sangue, il sudiciume, ecc.*).

clotting /'klɒtɪŋ/ *n.* ⓤ coagulazione.

clotty /'klɒtɪ/ *a.* **1** grumoso **2** che tende a coagularsi.

cloture /'kləʊtʃə(r)/ *n.* (*polit., USA*) mozione di chiusura (*di un dibattito in parlamento*): **to force c. on a bill**, bloccare un disegno di legge con la mozione di chiusura del dibattito.

♦**cloud** /klaʊd/ *n.* **1** (*meteor.*) nube; nuvola: **thick c.**, nuvola spessa; nuvolone; *There isn't a c. in the sky*, non c'è neanche una nuvola in cielo **2** nube; (*di insetti*) nugolo, sciame: **a c. of smoke** [**of dust**], una nuvola di fumo [di polvere]; **a c. of flies**, un nugolo di mosche **3** (*fig.*) nube; ombra: **clouds of war**, nubi di guerra; **a c. of suspicion**, un'ombra di sospetto; **to cast a c. over st**, gettare un'ombra su qc. **4** intorbidamento, macchia (*in un liquido*); appannamento, ombra (*su uno specchio*) ● (*meteor.*) **c. amount**, nuvolosità □ (*meteor.*) **c. base**, base delle nubi □ **c.-capped** (*o* **c.-topped**), incappucciato di nubi □ **c. castle**, castello in aria □ **c. ceiling**, cappa di nubi □ (*fis. nucl.*) **c. chamber**, camera di Wilson; camera a nebbia □ **c. cover**, copertura di nuvole; cielo coperto □ **c.-cuckoo-land**, paese dei sogni; mondo delle nuvole; regno di utopia □ **c. drift**, fuga (*o* teoria) di nuvole □ (*geogr.*) **c. forest**, foresta tropicale montana (*di monte, grattacielo, ecc.*) **c.-kissing**, che tocca le nuvole □ **c. rack**, cumulo di nubi □ (*tecn.*) **c.-seeding**, inseminazione delle nubi □ (*meteor.*) **c. street**, striscia di cumulonembi parallela alla direzione del vento □ **to have one's head in the clouds**, avere la testa fra le nuvole □ (*fig.*) **to be in the clouds**, vivere nelle nuvole (*o* nel mondo della luna) □ (*fam.*) **to be on c. nine** (*o* **seven**), toccare il cielo con un dito; essere al settimo cielo □ (*fig.*) **under a c.**, in disgrazia (*presso q.*); malvisto □ (*prov.*) **Every c. has a silver lining**, ogni cosa ha il suo lato buono; non tutto il male vien per nuocere.

to **cloud** /klaʊd/ Ⓐ *v. t.* **1** (spec. al passivo) coprire di nubi; annuvolare, rannuvolare: *The sky was still clouded*, il cielo era ancora coperto di nubi **2** intorbidare, macchiare (*un liquido*) **3** appannare, annebbiare, offuscare (*una superficie, gli occhi*): *Tears clouded his eyes*, i suoi occhi si offuscarono di lacrime **4** rannuvolare, turbare (*il viso, ecc.*) **5** annebbiare, offuscare (*la mente*) **6** turbare, rattristare (*un evento, ecc.*) Ⓑ *v. i.* **1** (*del cielo, anche* **to c. over**) annuvolarsi, rannu-

volarsi **2** (*di vetro, specchio*) annebbiarsi; appannarsi **3** (*di liquido*) intorbidarsi.

cloudbank /'klaʊdbæŋk/ *n.* (*meteor.*) banco di nuvole.

cloudberry /'klaʊdbrɪ/ *n.* (*bot., Rubus chamaemorus*) rovo camemoro.

cloudburst /'klaʊdbɜːst/ *n.* (*meteor.*) scroscio; rovescio; nubifragio.

clouded /'klaʊdɪd/ *a.* **1** (*del cielo*) rannuvolato, annuvolato; nuvoloso **2** (*di marmo, ecc.*) variegato; striato; screziato **3** (*fig.*) offuscato: **c. mind**, mente offuscata; **a c. judgement**, un giudizio offuscato (*non sereno*) **4** (*del significato*) oscuro **5** (*di liquido*) torbido **6** (*leg.*: *di un titolo di proprietà*) dubbio.

cloudily /'klaʊdəlɪ/ *avv.* oscuramente; confusamente.

cloudiness /'klaʊdɪnəs/ *n.* ⓤ **1** nuvolosità; nebulosità **2** (*del marmo, ecc.*) venatura; striatura; screziatura **3** (*di un liquido*) torbidezza; opacità **4** (*fig.*) turbamento; tristezza.

cloudless /'klaʊdləs/ *a.* senza nubi; sereno (*anche fig.*); limpido | **-ness** *n.* ⓤ.

♦**cloudy** /'klaʊdɪ/ *a.* **1** (*meteor.*) nuvoloso; coperto **2** (*di liquido*) torbido **3** (*di colore*) opaco **4** (*di occhi*) annebbiati di lacrime **5** oscuro; confuso; poco chiaro: **c. ideas**, idee poco chiare ● **a c. diamond**, un diamante non puro.

clout /klaʊt/ *n.* **1** (*fam.*) colpo; botta; sberla; sventola (*fam.*); pugno; castagna (*pop.*) **2** rinforzo di metallo (*per scarpe, ecc.*) **3** potere, peso, influenza (*spec. politico o finanziario*): **to wield enormous c.**, disporre di un enorme potere; potere moltissimo; **to have a lot of c. with sb.**, avere molta influenza su q. **4** (*arc.*) pezzo di stoffa; pezza **5** (*tiro con l'arco*) bersaglio.

to **clout** /klaʊt/ *v. t.* **1** colpire; dare un colpo (*o* una botta) a q. **2** rinforzare (*qc.*) con una placca metallica.

clove① /kləʊv/ *pass.* di **to cleave**.

clove② /kləʊv/ *n.* **1** (*bot., Eugenia caryophyllata*) pepe garofanato **2** chiodo di garofano ● **oil of cloves**, essenza di garofano.

clove③ /kləʊv/ *n.* spicchio (*d'aglio o d'altra pianta bulbosa*).

clove hitch /'kləʊvhɪtʃ/ *loc. n.* (*naut.*) nodo parlato.

cloven /'kləʊvn/ *p. p.* di **to cleave** ● **c. hoof** (*o* **c. foot**), zoccolo (*o* piede) fesso, caprino (*di animali e del diavolo*).

clover /'kləʊvə(r)/ *n.* ⓤ (*bot., Trifolium*) trifoglio ● (*fig.*) **to be** (*o* **to live**) **in c.**, vivere nel lusso; nuotare nell'abbondanza.

cloverleaf /'kləʊvəliːf/ *n.* (*pl.* **cloverleaves**) **1** foglia di trifoglio **2** (*autom., = c. junction*) raccordo (*o* svincolo) stradale a quadrifoglio.

clown /klaʊn/ *n.* **1** clown; pagliaccio **2** (*fig.*) buffone; pagliaccio: **to play the c.**, fare il pagliaccio.

to **clown** /klaʊn/ *v. i.* (*anche* **to c. around**) fare il pagliaccio; fare il buffone; scherzare.

clownery /'klaʊnərɪ/ *n.* ⓤ **1** buffoneria; buffonaggine (*raro*) **2** buffonata; pagliacciata.

clownish /'klaʊnɪʃ/ *a.* buffonesco; da pagliaccio; clownesco || **clownishness** *n.* ⓤ buffoneria, modi clowneschi.

to **cloy** /klɔɪ/ *v. t. e i.* **1** saziare, stufare, nauseare (*per eccesso di qc. dapprima dolce o piacevole*): *'Other women c. / the appetites they feed'* W. SHAKESPEARE, 'le altre donne saziano fino alla nausea / gli appetiti che alimentano' **2** (*di dolci, ecc.*) diventare stucchevole ● **to c. the appetite**, togliere (*o far passare*) l'appetito (*detto di cibi succulenti*).

cloying /'klɔɪɪŋ/ *a.* stucchevole.

cloze test /'kləʊz tɛst/ *n.* (*ling.*) (eserci-

zio) cloze (*testo contenente lacune da integrare*).

♦**club** /klʌb/ *n.* **1** circolo; club; associazione: **chess c.**, circolo degli scacchi; **an exclusive English c.**, un club inglese esclusivo; **to join a c.**, entrare a far parte di (*o* iscriversi a) un club **2** sede di circolo **3** club (*di acquirenti, ecc.*): **record c.**, club del disco **4** night-club; locale notturno; night (*fam.*) **5** (*sport*) società; (*per estens.*) squadra: **football c.**, società calcistica **6** bastone; randello; clava; mazza **7** (*sport*) mazza, bastone: **golf c.**, bastone da golf **8** (*carte da gioco*) (carta di) fiori; (al pl.) fiori: *I have only one c. in my hand*, ho soltanto un fiori in mano; **the ten of clubs**, il dieci di fiori **9** (*aeron.*) mulinello; elica di prova ● (*ferr., USA*) **c. car**, carrozza salone □ (*aeron.*) **c. class**, (classe) business □ (*med.*) **c. foot**, piede equino; talismo □ **c.-footed**, dal piede equino; talipede □ (*fig.*) **the c. law**, la legge del bastone, del più forte □ **c. sandwich**, club sandwich; panino a più strati □ **the c. scene**, i night-club; i locali notturni □ (*comm.*) **c. trading**, vendita a rate con piccoli versamenti mensili □ (*USA*) **c. soda**, acqua di seltz □ (*slang, GB*) **in the** (**pudding**) **c.**, incinta □ (*slang*) **to be on the c.**, essere in malattia □ (*fam.*) **Join the c.!**, non sei il solo!; sei in compagnia!; anch'io!; sei dei nostri!

to **club** /klʌb/ Ⓐ *v. t.* bastonare; randellare; prendere a bastonate (*o* a randellate); colpire (*con un oggetto pesante*): **to c. sb. to death**, bastonare a morte q.; uccidere q. a bastonate Ⓑ *v. i.* **1** (*di solito* **to c. together**) mettersi insieme (*per fare una spesa, iniziare un'attività*): *We clubbed together to buy him a wedding present*, ci mettemmo insieme per fargli il regalo di nozze **2** (*fam.*) – **to go clubbing**, fare il giro dei locali notturni; andare per night **3** (*naut.*) arare sull'ancora; andare alla deriva con l'ancora calata.

clubbable /'klʌbəbl/ *a.* socievole; estroverso.

clubber /'klʌbə(r)/ *n.* frequentatore di locali notturni.

clubby /'klʌbɪ/ *a.* (*fam.*) che frequenta un club.

clubhouse /'klʌbhaʊs/ *n.* sede di circolo sportivo; clubhouse.

clubland /'klʌblænd/ *n.* ⓤ **1** (*GB*) il quartiere dei locali notturni **2** il mondo dei locali notturni; la vita notturna **3** (*a Londra*: **C.**) il quartiere dei club tradizionali (*presso St James's Park*).

clubman /'klʌbmən/ *n.* (*pl.* **clubmen**) socio d'uno o più club; frequentatore di club.

clubmate /'klʌbmeɪt/ *n.* (*sport*) compagno di squadra.

clubmoss /'klʌbmɒs/ *n.* ⓤⓒ (*bot., Lycopodium clavatum*) licopodio.

clubroot /'klʌbruːt/ *n.* (*bot.*) ernia del cavolo.

clubwoman /'klʌbwʊmən/ *n.* (*pl.* **clubwomen**) donna che fa parte di un circolo, di un'associazione, ecc.

cluck /klʌk/ *n.* **1** chiocciare (*della gallina*) **2** (*della lingua*) schiocco **3** (*ling.*) click; consonante avulsiva.

to **cluck** /klʌk/ Ⓐ *v. i.* **1** (*della gallina*) chiocciare **2** schioccare la lingua Ⓑ *v. t.* **1** chiamare (*q.*) con uno schiocco della lingua **2** esprimere (*qc.*) imitando il verso della chioccia; bofonchiare: *He clucked his disapproval*, espresse la sua disapprovazione bofonchiando ● (*fam.*) **to c. over sb.**, coccolare, vezzeggiare q. □ **to c. over st.**, brontolare per qc.; trovare a ridire su qc. □ **to c. one's tongue**, schioccare la lingua.

♦**clue** /kluː/ *n.* **1** indizio: *We haven't any c. as to the motive of the crime*, non abbiamo nessun indizio sul movente dell'omicidio; **to search for clues**, cercare indizi **2** indicazione; suggerimento; aiuto; dritta (*fam.*): *I'll*

give you a c., ti darò un indizio; **to hold the c. for st.**, contenere una possibile risposta a qc. **3** definizione (di parole crociate) **4** → **clew**, def. 2 ● (fam.) I'm sorry, I haven't got a c., mi dispiace, non ne ho idea; non ci capisco niente ● **He hasn't got a c. about football**, non capisce niente di calcio.

clued-up /kluːd'ʌp/ a. bene informato; al corrente.

to **clue in** /'kluːɪn/ v. t. + avv. (fam.) mettere al corrente; ragguagliare.

clueless /'kluːləs/ a. **1** senza indizi; all'oscuro di tutto **2** (fam.) incompetente; sprovveduto; incapace; stupido.

clump /klʌmp/ n. **1** pezzo informe; blocco **2** folto gruppo (di case, ecc.); macchia (di cespugli); folto (d'alberi) **3** (= c. sole) grossa suola di rinforzo ● **He wears c.** [U] rumore di passi pesanti **5** [U/C] (biol.) agglutinazione.

to **clump** /klʌmp/ [A] v. t. **1** ammucchiare; raggruppare; piantare fitto (alberi, ecc.) **2** rinforzare (una scarpa) con una suola grossa **3** (biol.) agglutinare [B] v. i. **1** camminare con passo pesante **2** (biol.) agglutinarsi.

clumsy /'klʌmzɪ/ a. **1** goffo; impacciato; maldestro; sgraziato; senza tatto **2** malfatto; mal costruito; rozzo: **c. implements**, attrezzi rozzi; **a c. piece of work**, un lavoro malfatto | **-ily** avv. | **-iness** n. [U].

clung /klʌŋ/ pass. e p. p. di **to cling**.

Cluniac /'kluːnɪæk/ a. e n. (relig.) cluniacense; cluniacese (raro).

clunk /klʌŋk/ n. **1** suono metallico sordo **2** colpo; botta **3** (scozz.) (di liquidi) gorgoglio **4** (fam., USA) sciocco; stupido; cretino.

clunker /'klʌŋkə(r)/ n. (fam. USA) **1** auto vecchia; macinino (fig.) **2** cosa senza valore **3** → **clunk**, def. 4.

clunky /'klʌŋkɪ/ a. (fam. USA) **1** pesante; ingombrante: **c. boots**, scarponi pesanti **2** goffo; sgraziato.

cluster /'klʌstə(r)/ n. **1** grappolo; mazzo **2** gruppo (di persone, animali, ecc.): **to arrive in clusters**, arrivare a gruppi; **little clusters of people**, gruppetti (o capannelli) di persone **3** (zool.) sciame: **a c. of bees**, uno sciame d'api **4** (astron.) ammasso: **a c. of stars**, un ammasso stellare **5** (fon.) gruppo (di vocali o consonanti) **6** (comput.) cluster; gruppo di settori **7** (demogr., stat.) grappolo ● (mil.) **c. bomb**, bomba a grappolo □ **c. candlestick**, candelabro □ (med.) **c. headache**, cefalea a grappolo □ (bot.) **c. pine** (Pinus pinaster), pino marittimo; pino selvatico; pinastro.

to **cluster** /'klʌstə(r)/ [A] v. i. **1** crescere a grappoli **2** far grappolo; raggrupparsi; stringersi: The peasants clustered around the fireplace, i contadini facevano grappolo intorno al camino [B] v. t. raccogliere; raggruppare ● **to c. together**, assembrarsi; assieparsi □ (archit.) **clustered pier**, pilastro polistilo.

clutch ① /klʌtʃ/ n. **1** l'atto d'afferrare: **to make a c. at st.**, fare l'atto d'afferrare qc. **2** stretta; forte presa **3** (al pl.) mani; artigli; grinfie; morsa (fig.): **to fall into sb.'s clutches**, cadere nelle mani (o nelle grinfie) di q. **4** (mecc.) innesto: **friction c.**, innesto a frizione **5** (autom.) frizione: **to let in** [o **to throw out**] **the c.**, innestare [disinnestare] la frizione **6** (slang USA) abbraccio **7** (slang USA) momento critico; emergenza ● **c. bag** (o purse), borsetta senza manico; pochette (franc.) □ (mecc.) **c. lining**, guarnizione per frizione □ (autom.) **c. pedal**, pedale della frizione □ (autom.) **dry-disk c.**, frizione a secco.

clutch ② /klʌtʃ/ n. **1** covata (di pulcini) **2** nidiata **3** (fig.) gruppo; famiglia.

to **clutch** ① /klʌtʃ/ [A] v. t. afferrare; stringere convulsamente; agguantare; tenere stretto; aggrapparsi a; tenersi stretto a: He was clutching his rifle, teneva stretta la ca-

rabina [B] v. i. **1** tentare di afferrare; fare il gesto d'afferrare; annaspare (verso qc.) **2** (fig.) aggrapparsi: **to c. at a hope**, aggrapparsi a una speranza ● (fig.) **to c. at straws**, aggrapparsi a una piccolissima speranza; aggrapparsi a qualunque cosa; (anche) arrampicarsi sugli specchi.

to **clutch** ② /klʌtʃ/ v. t. covare.

clutchless /'klʌtʃləs/ a. (mecc.) senza frizione ● (autom., USA) **c. gearshift**, cambio automatico (senza frizione).

clutter /'klʌtə(r)/ n. **1** [U] confusione; disordine; scompiglio **2** [U] ammasso; cumulo disordinato; accozzaglia (di oggetti) **3** (radar) eco parassita (o spurio).

to **clutter** /'klʌtə(r)/ v. t. (anche **to c. up**) ingombrare; riempire confusamente di: The table was cluttered up with used cups and glasses, la tavola era ingombra di (o ingombrata da) tazze e bicchieri sporchi || **cluttered** a. ingombro; zeppo.

clypeus /'klɪpɪəs/ (zool.) n. (pl. **clypei**) clipeo || **clypeiform** a. clipeiforme.

clyster /'klɪstə(r)/ n. (med. antiq.) clistere.

Clytemnestra /klaɪtəm'niːstrə/ n. (mitol.) Clitennestra.

cm abbr. (**centimetre, centimeter**) centimetro.

Cmdr abbr. (**commander**) comandante.

Cmdre abbr. (marina, **commodore**) commodoro.

CMG sigla (titolo, GB, **Companion of the Order of St Michael and St George**) Compagno dell'ordine di San Michele e San Giorgio.

CMV sigla (med., **cytomegalovirus**) citomegalovirus.

c/n, cn sigla (comm., **credit note**) nota di credito.

CND sigla (GB, **Campaign for Nuclear Disarmament**) campagna per il disarmo nucleare.

CNN sigla (USA, **Cable News Network**) CNN (rete televisiva d'informazione).

cnr abbr. (**corner**) angolo.

CNS sigla (med., **central nervous system**) sistema nervoso centrale (SNC).

c/o sigla **1** (indirizzi, **care of**) presso **2** (comm., **carried over**) riportato (nei conti).

Co. abbr. **1** (comm., **company**) compagnia (C.ia); società (Soc.) **2** (county) contea ● **and Co.**, (comm.) e C., e soci; (fam.) e compagni, e compagnia.

CO sigla **1** (USA, **Colorado**) Colorado **2** (mil., **commanding officer**) ufficiale in comando **3** (GB, polit., **Cabinet Office**) Presidenza del Consiglio dei Ministri **4** (**conscientious objector**) obiettore di coscienza.

coacervate /kəʊə'sɜːvət/ n. (chim., biol.) coacervato.

coach /kəʊtʃ/ n. **1** pullman; corriera **2** (ferr., GB) carrozza; vettura **3** carrozza (chiusa); vettura: **mail c.**, carrozza di posta; **hackney c.**, carrozza (o vettura) da nolo **4** diligenza **5** (autom.) coupé **6** (aeron., USA) classe turistica **7** (ferr., USA) seconda classe **8** (sport) allenatore; istruttore; (di nazionale di calcio) commissario tecnico (abbr. CT); mister (fam.); (tennis) capitano non giocatore **9** insegnante privato, ripetitore (spec. chi prepara per un esame) ● (stor.) **c.-and-four**, tiro a quattro □ **c. box**, cassetta (di carrozza) □ (autom., GB) **c.-built**, con carrozzeria speciale; carrozzata a mano □ (USA) **c. dog**, dalmata (cane) □ **c. house**, rimessa per pullman; (stor.) rimessa per carrozze □ (autom.) **c.-painter**, verniciatore di carrozzerie □ (tur.) **c. party**, comitiva (che viaggia in pullman) □ (autom.) **c. repairer**, carrozziere, carrozzaio (che ripara carrozzerie) □ **c. station**, stazione dei pullman □ **c. tour**, gita in pullman □ (fam. GB) **to drive**

a c. and horses through, demolire (una teoria, ecc.); passare bellamente sopra a (una regola, una consuetudine, ecc.).

to **coach** /kəʊtʃ/ v. t. **1** (sport) allenare; addestrare **2** fare l'allenatore di (uno sport): **to c. rugby**, fare l'allenatore di rugby **3** preparare (a un esame); dare ripetizioni a **4** dare istruzioni a (q.) (su che cosa dire o fare); dare l'imbeccata a: (leg.) **to c. a witness**, dare l'imbeccata a un testimone **5** trasportare in carrozza.

coachbuilder /'kəʊtʃbɪldə(r)/ n. (autom., GB) carrozziere ● **c.'s shop**, carrozzeria (l'officina); autocarrozzeria.

coachbuilding /'kəʊtʃbɪldɪŋ/ n. (autom., GB) costruzione di carrozzerie.

coaching /'kəʊtʃɪŋ/ n. [U] **1** (sport) allenamento **2** (= private c.) lezioni (pl.) private; ripetizioni (pl.) **3** addestramento; formazione (del personale) **4** l'andare in carrozza; il viaggiare in diligenza ● (stor.) **c. inn** (o **c. house**), locanda di sosta per diligenze.

coachload /'kəʊtʃləʊd/ n. pullman (pieno di): **a c. of soccer fans**, un pullman di tifosi (di calcio).

coachman /'kəʊtʃmən/ n. (pl. **coachmen**) cocchiere; postiglione; vetturino.

coachwork /'kəʊtʃwɜːk/ n. (autom., ferr.) carrozzeria.

to **coact** ① /kəʊ'ækt/ v. t. agire insieme; collaborare.

to **coact** ② /kəʊ'ækt/ v. t. (leg.) costringere; coartare.

coaction /kəʊ'ækʃn/ (leg.) n. [U] coazione; coercizione || **coactive** a. coattivo; coercitivo.

coadjutant /kəʊ'ædʒʊtnt/ [A] a. coadiuvante [B] n. assistente.

coadjutor /kəʊ'ædʒʊtə(r)/ n. **1** coadiutore; collaboratore **2** (relig.) coadiutore.

to **coagulate** /kəʊ'æɡjʊleɪt/ v. t. e i. coagulare, coagularsi || **coagulant, coagulator** n. coagulante || **coagulation** n. [U] coagulazione || **coagulative** a. coagulativo.

coagulum /kəʊ'æɡjʊləm/ n. (pl. **coagula**) (med., chim.) coagulo.

♦**coal** /kəʊl/ [A] n. **1** [U] carbone (spec. fossile): **a lump of c.**, un pezzo di carbone; **to mine c.**, estrarre carbone **2** (pezzo di) carbone: **live coals**, carboni ardenti **3** carbone ardente; tizzone: **glowing coals**, carboni ardenti [B] a. attr. di carbone; del carbone; (alimentato) a carbone; carbonifero (geol., ind. min.): **c. fire**, fuoco di carbone; camino a carbone; **c. pit**, miniera di carbone; **c. seam** (o **c. bed**) strato carbonifero ● **c.-bearing**, carbonifero □ **c.-black**, nero come il carbone □ **c. box** (o **bucket**), = **c. scuttle** → sotto □ **c. bunker**, carbonile □ **c.-burning**, (alimentato) a carbone □ **c. cellar**, carbonaia □ (ind.) **c. dust**, polverino di carbone □ **c.-fired**, (alimentato) a carbone □ (zool.) **c.-fish** (Pollachius virens), merlano nero □ **c. flap**, botola di uno scivolo per il carbone (sul marciapiede) □ **c. gas**, gas illuminante □ (GB) **c.-hole**, carbonaia; deposito del carbone □ (geol.) **c. measures**, serie di strati carboniferi □ **c. oil**, petrolio grezzo; (USA) cherosene □ (stor.) **c. owner**, proprietario di una miniera di carbone □ **c. scuttle**, secchio (o cassetta) per il carbone □ (naut.) **c. ship**, nave carboniera □ **c. strike**, sciopero dei minatori di carbone □ **c. tar**, catrame di carbon fossile □ (zool.) **c. tit** (o **c. titmouse**) (Parus ater), cincia mora □ (stor.) **c. whipper**, uomo (o macchina) che estrae il carbone (dalla stiva d'una nave) □ **c. worker**, minatore di carbone □ (fig.) **to blow the coals**, soffiare sul fuoco □ (fig.) **to carry coals to Newcastle**, portare acqua al mare; portare vasi a Samo □ **to haul** (o **to drag, to rake**) **sb. over the coals**, dare una strigliata a q.; strapazzare q. □ **to heap coals of fire on sb.'s head**, fare arros-

to coal /kəʊl/ **A** v. t. rifornire di carbone **B** v. i. **1** (*ind. min.*) estrarre carbone **2** (*naut.*) rifornirsi di carbone; far carbone ● (*naut.*) **coaling station**, scalo per il rifornimento del carbone.

coaler /ˈkəʊlə(r)/ n. **1** (*naut.*) carboniera **2** (*ferr.*) treno che trasporta carbone.

to coalesce /ˌkəʊəˈles/ v. i. **1** (*anche med.*) riunirsi, attaccarsi (*di ossa rotte, ecc.*); agglomerarsi **2** unirsi; (*di nazioni, partiti, ecc.*) coalizzarsi; (*di società commerciali*) fondersi **3** (*fon.*) assimilarsi ‖ **coalescence** n. ⊚ **1** (*anche med.*) coalescenza; riunione, il saldarsi (*di ossa, ecc.*) **2** unione; coalizione; fusione.

coalface /ˈkəʊlfeɪs/ n. (*ind. min.*) fronte di abbattimento del carbone ● (*fig.*) **at the c.**, dove il lavoro è duro; in prima fila; sul campo.

coalfield /ˈkəʊlfiːd/ n. bacino carbonifero.

♦**coalition** /ˌkəʊəˈlɪʃn/ n. ⊚ **1** (*anche polit.*) coalizione: **a c. government**, un governo di coalizione **2** unione.

coalman /ˈkəʊlmən/ n. (pl. *coalmen*) carbonaio; venditore di carbone.

coalmine /ˈkəʊlmaɪn/ n. miniera di carbone ‖ **coalminer** n. minatore (*di carbone*).

coalmining /ˈkəʊlmaɪnɪŋ/ n. ⊚ estrazione del carbone fossile ● **the c. industry**, l'attività carbonifera; l'industria del carbone.

coalmouse /ˈkəʊlmaʊs/ n. → **coal tit**, *sotto* **coal**.

coaly /ˈkəʊlɪ/ a. **1** ricco di carbone **2** simile a carbone; nero.

coaming /ˈkəʊmɪŋ/ n. **1** (*edil.*) bordo rialzato (*intorno a un'apertura*) **2** (*naut.*) mastra (*o battente*) di boccaporto.

coancestry /kəʊˈænsestrɪ/ n. (*genetica*) coancestralità.

coaptation /ˌkəʊæpˈteɪʃn/ n. ⊚ (*med.*) combaciamento.

coarctate /kəʊˈɑːkteɪt/ a. (*biol.*) coartato.

coarctation /ˌkəʊɑːkˈteɪʃn/ n. ⊚ (*spec. med.*) coartazione; restringimento.

coarse /kɔːs/ a. **1** grezzo; ruvido; rozzo: **c. metal**, metallo grezzo; **c. cloth**, tela grezza (*o ruvida*); **c.-wooled sheep**, pecora dalla lana ruvida **2** a grani grossi; grosso; a grana grossa; grossolano: **c. salt**, sale grosso; **c.-fibred**, a trama (*o grana*) grossa **3** poco raffinato; rozzo; rude; grossolano: **c. features**, fattezze grossolane **c. fare**, cibo grossolano; **c. manners**, modi grossolani; maniere rudi **4** sguaiato; volgare; triviale: **c. language**, linguaggio triviale; parolacce **5** (*pesca, GB*) relativo alla pesca di acqua dolce (*tranne che del salmone e della trota*) ● **c.-grained**, a grana grossa; (*fig.*) grossolano, rozzo, inelegante ◻ (*GB*) **c. fish**, pesce d'acqua dolce (*eccettuati salmone e trota*) ‖ **-ly** avv.

to coarsen /ˈkɔːsn/ **A** v. t. rendere grossolano (*o rozzo*) **B** v. i. diventare grossolano (*o rozzo*).

coarseness /ˈkɔːsnəs/ n. ⊚ **1** qualità scadente **2** stato grezzo; ruvidezza; grossezza: **c. of the grain**, grossezza di grana (*di carta, ecc.*) **3** grossolanità; rudezza; rozzezza; volgarità.

♦**coast** /kəʊst/ n. **1** costa; litorale; riviera: **indented** [**rugged, flat**] **c.**, costa frastagliata [aspra, piatta]; **the Ligurian c.**, la costa ligure; la riviera ligure; **along the c.**, lungo la costa; **a stretch of c.**, un tratto di costa: *We spent Sunday at the c.*, abbiamo passato la domenica al mare; **off the c.**, al largo (della costa) **2** (*fam. USA*) – **the C.**, la costa del Pacifico **3** (*rif. a mezzo di trasporto*) percorso, discesa a motore spento; discesa a ruota libera (*in bicicletta*) ● **c. artillery**, arti-

glieria da costa ◻ **c. defence**, difesa costiera ◻ (*marina mil.*) **c. defence vessel**, guardacoste ◻ **c. to c.**, da costa a costa; (*USA*) in tutti gli Stati Uniti, da costa a costa; **c.-to-c.**, (su tutto il territorio) nazionale ◻ (*fig.*) **The c. is clear**, via libera; nessuno (*o nessun pericolo*) in vista.

to coast /kəʊst/ **A** v. i. **1** (*rif. a mezzo di trasporto*) procedere per inerzia; (*autom.*) procedere a motore spento (*o in folle*); (*in bicicletta*) andare a ruota libera **2** (*fig.*) procedere senza sforzo: **to c. to victory**, procedere senza sforzo fino alla vittoria; vincere senza sforzo **3** (*fig.*) continuare senza una meta precisa **4** (*naut.*) costeggiare; navigare lungo la costa **5** (*naut.*) fare cabotaggio **B** v. t. (*naut.*) costeggiare.

coastal /ˈkəʊstl/ a. costiero; litoraneo; presso (*o lungo*) la costa: **c. waters**, acque costiere; **c. plain**, pianura presso la costa; litorale ● (*naut.*) **c. trade**, traffico di cabotaggio.

coaster /ˈkəʊstə(r)/ n. **1** (*naut.*) nave di cabotaggio; nave cabotiera **2** abitante della costa **3** sottobicchiere; sottobottiglia **4** (*USA*) toboga **5** (*USA*) otto volante; montagne russe ● (*mecc., USA*) **c. brake**, freno a contropedale.

coastguard /ˈkəʊstɡɑːd/ n. **1** guardia costiera (*il reparto*) **2** → **coastguardsman** ● (*naut.*) **c. cutter**, (nave) guardacoste.

coastguardsman /ˈkəʊstɡɑːdzmən/ n. (pl. *coastguardsmen*) guardia costiera; guardacoste.

coasting /ˈkəʊstɪŋ/ **A** a. (*naut.*) costiero; cabotiero **B** n. ⊚ **1** (*geogr.*) configurazione di una costa **2** (*naut.*) il costeggiare **3** (*naut., =* **c. navigation**) traffico costiero; cabotaggio **4** (*di un mezzo*) il procedere per inerzia (*o per gravità*); (*di bicicletta*) l'andare a ruota libera; (*di o in automobile*) discesa in folle **5** (*fig.*) il procedere sull'abbrivo; avanzamento facile ● (*miss.: di un razzo, ecc.*) **c. flight**, volo inerziale ◻ (*naut.*) **c. trade**, traffico costiero (*o cabotiero*) ◻ **c. vessel** → **coaster**, *def. 1*.

coastland /ˈkəʊstlənd/ n. regione costiera.

coastline /ˈkəʊstlaɪn/ n. linea costiera; profilo (*d'una costa*).

coastwise /ˈkəʊstwaɪz/ a. e avv. lungo la costa ● (*naut.*) **c. navigation**, navigazione costiera.

♦**coat** /kəʊt/ n. **1** cappotto; paltò; soprabito: **camel-hair c.**, cappotto di cammello; **fur c.**, (cappotto di) pelliccia; **light c.**, cappotto leggero; soprabito; **three-quarter length c.**, (giaccone) tre quarti **2** camice: **technicians in white coats**, tecnici in camice bianco **3** (*USA; antiq. GB*) giacca **4** (*mil.*) giacca; giubba; casacca **5** (*di animale*) mantello; pelliccia; pelame; pelo **6** involucro (*di frutti, ecc.*); membrana di rivestimento (*di organo del corpo, ecc.*) **7** strato (*ricoprente*); rivestimento; patina: **a c. of dust**, uno strato di polvere **8** (*di vernice, ecc.*) strato; mano ● **c. and skirt**, tailleur (*franc.*); vestito a giacca ◻ (*USA*) **c. check**, guardaroba (*con guardarobiere*) ◻ (*USA*) **c. checker**, guardarobiere, guardarobiera ◻ (*moda*) **c. dress**, robe-manteau (*franc.*) ◻ **c. hanger**, gruccia, ometto, stampella (*per abiti*) ◻ (*autom.*) **c. hook**, gancio appendiabiti ◻ (*arald.*) **c. of arms**, blasone; stemma (*stor.*) **c. of mail**, cotta di maglia; giaco ◻ **c. rack**, attaccapanni a muro ◻ **c.-tails**, code di frac; frac ◻ **on sb.'s c.-tails**, sfruttando il successo (*o la popolarità, la forza traente*) di q.; a rimorchio di q. ◻ (*fig.*) **to cut one's c. according to one's cloth**, fare il passo secondo la gamba ◻ (*fig.*) **to turn one's c.**, mutar bandiera; voltar gabbana.

to coat /kəʊt/ v. t. rivestire; ricoprire: **to c. with sugar** [**with sauce**], ricoprire di zuc-

chero [di salsa]; **to c. with oil**, ungere; **to c. in plaster**, rivestire di gesso; (*med.*) ingessare; **to c. in breadcrumbs**, impanare; **to c. with paint**, verniciare; **to be coated with dust**, essere coperto di polvere; **chocolate-coated biscuits**, biscotti ricoperti di cioccolato ● (*fig.*) **to c. the pill**, indorare la pillola.

coatee /ˈkəʊtiː/ n. giubbetto (*per donna o bambino*).

coati /kəʊˈɑːtɪ/ n. (*zool., Nasua*) coati; orsetto d'America.

coating /ˈkəʊtɪŋ/ n. **1** rivestimento; strato; mano: **a c. of enamel**, uno strato di smalto; **a c. of paint**, una mano di vernice **2** ⊚ stoffa per giacche (*o soprabiti*).

coatroom /ˈkəʊtruːm/ n. (*USA*) guardaroba (*di un locale pubblico*).

co-author /kəʊˈɔːθə(r)/ n. coautore.

to co-author /kəʊˈɔːθə(r)/ v. t. essere coautore di; scrivere in collaborazione; firmare insieme.

coax abbr. (*elettr.*, **coaxial** (**cable**)) (cavo) coassiale.

to coax /kəʊks/ v. t. e i. blandire; persuadere con le buone; convincere con paziente insistenza ● **to c. sb. into doing st.**, convincere q. con blandizie (moine, ecc.) a fare qc. ◻ **to c. sb. out of doing st.**, convincere con le buone q. a non fare qc. ◻ **to c. st. out of sb.**, ottenere qc. da q. con blandizie.

coaxial /kəʊˈæksɪəl/ a. (*elettr., geom., mecc.*) coassiale: **c. cable**, cavo coassiale.

coaxing /ˈkəʊksɪŋ/ **A** a. che blandisce; adulatorio **B** n. ⊚ (collett.) blandizie; moine.

cob ① /kɒb/ n. **1** (= **cob loaf**) pagnotta (tondeggiante) **2** (= **corn cob**) pannocchia (*di granturco*) **3** grossa nocciola **4** cavallo da sella (*robusto, con zampe corte*) **5** (= **cob swan**) cigno maschio **6** (*di carbone, ecc.*) ovulo, pezzo tondo ● **cob coal**, carbone in ovuli ◻ **on the cob** → **corn**.

cob ② /kɒb/ n. ⊚ (*edil. stor., GB*) mistura di argilla compressa e paglia (*usata come materiale edilizio*).

cobalt /ˈkəʊbɔːlt/ (*chim.*) n. ⊚ cobalto ● (*med.*) **c.-beam therapy**, cobaltoterapia ◻ (*miner.*) **c. bloom**, fiori di cobalto; eritrite ◻ **c. blue**, blu di cobalto; blu cobalto: **a c.-blue car**, un'automobile blu cobalto ◻ (*med.*) **c. bomb**, bomba al cobalto ◻ (*med.*) **c. bomb therapy**, cobaltoterapia ◻ (*med.*) **c. therapy**, cobaltoterapia ‖ **cobaltic** a. cobaltico ‖ **cobaltous** a. cobaltoso.

cobaltite /kəʊˈbɔːltaɪt/ n. ⊚ (*miner.*) cobaltina; cobaltite.

cobber /ˈkɒbə(r)/ n. (*Austral., fam.*) (spec. al vocat.) compagno; amico.

cobble /ˈkɒbl/ n. **1** → **cobblestone 2** (al pl.) (*ciclismo*) pavé **3** (al pl.) (*GB*) pezzi di carbone; carbone in pezzi.

to cobble ① /ˈkɒbl/ v. t. pavimentare con ciottoli; acciottolare.

to cobble ② /ˈkɒbl/ v. t. (*antiq.*) aggiustare, rattoppare, rabberciare (*scarpe*).

◼ **cobble together, cobble up** v. t. + avv. mettere insieme (alla bell'e meglio); (*spreg.*) rabberciare, raffazzonare.

cobbled /ˈkɒbld/ a. di ciottoli; acciottolato: **c. paving**, selciato di ciottoli; acciottolato.

cobbler /ˈkɒblə(r)/ n. **1** ciabattino; calzolaio **2** (*fig.*) rabberciatore; raffazzonatore **3** cobbler (*bevanda ghiacciata a base di vino o sherry, limone e zucchero*) **4** torta di frutta **5** (al pl.) (*volg. GB*) testicoli; palle, coglioni (*volg.*) **6** (al pl.) (*slang GB*) panzane; fesserie; balle: **a load of cobblers**, un sacco di balle ● **c.'s wax**, pece da calzolaio.

cobblestone /ˈkɒblstəʊn/ n. ciottolo (*per pavimentazione*) ● **c. pavement**, acciottolato.

cobelligerent /ˌkəʊbəˈlɪdʒərənt/ (*polit.*)

C

n. e a. cobelligerante.

COBOL /'kəʊbɒl/ n. ☐ (acronimo di **common business oriented language**) cobol (*linguaggio di programmazione*).

cobra /'kəʊbrə/ n. (*zool.*, *Naja*) cobra.

co-branding /'kəʊbrændɪŋ/ n. ☐ (*market.*) co-branding (*utilizzo congiunto di due o più marchi; in Internet, affiancamento del logo dei partner sulla stessa pagina web*).

cobweb /'kɒbwɛb/ n. **1** ragnatela; tela di ragno **2** filo di ragnatela **3** (*fig.*) trabocchetto; tranello; insidia: **the cobwebs of the law**, i trabocchetti della legge ● (*fam.*) **to blow** (*o* **to clear**) **away the cobwebs**, snebbiarsi il cervello, rinfrescarsi le idee (*spec. con una passeggiata e sim.*) ‖ **cobwebby** a. **1** simile a una ragnatela **2** coperto di ragnatele.

coca /'kəʊkə/ n. (*bot.*, *Erythroxylon coca*) coca.

Coca-Cola® /'kəʊkə'kəʊlə/ n. Coca-Cola; coca (*fam.*).

cocaine /kəʊ'keɪn/ n. ☐ (*chim.*) cocaina ● **c. addict**, cocainomane ☐ **c. habit**, cocainomania.

coccidiosis /kɒksɪdɪ'əʊsɪs/ n. ☐ (*med.*) coccidiosi.

coccus /'kɒkəs/ n. (pl. *cocci*) **1** (*biol.*) cocco **2** (*bot.*) coccola.

coccyx /'kɒksɪks/ (*anat.*) n. (pl. *coccyges*, *coccyxes*) coccige ‖ **coccygeal** a. coccigeo.

co-chair /kəʊ'tʃɛə(r)/ n. co-presidente (*di assemblea, dibattito, ecc.*).

to **co-chair** /kəʊ'tʃɛə(r)/ v. t. presiedere congiuntamente (*o con altri*).

Cochin China /'kəʊtʃɪn'tʃaɪnə/ loc. n. (*geogr.*, *stor.*) Cocincina.

cochineal /kɒtʃɪ'niːl/ n. **1** (*zool.*, *Coccus cacti*, = `c. insect`) cocciniglia dei cactus **2** cocciniglia.

cochlea /'kɒklɪə/ (*anat.*) n. (pl. *cochleae*, *cochleas*) coclea ‖ **cochlear** a. cocleare.

cock① /kɒk/ n. **1** gallo **2** maschio (*di molti volatili*): **c. pheasant**, fagiano; **c. robin**, pettirosso maschio **3** (*GB*) maschio (*di salmone, trota o granchio*) **4** rubinetto; valvola **5** cane (*d'arma da fuoco*): **at half c.**, col cane sollevato a metà; **at full c.**, col cane in posizione di sparo **6** ago (*della bilancia*) **7** (= **weathercock**) banderuola; gallo (*fam.*) **8** gnomone (*di meridiana*) **9** ponte del bilanciere (*di orologio*) **10** inclinazione, piega: *His right eye was hidden by the rakish c. of his hat*, il suo occhio destro era nascosto dal cappello messo alla malandrina **11** (*al vocat.*) (*slang GB*) amico **12** (*volg.*) uccello, cazzo (*volg.*) **13** ☐ (*slang*) fesserie; stronzate; cazzate; fregnacce: **to talk a lot of c.**, dire un mucchio di stronzate ● (*scozz.*) **c.-a-leekie**, zuppa di pollo e porri ☐ **c.-and-bull story**, storia inverosimile; fandonia; panzana; gran balla (*pop.*) ☐ **c.-crow** (*o* **c.-crowing**), canto del gallo (*fig.*) alba ☐ (*bot.*) **c.'s foot** = **cocksfoot** ☐ **c.-nest**, nido costruito da un uccello maschio (*come fa lo scricciolo*) ☐ (*fig.*) **c. of the walk**, chi si dà arie da padrone; chi la fa da padrone; padreterno ☐ (*zool.*) **c. of the wood** (*Tetrao urogallus*), gallo di montagna, gallo cedrone.

cock② /kɒk/ n. mucchio (*di fieno, ecc.*).

to **cock**① /kɒk/ **A** v. t. **1** alzare; drizzare: *The dog cocked his ears [his hind leg]*, il cane drizzò le orecchie [alzò la zampa di dietro] **2** alzare il cane di (*un'arma da fuoco*); armare (*un fucile, ecc.*) **3** alzare e tirare indietro (*il braccio*), piegare verso l'alto (*il polso: per lanciare o colpire qc.*) ☐ **B** v. i. (*delle orecchie di un animale*) drizzarsi; assumere una posizione eretta ● **to c. one's eye at sb.**, dare un'occhiata d'intesa a q.; ammiccare a q. ☐ **to c. one's hat**, mettersi il cappello di

sghembo (*o* sulle ventitré) ☐ **to c. one's nose**, arricciare (*o* storcere) il naso ☐ **to c. a snook at sb.**, fare marameo a q.; (*fig.*) sbeffeggiare, fare uno sberleffo a q.

■ **cock up** v. t. + avv. (*volg. GB*) rovinare; incasinare (*pop.*); fare un casino (con).

to **cock**② /kɒk/ v. t. (*arc.*) ammucchiare (*fieno*).

cockade /kɒ'keɪd/ n. coccarda ‖ **cockaded** (*spec. zool.*) a. ornato (*o* decorato) di coccarda.

cock-a-doodle-doo /kɒkədu:dl'du:/ **A** inter. chicchirichì! **B** n. **1** chicchirichì **2** (*infant.*) gallo.

cock-a-hoop /kɒkə'hu:p/ a. e avv. **1** (in modo) giubilante, euforico **2** (in modo) sbilenco, storto **3** (*USA*) sgangherato; sfasato; in disordine; a soqquadro; sottosopra.

Cockaigne /kɒ'keɪn/ n. ☐ (paese della) cuccagna.

cockalorum /kɒkə'lɔːrəm/ n. (*fam.*) sciocco vanaglorioso; ometto presuntuoso.

cockamamie, **cockamamy** /kɒkə'meɪmɪ/ a. (*fam. USA*) ridicolo; assurdo; strampalato; sballato (*fam.*).

cockatoo /kɒkə'tu:/ n. (pl. *cockatoos*) (*zool.*, *Cacatua*) cacatua.

cockatrice /'kɒkətraɪs/ n. (*mitol.*, *arald.*) basilisco.

cockboat /'kɒkbəʊt/ n. (*naut.*) piccola barca a fondo piatto.

cockchafer /'kɒktʃeɪfə(r)/ n. (*zool.*, *Melolontha melolontha*) maggiolino.

cocked /kɒkt/ a. drritto; eretto ● (*stor.*) **c. hat**, tricorno; (*anche*) bicorno ☐ (*fig. fam.*) **to knock sb. into a c. hat**, battere alla grande, stracciare, suonarle a q. ☐ **to knock st. into a c. hat**, mandare all'aria qc. (*un progetto, ecc.*); demolire qc. (*una teoria, ecc.*).

cocker /'kɒkə(r)/ n. (= **c. spaniel**) cocker (*cane*).

cockerel /'kɒkərəl/ n. galletto.

cock-eyed /'kɒkaɪd/ a. **1** strabico **2** (*fam.*) storto; sbilenco; messo di sghembo **3** (*fam.*) assurdo; ridicolo; strampalato; sballato (*fam.*) **4** (*slang*) sbronzo.

cockfighting /'kɒkfaɪtɪŋ/ n. ☐ i combattimenti di galli ● (*slang antiq.*) **This beats c.!**, questo sì che è uno spasso!; che sballo! ‖ **cockfight** n. combattimento di galli.

cockhorse /'kɒkhɔːs/ **A** n. **1** cavalluccio di legno (*col manico*) **2** cavallo a dondolo **B** avv. a cavalcioni.

cockiness /'kɒkɪnəs/ n. ☐ (*fam.*) **1** impertinenza; impudenza; sfacciataggine **2** presunzione.

cockle① /'kɒkl/ n. **1** (*bot.*, *Lolium temulentum*) loglio **2** (*bot.*, *Agrostemma githago*) gettaione **3** golpe (*malattia del grano*).

cockle② /'kɒkl/ n. **1** (*zool.*, *Cardium edule*) cardio; cuore edule; noce di mare (= *molluschi bivalvi del genere Cardium*) **2** conchiglia di cardio **3** (*naut.*, = **cockleboat**) piccola barca a fondo piatto ● **to warm the cockles of sb.'s heart**, fare bene al cuore di q.; scaldare il cuore di q.

to **cockle** /'kɒkl/ **A** v. i. gonfiarsi; arricciarsi; incresparsi; raggrinzarsi **B** v. t. gonfiare; arricciare; increspare; raggrinzare.

cocklebur /'kɒklbɜː(r)/ n. (*bot.*, *Xanthium*) lappola; lappa; strappalana (*pop.*).

cockleshell /'kɒklʃɛl/ n. conchiglia di cardio.

cockloft /'kɒklɒft/ n. abbaino (*piccola soffitta*).

cockney /'kɒknɪ/ **A** n. **1** cockney; nativo dei quartieri orientali di Londra (*un tempo quartieri popolari*) **2** ☐ (*dialetto*) cockney; dialetto londinese **B** a. cockney; tipicamente londinese ❶ **CULTURA** – *Secondo la tradizione è vero* **Cockney** *solo chi è nato nella parte di Londra raggiunta dal suono delle Bow Bells, le*

campane della chiesa di St Mary-le-Bow.

cockneyism /'kɒknɪɪzəm/ n. parola, espressione o elemento caratteristici del cockney.

cockpit /'kɒkpɪt/ n. **1** (*aeron.*) cabina di pilotaggio **2** (*autom.*) abitacolo del pilota **3** (*naut.*, *di barca a vela*) pozzetto **4** (*naut.*, *stor.*) quartiere di poppa (*per i subalterni*); infermeria **5** arena per i combattimenti di galli **6** (*fig.*) teatro di lotte; campo di battaglia.

cockroach /'kɒkrəʊtʃ/ n. (*zool.*, *Blatta*) blatta; scarafaggio.

cockscomb /'kɒkskəʊm/ n. **1** cresta di gallo **2** (*bot.*, *Celosia cristata*) cresta di gallo **3** (*stor.*) berretto da giullare (*rosso e a forma di cresta di gallo*).

cocksfoot /'kɒksfʊt/ n. (pl. **cocksfoots**) (*bot.*, *Dactylis glomerata*) erba mazzolina.

cockshy /'kɒkʃaɪ/ n. **1** bersaglio (*in vari giochi da fiera*) **2** tiro al bersaglio **3** (*fig.*, *antiq.*) zimbello; oggetto di critiche.

cockspur /'kɒkspɜː(r)/ n. **1** sprone di gallo **2** (*bot.*, *Crataegus crus-galli*) biancospino della Virginia **3** (*bot.*, *Pisonia aculeata*) fringego.

cocksucker /'kɒksʌkə(r)/ n. (*volg.*) succhiacazzi; pompinaro; bocchinaro **2** (*spreg.*, *spec. USA*) cazzone; stronzo.

cocksucking /'kɒksʌkɪŋ/ n. ☐ (*volg.*) il fare pompini (*o* bocchini).

cocksure /'kɒk'ʃʊə(r)/ a. **1** arcisicuro; sicurissimo **2** baldanzoso; presuntuoso; sicuro di sé ‖ **cocksureness** n. ☐ baldanza; presunzione.

cocktail /'kɒkteɪl/ n. **1** cocktail (*miscela di liquori vari*) **2** (*cucina*) cocktail: **shrimp c.**, cocktail di gamberetti; **fruit c.**, macedonia **3** (*fig.*) cocktail; miscela; combinazione ● **c. bar**, bar (*di albergo*) ☐ **c. cabinet**, mobile bar ☐ (*polit.*) **c. diplomacy**, diplomazia basata sulle trattative amichevoli ☐ **c. dress**, abito da cocktail ☐ **c. lounge**, sala da cocktail; bar (*di albergo, circolo, ecc.*) ☐ (*moda*) **c. pants**, pantaloni (*da donna*) a sigaretta ☐ **c. party**, cocktail (*il ricevimento*) ☐ **c. shaker**, shaker ☐ **c. snacks**, salatini ☐ **c. sticks**, bastoncini per stuzzichini ☐ (*cucina*) **fruit c.**, macedonia.

to **cock-tease** /'kɒkti:z/ (*volg.*) v. t. eccitare sessualmente (*un uomo*) e poi tirarsi indietro ‖ **cock-teaser** n. chi eccita gli uomini senza poi concedersi.

cock-up, **cockup** /'kɒkʌp/ n. (*fam. GB*) grosso pasticcio; casino (*pop.*); fiasco.

cocky /'kɒkɪ/ a. (*fam.*) **1** impertinente; impudente; sfacciato **2** presuntuoso; vanitoso.

coco /'kəʊkəʊ/ n. (pl. *cocos*) → **cocoanut**.

cocoa /'kəʊkəʊ/ n. **1** ☐ cacao (*in polvere*) **2** cioccolata (*in tazza*) ● **c. bean**, seme di cacao ☐ **c. butter**, burro di cacao ☐ (*slang GB*) **I should c.!**, direi!; altroché!; (*iron.*) figurati!

♦**coconut**, **cocoanut** /'kəʊkənʌt/ n. (*bot.*) **1** (*Cocos nucifera*; = **c. palm**, **c. tree**) cocco; palma da cocco **2** noce di cocco **3** ☐ (*noce di*) cocco (*la polpa*) ● **c. butter**, burro di cocco ☐ **c. matting**, stuoia di cocco ☐ **c. milk**, latte di cocco ☐ **c. oil**, olio di cocco ☐ **c. shy**, tiro al bersaglio con palle (*al luna park*).

cocoon /kə'ku:n/ n. **1** (*zool.*) bozzolo **2** (*zool.*) ooteca **3** (*fig.*) protezione; involucro; bozzolo.

to **cocoon** /kə'ku:n/ **A** v. i. fare (*o* filare) il bozzolo **B** v. t. **1** avvolgere nel bozzolo **2** (*fig.*) racchiudere come in un bozzolo; proteggere; riparare.

cocooning /kə'ku:nɪŋ/ n. **1** (*di baco da seta e fig.*) il chiudersi nel proprio bozzolo **2** (*fig.*) lo starsene nel proprio guscio (*o* per conto proprio).

cod① /kɒd/ n. **1** (pl. **cod**, **cods**) (*zool.*, *Gadus morrhua*; = **codfish**) merluzzo **2** ☐ merluzzo (*come alimento*) ● **cod-liver oil**, olio di

fegato di merluzzo □ (*stor.*) **cod war**, guerra del merluzzo (*fra la GB e l'Islanda: furono tre, negli anni 1958-1976*) □ **dried cod**, stoccafisso □ **dry salted cod**, baccalà.

cod ② /ˈkɒd/ n. **1** (*dial.*) baccello; involucro (*di semi*) **2** (*volg. antiq.*) scroto.

cod ③ /ˈkɒd/ a. (*fam. GB*) parodistico; finto ● **cod Latin**, latinorum.

to **cod** /kɒd/ v. t. **1** prendere in giro; sfottere **2** fare uno scherzo a; fare fesso (*pop.*).

cod. abbr. **1** (*leg.*, **code**) codice (cod.) **2** (*filol.*, *ecc.*, **codex**) codice (cod.).

COD sigla (*comm.*, **cash** (*o* **collect**) **on delivery**), pagamento alla consegna; contrassegno.

coda /ˈkəʊdə/ (*ital.*) n. (*mus.*) coda.

to **coddle** /ˈkɒdl/ v. t. **1** cuocere (*un uovo, ecc.*) a fuoco lento (*senza far bollire*) **2** coccolare, viziare (*bambini, ecc.*) ● (*cucina*) **coddled eggs**, uova bazzotte.

♦**code** /kəʊd/ n. **1** codice (*segreto*); cifrario: **to write a message in c.**, scrivere un messaggio in codice; cifrare un dispaccio; **to break** (*o* **to crack**) **the enemy's secret c.**, decifrare il codice segreto del nemico **2** codice (*classificatorio*): **bar c.**, codice a barre; **postal c.**, codice di avviamento postale **3** (*telef.*, = **dialling c.**) prefisso (teleselettivo); indicativo interurbano: *The c. for Milan is 02*, il prefisso di Milano è 02 **4** (*comput.*) codice; codificazione; codifica: **c. conversion**, conversione dei codici; transcodifica; **c. converter**, convertitore di codici; transcodificatore; **c. checking**, controllo della codifica **5** (*scient.*) codice: (*biol.*) **genetic c.**, codice genetico; (*ling.*) **c. switching**, il passare da un codice a un altro; cambiamento di codice **6** (*telegr.*) codice: *Morse c.*, il codice Morse **7** (*leg. stor.*) codice: *the Napoleonic C.*, il Codice Napoleonico **8** (*leg.*) testo unico; codice; regolamento: **penal c.**, codice penale; **the Highway C.**, il codice della strada; **building c.**, regolamento edilizio; **sanitary c.**, regolamento d'igiene **9** codice (*comportamentale*): **c. of honour**, codice dell'onore; **moral c.**, codice morale; **c. of conduct** (*o* **of behaviour**), codice di etica professionale; deontologia; **c. of ethics**, codice etico; **c. of practice**, deontologia professionale; autodisciplina; prassi ● **c. address**, indirizzo in codice □ **c. book**, cifrario; (*telef.*) elenco (*o* guida) dei prefissi teleselettivi; (*naut.*) codice dei segnali □ **c.-breaker**, decodificatore, decrittatore □ **c. clerk**, addetto ai cifrari □ (*naut.*) **c. flag**, intelligenza; pennello; bandiera da segnalazione □ **c. language**, linguaggio cifrato □ **c. name**, nome in codice; nome convenzionale □ **c. number**, numero di codice □ (*aeron.*) **c.-sharing**, accordo tra due compagnie aeree che permette a ciascuna di inserire il proprio codice di identificazione sui voli dell'altra linea; code-sharing □ (*edil.*) **to bring up to c.**, mettere in regola con le normative edilizie.

to **code** /kəʊd/ **A** v. t. **1** cifrare; mettere in cifra: **a coded message**, un messaggio cifrato **2** (*fig.*) dire in modo velato; dire in cifra; dire tra le righe; sottintendere: **coded criticism**, critiche velate **3** assegnare un numero di codice a **4** (*comput.*) codificare; programmare: **coded characters**, caratteri codificati **B** v. i. (*biol.*) **1** – **to code** (*o* **to c. for**), rappresentare il codice genetico di **2** – **to c. for**, portare il codice genetico di.

codec /ˈkəʊdek/ abbr. (*comput.*, **coder-decoder**) codificatore-decodificatore.

co-defendant /ˌkəʊdɪˈfendənt/ n. (*leg.*) coimputato.

codeine /ˈkəʊdiːn/ n. ⓤ (*chim.*) codeina.

codependency, **co-dependency** /ˌkəʊdɪˈpendənsɪ/, **codependence**, **co-dependence** /ˌkəʊdɪˈpendəns/ n. (*psic.*) codipendenza.

codependent, **co-dependent** /ˌkəʊdɪˈpendənt/ a. e n. (*psic.*) codipendente.

coder /ˈkəʊdə(r)/ n. **1** chi mette (*messaggi, ecc.*) in cifra; cifrista **2** (*slang comput.*) programmatore.

codex /ˈkəʊdeks/ n. (pl. **codices**) **1** codice; manoscritto antico **2** (*farm.*) prontuario.

codfish /ˈkɒdfɪʃ/ n. (pl. **codfish**, **codfishes**) (*zool.*, *Gadus morrhua*) merluzzo.

codger /ˈkɒdʒə(r)/ n. (*fam.*) (*di solito*, **old c.**) vecchio barbogio; vecchio brontolone.

codicil /ˈkəʊdɪsɪl/, USA ˈkɒd-/ n. codicillo (*spec. di un testamento*) || **codicillary** a. codicillare.

to **codify** /ˈkəʊdɪfaɪ, USA ˈkɒd-/ v. t. **1** (*anche leg.*) codificare (*ma cfr.* **code**, *def. 2*) **2** cifrare (*un messaggio*) || **codification** n. ⓤ **1** codificazione; redazione in linguaggio cifrato **2** (*leg.*) codificazione (*ma cfr.* **code**, *def. 2*) || **codifier** n. codificatore.

coding /ˈkəʊdɪŋ/ n. ⓤ **1** codificazione **2** redazione in linguaggio cifrato; il mettere in cifra **3** (*comput.*) codificazione; codifica; programmazione: **c. scheme**, schema di codifica; **c. sheet**, foglio di codifica.

co-director /ˌkəʊdɪˈrektə(r)/ n. condirettore (*di un'azienda*).

codling ① /ˈkɒdlɪŋ/ n. piccolo merluzzo; merluzzetto.

codling ② /ˈkɒdlɪŋ/ n. mela da cuocere (*piccola e acerba*).

codomain /ˌkəʊdəʊˈmeɪn/ n. (*mat.*) codominio.

codominance /ˌkəʊˈdɒmɪnəns/ (*genetica*) n. ⓤ codominanza || **codominant** a. codominante.

codon /ˈkəʊdɒn/ n. (*biochim.*, *genetica*) codone: **c. family**, famiglia di codoni.

codpiece /ˈkɒdpiːs/ n. (*stor.*, *mil.*) brachetta (*di un'armatura medievale*).

co-driver /ˈkəʊdraɪvə(r)/ n. (*sport*: *autom.*) secondo pilota.

codswallop /ˈkɒdzwɒləp/ n. (collett.) (*slang*) fesserie (*pop.*); schiocchezze.

CoE sigla (**Council of Europe**) Consiglio d'Europa.

coed, **co-ed** /kəʊˈed/ **A** a. (abbr. *fam. di* **coeducational**) (*di scuola o università*) misto **B** n. (*fam. USA*) studentessa (di scuola o università mista).

coeditor /kəʊˈedɪtə(r)/ n. condirettore (*di un giornale, una rivista, ecc.*).

coeducation /ˌkəʊedʒʊˈkeɪʃn/ n. ⓤ coeducazione.

coeducational /ˌkəʊedʒʊˈkeɪʃənl/ a. (*di scuola, istituto*) misto.

coefficient /ˌkəʊɪˈfɪʃnt/ n. coefficiente: (*fis.*) **c. of expansion**, coefficiente di dilatazione (termica); (*mecc.*) **c. of friction**, coefficiente d'attrito; (*econ.*) **c. of acceleration**, coefficiente d'accelerazione; (*econ.*, *stat.*) **c. of correlation**, coefficiente di correlazione.

coelacanth /ˈsiːləkænθ/ n. (*zool.*, *Latimeria*) celacanto.

coelenterate /sɪˈlentəreɪt/ n. (*zool.*, *Coelenterata*) celenterato.

coeliac /ˈsiːlɪæk/ a. (*anat.*) celiaco: (*med.*) **c. disease**, morbo celiaco; celiachia.

coelom /ˈsiːləm/ n. (pl. **coeloms**, **coelomata**) (*zool.*) celoma.

coelostat /ˈsiːləstæt/ n. (*astron.*) celostata, celostato.

coenobite /ˈsiːnəbaɪt/ n. (*zool.*) cenobita || **coenobitic**, **coenobitical** a. cenobitico.

coenobium /sɪˈnəʊbɪəm/ n. (pl. **coenobia**) **1** (*scient.*) cenobio **2** (*relig.*) cenobio.

coenzyme /kəʊˈenzaɪm/ n. (*chim.*) coenzima.

coequal /kəʊˈiːkwəl/ (*anche relig.*) a. coe-guale; uguale a un altro || **coequality** n. ⓤ coeguaglianza.

to **coerce** /kəʊˈɜːs/ (*form.*) v. t. **1** costringere; coartare; obbligare: *His parents coerced him into marrying the girl*, i genitori lo costrinsero a sposare la ragazza **2** imporre; ottenere con la forza ● **coerced obedience**, obbedienza ottenuta con la costrizione || **coercible** a. coercibile || **coercion** n. ⓤ coercizione; coazione; coartazione.

coercive /kəʊˈɜːsɪv/ a. (*form.*) coercitivo ● (*fis.*) **c. force**, forza coercitiva □ **c. means**, mezzi di coercizione | **-ly** avv. | **-ness** n. ⓤ.

coercivity /ˌkəʊɜːˈsɪvɪtɪ/ n. ⓤⓒ (*fis.*) coercività.

coeternal /ˌkəʊɪˈtɜːnl/ a. coeterno.

coeval /kəʊˈiːvl/ a. e n. **1** coevo; contemporaneo **2** coetaneo || **coevality** n. ⓤ l'essere coevo (o coetaneo).

to **coexist** /ˌkəʊɪgˈzɪst/ v. i. coesistere || **coexistence** n. ⓤ coesistenza: (*polit.*) **peaceful coexistence**, coesistenza pacifica || **co-existent** a. coesistente.

coextensive /ˌkəʊɪkˈstensɪv/ a. **1** collimante; corrispondente; coincidente **2** (*di termine*) equivalente; sinonimo.

cofactor /ˈkəʊfæktə(r)/ n. (*mat.*) cofattore.

C of C sigla (**chamber of commerce**) camera di commercio.

C of E sigla (*relig.*, **Church of England**) Chiesa d'Inghilterra.

♦**coffee** /ˈkɒfɪ/ **A** n. **1** ⓤ caffè (*pianta; chicchi*): **ground c.**, caffè macinato **2** ⓤⓒ caffè (*bevanda*): **strong c.**, caffè ristretto; **weak c.**, caffè leggero; **instant c.**, caffè solubile; **black c.**, caffè (senza latte); **white c.** (*o* **c. with milk**), caffè con latte; **a cup of c.**, una tazza di caffè; un caffè; *Would you like some c.?*, vuoi un caffè?; *Shall I make some c.?*, faccio il caffè?; *I've already had two coffees*, ho già bevuto due caffè **B** a. attr. **1** di (o da, per) caffè: **c. grounds**, fondi di caffè; **c. cup**, tazzina da caffè; **c. mug**, tazza alta per caffè **2** color caffè ● **c. and**, caffè e brioche (*al bar*) □ **c. bar**, caffè; bar □ **c. bean** (*o* **c. berry**), chicco di caffè □ **c. break**, intervallo per il caffè □ **c. cake**, torta al caffè; (USA) focaccia dolce da mangiare col caffè □ **c.-coloured**, color caffè □ **c. cream** = **light cream** → **light** □ **c. grinder**, macinacaffè; (*naut.*) coffee-grinder □ **c. house**, caffè (*in Italia, in Germania, ecc.*; *stor. in GB*) □ **c. lounge**, sala per il caffè (*di albergo*) □ **c. machine** (*o* **c. maker**), macchina da caffè □ **c.-making facilities**, occorrente per fare il caffè (*in albergo, ecc.*) □ **c. mill**, macinino da caffè □ (GB) **c. morning**, riunione mattutina (*spec. di signore: si paga per il caffè e il ricavato va in beneficenza*) □ **c. percolator**, macchina da caffè □ **c.-pot**, caffettiera □ **c. processor**, torrefazione (*l'azienda*) □ **c. roll**, brioche □ **c. set** (*o* **service**), servizio da caffè □ **c. shop**, rivendita di caffè, torrefazione; (*anche*) caffè, bar, tavola calda □ **c. shrub**, pianta del caffè □ **c. table**, tavolino □ **c.-table book**, libro di lusso (*di grande formato e pieno d'illustrazioni*); libro strenna; libro da sfogliare.

coffer /ˈkɒfə(r)/ n. **1** cofano; scrigno; forziere; cassa **2** (*archit.*) cassettone (*di soffitto*) **3** → **cofferdam 4** (*banca*) caveau; sotterraneo corazzato **5** (al pl.) fondi, riserve (*di valuta o di preziosi*).

to **coffer** /ˈkɒfə(r)/ v. t. (*archit.*) ornare (*un soffitto*) con cassettoni ● **a coffered ceiling**, un soffitto a cassettoni.

cofferdam /ˈkɒfədæm/ n. **1** cassone pneumatico **2** (*edil.*) cassone di fondazione **3** (*idraul.*) argine (*di contenimento*) **4** (*naut.*) intercapedine stagna (*per la nafta*).

coffin /ˈkɒfɪn/ n. **1** bara; cassa da morto **2** (*aeron.*, *fam.*, = **flying c.**) bara volante; vecchio aereo scassato **3** (*naut.*, *fam.*, = **float-**

ing c.) bara galleggiante; vecchia bagnarola; vecchia carretta **4** cavità dello zoccolo (*del cavallo*) ● (*slang scherz.*) **c. nail**, sigaretta □ **c. plate**, targa funeraria.

to **coffin** /'kɒfɪn/ v. t. **1** mettere nella bara **2** (*fig.*) riporre (*libri, ecc.*) in un luogo poco accessibile; seppellire (*fig.*).

co-financing /kəʊ'faɪnænsɪŋ/ n. ⓤ (*fin.*) co-finanziamento.

cog ① /kɒg/ n. (*mecc.*) **1** dente (*di ruota*) **2** (*fig.*) rotella, rotellina: *John is just a cog in the machine of our business*, John non è che una rotella nell'ingranaggio della nostra azienda **3** → **cogwheel** ● (*mecc.*) **cog belt**, cinghia a denti □ **cog rail**, rotaia a cremagliera □ **cog railway**, ferrovia a cremagliera □ (*fig.*) **to slip a cog**, fare un errore (*nei propri calcoli*); sbagliarsi.

cog ② /kɒg/ n. (*falegn.*) **1** incastro a tenone **2** dente d'incastro; tenone.

to **cog** ① /kɒg/ v. t. **1** (*mecc.*) dentare (*una ruota*) **2** (*metall.*) sbozzare al laminatoio.

to **cog** ② /kɒg/ v. t. **1** (*falegn.*) congiungere mediante incastro a tenone.

cogeneration /kəʊdʒenə'reɪʃn/ n. (*tecn.*) cogenerazione.

cogent /'kəʊdʒənt/ a. (*di una norma*) cogente; (*d'argomento*) convincente; persuasivo: **a c. reason**, una ragione convincente || **cogency** n. ⓤ forza (*d'un argomento, ecc.*); forza di persuasione.

cogged /kɒgd/ a. (*mecc.*: *d'ingranaggio*) dentato: **c. wheel**, ruota dentata.

to **cogitate** /'kɒdʒɪteɪt/ Ⓐ v. i. cogitare (*lett.*); meditare Ⓑ v. t. **1** ponderare; meditare (su); considerare attentamente **2** (*filos.*) concepire || **cogitation** n. ⓤ cogitazione (*lett.*); meditazione || **cogitative** a. **1** capace di concepire (*un'idea, ecc.*); cogitativo (*lett.*) **2** portato alla riflessione; meditativo.

cognac /'kɒnjæk/ (*franc.*) n. ⓤⓒ cognac; brandy.

cognate /'kɒgneɪt/ Ⓐ a. **1** parente; consanguineo; congiunto **2** (*di lingua, parola, ecc.*) affine; analogo **3** (*gramm.*) interno: **c. object** (*o c. accusative*), complemento oggetto interno Ⓑ n. **1** parente; consanguineo; congiunto **2** cosa affine (*o analoga*) vocabolo affine.

cognation /kɒg'neɪʃn/ n. ⓤ **1** parentela; consanguineità **2** affinità; analogia **3** (*filol.*) origine comune (*di lingue, parole, ecc.*) **4** (*leg.*): *diritto romano*) cognazione.

cognition /kɒg'nɪʃn/ n. ⓤ **1** cognizione; conoscenza: **in full c. of the facts**, con piena cognizione dei fatti **2** (*antiq.*) percezione.

cognitive /'kɒgnɪtɪv/ a. (*filos., psic., ling.*) cognitivo: **c. dissonance**, dissonanza cognitiva; **c. grammar**, grammatica cognitiva; **c. map**, mappa cognitiva; **c. psychology**, psicologia cognitiva; **c. science**, scienza cognitiva.

cognizable /'kɒgnɪzəbl/ a. **1** (*filos.*) conoscibile; percepibile **2** (*leg.*) soggetto alla giurisdizione di un dato tribunale.

cognizance /'kɒgnɪzəns, 'kɒnɪ-/ n. **1** ⓤ conoscenza; cognizione: **to have c. of st.**, avere conoscenza sicura di qc.; essere al corrente di qc. **2** ⓤ nota; atto: **to take c. of st.**, prendere atto di qc. (*in modo ufficiale*) **3** ⓤ (*leg.*) competenza; cognizione: **to fall within one's c.**, essere di propria competenza (*o cognizione*); **to be beyond one's c.**, esulare dalla propria competenza **4** (*arald.*) segno distintivo; emblema.

cognizant /'kɒgnɪzənt, 'kɒnɪ-/ a. **1** che ha conoscenza, che è al corrente (di qc.): **to be c. of a fact**, essere al corrente di un fatto **2** (*filos.*) che ha cognizione (di qc.) **3** (*leg.*) competente: **the court c. of an offence**, il tribunale competente a giudicare

un reato.

to **cognize** /kɒg'naɪz/ v. t. **1** (*filos.*) avere cognizione di (qc.) **2** prendere nota (*o atto*) di (qc.).

cognomen /kɒg'nəʊmən/ n. (pl. **cognomens**, **cognomina**) **1** cognomen (*terzo nome dei Romani*) **2** cognome **3** (*form.*) soprannome.

cognoscenti /kɒnjə'ʃentɪ/ n. pl. (i) conoscitori (*d'arte, ecc.*).

cognovit /kɒg'nəʊvɪt/ (*lat.*) n. ⓤⓒ (*leg.*) dichiarazione scritta con la quale il convenuto riconosce il buon diritto dell'attore.

cogwheel /'kɒgwiːl/ n. (*mecc.*) ruota dentata.

to **cohabit** /kəʊ'hæbɪt/ v. i. convivere; vivere more uxorio || **cohabitation** n. ⓤ convivenza || **cohabiter** n. partner; convivente.

coheir /kəʊ'eə(r)/ n. (*leg.*) coerede (m.).

coheiress /kəʊ'eərɪs/ n. (*leg.*) coerede (f.).

to **cohere** /kəʊ'hɪə(r)/ v. i. **1** aderire; restare unito **2** (*di idee, stile, ecc.*) essere coerente.

coherent /kəʊ'hɪərənt/ a. **1** che ha coesione; aderente **2** coerente; ben connesso: **a c. plan**, un progetto ben connesso **3** intelligibile; logico: **a c. speech**, un discorso intelligibile || **coherence, coherency** n. ⓤ **1** coesione; aderenza **2** coerenza: *His tale lacked coherence*, il suo racconto mancava di coerenza || **coherently** avv. **1** coerentemente **2** in modo intelligibile.

coherer /kəʊ'hɪərə(r)/ n. (*elettr., radio*) coesore; (*ing.*) coherer; rivelatore.

cohesion /kəʊ'hiːʒn/ n. ⓤ (*fis., geol., mecc. e fig.*) coesione.

cohesive /kəʊ'hiːsɪv/ (*fis., geol., mecc. e fig.*) a. coesivo || **cohesively** avv. coesivamente || **cohesiveness** n. ⓤ coesione.

cohort /'kəʊhɔːt/ n. **1** coorte (*anche fig.*) **2** schiera (*di soldati, ecc.*) **3** gruppo; banda **4** (*demogr.*) coorte ● (*demogr.*) **c. table**, tavola per generazioni.

cohousing, co-housing /'kəʊhaʊzɪŋ/ n. ⓤ (*spec. USA, Canada e Austral.*) cohousing (*complesso edilizio con strutture collettive*).

COI sigla (*GB*, **Central Office of Information**) (*ora* **COI Communications**) Ufficio centrale d'informazione (*verso il pubblico*).

coif ① /kɔɪf/ n. (*stor.*) **1** cuffia **2** tocco bianco (*portato un tempo dai magistrati*) **3** calotta di cuoio (*portata sotto l'elmo*).

coif ② /kwɑːf/ n. (abbr. *fam. di* **coiffure**) acconciatura, pettinatura.

to **coif** /kwɑːf/ v. t. acconciare (*i capelli*); mettere in piega.

coiffeur /kwɑː'fɜː(r)/ (*franc.*) n. parrucchiere (*per signora*).

coiffure /kwɑː'fjʊə(r)/ (*franc.*) n. acconciatura (*dei capelli*); pettinatura || **coiffured** a. acconciato; pettinato.

coign, coigne /kɔɪn/ n. (*edil.*) angolo; pietra d'angolo ● (*fig.*) **c. of vantage**, posizione vantaggiosa (*per osservare e agire*).

coil ① /kɔɪl/ n. **1** spira (*di serpente, ecc.*); giro (*di corda avvolta*) **2** rotolo **3** serpentina; serpentino (*tubo piegato a più curve*) **4** (*elettr.*) bobina; rocchetto: (*autom.*) **ignition coil**, bobina d'accensione; **induction c.**, rocchetto d'induzione; induttore **5** (*tecn.*) bobina; avvolgimento; spira: (*radio*) **tuning c.**, bobina di sintonia **6** spirale (*intrauterina*) **7** crocchia di capelli **8** (*naut.*) duglia ● **c. spring**, molla a spirale piatta; molla elicoidale □ (*tecn.*) **c. winder**, bobinatrice.

coil ② /kɔɪl/ n. (*arc.*) confusione; tumulto.

to **coil** /kɔɪl/ Ⓐ v. t. **1** avvolgere (*una corda, ecc.*) (a spirale); attorcigliare: *The python coiled itself round its prey*, il pitone si avvolse intorno alla preda **2** (*naut.*) addugliare; abbisciare Ⓑ v. i. **1** avvolgersi (a spirale);

attorcigliarsi **2** muoversi in spire; serpeggiare ● **to c. up**, avvolgere (*o avvolgersi*) a spirale; raggomitolarsi.

◆**coin** /kɔɪn/ n. **1** moneta (*metallica*); monetina: **a 10p c.**, una moneta da dieci pence; **a gold c.**, una moneta d'oro; **to toss a c.**, lanciare in aria una monetina **2** ⓤ moneta, monete **3** (al pl.) (*tarocchi*) denari ● **coin and currency**, denaro liquido □ (*telef.*) **c. box**, telefono a monete; (*anche*) gettoniera □ **c.-changing machine**, macchina cambiamonete □ **c. gold**, oro da conio □ (*fam.*) **c.-op**, macchina che funziona a monete □ **the other side of the c.**, il rovescio della medaglia □ (*fig.*) **to pay sb. back in his [her] own c.**, pagare q. di pari moneta; rendere pan per focaccia.

to **coin** /kɔɪn/ v. t. **1** coniare **2** (*econ., fin.*) battere moneta; monetare **3** (*ind.*) punzonare (*un massello, ecc.*) **4** (*fig.*) coniare; inventare: **to c. a word**, coniare una parola ● (*iron.*) **to c. a phrase**, per dirla in modo originale; tanto per non essere banali: *I was in the seventh heaven, to c. a phrase*, ero, per dirla in modo originale, al settimo cielo □ (*fig. fam.*) **to be coining money** (*o* **to be coining it**), far denaro a palate.

coinage /'kɔɪnɪdʒ/ n. ⓤ **1** conio; coniatura **2** monete; moneta metallica **3** sistema monetario: **decimal c.**, sistema monetario decimale **4** il coniare (*parole nuove*); ⓤ parola coniata **5** (*econ., fin.*) monetazione.

to **coincide** /kəʊɪn'saɪd/ v. i. coincidere; concordare: *Our birthdays [interests] c.*, i nostri compleanni [interessi] coincidono.

coincidence /kəʊ'ɪnsɪdəns/ n. ⓤ **1** coincidenza; concordanza; corrispondenza **2** combinazione; caso: *What a c.!*, che combinazione!

coincident /kəʊ'ɪnsɪdənt/ a. coincidente; concordante (con qc.).

coincidental /kəʊɪnsɪ'dentl/ a. casuale; fortuito; dovuto a una coincidenza || **coincidentally** avv. per combinazione; per caso.

coiner /'kɔɪnə(r)/ n. **1** chi conia (*monete, ecc.*); coniatore **2** (*leg.*) falsario **3** (*fig.*) inventore (*di parole nuove, storie, ecc.*).

coining /'kɔɪnɪŋ/ n. ⓤ **1** coniatura (*anche fig.*) **2** (*econ., fin.*) monetazione.

co-insurance /kəʊɪn'ʃʊərəns/ n. ⓤ (*ass.*) coassicurazione.

co-insured /kəʊɪn'ʃʊəd/ a. e n. (*ass.*) coassicurato.

coir /'kɔɪə(r)/ n. fibra di cocco.

coitus /'kɔɪtəs/, **coition** /kəʊ'ɪʃn/ n. ⓤ (*fisiol.*) coito || **coital** a. relativo al coito; coitale.

Coke® /kəʊk/ n. Coca-Cola; coca (*fam.*).

coke ① /kəʊk/ n. ⓤ coke; carbone coke ● **c. breeze**, coke minuto □ **c. oven**, forno da coke; cokeria □ **c.-oven gas**, gas di cokeria.

coke ② /kəʊk/ n. ⓤ (*slang*) cocaina; coca (*pop.*) ● **c.-freak** (*o* **c.-head**), cocainomane □ **c.-ring**, organizzazione di trafficanti di droga.

coke ③ /kəʊk/ n. bevanda gassata aromatizzata (→ **Coke**).

to **coke** /kəʊk/ v. t. convertire (*carbon fossile*) in coke; cokificare.

coked /kəʊkt/ a. (*slang*) fatto di cocaina.

cokery /'kəʊkərɪ/ n. cokeria.

to **coke up** /kəʊk'ʌp/ v. i. + avv. (*slang*) farsi di coca.

coking /'kəʊkɪŋ/ n. ⓤ (*chim.*) coking; cokizzazione; cokificazione.

col /kɒl/ n. sella (*fra due monti*); valico.

col. abbr. **1** (**colonial**) coloniale **2** (**coloured**) di colore **3** (**column**) colonna.

Col. abbr. (**colonel**) colonnello.

cola /'kəʊlə/ n. **1** (*bot., Cola*) cola **2** (*USA*) bibita simile alla Coca-Cola ● **c. nut** (*o c.*

seed), noce di cola.

COLA sigla (*comm.*, *USA*, **cost-of-living adjustment** (*o* **allowance**)) adeguamento al costo della vita; indennità di contingenza.

colander /'kʌləndə(r)/ n. colatoio; colino; (*anche*) scolapasta ❶ NOTA: *calendar*, *calender* *o* *colander?* → **calendar**.

to **colander** /'kʌləndə(r)/ v. t. colare; passare al colino.

co-latitude /kəʊ'lætɪtjuːd, USA -tuːd/ n. (*geogr.*) colatitudine.

colchicine /'kɒltʃisiːn/ n. Ⓤ (*chim.*, *farm.*) colchicina.

colchicum /'kɒltʃɪkəm/ n. (*bot.*, *Colchicum*) colchico.

◆**cold** /kəʊld/ Ⓐ a. **1** freddo: **c. climates**, climi freddi; **c. drinks**, bibite fredde; **c. supper**, cena fredda; **a c. shower**, una doccia fredda; *The tea is c.*, il tè è freddo (*o* si è raffreddato); *It's c. outside*, fa freddo fuori; **to get** (*o* to go) **c.**, diventare freddo; raffreddarsi **2** che ha (*o* che sente) freddo: **to be** (*o* to feel) **c.**, avere freddo; *I went c. with fear*, raggelai di paura; la paura mi raggelò **3** freddo; senza vivacità; senza calore: **c. light**, una luce fredda **4** freddo, indifferente; distaccato: *His idea left me c.*, la sua idea mi lasciò freddo **5** freddo; gelido; scostante: **a c. reception**, un'accoglienza fredda **6** freddo; lucido **7** gelido; raggelante; tetro: *They had a c. realization of their fate*, ebbero la raggelante consapevolezza del loro destino **8** (*med.*) frigido **9** (*di traccia, ecc.*) vecchio; debole; semicancellato; difficile da seguire: **a c. scent**, una traccia vecchia; **to go c.**, perdersi **10** (*fam.*, *anche* **out c.**) svenuto; privo di sensi: *The boxer was knocked c.*, il pugile ricevette un colpo che lo mandò a terra privo di sensi **11** freddo; morto **12** (*mil.*, *miss.*: *di ordigno nucleare, ecc.*) disinnescato; non innescato **13** (*metall.*) a freddo: **c. drawing**, trafilatura a freddo **14** (*nel gioco di indovinare o cercare qc.*) – *You're still c.*, sei lontano; non ci sei; acqua... acqua Ⓑ avv. (*fam.*) **1** completamente; del tutto: **to stop c.**, bloccarsi; arrestarsi di botto **2** recisamente: **to refuse c.**, rifiutare recisamente **3** senza preparazione; senza prove; senza allenamento; a freddo: *I took the test c.*, ho fatto l'esame senza aver aperto un libro **4** alla perfezione; a menadito Ⓒ n. **1** freddo: *The c. was biting*, il freddo era pungente; **to go out in the c.**, uscire al freddo **2** (*med.*) raffreddore; infreddatura: **to catch** (*o* a) **c.**, prendere un raffreddore (*o* un'infreddatura); raffreddarsi; *Have you got a c.?*, hai il raffreddore?; sei raffreddato?; *I've got a c. coming on*, mi sta venendo il raffreddore; **a c. in the head [in the chest]**, un raffreddore di testa [di petto] ● **c. blast**, corrente d'aria fredda (*negli altiforni*) □ **c.-blooded**, (*di animale*) a sangue freddo, eterotermo; (*fig.*) freddo, insensibile; spietato, (*fatto*) a sangue freddo: **a c.-blooded murder**, un assassinio a sangue freddo □ **c.-bloodedness**, (*zool.*) eterotermia; (*fig.*) insensibilità; spietatezza □ (*market.*) **c. call** → **c. call** □ (*fam. USA*) **c. cash**, contanti □ (*mecc.*) **c. chisel**, tagliolo a freddo □ (*fam.*) **c. comfort**, una magra consolazione □ **c. colours**, colori freddi □ (*cosmesi*) **c. cream**, cold cream, crema emolliente □ **c. cuts**, carni arrostite fredde affettate □ (*metall.*) **c.-drawing**, stiramento a freddo □ (*fig. fam.*) **c. feet**, paura; panico; fifa (*gerg.*): **to get c. feet**, spaventarsi e tirarsi indietro; essere preso dal panico e rinunciare; rinunciare per fifa □ (*fig.*) **c. fish**, individuo freddo, scostante □ (*agric.*) **c. frame**, miniserra (*per pianticelle*) □ (*meteor.*) **c. front**, fronte freddo □ **c.-hearted**, freddo; indifferente; insensibile; arido □ **c.-heartedness**, freddezza (*d'animo, ecc.*); indifferenza; insensibilità; aridità □ (*fam.*) **c. news**, notizie vecchie □ (*fam.*) **a c. one**, una birra ghiac-

ciata □ **c. pack**, (*med.*) impacco freddo; (*ind.*) inscatolamento a freddo □ (*metall.*) **c. rolling**, laminazione a freddo □ **c. saw**, sega ad attrito; sega a freddo □ **c. shoulder**, spalla di montone arrostita, servita fredda; = **to give the c. shoulder** → *sotto* □ (*fig.*) freddezza ostentata, scortesia □ **c. shower**, doccia fredda □ **c. snap**, brusco calo di temperatura; breve ondata di freddo □ (*med.*) **c. sore**, herpes semplice (*sulle labbra*); febbre (*pop.*) □ (*autom.*) **c. start**, partenza a (motore) freddo □ (*mil.*) **c. steel**, arma bianca, armi bianche □ **c. storage**, conservazione in cella frigorifera: **in c. storage**, in cella frigorifera; (*fig.*, *di progetto, ecc.*) (messo) da parte, accantonato, in naftalina □ **c. store**, cella frigorifera; magazzino frigorifero □ (*med.*) **c. surgery**, chirurgia di routine □ **c. sweat**, sudore freddo: **to break out in a c. sweat**, cominciare a sudare freddo □ **c. table**, tavola dei piatti freddi; buffet freddo □ (*fam. USA*) **c. turkey**, interruzione improvvisa (*dell'assunzione di una droga pesante*); (*per estens., anche fig.*) crisi da astinenza; (*avv.*) (*USA*) di botto, di colpo, senza preavviso: **to go c. turkey**, smettere di colpo di drogarsi; (*fig. scherz.*) abbandonare di colpo (*un'abitudine radicata*) □ (*tipogr.*) **c. type composition**, composizione a freddo □ (*stor.*) **c. war**, guerra fredda □ (*USA*) **c. warrior**, fautore della guerra fredda □ **c. wave**, (*meteor.*) = **c. snap** → *sopra*; (*dei capelli*) permanente a freddo □ **c. wrap**, bendaggio freddo (*trattamento estetico*) □ (*fam.*) **as c. as charity**, gelido □ **as c. as ice**, freddo come il ghiaccio □ (*fig.*) **to catch c.**, perdere soldi in un affare; restare scottato □ (*fam.*) **to come in from the c.**, ricomparire; riemergere; tornare dall'esilio (*fig.*) □ **to give sb. the c. shoulder**, essere freddo con q.; trattare q. con freddezza □ **in c. blood**, a sangue freddo; a freddo □ **in the c. light of day**, a mente fredda; a una valutazione oggettiva □ **to leave sb. c.**, lasciare q. indifferente: *That leaves me c.*, non mi fa né caldo né freddo □ (*fig. fam.*) **out in the c.**, in disparte; ignorato; non considerato; escluso: **to leave out in the c.**, lasciare in disparte; ignorare; non prendere in considerazione; escludere □ (*fig.*) **to throw** (*o* to pour) **c. water on**, gettare acqua fredda su; scoraggiare, raffreddare l'entusiasmo di □ (*prov.*) **C. hands, warm heart**, mani fredde, cuore caldo ❶ FALSI AMICI • **cold** *non significa* caldo.

to **cold-call** /'kəʊldkɔːl/ v. t. (*market.*) **1** telefonare a (*possibili clienti*) senza preavviso **2** visitare (*un cliente*) senza preavviso ‖ **cold call** n. telefonata fatta per promuovere l'acquisto di qc.; (*anche*) visita senza preavviso (*a un cliente*) ‖ **cold caller** n. chi chiama (*o* visita) un cliente senza preavviso (*per promuovere l'acquisto di qc.*).

coldish /'kəʊldɪʃ/ a. piuttosto freddo; freddino.

coldly /'kəʊldlɪ/ avv. freddamente (*solo fig.*).

coldness /'kəʊldnəs/ n. Ⓤ **1** freddezza; l'esser freddo (*del tempo, ecc.*) **2** freddezza (*fig.*): **the c. of their reception**, la freddezza con cui ci ricevettero.

to **cold-shoulder** /'kəʊldʃəʊldə(r)/ v. t. trattare con freddezza; ignorare; non rivolgere la parola a; snobbare.

to **cold-weld** /'kəʊldwɛld/ v. t. (*mecc.*) saldare a freddo.

cole /kəʊl/ n. (*bot.*, *Brassica napus oleifera*) ravizzone: **c. seed**, seme di ravizzone.

colectomy /kɒ'lɛktəmɪ/ n. Ⓤ (*med.*) colectomia.

coleopteran /kɒlɪ'ɒptərən/ (*zool.*) Ⓐ a. dei coleotteri Ⓑ n. coleottero ‖ **coleopterous** a. dei coleotteri.

coleoptile /kɒlɪ'ɒptaɪl/ n. (*bot.*) coleoptile, coleottile.

coleseed /'kəʊlsiːd/ n. Ⓤ (*bot.*) ravizzone; colza.

coleslaw /'kəʊlslɔː/ n. Ⓤ (*cucina*) insalata di cavolo tritato, carote, cipolle, ecc., con maionese.

colic /'kɒlɪk/ (*med.*) Ⓐ n. colica Ⓑ a. colico: **c. pains**, dolori colici ● (*anat.*) **c. artery**, arteria colica ‖ **colicky** a. **1** che provoca coliche **2** soggetto a coliche.

Coliseum /kɒlə'siːəm/ n. (*archeol.*) Colosseo.

colitis /kə'laɪtɪs/ n. Ⓤ (*med.*) colite.

coll. abbr. **1** (**colleague**) collega **2** (**collection**) collezione **3** (**college**) «college» **4** (*anche* **colloq.**) (**colloquial**) colloquiale; familiare (*fam.*).

to **collaborate** /kə'læbəreɪt/ v. i. **1** collaborare **2** (*polit.*) essere un collaborazionista.

collaboration /kəlæbə'reɪʃn/ n. **1** collaborazione **2** (*polit.*) collaborazionismo.

collaborationism /kəlæbə'reɪʃənɪzəm/ (*polit.*) n. Ⓤ collaborazionismo ‖ **collaborationist** n. collaborazionista.

collaborative /kə'læbərətɪv/ a. (fatto) in collaborazione: **c. research project**, progetto di ricerca in collaborazione; (*org. az.*) **c. commerce**, strategia di collaborazione tra imprese lungo la catena logistica per produrre e commercializzare beni e servizi (abbr. **c-commerce**) | **-ly** avv.

collaborator /kə'læbəreɪtə(r)/ n. **1** collaboratore **2** (*polit.*) collaborazionista.

collage /'kɒlɑːʒ, kə'lɑːʒ/ (*franc.*) n. Ⓤ Ⓒ (*arte*) collage.

to **collage** /'kɒlɑːʒ, kə'lɑːʒ/ v. t. (*arte*) fare un collage con (*pezzi vari*).

collagen /'kɒlədʒən/ n. Ⓤ (*biol.*) collageno, collagene.

collapsar /kə'læpsɑː(r)/ n. (*astron.*) buco nero.

collapse /kə'læps/ n. Ⓒ **1** crollo; caduta: **the c. of a circus tent**, il crollo del tendone di un circo; **to be in danger of c.**, essere pericolante **2** (*edil.*) cedimento; collasso; sprofondamento **3** (*di pallone, ecc.*) sgonfiamento **4** crollo; rovina; collasso; caduta (*di un governo, ecc.*): **the c. of one's plans**, la rovina dei propri progetti; *The c. of the whole country must be avoided*, bisogna evitare il collasso dell'intera nazione **5** (*di trattative, ecc.*) fallimento; fiasco **6** (*Borsa, fin.*) crollo; crac; tracollo; pesante caduta; collasso: **the c. of a business**, il crac di un'azienda; **a c. of** (*o* in) **prices**, un crollo dei prezzi; **the c. of a currency**, il collasso di una moneta **7** (*geol.*, *astron.*) collasso: **gravitational c.**, collasso gravitazionale **8** (*med.*) collasso; crollo (psicologico): **lung c.**, collasso polmonare; **mental** [**nervous**] **c.**, collasso mentale [nervoso]; **on the verge of c.**, sull'orlo del crollo; prossimo a crollare **9** (*sport*) collasso; scoppio (*di un atleta*).

◆to **collapse** /kə'læps/ Ⓐ v. i. **1** crollare: *The buildings may c.*, l'edificio può crollare **2** sprofondare; crollare: *The roof may c. under the weight of the snow*, il tetto può crollare sotto il peso della neve **3** (*di persona*) cadere; lasciarsi cadere; crollare (*su qc.*): **to c. to the floor**, cadere a terra; *The old man collapsed into an armchair*, il vecchio si lasciò cadere su una poltrona **4** (*di governo, ecc.*) cadere; (*di ditta, ecc.*) subire un tracollo, fallire, andare a rotoli (*o* in rovina) **5** (*fig.*, *di speranza, progetto, ecc.*) crollare; andare a monte; (*di trattativa, ecc.*) fallire **6** (*Borsa, fin.*: *dei prezzi, ecc.*) crollare; cadere pesantemente **7** (*med.*) svenire; avere (*o* subire) un collasso **8** crollare (psicologicamente); avere un crollo psicologico: *He collapsed and confessed everything*, crollò e confessò tutto **9** (*di pallone, ecc.*) sgonfiarsi; afflosciarsi **10** (*sport*: *di atleta*) crollare a

terra; scoppiare (*fam.*) **11** (*dell'interesse, ecc.*) sgonfiarsi; afflosciarsi **12** (*med., di polmone, ecc.*) collassare **13** (*di tavolo, ecc.*) piegarsi; ripiegarsi; essere pieghevole **14** (*di antenna, ecc.*) rientrare a telescopio **15** (*astron.: dell'universo, ecc.*) collassare **B** v. t. **1** far crollare: *The explosion collapsed several buildings*, l'esplosione fece crollare diversi edifici **2** far sprofondare **3** (*fig.*) piegare (*un tavolo, ecc.*); ripiegare (*una tenda, ecc.*) **4** far rientrare (*un'antenna, ecc.*) **5** (*med.*) collassare (*un polmone, ecc.*) **6** condensare, riassumere (*un testo*) **7** combinare insieme; fondere ● **to c. in chaos**, cadere in preda al caos □ **to c. in tears**, scoppiare a piangere □ (*fam.*) **to c. with laughter**, piegarsi in due dal ridere.

collapsible /kə'læpsəbl/ a. **1** pieghevole; apribile: **c. table**, tavolo pieghevole; **c. bicycle**, bicicletta pieghevole; (*autom.*) **c. hood**, tettuccio apribile **2** (*fotogr., di lente*) rientrabile **3** (*di antenna, ecc.*) telescopico **4** sgonfiabile (*naut.*) **c. boat**, canotto sgonfiabile; canotto pneumatico ● (*edil.*) **c. gate**, cancello a scomparsa □ (*autom.*) **c. steering column**, sterzo collassabile.

collar /'kɒlə(r)/ n. **1** (*di indumento*) colletto; collo: **shirt c.**, colletto (*o* collo) di camicia; **fur c.**, collo di pelliccia **2** (*per animale*) collare **3** (*mecc.*) fascetta; anello; flangia **4** (*ind. min.*) bocca del pozzo **5** (*cucina, GB*) rotolo di carne **6** (*bot.*) colletto **7** (*slang*) arresto; cattura ● (*fam.*) **c. and tie**, giacca e cravatta □ (*fam.*) **c.-and-tie job**, lavoro impiegatizio □ (*mil.*) **c. badge**, mostrina □ (*edil.*) **c. beam**, catena d'impluvio; controcatena □ (*mecc.*) **c. bearing**, cuscinetto reggispinta ● **c. button** = **c. stud** → *sotto* □ **c. harness**, pettorale (*di cavallo*) □ **c. size**, misura di collo □ (*in GB*) **c. of SS** (*o* **of esses**), catena ornamentale con maglie a forma di esse (*parte del costume formale di alcuni funzionari; un tempo emblema della Casa di Lancaster*) □ **c. stud**, fermacolletto; bottone da colletto □ (*fam.*) **to be** [**to get**] **hot under the c.**, essere arrabbiato [arrabbiarsi] □ (*slang*) **to feel sb.'s c.**, arrestare q.

to **collar** /'kɒlə(r)/ v. t. **1** (*fam.*) arrestare; acciuffare: *The police collared him at the airport*, la polizia lo arrestò in aeroporto **2** (*fam.*) bloccare, fermare (q.) (*per parlargli*): *He collared me on the stairs*, mi bloccò sulle scale **3** mettere il collare a.

collarbone /'kɒləbəʊn/ n. **1** (*anat.*) clavicola **2** (*fam.*) osso del collo: **to break one's c.**, rompersi l'osso del collo.

collared /'kɒləd/ a. attr. **1** (*nei composti*) (*di indumento*) con in collo; con il colletto: **a fur-c. coat**, un cappotto con il collo di pelliccia **2** (*zool.*) dal collare.

collarette /kɒlə'ret/ n. **1** colletto, colletto no (*di pizzo, di pelliccia, ecc.*) **2** collana (*di perle, ecc.*).

collarless /'kɒlələs/ a. senza colletto; senza collo.

to **collate** /kɒ'leɪt/ v. t. **1** collazionare (*anche leg.*); comparare; confrontare (*documenti, edizioni, ecc.*) **2** (*legatoria*) raccogliere, unire (*le segnature di un libro*) **3** conferire un beneficio ecclesiastico a (*un sacerdote*) **4** (*nelle biblioteche*) collazionare; esaminare (*un libro, pagina per pagina*).

collateral /kɒ'lætərəl/ **A** a. **1** collaterale; parallelo ● **c. descendant**, discendente collaterale **2** secondario; aggiuntivo; accessorio: (*leg.*) **c. facts**, fatti accessori; **c. agreement**, clausola secondaria **3** (*fin., leg.*) collaterale: **c. security**, garanzia collaterale (*o* reale); **c. loan**, prestito con garanzia pignoratizia (*o* collaterale) **B** n. **1** (*fin., leg.*) ⓊⒸ garanzia collaterale **2** (*parente*) collaterale ● (*mil.*) **c. damage**, danni collaterali.

to **collateralize** /kə'lætərəlaɪz/ v. t. (*fin.*) garantire (*un prestito*).

collation /kɒ'leɪʃn/ n. ⓊⒸ **1** collazione (*anche leg.*); confronto **2** pasto leggero; spuntino **3** (*Chiesa cattolica*) collazione **4** (*nelle biblioteche*) descrizione di un libro (*numero delle pagine, illustrazioni, ecc.*) **5** (*legatoria*) raccolta (*delle segnature*).

collator /kɒ'leɪtə(r)/ n. **1** chi collaziona, confronta, ecc. (→ **to collate**) **2** (*Chiesa cattolica*) collatore **3** (*legatoria*) raccoglitore (*delle segnature*).

♦**colleague** /'kɒliːg/ n. collega || **colleagueship** n. Ⓤ colleganza.

collect① /kə'lekt/ avv. (*USA*) **1** (*poste*) con addebito al destinatario **2** (*telef.*) a carico del (*o* con addebito al) ricevente: **to call sb. c.**, telefonare a q. facendogli addebitare il costo della chiamata; telefonare a q. a suo carico; **c. call**, telefonata a carico del ricevente.

collect② /'kɒlekt/ n. (*relig.*) colletta (*preghiera*).

♦to **collect** /kə'lekt/ **A** v. t. **1** raccogliere: **to c. data**, raccogliere dati; **to c. money for charity**, raccogliere denaro da dare in beneficenza **2** radunare; riunire; raccogliere: *He collected* (*up*) *all his papers and left*, raccolse (*o* prese su) tutte le sue carte e uscì **3** raccogliere; accumulare: **to c. water in a basin**, raccogliere l'acqua in una vasca **4** collezionare; fare collezione di: **to c. china dolls**, collezionare bambole di porcellana; **to c. stamps**, fare raccolta di francobolli **5** andare a prendere; ritirare: *The parcel will be collected at 2pm*, il pacco sarà ritirato alle due; **to c. kids from school**, andare a prendere i bambini a scuola; *What time is the post last collected?*, a che ora è l'ultima levata della posta? **6** (*trasp.*) far salire, prendere a bordo (*passeggeri*) **7** (*comm.*) incassare, riscuotere; recuperare (*un credito*): **to c. a cheque**, incassare un assegno; **to c. taxes**, riscuotere le imposte; **to c. bad debts**, recuperare crediti inesigibili **8** (*mat.*) raccogliere (*termini di un'equazione, ecc.*) **B** v. i. **1** radunarsi; riunirsi; raccogliersi **2** raccogliersi; accumularsi: *Dust had collected on all surfaces*, su tutte le superfici si era accumulata polvere **3** raccogliere denaro, offerte: **to c. for the poor**, raccogliere denaro per i poveri **4** (*comm.*) fare l'esattore; fare riscossioni ● **to c. one's courage**, farsi coraggio □ **to c. oneself**, riprendere la padronanza di sé; riprendersi; riaversi □ **to c. one's thoughts**, riordinare le idee; concentrarsi □ (*mat.*) **to c. the unknown terms**, raccogliere le incognite.

collectability /kəlektə'bɪlɪti/ n. Ⓤ → **collectibility**

collectable /kə'lektəbl/ **A** a. **1** da collezione; da collezionista; d'interesse collezionistico; collezionabile; ricercato dai collezionisti **2** (*di pacco, merce, bagaglio, ecc.*) che può essere ritirato; ritirabile **3** raccoglibile **4** (*comm.*) esigibile; incassabile; riscuotibile **5** (*comm.*) (*di credito*) recuperabile **B** n. pezzo da collezione (*o* da collezionisti).

collectanea /kɒlek'teɪniə/ (*lat.*) n. pl. miscellanea; antologia.

collected /kə'lektɪd/ a. **1** calmo; padrone di sé **2** (*di opere*) raccolte in un volume; complete: **c. poems**, (la raccolta di) tutte le poesie (*di un poeta*); **Byron's c. works**, le opere complete (*o* tutte le opere) di Byron **3** (*equit., di cavallo*) raccolto | **-ly** avv. | **-ness** n. Ⓤ.

collectibility /kəlektə'bɪlɪti/ n. Ⓤ (*comm.*) **1** esigibilità (*di un titolo di credito*) **2** recuperabilità (*di un credito*).

collectible /kə'lektəbl/ → **collectable**.

collecting /kə'lektɪŋ/ **A** a. **1** che raccoglie **2** (*comm.*) esattore **3** (*comm.*) d'incasso **B** n. Ⓤ **1** raccolta **2** il collezionare: **stamp c.**, il collezionare francobolli; filatelia **3**

(*comm.*) incasso; riscossione; esazione **4** (*trasp.*) ritiro, presa in consegna (*di merce*) ● **c. bank**, banca esattrice; esattoria □ **c. clerk**, esattore □ (*banca, fisc.*) **c. commission**, commissione d'incasso; aggio dell'esattore □ (*banca*) **c. department**, ufficio esazioni; esattoria □ (*mil.*) **c. station**, centro di raccolta dei feriti.

♦**collection** /kə'lekʃn/ n. **1** raccolta: **the c. of data**, la raccolta dei dati; **rubbish c.**, la raccolta dell'immondizia **2** Ⓤ ritiro; (*trasp., anche*) presa in consegna; (*di posta*) levata: **ready for c.**, pronto (per il ritiro); ritirabile; **c. from residence**, presa a domicilio **3** raccolta (*di denaro, offerte*); colletta; (*in chiesa*) questua: **charity c.**, raccolta per beneficenza; **to organize a c.**, organizzare una colletta; (*in chiesa*) **to take c.**, fare la questua **4** Ⓤ (*fin., fisc.*) riscossione; esazione: **rent c.**, la riscossione dell'affitto; **c. of debts**, esazione di crediti; **c. at the source**, esazione alla fonte **5** collezione; raccolta: **art c.**, collezione d'arte; **CD c.**, raccolta di CD **6** (*moda*) collezione: **our winter c.**, la nostra collezione invernale **7** (*libro*) raccolta: **a c. of essays**, una raccolta di saggi **8** gruppo; insieme; mucchio: **a c. of boxes and parcels**, un mucchio di scatole e pacchetti; **an odd c. of people**, un curioso insieme di persone **9** (al pl.) (*fin., rag.*) incassi **10** (al pl.) esami trimestrali (*a Oxford*) ● (*fin.*) **c. agency**, società di recupero crediti □ (*in chiesa*) **c. box**, cassetta delle offerte □ **c. order** (*o* **voucher**), reversale d'incasso □ (*in chiesa*) **c. plate**, piattino delle offerte □ **c. point**, sportello per il ritiro (*di merce, posta, ecc.*); (*anche*) punto di raccolta (*per offerte, materiale da riciclo, ecc.*).

♦**collective** /kə'lektɪv/ **A** a. **1** collettivo; collegiale: **c. bargaining**, contrattazione collettiva; (*econ.*) **c. ownership**, proprietà collettiva; **c. agreement**, contratto collettivo (*di lavoro*); (*polit.*) **c. leadership**, direzione collegiale; **c. decision**, decisione collegiale **2** di tutti; della collettività; collettivo; generale; pubblico: **c. memory**, memoria collettiva; **the c. good**, il bene pubblico; **c. security**, sicurezza pubblica; sicurezza collettiva; **the c. indignation of the local people**, l'indignazione di tutta la gente del posto **3** combinato **B** n. **1** (*econ.*) collettivo **2** (*gramm.*, = **c. noun**) nome collettivo ● (*econ.*) **c. farm**, fattoria collettiva □ (*psic.*) **c. unconscious**, l'inconscio collettivo.

collectivism /kə'lektɪvɪzəm/ (*polit.*) n. Ⓤ collettivismo || **collectivist** n. e a. collettivista || **collectivistic** a. collettivistico.

collectivity /kɒlek'tɪvəti/ n. Ⓤ collettività.

to **collectivize** /kə'lektɪvaɪz/ (*polit.*) v. t. collettivizzare || **collectivization** n. Ⓤ collettivizzazione.

collector /kə'lektə(r)/ n. **1** raccoglitore; collezionista: **a c. of rare books**, un collezionista di libri rari **2** (*comm.*) esattore; ricevitore: **tax c.**, esattore delle imposte **3** (*ferr.*, = **ticket c.**) controllore **4** (*aeron., elettron.*) collettore ● **c.'s item** (*o* **piece**), pezzo da collezionisti; pezzo da collezione □ **c. of the customs**, ricevitore delle dogane □ **c.'s office**, esattoria; ricevitoria □ (*elettr.*) **c. plate**, piastra conduttrice.

collectorship /kə'lektəʃɪp/ n. Ⓤ **1** (*concessione, contratto di*) esattoria **2** distretto (*o* funzioni) di esattore delle imposte.

colleen /'kɒliːn/ n. **1** (*irl.*) ragazza **2** ragazza irlandese.

collegatary /'kɒlɪgeɪtri/ n. (*leg.*) collegatario.

♦**college** /'kɒlɪdʒ/ n. **1** istituto superiore; scuola di studi superiori; istituto universitario; università: **c. of education**, istituto superiore di scienza dell'educazione; **art c.**, scuola d'arte; **agricultural c.**, scuola di agraria; **to go to c.**, andare all'università; **to**

be at c., essere all'università; *He's been to c.*, ha fatto l'università; **to put one's children through c.**, far fare ai figli l'università; far laureare i figli; **to graduate from c.**, laurearsi; **c. education**, istruzione universitaria; cultura universitaria; **c. student**, (studente) universitario **2** (*in GB*) college; collegio universitario: **the Oxford colleges**, i college di Oxford; **to live in c.**, risiedere in un college **3** (*USA*) college; università (*con corsi di quattro anni; concede il «bachelor's degree», laurea di primo grado*) **4** (*GB*) scuola privata; collegio residenziale; college: **Eton C.**, il collegio di Eton **5** college interno (professionale); collegio: **the C. of Surgeons**, l'Ordine dei chirurghi; **the c. of cardinals (the Sacred C.)**, il collegio dei cardinali (il Sacro Collegio) **6** (*polit.*) **electoral c.**, collegio elettorale ● **c. cap**, berretto goliardico □ (*in GB*) **C. of Arms** (*o of Heralds*), Società araldica □ (*in GB*) **c. of advanced technology**, istituto superiore di tecnologia □ **c. of further education**, istituto scolastico per la formazione permanente □ **c. of music**, conservatorio (di musica) □ (*fam. USA*) **c. try**, il tutto per tutto □ **teacher training c.** (*USA*: **teachers c.**), istituto superiore di preparazione all'insegnamento ❶ CULTURA • **college**: *i 31 college di Cambridge e gli oltre quaranta college di Oxford sono tra gli istituti universitari più conosciuti a livello internazionale. Il più antico è lo University College di Oxford, che risale al 1249 e fu fondato come molti altri college, proprio come collegio, cioè come pensionato per studenti. Oggi i college sono entità indipendenti, ciascuna con una propria biblioteca e una cappella, che scelgono autonomamente i propri studenti e docenti. Oltre a ospitare gli studenti, il college organizza la loro vita sociale e l'attività sportiva e gestisce la parte dell'insegnamento nota come supervision system, consistente in incontri in genere settimanali di un piccolo gruppo di studenti con un tutor che tiene loro lezioni informali, li guida nella ricerca e giudica i loro elaborati. L'università si occupa invece del coordinamento dei corsi, delle lezioni aperte a tutti gli studenti, del conferimento delle lauree e della gestione delle strutture principali, ad esempio le biblioteche principali, i teatri e i musei.*

collegial /kə'liːdʒɪəl/ a. **1** collegiale **2** di (*o relativo a*) un college (→ **college**; *spec. nella def. 1*) ‖ **collegiality** n. ⓤ (*anche relig.*) collegialità.

collegian /kə'liːdʒən/ n. membro (*o studente*) d'un college.

collegiate /kə'liːdʒət/ a. **1** collegiato: **c. church**, (chiesa) collegiata **2** relativo a un college (*o ai suoi studenti*); universitario: **c. life**, vita di college; vita universitaria; (*sport, USA*) **c. football**, il football universitario **3** (*di università*) composta da diversi college.

collet /'kɒlət/ n. **1** (*mecc.*) anello metallico; bussola di chiusura **2** (*gioielleria*) castone **3** collare **4** (*ind. vetro*) boccame di soffiatura; rottame di vetro **5** (*di cronometro*) virola.

to **collet** /'kɒlət/ v. t. (*gioielleria*) incastonare.

to **collide** /kə'laɪd/ A v. i. collidere; scontrarsi; urtarsi (*anche fig.*: *d'idee e sim.*); (*aeron.*, *naut.*) entrare in collisione: *The two trains collided (with each other)*, i due treni si scontrarono B v. t. (*fis. nucl.*) far entrare in collisione; collisionare ● **to c. with a vehicle**, investire un veicolo □ (*naut.*) **colliding ship**, nave investitrice.

collider /kə'laɪdə(r)/ n. (*fis. nucl.*) collisionatore.

collie /'kɒlɪ/ n. collie; pastore scozzese (*cane*).

collier /'kɒlɪə(r)/ n. **1** minatore (*di carbone*) **2** (*nave*) carboniera.

colliery /'kɒlɪərɪ/ n. miniera di carbone.

to **colligate** /'kɒlɪgeɪt/ v. t. collegare

(*spec. fatti*) ‖ **colligation** n. ⓤ collegamento.

to **collimate** /'kɒlɪmeɪt/ v. t. **1** (*scient.*) collimare (*uno strumento ottico*) **2** far collimare ● (*mil.*) **collimating sight**, collimatore ‖ **collimation** n. ⓤ (*scient.*) collimazione.

collimator /'kɒlɪmeɪtə(r)/ n. (*ottica*) collimatore.

collinear /kɒ'lɪnɪə(r)/ (*geom.*) a. collineare ‖ **collinearity** n. ⓤ l'essere collineare.

collineation /kɒlɪnɪ'eɪʃn/ n. ⓤ (*geom.*) collineazione.

collision /kə'lɪʒn/ n. ⓒⓤ **1** collisione; urto; scontro; (*fig.*, *anche*) conflitto: **the c. of two ships [trains]**, la collisione di due navi [lo scontro di due treni] **2** (*comput.*) collisione; interferenza ● (*aeron.*, *naut.*) **c.-avoidance radar**, radar anticollisioni □ (*naut. e fig.*) **course**, rotta di collisione: **to be on a c. course with**, essere in rotta di collisione con □ (*naut.*) **c. mat**, paglietto turafalle □ (*fig.*) **to come into c. with sb.**, scontrarsi con q.; (*fig.*) trovarsi in contrasto con q.

collocate /'kɒləkeɪt/ n. (*ling.*) collocatore.

to **collocate** /'kɒləkeɪt/ v. i. (*ling.*) essere un collocatore (di): *«Mild» and «menthol» c. with cigarette*, «mild» e «menthol» sono collocatori di «cigarette».

collocation /kɒlə'keɪʃn/ n. ⓤ **1** ⓤⓒ (*ling.*) collocazione **2** collocazione; sistemazione; disposizione.

collodion /kə'ləʊdɪən/ n. ⓤ (*chim.*) collodio.

colloid /'kɒlɔɪd/ (*chim.*) A a. colloidale B n. colloide ‖ **colloidal** a. colloidale.

collop /'kɒləp/ n. fetta (*di carne*, *bacon*).

colloquial /kə'ləʊkwɪəl/ a. **1** (*di parola*, *ecc.*) colloquiale; familiare; della lingua parlata: **c. English**, l'inglese parlato **2** colloquiale; relativo alla conversazione.

colloquialism /kə'ləʊkwɪəlɪzəm/ n. (*ling.*) colloquialismo; espressione colloquiale.

colloquium /kə'ləʊkwɪəm/ n. (pl. *colloquiums*, *colloquia*) seminario; convegno.

colloquy /'kɒləkwɪ/ n. ⓤⓒ (*form.*) colloquio; dialogo; conversazione.

to **collude** /kə'luːd/ v. i. colludere.

collusion /kə'luːʒn/ n. ⓤ collusione: **to act in c. with**, agire in collusione con ‖ **collusive** a. **1** collusivo: (*leg.*) **collusive tendering**, licitazione collusiva; collusione in gara d'appalto **2** (*di persona*) in collusione (*con q.*).

colluvial /kə'luːvɪəl/ a. (*geol.*) colluviale.

collyrium /kə'lɪrɪəm/ n. (pl. *collyria*, *collyriums*) (*farm.*) collirio.

collywobbles /'kɒlɪwɒblz/ n. pl. (*fam.*) **1** mal di stomaco; mal di pancia; diarrea **2** (*fig.*) nervosismo; malessere; apprensione.

colobus /'kɒləbəs/ n. (*zool.*, *Colobus*) colobo.

to **co-locate** /kəʊləʊ'keɪt/ v. t. ospitare nella stessa sede; ubicare nello stesso luogo.

colocynth /'kɒləsɪnθ/ n. (*bot.*, *Citrullus colocynthis*) colloquintide.

cologne /kə'ləʊn/ (*franc.*) n. ⓤ (*anche* **c. water**) acqua di colonia.

Colombian /kə'lɒmbɪən/ a. e n. colombiano (*della Colombia*).

◆**colon** ① /'kəʊlən/ n. due punti (*segno d'interpunzione*).

colon ② /'kəʊlən/ n. (pl. *colons*, *cola*) (*anat.*) colon.

◆**colonel** /'kɜːnl/ n. (*mil.*, *in GB e in USA*; *aeron. in USA*) colonnello ‖ **colonelcy**, **colonelship** n. ⓤ ufficio (*o grado*) di colonnello.

colonial /kə'ləʊnɪəl/ A a. **1** coloniale (*archit.*, *in USA*) in stile coloniale; coloniale **3** (*zool.*) che vive in colonie B n. coloniale; abitante di una colonia ● (*stor.*) **the C. Of-**

fice, il Ministero delle Colonie (*in GB*).

colonialism /kə'ləʊnɪəlɪzəm/ n. **1** ⓤ (*polit.*) colonialismo **2** ⓤ modo di vita tipico nelle colonie **3** locuzione del linguaggio coloniale.

colonialist /kə'ləʊnɪəlɪst/ (*polit.*) A n. colonialista B a. colonialistico ‖ **colonialistic** a. colonialistico.

to **colonialize** e *deriv.* /kə'ləʊnɪəlaɪz/ (*polit.*) → to **colonize** e *deriv.*

colonic /kə'lɒnɪk/ a. (*biol.*) del colon: (*med.*) **c. irrigation**, irrigazione del colon.

colonist /'kɒlənɪst/ n. (*anche stor.*) colono; pioniere; coloniale (*abitante d'una colonia*).

to **colonize** /'kɒlənaɪz/ A v. t. **1** colonizzare **2** (*USA*) trasferire (*elettori*) in un distretto B v. i. **1** fondare una colonia **2** stabilirsi in una colonia ‖ **colonization** n. ⓤ colonizzazione ‖ **colonizer** n. colonizzatore.

colonnade /kɒlə'neɪd/ n. **1** (*archit.*) colonnato **2** (*lett.*) filare d'alberi ‖ **colonnaded** a. (*archit.*) che ha un colonnato; munito di colonne.

colonoscopy /kəʊlɒn'ɒskəpɪ/ n. ⓤⓒ (*med.*) coloscopia; colonscopia.

colony /'kɒlənɪ/ n. colonia (*in ogni senso*): **a former British c.**, un'ex colonia inglese; **a c. of bacteria**, una colonia di batteri ● **the American c. in Rome**, la comunità americana di Roma.

colophon /'kɒləfɒn/ n. (*tipogr.*) **1** colophon **2** marchio d'editore, logotipo (*in un libro*).

colophony /kə'lɒfənɪ/ n. ⓤ colofonia; pece greca.

◆**color** /'kʌlə(r)/ n. (*USA*) → **colour**, e *deriv.*

Colorado /kɒlə'rɑːdəʊ/ n. (*geogr.*, *USA*) Colorado ● (*zool.*) **C. beetle** (*Leptinotarsa decemlineata*), dorifora della patata.

colorant /'kʌlərənt/ n. (*chim.*, *ind.*) colorante.

coloration /kʌlə'reɪʃn/ n. ⓤ colorazione.

coloratura /kɒlərə'tʊərə/ (*ital.*) n. (*mus.*) **1** ⓤ coloratura; infiorettatura **2** (= **c. soprano**) soprano leggero.

colored /'kʌləd/ a. (*USA*) → **coloured**.

colorimeter /kʌlə'rɪmɪtə(r)/ (*chim.*, *ottica*) n. colorimetro ‖ **colorimetric**, **colorimetrical** a. colorimetrico; (*chim.*) **colorimetric analysis**, analisi colorimetrica ‖ **colorimetrically** avv. colorimetricamente ‖ **colorimetry** n. ⓤ colorimetria.

to **colorize** /'kʌləraɪz/ v. t. (*cinem.*) colorizzare; replicare a colori (*una pellicola in bianco e nero*).

colossal /kə'lɒsl/ a. **1** colossale **2** (*arte*) a grandezza doppia del normale | **-ly** avv.

Colosseum /kɒlə'siːəm/ n. (*archeol.*) Colosseo.

colossus /kə'lɒsəs/ n. (pl. *colossuses*, *colossi*) colosso (*anche fig.*): (*stor. arte*) **the C. of Rhodes**, il Colosso di Rodi.

colostomy /kə'lɒstəmɪ/ n. ⓤⓒ (*med.*) colostomia.

colostrum /kə'lɒstrəm/ n. ⓤ (*fisiol.*) colostro.

colotomy /kə'lɒtəmɪ/ n. ⓤⓒ (*med.*) colotomia.

◆**colour**, (*USA*) **color** /'kʌlə(r)/ A n. **1** ⓒⓤ colore; tinta: *What c. is it?*, di che colore è?; *Do you have these shoes in any other colours?*, ha queste scarpe in altri colori?; **fundamental** (*o primary*, *simple*) **colours**, colori fondamentali; **a bright c.**, un colore vivace; una tinta vivace; **soft colours**, tinte tenui; **fast colours**, colori solidi; tinte solide; **range of colours**, gamma di colori; **in c.**, a colori **2** sostanza colorante; colore; tinta **3** ⓤ colore (della pelle): **discrimination on the basis of c.**, discriminazione in base al

colore della pelle; **people of c.**, gente di colore; **children of all colours**, bambini di ogni colore **4** (*di carnagione*) colore, colorito; (*anche*) rossore: **to have a high c.**, avere un colorito acceso; **to get one's c. back**, riprendere colore; **to change c.**, cambiar colore; impallidire; **to lose c.**, perdere il colorito; diventare pallido; **to bring c. to sb.'s cheeks**, colorire le guance a q. **5** ▣ (*rif. a scena, descrizione, ecc.*) colore: **full of c.**, pieno di colore; pittoresco; **local c.**, colore locale **6** significato; sfumatura; colore **7** (al pl.) bandiera (*di reggimento o di nave*); bandiera nazionale: **the regimental colours**, la bandiera del reggimento; **the Dutch colours**, la bandiera olandese; **to salute the colours**, salutare la bandiera (*naut.*); **to lower one's colours**, ammainare la bandiera (*in segno di resa*) **8** (al pl.) (*naut., USA*) alzabandiera; ammainabandiera **9** (al pl.) (*sport*) colori (*di una squadra*): **to get** (*o* **to win**) **one's colours**, essere scelto a far parte di una squadra; entrare in squadra **10** (al pl., = **school colours**) distintivo (*o berretto, sciarpa, ecc.*) con i colori di una scuola **11** (*fis. nucl.*) colore (*di quark*) **12** (*mus.*) colorito **13** (*arald.*) colore; smalto **14** ▣ (*leg.*) parvenza, apparenza; presunzione; pretesa: **c. of right**, parvenza di diritto; **c. of title**, presunzione di un diritto ▣ **A. 1** del colore; dei colori; di colori; cromatico (*fisiol.*) **c. vision**, visione del colore; **c. chart**, carta dei colori; **c. shade**, gradazione (*o tonalità*) di colore; **c. scheme**, combinazione di colori; disposizione dei colori; **c. matching**, armonizzazione cromatica (*o dei colori*) **2** a colori: **c. illustrations**, illustrazioni a colori; (*fotogr.*) **c. film**, pellicola a colori **3** che riguarda il colore della pelle; razziale: **c. prejudice**, pregiudizio razziale ● **c. bar**, discriminazione razziale □ **c.-bar code**, codice a barre colorate □ (*mil.*) **c. bearer**, portabandiera; alfiere □ **c.-blind**, (*med.*) daltonico; (*fotogr.*) ortocromatico; (*fam., in USA*) che non fa discriminazioni razziali □ **c.-blindness**, (*med.*) cecità ai colori; acromatopsia; (*anche*) daltonismo □ **c. code**, codice a colori (*per identificare qc.*) □ **c.-keyed**, contrassegnato secondo un codice a colori (*USA*) **c. line** = **c. bar** → *sopra* □ (*tecn.*) **c. matching**, equilibratura dei colori □ (*leg.*) **c. of right**, parvenza di diritto □ (*tipogr.*) **c. printing**, stampa a colori, cromotipia □ (*mil., in GB*) **c. sergeant**, sergente maggiore (*dei Royal Marines*) □ **c. slide**, diapositiva a colori □ (*GB*) **c. supplement**, supplemento a colori (*di giornale*) □ **c. television**, televisione a colori □ (*med.*) **c. therapy**, cromoterapia □ (*chim.*) **c. throw**, decolorazione □ **c. transparency**, fotocolor □ **c. (TV) set**, televisore a colori □ **c. wash**, colore a calce □ **c. wheel**, ruota dei colori □ **to add c. to**, rendere colorito (*un resoconto, una descrizione, ecc.*) □ (*mil. e fig.*) **to desert one's colours**, abbandonare la bandiera; disertare □ **to give** (*o* **to lend**) **c. to**, dare colore di verità a; dare verosimiglianza a; rendere plausibile; avvalorare □ **to give a false c. to**, travisare □ **sb.'s [st.'s] true colours**, quello che q. [qc.] è veramente; la vera natura di q. [qc.]: **to see st. in its true colours**, vedere qc. come realmente è; **to show one's true colours**, mostrarsi per quel che si è; rivelare la propria natura □ (*mil.*) **to join the colours**, arruolarsi nell'esercito □ **to lose c.**, sbiancare; impallidire □ (*fig.*) **to nail one's colours to the mast**, prendere posizione senza tentennamenti; impegnarsi fino in fondo □ **off c.**, (*di persona*) che sta poco bene; che ha una brutta cera; (*di battuta, ecc.*) spinto □ (*fig.*) **to paint st. in dark [bright] colours**, descrivere qc. a tinte fosche [rosee] □ **to put false colours on things**, travisare la realtà □ **to sail under false colours**, (*naut.*) battere bandiera falsa; (*fig.*) spacciarsi per quello che non si è;

presentarsi sotto mentite spoglie □ **to see the c. of sb.'s money**, vedere i soldi, i contanti (*non contantarsi della sola parola*) □ **to serve with the colours**, fare il soldato □ **under c. of**, col pretesto di; approfittando di; **under c. of office**, abusando della propria qualità o delle proprie funzioni □ **with flying colours**, con pieno successo, brillantemente, trionfalmente; in bellezza.

♦ **to colour**, (*USA*) **to color** /ˈkʌlə(r)/ **A** v. t. **1** colorare; colorire; tingere; dipingere: *She colours her hair red*, si colora (*o tinge*) i capelli di rosso; **to c. a picture**, dipingere un quadro (*dopo averne abbozzato le linee*); **to c. the front of a house**, tinteggiare la facciata di una casa **2** arricchire di particolari; colorire; aggiungere colore a: *The reporting of actual facts is often coloured by journalists*, spesso i giornalisti aggiungono colore ai fatti reali **3** dare un'impronta a; influire su; influenzare: *His sad experience coloured his views*, la sua triste esperienza influenzò le sue convinzioni **B** v. i. **1** (*anche* **to c. up**) colorirsi (*in viso*); arrossire; farsi rosso: *He coloured with anger*, si fece rosso d'ira **2** (*di frutta, foglie, ecc.*) cambiare colore.

■ **colour in**, (*USA*) **color in** v. t. + avv. colorare (*figure, disegni: in un album, ecc.*).

colourable, (*USA*) **colorable** /ˈkʌlərəbl/ a. **1** che si può colorare; colorabile **2** credibile; plausibile **3** speciozo; falso; finto; **c. affection**, falso affetto ● (*leg.*) **c. imitation**, contraffazione di marchio □ (*leg., comm.*) **c. transaction**, operazione fittizia.

to colour-cast, (*USA*) **to color-cast** /ˈkʌləkɑːst/ v. t. (*TV*) trasmettere a colori.

to colour-code, (*USA*) **to color-code** /ˈkʌləkəʊd/ v. t. contrassegnare con colori diversi.

♦ **coloured**, (*USA*) **colored** /ˈkʌləd/ **A** a. **1** colorato: **a c. shirt**, una camicia colorata **2** (*in USA e in GB, antiq. o offensivo*) di colore; per gente di colore: **a c. person**, una persona di colore; **a c. school**, una scuola per gente di colore **3** (*in Sud Africa*: C.) di sangue misto **4** che ha un dato colore: **flesh-c.**, del colore della carne; color carne; carnicino; **strawberry-c.**, color fragola **5** (*anche iron.*) colorito: **a c. description**, una descrizione colorita; **c. expressions**, espressioni colorite **B** n. **1** (*in USA e in GB, antiq. o offensivo*) uomo o donna di colore **2** (*in Sud Africa*: C.) persona di sangue misto **3** (al pl.) biancheria e indumenti colorati; colorati (*fam.*) ❶ **NOTA D'USO** • *Per le persone oggi si preferisce* **black**.

colourfast, (*USA*) **colorfast** /ˈkʌləfɑːst/ a. a colori solidi; che non stinge ‖ **colourfastness**, (*USA*) **colorfastness** n. ▣ solidità dei colori.

colourful, (*USA*) **colorful** /ˈkʌləfl/ a. **1** pieno di colore **2** (*fig.*) colorito; pittoresco: **a c. character**, un personaggio pittoresco.

colouring, (*USA*) **coloring** /ˈkʌlərɪŋ/ n. **1** ▣ colorazione; coloritura; arte (*o tecnica*) del colore **2** colorante: **artificial c.**, colorante artificiale **3** ▣ colorito (*del volto*); arrossamento; rossore **4** ▣ tinteggiatura (*dei capelli*) **5** (*fam.*) apparenza; sembianza **6** ▣ colore (*politico, ecc.*); tendenza ● (*ind.*) **c. agent**, colorante (*alimentare*).

to colourise /ˈkʌləraɪz/ (*GB*) → **to colorize**.

colourist, (*USA*) **colorist** /ˈkʌlərɪst/ n. **1** (*arte*) colorista **2** (*fotogr.*) ritoccatore.

colourless, (*USA*) **colorless** /ˈkʌlələs/ a. **1** incolore (*anche fig.*); scolorito; sbiadito; scialbo; privo d'interesse **2** pallido (*in volto*) **3** (*fig.*) indifferente; imparziale; neutrale.

colourman, (*USA*) **colorman** /ˈkʌləmən/ n. (pl. *colourmen*) commerciante di vernici.

colposcope /ˈkɒlpəskəʊp/ (*med.*) n. colposcopio (*strumento*) ‖ **colposcopy** n. ▣ colposcopia.

colt /kəʊlt/ n. **1** puledro **2** (*fig. fam.*) uomo giovane, inesperto; pivello; sbarbatello **3** (*sport*) giocatore in età scolare; junior; (*calcio*) pulcino (*fig.*).

coltan /ˈkɒltæn/ n. ▣ (*miner.*, acronimo di **columbite** e **tantalite**) coltan.

colter /ˈkəʊltə(r)/ (*USA*) → **coulter**.

coltish /ˈkəʊltɪʃ/ a. vivace ma goffo (*come un puledro*); pieno di vivacità maldestra.

coltsfoot /ˈkəʊltsfʊt/ n. (pl. *coltsfoots*) (*bot.*, Tussilago farfara) farfara; piè d'asino.

coluber /ˈkɒljʊbə(r)/ n. (*zool.*, Coluber) colubro.

columbarium /kɒləmˈbeərɪəm/ n. (pl. *columbaria*) (*archeol.*) colombario.

Columbian /kəˈlʌmbɪən/ a. colombiano (*della Colombia o pertinente a Cristoforo Colombo*).

Columbine /ˈkɒləmbaɪn/ n. (*teatr.*) Colombina.

columbine /ˈkɒləmbaɪn/ n. (*bot.*, Aquilegia vulgaris) aquilegia.

columbite /kəˈlʌmbaɪt/ n. ▣ (*miner.*) columbite.

columbium /kəˈlʌmbɪəm/ n. ▣ (*chim.*) columbio; niobio.

Columbus /kəˈlʌmbəs/ n. (Cristoforo) Colombo ● **C. Day**, festa per l'anniversario della scoperta dell'America (*il 12 ottobre*).

♦ **column** /ˈkɒləm/ n. **1** colonna (*archit. e fig.; di mezzi, persone, cifre, ecc.*): **an Ionic c.**, una colonna ionica; **a c. of smoke**, una colonna di fumo; **a c. of tanks**, una colonna di carri armati; **four columns of text**, sei colonne di testo; (*giorn.*) **ad columns**, colonne degli annunci pubblicitari; (*mat.*) **the tens c.**, la colonna delle decine; **to walk in a c.**, camminare incolonnati **2** (*giorn.*) rubrica: **the sports c.**, la rubrica sportiva; **to have a regular c.**, tenere una rubrica **3** (*autom., mecc.*) piantone (*dello sterzo*) ● (*mecc.*) **c. crane**, gru a bandiera □ (*moda*) **c. dress**, tubino (*lungo*) □ (*giorn.*) **c. inch**, pollice-colonna □ (*polit.*) **fifth c.**, quinta colonna □ (*anat.*) **spinal c.**, colonna vertebrale.

columnar /kəˈlʌmnə(r)/ a. **1** colonnare; a forma di colonna **2** formato da colonne; colonnato **3** (*tipogr.*) stampato in colonne.

columned /ˈkɒləmd/ a. (*archit.*) a colonne; colonnato: **six-c.**, a sei colonne.

columnist /ˈkɒləmnɪst/ n. **1** (*giorn.*) giornalista che tiene una rubrica; titolare di rubrica; notista; commentatore; columnist: **political c.**, commentatore politico; **gossip c.**, cronista mondano **2** (*polit.*) – **fifth c.**, appartenente a una quinta colonna.

colure /kəˈlʊə(r)/ n. (*astron.*) coluro.

colza /ˈkɒlzə/ n. (*bot.*) **1** (*Brassica napus oleifera*) ravizzone **2** (*Brassica napus arvensis*) colza: **c. oil**, olio di colza **3** ▣ (*cucina*) colza.

coma① /ˈkəʊmə/ n. (*med.*) coma: **in a c.**, in coma; **to go** (*o* **to sink**) **into a c.**, entrare in coma.

coma② /ˈkəʊmə/ n. (pl. *comae*, *comas*) **1** (*astron.*) chioma (*d'una cometa*) **2** (*bot.*) ciuffo di peli (*su taluni semi*); ciuffo di brattee (*per es., nell'ananas*) **3** (*ottica*) coma **4** (*elettron.*) effetto cometa.

comatose /ˈkəʊmətəʊs/ a. **1** (*med.*) comatoso; in coma **2** (*fig., di sonno*) letargico; pesante **3** (*fig., di persona*) dall'aria semicomatosa; intontito; inerte.

♦ **comb** /kəʊm/ n. **1** pettine (*anche decorativo*): **to run a c. through one's hair**, passarsi un pettine fra i capelli **2** pettinata: **to give one's hair a good c.**, darsi una bella pettinata **3** (*ind. tess.*) cardo; pettine **4** (*zool.*) cresta (*di gallo*) **5** favo ● (*zool.*) **c. jelly**, ctenoforo □ **c.-out**, pettinata; districata (*di ca-*

pelli, ecc.); vaglio (di notizie, ecc.); rastrellamento, setacciamento (della polizia e sim.); eliminazione, soppressione (di posti di lavoro, ecc.), potatura □ (fam.) **c.-over**, riporti (pl.).

to **comb** /kəʊm/ **A** v. t. **1** pettinare (capelli) **2** (fig.) setacciare; rastrellare; battere a tappeto: The police have combed the whole district for the kidnappers, la polizia ha setacciato tutto il distretto alla ricerca dei sequestratori **3** (ind. tess.) pettinare, cardare (lana, ecc.) **4** (di onde) frangersi **B** v. i. (delle onde) frangersi (a riva) ● to c. one's fingers through sb.'s hair, passare le dita fra i capelli di q.
■ **comb out** v. t. + avv. **1** pettinare (capelli, pelo) districando dai nodi **2** togliere col pettine; districare (grovigli, frammenti, ecc., dai capelli, dal pelo): She combed the twigs out of the dog's hair, pettinò il cane togliendogli i rametti impigliati nel pelo **3** eliminare, sopprimere (posti di lavoro, ecc.); potare: **to c. out the Civil Service**, potare i ranghi della pubblica amministrazione.

◆**combat** /ˈkɒmbæt/ n. ◻ **1** combattimento; battaglia; azione: **close c.**, combattimento ravvicinato; **hand-to-hand c.**, combattimento corpo a corpo; **aerial c.**, battaglia aerea; **killed in c.**, ucciso in combattimento; **to send into c.**, mandare in battaglia **2** (form.) lotta; battaglia; scontro: **his c. against prejudice**, la sua battaglia contro i pregiudizi; **mortal c.**, lotta mortale ● **c. fatigue**, nevrosi da combattimento □ **c. fatigues** (o **c. dress**), uniforme da combattimento □ **c. jacket**, giubbotto militare □ **c. sports**, sport da combattimento □ **c. zone**, zona di combattimento □ **single c.**, singolar tenzone; duello.

to **combat** /ˈkɒmbæt/ v. t. (form.) combattere; lottare contro: **to c. inflation [crime]**, combattere l'inflazione [il crimine].

combatant /ˈkɒmbətənt/ a. e n. combattente.

combative /ˈkɒmbətɪv/ a. combattivo; battagliero; pugnace (lett.) ‖ **combativeness** n. ◻ combattività.

combe /kuːm/ n. **1** (GB) valletta, burroncello (spec. nell'Inghilterra merid.) **2** (geol.) comba.

comber /ˈkəʊmə(r)/ n. **1** (ind. tess.) pettinatore; cardatore **2** (ind. tess.) pettinatrice, cardatrice (macchina) **3** frangente; onda lunga; cavallone.

combi /ˈkɒmbɪ/ a. a doppia funzione; combinato.

combinable /kəmˈbaɪnəbl/ a. (anche chim.) combinabile.

◆**combination** /ˌkɒmbɪˈneɪʃn/ n. ◻ **1** combinazione; insieme; serie; assortimento: **a c. of fear and curiosity**, una combinazione di paura e curiosità; **a c. of factors**, una serie di fattori; **colour c.**, insieme di colori **2** (chim., mat., ling.) combinazione: **c. of atoms**, combinazione di atomi; **the c. of a safe**, la combinazione d'una cassaforte **3** associazione; lega; unione; federazione: **a c. of workmen**, un'unione d'operai (a scopi sindacali) **4** (GB) sidecar; motocarrozzetta **5** (econ., fin., USA) concentrazione aziendale; fusione (di imprese, USA) **6** (al pl.) (antiq., GB) costume di lana (maglia e mutande insieme) **7** (sport) combinazione (di colpi, ecc.); gioco d'assieme ● (econ., fin., USA) **c. in restraint of trade**, accordo (illegale) per la limitazione della libera concorrenza □ **c. lock**, serratura a combinazione □ **c. skin**, pelle mista □ **c. oven**, forno combinato □ (elettr.) **c. switch**, interruttore-commutatore; pulsante doppio □ (med.) **c. therapy**, terapia combinata □ (mecc.) **c. wrench**, chiave fissa con testa ad anello e testa a bocca □ **in c.**, insieme; unitamente □ **in c. with**, in associazione con; combinato con; insieme a □ **winning** c., combinazione vincente; accoppiata vincente.

combinative /ˈkɒmbɪnətɪv/ a. **1** pertinente a una combinazione **2** capace di favorire una combinazione.

combinatorial /ˌkɒmbɪnəˈtɔːrɪəl/ a. (mat. e ling.) combinatorio: **c. analysis**, analisi combinatoria; **c. topology**, topologia combinatoria.

combinatorics /ˌkɒmbɪnəˈtɒrɪks/ n. pl. (col verbo al sing.) (mat.) topologia combinatoria.

combine /ˈkɒmbaɪn/ n. **1** associazione, lega, unione (a scopi politici, ecc.) **2** (econ., fin.) cartello, consorzio, raggruppamento, concentrazione aziendale: **business combine**, concentrazione di imprese (cartelli, trust, ecc.) **3** (polit., sport) combine; accordo illecito **4** (agric., = **c. harvester**) mietitrebbia; mietitrebbiatrice.

◆to **combine** /kəmˈbaɪn/ **A** v. t. **1** combinare; unire; mettere insieme: **to c. business with pleasure**, combinare lavoro e piacere; unire il lavoro al piacere; **to c. forces**, unire le proprie forze **2** far coincidere (due avvenimenti) **3** (chim., fin.) concentrare, fondere (aziende) **4** (cucina) unire; amalgamare **5** (agric.) mietere e trebbiare con una mietitrebbia **B** v. i. **1** combinarsi 2 unirsi: **to c. to fight a common enemy**, unirsi per combattere un nemico comune **3** (chim.) combinarsi **4** (econ., fin.: di aziende) concentrarsi; fondersi **5** (sport) combinare: **to c. with a teammate**, combinare con un compagno (di squadra).

combined /kəmˈbaɪnd/ **A** a. **1** combinato; unito; congiunto: **c. efforts**, sforzi congiunti; **c. operation**, operazione congiunta; (mil.) operazione combinata **2** (messo) insieme: **all his friends c.**, tutti i suoi amici messi insieme; **Our c. ages reach half a century**, le nostre età sommate insieme arrivano al mezzo secolo **3** complessivo, cumulativo: **c. capacity**, capacità complessiva; **c. effect**, effetto complessivo **B** n. (sport, **c. event**) combinata: (sci) **the Nordic c.**, la combinata nordica ● (trasp.) **c. carriage**, trasporto combinato □ (naut.) **c. carrier**, nave combo (per carichi misti) □ **c. heat and power**, cogenerazione (sistema di riscaldamento) □ (med.) **c. pill**, pillola combinata.

combing /ˈkəʊmɪŋ/ n. **1** ◻ pettinatura (di capelli); (ind. tess.) pettinatura (della lana, ecc.) **2** (spec. al pl.) capelli o lana, staccatisi durante la pettinatura ● **c. card**, scardasso □ (ind. tess.) **c. machine**, (macchina) pettinatrice □ **c. wool**, lana per pettinatura.

combining form /kəmˈbaɪnɪŋfɔːm/ loc. n. (ling.) **1** prefissoide **2** suffissoide.

combo /ˈkɒmbəʊ/ (fam.) **A** n. **1** (mus.) complessino jazz; combo **2** (fam.) combinazione (di due o più cose) **3** (mus.) (amplificatore) combo (per chitarra) **4** (comput.) masterizzatore combo **B** a. combinato; composto da due o più cose: **c. plate**, piatto misto ● (naut.) **c. ship**, nave combo.

to **combust** /kəmˈbʌst/ (form.) v. t. e i. bruciare; ardere.

combustible /kəmˈbʌstəbl/ **A** a. **1** combustibile, infiammabile **2** (fig.: di persona) che s'infiamma facilmente; irascibile **B** n. combustibile ‖ **combustibility** n. ◻ combustibilità.

combustion /kəmˈbʌstʃn/ n. ◻ (anche chim., biol.) combustione ● (mecc.) **c. chamber**, camera di combustione □ (mecc., autom.) **c. shock**, battito in testa □ (mecc., autom.) **spontaneous c.**, autocombustione □ (mecc.) **internal-c. engine**, motore a combustione interna; motore a scoppio ‖ **combustive** a. (chim.) comburente.

combustor /kəmˈbʌstə(r)/ n. (mecc., aeron.) combustore.

come /kʌm/ n. (volg.) sperma eiaculato; sborra (volg.).

◆to **come** /kʌm/ (pass. **came**, p. p. **come**) **A** v. i. **1** arrivare; venire; giungere: The police came, arrivò (o giunse) la polizia; Mary hasn't come yet, Mary non è ancora arrivata; The letter came on Friday, la lettera arrivò venerdì; When will my turn c.?, quando verrà il mio turno?; (I'm) coming!, sto arrivando!; arrivo!; vengo!; Someone's coming, viene (o sta venendo) qualcuno; arriva (o sta arrivando) qualcuno; **when the time comes**, quando verrà il momento; **to c. running**, arrivare (o venire) di corsa; arrivare correndo; **to c. by car [on foot]**, venire (o arrivare) in macchina [a piedi]; Where are you coming from?, da dove viene (o arrivi)?; We came to a clearing, arrivammo a una radura; I've come to the chapter where..., sono arrivato al capitolo in cui...; **to c. to the door**, venire ad aprire (o alla porta); **to c. to the surface**, venire in superficie; salire in superficie; **to c. to an agreement**, raggiungere (o venire a) un accordo; **to c. to a conclusion [a decision]**, giungere (o arrivare) a una conclusione [una decisione]; I'll c. to that point in a moment, toccherò questo punto tra un momento; **to c. at the truth**, arrivare alla (o scoprire la) verità; There's still the dessert to c., deve venire ancora il dolce **2** venire (con uno scopo): She came for lunch, è venuta a pranzo; I've come to pick up the trunk, sono venuto a prendere il baule; C. and help me, vieni ad aiutarmi; C. and see for yourself, vieni a vedere tu stesso; I've come to see Martin, sono venuto per vedere Martin; (anche) sono venuto a trovare Martin; C. sailing with me, vieni in barca a vela con me; I've come about the flat on sale, sono venuto per l'appartamento in vendita; Tom has come for the bike, Tom è venuto a prendere la bici ❶ **NOTA**: go to / go and → **to go 3** venire; provenire; (di cosa, anche) derivare, essere ricavato: Where do you c. from?, da dove vieni?; di dove sei?; Where does this money c. from?, da dove viene questo denaro?; I c. from Greece, sono greco; Music was coming from the room, dalla stanza veniva della musica; These sculptures c. from the Barnes collection, queste sculture provengono dalla collezione Barnes; to c. from a good family, venire da una (o essere di) buona famiglia; «Master» comes from the Latin «magister», «master» deriva dal latino «magister» **4** arrivare, giungere (a fare qc., come conclusione); finire per: I have come to believe he is wrong, sono giunto a credere che abbia torto; She came to think of the cat as her own, finì per considerare il gatto come suo **5** arrivare (in altezza, lunghezza); salire; scendere: The water came up to here, l'acqua arrivava fin qui; Her hair came down to her waist, i capelli le arrivavano (o scendevano fino) alla vita **6** venire (in un ordine di priorità); arrivare, classificarsi (in una gara, ecc.): **My children c. first**, i miei figli vengono prima di tutto; He came second in the exam, nell'esame è arrivato secondo **7** venire (per diritto, eredità, ecc.): This house will c. to you, questa casa verrà a te **8** accadere; succedere; avvenire: No harm will c. to him, non gli succederà niente di male; How did she c. to be there? (o How c. she was there?), com'è successo che lei si trovasse là?; come mai lei si trovava là?; **c. what may**, accada quel che accada; succeda quello che deve succedere; **to take things as they c.**, prendere le cose come vengono **9** (seguito da agg. o part. pass.) diventare; farsi (ma spesso in ital. corrisponde un verbo specifico): **to c. alive**, animarsi; ravvivarsi; vivacizzarsi; **to c. loose**, allentarsi; (di parti, ecc.) to c. open, aprirsi; **to c. undone**, slacciarsi; sbottonarsi; (di nodo, ecc.) sciogliersi;

C

to c. untied, slegarsi; **to c. true**, avverarsi; realizzarsi **10** (*fam.*) costare; venire: **to c. expensive**, costare (*o* essere) caro; *Fast cars don't c. cheap*, le auto veloci non costano poco **11** (*comm.: di articolo*) essere disponibile; esistere; essere venduto: *Do they come in any other colours?*, sono disponibili in altri colori?; *This model comes in several colours*, questo modello è disponibile in diversi colori **12** (*di portata*) essere servito: *The steak comes with roast potatoes and mushrooms*, la bistecca è servita con patate arrosto e funghi **13** (*volg.*) raggiungere l'orgasmo; (*di uomo*) eiaculare; venire (*volg.*) **14** (all'imper.) andiamo!; su!; suvvia!; dài! (*fam.*); (*anche*) ma no!, figurati!: **C., that's silly!**, andiamo, che sciocchezza!; **C., c., there's no need to thank me!**, ma no, non devi ringraziarmi! ◼ **v. t. 1** percorrere; fare: *I have come ten miles*, ho percorso dieci miglia; (*anche fig.*) *He had come a long way*, aveva fatto molta strada **2** (*fam., rif. all'età*) andare per: *My daughter is coming twelve*, mia figlia va per i dodici **3** (*fam.*) — to c., fare il (*o* la): *Don't c. the bully with (o over) me*, non fare il prepotente con me! ● **c.** (seguito da indicazione di tempo), ora di, quando verrà: **c. next year**, ora dell'anno prossimo; l'anno prossimo; **c. spring**, ora della primavera; quando verrà la primavera; a primavera □ **to c. and go**, andare e venire □ **to c. after**, venire dopo; esserci dopo; seguire; venire dietro: *What comes after?*, che cosa viene dopo?; che c'è dopo?; **C. after me**, seguitemi; venitemi dietro □ **to c. again**, ritornare; tornare: *Please c. again!*, tornate (a trovarci)! □ (*fam.*) **C. again?**, come hai detto?; come?; scusa? □ (*fam.*) *C. and get it!*, è pronto; a tavola! □ **to c. as a disappointment**, deludere; essere deludente □ **to c. as a relief**, essere un sollievo; tranquillizzare □ **to c. as a surprise**, giungere inatteso □ **to c. as a shock**, essere uno shock; scioccare □ **to c. before**, venire prima di; precedere; (*anche*) comparire davanti a: *«Major» comes before «captain»*, «maggiore» viene prima di «capitano»; **to c. before the judge**, comparire davanti al giudice □ (*fam.*) **to c. clean**, dire tutta la verità; confessare tutto □ **to c. close to**, essere lì lì per; essere a un passo dal: **to c. close to winning**, essere lì lì per vincere; sfiorare la vittoria □ **to c. closer**, avvicinarsi; farsi più vicino □ **to c. easily**, essere facile (*per q.*); venire facile: *Speaking in public didn't c. easily to him*, non gli veniva facile parlare in pubblico □ (*sport*) **to c. from behind**, rimontare e vincere □ (*fam.*) **to c. good**, riscattarsi □ **to c. home**, tornare a casa; rientrare; (*sport: nelle corse*) tagliare il traguardo □ **to c. home to sb.**, diventare chiaro a q.: *At last it came home to him that I had no money*, finalmente capì che non avevo soldi □ (*fam.*) **to c. it a bit strong**, esagerare; metterla giù un po' dura □ (*fam.*) *Don't c. it with me!*, non darti delle arie con me! □ **to c. naturally**, essere naturale (*a q.*); venire naturale □ **to c. near to** = **to c. close to** → *sopra* □ (*leg.*) **to c. of age**, uscire di minorità; diventare maggiorenne □ (*comm.*) **to c. on offer**, essere offerto; (*fin.*) *Intercom shares came on offer at £5*, le azioni della Intercom furono offerte a 5 sterline □ (*fam.*) **to c. on the scene**, arrivare (sulla scena); comparire; fare la propria comparsa □ **to c. on top of st.**, aggiungersi a qc. (*di veicolo*) **to c. past**, passare □ (*naut.*) **to c. right**, andare a posto; aggiustarsi □ (*naut.*) **to c. anchor**, ancorarsi □ **to c. to be**, diventare: *He came to be a famous painter*, diventò un pittore famoso □ **to c. to blows**, venire alle mani □ **to c. to an end**, giungere al termine; finire □ **to c. to light**, venire alla luce; scoprirsi □ **to c. to life**, rinvenire; riprendere conoscenza; dimostrare interesse, interessarsi □ **to c. to**

like, imparare ad apprezzare; arrivare a trovare simpatico: *I've never come to like whisky*, non sono mai riuscita a farmi piacere il whisky; *I came to like him in the end*, finii per trovarlo simpatico; alla fine arrivò a piacermi □ **to c. to no harm**, non patire; non subire danni: *I don't want her to c. to any harm*, non voglio che le succeda nulla □ **to c. to nothing**, non approdare a nulla; non portare a nulla; finire in niente □ (*lett.*) **to c. to pass**, avvenire; accadere □ **It comes to the same thing**, è lo stesso; la cosa non cambia □ **to c. to one's senses**, rinvenire; tornare in sé □ (*fig. fam.*) **to c. to stay**, venire a stare (*da q.*); (*anche*) prendere piede; affermarsi □ **to c. to a standstill**, fermarsi; arrestarsi □ **to c. to terms with**, accettare (*qc. di spiacevole o doloroso*); farsi una ragione di □ **It might not c. to that**, è possibile che non si arrivi a questo (*o* a questi punti); potrebbe non verificarsi; potrebbe non essere necessario; *He didn't believe her, nor, c. to that, did I*, lui non le credette, e in realtà nemmeno io □ **when you c. to think of it**, a pensarci bene; riflettendoci: (*Now I*) c. to think of it, he was out the whole day yesterday, ora che ci penso, ieri lui è stato fuori tutto il giorno □ **to c. with practice** [*age, ecc.*], venire [essere appreso, raggiunto, ecc.] con la pratica [l'età] □ **to c. within earshot of**, giungere a portata d'orecchi di □ **to c. within range**, arrivare a tiro (*di fucile, ecc.*) □ **to c. within sight of**, giungere in vista di □ **'Coming soon'** (*cartello*), 'torno presto' □ **as... as they c.**, enormemente: **as rich as they c.**, ricchissimo; **as silly as they c.**, stupidissimo; stupido come pochi □ (*iron.*) **He's got a big surprise coming to him!**, avrà (*o* lo aspetta) una bella sorpresa □ (*fam.*) **She only got what was coming to her**, ha avuto solo quello che si è meritata; ben le sta □ (*fam.*) **You had it coming**, (*di punizione, ecc.*) hai avuto quello che ti meritavi; te lo sei meritato □ (*fam.*) **How c.?**, perché? □ *How c. you didn't join the party?*, come mai non ti sei unito alla comitiva? □ (*fig.*) **I don't know whether I'm coming or going**, non so più quello che sto facendo; sto perdendo la testa □ (*slang*) **Let'em all c.!**, s'accomodino, vengano pure (*e avranno quello che si meritano*)! □ **I could see it c.**, me l'aspettavo □ (*dopo espressioni di tempo*) **to c.**, futuro; nel futuro; a venire: **generations to c.**, generazioni future; **in years to c.**, negli anni a venire □ **when it comes to**, quando si tratta di; in fatto di □ **where sb. is coming from**, che tipo è q.; come la pensa q.; che cosa ha in mente q.: *I couldn't work out where he was coming from*, non riuscivo a capire che cosa avesse in mente.

◼ **come about** v. i. + avv. **1** accadere; succedere; avvenire; verificarsi; (*di situazione*) crearsi: *How did it c. about?*, com'è successo?; *The change came about a few hours later*, il cambiamento si verificò poche ore dopo; *It came about that...*, accadde che... **2** (*naut.*) virare di bordo (in prua).

◼ **come across** Ⓐ v. i. + avv. **1** venire (*attraversando qc.*); avvicinarsi: *John came across and handed me a letter*, John mi raggiunse (*attraversando una stanza, la strada, ecc.*) e mi consegnò una lettera **2** fare la traversata; arrivare via mare: *I'll c. across on the night ferry from Dieppe*, arriverò col traghetto della notte da Dieppe **3** risultare chiaro; risultare convincente; essere efficace: **to c. across well**, (*di discorso, ecc.*) essere molto efficace; (*di comunicatore, politico, ecc.*) risultare convincente, saper comunicare; *The message didn't c. across*, il messaggio non fu capito **4** fare una data impressione; avere una data aria; risultare: *She doesn't c. across well on TV*, non risulta al suo meglio in televisione; non buca lo scher-

mo (*fam.*); *He comes across as a decent man*, dà l'impressione (*o* ha l'aria) di essere una persona perbene **5** (*fam.*) venire in aiuto (*finanziariamente*): tirar fuori i soldi; sborsare: *When they had to buy a new car, Dad came across again*, quando hanno dovuto comprare una macchina nuova, è venuto in aiuto di nuovo papà **6** – **to c. across with**, fornire, dare (*qc. di utile*); venire in aiuto con (*informazioni, denaro, ecc.*); tirar fuori: **to c. across with new details**, fornire nuovi particolari; *Mother came across with a hundred dollars*, mamma ci venne in aiuto con cento dollari; *How much did he c. across with?*, quanto ha tirato fuori? **7** (*fam.*) tirar fuori la verità; confessare **8** (*fam., di donna*) starci; cedere: *She's bound to c. across, he said to himself*, ci starà di sicuro, si disse lui Ⓑ v. i. + prep. **1** attraversare (*una strada, un ponte, ecc.*) **2** trovare (*o* incontrare) per caso; imbattersi in: *to c. across an old manuscript*, trovare un vecchio manoscritto; **to c. across an interesting case**, imbattersi in un caso interessante; *I came across her in London*, la incontrai per caso a Londra; *He's the oddest person I've ever come across*, è la persona più strana in cui mi sia mai imbattuto (*o* che io abbia mai conosciuto).

◼ **come along** v. i. + avv. **1** venire (*unendosi a q.*): *I'll c. along later*, vengo dopo; *C. along with me*, vieni con me; *Why don't you come along to the course too?*, perché non vieni anche tu al corso?; *She said she'd c. along to help*, ha detto che sarebbe venuta anche lei per aiutarci **2** (all'imper.) vieni!; andiamo!; cammina!; avanti!; forza!; dài! **3** arrivare; capitare; (*di occasione, ecc.*) presentarsi: *I hoped somebody would c. along to tell me where to go*, speravo che arrivasse qualcuno a dirmi cosa fare; **when the opportunity comes along**, quando capita l'occasione **4** fare progressi; migliorare; procedere; andare; (*di pianta*) venire su; crescere: *He's coming along in French*, il suo francese migliora; *How is your Latin coming along?*, come va il tuo latino?; *Granny is coming along nicely*, la nonna sta migliorando molto; *How's the new house coming along?*, come procede (*o* a che punto è) la casa nuova?; *The cabbages are coming along well*, i cavoli vengono su bene.

◼ **come alongside** v. i. + avv. (*naut.*) venire sotto bordo; affiancarsi; accostare.

◼ **come apart** v. i. + avv. **1** separarsi; dividersi; staccarsi; allontanarsi l'uno dall'altro; (*di due parti di qc.*) aprirsi; schiudersi **2** rompersi; andare in pezzi; sfasciarsi; disfarsi: *This book is coming apart*, questo libro si sta sfasciando **3** (*fig., anche sport*) crollare: *The challenger came apart in the tenth round*, lo sfidante crollò alla decima ripresa □ **to c. apart at the seams**, (*di indumento*) scucirsi (*completamente*); (*fig.*) sfasciarsi; andare a rotoli; essere un fallimento completo; (*di persona*) avere un crollo nervoso; crollare.

◼ **come around** → **come round**.

◼ **come at** v. i. + prep. attaccare; assalire; aggredire; avventarsi contro: *The burglar came at me with a knife*, lo scassinatore mi assalì con un coltello.

◼ **come away** v. i. + avv. **1** venire via; allontanarsi (*da qc.*): *C. away from the window*, vieni via dalla finestra **2** (*di oggetto*) venire via; staccarsi: *The handle came away in my hand*, la maniglia (venne via e) mi restò in mano **3** – **to c. away with**, andarsene con; ottenere; riportare; portare a casa (*fam.*): **to c. away with a promise**, andarsene con (*o* ottenere) una promessa; **to c. away with a victory**, portare a casa una vittoria **4** – **to c. away with**, restare; rimanere (*con una data impressione*), *I came away with a sense of dissatisfaction*, mi restò dentro un senso di

insoddisfazione.

■ **come back** v. i. + avv. **1** ritornare; tornare: *C. back soon!*, torna presto!; **to c. back to power**, tornare al potere; **to c. running back**, tornare di corsa; **to c. back into fashion**, tornare di moda; **to c. back to your previous point...**, per tornare al tuo punto di prima... **2** (*anche* **to come back in**) tornare di moda; tornare in voga; tornare in auge; (*di legge, ecc.*) tornare in vigore, essere ripristinato, ritornare **3** (*sport*) recuperare; rimontare **4** (*fig.*) tornare alla mente (di); tornare in mente (a): *His words suddenly came back to me*, mi tornarono d'un tratto in mente le sue parole; *It's all coming back to me!*, ora mi ricordo tutto! **5** (*fam.*) ribattere; rimbeccare: **to c. back with sharp words**, ribattere con parole taglienti; *«Well, you'll just see», she came back at him, «be', lo vedrai!» gli rimbeccò lei* **6** (*fam.*) – **to c. back to**, ricontattare; risentirsi con: *Can I c. back to you on this tomorrow?*, possiamo risentirci su questa cosa domani?

■ **come between** v. i. + avv. intromettersi (fra); interferire (tra); frapporsi (tra); dividere: **to c. between husband and wife**, intromettersi fra moglie e marito; *Nothing can c. between us*, niente può frapporsi tra di noi; niente potrà dividerci.

■ **come by** v. i. + prep. **1** ottenere; (riuscire a) trovare; procurarsi: *Good jobs are hard to c. by*, è difficile trovare un buon lavoro; **to c. by st. illegally**, procurarsi qc. con mezzi illegali; *I came by some interesting information*, ho trovato (*o* avuto) delle informazioni interessanti: *How did you c. by that bruise?*, come ti sei procurato (*o* ti sei fatto) quel livido? **2** andare a trovare; passare da.

■ **come down** v. i. + avv. **1** (*di persona*) scendere; venire giù: *C. down from the ladder!*, scendi dalla scala!; (*di cosa*) scendere a terra; (*di divinità, ecc.*) discendere sulla terra **2** (*di cosa*) scendere; abbassarsi; calare: *The barrier came down with a crash*, la barriera si abbassò rumorosamente; *The curtain came down to deafening applause*, il sipario calò tra applausi assordanti **3** → **to come**, def. 5 **4** (*di valore, prezzo, ecc.*) calare; scendere; diminuire; abbassarsi; ridursi: *Prices have generally come down*, i prezzi si sono quasi tutti abbassati; *The temperature has come down*, la temperatura è scesa; **to c. down in price**, scendere (*o* calare) di prezzo **5** (*di edificio, ecc.*) cadere; venire giù; crollare **6** (*di aereo*) atterrare (*con un atterraggio di fortuna*); (*anche*) venire giù, precipitare **7** (*di pioggia, ecc.*) cadere; venire giù; (*di nebbia*) calare, scendere: *It's really coming down*, sta piovendo a dirotto; sta diluviando **8** venire, arrivare (*dal nord*): *Yesterday he came down from Manchester*, è arrivato ieri da Manchester **9** (*di uso, leggenda, ecc.*) essere tramandato; essere trasmesso **10** (*fam. USA*) succedere; capitare: *If anything comes down, just whistle*, se succede qualcosa, fa' un fischio **11** finire l'università, laurearsi (*spec. a Oxford e Cambridge*) **12** (*slang della droga*) rientrare da un viaggio; essere in calo **13** – **to c. down on**, punire severamente; rimproverare; strigliare; essere severo con: *The judge came down heavily on him*, il giudice è stato severo con lui; *He came down really hard on her*, è andato giù molto pesante con lei **14** – **to c. down on**, esigere da; pretendere da; ingiungere a: *They came down on me for an immediate settlement*, mi ingiunsero di pagare subito **15** – **to c. down to**, ridursi a; trattarsi alla fin fine di: *It comes down to your word against his*, tutto si riduce alla tua parola contro la sua **16** (*fam.*) – **to c. down with**, prendersi; buscarsi (*una malattia*): **to c. down with flu**, prendersi l'influenza; *I think I'm coming down with something*, credo che mi stia venendo qualcosa;

credo che sto covando qualcosa **17** (*fam., ingl. sett.*) – **to c. down with**, tirare fuori, sborsare (*denaro*) □ (*fam. GB*) **to c. down a peg or two**, calare le arie; abbassare la cresta □ (*anche leg.*) **to c. down in favour of**, pronunciarsi a favore di □ **to c. down in sb.'s opinion**, calare nella considerazione di q. □ **to c. down in the world**, scendere nella scala sociale; cadere in basso □ (*fam.*) **to c. down on sb. like a ton of bricks**, fare una sfuriata a q.; levare il pelo a q. □ **to c. down on the side of**, prendere posizione in favore di; schierarsi con □ (*fam. USA*) **to c. down the pike**, capitare; comparire; succedere; presentarsi □ (*fig.*) **to c. down to earth (with a bump)**, tornare (di botto) con i piedi sulla terra; essere (bruscamente) richiamato alla realtà □ (*fam.*) **to c. down to the wire**, essere prossimo alla conclusione; essere in dirittura d'arrivo.

■ **come forward** v. i. + avv. **1** venire avanti; farsi avanti; avanzare **2** (*fig.*) farsi avanti; presentarsi; offrirsi (volontario): *No one came forward for fear of retaliation*, nessuno si fece avanti per paura di rappresaglie; **to c. forward with information**, (farsi avanti per) fornire informazioni; **to c. forward with a plan**, proporre un progetto **3** offrirsi (volontario), *Several volunteers came forward to help*, diverse persone offrirono di aiutare **4** sporgere; aggettare □ **to c. forward for approval**, essere presentato all'approvazione □ **to c. forward for consideration**, essere preso in esame □ (*comm.*) **to c. forward for sale**, essere messo in vendita.

■ **come in** v. i. + avv. **1** entrare; venire dentro: *Please, c. in*, entra (*o* entrate), prego!; *Come in*, vieni, entra pure **2** arrivare: *There's a train coming in*, sta arrivando un treno; **as the election results c. in**, man mano che arrivano i risultati delle elezioni; *News is coming in of a big earthquake in California*, giungono notizie di un grosso terremoto in California; *I'll be coming in a bit late tomorrow*, domani arrivo un po' più tardi **3** (*sport*) arrivare; piazzarsi: *He came in third*, si piazzò al terzo posto **4** (*di denaro, ecc.*) entrare (regolarmente); arrivare; entrare in cassa **5** (*comm.: di articolo*) arrivare; essere disponibile **6** venire in uso; diventare di moda (*di frutta, uova, ecc.*) essere di stagione; esserci **8** (*polit.*) andare al potere; andare al governo: *The Tories came in again*, i conservatori tornarono al potere **9** dimostrarsi utile; servire: *This is where your knowledge of Chinese will c. in*, è qui che servirà la tua conoscenza del cinese **10** intervenire; dire (a propria volta): *I'd like to c. in on this point*, vorrei intervenire su questo punto **11** (*radio, TV*) ricevere il microfono: *C. in, Johnny!*, a te il microfono, Johnny! **12** (*radio*) rispondere: *C. in, Red Pimpernel*, Primula Rossa, rispondi! **13** (*mus.: di voce, strumento*) entrare **14** avere una parte (*in qc.*); entrare in gioco; entrare in ballo, entrarci: *That's where you c. in*, a questo punto, entri in ballo tu; *Where do I c. in?*, che parte ho io in questa faccenda?; **to c. in on a project**, partecipare a un progetto **15** (*della marea*) montare; salire **16** (*sport*) entrare in campo; (*anche*) subentrare **17** – **to c. in for**, ricevere; andare incontro a; essere oggetto di; attirarsi: **to c. in for a lot of criticism**, ricevere (*o* essere fatto segno a) molte critiche; **to c. in for high praise**, ricevere molte lodi □ (*fam.*) **to c. in from the cold**, ricomparire; riemergere; tornare dall'esilio (*fig.*) □ **to c. in handy** (*o* **useful**), dimostrarsi utile, tornare utile; servire.

■ **come into** v. i. + prep. **1** entrare in: *He came into the room*, entrò nella stanza; *The train came into the station*, il treno entrò in stazione **2** (*leg.*) ereditare: **to c. into a for-**

tune, ereditare una fortuna □ **to c. into action**, entrare in azione □ (*bot.*) **to c. into blossom**, fiorire □ **to c. into contact**, entrare in contatto □ (*leg.*) **to c. into force**, entrare in vigore □ **to c. into it**, entrarci: *Love doesn't c. into it*, l'amore non c'entra □ (*bot.*) **to c. into leaf**, mettere le foglie □ **to c. into one's own**, entrare in possesso di ciò che gli spetta; (*fig.*) dimostrare quanto si vale, dare piena prova di sé: *It's on slippery roads that the ABS braking system comes into its own*, è sul bagnato che il sistema frenante ABS dà piena prova di sé □ **to c. into sight** (*o* **view**), apparire (alla vista).

■ **come of** v. i. + prep. **1** provenire, venire da: *He came of an old Welsh family*, veniva da un'antica famiglia gallese **2** derivare; essere il risultato di: *I hope something will c. of it*, spero che ne venga fuori qualcosa; *Nothing has ever come of his plans*, i suoi progetti non hanno mai sortito nulla; *That's what comes of keeping late hours*, ecco il risultato dell'andare a letto tardi.

■ **come off** A v. i. + avv. **1** venire via; staccarsi; uscire: *One of the buttons has come off*, s'è staccato un bottone; *The nail won't c. off*, il chiodo non vuole uscire; *It came off in my hand*, mi è rimasto in mano; *Does this thing c. off or is it fixed?*, viene via (*o* si può togliere) questo coso o è attaccato?; *This leg's got to c. off*, bisogna amputare questa gamba **2** (*di macchia, ecc.*) venire via, andare via; scomparire **3** smontare (*dal lavoro*); staccare **4** svolgersi, andare (*in un certo modo*): *The ceremony came off as planned*, la cerimonia andò (*o* si svolse) secondo i piani; *The day came off fine*, la giornata fu bella **5** (*di persona*) andare (*bene, male*); uscirne: **to c. off well**, cavarsela; **to c. off badly**, uscirne male (*o* malconcio); *He came off with just a broken wrist*, se l'è cavata con solo un polso rotto; **to c. off worse** (*o* **worst**), avere la peggio; uscirne peggio; perdere; **to c. off best**, avere la meglio; risultare il migliore **6** riuscire; funzionare; avere successo; essere un successo: *He tried the trick again and at last it came off*, al secondo tentativo, il trucco riuscì; *My plan hasn't come off*, il mio piano non ha funzionato; *My joke didn't quite c. off*, la mia battuta non ebbe molto successo **7** (*cinem., teatr.*) essere tolto dal cartellone **8** (*sport: di giocatore*) uscire (*dal campo*) **9** (*di persona, USA*) apparire in un certo modo; fare una certa impressione **10** (*volg. GB*) avere un orgasmo; venire (*volg.*) B v. i. + prep. **1** lasciare (*un luogo*); venire via da; uscire da: *Tell him to c. off the grass*, digli di venire via dal prato; *We came off the motorway*, uscimmo dall'autostrada; (*autom.*) **to c. off the road**, uscire di strada; (*sport*) **to c. off the field**, uscire dal campo **2** staccarsi da; venire via da: *The knob came off the lid*, il pomello venne via dal coperchio **3** scendere da (*un mezzo di trasporto*); sbarcare da **4** cadere da (*bicicletta, cavallo, ecc.*) **5** staccarsi da; venire via da: **to c. off easily**, venire via facilmente; essere facilmente rimovibile **6** (*comm.*) essere dedotto; essere scontato: *If you pay cash, 10% will c. off the price of the car*, se paghi in contanti, avrai uno sconto del 10% sul prezzo dell'automobile **7** rinunciare a; lasciare: **to c. off a case**, rinunciare a un caso **8** smettere di prendere (*un medicinale, una droga*); smettere di bere: **to c. off painkillers [drugs]**, smettere di prendere analgesici [medicine]; **to c. off the bottle**, smettere di bere □ **to c. off duty**, cessare il turno di servizio; smontare □ (*fam.*) **to c. off one's high horse**, calare le arie; scendere dal piedistallo □ (*fam.*) **C. off it!**, ma dai!; ma dài!; non contarla!

■ **come on** A v. i. + avv. **1** venire, arrivare (*dopo*); sopraggiungere: *I'll c. on later*, vengo dopo **2** essere in arrivo; cominciare; ar-

a
b
c
d
e
f
g
h
i
j
k
l
m
n
o
p
q
r
s
t
u
v
w
x
y
z

C

rivare; venire: *I've a bad cold coming on*, mi sta venendo un brutto raffreddore; *A hurricane was coming on*, c'era un uragano in arrivo; *There's a good film coming on at the Odeon*, all'Odeon è in arrivo (*o* in programmazione) un bel film; *Then it came on to rain*, poi cominciò (*o* si mise) a piovere **3** → **come along**, def. 4 **4** (*delle luci, del gas, ecc.*) accendersi **5** (*teatr.*) (*di attore*) entrare in scena **6** (*sport*) entrare in campo **7** cominciare il turno (*di lavoro*); montare **8** (*leg.: di causa*) essere discussa **9** (*fam.*) (dare l'impressione di) essere; fare [la]: **to c. on sweet**, essere tutto zucchero **10** (all'imper.) coraggio!; forza!; dài!: **C. on, jump!**, coraggio, salta!; **C. on, Arsenal!**, forza Arsenal! **11** (all'imper.) su, avanti!; sbrigati!; dài!; insomma!: *C. on, we're late!*, sbrigati, siamo in ritardo! **12** (all'imper.) ma va'!; andiamo!; figurati! **13** (*mil.*) avanzare **14** con **on** rafforzativo: è idiom.): *C. on in!*, entra pure!; avanti!; **C. on up!**, vieni su, dài!; **C. on to bed!**, su, vieni a letto! **15** – **to c. on to**, passare a (*discutere, considerare, ecc.*): *Let's c. on to the next item on the agenda*, passiamo al punto seguente dell'ordine del giorno **16** (*fam.*) – **to c. on to** (*USA*, **to c. on with**), fare delle *avances* a; tentare un approccio con; provarci con **B** *v. i.* + *prep.* **1** incontrare per caso; imbattersi in; trovare per caso; scoprire **2** capitare a; colpire **3 to c. on dark**, farsi buio; farsi notte, venire notte □ (*naut.*) **to c. on demurrage**, entrare in controstallia □ (*fam.*) **to c. on strong**, andar giù pesante (*fam.*); avere la mano pesante (*fig.*); passare il segno, esagerare; (*sport*) ripartire alla grande □ (*fam.*) **to c. on strong to a girl**, fare delle *avances* pesanti a una ragazza □ **My son is fifteen, coming on sixteen**, mio figlio va per i sedici.

■ **come out** *v. i.* + *avv.* **1** uscire; venire fuori; (*di oggetto, anche*) venire via, staccarsi, cadere: *He came out of the room*, uscì dalla stanza; (*autom., ecc.*) **to c. out of a bend**, uscire da una curva; *The plug's come out of the socket*, la spina è uscita dalla presa; si è staccata la spina; *His hair came out in handfuls*, gli venivano via i capelli a manciate **2** essere reso pubblico; (*di libro, ecc.*) uscire, essere pubblicato; (*di film*) essere in uscita: *When will the results c. out?*, quando usciranno i risultati?; *He has a new film coming out*, ha un nuovo film in uscita **3** venire fuori; emergere; venire alla luce; scoprirsi; sapersi: *It came out that he had taken bribes*, venne fuori che s'era fatto corrompere; *The truth has come out at last*, finalmente è emersa (*o* s'è saputa) la verità **4** (*del sole, della luna, ecc.*) venire fuori; spuntare; (*di astro*) sorgere **5** (*di macchia, ecc.*) andare via; venire via; scomparire **6** risultare; riuscire; venire: **to c. out right**, essere giusto; venire bene; **to c. out wrong**, non venire; essere sbagliato; *The photos didn't c. out*, le fotografie non sono venute; *The cake came out slightly burnt*, la torta riuscì un po' bruciata; **to c. out the same**, essere sempre lo stesso **7** (*di racconto, ecc.*) (andare a) finire: *How did the story c. out?*, com'è andata a finire la storia? **8** arrivare; piazzarsi; risultare; classificarsi: *He came out second in the contest*, nella competizione si classificò al secondo posto (*o* risultò secondo); **to c. out on top** (*o* **the winner**), arrivare primo; classificarsi al primo posto; vincere **9** (*bot.*) spuntare; sbocciare **10** (*GB*, anche **to c. out on strike**) entrare (*o* scendere) in sciopero; scioperare **11** (*form.: di ragazza*) debuttare (in società) **12** prendere posizione (*in un dato modo*); schierarsi; dichiararsi: *They all came out against the proposal*, si dichiararono tutti contro la proposta; *He came out for* (*o* in support of) *Labour*, si schierò con i laburisti **13** (*sport: del portiere*) uscire dai pali; fare un'uscita **14**

(*sport*: *delle squadre*) entrare in campo (*uscendo dagli spogliatoi*) **15** (*fam.*: anche **to c. out of the closet**) dichiarare apertamente la propria omosessualità; uscire allo scoperto; (*per estens.*) dichiararsi, uscire allo scoperto (*su una questione controversa*) **16** – **to c. out at**, risultare di (*un dato valore*); ammontare a: *The bill comes out at £60*, il conto ammonta a 60 sterline **17** (*med.*) – **to c. out in**, coprirsi di (*eczema, ecc.*): *Her skin came out in boils*, la sua pelle si coprì di bolle; *I came out in a rash*, mi è venuto uno sfogo **18** – **to c. out of**, venire da; provenire da: *Where will the money c. out of?*, da dove verranno i soldi? **19** – **to c. out of**, derivare (*o* conseguire) da; venire fuori da: *I don't know what will c. out of all these debates*, non lo so che cosa verrà fuori da tutti questi dibattiti **20** (*fam.*) – **to c. out with**, venire (*o* venirsene) fuori con (*un commento, ecc.*); uscirsene con; *What will she c. out with next?*, con che altro verrà fuori adesso? □ (*fam.*) **to c. out in the wash**, (*di cosa riprovevole*) venire fuori, venire a galla; (*anche*) aggiustarsi alla fine □ (*fam.*) **C. out of it!**, falla finita!; smettila!; piantala! □ (*fam.*) **to c. out on top**, riuscire, vincere; cavarsela.

■ **come over** **A** *v. i.* + *avv.* **1** venire (*con un viaggio*): *His ancestors came over to England with William of Orange*, i suoi antenati vennero in Inghilterra con Guglielmo d'Orange; *When did you first c. over to the States?*, quando sei venuto in America per la prima volta? **2** venire (*da q.*); venire a trovare: *Would you like me to c. over and help?*, vuoi che venga a dare una mano?; *C. over for tea*, vieni a prendere il tè; *C. over here!*, vieni qui!; *He wrote he would c. over at Christmas*, scrisse che sarebbe venuto a trovarli a Natale **3** (*GB*) fare una data impressione; apparire: **to c. over as slightly ridiculous**, apparire un po' ridicolo; *Your speech came over very well*, il tuo discorso è stato un successo **4** (*fam.*: seguito da un agg.) (*di persona*) diventare; sentirsi: **to c. over faint**, sentirsi tutt'a un tratto debole; *He came over all shaky*, cominciò a tremare tutto; **to c. over funny**, sentirsi strano; sentirsi fuori posto **5** (cambiare idea e) passare dalla parte di q.: *He'll c. over* (*to us*) *after I've spoken to him*, passerà dalla nostra parte dopo che gli avrò parlato **B** *v. i.* + *prep.* (*di sensazione, ecc.*) prendere; afferrare: *A wave of nausea came over him*, fu invaso da un'ondata di nausea; *A sudden change had come over Mr Bell*, il signor Bell era cambiato di colpo; *What's come over him?*, che cosa gli è preso?; che ha?; *I really don't know what came over me*, non so proprio che cosa mi avesse preso.

■ **come round** *v. i.* + *avv.* **1** passare (facendo un giro); fare il giro: *We've come round by the village*, abbiamo fatto il giro passando dal paese; *He came round to the back door*, venne alla porta sul retro (facendo il giro della casa); **to c. round the long way**, fare la strada più lunga **2** (*del vento*) girare **3** riprendere conoscenza; rinvenire; tornare in sé **4** venire (*per una breve visita*); passare; fare un salto: *Jack came round to tell me our cat scratched his daughter*, Jack è venuto a dirmi che il nostro gatto ha graffiato sua figlia; *I'll c. round later*, passo più tardi **5** (*fam.*) tornare di buon umore; rabbonirsi: *He'll soon c. round, believe me*, vedrai che (l'irritazione, ecc.) gli passa presto **6** cambiare idea (e accettare quella di un altro); convertirsi: *My wife came round to my way of thinking*, mia moglie finì per darmi ragione; *He came round to my point of view*, si convertì al mio punto di vista **7** (*di giorno, ricorrenza, ecc.*) arrivare (di nuovo); venire: *When Monday came round, they had all left*, quando arrivò lunedì, erano tutti parti-

ti **8** (*naut.*) → **come about**, def. 2 e **come to**, **A**, def. 2.

■ **come through** **A** *v. i.* + *avv.* **1** entrare (*attraverso qc.*); passare: *Tell Mr Bly to c. through*, dica a Mr Bly di entrare; faccia passare Mr Bly; *If you'd come through please*, entri pure, prego **2** (*di luce, liquido, ecc.*) penetrare; passare **3** comparire (*attraverso qc.*); spuntare; emergere: *The clouds parted and the sun came through*, le nuvole si aprirono e spuntò il sole **4** (*di messaggio, notizia, telefonata, ecc.*) arrivare; giungere: *News has come through that he has been arrested*, è giunta notizia del suo arresto **5** (*di decisione ufficiale, risultato, ecc.*) essere reso pubblico; essere notificato; arrivare; uscire **6** (*tel.*) mettersi in comunicazione (*per telefono, radio, ecc.*); telefonare **7** farcela; cavarsela; sopravvivere **8** apparire; rivelarsi; emergere; trasparire **9** (*sport*) passare il turno **10** (*fam.*) mantenere le promesse; stare ai patti **11** (*fam.*) – **to c. through with**, tirare fuori (*informazioni, denaro, ecc.*); dare: **to c. through with a name**, tirare fuori (*o* fare) un nome **B** *v. i.* + *prep.* **1** venire attraverso; attraversare; passare per: *We came through the wood*, siamo venuti attraverso il bosco **2** penetrare attraverso, da; entrare da: *The rain is coming through the roof*, la pioggia penetra dal tetto; *A beam of light came through the window*, un raggio di luce entrava dalla finestra **3** emergere da; spuntare da **4** superare (*una crisi, una malattia, ecc.*): **to c. through the war**, superare la guerra.

■ **come to** **A** *v. i.* + *avv.* **1** riprendere conoscenza; rinvenire; tornare in sé **2** (*naut.*) orzare; serrare il vento; venire al vento **3** (*naut.*) andare all'ancora; ancorarsi **B** *v. i.* + *prep.* **1** venire (in mente): *I can't remember the number: it'll c. to me later*, non mi ricordo il numero; mi verrà (in mente) dopo **2** ammontare a: *How much does that come to?*, a quanto ammonta?; *The bill comes to fifty dollars*, il conto ammonta a cinquanta dollari; *The bills might come to around £30 a week on top of the rent*, il costo delle bollette sarà di circa £30 a settimana oltre all'affitto.

■ **come together** *v. i.* + *avv.* **1** riunirsi; incontrarsi **2** fare l'amore **3** riconciliarsi; fare la pace (*fam.*).

■ **come under** *v. i.* + *prep.* **1** trovarsi in (*o* sotto); essere catalogato (*o* elencato) sotto; rientrare sotto: *Hostels c. under the heading «accommodation»*, gli ostelli si trovano (*o* sono elencati) sotto la voce «accoglienza turistica» **2** trovarsi sotto: *At dawn we came under enemy fire*, all'alba ci trovammo sotto il tiro del nemico **3** essere sottoposto a; dipendere da; essere sotto: **to c. under the jurisdiction of**, essere sotto la giurisdizione di; rientrare nell'ambito della giurisdizione di; **to c. under review**, essere sottoposto a revisione; essere riconsiderato **4** subire: **to c. under attack**, subire un attacco; **to c. under sb.'s influence**, subire l'influsso di q. □ (*fig.*) **to c. under fire**, ricevere pesanti critiche; essere attaccato □ (*comm., leg.*) **to c. under the hammer**, finire (*o* essere venduto) all'asta □ (*med.*) **to c. under the knife**, finire sotto i ferri (*del chirurgo*).

■ **come up** *v. i.* + *avv.* **1** salire, venire su; venire a galla: *Let him c. up!*, fatelo salire!; *They say a drowning man will c. up three times*, dicono che uno che affoga venga a galla tre volte **2** arrivare; (*di treno, ecc.*) entrare in stazione **3** venire (*dove si trova chi parla o scrive*): *He came up to Rome last week*, la settimana scorsa è venuto a Roma; *Why don't you come up and see me one of these weekends?*, perché non vieni a trovarmi un fine settimana? **4** accostarsi; avvicinarsi (*per la strada, ecc.*): *The boy came*

up and asked the way, il ragazzo si avvicinò e mi chiese la strada **5** (*di evento, ricorrenza, ecc.*) avvicinarsi; essere vicino; essere in arrivo: *The day of the interview was coming up*, si stava avvicinando il giorno del colloquio; *Your birthday is coming up soon, isn't it?*, il tuo compleanno è tra poco, vero? **6** (*di argomento, ecc.*) essere sollevato (*o* messo in discussione); (*leg.*) essere dibattuto **7** presentarsi; venir fuori; saltar fuori (*fam.*): *Please let me know if anything comes up*, per favore, fammi sapere se salta fuori qualcosa; *A vacancy has come up*, si è liberato un posto **8** (*di nome, ecc.*) essere menzionato; essere fatto: *Your name came up for the vacant post*, è stato fatto il tuo nome per il posto vacante **9** (*del sole, della luna, ecc.*) sorgere **10** (*bot.*) spuntare **11** (*di nome, numero, ecc.*) venire fuori (*fam.*); essere estratto (a sorte) **12** (*polit.*: *di disegno di legge*) essere messo (*in votazione*) **13** (*della luce, ecc.*) aumentare; crescere **14** (*ipp.*: *di cavallo*) vincere **15** (*GB*) iscriversi all'università (*spec. a Oxford o Cambridge*) **16** (*naut.*) orzare; serrare il vento **17** (*comput., Internet, di finestra*) aprirsi: *The site is coming up now*, il sito si sta aprendo ora **18** – **to c. up against**, trovarsi di fronte a (*una difficoltà, un'opposizione, ecc.*); dover affrontare; scontrarsi con: *The government has come up against fierce opposition from the unions*, il governo si è scontrato con la risoluta opposizione dei sindacati **19** – **to c. up to**, raggiungere, arrivare a: **to c. up to retirement age**, raggiungere l'età pensionabile **20** – **to c. up to**, essere all'altezza di; rispondere a: *The students didn't c. up to my expectations*, gli studenti non hanno risposto alle mie aspettative **21** – **to c. up with**, raggiungere (*q. che è avanti*); (*in una corsa*) ricongiungersi con **22** – **to c. up with**, mettersi alla pari con **23** – **to c. up with**, escogitare; trovare; tirar fuori (*fam.*): *They've come up with a new solution to this problem*, hanno trovato una nuova soluzione per questo problema □ (*TV: di programma*) '**Coming up**', 'fra poco' □ (*fam.*) **to c. up against a brick wall**, sbattere contro un muro (*fig.*) □ (*fam.*) **to c. up for air**, riprendere fiato; fare una pausa (*comm.*) □ **to c. up for auction**, andare (*o* essere messo) all'asta □ **to c. up for re-election**, ripresentarsi alle elezioni □ **to c. up for review**, essere sottoposto a revisione; venir riconsiderato □ (*comm.*) **to c. up for sale**, essere messo in vendita □ **to c. up in sb.'s opinion**, salire nella stima di q. □ **to c. up in the world**, salire nella scala sociale; migliorare la propria posizione; fare strada □ (*nelle corse*) **to c. up on top**, portarsi in testa (*o* in vetta alla classifica) □ (*fam.*) **to c. up smiling**, non lasciarsi abbattere; reagire bene □ (*fam.*) **to c. up to scratch**, essere all'altezza delle aspettative; essere soddisfacente; essere accettabile □ (*fam.*) **to c. up trumps**, arrivare in soccorso; intervenire provvidenzialmente □ (*fam.*) **to c. up with the goods**, fornire quello che uno vuole; mantenere le promesse.

■ **come upon** → **come on**.

■ **come within** v. i. + prep. rientrare; fare parte di: *This doesn't c. within my duties*, ciò non rientra nei miei doveri (*o* non è di mia competenza).

come-along /ˈkʌmələɒŋ/ n. (*elettr., mecc.*) morsetto serrafilo.

come-and-go /ˈkʌməŋgəʊ/ **A** n. **1** va e vieni; andirivieni **B** a. **1** variabile **2** che muta secondo le circostanze; elastico (*fig.*): **come-and-go moral principles**, principi morali elastici.

come-at-able /kʌmˈætəbl/ a. (*fam.*) accessibile; che si può raggiungere (*o* ottenere).

comeback /ˈkʌmbæk/ n. **1** ritorno; ritor-

no alla ribalta; ricomparsa in scena; rentrée (*franc.*); (*teatr.*) ritorno sulle scene; (*di moda, ecc.*) ritorno in auge: **to make a c.**, tornare alla ribalta; fare una rentrée; tornare di moda; tornare in auge; **to make a political c.**, tornare alla politica; rientrare in politica **2** (*sport*) (*di giocatore*) rientro; (*di pugile*) ritorno sul ring; (*di squadra*) ripartenza, rimonta: **to try to stage a c.**, tentare la rimonta **3** (*fam.*) risposta immediata; replica; battuta di rimando; rimbeccata **4** pretesa di risarcimento ● (*USA*) **c. kid**, uno che torna sempre a galla; giovane politico intramontabile.

Comecon /ˈkɒmɪkɒn/ abbr. (*stor.*, **Council for Mutual Economic Assistance**) Consiglio di mutua assistenza economica (*URSS*).

comedian /kəˈmiːdɪən/ n. **1** (*teatr., cinem., TV*) (attore) comico; attore di varietà; intrattenitore **2** tipo ameno; burlone; (*spreg.*) pagliaccio.

comedienne /kəmiːdɪˈɛn/ (*franc.*) n. (*teatr., cinem., TV*) attrice comica.

comedo /ˈkɒmədəʊ/ n. (pl. **comedos, comedones**) (*med.*) comedone.

comedown /ˈkʌmdaʊn/ n. **1** perdita di prestigio (*o* di status sociale); passo indietro (*fig.*) **2** (*anche fin.*) crollo; dissesto; rovescio; rovina **3** (*fam.*) delusione; frustrazione; doccia fredda (*fig.*).

◆**comedy** /ˈkɒmədɪ/ **A** n. **U̅C̲** (*teatr.*) commedia: **c. of ideas**, commedia a tesi; **c. of manners**, commedia di costume; **Greek c.**, la commedia greca; **musical c.**, commedia musicale **2** (*cinem.*) (film-) commedia; commedia brillante **3** **U̅** lato comico; aspetto comico; comicità; umorismo: **the c. of the situation**, il lato comico della situazione **B** a. attr. **1** di commedia; comico: **c. number**, numero comico; **c. writer**, autore di commedie; (*TV*) **c. series**, serie comica **2** finto (*che serve a far ridere*): **c. nose**, naso finto ● (*fig.*) **c. of errors**, commedia degli errori; farsa □ **high c.**, (scene di) grande comicità □ (*TV, radio*) **situation c.**, situation comedy; sitcom □ (*teatr.*) **stand-up c.**, cabaret □ **television c.**, serie comica televisiva; fiction comica.

come-hither /kʌmˈhɪðə(r)/ a. (*fam.*) invitante; d'incoraggiamento; provocante: **a come-hither look**, un'occhiata provocante.

comely /ˈkʌmlɪ/ a. (*lett.*) bello; aggraziato; piacevole (*alla vista*) | **-iness** n. **U̅**.

come-on /ˈkʌmɒn/ n. (*fam.*) **1** offerta invitante (*o* allettante) **2** occhiata provocante; gesto d'invito: **to give sb. the come-on**, cercare di adescare q. **3** sex-appeal; richiamo.

comer /ˈkʌmə(r)/ n. **1** chi viene; chi si presenta: *The contest is open to all comers*, la gara è aperta a tutti **2** (*fam.*) persona che farà strada; personaggio emergente.

comestible /kəˈmɛstəbl/ **A** a. (*raro*) commestibile **B** n. (al pl.) commestibili.

comet /ˈkɒmɪt/ (*astron.*) n. cometa ● **c. year**, anno della cometa || **cometary** a. cometario; di (*o* simile a) cometa.

comeuppance /kʌmˈʌpəns/ n. (solo sing.) (*fam.*) punizione meritata: *He'll get his c. sooner or later*, presto o tardi avrà quel che si merita.

comfit /ˈkʌmfɪt/ n. (*antiq.*) confetto.

◆**comfort** /ˈkʌmfət/ n. **1** **U̅** comodità; agio; benessere: **to dress for c.**, vestire all'insegna della comodità; portare vestiti comodi; **to travel in reasonable c.**, viaggiare con una certa comodità; **to live in c.**, vivere agiatamente **2** (spec. al pl.) comodità; comfort; confort: *I miss my comforts here*, qui mi mancano le mie comodità; *every modern c.*, tutti i comfort moderni **3** **U̅C̲** conforto; consolazione: **to bring** [**to seek**] **c.**, portare [cercare] conforto; **to take c. from the fact that**, trovare conforto nel fatto che; conso-

larsi pensando che; **to turn to alcohol for c.**, trovare conforto nell'alcol; *You've been a great c. to me*, mi sei stato di grande conforto ● **c. food**, cibo che si mangia per sentirsi sereni, per tirarsi su di morale □ (*USA*) **c. station**, gabinetto pubblico □ **c. zone**, situazione o luogo che dà sicurezza; (*per estens.*) routine (di lavoro) □ **cold c.**, una magra consolazione □ **too... for c.**, troppo (per i propri gusti); sgradevolmente; pericolosamente: *He kept his gun too close for c.*, teneva la pistola troppo vicina per i miei gusti.

to **comfort** /ˈkʌmfət/ v. t. confortare; consolare.

◆**comfortable** /ˈkʌmf(ə)təbl/ a. **1** confortevole; comodo: **a c. house**, una casa comoda; **a c. suit**, un abito comodo; **a c. job**, un lavoro comodo **2** (*di persona*) comodo; rilassato: *Are you c. in that chair?*, sei comodo su quella sedia?; **to make oneself c.**, mettersi comodo **3** a proprio agio; tranquillo: **to make sb. feel c.**, mettere q. a suo agio; *I don't feel c. about your staying*, non sono tranquillo all'idea (*o* non mi piace l'idea) che tu resti qui **4** (*med.*: *di malato*) in buone condizioni; senza dolore; tranquillo: **to spend a c. night**, passare bene la notte **5** agiato; benestante **6** adeguato; sufficiente; soddisfacente: **a c. income**, un reddito soddisfacente; **a c. salary**, uno stipendio adeguato | **-ness** n. **U̅**.

comfortably /ˈkʌmf(ə)təblɪ/ avv. **1** comodamente **2** senza difficoltà; agevolmente ● **c. off**, benestante; agiato.

comforter /ˈkʌmfətə(r)/ n. **1** chi conforta; consolatore, consolatrice **2** (*USA*) coperta imbottita; trapunta **3** (*GB*) succhiotto; tettarella; ciuccio (*fam.*) **4** (*antiq.*) sciarpa di lana ● **c. cover**, copripiumino.

comforting /ˈkʌmfətɪŋ/ a. confortante.

comfortless /ˈkʌmfətləs/ a. **1** senza conforto; sconsolato: **a c. life**, una vita sconsolata **2** senza comodità; scomodo; squallido: **a c. home**, una casa squallida (*o* poco accogliente).

comfrey /ˈkʌmfrɪ/ n. (*bot., Symphytum officinale*) consolida maggiore.

comfy /ˈkʌmfɪ/ a. (*fam.*) **1** comodo; confortevole **2** comodo; a proprio agio.

◆**comic** /ˈkɒmɪk/ **A** a. **1** comico; buffo; che fa ridere; umoristico **2** **c. coincidence**, una coincidenza comica; **c. song**, canzone umoristica **2** (*teatr.*) comico; di commedia: **c. actor**, (attore) comico; **c. routine**, numero comico **3** a fumetti; dei fumetti: **c. book**, giornalino a fumetti; **c. strip**, striscia a fumetti; fumetto **B** n. (*fam.*) **1** (attore) comico; attore di varietà **2** giornalino a fumetti **3** (al pl.) (*USA*) (striscia a) fumetti; fumetto: **comics page**, pagina dei fumetti (*di giornale*) ● **c. dramatist**, commediografo □ **c. relief**, intermezzo comico; parentesi comica □ (*mus.*) **c. opera**, opera buffa.

comical /ˈkɒmɪkl/ a. comico (*che fa ridere*); buffo; divertente; ridicolo | **-ly** avv.

comicality /kɒmɪˈkælətɪ/ n. **U̅** comicità.

Cominform /ˈkɒmɪnfɔːm/ (*polit., stor.*) n. **U̅** Cominform.

◆**coming** /ˈkʌmɪŋ/ **A** n. **U̅C̲** arrivo; venuta; (*anche relig.*) avvento: **the c. of dawn**, l'arrivo dell'aurora; **the c. of a new age**, l'avvento di una nuova età; (*polit.*) **c. to power**, andata al potere; **c. to the throne**, ascesa al trono; (*relig.*) **the second c. of Christ**, la seconda venuta di Cristo; *I got word of his c.*, ebbi notizia della sua venuta (*o* del suo arrivo) **B** a. **1** prossimo; futuro; che viene: **during the c. winter**, durante il prossimo inverno; **It will be ten years this c. Christmas**, saranno dieci anni questo Natale **2** imminente; in arrivo: **the c. storm**, la tempesta imminente **3** che ha un avvenire; che farà strada; promettente; emergente; del fu-

turo: *He's the c. man*, è uno che ha un avvenire (o che farà strada); **the c. thing**, la cosa del futuro; la cosa di domani ● **c. and going** (*anche* al pl.: **comings and goings**), va e vieni; andirivieni; viavai; movimento □ **c. away**, partenza □ **c. between**, interferenza; interposizione □ **c. down**, discesa; calo; ribasso (*di prezzi*) □ (*leg.*) **c. into force**, entrata in vigore □ **c. of age**, (*leg.*) raggiungimento della maggiore età; (*fig.*) raggiungimento della maturità □ **c. out**, debutto in società; (*sport*) uscita (*del portiere*); (*fam.*) rivelazione della propria omosessualità □ **c. together**, adunata; riunione.

Comintern /'kɒmɪntɜːn/ n. ⓤ (*polit., stor.*) Comintern.

comity /'kɒmətɪ/ n. ⓤ (*form.*) cortesia; civiltà; buone maniere ● **the c. of nations**, il rispetto reciproco delle leggi e dei costumi nazionali.

comm. *abbr.* **1** (*commerce*) commercio **2** (*committee*) comitato **3** (*commonwealth*) confederazione, comunità **4** (*communication*) comunicazione.

♦**comma** /'kɒmə/ n. **1** virgola **2** (*mus.*) comma ● (*med.*) **c. bacillus**, bacillo virgola □ **serial** (o **Oxford**) **c.**, (*in un elenco*) virgola posta prima di una congiunzione ❶ **FALSI AMICI** ● **comma** *non significa* comma *in senso legale*.

♦**command** /kə'mɑːnd/ n. **1** comando; ordine (*I did it at his c.*, l'ho fatto per suo ordine *o* dietro suo ordine); *Wait till I give the c.*, aspettate che io dia l'ordine!; *Fire on my c.*, quando do l'ordine, sparate!; **by his c.**, per suo ordine; secondo i suoi ordini **2** ⓤ comando; ordini (pl.): *He was given c. of a cavalry brigade*, fu messo al comando di una brigata di cavalleria; **to be in c.** (**of**), essere al comando (di); essere il comandante (di); comandare; **to take c. of**, prendere il comando di; **to be under sb.'s c.**, essere agli ordini di q.; prendere ordini da q. **3** ⓤ padronanza; dominio; controllo: *He has a good c. of Italian*, ha una buona padronanza della lingua italiana; *C. of the seas was very important to England*, il dominio del mare era molto importante per l'Inghilterra; **c. over oneself**, padronanza di sé; **to be in c. of**, essere padrone di; dominare; avere sotto controllo; *She's always in c. of herself*, è sempre padrona di sé; **to be in c. of the situation**, essere padrone della situazione; avere sotto controllo la situazione **4** ⓤ vista; visuale (*da un'altura, una torre, ecc.*) **5** (*mil.*) comando (*gli ufficiali*) **6** (*mil.*) unità agli ordini di q.; truppe (pl.); uomini (pl.) **7** (*mil.*) zona sotto il comando di q. **8** (*comput.*) comando; istruzione; ordine: **c. line**, riga di comando; **c. prompt**, prompt di comando ● (*mil. ed estens.*) **c. and control** (sost.) direzione strategica; (agg. attr.) (*anche* **c.-and--control**) strategico □ (*comput.*: *di programma*) **c.-driven**, comandato dalla tastiera □ **c. economy**, economia dirigista □ (*miss.*) **c. module**, modulo di comando □ (*teatr.*) **c. performance**, spettacolo su invito del sovrano o del presidente □ (*mil.*) **c. post**, sede del comando, comando (*di un'unità in combattimento*) □ (*mil.*) **c. structure**, struttura gerarchica; organico degli ufficiali □ **at one's c.**, a propria disposizione.

to **command** /kə'mɑːnd/ 🄰 v. t. **1** comandare a; ordinare a; dare ordine (*o* ordini) a: **to c. sb. to do st.**, comandare a q. di fare qc. **2** ordinare; esigere: *He commanded that a tower should be built*, ordinò che si costruisse una torre **3** (*mil.*) comandare; essere a capo di: **to c. a regiment**, comandare un reggimento **4** dominare; offrire (*una vista*): *The castle commands the valley*, il castello domina la vallata; *The house commands a good view*, la casa offre una buona vista **5** disporre di, poter contare su; essere

padrone di: *He commands considerable popularity*, dispone di una notevole popolarità; **to c. a firm majority**, disporre di (*o* poter contare su) una solida maggioranza; *He commands a large vocabulary*, è padrone di un vocabolario assai ampio; **to c. a great fortune**, disporre di un grosso patrimonio **6** (*form.*) dominare; padroneggiare: **to c. one's passions**, dominare le proprie passioni **7** incutere; ispirare; suscitare: **to c. respect**, incutere rispetto; **to c. admiration**, suscitare ammirazione **8** (riuscire a) ottenere (*un prezzo, un pagamento*): (*di oggetto*) **to c. a high price**, (riuscire a) ottenere un prezzo alto; costare caro; **to c. a high fee**, poter chiedere una parcella elevata 🄱 v. i. avere il comando □ (*econ.*) **to c. a market**, avere il controllo di un mercato □ (*prov.*) **God commands and man obeys**, l'uomo propone e Dio dispone.

commandant /kɒmən'dænt/ n. comandante (*spec. di una fortezza, di un distretto, di un porto, di un'accademia militare, o di un campo di prigionia*).

to **commandeer** /kɒmən'dɪə(r)/ v. t. **1** (*mil. e fig.*) requisire **2** prendere con la forza; impossessarsi di **3** prendere l'aiuto di; arruolare a forza.

♦**commander** /kə'mɑːndə(r)/ n. **1** comandante: **the c. of an army**, il comandante di un esercito **2** (*marina mil., in GB e in USA*) – C., capitano di fregata **3** (*in GB*) capo di un distretto della polizia metropolitana di Londra ● **c.-in-chief**, comandante in capo; comandante supremo || **commandership** n. ⓤ comando; ufficio (*o* funzioni) di comandante.

commanding /kə'mɑːndɪŋ/ a. **1** che ha il comando; comandante: (*mil.*) **c. officer**, ufficiale comandante **2** imponente; che incute rispetto: **a c. presence**, un aspetto imponente **3** di comando; imperioso; autorevole: **in a c. voice**, con voce imperiosa; in tono di comando **4** dominante; sovrastante; strategico: **c. spot**, luogo prominente; altura; **a c. view**, una veduta dall'alto; **a c. position**, in posizione dominante ● (*fig.*) **c. heights**, vertici (*dell'economia, della finanza, ecc.*) □ **to have a c. lead in st.**, essere in testa a qc. (*sondaggio, classifica, ecc.*).

commandment /kə'mɑːndmənt/ n. (*lett. o relig.*) comandamento: **the ten Commandments**, i dieci Comandamenti.

commando /kə'mɑːndəʊ/ n. (pl. **commandos**, **commandoes**) **1** (*mil.*) membro di un commando **2** (*mil.*) reparto di truppe speciali; commando **3** commando (*di terroristi, ecc.*) **4** (al pl.) (*mil., in GB*) – **the Commandos**, corpo speciale dei Royal Marines ● **c. knife**, pugnale d'assalto.

to **commemorate** /kə'meməreɪt/ v. t. commemorare: **to c. an anniversary** [**the end of the war**], commemorare un anniversario [la fine della guerra].

commemoration /kəmemə'reɪʃn/ n. ⓤ **1** commemorazione **2** (*a Oxford*) cerimonia annuale in memoria dei fondatori.

commemorative /kə'memərətɪv/ a. commemorativo.

commemorator /kə'meməreɪtə(r)/ n. commemoratore.

to **commence** /kə'mens/ v. t. e i. **1** (*form.*) cominciare; iniziare **2** (*leg.*) intentare: **to c. proceedings against a debtor**, intentare un'azione giudiziaria contro un debitore ❶ **NOTA**: *begin, start o commence?* → **to begin**.

commencement /kə'mensmənt/ n. **1** (*form.*) principio; inizio **2** (*USA, Austral.*) cerimonia di conferimento delle lauree **3** vocativo (*in una lettera commerciale*).

commencing /kə'mensɪŋ/ a. **1** che comincia **2** d'inizio; iniziale: **c. salary**, stipen-

dio iniziale.

to **commend** /kə'mend/ v. t. **1** encomiare; lodare **2** raccomandare: *The new magazine has much to c. it*, la nuova rivista si raccomanda per molti aspetti (*o* è per molti versi pregevole) **3** affidare; raccomandare: **to c. one's soul to God**, raccomandare l'anima a Dio; **to c. st. to sb.'s care**, affidare qc. alle cure di q. **4** (*arc. o form.*) salutare; ricordare: *C. me to your father*, mi saluti (*o* mi ricordi) a suo padre.

commendable /kə'mendəbl/ a. encomiabile; lodevole | **-bly** avv.

commendation /kɒmen'deɪʃn/ n. ⓤ **1** encomio; lode **2** raccomandazione ● **letters of c.**, lettera di presentazione; commendatizie.

commendatory /kə'mendətrɪ/ a. **1** elogiativo; d'encomio **2** commendatizio; di raccomandazione: **a c. letter**, una (lettera) commendatizia **3** (*relig.*) (*di un bene*) commendatario; affittato come commenda.

commensal /kə'mensl/ a. e n. (*anche zool., bot.*) commensale.

commensalism /kə'mensəlɪzəm/ n. ⓤ (*zool., bot.*) commensalismo.

commensurable /kə'menʃərəbl/ (*anche mat.*) a. commensurabile || **commensurability** n. ⓤ commensurabilità || **commensurably** avv. commensurabilmente.

commensurate /kə'menʃərət/ a. **1** commisurato **2** proporzionato; adeguato: **help c. to sb.'s needs**, aiuto adeguato ai bisogni di q. | **-ly** avv.

commensuration /kəmenʃə'reɪʃn/ n. ⓤ commisurazione; proporzionalità.

comment /'kɒment/ n. **1** commento; osservazione: **to make** (*o* **to pass**) **a c. on st.**, fare un commento su qc. **2** ⓤ commenti; discussioni; dichiarazioni; critiche: *His words passed without c.*, le sue parole non suscitarono commenti; **to be subject to c.**, essere commentato; essere discusso; **to be a source for c.**, suscitare commenti; *The Minister was unavailable for c.*, il ministro non si è pronunciato; **unfavourable** (*o* **negative**) **c.**, commenti negativi; critiche; **fair c.**, osservazioni giuste **3** (nota di) commento (*a un testo*) ● **to be a c. on st.**, essere tipico di qc.; essere indicativo di qc. □ **No c.**, niente dichiarazioni; «no comment».

♦to **comment** /'kɒment/ 🄰 v. i. fare commenti (*o* osservazioni); commentare; esprimersi: **to c. on the latest events**, commentare gli ultimi avvenimenti; **to c. on sb.'s behaviour**, commentare il comportamento di qc.; (*anche*) criticare il comportamento di q. 🄱 v. t. osservare; dire: *He commented that the measure was premature*, osservò che la misura era prematura.

commentariat /kɒmen'teərɪət/ n. (*anche spreg. o scherz.*) (l'insieme dei) commentatori (*esperti, opinionisti, ecc.*).

commentary /'kɒmən trɪ/ n. **1** commento (*di un testo*); commento sonoro (*d'un documentario*) **2** (*radio, TV*) commento; cronaca; radiocronaca; telecronaca: **running c.**, radiocronaca in diretta; **to keep a running c. on st.**, fare la radiocronaca (*o* la telecronaca) di qc.; commentare qc. in diretta **3** (*letter., stor.*) commentario ● (*fig.*) **to give a running c. of st.**, raccontare qc. istante per istante; dare un resoconto dettagliato di qc.

to **commentate** /'kɒmənteɪt/ v. i. **1** (*TV sport*) fare la radiocronaca (*o* la telecronaca): **to c. on st.**, commentare qc.; fare la telecronaca di qc. **2** fare il commentatore; fare il telecronista **3** (*lett.*) commentare.

♦**commentator** /'kɒmənteɪtə(r)/ n. **1** commentatore (*di un testo*) **2** (*radio, TV*) commentatore; radiocronista; telecronista; cronista: **sports c.**, commentatore sportivo; cronista sportivo **3** (*giorn.*) commentatore;

notista.

♦**commerce** /'kɒmɜːs/ n. ▣ **1** commercio (*spec. fatto su larga scala, o fra città o paesi lontani*; *cfr.* **trade**, *def.* 4): **to be in c.**, lavorare nel commercio; **the world of c.**, il mondo del commercio; **Chamber of C.**, Camera di Commercio **2** (*antiq.*) rapporti (pl.) sociali **3** (*arc.*) rapporti (pl.) sessuali; commercio (*arc.*).

♦**commercial** /kə'mɜːʃl/ ▲ a. **1** commerciale; del, di commercio: **c. invoice**, fattura commerciale; (*leg.*) **c. causes**, cause in materia di commercio; **c. agent**, agente di commercio; concessionario; **c. law**, diritto commerciale; **c. attaché**, addetto commerciale **2** (*relativo alla vendita o al profitto*) commerciale: **c. value**, valore commerciale; **c. television**, televisione commerciale; **a c. success**, un successo commerciale; *His new film is much too c.*, il suo nuovo film è troppo commerciale **3** (*econ.*) sfruttabile (*commercialmente*) **4** (*di minerale*) coltivabile ▣ n. **1** (*radio, TV*) messaggio pubblicitario; pubblicità; stacco; spot: **a car c.**, la pubblicità di un'automobile **2** (al pl.) (*TV*) pubblicità televisiva **3** (al pl.) (*Borsa*) titoli (*o* azioni) di aziende commerciali ● **c. agency**, agenzia d'informazioni commerciali □ **c. art**, grafica pubblicitaria; cartellonistica □ **c. artist**, grafico (*o* disegnatore) pubblicitario; cartellonista □ **c. assessor**, perito merceologo □ **c. bank**, banca commerciale (*o* di credito ordinario) □ (*radio, TV*) **c. break**, interruzione pubblicitaria; stacco pubblicitario; spot □ (*leg.*) **c. court**, tribunale commerciale (*in Inghil.*, è un ramo della → «Queen's Bench Division», → **queen**) □ **c. credit**, credito mercantile (*o* di fornitura) □ (*leg.*) **c. custom**, consuetudine di commercio □ **c. design**, disegno pubblicitario □ (*econ.*) **c. farm**, azienda agricola □ (*fin.*) **c. loan**, prestito commerciale □ (*fin.*) **c. paper**, titolo (*o* collett. titoli) di credito negoziabile □ (*market., trasp.*) **c. set**, documenti d'uso (*per la merce*) □ (*a scuola*) **c. subjects**, materie aziendali □ (*antiq.*) **c. traveller**, viaggiatore di commercio; commesso viaggiatore; rappresentante; piazzista □ (*trasp.*) **c. vehicles**, veicoli commerciali □ **the c. world**, il mondo degli affari.

commercialism /kə'mɜːʃəlɪzəm/ n. ▣ **1** mercantilismo; intraprendenza; capacità di commerciare **2** (*spreg.*) affarismo ‖ **commercialist** n. **1** commerciante **2** (*spreg.*) affarista; bottegaio (*fig.*).

commerciality /kəmɜːʃɪ'ælətɪ/ n. ▣ commercialità.

to **commercialize** /kə'mɜːʃəlaɪz/ v. t. **1** commercializzare; rendere commerciabile **2** (*spreg.*) commercializzare ‖ **commercialization** n. ▣ commercializzazione.

commercially /kə'mɜːʃəlɪ/ avv. commercialmente.

Commie /'kɒmɪ/ n. e a. (*slang spreg.*) comunista.

to **comminate** /'kɒmɪneɪt/ v. t. (*leg.*) comminare.

commination /kɒmɪ'neɪʃn/ n. (*nella Chiesa Anglicana*) **1** minaccia della punizione di Dio **2** litania delle minacce divine contro i peccatori.

comminatory /'kɒmɪnətrɪ/ a. minatorio; che minaccia.

to **commingle** /kə'mɪŋgl/ v. t. e i. (*lett.*) mescolare, mescolarsi.

to **comminute** /'kɒmɪnjuːt/, USA -nuːt/ v. t. **1** sminuzzare; polverizzare; triturare **2** (*mecc., med.*) comminuire ● (*med.*) **comminuted fracture**, frattura comminuta.

comminution /kɒmɪ'njuːʃn/, USA -'nuː-/ n. **1** sminuzzamento; polverizzazione **2** (*mecc., med.*) comminuzione.

to **commiserate** /kə'mɪzəreɪt/ ▲ v. t. commiserare ▣ v. i. esprimere compassio-

ne; condolersi ‖ **commiseration** n. **1** ▣ commiserazione **2** (*arc.*) compassione ‖ **commiserative** a. di commiserazione; commiserevole.

commissaire /kɒmɪ'seə(r)/ (*franc.*) n. (*sport: ciclismo*) commissario di gara.

commissar /kɒmɪ'sɑː(r)/, 'kɒm-/ n. (*stor.: in Russia*) commissario del popolo.

commissariat /kɒmɪ'seərɪət/ n. **1** (*mil.*) commissariato; intendenza **2** (*stor.: in Russia*) commissariato; ministero.

commissary /'kɒmɪsərɪ/ n. **1** commissario; delegato **2** (*relig.*) delegato del vescovo; vicario (vescovile) **3** (*mil.*) ufficiale di commissariato **4** (*USA*: = **c. store**) spaccio aziendale (*o* militare) **5** (*USA*) mensa aziendale **6** commissario di pubblica sicurezza (*in Italia, ecc.*) ● (*mil.*) **c. general**, comandante dei servizi di commissariato ‖ **commissarial** a. di commissariato; commissariale.

♦**commission** /kə'mɪʃn/ n. **1** commissione; comitato: **a Royal C.**, una commissione reale (*nominata dal sovrano*); **a c. of inquiry**, una commissione d'inchiesta **2** commissione; commessa; incarico: **to carry out a c. for sb.**, fare una commissione per q.; **work done on c.**, lavoro fatto su commissione (*da un artista*) **3** (*comm.*) commissione; provvigione: *We sell goods [bonds, etc.] on c.*, vendiamo merce [titoli, ecc.] a provvigione; **to earn 5% c.**, ricevere una commissione del 5 per cento; **c. on sales**, provvigione sulle vendite; (*banca*) **c. on current account**, commissione su conto corrente **4** (*leg.*) autorità, potere (*di fare qc.*); strumento che li conferisce: (*in GB*) **c. of anticipation**, potere di riscuotere le imposte in anticipo **5** (*leg.*) esecuzione, perpetrazione, commissione (*di un reato*) **6** (*mil.*) brevetto da ufficiale; nomina a ufficiale: **to get one's c.**, essere nominato ufficiale; **to resign one's c.**, dimettersi da ufficiale **7** ▣ (*naut.: di nave*) servizio attivo; armamento; (*anche*) entrata in servizio: **in c.**, in servizio, in armamento; **out of c.**, in disarmo, fuori servizio ● (*comm.*) **c. account**, conto provvigioni □ **c. agent**, (*comm.*) commissionario; (*Borsa*) commissionario di borsa □ **c. broker**, (*GB*) = **c. agent** → *sopra*; (*USA, Borsa*) commissionario di borsa □ **c. house**, casa commissionaria; (*USA, Borsa*) società di commissionari di borsa □ **c. manufacturer**, industriale che produce su commessa □ **c. merchant**, commissionario □ (*mil.*) **c. rank**, grado d'ufficiale □ (*di veicolo, ecc.*) **out of c.**, fuori servizio; fuori uso; guasto.

to **commission** /kə'mɪʃn/ v. t. **1** commissionare, ordinare: **to c. a portrait**, commissionare un ritratto; **to c. a feasibility study**, commissionare uno studio di fattibilità **2** incaricare; commissionare a: *He was commissioned to write a biography of Churchill*, fu incaricato di scrivere una biografia di Churchill **3** (*comm.*) dare una commessa a; fare un'ordinazione a **4** autorizzare; delegare; incaricare: *I commissioned my bank to pay my taxes*, delegai alla banca il pagamento delle mie imposte **5** (*mil.*) dare il brevetto di ufficiale a; nominare ufficiale: **to be commissioned**, ricevere il brevetto d'ufficiale **6** (*naut.*) mettere in armamento, allestire, armare (*una nave*) **7** (*tecn.*) mettere in servizio, mettere in funzione (*un impianto, ecc.*).

commissionaire /kəmɪʃə'neə(r)/ n. **1** (*comm. est.*) commissionario **2** (*spec. GB*) portiere in livrea (*d'albergo, teatro, cinema, ecc.*) **3** (*spec. GB*) fattorino.

commissioned /kə'mɪʃənd/ a. **1** autorizzato; delegato **2** (*naut.: di nave*) allestita; (*di nave da guerra*) armata ed equipaggiata, in armamento: **to be c.**, passare in armamento **3** (*mil.*) – **c. officer**, ufficiale; **non-c.**

officer, sottufficiale.

♦**commissioner** /kə'mɪʃənə(r)/ n. **1** (*leg.*) commissario; membro d'una commissione (*spec. ministeriale*); sovrintendente: **High C.**, Alto Commissario (*rappresentante d'un paese del Commonwealth a Londra*); (*in USA*) **the C. of Customs**, il Sovrintendente alle Dogane; **EC c.**, commissario europeo; membro della Commissione europea **2** (*comm.*) committente **3** (*sport*) commissario (sportivo) ● (*leg., in GB*) **c. for oaths**, → «solicitor» (*def.* 1) che può autenticare dichiarazioni giurate □ (*in GB*) **the Commissioners of Inland Revenue**, i Direttori del Fisco; il Fisco □ **the C. of Police**, il Comandante della polizia metropolitana (*tutta la Greater London*) ‖ **commissionership** n. ▣ carica (*o* ufficio) di commissario; commissariato.

commissure /'kɒmɪʃʊə(r)/ n. **1** (*tecn.*) committitura; connessura; giuntura **2** (*anat.*) commessura ‖ **commissural** a. **1** (*anat.*) commessurale **2** (*tecn.*) di (*o* simile a) committitura.

♦to **commit** /kə'mɪt/ ▲ v. t. **1** commettere: **to c. a crime [a blunder, an offence]**, commettere un delitto [un errore, un reato]; **to c. a sin**, commettere un peccato; (*sport*) **to c. a foul**, commettere un fallo; **to c. perjury**, commettere spergiuro; spergiurare; **to c. suicide**, suicidarsi **2** impegnare; vincolare: **to c. sb. to do st.**, impegnare q. a fare qc.; *You don't have to feel committed to it*, non devi sentirti impegnato **3** (*fin.*) impegnare, destinare (*risorse, ecc.*) **4** (*form.*) affidare: **to c. money to a bank**, affidare denaro a una banca; **to c. one's soul to God**, affidare (*o* rimettere) la propria anima a Dio **5** (*leg.*) mandare per disposizione ufficiale: **to c. to jail** (*o* **to prison**), mandare in prigione (*in detenzione preventiva*); **to c. sb. for trial**, rinviare q. a giudizio **6** internare; rinchiudere: **to c. to a psychiatric hospital**, internare in un ospedale psichiatrico **7** (*polit.*) rimettere (*o* rinviare) (*un disegno di legge*) a una commissione parlamentare **8** (*comput.*) portare a termine: **to c. a transaction**, portare a termine una transazione ▣ v. i. impegnarsi; prendere posizione; pronunciarsi in modo esplicito: *The Minister has committed to rationalizing the national health service*, il ministro s'è impegnato a razionalizzare il servizio sanitario nazionale ● **to c. oneself**, impegnarsi; prendere posizione; pronunciarsi in modo esplicito: *I'd rather not c. myself to a specific figure*, preferisco non arrischiare una cifra esatta; *I don't want to c. myself to a stable relationship*, non voglio impegnarmi in un rapporto fisso □ (*form.*) **to c. a body to the earth [to the sea]**, affidare un corpo alla terra [al mare] □ **to c. st. to memory**, mandare (*o* imparare) qc. a memoria □ **to c. st. to paper** (*o* **to writing**), mettere qc. sulla carta (*o* per iscritto).

♦**commitment** /kə'mɪtmənt/ n. **1** ▣ impegno; dedizione; serietà: **c. to one's ideals**, dedizione ai propri ideali; **the c. of all the staff**, l'impegno (*o* la dedizione) di tutto il personale; *He showed determination and c.*, ha dato prova di determinazione e impegno **2** impegno; promessa; obbligo; vincolo: *Italy's defence commitments*, gli impegni assunti dall'Italia in materia di difesa (*comune*); **to meet** (*o* **to honour**) **a c.**, tener fede a un impegno; **to enter into a c.**, impegnarsi; prendere un impegno; **to take on a c.**, prendersi un impegno; *I don't want to make any commitments*, non voglio prendere nessun impegno; non voglio impegnarmi **3** ▣ impegno; responsabilità; coinvolgimento: **political c.**, impegno politico; (*stor.*) **the American military c. in Serbia**, il coinvolgimento militare degli Stati Uniti nella Serbia **4** ▣ (*fin.*) impegno di spesa; somma

C

impegnata: (*banca*) **lending commitments**, somme impegnate per la concessione di mutui; linee di credito accordate **5** (al pl.) impegni: **business commitments**, impegni di lavoro; **owing to prior commitments**, a causa di impegni precedenti **6** (*leg.*) → **committal** ● (*comm.*, *market.*) **without c.** (*clausola*), senza impegno (*di acquistare*).

committal /kə'mɪtl/ n. ⓤ **1** (*leg.*, = **c. to prison**) incarcerazione; detenzione preventiva **2** (*leg.*, = **c. for trial**) rinvio a giudizio: **c. for trial on bail**, rinvio a giudizio, in libertà provvisoria su cauzione; **c. for trial in custody**, rinvio a giudizio e messa in stato di custodia cautelare; **c. proceedings**, udienza preliminare per decidere su un possibile rinvio a giudizio **3** internamento (*in ospedale psichiatrico*) **4** (*form.*) sepoltura.

committed /kə'mɪtɪd/ a. impegnato: **c. writers**, gli scrittori impegnati; **c. to st.**, impegnato in qc.; che ha scelto qc.; **to become emotionally c.**, impegnarsi sentimentalmente.

♦**committee** /kə'mɪtɪ/ n. comitato; (*anche polit.*) commissione: **housing c.**, commissione edilizia; **parliamentary c.**, commissione parlamentare; **standing c.**, commissione permanente; **steering c.**, comitato direttivo; **to be** (*o* **to serve**) **on a c.**, fare parte di un comitato (*o* di una commissione); (*GB*) *The bill is in c.* (*stage*), il disegno di legge è all'esame della commissione; **c. meeting**, riunione del comitato (*o* della commissione) ● (*stor. franc.*) C. **of Public Safety**, Comitato di salute pubblica □ (*polit.*, *in GB*) C. **of the Whole** (*o* C. **of the Whole House**), seduta plenaria della Camera dei Comuni (*effettuata applicando il regolamento delle sedute di commissione: non è presieduta dallo «Speaker»*).

committeeman /kə'mɪtɪmən/ n. (pl. *committeemen*) membro di un comitato (*o* di una commissione).

committeewoman /kə'mɪtɪwʊmən/ n. (pl. *committeewomen*) (donna che è) membro di un comitato (*o* di una commissione).

Commo /'kɒməʊ/ n. e a. (pl. *Commos*) (*slang spreg.*, *Austral.*) comunista.

commo /'kɒməʊ/ n. (pl. *commos*) (*gergo mil.*, *USA*) comunicazioni; collegamento: **the c. platoon**, il plotone di collegamento.

commode /kə'məʊd/ n. **1** cassettone; comò **2** (*un tempo*) lavabo (*non fisso al muro*) **3** (= **night c.**) seggetta; comoda.

commodify /kə'mɒdɪfaɪ/ v. t. commercializzare; mercificare (*l'arte, la poesia, ecc.*) ‖ **commodification** n. ⓤ commercializzazione; mercificazione.

commodious /kə'məʊdɪəs/ a. (*form.*) spazioso; ampio ‖ -**ness** n. ⓤ.

commoditize /kə'mɒdɪtaɪz/ (*anche fig.*) v. t. mercificare ‖ **commoditization** n. ⓤ mercificazione.

commodity /kə'mɒdɪtɪ/ n. **1** (*econ.*) bene economico; prodotto di base; prodotto primario; materia prima; merce; derrata: **basic commodities**, prodotti fondamentali (*nell'economia d'un paese*); **agricultural commodities**, prodotti agricoli; *Software has become an important commodity*, il software è diventato un prodotto economico importante **2** (*fig.*) bene (prezioso); qualità: *Privacy is a rare c. here*, la privacy è un bene raro qui **3** convenienza; opportunità ● (*fin.*) **c. broker**, operatore di borsa merci □ (*spec. USA*) **c. economics**, merceologia □ (*fin.*) **c. exchange**, borsa merci □ (*fin.*) **futures**, futures della Borsa Merci (*econ.*) **c. market**, mercato dei prodotti; mercato delle materie prime □ **c. prices**, corsi commerciali; prezzi all'ingrosso □ (*econ.*) **c. price index**, indice dei prezzi all'ingrosso ❶ **FALSI AMICI** • commodity *non significa* co-

modità.

commodore /'kɒmədɔː(r)/ n. **1** (*marina mil.*, *in GB e in USA*) commodoro (*grado temporaneo superiore a «capitano» e inferiore a «contrammiraglio»; non ha equivalente in Italia*) **2** (*naut.*) commodoro (*titolo di cortesia per capitani anziani della marina mercantile, presidenti di club nautici, ecc.*).

♦**common**① /'kɒmən/ a. **1** comune; collettivo; di tutti; generale; pubblico: **the c. good**, il bene comune; **c. land**, terreno di proprietà comune; **c. property**, proprietà pubblica; **to fight for a c. cause**, battersi per una causa comune **2** comune; diffuso; frequente; usuale; normale; corrente: **a c. cause of disease**, una causa comune (o frequente) di malattia; **a c. occurrence**, un fatto comune (o frequente, normale); *Once swallows were c. in Italy*, un tempo le rondini erano comuni (o diffuse) in Italia; *It's c. for children to react in this way*, è normale che un bambino reagisca così; **in c. use**, d'uso comune (o corrente); **in c. speech**, nel linguaggio corrente **3** comune; in comune; condiviso; di confine: (*leg.*) **c. ownership**, (diritto di) proprietà in comune; **our c. enemy**, il nostro comune nemico; **c. border**, confine in comune; **c. wall**, muro di confine (o in comunione); *It's a feature that is c. to all cars*, è un elemento comune a tutte le auto **4** normale; comune; elementare: **c. courtesy**, normale cortesia; **c. decency**, comune correttezza; comune decoro **5** comune; semplice: **the c. people**, la gente comune; **c. salt**, sale comune; **c. soldier**, soldato semplice; **the c. man**, l'uomo comune; l'uomo della strada; **a c. thief**, un ladro comune; un ladruncolo **6** (*spreg.*) rozzo; ordinario; plebeo; grossolano; volgare: **c. manners**, maniere grossolane; **c. accent**, accento plebeo; *It's a pity she's so c.*, peccato sia una donna così rozza **7** comunitario (*dell'Unione Europea*); comune: **C. European Fund**, Fondo Comune Europeo **8** (*gramm.*) comune: **c. gender**, genere comune; **c. noun**, nome comune **9** (*mat.*) comune: **c. denominator**, comun denominatore ● **c. area**, (*leg.*) area di proprietà comune; (*comput.*) area comune (*di una memoria*) □ (*comm.*) **c. carrier**, vettore; corriere; agenzia di trasporti; (*USA*) società di telecomunicazioni □ (*mus.*) **c. chord**, accordo perfetto □ (*med.*) **c. cold**, raffreddore; corizza virale □ **c. currency**, (*econ.*) moneta comune; (*fig.*) cosa comune, uso comune, moneta corrente □ (*in GB*) C. **Entrance**, esame d'ammissione (*a una →«public school»*, → **public**) □ C. **Era**, era volgare (o cristiana) □ **c. ground**, terreno comune (*fig.*); punto d'incontro □ (*zool.*) **c. gull** (*Larus canus*), gavina □ **c. interest**, interesse comune; (*leg.*) comunione di beni, comproprietà □ (*edil.*) **c. joist**, travetto (*per soffittatura*) □ **to be c. knowledge**, essere noto a tutti; essere di dominio pubblico □ (*leg.*) **c. law**, «common law» (*in GB*); diritto consuetudinario; legge non scritta ❶ **CULTURA • common law**: è il sistema giuridico, di origine inglese, tradizionalmente contrapposto alla → «*civil law*» (→ **civil**), discendente dal diritto romano. *Cfr.* **statute law** *sotto* **statute**, *e* **equity** □ (*leg.*) **c.-law husband** [**wife**], convivente; marito [moglie] di fatto □ (*mat.*) **c. logarithm**, logaritmo volgare (o decimale) □ (*econ.*) **c. market**, mercato comune □ **a c. nuisance**, un fastidio per tutti; (*leg.*) una molestia dei diritti pubblici □ (*fam.*) **c. or garden**, comune; ordinario; normale; qualunque □ (*leg.*) **c. plea**, causa civile □ (*autom.*) **c. rail**, (sistema di iniezione) common rail: **c.-rail engine**, (motore dotato di sistema) common rail □ (*leg.*) **c. right**, diritto secondo la «common law» □ **c. room**, sala di ritrovo (o di ricreazione) (*per studenti, in una scuola, un college, ecc.*); (*anche*) sala (dei) professori □ **c. seal**, sigillo aziendale □

(*zool.*) **c. seal** (*Phoca vitulina*), foca vitulina; vitello marino □ **c. sense**, senso comune; buonsenso □ (*fin.*) **c. share**, azione ordinaria □ (*fin. USA*) **c. stock**, azione ordinaria □ (*comput.*) **c. storage**, memoria comune □ (*mus.*) **c. time**, misura in quattro quarti □ **the c. touch**, il saper comunicare con la gente comune □ (*zool.*) **c. waxbill** (*Estrilda troglodytes*), becco di corallo □ (*zool.*) **c. whelk** (*Buccinum undatum*), buccino □ **as c. as dirt** (o **as muck**), comunissimo; (*anche*) molto ordinario, terribilmente rozzo □ **by c. consent**, di comune accordo; per consenso unanime □ **to make c. cause with sb.**, fare causa comune con q.

common② /'kɒmən/ n. **1** (anche al pl., col verbo al sing.) terreno di proprietà comune; terreno demaniale; pascolo demaniale; (*in un centro abitato*) spazio verde comunale, parco pubblico **2** ⓤ (*leg.*, = **right of c.**) diritto di servitù attiva: **c. of pasturage**, diritto di pascolo **3** (al pl.) (*stor.*) (il) popolo, (la) gente comune; (il) terzo stato **4** (al pl.) (*polit.*, *in GB*) – **the Commons** (= **the House of Commons**), i Comuni, la Camera dei Comuni: **to sit in the Commons**, essere un membro della Camera dei Comuni **5** (*arc.*) razioni; provvigioni ● **in c.** (**with**), in comune (con); (*anche*) a somiglianza di, come □ **short commons**, razioni ridotte; poco cibo: **to be on short commons**, essere a corto di cibo; avere poco da mangiare □ **out of the c.**, fuori del comune; insolito; raro.

commonable /'kɒmənəbl/ a. **1** (*stor.*: *d'animale*) che può pascolare su un terreno della comunità **2** (*di terreno*) di proprietà comune.

commonage /'kɒmənɪdʒ/ n. ⓤ (*leg.*) **1** diritto di pascolo (*su un terreno della comunità*) **2** (terreno tenuto in) proprietà comune.

commonality /ˌkɒmə'nælɪtɪ/ n. **1** comunanza: **a c. of interest**, una comunanza di interessi **2** elemento comune; caratteristica comune **3** → **commonalty**.

commonalty /'kɒmənltɪ/ n. ⓤ **1** (la) gente comune; (il) popolo **2** comunità: **the c. of men of letters**, la comunità dei letterati.

commoner /'kɒmənə(r)/ n. **1** cittadino comune (*non nobile*): *Prince Edward has married a c.*, il Principe Edoardo ha sposato una ragazza che non è nobile **2** (*in alcune università ingl.*) studente che non gode di una borsa di studio **3** (*polit. stor.*) membro della Camera dei Comuni.

commonhold /'kɒmənhəʊld/ n. ⓤ (*leg. GB*) (proprietà in) condominio.

♦**commonly** /'kɒmənlɪ/ avv. **1** comunemente; usualmente; normalmente **2** in modo ordinario; rozzamente; grossolanamente.

commonness /'kɒmənnəs/ n. ⓤ **1** frequenza; normalità **2** rozzezza; grossolanità; volgarità.

commonplace /'kɒmənpleɪs/ Ⓐ n. **1** cosa normale **2** luogo comune; banalità; frase fatta **3** passo d'autore, citazione, ecc., ricopiato: **c. book**, zibaldone di passi d'autore e citazioni Ⓑ a. **1** comune; usuale; ordinario; di routine: (*med.*) **a c. operation**, un intervento chirurgico di routine **2** poco originale; banale; ovvio: **c. remarks**, commenti banali; frasi fatte ‖ **commonplaceness** n. ⓤ mancanza d'originalità; banalità; ovvietà.

commonweal /'kɒmənwiːl/ n. ⓤ (*lett.*, = **common weal**) benessere pubblico; bene comune.

commonwealth /'kɒmənwɛlθ/ n. **1** (*polit.*) stato indipendente; nazione **2** (*polit.*) federazione; confederazione: **the C. of Australia**, la Federazione degli Stati dell'Australia (*nome ufficiale dell'Australia*) **3** (*polit.*, *in USA*) Stato (*denominazione ufficiale di alcuni Stati dell'Unione*): **the C. of Virginia**,

lo Stato della Virginia **4** (*polit.*) – **the C. (of Nations)**, il Commonwealth britannico ❶ CULTURA • **The Commonwealth** *è un'associazione di 53 nazioni per un totale di 1,8 miliardi di persone, pari al 30% della popolazione mondiale. Ha le sue origini nell'impero britannico, ma ormai la Gran Bretagna non è altro che un membro qualsiasi: gli altri paesi membri principali sono l'Australia, il Canada, l'India, il Pakistan, il Sud Africa, la Nigeria, la Nuova Zelanda e il Camerun* **5** (*stor.*) – **the C.**, la Repubblica (*di Oliver Cromwell: 1649-1660*) **6** comunità; associazione **7** (*arc.*) il bene comune ● **C. Day**, la Festa del Commonwealth (*secondo lunedì di marzo*) □ (*sport*) **C. Games**, Giochi del Commonwealth (*si tengono ogni quattro anni a rotazione in uno dei paesi del Commonwealth*) □ (*polit.*) **C. of Independent States** (abbr. **CIS**), Comunità di Stati indipendenti (abbr. CSI) □ **the c. of literature**, la repubblica delle lettere.

commotion /kəˈməʊʃn/ n. ᴜᴄ **1** perturbazione; agitazione **2** confusione; baraonda; trambusto: *'He heard screams, c., the frightened whinnying of horses'* B. MALAMUD, 'udì urli, trambusto, e nitriti di cavalli spaventati' **3** (*leg.*) tumulto; insurrezione; sommossa ❶ FALSI AMICI • commotion *non significa commozione in senso psicologico.*

comms /kɒmz/ n. pl. (*fam.*) comunicazioni.

communal /ˈkɒmjʊnəl/ a. **1** comunale; pertinente a un comune **2** della (*o* d'una) comunità; pubblico: **c. land**, suolo pubblico ● (*leg.*) **c. estate**, comunione dei beni (*tra coniugi*) □ (*etnol.*) **c. marriage**, matrimonio di gruppo □ (*leg.*) **c. tenure**, godimento in comune.

communalism /ˈkɒmjʊnəlɪzəm/ n. ᴜ **1** dottrina (*o* sistema) delle autonomie locali **2** (*polit.*) sciovinismo etnico **3** (*econ.*) (principio della) comunanza dei beni ‖ **communalist** n. **1** sciovinista etnico **2** chi vive in comunità di beni.

Communard /ˈkɒmjʊnɑːd/ n. **1** (*stor.*) comunardo **2** – (*anche polit.*) **c.**, membro di una comune.

commune /ˈkɒmjuːn/ n. **1** comune (*in senso storico e amministrativo*) **2** (il) popolo (*distinto dall'aristocrazia*) **3** (*anche polit.*) (una) comune ● (*stor.*) **the C.**, la Comune (*a Parigi*).

to **commune** /kəˈmjuːn/ v. i. **1** essere (*o* mettersi) in comunione (spirituale), unirsi in spirito (con): **to c. with nature**, essere in comunione con la natura **2** comunicare: **to c. with the dead**, comunicare con i defunti **3** (*relig., spec. USA*) comunicarsi ● **to c. with oneself**, pensare fra sé; meditare; raccogliersi.

communicability /kəmjuːnɪkəˈbɪlətɪ/ n. ᴜ **1** comunicabilità (*di un'idea, ecc.*) **2** (*med.*) trasmissibilità (*d'una malattia, ecc.*).

communicable /kəˈmjuːnɪkəbl/ a. **1** comunicabile **2** (*med.*) comunicabile; contagioso; trasmissibile ‖ **-ness** n. ᴜ ‖ **-bly** avv.

communicant /kəˈmjuːnɪkənt/ n. **1** (*relig.*) chi si comunica (*specie se regolarmente*); comunicando **2** chi dà informazioni; informatore.

◆to **communicate** /kəˈmjuːnɪkeɪt/ ◯A v. t. **1** comunicare, trasmettere (*informazioni, idee, emozioni*) **2** (*med.*) trasmettere (*una malattia, ecc.*) ◯B v. i. **1** comunicare; mettersi in comunicazione **2** comunicare; capirsi; intendersi: **to c. by gestures**, comunicare a gesti **3** (*di stanze, ecc.*) essere in comunicazione; essere comunicanti **4** (*relig.*) comunicarsi; fare la comunione ‖ **communicating** a. (*di stanza*) comunicante.

◆**communication** /kəmjuːnɪˈkeɪʃn/ n. **1** ᴜᴄ comunicazione; messaggio: **non-verbal c.**, comunicazione non verbale; **an official**

c., una comunicazione ufficiale **2** ᴜ comunicazione; contatto; rapporto: *I broke off all c. with them*, ruppi ogni rapporto con loro; **to be in c. with**, essere in comunicazione (*o* in contatto) con; **to establish c. with**, stabilire un contatto con; mettersi in comunicazione con; **lines of c.**, canali di comunicazione; **lack of c.**, mancanza di comunicazione **3** ᴜ (*med.*) trasmissione, diffusione (*di malattie, ecc.*) **4** □ (*comput.*) comunicazione; dialogo: **c. channel**, canale di comunicazione **5** (al pl.) (sistema di) comunicazioni: **satellite communications**, comunicazioni satellitari; **a breakdown in communications**, un'interruzione delle comunicazioni **6** (al pl.) vie di collegamento; collegamenti: **rail communications**, collegamenti ferroviari **7** (al pl.) scienza delle comunicazioni ● (*trasp.*) **c. axis**, asse di comunicazione □ (*ferr. GB*) **c. cord**, segnale d'allarme □ **c. engineering**, radiotecnica □ **communications network**, rete di comunicazioni □ **communications satellite**, satellite per telecomunicazioni □ **c. skills** (*o* **communications skills**), capacità di comunicare con gli altri; doti di comunicazione; attitudine comunicativa □ (*comput.*) **c. terminal**, terminale di rete □ (*ric. op.*) **c. theory**, teoria delle informazioni.

communicative /kəˈmjuːnɪkətɪv/ a. comunicativo; espansivo ‖ **communicatively** avv. comunicativamente ‖ **communicativeness** n. ᴜ comunicativa.

communion /kəˈmjuːnɪən/ n. **1** ᴜ comunione; unione spirituale; intimità **2** (*relig.*) – **C. (= Holy C.)**, comunione; eucarestia: **to take** (*o* **to receive**) **C.**, fare (*o* ricevere) la comunione **3** comunione; comunità: **the Anglican c.**, la comunione anglicana; **the c. of saints**, la comunione dei santi; **a c. of nations**, una comunità di nazioni ● (*relig.*) **c. cloth**, corporale □ (*relig.*) **C. cup**, calice (*per la comunione*) □ (*relig.*) **C. plate**, patena □ (*relig.*) **C. table**, altare dell'eucaristia.

communiqué /kəˈmjuːnɪkeɪ/ (*franc.*) n. comunicato; bollettino.

communism /ˈkɒmjʊnɪzəm/ (*polit.*) n. ᴜ comunismo ‖ **communist** n. e a. comunista ‖ **communistic** a. comunistico.

communitarian /kəmjuːnɪˈteərɪən/ n. membro d'una società comunista.

◆**community** /kəˈmjuːnətɪ/ n. **1** comunità (*anche amm., relig., polit., ecol.*); collettività; società: **the French c. in Turkey**, la comunità francese in Turchia; **a rural c.**, una comunità rurale; **the international c.**, la comunità internazionale; **to serve the c.**, servire la collettività **2** ᴜ (*leg.*) comunione; comunanza: **c. of goods**, comunione dei beni; **c. of interests**, comunanza di interessi **3** mondo; ambiente, ambienti: **the academic c.**, il mondo universitario; **the scientific c.**, la comunità scientifica; **the business c.**, il mondo degli affari; gli ambienti commerciali **4** (*econ., stor.*) – **the C. (= the European C.)**, la Comunità (Europea); *C. financing*, finanziamento comunitario; *C. law*, diritto comunitario; *C. workers*, lavoratori comunitari ● (*TV*) **c. antenna television**, televisione ad antenna centralizzata □ **c. care**, servizi (pl.) di assistenza socio-sanitaria; (*anche*) affidamento (*di anziani, malati mentali, ecc.*) alla comunità: **to transfer to c. care**, deospedalizzare □ **c. centre**, centro civico; centro sociale (*o* ricreativo) □ (*TV*) **c. channel**, canale televisivo che trasmette programmi prodotti dagli abbonati; canale dell'accesso □ (*fisc., stor., in GB*) **c. charge**, imposta locale pro capite (*tassa introdotta nel 1990 dal Partito Conservatore e rimasta in vigore fino al 1993, meglio nota come* → **poll tax**, → **poll**①) □ (*USA*) **c. chest**, fondo di beneficenza □ (*in USA*) **c. college**, istituto universitario con corsi di primo livello finanziato da autorità

locali (*è frequentato spec. da adulti e lavoratori*) □ (*leg., in GB*) **c. home**, centro di accoglienza; casa di rieducazione; riformatorio □ **c. hospital**, ospedale di zona □ **c. investments**, investimenti sociali □ (*econ.*) **c. money** (*o* **c. currency**), valuta complementare con circolazione limitata a livello locale □ **c. paper**, gazzettino locale □ **c. policing**, sistema del poliziotto di quartiere □ (*leg., in USA*) **c. property**, beni in regime di comunione □ **c. relations**, rapporti tra comunità etniche, religiose, ecc. (*in una città, ecc.*) □ (*leg.*) **c. service**, lavori (pl.) socialmente utili □ **c. singing**, canto in coro □ **c. worker**, operatore socioculturale.

to **communize** /ˈkɒmjʊnaɪz/ v. t. **1** (*econ.*) collettivizzare **2** (*polit.*) comunistizzare ‖ **communization** n. ᴜ collettivizzazione.

commutable /kəˈmjuːtəbl/ (*anche leg.*) a. commutabile ‖ **commutability** n. ᴜ commutabilità.

to **commutate** /ˈkɒmjʊteɪt/ v. t. (*elettr.*) commutare ● **commutating field**, campo di commutazione.

commutation /kɒmjuːˈteɪʃn/ n. ᴄᴜ **1** commutazione (*di pena, di forma di pagamento, ecc.*); (*ass.*) commutazione (*della prestazione alla scadenza della polizza*) **2** (*elettr., elettron.*) commutazione **3** (*USA*) pendolarità; pendolarismo ● (*ass.*) **c. right**, diritto di commutazione □ (*USA*) **c. ticket**, abbonamento ferroviario.

commutative /kəˈmjuːtətɪv/ (*leg., mat., ecc.*) a. commutativo ‖ **commutativity** n. ᴜ commutatività.

commutator /ˈkɒmjuːteɪtə(r)/ n. (*elettr., elettron.*) commutatore.

commute /kəˈmjuːt/ n. (*fam.*) **1** viaggio (*di pendolare*) **2** distanza coperta da un pendolare.

to **commute** /kəˈmjuːt/ ◯A v. t. commutare (*in ogni senso*): **to c. a capital sentence to life imprisonment**, commutare la pena di morte nell'ergastolo ◯B v. i. fare il pendolare; fare la spola (*con mezzi pubblici*): *I c. between Canterbury and London every day*, faccio la spola tra Canterbury e Londra tutti i giorni per lavoro.

commuted /kəˈmjuːtɪd/ a. commutato ● (*ass.*) **c. value**, valore di commutazione; valore attuale (*di una polizza*).

commuter /kəˈmjuːtə(r)/ n. pendolare ● **c. belt**, periferia abitata da pendolari; zona di pendolari.

commuting /kəˈmjuːtɪŋ/ n. **1** ᴜ il fare il pendolare; pendolarità; pendolarismo **2** (= **c. distance**) distanza che consente la pendolarità.

comose /ˈkəʊməʊs/ a. (*bot., zool.*) chiomato; peloso; ricoperto di peluria.

comp① /kɒmp/ n. (abbr. *fam. USA* di **complimentary**) **1** biglietto omaggio (*o* di favore) **2** invitato; ospite: **press comps**, giornalisti invitati (*che non pagano: a un pranzo, ecc.*).

comp② /kɒmp/ n. (abbr. *fam. USA* di **composition**) (*mus.*) composizione.

comp. abbr. **1** (**company**) compagnia **2** (**comparative**) comparativo (compar.) **3** (**compare**) confronta (cfr.) **4** (**compiler**) compilatore **5** (**compound**) composto.

compact① /ˈkɒmpækt/ n. (*form.*) patto; accordo; convenzione; trattato ● **by general c.**, per consenso generale (*o* unanime).

compact② /kəmˈpækt/ a. **1** compatto; denso; sodo (*di oggetto, apparecchio*) compatto; di dimensioni ridotte; piccolo **3** (*rif. a corporatura, ecc.*) piccolo, sodo e ben fatto **4** conciso; serrato; terso: **a c. style**, uno stile terso **5** (*arc.*) – **c. of**, composto di; costituito da; fatto di ● (*fotogr.*) **c. camera**, macchina fotografica compatta □ (*autom. USA*) **c. car**,

C

utilitaria □ (*mus.*, *tecn.*) **c. disc**, compact disc; CD □ **c. disc player**, lettore di compact disc; lettore CD □ (*comput.*) **c. storage**, memoria compatta.

compact③ /'kɒmpækt/ n. **1** (= **powder c.**) portacipria (*da borsetta*) **2** compressa di cipria (*per ricambio*) **3** (*USA*, *autom.*, = **c. car**) utilitaria **4** (*fotogr.*, = **c. camera**) macchina fotografica compatta.

to **compact** /kəm'pækt/ ⚐ **v. t. 1** rendere compatto; pressare **2** (*tecn. e sport*) compattare **3** (*costr. stradali*) costipare (*il terreno*) **4** comporre (*un tutto, di diverse parti*) **5** condensare; compendiare ⚐ **v. i.** (*tecn. e sport*) compattarsi.

compaction /kəm'pækʃn/ n. ⨃ **1** (*geol.*) compattazione **2** (*costr. stradali, geol.*) costipamento.

compactly /kəm'pæktlɪ/ avv. compattamente.

compactness /kəm'pæktnəs/ n. ⨃ **1** compattezza **2** concisione.

compactor /kəm'pæktə(r)/ n. **1** (*agric.*) compattatore **2** (*costr. stradali*) costipatore.

◆**companion**① /kəm'pænɪən/ n. **1** compagno: **travelling c.**, compagno di viaggio; **c.--in-arms**, compagno d'armi; commilitone; **c. in misfortune**, compagno di sventura; (*anche fig.*) **to be sb.'s constant c.**, accompagnare sempre q.; essere sempre accanto a q. **2** dama di compagnia **3** (*di oggetto*) compagno; pendant (*franc.*): *Here is my left glove; but where is its c.?*, ecco il guanto sinistro; ma dov'è il suo compagno?; **the c. of this earring**, l'orecchino che fa il paio con questo; **c. volume**, volume che accompagna (*un altro*) **4** compagno (*grado più basso dell'ordine dei cavalieri*): **C. of the Bath**, Compagno dell'Ordine del Bagno **5** (*nei titoli di libri*) manuale; guida: *The Gardener's C.*, Il manuale del giardiniere ⊕**FALSI AMICI** • companion *non significa* compagnone.

companion② /kəm'pænɪən/ n. (*naut.*) **1** osteriggio; spiraglio **2** (= **c. hatch**) tambucio; caposcalo di boccaporto **3** → **companionway**, *def. 1* • **c. hatchway**, boccaporto □ **c. ladder**, scala di boccaporto ⊕**FALSI AMICI** • companion *non significa* compagnone.

to **companion** /kəm'pænɪən/ v. t. (spec. al passivo) (*form.*) accompagnare.

companionable /kəm'pænɪənəbl/ a. socievole; di buona compagnia ‖ **companionableness** n. ⨃ socievolezza.

companionship /kəm'pænɪənʃɪp/ n. **1** ⨃ compagnia; amicizia **2** ⨃ cameratismo **3** (*tipogr.*) gruppo di compositori che lavorano insieme.

companionway /kəm'pænɪənweɪ/ n. (*naut.*) **1** scala di boccaporto **2** tambucio.

◆**company** /'kʌmpənɪ/ ⚐ n. **1** (*fin.*) compagnia; società (*di capitali*); azienda; impresa: **insurance c.**, compagnia di assicurazioni; **airline c.**, compagnia aerea; **record c.**, casa discografica; **public c.**, società per azioni (*il pubblico sottoscrive le azioni; non c'è limite al numero delle azioni*); **subsidiary c.**, società controllata; **the c.'s books**, i libri sociali **2** ⨃ compagnia: **to keep sb. c.**, fare compagnia a q.; *I need some c.*, ho bisogno di compagnia; *I always enjoy his c.*, mi fa sempre piacere la sua compagnia; *I'll go with you for c.*, verrò con te per farti compagnia; **to be good [poor] c.**, essere [non essere] di compagnia; essere un compagno piacevole [noioso]; **in the c. of**, in compagnia di; **in c. with sb.** (*o* **in sb.'s c.**), in compagnia di q. **3** (*mil.*) compagnia **4** (*teatr.*) compagnia: **ballet c.**, compagnia di ballo; **theatre c.**, compagnia teatrale (*o* drammatica); **touring c.**, compagnia di giro **5** gruppo; comitiva; persone (pl.); compagnia; gente: *I don't like the c. he keeps*, non mi piace la gente che frequenta; **the assembled c.**, le

persone riunite **6** ospiti (pl.): *We are expecting c. for lunch*, aspettiamo ospiti a pranzo **7** (*naut.*, = **ship's c.**) equipaggio **8** (*fam. USA*) – **the C.**, la CIA ⚐ a. attr. (*fin.*, *leg.*) societario; sociale; aziendale; dell'azienda: **c. accounts**, conti societari; **c. name**, ragione sociale; **c. deeds**, atti societari; **c. car**, auto aziendale; **c. management**, gestione aziendale; **c. climate**, clima aziendale; **c. policy**, politica aziendale • (*fin.*) **c. director**, amministratore di una società □ **c. doctor**, (*org. az.*) medico aziendale; (*fin.*) risanatore di aziende in difficoltà □ **c. headquarters**, (*mil.*) comando di compagnia; (*org. az.*) sede centrale; sede direzionale □ (*fisc.*) **c. income tax**, imposta sul reddito della società per azioni □ (*leg.*) **c. law**, legge sulle società; diritto societario (*o* delle società) □ **c. lawyer**, avvocato aziendale; legale di una società; (*anche*) esperto di diritto societario □ **c. limited by shares** (*o* **limited c.**), società per azioni □ **c. loyalty**, attaccamento all'azienda; fedeltà all'azienda □ **c. man**, dipendente che antepone la sua società a ogni altra cosa • (*fam. USA*) **C. man**, uomo (*o* funzionario) della C.I.A. □ **c. officer**, (*org. az.*) funzionario di una società; (*mil.*) comandante di una compagnia • (*fin.*) **c. promoter**, socio fondatore □ (*rag.*) **c. report**, relazione di bilancio (*di una società*) □ (*fin.*) **c. secretary**, segretario di una società per azioni □ (*mil.*) **c. sergeant major**, maresciallo capo □ (*fisc.*) **c. tax**, imposta sulle società • **c. town**, città i cui abitanti sono quasi tutti dipendenti di un'unica azienda □ **c. union**, sindacato d'impresa □ (*sindacalismo*) **c.-wide bargaining**, contrattazione a livello aziendale □ (*fin.*) **c.'s assets**, attivo sociale □ (*fin.*) **c.'s capital**, capitale sociale □ (*fin.*) **c.'s liabilities**, passivo sociale □ (*fam.*) **and c.**, e compagnia; e compagnia bella • **to enjoy one's own c.**, stare bene da solo • **to get into bad c.**, mettersi a frequentare cattive compagnie; fare cattive amicizie □ **in c.**, in compagnia; in pubblico: **to swear in c.**, bestemmiare in pubblico □ **in c. with**, insieme con □ (*scherz.*) **to be in good c.**, essere in buona compagnia □ **to keep c. with**, frequentare □ **to keep bad c.**, frequentare cattive compagnie □ (*fin.*) **listed c.**, società quotata in borsa □ **mixed c.**, (gruppo misto di) uomini e donne: **in mixed c.**, in presenza di signore □ **to part c. (with)**, separarsi (da); (*fig.*) non essere d'accordo, non intendersi (con); (*scherz.*, *di parte di oggetto*) staccarsi (da) □ **to prefer one's own c.**, preferire starsene da solo □ **present c. excepted**, esclusi i presenti □ (*fin.*) **private c.** (*o* **private limited c.**), società a responsabilità limitata (*da 2 a 50 soci; le azioni non possono essere offerte al pubblico*); società a conduzione familiare □ (*prov.*) **A man is known by the c. he keeps**, dimmi con chi vai e ti dirò chi sei □ (*prov.*) **Two's c., three's a crowd**, poca brigata, vita beata.

compar. abbr. **1** (**comparative**) comparativo (compar.) **2** (**comparison**) confronto.

comparable /'kɒmpərəbl/ a. comparabile; paragonabile ‖ **comparability** n. ⨃ comparabilità.

comparatist /kəm'pærətɪst/ n. (*spec. letter.*) comparatista; comparitivista.

◆**comparative** /kəm'pærətɪv/ ⚐ a. **1** comparativo: **a c. study**, uno studio comparativo **2** comparato: **c. anatomy**, anatomia comparata; **c. linguistics [literature]**, filologia [letteratura] comparata **3** relativo: **to live in c. security**, vivere in relativa sicurezza; **a c. beginner**, pressoché un principiante ⚐ n. (*gramm.*) comparativo: **in the c.**, al comparativo • (*econ.*) **c. advantage**, vantaggio comparato □ (*econ.*) **c. cost**, costo comparato (*o* relativo) □ (*spec. letter.*) **c.**

method, metodo comparativo; comparativismo □ (*leg.*, *spec. in USA*) **c. negligence**, concorso di colpa | **-ly** avv. | **-ness** n. ⨃.

❶ NOTA: *comparative*

AGGETTIVI

1 I comparativi e i superlativi di maggioranza si formano aggiungendo rispettivamente i suffissi **-er** e **-est** o anteponendo **more** e **most** all'aggettivo.

a Aggettivi monosillabi: formano tutti il comparativo con **-er** e il superlativo con **-est** (ricordiamo che il numero di sillabe di una parola si ricava con sicurezza solo dalla sua pronuncia e non dalla grafia):

tall – taller – tallest
small – smaller – smallest

Se l'aggettivo termina con **-y** preceduta da consonante, la **-y** diventa **-i**:

dry – drier – driest

Fanno eccezione **shy**, **sly** e **spry**.

Se l'aggettivo termina con una consonante preceduta da una vocale, la consonante finale si raddoppia (ricordiamo che nella pronuncia però non va raddoppiata, poiché in inglese le consonanti non si pronunciano mai doppie):

big – bigger – biggest
sad – sadder – saddest

Se l'aggettivo termina con **-e**, si aggiunge solo **-r** o **-st**:

wide – wider – widest
nice – nicer – nicest

b Aggettivi bisillabi: se terminano in **-y** formano il comparativo con **-er** e il superlativo con **-est** (trasformando la **-y** in **-i**, come indicato al punto a):

happy – happier – happiest
lively – livelier – liveliest

Se terminano in **-ful**, **-less**, **-ing** e **-ed** formano il comparativo con **more** e il superlativo con **most**:

useful – more useful – most useful
hopeless – more hopeless – most hopeless
boring – more boring – most boring
skilled – more skilled – most skilled

Per gli altri aggettivi bisillabi non esistono regole chiare e senza eccezioni. Molti di essi possono comunque formare il comparativo e il superlativo in entrambi i modi. Ecco alcuni esempi:

common – commoner o **more common – commonest** o **most common**
simple – simpler o **more simple – simplest** o **most simple**
clever – cleverer o **more clever – cleverest** o **most clever**

c Tutti gli aggettivi formati da più di due sillabe - tranne le eccezioni al punto d) - formano il comparativo con **more** e il superlativo con **most**:

dangerous – more dangerous – most dangerous
cowardly – more cowardly – most cowardly
beautiful – more beautiful – most beautiful

Per l'uso e i significati di **most** davanti agli aggettivi e agli avverbi → **most**

d Alcuni aggettivi hanno forme irregolari:

bad – worse – worst
good – better – best
little – less – least
much – more – most
far – farther o **further – farthest** – o **further**
old – older o **elder – oldest** – o **eldest**

L'aggiunta del prefisso negativo **un-** non influisce sulla formazione del comparativo; ad esempio, dato che **happy** ha le forme **happier** – **happiest**, **unhappy**, benché trisillabo, fa **unhappier** – **unhappiest**.

Con gli aggettivi composti con **well** il comparativo si forma con **better** e il superlativo

con **best**:
well-informed – better-informed – best-informed

Nel caso di comparazione tra aggettivi, si usa **more** indipendentemente dal numero di sillabe che compongono la parola: *He is more silly than funny*, è più sciocco che divertente.

Con il comparativo di maggioranza e quello di minoranza introdotto da **less** (vedi **3** più avanti) il secondo termine di paragone è preceduto da **than**: *John is younger than Mike*, John è più giovane di Mike; *Ann is less intelligent than her sister*, Ann è meno intelligente di sua sorella; *Milan is a bigger city than Turin*, Milano è una città più grande di Torino.

Con i superlativi relativi il secondo termine di paragone è introdotto da **of** quando è un nome plurale e da **in** quando è un luogo o un gruppo: *Tim is the brightest of my students*, Tim è il più brillante dei miei allievi (o il mio allievo più brillante); *Tim is the brightest student in his class*, Tim è l'allievo più brillante della classe; *The Burren is the most desolate region in Ireland* (o anche *The Burren is Ireland's most desolate region*), il Burren è la regione più desolata d'Irlanda.

2 Per formare il comparativo di uguaglianza si usa la costruzione **as ... as**: *He is as tall as his father*, è alto come suo padre; *John earns as much money as me* (o *as I do*), John guadagna (tanto) quanto me; *We need as many donors as possible*, abbiamo bisogno di quanti più donatori possibile.

La negazione si forma con **not so** (o **not as**) **...as**: *She's not so nice* (o *not as nice*) *as her sister*, non è simpatica come sua sorella, è meno simpatica di sua sorella.

3 Il comparativo di minoranza si può formare in due modi alternativi:
a anteponendo **less** all'aggettivo (anche quando si tratta di monosillabo o bisillabo): *During the exam Lucy was less anxious than Jean*, durante l'esame Lucy era meno ansiosa di Jean;
b usando la costruzione negativa **not as** (o **not so**) **...as**: *Jean was not as anxious* (o *not so anxious*) *as Lucy*, Jean era meno ansiosa di Lucy, Jean non era ansiosa quanto Lucy.

Per la scelta fra **less** e **fewer** davanti ai nomi plurali → **meno**

4 Il superlativo di minoranza è molto comune, è formato da **the least** anteposto all'aggettivo o al nome: *She's the least talented of the four sisters*, delle quattro sorelle, è quella che ha meno talento.

AVVERBI

Gli avverbi che hanno la stessa forma degli aggettivi (quasi tutti monosillabi) – come **early**, **hard**, **late**, **loud**, **sharp**, ecc. – formano il comparativo con **-er** e il superlativo con **-est**: *He runs faster than me*, corre più veloce di me; *Could you please talk a bit louder?*, per piacere, potresti parlare un po' più forte?; *Who worked hardest?*, Chi ha lavorato più sodo (o chi si è dato più da fare)?

Alcuni avverbi hanno forme irregolari:
badly – worse – worst
far – farther o **further – farthest** o **furthest**
little – less – least
much – more – most
well – better – best

Tutti gli altri formano il comparativo con **more** e il superlativo con **most**:
quickly – more quickly – most quickly
carefully – more carefully – most carefully
importantly – more importantly – most importantly, ecc.

Le forme più comuni per **often** sono **more often – most often**, ma esistono anche le forme con il suffisso: **oftener – oftenest**.

I comparativi di uguaglianza e i comparativi e superlativi di minoranza si formano nello stesso modo degli aggettivi: *He runs as fast as me* (o *as I do*), corre veloce quanto me; *Bruce doesn't play so badly as* (o *doesn't play as badly as*, *plays less badly than*) *I expected*, Bruce gioca meno peggio di quanto mi aspettassi; *Of all the students, he was the one who listened least attentively*, fra tutti gli allievi era quello che che prestava meno attenzione.

comparator /ˈkɒmpəreɪtə(r)/ n. (tecn.) comparatore (strumento).

compare /kəmˈpeə(r)/ n. ▣ (poet.) confronto; paragone ● **beyond** (o **without**, **past**) **c.**, senza paragone; incomparabilmente.

♦to **compare** /kəmˈpeə(r)/ **A** v. t. **1** confrontare; mettere a confronto; fare un confronto tra; comparare: **to c. different models of cars**, confrontare diversi modelli di auto; **to c. a copy with the original**, confrontare una copia con l'originale; **to c. life in Rome and in New York**, fare un confronto tra la vita a Roma e a New York **2** paragonare: *Poets have compared maids to flowers*, i poeti hanno paragonato le fanciulle ai fiori **3** (gramm.) fare il comparativo di (un aggettivo, ecc.) **4** (leg.) collazionare **B** v. i. essere paragonabile; reggere il confronto: *He cannot c. with Milton as a poet*, come poeta, non può reggere il confronto con Milton; **to c. favourably with**, reggere bene il confronto con; guadagnarci nel confronto con; *How do they c.?*, come sono al confronto?; come sono uno rispetto all'altro? ● (fam.) **to c. notes with sb.**, scambiare idee (o impressioni, esperienze) con q. (su un argomento) □ **compared to** (o **with**), in confronto a; a confronto con; a paragone di; rispetto a: *That was nothing compared with what happened to me*, non è niente a confronto con quanto è successo a me; *This year's harvest is excellent compared to last year*, il raccolto di quest'anno è ottimo a paragone di quello dell'anno scorso.

❶ NOTA: *compare to o compare with?*
To compare to e *to compare with* sono talvolta considerati sinonimi, ma alcuni li distinguono. *To compare to* viene usato per enunciare preferibilmente delle somiglianze: *The poet compared life to an adventure*, il poeta paragonò la vita a un'avventura, mentre *to compare with* si usa per spiegare anche somiglianze, ma soprattutto differenze: *Prices have risen by only 2% this year compared with 5% two years ago*, i prezzi sono cresciuti solo del 2% quest'anno, a differenza del 5% di due anni fa. In modo intransitivo, soltanto *to compare with* è corretto: *The salary he earns at home does not compare with* (mai *to*) *what he might earn abroad*, il salario che riceve nel suo paese non è paragonabile a quello che guadagnerebbe all'estero.

♦**comparison** /kəmˈpærɪsn/ n. ▣ **1** paragone; confronto; comparazione: **to draw** (o **to make**) **a c.**, fare un confronto; *There's no c. between them*, non c'è confronto tra di loro; non sono paragonabili; **to serve as a basis for c.**, servire come base di confronto **2** (gramm.) comparazione: **degrees of c.**, gradi di comparazione ● (elettr.) **c. bridge**, ponte di misura (o di confronto) □ (market., pubbl.) **c. test**, test di confronto; test comparativo □ **c. watch**, orologio campione □ **to bear** (o **to stand**) **c. with st.**, reggere il confronto (o il paragone) con qc. ● **beyond c.**, senza confronti □ **by c.**, al confronto; a paragone □ **in c. to** (o **with**), a confronto; a pa-

ragone di; rispetto a: *In c. with her husband, she's a genius*, a paragone del marito, la moglie è un genio.

compartment /kəmˈpɑːtmənt/ n. **1** scompartimento; scomparto; settore; partizione; (di borsa, ecc.) tasca; (tecn., anche) vano, alloggio: *The box was divided into four compartments*, la scatola era divisa in quattro scompartimenti; **freezer c.**, scomparto freezer; **battery c.**, vano della batteria; **luggage c.**, vano bagagli; bagagliaio; (autom.) **glove c.**, cassetto del cruscotto; portaoggetti **2** (ferr.) scompartimento: **a first-class c.**, uno scompartimento di prima classe **3** (naut.) compartimento: **watertight c.**, compartimento stagno **4** (fig.) sezione; settore ‖ **compartmental** a. diviso in compartimenti (o in scomparti).

to **compartmentalize** /kɒmpɑːtˈmentəlaɪz/ v. t. dividere in compartimenti (o in scomparti).

compass /ˈkʌmpəs/ n. **1** bussola: **mariner's c.**, bussola nautica; **the points of the c.**, le quarte della bussola; i punti cardinali **2** (più spesso al pl. o nella loc. **pair of compasses**) compasso **3** ▣ ambito; area; portata; competenza; limite: *This is beyond* (o *out of*) *my c.*, questo esula dalla mia competenza; **within the c. of my knowledge**, entro i limiti delle mie cognizioni **2** ▣ (mus.) estensione; registro: *He has a voice of great c.*, ha una voce di ampio registro ● (naut.) **c. adjustment**, compensazione della bussola □ **c. bearing**, rilevamento alla bussola: **to take a c. bearing**, fare un rilevamento alla bussola □ (naut.) **c. bowl**, mortaio della bussola □ (naut.) **c. bridge**, ponte di comando; plancia □ (naut.) **c. card**, rosa dei venti; rosa della bussola □ **c. compensation** = **c. adjustment** → sopra □ (naut.) **c. corrector**, (magnete) compensatore della bussola □ (naut.) **c. deviation**, deviazione magnetica □ (naut.) **c. rose** = **c. card** → sopra □ (falegn.) **c. saw**, gattuccio □ **c. window**, bovindo.

to **compass** /ˈkʌmpəs/ v. t. **1** circondare; cingere **2** raggiungere, ottenere (uno scopo) **3** (leg.) complottare; tramare.

compassion /kəmˈpæʃn/ n. ▣ compassione; pietà: **to have** (o **to take**) **c. on**, avere pietà di; impietosirsi di; **to feel c. towards**, provare compassione per ● (fam.) **c. fatigue**, indifferenza verso le iniziative di solidarietà (generata da un eccesso delle stesse).

compassionate /kəmˈpæʃənət/ a. compassionevole; che prova pietà; pietoso ● (spec. mil.) **c. leave**, congedo concesso per gravi motivi familiari □ **on c. grounds**, per gravi motivi familiari.

compatible /kəmˈpætəbl/ a. **1** compatibile; conciliabile: *He found writing not c. with a full-time job*, trovava che scrivere non era conciliabile (o non si conciliava) con un lavoro a tempo pieno **2** (di due persone) che hanno compatibilità di carattere: *We're simply not c.*, c'è incompatibilità di carattere tra di noi **3** (comput., scient.) compatibile: (comput.) **c. terminals**, terminali compatibili; (med.) **c. blood groups**, gruppi sanguigni compatibili ‖ **compatibility** n. ▣ compatibilità; conciliabilità ‖ **compatibly** avv. compatibilmente.

compatriot /kəmˈpætrɪət/ n. compatriota.

compeer /kɒmˈpɪə(r)/ n. **1** (form.) persona d'uguale condizione; pari **2** (arc.) compagno; amico.

to **compel** /kəmˈpel/ v. t. **1** costringere; obbligare; forzare: *I'll c. him to admit his guilt*, lo costringerò ad ammettere la sua colpa; **to be compelled to do st.**, essere costretto a fare qc.; dover fare qc. **2** imporre; esigere: *He compelled obedience from his students*, impose l'obbedienza ai suoi studenti; **to c. attention**, imporsi all'attenzio-

C

ne; farsi notare; **to c. respect from sb.**, esigere rispetto da q.; **to c. sb.'s withdrawal**, costringere q. a ritirarsi (*da qc.*).

compellable /kəmˈpɛləbl/ a. (*leg.*) coercibile.

compelling /kəmˈpɛlɪŋ/ a. **1** avvincente; affascinante; irresistibile: *He has a c. personality*, ha una personalità irresistibile **2** urgente; pressante; impellente; trascinante: **a c. problem**, un problema pressante; **a c. desire**, un desiderio trascinante **3** convincente; persuasivo: **c. argument**, argomento convincente; argomento forte | **-ly avv.**

compendious /kəmˈpɛndɪəs/ a. compendioso; conciso | **-ly avv. | -ness n.** ⨄.

compendium /kəmˈpɛndɪəm/ n. (pl. **compendiums**, **compendia**) compendio; sommario.

compensable /kəmˈpɛnsəbl/ a. **1** compensabile **2** (*di un danno, ecc.*) risarcibile ‖ **compensability** n. ⨄ compensabilità.

to **compensate** /ˈkɒmpənseɪt/ **Ⓐ** v. t. **1** (*ass.*, *leg.*) risarcire; indennizzare: **to c. sb. for st.**, risarcire (*o* indennizzare) q. per qc.; *I expect to be compensated*, mi aspetto di essere risarcito **2** (*tecn.*) compensare **Ⓑ** v. i. **1** (*psic.*) compensare **2** – **to c. for**, compensare: *The advantages more than c. for the risks*, i vantaggi compensano abbondantemente i rischi; *Nothing can c. for the loss of one's children*, niente può compensare la perdita dei figli ● (*elettron.*) **compensated amplifier**, amplificatore compensato □ (*econ.*) **compensated demand**, domanda compensata □ (*mecc.*) **compensated pendulum**, pendolo compensato.

compensating /ˈkɒmpənseɪtɪŋ/ a. **1** che compensa; compensativo: (*rag.*, *stat.*) **c. errors**, errori compensativi **2** (*elettr.*, *mecc.*) di compensazione; compensatore (attr.): (*elettr.*) **c. coil**, bobina di compensazione; (*ferr.*) **c. device**, apparecchio compensatore ● (*fin.*) **c. balance**, saldo compensativo □ (*rag.*) **c. depreciation**, ammortamento compensativo □ (*comput.*) **c. feedback**, retroazione a compensazione □ **c. payment**, indennità integrativa (della retribuzione).

♦**compensation** /kɒmpɛnˈseɪʃn/ n. **1** ⨄ (*leg.*) indennizzo; risarcimento: **c. for injuries suffered**, indennizzo per lesioni ricevute; **c. for damages**, risarcimento dei danni; **to award c.**, risarcire; indennizzare; *He was awarded $3,000 c.*, ha ottenuto un risarcimento di tremila dollari; **to get c.**, ottenere il risarcimento; essere risarcito; **to seek c.**, chiedere un risarcimento (*o* un indennizzo) **2** ⨄ aspetto positivo che compensa di qc.; compenso: *The job was very hard but there were compensations*, il lavoro era molto faticoso ma in compenso c'erano aspetti positivi **3** ⨄ compenso; retribuzione: *I was offered c.*, mi fu offerto un compenso **4** ⨄ (*comm. est.*, *fisiol.*, *elettron.*, *mecc.*) compensazione: **c. agreement**, accordo di compensazione; **c. trade**, scambi di compensazione **5** indennità: **c. on retirement**, indennità di cessazione d'attività; **c. for loss of office**, indennità di licenziamento (*di dirigente, ecc.*); buonuscita; **c. in lieu of notice**, indennità per mancato preavviso **6** (*psic.*) (meccanismo di) compensazione ● (*mecc.*) **c. balance**, bilanciere compensato (*di orologio*) □ **c. claim**, richiesta d'indennizzo □ (*leg.*) **c. order**, ordine di risarcimento; ingiunzione di pagare i danni ‖ **compensational** a. di (*o* per) compensazione; retributivo.

compensator /ˈkɒmpənseɪtə(r)/ n. **1** (*elettron.*, *mecc.*, *ottica*, *ecc.*) compensatore **2** (*fotogr.*) diaframma variabile.

compensatory /kɒmˈpɛnsətrɪ/ a. compensativo: (*comm. est.*) **c. amounts**, importi compensativi ● (*comm. est.*) **c. financing**,

prestiti compensativi (*del Fondo Monetario Internazionale*).

comper /ˈkɒmpə(r)/ n. (*fam. GB*) chi ha l'abitudine di partecipare a concorsi pubblicitari.

compère /ˈkɒmpɛə(r)/ n. (*radio, TV*) presentatore, presentatrice.

to **compère** /ˈkɒmpɛə(r)/ v. t. (*radio, TV*) presentare (*uno spettacolo*); essere il presentatore, la presentatrice di.

♦to **compete** /kəmˈpiːt/ v. i. **1** competere; concorrere; (*sport*) gareggiare, essere in gara, disputarsi: **to c. for a vacancy**, concorrere per un posto vacante; *Several teams are competing*, gareggiano (*o* sono in gara) diverse squadre; **to c. with** (*o* **against**) **sb.**, competere contro q.; gareggiare contro q.; **to c. (with each other) for st.**, contendersi qc.; disputarsi qc. **2** (*econ.*, *comm.*) essere in concorrenza; farsi concorrenza; (*di prodotto, anche*) essere concorrenziale: **to c. with**, fare concorrenza a (qc.); sostenere la concorrenza di (qc.); **to c. with one another**, farsi concorrenza: *New firms are competing for market share*, le nuove imprese si contendono il mercato.

competence /ˈkɒmpɪtəns/ n. ⨄ **1** competenza (*anche ling.*); abilità; capacità **2** (*leg.*) capacità (*di compiere un atto, di testimoniare, ecc.*) **3** (*leg.*) ammissibilità (*di una prova*) **4** (*diritto internazionale*) competenza; giurisdizione **5** (*lett.*) mezzi di sussistenza più che sufficienti.

competency /ˈkɒmpɪtənsɪ/ n. ⨄ → **competence**, def. 2 e 3.

competent /ˈkɒmpɪtənt/ a. **1** competente; capace; abile; bravo; provetto: **a c. architect**, un architetto capace; **a c. fencer**, un bravo schermidore **2** (*di lavoro, ecc.*) ben fatto; a regola d'arte **3** (*leg.*) capace: *John is c. to testify*, John è capace di testimoniare; *Grandfather is c. to make a will*, il nonno ha la capacità di testare **4** (*leg.*: *di una prova*) ammissibile **5** (*diritto internazionale*: *di un tribunale*) competente **6** adeguato; sufficiente: **a c. understanding of the law**, un'adeguata comprensione della legge.

competing /kəmˈpiːtɪŋ/ a. **1** (*anche econ.*, *market.*) che compete; concorrente; concorrenziale; in concorrenza: **c. goods**, prodotti in concorrenza; **c. industries**, settori concorrenti; **c. firms**, imprese in concorrenza (*o* concorrenti) **2** (*sport*) che compete; che gareggia.

♦**competition** /kɒmpɪˈtɪʃn/ n. **1** ⨄ competizione: rivalità: *There is fierce c. between them*, c'è una forte rivalità fra di loro **2** ⨄ (*econ.*, *market.*) concorrenza: *There is keen trade c. between the two countries*, c'è una forte concorrenza commerciale fra le due nazioni; **to meet the c.**, far fronte alla concorrenza **3** gara; competizione; concorso: **dancing c.**, gara di ballo; **sporting c.**, gara sportiva; **crossword c.**, concorso di parole incrociate; **a c. for the best dessert**, una gara a chi fa il dolce migliore; **a c. open to all readers**, un concorso aperto a tutti i lettori; **an open c.**, un concorso pubblico; **to enter a c.**, partecipare a una gara (*o* a un concorso) ● **c. law**, legge che regola la concorrenza □ (*econ.*, *leg.*) **c. policy**, politica della concorrenza □ **to be in c. with sb.**, competere con q.; (*comm.*) essere in concorrenza con q.; (*sport*) gareggiare contro q. □ (*nuoto*) **c. pool**, piscina olimpica □ (*equit.*) **c. ring**, campo di gara.

♦**competitive** /kəmˈpɛtɪtɪv/ a. **1** (*sport*) agonistico; competitivo: **c. skiing**, lo sci agonistico **2** (*econ.*, *market.*) competitivo; concorrenziale; in regime di concorrenza: **c. firm**, impresa operante in regime di concorrenza; **a c. market**, un mercato concorrenziale; **c. prices**, prezzi competitivi (*o* concorrenziali); **c. products**, prodotti competi-

tivi; **to stay c.**, restare competitivo **3** (*di carattere, ecc.*) combattivo; competitivo; dotato di spirito competitivo; aggressivo **4** di concorso: **c. examination**, esame di concorso; esame pubblico ● (*econ.*, *org. az.*) **c. advantage**, vantaggio competitivo □ (*Borsa*) **c. bidding**, asta a chiamata □ (*market.*) **c. edge**, competitività (*di un prodotto*) □ (*comm.*) **c. offer**, offerta competitiva □ **c. spirit**, spirito competitivo; (*sport*) spirito agonistico □ (*econ.*) **c. supply**, offerta concorrenziale □ (*econ.*) **c. system**, sistema (*o* regime) concorrenziale □ (*econ.*) **c. tender**, gara d'appalto.

competitively /kəmˈpɛtɪtɪvlɪ/ avv. competitivamente; in modo concorrenziale ● (*market.*: *di un articolo*) **c. priced**, che ha un prezzo concorrenziale.

competitiveness /kəmˈpɛtɪtɪvnəs/ n. ⨄ **1** spirito competitivo **2** (*econ.*, *market.*) competitività.

♦**competitor** /kəmˈpɛtɪtə(r)/ n. **1** (*econ.*, *market.*) concorrente; rivale; (al pl. collett.) la concorrenza: *We have no competitors*, non abbiamo rivali; *Competitors quote lower prices*, la concorrenza fa prezzi inferiori **2** (*sport*) partecipante (a una gara); atleta **3** (*rif. a concorso, ecc.*) concorrente; partecipante.

compilation /kɒmpɪˈleɪʃn/ n. **1** ⨄ compilazione **2** raccolta; antologia; compilazione **3** (*mus.*) compilation ● (*mus.*) **c. album**, compilation.

to **compile** /kəmˈpaɪl/ v. t. **1** compilare; redigere: **to c. a list**, compilare (*o* stendere) un elenco: **to c. a report**, redigere una relazione **2** (*comput.*) compilare **3** (*sport*) accumulare (*un dato punteggio*) ‖ **compiler** n. **1** compilatore **2** (*comput.*) (programma) compilatore.

comping /ˈkɒmpɪŋ/ n. ⨄ (*fam.*) **1** (*mus.*) accompagnamento **2** (*fam. GB*) partecipazione a concorsi pubblicitari **3** (*elettron.*) creazione di immagini composite.

complacence /kəmˈpleɪsns/, **complacency** /kəmˈpleɪsnsɪ/ n. ⨄ autocompiacimento; compiacimento; soddisfazione.

complacent /kəmˈpleɪsnt/ a. compiaciuto, soddisfatto (*di sé*).

♦to **complain** /kəmˈpleɪn/ v. i. **1** protestare; lamentarsi; reclamare: **to c. about the noise**, protestare per il rumore; *They complained about the food*, si sono lamentati del cibo; *I will c. to the mayor*, reclamerò presso il sindaco; **to c. that**, lamentarsi perché (*o* del fatto che); protestare perché «*How are things?*» «*Oh, I can't c.*», «come vanno le cose?» «be', non posso lamentarmi» **2** – **to c. of**, lamentarsi di (*un dolore, ecc.*); accusare: **to c. of headaches**, lamentarsi di mal di testa **3** (*di meccanismo, ecc.*, *sotto sforzo*) gemere; cigolare; protestare.

complainant /kəmˈpleɪnənt/ n. (*leg.*) querelante; attore; parte civile.

complainer /kəmˈpleɪnə(r)/ n. chi si lamenta; chi reclama.

♦**complaint** /kəmˈpleɪnt/ n. **1** ⨄ lamentela; lagnanza; rimostranza; protesta; reclamo: *There have been complaints from the neighbours*, ci sono state lamentele (*o* proteste) da parte dei vicini; **complaints about working conditions**, proteste per le condizioni di lavoro; **a written c.**, una lettera di lamentele; una protesta scritta; **to make an official c.** (*o* **to file a c.**), protestare ufficialmente; sporgere un reclamo; **cause for c.**, motivo (*o* ragione) di lamentarsi; **in case of c.**, in caso di reclamo **2** motivo di lamentarsi; motivo di reclamo; d'insoddisfazione: *I have no complaints about the treatment*, non ho motivo di lamentarmi per il trattamento **3** (*med.*) malattia; disturbo: **skin c.**, malattia della pelle; **nervous c.**, disturbo

nervoso **4** (*leg.*) denuncia; querela: **to lodge a c. against sb.**, querelare q. ● **c. department**, ufficio reclami.

complaisant /kəmˈpleɪznt/ (*form.*) a. compiacente; cortese; deferente || **complaisance** n. ⓤ compiacenza; cortesia; deferenza.

compleat /kəmˈpliːt/ (*arc.*) → **complete**.

complected /kəmˈplɛktɪd/ a. (nei composti) (*USA*) dalla carnagione; dal colorito: **ruddy-c.**, dal colorito acceso.

complement /ˈkɒmplɪmənt/ n. **1** complemento; completamento; **a c. to st.**, un complemento di qc. **2** organico: **full c.**, organico al completo; **the full c. of teachers**, il corpo docente al completo **3** (*naut.*, = **ship's c.**) effettivo, effettivi **4** dotazione: **the normal c. of weapons**, la normale dotazione di armi; **the full c. of st.**, la dotazione completa di qc.; qc. al completo **5** (*geom., mat., fisiol.*) complemento **6** (*gramm.*) complemento: **subject [object] c.**, complemento predicativo del soggetto [dell'oggetto].

to **complement** /ˈkɒmplɪment/ v. t. completare, integrare, essere il complemento di: **to c. each other**, essere complementari; integrarsi (a vicenda).

complemental /kɒmplɪˈmɛntl/ → **complementary**.

complementarity /kɒmpləmenˈtærɪtɪ/ n. complementarità.

complementary /kɒmplɪˈmɛntrɪ/ a. complementare: (*geom.*) **c. angles**, angoli complementari; **c. colours**, colori complementari; (*econ.*) **c. goods**, beni complementari; (*ling.*) **c. distribution**, distribuzione complementare; (*biochim.*) **c. DNA**, DNA complementare; **c. medicine**, medicina complementare (*associata a terapie tradizionali*).

complementation /kɒmplɪmenˈteɪʃn/ n. ⓤ (*biol., mat.*) complementazione ● (*stat.*) **c. law**, legge di complementazione.

♦**complete** /kəmˈpliːt/ a. **1** completo; intero: **a c. edition**, un'edizione completa; **a c. list**, un elenco completo; *The day didn't seem c. without him*, la giornata non sembrava completa senza di lui; **to make st. c.**, rendere qc. completo; completare qc.; **c. with**, completo di; **far from c.**, lontano dall'essere completo **2** compiuto; finito; completato; concluso: *My work is now c.*, la mia opera è ormai conclusa; (*demogr.*) **c. years**, anni compiuti **3** assoluto; perfetto; totale: **c. confidence**, fiducia assoluta; **a c. stranger**, un perfetto sconosciuto; *He's a c. fool*, è un perfetto stupido; **c. surrender**, resa totale; **c. failure**, fallimento totale; *It came as a c. surprise*, fu un'assoluta sorpresa **4** esperto; finito: **a c. portrait painter**, un ritrattista esperto **5** (*sport*) completo: **a c. tennis player**, un tennista completo.

♦to **complete** /kəmˈpliːt/ Ⓐ v. t. **1** completare; finire: **to c. a collection**, completare una raccolta; **to c. a sentence**, completare (o finire) una frase **2** portare a termine; finire: **to c. a task**, portare a termine un incarico; **to c. a degree**, finire un corso di laurea **3** riempire (*un questionario, ecc.*) **4** (*naut.*) allestire (*una nave*) Ⓑ v. i. (*leg. GB*) perfezionare un contratto di vendita; firmare ● **to c. a full ticket**, fare tombola (*gioco*) □ (*leg.*) **to c. a jail sentence**, finire di scontare una condanna (al carcere) □ (*fig.*) **to c. the picture**, per completare il quadro □ (*equit.*) **to c. the round**, ultimare il percorso.

♦**completely** /kəmˈpliːtlɪ/ avv. completamente.

completeness /kəmˈpliːtnəs/ n. ⓤ completezza; compiutezza; integrità; pienezza; totalità.

completion /kəmˈpliːʃn/ n. ⓤ **1** completamento; ultimazione: **nearing c.**, prossimo al completamento; quasi ultimato; **on c. of works**, al completamento dei lavori; a lavori ultimati **2** (*naut.*) allestimento; approntamento **3** (*leg.*) perfezionamento (*di un contratto di vendita*); firma del contratto.

completist /kəmˈpliːtɪst/ n. collezionista fanatico.

completive /kəmˈpliːtɪv/ a. (*anche ling.*) completivo.

♦**complex** /ˈkɒmplɛks, *USA* kəmˈplɛks/ Ⓐ a. **1** complesso; complicato; intricato: **a c. matter**, una faccenda complessa; **a c. question**, una questione complicata **2** (*mat., chim., gramm.*) complesso Ⓑ n. **1** (*edil.*) complesso: **housing c.**, complesso abitativo; complesso residenziale; **industrial c.**, complesso industriale; **leisure c.**, complesso per le attività del tempo libero **2** (*psic. e fam.*) complesso: **Oedipus c.**, complesso di Edipo; *He has a c. about his big nose*, ha il complesso del naso grosso **3** (*chim.*) complesso.

❶ **NOTA:** *complex o complicated?*
L'aggettivo *complex* significa "complicato, complesso" e si usa per descrivere qualcosa che è composto da molte parti o elementi: *a complex piece of machinery*, un pezzo di macchinario complesso; *a complex system*, un sistema complesso. *Complicated* significa "complicato" nel senso di "non immediato, difficile da capire": *a complicated task*, un compito difficile; *a complicated question*, una domanda complicata. Tuttavia, ciò che è complesso (strutturalmente intricato) tende per sua natura a essere complicato (non immediato) e quindi i due termini spesso coincidono nell'uso.

complexing /kəmˈplɛksɪŋ/ n. ⓤ (*chim.*) complessazione; formazione di un composto complesso.

complexion /kəmˈplɛkʃn/ n. **1** carnagione; colorito: **a dark c.**, una carnagione scura; **a fine c.**, un bel colorito **2** (*fig.*) aspetto; carattere; natura: *Your account puts a different c. on the matter*, la tua versione dà un aspetto diverso alla faccenda ● **c. of mind**, forma mentis; carattere; indole || **complexioned** a. (nei composti) **light-complexioned**, di carnagione chiara.

complexity /kəmˈplɛksətɪ/ n. complessità.

compliance /kəmˈplaɪəns/ n. ⓤ **1** ottemperanza; osservanza; conformità **2** accondiscendenza; acquiescenza; arrendevolezza **3** remissività; sottomissione **4** (*fis.*) cedevolezza ● **c. costs**, costi di adeguamento □ (*org. az.*) **c. officer**, organo di controllo interno; compliance officer □ **in c. with**, in ottemperanza a; in conformità a; conformemente a.

compliant /kəmˈplaɪənt/ a. **1** accondiscendente; acquiescente; arrendevole **2** remissivo; sottomesso **3** conforme: **c. with safety regulations**, conforme alle regole di sicurezza.

complicacy /ˈkɒmplɪkəsɪ/ n. ⓤ complessità.

to **complicate** /ˈkɒmplɪkeɪt/ Ⓐ v. t. complicare; causare delle complicazioni a (*anche med.*): *That complicates the situation*, questo complica la situazione Ⓑ v. i. complicarsi.

♦**complicated** /ˈkɒmplɪkeɪtɪd/ a. complicato; complesso: **a c. machine**, una macchina complicata; **a c. man**, un uomo complicato ❶ **NOTA:** *complex o complicated?* → **complex**.

complicating /ˈkɒmplɪkeɪtɪŋ/ a. che complica le cose; che porta complicazioni; che aggrava la situazione.

complication /kɒmplɪˈkeɪʃn/ n. (*anche med.*) complicazione.

complicit /kəmˈplɪsɪt/ n. complice.

complicity /kəmˈplɪsɪtɪ/ n. ⓤ (*anche leg.*) complicità.

compliment /ˈkɒmplɪmənt/ n. **1** complimento: **to pay sb. a c.**, fare un complimento a q. **2** (al pl.) complimenti: *My compliments to the chef!*, complimenti al cuoco! **3** (al pl.) (*form.*); omaggi; ossequi; rispetti; saluti: *My compliments to your mother*, i miei rispetti a tua madre; **to send one's compliments**, presentare i propri omaggi ● **compliments of the season**, auguri di buone feste (*di Natale e Capodanno*) □ **c.** (o **compliments**) **slip**, biglietto d'accompagnamento (*di un omaggio*) □ **to return the c.**, ricambiare il complimento; (*iron.*) restituire lo sgarbo, l'insulto, ecc. □ **with (the) compliments of**, con gli omaggi di; omaggio di □ **Send it to him with my compliments**, mandateglielo in omaggio con un biglietto d'accompagnamento ❶ **FALSI AMICI** • compliments *non significa* complimenti *nel senso di cerimonie*.

to **compliment** /ˈkɒmplɪment/ v. t. **1** complimentarsi con; fare i complimenti a: *I wish to c. him on his success*, voglio complimentarmi con lui per il suo successo **2** complimentarsi per; lodare **3** (*arc.*) - **to c. sb. with st.**, offrire qc. a q.; fare omaggio a q. di qc.

complimentary /kɒmplɪˈmentrɪ/ a. **1** elogiativo; di complimento; complimentoso: **a c. speech**, un discorso elogiativo; **to be very c. about st.**, fare molti complimenti a qc.; elogiare qc.; *He wasn't very c. about my work*, è stato piuttosto critico nei confronti del mio lavoro **2** (in) omaggio; offerto (gratuitamente); gratuito: **a c. ticket**, un biglietto omaggio (o di favore); **c. copy**, copia (*di libro*) in omaggio; **c. drink**, bevanda offerta (*ai clienti*) dalla casa ● **c. close**, chiusa con i convenevoli (*di lettera commerciale*).

compline, complin /ˈkɒmplɪn/ n. ⓤ (*relig.*) compieta.

to **comply** /kəmˈplaɪ/ v. i. (*per lo più* **to c. with**) accondiscendere, conformarsi, aderire, assentire a (*una richiesta, ecc.*); ottemperare a (*un ordine*); attenersi a (*una regola*); secondare (*un desiderio*); osservare (*la legge*): **to c. with marketing rules**, conformarsi alle norme della commercializzazione ● (*org. az.*) **to c. with the clauses of a contract**, rispettare le clausole di un contratto □ **to c. with sb.'s wishes**, adattarsi ai desideri di q.

compo /ˈkɒmpəʊ/ n. (pl. **compos**) **1** ⓤ composto **2** ⓤ (*edil.*) malta; stucco **3** (*GB*, = **c. rations**) razioni di cibo (*per un dato numero di giorni*) **4** (*fam., Austral.*) risarcimento (*a un lavoratore infortunato*) ● (*tecn.*) **c. board**, pannello di fibre.

♦**component** /kəmˈpəʊnənt/ Ⓐ n. **1** componente; elemento; parte: **a vital c.**, un componente essenziale; **separate components**, elementi separati; parti separate **2** ingrediente **3** (*mat., fis., comput.*) componente Ⓑ a. componente ● (*ind.*) **components industry**, componentistica □ **c. part**, parte; componente; pezzo: **the c. parts of a telescope**, le parti di un telescopio.

componential analysis /kɒmpəˈnɛnʃəl əˈnæləsɪs/ loc. n. ⓤ⒞ (*ling.*) analisi componenziale.

to **comport** /kəmˈpɔːt/ (*form.*) v. i. (*arc.*) - **to c. with**, accordarsi, essere in armonia con ● **to c. oneself**, (*form.*) comportarsi: *He comported himself blamelessly*, si comportò in modo inappuntabile.

comportment /kəmˈpɔːtmənt/ n. ⓤ (*form.*) comportamento; condotta.

to **compose** /kəmˈpəʊz/ v. t. **1** comporre; scrivere: **to c. a song**, comporre una canzone **2** comporre (*musica*) **3** (*tipogr.*) comporre **4** disporre gli elementi di; comporre: **to c. a picture**, comporre un quadro **5** com-

(colonna laterale): a b c d e f g h i j k l m n o p q r s t u v w x y z

porre; costituire; formare: *Air is composed of various gases*, l'aria è composta di diversi gas **6** comporre (*una vertenza, ecc.*); conciliare **7** atteggiare a compostezza (*il viso, ecc.*); ricomporre: **to c. one's features**, ricomporsi in viso **8** riordinare, radunare (*idee, ecc.*): **to c. one's thoughts**, radunare i propri pensieri ● **to c. oneself**, calmarsi; controllarsi; ricomporsi.

composed /kəmˈpəʊzd/ a. calmo; composto | **-ly** avv. | **-ness** n. ⍟.

composer /kəmˈpəʊzə(r)/ n. (*mus.*) compositore, compositrice.

composing /kəmˈpəʊzɪŋ/ n. ⍟ **1** composizione (*l'atto del comporre*) **2** (*tipogr.*) composizione ● (*tipogr.*) **c. frame**, telaio marginatore □ (*tipogr.*) **c. machine**, compositrice □ (*tipogr.*) **c. room**, sala di composizione □ (*tipogr.*) **c. rule**, filetto □ (*tipogr.*) **c. stick**, compositoio.

composite /ˈkɒmpəzɪt/ **A** a. **1** (*anche bot.*) composto **2** (*archit.*, **C.**) composto **3** (*edil.*, *naut.*, *aeron.*) a struttura mista: **c. beam**, trave a struttura mista **B** n. **1** composto; combinazione **2** (*bot.*) composta **3** (*archit.*, **C.**) ordine composito **4** mozione congiunta ● (*ferr.*) **c. carriage**, carrozza mista □ (*econ.*, *fin.*, *stat.*) **c. index**, indice composito □ (*ind.*) **c. material**, materiale composito □ (*fotogr.*) **c. photograph**, fotomontaggio | **-ly** avv. | **-ness** n. ⍟.

compositing /ˈkɒmpəzɪtɪŋ/ n. ⍟ (*comput.*) composizione di immagini.

◆**composition** /ˌkɒmpəˈzɪʃn/ n. **1** ⍟ composizione, costituzione: **the ethnic c. of a region**, la composizione etnica di una regione **2** ⍟ (*il*) comporre, composizione; formazione; costituzione: **the c. of a new government**, la formazione di un nuovo governo **3** composto; insieme **4** (*ind.*) composto (sintetico); sostanza composta; aggregato **5** ⍟ (*letter.*, *mus.*, *arte*) composizione: **an original c.**, una composizione originale; (*mus.*) **to study c.**, studiare composizione **6** (*a scuola*) tema; componimento **7** ⍟ (*tipogr.*) composizione **8** (*leg.*) concordato; accomodamento; (*comm.*) transazione: **to come to** (*o* **to reach**) **a c.**, raggiungere un concordato; venire a composizione; **c. with creditors**, concordato con i creditori; concordato preventivo **9** (*leg.*) conciliazione (*di un'ammenda*) ● (*leg.*) **c. before bankruptcy**, concordato preventivo (*al fallimento*) □ (*tecn.*) **c. board**, pannello di fibre □ (*fisc.*) **c. for stamp duty**, abbonamento al bollo □ (*leg.*) **c. in bankruptcy**, concordato fallimentare □ **c. leather**, cuoio artificiale.

compositive /kəmˈpɒzɪtɪv/ a. compositivo.

compositor /kəmˈpɒzɪtə(r)/ n. (*tipogr.*) compositore.

compos mentis /ˈkɒmpəsˈmɛntɪs/ (*lat.*) a. pred. (*leg.*) compos sui; capace d'intendere e di volere; sano di mente.

compost /ˈkɒmpɒst/ n. ⍟ (*agric.*) concime organico; composta; terricciato ● **c. heap**, mucchio dei rifiuti (organici) (*nel giardino di casa, ecc.*); mucchio di composta.

to **compost** /ˈkɒmpɒst/ v. t. **1** ridurre in concime organico **2** concimare con concime organico.

composure /kəmˈpəʊʒə(r)/ n. ⍟ calma; compostezza; padronanza di sé.

compote /ˈkɒmpəʊt/ n. **1** composta; conserva di frutta **2** (*USA*) coppa da dessert; compostiera.

compound① /ˈkɒmpaʊnd/ **A** a. composto: **a c. word**, una parola composta; (*gramm.*) **a c. sentence**, un periodo composto; (*mat. finanziaria*) **c. interest**, interesse composto; (*bot.*) **c. flower**, fiore composto **B** n. **1** composto; miscela **2** (*chim.*, = **chemical c.**) composto (chimico) **3** (*farm.*)

preparato galenico **4** (*ling.*) composto; parola composta ● (*mat. finanziaria*) **c. annual return**, rendimento annuo composto □ (*mecc.*) **c. engine**, macchina a vapore composita; motore composito; compound □ (*stat.*) **c. event**, evento composto □ (*zool.*) **c. eye**, occhio composto (*di insetto, ecc.*) □ (*med.*) **c. fracture**, frattura esposta □ (*mus.*) **c. interval**, intervallo composto □ (*mecc.*) **c. lever**, leveraggio □ (*mecc.*) **c. screw**, vite prigioniera (*o* prigioniero) con due filettature opposte □ (*mus.*) **c. time**, tempo composto.

❶ NOTA: *compounds*

1 L'inglese, come le altre lingue germaniche, è particolarmente ricco di parole composte. In molti casi a un composto inglese corrisponde un analogo composto italiano (**hatstand**, attaccapanni; **corkscrew**, cavatappi; **bottle-green**, verde bottiglia); ma non di rado l'italiano usa invece un singolo termine, come accade per **washing machine**, lavatrice; **swimming pool**, piscina; **teapot**, teiera; **landslide**, frana. Sotto questo aspetto sono significative le parole composte che l'inglese forma con termini assai generali come **man** (**policeman**, poliziotto; **fireman**, pompiere; **dustman**, spazzino), **berry** (**blackberry**, mora; **strawberry**, fragola; **raspberry**, lampone), **fly** (**firefly**, lucciola; **butterfly**, farfalla; **dragonfly**, libellula), **mill** (**cotton mill**, cotonificio; **paper mill**, cartiera; **steel mill**, acciaieria), **person**, **ware**, **work**, ecc.

Sono possibili anche composti formati da tre o più parole: **long-distance call**, chiamata interurbana; **winding staircase**, scala a chiocciola; **low-cost airline**, compagnia aerea a basso costo; **short-term weather forecasts**, previsioni meteorologiche a breve termine.

All'interno di un composto il termine che modifica l'altro, cioè che funziona da attributo, è detto modificatore (**modifier**), mentre il termine modificato è detto testa (**head**): in **space station** la testa è **station**, il modificatore **space**. In inglese l'ordine normale è modificatore + testa, mentre in italiano, come si vede in stazione spaziale, è testa + modificatore. Questo vale sia per i sostantivi che per gli aggettivi e i verbi composti: **music teacher**, insegnante di musica; **brick red**, rosso mattone; **to dry-clean**, pulire a secco. Conoscere questa differenza strutturale è utile per interpretare correttamente le parole composte che si incontrano per la prima volta: così, ad esempio, un **tennis amateur** è un giocatore dilettante di tennis, mentre **amateur tennis** significa tennis dilettantistico; **price list** vuole dire listino prezzi; **list price** è il prezzo di listino.

2 Nei composti inglesi l'accento più forte, o accento primario ('), cade in prevalenza sul primo termine, cioè sul modificatore, mentre la testa riceve un accento più debole, o secondario (,): ˈhorseˌracing, ippica; ˈsunˌglasses, occhiali da sole; ˈbaby-ˌsitter, baby-sitter; ˈheart-ˌbreaking, che spezza il cuore. Se la testa è composta da una sola sillaba l'accento secondario molto spesso scompare: ˈphone box, cabina telefonica; ˈsunrise, alba; ˈhothouse, serra; to ˈbabysit, fare il baby-sitter.

Esistono comunque non poche parole composte in cui il modificatore ha l'accento secondario e la testa quello primario: ˌChristmas ˈpudding, pudding di Natale; ˌshop ˈsteward, delegato di fabbrica.

In altri casi, se il composto non è seguito da un sostantivo, è pronunciato con l'accento primario sulla seconda sillaba: ˌhandˈmade; ˌduty-ˈfree; ˌblack ˈmarket; se viceversa è seguito da un sostantivo, l'accento primario si sposta sulla prima sillaba: ˈhandˌmade sweaters, maglioni lavorati a mano; a ˈduty-ˌfree shop, un negozio duty-free;

ˈblack-ˌmarket meat, carne acquistata (o venduta) al mercato nero.

Come dimostrano gli esempi citati fin qui, alcuni composti sono scritti come un'unica parola, altri con un trattino intermedio, altri ancora conservano lo spazio tra i termini. Non è raro che queste forme coesistano: **pay day** (o **payday**, **pay-day**), giorno di paga; **word play** (o **word play**, **word-play**), gioco di parole; **can opener** (o **can-opener**), apriscatole. Quando il modificatore di un composto è costituito da un sostantivo con aggettivo, tra i due termini nella grafia viene posto in genere il trattino: **a middle-class family**, una famiglia borghese; **low-fat cheese**, formaggio magro.

compound② /ˈkɒmpaʊnd/ n. zona recintata; perimetro; recinto: **factory c.**, recinto della fabbrica; **military c.**, zona militare; **prison c.**, recinto carcerario; perimetro del carcere; **walled c.**, zona recintata da un muro.

to **compound** /kəmˈpaʊnd/ **A** v. t. **1** comporre; costituire **2** combinare; mescolare; comporre; preparare (*mescolando*): **to c. a medicine**, preparare una medicina (*un preparato galenico*) **3** aggravare; peggiorare; aumentare: **to c. a problem**, aggravare un problema **4** (*leg.*) transigere; conciliare (*una vertenza*) **5** (*comm.*) fare una transazione per; saldare (*un debito, concordando un pagamento inferiore*) **6** (*mat. fin.*) capitalizzare **B** v. i. **1** accordarsi; venire a un accomodamento **2** (*leg.*) fare un concordato (*con i creditori*) ● **to c. a crime**, accordarsi (illegalmente) con la parte lesa; ottenere un diverso compenso in denaro, ottenendo che un reato non sia denunciato □ (*fisc.*) **to c. for stamp duty**, abbonarsi al bollo.

compoundable /kəmˈpaʊndəbl/ a. componibile; conciliabile.

compounder /kəmˈpaʊndə(r)/ n. **1** conciliatore, conciliatrice; paciere **2** chi prepara composti (*o* preparati galenici) **3** (*leg.*) arbitro (*in genere*).

to **comprehend** /ˌkɒmprɪˈhɛnd/ v. t. **1** comprendere; capire; intendere **2** contenere; includere; abbracciare (*fig.*).

comprehensible /ˌkɒmprɪˈhɛnsəbl/ a. comprensibile; intelligibile ‖ **comprehensibility** n. ⍟ comprensibilità.

comprehension /ˌkɒmprɪˈhɛnʃn/ n. ⍟ **1** comprensione; capacità d'intendere: *It's beyond my c.*, ciò supera la mia capacità di comprensione **2** ampiezza; portata: **a concept of broad c.**, un concetto che ha grande ampiezza (di significato) ● **a c. test**, una «comprehension» (*a scuola*).

◆**comprehensive** /ˌkɒmprɪˈhɛnsɪv/ **A** a. **1** esauriente; completo; globale; generale: **a c. survey**, una rassegna completa; **a c. report**, un resoconto esauriente; **c. coverage**, copertura globale; **c. insurance**, assicurazione contro tutti i rischi; (*fin.*, *rag.*) **c. budget**, bilancio di previsione generale **2** ampio; vasto: **c. knowledge**, vaste conoscenze **3** (*in GB*) relativo alla → **c. school** (*sotto*) **4** (*arc.*) della comprensione; intellettivo **B** n. = **c. school** → *sotto* ● (*ass.*) **c. policy**, polizza globale; polizza kasko; polizza del capo famiglia □ (*in GB*) **c. school**, scuola media secondaria unica (*dagli 11 ai 16 o 18 anni*): *I'm still at the local c.*, lavoro ancora alla scuola superiore vicino casa **❶ CULTURA** ● **comprehensive school**: *è un tipo di scuola pubblica, introdotto negli anni '50, a cui si accede senza selezione scolastica, in contrapposizione al sistema dell'* → *«eleven-plus examination»* (→ **eleven**) | **-ly** avv. | **-ness** n. ⍟ **❶ FALSI AMICI** ● **comprehensive** *non significa* comprensivo *nel senso di* indulgente.

compress /ˈkɒmprɛs/ n. **1** compressa (*di garza*); impacco: **a cold c.**, un impacco fred-

do **2** (*agric.*) macchina per pressare cotone; pressaballe ● **FALSI AMICI** • compress *non significa* compressa *nel senso di pastiglia*.

to **compress** /kəm'prɛs/ **A** v. t. **1** comprimere: **to c. a gas**, comprimere un gas; **compressed air**, aria compressa **2** pigiare; stipare: **to c. clothes into a bag**, pigiare vestiti in una borsa **3** stringere: **to c. one's lips**, stringere le labbra **4** condensare; ridurre **5** (*comput.*) comprimere (*un file*) **B** v. i. **1** comprimersi **2** (*di labbra*) stringersi.

compressible /kəm'prɛsəbl/ (*fis., mecc.*) a. comprimibile; compressibile || **compressibility** n. Ⓤ compressibilità; comprimibilità.

compression /kəm'prɛʃn/ n. Ⓤ **1** (*acustica, fis., mecc.*) compressione: **c. ratio**, rapporto di compressione (*di un motore*) **2** (*med.*) compressione (*di un'arteria, ecc.*) **3** (*comput.*) compressione (*di un file*): **c. program**, programma di compressione; **c. ratio**, rapporto di compressione **4** (*fig.*) concentrazione, condensamento (*d'idee, ecc.*).

compressive /kəm'prɛsɪv/ a. compressivo ● (*edil., mecc.*) **c. strength**, resistenza alla compressione □ **c. stress**, sollecitazione di compressione.

compressor /kəm'prɛsə(r)/ n. **1** persona (*o cosa*) che comprime **2** (*elettron., mecc.*) compressore **3** (*anat.*) muscolo compressore **4** motore (*di frigorifero*): **a two-c. fridge**, un frigo a due motori.

♦to **comprise** /kəm'praɪz/ v. t. **1** comprendere; contenere; includere: *The United Kingdom comprises four countries*, il Regno Unito comprende quattro nazioni **2** costituire; comporre; formare: *Twenty separate regions c. Italy*, l'Italia è formata da venti regioni ❶ NOTA: *-ise o -ize?* → **-ise**.

♦**compromise** /'kɒmprəmaɪz/ **A** n. **1** (*anche leg.*) compromesso; transazione: **to make a c.**, fare un compromesso; **to come to a c.**, arrivare a un compromesso; **without c.**, senza compromessi **2** (*fig.*) via di mezzo; compromesso **B** a. attr. di compromesso; compromissorio: **c. solution**, soluzione di compromesso ● **a policy of no c.**, una politica intransigente.

to **compromise** /'kɒmprəmaɪz/ **A** v. t. **1** compromettere; mettere in pericolo **2** (*arc.*) comporre (*una vertenza*); risolvere con un compromesso **B** v. i. (*anche leg.*) venire a un compromesso; trovare un compromesso; fare concessioni; transigere: **to c. on st.**, trovare un compromesso (*o fare concessioni*) su qc.; accordarsi su qc. ● **to c. oneself**, compromettersi ❶ NOTA: *-ise o -ize?* → **-ise**.

compromising /'kɒmprəmaɪzɪŋ/ **A** a. compromettente **B** n. **1** compromesso; accomodamento **2** il compromettere.

comptroller /kən'trəʊlə(r)/ n. (*fin., leg.*) controllore della gestione (*funzionario*); direttore amministrativo ● (*in USA*) **C. General**, Controllore Generale del Fisco □ (*in GB*) **C. and Auditor General of the Exchequer**, Controllore e Revisore Contabile Generale dello Scacchiere (*cfr. ital. Presidente della Corte dei Conti*).

compulsion /kəm'pʌlʃn/ n. **1** Ⓤ coercizione; costrizione: **under** (*o* **upon**) **c.**, dietro costrizione **2** Ⓤ (*fig.*) mordente: *This story is lacking in c.*, questo racconto manca di mordente **3** (*psic.*) coazione; compulsione; pulsione.

compulsive /kəm'pʌlsɪv/ **A** a. **1** irrefrenabile; incontrollabile; compulsivo (*psic.*): **c. need**, bisogno irrefrenabile; **c. eating**, voracità incontrollabile; mangiare compulsivo; bulimia **2** (*di persona*) incorreggibile; inveterato; incallito: **c. gambler**, giocatore incallito; **c. liar**, bugiardo patologico; **c. smoker**, uno che fuma una sigaretta dietro l'altra **3** coercitivo; costrittivo; forzato: **c. labour**, la-

vori forzati **4** (*fig.*) molto avvincente; irresistibile: *The book is c. reading*, il libro è molto avvincente (*o si legge tutto d'un fiato*) **B** n. (*psic.*) individuo soggetto a compulsione | **-ly** avv. | **-ness** n. Ⓤ.

❶ NOTA: *compulsive o compulsory?*
L'aggettivo *compulsive* si usa per descrivere una persona che ha un'abitudine irrefrenabile: *a compulsive gambler*, un giocatore d'azzardo incallito. Detto di un libro, di uno spettacolo, ecc., *compulsive* significa "molto avvincente": *The interview made compulsive viewing*, l'intervista teneva inchiodati alla poltrona. L'aggettivo *compulsory*, invece, si riferisce a qualcosa che è obbligatorio per legge: *the wearing of seat-belts is compulsory*, indossare le cinture di sicurezza è obbligatorio.

compulsorily /kəm'pʌlsərəlɪ/ avv. obbligatoriamente; per forza.

compulsoriness /kəm'pʌlsərɪnəs/ n. Ⓤ **1** obbligatorietà **2** (*leg.*) cogenza; obbligatorietà.

compulsory /kəm'pʌlsərɪ/ a. **1** obbligatorio; forzato; forzoso; coatto: (*med.*) **c. admission to hospital**, ricovero coatto (*o forzato*); **c. attendance**, presenza obbligatoria; frequenza obbligatoria; **c. education**, istruzione obbligatoria; **c. insurance**, assicurazione obbligatoria; **c. military service**, servizio militare obbligatorio; **c. subjects**, materie (di studio) obbligatorie; **c. sale**, vendita forzosa; **c. saving**, risparmio forzato **2** (*leg.*) coercitivo; coattivo; costrittivo; cogente ● (*leg.*) **c. administration**, amministrazione coattiva □ (*leg.*) **c. liquidation**, liquidazione coatta □ (*leg.*) **c. purchase** (*o* **c. acquisition**), espropriazione (per pubblica utilità) □ (*autom.*) «**c. thoroughfare**» (*cartello*), «senso obbligatorio» □ (*leg.*) **c. winding up**, liquidazione coatta (*di una società*); liquidazione disposta dall'autorità giudiziaria
❶ NOTA: *compulsive o compulsory?* → **compulsive**.

compunction /kəm'pʌŋkʃn/ n. Ⓤ senso di colpa; pentimento; rimorso: **without the slightest c.**, senza il minimo rimorso || **compunctious** a. **1** di (*o* che provoca) rimorso **2** compunto; contrito.

compurgation /kɒmpɜː'geɪʃn/ (*leg., stor.*) n. Ⓤ compurgazione || **compurgator** n. compurgatore.

computable /kəm'pjuːtəbl/ a. computabile; calcolabile || **computability** n. Ⓤ computabilità.

computation /kɒmpjuː'teɪʃn/ n. Ⓒⓤ computazione; computo; calcolo ● **beyond c.**, incalcolabile.

computational /kɒmpjuː'teɪʃənl/ a. di computo; di calcolo; computazionale: **a c. error**, un errore di calcolo; **c. linguistics**, linguistica computazionale.

to **compute** /kəm'pjuːt/ **A** v. t. **1** computare; calcolare; stimare: **to c. losses**, calcolare (*o* stimare) le perdite **2** calcolare con un computer **B** v. i. **1** usare un computer **2** (*fam.*) essere sensato; avere senso ● (*banca*) **to c. a bill**, calcolare la scadenza di una cambiale.

computed /kəm'pjuːtɪd/ a. computerizzato ● (*med., USA*) **c. tomography**, tomografia computerizzata (abbr. TAC).

♦**computer** /kəm'pjuːtə(r)/ **A** n. **1** (*comput.*) computer; elaboratore, calcolatore elettronico: **the c. age**, l'era dei computer; **personal c.**, personal computer; PC **2** (*macchina*) calcolatrice **3** chi fa computi (*o* calcoli) **B** a. attr. **1** computeristico; per computer; informatico; dell'informatica: **c. engineer**, ingegnere informatico; **c. program**, programma per computer **2** computerizzato; al computer: **c. animation**, animazione al computer; **c. error**, errore del

computer ● **c.-aided** (*o* **c.-assisted**), assistito dal computer; computerizzato: **c.-aided design**, progettazione assistita dal computer; **c.-aided engineering**, ingegneria assistita dal computer; (*med.*) **c.-assisted tomography** (abbr. **CAT**), tomografia computerizzata (abbr. **TAC**) □ **c.-backed**, assistito dal computer □ **c. centre**, centro di calcolo (elettronico) □ (*leg.*) **c. crime**, reato di «saccheggio» con il computer □ (*leg.*) **c. criminal**, chi commette un tale reato □ **c. dating**, uso di database informatici (*da parte di agenzie matrimoniali e sim.*) per organizzare incontri tra persone; ricerca di un partner mediante computer □ **c. editing**, elaborazione automatica e composizione di un testo □ **c.-friendly**, adatto al (*o* compatibile con il) computer; (*di persona*) bendisposto verso i computer □ **c. game**, gioco al computer; gioco elettronico; videogioco □ **c.-generated**, generato al computer; elaborato con strumenti elettronici; (*di immagine, ecc.*) di sintesi □ **c. graphics**, grafica computerizzata; eidomatica □ (*leg.*) **c. hacker**, appassionato di computer; hacker; (*anche*) pirata informatico □ **c. language**, linguaggio macchina □ **c. literacy**, capacità di usare un computer □ **c.-literate**, che sa usare il computer □ **c. modelling**, costruzione di modelli sul computer □ **c. network**, rete di elaboratori □ **c. operator**, operatore (di) macchina ● **c. programmer**, programmatore □ **c. programming**, programmazione □ **c. science**, scienza dell'informazione; informatica □ **c. scientist**, informatico; esperto di informatica □ (*comput.*) **c.-server cluster**, cluster di server □ **c. virus**, virus informatico.

computerese /kəmpjuːtə'riːz/ n. Ⓤ computerese, informatichese (*fam.*).

to **computerize** /kəm'pjuːtəraɪz/ v. t. computerizzare: **to c. the tax register**, computerizzare l'anagrafe tributaria || **computerization** n. Ⓤ computerizzazione.

computerized /kəm'pjuːtəraɪzd/ a. computerizzato: **c. models**, modelli computerizzati; (*med.*) **c. axial tomography** (abbr. **CAT**), tomografia assiale computerizzata (abbr. **TAC**).

computing /kəm'pjuːtɪŋ/ **A** n. Ⓤ uso del computer; informatica **B** a. del computer; computeristico; informatico: **c. centre**, centro informatico; **c. facilities**, attrezzature informatiche ● **c. machine** → **computer**.

Comr abbr. (**commissioner**) commissario.

comrade /'kɒmreɪd/ n. **1** compagno; camerata **2** (*polit.*) compagno **3** (*mil.*, = **c.-in--arms**) compagno d'armi; commilitone || **comradely** a. cameratesco; da compagno || **comradeship** n. Ⓤ cameratismo.

coms /kɒmz/ n. pl. (abbr. *fam.* di **combinations**) → **combination**, *def.* 8.

comsat /'kɒmsæt/ n. (contraz. di **communications satellite**) (*miss.*) satellite per telecomunicazioni ● (*radio, TV*) **by c.**, via satellite.

con[1] /kɒn/ n. (*naut.*) – **the con 1** governo; pilotaggio **2** posto di comando; plancia.

con[2] /kɒn/ n. (abbr. di **confidence**) (*slang USA*) truffa; imbroglio; raggiro; bidone (*fam.*) ● **con artist**, imbroglione; truffatore □ **con game** (*o* **con job**), truffa all'americana.

con[3] /kɒn/ n. svantaggio: **to weigh the pros and cons**, soppesare i vantaggi e gli svantaggi (*o* il pro e il contro, i pro e i contro).

con[4] /kɒn/ n. (abbr. di **convict**) (*slang*) carcerato; detenuto; (*anche*) ex carcerato.

con[5] /kɒn/ n. (abbr. di **convention**) (*USA*) convegno, raduno (*di appassionati*).

to **con**[1] /kɒn/ v. t. (*naut.*) governare, pilotare; essere al governo di; avere il coman-

a b **c** d e f g h i j k l m n o p q r s t u v w x y z

C

do di.

to **con**② /kɒn/ v. t. (*slang USA*) imbrogliare; raggirare; truffare; bidonare (fam.): **to con sb. into doing st.**, convincere q. con un raggiro a fare qc.; **She conned him out of £1,000**, l'ha truffato di mille sterline; è riuscita a farsi dare da lui mille sterline.

to **con**③ /kɒn/ v. t. (*arc.*) studiare; compulsare.

Con abbr. **1** (*polit.*, *GB*, **Conservative**) conservatore **2** (*polizia*, *GB*, **constable**) agente: **Det Con Smith**, l'agente investigativo Smith; **Chief Con**, capo della polizia (*di contea*).

conation /kəʊˈneɪʃn/ n. ⓤ (*psic.*) conazione.

conative /ˈkɒnətɪv/ a. (*ling.*) conativo.

conc. abbr. **1** (**concentration**) concentrazione (conc.) **2** (**concerning**) riguardo a.

to **concatenate** /kɒnˈkætəneɪt/ v. t. concatenare.

concatenation /kɒnkætəˈneɪʃn/ n. ⓤ concatenazione.

concave /kɒnˈkeɪv/ (*anche geom.*) Ⓐ a. concavo: **c. lens**, lente concava Ⓑ n. oggetto concavo; superficie concava | **-ly** avv.

concavity /kɒnˈkævəti/ n. **1** (*geom.*) ⓤ concavità **2** concavità; cavo; incavo; incavatura.

concavo-convex /kɒnˈkeɪvəʊkɒnˈveks/ a. (*ottica*) concavo-convesso.

to **conceal** /kənˈsiːl/ v. t. celare; nascondere; occultare (*prove*, *ecc.*); sottacere (*fatti*): **to c. st. from sb.**, nascondere qc. a q.

concealable /kənˈsiːləbl/ a. occultabile.

concealer /kənˈsiːlə(r)/ n. **1** (*cosmetica*) correttore **2** occultatore, occultatrice.

concealment /kənˈsiːlmənt/ n. ⓤ **1** il nascondere; l'esser nascosto; occultamento **2** nascondiglio **3** (*leg.*) reticenza; riserva mentale (*in un contratto*) ● (*leg.*) **c. of evidence**, occultamento (*o* soppressione) di una prova □ (*fisc.*) **c. of profits**, occultamento di utili □ **to remain in c.**, rimanere nascosto.

♦ to **concede** /kənˈsiːd/ Ⓐ v. t. **1** concedere; ammettere; riconoscere: **to c. a principle**, ammettere (*o* riconoscere) un principio; «*You might be right*,» *Jane conceded*, «potresti aver ragione» ammise Jane; *I'll c. you that*, te lo concedo; sono d'accordo su questo **2** cedere: **to c. lands**, cedere territori **3** concedere; riconoscere; accordare; accondiscendere a; accettare; (*leg.*) **to c. a right**, concedere (*o* riconoscere) un diritto; **to c. a demand**, accondiscendere a una domanda **4** (*sport*) subire; regalare: **to c. a goal**, subire (*o* regalare) un gol; **to c. the equalizer**, subire il gol del pareggio Ⓑ v. i. **1** cedere **2** (*spec. polit.*) ammettere la sconfitta **3** (*poker*) passare (la parola): *I c.!*, passo!; «parole» (*franc.*) ● **to c. defeat**, ammettere la sconfitta; riconoscersi battuto; dichiararsi vinto □ (*sport*) **to c. a match**, perdere un incontro; subire una sconfitta.

conceit /kənˈsiːt/ n. **1** ⓤ presunzione; vanità **2** (*lett.*) idea (*o* immagine) ricercata; paragone ricercato **3** idea ingegnosa; trovata **4** idea bizzarra.

conceited /kənˈsiːtɪd/ a. **1** presuntuoso; vanitoso; pieno di sé **2** (*arc.*, *di stile*, *ecc.*) concettoso | **-ly** avv. | **-ness** n. ⓤ.

conceivability /kənsiːvəˈbɪləti/ n. ⓤ l'esser concepibile; concepibilità; plausibilità.

conceivable /kənˈsiːvəbl/ a. concepibile; immaginabile; plausibile: **a c. motive**, un motivo plausibile.

conceivably /kənˈsiːvəbli/ avv. plausibilmente; probabilmente; presumibilmente: **anything we could c. expect**, tutto quello che potremmo plausibilmente aspettarci; *Other methods might c. be used*, è pensabi-

le che si possano usare altri sistemi; *If he hadn't died so young, he might c. have become a great artist*, se non fosse morto così giovane sarebbe probabilmente diventato un grande artista.

to **conceive** /kənˈsiːv/ Ⓐ v. t. **1** (*fisiol.*) concepire (*un figlio*) **2** (*fig.*) concepire; elaborare con la mente (*con la fantasia*, *ecc.*); immaginare; ideare: **to c. a deep hatred**, concepire un odio profondo; *I cannot c. why he did it*, non riesco a immaginare perché l'abbia fatto; **to c. a new instrument of destruction**, ideare un nuovo strumento di distruzione Ⓑ v. i. **1** (*fisiol.*) concepire **2 – to c. of**, concepire; immaginare; farsi un'idea di: *Heaven is often conceived of as a place full of light and music*, il paradiso è spesso concepito come un luogo pieno di luce e di musica ● **to c. of oneself**, reputarsi, ritenersi, credersi: *He conceived of himself as the most handsome man on the beach*, si riteneva l'uomo più avvenente della spiaggia.

to **concelebrate** /kɒnˈsɛləbreɪt/ (*relig.*) v. i. concelebrare | **concelebrant** n. concelebrante | **concelebration** n. ⓤ concelebrazione.

concentrate /ˈkɒnsntreɪt/ n. (*anche chim.*) concentrato.

♦ to **concentrate** /ˈkɒnsntreɪt/ Ⓐ v. t. concentrare (*anche tecn. e fig.*): *Heavy industry was concentrated in the Midlands*, l'industria pesante fu concentrata nelle Midland; **to c. mineral ore**, concentrare minerale; **to c. one's attention on st.**, concentrare l'attenzione su qc. Ⓑ v. i. **1** concentrarsi: *I find it difficult to c.* (*on my work*), ho difficoltà a concentrarmi (nel mio lavoro) **2** concentrarsi; radunarsi ● **to c. the mind**, spingere a concentrarsi; indurre a riflessione □ (*ind. min.*) **concentrating table**, tavola a scosse.

concentrated /ˈkɒnsntreɪtɪd/ a. **1** concentrato: **c. milk**, latte concentrato; (*mil.*) **c. fire**, fuoco concentrato **2** intenso: **c. study**, studio intenso.

♦ **concentration** /kɒnsnˈtreɪʃn/ n. **1** ⓤ (*psic.*) concentrazione: **deep c.**, profonda concentrazione; **to demand great c.**, richiedere una grande concentrazione; **powers of c.**, capacità di concentrazione **2** ⓤⓒ concentrazione; concentramento: **the geographic c. of industry**, la concentrazione geografica dell'industria; **c. of power**, concentrazione di poteri; **industrial c.**, concentrazione industriale; (*econ.*) **c. ratio**, indice (*o* rapporto) di concentrazione industriale **3** (*solo sing.*) (*chim.*) concentrazione: **a high c. of nitrates**, un'elevata concentrazione di nitrati ● **c. camp**, campo di concentramento.

concentrative /ˈkɒnsntreɪtɪv/ a. che tende a concentrarsi.

concentrator /ˈkɒnsntreɪtə(r)/ n. **1** chi concentra **2** (*tecn.*) concentratore **3** (*tecn.*) impianto di concentrazione.

to **concentre**, (*USA*) to **concenter** /kɒnˈsentə(r)/ Ⓐ v. t. concentrare; raccogliere; far convergere Ⓑ v. t. concentrarsi; raccogliersi; convergere.

concentric /kənˈsentrɪk/ (*anche geom.*) a. concentrico ● (*mil.*) **c. fire**, fuoco concentrato | **concentrically** avv. concentricamente | **concentricity** n. ⓤ concentricità.

♦ **concept** /ˈkɒnsept/ n. **1** (*filos.*) concetto; idea: **the c. of justice**, il concetto di giustizia **2** concetto; idea; nozione: **basic concepts**, concetti fondamentali; **to have a clear c. of st.**, avere un'idea chiara di qc.; **to grasp a c.**, afferrare un concetto; *He's got no c. of time*, non ha la nozione del tempo; *She has no c. of how to deal with children*, non ha idea di come si trattano i bambini **3** (*market.*) idea: **a new c. in gas cookers**, un'innovazione in fatto di cucine a gas ● (*mus.*) **c. album**, album di canzoni rock su

un dato tema □ **c. art**, arte concettuale □ (*autom.*) **c. car**, prototipo innovativo; concept car.

conception /kənˈsepʃn/ n. **1** ⓤ (*fisiol.*) concepimento **2** ⓤ concezione; concepimento; ideazione **3** ⓤ concezione; modo di concepire, di intendere; comprensione **4** concetto; idea: *You have no c. of how difficult it is*, non hai idea di quanto sia difficile || **conceptional** a. (*anche fisiol.*) concezionale.

conceptive /kənˈseptɪv/ a. **1** che ha la facoltà di concepire; concettivo **2** (*raro*) (*fisiol.*) della concezione; del concepimento.

conceptual /kənˈseptʃuəl/ a. (*anche filos.*) concettuale: **c. art**, arte concettuale.

conceptualism /kənˈseptʃuəlɪzəm/ n. ⓤ (*filos.*, *arte*) concettualismo || **conceptualist** n. concettualista || **conceptualistic** a. concettualistico.

to **conceptualize** /kənˈseptʃuəlaɪz/ v. t. concettualizzare.

conceptually /kənˈseptʃəli/ avv. concettualmente.

conceptus /kənˈseptəs/ n. (*scient.*) concepito.

concern /kənˈsɜːn/ n. **1** ⓤⓒ preoccupazione; ansia: *There is growing c. for the missing girl*, crescono i timori per la ragazza scomparsa; **cause for c.**, motivi di preoccupazione (*o* di preoccuparsi); **to give cause for c.**, destare preoccupazione; essere preoccupante; **to be of c. to sb.**, interessare a q.; essere importante per q.; **environmental concerns**, preoccupazioni per l'ambiente **2** ⓤ interesse; sollecitudine; premura: **his c. for my health**, la sua sollecitudine per la mia salute; **to have no c. for st.**, non riguardare qc.; non avere nulla a che fare con qc. **3** ⓒⓤ cosa (*o* fatto) che concerne, riguarda, interessa, si riferisce a (q. *o* qc.); affare: *It's no c. of yours*, la cosa non ti riguarda; non è affar tuo **4** (*fin.*) interesse; cointeressanza; partecipazione: **to have a c. in a firm**, avere una cointeressanza in un'azienda **5** (*comm.*) azienda; società; ditta; impresa: **a going c.**, un'impresa bene avviata (*o* che fa affari); **a paying c.**, un'azienda in attivo **6** (*fam. antiq.*) aggeggio; arnese; affare.

♦ to **concern** /kənˈsɜːn/ v. t. **1** concernere; riguardare; attenere a: *This question concerns all of us*, questa questione ci riguarda tutti **2** interessare; importare a; premere: *What concerns me at present is to establish the man's identity*, quello che mi preme al momento è stabilire l'identità dell'uomo **3** preoccupare; turbare: *Please don't let my troubles c. you*, vi prego, non statevi a preoccupare per i miei guai ● **to c. oneself** (**with** *o* **about**), occuparsi, interessarsi, preoccuparsi (di): *'The Ministry of Peace* [...] *concerned itself with war'* G. ORWELL, 'Il Ministero della Pace [...] si occupava della guerra' □ *Don't c. yourself with other people's affairs*, non occuparti degli affari altrui □ (*nelle circolari e sim.*) **to whom it may c.**, a chi di dovere; a tutti gli interessati.

♦ **concerned** /kənˈsɜːnd/ a. **1** (*pred.*) interessato; coinvolto; implicato: **the parties c.**, le parti interessate; **the people c.**, gli interessati: *It's probably better for all c.*, probabilmente è meglio per tutte le persone coinvolte **2** preoccupato; turbato; ansioso: *She's c. about her father*, è preoccupata per suo padre; *I'm c. to hear about his predicament*, mi dispiace sapere che lui è in difficoltà; *We're c. to know where they are*, ci preme (*o* siamo ansiosi di) sapere dove sono **3 – to be c. with**, (*di persona*) interessarsi di; occuparsi di; (*di cosa*) riguardare, trattare **4 – to be c. in**, avere a che fare con; essere coinvolto in **5** (*attr.*) (*polit.*) impegnato ● **as far as... is c.**, per quanto riguarda...; quanto a... □ **where... is c.**, quando si tratta

di... | **-ly** avv.

♦**concerning** /kən'sɜːnɪŋ/ prep. riguardo a; per quanto riguarda (o attiene a); con riferimento a; circa; quanto a: **c. your request**, quanto alla vostra richiesta.

♦**concert** /'kɒnsət/ n. **1** (*mus.*) concerto **2** (*form.*) accordo; intesa; concerto: **in c. with**, di (comune) intesa con; di concerto con ● **c.-goer**, frequentatore di concerti □ **c. band**, banda militare □ **c. grand**, pianoforte da concerto □ **c. hall**, sala da concerti □ (*mus.*) **c. overture**, ouverture da concerto □ **c. party**, numero musicale (*di più persone, in un varietà*); (*fin.*) cordata (*spec.* occulta) □ **c. performance**, esecuzione (*di opera, balletto, ecc.*) in forma di concerto; (*anche*) esecuzione concertistica □ **c. performer**, concertista □ (*mus.*) **c. pitch**, diapason da concerto □ (*fig.*) **to be at c. pitch**, essere pronto a entrare in azione; essere in perfetta forma □ **c. season**, stagione concertistica.

to **concert** /kən'sɜːt/ v. t. concertare; concordare; predisporre di comune accordo.

concerted /kən'sɜːtɪd/ a. **1** concertato; concordato; predisposto insieme: *The allied generals delivered a c. attack*, i generali alleati lanciarono un attacco concertato **2** (*mus.*) concertato.

concertina /kɒnsə'tiːnə/ ◼A n. (*mus.*) concertina ◼B a. attr. a fisarmonica; a soffietto: **c. doors**, porte a soffietto; (*ferr.*) **c. vestibule**, passaggio a soffietto (*tra due vagoni*); (*mil.*) **c. wire**, reticolato a gabbioni; concertina.

to **concertina** /kɒnsə'tiːnə/ v. i. **1** ripiegarsi o allungarsi a mo' di fisarmonica; ripiegarsi su se stesso; estendersi **2** (*fam. GB*) (*di veicolo in un incidente*) accartocciarsi (a fisarmonica).

concertmaster /'kɒnsɜːtmɑːstə(r)/ n. (*mus.*, *USA*) primo violino.

concerto /kən'tʃeətəʊ/ (*ital.*) n. (pl. ***concerti***, ***concertos***) (*mus.*) concerto (*la composizione*): **violin c.**, concerto per violino ● **c. grosso**, concerto grosso.

♦**concession** /kən'seʃn/ n. ◻ **1** concessione (*in ogni senso*): **as a c. to fashion**, come concessione alla moda; **to make concessions**, fare concessioni; **an oil c.**, una concessione petrolifera **2** (*trasp.*) riduzione, agevolazione (*sul prezzo del biglietto*) **3** (*fisc.*) sgravio: **tax c.**, sgravio fiscale **4** (*leg.*, *comm.*, *market.*) diritto in concessione; concessione esclusiva **5** (*comm.*) attività (in concessione) ● (*polit.*, *in USA*) **c. speech**, discorso con cui il candidato sconfitto (*nelle elezioni presidenziali*) riconosce la vittoria dell'avversario □ (*USA*) **c. stand**, bancarella; chiosco.

concessionaire /kənseʃə'neə(r)/ n. (*comm.*) concessionario.

concessional /kən'seʃnəl/ a. (*fin.*, *econ.*, *di interesse, ecc.*) agevolato; a condizioni preferenziali; a tariffa preferenziale.

concessionary /kən'seʃənrɪ/ ◼A a. **1** relativo a una concessione; concessionario **2** (*GB*) (*a prezzo*) ridotto: **c. fares**, tariffe (*di viaggio*) ridotte ◼B n. (*comm.*) concessionario.

concessive /kən'sesɪv/ a. concessivo: (*gramm.*) **a c. conjunction**, una congiunzione concessiva.

conch /kɒntʃ, kɒŋk/ n. (pl. ***conches***, ***conchs***) **1** (*zool.*, *Strombus gigas*, = **c. shell**) strombo **2** (*come oggetto*) conchiglia (tortile) **3** (*archit.*) conca absidale **4** (*anat.*) → **concha**.

concha /'kɒŋkə/ n. (pl. ***conchae***) (*anat.*) conca: **nasal c.**, conca nasale.

conchie /'kɒnʃɪ/ → **conchy**.

conchoid /'kɒŋkɔɪd/ n. (*mat.*) concoide.

conchoidal /kɒŋ'kɔɪdl/ a. **1** (*mat.*) con-

coidale **2** (*geol.*) concoide.

conchology /kɒŋ'kɒlədʒɪ/ n. ◻ conchiliologia ‖ **conchologist** n. conchiliologo.

conchy /'kɒnʃɪ/ n. (abbr. di **conscientious objector**) (*slang*) obiettore di coscienza.

concierge /kɒnsɪ'eəʒ/ (*franc.*) n. portinaio, portinaia; portiere, portiera.

conciliar /kən'sɪlɪə(r)/ a. conciliare.

conciliarism /kən'sɪlɪərɪzəm/ n. ◻ (*relig.*) conciliarismo.

to **conciliate** /kən'sɪlɪeɪt/ v. t. **1** conciliare; mettere d'accordo; pacificare **2** placare; blandire; rendere benevolo **3** conciliarsi, accattivarsi (*la benevolenza, la simpatia, ecc., di q.*).

conciliation /kənsɪlɪ'eɪʃn/ n. ◻ conciliazione (*anche leg. e sindacale*) ● (*in GB*) **c. service**, ente per la conciliazione delle vertenze sindacali ‖ **conciliative** a. conciliativo.

conciliator /kən'sɪlɪeɪtə(r)/ n. conciliatore.

conciliatory /kən'sɪlɪətrɪ/ a. conciliatorio; conciliante.

concise /kən'saɪs/ a. conciso; breve; stringato; sintetico: **a c. speaker**, un oratore stringato | **-ly** avv. | **-ness** n. ◻.

concision /kən'sɪʒn/ n. ◻ concisione; brevità; stringatezza.

conclave /'kɒŋkleɪv/ n. **1** (*relig.*) conclave **2** (*fig. fam.*) riunione segreta ● **to sit in c.**, (*dei cardinali*) essere chiusi in conclave; (*fig.*) tenere una riunione segreta.

♦to **conclude** /kən'kluːd/ ◼A v. t. **1** concludere; chiudere; finire: *He concluded his speech with an appeal for cooperation*, concluse il suo dire con un appello alla collaborazione **2** concludere; stipulare: **to c. a deal** [**a peace treaty**], concludere un affare [un trattato di pace] **3** concludere; giungere alla conclusione (che) **4** desumere; arguire; dedurre ◼B v. i. **1** concludersi; chiudersi; finire **2** venire a una conclusione; decidere: **to c. in sb.'s favour**, decidere a favore di q.

concluding /kən'kluːdɪŋ/ a. conclusivo; finale; ultimo.

♦**conclusion** /kən'kluːʒn/ n. ◻ conclusione (*in ogni senso*): **the c. of a treaty**, la conclusione di un trattato; **to come to** (*o* **to reach**) **a c.**, giungere a una conclusione; **to draw conclusions**, tirare le conclusioni; **a foregone c.**, una conclusione scontata ● **in c.**, in conclusione; per concludere ● **to jump** (*o* **to leap**) **to conclusions**, trarre conclusioni affrettate.

conclusive /kən'kluːsɪv/ a. **1** conclusivo; decisivo; definitivo **2** (*leg.*) perentorio **3** (*leg.*) inoppugnabile; irrefutabile: **c. evidence**, prova inoppugnabile | **-ly** avv. | **-ness** n. ◻.

to **concoct** /kən'kɒkt/ v. t. **1** preparare alla svelta; improvvisare (*mescolando diversi ingredienti*): **to c. a new dish**, improvvisare un piatto nuovo **2** architettare, macchinare, ordire (*un piano*); inventare (*una scusa*); raffazzonare (*un pretesto, ecc.*).

concoction /kən'kɒkʃn/ n. **1** miscela; miscuglio; preparato (*di vari ingredienti*): **a strange c.**, uno strano miscuglio **2** macchinazione; trama ● **a c. of lies**, un cumulo di bugie.

concomitance /kən'kɒmɪtəns/, **comitancy** /kən'kɒmɪtənsɪ/ n. ◻ (*anche relig.*) concomitanza.

concomitant /kən'kɒmɪtənt/ ◼A a. concomitante: **c. factors**, fattori concomitanti ◼B n. fatto (*o* fattore) concomitante.

concord /'kɒŋkɔːd/ n. **1** ◻ concordia; armonia **2** (*mus.*) accordo **3** (*polit.*) accordo; trattato **4** ◻ (*gramm.*) concordanza.

concordance /kən'kɔːdns/ n. **1** ◻ (*form.*)

armonia; accordo: **in c. with your wishes**, in armonia con i vostri desideri **2** (*letter.*) (repertorio di) concordanze (pl.): *He published a c. to Yeats*, ha pubblicato le concordanze yeatsiane.

concordant /kən'kɔːdnt/ a. **1** (*form.*) concorde; concordante; in armonia (*con q. o qc.*) **2** (*mus.*) armonioso.

concordat /kən'kɔːdæt/ n. (*stor.*) concordato.

concourse /'kɒŋkɔːs/ n. **1** concorso; affluenza: *There was a large c. of people for the coronation of the Queen*, ci fu un gran concorso di folla per l'incoronazione della regina **2** luogo di raduno (*all'aperto*) **3** (*ferr.*, *aeron.*; *spec.* USA) atrio; sala **4** (*leg.*) concorso: **a c. of circumstances**, un concorso di circostanze.

concrescence /kən'kresns/ n. ◻◻ (*biol.*) concrescenza.

♦**concrete** /'kɒŋkriːt/ ◼A n. (*ind. costr.*) conglomerato cementizio; calcestruzzo; (*fam.*) cemento: **reinforced c.** (*o* **armoured c.**), cemento armato; **a slab of c.**, una lastra di cemento ◼B a. **1** concreto: **c. proof**, prova concreta **2** (*ind. costr.*) di calcestruzzo; di cemento: **c. block**, blocco di calcestruzzo; **a c. bridge**, un ponte di calcestruzzo; **a c. drive-in**, un vialetto d'accesso in cemento ● **c. jungle**, giungla di cemento (*in una grande metropoli*) □ (*edil.*) **c. mixer**, betoniera □ (*letter.*) **c. poetry**, poesia concreta □ (*edil.*) **c. pump**, pompa di betoniera □ (*fig.*, *di legge, ecc.*) **to be set in c.**, essere immutabile □ **in the c.**, nella realtà; in concreto.

to **concrete** (*A, def. 1 e 3, B* /kən'kriːt/; *A, def. 2* /'kɒŋkriːt/) ◼A v. t. **1** conglomerare; solidificare **2** (*ind. costr.*) costruire in calcestruzzo **3** concretare (*un'aspirazione, un'idea*) ◼B v. i. solidificarsi.

concretely /'kɒŋkriːtlɪ/ avv. concretamente.

concreteness /'kɒŋkriːtnəs/ n. ◻ concretezza.

concretion /kən'kriːʃn/ n. ◻◻ **1** (*geol.*, *med.*) concrezione **2** cosa (idea, ecc.) fattasi concreta **3** concretizzazione ‖ **concretionary** a. (*geol.*, *med.*) concrezionale; concrezionario ‖ **concretioning** n. (*geol.*) concrezionamento.

concretism /'kɒŋkriːtɪzm/ (*arte*, *letter.*) n. ◻ concretismo ‖ **concretist** n. concretista.

to **concretize** /'kɒŋkriːtaɪz/ v. t. concretare; concretizzare; dare forma concreta a (qc.) ‖ **concretization** n. ◻ concretizzazione.

concubinage /kɒn'kjuːbɪnɪdʒ/ n. ◻ concubinato.

concubine /'kɒŋkjʊbaɪn/ n. concubina ‖ **concubinary** ◼A a. **1** concubinario **2** nato da un'unione illegittima ◼B n. (*raro*) concubino.

concupiscence /kən'kjuːpɪsns/ n. ◻ concupiscenza.

concupiscent /kən'kjuːpɪsnt/ a. concupiscente.

concupiscible /kɒn'kjuːpɪsəbl/ a. concupiscibile.

to **concur** /kən'kɜː(r)/ v. i. **1** essere concomitante; coincidere **2** concorrere; contribuire: *Everything concurred to make me believe he was lying*, tutto concorreva a farmi credere che mentisse **3** (*form.*) concordare, essere d'accordo (*con q.*): *I c. with his father in blaming him*, concordo con suo padre nel biasimarlo ● **to c. with sb. in an opinion**, condividere l'opinione di q.

concurrence /kən'kʌrəns/ n. ◻ **1** coincidenza; concomitanza **2** concorso (*di fattori, circostanze*); combinazione (*di cause*) **3** (*form.*) accordo; concordanza (*d'idee*) **4**

(*comput.*) parallelismo, concorrenza **5** (*geom.*) convergenza **6** (*leg.*) concorso: **c. of charges** [**of crimes, of sentences**], concorso di capi d'imputazione [di reati, di condanne] ❶ **FALSI AMICI** • concurrence *non significa* concorrenza *in senso economico*.

concurrency /kənˈkʌrənsɪ/ → **concurrence**, def. 1, 2, 3 e 5.

concurrent /kənˈkʌrənt/ **A** a. **1** coincidente; simultaneo **2** concomitante; convergente **3** che agisce in accordo (*con q.*) **4** (*form.*) che è in accordo; concordante **5** (*comput.*) parallelo, concorrente: **c. access**, accesso concorrente **6** (*comput.*) concorrente; convergente: **c. lines**, rette concorrenti **B** n. fattore (*o* circostanza) concomitante • (*ass.*) **c. fire insurance**, coassicurazione contro l'incendio ◻ (*leg.*) **c. interests**, interessi comuni (*sullo stesso bene*) ◻ (*leg.*) **c. ownership**, comproprietà ◻ (*comput.*) **c. processing**, elaborazione simultanea ◻ (*comput.*) **c. processor**, elaboratore parallelo ◻ (*leg.*) **c. punishments** (*o* **c. sentences**), pene (*o* condanne) 'concorrenti' (*non si assommano, ma si sconta solo la più lunga*) ‖ **concurrently** avv. simultaneamente.

to **concuss** /kənˈkʌs/ v. t. (*med.*) provocare una commozione cerebrale a: **He was badly concussed**, ha subito una forte commozione cerebrale ‖ **concussed** a. **1** (*med.*) che ha subito una commozione cerebrale **2** confuso, frastornato, scosso (*in seguito a un colpo in testa*).

concussion /kənˈkʌʃn/ n. **1** scossa violenta; scuotimento: **the c. of the blast**, la scossa provocata dallo scoppio **2** (*med.*) commozione cerebrale; sindrome commotiva • (*mil.*) **c. fuse**, spoletta di simpatia (*di proiettile*) ❶ **FALSI AMICI** • concussion *non significa* concussione.

♦to **condemn** /kənˈdɛm/ v. t. **1** condannare; biasimare **2** (*leg. e fig.*) condannare (*spec. a morte*): **to c. to death**, condannare a morte **3** dichiarare inagibile (*o* inabitabile, ecc.): *This house has been condemned by the housing authorities*, questa casa è stata dichiarata inabitabile dall'ufficio tecnico comunale **4** dichiarare non commestibile **5** provare la (*o* essere prova della) colpevolezza di: *His very words c. him*, le sue stesse parole provano la sua colpevolezza **6** (*naut.*) confiscare, sequestrare (*una nave o il suo carico, come preda di guerra*) **7** (*USA*) espropriare (*un terreno, ecc.*) a fini di pubblica utilità **8** (*sport*) retrocedere (*una squadra*).

condemnable /kənˈdɛmnəbl/ a. condannabile.

condemnation /kɒndɛmˈneɪʃn/ n. ⓤ **1** condanna; biasimo **2** (*leg.*) condanna (*spec. a morte*) **3** motivo di condanna: *His own behaviour is his c.*, la sua stessa condotta lo condanna **4** dichiarazione di inagibilità, inabitabilità, ecc. **5** (*USA*) sentenza di esproprio (*di un terreno*).

condemnatory /kɒndɛmˈneɪtrɪ/ a. condannatorio; di condanna.

condemned /kənˈdɛmd/ a. **1** condannato (*anche leg.*): **c. person**, condannato, condannata **2** dichiarato inagibile, inabitabile, ecc. • **c. cell**, cella del condannato a morte.

condemner /kənˈdɛmə(r)/ n. condannatore, condannatrice.

condensable /kənˈdɛnsəbl/ a. condensabile.

condensate /kənˈdɛnseɪt/ (*chim., fis.*) **A** a. condensato **B** n. (*chim., fis.*) condensato **2** condensa • **c. liquid**, condensato ◻ **c. well**, (*tecn.*) pozzetto di condensa ◻ (*ind. petrolifera*) pozzo erogante gas a condensati.

condensation /kɒndɛnˈseɪʃn/ n. **1** ⓤ condensazione; condensamento **2** (*aeron.*) **c. trail**, scia di condensazione **2** (*chim., fis.*) condensato **3** condensato; compendio; riassunto.

to **condense** /kənˈdɛns/ **A** v. t. **1** condensare; concentrare **2** condensare; sintetizzare; riassumere **3** (*chim., fis.*) concentrare (*raggi di luce, elettricità, ecc.*) **B** v. i. condensarsi; concentrarsi.

condensed /kənˈdɛnst/ a. condensato; concentrato: **c. milk**, latte condensato; (*tipogr., comput.*) **c. characters**, caratteri condensati (*o* stretti, compatti).

condenser /kənˈdɛnsə(r)/ n. **1** condensatore (*persona e macchina*) **2** (*elettr.*) condensatore **3** (*ottica*) condensatore • **c. coil**, serpentina di raffreddamento.

condensing /kənˈdɛnsɪŋ/ **A** a. che condensa **B** n. ⓤ condensazione • (*mecc.*) **c. engine**, macchina a vapore a condensazione.

to **condescend** /kɒndɪˈsɛnd/ v. i. accondiscendere; condiscendere; degnarsi (*di fare qc.*).

condescending /kɒndɪˈsɛndɪŋ/ a. **1** condiscendente; accondiscendente **2** (*spreg.*) sussiegoso; altezzoso; pieno di sussiego.

condescension /kɒndɪˈsɛnʃn/ n. ⓤ **1** condiscendenza; affabilità (*verso gli inferiori*) **2** (*spreg.*) degnazione; sussiego.

condign /kənˈdaɪn/ a. adeguato; proporzionato: **a c. punishment**, un'adeguata punizione.

condiment /ˈkɒndɪmənt/ n. condimento (*la sostanza*).

♦**condition** /kənˈdɪʃn/ n. **1** condizioni (pl.) (*di salute, manutenzione, ecc.*); stato: **in good** [**bad**] **c.**, in buone [cattive] condizioni; in buono [cattivo] stato; *He is in no c. to go back to work*, non è in condizioni di tornare al lavoro; *The girl is in a very serious c.*, la ragazza è in condizioni critiche **2** condizioni (pl.) (fisiche); forma: **to be in** [**out of**] **c.**, essere in buone [in cattive] condizioni fisiche; essere in forma [giù di forma]; **to keep oneself in c.**, mantenersi in forma **3** (al pl.) condizioni; circostanze; situazione (sing.): **favourable conditions**, condizioni favorevoli; **living** [**working**] **conditions**, condizioni di vita [di lavoro]; **driving conditions**, condizioni del traffico; **weather conditions**, le condizioni del tempo; **under present conditions**, nelle circostanze attuali **4** condizione (*di vita, ecc.*); stato: *They live in a c. of squalor*, vivono in condizioni degradate; **the c. of women in ancient Greece**, la condizione della donna nell'antica Grecia; **the human c.**, la condizione umana; **of humble c.**, d'umile condizione **5** malattia; disturbo: **kidney c.**, malattia ai reni; **heart c.**, malattia di cuore **6** condizione; clausola: **conditions of payment** [**of sale**], condizioni di pagamento [di vendita]; *What are the conditions of the contract?*, quali sono le condizioni del contratto?; **on c. that**, a condizione (o a patto) che; purché; **on one c.**, a una sola condizione; **under no c.**, a nessuna condizione; **to make it a c. that...**, porre come condizione che... **7** (*filos.*) proposizione condizionale; presupposto **8** (*a scuola, USA*) insufficienza (*con obbligo di riparazione attraverso lavoro aggiuntivo o esame*); debito • (*leg.*) **c. for avoidance**, clausola risolutiva (*spec. rif. a un obbligo contrattuale*) ◻ (*leg.*) **c. precedent**, presupposto; (*anche*) condizione sospensiva ◻ (*fam.*) **to change one's c.**, cambiare stato civile; sposarsi.

to **condition** /kənˈdɪʃn/ v. t. **1** condizionare; influenzare: *The two things c. each other*, le due cose si condizionano a vicenda **2** (*psic.*) condizionare: **to c. sb. into doing st.**, condizionare q. a fare qc. **3** (*ind.*) trattare; sottoporre a trattamento: **to c. leather**, trattare il cuoio **4** mettere in buone condizioni fisiche; tonificare: **to c. skin**, tonifica-

re la pelle; **to c. hair**, trattare i capelli (con balsamo, ecc.); **well-conditioned**, in buone condizioni **5** (*a scuola USA*) dare un'insufficienza (*con obbligo di riparazione*) **6** porre condizioni a (qc.).

♦**conditional** /kənˈdɪʃənl/ **A** a. **1** condizionato; subordinato: **c. offer**, offerta condizionata; *Our offer is c. on your our acceptance of this clause*, la nostra offerta è subordinata all'accettazione di questa clausola da parte vostra **2** (*anche gramm.*) condizionale; (*leg.*) **c. provision**, clausola condizionale **B** n. ⓤ (*gramm.*) condizionale: **in the c.**, al condizionale; (*banca*) **c. acceptance**, accettazione condizionata ◻ (*leg.*) **c. clause**, clausola restrittiva ◻ (*leg., GB*) **c. discharge**, libertà sotto sospensione condizionale della pena: *He was given a 2-year c. discharge*, fu condannato a due anni con la condizionale ◻ (*stat.*) **c. distribution**, distribuzione condizionata ◻ (*comput.*) **c. instruction**, istruzione condizionale ◻ (*comput.*) **c. jump**, salto condizionato ◻ (*leg.*) **c. legacy**, legato soggetto a condizione ◻ (*Borsa, fin.*) **c. order**, ordine condizionato ◻ (*leg., comm.*) **c. sale**, vendita con riservato dominio ‖ **conditionality** n. ⓤ **1** l'essere condizionale **2** (*econ.*) condizionalità ‖ **conditionally** avv. **1** condizionatamente; a una condizione **2** (*leg.*) con la condizionale.

conditioned /kənˈdɪʃnd/ a. **1** in buone condizioni fisiche: **well-c. cattle**, bestiame in buone condizioni **2** (*di capelli*) morbidi (*grazie a shampoo, balsamo, ecc.*) **3** (*di birra*) fermentata: **cask-c. beer**, birra fermentata in barile **4** (*psic.*) condizionato: **c. reflex**, riflesso condizionato.

conditioner /kənˈdɪʃənə(r)/ n. **1** condizionatore (*di tessili o pelli*) **2** (= **air-c.**) condizionatore (dell'aria) **3** (= **hair-c.**) balsamo per capelli **4** (*tecn.*) ammorbidente (*per pelli, ecc.*).

conditioning /kənˈdɪʃnɪŋ/ n. ⓤ **1** (*scient., tecn.*) condizionamento **2** condizionatura (*di tessili o pelli*).

condo /ˈkɒndəʊ/ n. (*USA, abbr. fam. di* **condominium**) (*edil.*) **1** condominio **2** appartamento in un condominio • **c. owner**, condomino.

condolatory /kənˈdəʊlətrɪ/ a. di condoglianze.

to **condole** /kənˈdəʊl/ v. i. condolersi; fare le proprie condoglianze: **to c. with sb. on** (*o* **over**) **st.**, condolersi con q. per qc.

condolence /kənˈdəʊləns/ n. ⓤ condoglianza; condoglianze: **a letter of c.**, una lettera di condoglianze; **to offer one's c. to sb.**, fare le condoglianze a q.; *I'll give him a ring and give him my condolences*, lo chiamerò per fargli le mie condoglianze.

condom /ˈkɒndəm/ n. (*farm.*) preservativo • **c. machine**, distributore automatico di preservativi.

condominium /kɒndəˈmɪnɪəm/ n. **1** (*polit.*) condominio **2** (*edil.*) condominio; palazzo in condominio **3** (*edil.*) appartamento in un condominio; unità condominiale • **c. owner**, condomino.

condonable /kənˈdəʊnəbl/ a. condonabile.

condonation /kɒndəʊˈneɪʃn/ n. ⓤ **1** condono (*non della pena; cfr.* **remission**, *def. 1 e 3*); remissione (*d'una colpa*) **2** (*leg.*) perdono d'un coniuge adultero (*da parte dell'altro*).

to **condone** /kənˈdəʊn/ v. t. **1** condonare; perdonare (*una colpa*) **2** fare ammenda di, riparare a (*una colpa*).

condor /ˈkɒndɔː(r)/ n. (*zool., Vultur gryphus*) condor.

to **conduce** /kənˈdjuːs, USA -ˈduːs/ v. i. (*form.*) contribuire, portare (a); dare (*un risultato*); essere causa (di): *Wealth does not*

always c. to happiness, la ricchezza non sempre porta alla felicità.

conducive /kənˈdjuːsɪv, *USA* -ˈduː-/ a. che contribuisce (a); che è causa (di): *Fresh air is c. to health*, l'aria aperta contribuisce alla buona salute.

conduct /ˈkɒndʌkt/ n. ⓤ **1** condotta; comportamento: **good c.**, buona condotta; **unprofessional c.**, comportamento non professionale; **code of c.**, codice di comportamento; codice deontologico **2** modo di condurre; conduzione; gestione: **the c. of an examination**, il modo di condurre un esame; **the c. of business**, la gestione degli affari; **the c. of the war**, la conduzione della guerra **3** (*arc.*) guida; direzione **4** (*arte*) trattamento; esecuzione ● (*psic.*) **c. disorder**, comportamento antisociale (*di bambino, ecc.*); disturbo della condotta □ (*leg.*) **c. money**, indennità di viaggio (*di un testimone*) □ (*mil.*) **c. sheet**, (foglio delle) note disciplinari.

♦to **conduct** /kənˈdʌkt/ ⓐ v. t. **1** condurre; svolgere; tenere: **to c. an experiment**, condurre un esperimento; **to c. a survey**, condurre (*o svolgere*) un'inchiesta; **to c. a debate**, tenere un dibattito; **to c. an examination**, tenere un esame; (*mil.*) **to c. a siege**, condurre un assedio **2** gestire; dirigere; condurre: **to c. business**, gestire gli affari; **to c. a business**, dirigere un'azienda **3** (*mus.*) dirigere (*un'orchestra, un concerto*) **4** condurre; guidare: *We were conducted through several rooms*, fummo condotti attraverso diverse stanze; **conducted tours**, visite guidate **5** (*elettr., fis.*) condurre **6** convogliare; trasportare: *These pipes c. drinking water*, questi tubi convogliano l'acqua potabile ⓑ v. i. **1** (*elettr., fis.*) essere conduttore **2** (*mus.*) fare il direttore d'orchestra ● **to c. oneself**, comportarsi, condursi (*bene, male, ecc.*).

conductance /kənˈdʌktəns/ n. ⓤ (*elettr., mecc.*) conduttanza.

conductible /kənˈdʌktəbl/ (*elettr., fis.*) a. conduttivo ‖ **conductibility** n. ⓤ conducibilità; conduttività.

conduction /kənˈdʌkʃn/ n. ⓤ **1** (*fis.*) conduzione (*d'elettricità, calore, ecc.*) **2** (*idraul.*) convogliamento (*d'acque*).

conductive /kənˈdʌktɪv/ a. (*elettr., fis.*) conduttivo; conduttore: **c. coating**, rivestimento conduttivo ● (*elettr.*) **c. coupling**, accoppiamento diretto □ (*med.*) **c. education**, 'educazione conduttiva'; riabilitazione dei paraplegici.

conductivity /ˌkɒndʌkˈtɪvəti/ n. ⓤ (*elettr., fis.*) conducibilità; conduttività.

conductor /kənˈdʌktə(r)/ n. **1** (*mus.*) direttore, direttrice d'orchestra (*o d'un coro*) **2** controllore, bigliettaio, bigliettaia (*d'autobus, tram, ecc.*) **3** (*ferr. USA*) capotreno **4** (*fis.*) conduttore: *Metals are good conductors*, i metalli sono buoni conduttori (*d'elettricità*) ● (*edil.*) **c. pipe**, pluviale □ (*elettr., ferr.*) **c. rail**, terza rotaia ‖ **conductorship** n. ⓤ (*mus.*) direzione (d'orchestra).

conductress /kənˈdʌktrɪs/ n. bigliettaia; controllore (*donna*).

conduit /ˈkɒndjuːɪt, *USA* -duːɪt/ n. **1** condotto, conduttura, tubazione (*delle acque*) **2** guaina; tubo protettivo (*per fili elettrici*) **3** passaggio segreto **4** (*geol.*) condotto (*di vulcano*) **5** (*fig.*) canale: (*econ.*) **a c. for outflowing capitals**, un canale d'uscita di capitali dal paese.

condyle /ˈkɒndɪl/ (*anat.*) n. condilo ‖ **condyloid** a. condiloide; condiloideo.

condyloma /ˌkɒndɪˈləʊmə/ n. (pl. **condylomas, condylomata**) (*med.*) condiloma.

cone /kəʊn/ n. **1** (*geom., geol.*) cono **2** (oggetto a forma di) cono **3** (= **traffic c.**) cono segnaletico; cono spartitraffico; cinesino

(*fam.*) **4** (= **ice cream c.**) cono (gelato) **5** (*ind. tess.*) cono; bobina conica; rocca **6** (*bot.*: *frutto delle conifere*, = **pine c.**) cono; pigna **7** (*anat.*) cono ● (*mecc.*) **c. clutch**, frizione a cono □ (*mecc.*) **c. key**, chiavetta conica □ (*ind. costr.*) **c. valve**, diffusore a cono □ (*geol.*) **alluvial c.**, conoide (*di deiezione*).

to **cone** /kəʊn/ ⓐ v. t. **1** dare forma conica a **2** (*aeron. mil.*) centrare con un riflettore (*un aereo nemico*) ⓑ v. i. (*bot.*) produrre pigne.

■ **cone off** v. t. (*autom.*) delimitare (*una corsia, ecc.*) con coni segnalatori.

coned /kəʊnd/ a. **1** a cono; conico **2** (*ind. tess.*) avvolto su rocca.

coney /ˈkəʊni/ → **cony**.

conf. abbr. **1** (**conference**) conferenza **2** (**confessor**) confessore.

confab /ˈkɒnfæb/ n. (abbr. *fam. di* **confabulation**) discussione privata; chiacchierata.

to **confab** /ˈkɒnfæb/ v. i. (*fam.*) discutere in privato; consultarsi.

to **confabulate** /kənˈfæbjʊleɪt/ (*form. o scherz.*) v. i. **1** conversare; chiacchierare **2** (*psic.*) esprimersi per confabulazioni ‖ **confabulation** n. ⓤ **1** conversazione familiare; chiacchierata **2** (*psic.*) confabulazione; fabulazione ‖ **confabulatory** a. (*psic.*) confabulatorio.

to **confect** /kənˈfekt/ v. t. preparare, fare (*piatti elaborati, dolci, ecc.*).

confection /kənˈfekʃn/ n. **1** preparazione (*con diversi ingredienti*); miscelazione **2** confettura; confetto; pasticcino **3** (*antiq.*) confezione; indumento bell'e fatto (*da donna*) **4** (*farm.*) preparato galenico.

to **confection** /kənˈfekʃn/ v. t. **1** preparare (*confetture, dolciumi, ecc.*) **2** confezionare (*abiti*).

confectionary /kənˈfekʃənri/ ⓐ a. di pasticceria; dolciario ⓑ n. → **confectionery**, def. 1 e 2.

confectioner /kənˈfekʃənə(r)/ n. pasticciere; confettiere ● (*USA*) **c.'s sugar**, zucchero a velo.

confectionery /kənˈfekʃənri/ n. **1** ⓤ dolciumi; pasticceria; confetteria: **c. manufacturers**, industriali della pasticceria **2** laboratorio di pasticceria **3** negozio di dolciumi; confetteria; pasticceria **4** ⓤ arte del pasticciere **5** (*econ.*) industria dolciaria.

confederacy /kənˈfedərəsi/ n. **1** confederazione; lega; alleanza **2** ⓤ (*leg.*) associazione per delinquere **3** – (*stor. USA*) **the C.** (*o* **the Southern C.**), la Confederazione (sudista).

confederate /kənˈfedərət/ ⓐ a. confederato; alleato ⓑ n. **1** confederato; alleato **2** (*leg.*) complice **3** – (*stor. USA*) **C.**, confederato; aderente alla Confederazione.

to **confederate** /kənˈfedəreɪt/ ⓐ v. t. confederare; unire in confederazione ⓑ v. i. confederarsi; allearsi.

confederation /kənˌfedəˈreɪʃn/ n. **1** ⓤ il confederarsi; l'allearsi **2** confederazione; alleanza; lega: **the Swiss C.**, la Confederazione Elvetica ● (*stor. USA*) **the C.**, la Confederazione (sudista).

confederative /kənˈfedrətɪv/ a. confederativo; confederale.

to **confer** /kənˈfɜː(r)/ ⓐ v. t. conferire; assegnare; dare (*un titolo, una laurea ad honorem, ecc.*): *Tomorrow the king will c. several titles of nobility*, domani il re conferirà diversi titoli nobiliari ⓑ v. i. – **to c. with sb.**, conferire con q.; consultarsi con q. ‖ **conferment** n. ⓤ conferimento (*di titolo, laurea, diritto, ecc.*) ‖ **conferrable** a. conferibile.

♦**conference** /ˈkɒnfərəns/ n. **1** congresso; conferenza; convegno: **an international c.**, un congresso internazionale; **peace c.**, con-

ferenza per la pace **2** riunione; colloquio; consultazione; consulto: **to be in c.**, essere in riunione; *Our teacher is in c. with the headmaster*, il nostro insegnante è a colloquio con il preside; **press c.**, conferenza stampa **3** (*sport, USA*) lega **4** (*relig.*) organo di governo di alcune chiese, *spec.* della Chiesa Metodista **5** (*naut.*) conferenza; consorzio ● (*telef.*) **c. call**, teleconferenza □ **c. centre**, centro congressi □ (*naut.*) **c. lines**, linee di navigazione conferenziate □ **c. room**, sala riunioni □ (*naut.*) **c. ship**, nave conferenziata □ (*polit.*) **c. table**, tavolo dei negoziati.

conferencing /ˈkɒnfərənsɪŋ/ n. ⓤ (*telef.*) partecipazione a una teleconferenza.

to **confess** /kənˈfes/ v. t. e i. **1** confessare (*anche leg.*); ammettere; riconoscere: *I c. that I did it* (*o I c. to doing it*), ammetto d'averlo fatto io; *I c. myself a traditionalist*, confesso d'essere un tradizionalista; **to c. to an offence**, riconoscersi colpevole di un reato **2** (*relig.*) confessare, confessarsi: **to c. one's sins**, confessare i propri peccati **3** professare: **to c. the Christian faith**, professare la fede cristiana ● (*prov.*) **A fault confessed is half redressed**, peccato confessato è mezzo perdonato.

confessant /kənˈfesnt/ n. (*relig.*) chi si confessa; penitente.

confessedly /kənˈfesɪdli/ avv. per ammissione spontanea; per confessione propria.

confession /kənˈfeʃn/ n. **1** confessione; ammissione; riconoscimento: **a c. of failure**, un riconoscimento d'insuccesso; **to make open c. of st.**, confessare (*o ammettere*) apertamente qc.; *I have a c. to make*, devo confessare una cosa **2** (*leg.*) confessione: **a c. to murder**, la confessione di un omicidio; **to make a full c.**, rendere piena confessione; confessare tutto; **to sign a c.**, firmare una confessione **3** (*anche C.*) (*relig.*) confessione (*il sacramento*): **to make one's c.**, fare la confessione; confessarsi; **to go to c.**, (andare a) confessarsi; **to hear sb.'s c.**, confessare q. **4** dichiarazione; professione: **a c. of faith**, una professione di fede **5** (*anche C.*) (*relig.*) confessione religiosa; chiesa **6** (*leg.*) ammissione formale (*in diritto civile*) ● (*relig.*) **C. box**, confessionale ● «**Confessions of...**», «Le confessioni di...» (*titolo di libro*).

confessional /kənˈfeʃənl/ ⓐ a. (*anche relig.*) confessionale: **c. schools**, scuole confessionali ⓑ n. (*relig.*) confessionale.

confessionalism /kənˈfeʃənəlɪzəm/ n. ⓤ confessionalismo.

confessionary /kənˈfeʃənri/ n. e a. (*relig.*) confessionale.

confessor /kənˈfesə(r)/ n. **1** chi confessa, ammette, riconosce (qc.) **2** (*relig.*) confessore **3** (*stor., relig.*) chi professa la sua fede cristiana.

confetti /kənˈfeti/ n. ⓤ coriandoli ❶ **FALSI AMICI** ● confetti *non significa* confetti.

confidant /ˌkɒnfɪˈdænt, ˈkɒnfɪdɑːnt/ n. confidente; amico intimo.

confidante /ˈkɒnfɪdænt, ˌkɒnfɪˈdɑːnt/ n. confidente; amica intima.

to **confide** /kənˈfaɪd/ ⓐ v. t. **1** confidare (*un segreto, ecc.*) **2** affidare: *The defence of our country is confided to the Armed Forces*, la difesa del nostro paese è affidata alle forze armate ⓑ v. i. **1** confidare, aver fiducia (*in q.*): **to c. in God**, confidare in Dio **2** confidarsi (*con q.*).

♦**confidence** /ˈkɒnfɪdəns/ n. ⓤ **1** fiducia: **to have full c. in sb.** [*st.*], avere piena fiducia in q. [*qc.*]; **to look at the future with c.**, guardare al futuro con fiducia; **to inspire c.**, ispirare fiducia; **to place one's c. in sb.**, riporre la propria fiducia in q.; **to shake sb.'s c. in st.**, scuotere la fiducia di q. in qc. **2** (=

self-c.) fiducia in sé stesso; sicurezza (di sé): *He is full of c.*, ha una gran fiducia in sé; è molto sicuro di sé; **to lack in c.**, non avere fiducia in sé; essere insicuro **3** certezza; sicurezza: *I can say with c. that...*, posso affermare con certezza che... **4** confidenza: **in c.**, in confidenza; in via riservata; **in strict c.**, in via strettamente confidenziale **5** confidenza; segreto: **to exchange confidences**, scambiarsi segreti; **to make a c. to sb.**, fare una confidenza a q. **6** (*stat.*) confidenza: **c. belt**, fascia di confidenza; **c. interval**, intervallo di confidenza ● **c. crisis**, crisi di fiducia □ (*org. az.*) **c. level**, grado di affidabilità (*dei prodotti*) □ (*antiq.*) **c. man**, truffatore □ **c. trick** (*USA*: **c. game**), truffa all'americana □ **c. trickster**, truffatore; imbroglione □ **to be in sb.'s c.**, godere la fiducia di q. □ **to take sb. into one's c.**, confidarsi con q. □ (*polit.*) **vote of c.** [**of no c.**], voto di fiducia [di sfiducia].

♦**confident** /'kɒnfɪdənt/ **A** a. **1** fiducioso; che confida; confidente; ottimista: **to be c. about sb.**, avere fiducia in qc.; confidare in qc.; *We are c. about the future*, abbiamo fiducia nel futuro; *I'm c. of success*, sono certo di una buona riuscita **2** sicuro (di sé): *He speaks in a c. manner*, parla come uno che è sicuro di sé; *She's grown more c.*, è diventata più sicura di sé; *He is c. of winning the race*, è sicuro (o confida) di vincere la corsa **B** n. (*arc.*) → **confidant** ❶ **FALSI AMICI** • *nell'inglese attuale* confident (*sost.*) *non significa* || **confidently** avv. **1** fiduciosamente; con fiducia **2** con fiducia in sé stesso; con sicurezza.

confidential /ˌkɒnfɪ'dɛnʃl/ a. **1** segreto; riservato: **c. information**, informazioni riservate **2** che si fida; fiducioso **3** confidenziale: **a c. approach**, un approccio confidenziale; **c. remarks**, osservazioni confidenziali ● **c. secretary**, segretario particolare || **confidentiality** n. ▣ **1** riservatezza (*di un'informazione, ecc.*) **2** l'essere fiducioso, il fidarsi (di q.) ● (*leg.*) **confidentiality clause**, clausola che impegna a non svelare i segreti aziendali || **confidentially** avv. confidenzialmente; in confidenza.

confider /kən'faɪdə(r)/ n. **1** chi si confida **2** chi affida (*q. o qc. ad altri*).

confiding /kɒn'faɪdɪŋ/ a. fiducioso; senza sospetto: **c. nature**, carattere fiducioso.

configurable /kən'fɪgjʊrəbl/ a. (*spec. comput.*) configurabile; personalizzabile.

configuration /kənˌfɪgə'reɪʃn/ n. **1** configurazione (*del suolo, ecc.*); conformazione; struttura **2** (*astron.*) configurazione (*dei pianeti, ecc.*) **3** (*comput., mat., stat.*) configurazione: (*comput.*) **c. registry**, registro di configurazione.

to **configure** /kən'fɪgə(r)/ v. t. **1** (*anche comput.*) configurare **2** (*al passivo*) (*comput.*) autoconfigurarsi.

confine /'kɒnfaɪn/ n. **1** (*di solito al pl.*) confine, frontiera (*anche fig.*); linea divisoria, limite: **within the confines of human knowledge**, nei limiti della conoscenza umana **2** (*arc.*) territorio: *'Nature in you stands on the very verge / of her c.'* W. SHAKESPEARE, 'in te la natura si trova proprio sul bordo del suo territorio'.

♦to **confine** /kən'faɪn/ v. t. **1** confinare; rinchiudere; relegare; costringere (*a restare in un luogo*): **to c. to a mental home**, rinchiudere in un manicomio; **to be confined to (o in) bed**, essere costretto a letto; **to be confined to a wheelchair**, essere confinato su una sedia a rotelle **2** limitare; restringere: *C. your account to the facts*, limita il tuo resoconto ai fatti; *I will c. myself to saying that...*, mi limiterò a dire che... **3** (*al passivo*) (*di donna, antiq.*) essere a letto per un parto ● (*mil.*) **to c. to barracks**, consegnare (in caserma).

confined /kən'faɪnd/ a. (*di spazio*) limitato; ristretto.

confinement /kən'faɪnmənt/ n. **1** prigionia; reclusione; segregazione; internamento: **solitary c.**, segregazione cellulare; **to be kept in c.**, essere tenuto prigioniero; essere rinchiuso; **voluntary c.**, reclusione volontaria; autosegregazione; **c. to a asylum**, internamento in manicomio **2** relegazione; l'esser costretto (*a letto, in casa, ecc.*) **3** limitazione; restrizione **4** (*di donna*) parto (*dall'inizio del travaglio alla nascita*): *Her c. took place at home*, partorì in casa ● (*demogr., med.*) **c. order**, ordine di ricovero per parto □ (*mil.*) **c. to barracks**, consegna (*punizione*).

♦to **confirm** /kən'fɜːm/ v. t. **1** confermare: *The news has been confirmed*, la notizia è stata confermata; **to c. an appointment**, confermare un appuntamento; (*comm.*) **to c. an order**, confermare un ordinativo **2** – **to c. sb. in**, confortare q. in (*una convinzione, ecc.*): *This confirms me in my belief that...*, ciò mi conforta nel credere che...; ciò rafforza la mia convinzione che... **3** ratificare; confermare; omologare; rendere definitivo: **to c. a treaty**, ratificare un trattato; **to c. sb.'s appointment**, confermare (o rendere definitiva) la nomina di q. **4** (*relig.*) cresimare; confermare.

confirmand /'kɒnfəmænd/ n. (*relig.*) cresimando.

confirmation /ˌkɒnfə'meɪʃn/ n. ⓤ **1** conferma **2** ratifica; conferma; omologazione **3** (*relig.*) cresima; confermazione.

confirmative /kən'fɜːmətɪv/ a. confermativo; che afferma; che tende ad affermare.

confirmatory /kən'fɜːmətrɪ/ a. **1** → **confirmative 2** (*relig.*) relativo alla cresima (*o alla confermazione*).

confirmed /kən'fɜːmd/ a. **1** inveterato; cronico: **a c. habit**, un'abitudine inveterata; **a c. disease**, una malattia cronica **2** impenitente; incallito; recidivo: **a c. bachelor**, uno scapolo impenitente (*o incallito*); **a c. criminal**, un delinquente recidivo **3** (*relig.*) cresimato ● (*comm.*) **c. letter of credit**, lettera di credito confermata.

confirming /kən'fɜːmɪŋ/ n. ⓤ (*comm. est., fin.*) confirming ● (*in GB*) **c. house**, agenzia finanziaria (*lettere di credito, operazioni di borsa, ecc. per clienti stranieri*).

to **confiscate** /'kɒnfɪskeɪt/ v. t. **1** confiscare ● requisire; sequestrare || **confiscable** a. **1** confiscabile **2** requisibile; sequestrabile || **confiscation** n. ⓤ **1** confisca **2** requisizione; sequestro ● (*leg.*) **confiscation of property**, confisca di beni || **confiscator** n. confiscatore; chi requisisce || **confiscatory** a. (*che ha carattere*) di confisca ● **confiscatory taxes**, imposte esose.

conflagration /ˌkɒnflə'greɪʃn/ n. conflagrazione; grande incendio.

to **conflate** /kən'fleɪt/ v. t. fondere insieme (*testi, informazioni, questioni, ecc.*); combinare; unire || **conflation** n. ⓤ fusione; combinazione; unione.

♦**conflict** /'kɒnflɪkt/ n. **1** ⓤ conflitto; contrasto; conflittualità (*polit., econ.*): **a c. of ideas [of interest]**, un conflitto d'idee [d'interessi]; **to be in c. with sb.**, essere in contrasto con q.; scontrarsi con; **to bring sb. into c. with**, portare a scontrarsi con; **continual** (*o* **permanent**) **c.**, conflittualità permanente **2** conflitto; scontro; guerra: **armed c.**, scontro armato; conflitto a fuoco; **ethnic conflicts**, scontri tra gruppi etnici ● (*leg.*) **c. of evidence**, contrasto di prove □ (*leg.*) **c. of powers**, conflitto di poteri (*o* d'attribuzioni).

to **conflict** /kən'flɪkt/ v. i. **1** essere in conflitto (*o* in contrasto); contrastare (*con qc.*) **2**

(*di date, eventi, ecc.*) coincidere (con); avvenire contemporaneamente (a).

conflicted /kən'flɪktɪd/ a. (*USA*) combattuto (*tra sentimenti, idee, ecc., contrastanti*); indeciso.

conflicting /kən'flɪktɪŋ/ a. **1** contrastante; in conflitto; contraddittorio: **c. emotions**, emozioni contrastanti; (*leg.*) **c. evidence**, prove contraddittorie **2** (*di date, eventi, ecc.*) concomitante.

confliction /kən'flɪkʃn/ n. ⓤ l'essere in conflitto (o in contrasto).

conflictual /kən'flɪktʃʊəl/ a. conflittuale.

confluence /'kɒnflʊəns/ n. **1** confluenza (*d'acque, di strade, ecc.*) **2** (*fig.*) convergenza (*di idee, ecc.*) **3** punto di confluenza.

confluent /'kɒnflʊənt/ **A** a. confluente; (*fig.*) che converge: **c. streams**, corsi d'acqua confluenti **B** n. confluente (*fiume*).

conflux /'kɒnflʌks/ n. → **confluence**.

confocal /kən'fəʊkl/ a. (*scient.*) confocale.

to **conform** /kən'fɔːm/ **A** v. t. conformare; uniformare **B** v. i. **1** concordare; corrispondere **2** conformarsi; adeguarsi: *You must c. to the law*, devi conformarti alla legge **3** (*di un apparecchio, ecc.*) essere conforme a: *This vacuum cleaner does not c. to safety standards*, questo aspirapolvere non è conforme alle norme di sicurezza **4** (*stor., relig.*) aderire ai principi della Chiesa Anglicana.

conformability /kənˌfɔːmə'bɪlətɪ/ n. ⓤ **1** conformità; consentaneità **2** corrispondenza **3** docilità; malleabilità (*fig.*).

conformable /kən'fɔːməbl/ a. **1** conforme; simile; consentaneo **2** adatto; corrispondente **3** arrendevole; accomodante; docile; malleabile (*fig.*) **4** (*geol.*) concordante **5** (*relig.*) conformista; conformistico | **-bly** avv.

conformal /kən'fɔːml/ a. (*cartografia: di una proiezione*) conforme; isogonica.

conformance /kən'fɔːməns/ n. ⓤ conformità ● (*di un apparecchio, ecc.*) **to be in c. with**, essere conforme a (*norme, ecc.*).

conformation /ˌkɒnfɔː'meɪʃn/ n. ⓤ **1** conformazione (*anche chim., fis.*); struttura **2** adattamento || **conformational** a. (*chim., fis.*) conformazionale.

conformist /kən'fɔːmɪst/ (*anche relig.*) n. conformista || **conformism** n. ⓤ conformismo.

conformity /kən'fɔːmətɪ/ n. ⓤ **1** conformità **2** accordo; corrispondenza **3** docilità; arrendevolezza **4** (*relig.*) conformismo ● **in c. with**, in conformità di (*istruzioni, norme, ecc.*); aderendo a (*desideri, ecc.*).

to **confound** /kən'faʊnd/ v. t. **1** rendere perplesso, disorientare; sconcertare; confondere **2** confondere (*con qc.*) **3** smentire (*una teoria, ecc.*); dare torto a; dimostrare errato, infondato: **to c. expectations**, smentire le previsioni **4** ostacolare (*un piano, ecc.*) sconvolgere **5** (*arc.*) sconfiggere ● (*antiq.*) **C. it!**, accidenti! □ (*antiq.*) **C. him!**, accidenti a lui!; che vada al diavolo!

confounded /kən'faʊndɪd/ a. **1** confuso; perplesso; disorientato **2** (*fam. antiq.*) insopportabile; maledetto; detestabile: **a c. nuisance**, una tremenda seccatura; **that c. fool!**, quel maledetto stupido! | **-ly** avv.

confraternity /ˌkɒnfrə'tɜːnətɪ/ n. **1** (*relig.*) confraternita **2** associazione professionale.

confrère /'kɒnfreə(r)/ n. (*form.*) **1** confratello **2** collega.

♦to **confront** /kən'frʌnt/ v. t. **1** affrontare; incontrare faccia a faccia; sostenere il confronto con: *Police and demonstrators confronted each other*, la polizia e i dimostranti si sono affrontati; *He had to c. his accusers in court*, dovette affrontare i suoi accu-

satori in tribunale; *I was confronted by an angry neighbour*, mi trovai di fronte un vicino furioso **2** affrontare; far fronte a: **to c. danger** [**a problem, a question**], affrontare il pericolo [un problema, una questione] **3** (al passivo) – **to be confronted with**, avere di fronte: dover affrontare: **to be confronted with a problem**, avere di fronte (*o* dover affrontare) un problema **4** essere di fronte a: **A new dilemma confronted me**, avevo di fronte un nuovo dilemma **5** mettere (q.) di fronte (*a qc.*): *We confronted him with the facts*, lo mettemmo di fronte ai (*o* mettemmo davanti i) fatti **6** mettere (q.) a confronto con: **to c. two witnesses**, mettere a confronto due testimoni ❶ **FALSI AMICI** • to confront *non significa* confrontare.

♦**confrontation** /ˌkɒnfrʌnˈteɪʃn/ n. **1** (*polit.*) confronto; scontro; braccio di ferro: **a c. between the government and trade unions**, un braccio di ferro tra il governo e i sindacati **2** (*leg.*: *di imputati, ecc.*) (messa a) confronto **3** (*sport*) scontro (*fisico*) || **confrontational** a. provocatorio; che cerca lo scontro.

Confucian /kənˈfjuːʃn/ a. e n. (*relig.*) confuciano.

Confucianism /kənˈfjuːʃənɪzəm/ n. Ⓤ (*relig.*) confucianesimo.

Confucius /kənˈfjuːʃəs/ n. (*stor.*, *relig.*) Confucio.

confusable /kənˈfjuːzəbl/ a. confondibile.

♦to **confuse** /kənˈfjuːz/ v. t. **1** confondere; disorientare; sconcertare **2** confondere; scambiare: **You could easily c. the two brothers**, è facile confondere (tra di loro) i due fratelli **3** complicare; confondere; rendere confuso: **to c. the issue**, complicare le cose; **to c. matters further...**, per complicare ancor di più le cose...

♦**confused** /kənˈfjuːzd/ a. **1** confuso; disorientato; sconcertato; che non capisce: *I was c. about what should be done*, ero confuso sul da farsi; **to be c. about one's feelings**, non riuscire a capire bene i propri sentimenti; **to get c.**, confondersi; essere sconcertato **2** (*psic.*) affetto da confusione mentale **3** confuso; disordinato: **c. reports**, notizie confuse **4** confuso; indistinto: **a c. murmur**, un confuso mormorio || **-ly** avv.

♦**confusing** /kənˈfjuːzɪŋ/ a. che confonde; che disorienta.

♦**confusion** /kənˈfjuːʒn/ n. Ⓤ©̶ **1** confusione: *There is great c. over the company's intentions*, c'è molta confusione sulle intenzioni della società **2** confusione; caos; scompiglio: *The pickpocket escaped in the c.*, nella confusione il borsaiolo scappò; **to be thrown** (*o* plunged) **into c.**, essere gettato nello scompiglio; cadere in preda al caos; **in a state of total c.**, nella più totale confusione **3** confusione; scambio; equivoco: **c. between two terms**, confusione tra due termini **4** imbarazzo; confusione: **covered with c.**, assai imbarazzato; in preda a grande confusione **5** (*leg.*) confusione (*di beni, debiti, diritti, ecc.*).

confusional /kənˈfjuːʒənl/ a. (*psic.*) confusionale.

to **confute** /kənˈfjuːt/ v. t. confutare || **confutable** a. confutabile || **confutation** n. Ⓤ©̶ confutazione.

Cong /kɒŋ/ n. (abbr. *fam.* di **Vietcong**) vietcong.

Cong. abbr. **1** (**Congress**) congresso, assemblea **2** (*relig.*, **congregation**) congregazione.

conga /ˈkɒŋɡə/ n. (*mus.*) conga.

congé /ˈkɒnʒeɪ/ n. (*form.*) congedo; commiato ● **to take one's c.** congedarsi □ (*form.*) **He gave me my c.**, mi congedò.

to **congeal** /kənˈdʒiːl/ v. t. e i. **1** rapprendere, rapprendersi; coagulare, coagularsi; solidificare, solidificarsi: *Wait until the liquid has congealed*, aspettate che il liquido si sia rappreso; **to c. water into ice**, solidificare l'acqua in ghiaccio; **congealed blood**, sangue coagulato (*o* rappreso); (*metall.*) **congealed solution**, soluzione solida **2** (*fig.*) irrigidire, irrigidirsi; congelare, congelarsi; paralizzare, paralizzarsi; (*rif. al sangue, per paura*) agghiacciare, agghiacciarsi; raggelare, raggelarsi **3** (*fig.*) prendere una forma soddisfacente; amalgamarsi; concretizzarsi || **congealable** a. congelabile || **congealment** n. Ⓤ **1** coagulazione; solidificazione **2** congelamento.

congelation /ˌkɒndʒɪˈleɪʃn/ n. Ⓤ **1** congelazione; congelamento **2** coagulazione; solidificazione.

congener /kənˈdʒiːnə(r)/ A a. congenere (*anche biol. e chim.*); consimile; analogo B n. **1** persona (*o* cosa) congenere **2** (*biol.*) congenere.

congeneric /ˌkɒndʒəˈnerɪk/ (*bot.*, *zool.*) a. congenere; affine || **congenerous** a. congenere; affine.

congenial /kənˈdʒiːnɪəl/ a. **1** (*di cosa*) congeniale; adatto; che va a genio; gradito: **a c. study**, uno studio congeniale; **a c. job** [**employment**], un lavoro [un impiego] adatto, gradito **2** (*di persona*) affine; che ha gli stessi gusti e interessi **3** (*fam.*) amabile; simpatico; piacevole: **a c. atmosphere**, un'atmosfera simpatica; **c. weather**, tempo piacevole || **congeniality** n. Ⓤ **1** congenialità **2** affinità (*d'indole, gusti, interessi*) **3** (*fam.*) amabilità; simpatia.

congenital /kənˈdʒenɪtl/ a. congenito: (*med.*) **a c. disease**, una malattia congenita ● (*fig.*) **a c. liar**, un bugiardo nato.

conger /ˈkɒŋɡə(r)/ n. (*zool.*, *Conger conger*; = **c. eel**) congro; grongo; anguilla di mare.

congeries /kɒnˈdʒɪəriːz/ n. (inv. al pl.) (*form.*) congerie.

to **congest** /kənˈdʒest/ A v. t. congestionare (*anche fig.*); ingorgare (*il traffico, ecc.*) B v. i. congestionarsi.

congested /kənˈdʒestɪd/ a. congestionato: (*med.*) **a c. organ**, un organo congestionato; **a c. street**, una strada congestionata (*di traffico*) ● **a c. district**, una regione eccessivamente popolata.

congestion /kənˈdʒestʃn/ n. Ⓤ **1** (*med.*) congestione **2** (*fig.*) congestione; ingorgo: **traffic c.**, la congestione del traffico; **c. charging**, pagamento di un pedaggio per guidare su strade particolarmente trafficate (*spec. durante le ore di punta*).

congestive /kənˈdʒestɪv/ a. (*med.*) congestizio.

to **conglobate** /kɒnˈɡləʊbeɪt/ v. t. e i. conglobare, conglobarsi || **conglobation** n. Ⓤ conglobazione.

conglomerate /kənˈɡlɒmərət/ A a. **1** conglomerato **2** (*geol.*) di conglomerazione B n. **1** (*anche geol.*) conglomerato **2** (*fin.*) conglomerata; gruppo di controllo (*di diverse aziende*).

to **conglomerate** /kənˈɡlɒməreɪt/ v. t. e i. conglomerare, conglomerarsi || **conglomeration** n. **1** Ⓤ (*anche fin.*) conglomerazione **2** (*demogr.*) agglomerato.

congo eel /ˈkɒŋɡəʊˈiːl/ loc. n. (*zool.*, *Amphiuma means*; = **congo snake**) anfiuma (*salamandra acquatica*).

congrats /kənˈɡræts/ inter. (*fam.*) congratulazioni!

to **congratulate** /kənˈɡrætʃʊleɪt/ v. t. congratularsi con: *I c. you on your success*, mi congratulo con te per il tuo successo ● **to c. oneself** (**on**), rallegrarsi con sé stesso; felicitarsi con sé stesso: *He congratulated himself on having survived the pile-up*, si rallegrò con sé stesso per essere sopravvis-

suto al maxitamponamento || **congratulator** n. chi si congratula.

♦**congratulation** /kənˌɡrætʃʊˈleɪʃn/ n. **1** (al pl., *anche* inter.) congratulazioni; felicitazioni; *Give her my congratulations when you next see her*, falle le mie congratulazioni la prossima volta che la vedi **2** Ⓤ congratulazione.

congratulatory /kənˈɡrætʃʊleɪtrɪ/ a. congratulatorio; di congratulazione: **a c. speech**, un discorso di congratulazione ● **c. letter**, lettera di felicitazioni.

to **congregate** /ˈkɒŋɡrɪɡeɪt/ A v. t. congregare; adunare B v. i. congregarsi; adunarsi; raccogliersi.

congregation /ˌkɒŋɡrɪˈɡeɪʃn/ n. **1** Ⓤ congregazione (*raro*); assembramento **2** assemblea; riunione (*di fedeli in chiesa, di docenti universitari, ecc.*) **3** (collett.) (*relig.*) i fedeli: *The c. knelt down*, i fedeli s'inginocchiarono **4** (*relig. cattolica*) congregazione (*di vescovi, della curia, ecc.*); confraternita (*anche*).

congregational /ˌkɒŋɡrɪˈɡeɪʃənl/ a. **1** di (*o* simile a) congregazione **2** – (*relig.*) C., congregazionalista (→ **Congregationalism**) ● **the C. Church**, la chiesa congregazionalista.

Congregationalism /ˌkɒŋɡrɪˈɡeɪʃnəlɪzəm/ (*relig.*) n. Ⓤ congregazionalismo (*setta protestante*) || **Congregationalist** a. e n. congregazionalista.

congress /ˈkɒŋɡres/ n. **1** congresso; convegno: **a c. of mathematicians**, un congresso di matematici; **party c.**, congresso di partito; (*stor.*) **the C. of Vienna**, il Congresso di Vienna **2** (*polit.*, *USA*) – C., (il) Congresso: **C. meets in the Capitol**, il Congresso si riunisce nel Campidoglio ❶ **CULTURA • Congress**: *il Congresso, l'assemblea legislativa nazionale degli Stati Uniti, è formato dal* **Senate** (*Senato*) *e dalla* **House of Representatives** (*Camera dei rappresentanti*) **3** associazione: **C. of Industrial Organizations**, Associazione delle organizzazioni industriali (*sindacato americano fondato nel 1935*) **4** Ⓤ contatto; rapporto: **sexual c.**, rapporto sessuale; congresso carnale (*leg.*) ● **C. House**, il quartier generale dei sindacati (*a Londra*).

♦**congressional** /kənˈɡreʃənl/ a. **1** congressuale; del congresso: **c. records**, atti congressuali **2** (*polit.*, *USA*) – C., del Congresso (*degli Stati Uniti*); al Congresso: **a C. committee**, una commissione del Congresso; **C. candidate**, candidato al Congresso ● (*USA*) **C. district**, circoscrizione elettorale (*per le elezioni al Congresso*) □ (*mil.*, *in USA*) **C. Medal of Honor**, Medaglia d'Onore del Congresso (*la più alta onorificenza delle Forze armate statunitensi*).

Congressman /ˈkɒŋɡresmæn/ n. (pl. **Congressmen**) (*in USA*) membro del Congresso ❶ **CULTURA • → congress**; = **House of Representatives → house**.

Congresswoman /ˈkɒŋɡreswʊmən/ n. (pl. **Congresswomen**) (*in USA*) membro del Congresso (*donna*) ❶ **CULTURA • → congress**; = **House of Representatives → house**.

congruent /ˈkɒŋɡrʊənt/ a. **1** congruente; congruo (*anche mat., geom.*): **c. numbers**, numeri congrui **2** compatibile; corrispondente || **congruence, congruency** n. Ⓤ **1** (*anche mat.*) congruenza; corrispondenza; compatibilità **2** convenienza; l'essere adatto (*o* appropriato).

congruity /kənˈɡruːɪtɪ/ n. Ⓤ **1** (*anche mat.*) congruenza, congruità **2** rispondenza; armonia: **the c. between form and matter**, la rispondenza tra forma e contenuto.

congruous /ˈkɒŋɡrʊəs/ a. congruo; conveniente; adeguato || **-ly** avv.

conic /ˈkɒnɪk/ (*geom.*) A a. conico B n. (=

c. **section**) (sezione) conica.

conical /'kɒnɪkl/ a. (*geom.*) conico ● (*mecc.*) c. **bearing**, cuscinetto a rulli conici | **-ly** avv.

conicity /kɒ'nɪsətɪ/ n. ☺ conicità.

conidium /kə'nɪdɪəm/ (*lat.*) n. (pl. **conidia**) (*bot.*) conidio.

conifer /'kɒnɪfə(r)/ (*bot.*) n. (*Coniferae*) conifera || **coniferous** a. conifero; che produce frutti a cono.

coniform /'kəʊnɪfɔːm/ a. coniforme; a cono.

coniine, **conine** /'kəʊniːɪn/ n. ☺ (*chim.*) conina; coniina.

conj. abbr. **1** (**conjugation**) coniugazione **2** (**conjunction**) congiunzione.

conjecturable /kən'dʒektʃərəbl/ a. congetturabile.

conjectural /kən'dʒektʃərəl/ a. **1** congetturale; ipotetico; presumibile **2** propenso a far congetture.

conjecture /kən'dʒektʃə(r)/ n. ☺ congettura; supposizione; ipotesi: **a matter for c.**, argomento di congettura (o di ipotesi); **It's pure c.**, sono solo congetture.

to **conjecture** /kən'dʒektʃə(r)/ v. t. e i. congetturare; far congetture; ipotizzare.

to **conjoin** /kən'dʒɔɪn/ v. t. e i. congiungere, congiungersi; combinare, combinarsi; collegare, collegarsi; associare, associarsi ● **conjoined twins**, gemelli siamesi.

conjoint /kən'dʒɔɪnt/ a. congiunto, combinato; collegato.

conjugal /'kɒndʒʊgl/ a. coniugale: c. **rights**, diritti coniugali || **conjugality** n. ☺ stato coniugale.

conjugate /'kɒndʒʊgət/ **A** a. **1** (*biol.*, *bot.*, *mat.*) coniugato; accoppiato **2** (*di parola*) che deriva dalla stessa radice **B** n. **1** qualsiasi cosa coniugata (*per es., un cromosoma, una foglia, ecc.*) **2** parola derivata dalla stessa radice (*di un'altra*) **3** (*mat.*) asse (o angolo, numero) coniugato.

to **conjugate** /'kɒndʒʊgeɪt/ **A** v. t. **1** (*gramm.*) coniugare **2** (*biol.*) accoppiare **B** v. i. **1** (*biol.*) coniugarsi **2** (*biol.*) accoppiarsi.

conjugated /'kɒndʒʊgeɪtɪd/ a. (*scient.*) coniugato: c. **protein**, proteina coniugata.

conjugation /kɒndʒʊ'geɪʃn/ n. **1** ☺ (*gramm.*) coniugazione **2** ☺ (*biol.*) accoppiamento, fusione (*di cromosomi o gameti*) || **conjugational** a. (*scient.*) di coniugazione.

conjunct /kən'dʒʌŋkt/ **A** a. **1** congiunto, combinato, collegato, associato **2** (*mus.*) congiunto **3** (*astrol.*) in congiunzione con **B** n. cosa collegata o associata (*a un'altra*).

♦**conjunction** /kən'dʒʌŋkʃn/ n. **1** ☺ congiunzione; combinazione; unione: **in c.** (**with**), in combinazione (con); insieme (con); unitamente (a) **2** (*gramm.*, *astron.*, *astrol.*) congiunzione **3** ☺ concomitanza; coincidenza: **a c. of events**, una concomitanza di eventi || **conjunctional** a. di congiunzione, ecc. (→ **conjunction**).

conjunctiva /kən'dʒʌŋktɪvə/ (*anat.*) n. (pl. **conjunctivas**, **conjunctivae**) congiuntiva || **conjunctival** a. congiuntivale.

conjunctive /kən'dʒʌŋktɪv/ **A** a. **1** (*mat.*) coniugato: c. **matrices**, matrici coniugate **2** (*gramm.*) congiuntivo: c. **mood**, modo congiuntivo **B** n. (*gramm.*) **1** congiunzione **2** (modo) congiuntivo || **conjunctively** avv. congiuntamente; insieme.

conjunctivitis /kən'dʒʌŋktɪ'vaɪtɪs/ n. ☺ (*med.*) congiuntivite.

conjunctly /kən'dʒʌŋktlɪ/ avv. congiuntamente; insieme.

conjuncture /kən'dʒʌŋktʃə(r)/ n. congiuntura; combinazione d'eventi o di circostanze; situazione critica; (brutto) frangente (*fig.*) || **conjunctural** a. (*anche fig.*) con-

giunturale.

conjuration /kɒndʒʊə'reɪʃn/ n. **1** ☺ incantesimo; magia **2** evocazione solenne (*di spiriti*); scongiuro; esorcismo.

to **conjure** /'kʌndʒə(r)/ **A** v. i. **1** fare incantesimi; esercitare la magia **2** fare giochi di prestigio **B** v. t. **1** evocare (*spiriti, il demonio, ecc.*): *He tried to c. the spirit of Napoleon*, tentò di evocare lo spirito di Napoleone **2** far apparire, far sparire (qc.) come per magia (*o in un gioco di prestigio*) **3** (*arc. o lett.*) scongiurare: *He conjured me to help him*, mi scongiurò che lo aiutassi ● **to c. away**, far sparire; far svanire: *The music conjured away my troubles*, la musica fece sparire le mie preoccupazioni □ **to c. up**, evocare (*uno spirito*); rievocare (*alla memoria*); (*fam.*) preparare (*un pasto, ecc.*) in quattro e quattr'otto: *The scene conjured up visions of his boyhood*, la scena gli rievocò visioni dell'infanzia □ (*fig. fam.*) **a name to c. with**, il nome di una persona molto influente ● ❶ FALSI AMICI • to conjure *non significa* congiurare.

conjurer /'kʌndʒərə(r)/ → **conjuror**.

conjuring /'kʌndʒərɪŋ/ n. ☺ giochi di prestigio; prestidigitazione; illusionismo ● c. **trick**, gioco di prestigio.

conjuror /'kʌndʒərə(r)/ n. **1** prestigiatore; prestidigitatore; illusionista **2** (*antiq.*) evocatore di spiriti; mago; stregone.

conk① /kɒŋk/ n. (*slang*) **1** (*GB*) naso **2** (*antiq.*) testa; capoccia; zucca **3** testata; zuccata; capocciata.

conk② /kɒŋk/ n. ☺ (*slang USA*) capelli (pl.) crespi stirati.

to **conk**① /kɒŋk/ v. i. (*fam.*; *anche* **to c. out**) **1** addormentarsi di botto; crollare **2** svenire **3** morire; schiattare **4** (*di motore, ecc.*) guastarsi; incepparsi; bloccarsi.

to **conk**② /kɒŋk/ v. t. (*slang*) dare una botta in testa a.

to **conk**③ /kɒŋk/ v. t. (*slang USA*) stirare (*i capelli*).

conker /'kɒŋkə(r)/ n. **1** (*fam.*) castagna d'India **2** ☺ (*al pl.*) gioco infantile con le castagne d'India (*con la propria castagna legata a un filo si cerca di colpire quella dell'avversario e di spezzarla*).

conman /'kɒnmæn/ n. (pl. **conmen**) (contraz. *fam.* di **confidence man**) imbroglione; truffatore; bidonista.

conn /kɒn/ n. (*USA*) → **con**④.

to **conn** /kɒn/ v. t. (*USA*) → **to con**②.

connate /'kɒneɪt/ a. **1** innato; congenito; connaturato **2** (*geol.*) connaturale **3** (*biol.*) unito congenitamente; connato.

connatural /kə'nætʃərəl/ a. **1** connaturato; congenito **2** connaturale; conforme alla natura (*di q.*) **3** di natura affine.

♦to **connect** /kə'nekt/ **A** v. t. **1** collegare; (*elettr.*, *anche*) attaccare, inserire; (*mecc.*, *anche*) accoppiare: **to c. two pipes** [**two wires**], collegare due tubi [due fili elettrici]; *The battery is connected to a generator*, la batteria è collegata a un generatore **2** (*una rete*) allacciare: **to c. the telephone**, allacciare il telefono; **to be connected to the mains**, essere allacciati alla rete; *We haven't been connected yet*, non siamo ancora allacciati (*al telefono, alla rete elettrica, ecc.*) **3** collegare (*luoghi*): *A bus service connects the airport to the centre of town*, un servizio di bus collega l'aeroporto con il centro **4** connettere; legare: **to c. an idea with another**, connettere un'idea con un'altra; **the problems connected with a growing population**, i problemi connessi con l'incremento demografico; *We believe he's connected with the robbery*, crediamo che abbia a che fare con la rapina **5** associare; collegare; mettere in relazione: *We c. orange blossoms with weddings*, associamo i

fiori d'arancio con il matrimonio; *I didn't c. the two facts at first*, a tutta prima non collegai i due fatti **6** (*telef.*) mettere in comunicazione; passare: *I was immediately connected to the hospital*, fui subito messo in comunicazione con l'ospedale: «*Trying to c. you...*», «resti in linea, prego» (*cioè, sto cercando di metterla in comunicazione col numero desiderato*) **B** v. i. **1** essere collegato; collegarsi: *Is the Internet still connected?*, Internet è ancora collegato? **2** (*trasp.*) essere in (*o fare*) coincidenza: *This train connects with the Manchester train at London*, questo treno è in coincidenza a Londra con quello per Manchester **3** (*fam. USA*) incontrarsi **4** (*fam. USA*) stabilire un rapporto con q.; formare rapporti **5** (*fam.*) (*di colpo, pugno, ecc.*) andare a segno; (*di persona*) mettere a segno un colpo, fare centro **6** (*fam. USA*) – **to c. with**, andare a scontrarsi con; essere centrato da: *He connected with a knockout punch*, fu centrato da un colpo da K.O. **7** (*slang*) incontrare uno spacciatore; procurarsi la droga ● **to c. oneself**, associarsi, mettersi in relazione (*con*); imparentarsi (*con*).

connectable /kə'nektəbl/ a. collegabile; che si può collegare; che si può connettere.

connected /kə'nektɪd/ a. **1** collegato; connesso; (*elettr.*, *anche*) allacciato: c. **to the mains**, allacciato alla rete (*elettrica, del gas, ecc.*); c. **to the Internet**, connesso (*o collegato*) a Internet; *Is the printer c.?*, la stampante è collegata? **2** collegato; connesso; legato (a); in relazione; che ha a che fare (con): c. **events**, avvenimenti collegati; **illnesses c. with smoking**, le malattie legate al fumo; *He is c. with the Foreign Office*, ha a che fare con il Ministero degli Esteri **3** imparentato: c. **by marriage**, imparentato per matrimonio **4** coerente: **a c. account**, un resoconto coerente ● **to be well-c.**, conoscere le persone giuste; essere introdotto; (*anche*) essere di buona famiglia | **-ly** avv. | **-ness** n. ☺.

connectible /kə'nektəbl/ → **connectable**.

connecting /kə'nektɪŋ/ a. **1** di collegamento; di connessione: c. **cable**, cavo di collegamento; c. **bus service**, servizio d'autobus di collegamento **2** di comunicazione; comunicante: c. **door**, porta di comunicazione; c. **rooms**, stanze comunicanti **3** (*di volo, treno*) in coincidenza ● (*elettron.*) **connecting circuit**, circuito di connessione □ (*elettr.*) **connecting plug**, spina di contatto □ (*mecc.*) **connecting rod**, biella.

♦**connection** /kə'nekʃn/ n. **1** connessione; collegamento: *There are good connections with the nearest town*, ci sono buoni collegamenti con le città più vicine **2** ☺ (*a una rete di servizi*) allacciamento; attivazione: c. **to the water mains**, allacciamento alla rete idrica **3** ☺ (*elettr.*) connessione; contatto **4** (*telef.*) collegamento; linea: **telephone c.**, collegamento telefonico; **bad c.**, linea disturbata **5** (*comput.*) connessione; collegamento: (*comput.*) *Internet c.*, connessione (*o collegamento*) a Internet; «**C. failed**», «connessione fallita» **6** tubo (*o tubazione*) di collegamento; raccordo, (*mecc.*) attacco: **hot-water connections**, tubazioni di collegamento per l'acqua calda; **pipe c.**, attacco d'un tubo **7** ☺ collegamento; nesso; legame; relazione; rapporto: **the c. between advertising and sales**, il rapporto tra pubblicità e vendite; *What is the c. between food and health?*, che nesso c'è fra il cibo e la salute?; **to sever all connections with sb.**, rompere ogni rapporto con q. **8** (*di solito al pl.*) conoscenza, conoscente; contatto; aggancio; amicizia: **business connections**, contatti d'affari; *He has all the right connections*, conosce tutte le persone giuste;

connections in high places, conoscenze altolocate; amicizie importanti; *Why don't you use your connections to find out?*, perché non usi i tuoi contatti per scoprirlo? **9** (di solito al pl.) parente (*spec. acquisito per matrimonio*) **10** (*trasp.*) coincidenza: *Owing to the strike I missed my c.*, a causa dello sciopero persi la coincidenza **11** (*comm.*) clientela **12** (*relig.*) comunità; setta **13** (*mat.*) connessione **14** (*slang USA*) spacciatore (*di droga*) **15** (*slang USA*) vendita o acquisto di droga • **in c. with**, con riferimento a; in relazione a; a proposito di □ **in this c.**, a questo proposito; in questo caso.

connectional /kə'nɛkʃənl/ a. di connessione; di collegamento.

connectionism /kə'nɛkʃnɪzəm/ n. Ⓤ connessionismo.

connective /kə'nɛktɪv/ Ⓐ a. **1** che connette, collega **2** (*scient.*) connettivo; connettivale: **c. tissue**, tessuto connettivo Ⓑ n. (*ling.*) connettivo.

connectivity /kɒnɛk'tɪvɪtɪ/ n. Ⓤ (*anche comput.*) connettività.

connector /kə'nɛktə(r)/ n. **1** (*mecc.*) connettore **2** (*elettron.*) cercatore di chiamata **3** (*elettr.*) (morsetto) serrafili; connettore **4** (*ling.*) connettore **5** (*miss.*) collegamento: **blocked c.**, collegamento bloccato.

connexion /kə'nɛkʃn/ n. → **connection**.

conning tower /'kɒnɪŋtaʊə(r)/ loc. n. (*marina mil.*) **1** torre di comando **2** torretta (*di sommergibile*).

conniption /kə'nɪpʃn/ n. (*fam. USA*, *spesso* **c. fit**) attacco di bile; accesso di rabbia.

connivance /kə'naɪvəns/ n. Ⓤ (*anche leg.*) connivenza.

to **connive** /kə'naɪv/ v. i. **1** (*anche leg.*) essere connivente: *He connived at his friend's escape*, egli fu connivente nella fuga del suo amico **2** chiudere gli occhi (*su una colpa, ecc.*); tollerare (*un abuso, ecc.*) **3** intrigare; brigare; agire subdolamente ‖ **conniver** n. (*anche leg.*) connivente.

conniving /kə'naɪvɪŋ/ Ⓐ a. **1** connivente; complice; di complicità **2** intrigante; che briga; subdolo: *You c. old bastard!*, maledetto intrigante! Ⓑ n. Ⓤ connivenza.

connoisseur /kɒnə'sɜː(r)/ n. conoscitore; intenditore; esperto ‖ **connoisseurship** n. Ⓤ doti (pl.) di intenditore; competenza d'esperto; expertise (*franc.*).

to **connote** /kə'nəʊt/ (*filos., ling.*) v. t. connotare ‖ **connotation** n. connotazione ‖ **connotative** a. connotativo.

connubial /kə'njuːbɪəl, USA -'nuː-/ (*form.*) a. relativo allo stato coniugale ‖ **connubiality** n. Ⓤ stato coniugale.

conoid /'kəʊnɔɪd/ (*geom.*) Ⓐ a. conoidale Ⓑ n. conoide.

conoidal /kəʊ'nɔɪdl/ a. (*geom.*) conoidale.

to **conquer** /'kɒŋkə(r)/ Ⓐ v. t. **1** (*anche sport*) conquistare (*un paese, un territorio, ecc.*): **to c. Mount Everest**, conquistare l'Everest **2** vincere; sconfiggere; sgominare: **to c. one's fear**, vincere la paura; **to c. an enemy**, sgominare un nemico **3** soggiogare; domare (*fig.*): **to c. inflation**, domare l'inflazione **4** superare (*una difficoltà*) Ⓑ v. i. vincere, essere vincitore ‖ **conquerable** a. **1** conquistabile **2** che si può vincere; soggiogabile; domabile ‖ **conquering** a. vincente; vittorioso; vincitore.

conqueror /'kɒŋkərə(r)/ n. conquistatore; vincitore • (*stor.*) **(William) the C.**, (Guglielmo) il Conquistatore.

conquest /'kɒŋkwest/ n. **1** conquista: **the c. of Mexico**, la conquista del Messico; **the c. of space [of Everest]**, la conquista dello spazio [dell'Everest] **2** (*mil. e fig.*) vittoria; sconfitta: **Cortez's the c. of the Aztecs**, la sconfitta degli Aztechi da

parte di Cortez; **the c. of evil**, la vittoria sul male; **the c. of inflation**, la sconfitta dell'inflazione **3** (*stor.*) – **the C.** (= **the Norman C.**), la conquista dell'Inghilterra da parte dei Normanni (*1066*) **4** territorio conquistato; conquista **5** (*scherz.*) persona conquistata; conquista: *You've made a c. tonight*, hai fatto una conquista stasera; **to make a c. of sb.**, conquistare q.

Conrad /'kɒnræd/ n. Corrado.

cons. abbr. **1** (**consonant**) consonante **2** (**consulting**) consulente **3** (**consecrated**) consacrato **4** (**constitutional**) costituzionale **5** (**consolidated**) consolidato **6** (**consigned**) consegnato.

Cons. abbr. **1** (*polit.*, **Conservative**) Conservatore **2** (*anche* **Const.**) (*polizia*, **constable**) agente **3** (*anche* **Const.**) (**constitution**) costituzione **4** (**consul**) console.

consanguine /kɒn'sæŋgwɪn/, **consanguineous** /kɒnsæŋ'gwɪnɪəs/ a. **1** consanguineo **2** (*fig.*) strettamente affine ‖ **consanguinity** n. Ⓤ **1** consanguineità **2** (*fig.*) stretta affinità.

♦**conscience** /'kɒnʃns/ n. ⒸⓊ coscienza: **to have a clear c.**, avere la coscienza tranquilla; **to have a bad (o guilty) c.**, avere la coscienza sporca; **to have st. on one's c.**, avere qc. sulla coscienza; **to have no c.**, essere senza coscienza; essere senza scrupoli; **to set one's c. at rest**, mettersi la coscienza in pace; **a matter of c.**, un caso di coscienza • (*leg.*) **c. clause**, clausola di riserva morale □ **c. money**, somma di denaro che si paga o restituisce (*spec. nell'anonimato: per es., in riparazione d'una evasione fiscale*) □ **c.-smitten** (*o* **c.-stricken**), preso dal rimorso; pentito □ **for c.' sake**, per scrupolo di coscienza □ **in all c.**, in coscienza; (*fam.*) in verità.

conscienceless /'kɒnʃnsləs/ a. senza coscienza; privo di scrupoli.

conscientious /kɒnʃɪ'enʃəs/ a. **1** coscienzioso; scrupoloso: **a c. teacher**, un insegnante coscienzioso **2** di coscienza: **c. objector**, obiettore di coscienza; **c. objection**, obiezione di coscienza; **c. scruple**, scrupolo di coscienza; **on c. grounds**, per motivi di coscienza | **-ly avv.** | **-ness** n. Ⓤ.

♦**conscious** /'kɒnʃəs/ Ⓐ a. **1** cosciente: *The dying man was still c.*, il moribondo era ancora cosciente; **to be c. to the last**, rimanere cosciente fino all'ultimo **2** consapevole; conscio; che ha coscienza, che si rende conto (*di qc.*): *He is c. of his shortcomings*, è conscio delle sue manchevolezze; *I was c. of the fact that…*, mi rendevo conto del fatto che…; **to become c. of**, accorgersi di; rendersi conto di **3** deliberato; intenzionale: **c. attempt**, tentativo deliberato; **c. choice**, scelta deliberata **4** (*nei composti*) sensibile a; attento a; preoccupato di: **environmentally c.**, sensibile ai problemi dell'ambiente; ambientalistico; **health-c.**, che si preoccupa della salute; **fashion-c.**, attento alla moda, che segue la moda Ⓑ n. (*psic.*) (il) conscio | **-ly avv.**

♦**consciousness** /'kɒnʃəsnəs/ n. Ⓤ **1** coscienza; sensi (pl.): **to lose [to regain] c.**, perdere [riprendere] conoscenza (*o* i sensi); svenire [rinvenire] **2** coscienza; consapevolezza: **political c.**, coscienza (*o* consapevolezza) politica; **to raise c. on an issue**, portare a una presa di coscienza su una questione; **c.-raising**, che porta a una presa di coscienza; che sensibilizza **3** (*filos., psic.*) coscienza: **state of c.**, stato di coscienza.

conscript /'kɒnskrɪpt/ Ⓐ n. coscritto; soldato di leva Ⓑ a. coscritto: (*lett.*) **c. fathers**, padri coscritti (*i senatori dell'antica Roma*) **2** di leva: **a c. army**, un esercito di leva; (*non in GB*) **c. training centre**, centro addestramento reclute (abbr., *in Italia*, CAR).

to **conscript** /kən'skrɪpt/ v. t. **1** (*mil.*) coscrivere; arruolare **2** precettare (*lavoratori*).

conscription /kən'skrɪpʃn/ n. Ⓤ **1** coscrizione; arruolamento **2** precettazione.

to **consecrate** /'kɒnsɪkreɪt/ v. t. **1** (*relig.*) consacrare; (*di chiesa, ecc., anche*) dedicare: **to c. new bishops**, consacrare nuovi vescovi; **to c. bread and wine**, consacrare il pane e il vino **2** (*fig.*) consacrare; dedicare; votare: *He consecrated his life to art*, consacrò la sua vita all'arte ‖ **consecrated** a. (*relig.*) consacrato: **consecrated ground**, terra consacrata ‖ **consecration** n. Ⓤ **1** (*relig.*) consacrazione; dedizione: **the consecration of a bishop**, la consacrazione d'un vescovo **2** (*fig.*) consacrazione; dedizione ‖ **consecrator** n. consacratore ‖ **consecratory** a. che consacra; consacratore.

consecution /kɒnsɪ'kjuːʃn/ n. ⓊⒸ **1** consecuzione; nesso (logico) **2** successione logica (*d'eventi*).

consecutive /kən'sekjʊtɪv/ a. **1** consecutivo; di seguito: *We stopped there three c. days*, ci fermammo lì tre giorni di seguito **2** conseguente; coerente **3** (*gramm.*) consecutivo • (*leg.*: *in Italia, Francia, ecc.*) **c. sentences**, condanne cumulabili | **-ly avv.** | **-ness** n. Ⓤ.

consensual /kən'senʃʊəl/ a. **1** (*leg.*) consensuale **2** (*fisiol.*) riflesso: **c. movements**, movimenti riflessi | **-ly avv.**

consensus /kən'sensəs/ n. ⓊⒸ consenso; consenso generale; unanimità: **c. politics**, politica del consenso • (*leg.*) **c. ad idem** (*o* **c. of minds**), incontro delle volontà □ (*biochim.*) **c. sequence**, sequenza di consenso.

♦**consent** /kən'sent/ n. Ⓤ **1** consenso; benestare; **to give one's c.**, dare il proprio consenso; acconsentire; **to withhold one's c.**, rifiutarsi di dare il proprio consenso; **tacit c.**, tacito consenso; **without the prior c. of**, senza il previo consenso di **2** parere favorevole • (*leg.*) **c. of the Court**, omologazione del tribunale □ (*leg.*) **age of c.**, età a cui si può consentire legalmente a rapporti sessuali □ **by general (o common) c.**, per unanime consenso □ **by mutual c.**, di comune accordo □ (*med.*) **informed c.**, consenso informato □ (*lett.*) **with one c.**, unanimemente; con una voce sola □ (*prov.*) **Silence gives c.**, chi tace acconsente.

to **consent** /kən'sent/ v. i. acconsentire; consentire: *I won't c. to his leaving*, non gli consentirò di partire; **to c. to a proposal**, acconsentire a una proposta.

consentient /kən'senʃɪənt/ a. **1** consenziente **2** unanime.

consenting /kən'sentɪŋ/ a. consenziente • (*leg.*) **c. adults**, adulti consenzienti.

♦**consequence** /'kɒnsɪkwəns/ n. **1** conseguenza: **serious consequences for the country's economy**, gravi conseguenze per l'economia del paese; **to take the consequences**, affrontare le conseguenze (*di qc.*) **2** Ⓤ (*form.*) importanza; rilievo; peso: **of no c.**, di nessuna importanza **3** (*antiq.*) importanza (*nella società*): **a person of c.**, una persona importante **4** nesso logico; connessione • **as a c.** (*o* **in c.**) **of**, in seguito a; a causa di; in conseguenza di □ **in c.**, di conseguenza; perciò; pertanto.

consequent /'kɒnsɪkwənt/ Ⓐ a. **1** conseguente; derivante; risultante: **c. on**, derivante da; come risultato di **2** (*filos., mat.*) conseguente **3** (*arc.*) conseguenziale; coerente Ⓑ n. **1** (*filos., mat.*) (il) conseguente **2** (*gramm.*) apodosi.

consequential /kɒnsɪ'kwenʃl/ a. **1** conseguente; derivante **2** (*leg.*) indiretto: **c. damage**, danno indiretto **3** importante: **a c. decision**, una decisione importante **4** (*di persona*) pieno di sé; borioso; tronfio • (*ass.*) **c. loss policy**, polizza contro il lucro cessan-

a b c d e f g h i j k l m n o p q r s t u v w x y z

te ‖ **consequentiality** n. ⓤ **1** importanza **2** boria; presunzione; prosopopea ‖ **consequentially** avv. di conseguenza; pertanto.

♦**consequently** /ˈkɒnsɪkwəntlɪ/ avv. di conseguenza; conseguentemente; quindi.

conservable /kənˈsɜːvəbl/ a. conservabile.

conservancy /kənˈsɜːvnsɪ/ n. **1** ⓤ conservazione; preservazione; tutela (*del patrimonio forestale, ecc.*) **2** commissione di controllo (*di un porto, ecc.*): **the Thames C.**, la commissione di controllo del Tamigi.

♦**conservation** /ˌkɒnsəˈveɪʃn/ n. ⓤ **1** (*ecol., archit.*) salvaguardia; tutela; conservazione: **c. of wildlife**, salvaguardia della fauna e della flora; **environmental c.**, tutela dell'ambiente; **forest c.**, tutela del patrimonio forestale; *I wouldn't mind doing some c. work abroad or something like that*, non mi dispiacerebbe fare un lavoro per la tutela dell'ambiente all'estero o qualcosa di simile (*rif. a risorse*) risparmio; conservazione: **energy c.**, risparmio energetico **3** (*arte*) restauro, restauri **4** (*fis.*) conservazione: **c. of energy**, conservazione dell'energia ● **c. area**, zona protetta.

conservationism /ˌkɒnsəˈveɪʃnɪzəm/ n. ⓤ ambientalismo; ecologismo ‖ **conservationist** n. (*ecol.*) fautore della preservazione della natura; ambientalista; ecologista.

conservatism /kənˈsɜːvətɪzəm/ n. (*polit.*) conservatorismo.

♦**conservative** /kənˈsɜːvətɪv/ **A** a. **1** conservatore; tradizionalista: **c. views**, opinioni conservatrici **2** (*polit.*) – C., conservatore; dei conservatori: (*in GB*) **the C. Party**, il partito conservatore; **C. lead rises**, cresce il vantaggio dei conservatori **3** (*di gusti, ecc.*) tradizionale; classico: *I think we'd be looking for something more c.*, credo che vorremmo qualcosa di più classico **4** (*di comportamento, ecc.*) cauto; moderato; prudente; prudenziale: **a c. investment**, un investimento prudente; **a c. estimate**, un preventivo prudenziale **5** (*med.*) conservativo **B** n. **1** conservatore, conservatrice; tradizionalista **2** (*polit.*) – C., conservatore | **-ly** avv. | **-ness** n.

conservatoire /kənˈsɜːvətwɑː(r)/ (*franc.*) n. (*mus.*) conservatorio.

conservator /ˈkɒnsəveɪtə(r)/ n. **1** preservatore; tutore: (*in GB*) **the conservators of the peace**, i tutori della pace (*il Sovrano, il Lord Cancelliere, ecc.*) **2** conservatore (*di boschi, animali selvatici, ecc.*) **3** sovrintendente (*di museo, ecc.*) **4** (*leg., USA*) tutore.

conservatory /kənˈsɜːvətrɪ/ **A** a. conservativo **B** n. **1** (*GB*) veranda a vetrate; serra; giardino d'inverno **2** (*mus., USA*) conservatorio.

🄽 NOTA: *conservatory / conservatorio*
Occorre stare attenti all'uso di questa parola. Negli Stati Uniti *conservatory* significa "conservatorio" nel senso di "collegio dove si insegna la musica", però l'utilizzo più diffuso della parola è per indicare una forma di "veranda a vetrate" una piccola serra che fa parte della casa stessa.

conserve /kənˈsɜːv/ n. ⓊC conserva (*di frutta*); frutta in conserva.

to **conserve** /kənˈsɜːv/ v. t. conservare; mettere (*frutta*) in conserva.

♦to **consider** /kənˈsɪdə(r)/ **A** v. t. **1** considerare; valutare; prendere in esame; prendere in considerazione; riflettere su; pensare di: **to c. a suggestion**, valutare un suggerimento; **to c. the situation**, riflettere sulla situazione; **to c. sb. for a position**, prendere in considerazione q. per una posizione; *I had considered leaving*, avevo preso in considerazione l'idea di andarmene; *Have you ever considered applying for a transfer?*, hai mai pensato di fare domanda di trasfe-

rimento? **2** considerare; ritenere; giudicare; reputare: *I c. it unlikely*, lo ritengo improbabile; *We c. experience in this field an essential qualification*, noi reputiamo che l'esperienza in questo campo sia un requisito essenziale; *C. yourself lucky*, considerati (*o puoi dirti*) fortunato **3** considerare; tener conto di; dare il debito peso a: *Before you proceed, c. that the consequences will be irreversible*, prima di procedere considera che le conseguenze saranno irreversibili; *We must c. his lack of experience*, dobbiamo tener conto della sua mancanza d'esperienza **4** aver considerazione (*o riguardo*) per; rispettare: *We must c. their wishes*, dobbiamo rispettare i loro desideri **B** v. i. considerare; riflettere ● **C. it done!**, consideralo cosa fatta! □ **all things considered**, tutto considerato.

♦**considerable** /kənˈsɪdərəbl/ a. **1** considerevole; notevole; rilevante; ingente: **a c. success**, un notevole successo; **to a c. degree**, in misura notevole **2** (*di persona*) di notevole valore: **a c. scientist**, uno scienziato di notevole valore.

♦**considerably** /kənˈsɪdərəblɪ/ avv. notevolmente; assai; parecchio: *It is c. warmer today*, oggi fa assai più caldo.

considerate /kənˈsɪdərət/ a. sollecito; premuroso; riguardoso | **-ly** avv. | **-ness** n. ⓤ 🄵FALSI AMICI ● considerate *non significa* considerato.

♦**consideration** /kənˌsɪdəˈreɪʃn/ n. **1** ⓤ considerazione; riflessione; esame: **after long c.**, dopo lunga riflessione; **to give st. careful c.**, riflettere attentamente su qc.; esaminare qc. con attenzione; **to take st. into c.**, prendere qc. in considerazione; considerare qc.; tenere conto di qc.; *I enclose the report for your c.*, accludo la relazione perché tu la possa esaminare; *On c., I have decided that...*, dopo aver riflettuto, ho deciso che... **2** fattore; motivo; valutazione; ragione: *Money is an important c. in this case*, il denaro è un fattore importante in questo caso; **on** (*o under*) **no c.**, per nessun motivo; in nessun caso **3** ⓤ riguardo; sollecitudine; premura: *Have some c. for your mother*, abbi un po' di riguardo per tua madre; **to show little c.**, mostrare pochi riguardi; **out of c. for his age**, per riguardo alla sua età **4** (*form.*) rimunerazione; compenso: **for a small c.**, per un piccolo compenso; per una piccola somma; **to do st. for a c.**, fare qc. dietro compenso **5** (*comm.*) indennità: **an agreed c. of two per cent**, un'indennità pattuita del due per cento **6** ⓤC (*leg.*) corrispettivo; controprestazione; compenso **7** (*leg.*) causa, causale (*di un contratto*) **8** (*fin.*: *di cambiale*) copertura ● **c. money**, (*leg.*) rimunerazione, compenso, indennità; (*Borsa*) prezzo finale (*di un trasferimento di titoli*) □ **in c. of**, in considerazione di; tenuto conto di; in vista di; (*anche*) dietro pagamento di, in cambio di; (*leg.*) a causa di □ **under c.**, in esame: *His request is still under c.*, la sua richiesta è ancora in esame; *He's under c. for a job*, è in predicato per un lavoro □ (*leg.*) **without c.**, a titolo gratuito.

considered /kənˈsɪdəd/ a. **1** meditato; ponderato: *It is my c. opinion that...*, è mia opinione, dopo matura riflessione, che... **2** considerato; stimato.

♦**considering** /kənˈsɪdərɪŋ/ **A** prep. in considerazione di; tenendo conto di: *He is to be excused, c. his youth*, bisogna compatirlo, in considerazione della sua giovinezza **B** cong. se si considera che; tenuto conto che; in considerazione del fatto che: *It didn't take too long, c. that he did it on his own*, non c'è voluto molto, se si considera che l'ha fatto da solo **C** avv. (*fam.*) tutto considerato; nel complesso.

to **consign** /kənˈsaɪn/ v. t. **1** (*comm.*) con-

segnare; spedire (*anche in conto deposito*): *The goods will be consigned by ship*, la merce sarà spedita per nave **2** affidare: **to c. one's soul to God**, affidare l'anima a Dio **3** depositare (*denaro in banca*) **4** (*form.*) associare (*alle carceri*) **5** (*mil.*) consegnare (*di un soldato*): **consigned to barracks**, consegnato ● **to c. goods to an agent**, spedire merce a un agente in conto deposito □ (*scherz.*) **to c. st. to the waste paper basket**, cestinare qc.

consignation /ˌkɒnsaɪˈneɪʃn/ n. ⓤ **1** (*comm.*) consegna, spedizione (*di merce*) **2** pagamento (*di una somma di denaro*) all'incaricato della riscossione ● (*di merce spedita*) **to the c. of**, all'indirizzo di.

consignee /ˌkɒnsaɪˈniː/ n. **1** (*comm.*) consegnatario; depositario (*l'agente*) **2** (*trasp.*) consegnatario, ricevitore, destinatario (*di merci*): **at the c.'s risk**, a rischio del destinatario.

consigner /kənˈsaɪnə(r)/ → **consignor**.

consignment /kənˈsaɪnmənt/ n. **1** (*comm.*) spedizione; invio; merce spedita; partita (*di merce*): *Consignments may be sent on approval*, le partite di merci si possono spedire salvo vista e verifica; *The last c. was not up to sample*, l'ultima spedizione non era conforme al campione **2** (*trasp.*) carico (*affidato al vettore*) ● (*rag.*) **c. account**, conto beni presso terzi □ (*leg.*) **c. contract**, contratto di consegna in conto deposito □ (*trasp.*) **c. note**, lettera di vettura, bollettino di spedizione, distinta di carico; (*ferr.*) bolla (*o bolletta*) d'accompagnamento; (*naut.*) nota di spedizione □ (*USA*) **c. store**, negozio che vende merci in conto deposito □ (*comm.*) **on c.**, in conto deposito; con diritto di resa.

consignor /kənˈsaɪnə(r)/ n. **1** (*comm.*) chi spedisce merce in conto deposito; depositante **2** (*trasp.*) speditore, caricatore, mittente (*di merce*).

♦to **consist** /kənˈsɪst/ v. i. **1** – **to c. of**, essere composto (*o formato, costituito*) da; consistere di (*o in*); essere fatto di: *Switzerland consists of various cantons*, la Svizzera è composta da vari cantoni; *The report consists of three parts*, la relazione consiste di tre parti; *The top layer consists of fine sand*, lo strato superiore è costituito da (*o consiste in*) sabbia fine; *The examination will c. of three papers*, l'esame consisterà in (*o di*) tre domande prove scritte **2** – **to c. in**, consistere in: *Culture does not c. in just knowing things*, la cultura non consiste solamente nel possedere nozioni **3** (*arc.*) – **to c. with**, accordarsi con; essere in armonia con.

consistence /kənˈsɪstəns/ → **consistency**, def. 1 e 2.

consistency /kənˈsɪstənsɪ/ n. ⓤ **1** coerenza **2** consistenza; compattezza; densità **3** concordanza.

♦**consistent** /kənˈsɪstənt/ a. **1** costante; continuo; regolare; coerente (*nel tempo*); sistematico; ripetuto: **c. growth**, crescita costante; **a c. economic policy**, una politica economica coerente; **a c. feature**, una caratteristica che si ripresenta regolarmente; **his c. kindness to us**, la sua continua gentilezza verso di noi **2** coerente; logico: **a c. pattern**, un disegno logico; **internally c.**, coerente; che non presenta contraddizioni interne **3** – **c. with**, che concorda con; in accordo con; conforme a; compatibile con: *These data are c. with our observations*, questi dati concordano con le nostre osservazioni; *Her injuries were c. with an assault*, le sue lesioni facevano pensare a un'aggressione; *Haste is not c. with serious work*, la fretta non è compatibile con un lavoro serio | **-ly** avv. 🄵FALSI AMICI ● consistent *non significa* consistente.

consistory /kənˈsɪstərɪ/ (*relig.*) n. conci-

storo || **consistorial** a. concistoriale.

consociate /kən'səʊʃɪeɪt/ **A** a. consociato; associato **B** n. consocio; socio.

to **consociate** /kən'səʊʃɪeɪt/ v. t. e i. consociare, consociarsi; associare, associarsi.

consociation /kənsəʊʃɪ'eɪʃn/ n. ⓤ consociazione; associazione.

consolation /kɒnsə'leɪʃn/ n. ⓤⓒ consolazione: **a poor c.**, una magra consolazione ● (*sport: calcio, ecc.*) **c. goal**, gol della bandiera □ (*sport*) **c. prize**, premio di consolazione || **consolatory** a. consolatorio; di conforto.

console /'kɒnsəʊl/ (*franc.*) n. **1** (*archit.*) mensola ornamentale **2** (= **c. table**) tavola sostenuta da mensole; console **3** console; banco (*o* tavolo) di comando (*di elaboratore, laboratorio linguistico, ecc.*) **4** mobiletto (*per la radio, la TV, ecc.*) ● **c. operator**, consolista.

to **console** /kən'səʊl/ v. t. consolare; confortare || **consolable** a. consolabile || **consoler** n. consolatore, consolatrice.

to **consolidate** /kən'sɒlɪdeɪt/ v. t. e i. **1** (*anche fig.*) consolidare, consolidarsi; rafforzare, rafforzarsi **2** unificare; unire, unirsi; fondere, fondersi: **to c. territories**, unificare territori; (*econ., fin.*) **to c. banks** [**business firms**], fondere banche [imprese commerciali] **3** (*fin.*) consolidare: **to c. a debt**, consolidare un debito **4** solidificare, solidificarsi.

consolidated /kən'sɒlɪdeɪtɪd/ a. **1** rafforzato **2** solidificato **3** (*fin.*) consolidato; unificato: **c. balance sheet**, bilancio consolidato; **c. profit and loss account**, conto economico consolidato ● (*fin., stor., GB*) **c. annuities**, titoli consolidati del debito pubblico; il consolidato □ (*fin.*) **c. debt**, debito consolidato □ (*fin.*) **C. Fund**, fondo pubblico gestito dal Tesoro (*presso la Banca d'Inghilterra*) □ (*econ., fin.*) **c. group**, gruppo di aziende unificate □ **c. ice**, ghiaccio compatto □ (*fin.*) **c. loan**, prestito consolidato.

consolidation /kənsɒlɪ'deɪʃn/ n. ⓤ **1** consolidamento; rafforzamento: (*mil.*) **the c. of a position**, il rafforzamento di una posizione **2** (*fin.*) unione, fusione (*di aziende, ecc.*) **3** (*fin.*) consolidamento (*del debito pubblico, di azioni, ecc.*) **4** (*leg.*) unificazione (*di leggi scritte*) **5** (*leg.*) riunione (*di procedimenti*) ● (*leg.*) **c. act**, testo unico □ (*fin.*) **c. surplus**, plusvalenza derivante da una fusione (*di aziende*); plusvalenza di unione.

consolidator /kən'sɒlɪdeɪtə(r)/ n. consolidatore.

Consols, consols /'kɒnslz/ n. pl. (abbr. di **consolidated annuities**) (*fin., in GB*) titoli consolidati (*o* del debito pubblico); (il) consolidato.

consommé /kən'sɒmeɪ, 'kɒnsɒmeɪ/ (*franc.*) n. ⓤ consommé; brodo ristretto.

consonance /'kɒnsənəns/ n. ⓤ **1** (*mus., poesia, ling.*) consonanza **2** (*fig.*) consonanza; armonia; accordo.

consonant ① /'kɒnsənənt/ a. **1** consono; conforme; concorde: **actions c. with one's promises**, atti consoni alle proprie promesse; *'Nature is very c. and conformable with herself'* I. NEWTON, 'la natura è del tutto concorde e conforme con sé stessa' **2** (*mus., poesia*) consonante **3** (*di suono*) armonioso.

◆**consonant** ② /'kɒnsənənt/ (*ling.*) n. consonante || **consonantal** a. consonantico.

consort ① /'kɒnsɔːt/ n. **1** consorte; coniuge: **prince c.**, principe consorte **2** (*naut.*) nave che naviga di conserva con un'altra.

consort ② /'kɒnsɔːt/ n. (*mus.*) **1** piccolo complesso di strumenti *spec.* rinascimentali **2** gruppo strumentale (*o* gruppo vocale) (*che esegue musica rinascimentale*).

to **consort** /kən'sɔːt/ v. i. **1** associarsi (*con q.*); frequentare: *I don't want you to c. with hooligans*, non voglio che tu frequenti teppi-

sti **2** accordarsi: *The plates of this book c. admirably with the text*, le tavole fuori testo di questo libro si accordano mirabilmente con il materiale a stampa.

consortium /kən'sɔːtɪəm/ (*lat.*) n. (pl. *consortia, consortiums*) **1** (*econ.*) consorzio **2** (*market.*) attività consortile **3** (*leg.*) consorzio coniugale (*raro*); vincolo del matrimonio.

conspecific /kɒnspɪ'sɪfɪk/ a. (*biol.*) della stessa specie.

conspectus /kən'spektəs/ n. **1** panorama; rassegna **2** prospetto; tavola sinottica.

conspicuous /kən'spɪkjʊəs/ a. **1** evidente; bene in vista; lampante; **a c. mistake**, un errore lampante; **a c. tower**, una torre ben visibile **2** che attira l'attenzione; notevole; che dà nell'occhio; vistoso; cospicuo: *He is c. for his courage*, è notevole per il suo coraggio; **a c. dress**, un vestito vistoso ● (*fam.*) **to be c. by one's absence**, brillare per la propria assenza □ (*sociol.*) **c. consumption**, esibizionismo consumistico □ **to make oneself c.**, farsi notare; mettersi in vista ❶ FALSI AMICI ● conspicuous *non significa* cospicuo *nel senso di* ingente || **conspicuously** avv. cospicuamente; in modo ben visibile; in evidenza ● **to stand conspicuously**, essere bene in vista || **conspicuousness, conspicuity** n. ⓤ **1** l'essere ben visibile; evidenza **2** cospicuità; vistosità.

conspiracy /kən'spɪrəsɪ/ n. **1** cospirazione; congiura; complotto **2** (*leg.*) collusione; intesa collusiva **3** ⓤ (*fig. raro*) intesa; coalizione ● **c. of silence**, congiura del silenzio; omertà □ (*polit.*) **c. theory**, teoria del complotto.

conspirator /kən'spɪrətə(r)/ n. **1** cospiratore; congiurato **2** (*leg.*) collusore (*raro*) || **conspiratorial** a. **1** cospiratorio **2** (*leg.*) collusivo.

to **conspire** /kən'spaɪə(r)/ **A** v. i. **1** cospirare; complottare **2** (*fig.*) concorrere; contribuire: *Circumstances conspired to cause his downfall*, le circostanze contribuirono a determinare il suo tracollo **3** (*leg.*) colludere (*raro*); stringere un accordo collusivo **B** v. t. architettare; macchinare; tramare.

const. abbr. di **constable**.

constable /'kʌnstəbl/ n. **1** (*GB*, = **police c.**) poliziotto, poliziotta; agente; guardia **2** (*in GB*) governatore (*di castello, di città fortificata*): **the C. of Windsor Castle**, il Governatore del Castello di Windsor **3** (*stor.*) conestabile, connestabile.

constabulary /kən'stæbjʊlərɪ/ n. (*GB*) (la) polizia (*d'un distretto o una città*).

Constance /'kɒnstəns/ n. Costanza.

constancy /'kɒnstənsɪ/ n. ⓤ **1** costanza; fermezza; perseveranza: **c. of faith**, costanza nella fede; **c. of purpose**, fermezza di propositi **2** costanza, regolarità (*della temperatura, ecc.*).

◆**constant** /'kɒnstənt/ **A** a. **1** costante; continuo; invariato: **c. pain**, dolore costante (*o* continuo); **c. prices**, prezzi costanti; **to keep the temperature c.**, mantenere costante (*o* invariata) la temperatura; **to remain c.**, mantenersi costante **2** (*di persona*) fedele; costante: **a c. reader**, un lettore fedele **B** n. **1** elemento (*o* fattore) costante **2** (*mat., fis., ecc.*) costante: **c. of friction**, costante d'attrito; **decay c.**, costante di decadimento.

constantan /'kɒnstəntən/ n. ⓤ (*metall.*) costantana (*lega*).

Constantine /'kɒnstəntaɪn/ n. Costantino.

Constantinople /ˌkɒnstæntɪ'nəʊpl/ n. (*geogr.*) Costantinopoli.

◆**constantly** /'kɒnstəntlɪ/ avv. costantemente.

constative /kən'steɪtɪv/ a. (*ling.*) constativo.

to **constellate** /'kɒnstəleɪt/ v. t. (*poet.*) costellare; cospargere.

constellation /kɒnstə'leɪʃn/ n. **1** (*astron.*) costellazione **2** (*fig.*) costellazione (*fig.*); gruppo: **a c. of film stars**, una costellazione di divi del cinema **3** (*fig.*) gamma; insieme; moltitudine.

to **consternate** /'kɒnstɜːneɪt/ v. t. **1** costernare **2** atterrire.

consternation /kɒnstə'neɪʃn/ n. ⓤ **1** costernazione **2** terrore.

to **constipate** /'kɒnstɪpeɪt/ v. t. **1** costipare; rendere stitico || **constipated** a. costipato; stitico || **constipating** a. costipante ● **a constipating drug**, un costipante.

constipation /kɒnstɪ'peɪʃn/ n. ⓤ (*med.*) costipazione; stipsi; stitichezza.

◆**constituency** /kən'stɪtjʊənsɪ/ n. **1** (*polit.*) collegio, circoscrizione elettorale **2** (*polit.*) elettorato (*di un collegio o una circoscrizione*); elettori (pl.) **3** gruppo di sostenitori, clienti, ecc.

constituent /kən'stɪtjʊənt/ **A** a. **1** costituente; che compone: **c. parts**, parti costituenti, parti che compongono un tutto **2** (*polit.*) che ha diritto di voto: **the c. body**, l'insieme di coloro che hanno diritto di voto; gli elettori **3** (*polit.*) costituente: **c. assembly**, assemblea costituente **B** n. **1** (*polit.*) elettore (*d'un dato collegio*) **2** costituente; elemento costitutivo; parte essenziale ● (*fin.*) **c. company**, società affiliata (*o* sussidiaria) □ (*leg.*) **c. instrument**, atto costitutivo.

◆to **constitute** /'kɒnstɪtjuːt, USA -tuːt/ v. t. **1** costituire; rappresentare: *His actions c. a violation of the law*, le sue azioni costituiscono una violazione della legge **2** costituire; formare: **to c. a quorum**, costituire (*o* formare) il numero legale **3** (*leg.*) costituire; istituire; creare; nominare: **to c. a committee**, costituire un comitato.

◆**constitution** /kɒnstɪ'tjuːʃn, USA -'tuːʃn/ n. ⓒ **1** (*polit.*) costituzione: **a written c.**, una costituzione scritta; **to violate the c.**, violare la costituzione; **under the c.**, secondo la costituzione **2** costituzione; composizione; struttura **3** costituzione; formazione; creazione; nomina: **the c. of a committee**, la costituzione di un comitato **4** costituzione (fisica): *He has a poor c.*, è di gracile costituzione **5** conformazione (mentale); carattere; indole; temperamento; forma mentis (*lat.*) ● (*polit.*) **c.-making**, costituente: **a c.-making body**, una costituente ❶ CULTURA ● **constitution**: *La costituzione del Regno Unito non è un documento scritto unico, bensì una serie di principi, norme e regole scritti e non scritti, stratificatisi nel tempo, alla cui base sono il principio dell'eguaglianza di fronte alla legge (il* **rule of law → rule**) *e la sovranità del Parlamento. Gli Stati Uniti hanno una costituzione scritta che risale al 1787. I primi dieci emendamenti alla costituzione americana, noti come* **Bill of Rights**, *stabiliscono i diritti fondamentali di libertà di parola, religione e stampa.*

◆**constitutional** /kɒnstɪ'tjuːʃənl, USA -'tuː-/ **A** a. **1** (*polit.*) costituzionale: **c. amendment**, emendamento costituzionale; **c. monarchy**, monarchia costituzionale; **c. rights**, diritti costituzionali (*o* sanciti dalla costituzione); **c. law**, diritto costituzionale **2** costituzionale: **c. strength**, robustezza costituzionale; **c. disease**, malattia costituzionale **3** innato; del temperamento; del carattere **B** n. (*antiq.*) passeggiata igienica || **constitutionality** n. ⓤ (*polit.*) costituzionalità || **constitutionally** avv. **1** (*polit.*) secondo la costituzione.

constitutionalism /kɒnstɪ'tjuːʃənəlɪzəm, USA -'tuː-/ (*polit.*) n. ⓤ costituzionali-

smo || **constitutionalist** n. costituzionalista.

to **constitutionalize** /kɒnstɪˈtjuːʃənəlaɪz, USA -ˈtuː-/ v. t. rendere costituzionale.

constitutive /ˈkɒnstɪtjuːtɪv USA -tuː-/ a. **1** costitutivo; formativo **2** basilare; essenziale.

constitutor /ˈkɒnstɪtjuːtə(r), USA -tuː-/ n. **1** costitutore; fondatore **2** (leg., raro) fideiussore.

to **constrain** /kənˈstreɪn/ v. t. (form.) **1** costringere; obbligare; forzare; vincolare: I was constrained to accept their offer, fui costretto ad accettare la loro offerta **2** ostacolare; frenare; inibire **3** (lett.) imprigionare **4** (arc.) imporre; strappare.

constrainable /kənˈstreɪnəbl/ a. costringibile; vincolabile.

constrained /kənˈstreɪnd/ a. **1** costretto; obbligato; vincolato **2** forzato; innaturale; impacciato: in a c. voice, con un tono di voce forzato; a c. laugh, una risata innaturale || **constrainedly** avv. in modo forzato; con aria impacciata: She smiled constrainedly, sorrise con aria impacciata.

♦**constraint** /kənˈstreɪnt/ n. **1** ⊍ costrizione; coercizione: to do st. under c., fare qc. per costrizione (o perché costretti); to put sb. under c., coartare la volontà di q.; esercitare coercizione su q.; to be under no c., non essere costretto (o vincolato) **2** restrizione; limitazione; vincolo: (fis.) mechanical c., vincolo meccanico; (fin., econ.) budget c., vincolo di bilancio; legal constraints, restrizioni di legge; obbligo: to place tight constraints on spending, imporre rigide limitazioni alle spese **3** ⊍ inibizione; mancanza di naturalezza; imbarazzo; disagio: I felt a curious c. when I was with him, quando ero con lui provavo uno strano disagio.

to **constrict** /kənˈstrɪkt/ v. t. **1** comprimere; contrarre; restringere: to c. a muscle, contrarre un muscolo; to c. a vein, restringere una vena **2** inibire; reprimere; soffocare (fig.).

constricted /kənˈstrɪktɪd/ a. ristretto; stretto; contratto; limitato; angusto: c. arteries, arterie ristrette; c. pupils, pupille contratte; c. throat, gola stretta; c. room, spazio limitato (o angusto); a c. view of life, vedute ristrette.

constriction /kənˈstrɪkʃn/ n. **1** ⊍ compressione; contrazione; restringimento: the c. of blood vessels, il restringimento dei vasi sanguigni; I felt a c. in my throat, mi sentivo la gola stretta **2** ⊍ inibizione; repressione **3** limitazione; restrizione || **constrictive** a. che comprime; costrittivo.

constrictor /kənˈstrɪktə(r)/ n. **1** (anat.) (muscolo) costrittore **2** (zool., Boa constrictor; = boa c.) (serpente) boa.

construable /kənˈstruːəbl/ a. interpretabile; spiegabile.

construct /ˈkɒnstrʌkt/ n. (form.) **1** struttura **2** concetto (elaborato).

♦to **construct** /kənˈstrʌkt/ v. t. **1** costruire; edificare: to c. a bridge, costruire un ponte **2** comporre; creare; formare; mettere insieme: to c. a coalition, formare una coalizione; to c. a database, creare una banca dati **3** formulare: to c. a theory, formulare una teoria **4** (gramm., mat., geom.) costruire.

constructible /kənˈstrʌktəbl/ a. **1** costruibile **2** componibile; formulabile.

♦**construction** /kənˈstrʌkʃn/ n. **1** ⊍ costruzione; erezione; edificazione: of solid c., di solida costruzione; costruito solidamente; under c., in costruzione **2** ⊍ edilizia: the c. boom, il boom dell'edilizia **3** ⊍ costruzione; struttura; edificio **4** ⊍ costruzione; edificazione; creazione; formulazione:

the c. of a theory, la formulazione di una teoria **5** (form.) interpretazione; spiegazione; senso: This statute does not bear such a c., questa legge non ammette un'interpretazione simile; to put the wrong c. on st., interpretare male qc. **6** (gramm.) costruzione; costrutto ● c. company, impresa di costruzioni □ c. contract, appalto di costruzione □ c. engineer, ingegnere civile □ c. engineering, ingegneria delle grandi opere civili (autostrade, dighe, ponti, ecc.) □ (USA) c. paper, cartoncino colorato □ (edil.) c. site, cantiere edile □ c. theory, scienza delle costruzioni □ (USA) c. worker, (operaio) edile.

constructional /kənˈstrʌkʃənl/ a. **1** di (o relativo a) costruzione: c. defect, difetto di costruzione **2** strutturale; originario ● c. engineer, tecnico delle costruzioni civili; ingegnere delle grandi opere civili.

constructionism /kənˈstrʌkʃnɪsəm/ n. (filos., pedagogia) costruzionismo.

constructionist /kənˈstrʌkʃnɪst/ n. **1** (filos., pedagogia) costruzionista **2** (leg., polit.; USA) rigoroso interprete del diritto costituzionale.

constructive /kənˈstrʌktɪv/ a. **1** costruttivo; positivo; concreto: c. criticism, critica costruttiva; c. suggestions, proposte concrete; c. measures, provvedimenti concreti **2** di costruzione; strutturale **3** (leg.) dedotto; presunto; implicito; virtuale: c. bad faith, dolo presunto; c. denial, diniego implicito; c. fraud, implicita malafede; c. eviction, sfratto virtuale ● (org. az.) c. dismissal, licenziamento implicito □ (ass.) c. total loss, perdita totale presunta (o virtuale) □ (rag.) c. value, valore presunto.

constructivism /kənˈstrʌktɪvɪzəm/ (arte, letter.) n. ⊍ costruttivismo || **constructivist** a. e n. costruttivista.

constructor /kənˈstrʌktə(r)/ n. **1** costruttore **2** (autom.) costruttore: **constructors' championship**, campionato costruttori **3** (= naval c.) sovrintendente alle costruzioni navali.

to **construe** /kənˈstruː/ v. t. **1** interpretare; spiegare; intendere; leggere: His words could be construed as an apology, le sue parole potrebbero essere interpretate come delle scuse; to c. a gesture as insulting, leggere in un gesto un insulto **2** (gramm.) costruire: This verb is construed with either «in» or «of», questo verbo si costruisce con «in» oppure «of» **3** (gramm., antiq.) analizzare la sintassi di (un testo latino o greco) **4** (antiq.) tradurre e commentare parola per parola ⓑ v. i. (gramm.) essere analizzabile.

consubstantial /kɒnsəbˈstænʃl/ (relig.) a. consustanziale || **consubstantiality** n. ⊍ consustanzialità.

to **consubstantiate** /kɒnsəbˈstænʃɪeɪt/ (relig.) v. t. e i. consustanziare, consustanziarsi || **consubstantiation** n. ⊍ consustanziazione.

consuetude /ˈkɒnswɪtjuːd, USA -tuːd/ n. ⊍ (leg. o arc.) consuetudine.

consuetudinary /kɒnswɪˈtjuːdɪnrɪ, USA -ˈtuː-/ ⓐ a. (anche leg.) consuetudinario: c. law, diritto consuetudinario ⓑ n. (relig.) libro delle regole conventuali; rituale.

consul /ˈkɒnsl/ n. console (in ogni senso): c. general, console generale.

consular /ˈkɒnsjʊlə(r)/ a. consolare: c. agent, agente consolare; c. charges (o c. fees), diritti consolari; (comm.) c. invoice, fattura consolare.

consulate /ˈkɒnsjʊlət/ n. consolato (in ogni senso).

consulship /ˈkɒnslʃɪp/ n. (anche stor.) consolato (carica e durata dell'ufficio).

♦to **consult** /kənˈsʌlt/ ⓐ v. t. **1** consultare: to c. a doctor [a solicitor], consultare un

medico [un avvocato]; to c. a book [a dictionary, a map], consultare un libro [un dizionario, una mappa] **2** avere riguardo per; tener conto di: We must c. his wishes, dobbiamo tener conto dei suoi desideri ⓑ v. i. consultarsi: You should c. with the management, dovresti consultarti con la direzione.

consultancy /kənˈsʌltənsɪ/ n. **1** ⊍ consulenza: to be appointed to a c., essere nominato consulente; c. firm, società di consulenza **2** (med., GB) primariato ospedaliero.

♦**consultant** /kənˈsʌltənt/ n. **1** consulente: **financial c.**, consulente finanziario **2** (med., GB) specialista; primario d'ospedale: c. cardiologist, primario di cardiologia **3** chi consulta; consultatore.

♦**consultation** /kɒnslˈteɪʃn/ n. **1** ⊍ consultazione: We decided, after c., to..., dopo esserci consultati, decidemmo di...; to decide st. in c. with sb., decidere qc. dopo aver consultato q.; without any c., senza consultarsi con nessuno **2** incontro, discussione; riunione (per discutere qc.): to hold a c. with, tenere una riunione con; consultarsi con.

consultative /kənˈsʌltətɪv/ a. consultivo; consultativo.

consultee /kɒnsʌlˈtiː/ n. persona consultata; esperto consultato.

consulting /kənˈsʌltɪŋ/ ⓐ n. ⊍ **1** consultazione **2** consulenza ⓑ a. consulente ● c. counsel, avvocato consulente □ c. engineer, consulente tecnico □ c. firm, società di consulenza □ c. hours, orario delle visite (di un medico) □ c. management engineer, consulente in organizzazione aziendale □ c. physician, medico consulente □ c. room, studio (di medico e sim.); ambulatorio □ c. service, servizio di consulenza.

consultor /kənˈsʌltə(r)/ n. (spec. relig.) consultore.

consumable /kənˈsjuːməbl, -ˈsuː-/ ⓐ a. consumabile ⓑ n. pl. **1** (econ.) beni di consumo **2** (market.) derrate alimentari **3** (tecn.) materiali di consumo.

to **consume** /kənˈsjuːm, -ˈsuː-/ v. t. **1** (anche econ.) consumare: Our country produces less than it consumes, il nostro paese produce meno di quello che consuma; to c. food, consumare cibo **2** consumare; utilizzare; impiegare: to c. resources, consumare (o utilizzare) risorse; to c. one's time [one's income], consumare il proprio tempo [il proprio reddito]; (econ., stat.) propensity to c., propensione al consumo **3** (del fuoco) consumare; distruggere **4** (fig.) consumare; rodere; bruciare; struggere: to be consumed with envy, essere roso dall'invidia; to be consumed with curiosity, bruciare dalla curiosità.

♦**consumer** /kənˈsjuːmə(r), -ˈsuː-/ n. **1** (anche econ.) consumatore **2** utente ● c. advice, consigli ai consumatori □ (in GB) the C. Association, l'associazione dei consumatori □ c. confidence (o sentiment), la fiducia dei consumatori □ c. cooperative, cooperativa di consumo □ (in GB) C. Council, Ente per la tutela dei consumatori □ c. credit, credito al consumo □ (econ.) c. durables, beni di consumo durevoli □ c. electronics, articoli di elettronica di largo consumo □ (econ.) c. (o consumers') goods, beni di consumo □ c. group, associazione di consumatori □ (banca) c. loan, prestito personale □ c. picketing, picchettaggio di consumatori □ c. price index, indice dei prezzi al consumo □ c. products, generi (o prodotti) di consumo □ c. protection, protezione (tutela) del consumatore □ c. research, ricerca di mercato □ (psic.) c. resistance, apatia del cliente potenziale □ c. society, società dei consumi (o consumistica) □ (econ.) c. spending, spesa per consumi □ (econ.) c.

surplus, surplus del consumatore □ (*market.*) **c. trends**, dinamica dei consumi.

consumerism /kən'sjuːmərɪzəm, -'suː-/ n. ▣ **1** (*econ.*) consumismo **2** (*provvedimenti a*) tutela dei consumatori ‖ **consumerist** n. **1** appartenente al movimento dei consumatori **2** (*econ.*) consumista ‖ **consumeristic** a. consumistico.

consuming /kən'sjuːmɪŋ, -'suː-/ a. **1** che consuma (*energia, materie prime, ecc.*) **2** (*econ.*) consumatore: **c. country**, paese consumatore **3** (*fig.*) che consuma: **c. passion**, passione che consuma.

consummate /kɒn'sʌmət/ a. consumato; esperto; provetto; abilissimo: **a man of c. skill**, un uomo di consumata abilità; **a c. politician**, un uomo politico abilissimo; **a c. liar**, un esperto mentitore.

to **consummate** /'kɒnsəmeɪt/ v. t. **1** compiere; completare; coronare **2** (*leg., relig.*) consumare (*un matrimonio, un sacrificio, ecc.*).

consummation /kɒnsə'meɪʃn/ n. ▣ **1** compimento; conclusione; coronamento (*di un'opera, ecc.*) **2** (*leg., relig.*) consumazione (*d'un matrimonio, ecc.*) **3** (*lett.*) fine; conclusione: **the final c.**, la fine del mondo.

consummatory /kən'sʌmətrɪ/ a. consumatorio: (*psic.*) **c. behaviour**, comportamento consumatorio.

♦**consumption** /kən'sʌm(p)ʃn/ n. ▣ **1** (*anche econ.*) consumo: *The daily c. of milk is diminishing*, diminuisce il consumo giornaliero del latte; **gas c.**, il consumo di gas; **home c.**, consumo interno **2** (*med., antiq.*) consunzione; tubercolosi: **pulmonary c.**, tubercolosi polmonare; tisi ● (*econ.*) **c. goods**, beni di consumo □ (*fisc.*) **c. tax**, imposta sui consumi □ **for public c.**, per il pubblico; da diffondere; da rendere noto □ **unfit for human c.**, non commestibile.

consumptive /kən'sʌm(p)tɪv/ ▣ a. **1** che consuma; che distrugge **2** (*med.*) tubercoloso; tubercolotico; tisico ▣ n. (*med.*) tubercoloso; tubercolotico ‖ **-ly** avv.

cont. abbr. **1** (**container**) container (*per merci*) **2** (**contents**) contenuto **3** (**continental**) continentale **4** (*anche* **contd**) (*di un racconto*, **continued**) continua; alla prossima puntata.

♦**contact** /'kɒntækt/ n. ▣ᶜ **1** contatto: **the c. of her hand**, il contatto della sua mano; **direct** [**physical**] **c.**, contatto diretto [fisico]; **to explode on c.**, esplodere al contatto; **to come into c. with**, venire a contatto di; **to make c. with st.**, urtare qc.; colpire qc.; (*mil.*) **to make c. with the enemy**, entrare in contatto col nemico **2** (*fig.*) contatti; comunicazione; relazione: **to bring into c. with**, mettere in contatto con; **to be in close c. with**, essere in stretto contatto con; **to break all contacts with sb.**, rompere ogni contatto con q.; **to come into c. with sb.**, venire a contatto di q.; avere a che fare con q.; **to establish c. with**, entrare in contatto con; (*radio, tel.*) **to lose c.**, perdere il contatto; **to lose c. with sb.**, perdere i contatti con q.; perdere di vista q.; **to get in c. with**, mettersi in contatto con; prendere contatto con; **to maintain c. with**, tenersi in contatto con; mantenere i contatti con; **to make c. with**, mettersi in contatto con; contattare; prendere contatto con **3** (*elettr.*) contatto: **c. to earth**, contatto terra; **to break c.**, chiudere il contatto; **to make c.**, stabilire (*o aprire*) il contatto **4** conoscenza; contatto; aggancio: **business contacts**, contatti di lavoro; *He made useful contacts at the conference*, fece utili conoscenze al convegno; **to build up contacts**, costruire una rete di conoscenze; **to have the right contacts**, conoscere le persone giuste **5** (*spionaggio*) contatto **6** (*mat.*) punto d'incontro (*di linee, ecc.*) **7** (*med.*) portatore di germi **8**

(*comput.*) contatto (*voce della lista degli indirizzi nei programmi di posta elettronica*) **9** (*sport*) contatto fisico, scontro (*fra due giocatori*) **10** (*fam.*) lente a contatto ● **c. adhesive**, adesivo di contatto □ (*elettr., autom.*) **c. breaker**, ruttore □ (*gramm. ingl.*) **c. clause**, frase relativa con il pronome relativo sottinteso (*per es. «the girl I met in Rome»*) (*elettr.*) **c. clip**, ganascia di contatto □ (*aeron.*) **c. flight** (*o* **c. flying**), volo a vista □ (*ottica*) **c. lens**, lente a contatto □ (*spionaggio*) **c. man**, intermediario; contatto □ (*mil.*) **c. mine**, mina a percussione □ **c. number**, recapito telefonico: *Could you give me her c. number?*, potrebbe darmi il suo recapito telefonico? □ (*fotogr.*) **c. print**, copia per contatto; provino □ (*fotogr.*) **c. printer**, bromografo □ (*ind.*) **c. process**, metodo per contatto (*nella produzione dell'acido solforico*) □ (*ferr., elettr.*) **c. rail**, terza rotaia □ (*fotogr.*) **c. sheet**, foglio di provini □ **c. sports**, sport basati sul contatto fisico con l'avversario ● **eye c.**, contatto visivo; sguardo diretto; il guardare in faccia q.: **to avoid eye c. with sb.**, evitare di incrociare lo sguardo di q.; non guardare in faccia q.

to **contact** /'kɒntækt/ v. t. e i. mettere, mettersi in contatto con (q.); contattare: *Remember to c. the manager*, ricordati di metterti in contatto con il direttore.

contactable /kən'tæktəbl/ a. (*di una persona*) che si può contattare; contattabile.

contactor /kən'tæktə(r)/ n. (*elettr.*) contattore; teleruttore.

contagion /kən'teɪdʒən/ n. ▣ᶜ (*med. e fig.*) contagio: **risk of c.**, rischio di contagio; **the c. of panic**, il contagio del panico.

contagious /kən'teɪdʒəs/ a. **1** (*med. e fig.*) contagioso: *Laughter is c.*, il riso è contagioso **2** (*med., di individuo o organismo*) portatore di contagio | **-ly** avv. | **-ness** n. ▣.

♦to **contain** /kən'teɪn/ v. t. **1** contenere: *Wine and beer c. alcohol*, il vino e la birra contengono alcol; *This file contains vital information*, questo file contiene informazioni essenziali **2** contenere; limitare; circoscrivere; arginare; controllare: **to c. an attack** [**inflation**], contenere un attacco [l'inflazione]; **to c. an epidemic**, circoscrivere un'epidemia **3** frenare; trattenere: **to c. one's anger**, frenare la propria ira **4** (*mat.*) contenere; essere divisibile per: *Six contains two and three*, il sei è divisibile per due e per tre **5** (*anche geom.*) comprendere ● **to c. oneself**, contenersi; controllarsi; trattenersi.

containable /kən'teɪnəbl/ a. contenibile.

contained /kən'teɪnd/ a. **1** contenuto **2** (*di emozione, ecc.*) trattenuto; tenuto a freno **3** (*di persona*) riservato; controllato.

♦**container** /kən'teɪnə(r)/ n. **1** recipiente; contenitore **2** (*trasp., naut.*) container ● (*naut.*) **c. port**, porto per navi portacontainer □ (*naut.*) **c. ship**, nave portacontainer □ (*ferr.*) **c. train**, treno portacontainer.

to **containerize** /kən'teɪnəraɪz/ (*trasp.*) v. t. containerizzare ‖ **containerization** n. ▣ containerizzazione.

containment /kən'teɪnmənt/ n. ▣ **1** il contenere (*una folla, ecc.*); il tenere a freno; contenimento **2** riserbo; ritegno **3** (*mil., polit.*) contenimento **4** (*fis. nucl.*) contenimento.

to **contaminate** /kən'tæmɪneɪt/ v. t. contaminare (*anche scient. e filol.*); infettare; inquinare; (*fig.*) corrompere: **to c. the water of a river**, inquinare l'acqua di un fiume; **to c. food**, contaminare gli alimenti ‖ **contaminant** n. sostanza contaminante ‖ **contaminator** n. contaminatore.

contamination /kəntæmɪ'neɪʃn/ n. ▣ contaminazione (*anche scient. e filol.*); infezione; inquinamento; (*fig.*) corruzione: **radioactive c.**, contaminazione radioattiva.

contango /kən'tæŋɡəʊ/ n. (pl. ***contangos, contangoes***) (*Borsa merci, mercati valutari*) **1** ▣ riporto (*l'ammontare di cui il prezzo a termine supera il prezzo a pronti*) **2** (*Borsa, stor.*) riporto proroga; saggio (*o tasso*) di riporto ● **c. day**, giorno dei riporti □ **c. rate**, tasso (*o corso*) del riporto.

to **contango** /kən'tæŋɡəʊ/ v. t. e i. (*Borsa*) fare un riporto; riportare (*titoli*).

to **contemn** /kən'tɛm/ v. t. (*lett.*) disprezzare.

contemner /kən'tɛmnə(r)/ n. **1** (*lett.*) spregiatore **2** (*leg.*) colpevole del reato di «disprezzo della corte» (→ **contempt**).

to **contemplate** /'kɒntɛmpleɪt/ ▣ v. t. **1** contemplare: **to c. a beautiful panorama**, contemplare un bel panorama **2** prendere in considerazione; meditare; pensare: *I hope he doesn't c. leaving at once*, spero che non mediti di andarsene subito; **to c. suicide**, meditare di suicidarsi; *We refuse to c. change*, non vogliamo prendere in considerazione alcun cambiamento **3** prevedere di fare; attendersi; aspettarsi: **to c. a purchase**, prevedere di fare un acquisto; *We don't c. any difficulties from his parents*, non ci attendiamo che sorgano difficoltà da parte dei suoi genitori **4** (*fam.*) intendere; avere intenzione di; proporsi di: *They c. going abroad next summer*, hanno intenzione di andare all'estero la prossima estate ▣ v. i. meditare; riflettere; raccogliersi ● **to c. one's navel**, guardarsi l'ombelico; (*fig.*) girarsi i pollici; non fare un tubo (*fam.*).

contemplation /kɒntɛm'pleɪʃn/ n. ▣ **1** contemplazione; meditazione; raccoglimento **2** aspettativa; previsione **3** intenzione; progetto ● (*di una cosa*) **in c.**, in progetto; allo studio.

contemplative /'kɒntɛmpleɪtɪv/ ▣ a. contemplativo; meditativo ▣ n. contemplativo ● (*relig.*) **c. orders**, ordini contemplativi | **-ly** avv. | **-ness** n. ▣.

contemplator /'kɒntɛmpleɪtə(r)/ n. contemplatore.

contemporaneity /kɒntɛmpərə'niːɪtɪ/ n. ▣ contemporaneità.

contemporaneous /kəntɛmpə'reɪnɪəs/ a. contemporaneo | **-ly** avv. | **-ness** n. ▣.

♦**contemporary** /kən'tɛmprərɪ/ ▣ a. **1** (*rif. a persona*) contemporaneo; dell'epoca: *Francis Bacon was c. with William Shakespeare*, Francis Bacon fu contemporaneo di William Shakespeare **2** (*di cosa, evento, ecc.*) contemporaneo; coevo; dello stesso periodo: **c. with**, contemporaneo a; coevo di **3** contemporaneo; attuale; di oggi; moderno ▣ n. **1** contemporaneo: **a c. of Milton**, un contemporaneo di Milton **2** coetaneo: **my contemporaries**, i miei coetanei.

contempt /kən'tɛmpt/ n. ▣ **1** disprezzo; sprezzo; dispregio (*lett.*): **to hold in c.**, disprezzare; spregiare; avere in dispregio; **in c. of danger**, con sprezzo del pericolo **2** (*leg.*, = **c. of court**) oltraggio alla corte; disubbidienza a un ordine della corte (*reato non esistente in Italia*): **to be found in c.**, essere giudicato colpevole di oltraggio alla corte ❶ **CULTURA** ● **contempt of court**: *l'«oltraggio alla corte» può costituire sia illecito civile* (**civil contempt**), *sia penale* (**criminal contempt**): *il primo è ad es. il rifiuto di obbedire alla corte o di far parte di una giuria, il secondo consiste in reati come la corruzione della giuria, ma anche ogni forma turbativa del procedimento giudiziario* ● **beneath c.**, ignobile; inqualificabile; indegno.

contemptibility /kəntɛm(p)tə'bɪlɪtɪ/ n. ▣ spregevolezza.

contemptible /kən'tɛm(p)təbl/ a. spregevole; disprezzabile | **-bly** avv.

❶ Nota: *contemptible o contemptuous?*
L'aggettivo *contemptible* si usa in riferimento a qualcosa che suscita disprezzo: *This shirking of responsibility is contemptible*, questo sottrarsi alle responsabilità è spregevole; l'aggettivo *contemptuous* indica qualcuno che prova disprezzo, o qualcosa che ne è dimostrazione, e quindi significa "sprezzante, sdegnoso": *to be openly contemptuous of any authority*, disprezzare apertamente ogni autorità; *to give a contemptuous little laugh*, fare una risatina sprezzante.

contemptuous /kən'tem(p)tʃʊəs/ a. sprezzante; sdegnoso ● (*leg.*) **c. damages**, risarcimento irrisorio | **-ly avv.** | **-ness** n. Ⓤ
❶ Nota: *contemptible o contemptuous?* → **contemptible**.

to **contend** /kən'tend/ v. t. e i. **1** contendere; combattere; battersi; lottare: *Since 1947, India and Pakistan have been contending for the possession of Kashmir*, è dal 1947 che l'India e il Pakistan lottano per il possesso del Kashmir **2** discutere; controbattere: *He likes to c. about everything*, gli piace discutere su tutto **3** contrastare; essere in disaccordo: **contending feelings**, sentimenti contrastanti **4** (*form.*) asserire; sostenere **5** (*sport*) gareggiare ● (*econ.*) **to c. for a market**, disputarsi un mercato ● **to c. for a prize**, essere in lizza per un premio □ **the contending parties**, i contendenti; (*leg.*) le parti litiganti (*in giudizio*).

contender /kən'tendə(r)/ n. concorrente; aspirante; candidato: (*sport*) **a c. for the championship**, un aspirante al titolo di campione; **c. for an office**, candidato a una carica; **a Booker Prize c.**, un concorrente al Booker Prize; **the Labour deputy leadership c.**, il candidato alla vicesegreteria del partito laburista; **the top c.**, il favorito.

content① /kən'tent/ a. pred. **1** contento; pago; soddisfatto: **c. with life**, pago della propria vita; *I'm c. with third place*, sono soddisfatto di (o mi va bene) essere arrivato terzo; *He seemed c. with the idea*, sembrava d'accordo con l'idea; (*iron.*) *Not c. with having ruined our holidays...*, non contento di averci rovinato le vacanze...; **well c.**, assai soddisfatto; arcicontento **2** disposto; pronto: *I am c. to remain here*, sono disposto a rimanere qui **3** (*GB, come inter., alla Camera dei Lord*) sì; favorevole (*cfr.* **ay** alla Camera dei Lord): **not c.**, no; sfavorevole (*cfr.* **no** alla Camera dei Comuni).

content② /kən'tent/ n. **1** Ⓤ contentezza; soddisfazione **2** (*in GB, alla Camera dei Lord*) voto favorevole; (*per estens.*, al pl.) votanti a favore ● **to one's heart's c.**, finché se ne ha voglia; quanto pare e piace; a volontà; a sazietà.

♦**content③** /'kɒntent/ n. **1** (solo sing.) contenuto (*di alimento, sostanza*); quantità contenuta: **low fat c.**, basso contenuto di grassi; **the lead c. of paint**, la quantità di piombo contenuta nelle vernici **2** (al pl.) contenuto (sing.) (*di recipiente, lettera, ecc.*): **the contents of a trunk**, il contenuto di un baule; *She emptied the contents of her bag on the table*, vuotò il contenuto della sua borsa sul tavolo; *He glanced at the contents of the letter*, diede una scorsa al contenuto della lettera **3** (al pl.) (= **table of contents**) indice (sing.) (*di libro*) **4** (solo sing.) contenuto (*di un testo, di contro a «forma»*); argomento; materia trattata **5** Ⓤ capacità: **the c. of a cask**, la capacità d'una botte **6** Ⓤ (*geom.*) volume **7** (*metall.*) tenore, titolo (*dell'oro, ecc.*).

to **content** /kən'tent/ v. t. contentare; accontentare; soddisfare; appagare ● **to c. oneself (with)**, contentarsi (*di*); limitarsi (*a*): *He contented himself with threats*, si limitò alle minacce; *He contented himself with uttering a few words*, si limitò a profe-

rire alcune parole.

contented /kən'tentɪd/ a. **1** contento; soddisfatto **2** di contentezza: **a c. smile**, un sorriso di contentezza | **-ly avv.** | **-ness** n. Ⓤ.

contention /kən'tenʃn/ n. **1** contesa; controversia; disputa; polemica **2** (*form.*) assunto (*che si vuol dimostrare*); asserzione; tesi **3** Ⓤ contrasto; dissenso **4** Ⓤ competizione; gara; lotta: (*sport*) **to be out of c.**, essere ormai fuori gara.

contentious /kən'tenʃəs/ a. **1** litigioso; polemico **2** controverso: **a c. issue**, un punto controverso **3** (*leg.*) contenzioso ● (*leg.*) **c. jurisdiction**, il contenzioso (*l'organo*) □ **c. procedure**, il contenzioso (*i procedimenti*) | **-ly avv.** | **-ness** n. Ⓤ.

contentment /kən'tentmənt/ n. Ⓤ contentezza; appagamento; soddisfazione ● (*prov.*) **C. is better than riches**, chi s'accontenta gode.

conterminal /kɒn'tɜːmɪnl/, **conterminous** /kɒn'tɜːmɪnəs/ a. **1** contiguo; confinante; limitrofo **2** racchiuso entro gli stessi limiti.

♦**contest** /'kɒntest/ n. **1** gara; concorso; competizione: **beauty c.**, concorso di bellezza; **sports c.**, gara sportiva; **close c.**, gara serrata; **bitter c.**, aspra competizione; **uneven c.**, gara impari; **to enter a c.**, partecipare a una competizione; iscriversi a una gara; scendere in gara **2** (*polit.*) corsa; competizione elettorale: **a c. for the party leadership**, la corsa alla guida del partito; **presidential c.**, corsa alla presidenza; elezioni presidenziali **3** contesa; controversia; disputa **4** lotta; conflitto ● **No c.**, (*leg. USA*) dichiarazione con cui un imputato non accetta né nega l'accusa; (*boxe*) no contest □ **There is no c.**, non c'è gara; non c'è storia.

to **contest** /kən'test/ Ⓐ v. t. **1** partecipare a (*una gara, una competizione*): **to c. a political election**, partecipare alle elezioni politiche **2** (*sport*) disputare (*un incontro, ecc.*); giocare (*una partita*) **3** battersi per (*un titolo, un premio, ecc.*) **4** (*polit.*) presentarsi candidato a: **to c. a parliamentary seat**, presentarsi candidato a un seggio in parlamento; **to c. the presidency**, porre la propria candidatura alla presidenza **5** contestare: **to c. a claim**, contestare una rivendicazione; (*leg.*) **to c. a contract**, contestare un contratto **6** (*leg.*) impugnare: *He wants to c. his father's will*, vuole impugnare il testamento di suo padre **7** disputare; contendere: *The enemy contested every inch of land in their retreat*, nella ritirata il nemico contese ogni palmo di terreno Ⓑ v. i. contendere; disputare.

contestable /kən'testəbl/ a. contestabile; contendibile: (*econ.*) **c. market**, mercato contendibile || **contestability** n. Ⓤ (*econ.*) libertà di entrata e di uscita, contendibilità.

contestant /kən'testənt/ n. **1** chi contesta; contestatore **2** (*anche sport*) competitore; concorrente **3** (*boxe, lotta*) combattente.

contestation /kɒntes'teɪʃn/ n. **1** Ⓤ Ⓒ contestazione; contesa; contrasto; discussione; disputa: **the issue in c.**, il punto in discussione **2** affermazione polemica; replica.

contested /kən'testɪd/ a. **1** disputato: **a closely c. competition**, una gara serrata **2** dibattuto; controverso: (*leg.*) **c. case**, causa dibattuta in tribunale; **a c. issue**, una questione dibattuta **3** conteso; disputato: **a c. border region**, una regione di confine contesa **4** contestato; contrastato **5** (*leg.*) impugnato ● (*fin.*) **c. (take-over) bid**, offerta d'acquisto contrastata □ (*leg.*) **c. divorce**, divorzio non consensuale □ (*polit.*) **c. election**, elezione mediante votazione □ (*polit.*) **c. seat**, seggio (*da occupare*).

♦**context** /'kɒntekst/ n. (*ling. e fig.*) contesto ● (*comput.*) **c.-switch**, scambio di conte-

sto □ **in c.**, nel contesto □ **out of c.**, fuori dal contesto □ **to put st. into c.**, inserire qc. nel suo contesto; contestualizzare qc. || **contextual** a. contestuale.

to **contextualize** /kɒn'tekstʃʊəlaɪz/ v. t. contestualizzare || **contextualization** n. Ⓤ contestualizzazione.

contig /kɒn'tɪg/ n. (*biochim.*) mappa (cromosomica) Contig.

contiguity /kɒntɪ'gjuːətɪ/ n. Ⓤ (*form.*) contiguità.

contiguous /kən'tɪgjʊəs/ a. (*form.*) contiguo; attiguo; prossimo | **-ly avv.**

continent① /'kɒntɪnənt/ a. **1** continente; morigerato; casto **2** (*med.*) continente || **continence** n. Ⓤ **1** continenza; morigeratezza; castità **2** (*med.*) continenza || **continently avv.** con continenza; con morigeratezza.

♦**continent②** /'kɒntɪnənt/ n. **1** (*geogr.*) continente **2** (*GB*) – **the C.**, l'Europa continentale (*distinta dalla GB*); il continente.

continental /kɒntɪ'nentl/ Ⓐ a. **1** continentale: **a c. climate**, un clima continentale **2** del continente; sul continente; continentale: **C. Europe**, l'Europa continentale; **c. wars**, guerre combattute sul continente (*rispetto a un'isola, per es. l'Inghilterra, il Giappone, ecc.*) **3** (*GB; anche* **C.**) del (o sul) continente europeo; dell'Europa continentale, europeo: **c. countries**, i paesi dell'Europa continentale **4** (*stor. USA*) delle colonie americane (*durante la guerra d'indipendenza*) Ⓑ n. **1** (*GB*) abitante del continente europeo (*esclusa la GB*) **2** (*stor. USA*) soldato dell'esercito coloniale ● **c. breakfast**, colazione leggera; prima colazione all'europea (*cfr.* **English breakfast**, *sotto* **English**) □ (*stor.*) **C. Congress**, il Congresso delle colonie americane (*1774-76, che istituì l'esercito coloniale e promulgò la Dichiarazione di indipendenza*) □ (*geogr.*) **C. Divide**, spartiacque delle Montagne Rocciose □ (*geol.*) **c. drift**, deriva dei continenti □ (*geol.*) **c. formation**, formazione dei continenti □ (*GB*) **c. quilt**, piumino; trapunta □ (*geol.*) **c. shelf**, piattaforma continentale.

continentality /kɒntɪnən'tælətɪ/ n. Ⓤ continentalità.

contingence /kən'tɪndʒəns/ n. Ⓤ **1** (*geom.*) tangenza: **angle of c.**, angolo di tangenza **2** → **contingency**.

contingency /kən'tɪndʒənsɪ/ n. **1** Ⓤ eventualità; possibilità **2** contingenza; caso imprevisto; emergenza: **c. plan**, piano di emergenza **3** Ⓤ evenienza: *We must be ready for any c.*, dobbiamo essere pronti per ogni evenienza **4** Ⓤ (*filos.*) contingenza **5** Ⓤ (*stat.*) contingenza **6** (*rag.*) sopravvenienza passiva: **c. fund**, fondo sopravvenienze passive ● (*fin.*) **c. budget**, bilancio di riserva □ **c. fee** = **contingent fee** → **contingent**.

contingent /kən'tɪndʒənt/ Ⓐ a. **1** contingente; accidentale; eventuale; casuale; aleatorio; fortuito; imprevisto: **c. damages**, danni contingenti; (*fin.*) **c. profit**, utile aleatorio; **c. expenses**, spese impreviste **2** (*leg.*) soggetto a condizione; condizionato; vincolato: **c. debt**, debito soggetto a una condizione (*o a un termine*); (*Borsa*) **c. order**, ordine vincolato (*o limitato*) **3** (*filos.*) contingente **4** (*stat.*) contingente Ⓑ n. **1** caso fortuito; contingenza **2** (*mil.*) contingente (*di truppe*) **3** (*fam.*) contingente; gruppo di rappresentanti **4** Ⓤ (*filos.*) (il) contingente ● (*ass.*) **c. annuity**, rendita differita □ (*rag.*) **c. assets**, sopravvenienze attive □ (*comm. est.*) **c. duty**, dazio di compensazione □ (*leg., in USA*) **c. fee** (*o* **fees**) onorario condizionato, parcella condizionata □ (*rag.*) **c. liabilities**, sopravvenienze passive □ (*leg.*) **c. liability**, responsabilità accessoria □ (*ass.*) **c. policy**,

polizza di sopravvenienza □ (*econ.*, *USA*) **c. workers**, lavoratori precari □ (*di un fatto*) **to be c. on**, dipendere da: *Our future is c. on the success of the government fiscal measures*, il nostro futuro dipende dal successo della manovra fiscale del governo | **-ly** avv.

continual /kən'tɪnjʊəl/ a. continuo; incessante: **c. snowstorms**, continue tempeste di neve ● (*econ.*) **c. conflict**, conflittualità permanente ‖ **continually** avv. **1** di continuo; continuamente; ripetutamente **2** ininterrottamente; incessantemente.

❶ NOTA: *continual o continuous?*
Gli aggettivi *continual* e *continuous*, e le loro forme derivate *continually* e *continuously*, vengono spessi confusi a causa della loro somiglianza. Anche se entrambi si possono tradurre in italiano con "continuo", i loro significati sono, tuttavia, piuttosto diversi. L'aggettivo *continual* significa "continuo" come "ripetuto, frequente", cioè si riferisce ad azioni che vengono ripetute: *I am tired of these continual interruptions*, sono stanco di queste continue interruzioni; *She is continually asking me for money*, mi chiede continuamente del denaro. L'aggettivo *continuous* invece si riferisce a qualcosa di "continuo" nel senso di "incessante, ininterrotto": *The canals join to form one continuous waterway*, i canali si uniscono a formare una via di navigazione ininterrotta; *He ran continuously for half an hour*, corse per mezzora di seguito.

continuance /kən'tɪnjʊəns/ n. (*form.*) **1** ⓤ durata: **of long c.**, di lunga durata **2** ⓤⓒ permanenza (*in carica*, *ecc.*); persistenza (*di condizioni*, *ecc.*) **3** (*leg.*, *USA*) rinvio, proroga.

continuant /kən'tɪnjʊənt/ (*fon.*) Ⓐ a. continuo Ⓑ n. consonante continua.

continuation /kəntɪnjʊ'eɪʃn/ n. **1** ⓤ continuazione; prosecuzione; seguito **2** ⓤ ripresa: *The c. of the meeting was put off to the next week*, la ripresa della riunione fu rinviata alla settimana successiva **3** aggiunta; supplemento: **a c. to a building**, un'aggiunta a un edificio **4** ⓤ (*Borsa*) riporto proroga; riporto: **c. day**, giorno dei riporti; **c. rate**, saggio (o tasso) del riporto **5** ⓤ persistenza; il perdurare: **the c. of this state of affairs**, il perdurare di questo stato di cose.

continuative /kən'tɪnjʊətɪv/ a. **1** continuativo **2** (*gramm. ingl.*) (*di un verbo*) progressivo.

continuator /kən'tɪnjʊeɪtə(r)/ n. chi continua; continuatore.

♦**to continue** /kən'tɪnjuː/ Ⓐ v. i. **1** continuare; proseguire; seguitare: **to c. to do st.** (*o* **with st.**), continuare a fare qc.; *He continued with his complaints*, continuò con le sue proteste; continuò a protestare; *The strike will c.*, lo sciopero continuerà **2** rimanere; restare; continuare (a fare qc.): **to c. in one's job**, continuare a svolgere il proprio lavoro; restare nel proprio posto di lavoro; **to c. at** (*o* **in**) **a place**, rimanere in un luogo; *He continued as treasurer*, conservò la sua carica di tesoriere; continuò a fare il tesoriere; *The chairman continued in office*, il presidente rimase in carica **3** riprendere; proseguire; continuare: *The hearing continues today*, l'udienza riprende oggi; *«I don't think you should», continued Tom*, «secondo me non dovresti» continuò Tom **4** (*Borsa*) fare un riporto Ⓑ v. t. **1** continuare; proseguire; seguitare: *We continued working*, continuammo a lavorare **2** tenere; mantenere: **to c. sb. in office**, mantenere in carica q.; rinnovare un incarico (o un mandato) a q. **3** (*leg.*, *spec. scozz.*) rinviare; prorogare **4** (*geom.*) prolungare (*una retta*, *ecc.*) **5** (*Borsa*) riportare (*titoli*) ● **continued on p. 120**, continua a p. 120 □ **to be continued**,

continua; il seguito alla prossima puntata □ **continuing education**, istruzione per adulti; corsi per adulti □ (*fin.*) **continuing partner**, socio che manda avanti un'azienda (*dopo il ritiro degli altri*).

continued /kən'tɪnjuːd/ a. continuo; continuato; che continua: (*mat.*) **c. fraction**, frazione continua; **c. story**, racconto a puntate.

continuity /kɒntɪ'njuːətɪ/ n. **1** ⓤ continuità: **c. of policy**, continuità decisionale; **narrative c.**, continuità narrativa; **break in c.**, soluzione di continuità **2** (*cinem.*, *TV*) continuità: **c. error**, errore di continuità ● (*radio*, *TV*) **c. announcer**, annunciatore, annunciatrice dei programmi □ (*cinem.*) **c. girl**, segretaria di edizione □ (*cinem.*) **c. sheet**, foglio di montaggio □ (*cinem.*) **c. shot**, inquadratura di raccordo.

♦**continuous** /kən'tɪnjʊəs/ a. **1** continuo; ininterrotto; continuato; costante; incessante: **a c. line**, una fila ininterrotta; una riga continua; **c. growth**, crescita costante; **c. rain**, pioggia incessante; **to be under c. pressure**, essere sottoposto a pressione costante **2** (*gramm.*) progressivo: **present c.**, presente progressivo **3** (*stat.*) continuo: **c. data**, dati continui ● (*docimologia*) **c. assessment**, valutazione progressiva (*in luogo degli esami*) □ (*ferr.*) **c. brake**, freno continuo □ (*rag.*, *fin.*) **c. budget**, bilancio mobile □ (*econ.*, *fin.*) **c. compounding**, capitalizzazione continua □ (*fis.*) **c. creation**, creazione continua (*della materia*) □ (*cinem.*) **c. performance**, spettacolo continuato □ (*ind.*) **c. process**, processo (*di produzione*) a ciclo continuo □ (*fis.*) **c. spectrum**, spettro continuo □ (*comput.*, *GB*) **c. stationery**, fogli [buste, ecc.] a moduli continui □ (*fis.*) **c. wave**, onda continua □ (*ottica*) **c.-wave laser**, laser in continua | **-ly** avv. | **-ness** n. ⓤ ❶ NOTA: *continual o continuous?* → **continual**.

continuum /kən'tɪnjuːəm/ n. (pl. **continua**, **continuums**) **1** (*scient.*) continuum; continuo **2** serie ininterrotta.

to contort /kən'tɔːt/ v. t. **1** contorcere; stravolgere; storcere: *His features were contorted with rage*, aveva la faccia stravolta dall'ira **2** (*fig.*) distorcere; travisare ‖ **contortion** n. ⓤⓒ contorsione; contorcimento.

contortionist /kən'tɔːʃənɪst/ n. (*anche fig.*) contorsionista.

contour /'kɒntʊə(r)/ n. **1** contorno; profilo (*d'una costa*, *di monti*, *di una persona*, *ecc.*) **2** (*cartografia*, = **c. line**) curva di livello; (linea) isometrica; isoipsa ● **c. chair**, sedia anatomica □ **c. map**, carta delle curve di livello □ (*agric.*) **c. ploughing**, aratura a terrazze.

to contour /'kɒntʊə(r)/ v. t. **1** segnare il contorno di (qc.) **2** segnare (*una zona su una mappa*) mediante linee isometriche **3** costruire (*una strada*, *ecc.*) seguendo le curve di livello.

contr. abbr. **1** (**contracted**) contratto (agg.) **2** (**contraction**) contrazione **3** (*mus.*, **contralto**) contralto **4** (**control**) controllo.

contra① /'kɒntrə/ (*rag.*) Ⓐ a. attr. di contropartita, di storno Ⓑ n. registrazione di contropartita ● (*rag.*) **c. account**, conto di contropartita □ (**as**) **per c.**, in contropartita, a storno □ (**per**) **c. entry**, registrazione di storno.

contra② /'kɒntrə/ (*stor.*) Ⓐ n. guerrigliero contras Ⓑ a. contras.

contraband /'kɒntrəbænd/ Ⓐ n. ⓤ **1** contrabbando **2** merce di contrabbando **3** (*in USA*, *durante la guerra civile*) schiavo negro fuggito al Nord Ⓑ a. di contrabbando: **c. liquors**, liquori di contrabbando ‖ **contrabandist** n. contrabbandiere.

contrabass /kɒntrə'beɪs/ (*mus.*) n. ⓤⓒ contrabbasso.

contrabassist n. contrabbassista.

contrabassoon /kɒntrəbə'suːn/ (*mus.*) n. ⓤⓒ controfagotto.

contraception /kɒntrə'sɛpʃn/ n. ⓤ contraccezione.

contraceptive /kɒntrə'sɛptɪv/ a. e n. antifecondativo; contraccettivo; anticoncezionale: **c. pill**, pillola anticoncezionale.

♦**contract** /'kɒntrækt/ Ⓐ n. **1** (*leg.*) contratto: **c. of sale**, contratto di compravendita; **c. of employment**, contratto di lavoro; **c. for work and materials**, contratto d'opera; **draft c.**, bozza di contratto; **to enter into a c. with sb.**, fare (o stipulare) un contratto con q.; **to be under c. to**, essere sotto contratto con; essere vincolato da contratto con **2** (*per estens.*) contratto; patto; accordo (*tra persone*, *stati*, *ecc.*): **the social c.**, (*filos.*) il contratto sociale; (*econ.*) il patto sociale (*tra lavoratori e datori di lavoro*) **3** (*leg.*) appalto: **to win a c.**, vincere (o aggiudicarsi) un appalto; **to bid for a c.**, partecipare a una gara d'appalto; **c. work**, (lavoro in) appalto **4** (*bridge*) contratto; impegno **5** (*slang*) favore illecito; mazzetta; pizzo **6** (*slang*) assassinio su commissione: **to take out a c. on sb.**, fare uccidere q. su commissione; *He has a c. out on me*, ha dato ordine di uccidermi; ha assoldato qualcuno per uccidermi Ⓑ a. attr. (*leg.*) **1** contrattuale; contrattuale: **c. agreement**, accordo contrattuale; **c. bond**, vincolo contrattuale **2** a contratto: (*econ.*) **c. labour**, (*un tempo*) manodopera a contratto; (*ora*) manodopera temporanea **3** per contratto: **c. maintenance**, manutenzione (*d'impianti*) per contratto ● **c. bridge**, bridge contratto □ (*leg.*) **c. by deed**, contratto formale (o in atto pubblico) □ (*leg.*) **c. by parol**, contratto verbale □ **c. cleaners**, impresa di pulizia □ **c. killer**, assassino prezzolato; sicario □ **c. killing**, assassinio su commissione □ **c. note**, (*comm.*) distinta di compravendita; (*Borsa*) bollato di contratto; fissato bollato □ **c. of agency**, contratto di agenzia □ (*leg.*) **c. of service**, contratto di lavoro subordinato □ (*leg.*) **c. of services**, contratto di prestazioni professionali □ (*econ.*) **c. theory**, teoria dei contratti □ (*leg.*) **c. to sell**, patto di futura vendita; preliminare di vendita; compromesso (*fam.*) □ **c. worker**, lavoratore a contratto.

to contract /kən'trækt/ Ⓐ v. t. **1** contrarre; stipulare; concludere; stringere: **to c. an alliance**, stringere un'alleanza; **to c. a match**, contrarre un matrimonio; **to c. a loan**, contrarre un prestito **2** contrarre; prendere; assumere: **to c. a habit** [**a debt**, **a disease**], contrarre un'abitudine [un debito, una malattia]; **to c. an obligation**, assumersi un obbligo **3** contrarre (*un muscolo*) **4** (*fis.*) far contrarre **5** (*ling.*) contrarre **6** impegnarsi per contratto a; stipulare un contratto per: **to c. to supply st.**, impegnarsi per contratto a fornire qc. **7** prendere in appalto; appaltare: **to c. to build a house**, prendere in appalto la costruzione d'una casa Ⓑ v. i. **1** (*leg.*, *comm.*) fare un contratto (*di fornitura*, *di servizi*, *d'appalto*): *They contracted for the supply of victuals to the army*, presero in appalto la fornitura di viveri all'esercito **2** contrarsi; restringersi: *Metals c. in cooling*, i metalli si contraggono raffreddandosi; *The river contracts to a gorge*, il fiume si restringe formando una gola.

■ **contract into** v. i. + prep. (*GB*) **1** (*fin.*: *di società*, *ecc.*) aderire a (un'intesa) contrattualmente **2** (*di persone fisiche*) aderire a, partecipare a, far parte di (*un sistema pensionistico*, *un piano assicurativo*, *ecc.*).

■ **contract out** Ⓐ v. i. + avv. (*GB*) non aderire (*a un sistema pensionistico*, *un piano assicu-*

C

rativo, ecc.); dissociarsi; ritirarsi: **to c. out of the national pension scheme**, non aderire al sistema pensionistico pubblico **B** v. t. + avv. dare in appalto; appaltare: **to c. out public utilities to private companies**, appaltare servizi pubblici a società private.

contractable /kən'træktəbl/ a. **1** contrattabile **2** (*leg.*) contraibile **3** (*med.*) contraibile; contagioso: **c. diseases**, malattie contagiose.

contracted /kən'træktɪd/ a. **1** contratto: **c. muscles**, muscoli contratti **2** ristretto; conciso **3** meschino; gretto **4** acquisito: **a c. tendency**, una tendenza acquisita ● (*leg., comm.*) **c. for**, contrattato; appaltato □ (*med.*) **c. pelvis**, bacino ristretto.

contractible /kən'træktəbl/ a. contrattile ‖ **contractibility** n. ▣ contrattilità.

contractile /kən'træktaɪl/ a. **1** (*scient.*) contrattile: *Muscles are c.*, i muscoli sono contrattili **2** retrattile: (*aeron.*) **c. undercarriage**, carrello retrattile ‖ **contractility** n. ▣ **1** (*scient.*) contrattilità **2** (*l'essere retrattile).

contracting /kən'træktɪŋ/ **A** a. **1** che si contrae **2** (*leg.*) contraente: **the c. parties**, le parti contraenti **B** n. ▣ (*leg., comm.*) contrattazione; stipulazione, stipula ● (*econ., fin.*) **c. out** → **outsourcing**.

contraction /kən'trækʃn/ n. ▣ **1** contrazione (*in ogni senso*); il contrarre (*matrimonio, debiti, ecc.*) **2** (*econ.*) contrazione (*dell'attività economica*) ● **c. rule**, riga per modellisti.

contractionary /kən'trækʃnrɪ/ a. (*econ.*: *di un provvedimento*) che comporta una contrazione (*dell'attività economica*).

contractive /kən'træktɪv/ a. che tende a contrarsi.

contractor /kən'træktə(r), USA 'kɒntræk-/ n. **1** (*leg.*) contraente (*in un contratto*) **2** (*ind., comm.*) appaltatore; imprenditore autonomo; aggiudicatario di un appalto; fornitore: **building c.**, imprenditore edile; **Contractors to H. M.'s Government**, Fornitori del Governo Britannico **3** (*anat.*) muscolo contrattile **4** (*slang*) assassino prezzolato; sicario.

contractual /kən'træktʃʊəl/ a. (*leg.*) contrattuale: **c. clause**, clausola contrattuale; **c. obligation**, obbligazione contrattuale ‖ **-ly** avv.

contracture /kən'træktʃə(r)/ n. ▣ **1** (*med.*) contrattura **2** (*archit.*) restringimento.

contradance /'kɒntrədɑːns/ n. contraddanza.

to contradict /kɒntrə'dɪkt/ v. t. **1** contraddire; smentire; essere in contraddizione con: *His behaviour contradicts his principles*, la sua condotta è in contraddizione con i suoi principi **2** contrariare; opporsi a ● **to c. each other**, contraddirsi (reciprocamente): *These statements c. each other*, queste affermazioni si contraddicono a vicenda □ **to c. oneself**, contraddirsi.

contradiction /kɒntrə'dɪkʃn/ n. ▣ contraddizione (*in ogni senso*); smentita: **a c. in terms**, una contraddizione in termini ● (*leg.*) **c. of interest**, conflitto d'interessi.

contradictory /kɒntrə'dɪktərɪ/ **A** a. contraddittorio: **c. instructions**, istruzioni contraddittorie **B** n. (*filos.*) proposizione contraddittoria ‖ **-ily** avv. ‖ **-iness** n. ▣.

contradistinction /kɒntrədɪ'stɪŋkʃn/ n. ▣ (*filos.*) distinzione antitetica.

to contradistinguish /kɒntrədɪ'stɪŋgwɪʃ/ v. t. distinguere; contraddistinguere (*lett.*).

contraflow /'kɒntrəfləʊ/ n. ▣ (*autom.*) (traffico a) corsia unica.

contrail /'kɒntreɪl/ n. (contraz. di **condensation trail**) (*aeron.*) scia di condensa-

zione.

to contraindicate /kɒntrə'ɪndɪkeɪt/ (*med.*) v. t. controindicare (*una cura, ecc.*) ‖ **contraindication** n. controindicazione.

contralateral /kɒntrə'lætərəl/ a. (*fisiol., med.*) controlaterale.

contralto /kən'træltəʊ/ (*ital.*) **A** n. ▣ (pl. *contraltos*) (*mus.*) **1** contralto **2** voce di contralto: **a rich c.**, una calda voce da contralto **B** a. di contralto; da contralto ● **to sing c.**, cantare da contralto.

contraposition /kɒntrəpə'zɪʃn/ n. ▣ contrapposizione (*anche filos.*); contrasto; antitesi ‖ **contrapositive** **A** a. **1** (*filos.*) della contrapposizione **2** antitetico **B** n. (*filos.*) proposizione antitetica.

contraption /kən'træpʃn/ n. (*fam.*) congegno; aggeggio; affare; coso.

contrapuntal /kɒntrə'pʌntl/ (*mus.*) a. contrappuntistico ‖ **contrapuntist** n. contrappuntista.

contrarian /kən'treərɪən/ **A** n. (*Borsa*) investitore in controtendenza (*che compra quando i più vendono, ecc.*) **B** a. che contraddice per partito preso; (*fam.*) bastian contrario.

contrariety /kɒntrə'raɪətɪ/ n. ▣ **1** opposizione; avversione **2** contraddizione; discrepanza; discordanza.

contrarily (*def. 1* /'kɒntrərəlɪ/, *def. 2* /kən'treərəlɪ/) avv. **1** al contrario; invece; viceversa **2** (*fam.*) ostinatamente; testardamente.

contrariness /'kɒntrɪərɪnəs/ n. ▣ **1** opposizione **2** (*fam.*) spirito di contraddizione; caparbietà; ostinazione; testardaggine.

contrariwise /'kɒntrərɪwaɪz/ avv. **1** in modo opposto; al contrario; all'opposto **2** in senso contrario; in senso opposto **3** viceversa; per converso: *«C.», continued Tweedledee, «if it was so, it might be; and if it were so, it would be: but as it isn't, it ain't. That's logic»'* L. CARROLL, '«viceversa», continuò Tweedledee, «se fu così, potrebbe essere; e se fosse così, lo sarebbe: ma poiché non lo è, non lo è. E questa è logica»'.

contrary (*def. 1* /'kɒntrərɪ/, *def. 2* /kən'treərɪ/) **A** a. **1** (*form.*) contrario; avverso; sfavorevole; opposto: **c. winds**, venti contrari; **c. weather**, tempo sfavorevole **2** (*fam.*) che fa il bastian contrario; ostinato (*nel fare o dire il contrario*): *Don't be so c.!*, non fare il bastian contrario! **B** n. ▣ – **the c.**, il contrario; l'opposto: *The c. is the case*, è vero il contrario **C** avv. – **c. to**, contrariamente a; contro; in opposizione a: *C. to what I expected, he didn't come*, contrariamente a quel che m'aspettavo, non venne; **to act c. to regulations**, agire contro le regole; **c. to expectation** (*o expectations*), contrariamente all'aspettativa; **c. to nature**, contro natura ● **on the c.**, al contrario; all'opposto; invece; anzi: *You think he has finished; on the c., he has not yet begun*, tu credi che egli abbia finito; invece, non ha ancora cominciato □ **to the c.**, in contrario: **information to the c.**, informazioni di contenuto opposto; informazioni contrarie; *I will leave on Sunday, unless they wire me to the c.*, partirò domenica, a meno che essi non mi mandino un telegramma in contrario; **unless I (you, etc.) hear to the c.**, salvo contrordini; *He continued to smoke, despite advice to the c.*, continuò a fumare benché gliel'avessero sconsigliato □ **until the c. is proved**, fino a prova contraria.

contrast /'kɒntrɑːst/ n. ▣ **1** contrasto; antitesi; contrapposizione: **stark c.**, netto

contrasto; **to provide a c. to**, fare contrasto con; contrastare con **2** (*elettron., TV*) contrasto: **c. control**, controllo (*o comando*) del contrasto ● (*med.*) **c. medium**, mezzo di contrasto □ **by c.**, per contrasto; per converso □ **in c. with**, rispetto a; in antitesi con.

to contrast /kən'trɑːst/ **A** v. t. mettere in contrasto; mettere a confronto; contrapporre; opporre **B** v. i. contrastare; essere in contrasto.

contrastive /kən'trɑːstɪv/ a. (*ling.*) contrastivo ‖ **-ly** avv.

contrasty /kən'trɑːstɪ/ a. (*fotogr.*) contrastato.

to contravene /kɒntrə'viːn/ v. t. **1** contravvenire a; trasgredire: **to c. a law**, contravvenire a una legge **2** essere in contrasto con **3** contraddire: **to c. a statement**, contraddire un'affermazione ‖ **contravener** n. contravventore; trasgressore.

contravention /kɒntrə'venʃn/ n. ▣ contravvenzione; trasgressione; infrazione ● **to act in c. of**, contravvenire a; trasgredire.

contredanse /'kɒntrədɑːns/ n. contraddanza.

contretemps /'kɒntrətɒŋ/ (*franc.*) n. (inv. al pl.) contrattempo.

contrib. abbr. **1** (**contribution**) contributo; collaborazione **2** (**contributor**) contributore; collaboratore.

♦**to contribute** /kən'trɪbjuːt/ **A** v. t. **1** contribuire con; dare (*come contributo*): **to c. £30,000 towards the new theatre**, contribuire con 30 000 sterline alla costruzione del nuovo teatro; *I contributed c. half an hour a day to keeping the place clean*, contribuii alle pulizie con mezz'ora di lavoro al giorno **2** donare; elargire **3** (*fin.*) apportare, conferire (*capitali*): **contributed capital**, capitale conferito **4** scrivere (*per i giornali, ecc.*): **to c. an article to a magazine**, scrivere un articolo per una rivista **5** fornire: **to c. information**, fornire informazioni **B** v. i. **1** contribuire (a); dare il proprio contributo (a): **to c. to the success of st.**, contribuire al successo di qc.; **to c. to a discussion**, dare il proprio contributo a una discussione **2** fare donazioni; dare sovvenzioni; contribuire: **to c. to an appeal**, contribuire a una raccolta di fondi per beneficenza **3** versare quote (a); aderire (a): **to c. to a private pension**, aderire a uno schema pensionistico privato **4** collaborare (*a un giornale, ecc.*).

♦**contribution** /kɒntrɪ'bjuːʃn/ n. **1** contributo; partecipazione **2** ▣ contribuzione (*in denaro*); contributo; quota **3** donazione; elargizione; contributo **4** (*giorn.*) articolo, pezzo, ecc. (*scritto per un giornale, ecc.*) **5** (*fin.*) apporto; conferimento: **c. of capital**, apporto di capitali **6** ▣ (*fin.*) concorso (*alle spese*) **7** ▣ (*leg.*) obbligazione solidale **8** (*fisc.*) contributo previdenziale (*o sociale*) ● (*econ.*) **c. margin**, margine lordo di contribuzione □ (*ass., naut.*) **c. to average**, contribuzione all'avaria.

contributive /kən'trɪbjuːtɪv/ a. contributivo.

contributor /kən'trɪbjuːtə(r)/ n. **1** contributore; sottoscrittore **2** (*giorn.*) collaboratore **3** partecipante (*a una discussione*) **4** fattore; causa concomitante **5** (*fin.*) apportatore (*di capitali*) **6** (*leg.*) chi contribuisce al pagamento di un debito; responsabile di un'obbligazione solidale; concorrente.

contributory /kən'trɪbjʊtrɪ/ **A** a. **1** che

contribuisce, che concorre; accessorio, secondario: (*demogr.*) **c. causes of death**, cause secondarie di morte **2** concomitante: **c. cause**, causa concomitante; concausa **3** (*fin.*) contributivo; basato su contributi: **c. pension scheme**, piano di pensionamento che prevede contributi da parte sia del datore di lavoro sia dei dipendenti **4** (*fisc.*) contributivo; soggetto a imposizione **B** n. (*leg.*) → **contributor**, *def.* **4** ● (*leg.*) **c. liability**, responsabilità di concorso di colpa □ (*ass., naut.*) **c. mass**, massa debitoria; massa passiva □ (*leg.*) **c. negligence**, concorso di colpa □ (*ass., naut.*) **c. value**, valore contributivo (*o* di contribuzione) □ **c. values = c. mass** → *sopra*.

contrite /ˈkɒntraɪt/ a. **1** contrito; amaramente pentito **2** (*di atto*) che rivela contrizione | **-ly** avv. | **-ness** n. Ⓤ.

contrition /kənˈtrɪʃn/ n. Ⓤ contrizione; pentimento sincero.

contrivance /kənˈtraɪvəns/ n. **1** invenzione; escogitazione; trovata (*fam.*) **2** congegno; dispositivo; apparecchio **3** Ⓤ manovre; espedienti; macchinazione; stratagemma **4** Ⓤ capacità inventiva.

to **contrive** /kənˈtraɪv/ **A** v. t. **1** escogitare; trovare; inventare; architettare: *We must c. a way to solve the problem*, dobbiamo escogitare un modo di risolvere il problema; **to c. an excuse**, escogitare una scusa **2** riuscire a fare; combinare; congegnare: **to c. an escape**, riuscire a fuggire; **to c. a meeting with the Minister**, riuscire a farsi ricevere dal ministro **3** fare in modo di; trovare il mezzo di; riuscire: *Can you c. to be there too?*, puoi fare in modo di esserci anche tu?; (*iron.*) *He contrived to lock himself out*, è riuscito a chiudersi fuori di casa **4** architettare; macchinare; tramare **B** v. i. fare macchinazioni; tramare: *'The party 'gainst the which he doth c. / Shall seize one half of his goods'* W. SHAKE-SPEARE, 'la parte contraente contro la quale egli trama / confischerà la metà dei suoi averi'.

contrived /kənˈtraɪvd/ a. **1** forzato; artefatto; innaturale; studiato: **c. mirth**, gaiezza innaturale **2** premeditato; creato apposta; intenzionale.

contriver /kənˈtraɪvə(r)/ n. **1** chi fa piani; chi fa progetti **2** chi sa cavarsela.

♦to **control** /kənˈtrəʊl/ n. **1** Ⓤ comando; controllo; direzione; autorità; padronanza: **to take c. of a region**, assumere il controllo di una regione; **to lose c.**, perdere il controllo di sé; *We've lost c. of the market*, abbiamo perso il controllo del mercato; *He lost c. of the lorry and went off the road*, perse il controllo del camion e uscì di strada; *She has no c. over the children*, non ha autorità sui bambini; *He has a good c. over his subject matter*, ha una buona padronanza della sua disciplina; **to be in c.**, comandare; essere al comando; **to be in c. of the situation**, dominare la situazione; avere la situazione sotto controllo **2** Ⓤ limitazione; freno; regolamentazione; controllo; contenimento: **to impose a c. over spending**, imporre un freno alle spese; **birth c.**, controllo (*o* limitazione) delle nascite; **wage c.**, contenimento dei salari; **traffic c.**, regolamentazione del traffico **3** controllo; verifica; collaudo; sorveglianza: **c. experiment**, esperimento di controllo; (*aeron.*) **ground c.**, controllo a terra; **passport c.**, controllo (*o* verifica) dei passaporti **4** (*tecn.*) (dispositivo) di comando; regolatore: **remote c.**, regolatore a distanza; telecomando; *The remote c. for the TV is on the bed-side table*, il telecomando per la TV è sul comodino; **the controls of a plane**, i comandi di un aereo; **c. device**, dispositivo

di comando; (*TV*) **contrast c.**, regolatore del contrasto; (*TV*) **volume c.**, regolatore del volume **5** persona a cui fa capo un agente segreto **6** (al pl.) (*scient.*) gruppo di controllo **7** (*sport*) controllo: **c. of the ball**, controllo della palla **8** (*sport*, = **c. station**) posto di controllo (*nelle corse*) **9** (*occultismo*) spirito guida ● (*rag.*) **c. account**, conto sinottico; mastrino □ (*elettr., ecc.*) **c. board**, quadro di controllo (*o* di comando) □ (*comput.*) **c. bus**, bus di controllo □ (*aeron.*) **c. car**, navicella dell'equipaggio (*di un aerostato*) □ **c. character**, (*comput.*) carattere di comando (*o* di servizio); (*telegr.*) carattere di controllo □ (*stat.*) **c. chart**, diagramma (*o* schema) di controllo □ (*aeron.*) **c. column** (*o* **c. stick**), barra di comando; cloche □ (*comput.*) **c. computer**, elaboratore di controllo □ (*slang spreg. USA*) **c. freak**, uno che vuole avere il controllo di tutto; uno che non lascia spazio agli altri; dominatore □ (*elettron.*) **c. grid**, griglia di controllo □ (*scient.*) **c. group**, gruppo di controllo □ (*comput.*) **c. key**, tasto control □ (*comput.*) **c. memory**, memoria di controllo □ (*fin.*) **c. of liquidity**, controllo della liquidità □ **c. panel**, (*comput.*) pannello di controllo; (*elettr., ecc.*) = **c. board** → *sopra* □ (*fis. nucl.*) **c. rod**, barra di controllo □ **c. room**, (*elettr.*) cabina di comando; (*cinem., radio, TV, miss.*) sala di controllo; (*naut.*) camera di manovra (*di un sommergibile*) □ (*comput.*) **c. signal**, segnale di regolazione □ (*comput.*) **c. statement**, specifica di controllo □ (*fin.*) **c. station**, centrale di comando □ (*fin.*) **c. stock**, partecipazione di controllo □ (*aeron.*) **c. surface**, piano (*o* superficie) mobile; governale □ (*leg.*) **c. survey**, perizia in contraddittorio □ (*aeron.*) **c. tower**, torre di controllo □ (*comput.*) **c. word**, parola di controllo □ (*fig.*) **to be at the controls**, avere il comando □ **to bring st. under c.**, riuscire a contenere qc. □ (*fin.*) **c. exchange**, il controllo dei cambi □ (*di situazione, ecc.*) **to be beyond sb.'s c.**, essere indipendente dalla volontà di q. □ **to get** (*o* **to gain**) **c. of** (*o* **over**), prendere il controllo di; tenere a freno: *My horse was frightened but I got c. over him*, il cavallo si spaventò, ma io riuscii a tenerlo a freno; (*fin.*) *We gained c. of the company*, acquisimmo il controllo della società □ **to get the situation under c.**, prendere il controllo della situazione □ **to get sb.** [**st.**] **under c.**, frenare q. [sedare, reprimere qc.]: *It took a long time to get the rioters under c.*, ci volle molto tempo per sedare il tumulto □ (*di veicolo*) **to go out of c.**, diventare ingovernabile: *My car went out of c.*, persi il controllo della vettura □ **to keep c. of**, tenere sotto controllo; controllare: *Keep c. of yourself!*, controllati!; frenati!; dominati! □ **to keep sb.** [**st.**] **under c.**, tenere q. [qc.] sotto controllo; tenere a freno q. [qc.]: *Keep your temper under c.!*, tieni a freno i nervi!; stai calmo! □ **out of c.**, ingovernabile; incontrollabile; fuori controllo; (*di veicolo, ecc.*) non rispondere ai comandi.

♦to **control** /kənˈtrəʊl/ v. t. **1** avere il controllo di; controllare; comandare: **to c. the market**, controllare il mercato **2** (*tecn.*) azionare; comandare; regolare: *The gates are controlled by the porter*, il cancello è azionato dal portiere; *The flow is controlled by a valve*, il flusso è regolato da una valvola **3** tenere a freno; trattenere; dominare: **to c. one's irritation**, dominare la propria irritazione; **to c. one's tears**, trattenere le lacrime; **to c. a horse**, tenere a freno un cavallo **4** regolamentare; controllare: **to c. immigration**, regolamentare l'immigrazione **5** tenere sotto controllo; contenere; circoscrivere; arginare: **to c. expenditures**, contenere le spese **6** (*sport*) controllare: **to c. the ball**, controllare la palla ● **to c. oneself**, controllarsi; dominarsi; frenarsi.

controllability /kənˌtrəʊləˈbɪlətɪ/ n. Ⓤ **1**

l'essere verificabile; controllabilità **2** (*aeron.*) manovrabilità **3** (*di un cavallo, ecc.*) docilità.

controllable /kənˈtrəʊləbl/ a. **1** verificabile; controllabile **2** contenibile; frenabile **3** regolabile: (*aeron.*) **c. pitch propeller**, elica a passo regolabile **4** (*aeron.*) manovrabile; maneggevole | **-ness** n. Ⓤ | **-bly** avv.

controlled /kənˈtrəʊld/ a. controllato; verificato; sotto controllo ● (*fin.*) **c. company**, società controllata □ (*econ.*) **c. economy**, economia controllata; dirigismo □ (*fin.*) **c. floating**, fluttuazione controllata (*di una moneta*) □ (*econ.*) **c. prices**, prezzi controllati □ **c. rents**, affitti bloccati.

controller /kənˈtrəʊlə(r)/ n. **1** controllore: (*aeron.*) **air-traffic c.**, controllore di volo **2** chi controlla spese; chi rivede conti; economo; revisore **3** (*USA*) direttore amministrativo **4** (*mecc., tecn.*) regolatore automatico **5** (*elettr.*) combinatore **6** (*nei tram, filobus, treni, ecc.*) combinatore di marcia, controller **7** (*org. az.*) controllore della gestione; controller **8** (*comput.*) controllore ‖ **controllership** n. Ⓤ ufficio d'economo (*o* di direttore amministrativo).

controlling /kənˈtrəʊlɪŋ/ a. che controlla; controllante; di controllo: (*fin.*) **c. company**, società controllante (*econ., fin.*) **c. syndicate**, sindacato di controllo ● (*fin.*) **c. interest**, partecipazione di controllo (*di un'azienda*).

♦**controversial** /ˌkɒntrəˈvɜːʃl/ a. che è oggetto di discussione; che è oggetto di polemiche; discusso; controverso: **a c. decision**, una decisione controversa; **her c. resignation**, le sue dimissioni che hanno suscitato discussioni; *Its usefulness remains c.*, la sua utilità resta controversa ‖ **controversialist** n. individuo polemico.

♦**controversy** /ˈkɒntrəvɜːsɪ/ n. **1** controversia; dibattito: **a religious c.**, una controversia religiosa **2** Ⓤ controversie (pl.); polemiche (pl.); discussioni (pl.): **to arouse c.**, suscitare discussioni; **C. is raging over the new airport**, il nuovo aeroporto è al centro di accese polemiche **3** (*leg.*) vertenza ● **beyond c.** (*o* **without c.**), incontrovertibile; senza dubbio; indiscutibilmente.

to **controvert** /ˌkɒntrəˈvɜːt/ v. t. **1** discutere su; disputare di **2** contraddire, smentire (*un'affermazione*) ‖ **controvertible** a. controvertibile; discutibile.

contumacious /ˌkɒntjʊˈmeɪʃəs/ a. **1** disobbediente; insubordinato **2** (*leg.: in Scozia e nei tribunali ecclesiastici*) contumace | **-ly** avv.

contumacy /ˈkɒntjʊməsɪ/ n. **1** disobbedienza; insubordinazione **2** (*leg.: in Scozia e nei tribunali ecclesiastici*) contumacia.

contumelious /ˌkɒntjuːˈmiːlɪəs/ a. insolente; ingiurioso.

contumely /ˈkɒntjuːmlɪ, USA -ˈtuːmə-/ n. **1** Ⓤ insolenza; disprezzo **2** contumelia; ingiuria; villania.

to **contuse** /kənˈtjuːz, USA -ˈtuːz/ v. t. **1** (*med.*) contundere **2** ammaccare.

contusion /kənˈtjuːʒn, USA -ˈtuː-/ n. Ⓤ **1** (*med.*) contusione **2** ammaccatura.

contusive /kənˈtjuːzɪv, USA -ˈtuː-/ a. contundente.

conundrum /kəˈnʌndrəm/ n. **1** indovinello; enigma **2** (*fig.*) problema difficile; rebus; enigma; rompicapo.

conurbation /ˌkɒnɜːˈbeɪʃn/ n. conurbazione.

to **convalesce** /ˌkɒnvəˈles/ v. i. (*med.*) rimettersi in salute; entrare in convalescenza.

convalescent /ˌkɒnvəˈlesnt/ (*med.*) a. e n. convalescente ● **a c. diet**, una dieta da convalescente □ **a c. home**, un convalescenziario ‖ **convalescence** n. Ⓤ convale-

scenza.

to **convect** /kən'vɛkt/ (*scient.*, *tecn.*) **A** v. t. trasportare (per convezione) **B** v. i. essere sottoposto a convezione.

convection /kən'vɛkʃn/ (*fis.*, *mecc.*, *meteor.*) n. ⓤ convezione: **c. current**, corrente di convezione; **c. heater**, termoconvettore ‖ **convective** a. convettivo.

convector /kən'vɛktə(r)/ n. (*scient.*, *tecn.*) convettore.

convenable /kən'viːnəbl/ a. **1** convocabile **2** (*leg.*) citabile.

to **convene** /kən'viːn/ **A** v. i. convenire (*lett.*); adunarsi; riunirsi **B** v. t. **1** convocare; adunare: **to c. an assembly [a meeting]**, convocare un'assemblea [una riunione] **2** (*leg.*) convenire, citare (q.) in giudizio.

convener /kən'viːnə(r)/ n. **1** chi s'aduna con altri **2** convocatore (*di assemblea, ecc.*) **3** presidente (*di commissione, comitato, ecc.*) **4** (*GB*) delegato sindacale.

convenience /kən'viːnɪəns/ n. **1** ⓤ comodità; facilità d'uso: *I've arranged the list alphabetically for c.*, ho steso l'elenco in ordine alfabetico per comodità; *I liked the house immediately for its c.*, la casa mi piacque subito perché era in una zona ben servita; **for the sake of c.**, per maggiore comodità **2** ⓤ (*form.*) utile personale; convenienza: **a marriage of c.**, un matrimonio di convenienza (*o* d'interesse) **3** apparecchiatura utile; (al pl.) comodità: *The flat has all the latest conveniences*, l'appartamento è fornito di tutte le comodità **4** (*GB*) (= **public c.**) gabinetto pubblico ● **c. food**, cibi pronti, alimenti già preparati (*in scatola, disidratati, surgelati, ecc.*) □ **c. goods**, beni di consumo di acquisto ricorrente (*o* di uso generale); articoli di rapida rotazione □ (*USA*) **c. store**, negozio di alimentari e casalinghi (*con orario di apertura più lungo*) □ **at your c.**, con tuo comodo; a tuo agio □ (*form.*) **at your earliest c.**, appena ti è possibile; il più presto possibile; con cortese sollecitudine (*form.*) ❶ **FALSI AMICI** ● convenience *non significa* convenienza *in senso economico o* convenienze *nel senso di norme di comportamento*.

♦**convenient** /kən'viːnɪənt/ a. **1** comodo; che va bene; adatto: **a c. moment**, un momento adatto; *Let's choose a day that is c. for both*, scegliamo un giorno che sia comodo (*o* che vada bene) a entrambi; **mutually c.**, comodo per entrambi; **politically c.**, politicamente utile; (*iron.*) *How very c.!*, molto comodo! **2** utile; pratico; comodo: **a c. tool for gardening**, un arnese utile per il giardinaggio; **a c. excuse**, una scusa comoda; **politically c.**, politicamente utile **3** vicino; a portata di mano; sottomano; accanto: *The house is very c. for shops and transport*, la casa è vicina ai negozi e ben servita dai mezzi di trasporto; *We sat on a c. bench*, sedemmo su una panchina proprio lì accanto ❶ **FALSI AMICI** ● convenient *non significa* conveniente.

conveniently /kən'viːnɪəntlɪ/ avv. **1** comodamente; vantaggiosamente; utilmente: *The hotel is c. close to the airport*, l'albergo si trova a comoda distanza dall'aeroporto; **c. situated**, ben situato; in buona posizione **2** perché fa comodo; per proprio tornaconto: *He c. forgot to inform me*, gli fece comodo dimenticare di informarmi.

convenor /kən'viːnə(r)/ → **convener**.

convent /'kɒnvənt/ n. **1** convento; monastero (*di solito, di suore*): **to enter a c.**, entrare in convento; farsi monaca **2** (= **c. school**) educandato religioso.

conventicle /kən'vɛntɪkl/ n. (*stor. relig.*) conventicola.

♦**convention** /kən'vɛnʃn/ n. **1** convenzione; consuetudine: **an established c.**, una

convenzione accettata; **poetic conventions**, convenzioni poetiche; **free from all conventions**, libero da ogni convenzione **2** ⓤ convenzioni (pl.) (sociali): **to follow [to defy] convention**, seguire [sfidare] le convenzioni **3** convenzione (internazionale); accordo **4** convegno; congresso; assemblea; convenzione; (*di fan*) raduno: **a party c.**, un congresso di partito; (*polit.*, *USA*) **the Republican C.**, la Convenzione repubblicana; **the annual Star Trek c.**, il raduno annuale dei fan di Star Trek; **c. centre**, centro congressi **5** (il) convenire; (il) convocare **6** (al pl.) (*a carte*) convenzioni; regole.

♦**conventional** /kən'vɛnʃənl/ a. **1** convenzionale; che obbedisce alle convenzioni; formale: **c. attitudes**, posizioni convenzionali **2** tradizionale; convenzionale; comune; ordinario: **c. banks**, le banche tradizionali; **c. medicine**, la medicina tradizionale; **a c. oven**, un forno tradizionale (*non a microonde*); **a c. approach to a problem**, un approccio convenzionale a un problema; **in the c. sense of the word**, nel senso comune del termine **3** (*mil.*) convenzionale; non nucleare: **c. weapons [forces]**, armi [forze] convenzionali ‖ **conventionalism** n. **1** (*filos.*) convenzionalismo **2** conformismo; formalismo; tradizionalismo ‖ **conventionalist** n. **1** (*filos.*) convenzionalista **2** conformista; formalista; tradizionalista **3** membro d'una convenzione ‖ **conventionality** n. ⓤ **1** convenzionalità **2** condotta convenzionale; conformismo **3** (al pl.) convenzioni sociali ‖ **to conventionalize** v. t. rendere convenzionale.

conventual /kən'vɛntʃʊəl/ (*relig.*) **A** a. conventuale **1** membro di un convento **2** frate dei minori conventuali.

to **converge** /kən'vɜːdʒ/ **A** v. i. **1** convergere, confluire (*verso un luogo*) **2** (*geom.*) convergere **B** v. t. convergere (*lett.*); far convergere.

convergence /kən'vɜːdʒəns/, **convergency** /kən'vɜːdʒənsɪ/ n. ⓤ (*scient. e fig.*) convergenza.

convergent /kən'vɜːdʒənt/ a. (*scient. e fig.*) convergente: **c. lines**, rette convergenti.

conversant /kən'vɜːsnt/ a. (*form.*) che ha dimestichezza (*con*); pratico (*di*); che conosce (*qc.*); al corrente (*di*); versato (*in*): **c. with the workings of st.**, che ha dimestichezza con il funzionamento di qc.; **c. with the rules**, al corrente del regolamento; che conosce il regolamento ‖ **conversance**, **conversancy** n. ⓤ consuetudine; familiarità; dimestichezza.

♦**conversation** /ˌkɒnvə'seɪʃn/ n. ⓤⓒ conversazione; discorso: **to have** (*o* to hold) **a c.**, fare una conversazione; **to make c.**, fare conversazione; conversare; **to get into c. with**, attaccare discorso con; mettersi a parlare con; **to be deep in c.**, essere tutto preso a conversare; **to keep the c. going**, tenere viva la conversazione ● **c. picture**, gruppo di famiglia (*foto*) □ **c. piece**, oggetto curioso (*che suscita commenti*); (*anche*, *pitt.*) gruppo di famiglia; (*letter.*) dramma che si regge sul dialogo □ **to make polite c.**, scambiarsi frasi di circostanza.

conversational /ˌkɒnvə'seɪʃənl/ a. **1** da conversazione; conversevole: **in a c. tone**, in tono conversevole; **to be in a c. mood**, aver voglia di conversare **2** di, della conversazione; colloquiale: **c. skills**, doti di conversazione; **c. English**, l'inglese parlato (*o* colloquiale) **3** (*comput.*, *ling.*) conversazionale; interattivo ● **c. gambit**, modo di attaccare discorso (*con q.*).

conversationalist /ˌkɒnvə'seɪʃənəlɪst/ n. (buon) conversatore.

conversazione /ˌkɒnvəˌsætsɪ'əʊnɪ/ (*ital.*) n. (pl. *conversaziones*, *conversa-*

zioni) (*arc.*) riunione letteraria; salotto letterario.

converse /'kɒnvɜːs/ **A** a. contrario; opposto **B** n. **1** ⓤ contrario: *White is the c. of «black»*, «bianco» è il contrario di «nero» **2** (*logica*) conversione; proposizione inversa **3** (*mat.*) implicazione inversa.

to **converse** /kən'vɜːs/ v. i. (*form.*) conversare.

conversely /'kɒnvɜːslɪ/ avv. per converso; al contrario.

conversion /kən'vɜːʃn/ n. **1** conversione: **c. plan**, piano di conversione; **the c. of the Anglo-Saxons to Christianity**, la conversione degli anglosassoni al cristianesimo **2** ⓤ (*fin.*) conversione: **the c. of euros into dollars**, la conversione di euro in dollari **3** trasformazione; cambiamento: **the c. of a ship**, la trasformazione di una nave **4** (*scient.*) conversione **5** ⓤ (*edil.*) ristrutturazione (*di una casa, ecc.*); riadattamento; (*di un*) immobile ristrutturato: **c. work**, lavori di ristrutturazione **6** ⓤ (*tecn.*) trasformazione: (*autom.*, *elettr.*, *ecc.*) **c. kit**, corredo di trasformazione **7** ⓤ (*metall.*) affinazione (della ghisa) **8** ⓤ (*leg.*) appropriazione indebita **9** (*rugby*, anche **c. kick**) trasformazione ● (*econ.*) **c. costs**, costi di trasformazione □ (*fis. nucl.*) **c. electron**, elettrone di conversione interna □ (*mat.*, *econ.*, *stat.*) **c. factor**, fattore di conversione □ (*fin.*) **c. into cash**, realizzazione in contanti; realizzo □ **the c. of a firm**, la trasformazione di un'azienda □ (*leg.*) **c. of funds**, distrazione di fondi □ (*leg.*) **c. of public funds** (*o* of money) **to one's own use**, appropriazione indebita; peculato □ (*Borsa*) **c. price**, prezzo di conversione □ (*comput.*) **c. program**, programma di conversione □ **c. ratio**, (*fin.*) rapporto di conversione; (*fis.*) coefficiente di conversione □ (*psic.*) **c. reaction**, reazione di conversione □ (*Borsa, fin.*) **c. right**, diritto di conversione □ (*tecn.*) **c. table**, tavola (*o* tabella) di conversione.

convert /'kɒnvɜːt/ n. **1** chi si converte a una causa **2** (*relig.*) convertito.

♦to **convert** /kən'vɜːt/ **A** v. t. **1** convertire (*in ogni senso*); trasformare: **to c. foreign raw materials into finished products for export**, trasformare materie prime dall'estero in prodotti finiti per l'esportazione; **to c. paper money into gold**, convertire moneta cartacea in oro **2** (*leg.*) appropriarsi indebitamente di (qc.) **3** (*metall.*) affinare (*per mezzo di un convertitore Bessemer*) **4** (*sport*) trasformare (*una meta, rigore, ecc.*); realizzare **B** v. i. convertirsi; trasformarsi: *This armchair converts into a bed*, questa poltrona si trasforma in un letto ● (*fin.*) **to c. into cash**, realizzare.

converted /kən'vɜːtɪd/ a. **1** convertito **2** trasformato: (*rugby*) **a c. try**, una meta trasformata; una trasformazione **3** (*edil.*) riadattato; ristrutturato: **a c. attic**, una soffitta ristrutturata.

converter /kən'vɜːtə(r)/ n. **1** convertitore; chi converte **2** (*scient.*, *tecn.*) convertitore ● (*fis. nucl.*) **c. reactor**, reattore convertitore □ (*metall.*) **Bessemer c.**, convertitore Bessemer.

convertibility /kənˌvɜːtə'bɪlətɪ/ n. ⓤ (*anche fin.*) convertibilità.

convertible /kən'vɜːtəbl/ **A** a. **1** (*anche fin.*) convertibile: **c. bond** (*o* **c. debenture**), obbligazione convertibile; **c. currency**, valuta convertibile **2** intercambiabile: **c. terms**, termini intercambiabili **3** (*autom.*) convertibile: **a c. car**, un'automobile convertibile (*o* decappottabile) **B** n. **1** (*autom.*) convertibile; cabriolet **2** (*fam.*, *fin.*, *USA*) titolo convertibile ● (*autom.*) **c. coupé**, spider □ (*agric.*) **c. husbandry**, metodo dell'avvicendamento delle colture □ (*fin.*) **c. into**

cash, convertibile in contanti; realizzabile □ (*fin.*) **c. value**, valore di riscatto.

convertiplane /kən'vɜːtəpleɪn/ n. (*aeron. arc.*) convertiplano.

convex /kɒn'veks/ (*anche geom.*) a. convesso: **c. lens**, lente convessa ‖ **convexity** n. Ⓤ convessità.

convexo-concave /kɒn'veksəʊkɒn-'keɪv/ a. (*scient.*, *tecn.*) convesso-concavo.

to **convey** /kən'veɪ/ v. t. **1** portare; trasportare: **to c. goods by rail**, trasportare merci per ferrovia **2** comunicare; trasmettere (*suoni*, *un messaggio*, *ecc.*); rendere, dare (*un'idea*, *ecc.*): *He said he would c. the information to him*, disse che gli avrebbe comunicato l'informazione; *I hope these words will c. how I feel*, spero che queste parole rendano quali siano i miei sentimenti **3** (*leg.*) trasferire, trasmettere, cedere (*proprietà ad altri*) **4** (*med.*) trasmettere (*una malattia*) **5** (*tecn.*) convogliare: *The hot water of the geyser is conveyed to all the houses of the town*, l'acqua calda del geyser è convogliata a tutte le case della città ● **That name doesn't c. anything to me**, quel nome non mi dice niente.

conveyable /kən'veɪəbl/ a. **1** trasportabile **2** trasmissibile **3** (*leg.*) trasferibile; cedibile.

conveyance /kən'veɪəns/ n. **1** Ⓤ trasporto: **c. by sea**, trasporto marittimo; **c. by air**, trasporto aereo **2** (*form.*) mezzo di trasporto **3** Ⓤ comunicazione (*d'idee*, *ecc.*); trasmissione (*d'informazioni*) **4** Ⓤ (*leg.*) cessione, trasferimento, trapasso, passaggio (*di proprietà*); atto di cessione (*di proprietà*) **5** Ⓤ (*tecn.*) convogliamento ● (*leg.*) **c. of a patent**, cessione di un brevetto.

conveyancing /kən'veɪənsɪŋ/ (*leg.*) n. Ⓤ (preparazione dei documenti e atti richiesti per un) trasferimento di proprietà ‖ **conveyancer** n. legale che prepara i documenti per un trasferimento di proprietà (*di solito, un → «solicitor», def. 1*); (*in Italia*) notaio.

conveyor, **conveyer**, **conveyer** /kən'veɪə(r)/ n. **1** chi trasporta; trasportatore **2** (*tecn.*) convogliatore; trasportatore **3** (*leg.*) cedente ● **c. belt**, nastro trasportatore □ **c. belting**, nastri trasportatori (*collett.*) □ **c. chain**, catena di convogliamento ● **a c. of good news**, uno che reca buone notizie ● **c. truck**, carrello convogliatore.

♦to **convict** /'kɒnvɪkt/ n. **1** detenuto; recluso; carcerato: **ex c.**, ex detenuto; **escaped c.**, (detenuto) evaso **2** deportato; forzato ● **c. labour**, lavori forzati.

to **convict** /kən'vɪkt/ v. t. **1** (*leg.*, *di giudice*) giudicare colpevole; condannare; (*di giuria*) dichiarare colpevole: **to be convicted of st.**, essere condannato per (*il reato di*) qc.; **to be convicted for doing st.**, essere condannato per aver commesso qc. **2** (*fig.*) condannare.

convicted /kən'vɪktɪd/ a. (*leg.*) condannato: **a c. murderer**, una persona condannata per omicidio; **to stand c. of a crime**, essere condannato per un reato.

♦**conviction** /kən'vɪkʃn/ n. **1** Ⓤ (*leg.*) verdetto di colpevolezza (*da parte della giuria*); sentenza di condanna (*emessa dal giudice*); condanna: **a c. for rape**, una condanna per stupro; **spent convictions**, condanne scontate; **to escape c.**, evitare la condanna **2** convinzione; convincimento: *It is my firm c. that...*, è mia ferma convinzione che...; **political convictions**, credo politico; idee politiche **3** Ⓤ convinzione; persuasione; fervore: **to carry c.**, essere convincente; **to lack c.**, non essere convincente; essere poco convincente ● **c. politics**, politica di principi (*di contro a una politica del consenso*) □ (*leg.*) **previous convictions**, precedenti penali: **to have no previous convictions**, non avere

precedenti penali; essere incensurato □ **to be open to c.**, essere disposto a ricredersi.

♦to **convince** /kən'vɪns/ v. t. convincere; persuadere: *At last I convinced him of my innocence*, alla fine lo convinsi della mia innocenza.

♦**convinced** /kən'vɪnst/ a. **1** (pred.) convinto; persuaso: *I'm not entirely c. of that*, non ne sono del tutto convinto **2** (attr.) convinto: **a c. pacifist**, un pacifista convinto.

convincer /kən'vɪnsə(r)/ n. **1** chi (*o cosa che*) convince **2** (*slang USA*) pistola.

convincible /kən'vɪnsəbl/ a. convincibile.

convincing /kən'vɪnsɪŋ/ a. **1** convincente; persuasivo: **a c. explanation**, una spiegazione convincente; **c. evidence**, prove convincenti **2** (*di risultato*, *vittoria*, *ecc.*) convincente; netto; indiscutibile: **a c. 4-0 win**, un convincente 4 a 0 | **-ly** avv. | **-ness** n. Ⓤ.

convivial /kən'vɪvɪəl/ a. **1** (*di evento*, *ecc.*) conviviale; allegro; festoso **2** (*di persona*) allegro; gioviale ‖ **conviviality** n. Ⓤ **1** allegria; festosità **2** allegria; giovialità ‖ **convivially** avv. convivialmente; allegramente; giovialmente.

convocation /kɒnvə'keɪʃn/ n. **1** Ⓤ convocazione **2** assemblea; comitato (*riunito per convocazione*) **3** (*relig.*) sinodo; concilio ecclesiastico (*a Canterbury o a York*) **4** assemblea dei laureati (*in certe università inglesi*) ‖ **convocational** a. di convocazione.

to **convoke** /kən'vəʊk/ v. t. convocare.

convolute /'kɒnvəluːt/ a. (*bot.*) convoluto: **c. leaf**, foglia convoluta.

convoluted /'kɒnvəluːtɪd/ a. **1** ritorto; intricato **2** a spirale **3** complicato; intricato; involuto; contorto: **a c. plot**, una trama intricata; **c. reasoning**, ragionamento involuti.

convolution /kɒnvə'luːʃn/ n. **1** attorcigliamento; avvolgimento; circonvoluzione; meandro; voluta; spira: **the convolutions of a snake**, le spire di un serpente **2** (*anat.*) circonvoluzione (*cerebrale*) **3** Ⓒ Ⓤ (*di ragionamento*, *ecc.*) circonvoluzione; complicazione; tortuosità.

convolver /kən'vɒlvə(r)/ n. (*elettron.*) convolutore.

convolvulus /kən'vɒlvjuləs/ n. (pl. **convolvuluses**, **convolvuli**) (*bot.*, *Convolvulus*) convolvolo.

convoy /'kɒnvɔɪ/ n. **1** (*naut.*) convoglio: **a naval c.**, un convoglio di navi; **to sail in c.**, navigare in convoglio; navigare di conserva; **c. duty**, servizio di scorta (*a un convoglio*) **2** (*di veicoli*) convoglio; autocolonna: **a c. of aid**, un convoglio con i soccorsi **3** Ⓤ scorta; protezione: **to travel under c.**, viaggiare sotto scorta.

to **convoy** /'kɒnvɔɪ/ v. t. (*di navi*, *veicoli*, *ecc.*) scortare ● (*marina mil.*) **convoying ship**, nave di scorta (*a un convoglio*).

convulsant /kən'vʌlsənt/ a. e n. (*farm.*) convulsivante.

to **convulse** /kən'vʌls/ v. t. **1** agitare; sconvolgere (*anche fig.*): *The country was convulsed by social unrest*, il paese era sconvolto da disordini sociali **2** far venire le convulsioni a (q.) ● **to be convulsed with laughter**, essere preso da un convulso di riso.

convulsion /kən'vʌlʃn/ n. Ⓒ Ⓤ **1** (*di solito al pl.*) (*med.*) convulsione; convulso (*pop.*) **2** convulso di riso **3** agitazione; sconvolgimento: **civil convulsions**, sconvolgimenti dell'ordine politico (*o sociale*).

convulsive /kən'vʌlsɪv/ a. **1** (*anche med.*) convulsivo; convulso: **c. motions**, moti convulsivi **2** convulso: **c. laughter**, riso convulso ‖ **convulsively** avv. convulsamente: *'It was nothing so much as the sensation of drifting away and I gripped the arms of the chair*

convulsively' F. SCOTT FITZGERALD, 'fu soprattutto per la sensazione d'essere trascinato via che afferrai convulsamente i braccioli della poltrona'.

cony /'kəʊnɪ/ n. **1** coniglio **2** pelle, pelliccia di coniglio; lapin.

COO sigla (*org. az.*, **Chief Operating Officer**) direttore operativo; responsabile delle operazioni.

coo /kuː/ n. (pl. **coos**) il tubare (*dei piccioni*, *delle tortore*, *ecc.*).

to **coo** /kuː/ 🅐 v. i. tubare (*anche fig.*) 🅑 v. t. dire (qc.) in tono amoroso (*o sommesso*) ● **to bill and coo**, tubare (*d'innamorati*).

to **co-occur** /kəʊə'kɜː(r)/ v. i. avvenire simultaneamente; essere concomitante.

coo-coo /'kuːkuː/ n. (*slang USA*) **1** strambo; pazzarello; pazzoide **2** sciocco; stupido.

cooee /'kuːiː/ inter. (*fam.*) ehi!; iu-uuu! ● (*Austral.*) **within c.**, a portata di voce; (*anche*) a portata di mano.

cook /kʊk/ n. **1** cuoco, cuoca **2** (*scacchi e dama*) mossa nuova, imprevista; mossa studiata in anticipo; (*anche*) correzione a un problema pubblicato; soluzione d'un problema diversa da quella prevista da chi l'ha formulato ● (*USA*, *antiq.*) **c.-room**, cucina; (*naut.*) cucina di bordo □ **c.'s knife**, coltello da cucina □ **to be chief c. and bottle-washer**, dover fare tutto da solo; essere il factotum □ (*prov.*) **Too many cooks spoil the broth**, troppi galli a cantar non fa mai giorno (*prov.*).

♦to **cook** /kʊk/ 🅐 v. t. **1** (far) cuocere: **to c. an egg**, cuocere un uovo **2** cucinare; preparare: **to c. a meal**, cucinare (*o preparare*) un pasto; **to c. dinner**, preparare la cena **3** (*fam. GB*) manipolare; falsificare; truccare: **to c. the books**, falsificare i conti; truccare i libri contabili; **to c. the evidence**, falsificare le prove **4** (*slang*) guastare; rovinare; mandare all'aria: **to c. sb.'s chances**, mandare all'aria le prospettive di q. 🅑 v. i. **1** cucinare; fare da mangiare; far la cucina: *We cooked in the apartment most nights and went out a couple of times for dinner*, abbiamo fatto da mangiare a casa quasi ogni sera e siamo usciti a cena un paio di volte **2** cuocersi; cuocere: *The rice is cooking now*, il riso (si) sta cuocendo **3** (*slang USA*) suonare bene (*o con passione*) (*musica jazz*) **4** (*slang USA*) andare forte (*o bene*); essere pieno d'entusiasmo: *Now you're cooking*, adesso sì che vai bene **5** (*slang USA*) stare sui carboni ardenti, friggere **6** (*slang USA*) morire sulla sedia elettrica; arrostire **7** (*fam. USA*; *di situazione*, *ecc.*) riposare; stare al caldo ● (*fig.*) **to c. sb.'s goose**, rompere le uova nel paniere a q.; sistemare a dovere q. □ **to be cooked to a turn**, essere cotto a puntino □ (*slang USA*) **to be cooking with gas**, andare benissimo; essere a posto; essere a cavallo □ (*fam. USA*) **What's cooking?**, che cosa succede?; che cosa bolle in pentola?; che si combina? □ (*fig.*) **Something is cooking**, qualcosa bolle in pentola.

■ **cook down** 🅐 v. t. + avv. far ridurre (cuocendo); far addensare 🅑 v. i. + avv. ridursi (cuocendo); addensarsi.

■ **cook up** v. t. + avv. **1** preparare (*un pasto*) alla svelta **2** inventare, imbastire (*una scusa*, *una storia*, *ecc.*) **3** macchinare **4** (*slang*) preparare (*una dose di droga*, *diluendola e scaldandola*).

cookbook /'kʊkbʊk/ n. **1** (*spec. USA*) ricettario; libro di cucina; libro di ricette **2** (*comput.*) manuale: **html c.**, manuale di html.

cook-chill /kʊk'tʃɪl/ a. (*tecn.*) relativo alla precottura e surgelazione; precotto e surgelato.

cooked /kʊkt/ a. **1** cotto **2** (pred.) (*slang USA*) rovinato; nei guai; nei casini **3** (*slang*

GB) esausto; cotto; scoppiato **4** (*slang USA*) ubriaco fradicio **5** (*slang USA*) fatto (*di droga*); scoppiato ● **c. breakfast**, prima colazione all'inglese (*con uova e bacon, salsicciotti, ecc.*).

cooker /'kʊkə(r)/ n. **1** cucina; fornello, fornelli: **gas c.**, cucina a gas **2** (*fam. GB*) frutto (*spec. mela*) da cuocere: *These apples are good cookers*, queste mele sono buone da cuocere ● **c. hood**, cappa (aspirante) della cucina.

cookery /'kʊkərɪ/ n. ▣ **1** gastronomia; arte culinaria; il cucinare **2** (*USA*) posto dove si cucina; cucina ● (*spec. GB*) **c. book**, ricettario; libro di cucina; libro di ricette.

cookhouse /'kʊkhaʊs/ n. (*antiq.*) cucina all'aperto; cucina da campo (*mil.*).

♦**cookie** /'kʊkɪ/ n. **1** (*USA*) biscotto: **chocolate-chip c.**, biscotto con pezzetti di cioccolata **2** (*comput.*) cookie (*file che viene scritto da alcuni siti sul computer di chi vi accede*) **3** (*scozz.*) focaccina **4** (*slang USA*) persona; individuo; tipo, tipa; tizio, tizia: **a tough c.**, un duro **5** (*al vocat.*) tesoro **6** (*slang USA*) cuoco; cuoca ● (*USA*) **c. cutter**, stampo per biscotti □ (*USA*) **c.-cutter** (attr.), standardizzato; sempre identico; fatto con lo stampino □ (*fam. USA*) *That's the way the c. crumbles*, così è!; così va il mondo!

♦**cooking** /'kʊkɪŋ/ ▣ n. ▣ **1** cottura **2** (il) cucinare; (il) fare da mangiare: **to do the c.**, cucinare; fare da mangiare; fare la cucina; *I like c.*, mi piace cucinare **3** cucina; cibi (pl.): **Chinese c.**, la cucina cinese; **plain** (*o* **home**) **c.**, cucina casalinga, *Her c. is superb*, fa da mangiare stupendamente; è una cuoca straordinaria **4** (*fam. GB*) falsificazione (*di conti, ecc.*) ▣ a. attr. **1** da cuocere: **c. apple**, mela da cuocere **2** per cucinare; da, per cucina: **c. oil**, olio per cucinare (*o per* friggere); **c. salt**, sale da cucina; **c. equipment**, attrezzatura da cucina; **c. area**, angolo cottura ● **c. chocolate**, cioccolato fondente per cucina ○ **c. facilities**, cucina; angolo cottura; (*anche*) possibilità di cucinare □ **c. plate**, fornello; piastra □ **c. range**, cucina (*a gas, ecc.*) per comunità (*albergo, convitto, ecc.*).

cook-off /'kʊkɒf/ n. (*USA*) gara di cucina.

cookout /'kʊkaʊt/ n. (*fam. spec. USA*) pasto (cucinato e consumato) all'aperto; barbecue.

cookshop /'kʊkʃɒp/ n. **1** (*GB*) negozio di articoli da cucina **2** (*arc.*) negozio che vende cibi pronti.

cookware /'kʊkweə(r)/ n. ▣ pentole e tegami; batteria da cucina.

cooky /'kʊkɪ/ → **cookie**, def. 1, 3 e 4.

♦**cool** /kuːl/ ▣ a. **1** fresco: **a c. breeze**, un venticello fresco; **c. cellars**, cantine fresche; **a c. autumn day**, una fresca giornata d'autunno; *It's getting c.*, comincia a fare fresco **2** (*d'indumento*) fresco; leggero **3** (*di cibo liquido*) fresco (*da potersi bere*): **a nice c. drink**, una bella bibita fresca; *The tea isn't c. yet*, il tè non è ancora freddo **4** calmo; imperturbabile; freddo: *Keep c.!*, stai calmo!; calma!; *C. and deliberate, the captain gave his orders*, con fredda risolutezza il capitano diede gli ordini; **to keep a c. head**, saper tenere la testa a posto; avere il sangue freddo **5** (*fam.*) spavaldo; impudente; sfrontato: *I call that pretty c.!*, è una bella impudenza!; ci vuole una bella faccia tosta! **6** freddo, distaccato; indifferente: *Jane is rather c. towards me*, Jane si mostra fredda verso di me; **a c. reception**, un'accoglienza fredda **7** (*fam.*) disinvolto; sicuro di sé; che ha stile; in gamba; giusto (*pop.*): *He's a real c. guy*, è uno giusto **8** (*fam.*) che va forte; grande; figo (*pop.*); ganzo (*pop.*): *They think it's c. to dress like that*, pensano che sia figo vestire a quel modo; **to have a real**

c. time, spassarsela alla grande; *The graphics are pretty c.*, la grafica è una figata **9** (*fam.*) – **a c. ...**, la bellezza di...; tondo tondo: *I was offered a c. ten thousand* (*pounds*), mi offrirono la bellezza di diecimila sterline **10** (*mus.*) relativo al jazz freddo: **the so-called c. school**, la cosiddetta scuola di jazz freddo ▣ n. ▣ **1** (il) fresco; frescura; freschezza: **the c. of the air**, la freschezza dell'aria; **in the c. of the evening**, al fresco della sera; **to keep food in the cool**, tenere cibo al fresco **2** (*fam.*) calma; imperturbabilità; riservatezza; sangue freddo (*fig.*): **to keep** [**to lose**] **one's c.**, mantenere [perdere] la calma; **to blow one's c.**, perdere la testa (*o le staffe*) **3** (*mus.*) jazz freddo **4** (*gergo della malavita*) tregua provvisoria (*tra due bande rivali*) ● **c., calm and collected**, calmissimo; imperturbabile □ **c. bag** (*o* **c. box**), borsa termica □ (*fam.*) **c. customer**, tipo freddo (*o impassibile, imperturbabile*) □ **c.-headed**, calmo; che tiene la testa a posto; imperturbabile □ **c.-headedness**, calma; imperturbabilità; sangue freddo □ (*agric.*) **c. house**, serra fredda □ (*mus.*) **c. jazz**, jazz freddo □ (*fam.*) **as c. as a cucumber**, imperturbabile □ (*fam.*) **as c. as you please**, con la massima imperturbabilità; fresco come una rosa; senza fare una piega (*fam.*) □ (*fam.*) **to play it c.**, restare calmo; non prendersela □ (*slang USA*) **I'm c.!**, mi va bene!; ci sto! □ (*fam. USA*) **Stay c.!**, sta' calmo!; non agitarti!; (*anche*) stammi bene! □ (*fam. USA*) **That's c.**, d'accordo; per me va bene.

to **cool** /kuːl/ ▣ v. t. **1** rinfrescare: *The storm has cooled the air*, il temporale ha rinfrescato l'aria **2** raffreddare (*anche fig.*): *If you blow on the soup, it will c. it*, se soffi sulla minestra, la raffredderai; **to c. sb.'s enthusiasm**, raffreddare l'entusiasmo di q. **3** (*fam.*) calmare (q.) **4** (*tecn.*) tenere in fresco; refrigerare **5** (*fis. nucl.*) raffreddare **6** (*fam. USA*) ignorare; trattare con indifferenza **7** (*slang USA*) picchiare a sangue; uccidere; fare secco (*pop.*) ▣ v. i. **1** (*del tempo, ecc.*) rinfrescarsi **2** (*del tè, dell'entusiasmo, ecc.*) raffreddarsi: *Let your tea c. a little*, fai raffreddare un po' il tè! ● (*fam.*) **to c. one's heels**, aspettare a lungo; fare anticamera: *He was kept cooling his heels for two hours*, dovette fare due ore di anticamera (*o* slang) **to c. it**, piantarla, smetterla (*di scocciare, ecc.*); (*anche*) calmarsi; (*anche*) prendersela calma (*nel lavoro, ecc.*); prendersi un periodo di riposo (*o di vacanza*) □ (*slang*) **C. it!**, piantala!; non seccare!

■ **cool down** ▣ v. i. + avv. **1** (*del tempo, ecc.*) rinfrescare: *After the rain, it cooled down*, dopo la pioggia, rinfrescò **2** (*del tè, ecc.*) raffreddarsi **3** (*di una persona*) calmarsi; placarsi; (*anche*) raffreddarsi (*verso q.*) **4** (*dell'ira*) placarsi; sbollire ▣ v. t. + prep. **1** rinfrescare (*l'aria, ecc.*) **2** raffreddare (*il tè, ecc.*); smorzare (*l'entusiasmo, ecc.*) **3** calmare; far passare i bollori a (q.) **4** far sbollire (*l'ira*) □ (*fig.*) **Later the atmosphere cooled down**, in seguito l'atmosfera si rasserenò.

■ **cool off** ▣ v. i. + avv. **1** raffreddarsi (*anche fig.*) **2** (*di una persona*) calmarsi **3** (*dell'ira*) sbollire **4** (*econ., fin.: della domanda, ecc.*) raffreddarsi, registrare una flessione; diminuire ▣ v. t. + prep. **1** raffreddare (*anche fig.*); ridurre l'entusiasmo di (q.) **2** calmare (*una persona*) **3** far sbollire (*l'ira*) **4** (*econ., fin.*) raffreddare: **to c. off demand**, raffreddare la domanda.

■ **cool out** ▣ v. t. + avv. **1** (*comm.*) tenere a freno (*un concorrente*) **2** (*fam. USA*) calmare (*una persona*) **3** (*slang*) uccidere, fare secco (*pop.*) ▣ v. i. + avv. (*slang USA*) calmarsi; rilassarsi.

coolant /'kuːlənt/ n. ▣ **1** refrigerante **2** (*anche autom.*) fluido refrigerante (*o di raffreddamento*) **3** fluido frigorifero.

cooler /'kuːlə(r)/ n. **1** refrigerante; refrigeratore: **a wine c.**, un refrigeratore per vini **2** bibita ghiacciata **3** (= **water c.**) raffreddatore dell'acqua potabile **4** (*slang*) borsa termica **5** (*slang*) cella di isolamento; gattabuia **6** (*slang USA*) camera mortuaria.

coolie /'kuːlɪ/ n. coolie (*portatore, facchino, servo, spec. in India e in Cina*) ● **c. hat**, largo cappello a cono.

cooling /'kuːlɪŋ/ ▣ a. ▣ (*meteor., fis. nucl., ecc.*) raffreddamento: **air-c.**, raffreddamento ad aria ▣ **1** rinfrescante **2** (*tecn.*) refrigerante: **c. coil**, serpentino refrigerante ● **c. chamber**, cella frigorifera □ (*autom.*) **c. fan**, ventilatore □ **c. fun**, giochi (*in piscina, ecc.*) che servono per rinfrescarsi □ (*econ.*) **c.-off**, raffreddamento; flessione (*della domanda*) □ **c.-off period**, (*econ., polit.*) periodo di conciliazione (*o sospensione di uno sciopero o una serrata minacciati*); (*ass., leg.*) periodo di ripensamento (*in cui si ha il diritto di recedere da un contratto di vendita*) □ (*tecn.*) **c. plant**, impianto di refrigerazione □ (*autom.*) **c. system**, impianto di raffreddamento □ (*tecn.*) **c. tower**, torre di raffreddamento.

coolish /'kuːlɪʃ/ a. piuttosto fresco; freschino.

coolly /'kuː(l)lɪ/ avv. **1** freddamente; con freddezza: **to welcome sb. c.**, accogliere q. con freddezza **2** con calma; a sangue freddo: **to take st. c.**, prendere qc. con calma **3** con (eccessiva) disinvoltura.

coolness /'kuːlnəs/ n. ▣ **1** fresco; frescura **2** freddezza; calma; sangue freddo (*fig.*) **3** (eccessiva) disinvoltura.

cooly /'kuːlɪ/ → **coolie**.

coomb, coombe → **combe**.

coon /kuːn/ n. **1** (abbr. *fam. di* **raccoon**; *zool., Procyon lotor*) procione; orsetto lavatore **2** (*spreg.*) negro **3** (*slang*) furbacchione □ (*fam. USA*) **a c.'s age**, un sacco di tempo □ (*slang*) **gone c.**, andato in malora (*o in rovina*).

coop /kuːp/ n. **1** stia (*per polli, ecc.*); pollaio **2** nassa **3** (*slang*) gattabuia **4** (*fam. USA*) stamberga **5** (*slang USA*) locale (*ufficio, magazzino, ecc.*) piccolo e malmesso **6** (*autom., slang USA*) coupé **7** (*slang USA*) dormitorio femminile (*di un college*) **8** (*USA*) → **co-op**, def. 2 ● (*slang*) **to fly the c.**, scappar di prigione; evadere (*anche fig.*).

to **coop** /kuːp/ ▣ v. t. (*anche* **to c. up**, **to c. in**) **1** mettere (*polli*) nella stia **2** (*fig.*) costringere; rinchiudere; stipare: *We were cooped up in the cabin*, eravamo stipati nella cabina ▣ v. i. (*slang USA*: *di un poliziotto*) dormire in macchina (*in servizio notturno*).

♦**co-op, coop** /'kəʊɒp/ n. (abbr. *fam. di* **co-operative**) **1** (*società*) cooperativa **2** cooperativa di generi alimentari; supermercato **3** (*USA*) condominio ● (*slang USA*) **to go co-op**, stare in società; fare a mezzo (*pop.*).

cooper /'kuːpə(r)/ n. bottaio.

to **cooper** /'kuːpə(r)/ v. t. fabbricare, riparare (*barili, botti e sim.*).

cooperage /'kuːpərɪdʒ/ n. ▣ **1** bottega (*o lavoro*) di bottaio **2** compenso del bottaio.

♦to **cooperate**, to **co-operate** /kəʊ-'ɒpəreɪt/ v. i. **1** cooperare; collaborare: **to c. in st.** [**to do st., in doing st.**], cooperare a qc. [a fare qc.] **2** concorrere; contribuire: *Heavy rain and spring thaw have cooperated to swell the river*, la forte pioggia e il disgelo primaverile hanno contribuito a far gonfiare il fiume.

♦**cooperation, co-operation** /kəʊpə-'reɪʃn/ n. ▣ **1** cooperazione; collaborazione: *He has promised full c.*, ha promesso piena collaborazione; **in c. with**, in cooperazione (*o collaborazione*) con **2** (*econ.*) (la) cooperazione.

cooperative, **co-operative** /kəʊ-ˈɒprətɪv/ **A** a. **1** (econ.) cooperativo: **cooperative society**, società cooperativa; **the cooperative movement**, il movimento cooperativo; il cooperativismo **2** disposto a collaborare **3** (econ.) cooperativistico: **cooperative farming**, agricoltura cooperativistica **B** n. (econ.) cooperativa: **consumers' cooperative**, cooperativa di consumo ● (fin.) **cooperative bank**, banca cooperativa □ (agric.) **cooperative farm**, cooperativa agricola □ **cooperative marketing**, distribuzione cooperativa □ **cooperative store** (o **cooperative shop**), spaccio cooperativo; cooperativa (fam.) ‖ **cooperatively** avv. in collaborazione; in cooperazione.

cooperator, **co-operator** /kəʊ-ˈɒpəreɪtə(r)/ n. **1** cooperatore **2** (econ.) socio d'una cooperativa.

coopery /ˈkuːpərɪ/ n. 🔲 bottega (o lavoro) di bottaio.

to co-opt, **to coopt** /kəʊˈɒpt/ (anche fig.) v. t. cooptare; eleggere (un nuovo membro) ‖ **co-optation**, **cooptation**, **co-option**, **cooption** n. 🔲 cooptazione.

coordinate, **co-ordinate** /kəʊˈɔːdɪnət/ **A** a. **1** coordinato; dello stesso ordine: (mat.) **co-ordinate axes**, assi coordinati; (gramm.) **c. clauses**, proposizioni coordinate **2** (moda: di un abito) coordinato **B** n. **1** cosa (o persona) dello stesso ordine (di un'altra) **2** (mat., geogr., astron.) coordinata **3** (moda) coordinato ● (chim.) **c. bond**, legame di coordinazione □ (chim.) **c. complex**, composto di coordinazione □ (chim.) **c. valence**, valenza di coordinazione.

to coordinate, **to co-ordinate** /kəʊˈɔːdɪneɪt/ v. t. coordinare.

coordination, **co-ordination** /kəʊˌɔːdɪ-ˈneɪʃn/ n. 🔲 **1** coordinazione: (chim.) **c. compound**, composto di coordinazione **2** eleganza, coordinazione (dei movimenti).

coordinative, **co-ordinative** /kəʊ-ˈɔːdɪnətɪv/ a. coordinativo; che coordina.

coordinator, **co-ordinator** /kəʊ-ˈɔːdɪneɪtə(r)/ n. coordinatore.

coot /kuːt/ n. **1** (zool., Fulica atra) folaga **2** (fam., = old c.) vecchio sciocco; semplicietto ● **as bald as a c.**, pelato come un uovo.

cootie /ˈkuːtɪ/ n. (slang) pidocchio; (fig.) pidocchio, avaro.

to co-own /kəʊˈəʊn/ v. t. essere comproprietario di.

co-owner /kəʊˈəʊnə(r)/ (leg.) n. comproprietario; condomino ‖ **co-ownership** n. comproprietà.

cop ① /kɒp/ n. **1** (ind. tess.) bobina; spola (filo avvolto sul fuso) **2** cima (d'un colle) **3** cresta (d'un uccello) ● (ind. tess.) **cop winder**, incannatoio.

♦**cop** ② /kɒp/ n. (slang) **1** poliziotto; poliziotta; agente; (al pl., collett.) (la) polizia **2** (GB) arresto; cattura (solo nelle loc.:) **It's a fair cop!**, (detto da un arrestato alla polizia) O.K., mi arrendo! ● **cop car**, auto della polizia □ **cop shop**, stazione di polizia □ **good cop, bad cop**, tattica del poliziotto buono e di quello cattivo □ **not much cop**, che non vale molto; non un granché □ **to play cops and robbers**, giocare a guardie e ladri.

to cop /kɒp/ (slang) **A** v. t. **1** arrestare; acciuffare; pizzicare **2** prendere; prendersi; beccarsi: **to cop a telling-off**, prendersi una ramanzina **3** prendere; vincere; assicurarsi; portarsi a casa: **to cop first prize**, prendersi il primo premio **4** rubare; portarsi via; sgraffignare **5** guardare; vedere: **Hey, cop that one!**, ehi, guarda quella! **6** (USA) procurarsi (droga) **B** v. i. (USA) **1** procurarsi la droga **2** confessare: **to cop to st.**, confessare qc.; **to cop an attitude**, fare il duro □ **to cop hold of**, afferrare; acchiappare □ **to cop a feel**, dare una palpata, una

strizzata □ (GB) **to cop it**, passare dei guai; stare fresco; (anche) prenderle, buscarle; (anche) essere ammazzato, restarci □ (leg. USA) **to cop a plea**, dichiararsi colpevole di un reato minore (per ottenere una pena meno grave) □ (USA) **to cop some Z's**, schiacciare un pisolino; dormire.

■ **cop off** v. i. + avv. – **to cop off with**: (slang) farsi, portarsi a letto (q.).

■ **cop out** v. i. + avv. – (slang) **1** tirarsi indietro; defilarsi; squagliarsela **2** rimangiarsi una promessa; fare marcia indietro **3** (USA) dichiararsi colpevole di un reato minore (per ottenere una pena meno grave).

copacetic, **copasetic** /ˌkəʊpəˈsɛtɪk/ a. (fam. USA) che è a posto; che va benissimo; perfetto.

copaiba /kəʊˈpaɪbə/ n. **1** (bot., Copaifera officinalis) copaive, copaiba **2** (farm., = c. balsam) balsamo di copaive.

copal /ˈkəʊpl/ n. copale, coppale ● **c. varnish**, copale.

coparcenary, **coparceny** /kəʊˈpaːsənrɪ, kəʊˈpaːsənɪ/ n. 🔲 (leg.) successione immobiliare indivisa.

coparcener /kəʊˈpaːsɪnə(r)/ n. (leg.) coerede.

co-parent /ˈkəʊpɛərənt/ n. **1** genitore separato che condivide con l'ex coniuge la cura del figlio; genitore acquisito **2** persona che adotta il figlio del partner (specialm. in una coppia gay).

copartner /kəʊˈpaːtnə(r)/ n. **1** (comm.) socio; consocio **2** (econ.) lavoratore compartecipe degli utili dell'azienda ‖ **copartnership** n. 🔲 **1** (comm.) associazione; società **2** (econ., = **labour copartnership**) compartecipazione (dei dipendenti) agli utili di un'azienda.

COPD sigla (med., **chronic obstructive pulmonary disease**) broncopneumopatia cronica ostruttiva (abbr. BPCO).

cope /kəʊp/ n. **1** (relig.) piviale **2** (fig. poet.) manto, cappa **3** (fonderia) coperchio; staffa superiore **4** (edil.) cimasa, copertina (d'un muro).

to cope ① /kəʊp/ **A** v. t. **1** (relig.) mettere il piviale a (un vescovo) **2** (edil.) coprire (un muro) con una cimasa **B** v. i. – **to c. over**, sporgere (a guisa di cimasa).

♦**to cope** ② /kəʊp/ v. i. **1** cavarsela; farcela; tirare avanti; essere all'altezza: **to c. well under pressure**, cavarsela (o reagire) bene sotto pressione; **to c. on one's own**, cavarsela (o farcela) da solo; **to c. on £50 a week**, tirare avanti con cinquanta sterline alla settimana; **I felt I couldn't c. any longer**, sentii che non ce la facevo più **2** – **to c. with**, affrontare; far fronte a; tener testa a; sostenere; sopportare: **to c. with the demands of a large family**, far fronte alle esigenze di una famiglia numerosa; **This off-road vehicle can c. with almost any climb**, questo fuoristrada è in grado di affrontare qualsiasi salita o quasi; **to c. with bereavement**, sopportare un lutto.

copeck /ˈkəʊpɛk/ → **kopek**.

Copenhagen /ˌkəʊpnˈheɪgən/ n. (geogr.) Copenaghen.

Copernicus /kəˈpɜːnɪkəs/ n. (stor.) Copernico ‖ **Copernican** a. copernicano: **the Copernican system**, il sistema copernicano.

copestone /ˈkəʊpstəʊn/ n. = **coping stone** → **coping**.

copier /ˈkɒpɪə(r)/ n. **1** chi copia; imitatore **2** chi trascrive; copista **3** copiatrice (macchina); fotocopiatrice.

copilot /ˈkəʊpaɪlət/ n. (aeron., autom.) secondo pilota.

coping ① /ˈkəʊpɪŋ/ n. 🔲 capacità di fronteggiare una situazione difficile (o di stress);

(psic.) coping, fronteggiamento; gestione attiva.

coping ② /ˈkəʊpɪŋ/ n. **1** (edil.) cimasa, copertina (d'un muro) **2** 🔲 (mecc.) lavorazione alla mola ● (mecc.) **c. saw**, sega da traforo □ **c. stone**, pietra per cimasa; (fig.) ultimo tocco, coronamento (di un'opera).

copious /ˈkəʊpɪəs/ a. **1** copioso; abbondante **2** verboso; prolisso **3** (d'autore) prolifico (fig.) ‖ **-ly** avv. ‖ **-ness** n. 🔲.

coplanar /kəʊˈpleɪnə(r)/ (geom., mecc.) a. complanare ‖ **coplanarity** n. 🔲 complanarità.

copolymer /kəʊˈpɒlɪmə(r)/ n. (chim.) copolimero.

to copolymerize /kəʊˈpɒlɪməraɪz/ v. t. (chim.) copolimerizzare.

cop-out /ˈkɒpaʊt/ n. pretesto, scusa (per non fare qc.); scappatoia.

copper ① /ˈkɒpə(r)/ **A** n. **1** 🔲 (chim.) rame **2** (GB) moneta di bronzo o di rame (di basso valore); monetina **3** 🔲 color rame **4** (antiq.) recipiente di rame; tinozza di rame **5** (al pl.) (fam.) spiccioli: **We gave the beggar a few coppers**, demmo una spicciola al mendicante **B** a. **1** di rame; rameico (chim.): (elettr.) **c. cable**, cavo di rame; (chim.) **c. sulphate**, solfato di rame (o rameico) **2** ramato; color rame ● **c. alloy**, cuprolega □ (archeol.) **the C. Age**, l'Età del rame □ (bot.) **c. beech** (Fagus sylvatica atropunicea), faggio rosso □ (tecn.) **c. bit**, saldatoio □ **c.-bottomed**, (naut., stor.) dalla chiglia rivestita di rame; (fam. GB, anche fin.) sicuro, solido, senza rischi, di ferro □ (miner.) **c. glance**, calcocite □ **c. ore**, minerale ramifero □ (metall.) **c. plating**, ramatura □ (tecn.) **c. sheeting**, rivestimento di rame; (anche) lamierino di rame per rivestimenti □ ● **c. vetriol**, vetriolo azzurro; solfato di rame.

copper ② /ˈkɒpə(r)/ n. (fam. GB) poliziotto; poliziotta; agente; (al pl., collett.) (la) polizia.

to copper /ˈkɒpə(r)/ v. t. (anche metall.) rivestire di rame; ramare.

copperas /ˈkɒpərəs/ n. 🔲 (chim.) vetriolo verde; solfato ferroso.

copperhead /ˈkɒpəhɛd/ n. **1** (zool., Agkistrodon contortrix mokasen) mocassino; testa di rame **2** (stor. USA) cittadino degli Stati del Nord che parteggiava per i sudisti (al tempo della guerra civile).

coppering ① /ˈkɒpərɪŋ/ n. 🔲 **1** (metall.) ramatura **2** (naut., stor.) rivestimento in rame (della chiglia).

coppering ② /ˈkɒpərɪŋ/ n. 🔲 (fam. GB, antiq.) lavoro di poliziotto.

coppernob /ˈkɒpənɒb/ n. (fam.) persona con i capelli rossi; testa rossa; rossino.

copperplate /ˈkɒpəpleɪt/ n. **1** lastra di rame (per incisione) **2** 🔲 (arte) incisione su rame; rame **3** (= **c. handwriting**) corsivo inglese; (per estens.) scrittura chiara e regolare ● **c. engraving**, incisione su rame; calcografia.

to copperplate /ˈkɒpəpleɪt/ (metall.) v. t. ramare; rivestire di rame.

coppersmith /ˈkɒpəsmɪθ/ n. ramaio; calderaio.

coppery /ˈkɒpərɪ/ a. **1** che contiene rame **2** color rame.

coppice /ˈkɒpɪs/ n. **1** ceduo; bosco ceduo; bosco a ceppaia **2** macchia ● **c. wood**, sottobosco.

to coppice /ˈkɒpɪs/ v. t. (agric.) potare fino alla radice.

copra /ˈkɒprə/ n. 🔲 (ind.) copra.

copresence /kəʊˈprɛzəns/ n. 🔲 compresenza.

coprocessor /kəʊˈprəʊsɛsə(r)/ n. (comput.) coprocessore.

to co-produce /kəʊprəˈdjuːs, USA -ˈduː-/

a b c d e f g h i j k l m n o p q r s t u v w x y z

C

(*teatr.*, *radio*, *TV*) v. t. coprodurre || **co-pro-ducer** n. coproduttore || **co-production** n. coproduzione.

co-product /kəʊˈprɒdʌkt/ n. (*econ.*) prodotto congiunto.

coprolalia /kɒprəˈleɪlɪə/ n. ⓤ (*psic.*) coprolalia.

coprolite /ˈkɒprəlaɪt/ n. ⓤⓒ (*geol.*) coprolito.

coprology /kəˈprɒlədʒɪ/ n. ⓤ (*anche med.*) coprologia || **coprological** a. coprologico; osceno.

coprophagy /kəˈprɒfədʒɪ/ n. ⓤ (*psic.*) coprofagia.

coprophilia /kɒprəˈfɪlɪə/ n. ⓤ (*psic.*) coprofilia.

co-proprietor /kəʊprəˈpraɪətə(r)/ n. (*leg.*) comproprietario.

copse /kɒps/ → **coppice**.

to **copse** /kɒps/ v. t. piantare a bosco ceduo.

Copt /kɒpt/ n. copto.

copter /ˈkɒptə(r)/ n. (*abbr. fam. USA di* **helicopter**) elicottero.

Coptic /ˈkɒptɪk/ A a. copto: **the C. Church**, la chiesa copta B n. ⓤ copto (*la lingua*).

copula /ˈkɒpjʊlə/ n. (pl. **copulas**, **copulae**) **1** (*gramm.*) copula **2** (*anat.*) collegamento.

to **copulate** /ˈkɒpjʊleɪt/ v. i. accoppiarsi || **copulation** n. ⓤ copulazione; copula; accoppiamento || **copulatory** a. di copulazione; d'accoppiamento ● (*anat.*) **copulatory organ**, organo copulatore.

copulative /ˈkɒpjʊlətɪv/ a. (*gramm.*, *fisiol.*) copulativo.

♦**copy** /ˈkɒpɪ/ n. **1** copia (*anche comput.*); imitazione; riproduzione: **to make a c. of a document**, fare una copia di un documento; **to run off twenty copies**, fare venti fotocopie; **rough** (o **foul**) **c.**, brutta copia; minuta; **fair** (o **clean**) **c.**, bella copia; **certified c.**, copia conforme; **illegal c.**, copia illegale; **multiple copies**, copie multiple **2** (*di libro*) copia, esemplare; (*di rivista*) copia, numero; **back c.**, numero arretrato: *Have you got any copies of the Guardian left?*, c'è ancora il Guardian? **3** ⓤ (*tipogr.*, *editoria*) testo; materiale per la stampa **4** ⓤ (*giorn.*) articolo, articoli; materia (per un articolo); argomento: **to make good c.**, essere materia (o un argomento) di grande interesse: *It'll make good c.*, è una storia che andrà **5** ⓤ (*pubbl.*) testo pubblicitario ● **c. boy**, fattorino (*d'un giornale*) □ (*giorn.*) **c. date** (o **c. deadline**), data di chiusura; termine di consegna (*per un articolo*) □ (*USA*) **c. desk**, tavolo redazionale □ **c. editor**, redattore (*che prepara i testi per la stampa, correggendone gli errori, ecc.*); revisore □ (*pubbl.*) **c. fitting**, riduzione del testo (*alle dimensioni dello spazio disponibile*) □ (*comm.*) **c. order**, conferma di ordinativo □ **c. typist**, dattilografo (o dattilografa) che copia testi scritti.

♦to **copy** /ˈkɒpɪ/ A v. t. **1** copiare (*anche comput.*); fare una copia di; riprodurre: **to c. a letter** [**software**], copiare una lettera [del software]; **to c. from** (o **off**) **sb.**, copiare da q.; **to c. onto CD**, copiare su cd; *He copied her address into his notebook*, lui copiò il suo indirizzo nell'agendina **2** copiare; imitare B v. i. copiare; fare copie (*comput.*) **c. and paste**, copia e incolla (*istruzione*).
■ **copy down** v. t. + avv. trascrivere.
■ **copy out** v. t. + avv. ricopiare (*un testo*).

copybook /ˈkɒpɪbʊk/ A n. quaderno (*spec.*) di calligrafia (*con modelli da imitare*) B a. attr. **1** da manuale; perfetto; ineccepibile **2** trito; prevedibile ● (*fig.*) **to blot one's c.**, commettere una mancanza imperdonabile; macchiarsi la reputazione.

copycat /ˈkɒpɪkæt/ A n. (*fam.*) **1** imitatore pedissequo; scopiazzatore; pappagallo (*fig.*) **2** (*a scuola*) copione (*fam.*) B a. attr. fatto per imitazione (o per emulazione); imitativo: **c. crime**, delitto commesso per imitazione; **to have a c. effect**, incoraggiare le imitazioni (o gli imitatori).

to **copy-edit** /ˈkɒpɪedɪt/ v. t. e i. preparare (*un testo per la stampa, correggendone gli errori, ecc.*).

copyhold /ˈkɒpɪhəʊld/ n. (*leg.*, *stor.*) **1** ⓤ proprietà d'un terreno, basata su una copia di antichi documenti di concessione feudale **2** terreno così posseduto.

copyholder /ˈkɒpɪhəʊldə(r)/ n. **1** (*leg.*, *stor.*) proprietario di terreno per antica concessione feudale (→ **copyhold**) **2** (*tipogr.*) raccoglitore (*per un testo da comporre, ecc.*).

copying /ˈkɒpɪɪŋ/ A n. ⓤ **1** copiatura **2** duplicazione B a. copiatore; copiativo; di copia: **c. clerk**, copista; **c. ink**, inchiostro copiativo; **c. machine**, copiatrice; fotocopiatrice; **c. ribbon**, nastro copiativo.

copyist /ˈkɒpɪɪst/ n. **1** copista; scrivano **2** imitatore.

copyleft /ˈkɒpɪleft/ n. (*comput.*) (licenza) copyleft; licenza libera.

to **copy-protect** /ˈkɒpɪprəˈtekt/ (*comput.*) v. t. proteggere da copiatura || **copy-protected** a. protetto da copiatura.

to **copyread** /ˈkɒpɪriːd/ (*pass.* e *p. p.* **copyread** /ˈkɒpɪred/), (*USA*) v. t. fare la revisione di (*un testo, per la pubblicazione*) || **copyreader** n. (*editoria*) redattore, redattrice.

copyright /ˈkɒpɪraɪt/ A n. ⓤ (*leg.*) copyright; diritto d'autore; proprietà letteraria riservata B a. (*di libro, ecc.*) tutelato dalla legge sui diritti d'autore ● (*in GB*) **c. library**, biblioteca nazionale (*ce ne sono sei*).

to **copyright** /ˈkɒpɪraɪt/ v. t. proteggere (o tutelare) con diritti d'autore || **copyrighted** a. tutelato da diritti d'autore (o da copyright).

copywriter /ˈkɒpɪraɪtə(r)/ (*pubbl.*) n. copywriter; redattore di testi pubblicitari; creativo || **copywriting** n. ⓤ redazione di testi pubblicitari.

coquetry /ˈkɒkɪtrɪ/ n. ⓤ civetteria.

coquette /kəʊˈket/ n. (*di donna*) civetta || **coquettish** a. civettuolo || **coquettishly** avv. in modo civettuolo || **coquettishness** n. ⓤ civetteria.

to **coquette** /kəʊˈket/ v. i. **1** civettare; far la civetta **2** gingillarsi (*con un'idea, ecc.*).

cor /kɔː(r)/ inter. (*slang GB*) accidenti!; urca!

cor. abbr. **1** (**corner**) angolo **2** (*USA*, **coroner**) «coroner».

coracle /ˈkɒrəkl/ n. «coracle»; imbarcazione di vimini (*usata nel Galles e in Irlanda*).

coral /ˈkɒrəl/ A n. ⓤ (*zool.*) corallo B a. attr. corallino; di (o simile a) corallo: **a c. necklace**, una collana di corallo ● **c. island**, isola corallina □ **c. red**, rosso corallo □ **c. reef**, barriera corallina □ (*zool.*) **c. snake** (*Micrurus*), serpente corallo □ (*bot.*) **c. tree** (*Erythrina corallodendron*), albero del corallo.

coralline① /ˈkɒrəlaɪn/ n. (*bot.*, *Corallina officinalis*) corallina.

coralline② /ˈkɒrəlaɪn/ a. **1** corallino; rosso corallo **2** (*bot.*) corallino **3** (*zool.*) simile al corallo.

corallite /ˈkɒrəlaɪt/ n. ⓤ **1** scheletro di corallo **2** corallino (*marmo rosso screziato*).

cor anglais /kɔːr ˈɒŋgleɪ/ (*franc.*) loc. n. (pl. **cors anglais**) (*mus.*) corno inglese.

corbeil /kɔːˈbeɪl/ n. (*archit.*) raffigurazione ornamentale di un vaso con fiori.

corbel /ˈkɔːbl/ n. (*archit.*) mensolone; modiglione ● **c. arch**, arco di volta a cesto.

to **corbel** /ˈkɔːbl/ A v. t. provvedere di (o sostenere con) mensoloni B v. i. – **to c. out**

(o **off**), sporgere su mensoloni; aggettare.

corbie /ˈkɔːbɪ/ n. (*scozz.*) corvo; cornacchia ● (*archit.*) **c. gable**, frontone con ornamento a gradini □ (*archit.*) **c. steps**, gradini ornamentali, posti sui lati d'un frontone.

cord /kɔːd/ A n. **1** ⓤ corda; cordone; cordicella; cordoncino: **a length of c.**, un pezzo di corda; **the c. of a dressing-gown**, la cintura (*a cordone*) di una vestaglia; (*anat.*) **the vocal cords**, le corde vocali **2** (*anat.*, **umbilical c.**) cordone ombelicale **3** (*elettr.*) filo elettrico; cordone **4** ⓤ (*ind. tess.*) velluto a coste **5** (*al pl.*) (*fam.*) pantaloni di velluto a coste **6** (*tennis*) nastro (*della rete*) **7** misura per cataste di legna (*pari a 128 piedi cubici o m³ 3,625*) B a. attr. di velluto a coste ● (*elettr.*) **c. circuit**, circuito a spine.

to **cord** /kɔːd/ v. t. legare con una corda.

cordage /ˈkɔːdɪdʒ/ n. ⓤ **1** cordame **2** (*naut.*) sartiame.

cordate /ˈkɔːdeɪt/ a. (*bot.*) cordato; cuoriforme: **c. leaves**, foglie cordate.

corded /ˈkɔːdɪd/ a. **1** provvisto di corde: **c. curtains**, tende provviste di corde **2** (*elettr.*, *telef.*) provvisto di filo: **c. telephone**, telefono a filo; telefono fisso **3** (*di muscolo*) gonfio; sporgente **4** (*di tessuto, ecc.*) a coste; cordonato.

Cordelier /kɔːdɪˈlɪə(r)/ n. **1** (*relig.*) cordigliere (*frate francescano*) **2** – (*stor. franc.*) **the Cordeliers**, i Cordiglieri; il Club dei Cordiglieri.

cordial /ˈkɔːdɪəl/ A a. **1** cordiale **2** corroborante B n. **1** cordiale (*liquore*) **2** (*farm.*) corroborante; stimolante || **cordiality** n. ⓤ cordialità || **cordially** avv. cordialmente: '*Huckleberry was cordially hated and dreaded by all the mothers of the town*' M. TWAIN, 'Huckleberry era cordialmente odiato e temuto da tutte le madri della cittadina'.

cordillera /kɔːdɪˈljeərə/ n. (*geogr.*) cordigliera.

cording /ˈkɔːdɪŋ/ n. ⓤ (*moda, arredamento*) cordone, cordoni; cordoncino, cordoncini.

cordite /ˈkɔːdaɪt/ n. ⓤ cordite (*esplosivo*).

cordless /ˈkɔːdlɪs/ A a. (*elettr.*) senza filo; a batteria: **c. vacuum cleaner**, aspirapolvere a batteria; **c. phone**, telefono senza filo; cordless B n. (*telef.*) cordless.

cordon /ˈkɔːdn/ n. **1** cordone (*insegna d'ordine cavalleresco e barriera posta per mantenere l'ordine pubblico*) **2** (*archit.*) cordone (*di pietra*) ● (*franc.*) **c. bleu**, (*stor.*) «cordon bleu» (*onorificenza cavalleresca francese*); (*fig.*) cuoco (o cuoca) di prim'ordine □ a **c. bleu meal**, un pasto di prima qualità □ (*franc.*) **c. sanitaire**, (*med.*) cordone sanitario; (*fig.*, *polit.*) zona cuscinetto.

to **cordon off** /ˈkɔːdn ˈɒf/ v. t. e i. circondare, isolare (*con un cordone di polizia, ecc.*); mettere un cordone di polizia intorno a.

cordovan /ˈkɔːdəvən/ A n. ⓤ cuoio cordovano; cordovano B a. di cuoio cordovano.

corduroy /ˈkɔːdərɔɪ/ A n. **1** ⓤ (*ind. tess.*) velluto a coste (*di cotone*) **2** (*al pl.*) calzoni di velluto a coste B a. attr. di velluto a coste: **a c. jacket**, una giacca di velluto a coste ● (*USA*) **c. road**, strada di tronchi d'albero (*su terreno paludoso*).

cordwainer /ˈkɔːdweɪnə(r)/ n. (*arc.*) calzolaio.

♦**core** /kɔː(r)/ A n. **1** torsolo (*di frutto*) **2** centro; nucleo (*anche biol.*, *ind.*); (*di cavo, ecc.*) anima: **the c. of a volcano**, il nucleo di un vulcano **3** (*ind. min.*, = **c. sample**) carota **4** (*fis. nucl.*) core; nocciolo **5** (*di problema, ecc.*) nocciolo; cuore: **the c. of the question**, il nocciolo della questione **6** (*econ.*) core; nocciolo **7** (*comput.*) nucleo **8** (*comput.*) = **c. memory** ⇒ *sotto* B a. attr. centrale; essenziale; di base; di fondo; principale: **c. activities**, attività di base; **c. val-**

ues, valori di fondo; **the c. meaning**, il significato essenziale ● (*ind. min.*) **c. barrel**, tubo carotiere □ **c. bit**, corona da carotaggio □ (*econ.*) **c. business**, attività tipica o principale (*di un'azienda*); core business □ (*market.*, *org. az.*) **c. competencies**, competenze fondamentali; competenze distintive (*di un'azienda*) □ (*a scuola*) **c. curriculum**, curricolo di base, materie obbligatorie □ **c. drill**, sonda campionatrice; sonda da carotaggio □ **c. drilling** (*o* **c. boring**), carotaggio □ (*econ.*) **c. inflation**, inflazione inerziale □ (*metall.*) **c. iron**, ferro per nuclei □ (*comput.*) **c. memory** (*o* **storage**, *o* **store**), memoria centrale □ (*metall.*) **c. molding**, formatura delle anime □ (*ind. min.*) **c. sampler**, sonda per carotaggio □ (*GB*) **c. time**, ore di presenza obbligatorie (*nell'ambito di un orario flessibile*) □ (*fig.*) **to the c.**, fino al midollo; fino in fondo all'anima.

to **core** /kɔː(r)/ v. t. **1** togliere il torsolo a (*un frutto*) **2** estrarre la parte centrale di **3** (*ind. min.*) carotare.

co-reference /kəʊˈrɛfərəns/ n. □ (*ling.*) coreferenza || **co-referential** a. coreferenziale.

coreless /ˈkɔːləs/ a. **1** senza torsolo, ecc. (→ **core**) **2** (*tecn.*) senza nucleo.

coreligionist /kəʊrɪˈlɪdʒənɪst/ n. correligionario.

coreopsis /kɒrɪˈɒpsɪs/ n. (*bot.*, *Coreopsis*) coreopside.

corer /ˈkɔːrə(r)/ n. **1** (*cucina*) levatorsoli (*per le mele*) **2** (*ind. min.*) carotatore.

co-respondent /kəʊrɪˈspɒndənt/ n. (*leg.*) coimputato, correo (*in una causa di divorzio per adulterio*).

corf /kɔːf/ n. (pl. *corves*) **1** carrello (*per trasporto di minerale*) **2** cesto calato nell'acqua, in cui si tengono in vita i pesci.

corgi /ˈkɔːɡɪ/ n. (pl. *corgis*) welsh corgi (*cane gallese di piccola taglia*).

coriaceous /kɒrɪˈeɪʃəs/ a. coriaceo.

coriander /kɒrɪˈændə(r)/ n. (*bot.*, *Coriandrum sativum*) coriandolo; (*USA*) semi di coriandolo.

coring /ˈkɔːrɪŋ/ n. **1** (*cucina*) eliminazione dei torsoli **2** (*ind. min.*) carotaggio.

Corinth /ˈkɒrɪnθ/ n. (*geogr.*) Corinto.

Corinthian /kəˈrɪnθɪən/ **A** a. corintio, corinzio; (*archit.*) **C. order**, ordine corinzio **B** n. **1** abitante di Corinto **2** (*stor.*) giovane ricco dedito allo sport e al libertinaggio.

Coriolanus /kɒrɪəʊˈleɪnəs/ n. Coriolano.

Coriolis effect /kɒrɪˈəʊlɪs ɪˈfɛkt/ loc. n. (*fis.*) effetto Coriolis.

corium /ˈkɔːrɪəm/ n. (*anat.*) corion; derma.

cork /kɔːk/ n. **1** □ (*bot.*) sughero (*di quercia*) **2** sughero; tappo; turacciolo (*di sughero o d'altro*) ● (*bot.*) **c. cambium**, cambio del sughero; fellogeno □ (*naut.*) **c. jacket**, giubbotto di salvataggio □ **a c. mat**, uno stuoino di sughero □ (*bot.*) **c. oak** (*o* **c. tree**) (*Quercus suber*), sughera; quercia da sughero □ **c. puller**, cavaturaccioli □ **c. tip**, filtro (*di sigaretta*) □ (*di sigaretta*) **c.-tipped**, con il filtro □ (*slang USA*) **to blow** (*o* **to pop**) **one's c.**, esplodere; perdere le staffe □ (*di persona*) **to be like a c.**, stare (*o* tornare) sempre a galla (*fig.*).

to **cork** /kɔːk/ v. t. **1** mettere il tappo a (*una bottiglia, ecc.*); tappare; turare **2** munire di sughero (*galleggianti, ecc.*) **3** annerire (*la faccia, ecc.*) con sughero bruciacchiato.

■ **cork up** v. t. + avv. reprimere, soffocare (*un'emozione, ecc.*).

corkage /ˈkɔːkɪdʒ/ n. □ (*GB*) somma che si paga in un ristorante per ogni bottiglia stappata (*se comperata altrove*).

corkboard /ˈkɔːkbɔːd/ n. (*ind.*) pannello di sughero; sughero per rivestimenti.

corked /kɔːkt/ a. **1** tappato: **a c. bottle**, una bottiglia tappata **2** munito di sughero **3** annerito con sughero bruciacchiato **4** (*di vino*) che sa di tappo: *This wine tastes c. to me*, secondo me questo vino sa di tappo **5** (*slang*) sbronzo; ubriaco fradicio.

corker /ˈkɔːkə(r)/ n. **1** operaio (*o* arnese) che tappa bottiglie; tappatrice (*macchina*) **2** (*slang antiq.*) persona (*o* cosa) strabiliante; cannonata.

corkiness /ˈkɔːkɪnəs/ n. □ **1** sapore di tappo (*difetto del vino*) **2** esuberanza; vivacità.

corking /ˈkɔːkɪŋ/ **A** n. □ **1** tappatura **2** sapore di tappo **B** a. (*slang GB*, *antiq.*) eccellente; ottimo; favoloso ● **c. machine**, tappatrice.

corkscrew /ˈkɔːkskruː/ **A** n. cavatappi; cavaturaccioli **B** a. attr. in spirale; a chiocciola; a vite: **c. staircase**, scala a chiocciola; (*aeron.*) **c. dive**, picchiata in spirale; caduta a vite.

to **corkscrew** /ˈkɔːkskruː/ **A** v. i. **1** muoversi (*o* procedere) a spirale **2** (*di strada*) salire a spirale **3** (*aeron.*) cadere a vite; avvitarsi **B** v. t. **1** spingere a spirale; far muovere a zigzag **2** avvolgere a spirale.

corky /ˈkɔːkɪ/ a. **1** sugheroso; di (*o* simile a) sughero **2** (*fam.*) vivace; esuberante; frivolo **3** (*del vino*) che sa di tappo.

corm /kɔːm/ n. (*bot.*) cormo.

cormophyte /ˈkɔːməfaɪt/ n. (*bot.*) cormofita.

cormorant /ˈkɔːmərənt/ n. **1** (*zool.*, *Phalacrocorax carbo*) cormorano; marangone **2** (*fig.*) persona avida, vorace; avvoltoio (*fig.*).

◆ **corn**① /kɔːn/ n. □ **1** cereale (*il chicco e la pianta*); granaglie **2** grano; frumento **3** (*USA*) granturco; frumentone; mais: **an ear of c.**, una pannocchia di granturco **4** □ (*slang USA*) banalità; (*anche*) romanticume; sdolcinatura; sentimentalismo ● (*in USA*) **the C. Belt**, la zona del granturco □ **c. beef**, carne di manzo conservata sotto sale □ (*USA*) **c. bread**, pane di granturco □ (*zool.*) **c. bunting** (*Emberiza calandra*), strillozzo □ **c. chandler**, mercante di granaglie □ **c. circle** = **crop circle** → **crop** □ **c. dealer** (*o* **c. merchant**), grossista in granaglie □ (*USA*) **c. dog**, salsiccia di carne rivestita di pastella di farina di granturco e fritta □ (*GB*) **c. dolly**, bambola di paglia intrecciata □ **c. ear**, pannocchia □ (*fin.*) **the C. Exchange**, la Borsa dei cereali □ **c.-fed**, nutrito a granturco; (*fam. USA*) provinciale; rustico □ **c. merchant**, commerciante in granaglie □ (*stor.*) **the C. Laws**, le leggi protezionistiche sul grano (*in GB, nel 1804*) □ **c. oil**, olio di mais □ **c. on the cob**, pannocchia di granturco arrostita o bollita (*mangiata come primo in GB, come contorno in USA*) □ (*agric.*, *USA*) **c. picker**, raccoglitrice di mais (*macchina*) □ (*USA*: *negli Stati del Sud*) **c. pone**, pane di granturco non lievitato □ (*USA*) **c.-pone** (attr.), rustico; provinciale □ **c. popper**, padella per fare il popcorn □ (*bot.*) **c. poppy** (*Papaver rhoeas*), papavero di campo □ (*bot.*) **c. salad**, valerianella; morbidello; dolcetta □ (*USA*) **c. silk**, □ **cornsilk** □ **c. shuck** → **cornhusk** □ (*sci, USA*) **c. snow**, neve rigelatasi dopo il disgelo; neve primaverile □ (*USA*) **c. syrup**, sciroppo di mais □ (*USA*) **c. whiskey**, whisky di mais.

corn② /kɔːn/ n. callo; durone ● **c. plaster**, cerotto per calli; callifugo □ (*fig.*) **to tread on sb.'s corns**, pestare i calli a q.

cornball /ˈkɔːnbɔːl/ a. (*fam. USA*) trito e sentimentale.

corncob /ˈkɔːnkɒb/ n. **1** (*bot.*) tutolo **2** (*USA*) pannocchia ● **c. pipe**, pipa fatta di un tutolo.

corncockle /ˈkɔːnkɒkl/ n. (*bot.*, *Agrostem-*

ma githago) gittaione.

corncrake /ˈkɔːnkreɪk/ n. (*zool.*, *Crex crex*) re di quaglie.

corncrib /ˈkɔːnkrɪb/ n. (*USA*) silo per il granturco ancora da spannocchiare; essiccatoio per mais.

cornea /ˈkɔːnɪə/ (*anat.*) n. cornea || **corneal** a. corneale.

corned /kɔːnd/ a. (*di carne*) conservato sotto sale: **c. beef**, carne di manzo conservata sotto sale.

cornel /ˈkɔːnl/ n. (*bot.*, = **c. tree**) **1** (*Cornus mas*) corniolo **2** (*Cornus sanguinea*) sanguinella; sanguine.

cornelian /kɔːˈniːlɪən/ n. □ (*miner.*) corniola; cornalina.

corneous /ˈkɔːnɪəs/ a. (*zool.*) corneo.

◆ **corner** /ˈkɔːnə(r)/ n. **1** (*di oggetto*) angolo; spigolo: **the top left-hand c. of a picture**, l'angolo in alto a sinistra di un quadro; **rounded corners**, spigoli smussati **2** (*di strada*) angolo; curva; svolta: **at the c. of Benbow Road and Mill Lane**, all'angolo tra Benbow Road e Mill Lane; **on the street corners**, agli angoli delle strade; **the shop on the c.**, il negozio all'angolo; **to turn the c.**, girare l'angolo; svoltare; **blind c.**, curva cieca; **to take a c. at high speed**, prendere una curva ad alta velocità **3** posto; angolo; canto: **a quiet c.**, un posto (*o* un angolo) tranquillo; **a cosy c.**, un angolo raccolto; un comodo cantuccio **4** (*fig.*) situazione difficile: *I'm in a bit of a c.*, mi trovo un po' in difficoltà; **in a tight c.**, in difficoltà; con le spalle al muro; **to drive** (*o* **to force**) **sb. into a c.**, mettere q. con le spalle al muro (*o* alle corde) **5** (*edil. e alpinismo*) spigolo **6** (*econ.*) posizione di monopolio; accaparramento: (*econ.*) **to establish** (*o* **to form**) **a c. on the gold market**, accaparrarsi il mercato dell'oro; fare incetta d'oro **7** (*calcio*, = **c. kick**) corner; calcio d'angolo: **a c. to Sweden**, un corner per la Svezia; **to score from a c.**, segnare su calcio d'angolo: **to take a c.**, calciare (*o* battere) un corner **8** (*hockey*) angolo **9** (*boxe*) angolo: **c. stool**, sgabello all'angolo ● **c. base unit**, base ad angolo (*di cucina componibile*) □ (*slang irl.*) **c. boy**, vagabondo; perdigiorno; fannullone □ (*mecc.*) **c. chisel**, sgorbia triangolare □ **c. cupboard**, angoliera □ (*calcio*) **c. flag**, bandierina del calcio d'angolo (*o del corner*) □ (*calcio*) **c. house**, casa d'angolo; (*spesso*) ristorante □ (*calcio*) **c. kick**, calcio d'angolo; corner □ **c. seat**, posto d'angolo □ (*GB*) **c. shop**, piccolo negozio (*di alimentari, alcolici, sigarette, ecc., generalmente d'angolo*); negozietto di quartiere □ (*hockey*, *pallamano, pallanuoto*) **c. throw**, tiro d'angolo □ **c. wall unit**, pensile ad angolo □ **around the c. = round the c.** → *sotto* □ **to cut corners**, (*a piedi*) tagliare lungo la diagonale; (*autom., ecc.*) tagliare le curve; (*fig.*) fare alla svelta, tirare al risparmio, tirare via (*in un lavoro*) □ **to cut off a c.**, prendere una scorciatoia □ (*fig.*) **done in a c.**, fatto di nascosto □ **to fight one's c.**, lottare per difendere i propri interessi; tenere duro □ **from the four corners of the world**, dai quattro angoli della terra; da tutto il mondo □ **to be in sb.'s c.**, essere dalla parte di q.; essere amico di q. □ **to knock the corners off sb.**, rendere meno aggressivo o spigoloso q. □ **out of the c. of one's eye**, con la coda dell'occhio □ **to paint oneself into a c.**, infilarsi in una situazione senza via d'uscita; finire con le spalle al muro □ **to put a child in the c.**, mettere un bambino nel cantuccio (*o* in castigo) □ (*fig.*) **rough corners**, ruvidezza; modi ruvidi □ (*just*) **round the c.**, dietro l'angolo; girato l'angolo; vicinissimo: *He lives round the c. from me*, abita poco lontano da me; *The exams are round the c.*, gli esami sono dietro l'angolo □ (*fig.*) **to turn the c.**, superare il punto critico (*di una malat-*

a
b
c
d
e
f
g
h
i
j
k
l
m
n
o
p
q
r
s
t
u
v
w
x
y
z

tia, ecc.).

to **corner** /'kɔːnə(r)/ **A** v. t. **1** spingere in un angolo, intrappolare (in un angolo) **2** bloccare (*una persona, attaccando discorso*) **3** (*fig.*) mettere in difficoltà, con le spalle al muro, alle corde **4** (*econ.*) monopolizzare; accaparrarsi: **to c. the market in st.**, monopolizzare il mercato di qc.; *I had the market cornered*, tutto il mercato era in mano mia **B** v. i. **1** formare un angolo **2** fare angolo; essere posto all'angolo (*d'una strada, ecc.*) **3** (*autom.*) curvare; fare una curva; svoltare.

cornerback /'kɔːnəbæk/ n. (*football americano*) terzino.

cornered /'kɔːnəd/ a. **1** (nei composti) che ha un certo numero di angoli: **four-c.**, con quattro angoli; **three-c. hat**, tricorno **2** (nei composti) formato da un certo numero di partecipanti: **a five-c. meeting**, un incontro a cinque **3** (*fig.*) con le spalle al muro; messo in difficoltà; (*di animale*) intrappolato.

cornerer /'kɔːnərə(r)/ n. (*econ.*) accaparratore, accaparratrice; incettatore, incettatrice.

cornering /'kɔːnərɪŋ/ n. ⚇ **1** (*edil.*) formazione degli spigoli **2** (*econ.*) accaparramento; incetta (*di merce*) **3** (*autom.*) il curvare; (modo di) prendere le curve ● (*mecc., falegn.*) **c. tool**, ferro (*o* utensile) sagomato, per smussi.

cornerman /'kɔːnəmən/ n. (pl. *cornermen*) (*boxe*) cornerman.

cornerstone /'kɔːnəstəʊn/ n. **1** (*edil.*) pietra angolare **2** (*edil.*) prima pietra **3** (*fig.*) pietra angolare; fondamento; pilastro.

cornet① /'kɔːnɪt/ n. **1** (*mus.*) cornetta **2** cartoccio fatto a cono **3** cono di cialda (*per gelati*); cono gelato **4** (*relig.*) cornetta; cuffia delle suore di carità.

cornet② /'kɔːnɪt/ n. (*mil.*) ufficiale di cavalleria che porta la cornetta del reparto.

cornetist, **cornettist** /kɔː'netɪst/ n. (*mus.*) cornettista.

cornfield /'kɔːnfiːld/ n. campo di granturco.

cornflakes /'kɔːnfleɪks/ n. pl. (*cucina*) fiocchi di granturco.

cornflour /'kɔːnflaʊə(r)/ n. ⚇ farina fine di granturco.

cornflower /'kɔːnflaʊə(r)/ n. (*bot.*, *Centaurea cyanus*) fiordaliso.

corn-husk, **cornhusk** /'kɔːnhʌsk/ n. (*bot.*) cartoccio (*di una pannocchia*).

corn-husking, **cornhusking** /'kɔːnhʌskɪŋ/ n. ⚇ (festa della) spannocchiatura.

cornice /'kɔːnɪs/ n. **1** (*archit.*) cornicione; cornice **2** (*alpinismo*) cornice || **corniced** a. (*archit.*) provvisto di cornicione (*o* di cornice).

cornification /ˌkɔːnɪfɪ'keɪʃn/ n. ⚇ (*med.*) corneificazione.

Cornish /'kɔːnɪʃ/ **A** a. della Cornovaglia **B** n. ⚇ lingua della Cornovaglia; cornico; lingua cornica ● (*cucina*) **C. pasty**, pasta imbottita di carne e verdura || **Cornishman** n. (pl. *Cornishmen*) abitante della Cornovaglia.

cornmeal /'kɔːnmiːl/ n. ⚇ **1** (*in Inghil.*) farina di grano **2** (*in Scozia*) farina d'avena **3** (*in USA*) farina di granturco; farina gialla.

cornrows /'kɔːnrəʊz/ n. pl. acconciatura in cui i capelli sono raccolti in treccine fitte che formano un disegno geometrico.

cornsilk /'kɔːnsɪlk/ n. ⚇ (*USA*) barba del granturco.

cornstalk /'kɔːnstɔːk/ n. **1** stelo del granturco **2** (*fig.*) spilungone.

cornstarch /'kɔːnstɑːtʃ/ n. ⚇ **1** amido di granturco **2** → **cornflour**.

cornstone /'kɔːnstəʊn/ n. ⚇ (*miner.*) arenaria rossa screziata.

cornucopia /ˌkɔːnjʊ'kəʊpɪə/ n. **1** cornucopia **2** (*fig.*) abbondanza.

Cornwall /'kɔːnwɔːl/ n. (*geogr.*) Cornovaglia.

corny① /'kɔːnɪ/ a. (*slang*) trito; sentimentale; sdolcinato.

corny② /'kɔːnɪ/ a. calloso; relativo ai calli; che ha i calli.

corolla /kə'rɒlə/ (*bot.*) n. corolla.

corollary /kə'rɒlərɪ, USA 'kɔːrələrɪ/ n. **1** corollario **2** deduzione **3** conseguenza.

corona① /kə'rəʊnə/ n. (pl. *coronas*, *coronae*) **1** (*archit., anat., astron., bot.*) corona: **c. borealis**, corona boreale ● lampadario circolare (*in una chiesa*) ● (*elettr.*) **c. discharge**, effetto corona.

corona② /kə'rəʊnə/ n. (pl. *coronas*, *coronae*) sigaro avana (*marca Corona*).

coronal① /'kɒrənl/ n. **1** (*poet.*) piccola corona; diadema **2** ghirlanda.

coronal② /'kɒrənl/ a. (*anat., bot., astron.*) coronale; di corona: (*astron.*) **c. hole**, buco coronale; (*anat.*) **c. suture**, sutura coronale.

coronary /'kɒrənrɪ/ **A** a. (*anat., med.*) coronario; coronarico: **c. artery**, arteria coronaria; **c. thrombosis**, trombosi coronaria (*o* coronarica); **c. bypass**, bypass coronarico; **c. disease**, coronaropatia; **c. care unit**, unità coronarica **B** n. **1** (*anat.*, = **c. artery**) (arteria) coronaria **2** (*fam.*) trombosi coronaria; attacco cardiaco.

coronation /ˌkɒrə'neɪʃn/ n. incoronazione.

coronavirus /kə'rəʊnəvaɪrəs/ n. (*med.*) coronavirus.

coroner /'kɒrənə(r)/ n. (*leg.*) coroner **❶ CULTURA** • *Il coroner è un funzionario, di solito un avvocato o un medico, incaricato di indagare sui casi di morte violenta, improvvisa o sospetta; al termine delle sue indagini una giuria decide se vi sia causa di procedere in giudizio* ● **c.'s inquest**, inchiesta fatta da un coroner □ **c.'s jury**, giuria che collabora con il coroner.

coronet /'kɒrənɪt/ n. **1** corona nobiliare **2** (*moda*) diadema || **coroneted** a. che ha una corona nobiliare; titolato.

coronis /kə'rəʊnɪs/ n. (*gramm. greca*) coronide.

coronograph /kə'rəʊnəɡrɑːf/ n. (*astron.*) coronografo.

coronoid /'kɒrənɔɪd/ a. (*anat.*) coronoide: **c. process**, apofisi coronoide.

coroutine, **co-routine** /'kəʊruːtiːn/ n. (*comput.*) coroutine; routine collaterale.

corozo /kə'rəʊzəʊ/ n. (pl. *corozos*) (*bot.*, *Phytelephas macrocarpa*) corozo.

Corp. abbr. **1** (*mil., corporal*) caporale (Cap.le) **2** (*corporation*) società; ente.

corporal① /'kɔːpərəl/ a. **1** corporale: **c. punishment**, pena corporale **2** personale; individuale.

corporal② /'kɔːpərəl/ n. (*mil.*) **1** (*in GB e in USA*) caporale **2** (*aeron. mil. in GB*) aviere capo **3** (*USA*) missile terra-terra.

corporal③ /'kɔːpərəl/ n. (*relig.*) corporale.

corporality /ˌkɔːpə'rælətɪ/ n. ⚇ **1** corporalità; materialità; vita materiale **2** (al pl.) cose (*o* necessità) materiali.

◆**corporate** /'kɔːpərət/ a. **1** collegato; unito **2** costituito (*in ente pubblico, corporazione o società*): **a c. body**, un ente pubblico; (*leg.*) una persona giuridica **3** (*leg.*) collettivo; collegiale: **c. responsibility**, responsabilità collegiale **4** (*fin., spec. USA*) sociale; societario; di società; aziendale: **the c. books**, i libri sociali; **c. capital**, capitale sociale; (*econ.*) **c. culture**, cultura aziendale; **c. debt market**, mercato delle obbligazioni societarie; **c. goal**, obiettivo aziendale; **c. growth**, sviluppo aziendale; **c. law**, diritto societario; **c. lawyer**, avvocato esperto in diritto socie-

tario; **c. name**, nome (*o* ragione) sociale; (*market., pubbl.*) **c. symbol**, logo di una società; (*fisc.*) **c. tax**, imposta sulle società **5** (*stor., econ., polit.*) di corporazione; corporativo: **c. state**, stato corporativo ● (*fin.*) **c. baron**, magnate dell'industria **c. charter**, (*leg., in GB*) patente (*o* licenza) governativa; (*fin., USA*) atto costitutivo di una società per azioni □ (*org. az., econ.*) **c. citizenship** = **c. social responsibility** → *sotto* □ (*fin.*) **c. finance**, finanza aziendale, l'intrattenere i clienti più importanti (*per un'azienda*) □ (*market.*) **c. identity**, identità aziendale □ (*org. az.*) **c. governance**, governo d'impresa; governo d'impresa □ (*pubbl.*) **c. image**, immagine aziendale □ (*fisc., USA*) **c. income tax**, imposta sul reddito delle società per azioni; IRPEG (*in Italia*) □ (*fin.*) **c. merger**, fusione d'imprese □ (*leg.*) **c. person**, persona giuridica; ente dotato di personalità giuridica □ (*fin.*) **c. raider**, chi dà la scalata a una società «predatore» □ (*fin.*) **c. restructuring**, ristrutturazione aziendale □ (*fin., spec. USA*) **c. secretary**, segretario di una società per azioni □ (*org. az., econ.*) **c. social responsibility**, responsabilità sociale di impresa (*o* dell'impresa) □ (*polit.*) **c. state**, Stato corporativo ● **c. stock**, (*fin., ingl.*) capitale azionario; (*fin., GB*) titoli obbligazionari di enti locali □ (*org. az.*) **c. strategy**, strategia aziendale □ **c. structure**, struttura aziendale; assetto societario.

◆**corporation** /ˌkɔːpə'reɪʃn/ n. **1** (*in GB*, = **municipal**) consiglio comunale: **the mayor and c.**, il sindaco e il consiglio comunale **2** (*fin., leg.; in GB*, = **public c.**) ente dotato di personalità giuridica; persona giuridica; azienda autonoma; società di servizi pubblici (*o* a partecipazione statale): **the British Broadcasting C.**, la BBC; l'Ente Radiofonico e Televisivo Nazionale Britannico **3** (*fin., spec. USA*) società di capitali; società per azioni **4** (*econ., stor.*) corporazione (*di arti e mestieri*) **5** (*fam. scherz., antiq.*) pancione ● (*leg.*) **c. aggregate**, persona giuridica □ (*USA*) **c. cock** (*o* **stop**), rubinetto di erogazione (*del gas, dell'acqua*) □ (*fisc., USA*) **c. income tax**, imposta sul reddito delle società □ (*leg., USA*) **c. lawyer**, avvocato esperto in diritto societario □ (*fisc., in GB e in USA*) **c. tax**, imposta sulle società per azioni; IRPEG (*in Italia*).

corporatism /'kɔːpərətɪzəm/ (*stor., econ.*) n. ⚇ corporativismo || **corporatist** a. corporativistico.

corporative /'kɔːpərətɪv/ a. (*stor., polit.*) corporativo: **a c. state**, uno stato corporativo ● (*polit.*) **c. system**, corporativismo || **corporativism** → **corporatism**.

corporatocracy /ˌkɔːpərə'tɒkrəsɪ/ n. ⚇c governo ossequiente ai dettami delle grandi società e industrie.

corporeal /kɔː'pɔːrɪəl/ a. **1** corporeo **2** fisico; materiale ● (*leg.*) **c. chattels**, beni tangibili □ (*leg.*) **c. hereditament**, beni materiali (*mobili o immobili*) trasmissibili in eredità □ **corporeality** n. ⚇ (*filos.*) corporalità.

corporeity /ˌkɔːpɔː'riːətɪ/ n. ⚇ **1** corporeità **2** esistenza fisica; materiale.

corposant /'kɔːpəzænt/ n. (*naut.*) fuoco di Sant'Elmo.

corps /kɔː(r)/ n. (inv. al pl.) **1** corpo (*un complesso di persone*): **c. de ballet** (*franc.*), corpo di ballo (*d'un teatro*); **diplomatic c.**, corpo diplomatico; **esprit de c.** (*franc.*), spirito di corpo **2** (*mil.*) – **C.**, corpo d'armata.

corpse /kɔːps/ n. cadavere; salma ● **c. candle**, fuoco fatuo (*nei cimiteri*).

to **corpse** /kɔːps/ v. i. (*gergo teatr.*) bloccarsi nel bel mezzo di una battuta (*perché si scoppia a ridere*).

corpsman /'kɔːmən/ n. (pl. *corpsmen*) (*mil. USA*) portaferiti; soldato della sanità.

corpulent /'kɔ:pjʊlənt/ a. corpulento; obeso || **corpulence, corpulency** n. corpulenza; obesità.

corpus /'kɔ:pəs/ n. (pl. **corpora, corpuses**) **1** corpus, corpo (*raccolta di testi, iscrizioni, ecc.*) **2** (*anat.*) corpo (*d'un organo*) ● (*relig.*). C. Christi, Corpus Domini □ (*leg.*) **c. delicti**, fatti che costituiscono il reato; (*talora*) corpo della vittima.

corpuscle /'kɔ:pʌsəl/, **corpuscule** /kɔ:-'pʌskju:l/ n. **1** (*anche anat., fis.*) corpuscolo **2** (*biol.*) globulo (*del sangue*) || **corpuscular** a. (*scient.*) corpuscolare.

corpus luteum /kɔ:pəs'lu:tɪəm/ (*lat.*) loc. n. (*anat., biol.*) corpo luteo.

corr. abbr. **1** (**correct, corrected**) corretto **2** (**correspondence**) corrispondenza **3** (**correspondent**) corrispondente.

corral /kə'rɑ:l/ n. **1** recinto per bestiame **2** cerchio di carri (*contro gli indiani, ecc.*).

to **corral** /kə'rɑ:l/ v. t. (*USA*) **1** rinchiudere (*o spingere*) (*bestiame*) in un recinto **2** disporre (*carri*) in forma di cerchio difensivo **3** (*fig.*) chiudere la strada a (q.); catturare.

corrasion /kə'reɪʒn/ n. ⓤ (*geol.*) corrasione.

♦**correct** /kə'rɛkt/ a. **1** corretto; esatto; giusto; preciso: **the c. time**, l'ora esatta; **a c. estimation**, una valutazione giusta; **the c. amount of money**, la somma esatta; il denaro contato; *My idea proved c.*, la mia idea si dimostrò giusta; *That is c.*, è esatto; è giusto **2** che ha ragione; che è nel giusto *You are c. in your assumption*, hai ragione di fare questa supposizione **3** corretto; ben fatto; appropriato; adatto: **c. behaviour**, comportamento corretto: *Remember to wear the c. dress*, ricordati di mettere un vestito adatto ● **to do [to say] the c. thing**, fare [dire] quel che è giusto (*o opportuno*) □ **if my memory is c.**, se ben ricordo.

to **correct** /kə'rɛkt/ v. t. **1** correggere: **to c. a mistake [an essay, sb.'s sight]** correggere un errore [un tema, la vista di q.]; *«It was one o'clock», he corrected me*, «era l'una» mi corresse **2** regolare; registrare; mettere a posto: *You should have the timing of your engine corrected*, dovresti far registrare la fase della distribuzione del motore ● **to c. oneself**, correggersi; rettificare □ (*form.*) **I stand corrected**, riconosco che ho torto.

correctable /kə'rɛktəbl/ a. emendabile.

correcting /kə'rɛktɪŋ/ a. di correzione; rettificativo ● (*rag.*) **c. entry**, registrazione (*o scrittura*) di rettifica □ **c. fluid**, correttore (*liquido*); bianchetto (*fam.*).

♦**correction** /kə'rɛkʃn/ n. ⓒⓤ **1** correzione; rettifica: **to make a c.**, fare una correzione; (*rag.*) **the c. of an account**, la rettifica di un conto **2** correzione; punizione ● (*eufem. USA*) **c. facility**, carcere □ **c. fluid**, correttore (*liquido*); bianchetto (*fam.*) □ (*leg., USA*) **c. officer**, agente di custodia □ **house of c.** = **house** □ **We must pay before next Friday – c., before next Thursday**, dobbiamo pagare prima di venerdì – mi correggo, prima di giovedì prossimo.

correctional /kə'rɛkʃənl/ a. **1** di correzione; correttivo **2** (*leg.*) correzionale: **a c. institution**, un riformatorio; un correzionale.

correctitude /kə'rɛktɪtju:d, *USA* -tu:d/ n. ⓤ correttezza (*spec. di condotta*).

corrective /kə'rɛktɪv/ a. e n. correttivo: **c. measures**, provvedimenti correttivi ● (*elettr.*) **c. network**, rete correttrice □ (*med.*) **c. treatment**, trattamento correttivo.

correctly /kə'rɛktli/ avv. correttamente: **to answer c.**, rispondere correttamente **2** in modo appropriato (*o opportuno*).

correctness /kə'rɛktnəs/ n. ⓤ correttezza; esattezza; precisione.

corrector /kə'rɛktə(r)/ n. **1** correttore **2** censore; critico **3** (*di una bussola*) correttore; compensatore.

correlate /'kɒrəleɪt/ Ⓐ a. correlato Ⓑ n. termine di correlazione ● (*di due cose*) **to be correlates**, essere in correlazione.

to **correlate** /'kɒrəleɪt/ Ⓐ v. t. correlare; mettere in correlazione Ⓑ v. i. essere in correlazione.

correlation /kɒrə'leɪʃn/ n. ⓤ **1** (*anche geol., stat.*) correlazione: **c. coefficient**, coefficiente di correlazione **2** rispondenza.

correlative /kə'rɛlətɪv/ Ⓐ a. correlativo: (*gramm.*) **c. conjunction**, congiunzione correlativa Ⓑ n. termine di correlazione | **-ly** avv.

correlativity /kɒrələ'tɪvətɪ/ n. ⓤ **1** l'essere correlativo **2** grado di rispondenza.

correlator /'kɒrəleɪtə(r)/ n. (*elettron.*) correlatore.

correlogram /kə'rɛləgræm/ n. (*stat.*) correlogramma.

to **correspond** /kɒrə'spɒnd/ v. i. **1** corrispondere (*in ogni senso*); essere corrispondente (a): *Standards of living do not always c. to incomes*, il livello di vita non sempre corrisponde al reddito **2** essere in corrispondenza (*epistolare*): *We have not corresponded for some years*, non siamo in corrispondenza da anni **3** rispondere, essere adatto (*ai bisogni, ecc.*): *This new motorway does not c. to the needs of our town*, questa nuova autostrada non risponde ai bisogni della nostra città **4** (*assol.*) corrispondere: *The totals don't c.*, i totali non corrispondono.

correspondence /kɒrə'spɒndəns/ n. **1** ⓤ corrispondenza; corrispettività; rispondenza; equivalenza **2** ⓤ corrispondenza; carteggio; lettere (pl.): **to enter into c. with sb.**, iniziare una corrispondenza con q.; entrare in corrispondenza con q.; **to have c. with sb.**, avere uno scambio di lettere con q.; **to receive a lot of c.**, ricevere numerose lettere ● **c. clerk**, addetto alla corrispondenza □ **c. column**, (rubrica delle) lettere al direttore □ **c. course**, corso (di studi) per corrispondenza □ (*fis.*) **c. principle**, principio di corrispondenza □ **c. school** (*o college*), scuola per corrispondenza.

♦**correspondent** /kɒrə'spɒndənt/ Ⓐ a. (*form.*) corrispondente; corrispettivo Ⓑ n. **1** corrispondente; chi scrive lettere: **I'm not much of a c.**, non scrivo molte lettere **2** (*giorn.*) corrispondente; inviato: **special c.**, inviato speciale; **war c.**, corrispondente di guerra.

corresponding /kɒrə'spɒndɪŋ/ a. **1** corrispondente: (*geom.*) **c. angles**, angoli corrispondenti; *We should check the c. figures for last year*, bisogna controllare le cifre corrispondenti relative all'anno scorso **2** relativo a corrispondenza; corrispondente: (*comm.*) **c. clerk**, corrispondente; addetto alla corrispondenza; **c. member**, socio corrispondente (*di accademia*) || **correspondingly** avv. **1** corrispondentemente **2** in modo simile (*o proporzionale*).

♦**corridor** /'kɒrɪdɔ:(r)/ n. **1** corridoio (*anche ferr., geogr., polit.*) **2** corsia (*d'ospedale, ecc.*) ● (*fig.*) **the corridors of power**, i corridoi del potere; le alte sfere (*della politica o della burocrazia*) □ (*ferr.*) **c. train**, treno con carrozze intercomunicanti □ (*stor.*) **the Polish C.**, il corridoio polacco.

corrigendum /kɒrɪ'gɛndəm/ n. (pl. **corrigenda**) errore da correggere ● **corrigenda**, errata corrige (*in un libro*).

corrigible /'kɒrɪdʒəbl/ a. correggibile.

to **corroborate** /kə'rɒbəreɪt/ v. t. corroborare; provare; confermare; avvalorare || **corroboration** n. ⓤ (*anche leg.*) corroborazione; conferma; conferme; riscontro, ri-

scontri; avvaloramento || **corroborating, corroborative,** (*raro*) **corroboratory** a. che prova, che conferma (qc.); avvalorante ● (*leg.*) **corroborating** (*o* **corroborative**) **evidence**, prova sufficiente || **corroborator** n. corroboratore; chi prova, chi conferma (qc.).

to **corrode** /kə'rəʊd/ Ⓐ v. t. (*chim. e fig.*) corrodere; intaccare; consumare: *Damp has corroded the contacts*, l'umidità ha corroso le puntine (*dello spinterogeno*) Ⓑ v. i. corrodersi; consumarsi **2** (*fig.*) rodersi (*per l'odio, la gelosia, ecc.*) ● **to cause to c.**, corrodere: *Rust causes iron to c.*, la ruggine corrode il ferro.

corrodible /kə'rəʊdəbl/ a. corrodibile.

corrosion /kə'rəʊʒn/ n. ⓤ (*geol., metall., ecc.*) corrosione.

corrosive /kə'rəʊsɪv/ Ⓐ a. corrosivo (*anche fig.*): **c. sublimate**, sublimato corrosivo Ⓑ n. sostanza corrosiva; corrosivo | **-ly** avv. | **-ness** n. ⓤ.

to **corrugate** /'kɒrəgeɪt/ Ⓐ v. t. **1** corrugare: **to c. one's forehead**, corrugare la fronte **2** ondulare; increspare Ⓑ v. i. **1** corrugarsi **2** incresparsi.

corrugated /'kɒrəgeɪtɪd/ a. **1** corrugato; increspato: **a c. brow**, una fronte corrugata **2** (*tecn.*) ondulato: **c. cardboard** (*o* **paper**), cartone ondulato; **c. iron**, lamiera ondulata || **corrugation** n. ⓤ corrugamento; increspatura; piega.

corrugator /'kɒrəgeɪtə(r)/ n. (*anat.*) (muscolo) corrugatore.

♦**corrupt** /kə'rʌpt/ a. **1** corrotto: **a c. official**, un funzionario corrotto **2** corrotto (moralmente); depravato; immorale: **a c. film**, un film immorale **3** (*di testo*) corrotto; alterato **4** (*comput.*) corrotto: **c. file**, file corrotto **5** (*arc.*) corrotto; guasto; marcio ● (*leg.*) **c. practices**, (uso di) mezzi di corruzione; metodi disonesti.

to **corrupt** /kə'rʌpt/ Ⓐ v. t. **1** corrompere; guastare **2** corrompere, alterare (*un testo*) Ⓑ v. i. corrompersi; guastarsi || **corrupter** n. corruttore, corruttrice || **corruptible** a. corruttibile || **corruptibility** n. ⓤ corruttibilità.

♦**corruption** /kə'rʌpʃn/ n. ⓤ **1** corruzione **2** corruzione (morale); depravazione **3** (*ling., comput.*) corruzione **4** (*arc.*) putrefazione; decomposizione ● (*leg.*) **c. of a witness**, subornazione di un teste □ **proof against c.**, incorruttibile.

corruptive /kə'rʌptɪv/ a. corruttivo.

corruptness /kə'rʌptnəs/ n. ⓤ corruzione.

corsage /kɔ:'sɑ:ʒ/ n. **1** corpetto, corpino (*di vestito da donna*) **2** mazzolino di fiori (*da appuntare al petto*).

corsair /'kɔ:sɛə(r)/ n. **1** corsaro; pirata **2** (*naut.*) nave corsara.

corselet, corslet /'kɔ:slət/ n. **1** (*stor.*) corsaletto (*dell'armatura*) **2** busto intero (*da donna*) **3** (*zool.*) corsaletto.

corset /'kɔ:sɪt/ n. **1** bustino; corsetto **2** (*med.*) busto (*ortopedico*); corsetto **3** (al pl.) corsetteria **4** (*fig.*: *in GB, dal 1973 al 1980*) «corsetto»: misura restrittiva del credito ● **c. maker**, bustaia.

corsetry /'kɔ:sɪtrɪ/ n. **1** ⓤ corsetteria **2** mestiere di bustaia.

Corsican /'kɔ:sɪkən/ a. e n. corso.

cortege, cortège /kɔ:'teɪʒ/ n. **1** corteo; processione **2** corteggio; seguito.

cortex /'kɔ:tɛks/ (*lat.*), (*bot., anat.*) n. (pl. **cortices, cortexes**) corteccia: (*anat.*) **cerebral c.**, corteccia cerebrale || **cortical** a. corticale.

corticate /'kɔ:tɪkeɪt/ a. (*bot.*) provvisto di corteccia.

corticoid /'kɔ:tɪkɔɪd/ n. (*biol.*) corticoide.

corticosteroid /kɔ:tɪkəʊˈstɜrɔɪd/ n. (*biochim.*) corticosteroide.

corticosterone /kɔ:tɪkəʊˈstɪərəʊn/ n. (*biochim.*) corticosterone.

corticotrophin /kɔ:tɪkəʊˈtrəʊfɪn/, **corticotropin** /kɔ:tɪkəʊˈtrəʊpɪn/ n. Ⓤ (*biochim.*) corticotropina; ormone adrenocorticotropo.

cortisone /ˈkɔ:tɪzəʊn/ n. Ⓤ (*biochim.*, *farm.*) cortisone.

corundum /kəˈrʌndəm/ n. Ⓤ (*miner.*) corindone.

coruscant /kəˈrʌskənt/ a. (*lett.*) corrusco (*lett.*); scintillante.

to **coruscate** /ˈkɒrəskeɪt/ v. i. (*lett.*) balenare, scintillare; lampeggiare; corruscare || **coruscating** a. **1** scintillante; lampeggiante; corrusco **2** (*fig.*) brillante || **coruscation** n. Ⓤ scintillio; corruscazione.

corvée /ˈkɔ:veɪ/ n. (*stor.*) «corvée»; corvè.

corves /kɔ:vz/ pl. di **corf**.

corvette /kɔ:ˈvɛt/ n. (*naut.*) corvetta.

corvid /ˈkɔ:vɪd/ n. (*zool.*) corvide.

corvine /ˈkɔ:vaɪn/ a. corvino.

Corybant /ˈkɒrɪbænt/ n. (pl. **Corybants**, **Corybantes**) (*mitol.*) coribante || **corybantic** a. coribantico.

corymb /ˈkɒrɪmb/ (*bot.*) n. corimbo || **corymbose** a. **1** simile a un corimbo **2** che cresce in corimbi.

coryphaeus /kɒrɪˈfi:əs/ n. (pl. **coryphaei**) (*teatr. greco*) corifeo.

coryphée /kɒrɪˈfeɪ/ (*franc.*) n. (*balletto*) prima ballerina.

coryza /kəˈraɪzə/ n. Ⓤ (*med.*, *vet.*) coriza, corizza; rinite acuta.

cos① /kɒs/ n. (*bot.*, *Lactuca sativa longifolia*; = **cos lettuce**) lattuga romana.

cos② /kɒz/ n. (abbr. di **cosine**) (*mat.*) coseno.

'cos /kɒz, kəz/ cong. (abbr. *slang* di **because**) perché.

cosec /ˈkəʊsɛk/ n. (abbr. di **cosecant**) (*mat.*) cosecante.

cosecant /kəʊˈsi:kənt/ n. (*mat.*) cosecante.

coseismal /kəʊˈsaɪzml/ (*scient.*) Ⓐ a. cosismici; che subiscono una scossa di terremoto simultanea Ⓑ n. curva cosismica.

coset /ˈkəʊsɛt/ n. (*mat.*) classe laterale.

cosh /kɒʃ/ n. (*slang*) manganello; sfollagente.

to **cosh** /kɒʃ/ v. t. (*slang*) manganellare; randellare.

to **cosher** /ˈkɒʃə(r)/ (*irl.*) Ⓐ v. i. vivere a carico (*o* alle spalle) di un altro; fare lo scroccone (*fam.*) Ⓑ v. t. vezzeggiare; coccolare.

cosignatory /kəʊˈsɪgnətrɪ/ n. (*leg.*) cofirmatario.

cosily /ˈkəʊzəlɪ/ avv. comodamente; piacevolmente.

cosine /ˈkəʊsaɪn/ n. (*mat.*) coseno ● **c. curve**, cosinusoide □ **c. function**, coseno.

cosiness /ˈkəʊzɪnəs/ n. Ⓤ **1** comodità; confortevolezza; accoglienza **2** intimità; calore.

cosmetic /kɒzˈmɛtɪk/ Ⓐ a. **1** cosmetico **2** (*med.*) estetico: **c. surgery**, chirurgia estetica **3** (*fig.*) di superficie; superficiale; di facciata; esteriore; puramente decorativo: **c. changes**, cambiamenti di superficie Ⓑ n. **1** cosmetico **2** (al pl., col verbo al sing.) cosmetica; cosmesi **3** (*fig.*) lustro superficiale; cosa fatta per mostra ● (*med.*) **c. dentistry**, odontoiatria estetica; pulizia dei denti (e delle gengive) □ (*med.*) **c. veneer**, lucidatura dei denti.

cosmetician /kɒzməˈtɪʃn/ n. **1** cosmetista **2** truccatore, truccatrice.

cosmetology /kɒzməˈtɒlədʒɪ/ n. Ⓤ cosmetologia || **cosmetological** a. cosmetologico || **cosmetologist** n. cosmetista.

cosmic /ˈkɒzmɪk/ a. **1** (*astron. e fig.*) cosmico: **c. dust**, polvere cosmica (*o* interstellare); **c. rays**, raggi cosmici; **an event of c. proportions**, un evento di proporzioni cosmiche **2** (*slang USA*) eccellente; ottimo; fantastico; straordinario ● (*fis. nucl.*) **c.-ray shower**, sciame cosmico | **-ally** avv.

cosmodrome /ˈkɒzmədrəʊm/ n. (*miss.*) cosmodromo.

cosmogenesis /kɒzməʊˈdʒɛnəsɪs/ n. (pl. **cosmogeneses**) cosmogenesi.

cosmogony /kɒzˈmɒgənɪ/ (*scient.*) n. Ⓤ cosmogonia || **cosmogonic**, **cosmogonical** a. cosmogonico.

cosmography /kɒzˈmɒgrəfɪ/ (*scient.*) n. Ⓤ cosmografia || **cosmographer** n. cosmografo || **cosmographic**, **cosmographical** a. cosmografico.

cosmology /kɒzˈmɒlədʒɪ/ (*filos.*, *astron.*) n. Ⓤ cosmologia || **cosmological** a. cosmologico || **cosmologist** n. cosmologo.

cosmonaut /ˈkɒzmənɔ:t/ n. (*miss.*) cosmonauta (*spec. russo*); astronauta.

cosmopolis /kɒzˈmɒpəlɪs/ n. città cosmopolita.

cosmopolitan /kɒzməˈpɒlɪtn/ (*anche ecol.*) a. e n. cosmopolita || **cosmopolitanism** n. Ⓤ cosmopolitismo || to **cosmopolitanize** v. t. rendere cosmopolita.

cosmopolite /kɒzˈmɒpəlaɪt/ a. e n. (*anche ecol.*) cosmopolita.

cosmopolitical /kɒzməpəˈlɪtɪkl/ a. cosmopolitico.

cosmopolitism /kɒzməˈpɒlɪtɪzəm/ n. Ⓤ cosmopolitismo.

cosmos① /ˈkɒzmɒs/ n. Ⓤ **1** cosmo; universo **2** (*filos.*) cosmo.

cosmos② /ˈkɒzmɒs/ n. (pl. **cosmos**, **cosmoses**) (*bot.*, *Cosmos bipinnatus*) cosmea.

cosmotron /ˈkɒzmətrɒn/ n. (*fis. nucl.*) cosmotrone.

COSPAR abbr. (**Committee on Space Research**) Commissione per le ricerche spaziali.

Cossack /ˈkɒsæk/ a. e n. cosacco ● **c. hat**, colbacco.

to **cosset** /ˈkɒsɪt/ v. t. vezzeggiare; coccolare || **cosseting** n. Ⓤ vezzeggiamento; coccolamento; moine (pl.).

♦**cost** /kɒst/ n. **1** (*econ.*) costo: **production costs**, i costi di produzione; **the c. of living**, il costo della vita; **the c. of money**, il costo del denaro **2** (*fin.*, *rag.*) costo: spesa: **overhead costs**, costi fissi, spese generali (*di un'azienda*); **operating costs**, spese di gestione; **to cover the costs**, coprire le spese; **at no c. to sb.**, senza costi per q. **3** (al pl.) (*leg.*) spese processuali (*o* di giudizio); onorario del legale: **to be awarded costs**, ottenere il risarcimento delle spese processuali **4** (*fig.*) prezzo; perdita; sacrificio: **at a great c. of life**, con grave perdita di vite umane ● (*rag.*) **c. accounting**, contabilità industriale (*o* dei costi) □ (*rag.*) **c. accountant** (*o* **c. clerk**), analista dei costi (*in un'azienda*); costista □ (*rag.*) **c. allocation**, imputazione dei costi (*o* analisi, analisi dei costi □ (*econ.*) **c.-benefit analysis**, analisi costi-benefici □ (*rag.*) **c. book**, libro contabile dei profitti e delle perdite □ **c. budget**, preventivo dei costi □ (*org. az.*) **c. centre**, centro di costo □ (*econ.*) **c. curve**, curva di costo □ (*fin.*) **c. cutting**, riduzione dei costi (*o* delle spese): **c.-cutting measures**, misure per la riduzione dei costi □ (*econ.*) **c.-effective** (*o* **c.-efficient**), efficiente in termini di costo; remunerativo; redditizio □ **c.-effectiveness** (*o* **c.-efficiency**), efficacia dei costi □ **c.-free**, franco di spese □ (*econ.*) **c. function**, funzio-

ne di costo □ (*econ.*) **c. inflation**, inflazione da costi □ (*comm.*) **c.**, **insurance and freight**, (abbr. **c.i.f.**), costo, assicurazione e nolo □ (*fin.*) **c. of capital**, costo del capitale □ **c.-of-living allowance** (*o* **bonus**), indennità di carovita (*o* di contingenza: *per i dipendenti privati*); indennità integrativa speciale (*per i dipendenti pubblici*); (*anche*) la contingenza (*fam.*) □ (*econ.*) **c.-of-living index** (*o* **figure**), indice del costo della vita □ (*econ.*) **c. performance**, efficienza economica □ **c. price**, prezzo di costo □ (*market.*) **c.-plus pricing**, determinazione del prezzo con ricarico □ **c. price**, prezzo di costo □ (*econ.*) **c.--push inflation**, inflazione da costi □ (*comm.*) **at c.**, a prezzo di costo; al costo □ **at any cost** (*o* **at all costs**), a ogni costo □ **at the c. of one's life**, a costo della vita □ **below**, sotto costo □ **to sell st. at c.**, vendere qc. a prezzo di costo □ (*fig.*) **to one's c.**, a proprie spese (*fig.*): **to learn st. to one's c.**, imparare qc. a proprie spese □ **to spare no c.**, non badare a spese □ (*leg.*) **«with costs»**, «condannato alle spese» (*di giudizio*).

♦to **cost** /kɒst/ Ⓐ (pass. e p. p. **cost**), v. i. **1** costare (*in ogni senso*): **How much does it c.?**, quanto costa?; **Do you have any idea how much it's likely to cost?**, hai un'idea di quanto potrebbe costare?; **His error cost him dear** (*o* **dearly**), il suo errore gli costò caro **2** (*fin.*) valutare i costi Ⓑ (pass. e p. p. **costed**), v. t. **1** (*comm.*) stabilire, fissare il costo di **2** (*fin.*, *market.*) preventivare, valutare il costo di (*una merce, un articolo, ecc.*) ● (*fig.*) **to c. an arm and a leg** (*o* **to c. the earth**), costare un occhio della testa □ **c. what it may**, costi quel che costi.

costal /ˈkɒstl/ a. (*anat.*) costale.

co-star /ˈkəʊstɑ:(r)/ n. (*cinem.*, *teatr.*) coprotagonista.

to **co-star** /ˈkəʊstɑ:(r)/ (*cinem.*, *teatr.*, *TV*) Ⓐ v. i. essere coprotagonista; apparire al fianco di (q.): **He co-starred with Meg Ryan**, è apparso al fianco di Meg Ryan Ⓑ v. t. avere come coprotagonista; vedere la partecipazione di: «**co-starring... in the role of...**», «con la partecipazione di... nel ruolo di...».

Costard /ˈkɒstəd/ n. (*GB*) **1** mela da cuocere (*grossa e ovale*) **2** (*slang antiq.*) testa; zucca.

to **cost-cut** /ˈkɒstkʌt/ (pass. e p. p. **cost--cut**), v. t. tagliare (*o* ridurre drasticamente) i costi di (*un'impresa, ecc.*).

coster /ˈkɒstə(r)/, **costermonger** /ˈkɒstəmʌŋgə(r)/ n. venditore, venditrice ambulante (*di frutta, pesce, ecc.*).

costing /ˈkɒstɪŋ/ n. Ⓤ **1** (*comm.*) determinazione (*o* valutazione) dei costi **2** (*econ.*) costing; rilevazione e controllo dei costi aziendali.

costive /ˈkɒstɪv/ a. **1** costipato; stitico **2** (*fig.*) lento; pigro **3** (*fig.*) avaro; tirchio | **-ness** n. Ⓤ.

costly /ˈkɒstlɪ/ a. **1** magnifico; sontuoso **2** costoso; caro; dispendioso || **costliness** n. Ⓤ **1** sontuosità; ricchezza (*dell'arredamento, ecc.*) **2** l'essere costoso; prezzo eccessivo.

costmary /ˈkɒstmeərɪ/ n. (*bot.*) **1** (*Chrysanthemum balsamita*) erba amara; erba di San Pietro **2** (*Tanacetum vulgare*) tanaceto; solfina.

costume /ˈkɒstju:m, *USA* -tu:m/ n. Ⓒ **1** abito, vestito (*spec. caratteristico d'una regione o di un'epoca storica*): **Victorian costumes**, abiti vittoriani; **national c.**, costume nazionale **2** (*teatr.*) costume: **queen's c.**, costume da regina; **period c.**, costume d'epoca **3** (= **fancy dress c.**) costume; maschera: **Pierrot c.**, costume da Pierrot **4** (*GB*, = **bathing c.**, **swimming c.**) costume (da bagno) **5** (*antiq.*) tailleur; abito a due pezzi ● **c. ball**, ballo in costume □ (*cinem.*, *teatr.*) **c. designer**, costumista □ **c. drama**, film in costume □ **c.**

jewellery, gioielli artificiali; bigiotteria □ **c. party**, festa in maschera □ **c. play**, opera teatrale in costume.

to **costume** /kɒˈstjuːm, -ˈst-, USA -tuːm/ v. t. **1** fornire di costumi **2** mettere in costume; vestire.

costumer /kɒˈstjuːmə(r), USA -tuː-/, **costumier** /kɒˈstjuːmɪə(r), USA -tuː-/ n. (teatr., ecc.) fabbricante, fornitore, noleggiatore di costumi per il teatro.

cosy /ˈkəʊzɪ/ **A** a. **1** comodo; confortevole; accogliente; raccolto; intimo: **a c. room**, una stanza accogliente; **a c. corner**, un angolo raccolto; *This place seems nice and c.*, questo posto sembra grazioso e accogliente **2** intimo; confidenziale; rilassato: **a c. atmosphere**, un'atmosfera intima; **a c. chat**, due chiacchiere tra amici; **a c. relationship**, rapporti amichevoli **3** rassicurante; protetto **4** (spreg.) tranquillo; sicuro di sé **5** (spreg.) compiacente; complice; **c. deals**, intrallazzi **B** n. (= **tea c.**) copriteiera.

to **cosy → to cozy**.

cot① /kɒt/ n. **1** capanna, ricovero, riparo (spec. per animali) **2** (poet.) casa di campagna; casetta.

cot② /kɒt/ n. **1** lettino (per bimbi o d'ospedale) **2** branda **3** (naut., stor.) cuccetta (per ufficiali o per malati) ● (med.) **cot death**, morte in culla (di un neonato).

cot③ /kɒt/ n. (abbr. di **cotangent**) (mat.) cotangente.

cotangent /kəʊˈtændʒənt/ n. (mat.) cotangente.

cote /kəʊt/ n. capanna, ricovero, riparo, posta (per animali) ● **dove c.**, piccionaia □ **hen c.**, pollaio.

cotenancy /kəʊˈtenənsɪ/ (leg.) n. ⓤ l'essere coaffittuario || **cotenant** n. coaffittuario.

coterie /ˈkəʊtərɪ/ (franc.) n. **1** coterie; circolo (o gruppo) ristretto **2** (spreg.) congrega; consorteria; camarilla; cricca.

coterminous /kəʊˈtɜːmɪnəs/ a. **1** contiguo; confinante; limitrofo **2** che ha la stessa estensione.

cothurnus /kəˈθɜːnəs/ n. (pl. **cothurni**) coturno (anche fig.).

cotidal /kəʊˈtaɪdl/ a. (geogr.) cotidale: **c. lines**, linee cotidali.

cotillion, **cotillon** /kəˈtɪljən/ n. **1** (mus., stor.) cotillon **2** (USA) quadriglia (la danza e la musica) **3** (USA) complicato ballo di società.

cotoneaster /kətəʊnɪˈæstə(r)/ n. (bot., Cotoneaster frigidus) cotognastro.

cotta /ˈkɒtə/ n. (relig.) cotta.

◆**cottage** /ˈkɒtɪdʒ/ n. **1** casetta rustica (di solito col tetto di paglia intrecciata); casetta (di campagna); cottage **2** (USA) casa per le vacanze **3** (slang degli omosessuali, GB) latrina pubblica; vespasiano ● **c. cheese**, fiocchi di latte □ (GB) **c. hospital**, piccolo ospedale di provincia □ (econ.) **c. industry**, lavoro a domicilio; industria a domicilio □ (GB) **c. loaf**, pagnotta casereccia formata da due pani sovrapposti □ **c. piano**, piccolo pianoforte verticale □ **c. pie**, pasticcio di carne tritata ricoperto di purè di patate.

cottager /ˈkɒtɪdʒə(r)/ n. **1** chi abita in un cottage **2** (USA) vacanziere (che sta in un cottage, def. 2).

cottaging /ˈkɒtɪdʒɪŋ/ n. ⓤ (slang degli omosessuali, GB) (ricerca di) incontri sessuali nei vespasiani.

cotter①, **cottar** /ˈkɒtə(r)/ n. **1** (scozz., stor.) contadino, bracciante agricolo (che occupa una casa in cambio di lavoro nelle terre del proprietario) **2** (irl.) → **cottier**, def. 2.

cotter② /ˈkɒtə(r)/ n. (mecc.) **1** bietta (o chiavetta) trasversale **2** (= **c. pin**) copiglia, coppiglia.

to **cotter** /ˈkɒtə(r)/ v. t. (mecc.) inchiavetta-

re; imbiettare.

Cottian Alps (the) /ˈkɒtɪənˈælps/ n. pl. (geogr.) le Alpi Cozie.

cottier /ˈkɒtɪə(r)/ n. (irl.) affittuario di un piccolo appezzamento di terreno.

◆**cotton** /ˈkɒtn/ n. **1** ⓤ cotone **2** ⓤ (bot., Gossypium herbaceum; = **c. plant**) pianta del cotone **3** (ⓤ = **sewing c.**) filo di cotone (da cucito); cotone **4** ⓤ tessuto di cotone **5** (USA, = **c. batting**), cotone idrofilo **6** (al pl.) indumenti di cotone ● (geogr., in USA) **the C. Belt**, la zona del cotone □ **c. boll**, capsula del cotone □ **c. bud**, batuffolo di ovatta (per pulire le orecchie) □ **c. cake**, pane di semi di cotone pressati (per foraggio) □ (USA) **c. candy**, zucchero filato (fin.) **the C. Exchange**, la Borsa del cotone □ (ind. tess.) **c. gin**, sgranatrice di cotone; ginnatrice □ **c. ginning**, ginnatura □ (bot.) **c. grass** (Eriophorum), erioforo □ **c. mill**, cotonificio □ **c. picker**, raccoglitore di cotone; (agric.) raccoglitrice di cotone (macchina) □ (fam. USA) **c.-picking**, maledetto (intensivo) □ **c. plush**, felpa (o peluche) di cotone □ **c. press**, pressaballe (di cotone) □ **c. print**, cotone stampato (tessuto) □ **c. reel**, spoletta (o rocchetto) di filo di cotone □ **c.-spinner**, operaio (o proprietario) di cotonificio □ **c. waste**, cascame di cotone □ **c. wool**, bambagia; cotone idrofilo □ (fig.) **c.-wool existence**, una vita passata nella bambagia (fig.) □ **c. yarn**, filato di cotone.

to **cotton** /ˈkɒtn/ v. i. (soltanto nei seguenti verbi frasali:)

■ **cotton on** v. i. + avv. (fam.) arrivare a capire; cominciare a capire: *I cottoned on to what he was getting at*, cominciai a capire a che cosa mirava.

■ **cotton to** v. i. + prep. (USA) **1** provare simpatia per; simpatizzare con; affezionarsi a **2** approvare.

cottonmouth /ˈkɒtnmaʊθ/ n. (zool., Agkistrodon piscivorus) mocassino acquatico (serpente velenoso americano).

cottonseed /ˈkɒtnsiːd/ n. (pl. **cottonseed**, **cottonseeds**) seme di cotone ● **c. meal**, farina di semi di cotone □ (cucina, ind. chim.) **c. oil**, olio di cotone.

cottontail /ˈkɒtnteɪl/ n. **1** (zool., Sylvilagus floridanus) silvilago; coniglio (americano); coda di cotone **2** (fam. USA) persona (spec. spogliarellista) con l'abbronzatura incompleta.

cottonwood /ˈkɒtnwʊd/ n. (bot., Populus deltoides) pioppo nero americano.

cottony /ˈkɒtnɪ/ a. cotonoso; di cotone.

cotyledon /kɒtɪˈliːdn/ (bot.) n. cotiledone || **cotyledonary**, **cotyledonous** a. cotiledonare.

cotyloid /ˈkɒtɪlɔɪd/ a. (anat.) a forma di coppa; cotiloide.

couch① /kaʊtʃ/ n. **1** divano (anche di psicoanalista); ottomana; canapè; sofà **2** (lett.) letto; giaciglio **3** (ind. della birra) strato d'orzo messo a germinare **4** (pitt.) fondo (di vernice) ● (fig. fam.) **c. potato**, pantofolaio; sedentario □ **on the c.**, in analisi.

couch② /kaʊtʃ/ → **couch grass**.

to **couch** /kaʊtʃ/ **A** v. t. **1** adagiare; coricare **2** (stor., mil.) abbassare, mettere in resta (una lancia, ecc.) **3** esprimere (un pensiero, ecc.) sottintendere (un significato): *My refusal was couched in polite words*, il mio rifiuto fu espresso in parole cortesi **4** (ind. della birra) stendere (orzo) a germinare **5** (ind. cartaria) stendere (fogli) sui feltri **B** v. i. **1** (lett.) adagiarsi; coricarsi; sdraiarsi: (fig.) **couched in slumber**, abbandonato al sonno; in braccio a Morfeo (fig.) **2** (d'animale; anche **to c. low**) accovacciarsi; acquattarsi; accucciarsi **3** (anche mil.) stare in agguato; stare in imboscata.

couchant /ˈkaʊtʃənt/ a. (posposto al sost.) (arald.) coricato: **a lion c.**, un leone coricato.

couchette /kuːˈʃet/ (franc.) n. (ferr.) cuccetta.

couch grass /ˈkaʊtʃɡrɑːs/ loc. n. (bot., Agropyron repens) gramigna dei medici; dente canino.

cougar /ˈkuːɡə(r)/ n. (pl. **cougars**, **cougar**) (zool., Felis concolor) coguaro; puma.

cough /kɒf/ n. **1** tosse: **loose [dry] c.**, tosse catarrosa [secca]; **to have a c.**, avere la tosse; *You have a bad c.*, hai una brutta tosse **2** colpo di tosse: *We heard a nervous c.*, sentimmo un nervoso colpo di tosse; **to give a (slight) c.**, tossicchiare (per avvertire q. della propria presenza) ● **c. drop** (o **c. lozenge**), pasticca per la tosse □ **c. mixture** (o **syrup**), sciroppo per la tosse.

◆to **cough** /kɒf/ v. i. **1** tossire **2** (di motore, ecc.) tossire; scoppiettare **3** (slang GB) confessare; cantare.

■ **cough down** v. t. + avv. far tacere (un oratore) a forza di colpi di tosse.

■ **cough out** v. t. + avv. **1** buttar fuori, espellere (tossendo o in modo simile) **2** urlare; abbaiare.

■ **cough up** **A** v. t. + avv. **1** espellere tossendo (o con un colpo di tosse) **2** (slang) tirar fuori, sganciare, scucire (denaro, ecc.); dare, tirar fuori (informazioni) **3** (slang) confessare (la verità, ecc.) **B** v. i. + avv. (slang) **1** sborsare; pagare; scucire i soldi **2** confessare; cantare.

coughing /ˈkɒfɪŋ/ n. ⓤ tosse; il tossire.

◆**could** /kʊd, kəd/ v. modale

could, come tutti i verbi modali, ha caratteristiche particolari:
- ha significato di passato o di condizionale;
- non ha forme flesse (-s alla 3ª pers. sing. pres., -ing, -ed), non è mai usato con ausiliari; in sostituzione delle forme mancanti si usano, secondo il significato, quelle di to be able o di to be possible;
- forma le domande mediante la semplice posposizione del soggetto;
- la forma negativa è **could not**, spesso abbreviato in **couldn't**;
- l'infinito che segue non ha la particella to;
- viene usato nelle question tags

1 (esprime capacità o abilità) – *At 12 he still c. not read properly*, a dodici anni non sapeva ancora (o non era ancora in grado di) leggere bene; *He c. be very unpleasant when he wanted*, sapeva (o poteva) essere molto sgradevole quando voleva; *I c. not resist intervening*, non seppi resistere all'impulso di intervenire; *The doctors c. not save him*, i medici non l'hanno potuto (o non sono riusciti a) salvarlo; *I'm sorry I couldn't come earlier*, mi dispiace di non esser potuta venire prima; *How c. you do such a thing?*, come mai hai potuto fare una cosa simile?; *We decided we c. afford a bigger house*, decidemmo che potevamo permetterci una casa più grande; *We c. hear firing in the distance*, sentivamo spari in lontananza; *I c. feel my heart thumping*, mi sentivo martellare il cuore; *I turned my back to him so that he couldn't see me smiling*, mi girai perché non mi vedesse sorridere **2** (nel discorso indiretto) – *She said she c. come after lunch*, (rif. al futuro) ha detto che può (o potrà) venire dopo pranzo; (rif. al passato) disse che avrebbe potuto (o poteva) venire dopo pranzo **3** (esprime capacità ipotetica) – *I c. recognize that man if I saw him again*, saprei riconoscere quell'uomo, se lo rivedessi; *I'm so furious I c. scream!*, sono così furioso che mi metterei a urlare! **4** (esprime possibilità o probabilità rif. al futuro o, seguito da inf. pass., al passato) – *I c. be wrong, but...*, potrei sbagliarmi, ma...; *This c. well turn out to be an advantage*, questo potrebbe anche rivelarsi un vantaggio; *Repairs c. take two months*, le riparazioni potrebbero richiedere due

C

mesi; *These mushrooms c. be poisonous*, questi funghi potrebbero essere velenosi; *He said the damage c. have been caused by a subsidence*, ha detto che il danno potrebbe essere stato causato da un cedimento del terreno; *The weather couldn't have been lovelier*, il tempo non avrebbe potuto (o non poteva) essere migliore; *He couldn't possibily have said that*, non può assolutamente aver detto questo; è impossibile che abbia detto questo; *She couldn't have been more than twenty*, non poteva avere più di vent'anni **5** (*esprime suggerimento o richiesta*) – *I c. try again tomorrow*, potrei riprovare domani; *C. you go there yourself?*, potresti andarci tu?; *C. I have a word with you?*, potrei parlarti un momento?; *Couldn't we wait a bit longer?*, non potremmo aspettare ancora un po'?; *If I c. just ask a brief question…*, vorrei solo fare una rapida domanda se posso **6** (*seguito da inf. pass.*, *esprime rammarico o rimprovero per qc. di non avvenuto*) – *Things c. have been different*, le cose sarebbero potute andare altrimenti; *You c. have hurt yourself*, avresti potuto farti male; *She c. have told me!*, avrebbe potuto dirmelo!; *I c. have been here by ten, if I hadn't had a puncture*, sarei potuta arrivare per le dieci se non avessi forato; *You couldn't have been more cruel*, non saresti potuto essere più crudele **7** (*in frase ipotetica, dopo* if) – *I would help you, if I c.*, ti aiuterei, se potessi; *If only Dad c. see me now!*, se Papà mi potesse vedere ora! ● **c. but → but**[1], **B**, *def. 3* □ **c. not help → to help → as soon as I c.**, non appena potei (o mi fu possibile); più presto che potei □ **as tight as c. be**, strettissimo □ **as easy as c. be wished**, facile come di più non si potrebbe (o, in contesto pass., non si sarebbe potuto) desiderare.

❶ **NOTA:** *could have*

could (o **might**) **have** + participio passato è una costruzione che può indicare:

1 un evento che si sarebbe potuto realizzare ma non si è realizzato: *If he had read my message, he could have changed his decision*, se avesse letto il mio messaggio avrebbe potuto decidere altrimenti; *Why didn't you ask me for help? You might have been hurt*, perché non mi hai chiesto aiuto? Avresti potuto farti male;

2 un evento che non si sa se sia realmente avvenuto: *The government might have changed their decision, but we'll only know tomorrow*, il governo potrebbe aver cambiato la propria decisione, ma lo sapremo soltanto domani; *According to some sources, he could have been hurt in the explosion*, secondo alcune fonti potrebbe essere rimasto ferito nell'esplosione.

♦**couldn't** /'kʊdnt, -dn/ contraz. di **could not**.

couldst /kʊdst, kəds(t)/ vc. verb. (*arc.*) 2ª pers. sing. di **could**.

coulee /'kuːli/ n. **1** (*geol.*) lingua di lava; colata lavica **2** (*geogr.*, *USA*) gola.

coulisse /kuːˈliːs/ (*franc.*) n. **1** (*falegn.*) coulisse; guida scanalata; scanalatura **2** (*teatr.*) quinta **3** (*Borsa*) coulisse; dopoborsa; mercatino, borsino (*fam.*).

couloir /'kuːlwɑː(r)/ (*franc.*) n. (*geol.*) canalone (*di montagna*).

coulomb /'kuːlɒm/ n. (*elettr.*) coulomb ● **c.-meter**, coulombometro.

coulometer /kuːˈlɒmɪtə(r)/ n. (*elettr.*) coulombometro.

coulter, (*USA*) **colter** /'kəʊltə(r)/ n. (*agric.*) coltro; vomere.

coumarin /'kuːmərɪn/ n. ⓤ (*chim.*) cumarina.

♦**council** /'kaʊnsl/ n. **1** consiglio (*adunanza di persone*): **city c.**, consiglio comunale (*di cit-*

tà); **county c.**, consiglio di contea; (*mil.*) **c. of war**, consiglio di guerra; **family c.**, consiglio di famiglia; **to be in c.**, essere impegnato in una riunione di consiglio **2** (*relig.*) concilio (*ecclesiastico*): **diocesan c.**, concilio diocesano; **ecumenical c.**, concilio ecumenico **3** (*GB, per estens.*) comune: **city c.**, comune; amministrazione municipale ● **c. board** (*o table*), tavolo del consiglio; (*fig.*) i membri in riunione consiliare □ **c. chamber**, camera di consiglio □ **c. estate**, quartiere di case popolari del comune □ (*GB*) **c. flat**, appartamento in una casa popolare del comune □ (*GB*) **c. house**, casa popolare del comune

❶ **CULTURA • council house**: è un'abitazione fornita in locazione agevolata dal comune; dal 1980, la può riscattare dopo due anni di affitto □ **c. housing**, edilizia popolare □ **the C. of Europe**, il Consiglio d'Europa □ (*in GB*) **the c. of ministers**, il consiglio dei ministri □ (*in GB*) **C. of State**, Consiglio di Stato □ (*fisc., in GB*) **c. tax**, imposta locale basata sul valore locativo degli immobili e sul numero degli occupanti la casa (*sostituì la «poll tax» nel 1993; cfr. ital.* ICI).

❶ **NOTA:** *council o counsel?*

Queste due parole vengono a volte confuse perché si pronunciano nello stesso modo. *Council* indica un corpo elettivo o un comitato esecutivo che ha autorità su una città, un gruppo di persone, ecc.: *the County Council*, il Consiglio della Contea; *the Council for National Academic Awards*, il Consiglio per i Premi accademici nazionali. Il sostantivo *counsel* significa "parere, consulenza" e si usa spesso in espressioni come *to take counsel* o *to hold counsel*: *The ministers took counsel with their advisers*, i ministri chiesero un parere ai loro consulenti. Nel linguaggio legale, *counsel* è sinonimo di *barrister*, avvocato patrocinante: *defending counsel*, avvocato della difesa. Il membro di un consiglio si indica con il sostantivo *councillor*. Per indicare, invece, un "consulente" nel senso di colui che dà pareri e consigli (soprattutto di tipo personale o sentimentale) si usa la parola *counsellor*, per esempio *a marriage counsellor*, un consulente matrimoniale; in ambito professionale, però, si preferisce usare la parola *adviser* o *advisor*: *a financial adviser*, un consulente finanziario.

♦**councillor**, (*USA*) **councilor** /'kaʊnslə(r)/ n. consigliere; membro di un consiglio ‖ **councillorship**, (*USA*) **councilorship** n. ⓤ carica (o ufficio) di consigliere.

councilman /'kaʊnslmən/ n. (pl. **councilmen**) (*USA*) consigliere comunale.

councilwoman /'kaʊnslwʊmən/ n. (pl. **councilwomen**) (*USA*) consigliera comunale.

♦**counsel** /'kaʊnsl/ n. **1** ⓤ (*form.*) consiglio; parere; consulenza: **to give good c.**, dare buoni consigli; **to take c.**, sentire un parere; consultarsi (*con q.*); **to take c. together**, consultarsi; deliberare insieme **2** (*invariato al pl.*) (*leg.*) avvocato (patrocinante): **c. for the defence** (o **for the defendant**), avvocato difensore; collegio di difesa; (*leg.*) **c. for the plaintiff**, avvocato di parte civile; **c. for the prosecution**, pubblica accusa; pubblico ministero ● (*leg.*) **c.'s advice**, parere legale □ (*leg.*) **c.'s fees**, parcella d'avvocato □ **to keep one's own c.**, tenere per sé le proprie opinioni; tacere sulle proprie intenzioni □ (*leg., in GB*) **Queen's** (o **King's**) **C.** (abbr. **Q. C., K. C.**), patrocinante per la Corona (*alto titolo onorifico concesso ad avvocati*) ❶ **NOTA:** *council o counsel?* → **council**

to counsel /'kaʊnsl/ v. t. **1** consigliare (q.) **2** consigliare (qc.); raccomandare **3** fornire assistenza psicosanitaria.

counselling (*USA*) **counseling** /'kaʊnslɪŋ/ n. ⓤ **1** assistenza; consigli (pl.); consulenza; orientamento: **career c.**, consulenza

professionale; **debt c.**, assistenza a chi ha debiti **2** (*a scuola*) orientamento scolastico **3** (*psic.*) assistenza socio-psicologica; aiuto psicologico; consulenza: **bereavement c.**, aiuto psicologico a chi ha subìto un lutto; **marriage guidance c.**, consulenza matrimoniale.

counsellor, (*USA*) **counselor** /'kaʊnsələ(r)/ n. **1** consigliere; consulente: **marriage c.**, consulente matrimoniale **2** consigliere (*d'ambasciata*) **3** (*USA*) avvocato patrocinante **4** (*USA*, = **camp c.**) capogruppo (*in una colonia estiva*) ❶ **NOTA:** *council o counsel?* → **council**

count[1] /kaʊnt/ n. **1** conto; conteggio; calcolo: **at the last c.**, all'ultimo conteggio; **to make a c. of st.**, contare qc.; **to keep c. of**, tenere il conto di; contare; **to lose c. (of)**, perdere il conto (di) **2** (polit.) scrutinio: **to ask for the c.**, chiedere lo scrutinio **3** (*scient.*) tasso; valore; livello; conteggio: (*med.*) **cholesterol c.**, tasso di colesterolo; (*anche*) esame del colesterolo; (*med.*) **blood c.**, conteggio dei globuli del sangue; esame emocromocitometrico; *anche* **pollen c.**, tasso di polline nell'aria **4** totale; cifra; numero: **the official casualty c.**, il numero ufficiale delle vittime; **body c.**, numero dei morti; **head c.**, numero dei presenti **5** (*boxe*) conteggio: **c. of eight** (o **eight c.**), conteggio (*dell'arbitro*) fino a otto; **to be down for the c.**, essere al tappeto (del conteggio); farsi contare; (*di pugile*) **to take the c.**, essere contato **6** (*leg.*) capo d'accusa; capo d'imputazione **7** punto; aspetto: *You're wrong on both counts*, hai torto su entrambi i punti **8** (*ind. tess.*) titolo **9** (*fis. nucl.*) impulso; segnale **10** (*demogr.*) conta; conteggio **11** (*stat.*) conteggio; enumerazione ● (*gramm. ingl.*) **c. noun**, sostantivo numerabile (*che ha una forma plurale e al singolare può prendere l'articolo indefinito*) ❶ **NOTA:** *uncountable* / *countable* → **uncountable** □ **for a c. of**, quanto basta per contare fino a; contando fino a: *Hold it in place for a c. of ten*, tienilo fermo contando fino a dieci □ **to be out for the c.**, (*boxe*) essere dichiarato fuori combattimento; essere K.O.; (*fam.*) essere addormentato della grossa; essere svenuto □ (*boxe*) **to beat the c.**, rialzarsi prima della fine del conteggio □ **On the c. of three, jump!**, al (mio) tre, saltate! □ **to give sb. a c. of**, contare fino a (*un dato numero, come segnale a q. di fare qc.*).

count[2] /kaʊnt/ n. conte (*titolo nobiliare per stranieri*; *cfr.* **earl**).

♦**to count** /kaʊnt/ **A** v. t. **1** contare; conteggiare: **to c. heads**, contare i presenti; *You can c. them on the fingers of one hand*, puoi contarli sulle dita di una mano **2** (*nelle votazioni*) fare lo spoglio di; scrutinare **3** contare; tenere conto di: *There are twenty of us, not counting the boy*, siamo in venti, senza contare il ragazzo **4** contare; annoverare: *I c. him among my friends*, lo annovero fra i miei amici **5** considerare; reputare: *I c. myself lucky*, mi considero fortunato; *He is counted among the best*, è considerato fra i migliori **6** (*demogr., stat.*) contare **7** (*boxe*) contare (*un pugile a terra*) **B** v. i. **1** contare: **to c. (up) to a hundred**, contare fino a cento **2** contare; essere importante; valere; essere valido: *It's the thought that counts*, è il pensiero che conta; conta il pensiero; *Every vote counts!*, ogni voto è importante!; *His opinion doesn't c.*, la sua opinione non conta; **to c. for much [for little]**, contare (o valere) molto [poco]; **to c. for nothing**, non contare niente; *That goal doesn't c.*, quel gol non è valido; **to c. as evidence**, valere come prova; **to c. in sb.'s favour**, contare a favore di q. □ **to c. one's blessings**, essere grato per quello che si ha □ **to c. the cost of st.**, considerare quello che verrà a costare

qc.; (*fig.*) calcolare le conseguenze (*o i rischi*) di qc. □ (*fig.*) **to c. the days**, contare i giorni; non vedere l'ora □ **to c. from**, a contare da; con decorrenza da (*una certa data*) □ **to c. sheep**, contare le pecore (*per addormentarsi*) □ (*fig.*) **to c. to ten**, contare fino a dieci (*per calmarsi*) □ (*prov.*) **Don't c. your chickens before they are hatched**, non dir quattro se non è nel sacco □ (*fam. scherz.*) **who's counting?**, che importa (il numero)?; non sottilizziamo!

■ **count against** v. t. + prep. tornare a svantaggio di; pesare contro.

■ **count down** v. i. + avv. **1** fare il conto alla rovescia; contare alla rovescia **2** prepararsi (*a un evento imminente*).

■ **count in** v. t. + avv. (*fam.*) includere; calcolare; mettere dentro (*fam.*): *If the idea is to eat out tonight, c. me in*, se si va fuori a cena, calcolate anche me; *If you go to Italy on a trip next summer, c. me in*, se andate in vacanza in Italia l'estate prossima, vengo anch'io (*o sarò della partita*); *Can we c. you in?*, includiamo anche te?; ci stai anche tu?

■ **count off** v. t. + avv. (*USA*) contare (ad uno ad uno); enumerare; controllare il numero di: *He counted off the names on his fingers*, contò i nomi sulle dita; **to c. off the days**, contare i giorni a uno a uno.

■ **count on** v. t. + prep. **1** contare su; fare assegnamento su: *You can c. on him to keep your secret*, ci puoi contare: non tradirà il tuo segreto; *I counted on him for help*, contavo sul suo aiuto **2** contare di: *We had counted on winning the match*, avevamo contato di vincere la partita; *I didn't c. on meeting him in Rome*, non contavo (*o non mi aspettavo*) d'incontrarlo a Roma.

■ **count out** v. t. + avv. **1** contare (*uno per uno, a voce alta*): *He counted out ten dollars and handed them to the taxi-driver*, contò dieci dollari e li diede al tassista **2** (*fam.*) escludere; lasciar fuori (*fam.*): *You can c. me out*, lasciami fuori; non ci sto **3** (*boxe*) dichiarare fuori combattimento (*o K.O.*) **4** (*nei giochi infant.*) scegliere con una conta **5** (*polit., GB*) aggiornare (*la Camera dei Comuni o dei Lord*) per mancanza del numero legale (*40 membri*).

■ **count towards** v. i. + prep. contare per; valere per; valere ai fini di; essere calcolato nel conteggio finale di: **to c. towards sb.'s pension**, contare per la pensione; valere ai fini pensionistici.

■ **count up** v. t. + avv. **1** → **to count**, B *def. 1* **2** contare; calcolare: *I counted up ten umbrellas*, contai dieci ombrelli.

■ **count upon** → **count on**.

countable /ˈkaʊntəbl/ a. (*mat.*) numerabile ● (*gramm. ingl.*) **c. noun**, sostantivo numerabile ❶ **FALSI AMICI** • countable non significa contabile || **countability** n. Ⓤ (*mat., gramm. ingl.*) numerabilità; l'essere numerabile ❶ **FALSI AMICI** • countablility non significa contabilità. ❶ **NOTA**: *uncountable* / *countable* → **uncountable**.

countdown /ˈkaʊntdaʊn/ n. **1** (*miss., org. az., ecc.; anche fig.*) conto alla rovescia; countdown **2** ultime fasi (*prima di un evento*); vigilia; conto alla rovescia: **the c. to the signing of the contract**, le ultime fasi prima della firma del contratto; **in the c. to war**, nell'imminenza della guerra; negli ultimi giorni di pace ● (*autom.*) **c. markers**, segnali trasversali progressivi (*di passaggio a livello: rossi; d'uscita dall'autostrada: bianchi*).

countenance /ˈkaʊntənəns/ n. **1** Ꭓ espressione (*del volto*); viso; volto: **inscrutable c.**, espressione impenetrabile **2** Ⓤ approvazione; incoraggiamento; appoggio; sostegno: **to give** (*o to lend*) **c. to**, dare il proprio appoggio a ● **to change c.**, cambiare espressione; alterarsi in viso □ **to keep one's c.**, rimanere composto, calmo; resta-

re serio (*spec. trattenendo il riso*) □ **to keep sb. in c.**, incoraggiare q. (*dandogli segno che lo si approva o sostiene*) □ **to lose one's c.**, perdere il dominio di sé; tradirsi (*mutando espressione*) □ **to put sb. out of c.**, mettere q. in imbarazzo; sconcertare q. □ **to stare sb. out of c.**, sconcertare q. fissandolo a lungo.

to **countenance** /ˈkaʊntənəns/ v. t. **1** approvare **2** consentire; permettere; tollerare.

♦**counter** ① /ˈkaʊntə(r)/ n. **1** banco (*di negozio*); bancone (*di bar*); reparto (*di grande magazzino*); sportello, cassa (*di banca*); sportello (*di ufficio postale, ecc.*): **the man behind the c.**, l'uomo al bancone (*o allo sportello, ecc.*); *There are some Tube maps on the c. just to your left*, ci sono delle cartine della metropolitana sul bancone alla sua sinistra **2** (*USA*) piano, superficie di lavoro **3** (*al gioco*) gettone; fiche (*franc.*) **4** contrassegno; contromarca; gettone **5** persona che fa i calcoli **6** (*nelle votazioni*) scrutatore **7** (*tecn.*) contatore: **Geiger c.**, contatore Geiger ● (*banca*) **c. cheque**, assegno di sportello □ (*banca*) **c. clerk**, sportellista □ (*comm.*) **c. displays**, elementi di richiamo per banco di vendita **1** (*fam. spreg.*) **c.-jumper**, commesso di negozio □ (*elettron.*) **c. tube**, tubo indicatore □ **bargaining c.**, vantaggio speciale (*in una contrattazione*) □ **sold over the c.**, venduto liberamente; (*farm.*) che si vende senza ricetta, da banco; (*Borsa*) con transazione diretta □ (*anche fig.*) **under the c.**, sottobanco; di nascosto; illegalmente.

counter ② /ˈkaʊntə(r)/ n. **1** (il) contrario; (l') opposto **2** obiezione; argomento contrario **3** (*naut.*) volta di poppa **4** (*zool.*) sterno; parte superiore del petto (*nel cavallo*) **5** contrafforte, rinforzo del calcagno (*di scarpa*) **6** (*tipogr.*) occhio (*di carattere tipografico*) **7** (*boxe*) colpo d'incontro: **left** [**right**] **c.**, sinistro [destro] d'incontro **8** (*boxe, tennis*) controtempo **9** (*scherma*) parata di contro.

counter ③ /ˈkaʊntə(r)/ **A** a. attr. contrario; opposto ● (*mecc.*) **c. spring**, molla antagonista **B** avv. contro; in opposizione (a); in senso contrario: **to act c. to sb.'s wishes**, agire in opposizione ai desideri di q.; **to go** (*o to run*) **c. to st.**, andare contro qc.

to **counter** /ˈkaʊntə(r)/ **A** v. t. **1** controbattere; ribattere a; rispondere a; reagire a: **to c. false allegations**, controbattere affermazioni false; **to c. a challenge**, rispondere a una sfida; **to c. a threat**, reagire a una minaccia; «*Not here,*» *she countered*, «Non qui,» ribatté lei **2** opporsi a; contrastare; (*econ.*) **to c. inflation**, contrastare l'inflazione **3** neutralizzare (*una mossa, un effetto*) **4** respingere (*un attacco*); parare (*un colpo*) **5** mettere un contrafforte a (*una scarpa*) **6** (*mecc.*) invertire (*un moto*) **B** v. i. **1** ribattere; rispondere (*con una contromossa*); contrattaccare **2** (*scacchi*) rispondere (*con una contromossa*) **3** (*bridge*) contrare **4** (*boxe*) contrare; colpire d'incontro; combattere per rimessa.

to **counteract** /kaʊntərˈækt/ v. t. **1** agire in opposizione a; ostacolare **2** annullare; mitigare; neutralizzare: *This medicine will c. the consequences of the disease*, questa medicina mitigherà le conseguenze della malattia || **counteraction** n. Ⓤ **1** controazione; azione che si oppone a un'altra **2** neutralizzazione (*di un attacco, ecc.*) **3** (*leg.*) azione di opposizione || **counteractive** a. **1** che si oppone a; antagonistico **2** che neutralizza.

counteragent /ˈkaʊntəreɪdʒənt/ n. agente antagonistico; forza opposta.

counterattack /ˈkaʊntərətæk/ n. **1** (*mil.*) contrattacco **2** (*sport*) contropiede.

to **counterattack** /ˈkaʊntərətæk/ v. t. e i. **1** (*mil.*) contrattaccare **2** (*boxe*) combattere di rimessa **3** (*sport*) fare un contro-

piede.

counterattacker /ˈkaʊntərəˈtækə(r)/ n. **1** contrattaccante **2** (*sport*) contropiedista.

counterattraction /ˈkaʊntərəˈtrækʃn/ n. (*tecn.*) attrazione che ne ostacola un'altra.

counterbalance /ˈkaʊntəbæləns/ n. contrappeso (*anche fig.*); compensazione.

to **counterbalance** /kaʊntəˈbæləns/ v. t. **1** controbilanciare; contrappesare **2** (*fig.*) fare da contrappeso a (qc.); compensare; equilibrare ● **to c. each other**, controbilanciarsi.

counterbid /ˈkaʊntəbɪd/ n. (*comm.*) controfferta.

counterblast /ˈkaʊntəblɑːst/ n. violenta reazione; violento contrattacco; replica energica.

counterblow /ˈkaʊntəbləʊ/ n. **1** colpo d'incontro **2** (*mil.*) colpo restituito; rappresaglia.

counterbore /ˈkaʊntəbɔː(r)/ n. **1** Ⓤ allargamento, svasatura (*di un foro*) **2** (*mecc.*) accecatoio.

to **counterbore** /kaʊntəˈbɔː(r)/ v. t. **1** allargare l'estremità di (*un foro*) **2** (*tecn.*) accecare.

to **counterchange** /kaʊntəˈtʃeɪndʒ/ **A** v. t. **1** scambiare **2** variare i colori di (*un dipinto*) **3** chiazzare (*il terreno*) di luci e d'ombre **B** v. i. scambiarsi il posto; invertire le parti.

countercharge /ˈkaʊntətʃɑːdʒ/ n. (*leg.*) contraccusa; controaccusa.

countercheck /ˈkaʊntətʃek/ n. **1** freno (*fig.*); remora; (*fig.*) impedimento **2** seconda verifica; doppio riscontro (*di conti, ecc.*).

to **countercheck** /kaʊntəˈtʃek/ v. t. **1** contrastare; imbrigliare, frenare (*fig.*): **to c. inflation**, tenere a freno l'inflazione **2** riscontrare; verificare.

counterclaim /ˈkaʊntəkleɪm/ n. **1** controrichiesta **2** (*leg.*) domanda (*o eccezione*) riconvenzionale.

to **counterclaim** /kaʊntəˈkleɪm/ **A** v. i. (*leg.*) riconvenire; presentare una domanda riconvenzionale **B** v. t. (*leg.*) chiedere (qc.) presentando una domanda riconvenzionale.

counterclockwise /kaʊntəˈklɒkwaɪz/ a. e avv. (*USA*) (in senso) antiorario.

counterculture /ˈkaʊntəkʌltʃə(r)/ n. Ⓤ controcultura || **countercultural** a. controculturale.

countercurrent /ˈkaʊntəkʌrənt/ n. e avv. (*anche scient., tecn.*) controcorrente.

counter-cyclical /kaʊntəˈsaɪklɪkl, -ˈsɪ-/ a. (*econ.*) anticiclico; anticongiunturale: **counter-cyclical fiscal policy**, politica fiscale anticongiunturale.

counterespionage /kaʊntərˈespɪənɑːʒ/ n. Ⓤ controspionaggio.

counterfactual /kaʊntəˈfæktʃʊəl/ a. e n. (*filos.*) controfattuale.

counterfeit /ˈkaʊntəfɪt/ **A** a. **1** falsificato; falso; contraffatto **2** simulato: **c. virtue**, virtù simulata **B** n. **1** falsificazione; contraffazione **2** simulazione; finzione; infingimento.

to **counterfeit** /ˈkaʊntəfɪt/ v. t. **1** falsificare; contraffare: **to c. money**, falsificare denaro **2** contraffare; imitare: **to c. sb.'s voice**, contraffare la voce di q. **3** fingere, simulare (*sentimenti, ecc.*).

counterfeiter /ˈkaʊntəfɪtə(r)/ n. **1** contraffattore; falsificatore; falsario **2** simulatore.

counterfeiting /ˈkaʊntəfɪtɪŋ/ n. Ⓤ contraffazione; falsificazione.

counterfire /ˈkaʊntəfaɪə(r)/ n. (*mil.*) **1** fuoco di risposta **2** fuoco di neutralizza-

a b **c** d e f g h i j k l m n o p q r s t u v w x y z

C

zione.

counterfoil /'kaʊntəfɔɪl/ n. (comm.) matrice; madre (di registro, libretto, ecc.).

counterfort /'kaʊntəfɔːt/ n. (ind. costr.) contrafforte.

counterinsurgency /kaʊntərɪn'sɜːdʒənsɪ/ n. ⊡ (mil.) repressione delle sommosse ● c. forces, forze (o truppe) antisommossa.

counterintelligence /kaʊntərɪn'telɪdʒəns/ n. ⊡ controspionaggio.

counterintuitive /kaʊntəɪn'tjuːətɪv/ a. controintuitivo.

counterirritant /kaʊntər'ɪrɪtənt/ (med.) n. revulsivo; vescicante ‖ **counterirritation** n. 1 revulsione 2 revulsivo (sost.).

counterman /'kaʊntəmən/ n. (pl. **countermen**) (USA) 1 banconiere; barista 2 addetto al magazzino dei pezzi di ricambio; magazziniere.

countermand /kaʊntə'mɑːnd/ n. 1 contrordine; revoca (d'un ordine) 2 fermo (di un assegno bancario).

to **countermand** /kaʊntə'mɑːnd/ v. t. 1 annullare, revocare (un ordine, ecc.) 2 richiamare (una persona, truppe, ecc.) 3 (banca) fermare (un assegno).

countermarch /'kaʊntəmɑːtʃ/ n. (anche mil.) contromarcia.

to **countermarch** /'kaʊntəmɑːtʃ/ A v. i. 1 (mil.) fare una contromarcia 2 (fig.) invertire la marcia; ritirarsi B v. t. far fare marcia indietro a (q.).

countermark /'kaʊntəmɑːk/ n. (comm.) contromarca; contrassegno.

to **countermark** /'kaʊntəmɑːk/ v. t. contromarcare; contrassegnare.

countermeasure /'kaʊntəmeʒə(r)/ n. contromisura.

countermelody /'kaʊntəmelədɪ/ n. (mus.) controcanto.

countermine /'kaʊntəmaɪn/ n. 1 (mil., naut.) contromina 2 (fig.) contromina.

to **countermine** /kaʊntə'maɪn/ A v. t. (mil., naut.) controminare (anche fig.) B v. i. posare contromine.

countermove /'kaʊntəmuːv/ n. contromossa (anche a scacchi).

counteroffensive /kaʊntərə'fensɪv/ n. (mil.) controffensiva.

counter-offer, **counteroffer** /'kaʊntərɒfə(r)/ n. (comm., leg.) controfferta.

counterpane /'kaʊntəpeɪn/ n. copriletto; sopraccoperta.

♦**counterpart** /'kaʊntəpɑːt/ n. 1 omologo; corrispettivo; equivalente: **our Premier and his European counterparts**, il nostro primo ministro e i suoi omologhi europei 2 (leg.) duplicato (di un atto).

counterparty /'kaʊntəpɑːtɪ/ n. (leg.) controparte.

counterplot /'kaʊntəplɒt/ n. complotto (o stratagemma) contrario (per sventarne un altro).

to **counterplot** /'kaʊntəplɒt/ v. i. tramare in opposizione ad altri; escogitare uno stratagemma per sventarne un altro.

counterpoint /'kaʊntəpɔɪnt/ n. (mus.) contrappunto.

to **counterpoint** /'kaʊntəpɔɪnt/ v. t. 1 (mus.) contrappuntare 2 (fig.) fare da contrasto a; contrappuntare.

counterpoise /'kaʊntəpɔɪz/ n. 1 (elettr., mecc.) contrappeso 2 equilibrio.

to **counterpoise** /'kaʊntəpɔɪz/ v. t. 1 (mecc.) contrappesare; bilanciare 2 fare da contrappeso; controbilanciare 3 mettere a confronto; contrapporre.

to **counterpose** /kaʊntə'pəʊz/ v. t. contrapporre; opporre.

counterproductive /kaʊntəprə'dʌktɪv/ a. controproducente | **-ly** avv.

counterproposal /'kaʊntəprəpəʊsəl/ n. controproposta.

counterpunch /'kaʊntəpʌntʃ/ n. (boxe) colpo di rimessa.

to **counterpunch** /'kaʊntəpʌntʃ/ v. i. (boxe) colpire (o combattere) di rimessa ‖ **counterpuncher** n. pugile che combatte di rimessa; incontrista ‖ **counterpunching** n. ⊡ boxe di rimessa.

Counter-Reformation /kaʊntərefɔː'meɪʃn/ n. ⊡ (stor.) Controriforma.

counter-revolution /kaʊntərevə'luːʃn/ n. controrivoluzione ‖ **counter-revolutionary** a. e n. controrivoluzionario.

counterriposte /kaʊntərɪ'pɒst/ n. (scherma) controazione.

counterscarp /'kaʊntəskɑːp/ n. (ind. costr., mil.) controscarpa.

countershaft /'kaʊntəʃɑːft/ n. (mecc.) contralbero; albero di rinvio.

countersign /'kaʊntəsaɪn/ n. 1 controfirma; firma di autenticazione 2 (leg.) (pressappoco) autenticazione, legalizzazione (d'un documento, ecc.) 3 (mil.) parola d'ordine.

to **countersign** /'kaʊntəsaɪn/ v. t. 1 controfirmare 2 (leg.) (pressappoco) autenticare, legalizzare (un documento, ecc.).

countersignature /kaʊntə'sɪgnətʃə(r)/ n. controfirma.

countersink /'kaʊntəsɪŋk/ n. (mecc.) 1 accecatoio 2 coltello (o cucchiaio) della trivella 3 accecatura; svasatura (in un foro).

to **countersink** /'kaʊntəsɪŋk/ (pass. **countersank**, p. p. **countersunk**) (mecc.) v. t. 1 svasare (la cima d'un foro nel metallo o nel legno) 2 accecare (la testa d'una vite, ecc.) ‖ **countersinking** n. ⊡ accecatura; svasatura (l'operazione).

counterspy /'kaʊntəspaɪ/ n. agente del controspionaggio.

counterstain /'kaʊntəsteɪn/ n. (biochim.) colorante di contrasto.

to **countersteer** /kaʊntə'stɪə(r)/ v. i. controsterzare ‖ **countersteer** n. controsterzata.

counterstroke /'kaʊntəstrəʊk/ n. 1 colpo restituito 2 contraccolpo.

countersubject /'kaʊntəsʌbdʒɪkt/ n. (mus.) controsoggetto.

countertenor /kaʊntə'tenə(r)/ n. (mus.) 1 controtenore 2 voce di controtenore; voce controtenorile.

counterterrorism /kaʊntə'terərɪzəm/ (polit.) n. ⊡ antiterrorismo.

counterterrorist /kaʊntə'terərɪst/ A n. antiterrorista B a. attr. antiterrorismo: c. **measures**, misure antiterrorismo; c. **squad**, squadra antiterrorismo.

countertop /'kaʊntətɒp/ n. (USA) 1 (piano di) banco di negozio 2 piano di lavoro (in una cucina).

countertrade /'kaʊntətreɪd/ n. ⊡ (comm. est.) import-export in contropartita; commercio di compensazione; controscambio.

counter-transference /'kaʊntətræns'fɜːrəns/ (psic.) n. controtransfert.

counter-trend, **countertrend** /'kaʊntətrend/ n. controtendenza; tendenza contraria.

to **countervail** /'kaʊntəveɪl/ v. t. e i. 1 bilanciare; equilibrare 2 compensare; essere di compensazione ‖ **countervailing** a. compensativo; di compensazione (fin.). **countervailing credit**, credito di compensazione ● (fin.) **countervailing duty**, dazio doganale compensativo.

countervalue /'kaʊntəvæljuː/ a. attr. (mil.: di armamento nucleare) di entità equiva

lente.

to **counterweigh** /kaʊntə'weɪ/ A v. t. contrappesare; controbilanciare B v. i. fare da contrappeso.

counterweight /'kaʊntəweɪt/ n. contrappeso.

counterweighted /'kaʊntəweɪtɪd/ a. (tecn.) contrappesato; provvisto di contrappeso (o contrappesi).

counterwork /'kaʊntəwɜːk/ n. 1 lavoro opposto a un altro 2 (mil.) opera difensiva in opposizione a quelle del nemico.

countess /'kaʊntɪs/ n. contessa.

counting /'kaʊntɪŋ/ n. ⊡ conteggio; conta; calcolo; computo ● (elettron.) c. **circuit**, circuito di conteggio □ c. **from**, a decorrere da, a partire da, con decorrenza da, a cominciare da (una certa data) □ (ind. tess., tipogr., filatelia) c. **glass**, contafili □ (comm., un tempo) c. **house**, reparto (o ufficio) contabilità □ (fis. nucl.) c. **rate meter**, frequenzimetro statistico □ (USA) c. **room** = c. **house** → sopra.

countless /'kaʊntləs/ a. innumerevole.

count out /'kaʊntaʊt/ loc. n. 1 (boxe) conteggio totale; conto (dei dieci secondi regolamentari) 2 (in parlamento) dichiarazione di mancanza di numero legale e rinvio della seduta 3 (anche mil.) conto delle perdite (o delle vittime).

countrified /'kʌntrɪfaɪd/ a. rustico; campagnolo; rurale.

♦**country** /'kʌntrɪ/ A n. 1 paese; nazione; patria: **the c.'s economic growth**, la crescita economica del paese; **developing countries**, paesi in via di sviluppo; c. **of origin**, paese d'origine; **my native c.**, il mio paese natale; **the c. as a whole**, tutto il paese; tutta la nazione; **for King and c.**, per il re e per la patria; **to flee the c.**, lasciare, abbandonare il paese (fuggendo) 2 (solo sing.) campagna; campi (pl.): (GB) c. **park**, area verde fuori dal centro cittadino destinata alla ricreazione; **open c.**, aperta campagna; **to live in the c.**, abitare in campagna; **to go into the c.**, andare in campagna; **to walk across c.**, attraversare i campi 3 ⊡ terreno; regione; territorio: **wooded c.**, terreno boschivo; regione boscosa; **big-game hunting c.**, territorio per la caccia grossa; **wild c.**, regione selvaggia; **a beautiful stretch of c.**, una bella regione; una bella area; **This is Robin Hood c.**, questa è la regione di Robin Hood B a. attr. di campagna; campestre: c. **life**, vita di campagna; **a c. road**, una strada di campagna; c. **gentleman**, gentiluomo di campagna; proprietario terriero; c. **house**, residenza di campagna; c. **people**, gente di campagna; campagnoli ● (mus.) c. **and western** (o c. **music**), (sost.) (musica) country; (agg.) (di musica) country □ c. **bank**, banca di provincia; (di banca senza sede a Londra) (fin.) c. **branch**, filiale di provincia □ c.-**bred**, cresciuto in campagna □ c. **bumpkin**, zotico; bifolco □ c. **club**, circolo ricreativo e sportivo (in zone di campagna) □ (ecol.) **the C. Code**, il codice di comportamento ecologico □ (telef.) c. **code**, indicativo dello Stato (per es., 44 per l'Inghil.) □ (fam. spreg.) c. **cousin**, persona di gusti campagnoli; cugino di campagna □ c. **dance**, danza popolare (o folcloristica) (la singola danza) □ c. **dancing**, ballo popolare (o folcloristico); balli (pl.) popolari (o folcloristici) □ (fam.) c. **mile**, distanza lunghissima: **He sent the ball a c. mile**, ha spedito la palla lontanissimo □ (mus.) c. **music** = c. **and western** → sopra □ (polit.) c. **party**, partito agrario □ (in GB) c. **residence**, residenza di campagna (di personaggio importante) □ (comm. est.) c. **risk**, rischio paese □ c. **rock**, (geol.) roccia incassante; (mus.) country rock □ c. **seat**, residenza di campagna (di famiglia nobile) □ c. **town**, cittadina di provin

cia □ (*polit.*) **to go** (*o* **to appeal**) **to the c.**, chiamare il paese alle urne; consultare gli elettori; indire le elezioni generali.

countryfied /'kʌntrɪfaɪd/ → **countrified**.

countryman /'kʌntrɪmən/ n. (pl. *countrymen*) **1** campagnolo; contadino **2** compatriota; concittadino; connazionale.

◆**countryside** /'kʌntrɪsaɪd/ n. ⓤ campagna: **the Kent c.**, la campagna del Kent; **throughout the c.**, per tutta la campagna; *The town is surrounded by pleasant c.*, la città è circondata da una bella campagna.

countrywide /'kʌntrɪwaɪd/ **A** a. esteso a tutto il territorio nazionale **B** avv. per, in tutto il territorio nazionale.

countrywoman /'kʌntrɪwʊmən/ n. (pl. *countrywomen*) **1** campagnola; contadina **2** compatriota; concittadina; connazionale.

countship /'kaʊntʃɪp/ n. ⓤ **1** titolo di conte (→ **count**②) **2** contea.

◆**county** /'kaʊntɪ/ **A** n. **1** contea: **C. Antrim**, la contea di Antrim ❶ **CULTURA** • *county: nel Regno Unito è, dal 1972, la principale suddivisione amministrativa del Paese (a eccezione della Scozia e dell'area di Londra). Sono suddivisi in contee anche la Repubblica Irlandese e quasi tutti gli Stati degli USA* **2** (collett.) (gli) abitanti d'una contea **B** a. attr. **1** di contea; della contea **2** (*GB*) tipico dell'alta società di campagna (= **c. family** → *sotto*) ● (*stor.*) **c. borough**, città con amministrazione autonoma (*fino al 1974*) □ **c. clerk**, segretario (di consiglio) di contea □ (*in GB*) **c. council**, consiglio di contea □ (*in GB*) **c. councillor**, consigliere di contea □ (*leg.*) **c. court**, tribunale di contea (*competente soltanto in materia civile; ce ne sono 337*) □ **c. family**, famiglia nobile che ha una residenza avita in una contea □ **c. hall**, palazzo del consiglio di contea □ (*USA*) **c. seat**, capoluogo di contea □ (*in GB*) **c. town**, capoluogo di contea.

countywide /'kaʊntɪwaɪd/ a. esteso a tutto il territorio di una contea.

◆**coup** /kuː/ (*franc.*) n. **1** (*polit.*, = **c. d'état**) colpo di Stato **2** colpo maestro; bel colpo; mossa brillante; **to bring off** (*o* **to pull off**) **a c.**, fare un (bel) colpo **3** (*biliardo*) messa in buca della bilia battente ● **c. de foudre**, colpo di fulmine □ **c. de grâce**, colpo di grazia (*anche fig.*) □ (*mil.*) **c. de main**, colpo di mano □ **c. d'oeil**, colpo d'occhio □ **c. de théâtre**, colpo di scena.

coupe /kuːp/ (*franc.*) n. **1** coppa (*di vetro*) per gelato **2** coppa gelato.

coupé /'kuːpeɪ/ (*franc.*) n. coupé ● (*autom.*) **convertible c.**, spider.

◆**couple** /'kʌpl/ n. **1** coppia; due: **in couples**, a coppie; a due a due **2** paio (*con valore numerico indef.*): **a c. of books**, un paio di libri; qualche libro; *I've got a c. of things to do*, ho un paio di cose da fare; *I'll give you a call in the next c. of days*, ti faccio un colpo di telefono tra un paio di giorni **3** coppia (*di sposi, ecc.*): **a young married c.**, una giovane coppia (di sposi); *They make a nice c.*, sono proprio una bella coppia **4** (al pl.) accoppiatoio (*guinzaglio*) **5** (inv. al pl.) coppia (*di cani da caccia*) **6** (*fis.*) coppia (*di forze*) **7** (*elettr.*) coppia voltaica **8** (*chim.*) accoppiamento **9** (*elettron.*) coppia.

to **couple** /'kʌpl/ **A** v. t. **1** (*anche tecn.*) abbinare; appaiare; accoppiare; collegare **2** legare insieme (*spec. cani, a due a due*) **3** (*ferr.*) agganciare (*carrozze*) **4** (*fig.*) collegare, associare (*mentalmente*) **5** (*tecn.*) calettare **B** v. i. accoppiarsi; appaiarsi.

coupled /'kʌpld/ a. **1** (*anche tecn.*) accoppiato; collegato **2** (*ferr.*) agganciato ● (*elettr.*) **c. circuits**, circuiti accoppiati □ (*archit.*) **c. column**, colonna binata.

coupler /'kʌplə(r)/ n. **1** chi accoppia, col-

lega, unisce, ecc. **2** (*ferr.*) gancio di trazione **3** (*mus.*) tirante (*d'organo*) **4** (*elettr., naut.*) accoppiatore **5** (*tecn.*) copulante (*sostanza*) ● (*ferr., mecc.*) **c. head**, dispositivo di aggancio.

couplet /'kʌplət/ n. **1** (*poesia*) distico: **heroic c.**, distico eroico; **rhymed couplets**, distici a rima baciata **2** (*mus.*) «couplet».

coupling /'kʌplɪŋ/ n. **1** ⓤ (*anche tecn.*) accoppiamento **2** ⓤⓒ (*tecn.*) calettamento; giunto; dispositivo d'accoppiamento (*autom.*) **cross-type c.**, giunto cardanico; cardano **3** ⓤ (*ferr.*) agganciamento; attacco **4** (*tecn., = c. box*) manicotto (*di tubature*) **5** ⓤ (*fig.*) associazione (*di idee*) ● (*fis.*) **c. constant**, fattore di accoppiamento; coefficiente di accoppiamento □ (*mecc.*) **c. gear**, accoppiatore □ (*elettr.*) **c. loop**, spira di accoppiamento □ **c. rod**, biella di accoppiamento; biella di trasmissione □ (*ferr.*) **c. screw**, tenditore a vite.

coupon /'kuːpɒn/ n. **1** buono; scontrino; tagliando **2** (*fin.*) cedola; dividendo (*fam.*); cupone: *Coupons are cut off from the sheet and presented for payment*, le cedole vengono staccate dalla cartella e presentate per il pagamento **3** (*pubbl.*) buono: **free-gift c.**, buono premio; *Send in the c. today*, invii il buono oggi stesso! **4** (*sport*) schedina: **to fill in a football c.**, fare la schedina del totocalcio ● (*fin.*) **c. bond**, obbligazione cuponata □ (*spreg.*) **c. clipper**, 'tagliacedole'; chi vive di rendita da titoli □ (*fin.*) **c. rate of interest**, tasso di interesse nominale (*di titolo a reddito fisso*) □ (*fin.*) **c. sheet**, foglio di cedole; cartella □ (*fin.*) **c. stripping**, scorporo delle cedole.

◆**courage** /'kʌrɪdʒ/ n. ⓤ coraggio: **to call upon one's c.**, chiamare a raccolta il proprio coraggio; *He displayed considerable c.*, ha dato mostra di (un) notevole coraggio; **to lack c.**, non avere coraggio; **to lose c.**, perdersi di coraggio (*o* d'animo); **to take c.**, prendere coraggio; farsi coraggio ● (*slang*) **c. pill**, pillola di barbiturico; (*anche*) eroina □ **to have the c. of one's convictions**, avere il coraggio delle proprie convinzioni □ **to keep up sb.'s c.**, tener su il morale di q. □ **to pluck up** (*o* **to muster up**) **c.**, farsi coraggio (*e fare qc.*); trovare il coraggio (*di fare qc.*) □ **to take one's c. in both hands**, prendere il coraggio a due mani.

courageous /kə'reɪdʒəs/ a. coraggioso; audace | **-ly** avv. | **-ness** n. ⓤ.

courant /kʊ'rænt/ a. (*arald.*) corrente.

courante /kʊ'rɑːnt/ n. (*danza, mus.*) corrente.

courgette /kɔː'ʒet/ (*franc.*) n. (*GB*) zucchina, zucchino.

courier /'kʊrɪə(r)/ n. **1** corriere (*nel senso di messaggero e di giornale*): (*stor.*) **the Liverpool C.**, il Corriere di Liverpool **2** (*tur.*) courier; assistente turistico; accompagnatore **3** corriere diplomatico ● (*tur.*) **girl c.**, accompagnatrice; guida.

◆**course** /kɔːs/ n. **1** corso; (il) procedere; andamento: **the c. of events**, il corso degli eventi; **the c. of prices**, l'andamento dei prezzi; (*fin.*) **c. of exchange**, corso del cambio; **in the c. of**, nel corso di **2** corso; percorso: **the c. of the river**, il corso del fiume; **the c. of the stars**, il corso degli astri **3** (*naut., aeron.*) rotta: **a c. due south**, una rotta verso il sud; **collision c.**, rotta di collisione; **to alter c.**, cambiare rotta; **to alter** (*o* **to shape**) **a c. for**, fare rotta per; **to alter the c. to port**, accostare a sinistra; venire a sinistra; **to lay off** (*o* **to plot**) **a c.**, tracciare una rotta; **on c.** (for), in rotta (per); **off c.**, fuori rotta **4** direzione: *Foreign trade is changing its c.*, il commercio estero sta cambiando direzione **5** linea (d'azione); indirizzo; via; strada: **c. of action**, linea d'azione; linea di condotta; **to follow a middle**

c., adottare una via di mezzo; *That was the only c. open to me*, era l'unica via che mi si offriva; *He has taken a dangerous c.*, ha imboccato una strada pericolosa **6** (*sport*) percorso (*di una gara*): **obstacle c.**, percorso ad ostacoli **7** (*sport*) circuito; pista; tracciato; campo: **circular c.**, circuito chiuso; **ski c.**, pista di sci; **golf c.**, campo da golf **8** portata; piatto: **first c.**, prima portata; primo (piatto); **main c.**, piatto principale; secondo: *What are you having for main c.?*, cosa prendete come piatto principale?; **a four-c. meal**, un pranzo di quattro portate **9** corso (*di lezioni, di studi*): **a French c.**, un corso di francese; **beginners' c.**, corso per principianti; **to do a c. in st.**, seguire un corso di qc.; *Are you going to do a c.?*, hai intenzione di seguire un corso? **10** (*med.*) corso; cura; ciclo di cure: **post-operative c.**, corso postoperatorio; **a c. of injections**, una cura di iniezioni; **a c. of treatment**, un ciclo di cure **11** (*edil.*) corso (*di mattoni o di pietre*) **12** (*caccia*) inseguimento (*soprattutto di lepri da parte di levrieri*) **13** (*naut.*) trevo; vela bassa **14** (*ind. min.*) galleria **15** (*a bocce, al biliardo, ecc.*) traiettoria (*della boccia, della palla*) ● (*naut.*) **c.-line computer**, calcolatore di rotta □ (*naut.*) **c. plotter**, tracciatore di rotta □ (*sport*) **c. record**, record della pista □ (*naut.*) **to hold on the c.**, tenere la rotta □ **in c. of**, in corso di; in via di: *The new road is in c. of construction*, la nuova strada è in via di costruzione □ **in c. of arrangement**, in via di sistemazione □ **in the c. of doing st.**, nel fare qc.; facendo qc. □ **in the c. of time**, con l'andar del tempo □ **in due c.**, a tempo debito; a suo tempo □ **in the normal c. of events**, in condizioni normali; normalmente □ **a matter of c.**, una cosa naturale □ **of c.**, naturalmente; certo: *Of c. I've checked my pockets*, certo che ho controllato le tasche; *Of c. I know!*, certo che lo so!; *Of c. I am* [*he does, we can, etc.*]!, certo che sì! □ **of c. not**, no, naturalmente; certo che no □ **to be on c. to do st.**, avere buone probabilità di fare qc.: *We're on c. to reach the £2m target*, se continuiamo così, raggiungeremo l'obiettivo dei due milioni di sterline □ **to be on c. for st.**, andare verso qc.; avere qc. in prospettiva: *He's on c. for a second win*, lo aspetta una seconda vittoria □ (*di malattia, ecc.*) **to run** (*o* **to take**) **its c.**, seguire il proprio corso: *Let nature take its c.*, lascia che la natura segua il suo corso □ **to stay the c.**, (*di cavallo*) portare a termine la corsa; (*fig.*) portare a termine quello che si è cominciato, tenere duro fino in fondo, non deflettere.

to **course** /kɔːs/ **A** v. t. **1** cacciare, inseguire (*spec. selvaggina con i cani*) **2** lanciare (*i levrieri*) all'inseguimento **3** (*lett.*) attraversare; trascorrere (*lett.*) **4** far correre (*un cavallo, un cane*) **B** v. i. **1** cacciare (*spec. con cani*) **2** scorrere: *Royal blood courses through his veins*, nelle sue vene scorre sangue reale.

coursebook /'kɔːsbʊk/ n. libro di testo (*di un corso*); manuale.

courser① /'kɔːsə(r)/ n. (*poet.*) corsiero; destriero.

courser② /'kɔːsə(r)/ n. (*zool.*, *Cursorius cursor*) corrione biondo.

courser③ /'kɔːsə(r)/ n. cacciatore (*di lepri, ecc.*) con levrieri.

courseware /'kɔːsweə(r)/ n. ⓤ (*comput.*) software per la didattica.

coursework /'kɔːswɜːk/ n. ⓤ (*spec. GB*) compiti (pl.), esercizi (pl.) scritti (*fatti durante un corso, la cui valutazione in genere contribuisce al voto finale*): *Have you started your geography c. yet?*, hai già cominciato i compiti di geografia?

coursing /'kɔːsɪŋ/ n. ⓤ **1** caccia con levrieri (*spec. alla lepre*) **2** (*sport*) corse di levrieri.

C

♦**court** /kɔːt/ **A** n. **1** CU (*leg.*, = c. of law) corte; tribunale; foro; giudice (*fig.*): **c. of justice**, corte di giustizia; **c. having jurisdiction**, foro competente; **appeal c.**, corte d'appello; **criminal c.**, tribunale penale; **supreme c.**, corte suprema; **to appear in c.**, comparire davanti al giudice; **to bring sb. to c.** (*o* **before the c.**), portare q. in tribunale; citare q. in giudizio; **to bring a case to c.**, portare un caso in tribunale; **to go to c.**, (*di persona*) adire le vie legali; (*di faccenda*) finire in tribunale; **to take sb.** [**a case**] **to c.**, portare q. [un caso] in tribunale **2** (*leg.*) aula (*di tribunale*): (*leg.*) **Silence in c.!**, silenzio in aula! **3** (*sport*) campo; zona del campo: **tennis c.**, campo da tennis; **hard c.**, campo in terra battuta o in cemento; **grass c.**, campo in erba; (*tennis*) **the service c.**, la zona del servizio; **off c.**, fuori del campo; **on c.**, in campo **4** corte; cortile **5** (*in GB, nei nomi propri*) palazzo; residenza; palazzo di appartamenti (*di lusso*): **Hampton C.**, il Palazzo di Hampton **6** corte (*reale*): **the c. of Charles II**, la corte di Carlo II; **the C. of St. James's**, la Corte di San Giacomo (*la corte del Regno Unito*); **life at c.**, vita a corte; vita di corte **7** (*in GB*) (riunione del) consiglio d'amministrazione (*di una società*) **B** a. attr. **1** di corte: **c. ball**, ballo di corte; **c. dress**, abito di corte **2** (*leg.*) di tribunale; giudiziario; processuale; di un processo: **c. battle**, battaglia in tribunale; battaglia legale; **c. proceedings**, atti processuali; documenti giudiziari; **c. record**, verbale di un processo; **c. district**, distretto giudiziario; **c. ruling**, sentenza del tribunale; **c. settlement**, accordo giudiziale ● (*GB*) **c. card**, figura (*delle carte da gioco*) □ (*leg.*) **c. case**, causa; processo □ (*in GB*) **c. circular**, relazione quotidiana sulle attività dei membri della famiglia reale (*pubblicata sui giornali*) □ **c. dress**, (*stor.*) abito indossato a corte; (*leg.*) toga di avvocato o giudice □ (*leg.*) **c. hearing**, udienza □ **c. house** → **courthouse** □ (*teatr., cinem., TV*) **c. melodrama**, dramma (film, originale televisivo) incentrato su un processo (*con molte scene in tribunale*) □ (*leg., GB*) **the C. of Appeal**, la Corte d'Appello **❶ CULTURA ● Court of Appeal**: *risiede a Londra ed è nella maggior parte dei casi la corte di ultima istanza, le sue decisioni sono infatti appellabili solo di fronte alla Camera dei Lord* □ (*leg., in USA*) **C. of Appeals**, Corte d'Appello (*ve ne sono dodici*); (*in taluni Stati*) Corte Suprema □ **c. of arbitration**, collegio arbitrale □ (*leg.*) **Courts of Assize**, Corti d'Assise (*sostituite nel 1971 dalle «Circuit Courts»*) □ (*leg.*) **c. of first instance**, tribunale di prima istanza □ **c. of inquiry**, commissione d'inchiesta; (*mil.*) tribunale militare □ (*leg.*) **c. of last resort**, tribunale d'ultima istanza (*la Camera dei Lord in GB, la Corte Suprema in USA*) □ (*leg.*) **C. of Session**, Corte Suprema (*in Scozia*) □ (*leg.*) **c. order**, ordine (*o* ordinanza) del tribunale □ (*stor.*) **c. plaster**, cerotto (*di seta o altra stoffa*) □ (*leg.*) **c. reporter**, stenotipista di tribunale □ (*stor., in GB*) **c. roll**, registro delle locazioni (*in una corte feudale*) □ **c. shoe**, scarpa scollata (*con tacco medio*); scollata; (*scarpa*) decolleté □ (*leg.*) **c. sitting in panel**, collegio di giudici □ (*stor.*) **c. sword**, spadino da cortigiano □ (*stor., GB*) **c. tennis**, (gioco della) pallacorda ● **to hold c.**, tener corte; (*fig.*) tener corte, far salotto □ (*leg.*) **out of c.**, (avv.) in via amichevole; (agg.) stragiudiziale: **out-of-c. settlement**, transazione stragiudiziale; **to settle a case** [**a dispute**] **out of c.**, conciliare una causa [comporre una disputa] in via amichevole ● **to pay c. to q.**, fare la corte a q., corteggiare q. (*per ingraziarselo*) □ **to put st. out of c. for**, mettere qc. fuori della portata di.

to **court** /kɔːt/ **A** v. t. **1** corteggiare; (*anche fig.*) fare la corte a **2** cercare; sollecitare; andare in cerca di: (*polit.*) **to c. the inde-**

pendent voters, sollecitare il voto degli elettori non iscritti ad alcun partito politico; **to c. an opportunity**, cercare una buona occasione; *You are courting trouble*, tu vai in cerca di guai **B** v. i. fare la corte.

courteous /ˈkɜːtɪəs/ a. cortese; gentile; bene educato | **-ly** avv. | **-ness** n. ⃞.

courtesan /ˌkɔːtɪˈzæn/, *USA* ˈkɔːtɪzn/ n. cortigiana; prostituta.

courtesy /ˈkɜːtəsɪ/ **A** n. **1** ⃞ cortesia; gentilezza; favore: **by c.**, per favore; **title of c.**, titolo di cortesia (*spec. dato ai figli d'un pari*) **2** cortese concessione; atto di cortesia **B** a. attr. di cortesia: **a c. visit**, una visita di cortesia ● **c. copy**, copia in omaggio (*di libro*) □ (*autom.*) **c. light**, luce di cortesia, luce interna (*automatica*) □ (**by**) **c. of**, per gentile concessione di.

courthouse /ˈkɔːthaʊs/ n. **1** palazzo di giustizia **2** (*in USA, anche*) palazzo della contea.

courtier /ˈkɔːtɪə(r)/ n. cortigiano; gentiluomo, dama di corte.

courting /ˈkɔːtɪŋ/ n. ⃞ corteggiamento; corte (*fatta a una donna*) ● (*antiq.*) **c. couple** (*o* **c. pair**), fidanzati; innamorati.

courtly /ˈkɔːtlɪ/ a. **1** cortese; elegante; raffinato **2** cortigianesco; cerimonioso **3** di corte; regale ● (*letter.*) **c. love**, amor cortese | **-iness** n. ⃞.

court martial /kɔːt ˈmɑːʃl/ loc. n. (pl. **courts martial**, **court martials**) (*mil.*) corte marziale.

to **court-martial** /kɔːt ˈmɑːʃl/ v. t. mandare (q.) davanti alla corte marziale ● **to be court-martialled**, essere processato da una corte marziale.

courtroom /ˈkɔːtruːm/ n. (*leg.*) aula giudiziaria; aula di tribunale; aula; sala d'udienza.

courtship /ˈkɔːtʃɪp/ n. ⃞ (*anche zool.*) corteggiamento.

courtside /ˈkɔːtsaɪd/ n. ⃞ (*sport*) bordo campo (*spec. nel tennis e nel basket*).

courtyard /ˈkɔːtjɑːd/ n. cortile; corte (*di castello, ecc.*).

couscous /ˈkuːskuːs/ n. ⃞C (*cucina*) cuscus.

♦**cousin** /ˈkʌzn/ n. **1** cugino, cugina: **first c.** (*o, antiq.*, **c. german**), primo cugino; **first c. once removed**, figlio di un primo cugino; (*anche*) primo cugino di un genitore; **second c.**, figlio di un cugino primo di un genitore; (*anche*) secondo cugino; **second c. once removed**, figlio di un secondo cugino; (*anche*) secondo cugino di un genitore **2** (*per estens. e fig.*) parente ● (*fig.*) **to call cousins with sb.**, vantare la propria parentela con q. ||

cousinhood n. ⃞ **1** cuginanza **2** (collett.) i propri cugini || **cousinly** a. di (*o* da) cugino || **cousinship** n. ⃞ cuginanza.

couture /kʊˈtʊə(r)/ (*franc.*) n. ⃞ moda femminile; alta moda.

couturier /kʊˈtʊərɪeɪ/ (*franc.*) n. couturier (*franc.*); sarto di classe.

couvade /kuːˈvɑːd/ (*franc.*) n. ⃞ (*antrop.*) covata; accubito.

covalent /kəʊˈveɪlənt/ (*chim.*) a. covalente: **c. bond**, legame covalente || **covalence**, **covalency** n. ⃞ covalenza.

covariance /kəʊˈveərɪəns/ n. ⃞ (*stat.*) covarianza.

covariant /kəʊˈveərɪənt/ a. e n. (*mat.*) covariante.

cove① /kəʊv/ n. **1** piccola baia; cala; insenatura **2** angolo (*o* recesso) riparato (*fra dirupi*); grotta; nicchia **3** (*archit.*) modanatura concava.

cove② /kəʊv/ n. (*slang antiq.*) individuo; tipo; tizio.

to **cove** /kəʊv/ v. t. (*archit.*) curvare (*o* piegare) ad arco ● **coved ceiling**, soffitto ad

arco.

coven /ˈkʌvn/ n. congrega di streghe.

covenant /ˈkʌvənənt/ n. **1** convenzione; accordo solenne; patto: (*relig.*) **the Ark of the C.**, l'Arca dell'Alleanza; (*stor.*) **the National C.**, la convenzione nazionale dei presbiteriani scozzesi contro l'episcopato **2** (*leg.*) contratto formale (*o* solenne); patto **3** (*leg.*) impegno scritto (*a versare una somma di denaro in beneficenza*) ● (*leg.*) **c. of quiet enjoyment**, garanzia di pacifico godimento.

to **covenant** /ˈkʌvənənt/ v. t. e i. accordarsi; convenire; pattuire.

covenanted /ˈkʌvənəntɪd/ a. **1** legato da un patto **2** (*leg.*) stabilito per contratto; pattuito.

covenanter /ˈkʌvənəntə(r)/ n. **1** chi aderisce a una convenzione (*o* a un patto) **2** (*stor.*) membro del «National Covenant» scozzese.

Coventry /ˈkɒvntrɪ/ n. (*geogr.*) Coventry ● (*fig. fam.*) **to send sb. to C.**, ostacizzare q.; non rivolgere la parola a q.

♦**cover** /ˈkʌvə(r)/ n. **1** coperchio; cappuccio, calotta (*di protezione*): **manhole** [**typewriter**] **c.**, coperchio di tombino [di macchina da scrivere] **2** rivestimento; copertura; fodera (*di poltrona, ecc.*); fodero (*di ombrello, ecc.*); copri-: **seat c.**, rivestimento di sedile; **loose c.**, fodera staccabile; **dust c.**, telo (*per proteggere dalla polvere*); **duvet c.**, copripiumone **3** strato (ricoprente); copertura; manto: **a thick c. of snow**, uno spesso strato di neve; **ground c.**, strato di vegetazione **4** copertina (*di libro, rivista, CD*): **front c.**, copertina; (*editoria*) prima di copertina; **back c.**, retrocopertina; (*editoria*) quarta di copertina; **on the c.**, sulla copertina; in copertina; *I read it from c. to c.*, l'ho letto da cima a fondo (*o* dalla prima all'ultima pagina); **c. photo**, foto di copertina **5** (al pl.) **the covers**, le coperte: *He burrowed under the covers*, si rintanò sotto le coperte **6** (= **outer c.**) copertone (*di pneumatico*) **7** ⃞ riparo; protezione; (*di selvaggina*) nascondiglio (*tra la vegetazione*): **to provide c.**, offrire riparo; **to run for c.**, correre in cerca di riparo; **to take c.**, mettersi al riparo; trovare riparo; ripararsi; rifugiarsi; (*di selvaggina*) nascondersi; **to take c. under a tree**, mettersi al (*o* trovare) riparo sotto un albero **8** ⃞ (*mil.*) copertura: **air** [**naval**] **c.**, copertura aerea [navale]; **to give sb. c.**, coprire q. **9** ⃞ (attività, identità di) copertura: *The bookshop is a c. for illicit traffic*, la libreria è una copertura per traffici illegali; **to work under c.**, lavorare sotto copertura; **to blow sb.'s c.**, svelare l'identità di q. (*un agente segreto, ecc.*); **to blow one's c.**, rivelare (*accidentalmente*) la propria identità; farsi scoprire **10** copertura; facciata; apparenza; schermo; pretesto: **under c. of doing st.**, col pretesto di fare qc.; facendo finta di fare qc. **11** coperto (*di pranzo*): **c. charge**, (*prezzo del*) coperto (*in un ristorante, ecc.*) **12** sostituto; sostituzione; *Make sure you are available in the mornings as we often get calls from employers for emergency c.*, faccia in modo da essere rintracciabile di mattina perché spesso riceviamo chiamate dai datori di lavoro per delle sostituzioni d'emergenza **13** ⃞ (*leg.*) garanzia **14** ⃞ (*ass.*) copertura: **insurance c.**, copertura assicurativa; **to take out c.**, coprirsi (*da un rischio*) **15** ⃞ (*fin.*) copertura: **with c.**, con copertura; al coperto; **without c.**, senza copertura; allo scoperto **16** ⃞ (*boxe*) guardia **17** (al pl.) (*cricket*) – **the covers**, zona del campo a destra del battitore (*destrimano*) **18** (*cricket*, = **c. point**) difensore (*poco davanti al battitore tra il wicket e il perimetro*) **19** ⃞ (*di animali*) monta **20** (= **c. version**) riedizione (*di una canzone, un brano musicale di successo*); nuova registrazione ● (*banca*) **c. for the day**, fabbiso-

gno di cassa □ **c. girl**, cover girl; ragazza copertina □ **c. glass**, vetrino (*da microscopio*) □ (*USA*) **c. letter**, lettera di accompagnamento □ **c. name**, pseudonimo □ (*ass.*, *GB*) **c. note**, polizza provvisoria □ **c. slip = c. glass** → *sopra* □ (*di rivista*) **c. story**, articolo in copertina (*di una rivista*) □ (*di preda, uomo braccato, ecc.*) **to break c.**, uscire allo scoperto □ **under (the) c. of darkness** (*o of the night*), col favore delle tenebre □ **under plain c.**, (*di busta, pacco*) senza indirizzo del mittente □ **under separate c.**, in plico a parte.

♦**to cover** /ˈkʌvə(r)/ v. t. **1** coprire (*anche fig.*); ricoprire; rivestire: *C. your head!*, copriti il capo!; **to c. a cake with icing**, ricoprire una torta di glassa; **to be covered in** (*o* **with**) **dust** [**blood**], essere coperto di polvere [di sangue]; *He covered me with ridicule*, mi coprì di ridicolo **2** coprire; nascondere; mascherare: *I tried to c. my embarrassment with a laugh*, cercai di coprire il mio imbarazzo con una risata **3** coprire (*una distanza*): *We covered forty miles*, coprimmo quaranta miglia **4** estendersi; coprire: *This wood covers fifty acres*, questo bosco si estende per venti acri **5** trattare; prendere in esame; occuparsi di; riferirsi a; comprendere; includere: *His lectures c. the whole subject*, le sue lezioni trattano l'intero argomento; *The first chapter covers the years 1815-1830*, il primo capitolo si occupa degli anni 1815-1830 **6** (*di regola, ecc.*) riferirsi a; valere per **7** (*di somma*) coprire; bastare per: **to c. the expenses**, coprire le spese; *I think $150 should c. it*, credo che 150 dollari basteranno **8** (*giorn.*) seguire (*un avvenimento*); fare un servizio su; occuparsi di: *The reporter covered the riots*, l'inviato fece un servizio sui tumulti; *Mark covers the crime news*, Mark si occupa della cronaca nera **9** (*TV*) trasmettere (in diretta); fare un servizio su: *The BBC covered the ceremony*, la BBC ha trasmesso la cerimonia in diretta **10** coprire; proteggere; coprire le spalle a: (*mil.*) **to c. sb.'s retreat**, coprire la ritirata di q. **11** tenere sotto (il) tiro; tenere nel mirino: *Our artillery covered every approach*, la nostra artiglieria teneva sotto il tiro ogni via d'accesso; *No tricks. I've got you covered!*, niente scherzi, ti tengo sotto tiro **12** (*sport*) giocare in appoggio a; marcare, coprire (*un avversario*); (*baseball*) difendere (*una base, ecc.*) **13** (*ass.*) coprire; fornire copertura; assicurare: *I am covered by insurance*, sono coperto da assicurazione; sono assicurato; **to c. against theft**, fornire copertura contro il furto; **to get oneself covered**, assicurarsi **14** (*fin.*) coprire; garantire; pareggiare: **to c. a cheque**, coprire un assegno **15** (*di animale*) coprire; montare **16** fare una riedizione, una nuova registrazione di (*una canzone, un brano musicale di successo*) ● (*volg. USA*) **to c. one's ass**, pararsi il culo □ (*Borsa*) **to c. forward**, coprirsi con operazioni a termine □ **to c. a multitude of sins**, coprire molte magagne □ **to c. oneself**, coprirsi: **to c. oneself with a blanket**, coprirsi con una coperta; (*fig.*) **to c. oneself with glory**, coprirsi di gloria; (*fig.*) coprirsi; proteggersi: *He said that to c. himself*, l'ha detto per coprirsi; **to c. oneself against st.**, proteggersi contro qc. (*o dal rischio di qc.*); coprirsi il capo; mettersi il cappello; (*ass., Borsa, fin.*) coprirsi □ (*comm.*) **to c. a small order**, evadere un piccolo ordinativo □ **to c. one's tracks**, nascondere le proprie tracce □ (*fam.*) **to c. the waterfront**, coprire tutti gli aspetti; fare un resoconto completo.

■ **cover for** v. i. + prep. **1** sostituire (*temporaneamente, un collega*) **2** proteggere, coprire (*q.*) **3** compensare; coprire; fornire copertura contro **4** (*giorn.*) seguire un avvenimento per (*un giornale, ecc.*).

■ **cover in** v. t. + avv. **1** coprire (*un canale, una piscina, ecc.*) **2** colmare (*una fossa*).

■ **cover over** v. t. + avv. coprire (completamente); nascondere.

■ **cover up** A v. t. + avv. **1** coprire (completamente): **to c. oneself up**, coprirsi **2** nascondere **3** mettere a tacere; occultare; insabbiare B v. i. + avv. coprirsi.

♦**coverage** /ˈkʌvərɪdʒ/ n. ⓤ **1** (*giorn.*) copertura; spazio (*accordato a qc.*): **to give full c. to an event**, dare piena copertura a un fatto; fare un ampio servizio su un avvenimento; **to get no media c.**, essere ignorato dai media; non avere spazio sui media; **live c.**, diretta **2** (*di libro, dizionario, programma, ecc.*) trattazione; copertura **3** (*ass.*) copertura assicurativa **4** (*radio, TV*) zona di ricezione **5** (*radar*) copertura **6** (*stat.*) copertura (*di una rilevazione*) ● (*fin.*) **c. ratio**, rapporto di copertura.

coveralls /ˈkʌvərɔːlz/ n. pl. (*USA*) tuta (*spec. da lavoro*).

covered /ˈkʌvəd/ a. **1** coperto: **c. passage**, passaggio coperto; **c. wagon**, vagone coperto; **snow-c.**, coperto di neve **2** (*fin.*) coperto ● (*Borsa*) **c. bear**, ribassista coperto □ **to remain c.**, tenere il cappello in capo.

covering /ˈkʌvərɪŋ/ A a. che copre B n. **1** ⓤ (*anche fin.*) copertura **2** protezione; rivestimento **3** copertà **4** (*tecn.*) guarnizione **5** ⓤ (*mat.*) ricoprimento **6** ⓤ (*zootecnia: di animali*) monta ● **c. letter**, lettera d'accompagnamento □ (*mil.*) **c. party**, truppe di copertura □ (*metall., ottica*) **c. power**, potere coprente □ (*Borsa*) **c. purchase**, acquisto di copertura.

coverlet /ˈkʌvələt/ n. **1** sovraccoperta; copriletto **2** (*talora*) imbottita; trapunta.

covert ① /ˈkəʊvət/ a. **1** celato; nascosto; di sfuggita; velato (*fig.*): **a c. glance**, uno sguardo di sfuggita; **a c. threat**, una velata minaccia **2** (*leg.*) sotto tutela maritale | **-ly** avv.

covert ② /ˈkʌvət/ n. **1** folto di cespugli o arbusti (*in cui si può nascondere la selvaggina*); macchia; terreno coperto; nascondiglio **2** (*zool.*) (penna) copritrice **3** (= **c. cloth**, *ind. tess.*) varietà di tessuto diagonale leggermente macchiettato **4** (= **c. coat**) cappotto sportivo a un petto color marrone chiaro.

coverture /ˈkʌvətʃə(r)/ n. **1** ⓤⓒ rifugio (*anche fig.*); riparo **2** schermo; paravento (*fig.*) **3** ⓤ (*leg.*) tutela maritale.

cover-up /ˈkʌvərʌp/ n. (il) mettere a tacere qc.; occultamento; insabbiamento.

to **covet** /ˈkʌvɪt/ v. t. (*form.*) bramare; desiderare ardentemente; concupire ‖ **covetable** a. bramabile; assai desiderabile; concupiscibile (*raro, lett.*).

covetous /ˈkʌvɪtəs/ a. bramoso; cupido; avido ‖ **covetously** avv. con bramosia; bramosamente; con cupidigia; avidamente ‖ **covetousness** n. ⓤ bramosia; cupidigia; avidità.

covey /ˈkʌvɪ/ n. **1** (*zool.*) covata **2** (*zool.*) stormo (*spec. di pernici o quaglie*) **3** (*fig. fam.*) gruppetto; comitiva.

covin /ˈkʌvɪn/ n. ⓤⓒ (*leg.*) intesa fraudolenta; collusione a danno di terzi.

coving /ˈkəʊvɪŋ/ n. (*archit.*) **1** sezione a volta (*d'un edificio*); arcata **2** (*al pl.*) fiancate inclinate (*d'un focolare*).

♦**cow** /kaʊ/ n. **1** vacca; mucca **2** (*in combinazione*) femmina (*di grosso mammifero*): **cow elephant**, elefantessa; **cow whale**, balena femmina; **cow buffalo**, bufala **3** (*spreg.*) donna (*in genere sciocca o antipatica*): **a fat cow**, una grassona; *Look what you've done, you silly cow!*, guarda che hai fatto, stupida!; *Poor cow!*, poveraccia! **4** (*fam. Austral.*) persona o cosa antipatica: **a cow of a job**, un lavoraccio; una bella rogna; **a fair cow**, (*di persona*) rompiballe; (*di cosa*) rogna, rottura ● (*fam. USA*) **cow college**, college di agraria; (*spreg.*) college (*o università*) di seconda classe □ (*bot.*) **cow parsley** (*Anthriscus sylvestris*), cerfoglio selvatico □ (*bot.*) **cow parsnip** (*Heracleum sphondylium*), panace; sedano dei prati □ (*bot.*) **cow pea** (*Vigna sinensis*), fagiolo dall'occhio □ (*fam. USA*) **cow pie**, (mucchietto di) sterco di mucca □ (*USA*) **cow town**, cittadina di una regione dedita all'allevamento; (*fig.*) buco di provincia, posto di vaccari □ (*bot.*) **cow tree** (*Brosimum galactodendron*), albero del latte □ (*slang USA*) **to have a cow**, fare una scenata; dare in smanie; dar fuori di matto (*fam.*) □ (*fam.*) **till the cows come home**, per ore e ore; per un'infinità di tempo; all'infinito; fino alle calende greche.

to **cow** /kaʊ/ v. t. atterrire; intimidire; intimorire; spaventare: **to cow sb. into submission**, indurre q. all'obbedienza intimidendolo.

cowage /ˈkaʊɪdʒ/ n. (*bot.*) (*Campsis radicans*) gelsomino americano; trombetta rossa.

coward /ˈkaʊəd/ a. e n. codardo; pusillanime; vile; vigliacco: *'Cowards die many times before their death'* W. Shakespeare, 'i codardi muoiono più volte prima della loro morte'.

cowardice /ˈkaʊədɪs/ n. ⓤ codardia; pusillanimità; viltà.

cowardly /ˈkaʊədlɪ/ a. codardo; pusillanime; vile | **-iness** n. ⓤ.

cowbane /ˈkaʊbeɪn/ n. (*bot.*, *Cicuta virosa*) cicuta acquatica.

cowbell /ˈkaʊbel/ n. campanaccio.

cowboy /ˈkaʊbɔɪ/ A n. **1** cowboy; mandriano **2** (*fam.*) individuo senza scrupoli; filibustiere; scalzacane B a. (*fam.*) **1** da cowboy; di cowboy: **c. hat**, cappello da cowboy; **c. film**, film di cowboy; western **2** (*fam.*) sconsiderato; irresponsabile **3** (*fam.*) disonesto; truffaldino; senza scrupoli: **c. builders**, costruttori senza scrupoli **4** (*fam., di lavoro*) malfatto; tirato via ● **to play cowboys and Indians**, giocare ai cowboy e agli indiani.

cowcatcher /ˈkaʊkætʃə(r)/ n. (*ferr.*, *USA*) cacciapietre; cacciabufali.

to **cower** /ˈkaʊə(r)/ v. i. **1** accovacciarsi; accucciarsi **2** rannicchiarsi; farsi piccolo (*per la paura, ecc.*).

cowfish /ˈkaʊfɪʃ/ n. (*zool.*) **1** (*Grampus griseus*) grampo grigio **2** (*Trichecus*) tricheco **3** (*Dugong*) dugongo **4** (*slang*) pesce con una sorta di protuberanza sopra gli occhi.

cowgirl /ˈkaʊgɜːl/ n. ragazza cowboy; mandriana.

cowhand /ˈkaʊhænd/ n. (*USA*) mandriano; mandriana.

cowherd /ˈkaʊhɜːd/ n. bovaro; vaccaro.

cowhide /ˈkaʊhaɪd/ n. **1** ⓤ pelle di vacca **2** ⓤ vacchetta; cuoio **3** frusta di cuoio **4** (*USA*) scarpa (*o stivale*) di vacchetta.

cowhouse /ˈkaʊhaʊs/ n. stalla (*per bovini*).

cowl /kaʊl/ n. **1** cappuccio; tonaca con cappuccio (*da frate*); saio **2** comignolo metallico girevole **3** (*autom.*) (supporto del) cofano **4** (*naut.*) manica a vento; cuffia **5** (*ferr.*) parascintille **6** (*aeron.*) → **cowling**, *def. 2* ● (*moda*) **c. neck**, collo a cappuccio □ (*relig.*) **to take the c.**, vestire la tonaca □ (*prov.*) **The c. does not make the monk**, l'abito non fa il monaco.

cowlick /ˈkaʊlɪk/ n. (*USA*) ciuffo ribelle (*di capelli: sulla fronte*).

cowling /ˈkaʊlɪŋ/ n. **1** (*autom., mecc.*) camicia metallica (*di un motore*); gondola (del) motore **2** (*aeron.*) cappottatura (*che copre il motore*).

cowman /ˈkaʊmæn/ n. (pl. **cowmen**) **1** mandriano; vaccaro **2** (*USA*) allevatore di bestiame.

co-worker /kəʊˈwɜːkə(r)/ n. compagno di

lavoro; collega.

cowpat /ˈkaʊpæt/ n. (mucchietto di) sterco di mucca.

cowpoke /ˈkaʊpəʊk/ n. (*slang USA*) mandriano; vaccaro.

cowpox /ˈkaʊpɒks/ n. ▯ (*vet.*) vaiolo vaccino (o bovino).

cowpuncher /ˈkaʊpʌntʃə(r)/ n. (*slang USA*) mandriano; vaccaro.

cowrie, **cowry** /ˈkaʊrɪ/ n. **1** (*zool.*, *Cypraea*) ciprea **2** conchiglia di ciprea (*usata come moneta in Asia e Africa*).

to **co-write** /kəʊˈraɪt/ v. t. scrivere, comporre in collaborazione con q.; scrivere a due mani di.

co-writer /ˈkəʊraɪtə(r)/ n. coautore, coautrice; collaboratore, collaboratrice.

cows-and-calves /ˈkaʊzənˈkɑːvz/ n. (*bot.*, *Arum maculatum*) aro; gigaro; pan di serpe; lingua di serpe; piè di vitello.

cowshed /ˈkaʊʃed/ n. stalla (*per bovini*).

cowslip /ˈkaʊslɪp/ n. (*bot.*) **1** (*Primula veris*) primavera odorosa; primula gialla **2** (*Caltha palustris*) calta palustre; farferugine.

cow-wheat, **cow wheat** /ˈkaʊwiːt/ n. (*bot.*, *Melampyrum arvense*) melampiro; coda di volpe.

Cox /kɒks/, **Cox's orange pippin** /kɒksɪz ɒrɪndʒ ˈpɪpɪn/ n. varietà di mela inglese (*dalla buccia verde sfumata di rosso*).

cox /kɒks/ n. (*naut.*) timoniere (*spec. nel canottaggio*).

to **cox** /kɒks/ (*naut.*) **A** v. i. fare il timoniere (*spec. nel canottaggio*) **B** v. t. governare, essere al timone di (*un'imbarcazione*) ● *canottaggio*) **coxed four**, quattro con □ **coxed pair**, due con.

coxa /ˈkɒksə/ n. (*pl. coxae*) **1** (*anat.*) coxa; anca **2** (*zool.*) coxa (*zampa di un insetto*) ‖ **coxal** a. (*anat.*) dell'anca.

coxcomb /ˈkɒkskəʊm/ n. **1** (*antiq.*) damerino; bellimbusto **2** → **cockscomb**.

coxless /ˈkɒksləs/ a. (*naut.*, *canottaggio*) senza: **c. four**, quattro senza; **c. pair**, due senza.

coxswain (*def. 1, 2* /ˈkɒksn/, *def. 3* /ˈkɒksweɪn/) n. (*naut.*) **1** timoniere (*di lancia di salvataggio*, *imbarcazione da regata*, *ecc.*) **2** (*marina mil.*) padrone **3** capobarca.

coy /kɔɪ/ a. **1** modesto; riservato; timido; schivo: **a coy smile**, un timido sorriso **2** civettuolo; che affetta timidezza: **a coy girl**, una ragazza civettuola **3** sfuggente; evasivo | **-ly avv.** | **-ness n.** ▯.

Coy abbr. (*mil.*, **company**) compagnia (comp.).

coyote /ˈkɔɪəʊtɪ, *USA* kaɪˈəʊtɪ/ n. (*pl. coyotes*, *coyote*) **1** (*zool.*, *Canis latrans*) coyote; lupo delle praterie (*slang USA*) carogna; traditore.

coypu /ˈkɔɪpuː/ n. (*pl. coypus*, *coypu*) (*zool.*, *Myocastor coypus*) nutria; topo d'acqua; castorino.

coz[1] /kʌz/ n. (*arc. o fam.*) cugino, cugina.

coz[2] /kʌz/ abbr. di **because**.

to **cozen** /ˈkʌzən/ v. t. (*poet.*) **1** ingannare; frodare **2** procurarsi con l'inganno.

cozy /ˈkəʊzɪ/ a. (*USA*) **1** → **cosy 2** (*fam.*) intimo (*di q.*).

to **cozy** /ˈkəʊzɪ/ v. t. (*fam. USA*) rassicurare (*con blandizie*, *ecc.*).

■ **cozy up to v. i. + avv. + prep.** (*fam. USA*) **1** rannicchiarsi contro (q.); strusciarsi contro **2** cercare di ingraziarsi; farsi amico di; lisciare.

cp. abbr. (**compare**) confronta (cfr.).

CP sigla **1** (*mil.*, **command post**) posto di comando **2** (*polit.*, **Communist Party**) Partito comunista.

CPA sigla (*USA*, **certified public accountant**) commercialista iscritto all'albo.

CPAP sigla (*med.*, **continuous positive airways pressure**) CPAP (*pressione positiva continua nelle vie aeree*).

CPI sigla (*USA*, **consumer price index**) indice dei prezzi al consumo.

Cpl abbr. (*mil.*, **corporal**) caporale (Cap.le).

CPNI sigla **1** (*USA*, **customer proprietary network information**) raccolta dei dati relativi agli utenti, in possesso delle società di telecomunicazione **2** (*GB*, **Centre for the Protection of the National Infrastructure**) Centro per la protezione delle infrastrutture nazionali.

CPO sigla (*marina*, **chief petty officer**) capo (di terza classe).

CPR sigla (**Canadian Pacific Railway**) ferrovia canadese del Pacifico.

CPS sigla (*GB*, **Crown Prosecution Service**) Dipartimento della pubblica accusa.

cps sigla **1** (*comput.*, **characters per second**) caratteri al secondo **2** (*elettr.*, **cycles per second**) cicli al secondo.

CPU sigla (*comput.*, **central processing unit**) unità centrale di elaborazione; CPU.

CPVE sigla (*scuola*, *GB*, **Certificate of Pre-Vocational Education**) attestato di formazione pre-professionale.

cr. abbr. **1** (**credit**) credito **2** (**creditor**) creditore **3** (**carriage return**) ritorno a capo, ritorno carrello.

crab[1] /kræb/ n. **1** (*zool. e alim.*) granchio: **c. salad**, insalata di granchi **2** (*zool.*, *Phthirus pubis*; = **c. louse**) piattola **3** (*astron.*, *astrol.*) – **the C.**, il Cancro (*costellazione e IV segno dello zodiaco*) **4** (*mecc.*) verricello; piccolo argano; gru a benna **5** (*alpinismo*) moschettone **6** (*aeron.*) deriva **7** (*naut.*, = **c. winch**) verricello; paranco **8** (*al pl.*) (*volg.*) – **the crabs**, le piattole del pube **9** (*al pl.*) il punto più basso (*nei giochi d'azzardo*) ● (*mus.*) **c. canon**, canone cancrizzante □ (*naut.*) **to catch a c.**, perdere una battuta del remo.

crab[2] /kræb/ n. **1** (*bot.*, *Malus sylvestris*; = **c. apple**, **c. tree**) melo selvatico **2** (= **c. apple**) mela selvatica **3** (*fig.*) persona acida, bisbetica; brontolone, brontolona ● **c.-faced**, dall'aria acida; dall'aspetto bisbetico □ (*bot.*) **c. grass** (*Digitaria sanguinalis*), sanguinella.

to **crab** /kræb/ v. t. e i. **1** pescare granchi **2** (*fam.*) screditare; demolire (*fig.*) **3** (*naut.*) scarrocciare **4** (*aeron.*) compensare la deriva (*dovuta al vento che spira di fianco*) **5** (*slang USA*) guastare; sciupare; rovinare.

crabbed /ˈkræbɪd/ a. **1** (*di scrittura*, *scritto*) illeggibile **2** (*di stile*) involuto; intricato; confuso **3** (*di persona*, *atteggiamento*) scorbutico | **-ly avv.** | **-ness n.** ▯.

crabbing /ˈkræbɪŋ/ n. ▯ **1** pesca dei granchi **2** (*naut.*) deriva sottovento; scarroccio.

crabby /ˈkræbɪ/ a. (*fam.*) acido; aspro; bisbetico; irritabile; intrattabile.

crabmeat /ˈkræbmiːt/ n. ▯ (polpa di) granchio.

crabwise /ˈkræbwaɪz/ avv. a mo' di granchio; come i granchi; di sghembo; di traverso: **to walk c.**, camminare a mo' di un granchio.

crack[1] /kræk/ **A** n. **1** crac; schianto; schiocco; detonazione; colpo: **the c. of a whip**, lo schiocco d'una frusta **2** fessura; fenditura; incrinatura; crepa; screpolatura: *The vase has a c. in it*, il vaso ha un'incrinatura; *The windscreen of that car is full of cracks*, il parabrezza di quella macchina è tutto incrinato; *Open the window just a c., please*, per favore, fa' una fessura (o uno spiraglio) alla finestra; **a c. in the ice**, una crepa nel ghiaccio **3** forte colpo; botta; percossa: *He woke and there was the c., on the knocker of the outer door*' G. GREENE, 'si

svegliò e udì ripetuti forti colpi del batacchio della porta esterna'; *He gave me a c. on the head*, mi diede una botta sulla testa (o uno scappellotto) **4** ▯ il mutar della voce (*per raucedine*, *emozione*, *o durante la pubertà*): **c.-voiced**, dalla voce fessa **5** (*fam.*, = **wise-crack**) battuta (di spirito); frizzo **6** attimo; istante: **in a c.**, in un attimo **7** (*fam.*, *sport*, = **c. player**) asso; campione; fuoriclasse **8** (*slang*) effrazione; furto con scasso **9** (solo sing.) (*slang*) tentativo; prova: **to have** (*o* **to take**) **a c. at st.**, tentare di fare qc. **10** (*metall.*) cricca **11** (*ipp.*) crack; cavallo di prim'ordine **12** ▯ (*droga*, = **c. cocaine**) crack **13** (solo sing.) (*fam.*) opportunità; occasione **14** ▯ (*fam. irl.*, *anche* **craic**) spasso; divertimento: **just for the c.**, soltanto per divertirsi; per gioco **15** (*dial. scozz.*) chiacchierata **16** (*comput.*) crack (*intrusione illegale in un sistema informatico oppure la disattivazione dei meccanismi di protezione di un software*) **B** a. (*fam.*) **1** di prim'ordine; eccellente; ottimo; fuoriclasse; formidabile (*fam.*): *He's a c. shot*, è un tiratore formidabile **2** (*mil.*, *sport*) scelto; speciale: **a c. regiment**, un reggimento scelto; **c. police force**, reparto speciale di polizia (*ben addestrato*, *ecc.*) ● **c.-brain**, scemo; matto □ **c.-brained**, bizzarro, strambo; tocco; picchiatello; pazzesco: **a c.-brained plan**, un progetto pazzesco □ (*droga*) **c. cocaine**, crack □ **c. house**, locale dove si può consumare o comprare crack (*la droga*) □ (*antiq.*, *scherz.*) **the c. of doom**, il giorno del Giudizio Universale □ (*fam.*) **a c. shot**, un gran tiratore; un tiratore infallibile □ **at the c. of dawn** (*o* **of day**), all'alba; allo spuntar del giorno □ (*fam. GB*) **a fair c. of the whip**, possibilità di poter fare qualcosa □ (*fig.*) **to paper over the cracks**, coprire (*o* mascherare) i difetti □ (*fam. USA*) **to slip** (*o* **to fall**) **through the cracks**, andare perso; venir trascurato.

crack[2] /kræk/ inter. crac!; bum!; pum!

♦to **crack** /kræk/ **A** v. i. **1** incrinarsi; creparsi; screpolarsi; fendersi; spaccarsi: *Suddenly the ice cracked*, all'improvviso il ghiaccio s'incrinò; *The enamel had cracked*, lo smalto si era screpolato; *Their marriage is starting to c.*, il loro matrimonio sta incrinando **2** cedere (psicologicamente); crollare: **to c. under the strain**, crollare per la tensione; *The prisoner cracked under torture*, messo alla tortura, il prigioniero crollò **3** crepitare; (*di frusta*) schioccare; (*di giunture*) scrocchiare: *The machine guns were cracking*, le mitragliatrici crepitavano **4** urtare, sbattere (*con un rumore secco*) **5** (*della voce*) incrinarsi; rompersi **6** (*fam. USA*) andare a una festa senza avere l'invito **7** (*chim.*) subire la piroscissione **B** v. t. **1** rompere; schiacciare: **to c. an egg**, rompere un uovo; **to c. nuts**, rompere, schiacciare noci **2** far crollare (psicologicamente) **3** (far) schioccare; (far) scrocchiare: **to c. the whip**, schioccare la frusta; **to c. one's finger joints**, far scrocchiare le dita **4** (*fig.*) incrinare; far screpolare; far crepare: **to c. a vase**, incrinare un vaso; *The heat has cracked the paint*, il calore ha fatto screpolare la vernice **5** spezzare; sconfiggere: **to c. an opponent's resistance**, spezzare la resistenza di un avversario **6** urtare, picchiare, sbattere (*con un rumore secco*): **to c. one's head on the floor**, picchiare la testa sul pavimento **7** colpire; picchiare: **to c. sb. over his head**, colpire q. sulla testa **8** risolvere (*un problema*, *un caso*, *ecc.*); decifrare (*un codice*, *ecc.*); sbrogliare (*una difficoltà*) **9** (*fam.*) stappare (*o* aprire) e bere: **to c. a beer**, aprire una birra; **to c. a bottle with sb.**, bere una bottiglia con q. **10** forzare; scassinare (*una cassaforte*) **11** (*fam.*) riuscire a entrare in; sfondare: **to c. disco**, *disco*, *ecc.*) **to c. the top list**, piazzarsi fra i primi; sfondare; **to c. the most exclusive literary cir-**

cles in London, riuscire a entrare (o a sfondare) nei circoli letterari più chiusi di Londra 12 (chim.) scindere; sottoporre a piroscissione 13 (comput.) infrangere la sicurezza di (un sistema); trovare la chiave di accesso a (un programma, per utilizzarlo senza pagare); craccare (gergo) ● to c. a joke, raccontare una barzelletta; fare una battuta □ (fam.) to c. a smile, aprirsi in un sorriso □ (fam. USA) to c. a book, aprire un libro (per studiare) □ (fam.) to c. open, aprire; (anche) demolire (una tesi, ecc.) □ (fig.) to c. the whip, schioccare la frusta (fig.); farsi sentire (fig.); farsi obbedire □ (fam. USA) to c. wise, fare lo spiritoso; dire spiritosaggini □ (fam.) to get cracking, darsi da fare; muoversi; darsi una mossa; darci dentro; I need to get cracking on the coursework this weekend, mi devo mettere sotto con il compito nel fine settimana.

■ **crack along** v. i. + avv. **1** procedere a grande velocità; andare di volata **2** andare a gonfie vele.

■ **crack down on** v. i. + avv. e prep. **1** usare la mano pesante con **2** prendere severi provvedimenti contro; dare un giro di vite a: **to c. down on drug trafficking**, prendere severi provvedimenti contro il traffico di droga.

■ **crack on** v. i. + avv. (fam.) **1** darci sotto; darci dentro **2** (fam.: del tempo) passare in fretta.

■ **crack up** Ⓐ v. i. + avv. (fam.) **1** avere un collasso nervoso; crollare; perdere il controllo di sé **2** sbellicarsi dalle risa; farsi una spanciata di risate **3** (USA) avere un incidente di macchina; andare a sbattere; piantarsi **4** (di auto) fracassarsi; disintegrarsi **5** (fam.) andare a rotoli: Their marriage cracked up, il loro matrimonio andò a rotoli Ⓑ v. t. + avv. (fam.) **1** far morire dalle risate; far sbellicare **2** lodare, decantare: The TV set was not all the seller cracked it up to be, il televisore non era affatto quella meraviglia che decantava il venditore; **to c. sb. [st.] up to the stars** (o **to the nines**), portare q. [qc.] alle stelle; fare lodi sperticate di q. [di qc.].

crackbrained /ˈkrækbreɪnd/ a. (fam.) deficiente; pazzo.

crackdown /ˈkrækdaʊn/ n. giro di vite, stretta di freni (fig.); inasprimento delle pene.

cracked /krækt/ a. **1** incrinato; rotto; crepato **2** (di voce) fessa; stridula **3** (fam.) bizzarro; strambo; matto; picchiatello; tocco; scemo **4** (chim., ind.) di cracking; crackizzato **5** (comput., di software) piratato; craccato, craccato (fam.).

cracker /ˈkrækə(r)/ n. **1** petardo; castagnola; (= **Christmas c.**) petardo natalizio; cilindro di cartone rivestito di carta colorata (tirando un cordoncino, esplode; contiene un biglietto scherzoso, un regalino, o un berrettino di carta): **to pull a c.**, far esplodere un petardo natalizio **2** (alim.) cracker **3** (slang USA) abitante della Florida o della Georgia; sudista; (spreg.) bianco povero **4** (slang GB) cosa formidabile; cosa da sballo (fam.) **5** (slang GB) bella ragazza; schianto **6** (comput.) pirata informatico **7** chi (o cosa che) compie una delle azioni di **to crack** Ⓑ: **c. of jokes**, uno che fa sempre battute.

crackerjack /ˈkrækədʒæk/ a. e n. (fam. USA) (persona o cosa) di prim'ordine; fuoriclasse; (tipo) molto in gamba.

crackers /ˈkrækəz/ a. (slang) matto; pazzo; fuori di testa: **to drive sb. c.**, fare ammattire q.; **to go c. about st.**, impazzire per qc.

crackhead /ˈkrækhɛd/ n. consumatore di crack; drogato che si fa di crack.

cracking /ˈkrækɪŋ/ n. Ⓐ n. Ⓤ **1** (chim., ind. petrolifera) cracking; pirolisi; piroscissione

2 (metall.) criccatura **3** (comput.) manomissione di un sistema; ricerca della chiave di accesso a un programma (per utilizzarlo senza pagare) Ⓑ a. **1** scoppiettante; crepitante **2** veloce: **at a c. pace**, di buon passo **3** (slang) eccellente; di prim'ordine.

crackjaw /ˈkrækdʒɔː/ a. difficile da pronunciare: **a c. word**, una parola difficile da pronunciare; uno scioglilingua.

crackle /ˈkrækl/ n. **1** crepitio; scoppiettio: **the c. of the machine guns**, il crepitio delle mitragliatrici **2** (della radio e sim.) suono gracchiante **3** cavillatura (della ceramica) **4** (= **crackle-china**, **crackleware**), ceramica (o porcellana) cavillata.

to **crackle** /ˈkrækl/ v. i. **1** crepitare; scoppiettare **2** (della radio e sim.) gracchiare **3** (spec. della ceramica) cavillarsi.

crackling /ˈkræklɪŋ/ n. Ⓤ **1** crepitio; scoppiettio **2** cotenna croccante (del maiale) **3** (al pl.) ciccioli.

cracknel /ˈkræknl/ n. **1** biscotto duro e croccante **2** (al pl.) (USA) ciccioli.

crackpot /ˈkrækpɒt/ Ⓐ n. (slang) individuo eccentrico; pazzoide Ⓑ a. (slang) sballato; pazzo: **c. ideas**, idee sballate.

cracksman /ˈkræksmən/ n. (pl. **cracksmen**) (slang) scassinatore.

crack-up, **crackup** /ˈkrækʌp/ n. (fam.) **1** crollo (mentale o fisico); collasso nervoso; tracollo **2** (USA) scontro (di veicoli); disastro aereo.

cracky /ˈkrækɪ/ a. **1** pieno di crepe; screpolato **2** che si screpola facilmente; fragile **3** (fam.) tocco; picchiatello.

cradle /ˈkreɪdl/ n. **1** culla (anche fig.): **from the c.**, fin dalla culla; fin dall'infanzia; Athens was the c. of the arts, Atene fu la culla delle arti **2** (mecc., aeron., naut.) culla; intelaiatura di sostegno **3** (autom.) carrello (da meccanico) **4** (agric.) rastrello (di falce); falce a rastrello **5** crivello di legno (per vagliare sabbie aurifere) **6** (tecn.) ponteggio mobile, gabbia (per muratori, imbianchini, ecc.) **7** (mil.) culla (di un cannone: per il rinculo) **8** (ind. tess.) culla; carrellino; selletta **9** (telef.) forcella portamicrofono **10** (arte) intelaiatura **11** (med.) alzacoperte, gabbia (per un degente) **12** (comput., = **docking c.**), base d'espansione (dei palmari) ● (med.) **c. cap**, crosta lattea □ (ind. min.) **c. dump**, rovesciatore di vagonetti □ (fam.) **c. robber** (o **c.-snatcher**), chi ha rapporti con (o sposa) un partner molto più giovane □ (fam.) **c.-snatching**, relazione amorosa (o matrimonio) con una persona assai più giovane □ **c.-to-grave** (agg.), dalla culla alla tomba.

to **cradle** /ˈkreɪdl/ v. t. **1** stringere con delicatezza (tra le braccia o tra le mani): She was cradling a mug of coffee in her hands, stringeva tra le mani una tazza di caffè **2** (fig.) essere la culla di: Italy cradled Etruscan civilization, l'Italia fu la culla della civiltà etrusca **3** (fig.) allevare; aver cura di: **cradled in luxury**, allevato nel lusso **4** (telef.) posare (il microtelefono) sulla forcella; riagganciare **5** (agric.) mietere (il grano, ecc.) con falce a rastrello **6** (ind. min.) vagliare (sabbie aurifere) **7** (tecn.) sollevare (o sostenere) con un'intelaiatura.

to **cradle-snatch** /ˈkreɪdlsnætʃ/ v. i. (fam.) avere una relazione amorosa (o sposarsi) con una persona assai più giovane.

cradling /ˈkreɪdlɪŋ/ n. Ⓤ **1** il cullare, falciare, vagliare, ecc. (→ **to cradle**) **2** (edil.) centinatura.

◆**craft** /krɑːft/ n. **1** arte manuale; arte; mestiere di artigiano: **the weaver's c.**, l'arte del tessitore; **arts and crafts**, arti e mestieri **2** (al pl.) (oggetti di) artigianato: **local crafts**, oggetti di artigianato locale **3** unione artigiana; corporazione **4** mestiere: **the writer's c.**, il mestiere dello scrittore **5** Ⓤ

arte; abilità; maestria: **political c.**, abilità politica **6** Ⓤ astuzia; furberia: **by c.**, con l'astuzia; con l'inganno **7** (inv. al pl.) (naut.) imbarcazione; natante: **a seaworthy c.**, un'imbarcazione capace di tenere il mare; **landing c.**, mezzo da sbarco; **pleasure c.**, imbarcazione da diporto; The port was full of small c., il porto era pieno di piccoli natanti **8** (aeron.) aeromobile, aeroplano ● **c. apprenticeship**, apprendistato (o tirocinio) di un mestiere □ **c. business**, azienda artigiana □ **c. fair**, fiera dell'artigianato □ (stor.) **c. guild**, corporazione d'arti e mestieri □ (GB) **c. knife**, taglierino; cutter □ **c. shop**, negozio di prodotti artigianali □ **c. union**, sindacato di categoria □ (prov.) Every man to his c., a ciascuno il suo mestiere.

to **craft** /krɑːft/ v. t. (spec. USA) fare, eseguire, lavorare (a mano).

crafted /ˈkrɑːftɪd/ a. lavorato a mano; eseguito (a mano): **carefully c.**, eseguito a regola d'arte; **a beautifully c. jewel**, un gioiello di squisita fattura.

craftily /ˈkrɑːftɪlɪ/ avv. abilmente; astutamente; con scaltrezza.

craftiness /ˈkrɑːftɪnəs/ n. Ⓤ astuzia; furberia; scaltrezza.

craftsman /ˈkrɑːftsmən/ n. (pl. **craftsmen**) **1** artigiano; operaio specializzato **2** artista (fig.); chi è padrone del suo mestiere.

craftsmanship /ˈkrɑːftsmənʃɪp/ n. Ⓤ **1** arte, abilità, maestria (d'artigiano) **2** esecuzione; fattura: **works of fine c.**, opere di squisita fattura **3** (fig.) padronanza del proprio mestiere; maestria (di uno scrittore, ecc.)

craftsmanslike /ˈkrɑːftsmənlaɪk/ a. (di lavoro) bene eseguito; abile; di ottima fattura.

craftswoman /ˈkrɑːftswʊmən/ n. (pl. **craftswomen**) **1** artigiana **2** artista (donna); buona conoscitrice del proprio mestiere.

◆**crafty** /ˈkrɑːftɪ/ a. **1** abile; astuto; furbo; scaltro **2** furtivo; quatto quatto (fam.) **3** (fam.) di artigianato.

crag /kræg/ n. **1** dirupo; picco **2** (alpinismo) croda; spuntone (di roccia).

cragged /ˈkrægɪd/ a. dirupato; scosceso.

craggy /ˈkrægɪ/ a. **1** → **cragged 2** (del viso, ecc.) dai tratti marcati; rude | **-ily** avv. | **-iness** n. Ⓤ.

cragsman /ˈkrægzmən/ n. (pl. **cragsmen**) (alpinismo) rocciatore.

craic /kræk/ (irl.) n. → **crack**①, def. 14.

crake /kreɪk/ n. **1** (pl. **crakes**, **crake**) (zool., Crex crex) re di quaglie (uccello dei ralliformi) **2** verso del re di quaglie; gracchio.

to **crake** /kreɪk/ v. i. fare il verso dei ralliformi; gracchiare.

cram /kræm/ n. **1** calca; folla **2** (fam.) sgobbata (per un esame) **3** scorpacciata; rimpinzata.

to **cram** /kræm/ Ⓐ v. t. **1** riempire; inzeppare; ricolmare: **to c. the stadium**, riempire lo stadio; affollare lo stadio **2** calcare; stipare: He crammed the books into a drawer, stipò i libri dentro un cassetto; **to c. people into a coach**, riempire un pullman di persone **3** ingozzare; rimpinzare: Don't c. yourself with chocolates!, non rimpinzarti di cioccolatini! **4** (fam.) preparare intensivamente (uno studente) per un esame; studiare (una materia, ecc.) in fretta, mnemonicamente Ⓑ v. i. **1** ingozzarsi; rimpinzarsi **2** accalcarsi; stiparsi **3** (fam.) sgobbare, fare una sgobbata (per un esame) ● (fig.) **to c. st. down sb.'s throat**, costringere q. ad accettare qc. di sgradevole; far inghiottire (un rospo, ecc.) a q. (fig. fam.).

crambo /ˈkræmbəʊ/ n. Ⓤ gioco delle rime

obbligate.

cramfull /kræm'fʊl/ a. (fam.) → **crammed**.

crammed /kræmd/ a. pieno zeppo; stipato; stracolmo.

crammer /'kræmə(r)/ n. **1** (GB) scuola (o insegnante) che prepara studenti privati agli esami **2** ingozzatrice (per polli d'allevamento).

cramming /'kræmɪŋ/ n. **1** sgobbata (per un esame) **2** (GB) il frequentare un → «crammer» (def. 1).

cramp① /kræmp/ n. **1** ⬚ crampo; spasmo muscolare; crampi: **to get c.** (USA: **to get a c.**), avere un crampo (o i crampi) **2** (al pl.) crampi allo stomaco **3** (al pl.) (USA) dolori mestruali ● **swimmer's [writer's] c.**, crampo del nuotatore [dello scrivano].

cramp② /kræmp/ n. **1** (edil., = c. **iron**) grappa **2** morsa; morsetto **3** (fig.) impedimento; ostacolo **4** forma (per tomaia di scarpa).

to **cramp**① /kræmp/ v. t. **1** procurare un crampo a (una parte del corpo) **2** ostacolare; rendere (qc.) difficile; impedire (i movimenti, ecc.) **3** (fig.) bloccare; impacciare; rendere (q.) goffo ● (fam.) **to c. sb.'s style**, bloccare, rendere (q.) impacciato (anche solo con la propria presenza).

to **cramp**② /kræmp/ v. t. **1** bloccare con una grappa **2** stringere con un morsetto.

cramped /kræmpt/ a. **1** limitato; ristretto; senza spazio per muoversi **2** contratto; rattrappito **3** (di uno scritto) appiccicato; stentato; illeggibile.

crampfish /'kræmpfɪʃ/ n. (zool., Torpedo) razza elettrica; torpedine.

crampon /'kræmpən/ n. **1** (ind. costr.) braga a ganci; pinza per massi **2** (al pl.) ramponi (da scalatori di ghiaccio).

cranage /'kreinɪdʒ/ n. ⬚ (diritti pagati per) l'uso d'una gru.

cranberry /'krænbəri/ n. (bot., Vaccinium oxycoccus) mirtillo rosso; mirtillo palustre; mirtillo americano ● **c. bean**, fagiolo borlotto.

crane /krein/ n. **1** (zool., Grus) gru **2** (mecc.) gru **3** (ferr., = **water c.**) tubo di rifornimento d'acqua (per le locomotive) **4** (cinem.) gru; carrello mobile **5** braccio girevole (per sostenere un paiolo sul focolare, ecc.) ● (zool.) **c. fly** (Tipula), tipula □ (mecc.) **c. hoist**, gru a carrello **c. operator**, gruista □ **c. truck**, autogrù.

to **crane** /krein/ **A** v. t. **1** (mecc.) sollevare (o spostare) con una gru **2** allungare (il collo, per vedere) **B** v. i. allungare il collo ● **to c. at**, arrestarsi, esitare (davanti a un ostacolo, a una difficoltà) □ (di un cavallo) **to c. at a hedge**, rifiutarsi di saltare una siepe ● **to c. out** (o **over**), sporgersi.

craneman /'kreinmən/ n. (pl. **cranemen**) gruista.

cranesbill /'kreinzbɪl/ n. (bot.) **1** (Geranium robertianum) cicuta rossa; erba cimicina **2** (Geranium sanguineum) geranio dei boschi.

cranial /'kreiniəl/ a. (anat.) cranico; craniale.

craniology /kreini'ɒlədʒi/ (antrop.) n. ⬚ craniologia || **craniological** a. craniologico || **craniologist** n. craniologo.

craniometer /kreini'ɒmitə(r)/ (antrop.) n. craniometro || **craniometric** a. craniometrico || **craniometry** n. ⬚ craniometria.

craniotomy /kreini'ɒtəmi/ (med.) n. ⬚⬚ craniotomia || **craniotome** n. craniotomo.

cranium /'kreiniəm/ n. (pl. **craniums**, **crania**) (anat.) cranio; scatola cranica.

crank① /kræŋk/ n. **1** (mecc.) manovella **2** (fam.) (individuo) eccentrico; persona bizzarra; tipo strambo **3** (USA) persona bisbe-

tica, acida **4** (slang USA) fanatico; fissato **5** (slang USA) droga scadente **6** (= c. **arm**, **pedal c.**), pedivella (di bicicletta) ● (mecc.) **c. mechanism** (o **gear**), manovellismo.

crank② /kræŋk/ a. (naut.) soggetto a capovolgersi; instabile.

to **crank** /kræŋk/ **A** v. t. **1** (tecn.) piegare a gomito **2** (mecc.) provvedere di manovella **3** (autom.) mettere in moto con una manovella **4** (cinem.) girare; riprendere **B** v. i. girare una manovella ● (cinem.) **to c. the camera**, girare la manovella (della macchina da presa) □ (fam. USA) **to c. out**, sfornare, produrre in serie □ **to c. up**, avviare (il motore di un'automobile, ecc.) con la manovella; (slang USA) avviare (un lavoro); (anche) incitare, spronare; (slang USA) iniettarsi la droga; farsi (pop.) □ (fam. USA) **to c. it up**, darci sotto; darsi da fare.

crankcase /'kræŋkkeis/ n. (autom., mecc.) basamento del motore; carter.

crankiness /'kræŋkinəs/ n. ⬚ **1** ipocondria **2** eccentricità; irritabilità **3** cattivo stato (d'un macchinario) **4** (naut.) instabilità.

crankpin /'kræŋkpɪn/ n. (autom., mecc.) perno di biella.

crankset /'kræŋkset/ n. (mecc.) pedaliera (di bicicletta).

crankshaft /'kræŋkʃɑːft/ n. (autom., mecc.) albero a gomiti (o a manovella) ● **c. bearing**, cuscinetto di banco □ (mecc.) **c. grinding**, rettifica di alberi a gomito.

cranky /'kræŋki/ a. **1** ipocondriaco; malaticcio **2** eccentrico; irritabile; capriccioso; nervoso: 'Altogether they felt more vulnerable and it made them c.' N. MAILER, 'nel complesso si sentivano più vulnerabili e ciò li rendeva nervosi' **3** (di macchinario, ecc.) malfermo; non in ordine; sconquassato **4** (di strada) serpeggiante; a zigzag **5** (naut.) instabile.

crannog /'krænəg/ n. (archeol.) crannog (abitazione lacustre celtica).

cranny /'kræni/ n. **1** crepa; fessura; screpolatura **2** (fig.) recesso; luogo nascosto; nicchia || **crannied** a. pieno di fessure; screpolato.

crap /kræp/ n. (volg.) **1** ⬚ cacca (fam.); merda (volg.); sterco **2** cacata (volg.): **to have** (o **take**) **a c.**, fare una cacata **3** ⬚ (fig.) porcheria; schifezza; troiata; fesseria; fesserie; stronzata, stronzate; cazzata, cazzate (volg.): 'You expect us to swallow this c.?' W. BURROUGHS, 'e tu pensi che noi si beva una cazzata del genere?' ● (volg.) **c. job**, lavoro di merda (volg.); lavoraccio.

to **crap** /kræp/ (volg.) **A** v. i. **1** cacare (volg.); defecare **2** fare lo stupido; fare l'asino (fam.); dire stronzate (volg.) **B** v. t. imbrogliare ● **to c. out**, fallire, ritirarsi (per stanchezza, ecc.); fare il lavativo; (anche) sballare, perdere (al gioco); (di un veicolo, una macchina) guastarsi; andare in panne □ **to c. up**, incasinare (un lavoro, ecc.).

crape /kreip/ n. **1** ⬚ (ind. tess.) crespo **2** nastro nero (in segno di lutto) ● **c. band**, bracciale da lutto □ **c.-cloth**, tessuto crespo, di lana.

to **crape** /kreip/ v. t. coprire di crespo, drappeggiare con crespo (spec. in segno di lutto).

crapper /'kræpə(r)/ n. (volg.) cesso; latrina.

crappy /'kræpi/ a. (volg.) pessimo; schifoso; di merda (volg.): **a c. dinner**, un pranzo schifoso.

craps /kræps/ n. pl. (col verbo al sing.) (USA, = **crap-shooting**) gioco d'azzardo con i dadi ● **to shoot c.**, giocare a «craps».

crapshooter /'kræpʃuːtə(r)/ n. (USA) giocatore di → «craps».

crapulent /'kræpjʊlənt/, **crapulous**

/'kræpjʊləs/ a. dedito alla crapula, al bere || **crapulence** n. ⬚ **1** indigestione (per il troppo cibo) **2** ubriachezza **3** crapula; stravizi; gozzoviglie.

crapy /'kreipi/ a. **1** simile a crespo **2** increspato; crespato.

craquelure /'kræklʊə(r)/ n. ⬚ craquelure; cavillatura.

◆**crash**① /kræʃ/ **A** n. **1** schianto; fracasso; fragore: **a deafening c.**, un fracasso assordante; **the c. of the waves**, il fragore delle onde; **a c. of thunder**, uno scoppio di tuono **2** scontro, collisione (spec. di veicolo); incidente: **head-on c.**, scontro frontale; **car c.**, incidente d'auto (o automobilistico); scontro fra auto; **train c.**, incidente ferroviario; scontro fra treni; Did you see that c. in the Grand Prix the other day?, hai visto quell'incidente al Gran Premio l'altro giorno? **3** (aeron.) caduta; incidente; disastro: **air c.**, disastro aereo; There has been a plane c., è caduto un aereo **4** (Borsa) crollo, crac (fin.) tracollo, fallimento: **the stock market c. of 1987**, il crollo della Borsa del 1987; The c. of the company ruined him, il fallimento di quella società lo rovinò **5** (comput.) crash (di un sistema informatico); blocco totale **B** a. (fam.) accelerato; intensivo; di emergenza; urgente: **c. course**, corso intensivo; **c. diet**, dieta drastica; **c. training programme**, programma di addestramento accelerato ● (autom., GB) **c. barrier**, guardrail; barriera di sicurezza □ **c. dive**, (naut.) immersione rapida (di sommergibile); (aeron.) picchiata □ **c. helmet**, casco di protezione (spec. di motociclista) □ (aeron.) **c.-landing**, atterraggio d'emergenza (o di fortuna) □ **c.-proof**, a prova d'urto □ (autom.) **c. rail**, guardrail; guardavia □ (autom.) **c. repairs**, riparazioni di automobili sinistrate □ **c. site**, luogo dell'incidente; luogo del disastro □ (autom.) **c. test**, crash test; prova d'urto.

crash② /kræʃ/ n. ⬚ tela pesante di lino (per tende, asciugamani, ecc.).

to **crash** /kræʃ/ **A** v. i. **1** (di veicolo) fracassarsi (contro un ostacolo); schiantarsi: The car crashed into the wall, l'automobile si schiantò contro il muro **2** scontrarsi (con violenza); andare a sbattere: The locomotive crashed into a goods train, la locomotiva si scontrò con un treno merci **3** (aeron.) schiantarsi al suolo; cadere; precipitare **4** (di cosa) cadere con fracasso; infrangersi con fragore: The bookcase crashed to the floor, la libreria cadde a terra con fracasso; The waves crashed on the beach, le onde si infrangevano fragorosamente sulla spiaggia **5** (fin.) fallire; fare un crac; andare in rovina: His business crashed, la sua azienda andò in rovina **6** (Borsa) crollare; (di azioni) crollare, avere un crollo: Shares crashed five years ago, le azioni ebbero un crollo cinque anni fa **7** rumoreggiare; scoppiare con uno schianto; fare fracasso: The thunder crashed, ci fu uno scoppio di tuono **8** muoversi rumorosamente: The buffalo crashed through the undergrowth, il bufalo si muoveva rumorosamente attraverso il sottobosco; Jack was crashing about in the garage, Jack stava facendo fracasso in garage **9** (spec. comput.) bloccarsi; piantarsi; andare in crash: My computer has crashed!, il mio computer si è piantato! **10** (slang) sistemarsi per la notte o per qualche giorno; trovare un letto di fortuna; fermarsi a dormire: I crashed on a mattress in John's bedroom, mi sistemai su un materasso nella camera di John **11** (fam.) crollare addormentato **B** v. t. **1** fracassare; fare a pezzi **2** andare a sbattere (contro qc.) con; mandare (un veicolo) a fracassarsi (contro qc.): **to c. one's car into a parked van**, andare a sbattere con la macchina contro un furgone parcheggiato **3** avere un incidente

con (*un veicolo*): **to c. the car**, avere un incidente con l'auto **4** sfasciare, distruggere (*un veicolo in un incidente*) **5** far precipitare (*un aereo*) **6** (*fam.*) entrare a (*teatro, ecc.*) senza biglietto; intrufolarsi senza invito in (*una festa, ecc.*); imbucarsi in (*fam.*); riuscire a entrare in (*un ambiente, ecc.*) ● (*di progetto e sim.*) **to c. about sb.'s ears**, crollare addosso a q.: *When he heard the news, his whole world came crashing about his ears*, quando apprese la notizia, gli crollò il mondo addosso □ (*fam. USA*) **to c. and burn**, fare clamorosamente fiasco; (*anche*) essere scaricato dal partner □ (*fam.*) **c., bang, wallop!**, patatràc!; sbadabàn! □ (*fam. USA*) **to c. the lights**, bruciare il semaforo.

■ **crash down** v. i. + avv. crollare (*o abbattersi*) con un gran fracasso (*o di schianto*): *The tree crashed down*, l'albero si abbatté di schianto.

■ **crash in** v. i. + avv. (*di un tetto, ecc.*) sprofondare.

■ **crash out** v. i. + avv. **1** (*fam.*) evadere; scappare dal carcere **2** (*fam.*) addormentarsi di colpo; crollare **3** (*fam.*) sistemarsi alla meglio per la notte; arrangiarsi: *We crashed out at Jack's*, per la notte ci arrangiammo da Jack **4** (*slang*) morire; crepare (*pop.*).

to **crash-dive** /'kræʃdaɪv/ Ⓐ v. i. **1** (*naut.: di sommergibile*) immergersi precipitosamente **2** (*aeron.*) fare una picchiata; scendere in picchiata Ⓑ v. t. (*naut.*) far fare un'immersione rapida a (*un sottomarino*).

crasher /'kræʃə(r)/ n. (*fam.*) **1** (*USA*) ospite non invitato (*a una festa, ecc.*); intrufolato; imbucato (*fam.*) **2** (*GB*) gran scocciatore.

crashing /'kræʃɪŋ/ a. (*fam.*) grande; assoluto; perfetto; totale: **a c. bore**, un grande scocciatore; **a c. fool**, un cretino assoluto.

to **crash-land** /'kræʃ'lænd/ (*aeron.*) Ⓐ v. i. fare un atterraggio di fortuna Ⓑ v. t. far fare un atterraggio di fortuna a (*un aereo*).

crashout /'kræʃaʊt/ n. (*fam.*) evasione dal carcere.

crashpad /'kræʃpæd/ n. (*fam.*) posto di fortuna dove passare la notte.

to **crash-test** /'kræʃtɛst/ v. t. (*autom.*) sottoporre a crash test.

crashworthiness /'kræʃwɜːðɪnəs/ n. Ⓤ (*autom.*) sicurezza contro gli effetti di scontri stradali.

crashworthy /'kræʃwɜːðɪ/ a. (*autom.*) resistente agli urti; a prova d'incidente (*o di collisione*).

crasis /'kreɪsɪs/ n. (pl. *crases*) (*gramm.*) crasi.

crass /kræs/ a. grossolano; crasso: **c. ignorance**, ignoranza crassa | **-ly** avv. | **-ness** n. Ⓤ.

crassitude /'kræsɪtjuːd, *USA* -tuːd/ n. Ⓤ **1** grossolanità **2** stupidità grossolana; crassa ignoranza.

Crassus /'kræsəs/ n. (*stor.*) Crasso.

cratch /krætʃ/ n. mangiatoia; rastrelliera per il bestiame (*all'aperto*).

crate /kreɪt/ n. **1** gabbia (*da imballaggio*); cestino (*di fragole e sim.*) **2** cassetta; cassa: **beer crates**, cassette di birra **3** (*slang: d'automobile, aereo, ecc.*) vecchia carretta; macinino; trabiccolo.

to **crate** /kreɪt/ v. t. imballare in gabbie (*o in cesti*).

crater /'kreɪtə(r)/ n. **1** cratere (*di vulcano o aperto da una bomba*) **2** (*archeol.*) cratere; anfora; vaso ● (*geol.*) **c. cone**, cono craterico.

craton /'kreɪtn/ n. (*geol.*) cratone.

cravat /krə'væt/ n. **1** cravatta larga, di seta (*cfr.* **necktie**) **2** fazzoletto (*o foulard*) da collo.

to **crave** /kreɪv/ v. t. e i. (*form.*) **1** chiede-

re insistentemente; implorare; scongiurare: **to c. mercy [indulgence, pardon]**, implorare misericordia [indulgenza, perdono] **2** bramare; desiderare ardentemente: **to c. (for) st. to eat**, desiderare ardentemente qc. da mangiare.

craven /'kreɪvn/ a. e n. (*form., spreg.*) codardo; vile ● **to cry c.**, arrendersi | **-ly** avv. | **-ness** n. Ⓤ.

craving /'kreɪvɪŋ/ (*form.*) Ⓐ a. ardente; insaziabile: **a c. desire**, un ardente desiderio Ⓑ n. brama; forte desiderio; voglia matta (*fam.*).

craw /krɔː/ n. (*zool.*) **1** ingluvie; gozzo (*d'uccello*) **2** stomaco (*d'animale inferiore*) ● (*fig.*) **to stick in the** (*o in one's*) **c.**, non andar giù; rimanere sul gozzo.

crawdad /'krɔːdæd/ n. (*fam. USA*) → **crayfish**.

crawfish /'krɔːfɪʃ/ → **crayfish**.

to **crawfish** /'krɔːfɪʃ/ v. i. (*fam. USA*) fare marcia indietro (*anche fig.*); rimangiarsi la parola data.

crawl ① /krɔːl/ n. **1** lo strisciare; moto lento **2** (*nuoto*) crawl: **to swim the c.**, fare il crawl ● (*sport*) **c. swimmer**, nuotatore di crawl; crawlista ● **at a c.**, a passo d'uomo (*o di lumaca*); lentamente.

crawl ② /krɔːl/ n. recinto di pali nell'acqua; vivaio subacqueo.

to **crawl** /krɔːl/ v. i. **1** strisciare (*anche fig.*); trascinarsi per terra; (*d'un bambino*) camminare carponi: *The wounded soldier crawled back to our lines*, il soldato ferito tornò strisciando alle nostre linee **2** procedere lentamente: *The truck was crawling uphill*, il camion si arrampicava lentamente su per la salita **3** brulicare; formicolare: *The floor was crawling with ants*, il pavimento brulicava di formiche **4** avere la pelle d'oca; (*della pelle*) accapponarsi: *That sight made my flesh c.*, quella vista mi fece accapponare la pelle **5** (*sport*) battere il crawl ● (*fin.*) **crawling peg**, parità strisciante (*o mobile: dei cambi*).

crawler /'krɔːlə(r)/ n. **1** persona (*o cosa*) che striscia, ecc. **2** persona (*o cosa*) molto lenta; lumaca (*pop. fig.*) **3** (*fam.*) pidocchio **4** (*fam.*) rettile **5** (*al pl.*) tuta per bambino (*per camminare carponi*) **6** (*mecc.*) cingolato; trattore a cingoli **7** taxi che circola lentamente (*in cerca di clienti*) **8** tipo servile, strisciante; leccapiedi ● (*mecc.*) **c. crane**, gru a cingoli □ **c. lane**, corsia per veicoli lenti □ **c. tractor**, trattore cingolato □ (*mecc.*) **c. wheel**, ruota motrice (*di trattore*).

crawlspace /'krɔːlspeɪs/ loc. n. intercapedine praticabile (*sotto un tetto o un pavimento*).

crayfish /'kreɪfɪʃ/ n. (pl. *crayfish*, *crayfishes*) (*zool.*) **1** (*Astacus, Cambarus*) astaco; gambero di fiume **2** (*Palinurus vulgaris*) aragosta.

crayon /'kreɪən/ n. **1** pastello (a cera); matita colorata **2** gessetto colorato **3** (*disegno fatto a*) pastello.

to **crayon** /'kreɪən/ v. t. **1** disegnare a pastello **2** (*fig.*) abbozzare, fare lo schema di.

craze /kreɪz/ n. **1** moda; voga; mania: **a passing c.**, una voga passeggera; **the latest c.**, la moda del momento **2** (*di ceramica*) cavillatura, craquelure.

to **craze** /kreɪz/ Ⓐ v. t. **1** fare impazzire; rendere frenetico **2** far screpolare (*lo smalto di ceramiche*) Ⓑ v. i. (*di ceramica*) screpolarsi; cavillare.

crazed /kreɪzd/ a. **1** impazzito; pazzo; dissennato; fuori di sé; folle; che dà in smanie: **c. with fear**, impazzito dalla paura; in preda alla paura; **c. animals**, animali impazziti; **c. fanatics**, fanatici pazzi; **c. eyes**, occhi folli; **a c. obsession**, un'ossessione folle; **c. with vanity**, folle di vanità **2** (*di ceramica*)

craquelé; screpolato.

crazily /'kreɪzəlɪ/ avv. pazzamente; pazzescamente.

craziness /'kreɪzɪnəs/ n. Ⓤ pazzia; insensatezza; stravaganza.

◆**crazy** /'kreɪzɪ/ Ⓐ a. **1** matto; pazzo; folle; fuori di sé: *You're c.!*, sei matto!; **to go c.**, impazzire; ammattire; perdere la testa; **c. with grief**, pazzo (*o folle*) di dolore; impazzito dal dolore; **c. with excitement**, fuori di sé dall'entusiasmo **2** folle; assurdo; da pazzi; da matti; pazzesco; strampalato: **at a c. prize**, per un prezzo pazzesco; *What a c. idea!*, che idea assurda!; *It sounds c.*, mi sembra una cosa da matti **3** entusiasta; matto; che stravede (*per qc.*): *He is c. about sports cars*, va matto per le macchine sportive; *He's simply c. about her*, è pazzo di lei **4** (*fam.*) furioso; arrabbiato: **to be c. at sb.**, infuriarsi con q. **5** storto; sghembo: **at a c. angle**, con un'angolatura assurda; di sghimbescio; tutto storto **6** (*arc., di edificio, ecc.*) instabile; pericolante Ⓑ n. (*USA*) pazzo; pazzoide ● (*volg. USA*) **c.-ass**, cretino; deficiente; matto □ (*USA*) **c. bone**, punta del gomito; olecrano □ **c. golf**, minigolf □ (*in genere scherz.*) **c. mixed-up kid**, ragazzo con qualche problema; ragazzo dalle idee confuse □ (*edil.*) **c. paving**, lastricato (*o selciato*) a mosaico irregolare; palladiana □ **c. quilt**, trapunta di pezze irregolari di stoffa □ (*fam.*) **to drive sb. c.**, far diventare matto q.; (*anche*) far impazzire (*di entusiasmo*); far infuriare □ (*fam.*) **to go c. over st.**, andare matto per qc. □ (*fam.*) **like c.**, da pazzi; come un pazzo; a velocità pazzesca: **to sell like c.**, andare a ruba; **to work like c.**, lavorare come un pazzo.

CRE sigla (*GB*, **Commission for Racial Equality**) Commissione per l'eguaglianza razziale.

creak /kriːk/ n. **1** cigolio; stridio **2** (*anche fig.*) scricchiolio.

to **creak** /kriːk/ v. i. **1** cigolare; stridere (*d'una porta, ecc.*) **2** (*anche fig.*) scricchiolare **3** (*d'insetto*) frinire ● (*di un veicolo*) **to c. along**, procedere cigolando; procedere a fatica.

creaky /'kriːkɪ/ a. cigolante; scricchiolante (*anche fig.*) | **-iness** n. Ⓤ.

◆**cream** /kriːm/ n. **1** Ⓤ panna; fior di latte: *Butter is made from c.*, il burro si fa con la panna; **fresh c.**, panna fresca; **strawberries and c.**, fragole con panna **2** (*cucina*) crema (*minestra*); passato; vellutata: **c. of carrot soup**, crema di carote **3** Ⓤ (*cosmesi*) crema; emulsione: **hand c.**, crema per le mani; **shaving c.**, crema da barba; **sun c.**, crema solare; **cold c.**, crema emolliente **4** (*farm.*) pomata; crema: **antiseptic c.**, pomata antisettica **5** Ⓤ Ⓒ (*ind.*) crema; lucido: **furniture c.**, crema per mobili **6** cioccolatino ripieno; cremino **7** biscotto farcito **8** (*fig.*) – **the c.**, il fior fiore; la crema: **the c. of society**, il fior fiore della buona società **9** (*fig.*) – **the c.**, la parte migliore (*o più interessante*): *That was the c. of his tale*, quella fu la parte più interessante del suo racconto **10** Ⓤ color crema **11** Ⓤ (*volg.*) sborra (*volg.*) ● (*GB*) **c. bun**, pasticcino alla crema □ **c. cheese**, formaggio cremoso; formaggio spalmabile □ **c. cleaner**, detersivo liquido □ **c.-coloured**, color crema (agg.) □ **c. cracker**, biscotto salato; cracker □ (*chim.*) **c. of tartar**, cremore di tartaro □ **c. puff**, bignè alla panna (*o alla crema*); (*fig. fam.*) individuo smidollato; tipo effeminato □ **c. separator**, scrematrice □ (*GB*) **c. tea**, merenda a base di tè, focaccine dolci, marmellata e panna.

to **cream** /kriːm/ Ⓐ v. i. **1** (*del latte*) fare la panna **2** (*di altro liquido*) fare la spuma **3** (*volg., di uomo*) venire; sborrare (*volg.*); (*di donna*) essere all'orgasmo, essere bagnata

a b c d e f g h i j k l m n o p q r s t u v w x y z

C

B v. t. **1** scremare (*latte*) **2** (*fig.*) togliere la parte migliore di (qc.) **3** aggiungere panna a: **to c. coffee**, aggiungere panna al caffè **4** (*cucina*) sbattere (*o lavorare*) fino a rendere cremoso; amalgamare **5** applicare la crema su (*il viso*) **6** (*ind. della gomma*) cremare **7** (*slang spec. USA*) battere alla grande; stracciare (*fam.*) ● (*fig. volg.*) **to c. in one's pants**, smaniare (*dal desiderio, dalla voglia*); venire dalla gioia.
■ **cream off** v. t. + avv. **1** selezionare **2** intascare, mettersi in tasca (*come percentuale, ecc.*).

creamed /kri:md/ a. (*cucina*) ridotto a crema; sbattuto; passato; in purè: **c. butter**, burro ridotto a crema, **c. potatoes**, purè di patate.

creamer /'kri:mə(r)/ n. **1** bricchetto per il latte **2** scrematrice **3** ⓤ latte liofilizzato (*per correggere il caffè*).

creamery /'kri:məri/ n. **1** caseificio; fabbrica di burro **2** latteria.

creaming /'kri:mɪŋ/ n. ⓤ **1** scrematura (*del latte*) **2** applicazione di crema (*al viso*) **3** (*ind. della gomma*) crematura ● (*anche fig.*) **c.-off**, scrematura.

creamy /'kri:mɪ/ a. **1** cremoso; ricco di panna; burroso **2** simile a crema (*o a panna*); che sa di panna; morbido; vellutato ‖ **creaminess** n. ⓤ **1** l'esser ricco di (*o simile a*) panna **2** (*fig.*) morbidezza.

crease /kri:s/ n. **1** piega; piegatura **2** grinza; sgualcitura: *His suit was full of creases*, il suo vestito era tutto una sgualcitura **3** (*cricket*) linea bianca che indica la posizione del lanciatore o quella del battitore: **popping c.**, linea che indica la posizione corretta del battitore (*oltre la quale rischia l'eliminazione*) **4** (*hockey su ghiaccio*) rettangolo davanti alla porta **5** (*edil.*) colmo (*di un tetto*) ● **c.-resistant**, ingualcibile; antipiega.

to crease /kri:s/ **A** v. t. **1** fare la piega a (*un vestito, ecc.*) **2** sgualcire; spiegazzare: **a badly creased suit**, un abito tutto sgualcito; (*fig.*) *Her forehead was creased in thought*, immersa nei suoi pensieri, aveva la fronte corrugata **3** (*slang USA*) colpire **B** v. i. spiegazzarsi; sgualcirsi: *This twill does not c. easily*, questo spigato non si sgualcisce facilmente ● (*fam. GB*) **to be creased up with laughter**, torcersi dalla risa □ **well-creased trousers**, calzoni con la piega a posto.

creasy /'kri:sɪ/ a. sgualcito; spiegazzato.

◆**to create** /kri:'eɪt/ **A** v. t. **1** creare; nominare; cagionare; produrre; dare; fare: (*teatr.: di attore*) **to c. a part**, creare una parte (*o un personaggio*); **to c. sb. a Peer**, nominare q. Pari (*d'Inghilterra*); **to c. a vacuum**, produrre un vuoto; **to c. new jobs**, creare nuovi posti di lavoro; *His conduct may c. a wrong impression*, la sua condotta può dare un'impressione errata ● lanciare: **to c. a fashion**, lanciare una moda **B** v. i. **1** creare; ideare **2** (*slang GB*) fare storie; fare tragedie (*o scenate*): *He's always creating about nothing*, fa sempre tragedie per un nonnulla.

creatine /'kri:ətɪn/ n. ⓤ (*biochim.*) creatina.

creatinine /kri:'ætɪni:n/ n. ⓤ (*biochim.*) creatinina.

◆**creation** /kri:'eɪʃn/ n. **1** ⓤⓒ creazione: the **c. of new industries**, la creazione d'industrie nuove; **a painter's creations**, le creazioni di un pittore; **the latest creations**, le ultime creazioni della moda **2** (*relig.*) – the C., la Creazione **3** ⓤ (il) creato: *Man is sometimes called the lord of c.*, l'uomo è a volte detto il re del creato **4** nomina: **the c. of new Peers**, la nomina di nuovi Pari d'Inghilterra.

creationism /kri:'eɪʃənɪzəm/ (*relig., biol.*) n. ⓤ creazionismo ‖ **creationist** n.

creazionista.

◆**creative** /kri:'eɪtɪv/ a. creativo ● (*rag.*) **c. accounting**, contabilità addomesticata (*o fittizia, allegra*) □ (*econ.*) **c. destruction**, distruzione creativa □ **c. toys**, giocattoli che stimolano la creatività (*del bambino*) □ (*spec. in USA*) **c. writing**, scrittura creativa (*materia d'insegnamento*) | **-ly** avv. | **-ness** n. ⓤ.

creativity /kri:eɪˈtɪvətɪ/ n. ⓤ creatività.

creator /kri:'eɪtə(r)/ n. creatore; artefice; autore, ideatore; fondatore ● (*relig.*) **the C.**, il Creatore.

◆**creature** /'kri:tʃə(r)/ n. **1** creatura **2** essere (*vivente*); animale: **a c. from outer space**, un (essere) extraterrestre; **our fellow creatures**, gli altri esseri viventi; i nostri fratelli animali **3** creatura, strumento (*di q.*): *He is the chairman's c.*, è una creatura del presidente **4** persona: **a good c.**, una brava persona; **Poor c.!**, poverino!; poverina! ● **c. comforts**, le comodità materiali (*della vita*); la sicurezza materiale □ **c. of habit**, persona abitudinaria ‖ **creaturely** a. delle creature; creaturale; dell'uomo; umano.

crèche /kreʃ/ (*franc.*) n. **1** (*USA*) presepio; presepe **2** brefotrofio **3** (*GB*) asilo infantile; nido d'infanzia.

cred /kred/ abbr. fam. di **credibility**.

credence /'kri:dns/ n. ⓤ **1** credenza; credito; fede; fiducia: **to give c. to st.**, prestar fede a, dar credito a qc. **2** (*relig.*) credenza; tavolinetto (*per arredi sacri*) **3** → **credibility** ● **c. table**, credenza (*il mobile*).

credentials /krə'denʃlz/ n. pl. **1** credenziali; titoli: *He has excellent c. as an instructor*, ha ottimi titoli per essere un bravo istruttore **2** (*lettere*) credenziali.

credenza /krɪ'denzə/ (*ital.*) n. credenza (*il mobile*).

credibility /kredə'bɪlətɪ/ n. ⓤ credibilità ● (*spec. polit.*) **c. gap**, gap di credibilità.

credible /'kredəbl/ a. credibile; degno di fede ● **It's hardly c.**, è quasi incredibile | **-bly** avv.

◆**credit** /'kredɪt/ **A** n. **1** ⓤ (*comm.*) credito: **to buy [to sell] on c.**, comprare [vendere] a credito; *Trade lives on c.*, il credito è l'anima del commercio **2** (*banca*) fido: *His c. is good*, ha un buon fido; *His c. is good to ten thousand dollars*, gli si può far credito fino a diecimila dollari **3** ⓤ (*econ., banca*) credito; attivo: *My account is in c.*, il mio conto è in attivo; **to enter a sum to sb.'s c.**, registrare una somma a credito di q. **4** (*fin., rag.*) somma a credito, accreditamento, ac-credito; (al pl.) avere: **debits and credits**, dare e avere **5** credito; fede: **to give c. to a story**, dar credito (*o prestar fede*) a un racconto; **to gain c.**, acquistare credito; **to put c. in**, prestar fede a **6** ⓤ merito: **to claim c. for st.**, rivendicare il merito di qc.; **to take c. for st.**, prendersi il merito di qc. **7** ⓤ lustro; onore: *Mrs B. is a c. to our association*, Mrs B. fa onore alla nostra associazione; *His industriousness does him c.*, la sua operosità gli fa onore; *It is to your c. that...*, va a tuo onore che... **8** buon nome; buona reputazione: **to add** (*o* **to be**) **to sb.'s c.**, contribuire al buon nome (*o alla reputazione*) di q. **9** (*scuola, USA*) credito **10** (al pl.) (*cinem., TV*) titoli di testa o di coda **B** a. attr. **1** (*banca, fin.*) a (*o del*) credito; creditizio: *Banks are c. institutions*, le banche sono istituti di credito; **c. card**, carta di credito; **c. control**, controllo del credito; **c. facilities**, facilitazioni creditizie **2** (*comm.*) a credito: **c. sale**, vendita a credito **3** creditore (agg.): (*fin.*) **c. column**, colonna creditrice (*o dell'avere*) ● (*fin.*) **c. accommodations**, facilitazioni di credito □ (*banca*) **c. account**, conto aperto (*presso un negozio, ecc.*) □ (*banca*) **c. advice**, notifica di accreditamento; (*anche*) lettera che autorizza il pagamento di assegni ● **c. agency = c. reference agency** → sotto □ (*banca*) **c. agreement**, contratto di credito □ (*rag.*) **c. balance**, saldo creditore (*o a credito*); saldo attivo □ (*fin.*) **c. ceiling**, massimale di crediti □ **c. crunch = c. squeeze** → sotto □ (*econ., fin.*) **c. freeze**, congelamento del credito; stretta creditizia □ (*banca*) **c. interest rates**, tassi degli interessi creditori □ (*rag.*) **c. item**, partita a credito □ (*banca*) **c. limit** (*o* **line**), linea di credito; castelletto; plafond □ (*org. az.*) **c. manager**, credit manager; responsabile dell'ufficio crediti □ **c. note**, buono di accredito (*in un negozio*); (*rag.*) nota d'accredito □ (*fin.*) **c. opening**, apertura di credito □ **c. rating**, classificazione creditizia, classamento creditizio, posizione creditizia (*di un'azienda*) □ **c.-reference agency**, agenzia d'informazioni commerciali □ (*comm.*) **c. settlement**, regolamento (*di un conto*) a termine □ (*rag.*) **c. side**, sezione dell'avere; lato avere; attivo (*di un conto*) □ (*banca*) **c. slip**, distinta di versamento □ (*econ., fin.*) **c. squeeze**, stretta creditizia □ **c. standing** (*o* **status**), credito (*di cui gode una* *azienda*); situazione di credito; affidabilità creditizia □ (*banca*) **c. transfer**, bonifico; accreditamento □ **c. union**, cooperativa di credito □ **c. voucher**, (*USA*) buono di accredito (*in un negozio*); (*banca*) distinta di versamento □ **to give c. where c. is due**, rendere onore al merito □ **to give sb. c. for st.**, riconoscere qc. a q.: *Give me c. for some intuition*, riconoscimi un po' d'intuito □ **to have st. to one's c.**, avere qc. al proprio attivo □ **on the c. side**, sul lato avere, all'attivo; (*fig.*) considerando il lato positivo □ *To his c., it must be said that he...*, bisogna riconoscere che lui...

to **credit** /'kredɪt/ v. t. **1** far credito a; prestar fede a; attribuire a: **to c. a story**, prestar fede a un racconto; *The invention of the telephone has been credited to both Bell and Meucci*, l'invenzione del telefono è stata attribuita sia a Bell sia a Meucci **2** (*banca, comm.*) accreditare: *We have credited you with a hundred pounds* (*o a hundred pounds to you*), vi abbiamo accreditato la somma di cento sterline **3** (*rag.*) registrare (*una cifra*) nella colonna dell'avere.

creditability /kredɪtə'bɪlɪtɪ/ n. ⓤ affidabilità; credibilità.

creditable /'kredɪtəbl/ a. **1** che fa onore; encomiabile; lodevole: **a c. effort**, uno sforzo lodevole **2** (*di una persona*) credibile; degno di fede | **-bly** avv.

crediting /'kredɪtɪŋ/ **A** a. (*fin.*) accreditante: **the c. party**, l'accreditante **B** n. ⓤ (*fin.*) accreditamento; accredito: (*banca*) **c. to sb.'s current account**, accreditamento sul conto corrente di q.; (*rag.*) **c. entry**, scrittura d'accredito.

creditor /'kredɪtə(r)/ n. **1** (*comm.*) creditore **2** (*rag.*) avere (*intestazione della colonna*); l'attivo (*intestazione di un conto*) ● (*leg., fin.*) **creditors' meeting**, assemblea dei creditori □ (*econ.*) **c. nation**, nazione creditrice □ (*leg.*) **c.'s suit**, azione in giudizio per il recupero di crediti.

creditworthy /'kredɪtwɜːðɪ/ (*fin.*) a. meritevole di credito; cui si può fare credito; solvente ‖ **creditworthiness** n. ⓤ (l') essere degno di credito; affidabilità creditizia.

credo /'kreɪdəʊ/ n. (pl. *credos*) (*relig. e fig.*) credo; professione di fede.

credulity /krə'dju:lətɪ, *USA* -'du:-/ n. ⓤ credulità.

credulous /'kredjʊləs/ a. credulo | **-ly** avv. | **-ness** n. ⓤ.

creed /kri:d/ n. (*relig.*) **1** credo; dottrina; professione di fede **2** credenza religiosa; fede ‖ **creedless** a. senza fede; miscredente.

creek /kriːk/ n. **1** (*GB*) piccola baia; insenatura; cala **2** (*USA*) piccolo corso d'acqua; torrente ● (*slang*) **up the c.** (**without a paddle**), in un mare di guai; nelle peste; (*anche*, *GB*, *di idea, ecc.*) sballato, stupido.

creel /kriːl/ n. **1** (*sport*) nassa; cesto di vimini per il pesce (*usato dai pescatori con la lenza*) **2** (*ind. tess.*) cantra.

creep /kriːp/ n. **1** (*fam.*) individuo disgustoso; farabutto; verme **2** (*fam.*) individuo strisciante (*o servile*); lecchino; ruffiano **3** ⓤ moto strisciante; avanzata strisciante; slittamento **4** apertura (*in una siepe, ecc.*) **5** ⓤ (*geol.*) scollamento **6** ⓤ (*tecn.*) instabilità del legno **7** ⓤ (*mecc.*) scorrimento plastico **8** ⓤ (*elettron.*) deriva; spostamento **9** (*al pl.*) (*fam.*) – **the creeps**, la pelle d'oca (*per il disgusto o la paura*): **to give sb. the creeps**, far venire la pelle d'oca a q.; far accapponare la pelle a q. ● (*fam. USA*) **c. joint**, posto orrendo, schifoso.

to **creep** /kriːp/ (*pass. e p. p. **crept***), v. i. **1** strisciare; muoversi strisciando: *The tiger crept over the grass towards its prey*, la tigre strisciò sull'erba verso la preda; *The cat crept under the car*, il gatto s'infilò sotto la macchina **2** (*seguito da avv. o compl.*) muoversi furtivamente: **to c. into a room**, entrare di soppiatto in una stanza; *He crept downstairs*, scese furtivamente le scale; *We crept away*, ci allontanammo in punta di piedi; ce ne andammo zitti zitti; sgattaiolammo via; *Fog was creeping up*, stava salendo adagio la nebbia; *I crept up on the sentry*, mi avvicinai silenziosamente alla sentinella **3** camminare; muoversi con passo lento; trascinarsi: *The old man can still c. about the house*, il vecchio riesce ancora a trascinarsi per casa **4** (*di liquido*) scorrere; spargersi **5** (*di pianta*) arrampicarsi ● **to make sb.'s flesh c.**, far accapponare la pelle a q.; far venire la pelle d'oca a q.

■ **creep down** v. i. + avv. **1** → **to creep** *def. 2* **2** (*fig.*) calare (o diminuire) a poco a poco: *Oil prices are now creeping down*, i prezzi del petrolio stanno calando a poco a poco.

■ **creep in** v. i. + avv., **creep into** v. i. + **prep. 1** → **to creep** *def. 2* **2** (*fig.: di dubbio, ecc.*) insinuarsi (in): *A few doubts had crept into my mind*, mi si era insinuato nella mente qualche dubbio **3** (*di usanza, idea, ecc.*) avanzare a poco a poco (in); farsi strada per gradi (in).

■ **creep on** Ⓐ v. i. + avv. avanzare, scorrere lentamente: *Time crept on*, il tempo scorreva lentamente Ⓑ v. i. + prep. avanzare (o venire) addosso lentamente a: *Old age is creeping on us*, la vecchiaia ci viene addosso a poco a poco.

■ **creep over** v. i. + prep. (*fig.*) impadronirsi di (q.) a poco a poco: *As darkness fell, terror crept over me*, al cader delle tenebre, pian piano il terrore s'impadronì di me.

■ **creep to** v. i. + prep. essere servile con; adulare; lisciare.

■ **creep up** v. i. + avv. **1** → **to creep** *def. 2* **2** (*fig.*) salire, aumentare a poco a poco: *Wages are creeping up just now*, al momento i salari sono in lento aumento.

creepage /ˈkriːpɪdʒ/ n. ⓤ (*elettr.*) dispersione; corrente dielettrica.

creeper /ˈkriːpə(r)/ n. **1** (*bot.*) pianta strisciante; pianta rampicante **2** (*zool.*, = **tree c.**) uccello che si arrampica fra i rami **3** (*al pl.*) ramponi da ghiaccio **4** (*al pl.*) (*USA*) tutina per bambino **5** (*al pl.*) (*fam. USA*) scarpe con la suola di gomma.

creeping /ˈkriːpɪŋ/ a. **1** strisciante (*anche fig.*) **2** (*bot.*) rampicante ● (*bot.*) **c. Charlie** (*USA*), **c. Jenny** (*GB*) (*Lysimachia nummularia*), nummolaria; erba quattrina; erba soldina □ (*econ.*) **c. inflation**, inflazione strisciante □ (*med.*) **c. paralysis**, paralisi progressiva □

(*Borsa, fin.*) **c. takeover**, acquisizione strisciante (*di una società*).

creepy /ˈkriːpɪ/ a. **1** che striscia (*o si muove*) lentamente **2** che fa accapponare la pelle: **a c. story**, una storia che fa accapponare la pelle.

creepy-crawly /ˈkriːpɪˈkrɔːlɪ/ Ⓐ n. (*infant.*) bestiolina (*insetto, ragno, verme, ecc.*) che cammina o striscia Ⓑ a. (*fam.*) che fa accapponare la pelle.

to **cremate** /krəˈmeɪt/ v. t. cremare || **cremation** n. ⓤⓒ cremazione ‖ **cremator** n. **1** chi esegue cremazioni **2** forno crematorio.

crematorium /kreməˈtɔːrɪəm/ n. (*pl.* **crematoria, crematoriums**) crematorio; forno crematorio.

crematory /ˈkremətrɪ/ n. **1** forno crematorio **2** inceneritore.

crème caramel /kremkærəˈmel/ (*franc.*) loc. n. (*cucina*) crème caramel.

crenate /ˈkriːneɪt/, **crenated** /kriːˈneɪtɪd/ (*bot., zool.*) a. crenato; dentellato ‖ **crenation, crenature** n. crenatura; dentellatura.

crenel /ˈkriːnel/ n. (*archit.*) spazio fra due merli; feritoia.

to **crenellate, crenelate** /ˈkrenəleɪt/ (*archit.*) v. t. merlare; fornire di merlatura ‖ **crenellated, crenelated** a. merlato ‖ **crenellation, crenelation** n. ⓤⓒ merlatura.

creole /ˈkriːəʊl/ Ⓐ a. e n. creolo, creola Ⓑ n. ⓤ creolo (*dialetto*).

creolin /ˈkriːəʊlɪn/ n. ⓤ (*chim.*) creolina.

creolization /kriːəlaɪˈzeɪʃn, *USA* -lɪˈz-/ n. ⓤ (*anche ling.*) creolizzazione.

creosol /ˈkriːəsɒl/ n. (*chim.*) creosolo.

creosote /ˈkriːəsəʊt/ n. ⓤ (*chim.*) creosoto.

crepe, crêpe /kreɪp/ (*franc.*) n. **1** ⓤ (*ind. tess.*) crespo **2** (= **c. band**) nastro nero (*portato al braccio in segno di lutto*) **3** ⓤⓒ (*cucina*) crêpe; frittella (*salata o dolce*) ● **c. de Chine**, crespo di Cina □ **c. paper**, carta crespata □ **c. rubber**, crêpe; lamina rugosa di gomma o di para (*per suole*) □ (*cucina*) **crêpes suzette**, crêpes suzette.

to **crêpe** /kreɪp/ v. t. coprire di crespo; drappeggiare con crespo.

to **crepitate** /ˈkrepɪteɪt/ v. i. crepitare ‖ **crepitant** a. crepitante.

crepitation /krepɪˈteɪʃn/ n. ⓤⓒ **1** crepitio **2** (*med.*) crepitazione (*di un osso rotto, ecc.*).

crept /krept/ pass. e p. p. di **to creep**.

crepuscular /krɪˈpʌskjʊlə(r)/ a. **1** (*anche letter. e psic.*) crepuscolare **2** (*d'insetto, ecc.*) che vola al crepuscolo.

crescendo /krəˈʃendəʊ/ n. (*pl.* **crescendos, crescendoes**) (*mus. e fig.*) crescendo.

crescent /ˈkresnt/ Ⓐ n. **1** falce di luna **2** (*stor.*) – **the C.**, la Mezzaluna (*l'islamismo e il suo impero*) **3** strada (*o fila di case disposte a semicerchio*) **4** (*oggetto a*) mezzaluna: *'His hat was a vast ruin with a wide c. lopped out of its brim'* M. TWAIN, 'il suo cappello era tutto uno sfacelo, con una larga falda lunata che si era staccata dalla tesa' Ⓑ a. a mezzaluna; falcato: **a c. beach**, una spiaggia a mezzaluna ● **a c. moon**, una falce di luna □ (*mecc., USA*) **c. wrench**, chiave a rullino.

cresol /ˈkriːsɒl/ n. ⓤ (*chim.*) cresolo.

cress /kres/ n. (*bot.*) crocifera (*in genere*).

crest /krest/ n. **1** cresta (*del gallo, d'un monte, dell'onda, ecc.*); ciuffo di penne; cima; cimiero; pennacchio **2** criniera (*di cavallo, leone, ecc.*) **3** (*ind. costr., edil.*) corona (*di una diga, ecc.*) linea di displuvio (*d'un tetto, ecc.*) **4** (*anat.*) cresta **5** (*mecc.*) cresta (*di vite*) **6** (*arald.*) cimiero **7** (= **family c.**) stemma gentilizio **8** (*econ.*) picco (*di una congiuntura*) **9** (*motociclismo*) dosso, rampa (*della pista*) ●

c. gate, paratia di coronamento (*di un bacino idrico*) □ (*anche fig.*) **to be on the c. of the wave**, essere sulla cresta dell'onda.

to **crest** /krest/ Ⓐ v. t. **1** munire di cresta (*o di pennacchio*) **2** ornare di stemma gentilizio **3** raggiungere la cima di: **to c. a hill** [**a wave**], raggiungere la cima d'un colle [di un'onda] **4** (*fig.*) coronare: *A castle crests the hill*, un castello corona il colle **5** (*ciclismo*) scalare; scavalcare Ⓑ v. i. (*d'onda*) sollevarsi formando creste ● (*di un fiume in piena*) **to c. at**, raggiungere il livello di (*un certo numero di metri, ecc.*) □ (*ciclismo*) **to c. the hill**, scollinare.

crested /ˈkrestɪd/ a. **1** (*zool.*) crestato: **c. newt**, tritone crestato **2** ornato di stemma: **c. paper**, carta da lettere con stemma gentilizio; **a c. tie**, una cravatta con lo stemma (*di un college, un club sportivo, ecc.*) **3** (*arald.*) crestato.

crestfallen /ˈkrestfɔːlən/ a. a testa bassa; depresso; abbattuto; mortificato; giù di corda (*fam.*).

cretaceous /krɪˈteɪʃəs/ a. (*geol.*) cretaceo ● **the C.**, il cretaceo; il periodo cretaceo.

Crete /kriːt/ n. (*geogr.*) Creta; Candia ‖ **Cretan** a. e n. cretese.

cretic /ˈkriːtɪk/ n. (*poesia*) piede cretico; cretico.

cretin /ˈkretɪn/ n. **1** (*med., antiq.*) cretino **2** (*slang*) cretino; stupido; imbecille.

cretinism /ˈkretɪnɪzəm/ (*med., antiq.*) n. ⓤ cretinismo ‖ **cretinoid** a. e n. cretinoide ‖ **cretinous** a. cretino; affetto da cretinismo.

cretonne /kreˈtɒn/ (*franc.*) n. ⓤ (*ind. tess.*) cretonne; cotonina stampata.

Creutzfeldt-Jakob disease /ˈkrɔɪtsfelt ˈjækɒb dɪˈziːz/ loc. n. (*med.*) morbo di Creutzfeldt-Jakob.

crevasse /krəˈvæs/ n. (*geol., alpinismo*) «crevasse»; crepaccio (*di ghiacciaio*).

crevice /ˈkrevɪs/ n. **1** (*scient.*) crepa; fessura; fenditura **2** fessura (*nella roccia*).

◆ **crew** ① /kruː/ n. (*col verbo al sing. o pl.*) **1** (*naut.*) equipaggio; (*di barca, anche*) armo; (*esclusi gli ufficiali*) gente, uomini, (*spreg.*) ciurma **2** (*aeron.*) equipaggio: **ground c.**, equipaggio di terra; **cabin c.**, assistenti di volo; **150 passengers and 10 c.**, 150 passeggeri e 10 membri dell'equipaggio **3** (*ferr.*) personale (*viaggiante*) **4** (*di veicolo*) equipaggio: **ambulance c.**, equipaggio d'ambulanza; **tank c.**, equipaggio di carro armato **5** squadra (*di lavoro*); (*cinem., radio, TV*) troupe (*franc.*): **road c.**, squadra d'operai addetti a lavori stradali **6** (*spreg.*) gruppo; banda; combriccola ● **c. cut**, taglio (di capelli) a spazzola □ (*naut.*) **c. list**, ruolo d'equipaggio □ (*moda*) **c. neck**, girocollo: **c.-neck** (*o* **c.-necked**) **sweater**, maglione a girocollo □ (*naut.*) **c. quarters**, alloggi dell'equipaggio □ (*mil.*) **gun's c.**, armamento (*o* serventi) di un pezzo.

crew ② /kruː/ pass. di **to crow**.

to **crew** /kruː/ v. t. (*naut.*) fare parte dell'equipaggio di (*una barca a vela*).

crewel /ˈkruːəl/ n. ⓤ **1** lana per ricami e tappeti **2** → **crewelwork** ● (*cucito*) **c. stitch**, punto erba.

crewelwork /ˈkruːəlwɜːk/ n. ⓤ ricamo di filo di lana su fondo di tela.

crewman /ˈkruːmən/ n. (*pl.* **crewmen**) (*naut., aeron., miss.*) membro dell'equipaggio.

crib /krɪb/ n. **1** mangiatoia; greppia **2** presepio; presepe **3** posta, stalla (*di bovini*) **4** capanna; casupola **5** lettino per bimbo, con sponde alte a sbarre; (*USA*) culla **6** (*edil.*) armatura di sostegno **7** catasta di puntellamento (*in una miniera*) **8** ricettacolo di legno per granoturco, sale, ecc. **9** (*fam.*) furtarello; scopiazzatura; plagio **10** (*fam.*) bigino;

traduttore **11** trappola di vimini, per salmoni **12** (*nel «cribbage»*) mano di carte del mazziere fatta con gli scarti di tutti i giocatori **13** (*tecn.*) tavolato di base **14** (*ferr.*) passo degli appoggi (*di binario*) **15** (*slang*) casa di malaffare; bordello **16** (*slang USA*) casa; appartamento **17** (*slang USA*) locale notturno malfamato **18** (*gergo della malavita*) cassaforte ● (*dei cavalli*) **c. biting**, ticchio d'appoggio □ (*med., USA*) **c. death**, morte in culla (*di neonato*).

to crib /krɪb/ **Ⓐ** v. t. **1** (*edil.*) armare: (*ind. min.*) puntellare **2** provvedere (*una stalla*) di mangiatoie **3** (*fam.*) plagiare **4** (*fam.*) rubacchiare; saccheggiare **5** (*gergo studentesco*) copiare (*da un compagno o dal bigino*) **Ⓑ** v. i. **1** copiare, imbrogliare (*all'esame, a scuola*) **2** (*fam.*) brontolare; lamentarsi; lagnarsi.

cribbage /'krɪbɪdʒ/ n. Ⓤ «cribbage» (*gioco di carte*) ● **c. board**, segnapunti usato nel «cribbage».

cribriform /'krɪbrɪfɔːm/ a. (*anat., bot.*) cribriforme; bucherellato.

cribwork /'krɪbwɜːk/ → **crib**, def. 6.

crick /krɪk/ n. (*med.*) crampo; spasmo muscolare ● **c. in the neck**, torcicollo: *I've got a c. in my neck*, mi sono preso il torcicollo.

to crick /krɪk/ v. t. (*med.*) prodursi uno spasmo muscolare a; provocare un crampo in ● **to c. one's neck**, prendersi il torcicollo.

cricket① /'krɪkɪt/ n. **1** (*zool.*, = **house c.**) grillo **2** (*edil.*) grembialina (*o scossalina*) di compluvio.

◆**cricket**② /'krɪkɪt/ n. Ⓤ (*sport*) cricket: **c. ground**, campo di cricket ● (*fam. GB*) **It isn't c.**, non è leale; non è sportivo.

cricketer /'krɪkɪtə(r)/ n. giocatore di cricket.

cricketing /'krɪkɪtɪŋ/ n. Ⓤ **1** (il) giocare a cricket **2** (gioco del) cricket: **c. stories**, aneddoti di cricket.

cricoid /'kraɪkɔɪd/ **Ⓐ** n. (*anat.*) cricoide **Ⓑ** a. (*anat.*) cricoideo.

crier /'kraɪə(r)/ n. **1** (*arc.*, = **town c.**) banditore **2** venditore ambulante che grida (*per attirare clienti*) **3** chi piange spesso; piagnone (*fam.*); piagnucolone.

crikey /'kraɪkɪ/ inter. (*fam. GB*) perbacco!; perdinci!

crim. abbr. (**criminal**) criminale.

◆**crime** /kraɪm/ n. **1** (*leg.*) reato; crimine; delitto: **lesser c.**, reato minore; **serious c.**, reato grave; crimine; **capital c.**, delitto capitale; **c. of corruption**, reato di corruzione; **c. of murder**, reato di omicidio; **motiveless c.**, delitto senza movente; **war crimes**, crimini di guerra; **the scene of the c.**, la scena del delitto **2** (*fig.*) delitto; peccato: **an unforgivable c.**, un delitto imperdonabile; *It would be a c. to throw it away*, sarebbe un delitto buttarlo via **3** Ⓤ crimine, crimini (pl.); criminalità: **to prevent c.**, prevenire il crimine; *C. is on the increase*, la criminalità è in aumento; **organized c.**, crimine organizzato; criminalità organizzata; **c. rate**, tasso di criminalità; **c. figures**, statistiche relative alla criminalità ● **a c. against humanity**, un crimine contro l'umanità □ **c. and punishment**, delitto e castigo □ **c. fiction**, narrativa gialla; giallistica □ **c.-fighting**, lotta contro il crimine □ **c.-fighter**, agente della polizia criminale □ (*USA*) **c. lab**, (polizia) scientifica □ (*in GB*) **c. management unit**, sezione investigativa (*della polizia*) □ **c. novel**, giallo □ **c. of passion**, delitto passionale □ **c. prevention**, prevenzione del crimine □ (*in GB*) **c. report number**, numero della denuncia del reato □ (*giorn.*) **c. reporter**, cronista di cronaca nera □ (*mil.*) **c. sheet**, foglio delle punizioni □ **c. squad**, squadra anticrimine □ **c. wave**, ondata di delitti □ **c. writer**, scrittore di gialli; giallista □ **a life in**

c., una vita da criminale □ (*prov.*) **C. doesn't pay**, il delitto non paga.

Crimean /kraɪ'miːən/ a. della Crimea: (*stor.*) **the C. War**, la guerra di Crimea.

◆**criminal** /'krɪmɪnl/ **Ⓐ** a. **1** (*leg.*) criminale; criminoso: **a c. act**, un atto criminoso **2** (*leg.*) penale: **c. action**, azione penale; **c. law**, diritto penale; **c. court**, tribunale penale; **the c. code**, il codice penale (*in Italia, Francia, ecc.*) **3** (*fig.*) criminale; da criminali **Ⓑ** n. criminale; delinquente; **a common c.**, un delinquente comune ● **c. abortion**, aborto criminoso □ **c. assault**, aggressione; (tentativo di) violenza carnale □ **c. association**, associazione per delinquere □ **c. case**, causa penale □ **c. charges**, accuse penali □ **c. contempt**, oltraggio alla corte □ (*stor.*) **c. conversation**, adulterio □ **c. damage**, danneggiamento intenzionale; vandalismo; atti (pl.) vandalici □ **c. evidence**, prova in materia penale □ **c. inquiry**, inchiesta penale □ **c. intent**, intento criminoso; dolo □ **c. justice**, giustizia penale □ **c. lawyer**, penalista □ **c. liability**, responsabilità penale □ **c. negligence**, negligenza colposa □ **c. offence**, reato; illecito penale □ **c. procedure**, procedura penale □ **c. proceedings**, procedimento (sing.) penale □ **c. record**, precedenti (pl.) penali; fedina penale: *He has a long c. record*, ha una fedina penale lunga così □ **c. trial**, processo penale □ **c. wrong**, illecito penale.

criminalist /'krɪmɪnəlɪst/ n. **1** (*leg.*) penalista **2** criminologo.

criminality /krɪmɪ'nælətɪ/ n. Ⓤ criminalità; criminosità.

to criminalize /'krɪmɪnəlaɪz/ v. t. criminalizzare ‖ **criminalization** n. Ⓤ criminalizzazione.

criminally /'krɪmɪnəlɪ/ avv. **1** criminalmente; criminosamente **2** (*leg.*) penalmente: **c. liable**, responsabile penalmente.

crimination /krɪmɪ'neɪʃn/ n. (*leg.*) incriminazione.

criminey /'krɪmɪnɪ/ inter. (*slang antiq., USA*) cribbio!; cristo!

criminogenic /krɪmɪnəʊ'dʒɛnɪk/ a. criminogeno.

criminology /krɪmɪ'nɒlədʒɪ/ n. Ⓤ criminologia ‖ **criminologic** a. criminologico ‖ **criminologist** n. criminologo.

crimp① /krɪmp/ n. **1** increspatura, pieghettatura (*di un tessuto*) **2** onda, ricciolo (*di capelli*) **3** (*metall.*) ondulazione **4** increspatura; arricciatura **5** (*USA*) intralcio; ostacolo; freno ● **to put a c. in st.**, guastare, rovinare qc.

crimp② /krɪmp/ n. (*stor.*) individuo che arruolava forzatamente soldati o marinai.

to crimp① /krɪmp/ v. t. **1** pieghettare; increspare, crespare, arricciare (*un tessuto, un abito, ecc.*) **2** arricciare; ondulare: **to c. one's hair**, arricciarsi i capelli **3** praticare tagli su (*un pesce, carne, ecc.*) per agevolarne la cottura **4** modellare (*il cuoio per le tomaie*) **5** comprimere; ridurre **6** strozzare, restringere (*l'estremità di un tubo*) **7** (*metall.*) ondulare (*lamiere*) **8** (*USA*) intralciare; ostacolare; pregiudicare: *The sagging demand for oil is crimping our exports*, la scarsità della domanda di petrolio pregiudica le nostre esportazioni ● **crimping iron**, arricciacapelli □ (*ind. tess.*) **crimping machine**, arricciatrice □ (*tecn.*) **c. tool**, aggraffatrice.

to crimp② /krɪmp/ v. t. (*stor.*) arruolare (*soldati o marinai*).

crimper /'krɪmpə(r)/ n. (*fam.*) parrucchiere.

Crimplene® /'krɪmpliːn/ n. Ⓤ tessuto ingualcibile.

crimpy /'krɪmpɪ/ a. arricciato; increspato; crespo.

crimson /'krɪmzn/ **Ⓐ** a. cremisino; cremisi **Ⓑ** n. Ⓤ **1** (color) cremisi **2** (*fig.*) rossore ● **c. lake**, pigmento rosso; lacca (da pittore).

to crimson /'krɪmzn/ **Ⓐ** v. t. tingere di rosso; arrossare **Ⓑ** v. i. arrossire; farsi rosso.

cringe① /krɪndʒ/ n. **1** il rannicchiarsi, il farsi piccolo (*per paura*) **2** il farsi piccolo (*per l'imbarazzo*) **3** atteggiamento servile; servilismo; il piegare la schiena.

cringe② /krɪndʒ/ inter. (*fam. GB*) che figura!; che vergogna!; roba da sprofondare!

to cringe /krɪndʒ/ v. i. **1** rannicchiarsi; farsi piccolo (*per paura*): *He cringes at the very sight of his boss*, si fa piccolo alla sola vista del capo **2** essere servile; piegare la schiena **3** rabbrividire, star male per l'imbarazzo; morire d'imbarazzo: *His words made me c.*, le sue parole mi fecero morire d'imbarazzo **4** rabbrividire, fremere d'orrore o di disgusto: *I cringed at the sight*, quella vista mi diede un brivido d'orrore ‖ **cringer** n. (*fam.*) persona servile; individuo strisciante ‖ **cringing** a. **1** impaurito; intimidito **2** servile **3** imbarazzante.

cringle /'krɪŋgl/ n. (*naut.*) brancarella; brancherella; bosa.

crinkle /'krɪŋkl/ n. crespa; grinza; piega; ruga.

to crinkle /'krɪŋkl/ **Ⓐ** v. t. **1** arricciare; increspare, crespare; pieghettare: *'Mura came closer and crinkled his nose distastefully'* J. CLAVELL, 'Mura si avvicinò e arricciò il naso con aria disgustata' **2** sgualcire; spiegazzare **3** far frusciare; far crepitare **Ⓑ** v. i. **1** arricciarsi; incresparsi; pieghettarsi **2** spiegazzarsi; sgualcirsi **3** crepitare; frusciare: *If you crush paper, it will c.*, la carta crepita, se la si accartoccia ● **crinkled paper**, carta crespata.

crinkly /'krɪŋklɪ/ a. **1** arricciato; increspato; pieghettato **2** spiegazzato; sgualcito **3** frusciante; crepitante ● **c. hair**, capelli ricci.

crinoid /'kraɪnɔɪd/ **Ⓐ** n. (*zool.*, *Crinoidea*) crinoide **Ⓑ** a. dei crinoidi ‖ **crinoidal** a. (*scient.*) a crinoidi: (*geol.*) **crinoidal limestone**, calcare a crinoidi.

crinoline /'krɪnəlɪn/ n. **1** (*moda*) crinolina **2** Ⓤ (*ind. tess.*) crinolino **3** (*mil.*) rete protettiva contro i siluri (*intorno a una nave da guerra*).

cripes /kraɪps/ inter. (*slang*) caspita!; perdinci!

cripple /'krɪpl/ n. **1** (*antiq. o offensivo*) storpio; sciancato; zoppo **2** (*fig.*) incapace; inetto: **an emotional c.**, una persona incapace di sentimenti o incapace di esprimerli.

to cripple /'krɪpl/ **Ⓐ** v. t. **1** azzoppare; storpiare: *He was crippled in the war*, rimase storpio in guerra **2** (*fig.*) menomare; handicappare; rendere inefficiente; paralizzare: *The basic industries have been hit by crippling strikes*, le industrie di base sono state colpite da scioperi paralizzanti **Ⓑ** v. i. zoppicare.

crippled /'krɪpld/ a. **1** menomato; danneggiato **2** (*med.*) disabile; handicappato.

crippling /'krɪplɪŋ/ a. **1** (*med.*) invalidante: **a c. disease**, una malattia invalidante **2** (*fig.*) gravissimo; rovinoso: **a c. national debt**, un indebitamento pubblico rovinoso.

◆**crisis** /'kraɪsɪs/ n. Ⓒ (pl. **crises**) crisi (*in ogni senso*): **the economic c.**, la crisi economica; **cabinet c.**, crisi ministeriale; **to be in c.**, attraversare una crisi; essere in crisi; **to reach c. point**, arrivare a un punto di crisi ● **c. centre**, unità di crisi; (*per donne maltrattate, tossicomani, ecc.*) centro di accoglienza (*polit.*) **a c. government**, un governo d'emergenza □ **c. line**, telefono amico □ (*econ., org. az.*) **c. management**, gestione della crisi □ (*anche polit.*) **c. of confidence**, crisi di fiducia.

crisp /krɪsp/ **A** a. **1** friabile; croccante: **c. biscuits**, biscotti croccanti **2** (*di frutta, verdura*) fresco e sodo: **c. lettuce**, insalata fresca e soda **3** (*dell'aria, ecc.*) frizzante; tonificante; secco: **c. winter weather**, il freddo secco dell'inverno **4** (*della neve*) fresco **5** (*di banconota*) frusciante **6** (*di stoffa*) fresco e ben stirato; inamidato **7** (*dei capelli*) crespo; arricciato **8** (*di modo di parlare*) deciso; asciutto; sbrigativo **9** (*di stile, ecc.*) incisivo; terso; scattante: **a c. dialogue**, un dialogo scattante **B** n. (*GB*, = **potato c.**) patatina: **a packet of crisps**, un sacchetto di patatine; *A packet of salt and vinegar crisps please*, un sacchetto di patatine al sale e aceto, per favore ● **burnt to a c.**, carbonizzato; completamente bruciato □ (*di cibo*) **done to a c.**, croccante.

to **crisp** /krɪsp/ **A** v. t. **1** (*cucina*) rendere croccante (*mettendo in forno*), biscottare; far formare una crosta croccante su **2** increspare (*i capelli*) **B** v. i. (*di cibo*) diventare croccante; formare una crosta croccante.

crispate /ˈkrɪspeɪt/ a. (*anche bot.*) crespato; increspato; arricciato.

crispbread /ˈkrɪspbred/ n. ⊍ biscotto sottile (*di segale, avena, ecc.*).

crisper /ˈkrɪspə(r)/ n. scomparto per frutta e verdura (*nel frigorifero*).

Crispin /ˈkrɪspɪn/ n. Crispino.

crispness /ˈkrɪspnəs/ n. ⊍ **1** consistenza croccante; friabilità **2** (*di verdura, ecc.*) freschezza **3** (*dell'aria, ecc.*) freddo; pungente: **the c. of the air**, il freddo pungente che è nell'aria **4** asciuttezza; recisione; sbrigatività **5** incisività; concisione.

crispy /ˈkrɪspɪ/ a. (*fam.*) croccante.

criss-cross /ˈkrɪskrɒs/ **A** n. **1** (*un tempo*) segno di croce (*di analfabeta*) **2** rete, reticolo, griglia (*di fili, linee ferroviarie, ecc.*) **B** a. incrociato; a reticolo; a griglia; a linee incrociate: **criss-cross traffic**, traffico incrociato; **criss-cross pattern**, disegno a linee incrociate **C** avv. **1** in direzione opposta **2** di traverso; a rovescio (*fig.*): *Everything went criss-cross*, tutto andò di traverso.

to **criss-cross** /ˈkrɪskrɒs/ **A** v. t. **1** coprire di segni di croce **2** incrociare; intersecare **B** v. i. intersecarsi; incrociarsi: *I watched the ants criss-cross on the path*, osservavo le formiche incrociarsi sul sentiero.

cristate /ˈkrɪstət/ a. (*bot., zool.*) crestato.

crit n. (*fam., GB*) recensione; critica.

criterion /kraɪˈtɪərɪən/ n. (pl. **criteria**, **criterions**) criterio; norma: **to lay down** [**to meet**] **certain criteria**, stabilire [rispondere a] determinati criteri; **by this c.**, secondo (*o* in base a) questo criterio.

critic /ˈkrɪtɪk/ n. **1** critico; recensore: **film c.**, critico cinematografico; *The play was hailed by critics*, la commedia è stata osannata dai recensori (*o* dalla critica) **2** chi critica; critico; oppositore; contestatore: **critics of the new law**, coloro che criticano (*o* gli oppositori della) nuova legge.

critical /ˈkrɪtɪkl/ a. **1** critico; che critica; che si oppone a: **openly c. of st.**, apertamente critico di qc.; **to become c. of st.**, cominciare a criticare qc.; *He is highly c. of the party line*, critica duramente la (*o* è molto critico nei confronti della) linea di partito **2** critico; pronto a criticare **3** (*letter.*) relativo alla critica (letteraria); critico: **c. essay**, saggio critico; **c. edition**, edizione critica **4** di, della critica; dei recensori: **c. acclaim**, lodi della critica; **a c. success**, un successo di critica **5** (*di situazione, ecc.*) grave: **c. level**, livello critico; **at a c. stage**, a uno stadio (*o* a un punto) critico **6** (*med.: di paziente*) in prognosi riservata; grave **7** critico; decisivo: **a c. factor**, un fattore cruciale; *The next week will be c. for our enterprise*, la prossima settimana sarà decisiva

per la nostra impresa **8** (*scient.*) critico: (*fis.*) **c. mass**, massa critica (*chim., fis.*) **c. temperature**, temperatura critica ● (*letter.*) **c. apparatus**, apparato critico □ (*med.*) **c. care**, terapia intensiva postoperatoria □ (*fis. nucl.*) **c. equation**, equazione di criticità □ (*elettr.*) **c. frequency**, frequenza critica (o limite) □ (*med.*) **c. list**, pazienti in prognosi riservata: **on the c. list**, in prognosi riservata □ (*ric. op.*) **c. path**, percorso critico □ (*fis. nucl.*) **c. reactor**, reattore critico □ (*stat.*) **c. region**, regione critica □ **to take a c. look at st.**, guardare qc. con occhio critico ‖ **critically** avv. criticamente.

criticality /krɪtɪˈkælətɪ/ n. ⊍ (*fis. nucl.*) criticità.

criticaster /ˈkrɪtɪkæstə(r)/ n. criticastro; critico da strapazzo.

criticism /ˈkrɪtɪsɪzəm/ n. **1** ⊍ critica; critiche (pl.); disapprovazione; biasimo; censura, censure: **to get** (*o* **to come in for**) **a lot of c.**, ricevere molte critiche; essere molto criticato; **to come under severe c.**, essere fatto oggetto di critiche severe; **to lay oneself open to c.**, esporsi alle critiche **2** critica; giudizio negativo; obiezione: *She made a number of criticisms*, ha espresso diverse critiche; **open to criticism**, aperto alle critiche **3** ⊍ (*letter.*) critica: **literary c.**, critica letteraria **4** ⊍ (*filos.*) criticismo.

to **criticize** /ˈkrɪtɪsaɪz/ **A** v. t. **1** criticare; disapprovare; censurare **2** analizzare, discutere, giudicare (*criticamente*) **B** v. i. fare la critica; criticare ‖ **criticizable** a. criticabile **❶ NOTA:** *-ise o -ize?* → **-ise.**

critique /krɪˈtiːk/ n. **1** articolo di critica; recensione; saggio critico **2** ⊍ (*anche filos.*) critica.

critter /ˈkrɪtə(r)/ n. (*slang USA*) **1** animale; bestia **2** persona.

croak /krəʊk/ n. **1** gracchiamento; il gracchiare (*del corvo*) **2** gracidio; verso della rana **3** tono rauco (*della voce*).

to **croak** /krəʊk/ **A** v. i. **1** gracchiare (*anche fig.*); gracidare; brontolare **2** (*fig.*) fare l'uccello del malaugurio; predire disastri; mugugnare **3** (*slang*) morire; tirare le cuoia (*pop.*) **B** v. t. **1** dire (*qc.*) con voce lugubre **2** (*slang*) uccidere; ammazzare; far fuori (*pop.*).

croaker /ˈkrəʊkə(r)/ n. **1** gracchiatore; animale che gracchia (*o* gracida) **2** (*fig.*) uccello del malaugurio; brontolone; mugugnatore **3** (*slang USA*) medico **4** (*zool.*) pesce degli sciænidi (*in genere*) **5** (*zool.*) = **freshwater drum** → **freshwater.**

croaky /ˈkrəʊkɪ/ a. **1** gracchiante; gracidante **2** (*di un suono*) rauco; roco.

Croat /ˈkrəʊæt/ a. e n. Croato.

Croatia /krəʊˈeɪʃə/ n. (*geogr.*) Croazia.

Croatian /krəʊˈeɪʃn/ a. e n. croato (*anche la lingua*).

croc /krɒk/ abbr. (*fam., crocodile*) coccodrillo.

crochet /ˈkrəʊʃeɪ, *USA* krəʊˈʃeɪ/ (*franc.*) n. ⊍ **1** lavoro all'uncinetto; crochet **2** (*archit.*) → **crocket** ● **c. file**, lima ad ago □ **c. hook** (*o* **c. pin**), uncinetto.

to **crochet** /ˈkrəʊʃeɪ, *USA* krəʊˈʃeɪ/ (*franc.*) v. t. e i. lavorare (*o* fare) all'uncinetto.

crock ① /krɒk/ n. **1** vaso (*o* brocca, giara) di terracotta **2** coccio (*di terracotta*) ● (*volg.*) **c. of shit**, merda (*volg.*); cosa (*o* persona schifosa □ **c. pot**®, pentola per cottura lenta (*con termostato elettrico*).

crock ② /krɒk/ n. (*slang*) **1** persona anziana e malandata; rottame (*fig.*) **2** ronzino; brocco **3** pecora vecchia **4** macinino, rottame, catorcio (*vecchia automobile*) **5** (*slang USA*) fesseria; balla; idiozia **6** (*slang USA*) ubriacone.

to **crock** /krɒk/ v. t. (*slang*) **1** (*GB*) fare ma-

le a; mettere fuori uso **2** (*USA*) colpire, picchiare (q.).

■ **crock up** (*slang USA*) **A** v. t. + avv. mettere a terra (*fig.*); mettere fuori combattimento **B** v. i. + avv. crollare (psicologicamente); avere un crollo.

crocked /krɒkt/ a. (*slang*) **1** (*GB*) ferito **2** (*USA*) sbronzo; ubriaco: **c. to the gills**, ubriaco fradicio.

crockery /ˈkrɒkərɪ/ n. ⊍ terraglie (pl.); stoviglie (pl.); vasellame di terracotta.

crocket /ˈkrɒkɪt/ n. (*archit.*) foglia (*o* cuspide) arricciata (*ornamento agli angoli di un frontone*).

crocodile /ˈkrɒkədaɪl/ n. **1** (*zool., Crocodilus*) coccodrillo **2** ⊍ (pelle di) coccodrillo **3** (*fig.*) chi si finge pentito **4** (*fam. GB*) fila di scolari che camminano per due ● (*elettr.*) **c. clip**, coccodrillo □ (*fig.*) **c. tears**, lacrime di coccodrillo ‖ **crocodilian** a. di (*o* da) coccodrillo.

crocoite /ˈkrɒkəʊaɪt/ n. ⊍ (*miner.*) crocoite.

crocus /ˈkrəʊkəs/ n. **1** (*bot., Crocus*: pl. **crocuses, croci, crocus**) croco **2** (*ind.*) croco di Marte; colcotar.

Croesus /ˈkriːsəs/ n. (pl. **Croesuses, Croesi**) (*stor.*) Creso; (*fig.*) riccone.

croft /krɒft/ n. (*spec. scozz.*) **1** (*spec. in Scozia*) piccolo podere in affitto **2** campicello.

crofter /ˈkrɒftə(r)/ n. (*spec. in Scozia*) affittuario d'un piccolo podere; piccolo coltivatore diretto.

crofting /ˈkrɒftɪŋ/ n. ⊍ (*spec. in Scozia*) sistema agricolo basato sul **croft**.

croissant /ˈkrwɑːsɒn/ (*franc.*) n. (*cucina*) cornetto; croissant.

cromlech /ˈkrɒmlek/ n. (*archeol.*) cromlech; tomba megalitica.

cromorne /krəˈmɔːn/ n. (*mus., stor.*) cromorno.

crone /krəʊn/ n. (*spreg.*) vecchia rugosa; megera; befana; vecchia strega.

Cronus /ˈkrəʊnəs/ n. Crono.

crony /ˈkrəʊnɪ/ n. amico (intimo); amicone; (*spreg.*) compare: (*econ., pol.*) **c. capitalism**, capitalismo clientelare.

cronyism /ˈkrəʊnɪɪzəm/ n. ⊍ (*polit., spreg.*) favoritismo (*verso amici, seguaci, ecc.*); clientelismo; nepotismo.

crook ① /krʊk/ n. **1** uncino; gancio; raffio **2** bastone da pastore **3** (*relig.*) pastorale (*di vescovo*) **4** incavo: **in the c. of one's arm**, nell'incavo del braccio **5** curva; svolta **6** (*fam.*) imbroglione; truffatore; gabbamondo ● **c.-backed**, gobbo □ **by hook or by c.**, di riffa o di raffa; per amore o per forza □ (*fam.*) **on the c.**, in modo disonesto.

crook ② /krʊk/ a. (*slang Austral.*) **1** cattivo; sgradevole: **c. food**, cibo cattivo **2** malato; indisposto: *I'm feeling c. today*, oggi non sto bene **3** guasto; fuori uso; rotto □ **to go c. on sb.** (**for st.**), prendersela con q. [per qc.].

to **crook** /krʊk/ **A** v. t. **1** curvare; piegare: **to c. one's arm** [**finger**], piegare il braccio [il dito] **2** uncinare; prendere con un uncino **B** v. i. curvarsi; piegarsi ● **to c. a finger at sb.**, chiamare q. con un cenno.

crooked (*def. 1, 3, 4* /ˈkrʊkɪd/, *def. 2* /krʊkt/) a. **1** curvo; storto; deforme: **c. back**, schiena curva e storta; **c. legs**, gambe storte; **c. teeth**, denti storti; **c. hands**, mani deformi **2** tortuoso (*anche fig.*); a curve: **c. path**, percorso tortuoso; **c. road**, strada tutta curve; **c. reasoning**, ragionamento tortuoso **3** (*di bastone*) ricurvo; a uncino **4** sghembo; di traverso; storto; sbilenco: **c. smile**, sorriso sbilenco **5** (*fam.*) disonesto; corrotto; losco; truffaldino: **a c. cop**, un poliziotto corrotto; **c. deal**, affare disonesto; affare losco ‖ **crookedly** avv. **1** di sghembo; di traverso **2** (*fig.*) disonestamente; in

C

modo truffaldino; con l'inganno ‖ **crook-edness** n. ⓤ **1** l'esser curvo, storto; deformità **2** tortuosità (anche fig.) **3** (fam.) disonestà; corruzione.

croon /kruːn/ n. **1** cantilena; canto sommesso **2** canzone sussurrata **3** modo di cantare sussurrato (o troppo sentimentale).

to **croon** /kruːn/ v. t. e i. **1** cantilenare; canticchiare: **to c. to oneself**, canticchiare fra sé, sottovoce **2** cantare in tono sommesso **3** cantare in modo (troppo) sentimentale.

crooner /'kruːnə(r)/ n. cantante di canzoni sentimentali; cantante confidenziale.

◆**crop** /krɒp/ n. **1** (agric.) coltura: The main c. is wheat, la coltura principale è il frumento **2** (agric.) messe; raccolto: **the barley c.**, il raccolto dell'orzo; **a bumper c.**, un raccolto abbondante **3** gruppo; quantitativo: **a new c. of students**, un gruppo di studenti nuovi **4** mucchio; quantità: **a c. of lies**, un mucchio di bugie; **a c. of questions**, una quantità di domande **5** massa (di capelli); zazzera: **a c. of white hair**, una zazzera di capelli bianchi **6** taglio cortissimo (di capelli); rapata **7** ingluvie; gozzo (d'uccelli) **8** (equit., = **riding c.**, **hunting c.**) frustino **9** pelle conciata (d'un intero animale) **10** (USA) marchio (su bestie) **11** (metall.) spuntatura (difetto: di un lingotto) ● **c. circle**, forma spesso circolare creata in un campo di grano dallo schiacciamento delle spighe (e ritenuta di origine misteriosa); cerchio nel grano □ (ind. min.) **c. coal**, carbone affiorante □ (agric.) **c. duster**, aereo per l'irrorazione delle colture (con pesticidi, ecc.) □ **c. dusting** = **c. spraying** → sotto □ **c.-eared**, (di animale) dalle orecchie mozze; (di persona) rapato □ **c.-headed**, rapato □ (agric.) **c. rotation**, rotazione delle colture □ (agric.) **c. spraying**, irrorazione delle colture (con insetticidi).

to **crop** /krɒp/ Ⓐ v. t. **1** tagliar via; mozzare (la coda, ecc. a un animale); tosare corto; rasare; rapare: **to c. the edges of a book**, tagliare i margini d'un libro; **to have one's hair cropped**, farsi rasare i capelli **2** (di pecore e sim.) brucare **3** (agric.) cogliere; raccogliere: We have cropped a lot of wheat this year, abbiamo raccolto molto grano quest'anno **4** (agric.) seminare; piantare: He is going to c. twenty acres with corn, intende seminare venti acri a cereali **5** cimare (tessuti) **6** strappare, estrarre (chiodi, ecc.) **7** (fotogr., grafica) rifilare; scontornare Ⓑ v. i. **1** dare un raccolto: Barley cropped well last year, l'orzo ha dato un buon raccolto l'anno scorso **2** seminare **3** pascolare ● (geol.: di rocce, ecc.) **to c. out**, affiorare □ **to c. up**, sorgere inaspettatamente, saltar fuori, presentarsi; venir fuori (nel discorso); (geol.) affiorare: A new difficulty has cropped up in the peace talks, nelle trattative di pace è saltata fuori una nuova difficoltà.

cropper /'krɒpə(r)/ n. **1** tosatore; potatore **2** colono; mezzadro; contadino **3** (zool.) piccione gozzuto **4** pianta che dà un raccolto: **a good** (o **heavy**) **c.**, una pianta che dà un buon raccolto; **a poor** (o **light**) **c.**, una pianta che dà un cattivo raccolto **5** (ind. tess.) cimatore; cimatrice (macchina) **6** (fam.) capitombolo; ruzzolone; disastro; fiasco (fig.): **to come a c.**, fare un capitombolo; far fiasco (in un esame, ecc.); andare a gambe all'aria (fig.).

cropping /'krɒpɪŋ/ n. ⓤ **1** rasatura **2** (agric.) semina **3** cimatura (di tessuti) **4** (fotogr., grafica) rifilatura; scontornatura.

croppy /'krɒpɪ/ n. (stor.) ribelle irlandese (della rivoluzione del 1798).

crop top /'krɒptɒp/ loc. n. (moda) top sportivo.

croquet /'krɒkeɪ, USA krəʊ'keɪ/ n. ⓤ (sport) croquet ● **c. mallet**, mazza da

croquet.

to **croquet** /'krɒkeɪ/ Ⓐ v. t. respingere (la palla dell'avversario) battendo la propria con la mazza Ⓑ v. i. giocare a croquet.

croquette /krə'ket/ n. (cucina) crocchetta; polpettina fritta.

crosier, **crozier** /'krəʊʒə(r)/ n. (relig.) pastorale.

cross① /krɒs/ n. **1** croce (segno, oggetto, simbolo): **Maltese C.**, croce di Malta; **the C. and the Crescent**, la Croce e la Mezzaluna; (mil., in GB) **the Distinguished Service C.**, la Croce al Valor Militare; **to mark with a c.**, segnare con una croce; **to put a c. against a name**, segnare un nome con una croce **2** (fig.) croce; pena; tribolazione: It's a c. I have to bear, è la mia croce **3** (relig., = **sign of the c.**) segno della croce **4** (zool., bot.) incrocio; ibrido: The mule is a c. between a mare and an ass, il mulo è l'incrocio d'una cavalla con un asino **5** (fig.) incrocio; via di mezzo; (un) misto: The taste is a c. between yoghurt and cream cheese, il sapore è una via di mezzo tra lo yogurt e il formaggio burroso **6** (archit.) crociera: **c. vault**, volta a crociera **7** (mecc.) crociera; raccordo a croce **8** taglio (di una lettera alta): **the c. of a 't'**, il taglio di una 't' **9** (boxe) cross; gancio d'incontro **10** (calcio, ecc.) cross; diagonale; traversone (al centro) **11** (tennis) cross; colpo incrociato; diagonale (sost. m.) **12** (leg. fam. USA) controinterrogatorio **13** (slang USA) doppio gioco; tradimento; imbroglio ● (relig.) **c.-bearer**, portatore di croce; crocifero □ **c.-shaped**, cruciforme □ **to make one's c.**, fare una croce (in luogo della firma) □ **on the c.**, diagonalmente; (anche sartoria) di sbieco; (fam. USA) (in modo) disonesto □ (stor.) **to take the c.**, farsi crociato □ (fig.) **to take up one's c.**, accettare (con rassegnazione) la propria croce.

cross② /krɒs/ a. **1** arrabbiato; irritato; di cattivo umore; iroso: **to be c. with sb.**, essere arrabbiato con q.; **a c. word**, una parola irosa **2** trasversale; in diagonale; obliquo; di traverso: **a c. stroke**, un frego di traverso **3** che attraversa; attraverso (avv.): **a c.-Channel ferry**, un traghetto che attraversa la Manica **4** incrociato: **c.-correlation**, correlazione incrociata **5** (bot., zool.) incrociato; ibrido: **c.-pollination**, pollinazione incrociata **6** a forma di croce **7** avverso; contrario; sfavorevole: **c. winds**, venti contrari ● (Si veda anche sotto i singoli lemmi) (leg.) **c. appeal**, appello incidentale □ (naut.) **c. bearing**, rilevamento incrociato □ (geol.) **c.-bedding**, stratificazione incrociata □ (polit., GB) **c. bench**, banco di deputato indipendente (alla Camera dei Lord) □ (polit., GB) **c.-bencher**, deputato indipendente □ **c.-border**, transfrontaliero; tra Stati confinanti; con l'estero; estero; straniero: (fin.) **c.-border merger**, incorporazione di società straniere; **c.-border worker**, frontaliere □ (edil.) **c. bracing**, controvento □ (leg.) **c.-claim**, domanda riconvenzionale □ (comput.) **c. compiler**, compilatore incrociato □ (boxe) **c. counter**, colpo d'incontro □ (GB) **c.-curricular**, multidisciplinare □ **c.-dating**, datazione incrociata □ (med.) **c.-dominance**, lateralità incrociata □ (rag.) **c. entry**, trasferimento d'una somma ad altro conto □ **c. hairs**, reticolo (di arma da fuoco o su schermo di computer) □ (mecc.) **c.-head screw-driver**, giravite a testa obliqua □ (fin.) **c. holding**, partecipazione incrociata □ (chim.) **c. link**, legame trasversale □ (med.) **c.-matching technique**, tecnica della prova crociata (del sangue) □ (fin.) **c. participation**, partecipazione incrociata □ (mecc.) **c.-peen hammer**, martello da meccanico □ (mat.) **c. product**, prodotto vettoriale □ (fin.) **c. rate**, corso (di cambio) indiretto; parità indiretta □ (mat.) **c. ratio**, birapporto □

(sport) **c. shot**, (calcio) tiro trasversale, traversone; (tennis, ecc.) tiro angolato □ (USA) **c. street**, (strada) traversa □ **c. stroke**, frego (a penna); (sport: golf, ecc.) tiro trasversale □ (polit.) **c. voting**, voto trasversale □ **c. wires**, reticolo □ (fam. GB) **as c. as two sticks**, irritatissimo; d'umore nero □ **at c. purposes**, senza capirsi; fraintendendosi: **to talk at c. purposes**, parlare senza capirsi; fraintendersi.

◆to **cross** /krɒs/ Ⓐ v. t. **1** attraversare: **to c. a road** [**the sea, a border, a wood**], attraversare una strada [il mare, un confine, un bosco] **2** attraversare; passare su; passare per: A worried look crossed her face, un'espressione preoccupata le passò sul viso; It has never crossed my mind, non mi è mai passato per la testa **3** oltrepassare; superare: **to c. the gender divide**, superare le differenze di sesso; **to c. the bounds of decency**, superare i limiti della decenza **4** incrociare; intersecare; tagliare; sbarrare: **to c. two wires**, incrociare due fili; Broadway crosses Seventh Avenue at Times Square, Broadway interseca la Settima Avenue a Times Square; **to c. one's «t's»**, tagliare le (o fare il taglietto alle) «t»; **to c. one's arms**, incrociare le braccia; **to c. one's legs**, incrociare le gambe; (su una sedia) accavallare le gambe; **to c. one's fingers**, incrociare le dita (per scaramanzia); My previous letter crossed yours, la mia lettera precedente ha incrociato la tua; **to c. each other**, incrociarsi; intersecarsi **5** fare una croce su; sbarrare: **to c. a name**, fare una croce su un nome; **to c. a ballot paper**, mettere la croce su una scheda elettorale; (banca) **to c. a cheque**, sbarrare un assegno **6** contrariare; contrastare; opporsi a: Nobody likes to be crossed, a nessuno piace essere contrariato; **to c. sb.'s plans**, contrastare i piani di q. **7** (bot., zool.) incrociare, ibridare **8** (sport) (della palla) oltrepassare, superare (la linea laterale, ecc.) **9** (nelle corse) tagliare (il traguardo) **10** (calcio, ecc.) crossare (la palla) Ⓑ v. i. **1** fare una traversata: I crossed by hovercraft from Ramsgate to Calais, feci la traversata sull'hovercraft da Ramsgate a Calais **2** andare, recarsi (attraversando un confine, il mare, ecc.); passare; entrare: We crossed into Austria, entrammo in Austria **3** incrociarsi: We crossed on the street, ci siamo incrociati per strada; Our letters crossed in the post, le nostre lettere si sono incrociate **4** intersecarsi; tagliarsi: lines that do not c., rette che non s'intersecano **5** (calcio, ecc.) crossare; fare un cross; traversare (al centro); centrare **6** (tennis) incrociare ● Cross!, avanti! (ai semafori pedonali) □ (polit., GB) **to c. the floor**, passare all'opposizione (o dalla parte del governo); votare per il partito avverso □ **to c. sb.'s hand** = **to c. sb.'s palm** → sotto □ **to c. one's heart**, mettersi una mano sul cuore (per asseverare): C. my heart (and hope to die)!, mi venga un colpo (se non è vero, se sono stato io, ecc.) □ (relig.) **to c. oneself**, farsi il segno della croce; segnarsi □ (fig.) **to c. sb.'s palm with silver**, dare soldi a (una chiromante, ecc., che legge la mano); (scherz.) ungere q., allungare una bustarella a q. □ **to c. sb.'s path**, trovarsi sulla strada di q.; sbarrare la strada a q. □ (fig.) **to c. one's «t's» and dot one's «i's»**, controllare tutti i dettagli; essere molto preciso □ (anche fig.) **to c. swords with sb.**, incrociare la spada con q. □ (fig.) We'll c. that bridge when we come to it, ci occuperemo di quella faccenda quando sarà il momento.

■ **cross off** v. t. + avv. (o prep.) **1** tirare un frego su; cancellare (con un frego): **to c. off items in the shopping list**, cancellare voci nella lista della spesa **2** depennare; radiare: I'll c. his name off (o off the list), depennerò il suo nome (dalla lista).

■ **cross out** v. t. + avv. cancellare con un frego; eliminare, sopprimere (*parole, frasi, ecc.*).
■ **cross over** v. i. + avv. **1** attraversare (*una strada, ecc.*): *It's safer to c. over at the lights*, è più sicuro attraversare al semaforo **2** andare, passare (*attraversando qc.*): **to c. over to the window**, (attraversare la stanza e) andare alla finestra; **to c. over to England**, andare in Inghilterra (*attraversando la Manica*); **to c. over into Spain**, passare in Spagna **3** (*polit.*) cambiare schieramento: **to c. over to the Opposition**, passare all'opposizione **4** (*di artista*) avere successo con un altro genere, in un altro settore o presso un pubblico diverso.

crossbar /ˈkrɒsbɑː(r)/ n. **1** traversa (*spec. della porta nel gioco del calcio*) **2** (*salto in alto*) asticella **3** (*ginnastica*) sbarra **4** (*della bicicletta*) canna; tubo orizzontale **5** (*naut.*) ceppo (*dell'ancora*).

crossbeam /ˈkrɒsbiːm/ n. (*edil.*) trave trasversale; trave maestra.

crossbill /ˈkrɒsbɪl/ n. (*zool.*, *Loxia curvirostra*) crociere.

crossbones /ˈkrɒsbəʊnz/ n. pl. = **skull and c.** → **skull**.

crossbow /ˈkrɒsbəʊ/ n. balestra (*arma*) ● **c. bolt**, freccia di balestra ‖ **crossbowman** n. (pl. *crossbowmen*) (*stor.*) balestriere.

crossbred /ˈkrɒsbred/ Ⓐ pass. e p. p. di **to crossbreed** Ⓑ a. (*biol.*) incrociato; ibrido.

crossbreed /ˈkrɒsbriːd/ n. **1** (*biol.*) incrocio (*di razze*) **2** (*zool.*) mezzosangue; meticcio; incrocio (*fam.*) **3** (*bot.*) pianta nata da un incrocio; incrocio (*fam.*).

to crossbreed /ˈkrɒsbriːd/ (pass. e p. p. *crossbred*), (*biol.*) Ⓐ v. i. produrre ibridi Ⓑ v. t. incrociare; ibridare.

crossbreeding /ˈkrɒsbriːdɪŋ/ n. Ⓤ (*biol.*) ibridazione.

cross-buttock /ˈkrɒsbʌtək/ n. (*lotta greco-romana*) ancata.

to cross-buttock /ˈkrɒsbʌtək/ v. t. dare un'ancata a (q.).

cross-check /ˈkrɒstʃek/ n. **1** controllo incrociato; riscontro accurato **2** mezzo di riscontro **3** (*hockey su ghiaccio*) azione di ostacolare un avversario con la mazza.

to cross-check /ˈkrɒstʃek/ v. t. **1** fare un controllo incrociato di (qc.); controllare accuratamente; riscontrare **2** (*hockey su ghiaccio*) ostacolare (*un avversario*) con la mazza.

cross-claim /ˈkrɒsklɛɪm/ n. (*leg.*) domanda riconvenzionale.

cross-counter /ˈkrɒsˈkaʊntə(r)/ n. (*boxe*) colpo d'incontro.

cross-country /ˈkrɒsˈkʌntrɪ/ Ⓐ a. e avv. **1** attraverso la campagna; per i campi (*sport*) cross-country; campestre; ciclocampestre; motocampestre Ⓑ n. (*sport*) cross-country; corsa campestre; ciclocross; motocross ● (*sport*) **cross-country bicycle racing**, ciclocross □ (*motociclismo*) **a cross-country course**, una pista da motocross □ **cross-country motorcycle racer**, motocrossista □ **a cross-country race**, una corsa campestre □ (*ipp.*) **cross-country riding**, le corse campestri (*a cavallo*) □ (*podismo*) **cross-country running**, le corse campestri (*a piedi*) □ **cross-country ski**, sci da fondo □ **cross-country ski race**, marcialonga □ **cross-country skier**, sciatore di fondo; fondista □ **cross-country skiing**, sci di fondo.

cross-court /ˈkrɒskɔːt/ Ⓐ a. (*basket, tennis, ecc.*) in diagonale Ⓑ n. (*tennis*; *anche* **cross-court drive**) diritto incrociato; diagonale (sost. m.) ● (*tennis*) **cross-court pass**, passante incrociato.

cross-cultural /ˈkrɒsˈkʌltʃərəl/ a. che interessa culture diverse; interculturale.

cross-current /ˈkrɒskʌrənt/ n. **1** (*mecc. dei fluidi, naut.*) corrente trasversale **2** (*fig.*) tendenza (o corrente) contraria (*della pubblica opinione, ecc.*).

cross-cut /ˈkrɒskʌt/ Ⓐ a. **1** (*di sega o altro arnese*) atto a tagliare (*il legno*) trasversalmente **2** tagliato di traverso Ⓑ n. **1** taglio trasversale (*rispetto alle fibre del legno*); taglio di testa **2** scorciatoia **3** (= **cross-cut saw**) sega a telaio; segone **4** (*ind. min.*) galleria trasversale; traversa; traversobanco **5** (*cinem.*) montaggio incrociato ● (*mecc.*) **cross-cut file**, lima a taglio doppio.

cross-dating /ˈkrɒsdeɪtɪŋ/ n. Ⓤ (*archeol.*) datazione incrociata.

cross-disciplinary /ˈkrɒsˈdɪsɪplɪnrɪ/ a. interdisciplinare.

to cross-dress /ˈkrɒsdres/ v. i. travestirsi da uomo (o da donna) ‖ **cross-dresser** n. travestito ‖ **cross-dressing** n. Ⓤ travestimento (*da uomo o da donna*); (*psic.*) travestitismo.

crosse /krɒs/ n. (*sport*) lunga racchetta (*usata nel gioco detto lacrosse*).

crossed /krɒst/ a. **1** incrociato: **to stand with one's legs c.**, stare in piedi a gambe incrociate; (*mecc.*) **c. belt**, cinghia incrociata **2** accavallato: *The girl was sitting with her legs c.*, la ragazza era seduta e teneva le gambe accavallate **3** cancellato con un frego **4** (*banca*) (*di un assegno*) sbarrato ● (*telef.*) **c. lines**, interferenza telefonica □ **c. lovers**, amanti infelici (*il cui amore è contrastato*) □ **to be c. in love**, avere un amore contrastato □ **to get one's lines** (o **wires**) **c.**, non capirsi; fraintendersi: *We must have got our lines c.*, evidentemente non ci siamo capiti; dev'esserci stato un equivoco □ **to keep one's fingers c.**, incrociare le dita (per scaramanzia).

to cross-examine /krɒsɪgˈzæmɪn/ v. t. **1** (*leg.*) interrogare in contraddittorio; sottoporre a controinterrogatorio **2** (*fig.*) interrogare a fondo; mettere (q.) alle strette ‖ **cross-examination** n. **1** (*leg.*) interrogatorio in contraddittorio; controinterrogatorio **2** (*fig.*) interrogatorio a fondo.

cross-eye /ˈkrɒsaɪ/ n. Ⓤ (*med.*) strabismo ‖ **cross-eyed** a. strabico.

cross-fade /ˈkrɒsfeɪd/ n. (*cinem.*, *TV*) dissolvenza incrociata.

to cross-fade /ˈkrɒsfeɪd/ v. i. (*cinem.*) fare una dissolvenza incrociata.

crossfader /krɒsˈfeɪdə(r)/ n. (*tecn.*) crossfader.

to cross-fertilize /ˈkrɒsˈfɜːtəlaɪz/ Ⓐ v. t. **1** incrociare; ibridare **2** (*fig.*) fecondare (*fig.*); influenzare Ⓑ v. i. incrociarsi ‖ **cross-fertilization** n. Ⓤ **1** (*bot.*) fecondazione incrociata; allogamia **2** (*fig.*) contaminazioni culturali; ibridazione.

crossfire /ˈkrɒsfaɪə(r)/ n. **1** (*mil. e fig.*) fuoco incrociato; tiro incrociato: **a c. of questions**, un tiro incrociato di domande.

cross-grain /ˈkrɒsgreɪn/ n. fibra trasversale; venatura irregolare (*del legno*).

cross-grained /ˈkrɒsgreɪnd/ a. **1** (*del legno*) a venatura irregolare **2** (*fig.: di una persona*) intrattabile; irascibile.

to cross-hatch /ˈkrɒshætʃ/ v. t. e i. ombreggiare (*un disegno, un intaglio*) con tratteggio incrociato; retinare ‖ **cross-hatched** a. tratteggiato; ombreggiato ‖ **cross-hatching** n. Ⓤ (*disegno*) tratteggio incrociato; retino.

crosshead /ˈkrɒshed/ n. **1** (*giorn.*) sottotitolo, titoletto (*all'interno di un articolo*) **2** (*mecc.*) testa a croce (*di macchina a vapore*) **3** (*ind. min.*) telaio di guida.

crossheading /ˈkrɒshedɪŋ/ n. **1** → **crosshead**, def. **1 2** (*ind. min.*) traversa di ventilazione.

to cross-index /ˈkrɒsˈɪndeks/ v. t. fare un rimando a; rimandare a.

♦ **crossing** /ˈkrɒsɪŋ/ n. **1** traversata: **a smooth c. of the Channel**, una traversata della Manica con mare calmo **2** Ⓤ (*biol.*, *bot. zool.*) incrocio **3** (*ferr.*) passaggio a livello **4** (= **pedestrian c.**) passaggio (o attraversamento) pedonale **5** attraversamento di frontiera **6** (*archit.*) crociera **7** Ⓤ (*banca*) sbarratura (*di un assegno*): **general c.**, sbarratura semplice ● **c.-out**, cancellatura □ (*genetica*) **c. over**, crossing over (*scambio di materiale genetico tra cromosomi omologhi nella meiosi*).

cross-legged /ˈkrɒsˈlegɪd/ a. a gambe incrociate: *The guru was sitting cross-legged*, il guru era seduto per terra, a gambe incrociate.

crosslet /ˈkrɒslət/ n. (*arald.*) piccola croce; crocetta.

cross-light /ˈkrɒslaɪt/ n. **1** fascio di luce che ne incrocia un altro **2** (*fig.*) luce gettata su un argomento, considerandolo sotto un altro aspetto.

to cross-link /ˈkrɒslɪŋk/ (*chim.*) v. t. stabilire legami trasversali fra; reticolare ‖ **cross-linkage** n. reticolazione ‖ **cross-linked** a. reticolato ‖ **cross-linking** Ⓐ a. reticolante Ⓑ n. reticolazione.

crossly /ˈkrɒslɪ/ avv. irascibilmente; bruscamente; di malumore.

to cross-match /ˈkrɒsˈmætʃ/ v. t. (*med.*) fare un test di compatibilità (*in vista di un trapianto*) su ‖ **cross-matching** n. Ⓤ (*med.*) test di compatibilità (*tra un donatore d'organo e un paziente*).

crossness /ˈkrɒsnəs/ n. Ⓤ irritabilità; malumore.

crossover /ˈkrɒsəʊvə(r)/ Ⓐ n. **1** attraversamento (*pedonale o per veicoli*) **2** (*costr. stradali*) cavalcavia **3** (*ferr.*) crociamento (*di binari*) **4** (*elettron.*) crossover **5** (*moda*) indumento che si incrocia sul davanti **6** (*lavoro a maglia*) incrocio (*di una treccia, ecc.*) **7** passaggio (*da un genere all'altro, da un ambito all'altro*) **8** (*mus.*, *spettacolo*) passaggio riuscito a un genere diverso; crossover **9** (*mus.*, *spettacolo*) artista che si cimenta in un genere diverso; disco che segna un passaggio a un genere diverso **10** (*polit.*, *USA*) elettore iscritto a un partito che vota nelle primarie dell'altro partito **11** (*biol.*) = **crossing over** → **crossing** Ⓑ a. attr. **1** che si incrocia **2** (*di indumento*) incrociato sul davanti **3** (*mus.*, *spettacolo*) che segna un passaggio a uno stile o a un genere diverso; che ha successo presso un pubblico diverso; che mescola i generi: **a c. artist**, un musicista che frequenta diversi generi; **a jazz--classical c. album**, un album che mescola il jazz e la musica classica ● (*elettron.*) **c. distortion**, distorsione da incrocio (*elettron.*) **c. network**, circuito separatore di frequenza □ (*econ.*) **c. point**, punto di equilibrio (o di pareggio).

cross-party /ˈkrɒsˈpɑːtɪ/ a. (*polit.*) di più partiti; pluripartitico; trasversale: **cross--party agreement**, accordo di più partiti; **cross-party support**, appoggio pluripartitico; **cross-party committee**, commissione trasversale.

crosspatch /ˈkrɒspætʃ/ n. (*fam. scherz.*) brontolone, brontolona; bisbetico, bisbetica.

crosspiece /ˈkrɒspiːs/ n. traversa.

cross-platform /krɒsˈplætfɔːm/ a. (*comput.*) multipiattaforma.

cross-ply /ˈkrɒsplaɪ/ a. (*autom.*) a tele incrociate: **cross-ply tyre**, pneumatico a tele incrociate.

to cross-pollinate /ˈkrɒsˈpɒlɪneɪt/ (*bot.*) v. t. fecondare (*piante*) col metodo dell'impollinazione incrociata ‖ **cross-polli-**

nation n. Ⓤ impollinazione incrociata.

to **cross-post** /ˈkrɒsˈpəʊst/ (*Internet*) v. i. inviare un messaggio a diversi newsgroup contemporaneamente; fare un invio multiplo ‖ **cross-posting** n. Ⓤ Ⓒ invio multiplo.

to **cross-pressure** /krɒsˈprɛʃə(r)/ v. t. (*USA*) sottoporre a pressioni contrastanti.

cross-question /ˈkrɒskwɛstʃn/ n. **1** (*leg.*) domanda in contraddittorio **2** (*fig.*) domanda che mette in difficoltà.

to **cross-question** /ˈkrɒskwɛstʃn/ v. t. **1** (*leg.*) interrogare in contraddittorio **2** (*fig.*) interrogare a fondo; mettere alle strette.

cross-reaction /ˈkrɒsriækʃn/ n. ⒸⓊ (*biol.*) reazione crociata.

to **cross-refer** /ˈkrɒsrɪfɜː(r)/ Ⓐ v. t. rimandare, rinviare (*a un'altra pagina o nota*) Ⓑ v. i. servirsi dei rimandi.

cross-reference /ˈkrɒsrɛfrəns/ n. rimando, rinvio (*a un'altra pagina o nota*).

to **cross-reference** /ˈkrɒsrɛfrəns/ Ⓐ v. i. → to **cross-refer** Ⓑ v. t. fornire (*un libro*) di una serie di rinvii.

crossroad /ˈkrɒsrəʊd/ n. (*USA*) **1** strada trasversale; traversa **2** strada secondaria.

crossroads /ˈkrɒsrəʊdz/ n. (inv. al pl.) **1** crocicchio; incrocio stradale; crocevia **2** (*fig.*) bivio: *I was at a c. in my life*, la mia vita era a un bivio; **a c. decision**, una decisione di grande importanza.

cross-section /ˈkrɒssɛkʃn/ n. **1** (*disegno*) sezione trasversale; spaccato **2** (*geol.*) sezione trasversale **3** (*fig.*) settore rappresentativo; campione; spaccato: **a cross-section of the English middle classes**, un settore rappresentativo di tutta la borghesia inglese **4** (*mat.*) sezione **5** (*fis. nucl.*) sezione d'urto ● (*econ.*, *stat.*) **cross-section analysis**, analisi trasversale (*o di dati trasversali*).

to **cross-sell** /krɒsˈsɛl/ (pass. e p. p. **cross-sold**), v. t. (*market.*) vendere (*un prodotto diverso*) a un cliente regolare.

cross-stitch /ˈkrɒsstɪtʃ/ n. (*ricamo*) **1** punto croce **2** Ⓤ ricamo a punto croce.

to **cross-stitch** /ˈkrɒsstɪtʃ/ v. t. ricamare a punto croce ‖ **cross-stitched** a. (ricamato) a punto croce.

to **cross-subsidize** /krɒsˈsʌbsɪdaɪz/ v. t. (*econ.*) sovvenzionare (*i costi di un'attività all'interno di un'impresa*) con i proventi di un'altra ‖ **cross-subsidy** n. Ⓤ sovvenzione interna; sussidiazione interna.

crosstalk /ˈkrɒstɔːk/ n. **1** scambio di battute (*conversando*) **2** (*teatr.*, *polit.*) dialogo a botta e risposta **3** (*telef.*, *radio*, *TV*) diafonia; interferenza acustica.

cross-tie /ˈkrɒstaɪ/ n. (*ferr.*, *USA*) traversina (*di binario*).

crosstown /ˈkrɒstaʊn/ Ⓐ avv. attraverso la città Ⓑ a. **1** dall'altra parte della città **2** (*d'autobus*, *via*, *ecc.*) che attraversa tutta la città.

cross-trading /ˈkrɒstreɪdɪŋ/ n. Ⓤ (*naut.*) servizio di nave mercantile tra due porti di paesi stranieri.

to **cross-train** /krɒsˈtreɪn/ v. i. imparare un altro lavoro (*spec. all'interno della stessa azienda*, *ecc.*) ‖ **cross-training** n. Ⓤ (*sport*) (l')addestrarsi in uno o più altri sport oltre a quello principale (*per migliorare le prestazioni*).

cross-trees /ˈkrɒstriːs/ n. pl. (*naut.*) crocette; barre: **lower cross-trees**, crocette di gabbia; **main mast cross-trees**, crocette di maestra.

cross-voting /krɒsˈvəʊtɪŋ/ n. Ⓤ (*polit.*, *di parlamentare*) il votare, il voto per un partito al quale non si appartiene.

crosswalk /ˈkrɒswɔːk/ n. (*USA*) passaggio (*o attraversamento*) pedonale.

crossways /ˈkrɒsweɪz/ avv. trasversalmente; di traverso.

crosswind /ˈkrɒswɪnd/ n. vento di traverso; vento laterale.

crosswise /ˈkrɒswaɪz/ avv. **1** di traverso; di sghembo **2** in croce; a forma di croce.

crossword /ˈkrɒswɜːd/ n. (= **c. puzzle**) cruciverba; parole incrociate: **the «Guardian» c.**, le parole incrociate del «Guardian»; *I like to do crosswords*, mi piace fare le parole incrociate; *Have you finished the c.?*, hai finito le parole incrociate?

crotch /krɒtʃ/ n. **1** bastone biforcuto **2** forca, biforcazione (*di due rami*, *ecc.*) **3** inforcatura (*del corpo umano*) **4** (*sartoria*) cavallo (*dei pantaloni*) ● (*volg.*) **c. cheese**, formaggio (*volg.*); smegma.

crotched /krɒtʃt/ a. biforcuto; forcuto.

crotchet /ˈkrɒtʃɪt/ n. **1** (*mus.*, *GB*) semiminima **2** mania; capriccio; ghiribizzo.

crotchety /ˈkrɒtʃɪtɪ/ a. (*fam.*) irritabile; capriccioso.

croton /ˈkrəʊtn/ n. **1** (*bot.*, *Croton*) croton **2** (*farm.*) crotontiglio ● (*farm.*) **c. oil**, olio di crotontiglio (*purgante*).

crouch /krautʃ/ n. **1** atto (*o posizione*) di chi s'acquatta, si china, ecc. (→ **to crouch**) **2** (*boxe*) crouch; guardia bassa ● **to be sitting in a c.**, essere seduto tutto acquattato.

to **crouch** /krautʃ/ v. i. **1** (*spec. di animali*) acquattarsi (*per paura*) **2** (*di animali domestici*) accucciarsi **3** (*anche* **to c. down**) chinarsi; rannicchiarsi (*per schivare un colpo*, *ecc.*) ‖ **crouching** a. chinato; piegato in due; rannicchiato.

croup① /kruːp/ n. Ⓤ (*med.*) crup; laringite difterica.

croup②, **croupe** /kruːp/ n. groppa (*del cavallo*).

croupier /ˈkruːpɪə(r)/ (*franc.*) n. (*nelle case da gioco*) croupier.

crouton /ˈkruːtɒn/ n. (*cucina*) crostino.

crow① /krəʊ/ n. **1** (*zool.*) uccello dei corvidi (*in genere*) **2** (*zool.*) cornacchia: **carrion c.** (*Corvus corone*), cornacchia nera; **hooded c.** (*Corvus cornix*), cornacchia grigia **3** (*slang*) corvo **4** (= **crowbar**) palanchino; piede di porco **5** (*slang spreg. USA*) ragazza brutta; racchia **6** (*spreg. USA*) negro **7** (*gergo mil.*, *USA*) aquila (*simbolo di grado*); (*per estens.*) ufficiale della marina militare; comandante **8** (*gergo della malavita*) palo ● **c.'s-foot**, zampa di gallina (*ruga*); (*mil.*, *stor.*) tribolo (*usato contro la cavalleria*) ▢ (*naut.*) **c.'s-nest**, coffa; gabbia (*di vedetta*) ▢ **as the c. flies**, in linea d'aria ▢ (*fam. USA*) **to eat c.**, riconoscere di essere in torto; ingoiare il rospo; andare a Canossa.

crow② /krəʊ/ n. **1** canto del gallo **2** gridolino di gioia (*di bimbo*).

to **crow** /krəʊ/ (pass. **crowed**, **crew**, p. p. **crowed**), v. i. **1** cantare (*del gallo*) **2** (*di bambino*) fare gridolini di gioia **3** (*fig.*) cantare vittoria; esultare: *You shouldn't c. over a defeated enemy*, non dovresti cantare vittoria su un nemico vinto **4** gloriarsi; vantarsi: **to c. over one's ancestors**, gloriarsi dei propri antenati ● **to c. over one's victory**, vantarsi d'aver vinto.

crowbar /ˈkrəʊbɑː(r)/ n. **1** palanchino; piede di porco **2** (*elettr.*) barra di blocco.

crowberry /ˈkrəʊbərɪ/ n. **1** (*Empetrum nigrum*) empetro **2** (*Arctostaphylos uva-ursi*) uva ursina.

♦**crowd** /kraud/ n. **1** folla; moltitudine **2** (*spec. sport*) pubblico; spettatori (pl.) **3** (*fam.*) combriccola; compagnia: **the college c.**, la combriccola dei vecchi compagni di scuola **4** – **the c.**, la massa; la gente; il volgo: **to stand back from the c.**, non mescolarsi con la massa; **to follow** (*o* **to go with**) **the c.**, fare quello che fanno tutti; seguire la corrente **5** (*fam.*) gran numero (*di cose*); quantità; (un) sacco (*fam.*) ● **c. pleaser**, artista, sportivo, ecc., che si sforza di piacere; istrione ▢ (*fig.*) **c. puller**, evento o persona di grande richiamo; grande attrazione ▢ (*cinem.*) **c. scene**, scena di massa.

to **crowd** /kraud/ Ⓐ v. i. **1** accalcarsi; affollarsi; far ressa; ammassarsi: *A large number of fans crowded round him*, una quantità di ammiratori gli si affollò intorno; *The students crowded down the stairs*, gli studenti si ammassarono per le scale; *The passengers crowded into the coach*, i viaggiatori si affollarono dentro il pullman **2** entrare in massa; affluire in massa: **to c. into a cinema**, entrare in massa in un cinema; **to c. to the stadium**, affluire in massa allo stadio Ⓑ v. t. **1** affollare; riempire: *Ten thousand demonstrators crowded the square*, diecimila dimostranti affollavano la piazza **2** pigiare; stipare; infilare in quantità: **to c. people into a room**, stipare gente in una stanza; **to c. a drawer with souvenirs**, stipare un cassetto di ricordi turistici; **to c. details into a story**, infilare una quantità di particolari in un racconto **3** stare addosso a: *Don't c. him!*, non stategli così addosso! **4** (*fam.*) sollecitare; fare fretta a; far pressione su; stare sotto a **5** (*basket*) pressare (*un avversario*) ● **to c. sb. with questions**, tempestare q. di domande.

▪ **crowd in** Ⓐ v. i. + avv. **1** entrare in massa; entrare accalcandosi **2** – **to c. in on**, affollarsi intorno a, fare ressa intorno a; circondare dappresso; (*di ricordi*, *ecc.*) affollarsi alla mente di Ⓑ v. t. + avv. **1** far entrare a forza, pigiare, stipare (*gente*, *animali*, *ecc.*) **2** accumulare.

▪ **crowd on** v. i. + prep. (*naut.*) – **to c. on sail**, far forza di vele; forzare di vele.

▪ **crowd out** Ⓐ v. t. + avv. **1** allontanare, lasciar fuori, escludere (*per la ressa*) **2** (*comm.*) escludere, eliminare (*un'azienda dal mercato*): *In the end Smith & Co. were crowded out*, alla fine la Smith & Co., messa a terra dalla concorrenza, dovette chiudere Ⓑ v. i. + avv. (*di persone o animali*) uscire accalcandosi (*o* facendo ressa).

▪ **crowd together** v. i. + avv. raccogliersi; accalcarsi; affollarsi.

▪ **crowd up** v. t. + avv. accalcarsi, affollarsi (*vicino a q. o qc.*).

♦**crowded** /ˈkraudɪd/ a. **1** affollato; pieno (di gente); gremito: **c. streets**, strade affollate; **a c. bus**, un autobus pieno; *The hall was c. with children*, l'atrio era pieno di bambini **2** pieno di abitanti; popoloso: **a c. town**, una città popolosa **3** accalcato; pigiato; stretto: *We were a bit c. in John's runabout*, stavamo un po' stretti nell'utilitaria di John **4** pieno; fitto di appuntamenti, ecc.: **a c. agenda**, un calendario fitto di impegni; una fitta serie di impegni **5** (*fig.*) pieno; interessante; movimentato: **a c. life**, una vita piena; **a c. career**, una carriera movimentata ● (*fam.*) **c.-out**, pieno zeppo (*o* come un uovo): *The stadium was c.-out*, lo stadio era pieno come un uovo.

crowding /ˈkraudɪŋ/ n. Ⓤ affollamento; assembramento; sovraffollamento.

crowding-out /ˈkraudɪŋˈaut/ n. Ⓤ (*econ.*) esclusione; spiazzamento: **crowding-out effect**, effetto di spiazzamento (*della domanda di credito privata da parte del disavanzo pubblico*).

to **crowd-surf** /ˈkraudsɜːf/ v. i. fare surf sulla folla (*essere sollevato e passato sulle teste del pubblico*, *durante un concerto*) ‖ **crowd-surfing** n. Ⓤ surf sulla folla.

crowfoot /ˈkrəʊfut/ n. **1** (*bot.*, *Ranunculus*: pl. **crowfoots**) ranuncolo **2** (*naut.*: pl. **crowfeet**) patta d'oca **3** (*mil.*, *stor.*: pl. **crowfeet**) tribolo (*usato contro la cavalleria*).

•crown /kraʊn/ n. **1** corona; (*di fiori, ecc., anche*) serto, ghirlanda: **gold c.**, corona d'oro; **laurel c.**, corona (*o* serto) d'alloro; **c. of thorns**, corona di spine; **the martyr's c.**, la corona del martirio; (*boxe*) **to win the middleweight c.**, vincere la corona dei pesi medi **2** (*polit.*) trono; potere regale: **to relinquish the c.**, rinunciare alla corona; abdicare; **to succeed to the c.**, salire al trono; **to wear the c.**, portare la corona; regnare; **heir to the c.**, erede al trono **3** (*polit.*) – **the C.**, la Corona (*il potere; il sovrano*): **C. colony**, colonia della Corona inglese; **the C. jewels**, i gioielli della Corona **4** (*stor.*, = **c. piece**) corona (*moneta di valore pari a 5 scellini*): **half a c.**, una mezza corona **5** cima, sommità (*di collina*) **6** (*fig.*) coronamento: **the c. of one's efforts**, il coronamento dei propri sforzi **7** chioma (*di albero*) **8** (*anat.*) corona (*di dente*) **9** (*odontoiatria*) corona, capsula dentaria **10** (*anat.*) calotta (*o* volta) cranica **11** cima della testa; sommo del capo; cocuzzolo (*fam.*) **12** calotta (*di cappello*) **13** (*costr. stradali*) colmo (*della strada*) **14** (*archit.*) chiave di volta; chiave **15** (*naut.*) diamante (*d'ancora*) **16** (*mecc.*) corona **17** (*metall.*) volta (*di forno*) **18** (*zool.*) cresta **19** (*falegn.*) alzata (*di un mobile, di una pendola*) **20** (*orologeria*) corona **21** (*bocce*) rialzo ● (*in Canada*) **C. Attorney**, pubblica accusa; pubblico ministero □ **c. and anchor**, gioco dei dadi (*con tre dadi contrassegnati da una corona, un'ancora e i quattro semi delle carte*) □ **c. block**, taglia fissa ● **c. cap**, tappo a corona (*o* metallico: *di bottiglia*) □ (*leg.*) **C. court**, tribunale penale (*in GB*) □ (*fin.*) **C. debt**, credito dello Stato (*in GB*) □ **c. fire**, incendio che si appicca alle cime degli alberi □ (*ind.*) **c. glass**, vetro crown (*tipo di vetro ottico*) □ (*agric.*) **c. grafting**, innesto a corona □ (*bot.*) **c. imperial** (*Fritillaria imperialis*), corona imperiale □ (*leg.*) **C. lands**, terreni della Corona (*in GB*) □ (*leg.*) **C. law**, diritto penale □ **C. prince**, principe ereditario □ (*leg., in Inghil. e Galles*) **C. prosecution**, pubblica accusa □ (*leg., in Inghil. e Galles*) **C. prosecutor**, pubblica accusa; pubblico ministero □ (*leg., in Inghil. e nel Galles*) **C. Prosecution Service**, Ufficio del Procuratore della Regina □ (*leg.*) **C. solicitor**, avvocato della Corona; legale di un ministero □ **c. stopper** = **c. cap** → *sopra* □ **c. wheel**, (*mecc.*) corona dentata; (*autom.*) ingranaggio planetario; (*orologeria*) ruota a corona, scappamento a verga □ (*leg.*) **C. witness**, testimone d'accusa □ **from c. to toe**, dalla testa ai piedi.

to **crown** /kraʊn/ v. t. **1** incoronare; coronare: **to be crowned king**, essere incoronato re; *Your labours will be crowned with success*, le tue fatiche saranno coronate da successo **2** completare; finire; dare l'ultimo tocco a (qc.): **to c. a dinner with a pudding**, finire un pranzo con un budino **3** (*med.*) incapsulare, mettere una corona a (*un dente*) **4** (*a dama*) damare, andare a dama con (*una pedina*) **5** (*fam.*) colpire (q.) sulla testa ● **to c. it all**, per coronare l'opera; per giunta: *The journey was a failure and, to c. it all, I lost my luggage*, il viaggio fu un fiasco e per giunta persi il bagaglio □ (*fam.*) *That crowns it all!*, questo è il colmo (*della sfortuna*)!

crowned /kraʊnd/ a. **1** coronato; incoronato: *The hills were c. with snow*, le colline erano coronate di neve; **c. heads**, teste coronate; sovrani **2** dal cocuzzolo; dalla cima; dalla cupola: **a high-crowned [low--crowned] hat**, un cappello a cupola alta [bassa].

crowning /ˈkraʊnɪŋ/ **A** a. □ **1** incoronazione **2** (*fig.*) coronamento **3** (*costr. stradali*) bombatura **B** a. **a.** sommo; supremo; massimo: **c. happiness**, somma felicità; **one's c.**

ambition, la massima ambizione; ciò cui si ambisce di più; **c. moment**, momento culminante; momento supremo; **c. glory**, coronamento (*fig.*); **the c. touch**, il tocco finale.

croze /krəʊz/ n. (*falegn.*) capruggine.

crozier /ˈkrəʊʒə(r)/ n. (*relig.*) pastorale.

CRT sigla (*TV*, **cathode ray tube**) tubo a raggi catodici.

•crucial /ˈkruːʃl/ a. **1** cruciale; decisivo: **a c. point**, un punto cruciale **2** importante; essenziale: *It is c. that…*, è essenziale che… **3** (*fam.*) grandioso; fantastico.

crucially /ˈkruːʃəlɪ/ avv. in modo cruciale; seriamente; gravemente: **c. important**, di cruciale importanza; essenziale; *Children were the most c. affected*, i bambini sono stati i più gravemente colpiti; **c. dependent on**, che dipende in modo sostanziale da; *More c., he said there was a major flaw in the program*, cosa più importante, ha detto che c'era un grave difetto nel programma.

crucian /ˈkruːʃn/ n. (*zool.*, *Carassius carassius*) carassio comune.

cruciate /ˈkruːʃɪeɪt/ a. **1** (*anat.*) crociato: **c. ligament**, legamento crociato **2** (*bot.*, *zool.*) cruciforme.

crucible /ˈkruːsəbl/ n. **1** (*metall.*) crogiolo **2** (*fig.*) dura prova; prova del fuoco.

crucifer /ˈkruːsɪfə(r)/ n. **1** (*relig.*) crocifero (*d'una processione*) **2** (al pl.) (*bot.*, *Cruciferae*) crocifere.

cruciferous /kruːˈsɪfərəs/ a. **1** che porta (*o* adorno di) una croce **2** (*bot.*) delle crocifere.

crucifix /ˈkruːsɪfɪks/ n. crocifisso.

crucifixion /kruːsɪˈfɪkʃn/ n. [C] **1** crocifissione **2** (*fig.*) tormento; tortura, martirio (*fig.*).

cruciform /ˈkruːsɪfɔːm/ a. cruciforme.

to **crucify** /ˈkruːsɪfaɪ/ v. t. **1** crocifiggere; mettere in croce (*anche fig.*) **2** (*relig.*) mortificare (*la carne*) **3** (*fig.*) tormentare; torturare (*fig.*) || **crucifier** n. crocifissore.

crud /krʌd/ n. (*slang spec. USA*) n. **1** [U] sporcizia; immondizia **2** cosa disgustosa, ripugnante **3** muco; caccola **4** [U] sterco **5** individuo sporco, ripugnante, trasandato **6** [U] – **the c.**, lo scolo (*malattia venerea*) || **cruddy** a. disgustoso; ripugnante; schifoso.

crude /kruːd/ **A** a. **1** greggio, grezzo; non raffinato: **c. oil**, petrolio greggio **2** (*fig.*) grezzo; rozzo; rudimentale; appena abbozzato: **a c. log cabin**, una rudimentale capanna di tronchi; **a c. scheme**, un progetto appena abbozzato **3** (*med.*) in incubazione: **a c. disease**, una malattia in incubazione **4** grossolano; rozzo; rude; grezzo: **a c. fellow**, un individuo rozzo; **c. manners**, maniere rudi; **a c. conversation**, una conversazione grossolana **5** nudo (*fig.*); puro e semplice (*fig.*): **the c. reality**, la nuda realtà; **the c. facts**, i fatti puri (*o* semplici) **6** (*di cibo*) non digerito; non assimilato **B** n. **1** [U] (*ind.*) greggio (petrolio) **2** (*slang USA*) soffiata (*alla polizia*) □ (*ind. petrolifera*) **c. assay**, saggio del greggio □ (*ind. min.*) **c. ore**, grezzo di miniera; tout-venant.

crudely /ˈkruːdlɪ/ avv. **1** rozzamente; grossolanamente; all'ingrosso (*fig.*); senza grande cura **2** con rudezza; senza riguardi.

crudeness /ˈkruːdnəs/ n. → **crudity**, def. 1 e 2.

crudity /ˈkruːdətɪ/ n. **1** [U] l'esser grezzo **2** [U] grossolanità; rozzezza; rudezza **3** (al pl.) crudezze: **a film full of crudities**, un film pieno di crudezze.

•cruel /ˈkruːəl/ a. **1** crudele: **a c. tyrant**, un tiranno crudele; **a c. joke**, uno scherzo crudele; **to be c. to sb.**, essere crudele con (*o* verso) q. **2** crudele; doloroso; tormentoso; duro: **a c. death**, una morte crudele; **a c. disappointment**, una crudele delusione; **a c.**

c. blow, un duro colpo; **a c. winter**, un inverno rigidissimo ● **c.-hearted**, spietato | **-ly** avv.

cruelty /ˈkruːəltɪ/ n. **1** [U] crudeltà: **c. to animals**, crudeltà verso gli animali; (*leg.*) maltrattamento di animali **2** crudeltà; atrocità: **the cruelties of war**, le atrocità della guerra **3** [U] (*leg., in USA e fino al 1969 in Inghil.*) crudeltà mentale (*nelle cause di divorzio*) ● (*di prodotto*) **c.-free**, non testato sugli animali.

cruet /ˈkruːət/ n. **1** ampolla (*dell'olio o dell'aceto*); oliera; acetiera **2** ampollina (*per la messa*).

•cruise /kruːz/ n. **1** (*tur.*) crociera: **to go on a c.**, andare in crociera; fare una crociera; **a world c.**, una crociera intorno al mondo; **c. ship** (*o* **c. liner**), nave da crociera **2** giro (*in battello, ecc.*): **to take a c. around the canals**, fare un giro dei canali **3** (*naut.*, *aeron.*) crociera: (*aeron.*) **c. speed**, velocità di crociera **4** (*scient.*) campagna: **surveying c.**, campagna idrografica ● (*autom.*) **c. control**, controllo automatico della velocità di crociera □ (*mil.*) **c. missile**, missile cruise; missile da crociera.

to **cruise** /kruːz/ **A** v. i. **1** (*naut.*) navigare (*senza una meta precisa*): **to c. around the Greek islands**, girare per le isole greche **2** (*tur.*) andare in crociera; fare una crociera **3** (*naut.*) (*di nave*) incrociare **4** (*aeron.*) volare a velocità di crociera **5** (*autom.*) andare, viaggiare a velocità moderata: *We cruised past the bus*, superammo l'autobus a velocità moderata; *I heard a car c. by*, sentii passare un'auto **6** girare (*in auto o a piedi*) senza una meta precisa; gironzolare: *We cruised through the streets of the old town*, gironzolammo per le strade della città vecchia **7** (*di taxi*) girare in cerca di clienti **8** (*di auto della polizia*) essere di pattuglia; essere in perlustrazione **9** (*slang USA*) prendersela comoda **10** (*fam., spec. di gay*) fare approcci discreti **B** v. t. **1** (*naut.*) navigare per; navigare lungo (*un fiume, ecc.*) **2** (*tur.*) fare un giro (*in battello, ecc.*) per; fare una crociera in: **to c. the Amsterdam canals**, fare un giro in battello lungo i canali di Amsterdam; **to c. the Caribbean**, fare una crociera nei Caraibi **3** girare (*in auto o a piedi*) per; gironzolare per **4** (*fam.*) girare, fare un giro di (*un quartiere, bar, ecc., in cerca di divertimento o avventure sessuali*) **5** (*fam., spec. di gay*) fare approcci discreti con ● (*fam.*) **to be cruising for a bruising**, aver voglia di fare a botte; (*anche*) essere in cerca di guai.

■ **cruise along** v. i. + avv. **1** → **to cruise A**, def. 5-8 **2** procedere senza intoppi; andare discretamente.

cruiser /ˈkruːzə(r)/ n. **1** (*marina mil.*) incrociatore: **an armoured c.**, un incrociatore corazzato; **guided-missile c.**, incrociatore lanciamissili; **light c.**, incrociatore leggero **2** (*naut.*) cruiser; cabinato **3** (*tur.*) crocerista **4** (*USA*) automobile della polizia; radiomobile **5** (*fam. USA*) auto veloce **6** (*fam.*) persona (*spec. gay*) in giro in cerca di partner **7** (*fam. USA*) passeggiatrice; prostituta.

cruiserweight /ˈkruːzəweɪt/ n. (*boxe*) mediomassimo (peso).

cruising /ˈkruːzɪŋ/ **A** n. [U] **1** (*tur.*) l'andare in crociera **2** (*naut., aeron.*) crociera **B** a. **a.** attr. **1** da crociera: **c. yacht**, panfilo da crociera **2** (*naut., aeron., autom.*) di crociera: (*aeron.*) **c. altitude**, quota di crociera; (*naut.*) **c. range**, autonomia di crociera; (*trasp.*) **c. speed**, velocità di crociera ● **c. taxi**, taxi che gira (*senza meta o alla ricerca di qc.*): **a c. taxi**, un taxi che gira in cerca di clienti.

cruller /ˈkrʌlə(r)/ n. (*USA*) frittella dolce.

crumb /krʌm/ n. **1** briciola **2** (*fig.*) briciolo; minuzzolo; particella: **crumbs of knowledge**, briciole di sapienza **3** [U] mollica; midolla (*del pane*) **4** (*ind.*) grumo (*di*

gomma) **5** (*slang USA*) individuo spregevole; verme; cretino; fesso ● **c. brush**, spazzola per raccogliere le briciole □ **c. tray**, paletta per le briciole; raccoglibriciole □ **crumbs from a rich man's table**, solo le briciole (*di un affare, ecc.*).

to **crumb** /krʌm/ v. t. **1** sbriciolare **2** (*cucina*) impanare (*carne, ecc.*) **3** (*fam.*) sgombrare (*la tavola*) dalle briciole.

crumble /ˈkrʌmbl/ n. ⓤ (*cucina*) **1** impasto sbriciolato di farina, burro e zucchero **2** crumble; dolce di frutta coperta da un tale impasto.

to **crumble** /ˈkrʌmbl/ Ⓐ v. t. sbriciolare; sgretolare; frantumare Ⓑ v. i. **1** sbriciolarsi; sgretolarsi **2** (*fig.*) cadere; crollare; andare in rovina: *My hopes were crumbling* (*to dust*), le mie speranze crollavano (*o andavano in fumo*); *Prices are about to c.*, i prezzi stanno per crollare **3** (*mil. e sport*) (*della difesa, ecc.*) sgretolarsi; disgregarsi.

crumbling /ˈkrʌmblɪŋ/ Ⓐ n. **1** ⓤ sgretolamento; frantumazione **2** (*Borsa, fin.*) crollo (*di prezzi, ecc.*) **3** ⓤ (*mil. e sport*) disgregazione Ⓑ a. **1** che si sbriciola, che si sgretola: **c. walls**, muri che si sgretolano **2** (*fig.*) in sfacelo: **a c. dictatorship**, una dittatura in sfacelo ● **a c. house**, una casa fatiscente □ **c. rocks**, rocce friabili.

crumbly /ˈkrʌmblɪ/ a. friabile: **c. soil**, terreno friabile ‖ **crumbliness** n. ⓤ friabilità.

crumbs /krʌmz/ inter. (*fam. GB*) accidenti!; mamma mia!

crumby /ˈkrʌmɪ/ a. **1** pieno di briciole **2** (*del pane*) soffice; molle **3** → **crummy**.

crumhorn /ˈkrʌmhɔːn/ n. (*mus.*) cromorno.

crummy /ˈkrʌmɪ/ a. (*slang*) **1** brutto; orribile; schifoso; squallido: **a c. film**, un film schifoso **2** indisposto; sfasato (*fig.*) **3** dispiaciuto: *I feel c. about it*, me ne dispiace **4** (*USA*) da due soldi; misero; pidocchioso (*fig.*): **a c. job**, un lavoro pidocchioso.

crump /krʌmp/ n. **1** (*fam.*) forte colpo **2** (*gergo mil.*) scoppio; detonazione; pallottola esplosiva.

to **crump** /krʌmp/ Ⓐ v. t. (*fam.*) colpire forte Ⓑ v. i. (*gergo mil.*) esplodere; scoppiare.

crumpet /ˈkrʌmpɪt/ n. **1** focaccina (*tostata e imburrata*) **2** ⓤ (*slang*) uomini, donne sessualmente attivi; figo, figa (*pop.*): *What's the local c. like?*, come sono le ragazze (*o i ragazzi*) qui?

to **crumple** /ˈkrʌmpl/ Ⓐ v. t. **1** spiegazzare; sgualcire; raggrinzare; raggrinzire **2** fare accartocciare (*parti metalliche*) **3** (*fig.*) abbattere, far accasciare (q.); demoralizzare Ⓑ v. i. **1** sgualcirsi; raggrinzirsi: *This cloth crumples easily*, questo tessuto si sgualcisce facilmente **2** (*di parti metalliche, ecc.*) accartocciarsi: *The back of the car has crumpled*, s'è accartocciata la parte posteriore dell'auto **3** (*del viso*) fare le grinze **4** (*fig.*) → **crumple up, B**.

■ **crumple up** Ⓐ v. t. + avv. **1** spiegazzare; sgualcire: **to c. up a newspaper**, sgualcire un giornale **2** appallottolare: **to c. up a sheet of paper**, appallottolare un foglio di carta **3** far raggrinzire: *A strained smile crumpled up her face*, un sorriso stentato le fece venire le grinze intorno alle labbra **4** (*fig.*) abbattere, demoralizzare; fare accasciare **5** (*fig.*) stroncare (*l'opposizione*); spezzare (*la resistenza*) Ⓑ v. i. + avv. **1** spiegazzarsi; accartocciarsi **2** (*della faccia*) corrugarsi; raggrinzirsi (*in una smorfia, ecc.*) **3** cadere a terra, abbattersi (*colpito da un proiettile, ecc.*) **4** (*fig.*) abbattersi; accasciarsi; avere un tracollo; demoralizzarsi: *Londoners didn't c. up during the Blitz*, i londinesi non si demoralizzarono sotto i bombardamenti aerei dei tedeschi **5** (*di un pugile*) pie-

garsi in due (*sotto i colpi*) **6** (*fam.*) piegarsi in due; sbellicarsi dalle risa.

crumpled /ˈkrʌmpld/ a. **1** sgualcito; raggrinzito **2** (*di corno di mucca, ecc.*) ricurvo.

crumple zone /ˈkrʌmplˈzəʊn/ loc. n. (*autom.*) parte (*della carrozzeria*) ad assorbimento progressivo (*deformabile all'urto*).

crunch /krʌntʃ/ n. **1** scricchiolio; scrocchio **2** ⓤ lo sgranocchiare (*di pasticcini, ecc.*) **3** (*fig.*) crisi; momento critico; stretta: (*fin.*) **credit c.**, stretta creditizia; (*econ.*) **fiscal c.**, stretta fiscale **4** (*fig.*) resa dei conti: *Soon we'll come to the c.*, presto verremo al dunque ● (*fam.*) **to be caught in a c.**, trovarsi fra l'incudine e il martello (*fig.*).

to **crunch** /krʌntʃ/ Ⓐ v. t. **1** schiacciare (*con i denti*); masticare rumorosamente; sgranocchiare: *The little boy is crunching a biscuit*, il bambino sta sgranocchiando un biscotto **2** far scricchiolare: *The wheels of our car crunched the gravel*, le ruote della macchina facevano scricchiolare la ghiaia Ⓑ v. i. **1** masticare rumorosamente **2** scricchiolare: *The frozen snow crunched under my feet*, la neve gelata scricchiolava sotto i miei piedi ● **to c. through the snow**, avanzare sulla neve che scricchiola □ **to c. up**, frantumare.

cruncher /ˈkrʌntʃə(r)/ n. **1** (*fam.*) punto cruciale; (il) bello **2** domanda difficile; osso duro **3** = **number c.** → **number**.

crunchy /ˈkrʌntʃɪ/ a. **1** che scricchiola; che scrocchia **2** (*del cibo*) croccante.

crunk /krʌŋk/ a. (*slang, USA*) **1** (*anche* **crunked**) ubriaco e sballato **2** figo; ganzo.

crupper /ˈkrʌpə(r)/ n. **1** (*dei finimenti*) sottocoda; groppiera **2** groppa (*del cavallo*).

crural /ˈkruːərəl/ a. (*anat.*) crurale.

crusade /kruːˈseɪd/ n. (*anche fig.*) crociata: (*stor.*) **the crusades**, le crociate; **a c. against cigarette smoking**, una crociata contro il fumo.

to **crusade** /kruːˈseɪd/ v. i. (*anche fig.*) bandire una crociata; fare una crociata; partecipare a una crociata ‖ **crusader** n. **1** (*stor.*) crociato **2** (*fig.*) chi bandisce (*o fa, partecipa a*) una crociata ‖ **crusading** a. che fa (*o ama fare*) crociate (*fig.*); battagliero.

cruse /kruːz/ n. (*arc., biblico*) pentolino; vasetto (*di terracotta*) ● (*fam.*) **It is like the widow's c.** (**of oil**), è il pozzo di San Patrizio.

crush /krʌʃ/ n. **1** ⓤ schiacciamento; frantumazione **2** ⓤ calca; folla; ressa; sovraffollamento **3** (*fam.*) trattenimento sociale assai affollato **4** (*fam.*) spremuta **5** (*in Australia*) stretto passaggio fra due steccati (*per mettere il marchio al bestiame*) **6** (*fam.*) cotta (*fig.*); infatuazione; sbandata (*fig.*): **to have a c. on sb.**, avere una cotta (*o prendere una sbandata*) per q.

to **crush** /krʌʃ/ Ⓐ v. t. **1** schiacciare; spiaccicare (*fam.*); pigiare (*uva*); torchiare (*olive*): *He crushed the insect with his foot*, schiacciò l'insetto con un piede; *Olive oil is made by crushing olives*, l'olio d'oliva si fa torchiando le olive; **to c. to death**, uccidere (*schiacciando*); schiacciare, stritolare **2** triturare; frantumare: **to c. into powder**, ridurre in polvere, polverizzare (*una sostanza*); **to c. to pieces**, fare a pezzi; stritolare **3** stipare; (*della folla*) schiacciare, stringersi: *We cannot c. any more children into the bus*, non possiamo stipare altri bambini nell'autobus **4** sgualcire; spiegazzare: *He crushed the letter in his hand*, spiegazzò la lettera che teneva in mano **5** (*fig.*) piegare; schiacciare; sgominare; annientare: *The king crushed the rebellion*, il re schiacciò (*o soffocò*) la rivolta; **to c. all opposition**, annientare l'opposizione; **to be crushed into submission**, essere ridotto all'obbedienza; **to**

be crushed with grief, essere piegato (*o schiantato*) dal dolore Ⓑ v. t. sgualcirsi; spiegazzarsi: *This dress doesn't c. at all*, questo vestito non si sgualcisce affatto ● **to c. one's way**, aprirsi un varco; farsi largo a gomitate □ (*ind. costr.*) **crushed stone**, roccia triturata; breccia.

■ **crush down** v. t. + avv. **1** schiacciare; calpestare **2** stritolare; triturare **3** (*fig.*) annientare (*il nemico, ecc.*); schiacciare (*una rivolta, ecc.*).

■ **crush in** Ⓐ v. i. + avv. entrare a viva forza Ⓑ v. t. + avv. **1** far entrare (*spettatori, ecc.*) a forza; infilare (q.) dentro (*fam.*) **2** schiacciare (*la testa a q.*) **3** (*autom., ecc.*) fracassare, ammaccare (*lamiere e sim.*).

■ **crush into** Ⓐ v. i. + prep. entrare a viva forza in (*un luogo*); irrompere in Ⓑ v. t. + prep. far entrare a viva forza in; pigiare dentro.

■ **crush out** v. t. + avv. **1** ottenere, estrarre per spremitura: **to c. out the juice from an orange**, fare una spremuta d'arancio **2** spegnere (*un fuoco*) con i piedi **3** privare (q.) di (*una qualità, con la forza, la sofferenza, ecc.*); annientare; uccidere: *All her vivacity had been crushed out of her*, tutta la sua vivacità era stata annientata.

■ **crush up** v. t. + avv. frantumare; triturare.

crush bar /ˈkrʌʃbɑː(r)/ loc. n. (*teatr.*) bar nel ridotto.

crush barrier /ˈkrʌʃˌbærɪə(r)/ loc. n. barriera (*o transenna*) per contenere la folla.

crushed /krʌʃt/ a. **1** schiacciato **2** spremuto **3** piegato; sopraffatto; annichilito ● **c. velvet**, velluto riccio.

crusher /ˈkrʌʃə(r)/ n. **1** chi schiaccia, ecc. (→ **to crush**) **2** (*ind. costr.*) frantumatore meccanico **3** (*ind. min.*) frantumatore **4** (*slang USA*) rubacuori; dongiovanni **5** (*slang USA*) = **crushing retort** → **crushing**.

crush hat /ˈkrʌʃhæt/ loc. n. (*moda*) gibus.

crushing /ˈkrʌʃɪŋ/ Ⓐ a. **1** che schiaccia; che annienta; schiacciante; tremendo: **a c. weight**, un peso schiacciante; **a c. pain**, un dolore tremendo; **a c. victory**, una vittoria schiacciante; **a c. defeat**, una sconfitta clamorosa; **a c. blow**, un colpo tremendo **2** umiliante; tremendo: **a c. retort**, una risposta che azzittisce Ⓑ n. ⓤ **1** torchiatura (*delle olive*) **2** (*ind. min., metall.*) frantumazione **3** (*mecc.*) compressione: **c. test**, prova di compressione ● **c. mill**, frantoio.

crushproof /ˈkrʌʃpruːf/ a. (*di stoffa*) ingualcibile.

crust /krʌst/ n. **1** crosta (*in ogni senso*): **c. of bread**, crosta di pane; **a c. of mud**, una crosta di fango; **the earth's c.**, la crosta terrestre **2** incrostazione: **c. of wine**, incrostazione del vino (*dentro una bottiglia*) **3** ⓤ (*slang*) impudenza; insolenza; faccia tosta **4** manto superficiale (*d'una strada*) **5** (*fig.*) pezzo di pane (*fig.*); il minimo necessario (*per vivere*): *I'm just trying to earn a c.*, cerco soltanto di guadagnare un pezzo di pane (*o di sbarcare il lunario*).

to **crust** /krʌst/ Ⓐ v. t. coprire di croste; incrostare: *Ice crusted the river*, il ghiaccio ricoprì la superficie del fiume Ⓑ v. i. **1** (*anche* **to c. over**) coprirsi di croste; incrostarsi **2** indurirsi (*formando croste*): *The lava had crusted at last*, la lava s'era finalmente indurita.

crustacean /krʌˈsteɪʃn/ Ⓐ n. (*zool.*) crostaceo Ⓑ a. (*zool.*) di un crostaceo; dei crostacei.

crustaceous /krʌˈsteɪʃəs/ a. (*zool.*) di crostaceo; dei crostacei.

crustal /ˈkrʌstl/ a. (*geol.*) crostale: **c. plate**, placca crostale.

crusted /ˈkrʌstɪd/ a. **1** incrostato: **c. with salt**, incrostato di sale **2** (*di vino*) grommato

3 (*fig.*) antiquato; superato.

crusty /'krʌstɪ/ **A** a. **1** crostoso: **c. bread**, pane crostoso; **c. snow**, neve crostosa **2** duro come una crosta **3** (*di vino*) grommoso **4** (*di persona*) irritabile; intrattabile; scontroso **B** n. (*fam.*) giovane emarginato senza fissa dimora; punkabbestia (*fam.*).‖ **crustily** avv. bruscamente; in tono d'ira; irosamente ‖ **crustiness** n. ⌷ **1** l'esser crostoso **2** durezza (della crosta) **3** (*fig.*) irritabilità; intrattabilità.

crutch /krʌtʃ/ n. **1** gruccia; stampella: **a pair of crutches**, un paio di grucce; **to walk on crutches**, camminare con le grucce **2** (*fig.*) appoggio; sostegno **3** forca, forcella (*di due rami*) **4** inforcatura (*del corpo umano*) **5** (*sartoria*) cavallo (*dei pantaloni*) **6** (*naut.*) candeliere a forca; forcaccio, ghirlanda di poppa **7** (*naut.*) scalmiera a forcella (*per i remi*).

to **crutch** /krʌtʃ/ v. t. **1** reggere con le grucce **2** (*fig.*) appoggiare; puntellare; sostenere.

crux /krʌks/ n. (pl. *cruxes*, *cruces*) **1** punto cruciale; nodo **2** (*fig.*) punto difficile; problema arduo.

♦**cry** /kraɪ/ n. **1** grido: **a cry of joy [of pain]**, un grido di gioia [di dolore]; **hostile cries**, grida ostili **2** grido; richiamo: **a pedlar's cry**, il grido d'un venditore ambulante **3** grido; appello: **a cry for help**, un grido d'aiuto **4** pianto: **to have a good cry**, farsi un bel pianto **5** verso, richiamo (*d'uccello*) **6** (= **battle cry**) grido di battaglia **7** (= **war cry**) slogan; motto; parola d'ordine: «*Africa to the Africans*» *is their cry*, «l'Africa agli africani» è il loro slogan ● **a cry from the heart**, un grido dal cuore □ (*fig.*) **a far cry from**, tutt'altro che; ben altro che; tutt'altra cosa che: *It was a far cry from the holiday we had been led to expect*, è stata tutt'altro che la (o c'era una bella differenza rispetto alla) vacanza che ci avevano prospettato □ **to be in full cry**, (*di muta di cani*) abbaiare e correre all'inseguimento; (*di gruppo di persone*) essere lanciato all'inseguimento; (*fig.*) essere lanciato, scatenato, accanito (*a fare qc.*); chiedere a gran voce qc. □ **to be [to keep] within cry**, essere [tenersi] a portata di voce.

♦to **cry** /kraɪ/ **A** v. i. **1** gridare; esclamare: **to cry with alarm**, gridare allarmato; **to cry with pain**, gridare dal dolore; **to cry for help**, gridare aiuto; lanciare grida di aiuto **2** – **to cry for**, chiedere a gran voce; reclamare; (*di cosa*) avere urgente bisogno di: *The people are crying for justice*, la gente reclama giustizia; *The fields are crying for rain*, i campi hanno urgente bisogno di pioggia **3** piangere: *The baby is crying*, il bambino sta piangendo; *Stop crying!*, smettila di piangere!; (*fam.*) *I'll give you something to cry for*, te la do io una (buona) ragione per piangere!; *She was crying for her mother*, chiamava piangendo la mamma; piangeva perché voleva la mamma **4** (*di uccello*) lanciare il richiamo; gridare; fare il verso **5** (*di cane*) guaire; uggiolare **B** v. t. **1** gridare: «*Silence!*» *Lucy cried*, «Silenzio!» gridò Lucy **2** (*di ambulante, banditore*) annunciare ad alta voce **3** piangere; versare: **to cry tears of joy [bitter tears]**, piangere lacrime di gioia [lacrime amare] ● (*fam.*) **to cry all the way to the bank**, incassare i soldi e ignorare le critiche □ **to cry one's eyes** (*o* **heart**) **out**, piangere a dirotto; piangere tutte le proprie lacrime □ **to cry for the moon**, chiedere la luna; volere la luna (nel pozzo) □ **It cries for vengeance**, grida vendetta (al cospetto di Dio) □ **to cry foul**, protestare (*per un'ingiustizia, un torto*) □ **to cry halves**, reclamare una parte (o metà) di (*una cosa trovata, ecc.*) □ (*fam.*) **to cry in one's beer**, piangersi addosso □ **to cry for**

mercy, implorare pietà □ **to cry over one's lost opportunities**, rimpiangere le occasioni mancate □ **to cry oneself to sleep**, addormentarsi per il gran piangere □ **to cry over spilt milk**, piangere sul latte versato □ **to cry quits**, gridare che se ne è avuto abbastanza; arrendersi □ (*fam. GB*) **to cry stinking fish**, sminuire i propri sforzi, i propri meriti; sminuirsi; deprezzare la propria merce □ (*fig.*) **to cry wolf**, gridare al lupo.

■ **cry down** v. t. + avv. **1** far tacere (*gridando*): **to cry down the opposition**, far tacere l'opposizione **2** denigrare; screditare; minimizzare.

■ **cry off** v. i. + avv. (*fam.*) tirarsi indietro (*fam.*); rimangiarsi una promessa; ritirarsi: *He had promised to take me to a disco, but then he cried off*, aveva promesso di portarmi in discoteca, ma poi si tirò indietro.

■ **cry out** **A** v. i. + avv. **1** lanciare un grido, gridare (*spec. per paura, dolore, ecc.*): **to cry out in pain**, lanciare un grido di dolore; *He cried out to me to stop at once*, mi gridò di fermarmi su due piedi **2** – **to cry out against sb.**, protestare con veemenza contro **3** – **to cry out for**, chiedere a gran voce; reclamare a gran voce: **to cry out for help**, gridare aiuto; **to cry out for a radical reform**, reclamare a gran voce una riforma radicale; *My throat was crying out for a beer*, la mia gola reclamava una birra **B** v. t. + avv. gridare, dire ad alta voce; *The little girl cried out my name*, la bambina gridò il mio nome □ (*fam.*) **for crying out loud!**, insomma!; accidenti!

■ **cry up** v. t. + avv. esaltare; portare alle stelle (*o* in palmo di mano); decantare (*un prodotto, ecc.*).

crybaby /'kraɪbeɪbɪ/ n. (*fam.*) piagnucolone; individuo piagnucoloso; lagna (*fam.*).

cryer → **crier**, def. 1.

crying /'kraɪɪŋ/ a. **1** che grida; piangente **2** evidente; palese: **a c. injustice**, una palese ingiustizia; **a c. shame**, un vero peccato **3** urgente: **a c. need**, un bisogno urgente.

cryobiology /ˌkraɪəʊbaɪˈɒlədʒɪ/ n. ⌷ criobiologia.

cryoelectronics /ˌkraɪəʊɪlekˈtrɒnɪks/ n. pl. (col verbo al sing.) crioelettronica.

cryogen /'kraɪədʒən/ n. ⌷ (*chim.*) fluido criogenico.

cryogenics /ˌkraɪəˈdʒɛnɪks/ (*fis.*) n. pl. (col verbo al sing.) criogenia ‖ **cryogenic** a. criogenico ● **cryogenic engineering**, criotecnica.

cryolite /'kraɪəlaɪt/ n. ⌷ (*miner.*) criolite.

cryonics /kraɪˈɒnɪks/ n. pl. (col verbo al sing.) (*med.*) ibernazione di corpi umani.

cryoprobe /'kraɪəʊprəʊb/ n. (*med.*) criosonda.

cryoscope /'kraɪəʊskəʊp/ (*chim., fis.*) n. crioscopio.

cryoscopy /kraɪˈɒskəpɪ/ (*chim., fis.*) n. ⌷ crioscopia ‖ **cryoscopic** a. crioscopico.

cryostat /'kraɪəstæt/ (*fis.*) n. criostato.

cryosurgery /ˌkraɪəˈsɜːdʒərɪ/ (*med.*) n. ⌷ criochirurgia; chirurgia del freddo ‖ **cryosurgical** a. criochirurgico.

cryotherapy /ˌkraɪəˈθerəpɪ/ n. ⌷ (*med.*) crioterapia.

crypt /krɪpt/ n. (*archit., anat.*) cripta.

cryptanalysis /ˌkrɪptəˈnæləsɪs/ n. ⌷ decifrazione; decriptazione, decrittazione ‖ **cryptanalyst** n. decifratore ‖ **cryptanalytic, cryptanalytical** a. decrittatorio.

cryptic /'krɪptɪk/, **cryptical** /'krɪptɪkl/ a. **1** criptico; celato; occulto; segreto **2** enigmatico; ermetico: **a c. prophecy**, una profezia ermetica **2** (*zool.*) criptico; mimetico: **c. coloration**, colorazione criptica ‖ **cryptically** avv. enigmaticamente; misteriosamente.

crypto /'krɪptəʊ/ n. (pl. *cryptos*) (*fam.*) **1** chi aderisce in segreto a un partito politico, una setta religiosa, ecc. **2** criptocomunista.

crypto-Communist /ˌkrɪptəʊˈkɒmjʊnɪst/ n. (*polit., stor.*) criptocomunista.

cryptogam /'krɪptəʊgæm/ (*bot.*) n. crittogama ‖ **cryptogamic, cryptogamous** a. crittogamico.

cryptogram /'krɪptəgræm/, **cryptograph** /'krɪptəʊgrɑːf/ n. crittogramma (*testo redatto in cifra*).

cryptography /krɪpˈtɒgrəfɪ/ n. ⌷ crittografia ‖ **cryptographer** n. crittografo ‖ **cryptographic** a. crittografico.

cryptology /krɪpˈtɒlədʒɪ/ n. ⌷ criptologia, crittologia.

♦**crystal** /'krɪstl/ **A** n. **1** ⌷⌷ (*miner., chim.*) cristallo: **crystals of snow**, cristalli di neve **2** ⌷ (= **c. glass**) cristallo: **c. glasses**, bicchieri di cristallo **3** ⌷ cristalleria; cristalli (pl.) **4** vetro (*d'orologio*) **5** (*elettron.*) cristallo; quarzo piezoelettrico **B** a. attr. **1** di cristallo **2** cristallino: (*geol.*) **c. sandstone**, arenaria cristallina **3** (*di radio*) a galena ● **c. ball**, sfera di cristallo: **to look into a c. ball**, scrutare nella sfera di cristallo □ **c. chemistry**, cristallochimica □ (*chim.*) **c. class**, classe di simmetria □ **c. clear**, cristallino; (*fig.*) chiarissimo, che non ammette dubbi: *I want to make it c. clear*, voglio che sia chiarissimo □ **c. clock**, orologio piezoelettrico □ (*fis. nucl.*) **c. counter**, contatore a cristallo □ (*miner.*) **c. face**, faccia di un cristallo □ **c. gazing**, predizione del futuro con la sfera di cristallo; (*fig.*) previsione del futuro □ **c. healing** (o **c. therapy**), cristalloterapia □ (*chim.*) **c. lattice**, reticolo cristallino □ (*slang*) **c. meth**, metamfetamina da fumare □ **c. set** (*o* **c. radio**), radio a galena □ (*chim.*) **c. system**, sistema cristallino □ (*chim.*) **c. violet**, violetto di metile.

crystalline /'krɪstəlaɪn/ a. cristallino (*anche fig.*): **c. structure**, struttura cristallina; **c. prose**, prosa cristallina ● **c. heaven** (o **c. sphere**), cielo cristallino (*nel sistema tolemaico*) □ (*anat.*) **c. lens**, cristallino (*dell'occhio*) ‖ **crystallinity** n. ⌷ (*miner.*) cristallinità.

crystallite /'krɪstəlaɪt/ n. (*miner.*) cristallite.

to **crystallize** /'krɪstəlaɪz/ **A** v. t. **1** cristallizzare (*anche fig.*) **2** (*cucina*) candire: **crystallized fruit**, frutta candita **3** (*anche* **to c. out**) concretare, concretizzare, definire (*un piano, ecc.*) **B** v. i. **1** cristallizzarsi (*anche fig.*) **2** (*anche* **to c. out**) concretarsi; concretizzarsi; assumere un aspetto ben definito ‖ **crystallizable** a. cristallizzabile ‖ **crystallization** n. (*miner.*) cristallizzazione.

crystallizer /'krɪstəlaɪzə(r)/ n. (*chim.*) cristallizzatore.

crystalloblast /'krɪstələʊblæst/ n. ⌷ (*miner.*) cristalloblasto.

crystallography /ˌkrɪstəˈlɒgrəfɪ/ (*fis.*) n. ⌷ cristallografia ‖ **crystallographer** n. cristallografo ‖ **crystallographic, crystallographical** a. cristallografico ‖ **crystallographically** avv. cristallograficamente.

crystalloid /'krɪstəlɔɪd/ a. e n. (*fis., chim., anat.*) cristalloide.

crystalware /'krɪstəlweə(r)/ n. ⌷ cristalleria.

CS sigla **1** (**chartered surveyor**) ispettore iscritto all'albo; perito **2** (*GB*, **Civil Service**) la burocrazia statale; la pubblica amministrazione **3** (**CS gas**) (**Carson Staughton gas**) gas CS (*lacrimogeno e irritante*).

CSA sigla (*GB*, **Child Support Agency**) Agenzia per l'aiuto all'infanzia.

CSC sigla (*GB*, **Civil Service Commission**) Commissione per l'assunzione degli impiegati statali.

CSE sigla (*stor.*, *GB*, **Certificate of Secondary Education**) diploma di scuola secondaria di livello inferiore (*cfr.* **GCSE**).

CSS sigla (*comput.*, **cascading style sheets**) fogli di stile a cascata (*documento che descrive come il contenuto di una pagina web è reso dal browser*).

CST sigla (**Central Standard Time**) fuso orario centrale (*GMT-6*).

CSTO sigla (*polit.*, **Collective Security Treaty Organization**) Organizzazione del Trattato per la sicurezza collettiva.

CT sigla **1** (*med.*, **computerized tomography**) tomografia computerizzata **2** (*USA*, **Connecticut**) Connecticut.

ct abbr. **1** (**carat**) carato **2** (**cent**) centesimo **3** (**court**) corte.

CTC sigla **1** (*GB*) = **City Technology College** → **city 2** (*GB*, **Cyclists' Touring Club**) Club cicloturistico inglese.

ctenoid /'tɛnɔɪd/ a. (*zool.*) ctenoide.

ctenophore /'tɛnəfɔːr/ n. (*zool.*, *Ctenophora*) ctenoforo.

CTI sigla (*comput.*, **computer telephony integration**) CTI (*sistemi integrati di fonia e dati in uso nei call center*).

CTS sigla (*med.*, **carpal tunnel syndrome**) sindrome del tunnel carpale.

CTT sigla = **capital transfer tax** → **capital**①.

cu. abbr. (**cubic**) cubico.

cub /kʌb/ n. **1** cucciolo (*di certi animali selvatici*): **fox cub**, cucciolo di volpe; volpacchiotto; **lion cub**, cucciolo di leone; leoncino; **whale cub**, balenottero **2** (*fig.*, *antiq.*) giovanotto inesperto, goffo **3** (= **cub scout**) lupetto (*negli Scout*): **cub pack**, branco di lupetti ● (*giorn.*) **cub reporter**, cronista alle prime armi.

to **cub** /kʌb/ v. t. e i. (*di certi animali selvatici*) partorire; figliare.

cubage /'kjuːbɪdʒ/ n. ⓤ cubatura; volume.

Cuban /'kjuːbən/ a. e n. cubano.

cubature /'kjuːbətʃə(r)/ n. (*mat.*) cubatura.

cubby /'kʌbɪ/, **cubbyhole** /'kʌbɪhəʊl/ n. **1** ripostiglio **2** bugigattolo **3** posto comodo; nido (*fig.*).

cube /kjuːb/ n. **1** (*anche geom.*, *mat.*) cubo: *The c. of 4 is 64*, il cubo di 4 è 64 **2** cubetto (*di zucchero, ecc.*) **3** (*costr. stradali*) blocchetto per pavimentazione **4** (*fotogr.*, = **flashcube**) cubo per flash **5** (*fam. antiq.*, *USA*) persona all'antica; matusa (*fam.*) **6** (al pl.) (*fam. USA*) dadi ● (*fam. USA*) **c. farm**, (ufficio) open space □ (*mat.*) **c. root**, radice cubica □ **c. sugar**, zucchero in cubetti.

to **cube** /kjuːb/ v. t. **1** (*mat.*) elevare al cubo (*o alla terza potenza*) **2** fare la cubatura, calcolare il volume di (*un solido*) **3** (*costr. stradali*) pavimentare con blocchetti (*di pietra*) **4** (*cucina*) tagliare a cubetti: **to c. vegetables**, tagliare la verdura a cubetti.

cubeb /'kjuːbɛb/ n. **1** (*bot.*, *Piper cubeba*) cubebe **2** ⓤ (*cucina*) (pepe) cubebe.

cubic /'kjuːbɪk/ a. (*anche mat.*, *geom.*) cubico: **a c. foot** [**inch**], un piede [un pollice] cubico; **a c. equation**, un'equazione cubica (*o di terzo grado*) ● (*autom.*) **c. capacity**, cilindrata (*del motore*) □ **c. content**, volume; cubatura □ (*mecc.*) **c. measure**, unità di volume; misura di capacità □ (*mat.*) **c. volume**, cubatura ‖ **cubical** a. (*scient.*) cubico; a forma di cubo.

cubicle /'kjuːbɪkl/ n. **1** cubicolo; celletta; scompartimento separato (*in un dormitorio, ospedale, ecc.*) **2** scomparto (*in una banca, ecc.*) **3** cabina di lettura (*in una biblioteca*) **4** (*elettr.*) armadio, armadietto (*per i contatori, ecc.*) ● **shower c.**, box (*o angolo*) della doccia.

cubiform /'kjuːbɪfɔːm/ a. cubiforme.

cubism /'kjuːbɪzəm/ (*arte*) n. ⓤ cubismo ‖ **cubist** n. e a. cubista ‖ **cubistic** a. cubistico.

cubit /'kjuːbɪt/ n. cubito (*antica misura di lunghezza*).

cubital /'kjuːbɪtl/ a. (*anat.*) cubitale; dell'ulna; ulnare.

cubitus /'kjuːbɪtəs/ (*lat.*) n. (pl. **cubituses**, **cubiti**) (*anat.*) cubito; ulna.

cuboid /'kjuːbɔɪd/ a. e n. (*geom.*, *anat.*) cuboide ● (*anat.*) **c. bone**, cuboide.

cucking stool /'kʌkɪŋstuːl/ loc. n. (*stor.*) sedia su cui i colpevoli erano esposti al pubblico ludibrio (*o messi alla berlina*).

cuckold /'kʌkəʊld/ n. (*antiq.*) becco, cornuto (*pop.*).

to **cuckold** /'kʌkəʊld/ v. t. (*antiq.*) cornificare; fare becco, fare le corna a (*un marito*).

cuckoldry /'kʌkəʊldrɪ/ n. ⓤ l'essere becco; l'essere cornuto.

cuckoo /'kʊkuː/ Ⓐ n. (pl. **cuckoos**) (*zool.*, *Cuculus canorus*) cuculo Ⓑ a. (*fam. antiq.*) eccentrico; strambo; pazzo; matto ● **c. clock**, orologio a cucù □ (*bot.*) **c.-flower**, (*Cardamine pratensis*) cardamine (*o billeri, o crescione*) dei prati; viola dei pesci (*region.*); (*Lychnis flos-cuculi*) fior di cuculo; (*Oxalis acetosella*) acetosella, alleluia □ (*fig.*) **a c. in the nest**, un cuculo nel nido □ (*fam. antiq. USA*) **c.'s nest**, manicomio □ (*bot.*) **c. pint** (*Arum maculatum*), aro; gigaro; pan di serpe; lingua di serpe; piè di vitello □ (*fam.*) **c. spit**, schiuma bianca della larva della sputacchina (*insetto degli Omotteri*).

to **cuckoo** /'kʊkuː/ v. i. fare cuccù; fare il verso del cuculo.

cucumber /'kjuːkʌmbə(r)/ n. (*bot.*, *Cucumis sativus*) cetriolo: *He had been eight years upon a project for extracting sunbeams out of cucumbers* J. Swift, da otto anni si dedicava a un progetto per l'estrazione dei raggi del sole dai cetrioli ● (*bot.*, *USA*) **c. tree**, (*Magnolia acuminata*) magnolia acuminata; (*Averrhoa bilimbi*) averroa cilindrica, bilimbi □ (*di persona*) **as cool as a c.**, padrone di sé; impassibile; imperturbabile.

cucurbit /kjuˈkɜːbɪt/ n. **1** (*bot.*) cucurbita; zucca **2** (*chim.*) cucurbita (*caldaia dell'alambicco*) ‖ **cucurbitaceous** a. (*bot.*) delle cucurbitacee.

cud /kʌd/ n. ⓤ (*zool.*) bolo alimentare (*dei ruminanti*) ● **to chew the cud**, ruminare; (*fig.*) meditare a lungo; ruminare (*fig.*).

cudbear /'kʌdbɛə(r)/ n. ⓤ oricello (*colorante*).

cuddle /'kʌdl/ n. **1** abbraccio affettuoso **2** coccola; coccolamento.

to **cuddle** /'kʌdl/ Ⓐ v. t. abbracciare teneramente; coccolare; stringere tra le braccia (*o al seno*): *The girl is cuddling her doll*, la bambina coccola la sua bambola Ⓑ v. i. (*spesso* **to c. up**) stringersi con affetto; rannicchiarsi.

cuddlesome /'kʌdlsəm/ a. che invita a farsi coccolare; che ispira tenerezza.

cuddly /'kʌdlɪ/ a. **1** affettuoso; tenero **2** → **cuddlesome**.

cuddy /'kʌdɪ/ n. **1** (*naut.*) cabina di poppa **2** (*naut.*) cucina; cambusa **3** ripostiglio; stanzino **4** armadietto; credenza.

cudgel /'kʌdʒl/ n. clava; mazza; randello ● (*fig.*) **to take up the cudgels for sb.**, difendere q. a spada tratta.

to **cudgel** /'kʌdʒl/ v. t. bastonare; randellare; picchiare con una clava ● (*fig.*) **to c. one's brains**, lambiccarsi il cervello; spremersi le meningi.

cudweed /'kʌdwiːd/ n. (*bot.*, *Gnaphalium sylvaticum*) canapicchia comune.

◆**cue**① /kjuː/ n. **1** (*teatr.*) battuta d'entrata; segnale d'entrata: **to miss one's cue**, perdere la battuta; non entrare al segnale **2** se-

gnale (*per fare qc.*): *That was the cue for me to start the car*, a quel segnale io dovevo mettere in moto la macchina **3** suggerimento; spunto; imbeccata **4** (*mus.*) attacco **5** (*cinem.*, *radio*) segnale d'azione; ciac ● (*TV*) **cue card**, tabellone fuori quadro (*con sopra i testi*); gobbo □ (**right**) **on cue**, al momento giusto; con perfetto tempismo □ (*fig.*) **to take one's cue from sb.**, seguire l'esempio di q.; imitare q.

cue② /kjuː/ n. **1** stecca (*da biliardo*) **2** (*USA*) coda; fila (*davanti a un cinema, a un negozio, ecc.*) **3** codino, coda (*di capelli sulla nuca*) ● (*biliardo*) **cue ball**, bilia battente; bilia bianca □ **cue rack** (*o* **cue stand**), (*rastrelliera*) portastecche.

to **cue** /kjuː/ Ⓐ v. i. (*cinem.*, *radio*) dare il ciac; dare il segnale d'azione Ⓑ v. t. **1** dare la battuta d'entrata a (*un attore, ecc.*) **2** ricordare (*qc. a q.*); dare informazioni a (q.) ● **to cue in**, inserire, provvedere all'inserimento di (*una canzone in un dramma, per es.*) □ (*slang USA*) **to cue in on st.**, aggiornare q. su qc.; dare informazioni aggiuntive.

cuff① /kʌf/ n. **1** polsino (*di camicia*); polso (*di giacca*) **2** (*USA*) risvolto (*dei pantaloni*) **3** (al pl.) (= **handcuffs**) manette **4** (*hockey su ghiaccio*) copripolso ● **c. link**, bottone per polsino; gemello □ **an off-the-c. remark**, un'osservazione buttata là □ (*fam.*) **on the c.**, a credito; (*anche*) gratis □ (*fig.*) **to speak off the c.**, parlare a braccio (*improvvisando*).

cuff② /kʌf/ n. ceffone; schiaffo; manrovescio; scappellotto.

to **cuff**① /kʌf/ v. t. **1** mettere i polsini (*o i risvolti*) a (q.) **2** ammanettare.

to **cuff**② /kʌf/ v. t. dare un ceffone a (q.); schiaffeggiare; scappellottare (*fam.*).

Cufic /'kjuːfɪk/ → **Kufic**.

cuirass /kwɪˈræs/ n. (*stor. mil. e zool.*) corazza.

to **cuirass** /kwɪˈræs/ v. t. **1** (*stor.*) mettere la corazza a (q.) **2** (*fig.*) corazzare.

cuirassier /kwɪrəˈsɪə(r)/ n. (*mil.*) corazziere.

cuish /kwɪʃ/ → **cuisse**.

cuisine /kwɪˈziːn/ (*franc.*) n. ⓤ gastronomia; cucina; modo di cucinare.

cuisse /kwɪs/ n. (*stor.*) cosciale.

cuke /kjuːk/ n. (abbr. *fam. di* **cucumber**) cetriolo.

cul-de-sac /'kʌldəsæk/ (*franc.*) loc. n. (pl. **culs-de-sac**, **cul-de-sacs**) **1** via cieca, vicolo cieco (*anche fig.*) **2** (*fig.*) posto isolato, tranquillo **3** (*anat.*) sacca cieca.

culinary /'kʌlɪnərɪ/ a. **1** culinario; gastronomico **2** aromatico: **c. herbs**, erbe aromatiche ● **c. art**, culinaria; gastronomia.

cull /kʌl/ n. **1** animale (*spec. montone, vacca o gallina*) eliminato da un allevamento **2** eliminazione (*di animali, anche selvatici*) **3** (al pl.) (*spec. USA*) scarti.

to **cull** /kʌl/ v. t. **1** cogliere, raccogliere (*fiori, ecc.*) **2** scegliere; fare una cernita di (qc.) **3** eliminare (*animali deboli o malati: da un allevamento*).

culm① /kʌlm/ n. ⓤ (*ind. min.*) carbone minuto grigliato.

culm② /kʌlm/ n. (*bot.*) culmo.

culminant /'kʌlmɪnənt/ a. culminante.

to **culminate** /'kʌlmɪneɪt/ v. i. (*astron. e fig.*) culminare.

culmination /kʌlmɪˈneɪʃn/ n. ⓤⓒ **1** culmine; apice; apogeo **2** (*astron.*) culminazione.

culottes /kjuːˈlɒts, *USA* 'kuː-/ (*franc.*) n. pl. (*moda*) gonna pantalone; pantagonna.

culpability /kʌlpəˈbɪlətɪ/ n. ⓤ (*leg.*) colpevolezza; colpa.

culpable /'kʌlpəbl/ a. **1** colpevole: **to hold sb. c.**, reputare q. colpevole **2** (*leg.*) colposo: **c. neglect**, omissione colposa; **c.**

negligence, negligenza colposa | **-ness** n. Ⓤ | **-bly** avv.

culprit /ˈkʌlprɪt/ n. (leg.) **1** colpevole **2** (leg.) imputato; accusato **3** (fig.) causa, motivo (di un problema).

CUL8R sigla (Internet, telef., grafia fam. di **see you later**) a più tardi; ciao.

cult /kʌlt/ n. **1** culto (anche fig.); venerazione: **the c. of Dante**, il culto di Dante **2** (relig.) gruppo di seguaci; setta **3** (sociol.) cult; gruppo di persone unite dagli stessi riti e ideali ● **a c. book** [**record**], un libro [un disco] cult (o che segna un'epoca) □ **a c. figure**, una figura carismatica □ (cinem.) **c. movie**, cult movie ● **c. show**, cult show.

cultivable /ˈkʌltɪvəbl/ a. coltivabile || **cultivability** n. Ⓤ coltivabilità.

cultivar /ˈkʌltɪvɑː(r)/ n. (agric.) cultivar; varietà di pianta coltivata.

to **cultivate** /ˈkʌltɪveɪt/ v. t. **1** coltivare (in ogni senso): **to c. wheat** [**a friendship, a hobby**], coltivare grano [un'amicizia, un hobby] **2** tenersi amico, tenersi buono: *He does his best to c. his boss*, fa del suo meglio per tenersi buono il capo ● **to c. one's mind**, coltivare (o esercitare) la mente.

❶ **NOTA:** *to cultivate* o *to grow?*
Mentre il verbo *to cultivate* significa "coltivare" sia in senso letterale che in senso figurato, occorre notare che la parola più diffusa per tradurre "coltivare" nel senso di "fare crescere" è *to grow*: *He grows carrots in his spare time*, coltiva carote nel tempo libero. L'uso di *to cultivate* è prevalente in ambito tecnico o in senso figurato: ad es. *to cultivate a friendship*, coltivare un'amicizia.

cultivated /ˈkʌltɪveɪtɪd/ a. **1** coltivato: **c. land**, terreni coltivati **2** (fig.) colto; fine; raffinato: **a c. man**, un uomo colto **3** (d'accento, di voce, ecc.) da persona colta ● **c. pearl**, perla coltivata.

cultivation /ˌkʌltɪˈveɪʃn/ n. Ⓤ **1** coltivazione; coltura **2** Ⓤ (fig.) cultura; raffinatezza; il coltivare (la mente, ecc.) **3** ⓊⒸ (biol.) coltura (di microbi, ecc.).

cultivator /ˈkʌltɪveɪtə(r)/ n. **1** (agric.) coltivatore (l'uomo e lo strumento); dissodatore meccanico; frangizolle **2** cultore (delle arti, ecc.).

♦**cultural** /ˈkʌltʃərəl/ a. **1** culturale: **c. identity**, identità culturale; **c. environment**, ambiente culturale; **c. events**, avvenimenti culturali **2** (agric., biol.) colturale ottenuto per mezzo di coltura (o coltivazione) ● **c. anthropology**, antropologia culturale □ **c. attaché**, addetto culturale (di ambasciata) □ **c. desert**, deserto culturale □ **c. diversity**, multiculturalismo □ (stor.) **the C. Revolution**, la rivoluzione culturale (in Cina, nel 1966) | **-ly** avv.

to **culturalize** /ˈkʌltʃərəlaɪz/ (sociol.) v. t. acculturare || **culturalization** n. Ⓤ acculturazione; acculturamento.

♦**culture** /ˈkʌltʃə(r)/ n. **1** Ⓤ cultura: **men** (o **women**) **of c.**, uomini (o donne) di cultura; **popular c.**, cultura popolare; **oral c.**, cultura orale **2** civiltà: **ancient cultures**, le civiltà antiche **3** (con attrib.) cultura; mentalità e comportamenti: **the drug c.**, la cultura della droga; **the enterprise c.**, la cultura d'impresa **4** (biol.) coltura **5** (agric.) coltura; coltivazione: **the c. of the olive tree**, la coltura dell'olivo; l'olivicoltura; **bulb c.**, coltivazione dei bulbi ● **c.-bound**, legato alla propria cultura; culturalmente connotato □ (Austral.) **c. cringe**, servilismo culturale (verso un altro paese) □ (sociol.) **c. gap**, gap culturale □ (biol.) **c. medium**, terreno di coltura □ **c. shock**, shock culturale □ **c.-specific**, specifico di una cultura □ (spreg.) **c. vulture**, intellettuale rampante.

to **culture** /ˈkʌltʃə(r)/ v. t. (biol.) produrre una coltura di (bacilli).

cultured /ˈkʌltʃəd/ a. **1** colto; acculturato; raffinato **2** (biol.) di coltura: **c. virus**, virus di coltura **3** – **c. pearl**, perla coltivata.

culturist /ˈkʌltʃərɪst/ n. **1** chi coltiva piante; chi alleva animali **2** fautore della cultura ● **physical c.**, culturista.

culver /ˈkʌlvə(r)/ n. (arc. o poet.) piccione; colombo selvatico ● (bot.) **c.-key** (Primula veris), primavera odorosa.

culverin /ˈkʌlvərɪn/ n. (stor. mil.) **1** colubrina **2** moschetto.

culvert /ˈkʌlvət/ n. **1** canale sotterraneo **2** conduttura sotterranea (per cavi elettrici) **3** chiavica; fogna; galleria di drenaggio.

cum ① /kʌm/ (lat.) prep. **1** con: (fin.: di titolo) **cum coupon**, con la cedola; cuponato; (fin.) **cum dividend**, con il dividendo; (fin.) **cum rights**, incluso il diritto d'opzione **2** (nei composti) combinato con; che funge anche da: **a study-cum-bedroom**, uno studio--camera da letto.

cum ② /kʌm/ n. Ⓤ (volg.) sborra.

cumber /ˈkʌmbə(r)/ n. (form.) ingombro; impaccio; ostacolo.

to **cumber** /ˈkʌmbə(r)/ → **to encumber**.

cumbersome /ˈkʌmbəsəm/ a. **1** ingombrante; che è d'impaccio (o d'ostacolo); scomodo **2** goffo; impacciato | **-ly** avv. | **-ness** n. Ⓤ.

Cumbrian /ˈkʌmbrɪən/ a. e n. (abitante) del Cumberland ● (geogr.) **the C. Mountains**, i Monti Cambrici.

cumbrous /ˈkʌmbrəs/ → **cumbersome**.

cumene /ˈkjuːmiːn/ n. Ⓤ (chim.) cumene.

cumin /ˈkʌmɪn/ n. (bot., Cuminum cyminum) cumino, comino ● (anche cosmesi) **c. oil**, olio essenziale (o essenza) di cumino.

cummerbund /ˈkʌməbʌnd/ n. (moda) fascia di seta che si porta con lo smoking.

cumulate /ˈkjuːmjʊlət/ a. accumulato; ammassato.

to **cumulate** /ˈkjuːmjʊlеɪt/ Ⓐ v. t. accumulare; ammassare Ⓑ v. i. accumularsi; ammassarsi.

cumulation /ˌkjuːmjʊˈleɪʃn/ n. Ⓤ accumulazione; accumulo.

cumulative /ˈkjuːmjʊlətɪv/ a. **1** cumulativo **2** (leg.) cumulativo: **c. liability**, responsabilità cumulativa **3** (leg.) aggiuntivo: **c. evidence**, prove aggiuntive **4** (fin.) cumulativo: **c. preference shares**, azioni privilegiate cumulative; (fisc.) **c. turnover tax**, imposta cumulativa sulla cifra d'affari ● (stat.) **c. distribution function**, funzione di ripartizione □ (fin.) **c. dividend**, dividendo cumulativo □ (stat.) **c. error**, errore cumulativo □ (fin., mat.) **c. interest**, interesse composto □ (polit.) **c. voting**, votazione cumulativa | **-ly** avv. | **-ness** n. Ⓤ.

cumuliform /ˈkjuːmjʊlɪfɔːm/ a. (meteor.) cumuliforme.

cumulo-nimbus /ˌkjuːmjʊləʊˈnɪmbəs/ n. (pl. **cumulo-nimbi**) (meteor.) cumulonembo.

cumulo-stratus /ˌkjuːmjʊləʊˈstreɪtəs/ n. (pl. **cumulo-strati**) (meteor.) stratocumulo.

cumulus /ˈkjuːmjʊləs/ n. (pl. **cumuli**) (meteor., = **c. cloud**) cumulo; nube cumulus.

cuneate /ˈkjuːnɪeɪt/, **cuneated** /ˈkjuːnɪeɪtɪd/ a. **1** cuneato **2** (biol.) cuneato.

cuneiform /ˈkjuːnɪfɔːm/ Ⓐ a. cuneiforme: **c. characters**, caratteri cuneiformi Ⓑ n. **1** carattere cuneiforme **2** (anat.) cartilagine (o osso) cuneiforme.

cunnilingus /ˌkʌnɪˈlɪŋɡəs/ n. Ⓤ cunnilingio.

cunning /ˈkʌnɪŋ/ Ⓐ a. **1** astuto; furbo; scaltro **2** (di azione, ecc.) abile; ingegnoso **3** (fam. USA) grazioso; delicato: **a c. little girl**, una bambina graziosa Ⓑ n. Ⓤ astuzia; furberia || **cunningly** avv. astutamente.

cunt /kʌnt/ n. (volg.) **1** fica, figa (volg.) **2** Ⓤ (fig.) le donne (come oggetto sessuale); la fica (volg.) **3** (fig., spreg.) testa di cazzo; coglione. ❶ **NOTA D'USO** ● **cunt** è forse la parola più volgare della lingua inglese.

♦**cup** /kʌp/ n. **1** tazza; tazzina: **a cup and saucer**, una tazza col piattino; **a coffee cup**, una tazzina da caffè **2** tazza (contenuto): **a cup of tea**, una tazza di tè; *Shall we have a cup of tea?*, ci prendiamo un tè?; *Can I pour you a cup?*, ne vuoi? (di tè, caffè, ecc.)? **3** (arc. o poet.) coppa **4** (relig.) calice **5** (sport) coppa; trofeo **6** (cucina, USA) cup (misura pari a 0,28 litri) **7** bibita ghiacciata **8** (bot.) corolla **9** (al pl.) (carte da gioco) coppe **10** (di reggiseno) coppa: **to be a C cup**, portare la coppa C **11** (mecc.) coppa; scodellino **12** (stor. med.) coppetta; ventosa **13** (di barometro) vaschetta **14** (metall.) sbozzo (o tranciato) da imbutitura **15** (golf, USA) buca ● **cup barometer**, barometro a mercurio □ (sport) **cup final**, finale di coppa □ (sport) **cup match**, partita di coppa □ (bot.) **cup--moss** (Cladonia pyxidata), lichene pissidato □ **the cup of bitterness**, il calice dell'amarezza □ (fam.) **one's cup of tea**, la persona (o la cosa) che piace, che va a genio; il proprio genere: *Baseball isn't my cup of tea*, il baseball non è il mio genere (o lo sport che fa per me); **not everybody's cup of tea**, che non piace a tutti □ (falegn.) **cup shake**, accerchiatura, cipollatura (difetto del legno) □ (sport) **cup tie** = **cup match** → sopra □ (fig.) **to be in one's cups**, avere alzato il gomito; essere brillo □ (scherz.) **My cup runneth over**, che gioia!; che felicità!

to **cup** /kʌp/ v. t. **1** (stor. med.) cavar sangue a (q.) (con coppette o ventose) **2** unire (le mani, ecc.) a forma di coppa **3** tenere (un bicchiere, una tazza) con entrambe le mani ● **to cup one's chin on one's hand**, appoggiare il mento al cavo della mano.

cupbearer /ˈkʌpbeərə(r)/ n. (stor., poet.) coppiere, coppiera.

♦**cupboard** /ˈkʌbəd/ n. **1** (= **kitchen c.**) credenza **2** armadio: **broom c.**, armadio delle scope; **clothes c.**, armadio per abiti; guardaroba **3** sgabuzzino ● (fig.) **c. love**, amore interessato □ **c. space**, spazio negli armadi; armadi (pl.) capienti.

cupcake /ˈkʌpkeɪk/ n. **1** piccola brioche; brioscina **2** (slang USA) bella ragazza; bambola, pupa (fig.) **3** (al vocat.) tesoro; cara.

cupel /ˈkjuːpl/ n. (metall.) coppella.

to **cupel** /ˈkjuːpl/ (metall.) v. t. coppellare || **cupellation** n. Ⓤ coppellazione.

cupful /ˈkʌpfʊl/ n. coppa; (quantità di liquido che sta in una) tazza (o in un calice): **a c. of sugar**, una tazzina di zucchero; **a c. of wine**, un calice di vino.

Cupid /ˈkjuːpɪd/ n. (mitol.) Cupido ● **C.'s bow**, l'arco di Cupido □ **C.'s darts**, le frecce (o i dardi) di Cupido.

cupidity /kjuːˈpɪdətɪ/ n. Ⓤ cupidigia; bramosia.

cupola /ˈkjuːpələ/ (ital.) n. **1** (archit., anat.) cupola **2** (metall., = **furnace c.**) cubilotto **3** (ferr.) garitta **4** (mil.) torretta.

cuppa /ˈkʌpə/ n. (fam. GB, anche **c. tea**) tazza di tè: **a nice strong c.**, una bella tazza di tè forte.

cupping /ˈkʌpɪŋ/ n. Ⓤ (stor. med.) coppettazione; applicazione di coppette ● **c. glass**, coppetta di vetro.

cuprammonium /ˌkjuːprəˈməʊnɪəm/ n. (chim.) cuprammonio.

cupreous /ˈkjuːprɪəs/ a. **1** simile al rame **2** color rame; cupreo (lett.).

cupric /ˈkjuːprɪk/ a. (chim.) rameico; cuprico: **c. sulfate**, solfato rameico.

cupriferous /kjuː'prɪfərəs/ a. (miner.) cuprifero.

cuprite /'kjuːpraɪt/ n. ⓤ (miner.) cuprite.

cupronickel /ˌkjuːprəʊ'nɪkl/ n. ⓤ (metall.) cupronichel.

cuprous /'kjuːprəs/ a. (chim.) rameoso; di rame: **c. chloride**, cloruro rameoso.

cupule /'kjuːpjuːl/ n. **1** (bot.) cupola **2** (zool.) cupula.

cur /kɜː(r)/ n. **1** cane bastardo; cagnaccio **2** (fig. spreg.) carogna; miserabile; vigliacco.

cur. abbr. (comm., **currency**) valuta (val.).

curability /ˌkjʊərə'bɪlətɪ/ n. ⓤ curabilità.

curable /'kjʊərəbl/ a. curabile | **-bly** avv.

curacy /'kjʊərəsɪ/ n. ⓤꜱ (relig.) curazia; vicariato.

curare /kjuː'rɑːrɪ/ n. ⓤ curaro.

curarine /kjuː'rɑːrɪn/ n. ⓤ (chim.) curarina.

curarization /ˌkjuːrɑːrɪ'zeɪʃn/ n. ⓤ (med.) curarizzazione.

to **curarize** /'kjʊərəraɪz/ v. t. **1** avvelenare (frecce, ecc.) col curaro **2** (med.) trattare (una malattia) con il curaro; curarizzare.

curate /'kjʊərət/ n. (relig., nella chiesa anglicana) sacerdote che coadiuva il parroco; coadiutore; curato ● (fam. GB) **c.'s egg**, cosa in parte cattiva e in parte buona □ **c.-in-charge**, sacerdote che funge da parroco.

to **curate** /'kjʊəreɪt/ v. t. curare (una mostra, ecc.).

curative /'kjʊərətɪv/ a. (med.) curativo; terapeutico.

curator /kjʊə'reɪtə(r)/ n. **1** (leg.) amministratore; curatore **2** (leg., in Scozia) curatore, tutore (di minorenne, d'incapace, ecc.) **3** (leg., USA: in Louisiana) curatore di beni **4** conservatore (di galleria d'arte, museo, ecc.) **5** membro del consiglio di amministrazione di un'università || **curatorial** a. pertinente ad amministratore, a curatore, a conservatore, ecc. || **curatorship** n. ⓤꜱ **1** ufficio d'amministratore, conservatore, ecc. **2** (leg., in Scozia) curatela, tutela (di un minorenne).

curb /kɜːb/ n. **1** (equit., = **c. chain**) barbozzale (di un morso) **2** (fig.) freno; impedimento; ostacolo: **We must put a c. on inflation**, dobbiamo porre freno all'inflazione **3** (costr. stradali, USA) cordolo; cordone (di marciapiede) **4** (= **well c.**) parapetto circolare d'un pozzo **5** (vet.) corba **6** (archit.) spiovente inferiore (di tetto a mansarda) ● (equit.) **c. bit**, morso Weymouth (delle redini) □ (fin., USA) **c. exchange** (o **c. market**), terzo mercato; mercatino; dopoborsa; (stor.) nomi dati (dal 1911 al 1953) all'attuale «American Stock Exchange» di New York □ (equit.) **c. rein**, redine del filetto □ (edil.) **c. roof**, tetto a mansarda □ (fig.) **to keep a c. on one's passions**, tenere a freno le proprie passioni.

to **curb** /kɜːb/ v. t. **1** (equit.) mettere il morso a (un cavallo) **2** tenere a freno (un cavallo, ecc.); dominare, vincere (le passioni, ecc.); contenere: **to c. one's tongue**, tenere a freno la lingua; (econ.) **to c. inflationary pressures**, contenere le spinte inflazionistiche **3** (equit.) provvedere (un morso di cavallo) di barbozzale.

curbside /'kɜːbsaɪd/ (USA) → **kerbside**.

curbstone /'kɜːbstəʊn/ (USA) **A** n. pietra del cordolo (del marciapiede) **B** a. attr. dilettante; improvvisato.

curcuma /'kɜːkjʊmə/ n. **1** (bot., Curcuma) curcuma **2** ⓤ (med., tintoria) curcumina ● (chim.) **c. paper**, carta alla curcuma.

curcumin /'kɜːkjʊmɪn/ n. ⓤ (chim.) curcumina.

curd /kɜːd/ n. (spesso al pl.) cagliata; latte cagliato; giuncata ● **c. cheese**, ricotta □ **curds and whey**, latte cagliato e siero; giun-

cata || **curdy** a. simile alla cagliata; gelatinoso.

to **curdle** /'kɜːdl/ **A** v. i. **1** (del latte) cagliare; rapprendersi **2** (fig.) coagularsi, gelarsi (fig.): **My blood curdled at the sight of the corpse**, mi si gelò il sangue alla vista del cadavere **B** v. t. **1** cagliare; fare rapprendere **2** (fig.) far gelare (il sangue).

cure /kjʊə(r)/ n. **1** (med.) rimedio; cura, terapia (che guarisce): **a c. for cancer**, una cura per il cancro; **rest c.**, cura del sonno **2** (med.) guarigione: **complete c.**, guarigione completa; **to effect a c.**, portare alla guarigione; **beyond c.**, inguaribile **3** (relig.) cura: **the c. of souls**, la cura delle anime **4** soluzione (di un problema); rimedio **5** ⓤ conservazione (di carne, pesce, ecc., salando o affumicando) **6** ⓤ vulcanizzazione (della gomma) **7** ⓤ concia (del tabacco) **8** ⓤ (edil.) maturazione (del cemento) ● (fam. USA) **to take the c.**, rinunciare a un vizio (o a un'abitudine) piacevole; fare un fioretto (fig.).

♦to **cure** /kjʊə(r)/ **A** v. t. **1** guarire: **These pills will c. you**, queste pillole ti guariranno; **to be cured of st.**, guarire da qc. **2** (med.) debellare (una malattia): **to c. cancer**, curare il cancro **3** porre rimedio a; risolvere il problema di: **to c. poverty**, porre rimedio alla miseria **4** conservare (carne, pesce, ecc., salando o affumicando) **5** vulcanizzare (gomma) **6** conciare (tabacco) **7** (edil.) far maturare (il cemento) **B** v. i. (d'alimenti) conservarsi.

cure-all /'kjʊərɔːl/ n. panacea; toccasana.

curer /'kjʊərə(r)/ n. **1** guaritore, guaritrice **2** salatore di cibi **3** conciatore (di tabacco).

curet /kjʊə'ret/ → **curette**.

curettage /ˌkjʊərɪ'tɑːʒ, kjʊə'retɪdʒ/ n. ⓤꜱ (med.) raschiamento.

curette /kjʊə'ret/ n. (med.) curetta; cucchiaio da chirurgo.

to **curette** /kjʊə'ret/ v. t. (med.) sottoporre (una donna) a un raschiamento.

curfew /'kɜːfjuː/ n. (stor., mil. e polit.) **1** coprifuoco **2** segnale del coprifuoco ● (stor.) **c. bell**, campana della sera □ 'The c. tolls the knell of parting day' T. GRAY, 'la campana della sera rintocca per il giorno che muore'.

Curia /'kjʊərɪə/ n. (lat.), (stor. romana, relig.) n. (pl. **Curiae**) curia || **Curial** a. curiale.

curie /'kjʊərɪ/ n. (fis.) curie (unità di misura).

curing /'kjʊərɪŋ/ n. ⓤ **1** (med.) guarigione **2** conservazione (di alimenti) **3** vulcanizzazione (della gomma) **4** conciatura (del tabacco).

curio /'kjʊərɪəʊ/ n. (pl. **curios**) curiosità; rarità; oggetto artistico.

curiosity /ˌkjʊərɪ'ɒsɪtɪ/ n. ⓤꜱ **1** curiosità; desiderio di sapere: **to burn with c.**, ardere di curiosità **2** curiosità, stranezza (di una cosa) **3** oggetto raro (o artistico); curiosità; rarità **4** curiosità; individuo strano, singolare: **I was still a c. for the natives**, per gli indigeni ero ancora una curiosità ● (prov.) **C. killed the cat**, tanto va la gatta al lardo che ci lascia lo zampino.

♦**curious** /'kjʊərɪəs/ a. **1** curioso: **a c. little girl**, una ragazzina curiosa; **a c. neighbour**, un vicino curioso; **to be c. to know st.**, essere curioso di sapere qc.; **I'm just c.**, chiedevo solo per curiosità **2** curioso; strano; singolare: **a c. noise**, un curioso rumore; **It's a c. thing that he hasn't turned up**, è curioso (o strano) che non si sia fatto vedere **3** (USA: di libro, ecc.) erotico; pornografico ● **c.-looking**, dall'aspetto strano; curioso; singolare.

curiously /'kjʊərɪəslɪ/ avv. **1** curiosamente; con curiosità **2** stranamente **3** con curiosità; in modo indiscreto ● **c. enough**, strano a dirsi.

curiousness /'kjʊərɪəsnəs/ n. ⓤ **1** curiosità **2** stranezza; singolarità.

curium /'kjʊərɪəm/ n. ⓤ (chim.) curio.

curl /kɜːl/ n. **1** riccio; ricciolo **2** spira, voluta (di fumo, ecc.) **3** ⓤ arricciatura (dei capelli); arricciamento; accartocciamento (della carta, ecc.) **4** ⓤ (bot.) accartocciamento delle foglie (per malattia) **5** (ind.) ricciolo (per farne impiallacciati) **6** (naut.) giro di bitta **7** (fis.) rotore ● **a c. of the lip**, una smorfia di disprezzo □ **c. paper**, bigodino di carta □ **to wear one's hair in c.**, tenere i capelli arricciati (o in piega).

to **curl** /kɜːl/ **A** v. t. **1** arricciare: **to c. one's moustache**, arricciarsi i baffi **2** arrotolare; avvolgere a spirale **3** arricciare; increspare; storcere: **to c. one's mouth**, storcere la bocca; arricciare il naso; **to c. one's lip**, arricciare le labbra (per disprezzo) **B** v. i. **1** arricciarsi; essere riccio: **Your hair curls naturally**, i tuoi capelli sono ricci per natura **2** arrotolarsi; avvolgersi a spirale **3** (sport) giocare a curling ● **to c. oneself up**, rannicchiarsi □ **to c. into a ball**, raggomitolarsi □ **to c. up**, arricciarsi, avvolgersi a spirale; (del fumo) salire in spire; rannicchiarsi, raggomitolarsi □ **to c. up the corners of a book**, piegare gli orli d'un libro; fare le orecchie a un libro □ **That'll make your hair c.**, ti si rizzeranno i capelli!

curler /'kɜːlə(r)/ n. **1** bigodino: **to put one's hair in curlers**, mettersi i bigodini **2** (sport) giocatore di curling (→ **curling**, def. 2).

curlew /'kɜːljuː/ n. (pl. **curlews**, **curlew**) (zool., Numenius arquata) chiurlo.

curlicue /'kɜːlɪkjuː/ n. **1** ghirigoro; svolazzo **2** (pattinaggio artistico) figura.

curling /'kɜːlɪŋ/ n. ⓤ **1** arricciatura, arrotolamento, ecc. (→ **to curl**) **2** (sport) curling (lancio di dischi speciali sul ghiaccio) ● **c. irons** (o **c. pins**), ferro per arricciare i capelli; arricciacapelli elettrico □ (mecc.) **c. machine**, bordatrice (di barattoli) □ (sport) **c. stone**, disco speciale da curling (col manico) □ **c. tongs** = **c. irons** → sopra.

♦**curly** /'kɜːlɪ/ a. **1** (di capelli, pelo) riccio; ricciuto: **c.-headed**, ricciuto; dai capelli ricci: **My hair is naturally c.**, i miei ricci sono naturali; **to go c.**, arricciarsi **2** arricciato; riccio; ripiegato; arrotolato: **c. leaves**, foglie arricciate; **c. edges**, angoli arrotolati **3** ritorto; a spirale: **c. horns**, corna a spirale ● **c. bracket**, graffa □ **c. endive**, indivia riccia □ **c. kale**, cavolo riccio || **curliness** n. ⓤ l'essere riccio; arricciatura; ondulazione (dei capelli).

curmudgeon /kɜː'mʌdʒən/ (fam.) n. **1** individuo bisbetico, intrattabile; vecchio stizzoso **2** (arc.) spilorcio; taccagno || **curmudgeonliness** n. ⓤ carattere bisbetico, intrattabilità; stizzosità || **curmudgeonly** a. bisbetico; intrattabile; stizzoso.

curragh ①, **currach** /'kʌrə/ → **coracle**.

curragh ② /'kʌrə/ n. (irl.) terreno paludoso ● **the C.**, piazza d'armi e ippodromo presso Dublino.

currant /'kʌrənt/ n. (bot.) **1** (spec. al pl.) (uva) sultanina **2** (Ribes) ribes: **red c.**, ribes rosso ● **c. bread**, pane con l'uva.

❶ NOTA: *currant* o *current*?

Il sostantivo *currant* indica l'uvetta: *200 grams of currants*, 200 grammi di uvetta; significa anche "ribes" e viene utilizzato in parole composte per indicare alcune varietà di ribes: *blackcurrant*, ribes nero. Come sostantivo, *current* invece significa "corrente", nel senso di un flusso d'acqua, aria o elettricità: *to be swept along by the strong current*, essere spazzati via da una forte corrente; *240 volts alternating current*, corrente alternata a 240 volt. *Currant* e *current* si pronunciano allo stesso modo.

◆**currency** /'kʌrənsɪ/ **A** n. **1** ⎡CU⎤ (*fin.*) moneta; valuta; divisa: *Italy was in need of a stable c.*, l'Italia aveva bisogno di una moneta stabile; **to allow currencies to fluctuate**, permettere alle valute di fluttuare; **foreign currencies**, valute (*o* divise) estere; **in foreign c.**, in valuta (*o* divisa) estera **2** (*fin.*) circolante; medio circolante **3** ⎡U⎤ (*fin.*) circolazione (*di monete*) **4** (*ass., fin.*) periodo di validità, decorso (*di un'assicurazione, di una cambiale, ecc.*) **5** ⎡U⎤ (*fig.*) circolazione; diffusione: **the c. of ideas**, la circolazione delle idee; **to gain c.**, diffondersi; **to give c.**, diffondere; mettere in circolazione; **to enjoy widespread c.**, essere ampiamente diffuso; godere di grande successo **B** a. attr. (*fin.*) **1** monetario; valutario: **c. deflation**, deflazione monetaria; **c. depreciation**, deprezzamento valutario (*in regime di cambi flessibili*); **c. devaluation**, svalutazione ufficiale (*in regime di cambi fissi*); **c. grid**, griglia valutaria; **c. regulations**, norme valutarie **2** cartaceo: **c. circulation**, circolazione cartacea ● **c. adjustment**, conguaglio monetario □ (*fin.*) **c. alignment**, allineamento delle valute □ (*econ.*) **c. appreciation**, apprezzamento valutario (*con regime di cambi flessibili*) □ (*fin.*) **c. band**, banda valutaria □ (*fin.*) **c. basket**, paniere valutario □ (*fin.*) **c. dealer**, operatore in cambi; cambista □ (*fin.*) **c. fluctuations**, fluttuazioni valutarie □ (*fin.*) **c. market**, mercato delle valute □ (*fin.*) **c. parity**, parità monetaria □ (*fin.*) **c. rates**, tassi di cambio □ (*fin.*) **c. risk**, rischio di cambio □ (*fin.*) **c. swap**, riporto valutario (*o* in cambi) □ (*fin.*) **c. transactions**, manovre sulle valute □ (*fin.*) **c. unit**, unità monetaria; modulo monetario.

◆**current**① /'kʌrənt/ a. **1** corrente; in corso; attuale; del giorno: **c. beliefs**, opinioni correnti; **c. money**, moneta corrente; **the c. month**, il mese corrente (*o* in corso); **the c. fashion**, la moda attuale; **my c. job**, il mio lavoro attuale; **in c. use**, di uso corrente **2** di uso corrente: **a c. word**, una parola di uso corrente **3** (*ind.: di modello*) di serie **4** (*comput.: di programma*) in corso ● **c. account**, (*banca*) conto corrente; (*fin., comm. est.*) conto corrente (*della bilancia dei pagamenti*) □ (*banca*) **c. account holder**, correntista □ (*banca*) **c. account statement**, estratto di conto corrente □ **c. affairs**, affari correnti; (*radio, TV*) attualità: **c. affairs programme**, programma d'attualità □ (*fin., rag.*) **c. assets**, (*di impresa*) attivo circolante; (*di individuo*) attività liquide □ (*fin.*) **c. balance**, saldo del conto corrente □ (*econ.*) **the c. economic situation**, la congiuntura economica □ (*rag.*) **c.-cost accounting**, contabilità a costi correnti □ **c. events**, eventi attuali; fatti del giorno; attualità (pl.) □ (*fin.*) **c. expenditure**, spese correnti (*o* di esercizio) □ (*comput.*) **c. instruction**, istruzione corrente □ (*banca*) **c. interest**, interessi in corso (*o* applicati) □ (*fin., rag.*) **c. liabilities**, passività correnti (*o* a breve) □ (*fin., econ.*) **c. market value**, valore di mercato corrente □ (*market.*) **c. price**, prezzo corrente: **c. price list**, listino dei prezzi correnti □ (*fin.*) **the c. rate of exchange**, il tasso di cambio del giorno □ (*econ.*) **c. ratio**, rapporto di liquidità corrente □ (*econ.*) **c. standard cost**, costo standard corrente □ (*fin.*) **c. transactions**, operazioni correnti □ **to be c.**, (*di una moneta*) avere corso; essere valida; **c. coins**, monete metalliche in corso □ **This banknote is no longer c.**, questa banconota è fuori corso.

current② /'kʌrənt/ n. **1** corrente: **the c. of the river**, la corrente del fiume; **a c. of cold air**, una corrente d'aria fredda **2** (*elettr.*) corrente: **direct c.**, corrente continua; **alternating c.**, corrente alternata **3** (*fig.*) corrente: **currents of public opinion**, correnti d'opinione pubblica **4** (*fig.*) corso: **in the c. of events**, nel corso degli eventi;

That event modified the whole c. of his life, quell'avvenimento modificò l'intero corso della sua vita ● (*elettr.*) **c. amplifier**, amplificatore di corrente □ (*elettr.*) **c. breaker**, interruttore □ (*fis.*) **c. density**, densità di corrente □ (*elettron.*) **c. feed**, alimentazione in corrente □ (*elettron.*) **c. feedback**, retroazione di corrente □ **c. meter**, (*elettr.*) misuratore di corrente; (*idraul.*) correntometro □ (*elettr.*) **c. noise**, rumore elettrico □ (*elettr.*) **c. regulator**, stabilizzatore di corrente ❶ **NOTA:** *currant o current?* → **currant**.

◆**currently** /'kʌrəntlɪ/ avv. al momento; attualmente; ora.

curricle /'kʌrɪkl/ n. calesse (*di solito a due cavalli*).

◆**curriculum** /kə'rɪkjʊləm/ n. (pl. *curricula*, *curriculums*) curriculum; programma di studi; curricolo ● **c. development specialist**, programmatore (*nelle scuole*) □ **c. vitae** (abbr. **CV**), curricolo; curriculum vitae □ **curricular** a. di un curricolo; curricolare; curriculare.

currier /'kʌrɪə(r)/ n. conciatore; conciapelli.

currish /'kɜːrɪʃ/ a. **1** da cane bastardo; ringhioso (*anche fig.*): **a c. man**, un uomo ringhioso **2** intrattabile; irascibile **3** meschino; basso; volgare; spregevole | **-ly** avv. | **-ness** n. ⎡U⎤.

curry /'kʌrɪ/ n. (*cucina*) **1** ⎡U⎤ curry **2** pietanza aromatizzata con il curry ● **c. powder**, curry (*mistura di varie spezie*) □ **shrimp c.**, gamberetti al curry.

to **curry**① /'kʌrɪ/ v. t. (*cucina*) **1** condire col curry **2** cucinare col curry.

to **curry**② /'kʌrɪ/ v. t. strigliare (*un cavallo, ecc.*) **2** conciare (*pelli*) **3** (*fig.*) conciare per le feste; bastonare; picchiare ● **to c. favour with sb.**, cercare d'ingraziarsi q. adulandolo.

curry-comb, **currycomb** /'kʌrɪkəʊm/ n. (*equit.*) striglia.

curse /kɜːs/ n. **1** maledizione (*in ogni senso*): **to be under a c.**, sentirsi pesare sul capo una maledizione **2** imprecazione; bestemmia; parolaccia **3** calamità; sventura; sciagura; disgrazia: *Once malaria was a c. in Sardinia*, una volta la malaria era una calamità della Sardegna; *He is a c. to his family*, è la disgrazia della sua famiglia **4** (*relig.*) anatema; scomunica **5** (*slang eufem.*) – **the c.**, le mestruazioni (pl.) ● **to give a couple of curses**, dire due parolacce; tirare un paio di moccoli (*fam.*) □ **to put a c. on sb.**, scagliare una maledizione contro q. □ (*fam.*) **I don't care** (*o* **give**) **a c. for it**, non me ne importa un accidente.

to **curse** /kɜːs/ (pass. e p. p. **cursed**, arc. **curst**) **A** v. t. **1** maledire: *The witch cursed the knight*, la strega maledisse il cavaliere **2** inveire, imprecare contro: *He cursed the man who had stepped on his toes*, inveì contro l'uomo che gli aveva pestato i piedi; **to c. oneself**, imprecare contro sé stessi; dare dell'imbecille **3** (*relig.*) scomunicare **B** v. i. imprecare; bestemmiare: *Stop cursing!*, smettila d'imprecare! ● **to be cursed with st.**, essere afflitto, tormentato da; (*anche iron.*) avere la disgrazia di avere qc.: *We were cursed with swarms of mosquitoes*, eravamo tormentati da nugoli di zanzare; *I'm cursed with a long memory*, per mia disgrazia possiedo una memoria lunga □ **C. it!**, accidenti!; maledizione!

cursed /'kɜːsɪd/ a. **1** (che è stato) maledetto **2** (*fam. antiq.*) maledetto (*fig.*); scocciante: *It's a c. nuisance*, è una maledetta scocciatura | **-ness** n. ⎡U⎤.

cursive /'kɜːsɪv/ a. e n. (*anche tipogr.*) corsivo.

cursor /'kɜːsə(r)/ n. **1** (*scient., mecc.*) cursore; indice mobile **2** (*comput.*) cursore;

puntatore; freccia (*di videogioco*) **3** cavallino (*di schedario*).

cursorial /kɜː'sɔːrɪəl/ a. attr. (*zool.*) (*dello struzzo, ecc.*) atto alla corsa; corridore.

cursory /'kɜːsərɪ/ a. frettoloso; rapido; superficiale: *I gave a c. glance at the headlines in the paper*, diedi una rapida occhiata (*o* una scorsa) ai titoli del giornale; **c. reading**, lettura veloce | **-ily** avv. | **-iness** n. ⎡U⎤.

curst /kɜːst/ **A** pass. e p. p. (*arc.*) di to **curse B** a. → **cursed**.

curt /kɜːt/ a. **1** reciso; brusco; asciutto; secco (*fig.*): **a c. reply**, una secca risposta **2** (*lett.*) corto; breve; conciso ❶ **FALSI AMICI** ● *nell'inglese non letterario* curt *non significa* corto.

to **curtail** /kɜː'teɪl/ v. t. **1** abbreviare; accorciare: **to c. the working week**, accorciare la settimana lavorativa; **to c. a visit**, abbreviare una visita **2** decurtare; ridurre: **to c. a monthly allowance of money**, decurtare un assegno mensile in denaro; **to c. wages**, ridurre i salari **3** (*econ., ecc.*) limitare; contingentare: **to c. the production of consumer goods**, contingentare la produzione dei beni di consumo.

curtailing /kɜː'teɪlɪŋ/, **curtailment** /kɜː'teɪlmənt/ n. ⎡U⎤ **1** accorciamento **2** decurtazione; diminuzione; riduzione **3** limitazione; contingentamento: **the c. of sb.'s powers**, la limitazione dei poteri di q.; (*econ.*) **the c. of production**, il contingentamento della produzione.

◆**curtain** /'kɜːtn/ n. **1** tenda; tendina; cortina: **cretonne curtains**, tendine di cretonne; **to pull back** [**to draw**] **the curtains**, aprire [chiudere] le tende (*tirandole*) **2** (*fig.*) cortina: **a c. of smoke**, una cortina di fumo; (*polit., stor.*) **the iron c.**, la cortina di ferro **3** (*teatr.*) sipario; tela: **to rise** [**to drop**] **the c.**, alzare [lasciar cadere] il sipario; *The c. rose on an empty stage*, il sipario si alzò rivelando una scena vuota; *The c. goes up at 8 p.m.*, il sipario si alza (*o* lo spettacolo ha inizio) alle 8; *The c. falls* (*o* drops, *is dropped*), cala la tela (*o* il sipario); *The c. fell* (*o* came down) *to thundering applause*, il sipario calò accompagnato da un applauso scrosciante; **C. up!**, su! il sipario **4** (*edil.,* = **c. wall**) parete divisoria; muro non portante **5** (*fis. nucl.*) cortina; striscia ● (*edil.*) **c. board**, tramezzo antincendio □ (*teatr.*) **c. call**, chiamata alla ribalta: (*di un attore*) **to take a c. call**, essere chiamato alla ribalta □ (*mil.*) **c. fire**, fuoco di sbarramento □ **c. hook**, gancio da tenda □ (*antiq.*) **c. lecture**, ramanzina a quattr'occhi (*di una moglie al marito*) □ **c. maker**, tendaggista □ **c. rail**, binario da tenda; riloga □ **c. raiser**, (*teatr.*) breve spettacolo d'apertura; avanspettacolo; (*fig.*) prologo, preambolo □ **c. ring**, anello da tenda (*o* **c. rod**, asticciola da tenda □ (*teatr.*) **c. speech**, discorso finale di ringraziamento (*di un attore, davanti al sipario chiuso*) □ (*teatr.*) **c.-up**, l'alzarsi del sipario □ **c. wall**, (*archit., di castello, ecc.*) cortina, muraglia; (*edil.*) parete non portante; parete divisoria □ (*teatr. e fig.*) **behind the c.**, dietro le quinte □ (*fig.*) **to bring down the c. on st.**, porre fine a qc. □ (*fig.*) **to draw a c. on** (*o* **over**) **st.**, stendere un velo su qc. □ (*teatr.*) **final c.**, fine dello spettacolo □ (*fig.*) **to lift the c. on st.**, aprire una finestra su qc. (*di segreto, nascosto, ecc.*); svelare qc. □ (*teatr.*) **opening c.**, (l') alzarsi del sipario; inizio dello spettacolo □ (*fig.*) **to raise the c. on st.**, dare inizio a qc. □ (*teatr.*) **to take the c.**, venire alla ribalta (*per ricevere un applauso*) □ (*fam.*) **It will be curtains for him**, per lui sarà la fine; sarà la morte.

to **curtain** /'kɜːtn/ v. t. **1** provvedere di tende (*o* tendine) **2** coprire (qc.) con una tenda ● **to c. off**, dividere (*o* separare) con

a b c d e f g h i j k l m n o p q r s t u v w x y z

una tenda (*o* una tendina); (*fig.*) nascondere alla vista; celare.

curtesy /'kɜːtəsɪ/ *n.* ⓤ (*leg.*, *stor.*) usufrutto a vita (*di un vedovo: sui beni della moglie*).

curtly /'kɜːtlɪ/ *avv.* bruscamente; seccamente.

curtness /'kɜːtnəs/ *n.* ⓤ **1** bruschezza; modi bruschi; tono perentorio **2** concisione.

curtsy, **curtsey** /'kɜːtsɪ/ *n.* inchino, riverenza (*di donna*): **to make** (*o* **to drop**, **to bob**) **a c.**, fare un inchino; fare la riverenza.

to **curtsy**, to **curtsey** /'kɜːtsɪ/ *v. i.* (*di donna*) fare un inchino; fare la riverenza.

curule /'kjʊəruːl/ *a.* (*stor. romana*) curule: **a c. chair**, una sedia curule.

curvaceous /kɜːˈveɪʃəs/ *a.* (*fam.*) (*di donna*) piena di curve; formosa; procace.

curvature /'kɜːvətʃə(r)/ *n.* ⓤ curvatura (*anche mat.*): (*anat.*) **c. of the spine**, curvatura della spina dorsale; **the c. of space**, la curvatura dello spazio.

♦**curve** /kɜːv/ *n.* **1** (linea) curva **2** (*di strada*) curva; svolta: (*autom.*) **blind c.**, curva cieca; **to round a c.**, prendere una curva **3** (*scient.*) curva; diagramma: (*mat.*) **plane c.**, curva piana; (*stat.*) **c. fitting**, adattamento della curva; (*econ.*) **demand c.**, curva di domanda; **learning c.**, curva di apprendimento **4** (al pl.) curve (*femminili*) **5** (*baseball*, *anche* **c. ball**) palla lanciata con l'effetto; lancio a parabola ● (*fam. USA*) **to throw sb. a c.**, prendere q. in contropiede; cogliere q. di sorpresa; cogliere q. spiazzato □ (*autom.*) **Bad curves ahead** (*cartello*), curve pericolose □ (*grafica*) **French c.**, curvilineo (sost.).

to **curve** /kɜːv/ ⒜ *v. t.* curvare; piegare ⒝ *v. i.* (*di strada*) svoltare; piegare (*verso un punto, un luogo*); descrivere una curva.

curved /kɜːvd/ *a.* curvo: **a c. surface**, una superficie curva.

curvet /kɜːˈvɛt/ *n.* (*equit.*) corvetta (*del cavallo*).

to **curvet** /kɜːˈvɛt/ (*equit.*) ⒜ *v. i.* (*del cavallo o del cavaliere*) corvettare ⒝ *v. t.* far corvettare (*un cavallo*).

curvilineal /ˌkɜːvɪˈlɪnɪəl/, **curvilinear** /ˌkɜːvɪˈlɪnɪə(r)/ *a.* (*scient.*, *tecn.*) curvilineo.

curving /'kɜːvɪŋ/ *n.* ⓤ curvatura.

curvy /'kɜːvɪ/ *a.* **1** (*di strada, ecc.*) pieno di curve **2** (*fam.*, *di donna*) con belle curve; ben fatta.

cuscus /'kʌskʌs/ *n.* (*zool.*, *Cuscus*) cusco.

cushat /'kʌʃət/ *n.* (*scozz.*) (*zool.*, *Columba palumbus*) colombaccio.

♦**cushion** /'kʊʃn/ *n.* **1** cuscino (*per divano, ecc.*) **2** (*fig.*) cuscino: **a c. of air**, un cuscino d'aria **3** (*fig.*) cuscinetto; ammortizzatore; ancora di salvezza: *The growth of production is a good c. for our economy*, l'aumento della produzione è un buon cuscinetto per la nostra economia **4** sponda (*del biliardo*): **to play a ball off a c.**, giocare una bilia di sponda ● **c. cover**, copricuscino □ **c. craft**, veicolo su cuscino d'aria □ (*edil.*) **c. flooring**, posa di pavimenti con imbottitura.

to **cushion** /'kʊʃn/ *v. t.* **1** provvedere di cuscini; imbottire: **cushioned seat**, sedile imbottito **2** sostenere (*un degente, ecc.*) con cuscini **3** (*fig.*) attenuare; attutire; fare da cuscinetto a: *A reduction in labour costs would c. the blow of sharp tax rises*, una riduzione del costo della manodopera attutirebbe l'impatto dei forti aumenti delle imposte **4** assorbire, smorzare (*un urto*) **5** attenuare, attutire (*un suono*) **6** (*mecc.*) ammortizzare le scosse di (*un veicolo*) **7** (*fig.*) soffocare, mettere a tacere (*uno scandalo*) **8** (*biliardo*) mettere (*la bilia*) in sponda **9** (*sport*: *calcio, ecc.*) smorzare, ovattare (*un colpo*); domare, stoppare, addomesticare (*la palla*) ● (*tecn.*) **cushioning material**, mate-

riale per imbottitura (*di pacchi, ecc.*).

cushiony /'kʊʃənɪ/ *a.* (*fam.*) che fa da cuscino; che sorregge la schiena; morbido; soffice.

cushy /'kʊʃɪ/ *a.* (*slang*) comodo; facile; piacevole: **a c. task**, un compito facile.

cusp /kʌsp/ *n.* **1** cuspide (*in ogni senso*) **2** (*geol.*) apice **3** (*astron.*) corno d'astro (*o di luna*) ● (*astrol.*) **to be born on the c.**, essere nato in cuspide (*a cavallo di due segni dello zodiaco*) □ (*astron.*) **c. cap**, calotta cuspidale.

cuspid /'kʌspɪd/ *n.* (*anat.*) (dente) canino.

cuspidal /'kʌspɪdl/ *a.* cuspidale.

cuspidate /'kʌspɪdeɪt/ *a.* (*biol.*) cuspidato.

cuspidor /'kʌspɪdɔː(r)/ *n.* (*USA*) sputacchiera.

cuss /kʌs/ *n.* (*fam.*) **1** maledizione; imprecazione; bestemmia **2** (*scherz. o spreg.*) individuo; tipo: *He's a queer c.*, è un individuo strano ● (*USA*) **c. box** = **swear box**→ **swear** □ **c. word**, imprecazione; parolaccia □ **He doesn't care a c.**, non gliene importa un fico (*pop.*).

to **cuss** /kʌs/ *v. t. e i.* (*fam.*) maledire; imprecare; bestemmiare (contro q.).

cussed /'kʌsɪd/ *a.* (*fam.*) **1** a. ostinato; testardo || **cussedness** *n.* ⓤ ostinazione; testardaggine; caparbietà.

custard /'kʌstəd/ *n.* (*cucina*) crema pasticciera (*all'inglese*) ● (*bot.*) **c. apple**, (*Anona cherimolia*) anona; (*Anona reticulata*), cuor di bue □ (*cucina*) **c. pie**, torta alla crema pasticciera □ (*teatr.*) **c.-pie comedy**, commedia (*o farsa*) da torte in faccia □ (*fig.*) **c.-pie humour**, umorismo (*o comicità*) delle torte in faccia □ **c. powder**, preparato in polvere per crema pasticciera.

custodial /kʌˈstəʊdɪəl/ *a.* **1** relativo a custodia (*o a custode*) **2** (*leg.*) detentivo: **c. sentences**, condanne a pene detentive **3** (*USA, leg.*) affidatario: **c. parent**, genitore affidatario ● (*edil.*) **c. area**, area di servizio (*di un cantiere*) □ (*in USA*) **c. staff**, l'organico dei custodi e dei bidelli (*in un college*).

custodian /kʌˈstəʊdɪən/ *n.* **1** custode; guardiano **2** (*leg.*) custode; depositario **3** amministratore giudiziario **4** (*fin.*) banca depositaria.

custody /'kʌstədɪ/ *n.* ⓤ **1** custodia; protezione: **in safe c.**, al sicuro; depositato in cassetta di sicurezza; (*fin.*) **c. fees**, diritti di custodia **2** (*leg.*) affidamento (*di minore, spec. in un divorzio*); custodia: *He was awarded c. of his son*, il tribunale gli ha affidato il figlio **3** (*leg.*) custodia cautelare (*o preventiva*); stato d'arresto; fermo: **to be in c.**, essere in stato d'arresto; **to remand sb. in c.**, ordinare la custodia cautelare di q.; **to take into c.**, arrestare; fermare; trattenere in stato di fermo; **police c.**, fermo di polizia; **c. officer**, agente responsabile (*della custodia di un arrestato*).

♦**custom** /'kʌstəm/ ⒜ *n.* **1** ⒸⓊ costume; costumanza; consuetudine; abitudine; usanza; uso: *It was a c. with him to go to bed early*, era sua abitudine (*o suo costume*) andare a letto presto; **the old customs of our country**, le vecchie usanze del nostro paese **2** ⓤ (*leg.*) consuetudine; uso **3** ⓤ (*comm.*) l'essere clienti; il servirsi (*presso un negozio*): *We will withdraw our c. from that shop*, smetteremo di servirci in quel negozio; *We would like to have your c.*, gradiremmo che diventaste nostri clienti **4** ⓤ (*comm.*) clienti (pl.); clientela; avviamento: *The new supermarket has gained a lot of c.*, il nuovo supermercato s'è fatto molti clienti ⒝ *a.* **1** fatto su misura; fatto su ordinazione; personalizzato: (*comput.*) **c. fonts**, caratteri personalizzati **2** (*spec. USA*) che lavora su ordinazione: **c. tailor**, sarto che fa abiti su misura **3** (*dog.*) doganale; di dogana (*cfr.* **customs**,

⒝ ● **c.-built**, fatto (*o costruito*) su ordinazione (*o commissione*); fuori serie; (*fig.*) fatto apposta, ad hoc: (*autom.*) **a c.-built car**, una fuoriserie; **a c.-built yacht**, uno yacht costruito su commissione; **c.-built solution**, soluzione ad hoc □ (*dog.*) **c. collector**, esattore doganale □ **c.-designed**, progettato su misura □ (*fisc.*) **c.-free**, esente da dazio; in franchigia doganale □ **c. guitar**, chitarra personalizzata; chitarra custom □ (*d'abiti, scarpe, ecc.*) **c.-made**, fatto su ordinazione (*o su misura*): **a c.-made suit**, un abito fatto su misura □ (*di abito, ecc.*) **c.-tailored**, (fatto) su misura □ (*naut.*) **custom of the port**, usi portuali □ (*leg.*) **c. of trade**, uso commerciale.

customary /'kʌstəmərɪ/ ⒜ *a.* **1** consueto; abituale; usuale: **with c. care**, con la consueta cura (*o attenzione*) **2** (*leg.*) consuetudinario: **c. law**, diritto consuetudinario ⒝ *n.* **1** ⓤ usi e costumi **2** raccolta di usi e costumi (*di un luogo*) ● (*leg.*) **c. clause**, clausola d'uso (*in un contratto*) □ (*demogr.*) **c. marriage**, libera unione □ (*naut.*) **customary route**, rotta ordinaria □ (*comm.*, *trasp.*) **c. tare**, tara d'uso □ **as (is) c. at the port of Boston**, secondo gli usi del porto di Boston | **-ily** *avv.* | **-iness** *n.* ⓤ.

♦**customer** /'kʌstəmə(r)/ *n.* **1** (*comm.*) cliente; (*di bar*) avventore: **regular c.**, cliente fisso; **long-standing c.**, vecchio cliente; **to attract new customers**, attrarre nuovi clienti **2** (al pl., collett.) (*comm.*) clientela (sing.): *I call on my customers regularly*, visito la mia clientela a intervalli regolari **3** utente; fruitore (*di un servizio*) **4** (al pl.) (*rag.*) (conto) clienti (*intestazione*) **5** (*fam.*) individuo; tipo: **a cool c.**, un tipo tosto; **a tough c.**, un duro; *A mule can be an ugly c.*, a volte il mulo è una bestia intrattabile ● (*market.*) **c. care** (*o* **assistance**), assistenza alla clientela □ (*banca*) **c. code**, codice (del) cliente □ (*market.*) **c.-driven**, condizionato dalle esigenze (*o dai bisogni*) della clientela □ (*market.*) **c. facing**, a diretto contatto con il cliente □ (*rag.*) **customers ledger**, partitario clienti □ (*market.*) **c.-oriented**, orientato verso i desideri dei clienti (*o dell'utenza*); orientato al cliente □ (*market.*) **c. service**, servizio di assistenza (*ai clienti*).

customhouse /'kʌstəmhaʊs/ *n.* (*dog.*, *USA*) = **customs house** → **customs**.

customizable /'kʌstəmaɪzəbl/ *a.* (*spec. comput.*) personalizzabile.

to **customize** /'kʌstəmaɪz/ *v. t.* **1** personalizzare (*un prodotto*): **a customized car**, un'automobile personalizzata **2** (*comput.*) personalizzare (*un programma, ecc.*) **3** fare (*abiti, ecc.*) su misura (*o su ordinazione*).

customs /'kʌstəmz/ ⒜ *n.* (*dog.*) **1** ⓤ dogana: **to go through** (*o* **to clear**) **c.**, passare la dogana; **to clear through c.**, sdoganare, sdaziare (*merci, bagagli, ecc.*); **at the French c.**, alla dogana francese **2** (al pl.) diritti (*o dazi*) doganali; dogana (sing.) (*fam.*): *You don't have to pay any c. on these goods*, su queste merci non si paga dogana ⒝ *a. attr.* (*dog.*) doganale; di (*o della*) dogana: **c. charges**, diritti doganali; spese di dogana; **c. controls**, controlli doganali; **c. declaration**, dichiarazione doganale; **c. duties**, dazi (*o diritti*) doganali; **c. formalities**, formalità di dogana; **c. invoice**, fattura doganale; **c. surveyor**, ispettore di dogana; **c. station**, posto di dogana ● (*in GB, fino al 2005*) **C. and Excise = HM Revenue and C.** → *sotto* □ **c. and excise duties**, dazi interni ed esteri □ (*trasp.*) **c. agent**, spedizioniere doganale □ (*comm. est.*) **c. barriers**, barriere doganali □ **c. bill of entry**, (*dog.*) bolla (*o bolletta*) doganale; (*naut., in GB*) lista delle navi in arrivo e in partenza □ (*naut.*) **c. bond**, cauzione doganale □ (*trasp.*) **c. broker**, spedizioniere accreditato □ **c. clearance**, sdoganamento; sdaziamen-

to □ c. **drawback**, dazio di ritorno □ c. **entry**, dichiarazione doganale □ c. **examination**, visita (o ispezione) doganale □ (fisc.) c.-**free**, esente da dazio, in franchigia doganale □ c. **guard**, doganiere □ c. **house**, edificio (o ufficio) della dogana; dogana □ c. **inspection** = c. **examination** → sopra □ c. **officer**, funzionario della dogana; doganiere □ (trasp.) c. **permit**, bolletta di transito □ c. **specification**, distinta doganale □ c. **square**, piazzale della dogana □ c. **store**, magazzino doganale □ c. **tariff**, tariffa doganale □ (comm. est., econ.) c. **union**, unione doganale □ c. **warehouse**, magazzino doganale; deposito (o punto) franco □ c. **warrant**, buono di prelievo (dal magazzino doganale); nota di trasbordo (in GB, dal 2005) HM Revenue and C., Ufficio delle Imposte indirette.

♦**cut** ① /kʌt/ n. **1** taglio; incisione: **cuts on one's face**, tagli sulla faccia; **a cut through a hillside**, il taglio d'una collina (per aprire una strada) **2** taglio (in un testo, ecc.): **to make cuts in a film**, fare tagli a (o tagliare) un film **3** (= **haircut**) taglio (di capelli): Mohican cut, taglio alla mohicana; That cut suits you, quel taglio ti sta bene **4** colpo (di lama, arma da taglio); fendente; (con frusta) frustata, sferzata: He made a cut at his opponent, allungò un fendente all'avversario **5** (macelleria) taglio: **a nice cut of beef**, un bel taglio di manzo **6** (sartoria) taglio: **an elegant cut**, un taglio elegante **7** taglio; riduzione; ribasso: **a cut in wholesale prices**, un ribasso dei prezzi all'ingrosso; **a cut in wages**, una riduzione del salario; **salary cut**, riduzione di stipendio **8** (fig.) osservazione che ferisce; commento crudele **9** (fam. USA) – **the cut**, il far finta di non vedere q.: He gave me the cut, fece finta di non vedermi **10** (fam.) quota; parte; fetta (fam.) **11** (sport) taglio; colpo tagliato **12** (mus.) seduta d'incisione; (anche) brano inciso; disco; lato del disco **13** (cinem.) stacco **14** (cinem.) versione (dopo il montaggio); montaggio: **final cut**, montaggio finale; **director's cut**, montaggio (secondo le direttive) del regista **15** (alle carte) alzata; taglio **16** (ind. costr.) sezione in sterro d'una strada; trincea; scavo; galleria; canale **17** (elettr.) (GB) interruzione di corrente **18** (tipogr.) cliché; illustrazione; incisione; vignetta; (grafica) fotoincisione **19** (chim.) frazione **20** (balletto, danza) sforbiciata **21** (slang USA) prova; tentativo: **to have a cut at st.**, provare a fare qc. **22** (slang USA) assenza ingiustificata; bigiata, sega (pop.) ● (fam.) **to be a cut above sb.**, essere superiore a q. □ **cut and fill**, (ind. costr.) sezione in sterro e riporto; (geol.) erosione e riempimento □ (dal parrucchiere) **cut and set**, taglio e (messa in) piega □ (fig.) **cut and thrust**, schermaglia (in un dibattito, ecc.); competitività (in un'attività) □ **cut man**, (giorn.) addetto alle pagine pubblicitarie; (boxe) addetto alla medicazione delle ferite (durante un incontro) □ (fam. antiq.) **the cut of sb.'s jib**, l'aspetto di q.; i modi di q.

cut ② /kʌt/ a. **1** tagliato; reciso: **cut flowers**, fiori recisi **2** (di tabacco) trinciato **3** (bot.) lobato **4** (di vetro) intagliato (→ **cut glass**) **5** (di animale) castrato ● (Austral.) **cut lunch**, pranzo al sacco □ (comm.) **cut-price**, a prezzo ridotto □ (comm.) **cut-price shop** (o **store**), negozio che pratica forti sconti; negozio che vende a prezzi stracciati (fam.) □ **cut-rate**, a tariffa ridotta; (USA) a prezzo ridotto: **cut-rate electricity**, energia elettrica a tariffa ridotta □ **cut-to-fit**, regolabile: **cut-to-fit belt**, cintura (da uomo) regolabile (servendosi dei fori) □ (di abito) **well cut**, dal buon taglio; di buona fattura.

♦**to cut** /kʌt/ (pass. e p. p. **cut**) Ⓐ v. t. **1** tagliare: **to cut a slice of bread**, tagliare una fetta di pane; **to cut one's finger**, tagliarsi un dito; **to cut one's face**, farsi un taglio in faccia; **to cut a diamond**, tagliare un diamante; **to cut one's nails**, tagliarsi le unghie; **to have** (o **to get**) **one's hair cut**, farsi tagliare i capelli; **to cut timber**, tagliare (o spaccare) la legna; **to cut st. in half [into four]**, tagliare qc. a metà [in quattro]; **to cut into quarters [into diamonds]**, tagliare in quarti [a losanghe]; **to cut into pieces**, tagliare in (o a) pezzi; **to cut st. open**, aprire qc. (con un coltello, ecc.); spaccare; squartare (un animale); **to cut one's head open**, spaccarsi la testa **2** tagliare; fare tagli a: **to cut an article [a film]**, tagliare un articolo [un film] **3** intagliare; incidere: **to cut a heart on a tree**, incidere un cuore su un albero **4** fare, costruire (tagliando qc.); tagliare; aprire; scavare: **to cut a key**, tagliare una chiave; **to cut a road through a hill**, costruire una strada tagliando il fianco d'un colle; **to cut a tunnel through a mountain**, scavare una galleria attraverso un monte **5** (agric.) falciare; mietere: **to cut hay**, falciare il fieno; **to cut wheat**, mietere il grano **6** (comm.) tagliare; abbassare; ridurre: **to cut expenses**, tagliare le spese; **to cut profits**, ridurre i profitti; Are they going to cut my salary?, intendono forse ridurmi lo stipendio? **7** (sport) colpire di taglio, tagliare (una palla): **to cut the ball underneath**, tagliare la palla dal disotto **8** ferire (fig.); addolorare; His sarcasm cut me to the quick, il suo sarcasmo mi ferì nel profondo del cuore **9** penetrare: The icy blast cut him to the marrow, il vento gelido gli penetrava fin nelle ossa **10** (arte) intagliare; scolpire, incidere (sulla pietra, su un metallo): **to cut a cameo**, intagliare un cammeo **11** (tecn.) filettare (una vite) **12** (tecn.) molare (vetro) **13** (fam.) ignorare; fingere di non vedere (o di non conoscere); non salutare: When he passed me on the street, he cut me, quando m'incontrò per la strada, finse di non conoscermi **14** (fam.) marinare; saltare (fam.); bigiare (fam.): **to cut math**, saltare la lezione di matematica; **to cut classes**, saltare le lezioni; marinare la scuola **15** (fam.) smettere; piantarla con: Cut the noise!, smetti (o piantala) di far rumore!; Cut the sarcasm!, basta coi sarcasmi! **16** (cinem.) montare (un film) **17** (mus.) incidere (un disco, o su disco) **18** tagliare, diluire (droga, ecc.) **19** (fam. USA) dividere, spartire (profitti, vincite, spese, ecc.) **20** (fam. USA) battere, superare (q.) **21** (zootecnia) castrare **22** (USA) interrompere (un circuito elettrico); spegnere (un motore) **23** (USA) staccare (una vacca, ecc.) dalla mandria Ⓑ v. i. **1** tagliare: This knife cuts well, questo coltello taglia bene; **to cut along the dotted line**, tagliare lungo la linea tratteggiata **2** tagliarsi: This wood cuts easily, questo legno si taglia bene; This cake will cut into at least eight, questa torta ci escono almeno otto fette **3** andare (in una data direzione); tagliare (fam.): We cut across the meadows, tagliammo (o prendemmo) per i prati; **to cut across sb.'s path**, tagliare la strada a q.; (autom.) **to cut in front of** (o **to cut ahead of**), tagliare la strada a (q.) sorpassando **4** (sport) tagliare una palla **5** (cinem.) interrompere la ripresa; (anche) fare uno stacco (su q. o qc.): Cut on the car!, stacco sull'auto! **6** (danza) fare una sforbiciata **7** (a carte) tagliare il mazzo; alzare: **to cut for the deal**, alzare una carta per decidere a chi tocca smazzare; **to cut for partners**, alzare una carta per formare le coppie ● (anche comput.) **to cut and paste**, tagliare e incollare □ (fam.) **to cut and run**, tagliare la corda; darsela a gambe; (naut.) **to cut a boat loose**, tagliare il cavo d'ormeggio di una barca □ **to cut both ways**, essere a doppio taglio; (fig.) funzionare nei due sensi, valere per entrambi; (anche) avere vantaggi e svantaggi □ **to cut a caper**, fare una capriola □ **to cut the cards**, tagliare le carte □ (fig.) **to cut one's coat according to one's cloth**, fare il passo secondo la gamba □ **to cut corners** → **corner** □ **to cut a dash**, fare un figurone; fare colpo □ **to cut sb. dead**, ignorare q.; fingere di non vedere (o di non conoscere) q. □ (fam. USA) **to cut a deal**, fare un accordo; accordarsi □ **to cut a... figure**, fare una data impressione; apparire in un dato modo: **to cut a fine figure** (o **quite a figure**) farsi notare (per l'eleganza, ecc.); fare colpo; **to cut a poor figure**, avere l'aria da poco; sfigurare; **to cut a sorry figure**, avere un aspetto miserando; fare pena □ **to cut sb. free**, liberare qc. (tagliando lacci, ecc.); tagliare le corde, ecc. che imprigionano q. □ **to be cut from the same cloth**, essere uguale (a un altro) □ (fig.) **to cut the (Gordian) knot**, tagliare il nodo (gordiano); tagliare la testa al toro (fig.) □ (fig.) **to cut the ground from under sb.'s feet** (o **from under sb.**), cogliere di sorpresa q.; spiazzare q. □ (USA) **to cut in line**, saltare la coda; passare avanti □ (fam.) **to cut it fine** (o **close**), farcela, riuscire per un pelo □ **to cut a long story short**, per tagliar corto; per farla breve □ **to cut st. [sb.] loose**, liberare qc. [q.]; sciogliere qc. [q.]; (fam. USA) **to cut loose**, liberarsi (da un'autorità, un'influenza, ecc.); voltare le spalle; sganciarsi; emanciparsi; (fam.) lasciarsi andare, scatenarsi □ **to cut one's losses**, abbandonare un'impresa in perdita prima che sia troppo tardi; ridurre le perdite □ (comm., fin.) **to cut margins**, ridurre i margini (di guadagno) □ (slang) **to cut the mustard**, dimostrarsi all'altezza □ (fam.) **to cut no ice with sb.**, non fare effetto a q.; lasciare indifferente q. □ (sport) **to cut the record**, battere il primato □ **to cut short**, interrompere (bruscamente): I was cut short by Tom, fui interrotto da Tom; Tom mi tolse la parola; **to cut a conversation short**, troncare una conversazione; tagliar corto; **to cut a holiday short**, interrompere (o abbreviare) una vacanza □ (slang USA) **to cut to the chase**, venire al sodo □ **to cut to shreds**, ridurre a brandelli; tagliuzzare □ **to cut to pieces**, fare a pezzi; (fig.) distruggere, annientare □ **to cut one's teeth**, (di bambino) mettere i denti; (fig.) farsi le ossa □ **to cut one's way through st.**, aprirsi un varco (o un passaggio) in qc. (tagliando rami, ecc.).

■ **cut across** v. i. + prep. **1** (fig.) prescindere da, non tener conto di: **a position that cuts across party lines**, una posizione che prescinde dagli schieramenti politici **2** interrompere (una conversazione) **3** ostacolare, ostruire (la vista).

■ **cut along** v. i. + avv. (fam. GB) andarsene alla svelta; filare via; scappare: Well, cut along now, it's getting late, be', ora vattene che si fa tardi.

■ **cut at** v. i. + prep. **1** tentare di tagliare **2** tentare di colpire (con un'arma da taglio).

■ **cut away** v. t. + avv. **1** tagliar via; recidere; troncare; asportare, eliminare tagliando **2** (al passivo) (sartoria, di indumento) essere tagliato; avere uno spacco **3** (archit., di modellino) essere aperto; presentare uno spaccato.

■ **cut back** Ⓐ v. t. + avv. **1** cimare, potare (una pianta) **2** tagliare, ridurre: (econ.) **to cut back costs [production]**, tagliare i costi [ridurre la produzione]; (fin.) **to cut back the cash deficit**, ridurre il disavanzo di cassa Ⓑ v. i. + avv. **1** fare dietrofront e tornare indietro **2** (cinem., spec. USA) fare un flashback **3** – **to cut back on**, tagliare; ridurre.

■ **cut down** Ⓐ v. t. + avv. **1** abbattere (un albero, ecc.) **2** abbattere (ferendo o uccidendo); falciare: They were cut down by machine-

-*gun fire*, furono falciati dalle mitragliatrici **3** tagliare; accorciare: **to cut down an article**, tagliare un articolo; **to cut down the curtains**, accorciare le tende **4** tagliare, ridurre, diminuire: (*econ.*) **to cut down production**, ridurre la produzione; (*fin.*) **to cut down expenditure**, tagliare le spese; *I haven't given up smoking but I'm cutting down*, non ho smesso di fumare ma mi sto limitando; **to cut down prices**, ridurre (*o* diminuire) i prezzi **5** portare (*un venditore*) a più miti pretese: *He was asking £120 but I managed to cut him down to 100*, chiedeva 120 sterline ma sono riuscito a portarlo a 100 **B** v. i. + avv. – **to cut down on** → **cut down A**, *def. 5* □ **to cut down to size**, tagliare su misura; ridurre alla misura voluta; (*fig.*) ridimensionare; far abbassare la cresta a (q.) (*fam.*).

▪ **cut in A** v. i. + avv. **1** interloquire; intromettersi: **to cut in on a conversation**, intromettersi in una conversazione **2** (*autom.*) fare un rientro improvviso: **to cut in abruptly**, fare un rientro a pelo; fare un sorpasso azzardato; **to cut in on sb.**, tagliare la strada a q. nel rientro **3** (*elettr., mecc.: di apparecchio, motore*) inserirsi (*o* accendersi) automaticamente **4** (*antiq.*) subentrare (*ballando*): 'May I cut in?', 'permette?' **5** (*calcio*) incunearsi; inserirsi **B** v. t. + avv. **1** (*fam.*) fare partecipare (*a un'attività lucrosa*); far entrare; dare una fetta della torta a: **to cut sb. in** (*USA: on the profits*), far partecipare q. agli utili; *I had to cut him in so that he wouldn't tell on me*, dovetti dargli una fetta della torta perché non mi facesse la spia **2** (*elettr., mecc.*) collegare, inserire; accendere; (*anche*) aggiungere, applicare: **to cut in a rocket engine**, accendere un motore a razzo.

▪ **cut into** v. t. + prep. **1** affondare il coltello in; cominciare a tagliare; (*med.*) incidere: **to cut into a cake**, cominciare a tagliare una torta **2** intaccare (*risparmi, ecc.*) **3** interrompere (*una conversazione, i pensieri, ecc.*).

▪ **cut off A** v. t. + avv. **1** tagliare (via); mozzare; troncare: **to cut off sb.'s head**, tagliare (*o* mozzare) la testa a q. **2** bloccare; interrompere; tagliare: **to cut off supplies for**, tagliare i rifornimenti a; **to cut off all the roads leading out of town**, bloccare tutte le strade che portano fuori di città; (*mil.*) **to cut off the enemy's retreat**, tagliare la ritirata al nemico **3** (*anche sport*) intercettare: 'Drive down the main road. Try and cut 'em off' J. ARDEN, 'fate la strada principale! Cercate di intercettarli!'; (*naut.*) **to cut off a ship**, intercettare una nave **4** isolare; tagliar fuori: *We were cut off by a heavy snowstorm*, restammo isolati per una grande nevicata; **to be cut off from civilization**, essere isolato dal mondo civile; **to cut oneself off**, isolarsi (*dagli altri*); **to feel cut off**, sentirsi tagliato fuori; sentirsi escluso **5** tagliare (*l'acqua, la luce, il gas, ecc.*) **6** (*anche telef.*) interrompere: *Our conversation was cut off*, la nostra conversazione venne interrotta; *I've been cut off*, è caduta la linea **7** (*elettr., mecc.*) escludere, scollegare, disinserire; staccare; spegnere (*un motore, ecc.*) **B** v. i. + avv. **1** (*fam.*) andarsene alla svelta; filare **2** (*elettr., mecc.: di apparecchio, ecc.*) disinserirsi; spegnersi □ **to cut off a corner**, tagliare dritto (*da un punto all'altro*) □ (*fig.*) **to cut off one's nose to spite one's face**, castrarsi per far dispetto alla moglie □ **to be cut off in one's prime**, morire prematuramente; (*anche*) veder finire prematuramente la propria carriera □ **to cut sb. off without a penny**, escludere q. dal testamento; diseredare; non lasciare il becco di un quattrino a q.

▪ **cut out A** v. t. + avv. **1** ritagliare (*da un giornale, ecc.*): **to cut out an article**, ritagliare un articolo **2** (*sartoria*) tagliare (*un abito*) **3** scavare: *A deep gorge had been cut out by the river*, il fiume aveva scavato una forra profonda **4** togliere; eliminare: **to cut out unnecessary expenses**, eliminare (*o* tagliare) le spese inutili: **to cut out cheese from one's diet**, eliminare il formaggio dalla dieta; **to cut out smoking**, eliminare il fumo; smettere di fumare; *You'll have to cut out the cigarettes*, dovrai eliminare le sigarette **5** escludere, lasciare fuori: *They tried in vain to cut me out of the bargain*, invano cercarono di lasciarmi fuori dall'affare; **to cut sb. out of one's will**, escludere q. dal testamento **6** (*fam.*) smettere; piantarla (*fam.*): *Cut it out!*, piantala!; basta!; dacci un taglio!; (*volg. USA*) *Cut out the crap*, piantala con queste stronzate! **7** (*elettr., mecc.*) scollegare, disinserire (*un apparecchio*); spegnere (*un motore*) **8** (*ferr.*) staccare (*una carrozza, un vagone merci*) **9** (*tipogr.*) scontornare **10** (*fam.*) soppiantare (*un rivale in amore*) **11** portare via la dama a (*uno che balla*) **12** separare (*un capo di bestiame*) dal branco **13** (*calcio*) intercettare (*un passaggio*) **B** v. i. + avv. **1** (*elettr.*) disinserirsi automaticamente **2** (*mecc.: di motore*) spegnersi **3** (*autom., fam. USA*) accelerare; mettersi a correre **4** (*fam. USA*) andarsene alla svelta; filare; squagliarsela □ (*autom.*) **to cut out a car**, tagliare la strada a un'automobile □ (*anche fig.*) **to cut out dead wood**, tagliare i rami secchi □ **to be cut out for st.**, essere tagliato per qc.; essere adatto a fare qc.: *He is cut out to be a doctor*, è tagliato per la medicina □ (*fam.*) **to have one's work cut out (for one)**, avere un bel daffare.

▪ **cut through** v. t. + prep. **1** fendere **2** passare attraverso; penetrare in: *The sharp wind cut through my clothes*, il vento pungente mi penetrava sulla pelle **3** abbreviare (*formalità, prassi, ecc.*) **4** ridurre (*fasi di lavorazione, ecc.*) □ **to cut through the red tape**, eliminare la burocrazia.

▪ **cut up A** v. t. + avv. **1** tagliare; fare a pezzetti; trinciare; tritare: **to cut up meat**, tagliare la carne a pezzetti; **to cut up a chicken**, trinciare un pollo; **to cut up timber into logs**, tagliare legname per farne tronchi **2** (*di solito al passivo*) ferire: *I was badly cut up in the car crash*, uscii dallo scontro assai malconcio **3** (*GB*) stringere (*dopo un sorpasso*) **4** ferire (*fig.*); addolorare: *He was cut up by my criticism*, fu ferito dalle mie critiche; *She was really cut up when her mother died*, la morte della madre la sconvolse **5** (*mil. e sport*) fare a pezzi; infliggere gravi perdite a (*il nemico, ecc.*); stracciare (*gli avversari*) **6** (*fam.*) criticare; stroncare; fare a pezzi **B** v. i. + avv. **1** (*di un pollo*) tagliarsi; trinciarsi (*bene, male, ecc.*) **2** (*di stoffa*) bastare: *This piece of cloth will cut up into two dresses*, da questa pezza vengono due vestiti **3** (*fam.*) fare baldoria; fare cagnara; (*di bambini, anche*) fare il diavolo a quattro **4** (*fam. USA*) fare il buffone **5** (*fam.*) □ **to cut up for**, lasciare in eredità (*una somma*) □ (*fam. GB*) **to cut up rough** (*o* **ugly, nasty**), infuriarsi; fare una scenata; reagire di brutto; (*sport: di incontro*) finire a botte (*o* in una rissa) □ (*arc. GB*) **to cut up well**, lasciare una bella eredità.

cut-and-dried /ˌkʌtənˈdraɪd/ a. bell'e deciso; scontato: *The result of the general election is cut-and-dried*, il risultato delle elezioni politiche è scontato.

cut and paste /ˌkʌtənˈpeɪst/ loc. n. (pl. **cut and pastes**, **cuts and pastes**) (*anche comput.*) taglia-e-incolla.

cutaneous /kjuːˈteɪnɪəs/ a. cutaneo; della pelle ● (*med.*) **c. reaction**, reazione cutanea.

cutaway /ˈkʌtəweɪ/ **A** n. **1** (*grafica*) sezione; spaccato **2** (*moda*) giacca a coda di rondine **3** (*cinem.*) inserto **B** a. **1** (*di dise-*gno) in sezione; spaccato **2** (*di giacca*) a coda di rondine.

cutback /ˈkʌtbæk/ n. **1** taglio (*del personale, delle spese, ecc.*); diminuzione; riduzione **2** (*econ.*) contrazione, riduzione (*della produzione, ecc.*) **3** (*market.*) calo (*delle vendite, ecc.*) **4** (*ind. petrolifera*) cutback **5** (*cinem., USA*) scena retrospettiva; flashback **6** (*calcio, ecc.*) dietrofront repentino (*con la palla al piede*).

cut-down /ˈkʌtdaʊn/ a. attr. ridotto: **cut-down prices**, prezzi ridotti; **the cut-down version of st.**, la versione ridotta di qc.

♦**cute** /kjuːt/ a. **1** grazioso; carino; bellino; simpatico; caruccio **2** affettato; lezioso **3** (*spec. USA*) sessualmente attraente; belloccio **4** (*USA*) furbo; dritto | **-ness** n. ⍟.

cutesy /ˈkjuːtsɪ/ a. (*fam.*) caramelloso; sdolcinato; lezioso.

cut glass /ˌkʌtˈglɑːs/ **A** n. ⍟ vetro intagliato **B cut-glass** a. **1** di vetro intagliato **2** (*fig.*) (*di pronuncia, accento, ecc.*) ricercato; raffinato.

cuticle /ˈkjuːtɪkl/ (*anat., bot.*) n. cuticola ‖ **cuticular** a. cuticolare.

cutie /ˈkjuːtɪ/, **cutie-pie** /ˈkjuːtɪpaɪ/ n. (*fam. USA*) **1** persona attraente; bella ragazza; bambino carino; bambina carina: *She's a little c.*, è una bellissima bambina **2** furbastro; furbacchione.

cut-in /ˈkʌtɪn/ n. **1** interruzione **2** (*cinem., TV*) inserto, scena di collegamento **3** (*tipogr.*) foto inserita (*nel corpo di un articolo*) **4** (*elettr.*) collegamento **5** (*mecc.*) accensione **6** (*fam.*) cointeressenza, quota, tangente.

cutis /ˈkjuːtɪs/ n. ⍟ (*anat.*) cute.

cutlass /ˈkʌtləs/ n. coltellaccio (*da marinaio*); sciabola corta.

cutler /ˈkʌtlə(r)/ n. coltellinaio.

cutlery /ˈkʌtlərɪ/ n. ⍟ **1** coltelleria; coltelli (*collett.*) **2** posate (*collett.*) **3** arte del coltellinaio ● **c. drainer**, scolaposate.

cutlet /ˈkʌtlət/ n. (*cucina*) costoletta; cotoletta.

cutline /ˈkʌtlaɪn/ n. (*giorn., USA*) didascalia.

cut-off /ˈkʌtɒf/ n. **1** limite (*massimo o minimo*) **2** interruzione (*di rifornimenti, ecc.*) **3** (*elettr., mecc., idraul.*) interruzione **4** (*elettr.*) interruttore **5** (*mecc.*) interruzione; chiusura dell'ammissione (*di un tubo o condotto*) **6** (*autom., mecc.*) cut-off **7** (*tipogr.*) linea di separazione **8** (*spec. USA*) scorciatoia **9** (*al pl.*) (*fam. USA*) pantaloni, jeans tagliati a mezza gamba e sfrangiati ● **cut-off date**, data limite (*di un'operazione*) □ (*mecc.*) **cut-off point**, punto d'interruzione; limite massimo; (*fin.*) rendimento minimo (*necessario per intraprendere un progetto di investimento*) (*elettr., comput.*) **cut-off switch**, interruttore □ **cut-off tool**, utensile da taglio (*mecc.*) **cut-off valve**, valvola d'arresto □ (*costr. idrauliche*) **cut-off wall**, diaframma di tenuta □ (*mecc.*) **cut-off wheel**, mola a disco (*o* per troncatrice).

cut-out /ˈkʌtaʊt/ n. **1** ritaglio (*di giornale, ecc.*) **2** figura ritagliata **3** foro ritagliato (*per decorazione, per inserirvi qc.*) **4** (*elettr.*) interruttore; (*anche*) derivazione, diramazione **5** (*mecc.*) valvola di scappamento ● **cardboard cut-out**, silhouette (*di cartone*) (*fig.*) personaggio senza spessore, figura di cartone □ (*elettr.*) **cut-out box**, cassetta d'interruzione (*o* di protezione); salvavita (*fam.*).

cutover /ˈkʌtəʊvə(r)/ n. **1** bosco ceduto dopo un taglio (*di legname*) **2** (*comput.*) transizione, passaggio (*da un'operazione di macchina a un'altra*).

cutpurse /ˈkʌtpɜːs/ n. (*arc.*) tagliaborse; borsaiolo.

cutter /ˈkʌtə(r)/ n. **1** tagliatore (*di stoffa, di gemme, ecc.*) **2** arnese da taglio (*in genere*);

(*agric.*) lama (*di mietitrebbia*): **c. bar**, portalame **3** (*naut.*) cutter (*barca a vela con un solo albero a coltello*) **4** (*marina mil.*, *USA*) lancia armata **5** (*USA*) slitta leggera (*trainata da un solo cavallo*) **6** (*edil.*) scalpellino; squadratore (*di pietre*) **7** (*ind. min.*) addetto a una macchina tagliatrice **8** (*cinem.*) assistente al montaggio **9** (*ind. cartaria*) taglierina; trancia **10** (*mecc.*) coltello: **finishing c.**, coltello per finitura **11** (*tecn.*) testina d'incisione (*di dischi*); fonoincisore **12** (*anat.*) (dente) incisivo.

cuttery /'kʌtərɪ/ n. (*tecn.*) taglieria (*di diamanti*; *di solito*, **diamond c.**).

cutthroat /'kʌtθrəʊt/ **A** n. tagliagole; assassino **B** a. **1** da assassino **2** (*fig.*) aspro; accanito; spietato: (*comm.*) **c. competition**, concorrenza spietata ● **c. bridge**, bridge giocato in tre □ **c. razor**, rasoio a serramanico.

◆**cutting** /'kʌtɪŋ/ **A** n. **1** ⒰ il tagliare; taglio; incisione **2** (spec. al pl.) pezzo tagliato: **grass cuttings**, erba tagliata **3** ⒰Ⓒ (= **wood-c.**) incisione sul legno **4** ⒰ diminuzione; limitazione; riduzione (*di spese, ecc.*); ribasso (*di prezzi*) **5** (*ind. costr.*) sezione in sterro, trincea (*di strada, ferrovia, ecc.*) **6** (= **press c.**) ritaglio di giornale **7** (*agric., bot.*) talea: **geranium cuttings**, talee di gerani **8** (*cinem.*) montaggio **9** ⒰ (*ind. tess.*) cimatura **10** (al pl.) (*ind. petrolifera*) cuttings **B** a. **1** tagliente; affilato **2** (*del vento*) tagliente **3** (*fig.*) tagliente; pungente; sferzante: **a c. reply**, una risposta pungente; **c. irony**, ironia sferzante ● (*cucina*) **c. board**, tagliere □ **c. disc**, lama (*di elettrodomestico*) □ **c. edge**, filo, taglio (*di lama*); (*tecn.*) tagliente (*di una ruspa*); (*fig.*) energia, dinamismo, incisività □ **c.-edge** (attr.), d'avanguardia □ **to be at the c. edge of st.**, essere all'avanguardia di qc. □ (*in USA, ecc.*) **c. horse**, cavallo addestrato a staccare singole mucche dalla mandria □ (*mecc.*) **c.-off machine**, troncatrice □ (*mecc.*) **c. pliers**, pinze universali □ (*metall.*) **c. process**, taglio con il cannello ferruminatorio □ (*cinem.*) **c. room**, sala di montaggio □ (*mecc.*) **c. tool**, utensile da taglio □ (*tecn.*) **c. torch**, cannello da taglio.

cuttle /'kʌtl/ → **cuttlefish**.

cuttlebone /'kʌtlbəʊn/ n. osso di seppia.

cuttlefish /'kʌtlfɪʃ/ n. (pl. **cuttlefish**, **cuttlefishes**) (*zool.*) seppia.

cutty /'kʌtɪ/ (*dial. scozz.*) **A** a. corto; scorciato **B** n. **1** pipa corta **2** cucchiaio corto ● (*stor.*) **c. stool**, sgabello infame.

cut-up /kʌt'ʌp/ **A** a. **1** (tagliato) a pezzi: **cut-up vegetables**, verdure tagliate a pezzi **2** (*fig. amer.*) sconvolto: *He was pretty cut up, as you might expect*, era proprio a pezzi, come ci si può immaginare **B** n. **1** (*cinem.*) documentario, ecc., fatto con materiale di repertorio **2** (*fam.*) tipo spassoso; burlone; buffone.

cutwater /'kʌtwɔːtə(r)/ n. **1** (*naut.*) tagliamare (*di nave*) **2** sprone, frangicorrente (*della pila d'un ponte*).

cutwork /'kʌtwɜːk/ n. ⒰ (*ricamo*) sangallo.

cutworm /'kʌtwɜːm/ n. (*zool.*) agrotide.

cuvette /kjuː'vɛt/ (*franc.*) n. (*chim.*) cuvette.

CV sigla (**curriculum vitae**) curriculum vitae (CV); *Can I leave my CV?*, posso lasciare il mio curriculum?; *If you'd like to leave your CV, I'll pass it on to the manager*, se vuole può lasciare il suo curriculum e io lo passerò al direttore.

CVS sigla (*comput.*, **concurrent versions system**) CVS (*sistema per gestire lo sviluppo di versioni concorrenti di software*).

cw. abbr. (**clockwise**) in senso orario.

CWO sigla = **chief warrant officer** → **chief**②.

cwo abbr. (*comm.*, **cash with order**) pagamento all'ordine.

CWOT sigla (*Internet*, *telef.*, **complete waste of time**), totale spreco (o perdita) di tempo.

CWS sigla (*GB*, **Cooperative Wholesale Society**) Società delle cooperative di consumo.

cwt abbr. di **hundredweight**.

CYA sigla (*Internet*, *telef.*, grafia fam. di **see you**) ciao.

cyan /'saɪæn/ a. e n. ⒰ grigio-azzurro; ciano.

cyanamide /saɪ'ænəmaɪd/ n. ⒰ (*chim.*) cianammide.

cyanic /saɪ'ænɪk/ a. **1** (*chim.*) cianico **2** azzurro; turchino ‖ **cyanate** n. (*chim.*) cianato.

cyanide /'saɪənaɪd/, **cyanid** /'saɪənɪd/ (*chim.*) n. ⒰Ⓒ cianuro ‖ to **cyanide** v. t. cianurare ‖ **cyaniding** n. ⒰ cianurazione.

cyanine /'saɪəniːn/ n. (*chim.*) cianina.

cyanite /'saɪənaɪt/ n. ⒰ (*miner.*) cianite.

cyanobacteria /saɪænəʊbæk'tɪərɪə/ n. pl. (*biol.*) cianobatteri.

cyanogen /saɪ'ænədʒən/ n. ⒰ (*chim.*) cianogeno.

cyanosis /saɪə'nəʊsɪs/ (*med.*) n. ⒰ cianosi ‖ **cyanotic** a. cianotico.

cyanurate /saɪə'njʊəreɪt/ n. (*chim.*) cianurato.

cyanuric /saɪə'njʊərɪk/ a. (*chim.*) cianurico.

cyber /'saɪbə(r)/ a. (*comput.*) cyber, ciber.

cyberactivism /saɪbə'ræktɪvɪzəm/ n. ⒰ (*comput.*) attivismo cibernetico (*uso delle nuove tecnologie per la propaganda da parte di movimenti civili*).

cyber-bullying /'saɪbəbʊlɪɪŋ/ n. ⒰ cyberbullismo.

cybercafé /saɪbəkæ'feɪ/ n. (*Internet*) cybercafé; internet café.

cybercrime /'saɪbəkraɪm/ (*comput.*) n. crimine informatico ‖ **cybercriminal** n. criminale informatico.

cyberlaw /'saɪbəlɔː/ n. ⒰Ⓒ (*leg.*, *comput.*) diritto che regola l'uso del cyberspazio.

cybernated /saɪbə'neɪtɪd/ a. automatizzato con l'assistenza di computer.

cybernation /saɪbə'neɪʃn/ n. ⒰ (contraz. di **cybernetics** e **automation**) automazione assistita da computer.

cybernaut /'saɪbənɔːt/ n. (*comput.*) **1** persona che si immerge nella realtà virtuale **2** (*Internet*) cibernauta, cybernauta.

cybernetics /saɪbə'nɛtɪks/ n. pl. (col verbo al sing.) cibernetica ‖ **cybernetic** a. cibernetico ‖ **cyberneticist**, **cybernetician** n. esperto di cibernetica; cibernetico.

cyberphobia /saɪbə'fəʊbɪə/ n. ⒰ (*fam. USA*) fobia per i computer ‖ **cyberphobic** n. chi ha la fobia del computer.

cyberpunk /'saɪbəpʌŋk/ a. e n. cyberpunk.

cybersex /'saɪbəsɛks/ n. ⒰ (*comput.*) cybersesso.

cyberspace /'saɪbəspers/ n. ⒰ (*comput. e fantascienza*) cyberspazio, ciberspazio.

cybersquatting /'saɪbəskwɒtɪŋ/ n. ⒰ (*Internet*) cybersquatting (*registrazione di un dominio con il nome di un marchio esistente nella speranza di poterlo poi vendere al legittimo proprietario*).

cyberterrorism /saɪbə'tɛrərɪzəm/ loc. n. ⒰ cyberterrorismo, ciberterrorismo; terrorismo organizzato e condotto per mezzo dell'informatica.

cyberterrorist /saɪbə'tɛrərɪst/ n. cyberterrorista, ciberterrorista.

cyborg /'saɪbɔːɡ/ n. (*comput.*, *med. e fantascienza*) cyborg.

cybrid /'saɪbrɪd/ n. (*genetica*) cibrido; embrione ibrido citoplasmatico; embrione chimera (*fam.*).

cycad /'saɪkæd/ n. (*bot.*, *Cycas*) pianta delle cicadacee.

Cyclades /'sɪklədiːz/ n. pl. (*geogr.*) (le) Cicladi ‖ **Cycladic** a. cicladico; delle Cicladi.

cyclamate /'saɪkləmeɪt, 'sɪk-/ n. (*chim.*) ciclammato.

cyclamen /'sɪkləmən, *USA* 'saɪ-/ n. (*bot.*, *Cyclamen*) ciclamino.

◆**cycle** /'saɪkl/ n. **1** ciclo: **the c. of the seasons**, il ciclo delle stagioni; (*chim.*) **the nitrogen c.**, il ciclo dell'azoto; (*astron.*) **the lunar c.**, il ciclo lunare; (*econ.*) **production c.**, ciclo produttivo; (*letter.*) **the Arthurian c.**, il ciclo della Tavola Rotonda **2** (*elettr.*) ciclo; periodo **3** (*fisiol.*) ciclo **4** (*comput.*) ciclo (*di operazioni*) **5** (abbr. di **bicycle** o **tricycle**) bicicletta; triciclo ● **c. car**, motofurgone □ **c. clip**, molletta fermacalzoni □ **c. lane**, pista ciclabile; corsia per ciclisti □ **c. path**, pista ciclabile (*in campagna, ecc.*) □ (*sport*) **c. racing**, ciclismo (*agonistico*) □ **c.-racing track**, pista; velodromo □ **c. rack**, rastrelliera per biciclette □ **c. shop**, negozio di biciclette □ **c. shorts**, calzoncini da ciclista □ (*elettron.*) **c. timer**, programmatore o temporizzatore a ciclo □ (*GB*) **c. track**, pista ciclabile.

to **cycle** /'saɪkl/ **A** v. i. **1** svolgersi per cicli **2** andare in bicicletta **B** v. t. (*scient.*, *tecn.*) ciclizzare, sottoporre a operazioni cicliche.

cycleway /'saɪklweɪ/ n. pista ciclabile (*nei parchi, ecc.*).

cyclic, cyclical /'saɪklɪk(l), 'sɪk-/ a. (*anche scient.*, *tecn.*) ciclico: (*stor. letter.*) **a c. poet**, un poeta ciclico; (*chim.*) **c. amide**, ammide ciclica; (*chim.*) **c. compound**, composto ciclico; (*econ.*) **cyclical fluctuations**, fluttuazioni (*o oscillazioni*) cicliche ● (*econ.*) **cyclical industry**, settore ciclico; industria ciclica (*che risente del ciclo economico*) □ (*geom.*) **c. polygon**, poligono inscritto in una circonferenza □ (*mecc.*) **c. train**, ingranaggio a satelliti □ (*econ.*) **cyclical unemployment**, disoccupazione congiunturale.

cyclicity /saɪ'klɪsətɪ, sɪk-/ n. ⒰ (*scient.*, *tecn.*) ciclicità.

cycling /'saɪklɪŋ/ **A** n. ⒰ **1** ciclismo (*fatto per diletto*); l'andare in bicicletta: *This is no weather for c.*, non è tempo da biciclette, questo **2** (*sport*) ciclismo **3** (*scient.*, *tecn.*) ciclizzazione; (*anche*) operazioni cicliche **B** a. attr. ciclistico ● **c. holidays**, vacanze in bicicletta; cicloturismo □ (*sport*) **c. team**, squadra di ciclisti.

cyclist /'saɪklɪst/ n. (*anche sport*) ciclista.

cyclization /saɪklɪ'zeɪʃn, sɪk-/ n. ⒰ (*chim.*) ciclizzazione.

to **cyclize** /'saɪklaɪz/ v. t. e i. (*chim.*) ciclizzare.

cyclo-cross /'saɪkləʊkrɒs/ n. (*sport*) ciclocross; corsa ciclocampestre ● **cyclo-cross bicycle**, bicicletta da ciclocross □ **cyclo-cross rider**, ciclocrossista.

cyclograph /'saɪkləʊɡrɑːf/ n. (*tecn.*) ciclografo.

cyclohexane /saɪkləʊ'hɛkseɪn/ n. ⒰Ⓒ (*chim.*) cicloesano.

cycloid /'saɪklɔɪd/ (*geom.*) n. cicloide ‖ **cycloidal** a. cicloidale.

cyclometer /saɪ'klɒmɪtə(r)/ n. **1** (*geom.*) ciclometro; strumento per misurare archi di cerchio **2** (*tecn.*) odometro **3** contachilometri per biciclette.

cyclone /'saɪkləʊn/ n. (*meteor.*, *chim.*, *mecc.*) ciclone ● **c. cellar**, rifugio anticiclone □ (*meteor.*) **c. wave**, onda ciclonica ‖ **cyclonic**, **cyclonical** a. (*meteor.*) ciclonico ● (*scient.*) **cyclonic scale**, scala dei cicloni.

cyclonite /'saɪklənaɪt/ n. ⒰ ciclonite

C

(*esplosivo*).

Cyclopean. Cyclopian /saɪˈkləʊpɪən/ **a.** (*archeol.*, *mitol. e fig.*) ciclopico.

cyclopedia, cyclopaedia /saɪkləˈpiːdɪə/ **n.** enciclopedia.

Cyclops /ˈsaɪklɒps/ **n.** (pl. **Cyclops, Cyclopes**) (*mitol.*) ciclope.

cyclorama /saɪkləˈrɑːmə/ **n.** (*teatr.*) panorama.

cyclostyle /ˈsaɪkləstaɪl/ **n.** ciclostile.

to **cyclostyle** /ˈsaɪkləstaɪl/ **v. t.** ciclostilare.

cyclotomy /saɪˈklɒtəmɪ/ **n.** Ⓤ (*geom. e med.*) ciclotomia.

cyclotron /ˈsaɪklətrɒn/ **n.** (*fis. nucl.*) ciclotrone.

cyder /ˈsaɪdə(r)/ → **cider**.

cygnet /ˈsɪgnət/ **n.** cigno giovane: '*So doth the swan her downy cygnets save*' W. SHAKESPEARE, 'è così che la femmina del cigno salva la vita dei suoi piccoli coperti di soffici piume'.

Cygnus /ˈsɪgnəs/ **n.** (*astron.*) Cigno (*costellazione*).

cyl. abbr. 1 (**cylinder**) cilindro 2 (**cylindrical**) cilindrico.

cylinder /ˈsɪlɪndə(r)/ **n.** 1 (*geom.*, *mecc.*, *autom.*) cilindro: **a four-c. car**, un'automobile a quattro cilindri; **c. head**, testa di cilindro 2 (*ind.*) bombola (*di gas liquido, ecc.*) 3 (*mil.*) tamburo (*di rivoltella, ecc.*) 4 (*tipogr.*) cilindro; rullo: **inker c.**, nastro inchiostratore 5 rullo (*di macchina da scrivere*) 6 (*edil.*) tubo per fondazioni 7 (*sport*) bombola (*da sub*) ● (*autom.*) **c. block**, monoblocco; blocco cilindri, blocco motore □ (*autom.*, *mecc.*) **c. bore**, alesaggio (*diametro del cilindro*) □ **c. boring**, alesaggio (*l'operazione*); alesatura □ (*mecc.*) **c. liner**, camicia del cilindro □ (*tipogr.*) **c. press**, rotativa □ (*tecn.*) **c. saw**, sega cilindrica □ (*archeol.*) **c. seal**, sigillo a cilindro □ (*fam.*) **to be firing on all cylinders**, essere in piena forma.

cylindrical /sɪˈlɪndrɪkl/ **a.** (*scient.*, *tecn.*) cilindrico ● (*mecc.*) **c. cutter**, fresa cilindrica □ (*mecc.*) **c. grinder**, rettificatrice per cilindri.

cylindroid /ˈsɪlɪndrɔɪd/ **n.** (*geom.*) cilindroide.

cyma /ˈsaɪmə/ **n.** (*archit.*) gola: **c. recta**, go-

la diritta.

cymar /sɪˈmɑː(r)/ **n.** (*stor.*, *moda*) zimarra.

cymbal /ˈsɪmbl/ **n.** (*mus.*) **n.** 1 piatto 2 (*stor.*) cembalo (*piatto metallico concavo*) ‖ **cymbalist** **n.** suonatore di piatti.

cyme /saɪm/ (*bot.*) **n.** cima ‖ **cymose a.** cimoso.

Cymric /ˈkɪmrɪk/ Ⓐ **a.** cimrico Ⓑ **n.** Ⓤ lingua cimrica.

cynic /ˈsɪnɪk/ **a. e n.** (*anche filos.*) cinico: '*A c. is a man who knows the price of everything and the value of nothing*' O. WILDE, 'il cinico è un uomo che conosce il prezzo di ogni cosa ma non conosce il valore di niente' ‖ **cynicism n.** Ⓤ 1 (*anche filos.*) cinismo 2 osservazione cinica.

cynical /ˈsɪnɪkl/ **a.** (*anche filos.*) cinico | **-ly** avv.

cynocephalus /saɪnəʊˈsɛfələs/ **n.** (pl. **cynocephali**) (*mitol.*, *zool.*) cinocefalo.

cynosure /ˈsaɪnəsjʊə(r)/ **n.** 1 – (*astron.*) C., Cinosura (*l'Orsa minore*) 2 (*fig. form.*) persona (*o cosa*) al centro dell'interesse (*o dell'ammirazione*) 3 (*fig. form.*) guida.

cypher. to **cypher** /ˈsaɪfə(r)/ → **cipher, to cipher.**

cypress /ˈsaɪprəs/ **n.** (*bot.*, *Cupressus sempervirens*) cipresso.

Cyprian /ˈsɪprɪən/ **a. e n.** cipriota.

cyprinids /sɪˈpraɪnɪdz/ **n.** (*zool.*, *Cyprinidae*) ciprinidi.

Cypriot /ˈsɪprɪət/ , **Cypriote** /ˈsɪprɪəʊt/ **a. e n.** cipriota.

cypripedium /sɪprɪˈpiːdɪəm/ **n.** (*bot.*) 1 cipripedio (*in genere*) 2 (*Cypripedium calceolus*) cipripedio; pianella della Madonna.

Cyprus /ˈsaɪprəs/ **n.** (*geogr.*) Cipro.

Cyrenaic /saɪərəˈneɪɪk/ **a. e n.** cirenaico.

Cyril /ˈsɪrəl/ **n.** Cirillo.

Cyrillic alphabet /sɪˈrɪlɪk ˈælfəbɛt/ loc. **n.** alfabeto cirillico.

Cyrus /ˈsaɪrəs/ **n.** Ciro.

cyst /sɪst/ **n.** (*biol.*, *med.*) cisti, ciste: **to remove a c.**, asportare una cisti.

cystectomy /sɪˈstɛktəmɪ/ **n.** ⓊC (*med.*) cistectomia.

cystic /ˈsɪstɪk/ **a.** (*anat.*, *med.*) cistico: **c. duct**, dotto cistico; (*med.*) **c. fibrosis**, fibrosi cistica.

cysticercosis /sɪstɪsəˈkəʊsɪs/ **n.** Ⓤ (*med.*)

cisticercosi.

cysticercus /sɪstɪˈsɜːkəs/ **n.** (pl. **cysticerci**) (*biol.*) cisticerco.

cystine /ˈsɪstiːn/ **n.** Ⓤ (*biochim.*) cistina.

cystitis /sɪˈstaɪtɪs/ **n.** Ⓤ (*med.*) cistite.

cystoscope /ˈsɪstəʊskəʊp/ (*med.*) **n.** cistoscopio ‖ **cystoscopy n.** Ⓤ cistoscopia.

cystotomy /sɪˈstɒtəmɪ/ **n.** ⓊC (*med.*) cistotomia.

Cytherea /sɪθəˈriːə/ **n.** (*mitol.*) Citerea.

Cytherean /sɪθəˈriːən/ **a.** 1 (*mitol.*) di Venere Citerea 2 (*astron.*) del pianeta Venere; venusiano.

cytochemistry /saɪtəʊˈkɛmɪstrɪ/ **n.** Ⓤ (*biochim.*) citochimica.

cytochrome /ˈsaɪtəʊkrəʊm/ **n.** (*biol.*) citocromo.

cytogenetic /saɪtəʊdʒəˈnɛtɪk/ (*biol.*) **a.** citogenetico ‖ **cytogenetics n. pl.** (col verbo al sing.) citogenetica.

cytokinesis /saɪtəʊkɪˈniːsɪs/ **n.** Ⓤ (*biol.*) citocinesi.

cytology /saɪˈtɒlədʒɪ/ **n.** Ⓤ (*biol.*) citologia ‖ **cytological** a. citologico ‖ **cytologically** avv. citologicamente ‖ **cytologist n.** citologo.

cytomegalovirus /saɪtəmɛgələʊˈvaɪrəs/ **n.** (*biol.*) citomegalovirus.

cytometer /saɪˈtɒmɪtə(r)/ **n.** (*med.*) citometro.

cytometry /saɪˈtɒmɪtrɪ/ **n.** (*med.*) citometria.

cytoplasm /ˈsaɪtəʊplæzəm/ (*biol.*) **n.** Ⓤ citoplasma ‖ **cytoplasmic** a. citoplasmatico.

cytosine /ˈsaɪtəʊsiːn/ **n.** Ⓤ (*biochim.*) citosina.

cytostome /ˈsaɪtəʊstəʊm/ **n.** (*anat.*, *zool.*) citostoma.

cytotoxic /saɪtəˈtɒksɪk/ **a.** (*biol.*, *med.*) citotossico.

czar /zɑː(r)/ e deriv. **n.** (*stor.*) → **tzar** e deriv.

czardas /ˈtʃɑːdæʃ/ **n.** (inv. al pl.) (*mus.*) ciarda, czarda.

Czech /tʃɛk/ Ⓐ **a.** ceco Ⓑ **n.** 1 ceco 2 Ⓤ lingua ceca ● **the C. Republic**, la Repubblica ceca.

Czechoslovakia /tʃɛkəsləʊˈvækɪə/ (*geogr.*, *stor.*) **n.** Cecoslovacchia ‖ **Czechoslovak** a. e n. cecoslovacco ‖ **Czechoslovakian** a. e n. cecoslovacco.

d, D

D ① , **d** /diː/ **A** n. (pl. **D's, d's; Ds, ds**) **1** D, d (*quarta lettera dell'alfabeto ingl.*) **2** votazione (*o voto, classifica*), normalmente di insufficienza (4 o 5): **a «D» in geography**, un cinque in geografia **3** (*mus.*) re (*nota e scala corrispondente*) **4** (*biliardo*) semicerchio a forma di D (*zona d'inizio della partita, spec. nello 'snooker'*) **5** (*comput.*) D (*corrisponde al valore decimale 13*) **B** a. attr. a (forma di) D: **a D valve**, una valvola a D ● *fam. USA*) **D. D.** (o **D and D**), → **D&D** □ **d for Delta**, d come Domodossola.

D ② sigla **1** (*polit.*, **Democrat**) democratico (*sost.*) **2** (*polit.*, **democratic**) democratico (*agg.*) **3** (*autom.*, **drive**) guida (*marcia del cambio automatico*) **4** (*dimensional*) dimensionale: (**three-D**), tridimensionale ● **D-notice** (= **Defence notice**), divieto (*imposto dal governo*) di pubblicazione (*di una notizia*) per motivi di sicurezza.

D. abbr. **1** (**director**) direttore **2** (**duke**) duca **3** (*lat.: Dominus*) (*relig.*, **Lord**) Signore.

d. abbr. **1** (**date**) data **2** (**daughter**) figlia **3** (**day**) giorno **4** (**dead, died** o **deceased**) morto **5** (*lat.: dele*) (*tipogr.*, **delete**) cancella, cassa **6** (**diameter**) diametro (*c*) **7** (*lat.: denarius*) (**old**) **penny** penny (*un dodicesimo di scellino, fino al 1971*).

'd /d, əd/ *vc. verb.* (abbr. *fam.* di **had, would** e **should**) **I'd gone**, ero andato; **He'd go**, andrebbe.

d' /d, də/ *vc. verb.* (abbr. *fam.* di **do**).

DA sigla (*leg.*, *USA*, **district attorney**) procuratore distrettuale.

da /dɑː/ (*dial.*) → **dad**.

D/A sigla (*elettron.*, **digital to analogue**) digitale-analogico.

dab ① /dæb/ n. **1** lieve colpo; colpetto; tocco rapido **2** macchia (*di vernice, ecc.*); schizzo (*di vernice, di fango, ecc.*); zacchera **3** tocco; velo (*fig.*): **a dab of rouge**, un velo di rossetto **4** (pl.) (*slang ingl.*) impronte digitali ● (*cucina*) **a dab of butter**, un velo di burro □ **to give one's face a few dabs with a wet sponge**, passarsi ripetutamente una spugna umida sul viso.

dab ② /dæb/ n. (*zool.*) **1** pesce piatto (*in genere*) **2** (*Limanda limanda*) limanda; sogliola limanda.

dab ③ /dæb/ n. (*fam.*, = **dab hand**) persona competente, pratica, abile (*a fare qc.*); campione (*fig.*): **He is a dab hand at shooting**, è uno che sa sparare bene; è un campione di tiro.

to dab /dæb/ v. t. e i. **1** battere leggermente; picchiettare **2** toccare lievemente; sfiorare: **to dab (at) one's eyes with a handkerchief**, sfiorarsi gli occhi con un fazzoletto (portarlo agli occhi) **3** applicare (*una spugna, ecc. con rapidi tocchi*); dare: **to dab powder on one's cheeks**, darsi la cipria alle guance; incipriarsi le guance; **to dab (at) one's lips with a lipstick**, darsi il rossetto (alle labbra) **4** spalmare **5** tamponare (*una ferita*).

dabber /'dæbə(r)/ n. **1** persona (*o cosa*) che picchietta, sfiora, ecc. (→ **to dab**) **2** tampone (*usato da tipografi e incisori*).

to dabble /'dæbl/ **A** v. t. bagnare; immergere; tuffare; agitare (*in un liquido*): **to d. one's hands in the water**, agitare le mani nell'acqua **B** v. i. **1** sguazzare; diguazzare: *Some birds like to d. in the water*, alcuni uccelli amano diguazzare nell'acqua **2 – to d. in** (*o* at), occuparsi a tempo perso (*o da dilettante*) di (qc.); dilettarsi di: *He dabbles in politics*, a tempo perso, s'occupa di politica ● **to d. one's face in water**, spruzzarsi l'acqua sul viso (*o Borsa*) **to d. on the stock exchange**, fare piccole operazioni di Borsa.

dabbler /'dæblə(r)/ n. chi s'occupa di qc. in modo superficiale, a tempo perso; dilettante.

dabchick /'dæbtʃik/ n. (*zool.*) **1** (*Podiceps ruficollis*) tuffetto **2** (*Podilymbus podiceps*) podilimbo.

DAC sigla (*elettron.*, **digital-analogue converter**) convertitore digitale-analogico.

dace /deɪs/ n. (pl. **dace, daces**) (*zool.*) **1** *Leuciscus leuciscus* **2** (*USA*) *Rhinichtys* **3** (*USA*) *Minnilus cornutus* **4** (*Chondrostoma genei*) lasca.

dacha /'dætʃə/ (*russo*) n. dacia.

dachshund /'dækshʊnd/ (*ted.*) n. (pl. **dachshunds, dachshunde**) (*zool.*) bassotto tedesco; dachshund.

dacite /'deɪsaɪt/ n. □ (*miner.*) dacite.

dactyl /'dæktɪl/ (*poesia*) n. dattilo ‖ **dactylic A** a. dattilico **B** n. verso dattilico; dattilo.

♦dad /dæd/ n. (*fam.*) babbo; papà.

Dadaism /'dɑːdɑːɪzəm/ n. □ (*arte*) dadaismo ‖ **Dadaist** n. dadaista ‖ **Dadaistic** a. dadaista.

♦daddy /'dædɪ/ n. **1** (*fam.*) babbo; papà; paparino; papi **2** (*fig.*) padre (*fig.*); fondatore, iniziatore: *He's the d. of modern physics*, è il padre della fisica moderna **3** (*slang USA*) vecchio che mantiene una donna **4** (*slang USA*) omosessuale con ruolo dominante ● (*zool.*) **d.-longlegs**, (*Opilio*) opilione dei muri; (*Tipula*) tipula; (*Phalangium*) falangio.

dado /'deɪdəʊ/ n. (pl. **dadoes**) (*archit.*) dado; plinto; zoccolo decorato.

Daedalian /dɪ'deɪlɪən/ a. dedaleo (*lett.*); complesso; intricato.

Daedalus /'diːdələs/ n. (*mitol.*) Dedalo.

daemon /'diːmən/ n. **1** demone; genio ispiratore **2** (*comput.*) demone ‖ **daemonic a. 1** del demone; ispirato dal demone **2** → **demonic**.

daffodil /'dæfədɪl/ n. **1** (*bot.*, *Narcissus pseudonarcissus*) trombone; tromboncino; giunchiglia grande (*è il simbolo del Galles*): *'And my heart with pleasure fills, / And dances with the daffodils'* W. WORDSWORTH, 'e il mio cuore si riempie di gioia / e danza con le giunchiglie' **2** □ color giunchiglia.

daffy /'dæfɪ/ a. (*fam. USA*) matto; pazzo; picchiato; suonato ● **to be d. about** (*o* over) **sb.**, essere innamorato pazzo di q.

daft /dɑːft/ a. (*fam.*) **1** sciocco; stupido **2** debole di cervello; scervellato; tocco; pazzerello **3** matto; pazzo.

daftness /'dɑːftnəs/ n. □ (*fam.*) **1** stupidità **2** pazzia.

dagger /'dægə(r)/ n. **1** pugnale; stiletto **2** (*tipogr.*) obelo; obelisco ● **to be at daggers drawn with sb.**, essere ai ferri corti con q. □ **to look daggers**, far gli occhiacci; guardare in cagnesco.

dago /'deɪgəʊ/ n. (pl. **dagos, dagoes**) (*slang spreg. USA*) individuo d'origine spagnola, portoghese o italiana; guappo (*spreg.*).

daguerreotype /də'gerətaɪp/ n. dagherrotipo ‖ **daguerreotype** n. □ dagherrotipia.

dahlia /'deɪlɪə/ n. **1** (*bot.*, *Dahlia*) dalia **2** □ (= **d. violet**) color viola; violetto.

Dahomey /də'həʊmɪ/ n. (*geogr.*) Dahomey (*ora Benin*).

Dail Eireann /'dɔɪl'eɪrən/ loc. n. (*irl.*, *polit.*) Camera dei Deputati della Repubblica d'Irlanda.

♦daily /'deɪlɪ/ **A** a. quotidiano; giornaliero: **one's d. bread**, il pane quotidiano; il pane (*fig.*) **B** n. **1** (*giornale*) quotidiano **2** domestica a giornata **3** (pl., *USA*) – dailies, (*cinem.*) 'giornalieri', prime stampe (*cfr. ingl.* **rushes**, *sotto* **rush** ②, *def.* 13) **C** avv. **1** quotidianamente; giornalmente; tutti i giorni **2** alla giornata; a giornate: **to charge sb. d.**, farsi pagare da q. a giornate **3** di giorno in giorno ● **d. allowance**, indennità giornaliera; diaria ● **d. paper**, quotidiano di un giorno feriale (*cfr.* **Sunday paper**, *sotto* **Sunday**) ● **d. round** (*o* **d. routine**), il tran-tran quotidiano ● **d. wage**, paga giornaliera □ (*fam.*) **to do one's d. dozen**, fare un po' di ginnastica da camera.

daimon /'daɪməʊn/ e *deriv.* → **daemon**, e *deriv.*

dainty /'deɪntɪ/ **A** n. cosa delicata, squisita; bocconcino prelibato; ghiottoneria **B** a. **1** (*di cibo*) delicato; squisito; prelibato **2** bello; grazioso; fine; raffinato: *What d. cups!*, che belle tazzine!; **a d. little girl**, una bambina graziosa, d'una bellezza delicata **3** di gusti raffinati; esigente; di difficile contentatura; schizzinoso ‖ **daintily** avv. delicatamente; con grazia; con raffinatezza ‖ **daintiness** n. □ **1** delicatezza; squisitezza **2** bellezza; finezza; grazia **3** raffinatezza di gusti; l'essere esigente.

daiquiri /'daɪkɪrɪ/ n. daiquiri (*cocktail di rum, succo di limone e sciroppo di zucchero*).

dairy /'deərɪ/ n. **1** latteria; piccolo caseificio: **d. farming**, industria casearia, dei latticini **2** (= **d. farm**) fattoria per la produzione di latte e latticini **3** latteria (*negozio*) ● **d. cattle**, mucche da latte □ **d. farmer**, allevatore di mucche da latte □ **d. products**, latticini.

dairying /'deərɪɪŋ/ n. □ industria lattiero-casearia.

dairyman /'deərɪmən/ n. (pl. **dairymen**) **1** uomo che lavora in un caseificio **2** padrone di un caseificio **3** lattaio.

dais /'deɪɪs/ n. predella; palco.

daisied /'deɪzɪd/ a. coperto di margherite.

daisy /'deɪzɪ/ n. **1** (*bot.*, *Bellis perennis*) margheritina; pratolina **2** (*Chrysanthemum leucanthemum*) margherita dei campi **3** (*slang antiq. o USA*) persona o cosa eccellente, eccezionale; gioiello, perla (*fig.*) ● **d. chain**, ghirlanda di margherite; (*fig.*) grup-

po (*o* serie) di persone (*o* di cose); (*slang*) sesso di gruppo; ammucchiata □ **d. gun**, arma ad aria compressa □ **d. wheel**, margherita (*di macchina da scrivere o di stampante*) □ (*iron.*) **fresh as a d.**, fresco come una rosa □ (*scherz.*) **to be pushing up (the) daisies**, essere morto e sepolto.

dale /deɪl/ n. (*poet.*) valle; valletta.

dalesman /ˈdeɪlzmən/ n. (pl. ***dalesmen***) (*poet.*) valligiano.

d

dalliance /ˈdælɪəns/ n. **1** [U] [C] ozio; perditempo; svago **2** [U] amoreggiamento; schermaglia amorosa; flirt.

to **dally** /ˈdælɪ/ v. i. **1** perder tempo; esitare; indugiare; oziare **2** giocare; gingillarsi; scherzare; trastullarsi; amoreggiare: **to d. with an idea**, gingillarsi con un'idea; **to d. with a young girl**, amoreggiare con una ragazzina ● **to d. away an opportunity**, sprecare un'occasione □ **to d. away time**, sciupare il proprio tempo.

Dalmatia /dælˈmeɪʃə/ n. (*geogr.*) Dalmazia.

Dalmatian /dælˈmeɪʃn/ **A** a. dalmata **B** n. **1** dalmata **2** [U] lingua dalmata **3** (= **D. dog**) (cane) dalmata.

dalmatic /dælˈmætɪk/ **A** a. dalmatico **B** n. (*relig.*) dalmatica.

daltonism /ˈdɔːltənɪzəm/ (*med.*) n. [U] daltonismo.

dam ① /dæm/ n. **1** diga; argine; barriera **2** bacino d'acqua trattenuta da una diga **3** (*metall.*) dama; piastra.

dam ② /dæm/ n. **1** genitrice (*di quadrupedi, spec. cavalli*) **2** (*arc.*) madre ● (*fig.*) **the devil and his dam**, le forze del male.

to **dam** /dæm/ v. t. (*di solito* **to dam up**) **1** costruire dighe su: **to dam a river**, costruire dighe su un fiume **2** arginare; contenere; sbarrare **3** (*fig.*) tenere a freno; trattenere: **to dam up one's tears**, trattenere le lacrime.

♦**damage** /ˈdæmɪdʒ/ n. **1** [U] danno; danneggiamento: *The d. was caused by the hailstorm*, il danno fu causato dalla tempesta **2** [U] (*leg.*) danno; pregiudizio **3** (pl.) (*ass.*) danni **4** (pl.) (*leg.*) danni; (*anche*) risarcimento dei danni, indennizzo; condanna al pagamento dei danni: **to be liable for damages**, rispondere dei danni; *We claimed damages*, chiedemmo il risarcimento dei danni **5** (*fam.*) costo; spesa: *What's the d.?*, qual è la spesa? ● (*leg.*) **damages award**, sentenza di risarcimento dei danni □ (*naut.*) **d. by act of God**, danno dovuto a un caso di forza maggiore □ (*ass.*) **d. claim**, richiesta d'indennizzo (*leg.*, *in Inghil.*) **d. in law**, danno presunto dalla legge (*senza bisogno di prova*) □ (*autom.*: *di un respingente*) **d.-resistant**, a prova d'urto; antiurto □ (*ass.*) **d. survey**, perizia dei danni.

♦to **damage** /ˈdæmɪdʒ/ v. t. **1** danneggiare; portare (*o* recare) danno a: *They are trying to d. him*, cercano di recargli danno **2** guastare; avariare **3** nuocere a; pregiudicare; compromettere: *Cigarettes can seriously d. your health*, le sigarette possono nuocere gravemente alla salute.

damageable /ˈdæmɪdʒəbl/ a. danneggiabile; avariabile.

damaged /ˈdæmɪdʒd/ a. **1** danneggiato; compromesso: **d. health**, salute compromessa **2** guasto; avariato: **d. goods**, merce avariata **3** (*ass.*) sinistrato ● (*leg.*) **the d. party**, la parte lesa.

damaging /ˈdæmɪdʒɪŋ/ a. **1** dannoso **2** nocivo **3** compromettente; pregiudizievole: **a d. admission**, un'ammissione compromettente.

Damascene /ˈdæməsiːn/ a. e n. (abitante) di Damasco; damasceno.

damascene /ˈdæməsiːn/ **A** n. (*metall.*) **1** [U] damaschinatura; ageminazione **2** (oggetto prodotto mediante) damaschinatura **B** a. attr. damaschinato; damaschino.

to **damascene** /ˈdæməsiːn/ v. t. (*metall.*) damaschinare; ageminare (*un metallo*).

damascening /ˈdæməsiːnɪŋ/ n. [U] (*metall.*) damaschinatura; ageminazione.

Damascus /dəˈmæskəs/ n. (*geogr.*) Damasco.

damask /ˈdæməsk/ **A** n. **1** [U] (*ind. tess.*) damasco **2** (= **d. steel**) acciaio damaschinato **3** oggetto metallico damaschinato **4** [U] color rosa intenso **B** a. attr. di damasco; damasceno: **d. rose**, rosa damascena ● (*bot.*) **d. prune**, (*Prunus domestica insititia*) damaschino; susino d'origine siriana.

to **damask** /ˈdæməsk/ v. t. **1** (*ind. tess.*) damascare (*stoffa*) **2** damaschinare (*metalli*) **3** arrossare (*le guance, ecc.*); fare arrossire.

damaskeen /ˈdæməskiːn/ → **damascene**.

dame /deɪm/ n. **1** (*titolo nobiliare*) Dame; Donna **2** (*arc. poet. o scherz.*) gentildonna; dama; signora: **D. Fortune**, la Signora Fortuna **3** (*slang USA*) ragazza (*o* donna) attraente: *What a d.!*, che bella donna!; *She's some d.!*, è una gran donna! **4** (*teatr.*, *in GB*) – **the D.**, la Dama; la Vecchia Signora ❶ CULTURA • **Dame**: *è uno dei personaggi fissi di una → «pantomime» (def. 1).*

dammit /ˈdæmɪt/ → **damn it!**; = **as near as damn it** → **to damn**.

♦**damn** /dæm/ (*fam.*) **A** n. – **a d.**, un bel niente; un accidente; un fico secco (*pop.*): *It isn't worth a d.*, non vale un accidente; *I don't give a d.*, non me ne importa un fico secco; me ne frego **B** a. attr. maledetto; stupido: *That d. idiot!*, quel maledetto idiota! *I can't see a d. thing!*, non vedo un accidente di niente! **C** avv. molto; proprio; veramente: *You've been d. lucky*, hai avuto una bella fortuna; ti è andata di lusso; *It's a d. cold day*, fa un freddo cane; *You know d. well I can't*, lo sai benissimo che non posso; *They can d. well leave, if they don't like it*, che se ne vadano pure se non gli piace; *I should d. well think so!*, direi!; vorrei vedere! **D** inter. accidenti!; che rabbia!; maledizione! ● (*GB*) **d. all**, un bel nulla; un accidente (di niente); un fico secco (*pop.*) □ **d. near**, quasi; per un pelo: *I d. near drowned*, per un pelo non annegavo.

to **damn** /dæm/ v. t. **1** (*relig*) dannare **2** condannare; criticare severamente; (*teatr.*) stroncare; **The comedy was damned by the critics**, la commedia fu stroncata dai critici **3** (spec. all'imper.) (*fam.*) maledire; mandare al diavolo: *Prudence be damned!*, al diavolo la prudenza!; *It's that man again, d. him!*, è di nuovo quell'uomo, accidenti a lui!; *D. you!*, accidenti a te!; va' al diavolo!; *D. it (all)!*, accidenti!; che rabbia! **4** rovinare; condannare: *That remark was enough to d. her*, quella frase bastò a rovinarla; *He damned himself with his own words*, si è condannato da solo; *The enterprise was damned from the start*, l'impresa era condannata in partenza ● **to d. st. with faint praise**, fare elogi di qc. così tiepidi che equivalgono a una critica □ (*fam. GB*) **as near as d. it**, quasi; vicinissimo; a un pelo □ (*fam.*) **I'll be damned if...!**, non mi sogno nemmeno di...! □ (*fam.*) **Well, I'll be damned!**, accidenti!; mi venga un colpo!; porca miseria!

damnable /ˈdæmnəbl/ a. **1** dannabile (*anche relig.*) **2** esecrabile; odioso; seccante **3** (*fam.*) maledetto; schifoso: **d. weather**, tempo schifoso | **-bly** avv.

damnation /dæmˈneɪʃn/ **A** n. [U] dannazione (*anche relig.*); maledizione; riprovazione; condanna **B** inter. (*fam.*) maledizione!; al diavolo!; che rabbia!

damnatory /ˈdæmnətrɪ/ a. **1** di condanna **2** di biasimo; di riprovazione: **d. words**, parole di biasimo.

damned /dæmd/ **A** n. **1** (*relig.*) dannato: **the d.**, i dannati **2** (*fam.*) maledetto; stupido; accidenti di: *It's a d. muddle!*, è un maledetto pasticcio!; *You d. fool!*, stupido idiota!; *It's none of your d. business!*, non sono affari tuoi, accidenti!; *There isn't a d. thing I can do about it*, non posso farci un bel niente **B** avv. → **damn**, **C** ● (*fam.*) **D. if I remember it!**, accidenti, non riesco proprio a ricordarlo! □ (*fam.*) **D. if I know!**, non ne so un bel niente; non ne ho la più pallida idea.

damnedest /ˈdæmdɪst/ (*fam.*) **A** a. superl. straordinario; incredibile: *It was the d. thing I ever saw*, è stata la cosa più incredibile che io abbia mai visto **B** n. – **to do** (*o* **to try**) one's d., fare di tutto; tentare l'impossibile.

to **damnify** /ˈdæmnɪfaɪ/ (*leg.*) v. t. danneggiare; recar danno a ‖ **damnification** n. [U] danneggiamento.

damning /ˈdæmɪŋ/ a. **1** di condanna; fortemente critico: **d. words**, parole di condanna; **a d. report**, una relazione fortemente critica **2** (*leg.*) incriminante; schiacciante: **d. evidence**, prove schiaccianti.

Damocles /ˈdæməkliːz/ n. (*stor.*) Damocle ● (*fig.*) **the sword of D.**, la spada di Damocle.

damp /dæmp/ **A** n. [U] **1** umidità; umido; (al pl., *arc.*) tempo umido, umidità **2** (*ind. min.*) (= **firedamp**) grisù; grisou **3** (*fig. arc.*) abbattimento; scoramento **B** a. umido: **d. clothes**, vestiti umidi ● (*edil.*) **d.** (*o* **d.-proof**) **course**, strato impermeabile (*contro l'umidità*) □ **d.-proof**, a prova d'umidità □ (*edil.*) **d. proofing**, isolamento dall'umidità; eliminazione dell'umidità □ (*fam. ingl.*) **d. squib**, cosa deludente; delusione; mezzo fiasco.

to **damp** /dæmp/ v. t. **1** inumidire **2** (*mus.*) mettere la sordina a (*uno strumento a corde*) **3** (*fis.*) smorzare (*un'onda, un'oscillazione*) **4** → **to dampen**, *def. 2*.

■ **damp down** v. t. **1** smorzare; ridurre: **to d. down sb.'s enthusiasm**, smorzare l'entusiasmo di q.; **to d. down sb.'s spirits**, scoraggiare q.; abbattere q. **2** rallentare la combustione di (*un fuoco*); coprire con la cenere; soffocare.

■ **damp off** v. i. (*agric.*) marcire a causa del micete *Phytium debaryanum* (*provocato da umidità eccessiva*).

to **damp-dry** /dæmpˈdraɪ/ v. t. togliere l'eccesso d'acqua da.

to **dampen** /ˈdæmpən/ **A** v. t. **1** inumidire **2** smorzare; attenuare; ridurre; allentare; raffreddare: *Nothing could d. his optimism*, niente poteva smorzare il suo ottimismo; (*econ.*) **dampened inflation**, inflazione attenuata **3** (*fis.*) smorzare (*un'onda sonora*) **B** v. i. inumidirsi.

dampener /ˈdæmpənə(r)/ n. **1** (*USA*) spruzzatore per inumidire la biancheria **2** (*grafica*) rullo umidificatore **3** → **damper**, *def. 1*.

damper /ˈdæmpə(r)/ n. **1** cosa che deprime, rattrista, scoraggia; gelo; doccia fredda (*fig.*): **to put a d. on st.**, avere un effetto deprimente su qc.; smorzare l'allegria (*o* l'entusiasmo) di qc.; gettare un velo di tristezza su qc.; raggelare qc.; guastare la festa **2** persona che scoraggia o abbatte; guastafeste **3** (*mecc.*, *elettron.*) smorzatore: **vibration d.**, smorzatore di vibrazioni; (*di motocicletta*) **steering d.**, frenasterzo **4** (*mecc.*) valvola di tiraggio (*del camino*) **5** (*autom.*, *mecc.*) ammortizzatore **6** (*mus.*) sordina; smorzatore (*di pianoforte*): **d. pedal**, pedale di risonanza **7** spugnetta per inumidire **8** (*Austral.*) grosso pane non lievitato cotto

nella cenere.

damping /'dæmpɪŋ/ n. ⓤ **1** inumidimento **2** attenuazione **3** (fis.) smorzamento ● (agric.) **d. off**, marciume (causato dal micete Phytium debaryanum).

dampish /'dæmpɪʃ/ a. umidiccio.

damply /'dæmplɪ/ avv. (fig.) in modo apatico; con freddezza.

dampness /'dæmpnəs/ n. ⓤ umidità; umido.

to **damp-proof** /'dæmpruːf/ v. t. (edil.) dotare di uno strato impermeabile; impermeabilizzare.

damsel /'dæmzl/ n. (lett.) damigella; donzella; fanciulla.

damselfly /'dæmzəlflaɪ/ n. (zool., Zygoptera odonata) libellula.

damson /'dæmzn/ n. **1** (bot., Prunus domestica insititia) damaschino; susino selvatico **2** susina selvatica (o damaschina) **3** ⓤ color prugna ● **d. cheese**, marmellata di prugne damaschine □ **d.-plum**, susina damaschina.

dan /dæn/ n. (sport) dan (grado nel judo e sim.).

♦**dance** /dɑːns/ n. **1** ⓤ danza **2** ballo; festa da ballo: May I have the next d.?, mi concede il prossimo ballo?; **to give a d.**, dare un ballo **3** musica da ballo; ballabile ● **d. band**, orchestra da ballo; orchestrina □ **d. contest**, gara di ballo □ **d. floor**, pista (di sala da ballo) □ **d. hall**, sala da ballo; dancing □ **d. hostess**, entraîneuse, ragazza di locale notturno □ (pitt.) **the D. of Death**, danza macabra □ **d. studio**, sala per lezioni di ballo □ **to lead the d.**, aprire le danze □ (fig.) **to lead sb. a (merry) d.**, menare q. per il naso; portare a spasso q. (fig.).

♦to **dance** /dɑːns/ v. i. e t. **1** danzare (anche fig.); ballare; far ballare: **to d. a waltz**, ballare un valzer; **to d. a bear**, far ballare un orso; 'Yes, we met dancing. I liked him from the first' T. STOPPARD, 'sì, ci siamo conosciuti ballando. Mi è piaciuto subito' **2** (del cuore, del sangue) balzare in petto; pulsare; scorrere veloce **3** far ballare, far saltellare (un bambino: sulle ginocchia, ecc.) **4** (slang USA) essere impiccato ● **to d. about**, ballare (o saltellare) qua e là □ **to d. attendance upon sb.**, stare sempre alle costole di q.; fare i balletti intorno a q. □ **to d. away**, continuare a ballare □ **to d. one's head off**, stordirsi a forza di ballare □ **to d. in a ring**, danzare in tondo; (di bimbi) fare il girotondo □ (slang USA) **to d. off**, essere impiccato; penzolare (dalla forca) □ **to d. to another tune**, cambiar musica (anche fig.); mettersi in riga (fig.) □ (fig.) **to d. to sb.'s tune**, lasciarsi guidare da q.; fare come vuole q.; legare l'asino dove vuole il padrone (fig.).

danceable /'dɑːnsəbl/ a. ballabile.

dancer /'dɑːnsə(r)/ n. **1** danzatore, danzatrice; ballerino, ballerina **2** (teatr.) ballerino di fila; boy ● **d. on the stage**, ballerina (o ballerino) professionista □ **He's a good d.**, balla bene.

♦**dancing** /'dɑːnsɪŋ/ Ⓐ n. ⓤ la danza; il ballo (l'arte) Ⓑ a. **1** danzante; che balla **2** di (o da) ballo ● **d. girl**, ballerina (di night, teatro, ecc.); (nel Medio Oriente) danzatrice □ **d. hall**, sala da ballo □ **d. master**, maestro di ballo □ **d. mistress**, maestra di ballo □ **d. school**, scuola di danza □ **d. shoes**, scarpette da ballo.

D&C sigla (med., dilation and curettage) dilatazione e raschiamento (uterino).

D&D sigla **1** (deaf and dumb) sordomuto **2** (leg., drunk and disorderly) in stato di ubriachezza molesta.

dandelion /'dændɪlaɪən/ n. (bot., Taraxacum officinale) tarassaco; dente di leone; soffione ● **d. clock**, soffione (in GB i bambini credono di poter indovinare l'ora del giorno dal nu-

mero delle volte che vi devono soffiare su per farlo volare via).

dander /'dændə(r)/ n. ⓤ (antiq. o USA) ira; indignazione; collera ● **to get one's d. up**, andare in collera; perdere la pazienza; uscire dai gangheri (fig.).

to **dandle** /'dændl/ v. t. **1** cullare, ninnare (un bambino) **2** vezzeggiare; coccolare.

dandruff /'dændrʌf/ n. ⓤ forfora ‖ **dandruffy** a. forforoso.

dandy ① /'dændɪ/ Ⓐ n. **1** dandy; bellimbusto; damerino; zerbinotto **2** (pop. USA) cosa eccellente, di prima qualità Ⓑ a. **1** da damerino; da zerbinotto; squisito **2** (slang USA) eccellente; di prima qualità Ⓒ avv. (slang USA) benissimo ● **d.-brush**, striglia d'osso di balena □ (ind. cartaria) **d. roll** (o **d. roller**), tamburo ballerino.

dandy ② /'dændɪ/ → **dengue**.

dandyish /'dændɪʃ/ a. di (o da) damerino; lezioso; ricercato.

dandyism n. ⓤ eleganza ricercata; dandismo.

Dane /deɪn/ n. **1** danese **2** (= Great D.) (cane) danese; alano.

danewort /'deɪnwɜːt/ n. (bot., Sambucus ebulus) sambuco selvatico; ebbio.

♦**danger** /'deɪndʒə(r)/ n. ⓒⓤ pericolo; rischio: He's a d. to society, è un pericolo per la società; He was in d. of losing his job, correva il rischio di perdere il lavoro ● **d. money**, indennità di rischio (per un lavoro pericoloso) □ (autom.) **the dangers of the road**, i pericoli della strada □ (autom., ecc.) **d. signal**, segnale di pericolo □ **to be in d.**, essere in pericolo □ (di un malato) **to be on the d. list**, essere grave □ **to be off the d. list**, essere fuori pericolo.

♦**dangerous** /'deɪndʒərəs/ a. pericoloso; rischioso: **d. crossroads**, incrocio pericoloso; (autom.) **d. driving**, guida pericolosa; **d. occupations**, mestieri pericolosi ‖ **dangerously** avv. **1** in modo pericoloso; pericolosamente: **to drive dangerously**, guidare in modo pericoloso; **to live dangerously**, vivere pericolosamente **2** gravemente: **dangerously ill**, gravemente malato ‖ **dangerousness** n. ⓤ **1** pericolosità **2** gravità (di una malattia).

to **dangle** /'dæŋgl/ Ⓐ v. i. **1** dondolare; ciondolare; penzolare **2** (gramm.) essere sospeso, sconnesso: In this sentence the gerund is dangling, in questo periodo, il gerundio non è sintatticamente connesso Ⓑ v. t. **1** far dondolare; far ciondolare, spenzolare **2** (fig.) far balenare (promesse, speranze, ecc.) ● (fam.) **to keep sb. dangling**, tenere q. sulla corda (fig.).

dangler /'dæŋglə(r)/ n. **1** bellimbusto; ciondolone **2** cascamorto; tirapiedi **3** (fam. USA) trapezista **4** (fam. USA) doppiogiochista.

Daniel /'dænjəl/ n. **1** Daniele **2** (fig.) giudice illuminato.

Danish /'deɪnɪʃ/ Ⓐ a. danese Ⓑ n. ⓤ (lingua) danese ● **D. blue**, specie di gorgonzola □ **D. pastry**, pasta sfoglia ripiena di mandorle e altra frutta.

dank /dæŋk/ a. **1** umido; bagnato; stillante umidità: **a d. cave**, un'umida caverna **2** fetido; rancido; stantio ● **a d. smell**, un fetore □ **-ness**, ⓤ.

Dantean /'dæntɪən/ (letter.) Ⓐ a. dantesco Ⓑ n. (raro) dantista.

Dantesque /dæn'tesk/ a. dantesco.

Danube /'dænjuːb/ (geogr.) n. Danubio ‖ **Danubian** a. danubiano.

Danzig /'dæntsɪg/ n. (geogr.) Danzica.

to **dap** /dæp/ Ⓐ v. i. **1** pescare tenendo l'esca a fior d'acqua **2** tuffarsi, immergersi (con leggerezza e all'improvviso) **3** (di una palla) rimbalzare Ⓑ v. t. far rimbalzare; lan-

ciare (un sasso nell'acqua) in modo che faccia rimbalzello.

daphne /'dæfnɪ/ n. (bot., Daphne) dafne.

Daphne /'dæfnɪ/ n. (mitol.) Dafne.

dapper /'dæpə(r)/ a. **1** piccolo e vivace; lesto; svelto **2** (fam.) agghindato; azzimato; attillato; elegante ● **a d. wave of the hand**, un rapido cenno con la mano.

dapple ① /'dæpl/, **dappled** /'dæpld/ a. **1** chiazzato; screziato; macchiato **2** (d'animale) maculato **3** (di cavallo) pezzato; pomellato ● **a d.-grey horse**, un cavallo grigio pomellato.

dapple ② /'dæpl/ n. **1** screziatura; macchia **2** cavallo pezzato, pomellato.

to **dapple** /'dæpl/ Ⓐ v. t. chiazzare; screziare; macchiettare Ⓑ v. i. chiazzarsi; screziarsi.

darbies /'dɑːbɪz/ n. pl. (slang USA) manette.

Darby and Joan /'dɑːbɪən'dʒəʊn/ loc. n. (fam. ingl.) (coppia di) coniugi anziani, che stanno bene insieme ● **Darby and Joan club**, circolo per anziani.

Dardanelles (the) /dɑːdə'nelz/ n. pl. (geogr.) i Dardanelli.

dare /deə(r)/ n. **1** atto di coraggio; azione temeraria **2** sfida; scommessa: **to do st. for a d.**, fare qc. per sfida.

♦to **dare** /deə(r)/ (pass. **dared**, arc. **durst**, p. p. **dared**), v. t. e i. (al pres., anche v. modale) **1** osare; ardire; arrischiarsi; avere il coraggio di: How d. you say such a thing!, come osi dire una cosa simile!; He d. not try (o he doesn't d. to try), non ardisce tentare; I would if I dared, lo farei, se ne avessi il coraggio; He didn't d. (to) go, non osò andarci **2** sfidare: He dared me to follow him, mi sfidò a seguirlo; I will d. any danger, sfiderò ogni pericolo **3** (form.) affrontare: **to d. the anger of one's boss**, affrontare l'ira del capo ● (just) **you d.!**, provaci! (se ne hai il coraggio) □ **to d. all things**, osare il tutto per tutto □ **I d. say**, oso dire; suppongo; credo: I d. say this problem is too difficult for you to solve, suppongo che questo problema sia troppo difficile perché tu lo risolva.

❶ NOTA: to dare

to dare, nella definizione **1**, può essere usato sia come verbo regolare che come verbo modale.

1 Come verbo regolare è seguito dall'infinito con **to** ed è usato per lo più in frasi negative e interrogative: She doesn't dare to meet him alone, non osa (o non se la sente) di incontrarlo da sola; We didn't dare to go in, non osammo entrare; Would you dare to state it publicly?, avresti il coraggio (o te la sentiresti) di affermarlo pubblicamente?

2 L'uso modale è comune soprattutto in frasi negative e interrogative con il verbo al presente: come modale **to dare** è privo di flessione ed è seguito dall'infinito senza **to**; la forma negativa contratta è **daren't**: I daren't tell what I saw, non oso raccontare ciò che ho visto; How dare you suggest I was lying?, come osi insinuare che stessi mentendo?

3 Sono infine possibili costruzioni miste: I did not dare speak, non osai parlare (l'uso di **do** è proprio del verbo regolare, ma l'assenza di **to** prima di **speak** è propria di quello modale); Mary dares not ask him about his past, Mary non osa chiedergli del suo passato (la **-s** di **dares** è propria del verbo regolare; la negazione con **not** anziché con **doesn't** e l'assenza di **to** davanti ad **ask** sono proprie di quello modale); Don't you dare touch me, non osare toccarmi!; prova (soltanto) a toccarmi!

daredevil /'deədevl/ Ⓐ a. audace; temerario Ⓑ n. scavezzacollo.

daren't /deənt/ contraz. di **dare not**.

a b c d e f g h i j k l m n o p q r s t u v w x y z

d

daresay /'dɛə'seɪ/ = **I dare say** → **to dare**.

daring /'dɛərɪŋ/ **A** a. audace; ardito; coraggioso; intrepido **B** n. ◫ audacia; ardire; coraggio; intrepidezza | **-ly** avv.

◆**dark**① /dɑːk/ a. **1** oscuro; scuro; buio; fosco; tenebroso: *It was a d. night*, era una notte buia; *It's getting d.*, comincia a farsi buio (o a imbrunire); **d. blue**, blu scuro; **a d. room**, una stanza buia; **a d. secret**, un oscuro segreto; **a d. saying**, un detto oscuro (poco chiaro) **2** bruno (*di carnagione, di colore*); (*d'occhi, di pelle, ecc.*) bruno, scuro: *She has d. eyes*, ha gli occhi scuri **3** (*fig.*) cupo; fosco; tetro; triste; nero (*fig.*): **d. humour**, umor tetro (o nero); **d. prospects**, prospettive fosche; **to look on the d. side of things**, vedere soltanto il lato nero delle cose; essere pessimista **4** (*fig.*) oscuro, misterioso; astruso; incomprensibile: **the d. side of sb.'s character**, il lato oscuro del carattere di q. **5** sinistro: *He gave me a d. look*, mi diede un'occhiataccia **6** buio (*fig.*); oscurantista: **in this d. age of ours**, in questa nostra età oscurantista **7** nascosto; segreto: **to keep st. d.**, tenere nascosto qc. **8** reticente: **to be quite d. about st.**, essere del tutto reticente su qc. **9** (*fam. USA*) chiuso: (*di un locale, ecc.*) **to go d.**, chiudere ● **the D. Ages**, l'alto Medioevo; (*spec.*) l'età delle invasioni barbariche □ **the d. blues** → **blue** □ (*teatr.*) **d. comedy**, commedia «nera» □ **the D. Continent**, il continente nero (l'*Africa*) □ **d.-eyed**, dagli occhi scuri □ **d. glasses**, occhiali scuri □ **d.-haired**, dai capelli scuri; bruno □ **a d. horse**, (*USA*) un cavallo (*fig.*: un candidato) di cui non si conoscono le possibilità di vittoria; un outsider; (*anche*) un tipo assai riservato (o reticente) □ (*letter.*) **the d. lady of the Sonnets**, la dama bruna dei Sonetti (*di Shakespeare*) □ **d. lantern**, lanterna cieca □ **d.-skinned**, dalla pelle scura □ **Keep it d.!**, acqua in bocca!

◆**dark**② /dɑːk/ n. ◫ oscurità; buio; tenebre: *We were left in the d.*, rimanemmo al buio ● **after d.**, dopo il crepuscolo; a notte fatta □ **at d.**, all'imbrunire □ **before d.**, prima del calar delle tenebre □ **to keep sb. in the d. about st.**, tenere q. all'oscuro di qc. □ (*fig.*) **to take a leap in the d.**, fare un salto nel buio.

to darken /'dɑːkən/ **A** v. i. **1** oscurarsi; farsi scuro (o buio) **2** (*fig.*) rabbuiarsi, farsi scuro (*in volto: per l'ira, ecc.*) **3** (*di un colore*) scurirsi **B** v. t. **1** oscurare; rendere oscuro; offuscare **2** scurire; annerire: *Smoke had darkened the walls*, il fumo aveva annerito le pareti **3** (*fig.*) rattristare; rendere fosco: **to d. the future**, rendere fosco l'avvenire.

darkey, **darkie** /'dɑːkɪ/ n. (*spreg.*) negro, negra.

darkish /'dɑːkɪʃ/ a. piuttosto scuro (o buio).

darkling /'dɑːklɪŋ/ (*poet.*) **A** a. **1** oscuro; incerto; indistinto: **a d. plot**, un oscuro complotto **2** che avviene al buio (o nelle tenebre): **a d. trip**, un viaggio con le tenebre (o di notte) **B** avv. al buio; nelle tenebre.

darkly /'dɑːklɪ/ avv. **1** oscuramente **2** confusamente; astrusamente **3** foscamente; tetramente.

◆**darkness** /'dɑːknəs/ n. ◫ **1** oscurità; buio; tenebre **2** (*fig.*) ignoranza; cecità (*fig.*) **3** (*di un colore*) l'essere scuro; (*di una fotocopiatrice*) il nero: *Have you tried increasing the d.?*, hai provato ad aumentare il nero? **4** (*fig.*) le tenebre; (il) male: **the powers of d.**, le potenze del male ● **d. of complexion**, carnagione bruna, scura: *I was struck by the d. of her complexion*, fui colpito dalla sua carnagione scura □ (*relig.*) **the prince of d.**, il demonio.

darknet /'dɑːknɛt/ n. ◫ (*comput.*) darknet (*rete virtuale privata*).

darkroom /'dɑːkruːm/ n. (*fotogr.*) camera oscura.

darksome /'dɑːksəm/ a. (*poet.*) **1** oscuro; scuro **2** cupo; tetro.

darky /'dɑːkɪ/ → **darkey**.

◆**darling** /'dɑːlɪŋ/ **A** a. **1** caro; amato; diletto: **my d. wife**, la mia cara moglie **2** (*fam.*) carinissimo; delizioso: *What a d. little house!*, che amore di casetta! **B** n. **1** beniamino; prediletto; cocco (*fam.*): *He's the teacher's d.*, è il beniamino del maestro **2** (*fam.*) tesoro; angelo; amore: *Jill's baby is a d.*, Jill ha un tesoro di bambino; *il bambino di Jill è un amore*; (*di un bimbo*) **a little d.**, un tesorino; un tesoruccio **3** (*al vocat.*) caro, cara; tesoro; amore: *Don't worry d., I'll see to it*, non ti preoccupare, amore, ci penso io **4** (*al vocat., fam., rivolto a un cliente di negozio, ristorante, ecc.*): è idiom.): *What can I do for you, d.?*, desidera?; *What can I get you, d.?*, e oggi, che si mangia?

darn① /dɑːn/ n. rammendo; ricucitura.

darn② /dɑːn/ inter. (*fam. eufem.*; = **d. it!**) maledizione!; accidenti!

to darn① /dɑːn/ v. t. rammendare.

to darn② /dɑːn/ v. t. (*fam. eufem. per* **to damn**) maledire ● **D. his impudence!**, che razza di sfacciato della malora!

darned /dɑːnd/ a. (*pop. eufem. per* **damned**) maledetto; dannato.

darnel /'dɑːnl/ n. (*bot., Lolium temulentum*) loglio; zizzania.

darner /'dɑːnə(r)/ n. rammendatore, rammendatrice.

darning /'dɑːnɪŋ/ n. ◫ **1** rammendatura; rammendo; arte del rammendo **2** roba (in-dumenti, ecc.) da rammendare ● **d. ball** (o **d. last**), uovo (di legno) da rammendo □ **d. cotton**, cotone da rammendo □ **d. needle**, ago da rammendo □ **d. stitch**, punto rammendo.

dart /dɑːt/ n. **1** dardo; (*lett.*) strale (*poet.*); freccia: **a poisoned d.**, una freccia avvelenata **2** balzo; guizzo; slancio: *The cat made a d. for the window*, il gatto fece un balzo verso la finestra **3** (*zool.: d'insetto*) pungiglione **4** lancio d'un dardo **5** freccetta: «**dart**» **6** ◫ (*pl., col verbo al sing.*) gioco del lancio di freccette (*con le mani: assai comune in GB*): *Can we use the darts please?*, possiamo usare le freccette? **7** (*sartoria*) pince (*franc.*); ripresa; piccola piega.

to dart /dɑːt/ **A** v. t. **1** saettare; lanciare; scagliare (*anche fig.*): **to d. a javelin**, scagliare un giavellotto; '*The harpoon was darted; the stricken whale flew forward*' H. MELVILLE, 'la fiocina fu scagliata; la balena colpita fece una corsa in avanti'; *The teacher darted an angry look at the boy*, il maestro saettò (o lanciò) un'occhiataccia al ragazzo **2** (*anche* **to d. out**) saettare; tirar fuori velocemente: *The chameleon darted out its tongue and caught its prey*, il camaleonte saettò la lingua e catturò la preda **3** (*sartoria*) fare una pince (o una ripresa) in (*un vestito, ecc.*) **B** v. i. **1** dardeggiare: *Fiery eyes were darting in the night*, occhi di fuoco dardeggiavano nella notte **2** balzare; guizzare; slanciarsi: *The lizard darted into the cranny*, la lucertola guizzò dentro la fessura; **to d. across the street**, traversare la strada di slancio (o in un balzo); *The rabbit darted off*, il coniglio balzò via.

dartboard /'dɑːtbɔːd/ n. bersaglio (rotondo) del gioco dei 'darts' (*cfr.* **dart**, *def. 5 e 6*).

darter /'dɑːtə(r)/ n. **1** chi lancia, scaglia, ecc.; (*raro*) arciere **2** (*zool., Perca flavescens*) perca dorata: '*The finny d. with the glittering scales*' G.G. BYRON, 'la perca dorata, con le sue pinne e le squame lucenti' **3** (*zool., Anhinga*) aninga.

darting /'dɑːtɪŋ/ a. **1** guizzante; rapido; veloce: **d. fish**, pesci che guizzano **2** (*fig.*) pronto; vivace: **d. intelligence**, intelligenza pronta.

Dartmoor /'dɑːtmʊə(r)/ n. **1** (*geogr.*) Dartmoor **2** cavallo (o pecora) di Dartmoor **3** (*abbr. fam. di* **D. Prison**) carcere di Dartmoor.

Darwinian /dɑːˈwɪnɪən/ **A** a. darwiniano **B** n. darwinista; darwiniano.

Darwinism /'dɑːwɪnɪzəm/ n. ◫ darwinismo ‖ **Darwinist** **A** n. darwinista; darwiniano **B** a. darwiniano.

dash /dæʃ/ n. **1** cozzo; urto; colpo (*anche fig.*): **the d. of the waves**, l'urto delle onde; *My hopes received a d.*, fu un colpo per le mie speranze **2** rumore (d'acqua); scroscio; lo scrosciare; tonfo: **the d. of water [of the rain]**, lo scrosciare dell'acqua [della pioggia]; **the d. of oars**, il tonfo dei remi **3** balzo; salto; scatto: *The prisoner made a d. for freedom*, il prigioniero fece un balzo per liberarsi (o un tentativo d'evasione) **4** ◫ (un) po'; (un) tantino; spruzzo; goccio; sfumatura: *Add a d. of brandy*, aggiungi un goccio di brandy!; *It is green with a d. of yellow*, è verde con una sfumatura di giallo **5** punta, pizzico (*fig.*): **a d. of bitterness**, una punta di amarezza, **a d. of humour**, un pizzico di umorismo **6** ◫ (*antiq.*) brio; foga; slancio: *He is famous for his courage and d.*, è famoso per il suo coraggio e il suo slancio **7** ◫ classe; stile: *She dances with remarkable d.*, balla con molto stile **8** tratto di penna **9** (*tipogr.*) lineetta (*lunga: di separazione*) **10** (*telegr.*) linea **11** (*sport*) corsa veloce: **the 100-metre d.**, la corsa dei cento metri; i cento (*fam.*) **12** (*USA*) → **dashboard** ● **at a d.**, di volata (o in un solo balzo) □ **to cut a d.**, fare colpo; fare una bella figura □ **to make a d. at**, lanciarsi contro; precipitarsi su: *The soldiers made a d. at the enemy*, i soldati si lanciarono contro il nemico □ (*fam.*) **to make a d. for it**, darsela a gambe.

to dash /dæʃ/ **A** v. t. **1** gettare; lanciare; buttare; sbattere; far volare via: *He dashed the tray to the floor*, gettò il vassoio per terra; *The storm dashed the ship against the rocks*, la tempesta sbatté la nave contro gli scogli; *The blow dashed his hat off his head*, il colpo gli fece volar via il cappello dalla testa **2** (*anche fig.*) abbattere; distruggere; infrangere (*anche fig.*): *All my hopes are dashed*, tutte le mie speranze sono infrante **3** gettare (*liquidi*); cospargere; spruzzare: *D. cold water on his face*, spruzzagli la faccia con acqua fredda **4** chiazzare; macchiare: *Your clothes are dashed with blood*, i tuoi vestiti sono macchiati di sangue **5** (*non com.*) mescolare (*anche fig.*); mettere un po' di (*un liquido in un altro*); correggere: **to d. joy with pain**, mescolare il dolore alla gioia; **to d. tea with whisky**, correggere il tè con il whisky **6** sottolineare (*una parola, ecc.*) **B** v. i. **1** battere; cozzare; urtare: *The billows dashed against the pier*, i marosi cozzavano contro il molo **2** balzare; muoversi velocemente e con violenza; saettare; sfrecciare: *Hundreds of cars were dashing along*, centinaia di macchine passavano sfrecciando; *The tiger dashed through the clearing*, la tigre avanzava a gran balzi attraverso la radura **3** (*fam.*) correre via; scappare: *I've got to d. now*, adesso devo proprio scappare (andare via) ● **to d. downstairs**, precipitarsi da basso □ **to d. st. to pieces**, fare a pezzi, fracassare qc. □ **to d. upstairs**, fare le scale di corsa; precipitarsi di sopra □ (*slang eufem. antiq.*) **D. it all!**, accidenti!; maledizione!

■ **dash about** v. i. + avv. correre di qua e di là; darsi un gran daffare.

■ **dash aside** **A** v. t. + avv. spingere con for-

za da parte; spostare con violenza **B** v. i. + avv. spostarsi in fretta da parte.

■ **dash away A** v. i. + avv. scappare via; darsela a gambe; fuggire a rotta di collo **B** v. t. + avv. cacciare via; allontanare; scacciare; detergere (*lacrime, sudore, ecc.*).

■ **dash down A** v. t. + avv. **1** abbattere; buttare a terra, tirar giù; scaraventare per terra **2** buttare giù (*per iscritto*); scrivere in fretta; abbozzare **B** v. i. + avv. (o prep.) precipitarsi giù; scendere a precipizio: **to d. down the stairs**, scendere le scale a rotta di collo; precipitarsi da basso □ (*autom.*) **to d. down the motorway**, sfrecciare in autostrada.

■ **dash in A** v. i. + avv. entrare di corsa (o a precipizio) **B** v. t. + avv. introdurre in tutta fretta (*dati, particolari, ecc.*); sbattere dentro (*fam.*).

■ **dash into** v. i. + prep. entrare di corsa, precipitarsi in: *The headmaster dashed into the classroom*, il preside si precipitò nell'aula.

■ **dash off A** v. i. + avv. **1** correre via; scappare: *I've got to d. off*, devo scappare **2** darsela a gambe **B** v. t. + avv. scrivere in fretta, buttare giù (*un racconto, ecc.*).

■ **dash out** v. i. + avv. precipitarsi fuori; saltare fuori all'improvviso; uscire a precipizio: *He dashed out of the house*, scappò fuori dalla casa; *A dog dashed out and I couldn't avoid running him over*, un cane saltò fuori all'improvviso e non potei evitare d'investirlo **B** v. t. + avv. fracassare: **to d. one's brains out**, fracassarsi la testa.

■ **dash over** v. i. + prep. cadere sulla testa di; abbattersi su: *The main mast broke and dashed over two sailors*, l'albero maestro si spezzò e si abbatté sui due marinai.

■ **dash up** v. i. + avv. (o prep.) **1** salire a precipizio; precipitarsi su: **to d. up the stairs**, salire le scale a precipizio; precipitarsi di sopra **2** arrivare all'improvviso; saltar fuori (*fig.*) **3** (*fig.*) essere brillante; fare colpo (*fig.*).

dashboard /'dæʃbɔːd/ n. (*autom., aeron.*) cruscotto; plancia (o quadro) portastrumenti.

dashed /dæʃt/ a. **1** deluso; giù di corda, abbacchiato (*fam.*) **2** (*slang eufem. antiq. per* **damned**) dannato; maledetto.

dasher /'dæʃə(r)/ n. **1** chi getta, lancia, cozza, urta, ecc. (→ **to dash**) **2** menatoio (*per fare burro o gelato*) **3** (*tecn.*) pestello (*di zangola*) **4** (*USA*) → **dashboard**.

dashing /'dæʃɪŋ/ a. **1** ardito; focoso; brioso; vivace: **a d. rider**, un ardito cavaliere **2** elegante; vistoso; sgargiante | **-ly** avv.

dastard /'dɑːstəd/ n. (*arc. o scherz.*) individuo spregevole; bieco individuo; vile.

dastardly /'dɑːstədlɪ/ a. (*arc. o scherz.*) bieco; spregevole; perfido; vile.

dasyure /'dæsɪʊə(r)/ n. (*zool., Dasyurus maculatus*) dasiuro.

DAT sigla (**digital audio tape**) nastro audio per registrazione digitale.

♦**data** /'deɪtə, 'dɑː-/ n. pl. (usato come pl. o sing.) (*anche comput.*) dati: **item of d.**, dato; *We cannot make a decision until more d. is available*, non possiamo decidere finché non saranno disponibili altri dati ● **d. acquisition** (o **capture, collection**), raccolta dati □ (*comput.*) **d. bank**, banca dati □ (*comput.*) **d. bit**, bit d'informazione □ **d. book**, dossier □ (*comput.*) **d. bus**, bus di dati □ (*comput.*) **d. capture**, raccolta dati □ **d. centre** = **d.-processing centre** → *sotto* □ **d. communication**, trasmissione dati, telematica □ **d. entry**, inserimento dati □ **d. file**, file di dati □ **d. flow**, flusso di dati □ **d. item**, dato □ **d. input** = **d. entry** → *sopra* □ **d. management**, gestione dei dati □ (*comput.*) **d. mining**, data mining (*nelle basi di dati, estra-*

polazione di informazioni mediante tecniche statistiche, di modellazione, ecc.) □ **d. pen**, penna ottica (*o luminosa*) □ **d. processing**, elaborazione dei dati; trattamento dell'informazione □ **d.-processing centre**, centro elaborazione dati (abbr. CED) □ **d. processor**, elaboratore di dati □ (*leg.*) **d. protection**, protezione dei dati personali; tutela del privato (*o del dipendente*) per la riservatezza delle informazioni registrate in banche dati sul suo conto □ **d. rate**, velocità di trasmissione dei dati □ (*comput.*) **d. reduction**, compressione dei dati □ (*comput.*) **d. set**, set di dati; archivio di dati □ (*comput.*) **d. transfer rate**, velocità di trasferimento dati □ (*telef.*) **d. under voice**, dati a frequenza intervocale.

♦**database** /'deɪtəbeɪs, 'dɑː-/ n. (*comput.*) database ● **d. administrator**, amministratore di database □ **d. management system** (abbr. **dbms**), sistema di gestione dei dati.

datable /'deɪtəbl/ a. databile.

datacenter /'deɪtəsentə(r)/ n. = **data centre** → **data**.

dataglove /'deɪtəglʌv/ n. (*comput.*) guanto-dati.

Datapost /'deɪtəpəʊst/ n. (*in GB*) servizio (*del Ministero delle Poste*) di consegna urgente di pacchi.

datcha /'dætʃə/ (*russo*) n. dacia.

date① /deɪt/ n. (*bot.*) **1** dattero **2** (*Phoenix dactylifera*; = **d.-palm**) palma da datteri.

♦**date**② /deɪt/ n. **1** data: **the d. of birth** [**of the Roman conquest**], la data di nascita [della conquista romana]; «*What's your d. of birth?*» «*My d. of birth is the 6th of March 1985*», «Qual è la sua data di nascita?» «La mia data di nascita è il 6 marzo 1985» **2** tempo; periodo: **monuments of an earlier d.**, monumenti di un'epoca anteriore; **at that d.**, a quel tempo **3** (*poet.*) durata (*della vita, ecc.*); età (*d'una persona*) **4** (*fam.*) appuntamento (*spec. amoroso*); impegno: **to have a dinner d.**, avere un invito per un pranzo a due; **heavy d.**, appuntamento importante (*o per fare sesso*) **5** (*fam.*) persona con cui si ha un appuntamento (*o con cui si esce*); ragazzo, ragazza; innamorato, innamorata ● **d. as postmark**, data del timbro postale □ **d. coding**, annotazione in codice della data di scadenza (*di un prodotto confezionato*) □ **d.-line**, (*geogr.*) linea del cambiamento di data; (*nei giornali*) riga che porta la data di un articolo □ (*comm.*) **d. of maturity**, data di scadenza (*di una cambiale*) □ **d. rape**, stupro «per appuntamento» (*commesso nel corso di un appuntamento*) □ **d. schedule**, calendario delle scadenze □ **d. stamp**, datario (*timbro della data*) □ (*comm.*) **at long** [**short**] **d.**, a lunga [breve] scadenza □ **to go out of d.**, andare in disuso; diventare obsoleto; passare di moda □ **to be out of d.**, essere fuori moda; essere in disuso; essere antiquato □ (*fam.*) **to go on a d.**, avere un appuntamento (*amoroso*) □ **to d.**, fino a oggi; sinora □ (*comm.*) **under yesterday's d.**, in data di ieri □ «*What's the d. today?*» «*It's the 21st of July*», «Quanti ne abbiamo oggi?» «È il 21 di luglio».

to **date** /deɪt/ **A** v. t. **1** datare (*una lettera, un documento, ecc.*): *Bills are dated on the day they are made out*, gli effetti cambiari sono datati il giorno della loro emissione **2** attribuire (*una scoperta archeologica, ecc.*) a un periodo storico; determinare, fissare la data (*di un evento*); datare: *The archeologists will d. this statue*, gli archeologi determineranno il periodo storico al quale appartiene questa statua **3** (*fam.*) avere una relazione con, vedere, uscire con (q.); vedere, uscire con (*una ragazza, ecc.*) **B** v. i. **1** applicare, segnare la data: **a machine that dates and weighs**, una macchina che segna la data e pesa (*la merce*) **2** – **to d. from** (*o*

back to), risalire a: *This church dates from the 14th century*, questa chiesa risale al Trecento; *The furniture dates back to the 16th century*, il mobilio risale al secolo XVI **3** essere in disuso (*o antiquato, passato di moda*): *This idiom is beginning to d.*, questa espressione idiomatica sta cadendo in disuso **4** (*fam., anche* **to d. each other**) uscire insieme; vedersi (*di un abbonamento e sim.*) **to d. from**, decorrere da ● **dating from that day**, a datare (*o partire*) da quel giorno.

datebook /'deɪtbʊk/ n. (*USA*) agenda da scrittoio.

dated /'deɪtɪd/ a. **1** datato; con la data **2** datato; in disuso; passato di moda; antiquato.

dateless /'deɪtləs/ a. **1** senza data **2** senza fine; eterno **3** che esiste da tempo immemorabile **4** che non perde valore o interesse col passare degli anni.

to **date-stamp** /'deɪtstæmp/ v. t. datare con un timbro.

dating /'deɪtɪŋ/ n. Ⓤ **1** datazione: **the d. of a text**, la datazione di un testo; **carbon d.**, datazione al carbonio; analisi radiocarbonica **2** (*fam.*) il darsi appuntamento **3** (*fam.*) l'andare in giro, l'uscire (*con ragazzi o ragazze*) ● **d. agency**, agenzia che procura appuntamenti (*per persone sole*); agenzia matrimoniale □ (*USA*) **d. bar**, bar punto di ritrovo (*per uomini e donne*).

dative /'deɪtɪv/ (*gramm.*) a. e n. Ⓤ dativo || **datival** a. del dativo.

datum /'deɪtəm, 'dɑː-/ (*lat.*) n. (pl. **data**) **1** (→ **data**) dato; elemento (d'informazione); premessa: **sense d.**, dato sensoriale (*o dei sensi*) **2** (*scient.*) riferimento: (*cartografia*) **d. level** (*o plane*), piano di riferimento; **d. line**, linea di riferimento; (*cartografia*) **d. point**, caposaldo trigonometrico; punto di riferimento.

datura /də'tjʊərə/ n. (*bot., Datura*) datura.

daub /dɔːb/ n. **1** Ⓤ sostanza da spalmare (*vernice, intonaco, argilla, fango, ecc.*) **2** sgorbio; pittura malfatta; crosta (*fig.*).

to **daub** /dɔːb/ **A** v. t. **1** spalmare; impiastrare: *My trousers were daubed with mud*, avevo i calzoni impiastrati di fango **2** chiudere; ricoprire; stuccare: **to d. a crack with plaster**, stuccare una fessura con malta per intonaco **3** imbrattare; impiastricciare **B** v. i. essere un imbrattatele; dipingere male: *That man doesn't paint, he just daubs*, quello lì non dipinge; non fa che imbrattare tele ● **to d. on paint**, applicare i colori alla meglio.

dauber /'dɔːbə(r)/ n. imbrattatele.

♦**daughter** /'dɔːtə(r)/ n. **1** figlia; figliola **2** (*fis. nucl.*) prodotto di decadimento ● **d.-in-law**, nuora || **daughterhood** n. Ⓤ l'essere figlia || **daughterly** a. filiale; di figlia.

daughterboard /'dɔːtəbɔːd/ n. (*comput.*) scheda figlia.

to **daunt** /dɔːnt/ v. t. **1** atterrire; intimidire; spaventare **2** deprimere; scoraggiare **3** stipare (*aringhe*) in un barile ● **nothing daunting**, intrepidamente; senza nulla temere.

daunting /'dɔːntɪŋ/ a. sconfortante; scoraggiante; deprimente.

dauntless /'dɔːntləs/ a. impavido; intrepido: '*So faithful in love, and so d. in war*' W. Scott, 'così fedele in amore, e così intrepido in guerra' | **-ly** avv. | **-ness** n. Ⓤ.

dauphin /'dɔːfɪn/ n. (*stor. francese*) delfino.

dauphiness /'dɔːfɪnɪs/ n. (*stor. francese*) delfina; moglie del delfino.

Dave /deɪv/ n. dim. di **David**.

davenport /'dævnpɔːt/ n. **1** scrittoio, scrivania (*con piano ribaltabile*) **2** (*USA*) sofà; divano; divano letto.

a b c **d** e f g h i j k l m n o p q r s t u v w x y z

David /'deɪvɪd/ n. Davide.

davit /'dævɪt/ n. (naut.) gru: **boat d.**, gru d'imbarcazione.

Davy Jones /'deɪvɪ'dʒəʊnz/ n. (gergo marinaresco) «Davy Jones» (spirito maligno del mare) ● **Davy Jones's locker**, il fondo del mare.

Davy lamp /'deɪvɪlæmp/ loc. n. (nelle miniere) lampada Davy; lampada di sicurezza.

daw /dɔː/ n. (arc. o poet.) → **jackdaw**.

to dawdle /'dɔːdl/ Ⓐ v. i. bighellonare; ciondolare; gingillarsi; oziare Ⓑ v. t. – **to d. away**, sciupare, sprecare (il tempo) ● **to d. over one's food**, mangiare di malavoglia.

dawdler /'dɔːdlə(r)/ n. bighellone, bighellona; fannullone, fannullona.

dawn /dɔːn/ n. ⒸⓊ **1** aurora; alba; spuntar del giorno: **D. is breaking**, si fa l'alba; spunta il giorno **2** (fig.) albori, alba (fig.); inizio; principio: **the d. of the Atomic Age**, il principio dell'era atomica ● **from d. to dark**, dall'alba al tramonto □ **d. chorus**, cinguettio degli uccelli all'alba □ **d. raid**, irruzione della polizia all'alba □ (fig., Borsa) tentativo inatteso di dare la scalata a una società all'apertura degli scambi.

to dawn /dɔːn/ v. i. **1** albeggiare; farsi giorno **2** (del giorno) spuntare **3** (fig.) essere agli albori: Civilization was just dawning, la civiltà era appena agli albori **4** (di solito **to d. on**, **to d. upon**) farsi evidente; apparire chiaro; farsi strada (fig.): The unwelcome truth at last dawned on him, la verità sgradita infine si fece strada nella sua mente.

dawning /'dɔːnɪŋ/ Ⓐ a. albeggiante; nascente Ⓑ n. Ⓤ **1** (fig.) albeggiare **2** (fig.) albori; alba (fig.); inizio ● **the d. of a new hope**, lo spuntare d'una speranza nuova.

◆**day** /deɪ/ n. **1** giorno (di 24 ore): «What day is it?» «It's Wednesday today», «Che giorno è?» «Oggi è mercoledì»; **the other day**, l'altro giorno; **on a winter day**, in un giorno d'inverno; **every other** (o **every second**) **day**, un giorno sì e un giorno no; **for the rest of his days**, per il resto dei suoi giorni **2** giorno (= periodo di luce); giornata: **day and night**, giorno e notte; notte e giorno; **before day**, prima dello spuntar del giorno; It was a glorious day, era una splendida giornata; It's almost day, è quasi giorno; Come on, we haven't got all day, dài, non abbiamo tutto il giorno (o tutta la giornata); **all day long**, per tutto il giorno; **an eight-hour day**, una giornata (lavorativa) di otto ore; **working days**, giornate lavorative; **by day**, di giorno; **during the day**, durante il giorno; **broad day**, pieno giorno; giorno fatto **3** giorno; data; ricorrenza; festa: **day of rest**, giorno di riposo; You've chosen the wrong day, hai scelto il giorno sbagliato; (relig.) **the Day of Judgement**, il Giorno del Giudizio; Independence Day, la Festa dell'indipendenza **4** – **the day**, oggi; il momento attuale; il giorno: **the problems of the day**, i problemi attuali (o di oggi) **5** (spesso al pl.) tempo; tempi; epoca: He was the best painter of his day, era il miglior pittore del suo tempo; **in my student days**, quando ero studente; **these days**, di questi tempi; There always seems to be a sale on these days, di questi tempi sembra che ci siano sempre i saldi; **in the days of Queen Anne**, al tempo della regina Anna; **in the early days of flying**, agli inizi dell'aviazione **6** (Borsa) giorno di borsa ● **day after day**, un giorno dopo l'altro (fig.) □ **the day after the fair**, troppo tardi; a festa finita □ **the day after tomorrow**, dopodomani; domani l'altro; posdomani □ (USA) **day bed**, poltrona a sdraio; divano letto □ **the day before yesterday**, ieri l'altro; l'altro ieri □ (med.) **day blindness**, emeralopia □ **day-boarder**, semiconvittore

□ **day-book**, diario; (comm.) libro giornale □ **day-boy**, allievo esterno (di un collegio) □ **day by day**, giorno per giorno □ **day care**, assistenza ai bambini (di una donna che lavora); assistenza diurna a domicilio (ad anziani) □ **day-care centre**, asilo; scuola materna □ (telef.) **day charge**, tariffa diurna □ (ferr., USA) **day coach**, carrozza normale (con sedili non reclinabili) □ (zool.) **day-fly** (Ephemera), effimera □ **day girl**, allieva esterna (di un collegio) □ (med.) **day hospital**, day hospital □ **day in, day out**, giorno dopo giorno; per giorni e giorni; incessantemente □ (econ.) **day labour**, lavoro (o manodopera) a giornata □ **day labourer**, chi lavora a giornata; giornaliero □ **day letter**, telegramma diurno (costa meno e viaggia più lento) □ (bot.) **day lily** (Hemerocallis), emerocallide □ **day-long**, che dura tutto il giorno □ **day nursery**, asilo nido □ (comm.) **days of grace**, giorni di grazia (o di respiro); (per estens.) dilazione □ **the day of reckoning**, il giorno della resa dei conti □ **day off**, giorno di libertà; giornata libera □ (GB) **day out**, gita di un giorno; giorno trascorso fuori casa: **a day out in the country**, un giorno passato in campagna; una scampagnata □ (med.) **day patient**, paziente ambulatoriale; paziente di day hospital □ (ind., ecc.) **day release**, permesso giornaliero per studio □ **day release course**, corso per lavoratori (ferr., in GB) **day return**, biglietto di andata e ritorno nella stessa giornata □ **day school**, scuola diurna (di contro a scuola serale o domenicale) □ (ind.) **day shift**, turno di giorno □ (moda) **day suit**, abito da giorno (maschile) □ (med.) **day surgery**, intervento (o interventi) chirurgici in day hospital □ (ferr.) **day ticket** = **day return** → sopra □ **day-to-day**, giornaliero, quotidiano; (anche) normale, ordinario, di routine; (anche) di giorno in giorno, su base giornaliera: (fin.) **day-to-day loan**, prestito a giornata □ (Borsa) **day trader**, day trader (investitore che compra e vende gli stessi titoli in giornata) □ (Borsa) **day trading**, day trading (compravendita di titoli in giornata) □ (ferr.) **day train**, treno diurno □ **day trip**, gita di un giorno; escursione □ **day-tripper**, escursionista; (ferr.) viaggiatore con biglietto d'andata e ritorno valido per un solo giorno □ **day wear**, (sost.) abbigliamento da giorno; (agg.) da indossare di giorno □ **against the day**, in previsione di tempi duri; per gli anni di vacche magre □ (fam.) **all in a day's work**, cosa di routine; (cosa di) ordinaria amministrazione; (anche) cosa che bisogna sopportare □ (fam.) **any day**, in qualunque momento; quando e come si vuole; (anche, rif. a una preferenza) decisamente; di gran lunga □ **to be as clear as day**, essere chiaro come la luce del giorno □ **by the day**, a(lla) giornata: He is paid by the day, è pagato a (o alla) giornata □ **to call it a day** → **to call** □ **to end one's days**, finire (o chiudere) i propri giorni; morire □ (fam.) **from day one**, fin dal primo giorno; fin dall'inizio □ **from day to day**, di giorno in giorno; da un giorno all'altro: (fig.) **to live from day to day**, vivere alla giornata □ **good old days**, i (bei) tempi andati; il bel tempo che fu □ **to have had one's day**, avere fatto il proprio tempo □ **to have one's day**, avere il proprio giorno di gloria; avere il proprio momento di successo □ **to have seen better days**, aver visto giorni migliori □ **if he** (o she) **is a day**, (rif. all'età) come minimo: He must be seventy if he's a day, deve avere come minimo settant'anni □ **in days gone by**, un tempo □ **in days of old** (o **in the old days**), nei tempi andati; al tempo dei tempi □ **in one's day**, da giovane: In his day, he was a great actor, ai suoi tempi, era un attore famoso □ **in this day and age**, oggigiorno; di questi tempi; al giorno d'oggi; oggi come oggi □ (fam.) **to make a day of it**, appro-

fittare dell'occasione per passare una bella giornata □ (fam.) **to make sb.'s day**, fare di un giorno una data memorabile per q. □ **to name the day**, fissare la data del matrimonio □ **one day**, un giorno; una volta; un giorno o l'altro □ **one-day ticket**, biglietto giornaliero: A one-day return or a five-day open return?, un biglietto giornaliero o con validità di cinque giorni? □ **one of those days**, una giornata in cui tutto va storto; una giornata no □ **to pass the time of day with sb.**, salutare q.; scambiare quattro chiacchiere con q. □ **to save money for a rainy day**, metter denaro da parte per i tempi difficili □ **some day**, un giorno (futuro); un giorno o l'altro □ **one of these days**, uno di questi giorni □ **this day week** [fortnight, month, year], oggi a otto [a quindici, a un mese, a un anno] □ **to the day**, esattamente: It is five years ago to the day, fu esattamente cinque anni fa; fanno cinque anni proprio oggi □ **to the present day** (o **to this day**), fino a oggi, fino al momento attuale □ **His days are numbered**, ha i giorni contati □ **My day has come**, è venuta la mia ora □ (fam.) **It just isn't my day**, oggi non è il mio giorno; oggi è una giornata no □ (fam. scherz.) **Don't give up the day job!**, non mollare il lavoro che hai (perché con quello nuovo che hai in mente non te la caveresti) □ (fam. iron.) **That'll be the day!**, sì, figurati!; magari!; campa cavallo! □ **Those were the days!**, quelli sì che erano tempi!; bei tempi, quelli!

daybreak /'deɪbreɪk/ n. Ⓤ lo spuntar del giorno; l'albeggiare; alba.

daycare /'deɪkeə(r)/ = **day care** → **day**.

daydream /'deɪdriːm/ n. sogno a occhi aperti.

to daydream /'deɪdriːm/ v. i. sognare a occhi aperti: The old woman sits daydreaming on a stool' E. BOND, 'la vecchia sogna a occhi aperti, seduta su uno sgabello'.

daydreamer /'deɪdriːmə(r)/ n. chi fa sogni a occhi aperti.

daydreaming /'deɪdriːmɪŋ/ n. Ⓤ il sognare a occhi aperti; fantasticherie.

daylight /'deɪlaɪt/ n. Ⓤ **1** luce del giorno (o del sole); luce diurna: **in broad d.**, in pieno giorno; **by d.**, di giorno; **the d. hours**, le ore di luce **2** alba; l'albeggiare; lo spuntar del giorno: I woke up before d., mi svegliai prima dell'alba (o prima che facesse giorno); **from d. till dark**, dall'alba al tramonto **3** (fig.) luce (fig.): **to throw some d. on a matter**, fare luce su una faccenda; We can now see d. ahead, cominciamo a vedere un po' di luce, a vederci chiaro **4** apertura; spazio libero: (slang) **to let d. into sb.**, fare un buco nella pancia (o nella testa) a q. (accoltellandolo o sparandogli) □ (fam.) **d. robbery**, rapina, furto (fig.); prezzo esorbitante □ (USA) **to burn d.**, sprecare il proprio tempo □ **d.-saving time**, ora estiva (o legale).

daylights /'deɪlaɪts/ n. pl. (fam.) (i) sensi; (la) coscienza; (la) vita ● **to beat** (o **to knock, to whale**) **the** (living) **d. out of sb.**, ammazzare q. di botte; pestare q. a morte □ **to frighten** (o **to scare**) **the** (living) **d. out of sb.**, spaventare q. a morte q.

day room, **dayroom** /'deɪruːm/ n. sala di ricreazione; sala di lettura.

days /deɪz/ avv. (fam. spec. USA) di giorno.

daytime /'deɪtaɪm/ n. Ⓤ giorno: **in the d.**, di giorno; Could you give me a d. telephone number?, può darmi un numero di telefono dove contattarla durante il giorno?

daywear /'deɪweə(r)/ n. e a. = **day wear** → **day**.

daywork /'deɪwɜːk/ n. Ⓤ **1** lavoro fatto in un giorno **2** lavoro pagato a giornata (o a

ore); lavoro in economia **3** lavoro fatto di giorno (*non di notte*).

daze /deɪz/ n. (solo sing.) stordimento; stupore; sbalordimento ● **in a d.**, stordito; sbalordito; istupidito; intronato.

to **daze** /deɪz/ v. t. **1** stordire; sbalordire; intontire **2** abbagliare: *The bright lights dazed me*, lo splendore delle luci m'abbagliò.

dazed /deɪzd/ a. stordito; sbalordito; istupidito; intontito; intronato.

dazzle /'dæzl/ n. ⊍ bagliore: **the d. of the lake in the sunlight**, il bagliore del lago sotto il sole ● (*autom.*) **d. lamps** (*o* **lights**), (fari) abbaglianti.

to **dazzle** /'dæzl/ v. t. **1** abbagliare; abbacinare: *The motorist was dazzled by the lights of a lorry*, l'automobilista fu abbagliato dai fari d'un autocarro; *He was dazzled with her beauty*, rimase abbagliato dalla sua bellezza **2** far colpo su (q.); colpire (*fig.*); impressionare.

dazzlement /'dæzlmənt/ n. ⊍ abbagliamento; abbacinamento.

dazzler /'dæzlə(r)/ n. (*fam.*) donna stupenda; (una) bellezza.

dazzling /'dæzlɪŋ/ a. **1** abbagliante; splendente; splendido; radioso: **d. colours**, colori abbaglianti; **a d. morning**, un mattino radioso **2** (*fig.*) brillante; sensazionale; straordinario | **-ly** avv.

DBE sigla (*titolo*, *GB*, **Dame Commander of the Order of the British Empire**) Comandante dell'ordine dell'Impero britannico (*donna*).

DBMS sigla (*comput.*, **database management system**) sistema di gestione di basi di dati.

DBS sigla (*radio*, *TV*, **direct broadcasting (by) satellite**) diffusione diretta via satellite.

DC sigla **1** (*mus.*, **da capo**) da capo (d.c.) **2** (*polizia*, *GB*, **detective constable**) agente (con compiti investigativi) **3** (*fis.*, **direct current**) corrente continua (c.c.) **4** (*anche* **D.C.**) (**District of Columbia**) Distretto federale della Columbia (*in USA*; *in cui si trova Washington*).

DCA sigla (*GB*, *polit.*, **Department for Constitutional Affairs**) Dipartimento degli affari costituzionali.

DCC sigla (**digital compact cassette**) cassetta digitale compatta.

DCF sigla (*comm.*, **discounted cash flow**) flusso monetario scontato; flusso di cassa attualizzato.

DCL sigla (*GB*, **Doctor of Civil Law**) dottore in diritto civile.

DCLG sigla (*GB*, **Department for Communities and Local Government**) Dipartimento con responsabilità per le comunità e le amministrazioni locali.

DCMS sigla (*GB*, **Department for Culture, Media and Sport**) Dipartimento della cultura, dei media e dello sport.

d-commerce /diː'kɒmɜːs/ n. (*comput.*) (acronimo di **digital commerce**) commercio digitale.

DD sigla (*lat.*: *Divinitatis Doctor*) (**Doctor of Divinity**) dottore in teologia.

D-day /'diːdeɪ/ n. **1** D-day ❶ CULTURA • D-Day: *è il giorno dello sbarco degli Alleati in Normandia, il 6 giugno 1944, giorno decisivo per la vittoria degli Alleati nella Seconda Guerra Mondiale. L'operazione si svolse sotto il comando del generale americano Eisenhower* **2** (*per estens.*) il giorno in cui dovrà effettuarsi un'operazione militare; il giorno dell'azione: *We are waiting for D-day*, aspettiamo il giorno dell'azione **3** (*fig.*) giorno d'importanza cruciale **4** giorno dell'introduzione del sistema monetario decimale in GB (*15 febbraio 1971*).

DDoS sigla (*comput.*, **distributed denial of service**) DDoS (*attacco congiunto mirante ad interrompere l'erogazione di un servizio di rete*).

DDT sigla (*chim.*, **dichloro-diphenyl-trichloroethane**) dicloro-difenil-tricloroetano (DDT).

DE sigla **1** (*USA*, **Delaware**) Delaware **2** (*stor.*, *GB*, **Department of Employment**) Ministero dell'occupazione (*cfr.* **DWP**).

DEA sigla (*USA*, **Drug Enforcement Administration**) Ente federale per la lotta alla droga.

deacon /'diːkən/ (*relig.*) n. diacono ‖ **deaconry**, **deaconship** n. ⊍ diaconato; diaconia.

deaconess /'diːkənɪs/ n. (*relig.*) diaconessa.

to **deactivate** /diː'æktɪveɪt/ Ⓐ v. t. **1** disattivare (*un congegno*, *una bomba*, *ecc.*) **2** (*mil.*) smobilitare Ⓑ v. i. (*fis. nucl.*) perdere la radioattività ‖ **deactivation** n. ⊍ **1** disattivazione **2** (*mil.*, *USA*) smobilitazione.

♦ **dead** ① /dɛd/ Ⓐ a. **1** morto (*anche fig.*): **a d. woman**, una (donna) morta; **a d. body**, un morto; un cadavere; **d. leaves**, foglie morte; **d. flowers**, fiori avvizziti; **d. languages**, lingue morte; *He has been d. for two hours*, è morto da due ore; **to drop d.**, cadere a terra morto; morire all'improvviso; *He was shot d.*, è stato ucciso (*con una fucilata, con un colpo di pistola, ecc.*) ❶ NOTA: *morire* → *morire* **2** inanimato; senza vita; morto: **d. matter**, materia inanimata; **a d. planet**, un pianeta senza vita; un pianeta morto **3** sterile; improduttivo; esaurito: **d. soil**, terreno sterile; **a d. mine**, una miniera esaurita **4** spento: **a d. brand**, un tizzone spento; **a d. cigarette**, una sigaretta spenta; **a d. match**, un fiammifero usato **5** (*di colore*) smorto; spento: **d. white**, bianco spento **6** (*di suono*) smorzato; sordo: **a d. sound**, un suono smorzato; **a d. voice**, una voce sorda **7** (*di luogo*, *periodo*) non animato; morto; senza vita: *The town is pretty d. at night*, di sera la città è pressoché morta **8** (*di parte del corpo*) insensibile; intirizzito: *My fingers are d. from cold*, ho le dita intirizzite dal freddo **9** (*tecn.*) inerte; inattivo; (*di apparecchio*) che non funziona; (*di batteria*) scarico: **a d. microphone**, un microfono che non è in funzione; **to go d.**, spegnersi; (*di radio*, *TV*, *ecc.*, *anche*) tacere di colpo; (*di telefono*) diventare muto; (*autom.*) *My battery is d.*, ho la batteria scarica **10** (*elettr.*) neutro; senza tensione; che fa massa: **a d. wire**, un filo neutro **11** monotono; privo d'interesse; (*fam. USA*: *di persona*) noioso, squallido **12** (*di bicchiere, bottiglia*) vuoto **13** (*solo attr.*) assoluto; completo; totale; netto; preciso: **d. calm**, calma assoluta; (*naut.*) calma piatta; bonaccia; **d. certainty**, certezza assoluta; **d. silence**, silenzio assoluto; silenzio di tomba; **the d. centre of the target**, il centro esatto del bersaglio; **on a d. level**, perfettamente piano, in pari; *The train slowed down and then came to a d. stop*, il treno rallentò e poi si fermò del tutto **14** (*solo pred.*) (*fam.*) stanco morto; a pezzi **15** (*solo pred.*) (*fam.*) spacciato; finito; fritto **16** (*sport: del terreno*) pesante; allentato Ⓑ n. **1** (*al pl.*) **the d.**, i morti; i defunti: **to bury the d.**, seppellire i morti; (*relig.*) **office for the d.**, ufficio dei defunti; ufficio funebre; *Let the d. bury their d.*, che i morti seppelliscano i morti **2** ⊍ – **in the d. of night**, nel cuore della notte; '*He disappeared in the d. of winter*' W.H. AUDEN, 'scomparve nel cuore dell'inverno' ● (*banca*) **d. account**, conto estinto □ **d. air**, aria viziata (*nelle miniere*) □ (*edil.*) **d.-air space**, intercapedine chiusa □ (*fam. GB*) **d.-alive** (*o* **d. and alive**), monotono; noioso; spento; (*di persona*) inerte, moscio □ **d. and**

buried, (*di cosa*, *situazione*) finito da un pezzo; morto e sepolto; roba del passato □ **d. and gone**, defunto; morto da un pezzo; → *sopra* **d. and buried** □ (*archit.*) **d. arch**, arco cieco □ (*fin.*) **d. assets**, attività non realizzabili □ (*autom.*, *mecc.*) **d. axle**, asse portante □ (*sport*) **d. ball**, palla ferma; pallone fuori gioco; (*rugby*) pallone morto □ (*rugby*) **d.-ball line**, linea di pallone morto; linea di fondo □ **d. bolt**, serratura di sicurezza □ (*Borsa*) **d. cat bounce**, rimbalzo 'del gatto morto' (*piccolo e temporaneo, in un andamento generale ribassista*) □ **d. centre**, (*di motore*) punto morto (*del manovellismo*); (*mecc.*: *di tornio*, *ecc.*) contropunta fissa; (*fig.*) punto morto (*piccolo e temporaneo*, in un andamento generale ribassista*) □ **d. centre**, (*di motore*) punto morto (*del manovellismo*); (*mecc.*: *di tornio*, *ecc.*) contropunta fissa; (*fig.*) punto morto □ **d. duck**, cosa fallita o destinata al fallimento; persona finita, spacciata; fallito □ **d. end**, vicolo cieco (*anche fig.*) □ **d.-end** (agg.), senza via d'uscita; senza prospettive: **a d.-end job**, un lavoro senza prospettive, senza sbocchi di carriera; **a d.-end situation**, una situazione senza via d'uscita □ (*comm.*, *naut.*) **d. freight**, nolo «vuoto per pieno»; nolo morto □ (*fam.*) **d. from the neck up**, deficiente; cretino integrale □ (*mil.*, *ecc.*) **d. ground**, angolo morto; terreno in cui si è al coperto □ (*leg.*) **d. hand**, manomorta □ (*sport: atletica*) **d. heat**, risultato di parità: *It's a d. heat between them*, sono in parità; **a d.-heat finish**, una finale in cui due o più concorrenti arrivano alla pari □ **d.-house**, camera mortuaria; obitorio □ (*med.*, *sport*) **d. leg**, sensazione di insensibilità alla coscia (*dovuta a contusione*) □ **d. letter**, lettera in giacenza; (*fig.*) lettera morta □ **d.-letter drop** (*o* **box**), nascondiglio dove una spia può lasciare un messaggio, ecc. (*per non incontrare il destinatario faccia a faccia*); cassetta delle lettere □ **d. in the water**, fermo; impantanato; **a** un punto morto; (*di persona*) finito, fregato (*fam.*) □ (*fis.*) **d. level**, livello costante □ (*teoria delle costr.*) **d. load**, carico fisso □ **d. loss**, (*fin.*) perdita netta (*o* secca); (*fig. fam.*) incapace; schiappa; imbranato □ (*fam.*) **d. man**, bottiglia vuota □ (*bot.*) **d. man's fingers** (*o* **d. man's thumb**), (*Orchis morio*) pan di cuculo; (*Orchis maculata*) manine □ (*USA*) **the d.-man's float**, il morto (*nel nuoto*) □ **d. man's handle**, leva di arresto automatico; (*ferr.*) (dispositivo di) uomo morto □ **d. march**, marcia funebre □ (*fam. USA*) **d. marine**, bottiglia vuota □ (*fam.*) **to be d. meat**, essere finito (*o* spacciato); essere un uomo morto □ (*fin.*) **d. money**, denaro infruttifero □ (*bot.*) **d. nettle** (*Lamium*), lamio; ortica bianca □ **d. oil**, olio inerte (*estratto dal catrame*) □ (*fam.*) **d. on**, perfetto; centrato; azzeccato □ (*med.*) **d. on arrival** (*abbr.* **DOA**), giunto cadavere (*all'ospedale*) □ (*fam.*) **d. on one's feet**, stanco morto □ (*fam. USA*) **d. pigeon** = **d. duck** → *sopra* □ (*mecc.*) **d. point**, (*del motore*) punto morto □ **d. pull** (*o* **d. lift**), sforzo vano (*per sollevare o spostare un peso eccessivo*) □ (*naut. e fig.*) **d. reckoning**, determinazione del punto stimato □ (*fam.*) **d. ringer**, ritratto vivente; copia esatta; sosia; gemello: *He's a d. ringer for his father*, è suo padre nato e sputato □ **d. set**, (*nella caccia*) punta, ferma □ (*GB*) **to make a d. set at sb.**, fare una corte accanita a q.; stare dietro a q. □ (*edil.*) **d. shingles**, assicelle marce (*del tetto*) □ **d. shot**, tiratore infallibile □ **d. sleep**, sonno profondo □ (*fam.*) **d. soldier**, bottiglia vuota □ **d. stock**, (*econ.*) scorte morte; (*fin.*) capitale azionario inutilizzato; (*comm.*) giacenze di merce difficile a vendersi □ **d. storage**, custodia temporanea a pagamento (*spec. di un veicolo*) □ (*idraul.*) **d. storage capacity**, capacità morta (*elettron.*, *cronot.*) **d. time**, tempo morto □ (*fam.*) **d. to rights**, in flagrante; sul fatto; con le mani nel sacco (*fam.*) □ **d. to all feeling**, sordo a ogni emozione; insensibile □ (*fam.*) **d. to the world**, addormentato della grossa; partito (*fam.*) □

(*ferr.*) **d. track**, binario morto; binario isolato □ (*tipogr.*) **d. type**, piombo fermo □ (*edil.*) **d. wall**, muro cieco □ **d. water**, acqua morta □ **d. weight** → **deadweight** □ (*scherz. USA*) D. **White European Male** (abbr. **DWEM**), grande figura maschile della tradizione culturale europea □ (*naut.*) **d. wind**, vento di (*o* in) poppa; vento di (*o* in) prua; vento contrario □ (*edil.*) **d. window**, finestra murata □ **d. wood**, legna secca; (*fig.*) persone o cose inutili, rami secchi □ **as d. as the dodo**, morto e sepolto; defunto da secoli □ **as d. as a doornail**, morto stecchito □ **from the d.**, dal regno dei morti; dalla morte; dall'oltretomba: **to come back from the d.**, tornare dal regno dei morti; tornare in vita; risuscitare; **a voice from the d.**, una voce dall'oltretomba □ **in the d. hours (of night)**, nelle ore (silenziose) della notte □ (*prov.*) D. **men tell no tales**, i morti non parlano.

dead ② /dɛd/ *avv.* **1** assolutamente; completamente; nettamente; **d. certain**, assolutamente sicuro; sicurissimo; **d.** (*o* **d.-set**) **against st.**, nettamente contrario a qc.; **d. set on st.**, decisissimo a ottenere qc.; *You're d. right*, hai assolutamente ragione **2** perfettamente; esattamente: **d. level**, perfettamente in piano; **d. on time**, puntualissimo; **d. ahead**, diritto davanti a qc.; (*naut.*) dritto di prua **3** (*fam. GB*) molto; proprio: **d. easy**, facilissimo; **d. clever**, proprio furbo ● (*fam.*) **d.-beat** → **deadbeat** □ **d. broke**, senza il becco di un quattrino; in bolletta (*fam.*) □ **d. drunk**, ubriaco fradicio □ (*autom.*) «**D. slow**» (*cartello*), «a passo d'uomo» □ **to stop d.**, fermarsi di botto.

deadbeat /'dɛdbiːt/ **A** *a.* **1** sfinito, stanco morto **2** (*mecc.*) smorzato **3** (*orologeria*) senza ritorno **4** (*elettr.*) aperiodico **B** *n.* (*slang*) **1** fannullone; parassita; squattrinato; scroccone **2** (*USA*) chi non paga i debiti ● (*slang USA*) **d. dad**, padre (*divorziato*) che non versa gli alimenti per i figli.

to **deaden** /'dɛdn/ **A** *v. t.* **1** affievolire; attenuare; attutire; indebolire; smorzare: *This medicine will d. your pain*, questa medicina ti attenuerà il dolore; *These materials d. any kind of noise*, questi materiali smorzano ogni rumore **2** rendere insensibile; informicolire; intirizzire: *Cold has deadened my fingers*, il freddo mi ha intirizzito le dita **3** (*tecn.*) isolare acusticamente, insonorizzare (*un pavimento, ecc.*) **B** *v. i.* **1** affievolirsi; attenuarsi; attutirsi; indebolirsi; smorzarsi **2** informicolirsi; intirizzirsi ● to **d. sb.'s feelings**, privare q. di ogni sentimento.

deadener /'dɛdnə(r)/ *n.* (*tecn.*) materiale isolante (*o* insonorizzante).

deadening /'dɛdnɪŋ/ **A** *n.* ⓤ **1** isolamento acustico; insonorizzazione **2** materiale isolante **3** (*autom.*) antirombo **B** *a.* **1** che smorza i rumori **2** (*fig.*) che smorza l'entusiasmo; negativo: **the d. effects of a repetitive job**, gli effetti negativi di un lavoro ripetitivo.

deadeye /'dɛdaɪ/ *n.* **1** (*naut., anche* **dead eye**), bigotta; carrucola **2** (*fam. USA*) tiratore infallibile.

deadhead /'dɛdhɛd/ *n.* **1** (*ingl.*) fiore (*di cespuglio o pianta*) appassito **2** (*slang USA*) chi viaggia, chi va a teatro, ecc. gratis; viaggiatore (*o* spettatore) non pagante; chi ha un biglietto omaggio **3** (*fam.*) persona noiosa; pizza (*fig. fam.*) **4** (*fam.*) individuo inutile; peso morto (*fig.*) **5** (*slang USA*) veicolo che viaggia a vuoto **6** (*naut.*) pilone d'ormeggio; colonna d'ormeggio.

to **deadhead** /'dɛdhɛd/ **A** *v. t.* **1** (*ingl.*) togliere i fiori appassiti da (*un cespuglio, una pianta*) **2** (*slang USA*) guidare (*un veicolo vuoto*) **B** *v. i.* (*slang USA*) viaggiare su un veicolo vuoto.

deadlight /'dɛdlaɪt/ *n.* (*naut.*) oscuratore di portello; osteriggio; oblò fisso.

♦**deadline** /'dɛdlaɪn/ *n.* **1** linea insuperabile, che non si può varcare senza pericolo di morte **2** (*per estens.*) termine massimo; ora (data, ecc.) di scadenza: **to meet the d.**, rispettare la data di scadenza (*di un lavoro*); finire entro i termini: *We have our deadlines to meet*, abbiamo delle scadenze da rispettare ● **to work to a d.**, fare un lavoro per una data prefissata.

deadliness /'dɛdlɪnəs/ *n.* ⓤ **1** micidialità; implacabilità **2** intensità **3** (*fam.*) noiosità; barba (*fig.*).

deadlock /'dɛdlɒk/ *n.* ⓤ **1** arresto; incaglio; punto morto (*fig.*); impasse: *The truce talks have come to a d.*, le trattative per una tregua sono giunte a un punto morto **2** (*comput.*) blocco **3** (*fin., leg.*) impasse **4** (*polit.*) (situazione di) stallo: *The last elections caused a d. in parliament*, le ultime elezioni causarono una situazione di stallo nel parlamento.

deadlocked /'dɛdlɒkt/ *a.* (giunto) a un punto morto: *The peace talks are d.*, i negoziati di pace sono a un punto morto ● (*leg.*) **d. jury**, giuria che non riesce a emettere un verdetto unanime (*necessario per legge in USA*).

deadly ① /'dɛdlɪ/ *a.* **1** mortale; micidiale; fatale; implacabile: **d. poison**, veleno micidiale; **d. enemies**, nemici mortali; **a d. sin**, un peccato mortale; **d. terror**, terrore mortale **2** eccessivo; intenso; grande: **in d. haste**, in gran fretta; **a d. dullness**, una grande monotonia **3** (*fam.*) insopportabile; assai noioso; barbosissimo: **a d. party**, un trattenimento barbosissimo **4** (*fam.*) che non perdona (*fig.*): *That footballer's finishing is d.*, la capacità di realizzo di quel calciatore non perdona **5** (*slang*) fantastico; bestiale; da sballo ● **d. aim**, mira infallibile □ **a d. combat**, un combattimento all'ultimo sangue □ (*bot.*) **d. nightshade**, (*Atropa belladonna*) belladonna; (*Solanum nigrum*) morella, ballerina □ **a d. silence**, un silenzio di morte □ **a d. sleep**, un sonno profondo □ (*fam.*) **to be in d. earnest**, fare proprio sul serio.

deadly ② /'dɛdlɪ/ *avv.* **1** mortalmente: **d. pale**, mortalmente pallido **2** eccessivamente; intensamente; tremendamente: **d. boring**, tremendamente noioso ● **d. tired**, stanco morto.

deadman, dead man /'dɛdmæn/ *n.* (pl. **deadmen, dead men**) **1** (*naut.*) corpo morto; colonna (*o* palo) d'ormeggio provvisorio **2** (*ind. costr.*) ancoramento (*per un ponte, ecc.*) **3** (*fam.*) bottiglia vuota.

deadness /'dɛdnəs/ *n.* ⓤ **1** informicolimento (*delle membra*); intorpidimento **2** (*fig.*) insensibilità; indifferenza **3** (*fig.*) periodo morto (*degli affari, ecc.*); stasi.

deadpan /'dɛdpæn/ (*fam.*) **A** *a.* **1** impassibile; impietrito: *His face was d.*, la sua faccia era impietrita; **d. humour**, umorismo impassibile **2** inespressivo; stolido: **a d. stare**, uno sguardo inespressivo **B** *n.* **1** faccia priva d'espressione; faccia di pietra **2** persona impassibile **C** *avv.* in modo inespressivo; stolidamente.

deadweight /'dɛdweɪt/ *n.* **1** peso morto **2** (*fig.*) peso morto; fardello; gravame **3** (*naut.*, = **d. capacity, d. tonnage**) portata lorda; **d. cargo**, portata utile (*o* netta) **4** (*fin.*) = **d. debt**, debito pubblico fiduciario (*senza garanzia di beni reali*); **d. loss**, perdita lorda.

deadwood /'dɛdwʊd/ *n.* (*USA*: cfr. ingl. **dead wood**, *sotto* **dead** ①) **1** (*anche fig.*) rami secchi: (*econ., fin.*) **to cut the d.**, tagliare i rami secchi **2** (*naut.*) controchiglia.

♦**deaf** /dɛf/ **A** *a.* **1** sordo: **d. ear**, orecchio sordo (*o* da cui non ci si sente); **d. people**, i sordi; **d. in one ear**, sordo da un orecchio; **profoundly d.**, sordo profondo **2** (*fig.*) sordo; insensibile: *He was d. to her entreaties*, fu sordo alle sue preghiere **B** *n. pl.* – **the d.**, i sordi ● (*fam.*) **d. aid**, apparecchio acustico ● (*antiq. o offensivo*) **d.-and-dumb** (agg., *in USA anche* sost.), sordomuto □ (**as**) **d. as a post**, sordo come una campana □ **d.-blindness**, sordo-cecità; sordocecità □ (*antiq. o offensivo*) **d.-mute** (agg. e sost.), sordomuto □ **to fall on d. ears**, (*di parole, consiglio, ecc.*) cadere nel vuoto; restare inascoltato; essere ignorato □ **to turn a d. ear to**, non dare ascolto a; fare orecchi da mercante □ (*prov.*) **There are none so d. as those that will not hear**, non c'è peggior sordo di chi non vuol sentire.

deafblindness /'dɛfblaɪndnəs/ *n.* ⓤ → **deaf.**

to **deafen** /'dɛfn/ *v. t.* **1** assordare; rendere (temporaneamente) sordo **2** (**to d. to**) (*di un rumore, ecc.*) impedire di sentire (qc.).

deafened /'dɛfənd/ *a.* **1** assordato; momentaneamente sordo **2** (*med.*) diventato sordo da adulto.

deafening /'dɛfnɪŋ/ *a.* assordante; fragoroso: **d. cheers**, fragorosi applausi.

deafness /'dɛfnəs/ *n.* ⓤ sordità.

♦**deal** ① /diːl/ *n.* (solo sing.) quantità ● **a good** (*o* **a great**) **d. of**, una gran quantità di; assai; molto; moltissimo: *It takes a good d. of patience*, ci vuole molta pazienza □ **He was a good d. surprised**, fu assai stupito □ **I am a great d. better than yesterday**, sto molto meglio di ieri □ **by a good d.**, di molto; di gran lunga.

♦**deal** ② /diːl/ *n.* **1** accordo; patto; affare: **to do** (*o* **to make**) **a d. with**, raggiungere un accordo con; fare un patto con; concludere un affare con; *We didn't close all the deals we wanted to*, non abbiamo chiuso tutti gli affari che volevamo; *There is no d. to be made with such people*, non c'è accordo possibile con persone simili; **to pull off a d.**, concludere con successo un affare; *It's all part of the d.*, fa tutto parte dell'accordo; è tutto incluso **2** (*comm.*) offerta; affare **3** (con agg.) trattamento: **to get a good** (*o* a **square**) **d.**, essere trattato bene; **to get a raw d.**, essere trattato male **4** (*a carte*) turno di fare le carte (*o* il mazzo); smazzata: *Whose d. is it?*, a chi tocca fare le carte? ● (*fam.*) **big d.** → **big** ● (*USA*) **to cut a d.**, fare un affare (*econ., polit. fin.*) □ **d. breaker**, fattore cruciale in un accordo (*che può farlo saltare se non viene risolto*); condizione sine qua non; (*USA, fam.*) elemento di rottura in una relazione amorosa □ **a done d.**, affare concluso; cosa fatta □ **It's a d.!**, affare fatto!; d'accordo!; ci sto! □ (*slang USA*) **What's the d.?**, che succede?

deal ③ /diːl/ *n.* asse (*o* legno) di pino o d'abete: **a d. table**, una tavola d'abete.

♦to **deal** /diːl/ (*pass. e p. p.* **dealt**) **A** *v. t.* **1** dare in dono, elargire: *Providence has dealt him happiness*, la Provvidenza gli ha elargito la felicità **2** dare, fare (*le carte, al gioco*): **to d. cards**, dare le carte **B** *v. i.* **1** fare le carte; smazzare: *Whose turn is it to d.?*, a chi tocca fare le carte? **2** (*slang*) spacciare; trafficare nella droga **3** (*Borsa*) negoziare; operare ● (*slang USA*) darsi da fare ● (*form. o arc.*) **to d. a blow to sb.** (**to d. sb. a blow**), dare, assestare, appioppare un colpo a q. □ (*Borsa*) **to d. for the account**, negoziare a termine □ (*Borsa*) **to d. for a fall** [**for a rise**], operare al ribasso [al rialzo] □ (*fam. USA*) **to d. from the bottom of the pack**, giocare sporco; fregare; imbrogliare □ (*fam. USA*) **to d. from the top of the pack**, giocare pulito; comportarsi in modo onesto □ (*form.*) **to d. honourably [cruelly] by sb.**, comportarsi

in modo onorevole [crudele] con q. □ (*comm.*) **to d. on credit**, comprare (*o* vendere) a credito.

■ **deal in** **A** v. i. + prep. **1** commerciare in; trattare; occuparsi di: *They d. in glassware*, commerciano in cristallerie; *We don't d. in this line*, non trattiamo questi articoli **2** (*Borsa*) trattare (*titoli*) **B** v. t. + avv. far partecipare (q.) al gioco (a una partita a carte; *o fig.*).

■ **deal out** v. t. + avv. **1** distribuire, dare: *I dealt out one dollar to each of them*, diedi loro un dollaro a testa **2** distribuire, fare (le carte) **3** somministrare, dare (*punizioni, ecc.*) **4** lasciare fuori, escludere (q.) dal gioco (da una partita a carte) **5** (*per estens.*) escludere; lasciare fuori; non contare su (q.): *Please d. me out*, fatemi il favore di non contare su di me □ **to d. out justice**, rendere giustizia.

■ **deal with** v. i. + prep. **1** fare affari, trattare con: *We've stopped dealing with that firm*, abbiamo smesso di fare affari con quella ditta **2** trattare; avere a che fare con (q.): *They're nice people to d. with*, è gente simpatica da averci a che fare; **to d. fairly with sb.**, trattare q. equamente (*o con giustizia*) **3** trattare, occuparsi di: *science deals with facts*, la scienza si occupa di fatti concreti **4** affrontare; sbrigare; occuparsi di: **to d. with a problem**, affrontare un problema; **to d. with complaints**, sbrigare i reclami; *I can deal with your enquiry right away*, posso occuparmi subito della vostra richiesta **5** (*slang USA*) introdotto da **can**, **cannot**, ecc.) trovare accettabile, sentirsela (*di fare qc.*), farcela: *I can't d. with my mother-in-law living next door*, non ce la faccio con la suocera che vive nella casa accanto **6** (*fam.*) fare i conti con (q.); sistemare (q.): *I'll d. with you later*, con te facciamo i conti dopo!; ti sistemo io!

♦**dealer** /'diːlə(r)/ n. **1** chi dà, distribuisce, traffica, ecc. (→ **to deal**) **2** (*comm.*) commerciante; mercante; venditore; rivenditore; distributore: **car d.**, venditore d'auto; concessionaria d'auto; **authorized dealers**, rivenditori autorizzati; **a d. in furs**, un mercante di pellicce; **a corn d.**, un commerciante in cereali **3** (*nel gioco*) chi dà (*o* fa) le carte; mazziere **4** (*fin., leg.*) operatore (commerciale) **5** (*Borsa* = **d. in stocks**) operatore; speculatore **6** (*Borsa, USA*) operatore in titoli per conto proprio (*cfr.* **broker**, *def. 3 e def. 4*) **7** (*fin.*) intermediario di sconto **8** (*fin.*) cambiavalute **9** (*slang USA*) spacciatore di droga ● (*comm.*) **d. help**, materiale pubblicitario per i rivenditori □ (*leg.*) **d. in stolen goods**, ricettatore □ (*fin.*) **d. market**, mercato degli intermediari di sconto □ (*comm.*) **d. network**, rete di distribuzione.

dealership /'diːləʃɪp/ n. **1** ⓤ (*leg.*) concessione; rappresentanza **2** sede di una concessionaria (*spec. di auto*).

dealing /'diːlɪŋ/ n. ⓤ **1** distribuzione (*delle carte da gioco*); smazzata **2** comportamento; condotta; modo d'agire: *He is well known for his underhand d.*, è arcinoto per il suo subdolo modo d'agire **3** (*di solito al pl.*) rapporti, relazioni (*spec. d'affari*) **4** (*Borsa*) operazione (*in titoli*); negoziazione (*di titoli*) ● (*Borsa*) **d. for cash**, negoziazione per contanti □ (*Borsa*) **d. for a fall [for a rise]**, operazioni al ribasso [al rialzo] □ (*Borsa*) **d. for new time**, operazioni a nuovo □ **fair d.**, rettitudine; equità □ **plain d.**, onestà (*spec. in affari*).

dealt /delt/ pass. e p. p. di **to deal**.

dean ① /diːn/ n. **1** (*relig.*) decano: **the d. of Canterbury**, il decano di Canterbury **2** (*relig.*) diacono; arciprete **3** (*nelle università*) preside di facoltà **4** (*a Oxford e Cambridge*) professore («*fellow*») che si occupa della disciplina ‖ **deanship** n. ⓤ funzione di de-

cano.

dean ② /diːn/ n. valle, valletta (spec. come suffisso, nei toponimi).

deanery /'diːnərɪ/ n. **1** decanato **2** residenza d'un decano.

♦**dear** /dɪə(r)/ **A** a. **1** caro: **a d. friend**, un caro amico; (al vocat.) **my d. sir**, caro signore (*gentile o ironico*); *What a d. little girl!*, che cara bambina!; *My family is very d. to me*, mio marito cara la famiglia (mi sta molto a cuore) **2** caro; costoso; dispendioso: **d. goods [shops]**, merci [botteghe] care; (*fin.*) **d. money**, denaro caro **B** n. **1** amore; tesoro: *She's a d.!*, è un tesoro! **2** bravo, brava; tipo servizievole: *Be a d. and help me with my homework*, fa' il bravo e aiutami a fare il compito per casa **3** (*di solito al vocat.*) caro: *Come here, my d.*, vieni qui, mio caro; *Yes, d.*, sì, caro **4** (al vocat.: *in un negozio o un ristorante, ma non di lusso*; è idiom.): *What can I do for you, d.?*, in che posso servirLa?; desidera? **C** avv. **1** (*anche fig.*) caro; a caro prezzo: *It isn't easy to buy cheap and sell d.*, non è facile comprare a buon mercato e vendere caro **2** (*arc.*) caramente; teneramente: '*Since you are dearly bought, I will love you d.*' W. SHAKESPEARE, 'poiché ti ho acquistata a caro prezzo, ti amerò teneramente' **D** inter. (*di dolore, stupore, impazienza, ecc.*) **D.!** (*o* **d. me!**), povero me!; *Oh d.*, accidenti, Dio mio! ● (*fig. fam.*) **D. John letter**, lettera d'addio (*o* di benservito: *inviata a un innamorato o a un marito*) □ (*nelle lettere, al vocat.; form.*) **D. Sir**, Egregio Signore (*anche, più com.*) **My d. Mr Jones**, Egregio Sig. Jones □ **a d. year**, un'annata cara (*di prezzi alti*) □ (al vocat.: *a un amico*) **dearest John**, carissimo John □ **for d. life**, a rotta di collo; come ne andasse della vita: *He ran for d. life*, correva a rotta di collo □ **my d. ones**, i miei cari □ (*fam.*) **There's a d.!**, sii gentile!; per favore!; da bravo!: *Give me a hand there's a d.*, su, da bravo, dammi una mano!

dearie, **deary** /'dɪərɪ/ n. (di solito al vocat.) caro, carino, tesoruccio (*talora ironico o scherzoso*).

dearly /'dɪəlɪ/ avv. **1** caramente; teneramente: *He loves her d.*, l'ama teneramente **2** intensamente; ardentemente: *I d. wish to go*, desidero ardentemente andarmene **3** a caro prezzo: *Victory was d. won*, la vittoria fu ottenuta a caro prezzo.

dearness /'dɪənəs/ n. ⓤ **1** l'esser caro, dispendioso; alto costo (*o* prezzo): (*fin.*) **the d. of credit nowadays**, l'alto prezzo del credito oggigiorno **2** tenerezza; affetto; affettuosità.

dearth /dɜːθ/ n. (solo sing.) **1** scarsità; mancanza; penuria: **the d. of coins**, la scarsità di monete metalliche **2** (*fin.*) **d. of capital**, penuria di capitali **2** scarsità di viveri; carestia: **in time of d.**, in tempo di carestia.

♦**death** /deθ/ n. ⓤⓒ **1** morte (*anche fig.*); decesso; lutto; trapasso (*lett.*); fine; morte: '*Because I could not stop for D. / He kindly stopped for me*' E. DICKINSON, 'poiché non potevo fermarmi per la Morte / Lei fu tanto gentile da fermarsi per me'; *He died a natural d.*, morì di morte naturale; **d. by drowning**, morte per annegamento; *The atomic bomb was d. to thousands*, la bomba atomica causò la morte di migliaia di persone; (*demogr.*) **deaths under one year of age**, decessi nel primo anno di vita; «**closed. d. in the family**» (*cartello*), «chiuso per lutto (di famiglia)»; **the d. of my hopes**, la fine delle mie speranze; **the d. of communism**, la fine del comunismo **2** (*leg.*) decesso; morte: **d. certificate**, certificato di morte **3** (pl.) (*nei giornali*) necrologi ● (*zool.*) **d. adder** (*Acanthophis antarcticus*), vipera della morte □ **d. benefit**, indennità per morte (*sul lavoro o per causa di servizio*) □ **d. camp**, campo di sterminio □ **d. cell**, cella della

morte □ (*fisc., stor., in GB*) **d. duty**, imposta di successione ● **d. feud**, ostilità mortale; contesa all'ultimo sangue □ (*in GB*) **d. grant**, indennità per morte (*di un congiunto*) □ **d.'s-head**, testa di morto, teschio □ (*zool.*) **d.'s-head moth** (*Acherontia atropos*), acherontia; sfinge testa di morto □ (*anche fig.*) **d. knell**, rintocco funebre □ **d. mask**, maschera mortuaria □ **d. notice**, necrologio □ (*leg., in USA*) **d. penalty**, pena capitale; pena di morte □ (*demogr.*) **d. place**, luogo in cui si muore (*o* è morto) □ (*demogr.*) **d. rate**, indice di mortalità □ **d. rattle**, rantolo della morte □ (*nelle carceri*) **d. row**, braccio della morte (*autom., slang USA*) **d. seat**, il posto più pericoloso (*accanto al conducente*) □ (*leg., in USA*) **d. sentence**, sentenza di morte; sentenza capitale □ (*polit.*) **d. squad**, squadra della morte □ **d.-stricken**, colpito a morte □ (*fisc., in USA*) **d. tax**, imposta di successione □ **d. throes**, agonia □ **d. toll**, numero dei morti; bilancio delle vittime (*in un incidente, ecc.*); perdita di vite umane □ **d. trap**, trappola mortale; luogo pericoloso; edificio pericolante □ (*leg., in USA*) **d. warrant**, ordine di esecuzione di una condanna a morte □ (*psic.*) **d. wish**, desiderio di morire □ **to be the d. of sb.**, essere la morte di q.; far morire q.: *That racing car will be the d. of you*, quell'automobile da corsa sarà la tua morte; *Smoking will be the d. of me*, se non smetto di fumare, ci lascerò la pelle □ **to be at d.'s door**, avere la morte all'uscio; essere in punto di morte; avere un piede nella fossa □ **to bleed to d.**, morire dissanguato □ **to be burnt to d.**, essere arso vivo; morire (*in un incendio*): *Many people were burnt to d. in the fire*, molte persone perirono nell'incendio □ **to catch one's d. (of cold)**, prendersi un malanno □ **to do to d.**, mettere a morte, dare la morte a; (*fig.*) fare (suonare, ecc.) fino alla nausea: *That tune has been done to d.*, quel motivo è stato suonato fino alla nausea □ (*fam.*) **to feel like d. warmed up**, sentirsi poco bene; essere pallido come un morto; (*anche*) essere stanco morto, essere uno straccio □ **to frighten to d.**, spaventare a morte; far morire di paura □ (*anche fig.*) **to be frozen to d.**, morire di freddo □ **to hold on (o to hung on) like grim d.**, tener duro; stare attaccato (*o* aggrappato) disperatamente; non mollare □ **to be in at the d.**, (*caccia*) essere presente al momento dell'uccisione della volpe; (*fig.*) essere presente nel momento culminante d'un evento o al compimento d'un'impresa □ **to put to d.**, mettere a morte; dar la morte a □ **to be sick to d. of sb. [st.]**, averne fin sopra i capelli di q. [qc.] □ (*anche fig.*) **to be starved to d.**, morire di fame □ **to be stoned to d.**, essere lapidato □ **to the d.**, fino alla morte; (*fig.*) all'ultimo sangue, fino in fondo: **war to the d.**, guerra all'ultimo sangue □ **to work oneself to d.**, ammazzarsi di lavoro □ *It is as sure as d.*, è cosa sicurissima □ *This dog is d. on rats*, questo cane è bravissimo a uccidere i topi □ (*prov.*) **D. comes to all men**, la morte non guarda in faccia a nessuno.

deathbed /'deθbed/ n. letto di morte ● **d. repentance**, pentimento in punto di morte.

deathblow /'deθbləʊ/ n. colpo mortale (*anche fig.*).

deathless /'deθləs/ a. immortale; imperituro | -ness n. ⓤ.

deathlike /'deθlaɪk/ a. mortale; simile a morte; di morte: **a d. stillness**, una quiete di morte ● **d. pallor**, pallore cadaverico.

deathly /'deθlɪ/ **A** a. **1** mortale; micidiale; fatale: **a d. weapon**, un'arma micidiale **2** mortale; simile a morte; di morte: **a d. silence**, un silenzio di morte **B** avv. **1** mortalmente: **d. pale**, mortalmente pallido **2** estremamente; molto: **d. serious**, estremamente serio ● **d. tired**, stanco morto | **-in-**

ess n. ⊡.

deathwatch /'dɛθwɒtʃ/ n. **1** veglia funebre **2** (*zool.*, *slang*, = **d. beetle**) orologio della morte (*coleottero anobio*).

deb /dɛb/ n. (abbr. *fam. di* **debutante**) **1** → **debutante 2** (*slang USA*) ragazza della malavita; ragazza di un gangster.

debacle /deɪ'bɑːkl/ n. **1** débâcle (*franc.*); rotta; sconfitta **2** (*fin.*, *Borsa*) crollo **3** (*geogr.*) rottura del ghiaccio per disgelo improvviso.

to **debag** /diː'bæg/ v. t. mettere (q.) in mutande (*come punizione o per scherzo*).

to **debar** /dɪ'bɑː(r)/ v. t. (*leg.*) escludere (*da un diritto, ecc.*); impedire; interdire (*l'accesso, ecc.*); privare di: *Persons who have been imprisoned are debarred from holding public office*, le persone che sono state in prigione non possono accedere alle cariche pubbliche ● (*leg.*) **to be debarred from an action**, decadere dal diritto di promuovere un'azione □ (*leg.*: *di un diritto*) **to be debarred by the statute of limitations**, cadere in prescrizione.

to **debark** /dɪ'bɑːk/ (*naut.*) v. t. e i. sbarcare ‖ **debarkation** n. ⊡ sbarco.

debarment /dɪ'bɑːmənt/ n. ⊡ **1** (*leg.*) esclusione (*da un diritto, ecc.*); privazione **2** (*leg.*) decadenza (*da un diritto*).

to **debase** /dɪ'beɪs/ v. t. **1** (*econ.*, *fin.*; *spec. stor.*) svilire, abbassare il valore intrinseco di (*una moneta: riducendone il tenore di metallo prezioso*): **to d. coinage**, svilire la moneta **2** (*econ.*, *fin.*) deprezzare; svalutare **3** (*fig.*) svilire; degradare; abbassare (*fig.*) ● **to d. oneself**, svilirsi; degradarsi; abbassarsi (*fig.*); umiliarsi.

debasement /dɪ'beɪsmənt/ n. ⊡ **1** (*econ.*, *fin.*; *spec. stor.*) svilimento (*di una moneta metallica*) **2** (*econ.*, *fin.*) deprezzamento; svalutazione **3** (*fig.*) svilimento; umiliazione.

debaser /dɪ'beɪsə(r)/ n. **1** (*econ.*, *fin.*; *spec. stor.*) svilitore (*di monete metalliche*) **2** (*fig.*) svilitore; deprezzatore.

debasing /dɪ'beɪsɪŋ/ **A** a. degradante; umiliante; avvilente **B** n. ⊡ → **debasement**.

debatable /dɪ'beɪtəbl/ a. **1** discutibile; da discutere **2** discutibile; dubbio **3** (*leg.*) (*di un bene immobile*) in discussione ● (*polit.*) **d. territory**, territorio conteso tra due nazioni.

♦**debate** /dɪ'beɪt/ n. **1** discussione: **the question in** (*o* **under**) **d.**, l'argomento in discussione **2** dibattimento; dibattito pubblico; contraddittorio **3** ⊡ disputa; controversia; polemica.

to **debate** /dɪ'beɪt/ v. t. e i. **1** dibattere; discutere; agitare (*una questione, ecc.*) **2** considerare; meditare; ponderare; riflettere: *I was debating with myself whether to go or not*, riflettevo fra me se andare o no ● (*leg.*) **to d. a suit**, discutere una causa □ **debating society**, circolo di cultura; associazione che organizza dibattiti.

debater /dɪ'beɪtə(r)/ n. **1** chi partecipa a un dibattito **2** argomentatore; polemista: **a skilled d.**, un buon argomentatore.

debauch /dɪ'bɔːtʃ/ n. **1** ⊡ dissolutezza; scostumatezza; sregolatezza; perversione **2** crapula; gozzoviglia; orgia.

to **debauch** /dɪ'bɔːtʃ/ v. t. **1** corrompere; pervertire; traviare **2** (*anche leg.*) sedurre (*una donna*).

debauched /dɪ'bɔːtʃt/ a. debosciato; corrotto; dissoluto; scostumato.

debauchee /dɛbɔː'tʃiː/ n. **1** depravato; debosciato; persona dissoluta, corrotta **2** (*poet.*) intossicato: '*Inebriate of air am I / and d. of dew*' E. DICKINSON, 'io sono inebriata dall'aria / e intossicata di rugiada'.

debauchery /dɪ'bɔːtʃərɪ/ n. ⊡ depravazione; dissolutezza; scostumatezza **2**

(pl.) gozzoviglie; orge **3** ⊡ pervertimento; corruzione: (*leg.*) **d. of youth**, corruzione di minorenni.

debbie, **debby** /'dɛbɪ/ (*fam.*) **A** n. (ragazza) debuttante (*in società*) **B** a. attr. **1** di (*o* da, per) debuttante: **a d. party**, un party per (*o* di) debuttanti **2** (*spreg.*) pretenzioso; snob.

debenture /dɪ'bɛntʃə(r)/ n. **1** (*fin.*) obbligazione; titolo obbligazionario **2** (*fin.*) titolo del debito pubblico **3** (*dog.*) certificato di restituzione del dazio ● **d. bond**, obbligazione (*il certificato ufficiale*) □ (*fin.*) **d. capital**, capitale obbligazionario □ **d. certificate**, cartella di obbligazione □ **d. debt**, debito obbligazionario □ **d. holder**, obbligazionista □ **d. loan**, prestito obbligazionario □ **d. stock**, obbligazioni nominative (*e, di solito, irredimibili*) □ **d. yield**, reddito obbligazionario ● **redeemable debentures**, obbligazioni redimibili.

to **debilitate** /dɪ'bɪlɪteɪt/ v. t. debilitare; indebolire ‖ **debilitation** n. ⊡ debilitazione.

debility /dɪ'bɪlɪtɪ/ n. ⊡ debolezza; (*med.*) astenia; scarsa fermezza (*di propositi, ecc.*).

debit /'dɛbɪt/ **A** n. ⊡ **1** (*fin.*, *rag.*) addebitamento; addebito **2** (*rag.*) dare (*di un conto*: *intestazione*) **B** a. attr. **1** di addebito; a debito; debitorio: (*rag.*) **d. note**, nota di addebito; (*rag.*) **d. item**, partita a debito **2** (*banca*, *rag.*) debitore: **d. account**, conto debitore; **d. column**, colonna debitrice (*o del dare*); (*banca*) **d. interest**, interessi debitori ● **d. balance**, saldo debitore (*o passivo*) □ (*banca*) **d. card**, carta di addebito (*per spese da addebitare sul conto corrente di q.*) □ (*rag.*) **d. entry**, registrazione a debito (*o di addebito*) □ **d. footing**, totale del dare □ (*banca*) **d. numbers**, numeri debitori □ (*rag.*) **d. side**, sezione del dare, il passivo (*di un conto*).

to **debit** /'dɛbɪt/ (*banca*, *rag.*) v. t. addebitare: **to d. sb.** [**sb.'s account**] **with four hundred pounds**, addebitare q. [il conto di q.] di quattrocento sterline; **to d. one thousand dollars to sb.** [**to sb.'s account**], addebitare la somma di mille dollari a q. [sul conto di q.] ‖ **debitable** a. addebitabile; da addebitare (*a q.*) ‖ **debiting** n. ⊡ addebitamento; addebito.

to **debitter** /diː'bɪtə(r)/ v. t. (*alim.*) togliere l'amaro a (*un alimento*).

debonair, **debonaire** /dɛbə'nɛə(r)/ a. **1** bonario; cordiale; affabile; cortese **2** allegro; gaio **3** disinvolto.

to **debone** /diː'bəʊn/ v. t. **1** disossare (*un pollo, ecc.*) **2** (*raro*) spinare (*un pesce*).

deboost /diː'buːst/ n. (*miss.*) rallentamento (*mediante retrorazzi*): **d. maneuver**, manovra di rallentamento.

to **deboost** /diː'buːst/ (*miss.*) **A** v. i. (*di razzo, astronave, ecc.*) rallentare **B** v. t. far rallentare ● (*miss.*) **deboosting rocket**, razzo di rallentamento.

Deborah /'dɛbrə/ n. Deborah; Debora.

to **debouch** /dɪ'baʊtʃ/ v. i. **1** (*mil.*) uscire (*da boschi, strettoie*) allo scoperto **2** (*di fiume, ecc.*) sboccare; sfociare ‖ **debouchment** n. ⊡ **1** (*mil.*) l'uscire allo scoperto **2** sfociamento, lo sfociare (*di un fiume*).

to **debrief** /diː'briːf/ **A** v. t. **1** (*mil.*, *aeron.*, *miss.*) chiamare a rapporto (*un pilota, un astronauta, ecc.*) dopo una missione **2** (*polit.*) interrogare a fondo (*un agente segreto, un transfuga, ecc.*) **B** v. i. (*mil.*, *aeron.*, *miss.*) mettersi a rapporto; relazionare (*dopo una missione*) ‖ **debriefing** n. ⊡ **1** (*mil.*, *aeron.*, *miss.*) rapporto fatto dopo una missione; seduta postoperativa **2** (*polit.*) interrogatorio a fondo.

debris /'deɪbriː/ (*franc.*) n. ⊡ **1** frammenti; rottami; macerie **2** (*geol.*) detrito, detriti ● (*geol.*) **d. cone**, cono di deiezione.

♦**debt** /dɛt/ **A** n. **1** (*fin.*) debito: **to pay one's debts**, pagare i debiti; **to get** (*o* **to run**) **into d.**, fare debiti; indebitarsi **2** (*fin.*) indebitamento: *D. can force companies to operate efficiently and deter poor investment*, l'indebitamento può costringere le imprese a funzionare in modo efficiente e può scoraggiare i cattivi investimenti **3** (*fin.*, = **national d.**) debito pubblico: **d. conversion**, conversione del debito pubblico; **d. servicing**, la gestione del debito pubblico **4** ⊡ (*fig.*) debito; obbligazione, l'essere obbligato (a q.): **a d. of gratitude**, un debito di gratitudine; **a d. of honour**, un debito d'onore (*o* di gioco); **to acknowledge one's d. to sb.**, riconoscere il proprio debito verso q.; *I'm in debt with you* (*o I owe you a debt*) *for your help*, ti sono assai obbligato per il tuo aiuto **B** a. attr. (*fin.*, *rag.*) debitorio ● **d. accruing**, credito non ancora esigibile □ **d. collecting** (*o* **collection**, *o* **recovery**), recupero dei crediti □ **d. collector**, esattore di crediti □ (*fin.*) **d./equity ratio**, rapporto capitale di prestito / capitale di rischio □ **d. owing**, credito esigibile □ **d.-ridden**, pieno di debiti, indebitato fino al collo □ (*leg.*) **d. proved in bankruptcy**, debito ammesso al passivo fallimentare □ (*fin.*) **d. to net worth ratio**, rapporto d'indebitamento (*di una società*) □ **bad d.**, credito inesigibile □ **to be deeply in d.**, essere indebitato fin sopra i capelli □ **to get out of d.**, pagare i (*propri*) debiti; sdebitarsi □ **to be out of d.**, non avere più debiti; essersi sdebitato.

debtor /'dɛtə(r)/ **A** n. **1** (*fin.*) debitore **2** (*rag.*) dare (*intestazione della colonna*) **B** a. attr. debitore: (*fin.*) **d. company**, società debitrice; (*comm. est.*) **d. countries**, i paesi debitori ● **d. in arrears**, debitore in mora □ (*rag.*) **debtors ledger**, mastro dei conti debitori; partitario clienti □ (*rag.*) **d. side**, sezione del dare, il passivo (*di un conto*).

debug /diː'bʌg/ n. (*comput.*) debug (→ **debugging**, *def.* 3).

to **debug** /diː'bʌg/ v. t. **1** (*agric.*) disinfestare (*piante*) **2** bonificare (*un locale*); rimuovere le microspie da (*una stanza, ecc.*) **3** neutralizzare (*microspie*) elettronicamente **4** (*comput.*) individuare e correggere gli errori (*di logica del codice*) in (*un programma*); fare il debug in (*software*) **5** purificare (*una sostanza*); rendere (*l'acqua*) potabile **6** (*tecn.*) mettere a punto (*un'installazione, un motore d'aereo, ecc.*).

debugger /diː'bʌgə(r)/ n. (*comput.*) debugger (*programma per l'individuazione e la correzione degli errori del codice*).

debugging /diː'bʌgɪŋ/ n. ⊡ **1** (*agric.*) disinfestazione **2** bonifica (*di un locale*); eliminazione (*di microspie*) **3** (*comput.*) individuazione e correzione degli errori di logica del codice; collaudo di programmi **4** (*tecn.*) messa a punto.

to **debunk** /diː'bʌŋk/ v. t. (*fam.*) **1** smontare; ridimensionare; sgonfiare (*fam.*) **2** sfatare, smitizzare (*un mito, una diceria, ecc.*) ‖ **debunker** n. smitizzatore; ridimensionatore; critico implacabile ‖ **debunkery**, **debunking** n. ⊡ **1** (*fam.*) ridimensionamento **2** smitizzazione, sfatamento (*di un mito, una diceria, ecc.*).

to **debureaucratize** /diːbjʊə'rɒkrətaɪz/ v. t. sburocratizzare ‖ **debureaucratization** n. ⊡ sburocratizzazione.

to **debus** /diː'bʌs/ (*spec. mil.*) **A** v. t. scaricare (*merce o passeggeri*) da un autobus **B** v. i. scendere (*da un autobus, ecc.*).

♦**debut** /'deɪbjuː, *USA* deɪ'b-/ n. **1** esordio; debutto **2** prima comparsa (*di una ragazza*) in società ● **to make one's d.**, esordire.

to **debut** /'deɪbjuː, *USA* deɪ'b-/ v. i. debuttare; esordire.

debutant /'dɛbjuːtɑːnt/ n. esordiente;

debuttante.

debutante /'dɛbjuːtɑːnt/ n. **1** debuttante; ragazza (spec. diciottenne) che fa la sua prima comparsa in società **2** (teatr.) esordiente; debuttante.

Dec. abbr. (**December**) dicembre (Dic.).

dec. abbr. **1** (**deceased**) deceduto **2** (**declaration**) dichiarazione **3** (geogr., **declination**) declinazione **4** (**decrease**) diminuzione.

decachord /'dɛkəkɔːd/ n. (mus.) decacordo.

♦**decade** /'dɛkeɪd, dɪ'keɪd/, **decad** /'dɛkəd/ n. **1** decennio **2** gruppo di dieci unità **3** (elettron.) decade **4** (relig.) posta (di rosario) ❶ FALSI AMICI ● decade non significa decade nel senso di dieci giorni ‖ **decadal** a. di decennio; decennale.

decadence /'dɛkədəns/, **decadency** /'dɛkədənsɪ/ n. ⓤ **1** decadenza **2** (arte, letter.) decadentismo.

decadent /'dɛkədənt/ Ⓐ a. **1** decadente **2** (arte, letter.) decadente Ⓑ n. (arte, letter.) scrittore decadente; decadentista.

decaf /'diːkæf/ a. e n. (abbr. fam.) (caffè) decaffeinato.

to **decaffeinate** /diː'kæfɪneɪt/ v. t. decaffeinare; decaffeinizzare: **decaffeinated coffee**, caffè decaffeinato ‖ **decaffeination** n. ⓤ decaffeinazione; decaffeinizzazione.

decagon /'dɛkəɡɒn/ (geom.) n. decagono ‖ **decagonal** a. decagonale.

decagram /'dɛkəɡræm/ n. decagrammo.

decahedron /dɛkə'hiːdrən/ n. (pl. **decahedrons**, **decahedra**) (geom.) decaedro.

decal /'diːkæl/ n. (abbr. fam. di **decalcomania**) decalcomania.

to **decalcify** /diː'kælsɪfaɪ/ (chim., med.) v. t. decalcificare ● **to become decalcified**, decalcificarsi ‖ **decalcification** n. ⓤ decalcificazione.

decalcomania /dɪkælkə'meɪnɪə/ n. ⓤ (spec. USA) decalcomania.

decalitre, (USA) **decaliter** /'dɛkəliːtə(r)/ n. decalitro.

decalogue /'dɛkəlɒɡ/ n. ⓤ decalogo ● (relig.) **the D.**, il Decalogo (i Dieci Comandamenti).

decametre, (USA) **decameter** /'dɛkəmiːtə(r)/ n. decametro.

to **decamp** /dɪ'kæmp/ v. i. **1** (mil.) levare il campo (o le tende) **2** (fig.) andarsene; levare le tende (fig.) **3** (fig.) scappare (di nascosto); svignarsela ‖ **decampment** n. ⓤ **1** (mil.) il togliere le tende; il levare il campo **2** (fig.) fuga furtiva e precipitosa.

decan /'dɛkən/ n. (astrol.) decano.

decanal /dɪ'keɪnl/ a. (relig.) **1** di decano **2** di decanato.

decane /'dɛkeɪn/ n. (chim.) decano.

to **decant** /dɪ'kænt/ v. t. **1** travasare (vino, ecc.); scaraffare **2** versare (un liquido senza disturbare il deposito) **3** (fig. fam.) trasferire (persone); scaricare ❶ FALSI AMICI ● to decant non significa decantare.

decantation /diːkæn'teɪʃn/ n. ⓤ (chim.) decantazione.

decanter /dɪ'kæntə(r)/ n. **1** caraffa (da vino, ecc.) **2** (ind. chim.) decantatore.

to **decapitate** /dɪ'kæpɪteɪt/ v. t. decapitare; decollare ‖ **decapitation** n. ⓤ decapitazione; decollazione.

decapods /'dɛkəpɒdz/ n. pl. (zool., Decapoda) decapodi.

to **decarbonate** /diː'kɑːbəneɪt/ v. t. (chim.) decarbonare.

to **decarbonize** /diː'kɑːbənaɪz/ (metall.) v. t. decarburare ‖ **decarbonization** n. ⓤ decarburazione.

to **decarboxylate** /diːkɑː'bɒksəleɪt/ (chim.) v. t. decarbossilare ‖ **decarboxyla-**

---

tion n. ⓤ decarbossilazione.

to **decarburize** /diː'kɑːbjʊraɪz/ e deriv. → **to decarbonize**, e deriv.

decartelization /diːkɑːtəlaɪ'zeɪʃn/ n. ⓤ (econ.) decartellizzazione.

decasyllable /'dɛkəsɪləbl/ (poesia) n. decasillabo ‖ **decasyllabic** a. decasillabo.

decathlon /dɪ'kæθlɒn/ (sport) n. decathlon, decatlon ‖ **decathlete** n. decatleta; decathloneta.

decay /dɪ'keɪ/ n. ⓤ **1** decadimento; decadenza; deperimento; deterioramento **2** decomposizione; imputridimento; rovina; sfacelo: The old temple is in d., il vecchio tempio è in sfacelo **3** marciume; putredine **4** (med.) carie (dentaria): **to remove the d.**, eliminare la carie **5** (fis. nucl.) disintegrazione (di sostanze radioattive); decadimento: **radioactive d.**, decadimento radioattivo; **d. constant**, costante di decadimento **6** (geol.) alterazione (delle rocce) ● **to fall into d.**, andare in rovina: Arts and letters may fall into d., può darsi che le arti e la letteratura vadano in rovina.

to **decay** /dɪ'keɪ/ Ⓐ v. i. **1** decadere; deperire; deteriorarsi; andare in rovina **2** decomporsi; marcire; imputridire: **decaying vegetation**, vegetazione che marcisce **3** (med.) cariarsi: My teeth are starting to d., incominciano a cariarmisi i denti **4** (fis. nucl.) decadere; disintegrarsi Ⓑ v. t. **1** far deperire; far marcire; far imputridire **2** far cariare (i denti) **3** mandare in rovina; deteriorare: **a decayed house**, una casa in rovina ● **a decayed tooth**, un dente cariato.

decease /dɪ'siːs/ n. ⓤ decesso.

to **decease** /dɪ'siːs/ v. i. decedere.

deceased /dɪ'siːst/ Ⓐ a. deceduto; defunto; estinto; morto Ⓑ n. – **the d.**, il defunto; l'estinto; il morto ● (leg.) **d. effects**, oggetti personali di un defunto.

decedent /dɪ'siːdnt/ n. (leg., spec. USA) defunto; estinto ● **the d.'s estate**, il patrimonio (o l'asse) ereditario.

deceit /dɪ'siːt/ n. **1** ⓤ falsità; disonestà **2** inganno; raggiro; sotterfugio **3** ⓤ (leg.) frode; dolo.

deceitful /dɪ'siːtfl/ a. **1** ingannevole; disonesto; falso **2** fraudolento; truffaldino **3** fallace; illusorio ‖ **-ly** avv. ‖ **-ness** n. ⓤ.

to **deceive** /dɪ'siːv/ v. t. **1** ingannare; imbrogliare; raggirare; truffare **2** deludere (spec. speranze) ● **to d. sb. into doing st.**, convincere q. con l'inganno a fare qc. ▫ **to d. oneself**, illudersi; ingannarsi ‖ **deceivable** a. ingannabile ‖ **deceiver** n. ingannatore, ingannatrice; imbroglione, imbroglione.

to **decelerate** /diː'seləreɪt/ Ⓐ v. t. ridurre la velocità di (qc.); decelerare Ⓑ v. i. decelerare; rallentare ‖ **deceleration** n. ⓤ decelerazione; rallentamento ‖ **decelerator** n. deceleratore.

♦**December** /dɪ'sɛmbə(r)/ Ⓐ n. ⓤⒸ dicembre (per gli esempi d'uso → **April**) Ⓑ a. attr. di dicembre; dicembrino: It was a cold D. day, era una fredda giornata dicembrina. (Per gli esempi d'uso → **April**).

decemvir /dɪ'sɛmvə(r)/ (stor. romana) n. (pl. **decemvirs**, **decemviri**) decemviro; decenviro ‖ **decemvirate** n. decemvirato; decenvirato.

decency /'diːsnsɪ/ n. **1** ⓤ decenza; convenienza; decoro; morigeratezza **2** correttezza; senso di ciò che è giusto: At least have the d. to apologize!, dovresti quantomeno chiedere scusa! **3** (pl.) convenienze (sociali); norme del vivere civile: **to observe common decencies**, osservare le convenienze sociali (o le regole della società).

decennial /dɪ'sɛnɪəl/ a. e n. decennale.

decennium /dɪ'sɛnɪəm/ n. (pl. **decenniums**, **decennia**) decennio.

♦**decent** /'diːsnt/ a. **1** decente; convenevole; decoroso; morigerato: **d. clothes**, abiti decenti; **d. language**, linguaggio decoroso (o corretto) **2** rispettabile; onesto; corretto; per bene: **a d. family**, una famiglia onesta (o rispettabile); **d. people**, gente per bene; brava gente **3** (fam.) vestito; presentabile; decente: Are you d.?, sei presentabile?; sei vestito? **4** (fam.) discreto; abbastanza soddisfacente; adeguato; passabile: **d. wages**, un salario discreto (o adeguato); **a d. lunch**, un pranzo passabile **5** (fam.) gentile; simpatico; carino (fam.): It was very d. of you to drive me home, sei stato molto carino ad accompagnarmi a casa (in macchina) **6** (gergo studentesco) buono; indulgente: **d. teacher**, un professore indulgente ● **to do the d. thing**, fare quello che è moralmente giusto (in una data situazione); agire con correttezza: He should do the d. thing and resign, dovrebbe in tutta coscienza dare le dimissioni.

decently /'diːsntlɪ/ avv. **1** decentemente **2** (fam.) discretamente; abbastanza; adeguatamente **3** bene: He has always treated me d., m'ha sempre trattato bene.

to **decentralize** /diː'sɛntrəlaɪz/ v. t. decentrare; decentralizzare ‖ **decentralization** n. ⓤ decentramento; decentralizzazione.

deception /dɪ'sɛpʃn/ n. **1** inganno; frode **2** raggiro; sotterfugio: I won't forgive his deceptions, non intendo perdonare i suoi raggiri **3** illusione ● (mil.) **d. measures**, misure atte a ingannare il nemico.

deceptive /dɪ'sɛptɪv/ a. ingannevole; fallace; falso; menzognero; illusorio ● **Appearances are often d.**, l'apparenza inganna (prov.) ‖ **-ly** avv. ‖ **-ness** n. ⓤ.

decibel /'dɛsɪbɛl/ n. (fis.) decibel.

decidable /dɪ'saɪdəbl/ a. **1** che può essere deciso **2** (mat., logica) decidibile.

♦to **decide** /dɪ'saɪd/ Ⓐ v. t. **1** decidere; decidersi; prendere una decisione: I've decided to refuse the proposal, ho deciso di rifiutare la proposta **2** giungere alla conclusione (che); concludere: The President decided that war was inevitable, il presidente giunse alla conclusione che la guerra era inevitabile **3** (leg.) deliberare: **to d. in chambers**, deliberare in camera di consiglio Ⓑ v. t. **1** decidere; stabilire; risolvere (una questione, una lite, ecc.): **to d. a controversy**, decidere una controversia; **to d. sb.'s fate**, decidere la sorte di q. **2** far decidere; indurre: His promises have decided me, le sue promesse mi hanno fatto decidere ● **Nothing has been decided yet**, non c'è ancora niente di deciso ▫ **That decides the issue**, questo taglia la testa al toro (fig.).

■ **decide against** v. t. + prep. (anche leg.) pronunciarsi contro (q.) ▫ **to d. against doing st.**, decidere di non fare qc.

■ **decide for** v. i. + prep. (anche leg.) pronunciarsi in favore di (q.) ▫ **to d. for oneself**, decidere da sé (o da solo).

■ **decide on** v. i. + prep. decidere, fissare, stabilire: We've decided on the time of departure, abbiamo deciso l'ora della partenza ▫ **to d. on doing st.**, decidere di fare qc.

decided /dɪ'saɪdɪd/ a. **1** deciso; chiaro; netto; positivo: **a d. advantage**, un vantaggio netto **2** deciso; fermo; risoluto; saldo: I am quite d., sono proprio deciso; **d. opinions**, opinioni ferme, salde.

decidedly /dɪ'saɪdɪdlɪ/ avv. **1** chiaramente; nettamente; senza dubbio **2** decisamente; risolutamente.

decider /dɪ'saɪdə(r)/ n. **1** chi decide; arbitro, giudice (fig.) **2** (sport) partita (o gara) decisiva.

deciding /dɪ'saɪdɪŋ/ a. decisivo: **the d. vote**, il voto decisivo.

decidua /dɪˈsɪdjʊə/ (anat.) n. (pl. **decid-uae, deciduas**) decidua ‖ **decidual** a. deciduale.

deciduous /dɪˈsɪdjʊəs/ a. 1 (bot., zool.) deciduo; caduco (anche fig.): **d. leaves**, foglie decidue; **a d. flower**, un fiore caduco 2 (bot.) caducifoglio; a foglie decidue: *The maple is a d. tree*, l'acero è un albero a foglie decidue ● (anat.) **d. teeth**, denti decidui (o di latte).

decigram /ˈdɛsɪɡræm/ n. decigrammo.

decilitre, (USA) **deciliter** /ˈdɛsɪliːtə(r)/ n. decilitro.

decimal /ˈdɛsɪml/ a. e n. (mat.) decimale: **d. fraction**, frazione decimale; **d. numeration**, numerazione decimale; **d. point**, puntino che separa l'intero dalla parte decimale; **d. system**, sistema decimale ● (mat.) **d. place**, posizione (di una cifra) a destra del punto (nei decimali: in Italia, a destra della virgola) ‖ **decimally** avv. 1 a decine 2 (mat.) per mezzo di decimali.

decimalist /ˈdɛsɪməlɪst/ n. fautore del sistema decimale.

to **decimalize** /ˈdɛsɪməlaɪz/ (mat.) v. t. adottare il (o ridurre al) sistema decimale; decimalizzare: **to d. the currency**, decimalizzare la moneta ‖ **decimalization** n. ⓤ adozione del (o riduzione al) sistema decimale; decimalizzazione.

to **decimate** /ˈdɛsɪmeɪt/ v. t. 1 (stor.) decimare 2 fare strage di; falcidiare; decimare 3 ridurre drasticamente ‖ **decimation** n. ⓤ 1 (stor.) decimazione 2 strage; falcidie; decimazione 3 riduzione drastica.

decimetre, (USA) **decimeter** /ˈdɛsɪmiːtə(r)/ n. decimetro.

decipher /dɪˈsaɪfə(r)/ n. messaggio cifrato.

to **decipher** /dɪˈsaɪfə(r)/ v. t. (anche fig.) decifrare.

decipherable /dɪˈsaɪfrəbl/ a. decifrabile ‖ **decipherability** n. ⓤ decifrabilità.

decipherment /dɪˈsaɪfəmənt/ n. ⓤ deciframento; decifrazione.

♦**decision** /dɪˈsɪʒn/ n. 1 ⓤ decisione; determinazione; risoluzione; risolutezza; fermezza: **to come to** (o **to arrive at**) **a d.**, giungere a una decisione; **a man of d.**, un uomo di grande fermezza (o risoluto) 2 (leg.) decisione; giudizio; sentenza: **by d. of the court**, per decisione del tribunale; **d. by default**, sentenza in assenza della parte 3 (sport) decisione (arbitrale); assegnazione (di una punizione, ecc.) 4 (boxe) verdetto: **points d.**, verdetto ai punti ● **d. maker**, responsabile delle decisioni □ **d. making**, processo decisorio □ **d.-making power**, potere decisionale □ (org. az.) **d.-making unit**, unità decisionale □ (comput.) **d. table**, tavola decisionale □ (ric. op.) **d. theory**, teoria delle decisioni.

decisional /dɪˈsɪʒənl/ a. decisionale ● (leg.) **d. law**, diritto basato sul principio del precedente giurisprudenziale.

decisive /dɪˈsaɪsɪv/ a. 1 decisivo; determinante; risolutivo: **a d. argument**, un argomento decisivo; **a d. battle**, una battaglia decisiva 2 deciso; fermo; risoluto: **a d. character**, un carattere fermo 3 deciso; chiaro, netto: **a d. superiority**, una netta superiorità ‖ **decisively** avv. 1 in modo determinante; in modo risolutivo 2 fermamente; risolutamente ‖ **decisiveness** n. ⓤ 1 l'essere decisivo; importanza decisiva 2 fermezza; risolutezza.

♦**deck** /dɛk/ n. 1 (naut.) ponte; coperta; tolda: **to go up on d.**, salire in coperta; *All hands on d.!*, tutti in coperta! 2 (un tempo) imperiale (di diligenza, d'omnibus, ecc.) 3 (ferr.) imperiale; tetto 4 (aeron.) cabina 5 (d'autobus a più piani) piano: **top d.**, imperiale 6 deck, piatto, piastra di registrazione (di uno stereo) 7 (fam. USA) pavimento; terra:

to hit the d., gettarsi a terra; (anche) andare a terra; saltare giù dal letto, mettersi in moto 8 (spec. USA) mazzo di carte (da gioco) 9 (slang USA) pacchetto (di sigarette); bustina (di droga, ecc.) ● (edil.) **d.-access flats**, appartamenti le cui porte d'ingresso danno su un balcone che corre lungo tutta la casa □ (naut.) **d. cabin**, cabina di ponte □ (naut.) **d. cargo**, carico di coperta □ (naut.) **d. height**, interponte □ (aeron., naut.) **d. landing**, appontaggio □ (naut.) **d. officer**, ufficiale di bordo □ **d. passenger**, passeggero di ponte (che non ha una cabina) □ **d. shoes**, mocassini □ **to clear the decks** (**for action**), (stor., naut.) sgombrare i ponti (per il combattimento); (fig.) sgombrare il campo, prepararsi all'azione ● **on d.**, (naut.) sopraccoperta; (fam.) pronto, a portata di mano ● (slang USA) **to stack the d.**, truccare il mazzo (di carte); (fig.) imbrogliare, fare il mazzetto.

to **deck** /dɛk/ v. t. 1 adornare; addobbare; ricoprire; rivestire: *The windows were decked with Chinese balloons*, le finestre erano adornate di palloncini cinesi 2 fornire (navi, ecc.) di ponte 3 (slang USA) stendere (a terra) con un pugno 4 (boxe) mettere (q.) al tappeto ● **to be decked with flags**, essere imbandierato.

■ **deck out** v. t. + avv. (di persona) mettere in ghingheri, agghindare; (di cosa) decorare; ornare.

deckchair /ˈdɛktʃeə(r)/ n. sedia a sdraio; (una) sdraio.

decker /ˈdɛkə(r)/ n. 1 autobus (nave, ecc.) con un dato numero di piani (ponti, ecc.): **double-d.** (bus), autobus a due piani; (naut.) **three-d.**, treponti, bastimento a tre ponti 2 strato: **a double-d. sandwich**, un sandwich a due strati; un sandwich doppio.

deckhand /ˈdɛkhænd/ n. (naut.) marinaio di coperta; marinaio.

deckhead /ˈdɛkhɛd/ n. (naut.) sottostruttura di un ponte.

deckhouse /ˈdɛkhaʊs/ n. (naut.) tuga; casotto.

decking /ˈdɛkɪŋ/ n. ⓤⓒ 1 (naut.) rivestimento del ponte (di una nave) 2 (edil.) (manto dell') impalcato 3 (edil.) copertura (di una terrazza).

deckle /ˈdɛkl/ n. (ind. cartaria) cascio; casso ● **d. edge**, barba, riccio, zazzera (di carta a mano) □ (di carta, foto, ecc.) **d.-edged**, con l'orlo (a) riccio.

to **declaim** /dɪˈkleɪm/ v. t. e i. 1 declamare 2 parlare con grande enfasi ● **to d. against sb.**, inveire contro q. ‖ **declaimer** n. declamatore, declamatrice ‖ **declamatory** a. declamatorio; retorico; ampolloso.

declamation /dɛkləˈmeɪʃn/ n. 1 ⓤ declamazione 2 arringa; discorso enfatico.

declarable /dɪˈkleərəbl/ a. 1 dichiarabile 2 da dichiarare (alla dogana): **d. goods**, merce da dichiarare.

declarant /dɪˈkleərənt/ n. (leg.) dichiarante.

♦**declaration** /dɛkləˈreɪʃn/ n. ⓤⓒ dichiarazione (quasi in ogni senso); proclamazione: **a d. at the customs office**, una dichiarazione (di merci) fatta alla dogana ● (Borsa) **d. day**, giorno di risposta premi □ (ass.) **d. insurance**, assicurazione a sostanziare □ (Borsa) **d. of option**, risposta premi □ **d. of war**, dichiarazione di guerra □ (stor. USA) **the D. of Independence**, la Dichiarazione d'Indipendenza ❶ Cultura ● The Declaration of Independence: la Dichiarazione Unanime dei Tredici Stati Uniti d'America, meglio conosciuta come la Dichiarazione d'Indipendenza, fu firmata il 4 luglio del 1776 □ (polit.) **d. of the poll**, proclamazione degli eletti (con l'annuncio del totale dei voti ottenuti) □ (leg.) **d. on oath**, dichiarazione giurata □ (naut.) **d. outwards**, dichia-

razione di uscita.

declarative /dɪˈklærətɪv/ a. dichiarativo; esplicativo: (gramm.) **a d. sentence**, una proposizione dichiarativa.

declaratory /dɪˈklærətrɪ/ a. dichiaratorio; dichiarativo: (leg.) **d. judgment**, sentenza dichiarativa.

♦to **declare** /dɪˈkleə(r)/ v. t. 1 dichiarare: *Anything to d.?*, (Lei ha) niente da dichiarare (alla dogana)?; *'I have nothing to d. except my genius'* O. WILDE, (alla dogana di New York) 'non ho niente da dichiarare, salvo il mio genio'; (fin.) **to d. a dividend**, dichiarare un dividendo 2 proclamare: **to d. a strike**, proclamare uno sciopero; **to d. a result**, proclamare un risultato 3 (nei giochi di carte) dichiarare ● **to d. against**, dichiararsi contrario a □ (leg., USA) **to d. bankruptcy**, dichiarare fallimento □ **to d. for**, dichiarare in favore di □ **to d. sb. fit**, dichiarare che q. gode di buona salute □ **to d. off a bargain**, recedere da un contratto □ **to d. under oath**, asseverare con giuramento □ **to d. oneself**, dichiarare le proprie intenzioni, prendere posizione; dichiararsi, fare una dichiarazione (d'amore): **to d. oneself innocent**, proclamarsi innocente □ **to d. peace**, proclamare la pace □ **to d. war**, dichiarare la guerra □ **Well, I d.!**, beh! questa poi!; questa è grossa!

declared /dɪˈkleəd/ a. dichiarato: **d. intention**, intenzione dichiarata; **a d. opponent**, un avversario dichiarato ‖ **declaredly** avv. dichiaratamente; apertamente; a viso aperto.

declarer /dɪˈkleərə(r)/ n. 1 dichiaratore 2 (al bridge) dichiarante.

to **declassify** /diːˈklæsɪfaɪ/ (leg., polit.) v. t. desegretare (documenti già considerati segreto di Stato) ‖ **declassifiable** a. desegretabile ‖ **declassification** n. ⓤ desegretazione.

declension /dɪˈklenʃn/ n. ⓒⓤ (gramm. e astron.) declinazione.

declinable /dɪˈklaɪnəbl/ a. 1 (gramm.) declinabile 2 declinabile; rifiutabile, ecc. (→ **to decline**).

declination /dɛklɪˈneɪʃn/ n. 1 ⓤ (astron., aeron.) declinazione: **magnetic d.**, declinazione magnetica 2 ⓤ inclinazione; pendenza 3 pendio; declivio 4 (USA) cortese rifiuto ● **d. compass**, declinometro; bussola di declinazione.

♦**decline** /dɪˈklaɪn/ n. ⓤⓒ 1 declino; decadenza; decadimento: **to be on the d.**, essere in declino; **the d. of the Roman Empire**, la decadenza dell'Impero Romano; **the d. of one's strength**, il declino delle proprie forze 2 il declinare; il tramontare; tramonto (fig.): **in the d. of life**, nel tramonto della vita 3 (med.) deperimento; perdita delle forze; spossatezza; consunzione: *He fell into a rapid d. and died*, perse le forze e di lì a poco morì 4 diminuzione; calo; ribasso; riduzione: **a d. in population**, una diminuzione della popolazione; **a d. in** (o **of**) **prices**, un ribasso dei prezzi; **the d. in the rate of interest**, la riduzione del tasso d'interesse 5 (econ., comm.; anche) flessione: **a d. of trade in coal products**, una flessione nel commercio dei prodotti carboniferi 6 declivio; pendio ● (econ.) **a d. of business activity**, un indebolimento congiunturale.

♦to **decline** /dɪˈklaɪn/ Ⓐ v. i. 1 declinare; abbassarsi; digradare; calare; diminuire; (fig.) decadere; (del sole) calare, tramontare; (della salute, ecc.) deperire, venir meno: *Here the hills d. towards the sea*, qui i colli digradano verso il mare; *His health began to d.*, la sua salute cominciò a declinare; *Prices* (*rates*) *are beginning to d.*, i prezzi [i corsi] cominciano a calare 2 (econ., comm.; anche) subire una flessione: *Demand has de-*

clined sharply, la domanda ha subito una forte flessione; _Trade in foodstuffs continued to d._, nel settore degli alimentari, la flessione degli scambi è continuata **3** (_gramm._: _di un sostantivo, ecc._) declinarsi **B** **v. t. 1** (_form._) declinare; rifiutare (cortesemente): **to d. an invitation**, declinare un invito; **to d. an offer**, rifiutare un'offerta; (_leg._) **to d. any liability**, declinare ogni responsabilità **2** (_form._) rifiutarsi; non accettare; evitare; schivare: **to d. to do** (_o doing_) **st.**, rifiutarsi di fare qc.; **to d. a challenge**, non accettare una sfida; **to d. battle**, evitare il combattimento **3** (_gramm._) declinare ● **to d. in price**, calare di prezzo □ (_leg._) **to d. jurisdiction**, dichiarare la propria incompetenza.

declining /dɪˈklaɪnɪŋ/ **a. 1** che declina; al tramonto: **the d. sun**, il sole al tramonto **2** (_fig._) in declino; del declino: (_stat., ecol._) **d. population**, popolazione in declino; **in his d. years**, negli anni del suo declino (_fin., market._) in calo; in ribasso.

declinometer /dɛklɪˈnɒmɪtə(r)/ n. (_tecn._) declinometro.

declivity /dɪˈklɪvətɪ/ n. declivio; pendio ‖ **declivitous** a. declive (_lett._); in pendio.

declivous /dɪˈklaɪvəs/ **a. 1** declive (_lett._); in pendio **2** (_antrop._) sfuggente: **a d. profile**, un profilo sfuggente.

to **declutch** /diːˈklʌtʃ/ **A** v. i. (_autom._) staccare (_o disinnestare_) la frizione **B** v. t. disinnestare (_un meccanismo_).

declutching /diːˈklʌtʃɪŋ/ n. **uc** (_autom._) disinnesto della frizione; debragliata, debraiata.

decoction /dɪˈkɒkʃn/ n. **1** **u** decozione **2** decotto.

to **decode** /diːˈkəʊd/ v. t. decodificare; decifrare (_telegrammi in cifra, ecc._); decrittare.

decoder /diːˈkəʊdə(r)/ n. **1** decodificatore; decifratore; crittografo **2** (_comput._) decoder; decodificatore.

decoding /diːˈkəʊdɪŋ/ n. **u** **1** decodificazione; decifrazione; decrittazione **2** (_comput._) decodifica.

to **decoke** /diːˈkəʊk/ v. t. (_fam._) → **to decarbonize**.

to **decollate** /dɪˈkɒleɪt/ (_arc._) v. t. decapitare; decollare ❶ **FALSI AMICI** ● to decollate _non significa_ decollare _in senso aeronautico_ ‖ **decollation** n. **u** decapitazione; decollazione.

décolletage /deɪkɒlˈtɑːʒ/ (_franc._) n. (_moda_) scollatura.

décolleté /deɪkɒlˈteɪ/, _USA_ deɪkɒːlˈteɪ/ (_franc._) **A** a. (_moda: d'abito_) scollato **B** n. **1** décolleté; scollatura **2** abito scollato.

to **decolonize** /diːˈkɒlənaɪz/ (_polit._) v. t. decolonizzare ‖ **decolonization** n. **u** decolonizzazione.

decolorant /diːˈkʌlərənt/ a. e n. decolorante.

to **decolorize**, to **decolourize** /diːˈkʌləraɪz/ v. t. decolorare; scolorare ‖ **decolorization, decolourization** n. **u** decolorazione; scoloramento.

to **decommission** /diːkəˈmɪʃn/ v. t. **1** (_tecn._) disattivare (_un impianto, ecc._) **2** (_mil._) togliere dal servizio attivo (_truppe, ecc._); ridurre gli effettivi di (_un'unità_) **3** (_naut._) mettere (_una nave_) in disarmo **4** smantellare e decontaminare (_una centrale nucleare, armi nucleari_) **5** consegnare o eliminare le armi illegali.

decommissioning /diːkəˈmɪʃnɪŋ/ n. **u** **1** (_tecn._) disattivazione (_di un impianto_) **2** (_mil._) riduzione degli effettivi **3** (_naut._) messa in disarmo **4** (_di centrale nucleare, armi nucleari_) «decommissioning» **5** consegna o eliminazione delle armi illegali.

to **decommunize** /diːˈkɒmjuːnaɪz/

(_polit._) v. t. decomunistizzare ‖ **decommunization** n. decomunistizzazione.

decomposable /diːkəmˈpəʊzəbl/ a. decomponibile; scomponibile ‖ **decomposability** n. **u** decomponibilità; scomponibilità.

to **decompose** /diːkəmˈpəʊz/ **A** v. t. decomporre; scomporre **B** v. i. **1** decomporsi; imputridire; putrefarsi **2** (_chim._) decomporsi.

decomposer /diːkəmˈpəʊzə(r)/ n. (_ecol._) agente di decomposizione.

decomposing /diːkəmˈpəʊzɪŋ/ a. **1** che decompone **2** in decomposizione.

decomposition /diːkɒmpəˈzɪʃn/ n. **1** **u** decomposizione; scomposizione **2** (_chim._) decomposizione **3** **u** (_fig._) disfacimento: **the d. of our party**, il disfacimento del nostro partito.

to **decompress** /diːkəmˈpres/ **A** v. t. **1** decomprimere **2** (_comput._) decomprimere; scompattare **B** v. i. essere sottoposto a decompressione.

decompression /diːkəmˈpreʃn/ n. **u** (_comput., mecc., med._) decompressione: **d. chamber**, camera di decompressione ● (_med._) **d. sickness**, embolia gassosa.

to **decondition** /diːkənˈdɪʃn/ v. t. decondizionare ‖ **deconditioning** n. **u** decondizionamento.

to **decongest** /diːkənˈdʒest/ (_med. e fig._) v. t. decongestionare ‖ **decongestion** n. **u** decongestionamento.

decongestant /diːkənˈdʒestənt/ n. decongestionante.

decongestive /diːkənˈdʒestɪv/ a. decongestionante.

to **deconsecrate** /diːˈkɒnsɪkreɪt/ v. t. sconsacrare; secolarizzare ‖ **deconsecration** n. **u** sconsacrazione.

to **deconstruct** /diːkənˈstrʌkt/ (_ling., letter._) v. t. decostruire (_un testo, ecc._) ‖ **deconstruction** n. **u** decostruzione ‖ **deconstructionism** n. **u** decostruzionismo.

to **decontaminate** /diːkənˈtæmɪneɪt/ v. t. decontaminare ‖ **decontamination** n. **u** decontaminazione.

decontrol /diːkənˈtrəʊl/ n. **u** abolizione dei controlli; liberalizzazione; sblocco (_di affitti, prezzi, ecc._).

to **decontrol** /diːkənˈtrəʊl/ v. t. abolire i controlli su (qc.); liberalizzare; sbloccare (_prezzi, affitti, ecc._).

decor /ˈdeɪkɔː(r)/, _USA_ deɪˈkɔː(r)/ n. **u** **1** decorazione (_su una ceramica, ecc._) **2** arredo; disposizione dei mobili, ecc. (_in una stanza_) **3** (_teatr._) scenografia; allestimento scenico ❶ **FALSI AMICI** ● decor _non significa_ decoro.

◆to **decorate** /ˈdekəreɪt/ v. t. **1** decorare; ornare **2** pitturare; imbiancare; guarnire di carta da parati (_una stanza, ecc._); arredare (_una casa_) **3** (_anche mil._) decorare; insignire di decorazione ● (_archit._) **decorated style**, stile decorato (_del XIV secolo_); gotico ornato (_inglese_).

◆**decoration** /dekəˈreɪʃn/ n. **uc** **1** decorazione; ornamento: _Christmas decorations_, decorazioni natalizie **2** decorazione; onorificenza: **war d.**, decorazione di guerra.

decorative /ˈdekrətɪv/ a. decorativo; ornamentale | **-ly** avv.

decorator /ˈdekəreɪtə(r)/ n. **1** decoratore, decoratrice; pittore (_di case, stanze, ecc._) **2** (= **interior d.**) arredatore; arredatrice.

decorous /ˈdekərəs/ a. decoroso; decente; dignitoso | **-ly** avv.

to **decorticate** /diːˈkɔːtɪkeɪt/ v. t. **1** scortecciare (_una pianta_) **2** (_med._) decorticare.

decortication /diːkɔːtɪˈkeɪʃn/ n. **1** **u** scortecciamento **2** (_med._) decorticazione.

decorum /dɪˈkɔːrəm/ n. **1** **u** decoro; buona creanza; senso della dignità; proprietà **2**

(pl.) maniere gentili; convenzioni (_o norme_) del vivere civile.

to **decouple** /diːˈkʌpl/ v. t. disaccoppiare.

decoupling /diːˈkʌplɪŋ/ n. **u** (_elettron._) disaccoppiamento.

decoy /ˈdiːkɔɪ/ n. **1** (uccello da) richiamo (_anche artificiale_) **2** luogo (_o stagno, ecc._) nel quale vengono attirati uccelli, anatre selvatiche, ecc.; paretaio **3** (_caccia_, = **d. duck**) (anatra da) richiamo; (_fig._) chi fa o serve da esca; trappola; tranello; compare (_di un malfattore_): **a police d.**, un tranello della polizia **4** (_mil._, = **d. target**) diversivo; falso bersaglio ● (_naut._) **d. ship**, nave civetta.

to **decoy** /dɪˈkɔɪ/ v. t. attirare (_uccelli, ecc._) con i richiami **2** (_fig._) adescare; allettare; attirare: **to d. sb. into a dark corner**, attirare q. in un angolo buio ● **to d. sb. into doing st.**, far fare qc. a q. con l'inganno.

decrease /ˈdiːkriːs/ n. **1** decrescenza; decremento; diminuzione; calo; ribasso: **a d. in prices**, un ribasso dei prezzi; **a d. in income**, un decremento del reddito **2** (_econ., comm._) flessione: _Trade in iron ore is showing a sharp d._, gli scambi di minerali di ferro registrano una forte flessione; **a d. in the demand of consumer goods**, una flessione della domanda di beni di consumo ● **to be on the d.**, essere in diminuzione.

to **decrease** /dɪˈkriːs/ **A** v. i. **1** decrescere; diminuire; calare; scemare **2** (_lavori a maglia_) calare **B** v. t. diminuire; far calare; ridurre: **to d. the amount of oil used**, ridurre la quantità di petrolio usato.

decreasing /dɪˈkriːsɪŋ/ a. decrescente: **d. charges**, quote decrescenti (_di un ammortamento, ecc._) ● (_econ._) **d. costs**, costi decrescenti □ (_mat._) **d. function**, funzione decrescente □ (_ass._) **d. term assurance**, assicurazione temporanea a capitale decrescente ‖ **decreasingly** avv. in modo decrescente.

decree /dɪˈkriː/ n. (_leg._) **1** decreto; deliberazione; ordine; provvedimento giudiziario (_o amministrativo_): **a d. of fate**, un decreto del fato; **d. in bankruptcy**, dichiarazione giudiziale di fallimento **2** (_nelle cause di divorzio e in quelle dell'Ammiragliato_) sentenza: **d. absolute**, sentenza definitiva (_di divorzio_); **d. nisi**, sentenza provvisoria (_di divorzio_).

to **decree** /dɪˈkriː/ v. t. (_leg._) decretare; deliberare; ordinare.

decrement /ˈdekrɪmənt/ n. **1** decremento; diminuzione **2** (_mat., fis._) decremento.

decrepit /dɪˈkrepɪt/ a. decrepito ‖ **decrepitude** n. decrepitezza.

to **decrepitate** /dɪˈkrepɪteɪt/ (_chim._) **A** v. i. (_di un sale, un minerale, ecc._) decrepitare **B** v. t. sottoporre a decrepitazione ‖ **decrepitation** n. **u** decrepitazione.

decrescendo /diːkrəˈʃendəʊ/ (_ital._) n. (pl. **decrescendos**) (_mus._) decrescendo.

decrescent /diːˈkresnt/ a. decrescente; calante: **d. moon**, luna calante.

decretal /dɪˈkriːtl/ a. e n. decretale.

decrial /dɪˈkraɪl/ n. **uc** **1** condanna; biasimo **2** denigrazione **3** (_fin._) deprezzamento; svalutazione.

to **decriminalize** /dɪˈkrɪmɪnəlaɪz/ (_leg._) v. t. depenalizzare; decriminalizzare ‖ **decriminalization** n. **u** depenalizzazione; decriminalizzazione.

to **decry** /dɪˈkraɪ/ v. t. **1** condannare; biasimare; denunciare: _We d. religious intolerance_, noi condanniamo l'intolleranza religiosa **2** sminuire; denigrare: _One shouldn't d. the importance of foreign languages_, non si dovrebbe sminuire l'importanza delle lingue straniere **3** (_fin._) svalutare ufficialmente (_la moneta, ecc._).

to **decrypt** /dɪˈkrɪpt/ v. t. **1** decriptare; decrittare **2** (_comput._) decifrare ‖ **decryption** n. **uc** **1** decriptazione, decrittazione **2**

decubitus /dɪˈkjuːbɪtəs/ (*lat.*) n. ⓤ (*med.*) decubito • **d. ulcer**, piaga da decubito.

deculturation /diːkʌltʃəˈreɪʃn/ n. ⓤ deculturazione.

decuman /ˈdɛkjumən/ a. (*archeol.*, *stor. romana*) decumano: **d. gate**, (porta) decumana.

decumbent /dɪˈkʌmbənt/ a. **1** disteso **2** (*bot.*, *zool.*) reclinato.

decuple /ˈdɛkjupl/ a. e n. decuplo.

to **decuple** /ˈdɛkjupl/ Ⓐ v. t. decuplicare Ⓑ v. i. decuplicarsi.

decurion /dɪˈkjuəriən/ (*stor. romana*) n. decurione.

decussate /dɪˈkʌseɪt/ a. **1** incrociato a x **2** (*anche bot.*) decussato.

to **decussate** /dɪˈkʌseɪt/ v. t. **1** incrociare a x **2** (*anche bot.*) decussare.

decussation /diːkʌˈseɪʃn/ n. ⓤ **1** intersecamento a x **2** (*anche bot.*) decussazione: (*anat.*) **pyramidal d.**, decussazione piramidale.

dedendum /diːˈdɛndəm/ n. (*mecc.*) dedendum.

to **dedicate** /ˈdɛdɪkeɪt/ v. t. **1** dedicare; consacrare: **to d. oneself to doing st.**, dedicarsi a fare qc. **2** inaugurare: **to d. a fair [a public building]**, inaugurare una fiera [un edificio pubblico] **3** (*fin.*) destinare: **to d. revenue to council houses**, destinare l'introito d'imposta all'edilizia popolare **4** (*leg.*) destinare (*un terreno*, *ecc.*) a uso pubblico.

dedicated /ˈdɛdɪkeɪtɪd/ a. **1** dedicato **2** impegnato; coscienzioso **3** (*comput.*) dedicato (*specializzato*): **d. computer**, computer dedicato; **d. line**, linea dedicata.

dedicatee /dɛdɪkəˈtiː/ n. dedicatario; persona alla quale è dedicata qualcosa.

dedication /dɛdɪˈkeɪʃn/ n. **1** ⓤ dedicazione (*lett.*) **2** dedica **3** ⓤ inaugurazione; consacrazione **4** ⓤ dedizione; il votarsi (*a qc.*) **5** ⓤ (*fin.*) destinazione (*di fondi*) **6** ⓤ (*leg.*) destinazione a uso pubblico.

dedicator /ˈdɛdɪkeɪtə(r)/ n. dedicatore.

dedicatory /ˈdɛdɪkətrɪ/ a. dedicatorio (*lett.*); di dedica • **epistle d.**, dedicatoria.

to **deduce** /dɪˈdjuːs, USA -ˈduːs/ v. t. **1** dedurre; evincere; desumere; argomentare; concludere: *If you don't see him, you may d. he is ill*, se non lo vedi, puoi dedurne che sia malato **2** derivare; far discendere: **to d. sb. from sb. else**, far discendere q. da altro; stabilire la genealogia di q.

deducible /dɪˈdjuːsəbl, USA -ˈduːs-/ a. deducibile; desumibile ‖ **deducibility** n. ⓤ deducibilità; desumibilità.

to **deduct** /dɪˈdʌkt/ v. t. **1** dedurre; detrarre; (*comm.*) defalcare; (*fisc.*) scaricare: *You can d. travelling expenses*, puoi dedurre le spese di viaggio **2** (*fisc.*) trattenere: **to d. 20% at source**, trattenere il 20% alla fonte.

deductible /dɪˈdʌktəbl/ Ⓐ a. deducibile; detraibile; (*comm.*) defalcabile: *These items are d. from taxable income*, queste voci sono detraibili dall'imponibile fiscale Ⓑ n. (*ass.*, *USA*) valore scoperto; franchigia (*cfr. ingl.* **excess**) ‖ **deductibility** n. ⓤ (*anche fisc.*) deducibilità; detraibilità.

deduction /dɪˈdʌkʃn/ n. ⓤⓒ **1** deduzione; conclusione **2** deduzione; detrazione; (*comm.*) defalco, trattenuta: **a d. from one's salary**, una trattenuta sullo stipendio; **a d. from one's taxable income**, una detrazione dal proprio imponibile • (*fisc.*) **d. at source**, ritenuta d'acconto □ (*fisc.*) **deductions column**, colonna delle detrazioni (*sul modulo della denuncia*).

deductive /dɪˈdʌktɪv/ a. deduttivo: **d. reasoning**, ragionamento deduttivo ‖ de-

ductively avv. deduttivamente.

dee /diː/ n. **1** di; lettera d **2** anello fatto a d (*nei finimenti del cavallo*) **3** (*fis. nucl.*) elettrodo D (*di ciclotrone*).

deed /diːd/ n. **1** atto; azione: **good deeds**, buone azioni; **evil deeds**, azioni malvagie **2** atto di coraggio; impresa **3** (pl.) le gesta: **the deeds of a gallant knight**, le gesta d'un valoroso cavaliere **4** (*leg.*) atto; atto solenne; scrittura pubblica (*o privata*): *che ha effetto legale*) • (*leg.*, *in Italia*) **d. attested by a notary**, atto rogato da un notaio; rogito (*o atto*) notarile □ (*leg.*) **d. of arrangement**, concordato fallimentare □ (*leg.*) **d. of assignment**, atto di cessione □ (*fin.*) **d. of association**, atto costitutivo (*d'una società*) □ (*leg.*) **d. of covenant**, atto di donazione (*a un'istituzione benefica, ecc.*; *è esentasse in GB*) □ (*leg.*) **d. of indemnity**, sanatoria □ (*leg.*) **d. of trust**, fedecommesso □ (*leg.*) **d. poll**, atto unilaterale □ **d. under private seal**, scrittura privata □ **in d. and not in name**, non di nome ma di fatto □ **in (very) d.**, infatti; davvero □ **in word and d.**, di nome e di fatto □ (*prov.*) **Deeds are better than words**, i fatti contano più delle parole; fra il dire e il fare c'è di mezzo il mare (*prov.*).

to **deed** /diːd/ v. t. (*leg.*) trasferire (*o cedere*) con un atto legale.

deejay /ˈdiːdʒeɪ/ n. (*fam.*) disc jockey; presentatore (*di dischi*).

to **deem** /diːm/ v. t. (*form.*) credere; giudicare; ritenere; pensare; stimare: *I deemed it advisable to go*, pensavo che fosse opportuno andare; *I d. it my duty to tell you the truth*, ritengo sia mio dovere dirti la verità.

♦**deep**① /diːp/ a. **1** profondo; fondo: *The river is very d. here*, il fiume è molto profondo in questo punto; **a d. hole**, un foro profondo; **d. sleep**, sonno profondo; **a d. wound**, una ferita profonda; **a d. sigh**, un profondo sospiro; **d. love**, profondo amore; **d. interest**, profondo interesse; **d. learning**, profonda dottrina; **in a d. voice**, con voce profonda; *It was d. night*, era notte fonda; **d. gratitude**, profonda gratitudine; (*ling.*) **d. structure**, struttura profonda **2** che si estende in profondità; largo: *This building lot is nine hundred yards d.*, questo lotto fabbricabile ha una larghezza di novecento iarde; *The bookshelves are two feet d.*, gli scaffali della libreria sono larghi due piedi l'uno; *Though it was early morning the crowds stretched along five and six d.*' B. MALAMUD, 'benché fosse primo mattino, la folla si allunga in fila per cinque o per sei' **3** (*talora*) alto: *The roads were blocked by d. snow*, le strade erano bloccate dalla neve alta; **ankle-d. snow**, neve che arriva alle caviglie **4** grande; grave; grosso; lungo: **a d. draught**, un lungo sorso; **a d. drinker**, un gran bevitore; **a d. reader**, un gran lettore; **a d. sin**, un grave peccato; **to be in d. trouble**, essere in grossi guai **5** immerso (*anche fig.*); intento; sprofondato: *He is d. in debt*, è immerso nei debiti; *He was knee-d. in water*, era immerso nell'acqua fino alle ginocchia; *He was d. in thought*, era immerso nei suoi pensieri; *He is d. in study*, è intento allo studio **6** (*di suono*) profondo; basso; cupo; grave: **a d. note**, una nota bassa; **a d. bell**, una campana dal suono cupo **7** (*di colore*) carico; cupo; intenso: **d. blue**, blu carico; **d. red**, rosso cupo **8** (*sport*) in profondità: (*calcio, ecc.*) **a d. pass**, un passaggio in profondità; (*tennis, ecc.*) **a d. serve**, un servizio in profondità; un servizio lungo **9** (*fam.*) astuto: *He's a d. one*, è un individuo astuto; è un dritto (*fam.*) • **a d. dive**, un tuffo alto □ (*metall.*) **d.-drawing**, imbutitura □ **d. freeze** → **deep-freeze** □ **d. kiss**, bacio in bocca □ **d. mourning**, lutto stretto □ **d.-pile wall-to-wall carpeting**, moquette a pelo lungo □ (*naut.*) **d. sea**, alto mare □ (*sport*) **d.-**

-sea diver, palombaro; sommozzatore (*o sub*) d'alto mare □ (*sport*) **d.-sea diving**, immersione in alto mare; caccia (*o pesca*) subacquea (*da appositi battelli*) □ **d.-sea fishing**, pesca d'altura □ **d.-sea plain**, piana abissale (*in fondo al mare*) □ **d.-sea trench**, fossa oceanica □ (*fam. USA*) **d. six**, la tomba (*profonda sei piedi*): **to get the d. six**, essere eliminato; (*anche*) ricevere il benservito, essere liquidato □ **the d. South**, il profondo Sud (*in USA, ecc.*) □ (*astron.*) **d. space**, spazio profondo □ (*leg.*, *USA*) **d. throat**, «gola profonda» (*informatore o spione*) □ **to go off the d. end**, adirarsi, arrabbiarsi; (*spec. USA*) andare allo sbaraglio □ (*fig. fam.*) **to get into d. water**, mettersi nei guai □ (*fam.*, *fig.*) **to be in d. water**, essere nei guai □ (*fam.*) **to jump in at the d. end**, cominciare dal difficile (*o dalla parte più difficile*) □ (*mil.: di soldati allineati*) **three d.**, in fila per tre □ (*fam.*) **to throw sb. in at the d. end**, mandare q. allo sbaraglio.

deep② /diːp/ n. ⓤ **1** – (*poet.*) **the d.**, il mare; l'oceano **2** – (*di solito al pl.*) **the deeps**, le profondità, gli abissi (*della mente*, *dell'animo, ecc.*); il fondo (*d'un abisso, ecc.*) • **in the d. of night**, nel cuore della notte.

deep③ /diːp/ avv. **1** profondamente; in profondità; a fondo: **to breathe d.**, respirare profondamente; **to cut [to dig] d.**, tagliare [scavare] in profondità **2** (*sport*) indietro; in posizione arretrata: **to pass the ball too d.**, passare la palla troppo in profondità; **to play d.**, giocare indietro **3** (*nei composti, per es.:*) **a d.-drawn sigh**, un profondo sospiro; **d.-dyed**, completo; perfetto; da capo a piedi, da cima a fondo: **a d.-dyed villain**, una perfetta canaglia; **a d.-rooted prejudice**, un pregiudizio radicato; **a d.-rooted dislike**, una profonda avversione; **a d.-seated tradition**, una tradizione radicata; **d.-set eyes**, occhi infossati • **d. down**, in fondo (*anche fig.*); in profondità: *I think d. down Sue would have liked a church service*, credo che in fondo in fondo a Sue sarebbe piaciuta una funzione religiosa □ **d. in my heart**, nel profondo del mio cuore □ **d. in the night**, nel cuore della notte □ **to go d. into a matter**, andare al fondo d'una faccenda □ **Drink d.!**, bevi molto, a lunghi sorsi!

to **deep-draw** /ˈdiːpˈdrɔː/ v. t. (*metall.*) imbutire.

to **deepen** /ˈdiːpən/ v. t. e i. **1** approfondire (*anche fig.*); farsi più profondo; scavare più a fondo: *The water of the river deepened at every step*, l'acqua del fiume si faceva più profonda a ogni passo; **to d. one's knowledge of a problem**, approfondire la propria conoscenza di un problema; **to d. a canal**, scavare un canale per renderlo più profondo **2** aggravare, aggravarsi; accrescere, accrescersi; aumentare: *The economic crisis is deepening*, la crisi economica si aggrava; *Their anxiety deepened as time passed*, la loro ansia aumentava col passar del tempo **3** caricare (*un colore, una tinta*); fare (*o farsi*) più intenso; incupire, incupirsi: *The little girl's colour deepened*, il rossore della ragazzina si fece più intenso **4** (*di un suono*) fare (*o farsi*) più grave (*o cupo, profondo*) • **Darkness is deepening**, le tenebre s'infittiscono.

deep-freeze /ˈdiːpˈfriːz/ n. **1** surgelatore; freezer **2** surgelamento, surgelazione • (*fam. USA*) **to get the deep-freeze**, essere trattato (*o ricevuto*) con grande freddezza □ (*fig.*) **to put a matter in the deep-freeze**, mettere una faccenda in frigorifero (*fig.*); accantonare, rinviare una faccenda.

to **deep-freeze** /ˈdiːpˈfriːz/ (*pass.* **deep-froze**, p. p. **deep-frozen**), v. t. **1** surgelare: **deep-frozen meat**, carne surgelata **2** (*fig.*) congelare (*fig.*); accantonare.

to **deep-fry** /ˈdiːpˈfraɪ/ v. t. friggere in olio

(*o* strutto) abbondante ‖ **deep-fryer** n. friggitrice (*apparecchio*).

♦**deeply** /'diːplɪ/ avv. **1** profondamente: **to breathe [to sleep] d.**, respirare [dormire] profondamente; *I'm d. indebted to my teacher*, sono profondamente obbligato al mio insegnante **2** (*fam.*) astutamente **●** **d. interesting**, molto interessante □ **a d.-laid scheme**, un piano preparato con astuzia □ **a d. offensive remark**, un'osservazione oltremodo offensiva.

deepness /'diːpnəs/ n. ▣ (*raro*) **1** profondità **2** astuzia.

deer /dɪə(r)/ n. (pl. **deer, deers**) (*zool.*) **1** qualsiasi animale dei cervidi (*Cervidae*); alce, renna, cervo, ecc. **2** (*Cervus*) cervo; (*Dama*) daino; (*Capreolus*) capriolo: **d. hunting** (*o* d.-stalking), caccia al cervo **●** **d. horn**, palco, corno di cervo; (*anche*) corno di cervo (*il materiale*) □ **d.-lick**, rocce coperte di sale (*per i cervi*) □ **d. neck**, collo da cervo (*di cavallo*) □ **d.-park**, parco dei cervi; riserva di cervi.

deerhound /'dɪəhaʊnd/ n. levriero scozzese.

deerskin /'dɪəskɪn/ ▣ n. **1** ▣ pelle di daino **2** capo (*di vestiario*) di pelle di daino ▣ a. attr. (*di pelle*) di daino.

deerstalker /'dɪəstɔːkə(r)/ n. **1** cacciatore di cervi **2** berretto da cacciatore, con copriorecchie (*che si allacciano sopra la testa*).

to **de-escalate** /diːˈeskəleɪt/ (*spec. polit., mil.*) v. t. diminuire, ridurre (*la tensione, ecc.*) ‖ **de-escalation** n. ▣ diminuzione, riduzione (*della tensione, ecc.*).

def /def/ a. (*pop.*) favoloso; eccellente; ganzo; forte; figo (*fam.*).

def. abbr. **1** (**defence**) difesa **2** (*leg.*, **defendant**) convenuto **3** (**deferred**) rinviato **4** (**definition**) definizione.

to **deface** /dɪˈfeɪs/ v. t. **1** deturpare; mutilare (*una statua, ecc.*); sfigurare; sfregiare (*un quadro, ecc.*); sciupare: **a defaced cheque**, un assegno sfigurato; **a defaced coin**, una moneta sciupata **2** cancellare (*una scritta, ecc.*) **3** annullare (*un francobollo*).

defacement /dɪˈfeɪsmənt/ n. ▣ **1** deturpazione; sfregio, mutilazione (*di un'opera d'arte, ecc.*) **2** cancellazione (*di una scritta*) **3** annullamento; annullo (*di un francobollo*).

de facto /deɪˈfæktəʊ, diˈ-/ (*lat.*) a. e avv. de facto; di fatto.

to **defalcate** /'diːfælkeɪt/ (*leg.*) v. i. commettere un reato di appropriazione indebita ‖ **defalcation** n. ▣ appropriazione indebita; malversazione.

to **defame** /dɪˈfeɪm/ (*anche leg.*) v. t. diffamare; calunniare ‖ **defamation** n. ▣ diffamazione; calunnia (*in Inghil. e in USA non è un reato ma soltanto un illecito civile*) ‖ **defamatory** a. diffamatorio; calunnioso.

defamer /dɪˈfeɪmə(r)/ n. diffamatore, diffamatrice.

defamiliarization /diːfəmɪlɪəraɪˈzeɪʃn/ n. ▣ (*letter.*) → **estrangement**.

defatted /diːˈfætɪd/ a. (*ind.*) sgrassato.

default /dɪˈfɔːlt/ ▣ n. ▣◌ **1** mancanza; difetto: **in d. of agreement**, in mancanza di accordo **2** (*leg.*) assenza (*d'una delle due parti*); contumacia: **judgement by d.**, sentenza emessa in contumacia **3** (*comm., leg.*) inadempienza; inosservanza; omissione; (*anche*) mora: **d. of one's loan terms**, inadempienza degli impegni relativi a un mutuo **4** (*comput.*, anche **by d.**) → sotto, B, def. 1 **5** (*sport*) abbandono: *The team lost the match by d.*, la squadra perse la partita per abbandono ▣ a. attr. **1** (*comput.*) di default; predefinito: **d. printer**, stampante di default; **d. value**, valore di default **2** moratorio (*fin.*) **d. interest**, interessi moratori (*o di mora*) **d. interest**, interessi di mora □ (*leg.*) **d. judgment**, sentenza contumaciale □ (*Borsa*)

d. price, prezzo di storno.

to **default** /dɪˈfɔːlt/ ▣ v. i. **1** venir meno a un impegno; essere in difetto **2** (*leg.*) non comparire in tribunale; essere contumace **3** (*comm., leg.*) essere inadempiente **4** (*sport*) abbandonare; dare forfait ▣ v. t. **1** (*leg.*) condannare (q.) in contumacia **2** (*sport*) abbandonare, ritirarsi da (*una gara, ecc.*); perdere (*un incontro, ecc.*) per abbandono **●** (*leg.*) **to d. on a loan**, non pagare un mutuo; non restituire un prestito.

defaulter /dɪˈfɔːltə(r)/ n. **1** chi vien meno a un impegno; inadempiente **2** (*leg.*) contumace **3** (*comm., leg.*) parte inadempiente; (*anche*) debitore moroso **4** (*mil.*) militare colpevole d'infrazione disciplinare **5** (*sport*) chi abbandona; chi si ritira da una gara.

defaulting /dɪˈfɔːltɪŋ/ a. inadempiente; (*anche*) moroso: (*leg.*) **the d. party**, la parte inadempiente; **a d. debtor**, un debitore moroso **●** (*leg.*) **d. defendant**, convenuto contumace.

defeasance /dɪˈfiːzns/ n. ▣ (*leg.*) **1** condizione risolutiva (*di un atto o contratto*) **2** annullamento, risoluzione (*di un atto o contratto*) **●** (*leg.*) **d. clause**, clausola risolutiva.

defeasible /dɪˈfiːzəbl/ (*leg.*) a. annullabile; risolubile ‖ **defeasibility** n. ▣ risolubilità (*di un contratto, ecc.*).

♦**defeat** /dɪˈfiːt/ n. **1** sconfitta; disfatta: (*sport*) **away d.**, sconfitta in trasferta (*o* esterna); **home d.**, sconfitta in casa (*o* casalinga) **2** frustrazione; insuccesso; fallimento **●** **to suffer a d.**, subire una sconfitta; essere sconfitto.

♦to **defeat** /dɪˈfiːt/ v. t. **1** sconfiggere; superare; battere; vincere: (*calcio*) *We were defeated on penalties*, fummo sconfitti ai rigori **2** frustrare; vanificare; deludere: **to d. sb.'s plans**, vanificare i progetti di q. **3** annullare; respingere: *The bill was defeated in the House of Commons*, ai Comuni il disegno di legge fu respinto **●** **to d. one's own ends**, darsi la zappa sui piedi (*fig.*) □ **to d. the law**, eludere la legge.

defeatist /dɪˈfiːtɪst/ n. e a. disfattista: **d. talk**, discorsi disfattisti ‖ **defeatism** n. ▣ disfattismo.

to **defecate** /'defəkeɪt/ ▣ v. t. **1** (*chim.*) defecare **2** (*anche fig.*) purificare; raffinare; chiarificare ▣ v. i. **1** purificarsi; raffinarsi **2** (*fisiol.*) defecare.

defecation /defəˈkeɪʃn/ n. ▣ **1** purificazione; raffinazione **2** (*chim., fisiol.*) defecazione.

defect /'diːfekt/ n. **1** difetto; imperfezione: **a hearing d.**, un difetto dell'udito; **to test a product for defects**, sottoporre un prodotto alla ricerca di eventuali difetti **2** mancanza: **d. of information**, mancanza d'informazioni **3** (*leg.*) difetto; vizio: **d. of title**, vizio del titolo di proprietà (*di un bene immobile*) **4** (*scient.*) difetto: (*med.*) **congenital d.**, difetto congenito; (*fis. nucl.*) **mass d.**, difetto di massa.

to **defect** /dɪˈfekt/ v. i. defezionare; disertare **●** (*di agente segreto, ecc.*) **to d. to Canada**, rifugiarsi in Canada □ (*polit.*) **to d. to Labour**, abbandonare il proprio partito passando nelle file dei laburisti.

defection /dɪˈfekʃn/ n. ▣ defezione; diserzione.

defective /dɪˈfektɪv/ ▣ a. **1** difettoso; imperfetto; incompleto: **d. cars**, auto difettose; **d. eyesight**, vista difettosa; (*comm.*) **d. goods**, merci difettose; (*stat.*) **d. sample**, campione difettoso **2** (*gramm. tradizionale*) difettivo: 'Must' used to be called a d. verb, 'must' veniva chiamato verbo difettivo **3** (*psic., antiq.* o offensivo = **mentally d.**) subnormale; deficiente ▣ n. **1** (*gramm. tradizionale*) difettivo **2** (*psic., antiq.* o offensivo = **mental d.**) subnormale; deficiente | -ly

avv. | **-ness** n. ▣ **ⓘ NOTA D'USO** • *Nel significato psicologico oggi si preferisce* **disabled**.

defector /dɪˈfektə(r)/ n. **1** defezionista; disertore **2** chi chiede asilo politico; transfuga.

♦**defence**, (*USA*) **defense** /dɪˈfens/ n. **1** (*anche leg., sport*) difesa: (*mil. e fig.*) *The best d. is offence*, la migliore difesa è l'attacco **2** (pl.) difese; fortificazioni: *They overthrew the enemy's defences*, abbatterono le difese del nemico **3** (*sport*) difesa; copertura; filtro (*fig.*): **the midfield d.**, il filtro di centrocampo **4** (*sport*) (collett.) (la) difesa; (la) retroguardia; (il) pacchetto difensivo: *Our d. is* (*o* are) *playing well*, la nostra difesa sta giocando bene **5** (*hockey*) difensore **●** (*leg.*) **d. attorney**, avvocato difensore; la difesa □ **d. contractor**, appaltatore della difesa □ (*fin.*) **d. expenditure**, le spese per la difesa □ (*psic.*) **d. mechanism**, meccanismo di difesa □ (*boxe*) **d. stance**, posizione di guardia □ (*anche fig.*) **My defences are down**, ho abbassato la difesa.

defenceless /dɪˈfensləs/ a. **1** indifeso; inerme **2** incapace di difendersi | **-ness** n. ▣.

♦to **defend** /dɪˈfend/ ▣ v. t. **1** difendere (*anche sport*); proteggere: **to d. one's country**, difendere la patria; **to d. one's goal**, difendere la propria porta **2** sostenere; cercare di giustificare: *He defended his conduct*, cercò di giustificare la sua condotta **3** (*leg.*) difendere; essere il difensore di: **to d. a case**, difendere una causa **4** (*sport*) ribattere, neutralizzare (*un tiro, un rigore, ecc.*) ▣ v. i. **1** parlare (scrivere, ecc.) in difesa (di q.) **2** (*leg.*) perorare in difesa; essere (*o* fare) il difensore **3** (*sport*) giocare in difesa; (*anche*) difendere la porta **●** **to d. oneself**, difendersi.

defendable /dɪˈfendəbl/ a. **1** difendibile **2** sostenibile; giustificabile.

♦**defendant** /dɪˈfendənt/ ▣ n. (*leg.*) convenuto; persona citata in giudizio; imputato: **d. in default of appearance**, imputato contumace ▣ a. attr. convenuto; citato in giudizio: **the d. company**, la società convenuta (*o* citata in giudizio).

defender /dɪˈfendə(r)/ n. **1** (*anche sport*) difensore **2** (*lotta, boxe, ecc.*) difensore del titolo **●** (*sport*) **the defenders**, la difesa (*i giocatori*) □ (*stor.*) **D. of the Faith**, Difensore della Fede (*titolo dei sovrani d'Inghilterra, da Enrico VIII in avanti*).

defending /dɪˈfendɪŋ/ ▣ a. **1** che si difende **2** (*sport*) che gioca in difesa **3** di difensore: (*sport*) **d. role**, ruolo di difensore ▣ n. ▣ **1** il difendersi **2** (*sport*) gioco di difesa.

defenestration /diːfenəˈstreɪʃn/ n. ▣ (*form. o scherz.*) defenestrazione: (*stor.*) **the D. of Prague**, la defenestrazione di Praga.

♦**defense** /dɪˈfens/ (*USA*) → **defence**.

defensible /dɪˈfensəbl/ a. **1** difendibile **2** sostenibile; giustificabile: *This thesis is hardly d.*, questa tesi è sostenibile a malapena ‖ **defensibility** n. ▣ **1** difendibilità **2** sostenibilità ‖ **defensibly** avv. giustificabilmente (*raro*); in modo da potersi giustificare.

defensive /dɪˈfensɪv/ ▣ a. **1** difensivo: **a d. weapon**, un'arma difensiva **2** riservato; riluttante a parlare di qc.: *He was very d. about the nature of his job*, fu molto reticente sulla natura del suo lavoro **3** (*sport*) difensivo; difensivistico; di contenimento; d'interdizione: **d. role**, ruolo difensivo; **to play a d. game**, fare un gioco d'interdizione; **d. formation**, schieramento difensivistico ▣ n. (*mil. e fig.*) difensiva: **to be** (*o* to **stand**) **on the d.**, stare (*o* tenersi) sulla difensiva **●** (*pallavolo*) **d. block**, muro ■ (*sport, ecc.*) **to become d.**, mettersi sulla difensiva.

defensively /dɪˈfensɪvlɪ/ avv. **1** in modo

da difendersi **2** stando sulla difensiva.

defensiveness /dɪˈfɛnsɪvnəs/ n. ⓤ difensiva; atteggiamento difensivo.

to **defer** ① /dɪˈfɜː(r)/ Ⓐ v. t. differire; posticipare; procrastinare; prorogare; rimandare; rinviare: **to d. payment**, posticipare il pagamento; **to d. a meeting**, rinviare una riunione Ⓑ v. i. procrastinare; indugiare; temporeggiare.

to **defer** ② /dɪˈfɜː(r)/ v. i. accondiscendere; essere deferente: *He always defers to his mother's wishes*, accondiscende sempre ai desideri di sua madre.

deference /ˈdɛfərəns/ n. ⓤ deferenza; condiscendenza; riguardo; rispetto ● **in d. to sb.**, per riguardo verso q. □ **to pay d. to sb.**, avere (o mostrare) deferenza verso q.

deferent /ˈdɛfərənt/ a. (*anat.*) deferente: **a d. duct**, un dotto (o canale) deferente.

deferential /dɛfəˈrɛnʃl/ a. **1** deferente; rispettoso **2** (*anat.*) deferenziale: **d. artery**, arteria deferenziale | **-ly** avv.

deferment /dɪˈfɜːmənt/ n. ⓤ **1** differimento; proroga; rinvio **2** (*mil.*) rinvio del servizio militare.

deferral /dɪˈfɜːrəl/ n. ⓤ **1** → **deferment** **2** (*rag.*) risconto (*l'operazione*).

deferred /dɪˈfɜːd/ a. **1** differito; posticipato; prorogato; rinviato: **d. payment**, pagamento differito **2** (*fin.*) postergato: **d. shares**, azioni postergate ● (*mat.*, *ass.*) **d. annuity**, annualità differita; (*fin.*) rendita differita □ (*rag.*) **d. asset** (o **charge**, **debt**, **expense**), risconto attivo □ (*rag.*) **d. credit** (o **income**, **liability**), risconto passivo □ (*mil.*) **d. pay**, ritenuta sulla paga.

deferrer /dɪˈfɜːrə(r)/ n. differitore, differitrice.

defiance /dɪˈfaɪəns/ n. ⓤ **1** sfida; provocazione: *He shouted d. at the enemy*, lanciò la sua sfida al nemico con un grido **2** rifiuto d'obbedienza; resistenza (*all'autorità*) **3** disprezzo; sprezzo (*lett.*): **d. of danger**, sprezzo del pericolo ● **to bid d. to sb.**, lanciare una sfida a q.; provocare q. □ **in d. of**, a dispetto di; senza tener conto di: *The soldier acted in d. of orders*, il soldato agì senza tener conto degli ordini □ **to set at d.**, sfidare (*le convenzioni, la legge, ecc.*).

defiant /dɪˈfaɪənt/ a. **1** provocatorio; di sfida; insolente; spavaldo: **a d. look**, uno sguardo di sfida **2** ribelle | **-ly** avv.

defibrillation /dɪfaɪbrɪˈleɪʃn/ n. ⓤ (*med.*) defibrillazione.

defibrillator /dɪˈfaɪbrɪleɪtə(r)/ n. (*med.*) defibrillatore.

deficiency /dɪˈfɪʃnsɪ/ n. **1** ⓤ deficienza; difetto; mancanza; scarsità: **d. of food**, mancanza di cibo **2** disavanzo; buco (*fam.*); scoperto: (*fin.*) **to make up a d.**, colmare un disavanzo; coprire un buco (*fam.*) **3** ⓤ (*med.*) deficienza; carenza: **vitamin d.**, carenza vitaminica; **d. diseases**, malattie da carenza ● (*leg.*) **d. account**, rendiconto delle cause dell'insolvenza □ (*fin.*, *USA*) **d. appropriation**, stanziamento suppletivo □ (*comm.*) **d. in weight**, ammanco di peso □ (*econ.*) **d. payment**, compenso integrativo (*all'agricoltura*).

deficient /dɪˈfɪʃnt/ a. **1** carente; manchevole; povero; deficiente: **food d. in iron**, alimento povero di ferro **2** insufficiente; inadeguato; carente: **d. public transport**, trasporti pubblici carenti; **d. supplies**, forniture insufficienti **3** (*psic.*, *antiq.*, → **mentally d.**) subnormale; deficiente | **-ly** avv. ❶ **FALSI AMICI** ● **deficient** non significa *deficiente come insulto*.

♦ **deficit** /ˈdɛfɪsɪt/ n. **1** (*comm.*) differenza in meno; ammanco **2** (*fig.*, *rag.*) deficit; disavanzo; saldo passivo; sbilancio: *There is a big d. in our balance of payments*, c'è un

forte deficit nella nostra bilancia dei pagamenti; **a budget showing a d.**, un bilancio deficitario; **current-account d.**, disavanzo delle partite correnti **3** (*sport*) svantaggio: **to have a 4-1 d.**, avere uno svantaggio di 4 a 1; essere in svantaggio per 4 a 1; **to recover the d.**, colmare lo svantaggio ● (*econ.*) **d. financing**, finanziamento in disavanzo (*dello Stato*) □ (*econ.*) **d. spending**, spesa (pubblica) in disavanzo; 'deficit spending'.

defier /dɪˈfaɪə(r)/ n. sfidante.

defilade /dɛfɪˈleɪd/ n. ⓤⓒ (*mil.*) defilamento.

to **defilade** /dɛfɪˈleɪd/ v. t. (*mil.*) defilare.

defile /ˈdiːfaɪl/ n. **1** (*mil.*) sfilata **2** gola (*di un monte*); stretta.

to **defile** ① /dɪˈfaɪl/ v. i. (*mil.*) sfilare; marciare in fila indiana.

to **defile** ② /dɪˈfaɪl/ v. t. **1** contaminare; inquinare; corrompere; lordare; insozzare: *Do not d. the water of the river*, non inquinate l'acqua del fiume! **2** profanare **3** macchiare (*fig.*); denigrare: *I don't want them to d. my reputation*, non voglio che denigrino la mia reputazione.

defilement ① /dɪˈfaɪlmənt/ → **defilade**.

defilement ② /dɪˈfaɪlmənt/ n. ⓤ **1** contaminazione; inquinamento; corruzione **2** profanazione; macchia (*fig.*); denigrazione.

defiler /dɪˈfaɪlə(r)/ n. **1** contaminatore, contaminatrice; inquinatore, inquinatrice **2** profanatore, profanatrice.

definable /dɪˈfaɪnəbl/ a. definibile; determinabile.

♦ to **define** /dɪˈfaɪn/ v. t. **1** definire (*quasi in ogni senso*); determinare; chiarire: **a well-defined image**, un'immagine ben definita (o nitida); **to d. one's position**, chiarire la propria posizione **2** delimitare: **to d. sb.'s field of action**, delimitare il campo d'azione di q. **3** delineare: **to d. the powers of the President**, delineare i poteri del presidente.

♦ **definite** /ˈdɛfɪnət/ a. **1** definito; determinato; esatto; preciso: *We'll meet at a d. time*, c'incontreremo a un'ora precisa; **a d. answer**, una risposta precisa; *She told me they hadn't set a d. date for the wedding yet*, mi ha detto che non hanno stabilito ancora una data precisa per il matrimonio **2** certo, stabilito; irrevocabile: *It's d. that he'll be appointed*, è certo che sarà nominato **3** deciso; sicuro: *He was quite d. about it*, egli ne era assolutamente sicuro; aveva proprio deciso così ● (*gramm.*) **d. article**, articolo determinativo □ (*mat.*) **d. integral**, integrale definito.

♦ **definitely** /ˈdɛfɪnətlɪ/ Ⓐ avv. **1** in modo preciso; esattamente **2** certamente; di sicuro Ⓑ inter. certo!; certo sì!; sicuro! ● **D. not!**, no di certo!; neanche per sogno!

definiteness /ˈdɛfɪnətnəs/ n. ⓤ **1** definitezza, determinatezza **2** certezza; sicurezza; irrevocabilità: *He began to perceive the d. of the course of his life*' W. SAROYAN, 'cominciava ad accorgersi della irrevocabilità dell'intera sua vita'.

♦ **definition** /dɛfɪˈnɪʃn/ n. ⓒⓤ **1** definizione **2** (*elettron.*, *TV*) definizione **3** (*ottica*) definizione; nitidezza (*dell'immagine*).

definitive /dɪˈfɪnətɪv/ a. definitivo; decisivo; finale; ultimo: **a d. answer**, una risposta decisiva; **the d. edition** of Milton's works, l'edizione definitiva delle opere di Milton; **a d. verdict**, un verdetto decisivo; **the d. offer**, l'ultima offerta | **-ly** avv. | **-ness** n.

to **deflagrate** /ˈdɛfləgreɪt/ Ⓐ v. i. (*chim.*) deflagrare Ⓑ v. t. **1** far deflagrare **2** bruciare rapidamente, con fuoco intenso.

deflagrating /ˈdɛfləgreɪtɪŋ/ a. deflagrante.

deflagration /dɛfləˈgreɪʃn/ n. ⓤ deflagrazione.

deflatable /dɪˈfleɪtəbl/ a. sgonfiabile.

to **deflate** /dɪˈfleɪt/ Ⓐ v. t. **1** sgonfiare (*un pneumatico, ecc.*) **2** (*econ.*) deflazionare **3** (*fig.*) sgonfiare; ridimensionare Ⓑ v. i. **1** sgonfiarsi **2** (*econ.*) provocare una deflazione.

deflation /dɪˈfleɪʃn/ n. ⓤ **1** sgonfiamento **2** (*econ.*) deflazione **3** (*fig.*) perdita d'interesse; delusione **4** (*geol.*) deflazione || **deflationist** n. (*econ.*) deflazionista; fautore della deflazione.

deflationary /dɪˈfleɪʃənrɪ/ a. (*econ.*) deflazionistico; deflatorio; deflativo: **d. gap**, divario deflatorio; scarto deflativo; **d. measures**, misure deflazionistiche.

deflator /dɪˈfleɪtə(r)/ n. (*econ.*) deflatore.

to **deflect** /dɪˈflɛkt/ v. t. e i. deflettere; deviare; sviare; stornare.

deflection /dɪˈflɛkʃn/ n. ⓤⓒ **1** (*anche fig.*, *sport*) deviazione **2** (*elettron.*, *TV*) deflessione **3** (*ind. costr.*) deformazione **4** (*mil.*) direzione: **d. change**, mutamento di direzione (*di un cannone*) ● **d. of trade**, diversione dei traffici.

deflectometer /diːflɛkˈtɒmɪtə(r)/ n. (*tecn.*) flessimetro.

deflector /dɪˈflɛktə(r)/ n. (*aeron.*, *fis.*) deflettore ● (*elettr.*) **d. coil** [**plate**], bobina [piastra] di deflessione.

deflexion /dɪˈflɛkʃn/ n. → **deflection**.

defloration /diːflɔːˈreɪʃn/ n. ⓤ deflorazione.

to **deflower** /diːˈflaʊə(r)/ v. t. **1** deflorare **2** devastare; sciupare **3** spogliare (*una pianta, ecc.*) dei fiori.

to **defog** /diːˈfɒg/ v. t. (*autom.*, *USA*) sbrinare (*il parabrezza*).

to **defoliate** /diːˈfəʊlɪeɪt/ (*agric.*, *mil.*) v. t. defogliare || **defoliant** n. defogliante; defoliante || **defoliation** n. ⓤ defogliazione.

to **deforest** /diːˈfɒrɪst/ v. t. disboscare, diboscare, deforestare || **deforestation** n. ⓤ deforestazione; disboscamento, diboscamento.

to **deform** /dɪˈfɔːm/ Ⓐ v. t. deformare; deturpare; sfigurare; sformare Ⓑ v. i. deformarsi; sformarsi; diventare deforme.

deformable /diːˈfɔːməbl/ a. deformabile: (*autom.*) **a d. car**, un'auto deformabile (*nei videogiochi*) || **deformability** n. ⓤ deformabilità.

deformation /diːfɔːˈmeɪʃn/ n. **1** ⓤ deformazione **2** (*med.*) deformità; malformazione.

deformed /dɪˈfɔːmd/ a. deforme: **a d. foot**, un piede deforme.

deformity /dɪˈfɔːmətɪ/ n. ⓤⓒ deformità.

DEFRA sigla (*GB*, **Department for Environment, Food and Rural Affairs**) Ministero dell'ambiente, dell'alimentazione e degli affari rurali.

defrag /ˈdiːfræg/ n. (*comput.*) deframmentazione.

to **defrag** /diːˈfræg/ v. t. (*comput.*) deframmentare.

to **defragment** /diːfrægˈmɛnt/ (*comput.*) v. t. deframmentare || **defragmentation** n. deframmentazione.

to **defraud** /dɪˈfrɔːd/ v. t. defraudare; frodare: **to d. the customs**, frodare la dogana || **defrauder** n. defraudatore, defraudatrice || **defrauding** n. ⓤ defraudazione; il frodare.

to **defray** /dɪˈfreɪ/ v. t. **1** pagare (*il costo di qc.*); sostenere, accollarsi (*spese*) **2** rimborsare; risarcire ● (*comm.*) **All charges to be defrayed by you**, ogni spesa (è) a vostro carico || **defrayal**, **defrayment** n. **1** pagamento delle spese **2** rimborso; risarcimento.

to **defreeze** /diːˈfriːz/ (pass. **defroze**, p. p.

defrozen), v. t. scongelare.

to **defrock** /diːˈfrɒk/ v. t. sconsacrare (*un prete*); spretare.

defrocked /diːˈfrɒkt/ a. (*di prete*) spretato.

to **defrost** /diːˈfrɒst/ **A** v. t. **1** gelare; liberare dal ghiaccio, sbrinare (*un frigorifero, un parabrezza, ecc.*) **2** scongelare (*cibo*) **3** (*fin.*) scongelare (*crediti, ecc.*) **B** v. i. sgelarsi; sbrinarsi.

defroster /diːˈfrɒstə(r)/ n. **1** sbrinatore (*di frigorifero, ecc.*) **2** (*autom.*) sbrinatore (*di parabrezza o lunotto termico*).

defrosting /diːˈfrɒstɪŋ/ n. ⓤ **1** scongelamento (*di alimenti*) **2** sbrinamento (*di un frigorifero, ecc.*): **automatic d.**, sbrinamento automatico.

deft /dɛft/ a. abile; bravo; destro (*fig.*); svelto | **-ly** avv. | **-ness** n. ⓤ.

defunct /dɪˈfʌŋkt/ **A** a. **1** defunto **2** (*fig.*) cessato; estinto; non più valido **B** n. defunto ● (*fin.*) **d. company**, società liquidata (*o* sciolta).

to **defuse** /diːˈfjuːz/ v. t. **1** (*mil. e fig.*) disinnescare **2** (*fig.*) allentare; sdrammatizzare; eliminare; smontare; neutralizzare: **to try to d. the tension between two countries**, tentare di eliminare la tensione tra due paesi.

to **defy** /dɪˈfaɪ/ v. t. **1** sfidare; provocare: *If I were you, I wouldn't dare to d. my father*, se fossi in te, non oserei sfidare mio padre; *It's dangerous to d. the law*, è pericoloso sfidare la legge **2** resistere a: *The fort defied all attacks by the Indians*, il forte resistette a tutti gli attacchi degli indiani ● **to d. description**, non potersi descrivere: *The alien defied description*, era impossibile descrivere l'alieno; *Her beauty defies description*, la sua bellezza è indescrivibile □ (*di un problema*) **to d. solution**, essere insolubile.

deg. abbr. (**degree**) grado.

dégagé /deɪɡɑːˈʒeɪ/ (*franc.*) a. **1** disinvolto **2** disimpegnato; non impegnato.

to **degas** /diːˈɡæs/ (*chim.*) v. t. degassificare; degassare || **degassing** n. ⓤ degassamento.

to **degauss** /diːˈɡaʊs/ (*scient.*) v. t. demagnetizzare; smagnetizzare || **degaussing** n. ⓤ demagnetizzazione; smagnetizzazione.

degeneracy /dɪˈdʒenərəsɪ/ n. ⓤ ⓒ **1** degenerazione **2** perversione; depravazione.

degenerate /dɪˈdʒenərət/ **A** a. **1** degenere (*fis.*) **d. matter**, materia degenere; (*mat.*) **d. conic**, conica degenere **2** (*biol.*) degenerato: **d. code**, codice degenerato **B** n. degenerato.

to **degenerate** /dɪˈdʒenəreɪt/ v. i. (*anche biol.*) degenerare; tralignare.

degeneration /dɪdʒenəˈreɪʃn/ n. ⓤ **1** degenerazione; tralignamento **2** (*biol.*) degenerazione **3** (*elettron.*) retroazione negativa; controreazione.

degenerative /dɪˈdʒenərətɪv/ a. (*biol.*) degenerativo.

to **deglutinate** /diːˈɡluːtɪneɪt/ v. t. **1** estrarre il glutine da (*farina, ecc.*) **2** scollare; distaccare.

deglutition /diːɡluːˈtɪʃn/ n. deglutizione.

degradable /dɪˈɡreɪdəbl/ (*chim.*) a. degradabile || **degradability** n. ⓤ degradabilità.

degradation /deɡrəˈdeɪʃn/ n. ⓤ **1** degradazione; avvilimento; umiliazione **2** (*geol., chim., fis.*) degradazione.

to **degrade** /dɪˈɡreɪd/ v. t. **1** (*anche biol., fis., geol.*) degradare **2** (*arc., mil.*) degradare: *The officer was degraded*, l'ufficiale fu degradato **3** (*fig.*) avvilire; umiliare: *Such actions d. a man*, azioni siffatte avviliscono un uomo **4** rendere (*un prodotto*) meno appetibile; peggiorare ● **to d. oneself**, degradarsi; abbassarsi; avvilirsi: *Don't d. yourself by telling lies*, non avvilirti raccontando menzogne.

degraded /dɪˈɡreɪdɪd/ a. abietto; basso (*fig.*); spregevole; vile.

degrading /dɪˈɡreɪdɪŋ/ a. degradante; avvilente; umiliante.

to **degrease** /diːˈɡriːs/ v. t. sgrassare || **degreaser** n. sgrassatore || **degreasing** n. ⓤ sgrassatura; degrassaggio.

♦**degree** /dɪˈɡriː/ n. **1** grado (*quasi in ogni senso*): **to advance by degrees**, avanzare per gradi; **a cousin in the second d.**, un cugino di secondo grado; (*med.*) **third-d. burns**, ustioni di terzo grado; **d. of inability**, grado d'invalidità; (*mat.*) **equation of the second d.**, equazione di secondo grado; (*geogr.*) **d. of latitude**, grado di latitudine; **ten degrees below zero**, dieci gradi sotto zero; (*gramm.*) **comparative d.**, grado comparativo **2** diploma; titolo accademico; laurea: **to take one's d.**, prendere la laurea, laurearsi; **honorary d.**, laurea honoris causa; **an M.A. d.**, un diploma di laurea di secondo grado (*in GB*) un diploma di laurea di primo grado (*in GB*) **a first-class honours d.**, una laurea col massimo dei voti; *I've got a d. in Business Studies*, ho una laurea in amministrazione aziendale ❶ **CULTURA** → **BA, MA, PhD 3** (*leg.*) grado; gravità: **murder in the first d.** (*o* **first-d. murder**), omicidio di primo grado (premeditato) ● **d. day**, giorno delle lauree □ **in some d.**, in una certa misura; in una certa misura; alquanto; (*anche*) in sommo grado, estremamente: *He is proud to a d.*, è molto orgoglioso □ **to a high** (*o* **to the last**) **d.**, in sommo grado □ **to what d.?**, in qual grado?, fino a che punto? □ *He suffers to such a d. that he can't sleep*, soffre tanto da non poter dormire.

degressive /dɪˈɡresɪv/ a. decrescente ● (*fisc.*) **d. tax**, imposta progressiva ma ad aliquote che non crescono in proporzione alle fasce di reddito □ (*fisc.*) **d. taxation**, imposizione di fatto regressiva.

to **degum** /diːˈɡʌm/ (*anche ind. tess.*) v. t. sgommare: *The heat has degummed the label*, il caldo ha sgommato l'etichetta || **degumming** n. ⓤ sgommatura.

to **dehisce** /dɪˈhɪs/ (*bot.*) v. i. (*di baccelli, semi, ecc.*) schiudersi || **dehiscence** n. ⓤ deiscenza || **dehiscent** a. deiscente.

to **dehorn** /diːˈhɔːn/ v. t. **1** (*zootecnia*) tagliare le corna a (*un animale*) **2** (*bot.*) potare drasticamente (*una pianta*).

to **dehumanize** /diːˈhjuːmənaɪz/ v. t. disumanizzare; rendere disumano || **dehumanization** n. ⓤ disumanizzazione.

to **dehumidify** /diːhjuːˈmɪdɪfaɪ/ (*tecn.*) v. t. deumidificare || **dehumidification** n. ⓤ deumidificazione || **dehumidifier** n. deumidificatore.

to **dehydrate** /diːˈhaɪdreɪt/ (*chim., ind., med.*) **A** v. t. disidratare **B** v. i. disidratarsi || **dehydration** n. ⓤ disidratazione || **dehydrator** n. disidratatore.

dehydrogenase /diːhaɪˈdrɒdʒəneɪz/ n. (*biochim.*) deidrogenasi.

to **dehydrogenate** /diːˈhaɪdrədʒəneɪt/ (*chim.*) v. t. deidrogenare || **dehydrogenation** n. ⓤ deidrogenazione.

to **de-ice** /diːˈaɪs/ v. t. **1** liberare dal ghiaccio **2** (*aeron.*) liberare (*un aereo, ecc.*) dalle incrostazioni di ghiaccio || **de-icer** n. **1** (*aeron.*) dispositivo antighiaccio; sgelatore **2** antighiaccio; antigelo.

deicide /ˈdeɪɪsaɪd/ n. **1** deicida **2** deicidio.

deictic /ˈdaɪktɪk/ a. (*filos., ling.*) deittico.

to **deify** /ˈdeɪɪfaɪ/ v. t. deificare **2** (*fig.*) adorare; idealizzare || **deification** n. ⓤ deificazione.

to **deign** /deɪn/ **A** v. i. degnarsi: *He did not d. to visit me*, non si degnò di venirmi a trovare **B** v. t. (*form.*) degnarsi di dare; accordare; concedere: *Will you d. a glance?*, vuoi degnarti di dare un'occhiata?

to **deindustrialize** /diːɪnˈdʌstrɪəlaɪz/ (*econ.*) v. t. deindustrializzare || **deindustrialization** n. ⓤ deindustrializzazione.

to **deionize** /diːˈaɪənaɪz/ (*chim.*) v. t. deionizzare || **deionization** n. ⓤ deionizzazione.

deism /ˈdeɪɪzəm/ (*filos.*) n. ⓤ deismo || **deist** n. deista || **deistic, deistical** a. deistico.

deity /ˈdeɪɪtɪ/ n. **1** essere divino; divinità; nume **2** natura divina; essenza divina; divinità **3** – **the D.**, Dio; la Divinità.

deixis /ˈdaɪksɪs/ n. ⓤ (*filos., ling.*) deissi.

déjà vu /deɪʒɑːˈvuː/ (*franc.*) loc. n. (*psic.*) déjà vu.

to **deject** /dɪˈdʒekt/ v. t. abbattere (*fig.*); demoralizzare; deprimere; scoraggiare; avvilire.

dejected /dɪˈdʒektɪd/ a. abbattuto (*fig.*); demoralizzato; depresso; avvilito; scoraggiato | **-ly** avv. | **-ness** n. ⓤ.

dejection /dɪˈdʒekʃn/ n. **1** ⓤ abbattimento (*fig.*); demoralizzazione; depressione; avvilimento; scoraggiamento **2** ⓤ (*fisiol.*) deiezione; evacuazione (*dell'intestino*) **3** feci; escrementi.

to **dejunk** /diːˈdʒʌŋk/ v. t. (*fam.*) sgombrare, fare repulisti in (*una stanza, ecc.*).

de jure /deɪˈdʒʊərɪ/ (*lat.*) a. e avv. (*leg.*) de iure; di diritto.

dekko /ˈdekəʊ/ n. (pl. **dekkos**) (*pop.*) occhiata; sguardo: **to have** (*o* **to take**) **a d. at st.**, dare un'occhiata a qc.

to **delate** /dɪˈleɪt/ v. t. **1** denunciare; accusare **2** (*raro*) riferire; riportare (*un'accusa*) || **delation** n. ⓤ delazione; spiata (*fam.*) || **delator** n. delatore.

♦**delay** /dɪˈleɪ/ n. **1** indugio; ritardo: *There are delays on the Circle and District lines*, ci sono ritardi sulla Circle line e sulla District line; *There's a twenty minute d.*, c'è un ritardo di venti minuti **2** (*comm.*) dilazione; proroga; rinvio; respiro (*fam.*) **3** (*comput.*) ritardo **4** (*elettron., mus.*) delay; riverbero **5** (*leg.*) mora ● **a d. in payment**, una dilazione di pagamento □ **d. interest**, interessi di mora □ **to make no d. in doing st.**, non frapporre indugi a fare qc.

♦to **delay** /dɪˈleɪ/ **A** v. t. **1** differire; rimandare; rinviare; ritardare: *We had to d. our departure*, dovemmo ritardare la partenza; **to d. a payment**, rinviare un pagamento **2** trattenere; causare un ritardo a: *My work delayed me at the office*, il lavoro mi ha trattenuto in ufficio; *The train was delayed by the snowfall*, il treno ha subito un ritardo per la nevicata **B** v. i. **1** indugiare; fermarsi; tardare **2** trastullarsi; gingillarsi: *Don't d.*, non gingillarti!

delayed /dɪˈleɪd/ a. **1** ritardato: **d. payment**, pagamento ritardato **2** posticipato: **d. retirement**, pensionamento posticipato ● (*mil.*) **d.-action**, a scoppio ritardato □ **d. drop**, lancio ad apertura ritardata (*del paracadute*) □ (*fis. nucl.*) **d. neutron**, neutrone ritardato.

delayer /dɪˈleɪə(r)/ n. procrastinatore, procrastinatrice.

delaying /dɪˈleɪɪŋ/ a. dilatorio: **a d. policy**, una tattica dilatoria.

del credere /del ˈkreɪdərɪ/ a. e avv. (*comm., leg.*) star del credere ● **a del credere agent**, un agente del credere □ **del credere commission**, commissione (*o* provvigione) del credere.

dele /ˈdiːlɪ/ n. (*tipogr.*) deleatur.

to **dele** /ˈdiːlɪ/ v. t. (*tipogr.*) cancellare ● **D.!**, deleatur!; cancella!

delectable /dɪˈlɛktəbl/ a. dilettevole; dilettoso; delizioso: **d. food**, cibo delizioso || **delectability** n. ▫ l'essere delizioso || **delectably** avv. deliziosamente.

delectation /diːlɛkˈteɪʃn/ n. ▫ diletto; godimento.

delegacy /ˈdɛlɪgəsɪ/ n. (anche leg.) delegazione; delega.

♦**delegate** /ˈdɛlɪgət/ n. delegato; rappresentante.

to **delegate** /ˈdɛlɪgeɪt/ v. t. (anche leg.) delegare; deputare: **to d. one's authority to sb.**, delegare la propria autorità a q.

delegated /ˈdɛlɪgeɪtɪd/ a. delegato: **d. legislation**, legislazione delegata ● **d. law**, legge delega.

delegatee /dɛlɪgəˈtiː/ n. (leg.) delegatario.

♦**delegation** /dɛlɪˈgeɪʃn/ n. **1** ▫ (anche leg.) delega; mandato; procura **2** delegazione; deputazione: **the Italian d.**, la delegazione italiana.

to **delete** /dɪˈliːt/ v. t. cancellare; cassare; depennare; eliminare.

deleterious /dɛlɪˈtɪərɪəs/ a. (form.) deleterio; dannoso; nocivo.

deletion /dɪˈliːʃn/ n. ▫ⓒ **1** cancellatura **2** (genetica) delezione.

delft /dɛlft/, **delf** /dɛlf/ n. maiolica (originariamente fabbricata a Delft || **delftware** n. ▫ maioliche (di Delft).

deli /ˈdɛlɪ/ n. (fam. USA) negozio di gastronomia ● **d. meats**, carni fredde affettate; affettati.

♦**deliberate** /dɪˈlɪbərət/ a. **1** intenzionale; premeditato; deliberato; voluto: **a d. insult**, un insulto deliberato **2** cauto; prudente; guardingo; ponderato: **a d. man**, un uomo cauto; **a d. judgement**, un giudizio ponderato **3** (di movimenti, ecc.) lento; fatto senza fretta: **to take d. aim**, prendere la mira senza fretta **4** (leg.) premeditato.

to **deliberate** /dɪˈlɪbəreɪt/ (form.) ▲ v. t. considerare; valutare attentamente; ponderare; riflettere su; prendere in esame: He was deliberating what to do, stava riflettendo sul da farsi; The committee will d. the question, la commissione prenderà in esame (o discuterà) la questione ▣ v. i. riflettere; valutare il pro e il contro; discutere: I deliberated for a long time before making up my mind, riflettei a lungo prima di decidere.

♦**deliberately** /dɪˈlɪbərətlɪ/ avv. **1** deliberatamente; intenzionalmente; di proposito **2** prudentemente; cautamente.

deliberateness /dɪˈlɪbərətnəs/ n. ▫ **1** l'essere deliberato (o voluto) **2** ponderatezza; cautela; prudenza **3** (leg.) premeditazione.

deliberation /dɪlɪbəˈreɪʃn/ n. ▫ **1** considerazione; attenta valutazione; ponderazione; riflessione: **after careful d.**, dopo attenta riflessione **2** (anche polit.) discussione; dibattito: The House concluded its deliberations without reaching a decision, la Camera concluse il dibattito senza ragglungere una decisione **3** → **deliberateness 4** (leg.) deliberazione; decisione.

deliberative /dɪˈlɪbrətɪv/ a. **1** (anche ling.) deliberativo **2** (polit.) deliberante.

deliberator /dɪˈlɪbəreɪtə(r)/ n. deliberatore.

delicacy /ˈdɛlɪkəsɪ/ n. **1** ▫ delicatezza; grazia; finezza; debolezza (di salute); sensibilità: **the d. of a portrait**, la finezza di un ritratto; **the d. of a compass**, la sensibilità d'una bussola **2** (di solito al pl.) cibo squisito; ghiottoneria; squisitezza; manicaretto: **caviar and other delicacies**, caviale e altre squisitezze.

♦**delicate** /ˈdɛlɪkət/ ▲a. **1** delicato; fine: **d. features**, fattezze fini; **a d. instrument**, uno strumento delicato **2** raffinato: **d. living**, una vita raffinata **3** (poet.) delizioso; piacevole ▣ n. pl. (fam.) – **delicates**, i delicati (gli indumenti: rif. al lavaggio) ● **to give a d. hint**, fare un accenno garbato | -**ly** avv.

delicatessen /dɛlɪkəˈtɛsn/ n. pl. **1** ghiottonerie **2** (negozio di) gastronomia; rosticceria di lusso (in USA: vendono anche sandwich, e hanno talora tavolini su cui mangiare) ● (nei supermercati) **d. counter**, reparto (o banco) gastronomia.

♦**delicious** /dɪˈlɪʃəs/ ▲a. **1** delizioso; squisito: **a d. smell**, un odore delizioso; **a d. cake**, una torta squisita **2** piacevole; assai divertente: **a d. joke**, una barzelletta assai divertente ▣ n. – **D.**, delicious, delizia (qualità di mela) | -**ly** avv. | -**ness** n. ▫.

delict /ˈdiːlɪkt/ n. (leg.: in Scozia, in Italia, Francia, ecc.) delitto.

♦**delight** /dɪˈlaɪt/ n. **1** ▫ delizia; diletto; godimento; gioia; piacere: The new motorbike is a real d., la nuova motocicletta è una delizia **2** divertimento: Horse riding is my chief d., l'equitazione è per me il più grande divertimento ● **to his great d.**, con sua grande gioia □ **to take d. in**, provare gioia in; divertirsi a: He takes d. in skiing, si diverte a sciare.

to **delight** /dɪˈlaɪt/ ▲v. t. dilettare; deliziare; allietare; rallegrare: 'You have delighted us long enough' J. AUSTEN, 'Lei ci ha allietato anche troppo'; His tale delighted us all, il suo racconto ci rallegrò tutti ▣ v. i. **1** – **to d. in**, dilettarsi di; provare gioia in; divertirsi a: That boy delights in roller-skating, quel ragazzo si diverte a correre sui pattini a rotelle **2** allietarsi; rallegrarsi: She delighted at the thought of meeting him again, ella si rallegrò al pensiero che l'avrebbe rivisto.

♦**delighted** /dɪˈlaɪtɪd/ a. assai contento; lietissimo; felice: I'm d. to see you, sono lietissimo di vederti; He was d. at (o with) the result, fu felice del risultato.

delightful /dɪˈlaɪtfl/ a. **1** delizioso; dilettevole; piacevole; incantevole: **a d. trip**, una gita piacevole; **a d. garden**, un giardino delizioso; **a d. view**, un panorama incantevole **2** assai attraente; incantevole: **a d. young lady**, una signorina assai attraente | -**ly** avv.

delightsome /dɪˈlaɪtsəm/ a. (poet.) delizioso; dilettevole.

Delilah /dɪˈlaɪlə/ n. **1** Dalila **2** (fig.) donna infida; seduttrice.

to **delimit** /diːˈlɪmɪt/, to **delimitate** /diːˈlɪmɪteɪt/ v. t. delimitare || **delimitation** n. ▫ⓒ delimitazione || **delimiter** n. (comput.) delimitatore.

to **delineate** /dɪˈlɪnɪeɪt/ v. t. delineare; disegnare; descrivere per sommi capi; tracciare || **delineation** n. ▫ⓒ delineazione; abbozzo; descrizione sommaria; traccia || **delineator** n. delineatore (raro); chi delinea; descrittore.

to **delink** /diːˈlɪŋk/ v. t. scollegare; scindere.

delinquency /dɪˈlɪŋkwənsɪ/ n. ▫ **1** (leg.) delinquenza: **juvenile d.**, delinquenza minorile **2** (leg.) inadempienza; negligenza; omissione: **d. in the performance of one's duty**, negligenza nell'adempimento dei propri doveri **3** (fin., leg.) mancato pagamento; insolvenza; morosità.

delinquent /dɪˈlɪŋkwənt/ ▲ a. **1** (leg.) colpevole (anche d'una mera negligenza) **2** (leg.) inadempiente **3** (fin., leg.) moroso; in arretrato: **d. debtor**, debitore moroso **4** (fisc.) arretrato: **d. taxes**, tasse arretrate ▣ n. (leg.) delinquente: **juvenile d.**, delinquente minorenne ● (rag.) **d. account**, conto crediti insoluti **2** (leg.) **the d. party**, la parte inadempiente □ (naut.) **d. ship**, nave colpevole della collisione.

to **deliquesce** /dɛlɪˈkwɛs/ v. i. (chim., fis.) **1** liquefarsi; sciogliersi **2** (bot.: di un fungo, dopo la sporificazione) spappolarsi.

deliquescent /dɛlɪˈkwɛsnt/ (chim., fis., bot.) a. deliquescente ● **to become d.**, (di un sale) sciogliersi; (di un fungo) spappolarsi || **deliquescence** n. ▫ deliquescenza.

delirious /dɪˈlɪrɪəs/ a. **1** delirante; in delirio **2** (di discorso, ecc.) farneticante; dissennato ● **to be d. with joy**, esser fuori di sé per la gioia □ **to become d.**, cadere in delirio.

delirium /dɪˈlɪrɪəm/ n. ▫ⓒ (pl. **deliriums**, **deliria**) **1** delirio (anche med.); vaneggiamento **2** (fig.) eccitazione; entusiasmo: **a d. of joy**, eccitazione dovuta alla gioia ● (med.) **d. tremens**, delirium tremens.

to **delist** /diːˈlɪst/ v. t. **1** depennare (da un elenco) **2** (Borsa) eliminare dal listino; escludere dalla quotazione.

delitescent /dɛlɪˈtɛsnt/ a. delitescente; latente.

♦to **deliver** /dɪˈlɪvə(r)/ ▲ v. t. **1** consegnare; recapitare; distribuire; trasmettere (un messaggio); rilasciare (un certificato): (fin.) **to d. stock**, consegnare titoli; **to d. goods [letters]**, consegnare merce [lettere]; What time are they delivering the new sofa?, a che ora consegnano il nuovo divano?; **to d. the mail**, distribuire la corrispondenza **2** pronunciare; fare: **to d. a speech**, pronunciare un discorso; **to d. a sermon**, fare una predica **3** esprimere; enunciare (un'opinione, ecc.) **4** (form.) liberare; salvare: May God d. us!, Dio ce ne scampi e liberi!; **to d. from bondage**, liberare dalla schiavitù **5** lanciare: (baseball, cricket, ecc.) **to d. a ball**, lanciare una palla (con le mani) **6** assestare; dare: **to d. a blow**, assestare un colpo; **to d. a kick to sb.**, dare un calcio a q. **7** (di una donna) partorire (un figlio) **8** (di un medico, ecc.) far partorire (una donna); far nascere (un bimbo): The doctor delivered the child, il bambino nacque con intervento medico **9** dare; erogare: The well delivers lots of water, il pozzo dà molta acqua **10** (fam.) portare (voti a un candidato): **to d. the black vote [the Bronx]**, portare il voto dei neri [degli elettori del Bronx] **11** (sport) effettuare (un lancio, un tiro) ▣ v. i. **1** (comm.) fare le consegne; consegnare (la merce) a domicilio **2** partorire: She delivered easily, ebbe un parto facile **3** (fam.) non venir meno alle aspettative; mantenere la parola **4** (fam.) essere di parola; stare ai patti ● **to d. battle**, dare battaglia □ (fin.) **to d. by endorsement**, trasferire (titoli di credito) mediante girata □ (fig. pop.) **to d. the goods**, tener fede a una promessa; non venir meno alle aspettative; mantenere la parola; funzionare bene: This power saw delivers the goods, questa sega a motore fa bene il suo servizio □ **to d. a lecture**, tenere una conferenza □ **to d. a message**, fare un'ambasciata □ **to d. on one's promise**, mantenere una promessa □ **to d. oneself up**, darsi al nemico, arrendersi; (leg.) costituirsi □ **to d. st. up** (o **over**), cedere qc. □ **to d. a woman of twins**, assistere una donna in un parto gemellare □ **She was delivered of a male child**, si sgravò d'un maschio.

deliverable /dɪˈlɪvərəbl/ ▲ a. consegnabile ● (fin.: di un titolo di credito) **d. by endorsement**, trasferibile mediante girata ▣ n. (market.) prodotto fisico (documenti, edifici, ecc.) di un progetto; deliverable.

deliverance /dɪˈlɪvərəns/ n. **1** ▫ (form.) liberazione: **the d. from slavery**, la liberazione dalla schiavitù **2** (fisiol., med.) parto **3** ▫ (form.) espressione, enunciazione (di un'opinione) **4** (leg.) verdetto (di una giuria) **5** (leg.) ordine di dissequestro.

delivered /dɪˈlɪvəd/ a. **1** consegnato; recapitato; (comm.) reso: **d. at the railway**

station, consegnato (*o* reso) alla stazione (della ferrovia); (*naut.*) **d. on board**, reso a bordo **2** (*di un discorso*) pronunciato **3** (*di un colpo*) assestato **4** (*di acqua, energia elettrica, ecc.*) erogato ● (*market.*) **d. price**, prezzo fob (*o* franco destino).

deliverer /dɪˈlɪvərə(r)/ n. **1** (*form.*) liberatore; salvatore **2** (*comm.*) chi effettua consegne **3** (*leg., raro*) → **consignor 4** (*leg., raro*) → **endorser**.

◆**delivery** /dɪˈlɪvərɪ/ n. **1** consegna, recapito (*di merci, lettere, ecc.*); distribuzione; (*comm.*) resa: **home d.**, consegna a domicilio; *The amount will be collected on d.*, l'importo sarà riscosso alla consegna; *Bearer shares are transferred by mere d.*, le azioni al portatore si trasferiscono mediante semplice consegna; **the d. of mail**, la distribuzione della posta; **d. to callers**, distribuzione allo sportello; (*comm.*) **prompt d.**, pronta consegna; (*market., fin.*) **forward d.**, consegna a termine; *Can you take d. of it?*, può prenderlo lei in consegna? **2** ⏢ modo di pronunciare, di porgere (*un discorso, le battute a teatro, ecc.*); dizione; eloquio **3** ⏢ (*leg.*) consegna (*di un atto o contratto*); tradizione **4** ⏢ (*fisiol., med.*) parto: *She had an easy d.*, ha avuto un parto facile **5** ⏢ erogazione (*d'acqua, energia elettrica, ecc.*); portata (*idraul.*) **6** ⏢ (*form.*) liberazione; salvataggio **7** (*baseball, cricket, ecc.*) lancio, tiro (*di una palla*) **8** ⏢ (*mil.*) resa (*di una città*) ● **d. area**, zona di distribuzione (*della posta*) □ (*trasp.*) **d. book**, bollettario delle consegne □ **d. boy**, fattorino; (*fam. USA*) assassino prezzolato; killer □ **d. charges**, spese di consegna □ **d. date** (*o* day), data di consegna □ (*org. az.*) **d. department**, reparto consegne □ (*naut.*) **d. ex-quay**, consegna sulla banchina □ (*trasp.*) **d. free on rail** (*o* on truck), consegna franco vagone ● **d. man**, addetto alle consegne; fattorino □ (*trasp.*) **d. note**, ricevuta di consegna □ (*comm.*) **d. on spot**, consegna in loco □ **d. order**, (*trasp.*) ordine (*o* buono) di consegna; (*naut.*) delivery order (*titolo di credito trasferibile mediante girata*) □ (*med.*) **d. room**, sala parto □ (*comm.*) **d. terms**, condizioni di consegna □ (*naut.*) **d. under ship's tackle**, consegna sotto paranco □ **d. van**, furgone per le consegne □ (*leg.*) **non-d.**, mancata consegna.

dell /dɛl/ n. (*lett.*) valletta; forra.

to **delocalize** /diːˈləʊkəlaɪz/ (*econ.*) v. t. delocalizzare ‖ **delocalization** n. delocalizzazione ‖ **delocalized** a. (*anche chim.*) delocalizzato.

to **delouse** /diːˈlaʊs/ v. t. **1** spidocchiare **2** (*gergo mil.*) sgombrare (*un terreno*) dalle mine; sminare.

Delphi /ˈdɛlfɪ/ n. (*geogr.*) Delfi (*la città e l'oracolo*).

Delphian /ˈdɛlfɪən/, **Delphic** /ˈdɛlfɪk/ a. **1** delfico; di Delfi **2** (*fig.*) ambiguo; oscuro; sibillino.

delphinium /dɛlˈfɪnɪəm/ n. (pl. **delphiniums, delphinia**) (*bot., Delphinium*) delfinio.

delta /ˈdɛltə/ n. **1** delta (*quarta lettera dell'alfabeto greco*) **2** (*geogr.*) delta: **the Po d.**, il delta padano **3** delta; triangolo: (*elettr.*) **d. connection**, collegamento a delta; (*aeron.*) **d. wing**, ala a delta **4** (*radio, tel.*: **D.**) (la lettera) d; Delta ● (*metall.*) **d. metal**, metallo delta □ (*fis. nucl.*) **d. rays**, raggi delta ● (*Borsa*) **d. shares**, azioni delta (*quotate soltanto nel mercato terziario londinese, l'U.S.M.*).

deltaic /dɛlˈteɪɪk/ a. **1** di (*o* fatta a) delta **2** (*geogr., geol., ecc.*) deltizio; di un delta **3** – (*geogr., stor.*) **D.**, del delta (*del Nilo*).

deltoid /ˈdɛltɔɪd/ ◆ a. **1** a forma di delta **2** (*anat.*) **3** (*anat.*) deltoideo; del deltoide: **d. ligament**, legamento deltoideo ◆ n. (*anat.*) (muscolo) deltoide.

---

to **delude** /dɪˈluːd/ v. t. ingannare; illudere ● **to d. oneself**, illudersi; ingannarsi: *Don't d. yourself, he's not going to help you*, non illuderti, non ti aiuterà □ **to d. sb. into doing st.**, indurre q. con l'inganno a fare qc. ❶ **FALSI AMICI** ● to delude *non significa* deludere ‖ **deluded** a. illuso ❶ **FALSI AMICI** ● deluded *non significa* deluso.

deluge /ˈdɛljuːdʒ/ n. **1** diluvio (*anche fig.*); allagamento; inondazione: **a d. of protests**, un diluvio di proteste **2** – (*relig.*) **the D.**, il diluvio universale.

to **deluge** /ˈdɛljuːdʒ/ v. t. **1** inondare; allagare **2** (*fig.*) sommergere; tempestare: *The speaker was deluged with requests for help*, l'oratore fu sommerso di richieste d'aiuto.

delusion /dɪˈluːʒn/ n. **1** ⏢ inganno; illusione; convinzione errata **2** fissazione; mania: *He has delusions of grandeur*, ha manie di grandezza **3** ⏢ (*psic.*) delirio (*mentale*): *He's under the d. that he is Einstein*, s'è fissato di essere Einstein ❶ **FALSI AMICI** ● delusion *non significa* delusione ❶ **NOTA:** *illusion o delusion?* → **illusion** ‖ **delusional** a. (*psic.*) maniacale; delirante.

delusive /dɪˈluːsɪv/ a. ingannevole; illusorio; fallace; falso: **a d. hope**, una speranza fallace ‖ **-ly** avv. ‖ **-ness** n. ⏢.

delusory /dɪˈluːsərɪ/ → **delusive**.

de luxe /dəˈlʌks/ (*franc.*) a. di lusso: *I like the de luxe model of the car*, mi piace il modello di lusso dell'auto.

delve /dɛlv/ n. **1** (*poet. o dial.*) cavità **2** avvallamento; depressione (*del terreno*).

to **delve** /dɛlv/ v. t. e i. **1** (*poet. o dial.*) scavare; vangare **2** fare ricerche; investigare; studiare a fondo; approfondire: **to d. into old books**, fare ricerche su libri antichi; **to d. into a subject**, studiare a fondo un argomento **3** (*di strada, ecc.*) avvallarsi ● **to d. into the past**, rivangare il passato.

Dem /dɛm/ a. e n. (abbr. di **Democratic**) (*polit.*) democratico; (del) partito democratico.

Dem. /dɛm/ abbr. (*polit.*, **democratic**) democratico (agg.).

to **demagnetize** /diːˈmæɡnətaɪz/ (*elettr.*) v. t. smagnetizzare; demagnetizzare ‖ **demagnetization** n. ⏢ smagnetizzazione; demagnetizzazione.

demagnetizer /diːˈmæɡnətaɪzə(r)/ n. (*elettron.*) smagnetizzatore; demagnetizzatore.

demagog /ˈdɛməɡɒɡ/ e *deriv.* (*USA*) → **demagogue**, e *deriv.*

demagogue /ˈdɛməɡɒɡ/ n. demagogo ‖ **demagogic, demagogical** a. demagogico ‖ **demagogically** avv. demagogicamente ‖ **demagoguism** n. ⏢ demagogismo ‖ **demagogy** n. ⏢ demagogia.

demand /dɪˈmɑːnd/ n. **1** domanda; richiesta: *We cannot satisfy your demands*, non possiamo accogliere le vostre richieste; *There is a great d. for foreign correspondents*, c'è una grande richiesta di corrispondenti in lingue estere **2** esigenza; pretesa: *This assignment makes great demands on my time*, questo compito esige che vi dedichi molto tempo **3** (*econ.*) domanda: *D. of consumer goods exceeds supply*, la domanda di beni di consumo supera l'offerta; **the d. curve**, la curva della domanda **4** (*leg.*, **legal d.**) domanda fatta valere in giudizio **5** rivendicazione (*sindacale*) ● (*fin.*) **d. bill** (*o* **draft**), tratta a vista □ (*banca*) **d. deposit**, deposito libero (*o a vista*); (*USA*) deposito in conto corrente □ (*fin.*) **d. for liquidity**, domanda di liquidità □ (*econ.*) **d.** (*o* **d.-pull**) **inflation**, inflazione da (eccesso di) domanda □ (*org. az.*) **d. matching**, adeguamento della produzione alle variazioni della domanda □ (*comput.*) **d. paging**, allocazione dinamica

---

nella memoria centrale □ (*comput.*) **d. processing**, elaborazione immediata (*sulla base delle richieste*) □ (*fin.*) **d. rate**, corso (*o* tasso) a vista □ (*econ.*) **the d. trend**, l'andamento della domanda □ **to be in d.**, essere richiesto, ricercato: *These goods are not much in d. now*, questa merce non è molto richiesta ora □ (*comm.*) **on d.**, a richiesta; a vista: *A cheque is payable on d.*, l'assegno bancario è pagabile a vista.

◆to **demand** /dɪˈmɑːnd/ v. t. **1** domandare; chiedere: *«What do you mean?», she demanded*, «Cosa intendi?», chiese; *The terrorists are demanding the release of political prisoners*, i terroristi chiedono la liberazione dei prigionieri politici **2** richiedere; esigere; pretendere: *The seller demands immediate payment*, il venditore esige il pagamento immediato; *He demanded to be obeyed at once*, pretendeva d'essere obbedito all'istante; *This job demands a great deal of skill*, questo lavoro richiede molta abilità ● **to d. equal pay**, rivendicare la parità salariale.

❶ **NOTA:** *to demand o to ask?*

Il verbo *to demand* può avere il significato di "domandare", però in genere viene utilizzato solo nel contesto del discorso indiretto o per descrivere una richiesta fatta con insistenza o con autorità (ad es. da parte della polizia). Per tradurre "domandare" nel senso generico si usa *to ask*: *I asked him for advice*, gli ho chiesto un consiglio; per tradurre "domandarsi" si usa *to wonder* o *to ask oneself*: *I wonder what he was thinking*, mi domando cosa stava pensando.

demandable /dɪˈmɑːndəbl/ a. che si può richiedere; esigibile.

demandant /dɪˈmɑːndənt/ n. (*leg., antiq.*) attore (→ **plaintiff**).

◆**demanding** /dɪˈmɑːndɪŋ/ a. **1** (*di persona*) esigente; severo **2** (*di cosa o lavoro*) difficile; duro; arduo; impegnativo.

to **demarcate** /ˈdiːmɑːkeɪt/ v. t. demarcare; segnare; tracciare: **to d. the boundaries of an estate**, demarcare i confini di una proprietà.

demarcation /diːmɑːˈkeɪʃn/ n. ⏢ demarcazione: **line of d.**, linea di demarcazione ● **d. dispute**, vertenza sulla posizione del confine tra due proprietà; (*anche*) conflitto di competenza (*tra sindacati*).

demarcative /diːˈmɑːkətɪv/ a. (*spec. ling.*) demarcativo.

demarche /ˈdeɪmɑːʃ/ (*franc.*) n. **1** mossa (*o* manovra) diplomatica **2** protesta diplomatica.

demasculinization /diːmæskjʊlɪnaɪˈzeɪʃn/ n. ⏢ smascolinizzazione; svirilizzazione.

to **dematerialize** /diːməˈtɪərɪəlaɪz/ ◆ v. t. smaterializzare ◆ v. i. smaterializzarsi ‖ **dematerialization** n. ⏢ smaterializzazione.

deme /diːm/ n. **1** (*stor. greca*) demo **2** (*ecol.*) demo; unità tassonomica.

demeaning /dɪˈmiːnɪŋ/ a. degradante; umiliante; avvilente.

to **demean oneself** /dɪˈmiːnwʌnˈsɛlf/ v. t. + pron. rifl. **1** comportarsi; condursi (*bene, male, ecc.*) **2** abbassarsi; degradarsi; umiliarsi.

demeanour, (*USA*) **demeanor** /dɪˈmiːnə(r)/ n. ⏢ comportamento; condotta; contegno.

to **dement** /dɪˈmɛnt/ ◆ v. i. (*psic.*) perdere la ragione; impazzire ◆ v. t. (*raro*) privare della ragione; far impazzire.

demented /dɪˈmɛntɪd/ a. **1** demente; pazzo **2** (*fam.*) impazzito; (*fig.*) assai preoccupato.

dementia /dɪˈmɛnʃə/ (*psic.*) n. ⏢ demen-

za: **d. praecox**, demenza precoce ‖ **demential** a. demenziale.

demerara /dɛmə'rɛərə/ n. ▢ (= **d. sugar**) zucchero bruno (*della Guyana*).

to **demerge** /di:'mɜːdʒ/ (*econ., fin.*) v. t. scorporare (*una società*) ‖ **demerger** n. scorporo (*di società*).

demerit /di:'mɛrɪt/ n. **1** demerito; azione biasimevole; colpa **2** (*USA*, = **d. note**) nota di biasimo (*nelle scuole, ecc.*) ‖ **demeritorious** a. che costituisce demerito; demeritevole (*raro*).

demesne /dɪ'meɪn/ n. ▢ **1** (*leg., stor.*) dominio **2** (*leg.*) proprietà (*assoluta: di beni immobili*): *He holds this farm in d.*, ha la proprietà di questo fondo **3** terreno adiacente a una grande villa **4** (*fig.*) campo d'attività ● (*stor.*) **d. lands**, domini di un signore feudale ▢ (*in GB*) **d. lands of the Crown**, possedimenti della Corona ▢ **d. wall**, muro di cinta ▢ (*in GB*) **Royal D.**, possedimenti della Corona ▢ (*non in GB*) **State D.**, terreni demaniali; demanio.

Demeter /dɪ'miːtə(r)/ n. (*mitol.*) Demetra.

demigod /'dɛmɪgɒd/ n. semidio.

demigoddess /'dɛmɪgɒdɛs/ n. semidea.

demijohn /'dɛmɪdʒɒn/ n. damigiana.

to **demilitarize** /di:'mɪlɪtəraɪz/ v. t. demilitarizzare; smilitarizzare ‖ **demilitarization** n. ▢ demilitarizzazione; smilitarizzazione.

demilune /'dɛmɪluːn/ n. **1** oggetto fatto a mezzaluna **2** (*mil.*) opera di fortificazione a mezzaluna.

to **demine** /di:'maɪn/ (*mil.*) v. t. sminare ‖ **demining** n. ▢ sminamento.

to **demineralize** /di:'mɪnərəlaɪz/ v. t. demineralizzare ‖ **demineralization** n. ▢ demineralizzazione.

demi-pension /dɛmɪ'pɒnsɪɒn/ (*franc.*) n. (*tur.*) mezza pensione.

demise /dɪ'maɪz/ n. (*leg.*) **1** ▢ cessione; trasferimento (*di diritti*); cessione in affitto **2** ▢ trasmissione (*di titolo, corona, ecc.*) per morte (*o per abdicazione*): **d. of the Crown**, trasmissione della sovranità **3** decesso; dipartita, scomparsa (*eufem.*); morte; fine: **the d. of a political movement**, la fine di un movimento politico.

to **demise** /dɪ'maɪz/ v. t. (*leg.*) **1** trasferire (*diritti*); cedere (*spec. in affitto*) **2** trasmettere (*titolo, corona, ecc.*) per morte (*o per abdicazione*).

demi-sec /dɛmɪ'sɛk/ (*franc.*) a. (*di spumante o champagne*) demi-sec; abboccato.

demisemiquaver /'dɛmɪsɛmɪkweɪvə(r)/ n. (*mus.*) biscroma.

to **demist** /di:'mɪst/ v. t. **1** disappannare **2** (*autom.*) sbrinare (*il parabrezza, ecc.*).

demister /di:'mɪstə(r)/ n. (*autom.*) sbrinatore.

demitasse /'dɛmɪtæs/ (*franc.*) n. **1** tazzina da caffè **2** caffè (*bevuto dopo un pasto*).

demiurge /'dɛmɪɜːdʒ/ n. demiurgo ‖ **demiurgic** a. demiurgico.

demo /'dɛmǝʊ/ n. (pl. *demos*) (abbr. *fam.*) **1** dimostrazione (*di un prodotto, ecc.*) **2** (*comput., mus.*) demo: **to cut a d.**, incidere un (o una) demo; **d. disc**, disco demo **3** (*polit., USA*) democratico (*membro del partito*).

to **demo** /'dɛmǝʊ/ v. t. **1** (*fam. USA*) fare la dimostrazione di (*un apparecchio nuovo*) **2** (*mus.*) registrare il demo (*di una canzone, ecc.*).

demob /di:'mɒb/ n. (abbr. *fam.*) = **demobilization** → **to demobilize** ● (*fam., scherz., GB*) **d. happy**, detto di chi perde la motivazione poco prima della fine dell'impegno ▢ **d. suit**, abito borghese dato ai soldati al momento del congedo (*dopo la seconda guerra mondiale*).

to **demob** /di:'mɒb/ v. t. (abbr. *fam.*) smobilitare; congedare ● **the demobbed**, i congedati.

to **demobilize** /di:'mǝʊbɪlaɪz/ (*mil.*) v. t. smobilitare; congedare ‖ **demobilization** n. ▢ smobilitazione.

◆**democracy** /dɪ'mɒkrǝsɪ/ n. **1** ▢ democrazia: *'D. is the worst form of government except all those other forms that have been tried from time to time'* W. CHURCHILL, 'la democrazia è la peggiore forma di governo a prescindere da tutte quelle che sono state sperimentate nel corso della storia' **2** stato democratico; democrazia **3** – (*in USA*) 'the D., il Partito democratico.

◆**democrat** /'dɛmǝkræt/ n. **1** democratico **2** – (*in USA*) a D., un democratico; un membro del partito democratico.

◆**democratic** /dɛmǝ'krætɪk/ a. democratico ● **the D. party**, il partito democratico ‖ **democratically** avv. democraticamente.

to **democratize** /dɪ'mɒkrǝtaɪz/ **A** v. t. democratizzare **B** v. i. democratizzarsi ‖ **democratization** n. ▢ democratizzazione.

Democritus /dɪ'mɒkrɪtǝs/ (*stor., filos.*) n. Democrito.

to **demodulate** /di:'mɒdjʊleɪt/ (*radio, elettron.*) v. t. demodulare ‖ **demodulation** n. ▢ demodulazione.

demographic①, **demographical** /dɛmǝ'græfɪk(l)/ a. demografico: **d. model**, modello demografico; **d. statistics**, statistica demografica (*la disciplina*) ‖ **-ally** avv.

demographic② /dɛmǝ'græfɪk/ n. (*stat.*, = **d. profile**) profilo demografico.

demographics /dɛmǝ'græfɪks/ n. pl. statistiche demografiche; dati demografici.

demography /dɪ'mɒgrǝfɪ/ n. ▢ demografia ‖ **demographer** n. demografo.

demoiselle /dɛmwɑː'zɛl/ n. **1** (*lett.*) damigella; donzella **2** (*zool.*, *Anthropoides virgo*) damigella di Numidia; gru damigella.

to **demolish** /dɪ'mɒlɪʃ/ v. t. **1** demolire; abbattere: **to d. an old house**, demolire una casa vecchia; **to d. sb.'s arguments**, demolire le argomentazioni di q.; (*boxe*) **to d. one's opponent**, demolire l'avversario **2** (*fam.*) mangiare, divorare (*cibo*); fare fuori, pappare (*fam.*) ‖ **demolisher** n. demolitore, demolitrice.

demolition /dɛmǝ'lɪʃn/ n. ▢ demolizione (*anche fig.*): (*boxe*) **the d. of one's opponent**, la demolizione dell'avversario ● (*mil.*) **d. bomb**, bomba dirompente ▢ (*ind.*) **d. contractor**, demolitore ▢ (*autom., USA*) **d. derby**, gara automobilistica in cui si tenta di sfasciare le auto degli avversari.

demon /'di:mǝn/ **A** n. **1** spirito malvagio; demone; diavolo **2** → **daemon 3** (*fig.*) forza tormentosa o distruttiva; demone: **private demons**, demoni interiori; angosce segrete **4** (*fig.*) demonio; diavolo: (*di bambino*) **little d.**, demonietto; diavoletto **5** (*fig.*) persona molto attiva (*in qc.*): **a d. for work**, un lavoratore accanito; un gran lavoratore; **to work like a d.**, lavorare indefessamente **6** (*fig.*) asso; diavolo; mago: **a d. for driving**, un diavolo al volante; un asso del volante **B** a. attr. **1** demoniaco; diabolico; del demonio: **d. worship**, adorazione del demonio **2** indemoniato; indiavolato **3** abilissimo; bravissimo; straordinario: **a d. cook**, un cuoco straordinario.

to **demonetize** /di:'mʌnɪtaɪz/ (*fin.*) v. t. **1** demonetizzare (*un metallo, ecc.*) **2** ritirare (*monete*) dalla circolazione ‖ **demonetization** n. ▢ **1** demonetizzazione **2** ritiro (*di monete*) dalla circolazione.

demoniac /dɪ'mǝʊnɪæk/ **A** a. (*anche demoniacal*) **1** demoniaco; diabolico **2** (*fig.*) incontrollato; indiavolato; frenetico; inde-

moniato; invasato: **d. rage**, furia incontrollata **B** n. indemoniato ‖ **demoniacally** avv. **1** diabolicamente **2** freneticamente.

demonic /dɪ'mɒnɪk/ a. **1** demoniaco; diabolico: **d. possession**, possessione diabolica; **d. powers**, poteri diabolici **2** del demone; ispirato al demone.

demonism /'di:mǝnɪzǝm/ n. ▢ demonismo.

to **demonize** /'di:mǝnaɪz/ v. t. demonizzare ‖ **demonization** n. ▢ demonizzazione.

demonolatry /di:mǝ'nɒlǝtrɪ/ n. ▢ demonolatria.

demonology /di:mǝ'nɒlǝdʒɪ/ n. ▢ demonologia ‖ **demonological** a. demonologico ‖ **demonologist** n. demonologo.

demonstrable /dɪ'mɒnstrǝbl/ a. dimostrabile ‖ **demonstrability** n. ▢ dimostrabilità ‖ **demonstrably** avv. in modo dimostrabile.

◆to **demonstrate** /'dɛmǝnstreɪt/ **A** v. t. **1** dimostrare; mostrare; manifestare; provare: **to d. one's ignorance**, dimostrare la propria ignoranza; **to d. a will to agree**, manifestare la volontà di accordarsi **2** (*comm.*) dimostrare le qualità di (*un prodotto*); fare la dimostrazione di (*un articolo o un nuovo apparecchio*) **B** v. i. **1** fare una dimostrazione; dimostrare: *The students demonstrated in favour of the long-overdue school reform*, gli studenti fecero una dimostrazione in favore della riforma scolastica da tanto tempo attesa invano **2** (*mil.*) fare un'azione dimostrativa.

◆**demonstration** /dɛmǝn'streɪʃn/ n. ▢ **1** dimostrazione; attestazione; prova: **a d. of love**, una dimostrazione d'affetto **2** (*comm.*) dimostrazione **3** dimostrazione; manifestazione (*di protesta*) **4** (*mil.*) azione dimostrativa ● **to teach by d.**, insegnare con il metodo dimostrativo.

◆**demonstrative** /dɪ'mɒnstrǝtɪv/ **A** a. **1** (*gramm.*) dimostrativo: **a d. pronoun**, un pronome dimostrativo **2** definitivo; probante: **a d. argument**, un argomento probante **3** espansivo: **a d. child**, un bambino espansivo **4** manifesto; chiaro; evidente: **a d. affection for one's mother**, un manifesto attaccamento alla propria madre **B** n. (*gramm.*) aggettivo (*o pronome*) dimostrativo ● **d. of st.**, che prova (*o dimostra*) qc.: *His alibi is clearly d. of his innocence*, il suo alibi prova chiaramente la sua innocenza | **-ly** avv. | **-ness** n. ▢.

◆**demonstrator** /'dɛmǝnstreɪtǝ(r)/ n. **1** dimostratore (*raro*); chi dimostra **2** dimostrante (*in una manifestazione di protesta, ecc.*); manifestante **3** (*nelle università*) assistente di laboratorio; tecnico laureato **4** (*comm.*) dimostratore **5** (*comm.*) articolo (*o prodotto*) usato per dimostrazione e prova (*spec. un'automobile*).

Demopublican /dɛmǝʊ'pʌblɪkǝn/ n. (*polit. spreg., USA*) democratico che inclina verso i conservatori; (*anche*) repubblicano con simpatie per i progressisti.

to **demoralize** /dɪ'mɒrǝlaɪz/ v. t. **1** demoralizzare; scoraggiare **2** (*raro*) corrompere; depravare ‖ **demoralization** n. ▢ **1** demoralizzazione; scoraggiamento **2** (*raro*) corruzione; depravazione.

demoralizing /dɪ'mɒrǝlaɪzɪŋ/ a. scoraggiante; avvilente; sconfortante; demoralizzante.

demos /'di:mɒs/ n. (*stor. greca*) demo.

Demosthenes /dɪ'mɒsθǝni:z/ n. (*stor. greca*) Demostene.

to **demote** /di:'mǝʊt/ v. t. **1** (*mil.*) retrocedere (*di grado*); degradare: *The sergeant was demoted to corporal*, il sergente fu retrocesso a caporale **2** rimuovere (*un funzionario, ecc.*) dalle sue mansioni; retrocedere;

declassare.

demotic /dɪ'mɒtɪk/ **A** a. 1 (*raro*) demotico (*lett.*); popolare 2 (*ling.*) demotico: **d. writing**, scrittura demotica **B** n. ⓤ – **D.**, il greco demotico (*la lingua*).

demotion /dɪ'məʊʃn/ n. ⓤ 1 (*mil.*) retrocessione (*di grado*); degradazione 2 (*di funzionario, ecc.*) rimozione dalle mansioni; demansionamento; retrocessione.

to **demotivate** /dɪ'məʊtɪveɪt/ v. t. demotivare || **demotivated** a. demotivato || **demotivation** n. ⓤ demotivazione.

demountable /dɪ'maʊntəbl/ (*mecc.*) a. smontabile || to **demount** v. t. smontare.

demoware /'deməʊweə(r)/ n. ⓤ (*comput.*) demoware (*software scaricabile gratuitamente, ma con pesanti limitazioni d'uso*).

demulcent /dɪ'mʌlsnt/ a. e n. (*med.*) lenitivo; demulcente; emolliente.

demur /dɪ'mɜː(r)/ n. ⓤ 1 (*arc.*) esitazione: **without d.**, senza esitazione 2 obiezione 3 (*leg.*) obiezione; eccezione (*in sede penale*).

to **demur** /dɪ'mɜː(r)/ v. i. 1 (*arc.*) esitare 2 fare delle difficoltà; sollevare obiezioni; tirarsi indietro (*fig.*): **to d. at** (*o* **on**) **st.**, avere obiezioni (*o* dubbi) su qc. 3 (*leg.: in sede penale*) sollevare un'obiezione (*o* un'eccezione).

demure /dɪ'mjʊə(r)/ a. 1 contegnoso; discreto; modesto; schivo: **a d. virgin**, una vergine schiva 2 pudibondo (*iron.*); falsamente pudico: **d. simplicity**, semplicità pudibonda | **-ly** avv. | **-ness** n. ⓤ.

demurrable /dɪ'mɜːrəbl/ a. (*spec. leg.*) che può essere contestato; contro cui si può sollevare un'obiezione.

demurrage /dɪ'mʌrɪdʒ/ n. 1 (*trasp.*) ritardo (*di nave, carro merci, ecc.*) 2 (*trasp.*) sosta (*di merce*); diritti di sosta 3 (*naut.*) controstallia: **d. days**, giorni di controstallia 4 ⓤ (*naut.*, = **d. charges**) diritti (*o* spese) di controstallia 5 ⓤ (*leg.: negli appalti di costruzione*) penale dovuta per ritardo.

demurrer (*def. 1* /dɪ'mʌrə(r)/, *def. 2* /dɪ-'mɜːrə(r)/) n. 1 (*leg.*) eccezione (*in sede penale*) 2 chi fa difficoltà; chi solleva obiezioni (*o* eccezioni).

to **demutualize** /diː'mjuːtʃʊəlaɪz/ (*fin.*) v. i. trasformare una società mutua (*o* una società di credito edilizio) in società per azioni || **demutualization** n. la trasformazione di una società mutua (*o* di credito edilizio in una società per azioni.

demy /dɪ'maɪ/ n. ⓤ (*anche* **d. paper**) formato di carta da stampa (*cm 44,45 × 57,15*) o da scrivere (*cm 39,37 × 50,8*).

demyelination /diːmaɪəlaɪ'neɪʃn, *USA* -lɪ'n-/ n. ⓤ (*med.*) demielinizzazione.

to **demystify** /diː'mɪstɪfaɪ/ v. t. demistificare || **demystification** n. ⓤ demistificazione.

to **demythologize** /diːmɪ'θɒlədʒaɪz/ v. t. smitizzare; demitizzare || **demythologization** n. ⓤ smitizzazione; demitizzazione.

den /den/ n. 1 tana; covo: **a fox den**, la tana di una volpe 2 (*fig.*) covo; tana; nascondiglio: **a den of thieves**, un covo di ladri 3 (*USA*) stanza tranquilla (*in cui si legge, si lavora in pace, ecc.*); studiolo; soggiorno; (*se nel seminterrato, anche*) tavernetta ● **den of iniquity** (*o* **of vice**), casa di malaffare; luogo di perdizione; bordello.

denarius /dɪ'neərɪəs/ (*lat.*) n. (pl. *denarii*) (*stor. romana*) denaro.

denary /'diːnərɪ/ a. (*mat.*) decimale; in base dieci.

to **denationalize** /diː'næʃnəlaɪz/ v. t. 1 (*polit.*) snazionalizzare 2 (*econ.*) denazionalizzare, snazionalizzare, privatizzare (*un'industria, ecc.*) || **denationalization** n. ⓤ 1 (*polit.*) snazionalizzazione 2 (*econ.*) denazionalizzazione, snazionalizzazione, pri-

vatizzazione (*d'una industria, ecc.*).

to **denaturalize** /diː'nætʃərəlaɪz/ v. t. 1 snaturare; rendere innaturale 2 (*leg., polit.*) privare (q.) della cittadinanza ● **to d. oneself**, rinunciare alla cittadinanza (*del paese d'origine*) || **denaturalization** n. ⓤ 1 privazione delle caratteristiche naturali; snaturamento 2 (*leg., polit.*) privazione della cittadinanza.

denaturant /diː'neɪtʃərənt/ n. (*chim.*) denaturante.

to **denature** /diː'neɪtʃə(r)/ v. t. 1 snaturare 2 (*chim.*) denaturare: **denatured alcohol**, alcol denaturato || **denaturation** n. ⓤ (*chim.*) denaturazione.

denazification /diːnɑːtsɪfɪ'keɪʃn/ n. ⓤ denazificazione.

dendrite /'dendraɪt/ (*miner., anat.*) n. ⓤ dendrite || **dendritic** a. dendritico.

dendrochronology /dendrəʊkrə-'nɒlədʒɪ/ (*scient.*) n. ⓤ dendrocronologia || **dendrochronologist** n. esperto di dendrocronologia.

dendroid /'dendrɔɪd/ a. (*scient.*) dendroide.

dendrology /den'drɒlədʒɪ/ n. ⓤ (*bot.*) dendrologia || **dendrologist** n. dendrologo.

dene① /diːn/ n. (*dial.*) terreno sabbioso presso il mare; duna (*nell'Inghil. merid.*).

dene② /diːn/ n. valle; valletta.

denegation /denɪ'geɪʃn/ n. ⓤ denegazione; rifiuto.

to **denervate** /'denəveɪt/ (*med.*) v. t. enervare || **denervation** n. ⓤ enervazione.

dengue /'deŋgɪ/ n. (*med.*, = **d. fever**) dengue; febbre rompiossa.

deniable /dɪ'naɪəbl/ a. negabile.

denial /dɪ'naɪəl/ n. ⓤⓒ 1 diniego (*anche leg.*); negazione; smentita: **to meet a charge with a flat d.**, rispondere a un'accusa con una secca smentita 2 rinnegazione; ripudio: **the d. of one's faith**, il ripudio della propria fede 3 rifiuto: **a flat d.**, un netto rifiuto 4 (= **self-d.**) abnegazione; (spirito di) rinuncia.

denier① /dɪ'naɪə(r)/ n. 1 negatore 2 rinnegatore.

denier② /də'nɪə(r)/ n. 1 (*arc.*) moneta di scarso valore; quattrino 2 ⓤ (*comm., ind. tess.*) denaro (*misura di peso per la titolazione dei filati*).

to **denigrate** /'denɪgreɪt/ v. t. 1 denigrare; diffamare 2 (*raro*) annerire || **denigration** n. ⓤ denigrazione.

denim /'denɪm/ n. 1 ⓤ denim; tessuto di cotone ritorto (*per uniformi, tute, ecc.*) 2 (pl.) tuta (*di cotone ritorto*); calzoni tipo jeans.

to **denitrify** /diː'naɪtrɪfaɪ/ v. t. 1 (*microbiologia*) denitrificare 2 (*chim.*) denitrare || **denitrification** n. ⓤ 1 (*microbiologia*) denitrificazione 2 (*chim.*) denitrazione.

denizen /'denɪzn/ n. 1 (*lett.*) abitante 2 (*leg.*) straniero naturalizzato 3 (*biol.*) animale o pianta acclimatati fuori del loro habitat naturale 4 (*ling.*) parola straniera entrata nell'uso.

to **denizen** /'denɪzn/ v. t. naturalizzare; concedere la naturalizzazione a (q.).

Denmark /'denmɑːk/ n. (*geogr.*) Danimarca.

Dennis /'denɪs/ n. Dionigi ● (*nei fumetti*) **D. the Menace**, Pierino (la peste) (*il ragazzino pestifero*).

to **denominate** /dɪ'nɒmɪneɪt/ v. t. 1 denominare; chiamare; nominare 2 (*fin.*) esprimere: **securities denominated in dollars**, titoli espressi in dollari.

denomination /dɪnɒmɪ'neɪʃn/ n. 1 denominazione; nome (*d'una classe o categoria di cose*) 2 (*fin.*) valore (nominale); taglio: *The coin of the lowest d. in Britain is the*

penny, la moneta di minor valore in Gran Bretagna è il penny; **bills of small denominations**, banconote di piccolo taglio 3 unità di misura (*di peso, ecc.*): *«Metre» is a metric d.*, «metro» è un'unità di misura decimale 4 (*relig.*) confessione; setta religiosa: **a Protestant d.**, una setta (religiosa) protestante ● **religious d.**, religione: *What religious d. does he belong to?*, di che religione è?

denominational /dɪnɒmɪ'neɪʃənl/ a. 1 confessionale; settario: **d. education**, istruzione confessionale; **d. interests**, interessi settari 2 (*fin.*) nominale: **d. value**, valore nominale || **denominationalism** n. ⓤ confessionalismo; settarismo.

denominative /dɪ'nɒmɪnətɪv/ a. (*anche ling.*) denominativo; denominale.

denominator /dɪ'nɒmɪneɪtə(r)/ n. (*mat.*) denominatore: **highest [lowest] common d.**, massimo [minimo] comune denominatore.

denotation /diːnəʊ'teɪʃn/ n. ⓤ 1 denotazione; indicazione 2 (*filos., ling.*) denotazione.

denotatum /diːnəʊ'teɪtəm/ n. (*lat.*) n. (pl. *denotata*) (*ling.*) denotatum; referente.

to **denote** /dɪ'nəʊt/ v. t. 1 denotare; indicare: *The red flag on the pole denoted that it was dangerous to bathe*, la bandiera rossa sul palo indicava che era pericoloso fare il bagno 2 significare: *A cry usually denotes pain*, un grido di solito significa dolore || **denotative** a. 1 denotativo (*raro*); atto a denotare 2 (*filos., ling.*) denotativo.

denouement /deɪ'nuːmɒŋ/ (*franc.*) n. 1 scioglimento dell'intreccio (*d'un romanzo, ecc.*); epilogo; finale 2 (*fig.*) rivelazione (*o* risultato) finale.

to **denounce** /dɪ'naʊns/ v. t. 1 denunciare; censurare; riprovare; condannare pubblicamente: **to d. the corruption of politicians**, denunciare la corruzione dei politici 2 (*anche leg.*) denunciare: **to d. sb. to the authorities**, denunciare q. alle autorità; *He denounced the conspirators*, denunciò i cospiratori || **denouncement** n. ⓤⓒ denuncia || **denouncer** n. denunciatore, denunciatrice.

dense /dens/ a. 1 denso; fitto; folto; spesso: **a d. fog**, una nebbia fitta 2 compatto: **a d. crowd**, una folla compatta 3 (*fam.*) sciocco; stupido; ottuso (*fig.*) 4 (*fotogr.*) opaco; denso 5 (*ottica*) opaco; scuro || **densely** avv. 1 densamente: **densely populated areas**, zone densamente popolate 2 (*fam.*) ottusamente; stupidamente || **denseness** n. ⓤ 1 densità 2 compattezza 3 (*fam.*) stupidità; ottusità mentale.

densimeter /den'sɪmɪtə(r)/ n. (*fis.*) densimetro.

density /'densətɪ/ n. ⓤ 1 densità; spessore; foltezza; fittezza: **population d.**, la densità della popolazione; **the d. of the trees in a wood**, la fittezza degli alberi in un bosco 2 (*fam.*) stupidità; ottusità 3 (*elettr.*) densità; intensità 4 (*fotogr.*) opacità (*d'una negativa*) ● (*mil.*) **d. bombing**, bombardamento di saturazione □ (*stat.*) **d. function**, funzione di densità.

dent /dent/ n. 1 dentello; tacca 2 ammaccatura (*nella carrozzeria di un'automobile, ecc.*) ● (*autom.*) **d.-resistant**, a prova di ammaccatura □ (*fam.*) **to make a d. in st.**, intaccare qc.: *Our trip to England has made a big d. in our savings*, il viaggio in Inghilterra ha assottigliato di molto i nostri risparmi.

to **dent** /dent/ **A** v. t. 1 dentellare; intaccare 2 ammaccare: *I've dented my car*, ho ammaccato la macchina; ho preso un colpo (*fam.*) **B** v. i. 1 dentellarsi 2 ammaccarsi.

dental /'dentl/ **A** a. 1 dei denti; dentale; dentario: **d. hygiene**, igiene dentale; (*fon.*)

a b c d e f g h i j k l m n o p q r s t u v w x y z

d

a d. consonant, una consonante dentale **2** (*med.*) dentistico; odontoiatrico: **d. work**, lavoro dentistico; **a d. clinic** (*o* **d. hospital**), una clinica odontoiatrica; *I've got a d. appointment*, ho un appuntamento dal dentista **B** n. (*fon.*) dentale ● (*anat.*) **d. arch**, arcata dentaria □ (*med.*) **d. caries** (*o* **decay**), carie dentaria □ **d. chair**, poltrona del dentista □ (*in USA, Canada, Nuova Zelanda*) **d. chairside assistant**, assistente di un dentista; infermiere, infermiera (*fam.*) □ (*med.*) **d. engine**, trapano da dentista □ **d. floss**, filo interdentale □ (*med.*) **d. forceps**, pinza odontoiatrica ● **d. implants**, impianti dentari □ **d. laboratory**, laboratorio di odontotecnico; laboratorio dentistico □ **d. mechanic**, odontotecnico □ **d. nurse**, infermiere (*o* infermiera) di dentista □ (*anat.*) **d. plaque**, placca dentaria ● **d. plate**, dentiera □ **d. student**, studente d'odontoiatria □ **d. surgeon**, odontoiatra; dentista ● **d. technician**, odontotecnico □ (*med.*) **d. water jet**, idropulsore.

dentary /'dɛntərɪ/ a. (*anat.*) dentario.

dentate /'dɛnteɪt/ a. (*bot., zool.*) dentato; dentellato.

dentation /dɛn'teɪʃn/ n. ⓤ (*bot., zool., ecc.*) dentellatura.

dentex /'dɛntɛks/ n. (*zool., Dentex dentex*) dentice.

denticle /'dɛntɪkl/ n. (*anche archit. e zool.*) dentello.

denticulate /dɛn'tɪkjʊlət/, **denticulated** /dɛn'tɪkjʊleɪtɪd/ a. **1** dentellato **2** (*archit.*) ornato di dentelli.

denticulation /dɛntɪkjʊ'leɪʃn/ n. ⓤ (*anche archit.*) dentellatura.

dentifrice /'dɛntɪfrɪs/ n. (*form.*) dentifricio.

dentil /'dɛntɪl/ n. (*archit.*) dentello.

dentin /'dɛntɪn/, **dentine** /'dɛntiːn/ n. ⓤ (*anat.*) dentina; avorio (*dei denti*).

◆**dentist** /'dɛntɪst/ n. dentista; odontoiatra || **dentistry** n. ⓤ professione di dentista; odontoiatria.

dentition /dɛn'tɪʃn/ n. ⓤ **1** (*fisiol.*) dentizione: **primary [secondary] d.**, prima [seconda] dentizione **2** (*anat.*) dentatura: *The d. of man doesn't differ from that of the monkey*, la dentatura dell'uomo non differisce da quella della scimmia.

denture /'dɛntʃə(r)/ n. dentiera; protesi dentaria ● **d. brush**, spazzolino per dentiera.

to **denuclearize** /diː'njuːklɪəraɪz, USA -'nuː-/ (*polit., mil.*) v. t. denuclearizzare || **denuclearization** n. ⓤ denuclearizzazione.

to **denude** /dɪ'njuːd, USA -'nuːd/ v. t. denudare (*anche geol.*); spogliare: *The land was denuded of vegetation*, la terra era spoglia di vegetazione; to **d. sb. of his property**, spogliare q. dei suoi averi || **denudation** n. ⓤ denudamento; denudazione (*anche geol.*); spoliazione.

denunciation /dɪnʌnsɪ'eɪʃn/ n. ⓒⓤ denuncia (*di un trattato e sim.*) || **denunciator** n. denunciatore || **denunciatory** a. di (*o* relativo a) denuncia.

Denver /'dɛnvə(r)/ n. (*geogr.*) Denver ● (*autom., USA*) **D. boot**, ceppo bloccaruote; ganascia (*cfr. ingl.* **wheel clamps**).

◆to **deny** /dɪ'naɪ/ v. t. **1** negare; smentire; ricusare; rifiutare: to **d. a charge** (*o* **an accusation**), negare un'accusa; *Justice must not be denied to anyone*, non si deve rifiutare di rendere giustizia a nessuno; *I don't d. that I may have done it*, non nego che io possa averlo fatto; *I can d. nothing to you*, a te non so rifiutare nulla **2** non tener fede a; non riconoscere; rinnegare; ripudiare: to **d. one's word**, non tener fede alla parola; *He denied his signature*, non riconobbe la fir-

ma come propria; *Julian the Apostate denied his faith*, Giuliano l'Apostata rinnegò la fede **3** (*sport:* calcio, ecc.: *del portiere*) bloccare (*o* parare) il tiro di (q.) ● to **d. oneself**, sacrificarsi; negarsi, privarsi di (qc.): *John is so poor that he has to d. himself many things*, John è così povero che deve privarsi di molte cose □ to **d. oneself to sb.**, rifiutarsi di ricevere q.; negarsi a q. (*fam.*).

denying /dɪ'naɪɪŋ/ **A** n. ⓤ il negare **B** a. **1** di diniego **2** (*leg.*) preventivo; atto a prevenire: **d. action**, misure di prevenzione (*di un reato: da parte del cittadino*) ● **There's no d. that...**, è innegabile che...

deodar /'diːədɑː(r)/ n. (*bot., Cedrus deodara*) deodara.

deodorant /diː'əʊdərənt/ n. ⓒⓤ deodorante.

to **deodorize** /diː'əʊdəraɪz/ v. t. **1** deodorare **2** (*chim.*) deodorizzare ● **deodorized kerosene**, cherosene raffinato || **deodorization** n. ⓤ deodorazione || **deodorizer** n. **1** deodorante **2** (*chim.*) deodorizzatore || **deodorizing** n. ⓤ (*chim.*) deodorizzazione.

deontology /diːɒn'tɒlədʒɪ/ (*filos.*) n. ⓤ deontologia || **deontological** a. deontologico || **deontologist** n. deontologo.

deorbit /diː'ɔːbɪt/ n. (*miss.*) deorbitazione; uscita dall'orbita.

to **deorbit** /diː'ɔːbɪt/ (*miss.*) **A** v. t. deorbitare; far uscire (*un razzo, un'astronave*) dall'orbita **B** v. i. deorbitare; andare fuori orbita; uscire dall'orbita.

deoxidation /diːɒksɪ'deɪʃn/ n. = **deoxidization** → to **deoxidize**.

to **deoxidize** /diː'ɒksɪdaɪz/ (*chim.*) v. t. disossidare || **deoxidization** n. ⓤ disossidazione || **deoxidizer** n. disossidante || **deoxidizing** n. ⓤ disossidazione.

to **deoxygenate** /diː'ɒksɪdʒəneɪt/ (*chim.*) v. t. deossigenare || **deoxygenation** n. ⓤ deossigenazione.

deoxyribonucleic acid /diːɒksɪraɪbəʊnjuː'kliːɪk 'æsɪd/ loc. n. (*biochim.*) acido deossiribonucleico (*o* desossiribonucleico) (abbr. DNA).

dep. abbr. **1** (*orari*, **departs, departure**) parte, partenza **2** (**depot**) magazzino **3** (**deposit**) deposito **4** (**deputy**) delegato, vice, deputato.

to **depart** /dɪ'pɑːt/ v. i. **1** partire: *Our train departs from Euston Station*, il nostro treno parte dalla Euston Station; (*form.*) accomiatarsi; andarsene **2** – to **d. from**, dipartirsi (*lett.*) da; allontanarsi da; abbandonare; perdere: to **d. from the straight and narrow**, dipartirsi dalla retta via; *Old people don't like to d. from inveterate habits*, i vecchi non amano abbandonare le abitudini inveterate **B** v. t. abbandonare; lasciare (*antiq., eccetto nell'espress.*): to **d. this life**, dire addio alla vita; morire ● to **d. from life**, morire; andarsene (*fam.*) □ to **d. from one's ideals**, abbandonare i propri ideali ● to **d. from a rule**, derogare a una norma □ to **d. from one's word** [**one's promise**], non tener fede alla parola data [a una promessa].

departed /dɪ'pɑːtɪd/ a. **1** passato; trascorso: **the d. greatness**, la passata grandezza **2** defunto; estinto; morto ● **the d.**, l'estinto, il defunto; (*collett.*) i defunti, i morti □ (*relig.*) **the d. saint**, l'anima santa (*il defunto*).

◆**department** /dɪ'pɑːtmənt/ n. **1** dipartimento; dicastero; ministero: **the police d.**, il dipartimento di polizia **2** compartimento; reparto; sezione; ufficio: **accounting d.**, ufficio contabilità; **shipping d.**, ufficio spedizioni; *In a big store there are numerous departments*, in un grande emporio ci sono molti reparti; **sales d.**, reparto vendite; *This is Mrs King from our planning d.*, le presento la signora King dell'ufficio progettazione

3 ripartizione: *Physics is a d. of science*, la fisica è una ripartizione della scienza **4** dipartimento (*universitario*): **the d. of sociology**, il dipartimento di sociologia; **the Italian d.**, il dipartimento d'italianistica **5** (*fig.*) campo; competenza; specialità: *Mending fuses isn't in my d.*, riparare i fusibili non è di mia competenza ● **d. head**, caporeparto □ **d. store**, emporio; grandi magazzini □ (*fin.*) **d. store of finance**, supermercato finanziario **❶ CULTURA ● Department:** *in Gran Bretagna per i ministeri dell'amministrazione pubblica si usano, oltre al termine* **Ministry**, *anche i termini* **Department** *e →* **Office**. *Non sempre questi ministeri hanno un preciso equivalente nell'amministrazione italiana. I principali sono lo* **Home Office**, *Ministero dell'interno; il* **Ministry of Defence**, *Ministero della difesa; la* **Her Majesty's Treasury**, *Ministero delle finanze; il* **Foreign and Commonwealth Office**, *Ministero degli esteri e del Commonwealth; il* **Department for Culture, Media and Sport**, *Dipartimento della cultura, dei media e dello sport; il* **Department for Education and Skills**, *Ministero della pubblica istruzione; il* **Department for Environment, Food and Rural Affairs**, *Dipartimento dell'ambiente, dell'industria alimentare e delle politiche agricole; il* **Department of Health**, *Ministero della sanità; il* **Department of Trade and Industry**, *Dipartimento del commercio e dell'industria; il* **Department for Work and Pensions**, *Dipartimento del lavoro e delle pensioni. Da notare che negli Stati Uniti lo* **State Department** (*anche chiamato il* **Department of State**) *è il Ministero degli esteri.*

departmental /dɪpɑːt'mentl/ a. **1** dipartimentale **2** (*polit.*) ministeriale **3** diviso in reparti, ecc. (→ **department**).

to **departmentalize** /dɪpɑːt'mentəlaɪz/ v. t. **1** dividere in reparti; suddividere in troppi reparti **2** (*nelle università*) dipartimentalizzare || **departmentalization** n. ⓤ dipartimentalizzazione.

◆**departure** /dɪ'pɑːtʃə(r)/ n. ⓒⓤ **1** partenza: *I had to postpone my d.*, dovetti rinviare la partenza **2** (*fig.*) allontanamento; deviazione; distacco; infrazione: **a d. from what is right**, un allontanarsi dalla retta via; **a d. from duty**, un'infrazione al proprio dovere **3** (*leg.*) deroga; eccezione: **d. from the law**, deroga alla legge **4** (*fig.*) indirizzo; orientamento; nuova tecnica: **a new d. in cardiac surgery**, un nuovo indirizzo (*o* un'innovazione) nella cardiochirurgia **5** (*eufem.*) dipartita; morte **6** (*naut.,* = **point of departure**) punto base ● **d. lounge**, sala partenze (*di aeroporto*) □ (*ferr.*) **d. platform**, marciapiede (*o* pensilina) delle partenze □ (*ferr.*) **d. track**, binario di partenza; binario di composizione (*del treno*).

to **depasture** /diː'pɑːstʃə(r)/ v. t. **1** pascolare (*bestiame*) **2** (*del bestiame*) brucare tutta l'erba di (*un prato, un campo, ecc.*).

to **depauperate** /diː'pɔːpəreɪt/ v. t. depauperare; impoverire.

◆to **depend** /dɪ'pɛnd/ v. i. **1** dipendere (*anche gramm.*); derivare; essere condizionato: *That depends* (*o It all depends*)!, dipende!; *It depends how I'm feeling*, dipende da come mi sento; *Success depends on himself*, la riuscita dipende da lui solo; *Prices d. on supply and demand*, i prezzi sono condizionati dall'offerta e dalla domanda; *Depending on the traffic I should be there about six-ish*, dipende dal traffico, ma dovrei essere lì intorno alle sei **2** dipendere; essere a carico di: *He depends on his wife for everything*, è completamente a carico della moglie **3** contare, fare assegnamento, affidamento (su); fidarsi (di): *'Whoever you are – I have always depended on the kindness of strangers'* T. WILLIAMS, 'chiunque Lei sia –

ho sempre dovuto contare sulla comprensione degli estranei'; *He is a man to be depended on*, è un uomo su cui si può contare; *I'm depending on you to protect us* (*o on your protecting us*), conto sul fatto che tu ci protegga; faccio affidamento sulla tua protezione ● **D. upon** (*o* **on**) **it!**, stanne certo!; non dubitare!; senza dubbio!: *Ann will be late again, d. upon it!*, Anna sarà di nuovo in ritardo, stanne certo.

dependable /dɪ'pɛndəbl/ *a.* affidabile; che dà affidamento; fidato; fido; leale; sicuro: **a d. employee**, un dipendente fidato ‖ **dependability** *n.* ⓤ affidabilità; fidatezza; lealtà ‖ **dependably** *avv.* in modo affidabile; lealmente.

dependant /dɪ'pɛndənt/ *n.* persona a carico: *He is single with no dependants*, è celibe e senza persone a carico ❶ **FALSI AMICI** • dependant *non significa* dipendente (*di un'azienda o un ente*).

dependence /dɪ'pɛndəns/ *n.* ⓤ **1** (*anche econ.*) dipendenza: *We should try to reduce our d. on oil imports*, dovremmo cercare di ridurre la nostra dipendenza dalle importazioni di petrolio **2** affidamento, conto (*che si fa su q.*) **3** l'essere a carico (di q.): *You should put an end to your d. on your wife*, dovresti cessare d'essere a carico di tua moglie ● (*econ.*) **d. effect**, effetto di dipendenza □ **to place** (*o* **to put**) **d. on sb.** [**st.**], fare affidamento su q. [qc.].

dependency /dɪ'pɛndənsɪ/ *n.* **1** cosa che dipende da (*o* è subordinata a) un'altra **2** (*eufem.; stor., polit.*) possedimento; colonia: *British dependencies have a considerable degree of self-government*, le colonie inglesi godono di una notevole misura d'autogoverno **3** ⓤ dipendenza; l'essere a carico (di q.) ● **d. benefits**, assegni familiari □ (*econ.*) **d. ratio**, rapporto tra la popolazione attiva e quella di coloro che sono a carico.

❶ **NOTA:** *dependant, dependent*
Con il sostantivo *dependants* (in inglese americano *dependents*) si indicano coloro che dipendono economicamente da qualcuno, ad esempio i figli o il coniuge "a carico", e non i dipendenti di un'azienda (che sono *employees, staff* o *personnel*): *In the event of your death, your dependants will be looked after*, se tu dovessi morire, i tuoi figli verranno accuditi. Allo stesso modo, l'espressione *to be dependent on* significa avere bisogno di qualcuno o qualcosa per sopravvivere o funzionare: *they are increasingly dependent on our support*, sono sempre più dipendenti dal nostro sostegno; *China is dependent on overseas trade*, la Cina dipende dal commercio internazionale.

♦**dependent** /dɪ'pɛndənt/ 🅰 *a.* **1** che dipende (da): *The success of the enterprise will be d. on you*, il successo dell'impresa dipenderà da te; *The country is d. on foreign aid*, il paese dipende dagli aiuti dall'estero **2** che non può fare a meno (di); dipendente (da): **to be d. on a drug**, non poter fare a meno di un farmaco; essere farmacodipendente **3** a carico (di): **d. children**, figli a carico **4** (*gramm.*) dipendente; subordinato: **d. clause**, proposizione dipendente; subordinata ● (*mat., econ., stat., psic.*) **d. variable**, variabile dipendente 🅱 *n.* (*spec. USA*) → **dependant** ❶ **FALSI AMICI** • dependent *non significa* dipendente (*di un'azienda o un ente*) ❶ **NOTA:** *dependant, dependent* → **dependant**.

to depersonalize /di:'pɜːsənəlaɪz/ (*psic.*) *v. t.* depersonalizzare; spersonalizzare ‖ **depersonalization** *n.* ⓤ depersonalizzazione; spersonalizzazione.

to depict /dɪ'pɪkt/ *v. t.* dipingere; descrivere; rappresentare ‖ **depictive** *a.* descrittivo; rappresentativo.

depiction /dɪ'pɪkʃn/ *n.* **1** ⓤ il dipingere; il descrivere; descrizione; rappresentazione **2** pittura (*o* scultura, ecc.) che ritrae qc.

to depilate /'dɛpɪleɪt/ *v. t.* depilare ‖ **depilation** *n.* ⓤ depilazione.

depilator /'dɛpɪleɪtə(r)/ *n.* depilatore.

depilatory /dɪ'pɪlətrɪ/ 🅰 *a.* depilatorio 🅱 *n.* **1** depilatorio; sostanza (*o* crema, ecc.) depilatoria **2** depilatore (*strumento*).

to deplane /di:'pleɪn/ 🅰 *v. i.* scendere da un aereo; sbarcare (*da un aereo*) 🅱 *v. t.* fare scendere, sbarcare (*da un aereo*).

depletable /dɪ'pli:təbl/ *a.* (*econ.: di un bene*) che si esaurisce; esauribile.

to deplete /dɪ'pli:t/ *v. t.* **1** vuotare; svuotare **2** esaurire (*scorte, fondi, ecc.*) **3** (*med.*) decongestionare; svuotare **4** (*econ.*) esaurire (*una miniera, ecc.*) **5** (*fis. nucl.*) impoverire: **depleted uranium**, uranio impoverito.

depleted /dɪ'pli:tɪd/ *a.* **1** svuotato **2** (*di un fondo, ecc.*) esaurito ● (*ecol.*) **a much d. species**, una specie in via di estinzione.

depletion /dɪ'pli:ʃn/ *n.* **1** svuotamento **2** esaurimento (*di scorte, fondi, ecc.*) **3** (*med.*) deplezione **4** (*econ.*) esaurimento, sfruttamento eccessivo **5** (*fis. nucl.*) impoverimento ● (*fin.*) **d. of capital**, svalutazione del capitale.

depletive /dɪ'pli:tɪv/ *a.* atto a svuotare; tendente a esaurire, ecc. (→ **to deplete**).

deplorable /dɪ'plɔ:rəbl/ *a.* deplorabile; deplorevole; biasimevole: **a d. mistake**, un deplorevole errore | **-bly** *avv.*

to deplore /dɪ'plɔ:(r)/ *v. t.* deplorare; compiangere; lamentarsi di; biasimare; disapprovare: *I d. his inconsiderate behaviour*, deploro la sua condotta sconsiderata.

to deploy /dɪ'plɔɪ/ 🅰 *v. t.* **1** (*mil.*) schierare, spiegare (*le truppe, le forze*) **2** (*aeron. mil.*) utilizzare; lanciare; sganciare; sparare: **to d. countermeasures**, utilizzare contromisure **3** (*comput.*) installare 🅱 *v. i.* (*mil.*) (*di truppe, ecc.*) schierarsi, spiegarsi ‖ **deployment** *n.* **1** (*mil.*) spiegamento (*di forze*) **2** l'aprirsi (*del paracadute*); apertura **3** (*comput.*) installazione ● (*comput.*) **deployment kit**, pacchetto di installazione □ (*mil., USA*) **rapid deployment force**, forza di pronto intervento.

to deplume /di:'plu:m/ *v. t.* **1** spennare; spiumare **2** (*fig.*) spennare; spogliare (*degli averi, ecc.*).

to depolarize /di:'pəʊləraɪz/ (*elettr.*) *v. t.* depolarizzare ‖ **depolarization** *n.* ⓤ depolarizzazione.

depolarizer /di:'pəʊləraɪzə(r)/ *n.* (*chim., fis.*) depolarizzatore.

to depoliticize /di:pə'lɪtɪsaɪz/ *v. t.* depoliticizzare; spoliticizzare ‖ **depoliticization** *n.* ⓤ depoliticizzazione; spoliticizzazione.

depollution /di:pə'lu:ʃn/ *n.* ⓤ (*ecol.*) disinquinamento.

to depolymerize /di:pɒ'lɪməraɪz/ (*chim.*) *v. t.* depolimerizzare ‖ **depolymerization** *n.* ⓤ depolimerizzazione.

to depone /dɪ'pəʊn/ *v. t.* (*leg., spec. in Scozia*) deporre; dichiarare sotto giuramento.

deponent /dɪ'pəʊnənt/ 🅰 *a.* (*gramm.*) deponente 🅱 *n.* **1** (*gramm.*) verbo deponente **2** (*leg.*) chi fa una deposizione; testimone che depone; dichiarante (*in un* «*affidavit*»).

to depopulate /di:'pɒpjʊleɪt/ (*demogr.*) 🅰 *v. t.* spopolare 🅱 *v. i.* spopolarsi ‖ **depopulation** *n.* ⓤ spopolamento; declino demografico.

to deport /dɪ'pɔ:t/ *v. t.* **1** deportare; confinare; esiliare ● **to d. oneself**, (*lett.*) comportarsi: **to d. oneself like a gentleman**, comportarsi da gentiluomo ‖ **deportation** *n.* ⓤ

1 deportazione **2** espulsione (*di uno straniero indesiderato*).

deportee /di:pɔ:'ti:/ *n.* deportato.

deportment /dɪ'pɔ:tmənt/ *n.* ⓤ **1** (*USA*) comportamento; condotta; contegno **2** (*form.*) portamento: **military d.**, portamento da soldato.

to depose /dɪ'pəʊz/ *v. t. e i.* **1** deporre; destituire (*da una carica e spec. dal trono*) **2** (*leg.*) deporre; attestare, dichiarare (*in giudizio*); testimoniare: *The witness deposed that he had seen the accused man*, il testimone depose d'aver visto l'imputato.

♦**deposit** /dɪ'pɒzɪt/ *n.* ⓤ **1** deposito; sedimento; giacimento; (pl.) detriti: **salt deposits**, depositi di sale; **silt d.**, sedimento di limo; **rich copper deposits**, ricchi giacimenti di rame; *There's too much d. in this bottle*, c'è troppo deposito in questa bottiglia (*di vino*) **2** (*banca*) deposito: **money on d.**, denaro in deposito; *Deposits form the bulk of the borrowing transactions of a bank*, i depositi costituiscono il grosso delle operazioni passive di una banca **3** (*dog.*) deposito (*di merci*) **4** (*leg.*) deposito (*cauzionale*); caparra: *When you return empties, you'll get your d.*, quando restituirete i vuoti, avrete indietro il vostro deposito; *We need one month's rent as d. plus the first month's rent when you move in*, abbiamo bisogno di una mensilità come caparra più il primo mese di affitto quando si trasferisci ● **d. account**, conto di deposito □ **d. account pass-book** (*o* **record book**), libretto di deposito (*oblungo, a madre e figlia, con i moduli per i versamenti*) □ (*banca*) **d. at call**, deposito (rimborsabile) a vista □ **d. at notice**, deposito rimborsabile con preavviso □ (*banca*) **d. business**, operazioni passive □ (*banca*) **d. / capital ratio**, rapporto depositi / capitale □ (*biol.*) **d. feeder**, detritivoro □ (*banca, USA*) **d. loan**, anticipazione su conto corrente □ (*banca*) **d. of stock**, deposito di titoli □ (*banca*) **d. slip**, distinta di versamento □ **d. taking**, accettazione di depositi □ **d.-taking banks**, banche di deposito (*o ordinarie*) □ (*banca*) **d. turnover**, indice dei depositi □ **d. warrant**, (*banca*) polizza di deposito; (*dog.*) fede di deposito.

to deposit /dɪ'pɒzɪt/ *v. t.* **1** (*anche banca*) depositare: **to d. money in the bank**, depositare denaro in banca; *The flooded river has deposited a layer of mud on the fields*, il fiume in piena ha depositato uno strato di fango sui campi **2** (*dog.*) depositare (*merci*) **3** (*leg.*) depositare in cauzione; fare un deposito di (*una somma di denaro*); lasciare come caparra: *They deposited 10,000 dollars as a down payment on a new house*, diedero una caparra di 10 000 dollari per l'acquisto d'una nuova casa; *Does this balance include the cheques I've just deposited?*, il saldo comprende anche gli assegni che ho appena depositato? **4** deporre (*anche uova*); posare; mettere giù: **to d. the shopping bag on the counter**, posare la borsa della spesa sul bancone.

depositary /dɪ'pɒzɪtrɪ/ *n.* **1** (*leg.*) depositario, fiduciario (*in genere*) **2** (*comm.*) depositario ● **d. agent**, agente depositario.

deposition /dɛpə'zɪʃn/ *n.* ⓤ **1** deposizione: **the d. of the King**, la deposizione del re **2** (*leg.*) deposizione; testimonianza: **d. under oath**, deposizione giurata **3** (*relig., pitt.*) deposizione **4** (*geol.*) sedimentazione.

depositor /dɪ'pɒzɪtə(r)/ *n.* **1** (*banca*) depositante **2** (*leg.*) chi fa un deposito ● (*banca*) **d.'s book**, libretto nominativo.

depository /dɪ'pɒzɪtrɪ/ *n.* **1** deposito; magazzino **2** → **depositary**.

depot /'dɛpəʊ, *USA* 'di:pəʊ/ *n.* **1** deposito; magazzino **2** (*mil.*) deposito; (*anche*) centro di addestramento (*delle reclute e dei rimpiaz-*

zi) **3** rimessa per autobus; deposito **4** (*USA*) scalo ferroviario; stazioncina **5** (*USA*) stazione degli autobus ● (*naut.*) **d. ship**, nave appoggio.

to **deprave** /dɪ'preɪv/ v. t. depravare; corrompere; pervertire ‖ **depravation** n. ⓤ depravazione; corruzione.

depraved /dɪ'preɪvd/ a. depravato; corrotto.

depravity /dɪ'prævətɪ/ n. **1** ⓤ depravazione; pervertimento morale **2** azione malvagia, perversa.

to **deprecate** /'deprəkeɪt/ v. t. deprecare; disapprovare: *We d. his being so impolite*, noi disapproviamo la sua cattiva educazione ‖ **deprecation** n. ⓤ deprecazione; disapprovazione.

deprecating /'deprəkeɪtɪŋ/ a. di disapprovazione ‖ **deprecatingly** avv. con aria (o tono) deprecativo (o di disapprovazione).

deprecative /'deprəkətɪv/, **deprecatory** /'deprɪkətrɪ/ a. deprecativo; deprecatorio; di deprecazione.

depreciable /dɪ'priːʃəbl/ a. **1** deprezzabile; svalutabile **2** (*rag.*) ammortizzabile.

to **depreciate** /dɪ'priːʃɪeɪt/ **A** v. t. **1** deprezzare, svalutare (*merci; proprietà, ecc.*) **2** (*rag.*) ammortizzare **3** (*fig.*) deprezzare; sminuire; svilire; screditare **B** v. i. **1** (*di attività, beni, ecc.*) deprezzarsi **2** (*fin.*) deprezzarsi: *Our currency is depreciating rapidly*, la nostra moneta si sta deprezzando rapidamente.

depreciation /dɪpriːʃɪ'eɪʃn/ n. **1** ⓤ deprezzamento, deperimento (*di attività, beni, ecc.*) **2** ⓤ (*fin.*) deprezzamento; svilimento (*di monete*) **3** ⓤⒸ (*rag.*) ammortamento (*di impianti, ecc.*); ammontare detratto per ammortamento **4** ⓤ (*fig.*) deprezzamento; sminuizione; svilimento ● (*rag.*) **d. account**, conto ammortamento **2** (*fisc.*) **d. allowance**, detrazione per deprezzamento □ (*rag.*) **d. charge** (*o expense*), quota d'ammortamento □ (*rag.*) **d. fund**, fondo di ammortamento □ (*rag.*) **d. of a plant**, ammortamento di un impianto □ (*fin.*) **d. of securities**, svalutazione di titoli □ (*banca, rag.*) **d. rate**, tasso di ammortamento □ (*rag.*) **d. reserve**, riserva di ammortamento.

depreciative /dɪ'priːʃɪətɪv/ (*raro*) → **depreciatory**.

depreciatory /dɪ'priːʃɪətrɪ/ a. **1** dispregiativo; che deprezza, svaluta, ecc. (→ **to depreciate**) **2** (*ling.*) dispregiativo; peggiorativo.

to **depredate** /'deprədeɪt/ (*raro*) v. t. depredare; devastare ‖ **depredation** n. ⓤ depredazione; devastazione.

depredator /'deprədeɪtə(r)/ n. (*raro*) depredatore; predone; saccheggiatore ‖ **depredatory** a. predatorio; (fatto) a scopo di rapina: **a depredatory war**, una guerra di rapina.

to **depress** /dɪ'pres/ v. t. **1** deprimere; abbattere (*fig.*); rattristare; scoraggiare: **a depressing book** [**speech**], un libro [un discorso] deprimente; **to d. business activity**, deprimere il volume degli affari **2** (*form.*) abbassare; premere: **to d. a button**, premere un bottone; **to d. the keys of a piano**, premere i tasti di un pianoforte **3** (*comm.*) far calare, ridurre (*i prezzi, ecc.*) **4** (*mus.*) abbassare (*la voce*).

depressant /dɪ'presnt/ a. e n. ⓤ (*med.*) deprimente; depressivo.

depressed /dɪ'prest/ a. **1** depresso; avvilito; abbattuto **2** (*form.*: *di un tasto, ecc.*) abbassato; premuto **3** (*econ.*) depresso: **d. areas**, aree depresse **4** (*comm.*: *del volume d'affari*) ridotto; (*del mercato*) depresso, fiacco; (*di prezzo*) basso **4** (*archit.*) **d. arch**, arco ribassato □ (*d'armi da fuoco*) **barrels d.**, con le canne rivolte a terra.

depressing /dɪ'presɪŋ/ a. deprimente; triste; sconfortante: **d. news**, notizie deprimenti ‖ **depressingly** avv. con aria di sconforto; in modo deprimente; tristemente.

◆**depression** /dɪ'preʃn/ n. ⓤ **1** depressione (*anche astron., psic., ecc.*); abbattimento (*fig.*); avvilimento; scoraggiamento; abbassamento; avvallamento (*del terreno*): **in a fit of d.**, in un momento di depressione; (*meteor.*) **a d. over the Mediterranean**, una depressione sul Mediterraneo **2** (*econ.*) depressione; ristagno; crisi: **a state of d. in the stock market**, uno stato di depressione nel mercato azionario; **a d. in trade**, un ristagno dell'attività commerciale **3** (*stor., econ.*) **the D.**, la grande depressione (*degli anni Trenta*) **4** (*mus.*) abbassamento del tono (*della voce*).

depressive /dɪ'presɪv/ **A** a. **1** deprimente; che causa depressione **2** (*psic.*) depressivo: **d. phase**, fase depressiva **B** n. (*psic.*) depresso.

depressor /dɪ'presə(r)/ n. **1** chi deprime, ecc. (→ **to depress**) **2** (*anat., = d. muscle*) (muscolo) depressore **3** (*chim.*) inibitore; catalizzatore negativo **4** (*med., = tongue d.*) abbassalingua.

to **depressurize** /diː'preʃəraɪz/ (*aeron., miss.*) v. t. depressurizzare ‖ **depressurization** n. ⓤ depressurizzazione.

deprival /dɪ'praɪvl/ n. (*ferr.*) → **deprivation**.

deprivation /deprɪ'veɪʃn/ n. ⓤ **1** privazione **2** perdita: *That was a great d. for him*, quella fu una grave perdita per lui **3** (*psic.*) deprivazione **4** destituzione, sospensione (*spec. da una carica ecclesiastica*) ● (*leg.*) **d. of civil rights**, privazione (*o perdita*) dei diritti civili □ (*leg.*) **d. of enjoyment**, privazione del godimento (*di beni*).

to **deprive** /dɪ'praɪv/ v. t. **1** privare; spogliare: **to d. sb. of his civil rights**, privare q. dei diritti civili **2** destituire, sospendere (*spec. un ecclesiastico*).

deprived /dɪ'praɪvd/ a. **1** svantaggiato (*socialmente*) **2** (*psic.*) deprivato ● **a d. childhood**, un'infanzia di privazioni.

dept abbr. (**department**) dipartimento, ministero; reparto; ufficio.

◆**depth** /depθ/. n. ⓤⒸ **1** (*anche fig.*) profondità: **the d. of a pond** [**of the sea**], la profondità di uno stagno [del mare]; **d. of thought**, profondità di pensiero; *He is a man of great d.*, è un uomo di mente profonda **2** intensità: **d. of colour**, intensità del colore; **the d. of human passion**, l'intensità delle passioni umane **3** (pl.) profondità; abissi: **the depths of the ocean**, le profondità dell'oceano **4** altezza (*di un suono*) **5** altezza (*della neve*) **6** (*naut.*) fondale marino; quota (*di un sommergibile*) **7** (*tipogr.*) altezza (*di un carattere*) ● (*aeron., mil.*) **d. bomb**, bomba di profondità □ (*naut., mil.*) **d. charge**, carica (*o bomba*) di profondità □ (*naut.*) **d.-charge thrower**, lanciabombe antisommergibile □ (*naut.*) **d. contour** (*o curve*), isobata □ (*naut.*) **d.-finder**, scandaglio □ **d. gauge**, (*mecc.*) calibro di profondità; (*per subacqueo, ecc.*) profondimetro □ (*pubbl.*) **d. interview**, intervista in profondità □ **the depths of degradation**, il massimo della degradazione □ (*econ.*) **the d. of depression**, il punto più basso (*o il fondo*) della depressione □ (*psic.*) **d. psychology**, psicologia del profondo □ (*fig.*) **in d.**, a fondo; nei particolari □ **in the d. of the country**, in piena campagna □ **in the depths of despair**, al colmo della disperazione □ **in the depths of one's heart**, nel profondo del cuore □ **in the d. of winter**, nel cuore dell'inverno □ **to be out of** (*o beyond*) **one's d.**, non toccare il fondo (*dell'acqua*); (*fig.*) non essere all'altezza (*in una discussione, ecc.*); essere del tutto

impreparato (*o spaesato*) □ **to be within one's d.**, toccare il fondo (*dell'acqua*) □ **The snow was two feet in d.**, la neve era alta sessanta centimetri.

depthless /'depθləs/ a. senza fondo; insondabile ‖ **-ness** n. ⓤ.

to **depurate** /'depjʊreɪt/ **A** v. t. depurare **B** v. i. depurarsi ‖ **depuration** n. ⓤ depurazione; depuramento ‖ **depurative** a. depurativo ‖ **depurator** n. depuratore; chi depura; addetto alla depurazione.

deputation /depjʊ'teɪʃn/ n. deputazione; delegazione.

to **depute** /dɪ'pjuːt/ v. t. deputare; delegare; designare.

to **deputize** /'depjʊtaɪz/ **A** v. t. **1** conferire autorità a (q.) **2** sostituire, fare le veci di (q.) **B** v. i. **1** – **to d. for**, agire come delegato (o rappresentante) di (q.) **2** (*teatr.*) fare la controfigura.

◆**deputy** /'depjʊtɪ/ n. **1** (*leg.*) delegato; sostituto **2** (*polit.*) deputato (*di un'assemblea; non in GB e USA*) **3** aggiunto; sostituto, incaricato; interino; vice; che fa funzione di: (*fin., ecc.*) **d. chairman**, vicepresidente; **d. manager**, vicedirettore (*di un'azienda*); **d. mayor**, vicesindaco **4** (*USA*) vicesceriffo ● (*in Canada*) **d. minister**, direttore generale (*di un dicastero*) □ (*leg.*) **by d.**, per procura.

to **dequeue** /diː'kjuː/ v. t. (*comput.*) rimuovere da una coda.

to **deracinate** /diː'ræsɪneɪt/ v. t. sradicare; estirpare ‖ **deracination** n. ⓤ sradicamento; estirpazione.

derail /dɪ'reɪl/ n. (*ferr.*) deragliatore; sviatore.

to **derail** /dɪ'reɪl/ (*ferr.*) **A** v. i. deragliare **B** v. t. far deragliare.

derailer /dɪ'reɪlə(r)/ → **derail**.

derailleur /dɪ'reɪljə(r)/ (*franc.*) n. (*mecc.*) cambio (*di bicicletta*): **d. cable**, cavo del cambio.

derailment /dɪ'reɪlmənt/ n. ⓤⒸ (*ferr.*) deragliamento.

to **derange** /dɪ'reɪndʒ/ v. t. **1** disordinare; confondere; scompigliare **2** turbare; sconvolgere (*la mente, la salute, ecc.*) **3** (spec. al p. p.) far impazzire; squilibrare: *He is slightly deranged*, è un po' squilibrato ● **to become** (**mentally**) **deranged**, impazzire; ammattire ‖ **derangement** n. ⓤ **1** disordine; confusione **2** turbamento; sconvolgimento **3** alienazione mentale; pazzia.

to **derate** /diː'reɪt/ v. t. (*fisc.*) detassare; diminuire (o eliminare) il carico d'imposta su (*un immobile*).

to **deration** /diː'ræʃn/ v. t. abolire il razionamento di (*un prodotto*); mettere in vendita (*un prodotto*) liberamente.

Derby /'dɑːbɪ/ (*ipp.*) n. **1** (il) derby di Epsom (*in GB*) **2** (*per estens.*) derby (*corsa per cavalli di tre anni*).

derby /'dɑːbɪ/ n. **1** (*sport, = local d.*) derby **2** (*USA*) cappello duro; bombetta.

to **deregister** /diː'redʒɪstə(r)/ v. t. cancellare (*una persona, un'automobile, ecc.*) da un registro ‖ **deregistration** n. ⓤ cancellazione da un registro.

to **deregulate** /diː'regjʊleɪt/ v. t. **1** (*econ.*) deregolamentare; liberalizzare **2** (*leg.*) delegificare ‖ **deregulation** n. ⓤ **1** (*econ.*) deregolamentazione; deregulation; liberalizzazione **2** (*leg.*) delegificazione.

derelict /'derəlɪkt/ **A** a. **1** abbandonato: **a d. ship**, una nave abbandonata (*un relitto*) **2** negligente; trascurato **3** (*ecol.*) desertificato: **d. land**, zona desertificata **B** n. **1** relitto della società; anziano inutile; vagabondo **2** (*leg.*) cosa abbandonata (*dal proprietario*) **3** (*naut. e leg.*) scafo alla deriva; relitto (*marittimo*) **4** (*USA*) individuo negligente, svogliato.

dereliction /ˌderəˈlɪkʃn/ n. **1** ▣ abbandono **2** ▣ negligenza; trascuratezza; incuria **3** manchevolezza; difetto **4** ▣ arretramento del mare **5** (*leg.*) terreno abbandonato dal mare ● (*leg.*) **d. of duty**, inosservanza del dovere; abbandono del posto (*o del servizio*).

to **derequisition** /ˌdiːrɛkwɪˈzɪʃn/ v. t. (*econ.*, *leg.*) derequisire.

to **derestrict** /ˌdiːrɪˈstrɪkt/ v. t. **1** (*econ.*, *fin.*) liberalizzare **2** (*autom.*) togliere il limite di velocità in (*una strada*) ‖ **derestriction** n. ▣ **1** (*econ.*, *fin.*) liberalizzazione **2** (*autom.*) eliminazione del limite di velocità ● (*autom.*) **derestriction sign**, segnale di fine del limite di velocità.

to **deride** /dɪˈraɪd/ v. t. deridere; beffare; schernire ‖ **derider** n. derisore, schernitore, schernitrice.

de rigueur /ˌdərɪˈɡɜː(r)/ (*franc.*) a. di rigore: *A dinner jacket is de rigueur at the meeting*, lo smoking è di rigore alla riunione.

derision /dɪˈrɪʒn/ n. ▣ derisione; dileggio; scherno ● **to bring into d.**, mettere in ridicolo □ **to hold** (*o to have*) **sb. in d.**, deridere q. □ **to be in d.**, essere deriso □ **object of d.**, zimbello ‖ **derisible** a. risibile; ridicolo.

derisive /dɪˈraɪsɪv/ a. derisorio; di derisione: **d. cheers**, applausi di derisione ‖ **derisively** avv. derisoriamente; irridendo.

❶ NOTA: *derisive o derisory?*
L'aggettivo *derisive* significa "derisorio, di scherno": *He made derisive grunts during the roll-call*, fece dei borbottii di scherno durante l'appello; *derisive laughter*, risata di scherno. L'aggettivo *derisory* può essere sinonimo di *derisive*, ma il suo significato più diffuso è "irrisorio", cioè ridicolo, risibile: *The management made a derisory pay offer*, la direzione offrì una paga irrisoria.

derisory /dɪˈraɪsərɪ/ a. **1** irrisorio; di scherno: **d. offer**, un'offerta irrisoria ❶ NOTA: *derisive o derisory?* → **derisive**.

deriv. abbr. **1** → **derivation 2** (**derived**) derivato.

derivable /dɪˈraɪvəbl/ a. **1** derivabile **2** deducibile **3** che si può ricavare; ottenibile.

derivation /ˌderɪˈveɪʃn/ n. ▣ **1** (*anche ling.*) derivazione; deduzione (*di teorie, idee, ecc.*): **the d. of words**, la derivazione delle parole **2** (*elettr., mat.*) derivazione ‖ **derivational** a. (*ling.*) derivazionale.

derivative /dɪˈrɪvətɪv/ ⟨A⟩ a. **1** (*ling.*) derivativo: **a d. affix**, un affisso derivativo **2** derivato: **a d. substance**, una sostanza derivata **3** (*spreg.*) d'imitazione; poco originale; copiato ⟨B⟩ n. **1** (*chim., gramm., fin., ecc.*) derivato: **the derivatives of a verb**, i derivati di un verbo **2** (*mat.*) derivata **3** (*ling.*) vocabolo derivativo **4** (*farm.*) farmaco derivativo.

to **derive** /dɪˈraɪv/ ⟨A⟩ v. t. **1** ottenere; ricavare; trarre: *I've derived great benefit from this treatment*, ho tratto grande beneficio da questa cura; **to d. a conclusion**, trarre una conclusione **2** derivare, dedurre, inferire (*idee, la verità, ecc.*) **3** (*chim.*) derivare (*una sostanza da un'altra*) **4** far derivare; rintracciare, dimostrare, affermare la derivazione (*o discendenza*) di (*cosa, persona, parola, ecc.*): **to d. a word from Greek**, far derivare una parola dal greco; *He derives himself from Norman ancestors*, asserisce di discendere da antenati normanni **5** (*mat.*) derivare ⟨B⟩ v. i. derivare; discendere; provenire: *Italian derives from Latin*, l'italiano deriva dal latino ● **to be derived from**, derivare da; discendere da.

derived /dɪˈraɪvd/ a. derivato: (*econ.*) **d. demand**, domanda derivata; (*elettr.*) **d. current**, corrente derivata; (*mat.*) **d. func-**

---

tion, funzione derivata; (*econ.*) **d. value**, valore derivato.

derm /dɜːm/ → **derma**.

derma /ˈdɜːmə/ n. (pl. **dermas**, **dermata**) **1** (*anat.*) derma **2** pelle (*in genere*).

dermabrasion /ˌdɜːməˈbreɪʒn/ n. ▣ (*med.*) dermoabrasione.

dermal /ˈdɜːml/ a. (*anat., med.*) dermico; cutaneo; epidermico: **d. graft**, trapianto dermico; **d. muscle**, muscolo cutaneo; **d. ridge**, cresta epidermica.

dermapteran /dɜːˈmæptərən/ n. (*zool.*) dermattero (*insetto privo di ali o con ali ridotte*).

dermatitis /ˌdɜːməˈtaɪtɪs/ n. ▣ (*med.*) dermatite.

dermatology /ˌdɜːməˈtɒlədʒɪ/ (*med.*) n. ▣ dermatologia ‖ **dermatological** a. dermatologico ‖ **dermatologist** n. dermatologo.

dermatome /ˈdɜːmətəʊm/ n. **1** (*med.*) dermatomo, dermatotomo (*strumento*) **2** (*biol.*) dermatomo **3** (*anat.*) dermatomo.

dermatopathy /ˌdɜːməˈtɒpəθɪ/ (*med.*) n. ▣⊍ dermopatia ‖ **dermatopathic** a. dermopatico ‖ **dermatopathology** n. ▣ dermopatologia.

dermatophyte /ˈdɜːmətəʊfaɪt/ n. (*bot., med.*) dermatofita; dermofita.

dermatosis /ˌdɜːməˈtəʊsɪs/ n. ▣⊍ (pl. **dermatoses**) (*med.*) dermatosi.

dermic /ˈdɜːmɪk/ → **dermal**.

dermis /ˈdɜːmɪs/ → **derma**.

to **derogate** /ˈderəɡeɪt/ ⟨A⟩ v. i. – **to d. from**, derogare a (*o da*); detrarre valore a (*un merito di q., ecc.*); sminuire; danneggiare, ledere: **to d. from one's principles**, derogare dai propri principî; **to d. from sb.'s reputation**, ledere la reputazione di q. ⟨B⟩ v. t. **1** (*form.*) gettare discredito su; sminuire; ridimensionare **2** (*leg.*) negare in parte (*un diritto*).

derogation /ˌderəˈɡeɪʃn/ n. ▣ **1** diminuzione, indebolimento (*di autorità, ecc.*) **2** (*leg.*) derogazione; deroga (*a una legge*); elusione (*di una norma*).

derogatory /dɪˈrɒɡətrɪ/ a. **1** che getta discredito (su q.); che sminuisce, che detrae valore (*al merito di q.*); spregiativo: *This word is used in a d. sense*, questa parola è usata in senso peggiorativo; **d. remarks**, osservazioni che gettano discredito ❶ NOTA: *diminutive, pejorative, terms of endearment* → **diminutive 2** (*leg.*) derogatorio: **d. clause**, clausola derogatoria.

derrick /ˈderɪk/ n. **1** (*naut.*) bigo di carico; albero di carico **2** (*ind. petrolifera*) derrick; torre di sondaggio (*o di trivellazione*) (*di un pozzo petrolifero*) ● **floating d.**, gru galleggiante.

derring-do /ˌderɪŋˈduː/ n. ▣ (*lett.*) ardimento; temerarietà; valore.

Derringer, **Deringer** /ˈderɪndʒə(r)/ n. grossa pistola a canna corta.

derv /dɜːv/ n. (*trasp., ingl.*) gasolio per autotrazione.

dervish /ˈdɜːvɪʃ/ n. derviscio.

to **desacralize** /diːˈseɪkrəlaɪz/ v. t. desacralizzare; dissacrare ‖ **desacralization** n. ▣ desacralizzazione; dissacrazione ‖ **desacralizing** a. dissacrante.

to **desalinate** /diːˈsælɪneɪt/ (*tecn., ind.*) v. t. desalare, dissalare; desalinizzare ‖ **desalination** n. ▣ desalazione, dissalazione; desalinizzazione ‖ **desalinator** n. desalatore.

to **desalinize** /diːˈsælɪnaɪz/ (*tecn.*) v. t. desalinizzare; desalare, dissalare ‖ **desalinization** n. ▣ desalinizzazione; desalazione, dissalazione.

to **desalt** /diːˈsɔːlt/ (*tecn., ind.*) v. t. desalare, dissalare ‖ **desalter** n. desalatore.

---

to **descale** /diːˈskeɪl/ (*tecn.*) v. t. disincrostare: **to d. a boiler**, disincrostare una caldaia ‖ **descaling** n. ▣ disincrostazione ● **descaling agent**, disincrostante.

descant /ˈdeskænt/ n. **1** (*mus.*) discanto **2** (*poet.*) armonia; melodia **3** (*fig.*) commento; esaltazione; lodi.

to **descant** /dɪˈskænt/ v. i. **1** (*mus.*) discantare **2** – (*fig.*) **to d. on** (*o upon*) **st.**, discorrere a lungo di qc.; dilungarsi su, decantare qc.

to **descend** /dɪˈsend/ v. i. e t. **1** discendere; scendere; calare: *He descended the steps as if he were giddy*, discese i gradini come se avesse le vertigini; *The mountains descended precipitously to the edge of the sea*, le montagne scendevano a precipizio fino alla sponda del mare **2** (*leg.*) essere trasmesso, passare (*in eredità*): *The estate has descended from father to son*, la proprietà è passata da padre in figlio **3** abbassarsi, degradarsi (*a fare qc.*): *You should never d. to lying*, non devi mai abbassarti a mentire ● **to d. on** (*o upon*) **sb.**, calare, piombare su q.: *The whole family descended on us at Easter*, a Pasqua c'è piombata addosso l'intera famiglia □ **to be descended from**, discendere, avere origine da; essere discendente di: *He is descended from an ancient Roman family*, discende da un'antica famiglia romana.

descendant /dɪˈsendənt/ n. (*demogr., leg.*) **1** discendente **2** (pl.) – **the descendants**, la progenie (*lett.*), la prole; (*anche*) i posteri.

descendent /dɪˈsendənt/ → **descendant**.

descender /dɪˈsendə(r)/ n. **1** chi discende **2** (*ciclismo*) discesista **3** (*alpinismo*) discensore (*attrezzo*) **4** (*calligrafia, tipogr.*) asta discendente **5** (*calligrafia, tipogr.*) lettera discendente.

descendible /dɪˈsendəbl/ a. (*leg.*) trasmissibile; che può essere trasmesso in eredità.

descending /dɪˈsendɪŋ/ a. discendente: (*anat.*) **d. colon**, colon discendente; (*mus.*) **d. scale**, scala discendente.

descent /dɪˈsent/ n. **1** discesa; scesa; china; pendio: **a steep d.**, una discesa ripida; *My d. of the ski run was very fast*, la mia discesa della pista è stata velocissima **2** ▣ discendenza; lignaggio; stirpe; famiglia: *He is of good d.*, è di buona famiglia; *I am of Scottish d.*, sono nato da genitori scozzesi **3** generazione (*di uno stesso lignaggio*): *He boasts a lineal succession of four descents from the Arundels*, egli vanta una successione diretta di quattro generazioni di Arundel **4** calata; attacco improvviso; scorreria; discesa: **the d. on Rome of thousands of tourists**, la calata su Roma di migliaia di turisti; **the d. of the locusts**, l'attacco delle locuste; **the d. of barbarians**, la discesa (*o la calata*) dei barbari **5** ▣ diminuzione (*d'importanza, stato sociale, ecc.*); caduta (*fig.*); declino **6** (*leg.*) discendenza **7** ▣ (*leg., stor.*) delazione (*di beni immobili: fino al 1925*).

deschooling /diːˈskuːlɪŋ/ n. ▣ descolarizzazione.

descr. abbr. (**description**) descrizione.

◆to **describe** /dɪˈskraɪb/ v. t. **1** descrivere; rappresentare; tracciare: *He describes the life of the pioneers*, egli descrive la vita dei pionieri; *The plane described a perfect loop up in the sky*, l'aereo descrisse una perfetta grande volta nel cielo; (*geom.*) **to d. an ellipse**, tracciare un'ellisse **2** dire d'essere; farsi passare per: *He describes himself as an architect*, dice di essere architetto **3** definire: *I would d. him as a scoundrel*, io lo definirei un farabutto ‖ **describable** a. descrivibile.

a b c d e f g h i j k l m n o p q r s t u v w x y z

d

describer n. descrittore, descrittrice.

♦**description** /dɪ'skrɪpʃn/ n. **1** [U C] descrizione: *The man answers to your d. of the thief*, l'individuo corrisponde alla tua descrizione del ladro **2** [U] genere; qualità; risma; specie; sorta: **commodities of every d.**, derrate d'ogni sorta; *He's a rascal of the worst d.*, è un furfante della peggior risma **3** connotati (*di una persona sospetta, ecc.*) **4** (*banca, rag.*) causale: **d. column**, colonna delle causali ● **to be beyond d.**, essere indescrivibile.

descriptive /dɪ'skrɪptɪv/ a. **1** descrittivo: **d. writing**, (passi di) letteratura descrittiva; **d. geometry**, geometria descrittiva **2** che ama le descrizioni: **a d. writer**, uno scrittore che ama le descrizioni ● **d. catalogue**, catalogo ragionato.

descriptivism /dɪ'skrɪptɪvɪzəm/ n. [U] (*ling.*) descrittivismo.

descriptor /dɪ'skrɪptə(r)/ n. (*comput.*) descrittore; parola chiave.

to **descry** /dɪ'skraɪ/ v. t. (*form.*) scorgere; discernere; vedere; scoprire: *We descried the rabbit behind the bush*, scorgemmo il coniglio dietro il cespuglio.

to **desecrate** /'desɪkreɪt/ (*anche fig.*) v. t. dissacrare; sconsacrare; profanare ‖ **desecration** n. [U] dissacrazione; sconsacrazione; profanazione ‖ **desecrator** n. dissacratore; profanatore.

to **desegregate** /diː'segrɪgeɪt/ v. t. e i. abolire la segregazione razziale (in) ‖ **desegregation** n. [U] desegregazione.

to **deselect** /diːsə'lekt/ v. t. **1** (*comput.*) disattivare (*un comando*) da una lista di operazioni **2** (*polit. ingl.*) escludere dalla ricandidatura al Parlamento (*un parlamentare in carica*) ‖ **deselection** n. [U] **1** (*comput.*) disattivazione **2** (*polit. ingl.*) esclusione dalla ricandidatura al Parlamento (*di un parlamentare in carica*).

to **desensitize** /diː'sensɪtaɪz/ (*fotogr., med.*) v. t. desensibilizzare ‖ **desensitization** n. [U] desensibilizzazione ‖ **desensitizer** n. desensibilizzatore ‖ **desensitizing** [A] a. desensibilizzante [B] n. [U] desensibilizzazione.

♦**desert** /'dezət/ [A] n. deserto: **the Sahara D.**, il deserto del Sahara [B] a. **1** deserto; disabitato: **a d. island**, un'isola deserta **2** del deserto; desertico: **the d. wind**, il vento del deserto; **d. climate**, clima desertico ● **d. boots**, scarponcini di pelle scamosciata con suola di para; (*mil.*) stivaletti da deserto □ (*zool.*) **d. rat** (*Jaculus jaculus*) topo delle piramidi; jerboa; (*fig.*) soldato della 7ª Divisione Corazzata Britannica (*nella guerra del Nord Africa del 1941-42*).

to **desert** /dɪ'zɜːt/ [A] v. t. abbandonare; lasciare: *He has deserted his family*, ha abbandonato la famiglia; **to d. one's party**, lasciare il proprio partito; *His courage deserted him*, gli venne meno il coraggio [B] v. i. **1** disertare; tradire: *Some soldiers deserted*, alcuni soldati disertarono **2** (*spec. polit.*) passare: **to d. to the majority party**, passare al partito di maggioranza ● (*mil.*) **to d. the colours**, disertare □ (*econ.*) **to d. the land**, abbandonare la terra □ (*mil.*) **to d. one's post**, abbandonare il posto.

deserted /dɪ'zɜːtɪd/ a. **1** abbandonato: **a d. wife**, una moglie abbandonata **2** disabitato; deserto: **a d. house**, una casa disabitata.

deserter /dɪ'zɜːtə(r)/ n. **1** (*mil.*) disertore **2** (*anche leg.*) chi abbandona la famiglia (una causa, ecc.); fedifrago.

desertification /dɪzɜːtɪfɪ'keɪʃn/ n. [U] (*ecol.*) desertificazione.

desertion /dɪ'zɜːʃn/ n. [U] **1** defezione; (*mil.*) diserzione; abbandono (*del posto, ecc.*) **2** (*leg.*) abbandono (*di un coniuge, dei figli*);

abbandono del tetto coniugale.

deserts /dɪ'zɜːts/ n. pl. ciò che uno si merita; meriti: *Justice should award to each according to his d.*, giustizia vorrebbe che ciascuno fosse ricompensato secondo i suoi meriti; *He got his just d.*, ha avuto quel che si meritava ● **to get** (*o* **to obtain, to meet with**) **one's d.**, avere quel che ci si merita; essere ricompensato (*o* punito) secondo i propri meriti (*o* le proprie colpe) □ **Your d.!**, te la sei meritata!; te la sei cercata!

♦to **deserve** /dɪ'zɜːv/ v. t. meritare; meritarsi (*fam.*); essere degno di: *You d. punishment*, meriti d'essere punito; *This is more than I d.*, è più di quanto io meriti.

deserved /dɪ'zɜːvd/ a. meritato ‖ **deservedly** avv. meritatamente; giustamente ‖ **deservedness** n. [U] l'essere meritato; giustizia (*di una punizione, ecc.*).

deserving /dɪ'zɜːvɪŋ/ a. meritevole; degno: **to fight for a d. cause**, battersi per una causa degna; *He is d. of praise*, è meritevole di lode; **d. of blame**, meritevole di biasimo.

desiccant /'desɪkənt/ [A] a. essiccativo; disseccativo [B] n. [U] (*chim.*) essiccante.

to **desiccate** /'desɪkeɪt/ v. t. **1** essiccare; disseccare **2** stagionare (*legname*) ● **desiccated apples**, mele essiccate ‖ **desiccation** n. [U] **1** essiccazione; disseccazione **2** (*ecol.*) inaridimento ‖ **desiccative** [A] a. essiccativo [B] n. essiccante; disseccante.

desiccator /'desɪkeɪtə(r)/ n. (*chim., tecn.*) essiccatore; essiccatoio.

to **desiderate** /dɪ'zɪdəreɪt/ v. t. (*raro*) desiderare; sentire la mancanza di; volere.

desiderative /dɪ'zɪdərətɪv/ a. (*ling.*) desiderativo; ottativo: **a d. verb**, un verbo desiderativo.

desideratum /dɪzɪdə'rɑːtəm/ n. (pl. **desiderata**) quel che si desidera: **to state one's desiderata**, esporre i propri desiderata.

♦**design** /dɪ'zaɪn/ [A] n. [C U] **1** disegno; progetto; piano; intenzione; progettazione; concezione: *God's d. for mankind*, il disegno di Dio per l'umanità; *This is a machine of excellent d.*, questa è una macchina progettata molto bene; **a d. for a new plant**, un progetto per un nuovo stabilimento; *My d. was to get him to leave*, la mia intenzione era di farlo partire **2** (*di solito al pl.*) mira; cattiva intenzione; complotto: **imperialist designs**, mire imperialistiche; **a d. on sb.'s life**, un complotto contro la vita di q. **3** proposito; scopo; finalità: *I was unable to carry out my d.*, non riuscii a raggiungere il mio scopo; *I don't think there is a d. in history*, non credo ci sia una finalità nella storia **4** modello; figurino: **designs for children's clothes**, modelli per abiti da bambini **5** (*ind.*) design; disegno industriale (*o* grafico) [B] a. attr. **1** (*di un oggetto*) griffato; firmato **2** da yuppie; alla moda ● **d. consultant**, consulente di design; grafico □ **d. engineer**, tecnico progettista □ (*tecn.*) **d. load**, carico teorico (*di una struttura, un congegno, ecc.*) □ **the d. of manufacturing systems**, la progettazione d'impianti industriali □ **the d. of a novel**, l'abbozzo di un romanzo □ (*leg.*) **d. patent**, brevetto industriale □ **by d.**, di proposito; apposta; secondo un piano deliberato: *I don't know whether it was done by accident or d.*, non so se è stato fatto per caso o di proposito □ (*autom.*) **a car of good d.**, un'auto con una bella linea.

♦to **design** /dɪ'zaɪn/ [A] v. t. **1** disegnare; progettare; fare il design (*o* il modello) di: *Tange, a famous Japanese architect, designed the Towers of the Trade Fair District in Bologna*, Tange, un famoso architetto giapponese, progettò le torri del distretto fieristico a Bologna; *My sister designs her*

own dresses, mia sorella fa da sola i modelli dei suoi vestiti; *Could we see some of the other web sites you've designed?*, possiamo vedere degli altri siti web che avete progettato? **2** ideare; studiare; mettere a punto: **an illustrated dictionary designed for children**, un dizionario illustrato ideato (*o* studiato) per i bambini; **to d. a new series of original experiments**, mettere a punto una nuova serie d'esperimenti originali **3** progettare; proporsi; avere l'intenzione di: **to d. an attack on sb.**, progettare un attacco a q.; *He designed to become a doctor*, si proponeva di fare il medico **4** (*un tempo*) destinare: *His father had designed him for the clergy*, suo padre l'aveva destinato alla carriera ecclesiastica [B] v. i. fare il designer (*il progettista, il grafico, ecc.*); fare progetti: *He designs for a car manufacturer*, fa il designer (*o* lo stilista) per una casa automobilistica.

designate /'dezɪgneɪt/ a. designato: **ambassador d.**, ambasciatore designato.

to **designate** /'dezɪgneɪt/ v. t. **1** designare; indicare; proporre; nominare: *He was designated to* (*o* *for*) *that difficult task*, fu designato a quel difficile incarico **2** segnare; definire: **to d. boundaries**, segnare i confini **3** denotare; rivelare; indicare.

designation /dezɪg'neɪʃn/ n. **1** [U] designazione; indicazione **2** [U] designazione; nomina **3** nome; titolo distintivo.

designator /'dezɪgneɪtə(r)/ n. (*anche ling.*) designatore.

designedly /dɪ'zaɪnɪdlɪ/ avv. di proposito; deliberatamente; apposta; a bella posta.

♦**designer** /dɪ'zaɪnə(r)/ [A] n. **1** (*ind.*) designer; disegnatore industriale; progettista; modellista **2** (*cinem., teatr.*) costumista **3** (*moda*) stilista; figurinista **4** grafico (*anche pubblicitario*) **5** (*arc.*) complottatore; intrigante [B] a. attr. **1** (*moda*) d'autore; firmato; griffato: **a d. sweater**, un maglione firmato **2** (*scient.*) mirato: **a d. insecticide**, un insetticida mirato ● **d. baby**, bebè su misura.

designing /dɪ'zaɪnɪŋ/ [A] a. **1** che fa piani, ecc. (→ **to design**) **2** (*spreg.*) astuto; intrigante [B] n. [U] lavoro di progettista, modellista, ecc. (→ **designer**); progettazione: **a course in dress d.**, un corso per figuriniste.

to **desilver** /diː'sɪlvə(r)/, to **desilverize** /diː'sɪlvəraɪz/ v. t. (*tecn.*) disargentare.

desinence /'desɪnəns/ (*gramm.*) n. desinenza.

desirability /dɪzaɪərə'bɪlətɪ/ n. [U] desiderabilità; l'essere desiderabile.

desirable /dɪ'zaɪərəbl/ [A] a. desiderabile; attraente; gradevole; piacevole [B] n. persona (*o* cosa) che si desidera; oggetto di desiderio | **-ness** n. [U] | **-bly** avv.

♦**desire** /dɪ'zaɪə(r)/ n. [C U] **1** brama; voglia; desiderio: **to grant sb.'s d.**, esaudire il desiderio di q. **2** (*form.*) richiesta; preghiera; invito: **at the d. of Mr X**, per invito del signor X; *The pianist played the piece by d.*, il pianista suonò il pezzo a richiesta ● **to get one's d.**, ottenere quel che si desidera □ **to have no d. for st.**, non desiderare qc. □ **You are my heart's d.**, ti desidero tanto.

to **desire** /dɪ'zaɪə(r)/ v. t. **1** anelare a; bramare; desiderare: *All men d. peace of mind*, tutti anelano alla pace dell'animo; *His conduct leaves much to be desired*, la sua condotta lascia molto a desiderare **2** (*form.*) chiedere; pregare (*di fare qc.*); invitare: *The chairman desires that you should see him at once*, il presidente ti invita a recarti subito da lui; *They d. you to wait*, La pregano di attendere ● **to leave to be desired**, lasciare a desiderare □ **The President desires you in his office**, il Presidente vuole che Lei vada nel suo ufficio.

desirous /dɪ'zaɪərəs/ a. bramoso; deside-

roso; voglioso: *He is d. of success*, è bramoso di successo ● **He is d. of going abroad**, desidera andare all'estero.

to **desist** /dɪ'zɪst/ v. i. desistere; cessare; smettere: **to d. from doing st.**, desistere dal fare qc. ● (*leg.*) **to d. from an action**, rinunciare a un'azione in giudizio.

desistance /dɪ'zɪstəns/ n. ⓤ desistenza ● (*leg.*) **d. from a suit**, remissione di querela.

to **desize** /di:'saɪz/ (*ind. tess.*) v. t. sbozzimare ‖ **desizing** n. ⓤ sbozzimatura; sbozzima ● **desizing machine**, sbozzimatrice.

♦**desk** /desk/ n. **1** scrivania; scrittoio: **to clear out one's d.**, sgombrare la propria scrivania, (*fig.*) licenziarsi **2** banco (*di scuola*) **3** (= **teacher's d.**) cattedra: '*Miss Brodie sat down at her d.*' M. SPARK, 'Miss Brodie si sedette alla cattedra' **4** leggio (*per musica*) **5** (= **cash d.**) cassa: *Pay at the d.!*, pagare alla cassa! **6** (*USA*) ufficio; redazione (*di giornale*): **city d.**, redazione dei servizi di cronaca **7** (*USA*) podio; pulpito ● **d.-bound**, addetto a un lavoro sedentario □ **d. calendar**, calendario da tavolo □ (*USA*) **d. clerk**, chi riceve i clienti; addetto alla reception (*in un albergo, ecc.*) □ (*giorn.*) **d. editor**, caposervizio □ (*fam.*) **d. jockey**, impiegato d'ufficio; travet □ **a d. job**, un lavoro a tavolino; un posto d'impiegato □ (*slang USA*) **d. jockey**, impiegato d'ufficio □ **d. lamp**, lampada da scrittoio □ **d. study**, lavoro fatto a tavolino (*senza ricerche in laboratorio*).

to **deskill** /di:'skɪl/ v. t. (*econ.*) dequalificare (*un lavoro o lavoratori*).

desking /'deskɪŋ/ n. ⓤ (*comm.*) scrivanie e scrittoi.

desktop /'desktɒp/ n. **1** piano della scrivania **2** (*comput.*) desktop (*interfaccia grafica nella quale le risorse del calcolatore sono rappresentate da icone*): *Just save the document to the d. for the time being*, salva il documento sul desktop per ora **3** (*comput.*, = **d. computer**) elaboratore da tavolo ● (*editoria*) **d. publishing** (abbr. **DTP**), editoria elettronica (*sistema di scrittura, impaginazione e stampa basato su un personal computer*).

deskwork /'deskwɜ:k/ n. ⓤ (*spesso spreg.*) lavoro d'ufficio; lavoro a tavolino.

desman /'dezmən/ n. (pl. *desmans*) (*zool.*) **1** (*Desmana moschata*) desman; miogale **2** (*Galemys pyrenaicus*) galemide dei Pirenei.

desmodromic /dezmə'drɒmɪk/ a. (*mecc.*) desmodromico.

desmosome /'dezməsəʊm/ n. (*biol.*) desmosoma.

desolate /'desələt/ a. **1** (*di luoghi*) desolato; disabitato; solitario **2** (*di edifici*) devastato; in rovina **3** (*di persone*) desolato; afflitto; abbandonato; solo; triste: *Among a crowd he had felt himself d.*, si era sentito solo in mezzo a una folla | **-ly** avv. **-ness** n. ⓤ.

to **desolate** /'desəleɪt/ v. t. **1** rendere (*un paese*) desolato; devastare; spopolare: *The air raids desolated innumerable cities*, i bombardamenti aerei devastarono innumerevoli città **2** desolare; rattristare; affliggere.

desolation /desə'leɪʃn/ n. ⓤⓒ **1** devastazione; rovina **2** desolazione; afflizione **3** solitudine **4** zona desolata; luogo desolato.

desolator /'desəleɪtə(r)/ n. (*raro*) desolatore.

to **desorb** /dɪ'sɔːb/ (*chim., fis.*) v. t. desorbire ‖ **desorption** n. ⓤ desorbimento; deadsorbimento.

despair /dɪ'speə(r)/ n. ⓤ disperazione: *That boy is the d. of his family*, quel ragazzo è la disperazione della sua famiglia ● **to drive sb. to d.**, far disperare q.; spingere q. alla disperazione □ **in d.**, disperato; in preda alla disperazione: *He applied to me in d.*,

si rivolse a me disperato □ **Puns are the translator's d.**, i giochi di parole fanno disperare i traduttori.

to **despair** /dɪ'speə(r)/ v. i. disperare, disperarsi: *The doctors d. of saving his life*, i medici disperano di salvargli la vita.

despairing /dɪ'speərɪŋ/ a. disperato; che dispera, di disperazione: **a d. look**, uno sguardo di disperazione | **-ly** avv.

despatch, to **despatch** /dɪ'spætʃ/ → **dispatch**, **to dispatch**.

desperado /despə'rɑːdəʊ/ n. (pl. *desperadoes*, *desperados*) bandito; malvivente; fuorilegge.

♦**desperate** /'despərət/ a. **1** disperato; che non dà speranza; furibondo; furioso: **a d. illness**, una malattia che non lascia speranza; **a d. attempt**, un tentativo disperato; **a d. attack**, un attacco furibondo **2** terribile; orribile; violento: **a d. night**, una notte orribile; **a d. storm**, una violenta tempesta **3** enorme; completo; perfetto: **d. fear**, paura enorme; **a d. fool**, un perfetto idiota ● **d. courage**, il coraggio della disperazione □ **a d. criminal**, un criminale pronto a tutto □ (*fam.*) **I'm d. for money**, ho un disperato bisogno di soldi □ (*fam.*) **I'm d. to have a drink**, ho una sete del diavolo (*fam.*) | **-ly** avv. | **-ness** n. ⓤ.

desperation /despə'reɪʃn/ n. ⓤ **1** disperazione **2** ardimento disperato; temerarietà ● **to drive sb. to d.**, far disperare q.; spingere q. alla disperazione □ **in d.**, per la disperazione.

despicability /despɪkə'bɪlətɪ/ n. ⓤ spregevolezza; meschinità.

despicable /de'spɪkəbl/ a. spregevole; disprezzabile; meschino | **-ness** n. ⓤ.

to **despise** /dɪ'spaɪz/ v. t. disprezzare; disdegnare; sdegnare ❶ NOTA: *-ise o -ize?* → **-ise**.

♦**despite** /dɪ'spaɪt/ (*form.*) Ⓐ n. ⓤ dispetto (*anche nel senso, arc., di 'disprezzo*'); malanimo; stizza Ⓑ prep. a dispetto di; malgrado; nonostante ● **in d. of**, a dispetto di; nonostante.

to **despoil** /dɪ'spɔɪl/ v. t. (*form.*) depredare; derubare; saccheggiare; spogliare ‖ **despoiler** n. ladro; saccheggiatore, saccheggiatrice; spogliatore, spogliatrice ‖ **despoilment**, **despoliation** n. ⓤ spoliazione; depredazione; saccheggio.

to **despond** /dɪ'spɒnd/ v. i. abbattersi; perdersi d'animo; scoraggiarsi.

despondence /dɪ'spɒndəns/, **despondency** /dɪ'spɒndənsɪ/ n. ⓤ abbattimento; scoraggiamento; sconforto; avvilimento.

despondent /dɪ'spɒndənt/ a. abbattuto; scoraggiato; sconfortato; avvilito.

despot /'despɒt/ n. despota ● **despotic**, **despotical** a. dispotico ‖ **despotically** avv. dispoticamente.

despotism /'despətɪzəm/ n. ⓤ dispotismo.

to **desquamate** /'deskwəmeɪt/ v. i. squamarsi ‖ **desquamation** n. ⓤ desquamazione.

dessert /dɪ'zɜːt/ n. ⓤ dessert; frutta, dolci, ecc. (*serviti alla fine del pranzo*): *Would you like any desserts?*, gradite il dolce? ● **d. spoon**, cucchiaino da dessert □ **d. wine**, vino da dessert.

dest. abbr. (**destination**) destinazione.

to **destabilize** /diː'steɪbəlaɪz/ (*polit.*) v. t. destabilizzare ‖ **destabilization** n. ⓤ destabilizzazione ‖ **destabilizing** a. destabilizzante.

destalinization /diː'stɑːlɪnaɪˈzeɪʃn/ (*polit., stor.*) n. ⓤ destalinizzazione.

destination /destɪ'neɪʃn/ n. **1** ⓤⓒ destinazione; meta: **to reach one's d.**, giungere a destinazione **2** indirizzo: (*di un pacco*)

sent to the wrong **d.**, spedito all'indirizzo sbagliato.

to **destine** /'destɪn/ v. t. destinare; assegnare: *His parents had destined him for the navy*, i genitori l'avevano destinato alla carriera militare in marina; *She was destined to be unhappy*, era destinata all'infelicità ● (*trasp.*) **to be destined for**, essere diretto a: *The plane was destined for Rome*, l'aereo era diretto a Roma.

destiny /'destɪnɪ/ n. ⓤ destino; fato; sorte: **the Man of D.**, l'Uomo del Destino ● (*mitol.*) **the Destinies**, le Parche.

destitute /'destɪtjuːt/, USA -tuːt/ a. (*form.*) **1** bisognoso; indigente; misero: **a d. widow**, una vedova priva di risorse **2** privo; mancante: '*The worst solitude is to be d. of sincere friendship*' F. BACON, 'la peggior solitudine è l'esser privi di amici sinceri' ‖ **destitution** n. ⓤ povertà; indigenza; miseria.

to **de-stress** /diː'stres/ Ⓐ v. t. rilassare; calmare; distendere (*i nervi e sim.*) Ⓑ v. i. rilassarsi; distendersi (*fig.*); calmarsi.

♦to **destroy** /dɪ'strɔɪ/ v. t. **1** distruggere; annientare; rovinare; sterminare: *The goods were destroyed by fire*, la merce fu distrutta dal fuoco **2** (*pop. USA*) entusiasmare **3** (*eufem.*) abbattere, uccidere (*un animale ammalato*) ● **to d. sb.'s hopes**, infrangere le speranze di q. □ **to d. sb.'s reputation**, rovinare il buon nome di q. ‖ **destroyable** a. distruttibile.

destroyer /dɪ'strɔɪə(r)/ n. **1** distruttore, distruttrice **2** (*naut.*) cacciatorpediniere: **d. escort**, cacciatorpediniere di scorta; **d. leader**, cacciatorpediniere conduttore; **guided missile d.**, cacciatorpediniere lanciamissili.

destructible /dɪ'strʌktəbl/ a. distruttibile ‖ **destructibility** n. ⓤ l'esser distruttibile.

♦**destruction** /dɪ'strʌkʃn/ n. ⓤ distruzione; rovina; annientamento; sterminio: *Alcohol was his d.*, l'alcol fu la sua rovina ● (*leg.*) **d. of correspondence**, soppressione di corrispondenza.

destructive /dɪ'strʌktɪv/ a. **1** distruttivo; negativo: **d. competition**, concorrenza distruttiva; **d. criticism**, critica negativa; stroncatura **2** dannoso; rovinoso: **a d. hailstorm**, una grandinata rovinosa ● (*comput.*) **d. read**, lettura distruttiva □ **d. test**, prova distruttiva | **-ly** avv. | **-ness** n. ⓤ.

destructor /dɪ'strʌktə(r)/ n. **1** distruttore **2** (*tecn.*) inceneritore **3** (*mil., miss.*) dispositivo di autodistruzione.

desuetude /dɪ'sjuːɪtjuːd, USA -tuːd/ n. ⓤ dissuetudine, desuetudine (*lett. o leg.*); disuso: **laws fallen into d.**, leggi cadute in disuso.

to **desulphurize** /diː'sʌlfəraɪz/ v. t. (*tecn., ind.*) desolforare ‖ **desulphurization** n. ⓤ desolforazione.

desultory /'desltrɪ/ a. **1** saltuario **2** non metodico; disordinato; fatto a casaccio: **d. reading**, letture disordinate; **a d. remark**, un rilievo fatto a casaccio ● (*mil.*) **d. fire**, fuoco intermittente | **-ly** avv. | **-iness** n. ⓤ.

to **detach** /dɪ'tætʃ/ v. t. staccare; distaccare; disgiungere; separare: **to d. a bucket from its chain**, staccare un secchio dalla catena; **to d. one's responsibilities from other people's**, disgiungere le proprie responsabilità da quelle degli altri **2** (*anche mil.*) distaccare: *Two platoons were detached from the battalion*, due plotoni furono distaccati dal battaglione ● (*fin.*) **to d. a coupon**, staccare una cedola ‖ **detachable** a. staccabile; distaccabile; separabile.

detached /dɪ'tætʃt/ a. **1** distaccato; distante (*fig.*); obiettivo; sereno; imparziale; spassionato: **with a d. mind**, a mente sere-

d

na; **a d. point of view**, un punto di vista obiettivo; **a d. opinion**, un parere spassionato **2** staccato; isolato: **a d. group of houses**, un gruppo isolato di case **3** (*anche mil.*, *di un reparto*) distaccato ● (*edil.*) **a d. house**, una villa (*o* villetta) unifamiliare □ (*naut.*) **d. ship**, nave isolata | **-ly** avv. | **-ness** n. ⓤ.

detachment /dɪˈtætʃmənt/ n. **1** ⓤ distacco; separazione: (*med.*) **d. of the retina**, distacco della retina **2** ⓤ obiettività; distacco; imparzialità; serenità **3** (*mil.*) distaccamento: **to be on d.**, essere distaccato.

♦**detail** /ˈdiːteɪl, *USA* dɪˈteɪl/ n. **1** particolare; minuzia; dettaglio: **the details of an agreement**, i particolari di un accordo; *This is only a d.*, questa non è che una minuzia **2** (*mil.*) piccolo distaccamento: (reparto inviato in) missione speciale **3** (*mecc.*) componente; pezzo **4** (*USA*) gruppetto **5** (pl.) estremi (*di una pratica, di un conto, personali*): *They want my credit card details*, vogliono gli estremi della mia carta di credito ● (*arte, mecc.*) **d. drawing**, disegno di particolari □ (*comput.*) **d. printing**, stampa di dettaglio □ **to go** (*o* **to enter**) **into d.**, entrare nei particolari □ **in** (*great*) **d.**, nei particolari; dettagliatamente; per filo e per segno: *Tell me everything in d.*, raccontami tutto per filo e per segno.

to **detail** /ˈdiːteɪl, *USA* dɪˈteɪl/ v. t. **1** dettagliare; descrivere in dettaglio; descrivere minutamente **2** elencare dettagliatamente; fare un elenco dettagliato di **3** (*spec. mil.*) assegnare; distaccare: *The captain detailed five men to guard the house against intruders*, il capitano assegnò cinque uomini a guardia della casa contro le intrusioni.

♦**detailed** /ˈdiːteɪld, *USA* dɪˈteɪld/ a. particolareggiato; circostanziato; dettagliato ● **a d. list**, (*anche*) una specifica □ (*banca*) **d. statement**, estratto conto analitico.

to **detain** /dɪˈteɪn/ v. t. **1** trattenere; far perdere tempo a: *I am sorry having to d. you*, mi dispiace doverLa trattenere; *He was detained by an accident*, fu trattenuto da un incidente **2** (*leg.*) detenere; tenere (q.) in stato di fermo.

detainee /diːteɪˈniː/ n. **1** (*leg.*) detenuto; trattenuto; fermato **2** (*polit.*) confinato.

detainer /dɪˈteɪnə(r)/ n. (*leg.*) **1** ⓤ detenzione (illegittima) **2** ⓤ stato d'arresto; detenzione; fermo (di polizia) **3** ordine di detenzione.

detainment /dɪˈteɪnmənt/ n. ⓤ (*leg.*) **1** detenzione; arresto **2** detenzione di minorenni **3** sequestro: **the d. of a ship**, il sequestro di una nave **4** sequestro di persona (*senza ratto*).

♦to **detect** /dɪˈtekt/ v. i. **1** scoprire; sorprendere: *They detected the thief in the act of stealing the money*, scoprirono il ladro nell'atto di rubare il denaro **2** notare; percepire; accorgersi di: *I detected a note of sarcasm in his voice*, notai una nota di sarcasmo nella sua voce **3** (*tecn.*) rivelare **4** (*elettron.*) demodulare ● (*med.*) **to d. a disease early**, scoprire una malattia nelle prime fasi; prendere una malattia per tempo (*fam.*) || **detectable** a. scopribile.

detection /dɪˈtekʃn/ n. ⓤ **1** scoperta; rivelazione: **the d. of a crime**, la scoperta d'un delitto **2** (*elettron.*) rivelazione.

♦**detective** /dɪˈtektɪv/ **A** a. **1** rivelatore **2** investigativo **B** n. detective; agente investigativo; investigatore: **private d.**, investigatore privato ● **d. agency**, agenzia investigativa □ **d. fiction**, giallistica □ **d. novel**, romanzo poliziesco □ **d. story**, racconto poliziesco □ **d.-story writer**, giallista.

detector /dɪˈtektə(r)/ n. **1** scopritore; chi rivela qc. **2** (*tecn.*) detector; rivelatore **3** (*elettron.*) demodulatore ● **gas d.**, rivelatore

di gas □ **lie d.**, macchina della verità.

detent /dɪˈtent/ n. (*mecc.*) dente d'arresto (*d'un orologio, ecc.*).

détente /deɪˈtɑːnt/ (*franc.*) n. ⓤ (*anche polit.*) distensione.

detention /dɪˈtenʃn/ n. ⓤ **1** l'esser trattenuto (*spec. oltre l'orario, a scuola, come punizione*) **2** (*leg.*) detenzione; arresto; fermo (di polizia); carcerazione preventiva **3** (*leg.*) detenzione (illegittima) **4** (*trasp.*) ritardo forzato ● (*in GB*) **d. at Her** (*o* **His**) **Majesty's pleasure**, pena detentiva a tempo indeterminato □ **d. barracks**, prigione militare □ **d. camp**, campo d'internamento □ **d. centre** (*o* **d. home**), casa di correzione; riformatorio.

to **deter** /dɪˈtɜː(r)/ v. t. distogliere; dissuadere; impedire; scoraggiare; trattenere: *These steps will d. the would-be thief*, questi accorgimenti scoraggeranno chi volesse rubare; *The weather didn't d. him from going into the country*, il tempo non valse a distoglierlo dall'andare in campagna; *Reprisal didn't d. the invaders*, la rappresaglia non dissuase gli invasori.

detergent /dɪˈtɜːdʒənt/ a. e n. detergente; detersivo || **detergency** n. ⓤ (*tecn.*) potere detergente.

to **deteriorate** /dɪˈtɪərɪəreɪt/ **A** v. t. deteriorare; guastare; corrompere **B** v. i. **1** deteriorarsi; deperire **2** (*di una crisi*) aggravarsi; acuirsi || **deterioration** n. ⓤ **1** deterioramento; deteriorazione (*raro*): **goods liable to deterioration**, merce soggetta a deterioramento **2** aggravamento: **the deterioration of the monetary crisis**, l'aggravamento della crisi monetaria.

determent /dɪˈtɜːmənt/ n. provvedimento atto a distogliere, scoraggiare, trattenere (*q. dal fare qc.*); deterrente.

determinability /dɪtɜːmɪnəˈbɪlətɪ/ n. ⓤ **1** determinabilità **2** (*leg.*) risolvibilità.

determinable /dɪˈtɜːmɪnəbl/ a. **1** determinabile **2** (*leg.*: *di contratto*) risolvibile ● (*leg.*) **d. interest**, interesse soggetto a una condizione risolutiva.

determinant /dɪˈtɜːmɪnənt/ **A** a. determinante **B** n. **1** fattore determinante **2** (*mat.*) determinante.

determinate /dɪˈtɜːmɪnət/ a. **1** determinato; definito **2** definitivo; fissato; stabilito **3** → **determined**, def. 2 | **-ness** n. ⓤ.

♦**determination** /dɪtɜːmɪˈneɪʃn/ n. ⓤ **1** determinazione; decisione; risoluzione: *I appreciate your d. to study Chinese*, apprezzo la tua decisione di studiare il cinese **2** determinazione; ferma intenzione; decisione; risolutezza: *They act with great d.*, agiscono con grande risolutezza **3** ⓤⓒ (*scient.*) determinazione; rilevamento; calcolo: **the d. of the orbit of a satellite**, la determinazione dell'orbita di un satellite **4** (*leg.*) decisione: **the d. of a case**, la decisione di una causa **5** (*leg.*) risoluzione; rescissione ● (*leg.*) **d. clause**, clausola risolutiva □ **the d. of boundaries**, la delimitazione dei confini.

determinative /dɪˈtɜːmɪnətɪv/ **A** a. determinante; determinativo (*anche gramm.*) **B** n. **1** fattore determinante **2** (*gramm.*) determinante.

♦to **determine** /dɪˈtɜːmɪn/ **A** v. t. **1** determinare; definire; decidere; far decidere; stabilire; causare: (*econ.*) *Demand determines prices*, la domanda determina i prezzi; *The flood determined the collapse of the bridge*, l'inondazione causò il crollo del ponte; *His fate has not been determined yet*, la sua sorte non è stata ancora decisa **2** delimitare (*confini, ecc.*) **3** (*leg.*) decidere; giudicare **4** (*leg.*) risolvere, sciogliere, rescindere (*un contratto e sim.*) **B** v. i. **1** decidere; decidersi; risolversi: *He has determined to stay here*, s'è deciso a rimanere qui;

We determined on leaving at once, decidemmo di partire subito **2** (*leg.*: *di un contratto, ecc.*) estinguersi; (*di un diritto*) estinguersi ● **to be determined on**, essere (ben) deciso a: *He is determined on getting the scholarship*, è ben deciso a ottenere la borsa di studio.

♦**determined** /dɪˈtɜːmɪnd/ a. **1** fissato; stabilito **2** deciso; fermo; risoluto: **with a d. mind**, con animo risoluto | **-ly** avv.

♦**determiner** /dɪˈtɜːmɪnə(r)/ n. (*ling.*) determinante.

determinism /dɪˈtɜːmɪnɪzəm/ (*filos.*) n. ⓤ determinismo || **determinist** **A** n. determinista **B** a. deterministico || **deterministic** a. deterministico.

deterrent /dɪˈterənt/ **A** a. **1** dissuasivo; dissuasorio; che distoglie, scoraggia, trattiene (*q. dal fare qc.*): **d. effect**, effetto dissuasivo **2** (*mil., polit.*) deterrente **B** n. **1** azione (*o* manovra, mossa) dissuasiva **2** (*mil., polit.*) deterrente || **deterrence** n. ⓤ deterrenza; lo scoraggiare; dissuasione.

to **detest** /dɪˈtest/ v. t. **1** detestare; aborrire; odiare: *I d. racial discrimination*, detesto le discriminazioni razziali **2** detestare; non sopportare: *I d. people who are late*, detesto (*o* non sopporto) i ritardatari; *I d. being questioned like that*, non sopporto che mi si facciano domande in questo modo ● **to d. each other**, detestarsi (l'un l'altro).

detestable /dɪˈtestəbl/ a. detestabile; odioso | **-bly** avv.

detestation /diːteˈsteɪʃn/ n. ⓤ detestazione (*lett.*); odio; aborrimento: **the d. of sin**, la detestazione del peccato ● **to have** (*o* **to hold**) **in d.**, detestare; avere in orrore.

to **dethrone** /diːˈθrəʊn/ v. t. detronizzare; deporre (*un sovrano*) || **dethronement** n. ⓤⓒ detronizzazione; deposizione.

to **detick** /diːˈtɪk/ (*vet.*) v. t. disinfestare (*una bestia*) dalle zecche || **deticking** n. ⓤ disinfestazione dalle zecche.

detinue /ˈdetɪnjuː, *USA* -nuː/ n. ⓤ (*leg.*) detenzione illegittima (*illecito civile*).

to **detonate** /ˈdetəneɪt/ **A** v. i. detonare; esplodere **B** v. t. far detonare; far esplodere: *The old bomb was detonated by the disposal experts*, la vecchia bomba fu fatta esplodere dagli artificieri ● (*mil.*) **detonating fuse**, spoletta detonante.

detonation /detəˈneɪʃn/ n. ⓤⓒ detonazione; esplosione.

detonator /ˈdetəneɪtə(r)/ n. **1** detonatore **2** (*ferr.*) petardo **3** (*econ.*) detonatore d'inflazione.

detour /ˈdiːtʊə(r), *USA* dɪˈtʊə(r)/ n. giro lungo; deviazione: *We made a d. to avoid the traffic jam*, facemmo una deviazione per evitare la congestione del traffico.

to **detour** /ˈdiːtʊə(r), *USA* dɪˈtʊə(r)/ **A** v. i. fare una deviazione (*fam.*: un giro lungo) **B** v. t. (*USA*) deviare (*il traffico*).

detox /diːˈtɒks/ n. (*fam. USA*) = **detoxication** → **to detoxicate**.

to **detox** /diːˈtɒks/ v. t. (*fam. USA*) → **to detoxicate**.

detoxicant /diːˈtɒksɪkənt/ a. e n. ⓤ (*med.*) disintossicante.

to **detoxicate** /diːˈtɒksɪkeɪt/ v. t. disintossicare || **detoxication, detoxification** n. ⓤ disintossicazione; detossicazione (*raro*) ● **detoxication centre**, centro di disintossicazione.

to **detoxify** /diːˈtɒksɪfaɪ/ **A** v. t. disintossicare **B** v. i. disintossicarsi.

to **detract** /dɪˈtrækt/ **A** v. t. **1** distogliere: *I don't want to d. attention from more important issues*, non voglio distogliere l'attenzione da problemi più gravi **2** → **to distract** e **to divert** **B** v. i. (*di solito*, **to d. from**) **1** svilire; sminuire: **to d. from sb.'s**

achievement [**merits**], sminuire il risultato conseguito [i meriti] di q. **2** diminuire; rendere minore (*o* più piccolo, meno importante, ecc.): **to d. from sb.'s pleasure**, diminuire il piacere di q.

detraction /dɪ'trækʃn/ n. [c̄u̅] **1** diminuzione; denigrazione: *This is a d. from my dignity*, ciò va a scapito della mia dignità **2** denigrazione; diffamazione; calunnia.

detractive /dɪ'træktɪv/ a. **1** che fa diminuire **2** denigratorio; diffamatorio.

detractor /dɪ'træktə(r)/ n. detrattore; diffamatore; denigratore.

to **detrain** /di:'treɪn/ (*form.* USA) [A] v. i. scendere dal treno [B] v. t. far scendere dal treno (*soldati, ecc.*).

detriment /'detrɪmənt/ n. [u̅] (*anche econ., leg.*) detrimento; danno; pregiudizio; scapito: **to the d. of one's health**, a detrimento (*o* a scapito) della salute.

detrimental /detrɪ'mentl/ a. dannoso; nocivo; pregiudizievole | **-ly** avv.

detrition /dɪ'trɪʃn/ n. [u̅] **1** attrito **2** logorio (*dovuto ad attrito, all'azione dell'acqua, ecc.*).

detritivore /dɪ'traɪtɪvɔ:(r)/ n. (*biol.*) (organismo) detritivoro.

detritus /dɪ'traɪtəs/ (*geol.*) n. [u̅] detrito, detriti || **detrital** a. detritico.

detrivore /'detrɪvɔ:(r)/ n. (*biol.*) → **detritivore**.

Detroit /dɪ'trɔɪt/ n. **1** (*geogr.*) Detroit (*città in USA*) **2** (*fig.*) (l') industria automobilistica statunitense.

detumescence /di:tju:'mesns, USA -tu:-/ n. [u̅] (*med., fisiol.*) detumescenza.

to **detune** /di:'tju:n, USA -'tu:n/ v. t. (*elettron., radio*) disintonizzare.

deuce① /dju:s, USA du:s/ n. [u̅] **1** (*carta da gioco, dadi*) due (*la carta o la faccia del dado*) **2** (*tennis, ping-pong*) deuce; 40 pari; parità: **third d.**, parità per la terza volta **3** (*slang ingl.*) due sterline **4** (*slang USA*) due dollari **5** (*slang USA*) due anni di galera **6** (*slang USA*) omicidio di secondo grado.

deuce② /dju:s, USA du:s/ n. [u̅] (*slang antiq. per* **devil**; nelle inter., ecc.) diamine: *The d. take it!*, il diavolo se lo porti!; *Where the d. is he?*, dove diamine s'è cacciato?; *The d. knows!*, lo sa il diavolo!; e chi lo sa! • **a d. of a mess**, una confusione del diavolo □ «*He isn't a fool*» «**The d. he isn't**», «non è uno stupido» «accidenti se lo è!».

deuced /dju:st, USA 'du:-/ (*slang antiq.*) [A] a. **1** diabolico; dannato; maledetto **2** indiavolato, del diavolo (*fig.*); enorme: **to be in a d. hurry**, avere una fretta del diavolo [B] avv. (= **deucedly**) maledettamente; straordinariamente; enormemente.

deuteragonist /dju:tə'rægənɪst, USA du:-/ n. deuteragonista.

deuterium /dju:'tɪərɪəm, USA du:-/ n. [u̅] (*chim., fis. nucl.*) deuterio; idrogeno pesante • **d. oxide**, ossido di deuterio; acqua pesante.

deuteron /'dju:tərɒn, USA 'du:-/ n. (*fis. nucl.*) deutone; deuterone.

Deuteronomy /dju:tə'rɒnəmɪ, USA du:-/ n. (*Bibbia*) Deuteronomio.

to **devaluate** /di:'væljʊeɪt/ (*econ., fin.*) v. t. svalutare: *Speculative attacks have forced the central bank to devaluate the currency*, gli attacchi speculativi hanno costretto la banca centrale a svalutare la moneta.

devaluation /di:væljʊ'eɪʃn/ n. [u̅] (*econ., fin.*) svalutazione; devalutazione: **the d. of the pound**, la svalutazione della sterlina • **d. rate**, tasso di svalutazione.

to **devalue** /di:'vælju:/ v. t. [u̅] (*econ., fin.*) svalutare: *We didn't expect the lira to be devalued again*, non ci aspettavamo che la li-

ra fosse di nuovo svalutata **2** (*fig.*) svilire; sminuire il valore di (*qc.*).

to **devastate** /'devəsteɪt/ v. t. **1** devastare; distruggere **2** (*fig.*) sconvolgere (*q.*); distruggere: *We were devastated by the news*, la notizia ci sconvolse.

devastated /'devəsteɪtɪd/ a. **1** (*di persona*) sconvolto; affranto; distrutto **2** (*di luogo*) devastato; terremotato; distrutto.

devastating /'devəsteɪtɪŋ/ a. **1** devastatore; rovinoso: **a d. hurricane**, un uragano devastatore **2** (*fig.*) sconvolgente; terribile **3** (*psic.*) traumatizzante **4** (*fam.*) favoloso; fantastico; irresistibile; travolgente: *You look d. in that miniskirt*, sei fantastica con quella minigonna • (*boxe*) **a d. punch**, un pugno da tramortire □ (*boxe*) **a d. puncher**, un demolitore || **devastatingly** avv. straordinariamente; tremendamente; irresistibilmente.

devastation /devə'steɪʃn/ n. [u̅] devastazione; distruzione; rovina; sfacelo.

devastator /'devəsteɪtə(r)/ n. devastatore.

♦to **develop** /dɪ'veləp/ [A] v. t. **1** sviluppare; allargare; ampliare: **to d. one's business**, sviluppare la propria azienda; **to d. films** [**plates**], sviluppare pellicole [lastre]; *Exercise develops one's body*, gli esercizi fisici sviluppano il corpo; **to d. a plot**, sviluppare un intreccio; **to d. heat**, sviluppare calore **2** (*econ.*) sviluppare; valorizzare; sfruttare (*risorse*): **to d. a building site**, sviluppare un'area edificabile; **to d. barren lands**, valorizzare terreni incolti **3** acquisire (*gusti, propensioni, ecc.*); cominciare a prendere (*q.: in simpatia, ecc.*): **to d. a taste for curry**, acquisire il gusto del curry; *She's developing a liking for her cousin*, comincia a prendere in simpatia il cugino **4** manifestare; rivelare: *He developed symptoms of insanity*, manifestò sintomi di alienazione mentale; **to d. a tendency**, rivelare a poco a poco una tendenza **5** (*comput.*) sviluppare; programmare [B] v. i. **1** svilupparsi; ampliarsi; allargarsi: *Fruits d. from blossoms*, il frutto si sviluppa dal fiore **2** insorgere; (*anche di malattia*) evolvere, degenerare **3** crescere; trasformarsi; diventare a poco a poco: *Seeds d. into plants*, i semi (sviluppandosi) si trasformano in piante; *'The music has developed into a death march'* A. MILLER, 'a poco a poco la musica è diventata una marcia funebre' **4** (*USA*) emergere; risultare: *It developed today that he has gone bankrupt*, è risultato oggi che ha fatto fallimento • **to d. a dislike to sb.** [**for st.**], cominciare a sentire antipatia per q. [avversione per qc.] □ (*mat.*) **to d. an equation**, sviluppare un'equazione □ (*sport*) **to d. one's muscles**, sviluppare i muscoli □ **to d. a project**, elaborare un progetto □ (*di progetto, ecc.*) **being developed**, allo studio.

developable /dɪ'veləpəbl/ a. sviluppabile.

developed /dɪ'veləpt/ a. **1** sviluppato: **highly d.**, ben sviluppato **2** (*econ.*) sviluppato: **a d. economy**, un'economia sviluppata; **the d. countries**, i paesi sviluppati.

developer /dɪ'veləpə(r)/ n. **1** (*chim.*) soluzione di sviluppo; rivelatore **3** persona (*o* autorità) che cura lo sviluppo di una regione, ecc. **4** (*econ., edil.*) operatore (*o* società) immobiliare **5** (*comput.*) sviluppatore; programmatore • (*psic.*) **late d.**, (bambino) ritardato.

developing /dɪ'veləpɪŋ/ [A] a. **1** che si sviluppa **2** (*econ.*) in via di sviluppo: **the d. countries** (*o* **the d. world**), i paesi in via di sviluppo [B] n. **1** (*econ.*) sviluppo; valorizzazione; sfruttamento (*di risorse*) **2** (*chim., fotogr.*) sviluppo: **d. bath**, bagno di sviluppo.

♦**development** /dɪ'veləpmənt/ n. [u̅c̄] **1** sviluppo; ampliamento; evoluzione: **the country's d.**, lo sviluppo del paese; **the d. of the disease**, l'evoluzione (*o* degenerazione) della malattia; **the latest developments of the situation in the Balkans**, gli ultimi sviluppi della situazione nei Balcani **2** (*econ.*) sviluppo; valorizzazione (*di risorse, di una regione, ecc.*) **3** ritrovato; scoperta: **a recent d. of medicine**, un recente ritrovato della medicina **4** pianta (*o* bestia) ottenuta per ibridazione; nuova varietà coltivata **5** (= **housing d.**) area di sviluppo urbano; complesso urbano; quartiere (nuovo) **6** (*fotogr.*) sviluppo **7** (*geol., miner.*) sviluppo **8** (*ind. min.*) lavoro di preparazione **9** (*comput.*) sviluppo; programmazione • (*psic.*) **d. age**, età dello sviluppo □ (*econ.*) **d. aid**, aiuto ai paesi in via di sviluppo □ **d. area**, area di sviluppo urbano; (*anche*) zona depressa □ (*fisc.*) **d. charge**, imposta sui suoli edificabili □ (*econ.*) **d. economics**, economia dello sviluppo □ **d. expense**, spesa di sviluppo; (*anche*) spesa promozionale □ (*econ.*) **d. gap**, divario di sviluppo □ **d. land**, suolo edificabile □ (*leg., edil.*) **d. plan**, piano regolatore (*o* di sviluppo urbanistico) □ (*fisc.*) **d. value**, incremento di valore (*di un terreno*) a causa dello sviluppo urbano.

developmental /dɪveləp'mentl/ a. dello sviluppo; evolutivo: (*med.*) **d. diseases**, malattie dello sviluppo; **d. crisis**, crisi evolutiva • **d. psychology**, psicologia dell'età evolutiva.

deviance /'di:vɪəns/, **deviancy** /'di:vɪənsɪ/ n. [u̅] (*med., psic.*) devianza.

deviant /'di:vɪənt/ (*med., psic.*) [A] a. deviante; anormale: **d. behaviour**, comportamento deviante [B] n. **1** deviante; individuo anormale **2** (*psic.*, = **sexual d.**) pervertito (sessuale).

deviate /'di:vɪət/ (*USA*) → **deviant**.

to **deviate** /'di:vɪeɪt/ v. i. deviare; fare una digressione: **to d. from one's course**, (*naut.*) deviare dalla rotta; (*fig.*) deviare dalla propria strada • **to d. from a rule**, trasgredire una regola □ **to d. from truth**, travisare la verità.

deviation /di:vɪ'eɪʃn/ n. [u̅c̄] **1** deviazione: (*fis.*) **the d. of a beam of light**, la deviazione di un raggio di luce **2** (*psic.*) deviazione **3** (*stat.*) deviazione; scostamento; scarto quadratico **4** (*aeron., naut.*) deviazione dalla rotta; dirottamento **5** (*fig.*) traviamento **6** (*psic.*, = **sexual d.**) perversione sessuale • (*ass., naut.*) **d. clause**, clausola di dirottamento □ (*naut.*) **d. table**, tabella di deviazione.

deviationism /di:vɪ'eɪʃənɪzəm/ (*polit.*) n. [u̅] deviazionismo || **deviationist** [A] n. deviazionista [B] a. deviazionistico.

deviator /'di:vɪeɪtə(r)/ n. deviatore.

♦**device** /dɪ'vaɪs/ n. **1** piano; progetto **2** stratagemma; espediente; (*leg.*) artificio; accorgimento; trucco **3** congegno; dispositivo; meccanismo; arnese; aggeggio: **firing d.**, congegno di sparo (*d'arma di fuoco*); **a d. for killing mosquitoes**, un arnese per uccidere le zanzare **4** (*arald.*) divisa; emblema; insegna; stemma **5** disegno; figura ornamentale **6** (*comput.*) dispositivo; (unità) periferica: (*di un programma*) **d.-independent**, indipendente dal dispositivo • **to leave sb. to his own devices**, abbandonare q. ai suoi capricci; lasciarlo fare di testa sua; lasciarlo perdere (*fam.*).

♦**devil** /'devl/ n. **1** [u̅] (*relig., spesso maiuscolo*) diavolo; demonio; demone: *God and the d.*, Dio e il diavolo; **the d. of greed**, il demone della cupidigia; **possessed by the d.**, posseduto dal demonio; **d. worship**, adorazione del diavolo; satanismo; **d.-worshipper**, adoratore del diavolo; satanista **2** (*fig.*) indivi-

a b c d e f g h i j k l m n o p q r s t u v w x y z

duo; diavolo: *He's a lucky d.!*, è proprio fortunato!; ha tutte le fortune!; che fortunello!; **little d.**, (*di bambino*) diavoletto; piccola peste; *That d. of a man succeeds in everything he attempts*, quel diavolo (o demonio) d'uomo riesce in tutto quello che fa; *He's lost his job, poor d.!*, povero diavolo, ha perso il posto **3** (*fam., intensificativo*) – **a d. of a**, un grande, un bel: **a d. of a fine horse**, un gran bel cavallo; *I had a d. of a (o the d.'s own) job to convince him*, ebbi un bel da fare per convincerlo; *What the d. are you doing?*, che diavolo state facendo? **4** apprendista: **printer's d.**, apprendista tipografo **5** (*leg.*) giovane di studio (*che lavora gratis o a mezza paga*) **6** «negro»; chi scrive discorsi per altri (*rimanendo nell'anonimato*) **7** (*edil.*) braciere portatile; fornacetta **8** (*ind. tess.*) macchina per triturare gli stracci ● **the d.'s advocate**, l'avvocato del diavolo (*nel diritto canonico e fig.*) □ **the d.'s bedpost**, il quattro di fiori (*nel gioco delle carte*) □ (*bot.*) **d.'s-bit** (*Scabiosa succisa*), morso del diavolo □ **the d.'s bones**, i dadi □ **the d.'s book**, le carte da gioco □ (*bot.*) **d.'s claw** (*Harpagophytum procumbens*), artiglio del diavolo □ (*zool.*) **d.'s coach-horse** (*Staphylinus olens*), stafilino odoroso □ **d.'s dozen**, (il numero) tredici □ **d.-may-care**, avventato, temerario; incurante □ (*bot., slang*) **d.'s milk**, euforbia □ (*gioco*) **d. on two sticks**, diabolo □ (*fam.*) **the d. to pay**, guai grossi (in vista): *If he finds out, there'll be the d. to pay*, se lui lo scopre, saranno guai grossi (o succederà il finimondo), staremo freschi □ (*fam.*) **Be a d.!**, lasciati tentare!; buttati! □ **to be a d. for st.**, essere un gran...: *He's a d. for work*, è un gran lavoratore; lavora come un mulo; è uno stacanovista □ **to be between the d. and the deep blue sea**, essere tra l'incudine e il martello; essere tra Scilla e Cariddi □ (*fam.*) **to be the very d.**, essere difficilissimo; essere faticosissimo □ **to beat the d.'s tattoo**, tamburellare con le dita □ **to bring out the d. in sb.**, risvegliare gli istinti peggiori (o il lato peggiore) di q. □ **to give the d. his due**, riconoscere i meriti di q., anche se è un poco di buono □ **to go to the d.**, andare in malora; andare in rovina □ (*slang*) **Go to the d.!**, va al diavolo! □ (*fam.*) **to have the luck of the d.**, avere una fortuna del diavolo □ (*fam.*) **like the d.**, a gran velocità; moltissimo: **to drive like the d.**, guidare come un pazzo; **to run like the d.**, correre all'impazzata (o a rotta di collo); *It hurts like a d.!*, fa un male cane! □ **to play the d. with**, sconvolgere; fare scempio di; mandare a catafascio □ **to raise the d.**, evocare il demonio; (*fig. fam.*) fare il diavolo a quattro, fare un chiasso del diavolo □ (*fam.*) **The d. you will** [he can't, they do, etc.]!, (*come reazione di incredulità o diniego*) ma va' là!; ma sei matto?; figuriamoci!; sì, figurati!; neanche per sogno!: «*She wants to leave*» «*The d. she does!*», «Vuole andarsene» «Se lo sogna!» □ (*prov.*) **Better the d. you know (than the d. you don't)**, chi lascia la via vecchia per la nuova (sa quel che lascia e non sa quel che trova) □ (*Every man for himself and) the D. take the hindmost!*, ciascuno per sé, e Dio per tutti □ (*prov.*) **Speak** (o **Talk) of the d.**, lupus in fabula; nomini il diavolo (ed eccone la coda) □ (*prov.*) **The d. finds work for idle hands**, l'ozio è il padre dei vizi □ (*prov.*) **The d. has all the best tunes**, il peccato (o il vizio) è più attraente della virtù □ (*prov.*) **The d. is not so black as he is painted**, il diavolo non è così brutto come lo si dipinge.

to **devil** /'dɛvl/ 🅰 v. i. **1** fare l'apprendista (*presso un tipografo*); fare il giovane di studio (*presso un avvocato*) **2** sgobbare, sfacchinare (*per un altro*) 🅱 v. t. **1** preparare (*cibo*) con molte spezie **2** (*fam. USA*) infastidire; importunare; tormentare.

devilfish /'dɛvlfɪʃ/ n. (pl. **devilfish**, **devilfishes**) (*zool.*) **1** (*Manta birostris*) diavolo di mare; manta; razza cornuta **2** (*Octopus*) polpo.

devilish /'dɛvlɪʃ/ 🅰 a. **1** diabolico; crudele; malvagio: **a d. scheme**, un piano diabolico **2** (*fam.*) indiavolato; del diavolo; infernale (*fig.*): *It's d. weather*, fa un tempo infernale **3** (*fam.*) terribile; tremendo: **a d. problem**, un problema tremendo 🅱 avv. (*fam.*) molto; enormemente; tremendamente: *It's d. cold*, fa un freddo del diavolo ● **It's d. hard to understand what he says**, si fa una fatica del diavolo a capire quello che dice | **-ly** avv. | **-ness** n. ⓤ.

devilment /'dɛvlmənt/ n. ⓤⓒ diavoleria; cattiveria; stato (o modo) d'agire di chi è invasato ● **to be full of d.**, avere il diavolo in corpo (*fig.*).

devilry /'dɛvlrɪ/ n. ⓤⓒ **1** diabolicità; malvagità; crudeltà **2** magia; arte diabolica **3** diavoleria; allegrezza (o audacia) sfrenata **4** (*collett.*) congrega di demoni.

deviltry /'dɛvltrɪ/ n. (*USA*) → **devilry**.

devious /'diːvɪəs/ a. **1** indiretto; traverso: **to go by a d. way**, andare per via indiretta; **to make a fortune by d. ways**, accumulare una fortuna per vie traverse **2** tortuoso: **a d. path**, un sentiero tortuoso **3** (*fig.*) ambiguo; equivoco; subdolo | **-ly** avv. | **-ness** n. ⓤ.

devisable /dɪ'vaɪzəbl/ a. **1** concepibile; escogitabile **2** (*leg.*) trasmissibile in eredità.

devise /dɪ'vaɪz/ n. (*leg.*) **1** disposizione testamentaria riguardante beni immobili **2** lascito; beni immobili lasciati in eredità.

to **devise** /dɪ'vaɪz/ v. t. **1** concepire; ideare; inventare; escogitare: **to d. a plan**, escogitare un piano **2** (*leg.*) lasciare in eredità; legare (*beni immobili*) ❶ NOTA: *-ise o -ize?* → **-ise**.

devisee /dɪvaɪ'ziː/ n. (*leg.*) legatario di beni immobili (→ **devise**).

deviser /dɪ'vaɪzə(r)/ n. ideatore, ideatrice; inventore, inventrice.

devisor /dɪ'vaɪzə(r)/ n. (*leg.*) testatore (di beni immobili).

to **devitalize** /diː'vaɪtəlaɪz/ v. t. **1** (*med.*) devitalizzare **2** (*fig.*) indebolire (q.); ridurre l'efficacia, la vivacità di (qc.) || **devitalization** n. ⓤ **1** (*med.*) devitalizzazione **2** (*fig.*) privazione della vitalità; indebolimento.

to **devitrify** /diː'vɪtrɪfaɪ/ (*chim.*) v. t. devetrificare || **devitrification** n. ⓤ devetrificazione.

devoiced /diː'vɔɪst/ (*ling.*) a. desonorizzato || **devoicing** n. ⓤ desonorizzazione.

devoid /dɪ'vɔɪd/ a. privo, mancante, sprovvisto (di): **a region d. of inhabitants**, una regione priva d'abitanti; **a man d. of sense**, un uomo sprovvisto di senso comune.

to **devolute** /'diːvəluːt/ v. t. (*anche leg.*) devolvere; delegare.

devolution /diːvə'luːʃn/ n. ⓤ **1** (*leg.*) devoluzione (*di diritti, proprietà, ecc.*) **2** (*polit.*) trasferimento di poteri dal centro alla periferia; decentramento amministrativo; «devolution».

to **devolve** /dɪ'vɒlv/ 🅰 v. t. (*anche leg.*) devolvere (*un diritto, ecc.*); demandare; delegare; affidare: **to d. one's work on a subordinate**, affidare il proprio lavoro a un dipendente 🅱 v. i. **1** essere trasmesso; passare (*per competenza*): *When the manager is absent, his functions d. on me*, quando il direttore è assente, le sue funzioni passano a me **2** (*leg.*) passare in proprietà; essere devoluto (*ai figli, ecc.*) **3** (*form.*) dipendere (*da qc.*); essere condizionato (*da qc.*): *Their case de-*

volved on the witnesses' willingness to testify, il loro caso dipendeva dalla volontà di testimoniare dei testimoni.

Devon /'dɛvən/ abbr. (*geogr., anche* **Devonshire**) la Contea di Devon.

Devonian /dɪ'vəʊnɪən/ 🅰 a. **1** (*geogr.*) devoniano; del Devon **2** (*geol.*) devoniano 🅱 n. **1** abitante (o nativo) del Devonshire **2** ⓤ (*geol.*) devoniano.

Devonshire cream /'dɛvnʃəkriːm/ = **clotted cream** → **to clot**.

to **devote** /dɪ'vəʊt/ v. t. consacrare; dedicare; offrire: *He devotes all his energy to work*, dedica al lavoro ogni sua energia; **to d. oneself to God**, votarsi a Dio.

devoted /dɪ'vəʊtɪd/ a. **1** consacrato; dedicato **2** devoto; affezionato; leale; fedele: **a d. friend**, un amico devoto | **-ly** avv.

devotee /dɛvə'tiː/ n. **1** devoto; fedele; appassionato: **a d. of the ballet**, un appassionato del balletto **2** persona devota (o pia).

devotion /dɪ'vəʊʃn/ n. **1** ⓤ devozione; pietà; dedizione; attaccamento: **d. to one's ideals**, devozione ai propri ideali; **d. to one's family**, devozione (o attaccamento) alla famiglia **2** (pl.) atti di devozione; devozioni; preghiere: *The bishop was at his devotions*, il vescovo diceva le devozioni (o recitava le preghiere).

devotional /dɪ'vəʊʃənl/ a. **1** devoto; pio; religioso: **d. books**, libri religiosi **2** di preghiera: **d. posture**, atteggiamento di preghiera | **-ly** avv.

devotionality /dɪvəʊʃə'nælətɪ/ n. ⓤ l'essere devoto; devozione; religiosità.

to **devour** /dɪ'vaʊə(r)/ v. t. **1** (*anche fig.*) divorare: *The wolf devoured the lamb*, il lupo divorò l'agnello; **to d. a good book**, divorare un bel libro; *The horses devoured the way*, i cavalli divorarono la strada **2** mangiarsi (*fig.*); erodere: *The flood has devoured one of the river banks*, la piena si è mangiata una sponda del fiume **3** distruggere: *The Great Fire of 1666 devoured one third of London*, il grande incendio del 1666 distrusse un terzo di Londra **4** dilapidare (*un patrimonio, ecc.*).

devourer /dɪ'vaʊərə(r)/ n. divoratore, divoratrice.

devouring /dɪ'vaʊərɪŋ/ a. **1** vorace **2** (*fig.*) divoratore: **a d. passion**, una passione divoratrice | **-ly** avv.

devout /dɪ'vaʊt/ a. **1** devoto; pio; religioso **2** sincero; fedele; leale: **d. wishes for prosperity**, sinceri auguri di prosperità; **a d. supporter**, un fedele seguace | **-ly** avv. | **-ness** n. ⓤ.

dew /djuː, USA duː/ n. ⓤ **1** rugiada (*anche fig.*); conforto: **the dew of night**, la rugiada della notte; **the dew of God's grace**, il conforto della grazia divina **2** (*fig.*, sempre al sing.*) sudore; lacrime **3** (*slang*) marijuana ● (*fis.*) **dew point**, punto di rugiada; temperatura di condensazione (*del vapore*) (*geogr.*) **dew pond**, stagno che ha sempre l'acqua (*nell'Inghil. meridionale*) □ (*zool., fam. Canada*) **dew-worm** (*Lumbricus*), lombrico (*usato come esca*).

to **dew** /djuː, USA duː/ v. t. (*poet.*) bagnare di rugiada; imperlare; inumidire.

to **dewater** /diː'wɔːtə(r)/ v. t. drenare; prosciugare (*un terreno, ecc.*).

dewaxing /diː'wæksɪŋ/ n. ⓤ **1** (*chim.*) deparaffinazione **2** (*autom.*) deceratura (*di un'auto nuova*).

dewberry /'djuːbərɪ, USA 'duːbɛrɪ/ n. (*bot.*) **1** (*in GB*: *Rubus caesius*) mora selvatica **2** (*in USA*) *Rubus canadensis*.

dewclaw /'djuːklɔː, USA 'duː-/ n. sperone; nodello (*del cane o del gallo*).

dewdrop /'djuːdrɒp, USA 'duː-/ n. **1** goccia di rugiada **2** (*slang*) goccia al naso.

dewfall /'dju:fɔːl, *USA* 'duː-/ n. Ⓤ formazione della guazza; guazzata.

dewlap /'dju:læp, *USA* 'duː-/ n. **1** giogaia, pagliolaia (*del bue e altri animali*) **2** (*slang scherz.*) doppio mento; pappagorgia.

dewy /'dju:ɪ, *USA* 'duːɪ/ a. **1** rugiadoso **2** (*poet.*) balsamico; ristoratore: **a d. sleep**, un sonno ristoratore ● **d.-eyed**, dagli occhi umidi (*o* rugiadosi) (*fig.*) innocente, ingenuo ‖ **dewiness** n. Ⓤ l'essere rugiadoso; umidità; freschezza.

dexter /'dɛkstə(r)/ a. (*arald.*) destro.

dexterity /dɛk'stɛrətɪ/ n. Ⓤ destrezza; abilità.

dexterous /'dɛkstrəs/ a. **1** destro; abile: **a d. typist**, un dattilografo abile (veloce) **2** destrimano | **-ly** avv. | **-ness** n. Ⓤ.

dextral /'dɛkstrəl/ a. **1** destrimano **2** (*geol., biol.*) destrorso ‖ **dextrality** n. Ⓤ (*fisiol.*) destrismo.

dextrin, dextrine /'dɛkstrɪn/ n. Ⓤ (*biochim.*) destrina.

dextrocardia /dɛkstrəʊ'kɑːdɪə/ n. Ⓤ (*anat.*) destrocardia.

dextrorotatory /dɛkstrəʊ'rəʊtətrɪ/ (*scient.*) a. destrorotatorio; destrogiro ‖ **dextrorotation** n. Ⓤ destrorotazione.

dextrorse /dɛk'strɔːs/ a. (*bot.*) destrorso; destrogiro.

dextrose /'dɛkstrəʊs/ n. Ⓤ (*chim.*) destrosio, destroso.

dextrous /'dɛkstrəs/ → **dexterous**.

DF sigla **1** (**Defender of the Faith**) difensore della fede (*titolo dei sovrani d'Inghilterra*) **2** (*anche* D/F) (*aeron.*, **direction finder**) radiogoniometro.

DfES sigla (*GB*, **Department for Education and Skills**) Ministero dell'educazione e della formazione professionale.

DfID sigla (*GB*, **Department for International Development**), Dipartimento per lo sviluppo internazionale (*si occupa della valorizzazione dei paesi in via di sviluppo*).

DfT sigla (*GB*, **Department for Transport**) Ministero dei trasporti.

DG sigla **1** (**director general**) direttore generale (D.G.); amministratore delegato **2** (*lat.*: *Deo Gratias*) (**thanks be to God**) Deo gratias; grazie a Dio.

DH sigla **1** (*GB*, **Department of Health**) Ministero della sanità (*o* della salute) **2** (*sport*: *baseball*, **designated hitter**) battitore designato.

DHEA sigla (*med.*, **dehydroepiandrosterone**) deidroepiandrosterone (DHEA).

dhimmi /'dɪmɪ/ n. (pl. *dhimmis*) (*stor. islamica*) dhimmi.

dhow /daʊ/ n. (pl. *dhows*) (*naut.*) sambuco.

Di /daɪ/ n. (abbr. *fam.*) Diana: *Lady Di*, Lady Diana.

DI sigla **1** (*mil.*, *GB*, **defence intelligence**) servizio informazioni militare **2** (*polizia*, *GB*, **detective inspector**) ispettore (con compiti investigativi).

dia., diam. abbr. (*mat.*, **diameter**) diametro (d).

diabase /'daɪəbeɪs/ n. (*geol.*) diabase.

diabatic /daɪə'beɪtɪk/ a. (*fis.*) diabatico.

diabetes /daɪə'biːtiːz/ n. Ⓤ (*med.*) diabete.

diabetic /daɪə'bɛtɪk/ a. e n. diabetico.

diablerie /dɪ'ɑːblərɪ/ n. Ⓤ **1** diavoleria; stregoneria **2** negromanzia.

diabolic /daɪə'bɒlɪk/ a. diabolico; demoniaco; satanico: **d. forces**, forze diaboliche.

diabolical /daɪə'bɒlɪkl/ a. **1** diabolico; demoniaco: **d. cunning**, astuzia diabolica **2** tremendamente complicato o difficile **3** pessimo; orribile; tremendo; orrido: **d. decision**, decisione pessima; **d. service**, servizio pessimo ‖ **diabolically** avv. estrema-

mente; tremendamente: **diabolically difficult**, difficilissimo; tremendamente difficile.

diabolism /daɪ'æbəlɪzəm/ n. Ⓤ **1** magia nera; stregoneria **2** culto del demonio **3** diabolicità.

to **diabolize** /daɪ'æbəlaɪz/ v. t. **1** rendere diabolico **2** trasformare in (*o* raffigurare come) un demonio.

diachronic /daɪə'krɒnɪk/ (*geol. e ling.*) a. diacronico ‖ **diachronically** avv. diacronicamente ‖ **diachrony** n. Ⓤ diacronia.

diaconal /daɪ'ækənl/ a. (*relig.*) diaconale; di diacono.

diaconate /daɪ'ækənət/ n. (*relig.*) **1** diaconato; diaconia **2** (collett.) diaconi.

diacritic /daɪə'krɪtɪk/ Ⓐ a. diacritico Ⓑ n. segno diacritico ‖ **diacritical** a. diacritico: **diacritical marks**, segni diacritici.

diadelphous /daɪə'dɛlfəs/ a. (*bot.*) diadelfo: **d. stamens**, stami diadelfi.

diadem /'daɪədəm/ n. **1** diadema ● (*bot.*) **d. spider** (*Araneus diadematus*), ragno crociato; epeira.

Diadochi /daɪ'ædəkɪ/ n. (*stor. greca*) diadochi.

diaeresis, (*USA*) **dieresis** /daɪ'ɛrɪsɪs/ n. (pl. *diaereses*) dieresi.

diagenesis /daɪə'dʒɛnəsɪs/ n. (*geol.*) diagenesi.

to **diagnose** /'daɪəgnəʊz/ v. t. (*med. e fig.*) diagnosticare.

diagnosis /daɪəg'nəʊsɪs/ n. (pl. *diagnoses*) **1** (*med.*) diagnosi: **antenatal d.**, diagnosi prenatale **2** (*autom., comput., econ., mecc.*) diagnosi.

diagnostic /daɪəg'nɒstɪk/ Ⓐ a. diagnostico Ⓑ n. **1** diagnosi **2** sintomo **3** (*comput.*) messaggio d'errore; diagnosi: **d. program**, programma per la diagnosi ‖ **diagnostician** n. (*medico*) diagnostico.

diagnostics /daɪəg'nɒstɪks/ n. pl. (col verbo al sing.) (*med.*) diagnostica.

diagonal /daɪ'ægənl/ a. diagonale; trasversale: **a d. line**, una linea diagonale; **a d. row**, una fila trasversale (*per es., dei quadrati dello stesso colore in una scacchiera*) Ⓑ n. **1** (*geom.*) diagonale: **to draw the d.**, condurre la diagonale **2** (= **d. cloth**) tessuto diagonale | **-ly** avv.

diagram /'daɪəgræm/ n. diagramma; grafico; schema: **tree d.**, diagramma ad albero ‖ **diagrammatic, diagrammatical** a. diagrammatico ● (*stat.*) **diagrammatic map**, cartogramma ‖ **diagrammatically** avv. diagrammaticamente.

to **diagram** /'daɪəgræm/ v. t. rappresentare con un diagramma; fare il diagramma di; diagrammare ● (*ling.*) **diagrammed sentence**, frase scomposta graficamente nella sua struttura grammaticale.

dial /'daɪəl/ n. **1** (*di solito* **sundial**) meridiana; orologio solare **2** (= **d. plate**) quadrante (*di un orologio, di una bilancia automatica, ecc.*); mostra (*dell'orologio*) **3** disco combinatore (*del telefono*) **4** scala parlante (*di apparecchio radio*) **5** (*naut.*: *di bussola*) rosa dei venti **6** (*pop.*) faccia; muso (*pop.*) ● (*elettr.*) **d. lamp**, spia ● **d. lock**, serratura a combinazione □ (*telef., USA*) **d. tone**, segnale di linea.

to **dial** /'daɪəl/ v. t. **1** misurare (indicare, ecc.) per mezzo di un quadrante **2** (*telef.*) comporre; fare; chiamare: **to d. a number**, fare un numero; *We dialled the fire brigade*, chiamammo i pompieri; *D. nine for reception*, per chiamare la reception premete il nove **3** (*radio*) sintonizzarsi su; trovare (*una stazione*) ● (*USA*) **d.-a-** (pref.), ottenibile mediante telefonata: (*in GB*) **d.-a-ride**, servizio di bus a domicilio (*per anziani o disabili*) □ (*telef.*) **to d. direct to Italy**, chiamare l'Italia in teleselezione.

dialect /'daɪəlɛkt/ n. dialetto ● **d. poetry**, poesia in dialetto; poesia dialettale □ **a d. word**, una parola dialettale; un dialettalismo ‖ **dialectal** a. dialettale ‖ **dialectally** avv. dialettalmente.

dialectic[1] /daɪə'lɛktɪk/ n. Ⓤ dialettica; arte dialettica **2** (*filos.*) dialettica (*hegeliana, marxista, ecc.*)

dialectic[2] /daɪə'lɛktɪk/ a. **1** (*filos.*) dialettico: **d. method**, metodo dialettico **2** dialettale.

dialectical /daɪə'lɛktɪkl/ a. **1** (*filos.*) dialettico: **d. materialism**, materialismo dialettico **2** dialettale | **-ly** avv.

dialectician /daɪəlɛk'tɪʃn/ n. **1** dialettico; persona esperta nella dialettica **2** dialettologo.

dialectics /daɪə'lɛktɪks/ n. pl. (col verbo al sing.) (*filos.*) dialettica.

dialectology /daɪəlɛk'tɒlədʒɪ/ n. Ⓤ dialettologia ‖ **dialectologist** n. dialettologo.

dialer /'daɪələ(r)/ n. (*comput.*), dialer (*programma di autoconnessione a Internet*).

diallage[1] /daɪ'æləgɪ/ n. (*retor.*) diallage.

diallage[2] /'daɪəlɪdʒ/ n. (*miner.*) diallagio.

dialling, (*USA*) **dialing** /'daɪəlɪŋ/ n. Ⓤ **1** (*telef.*) selezione; (il) comporre un numero **2** (*radio*) sintonizzazione ● (*telef.*) **d. code**, prefisso selettivo: *The new d. code for London is 020*, il nuovo prefisso di Londra è 020 □ **d. tone**, segnale di linea □ **direct d.**, teleselezione.

dialog /'daɪəlɒg/ n. **1** (*USA*) → **dialogue 2** (*comput.*) dialogo: **d. box**, finestra di dialogo.

dialogic /daɪə'lɒdʒɪk/, **dialogical** /daɪə'lɒdʒɪkl/ a. dialogico.

dialogism /daɪ'ælədʒɪzəm/ n. (*retor.*) dialogismo.

dialogist /daɪ'ælədʒɪst/ n. **1** dialogista **2** interlocutore.

♦**dialogue**, (*USA*) **dialog** /'daɪəlɒg/ n. dialogo ● **written in d.**, scritto in forma dialogica.

to **dialogue** /'daɪəlɒg/ v. i. e t. dialogare; dialogizzare.

dial-up /'daɪəlʌp/ a. attr. (*comput.*) su linea commutata: **dial-up access**, accesso su linea commutata.

to **dialyse** /'daɪəlaɪz/ (*chim., med.*) v. t. dializzare ‖ **dialyser** n. dializzatore.

dialysis /daɪ'æləsɪs/ (*chim., med.*) n. Ⓒ (pl. *dialyses*) dialisi ‖ **dialytic** a. dialitico.

to **dialyze** /'daɪəlaɪz/ e deriv. (*USA*) → **to dialyse**, e deriv.

diamagnetic /daɪəmæg'nɛtɪk/ (*elettr.*) Ⓐ a. diamagnetico Ⓑ n. sostanza diamagnetica ‖ **diamagnetism** n. Ⓤ diamagnetismo.

diamanté /daɪə'mɑːnteɪ/ Ⓐ a. decorato con paillette e lustrini Ⓑ n. Ⓤ **1** paillette e lustrini (pl.); gioielli (pl.) finti **2** stoffa decorata con paillette e lustrini ❶ FALSI AMICI ● diamanté *non significa* diamante *nel senso italiano di pietra preziosa*.

diamantiferous /daɪəmæn'tɪfərəs/ a. (*ind. min.*) diamantifero.

diameter /daɪ'æmɪtə(r)/ (*geom.*) n. diametro ‖ **diametral, diametric, diametrical** a. diametrale.

diametrically /daɪə'mɛtrɪklɪ/ avv. diametralmente: **d. opposed to st.**, diametralmente opposto a qc.

diamide /'daɪəmaɪd/ n. (*chim.*) diammide.

diamine /'daɪəmiːn/ n. (*chim.*) diammina.

diamond /'daɪəmənd/ Ⓐ n. **1** Ⓤ (*miner.*) diamante **2** (*geom.*) rombo; losanga **3** Ⓤ (*tipogr.*) diamante; occhio di mosca **4** Ⓤ (*delle carte da gioco*) (carta di) quadri; (pl.) (seme di) quadri: *I've only one d.* (*left*) *in my hand*, ho (mi è rimasto) soltanto un quadri in mano **5** (*tecn.*) (punta di) diamante

(*per utensili da taglio*) **6** (*sport: baseball*) diamante, rombo (*settore del campo*); (*anche*) campo di baseball: **d. defence**, difesa a rombo **7** (*slang*) vero amico; tesoro (*fig.*) ▣ **a. 1** di diamante; di brillanti: **a d. necklace**, una collana di brillanti **2** (*geom.*) romboidale ● (*zool.*) **d.-back moth** (*Plutella maculipennis*), tignola dei cavoli □ **d.-bearing**, diamantifero □ (*tecn.*) **d. bit**, tagliatore diamantato □ **d. cement**, colla per fissare diamanti artificiali □ (*mecc.*) **d. chisel**, scalpello a punta di diamante □ (*ind. min.*) **d. coring**, carotaggio al diamante □ (*autom.*) **d. crossing**, incrocio a losanga □ **d. cuttery**, taglieria di diamanti □ (*ind. min.*) **d. drill**, sonda a diamanti □ **d. drilling**, perforazione con sonda a diamanti □ **d. field**, giacimento di diamanti □ **d. jubilee**, giubileo di diamante □ (*autom., in USA*) **d. lane**, corsia preferenziale (*riservata alle auto con più passeggeri*) □ **d. panes**, vetri romboidali □ (*mecc.*) **d. point**, punta di diamante □ **d. saw**, sega diamantata □ **d. sawing**, taglio con sega diamantata □ (*zool.*) **d. snake** (*Python spilotes*), pitone diamantino; pitone tappeto □ **d. tool**, utensile diamantato □ **d. wedding**, nozze di diamante.

to **diamond** /ˈdaɪəmənd/ v. t. ornare di diamanti (*o di brillanti*).

diamondiferous /daɪəmənˈdɪfərəs/ a. (*ind. min.*) diamantifero.

Diana /daɪˈænə/ n. **1** Diana **2** (*fig.: di donna*) cacciatrice.

dianthus /daɪˈænθəs/ n. (pl. *dianthi*) (*bot., Dianthus*) dianto.

diapason /daɪəˈpeɪzn/ n. (*mus.*) diapason.

♦**diaper** /ˈdaɪəpə(r)/ n. **1** □ (*ind. tess.*) tela operata (*a disegni romboidali*) **2** (*USA*) tovagliolino; pannolino (*per neonati*) **3** (*archit.*) decorazione con disegni romboidali (*per pannelli, ecc.*) ● (*fam. USA*) **d. play**, dramma sul rapporto figli/genitori.

to **diaper** /ˈdaɪəpə(r)/ v. t. **1** tessere a disegni romboidali **2** (*archit.*) decorare (*pannelli, ecc.*) con disegni romboidali **3** (*USA*) mettere il pannolino a (*un bimbo*).

diaphanous /daɪˈæfənəs/ a. diafano; trasparente.

diaphonic /daɪəˈfɒnɪk/ a. diafonico.

diaphony /daɪˈæfənɪ/ n. □ (*mus.*) diafonia.

diaphoresis /daɪəfəˈriːsɪs/ (*med.*) n. □ diaforesi ‖ **diaphoretic** a. e n. diaforetico.

diaphragm /ˈdaɪəfræm/ n. **1** (*anche anat.*) diaframma **2** (*mecc., radio*) membrana **3** (*med.*) diaframma contraccettivo; pessario ● (*mecc.*) **d. pump**, pompa a membrana □ (*fotogr.*) **d. shutter**, otturatore a diaframma ‖ **diaphragmatic** a. diaframmatico.

diaphysis /daɪˈæfəsɪs/ n. (pl. *diaphyses*) (*anat.*) diafisi.

diarchy /ˈdaɪɑːkɪ/ n. □☐ diarchia.

diarist /ˈdaɪərɪst/ n. diarista; scrittore di diari.

to **diarize** /ˈdaɪəraɪz/ ▣ v. i. tenere un diario ▣ v. t. annotare (qc.) in un diario.

diarrhoea, (*USA*) **diarrhea** /daɪəˈriːə/ (*med.*) n. □ diarrea ‖ **diarrhoeal**, **diarrhoeic** a. diarroico.

diarthrosis /daɪɑːˈθrəʊsɪs/ n. (pl. *diarthroses*) (*anat., zool.*) diartrosi.

♦**diary** /ˈdaɪərɪ/ n. **1** diario **2** agenda; taccuino; *I'll have to have a look in my d.*, dovrò dare un'occhiata alla mia agenda.

diaspora /daɪˈæspərə/ n. □ diaspora.

diaspore /ˈdaɪəspɔː(r)/ n. □ (*miner.*) diasporo.

diastase /ˈdaɪəsteɪz/ n. □ (*biochim.*) diastasi.

diastasis /daɪˈæstəsɪs/ n. (pl. *diastases*) (*med.*) diastasi.

diastema /daɪəˈstiːmə/ n. (pl. *diastemata*) (*med.*) diastema.

diastole /daɪˈæstəlɪ/ (*med. e poesia*) n. □☐ diastole ‖ **diastolic** a. diastolico.

diastrophism /daɪˈæstrəfɪzəm/ n. □ (*geol.*) diastrofismo.

diathermancy /daɪəˈθɜːmənsɪ/ (*fis.*) n. □ diatermanità ‖ **diathermal** a. diatermano.

diathermy /ˈdaɪəθɜːmɪ/ n. □ (*fis., med.*) diatermia ‖ **diathermic** a. **1** (*med.*) diatermico **2** (*fis.*) diatermano ● (*med.*) **diathermic therapy**, diatermia.

diathesis /daɪˈæθəsɪs/ n. (pl. *diatheses*) (*med., ling.*) diatesi.

diatom /ˈdaɪətəm/ n. (*bot., Diatoma*) diatomea ‖ **diatomaceous** a. di diatomea ● (*geol.*) **diatomaceous earth**, farina fossile; tripoli.

diatomic /daɪəˈtɒmɪk/ a. (*chim.*) diatomico; biatomico.

diatomite /daɪˈætəmaɪt/ n. □ (*geol.*) diatomite; farina fossile.

diatonic /daɪəˈtɒnɪk/ (*mus.*) a. diatonico: **d. scale**, scala diatonica.

diatribe /ˈdaɪətraɪb/ n. diatriba.

diazepam /daɪˈæzɪpæm/ n. □ (*farm.*) diazepam.

diazo /daɪˈeɪzəʊ/ a. (*chim.*) diazo: **d. dye**, colorante diazo ● **d. compound**, diazo composto.

diazonium /daɪəˈzəʊnɪəm/ n. □ (*chim.*) diazonio.

dib /dɪb/ n. (*slang ingl.*) mezza sigaretta (*da fumare più tardi*).

to **dib**① /dɪb/ v. t. (*slang ingl.*) spegnere (*una sigaretta*) a metà.

to **dib**② /dɪb/ v. i. pescare (*con la lenza*) tenendo l'esca a fior d'acqua.

dibasic /daɪˈbeɪsɪk/ a. (*chim.*) dibasico; biprotico.

dibber /ˈdɪbə(r)/ n. → **dibble**.

dibble /ˈdɪbl/ n. (*agric.*) piantatoio; foraterra.

to **dibble** /ˈdɪbl/ ▣ v. t. **1** forare (*il terreno*) con un piantatoio **2** piantare (*semi, ecc.*) ▣ v. i. usare un piantatoio.

dibs /dɪbz/ n. pl. **1** gioco degli astragali (*o degli aliossi*); gioco dei cinque sassi (*per estens.*) astragali; aliossi; (= **dibstones**) sassolini (*per tale gioco*) **2** (*fam. USA*) quattrini; grana (*pop.*) **3** (*infant. o scherz.*) (diritto di) priorità: *I have first d. on the comics!*, prima io a leggere la pagina dei fumetti!, prenotata la pagina dei fumetti!

dice /daɪs/ n. pl. **1** (sing. **die**) dadi **2** (col verbo al sing.) gioco dei dadi, dadi: *'God does not play d.'* A. EINSTEIN, 'Dio non gioca a dadi' ● **d. box**, bussolotto dei dadi □ (*fam.*) **No d.!**, niente da fare!

to **dice** /daɪs/ ▣ v. i. **1** giocare ai dadi **2** (*fig.*) giocare, scherzare: **to d. with danger**, scherzare col fuoco (*fig.*) ▣ v. t. **1** (*anche* **d. away**) giocarsi (*denaro, ecc.*) ai dadi **2** tagliare (*carne, verdura, ecc.*) a cubetti (*o dadini, o quadrettini*): **a dish of diced carrots**, un piatto di carote tagliate a cubetti **3** disegnare a quadri, a scacchi ● **to d. with death**, rischiare grosso (*o la vita*) □ **I'll d. you for it!**, me lo gioco ai dadi!

dicer /ˈdaɪsə(r)/ n. giocatore di dadi ● (*fam.*) **d.'s oath**, promessa da marinaio.

dicey /ˈdaɪsɪ/ a. (*fam.*) azzardato; imprevedibile; rischioso.

dichloride /daɪˈklɔːraɪd/ n. (*chim.*) dicloruro.

dichord /ˈdaɪkɔːd/ n. (*mus., stor.*) dicordo.

dichotomic /daɪkəʊˈtɒmɪk/, **dichotomous** /daɪˈkɒtəməs/ a. (*scient.*) dicotomo; dicotomico.

dichotomy /daɪˈkɒtəmɪ/ n. (*filos., scient.*) dicotomia.

dichroic /daɪˈkrəʊɪk/ (*miner., ottica*) a. dicroico: **d. mirror**, filtro dicroico ‖ **dichroism** n. □ dicroismo.

dichromatism /daɪˈkrəʊmətɪzəm/ (*fis., med., zool.*) n. □ dicromatismo ‖ **dichromatic** a. dicromatico.

dick① /dɪk/ n. (*pop.*) **1** individuo; tipo; tizio **2** (*volg.*) cazzo (*volg.*); pene **3** (*volg.*) scopata, chiavata (*volg.*) ● (*volg.*) **d.-brained** (agg.), testa di cazzo (*volg.*); cretino, stupido, scemo □ **clever d.**, saputello; sapientone.

dick② /dɪk/ n. (*slang USA*) investigatore; poliziotto; sbirro (*pop.*).

Dick /dɪk/ n. dim. di **Richard**.

to **dick** /dɪk/ v. t. (*volg.*) **1** chiavare, fottere, scopare (*volg.*) **2** fottere (*fig.*); fregare, imbrogliare.

dickens /ˈdɪkɪnz/ n. □ (*fam.*) diavolo; diamine: *What the d.!*, che diamine!

Dickensian /dɪˈkenzɪən/ (*lett.*) ▣ a. dickensiano ▣ n. ammiratore di Charles Dickens.

dicker① /ˈdɪkə(r)/ n. (*gergo comm.*) decina (*spec. di pelli*).

dicker② /ˈdɪkə(r)/ n. (*fam. USA*) **1** affare **2** baratto; scambio.

to **dicker** /ˈdɪkə(r)/ v. i. (*fam. USA*) mercanteggiare; contrattare; tirare sul prezzo.

dickey /ˈdɪkɪ/ n. → **dicky**①.

dickhead /ˈdɪkhed/ n. (*volg. USA*) testa di cazzo (*volg.*); cretino, stupido, scemo.

dickty /ˈdɪktɪ/ → **dicty**.

dicky① /ˈdɪkɪ/ n. (*fam.*) **1** ciuco; somarello **2** (*infant.*, = **d.-bird**) uccellino **3** falso sparato di camicia, davantino, pettorina (*che si può distaccare*) **4** grembiule di cuoio **5** (= **d. box**) cassetta; sedile del guidatore (*in un veicolo*) **6** sedile posteriore (*di un veicolo: per domestici*) ● **d.-bow**, cravattino a farfalla con automatici □ (*autom.*) **d. seat**, sedile ribaltabile; strapuntino □ (*fam.*) **not to say a d.-bird**, non far parola con nessuno.

dicky② /ˈdɪkɪ/ a. (*fam.*) **1** debole; malandato: **to have a d. heart**, avere il cuore debole **2** malfermo; malsicuro; traballante: **a d. ladder**, una scala traballante.

dicotyledons /daɪkɒtɪˈliːdənz/ (*bot.*) n. pl. (*Dicotyledones*) dicotiledoni ‖ **dicotyledonous** a. dicotiledone.

dict. abbr. **1** (**dictation**) dettato **2** (**dictionary**) dizionario.

Dictaphone® /ˈdɪktəfəʊn/ n. dittafono.

dictate /ˈdɪkteɪt/ n. (generalm. al pl.) dettame; norma; precetto: **the dictates of conscience**, i dettami della coscienza.

to **dictate** /dɪkˈteɪt, USA ˈdɪkteɪt/ v. t. e i. dettare; comandare; imporre; ordinare: **to d. a letter to one's secretary**, dettare una lettera alla (propria) segretaria; **to d. the terms of surrender**, dettare le condizioni di resa; **to d. one's successor**, imporre il proprio successore; (*anche sport*) **to d. the pace**, imporre il (proprio) ritmo.

dictation /dɪkˈteɪʃn/ n. **1** □ dettatura: *They write at the teacher's d.*, scrivono sotto dettatura dell'insegnante **2** **to do d.**, fare il dettato (*a scuola*) **3** □ (il dare o ricevere) comandi, ordini; ingiunzione; imposizione: *I'm fed up with outside dictations*, sono stufo d'imposizioni dall'esterno ● (*di una segretaria, ecc.*) **to take d.**, scrivere sotto dettatura.

dictator /dɪkˈteɪtə(r), USA ˈdɪkteɪtə(r)/ n. **1** dittatore **2** chi detta.

dictatorial /dɪktəˈtɔːrɪəl/ a. dittatoriale; dittatorio; autoritario; imperioso; prepotente | **-ly** avv.

dictatorship /dɪkˈteɪtəʃɪp, USA ˈdɪkt-/ n. □ dittatura.

diction /ˈdɪkʃn/ n. □ **1** dizione **2** espres-

sione; stile (*di un oratore, o letterario*): **poetic d.**, stile poetico.

♦**dictionary** /'dɪkʃənrɪ/ n. dizionario; vocabolario; lessico: **a d. of architecture**, un dizionario d'architettura; **a medical d.**, un dizionario di medicina.

dictum /'dɪktəm/ n. (pl. *dicta, dictums*) **1** affermazione; asserzione **2** (*leg.*) osservazione, affermazione (*contenuta nel dispositivo di una sentenza*) **3** detto; massima; proverbio.

dicty /'dɪktɪ/ a. (*fam. USA*) superbo; altezzoso.

♦**did** /dɪd/ pass. di **to do**.

didactic /dɪ'dæktɪk, *USA* daɪ'-/, **didactical** /dɪ'dæktɪkl, *USA* daɪ'-/ a. **1** didattico **2** didascalico: **a d. poem**, un poema didascalico | **-ally** avv.

didacticism /dɪ'dæktɪsɪzəm, *USA* daɪ'-/ n. Ⓤ didattismo.

didactics /dɪ'dæktɪks, *USA* daɪ'-/ n. pl. (col verbo al sing.) didattica.

didapper /'daɪdæpə(r)/ n. (*zool.*) **1** (*Podiceps ruficollis*) tuffetto **2** (*Podilymbus podiceps*) podilimbo.

to **diddle** /'dɪdl/ Ⓐ v. t. **1** (*fam.*) imbrogliare; ingannare; gabbare **2** (*volg.*) masturbare (*una donna*); sgrillettare (*volg.*) **3** (*volg. USA*) chiavare, fottere, scopare (*volg.*) Ⓑ v. i. (*volg.*) (*di donna*) masturbarsi ● (*fam.*) **to d. about** (*o* **to d. away one's time**), sprecare il tempo; bighellonare; oziare.

diddler /'dɪdlə(r)/ n. (*fam.*) imbroglione; gabbamondo; bidonista (*fam.*).

diddly /'dɪdlɪ/ Ⓐ a. (*fam. USA*) insignificante; senza importanza Ⓑ n. Ⓤ niente di niente; un accidente: *I don't know d. about guns*, di pistole non ne so un accidente.

didgeridoo /dɪdʒərɪ'duː/ n. (*mus.*) didgeridoo.

♦**didn't** /'dɪdnt/ contraz. di **did not** (→ **to do**).

dido /'daɪdəʊ/ n. (pl. *didoes, didos*) (*fam. USA*) **1** alzata d'ingegno; pensata **2** trucco; tiro mancino **3** stramberia; mattana: **to cut (up) didos**, fare mattane.

Dido /'daɪdəʊ/ n. (*mitol.*) Didone.

didst /dɪdst/ (*arc. o poet.*) 2ª pers. sing. indic. pass. di **to do**.

didymium /dɪ'dɪmɪəm/ n. Ⓤ (*chim.*) didimio.

die /daɪ/ n. **1** (pl. *dice*) dado (*da gioco*); cubetto, dadino, quadratino (*di carne, verdura, ecc.*): *The die is cast*, il dado è tratto; **vegetables cut into dice**, verdura tagliata in cubetti **2** (*mecc.*: pl. *dies*) conio (*per monete*); matrice, stampo; filiera, trafila (*per filo metallico*); filiera, madrevite (*per filettare viti*) **3** (*elettron.*) piastrina **4** (*archit.*: pl. *dies*) plinto; dado; zoccolo (*pop.*) ● (*tecn.*) **die block**, blocco stampo; matrice di estrusione □ (*metall.*) **die-casting**, pressofusione; pressogetto; pezzo ottenuto per pressofusione □ (*tecn.*) **die chaser**, filiera □ (*tecn.*) **die cutting**, fustellatura □ (*metall.*) **die drawing**, trafilatura □ (*metall.*) **die forging**, fucinatura a stampo □ (*metall.*) **die forming**, stampaggio □ **die-sinker**, fabbricante di stampi per monete o medaglie; stampista □ (*tecn.*) **die-sinking**, lavorazione degli stampi □ (*fig.*) **as straight** (*o* **true**) **as a die**, corretto; onesto; sincero; leale.

♦to **die** /daɪ/ Ⓐ v. i. **1** morire; perire: *He died of cancer*, morì di cancro; *They died in an air crash*, morirono in un disastro aereo; **to die from wounds**, morire in seguito alle ferite; **to die broken-hearted**, morire di crepacuore; **to die a happy man**, morire felice; *I'd sooner die!*, preferirei morire!; piuttosto la morte! ❶ **Nota:** *morire* → **morire 2** (*fam.*) morire (di); morire dalla voglia (di):

I'm dying with curiosity, muoio di curiosità; *I'm dying for a glass of wine*, muoio dalla voglia di bere un bicchiere di vino; *I'm dying to know*, muoio dalla voglia di sapere **3** (*mecc.*) arrestarsi; fermarsi; bloccarsi; (*di un motore*) spegnersi: *The engine suddenly died on me*, il motore mi si è spento di colpo **4** (*del fuoco*) morire, spegnersi: **to let the fire die**, lasciar morire il fuoco **5** (*del vento*) cessare; cadere Ⓑ v. t. fare (*una data morte*); morire di: **to die a glorious death**, fare una morte gloriosa; **to die a hero's death**, morire da eroe; fare una morte eroica; **to die a violent death**, morire di morte violenta ● **to die by one's own hand**, morire di propria mano; darsi la morte □ **to die a dog's death**, morire come un cane □ (*fam.*) **to die for**, fantastico; strepitoso; da sballo (*fam.*) □ **to die hard**, esser duro a morire: *Old superstitions die hard*, le vecchie superstizioni sono dure a morire □ **to die in one's bed**, morire nel proprio letto □ **to die in harness**, morire sulla breccia; morire al proprio posto di lavoro □ (*fam. teatr.*) **to die on its feet** (*o* **to die standing up**), fare fiasco □ (*fam.*) **to be dying on one's feet**, non stare in piedi dalla stanchezza □ (*fam.*) **to die on the vine**, finire in niente; essere lasciato cadere; essere abbandonato □ **to die with laughter**, morire dal ridere □ **to die with one's boots on**, morire combattendo; morire in piedi; morire sulla breccia □ (*fam.*) **I nearly died!** (*USA*: *I just died!*), ho creduto di morire!; mi ha preso un colpo! □ **Never say die!**, mai arrendersi!; mai disperare!

■ **die away** v. i. + avv. **1** (*di una persona*) svenire **2** (*di un suono, un rumore*) affievolirsi, smorzarsi (*o* spegnersi) a poco a poco; svanire **3** calare; finire; cadere: *The wind has died away*, è caduto il vento.

■ **die back** v. i. + avv. (*di una pianta*) avvizzirsi (*o* seccarsi) all'apice.

■ **die down** v. i. + avv. **1** spegnersi: *The fire has died down*, il fuoco si è spento **2** smorzarsi: *Enthusiasm is dying down*, l'entusiasmo si sta smorzando **3** calare; finire; cessare: *The wind is dying down*, sta calando il vento; *At nightfall the fighting died down*, al cader delle tenebre il combattimento cessò **4** (*di piante, fiori*) morire (*alla fine della stagione*) **5** → **die out**.

■ **die off** v. i. + avv. **1** (*di persone*) morire una dopo l'altra: *His relatives all died off*, i parenti gli morirono tutti uno dopo l'altro **2** (*di piante*) morire; seccarsi.

■ **die on** v. i. + prep. (*fam. USA*) lasciare a piedi; mollare: *The motorbike died on me*, la motocicletta mi ha lasciato a piedi.

■ **die out** v. i. + avv. **1** estinguersi: *When did mammoths die out?*, quando si sono estinti i mammut? **2** scomparire: *Patriarchate has died out*, il patriarcato è scomparso.

dieback /'daɪbæk/ n. Ⓤ (*di una pianta*) avvizzimento (*o* seccume) apicale (*malattia*).

die-cast /'daɪkɑːst/ a. (*metall.*) pressofuso.

to **die-cast** /'daɪkɑːst/ (pass. e p. p. *die-cast*), v. t. (*metall.*) colare (*o* fondere) sotto pressione; pressofondere, pressocolare.

diehard, die-hard /'daɪhɑːd/ Ⓐ n. **1** irriducibile; intransigente; uno che tiene duro **2** (*polit.*) esponente della vecchia guardia; irriducibile; duro (*fam.*) Ⓑ a. attr. **1** irriducibile; intransigente; duro a morire; radicato: **d. supporters**, tifosi irriducibili; **d. optimism**, ottimismo duro a morire **2** (*polit.*) intransigente; irriducibile; vetero- ● **a d. communist**, un veterocomunista; **a d. conservative**, un conservatore irriducibile.

die-in /'daɪɪn/ n. (*fam. USA*) manifestazione di protesta contro il nucleare.

dielectric /daɪə'lektrɪk/ a. e n. (*elettr.*) dielettrico: **d. lens**, lente dielettrica.

diencephalon /daɪen'sefələn/ n. (*anat.*) dien-

cefalo.

dieresis /daɪ'erɪsɪs/ → **diaereis**.

diesel /'diːzl/ Ⓐ a. attr. diesel: **d. engine**, motore diesel; diesel; (*ferr.*) **d. railcar**, automotrice diesel Ⓑ n. **1** (*fam.*) gasolio per autotrazione **2** (*fam. spec. USA*) diesel; autoveicolo con motore diesel ● **d. fuel** (*o* **d. oil**), gasolio per autotrazione.

♦**diet** ① /'daɪət/ Ⓐ n. **1** dieta; regime alimentare: **slimming d.**, dieta dimagrante; (*med.*) **a low-calorie d.**, una dieta ipocalorica; **a severe d.**, una dieta rigorosa **2** alimentazione; vitto: **prison d.**, vitto da carcerati Ⓑ a. attr. dietetico: **d. bread**, pane dietetico ● **d. cola**, coca-cola dietetica □ **d. drink**, bevanda dietetica □ (*USA*) **d. pill**, pillola per dimagrire □ **d. sheet**, dieta (*lista dei cibi ammessi*) □ **to go on a d.**, mettersi a dieta; *I'm going on a d. as soon as I get back home*, mi metto a dieta appena arrivo a casa □ **to be on a d.**, essere (*o* stare) a dieta.

diet ② /'daɪət/ n. dieta; assemblea (*spec. legislativa*).

to **diet** /'daɪət/ Ⓐ v. i. stare (*o* essere) a dieta; fare (*o* seguire) una dieta Ⓑ v. t. mettere (*o* tenere) a dieta.

dietarian /daɪə'teərɪən/ n. chi segue una dieta.

dietary /'daɪətrɪ/ Ⓐ a. (*med.*) dietetico Ⓑ n. **1** regime dietetico **2** vitto quotidiano (*passato in ospedale, prigione, ecc.*).

dieter /'daɪətə(r)/ n. chi fa una dieta.

dietetic /daɪə'tetɪk/, **dietetical** /daɪə'tetɪkl/ a. (*med.*) dietetico | **-ally** avv.

dietetics /daɪə'tetɪks/ n. pl. (col verbo al sing.) **1** dietetica **2** dietologia || **dietician** n. dietista; dietologo.

dieting /'daɪətɪŋ/ n. Ⓤ lo stare a dieta; le diete (collett.).

dietitian /daɪə'tɪʃn/ n. (*spec. USA*) = **dietician** → **dietetics**.

dietotherapy /daɪətəʊ'θerəpɪ/ n. Ⓤ (*med.*) dietoterapia.

diff /dɪf/ n. (*fam. USA*) differenza: *What's the d.?*, che differenza fa?

♦to **differ** /'dɪfə(r)/ v. i. **1** differire; esser diverso: *I d. from him in character*, ho un carattere diverso dal suo **2** non essere d'accordo; dissentire: *I entirely d. from* (*o* **with**) *you*, dissento completamente da te; *I beg to d.*, mi permetto di dissentire; scusami, ma non sono d'accordo **3** disputare; litigare ● **to agree to d.**, riconoscere l'impossibilità di mettersi d'accordo.

♦**difference** /'dɪfrəns/ n. Ⓒ **1** differenza; diversità: **a d. in price**, una differenza di prezzo; *What's the price d.?*, qual è la differenza di prezzo?; **a d. in temperature**, una differenza di temperatura; *He makes a d. between his son and his daughter*, fa differenza fra (*o* tratta in modo diverso) il figlio e la figlia **2** (*mat.*) differenza: *The d. between 8 and 5 is 3*, 3 è la differenza fra 8 e 5 **3** divario; divergenza; controversia; contrasto; dissapore; screzio: **a d. of opinion**, un disaccordo; una divergenza d'opinioni; pareri discordi; *During a married life of twenty years, they have not had even a d.*, durante vent'anni di vita coniugale, non c'è stato neanche uno screzio; **to settle a d.**, appianare una divergenza **4** (*leg.*) contestazione; vertenza ● (*topogr.*) **d. in height**, dislivello □ (*fin.*) **d. of exchange**, differenza di cambio □ (*mat.*) **d. quotient**, rapporto incrementale □ (*slang USA*) **to carry the d.**, essere armato □ **to make a d.**, contribuire a cambiare le cose; essere di aiuto; **to make all the d.** (*o* **a big d.**), cambiare completamente le cose; essere determinante; fare la differenza; **It makes no d.**, non fa niente; non importa; **It won't make the slightest d.**, non farà nessunissima differenza; non cambierà proprio niente □ **to split the d.**,

accordarsi su un prezzo intermedio; venirsi incontro a metà strada (*fig.*); fare un compromesso □ (*fam.*) **Same d.!**, è lo stesso!; stessa roba!; che differenza fa? □ (*fam.*) **What's the d.?**, che differenza fa?; e con ciò? □ **with a d.**, con qualcosa in più (*o* di diverso); diverso dal solito; sfizioso (*fam.*).

♦**different** /'dɪfrənt/ *a.* **1** differente; diverso: **d. points of view**, punti di vista differenti; **d. from** (*spec. GB*, *anche* **d. to**; *USA anche* **d. than**) diverso da; *The result is d. from what* (*USA: d. than*) *we expected*, il risultato è diverso da quello che ci aspettavamo; *That's quite a d. matter*, è tutt'altra faccenda; è un altro paio di maniche (*fig.*) **2** distinto; separato; vario; diverso: **on d. occasions**, in diverse (*o* varie) occasioni **3** (*fam.*) diverso (dagli altri); originale: *I like it because it's d.*, mi piace perché è diverso ● (*fam.*) **to know d.**, sapere che le cose non stanno così, che la realtà è diversa; scoprire che non è così □ (*prov.*) **D. strokes for d. folks**, il mondo è bello perché è vario ❶ **NOTA:** *diverso* → **diverso** ‖ **differently** *avv.* in modo diverso; diversamente: **to be treated differently**, essere trattato in modo diverso ● (*eufem.*) **differently abled**, disabile.

differentiable /dɪfə'renʃəbl/ *a.* differenziabile.

differential /dɪfə'renʃl/ **A** *a.* **1** (*anche mat.*, *mecc.*) differenziale: **d. rates on a railway**, tariffe ferroviarie differenziali; (*comm. est.*) **a d. tariff**, una tariffa differenziale; **d. calculus**, calcolo differenziale **2** (*med.*) differenziale: **d. diagnosis**, diagnosi differenziale **B** *n.* **1** (*mat.*) differenziale **2** (*mecc.*, = **d. gear**) differenziale **3** (*econ.*, *fin.*) differenziale: **inflation d.**, differenziale d'inflazione; **pay** (*o* **wage**) **differentials**, differenziali salariali; **interest d.**, differenziale d'interesse **4** (*slang USA*) sedere ● (*econ.*) **d. cost**, costo differenziale (*anche*) costo marginale □ (*fin.*, *rag.*) **d. costing**, contabilità industriale a costi marginali □ (*demogr.*) **d. mortality**, mortalità differenziale □ (*mecc.*) **d. screw**, vite differenziale.

to **differentiate** /dɪfə'renʃɪeɪt/ **A** *v. t.* **1** rendere differente; contraddistinguere; differenziare: (*econ.*) **to d. production**, differenziare la produzione; *What differentiates the dog from the wolf?*, che cosa differenzia il cane dal lupo? **2** distinguere; riconoscere la differenza (fra): *We d. many varieties of animals*, noi distinguiamo molte varietà di animali **3** fare differenze (fra); discriminare **B** *v. i.* **1** (*anche biol.*) differenziarsi; diventare differente **2** fare differenza, distinguere (*fra più cose*).

differentiation /dɪfərenʃɪ'eɪʃn/ *n.* ▣ (*anche biol.*, *econ.*) differenziazione: **product d.**, differenziazione dei prodotti.

♦**difficult** /'dɪfɪkəlt/ *a.* difficile: **a d. book** [**task**, **test**], un libro [un compito, una prova] difficile; *She is a d. person*, è una donna difficile; *I am rather d. over my food*, sono un po' difficile (*o* di gusti difficili) nel mangiare; **d. times**, tempi difficili; *It's d. to say for sure*, è difficile dirlo con certezza ● **to make life d. for sb.**, rendere la vita difficile a q.

♦**difficulty** /'dɪfɪkəltɪ/ *n.* ▣ **1** difficoltà: *He has some d.* (*in*) *walking*, ha difficoltà a camminare; *There were money difficulties*, ci furono difficoltà finanziarie **2** (*spesso pl.*) situazione difficile (*o* imbarazzante); difficoltà (*pl.*): **to be in difficulties**, trovarsi in difficoltà (finanziarie); **to get out of a d.**, togliersi da una situazione difficile **3** dissapore; screzio □ **to have d. breathing**, fare fatica a respirare □ **to make** (*o* **to raise**) **difficulties**, fare difficoltà; sollevare obiezioni; trovar da ridire.

diffidence /'dɪfɪdəns/ *n.* ▣ **1** mancanza di fiducia in sé stesso **2** modestia eccessiva;

timidezza ❶ **FALSI AMICI ●** diffidence *non significa* diffidenza.

diffident /'dɪfɪdənt/ *a.* **1** che non ha fiducia in sé stesso; insicuro **2** eccessivamente modesto; timido; riservato; schivo ● **to be d.**, dubitare di sé □ **to be d. about doing st.**, esitare a fare qc. ❶ **FALSI AMICI ●** diffident *non significa* diffidente.

to **diffract** /dɪ'frækt/ (*fis.*) *v. t.* diffrangere ‖ **diffraction** *n.* ▣ diffrazione ● **diffraction grating**, reticolo di diffrazione.

diffractometer /dɪfræk'tɒmɪtə(r)/ *n.* (*fis.*) diffrattometro.

diffuse /dɪ'fjuːs/ *a.* **1** diffuso; prolisso; verboso: **d. light**, luce diffusa; **a d. style**, uno stile verboso; **a d. writer**, uno scrittore prolisso.

diffuse /dɪ'fjuːz/ **A** *v. t.* diffondere; emanare; propagare; divulgare: *The sun diffuses its light*, il sole diffonde la sua luce; **to d. learning** [**a rumour**], diffondere la cultura [una voce]; **to d. heat** [**a scent**], emanare calore [un odore] **B** *v. i.* diffondersi; spargersi; propagarsi.

diffused /dɪ'fjuːzd/ *a.* diffuso ● **d. lighting**, illuminazione a luce diffusa (*o* indiretta).

diffusely /dɪ'fjuːslɪ/ *avv.* **1** diffusamente; prolissamente **2** qua e là; dappertutto.

diffuseness /dɪ'fjuːsnəs/ *n.* ▣ l'esser diffuso; prolissità; verbosità.

diffuser /dɪ'fjuːzə(r)/ *n.* (*anche mecc.*) diffusore.

diffusibility /dɪfjuːzə'bɪlɪtɪ/ *n.* ▣ diffusibilità.

diffusible /dɪ'fjuːzəbl/ *a.* diffusibile.

diffusion /dɪ'fjuːʒn/ *n.* ▣ **1** diffusione; divulgazione; propagazione: **the d. of an idea** [**of a language**], la diffusione di un'idea [di una lingua]; **the d. of heat** [**of light**], la diffusione del calore [della luce] **2** prolissità; verbosità ● (*metall.*) **d. coating**, rivestimento per diffusione ‖ **diffusive** *a.* **1** diffusivo **2** diffuso; prolisso.

diffusivity /dɪfjuː'sɪvətɪ/ *n.* ▣ (*chim.*, *fis.*) diffusività.

diffusor /dɪ'fjuːzə(r)/ → **diffuser**.

dig /dɪg/ *n.* **1** scavo; sterro **2** (*fam.*) spinta; urto; colpo: **a dig in the ribs**, un colpo nelle costole **3** (*fig.*) frecciata; osservazione sarcastica; battutina maligna; stoccata **4** (*pl.*) (*fam.*) camera d'affitto; alloggio **5** (*pl.*) (*slang USA*) abitazione; casa **6** (*slang USA*) spettacolo pornografico ● (*slang USA*) **dig-out**, partenza brusca; partenza sparata (*in auto*, *ecc.*).

♦to **dig** /dɪg/ (*pass. e p. p.* **dug**) **A** *v. t.* **1** scavare; cavare; forare (*scavando*): *He dug a hole in the ground*, scavò una buca in terra; **to dig trenches**, scavare trincee; **to dig potatoes**, cavare le patate (*scavando*) **2** vangare: *Grandpa is digging the garden*, il nonno vanga il giardino **3** conficcare; piantare: *He dug his elbow into my ribs*, mi piantò il gomito nelle costole; *He dug the spurs into the horse's sides*, piantò gli speroni nei fianchi del cavallo **4** (*pop. USA*) apprezzare; ammirare; capire; comprendere: **to dig girls**, apprezzare le donne; *I can dig that*, lo capisco **5** (*slang USA*) guardare, osservare; ascoltare (*un musicista*): *Dig that blonde!*, guarda quella bionda! **B** *v. i.* **1** fare uno scavo; vangare **2** scavare: **to dig for gold**, scavare in cerca d'oro; cercare l'oro **3** (*slang ingl.*) vivere in camera d'affitto **4** (*fam. USA*) studiare (*o* lavorare) sodo; sgobbare: **to dig away at one's homework**, sgobbare per fare il compito a casa **5** cercare; fare ricerche: **to dig for information**, cercare informazioni; **to dig into a book**, fare ricerche in (*o* spulciare) un libro ● **to dig oneself**, (*slang USA*) tastarsi (*i genitali*); grattarsi le palle (*volg.*) □ (*fig.*) **to dig one's own grave**,

scavarsi la fossa con le proprie mani □ **to dig sb. in the ribs**, dare un colpo (*o* una gomitata) nelle costole a q. □ (*fig.*) **to dig a pit for sb.**, tendere una trappola a q. □ **to dig under a river**, fare un tunnel sotto un fiume.

■ **dig at** *v. i.* + *prep.* (*fam.*) dare frecciate a (q.); fare osservazioni sprezzanti su (qc.).

■ **dig down** *v. i.* + *avv.* (*slang USA*) tirar fuori i soldi; pagare di tasca propria.

■ **dig in** *v. i.* + *avv.* **1** affondare (*scavando*): **to dig one's nails in**, affondare le unghie; *The fertilizer should be dug in well*, bisogna affondare bene il concime **2** mettersi a mangiare (*o* a lavorare) di buona lena; buttarsi sul cibo **3** (*fig.*) ambientarsi, sistemarsi: *I'm well dug in now*, ormai mi sono ambientato (*nel lavoro*, *ecc.*) **4** (*mil.*) trincerarsi **5** (*slang USA*) sistemarsi; trovare alloggio □ **to dig oneself in** = *def. 3* e *4* → *sopra* □ (*fig. fam.*) **to dig one's heels in**, puntare i piedi; impuntarsi.

■ **dig into** *v. i.* + *prep.* **1** affondare; piantare: *The cat dug its nails into the mouse*, il gatto piantò le unghie nel topo **2** buttarsi sul (*cibo*).

■ **dig out** **A** *v. t.* + *avv.* **1** tirar fuori (*scavando*); estrarre (*un minerale*); stanare: *He was buried under the ruins of his house and had to be dug out*, era sepolto sotto le macerie della sua casa e dovettero scavare per tirarlo fuori; *The boy dug out the rabbit*, il ragazzo stanò il coniglio **2** scoprire: **to dig out the truth**, scoprire la verità **3** pescare, scovare (*un oggetto in soffitta*, *un'informazione*, *ecc.*); *I'd better dig out my good suit and have it dry-cleaned*, sarà meglio ripescare il mio vestito buono e portarlo in lavanderia **4** liberare (*scavando*): *We dug the car out of the snow*, liberammo la macchina dalla neve (*con una pala*, *ecc.*) **B** *v. i.* + *avv.* (*slang USA*) andarsene in fretta; far fagotto; tagliare la corda; scappare.

■ **dig through** **A** *v. i.* + *avv.* aprirsi la via scavando **B** *v. t.* + *prep.* traforare (*un monte*, *ecc.*).

■ **dig up** *v. t.* + *avv.* **1** dissodare (*il terreno*); vangare: **to dig up the kitchen garden again**, rivangare l'orto **2** scavare; riportare (*o* portare) alla luce (*scavando*); scoprire, trovare; scovare; riesumare (*fig.*): **to dig up a treasure**, scavare (*o* trovare, scoprire) un tesoro; *An old Greek vase was dug up*, gli scavi riportarono alla luce un antico vaso greco; *What can you dig up about him?*, che cosa riuscite a scovare sul suo conto?; **to dig up a scandal**, riesumare uno scandalo **3** cavare (*scavando*); eliminare: *It's time to dig up the potatoes*, è ora di cavare le patate (*dal campo*); *We've dug up the hedge*, abbiamo eliminato la siepe **4** (*fam.*) mettere insieme, tirare fuori (*soldi e sim.*) **5** (*slang USA*) trovare, pescare (*un tizio*, *un oggetto strano*).

digamma /daɪ'gæmə/ *n.* (*ling.*) digamma.

digastric /daɪ'gæstrɪk/ *a.* (*anat.*) digastrico: **d. muscle**, muscolo digastrico.

digerati /dɪdʒə'rɑːtiː/ *n. pl.* (*slang*) fanatici del computer; appassionati d'informatica.

digest /'daɪdʒest/ *n.* **1** compendio; riassunto; sommario; sinossi **2** (*leg.*) raccolta di leggi e di pareri di giuristi **3** (*stor.*) **the D.**, il Digesto (*le Pandette di Giustiniano*).

to **digest** /dɪ'dʒest/ *v. t.* **1** digerire (*anche fig.*); smaltire; assimilare; assorbire mentalmente; tollerare: **to d. scientific knowledge**, assimilare cognizioni scientifiche; *I cannot d. these insults*, non posso digerire (*o* tollerare) questi insulti **2** assimilare; incorporare: **to d. a conquered territory**, assimilare un territorio conquistato **3** classificare; ordinare: **to d. a mass of facts**, ordinare una quantità di fatti ● (*di cibo*) **hard to d.**, difficilmente digeribile.

digestant /dɪ'dʒestənt/ *a. e n.* (*med.*) di-

gestivo.

digester /dɪˈdʒɛstə(r)/ n. **1** compilatore di compendi, sommari, ecc. **2** (*med.*) digestivo **3** (*chim.*) digestore; bollitore ● **to be a bad d.**, avere una cattiva digestione; digerire male.

digestible /dɪˈdʒɛstəbl/ a. digeribile || **digestibility** n. ☐ digeribilità.

digestion /dɪˈdʒɛstʃn/ n. ☐☐ **1** digestione: **a good d.**, una buona digestione; **a weak [a poor] d.**, una digestione difficile [laboriosa] **2** assimilazione (*di idee*) **3** (*chim.*) digestione.

digestive /dɪˈdʒɛstɪv/ a. e n. digestivo ● (*chim.*) **d. enzyme**, enzima digestivo ☐ (*med.*) **d. ferments**, fermenti lattici ☐ (*anat.*) **d. gland**, ghiandola digestiva ☐ (*anat.*) **d. system**, apparato digerente ☐ (*anat.*) **d. tract**, canale alimentare.

digger /ˈdɪɡə(r)/ n. **1** escavatore, escavatrice (*macchina*) **2** escavatore; sterratore; terrazziere **3** (*slang*) australiano: soldato australiano **4** (*slang Austral.*; al vocat.) amico **5** (*slang USA*) bagarino ● **d. accent**, accento australiano ☐ (*zool.*) **d.-wasp** (*Sphex; Bembex, ecc.*), sfecide.

Diggers /ˈdɪɡəz/ n. pl. **1** (*stor.*, *in USA*) aborigeni che si cibavano di radici **2** (*Borsa*) azioni di miniere d'oro australiane.

digging /ˈdɪɡɪŋ/ n. **1** ☐ scavo; sterro **2** (pl.) materiali di sterro; giacimento aurifero; piccola miniera d'oro **3** (pl.) (*fam.*) camera d'affitto; camera ammobiliata.

digicam /ˈdɪdʒɪkæm/ n. (abbr. di **digital camera**) fotocamera digitale; macchina fotografica digitale.

digit /ˈdɪdʒɪt/ n. **1** (*anat.*, *zool.*) dito **2** (*misura*) dito (3/4 di pollice) **3** (*mat.*, *comput.*) cifra: *The number 578 contains three digits*, il numero 578 è composto di tre cifre ● (*elettron.*) **d. absorbing selector**, selettore soppressore d'impulsi ☐ (*mat.*) **double-d.**, a due cifre: (*econ.*) **double-d. inflation**, inflazione a due cifre.

♦**digital** /ˈdɪdʒɪtl/ a. **1** (*anat.*) digitale; delle dita **2** (*mat.*, *comput.*) digitale; numerico ● **d. audio tape**, audiocassetta digitale ☐ **d. camera**, fotocamera digitale; macchina fotografica digitale ☐ (*comput.*) **d. certificate**, certificato digitale ☐ (*elettron.*) **d. circuit**, circuito digitale ● **d. clock**, orologio digitale (*di un'automobile, ecc.*) ☐ (*elettron.*) **d. counter**, contatore digitale ☐ (*comput.*) **d. data**, dati digitali ☐ (*econ.*) **d. divide**, gap tecnologico (*tra due paesi*) ☐ (*comput.*) **d. encoder**, codificatore numerico ☐ (*comput.*) **D. Object Identifier** → **DOI** ☐ (*comput.*) **d. signature**, firma digitale ☐ **d. television**, televisione digitale ☐ (*comput.*) **d.-to-analog converter**, convertitore digitale-analogico.

digitalin /ˌdɪdʒɪˈteɪlɪn/ n. ☐ (*farm.*) digitalina.

digitalis /ˌdɪdʒɪˈteɪlɪs/ n. (*bot.*, *farm.*, *Digitalis*) digitale.

to **digitalize** /ˈdɪdʒɪtəlaɪz/ v. t. **1** (*comput.*) → **to digitize 2** (*med.*) digitalizzare || **digitalization** n. ☐ **1** (*comput.*) digitalizzazione **2** (*med.*) digitalizzazione.

digitally /ˈdɪdʒɪtəlɪ/ avv. digitalmente: (*mus.*, *cinem.*) **d. remastered**, rimasterizzato digitalmente.

digitate /ˈdɪdʒɪteɪt/, **digitated** /ˈdɪdʒɪteɪtɪd/ a. (*zool.*, *bot.*) digitato.

digitation /ˌdɪdʒɪˈteɪʃn/ n. ☐ (*zool.*, *bot.*) digitazione.

digitigrade /ˈdɪdʒɪtɪɡreɪd/ a. e n. (*zool.*) digitigrado.

to **digitize** /ˈdɪdʒɪtaɪz/ (*comput.*) v. t. digitalizzare; rappresentare in forma digitale || **digitization** n. digitalizzazione || **digitizer** n. digitalizzatore; convertitore analogico-digitale; tavoletta grafica.

digitoxin /ˌdɪdʒɪˈtɒksɪn/ n. ☐ (*chim.*, *farm.*) digitossina.

diglossia /daɪˈɡlɒsɪə/ (*ling.*) n. ☐ diglossia || **diglossic a.** diglossico.

dignified /ˈdɪɡnɪfaɪd/ a. dignitoso; decoroso.

to **dignify** /ˈdɪɡnɪfaɪ/ v. t. onorare; esaltare; nobilitare; fregiare: *We cannot possibly d. this hut with the name «house»*, non è il caso di nobilitare questa capanna con il nome di «casa».

dignitary /ˈdɪɡnɪtrɪ/ n. dignitario.

dignity /ˈdɪɡnɪtɪ/ n. **1** ☐ dignità; decoro: **the d. of labour**, la dignità del lavoro; *It is beneath my d. to answer this letter*, la mia dignità non mi consente di rispondere a questa lettera **2** ☐ dignità; alto ufficio; carica: **to confer a d. on sb.**, conferire una carica a q. **3** (*raro*) dignitario: *The dignities of the Kingdom*, i dignitari del regno ● **to lose one's d.**, perdere la dignità ☐ **to stand upon one's d.**, non venir meno alla propria dignità.

digraph /ˈdaɪɡrɑːf/ n. **1** (*ling.*) digramma **2** (*mat.*) digrafo; grafo orientato.

to **digress** /daɪˈɡres/ v. i. divagare; fare digressioni: **to d. from the main subject**, divagare dall'argomento principale || **digression** n. ☐☐ digressione; divagazione || **digressive a.** digressivo.

dihedral /daɪˈhiːdrəl/ a. e n. (*geom.*) diedro: **d. angle**, angolo diedro.

dik dik /ˈdɪkdɪk/ n. (*zool.*, *Madoqua*) dik dik.

dike① /daɪk/ n. **1** fosso; fossato; canale di scolo **2** argine; diga: *There are many dikes in Holland*, ci sono molte dighe in Olanda **3** (*fig.*) barriera; ostacolo **4** (*geol.*) dicco **5** strada soprelevata (*su un terreno paludoso, ecc.*).

dike② /daɪk/ n. (*slang spreg.*) lesbica.

to **dike** /daɪk/ v. t. arginare; provvedere di dighe.

diktat /ˈdɪktæt/ n. **1** diktat **2** affermazione perentoria.

to **dilapidate** /dɪˈlæpɪdeɪt/ (*arc.*) 🅰 v. t. mandare in rovina (o in sfacelo) 🅱 v. i. andare in rovina (o in sfacelo) **❶ FALSI AMICI** ● to dilapidate *non significa* dilapidare.

dilapidated /dɪˈlæpɪdeɪtɪd/ a. **1** (*di un edificio*) in rovina, cadente; fatiscente; in sfacelo: **a d. church**, una chiesa in rovina; **d. blocks of flats**, edifici di abitazione fatiscenti **2** (*di un oggetto*) decrepito; che cade a pezzi; sgangherato: **a d. car**, un'auto sgangherata **❶ FALSI AMICI** ● dilapidated *non significa* dilapidato.

dilapidation /dɪˌlæpɪˈdeɪʃn/ n. ☐ **1** rovina; sfacelo; fatiscenza; deterioramento: **to be in a state of d.**, essere in rovina; essere fatiscente **2** (pl.) (*leg.*) deterioramento di immobile (*alla scadenza di una locazione*); (per estens.) somma addebitata a un affittuario per le riparazioni dell'immobile **3** (*geol.*) disgregazione per erosione; detriti **❶ FALSI AMICI** ● dilapidation *non significa* dilapidazione.

dilatable /daɪˈleɪtəbl/ a. dilatabile || **dilatability** n. ☐ dilatabilità.

dilatation /ˌdaɪleɪˈteɪʃn/ n. ☐ **1** (*fis.*) dilatazione **2** (*mat.*) omotetia.

to **dilate** /daɪˈleɪt/ 🅰 v. t. dilatare; allargare; spalancare: **with dilated eyes**, con gli occhi spalancati 🅱 v. i. **1** dilatarsi; allargarsi: *The pupils of a cat can d. to a very large extent*, le pupille del gatto possono dilatarsi in sommo grado **2** diffondersi; dilungarsi: *If I had more time, I could d. on this theme*, se avessi più tempo, potrei dilungarmi sull'argomento || **dilation** n. ☐ (*mat.*, *med.*, *ecc.*) dilatazione.

dilatometer /ˌdaɪləˈtɒmɪtə(r)/ (*fis.*) n. dilatometro || **dilatometry** n. ☐ dilatometria.

dilator /daɪˈleɪtə(r)/ n. **1** (*med.*) dilatatore **2** (*anat.*) muscolo dilatatore.

dilatory /ˈdɪlətrɪ/ a. **1** dilatorio: (*leg.*) **d. plea**, eccezione dilatoria **2** lento (*nel fare qc.*) | **-ily** avv. | **-iness** n. ☐

dildo /ˈdɪldəʊ/ n. (pl. **dildos**) **1** pene artificiale **2** (*slang USA*) scemo; stupido; fesso.

dilemma /dɪˈlemə/ n. **1** dilemma **2** bivio (*fig.*); situazione imbarazzante: **to put sb. in** (o **into**) **a d.**, mettere q. di fronte a una difficile alternativa ● **to be on the horns of a d.**, trovarsi davanti ai corni del dilemma; essere a un bivio (*fig.*).

dilettante /ˌdɪlɪˈtæntɪ/ n. (pl. **dilettantes**, **dilettanti**) dilettante; chi coltiva un'arte (una scienza, ecc.) per diletto || **dilettantish** a. da dilettante; dilettantesco || **dilettantism** n. ☐ dilettantismo.

diligence① /ˈdɪlɪdʒəns/ n. ☐ diligenza (*anche leg.*); accuratezza; assiduità: **due d.**, debita diligenza; diligenza del buon padre di famiglia.

diligence② /ˈdɪlɪdʒəns/ n. (*un tempo*) diligenza; carrozza pubblica.

diligent /ˈdɪlɪdʒənt/ a. diligente; accurato; assiduo | **-ly** avv.

dill /dɪl/ n. (*bot.*, *Anethum graveolens*) aneto; finocchio fetido ● (*cucina*) **d. pickle**, cetriolino sottaceto ☐ **d. slices**, fettine di cetriolino.

dilly /ˈdɪlɪ/ n. (*slang USA*, *anche iron.*) persona (o cosa) eccezionale ● **d. of a cold**, un raffreddore coi fiocchi; un accidenti di raffreddore.

to **dilly-dally** /ˈdɪlɪdælɪ/ v. i. (*fam.*) **1** bighellonare; gingillarsi **2** indugiare; tentennare.

diluent /ˈdɪljʊənt/ a. e n. ☐ (*chim.*) diluente.

dilute /daɪˈluːt/, **diluted** /daɪˈluːtɪd/ a. (*anche fig.*) diluito; allungato; annacquato: **a d. solution**, una soluzione diluita ● **d. liquid**, liquido diluito; annacquatura.

to **dilute** /daɪˈluːt/ v. t. **1** (*anche fig.*) diluire: **to d. a colour**, diluire un colore **2** (*fig.*) annacquare; attenuare; rendere più debole (*lo stile, ecc.*); smorzare (*i toni, ecc.*).

dilution /daɪˈluːʃn/ n. ☐ **1** (*chim.*) diluizione **2** diluizione, stemperamento (*d'un colore*) **3** (*fig.*) attenuazione; indebolimento **4** (*org. az.*, = **d. of labour**) impiego di manodopera non qualificata ● (*fin.*) **d. of earnings**, diluizione degli utili (*di una società*).

diluvial /daɪˈluːvɪəl/ a. (*anche geol.*) diluviale.

diluvium /daɪˈluːvɪəm/ n. (pl. **diluviums**, **diluvia**) (*geol.*) diluvium.

dim /dɪm/ a. **1** fioco; oscuro; incerto; indistinto; confuso; debole: **the dim light of an oil lamp**, il fioco lume d'una lampada a olio; **the dim outline of houses in the fog**, l'incerta sagoma delle case nella nebbia; **dim recollection**, un ricordo indistinto, confuso; **dim future**, avvenire oscuro (o fosco); futuro incerto **2** offuscato; velato: *His eyes were dim with tears*, aveva gli occhi velati dalle lacrime **3** (*fam.*) ottuso; stupido ● **dim-red**, rosso offuscato: *'The dawn came, but no day. In the grey sky a red sun appeared, a dim-red circle that gave a little light, like dusk'* J. STEINBECK, 'venne l'alba, ma senza luce del giorno. Nel cielo grigio apparve un sole rosso, un cerchio di un rosso offuscato che dava poca luce, come il crepuscolo' ☐ (*della vista*) **to get dim**, indebolirsi ☐ **to take a dim view of st.**, essere pessimista su qc.; non aspettarsi niente di buono da qc.; non essere d'accordo su qc.

to **dim** /dɪm/ 🅰 v. t. **1** oscurare; offuscare; abbassare (*l'intensità luminosa*); velare: *The lights of the theatre were dimmed*, le luci del teatro furono abbassate; **eyes dimmed with tears**, occhi velati dalle lacrime **2**

a b c **d** e f g h i j k l m n o p q r s t u v w x y z

(*fig.*) attenuare, offuscare, far diminuire (*sentimenti, prospettive, speranze, ecc.*) **B** v. i. (*della luce*) attenuarsi; offuscarsi; oscurarsi ● (*autom.*) **to dim the lights** (*o* the head-lights), abbassare (*o* commutare) le luci (*o* i fari di profondità); mettere gli anabbaglianti.

dim. abbr. **1** dimension, dimensione **2** diminuendo, (*mus.*) diminuendo.

dime /daɪm/ n. (*USA*) **1** «dime» (*moneta da 10 cent*) **2** (*slang*) (scommessa da) mille dollari **3** (*slang*) dieci anni di galera **4** (*slang*) dieci dollari di droga ● (*fam. USA*) **a d. a dozen**, dozzinale; di scarso valore; da due soldi: *'Pop, I'm a d. a dozen, and so are you!'* A. MILLER, 'papà, io sono un tipo da due soldi, e anche tu lo sei!' □ (*slang*) **d. dropper**, spia, informatore (*della polizia*) □ (*USA*) **d. store**, grande magazzino a prezzi popolari □ (*slang*) **to drop a d. on sb.**, fare la spia a q.

to **dime** /daɪm/ v. i. (*pop. USA*) fare la spia; fare una soffiata (*su q.*).

♦**dimension** /dɪˈmɛnʃn/ n. **1** dimensione: **the three dimensions**, le tre dimensioni; (*fis.*) **the fourth d.**, la quarta dimensione **2** Ⓤ (*fig.*) estensione; importanza; portata (*fig.*): **a problem of large dimensions**, un problema di grande portata **3** (*algebra*) grado: **a** b^2 c^3 **is of the sixth d.**, il monomio a b^2 c^3 è di sesto grado **4** (*tecn.*) quota (*di un disegno*).

dimensional /dɪˈmɛnʃənl/ a. (*fis.*) dimensionale: **d. constant**, costante dimensionale ● (*geom.*) **a three-d. figure**, una figura tridimensionale.

dimensionless /dɪˈmɛnʃnləs/ a. **1** senza dimensioni; illimitato **2** (*fis., mat.*) non dimensionale; adimensionale, adimensionato.

dimer /ˈdaɪmə(r)/ n. (*chim.*) dimero.

dimerous /ˈdɪmərəs/ a. (*biol.*) dimero.

dimeter /ˈdɪmɪtə(r)/ n. (*poesia*) dimetro.

dimidiate /dɪˈmɪdɪət/ a. (*anche biol.*) dimezzato.

to **diminish** /dɪˈmɪnɪʃ/ v. t. e i. **1** diminuire; scemare; ridurre, ridursi: **to d. in value**, diminuire di valore **2** (*archit.*) assottigliare, assottigliarsi; rastremare, rastremarsi **3** (*mus.*) diminuire **4** (*fig.*) sminuire, svalutare; screditare ‖ **diminishable** a. diminuibile.

diminished /dɪˈmɪnɪʃt/ a. diminuito; ridotto ● (*archit.*) **d. arch**, arco scemo □ (*leg.*) **d. responsibility**, seminfermità mentale.

diminishing /dɪˈmɪnɪʃɪŋ/ a. decrescente: (*econ.*) **d. marginal utility**, utilità marginale decrescente; **d. productivity**, produttività decrescente; **d. returns**, rendimenti decrescenti.

diminuendo /dɪmɪnjuˈɛndəʊ/ (*ital.*) n. (pl. *diminuendos*, *diminuendoes*) (*mus.*) diminuendo.

diminution /dɪmɪˈnjuːʃn, USA -ˈnuː-/ n. Ⓤ **1** (*anche mus.*) diminuzione **2** (*archit.*) rastremazione.

diminutival /dɪmɪnjuˈtaɪvl/ a. (*gramm.*) diminutivo.

diminutive /dɪˈmɪnjʊtɪv/ **A** a. **1** piccolissimo; minuscolo **2** (*gramm.*) diminutivo **B** n. (*gramm.*) diminutivo ● **on a d. scale**, in miniatura ‖ **diminutiveness** n. Ⓤ piccolezza estrema.

❶ NOTA: *diminutive, pejorative, terms of endearment*

1 L'inglese, a differenza dell'italiano, usa raramente suffissi diminutivi, accrescitivi, vezzeggiativi o peggiorativi per alterare i nomi, ricorrendo piuttosto alla combinazione aggettivo + nome: così, ad esempio, l'equivalente dell'italiano negozietto è **little shop** e una giornataccia corrisponde a **an awful day**.

a Per quanto riguarda i diminutivi e i vezzeggiativi, gli aggettivi più comunemente posti di fronte al nome sono **little** e **small**, quasi sempre intercambiabili (**little** è comunque il più frequente dei due, nonché il più colloquiale): **a little house**, una casetta; **a little beach**, una spiaggetta; **a tiny beach**, una spiaggettina; **a small village**, un paesino; **a small animal**, un animaletto.

Per i diminutivi con valore peggiorativo, le corrispondenti espressioni inglesi possono includere aggettivi come **petty** e **small-time**: **a petty thief**, un ladruncolo; **a small-time actress**, un'attricetta.

b Nel caso degli accrescitivi, gli aggettivi corrispondenti sono principalmente **big** (**a big book**, un librone), **huge** (**a huge house**, una casona) e, con valore marcatamente peggiorativo, **ugly**, **bad**, **awful**: **an ugly old man**, un vecchiaccio; **a bad woman**, una donnaccia; **an awful** (*o* foul) **smell**, un odoraccio; **awful** (*o* lousy) **weather**, tempaccio; **an awful** (*o* messy) **job**, un lavoraccio.

c Notiamo infine che l'inglese:
– possiede comunque alcuni suffissi alterativi del nome, i più significativi dei quali, benché non di ampio uso, sono i diminutivi **-let** (**islet**, isoletta; **piglet**, maialino; **booklet**, libriccino, opuscolo) e **-ling** (**duckling**, anatroccolo; **gosling**, paperino, paperotto; **princeling**, principino, principotto);
– per trasmettere il significato equivalente all'alterato italiano, si può ricorrere talvolta a un termine autonomo, come accade con **cur**, cagnaccio; **puppy**, cagnolino; **kitten**, gattino, micino; **cottage**, casetta, villetta; **grove**, boschetto; **hag**, vecchiaccia.

2 Per quanto riguarda gli aggettivi alterati, l'inglese dispone di un suffisso abbastanza produttivo, **-ish**, che è usato con valore attenuativo: **coldish**, freddolino; **oldish**, vecchiotto; **reddish**, rossiccio, rossastro; **yellowish**, giallastro, giallognolo.

In molti casi, gli aggettivi alterati italiani equivalgono però alla combinazione avverbio + aggettivo, come negli esempi seguenti: **pretty ugly**, bruttino; **fairly difficult**, difficilotto, abbastanza difficile; **quite sour**, acidulo, asprigno; *It's pretty warm in here*, fa (un bel) calduccio qui.

dimissory /ˈdɪmɪsərɪ/ a. dimissorio: (*relig.*) **d. letter**, lettera dimissoria; dimissoria.

dimity /ˈdɪmətɪ/ n. Ⓤ tessuto leggero di cotone con disegni in rilievo.

dimly /ˈdɪmlɪ/ avv. **1** fiocamente; debolmente; poco: **a d.-lit room**, una stanza poco illuminata **2** indistintamente; oscuramente.

dimmer /ˈdɪmə(r)/ n. **1** (*elettr., teatr.*) oscuratore graduale; graduatore **2** (pl.) (*autom., USA*) fari anabbaglianti ● **d. switch**, (*elettr.*) interruttore a reostato; (*autom.*) commutatore delle luci; varialuce.

dimness /ˈdɪmnəs/ n. Ⓤ **1** oscurità (*in un luogo chiuso*); debolezza (*della luce, della vista*) **2** (*fam.*) ottusità; stupidità **3** imprecisione, vaghezza (*di un ricordo*).

dimorphic /daɪˈmɔːfɪk/ (*scient.*) a. dimorfo ‖ **dimorphism** n. Ⓤ dimorfismo.

dimorphous /daɪˈmɔːfəs/ a. → **dimorphic**.

dim-out /ˈdɪmaʊt/ n. (*mil., USA*) oscuramento.

to **dim out** /dɪmˈaʊt/ **A** v. t. + avv. oscurare **B** v. i. + avv. oscurarsi.

dimple /ˈdɪmpl/ n. **1** fossetta (*nelle guance*) **2** depressione, lieve ondulazione (*del terreno*) **3** increspatura (*dell'acqua*).

to **dimple** /ˈdɪmpl/ **A** v. t. **1** formare fossette su (*un viso*) **2** increspare: *The wind dimpled the water*, il vento increspava l'acqua **3** (*mecc.*) accecare; svasare **B** v. i. **1** fare le fossette: *The little girl smiled and*

her face dimpled, la bambina sorrise e fece le fossette sul viso **2** (*d'acqua*) incresparsi.

dimply /ˈdɪmplɪ/ a. **1** che ha fossette (*nelle guance*) **2** increspato.

dim sum /dɪmˈsʊm/ n. (*cucina cinese*) fagottini di riso, con carne e verdure.

dimwit /ˈdɪmwɪt/ n. (*fam.*) stupido; testone, zuccone, fesso (*fam.*); cervellone (*iron.*, *spreg.*).

dimwitted /ˈdɪmˈwɪtɪd/ a. (*fam.*) stupido; scemo; fesso (*fam.*) ‖ -**ness** n. Ⓤ.

din /dɪn/ n. chiasso; baccano; fracasso; fragore; frastuono; strepito: **to kick up a din**, fare un gran baccano.

to **din** /dɪn/ **A** v. t. intronare; rintronare; assordare **B** v. i. far chiasso; strepitare ● **to din st. into sb.** (*o* into sb.'s ears), ripetere qc. a q. così da frastornarlo (*o* fino alla nausea): *He kept dinning into my ears the importance of the bargain*, continuava a rintronarmi le orecchie ripetendo che l'affare era molto importante.

dina /ˈdiːnə/ n. (*fis.*) dina.

dinar /ˈdiːnɑː(r)/ n. dinaro.

to **dine** /daɪn/ **A** v. i. pranzare; desinare **B** v. t. **1** offrire un pranzo a, invitare a pranzo (*q.*) **2** (*di sala, ecc.*) contenere (*un certo numero di convitati*): *This room dines sixty*, si può pranzare in sessanta in questa sala ● **to d. in**, pranzare a casa □ **to d. on** (*o* off) **st.**, pranzare a base di; desinare con: *We dined on* (*o* off) *cold chicken*, pranzammo a base di pollo freddo; *'There was an old person of Dean, / Who dined on one pea and one bean'* E. LEAR, 'c'era un vecchio di Dean / che desinava con un solo pisello e un fagiolo' □ **to d. sb. off**, pagare (*o* offrire) il pranzo a q. □ **to d. out**, pranzare fuori casa; (*pop.*) restare a pancia vuota □ (*fam.*) **to d. out on a story**, riempirsi la bocca di una storia; parlarne di continuo con gusto □ (*ferr.*) **dining car**, vagone ristorante □ **dining hall**, sala da pranzo; refettorio □ **dining room**, sala da pranzo □ (*ferr.*) **dining saloon**, vagone ristorante; (*naut.*) sala da pranzo □ **dining table**, tavola (*per la mensa*); desco (*lett.*).

diner /ˈdaɪnə(r)/ n. **1** chi pranza; convitato; commensale; cliente (*di un ristorante*) **2** (*ferr., USA*) vagone ristorante **3** (*USA*) tipico ristorante popolare (*nelle zone rurali*) ● **d. out**, chi pranza spesso fuori casa.

dinette /daɪˈnɛt/ n. tinello (*anche i mobili*); zona pranzo; angolo cottura.

ding /dɪŋ/ n. **1** din (*suono di campana*) **2** (*slang USA*) matto; pazzo: **the d. ward**, il reparto dei matti **3** (*slang Austral.*) festa; party **4** (*slang spreg. Austral.*) immigrato italiano (*o* greco) **5** (*volg. Austral.*) (buco del) culo (*volg.*).

to **ding** /dɪŋ/ **A** v. i. **1** risuonare; scampanellare **2** (*fig. fam.*) parlare con enfasi **B** v. t. **1** ripetere di continuo; ribadire **2** (*pop.*) picchiare; colpire; (*anche, spec. USA*) ammazzare; uccidere, far fuori.

ding-a-ling /ˈdɪŋəlɪŋ/ n. **1** din din; drin drin **2** (*slang USA*) individuo strambo; pazzoide; eccentrico **3** (*volg. USA*) pisello (*fig.*); pistolino, uccello (*volg.*); pene.

dingbat /ˈdɪŋbæt/ n. **1** (*tipogr.*) segno di richiamo (*o* di separazione) **2** (*USA*) aggeggio; affare; coso **3** (*slang USA*) accattone, barbone, vagabondo; balordo; scemo **4** (*volg. USA*) arnese (*volg.*); pene **5** (pl.) (*slang Austral.*) accesso d'ira (*o* di pazzia); delirium tremens.

ding-dong /ˈdɪŋdɒŋ/ **A** n. **1** Ⓤ din don; scampanio **2** (*fam.*) altercò; rissa; lotta furibonda **3** (*slang USA*) balordo; scemo **4** (*volg. USA*) batacchio; uccello (*volg.*); pene **B** a. attr. **1** che fa din don; di scampanio **2** (*fam.*) altalenante; tirato, a fasi alterne; accanito; furibondo: **a ding-dong race**, una corsa tirata (*o* a fasi alterne); **a ding-dong**

fight, una lotta furibonda; **a ding-dong argument**, una discussione accanita.

dinge /dɪndʒ/ n. (*slang spreg. USA*) **1** negro **2** omosessuale nero.

dinger /'dɪŋə(r)/ n. **1** (*baseball*) corsa alla casa base **2** (*fig. USA*) cosa eccellente, straordinaria (*o da sballo*); cannonata (*fig.*).

dinghy /'dɪŋi/ n. (*naut.*) **1** lancia (*di bordo*); canotto al traino **2** (*sport*) dinghy; dingo **3** (= **rubber d.**) battello pneumatico.

dinginess /'dɪndʒɪnəs/ n. ☐ **1** scurezza; tetraggine **2** patina di sporcizia (*causata da fumo, carbone, fango, ecc.*).

dingle /'dɪŋgl/ n. **1** valletta (*di solito, ombreggiata da alberi*) **2** (*volg. USA*) → **ding-a-ling, B**.

dingo /'dɪŋgəʊ/ n. (pl. *dingoes*) **1** (*zool., Canis dingo*) dingo (*cane australiano*) **2** (*pop. Austral.*) codardo; vigliacco; fifone ● **to turn d. on sb.**, mollare (*o abbandonare*) q.; tradire q. per paura; fare la spia a q.

dingus /'dɪŋgəs/ n. **1** (*slang USA*) aggeggio; affare; coso **2** (*volg. USA*) arnese, coso, uccello (*volg.*); pene.

dingy /'dɪndʒɪ/ a. **1** scuro; nerastro; incrostato di sporcizia **2** scolorito, sbiadito; offuscato **3** (*fig.*) tetro; lugubre; squallido: **a d. little hotel**, un alberghetto squallido **4** (*pop. USA*) eccentrico; strambo; squilibrato; pazzo.

dink ① /dɪŋk/ n. (*pop. spreg. USA*) vietnamita; orientale (*in genere*).

dink ② /dɪŋk/ n. (acronimo *fam. USA di* **double income no kids**) membro (*o coniuge*) di una coppia senza figli e a doppio reddito.

dink ③ /dɪŋk/ n. **1** (*tennis*) smorzata **2** (*pallavolo*) smorzata, 'piazzata'.

to **dink** /dɪŋk/ v. t. **1** (*tennis*) smorzare (*la palla*) **2** (*pallavolo*) smorzare, piazzare (*la palla*) ● **to d. the ball**, (*anche*) fare una smorzata.

dinkey /'dɪŋki/ n. (*fam., ferr.*) piccola locomotiva da manovra.

dinkum /'dɪŋkəm/ (*fam. Austral.*) a. genuino; onesto; sincero: **a d. offer**, un'offerta onesta ● (*fig.*) **d. oil**, la pura verità ☐ **fair d.**, genuino; autentico; vero; (*come inter.*) davvero, sul serio.

dinky ① /'dɪŋki/ ☐ a. **1** piccolo e grazioso; carino; civettuolo **2** (*USA*) piccolo e insignificante; da due soldi ☐ n. (*USA*) **1** cosino; affarino; scatolina (*fig.*): *This isn't a camera: it's just a d. for taking snaps!*, questa non è una macchina fotografica: è una scatolina per scattare istantanee! **2** (*volg.*) pisello, pistolino; pene.

dinky ② /'dɪŋki/ n. (acronimo *fam. di* **double income no kids yet**) membro (*o coniuge*) di una coppia senza figli a doppio reddito.

◆**dinner** /'dɪnə(r)/ n. ☐ **1** (*in GB*) pasto principale; (*se è a mezzogiorno*) pranzo; (*se è la sera*) cena **2** pranzo ufficiale **3** pasto completo (*al ristorante*); pranzo a prezzo fisso ● **d. bell**, campanello che annuncia l'ora del pranzo ☐ **d. dance**, pranzo con ballo ☐ **d. dress**, abito da mezza sera, da cocktail ☐ **d. jacket**, smoking ☐ (*nelle scuole*) **d. lady**, donna che sorveglia gli scolari durante l'ora del pranzo (*a scuola*) ☐ **d. party**, pranzo (*con invitati*); (collett.) i convitati ☐ **d. set** (*o* **d. service**), servizio (*di posate*) da tavola ☐ **d. table**, tavola apparecchiata: *He doesn't know how to behave at the d. table*, non sa comportarsi a tavola ☐ **d. time**, ora di pranzo ☐ **d. wagon**, portavivande; carrello a più ripiani ☐ **to ask** (*o* **to invite**) **sb. to d.**, invitare q. a pranzo (*o a cena*) ☐ **to be at d.**, essere a tavola ☐ **to give a d. for** (*o in honour of*) **sb.**, dare un pranzo in onore di q. ☐ **to have d.**, pranzare; desinare.

dinnerware /'dɪnəweə(r)/ n. ☐ (*USA*)

piatti, posate e bicchieri (pl.); stoviglie (pl.).

dino ① /'diːnəʊ/ n. (abbr. *fam.*) dinosauro ● **d. fan**, chi ha la passione dei racconti sui dinosauri.

dino ② /'daɪnəʊ/ n. **1** (*slang USA*) italiano **2** (*slang USA, ferr.*) manovale che lavora usando la dinamite.

dinosaur /'daɪnəsɔː(r)/ n. **1** (*paleont.*) dinosauro **2** (*polit., USA*) persona dalle idee conservatrici e antiquate; dinosauro (*fig.*) ‖ **dinosaurian** ☐ a. (*paleont.*) di dinosauro ☐ n. dinosauro.

dint /dɪnt/ n. **1** (*arc.*) colpo; sforzo **2** ☐ (*raro*) forza: *'the d. of pity'* W. SHAKESPEARE, 'la forza della pietà'; **by d. of**, a forza di; per mezzo di; con: **by d. of great effort**, con grandi sforzi **3** (*raro*) dentello; tacca; ammaccatura; segno.

to **dint** /dɪnt/ v. t. (*raro*) ammaccare; segnare; fare una tacca su (qc.).

diocesan /daɪ'ɒsɪsn/ (*relig.*) ☐ a. diocesano ☐ n. vescovo diocesano.

diocese /'daɪəsɪs/ n. (*relig.*) diocesi.

Diocletian /daɪə'kliːʃn/ n. (*stor. romana*) Diocleziano.

diode /'daɪəʊd/ n. (*elettron.*) diodo ● **d. gate**, porta a diodi ☐ **d. modulator**, modulatore a diodo ☐ **d. pack**, gruppo di diodi integrati.

dioecious /daɪ'iːʃəs/ a. (*biol.*) dioico.

Dionysiac /daɪə'nɪzɪæk/, **Dionysian** /daɪə'nɪzɪən/ a. dionisiaco.

Dionysus /daɪə'naɪsəs/ n. (*mitol.*) Dioniso.

diopside /daɪ'ɒpsaɪd/ n. ☐ (*miner.*) diopside.

diopter ① /daɪ'ɒptə(r)/ n. (*topogr.*) diottra.

diopter ② /daɪ'ɒptə(r)/ (*USA*) → **dioptre**.

dioptre, (*USA*) **diopter** /daɪ'ɒptə(r)/ n. (*fis.*) diottria.

dioptric /daɪ'ɒptrɪk/ ☐ a. (*fis.*) diottrico ☐ n. diottria.

dioptrics /daɪ'ɒptrɪks/ n. pl. (col verbo al sing.) diottrica.

diorama /daɪə'rɑːmə/ n. diorama.

diorite /'daɪəraɪt/ n. ☐ (*geol.*) diorite.

dioxide /daɪ'ɒksaɪd/ n. ☐ (*chim.*) diossido; biossido: **carbon d.**, biossido di carbonio; anidride carbonica.

dioxin /daɪ'ɒksɪn/ n. (*chim.*) diossina.

dip /dɪp/ n. ☐ **1** immersione; tuffo; (*fam.*) bagno (*nel mare, ecc.*): **at each dip of the oars**, a ogni immersione dei remi; **to have** (*o* **to take, to go for**) **a dip**, fare un bagno (*o una breve nuotata*) **2** bagno disinfettante; liquido (*per tingere, disinfettare, ecc.*): **a sheep dip**, un bagno disinfettante per le pecore **3** (*ind. tess.*) tintura (*la sostanza*) **4** declivio; pendio; pendenza: *There is a dip in the railway*, la ferrovia ha un tratto in pendenza **5** (*naut.*) posizione intermedia (*d'una bandiera da segnali, detta «intelligenza»*): *The flag is at the dip*, l'intelligenza è alzata a metà (*segnale visto, ma non ancora interpretato*) **6** avvallamento, depressione (*del terreno*): *The village lies in a dip among the hills*, il paese si trova in un avvallamento fra le colline **7** (*ginnastica*) flessione sulle braccia (*alle parallele*) **8** (*astron.*) inclinazione magnetica; depressione dell'orizzonte **9** (*aeron.*) perdita di quota e risalita **10** (*econ., fin.*) calo modesto; lieve caduta, lieve flessione (*di prezzi, ecc.*): **a business dip**, una lieve recessione; **a production dip**, un modesto calo della produzione **11** (*cucina*) salsa, intingolo (*per antipasti di verdure, ecc.*) **12** (*pop. USA*) borsaiolo **13** (*geol.*) inclinazione **14** (*chim.*) immersione; bagno: **dip brazing**, saldatura per immersione ● (*naut., stor.*) **dip circle**, inclinometro ☐ (*geol.*) **dip fault**, faglia inclinata ☐ (*fig.*) **a dip into politics**, un tuffo nella politica ☐ (*naut., stor.*) **dip needle**, ago

magnetico (*d'inclinometro*) ☐ **dip net**, rete da pesca; bilancino ☐ (*autom., elettr.*) **dip-switch**, commutatore delle luci.

to **dip** /dɪp/ ☐ v. t. **1** bagnare; immergere; intingere; tuffare appena: **to dip one's face in the water**, immergere il viso nell'acqua **2** (*anche naut.*) abbassare; inclinare; calare: **to dip a yard**, inclinare un pennone; **to dip a sail**, calare una vela **3** mettere; infilare: *He dipped his hand in his pocket*, infilò la mano in tasca **4** piegare, flettere (*un ginocchio: per fare un inchino*) **5** immergere (*un abito*) per tingerlo **6** immergere (*pecore, polli, ecc.*) in un bagno disinfestante **7** (*relig.*) battezzare (q.) immergendolo nell'acqua **8** (*slang*) derubare; borseggiare ☐ v. i. **1** immergersi, tuffarsi (*nell'acqua, ecc. e risalire subito alla superficie*): *I dipped into the river but it was too cold*, mi tuffai nel fiume ma l'acqua era troppo fredda **2** abbassarsi (*improvvisamente*); tuffarsi: *The sun dipped into the ocean*, il sole si tuffò nell'oceano; *The swallows rose and dipped above the water*, le rondini si alzavano e si abbassavano sul pelo dell'acqua **3** scendere; essere in declivio; digradare: *The road dipped a little*, la strada era leggermente in discesa; *The meadow dips towards the house*, il prato digrada verso la casa **4** (*della luce, di fari, ecc.*) abbassarsi; affievolirsi **5** (*di un aereo*) perdere quota all'improvviso e risalire **6** (*geol.*) inclinarsi **7** attingere, fare ricorso (a): **to dip into reserves**, attingere alle riserve **8** (*fin.*) calare; diminuire; scemare, scendere (*di valore*): *Our shares have dipped to ten dollars*, le nostre azioni sono scese a 10 dollari **9** (*naut., poet.*) navigare beccheggiando: *'Stately Spanish galleon coming from the Isthmus / Dipping through the Tropics by the palm-green shores'* J. MASEFIELD, 'maestoso galeone spagnolo che vieni da Panama e attraversi beccheggiando i Tropici sfiorando spiagge verdi di palme' **10** (*sport: calcio, ecc.*) (*della palla, di un tiro*) spiovere ● (*naut.*) **to dip a flag**, abbassare una bandiera (*in segno di saluto*) ☐ (*fig.*) **to dip one's hand into one's purse**, spendere a piene mani; spendere e spandere ☐ (*autom.*) **to dip the headlights**, togliere gli abbaglianti; mettere le mezze luci ☐ (*fig.*) **to dip into a book**, dare un'occhiata a un libro ☐ (*fig.*) **to dip into the future**, fare un salto nel futuro; cercare di prevedere come sarà ☐ **to dip into one's pocket**, mettere mano al portafoglio; tirare fuori i soldi ☐ **to dip into one's savings**, intaccare i propri risparmi ☐ (*di un dipendente*) **to dip into the till**, fare un ammanco di cassa; rubare dove si lavora.

■ **dip in** v. t. + avv. **1** immergere; tuffare appena: *The water was so cold that I just dipped my toe in*, l'acqua era così fredda che la toccai appena con la punta di un piede **2** (*fig.*) inserire la mano (*o la punta delle dita*); servirsi da solo: *Put the bag of sweets on the table so that the children can dip in*, metti il sacchetto di caramelle sulla tavola in modo che i bambini se le prendano da soli!

■ **dip up** v. t. + avv. tirare su (*acqua, ecc.*); attingere: *He dipped up the water with a pail*, attinse l'acqua (*dal pozzo, ecc.*) con un secchio.

Dip. abbr. (*scuola*, **diploma**) diploma.

dip-dye /'dɪpdaɪ/ n. (*ind. tess.*) tintura dopo la lavorazione.

to **dip-dye** /'dɪpdaɪ/ v. t. (*ind. tess.*) tingere (*stoffe*) dopo la lavorazione.

dip-dyeing /'dɪpdaɪɪŋ/ → **dip-dye**.

diphase /'daɪfeɪz/, **diphasic** /daɪ'feɪzɪk/ a. (*elettr.*) bifase, bifasico.

diphtheria /dɪf'θɪərɪə/ (*med.*) n. ☐ difterite ‖ **diphtherial**, **diphtheric**, **diphtheritic a.** difterico.

diphtheroid /'dɪfθərɔɪd/ a. (*med.*) difteroide.

diphthong /'dɪfθɒŋ/ (*fon.*) n. dittongo ‖ **diphthongal** a. di (*o* che forma un) dittongo.

to **diphthongize** /'dɪfθɒŋaɪz/ (*fon.*) v. t. dittongare ‖ **diphthongization** n. Ⓤ dittongazione.

dipl. abbr. **1** (*scuola*, **diploma**) diploma **2** (**diplomatic**) diplomatico.

diplegia /daɪ'pliːdʒə/ n. Ⓤ (*med.*) diplegia.

diplodocus /dɪ'plɒdəkəs/ n. (*paleont.*) diplodoco.

diploe /'dɪpləʊiː/ n. (*anat.*) diploe.

diploid /'dɪplɔɪd/ a. (*biol.*) diploide.

diploma /dɪ'pləʊmə/ n. (pl. *diplomas*, *diplomata*) diploma.

diplomacy /dɪp'ləʊməsɪ/ n. Ⓤ diplomazia; (*fig.*) tatto.

♦**diplomat** /'dɪpləmæt/ n. diplomatico.

diplomatese /dɪpləmæ'tiːz/ n. Ⓤ gergo della diplomazia.

♦**diplomatic** /dɪplə'mætɪk/ a. **1** diplomatico: **d. corps** (*o* **d. body**), corpo diplomatico; **d. immunity**, immunità diplomatica **2** (*fig.*) diplomatico; pieno di tatto ● (*posta, GB*) **d. bag**, valigia diplomatica; corriere diplomatico □ (*chim.*) **d. ink**, inchiostro simpatico □ (*posta, USA*) **d. pouch = d. bag** → *sopra* □ **the d. service**, la diplomazia | **-ally** avv.

diplomatics /dɪplə'mætɪks/ n. pl. (col verbo al sing.) **1** (*raro*) diplomazia **2** diplomatica.

diplomatist /dɪ'pləʊmətɪst/ n. (*anche fig.*) diplomatico.

diplopy /'dɪplɒpɪ/ n. Ⓤ (*med.*) diplopia.

dipole /'daɪpəʊl/ (*fis., chim.*) n. dipolo ● **d. antenna**, antenna a dipolo; dipolo ‖ **dipolar** a. bipolare.

dipper /'dɪpə(r)/ n. **1** chi si tuffa, s'immerge (→ **to dip**) **2** mestolo; mestolone **3** (*zool.*, *Cinclus cinclus*) merlo acquaiolo **4** – (*astron. USA*) **the D.**, l'Orsa: **the Big D.**, l'Orsa Maggiore; **the Little D.**, l'Orsa Minore **5** (*relig., arc.*) anabattista **6** (*autom., elettr.*) commutatore delle luci ● (*tecn.*) **d. bucket**, benna (*di escavatore*) □ (*mecc.*) **d. dredge**, draga a cucchiaia.

dipping /'dɪpɪŋ/ n. Ⓤ **1** immersione **2** l'abbassarsi; affievolimento (*di luci, ecc.*) **3** inclinazione **4** avvallamento (*del terreno*) ● (*naut.*) **d. sonar**, sonar a immersione.

dippy /'dɪpɪ/ a. (*fam. USA*) matto; pazzo; strambo; svitato, picchiatello (*fam.*).

dipshit /'dɪpʃɪt/ n. (*volg. USA*) stronzo (*fig. volg.*); individuo stupido e odioso.

dipsomania /dɪpsə'meɪnɪə/ (*med.*) n. Ⓤ dipsomania ‖ **dipsomaniac** a. e n. dipsomane; alcolizzato.

dipstick /'dɪpstɪk/ n. **1** (*autom.*) asta di livello; stecca (*fam.*) **2** (*volg. USA*) → **dipshit 3** (*volg. USA*) uccello, cazzo (*volg.*); pene.

dipsy /'dɪpsɪ/ a. (*pop. USA*) **1** sbronzo; ubriaco **2** tonto; scemo.

dipsy-doodle /'dɪpsɪ'duːdl/ Ⓐ n. (*slang USA*) **1** imbroglio; raggiro; truffa **2** imbroglione; truffatore **3** (*econ.*) serie di cadute improvvise (*di prezzi, ecc.*) Ⓑ a. attr. **1** matto; svitato, picchiatello (*fam.*) **2** (*econ.: di un mercato*) scosso da cadute dei prezzi; traballante.

dipteral /'dɪptərəl/ a. **1** (*archit.*) dittero **2** (*zool.*) dei ditteri.

dipterous /'dɪptərəs/ a. (*zool.*) dei ditteri; relativo ai ditteri.

diptych /'dɪptɪk/ n. (*arte, archeol.*) dittico.

dir. abbr. **1** (**direction**) direzione (Dir.) **2** (**director**) direttore (Dir.).

dire /'daɪə(r)/ a. atroce; orrendo; spaventoso; tremendo; diro (*lett.*) ● **d. need**, pressante bisogno □ **d. poverty**, miseria nera □ (*mitol.*) **the d. sisters**, le Furie.

♦**direct** /dɪ'rɛkt/ Ⓐ a. **1** diretto; immediato:

in a d. line, in linea diretta; **a d. hit** (*o* shot), un tiro diretto (*di cannone, ecc.*); **d. ray**, raggio diretto; (*gramm.*) **d. speech**, discorso diretto; **d. method**, metodo diretto **2** chiaro; franco; esplicito; preciso; sincero: **a d. answer**, una risposta precisa (*sì o no*); *He has a d. way of saying things*, dice le cose in modo esplicito **3** assoluto; esatto: **the d. opposite** (*o* **contrary**), l'esatto contrario (*proprio il contrario*) Ⓑ avv. direttamente; dritto: *The train goes d. to London*, il treno va direttamente a Londra; *The martyr went d. to heaven*, il martire andò dritto in cielo ● (*comput.*) **d. access**, accesso diretto □ (*mecc.*) **d.-acting**, ad azione diretta; a comando diretto □ **d. action**, azione diretta (*in un'agitazione sindacale*) □ (*alpinismo*) **d. ascent**, direttissima □ (*edil.*) **d. bearing**, piedritto; sostegno verticale □ (*comput.*) **d. code**, codice macchina □ **d. contradiction**, piena contraddizione □ (*fin.*) **d. control**, controllo di maggioranza □ (*rag.*) **d. costing**, contabilità industriale a costi diretti □ (*elettr.*) **d. current**, corrente continua □ (*banca*) **d. debit** (*o* **debiting**), addebito diretto (*di utenze, ecc.*) □ (*econ.*) **d. demand**, domanda diretta □ (*banca, USA*) **d. deposit**, accredito (*del salario, dello stipendio*) su conto corrente (*tur.*) **d. dial telephone**, telefono diretto con l'esterno (*nelle camere*) □ (*telef.*) **d. distance calling**, teleselezione □ (*mecc.*) **d. drive**, trasmissione diretta □ (*sport*) **d. free kick**, calcio diretto (*o* di prima) □ (*stor., in GB*) **d.-grant school**, scuola secondaria privata sovvenzionata dallo Stato (*fino al 1979*) □ (*econ.*) **d. marketing**, commercializzazione diretta □ (*gramm.*) **d. object**, complemento oggetto □ (*polit.*) **d. rule**, controllo diretto dell'ordine pubblico (*in Irlanda del Nord: dal 1972*) □ (*market.*) **d. sale** (*o* **selling**), vendita diretta □ (*econ.*) **d. services**, servizi diretti; prestazioni professionali □ (*fin.*) **d. taxes**, imposte dirette.

♦to **direct** /dɪ'rɛkt/ Ⓐ v. t. **1** dirigere; indirizzare; rivolgere; volgere; guidare: **to d. a firm** [**a company, a department**], dirigere una ditta [una società, un dipartimento]; *Who directs the excavations?*, chi dirige gli scavi?; *He directed his remarks to you*, rivolse a te le sue osservazioni; *Duty directs my actions*, il senso del dovere guida le mie azioni; **to d. one's attention to st.**, rivolgere la propria attenzione a qc. **2** comandare, ordinare, dare istruzioni a: *She was directed to answer the letter*, le furono date istruzioni di rispondere alla lettera **3** indicare, insegnare la strada a (q.): *I met a man who directed me to the castle*, incontrai un uomo che mi indicò la strada per il castello **4** indirizzare, inviare (*una lettera e sim.*): **to d. the mail to a new address**, indirizzare la posta a un indirizzo nuovo **5** (*mus.*) dirigere (*un'orchestra, ecc.*) **6** (*cinem., teatr., TV*) dirigere; curare la regia di (*un film, ecc.*) **7** assegnare, destinare (*fondi, ecc.*): **to d. part of one's earnings to scholarship funds**, destinare parte dei propri guadagni a fondi per borse di studio Ⓑ v. i. **1** dare ordini; dare istruzioni **2** (*mus.*) dirigere; fare il direttore **3** (*cinem., teatr., TV*) fare il regista ● **to d. one's steps homewards**, rivolgere i passi verso casa □ **to d. a film** [**a play**], dirigere un film [un dramma]; essere il regista di un film [di un dramma].

directed /dɪ'rɛktɪd/ a. **1** diretto **2** (*mat.*) orientato: **d. graph**, grafo orientato; **d. segment**, segmento orientato ● (*cinem.*) (*di un film*) **«d. by ...»**, «regia di ...»; «regista» (*seguìto dal nome*) □ (*econ.*) **d. economy**, economia dirigistica □ **as d.**, secondo le direttive (*o* le istruzioni) ricevute.

♦**direction** /dɪ'rɛkʃn/ n. Ⓤ Ⓒ **1** direzione; verso; senso: **in the d. of London**, in direzione di Londra; **sense of d.**, senso della di-

rezione; *There have been improvements in many directions*, ci sono stati miglioramenti in molti sensi **2** (spesso al pl.) ordine; istruzione; direttiva: **directions to servants**, istruzioni ai domestici; **directions on the label**, istruzioni sull'etichetta **3** (spesso al pl.) indirizzo (*su una lettera, un pacco, ecc.*): **insufficient directions**, indirizzo incompleto **4** (*teatr., cinem., TV*) regia **5** (*fin., org. az.*) direzione; guida delle attività correnti **6** (*mus.*) direzione **7** (*mus.*) didascalia, indicazione ● **d. board**, indicatore stradale □ (*mat.*) **d. cosines**, coseni direttori □ (*radio*) **d. finder** (abbr. **DF**), radiogoniometro □ (*aeron.*) **d. indicator**, indicatore di direzione □ (*mat.*) **d. ratio**, parametro direttore □ (*autom.*) **d. signs**, segnali (*o* cartelli) di direzione □ (*radio*) **d. station**, stazione radiogoniometrica □ (*autom.*) **d. to be followed**, senso obbligatorio.

directional /dɪ'rɛkʃənl/ a. **1** (*scient., tecn.*) direzionale **2** direttivo; dirigenziale ● (*radio*) **d. antenna**, antenna direzionale ● (*elettr.*) **d. beam**, fascio direzionale □ (*fis. nucl.*) **d. counter**, contatore direzionale ● (*naut.*) **d. homing**, radioguida direzionale.

directive /dɪ'rɛktɪv/ Ⓐ a. **1** direttivo **2** che indica la direzione Ⓑ n. direttiva; istruzione: **to issue a new d.**, dare una nuova direttiva.

♦**directly** /dɪ'rɛktlɪ/ Ⓐ avv. **1** direttamente; diritto, dritto: *We headed d. into the desert*, c'inoltrammo direttamente nel deserto **2** immediatamente; subito; fra breve: *Go in d.!*, entra subito!; *I'll be back d.*, sarò di ritorno fra breve **3** esattamente; completamente; diametralmente: **d. opposite**, diametralmente opposto; proprio di fronte (a qc.) Ⓑ cong. (*fam.*) appena; non appena: *Send him to me d. he comes*, mandalo da me appena viene.

directness /dɪ'rɛktnəs/ n. Ⓤ **1** l'esser diretto; immediatezza **2** chiarezza; franchezza; precisione; sincerità; spontaneità ● **d. of manner**, modo di fare spontaneo ● **d. of speech**, modo di parlare esplicito.

♦**director** /dɪ'rɛktə(r)/ n. **1** direttore; dirigente **2** (*fin.*) consigliere d'amministrazione; amministratore **3** (*cinem., teatr., TV*) regista **4** (*relig.*) direttore spirituale **5** (*mus.*, = **conductor**) direttore d'orchestra **6** (*elettr.*) elemento direttore **7** (*elettron.*) selettore **8** (*mil.*) centrale di tiro **9** (pl. collett.) (*fin.*) consiglio d'amministrazione ● **d. general**, direttore generale (*spec. di ministero, ecc.*) □ (*in Inghil.*) **D. of Education**, Provveditore agli Studi □ (*leg., in Inghil.*) **D. of Public Prosecutions**, «Direttore della Pubblica Accusa» (*non è un magistrato, ma un funzionario dello Stato*) □ (*fin.*) **d.'s shares**, pacchetto azionario (*minimo*) di un consigliere d'amministrazione.

directorate /dɪ'rɛktərət/ n. **1** carica di direttore; direzione **2** (*fin.*) consiglio d'amministrazione.

directorial /dɪrɛk'tɔːrɪəl/ a. **1** direttoriale **2** (*fin.*) del consiglio d'amministrazione **3** direttivo; direzionale.

directorship /dɪ'rɛktəʃɪp/ n. carica (*o* durata in ufficio) di direttore (*o* di consigliere d'amministrazione).

directory ① /dɪ'rɛktərɪ/ a. **1** direttivo **2** (*leg.*) dispositivo ● (*leg.*) **d. statute**, legge dispositiva; norma ordinaria (*o* derogabile).

directory ② /dɪ'rɛktərɪ/ n. **1** libro d'istruzioni, di pratiche religiose, ecc. **2** elenco nominativo; annuario **3** – (*stor.*) **the D.**, il Direttorio **4** (*fin., USA*) consiglio d'amministrazione **5** (*telef.*, = **telephone d.**) elenco; guida **6** (*comput.*) directory; cartella ● (*telef.*) **d. enquiries**, servizio d'informazioni sui numeri degli abbonati □ (*di numero telefonico*) **ex-d.**, non in elenco.

directress /dɪˈrɛktrɪs/ n. direttrice; dirigente (*donna*).

directrix /dɪˈrɛktrɪks/ n. (pl. ***directrixes***, ***directrices***) **1** (*arc.*) direttrice (→ **directress**) **2** (*geom.*) direttrice.

direful /ˈdaɪəfl/ a. (*lett.*) spaventoso; terribile; orrendo | **-ly avv.**

dirge /dɜːdʒ/ n. (*lett.*) canto (*o* lamento) funebre; nenia (*lett.*).

dirigible /dɪˈrɪdʒəbl/ **A** a. dirigibile: **d. balloon**, pallone dirigibile **B** n. (*aeron.*) dirigibile; aeronave.

dirigisme /diːriːˈʒɪzəm/ (*franc.*) n. Ⓤ (*econ.*) dirigismo.

diriment /ˈdɪrɪmənt/ a. (*leg.*) dirimente: **d. impediment**, impedimento dirimente.

dirk /dɜːk/ n. pugnale, daga (*spec. in Scozia*).
to **dirk** /dɜːk/ v. t. pugnalare.

♦**dirt** /dɜːt/ n. Ⓤ **1** immondizia; sporcizia; sudiciume; spazzatura **2** terra; terriccio: *'Amanda plays mostly in the d. with the neighbour children'* J.H. Updike, 'Amanda per lo più gioca con la terra insieme ai bimbi dei vicini' **3** (*fig.*) bruttura; lordura; sozzura **4** (*slang USA*) notizia scandalosa; pettegolezzo; maldicenza **5** (*slang USA*) pornografia; oscenità ● **d. bike**, moto fuoristrada □ (*fam.*) **d. cheap**, a prezzo stracciato; che costa pochissimo; convenientissimo □ **d.-eating**, geofagia □ (*fam. USA*) **d. farmer**, piccolo coltivatore diretto □ **d. poor**, poverissimo □ (*USA*) **d. road**, strada in terra battuta; strada bianca (*o* sterrata) □ (*sport*) **d. track**, pista di terra battuta (*per cavalli*); pista di cenere (*per corse motociclistiche*) □ (*fam.*) **as cheap as d.**, da due soldi; che non costa nulla *o* quasi □ (*fam. USA*) **to dig d.**, spettegolare; fare della maldicenza □ (*fig.*) **to eat d.**, subire un'umiliazione; ingoiare il rospo; chinare il capo (*fig.*) □ **to fling** (*o* to **throw**) **d. at sb.**, gettar fango su q.; parlare male di q. □ (*fam. USA*) **to hit the d.**, buttarsi a terra (*per ripararsi dagli spari, ecc.*) □ **to treat sb. like d.**, trattare q. come spazzatura.

dirtily /ˈdɜːtəlɪ/ avv. **1** sporcamente; in modo sudicio **2** (*fig.*) scorrettamente; slealmente.

dirtiness /ˈdɜːtɪnəs/ n. Ⓤ **1** sporcizia; immondezza; lordura **2** (*fig.*) sordidezza; oscenità.

♦**dirty** /ˈdɜːtɪ/ a. **1** sporco; sudicio; immondo; lordo; lurido; sordido; osceno; sconcio; sboccato: **a d. handkerchief**, un fazzoletto sporco; **d. linen**, biancheria sporca; panni sporchi (*anche fig.*); *He is a d. scoundrel*, è uno sporco furfante; **a d. joke**, una barzelletta sporca (*o* sconcia); *That boy has a d. mind*, quel ragazzo ha una fantasia oscena; **d. yellow**, giallo sporco **2** (*del tempo, ecc.*) orribile; da cani: *I won't go out in such a d. weather*, non uscirò con questo tempo da cani **3** (*fig.*) disonesto; scorretto; sleale: **a d. action**, un'azione disonesta **4** (*fis. nucl., mil.*) sporco: **a d. bomb**, una bomba sporca **5** (*fig.: di un cambio fluttuante*) manipolato **6** (*sport*) falloso **7** (*slang: di un poliziotto*) corrotto **8** (*slang*) che si droga; drogato ● (*slang USA*) **d. bag**, donnaccia; puttana □ (*fig. slang*) **d. dog**, individuo spregevole; (un) poco di buono □ **d. film**, film a luci rosse □ (*slang ingl.*) **d. great**, grandissimo; enorme □ **a d. look**, un'occhiataccia □ **d.-minded**, che prende tutto sull'osceno; che pensa solo a quella cosa (*fam.*) □ **d. money**, denaro sporco □ (*fam. spreg.*) **d. old man**, vecchio sporcaccione □ (*fam. USA*) **d. pool**, comportamento sleale; colpo basso (*fig.*) □ (*naut.*) **d. ship**, petroliera sporca; (*anche*) nave cisterna per nafta □ **a d. trick**, un brutto scherzo; un colpo gobbo; un tiro mancino □ (*polit.*) **d. tricks brigade**, gruppo che fa il 'lavoro sporco' (*delitti, ecc.*; *anche per un go-*

verno) □ **d. word**, parola sporca; parolaccia □ **d. work**, lavoro che sporca, lavoro pesante; (*anche*) lavoro sporco (*o* poco pulito); attività illegale (*o* illecita) □ (*fam.*) **to do sb.'s d. work**, fare un lavoro ingrato al posto di q. □ (*fam. ingl.*) **to do the d. on sb.**, tirare un colpo basso a q.

to **dirty** /ˈdɜːtɪ/ **A** v. t. insudiciare; sporcare; insozzare; lordare: *He wore gloves so as not to d. his hands*, portava i guanti per non sporcarsi le mani; *I've never dirtied my hands with bribes*, non mi sono mai sporcato le mani con bustarelle **B** v. i. insudiciarsi; sporcarsi; insozzarsi; lordarsi.

(to) **dis** /dɪs/ → (to) **diss**.

disability /ˌdɪsəˈbɪlətɪ/ n. **1** (*med.*) menomazione; disabilità; handicap; invalidità: **physical d.**, menomazione fisica; handicap fisico **2** (*leg.*) incapacità: **d. to enter a contract**, incapacità contrattuale ● **d. benefit**, assegno (*o* sussidio) d'invalidità □ (*ass.*) **d. clause**, clausola d'invalidità □ **d. insurance**, assicurazione contro l'invalidità □ **d. pension**, pensione d'invalidità.

to **disable** /dɪsˈeɪbl/ v. t. **1** incapacitare; menomare; rendere inabile (*o* invalido) **2** (*leg.*) dichiarare incapace **3** (*tecn.*) disattivare; mettere fuori servizio; disinserire; neutralizzare; disinnescare (*un ordigno*): **to d. a bomb**, disinnescare una bomba **4** (*comput.*) disabilitare.

♦**disabled** /dɪsˈeɪbld/ **A** a. **1** (*med.*) disabile; portatore di handicap; invalido: **a d. person**, un disabile; un portatore di handicap; **a d. soldier**, un invalido di guerra; un mutilato di guerra **2** (*leg.*) inabile; incapace **3** (*tecn.*) disinserito; disattivato; neutralizzato; (*di ordigno*) disinnescato **4** (*comput.*) disabilitato **B** n. pl. (**the d.**) i disabili; i portatori di handicap.

disablement /dɪsˈeɪblmənt/ n. **1** Ⓤ il rendere inabile (*o* disabile); disabilitazione; menomazione **2** Ⓤ (*leg.*) inabilitazione **3** (*med.*) menomazione; handicap fisico.

disabling /dɪsˈeɪblɪŋ/ a. invalidante; incapacitante: **a progressively d. disease**, una malattia progressivamente incapacitante.

to **disabuse** /ˌdɪsəˈbjuːz/ v. t. (*form.*) disingannare; disilludere.

disaccharide /daɪˈsækəraɪd/ n. (*chim.*) disaccaride.

disaccord /ˌdɪsəˈkɔːd/ n. Ⓤ (*form.*) disaccordo; discordia; dissenso.
to **disaccord** /ˌdɪsəˈkɔːd/ v. i. (*form.*) dissentire; essere in disaccordo.

to **disaccustom** /ˌdɪsəˈkʌstəm/ v. t. disabituare; dissuefare (*lett.*).

disadvantage /ˌdɪsədˈvɑːntɪdʒ/ n. **1** Ⓤ svantaggio; posizione di svantaggio; condizione di svantaggio: *Knowing only one language is a big d. in this job*, in questo lavoro conoscere solo una lingua è un grosso svantaggio; **to be at a d.**, essere in (condizioni di) svantaggio; **to be to sb.'s d.**, andare a svantaggio di q.; **to feel at a d.**, sentirsi in condizione di svantaggio; sentirsi svantaggiato; **to put sb. at a d.**, mettere q. in posizione di svantaggio **2** Ⓤ detrimento; danno; nocumento (*lett.*) ● **to take sb. at a d.**, cogliere q. alla sprovvista.

disadvantaged /ˌdɪsədˈvɑːntɪdʒd/ **A** a. svantaggiato **B** n. pl. (*econ., polit.*) the **d.**, i diseredati.

disadvantageous /ˌdɪsædvɑːnˈteɪdʒəs/ a. **1** svantaggioso; sfavorevole **2** che è a detrimento (di q.); dannoso; nocivo.

to **disaffect** /ˌdɪsəˈfɛkt/ v. t. disaffezionare (*lett.*); disamorare; alienare.

disaffected /ˌdɪsəˈfɛktɪd/ a. disaffezionato (*lett.*); maldisposto; ostile.

disaffection /ˌdɪsəˈfɛkʃn/ n. Ⓤ disaffezione; malcontento (*spec. politico*); scontento;

disamore; ostilità.

to **disaffirm** /ˌdɪsəˈfɜːm/ v. t. (*leg.*) **1** risolvere (*un contratto*) **2** revocare (*una dichiarazione precedente*).

to **disafforest** /ˌdɪsəˈfɒrɪst/ v. t. **1** (*leg., stor.*) privare (*un terreno*) del carattere di foresta demaniale **2** disboscare; diboscare ‖ **disafforestation** n. Ⓤ **1** (*leg., stor.*) privazione del carattere di foresta demaniale **2** disboscamento; diboscamento.

to **disaggregate** /dɪsˈægrɪgeɪt/ (*anche chim.*) **A** v. t. disaggregare **B** v. i. disaggregarsi ‖ **disaggregation** n. Ⓤ disaggregazione.

disagio /dɪsˈædʒɪəʊ/ n. (*fin.*) disaggio.

♦to **disagree** /ˌdɪsəˈɡriː/ v. i. **1** discordare; non coincidere; non essere d'accordo con: *Your report and our information d.*, il tuo rapporto discorda dalle informazioni in nostro possesso **2** dissentire; essere in disaccordo: *I d. with her on most issues*, dissento da lei quasi su ogni punto **3** non confarsi, fare male a: *Wet weather disagrees with me*, il tempo umido non mi si confà; *Wine disagrees with some people*, a certe persone il vino fa male **4** disputare; litigare.

disagreeable /ˌdɪsəˈɡriːəbl/ **A** a. **1** sgradevole; spiacevole: **d. company**, compagnia sgradevole; **a d. smell**, un odore spiacevole **2** (*di persona*) di carattere difficile; antipatico; irascibile; scontroso **B** n. (pl.) fastidi; seccature | **-ness** n. Ⓤ | **-bly** avv.

disagreement /ˌdɪsəˈɡriːmənt/ n. Ⓤ Ⓒ **1** disaccordo; dissapore; dissenso **2** discordanza; differenza: *There is d. between the two accounts*, c'è discordanza fra i due conti **3** discordia; lite; litigio.

to **disallow** /ˌdɪsəˈlaʊ/ v. t. **1** (*anche leg.*) respingere; non ammettere; non riconoscere; non accettare: *The tax officials will d. your claim for a refund*, il fisco non accetterà la tua richiesta di rimborso delle imposte **2** (*spec. polit.*) porre il veto a; non permettere **3** (*sport: dell'arbitro*) annullare: **to d. a goal**, annullare un gol ‖ **disallowance** n. Ⓤ **1** (*anche leg.*) rigetto; rifiuto **2** divieto; veto.

to **disambiguate** /ˌdɪsæmˈbɪɡjueɪt/ (*anche ling.*) v. t. disambiguare ‖ **disambiguation** n. Ⓤ disambiguazione.

to **disannul** /ˌdɪsəˈnʌl/ v. t. (*leg.*) annullare; revocare.

♦to **disappear** /ˌdɪsəˈpɪə(r)/ v. i. scomparire (*anche fig.*); sparire; svanire: *The moon has disappeared behind the clouds*, la luna è scomparsa dietro le nubi ● (*fam.*) **to do a disappearing act**, squagliarsela; battere in ritirata; sparire; volatilizzarsi.

disappearance /ˌdɪsəˈpɪərəns/ n. Ⓤ Ⓒ scomparsa; sparizione: **the d. of my keys**, la scomparsa delle mie chiavi.

disappeared /ˌdɪsəˈpɪəd/ n. pl. – the **d.**, i desaparecidos.

to **disappoint** /ˌdɪsəˈpɔɪnt/ v. t. **1** deludere: *The play disappointed me*, la commedia mi ha deluso; **to d. sb.'s hopes**, deludere le speranze di q. **2** mancare di parola a (q.); venir meno a una promessa (*o* a un appuntamento, ecc.): *Please don't d. me again*, per favore, non mancarmi di parola di nuovo **3** frustrare; rendere vano; sconvolgere (*progetti e sim.*).

♦**disappointed** /ˌdɪsəˈpɔɪntɪd/ a. deluso; insoddisfatto; frustrato: **a d. man**, un uomo insoddisfatto; **d. hopes**, speranze frustrate ● **to be d. with** (*o* in) **sb.**, rimanere deluso di q. □ **to be d. at losing a match**, essere deluso per aver perso una partita | **-ly** avv.

disappointing /ˌdɪsəˈpɔɪntɪŋ/ a. deludente; spiacevole ● **How d.!**, che delusione!; che contrattempo!; che peccato!

disappointment /ˌdɪsəˈpɔɪntmənt/ n. Ⓤ Ⓒ delusione; disappunto: *To my great d., he*

refused to help me, con mio grande disappunto, rifiutò di aiutarmi; **to meet with a d.**, avere una delusione.

disapprobation /ˌdɪsæprəˈbeɪʃn/ n. ▢ (form.) disapprovazione.

disapproval /ˌdɪsəˈpruːvl/ n. ▢ disapprovazione; riprovazione (lett.).

to **disapprove** /ˌdɪsəˈpruːv/ Ⓐ v. t. 1 disapprovare; riprovare (lett.) 2 (polit.) respingere (un disegno di legge, ecc.) Ⓑ v. i. – to **d. of**, disapprovare; trovare da ridire su: I strongly d. of your behaviour, disapprovo del tutto la tua condotta ‖ **disapprovingly** avv. con aria (o in segno) di disapprovazione.

disapproving /ˌdɪsəˈpruːvɪŋ/ a. 1 che non approva; critico 2 di disapprovazione.

to **disarm** /dɪsˈɑːm/ Ⓐ v. t. 1 disarmare; rendere innocuo 2 (fig.) calmare; rabbonire: She disarmed her angry boss with a smile, con un sorriso rabbonì il capo che si era arrabbiato 3 (mil.) disattivare (un ordigno) Ⓑ v. i. (polit.) disarmare.

disarmament /dɪsˈɑːməmənt/ n. ▢ (anche polit.) disarmo.

disarmer /dɪsˈɑːmə(r)/ n. (polit.) chi disarma; fautore del disarmo.

disarming /dɪsˈɑːmɪŋ/ a. disarmante: **d. outspokenness**, disarmante schiettezza.

to **disarrange** /ˌdɪsəˈreɪndʒ/ v. t. mettere in disordine; confondere; scompigliare ‖ **disarrangement** n. ▢ disordine; confusione; scompiglio.

disarray /ˌdɪsəˈreɪ/ n. ▢ 1 disordine (in particolare, negli abiti); confusione; scompiglio 2 abbigliamento trasandato ● **to throw sb. into complete d.**, sconvolgere i piani di q.; gettare q. nel caos.

to **disarray** /ˌdɪsəˈreɪ/ v. t. 1 disordinare; gettare lo scompiglio in (le file del nemico, ecc.); scompigliare 2 (poet.) svestire.

to **disarticulate** /ˌdɪsɑːˈtɪkjʊleɪt/ v. t. 1 (anche med.) disarticolare 2 squartare, smembrare (un pollo morto, ecc.) ‖ **disarticulation** n. ▢ 1 (anche med.) disarticolazione 2 squartamento; smembramento.

to **disassemble** /ˌdɪsəˈsembl/ (mecc.) v. t. smontare: **to d. an engine**, smontare un motore ‖ **disassembly** n. ▢ smontaggio (di macchine, ecc.).

to **disassociate** /ˌdɪsəˈsəʊʃieɪt/ v. t. (non com.) dissociare (→ **to dissociate**) ‖ **disassociation** n. ▢ (anche psic.) dissociazione.

◆**disaster** /dɪˈzɑːstə(r)/ n. 1 ▢ sfortuna; calamità; (anche fig.) disastro; sventura 2 (fin.) dissesto; fallimento 3 (ass.) sinistro; incidente grave ● **d. area**, zona (o regione) sinistrata.

disastrous /dɪˈzɑːstrəs/ a. disastroso |-ly avv.

to **disavow** /ˌdɪsəˈvaʊ/ v. t. disconoscere (anche leg.); rinnegare; ripudiare; sconfessare ‖ **disavowal** n. ▢ disconoscimento (anche leg.); ripudio; sconfessione.

to **disband** /dɪsˈbænd/ Ⓐ v. t. 1 sbandare; disperdere (una folla); sciogliere (un assembramento) 2 sciogliere, sopprimere (un'associazione, un ente inutile, ecc.) 3 (mil.) sbandare, smobilitare, congedare (un esercito) Ⓑ v. i. sbandarsi; disperdersi; sciogliersi ‖ **disbandment** n. ▢ 1 sbandamento; dispersione; scioglimento 2 soppressione (d'enti, ecc.) 3 (mil.) sbandamento (di truppe).

to **disbar** /dɪsˈbɑː(r)/ (leg.) v. t. radiare (un avvocato) dall'albo ‖ **disbarment** n. ▢ radiazione (di un avvocato) dall'albo.

disbelief /ˌdɪsbɪˈliːf/ n. ▢ 1 incredulità 2 (relig.) miscredenza.

to **disbelieve** /ˌdɪsbɪˈliːv/ v. t. e i. non credere, non prestar fede (a): **to d. a statement**, non credere a un'asserzione ‖ **disbeliever** n. 1 incredulo 2 (relig.) miscre-

---

dente.

disbenefit /dɪsˈbenɪfɪt/ n. svantaggio; inconveniente; perdita.

to **disbud** /dɪsˈbʌd/ v. t. mondare (una pianta) dei germogli.

to **disburden** /dɪsˈbɜːdn/ v. t. sgravare; alleggerire (di un peso, anche fig.); alleviare; liberare: **to d. one's mind of an oppressive thought**, liberarsi la mente di un pensiero opprimente ● **to d. one's conscience**, togliersi un peso dalla coscienza.

to **disburse** /dɪsˈbɜːs/ v. t. 1 sborsare (denaro, ecc.) 2 (fin.) erogare (somme, ecc.).

disbursement /dɪsˈbɜːsmənt/ n. 1 ▢ sborso; esborso 2 ▢ (fin.) erogazione: **the d. of a loan**, l'erogazione di un mutuo 3 somma pagata; spesa.

◆**disc** /dɪsk/ n. 1 (anche anat. e bot.) disco: **the d. of the sun**, il disco del sole; (med.) **to suffer from a slipped d.**, avere l'ernia del disco 2 (mus.) disco (fonografico) 3 (sport: sollevamento pesi) disco 4 (autom., = **parking d.**) disco orario; disco 5 (comput.) → **disk** ● (autom., mecc.) **d. brakes**, freni a disco □ (bot.) **d. flower**, fiore del disco □ (mecc.) **d. grinding**, rettifica dei dischi □ (agric.) **d. harrow**, erpice a dischi □ (radio, TV) **d. jockey**, disc jockey (selezionatore e presentatore di dischi di successo) □ (autom.) **d. parking**, parcheggio in zona a disco □ (mecc.) **d. sander**, smerigliatrice a disco □ **d. saw**, sega circolare □ (ferr.) **d. signal**, segnale a disco; disco □ (autom.) **d. zone**, zona a disco □ (med.) **He has slipped a d.**, gli è venuta l'ernia al disco.

disc. abbr. 1 (comm., **discount**) sconto 2 (**discovered**) scoperto.

discalced /dɪsˈkælst/ a. (relig.) scalzo (di certi ordini monastici).

discant /ˈdɪskænt/ n. (mus.) discanto.

discard /ˈdɪskɑːd/ n. 1 scarto (anche nel gioco delle carte); rifiuto 2 carta scartata ● **to be in d.**, essere messo da parte; essere in disuso.

to **discard** /dɪsˈkɑːd/ Ⓐ v. t. 1 scartare (anche nel gioco delle carte): **to d. a dress**, scartare (o smettere) un vestito 2 abbandonare; rinunciare a: **to d. a habit**, abbandonare un'abitudine 3 licenziare; tagliare i ponti con (q.): I was sorry to have to d. such an old friend, mi dispiacque dover tagliare i ponti con un vecchio amico 4 (ind.) rottamare Ⓑ v. i. (a carte) scartare ● (poker) **to d. one's hand**, buttar via le carte; non starci (fam.).

discardable /dɪsˈkɑːdəbl/ a. scartabile.

discarding /dɪsˈkɑːdɪŋ/ n. ▢ (ind.) rottamaggio; rottamazione.

to **discern** /dɪsˈsɜːn/ v. t. e i. discernere; scorgere; distinguere; percepire: I discerned a faint light far away, scorsi un debole lume in lontananza; **to d. the difference between two things**, percepire la differenza fra due cose; **to d. good from bad**, distinguere il bene dal male ‖ **discernible**, **discernable** a. discernibile (lett.), distinguibile; percepibile.

discerning /dɪsˈsɜːnɪŋ/ a. 1 che ha discernimento; acuto; perspicace; sagace; giudizioso 2 (del gusto) buono; sicuro; oculato.

discernment /dɪsˈsɜːnmənt/ n. ▢ 1 discernimento; acume; sagacia; giudizio 2 (del gusto) bontà; sicurezza; oculatezza.

discharge /ˈdɪstʃɑːdʒ/ n. ▢◻ 1 scarico; scaricamento 2 scarica (elettrica, d'arma da fuoco, ecc.): **a d. of arrows**, una scarica di frecce 3 (med.) suppurazione; emissione (di pus); (anche) scarica, evacuazione 4 efflusso (d'acque); portata (di fiumi, ecc.) 5 destituzione; congedo; licenziamento: **d. from the army**, congedo dal servizio militare; **the d. of a dishonest clerk**, il licenziamento d'un

---

impiegato disonesto 6 (leg.) proscioglimento (di un imputato); esonero (da un obbligo, da una responsabilità); liberazione (anche da un'ipoteca); rilascio; assoluzione: **the d. of the prisoners**, la liberazione dei prigionieri; **the d. of the accused man**, l'assoluzione dell'imputato 7 adempimento (anche leg.: di un'obbligazione); compimento (di un atto dovuto); estinzione (di un debito, ecc.); pagamento: **the d. of a duty**, il compimento d'un dovere; **the d. of a debt**, il pagamento d'un debito 8 (leg.) annullamento; estinzione; risoluzione; revoca: **d. of a contract by agreement [by operation of the law, by performance]**, estinzione (o risoluzione) di un contratto per mutuo consenso [per effetto di legge, per adempimento]; **the d. of a warrant of arrest**, la revoca di un mandato di cattura 9 (mecc.) scarico: **d. channel**, condotto (o luce) di scarico 10 (naut.) discarica (delle merci) 11 (rag.) scarico ● (leg.) **d. for cause**, licenziamento per giusta causa □ **d. from employment**, licenziamento □ (leg.) **d. from prison**, scarcerazione □ (mecc.) **d. head**, prevalenza (d'una pompa) □ (elettron.) **d. lamp**, lampada a scarica (o a luminescenza) □ (ind., ecol.) **d. liquor**, effluente □ (leg.) **the d. of a bankrupt**, la riabilitazione di un fallito □ (fin.) **the d. of a bill**, l'estinzione di una cambiale □ (leg.) **d. of jury**, scioglimento della giuria □ (mil.) **d. papers**, foglio di congedo □ **d. tube**, (elettron.) tubo a scarica; (mecc.) tubo di scarico.

to **discharge** /dɪsˈtʃɑːdʒ/ Ⓐ v. t. 1 scaricare; liberare (da un peso, ecc.): **to d. a ship [a cargo]**, scaricare una nave [un carico]; Clouds d. electricity, le nuvole scaricano elettricità; **to d. a battery**, scaricare una batteria; **to d. a gun**, scaricare un fucile (sparando); (leg.) **to d. sb. from an obligation**, liberare q. da un obbligo 2 congedare; licenziare; dimettere: The cook was discharged (from service), il cuoco fu licenziato; **to d. a committee [a jury]**, congedare una commissione [una giuria]; **to d. a patient from hospital**, dimettere un infermo dall'ospedale 3 liberare; rilasciare: The prisoner was discharged, il detenuto fu liberato (o dimesso dal carcere) 4 (form.) adempiere; compiere; estinguere (un debito, ecc.); pagare: I have a duty to d., ho un dovere da compiere; **to d. a vow**, adempiere un voto; **to d. a debt**, pagare un debito 5 (leg.) assolvere, prosciogliere (un imputato) 6 (leg.) annullare, revocare (un provvedimento, un'ordinanza) 7 (leg.) adempiere (un'obbligazione) 8 (med.) secernere (pus); scaricare (l'intestino) 9 (tintoria) decolorare, stingere (un tessuto) Ⓑ v. i. 1 (di un fiume, ecc.) scaricarsi; sboccare; sfociare 2 (di arma da fuoco) sparare; lasciar partire un colpo 3 (elettr.) scaricarsi 4 (med.) suppurare 5 (di una tinta) stingere ● **to d. an arrow**, scagliare una freccia □ (leg.) **to d. a bankrupt**, riabilitare un fallito □ (fin.) **to d. a bill of exchange**, estinguere una cambiale □ **to d. itself into**, (di un fiume) gettarsi; sboccare; sfociare: The Mississippi discharges itself into the Gulf of Mexico, il Mississippi si getta nel Golfo del Messico □ (leg.) **discharged bankrupt**, fallito riabilitato □ (fin.) **discharged bill**, cambiale estinta □ (naut.) **discharging port**, porto di discarica.

dischargeable /dɪsˈtʃɑːdʒəbl/ a. 1 scaricabile 2 congedabile; licenziabile 3 (leg.) che si può prosciogliere, liberare o riabilitare 4 (leg.) adempibile; (di un debito, ecc.) estinguibile, pagabile 5 (leg.: di un contratto, ecc.) annullabile; risolvibile; estinguibile; (di un ordine) revocabile.

discharger /dɪsˈtʃɑːdʒə(r)/ n. 1 chi scarica, ecc. (→ **to discharge**) 2 (spec. elettr., mecc.) scaricatore.

disciple /dɪˈsaɪpl/ n. discepolo; seguace ‖

discipleship n. ⓤ condizione di discepolo; l'esser discepolo (di q.).

disciplinable /'dɪsəplɪnəbl/ a. **1** disciplinabile **2** (leg.) punibile.

disciplinarian /dɪsəplɪ'nɛərɪən/ **A** a. (raro) disciplinare **B** n. chi sa imporre la disciplina; chi crede nell'utilità d'una severa disciplina.

disciplinary /'dɪsəplɪnrɪ/ a. disciplinare: **d. rules**, norme disciplinari; **d. lay-off**, sospensione disciplinare.

♦**discipline** /'dɪsəplɪn/ n. **1** ⓤ disciplina; ordine: **to keep d.**, tenere la disciplina **2** disciplina; materia di studio **3** ⓤ castigo; punizione; frusta (fig.): That boy needs a little d., quel ragazzo ha bisogno di un po' di vergate **4** ⓤ (relig.) disciplina; mortificazione.

to **discipline** /'dɪsəplɪn/ v. t. **1** disciplinare; tenere in disciplina **2** castigare; punire **3** (relig.) disciplinare; mortificare; flagellare.

disciplined /'dɪsəplɪnd/ a. disciplinato.

to **disclaim** /dɪs'kleɪm/ v. t. **1** (form.) disconoscere; rifiutarsi di ammettere; ritrattare; sconfessare; smentire: **to d. a confession**, ritrattare una confessione **2** (leg.) negare, respingere, rigettare (un'accusa): He disclaimed being involved in the crime, negò d'essere coinvolto nel reato **3** (leg.) declinare (responsabilità, ecc.) **4** (leg.) rifiutare (di esercitare una funzione, ecc.) **5** (leg.) rinunciare a (un diritto di proprietà, ecc. su qc.) ● **to d. a libellous pamphlet**, negare d'essere l'autore di un opuscolo diffamatorio.

disclaimer /dɪs'kleɪmə(r)/ n. **1** ⓤ (form.) disconoscimento; ritrattazione; sconfessione, smentita **2** (leg.) diniego, rigetto (di un'accusa) **3** (leg.) il declinare; diniego (di responsabilità) **4** (leg.) rinuncia (a un diritto o **claim**, spec. di proprietà): **d. of a right** (o **of an interest**), rinuncia a un diritto **5** (leg.) rifiuto (di esercitare una funzione, ecc.) ● (leg.) **d. clause**, clausola esonerativa (della responsabilità) □ (leg.) **d. in bankruptcy**, rinuncia a beni o diritti del fallito (da parte del → «trustee») □ (leg.) **d. of a contract**, denuncia di un contratto; recesso unilaterale □ (leg.) **d. of a gift**, rinuncia di una donazione.

disclamation /dɪsklə'meɪʃn/ n. **1** ⓤ ritrattazione; sconfessione; smentita **2** (leg.) → **disclaimer**.

to **disclose** /dɪ'skləʊz/ v. t. scoprire: **to d. a hidden treasure**, scoprire un tesoro nascosto **2** rivelare; svelare; divulgare: **to d. a secret**, svelare un segreto; **to d. a piece of news**, divulgare una notizia.

disclosure /dɪ'skləʊʒə(r)/ n. **1** ⓤⓒ rivelazione; scoperta (di un tesoro, ecc.); divulgazione: (fisc.) **d. of turnover**, rivelazione del proprio giro d'affari **2** (bur.) informativa **3** (ass., naut.) dichiarazione (o informazione) obbligatoria ● **full d.**, trasparenza (in un contratto, ecc.); (fin.) comunicazione non discriminatoria (delle informazioni finanziarie); (comput.) pubblicazione dettagliata delle vulnerabilità di un prodotto; full disclosure.

disco /'dɪskəʊ/ n. (pl. **discos**) (abbr. fam. di **discotheque**) discoteca; disco (fam.) ● **d. ball**, sfera (o palla) stroboscopica; palla da discoteca □ **d. dancing**, disco-dance □ **d. music**, disco-music.

to **disco** /'dɪskəʊ/ v. i. andare in discoteca.

discobolus /dɪ'skɒbələs/ n. (pl. **discoboli**) (arte) discobolo.

discography /dɪ'skɒɡrəfɪ/ n. ⓒⓤ (mus.) discografia (elenco ragionato di dischi o studio dei medesimi).

discoid /'dɪskɔɪd/ **A** a. discoide; discoidale; a forma di disco **B** n. **1** (biol.) discoide **2** (med.) discoide; spatola a disco □ **discoidal** a. discoidale: (biol.) **discoidal cleavage**, segmentazione discoidale.

discoloration /dɪskʌlə'reɪʃn/ n. **1** ⓤ alterazione del colore originale; opacizzazione; scolorimento **2** ⓒ macchia; alone.

to **discolour**, (USA) to **discolor** /dɪs'kʌlə(r)/ **A** v. t. alterare il colore originale di; macchiare; scolorire; opacizzare **B** v. i. subire un'alterazione del colore originale; macchiarsi; scolorirsi; opacizzarsi □ **discolouration**→**discoloration** ‖ **discoloured**, (USA) **discolored** a. macchiato; scolorito: **discoloured teeth**, denti macchiati.

to **discombobulate** /dɪskəm'bɒbjəleɪt/ (fam.) v. t. (spec. USA) scombussolare, sconcertare; rintronare ‖ **discombobulated** a. scombussolato; sconcertato; rintronato; confuso ‖ **discombobulation** n. confusione; scombussolamento; rintronamento.

to **discomfit** /dɪs'kʌmfɪt/ v. t. **1** (arc.) sconfiggere **2** confondere; frustrare; sconcertare ‖ **discomfiture** n. ⓤ **1** (arc.) sconfitta **2** confusione; frustrazione; sconcerto.

discomfort /dɪs'kʌmfət/ n. ⓤⓒ **1** disagio; mancanza di comodità; scomodità **2** disagio; imbarazzo **3** incomodo; fastidio; disturbo.

to **discomfort** /dɪs'kʌmfət/ v. t. mettere a disagio; incomodare.

to **discompose** /dɪskəm'pəʊz/ v. t. **1** (raro) scompigliare; scomporre; disordinare **2** agitare; imbarazzare; sconcertare; turbare ‖ **discomposure** n. ⓤ **1** agitazione; imbarazzo; sconcerto; turbamento **2** (raro) scompiglio; disordine; confusione.

to **disconcert** /dɪskən'sɜːt/ v. t. **1** sconcertare; imbarazzare; turbare **2** scombinare; scombussolare; sconvolgere: His decision disconcerts all my plans, la sua decisione scombussola tutti i miei progetti ‖ **disconcerted** a. sconcertato; imbarazzato; turbato ‖ **disconcertation**, **disconcertment** n. ⓤ **1** sconcerto; imbarazzo; turbamento **2** scombussolamento.

disconcerting /dɪskən'sɜːtɪŋ/ a. sconcertante; imbarazzante ‖ **-ly** avv.

disconformity /dɪskən'fɔːmətɪ/ n. ⓤ (geol.) discordanza (tra due strati paralleli).

to **disconnect** /dɪskə'nɛkt/ n. **1** → **disconnection 2** (fig.) alienazione: He managed to survive despite his d. from reality, nonostante la sua alienazione dalla realtà, è riuscito a sopravvivere **3** (spec. USA, fig.) divario; distanza: There is an increasing cultural d. among the ruling class, è in aumento il divario culturale all'interno della classe dirigente.

to **disconnect** /dɪskə'nɛkt/ **A** v. t. **1** sconnettere; staccare; scollegare **2** (mecc.) disinserire; disinnestare **3** (elettr.) sconnettere; interrompere (un circuito) **4** (comput.) disconnettere **5** togliere l'acqua (o la luce, il gas) a (q.) **B** v. i. (anche comput.) scollegarsi; disconnettersi ● **to d. a phone**, staccare un telefono □ **to d. the waterpipe**, chiudere l'acqua (delle tubazioni) (elettr.): **disconnecting switch**→**disconnector** □ (telef.) **Operator, I've been disconnected**, centralino, è caduta la linea ‖ **disconnection**, **disconnexion** n. ⓤⓒ **1** sconnessione; disgiunzione **2** (elettr., mecc.) disinnesto; disinserzione **3** (comput.) scollegamento; disconnessione.

disconnected /dɪskə'nɛktɪd/ a. **1** sconnesso; staccato; scollegato **2** (mecc.) disinserito; disinnestato **3** (elettr.) disinserito **4** (fig.) sconnesso; incoerente | **-ly** avv. | **-ness** n. ⓤ.

disconnector /dɪskə'nɛktə(r)/ n. (elettr.) sezionatore.

disconsolate /dɪs'kɒnsələt/ a. sconsolato; sconfortato; affranto | **-ly** avv.

discontent /dɪskən'tɛnt/ n. **1** ⓤ scontentezza; scontento; malcontento **2** motivo di scontento; lamentela; lagnanza.

to **discontent** /dɪskən'tɛnt/ v. t. scontentare.

discontented /dɪskən'tɛntɪd/ a. **1** scontento; malcontento **2** insoddisfatto: I'm d. with my salary, sono insoddisfatto del mio stipendio ‖ **discontentedly** avv. con aria insoddisfatta; in tono di scontento ‖ **discontentedness**, **discontentment** n. ⓤ scontentezza; insoddisfazione.

discontinuance /dɪskən'tɪnjʊəns/ n. ⓤ **1** cessazione; interruzione **2** (leg.) abbandono; desistenza: **d. of an action**, desistenza da una causa; (pressappoco) ritiro di querela **3** (leg.) estinzione (di un procedimento) **4** (leg.) sospensione ● (comm.) **d. of business**, ritiro dagli affari □ (leg.) **d. of counterclaim**, rinuncia all'azione riconvenzionale.

discontinuation /dɪskəntɪnjʊ'eɪʃn/ n. ⓤ (raro) cessazione; interruzione.

to **discontinue** /dɪskən'tɪnjuː/ v. t. e i. **1** cessare; smettere; interrompere; abbandonare; tralasciare: **to d. paying visits to sb.**, smettere di far visite a q.; **to d. a habit**, abbandonare un'abitudine **2** (leg.) desistere da, rinunciare a (una causa) ● **to d. a newspaper**, smettere di pubblicare (o di comprare) un giornale □ **to d. a subscription**, non rinnovare un abbonamento (a un giornale, ecc.) □ (comm.) **discontinued business**, azienda che ha cessato l'attività □ (ind., comm.) **discontinued model**, modello non più in produzione; modello vecchio.

discontinuity /dɪskɒntɪ'njuːətɪ, USA -'nuː-/ n. ⓤ **1** discontinuità (anche scient., tecn.) **2** interruzione; intervallo; sosta.

discontinuous /dɪskən'tɪnjʊəs/ a. **1** discontinuo; interrotto; intermittente **2** (geol., elettron., mat., metall.) discontinuo ‖ **discontinuously** avv. con discontinuità; in modo intermittente.

discopathy /dɪ'skɒpəθɪ/ n. ⓤⓒ (med.) discopatia.

discord /'dɪskɔːd/ n. ⓤⓒ **1** discordia; disaccordo; discordanza; divergenza; dissenso: (fig.) **the apple of d.**, il pomo della discordia **2** fragore; frastuono (mus.) dissonanza.

to **discord** /dɪs'kɔːd/ v. i. **1** discordare; dissentire; essere in disaccordo **2** (di suono) discordare; essere dissonante **3** (mus.) dissonare.

discordant /dɪs'kɔːdənt/ a. **1** discorde; discordante; dissimile; divergente: **d. views**, opinioni divergenti **2** (mus.) dissonante ‖ **discordance**, **discordancy** n. ⓤ **1** discordanza (di suoni o colori) **2** discordia; disaccordo; dissenso; divergenza.

discotheque /'dɪskətɛk/ n. discoteca.

♦**discount** /'dɪskaʊnt/ n. **1** (comm.) sconto; ribasso; riduzione: We grant a 3% d. for cash, concediamo uno sconto del 3% per pagamento in contanti; We could offer you a d. of £100 on the price, potremmo offrirle uno sconto di £100 sul prezzo **2** (fin.) sconto: **to offer a bill for d.**, presentare una cambiale allo sconto **3** (Borsa, fin., = **stock d.**) sconto di emissione **4** (fig.) tara (che si fa a una notizia, ecc.) ● (fin.) **d. bank**, banca di sconto □ (fin.) **d. bond**, obbligazione sotto la pari □ (fin.) **d. broker**, agente di sconto; scontista □ (market.) **d. card**, carta di sconto □ (fin.) **d. house**, (fin.) istituto di sconto; (market.) negozio che vende a prezzi scontati; discount □ (fin.) **d. market**, mercato dello sconto □ (fin.) **d. rate**, tasso di sconto; (USA, anche) tasso ufficiale di sconto (cfr. ingl. **bank rate**, sotto **bank**②) □ (market.) **d. shop** (o **d. store**), discount □ **at a d.**, (comm.) sotto prezzo; (fin., Borsa) sotto la pari; (fig.) in scarsa considerazione, in poco conto; con beneficio d'inventario: Day dreamers are at

d

a d., i sognatori (a occhi aperti) godono di scarsa considerazione; *You must take what he says at a d.*, bisogna prendere quel che dice con beneficio d'inventario □ (*comm.*) **bulk d. prices**, prezzi scontati per acquisti in grandi quantità □ (*fam. USA*) **five-finger d.**, 'cinque dita e un po' di paura' (*fam.*); furto; tacchéggio □ (*fig., fin.*) **to have access to the d. window**, poter accedere alle operazioni di sconto.

to **discount** /dɪˈskaʊnt/ v. t. **1** (*comm.*) scontare; detrarre (*dal conto, ecc.*); ribassare; vendere sottocosto **2** (*fin.*) scontare: **to d. a bill**, scontare una cambiale **3** (*fig.*) fare la tara a (*una notizia, un racconto*) **4** sminuire l'importanza di (*una notizia, ecc., dando particolari in anticipo*).

discountable /dɪsˈkaʊntəbl/ a. **1** (*anche fin.*) scontabile **2** (*di notizia, ecc.*) poco attendibile; da prendere con le molle (*fig.*).

discounted /dɪsˈkaʊntɪd/ a. **1** detratto **2** (*fin.*) scontato: **d. bills**, cambiali scontate ● (*rag.*) **d. cash flow method**, metodo dell'attualizzazione dei flussi di cassa.

discountenance /dɪsˈkaʊntɪnəns/ n. ▣ (*form.*) **1** umiliazione **2** disapprovazione; critica.

to **discountenance** /dɪsˈkaʊntɪnəns/ v. t. (*form.*) **1** sconcertare; umiliare **2** disapprovare; cercare d'impedire; scoraggiare (*un progetto, ecc.*).

discounter /ˈdɪskaʊntə(r)/ n. **1** (*fin.*) scontista; intermediario di sconto **2** (*fin.*) scontatario; chi presenta una cambiale allo sconto.

discounting /ˈdɪskaʊntɪŋ/ n. ▣ (*fin.*) sconto (*l'operazione*): **the d. of notes**, lo sconto di effetti cambiari ● **d. house**, banca (*o istituto*) di sconto.

to **discourage** /dɪˈskʌrɪdʒ/ v. t. **1** scoraggiare **2** dissuadere: *We tried to d. him from swimming across the river*, tentammo di dissuaderlo dall'attraversare il fiume a nuoto **3** (*econ.*) disincentivare ● **to become discouraged**, scoraggiarsi.

discouragement /dɪˈskʌrɪdʒmənt/ n. **1** ▣ scoraggiamento; sconforto **2** freno (*fig.*); impedimento **3** (*econ.*) disincentivo.

discouraging /dɪˈskʌrɪdʒɪŋ/ a. **1** scoraggiante; sconfortante: **d. news**, notizie sconfortanti **2** (*econ.*) disincentivante | -ly avv.

♦**discourse** /ˈdɪskɔːs/ n. **1** dissertazione; conferenza; orazione; sermone; trattato **2** (*lett.*) discorso; conversazione **3** ▣ (*ling.*) discorso: **d. analysis**, analisi del discorso.

to **discourse** /dɪsˈkɔːs/ v. i. tenere una conferenza; dissertare: **to d. on a subject**, dissertare su un argomento.

discourteous /dɪsˈkɜːtɪəs/ a. scortese; incivile; screanzato.

discourtesy /dɪsˈkɜːtəsɪ/ n. ▣ scortesia; villania.

♦to **discover** /dɪsˈkʌvə(r)/ v. t. scoprire; manifestare; palesare; svelare; trovare; accorgersi di: *Amerigo Vespucci discovered South America*, Amerigo Vespucci scoprì l'America del Sud; *I discovered that he was a traitor*, m'accorsi che era un traditore ● **as far as I can d.**, per quanto ne so io □ (*teatr.*) **to be discovered**, vedersi: *At curtain the hero is discovered nervously pacing up and down*, all'alzarsi del sipario si vede il protagonista che passeggia nervosamente su e giù || **discoverable** a. scopribile; trovabile || **discoverer** n. scopritore, scopritrice.

discovert /dɪsˈkʌvət/ a. (*leg.: di donna*) priva di tutela maritale.

♦**discovery** /dɪsˈkʌvərɪ/ n. **1** scoperta; ritrovato: **a voyage of d.**, un viaggio di scoperta; **a scientific d.**, una scoperta scientifica **2** ▣ (*leg.*) presentazione, esibizione (*di*

documenti) **3** ▣ (*leg.*) dichiarazioni (*del fallito*) sulla propria situazione patrimoniale **4** (*leg.*) esibizione (*o produzione*) di documenti: **order for d.**, ingiunzione (*del giudice*) di produrre documenti ● (*USA*) **D. Day**, anniversario della scoperta dell'America (*12 ottobre*).

discredit /dɪsˈkrɛdɪt/ n. ▣ **1** discredito; disistima: **to fall into d.**, cadere in discredito; **to bring d. on sb.**, mettere q. in discredito; screditare q. **2** incredulità; dubbio: **to cast d. on a report**, mettere in dubbio un resoconto **3** disonore; vergogna; disdoro (*lett.*): *He is a d. to his family*, è un disdoro per la sua famiglia.

to **discredit** /dɪsˈkrɛdɪt/ v. t. **1** screditare; gettare discredito su (q.); tornare a discredito di (q.): *His behaviour has seriously discredited him*, il suo comportamento lo ha screditato gravemente **2** screditare; revocare in dubbio, dubitare di; non credere a: *We have no reason to d. what he has stated under oath*, non abbiamo motivo di non credere a ciò che ha dichiarato sotto giuramento.

discreditable /dɪsˈkrɛdɪtəbl/ a. disonorevole; disdicevole; vergognoso: **d. behaviour**, comportamento disonorevole.

discredited /dɪsˈkrɛdɪtɪd/ a. screditato: **d. theories**, teorie screditate; **a d. financier**, un finanziere screditato.

discreet /dɪsˈkriːt/ a. **1** discreto; circospetto; rispettoso: *You can talk to her, she's very d.*, puoi parlare con lei, è molto discreta **2** discreto; poco vistoso: *I let him know someone was coming with a d. cough*, gli ho fatto capire che arrivava qualcuno tossendo in modo discreto | -ly avv. | -ness n. ▣.

❶ NOTA: *discreet o discrete?*
Attenzione a queste due parole, che hanno uguale pronuncia e significati diversi. L'aggettivo *discreet* significa "discreto" nel senso di "rispettoso, non importuno": *to make a few discreet inquiries*, fare poche domande discrete; *She was very discreet: she never told me anything about her boss's private life*, era molto riservata: non mi disse mai nulla della vita privata di suo capo; significa "discreto" anche nel senso di "che non disturba, non vistoso": *discreet jewellery*, gioielli discreti; *a discreet notice in the window*, un bigliettino alla finestra. Il sostantivo *discrete*, invece, si traduce con "discreto" solo in ambito matematico; è un termine più formale che significa "distinto, separato": *to divide the responsibilities into discrete tasks*, suddividere le responsabilità in compiti specifici; *citizenship is now being taught as a discrete subject*, l'educazione civica viene ora insegnata come materia a sé stante.

discrepancy /dɪsˈkrɛpənsɪ/ n. discrepanza; diversità; disaccordo; divario: *There is considerable d. between the two stories*, c'è notevole discrepanza fra i due racconti || **discrepant** a. discrepante; diverso; contrastante.

discrete /dɪsˈkriːt/ a. **1** distinto; diviso; separato **2** (*mat., ling., stat.*) discreto: **d. set**, insieme discreto **3** (*filos.*) astratto | -ly avv. | -ness n. ▣ **❶ NOTA:** *discreet o discrete?* → **discreet**.

discretion /dɪsˈkrɛʃn/ n. ▣ **1** discrezione; discernimento; giudizio; arbitrio; libertà (*di decidere, ecc.*): **the age** (*o years*) **of d.**, l'età della discrezione (*o della ragione*) **2** cautela; riserbo **3** (*leg.*) discrezionalità; potere discrezionale ● **at d.**, a discrezione; a piacere; a volontà □ **at one's d.**, a proprio giudizio: **at our absolute d.**, a nostro insindacabile giudizio □ **to be at the d. of sb. else**, essere in balìa (*o nelle mani*) d'altri □ **to surrender at d.**, arrendersi a discrezione (*o*

senza condizioni) □ (*prov.*) **D. is the better part of valour**, il riserbo non è mai troppo.

discretionary /dɪsˈkrɛʃənrɪ/ a. discrezionale; facoltativo: (*leg., polit.*) **d. powers**, poteri discrezionali ● (*econ.*) **d. income**, reddito disponibile □ (*fin.*) **d. trust**, fondo comune d'investimento flessibile.

discriminant /dɪsˈkrɪmɪnənt/ a. e n. (*mat.*) discriminante: (*stat.*) **d. function**, funzione discriminante.

discriminate /dɪsˈkrɪmɪneɪt/ a. **1** discriminato; distinto **2** → **discriminative**.

to **discriminate** /dɪsˈkrɪmɪneɪt/ v. t. e i. **1** discriminare; fare differenza; essere parziale: *The law should not d. the poor from the rich* (*o between rich and poor*), la legge non dovrebbe fare differenza tra ricchi e poveri **2** discernere; distinguere: *He cannot d. good films from bad*, non sa distinguere un film buono da uno cattivo.

discriminating /dɪsˈkrɪmɪneɪtɪŋ/ a. **1** che discrimina; parziale **2** discriminante **2** acuto; fine; perspicace; sottile: **a d. critic of music**, un fine intenditore di musica **3** (*anche comm. est.*) differenziale; di favore: **a d. tariff**, una tariffa differenziale; **d. duty**, dazio differenziale; **d. treatment**, trattamento di favore | -ly avv.

discrimination /dɪsˌkrɪmɪˈneɪʃn/ n. ▣ **1** discriminazione; parzialità: **racial d.**, discriminazione razziale; **d. in transport rates**, discriminazione in materia di prezzi del trasporto **2** (*comm. est.*) differenziazione **3** discernimento; acume; giudizio; perspicacia.

discriminative /dɪsˈkrɪmɪnətɪv/ a. **1** che discrimina; discriminante **2** acuto; giudizioso; perspicace **3** (*comm. est.*) → **discriminating**, *def. 3.*

discriminatory /dɪsˈkrɪmɪnətrɪ/ a. discriminatorio: **a d. law**, una legge discriminatoria ● **d. measures**, discriminazioni.

discursive /dɪsˈkɜːsɪv/ a. **1** digressivo; che divaga; che salta di palo in frasca (*fig.*); sconnesso **2** (*filos.*) raziocinativo | -ly avv. | -ness n. ▣.

discus /ˈdɪskəs/ n. **1** (pl. **discuses, disci**) (*sport*) disco: **d. throw**, lancio del disco **2** ▣ (*sport*) il disco (*la specialità*) ● **d. thrower**, lanciatore di disco; discobolo □ **d. throwing**, il lancio del disco (*la specialità*); il disco (*fam.*).

♦to **discuss** /dɪsˈkʌs/ v. t. discutere; dibattere (*un problema, una questione, ecc.*); esaminare; approfondire; *When can we meet to d. the budget?*, quando possiamo vederci per discutere del budget? ● **to d. the weather**, parlare del tempo || **discussable. discussible** a. discutibile.

discussion /dɪsˈkʌʃn/ n. ▣ **1** discussione; dibattito: *The matter is still under d.*, la faccenda è ancora in discussione **2** analisi; esame (*di una teoria, ecc.*) ● (*di problema, ecc.*) **to come up for d.**, essere affrontato; essere oggetto di discussione.

disdain /dɪsˈdeɪn/ n. ▣ sdegno; disprezzo.

to **disdain** /dɪsˈdeɪn/ v. t. disdegnare; sdegnare; disprezzare.

disdainful /dɪsˈdeɪnfl/ a. sdegnoso; sprezzante | -ly avv. | -ness n. ▣.

♦**disease** /dɪˈziːz/ n. ▣ malattia (*anche fig.*); malanno; male; infermità: **occupational d.**, malattia professionale; **blood d.**, malattia del sangue; *Bigotry is a d. of society*, il fanatismo è una malattia della società.

diseased /dɪˈziːzd/ a. **1** malato (*anche fig.: di mente, cuore, ecc.*) **2** (*fig.*) morboso: **d. imagination**, fantasia morbosa.

diseconomy /dɪsɪˈkɒnəmɪ/ n. diseconomia.

to **disembark** /dɪsɪmˈbɑːk/ (*naut., aeron.*) v. t. e i. sbarcare || **disembarkation** n. ▣

sbarco.

to **disembarrass** /dɪsɪm'bærəs/ v. t. **1** sbarazzare, liberare (*q. d'un peso*) **2** togliere d'imbarazzo; trarre d'impaccio.

disembodied /dɪsɪm'bɒdɪd/ a. **1** disincarnato; incorporeo **2** (*di suono o voce*) che non si sa da dove venga (*o di chi sia*).

to **disembody** /dɪsɪm'bɒdɪ/ v. t. liberare dal corpo; rendere incorporeo; disincarnare ‖ **disembodiment** n. ⓤ **1** incorporeità **2** il rendere incorporeo.

to **disembogue** /dɪsɪm'bəʊg/ v. i. (*di fiume*) sboccare; sfociare; scaricare le acque.

to **disembowel** /dɪsɪm'baʊəl/ v. t. sbudellare; sventrare ‖ **disembowelment** n. ⓤⓒ sbudellamento; sventramento.

to **disembroil** /dɪsɪm'brɔɪl/ v. t. sbrogliare; districare.

to **disempower** /dɪsɪm'paʊə(r)/ v. t. privare di poteri, di autorità.

to **disenchant** /dɪsɪn't ʃɑːnt/ v. t. disincantare; disilludere ‖ **disenchanted** a. disincantato; disilluso ‖ **disenchantment** n. ⓤ disincanto; disillusione.

to **disencumber** /dɪsɪn'kʌmbə(r)/ v. t. sgombrare; sbarazzare; liberare **2** (*leg.*) liberare (*una proprietà*) da un'ipoteca; sgravare.

to **disendow** /dɪsɪn'daʊ/ v. t. privare (*una chiesa*) delle dotazioni ‖ **disendowment** n. ⓤ privazione delle dotazioni; espropriazione.

to **disenfranchise** /dɪsɪn'fræntʃaɪz/ v. t. **1** (*leg.*) privare del diritto di voto (*o di altri diritti civili*) **2** privare di un privilegio o di un diritto.

to **disengage** /dɪsɪn'geɪdʒ/ Ⓐ v. t. **1** disimpegnare; districare; liberare; sbrogliare **2** (*mecc.*) disinnestare; disingranare; disimpegnare: **to d. the clutch**, disinnestare la frizione Ⓑ v. i. **1** disimpegnarsi; svincolarsi **2** (*mil. e sport*) sganciarsi **3** (*scherma, anche* **to d. one's blade**) eseguire una cavazione • **to d. oneself**, disimpegnarsi; (*mil. e sport*) sganciarsi □ (*mil.*) **disengaging action**, azione di disimpegno; sganciamento □ (*mecc.*) **disengaging gear**, meccanismo di disinnesto.

disengaged /dɪsɪn'geɪdʒd/ a. **1** libero; non impegnato; disponibile **2** (*di un oggetto*) staccato **3** (*polit.*) disimpegnato **4** (*mecc.*) disinnestato **5** (*mil. e sport*) sganciato.

disengagement /dɪsɪn'geɪdʒmənt/ n. ⓤ **1** disimpegno; libertà (*da impegni, vincoli, ecc.*); disponibilità **2** naturalezza; spigliatezza; disinvoltura **3** rottura di fidanzamento **4** (*polit.*) disimpegno **5** (*mecc.*) disinnesto **6** (*mil. e sport*) sganciamento **7** (*scherma*) cavazione.

to **disentail** /dɪsɪn'teɪl/ v. t. (*leg.*) liberare (*una proprietà*) da vincoli.

to **disentangle** /dɪsɪn'tæŋgl/ Ⓐ v. t. liberare; sbrogliare; districare; sciogliere (*un viluppo, ecc.*); trarre d'impaccio; sceverare (*lett.*): **to d. the truth from a lot of lies**, sceverare la verità da un cumulo di menzogne Ⓑ v. i. (*di fune imbrogliatasi, capelli impigliati, ecc.*) liberarsi; sbrogliarsi; districarsi ‖ **disentanglement** n. ⓤ liberazione; sbrogliamento, districamento.

to **disenthral**, to **disenthrall** /dɪsɪn'θrɔːl/ (*stor.*) v. t. affrancare, emancipare (*uno schiavo*); liberare ‖ **disenthralment**, (*USA*) **disenthrallment** n. ⓤ emancipazione (*di uno schiavo*).

to **disentomb** /dɪsɪn'tuːm/ v. t. esumare, dissotterrare (*un cadavere*; *e fig.*); scoprire (*dopo lunghe ricerche*).

disequilibrium /dɪsiːkwɪ'lɪbrɪəm/ n. ⓤⓒ (pl. **disequilibriums**, **disequilibria**) (*anche econ.*) disequilibrio; squilibrio; instabilità.

to **disestablish** /dɪsɪ'stæblɪʃ/ v. t. **1** privare (*un'istituzione*) del suo carattere pubblico **2** privare (*una Chiesa*) del suo carattere di religione di Stato ‖ **disestablishment** n. ⓤ abolizione del carattere pubblico (*di un'istituzione, ecc.*).

disesteem /dɪsɪ'stiːm/ n. ⓤ disistima.

to **disesteem** /dɪsɪ'stiːm/ v. t. disistimare.

disfavour, (*USA*) **disfavor** /dɪs'feɪvə(r)/ n. **1** sfavore; disgrazia: **to be in d.**, essere in disgrazia; **to fall into d. with sb.**, cadere in disgrazia agli occhi di q. (*o presso q.*) **2** scortesia; dispetto.

to **disfavour**, (*USA*) to **disfavor** /dɪs'feɪvə(r)/ v. t. **1** disapprovare **2** trattare male (*q.*).

to **disfigure** /dɪs'fɪgə(r)/ v. t. sfigurare; deformare; deturpare ‖ **disfigured** a. sfigurato; deturpato; deforme ‖ **disfigurement**, **disfiguration** n. deformazione; deturpazione; sfregio.

disfluency /dɪs'fluːənsɪ/ n. ⓤⓒ (*ling.*, *psic.*) disfluenza.

to **disforest** /dɪs'fɒrɪst/ v. t. **1** (*stor.*) privare (*un terreno*) del carattere di foresta demaniale **2** disboscare, diboscare ‖ **disforestation** n. ⓤ **1** (*stor.*) privazione del carattere di foresta demaniale **2** disboscamento, diboscamento.

to **disfranchise** /dɪs'fræntʃaɪz/ v. t. (*leg.*) **1** privare (*q.*) dei diritti civili **2** privare (*q.*) di qualsiasi diritto (*o immunità*) ‖ **disfranchisement** n. ⓤ privazione (*o perdita*) dei diritti civili (*o elettorali*).

to **disfrock** /dɪs'frɒk/ v. t. sospendere (*un sacerdote*) «a divinis»; privare dell'abito talare; spretare.

to **disgorge** /dɪs'gɔːdʒ/ v. t. e i. **1** rigettare; vomitare: (*fig.*) **to d. smoke**, vomitare fumo **2** (*fig. fam.*) tirar fuori, rendere, restituire (*il maltolto, ecc.*) **3** (*di fiume*) sboccare, sfociare **4** (*pesca*) slamare.

disgorger /dɪs'gɔːdʒə(r)/ (*pesca*) n. slamatore (*per togliere il pesce dall'amo*) ‖ **disgorging** n. slamatura (*del pesce*).

disgrace /dɪs'greɪs/ n. ⓤ **1** disonore; ignominia; infamia; onta; vergogna: **death before d.**, piuttosto la morte che il disonore; **to bring d. on one's family**, arrecare onta alla propria famiglia; disonorare la famiglia; **to leave the army in d.**, lasciare l'esercito per condotta disonorevole **2** perdita di favore; disgrazia; sfavore: *The courtier was in d. with the queen*, il cortigiano era in disgrazia presso la regina; **to fall into d.**, cadere in disgrazia; perdere il favore di q. **3** (*di persona*) vergogna; disonore: *You're a d. to your family!*, sei la vergogna della famiglia!: *He's a d. to the profession*, disonora la sua professione **4** (*di fatto, situazione*) vergogna; scandalo; indecenza; sconcio: *The health service is a national d.*, la sanità pubblica è in uno stato scandaloso (*o è uno sconcio*); *Your bedroom is a d.!*, la tua camera da letto è indecente! ❶ **FALSI AMICI** · disgrace *non significa* disgrazia *nel senso di* sventura, calamità *o* sciagura.

to **disgrace** /dɪs'greɪs/ v. t. **1** disonorare; fare (*o recare*) onta a; gettare la vergogna su: *His cowardice disgraced his family*, la sua codardia recò onta alla famiglia **2** (*di solito al passivo*) screditare: *The corrupt politicians were disgraced after the trial*, dopo il processo i politicanti corrotti furono screditati • **to d. oneself**, comportarsi in modo indegno; fare una figuraccia.

disgraceful /dɪs'greɪsfl/ a. disonorevole; ignominioso; indecoroso; vergognoso: **to lead a d. life**, condurre una vita vergognosa • **How d.!**, che figuraccia!; che figura! | **-ly** avv. | **-ness** n. ⓤ.

disgruntled /dɪs'grʌntld/ a. scontento;

insoddisfatto • **to be d. at (with, over)** st., essere scontento per (*o a causa di*) qc. ‖ **disgruntlement** n. ⓤ insoddisfazione; scontentezza; scontento.

disguise /dɪs'gaɪz/ n. ⓤⓒ **1** travestimento; mascheramento **2** finzione; infingimento; inganno • **in d.**, travestito; (*fig.*) sotto mentite spoglie: *The deposed king fled in d.*, il re deposto fuggì travestito; **colonialism in d.**, colonialismo sotto mentite spoglie ⊳ **under the d. of patriotism**, sotto la maschera del patriottismo ▭ *The girl made no d. of her hatred for him*, la ragazza non faceva mistero del suo odio per lui.

to **disguise** /dɪs'gaɪz/ v. t. **1** travestire; mascherare; camuffare: *He disguised himself as a Roman emperor*, si mascherò da imperatore romano; **to d. oneself in costume**, mascherarsi (*o mettersi*) in costume **2** mascherare (*fig.*); celare; nascondere: **to d. one's intentions**, mascherare (*o dissimulare*) le proprie intenzioni; **to d. one's disappointment [one's sorrow]**, nascondere la propria delusione [il proprio dolore] **3** contraffare; alterare: **to d. one's voice**, contraffare la voce • (*arc.*) **to be disguised in (o with) drink**, essere ubriaco.

disgust /dɪs'gʌst/ n. ⓤ disgusto; nausea; ripugnanza: **to feel d. at (o for, against, towards)** st., provare (*o avere*) disgusto di qc. • **to abandon a committee [a political party] in d.**, abbandonare un comitato [un partito politico] perché si è disgustati.

to **disgust** /dɪs'gʌst/ v. t. disgustare; nauseare: **to be disgusted with (o at, by)** st., essere disgustato di qc.

disgustedly /dɪs'gʌstɪdlɪ/ avv. con disgusto.

♦**disgusting** /dɪs'gʌstɪŋ/ a. **1** disgustoso; nauseante; nauseabondo; ripugnante: **a d. smell**, un odore nauseabondo **2** vergognoso; orribile | **-ly** avv.

♦**dish** /dɪʃ/ n. **1** piatto grande (*anche col coperchio*); piatto da portata: **serving d.**, piatto da portata (*cfr.* **plate**) **2** piatto; portata; pietanza: **a local d.**, un piatto tipico; **my favourite d.**, il mio piatto favorito; **a d. of meat and vegetables**, una portata di carne e verdura; *I'm going to send this d. back*, rimando indietro questo piatto **3** (= **dishful**) piatto: **a d. of pasta**, un piatto di pasta; **a d. of strawberries**, un piatto di fragole **4** avvallamento, cunetta (*della strada, ecc.*) **5** (*fotogr.*) bacinella **6** (*radar*) riflettore parabolico **7** (*TV*, = **d. antenna**) antenna parabolica **8** (*fam.*) ragazza appetitosa; bocconcino (*fig.*) **9** (*fam.*) uomo attraente; figo, bel fusto (*fam.*) **10** (*slang*) cosa che piace (*o che va a genio*); cosa che fa (*per q.*): *Soap operas aren't really my d.*, le telenovele non sono proprio il mio genere **11** (pl.) – **dishes**, i piatti: **to do (o to wash) the dishes**, lavare i piatti; fare i piatti; rigovernare; *I'll do the dishes and make sure the bathroom is decent*, lavo i piatti e faccio in modo che il bagno sia decente • **d. rack**, scolapiatti □ (*USA*) **d. towel** = **dishcloth**.

to **dish** /dɪʃ/ Ⓐ v. t. **1** mettere nel piatto; servire; scodellare: **to d. the dinner**, servire il pranzo; mettere in tavola **2** (*fig.*) scodellare, ammannire, propinare (*notizie, fatti, ecc.*) **3** (*fam. antiq.*) sciupare; sprecare (*un'occasione, ecc.*); frustrare (*speranze, ecc.*) **4** scavare (*a gutter*, scavare una canaletta **5** schiacciare (*il tetto di un'auto, ecc.*) Ⓑ v. i. **1** incavarsi (*a forma di piatto*) **2** (*fam. USA*) chiacchierare; spettegolare • (*slang USA*) **to d. the dirt**, dire malignità; spettegolare con cattiveria.

▪ **dish out** Ⓐ v. t. + avv. **1** servire; mettere nei piatti; scodellare: **to d. out bacon and eggs**, servire uova e pancetta; **to d. out the soup**, scodellare la zuppa **2** (*fig.*) distribuire; dare; prescrivere: **to d. out money**

[**smiles**], distribuire denaro [sorrisi]; **to d. out good advice**, dare buoni consigli (*a destra e a manca*); **to d. out medicines**, prescrivere medicine (in abbondanza) **3** (*fig.*) scodellare, ammannire, propinare (*notizie, ecc.*) **B** v. i. + avv. (*slang*) sgridare, infuriarsi: *The more she dished out, the more he took*, più lei sgridava, più lui mandava giù □ (*slang*) **to d. it out**, sgridare, tempestare, infuriarsi; picchiare, menare □ (*slang*) **to d. it out to sb.**, dare una strigliata a q.; dare una lavata di capo a q. (*fig.*) □ (*di un oratore, un piazzista, ecc.*) **to be able to d. it out**, saperla vendere (*anche fig.*).

■ **dish up** **A** v. t. + avv. **1** servire (*un pasto*); mettere in tavola (*cibo*) **2** preparare (*cibo*) alla svelta; combinare, arrangiare: *I'll d. something up (for you)*, ti preparo qualcosa alla svelta **3** (*fig.*) ammannire, propinare; presentare (qc.) bene, in modo piacevole **B** v. i. + avv. mettere in tavola; fare i piatti: *Help me d. up, will you?*, aiutami a mettere in tavola, per favore!

dishabituation /ˌdɪshəbɪtʃʊˈeɪʃn/ n. ☑ (*anche psic.*) disassuefazione.

to **disharmonize** /dɪsˈhɑːmənaɪz/ v. t. rendere disarmonico.

disharmony /dɪsˈhɑːmənɪ/ n. ☑ disarmonia ‖ **disharmonious** a. disarmonico.

dishcloth /ˈdɪʃklɒθ/ n. strofinaccio (*da cucina*); cencio per rigovernare.

to **dishearten** /dɪsˈhɑːtn/ v. t. scoraggiare; abbattere; deprimere ‖ **disheartened** a. scoraggiato; abbattuto; sfiduciato ‖ **disheartening** a. scoraggiante; deprimente: **disheartening news**, notizie deprimenti ‖ **disheartenment** n. ☑ scoraggiamento; abbattimento.

dished /dɪʃt/ a. **1** concavo **2** (*mecc.: di ruota*) convergente **3** (*fam.*) sfinito; a pezzi (*fig.*); sconfitto; rovinato; spacciato.

to **dishevel** /dɪˈʃevl/ v. t. arruffare; scarmigliare; scompigliare ‖ **dishevelled**, (*USA*) **disheveled** a. arruffato; scarmigliato; scompigliato ‖ **dishevelment** n. ☑ arruffamento; scompiglio; disordine (*dei capelli, dei vestiti*).

dishful /ˈdɪʃfʊl/ n. (quanto sta in un) piatto: **a d. of beans**, un piatto di fagioli.

dishonest /dɪsˈɒnɪst/ a. disonesto ‖ **dishonestly** avv. **1** disonestamente **2** (*leg.*) in malafede.

dishonesty /dɪsˈɒnɪstɪ/ n. ☑ **1** disonestà; slealtà **2** (*leg.*) malafede.

dishonorable (*USA*) → **dishonourable.**

dishonour, (*USA*) **dishonor** /dɪsˈɒnə(r)/ n. ☑ **1** disonore; onta; vergogna: *He is a d. to his family*, fa disonore alla sua famiglia **2** (*comm.*) mancata accettazione, mancato pagamento (*d'una cambiale e sim.*).

to **dishonour**, (*USA*) to **dishonor** /dɪsˈɒnə(r)/ v. t. **1** disonorare **2** (*comm.*) rifiutare di pagare (*un assegno, ecc.*); lasciar andare in protesto (*una cambiale*): *I hope the bank won't d. his cheques*, spero che la banca non rifiuterà di pagare i suoi assegni ● **to d. one's word**, non tener fede alla parola data □ **dishonoured bill**, cambiale non onorata (*non accettata o non pagata*) □ **dishonoured cheque**, assegno a vuoto.

dishonourable, (*USA*) **dishonorable** /dɪsˈɒnərəbl/ a. disonorevole; disonorante; vergognoso ● (*spec. mil.*) **d. discharge**, radiazione (dai ranghi) ‖ **-ness** n. ☑ ‖ **-bly** avv.

to **dishorn** /dɪsˈhɔːn/ v. t. privare delle corna.

dishpan /ˈdɪʃpæn/ n. (*spec. USA*) bacinella per (lavare) i piatti ● **d. hands**, mani secche (*o screpolate*) per aver lavato troppi piatti.

dishrag /ˈdɪʃræg/ n. strofinaccio per i piatti; cencio per rigovernare.

dishwasher /ˈdɪʃwɒʃə(r)/ n. **1** lavapiatti

(m. e f.); lavastoviglie (m. e f.); sguattero, sguattera **2** (*macchina*) lavapiatti (f.); lavastoviglie (f.): *The kitchen's got everything except a d.*, la cucina ha tutto tranne la lavastoviglie ● (*di stoviglie*) **d.-safe**, inseribile senza danno (o lavabile) nella lavapiatti.

dishwashing /ˈdɪʃwɒʃɪŋ/ n. ☑ (il) lavare i piatti ● (*USA*) **d. liquid**, detersivo liquido per i piatti □ **d. machine**, lavapiatti; lavastoviglie.

dishwater /ˈdɪʃwɔːtə(r)/ n. ☑ **1** l'acqua in cui si sono lavati i piatti; risciacquatura; rigovernatura (*dei piatti*) **2** (*fig.*) cosa (ad es. una bibita cattiva) che somiglia alla risciacquatura; brodaglia ● (*fam. USA*) **d. blonde**, bionda slavata □ (*fam.*) (**as**) **dull as d.**, → **dull**.

dishy /ˈdɪʃɪ/ a. (*fam.*) attraente; affascinante; appetitoso (*fig.*); dotato di sex appeal.

disillusion /dɪsɪˈluːʒn/ n. ☑ disillusione; disinganno.

to **disillusion** /dɪsɪˈluːʒn/ v. t. disilludere; disingannare.

disillusioned /dɪsɪˈluːʒnd/ a. disilluso; deluso: **to be d. with st.**, essere deluso di qc.

disillusionment /dɪsɪˈluːʒnmənt/ n. ☑ disillusione.

disincentive /dɪsɪnˈsentɪv/ n. disincentivo (*econ.*); freno; remora.

disinclination /dɪsɪnklɪˈneɪʃn/ n. ☑ antipatia; avversione; ripugnanza; riluttanza: *Some pupils have a strong d. for study*, alcuni studenti hanno una forte avversione allo studio.

to **disincline** /dɪsɪnˈklaɪn/ v. t. suscitare antipatia (o avversione, ecc.) in (q.); distogliere: **to d. sb. from doing st.**, distogliere q. dal fare qc.

disinclined /dɪsɪnˈklaɪnd/ a. restio; riluttante.

to **disinfect** /dɪsɪnˈfekt/ v. t. disinfettare ‖ **disinfectant** a. e n. disinfettante ‖ **disinfection** n. ☑ disinfezione.

to **disinfest** /dɪsɪnˈfest/ v. t. disinfestare ‖ **disinfestation** n. ☑ disinfestazione.

disinflation n. ☑ disinflazione ‖ **disinflationary** a. disinflazionistico.

to **disinform** /dɪsɪnˈfɔːm/ v. t. disinformare (*fornire informazioni fuorvianti o ingannevoli a q.*).

disinformation /dɪsɪnfəˈmeɪʃn/ n. ☑ (*spec. polit.*) **1** disinformazione **2** false informazioni (*fornite a spie di un altro paese*).

disingenuous /dɪsɪnˈdʒenjʊəs/ a. falso; insincero; in malafede ‖ **-ly** avv. ‖ **-ness** n. ☑.

to **disinherit** /dɪsɪnˈherɪt/ v. t. diseredare ‖ **disinheritance** n. ☑ diseredamento (*raro*); diseredazione.

to **disinhibit** /dɪsɪnˈhɪbɪt/ (*psic.*) v. t. disinibire ‖ **disinhibited** a. disinibito ‖ **disinhibition** n. ☑ disinibizione.

disinhibitory /dɪsɪnˈhɪbɪtrɪ/ a. (*med., psic.*) disinibitorio.

to **disintegrate** /dɪsˈɪntɪgreɪt/ **A** v. t. (*fis. nucl. e fig.*) disintegrare **B** v. i. disintegrarsi ‖ **disintegrative** a. **1** disintegrativo **2** dissolutivo ‖ **disintegrator** n. (*spec. fis.*) disintegratore.

disintegration /dɪsɪntɪˈgreɪʃn/ n. ☑ (*fis. nucl. e fig.*) disintegrazione.

to **disinter** /dɪsɪnˈtɜː(r)/ v. t. dissotterrare; disseppellire; esumare ‖ **disinterment** n. ☑ dissotterramento; esumazione.

disinterest /dɪsˈɪntrəst/ n. ☑ disinteresse; indifferenza.

to **disinterest** /dɪsˈɪntrəst/ v. t. disinteressare ● **to d. oneself (in)**, disinteressarsi (di).

disinterested /dɪsˈɪntrəstɪd/ a. **1** disinteressato; imparziale **2** (*fam.*) indifferente |

-ly avv. | **-ness** n. ☑.

❶ **NOTA: disinterested o uninterested?**
L'aggettivo *disinterested* significa "disinteressato" nel senso di "imparziale perché non personalmente coinvolto": *Let us hear what you, as a disinterested observer, have to say*, ascoltiamo quello che hai da dire, in qualità di osservatore imparziale. L'aggettivo *uninterested* invece significa "disinteressato" nel senso di "non interessato": *I am uninterested in politics*, non mi interesso di politica.

disintermediation /dɪsɪntəmiːdɪˈeɪʃn/ n. (*econ.*) disintermediazione.

to **disinvest** /dɪsɪnˈvest/ (*econ.*) v. t. disinvestire ‖ **disinvestment** n. ☑ disinvestimento.

to **disjoin** /dɪsˈdʒɔɪn/ **A** v. t. disgiungere; dividere; separare; staccare **B** v. i. disgiungersi; dividersi.

to **disjoint** /dɪsˈdʒɔɪnt/ v. t. **1** disgregare; smembrare **2** sconnettere; scomporre; disgiungere **3** (*med.*) disarticolare.

disjointed /dɪsˈdʒɔɪntɪd/ a. **1** disgregato; smembrato **2** sconnesso; scomposto; disgiunto; disarticolato; incoerente: **a d. speech**, un discorso sconnesso **3** (*med.*) disarticolato ‖ **-ly** avv. ‖ **-ness** n. ☑.

disjunct /dɪsˈdʒʌŋkt/ a. **1** (*form.*) disgiunto; separato **2** (*ling.*) disgiunto **3** (*mus.*) disgiunto **4** (*zool.*) disarticolato.

disjunction /dɪsˈdʒʌŋkʃn/ n. ☑ disgiunzione.

disjunctive /dɪsˈdʒʌŋktɪv/ **A** a. (*ling.*) disgiuntivo **B** n. (*ling.*) congiunzione (o proposizione) disgiuntiva.

◆ **disk** /dɪsk/ n. **1** (*spec. USA*) → **disc 2** (*sport: sollevamento pesi*) disco (*di un peso*) **3** (*comput.*) disco (*magnetico*): **hard d.**, disco rigido; disco fisso; **floppy d.**, floppy; dischetto ● **d. access time**, tempo di accesso al disco □ **d. capacity**, capacità del disco □ **d. drive**, unità disco □ **d. error**, errore del disco □ **d. file**, archivio su dischi □ **d. master**, archivio originale su dischi □ **d. pack**, pila di dischi; pacco di dischi □ **d. storage unit**, unità di memoria a dischi.

diskette /dɪsˈket/ n. (*comput.*) dischetto.

diskopathy /dɪsˈkɒpəθɪ/ n. ☑ (*med.*) discopatia.

dislike /dɪsˈlaɪk/ n. ☑☐ antipatia; avversione; ripugnanza: *He has taken a d. to (o for) you*, ti ha preso in antipatia; *He has a d. of (o for) dogs*, ha antipatia per i cani; non può soffrire i cani.

to **dislike** /dɪsˈlaɪk/ v. t. provare antipatia (o avversione, ripugnanza) per (q. o qc.); non piacere (impers.); non poter soffrire; detestare: *I strongly d. tea*, a me il tè non piace affatto; *I d. him*, non lo posso soffrire ● **to be disliked by everybody**, essere malvisto da tutti □ **to get oneself disliked**, rendersi antipatico.

to **dislocate** /ˈdɪsləʊkeɪt/ v. t. **1** slogare; lussare: *The boy dislocated his shoulder*, il ragazzo si slogò la spalla **2** disturbare; intralciare; ostacolare: **to d. traffic**, intralciare (o sconvolgere) la circolazione; **to d. the economy**, disturbare l'economia nazionale **3** (*geol.*) dislocare **4** (*mil.*) dislocare (*truppe*).

dislocation /dɪsləʊˈkeɪʃn/ n. ☑☐ **1** (*med.*) slogatura; slogamento; lussazione **2** disturbo; intralcio: **d. of air traffic**, intralcio al traffico aereo **3** (*geol.*) dislocazione **4** (*mil.*) dislocazione.

to **dislodge** /dɪsˈlɒdʒ/ v. t. **1** sloggiare; scacciare; far sgombrare: *They dislodged the regiment from the trenches*, sloggiarono il reggimento dalle trincee **2** stanare (*un animale selvatico*) **3** rimuovere; togliere; staccare: **to d. a thorn from one's finger,**

rimuovere uno spino da un dito; **to d. a stone from a wall**, staccare una pietra da un muro ‖ **dislodgement**, **dislodgment** n. ⓤ **1** sloggiamento **2** lo stanare **3** rimozione; distacco (*di un mattone dal muro, ecc.*).

disloyal /dɪsˈlɔɪəl/ a. **1** sleale; infedele **2** ribelle (*contro il re, ecc.*); eversivo ● (*leg.*) **d. to one's country**, reo d'alto tradimento ‖ **disloyally** avv. slealmente ‖ **disloyalty** n. ⓤ **1** slealtà; infedeltà **2** (= **disloyalty to one's country**) ribellione; tradimento; eversione.

dismal /ˈdɪzməl/ a. cupo; fosco; lugubre; orribile; tetro; squallido; triste: *He is looking very d.*, ha un'aria assai tetra; **a d. climate**, un clima orribile; **in a d. tone of voice**, in tono lugubre ● **d. attempt**, misero tentativo □ **d. efforts**, sforzi risibili (*scherz.*) **the d. science**, l'economia | **-ly** avv. | **-ness** n. ⓤ.

to dismantle /dɪsˈmæntl/ v. t. **1** smantellare; demolire: **to d. a fort**, smantellare un forte; **to d. a house**, demolire una casa **2** (*mecc.*) smontare: **to d. an engine**, smontare un motore **3** (*naut.*) disarmare (*una nave*) ‖ **dismantlement** n. ⓤ **1** smantellamento; demolizione **2** (*mecc.*) smontaggio **3** (*naut.*) disarmo.

to dismast /dɪsˈmɑːst/ v. t. (*naut.*) disalberare (*una nave*) ● **The ship was dismasted in a gale**, la nave perse l'alberatura in una tempesta.

dismay /dɪsˈmeɪ/ n. ⓤ costernazione; sgomento; sbigottimento: **to be filled with d.**, essere preso dallo sgomento.

to dismay /dɪsˈmeɪ/ v. t. costernare; sgomentare; sbigottire: *The sad news dismayed me*, la triste notizia mi sgomentò ‖ **dismayed** a. costernato; sbigottito; sgomento.

to dismember /dɪsˈmembə(r)/ v. t. smembrare ‖ **dismemberment** n. ⓤ smembramento.

♦**to dismiss** /dɪsˈmɪs/ **A** v. t. **1** congedare; licenziare; mandar via; accomiatare; destituire, rimuovere; sciogliere: *The Prime Minister dismissed the journalists*, il primo ministro accomiatò i giornalisti; **to d. an assembly**, sciogliere un'assemblea; **to d. an army**, congedare un esercito; **to d. the whole staff**, licenziare tutto il personale **2** (*mil.*) destituire; rimuovere dal grado: **to d. an officer**, destituire un ufficiale **3** bandire (*fig.*); abbandonare, accantonare; scacciare: *You must d. this ingenious but impractical plan*, devi abbandonare questo progetto ingegnoso ma inattuabile; **to d. all fear**, lasciare ogni timore; **to d. st. from one's mind**, scacciare qc. dalla mente **4** (*leg.*) prosciogliere (*un imputato*) **5** (*leg.*) respingere; rigettare; archiviare: **to d. a bankruptcy petition**, rigettare un'istanza di fallimento; **to d. a case**, archiviare una causa (*o un processo*) **6** (*sport*) esonerare (*un allenatore*) **7** (*sport*) espellere (*un giocatore*) **8** (*cricket*) eliminare (*un battitore, una squadra*) **B** v. i. (*mil.*) rompere le righe: *D.!*, rompete le righe! ● (*leg.*) **to d. a charge**, pronunciare un non luogo a procedere □ **to d. a subject**, lasciar cadere un argomento.

dismissal /dɪsˈmɪsl/ n. ⓤⓒ **1** congedo; licenza di partire; commiato **2** (*mil.*) destituzione, rimozione (*di un ufficiale*) **3** licenziamento: **unfair d.** (*o* **wrongful d.**), licenziamento senza giusta causa **4** il bandire dalla mente, abbandono (*di un'idea, ecc.*) **5** (*leg.*) proscioglimento (*di un imputato*) **6** (*leg.*) rigetto (*d'una domanda giudiziaria*) **7** (*sport*) esonero (*di un allenatore*) **8** (*sport*) espulsione (*di un giocatore*) **9** (*cricket*) eliminazione (*di un battitore*) ● (*USA*) **d. for cause**, licenziamento per giusta causa □ (*leg. USA*) **d. on the merits**, rigetto (*di una pretesa*) nel merito □ (*USA*) **d. wage**, indennità di licen-

ziamento; liquidazione (*al lavoratore licenziato senza sua colpa; non è come in Italia una forma differita di salario*) □ **d. without notice**, licenziamento senza preavviso (*o in tronco*).

dismissible /dɪsˈmɪsəbl/ a. **1** congedabile; licenziabile **2** destituibile **3** (*di un pensiero, ecc.*) che si può bandire dalla mente.

dismissive /dɪsˈmɪsɪv/ a. che ha scarsa considerazione: **to be d. of sb.'s merits**, avere scarsa considerazione per i meriti di q.

dismount /dɪsˈmaʊnt/ n. ⓤ **1** lo smontare, lo scendere (*da cavallo, dalla bicicletta, ecc.*) **2** (*ginnastica*) discesa (*da un attrezzo*); uscita (*da un esercizio*): *The coach held me on the d.*, l'istruttore mi sorresse all'uscita dall'attrezzo.

to dismount /dɪsˈmaʊnt/ **A** v. i. **1** smontare, scendere (*da cavallo, dalla bicicletta, ecc.*) **2** (*ginnastica*) smontare (*da un attrezzo*); uscire (*da un esercizio*) **B** v. t. **1** far scendere; (*di vetturino e sim.*) far smontare (*q., dalla carrozza*) **2** appiedare (*mil.*): **to d. the cavalry**, appiedare la cavalleria **3** disarcionare: *The knight dismounted his opponent*, il cavaliere disarcionò il suo avversario **4** (*mil., mecc.*) smontare (*un cannone, una macchina, ecc.*).

dismountable /dɪsˈmaʊntəbl/ a. (*mil., mecc.*) smontabile.

dismounted /dɪsˈmaʊntɪd/ a. **1** (*mil.*) appiedato **2** disarcionato **3** (*mil., mecc.*) (*di un cannone, ecc.*) smontato.

Disneyfication /ˌdɪznɪfɪˈkeɪʃn/ n. ⓤ (*spreg.*) 'disneyficazione' (*rif. a una presunta tendenza globale alla trasformazione della realtà in un parco Disney a tema*).

disobedience /ˌdɪsəˈbiːdɪəns/ n. ⓤ disubbidienza, disobbedienza.

disobedient /ˌdɪsəˈbiːdɪənt/ a. disubbidiente, disobbediente ‖ **disobediently** avv. disobbediendo; senza ubbidire; da disubbidiente.

to disobey /ˌdɪsəˈbeɪ/ v. t. e i. disubbidire a; disobbedire: *Never d. your parents!*, non disubbidire mai ai tuoi genitori!

to disoblige /ˌdɪsəˈblaɪdʒ/ v. t. (*form.*) **1** essere scortese verso (q.); fare una scortesia a (q.); non aderire alla richiesta di (q.); scompiacere a (q.): *I'm sorry to d. you, but I can't lend you my car*, mi duole di non aderire alla tua richiesta, ma non posso prestarti la mia automobile **2** (*fam.*) incomodare; disturbare.

disobliging /ˌdɪsəˈblaɪdʒɪŋ/ a. **1** scortese; scompiacente **2** scostante.

♦**disorder** /dɪsˈɔːdə(r)/ n. **1** ⓤ disordine; confusione; scompiglio **2** disordine; tumulto popolare **3** (*med.*) disturbo; malattia; male; (*psic.*) disturbo, turba: **kidney d.**, malattia dei reni; **liver d.**, mal di fegato; disturbo al fegato; **mental disorders**, disturbi mentali; turbe psichiche; **liver d.**, mal di fegato.

to disorder /dɪsˈɔːdə(r)/ v. t. (*med., psic.*) alterare; turbare.

disordered /dɪsˈɔːdəd/ a. **1** disordinato; in disordine: **d. eating**, modo di mangiare disordinato **2** disturbato; squilibrato; malato: **mentally d.**, mentalmente disturbato; squilibrato; **a d. mind**, una mente malata.

disorderly /dɪsˈɔːdəlɪ/ a. **1** disordinato; in disordine; sottosopra **2** (*leg.*) tumultuoso; turbolento; riottoso (*lett.*): *He was arrested for d. conduct*, fu arrestato per condotta contraria all'ordine pubblico (*o per aver turbato la quiete pubblica*); **a d. crowd**, una folla tumultuosa **3** sregolato ● (*leg.*) **a d. house**, una casa di malaffare; una bisca clandestina ‖ **disorderliness** n. ⓤ **1** disordine; confusione **2** turbolenza; riottosità (*lett.*); tumulti **3** sregolatezza.

to disorganize /dɪsˈɔːgənaɪz/ v. t. disorganizzare ● **to become disorganized**, disorganizzarsi ‖ **disorganization** n. ⓤ disorganizzazione.

to disorient /dɪsˈɔːrɪent/ v. t. (*USA*) → **to disorientate**.

to disorientate /dɪsˈɔːrɪənteɪt/ v. t. disorientare ‖ **disorientation** n. ⓤ disorientamento.

to disown /dɪsˈəʊn/ v. t. disconoscere; rinnegare; ripudiare: **to d. a signature**, disconoscere una firma; **to d. a friend**, rinnegare un amico; **to d. a son**, ripudiare un figlio ● **The suspect disowned the gun**, l'indiziato rifiutò d'ammettere che la rivoltella era la sua ‖ **disownment** n. ⓤ (*leg.*) disconoscimento: **disownment of paternity**, disconoscimento della paternità.

to disparage /dɪˈspærɪdʒ/ v. t. svilire; sminuire il valore di; screditare; denigrare; disprezzare: *He has disparaged my latest book*, ha denigrato il mio ultimo libro ‖ **disparagement** n. ⓤ svilimento; svalutazione; discredito; denigrazione ‖ **disparaging** a. **1** di discredito; denigratorio **2** di disprezzo; sprezzante ‖ **disparagingly** avv. sprezzantemente ● **to speak disparagingly of sb.**, parlare con disprezzo di q.

disparate /ˈdɪspərət/ **A** a. disparato **B** n. (pl.) (*arc.*) cose talmente diverse da non ammettere confronto | **-ly** avv. | **-ness** n. ⓤ.

disparity /dɪˈspærətɪ/ n. ⓤⓒ disparità; differenza: **d. in rank**, disparità di grado; **d. in age**, differenza d'età.

dispassionate /dɪsˈpæʃənət/ a. spassionato; calmo; imparziale | **-ly** avv. | **-ness** n. ⓤ.

dispatch /dɪˈspætʃ/ n. **1** ⓤ spedizione; invio: **the d. of telegrams**, l'invio di telegrammi **2** dispaccio; messaggio **3** prontezza; rapidità; sollecitudine: **to do st. with d.**, fare qc. con prontezza (*o alla svelta*) **4** articolo (*di un inviato speciale*) ● **d. box** (*o* **d. case**), valigia diplomatica; borsa per documenti □ (*org. az.*) **d. clerk**, addetto alle spedizioni □ (*naut.*) **d. days**, giorni di stallia risparmiati □ (*naut.*) **d. money**, premio d'accelerazione □ (*comm.*) **d. note**, bollettino (*o avviso*) di spedizione □ **d. rider**, (*mil.*) staffetta a cavallo; motociclista portaordini; (*slang*) Pony Express, pony.

to dispatch /dɪˈspætʃ/ v. t. **1** spedire; inviare; mandare **2** sbrigare; smaltire (*lavoro*); finire; evadere (*una pratica*): **to d. business**, sbrigare affari **3** (*fam.*) far fuori (*pop.*); tranguiare; ingoiare: **to d. one's lunch**, tranguiare la colazione **4** spacciare; uccidere: **to d. a prisoner**, uccidere un prigioniero **5** (*sport*) spedire, mettere (*una palla, ecc.*).

dispatcher /dɪˈspætʃə(r)/ n. **1** chi spedisce (→ **to dispatch**); mittente **2** (*ferr., ecc.*) dirigente del traffico (*in una stazione*) **3** (*org. az.*) organizzatore del lavoro d'officina (*o di reparto*).

to dispel /dɪˈspel/ v. t. dissipare (*un'impressione, un'opinione, ecc.*); scacciare: **to d. a doubt**, dissipare un dubbio; **to d. a myth**, sfatare un mito.

dispensable /dɪˈspensəbl/ a. **1** di cui si può fare a meno; superfluo **2** distribuibile **3** (*relig.: di un peccato*) condonabile, remissibile.

dispensary /dɪˈspensərɪ/ n. (*med.*) dispensario.

dispensation /ˌdɪspenˈseɪʃn/ n. **1** ⓤ dispensa; distribuzione: **the d. of medicines to the poor**, la distribuzione di medicine ai poveri **2** ⓤ (*anche leg.*) esenzione; dispensa: **a d. for intermarriage**, dispensa matrimoniale (*per matrimonio fra consanguinei*); **the d. from exams**, la dispensa dagli esami **3** legge (religiosa); religione: **the Mosaic d.**,

la legge di Mosè; **the Christian d.**, la religione cristiana **4** ordine, ordinamento (*naturale o della Provvidenza*): **the d. of the world by Providence**, l'ordine delle cose, voluto dalla Provvidenza.

dispensatory /dɪˈspensətrɪ/ **A** a. di dispensa; d'esenzione **B** n. (*med.*) farmacopea; ricettario.

to **dispense** /dɪˈspens/ **A** v. t. **1** dispensare; distribuire: **to d. charity**, dispensare elemosine **2** (*anche leg.*) dispensare; esimere; esentare; esonerare: *He dispensed me from attending the lessons*, mi esentò dalla frequenza delle lezioni; **to d. sb. from an obligation**, dispensare q. da un obbligo **3** (*leg. e relig.*) amministrare: **to d. justice [a sacrament]**, amministrare la giustizia [un sacramento] **4** preparare e distribuire (*ricette, medicine*); spedire (*ricette*) **B** v. i. (*sempre* **to d. with**) **1** esentare, esonerare da (*una disposizione, un regolamento*); liberare da (*un giuramento*) **2** fare a meno di; fare senza: *It's so cold that I cannot d. with an overcoat*, fa tanto freddo che non posso fare a meno del soprabito.

dispenser /dɪˈspensə(r)/ n. **1** dispensatore; chi distribuisce, ecc. (→ **to dispense**) **2** contenitore; recipiente **3** dispenser; dosatore (*di sapone, ecc.*); distributore (*automatico: di bevande, sigarette, ecc.*); caricatore: **change d.**, distributore di spiccioli; «cambio moneta»; **blade d.**, caricatore (*di lamette da barba*) **4** (*banca*, = **cash d.**) cassa automatica; Bancomat **5** farmacista.

dispensing /dɪˈspensɪŋ/ a. che dispensa ● **d. chemist**, farmacista (*che fa anche preparati galenici*) □ **d. optician**, ottico.

dispermy /ˈdaɪspəmɪ/ (*bot.*) n. ⓤ dispermia.

dispersal /dɪˈspɜːsl/ n. ⓤ dispersione; dissipamento: **the d. of the rioters**, la dispersione dei rivoltosi ● **fog d.**, eliminazione della nebbia; snebbiamento.

dispersant /dɪˈspɜːsənt/ n. ⓊⒸ (*chim.*) disperdente; solvente (*per i disastri ecologici*).

to **disperse** /dɪˈspɜːs/ v. t. e i. **1** disperdere, disperdersi; dissipare, dissiparsi: *The police dispersed the crowd*, la polizia disperse la folla; *The sun dispersed the morning mist*, il sole disperse la foschia mattutina **2** spargere, spargersi; disseminare, divulgare; sparpagliare, sparpagliarsi: **to d. news**, divulgare notizie; *The sentries were dispersed along the road*, le sentinelle erano sparpagliate lungo la strada **3** (*fis.*) decomporre (*la luce*).

dispersedly /dɪˈspɜːsɪdlɪ/ avv. qua e là; in ordine sparso.

dispersible /dɪˈspɜːsəbl/ a. dissipabile.

dispersion /dɪˈspɜːʃn/ n. ⓤ **1** (*anche chim., fis., stat., miss.*) dispersione **2** (*bot.*) disseminazione **3** (*fis.: della luce*) decomposizione **4** (*stor.*) – **the D.**, la dispersione degli Ebrei; la diaspora ● (*mil.*) **d. pattern**, rosa di tiro.

dispersive /dɪˈspɜːsɪv/ a. (*anche fis. e ling.*) dispersivo | **-ly** avv. | **-ness** n. ⓤ.

to **dispirit** /dɪˈspɪrɪt/ (*lett.*) v. t. abbattere; deprimere; scoraggiare || **dispirited** a. abbattuto; depresso; scoraggiato || **dispiriting** a. deprimente; scoraggiante.

to **displace** /dɪsˈpleɪs/ v. t. **1** spostare; rimuovere **2** destituire; dimettere; deporre (*q., da un ufficio, ecc.*) **3** sostituire; supplire; prendere il posto di (*q. in un ufficio, ecc.*); subentrare nel posto di (*q.*); soppiantare: *Human labour was displaced by machinery*, il lavoro dell'uomo fu sostituito dalle macchine; *He was displaced in Jane's heart by the young captain*, egli fu soppiantato dal giovane capitano nel cuore di Jane **4** (*naut.*) dislocare **5** (*med.*) slogare, slogarsi (*un'articolazione*) ● **displaced persons**, rifugiati;

profughi.

displaceable /dɪsˈpleɪsəbl/ a. **1** spostabile; rimovibile **2** sostituibile; soppiantabile.

displacement /dɪsˈpleɪsmənt/ n. ⓤ **1** spostamento; rimozione: **the d. of an unjust law**, la rimozione di una legge iniqua **2** destituzione **3** sostituzione; rimpiazzo **4** (*naut.*) dislocamento: **full-load d.**, dislocamento a pieno carico; **d. ton**, tonnellata di dislocamento (*circa m³ 0,99 di acqua spostata da una nave*) **5** (*mecc.*, = **piston d.**) cilindrata (*di un motore*) **6** (*geol.*) dislocazione; deriva: **the d. theory**, la teoria della deriva dei continenti **7** (*med.*) slogatura; lussazione **8** (*psic.*) dislocazione affettiva: **d. activity**, attività (*del paziente*) dovuta a dislocazione affettiva.

♦**display** /dɪˈspleɪ/ n. ⓒⓤ **1** mostra; esposizione; esibizione; sfilata; spettacolo: *D. is the key to self-service sales*, l'esposizione (*della merce*) è il segreto delle vendite self-service; **air d.**, esibizione aeronautica; **fashion d.**, sfilata di moda; **a firework d.**, uno spettacolo di fuochi d'artificio **2** sfoggio; spiegamento; esibizione; ostentazione: **a d. of troops**, uno spiegamento di forze armate; **to make a d. of one's wealth**, fare sfoggio della propria ricchezza; **to hate d.**, detestare l'ostentazione (*o le esibizioni*) **3** dimostrazione: **a great d. of affection**, una grande dimostrazione d'affetto **4** (*tipogr.*) disposizione dei caratteri atta a far colpo **5** (*comput., elettron.*) presentazione; visualizzazione: **d. screen**, schermo di visualizzazione **6** (*comput., elettron.*) display; schermo video; visualizzatore; (*anche*) videata, informazioni che appaiono sul display ● **d. artist**, vetrinista ● **d. cabinet**, scaffale (*refrigerato*) per la merce; bacheca, vetrina □ **d. case**, vetrina, bacheca □ (*comput.*) **d. console**, console (*o terminale*) video □ **d. designer**, designer per vetrine; vetrinista □ **d. model**, manichino □ (*market.*) **d. stand**, banco di mostra; espositore □ (*comput.*) **d. station**, terminale video □ **d. unit**, unità video; visualizzatore □ **d. window**, vetrina per esposizione (*della merce*) □ (*di un articolo*) **to go on d.**, essere esibito (*o messo in mostra*).

♦to **display** /dɪˈspleɪ/ **A** v. t. **1** mostrare; mettere in mostra; esporre; esibire; ostentare: *Shopkeepers d. their goods in the window*, i negozianti mettono in mostra la loro merce nelle vetrine; **to d. flags**, esporre le bandiere; *His paintings were displayed at a famous gallery*, i suoi dipinti furono esposti in una galleria famosa; «**D. badge**» (*cartello*), «esibire il distintivo» **2** mostrare d'avere; dimostrare; rivelare; ostentare (*sicurezza, ecc.*): *They d. no fear*, non dimostrano timore alcuno; *That boy displays great intelligence*, quel ragazzo mostra d'avere una grande intelligenza **3** (*comput.*) visualizzare **4** spiegare (*le penne, la coda, ecc.*) **5** (*tipogr.*) stampare a grandi caratteri **B** v. i. (*zool.*) spiegare le penne (la coda, ecc.) nel corteggiamento ● **to d. a notice**, esporre un avviso; affiggere un cartello.

displayable /dɪˈspleɪəbl/ a. (*spec. comput.*) visualizzabile; mostrabile.

to **displease** /dɪsˈpliːz/ v. t. (*form.*) dispiacere a; dare un dispiacere a; recar dolore a; scontentare: *If you don't study, you will d. your parents*, se non studi, darai un dispiacere ai tuoi genitori ● **to be displeased with**, essere scontento di: *Your teachers are displeased with you*, i tuoi insegnanti sono scontenti di te || **displeasing** a. spiacevole; sgradevole.

displeasure /dɪsˈpleʒə(r)/ n. ⓤ disappunto; contrarietà; scontento; disapprovazione; dispiacere: **to incur sb.'s d.**, incorrere nella disapprovazione di q. ● ❶ **FALSI AMICI** • displeasure *non significa* dispiacere *nel senso di*

afflizione, rammarico.

to **disport** /dɪˈspɔːt/ **A** v. t. (*form.*) fare mostra (*o sfoggio*) di (qc.) **B** v. i. **1** (*raro*) comportarsi **2** (*di solito*, **to d. oneself**) divertirsi.

disposable /dɪˈspəʊzəbl/ **A** a. **1** disponibile: (*econ.*) **d. income**, reddito disponibile **2** usa e getta; da buttare dopo l'uso; a perdere: **a d. syringe**, una siringa usa e getta **3** (*leg.*) alienabile; cedibile; vendibile **B** n. (*USA*) oggetto (*fazzoletto di carta, contenitore, ecc.*) a perdere ● **a d. bottle**, una bottiglia con vuoto a perdere || **disposability** n. ⓤ **1** disponibilità **2** (*leg.*) l'esser alienabile, cedibile, vendibile.

disposal /dɪˈspəʊzl/ n. ⓤ **1** disposizione; collocazione; distribuzione; schieramento; spiegamento (*di truppe*): *I don't like the d. of the furniture*, non mi piace la disposizione dei mobili; **the d. of troops along the border**, lo spiegamento di truppe lungo il confine **2** sistemazione; disbrigo: **the d. of business affairs**, il disbrigo degli affari **3** disposizione; libero uso: *My flat is at your d.*, il mio appartamento è a tua disposizione; **to put st. at sb.'s d.**, mettere qc. a disposizione di q. **4** il disfarsi di; eliminazione (*di bombe inesplose, ecc.*); smaltimento: **garbage d.** (*o* **waste d.**), lo smaltimento dei rifiuti; (*mil.*) **d. expert**, artificiere **5** (*leg.*) alienazione, cessione, vendita (*di beni*); trasferimento (*anche per donazione o testamento*): **d. of assets**, alienazione di attività; **the d. of property**, la cessione di proprietà privata **6** (*eufem.*) eliminazione; liquidazione; soppressione **7** (*USA*) impianto di smaltimento di rifiuti.

to **dispose** /dɪˈspəʊz/ **A** v. t. (*form.*) **1** disporre; collocare; distribuire; schierare: **to d. the books on the shelf**, disporre i libri sullo scaffale; *The soldiers were disposed on a wide front*, i soldati erano schierati su un ampio fronte **2** disporre; predisporre; rendere incline: *The climate here disposes the people to laziness*, il clima qui rende inclini alla pigrizia; **to d. oneself to sleep**, disporsi a dormire **B** v. i. (*lett.*) disporre; risolvere; sistemare: (*leg.*) **to d. by will**, disporre per testamento; (*prov.*) *Man proposes, God disposes*, l'uomo propone, Dio dispone.

■ **dispose of** v. i. + prep. **1** eliminare; smaltire; disfarsi di; sbarazzarsi di: **to d. of urban waste**, eliminare (*o smaltire*) i rifiuti urbani; **to d. of an old computer**, eliminare (*o sbarazzarsi di*) un computer vecchio **2** (*comm.*) vendere; smerciare: **an article difficult to d. of**, un articolo di difficile smercio **3** (*eufem.*) liquidare; eliminare; sopprimere: *The duke disposed of his rivals to the throne*, il duca eliminò i suoi rivali alla successione **4** demolire (*accuse, argomenti, ecc.*) **5** (*leg.*) alienare, cedere, vendere (*beni*); disporre di, trasferire (*beni o diritti*): *He has disposed of his estate as he wanted*, ha disposto del suo patrimonio come ha voluto **6** sistemare; sbrigare: *The matter has been disposed of*, la faccenda è stata sistemata **7** (*fam.*) divorare; far sparire; far fuori (*fam.*): *The kids soon disposed of half the cake*, i ragazzi non tardarono a far sparire metà della torta ❶ **FALSI AMICI** • to dispose of *non significa* disporre di *nel senso di avere a disposizione*.

disposed /dɪˈspəʊzd/ a. **1** disposto; intenzionato; incline; propenso: *He isn't d. to help you*, non è disposto ad aiutarti; **ill-d. towards**, maldisposto verso; **well-d. towards**, bendisposto verso **2** (*med.*) soggetto (a).

disposition /dɪspəˈzɪʃn/ n. **1** carattere; indole; temperamento: **a cheerful d.**, un temperamento allegro; **to have a nervous d.**, essere un tipo nervoso **2** tendenza; incli-

nazione: *She has a d. to rush to conclusions*, ha la tendenza a giungere a conclusioni affrettate **3** ꭒꞔ (*form.*) disposizione; collocazione; (*mil.*) spiegamento, schieramento (*di truppe*): *I don't like the d. of the flowers*, non mi piace la disposizione dei fiori **4** (pl.) disposizioni; ordini: *The general made his dispositions for the attack*, il generale diede gli ordini in vista dell'attacco **5** ꭒ sistemazione (*di affari*); disbrigo (*di faccende*) **6** ꭒ (*leg.*) cessione; alienazione (*di proprietà*); trasferimento (*di beni o diritti*) **7** ꭒ (*fin., rag.*) destinazione: **d. of net income**, destinazione del reddito netto **8** disposizione; libero uso: **at my d.**, a mia disposizione ● (*leg.*) **d. by will** (*o* **by testament**), disposizione testamentaria □ **to be at sb.'s d.**, essere a disposizione di q. ❶ FALSI AMICI • dispo-sition *non significa* disposizione *nel senso di attitudine*.

dispossess /dɪspə'zɛs/ n. (*leg., USA*) sfratto: **d. notice**, notifica di sfratto.

to **dispossess** /dɪspə'zɛs/ v. t. **1** (*leg.*) spossessare; spodestare; espropriare **2** spogliare; privare **3** (*leg.*) sfrattare **4** (*sport*) rubare palla a (*un avversario*).

dispossessed /dɪspə'zɛst/ a. **1** (*leg.*) spodestato; espropriato **2** (*leg.*) sfrattato ● **the d.**, i diseredati.

dispossession /dɪspə'zɛʃn/ n. ꭒ **1** (*leg.*) espropriazione; spodestamento **2** spoliazione **3** (*leg.*) sfratto **4** (*sport*) perdita della palla.

dispraise /dɪs'preɪz/ n. **1** ꭒ discredito; biasimo **2** censura; critica.

to **dispraise** /dɪs'preɪz/ v. t. screditare; biasimare; criticare.

Disprin® /'dɪsprɪn/ n. ꭒ (*in GB: farm.*) compressa d'aspirina.

disproof /dɪs'pruːf/ n. ꭒ confutazione; smentita **2** prova del contrario.

disproportion /dɪsprə'pɔːʃn/ n. ꭒꞔ sproporzione; mancanza di proporzione: (*econ.*) *There is d. between supply and demand*, c'è una mancanza di proporzione tra la domanda e l'offerta ‖ **disproportionate, disproportional, disproportioned** a. sproporzionato.

to **disprove** /dɪs'pruːv/ v. t. confutare; smentire.

disputable /dɪ'spjuːtəbl/ a. **1** disputabile; discutibile; opinabile **2** (*leg.*) contestabile; impugnabile: **a d. claim**, un diritto contestabile | **-ness** n. ꭒ | **-bly** avv.

disputant /dɪ'spjuːtnt/ a. e n. (*form.*) disputante; disputatore.

disputation /dɪspjuː'teɪʃn/ n. disputa; controversia; discussione.

disputatious /dɪspjuː'teɪʃəs/ a. cavilloso; litigioso; polemico | **-ly** avv. | **-ness** n. ꭒ.

♦**dispute** /dɪ'spjuːt/ n. **1** disputa; controversia; discussione; dibattito; lite; contesa; vertenza (*anche sindacale*): *We are trying to settle the d.*, stiamo cercando di comporre la vertenza; **religious disputes**, controversie religiose; **a pay d.**, una vertenza salariale; *He was the arbitrator in the border d.*, fece da arbitro nella lite sui confini **2** disaccordo; dissenso **3** (*leg.*) causa ● **beyond** (*o* **past**) **all d.**, fuori discussione; indiscutibilmente □ (*leg.*) **the case under d.**, la causa in giudizio □ **the matter under d.**, la faccenda in discussione □ **without d.**, indiscutibilmente □ **The question is still in** (*o* **under**) **d.**, della questione si sta ancora discutendo.

to **dispute** /dɪ'spjuːt/ v. i. e t. **1** disputare; discutere; dibattere; argomentare; contendere: **to d. with** (*o* **against**) **sb. on** (*o* **about**) **a subject**, discutere con q. su un argomento; **to d. the victory**, disputare la vittoria; *The enemy disputed every inch of ground*, il nemico disputò (*o* contese) il terreno metro per metro **2** litigare; altercare; bisticciare

3 mettere in discussione (*o* in dubbio); cercare d'invalidare: **to d. a statement**, mettere in dubbio un'affermazione; **to d. a decision**, mettere in discussione la giustezza d'una decisione; *The election of the delegates was disputed*, si cercò d'invalidare l'elezione dei delegati **4** (*leg.*) contestare; impugnare: **to d. a claim**, contestare un diritto; **to d. a will**, impugnare un testamento ● (*leg.*) **disputed claims office**, ufficio del contenzioso.

disputer /dɪ'spjuːtə(r)/ n. disputatore, disputatrice.

disqualification /dɪskwɒlɪfɪ'keɪʃn/ n. ꭒꞔ **1** squalifica (*anche sport*) **2** esclusione (*da un concorso, una gara, ecc.*) **3** (*leg.*) incapacità; mancanza dei requisiti necessari **4** (*leg.*) incapacitazione: **d. from office under the new law**, incapacitazione da un ufficio secondo la nuova legge **5** (*leg.: di un giudice*) inabilità a giudicare; ricusazione: **d. for incompetency**, ricusazione per incompatibilità; **d. for interest**, ricusazione per conflitto di interessi; **d. for prejudice**, ricusazione per essere prevenuto contro l'imputato ● (*leg.*) **d. from driving**, sospensione della patente (*di guida*).

disqualified /dɪs'kwɒlɪfaɪd/ a. **1** (*leg.*) privo dei requisiti necessari **2** (*leg.*) incapacitato **3** (*leg.: di un giudice*) inabile a giudicare **4** (*sport*) squalificato; escluso.

to **disqualify** /dɪs'kwɒlɪfaɪ/ v. t. **1** squalificare (*anche sport*) **2** escludere (*da un concorso, una gara, ecc.*) **3** (*leg.*) incapacitare; dichiarare (*q.*) incapace **4** (*leg.*) dichiarare (*un giudice*) incompatibile; ricusare: **to d. a judge for incompetency**, ricusare un giudice per incompatibilità ● (*leg.*) **to d. sb. from driving**, ritirare la patente a q.

disqualifying /dɪs'kwɒlɪfaɪɪŋ/ a. **1** da squalifica (*anche sport*); che provoca l'esclusione (*da un concorso, ecc.*): **a d. blow**, un colpo da squalifica **2** (*leg.*) che fa incapacitare **3** (*leg.*) che rende (*un giudice*) inabile a giudicare.

disquiet /dɪs'kwaɪət/ n. ꭒ inquietudine; ansia; ansietà; allarme.

to **disquiet** /dɪs'kwaɪət/ v. t. inquietare; mettere in ansia.

disquieted /dɪs'kwaɪətɪd/ a. inquieto; in ansia; allarmato.

disquieting /dɪs'kwaɪətɪŋ/ a. inquietante.

disquietude /dɪs'kwaɪətjuːd/ *USA* -tuːd/ n. ꭒ inquietudine; ansia; allarme.

disquisition /dɪskwɪ'zɪʃn/ n. disquisizione; dissertazione ‖ **disquisitional** a. di disquisizione; dissertatorio.

to **disrate** /dɪs'reɪt/ v. t. **1** svilire; deprezzare (*fig.*) **2** (*marina mil.*) degradare.

disregard /dɪsrɪ'gɑːd/ n. ꭒ noncuranza; indifferenza; disprezzo.

to **disregard** /dɪsrɪ'gɑːd/ v. t. non curarsi di; non far caso a; non fare nessun conto di (*q. o* qc.); trascurare: *Don't d. my warnings!*, non trascurare i miei avvertimenti!

disregardful /dɪsrɪ'gɑːdfl/ a. noncurante; indifferente; sprezzante.

disrelish /dɪs'rɛlɪʃ/ n. ꭒ ripugnanza; avversione; antipatia.

to **disrelish** /dɪs'rɛlɪʃ/ v. t. provare ripugnanza (*o* avversione, antipatia) per (*q. o* qc.); avere in uggia; non poter soffrire: *I d. tea*, non posso soffrire (*o* non mi piace) il tè.

disrepair /dɪsrɪ'peə(r)/ n. ꭒ cattivo stato; rovina; sfacelo: *Tom's house is in d.*, la casa di Tom è in cattivo stato (*o* va in rovina) ● **The tunnel is in a state of d.**, la galleria è in uno stato d'abbandono.

disreputable /dɪs'rɛpjʊtəbl/ a. **1** malfamato; disdicevole; indecente; indecoroso; sconveniente: **a d. night club**, un locale not-

turno malfamato **2** losco; di dubbia fama: **a d. businessman**, un losco affarista **3** (*d'abito, ecc.*) malandato; sciupato: **a d. overcoat**, un cappottaccio | **-ness** n. ꭒ | **-bly** avv.

disrepute /dɪsrɪ'pjuːt/ n. ꭒ cattiva fama (*o* reputazione); discredito: *The firm has fallen into d.*, la ditta è caduta in discredito ● **to bring sb.** [**st.**] **into d.**, screditare q. [qc.].

disrespect /dɪsrɪ'spɛkt/ n. ꭒ mancanza di rispetto; irriverenza; scortesia; sgarberia: *He regarded my remark as a d.*, prese la mia osservazione come una mancanza di rispetto.

disrespectful /dɪsrɪ'spɛktfl/ a. che manca di rispetto; irriverente; scortese; sgarbato: **a d. son**, un figlio irriverente ● **to be d. to sb.**, mancare di rispetto a q. | **-ly** avv. | **-ness** n. ꭒ.

to **disrobe** /dɪs'rəʊb/ v. t. e i. svestire; svestirsi; spogliare; spogliarsi (*anche fig.*); togliersi la vestaglia; togliersi gli indumenti (*da cerimonia*): *After the ceremony the courtiers disrobed*, dopo la cerimonia i cortigiani si tolsero gli indumenti paludati.

to **disrupt** /dɪs'rʌpt/ v. t. **1** mandare in frantumi; rompere; spezzare; turbare **2** dissestare; disgregare; scompaginare: *A succession of tumults seemed likely to d. the state*, una serie di tumulti sembrava dover disgregare lo stato **3** interrompere (*le comunicazioni, ecc.*) **4** impedire la continuazione di, far sciogliere (*una riunione, ecc.*) **5** (*econ.*) perturbare (*i mercati, ecc.*).

disrupter /dɪs'rʌptə(r)/ n. **1** chi rompe, spezza, ecc. **2** disgregatore, disgregatrice (→ **to disrupt**).

disruption /dɪs'rʌpʃn/ n. ꭒꞔ **1** rottura; frantumazione; spaccatura **2** dissesto; disgregazione: **the d. of the Chinese Empire**, il disgregamento dell'impero cinese **3** interruzione (*delle comunicazioni, dei trasp., ecc.*) **4** scombussolamento; scompiglio **5** (*econ.*) perturbazione (*dei mercati, ecc.*); dissesto.

disruptive /dɪs'rʌptɪv/ a. **1** dirompente; disgregativo; che rompe, spezza, ecc. (→ **to disrupt**) **2** (*mil.*) dirompente **3** (*elettr.*) disruttivo: **d. discharge**, scarica disruttiva | **-ness** n. ꭒ.

disruptor /dɪs'rʌptə(r)/ n. → **disrupter**.

diss /dɪs/ n. (*slang, spec. USA*) insulto pesante; offesa personale.

to **diss** /dɪs/ v. t. (*slang, spec. USA*); insultare; svillaneggiare.

dissatisfaction /dɪ(s)sætɪs'fækʃn/ n. ꭒ insoddisfazione; malcontento; malumore; scontentezza ● **He expressed his d. with your work**, si dichiarò insoddisfatto del tuo lavoro.

dissatisfied /dɪ(s)'sætɪsfaɪd/ a. insoddisfatto; scontento: *We are d. with the wages we receive*, siamo scontenti del salario che riceviamo.

to **dissatisfy** /dɪ(s)'sætɪsfaɪ/ v. t. non soddisfare; scontentare; deludere.

dissaving /dɪ(s)'seɪvɪŋ/ n. ꭒ **1** spesa del risparmio accumulato **2** (*econ.*) risparmio negativo; spesa in eccesso del reddito nazionale.

to **dissect** /dɪ'sɛkt/ v. t. **1** sezionare; dissezionare; anatomizzare: **to d. a dead body**, sezionare un cadavere **2** (*fig.*) analizzare; esaminare minutamente: (*rag.*) **to d. an account**, analizzare un conto ● (*ottica*) **dissecting microscope**, microscopio per dissezione □ (*med.*) **dissecting room**, sala anatomica.

dissection /dɪ'sɛkʃn/ n. ꭒꞔ **1** dissezione; sezione anatomica **2** (*fig.*) analisi; esame analitico: (*rag.*) **the d. of last year's balance**, l'analisi del bilancio dell'esercizio

passato **3** (*geol.*) dissezione.

dissector /dɪ'sɛktə(r)/ n. **1** dissettore; perito settore **2** (*med.*) scalpello chirurgico.

to **disseise** /dɪ(s)'siːz/ (*leg.*) v. t. espropriare ingiustamente; spossessare.

to **disseize** /dɪ(s)'siːz/ e *deriv.* v. t. → **to disseise**, e *deriv.*

to **dissemble** /dɪ'sɛmbl/ v. t. **1** dissimulare; celare: *He dissembled his hatred*, dissimulava il suo odio **2** simulare; fingere: **to d. innocence**, fingersi innocente **3** (*fig.*) atteggiarsi a: *Vice sometimes dissembles virtue*, talora il vizio s'atteggia a virtù.

dissembler /dɪ'sɛmblə(r)/ n. simulatore, simulatrice; ipocrita.

dissembling /dɪ'sɛmbəlɪŋ/ Ⓐ a. che dissimula (*o* finge) Ⓑ n. ⓤ dissimulazione; ipocrisia.

to **disseminate** /dɪ'sɛmɪneɪt/ v. t. disseminare (*anche fig.*); diffondere; divulgare; seminare: **to d. false doctrines**, disseminare false dottrine || **dissemination** n. ⓤ disseminazione (*anche fig.*); diffusione; divulgazione: **the dissemination of advertising**, la diffusione della pubblicità commerciale || **disseminator** n. disseminatore, disseminatrice; (*fig.*) divulgatore, divulgatrice.

dissension /dɪ'sɛnʃn/ n. ⓤ **1** dissenso, dissensi; dissidio; discordia **2** lite; litigio • **to sow d.**, seminare zizzania (*fig.*).

dissent /dɪ'sɛnt/ n. **1** ⓤⓒ dissenso; dissidio **2** ⓤ (*relig.*) dissenso (*spec. protestante*) **3** ⓤ (collett.) (i) dissidenti (*dalla Chiesa d'Inghilterra*).

to **dissent** /dɪ'sɛnt/ v. i. **1** dissentire; discordare: *I d. from what you say*, dissento da quello che dici **2** (*relig.*) essere dissenziente, dissidente (*dalla Chiesa d'Inghilterra*) • **a dissenting church**, una Chiesa dissidente (*dall'Anglicana*) □ (*relig.*) **dissenting minister**, pastore protestante di setta dissidente (*dall'Anglicana*) □ (*leg. USA*) **dissenting opinion**, parere del giudice che dissente dai colleghi.

dissenter /dɪ'sɛntə(r)/ n. **1** dissenziente; dissidente **2** (pl.) (*relig.*) (i) Dissidenti (*dalla Chiesa Anglicana*).

dissepiment /dɪ'sɛpɪmənt/ n. (*bot., zool.*) sepimento; setto.

dissertation /dɪsə'teɪʃn/ n. dissertazione; disquisizione; tesi di laurea; trattato || **dissertational** a. dissertatorio || **dissertator** n. dissertatore.

disservice /dɪ'sɜːvɪs/ n. **1** (*org. az.*) disservizio **2** cattivo servizio; danno: **to do oneself a d.**, rendere un cattivo servizio a sé stesso.

to **dissever** /dɪ'sɛvə(r)/ Ⓐ v. t. dividere; separare; distaccare; staccare Ⓑ v. i. dividersi; separarsi; staccarsi || **disseverance** n. ⓤⓒ divisione; separazione.

dissidence /'dɪsɪdəns/ n. dissidenza; dissidio; dissenso.

dissident /'dɪsɪdənt/ a. e n. dissidente; dissenziente.

dissimilar /dɪ'sɪmɪlə(r)/ a. dissimile; diverso || **dissimilarity** n. ⓤⓒ dissomiglianza; diversità.

to **dissimilate** /dɪ'sɪmɪleɪt/ (*anche fon.*) v. t. dissimilare || **dissimilation** n. ⓤⓒ dissimilazione.

dissimilitude /dɪsɪ'mɪlɪtjuːd, *USA* -tuːd/ n. ⓤⓒ dissimilitudine (*lett.*).

to **dissimulate** /dɪ'sɪmjʊleɪt/ v. t. e i. dissimulare; fingere; fare l'ipocrita || **dissimulation** n. ⓤ dissimulazione; finzione; ipocrisia || **dissimulator** n. dissimulatore; ipocrita.

to **dissipate** /'dɪsɪpeɪt/ Ⓐ v. t. **1** dissipare; disperdere; dissolvere: *The morning sun dissipated the mist*, il sole del mattino dissipò la foschia; **to d. fears [doubts]**, dissi-

pare timori [dubbi] **2** dissipare; sprecare; scialacquare; sciupare: **to d. money [one's energies]**, dissipare denaro [le proprie energie] Ⓑ v. i. **1** dissipare, dissiparsi; disperdersi: *The mist will d. later in the morning*, la foschia si dissiperà nella tarda mattinata; *The crowd soon dissipated*, la folla si disperse in breve tempo **2** essere dissoluto; darsi ai bagordi.

dissipated /'dɪsɪpeɪtɪd/ a. dissipato; dissoluto: *He's a d. young man*, è un giovane dissipato.

dissipation /dɪsɪ'peɪʃn/ n. ⓤ **1** dissipazione (*anche elettr.*); dispersione (*del calore, ecc.*) **2** dissipatezza; dissolutezza; dissipazione; bagordi • (*elettr.*) **d. factor**, fattore perdita.

dissipative /'dɪsɪpətɪv/ a. **1** che tende a dissipare (*o* a dissiparsi) **2** (*tecn.*) dissipativo; dispersivo.

dissipator /'dɪsɪpeɪtə(r)/ n. **1** dissipatore **2** (*tecn.*) dispersore.

dissociable /dɪ'səʊʃ(ɪ)əbl/ a. **1** dissociabile; separabile **2** non socievole; scontroso **3** (*chim.*) dissociabile || **dissociability** n. ⓤ dissociabilità.

to **dissociate** /dɪ'səʊʃɪeɪt/ Ⓐ v. t. **1** dissociare; separare; disunire **2** (*chim., fis.*) dissociare Ⓑ v. i. **1** dissociarsi (*anche chim., fis.*); separarsi; disunirsi **2** (*psic.*) dissociarsi; sdoppiarsi • **to d. oneself from**, dissociarsi da; ripudiare ogni legame con; dichiararsi estraneo a: *I wish to d. myself from the conservative party*, desidero ripudiare ogni legame con il partito conservatore □ (*psic.*) **dissociated personality**, personalità dissociata.

dissociation /dɪsəʊʃɪ'eɪʃn/ n. ⓤ **1** dissociazione; separazione; scissione: (*chim., fis.*) **d. constant**, costante di dissociazione **2** (*psic.*) dissociazione psichica • (*psic.*) **d. of personality**, sdoppiamento della personalità.

dissociative /dɪ'səʊʃɪətɪv/ a. (*fis. nucl., psic.*) dissociativo: (*psic.*) **d. reaction**, reazione dissociativa.

dissoluble /dɪ'sɒljʊbl/ a. dissolubile || **dissolubility** n. ⓤ dissolubilità.

dissolute /'dɪsəluːt/ a. dissoluto; licenzioso | **-ly** avv. | **-ness** n. ⓤ.

dissolution /dɪsə'luːʃn/ n. ⓤⓒ **1** d. dissoluzione; dissolvimento; scioglimento: **the d. of Parliament**, lo scioglimento del parlamento **2** dissoluzione (*del corpo umano*); decomposizione; morte **3** fine; scomparsa **4** (*leg.*) risoluzione (*d'un contratto*) **5** (*leg.*) scioglimento: **the d. of marriage**, lo scioglimento del matrimonio; **the d. of a partnership**, lo scioglimento di una società di persone.

dissolvable /dɪ'zɒlvəbl/ a. solubile; dissolubile || **dissolvability** n. ⓤ solubilità; dissolubilità.

dissolve /dɪ'zɒlv/ n. (*cinem., TV*) dissolvenza: **fast d.**, dissolvenza rapida; **slow d.**, dissolvenza graduale; **lap d.**, dissolvenza incrociata.

to **dissolve** /dɪ'zɒlv/ Ⓐ v. t. **1** dissolvere; disciogliere; sciogliere: **to d. salt in water**, sciogliere il sale nell'acqua; **to d. Parliament**, sciogliere il parlamento **2** sciogliere; annullare; porre termine a: **to d. a bond**, sciogliere un legame **3** (*leg.*) risolvere (*un contratto*) **4** (*leg.*) sciogliere (*una società, un matrimonio*) **5** (*chim.*) sciogliere; disperdere Ⓑ v. i. **1** dissolversi; sciogliersi: *Sugar dissolves in water*, lo zucchero si scioglie nell'acqua; *The assembly dissolved at 8 pm*, l'assemblea si sciolse alle 20; *The little girl dissolved into tears*, la bambina si sciolse in lacrime **2** dileguarsi; scomparire; svanire **3** (*di una folla*) disperdersi **4** (*cinem., TV*) fare (*o* eseguire) una dissolvenza.

dissolvent /dɪ'zɒlvənt/ Ⓐ a. dissolvente

Ⓑ n. (*chim.*) solvente.

dissonance /'dɪsənəns/ n. ⓤⓒ (*spec. fis. e mus.*) dissonanza; discordanza.

dissonant /'dɪsənənt/ a. (*fis. e mus.*) dissonante; discordante; discorde.

to **dissuade** /dɪ'sweɪd/ v. t. dissuadere; distogliere; sconsigliare || **dissuader** n. dissuasore; dissuaditrice (*raro*) || **dissuasion** n. ⓤ dissuasione || **dissuasive** a. dissuasivo.

dissyllable /dɪ'sɪləbl/ (*ling.*) n. disillabo; bisillabo || **dissyllabic** a. disillabo; bisillabo; bisillabico.

dissymmetry /dɪ'sɪmətrɪ/ n. ⓤ asimmetria || **dissymmetric, dissymmetrical** a. asimmetrico || **dissymmetrically** avv. asimmetricamente.

dist. abbr. **1** (**distance**) distanza **2** (**distinguished**) distinto **3** (**district**) distretto.

distaff /'dɪstɑːf/ n. **1** conocchia; rocca **2** (*fig.*) lavori donneschi • **the d. side**, il ramo femminile (*d'una famiglia*) □ (*fig.*: *di ascendenza*) **on the d. side**, per parte di madre.

distal /'dɪstl/ a. (*anat.*) distale.

♦**distance** /'dɪstəns/ n. **1** ⓤⓒ distanza; lontananza: *The steeple can be seen at a d. of five miles*, il campanile si vede da cinque miglia di distanza; *The Statue of Liberty could be seen in the d.*, si vedeva in lontananza la Statua della Libertà; *It's hard to judge at this d. of time*, a distanza di tanto tempo, è difficile giudicare; **safe d.**, distanza di sicurezza **2** (*fig.*) distanza; differenza: **social distances**, distanze sociali; *There's a great d. between health and illness*, c'è una bella differenza tra l'esser sani o malati **3** ⓤ (*fig.*) distanza; distacco; freddezza: **d. of manners**, freddezza di maniere; riserbo **4** (*geom.*) distanza **5** (*pitt.*) distanza: *He painted the distances well*, dipingeva bene le distanze **6** (*mus.*) intervallo **7** (*sport*) distanza **8** (*ipp.*) distanza (*ultima parte del percorso, pari a 220 iarde; oppure tratto di 20 lunghezze tra due cavalli in corsa*): *White Mark lost the qualifier by a d.*, White Mark perse l'eliminatoria per una distanza • **d. glasses**, occhiali per vederci da lontano □ **d. learning**, istruzione a distanza □ (*naut.*) **d. on beam**, distanza al traverso □ (*elettr.*) **d. relay**, relè distanziometrico □ (*mecc.*) **d. ring**, anello distanziatore □ (*sport: atletica*) **d. runner**, fondista; (*anche*) mezzofondista □ (*sport: atletica*) **d. running**, il fondo □ (*cinem., TV*) **d. shot**, campo lungo □ (*naut.*) **d. signal**, segnale di lontananza □ (*autom.*) **braking d.**, spazio di frenata □ **from** (*o* at) **a d.**, di lontano □ (*sport e fig.*) **to go the d.**, reggere fino alla fine; andare fino in fondo; compiere l'intero percorso □ **to keep one's d. from sb.**, tenere le distanze; stare (*o* girare) alla larga da q. □ **to keep sb. at a d.**, mantenere le distanze da q.; tenere q. a distanza □ **to keep a safe d. from**, tenersi a distanza di sicurezza da □ **within shooting d.**, a tiro (di schioppo) □ **within spitting d. of Piccadilly Circus**, a due passi da Piccadilly Circus □ **within striking d.**, a portata di mano; (*mil.*) a tiro: *Our troops are not yet within striking d. of the enemy*, le nostre truppe non hanno ancora il nemico a tiro □ **I live within walking d. of the school**, abito abbastanza vicino alla scuola da poterci andare a piedi □ **The school is no d. at all from my house**, la scuola è vicinissima a casa mia (*o* a quattro passi da casa mia) □ **The airport is a great** (*o* **a good**) **d. off**, l'aeroporto è lontanissimo.

to **distance** /'dɪstəns/ v. t. **1** distanziare; lasciare indietro; staccare **2** (*fig.*) allontanare • **to d. oneself** (**from**), distanziarsi; prendere le distanze (da).

distanced /'dɪstənst/ a. distanziato.

♦**distant** /'dɪstənt/ a. **1** distante; lontano;

remoto: *The church is ten miles d.*, la chiesa è lontana (*o* dista) dieci miglia; **a d. relative**, un lontano parente; **a d. sound**, un suono lontano; **a d. resemblance**, una lontana (*o* vaga) somiglianza; **d. ages**, età remote **2** freddo (*fig.*); riservato; altero: **a d. manner**, modi riservati, alteri; **d. politeness**, fredda cortesia **3** assente (*fig.*); distratto ● **to be... d.**, distare: *Rome is three hundred kilometers d.*, Roma dista trecento chilometri (da qui) □ (*ferr.*) **d. signal**, segnale di preavviso di blocco □ **to have a d. look in one's eyes**, guardare (*o* fissare lo sguardo) lontano □ **to have a d. view of st.**, vedere qc. da lontano.

distantly /'dɪstəntlɪ/ *avv.* **1** in distanza; di lontano **2** alla lontana: *He is d. related to the mayor*, è imparentato alla lontana con il sindaco **3** freddamente; con (grande) distacco.

distaste /dɪs'teɪst/ *n.* Ⓤ antipatia; avversione; ripugnanza: *That boy has a d. for reading*, quel ragazzo ha avversione per la lettura.

distasteful /dɪs'teɪstfl/ *a.* disgustoso; antipatico; ripugnante | **-ly** *avv.* | **-ness** *n.* Ⓤ.

distemper① /dɪs'tɛmpə(r)/ *n.* Ⓤ (= **canine d.**) (*vet.*) cimurro (*dei cani*).

distemper② /dɪs'tɛmpə(r)/ *n.* **1** (*pitt.*) tempera (*la tecnica e il dipinto*) **2** (*pitt.*) ritratto a tempera **3** Ⓤ (*edil.*) tinteggiatura (*o* intonaco) a tempera **4** colore stemperato ● **to paint in d.**, dipingere a tempera.

to distemper /dɪs'tɛmpə(r)/ *v. t.* **1** stemperare (*un colore*) **2** (*pitt.*) dipingere a tempera **3** (*edil.*) tinteggiare a tempera.

to distend /dɪ'stɛnd/ *v. t. e i.* (*form.*) dilatare, dilatarsi; gonfiare, gonfiarsi: **to d. a balloon**, gonfiare un pallone aerostatico; *The nostrils of a horse d. when the animal is excited*, le narici del cavallo si dilatano quando l'animale è eccitato ● (*med.*) **a distended vein**, una vena gonfia.

distensible /dɪ'stɛnsəbl/ *a.* dilatabile || **distensibility** *n.* Ⓤ (*tecn.*) dilatabilità.

distension /dɪ'stɛnʃn/ *n.* **1** Ⓤ dilatazione; rigonfiamento **2** (*med.*) gonfiore.

distich /'dɪstɪk/ *n.* (*poesia*) distico.

distichous /'dɪstɪkəs/ *a.* (*biol.*) distico.

to distil, (*USA*) **to distill** /dɪ'stɪl/ Ⓐ *v. t.* **1** distillare: **to d. salt water**, distillare l'acqua salata (*fig.*) ricavare; riassumere Ⓑ *v. i.* **1** essudare **2** stillare; gocciolare.

distillable /dɪ'stɪləbl/ *a.* **1** distillabile **2** (*fig.*) ricavabile.

distillate /'dɪstɪlət/ (*chim.*) *a. e n.* distillato.

distillation /dɪstɪ'leɪʃn/ *n.* **1** Ⓤ distillazione: *Whisky is made by the d. of malt*, il whisky si ottiene distillando il malto **2** (*fig.*) quintessenza; distillato (*fig.*).

distilled /dɪ'stɪld/ *a.* distillato: **d. water**, acqua distillata.

distiller /dɪ'stɪlə(r)/ *n.* distillatore (*anche l'apparecchio*); distillatrice: **a whisky d.**, un distillatore di whisky.

distillery /dɪ'stɪlərɪ/ *n.* distilleria.

distilling /dɪ'stɪlɪŋ/ *n.* Ⓤ distillazione ● (*chim.*) **d. flask**, pallone per distillazione.

♦**distinct** /dɪ'stɪŋkt/ *a.* **1** distinto; chiaro; deciso; netto; spiccato ● **a d. sound**, un suono chiaro, distinto; **a d. achievement**, un netto successo; **a d. refusal**, un netto rifiuto **2** separato; distinto; diverso: **two d. opinions**, due opinioni distinte; (*bot.*, *zool.*) **two d. species**, due specie distinte || **distinctly** *avv.* distintamente; chiaramente; nettamente || **distinctness** *n.* **1** l'essere distinto; chiarezza; nettezza **2** diversità.

♦**distinction** /dɪ'stɪŋkʃn/ *n.* **1** Ⓤ Ⓒ distinzione: *He doesn't make any d.*, non fa nessuna

distinzione; **without d. of rank**, senza distinzione di grado; *He has little d. of manner*, ha poca distinzione nei modi **2** caratteristica: *This building has the d. of being the tallest of its kind in Scotland*, la caratteristica di questo edificio è di essere il più alto del suo genere in Scozia **3** Ⓤ eccellenza; eminenza; originalità: *Thomas Hardy is a writer of d.*, Thomas Hardy è uno scrittore eminente **4** decorazione; onorificenza; riconoscimento: *The soldier won many distinctions for bravery*, il soldato ebbe molte decorazioni per i suoi atti di valore; *The king conferred a d. on him*, il re gli conferì un'onorificenza **5** voto alto (*a scuola*); ottimo ● **a d. without a difference**, una differenza apparente □ **the distinctions of birth**, le differenze sociali □ *He fought with d.*, combatté valorosamente; si distinse in combattimento.

distinctive /dɪ'stɪŋktɪv/ *a.* **1** distintivo; atto a distinguere **2** caratteristico; peculiare: *Schoolboys at Eton wear a d. uniform*, a Eton gli studenti indossano un'uniforme peculiare ● **a d. badge**, un (segno) distintivo □ (*naut.*) **d. flag**, distintivo (*di una nave*) | **-ly** *avv.* | **-ness** *n.* Ⓤ.

♦**to distinguish** /dɪ'stɪŋgwɪʃ/ Ⓐ *v. t.* distinguere: *I cannot d. them*, non riesco a distinguerli (*o* a vederli); **to d. right from wrong**, distinguere ciò che è giusto da ciò che è ingiusto Ⓑ *v. i.* distinguere: **to d. between fancy and imagination**, fare distinzione tra fantasia e immaginazione ● **to d. oneself**, distinguersi; farsi onore: *He distinguished himself in action*, si fece onore sul campo di battaglia □ **to be distinguished**, distinguersi; riconoscersi: *Giraffes are easily distinguished by their long necks*, le giraffe si riconoscono bene per il collo lungo.

distinguishable /dɪ'stɪŋgwɪʃəbl/ *a.* distinguibile; che si vede (bene).

distinguished /dɪ'stɪŋgwɪʃt/ *a.* **1** distinto; di grande distinzione; famoso; eminente; insigne; di riguardo: **a d. writer**, un insigne scrittore; **a d.-looking man**, un uomo dall'aria distinta; **a d. foreigner**, uno straniero di riguardo; **a d. man of letters**, un letterato eminente **2** onorevole; prestato con onore: **a d. career in the government service**, un'onorevole carriera al servizio del governo; **d. service in the navy**, servizio militare prestato con onore nella marina.

distinguishing /dɪ'stɪŋgwɪʃɪŋ/ *a.* **1** che distingue **2** caratteristico; peculiare; di riconoscimento ● **d. marks**, segni particolari □ **d. trait**, caratteristica.

to distort /dɪ'stɔːt/ *v. t.* **1** (*tecn.*) distorcere; deformare: (*elettron.*) **to d. a sound**, distorcere un suono; (*ottica*) **to d. an image**, deformare un'immagine **2** (*fig.*) distorcere; falsare; travisare; stravolgere: *You d. what I've said*, tu distorci le mie parole; *He distorted the facts*, stravolgeva i fatti; **to d. the truth**, falsare la verità.

distorted /dɪ'stɔːtɪd/ *a.* distorto; deformato; stravolto: *After the crash, the rear bumper of my car was all d.*, dopo l'incidente, il paraurti posteriore della mia auto era completamente deformato; *His face was d. with rage*, aveva il viso stravolto dall'ira ● (*raro*) **d. limbs**, membra distorte | **-ly** *avv.* | **-ness** *n.* Ⓤ.

distortion /dɪ'stɔːʃn/ *n.* Ⓤ Ⓒ **1** (*elettron.*, *ottica*, *telef.*, *radio*) distorsione (*dei suoni, delle immagini, ecc.*) **2** (*mecc.*) deformazione **3** alterazione (*della verità, ecc.*); travisamento (*dei fatti, ecc.*) ● (*econ.*, *leg.*) **distortions of competition**, distorsioni della concorrenza □ **a d. of one's features**, un'alterazione del volto; una smorfia.

distortional /dɪ'stɔːʃənl/ *a.* (*tecn.*) di distorsione; di deformazione.

distortive /dɪ'stɔːtɪv/ *a.* che distorce; che stravolge; travisante: **a d. interpretation**, un'interpretazione travisante.

distr. *abbr.* **1** (**distribution**) distribuzione **2** (**distributor**) distributore.

to distract /dɪ'strækt/ *v. t.* **1** distrarre; distogliere; sviare: **to d. sb.'s attention**, distrarre l'attenzione di q.; **to d. sb.'s mind**, distrarre la mente di q. **2** confondere; infastidire; rendere perplesso; sconcertare; turbare **3** fare impazzire; far diventare matto **4** distrarre; svagare.

distracted /dɪ'stræktɪd/ *a.* **1** confuso; perplesso; sconcertato; turbato: *He is d. between the two things*, è perplesso fra le due cose; **a d. look**, uno sguardo turbato; un aspetto sconcertato **2** (*raro*) folle; matto; impazzito: *She was almost d. with grief*, era quasi impazzita per il dolore **3** distratto; svagato ● **to drive sb. d.**, fare impazzire q. | **-ly** *avv.* | **-ness** *n.* Ⓤ.

distracter /dɪ'stræktə(r)/ *n.* **1** chi distrae **2** (*docimologia*) risposta errata (*in un test a risposte multiple*).

distractible /dɪ'stræktəbl/ *a.* distraibile || **distractibility** *n.* Ⓤ distraibilità.

distracting /dɪ'stræktɪŋ/ *a.* **1** che distrae; che fa perdere la concentrazione **2** che sconcerta (*o* turba) **3** che distrae (*o* svaga); divertente | **-ly** *avv.*

distraction /dɪ'strækʃn/ *n.* **1** Ⓒ Ⓤ distrazione; disattenzione; mancanza di attenzione **2** Ⓒ Ⓤ distrazione; divertimento; svago: **to need d.**, aver bisogno di distrazioni; *You won't get many distractions if you are staying in a camp*, se vai in campeggio, non avrai molti svaghi **3** fastidio; perplessità; turbamento: *Television is a d. when you are studying*, la televisione è un fastidio quando si studia **4** Ⓤ pazzia; follia ● **to drive sb. to d.**, spingere q. alla pazzia □ **to love sb. to d.**, amare q. alla follia.

to distrain /dɪ'streɪn/ (*leg.*) *v. t. e i.* pignorare; sequestrare: **to d. upon sb.'s goods for rent**, sequestrare i beni di q. per mancato pagamento dell'affitto ● **distrained chattels**, beni sequestrati || **distrainee** *n.* debitore pignorato; chi subisce un sequestro || **distrainer**, **distrainor** *n.* creditore pignorante; sequestratore; sequestrante.

distraint /dɪ'streɪnt/ *n.* Ⓤ (*leg.*) pignoramento; sequestro.

distrait /dɪ'streɪ/ (*franc.*) *a.* distratto.

distraught /dɪ'strɔːt/ *a.* sconvolto: **d. with grief**, sconvolto dal dolore ● **d. with worry**, assai turbato; molto preoccupato.

distress /dɪ'stres/ *n.* Ⓤ **1** angoscia; dolore: *His death was a great d. to me*, la sua morte fu un grande dolore per me **2** bisogno; miseria; indigenza: *There was great d. among the farmers*, c'era grande miseria fra i contadini **3** (*naut.*) pericolo: **a ship in d.**, una nave in pericolo **4** (*leg.*) sequestro; bene sequestrato, beni sequestrati ● (*naut.*, *radio*) **d. call**, S.O.S., segnale di richiesta di soccorso ● **d. rocket**, razzo di segnalazione (*per segnalare pericolo*) □ **d. sale**, (*leg.*) vendita giudiziaria; (*market.*) vendita al ribasso (*o* sottocosto) □ (*naut.*) **d. signal**, segnale (*bandiera, ecc.*) di soccorso (*o* di pericolo) (*leg.*) **d. warrant**, mandato di pignoramento; ordine di sequestro □ **to be in financial d.**, trovarsi in difficoltà finanziarie ❶ **FALSI AMICI** ● distress *non significa* destrezza.

to distress /dɪ'stres/ *v. t.* **1** angosciare; affliggere; addolorare: *His bitter words distressed the sensitive girl*, le sue parole pungenti afflissero quella sensibile ragazza **2** turbare; allarmare **3** (*leg.*) sequestrare; pignorare.

distressed /dɪ'strest/ *a.* **1** angosciato; afflitto **2** spossato; stremato **3** bisognoso; indigente: **d. families**, famiglie bisognose **4**

(*fin.*) in difficoltà: **d. businesses**, aziende in difficoltà (finanziaria) **5** (*naut.*: *di nave*) in pericolo **6** (*leg.*) sequestrato; pignorato **7** anticato: **d. furniture**, mobili anticati ● (*USA*) **d. areas**, zone disastrate.

distressful /dɪˈstresfl/ *a.* doloroso; angoscioso; penoso.

distressing /dɪˈstresɪŋ/ *a.* doloroso; angoscioso; penoso; allarmante: **d. news**, notizie allarmanti.

distributable /dɪˈstrɪbjʊtəbl/ *a.* distribuibile; ripartibile: (*fin.*, *rag.*) **d. profit**, profitto (*o* utile) distribuibile.

distributary /dɪˈstrɪbjuːtrɪ/ *n.* (*geogr.*) **1** canale deltizio **2** braccio secondario (*di fiume*).

♦to **distribute** /dɪˈstrɪbjuːt/ *v. t.* **1** distribuire; assegnare; ripartire; spargere: **to d. prizes**, distribuire premi; (*fin.*) **to d. dividends**, distribuire i dividendi; **to d. paint over a door**, spargere la vernice su un uscio **2** (*comm.*) distribuire, smistare (*merci, pacchi, ecc.*) **3** (*tipogr.*) scomporre ● (*fin.*) **to d. profits**, ripartire gli utili □ (*ind. costr.*) **distributed load**, carico ripartito □ (*elettron.*) **distributing frame**, quadro di distribuzione; ripartitore.

♦**distribution** /ˌdɪstrɪˈbjuːʃn/ *n.* ⓤⓒ **1** (*anche econ.*, *fin.*) distribuzione; ripartizione; smistamento: **the d. of the mail**, la distribuzione della corrispondenza; (*fin.*) **the d. of profits**, la ripartizione degli utili **2** diffusione: *The oak has a wide d.*, la quercia è una pianta che ha una grande diffusione **3** (*stat.*) distribuzione: **population d.**, la distribuzione della popolazione **4** (*market.*) distribuzione (*delle merci*): **d. costs**, costi di distribuzione **5** (*leg.*) divisione (*del patrimonio*: *nelle successioni*) **6** (*leg.*) ripartizione (*dell'attivo di un fallito*) **7** (*tipogr.*) scomposizione ● (*econ.*) **d. network = d. system** → sotto □ **the d. of prizes**, la premiazione □ (*elettr.*) **d. switchboard**, quadro di distribuzione □ (*econ.*) **d. system**, sistema (*o* rete) di distribuzione.

distributional /ˌdɪstrɪˈbjuːʃnl/ *a.* (*ling.*) distribuzionale: **d. analysis**, analisi distribuzionale.

distributive /dɪˈstrɪbjʊtɪv/ Ⓐ *a.* **1** distributivo; della distributività: (*ind.*) **d. bargaining**, contrattazione distributiva; (*mat.*) **d. law**, legge della distributività; (*mat.*) **d. property**, proprietà distributiva; (*econ.*) **d. justice**, giustizia distributiva **2** (*ling.*) distributivo Ⓑ *n.* (*ling.*) aggettivo (*o* pronome) distributivo ● (*econ.*) **d. costs**, costi di distribuzione □ (*leg.*, *fin.*) **d. share**, quota di una distribuzione (*o* ripartizione; → **distribution**, *def. 5 e 6*) □ (*econ.*) **the d. trades**, il settore della distribuzione.

distributivity /ˌdɪstrɪbjʊˈtɪvətɪ/ *n.* ⓤ (*mat.*) distributività.

distributor /dɪˈstrɪbjʊtə(r)/ *n.* **1** (*anche market.*) distributore: **sole d.**, distributore esclusivo; **d. discount**, sconto per i distributori **2** (*tipogr.*) scompositore **3** (*elettr.*) distributore **4** (*elettr.*, *autom.*) spinterogeno; distributore (d'accensione): **d. cap**, calotta dello spinterogeno; **d. points**, puntine (*o* contatti) dello spinterogeno ● (*elettr.*, *autom.*) **d. rotor arm**, spazzola del distributore.

♦**district** /ˈdɪstrɪkt/ *n.* **1** distretto (*anche leg.*); circoscrizione; circondario; centro: **postal d.**, distretto postale; **school d.**, distretto scolastico; **shopping d.**, centro commerciale **2** regione; territorio; zona: **a farming d.**, una regione agricola; **the Lake D.**, la regione dei laghi del Cumberland (*in Inghil.*) **3** quartiere (*d'una città*): **the business d.**, il quartiere commerciale (*o* degli affari); **the Italian d.**, il quartiere italiano **4** (*in USA*) circoscrizione elettorale o giudizia-

ria: (*leg.*, *in USA*) **D. Court**, corte distrettuale federale; **d. judge**, giudice distrettuale ● (*leg.*, *in USA*) **d. attorney**, procuratore distrettuale □ (*in GB*) **d. council**, consiglio distrettuale □ (*tecn.*) **d. heating**, teleriscaldamento; riscaldamento centralizzato (*per un gruppo di case*) □ (*org. az.*) **d. manager**, direttore di zona □ **d. nurse**, infermiere (*o* infermiera) che visita a domicilio i malati di un quartiere □ (*in GB*) **d. visitor**, (*della Chiesa d'Inghilterra*) visitatore (*o* visitatrice) di malati e bisognosi (*a domicilio*).

to **district** /dɪˈstrɪkt/ *v. t.* **1** dividere in distretti **2** (*USA*) dividere in circoscrizioni (*elettorali o giudiziarie*).

distrust /dɪsˈtrʌst/ *n.* ⓤ sfiducia; diffidenza; sospetto ● **to have a d. of planes**, non fidarsi dell'aereo; aver paura di volare.

to **distrust** /dɪsˈtrʌst/ *v. t.* diffidare di; non aver fiducia in; sospettare ● **to d. one's eyes**, non credere ai propri occhi.

distrustful /dɪsˈtrʌstfl/ *a.* diffidente; sospettoso | **-ly** *avv.* | **-ness** *n.* ⓤ.

♦to **disturb** /dɪˈstɜːb/ *v. t.* **1** disturbare; turbare; (*leg.*) **to d. the peace**, turbare l'ordine pubblico **2** mettere in disordine; buttare all'aria; scompigliare **3** (*radio*, *TV*) disturbare ● **to d. oneself**, disturbarsi (*per q.*).

disturbance /dɪˈstɜːbəns/ *n.* ⓤⓒ **1** disturbo; incomodo; turbamento: (*leg.*) **d. of the peace**, disturbo della quiete pubblica **2** agitazione; confusione; disordine; scompiglio; tumulto: *Don't make so much d. about a little thing*, non metterti in tanta agitazione per un nonnulla; *Political disturbances are common nowadays*, le agitazioni (di carattere politico) sono comuni oggigiorno **3** (*leg.*) turbativa: **d. of possession**, turbativa di possesso **4** (*meteor. e fig.*) perturbazione: **a d. of the economic balance**, una perturbazione dell'equilibrio economico **5** (*radio*, *TV*) disturbo ● (*leg.*) **to cause a d.**, turbare l'ordine pubblico (*o* la quiete pubblica).

disturbed /dɪˈstɜːbd/ *a.* **1** disturbato **2** (*psic.*) affetto da turbe psichiche.

disturber /dɪˈstɜːbə(r)/ *n.* disturbatore; disturbatrice ● (*leg.*) **d. of the peace**, disturbatore dell'ordine pubblico (*o* della quiete pubblica).

disturbing /dɪˈstɜːbɪŋ/ *a.* preoccupante; allarmante; inquietante; perturbante: **d. dreams**, sogni inquietanti; **a d. lack of concern**, una preoccupante mancanza di interesse; **d. news**, notizie allarmanti.

distyle /ˈdɪstaɪl/ *a.* (*archit.*) distilo.

disulphate /daɪˈsʌlfeɪt/ *n.* (*chim.*) disolfato.

disulphide /daɪˈsʌlfaɪd/ *n.* (*chim.*) disolfuro.

disunion /dɪsˈjuːnɪən/ *n.* ⓤ disunione; separazione; discordia.

to **disunite** /ˌdɪsjuːˈnaɪt/ Ⓐ *v. t.* disunire; separare Ⓑ *v. i.* disunirsi; separarsi; staccarsi.

disunity /dɪsˈjuːnɪtɪ/ *n.* ⓤ disunione; discordia; dissidio.

disuse /dɪsˈjuːs/ *n.* ⓤ disuso; mancanza d'uso: *This word has fallen into d.*, questa parola è caduta in disuso; *The machinery has become rusty from d.*, il macchinario s'è arrugginito per mancanza d'uso ● **The mine has fallen into d.**, la miniera è stata abbandonata.

disused /dɪsˈjuːzd/ *a.* in disuso ● **a d. mine**, una miniera abbandonata.

disutility /ˌdɪsjuːˈtɪlətɪ/ *n.* ⓤ (*econ.*) disutilità.

disyllabic /ˌdɪsɪˈlæbɪk/, **disyllable** /dɪˈsɪləbl/ → **dissyllable**, e *deriv.*

ditch /dɪtʃ/ *n.* **1** fossa; fosso; fossato **2** (= **drainage d.**); canale di scolo: **excavators**

for digging drainage ditches, escavatrici per la costruzione di canali di scolo **3** (*mil.*) fosso; trincea: **anti-tank d.**, fosso anticarro **4** (*costr. stradali*) cunetta: **d. check**, aletta di cunetta **5** (*equit.*) fosso; fossato: **d. with rails**, fossato con staccionata ● (*fam.*) **the D.**, (*gergo aeron.*) la Manica; (*anche*) il Mare del Nord; (*USA*) il Canale di Panama □ (*bot.*) **d. moss** (*Elodea canadensis*), elodea; peste d'acqua □ (*bot.*) **d. reed** (*Phragmites communis*), canna di palude; cannuccia □ **d. water**, acqua stagnante (*o* di fosso) □ (*fig.*) **to be as dull as d. water**, essere noioso da morire; far morire di noia □ **to die in the last d.**, morire sull'ultima trincea; (*fig.*) difendersi disperatamente □ (*fam. USA*) **to leave sb. in the d.**, piantare in asso q.; lasciare q. nelle peste.

to **ditch** /dɪtʃ/ *v. t. e i.* **1** scavare fossi (*o* canali di scolo) **2** provvedere di fossi (*o* canali di scolo); prosciugare **3** mandare (*o* buttare) in un fosso: *He ditched his car while learning to drive*, mandò l'automobile nel fosso mentre imparava a guidare **4** (*fam.*) abbandonare; lasciare; mollare; piantare (*fig. fam.*): **to d. one's boyfriend**, piantare il ragazzo **5** (*gergo aeron.*) fare un ammaraggio di fortuna **6** (*fam. USA*) evitare, scansare; superare (*una fila d'automobili, ecc.*) **7** (*fam. USA*) far deragliare (*un treno*) **8** (*fam. USA*) seminare (*la polizia, ecc.*).

ditcher /ˈdɪtʃə(r)/ *n.* **1** scavatore; sterratore **2** (*agric.*, *mecc.*) scavafossi; escavatrice per fossi.

ditching /ˈdɪtʃɪŋ/ *n.* ⓤ **1** scavo di fossi **2** (*gergo aeron.*) ammaraggio di fortuna.

ditchwater /ˈdɪtʃwɔːtə(r)/ *n.* acqua stagnante in un fosso; acqua di fosso ● (**as**) **dull as d.** → **dull**.

ditheism /ˈdaɪθiːɪzəm/ *n.* ⓤ (*relig.*) diteismo.

dither /ˈdɪðə(r)/ *n.* **1** tremito **2** (*fam.*) agitazione; titubanza; tentennamento ● (*fam.*) **to be all of a d. about st.**, essere nel pallone per qc. (*fam.*); non sapere che pesci prendere.

to **dither** /ˈdɪðə(r)/ *v. i.* **1** tremare **2** esitare; titubare **3** (*fam.*) agitarsi; essere eccitato.

dithering /ˈdɪðərɪŋ/ *n.* ⓤ **1** esitazione; titubanza **2** (*grafica*, *comput.*) retinatura; (*in stampa*) halftoning (*tecnica per creare l'illusione della presenza di un maggior numero di colori*) **3** (*comput.*) simulazione digitale di tono (*in genere*).

dithionate /daɪˈθaɪənaɪt/ (*chim.*) *n.* ditionato.

dithyramb /ˈdɪθɪræm/ (*poesia e fig.*) *n.* ditirambo ‖ **dithyrambic** *a.* ditirambico.

ditransitive /daɪˈtrænzɪtɪv/ *a.* (*ling.*) ditransitivo (*di verbo con doppio oggetto, per es. «to teach sb. st.»*). ❶ NOTA: *to give* → **to give**.

ditsy /ˈdɪtsɪ/ *a.* → **ditzy**.

dittany /ˈdɪtənɪ/ *n.* (*bot.*) **1** (*Origanum dictamnus*) dittamo cretico **2** (*Dictamnus albus*) dittamo; frassinella.

ditto /ˈdɪtəʊ/ Ⓐ *a. e n.* **1** (*comm.*) idem; medesimo; predetto; suddetto (*nelle fatture, negli inventari, ecc.*): **a d. copy**, una copia del medesimo **2** (*USA*) fotocopia Ⓑ *avv.* **1** (*comm.*) come sopra **2** (*fam.*) nello stesso modo ● **d. marks**, segno di ripetizione; virgolette □ (*fam.*) **to say d. to st.**, dichiararsi d'accordo su qc.

dittography /dɪˈtɒɡrəfɪ/ (*ling.*) *n.* ⓤⓒ dittografia ‖ **dittographic** *a.* dittografico.

ditty /ˈdɪtɪ/ *n.* (*poet.*) canzoncina; arietta (*parole e musica*).

ditty-bag /ˈdɪtɪbæɡ/, **ditty-box** /ˈdɪtɪbɒks/ *n.* sacca (*o* cassettina) usata da marinai per articoli da toeletta, ago e filo, ecc.

ditzy /'dɪtsɪ/ a. (*fam.*) svampito; sventato; pazzerello.

diuresis /daɪjʊə'riːsɪs/ n. Ⓤ (*fisiol.*) diuresi.

diuretic /daɪjʊə'rɛtɪk/ a. e n. (*farm.*) diuretico.

diurnal /daɪ'ɜːnl/ Ⓐ a. (*astron.*, *zool.*) diurno: **d. arc**, arco diurno (*di un astro*) Ⓑ n. (*relig.*) diurno (*libro delle ore canoniche*).

div abbr. **1** (*fin.*, **dividend**) dividendo **2** (*mil.*, **division**) divisione **3** (**division**) divisione **4** (**divorced**) divorziato.

diva /'diːvə/ n. (pl. *divas*, *dive*) diva; prima donna.

to **divagate** /'daɪvəgeɪt/ v. i. divagare; fare una digressione ‖ **divagation** n. ⒸⓊ divagazione; digressione.

divalent /daɪ'veɪlənt/ a. (*chim.*) bivalente.

divan /dɪ'væn/ n. **1** divano **2** (= **d. bed**) divano letto **3** (*un tempo*) sala per fumatori **4** (*stor.*, *in Medio Oriente*) divano **5** (*stor.*, *letter.*) divano.

divaricate /daɪ'værɪkeɪt/ a. (*bot.*, *zool.*) divergente; divaricato.

to **divaricate** /daɪ'værɪkeɪt/ Ⓐ v. i. (*di strade, ecc.*) divergere, diramarsi; (*di rami*) biforcarsi Ⓑ v. t. divaricare (*le dita, le gambe*).

divarication /daɪværɪ'keɪʃn/ n. **1** diramazione; biforcazione **2** Ⓤ divaricamento; divaricazione **3** Ⓤ (*form.*) divergenza (*di pareri*).

dive /daɪv/ n. **1** tuffo: **to take a d.**, fare un tuffo **2** (*aeron.*) picchiata **3** (*naut.*) immersione (*d'un sottomarino*) **4** tavernetta (*d'albergo o ristorante*): **an oyster d.**, una tavernetta dove si vendono ostriche **5** (*fam.*) bettola; bisca; taverna; bordello **6** (*sport*: *calcio*, *ecc.*) simulazione: **to take a d.**, buttarsi **7** (*calcio*, *ecc.*) (*del portiere*) tuffo (*per parare*) **8** (*slang*, *boxe*) incontro truccato: **to take a d.**, gettarsi a terra simulando un K.O.; accettare di perdere l'incontro ● **d.-bomber**, bombardiere in picchiata; tuffatore □ **d.-bombing**, bombardamento in picchiata.

to **dive** /daɪv/ Ⓐ v. i. **1** tuffarsi; fare tuffi; immergersi (*anche fig.*); gettarsi a terra, buttarsi a capofitto: **to d. for pearls**, tuffarsi in cerca di perle; *The submarine suddenly dived*, il sottomarino s'immerse improvvisamente; *When the first shell burst, we dived for cover*, quando scoppiò la prima granata, ci gettammo tutti a terra in cerca di riparo **2** (*aeron.*) discendere in picchiata; fare una picchiata: *The plane dived and dropped its bombs*, l'aeroplano discese in picchiata e sganciò le bombe **3** affondare (*o cacciare*) la mano (*in tasca, ecc.*) **4** (*fig.*) penetrare: **to d. into the heart of the matter**, penetrare nel vivo della questione **5** dileguarsi; scomparire **6** (*calcio*) simulare una caduta (*in seguito a intervento di altro giocatore*): *He clearly dived to earn the penalty*, ha chiaramente simulato il fallo per ottenere un rigore Ⓑ v. t. tuffare, mettere (*la mano, la testa, dentro qc.*): *He dived his head into the water*, tuffò il capo nell'acqua ● (*fam.*) **to d. for st.**, precipitarsi a prendere qc. □ (*fam.*) **to d. in**, buttarsi a pesce (*a mangiare, ecc.*).

to **dive-bomb** /'daɪvbɒm/ v. t. (*aeron.*, *mil.*) bombardare in picchiata.

diver /'daɪvə(r)/ n. **1** chi si tuffa; tuffatore; (*sport*) tuffista: *He is a clever d.*, è un bravo tuffatore **2** palombaro; sommozzatore **3** (*zool.*, *Columbus ruficollis*) tuffetto **4** (*zool.*, *Gavia*) strolaga: **great northern d.** (*Gavia immer*), strolaga maggiore.

to **diverge** /daɪ'vɜːdʒ/ Ⓐ v. i. divergere; differire: *On this point their opinions d.*, su questo punto le loro opinioni divergono Ⓑ v. t. far divergere, deflettere ● **to d. from a track**, deviare da un sentiero.

divergence /daɪ'vɜːdʒəns/, **divergency** /daɪ'vɜːdʒənsɪ/ n. ⒸⓊ **1** divergenza; differenza; disparità; deviazione **2** (*mat.*) divergenza.

divergent /daɪ'vɜːdʒənt/ a. divergente.

divers /'daɪvəz/ a. e pron. pl. (*arc. o scherz.*) diversi; vari; parecchi.

diverse /daɪ'vɜːs/ a. **1** eterogeneo; vario; diverso; disparato: **a d. range of skills**, una gamma di abilità; *Subjects are as d. as bookbinding and Latin*, le materie di insegnamento variano dalla legatoria al latino **2** diverso; differente | **-ly** avv. | **-ness** n. Ⓤ.

diversification /daɪvɜːsɪfɪ'keɪʃn/ n. **1** (*anche econ.*) diversificazione: **the d. of products**, la diversificazione dei prodotti **2** (*Borsa*, *fin.*) differenziazione (*di portafoglio*, *ecc.*) **3** (*market.*) diversificazione (*dei mercati*).

diversified /daɪ'vɜːsɪfaɪd/ a. (*fin.*) differenziato: **d. investment fund**, fondo d'investimento a portafoglio differenziato ● (*fin.*) **d. portfolio**, portafoglio differenziato; giardinetto (*fam.*).

to **diversify** /daɪ'vɜːsɪfaɪ/ Ⓐ v. t. **1** diversificare (*anche econ.*); rendere diverso; variare **2** (*comm.*, *fin.*) differenziare (*investimenti*, *ecc.*) Ⓑ v. i. (*anche econ.*) diversificarsi.

diversion /daɪ'vɜːʃn/ n. **1** diversione **2** deviazione (*anche fig.*): **road d. ahead**, deviazione stradale (*cartello*); **the d. of a river**, la deviazione del corso di un fiume; (*autom.*) **traffic d.**, deviazione del traffico; (*market.*) **d. of trade**, deviazione (*o dirottamento*) degli scambi (*o dei traffici*) **3** divertimento; passatempo; diversivo; svago **4** (*aeron.*, *naut.*) dirottamento (*per la nebbia, ecc.*) **5** (*econ.*) dirottamento: **the d. of demand**, il dirottamento della domanda (*su altri beni*) **6** (*leg.*, *fin.*) storno; distrazione: **d. of public funds**, storno di fondi pubblici; **d. of profits**, distrazione degli utili **7** (*mil.*) diversione; (*anche*) diversivo tattico **8** (*comput.*) trasferimento (*di una chiamata*) **9** (*telef.*) trasferire (*una chiamata, un messaggio*) ● (*ind. costr.*) **d. gate**, paratoia deviatrice.

diversionary /daɪ'vɜːʃənrɪ/ a. (*anche mil.*) diversivo: **d. operation**, azione diversiva.

diversity /daɪ'vɜːsətɪ/ n. **1** Ⓤ eterogeneità; varietà; diversità: **cultural d.**, eterogeneità culturale **2** varietà; gamma: **a d. of opinions**, una gamma di opinioni.

to **divert** /daɪ'vɜːt/ v. t. **1** deviare; deflettere; stornare: **to d. water from a river into the paddies**, deviare acqua da un fiume (e immetterla) nelle risaie; **to d. the course of a river**, deviare il corso d'un fiume **2** distrarre, distogliere (*l'attenzione*, *ecc.*); (*form.*) divertire (*lett.*): *Children are easily diverted*, è facile distrarre (*o divertire*) i bambini **3** (*autom.*, *aeron.*, *naut.*) dirottare; far deviare: **to d. traffic**, dirottare il traffico; (*aeron*: *per la nebbia e sim.*) **to divert flight No. 306**, dirottare il volo numero 306 **4** (*econ.*) dirottare (*la domanda di beni, ecc.*) **5** (*leg.*, *fin.*) distrarre; stornare: **to d. public funds to one's own use**, distrarre fondi pubblici per uso personale **6** (*comput.*) trasferire (*una chiamata*) **7** (*telef.*) trasferire (*una chiamata, un messaggio*) ● (*autom.*) **diverted traffic**, deviazione (*del traffico*) (*cartello*).

diverter /daɪ'vɜːtə(r)/ n. **1** chi devia, distrae, storna, ecc. (→ **to divert**) **2** (*elettr.*) resistore (*o riduttore*) di campo.

diverticulitis /daɪvətɪkjuˈlaɪtɪs/ n. Ⓤ (*med.*) diverticolite.

diverticulosis /daɪvətɪkjuˈləʊsɪs/ n. Ⓤ (*med.*) diverticolosi.

diverticulum /daɪvə'tɪkjʊləm/ n. (pl. *diverticula*) (*anat.*) diverticolo.

divertimento /dɪvɜːtɪ'mɛntəʊ/ (*ital.*) n. (pl. *divertimenti*) (*mus.*) divertimento; intermezzo.

diverting /daɪ'vɜːtɪŋ/ a. divertente: **a d. play**, una commedia divertente.

divertissement /diːveə'tiːsmɒŋ/ (*franc.*) n. **1** distrazione; divertimento **2** divertimento; intermezzo (*eseguito negli intervalli d'un dramma o di un'opera*).

Dives /'daɪviːz/ n. **1** (*Bibbia*) il ricco Epulone **2** (*fig.*) ricco epulone; riccone.

to **divest** /daɪ'vest/ v. t. **1** (*form.*) svestire; spogliare **2** (*leg.*) spossessare; privare (*di un diritto, di un potere*): *The officer was divested of his rank*, l'ufficiale fu privato del grado ● **to d. oneself**, sbarazzarsi, liberarsi (*di qc.*); abbandonare, cedere (*qc.*); (*econ.*, *fin.*) dismettere (*partecipazioni azionarie, società, ecc.*).

divesting /daɪ'vestɪŋ/ n. Ⓤ **1** (*leg.*) privazione (*di poteri o diritti*) **2** (*econ.*, *fin.*) dismissione (*di quote, partecipazioni, ecc.*).

divestiture /daɪ'vestʃə(r)/, **divestment** /daɪ'vestmənt/ n. Ⓤ **1** spoliazione; privazione **2** (*econ.*, *fin.*) dismissione; disinvestimento parziale; realizzo di parte dell'attivo.

divi /'dɪvɪ/ → **divvy**.

dividable /dɪ'vaɪdəbl/ a. divisibile.

divide /dɪ'vaɪd/ n. **1** (*geogr.*) spartiacque **2** (*fig.*) linea di demarcazione; ciò che differenzia (*due cose*) ● (*fig.*) **to cross the great d.**, passare a miglior vita; morire.

♦to **divide** /dɪ'vaɪd/ Ⓐ v. t. **1** dividere; separare; ripartire; spartire; distribuire: **to d. in half**, dividere a metà; **to d. 20 by 4**, dividere 20 per 4; **15 divided by 3 is 5**, 15 diviso 3 fa 5; *The mountains d. us*, le montagne ci separano; *The country was divided into six separate regions*, il paese fu diviso in sei regioni separate; *I d. my spare time between my wife and mother*, distribuisco il tempo libero fra mia moglie e mia madre **2** (*mat.*: *di un numero*) essere divisore di (*un altro*): **4 divides 20**, il quattro è un divisore del venti Ⓑ v. i. **1** dividersi; separarsi; ripartirsi: *The Po divides at its mouth*, il Po si divide alla foce **2** (*mat.*: *di un numero*) essere divisibile: **114 divides by 6**, 114 è divisibile per 6 **3** (*di pareri*) divergere **4** (*polit.*, *in GB*: *del parlamento*) dividersi (in due gruppi opposti) per votare; votare per divisione ● **to d. off**, separare ● **to d. up**, dividere; ripartire; distribuire.

> ❶ **NOTA:** *to divide in* o *to divide into*
>
> Per tradurre "dividere in" si può usare *to divide in* solo raramente: *to divide in two*, dividere a metà. In generale, la forma più diffusa e corretta è *to divide into*: *They divided the cake into three pieces*, hanno diviso la torta in tre fette.

divided /dɪ'vaɪdɪd/ a. **1** diviso **2** (*bot.*) biforcuto ● **d. account**, (*banca*) conto separato; (*rag.*) sottoconto elementare □ (*autom.*, *USA*) **d. highway**, strada a doppia carreggiata (*con spartitraffico*) □ (*leg.*) **d. interests**, interessi divisi (*non in comunione*) □ (*fin.*) **d. payments**, pagamenti rateali □ (*moda*) **d. skirt**, gonna pantalone; pantagonna.

♦**dividend** /'dɪvɪdɛnd/ n. **1** (*mat.*) dividendo **2** (*fin.*, *ass.*) dividendo: *Our company has declared a d. of 5%*, la nostra società ha dichiarato un dividendo del 5%; **to pay dividends**, (*fin.*) pagare i dividendi; (*fig.*) rivelarsi fruttuoso, procurare vantaggi **3** (*al personale*) gratifica; bonus **4** (*market.*) buono; omaggio ● (*fin.*) **d.-bearing securities**, titoli a reddito variabile; azioni □ (*fin.*) **d. coupon**, cedola □ (*fin.*) **d. cover**, rapporto utili/dividendi (*di una società*) □ (*fin.*, *fisc.*) **d. income**, reddito da dividendi □ (*fin.*) **d. mandate**, delega per la riscossione dei dividendi □ (*fin.*, *USA*: *di titolo*) **d. off**, senza cedola, secco □ (*fin.*, *USA*) **d. on**, con cedola, con di-

videndo □ (*fin.*) «**d. payable**», «godimento» (*a una certa data*) □ (*fin.*) **d. / price ratio**, rapporto prezzo / dividendo □ (*fin.*) **d. stripping**, distribuzione di utili (*agli azionisti*) con elusione fiscale □ (*fisc.*) **d. tax**, cedolare; imposta cedolare □ (*fin.*) **d. warrant**, mandato di pagamento di dividendi (*assegno inviato all'azionista*) □ (*fin.*) **d. washing**, vendita di titoli azionari con cedola e riacquisto dei medesimi ex cedola, a fini d'evasione fiscale □ (*fin.*) **d. yield**, tasso di rendimento azionario.

divider /dɪ'vaɪdə(r)/ *n.* **1** chi divide, ripartisce, ecc. (→ **to divide**) **2** (*elettr.*) divisore; ripartitore; partitore: **power d.**, divisore di potenza; **voltage d.**, partitore di tensione **3** (*elettron.*) divisore: **frequency d.**, divisore di frequenza **4** (pl.) compasso a punte fisse **5** tramezzo (*non in muratura*) **6** (*autom.*, *USA*) spartitraffico: '*The heavy automobile jumped into the air when it hit the d. and bounced over into the lanes going back to New York City*' M. Puzo, 'la pesante automobile balzò in aria quando urtò lo spartitraffico e rimbalzò sulle corsie che riconducevano a New York City'.

dividing /dɪ'vaɪdɪŋ/ *a.* di divisione; divisorio: (*edil.*) **d. wall**, muro divisorio ● **d. line**, linea di demarcazione; ciò che distingue (*o* differenzia) □ (*stat.*) **d. value**, valore divisorio.

divi-divi /ˌdɪvɪ'dɪvɪ/ *n.* (*bot.*, *Caesalpinia coriaria*) dividivi.

dividual /dɪ'vɪdjʊəl/ *a.* **1** diviso; distinto **2** divisibile; separabile.

divination /ˌdɪvɪ'neɪʃn/ *n.* ⓤⓒ **1** divinazione; predizione; profezia **2** (*fig.*) intuizione; acume || **divinatory** *a.* divinatorio.

divine /dɪ'vaɪn/ Ⓐ *a.* **1** divino (*anche fig.*): *He was king by d. right*, era re per diritto divino; **the d. Shakespeare**, il divino Shakespeare **2** (*fam. antiq.*) perfetto; magnifico; splendido: **d. weather**, tempo magnifico; **a d. dress**, un abito splendido Ⓑ *n.* (*raro*) **1** teologo **2** sacerdote; ecclesiastico ● **d. service**, servizio religioso, funzione sacra (*nelle chiese protestanti*) || **-ly** *avv.* | **-ness** *n.* ⓤ.

to divine /dɪ'vaɪn/ *v. t. e i.* (*form.*) divinare; predire; presagire; indovinare: **to d. sb.'s intentions**, indovinare le intenzioni di q. ● **to d. (for) water**, cercare l'acqua (*con la bacchetta del rabdomante*); fare il rabdomante || **diviner** *n.* **1** divinatore; indovino **2** (= **water diviner**) rabdomante || **divining** *n.* ⓤ **1** divinazione; il presagire **2** rabdomanzia ● **divining rod** (*o* **stick**), bacchetta da rabdomante.

diving /'daɪvɪŋ/ *n.* ⓤ **1** (*anche naut.*) immersione **2** il tuffarsi; tuffo **3** (*sport*) i tuffi; le gare di tuffi **4** (*aeron.*) picchiata **5** (*sport*: *calcio, ecc.*) simulazione di fallo (*altrui*) ● **d. apparatus**, attrezzature per sommozzatori □ **d. bell**, campana subacquea □ (*zool.*) **d. bird**, uccello tuffatore □ **d. board**, trampolino □ **d. dress**, scafandro da palombaro □ (*sport*) **d. equipment**, attrezzature per subacquei □ **d. gear** = **d. apparatus** → *sopra* □ **d. mask**, maschera subacquea (*o da sub*) □ (*naut.*) **d. rudder**, timone di profondità (*di sommergibile*) □ (*calcio*) **d. save**, parata (*o* salvataggio) in tuffo □ **d. school**, scuola per subacquei □ (*naut.*) **d. speed**, velocità d'immersione (*di un sottomarino*) □ **d. suit** → **d. dress** □ (*tuffi*) **d. tower**, torre del trampolino.

divinity /dɪ'vɪnɪti/ *n.* **1** divinità; natura divina **2** ⓤ teologia: **doctor of d.**, dottore in teologia; (*USA*) **d. school**, seminario **3** divinità; dio; essere divino.

to divinize /dɪ'vɪnaɪz/ *v. t.* divinizzare; deificare || **divinization** *n.* ⓤ deificazione; divinizzazione.

divisible /dɪ'vɪzəbl/ (*anche mat.*) *a.* divisi-

bile ● (*leg.*) **d. contract**, contratto a esecuzione periodica (*che prevede una serie di prestazioni*) □ (*fin.*) **d. profits**, utili ripartibili || **divisibility** *n.* ⓤ divisibilità.

♦**division** /dɪ'vɪʒn/ *n.* **1** ⓤⓒ (*anche mat.*) divisione; ripartizione: (*polit.*) **the d. of powers**, la divisione dei poteri; (*econ.*) **the d. of labour**, la divisione del lavoro; (*fin.*) **the d. of profits**, la ripartizione degli utili **2** ⓤ divisione degli animi; disaccordo; discordia **3** (*filos.*) classificazione; distinzione **4** linea di divisione; confine **5** (*polit.*, *in GB*) votazione per divisione (*dei parlamentari alla Camera dei Comuni: in due gruppi*); conta dei voti: **to come to a d.**, passare alla votazione per divisione; *The bill was passed without a d.*, il progetto di legge fu approvato senza dover ricorrere alla conta dei voti (*cioè, a grande maggioranza o all'unanimità*) **6** (*mil.*) divisione: **an armoured d.**, una divisione corazzata **7** (*USA*) divisione (*in un ministero*) **8** (*org. az.*) settore; servizio; sezione; reparto: **the sales d. of a firm**, il reparto vendite di una ditta **9** (*sport*: *calcio, ecc.*) divisione, serie: **to be relegated to the first d.**, essere retrocessi in serie B (*dalla 'Premiership', la Serie A ingl.*) **10** (*boxe*) categoria ● (*polit.*: *ai Comuni*) **d. bell**, campanello che annuncia una votazione per divisione □ (*fin.*) **d. into instalments**, rateizzazione □ (*polit.*) **d. lobby**, corridoio (*o* vestibolo) per le votazioni per divisione (*ve ne sono due ai Comuni*) □ (*ass., naut.*) **d. of loss**, ripartizione della colpa e del danno □ (*mat.*) **d. sign**, segno della divisione □ (*polit.*) **to force a d.**, imporre una votazione (*ai Comuni*).

divisional /dɪ'vɪʒənl/ *a.* **1** (*spec. mil.*) divisionale **2** (*mat., fin.*) divisionario; divisionale: **d. coins**, monete divisionarie **3** (*sport*: *calcio*) relativo a una divisione (*o* a una serie) **4** (*boxe*) di una classe (*di pugili*).

divisionism /dɪ'vɪʒənɪzəm/ (*pitt.*) *n.* ⓤ divisionismo || **divisionist** Ⓐ *n.* divisionista Ⓑ *a.* divisionistico.

divisive /dɪ'vaɪsɪv/ *a.* che crea divisioni.

divisor /dɪ'vaɪzə(r)/ *n.* (*mat.*) divisore.

♦**divorce** /dɪ'vɔːs/ *n.* ⓤⓒ **1** (*leg.*) divorzio: **d. by consent**, divorzio consensuale; (*stat.*) **d. rate**, indice di frequenza dei divorzi **2** (*fig.*) separazione; dissidio: **the d. between management and labour**, il dissidio fra la dirigenza e la manodopera ● (*leg.*) **d. action**, causa di divorzio.

to divorce /dɪ'vɔːs/ Ⓐ *v. t.* **1** (*leg.*) accordare il divorzio a (q.): *The judge divorced Mr and Mrs Johnson*, il giudice accordò il divorzio ai coniugi Johnson **2** divorziare da: *He divorced his first wife*, divorziò dalla prima moglie **3** (*fig.*) separare; tener separato; scindere: *You can't d. honesty from truth*, non puoi separare l'onestà dalla verità Ⓑ *v. i.* divorziare; ottenere il divorzio.

divorcé /dɪvɔː'siː/ (*franc.*) *n.* divorziato.

divorcée /dɪvɔː'siː/ (*franc.*) *n.* divorziata.

divorcee /dɪvɔː'siː/ *n.* divorziato, divorziata.

divorcement /dɪ'vɔːsmənt/ *n.* ⓤ **1** (*raro*) divorzio **2** (*fig.*) separazione.

divorcer /dɪ'vɔːsə(r)/ *n.* divorziante.

divot /'dɪvət/ *n.* (*golf*) zolla di terra erbosa (*sollevata per un errore di tiro*).

to divulge /daɪ'vʌldʒ/ *v. t.* divulgare; palesare; rivelare a tutti || **divulgation**, **divulgement**, **divulgence** *n.* ⓤ divulgamento; divulgazione; palesamento; rivelazione.

divulsion /daɪ'vʌlʃn/ (*med.*) *n.* ⓤⓒ divulsione.

divvy /'dɪvɪ/ *n.* **1** (*fin., fam.*) dividendo **2** (*pop. USA*) parte del profitto (*o del bottino*).

to divvy /'dɪvɪ/ (*pop.*) (*spesso* **to d. up**) Ⓐ *v. t.* dividere; spartire (*il bottino, ecc.*) Ⓑ *v. i.* **1**

fare le parti **2** dividersi; separarsi.

dixie, **dixy** /'dɪksɪ/ *n.* (*gergo mil.*) marmitta; pentolone.

Dixie /'dɪksɪ/ *n.* ⓤ (*fam. USA*) gli Stati del Sud ● (*mus.*) **D. jazz**, jazz tradizionale (*del Sud*); dixieland.

Dixieland /'dɪksɪlænd/ *n.* (*USA*) gli Stati del Sud.

dixieland /'dɪksɪlænd/ *n.* (*mus.*) dixieland.

DIY /diːaɪ'waɪ, 'duːɪt jə'self/ (acronimo di **do-it-yourself**) Ⓐ *n.* ⓤ fai da te; bricolage. Ⓑ *a.* relativo al fai da te; di bricolage: **a DIY store**, un negozio di articoli di bricolage.

dizygotic /daɪzaɪ'gɒtɪk/ *a.* (*biol.*) dizigotico; biovulare.

dizzily /'dɪzəlɪ/ *avv.* vertiginosamente; in modo da far girare la testa.

dizziness *n.* ⓤ vertigini (pl.); capogiro.

dizzy /'dɪzɪ/ *a.* **1** che ha le vertigini; confuso; stordito: **to feel d.**, avere le vertigini (*o il* capogiro); **to have a d. feeling**, avere un senso di vertigine **2** vertiginoso: **a d. height**, un'altezza vertiginosa **3** (*fig.*) confuso; sconcertato; frastornato **4** (*fam.*) svampito; svaporato; sciroccato; scervellato: **a d. blonde**, una bionda svampita; un'oca giuliva (*fam.*) **d. Lizzie**, svampita; oca giuliva (*fam.*) □ **to have a d. spell**, avere un giramento di testa □ **to make sb. d.**, far venire le vertigini a q.

to dizzy /'dɪzɪ/ *v. t.* **1** far venire il capogiro a (q.) **2** frastornare; stordire.

DJ sigla **1** (*GB*, **dinner jacket**) smoking **2** (**disc jockey**) disc jockey.

Djakarta /dʒə'kɑːtə/ *n.* (*geogr.*) Giacarta.

djinn /dʒɪn/ *n.* (pl. *djinns*, *djinn*) (*mitol.*) ginn; genietto.

DLit /diː'lɪt/ *abbr.* (*lat.*: *Doctor Literaturae*) (**Doctor of Literature**) dottore in letteratura.

DLitt /diː'lɪt/ *abbr.* (*lat.*: *Doctor Litterarum*) (**Doctor of Letters**) dottore in lettere.

DLL sigla (*comput.*, **dynamic link library**) libreria a collegamento dinamico.

dlvy *abbr.* (*comm.*, **delivery**) consegna.

DMA sigla (*comput.*, **direct memory access**) accesso diretto alla memoria.

DMus *abbr.* (**Doctor in Music**) dottore in musica.

DMV sigla (*USA*, **Department of Motor Vehicles**) Ufficio della motorizzazione civile.

DMZ sigla (**demilitarized zone**) zona smilitarizzata.

DNA /diːen'eɪ/ *n.* ⓤ (*biol.*) DNA; acido deossiribonucleico; acido desossiribonucleico ● **DNA fingerprinting**, analisi del DNA a scopo identificativo □ (*med.*) **DNA test**, test del DNA; esame del DNA.

DNC sigla (*USA*, *polit.*, **Democratic National Committee**) Comitato nazionale democratico.

DNR sigla (*USA*, **Department of Natural Resources**), Dipartimento delle risorse naturali.

DNS sigla (*comput.*, **domain name system**) sistema dei nomi di dominio (*in Internet*).

do① /duː, də/ *n.* (pl. *dos*, *do's*) **1** (*fam.*) imbroglio; inganno; fregatura, fregata, bidone (*pop.*) **2** (*fam.*) festa; ricevimento; trattenimento; party: *There is a big do on at Tom's*, c'è un gran party da Tom **3** (pl.) cose da farsi: **the do's and don'ts**, ciò che si può (*o si deve*) fare e ciò che non si può (*o* non si deve) fare; i comandamenti, le regole; **the do's and don'ts of motorway driving**, le regole della guida in autostrada **4** (pl.) (*gergo infant.*) popò; bisognino.

do② /dəʊ/ *n.* (pl. *dos*, *do's*) (*mus.*) do (*no-*

ta).

do. abbr. (*comm.*, *ditto*) idem; come sopra.

◆**to do** /duː/ (*pass.* **did**, p. p. **done**; 3ª pers. indic. **does**, congiunt. *USA o arc. e poet.* **do**) **A** v. t. **1** fare; compiere; eseguire; portare a termine; causare; provocare; procurare; (*cinem.*, *teatr.*) fare la parte di: **to do one's duty**, fare il proprio dovere; **to do a deed**, compiere un'azione; portare a termine un'impresa; **to do a sum**, fare una somma; *What do you usually do?*, che cosa fai di solito?; *What are you doing now?*, che stai facendo ora?; *What do you do?*, che lavoro fai?; *What does he do (for a living)?*, che cosa fa?; che mestiere fa?; *Do you do bus tickets, too?*, fate (*o* avete, vendete) anche i biglietti per l'autobus?; *«Do you do food?» «Sorry, we only do bar snacks»*, «Preparate da mangiare?» «Mi dispiace, abbiamo solo cose confezionate»; *We did the journey in two days*, facemmo il viaggio in due giorni; *I have done three copies of the letter*, ho fatto tre copie della lettera; *These pills will do you a lot of good*, queste pillole ti faranno proprio bene **2** (*fam.*, *tur.*) visitare; fare (*fam.*): *Have you done London yet?*, hai già visitato Londra? **3** (*fam.*) ingannare; imbrogliare; fregare; incastrare; farla a (q.); fare un bidone a (q.): *I had a suspicion he was doing me*, sospettavo che mi stesse ingannando; *You've been done*, te l'hanno fatta **4** (*fam.*) trattare (*un ospite*); fare un trattamento a (q.): *Your host will do you very well*, colui che ti ospita ti tratterà benissimo **5** (*fam.*) picchiare; menare; conciare per le feste; sistemare; uccidere; fare fuori (*fam.*): *I'll do you!*, ti sistemo io! **6** rifare; imitare; fare (*un personaggio famoso, ecc.*): *He does the President very well*, è bravissimo a rifare il Presidente **7** (*fam.*) arrestare; mettere dentro; (*anche*) scontare (*una pena*); fare (*fam.*): *He's done four years in jail*, ha fatto quattro anni di carcere **8** (*slang*) fare la porta di; svaligiare; rapinare: *My car has been done again*, hanno forzato di nuovo la portiera della mia auto **B** v. i. **1** fare; agire; operare; comportarsi: *You did well to refuse*, hai fatto bene a rifiutare **2** (*nelle forme in* -**ing**) andare; stare: *He is doing very well in business*, gli affari gli vanno a gonfie vele; *Mother and child are doing very well*, la madre e il bambino stanno benissimo (*di salute*); *How are we doing for petrol?*, com va con il carburante? **3** bastare: *Will fifty dollars do?*, basteranno cinquanta dollari?; *You'll have to make them do*, dovrai farli bastare; *«Anything else?» «No, that'll do, thanks»*, «Nient'altro?» «No, basta così, grazie»; *That will do!*, (*anche*) piantala!; smettila! **4** andare (bene); rispondere a un bisogno; essere accettabile (*o* opportuno): *It doesn't do to work too hard*, lavorare troppo, non va bene (*o* non è opportuno); *This dress will do; it fits me like a glove*, questo vestito va bene; mi sta a pennello; *Your answer won't do*, la tua risposta non va (*o* non è accettabile); *Sorry, I can't do Thursday afternoon*, mi dispiace, giovedì pomeriggio non posso **5** (*nelle forme in* -**ing**) farsi; accadere; succedere: *What's doing at your place tonight?*, che si fa da voi stasera?; che cosa c'è in programma?; *There was nothing doing in the little town*, nella cittadina non succedeva mai niente; la cittadina era proprio spenta **C** verbo ausiliare ❶ NOTA: *chi →* *chi* ① (*sezione italiana*) **1** (*nelle frasi interr., neg.; e interr.-neg.; è idiom.*): *Do you understand?*, capisci?; *I don't understand*, non capisco; *Does he know?*, lo sa?; *He does not (o doesn't) know*, non lo sa; *Did you go?*, ci andasti?; *They did not (o didn't) ask me*, non mi invitarono **2** fare (determinato dal verbo precedente, di cui evita la ripetizione): *If you want to tell him, do it now*, se vuoi dir-

glielo, fallo ora; (*idiom.*) *«Who took my hat?» «I did»*, «chi ha preso il mio cappello?» «sono stato io»; *«Did you see him?» «I did»*, «l'hai visto?» «sì» **3** (*nell'imper. neg.*; è idiom.): *Do not (o don't) worry!*, non prendertela!; *Don't let them interfere!*, non lasciare che si intromettano! **4** (*nelle «tag questions»*) (è vero?; nevvero?: *You don't like him, do you?*, ti è antipatico, è vero?; *You told him, didn't you?*, glielo hai detto, vero?; *He didn't pay the bill, did he?*, non l'ha (mica) pagato il conto, vero?; *She doesn't know, does she?*, lei non lo sa, nevvero? **5** (*nella costruzione inversa*; è idiom.): *«I don't like it» «Neither do I»*, «Non mi piace» «Neanche a me»; *«I didn't go» «Nor did I»*, «Non ci sono andato» «Nemmeno io»; *«I like opera» «So do I»*, «A me piace la lirica» «A me pure»; (*form.*) *Rarely does it happen that…*, raramente accade che…; (*form.*) *Little did he realize that…*, quasi non si rendeva conto che… **6** (*uso enfat.*; è idiom.): *Do sit down!*, si accomodi, La prego!; *Do help yourself!*, serviti pure!; *But I did see her!*, certo che l'ho vista; altroché se l'ho vista!; *I'm here if you do need anything*, per qualsiasi cosa, io sono qui; *I do love you*, ti amo davvero; (*formula nel rito del matrimonio*) **«till death us do part»**, «finché morte non ci separi» ● **to do sb. a bad turn**, fare uno sgarbo (*o* una scortesia, un brutto tiro) a q. □ **to do badly**, fare (*o* andare, stare) male; (*di una pianta*) crescere male: *You haven't done badly*, non sei andato male □ **to do one's best** (*o* **the best one can**), fare del proprio meglio: *I'll do my best to help him*, farò del mio meglio per aiutarlo □ (*fam. ingl.*) **to do one's bit**, fare la propria parte (*o* il proprio dovere) □ **to do business**, fare affari □ **to do the cooking**, occuparsi della cucina; cucinare □ **to do one's damnedest**, darci sotto; mettercela tutta □ (*slang USA*) **to do drugs**, drogarsi; farsi; bucarsi □ **to do duty as**, fare da; servire da; essere usato come □ **to do evil**, far del male; commettere azioni malvagie □ **to do sb. a favour** (*o* **a kindness**, **a good turn**), fare un favore (*o* un piacere) a q.; rendere un servigio a q.: *He's done me many a good turn*, mi ha reso diversi servigi □ **to do good**, fare del bene: *She does good among the poor*, fa del bene ai poveri □ **to do one's hair**, acconciarsi (*o* pettinarsi, spazzolarsi, mettersi in ordine) i capelli □ **to do the ironing**, stirare (*la biancheria, i vestiti*) □ **to do sb. justice**, rendere giustizia a q.; dare a q. quel che gli spetta: *This photo doesn't do you justice*, sei venuto male in questa foto □ (*fig.*) **to do or die**, mettercela tutta: *It's a matter of do or die*, o la va o la spacca! □ **to do right**, fare bene; fare una cosa giusta: *You did right to tell your mother*, hai fatto bene a dirlo alla mamma □ **to do st. right**, fare qc. bene □ **to do the shopping**, fare compere; fare la spesa □ **to do the sights**, visitare (*una città, ecc.*) da turista □ (*fam.*) **to do one's (own) thing**, fare quel che si vuole; fare il proprio comodo □ **to do time**, (*fam.*) scontare una condanna; (*slang USA*) lavorare saltuariamente □ **to do the washing-up**, lavare i piatti; rigovernare □ **to do well**, fare (*o* andare, stare) bene; (*di una pianta, ecc.*) crescere bene: *I didn't do well in my exams*, non sono andato bene agli esami □ **to do st. well**, fare bene qc.: *You've done your work well*, hai fatto bene il lavoro □ **to do one's worst**, fare quanto più male è possibile; fare il diavolo a quattro: *Let him do his worst; I'm not afraid of him*, faccia pure (il diavolo a quattro); non mi fa paura □ **to do wrong**, fare male, sbagliare: *You did wrong not to come*, hai fatto male a non venire □ (*fam.*) **nothing doing**, niente da fare: *«Can I borrow your car?» «I'm sorry, mate; nothing doing»*, «puoi prestarmi la tua auto?» «mi dispiace, vec-

chio mio; niente da fare» □ (*fam.*) **Nothing doing tonight**, non si batte un chiodo (*o* non si fa una lira, ecc.) stasera □ **That does it!**, ecco fatto!; (*anche*) adesso basta!; basta così! □ **That's done it!**, bel guaio!; la frittata è fatta! (*fig.*) □ (*a un bambino*) **That will do!**, piantala!; basta!; smettila! □ **How do you do?**, piacere! (*nelle presentazioni formali*) (*anche*) come sta? (*quando si conosce già la persona, ma non c'è intimità: cfr.* **How are you?**) □ (*fam.*) *«How are you doing?» «Not bad, and you?»*, «Come va?» «Non male, e tu?» □ **It isn't done**, non sta bene, è cattiva educazione □ **Now you've done it!**, l'hai fatta bella (*o* grossa)!

■ **do away with** v. t. + avv. + prep. **1** abolire; eliminare; sopprimere; sbarazzarsi di: **to do away with taxes**, eliminare le imposte; *The Dover branch was done away with last year*, la filiale di Dover fu soppressa l'anno scorso **2** (*fam.*) eliminare; uccidere; far fuori (*fam.*); abbattere: *The dictator did away with his opponents*, il dittatore eliminò i suoi oppositori.

■ **do by** v. i. + prep. comportarsi (*bene, male, ecc.*) con (q.); trattare: *Our company does very well by loyal employees*, la nostra società si comporta molto bene con i dipendenti che le sono fedeli; *He has been hard done by*, è stato trattato malissimo.

■ **do down** v. t. + avv. (*fam.*) **1** sparlare di; dire corna di; svilire, disprezzare: **to do down one's colleagues**, dire corna dei propri colleghi **2** battere, vincere (*in un gioco, uno sport, ecc.*) **3** imbrogliare; mettere nel sacco (*fig.*); fregare (*fam.*): *He tried to do me down*, cercò di fregarmi □ (*fam.*) **to do oneself down**, buttarsi giù (*fig. fam.*); svilirsi.

■ **do for** v. i. + prep. **1** fare da; sostituire; servire da: *This armchair will have to do for a bed*, questa poltrona dovrà fare da letto **2** fare per; provvedere a: *What will you do for drinking water when you cross the Sahara?*, come farete per l'acqua potabile quando farete la traversata del Sahara? **3** (*fam.*) essere al servizio di (q.); fare le faccende (*o* le pulizie) per (q.): *'Thirdly, that Mephostophilis shall do for him, / And bring him whatsoever'* C. MARLOWE, 'terzo: che Mefistofele gli faccia da servo, e gli porti tutto ciò che vuole' **4** (*fam.*) mettere fuori combattimento; stendere (*fig. fam.*); uccidere; far fuori (*fam.*): *'Drink and the devil had done for the rest'* R.L. STEVENSON, 'l'alcol e il diavolo avevano messo fuori combattimento gli altri'; *The last punch did for him*, l'ultimo pugno lo stese **5** (*fam.*) condannare per: *They did him for rape*, lo condannarono per violenza carnale □ **to do for oneself**, provvedere a sé stesso; fare (*o* cavarsela) da sé; arrangiarsi da solo □ **to do well for oneself**, andare bene; avere successo; fare fortuna; fare soldi: *Grandfather did well for himself in America*, il nonno fece fortuna in America.

■ **do in** v. t. + avv. **1** (*fam.*) stremare; spossare; stancare a morte: *The climb has really done me in*, l'arrampicata mi ha proprio stancato a morte **2** (*slang*) spacciare; far fuori (*fam.*); uccidere: *The gang did him in*, la banda lo fece fuori **3** (*slang*) mandare in rovina; rovinare; mandare a gambe all'aria (*fig.*).

■ **do out** v. t. + avv. **1** pulire a fondo (*fam.*); ripulire; rassettare: *I'll do out the sitting-room this morning*, questa mattina faccio il soggiorno **2** (*fam.*) privare (q. di qc.); portare via (qc. a q.); truffare (q. di qc.); fregare (qc. a q.): **The shopkeeper did me out of two pounds**, il bottegaio mi ha fregato due sterline.

■ **do over** v. t. + avv. **1** ridipingere; riverniciare; dare una ripulita a: *I'd better do over my old car*, farei bene a riverniciare la mia

a
b
c
d
e
f
g
h
i
j
k
l
m
n
o
p
q
r
s
t
u
v
w
x
y
z

d

vecchia auto **2** (*USA*) rifare, fare di nuovo: *You'd better do over your work*, sarebbe meglio che tu rifacessi il lavoro **3** scassinare; svaligiare; **While I was abroad, the burglars did my flat over**, mentre ero all'estero, i ladri hanno dato una bella ripassata (*o* ripulita) al mio appartamento **4** (*slang*) malmenare; pestare; riempire (q.) di botte: *The poor old man was done over by young thugs*, il povero vecchio fu pestato da giovani teppisti.

■ **do up** **A** v. t. + avv. **1** allacciare; stringere; fare: *Do up your buttons!*, allacciati i bottoni!; abbottonati! **2** abbottonare: *She did up her blouse*, si abbottonò la camicetta **3** pulire; ripulire; rassettare; riordinare: *This flat needs doing up*, questo appartamento ha bisogno d'essere ripulito (*o* di una ripulita) **4** rinnovare; rimodernare; ristrutturare: *We want to do up our parents' house*, vogliamo ristrutturare la casa dei nostri genitori **5** acconciare; tirare su: **to do up one's hair**, acconciarsi i capelli; tirarseli su **6** confezionare; fare; fare su (*fam.*); impaccare; mettere in scatola (*o* in un vasetto, ecc.); avvolgere; incartare: **to do up a parcel**, confezionare (*o* fare) un pacchetto; **to do up Christmas gifts in tinfoil**, incartare i regali di Natale nella stagnola **7** (*fam.*) ridurre a mal partito; spossare; stremare; sfiancare **B** v. i. + avv. **1** allacciarsi; abbottonarsi: *This dress does up at the back*, questo vestito si abbottona di dietro **2** (*slang USA*) farsi; drogarsi □ **to do oneself up**, farsi bello: *Ann is doing herself up for the ball*, Ann si sta facendo bella per il ballo □ **to be done up in**, indossare; avere indosso: *Sharon was done up in her fine new skirt*, Sharon aveva indosso la sua bella gonna nuova.

■ **do with** v. t. + prep. **1** fare con: *What were you doing with my gun?*, che cosa facevi con la mia rivoltella (in mano)? **2** farne di: *What have you done with my lighter?*, che ne hai fatto del mio accendino? (*non lo trovo*: *dove l'hai messo, ecc.?*); *What shall we do with the cat?*, e del gatto, che ne facciamo? **3** (*preceduto da* **could**) avere (*o* sentire) il bisogno di: *Your jacket could do with a good brush*, la tua giacca avrebbe bisogno di una bella spazzolata; *After such a long walk, I could do with a drink*, dopo una camminata così lunga, sento il bisogno (*o* avrei bisogno) di bere **4** (*preceduto da* **can** *o* **could**) andare a genio; andare bene; andare (*fam.*) (impers.); aver voglia di: *Could you do with a drink?*, ti andrebbe un drink?; *I could do with a nice cup of tea*, ho voglia di un bel tè; *I could do with a pint*, mi andrebbe una birra **5** sopportare; tollerare; resistere a: *I can't be doing with the traffic noise any more*, non ce la faccio più a resistere al rumore del traffico □ **to have to do with**, avere a che fare con; occuparsi, trattare di; lavorare per, essere alle dipendenze di; riguardare, interessare; dipendere da, essere causato da (*o* dovuto a); entrarci (*fig.*): *My job has (o is) to do with computers*, il mio lavoro ha a che fare con i computer; *I don't want to have anything to do with them*, non voglio avere nulla a che fare con loro; *Our plan has something to do with the revitalization of South of Italy*, il nostro progetto ha a che fare con la (*o* si occupa della) ripresa del Mezzogiorno; *What I do at home is nothing to do with the firm*, quello che faccio a casa mia non è affare della ditta (*o* non deve interessare alla ditta); *What's it got to do with me?*, e io, che c'entro? □ **to have done with**, aver finito di; aver chiuso con (*fig.*): *Have you done with the paper?*, hai finito di leggere il giornale? (*posso prenderlo io, ecc.?*); *Now I've done with him*, ormai ho chiuso con lui; tra noi due, è finita! □ **not to know what to do with oneself**, non sapere che

cosa fare (*fam.*: che pesci pigliare): *I didn't know what to do with myself when I got sacked*, quando mi licenziarono, non sapevo proprio cosa fare.

■ **do without** v. i. + prep. **1** fare senza; fare a meno di: *The boss cannot do without my help*, il capo non può fare a meno del mio aiuto; *There's no butter left; so we've got to do without* (**it**), non c'è più burro; così dobbiamo fare senza **2** fare a meno di; risparmiarsi (*fig.*): (*iron.*) *We can do without your advice, thank you!*, grazie tante, possiamo anche fare a meno dei tuoi consigli; grazie, i tuoi consigli te li puoi risparmiare!

DOA sigla **1** (*med.*, **dead on arrival**) giunto cadavere (*in ospedale*) **2** (*fam.*, *per est.*, **dead on arrival**) (*di persona*) andato, fatto, k.o.; (*di cosa*) fuori uso, guasto, kaputt.

doable /'duːəbl/ a. (*fam.*) fattibile; attuabile; realizzabile.

to **doat** /dəʊt/ → **to dote**.

dobbin /'dɒbɪn/ n. cavallo da tiro.

Dobermann, (*USA*) **Doberman** /'dəʊbəmən/ n. dobermann (*tipo di cane*).

doc /dɒk/ n. (abbr. *fam.* di **doctor**) **1** dottore (*medico*) **2** (*slang USA*; al vocat.) amico, capo: *Hello, doc!*, ehi, capo!

doc. abbr. (*leg.*, **document**) documento.

docent /dəʊ'sɛnt/ (*USA*) n. **1** docente (*in certe università*) **2** guida (*in un museo*).

Docetism /'dəʊsɪtɪzəm/ (*stor. relig.*) n. docetismo ‖ **Docetist** n. doceta; docetista.

docile /'dəʊsaɪl/ n. docile; arrendevole; mansueto ‖ **docility** n. ◉ docilità; arrendevolezza; mansuetudine.

dock① /dɒk/ n. **1** (*naut.*) bacino (*d'arsenale o cantiere*); darsena: **dry d.**, bacino di carenaggio; **floating d.**, bacino di carenaggio galleggiante; **wet d.**, darsena idrostatica; **shipbuilding d.**, bacino di costruzione **2** (pl.) – **docks**, i dock (*di Londra, ecc.*); l'area portuale; la zona del porto **3** (*naut.*, *USA*) molo; banchina; scalo di alaggio; scalo d'approdo **4** (*ferr.*) piattaforma di carico (*alla fine d'un binario*) ● (*comm.*) **d. dues**, diritti di bacino (*o* di banchina) □ **d. labour**, manodopera portuale □ **d. master**, direttore di darsena (*o* dei dock) □ (*naut.*) **d. pilot**, pilota di porto □ **d. strike**, sciopero dei portuali □ **d. warrant**, fede di deposito di dock □ **d. workers**, (lavoratori) portuali □ **to be in d.**, (*naut.*) essere in bacino di carenaggio; (*fig.*: *di un'automobile*) essere in officina (*o* dal meccanico); (*fam.*: *di una persona*) essere all'ospedale.

dock② /dɒk/ n. ◉ (*leg.*) – **the d.**, il banco degli imputati ● (*leg.*, *in Inghil.*) **d. brief**, istanza dell'imputato; (*anche*) patrocinio gratuito □ (*leg.*) **to appear in the d.**, comparire in giudizio.

dock③ /dɒk/ n. **1** mozzicone di coda; coda mozza (*di cane, cavallo, ecc.*) **2** sottocoda (*nei finimenti del cavallo*) ● **d.-tailed**, dalla coda mozza.

dock④ /dɒk/ n. (*bot.*, *Rumex*) romice; acetosa.

to **dock**① /dɒk/ **A** v. t. **1** (*naut.*) mettere in bacino (*una nave*) **2** (*naut.*, *USA*) accostare alla banchina; ormeggiare (*una nave*) **3** provvedere (*un porto*) di bacini **4** (*miss.*) attraccare; agganciare (*un'altra astronave*) **B** v. i. **1** (*di nave*) entrare in bacino (*o* in porto) **2** (*naut.*, *USA*) ormeggiarsi; attraccare **3** (*miss.*: *d'astronave*) attraccare; agganciarsi.

to **dock**② /dɒk/ v. t. **1** mozzare (*spec. la coda*); mozzare la coda a (*un animale*) **2** tagliar corti (*i capelli*) **3** (*fig.*) diminuire; ridurre; tagliare: **to d. a clerk's salary**, ridurre lo stipendio a un impiegato; **to d. sb.'s supplies**, tagliare i rifornimenti a q. **4** restringere, porre limiti alla libertà di (q.) **5** (*sport*) togliere (*punti: come penalizzazione*).

docker /'dɒkə(r)/ n. scaricatore di porto; portuale.

docket /'dɒkɪt/ n. **1** (*leg.*, *arc. o USA*) lista delle cause da discutere; registro delle sentenze **2** (*leg.*) estratto di sentenza; attergato; registro degli estratti **3** scontrino di cassa **4** (*dog.*) scontrino doganale (*attestante il pagamento del dazio*) **5** estratto, sommario (*di un documento*) **6** (*USA*) lista di cose da fare; agenda (*dei lavori*) **7** (*banca*) modulo di benestare (*di un estratto conto*) **8** (*market.*) foglietto d'istruzioni; etichetta, cartellino.

to **docket** /'dɒkɪt/ v. t. **1** (*leg.*, *arc. o USA*) registrare (*una sentenza*) **2** (*bur.*) attergare (*una pratica*) **3** riassumere, fare l'estratto di (*un documento*) **4** mettere il cartellino a (*un pacco, ecc.*).

docking① /'dɒkɪŋ/ n. **1** (*naut.*) entrata (*o* messa) in bacino (*o* in darsena) **2** (*naut.*, *USA*) attracco, ormeggio (*la manovra*) **3** (*miss.*) docking; attracco; aggancio: **orbit d.**, attracco in orbita ● (*comput.*) **d. station**, stazione di espansione (*dispositivo periferico per calcolatori portatili*).

docking② /'dɒkɪŋ/ n. **1** decurtazione; taglio **2** restrizione **3** (*sport*) detrazione di punti; penalizzazione ●

dockland /'dɒklənd/ n. **1** (*naut.*) area portuale; zona del porto **2** (pl.) – **Docklands**, elegante nuovo quartiere di Londra che sorge sulla vecchia zona portuale del Tamigi ● **d. development**, esclusivo nuovo complesso urbanistico di Londra (= *def. 2 → sopra*).

dockside /'dɒksaɪd/ n. ◉ banchina; molo: *The goods will be delivered to the d.*, la merce sarà consegnata alla banchina.

dockyard /'dɒkjɑːd/ n. arsenale; cantiere navale; darsena ● **d. hands**, arsenalotti.

dockyardman /'dɒkjɑːdmən/ n. (pl. *dockyardmen*) (*naut.*) arsenalotto.

◆**doctor** /'dɒktə(r)/ n. **1** dottore; medico: **to go to the d.'s**, andare dal medico; **to see a d.**, consultare un medico; farsi vedere da un dottore; (*fam.*) **to be under the d. for st.**, essere in cura per qc.; *He wants to be a d.*, vuole fare il medico; **d.'s certificate**, certificato medico; (*anche fig.*) **D.'s orders**, l'ha ordinato il dottore; **D. Brown**, il dottor Brown **2** (*USA*) dentista **3** (*USA*) veterinario **4** chi ha conseguito un dottorato di ricerca; dottore: **a d. of law** [**of divinity, of medicine**], un dottore in legge [in teologia, in medicina]; **D. of Philosophy** (abbr. **PhD** *o* **DPhil**), chi ha conseguito un dottorato di ricerca (*in tutte le facoltà tranne legge, medicina e teologia*); **d.'s degree**, laurea di terzo grado; dottorato di ricerca **5** (*relig.*, *anche*) **D. of the Church**) dottore della Chiesa **6** (*mecc.*) apparecchio (*o* strumento) di emergenza **7** (*tipogr.*) raspa; raschia **8** (*sport*) mosca artificiale (*per la pesca*) **9** (*naut.*) cuoco; aggiustatore: **a radio d.**, un radiotecnico; uno che ripara le radio **10** (*slang USA*) chi droga un cavallo da corsa ● (*fam.*) **just what the d. ordered**, proprio quello che ci vuole □ (*fam.*) **You're the d.**, l'esperto sei tu.

to **doctor** /'dɒktə(r)/ v. t. **1** addottorare; conferire il dottorato a (q.) **2** (*fam.*, *raro*) curare; medicare: **to d. a patient** [**a cold**], curare un malato [un raffreddore] **3** adulterare; fatturare; falsare; falsificare; manipolare: **to d. wine**, fatturare il vino; (*leg.*) **to d. evidence**, falsare le prove; (*leg.*) **to d. accounts**, falsificare i conti **4** (*mecc.*) riparare; accomodare **5** (*fam. eufem.*) castrare (*animali domestici*) **6** (*slang USA*) drogare (*un cavallo da corsa: per renderlo più veloce*).

doctoral /'dɒktərəl/ a. dottorale; di (*o* del) dottorato ● **d. dissertation**, tesi (*o* dissertazione) di dottorato.

doctorand /'dɒktərænd/ n. dottorando.

doctorate /'dɒktərət/ n. (all'università)

dottorato di ricerca; laurea di terzo grado; *I did a d. in microbiology at Glasgow University*, ho fatto un dottorato in microbiologia all'università di Glasgow.

doctorial /dɒk'tɔːrɪəl/ → **doctoral**.

doctoring /'dɒktərɪŋ/ n. ⊍ **1** trattamento medico; cure **2** (*fam. raro*) professione di medico.

doctrinaire /ˌdɒktrɪ'neə(r)/ (*franc.*) **A** n. dottrinario; teorico; visionario **B** a. dottrinario; teorico; dogmatico ‖ **doctrinairism** n. ⊍ dottrinarismo.

doctrinal /dɒk'traɪnl, *USA* 'dɒktrɪnl/ a. dottrinale: (*relig.*) **d. differences**, divergenze dottrinali.

doctrine /'dɒktrɪn/ n. ⃝ dottrina; teoria.

docudrama /'dɒkjʊdrɑːmə/ n. (*fam. USA*) film tratto da un fatto di cronaca o da una situazione reale; film-documento.

◆**document** /'dɒkjʊmənt/ n. **1** documento; certificato; attestato **2** (*comput.*) documento ● (*comm.*) **documents against acceptance**, documenti contro accettazione ⃞ (*banca*) **d. bill**, cambiale documentaria (*o* documentata) ⃞ (*leg.*) **d. of title**, titolo di proprietà; (*anche*) documento di legittimazione ● (*fig.*) **human d.**, testimonianza umana.

to **document** /'dɒkjʊment/ v. t. documentare; attestare; provare.

documentable /'dɒkjʊmentəbl/ a. documentabile.

documental /dɒkjə'mentl/ a. documentativo.

documentalist /dɒkjʊ'mentəlɪst/ n. documentalista.

documentarist /dɒkjə'mentərɪst/ n. (*cinem.*) documentarista.

documentary /dɒkjʊ'mentrɪ/ **A** a. **1** documentativo; documentario: (*banca*) **d. acceptance credit**, credito documentario di accettazione; **d. bill [draft]**, cambiale [tratta] documentaria (*o* documentata); (*comm. est.*) **d. credit**, credito documentario **2** (*leg.*) documentale: **d. evidence**, prova documentale (*o* scritta) **3** (*cinem.*) documentaristico **B** n. (*cinem., TV*) documentario ● **d. film**, documentario ⃞ (*TV*) **d. sequence**, sequenza di tipo documentaristico.

documentation /ˌdɒkjʊmen'teɪʃn/ n. ⊍ **1** documentazione; prova; illustrazione **2** documentazione; (collett.) documenti.

docusoap /'dɒkjuːsəʊp/ n. (*TV*) documentari costruiti con lo stile narrativo della soap opera; serie televisiva con elementi documentaristici; docusoap.

DOD sigla (*USA*, **Department of Defense**) Ministero della difesa.

dodder /'dɒdə(r)/ n. (*bot.*, *Cuscuta*) cuscuta.

to **dodder** /'dɒdə(r)/ (*fam.*) v. i. **1** barcollare; vacillare **2** (*di un vecchio, ecc.*) tremare.

doddered /'dɒdəd/ a. (*d'un albero*) cimato; con i rami superiori caduti (*per vecchiaia*).

doddering /'dɒdərɪŋ/ a. (*spec. di vecchio*) traballante; vacillante; tremolante; decrepito.

doddery /'dɒdərɪ/ a. (*fam.*) tremante; debole; fiacco; malfermo.

doddle /'dɒdl/ n. (*fam. GB*) bazzecola; inezia; cosa da niente.

dodecagon /dəʊ'dekəgən/ n. (*geom.*) dodecagono.

dodecahedron /ˌdəʊdekə'hiːdrən/ n. (pl. **dodecahedrons, dodecahedra**) (*geom.*) dodecaedro.

dodecanese /ˌdəʊdɪkə'niːz/ a. del Dodecaneso ● (*geogr.*) **D. islands**, isole del Dodecaneso.

dodecaphony /ˌdəʊdɪ'kæfənɪ/ n. ⊍ (*mus.*) dodecafonia ‖ **dodecaphonic** a. dodecafo-

nico.

dodecasyllable /ˌdəʊdɪkə'sɪləbl/ n. (*poesia*) dodecasillabo.

dodge /dɒdʒ/ n. **1** balzo; schivata **2** (*fam.*) gherminella; inganno; sotterfugio; trucco **3** (*fam.*) espediente; piano; progetto **4** (*slang USA*) ramo d'affari; racket ● (*fisc.*) **dodges used to escape taxation**, sotterfugi messi in atto per eludere l'imposizione fiscale.

to **dodge** /dɒdʒ/ v. i. e t. **1** scansare, scansarsi; schivare, schivarsi; far civetta: *He dodged when I threw the snowball at him*, si schivò quando gli lanciai la palla di neve; (*anche boxe*) to **d. a blow**, schivare un colpo; **to d. the traffic**, scansare il traffico **2** (*fig.*) eludere; usare sotterfugi; far tira e molla; raggirare: **to d. the law**, eludere la (*o* sottrarsi alla*) legge; *Don't try to d. your problems*, non cercare d'eludere i tuoi problemi **3** (*fam.*) imbrogliare; truffare; fregare; bidonare (*fam.*) ● **to d. about**, saltellare qua e là (*come un pugile*) ⃞ **to d. aside**, scansarsi di fianco ⃞ **to d. behind sb.** [st.], ripararsi, rimpiattarsi dietro q. [qc.] ⃞ **to d. the call--up**, sottrarsi alla chiamata alle armi; imboscarsi (*fig.*) ⃞ **to d. past sb.**, oltrepassare q. scansandolo; (*sport*) schivare, dribblare, saltare (*un avversario*) ⃞ (*fam.*) **«dodg'em»**, autoscontro (→ **dodgem**) ⃞ (*fisc.*) **to d. taxes**, evadere le imposte; essere un evasore fiscale ⃞ (*fisc.*) **tax dodging**, evasione fiscale.

dodgeball /'dɒdʒbɔːl/ n. ⊍ (*USA, sport*) palla avvelenata, dodgeball.

dodgem® /'dɒdʒəm/ n. (anche al pl.) autoscontro (*a pista*) ● **d. car**, autoscontro (*l'automobilina elettrica*).

dodger /'dɒdʒə(r)/ n. **1** imbroglione; furfante; bidonista (*fam.*) **2** (*fam.*) paraonde; riparo contro gli spruzzi (*sul ponte d'una nave*) **3** (*nei composti*) persona che evita o che non ama fare qc.: **licence d.**, uno che non paga il canone televisivo; (*mil.*) **call-up dodger**, renitente alla leva; (*fisc.*) **tax d.**, evasore fiscale **4** (*USA*) focaccia di granturco **5** (*USA*) volantino; opuscolo pubblicitario.

dodgy /'dɒdʒɪ/ a. **1** elusivo; evasivo **2** subdolo; furfantesco; ingannevole **3** dubbio; incerto; rischioso **4** (*di uno sgabello, ecc.*) poco sicuro; malfermo; traballante **5** (*di salute*) strano; così così: *I started feeling a bit d. at work about lunchtime*, ho cominciato a sentirmi così così verso l'ora di pranzo al lavoro.

dodo /'dəʊdəʊ/ n. (pl. **dodoes, dodos**) **1** (*zool.*, *Raphus cucullatus*) dodo; dronte (*uccello ormai estinto*) **2** (*fig.*) individuo all'antica (*o* noioso, barboso); vecchio fossile (*fig.*) **3** (*fig.*) oggetto antiquato; pezzo da museo (*fig.*) **4** (*fam. USA*) scemo; stupido; tonto **5** (*gergo aeron.*) allievo pilota che non ha ancora volato da solo ● **to be as dead as a d.**, essere morto e sepolto (*fig.*); essere un pezzo da museo (*fig.*).

doe /dəʊ/ n. (pl. **does, doe**) (*zool.*) femmina del cervo (*o* del daino, dell'antilope, della lepre, della volpe, ecc.); cerva; daina; coniglia; cerbiatta; lepre femmina.

doer /'duːə(r)/ n. chi fa; chi agisce; chi opera: *He's a d., not a talker*, è uno che agisce, senza tante chiacchiere ● **evil-d.**, malfattore.

◆**does** /dʌz, dəz/ 3ª pers. sing. del pres. indic. di **to do**.

doeskin /'dəʊskɪn/ n. **1** ⃞ pelle di daino **2** ⊍ tessuto di lana morbida.

◆**doesn't** /dʌznt/ contraz. di **does not** (→ **to do**).

doest /'duːɪst, dʊəs(t)/ (*arc.*) 2ª pers. sing. del pres. indic. di **to do**.

doeth /'duːɪθ/ (*arc., poet.*) 3ª pers. sing. del pres. indic. di **to do**.

to **doff** /dɒf/ v. t. (*arc. o form.*) **1** togliersi

(*l'abito*) **2** levarsi (*il cappello*): *He doffed his hat to the parson*, salutò il parroco levandosi il cappello.

◆**dog** /dɒg/ **A** n. **1** (*zool.*, *Canis familiaris*) cane; canide (*in genere*): **guard dog**, cane da difesa; **sniffer dog**, cane antidroga; *A dog is man's best friend*, il cane è il migliore amico dell'uomo **2** cane maschio (*cfr.* **bitch**); maschio (*d'altri animali*): **a dog fox**, un maschio di volpe **3** (*fig. spreg.*) canaglia; farabutto; cane **4** (*fam.*) individuo; tipo; tizio: **a sly dog**, un furbacchione; **a lazy dog**, un pigrone; **a dirty dog**, uno sporcaccione; **a lucky dog**, un tipo fortunato; **You lucky dog!**, che fortuna!; fortunello! **5** (*astron.*) Cane: **the Great** (*o* **Greater**) **Dog**, il Cane Maggiore; **the Little** (*o* **Lesser**) **Dog**, il Cane Minore **6** (*mecc.*) brida; grappa; dente d'arresto; (*per legname*) arpione, rampone **7** → **firedog 8** (*meteor.*) → **fogdog 9** (*astron.*) → **sundog 10** (*slang*) donna (*o* ragazza) brutta; racchia, racchiona, scorfano (*pop.*) **11** (*slang USA, di spettacolo, film, ecc.*) delusione; schifezza; bidone **12** (*slang USA*) pivello; lavoratore inesperto **13** (*pop. USA*) = **hot dog** → **hot 14** (*slang USA*) puttana; battona; zoccola **15** (*slang USA*) puttaniere **16** (pl.) corse dei cani: *I've won two hundred dollars at the dogs*, ho vinto duecento dollari alle corse dei cani **17** (*slang, comm.*) azienda a scarsa redditività **18** (pl.) (*market., slang*) merci che «vanno poco» **19** (pl.) (*slang scherz.*) piedi; fettoni; fette (*pop.*): **barking dogs**, piedi che fanno male; piedi doloranti **B** a. attr. **1** da (*o* per) cane (*o* cani); di cane (*o* cani): **dog biscuits**, biscotti per cani; (*scherz.*) biscotti, gallette; **dog breeder**, allevatore di cani; **dog food**, alimenti per cani; **dog grooming**, toelettatura dei cani **2** da cani; scadente: **dog Latin**, latinorum; latino maccheronico ● (*fam. USA*) **dog-and-pony show**, presentazione elaborata; gran messinscena ⃞ (*fam.*) **a dog's age**, un sacco di tempo; secoli (*fig.*) ⃞ (*zool.*) **dog-ape** (*Papio cynocephalus*), babbuino ⃞ **dog boarding kennel**, albergo del cane; pensione per cani ⃞ (*ferr., Austral.*) **dog-box**, carrozza senza corridoio ⃞ **dog's breakfast** = **dog's dinner** ⃞ *sotto* ⃞ **dog-catcher**, accalappiacani; (*slang USA*) poliziotto privato ⃞ (*fam.*) **a dog's chance**, la ben che minima possibilità (*di cavarsela, di successo, ecc.*) ⃞ **dog-cheap**, a prezzo bassissimo; da (*o* per) due soldi ⃞ **dog collar**, collare da cane; (*fig.*) colletto alto inamidato (*da prete*) ⃞ (*meteor.*) **the dog days**, la canicola; il solleone ⃞ (*slang ingl.*) **dog's dinner**, lavoro malfatto; pasticcio ⃞ **dog-ear**, orecchio dell'angolo d'una pagina ● (*di libro o sim.*) **dog-eared**, con le orecchie ⃞ **dog eat dog**, (sost.) concorrenza spietata, lotta a coltello; (agg.) spietatamente competitivo, spietato: *It's (a case of) dog-eat-dog!*, mors tua vita mea (*lat.*) ⃞ (*fam.*) **dog-end**, mozzicone di sigaretta; avanzo, cosa priva di valore ⃞ **dog-faced**, dal muso di cane ⃞ (*zool.*) **dog-faced baboon** = **dog-ape** → *sopra* ⃞ **dog-fancier**, cinofilo; allevatore di cani ⃞ (*bot.*) **dog-fennel** (*Anthemis cotula*), camomilla mezzana ⃞ (*volg.*) **dog fuck**, scopata alla pecorina (*volg.*) ⃞ (*bot.*) **dog-grass**, (*Agrostis canina*) agrostide canina; (*Agropyron repens*) dente canino ⃞ **dog handler**, poliziotto che fa coppia con un cane ⃞ **dog-headed**, dalla testa di cane; cinocefalo ⃞ (*bot.*) **dog--hip**, cinorrodo; frutto della rosa canina ⃞ **dog-hole**, stanza misera; sgabuzzino; stamberga; tana; topaia ⃞ **dogs' home**, canile pubblico ⃞ (*fig.*) **a dog in the manger**, uno che non permette che altri godano di ciò che a lui non interessa o non piace ⃞ **a dog-in--the-manger attitude**, un atteggiamento di estremo e stupido egoismo ⃞ (*mecc.*) **dog iron** = **A**, *def. 6* → *sopra* ⃞ **dog kennel**, canile ⃞ **dog lead**, guinzaglio (*per cani*) ⃞ **a dog's**

d

life, una vita infelice; una vita da cani (*o* d'inferno); una vitaccia □ **dog lover**, cinofilo □ **dog's meat**, carne di cavallo; (*fig.*) offa □ **dog-napper**, ladro (*o* rapitore) di cani □ **dog-napping**, ratto di cani □ (*fam.*) **dog's nose**, bibita mista di birra e gin □ **dog paddle**, nuoto (*o* nuotata) a cane □ **dog parlour**, salone di tolettatura per cani □ (*bot.*) **dog-rose**, (*Rosa canina*) rosa canina □ (*mecc.*) **dog screw**, vite a becco (*o* a naso) □ **dog sitter**, dog sitter (*chi si prende cura del cane in assenza del padrone*) □ **dog sled**, slitta da cani □ **dog sleep**, sonno leggero e interrotto □ (*astron.*) **Dog star**, Sirio; (*anche*) Procione □ **dog tag**, contrassegno per cani; medaglietta (*fam.*); (*gergo mil.*, *USA*) piastrina (*di riconoscimento*) □ (*bot.*) **dog's-tail** (*Cynosurus cristatus*), coda di cane □ (*fam.*) **dog-tired**, stanco morto; stremato □ (*bot.*) **dog's-tongue** (*Cynoglossum officinale*), cinoglossa; erba vellutina □ (*edil.*) **dog's tooth**, dente di cane: **dog's tooth bond**, corso di mattoni a dente di cane □ (*bot.*) **dog's-tooth violet**, (*Erythronium denscanis*) dente di cane □ (*Cynodon dactylon*) gramigna □ (*sport*) **dog track**, cinodromo □ (*Canada*) **dog train**, slitta trainata da cani □ **dog training**, addestramento dei cani □ **dog training centre**, centro d'addestramento per cani □ (*bot.*) **dog violet**, (*Viola canina*) viola riviniana □ (*in GB*) **dog warden**, guardia cinofila □ **dog whip**, scudiscio □ **dog whistle**, fischietto per cani; fischietto a ultrasuoni □ (*fam.*) **dog-whistle**, che manda messaggi in codice: (*polit.*) **dog-whistle campaign**, campagna elettorale piena di messaggi in codice □ (*zool.*) **dog wolf**, lupo maschio □ **to die like a dog** (*o* **to die a dog's death**), morire come un cane □ (*fam.*) **dressed up** (*o* **done up**) **like a dog's dinner**, vestito con eleganza pacchiana □ **like a dog with two tails**, felicissimo; fuori di sé dalla felicità □ (*fig.*) **to give** (*o* **to throw**) **st. to the dogs**, buttar via qc.; sprecare qc.; gettar perle ai porci □ **to go to the dogs**, andare in malora (*o* in rovina) □ (*fig.*) **to help a lame dog over a stile**, dimostrarsi amico di q.; soccorrere q. in un momento di bisogno □ **to keep a dog and bark oneself**, fare qc. quando c'è chi potrebbe farlo al proprio posto □ **to be like cat and dog**, andare d'accordo (*o* essere) come cane e gatto □ (*fam. USA*) **to put on the dog**, darsi delle arie □ (*fam.*) **top dog**, chi comanda; il gran capo □ **wolf-dog**, cane lupo □ (*prov.*) **Every dog has its day**, per tutti, prima o poi, viene il giorno della fortuna □ (*prov.*) **Give a dog a bad name (and hang him)**, la cattiva fama è dura a morire □ (*prov.*) **Let sleeping dogs lie**, non svegliare il can che dorme □ (*prov.*) **Love me, love my dog**, o prendermi o lasciarmi; devi prendermi così come sono □ (*prov.*) **You can't teach an old dog new tricks**, è impossibile far abbandonare ai vecchi (*o* agli abitudinari) le abitudini (*o* le idee inveterate) per adottarne di nuove.

to **dog** /dɒg/ v. t. **1** seguire; pedinare; dare la caccia a: **to dog sb.'s footsteps**, seguire le orme di q.; **to dog the baby's kidnappers**, dare la caccia ai rapitori del bambino **2** (*fig.*) perseguitare: *He's dogged by bad luck*, è perseguitato dalla sfortuna **3** (*mecc.*) assicurare con una brida (*o* con una rampone) ● (*fam. USA*) **to dog it**, vestire con eleganza, fare l'elegantone; (*anche*) battersela; filare; fare lo scansafatiche; vivere a sbafo □ (*slang USA*) **to dog out** (*o* **up**), mettersi in ghingheri; vestirsi a festa.

dogberry /'dɒgbəri/ n. **1** (*bot.*, *Cornus sanguinea*) sanguinella **2** frutto della sanguinella **3** – D., funzionario sciocco e pomposo; poliziotto ottuso (*da un personaggio nella commedia 'Molto rumore per nulla' di Shakespeare*).

dogcart /'dɒgkɑːt/ n. **1** carrettino tirato

da un cane **2** biroccino; calesse.

doge /dəʊdʒ/ n. (*stor.*) doge ● **d.'s wife**, dogaressa.

to **dog-ear** /'dɒgɪə(r)/ v. t. fare le orecchie a (*le pagine di un libro*).

dogface /'dɒgfeɪs/ n. (*slang USA*) soldato di fanteria; fantaccino.

dogfight /'dɒgfaɪt/ n. **1** zuffa fra cani **2** (*fig.*) mischia; combattimento; lotta accanita **3** (*aeron. mil.*) duello aereo.

to **dogfight** /'dɒgfaɪt/ (*pass. e p. p. dog-fought*), v. i. (*mil.*, *aeron.*) combattere a distanza ravvicinata; duellare.

dogfish /'dɒgfɪʃ/ n. (*pl. dogfish*, *dog-fishes*) (*zool.*) **1** (*Etmopterus*, *Centroscymnus*, *ecc.*) squalo, pescecane **2** (*Scyliorhinus*; *Galeus*, *ecc.*) gattuccio **3** (*Galeus canis*) canesca.

dogged /'dɒgɪd/ a. **1** caparbio; ostinato; tenace **2** accanito: **to put up a d. resistance**, opporre un'accanita resistenza | **-ly** avv. | **-ness** n. □.

dogger /'dɒgə(r)/ n. (*naut.*) dogre (*peschereccio a due alberi*).

doggerel /'dɒgərəl/ **A** a. □ (= **d. verse**) versi zoppicanti; scadente poesia burlesca **B** a. zoppicante; burlesco: **a d. poem**, una poesia burlesca.

doggie /'dɒgɪ/ **A** n. **1** (*fam. USA*) soldato di fanteria; fantaccino **2** → **doggy**① **B** a. → **doggy**②.

doggish /'dɒgɪʃ/ a. **1** di (*o* da) cane; canino; cagnesco **2** ringhioso; ostile; dispettoso **3** (*fam. USA*) sgargiante; vistoso.

doggo /'dɒgəʊ/ avv. (*slang USA*) in disparte (*soltanto nella loc.*:) **to lie d.**, starsene fermo e zitto (*per non farsi scoprire*); fare il morto (*fig.*).

doggone /'dɒgɒn/ a. (*slang USA*; *eufem. per* **God damn**) dannato; maledetto ● **D. it!**, dannazione!; maledizione!

doggy① /'dɒgɪ/ n. cagnolino; cagnetto ● **d. bag**, doggy-bag; sacchetto per gli avanzi per il cane (*dato in un ristorante*) □ (*volg.*) **d.-fashion**, alla pecorina □ **d. paddle**, nuoto (*o* nuotata) a cane.

doggy② /'dɒgɪ/ a. **1** di (*o* da) cane; canino **2** amante dei cani; cinofilo **3** (*fam. USA*) elegante; pretenzioso; vistoso.

to **doggy-paddle** /'dɒgɪpædl/ v. i. nuotare a cane.

doghouse /'dɒghaʊs/ n. (*USA*) canile; cuccia del cane (*cfr. ingl.* **kennel**①, *def. 1*) ● (*fam. fig.*) **to be in the d.**, essere in disgrazia.

dogie /'dəʊgɪ/ n. (*USA*) vitellino (*in una mandria*) senza la madre.

dogleg /'dɒgleg/ n. **1** curva a secco (*di strada, recinto, ecc.*) zigzag **3** (*sport: golf, ecc.*) tracciato a zigzag.

doglegged /ˌdɒg'legd/ a. **1** storto **2** (*di una scala*) a spirale; a chiocciola.

doglike /'dɒglaɪk/ a. **1** simile a un cane **2** da cane; canino: **d. devotion**, fedeltà canina.

dogma /'dɒgmə/ n. (*pl. dogmas*, *dogma-ta*) (*anche relig.*) dogma.

dogmatic /dɒg'mætɪk/ a. dogmatico (*anche relig.*); intransigente | **-ally** avv.

dogmatics /dɒg'mætɪks/ n. pl. (*col verbo al sing.*) (*relig.*) dogmatica.

dogmatism /'dɒgmətɪzəm/ n. □ dogmatismo ‖ **dogmatist** n. enunciatore di dogmi; dogmatista.

to **dogmatize** /'dɒgmətaɪz/ v. t. e i. dogmatizzare; parlare (*o* scrivere) in modo dogmatico; enunciare (qc.) come dogma.

do-gooder /duː'gʊdə(r)/ (*spreg.*) n. filantropo ingenuo e inefficiente; benefattore impiccione; buon samaritano sgradito ‖ **do-goodery** n. □ carità inefficace e sprovveduta; filantropia non richiesta.

dogsbody /'dɒgzbɒdɪ/ n. (*fam. ingl.*) bestia da soma (*fig.*); travet; ultima ruota del carro (*fig.*).

dogtooth /'dɒgtuːθ/ n. (*pl. dogteeth*) **1** (*dente*) canino **2** (*bot.*, = d. violet) = **dog's-tooth violet** → **dog**.

dogtrot /'dɒgtrɒt/ n. □ **1** (*equit.*) piccolo trotto; trotterello **2** (*fig.: di una persona*) passo affrettato; andatura veloce.

dogwatch /'dɒgwɒtʃ/ n. (*naut.*, *mil.*) gaettone, gaetone (*turno di guardia di due ore*).

dogwood /'dɒgwʊd/ n. (*bot.*, *Cornus sanguinea*) sanguinella.

DOH sigla (*GB*, **Department of Health**) Ministero della sanità.

doh① /dəʊ/ n. do (*nota musicale*).

doh②, **do'h** /dəʊ, dɜː/ inter. (*esclam. iron. anche verso se stessi.*) che scemo!

DOI sigla (*comput.*, **digital object identi-fier**) identificatore di oggetto digitale (*standard per l'identificazione di un oggetto soggetto a proprietà intellettuale*).

doily /'dɔɪlɪ/ n. sottocoppa; centrino (*ricamato o di merletto*).

doing /'duːɪŋ/ n. □ (*fam.*) **1** azione; opera: *That's your doing*, questo è opera tua (*o* sei stato tu)!; *'This is not Alison's d. – you must understand that. It's my own decision entirely'* J. OSBORNE, 'Alison non c'entra affatto con la mia decisione – devi capirlo. Sono soltanto io che ho deciso' **2** (*pl.*) azioni; imprese; fatti **3** (*fam.*) strigliata, rimprovero; castigo; punizione; botte (*pl.*) **4** (*fam. USA*) animazione; attività; vita (*fig.*) ● **the day's doings**, i fatti del giorno □ **Tell me about your doings in France**, raccontami quel che hai fatto in Francia □ **It will take some doing!**, ci vorrà del bello e del buono!

doings /'duːɪŋz/ n. (*inv. al pl.*) (*fam. ingl.*) **1** arnese; aggeggio; affare; coso (*fam.*): *Where's the d. for opening this bottle?*, dov'è il coso per aprire questa bottiglia? **2** (*fam.*) escrementi (*spec. di animale*); bisogni; popò (*fam.*).

doit /dɔɪt/ n. **1** antica moneta olandese, di scarso valore **2** oggetto di scarso valore, da due soldi; inezia; quisquilia; nonnulla ● **I don't care a d.**, non me ne importa un fico.

do-it-yourself /'duːɪtʃə'self/ **A** a. da costruire (fare, montare, ecc.) da soli: **a do-it-yourself bookshelf kit**, un corredo per fare da sé uno scaffale per libri **B** n. il fardasé; il fai da te; bricolage ‖ **do-it-yourselfer** n. **1** chi pratica il fardasé **2** chi fa piccoli lavoretti da sé (*senza ricorrere ad artigiani*).

Dolby® /'dɒlbɪ/ n. **1** (*elettr.*) Dolby (*sistema di riduzione del rumore nella registrazione di nastri magnetici*) **2** (= D. surround, *per cinema e apparecchi TV*) Dolby (surround) (*sistema per l'ascolto in stereofonia*).

dolce vita /ˌdɒltʃɪ 'viːtə/ (*ital.*) loc. n. □ dolce vita.

doldrums /'dɒldrəmz/ n. pl. **1** (*geogr.*, *naut.*) doldrums; zona delle calme equatoriali **2** (*fig.*) malinconia; depressione d'animo; tristezza **3** (*econ.*) crisi; inattività; ristagno; stasi ● (*fig.*) **to be in the d.**, essere malinconico (*o* depresso, giù di tono); avere le paturnie (*pop.*).

dole① /dəʊl/ n. □ **1** (*arc.*) destino; sorte **2** (*raro*) elemosina; carità **3** (*fam.*) sussidio di disoccupazione **4** (*fig.*) sussidio; sovvenzione; aiuti finanziari: **to live on the American d.**, vivere degli aiuti americani **5** (*leg.*) quota, parte (*spec. di «common land»*) ● (*fam.*) **d. cheat**, chi percepisce abusivamente il sussidio di disoccupazione (*pur lavorando in nero*) □ **d. queue**, coda (*o* fila) per (ritirare) il sussidio di disoccupazione; (*fig.*) numero dei disoccupati □ **to go on the d.**, mettersi in disoccupazione □ **to be on the**

d., percepire il sussidio di disoccupazione.
dole ② /dəʊl/ n. ⓤ (*arc. o poet.*) duolo; dolore; lamento ● **to make d.**, lamentarsi.
to **dole** /dəʊl/ v. t. (*di solito* **to d. out**) dare, distribuire (*in elemosina, o con parsimonia*).
doleful /'dəʊlfl/ a. addolorato; dolente; afflitto | **-ly** avv. | **-ness** n. ⓤ.
dolerite /'dɒləraɪt/ n. ⓤ (*geol.*) dolerite.
dolichocephalic /dɒlɪkəʊsɪ'fælɪk/, **dolichocephalous** /dɒlɪkəʊ'sefələs/ a. dolicocefalo.
dolina /də'liːnə/, **doline** /də'liːn/ n. (*geogr.*) dolina.
◆**doll** /dɒl/ n. **1** bambola, pupattola (*anche fig.*): **d.'s house**, casa di bambola **2** (*slang*) pupa; ragazza: *Guys and Dolls*, Bulli e Pupe **3** (*slang USA*) vero amico; tesoro (*fig.*) **4** (pl.) (*slang*) – «dolls», «donne», «signore» (*sull'uscio di una toilette*) ● **She's a d.'s face**, è una bambola (*una bella ragazza, con poco cervello*).
◆**dollar** /'dɒlə(r)/ n. **1** dollaro (*moneta americana, canadese, ecc.*) **2** (*fam., stor., in GB*) corona (*5 scellini*): **half a d.**, mezza corona (*moneta da due scellini e sei pence*) ● (*fin.*) **the d. area**, l'area del dollaro □ **d. diplomacy**, politica dell'infiltrazione economica come mezzo di potere politico □ **d. king**, riccone in dollari; grosso finanziere americano □ (*fin.*) **d. gap** [**glut**], scarsità [sovrabbondanza] di dollari □ (*fin.*) **d. parity**, parità in dollari □ **d. sign** (*o* **d. mark**), simbolo del dollaro □ (*fam. USA*) **d. spinner**, macchina per fare soldi; impresa lucrativa □ (*USA*) **not to have one d. to rub against another**, non avere il becco di un quattrino.
to **dollarize** /'dɒləraɪz/ (*econ.*) v. t. sostituire (*una moneta nazionale*) con il dollaro statunitense; dollarizzare || **dollarization** n. dollarizzazione.
dollarwise /'dɒləwaɪz/ avv. (*fam. USA*) in termini di dollari; in termini economici.
dollish /'dɒlɪʃ/ a. di (*o da*) bambola.
dollop /'dɒləp/ n. (*fam.*) **1** piccola quantità, mucchietto: **a d. of clay**, un mucchietto d'argilla **2** porzione (*di cibo semiliquido*); cucchiaiata: **a d. of jelly**, una cucchiaiata di gelatina.
to **doll up** /'dɒlʌp/ v. t. e i. + avv. (*fam.*) agghindare, agghindarsi; vestire con elegante ricercatezza.
dolly /'dɒlɪ/ n. **1** bambola; bambolina **2** battitoio; spatola (*per lavar panni, ecc.*) **3** (*cinem., TV*) dolly; carrello **4** (*tecn.*) controstampo **5** (*nei lavori stradali*) locomotiva a scartamento ridotto **6** (*fam.,* = **d. bird**) pupa; bambola; bella ragazza (*con poco cervello*); oca giuliva **7** (*tecn.*) carrello; piattaforma a rulli **8** (*cricket,* = **d. drop**) colpo (*o lancio*) alto e arcuato ● (*cinem., TV*) **d. pusher**, carrellista □ (*cinem., TV*) **d. shot**, carrellata.
to **dolly** /'dɒlɪ/ v. i. (*cinem., TV*) carrellare; fare una carrellata.
dolman /'dɒlmən/ n. dolman.
dolmen /'dɒlmen/ (*archeol.*) Ⓐ n. dolmen Ⓑ a. attr. dolmenico.
dolomite /'dɒləmaɪt/ n. ⓤ **1** (*miner.*) dolomite **2** (*geol.*) dolomia ● (*geogr.*) **the Dolomites**, le Dolomiti || **dolomitic** a. dolomitico ● (*geol.*) **dolomitic rock**, dolomia.
dolomitization /dɒləmaɪtɪ'zeɪʃn/ n. ⓤ (*geol.*) dolomitizzazione.
dolor /'dɒlə(r)/ n. (*USA*) → **dolour**.
dolorous /'dɒlərəs/ a. (*poet.*) **1** doloroso, penoso **2** addolorato; dolente; triste.
dolostone /'dɒləstəʊn/ n. ⓤ (*geol.*) dolomia.
dolour /'dɒlə(r)/ n. (*arc. o poet.*) ⓤⒸ dolore; pena; angoscia.
dolphin /'dɒlfɪn/ n. **1** (*zool., Delphinus delphis*) delfino **2** (*naut.*) colonna d'aggio;

boa d'ormeggio **3** (*sport, generalm.* **d.-butterfly**) (*nuoto a*) delfino: **d. kick**, gambata a delfino; **d.-butterfly stroke**, stile delfino; **d.-butterfly swimmer**, delfinista.
dolphinarium /dɒlfɪ'neərɪəm/ n. delfinario.
dolt /dəʊlt/ n. stupido; stolto; zuccone (*pop.*).
doltish /'dəʊltɪʃ/ a. sciocco; stupido; ottuso | **-ly** avv. | **-ness** n. ⓤ.
Dom /dɒm/ n. (*relig. cattolica*) don (*titolo usato per i canonici e per i monaci benedettini, certosini e cistercensi*).
domain /dəʊ'meɪn/ n. **1** dominio (*anche leg., ma non in Inghil.*); territorio dominato (*posseduto da uno Stato*); proprietà (*anche privata*) **2** (*fig.*) campo, sfera (*d'attività o studio*): **in the d. of psychiatry**, nel campo della psichiatria **3** (*mat.*) dominio **4** (*comput.*) dominio: **top-level d.**, dominio di primo livello **5** (*sport*) prevalenza territoriale ● (*comput.*) **d. administrator**, amministratore del dominio.
domainer /də'meɪnə(r)/ n. (*comput.*) domainer (*persona che specula sulla compravendita di nomi di domini popolari*).
domanial /dəʊ'meɪnɪəl/ a. di un dominio; d'una proprietà.
dome /dəʊm/ n. **1** (*archit.*) cupola; tetto a cupola: **revolving d.**, cupola girevole (*di un osservatorio astronomico*) **2** sommità tondeggiante **3** (*fig.*) cupola; volta: **the d. of the sky**, la volta del cielo **4** (*mecc.*) duomo (*d'una caldaia*) **5** (*astron.*) tumulo; intumescenza **6** (*geol.*) cupola tettonica; duomo **7** (*slang*) testa; zucca (*fam.*) **8** (*arc. o poet.*) palazzo; magione (*lett.*) ❶ FALSI AMICI ● **dome** *non significa* duomo *nel senso di* cattedrale.
domed /dəʊmd/ a. fornito di cupola; fatto a cupola.
Domesday Book (the) /'duːmzdeɪbʊk/ loc. n. (*stor.*) il Libro del Catasto dell'Inghilterra ❶ CULTURA ● **Domesday Book**: *è il grande registro catastale delle proprietà fondiarie fatto compilare da Guglielmo il Conquistatore nel 1085-86 probabilmente a fini di tassazione. Il nome significa alla lettera «Libro del Giorno del Giudizio», allusione al valore definitivo che veniva attribuito a quest'opera. Si tratta di una delle maggiori opere amministrative del medioevo, importante punto di partenza per le ricerche sulla storia inglese.*
◆**domestic** /də'mestɪk/ Ⓐ a. **1** domestico: **d. happiness**, la felicità domestica; *Cats and dogs are d. animals*, i gatti e i cani sono animali domestici **2** nazionale; interno; dall'interno: **to buy d. goods**, comperare prodotti nazionali; **a d. loan**, un prestito nazionale; **d. trade**, commercio interno; (*in un giornale*) **d. news**, notizie dall'interno; **d. wines**, vini nazionali; (*econ.*) **d. demand**, domanda interna **3** casalingo; amante della casa **4** (*sport*) casalingo; in casa: **a d. victory**, una vittoria in casa **5** (*USA*) casalingo: **d. food**, cibo casereccio Ⓑ n. **1** domestico; servitore **2** (*fam. ingl.*) violenta lite in famiglia **3** (pl.) (*USA*) articoli casalinghi ● **d. (electrical) appliances**, elettrodomestici (*cucine, lavatrici e sim.*) □ (*fin.*) **d. bill**, cambiale pagabile all'interno (*di un paese*) □ (*econ.*) **d. cars**, le auto di fabbricazione nazionale □ **d. help**, colf □ (*banca*) **d. lending**, impieghi interni □ **d. life**, vita familiare; vita di casa □ **d. partner**, convivente ● **d. refrigerator**, frigorifero per uso domestico □ **d. satellite** → **domsat** □ **d. science**, economia domestica (*materia di studio*) □ **d. staff**, personale di servizio □ (*leg.*) **d. violence**, violenza tra le mura domestiche □ **d. worker**, addetto ai servizi domestici.
domestically /də'mestɪklɪ/ avv. **1** domesticamente **2** all'interno; in patria **3** (*econ.*) sul mercato interno.

to **domesticate** /də'mestɪkeɪt/ v. t. **1** rendere casalingo; abituare alla vita di casa; rendere esperto nelle faccende domestiche **2** addomesticare (*animali*) **3** incivilire, civilizzare (*selvaggi*) **4** (*biol.*) domesticare ● **to become domesticated**, addomesticarsi; incivilirsi || **domesticable**. a. **1** addomesticabile **2** (*biol.*) domesticabile || **domestication** n. ⓤ **1** addomesticazione; addomesticamento **2** incivilimento; civilizzazione **3** (*biol.*) domesticazione.
domesticated /də'mestɪkeɪtɪd/ a. **1** (*di un animale*) addomesticato **2** casalingo; che ama la vita di casa **3** incivilito; civilizzato **4** (*biol.*) domesticato ● **a d. garden**, un giardino troppo curato (*o innaturale*).
domesticity /dəʊme'stɪsətɪ/ n. ⓤ **1** vita familiare (*o domestica*) **2** amore per la vita domestica **3** l'esser domestico (*o addomesticato*) **4** (*biol.*) domesticità.
domestique /dɒme'stiːk/ (*franc.*) n. (*ciclismo*) gregario.
domicile /'dɒmɪsaɪl/ n. **1** (*form. o leg.*) domicilio; residenza: **d. of choice**, domicilio d'elezione; **d. of origin**, domicilio d'origine; (*fisc.*) **d. for tax purposes**, domicilio fiscale; **last known d.**, ultimo domicilio conosciuto; **to elect one's d. at**, eleggere il proprio domicilio a; **to fix one's d. at**, domiciliarsi a; prendere domicilio a **2** (*USA*) abitazione; casa **3** (*leg. USA*) sede legale.
to **domicile** /'dɒmɪsaɪl/ v. t. **1** stabilire, fissare la residenza di (*q., in un posto*) **2** (*comm.*) domiciliare (*una cambiale*) ● (*banca, comm.*) **domiciled bill**, cambiale domiciliata.
domiciliary /dɒmɪ'sɪlɪərɪ/ a. domiciliare; a domicilio: (*med.*) **d. care**, cure a domicilio; **d. visit**, (*med.*) visita a domicilio; (*leg.*) visita (*o ispezione*) domiciliare.
to **domiciliate** /dɒmɪ'sɪlɪeɪt/ → **to domicile**.
domiciliation /dɒmɪsɪlɪ'eɪʃn/ n. ⓤ **1** fissazione della residenza **2** (*banca, comm.*) domiciliazione (*di una cambiale, ecc.*).
dominance /'dɒmɪnəns/, **dominancy** /'dɒmɪnənsɪ/ n. ⓤ **1** dominio **2** predominio; prevalenza **3** ascendente; influenza **4** (*biol.*) dominanza.
◆**dominant** /'dɒmɪnənt/ Ⓐ a. **1** (*anche mus., biol.*) dominante: **the d. note**, la nota dominante; **the d. character in a hybrid**, il carattere dominante in un ibrido; **a d. height**, un'altura dominante **2** più importante; più autorevole: **the d. party in a country**, il partito più importante in un paese **3** (*stat.*) prevalente Ⓑ n. **1** (*mus.*) nota dominante **2** (*biol.*) carattere dominante **3** (*psic.*) pensiero dominante.
◆to **dominate** /'dɒmɪneɪt/ v. t. e i. dominare (*in ogni senso*): *High mountains d. the valley*, la valle è dominata da alte montagne; *Napoleon dominated continental Europe*, Napoleone dominava l'Europa continentale; (*econ.*) **to d. a market**, dominare un mercato || **dominator** n. dominatore.
domination /dɒmɪ'neɪʃn/ n. ⓤ **1** dominazione **2** ⓤ dominio; potere; signoria **3** (pl.) (*relig.*) Dominazioni.
dominatrix /dɒmɪ'neɪtrɪks/ n. (pl. *dominatrices, dominatrixes*) dominatrice.
to **domineer** /dɒmɪ'nɪə(r)/ v. i. spadroneggiare; tiranneggiare: **to d. over sb.**, tiranneggiare q. ● **a domineering fellow**, un tipo prepotente (*o autoritario, dispotico*).
dominical /də'mɪnɪkl/ a. **1** dominicale; di Dio; del Signore: **in the d. year 1315**, nell'anno del Signore 1315 (*dopo Cristo*) **2** (*relig.*) domenicale; della domenica.
Dominican ① /də'mɪnɪkən/ a. e n. (*relig.*) (*frate*) domenicano.
Dominican ② /dɒmɪ'niːkən/ a. e n.

(*geogr.*) dominicano.

dominie /'dɒmɪnɪ/ n. **1** (*scozz.*) maestro; professore **2** (*USA*) pastore della Chiesa Riformista Olandese; (*per estens.*) prete.

dominion /də'mɪnjən/ n. **1** ⬚ dominio (*anche leg., ma non in Inghil.*); potere; sovranità **2** (*polit., stor.*) dominio (*stato membro del «Commonwealth» britannico*): **the D. of New Zealand**, il dominion della Nuova Zelanda **3** (pl.) Dominazioni ● *'And Death shall have no d.'* D.M. THOMAS, 'e la Morte non prevarrà'.

dominium /də'mɪnjəm/ (*lat.*) n. ⬚ (*leg.*) dominio, proprietà assoluta (*concetto ignoto alla «common law» ingl.*).

domino /'dɒmɪnəʊ/ n. (pl. **dominoes**) **1** domino (*costume da maschera*) **2** tessera di domino **3** (pl.) gioco del domino ● (*spec. polit.*) **d. effect**, effetto valanga.

domsat /'dɒmsæt/ n. (acronimo di **domestic satellite**) satellite domestico (*per telecomunicazioni*).

◆**don** /dɒn/ n. **1** (*a Oxford e Cambridge*) professore d'un college (→ **fellow**); assistente d'un gruppo di studenti (→ **tutor**) **2** docente universitario (*in genere*) **3** (*fig.*) persona di riguardo; signore distinto **4** (*USA*) → **Don** ②.

to **don** /dɒn/ v. t. (*arc. o poet.*) indossare, mettersi (*un abito, ecc.*).

Don ① /dɒn/ (*spagn.*) n. Don (*titolo onorifico spagnolo*).

Don ② /dɒn/ n. (*USA*) Don; Padrino; capomafia.

to **donate** /dəʊ'neɪt, *USA* 'dəʊneɪt/ v. t. donare (*anche leg.*); fare dono di; dare; elargire ‖ **donator** n. (*anche leg.*) donatore.

donation /dəʊ'neɪʃn/ n. donazione (*anche leg.*); (*in un museo, una chiesa, ecc.*) offerta; dono; elargizione di denaro; *You can leave a d. if you like*, volendo, si può lasciare un'offerta.

donative /'dəʊnətɪv/ n. donativo; dono.

◆**done** /dʌn/ **A** p. p. di **to do** **B** a. **1** fatto; finito: *It's as good as d.*, ormai è cosa fatta **2** cotto: *The meat is d.*, la carne è cotta; *The steak is d. to a turn*, la bistecca è cotta a puntino **3** che è giusto (*o corretto*); che sta bene; da farsi: **the d. thing**, ciò che è giusto fare; *That isn't d.!*, non sta bene!; è da maleducato! **4** (*fam.*) sfinito; stanco morto; stremato **5** (*slang*) gabbato; ingannato; fregato (*pop.*) **C** inter. d'accordo!; affare fatto!; ci sto ● (*rif. a persona*) **to be d.**, aver finito: *When you're d., ring me up*, quando hai finito, chiamami al telefono □ **to be d. with**, avere chiuso (*fig.*): *I'm d. with soccer*, con il gioco del calcio ho chiuso □ **d. brown**, (*cucina*) ben cotto; (*fig.*) ingannato, fregato, messo nel sacco (*fig.*) □ (*fam.*) **d. for**, finito, rovinato, nei guai; spacciato, ucciso; fatto fuori (*fam.*); (*di un oggetto*) inservibile, fuori uso (*fam.*) □ **d. in** (*o* **d. up**), esausto; stanco morto; stremato □ (*di cibo*) **half-d.**, cotto a metà □ **well d.**, ben cotto □ (*prov.*) **What's d. cannot be undone**, cosa fatta capo ha □ **Well d.!**, bravo!; benissimo!

donee /dəʊ'niː/ n. (*leg.*) donatario.

doneness /'dʌnnəs/ n. ⬚ (*cucina*) (l') essere cotto (*a puntino*): **to test the roast for d.**, provare se l'arrosto è cotto.

dong /dɒŋ/ n. **1** (*volg.*) pene, batacchio, cazzo (*volg.*) **2** (*Austral.*) colpo; pugno.

donjon /'dɒndʒən/ n. dongione (*arc. sett.*); torre interna (*di castello*).

Don Juan /dɒn'dʒuːən/ **A** n. (pl. **Don Juans**) (*fam.*) dongiovanni; grande seduttore **B** a. attr. dongiovannesco.

donkey /'dɒŋkɪ/ n. **1** (*zool., Equus asinus*) asino; ciuco; somaro **2** (*fig.*) stupido; imbecille ● (*naut.*) **d. boiler**, caldaia ausiliaria; calderina □ **d. derby**, corsa degli asini

(*alla fiera, ecc.*) □ **d. engine**, (*tecn.*) motore ausiliario; (*ferr.*) locomotiva da manovra; (*ind. petrolifera*) motore che aziona la pompa per l'estrazione del petrolio dal pozzo □ **d. jacket**, giaccone corto, di pesante stoffa blu (*da operaio*) □ (*tecn.*) **d. pump**, cavallino (*pompa azionata da macchina a vapore*) □ (*slang*) **d.'s years**, un sacco di tempo; secoli □ (*fam.*) **to do the d.-work**, tirare la carretta (*fig.*); fare il lavoro più ingrato, faticoso □ (*di un bambino*) **to take a d. ride**, fare un giro su un somarello □ (*fam.*) **to talk the hindlegs off a d.**, farla lunga; parlare a più non posso.

donnish /'dɒnɪʃ/ a. **1** di (*o* da) professore universitario **2** meticoloso; preciso; pedantesco; pignolo ‖ **-ly** avv.

donnybrook /'dɒnɪbrʊk/ n. ⬚ baruffa; rissa; scazzottata; scazzottatura (*dalla fiera di Donnybrook, presso Dublino*).

donor /'dəʊnə(r)/ n. donatore (*anche leg.*): **a blood d.**, un donatore di sangue ● (*med.*) **d. card**, tessera di donatore (*di organi*).

do-nothing /'duːnʌθɪŋ/ (*fam.*) **A** a. inattivo; inerte; neghittoso **B** n. fannullone; pelandrone.

◆**don't** /dəʊnt/ **A** vc. verb. (contraz. di) **do not** (→ **to do**) **B** n. divieto; proibizione; cosa da non fare.

don't-know /'dəʊn(t)nəʊ/ n. (*fam.*) incerto, indeciso; (*spec. polit.*) elettore indeciso; (*nelle indagini*) «non sa».

doodad /'duːdæd/, **doodah** /'duːdɑː/ n. (*slang USA*) **1** aggeggio; arnese; coso **2** ciondolo; fronzolo; gingillo; ninnolo **3** (*volg.*) → **dong 4** (pl.) tette.

doodah /'duːdɑː/ n. (*slang ingl.*) → **doodad**, *def. 1 e 2.*

doodie /'duːdɪ/ n. (*volg. USA*) stronzo (*volg.*).

doodle /'duːdl/ n. **1** disegnino; ghirigoro; scarabocchio: *His diary is all covered in doodles*, il suo diario è pieno di disegnini **2** (*infant.*) pisellino; pisello; cosino.

to **doodle** /'duːdl/ v. i. far disegnini, ghirigori, scarabocchi (*quasi inavvertitamente*); scarabocchiare.

doodlebug /'duːdlbʌg/ n. **1** (*zool., USA*) larva di formicaleone **2** pendolo (*da radioestesista, ecc.*) **3** (*fam.*) bomba volante; V1 **4** (*mecc.*) piccolo trattore; trattorino **5** (*ferr.*) carrello automotore (*per riparazioni*) **6** (*mil.*) carretta; tankette.

doohickey /'duːhɪkɪ/ n. (*fam. USA*) **1** coso; affare; aggeggio **2** brufolo; foruncolo; puntino nero.

doom /duːm/ n. ⬚ **1** destino (*tragico*); sorte; fato (*avverso*); distruzione; condanna; rovina; morte: *His d. is sealed*, la sua sorte è segnata; *'There was a sense of inevitable d. upon her, as she thus received back this deadly symbol from the hand of fate'* N. HAWTHORNE, 'c'era un senso d'inevitabile condanna su di lei, mentre il mortale simbolo le veniva restituito per mano del fato' **2** (*relig.*) giudizio universale: **the crack of d.**, il giorno del giudizio (universale) ● (*fam.*) **d. and gloom**, disastri; notizie deprimenti □ (*fam.*) **d.-and-gloom** (agg.), deprimente; pessimistico □ **d.-and-gloom merchant**, cassandra; uccello del malaugurio □ **d.-laden**, carico di cattivi presagi; apocalittico (*fig.*) □ **d. writer**, rovinografo; scrittore apocalittico □ **d. writing**, rovinografia; narrativa catastrofica; fantascienza apocalittica.

to **doom** /duːm/ v. t. condannare; predestinare: *He was doomed to die on the scaffold*, era predestinato a morire sulla forca.

doomed /duːmd/ a. **1** predestinato; condannato; segnato (*fig.*) **2** (*di un progetto, ecc.*) destinato a fallire ● (*naut.*) **a d. ship**, una nave sul punto di affondare □ **a d. village**, un paese votato alla distruzione.

doomsday /'duːmzdeɪ/ n. il giorno del giudizio (universale) ● (*stor.*) **the D. Book**, il Libro del Catasto dell'Inghilterra (*fatto compilare da Guglielmo il Conquistatore nel 1085*) □ **a d. scenario**, uno scenario apocalittico □ **till d.**, per sempre; sino alla fine del mondo.

doomster /'duːmstə(r)/ n. **1** individuo (scrittore, ecc.) catastrofico; rovinologo; rovinografo **2** (*ecol.*) catastrofista.

doomwatch /'duːmwɒtʃ/ (*ecol.*) n. ⬚ impegno (controllo, ecc.) per prevenire catastrofi ecologiche ‖ **doomwatcher** n. ecologista impegnato nella prevenzione di catastrofi ecologiche.

◆**door** /dɔː(r)/ n. **1** porta; uscio: *The door opened*, la porta si aprì; **front d.**, porta davanti (*o* principale); **back d.**, porta di servizio; *That's the d.*, suonano alla porta **2** sportello (*di mobile, automobile, treno, ecc.*); anta (*di un armadio*); (*autom.*) portiera: *Don't open the d. until the car has come to a stop*, non aprire lo sportello finché l'automobile non s'è fermata **3** (*naut., aeron.*) portello **4** (*metall.*) porta; bocca ● **d.-case** (*o* **d.-frame**), intelaiatura della porta □ **d. (and window) fitter**, serramentista (*installatore*) □ **d. check**, fermo della porta □ **d. closer**, chiudiporta (*il meccanismo*) □ **d. chime**, (suono del) campanello a più toni (*di una porta*) □ **d. entrance phone** = **d. phone** → *sotto* □ **d. entry system**, apriporta □ **d. furniture**, serrami (collett.) □ (*autom.*) **d. glass**, vetro dello sportello □ (*mil. USA*) **d. gunner**, chi spara dallo sportello aperto di un elicottero (*in Vietnam, ecc.*) □ **d. handle**, maniglia della porta □ **d. hardware**, serramenti per porte □ **d. key**, chiave di casa □ **d. money**, prezzo del biglietto d'ingresso (*a uno spettacolo, ecc.*) □ **d. opener**, apriporta (*comando elettronico*) □ **d. panel**, pannello di anta □ **d. phone**, citofono (*di una casa*) □ **d. porter**, portinaio; portiere □ (*USA*) **d. prize**, premio a una lotteria di beneficenza (*comm.*) □ **d.-to-d. sales**, vendite a domicilio (*comm.*) □ **d.-to-d. salesman**, venditore porta a porta □ (*comm.*) **d.-to-d. service**, servizio di consegna (*delle merci*) a domicilio □ (*fam.*) **to answer the d.**, rispondere al campanello; aprire la porta □ **to be at death's d.**, avere un piede nella fossa □ (*fig.*) **behind closed doors**, a porte chiuse □ (*fig.*) **to close the d. upon**, sbarrare la strada a; rendere impossibile □ **to go from d. to d.**, andare di porta in porta (*o di casa in casa*) □ (*fig.*) **to lay st. at sb.'s d.**, imputare qc. a q.; dare la colpa di qc. a q. □ (*fam.*) **to be on the d.**, stare alla porta (*o* allo sportello); fare il controllo dei biglietti (*e sim.*) □ (*fig.*) **to open a d. to**, aprire la strada a, rendere possibile: *We hope the conference will open a d. to peace*, noi speriamo che la conferenza aprirà la strada alla pace □ **out of doors**, fuori; all'aperto □ **to show sb. the d.**, mettere q. alla porta: *I was shown the d.*, fui messo alla porta □ **to show sb. to the d.**, accompagnare q. alla porta □ **within doors**, in casa; al chiuso □ **Our family doctor lives three doors off**, il nostro medico di famiglia abita nella terza casa dopo la nostra □ **The responsibility for the disaster lies at his d.**, la responsabilità del disastro è tutta sua.

doorbell /'dɔːbel/ n. campanello della porta.

doorcase /'dɔːkeɪs/ n. (*edil.*) telaio della porta.

doorframe /'dɔːfreɪm/ n. (*edil.*) telaio della porta.

doorjamb /'dɔːdʒæm/ n. (*edil.*) stipite (*o* montante) della porta.

doorkeeper /'dɔːkiːpə(r)/ n. portinaio; portiere.

doorknob /'dɔːnɒb/ n. pomello della porta.

doorknocker /'dɔːnɒkə(r)/ **n.** battente; battiporta; batacchio.

doorman /'dɔːmən/ **n.** (pl. **doormen**) portiere, portinaio (d'albergo, teatro, ecc.) ● (fam. USA) **d.-barker**, portiere gallonato di night (che invita i clienti a entrare).

doormat /'dɔːmæt/ **n. 1** stuoia della porta; stuoino; zerbino **2** (fig.) pezza da piedi (fig.): **to treat sb. like a d.**, trattare q. come una pezza da piedi.

doornail /'dɔːneɪl/ **n.** borchia sulla porta ● **to be as dead as a d.**, essere morto stecchito □ **to be as deaf as a d.**, essere sordo come una campana.

doorplate /'dɔːpleɪt/ **n.** targa (o targhetta) sulla porta.

doorpost /'dɔːpəʊst/ **n.** (edil.) stipite (o montante) della porta.

doorsill /'dɔːsɪl/ **n.** (edil.) soglia.

doorstep /'dɔːstɛp/ **n. 1** gradino davanti alla porta **2** (slang) grossa fetta di pane ● **right on your d.**, a due passi da casa tua; sotto casa.

to doorstep /'dɔːstɛp/ **v. t.** (spreg.) (di un giornalista, ecc.) fare la posta a, assediare (q.) per ottenere un'intervista.

doorstepping /'dɔːstɛpɪŋ/ (spreg.) **A** n. Ⓤ fastidiose e insistenti visite a domicilio in cerca di notizie **B** a. attr. invadente; ficcanaso: **d. journalists**, giornalisti ficcanaso.

doorstop /'dɔːstɒp/ **n. 1** (edil.) battuta della porta **2** → **doorstopper**.

doorstopper /'dɔːstɒpə(r)/ **n.** fermaporta.

doorway /'dɔːweɪ/ **n. 1** vano della porta; entrata **2** (fig.) via d'accesso: **the d. to China**, la via d'accesso alla Cina ● **to be on the d.**, stare sull'uscio.

dooryard /'dɔːjɑːd/ **n.** cortiletto sul davanti (o sul didietro) della casa.

doo-wop /'duːwɒp/ **n.** Ⓤ (mus.) doo-wop; vocalizzazioni armoniche (di origine rhythm-and-blues).

doozie /'duːzɪ/ **n.** (pop. USA) **1** battuta di spirito **2** cosa insolita.

dopamine /'dəʊpəmiːn/ **n.** Ⓤ (biochim.) dopamina.

dopant /'dəʊpənt/ **n. 1** sostanza dopante **2** (elettron.) agente di drogaggio.

dope /dəʊp/ **n. 1** Ⓤ (fam.) droga (o roba) leggera; (spec.) marijuana **2** Ⓤ (sport) sostanza dopante (per atleti, cavalli, ecc.); bomba (fig.): **d. control [test]**, controllo [test] antidoping **3** Ⓤ (med., fam.) anestetico: The patient hasn't come round yet: he's still full of d., il paziente non è ancora tornato in sé: è ancora sotto anestetico **4** (slang) stupido; scemo; tonto **5** Ⓤ (slang antiq. o USA) informazione riservata; dritta, soffiata (fig.) **6** Ⓤ (slang antiq.) additivo (per la benzina, ecc.) **7** Ⓤ (tecn.) adesivo (o vernice) a base di esteri di cellulosa; lacca **8** Ⓤ (tecn.) vernice impermeabilizzante (per aerei, ecc.) **9** Ⓤ (fotogr., fam. USA) soluzione per lo sviluppo **10** Ⓤ (slang USA) dati, informazioni, notizie (su q. o qc.) **11** Ⓤ (med.) sedativo **12** (slang) bevanda gassata **13** (slang USA) ● **d. addict** → sotto ● **d. addict**, tossicomane; drogato; tossico (fam.) □ **d. dealer** (o **d. merchant**, **d. peddler**, **d. pusher**), spacciatore di droga □ **d. dog**, cane antidroga □ (slang antiq.) **d. fiend** = **d. addict** → sopra □ **the d. ring**, il giro (o il racket) della droga □ (slang, ipp.) **d. sheet**, foglio di notizie sui cavalli che corrono □ (slang USA) **to hit the d.**, drogarsi.

to dope /dəʊp/ **A** v. t. **1** drogare, dopare (un atleta, un cavallo, ecc.) **2** drogare (una bevanda, ecc.) **3** (med., fam.) anestetizzare; addormentare (fam.) **4** (slang USA) capire, intendere, interpretare, vedere (qc.): I'd like to know how you d. it, vorrei sapere come la vedi tu **B** v. i. (slang) drogarsi; farsi

■ **dope off** v. i. + avv. (slang) essere intontito; essere (come) sotto l'effetto della droga; appisolarsi.

■ **dope out** v. t. + avv. (fam. USA) **1** (ipp.) eliminare, mettere fuori uso (un cavallo) dopandolo **2** mettere a punto, escogitare (un piano, ecc.) **3** prevedere il risultato di (una corsa, le elezioni, ecc.) **4** giudicare, farsi un'idea di (q. o qc.); scoprire la (vera) identità di (q.).

■ **dope up** v. t. + avv. (fam. USA) imbottire (q.) di sostanze dopanti (o di anestetico, ecc.) □ **to be doped up (to the eyeballs)**, essere drogato (o imbottito di medicine) fino agli occhi; essere strafatto (fam.).

dopehead /'dəʊphɛd/ **n.** (slang) tossicomane; tossico (fam.).

dopey, **dopy** /'dəʊpɪ/ **a. 1** (fam.) inebetito dalla droga; drogato; fatto **2** (fam.) assonnato; intontito; inciucchito (pop.) **3** (slang) stupido; tonto; rimbambito.

doping /'dəʊpɪŋ/ **n.** Ⓤ **1** (sport) doping **2** (tecn.) trattamento antiadesivo **3** (elettron.) drogaggio; drogatura ● **d. agent** → **dopant**.

Doppler /'dɒplə(r)/ **n.** Doppler: (fis.) **d. effect** (anche **d. shift**), effetto Doppler; (med.) **D. test**, esame Doppler.

dor /dɔː(r)/ **n.** (zool.) (Vespa crabro) calabrone.

dorado /də'rɑːdəʊ/ **n.** (pl. **dorados**) (zool., Coryphaena hippurus) cantaluzzo; corifena cavallina.

do-re-mi /'dɔːreɪˈmiː/ **n.** (slang USA) soldi; quattrini; grana (pop.).

Dorian /'dɔːrɪən/ (stor. greca) **A** a. dorico **B** n. abitante della Doride.

Doric /'dɒrɪk/ **A** a. dorico: (archit.) **d. order**, ordine dorico; **a d. capital**, un capitello dorico **B** n. Ⓤ dorico (lingua della Doride).

dork /dɔːk/ **n. 1** (slang USA) stupido; tonto; pirla **2** (volg. USA) pene; uccello, cazzo (volg.).

dorm /dɔːm/ **n.** (abbr. fam.) → **dormitory**.

dormancy /'dɔːmənsɪ/ **n.** Ⓤ **1** sonno **2** (biol.) letargo **3** (bot.) dormienza; quiescenza; diapausa **4** (geol.) inattività (di un vulcano).

dormant /'dɔːmənt/ **a. 1** addormentato; dormiente; assopito **2** inattivo: **a d. volcano**, un vulcano inattivo **3** (biol.) in letargo; in torpore: **d. snakes**, serpenti in letargo **4** (bot.) dormiente: **d. plants**, piante dormienti **5** (fig.) latente: **d. faculties**, facoltà latenti **6** (arald.: posposto al nome) sdraiato; accovacciato: **a lion d.**, un leone accovacciato ● (banca) **d. account**, conto inattivo □ (leg.) **d. claim**, diritto non esercitato □ (fin.) **d. partner**, socio non operante; (anche) socio accomandante □ (leg.) **d. warrant**, mandato in bianco.

dormer /'dɔːmə(r)/ **n.** (edil., = **d. window**) abbaino; lucernario.

dormitory /'dɔːmɪtrɪ/ **n. 1** dormitorio; camerata **2** (USA) casa dello studente ● (ferr., USA) **d. car**, vagone letto per il personale del ristoro □ (urbanistica) **d. towns**, città dormitorio.

dormobile® /'dɔːməbiːl/ **n.** (autom., tur.) camper.

dormouse /'dɔːmaʊs/ **n.** (pl. **dormice**) (zool., Glis glis) ghiro.

Dorothy /'dɒrəθɪ/ **n.** Dorotea.

Dors. abbr. (**Dorsetshire**) la Contea del Dorset.

dorsal /'dɔːsl/ **a.** (anat., zool.) dorsale: **d. fin**, pinna dorsale.

dorsoventral /dɔːsəʊˈvɛntrəl/ **a.** (anat.) dorsoventrale.

dory① /'dɔːrɪ/ **n.** barca da pesca a fondo piatto.

dory② /'dɔːrɪ/ **n.** (zool., Zeus faber) pesce

San Pietro.

DOS /dɒs/ sigla (comput., **disk operating system**) sistema operativo su disco.

DoS sigla (comput., **denial of service**) DoS (interruzione del servizio provocata da un attacco su grande scala).

dosage /'dəʊsɪdʒ/ **n. 1** dosatura, dosaggio (di medicine, ecc.); posologia **2** quantità (di medicina, ecc.) data in una dose; dose.

dose /dəʊs/ **n. 1** (anche fig.) dose: **a good d. of flattery**, una buona dose d'adulazione; **to strengthen the d.**, rincarare la dose **2** sostanza aromatica (o zucchero: aggiunti al vino) **3** (slang) scolo (pop.); gonorrea ● **a bad d. of flu**, una brutta influenza □ (fam. ingl.) **like a d. of salts**, in un batter d'occhio; in quattro e quattr'otto.

to dose /dəʊs/ **v. t. 1** (med.) dosare: (fig.) **to d. one's effort**, dosare le proprie forze **2** somministrare una medicina a (q.) **3** aggiungere zucchero (o una sostanza aromatica) a (vino); adulterare ● (fam.) **to d. up**, imbottire (di medicine).

dosh /dɒʃ/ **n.** Ⓤ (slang) soldi; quattrini; grana (pop.).

dosimeter /dəʊˈsɪmɪtə(r)/ (tecn., anche fis. nucl.) **n.** dosimetro ‖ **dosimetry** **n.** Ⓤ dosimetria.

dosing /'dəʊsɪŋ/ **n.** Ⓤ (anche med.) dosatura; dosaggio.

doss /dɒs/ **n.** (slang) **1** letto di fortuna (o di dormitorio pubblico); branda **2** dormitina; sonnellino; pisolino; pennichella: **to have a d.**, fare un pisolino.

to doss /dɒs/ **v. i.** (slang) **1** dormire dove capita (o alla meglio) **2** (spesso **to d. down**) dormire; sistemarsi per la notte: We'll d. down in the car, dormiremo in macchina.

dossal /'dɒsl/ **n.** (relig.) dossale.

dosser /'dɒsə(r)/ **n.** (slang) chi dorme in un dormitorio pubblico; vagabondo.

dosshouse /'dɒshaʊs/ **n.** (slang ingl.) **1** locanda da due soldi; pensione d'infimo ordine **2** dormitorio per barboni.

dossier /'dɒsɪeɪ/ (franc.) **n.** incartamento; dossier.

dost /dʌst/ (arc.) 2ª pers. sing. del pres. indic. di **to do**.

◆**dot** /dɒt/ **n. 1** punto (scrittura, mus., ecc.); puntino; segno (fatto con penna o matita): The dune buggy grew smaller and smaller until it was a mere dot on the horizon, il fuoristrada si fece sempre più piccolo finché non fu che un puntino all'orizzonte; (telegr.) **dots and dashes**, punti e linee **2** (mat.) virgola (nei numeri decimali); punto (segno di moltiplicazione) **3** (elettron.) punto: **dot generator**, generatore di punti; **dot-matrix printer**, stampante ad aghi ● (fam.; comput., market.) **dot com**, dot com; punto com; azienda che opera su Internet □ **dot-com** (agg.), relativo al commercio elettronico □ (comput.) **dot it**, punto it: The Italian government has put a stop to the dot-it explosion, il governo italiano ha messo lo stop allo sfrenato sviluppo dei punto it □ **a dot of a child**, un bambino alto come un soldo di cacio □ (slang) **to be off one's dot**, essere un po' tocco; essere picchiatello □ (fam.) **on the dot**, all'ora precisa; puntualmente: **to arrive on the dot**, arrivare all'ora precisa; **to pay on the dot**, pagare puntualmente □ **since the year dot**, da secoli; da una vita.

to dot /dɒt/ **v. t. 1** mettere il puntino su (qc.) **2** punteggiare: The sea was dotted with sails, il mare era punteggiato di vele **3** (mus.) puntare ● (fig.) **to dot one's i's and cross one's t's**, essere meticoloso, preciso, pignolo □ **to dot a line**, tratteggiare una linea.

DOT sigla **1** (stor., GB, **Department of Transport**) Ministero dei trasporti (cfr.

d

DTLR) **2** (*USA*, **Department of Transportation**) Ministero dei trasporti.

dotage /'dəʊtɪdʒ/ n. ⓤ **1** rimbambimento; rammollimento **2** amore sviscerato; infatuazione ● **He is in his d.**, è un vecchio rimbambito.

dotal /'dəʊtl/ a. (*leg.*) dotale: **d. property**, beni dotali.

dotard /'dəʊtəd/ n. vecchio rimbambito (o bacucco).

dotation /dəʊ'teɪʃn/ n. ⓤⓒ (*anche leg.*) dotazione.

to **dote** /dəʊt/ v. i. **1** essere rimbambito (o rammollito) **2** – **to d. on**, essere infatuato di (q.): *He dotes on that girl*, è infatuato di (o stravede per) quella ragazza.

doth /dʌθ, dəθ/ (*arc.*) 3ª pers. sing. del pres. indic. di **to do**.

doting /'dəʊtɪŋ/ Ⓐ a. **1** rimbambito; rammollito **2** ciecamente innamorato; infatuato Ⓑ n. ⓤ **1** rimbambimento **2** infatuazione.

dotted /'dɒtɪd/ a. **1** tratteggiato: **d. line**, linea tratteggiata **2** (*fig.*) punteggiato; costellato; trapunto: **d. with stars**, trapunto di stelle **3** a pallini; a pois: **a d. necktie**, una cravatta a pois **4** (*mus.*) puntato ● **to sign on the d. line**, fare la firma sulla linea tratteggiata; (*fig.*) accettare senza esitazioni (o riserve); firmare a occhi chiusi (*fig.*).

dotterel /'dɒtərəl/ n. **1** (pl. **dotterels**, **dotterel**) (*zool.*, *Charadrius morinellus*) piviere tortolino **2** (*dial. ingl.*) babbeo; allocco (*fig.*).

dottle /'dɒtl/ n. ⓤ residuo di tabacco (*in una pipa*).

dotty /'dɒtɪ/ a. **1** punteggiato; coperto di puntini **2** (*fam.*) debole; malfermo; traballante: *He is d. on his legs*, è malfermo sulle gambe **3** (*fam.*) mezzo matto; un po' tocco; picchiatello; suonato (*fig.*): *He's d. about soccer*, va matto per il calcio.

♦**double** ① /'dʌbl/ Ⓐ a. **1** doppio; duplice; piegato in due; messo a doppio: **a d. consonant**, una (consonante) doppia; **d. space**, spazio doppio; (*fisc.*) **d. taxation**, imposizione doppia; doppia tassazione; (*ferr.*) **d. track**, doppio binario; **d. pay**, paga doppia; **to perform a d. service**, fare doppio servizio; avere duplice uso; **a d. portion**, una porzione doppia; **a d. meaning**, un doppio senso; **a d. whiskey**, un doppio whisky; *I'm d. her age*, ho il doppio della sua età **2** (*fig.*) doppio; falso; ambiguo; ipocrita: **to lead a d. life**, fare una doppia vita; *We had games before lunch and d. maths in the afternoon*, abbiamo fatto ginnastica prima di pranzo e abbiamo avuto due ore di matematica nel pomeriggio Ⓑ avv. **1** il doppio; due volte tanto: *It cost me d.*, mi è costato il doppio **2** doppio (*a immagini sdoppiate*): *I'm afraid I see d.*, temo di vederci doppio **3** in due; a doppio: **to fold a sheet d.**, piegare in due un lenzuolo; mettere a doppio un lenzuolo; *The poor man was bent d. with age*, il poveretto era piegato (in due) per l'età avanzata **4** in due; insieme: **to ride d.**, montare in due a cavallo; **to sleep d.**, dormire in due nello stesso letto ● (*teatr.*) **d. act**, messa in scena recitata da due attori; (*per estens.*) gli attori stessi □ (*mecc.*) **d.-acting**, a doppio effetto: **d.-acting pump**, pompa a doppio effetto □ **d. agent**, spia che fa il doppio gioco; doppiogiochista □ **d. axe**, ascia a doppio taglio □ (*mus.*) **d. bar**, doppia barra □ **d.-barrelled**, (*di fucile*) a due canne; (*di cognome*) doppio: *Compton-Burnett is a d.-barrelled name*, Compton-Burnett è un cognome doppio □ (*mus.*) **d. bass**, contrabbasso □ (*mus.*) **d. bassoon**, controfagotto □ **a d. bed**, un letto a due piazze (o matrimoniale) □ (*di camera*) **d.-bedded**, a due letti □ **d. bind**, brutto dilemma □ **d. bill**, (*a teatro* o *al cinema*) programma che comprende due spettacoli □

(*med.*, *scient.*) **d. blind**, doppio cieco: **d.-blind technique**, metodo del doppio cieco □ (*mecc.*) **d.-block brake**, freno a due ceppi □ (*boxe*) **d. blow**, colpo doppiato; doppietta □ **d. bluff**, doppio bluff (*dire la verità a chi si aspetta un bluff*) □ **d. boiler** = **d. saucepan** → *sotto* □ (*chim.*) **d. bond**, doppio legame □ (*tur.*) **d. booking**, doppia prenotazione □ (*anche naut.*) **d. bottom**, doppiofondo □ (*di giacca o cappotto*) **d.-breasted**, a doppiopetto □ **d. buffalo** = **d. nickels** → *sotto* □ **d.-buffer shoe polisher**, pulisciscarpe a due spazzole □ **d. chin**, doppio mento; pappagorgia □ **d.-chinned**, con la pappagorgia □ (*comput.*) **d. click**, doppio click (*del mouse*) □ **a d. coat of paint**, due mani di vernice □ **d. cream**, panna molto densa □ **d. cross**, inganno, frode; doppio gioco; (*sport*) incontro truccato in cui entrambi i contendenti sono conniventi □ **d.-crosser** = **d.-dealer** → *sotto* □ (*tipogr.*) **d. dagger**, doppia croce □ (*fam. USA*) **d. date**, appuntamento di due coppie (*per uscire insieme*) □ **d.-dealer**, uomo doppio, finto, ipocrita; persona sleale; doppiogiochista □ **d.-dealing**, (agg.) doppio, sleale, ipocrita; (sost.) doppiezza, slealtà, ipocrisia □ **d.-decker**, nave a due ponti; autobus a due piani; (*aeron.*) biplano; (*fam.*, *anche* **d.-decker sandwich**) sandwich (o tramezzino) doppio (*a due strati*) □ (*autom.*) **d.-declutching**, doppia debragliata; doppio disinnesto (*della frizione*); doppietta (*fam.*) □ **d. deuces**, il numero 22 □ (*fam. USA*) **d.-dipper**, chi prende due stipendi (o pensione e stipendio) □ (*fam. USA*) **d.-dome**, (sost.) intellettuale; (agg.) da intellettuale □ **d. door**, porta doppia (o a due battenti) □ (*fam.*) **d. Dutch**, lingua incomprensibile; turco, arabo (*fig.*) □ **d.-dyed**, tinto due volte; (*fig.*) matricolato; di tre cotte □ **d.-eagle**, aquila bicipite; antica moneta d'oro americana (*20 dollari*) □ **d.-edged**, a doppio taglio (*anche fig.*): **a d.-edged compliment**, un complimento a doppio taglio; **a d.-edged sword**, una spada a doppio taglio □ (*naut.*) **d.-ended ferry**, traghetto a doppia prua □ **d. entendre**, doppio senso (*malizioso o più o meno licenzioso*) □ (*rag.*) **d. entry**, partita doppia: **d.-entry bookkeeping**, contabilità in partita doppia □ (*fotogr.*) **d. exposure**, doppia esposizione; sovrimpressione □ **d.-faced**, a due facce, bifronte; (*fig.*) doppio, finto, ipocrita; (*di tessuto*) double-face (*franc.*) □ (*tennis*) **d. fault**, doppio fallo; fallo di battuta □ (*cinem.*) **d. feature**, doppio programma □ (*econ. fin.*: *dell'inflazione, dei tassi, ecc.*) **d.-figure**, a due cifre □ **d. figures**, numeri a due cifre (*da 10 a 99*): (*sport*) **to be in d. figures**, avere raggiunto i due punti (i dieci gol, ecc.) □ **d. first**, (chi consegue) il massimo dei voti nell'esame di laurea (*nelle università inglesi*) □ (*mus.*) **d. flat**, doppio bemolle □ **d.-glazed window**, finestra a doppi vetri □ (*edil.*) **d.-glazing**, (installazione dei) doppi vetri □ **d.-headed**, a due teste; bicipite; (*fig.*) falso, ipocrita □ (*biochim.*) **d. helix**, doppia elica □ (*lotta*) **d. hold**, cintura □ (*leg.*, *USA*) **d. jeopardy**, il processare q. per un delitto per cui è già stato assolto □ **d.-jointed**, snodato □ (*equit.*) **d. jump**, salto doppio; ostacolo doppio □ (*tipogr.*) **d. leaded**, a spaziatura doppia fra riga e riga □ **d. lock**, serratura doppia; (*anche*) doppia mandata □ (*mil.*) **d. march**, passo di corsa □ (*fam. USA*) **d. nickels**, il numero 55; (*autom.*) il limite delle 55 miglia all'ora □ (*fam. USA*) **d.-o** (acronimo di **once over**), ispezione a fondo; esame accurato; buona controllata (*fam.*) □ (*Borsa*) **d. option**, stellage; stellaggio □ (*equit.*) **d. oxer**, largo di barriere □ (*autom.*) **d.-parking**, parcheggio in seconda (o doppia) fila □ (*a scuola*) **d. period**, lezione di due ore (*della stessa materia*) □ (*elettr.*) **d.-pole switch**, commutatore bipolare □ (*market.*) **d. pricing**, doppia prezzatu-

ra (*sulle confezioni: un prezzo è cancellato con un frego*) □ **d.-quick**, (agg.) velocissimo; (avv.) di corsa, in un attimo, in un baleno; (sost.) (*mil.*) passo di corsa □ **d. room**, camera a doppia (*con letto matrimoniale*) □ (*cucina*) **d. saucepan**, bagnomaria (*il recipiente*) □ (*canottaggio*) **d. scull**, due di coppia; doppio skiff □ (*mus.*) **d. sharp**, doppio diesis □ (*caccia*) **d. shot**, doppietta (*due colpi*) □ (*tipogr.*) **d. spread**, pagina doppia □ **d. standard**, (*econ.*) bimetallismo; (*fig.*, anche al pl.) (valutazione con) due metri diversi (*di giudizio*); (uso di) due pesi e due misure (*fig.*); doppiopiesismo (*gergo giorn.*) □ (*astron.*) **d. star**, stella doppia □ (*biochim.*) **d.-stranded**, a doppia catena; a doppio filamento □ (*nuoto*) **d. stroke**, doppia bracciata: **d.-stroke breathing**, respirazione in due tempi □ (*fam.*) **d. take**, occhiata di stupore; reazione di sorpresa a scoppio ritardato: **to do a d. take**, dare un'occhiata sbalordita □ **d. talk**, frasi confuse, ambigue, insincere; discorso contorto, involuto (o ipocrita) □ **d. tiered**, a due livelli; a doppio livello □ **d. time**, (*econ.*) doppia paga; doppio salario (o stipendio); (*mus.*) tempo doppio; (*mil.*, *USA*) passo di corsa □ **d.-tongued**, falso, infido, insincero □ (*fam. USA*) **d.-trouble**, (*di una persona*) guastafeste; (*di una cosa*) fonte di guai a non finire □ (*med.*) **d. vision**, diplopia □ (*fam.*) **d. whammy**, malocchio, iella, sfortuna, scalogna; (*anche*) scalognatore, iettatore (*leg.*) □ **d. will**, testamento congiuntivo e reciproco.

double ② /'dʌbl/ n. ⓤ **1** doppio: *Four is the d. of two*, quattro è il doppio di due; *He offered me d.*, mi offrì il doppio **2** sosia; ritratto (*fig.*): *His son is his absolute d.*, il figlio è il suo ritratto **3** (*teatr.*) sostituto; (*cinem.*) controfigura **4** (*bridge*) contre (*franc.*) **5** scarto (*d'animale inseguito*) **6** inversione di marcia; dietrofront **7** doppio: *Make mine a d., bartender!*, fammelo doppio, barista! **8** (*scommessa nelle corse dei cavalli*) duplice **9** doppio; Doppelgänger (*ted.*) **10** (*sport: calcio, ecc.: doppia vittoria*) doppietta **11** (*equit.*) doppio ostacolo; gabbia **12** (*baseball*) doppio **13** (*tennis*, = **d. fault**) doppio (fallo) **14** (pl.) (*tennis*) doppio: **to play doubles**, giocare il doppio; **mixed doubles**, doppio misto **15** (*biliardo*) (tiro di) raddoppio **16** (*tipogr.*) = **doublet**, def. 8 ● **d. or quits**, doppio o pari e patta; lascia o raddoppia (*gioco*) □ (*tennis*) **doubles player**, doppista; giocatore di doppio □ (*mil.*) **at the d.**, a passo di corsa □ **on the d.**, velocissimo; in un attimo.

♦to **double** /'dʌbl/ Ⓐ v. t. **1** raddoppiare: **to d. prices [revenues]**, raddoppiare i prezzi [le entrate]; *D. the dose!*, raddoppia la dose!; (*sport*) **to d. one's lead**, raddoppiare il vantaggio **2** piegare in due; mettere a doppio; raddoppiare: *She doubled the sheet*, piegò in due il lenzuolo **3** duplicare; ripetere **4** (*naut.*) doppiare: *We doubled the Cape of Good Hope*, doppiammo il Capo di Buona Speranza **5** (*cinem.*, *TV*) doppiare: **to d. a film**, doppiare un film **6** (*cinem.*, *teatr.*) fare la controfigura di (*un attore*); sostituire **7** (*naut.*) mettere (*un passeggero*) nella stessa cabina con un altro **8** (*biliardo*) far rimbalzare (*una palla*) di sponda **9** (*bridge*) contrare **10** (*sport*) raddoppiare (*le marcature*) **11** (*boxe*) doppiare (*i colpi*) Ⓑ v. i. **1** raddoppiare; diventare doppio **2** fare dietrofront; voltarsi di scatto (*cambiando direzione*) **3** (*teatr.*, *cinem.*) fare il sostituto (o la controfigura) **4** (*teatr.*, *cinem.*) fare (o sostenere) due parti (o due ruoli) **5** (*anche* **to d. in brass**) (*di un oggetto*) essere a doppio uso; fare da; (*di una persona*) fare doppio servizio, fare da: *The Land Rover doubled as a lorry*, la Land Rover faceva da camioncino **6** (*mil.*) andare a passo di corsa **7** (*biliardo*) (*di una palla*) rimbalzare di sponda **8** (*base-*

ball) fare un doppio **9** (*ipp.*) fare una duplice.

■ **double back** v. i. + avv. invertire la marcia; fare dietro front □ **to d. back on one's tracks**, tornare sui propri passi; tornare indietro.

■ **double over** **A** v. i. + avv. piegarsi in due (*per un colpo, il dolore, il ridere, ecc.*) **B** v. t. + avv. far piegare (q.) in due.

■ **double up** **A** v. i. + avv. **1** → **double over, A 2** (*ingl.*) raddoppiare; scommettere quello che si è vinto **B** v. t. + avv. **1** → **double over, B 2** (*sport: calcio, ecc.*) raddoppiare (*le marcature*) □ **to d. up one's fist**, serrare (*o stringere*) il pugno (*per battersi con q.*) □ **to d. up with sb.**, dormire nella stessa camera; dividere la stanza con q.

to **double-book** /'dʌbl'bʊk/ v. t. (*tur.*) accettare prenotazioni da due persone diverse per (*una camera d'albergo*).

to **double-check** /'dʌbl'tʃɛk/ v. t. e i. controllare due volte; ricontrollare.

to **double-click** /'dʌbl'klɪk/ v. t. (*comput.*), fare doppio clic.

to **double-clutch** /'dʌbl'klʌtʃ/ v. i. (*autom., USA*) → **to double-declutch**.

to **double-cross** /'dʌbl'krɒs/ v. t. (*fam.*) fare il doppio gioco con (q.); ingannare; tradire.

to **double-deal** /'dʌbl'diːl/ v. i. ingannare; fare il doppio gioco.

to **double-declutch** /'dʌbldiː'klʌtʃ/ (*autom.*) v. i. fare una doppia debragliata; fare la doppietta (*fam.*) ‖ **double-declutching** n. doppia debragliata; doppietta (*fam.*).

to **double-dig** /dʌbl'dɪg/ (*agric.*) v. t. eseguire una vangatura doppia ‖ **double-digging** n. vangatura doppia.

to **double-glaze** /'dʌbl'gleɪz/ v. t. mettere i doppi vetri a (*una finestra*).

doubleheader /dʌbl'hɛdə(r)/ n. **1** (*baseball*) due partite giocate di seguito (*da una squadra: nella stessa giornata*) **2** (*ferr.*) treno trainato da due locomotori.

to **double-lock** /dʌbl'lɒk/ v. t. chiudere a doppia mandata (*o a due mandate*).

doubleness /'dʌblnəs/ n. ⓤ doppiezza; duplicità; ipocrisia.

to **double-park** /dʌbl'pɑːk/ v. t. e i. (*autom.*) parcheggiare in seconda (*o doppia*) fila.

to **double-space** /dʌbl'speɪs/ v. t. scrivere (*a macchina*) con doppia spaziatura.

doublespeak /'dʌblspiːk/ n. ⓤ = **double talk** → **double** ①.

doublet /'dʌblət/ n. **1** (*stor.*) farsetto: **d. and hose**, farsetto e calzoni stretti al ginocchio **2** doppione; duplicato **3** (*ling.*) doppione; allotropo **4** (pl.) doppietto; lo stesso numero sulle facce di due dadi gettati contemporaneamente **5** doppietta (*colpo che uccide due uccelli*) **6** (*nel microscopio*) obiettivo doppio **7** (*radio*) dipolo **8** (*tipogr.*) doppione.

to **double-talk** /'dʌblxtɔːk/ v. i. (*fam.*) usare un linguaggio ambiguo; fare acrobazie verbali; arrampicarsi sugli specchi (*fig.*).

doublethink /'dʌblθɪŋk/ n. ⓤ (*polit., spreg.*) doppio modo di pensare (*o di teorizzare, ecc.*); mancanza di coerenza ideologica (*dal romanzo 1984 di G. Orwell*).

doubleton /'dʌbltən/ n. (*a bridge, ecc.*) doppia; due carte dello stesso seme (*in una mano*).

doubling /'dʌblɪŋ/ n. **1** ⓤ duplicazione; raddoppio **2** ⓤ piegatura; piega **3** fodera (*di un indumento*) **4** (*autom.*) improvvisa inversione (*di marcia*) **5** (*ling.*) geminazione **6** ⓤ (*sport, anche* **d. up**) raddoppio.

doubloon /dʌ'bluːn/ n. doblone (*antica*

moneta spagnola).

doubly /'dʌblɪ/ avv. doppiamente: **to be d. careful**, stare doppiamente attento; *He's d. mistaken*, ha doppiamente torto; sbaglia due volte.

♦**doubt** /daʊt/ n. ⓤ dubbio: *I am in d. what to do*, sono in dubbio sul da farsi; *I have no d. about his honesty*, non ho dubbi sulla sua onestà; *I still have my doubts* (*about it*), ho i miei dubbi (su ciò) ● **beyond d.**, fuor di dubbio; senza possibilità di dubbio □ **to give sb. the benefit of the d.**, concedere a q. il beneficio del dubbio □ (*di esito*) **to be in d.**, essere in dubbio (*o incerto*): *The result is still in d.*, il risultato è ancora dubbio; *His success is in d.*, la sua riuscita è in dubbio □ **to have no d. that...**, non aver dubbi che...; esser certo che... □ **no d.**, senza dubbio, indubbiamente, certamente; (*fam.*) con ogni probabilità □ **without d.**, senza dubbio.

♦to **doubt** /daʊt/ **A** v. i. dubitare; essere in dubbio: *He never doubted of victory*, non dubitò mai della vittoria; *I don't d. that he will be able to pay*, non dubito che sarà in grado di pagare **B** v. t. dubitare di; mettere in dubbio; nutrire dubbi su: *I d. it*, ne dubito; *Do you d. my promise?*, metti in dubbio la mia promessa?; *I d. the truth of this story*, nutro dubbi sulla verità di questa storia ● **to d. one's eyes**, non credere ai propri occhi □ (*scherz.*) **a Doubting Thomas**, un incredulo, uno scettico: *Joe is a Doubting Thomas*, Joe è come San Tommaso!

doubtable /'daʊtəbl/ a. dubitabile.

doubter /'daʊtə(r)/ n. persona dubbiosa; tipo scettico.

doubtful /'daʊtfl/ a. **1** dubbioso; dubbio; incerto, dall'esito incerto; irresoluto; indeciso: *I am d. about what to do*, sono dubbioso sul da farsi; *The political situation is very d.*, la situazione politica è assai incerta; *It's d. whether he will join us*, è dubbio che si unisca a noi; **d. result**, risultato incerto; **a d. battle**, una battaglia dall'esito incerto; **d. voters**, elettori indecisi **2** dubbio; discutibile; che ha scarso affidamento: **a d. remedy**, un rimedio discutibile; **d. reputation**, dubbia fama **3** ambiguo; equivoco: **a d. character**, un individuo equivoco; *I wouldn't like to live in such a d. district*, non vorrei abitare in un quartiere così equivoco ● (*comm.*) **d. debts**, crediti di dubbia esigibilità □ *His coming is a d. blessing*, è discutibile se la sua venuta sia un bene o no.

doubtfully /'daʊtfəlɪ/ avv. dubbiosamente.

doubtfulness /'daʊtflnəs/ n. ⓤ **1** dubbiosità; irresolutezza; incertezza **2** ambiguità; l'essere equivoco.

doubtless /'daʊtləs/, **doubtlessly** /'daʊtləslɪ/ avv. **1** indubbiamente; senza dubbio; certamente: *I shall d. see him to-morrow*, lo vedrò certamente domani **2** (*fam.*) senz'altro; con tutta probabilità | **-ness** n. ⓤ.

douche /duːʃ/ n. **1** doccia (*bagno*) **2** (*med.*) irrigazione (*anche vaginale*); lavaggio **3** (*slang USA*) = **d.-bag** → *sotto* ● **d.-bag**, (*med.*) irrigatore vaginale; (*slang USA*) individuo spregevole; (uno) stronzo; (una) merda (*volg.*) □ (*fig. fam.*) **a cold d.**, una doccia fredda.

to **douche** /duːʃ/ **A** v. i. fare la doccia **2** (*med.*) fare irrigazioni **B** v. t. **1** far la doccia a (q.) **2** irrorare; irrigare.

dough /dəʊ/ n. ⓤ **1** pasta; impasto per il pane **2** (*fam.*) denaro; quattrini; grana, grano (*pop.*).

doughboy /'dəʊbɔɪ/ n. **1** (*cucina*) gnocco bollito (*o fritto*) **2** (*slang USA*) soldato di fanteria; fantaccino.

doughiness /'dəʊɪnəs/ n. ⓤ pastosità; sofficità (*del pane, ecc.*).

doughnut /'dəʊnʌt/ n. **1** bombolone dolce; ciambellina **2** (*fis. nucl.*) ciambella (*del ciclotrone*) ● (*autom., USA*) **d. tire**, pneumatico a bassa pressione.

to **doughnut** /'dəʊnʌt/ v. t. e i. accalcarsi vicino a (*un attore, un politico, ecc.*) per essere ripreso (*dalla TV, ecc.*); fare ressa per mettersi in mostra.

doughty /'daʊtɪ/ a. (*arc. o scherz.*) ardito; prode; valoroso.

doughy /'dəʊɪ/ a. **1** pastoso; molle; soffice **2** (*fam.: della pelle*) pallido; terreo **3** (*della voce, ecc.*) pastoso ● **d. bread**, pane molle, poco cotto.

Douglas fir /'dʌgləs'fɜː(r)/ (*o* **Douglas spruce**) loc. n. (*bot., Pseudotsuga taxifolia*) abete Douglas.

doum /duːm/ n. (*bot., Hyphaene thebaica*; ● **d. palm**) palma dum.

dour /dʊə(r)/ a. **1** austero; severo **2** duro; ostinato: **a d. struggle**, una dura lotta **3** cupo; arcigno; accigliato | **-ly** avv. | **-ness** n. ⓤ.

to **douse** ① /daʊs/ v. t. (*naut.*) **1** ammainare (*una vela*) **2** allascare (*un cavo*).

to **douse** ② /daʊs/ v. t. **1** gettare, immergere, tuffare (*spec. nell'acqua*) **2** gettare acqua su (qc.); bagnare; infradiciare; intridere; irrigare **3** (*fam.*) spegnere (*la luce, la candela, il fuoco*).

dove ① /dʌv/ n. **1** (*zool., Columba, ecc.*) colombo, colomba; piccione **2** (*fig.*) persona innocente, mite **3** (*polit.*) colomba; moderato **4** (*vezzegg.*) piccioncino; amor mio **5** ⓤ (*relig.*) **the D.**, lo Spirito Santo ● **d.-colour** (*o* **coloured**), (di un) color grigio rosato; color tortora □ **d.-eyed**, dagli occhi di colomba; innocente.

dove ② /dəʊv/ (*spec. USA*) pass. di **to dive**.

dovecot /'dʌvkɒt/ n. → **dovecote**.

dovecote /'dʌvkɒt/ n. colombaia; piccionaia ● (*fig., antiq.*) **to flutter the dovecotes**, creare uno scompiglio; mettere in subbuglio.

doveish /'dʌvɪʃ/ e deriv. → **dovish**, e deriv.

dovelike /'dʌvlaɪk/ a. dolce; gentile; mansueto; mite.

dovetail /'dʌvteɪl/ n. (*tecn.*) coda di rondine: **d. joint**, incastro a coda di rondine.

to **dovetail** /'dʌvteɪl/ **A** v. t. **1** (*tecn.*) congiungere (*o unire*) con un incastro a coda di rondine **2** (*fig.*) collegare, far combaciare (*progetti, ecc.*); fare coincidere (*periodi, vacanze, ecc.*) **B** v. i. **1** (*tecn.*) fare un incastro a coda di rondine **2** (*fig.*) inserirsi perfettamente; essere collegato alla perfezione; combaciare; formare un tutto organico: *According to Galileo, the laws of nature and the laws of physics d.*, secondo Galileo, le leggi della natura e quelle della fisica fanno un tutto organico ● (*fig.*) **to d. with**, combaciare (*o coincidere*) con.

dovish /'dʌvɪʃ/ (*polit.*) a. di, da colomba; moderato ‖ **dovishness** n. ⓤ (l') essere una colomba; moderatezza.

Dow (the) /daʊ/ n. ⓤ (*fam. per* **Dow Jones index**) (*Borsa, fin., USA*) l'indice Dow Jones (*della NYSE*); il Dow Jones.

dowager /'daʊədʒə(r)/ n. **1** vedova nobile, titolata **2** (*fam.*) distinta vecchia signora ● **the d. duchess**, la duchessa madre □ **the queen d.**, la regina madre.

dowdy /'daʊdɪ/ **A** a. sciatto, trascurato, trasandato (*nel vestire*) **2** (*d'abito, ecc.*) poco elegante; demodé (*franc.*) **B** n. sciattona; donna malvestita ‖ **dowdiness** n. ⓤ sciatteria, trascuratezza, trasandatezza (*nel vestire*).

dowel /'daʊəl/ n. **1** (*falegn.,* = **d. pin**) caviglia; spina **2** (*mecc.*) chiodo senza testa; perno (*di riferimento*).

to **dowel** /'daʊəl/ v. t. congiungere, unire (qc.) con caviglie (*o perni*); (*falegn.*) incavi-

a b c d e f g h i j k l m n o p q r s t u v w x y z

d

gliare ‖ **dowelling** n. Ⓤ (*falegn.*) incaviglia-tura.

dower /'daʊə(r)/ n. **1** (*leg.*, *stor.*) doario, dovario; controdote (*abolito in Inghil. nel 1925*) **2** (*fig.*) dote; qualità; talento.

to **dower** /'daʊə(r)/ v. t. **1** (*leg.*, *stor.*) assegnare il doario a (*una moglie*) **2** (*arc.*, *fig.*) dotare: *He is dowered with many talents*, è dotato di molte qualità.

down ① /daʊn/ n. **1** collina erbosa **2** piccola duna ● (*geogr.*) **the Downs**, la rada di Deal □ (*geogr.*) **the South Downs**, le colline gessose nel sud dell'Inghilterra.

down ② /daʊn/ n. Ⓤ (pl. **downs**, **downs**) **1** (*di uccelli acquatici, ecc., usato per cuscini e piumini*) piumino **2** Ⓤ lanugine; peluria ● **d. comforter**, piumino da letto.

◆**down** ③ /daʊn/ Ⓐ avv. **1** giù, in giù; abbasso; di sotto; a terra; in ginocchio: *Put that gun d.*, metti giù quel fucile; *They held him d.*, lo tennero giù (*o a terra*; *e fig.*: a freno); *He had his head d.*, teneva la testa giù; stava a capo chino; *The flap of this envelope won't stay d.*, il lembo di questa busta non vuole star giù; *to lie face d.*, giacere a faccia in giù; *Keep d.!*, sta' giù!; (*mil.*) state giù (*o al riparo*)!; *'D., therefore, and beg mercy of the duke'* W. SHAKESPEARE, 'in ginocchio, dunque, e chiedi misericordia al doge!' **2** (*comm.*) come anticipo; in contanti: *Five hundred dollars d. and the remainder in instalments*, cinquecento dollari in contanti e il resto a rate **3** per iscritto; scritto; annotato; giù (*fam.*): *I have his phone number d. somewhere*, ho il suo numero di telefono scritto da qualche parte; *Did you get d. the offender's plate number?*, hai preso giù il numero di targa del trasgressore? **4** in lista: *Put me (o my name) d. for ten pounds*, mettimi in lista per dieci sterline **5** giù (di morale); depresso; abbattuto; avvilito; giù di corda (*fam.*): *I'm feeling d. today*, oggi mi sento giù (*o sono giù di corda*) **6** a venir giù; a partire dall'alto: *You'll find it in the third drawer d.*, lo troverai nel terzo cassetto a partire dall'alto **7** da cima a fondo; a fondo: *Let's clean it d.*, puliamolo a fondo! **8** (idiom., per es.:) *Nail the lid d.!*, inchioda il coperchio!; *We went d. to Sicily*, andammo in Sicilia **9** (nei verbi frasali, è idiom.; per es.:) **to go d.**, andare giù; scendere; tramontare; calare; affondare; ecc.; **to come d.**, venire giù; (→ **to go d.**; **to come d.**; ecc.) ❶ NOTA: *up to o down to?* → **up** ① Ⓑ avv. e pred.: **to be d. 1** essere venuto giù; essere sceso: *He's awake, but not d. yet*, è sveglio, ma non è ancora sceso (*dalla sua camera*) **2** essere giù; essere abbassato; (*di un fiume*) essersi abbassato, essere in stanca: *The blinds were d.*, le tendine erano giù (*o abbassate*); *The lid is d.*, il coperchio è abbassato; *The shutter is d.*, la serranda è abbassata (*o è giù*); *The river is d.*, il fiume è in stanca; l'acqua è bassa **3** essere andato giù (*o tramontato, o caduto*): *The sun is already d.*, il sole è già andato giù (*o tramontato*); *The wind is d.*, è caduto il vento **4** essere calato; essere sceso; (*Borsa, fin., market.*) essere andato giù di prezzo; essere in ribasso; essersi ridotto: *The tide is d.*, la marea è calata; (*sport*) *The gap is d. to 20 seconds*, il ritardo è sceso a 20 secondi; *Gold is d.* (*in price*), l'oro è in ribasso; *Unemployment is d. by 3%*, la disoccupazione è scesa del 3%; *The Dow was d. more than 50 points in an hour*, dopo un'ora il Dow Jones segnava un ribasso di oltre 50 punti; *Exports are d. to an all-time low*, le esportazioni si sono ridotte al minimo storico **5** essere a terra (*anche fig.*); essere giù (*fig.*); (*boxe*) essere al tappeto; essere depresso (*o abbattuto, abbacchiato, avvilito, demoralizzato*); (*autom.*) *One of the tyres must be d.*, devo avere una gomma a terra; *He was utterly d.*

after failing his exam, era a terra (*o assai giù, demoralizzato, ecc.*) dopo essere stato bocciato all'esame **6** essere sotto (*fig.*); (*anche sport*) essere in svantaggio; essere in debito; (*nelle corse*) essere in ritardo: *The chasers were 50 seconds d.*, gli inseguitori erano in ritardo di 50 secondi; (*autom.*) **to be two laps d.**, essere in ritardo di due giri; *The gambler was 10,000 dollars d.*, il giocatore era sotto di 10 000 dollari; *We are three goals d. with four minutes left to play*, siamo sotto di tre reti, con appena quattro minuti ancora da giocare; *Two d. at the interval, we eventually won 4-2*, sotto di due gol a metà partita, andammo a vincere per 4 a 2 **7** (*di un apparecchio, ecc.*) essere inattivo; essere spento; essere guasto: *My computer is d.*, il mio computer non è in funzione **8** (*fam.*) essere a letto; essere allettato: *He's d. with flu*, è a letto con l'influenza **9** essere in lista; essere iscritto; essersi impegnato; (*di un attore, ecc.*) essere incluso, far parte di (*un programma, ecc.*): *Are you d. for maths?*, sei in lista per l'esame di matematica?; *He was d. for Harrow before he was born*, era già iscritto a Harrow prima di nascere; *I'm d. for 50 pounds for her birthday present*, mi sono impegnato per 50 sterline per farle il regalo del compleanno **10** essere preso giù (*fam.*); essere annotato (*o scritto, segnato*): *His phone number is d. in my notebook*, il suo numero di telefono è annotato nel mio taccuino; *All the names are d. pat*, ho proprio preso giù tutti i nomi **11** (*fam.*) essere pronto; essere fatto (*o finito*): *Everything is d. for the party*, tutto è pronto per la festa; *Three d. and four to go*, tre sono fatti, e quattro (ancora) da fare **12** (*in talune università* ingl.) (*di un docente*) non essere in servizio; essere in sabbatico; (*di uno studente*) essere in vacanza; (*anche*) essere espulso **13** (*sport*) (*della palla*) essere fuori gioco; (*baseball: di un giocatore*) essere eliminato; (*cricket: del wicket*) essere stato abbattuto **14** (*slang USA*) essere ubriaco (*o sbronzo*) **15** (*fam.*) **to be d. on**, avercela con (q.); dare addosso a (q.); assillare, importunare: *The media are d. on him because of his allegedly attempted briberies*, i media gli danno addosso a causa dei suoi presunti tentativi di corruzione; *She's always d. on her husband for a new fur*, assilla di continuo il marito per farsi comprare una pelliccia nuova **16** – **to be d. to sb.**, spettare, toccare a q.: *It's d. to you to find out a solution to the problem*, tocca a te trovare una soluzione del problema **17** – **to be d. to**, essere dovuto a, causato da; essere ridotto a, essere rimasto con (*poco o nulla*): *The latest aircrash is d. to the thick fog hanging over the airport*, l'ultimo disastro aereo è dovuto alla fitta nebbia che gravava sull'aeroporto; *By midnight I was d. to my last penny*, a mezzanotte m'ero ridotto all'ultima lira Ⓒ inter. **1** giù!; a terra! (*a un cane*) cuccia!; seduto! ● **to be d. as a carpenter (a joiner, etc.)**, essere registrato come carpentiere (falegname, ecc.) □ **d. at the end of the street**, in fondo alla strada □ (*naut.*) **to be d. by the head**, essere appruato □ (*naut.*) **to be d. by the stern**, essere appoppato □ (*in USA*) **D.-Easter**, abitante della Nuova Inghilterra (*spec.* del Maine) □ (*boxe*) **to be d. for the count**, subire il conteggio totale; essere contato fino a 10 □ (*boxe*) **to be d. for a count of 8**, essere contato fino a 8 □ **d. here**, qui attorno; da queste parti; nei paraggi ● (*fam.*) **to be d. in the mouth**, essere abbattuto (*o triste, scoraggiato*) □ **to be d. on one's luck**, attraversare un brutto periodo; essere messo so male (*a soldi*) □ **to be d. on sb.'s slightest errors**, essere inesorabile per i ben che minimi errori di q. □ (*di una clausola, ecc.*) **d. on paper**, essere messo per iscritto □ **d. south**, giù nel sud □ **d. there**, laggiù □ **d. to**,

fino a: **to name all the Popes d. to Gregory the Great**, dire i nomi di tutti i Papi fino a Gregorio Magno □ **d.-to-earth**, (*di persona*) realista, pratico; coi piedi sulla terra (*fam.*); (*di un progetto, ecc.*) realistico, concreto □ (*fam.*) **d. to the ground**, completamente; del tutto; fino in fondo □ (*fam.*) **d. under**, dall'altra parte del mondo; agli antipodi; in Australia (*o in Nuova Zelanda*) □ **d. with**, abbasso: *D. with the dictator!*, abbasso il dittatore! □ **to come d. to earth**, tornare con i piedi sulla terra (*fig.*); essere richiamato alla dura realtà; aprire gli occhi (*fig.*); accorgersene □ **to fly from Inverness d. to London**, andare in aereo da Inverness a Londra □ **from king d. to cobbler**, dal re fino al più umile suddito (*letteralm.* al ciabattino) □ **to go by train from London d. to Kent**, andare in treno da Londra nel Kent □ **Her hair was d.**, aveva i capelli sciolti (*sulle spalle*).

down ④ /daʊn/ a. attr. (che va) in giù, verso il basso; rivolto in basso; discendente; in discesa; in pendenza: **a d. leap**, un salto in giù (*o verso il basso*); **a d. look**, uno sguardo rivolto verso il basso ● **d.-and-dirty**, aggressivo e disonesto; sporco (*fig.*); indecente; sconcio □ (*econ.*) **d. cycle**, ciclo sfavorevole □ (*Borsa*) **a d. market**, un mercato al ribasso □ (*comm.*) **d. payment**, acconto, anticipo; versamento della prima rata □ (*ferr.*) **d. platform**, marciapiede di partenza (*o d'arrivo*) di un «down train» □ **d. shaft** → **downcast** ② □ (*autom.*) **d. traffic**, traffico in uscita (*dalla città*) □ **a d. train**, un treno che dalla città principale (*per es., Londra*) porta in provincia.

◆**down** ⑤ /daʊn/ prep. **1** giù per; verso il basso, a valle di: *She ran d. the stairs*, corse giù per le scale; **to walk d. a hill**, andare giù per un colle; discendere un colle; **to sail d. a river**, navigare giù per (*o verso la foce di*) un fiume; scendere a valle **2** lungo; per: **d. the corridor**, lungo il corridoio; *Her hair was hanging d. her back*, i capelli le scendevano lungo la schiena; *He was running d. the street*, correva per la strada **3** in fondo a: *The train disappeared d. the tunnel*, il treno scomparve in fondo alla galleria **4** (*di tempo*) attraverso: **d. the centuries**, attraverso i secoli; nei secoli ● **d. the left**, sulla sinistra; sul fianco (*o sul lato*) sinistro □ (*fam. USA*) **d. the line**, in linea gerarchica; facendo tutta la scala (*fig.*); (*anche*) nei quartieri malfamati (*di una città*) □ **d. the right**, sulla destra; sul lato (*o sul fianco*) destro □ **The village is situated d. the Thames**, il villaggio è sul Tamigi, più a valle □ **They live just d. the road**, abitano in questa strada, un po' più giù.

down ⑥ /daʊn/ n. **1** basso; rovescio (*della sorte*): **the ups and downs of life**, gli alti e bassi della vita **2** periodo di crisi; crisi: (*econ.*) **seasonal downs**, crisi stagionali **3** (*fin., Borsa*) ribasso: *All shares are on the d.*, tutte le azioni sono in ribasso **4** (*boxe, lotta*) atterramento **5** (*football americano*) 'down'; gioco ● (*fam.*) **to have a d. on sb.**, sentire avversione (*o antipatia*) per q.; avercela con q.

to **down** /daʊn/ v. t. (*fam.*) **1** mettere giù; posare; mettere via: **to d. the ball**, mettere a terra la palla **2** abbattere; atterrare; gettare a terra **3** (*mil.*) abbattere (*un aereo, ecc.*) **4** (*fam. USA*) battere, sconfiggere (*un avversario*) **5** (*polit.*) bocciare (*un disegno di legge, ecc.*) **6** (*naut.*) abbassare, calare (*una vela, un segnale*) **7** mandar giù; ingoiare, divorare; tracannare; scolarsi (*fam.*): **to d. a bottle of wine**, scolarsi una bottiglia di vino: *He downed his hot dog in a whiff*, ingoiò il suo hotdog in un baleno **8** (*boxe, lotta*) atterrare; mettere (*o mandare*) al tappeto ● **to d. tools**, incrociare le braccia; sciopera-

re; (*di un sindacato*) proclamare lo sciopero.

down-and-out /'daʊnən'aʊt/ **A** a. **1** fallito; spiantato; senza un soldo; al verde **2** malandato; malmesso **3** (*sport*) esausto; che le ha spese tutte (*fam.*); suonato: **a down-and-out boxer**, un pugile suonato **B** n. → **down-and-outer**.

down-and-outer /'daʊnən'aʊtə(r)/ n. **1** poveraccio; fallito; spiantato **2** individuo malmesso; vagabondo; barbone.

down-at-heel /'daʊnət'hiːl/ a. **1** (*di calzatura*) scalcagnato **2** scalcinato: **a down-at-heel hotel**, un albergo scalcinato **3** (*di persona*) scalcagnato; male in arnese; scalcinato; trasandato.

downbeat /'daʊnbiːt/ **A** n. (*mus.*) tempo in battere; tempo forte; attacco (*del direttore d'orchestra*) **B** a. (*fam.*) **1** pessimistico; triste; depresso **2** distaccato; rilassato; in tono minore: **d. clothes**, vestiario in tono minore; abiti casual ● **a film with a d. ending**, un film con un finale triste (o che finisce male).

downcast① /'daʊnkɑːst/ a. **1** abbattuto; depresso; scoraggiato; triste **2** (*dello sguardo*) rivolto in basso ● **with d. eyes**, con gli occhi bassi.

downcast② /'daʊnkɑːst/ n. (*nelle miniere*) pozzo d'aerazione.

downcomer /'daʊnkʌmə(r)/ n. (*tecn.*) tubo discendente (*di caldaia, ecc.*).

downcourt /'daʊnkɔːt/ avv. e a. attr. (*basket*) in avanti; in profondità: **to move the ball d.**, portare avanti la palla.

downdraft /'daʊndrɑːft/ n. (*USA*) corrente d'aria discendente.

down-draught /'daʊndrɑːft/ n. (*ingl.*) corrente d'aria discendente.

downer /'daʊnə(r)/ n. (*fam.*) **1** sedativo; tranquillante **2** persona deprimente; barba, borsa, lagna (*fam.*) **3** situazione (o esperienza) deprimente **4** abbattimento; depressione: *I'm on a d. today*, oggi sono giù di corda **5** (*econ.*) fase di flessione; tendenza depressionaria.

downfall /'daʊnfɔːl/ n. **1** ⓤ caduta; rovina; sfacelo: *His d. was due to ambition*, la sua rovina fu dovuta all'ambizione **2** precipitazione atmosferica: **heavy downfalls**, forti precipitazioni; **a d. of snow**, una grande nevicata ● (*polit.*) **the d. of the government**, la caduta del governo □ **the d. of my hopes**, il crollo delle mie speranze.

downfield /'daʊnfiːld/ avv. e a. attr. (*calcio, ecc.*) verso il fondocampo; in profondità; in avanti: **d. pass**, passaggio in profondità.

downgrade /'daʊngreɪd/ n. **1** abbassamento di livello; retrocessione; dequalificazione **2** (*USA*) discesa, pendenza (*di strada o ferrovia*) **3** (*fig.*) declino; ribasso (*fig.*): (*USA*) **on the d.**, in declino **4** (*tecn.*) ridimensionamento; versione ridotta.

to **downgrade** /ˌdaʊn'greɪd/ v. t. **1** ridurre di importanza; abbassare di livello; ridimensionare **2** abbassare di livello (*un dipendente, un funzionario, ecc.*); retrocedere; declassare; dequalificare **3** sminuire l'importanza di; minimizzare **4** (*tecn.*) ridimensionare.

downhaul /'daʊnhɔːl/ n. (*naut.*) alabasso; caricabasso.

downhearted /daʊn'hɑːtɪd/ a. scoraggiato; abbattuto; avvilito | **-ly** avv. | **-ness** n. ⓤ.

downhill /'daʊnhɪl/ **A** a. e avv. in discesa (*anche fig.*); in pendenza; in pendio: **a d. road**, una strada in discesa; *The difficult part of the work is over; it's all d. from now on*, il difficile del lavoro è fatto; d'ora innanzi è tutto in discesa; **to go d.**, (*ciclismo, ecc.*) andare in discesa; (*fig.*) peggiorare; essere in declino (o in ribasso); essere sempre più

malandato (*in salute*) **B** n. **1** (*antiq.*) declivio; discesa; pendio **2** (*fig.*) declino: **in the d. of life**, nel declino della vita **3** (*sci*, = **d. race**) gara di discesa; discesa libera; (la) discesa: **the d. champion**, il campione di libera ● (*sci*) **d. racer**, discesista □ (*sci*) **d. racing**, discesa libera □ **d. skier**, discesista □ **d. skiing**, discesa libera (*la specialità*) □ **d. skis**, sci da discesa.

downhiller /'daʊnhɪlə(r)/ n. (*sci*) discesista.

downiness /'daʊnɪnəs/ n. ⓤ l'esser lanuginoso (o soffice); morbidezza.

Downing Street /'daʊnɪŋ'striːt/ n. **1** Downing Street (*strada di Londra in cui, al n. 10, è la residenza ufficiale del Primo Ministro*) **2** (*fig.*) il governo britannico.

downlink /'daʊnlɪŋk/ n. (*miss.*) collegamento spazio-terra (*di un'astronave o di un satellite per telecomunicazioni*).

download /'daʊnləʊd/ n. (*comput.*) download (*scaricamento di software e/o dati da Internet*).

to **download** /'daʊnləʊd/ v. t. (*comput.*) scaricare (*dati, file, ecc.*): *I want to d. the application form*, voglio scaricare il modulo di iscrizione.

downloadable /daʊn'ləʊdəbl/ a. (*comput.*) scaricabile (*da Internet*).

downmarket, **down-market** /daʊn-'mɑːkɪt/ a. attr. (*comm.*: *di un prodotto*) destinato a una fascia bassa di clienti.

downmost /'daʊnməʊst/ a. e avv. (*situato*) più in basso di tutti.

downpipe /'daʊnpaɪp/ n. (*edil.*) pluviale; doccia.

to **downplay** /'daʊnpleɪ/ v. t. (*fam.*) minimizzare; fare apparire (qc.) poco rilevante.

downpour /'daʊnpɔː(r)/ n. acquazzone; rovescio (o scroscio) di pioggia.

downright /'daʊnraɪt/ **A** a. **1** onesto; franco; sincero; schietto; esplicito: **a d. person**, una persona onesta, sincera; **a d. answer**, una risposta franca, schietta **2** assoluto; perfetto; bell'e buono; chiaro: *It's a d. attack*, è un attacco bell'e buono; **a d. insult**, un chiaro affronto; un'offesa bell'e buona **B** avv. assolutamente; categoricamente; del tutto; proprio: **d. rude**, proprio sgarbato; *He refused d.*, rifiutò categoricamente | **-ness** n. ⓤ.

downriver /daʊn'rɪvə(r)/ avv. e a. attr. lungo la corrente; a valle.

to **downsample**, to **down-sample** /daʊn'sæmpl/ v. t. (*comput.*) sottocampionare (*un'immagine o un file audio riducendone qualità e peso*).

downscrolling /'daʊnskrəʊlɪŋ/ n. ⓤ (*comput.*) scorrimento verso il basso.

to **downshift** /'daʊnʃɪft/ v. i. **1** (*autom. USA*) scalare marcia **2** (*fig.*) rinunciare a un lavoro lucrativo ma stressante scegliendone uno più gratificante per la qualità della vita || **downshifting** n. ⓤ **1** (*autom. USA*) scalata di marce **2** (*fig.*) scelta del lavoro in base alla migliore qualità della vita che consente.

downside /'daʊnsaɪd/ n. aspetto negativo; lato negativo; svantaggio.

to **downsize** /'daʊnsaɪz/ **A** v. t. (*econ.*) ridimensionare (*un'azienda, ecc.*) **B** v. i. ridimensionarsi || **downsizing** n. ⓤ (*econ.*) ridimensionamento.

downspout /'daʊnspaʊt/ (*USA*) → **downpipe**.

Down's syndrome /'daʊnz'sɪndrəʊm/ loc. n. (*med.*) sindrome di Down; mongolismo.

downstage /daʊn'steɪdʒ/ **A** n. (*teatr.*) avanscena; proscenio **B** avv. verso la ribalta; alla ribalta: *The heroine came d.*, la protagonista venne alla ribalta ● **d. action**,

azione che si svolge sul proscenio.

♦**downstairs** /'daʊn'stɛəz/ **A** avv. giù (*dalle scale*); di sotto; al piano di sotto; dabbasso: **to go d.**, andare di sotto; scendere le scale **B** a. (= **downstair**) al piano inferiore; (*spec.*) al piano terreno: **a d. room**, una stanza al piano inferiore **C** n. pl. **1** (*fam., ingl.*) i domestici (*che un tempo abitavano al pianterreno*) **2** (*eufem.*) il sedere; i genitali; là dove non batte il sole (*fam.*).

downstate /'daʊnsteɪt/ (*USA*) **A** n. ⓤ la parte meridionale (*di uno Stato*); zona rurale **B** a. del sud (*di uno Stato*) **C** avv. nel sud; verso il sud (*dello Stato*).

downstream /'daʊnstriːm/ a. e avv. **1** lungo la corrente (*d'un fiume*) **2** (*anche fig.*) a valle: **d. effects**, effetti a valle; (*comput.*) **d. bandwidth**, larghezza di banda a valle.

downstreet /'daʊnstriːt/ avv. (*USA*) → **downtown**, **A**.

downstroke /'daʊnstrəʊk/ n. **1** (*mecc.*) corsa discendente (*di un pistone*) **2** (*sport*: *cricket*, *golf*, *ecc.*) colpo dall'alto verso il basso.

downswing /'daʊnswɪŋ/ n. **1** discesa; pendio **2** (*econ.*) fase di flessione; tendenza depressionaria **3** (*golf*) 'downswing'.

downtime /'daʊntaɪm/ n. ⓤ **1** (*comput.*) downtime; tempo di fermo (*per un guasto o per manutenzione*) **2** (*org. az.*) tempo di attesa (o d'inattività) **3** (*fam. USA*) tempo libero.

♦**downtown** /'daʊntaʊn/ (*spec. USA*) **A** avv. verso il (o nel) centro (*della città*) **B** a. del centro: **a d. store**, un negozio del centro **C** n. ⓤ il centro (*della città*); il centro commerciale; il quartiere degli affari ● **d. New York**, il centro commerciale di New York □ **to go d.**, andare in centro.

downtrend /'daʊntrend/ n. **1** calo; declino; diminuzione **2** (*econ.*) fase di flessione; tendenza depressionaria (o al ribasso).

downtrodden /'daʊntrɒdn/ a. (*lett.*) calpestato; oppresso; tiranneggiato.

downtube /'daʊntjuːb, *USA* -tuː-/ n. (*tecn.*) tubo obliquo (*di bicicletta*).

downturn /'daʊntɜːn/ n. (*econ.*) svolta sfavorevole; flessione; calo; tendenza depressionaria: **a d. in orders**, un calo delle commesse.

downward① /'daʊnwəd/ a. **1** in discesa; in pendio: **a d. run**, una corsa in discesa **2** in giù; verso il basso: **a d. motion**, un movimento verso il basso **3** (*fig.*) degradante; che trascina in basso ● **a d. career**, una carriera a rovescio; la carriera dell'asino □ (*econ.*) **d. drift** = **d. trend** □ *sotto* □ (*calcio*) **d. header**, colpo di testa verso il basso □ (*demogr.*) **d. mobility**, mobilità verso il basso □ (*econ.*) **d. phase**, fase di flessione □ **a d. slope**, una discesa □ (*econ.*) **d. stickiness**, resistenza al ribasso, vischiosità (*dei prezzi*) □ (*econ.*) **a d. trend**, una tendenza al ribasso; uno sfavorevole andamento congiunturale □ **d. turn** → **downturn**.

downwards /'daʊnwədz/, **downward**② /'daʊnwəd/ avv. **1** in giù; verso il basso: *He was lying face d.*, giaceva a faccia in giù **2** verso tempi più recenti: *If we go d. in history...*, se, nella storia, andiamo verso tempi più recenti... **3** (*fig.*) in basso; verso la rovina ● (*di tempo*) **d. to** = **down to** □ **down**③.

downwash /'daʊnwɒʃ/ n. ⓤ (*mecc. dei fluidi, aeron.*) deflessione verso il basso.

downwind /'daʊn'wɪnd/ **A** n. (*naut.*) vento in poppa **B** a. e avv. (*anche naut.*) sottovento.

downy① /'daʊnɪ/ a. (*di terreno, paesaggio*) **1** ondulato **2** a dune; di dune.

downy② /'daʊnɪ/ a. **1** coperto di piume (o di peluria) **2** lanuginoso; morbido; soffice;

vellutato 3 (*slang*) sveglio; che sa il fatto suo.

to downzone /daʊnˈzəʊn/ v. t. (*USA*) assegnare (*un terreno, una costruzione, ecc.*) a una categoria con una minore densità edilizia autorizzata.

dowry /ˈdaʊərɪ/ n. **1** (*leg.*) dote **2** (*fig.*) dote naturale; dono; talento: *Poetry was his d.*, aveva il dono della poesia.

to dowse ① /daʊs/ → **to douse** ②.

to dowse ② /daʊz/ v. i. cercare acqua (*o minerali*) con la bacchetta da rabdomante.

dowser /ˈdaʊzə(r)/ n. **1** rabdomante **2** bacchetta da rabdomante.

dowsing /ˈdaʊzɪŋ/ n. ☐ rabdomanzia • **d. rod**, bacchetta da rabdomante.

doxographer /dɒkˈsɒɡrəfə(r)/ n. (*stor.*) dossografo.

doxology /dɒkˈsɒlədʒɪ/ n. ☐ (*relig.*) dossologia.

doxy ① /ˈdɒksɪ/ n. ☐ credo; opinione; dottrina.

doxy ② /ˈdɒksɪ/ n. (*slang antiq.*) **1** donna di facili costumi; prostituta **2** amante.

doyen /ˈdɔɪən/ n. (*in diplomazia e fig.*) decano.

doyenne /dɔɪˈɛn/ n. decana.

doz. abbr. (**dozen**) dozzina.

doze /dəʊz/ n. sonnellino; (*fam.*) pisolino; pisolo.

to doze /dəʊz/ v. i. **1** sonnecchiare; dormicchiare; fare un pisolino **2** essere assopito, appisolato • **to d. off**, appisolarsi.

♦**dozen** /ˈdʌzn/ n. (pl. **dozens, dozen**) **1** dozzina: **two d. handkerchiefs**, due dozzine di fazzoletti; **to buy things in dozens**, comprare oggetti a dozzine **2** (pl.) (*fig.*) dozzine; un mucchio, un sacco di: *Dozens of people are coming behind me*, un sacco di gente mi sta seguendo • (*fam.*) **to talk nineteen to the d.**, parlare ininterrottamente ‖ **dozenth** a. **1** dodicesimo **2** (*fam.*) ennesimo: *I told him for the dozenth time*, glielo dissi per l'ennesima volta.

dozy /ˈdəʊzɪ/ a. **1** sonnolento; sonnacchioso; torpido: **d. feeling**, sonnolenza **2** (*slang ingl.*) stupido; tonto ‖ **dozily** avv. sonnacchiosamente; torpidamente ‖ **doziness** n. ☐ sonnolenza; sonnacchiosità; torpore.

DP sigla **1** (**data processing**) elaborazione dati **2** (**displaced person**) profugo; rifugiato politico.

DPh, DPhil /diːˈfɪl/ abbr. (*lat.*: *Doctor Philosophiae*) (**Doctor of Philosophy**) dottore in filosofia.

dpi sigla (*comput.*, **dots per inch**) punti per pollice.

dpt abbr. (**department**) dipartimento; reparto.

Dr. abbr. **1** (**doctor**) dottore **2** (*negli indirizzi*, **Drive**) strada; via.

dr. abbr. **1** (*comm.*, **debtor**) debitore **2** (**drachma**) dracma.

drab ① /dræb/ a. **1** bruno-giallastro; grigiastro beige **2** grigio (*fig.*); monotono; tetro; incolore.

drab ② /dræb/ n. (*antiq.*) **1** prostituta; sgualdrina **2** donna trasandata; sciattona **3** (pl.) → **dribs**.

to drab /dræb/ v. i. (*antiq.*) frequentare prostitute; andare a puttane (*volg.*).

to drabble /ˈdræbl/ **A** v. t. imbrattare; sporcare (*trascinando nel fango*) **B** v. i. imbrattarsi; sporcarsi • **to d. through mud**, diguazzare nel fango.

drably /ˈdræblɪ/ avv. in modo incolore (*o monotono*).

drabness /ˈdræbnəs/ n. ☐ (*fig.*) grigiore; monotonia.

dracaena /drəˈsiːnə/ n. (*bot.*, *Dracaena*) dracena.

---

drachm /dræm/ n. **1** → **drachma 2** → **dram**.

drachma /ˈdrækmə/ n. (pl. ***drachmas, drachmae, drachmai***) dracma (*moneta greca prima dell'introduzione dell'euro*).

Draconian /dreɪˈkəʊnɪən/ a. (*stor. e fig.*) draconiano: **D. laws**, leggi draconiane.

draff /dræf/ n. ☐ **1** feccia (*del vino*); deposito; sedimento **2** scorie (*del malto*).

♦**draft** /drɑːft/ n. **1** stesura; abbozzo; bozza; minuta: **the d. of a contract**, la bozza di un contratto; (*leg.*) **d. contract**, bozza (*o schema*) di contratto; **the d. of a letter**, la minuta di una lettera; **the first d. of a novel**, la prima stesura (*o l'abbozzo*) di un romanzo; **to write the first d. of st.**, scrivere qc. in prima stesura **2** schema; schizzo; disegno: **a d. for a machine tool**, lo schizzo (*o il disegno schematico*) d'una macchina utensile **3** (*comput.*) (modalità) bozza **4** (*fin.*) effetto; tratta; cambiale tratta: *A cheque is a d. on a banker*, l'assegno bancario è una tratta spiccata su una banca; **d. on demand** (*o* **sight d.**), tratta a vista **5** (*comm.* = **d. allowance**) abbuono «per calo peso» (*o* «per corpi estranei») **6** (*mil.*) distaccamento; squadra distaccata; reparto (*scelto per un'operazione particolare*) **7** ☐ (*mil. USA*, = **the d.**) coscrizione; chiamata alle armi (*cfr. ingl.* **conscription**): **d. board**, commissione di leva; **d. dodger**, renitente alla leva; **d. registration**, iscrizione nella lista di leva **8** (*sport USA*) (sistema di) ingaggio di giocatori nuovi da parte di squadre professioniste **9** (*USA*), → **draught**, *def. 1-8* **10** (*edil.*) orlo; listello (*su una pietra*); bozza (*su un muro*) **11** (*costr. idrauliche*) sezione (*di una bocca di scarico*) **12** ☐ (*metall.*) sformo; spoglia **13** ☐ (*metall.*) trafilato; (*anche*) trafilatura • (*fin.*) **d. budget**, bilancio preventivo di massima • **d. package of requests**, piattaforma comune di richieste (preliminari) ☐ (*fam. USA*) **to feel a d.**, avvertire intorno a sé freddezza o ostilità; sentirsi male accetto; sentirsi circondato da un'atmosfera di pregiudizio razziale.

---

❶ Nota: *draft o draught?*

Il sostantivo *draft* ha diversi significati, tra cui "bozza", "tratta" o "leva, chiamata alle armi": *a first draft*, una prima bozza; *draft board*, commissione di leva. Anche *draught* ha vari significati, oltre al basilare "tiro", "trazione": *draught animals*, animali da tiro; *draught beer*, birra alla spina. Questi due sostantivi che si pronunciano allo stesso modo nell'inglese britannico si scrivono, appunto, in modo diverso, mentre nell'inglese americano invece si scrivono entrambi *draft*.

---

to draft /drɑːft/ **A** v. t. **1** scrivere in prima stesura; stendere una bozza di; fare un abbozzo di; abbozzare; redigere, stendere (*un documento legale*); (*tecn.*) progettare: **to d. a contract**, stendere una bozza di contratto; **to d. a parliamentary bill**, preparare un disegno di legge **2** schizzare; abbozzare; disegnare **3** (*mil.*) distaccare (*un reparto*); mandare in missione speciale (*soldati*) **4** (*USA*) chiamare alle armi; arruolare (*cfr. ingl.* **to conscript**) **5** (*polit.*, *USA*) selezionare, scegliere (*candidati*) **6** (*edil.*) incidere un orlo (*o un listello*) su (*una pietra*) **B** v. i. (*autom.*, *sport*) farsi «tirare» (*fam.*); stare nella scia (*di un'altra vettura*).

■ **draft in** v. t. + avv. (scegliere e) inviare; distaccare: *Extra police were drafted in*, vennero inviati rinforzi di polizia.

draftee /drɑːfˈtiː/ n. (*mil.*, *USA*) coscritto; soldato di leva (*cfr. ingl.* **conscript**).

drafter /ˈdrɑːftə(r)/ n. chi prepara una bozza; estensore (*di un documento*).

drafting /ˈdrɑːftɪŋ/ n. ☐ **1** formulazione; stesura; redazione; (*tecn.*) progettazione **2** disegno; abbozzo: **d. board** (*o* **table**), tavolo

---

da disegno; **d. machine**, tecnigrafo; **d. paper**, carta da disegno (*per disegno tecnico*).

draftsman /ˈdrɑːftsmən/ n. (pl. ***draftsmen***) **1** (*leg.*, *polit.*) estensore; redattore **2** (*USA*) → **draughtsman**.

draftswoman /ˈdrɑːftswʊmən/ (*USA*) → **draughtswoman**.

drafty /ˈdrɑːftɪ/ (*USA*) → **draughty**.

♦**drag** /dræg/ n. **1** (*agric.*) erpice pesante; frangizolle **2** rozza slitta; treggia **3** (*un tempo*) carrozza chiusa; diligenza; tiro a quattro **4** (= **dragnet**) rete a strascico (*da pesca o per selvaggina*) **5** draga; cavafango **6** (*in un carro agricolo*) freno a ceppi; martinicca **7** (*fig.*) impedimento; ostacolo; peso: *His large family has always been a d. on him*, la sua numerosa famiglia è stata sempre un peso per lui **8** ☐ (*caccia*) odore di selvaggina; preda fittizia (*oggetto, che lascia un forte odore sul terreno, usato per l'allenamento di cani da caccia detti* **draghounds**) **9** ☐ (*mecc. dei fluidi*) resistenza, trascinamento; (*aeron.*) resistenza aerodinamica **10** (*metall.*) fondo della staffa **11** (*fam.*) tirata, boccata (*di sigaretta*) **12** (*fam. USA*) autorità; influenza **13** (*slang*) posto noioso; noia; scocciatura, rottura, lagna, barba (*fam.*) **14** (*slang*) individuo noioso; scocciatore, seccatore; barba, borsa, lagna (*fam.*) **15** (*slang*) abbigliamento di travestito; travesti (*fam.*): **to be in d.**, essere in travesti **16** (*slang*) festa di travestiti; balletto verde **17** (*slang USA*) treno; treno merci **18** (*slang USA*) strada; via **19** (*slang USA*) ragazza fissa (*con cui si esce*) **20** (*slang USA*) modo di vestire; tenuta: **to be in corporate d.**, essere vestito da uomo d'affari **21** (*gergo mil.*, *USA*) fanalino di coda (*fig.*) • (*teatr.*) **d. act**, numero fatto da un attore vestito da donna (*o da un'attrice vestita da uomo*) ☐ (*mecc.*) **d. bar**, barra di trazione ☐ **d. boat**, peschereccio a strascico ☐ **d. chain**, catena d'arresto di una ruota (*in un veicolo*); (*fig.*) ostacolo, peso; (*ferr.*) catena di aggancio; (*autom.*) catenella di messa a terra ☐ (*slang*) **d. dyke**, lesbica che si veste da uomo ☐ **d. hunt**, caccia con lo strascico ☐ (*mecc.*) **d.-link**, tirante longitudinale (*dello sterzo*); quadrilatero articolato a doppia novella ☐ **d. race**, gara d'accelerazione da fermo (*per* → «**dragster**») • **d. queen**, travestito ☐ (*pop.*) **a man in d.**, un travestito.

♦**to drag** /dræg/ **A** v. t. **1** trascinare; strascinare; strascicare; tirare (*a fatica, con sforzo*): *The horse was dragging a heavy load*, il cavallo trascinava un grave peso; *I can hardly d. myself along*, riesco appena a trascinarmi avanti; '*A rat crept softly through the vegetation / Dragging his slimy belly on the bank*' T.S. Elıot, 'un ratto strisciava silenzioso nell'erba / strascicando sulla riva del fiume il viscido ventre' **2** (*agric.*) erpicare (*il terreno*) **3** dragare, rastrellare (*il fondo d'un fiume, ecc.*): *They dragged the river for the dead body*, dragarono il fiume per trovare il cadavere **4** frenare (*una ruota, un veicolo*) con la martinicca **B** v. i. **1** trascinarsi (*anche fig.*); strascicare; strascinarsi: *The bottom of her long skirt dragged in the dust*, il fondo della lunga gonna le strascicava per terra; *Conversation dragged along*, la conversazione si trascinava stancamente **2** (*naut.*) arare: *The anchor dragged*, l'ancora arava **3** (*di motivo musicale*) essere lento; mancare di vivacità **4** pescare a strascico **5** (*mecc.*) (*dei freni*) strisciare; aderire **6** (*fam.*) tirare una boccata (*da una sigaretta, ecc.*) **7** (*slang USA*) travestirsi da donna • (*comput.*) **d. and drop**, trascina e rilascia (*istruzione*) ☐ **to d. one's feet** (*o* **one's heels**), strascicare i piedi; (*fig.*) tirarla per le lunghe; essere riluttante (*a fare qc.*): *We found out why they've been dragging their heels*, abbiamo scoperto il motivo per cui sono andati per le lunghe.

a
b
c
d
e
f
g
h
i
j
k
l
m
n
o
p
q
r
s
t
u
v
w
x
y
z

■ **drag about** v. i. + avv. strascicarsi di qua e di là.

■ **drag away** v. t. + avv. trascinare via: *The police dragged away two demonstrators*, la polizia trascinò via due dimostranti.

■ **drag behind** v. i. + avv. (*fam.*) essere il fanalino di coda (*fig. fam.*).

■ **drag down** v. t. + avv. **1** trascinare in basso **2** rendere infelice: *The divorce is dragging her down*, il divorzio la rende infelice **3** buttare (q.) giù (*fig.*): *Flu has dragged him down*, l'influenza l'ha buttato giù.

■ **drag from** v. t. + prep. → **drag out of**, *def. 2*.

■ **drag in** v. t. + prep. **1** trascinare (q.) dentro a viva forza **2** introdurre (*un argomento non pertinente*); tirare in ballo (qc. o q.); tirare dentro, coinvolgere (q.): *I don't want to be dragged in*, non voglio essere tirato dentro (o coinvolto).

■ **drag into** v. t. + prep. **1** trascinare (q.) a forza in: *He dragged me into the room*, mi trascinò a forza nella stanza **2** tirare dentro, coinvolgere (q.) in (qc.).

■ **drag off** → **drag away**.

■ **drag on** 🅰 v. i. + avv. **1** andare avanti (o per le lunghe); trascinarsi; protrarsi: *The peace talks dragged on for months*, le trattative di pace si trascinarono per mesi; *The meeting dragged on for hours on end*, la riunione si protrasse per ore e ore **2** passare lentamente: *Time dragged on*, il tempo passava lentamente 🅱 v. t. + avv. trascinare (q. o qc.) avanti.

■ **drag out** v. t. + avv. **1** trascinare (q.) fuori a viva forza; tirare fuori (qc.) **2** protrarre; prolungare; tirare per le lunghe: *They dragged out the meeting*, tirarono per le lunghe la riunione **3** condurre, trascinare (*una vita di stenti, ecc.*).

■ **drag out of** v. t. + avv. + prep. **1** tirare fuori (*a viva forza*): *I dragged the wounded man out of the car*, tirai fuori il ferito dalla macchina **2** far confessare a; strappare a; far tirar fuori a: *I dragged the name of the traitor out of Shorty*, strappai a Shorty il nome del traditore □ **to d. sb. out of bed**, tirare q. dal letto.

■ **drag up** v. t. **1** tirare su (*anche fig.*); tirare verso l'alto; allevare alla meglio: **to d. up a child**, tirare su un bambino alla meglio **2** tirar fuori (*fig.*); rinvangare: *After twenty years, she keeps dragging up the story of her husband's love affair*, dopo vent'anni, continua a tirar fuori la storia della relazione amorosa di suo marito.

dragée /'dræʒeɪ/ (*franc.*) n. **1** confetto; cioccolatino **2** (*farm.*) confetto.

to **draggle** /'drægl/ 🅰 v. t. infangare; inzaccherare 🅱 v. i. **1** bagnarsi; sporcarsi; infangarsi; sciuparsi (*venendo trascinato sul terreno*) **2** trascinarsi in coda; restare indietro.

draggy /'drægɪ/ a. **1** pesante; lento **2** (*fam.*) noioso; barboso, borsoso, palloso (*fam.*).

dragline /'dræglaɪn/ n. **1** cavo di trazione di benna **2** (*mecc.*) (= **d. excavator**) escavatore a benna trascinata **3** fune d'ormeggio (o di frenatura: *per un pallone aerostatico*).

dragnet /'drægnɛt/ n. **1** rete a strascico **2** (*fig.*) rete; retata (*della polizia, ecc.*).

dragoman /'drægəmən/ n. (pl. **dragomans**, **dragomen**) dragomanno; interprete.

dragon /'drægən/ n. **1** (*mitol.*) dragone; drago **2** (*mil.*) autoblindo **3** (*fig.*) vecchia bisbetica e autoritaria; caporale, cerbero (*fig.*). ● (*sport*) **d. boat**, dragon boat (*disciplina sportiva che prevede gare con la testa e la coda a forma di dragone*); barca a forma di dragone □ **d.'s blood**, sangue di drago (*resina rossa*) □ (*mil.*) **d.'s teeth**, difese anticarro □ (*bot.*) **d. tree** (*Dracaena draco*), dracena; dra-

go delle Canarie □ (*relig.*) **the old D.**, Satana □ **she-d.**, dragonessa.

dragoness /'drægənɪs/ n. (*mitol.*) dragonessa.

dragonfly /'drægənflaɪ/ n. (*zool.*, *Libellula*) libellula.

dragoon /drə'gu:n/ n. **1** (*mil.*) dragone **2** (*fig.*) individuo rozzo e bellicoso.

to **dragoon** /drə'gu:n/ v. t. (*stor.*) infierire su (q.) con l'impiego di dragoni ● **to d. sb. into doing st.**, costringere q. a fare qc. con la forza.

dragster /'drægstə(r)/ n. (*sport*) dragster (*auto a telaio ribassato e col motore elaborato*).

dragway /'drægweɪ/ n. (*sport*) pista per dragster.

♦**drain** /dreɪn/ n. **1** fognatura; fogna; chiavica: *The drains overflowed after the heavy rains*, dopo le forti piogge, le fogne scoppiarono **2** canale di scolo; scolmatore **3** (= **drainpipe**) tubo di scarico (o di scolo, di spurgo) **4** (pl.) fognature; rete delle fognature **5** (*fig.*) esaurimento; salasso: **a d. on one's strength**, un salasso d'energie; **fiscal d.**, salasso fiscale **6** (*fig.*) drenaggio; prosciugamento; esaurimento: (*fin.*) **a d. of funds**, un drenaggio di fondi; (*fin.*) **a d. of dollars**, un esaurimento dei dollari; (*fin.*) **the d. on liquidity**, il prosciugamento della liquidità **7** (*slang*) sorso; goccia, goccio (*di roba da bere*) ● **d. plug**, tappo per lo scarico (*di un contenitore di liquidi*) □ **d. rod**, flessibile (*da idraulico*) □ **to go down the d.**, andare giù per il lavandino; (*fig. fam.*) andare perso, essere sprecato; (*di progetto*) andare a monte □ (*fig. fam.*) **to be down the d.**, essere già andato (o essere andato a monte; non poter più riuscire (vincere, ecc.).

to **drain** /dreɪn/ 🅰 v. t. **1** prosciugare (*anche fig.*); logorare; esaurire: **to d. a marsh**, prosciugare una palude; **to d. the wealth of a nation**, esaurire le risorse d'una nazione **2** far defluire, togliere (*un liquido*); spurgare; sgrondare: **to d. the empty bottles**, sgrondare le bottiglie vuote; **to d. oil from an engine**, togliere l'olio da un motore **3** scolare; vuotare; bere: **to d. a bottle of beer**, bersi un'intera (o scolarsi una) bottiglia di birra: *'Hudson drains his glass'* W. BURROUGHS, 'Hudson vuota il bicchiere'; (*fig.*) **to d. the cup (of sorrow, etc.)**, bere il calice sino alla feccia **4** (*med.*) drenare: *The doctor drained the abscess*, il medico drenò l'ascesso **5** filtrare 🅱 v. i. **1** sgorgare; scorrere lentamente: *The blood was draining from my wounds*, il sangue mi sgorgava dalle ferite **2** sfociare: *This river drains into the Mediterranean*, questo fiume sfocia nel Mediterraneo **3** scaricare le acque: *Central Europe drains into the Danube*, l'Europa Centrale scarica le sue acque nel Danubio **4** ricevere le acque (di un territorio): *The Po drains the Po valley*, il Po riceve le acque della Valle Padana **5** asciugare; scolare; sgocciolare; sgrondare: *Put the umbrella into the stand to d.*, metti l'ombrello nel portaombrelli a sgocciolare; *Leave (o put) the bucket to d.*, fa' sgrondare il secchio! ● **to d. away**, (*di liquido*) scorrere via, fluire via, defluire; (*fig.*) prosciugarsi (*fig.*); (*delle forze, ecc.*) esaurirsi, finire: *My resources had drained away*, le mie risorse erano finite □ **to d. st. dry** (o **to the dregs**), bere fino in fondo (o fino alla feccia); scolare.

drainable /'dreɪnəbl/ a. **1** prosciugabile **2** drenabile **3** spurgabile.

drainage /'dreɪnɪdʒ/ n. Ⓤ **1** prosciugamento; bonifica **2** scarico delle acque; scolo; spurgo **3** acque di scarico (o di scolo) **4** (= **d. system**) rete delle fognature **5** (*geogr.*) drenaggio **6** (*med.*) drenaggio: **d. tube**, tubo di drenaggio ● (*geogr.*) **d. basin**, bacino idrografico (o imbrifero) □ (*agric.*) **d. canal**,

canale di scolo □ (*geogr.*) **d. pattern**, rete idrografica.

drainer /'dreɪnə(r)/ n. **1** chi fa canali di scolo, fogne, ecc.; sterratore **2** scolatoio; recipiente per scolare; colino **3** scolapiatti; rastrelliera **4** arnese per spurgare.

draining /'dreɪnɪŋ/ n. Ⓤ **1** prosciugamento **2** (*fig.*) esaurimento (*di risorse, ecc.*) **3** scolamento (*raro*); (lo) scolare **4** (*med.*) drenaggio ● **d. board**, scolapiatti (*ripiano situato accanto al lavello*).

drainpipe /'dreɪnpaɪp/ n. **1** canale di scarico (o di scolo) **2** (*edil.*) pluviale; doccia **3** (pl.; *anche* **d. trousers**) (*moda*) pantaloni a tubo (*molto aderenti*).

drainspout /'dreɪnspaʊt/ n. (*edil.*, *USA*) pluviale; doccia.

drake① /dreɪk/ n. (*zool.*) maschio dell'anatra.

drake② /dreɪk/ n. **1** (*stor.*, *mil.*) dragonetto; drago **2** (*zool.*, = **d.-fly**) mosca usata come esca **3** (*arc.*) drago; dragone **4** (*zool.*, *Ephemera vulgata*) efemera; effimera.

dram /dræm/ n. **1** dracma, dramma (*1/16 di oncia «avoirdupois», pari a 1,77 grammi; 1/8 di oncia «troy», pari a 3,88 grammi*) **2** sorso di bevanda alcolica; bicchierino; cicchetto; goccio: **a d. of gin**, un goccio di gin **3** (*fig.*) briciolo; granello.

DRAM sigla (*comput.*, **dynamic random access memory**) memoria RAM dinamica.

♦**drama** /'drɑːmə/ n. **1** Ⓤ dramma (*anche fig.*); arte drammatica; teatro (*fig.*); lavoro teatrale (*tragedia*, *commedia*, *ecc.*); teatro (*fig.*): *He is a student of Elizabethan d.*, è uno studioso del dramma (o del teatro) elisabettiano **2** Ⓤ attrattiva; fascino; interesse: **the d. of fashion shows**, il fascino delle sfilate di moda **3** (*fig.*) dramma; emergenza: **the d. of poverty in African countries**, il dramma della povertà nei paesi africani ● (*cinem.*, TV) **drama-doc** → **docudrama** □ (*fig.*) **d. queen**, persona melodrammatica (*esagerata nei comportamenti*).

♦**dramatic** /drə'mætɪk/ a. **1** (*lett.*) drammatico **2** (*fig.*) straordinario; sensazionale; clamoroso; a effetto: **the premier's d. move**, la mossa audace del premier; **a d. recovery**, una ripresa (o una guarigione) sensazionale; **a d. escape**, una fuga clamorosa **3** (*fig.*) forte; rilevante; considerevole; radicale: **to have a d. effect on st.**, avere rilevanti conseguenze su qc. ‖ **dramatically** avv. drammaticamente; in modo drammatico (o clamoroso).

dramatics /drə'mætɪks/ n. pl. **1** (col verbo al sing.) arte drammatica **2** (collett.) rappresentazioni di drammi **3** (*fig.*) teatralità; istrionismo; atteggiamento (o comportamento) teatrale (o istrionico).

dramatist /'dræmətɪst/ n. drammaturgo.

to **dramatize** /'dræmətaɪz/ 🅰 v. t. **1** drammatizzare; ridurre in forma di dramma (*un romanzo, ecc.*) **2** (*fig.*) rendere drammatico, drammatizzare (*un avvenimento, ecc.*) 🅱 v. i. esagerare; drammatizzare; fare un dramma (*fam.*): *Don't d.!*, non fare drammi! ‖ **dramatization** n. Ⓤ Ⓒ **1** drammatizzazione; riduzione (*d'un romanzo, ecc.*) in forma di dramma **2** (*fig.*) esagerazione (*di un fatto*); versione drammatica **3** (*psic.*) drammatizzazione.

dramaturgy /'dræmətɜːdʒɪ/ n. Ⓤ drammaturgia ‖ **dramaturgic** a. di drammaturgo; della drammaturgia ‖ **dramaturgist** n. drammaturgo.

dramedy /'drɑːmədɪ/ n. (TV, acronimo di **drama** e **comedy**) genere televisivo che contamina commedia e dramma.

drank /dræŋk/ pass. di **to drink**.

drape /dreɪp/ n. **1** drappo; panno **2** drappeggio (*di un abito*) **3** (pl.) (*USA*) tende; ten-

dine; tendaggi **4** (*slang ingl.*) giacca lunga, dalle spalle larghe **5** (*slang USA*, anche pl.) completo di uomo.

to **drape** /dreɪp/ **A** v. t. **1** drappeggiare; panneggiare: *She draped her fox furs round her shoulders*, si drappeggiò le volpi attorno alle spalle **2** coprire (*di drappi*); adornare; ornare: *The building fronts were draped with bunting*, le facciate degli edifici erano coperte di bandiere **3** (*arte*) drappeggiare; panneggiare **B** v. i. (*di stoffa*) ricadere; fare un drappeggio: *This dress drapes beautifully*, quest'abito fa un bel drappeggio ● **to d. one's arm over the back of the armchair**, far penzolare un braccio dallo schienale della poltrona □ **to d. in**, avvolgere in; ricoprire: *The coffin was draped in* (o *with*) *the American flag*, la bara era avvolta nella bandiera americana □ **They draped themselves round the teacher's desk**, si raccolsero intorno alla cattedra.

draper /'dreɪpə(r)/ n. negoziante di stoffe (o di tessuti).

drapery /'dreɪpəri/ n. **1** ◫ stoffa drappeggiata; tendaggio drappeggiato **2** (*arte*) drappeggio; panneggio **3** (pl.) tende; tendaggi **4** ◫ (*ingl.*) commercio di tessuti **5** ◫ stoffe; drapperie.

draping /'dreɪpɪŋ/ n. ◫ drappeggio; panneggiamento; panneggio.

drastic /'dræstɪk/ a. drastico: **d. remedies**, rimedi drastici | **-ally** avv.

drat /dræt/ (*slang ingl.*) inter. accidenti (a); maledetto (dall'imper. **God rot**!): *D. that bore!*, accidenti a quel seccatore! ● **D. it!**, accidenti!; maledizione!; che rabbia!; uffa!

dratted /'drætɪd/ a. seccante; fastidioso; scocciante (*pop.*).

draught /drɑːft/ **A** n. **1** ◫ tiro; trazione; traino: **beasts of d.**, bestie da tiro **2** (*pesca*) tirata delle reti **3** (*pesca*) retata (*di pesce*) **4** sorso; sorsata: **a d. of beer**, un sorso di birra; **to drink st. in one d.**, bere q. in un sorso solo (o tutto d'un fiato) **5** (*med. antiq.*) pozione; dose (*di medicina liquida*): **a sleeping d.**, una pozione per dormire; un sonnifero **6** ◫ (*naut.*) pescaggio: **a ship of 20 feet d.**, una nave che pesca 20 piedi; **d. marks**, quote (o marche) di pescaggio **7** corrente d'aria; spiffero: **to cut out the d.**, eliminare gli spifferi; **to sit in a d.**, essere seduto nella corrente; (*edil.*) **d. proofing**, eliminazione degli spifferi **8** ◫ (*tecn.*) (*di camino, ecc.*) tiraggio: **forced** [**natural**] **d.**, tiraggio forzato [naturale] **9** (*fam.*) valvola del tiraggio; tirante **10** (*a dama, ingl.*) pedina (*nel gioco della dama*; cfr. *USA* **checker**); (al pl., col verbo al sing.) gioco della dama (cfr. *USA* **checkers**) ● (*fig. ingl.*) **to feel the d.**, sentire gli effetti di una crisi; essere in difficoltà finanziarie; essere a corto di soldi (*di birra, ecc.*) **on d.**, alla spina **B** a. attr. **1** da tiro: **d. horse** [**ox**], cavallo [bue] da tiro **2** alla spina: **d. beer**, birra alla spina **❶ NOTA:** *draft* o *draught*? → **draft**.

draughtboard /'drɑːftbɔːd/ n. (*ingl.*) scacchiera (cfr. *USA* **checkerboard**).

draughtsman /'drɑːftsmən/ n. (pl. **draughtsmen**) **1** (*arte grafica*) disegnatore (tecnico); progettista **2** bravo disegnatore: *He's a real d.*, è bravissimo nel disegno **3** → **draftsman**, def. 1 ‖ **draughtsmanship** n. ◫ **1** arte del disegno tecnico **2** abilità nel disegno.

draughtswoman /'drɑːftswʊmən/ n. (pl. **draughtswomen**) **1** disegnatrice tecnica; progettista **2** brava disegnatrice.

draughty /'drɑːftɪ/ a. **1** pieno di spifferi; esposto alle correnti d'aria **2** (*di porta o finestra*) che lascia passare gli spifferi; che chiude male.

Dravidian /drə'vɪdɪən/ **A** n. **1** (*antrop.*) dravida **2** ◫ lingua dravidica **B** a. (= Dra-

vidic) dravidico.

draw /drɔː/ n. **1** strattone; tirata; strappo **2** ◫ atto di cavar fuori, di estrarre (*la pistola*), di sguainare (*la spada*): *He's fast on the d.*, è rapido nello sguainare la spada; *The marshal was the quickest on the d.*, lo sceriffo era il più veloce a estrarre la pistola **3** estrazione; sorteggio; (*anche*) numeri estratti, lettere estratte: *'AEEEOUU was Roger's first d. from the bag'* K. AMIS, 'le prime lettere estratte da Roger dal sacchetto (*del gioco dello scarabeo*) furono AEEEOUU' **4** attrazione; attrattiva; richiamo: *The name of the Beatles was a great d.*, il nome dei Beatles era una grande attrattiva **5** (*sport*) pari; patta; pareggio: *The match ended in a d.*, la partita finì alla pari; **an away d.**, un pareggio fuori casa (o in trasferta) **6** (*ind. costr.*) ala di ponte levatoio **7** (*metall.*) cricca di ritiro **8** boccata (*di sigaretta, ecc.*); tirata; tiro (*pop.*) **9** (*fig.*) vantaggio **10** (*USA*) anticipo (*di denaro*); somma anticipata **11** (*USA*) burroncello; valletta: *'The d. seemed deserted. «Cover me», Lucas said, and darted into the open grass'* N. MAILER, 'la valletta pareva deserta. «Copritemi», disse Lucas, e s'inoltrò di colpo nella zona prativa allo scoperto' ● (*metall.*) **d.-bench**, trafilatrice; banco di trafilatura □ (*metall.*) **d. piece**, pezzo trafilato; profilato □ (*metall.*) **d.-plate**, trafila □ (*tecn.*) **d.-point**, punta per tracciare □ **d. poker**, poker in cui si prendono carte (*dopo la prima distribuzione*) □ (*fig.*) **to be quick on the d.**, essere pronto a replicare (o a rimbeccare); avere la risposta pronta □ **d. table** (o **d.-top table**), tavolo allungabile □ *That's the luck of the d.!*, così ha voluto la sorte!; la fortuna è cieca! □ *That's a sure d.*, così si va a colpo sicuro □ *The battle was a d.*, (nella battaglia) non ci furono né vinti né vincitori.

♦**to draw** /drɔː/ (pass. **drew**, p. p. **drawn**) **A** v. t. **1** tirare; trainare; tendere: *D. the curtains*, tira le tende; **to d. the Venetian blinds**, tirare le veneziane (*per aprirle o per chiuderle*); *The oxen d. the plough*, i buoi tirano l'aratro; **to d. the bow**, tendere l'arco; **to d. the reins**, tirare le redini; **to d. a deep breath**, tirare un profondo respiro **2** tirare; cavare; tirar via; estrarre: **to d. blood**, (*med.*) cavar sangue; (*anche*) far sanguinare: **to d. the water from the well**, tirare l'acqua dal pozzo; **to d. a tooth**, cavare (o estrarre) un dente; **to d. a gun**, estrarre una pistola; **to d. the sword**, estrarre (o sguainare) la spada; **to d. nails from a board**, cavare (o tirar via) chiodi da un'asse **3** attirare; attrarre; tirarsi dietro (*pop.*); tirarsi addosso; strappare (*anche fig.*): *The bank robbery drew a large crowd of people*, la rapina in banca attirò una gran folla di gente; **to d. sb.'s attention**, attirare l'attenzione di q.; **to d. ruin upon oneself**, tirarsi addosso la rovina; **to d. tears** [**applause**], strappare le lacrime [gli applausi] **4** tirare; attingere: **to d. water from the well**, tirare l'acqua dal pozzo **5** ottenere; ricevere; prendere; trarre; tirare (*pop.*): *His remark drew no reply*, la sua osservazione non ottenne risposta; *Walter Scott drew his inspiration from history*, Walter Scott traeva ispirazione dalla storia; **to d. information from sb.**, ottenere informazioni da q.; *He draws a good salary*, riceve (o prende; *fam.*: tira) un buon stipendio; **to d. disability**, prendere l'assegno d'invalidità **6** tirare; tracciare; disegnare; descrivere: **to d. a line**, tirare una riga; **to d. a circle**, disegnare un cerchio; **to d. a picture**, disegnare un quadro; (*anche*) descrivere una scena **7** formulare; stendere; redigere (*una bozza, un progetto, uno schema di disegno di legge*); scrivere: **to d. a plan**, formulare un piano; **to d. a contract**, stendere un contratto; **to d. a deed**, redigere un atto le-

gale **8** (*comm.*) emettere; spiccare (*una tratta*); (*banca*) prelevare (*denaro*): **to d. a cheque**, emettere (*fam.*: staccare) un assegno; **to d. a bill of exchange**, spiccare una tratta, una cambiale; **to d. money from a bank**, prelevare denaro in banca **9** (di solito al passivo) contrarre: *His face was drawn with pain*, aveva il viso contratto per il dolore; **drawn features**, lineamenti contratti (o tesi, tirati) **10** (*metall.*) rinvenire **11** (*mecc.*) imbutire; (*anche*) trafilare (*un metallo*): **to d. gold** [**silver**], trafilare l'oro [l'argento] **12** (*chim.*) estrarre **13** (*med.*) far spurgare: *This poultice will d. the abscess*, questo impiastro farà spurgare l'ascesso **14** (*nei giochi di carte*) prendere: **to d. a card from the pack**, prendere (o tirare) una carta dal mazzo; (*poker*) **to d. cards**, prendere carte **15** (*stor.*) trascinare (*un condannato*) a coda di cavallo: *He was drawn and quartered*, fu trascinato a coda di cavallo e squartato **16** (*cucina*) pulire, sventrare (*un pollo, ecc.*) **17** (*nella caccia*) battere (*un terreno*) per fare alzare la selvaggina **18** (*nella caccia*) stanare: *At last the hounds succeeded in drawing the fox*, finalmente i cani riuscirono a stanare la volpe **19** spillare (*un liquido*): **to d. beer from a barrel**, spillare birra da un barile **20** tenere in infusione (*il tè*): *This tea must be drawn for a long time*, questo tè deve essere tenuto a lungo in infusione **21** (*ind. min.*) estrarre, portare a giorno (*minerali, ecc.*) **22** (*ind. min.*) disarmare (*una galleria*) **23** (*ind. tess.*) stirare **24** (*naut.*) pescare: *My boat draws ten feet of water*, la mia barca pesca dieci piedi **25** (*sport*) pareggiare, impattare, chiudere in pareggio: (*un incontro, una partita*) **26** (*boxe*) attirare (*l'avversario*) **B** v. i. **1** disegnare: *Jim is very good at drawing*, Jim è molto bravo a disegnare **2** tirare a sorte: **to d. for who will go first**, tirare a sorte per decidere chi andrà per primo **3** sguainare la spada **4** estrarre la pistola: *The marshal is very quick at drawing*, lo sceriffo è molto veloce a estrarre la pistola **5** (*di un camino, ecc.*) tirare; (*del fuoco*) prendere: *This flue doesn't d. well*, questa canna (fumaria) non tira bene **6** (*fig.*) attirare l'attenzione (o l'interesse): *The film is drawing well*, il film sta avendo successo **7** (*del tè*) essere in infusione: *The tea is drawing*, si sta facendo il tè **8** (seguito da una prep. o da un avv., quali **to**, **near**, ecc.) muoversi verso; avvicinarsi a; arrivare a: *The speaker was drawing to a conclusion*, l'oratore s'avvicinava alla conclusione; *Holidays are drawing near*, le vacanze s'avvicinano; *At last we drew level with them*, alla fine li raggiungemmo **9** (*comm.*) trarre; spiccare (una) tratta; emettere un assegno (*su una banca*): *You can d. on us for the amount of the invoice*, potete spiccare tratta su di noi per l'ammontare della fattura **10** (*nella caccia*) battere il terreno (*per fare alzare la selvaggina*) **11** (*sport*) fare un pareggio; pareggiare: *The two teams drew*, le due squadre pareggiarono ● **to d. a bath**, aprire il rubinetto dell'acqua per fare il bagno; riempire la vasca □ (*fig.*) **to d. a blank**, far fiasco; restare con un pugno di mosche; (*USA*) avere un vuoto di memoria □ **to d. blood from**, far sanguinare: *He drew blood from my arm*, mi fece sanguinare un braccio □ **to d. breath**, prendere fiato; fermarsi per riposare □ **to d. the cork from a bottle**, stappare una bottiglia □ **to d. a distinction**, fare una distinzione □ **to d. one's first breath**, emettere il primo vagito; nascere □ (*a carte*) **to d. for partners**, tirare a sorte per formare le coppie di giocatori □ (*sport*) **to d. a game** [**a match**], chiudere una partita [un incontro] alla pari □ **to d. sb.'s eye**, attirare lo sguardo di q. □ (*pitt.*) **to d. from memory**, disegnare a memoria □ (*fam.*) **to d. it mild**, non esagerare; andarci

piano □ **to d. one's last breath**, dare l'ultimo respiro; esalare l'anima □ (*fig.*) **to d. a line**, porre un limite invalicabile; dire basta (*fig.*); rifiutarsi di andare oltre (*fig.*) □ **to d. the line at**, non voler andare oltre (*un certo punto*); rifiutarsi di: *I don't mind helping him with his studies but I d. the line at writing his thesis for him*, lo aiuto volentieri nei suoi studi, ma mi rifiuto di fargli la tesi di laurea □ (*fig.*) **to d. the long bow**, esagerare; spararle grosse □ **to d. lots**, tirare a sorte □ **to d. a parallel between two things**, fare un parallelo (o un confronto) fra due cose □ **to d. one's pen [pencil] through st.**, tirare un frego su qc. con la penna [con la matita] □ (*cricket*) **to d. a prize**, vincere un premio (*per es., alla lotteria*); tirar su un numero vincente □ (*mil.*) **to d. rations**, ritirare le razioni di viveri □ **to d. rein**, tirare le redini; fermare un cavallo □ (*cricket*) **to d. stumps**, estrarre i paletti del wicket; smontare il wicket; chiudere la partita □ (*fig.*) **to d. sb.'s teeth**, tagliare le unghie a q.; rendere inoffensivo q. □ (*a carte*) **to d. trumps**, tirare giù tutte le briscole (*o* tutti gli atout) di un avversario □ **to d. two salaries**, cumulare due stipendi □ **to d. the winner**, prendere un biglietto col nome del cavallo vincente; (*fig.*) aver successo.

■ **draw ahead** v. i. + avv. **1** andare avanti **2** (*nelle corse*) portarsi in testa; prendere il comando □ **to d. ahead of sb.**, sopravanzare, superare q. (*anche fig.*): *He drew ahead of the other runners [of his competitors]*, superò gli altri corridori [i suoi concorrenti].

■ **draw apart** v. i. + avv. allontanarsi, staccarsi, separarsi (*anche fig.*): *Husband and wife were drawing apart (from each other)*, marito e moglie si stavano allontanando l'uno dall'altra.

■ **draw aside** A v. i. + avv. farsi da parte; scostarsi B v. t. + avv. **1** tirare da parte; scostare: *D. the curtain aside!*, scosta la tenda! **2** prendere da parte (q.): *He drew me aside and told me to be careful*, mi prese da parte e mi disse di stare in guardia.

■ **draw away** A v. i. + avv. **1** allontanarsi; ritrarsi: *She drew away, frightened by the snake*, si ritrasse, spaventata dal serpente **2** allontanarsi; staccarsi: *The yacht drew away from the pier*, lo yacht si staccò dal molo B v. t. + avv. allontanare; tirar via; staccare: *She drew her hand away from the boiling pot*, tirò via la mano dalla pentola che bolliva □ (*nelle corse*) **to d. away from**, staccare (*un avversario*).

■ **draw back** A v. i. + avv. **1** tirarsi indietro (*anche fig.*); ritirarsi; indietreggiare; retrocedere; ritrarsi; rifiutarsi: *I drew back in terror*, indietreggiai atterrito; *At the last moment, all my friends drew back*, all'ultimo momento, tutti i miei amici si tirarono indietro; *The bank drew back from granting him a loan*, alla fine la banca rifiutò di concedergli un mutuo **2** (*boxe*) fare un passo indietro B v. t. + avv. tirare indietro; ritirare (*la mano, ecc.*).

■ **draw down** v. t. + avv. **1** tirare giù; abbassare; calare: (*a teatro*) **to d. down the curtain**, tirare giù il sipario; calare la tela **2** tirarsi addosso (*fig.*); provocare: **to d. down sb.'s anger on oneself**, tirarsi addosso l'ira di q.; **to d. down a lot of criticism**, provocare (*o* suscitare) molte critiche **3** tirare (*fam.*); prendere; percepire: **to d. down full pay**, tirare la paga per intero; percepire l'intero salario **4** esaurire, prosciugare (*fig.*): (*fin.*) **to d. down gold reserves**, esaurire le riserve auree; **to d. down the line of credit from one's bank**, prosciugare la linea di credito della propria banca.

■ **draw forth** v. t. + avv. provocare, suscitare (*risa, commenti, ecc.*); strappare (*fig.*): *His acting drew forth enthusiastic applause*, la sua recitazione strappò al pubblico applau-

si entusiastici.

■ **draw in** A v. i. + avv. **1** (*delle giornate*) accorciarsi: *The days are drawing in*, i giorni si accorciano **2** (*trasp.*: *spec. del treno*) arrivare; essere in arrivo: *Our train is drawing in*, il nostro treno è in arrivo **3** fare economia; tirare la cinghia (*fig., fam.*) B v. t. + avv. **1** tirare dentro (*anche fig.*); ritirare; coinvolgere: *Snails d. in their horns*, le lumache ritirano le corna; *I don't want to be drawn in*, non voglio essere coinvolto **2** tirare su (*la rete da pesca e sim.*) **3** limitare, ridurre (*spese, ecc.*) **4** abbozzare, schizzare (*disegnando*) □ (*fig.*) **to d. in one's horns**, tirarsi indietro (*fig.*); assumere un atteggiamento prudente.

■ **draw into** v. i. + prep. (*trasp.*: *spec. del treno*) arrivare in: *Our train is drawing into the station*, il nostro treno sta arrivando in stazione.

■ **draw off** A v. t. + avv. **1** cavare, togliere, sfilare: **to d. off one's gloves**, cavarsi (*o* sfilarsi) i guanti **2** cavare; estrarre; aspirare: **to d. off some water from the radiators**, cavare dell'acqua dai radiatori; **to d. off some petrol from the tank**, estrarre (*o* aspirare) della benzina dal serbatoio **3** (*mil.*) ritirare (*truppe*) B v. i. + avv. **1** allontanarsi; partire; andarsene **2** (*fig.*) prendere le distanze **3** (*mil.*) ritirarsi.

■ **draw on** A v. t. + avv. **1** mettere; infilare: **to d. on one's gloves**, mettersi i guanti; **to draw on one's stockings**, infilarsi le calze **2** (*fig.*) incitare, spingere, spronare (*fig.*); attrarre, attirare: *I was drawn on by the hope of making a bargain*, ero spinto dalla speranza di fare un buon affare; *It was her charming manner that drew me on*, fu la squisitezza dei suoi modi che mi attrasse a lei B v. i. + avv. **1** avvicinarsi: *Winter is drawing on*, si avvicina l'inverno **2** (*naut.*) guadagnare in distanza C v. i. + prep. **1** fare ricorso a; attingere a; ricorrere a: *If you don't know the facts, don't d. on your imagination*, se non sai come stanno i fatti, non ricorrere alla fantasia!; **to d. on one's own experience**, attingere alla propria esperienza; **to d. on stocks**, fare ricorso alle scorte **2** (*banca*) trarre su; prelevare denaro da: **to d. on an account**, trarre su un conto; **to d. on one's own account**, prelevare denaro dal proprio conto **3** (*comm.*) trarre, spiccare tratta su (q.) □ **to d. sb. on to speak**, indurre q. a parlare; fare sciogliere la lingua a q. □ **to d. on one's cigarette**, dare una tirata alla sigaretta □ **to d. on one's pipe**, tirare una boccata (di fumo) dalla pipa.

■ **draw out** A v. i. + avv. **1** (*delle giornate*) allungarsi: *The days are beginning to d. out*, i giorni cominciano ad allungarsi **2** (*trasp.*: *spec. del treno*) partire, essere in partenza: *The London train is drawing out (of the station)*, il treno per Londra è in partenza **3** (*naut.*) muoversi; uscire (*dal porto, ecc.*) **4** (*banca*) fare un prelievo **5** (*autom.*: *di un veicolo*) uscire dalla fila; fare uno scarto improvviso **6** (*mil.*) uscire dall'accampamento B v. t. + avv. **1** tirare fuori; cavare di tasca: *The hooligan drew out a knife*, il teppista tirò fuori un coltello **2** cavare; togliere; estrarre: *The mouse drew the thorn out of the lion's paw*, il topo cavò la spina dalla zampa del leone **3** prolungare; protrarre: **to d. out one's stay**, prolungare la propria permanenza; *The meeting was drawn out until midnight*, la riunione si protrasse fino a mezzanotte **4** (*fig.*) far venir fuori; mettere allo scoperto (*qualità, difetti, ecc.*) **5** (*banca*) prelevare (*denaro*) **6** cavar fuori (*fig.*); strappare (*la verità, ecc.*); estorcere (*una confessione*) **7** far uscire (q.) dal guscio (*fig.*); far sciogliere (q.) dal ritegno (o la lingua a q.) **8** (*ind. del vetro*) stirare □ **The police drew him out**, la polizia lo fece cantare

(*fam.*).

■ **draw over** v. i. + avv. (*di un automezzo*) accostare.

■ **draw round** v. i. + avv. avvicinarsi; accostarsi.

■ **draw together** A v. i. + avv. stringersi insieme; riunirsi; accostarsi (l'un l'altro) B v. t. + avv. **1** riunire; mettere insieme **2** (*fig.*) far riavvicinare; rimettere insieme (*fig.*).

■ **draw up** A v. t. + avv. **1** tirare su, alzare (*un ponte levatoio, ecc.*); attingere (*acqua*) **2** accostare, avvicinare: **to d. up benches against the wall**, accostare panche al muro **3** arrestare (*un veicolo, ecc.*); fermare; tirare in secco (*una barca*): *The rider drew up his horse*, il cavaliere arrestò il cavallo; **to d. sb. up sharp**, fermare q. bruscamente: *'At the lake shore there was another rowboat drawn up'* E. HEMINGWAY, 'sulla riva del lago c'era un'altra barca a remi tirata in secco' **4** mettere uno accanto all'altro; sistemare (*autoveicoli, ecc.*) **5** compilare; redigere; stendere (*un documento*); preparare; stilare: **to d. up a list**, compilare una lista; **to d. up a contract**, stendere un contratto; (*leg.*) **to d. up a deed**, redigere un atto (formale); (*banca*) **to d. up a statement of account**, redigere (*o* preparare) un estratto conto; **to d. up a plan**, preparare un piano **6** (*leg.*) formulare: **to d. up an accusation**, formulare un'accusa **7** disporre, schierare (*truppe, poliziotti, ecc.*) B v. i. + avv. **1** (*di un veicolo*) accostare; fermarsi: *The motorboat drew up at the pier*, il motoscafo accostò al molo; *The black limousine drew up at the door*, la limousine nera si fermò alla porta **2** (*di truppe, poliziotti, ecc.*) disporsi; schierarsi □ **to d. up to sb.**, avvicinarsi (*o* accostarsi) a q. □ **to d. up with sb.**, raggiungere q. □ **to d. oneself up**, drizzare la schiena; tirarsi su (*fam.*); alzarsi (in piedi).

drawback /'drɔːbæk/ n. **1** inconveniente; svantaggio; lato negativo **2** Ⓤ (*comm. est.*) rimborso (o restituzione) del dazio doganale (*quando la merce è riesportata*); premio all'esportazione ● **d. lock**, serratura a catenaccio azionabile dall'interno.

drawbar /'drɔːbɑː/ n. (*ferr., autom.*) barra (o asta) di trazione.

drawbridge /'drɔːbrɪdʒ/ n. ponte levatoio; ponte girevole.

drawdown /'drɔːdaʊn/ n. Ⓤ (*USA*) riduzione; taglio (*fig.*) **2** calo (*del livello dell'acqua*); abbassamento piezometrico **3** (*fin.*) impiego (*o* utilizzo) di fondi.

drawee /drɔː'iː/ n. (*comm.*) trattario; trassato.

♦**drawer** (*def. 1, 2, 5, 6 e 7* /'drɔːə(r)/, *def. 3* /drɔː(r)/, *def. 4* /drɔːz/) n. **1** chi (o cosa che) tira, ecc. (→ **to draw**) **2** (*comm.*) traente (*d'una cambiale*); emittente (*d'un assegno bancario*) **3** cassetto: **chest of drawers**, cassettone **4** (pl.) (*antiq.*) mutande lunghe; mutandoni **5** disegnatore **6** mescitore di bevande alcoliche; taverniere; barista **7** (*metall.*) trafilatore ● (*fig. fam.*) **out of the top d.**, di famiglia molto bene; molto su (*fam.*).

♦**drawing** /'drɔːɪŋ/ n. **1** Ⓤ trazione; il tirare, ecc. (→ **to draw**) **2** Ⓤ Ⓒ disegno; schizzo; diagramma: *I'll take lessons in d.*, prenderò lezioni di disegno; **the d. of a dog**, il disegno di un cane **3** (*comm., fin.*) prelevamento, prelievo (*di denaro*) **4** Ⓤ (*banc., fin.*) traenza (*di una cambiale*); emissione (*di un assegno*) **5** Ⓤ (*metall.*) trafilatura (*d'un metallo*); (*anche*) imbutitura **6** Ⓤ (*ind. del vetro*) stiraggio; stiro **7** sorteggio; estrazione a sorte; (*fin.*) estrazione (*di obbligazioni*) ● (*banca*) **d. account**, conto di prelievo; conto corrente □ (*boxe*) **d. back**, arretramento; passi indietro □ **d. block**, quaderno da disegno □ **d. board**, tavolo da disegno □ **d. compass** (*o* **compasses**), compasso da disegno □ (*banca*) **d.**

deposit, deposito traibile □ **d. desk**, tavolo da disegno □ (*ind. tess.*) **d.-in**, rimettaggio □ (*ind.*) **d. office**, sala disegnatori □ **d. paper**, carta da disegno □ (*tecn.*) **d. pen**, tiralinee □ **d. pencil**, matita da disegno □ **d. pin**, puntina da disegno (*cfr. USA* **thumbtack**) □ (*fin.*) **d. right**, diritto di prelievo □ **d. table**, tavolo da disegno □ **d.-up**, compilazione; redazione; stesura; preparazione (*cfr.* **draw up**, **A**, *def.* 5) □ (*fig., fam.*) **to go back to the d. board**, ripartire da zero; essere daccapo: *Back to the d. board!*, ripartiamo da zero! □ (*fin.*) **special d. rights**, diritti speciali di prelievo.

drawing-room /'drɔːŋruːm/ **A** n. **1** salotto **2** (*a Corte*) ricevimento **3** (*ferr., USA*) carrozza salone **B** a. attr. di (*o* da) salotto; salottiero.

drawl /drɔːl/ n. pronuncia lenta, strascicata.

to drawl /drɔːl/ **A** v. i. parlare in modo lento (*o* affettato); strascicare le parole **B** v. t. strascicare: **to d. (out) one's words**, strascicare le parole.

drawn /drɔːn/ **A** p. p. di **to draw B** a. **1** (*del viso*) contratto; teso (*per il dolore, ecc.*) **2** (*di un pollo, ecc.*) sbudellato; sventrato **3** (*comm.*) spiccato; emesso **4** (*banca*) (*di denaro*) prelevato **5** (*anche sport*) pari; in pareggio: **a d. game**, una partita chiusa in pareggio **6** estratto (*a sorte*) **7** (*metall.*) trafilato; (*anche*) imbutito ● **d. glass**, vetro ottenuto per stiraggio □ **d.-out**, prolisso; che va (*o* tirato) per le lunghe; prolungato: **a d.-out interview**, una lunga intervista □ (*comm.: di una persona*) **d. upon**, trassato □ **d. work**, ricamo sfilato □ **with d. swords**, con le spade sguainate.

drawsheet /'drɔːʃiːt/ n. traversa (*da mettere tra il lenzuolo e il materasso, nel letto*).

drawstring /'drɔːstrɪŋ/ n. cordoncino; funicella; laccio.

draw-well /'drɔːwel/ n. pozzo profondo (*da cui cavare l'acqua con corda e secchio*).

dray /dreɪ/ n. carro per trasporti pesanti; barroccio ● **d.-horse**, cavallo da tiro.

drayman /'dreɪmən/ n. (pl. **draymen**) barrocciaio; carrettiere.

dread ① /dred/ n. ▫ timore; paura; spavento; terrore: *Criminals always live in d. of being arrested*, i delinquenti vivono sempre col terrore d'essere arrestati.

dread ② /dred/ a. (*lett.*) **1** paventato (*lett.*); terribile; spaventoso **2** che incute riverenza e timore; maestoso; solenne.

to dread /dred/ v. t. e i. temere; aver paura (di); paventare; tremare (*fig.*): *I d. to think of the consequences*, tremo al pensiero delle conseguenze; *Does the boy d. a visit to the dentist?*, il bambino ha forse paura d'andare dal dentista?

dreaded /'dredɪd/ a. paventato (*lett.*); temuto: **the d. day of the exam**, il temuto giorno dell'esame.

dreadful /'dredfl/ a. terribile; tremendo; orribile; spaventoso: **a d. accident**, un incidente spaventoso; **d. weather**, tempo orribile || **dreadfulness** n. ▫ spaventosità, orribilità, orridezza (*raro*).

dreadfully /'dredfəlɪ/ avv. **1** terribilmente; tremendamente; spaventosamente **2** (*fam.*) molto: *I'm d. sorry*, mi dispiace assai.

dreadlocks /'dredlɒks/ n. pl. capelli lunghi, infeltriti in una massa di boccoli fitti; acconciatura Rasta (*o* dei Rastafariani).

dreadnaught,   **dreadnought** /'drednɔːt/ n. (*naut., mil.*) dreadnought; corazzata veloce (*armata di cannoni di grosso calibro*).

♦**dream** /driːm/ n. (*anche fig.*) sogno: **sweet dreams!**, sogni d'oro!; **to have bad dreams**, fare brutti sogni; **waking d.**, sogno

a occhi aperti; fantasticheria; *This hat is a d.!*, questo cappellino è un sogno!; '*All that we see or seem | Is but a d. within a d.*' E.A. POE, 'tutto ciò che vediamo o sembriamo non è che un sogno dentro un sogno' ● **d. book**, libro dei sogni □ **a d. holiday**, una vacanza di sogno □ **d. reader**, chi interpreta i sogni □ **the d. team**, (*sport, USA*) la nazionale americana di pallacanestro; (*fig. fam.*) la migliore delle équipe possibili □ **a d. villa**, una villa di sogno □ **d. world**, il mondo della fantasia (*o* dell'irrealtà); il paese dei sogni □ **beyond one's wildest dreams**, al di là di ogni speranza □ (*fam., iron.*) **in your dreams!**, te lo sogni!; col cavolo! □ **like a d.**, a meraviglia; alla perfezione □ *He has dreams of being a great scientist*, sogna di diventare un grande scienziato.

♦**to dream** /driːm/ (*pass. e p. p.* **dreamt**, **dreamed** ❶ NOTA: *participle → participle*), v. t. e i. sognare, sognarsi (*anche fig.*); fantasticare; immaginare: *If you can d., and not make dreams your master*' R. KIPLING, 'se saprai sognare senza diventare schiavo dei tuoi sogni'; *The sailor dreamt of his native village*, il marinaio sognava il suo paese natale; *I wouldn't d. of hurting her pride*, non me lo sognerei neanche di ferirla nell'orgoglio; *He little dreamed that...*, non immaginava nemmeno lontanamente che... ● **to d. away one's time** [*life*], passare il tempo [la vita] in fantasticherie □ (*fam., iron.*) **d. on!**, te lo sogni!; sei un illuso! □ **to d. a dream**, fare un sogno □ (*fam.*) **to d. up**, sognare; immaginare; (*spreg.*) escogitare, inventare, trovare: **to d. up some excuse**, trovare una qualche scusa.

dreamboat /'driːmbəʊt/ n. (*slang*) **1** (l') uomo dei propri sogni **2** (un) sogno di ragazza; (una) ragazza di sogno.

dreamer /'driːmə(r)/ n. sognatore, sognatrice.

dreamily /'driːmɪlɪ/ avv. con occhi sognanti; come in sogno.

dreaminess n. ▫ **1** tendenza a fantasticare **2** indeterminatezza; vaghezza.

dreamland /'driːmlænd/ n. ▫ il paese dei sogni; il regno della fantasia.

dreamless /'driːmləs/ a. senza sogni.

dreamlike /'driːmlaɪk/ a. **1** di (*o* simile a) sogno; fantastico **2** indeterminato; vago; irreale.

dreamt /dremt/ pass. e p. p. di **to dream**.

Dreamtime /'driːmtaɪm/ n. (*Austral.*) (il) tempo del sogno (*il periodo della creazione del mondo e degli esseri viventi, secondo la mitologia degli aborigeni*).

dreamy /'driːmɪ/ a. **1** (*poet.*) pieno di sogni **2** sognante; immerso in fantasticherie: **d. eyes**, occhi sognanti **3** fantastico; vago; irreale; come di sogno □ **a d. remembrance**, un vago ricordo; **d. music**, musica come di sogno.

dreary /'drɪərɪ/ a. **1** cupo; desolato; fosco; tetro; triste: **a d. landscape**, un paesaggio desolato; '*The day is cold and dark and d.*' H.W. LONGFELLOW, 'la giornata è fredda, buia e tetra' **2** tedioso; monotono; noioso; uggioso: **d. work**, lavoro tedioso; **d. weather**, tempo uggioso; **d. food**, una dieta monotona | **-ily** avv. | **-iness** n. ▫.

dredge /dredʒ/ n. **1** (*mecc.*) draga (*macchina*) **2** (*naut.*) = **floating d.**) draga galleggiante; draga **3** (*oceanografia*) carotiere da fondo ● (*naut.*) **d. anchor**, draga □ **d. net**, draga (*rete da pesca a sacco conico*) □ (*naut.*) **d. ship**, draga (*battello*).

to dredge ① /dredʒ/ v. t. e i. dragare; scavare con la draga: **to d. (up) mud**, scavare il fango con la draga; **to d. (out) a river**, dragare un fiume; **to d. up**, ripescare (*q. o* qc.) dragando; (*fig.*) rivangare (*fatti, storie, ecc.*).

to dredge ② /dredʒ/ v. t. (*cucina*) spargere;

spolverizzare: **to d. sugar**, spargere zucchero in polvere ● **to d. meat with flour**, infarinare la carne.

dredger ① /'dredʒə(r)/ n. **1** (*mecc.*) draga **2** (*naut.*) draga (*battello*) **3** draghista.

dredger ② /'dredʒə(r)/ n. (= **dredging box**) vasetto (*col coperchio forato*) per spolverizzare; spolverino; spargifarina; spargizucchero; spargisale.

dredging ① /'dredʒɪŋ/ n. ▫ dragaggio ● **d. machine**, draga (*la macchina*).

dredging ② /'dredʒɪŋ/ n. ▫ (*cucina*) spolverizzamento (*raro*); lo spolverizzare (*zucchero, ecc.*).

dreg /dreg/ n. pezzetto; briciolo: (*fig.*) **not a d. of pity**, neanche un briciolo di compassione.

dregs /dregz/ n. pl. **1** feccia (*anche fig.*); posatura; sedimento: **the d. of society**, la feccia della società **2** scorie ● (*fig.*) **to drink the cup to the d.**, bere il calice sino alla feccia || **dreggy** a. feccioso; impuro; torbido.

drench /drentʃ/ n. **1** (*vet.*) beverone (*spec. medicamentoso*) **2** bagnata; infradiciata **3** rovescio; scroscio di pioggia.

to drench /drentʃ/ v. t. **1** infradiciare; inzuppare: *He came back drenched with rain*, ritornò inzuppato di pioggia **2** (*vet.*) somministrare un beverone a (*un animale*) **3** immergere (*in un liquido: una pecora perché non perda il vello; o anche pelle per conciarla*) ● **to be drenched to the skin**, essere bagnato fradicio.

drencher /'drentʃə(r)/ n. **1** chi bagna, inzuppa, immerge, ecc. (→ **to drench**) **2** (*fam.*) acquazzone; rovescio (*di pioggia*).

drenching /'drentʃɪŋ/ **A** a. (*di pioggia*) penetrante **B** n. ▫ **1** grossa bagnata; infradiciata: **to get a good d.**, prendersi una solenne infradiciata **2** rovescio (*di pioggia*).

♦**dress** /dres/ n. **1** ▫ abbigliamento; vestiario; costume: **national d.**, costume nazionale; **fancy d.**, costume (*da maschera*); **articles of d.**, capi di vestiario; **period d.**, abbigliamento d'epoca; costume: **actors wearing period d.**, attori in costume **2** vestito (*da donna o da bambina*): *Jane has a lot of nice dresses*, Jane ha molti bei vestiti **3** (*zool.*) piumaggio: **birds in their winter d.**, uccelli con il piumaggio invernale **4** (= **evening d.**) abito da sera (*da donna*): *Trudi has a lot of evening dresses*, Trudi ha molti abiti da sera **5** ▫ (*mil., sport*) divisa; uniforme; tenuta: **full d.**, alta uniforme; divisa di gala **6** (*naut.*) gran pavese; gala di bandiere; tenuta ● (*a teatro*) **d. circle**, prima galleria □ **d. coat**, marsina; frac □ **d. code**, norme su come vestire in cerimonie e altre occasioni speciali □ **d. designer**, figurinista; stilista □ **d. form**, manichino (*il busto: da donna*) □ **d. guard**, reticella (*su ruota di bicicletta da donna, ecc.*) □ **d. hanger**, appendiabiti; ometto, gruccia (*per abiti*) □ (*un tempo*) **d. improver**, pouf; sellino □ **d. material**, stoffa per abiti □ (*mil.*) **d. parade**, parata in alta uniforme □ (*a teatro*) **d. rehearsal**, prova generale □ **d. shield** (*o* **d. preserver**), sottoascella □ **d. shirt**, sparato; (*anche*) camicia elegante (*da portare con la cravatta*) □ **d. shop**, negozio d'abbigliamento femminile □ **d. suit**, abito (*maschile*) da cerimonia □ (*mil.*) **d. uniform**, alta uniforme; divisa di gala □ (*di una donna*) **to have got good d. sense**, saper vestire; sapersi vestire bene.

♦**to dress** /dres/ **A** v. t. **1** vestire; abbigliare: *She was dressed in black*, era vestita di nero; *Mary Quant has dressed millions of people*, Mary Quant ha vestito milioni di persone **2** adornare; ornare; addobbare; decorare; parare a festa; pavesare (*una nave*): *The streets were dressed for the coronation*, le strade erano parate a festa per

l'incoronazione **3** (*med.*) medicare; bendare; fasciare (*una ferita*) **4** preparare, allestire, pulire, rifinire, ecc. (*qc. per un determinato scopo, per es.*): **to d. stones**, squadrare pietre (*da costruzione*); **to d. leather**, rifinire il cuoio; **to d. a salad**, condire l'insalata; **to d. a chicken**, conciare un pollo; **to d. a board**, levigare un'asse; **to d. a shopwindow**, allestire la mostra in una vetrina (di negozio) **5** (*mil.*) mettere in riga; allineare **6** (*agric.*) concimare (*campi*); potare, sarchiare (*piante*) **7** acconciare (*i capelli*): **to d. one's hair**, acconciarsi i capelli; pettinarsi **8** (*ind. tess.*) apprettare; dare l'appretto a **9** (*mecc.*) affilare, riaffilare (*un utensile*) **10** (*ind. min.*) arricchire (*o concentrare, o lavare: un minerale*) **B** v. i. **1** vestire; vestirsi; abbigliarsi: *Mary dresses well*, Mary veste bene; *I wash and d. in the morning*, la mattina, mi lavo e mi vesto; **to d. for dinner**, vestirsi (*o cambiarsi*) per il pranzo; **to d. in black**, vestire di nero **2** (*mil.*: *di soldati*) mettersi in riga; allinearsi ● **to d. the Christmas tree**, addobbare, decorare (*fam.*: fare) l'albero di Natale □ **to d. hides**, conciare pelli □ **to d. oneself**, vestirsi da solo: *You're old enough to d. yourself*, sei abbastanza grande per vestirti da solo □ (*naut.*) **to d. ship**, pavesare (*o impavesare*) la nave □ (*naut.*) **to d. ship overall**, alzare il gran pavese □ (*edil.*) **to d. a wall**, intonacare un muro.

■ **dress down A** v. t. + *avv.* **1** strigliare (*un cavallo*) **2** (*fig.*) dare una strigliata, fare una ramanzina, dare una lavata di capo a (q.) **B** v. i. + *avv.* vestirsi alla buona, meno bene del solito.

■ **dress up A** v. i. + *avv.* **1** vestirsi con eleganza; vestirsi a festa; mettersi in ghingheri (*fam.*) **2** vestirsi; travestirsi: *The children are going to d. up as little devils*, i bambini si travestiranno da diavoletti **B** v. t. + *avv.* **1** abbellire; infiorare (*fig.*): *You needn't d. up the unpleasant fact that you lied to your wife*, non serve che tu infiori il fatto spiacevole che hai mentito a tua moglie **2** (*mil.*) allineare; mettere in riga.

dressage /'drɛsaːʒ/ (*franc.*) n. (*ipp.*) dressage; dressaggio.

♦**dressed** /drɛst/ a. **1** vestito; abbigliato **2** adorno; addobbato **3** (*edil.*) lavorato: **d. stone**, pietra lavorata; concio ● (*fam.*) **to be d. to kill**, essere vestito per fare colpo; essere tirato (a lucido) □ **to be d. (up) to the nines**, essere in ghingheri (*o* in pompa magna) □ (*di soldati, ecc.*) **d. up**, allineati; in riga □ **to get d.**, vestirsi.

dresser① /'drɛsə(r)/ n. **1** (*stor.*) cameriere; valletto **2** (*teatr.*) camerinista **3** (*nelle sfilate di moda*) vestiarista **4** persona che veste in un certo modo: **a sloppy d.**, uno che è trasandato nel vestire **5** persona che cura l'abbigliamento; persona che veste con eleganza **6** (= window-d.) vetrinista **7** conciatore (*di pelli*) **8** (*med. ingl.*) assistente d'un chirurgo; infermiere **9** (*mecc.*) macchina affilatrice.

dresser② /'drɛsə(r)/ n. **1** credenza (*il mobile*) **2** (*USA*) cassettone con specchio **3** (*USA*) toeletta.

dressiness /'drɛsɪnəs/ n. ricercatezza, eccentricità (*nel vestire o d'un vestito*).

dressing /'drɛsɪŋ/ n. **1** abbigliamento; il vestirsi **2** (*med.*) medicazione; medicamenti; bende; fasce: *We'll put a light d. on and give you some crutches*, metteremo una fasciatura leggera e ti daremo un paio di stampelle **3** (*cucina*) condimento; salsa; (*USA*) ripieno **4** (*agric.*) composta; concime **5** (*ind. tess.*) apprettatura; appretto **6** (*naut.*) impavesata; pavesata; gala di bandiere **7** (d. = **window-d.**) allestimento delle vetrine; vetrinistica **8** (*tecn.*) finitura; finissaggio; approntatura **9** (*metall.*) scriccatura **10** (*edil.*) intonacatura; intonaco

---

11 (*edil.*) squadratura (*delle pietre*) **12** (*mecc.*) affilatura **13** rifinitura (*del cuoio*); concia (*delle pelli*) ● **d. case**, nécessaire da viaggio; beauty case □ (*fam.*) **d.-down**, lavata di capo; strigliata; ramanzina □ **d. gown**, veste da camera; vestaglia; accappatoio □ **d. room**, (*anche sport*) spogliatoio; (*teatr., cinem., TV*) camerino □ (*mil.*) **d. station**, posto di medicazione, di primo soccorso □ **d. table**, toeletta (*il mobile*) □ **d.-up**, travestimento; il mascherarsi □ (*fam.*) **to give sb. a good d.-down**, dare una bella strigliata a q.; fare una grossa ramanzina a q.

dressmaker /'drɛsmeɪkə(r)/ n. sarta (*o* sarto) da donna ‖ **dressmaking** n. confezione d'abiti da donna.

dressy /'drɛsɪ/ a. **1** (*di abito, ecc.*) elegante; ricercato; da sera: **d. clothes**, abiti eleganti; abbigliamento elegante; **a d. affair**, un'occasione elegante; **to wear something d.**, mettersi qualcosa di elegante **2** (*di persona*) elegante; che veste alla moda.

drew /druː/ *pass.* di **to draw**.

drey /dreɪ/ n. nido di scoiattolo.

dribble /'drɪbl/ n. **1** gocciolio; spruzzo; bava; gocciolamento **2** (*sport*) dribblaggio; dribbling; palleggio ● (*fig.*) **in dribbles**, alla spicciolata.

to **dribble** /'drɪbl/ **A** v. i. **1** gocciolare; sbavare: *Boxers usually d. at the mouth*, di solito i boxer hanno la bava alla bocca (*o* sbavano) **2** (*sport*) dribblare; palleggiare: (*basket*) **to d. on the run**, palleggiare in corsa **3** (*sport*) avanzare dribblando **B** v. t. **1** sgocciolare; far sgocciolare; far uscire (*un liquido*) a gocce **2** (*sport*) – **to d. the ball**, dribblare; palleggiare ● (*pitt.*) **to d. paint from the tube**, far venire fuori il colore dal tubetto (*spremendolo*) □ (*sport*) **to d. past** (*o* **round**) **an opponent**, dribblare (*o* scartare) un avversario.

dribbler /'drɪblə(r)/ n. (*sport*) dribblatore; palleggiatore; giocatore di spola.

dribbling /'drɪblɪŋ/ n. **1** gocciolio; gocciolamento **2** (*sport*) dribbling; dribblaggio; palleggio.

driblet /'drɪblət/ n. **1** gocciolina **2** (*fig.*) piccola quantità ● **He pays his debt in driblets**, paga il suo debito a poco a poco (*o* col contagocce).

dribs /drɪbz/ n. pl. (*fam.*) – nella loc. **in d. and drabs**, un po' per volta; pochi per volta; alla spicciolata; a spizzichi.

dried /draɪd/ **A** p. p. di **to dry B** a. essiccato; secco: **d. fruit**, frutta secca; **d. flowers**, fiori secchi ● **d. eggs [milk]**, uova [latte] in polvere □ **d. up**, rinsecchito; magro; (*fig.*) inaridito.

drier /'draɪə(r)/ n. **1** essiccatore **2** essiccatoio **3** (*chim.*) essiccativo; (*sostanza*) essiccante **4** (= **hairdrier**) asciugacapelli **5** asciugatrice (*macchina*) **6** asciugastoviglie (*macchina*).

♦**drift** /drɪft/ n. **1** movimento; spinta; direzione; flusso (*della corrente*): *The boat was taken out to sea by the d. of the tide*, la barca fu portata al largo dal movimento della marea; *The d. of the stream was easterly*, la direzione della corrente era verso est **2** (*naut.*) percorso *o* velocità: *di una corrente*) **3** (*fig.*) spostamento; fuga (*fig.*); flusso: **the d. of labourers to the city**, l'inurbamento dei lavoratori; **the d. from the land**, la fuga dalle campagne **4** (*fig.*) tendenza; inclinazione; piega (*fig.*): *The general d. of international trade is towards stagnation*, la tendenza generale del commercio internazionale è verso il ristagno **5** significato; senso; succo (*fig.*): *Did you catch (o get, o make out) the d. of what he said?*, hai colto il senso del suo discorso? **6** turbine (*di pioggia, neve, ecc.*); cumulo, mucchio (*di neve, foglie secche, ecc.*): *Progress was difficult ow-*

---

ing to big drifts of snow, era difficile avanzare a causa della presenza di grossi cumuli di neve **7** andamento, andazzo (*delle cose, del gioco, ecc.*) **8** immobilismo; attendismo **9** (*geol.*) detrito (*glaciale o di spiaggia*); materiale alluvionale **10** (*autom. e fig.*) slittamento: **four-wheel d.**, slittamento sulle quattro ruote; (*econ.*) **wage d.**, slittamento salariale **11** (*ling.*) alterazione diacronica **12** (*nelle miniere*) galleria in direzione **13** (*mecc.*) spina conica (*per allargare fori*) **14** (*geogr.*) corrente marina (*lenta*): *The North Atlantic d. bathes Britain's western shores*, la corrente dell'Atlantico settentrionale bagna le coste occidentali della Gran Bretagna **15** (*naut., aeron.*) scarroccio; deriva: **d. angle**, angolo di deriva **16** (*tecn.*) deviazione (*di una corrente elettrica, di un sondaggio minerario, ecc.*) ● (*naut.*) **d. anchor**, ancora di deriva □ (*oceanografia*) **d. bottle**, bottiglia alla deriva □ (*naut.*) **d. current**, corrente di deriva □ **d. ice**, banchi di ghiaccio alla deriva □ (*aeron., naut.*) **d. indicator** (*o* **d. meter**), derivometro □ **d. net**, rete (da pesca) alla deriva; tramaglio □ **a d. of smoke**, uno sbuffo di fumo □ (*fam.*) **if you catch my d.**, non so se mi spiego; se mi capisci □ (*fig.*) **to be in a state of d.**, non sapere che pesci prendere.

to **drift** /drɪft/ **A** v. i. **1** (*naut.*) scarrocciare; (*naut., aeron.*) derivare; andare alla deriva (*anche fig.*); lasciarsi trasportare dalla corrente (*o* dagli eventi): *The boat drifted ashore*, la barca fu portata a riva dalla corrente; *The ship was drifting about*, la nave andava alla deriva (*o* scarrocciava); **to d. down a river**, lasciarsi portare dalla corrente di un fiume; *That poor man is just drifting through life*, quel poveretto si lascia andare alla deriva (*o* si lascia trasportare dalla corrente) **2** accumularsi, ammucchiarsi (*per l'azione del vento, ecc.*): *The snow had drifted all over the valley*, la neve s'era accumulata su tutta la valle **3** vagare; spostarsi (lentamente): **clouds drifting in the sky**, nuvole che vagano nel cielo; *Africa was drifting towards Communism*, i paesi africani si spostavano verso il comunismo **4** (*econ., market.*: di prezzi, ecc.*) spostarsi di poco; oscillare **5** (*ind. min.*) scavare gallerie in direzione **6** (*radio, TV*) oscillare **B** v. t. **1** (*del vento, d'una corrente*) far andare alla deriva (*un'imbarcazione*); trasportare, trascinare (*foglie secche, tronchi d'albero, ecc.*) **2** accumulare; ammucchiare: *The wind has drifted the snow in front of the door*, il vento ha ammucchiato la neve contro la porta **3** ricoprire (*un terreno*) di cumuli di neve **4** (*mecc.*) allargare (*fori*) con una spina conica; (*anche*) mandrinare ● **to d. from job to job**, cambiare di continuo lavoro □ (*Borsa, fin.*) **to d. lower**, scivolare: *Oils drifted somewhat lower yesterday*, le azioni petrolifere sono scivolate alquanto ieri □ **to let things d.**, lasciare che le cose vadano per il loro verso.

■ **drift along** v. i. + *avv.* **1** (*spec. naut.*) andare alla deriva **2** (*fig.*) lasciarsi andare; vivere alla giornata; non preoccuparsi del futuro.

■ **drift apart** v. i. + *avv.* allontanarsi l'uno dall'altro; distaccarsi a poco a poco (*anche fig.*).

■ **drift away** v. i. + *avv.* **1** (*della nebbia, di una folla, del fumo, ecc.*) allontanarsi a poco a poco; disperdersi; dissolversi **2** (*fig.*) allontanarsi, distaccarsi (*dalle idee di q., ecc.*) □ **The boy's attention drifted away**, il ragazzo si distrasse.

■ **drift down** v. i. + *avv.* calare (*o* diminuire) a poco a poco: *Inland revenue drifted down five percent last year*, il gettito fiscale è calato del cinque percento l'anno scorso.

■ **drift off** v. i. + *avv.* → **drift away**.

■ **drift out** v. i. + *avv.* **1** (*spec. naut.*) essere

spinto al largo **2** (*fig.*: *della folla, ecc.*) disperdersi; allontanarsi alla spicciolata.

driftage /'drɪftɪdʒ/ n. ⓤ **1** l'andare alla deriva, ecc. **2** detriti; materiale di deposito **3** (*aeron., naut.*) (entità della) deriva (*rispetto alla rotta*).

drifter /'drɪftə(r)/ n. **1** chi (*o cosa che*) va alla deriva, ecc. (→ **to drift**) **2** peschereccio (*o pescatore*) con tramaglio **3** (*ind. min.*) addetto allo scavo di gallerie; (*anche*) drifter, martello perforatore pesante **4** (*spreg.*) chi si sposta di continuo; vagabondo; chi cambia di continuo lavoro; chi non sta mai fermo in un posto **5** (*USA*) violenta tempesta di neve.

drifting /'drɪftɪŋ/ Ⓐ n. ⓤ **1** l'andare alla deriva **2** (*ind. min.*) scavo di gallerie in direzione **3** (*mecc.*) allargamento (*di un foro*) con una spina conica; (*anche*) mandrinatura Ⓑ a. **1** (*anche fig.*) che va alla deriva **2** (*fig.*) incerto; pusillanime ● (*naut.*) **d. mine**, mina vagante.

driftpin /'drɪftpɪn/ n. (*mecc.*) spina conica (*per allargare fori*).

driftwood /'drɪftwʊd/ n. ⓤ **1** legname trasportato dalla corrente; rottami (*o detriti*) galleggianti **2** cumuli di legname sulla spiaggia.

drill ① /drɪl/ n. **1** (*mecc.*, = d. bit) punta da trapano **2** (*mecc.*) trapano: **electric d.**, trapano elettrico **3** (*ind. min.*) trivella; sonda **4** (*med.*) trapano. **dentist's d.**, trapano da dentista **5** ⓒⓤ (*anche mil.*) esercitazione; addestramento; istruzione: *The infantry recruits were at d.*, le reclute di fanteria facevano istruzione; **fire d.**, esercitazione antincendio **6** esercizio (*per lo più orale*); esercitazione: **a pronunciation d.**, un esercizio di pronuncia **7** ⓤ (*fam.*) modo; maniera; prassi; come fare (*fam.*): *What's the d. for getting in without buying a ticket?*, come si fa a entrare senza pagare il biglietto? ● **d. bit**, punta da trapano □ (*mil.*) **d. ground**, terreno per esercitazioni; piazza d'armi □ **d. hole**, foro di trivellazione; (*anche*) fornello da mina □ (*ind. min.*) **d. pipe**, batteria di perforazione tubolare □ (*tecn.*) **d. press**, trapano a colonna □ **d. rod**, asta di perforazione □ (*mil.*) **d. sergeant**, sergente istruttore □ (*fam.*) **What's the d.?**, come si procede?; chi fa che cosa?

drill ② /drɪl/ n. (*agric.*) **1** seminatrice; seminatoio **2** solco (*in cui seminare*) **3** fila di semi (*o di piante cresciute*) lungo un solco.

drill ③ /drɪl/ n. ⓤ (*ind. tess.*) tessuto diagonale pesante (*di lino o cotone*); traliccio.

drill ④ /drɪl/ n. (*zool., Mandrillus leucophaeus*) drillo.

to drill ① /drɪl/ Ⓐ v. t. **1** forare; perforare; trapanare (*anche med.*); trivellare; fare (*un foro*) **2** (*anche mil.*) esercitare; addestrare: **to d. soldiers in the use of rifles**, addestrare soldati all'uso del fucile; **to d. pupils in conversation**, esercitare alunni nella conversazione **3** crivellare: *The dead man was drilled with bullets*, il morto era crivellato di pallottole Ⓑ v. i. **1** fare perforazioni, trivellazioni, sondaggi **2** fare esercitazione, istruzione (*militare*); addestrarsi: *Our company will d. tomorrow*, la nostra compagnia farà istruzione domani **3** fare esercizi, esercitarsi (*a scuola, ecc.*) ● **to d. for oil**, cercare il petrolio □ (*fig.*) **to d. (it) into**, inculcare in; insegnare a: *I've drilled it into my children that they must be polite*, ho insegnato ai miei figli a essere educati.

■ **drill down** v. i. + avv. (*comput.*) individuare un dato per raffinamenti progressivi.

to drill ② /drɪl/ v. t. (*agric.*) **1** seminare a righe **2** coltivare seminando a righe.

drillable /'drɪləbl/ a. **1** perforabile; trapanabile; trivellabile **2** (*mil.*) addestrabile.

drilldown /'drɪldaʊn/ n. ⓤ (*comput.*), ri-

cerca per raffinamenti progressivi.

driller /'drɪlə(r)/ n. **1** trapanatore, trapanatrice; perforatore **2** (*tecn.*) perforatrice (*macchina*).

drilling /'drɪlɪŋ/ n. ⓤ **1** (*mecc.*) foratura, trapanatura **2** (*med.*) trapanazione **3** (*ind. min.*) trivellazione; perforazione; sondaggio (*per il petrolio*): **d. rig**, impianto di trivellazione **4** esercitazioni; addestramento; istruzione (*militare*) **5** esercitazione (*a scuola, ecc.*) **6** (*ind. tess.*) → **drill** ③ **7** (pl.) trucioli di trapanatura ● (*mecc.*) **d. machine**, trapanatrice; perforatrice □ (*tecn.*) **d. platform**, piattaforma di perforazione.

drillmaster /'drɪlmɑːstə(r)/ n. (*mil.*) sergente istruttore.

drillship /'drɪlʃɪp/ n. (*naut.*) **1** nave per ricerche petrolifere **2** nave scuola (*interrata*).

drily /'draɪlɪ/ → **dryly**.

♦ **drink** /drɪŋk/ n. **1** ⓤ il bere; bevanda; bibita: **soft d.**, bevanda analcolica; bibita; *We cannot live without d.*, non si può vivere senza bere; *Don't take to d.*, non darti al bere **2** drink; bevanda alcolica: *Would you like another d.?*, vuoi un altro drink?; **strong drinks**, bevande alcoliche **3** bevuta; sorsata; sorso; bicchiere (*il contenuto*): *Give me a d. of water*, dammi un bicchiere d'acqua **4** – (*slang*) **the d.**, il mare; l'acqua: **to end up in the d.**, finire a mollo **5** (*slang*) bue starella ● **drinks dispenser** (*o* **drinks machine**), distributore automatico di bevande calde □ (*autom.*) **d.-driving**, guida in stato di ubriachezza □ **drinks party**, bevuta; bicchierata □ **drinks store**, spaccio di bevande alcoliche □ **to be on the d.**, essere dedito al bere □ **to smell of d.**, puzzare d'alcol □ **to stand a round of drinks**, offrire da bere a tutti.

♦ **to drink** /drɪŋk/ (pass. **drank**, p. p. **drunk**), v. t. e i. **1** bere: *What are you drinking?*, che cosa bevi? (*anche offrendo*); (al ristorante) *What would you like to d.?*, da bere?; *The arid sod drank water like a sponge*, le aride zolle bevevano (*o assorbivano*) l'acqua come una spugna: **to d. sb.'s health**, bere alla salute di q.; **to d. success to sb.** [st.], bere al successo di q. [alla riuscita di qc.] **2** bere (alcolici): *He doesn't d.*, non beve (è astemio) **3** mangiare (*cibo liquido*): *D. your soup!*, mangia la zuppa! ● **to d. deep**, bere a grandi sorsi; bere come una spugna □ **to d. one's fill**, bere a sazietà; fare il pieno (*fam. scherz.*) □ **to d. hard** (*o* **heavily, like a fish**), bere come una spugna; essere un gran bevitore □ **to d. oneself out of one's job**, perdere l'impiego per il troppo bere □ **to d. oneself to death**, uccidersi col troppo bere □ **to d. straight from the bottle**, bere a collo □ **to d. to sb.**, bere alla salute di q.; fare un brindisi a q. □ **to d. a toast**, fare un brindisi □ (*dell'acqua*) **fit to d.**, potabile.

■ **drink away** v. t. + avv. **1** sperperare al bar; bersi: *He's drunk away his wage packet again*, si è bevuto di nuovo la busta paga **2** far passare (*dispiaceri, ecc.*) bevendo (*o* con l'alcol).

■ **drink down** v. t. + avv. buttare giù (*fam.*); bere; tracannare.

■ **drink in** v. t. + avv. **1** assorbire; intendere; recepire: *'Bending closely on him, I at length drank in the hideous import of his words'* E.A. POE, 'piegandomi su di lui a breve distanza, finalmente intesi l'orrendo significato delle sue parole' **2** bere (*fig.*): *The child drank in every word of the fairy tale*, il bimbo beveva ogni parola della fiaba **3** (*fig.*) assaporare lentamente: **to d. in the beauty of the landscape**, assaporare lentamente la bellezza del paesaggio.

■ **drink off** v. t. + avv. bere d'un fiato; tracannare: *He's drunk off his medicine*, ha bevuto d'un fiato la medicina.

■ **drink under** v. t. + prep. – nella loc. fam.

to d. sb. under the table, battere q. in una gara a chi crolla a terra ubriaco per ultimo.

■ **drink up** v. t. + avv. **1** → **drink off 2** finire (di bere): *D. up your milk!*, finisci (di bere) il latte!

drinkable /'drɪŋkəbl/ Ⓐ a. bevibile; potabile Ⓑ n. pl. bevande.

drink-driving /drɪŋk'draɪvɪŋ/ (*autom., leg.*) n. ⓤ guida in stato di ubriachezza || **drink-driver** n. chi guida in stato di ubriachezza.

drinker /'drɪŋkə(r)/ n. chi beve; bevitore, bevitrice: **to be a hard** (*o* **heavy) d.**, essere un gran bevitore.

drinking /'drɪŋkɪŋ/ Ⓐ n. ⓤ **1** il bere **2** il bere alcolici: *We did a lot of d. at the party*, bevemmo molto (*o* facemmo un sacco di bevute) alla festa Ⓑ a. attr. **1** che riguarda il bere; sull'uso degli alcolici: **d. laws**, leggi sulla vendita e il consumo degli alcolici □ **d. water**, acqua potabile ● **d. bout**, grande bevuta □ **d. fountain**, fontanella pubblica □ **d. song**, canzone conviviale ● **d. trough**, abbeveratoio □ (*in GB*) **d.-up time**, breve tempo concesso per finire le bevande in un pub (*oltre l'orario di chiusura*).

drip /drɪp/ n. **1** ⓤ (= drip drop) gocciolio; sgocciolio; gocciolamento; stillicidio **2** (*USA*) **drippings**) gocce che cadono; sgocciolatura: **the d. of a wet umbrella**, la sgocciolatura di un ombrello bagnato **3** (*archit.*) gocciolatoio **4** ⓤⓒ (*med., fam.*) fleboclisi: **to be put on a d.**, essere sottoposto a fleboclisi **5** (*slang*) individuo che non sa di nulla; persona insignificante; pesce lesso (*fig.*) **6** (*slang*) scolo ● (*edil.*) **d. cap**, gocciolatoio (*su porta o finestra*) □ **d. drop**, gocciolio; sgocciolio; stillicidio ● **d.-dry**, «stendi e asciuga»; «non stiro»: **d.-dry underwear**, biancheria intima «non stiro» □ (*edil.*) **d. edge**, doccione □ **a d.-feed**, (*med.*) una fleboclisi; (*mecc.*) un'alimentazione a gocce □ (*med.*) **d.-feed bottle**, flacone di soluzione fisiologica □ (*agric.*) **d. irrigation**, irrigazione a gocce □ (*archit.*) **d. moulding**, gocciolatoio □ (*cucina*) **d. tray**, sgocciolatoio.

to drip /drɪp/ Ⓐ v. i. **1** gocciolare: *Coffee is dripping from the pot*, il caffè gocciola dalla caffettiera; *The tap is dripping*, il rubinetto gocciola **2** grondare: *'Sweat dripped from their eyes, fell from their noses, ran into their mouths'* N. MAILER, 'il sudore grondava a loro dagli occhi, cadeva dal naso, e scorreva fin dentro la bocca'; *The boy was dripping with sweat*, il ragazzo grondava di sudore **3** sgocciolare; sgrondare: **to leave the washing to d.**, mettere i panni a sgrondare Ⓑ v. t. **1** far gocciolare; sgocciolare: *You've dripped milk over the table*, hai sgocciolato del latte sulla tavola **2** gocciolare: (*di una ferita*) **to d. blood**, gocciolare (*o* fare) sangue; *The roof is dripping water*, il tetto fa acqua **3** grondare: *I was dripping sweat*, grondavo sudore **4** (*anche* mecc.) mettere a gocce (*in un flacone, ecc.*) ● **Water is dripping from the eaves**, l'acqua (piovana) sgronda dal tetto.

to drip-dry /'drɪp'draɪ/ Ⓐ v. i. (d'indumento) asciugare senza fare pieghe (*sullo stenditoio, ecc.*) Ⓑ v. t. (fare) asciugare (*un capo di vestiario*) senza stirare.

to drip-feed /'drɪp'fiːd/ (pass. e p. p. **drip-fed**), v. t. **1** (*med.*) alimentare per fleboclisi **2** (*mecc.*) alimentare a goccia.

dripping /'drɪpɪŋ/ Ⓐ a. **1** che gocciola; che perde: **a d. tap**, un rubinetto che perde **2** grondante: **d. with sweat**, grondante di sudore **3** bagnato fradicio Ⓑ n. ⓤ **1** sgocciolio; stillicidio **2** sgocciolatura (*di un avento, ecc.*); sugo che cade **3** (*med.*) fleboclisi (*il procedimento*) ● **d. pan**, ghiotta; leccarda □ **d. wet**, bagnato fradicio □ **d. with money**, ricco sfondato.

drippy /'drɪpɪ/ a. (fam. USA) **1** sdolcinato; strappalacrime **2** noioso; barboso; monotono.

dripstone /'drɪpstəʊn/ n. **1** (archit.) gocciolatoio di pietra **2** Ⓤ (geol.) concrezione calcarea (carbonato di calcio).

drive /draɪv/ n. **1** gita (o passeggiata) in (o alla guida di una) carrozza (o in automobile); scarrozzata: Let's go for a d.!, facciamo una gita in macchina!; It's two hours' d. there and back, ci sono due ore di macchina per andare e venire; I'm glad that drive's over, sono contento di non essere più in macchina **2** strada carrozzabile; (spec.) viale d'accesso, strada privata **3** battuta di caccia; inseguimento **4** (mil.) attacco; offensiva **5** Ⓤ spinta; propulsione; motivazione **6** (sport) puntata in attacco; incursione; discesa (a rete); colpo (dato a una palla); (tennis) diritto, drive; (calcio) tiro, fiondata, sventola; (golf) colpo lungo, drive; (pallavolo) attacco, schiacciata **7** Ⓤ energia; spinta (fig.); grinta (fam.); iniziativa; sforzi (fig.): A businessman should have plenty of d., un uomo d'affari deve avere molta iniziativa; the d. for peace; gli sforzi per la pace **8** ⓊⒸ (autom.) guida (il meccanismo, lo sterzo): **left-hand d.**, guida a sinistra (negli automezzi dei paesi in cui il traffico tiene la destra); **right-hand d.**, guida a destra (negli automezzi dei paesi in cui il traffico tiene la sinistra) **9** ⓊⒸ (autom., mecc.) trazione: **front-wheel d.**, trazione anteriore; **four-wheel d.**, trazione integrale **10** ⓊⒸ (mecc.) comando; trasmissione; presa: **belt d.**, trasmissione a cinghia; **direct d.**, presa diretta **11** ⓊⒸ (psic.) pulsione; impulso: **the sex d.**, l'impulso sessuale **12** (anche comm.) sforzo eccezionale; campagna (pubblicitaria): The firm made a great d. to sell its new products, la ditta fece una grande campagna per vendere i suoi nuovi prodotti **13** ⓊⒸ (ind. min.) scavo di galleria; avanzamento; (anche) galleria in direzione **14** (comput.) drive; (anche) lettore, unità: **d. pulse**, impulso di comando; **floppy disk d.**, lettore di floppy disk; **disk d.**, unità disco **15** (nei giochi di carte) torneo **16** (a tombola) giocata ● (calcio) **d. against the post**, palo (il tiro sul montante) □ (calcio) **d. at goal**, tiro in porta □ **d. belt**, cinghia di trasmissione □ (tennis, pallavolo) **d. down the sideline**, lungolinea (sost.) □ (mecc.) **d. gear**, ingranaggio conduttore □ (mecc.) **d. screw**, vite autofilettante □ (radio, USA) **d. time**, ora di massimo ascolto □ (mecc.) **d. wheel**, ruota motrice.

♦**to drive** /draɪv/ (pass. **drove**, p. p. **driven**) Ⓐ v. t. **1** spingere; cacciare; sospingere; trascinare: The shepherd was driving his sheep, il pastore spingeva innanzi a sé le pecore; The storm drove the catamaran on the coral reef, la tempesta sospinse il catamarano sulla barriera corallina; The enemy were driven out of the town, i nemici furono cacciati dalla città **2** (nella caccia) stanare (la selvaggina); battere (un terreno) **3** (sport) battere, colpire; (calcio) spedire, mandare, scagliare (una palla); (tennis) colpire di diritto; (golf) colpire con un driver; (baseball) The batter drove the ball into the bleachers, il battitore scagliò la palla nelle gradinate **4** condurre; guidare (un veicolo); (sport) pilotare: **to d. a carriage and pair**, guidare una carrozza a due cavalli (o una pariglia); **to d. a locomotive**, guidare una locomotiva; **to d. a racing car**, pilotare una vettura da corsa **5** accompagnare, portare (q.) in automobile (fam.: in macchina): Can you d. me to the office?, puoi portarmi in macchina all'ufficio?; 'Later we found your car. You drove me' H. PINTER, 'poi trovammo la tua macchina. Mi portasti con te' **6** infilare; conficcare; piantare; avvitare: **to d. a stake into the ground**, piantare un palo per terra; **to**

d. a screw, avvitare una vite **7** scavare; costruire: **to d. a well**, scavare un pozzo; **to d. a tunnel through a mountain**, scavare una galleria attraverso un monte **8** (fig.) incalzare; stimolare; stare addosso a: He drives his workers hard, sta troppo addosso ai suoi operai **9** (fig.) spingere: **to d. sb. to drink**, spingere q. a bere (o a darsi all'alcol); **to d. sb. to suicide**, spingere q. al suicidio **10** (di solito al passivo) azionare; far funzionare: This machinery is driven by nuclear power, questo macchinario è azionato dall'energia nucleare **11** rimandare; rinviare: He drove the matter to the last minute, rinviò la faccenda all'ultimo minuto Ⓑ v. i. **1** (autom.) guidare; portare la macchina (fam.): He's learning to d., sta imparando a guidare; Let me d., please!, fa' guidare me, per favore; He drives very well, porta bene la macchina; «D. slowly» (cartello), «Rallentare» **2** andare (con un veicolo privato); andare in auto (fam.: in macchina): Shall we d. or walk?, andiamo in macchina o a piedi?; They drove to the airport, andarono all'aeroporto in auto; I don't d. anymore, there's never anywhere to park, non vado più in macchina, non si trova mai il parcheggio **3** correre; affrettarsi; precipitarsi: The spacecraft drove towards the moon, la nave spaziale correva verso la luna **4** (della pioggia, ecc.) cadere (forte); venire giù: The slanting rain was driving faster and faster, la pioggia veniva giù di sghembo, sempre più forte **5** (mil.) spingersi; addentrarsi: Napoleon drove (ahead) into the plains of Russia, Napoleone si addentrò nelle pianure della Russia **6** (ind. min.) avanzare (con lo scavo) **7** (naut., spesso **to d. along**) correre in poppa; fuggire il tempo ● (slang USA) **to d. the big (o the porcelain) bus**, vomitare nella toilette □ (anche fig.) **to d. sb. crazy** (o **mad**), fare impazzire q. □ (autom., GB) **to d. with excess alcohol**, guidare in stato di ubriachezza □ **to d. a good bargain**, fare un buon affare □ **to d. hard**, spingere a tutta forza; (fig.) sforzarsi □ **to d. a hard bargain**, tirare la coperta tutta dalla propria parte (fig.); fare un accordo molto vantaggioso □ **to d. a roaring trade**, fare affari d'oro □ (slang USA) **to d. sb. nuts**, fare impazzire q. □ (fig.) **to d. sb. round the bend** (o **the twist**), fare impazzire q. □ **to let d. at sb.**, assestare un colpo a q.; tirare un pugno a q.

■ **drive ahead** v. i. + avv. **1** andare avanti: Let's d. ahead with our plan!, andiamo avanti con il nostro progetto! **2** (mil.) spingersi; addentrarsi.

■ **drive at** v. i. + prep. (nella forma in -ing) (fam.) alludere a, voler dire; andare a parare; arrivare: What is he driving at?, a che cosa allude?; dove vuole arrivare?; 'I don't know whether you see what I'm driving at, but all of us are more or less pawns' T. DREISER, 'non so se capisci dove voglio arrivare, ma noi tutti non siamo altro che delle pedine'.

■ **drive away** Ⓐ v. i. + avv. (di o con un veicolo) allontanarsi; partire; andare via: After waiting for five minutes, the taxi-driver drove away, dopo avere aspettato cinque minuti, il tassista andò via Ⓑ v. t. + avv. **1** portare via: 'Reindeer are coming to d. you away / Over the snow on an ebony sleigh' W.H. AUDEN, 'le renne vengono per portarti via / sulla neve in una slitta d'ebano' **2** spingere via; cacciare, scacciare: Lots of holiday-makers were driven away by the hurricane, l'uragano ha fatto partire in tutta fretta molti vacanzieri □ **to d. away at**, lavorare assiduamente a (qc.): We're still driving away at our dictionary, stiamo ancora lavorando sodo al dizionario.

■ **drive back** Ⓐ v. i. + avv. (autom.) tornare; ritornare (in macchina): We drove back

very late, tornammo (a casa) molto tardi; Shall we d. back?, torniamo in macchina? Ⓑ v. t. + avv. respingere, ricacciare: I was driven back by the flames, fui respinto dalle fiamme; **to d. the enemy back**, ricacciare il nemico □ **to d. sb. back on**, costringere q. a ricorrere a (mezzi propri, risorse autonome, ecc.).

■ **drive down** v. t. + avv. **1** spingere in basso **2** far calare; far diminuire; spingere al ribasso: **to d. down prices**, far calare i prezzi.

■ **drive home** Ⓐ v. i. + avv. andare a casa in automobile Ⓑ v. t. + avv. **1** accompagnare (o portare) a casa in automobile **2** spingere (o piantare, avvitare, ecc.) a fondo (o nella posizione desiderata): **to d. the nails home**, piantare bene i chiodi **3** (fig.) far capire, mettere bene in chiaro, chiarire bene; trasmettere (un messaggio pubblicitario); **to d. home one's point**, chiarire bene il proprio punto di vista; I drove home to him what our problem was, gli feci capire qual era il nostro problema.

■ **drive in** (o **into**) Ⓐ v. t. + avv. (o prep.) **1** spingere dentro; piantare; conficcare: He drove the nail into the board, piantò il chiodo nell'asse **2** (fig.) portare a conclusione Ⓑ v. i. + avv. (autom.) entrare: He drove into the garage, entrò nell'autorimessa □ **to d. a business into debt**, indebitare un'azienda □ (fig.) **to d. sb. into a corner**, mettere q. alle corde (o con le spalle al muro) (fig.) □ (fig.) **to d. sb. into the ground**, stare addosso, non dare tregua a q.

■ **drive off** Ⓐ v. i. + avv. (autom.) → **drive away**, Ⓐ Ⓑ v. t. + avv. **1** portare via (con un veicolo): The kidnappers drove her off in a van, i rapitori la portarono via in un furgone **2** (anche mil. e sport) rintuzzare (un attacco); respingere (gli avversari); ricacciare.

■ **drive out** Ⓐ v. t. + avv. **1** spingere fuori; stanare: **to d. out a rabbit**, stanare un coniglio **2** cacciare; scacciare: He drove them out of the church, li cacciò dalla chiesa Ⓑ v. i. + avv. (autom.) uscire: **to d. out of the garage**, uscire dal garage □ **to d. sb. out of his mind**, fare uscire q. di senno; fare impazzire q. □ **to d. st. out of one's mind**, scacciare qc. dalla propria mente.

■ **drive through** v. t. + prep. **1** (autom.) attraversare (una regione, una città, ecc.) **2** trapassare, trafiggere: The Redskin drove his spear through the buffalo, l'indiano trafisse il bisonte con la lancia **3** scavare (una galleria, ecc.) in (un monte, ecc.) □ **to d. prices through the roof**, far salire i prezzi alle stelle.

■ **drive up** Ⓐ v. i. + avv. **1** (di un veicolo) accostarsi; avvicinarsi; fermarsi: The van drove up at the back door, il furgone si fermò alla porta di servizio **2** (di un veicolo) sopraggiungere; farsi sotto (fam.): A police car drove up, sopraggiunse un'auto della polizia Ⓑ v. t. + avv. **1** spingere in alto **2** spingere al rialzo; far salire: **to d. up prices**, far salire i prezzi Ⓒ v. i. + prep. (autom.) **1** andare su per, percorrere (una strada, ecc.) **2** condurre, portare (q. o qc.): He drove me up the hill, mi portò (in macchina) sulla collina □ (fam. USA) **to d. sb. up the wall**, fare impazzire q.

drive-by /'draɪvbaɪ/ Ⓐ loc. n. (USA, = **drive-by shooting**) assassinio commesso sparando da un'auto in corsa Ⓑ a. che succede di nascosto (e all'insaputa della vittima): (comput.) **drive-by download**, software che si installa da solo all'insaputa dell'utente mentre naviga in rete.

drive-by-wire /draɪvbaɪ'waɪə(r)/ n. (autom., elettron.) sistema computerizzato di controllo (del motore, delle sospensioni, ecc.).

drive-in /'draɪvɪn/ n. **1** (edil.) viale (o via-

letto) di accesso (*per le automobili*) **2** (*cinem.*, = **drive-in cinema**) drive-in **3** (*market.*, *USA*; = **drive-in store**) negozio drive-in **4** (*banca*, = **drive-in bank**) banca drive-in (*o per automobilisti*) **5** (*tur.*, = **drive-in restaurant**) ristorante drive-in ● **drive-in window**, sportello (*di banca*) in cui si è serviti restando seduti in automobile; autosportello.

drivel /'drɪvl/ n. ① **1** bava **2** ciance; sciocchezze; stupidaggini; idiozie; cretinate.

to **drivel** /'drɪvl/ v. i. **1** sbavare **2** cianciare; parlare a vanvera; dire sciocchezze ● **a drivelling idiot**, un perfetto idiota ‖ **driveller** n. **1** sbavone, sbavona (*fam.*) **2** ciancione; sciocco; fesso; stolto.

driven /'drɪvn/ Ⓐ p. p. di **to drive** Ⓑ a. **1** (*solo pred.*) spinto; mosso: *I felt d. to react*, mi sentii spinto a reagire; sentii una spinta a reagire; **d. to crime**, spinto al crimine; **d. by hunger**, spinto dalla fame **2** (*nei composti*) mosso; spinto; azionato; guidato: **steam-d.**, azionato a vapore; **wind-d.**, spinto dal vento; **a chauffeur-d. car**, un'auto guidata da un autista (*o con autista*) **3** determinato; motivato: **financially d.**, determinato da ragioni finanziarie **4** (*di persona*) fortemente motivato; smanioso; posseduto da una smania □ (*edil.*) **d. caisson**, cassero (*o cassone*) infisso □ (*mecc.*) **d. gear**, ingranaggio condotto □ **d. rain**, pioggia spinta dal vento □ **d. snow**, neve sospinta e accumulata dal vento.

♦**driver** /'draɪvə(r)/ n. **1** conducente; guidatore; cocchiere; autista; automobilista: *He's a very bad d.*, è un pessimo automobilista; guida molto male **2** (*ferr.*, = **train d.**) macchinista **3** (*mecc.*) elemento motore (*ingranaggio, biella, ecc.*); menabrida (*di un tornio*) **4** (*fig.*) incentivo; spinta; volano **5** arnese che serve per piantare, ecc.: **pile d.**, battipalo **6** (*sport*) pilota (*d'auto da corsa*) **7** (*golf*) driver; legno **1 8** (*fig.*) driver; guidatore (*nelle corse al trotto*) **9** (*elettron.*) pilota; stadio pilota **10** (*comput.*) driver: **device d.**, driver di una periferica ● (*autom.*) **d.'s door mirror**, specchietto laterale □ (*elettron.*) **d. element**, elemento attivo (*o eccitatore*) □ (*autom. USA*) **d.'s license**, patente di guida □ **d.'s mate**, secondo autista (*di camion*) □ **d.'s seat**, (*autom.*) posto di guida; (*fig.*) posto di comando; (il) timone (*fig.*) □ **cattle d.**, mandriano (*stor.*) **slave d.**, mercante di schiavi; negriero.

driveshaft /'draɪvʃɑːft/ n. (*mecc.*) albero motore.

drive-up window /'draɪvʌp'wɪndəʊ/ loc. n. = **drive-in window** → **drive-in**.

driveway /'draɪvweɪ/ n. **1** (*autom.*) corsia d'accesso al garage; passo carraio **2** → **drive**, def. 2 ● **'No parking this d.'** (*cartello*), 'passo carraio'.

driving /'draɪvɪŋ/ Ⓐ part. pres. (*autom.*) alla guida di; su: *Hill, d. a Ferrari, won the race*, Hill, su Ferrari, vinse la corsa Ⓑ a. **1** (*autom.*) di guida: **d. test**, esame di guida **2** (*mecc.*) di trasmissione; motore, motrice: **d. wheels**, ruote motrici Ⓒ n. **1** (*autom.*) guida (*azione e modo di guidare*): **right-hand d.**, guida a destra (*in GB, ecc.*); **left-hand d.**, guida a sinistra (*in Italia, ecc.*); **open-road d.**, guida su strada; **urban d.**, guida in città; **d. under the influence**, guida in stato di ubriachezza **2** (*mecc.*) trasmissione **3** il conficcare, il piantare (*chiodi, ecc.*); l'avvitare (*viti*) **4** (*golf*) il colpire la palla con il 'driver' ● (*autom., leg.*) **d. ban**, ritiro della patente: **to receive a d. ban**, farsi ritirare la patente □ (*mecc.*) **d. belt**, cinghia di trasmissione □ **d. force** (*mil., sport*) forza offensiva; (*fig.*) trascinatore (*di un reparto, di una squadra*) □ (*mecc.*) **d. gear**, ingranaggio conduttore □ (*autom.*) **d. licence**, patente di guida □ (*autom.*) **d. mirror**, specchietto retrovisore □ (*mecc.*) **d. plate**, menabrida (*di*

un tornio) □ (*mecc.*) **d. pinion**, pignone di trasmissione □ (*mecc. e fig.*) **d. power**, forza motrice □ (*mecc.*) **d. pulley**, puleggia di trasmissione □ **d. rain**, pioggia battente (*o sferzante*) □ (*golf*) **d. range**, campo d'allenamento □ (*autom.*) **d. school**, scuola guida □ (*autom.*) **d. seat**, posto di guida □ (*mecc.*) **d. shaft**, albero motore □ (*autom.*) **d. teacher**, istruttore di scuola guida Ⓒ **CULTURA ● driving**: *circa un terzo della popolazione mondiale guida a sinistra. Si guida a sinistra non solo in Gran Bretagna ma anche in India, Pakistan, Indonesia, Australia, Giappone, e in numerosi paesi africani e asiatici. Pare che questa fosse la norma in quasi tutta l'Europa prima di Napoleone, che impose ai paesi da lui conquistati di passare a destra.*

drizzle /'drɪzl/ n. ① pioviggine; piovischio; acquerugiola; *It's only d., I'll be fine without an umbrella*, è solo una pioggia leggera, posso andare anche senza ombrello.

to **drizzle** /'drɪzl/ v. i. **1** piovigginare **2** cadere a goccioline: *The rain was drizzling*, la pioggia cadeva a goccioline.

drizzly /'drɪzlɪ/ a. piovigginoso.

DRM sigla (*comput.*, **digital rights management**) tecnologia per la gestione dei diritti d'autore in ambiente digitale.

drogue /drəʊg/ n. **1** (*naut.*) ancora galleggiante **2** (*meteor.*) manica a vento **3** (*aeron., mil.*) bersaglio a rimorchio **4** (*aeron.*) piccolo paracadute; paracadute ritardatore **5** (*aeron.*) manica di rifornimento (*del carburante*) in volo.

droid /drɔɪd/ n. (*abbr. fam. di* **android**) **1** androide **2** (*fig., scherz.*) burosauro; robot (*fig.*) **3** (*slang USA*) imbranato; fesso; zombie (*fig.*).

droll /drəʊl/ Ⓐ a. comico; divertente; faceto; ameno Ⓑ n. (*arc.*) buffone ‖ **drollery** n. **1** ① comicità; amenità; facezie; scherzi **2** facezia; scherzo ‖ **drollness** n. ① comicità; amenità ‖ **drolly** avv. comicamente; in modo faceto.

drome /drəʊm/ n. (*abbr. fam. di* **aerodrome**) aerodromo.

dromedary /'drɒmədrɪ/ n. (*zool.*, *Camelus dromedarius*) dromedario.

drone /drəʊn/ n. **1** (*zool.*) fuco; pecchione **2** (*fig.*) scroccone (*fam.*); parassita **3** individuo squallido; persona insipida **4** (*gergo mil.*) aereo spia (*senza pilota*) **5** (*naut.*) nave teleguidata **6** ronzio: **the d. of traffic**, il ronzio del traffico **7** (*mus.*) bordone **8** (*fig.*) tono monotono (*o salmodiante*) **9** (*mus.*) canna dei toni bassi (*di cornamusa*).

to **drone** /drəʊn/ Ⓐ v. i. **1** ronzare: *'A plane droned overhead, but he was too shaky to look'* A. SILLITOE, 'un aereo ronzava in alto, ma lui era troppo debole per alzare lo sguardo' **2** parlare in modo confuso, monotono; borbottare **3** oziare; bighellonare Ⓑ v. t. **1** dire (qc.) con voce monotona: *The boy droned out his lesson*, il ragazzo recitò la lezione con voce monotona **2** biascicare (*una preghiera, ecc.*).

droning /'drəʊnɪŋ/ Ⓐ a. che ronza; ronzante: **a d. insect**, un insetto che ronza Ⓑ n. ① **1** ronzio **2** suono monotono **3** il bighellonare.

drool /druːl/ n. (*slang USA*) discorso a vanvera; fesserie; idiozie; sciocchezze.

to **drool** /druːl/ v. i. (*spreg.*) **1** (*USA*) sbavare (*cfr. ingl.* **to dribble**): *Boxers d.*, i cani boxer sbavano **2** (*pop. USA*) parlare a vanvera; dire fesserie; blaterare **3** (*slang USA*) arraparsi (*pop.*); eccitarsi sessualmente ● to **d. over**, sbavare per; andare matto, fare una passione per: *He drools over the new motorbike*, va matto per la moto nuova; *Fred is drooling over Jenny*, Fred fa una passione per Jenny.

droop /druːp/ n. ① **1** abbassamento: **the d.**

of an eyelid, l'abbassamento d'una palpebra **2** (*fig.*) abbattimento; scoraggiamento; sconforto; ammosciamento ● **the d. of his shoulders**, il modo in cui tiene curve le spalle.

to **droop** /druːp/ Ⓐ v. i. **1** chinarsi; curvarsi; inclinarsi; piegarsi; abbassarsi: *The branches of the willow drooped over the water*, i rami del salice si piegavano sull'acqua; *His head drooped with fatigue*, egli chinò la testa stancamente **2** declinare; languire; venir meno: *My spirits drooped*, mi venne meno l'animo **3** (*fig.*) abbattersi; scoraggiarsi; accasciarsi **4** (*di fiori*) afflosciarsi; chinare il capo; appassire **5** (*fin.*) calare, scendere (*di prezzo*): *Industrials drooped*, le azioni industriali calarono Ⓑ v. t. abbassare (*gli occhi, le ali, le palpebre, ecc.*); piegare, chinare (*il capo*) ● **His eyelids began to d.**, gli si chiudevano le palpebre (*o gli occhi*) ● **The dog's tail drooped**, il cane abbassò la coda.

drooping /'druːpɪŋ/ a. **1** chino; ricurvo: **d. shoulders**, spalle ricurve **2** (*di un fiore*) afflosciato; a capo chino **3** floscio; cascante: **d. cheeks**, guance cascanti **4** (*fig.*) abbattuto; scoraggiato.

droopy /'druːpɪ/ a. **1** chino; curvo **2** floscio **3** (*fig.*) depresso; scoraggiato **4** cascante; a bracaloni: **d. pants**, calzoni a bracaloni ● (*slang USA*) **d. drawers**, bracalone (*anche al vocat.*, *spec. a un bambino*).

♦**drop** /drɒp/ n. **1** goccia (*anche fig.*); gocciola; goccio; gocciolo; stilla (*lett.*); sorso, cicchetto: **drops of rain** [**of dew, of blood**], gocce di pioggia (*di rugiada, di sangue*); *Have you taken your drops?*, hai preso le gocce (*di medicina*)?; *There isn't a d. of water left*, non c'è rimasta una sola goccia d'acqua; *He's had a d. too much*, ne ha bevuto un sorso di troppo; è ubriaco **2** drop; caramellina (*di gomma e frutta*); pasticca: **fruit drops**, caramelline (*dure*) di frutta **3** (= **d.-off**) caduta; abbassamento (*della temperatura, ecc.*); ribasso; calo; diminuzione; contrazione, flessione: (*fis., mecc.*) **pressure d.**, caduta di pressione; (*elettr.*) **tube voltage d.**, caduta di tensione in una valvola; (*market.*) *There was a sudden d. in prices*, ci fu un'improvvisa caduta (*o un improvviso ribasso*) dei prezzi; *For better-quality oils the d. in price was less marked*, per le qualità migliori di olio la contrazione del prezzo fu meno accentuata; **a d. in exports**, un calo delle esportazioni; (*econ.*) **a d. in domestic demand**, una flessione della domanda interna **4** (*fig.*) abbassamento; decadimento: **a d. in living standard**, un abbassamento del tenore di vita; *A d. in social standing is always unwelcome*, il decadere a una condizione sociale inferiore è sempre sgradevole **5** differenza in altezza; salto; dislivello: **a d. of 100 metres**, un dislivello di 100 metri; (*naut.*) **steam d.**, salto della pressione del vapore **6** (= **d.-off**) discesa ripida; strapiombo **7** trabocchetto (*che si apre sotto i piedi del condannato all'impiccagione, ecc.*) **8** (*teatr.*, = **d. curtain**) sipariento; sipario **9** (*rugby* = **d. kick**) drop; calcio di rimbalzo **10** (*aeron.*) lancio (*di paracadutisti o di materiale*); discesa col paracadute: **food drops**, lanci di viveri (*a sinistrati, ecc.*) **11** (pl.) (*archit.*) gocce **12** (*fig.*) briciolo; filo; pizzico: **a d. of sympathy**, un briciolo di simpatia **13** (*slang USA*) incasso di una casa da gioco **14** (*slang USA*) deposito di ricettatore; (posto di consegna di messaggi segreti (*o di merce illegale, droga, ecc.*): **to make a d.**, fare una consegna **15** (*slang ingl.*) bustarella; mazzetta **16** (*fam. sport*) retrocessione **17** (*tennis, ecc.*, = **d. shot**) smorzata; palla smorzata; drop shot **18** (*baseball*) lancio a scendere; palla bassa **19** (*slang USA*) figlio illegittimo; tro-

vatello ● (*edil.*) **d. ball**, drop ball; berta (*per demolizioni*) □ (*elettr.*) **d. bar**, sbarra di messa a terra □ (*tipogr.*) **d. cap**, capolettera (sost. masch.) □ (*USA*) **d. cloth** → **dustsheet** □ (*comput.*) **d.-down menu**, menu a tendina □ **d. earring**, orecchino a goccia □ (*metall.*) **d. forging**, stampaggio con maglio meccanico; fucinatura a stampo □ (*rugby*) **d. goal**, drop; marcatura su calcio di rimbalzo; gol su drop □ (*metall.*) **d. hammer**, maglio a caduta libera □ **d.-in**, accessibile senza appuntamento o prenotazione; (*di oggetto*) che si inserisce dall'alto: **d.-in centre**, centro di assistenza, ambulatorio, ecc., che riceve senza appuntamento; **on a d.-in basis**, senza dover prendere appuntamento □ **a d. in the bucket** (*o* **in the ocean**), una goccia nel mare; una quantità minima rispetto al totale □ (*rugby*) **d. kick**, drop, calcio di rimbalzo □ **d.-off** → **drop**, *def. 3 e 6* □ (*mecc.*) **d. press**, pressa meccanica verticale □ (*fotogr.*) **d. shutter**, obiettivo per istantanee □ (*costr. idrauliche*) **d. spillway**, sfioratore a stramazzo □ (*metall.*) **d. stamping**, stampaggio al maglio □ **d. table**, tavolo ribaltabile □ (*aeron.*) **d. tank**, serbatoio sganciabile □ (*elettr.*) **d. wire**, (filo di) discesa □ (*mil., ecc.*) **d. zone**, zona dei lanci □ (*fig.*) **at the d. of a hat**, subito; su due piedi; seduta stante; senza batter ciglio □ (*fig. USA*) **to have the d. on sb.**, avere q. sotto tiro; (*fig.*) avere q. in pugno □ **in drops**, a gocce; a goccia a goccia □ (*USA*) **mail d.**, posto in cui lasciare la posta; buca per lettere.

♦**to drop** /drɒp/ **A** v. i. **1** gocciolare; stillare: *The rain is still dropping from the trees*, la pioggia gocciola ancora dagli alberi **2** cadere (*anche fig.*); lasciarsi cadere; lasciarsi sfuggire (*di mano, di bocca, ecc.*); stramazzare: *The apples have all dropped from the branches*, tutte le mele sono cadute dai rami; *The prisoners dropped to their knees*, i prigionieri caddero in ginocchio; *He dropped into a chair*, si lasciò cadere su una sedia; *The soldiers dropped like flies under the enemy fire*, i soldati cadevano come mosche sotto il fuoco nemico; **to d. dead from a heart attack**, stramazzare fulminato da un attacco cardiaco; *Let the matter d.*, lascia cadere la cosa!; lascia perdere! **3** abbassarsi; calare; diminuire: *The temperature will d. soon*, la temperatura presto si abbasserà; *The cost of living has dropped*, il costo della vita è calato; *Prices dropped suddenly*, i prezzi diminuirono all'improvviso; *His voice dropped to a whisper*, la sua voce si fece un sussurro **4** (*del terreno*) digradare **5** cessare; finire: *Our correspondence dropped abruptly*, la nostra corrispondenza cessò d'un tratto **6** (*nelle corse*) staccarsi (*dal gruppo*); restare indietro **7** arretrare, scendere, slittare (*al quarto posto, ecc.*) **8** (*poker*) passare (la mano); non starci (*fam.*) **9** (*di cane da caccia*) cadere in ferma; puntare **10** (*slang USA*) drogarsi; farsi (*pop.*) **11** (*slang USA*) farsi arrestare; farsi beccare (*pop.*) **12** (*slang*) crollare (*per la stanchezza*) **13** (*di polli e uccelli*) lasciar cadere gli escrementi; fare la cacca (*pop.*) **B** v. t. **1** far cadere a gocce; gocciolare; spruzzare **2** lasciar cadere; calare; lanciare (*paracadutisti, rifornimenti, ecc.*); (*mil.*) sganciare (*bombe*); imbucare (*lettere*): *He dropped the vase*, lasciò cadere il vaso; *The aeroplane dropped ten bombs*, l'aeroplano sganciò dieci bombe; *Let's d. the subject*, lasciamo cadere il discorso!; (*teatr. e fig.*) **to d. the curtain**, calare il sipario; *If I d. a penny, I don't bother to pick it up*, se mi casca un penny, non sto lì a raccoglierlo **3** abbattere; atterrare; stendere (*fam.*): *He dropped ten grouse in one day*, abbatté dieci galli cedroni in un solo giorno; **to d. a tree**, abbattere un albero; *Jim dropped the pickpocket with a punch*, Jim stese il borsaiolo con un pugno

4 (*di animali*) partorire; (*slang: di donna*) scodellare (*un figlio*): *The ewe has dropped two lambs*, la pecora ha partorito due agnelli **5** omettere; non pronunciare; tralasciare: *The printer has dropped a whole line*, il tipografo ha omesso una riga intera; *Some Englishmen d. their aitches*, taluni inglesi non pronunciano l'acca (iniziale) **6** scrivere (*in fretta*); mandare, spedire (*una lettera*): **to d. a line**, scrivere un rigo; *D. me a postcard to let me know you've arrived*, mandami una cartolina per farmi sapere che sei arrivato **7** abbandonare; rinunciare a; perdere: *The plan has been dropped*, il progetto è stato abbandonato; *The tree has dropped its leaves*, l'albero ha perso le foglie; *You must d. that habit*, devi perdere quell'abitudine **8** tagliare i ponti con; rompere con; mollare (*fam.*): *All his schoolfellows have dropped him*, tutti i suoi compagni di scuola hanno rotto con lui; **to d. an old friend**, mollare un vecchio amico **9** abbassare; diminuire, far calare (*autom.*) *D. the clutch!*, abbassa la frizione!; *D. your voice, will you?*, vuoi abbassare la voce?; **to d. one's eyes**, abbassare gli occhi; (*banca*) **to d. interest rates**, calare i tassi d'interesse **10** (*fam.*) far scendere (*da un'automobile, ecc.*); lasciare; deporre (*pacchi, ecc.*): *The truck driver dropped the stranger at the crossroads*, il camionista fece scendere lo sconosciuto all'incrocio; *D. the parcel at his home*, lascia il pacco a casa sua! **11** (*aeron., mil.*) lanciare; paracadutare **12** (*naut.*) distanziare, lasciare indietro (*una nave*) **13** (*nelle corse*) distanziare, staccare, piantare (*gli avversari*) **14** (*sport: dell'arbitro*) scodellare (*la palla*); mettere (*la palla*) in gioco **15** (*basket*) depositare (*la palla*) nel canestro **16** (*calcio, ecc.*: *del portiere*) perdere, lasciarsi sfuggire (*la palla*) **17** (*boxe*) atterrare; mettere al tappeto **18** (*sport: dell'allenatore*) escludere, lasciar fuori (*dalla squadra*) **19** (*sport*) perdere (*un punto, un game, ecc.*) **20** (*golf*) droppare, mandare (*la palla*) in buca **21** (*ciclismo*) mollare; perdere la ruota di (*chi precede*) **22** (*fam.*) perdere (*denaro, spec. al gioco*) **23** (*sport: slang USA*) truccare (*una gara, un incontro*) **24** (*slang*) uccidere; fare secco (*pop.*): *He got dropped on a speeding ticket*, si fece beccare per eccesso di velocità **26** (*slang USA*) prendere (*droga*) per bocca: **to d. acid**, drogarsi; impasticcarsi **27** (*slang USA*) spacciare (*soldi o assegni falsi*) ● (*naut.*) **to d. anchor**, dar fondo all'ancora □ **to d. asleep**, addormentarsi □ (*naut.*) **to d. astern**, rimanere indietro □ (*slang USA*) **to d. a bomb** (*o* **a bombshell**), dare una notizia clamorosa (*o che è una bomba*) □ (*leg.*) (*del giudice*) **to d. the case**, abbandonare una causa; decidere il non luogo a procedere □ (*leg.*) **to d. a charge**, ritirare un'accusa □ **to d. a curtsy**, fare un inchino □ (*slang USA*) **to d. a dime** (*o* **the dime**) **on sb.**, fare la spia su q.; denunciare q.; spifferare tutto □ (*rugby*) **to d. a goal**, segnare su calcio di rimbalzo □ (*boxe, scherma*) **to d. one's guard**, abbassare la guardia; scoprirsi □ **to d. a hint**, dire una mezza parola (*come suggerimento, allusione, invito, ecc.*): *Just d. a hint and he'll understand*, digli una mezza parola e capirà □ **to d. like a hot potato**, mollare di botto (*q.*); abbandonare, lasciar perdere (*qc.*): *I dropped him* [*the idea*] *like a hot potato*, lo mollai [lasciai perdere l'idea] di botto □ **to d. sb. a note**, scrivere un biglietto a q. □ (*autom.*) **to d. one's speed**, ridurre la velocità; rallentare □ (*nei lavori a maglia*) **to d. a stitch**, lasciar cadere una maglia □ **to d. tears**, versar lacrime □ (*Borsa, fin.*) **to d. to a low**, toccare il minimo: *The Milan Stock Exchange has dropped to a new low*, la Borsa di Milano ha toccato i nuovi minimi □ (*slang*) **D. dead!**, crepa!; va' a mori' ammaz-

zato! □ **D. it!**, smettila!; piantala! (*pop.*) □ **I'm ready to d.**, non sto in piedi (dalla stanchezza); sono stanco morto □ **You could have heard a pin d.**, non si sentiva volare una mosca.

■ **drop away** v. i. + avv. **1** andarsene alla spicciolata (*o un po' alla volta*) **2** → **drop off, A**, *def. 1* **3** (*nelle corse*) staccarsi; restare indietro.

■ **drop back** v. i. + avv. **1** (*nelle corse, ecc.*) rimanere indietro (*o in coda*) **2** (*mil.*) arretrare; ritirarsi **3** (*di prezzi e sim.*) calare; diminuire.

■ **drop behind A** v. i. + avv. rimanere indietro (*o in coda*) **B** v. i. + prep. restare indietro a (*q.*); finire dietro (*q.*).

■ **drop by** v. i. + avv. farsi vedere; fare una breve comparsa.

■ **drop down A** v. i. + avv. **1** cadere (*per terra, in ginocchio, ecc.*) **2** → **drop in**, *def. 1* **B** v. t. + avv. lasciar cadere (*qc.*); calare (*una fune, ecc.*).

■ **drop in** v. i. + avv. **1** fare un salto (*fig. fam.*); fare una visitina: *D. in any time you like*, vieni a trovarmi quando vuoi; *I'll call you this afternoon or d. in myself*, ti chiamo nel pomeriggio o faccio un salto **2** entrare (*un attimo*): *There's a pub: let's d. in for a beer*, c'è un pub: entriamo a farci una birra! □ **to d. in on sb.**, andare a trovare q.; fare un salto da q. (*fam.*).

■ **drop into** v. i. + prep. entrare (*un attimo*) in (*un luogo*); fare un salto a: *We dropped into the pub for a drink*, facemmo un salto al pub per bere qualcosa.

■ **drop off A** v. i. + avv. **1** calare; diminuire; scemare: *Interest in soccer will never d. off*, l'interesse per il gioco del calcio non calerà mai; *Toy sales have dropped off*, le vendite di giocattoli sono diminuite **2** (*fam.*) appisolarsi; addormentarsi: *He dropped off during the lecture*, s'addormentò durante la conferenza **3** cadere; staccarsi: *I picked up the hammer and its head dropped off*, presi su il martello ma mi si staccò dal manico **4** (*nelle corse*) staccarsi; restare indietro **B** v. t. + avv. **1** (*fam.*) far scendere (*da un veicolo*): *Where shall I drop you off?*, dove ti faccio scendere?; *Please d. me off at Leicester Square*, per favore, fammi scendere a Leicester Square **2** (*nelle corse*) staccare.

■ **drop out** v. i. + avv. **1** abbandonare; ritirarsi; (*sport*) dare forfait: *Since I couldn't keep up with the other students, I decided to d. out*, poiché non riuscivo a tenere il passo degli altri studenti, decisi di ritirarmi; *I'm thinking of dropping out*, sto pensando di ritirarmi **2** abbandonare tutto; autoemarginarsi; escludersi da ogni rapporto sociale (*o di lavoro*) **3** (*elettron.*) diseccitarsi □ **to d. out of college**, ritirarsi dal college □ **to d. out of one's job**, abbandonare il posto di lavoro.

■ **drop round A** v. i. + avv. → **drop in**, *def. 1* **B** v. t. + avv. consegnare (*merce*) a domicilio; portare a casa (*dell'acquirente*).

drop-dead /'drɒpdɛd/ a. attr. (*fam. USA*) **1** sensazionale; da lasciare a bocca aperta (*o stecchito*): **drop-dead news**, notizie sensazionali **2** bello da morire: **drop-dead legs**, gambe stupende (*di una donna*) ● (*comput.*) **drop-dead halt**, arresto immediato □ **drop-dead list**, lista di persone da licenziare; (*fig.*) lista nera: *Max is on my drop-dead list*, Max è nella mia lista nera (*di persone da evitare*).

drop-down list /'drɒpdaʊnlɪst/ loc. n. (*comput.*) menu a tendina.

to **drop-forge** /'drɒpfɔːdʒ/ v. t. (*metall.*) fucinare a stampo;

to **drop-kick** /'drɒpkɪk/ v. t. e i. (*rugby*) **1** calciare (*la palla*) di rimbalzo **2** segnare su calcio di rimbalzo.

dropleaf, **drop-leaf** /'drɒpliːf/ n. ribalta

a b c **d** e f g h i j k l m n o p q r s t u v w x y z

droplet (*di un tavolo, ecc.*): **d. table**, tavolo a ribalta.

droplet /'drɒplət/ n. gocciolina; stilla (*lett.*).

dropout /'drɒpaʊt/ n. **1** abbandono; ritiro (*spec. da scuola o da una gara*) **2** chi si ritira (*da una competizione, ecc.*); (*spec.*) persona che non ha finito gli studi **3** individuo autoemarginatosi; fannullone; ozioso **4** (*elettron.*) diseccitazione **5** (*comput.*) perdita di bit (*o d'informazione*) **6** (*rugby*) calcio di rinvio; rimessa in gioco (*della squadra in difesa*) • **d. rate**, tasso di abbandono (*degli studi, ecc.*).

dropped /drɒpt/ A p. p. di **to drop** B a. **1** (*sport: della palla*) di rimbalzo; fatta rimbalzare **2** (*di un corridore*) distaccato **3** (*fam.: di una squadra*) retrocessa • (*rugby*) **d. goal = drop goal → drop** □ (*GB*) **d. kerb**, scivolo (*di marciapiede, per disabili*) □ **d. handlebar**, manubrio da corsa (*di bicicletta*).

dropper /'drɒpə(r)/ n. **1** (*chim., med., ecc.*) contagocce **2** cane da punta **4** (*elettr., ferr.*) pendino **4** (*ind. tess.*) ponilamelle **5** (*slang USA*) killer; sicario • **d.-in**, visitatore casuale.

dropping /'drɒpɪŋ/ n. Ⓤ **1** gocciolamento **2** (*naut.*) saluto fatto ammainando le vele • **d.-out**, abbandono; ritiro; forfait.

droppings /'drɒpɪŋz/ n. pl. **1** gocce di cera (*cadute dalla candela*) **2** sterco, escrementi (*spec. di uccelli e polli*).

dropsical /'drɒpsɪkl/ a. (*med.*) idropico.

dropsy /'drɒpsɪ/ n. Ⓤ (*med.*) idropisia.

dropwort /'drɒpwɜːt/ n. (*bot., Filipendula hexapetala*) filipendola; erba peperina.

drosera /'drɒsərə/ n. (*bot., Drosera*) drosera.

droshky, drosky /'drɒʃkɪ/ n. troika.

drosophila /drə'sɒfɪlə/ n. (pl. **drosophilae** o **drosophilas**) (*zool., Drosophila*) drosofila; moscerino dell'aceto.

dross /drɒs/ n. Ⓤ **1** (*metall.*) scorie (pl.) **2** (*tecn.*) materiali di scarto (pl.) **3** rifiuti, scarti (pl.) ‖ **drossy** a. **1** pieno di scorie **2** (*fig.*) privo di valore.

drought /draʊt/ n. Ⓤ siccità; aridità ‖ **droughty** a. arido; asciutto; secco.

drove① /drəʊv/ pass. di **to drive**.

drove② /drəʊv/ n. **1** branco; gregge; mandria **2** (*fig.*) folla, moltitudine, turba (*spec. se in movimento*) **3** (*edil., = d. chisel*) scalpello da sbozzo • **The tourists came in droves**, giunsero orde di turisti.

to **drove** /drəʊv/ A v. t. **1** condurre, spingere (*bestiame al mercato, ecc.*) **2** (*edil.*) sbozzare (*pietre*) B v. i. fare il mandriano.

drover /'drəʊvə(r)/ n. **1** bovaro; mandriano **2** mercante di bestiame.

to **drown** /draʊn/ A v. t. **1** affogare (*anche fig.*); annegare: *He drowns his sorrows (in wine)*, affoga i suoi dolori nel vino; *He was charged with drowning his wife*, fu accusato d'avere annegato la moglie **2** allagare; inondare; sommergere: *The flood drowned several villages*, l'inondazione sommerse parecchi villaggi **3** (*anche* **to d. out**) coprire; soffocare; attutire; smorzare: *The applause drowned the speaker's voice*, gli applausi coprirono la voce dell'oratore B v. i. affogare; annegare: *She fell overboard and drowned*, cadde in mare dalla nave e affogò • (*fig.*) **to d. in debts**, affogare nei debiti □ **to be drowned**, affogare, annegare: *Lots of wild animals were drowned*, molti selvatici annegarono □ **a drowned man**, un annegato □ **to be like a drowned rat**, essere bagnato come un pulcino ▪ **They were drowned out**, l'inondazione li costrinse ad abbandonare la casa.

drowning /'draʊnɪŋ/ A n. Ⓤ **1** annegamento; affogamento **2** allagamento; inondazione B a. che affoga; che annega: *He*

saved the d. man, salvò l'uomo che stava annegando • (*prov.*) **A d. man will clutch at a straw**, un uomo che affoga si attacca a uno stelo.

drowse /draʊz/ n. assopimento; dormiveglia.

to **drowse** /draʊz/ A v. i. **1** essere assonnato (*o assopito*); sonnecchiare **2** essere pigro, indolente B v. t. **1** fare assopire; rendere sonnolento **2** impigrire; rendere indolente • **to d. away one's time**, passare il tempo sonnecchiando.

drowsy /'draʊzɪ/ a. **1** assonnato; assopito; sonnolento: **a d. little village**, un paesino sonnolento **2** pigro; indolente **3** soporifero; noioso; che fa dormire ‖ **drowsily** avv. in modo sonnolento; con aria sonnolenta ‖ **drowsiness** n. Ⓤ sonnolenza; sopore.

to **drub** /drʌb/ v. t. **1** battere; bastonare; picchiare **2** battere, sconfiggere pesantemente; stracciare (*fam.*); suonarle a (q.) (*fam.*) **3** (*fam.*) stroncare (*un film, una recita, ecc.*).

drubbing /'drʌbɪŋ/ n. **1** bastonatura; botte; legnate **2** batosta; disfatta; grossa sconfitta; stracciata (*fam.*) **3** (*fam.*) stroncatura.

drudge /drʌdʒ/ n. chi fa lavori duri (*o sgradevoli*); uomo (*o donna*) di fatica.

to **drudge** /drʌdʒ/ v. i. fare un lavoro duro, ingrato; sgobbare; sfacchinare.

drudgery /'drʌdʒərɪ/ n. Ⓤ lavoro faticoso, ingrato; sgobbata; sfacchinata.

◆**drug** /drʌg/ n. **1** (*farm.*) medicina; medicinale; farmaco **2** droga; narcotico; stupefacente: **hard drugs**, droghe pesanti; **soft drugs**, droghe leggere; *He was arrested on d. charges*, fu arrestato per detenzione (*o spaccio*) di stupefacenti **3** (*comm., di solito* **d. on the market**) articolo poco richiesto; prodotto invendibile **4** (*fig.*) droga (*fig.*); ossessione • **d. abuse**, abuso della droga □ **d. addict**, tossicomane; drogato □ **d. addiction**, tossicomania; tossicodipendenza □ **d. baron = d. lord → sotto** □ **d. dealer**, spacciatore di droga; trafficante di droga □ **d. dealing**, spaccio di droga; traffico di droga □ **d. driving**, guida sotto effetto di sostanze stupefacenti □ **d.-fast = d. resistant → sotto** □ (*fam. antiq.*) **d. fiend = d. addict → sopra** □ (*fam.*) **d. lord**, grosso trafficante di droga □ **d. pedlar** (*o* **d. pusher**), spacciatore di droga □ (*med., farm.*) **d. resistant**, farmacoresistente □ (*med., farm.*) **d. resistance**, farmacoresistenza □ **drugs squad**, squadra narcotici; nucleo antidroga □ **d. traffic**, traffico degli stupefacenti □ **d. user**, drogato □ **to be on** (*o* **to take**) **drugs**, drogarsi.

to **drug** /drʌg/ v. t. **1** drogare; mettere un narcotico in (*una bevanda*): **a drugged drink**, una bevanda drogata **2** drogare; narcotizzare: *He was drugged and robbed*, fu narcotizzato e derubato **3** (*fig.*) intontire; istupidire; annebbiare B v. i. drogarsi; fare uso di stupefacenti • **to be drugged up to the eyeballs**, essere fatto del tutto.

drugdealing /'drʌgdiːlɪŋ/ n. Ⓤ = **drug dealing → drug**.

drugget /'drʌgɪt/ n. **1** Ⓤ (*ind. tess.*) bigello **2** sottotappeto.

druggie /'drʌgɪ/ → **druggy**.

druggist /'drʌgɪst/ n. (*USA*) **1** farmacista **2** proprietario di → «drugstore».

druggy /'drʌgɪ/ A a. **1** di farmaco; medicamentoso **2** di (*o da*) drogato B n. (*fam. USA*) **1** drogato; tossico (*fam.*) **2** farmacista.

drugstore /'drʌgstɔː(r)/ n. (*USA*) farmacia (*cfr. ingl.* **chemist**; *si noti che i «drugstores» americani vendono anche cosmetici, tabacco, gelati, libri, ecc.*); emporio • (*fam. USA*) **d. cowboy**, cacciatore di facili amori che staziona nei pressi di locali pubblici.

Druid /'druːɪd/ (*stor., relig.*) n. druido, druida ‖ **Druidic, Druidical** a. druidico ‖ **Druidism** n. Ⓤ druidismo.

Druidess /'druːɪdɪs/ n. (*stor., relig.*) druida; druidessa.

◆**drum**① /drʌm/ n. **1** (*mus.*) tamburo: **to play the d.**, suonare il tamburo; **the beat of the drums**, il rullo dei tamburi; **d. roll**, rullo di tamburo; **to the sound of drums**, a suon di tamburo **2** oggetto a forma di tamburo; tamburo; cilindro: (*autom., mecc.*) **d. brakes**, freni a tamburo **3** bidone; fusto: **an oil d.**, un fusto di petrolio; **a petrol d.**, un bidone di benzina **4** il tamburellare; tamburellio: **the d. of the rain against the window**, il tamburellare della pioggia contro la finestra **5** (*mecc.*, = **hoisting d.**) tamburo di avvolgimento **6** (*archit.*) tamburo **7** (*tecn.*) tamburo collettore (*di una caldaia*) **8** (*anat.*) → **eardrum 9** (*zool.*) borbottone; pesce degli Scienidi **10** (*conceria*) = **d. tumbler** → **sotto 11** (pl.) (*mus.*, = **set of drums**) batteria: **to play the drums**, suonare la batteria **12** (*mil., antiq.*) tamburo; tamburino **13** (*slang USA*) locale notturno; taverna; locanda; bordello • (*mus.*) **d.-and-bass** (*o d. 'n' bass*), musica molto ritmata a base di chitarra basso e batteria elettronica; drum'n' bass □ (*mil.*) **d. major**, tamburo maggiore; capotamburo □ (*mus.*) **d. kit**, batteria □ **d. majorette**, majorette □ (*edil.*) **d. mixer**, betoniera a tamburo □ (*concia delle pelli*) **d. tumbler**, bottale □ (*fig.*) **to bang** (*o* **to beat**) **the d. for sb.**, battere la grancassa a q. (*fig.*).

drum② /drʌm/, **drumlin** /'drʌmlɪn/ n. (*geol.*) collinetta morenica.

to **drum** /drʌm/ A v. i. **1** battere (*o suonare*) il tamburo; tambureggiare **2** tamburellare: *The rain was drumming on the roof*, la pioggia tamburellava sul tetto **3** (*di uccelli o insetti*) fare un forte frullo d'ali **4** (*fam. USA*) fare il commesso viaggiatore; fare il propagandista B v. t. **1** suonare (*un motivo*) sul tamburo **2** tamburellare con (*le dita*): *He drummed his fingers on the table*, tamburellava con le dita sul tavolo • **to d. at the door**, battere insistentemente alla porta □ **to d. one's feet on the floor**, battere i piedi sul pavimento □ (*comm.*) **to d. for business**, andare in cerca di clienti □ (*mus.*) **to d. on the piano**, strimpellare al pianoforte.

▪ **drum in** v. t. + avv. insegnare mnemonicamente; inculcare: *Latin declensions were once drummed in pitilessly*, le declinazioni latine venivano un tempo inculcate senza pietà.

▪ **drum into** v. t. + prep. inculcare in (q.); fare entrare in testa a (q.) (*fam.*): *She had drummed into the children that they should be in bed by 9 PM*, aveva fatto entrare in testa ai bambini che dovevano essere a letto entro le nove di sera.

▪ **drum out of** v. t. + avv. e prep. **1** (*mil.*) radiare con infamia (*dall'esercito*) **2** radiare, espellere, cacciare (*da un club, un'associazione, una scuola, ecc.*).

▪ **drum up** v. t. + avv. **1** (*anche mil.*) chiamare a raccolta **2** cercare; sollecitare: **to d. up support**, sollecitare il consenso; cercare sostenitori □ (*comm.*) **to d. up some more business**, cercare di farsi nuovi clienti □ (*comm.*) **to d. up sales**, cercare di vendere la propria merce (*o di stimolare le vendite*).

drumbeat /'drʌmbiːt/ n. rullo del tamburo • **continuous d.**, rullio di tamburi; il rullare di tamburi ‖ **drumbeater** n. (*fam.*) chi batte la grancassa (*a q.*).

drumbeating n. Ⓤ (*fig., fam.*) il battere la grancassa (*a q.*).

drumfire /'drʌmfaɪə(r)/ n. (*mil.*) fuoco tambureggiante (*d'artiglieria*).

drumfish /'drʌmfɪʃ/ n. (*zool.*) borbottone (*pesce degli Scienidi in genere*).

drumhead /'drʌmhɛd/ n. **1** pelle del tamburo **2** (*naut.*) cappello (*o* testa) dell'argano **3** (*anat.*) membrana del timpano ● (*mil.*) **d. court-martial**, corte marziale straordinaria (*spec. sul campo di battaglia*) □ (*leg.*) **d. trial**, processo sommario.

drumkit /'drʌmkɪt/ n. (*mus.*) batteria.

drummer /'drʌmə(r)/ n. **1** (*mil.*) tamburino **2** (*mus.*) batterista **3** (*fam. USA*) commesso viaggiatore; viaggiatore di commercio; propagandista (*venditore*): '*You were never anything but a hard-working d. who landed in the ashcan like all the rest of them*' A. MILLER, 'non sei mai stato altro che un commesso viaggiatore sgobbone che è finito nel bidone dell'immondizia come tutti gli altri' **4** (*zool.*) insetto che batte le zampe (*sul legno, ecc.*).

drumming /'drʌmɪŋ/ n. Ⓤ **1** rullo di tamburo **2** (*fam. USA*) mestiere del commesso viaggiatore; propaganda commerciale.

drumstick /'drʌmstɪk/ n. **1** bacchetta (*di tamburo*) **2** (*cucina, fam.*) coscia di pollo (*di solito, impanata e fritta*).

♦**drunk** /drʌŋk/ Ⓐ p. p. di **to drink** Ⓑ a. ubriaco; ebbro (*anche fig.*); sbronzo: *He was d., not with wine, but with joy*, era ebbro di gioia, e non di vino Ⓒ n. **1** ubriacone; ubriaco **2** (*fam.*) ubriacatura; sbornia; bisboccia: **to sleep off a d.**, farsi passare la sbornia dormendoci sopra; **to be on a d.**, fare bisboccia ● (*leg.*) **d. and disorderly**, in stato di ubriachezza molesta □ (*autom., USA*) **d. driving**, guida in stato di ubriachezza (*cfr. ingl.* **drink-driving**) □ **to be d. as a fiddler** (**as a fish, as a lord**), essere ubriaco fradicio ● **beastly** (*o* **blind, dead**) **d.**, ubriaco fradicio □ **to get d.**, ubriacarsi □ **to be half d.**, essere alticcio (*o* brillo).

drunkard /'drʌŋkəd/ n. ubriacone, ubriacona; beone, beona.

drunken /'drʌŋkən/ a. attr. **1** ubriaco; ebbro **2** alcolizzato; dedito al bere **3** da ubriaco; da sbornia; dovuto a ubriachezza: **d. sleep**, sonno da sbornia; **a d. stupor**, un intontimento da ubriachezza ● **a d. brawl**, una rissa di ubriachi □ (*autom., leg.*) **d. driving**, guida in stato di ubriachezza | **-ly avv.** | **-ness n.** Ⓤ.

drunkometer /drʌŋˈkɒmɪtə(r)/ (*USA*) = **breathalyser** → **breathalyse**.

drupe /druːp/ (*bot.*) n. drupa ‖ **drupaceous** a. drupaceo ● **drupaceous plants**, le drupacee.

drupelet /'druːplət/ n. (*bot.*) drupeola; piccola drupa.

druse /druːz/ n. (*miner.*) drusa.

Druse /druːz/ n. druso (*membro di una setta religiosa in Siria, Libano o Israele*).

♦**dry**① /draɪ/ a. **1** asciutto; secco; arido: **a dry well**, un pozzo asciutto; **dry weather**, tempo asciutto; **dry heat**, caldo secco; **dry wood**, legna secca; (*fin.*) **dry loss**, perdita secca; **with dry eyes**, a occhi asciutti, senza piangere; **in the dry season**, nella stagione secca; **dry cough**, tosse secca; **dry wine**, vino secco; *Could I have a glass of dry white wine please?*, potrei avere un bicchiere di vino bianco secco?; **a dry nurse**, una balia asciutta **2** (*fam.*) assetato: **to feel dry**, essere assetato; aver sete **3** (*comm.*) solido: **dry provisions**, provviste solide **4** (*spec. USA*) astemio; proibizionista; (*di una festa, ecc.*) in cui non si servono alcolici: (*stor.*) **a dry law**, una legge proibizionista; *Kansas was a dry state*, il Kansas era uno stato proibizionista; **to go dry**, diventare astemio (*o* proibizionista) **5** duro; nudo (*fig.*); preciso: **the dry facts**, i nudi fatti **6** arido; privo d'interesse; noioso: **a dry passage**, un brano arido; **a dry lesson**, una lezione noiosa **7** freddo; caustico; pungente: **dry sarcasm**, freddo sarcasmo; **dry humour**, umorismo pungen-

te; spirito caustico **8** distaccato; disinteressato: **to see st. in a dry light**, vedere qc. in modo distaccato (*o* disinteressato) **9** (*di alimento*) essiccato; disidratato **10** (*edil.*) a secco: **dry wall**, muro a secco **11** (*metall.*) a grana grossa; fragile **12** (*di suono, della voce, ecc.*) aspro; roco **13** (*naut.*) secco: **dry cargo**, carico secco ● (*del tempo*) **dry and bright**, asciutto e soleggiato □ (*fam.*) **dry as a bone**, del tutto asciutto; proprio secco (*di un libro, ecc.*) **dry as dust**, arido; noioso, pedantesco □ (*elettr.*) **dry battery**, batteria a secco □ **dry blast cleaning**, sabbiatura (*di superfici metalliche*) □ **dry-bulb thermometer**, termometro a bulbo asciutto □ (*elettr.*) **dry cell**, pila a secco □ **dry cleaner's**, lavanderia a secco; lavasecco (*fam.*) □ **dry cleaning**, lavaggio (*o* lavatura) a secco □ **dry cooper**, barilaio (*che fabbrica recipienti per cereali*) □ **dry cow**, una mucca senza latte □ **dry-eyed**, con gli occhi asciutti; che non piange; senza piangere □ (*naut.*) **dry dock**, bacino di carenaggio □ (*naut.*) **dry-docking**, carenaggio □ **dry farmer**, chi pratica l'aridocoltura □ **dry farming**, aridocoltura □ (*pesca*) **dry fly**, mosca artificiale; mosca galleggiante □ **dry goods**, merci secche; cereali; (*naut.*) carichi secchi; (*USA*) mercerie, tessuti □ **dry hole**, (*ind. costr.*) pozzo trivellato a secco; (*ind. petrolifera*) foro sterile □ **dry ice**, ghiaccio secco (*o* (*geogr.*) **dry land**, terraferma □ **dry measure**, misura di capacità per aridi □ (*fotogr.*) **dry plate**, lastra asciutta □ (*arte*) **dry-point**, (punta per) incisione a secco; puntasecca □ **dry-point etching**, incisione a puntasecca □ **dry rot**, carie (*o* marciume) del legno dovuta a basidiomiceti; (*fig.*) cancrena, depravazione, corruzione profonda □ **dry run**, prova, verifica finale; (*teatr.*) prova; (*mil.*) esercitazione; (*di giornale*) numero zero; (*comput.*) simulazione di elaborazione, prova a tavolino □ (*med.*) **dry socket**, alveolite; periodontite □ **a dry spell**, un periodo di tempo asciutto; (*fam.*) un periodo in cui non si beve (alcol) □ **dry-stone wall**, muro a secco □ **dry toast**, toast senza burro □ **dry whole milk**, latte intero in polvere □ **dry work**, lavoro che fa venir sete □ **to be high and dry**, essere in panne; (*fig.*) essere nei guai □ (*fig. fam.*) **still not dry behind the ears**, immaturo; inesperto; ingenuo □ **By the end of the movie, there wasn't a dry eye in the whole theatre**, alla fine del film, nel cinema piangevano tutti.

dry② /draɪ/ n. **1** (*fam. USA*) proibizionista; nemico degli alcolici **2** (*stor., in GB; scherz. o spreg.*) conservatore intransigente; sostenitore accanito della politica di Mrs Thatcher **3** Ⓤ – **the dry**, l'asciutto: (*autom.*) **to drive in the dry**, guidare sull'asciutto **4** Ⓤ (*Austral.*) – **the dry**, la stagione asciutta.

♦**to dry** /draɪ/ v. t. e i. **1** asciugare, asciugarsi: **to dry one's hands**, asciugarsi le mani; *Dry your tears*, asciugati le lacrime! **2** seccare, seccarsi **3** (*ind.*) essiccare, essiccarsi.

■ **dry off** v. t. e i. + avv. asciugare; asciugarsi: *After the shower dry yourself off and get dressed*, dopo la doccia asciugati e vestiti.

■ **dry out** Ⓐ v. i. + avv. **1** asciugarsi (*al sole, davanti al fuoco, ecc.*) **2** (*di vernice*) asciugarsi; (*del cemento*) seccarsi **3** (*fam.*) disintossicarsi dall'alcol **4** (*slang USA*) calmarsi Ⓑ v. t. + avv. **1** asciugare (*biancheria, ecc.*) **2** rendere (q.) astemio.

■ **dry up** Ⓐ v. i. + avv. **1** asciugarsi; seccarsi; prosciugarsi: *In summer the pond dries up*, d'estate lo stagno si prosciuga **2** (*fig.*) esaurirsi; finire; rimanere a secco (*fig.*): *At last our funds dried up*, alla fine i nostri fondi si esaurirono **3** (*teatr., fam.*) dimenticare la battuta **4** (*pop.*) zittirsi; ammutolire; tacere: *D. up!*, sta zitto! Ⓑ v. t. + avv. **1** asciugare (*piatti, bicchieri, ecc.*) **2** inaridire; seccare: **to dry up a river bed**, prosciuga-

re l'alveo di un fiume **3** (*ind.*) essiccare.

dryable /'draɪəbl/ a. che si può asciugare, essiccare, ecc. (→ **to dry**).

dryad /'draɪæd/ n. (*mitol.*) driade.

to dry-clean /'draɪˈkliːn/ v. t. lavare a secco ● «**Dry-clean only**» (*istruzione*), «Lavare soltanto a secco».

to dry-cure /'draɪkjʊə(r)/ → **to dry-salt**.

to dry-dock /'draɪdɒk/ v. t. (*naut.*) mettere (*una nave*) in bacino di carenaggio; carenare.

dryer /'draɪə(r)/ → **drier**.

to dry-farm /'draɪˈfɑːm/ Ⓐ v. t. (*agric.*) coltivare (*terreni*) senza irrigarli Ⓑ v. i. fare dell'aridocoltura.

to dry-fry /draɪˈfraɪ/ v. t. (*cucina*) friggere in padella antiaderente, senza aggiunta di grassi.

to dry hump /draɪˈhʌmp/ Ⓐ v. i. (*fam.*) strusciarsi (*a scopo sessuale senza togliersi i vestiti*) Ⓑ v. t. strusciarsi su qc. o q.

drying /'draɪɪŋ/ Ⓐ a. **1** che serve per asciugare; che fa asciugare; (*ind.*) di essiccazione, essiccativo: **a good d. day**, una giornata adatta per far asciugare il bucato; **d. green**, spiazzo per stendere il bucato (*accanto a un edificio di abitazione*); (*ind. ceramica*) **d. oven**, forno d'essiccazione; **d. room**, essiccatoio **2** (*ind.*) essiccante: **d. oil**, olio essiccante **3** aciugante; essiccante: **d. action**, azione essiccante; **d. agent**, essiccante Ⓑ n. Ⓤ asciugatura; (*ind.*) essiccamento; essiccazione: **air d.**, asciugatura all'aria.

drying-up /draɪŋˈʌp/ n. Ⓤ asciugatura delle stoviglie: **to do the drying-up**, asciugare le stoviglie; **drying-up cloth**, strofinaccio per asciugare le stoviglie.

dryly /'draɪlɪ/ avv. **1** seccamente; con freddezza **2** ironicamente; con sarcasmo.

dryness /'draɪnəs/ n. Ⓤ **1** aridità; asciuttezza; secchezza **2** monotonia; noiosità **3** freddezza; distacco **4** ironia pungente; causticità; sarcasmo tagliente.

to dry-nurse /'draɪˈnɜːs/ v. t. allevare (*un bambino*) artificialmente.

to dry-salt /'draɪˈsɔːlt/ v. t. salare, mettere sotto sale (*carne, pesce, ecc.*).

drysalter /'draɪˈsɔːltə(r)/ n. **1** droghiere **2** chi vende colori, vernici, ecc.

drywall /'draɪwɔːl/ n. Ⓤ (*edil., USA*) cartongesso.

DS sigla (*mus., dal segno*) dal segno.

DSc abbr. (**Doctor of Science**) dottore in scienze.

DSL sigla (*comput.*, **digital subscriber line**) DSL (*tecnologia di trasmissione dati via linea telefonica*).

DSP sigla (*elettron.*, **digital signal processing**) elaborazione digitale dei segnali.

DSS sigla (*stor., GB*, **Department of Social Security**) Ministero della sicurezza sociale (*cfr.* **DWP**).

DST sigla (**daylight saving time**) ora legale (*cfr.* **BST**).

DTD sigla (*comput.*, **document type definition**) definizione del tipo di documento.

DTI sigla (*GB*, **Department of Trade and Industry**) Ministero del commercio e dell'industria.

DTP sigla (*comput.*, **desktop publishing**) editoria elettronica.

DTRL sigla (*GB*, **Department for Transport, Local Government and the Regions**) Ministero dei trasporti, delle amministrazioni locali e delle regioni.

D.T.'s /diː'tiːz/ n. (acronimo *fam.* di **delirium tremens**) → **delirium**.

DTV sigla (**digital television**) televisione digitale.

Du. abbr. (**duke**) duca.

dual /'djuːəl, *USA* 'duːəl/ Ⓐ a. **1** duplice;

d

doppio: (*autom.*, *aeron.*) **d. control**, doppio comando **2** (*mat.*) duale B n. (*ling.*) duale ● (*telef.*) **d. band**, doppia banda □ (*autom.*, *mecc.*) **d. brake circuits**, doppio circuito frenante □ (*autom.*) **d. carriageway**, strada a doppia carreggiata (*con spartitraffico*) □ **d. citizenship**, doppia cittadinanza □ (*tecn.*) **d.-control**, a doppi comandi: **d.-control car** [**plane**], automobile [aereo] a doppi comandi □ (*aeron.*) **d.-control pilot trainer**, istruttore di volo su un aereo a doppi comandi □ (*in GB*) **d. mandate members**, deputati che hanno un seggio a Westminster e un altro a Edinburgo (*o nel Galles, ecc.*) □ (*leg.*) **d. nationality**, doppia nazionalità □ (*comput.*) **d. operation**, funzionamento in parallelo □ (*market.*) **d. pricing**, applicazione di due prezzi (*a una confezione: quello per libbra e quello della quantità venduta*) □ (*econ.*) **d. problem**, problema duale □ (*tecn.*) **d.-purpose**, a doppio uso; a doppia funzione; bivalente: (*mil.*) **a d.-purpose gun**, un cannone bivalente □ **d. seat**, sella biposto (*di una moto*) □ (*aeron.*) **d.-thrust motor**, motore a spinta duale □ (*Borsa*) **d. trading**, dual trading □ (*USA*) **d.-use**, che ammette usi civili e militari; a doppio uso.

dualism /'dju:əlɪzəm, *USA* 'du:-/ n. ▣ **1** dualità **2** (*filos.*) dualismo ‖ **dualist** n. (*filos.*) dualista ‖ **dualistic** a. dualistico.

duality /dju:'æləti, *USA* du:-/ n. ▣ (*mat.*, *ling.*) dualità **2** dualismo; opposizione.

dub① /dʌb/ n. **1** (*cinem.*, *TV*) doppiaggio **2** (*mus.*) dub (*genere di musica reggae e tecnica di mixaggio*).

dub② /dʌb/ n. (*antiq. USA*) individuo goffo, stupido; gonzo; imbranato (*pop.*).

to **dub**① /dʌb/ v. t. **1** (*stor.*) creare (q.) cavaliere (*toccandogli la spalla con la spada*) **2** chiamare; battezzare; affibbiare a (q. *o qc.*) il nome di **3** (*nella pesca*) preparare (*una mosca artificiale*) **4** (*ind.*) patinare; ammorbidire (*il cuoio*) strofinandovi con sego e olio **5** sgrossare (*legname*) **6** potare (*piante, siepi*) **7** (*fam. USA*) fallire: **to dub an attempt**, fallire un tentativ; **to dub an exam**, andare male in un esame.

to **dub**② /dʌb/ v. t. (*cinem.*, *TV*) **1** doppiare: **a dubbed film**, una pellicola doppiata **2** riregistrare **3** (*anche* **to dub in**) sonorizzare (*una pellicola*).

dubber /'dʌbə(r)/ n. (*cinem.*, *TV*) **1** doppiatore, doppiatrice **2** addetto alla riregistrazione.

dubbing① /'dʌbɪŋ/ n. **1** ▣ conferimento (*d'un titolo, ecc.*); il soprannominare, ecc. (→ **to dub**①) **2** (= **dubbin**) patina (per ammorbidire il cuoio).

dubbing② /'dʌbɪŋ/ n. (*cinem.*, *TV*) **1** doppiaggio **2** riregistrazione ● **d.-in**, sonorizzazione (*di una pellicola*).

dubiety /dju:'baɪətɪ, *USA* du:-/, **dubiosity** /dju:bɪ'ɒsətɪ, *USA* du:-/ n. ▣ (*form.*) dubbiosità; incertezza.

dubious /'dju:bɪəs, *USA* 'du:-/ a. **1** dubbio; dubbioso; esitante; incerto; indistinto; vago; ambiguo: **a d. friend**, un amico dubbio (*o incerto*); **d. light**, luce incerta; *I am d. as to what to do* [*about your plan*], sono dubbioso sul da farsi [ho dei dubbi sul tuo progetto]; **a d. undertaking**, un'impresa dall'esito incerto; *The struggle is d.*, la lotta è incerta **2** di dubbia fama (*o reputazione*); equivoco: **a d. company**, una società di dubbia reputazione; **a d. character**, un tipo equivoco ● **d. distinction**, sgradito primato: *They have the d. distinction of having the highest rate of inflation in Europe*, hanno lo sgradito primato di possedere il più alto tasso d'inflazione in Europa □ **to be d. of st.**, aver dubbi su qc.

dubiously /'dju:bɪəslɪ, *USA* 'du:-/ avv. dubbiosamente.

dubiousness /'dju:bɪəsnəs, *USA* 'du:-/ n. ▣ dubbiosità; incertezza; ambiguità, ecc. (→ **dubious**).

dubitable /'dju:bɪtəbl, *USA* 'du:-/ a. dubitabile.

dubitative /'dju:bɪtətɪv, *USA* 'du:-/ a. **1** (*spec. gramm.*) dubitativo **2** dubbioso.

Dublin /'dʌblɪn/ n. (*geogr.*) Dublino ‖ **Dubliner** n. dublinese.

ducal /'dju:kl, *USA* 'du:-/ a. ducale.

ducat /'dʌkət/ n. **1** (*stor.*) ducato (*moneta*) **2** (pl.) (*fam.*) denaro; soldi; quattrini.

duchess /'dʌtʃɪs/ n. duchessa.

duchy /'dʌtʃɪ/ n. ducato (*il territorio*).

♦**duck**① /dʌk/ n. **1** (*zool.*, *Anas*: pl. **ducks**, **duck**) anatra (*spec. la femmina*) **2** (*fam. spec. ingl.*) amore; caro, cara; cocco, cocca; tesoro: **a sweet old d.**, una cara vecchietta; *That girl is a real d.!*, che amore di bimba! **3** (*cricket*, = **d.'s egg**) zero punti: **golden d.**, eliminazione al primo lancio (*con zero punti*) **4** (*fam.*) individuo; tipo: *He's a queer d.*, è un tipo strano **5** (*fam. USA*) pollastrella (*fig. fam.*); bella ragazza; bocconcino (*fig.*) **6** (*gergo mil.*) anfibio; mezzo da sbarco **7** (*fam. USA*) pappagallo; pitale (*negli ospedali*) **8** (*slang USA*) gonzo **9** (pl.) (*slang USA*) biglietti (*per una partita, uno spettacolo*) ● (*volg. USA*) **d.'s ass** = **d. tail** → *sotto* □ (*zool.*) **d. hawk** (*Circus aeruginosus*), falco di palude; (*in USA, Falco peregrinus anatum*) falco pellegrino □ **d. shot**, pallini per la caccia all'anatra □ (*fam. USA*) **d. soup**, gioco da ragazzi (*fig.*); cosa facilissima □ (*iron. USA*) **d. squeezer**, animalista fanatico ● **d. tail**, pettinatura (*da ragazzo*) col codino in punta □ (*cricket*) **to break one's d.**, fare il primo punto; segnare; (*fig.*) riportare il primo successo dopo vari tentativi □ (*fig.*) **like water off a d.'s back**, senza effetto alcuno; senza fare impressione: *Criticism, to him, was like water off a d.'s back*, le critiche non gli facevano alcuna impressione □ **to play ducks and drakes**, giocare (*o fare*) a rimbalzello □ (*fig.*) **to play** (*o* **to make**) **ducks and drakes with money**, scialacquare (*o sperperare*) il denaro; buttar via i soldi □ **to take to st. like a d. to water**, imparare (*o mettersi a fare*) qc. senza difficoltà, con naturalezza.

duck② /dʌk/ n. **1** rapida immersione; tuffo **2** breve inchino **3** (*boxe*) schivata a tuffo (*abbassando la testa*).

duck③ /dʌk/ n. **1** ▣ (*ind. tess.*) tela olona (*o da vele*) **2** (pl.) calzoni di tela olona.

to **duck** /dʌk/ v. t. **1** immergere; tuffare; cacciare sott'acqua: *If you don't stop splashing me, I'll d. you*, se non smetti di spruzzarmi, ti caccio sott'acqua **2** chinare; piegare: **to d. one's head**, chinare la testa; far civetta **3** (*fam.*) scansare, evitare (*una persona*); schivare: **to d. a policeman**, evitare un poliziotto; (*boxe*) **to d. a blow**, schivare un colpo B v. i. **1** immergersi; tuffarsi **2** chinarsi; piegarsi; inchinarsi (*per salutare*) **3** fare civetta (*per scansare un colpo*); (*boxe*) schivare con la testa **4** (*fam.*) battersela; filare; scomparire: *The mouse ducked into the hole*, il topo s'infilò (*o scomparve*) nel buco ● **to d. sb.'s invitation**, rifiutare l'invito di q. □ **to d. out**, uscire un attimo; fare un salto; tirarsi indietro; eclissarsi; (*mil. e sport*) defilarsi: *I'm ducking out for a drink*, esco un attimo a bere □ **to d. out of**, evitare (*un impegno*); scansare (*un lavoro*).

duckbill /'dʌkbɪl/ n. **1** (*zool.*) = **duck-billed platypus** → **duckbilled 2** (*paleont.*) **duckbilled dinosaur** → **duckbilled 3** pesce spatola **4** (*agric.*) frumento rosso (*mecc.*) caricatrice a becco d'anatra.

duckbilled /'dʌkbɪld/ a. dal becco ad anatra □ (*paleont.*) **d. dinosaur** (*Trachodon*), dinosauro dei tracodontidi (*o a becco d'anatra*) □ (*zool.*) **d. platypus**, (*zool.*, *Ornithorhyn-*

chus anatinus) ornitorinco.

duckboards /'dʌkbɔːdz/ n. pl. passerella di legno; ponte di tavole.

ducker① /'dʌkə(r)/ n. **1** allevatore di anatre **2** cacciatore di anatre.

ducker② /'dʌkə(r)/ n. **1** chi si tuffa, schiva, ecc. (→ **to duck**) **2** (*zool.*, *Podilymbus podiceps*) podilimbo **3** (*zool.*, *Podiceps ruficollis*) tuffetto.

ducking /'dʌkɪŋ/ n. **1** tuffo; immersione; bagnata: *I'll give you a good d.*, ti farò fare un bel tuffo **2** (*boxe*) schivata con la testa ● (*stor.*) **d. stool**, sgabello legato all'estremità d'un palo (*sul quale venivano tuffati in acqua taluni condannati e spec. donne linguacciute e litigiose*).

duckling /'dʌklɪŋ/ n. anatroccolo.

ducks /dʌks/ A n. → **ducky** B n. pl. → **duck**③, def. 2.

duckweed /'dʌkwiːd/ n. (*bot.*, *Lemna*) lente (*o lenticchia*) d'acqua; lemna.

ducky /'dʌkɪ/ A n. (*fam.*, spec. al vocat.) caro, cara; cocco, cocca; tesoro; tesoruccio; amor mio; amore B a. (*slang USA*) **1** carino; grazioso; bello: *That's a d. idea!*, che bella idea! **2** perfetto; a posto; in ordine (*fam.*): *All's d.!*, tutto in ordine!; (*iron.*) *So that's all d.?*, e ti pare che tutto sia a posto?; credi di cavartela così?

duct /dʌkt/ n. **1** (*anche mecc.*) condotto; conduttura; tubatura **2** (*anat.*) canale; dotto; tromba: **biliary d.**, dotto biliare; **tear d.**, dotto lacrimale **3** (*elettr.*) condotto; elettrodotto ● (*USA*) **d. tape**, largo nastro isolante; nastro adesivo telato.

ducted fan /'dʌktd'fæn/ loc. n. (*aeron.*) elica intubata ● **ducted-fan engine**, propulsore a elica intubata.

ductile /'dʌktaɪl/ (*metall. e fig.*) a. duttile ● **d. iron**, ferro dolce ‖ **ductility** n. ▣ duttilità.

ductless /'dʌktləs/ a. (*anat.*) endocrino: **d. glands**, ghiandole endocrine.

ductwork /'dʌktwɜːk/ n. ▣ (*collett.*) condotti e tubi; tubature; tubazioni.

dud /dʌd/ A n. (*fam.*) **1** proiettile (*o bomba, ecc.*) che fa cilecca **2** cosa che non funziona; bidone (*fam.*); progetto che va a vuoto **3** individuo inefficiente, incapace; persona che non riesce a cavare un ragno da un buco B a. **1** (*di proiettile, ecc.*) inesploso **2** (*di persona*) incapace; fallito **3** falso; fasullo; che non vale nulla: **a dud note**, una banconota falsa ● **to be a dud at sports**, non valere nulla come sportivo □ **a dud cheque**, un assegno a vuoto.

dude /duːd/ (*USA*) n. **1** (*fam.*) bellimbusto; damerino; elegantone **2** (*fam. spreg.*) individuo; tipo; tizio **3** (*slang, nel West*) turista (*spec. della costa atlantica*) ● (*USA*) **d. ranch**, ranch per turisti.

duded up /'duːdɪdʌp/ a. (*fam. USA*) elegante; azzimato; vestito bene.

dudgeon /'dʌdʒən/ n. ▣ (*form.*) risentimento ● **to be in high d.**, essere molto risentito.

dudish a. (*fam.*) da bellimbusto; elegantissimo; lezioso.

duds /dʌdz/ n. pl. **1** (*USA*) abiti; vestiti; panni; straccetti **2** (*fam. USA*) effetti personali.

♦**due**① /djuː, *USA* duː/ A a. **1** dovuto; debito; doveroso; adeguato; giusto; meritato; causato (da): *The accident was due to the mist*, l'incidente fu dovuto alla (*o causato dalla*) nebbia; **in due time** (*o* **in due course**), a tempo debito; *It is due to him to say that...*, è doveroso verso di lui dire che...; *You've had your due reward*, hai avuto la giusta ricompensa; **after due consideration**, dopo adeguata riflessione **2** (*comm.*, *leg.*) dovuto; esigibile; pagabile; che scade: *The first instalment is due today*, la

prima rata è esigibile oggi; *My salary was due yesterday*, il mio stipendio era pagabile ieri; *When is the bill due?*, quando scade la cambiale? **3** (*trasp.*) atteso; in arrivo (*secondo l'orario*): *The steamer is due today*, il piroscafo è atteso oggi; *Our train is due at 10.30 am*, il nostro treno è in arrivo (*o* dovrebbe arrivare) alle 10,30; *When is the baby due?*, per quando è prevista la nascita? **B** *avv.* (*con i punti cardinali*) in direzione; verso: *The traveller went due west*, il viaggiatore andava verso occidente; (*naut.*) **a due--north course**, una rotta verso il nord ● (*USA*) **due bill**, riconoscimento scritto di un debito (*cfr. ingl.* **IOU**) □ (*di persone*) **to be due**, dovere: *He is due to leave tomorrow*, deve partire (*o* la partenza è fissata per) domani; *Jill's baby is due next month*, il bimbo di Jill deve nascere (*o* è atteso) il mese prossimo **to be due** (*o* **overdue**), essere in ritardo □ **due care**, debita cura; (*leg.*) normale diligenza □ (*comm., fin.*) **due date**, data di scadenza; scadenza □ (*leg.*) **due notice**, avviso dato nei termini di legge □ (*leg.*) **due performance**, corretto adempimento □ (*leg.*) **due process**, giusto processo □ (*comm.*) **due register**, scadenzario □ (*fam.*) **due to**, a causa di: *I came late due to an accident*, arrivai in ritardo a causa d'un incidente □ (*comm.*) **to fall due**, scadere; essere esigibile □ **in due course**, a tempo debito; regolarmente.

❶ NOTA: *due to* **o** *owing to*?

Due to e *owing to* significano entrambi "a causa di", ma siccome *due* è un aggettivo, alcuni sostengono che dovrebbe essere usato solo in funzione attributiva, come ad esempio in: *His absence was due to illness*, la sua assenza era dovuta a (causata da) malattia. L'uso di *due to* in una frase come *Due to illness, he was unable to attend*, a causa della malattia, non riuscì a essere presente, è considerato scorretto; quando serve una locuzione preposizionale si preferisce *owing to*: *We left earlier than intended owing to the deteriorating weather condition*, siamo partiti prima del previsto, a causa del peggioramento delle condizioni metereologiche. Tuttavia, l'uso di *due to* al posto di *owing to* è sempre più frequente, soprattutto in contesti informali.

due ② /dju:, *USA* du:/ *n.* **1** (soltanto sing.) ciò che è dovuto, che spetta (a q.): **to give sb. his due**, dare a q. quel che gli spetta; riconoscerne i meriti **2** (pl.) diritti; dazi: **harbour dues**, diritti portuali; (*un tempo*) **town dues**, dazio (cittadino) **3** (pl.) (= **trade-union dues**) contributi sindacali ● (*org. az.*) **dues book**, libro degli ordini in sospeso □ **dues cards**, schede degli ordinativi □ **club dues**, tasse d'iscrizione a un circolo; quote sociali □ **to give the devil his due**, dare atto a q. (*per malvagio che sia*) di qc. di buono, dire a onor del vero che... □ (*prov.*) **Give every man his due!**, a ciascuno il suo.

duel /'dju:əl, *USA* 'du:əl/ *n.* duello; (*fig.*) contesa, lotta, scontro: **a verbal d.**, uno scontro a parole ● **to fight a d.**, battersi in duello.

to **duel** /'dju:əl, *USA* 'du:əl/ *v. i.* duellare; battersi in duello.

dueller, (*USA*) **dueler** /'dju:ələ(r), *USA* 'du:ə-/ *n.* duellante.

duelling, (*USA*) **dueling** /'dju:əlɪŋ, *USA* 'du:ə-/ *n.* ⓤ il duellare; i duelli.

duellist /'dju:əlɪst, *USA* 'du:ə-/ *n.* duellante.

duenna /dju:'ɛnə, *USA* du:-/ *n.* (*un tempo*) vecchia governante; dama di compagnia.

duet /dju:'ɛt, *USA* du:-/ (*mus.*) *n.* duetto (*anche fig.*) ‖ **duettist** *n.* chi esegue un duetto; duettista.

to **duet** /dju:'ɛt, *USA* du:-/ *v. i.* (*mus.*) ese-

guire un duetto; duettare; cantare (*o* suonare) un duetto.

duff ① /dʌf/ *n.* (*slang*) sedere; deretano; chiappe: *Get off your d.!*, alza le chiappe!

duff ② /dʌf/ *a.* (*fam. ingl.*) guasto; rotto; scassato; che non funziona; che non vale nulla.

to **duff** /dʌf/ *v. t.* (*slang*) **1** adulterare; alterare; sofisticare (*merci, sostanze, ecc.*) **2** (*Austral.*) rubare (*bestiame*) alterandone il marchio **3** (*golf*) sbagliare (*un colpo*); mancare (*la palla*) ● (*slang ingl.*) **to d. up**, picchiare; malmenare; riempire di botte; pestare (*pop.*).

duffel /'dʌfl/ *n.* **1** ⓤ tessuto di lana pesante ma soffice **2** corredo da cacciatore (*o* da campeggiatore) **3** = **d. coat** → *sotto* ● **d. bag**, sacca da viaggio □ (*moda*) **d. coat**, montgomery; giaccone con cappuccio, chiuso da alamari.

duffer /'dʌfə(r)/ *n.* **1** venditore ambulante (*spec. di oggetti di scarso valore o di contrabbando*); pataccaro (*romanesco*) **2** moneta falsa; quadro falso; patacca **3** cosa da poco; oggetto inutile **4** (*antiq.*) persona incapace, incompetente; sciocco **5** (*Austral.*) ladro di bestiame.

duffle /'dʌfl/ → **duffel**.

dug ① /dʌg/ *pass. e p. p. di* **to dig**.

dug ② /dʌg/ *n.* **1** mammella, capezzolo (*d'animale*) **2** (pl.) (*slang*) tette.

dugong /'du:gɒŋ/ *n.* (pl. **dugongs**, **dugong**) (*zool., Dugong dugong*) dugongo.

dugout /'dʌgaʊt/ *n.* **1** canoa (*fatta scavando un tronco*) **2** rifugio; ricovero antiaereo **3** (*mil.*) ricovero sotterraneo; trincea coperta **4** (*gergo mil.*) ufficiale della riserva richiamato in servizio **5** (*sport, spec. baseball*) panchina (*a bordo campo*).

duh → **doh** ②.

duiker /'daɪkə(r)/ *n.* (pl. **duikers**, **duiker**) (*zool., Cephalophus*) cefalofo.

du jour /du:'ʒʊə(r)/ (*franc.*) *loc. avv. e a.* (*fam.*) del momento: *TV celebrity du jour*, personaggio televisivo del momento.

duke /dju:k, *USA* du:k/ *n.* **1** duca **2** (*Bibbia*) capo tribù **3** (*bot.*) incrocio tra una ciliegia normale e una ciliegia visciola **4** (pl.) (*slang USA*) mani; pugni ● (*slang USA*) **to put up one's dukes**, mettersi in guardia.

to **duke** /dju:k, *USA* du:k/ **A** *v. t.* (*slang USA*) porgere; dare; allungare: *I duked the porter a five*, allungai cinque dollari al facchino **B** *v. i.* (*slang USA*) fare a pugni; scazzottarsi.

dukedom /'dju:kdəm, *USA* 'du:k-/ *n.* ducato (*grado, titolo, territorio*).

dulcamara /dʌlkə'mɛərə/ *n.* (*bot., Solanum dulcamara*) dulcamara.

dulcet /'dʌlsɪt/ *a.* (*lett. o scherz.*) (*di suono*) dolce; melodioso; gradevole.

to **dulcify** /'dʌlsɪfaɪ/ *v. t.* dolcificare; addolcire ‖ **dulcification** *n.* ⓤ dolcificazione; addolcimento.

dulcimer /'dʌlsɪmə(r)/ *n.* (*mus., stor.*) dulcimero; dulcimelo; dolcemele.

◆**dull** /dʌl/ *a.* **1** noioso; tedioso; monotono: **a d. book**, un libro noioso; **a d. afternoon**, un pomeriggio noioso; **deadly d.**, noiosissimo; di una noia mortale **2** senza lustro; opaco; spento; smorto; (*di luce*) fioco, pallido: **d. hair**, capelli senza lustro; **a d. red**, un rosso spento; **a d. lamplight**, la fioca luce di una lampada **3** (*del tempo*) coperto; uggioso: **a d. day**, una giornata coperta; **d. weather**, tempo uggioso **4** (*di un suono*) velato; cupo: **a d. thud**, un tonfo sordo **5** (*di un dolore*) sordo: **a d. headache**, un mal di testa sordo **6** (*di una lama, una punta, ecc.*) ottuso; smussato; spuntato: **a d. razor's edge**, il filo smussato d'un rasoio **7** (*di una persona*) ottuso; tardo; duro di comprendonio: **a d.**

mind, una mente ottusa **8** (*arc.*) dai sensi ottusi; insensibile **9** (*antiq.*) abulico **10** lento; pigro; tardo **11** (*comm.*) fiacco; stagnante; morto: *Business is d.*, il commercio è stagnante; **d. market**, mercato fiacco; (*tur.*) **d. season**, stagione morta ● (*fam.*) **(as) d. as dishwater** (*o* **ditchwater**), noioso da morire; barboso (*fam.*); pizzoso (*fam.*) □ **d.-brained**, ottuso; tardo di mente ● (*geol.*) **d. coal**, carbone opaco □ **d.-witted** → **d.-brained**.

to **dull** /dʌl/ **A** *v. t.* **1** ottundere (*anche fig.*); smussare; intorpidire; attutire: **to d. a razor's edge**, smussare il filo d'un rasoio; **to d. sb.'s mind**, ottundere (*o* intorpidire) la mente di q.; **to d. a sound**, attutire un suono **2** attutire; lenire; alleviare: *Time dulls sorrow*, il tempo lenisce il dolore **3** appannare; attenuare; smorzare; offuscare: *The credit squeeze has dulled the threat of inflation*, la stretta creditizia ha attenuato il pericolo dell'inflazione **B** *v. i.* **1** (*di coltelli, ecc.*) spuntarsi **2** (*della luce, ecc.*) offuscarsi; smorzarsi **3** (*della mente, ecc.*) diventare ottuso; istupidirsi **4** (*della vista, dell'udito*) indebolirsi.

dullard /'dʌləd/ *n.* **1** (*raro*) individuo ottuso; stupido; tonto **2** (*fam.*) balordo.

dullish /'dʌlɪʃ/ *a.* piuttosto ottuso, monotono, tetro, ecc. (→ **dull**).

dullness /'dʌlnəs/ *n.* ⓤ **1** ottusità; insensibilità **2** lentezza **3** monotonia; tediosità; uggiosità **4** tristezza; tetraggine (→ **dull**) **5** (*comm.*) fiacca (*del mercato, ecc.*): **the seasonal d. of the summer months**, la fiacca della stagione estiva.

dullsville /'dʌlsvɪl/ *n.* (*fam. USA*) posto noioso; noia mortale ● **to turn into d.**, diventare una noia (*o* una barba, una lagna).

dully /'dʌlɪ/ *avv.* **1** pigramente; lentamente **2** fiaccamente; debolmente **3** monotonamente; noiosamente.

duly /'dju:lɪ, *USA* 'du:-/ *avv.* **1** debitamente; adeguatamente; come si conviene **2** a tempo debito; puntualmente; in tempo utile **3** quanto basta; sufficientemente.

◆**dumb** /dʌm/ *a.* **1** (*antiq. o offensivo*) muto **2** (*di animale*) che non ha il dono della parola; privo di favella **3** ammutolito; silenzioso: *He was d. with amazement*, era ammutolito per lo stupore; **to strike sb. d.**, fare ammutolire q. (*per la sorpresa, per l'orrore, lo spavento, ecc.*) **4** muto; senza parole: **d. amazement**, muto stupore; **d. grief**, muto dolore **5** (*fam., spec. USA*) sciocco; stupido; tonto; ottuso: *Don't be d.!*, non essere stupido!; *What a d. thing to say!*, che idiozia! ● **d. blonde** (*alt. Dora*), oca giuliva, oca (*fig. fam.*) □ (*slang USA*) **d. bunny** (*o* **d. cluck, d.--dodo**), stupido; fesso; tonto □ (*scherz.*) **our d. friends**, i nostri amici animali □ (*slang USA*) **d. ox**, bestione senza cervello (*fig.*) □ **d. piano**, tastiera muta (*per fare esercizio*) □ (*teatr. e fig.*) **d. show**, pantomima; scena muta □ (*fam.*) **to play d.**, fare il finto tonto; fare il nesci.

to **dumb** /dʌm/ **A** *v. t.* → **to dumbfound** **B** *v. i.* (*di solito* **to d. up**) ammutolire ● (*fam. USA*) **to d. down**, abbassare il livello culturale di (*un argomento, un programma televisivo, ecc.*) col pretesto di renderlo più accessibile a tutti □ **to d. the words in sb.'s mouth**, far restare q. senza parole.

dumbbell /'dʌmbɛl/ *n.* **1** (di solito al pl.) (*ginnastica*) manubrio **2** (*slang USA*) stupido; tonto; cretino; fesso.

to **dumbfound** /dʌm'faʊnd/ *v. t.* sbalordire; stupire; stordire; confondere; sconcertare; scioccare; rendere perplesso ‖ **dumbfounded** *a.* senza parole per lo shock; scioccato; stupito; confuso; sbalordito.

dumbly /'dʌmlɪ/ *avv.* in silenzio; senza dir verbo; senza dire una parola.

d

dumbness /ˈdʌmnəs/ n. ⓤ mutismo; silenziosità; taciturnità.

dumbo /ˈdʊmbəʊ/ n. (*fam.*, *spec. USA*) **1** stupido; tonto; fesso **2** individuo dalle orecchie enormi.

dumbstruck /ˈdʌmstrʌk/ a. sbalordito; esterrefatto; senza parole per lo shock; sconcertato.

dumbwaiter /ˈdʌmweɪtə(r)/ n. **1** servo muto (*tavolinetto a più ripiani*) **2** montavivande **3** (*mecc.*) montacarichi per piccoli pesi **4** vassoio girevole posto al centro della tavola.

dumdum /ˈdʌmdʌm/ n. e a. dum-dum: **dum-dum (bullet)**, proiettile dum-dum.

dummy ① /ˈdʌmɪ/ n. **1** persona (*o* personaggio) che non parla (*anche in un dramma*) **2** manichino (*da sartoria*, *ecc.*); sagoma d'uomo (*al tiro a segno*, *ecc.*); fantoccio: (*autom.*, *tecn.*) **crash-test d.**, manichino per la prova d'urto **3** (*fig.*) uomo di paglia; (*leg.*) fiduciario, prestanome **4** (*slang*) imbecille; stupido; tonto **5** ciuccio; succhiotto; tettarella **6** (*nei giochi di carte*) morto **7** (*tipogr.*) menabò **8** (*tecn.*) modello inerte; facsimile; simulacro **9** (*ferr.*) locomotiva con condensatore **10** (*sport*) finta; passaggio finto ● (*a carte*) **to play d.**, fare il morto □ (*sport*) **to sell sb. a d.**, fare un finto passaggio (*o* una finta: *a un avversario*).

dummy ② /ˈdʌmɪ/ a. **1** falso; finto; fittizio; di comodo: **a d. gun**, una pistola finta; una pistola giocattolo; **a d. corporation**, una società commerciale fittizia (*o* di comodo); **d. name**, nome fittizio **2** giocato col morto: **d. whist**, whist col morto **3** (*mil.*) inerte: **a d. bomb**, una bomba inerte **4** (*ling.*) inoperante **5** (*comput.*, *elettron.*, *mat.*, *stat.*) fittizio; vuoto: (*comput.*) **d. instruction**, istruzione vuota (*o* fittizia); (*elettron.*) **d. load**, carico fittizio; (*stat.*) **d. variable**, variabile fittizia (*o* di comodo) ● (*sport*) **d. hare**, lepre meccanica (*nei cinodromi*) □ **d. run**, prova generale; verifica di funzionamento □ (*mil.*) **d. target**, falso bersaglio (*visto da un aereo*) □ (*leg.*) **d. tendering**, licitazione con accordi collusivi.

to **dummy up** /ˈdʌmɪˈʌp/ v. i. (*fam. USA*) non parlare; non cantare, tenere il becco chiuso (*fam.*) ● **to dummy up on sb.**, rifiutarsi di dare informazioni su q.

♦**dump** ① /dʌmp/ n. **1** mucchio, ammasso (*di detriti, spazzatura, ecc.*) **2** (= **rubbish d.**) discarica: **the town d.**, la discarica pubblica **3** tonfo; colpo sordo (*di qc. che cade*) **4** (*fam.*) posto squallido; postaccio; buco, topaia (*fig.*) **5** (*fam. USA*) locale, posto (*in genere*); casa; appartamento: *Turn the d. upside down, will you?*, caccia pure per aria tutta la casa! **6** (*anche mil.*) deposito (*di viveri, munizioni, ecc.*) **7** (*comput.*) dump; copia del contenuto della memoria **8** (*ind. min.*) discarica **9** (*basket*) schiacciata nel canestro **10** (*volg. USA*) cacata: **to have a d.**, fare una cacata (*volg.*) ● (*tecn.*) **d. body**, cassone ribaltabile (*di un autocarro*) □ **d. bucket**, benna a conca □ **d. car**, vagonetto a bilico □ (*USA*) **d. truck** → **dumper**, *def. 2*.

dump ② /dʌmp/ n. **1** oggetto tozzo; pezzo informe: **a d. of lead**, un pezzo di piombo **2** (*in certi giochi di ragazzi*) pallina di piombo **3** specie di birillo **4** persona tozza; individuo basso e grasso ● (*slang*) **not worth a d.**, che non vale un soldo.

dump ③ /dʌmp/ n. (*arc.*) canto (*o* musica) triste ● (*fam.*) **to be down in the dumps**, essere depresso; essere giù di corda.

to **dump** /dʌmp/ **A** v. t. **1** scaricare; mettere giù (*fam.*): *You shouldn't d. rubbish into the ditch*, non devi scaricare il pattume nel fosso; *D. your bag on the floor!*, metti giù la sacca per terra! **2** (*comm.*) vendere sottocosto (*spec. all'estero*); svendere **3** (*elettron.*) disalimentare; scaricare **4** (*comput.*) riversare (*il contenuto della memoria: su nastro o altro supporto*) **5** (*anche mil.*) fare una riserva (*o* un deposito) di (*viveri, munizioni, ecc.*) **6** (*fam.*) scaricare; mollare; piantare; lasciare: **to d. one's boyfriend** (*o* **one's girlfriend**), scaricare (*o* piantare) il ragazzo (*o* la ragazza) **7** (*basket*) schiacciare (*la palla*) nel canestro **8** (*slang USA*) vomitare **B** v. i. **1** scaricare rifiuti **2** cadere con un tonfo **3** (*comm.*) vendere merce sottocosto ● **to d. down**, rovesciare, scaricare; (*fig.*) sbarcare: **to d. down superfluous immigrants**, sbarcare in un paese straniero immigranti indesiderati □ **to d. a load**, scaricare (un carico); (*volg. USA*) andare di corpo, defecare □ (*fam. USA*) **to d. on sb.**, criticare, denigrare q.; (*del cattivo tempo*) colpire q. (*o* una regione) □ (*fam.*) **to d. oneself on sb.**, piazzarsi in casa di q. (*senza invito*).

dumper /ˈdʌmpə(r)/ n. **1** chi scarica rifiuti, ecc. (→ **to dump**) **2** autocarro con cassone ribaltabile **3** (*comm.*) chi vende (*o* esporta) merce sottocosto **4** (*slang USA*) cesso; latrina.

dumpiness /ˈdʌmpɪnəs/ n. ⓤ l'esser tozzo; l'esser basso e grasso.

dumping /ˈdʌmpɪŋ/ n. **1** scarico (*di rifiuti*) **2** (*comm.*) dumping; vendita sottocosto di merce (*spec. su mercato straniero*) **3** (*comput.*) riversamento (*del contenuto della memoria*) ● **d. ground**, discarica (pubblica) (*di rifiuti*); (*fig.*) parcheggio (*di minorati, extracomunitari, ecc.*) □ **«No d.»** (*cartello*), «Vietato scaricare rifiuti».

dumpling /ˈdʌmplɪŋ/ n. **1** (*cucina*) fagottino (*ripieno di carne*) **2** frutta (*spec. mela*) avvolta in uno strato di pasta e cotta al forno **3** (*fam.*) tipo tozzo, grassottello; tombolotto.

dumpster® /ˈdʌmpstə(r)/ n. (*USA*) cassonetto per l'immondizia ● **d. diving**, pratica di rovistare nei cassonetti delle immondizie alla ricerca di informazioni segrete o delicate.

dumpy ① /ˈdʌmpɪ/ **A** a. tozzo; basso e grasso **B** n. gallina scozzese dalle gambe corte ● (*topogr.*) **d. level**, livella a cannocchiale.

dumpy ② /ˈdʌmpɪ/ a. (*fam. raro*) triste; depresso; malinconico.

dun ① /dʌn/ **A** a. **1** bigio opaco; grigio spento **2** fosco; tetro **B** n. **1** ⓤ color bigio opaco (*o* grigio spento) **2** (= **dun horse**) cavallo fosco (*o* maltinto); cavallo grigio (*o* baio) maculato di nero **3** (*nella pesca*) esca artificiale ● (*zool.*) **dun-bird** (*Aythya ferina*), moriglione; moretta □ (*zool.*) **dun diver**, piccolo (*o* femmina) dello smergo □ (*zool.*) **dun-fly** (*Haematopota pluvialis*), tafano.

dun ② /dʌn/ n. **1** creditore insistente **2** esattore di crediti **3** richiesta di pagamento; sollecitazione; sollecito.

to **dun** ① /dʌn/ v. t. **1** rendere bigio opaco; scurire **2** (*un tempo, in USA*) salare (*merluzzi*).

to **dun** ② /dʌn/ v. t. **1** chiedere insistentemente (*il pagamento d'un debito*) **2** sollecitare (*un debitore*) ● (*comm.*) **dunning letter**, lettera di sollecito; sollecitatoria.

Duncan /ˈdʌŋkən/ n. Duncan; Duncano (*letter.*).

dunce /dʌns/ n. (*fam.*) asino (*fig.*); ignorante; stupido; tonto ● **d.'s cap**, berretto a cono (*un tempo, sul capo d'uno scolaro come punizione; cfr. ital. «orecchie d'asino»*).

dunderhead /ˈdʌndəhed/ (*fam.*) n. stupido; testone (*fam.*); testa di legno ‖ **dunderheaded** a. stupido; tonto.

dune /djuːn, *USA* duːn/ n. (*geogr.*) duna ● (*autom.*) **d. buggy**, dune buggy; pulce del deserto.

dung /dʌŋ/ n. ⓤ **1** sterco; letame; concime **2** sporcizia; sudiciume ● (*zool.*) **d. beetle** (*Geotrupes stercorarius*), scarabeo stercorario □ **d. cart**, carretto per il letame □ (*zool.*) **d. fly**, mosca del letame □ **d. fork**, forcone per il letame □ **d.-heap** → **dunghill**.

to **dung** /dʌŋ/ v. t. concimare con letame.

dungaree /dʌŋgəˈriː/ n. **1** ⓤ tela grezza di cotone **2** (pl.) pantaloni da lavoro con pettorina; salopette (*anche da bimbo*): *'Amanda now is starting kindergarten* [...] *and will never wear dungarees or overalls any more'* J.H. Updike, 'Amanda comincia ora ad andare all'asilo [...] e non porterà più né le salopette né la tutina' **3** (pl.) (*USA*) calzoni da lavoro.

dungeon /ˈdʌndʒən/ n. **1** prigione sotterranea **2** (= **donjon**) dongione, torrione (*d'un castello*).

dunghill /ˈdʌŋhɪl/ n. letamaio (*anche fig.*) ● **d. fowl**, pollo ruspante.

dunk /dʌŋk/ n. (*basket*, = **d. shot**) schiacciata.

to **dunk** /dʌŋk/ v. t. e i. **1** inzuppare, tuffare (*pane, biscotti, ecc.*) **2** (*basket*) schiacciare (*la palla*) nel canestro.

dunker /ˈdʌŋke(r)/ n. (*basket*) schiacciatore.

dunking /ˈdʌŋkɪŋ/ n. ⓤ (*basket*) schiacciata (*lo schiacciare la palla*).

dunlin /ˈdʌnlɪn/ n. (pl. ***dunlins***, ***dunlin***) (*zool.*, *Erolia alpina*) piovanello pancianera.

dunnage /ˈdʌnɪdʒ/ n. **1** (*naut.*) pagliolo **2** (*fam.*) bagaglio; effetti personali.

dunno /dʌˈnəʊ/ contraz. *slang* di **I don't know**, non lo so.

dunnock /ˈdʌnək/ n. (*zool.*, *Prunella modularis*) passera scopaiola.

dunny /ˈdʌnɪ/ n. (*fam.*, *Austral.*) gabinetto (*di solito all'aperto*); cesso.

dunt /dʌnt/ n. **1** (*scozz.*, *dial.*) colpo; percossa **2** (*aeron.*) colpo di corrente d'aria ascensionale.

duo /ˈdjuːəʊ, *USA* ˈduːəʊ/ n. (pl. ***duos***) **1** (*mus.*) duetto **2** (*teatr.*) duo **3** (*sport*) duetto (*di corridori*), tandem (*di giocatori*).

duodecennial /djuːəʊdɪˈsenɪəl, *USA* duː-/ a. duodecennale.

duodecimal /djuːəʊˈdesɪml, *USA* duː-/ **A** a. (*mat.*) duodecimo; dodicesimale **B** n. (*mat.*) **1** dodicesimo (*frazione*) **2** (pl.) sistema duodecimale.

duodecimo /djuːəʊˈdesɪməʊ, *USA* duː-/ n. (pl. ***duodecimos***) (*tipogr.*) **1** ⓤ duodecimo; formato in dodicesimo **2** volume in dodicesimo.

duodenary /djuːəʊˈdiːnərɪ, *USA* duː-/ a. (*mat.*) duodenario; duodecimale.

duodenitis /djuːəʊdəˈnaɪtɪs, *USA* duː-/ n. ⓤ (*med.*) duodenite.

duodenum /djuːəʊˈdiːnəm, *USA* duː-/ (*anat.*) n. (pl. ***duodenums***, ***duodena***) duodeno ‖ **duodenal** a. duodenale: (*med.*) **duodenal ulcer**, ulcera duodenale.

duologue /ˈdjuːəlɒg, *USA* ˈduː-/ n. dialogo (*spec. di dramma*); scena a due.

duopoly /djuːˈɒpəlɪ, *USA* duː-/ n. (*econ.*) duopolio.

duotone /ˈdjuːəʊtəʊn, *USA* ˈduː-/ n. (*arti grafiche*) bicromia; stampa a due colori.

Dup. abbr. (**duplicate**) duplicato, copia.

dupable /ˈdjuːpəbl, *USA* ˈduː-/ a. facile a gabbarsi; ingannabile; raggirabile.

dupe /djuːp, *USA* duːp/ n. babbeo; gonzo; credulone.

to **dupe** /djuːp, *USA* duːp/ v. t. gabbare; imbrogliare; ingannare; raggirare; abbindolare; bidonare, fregare (*pop.*).

duper /ˈdjuːpə(r), *USA* ˈduː-/ n. gabbatore, gabbatrice; imbroglione, imbrogliona.

dupery /ˈdjuːpərɪ, *USA* ˈduː-/ n. ⓤ imbroglio; inganno; raggiro; truffa; fregatura, bidone (*pop.*).

duple /'dju:pl, *USA* 'du:-/ a. doppio; duplice ● (*mat.*) **d. ratio**, rapporto di 2 a 1 □ (*mus.*) **d. time** (*o* **d. rhythm**), tempo binario.

duplex /'dju:pleks, *USA* 'du:-/ **A** a. 1 duplice; doppio 2 (*tecn.*) duplex **B** n. (*edil.*, *USA*) 1 (= **d. apartment**) appartamento su due piani 2 villetta bifamiliare (*cfr.* ingl. **semidetached**) ● (*radio*) **d. diode**, bidiodo □ **d. lamp**, lampada a due becchi □ (*metall.*) **d. process**, processo duplex.

duplicate /'dju:plɪkət, *USA* 'du:-/ **A** a. 1 duplice; doppio 2 esattamente uguale (*a un altro*); gemello ● **a d. key**, una chiave gemella; **d. keys to the back door**, due chiavi (*uguali*) per la porta di servizio 3 (*comput.*) duplicato: **d. record**, record duplicato 4 (*biol.*) duplicato **B** n. 1 duplicato; seconda copia 2 copia conforme; doppione; sosia 3 (*fotogr.*, *cinem.*) controtipo ● (*comput.*) **d. key**, chiave duplicata □ (*mat.*) **d. proportion** (*o* **d. ratio**), rapporto di uno a due □ **documents made in d.**, documenti redatti in duplice copia.

to **duplicate** /'dju:plɪkeɪt, *USA* 'du:-/ **V** v. t. 1 duplicare; fare una seconda copia di (*qc.*) 2 replicare; ripetere: *The actress duplicated her former success*, l'attrice ripeté il suo precedente successo 3 raddoppiare (*sforzi, fortificazioni, ecc.*) 4 riprodurre; riprendere lo stile di (*qc.*) **B** v. i. (*biol.*) duplicarsi ● **duplicating book**, blocchetto autocopiante □ **duplicating machine**, duplicatore; ciclostile.

duplication /dju:plɪ'keɪʃn, *USA* du:-/ n. 1 duplicazione; riproduzione (*di un documento, ecc.*) 2 raddoppio 3 ripetizione; replica (*di un successo, ecc.*) 4 (*biol.*) duplicazione.

duplicator /'dju:plɪkeɪtə(r), *USA* 'du:-/ n. duplicatore; ciclostile.

duplicitous /dju'plɪsɪtəs/ a. ipocrita; sleale; falso; doppio.

duplicity /dju:'plɪsətɪ, *USA* du:-/ n. duplicità; doppiezza; finzione.

durability /djʊərə'bɪlətɪ, *USA* dʊə-/ n. Ⓤ (*tecn.*) durabilità, durevolezza (*raro*); durata.

durable /'djʊərəbl, *USA* 'dʊə-/ **A** a. durevole; duraturo: (*econ.*) **d. goods**, beni durevoli **B** n. pl. (*econ.*) beni durevoli | **-ness** n. Ⓤ | **-bly** avv.

duralumin® /djʊə'ræljʊmɪn, *USA* 'dʊə-/ n. Ⓤ (*metall.*) duralluminio.

dura mater /'djʊərə 'meɪtə(r), *USA* 'dʊə-/ (*lat.*) loc. n. Ⓤ (*anat.*) duramadre.

duramen /djʊə'reɪmɛn, *USA* 'dʊə-/ n. Ⓤ (*bot.*) durame.

duration /dju'reɪʃn, *USA* dʊ'reɪʃn/ n. ⒸⓊ durata ● (*elettron.*) **d. control**, controllo di durata □ (*ling.*) **d. form**, forma durativa (*del verbo*) □ (*leg.*) **d. of an obligation**, durata di un'obbligazione □ (*tur.*) **d. of stay**, durata del soggiorno.

durative /'djʊərətɪv, *USA* 'dʊə-/ **A** a. (*ling.*) durativo **B** n. (*ling.*) verbo durativo.

duress /dju'rɛs, *USA* dʊ'rɛs/ n. Ⓤ (*leg.*) 1 carcerazione/ detenzione o coercizione; costrizione; violenza fisica o morale: **to sign a confession under d.**, firmare una confessione estorta con minacce o atti di violenza ● **d. of imprisonment**, sequestro di persona; arresto illegittimo □ **to be under d.**, essere fatto oggetto di violenza (*fisica o morale*).

Durex® /'djʊərɛks, *USA* 'dʊə-/ n. preservativo; profilattico.

durian /'djʊərɪən, *USA* 'dʊə-/ n. (*bot.*, *Durio zibethinus*) durio; durione.

duricrust /'djʊərɪkrʌst, *USA* 'dʊə-/ n. (*geol.*) duricrust; crostone (*nel deserto*).

◆**during** /'djʊərɪŋ, *USA* 'dʊə-/ prep. durante; nel corso di: **d. the day**, durante il giorno; **d.**

one's lifetime, vita natural durante.

durion /'djʊərɪən, *USA* 'dʊə-/ → **durian**.

durmast /'dɜ:mɑ:st/ n. (*bot.*, *Quercus sessiliflora*) rovere.

to **durn** /dɜ:n/ → to **darn**②.

durometer /djʊə'rɒmɪtə(r), *USA* dʊ-/ n. (*tecn.*, *metall.*) durometro.

durra /'dʌrə/ n. 1 (*bot.*, *Sorghum vulgare durra*) durra; dura 2 Ⓤ (*alimento*) durra.

durst /dɜ:st/ vc. verb. (*arc.*) pass. di to **dare**.

dusk /dʌsk/ n. Ⓤ 1 crepuscolo: **at d.**, al crepuscolo 2 semioscurità; luce del crepuscolo: **in the d.**, nella luce del crepuscolo.

to **dusk** /dʌsk/ **A** v. i. (*poet.*) imbrunire; oscurarsi **B** v. t. (*raro*) oscurare; offuscare.

dusky /'dʌskɪ/ a. 1 fosco; oscuro; scuro; tetro: **a d. twilight**, un fosco crepuscolo 2 (*fig. poet.*) cupo; tetro; malinconico 3 scuro; di pelle scura 4 (*spreg. antiq.*: *di persona*) di colore | **-ily** avv. | **-iness** n. Ⓤ.

◆**dust** /dʌst/ n. 1 Ⓤ polvere: **a cloud of d.**, una nube di polvere; *The d. has settled*, la polvere s'è posata 2 spolverata: *Give the sofa a quick d.!*, dà una bella spolverata al divano!; **a quick d.**, una spolveratina 3 Ⓤ (*bot.*, = **yellow d.**) polline 4 Ⓤ (*poet. o lett.*) polvere; ceneri; spoglie mortali 5 (*fig. fam.*) baraonda; trambusto; polverone: *I'll come back when the d. has settled*, tornerò quando ci sarà posato il polverone 6 Ⓤ (*fis.*) polvere; pulviscolo ● (*zool.*) **d. bath**, bagno di polvere (*degli uccelli*) □ (*in USA*, *stor.*) **the D. Bowl**, la regione (*nei Great Plains*) divenuta desertica negli anni trenta (*per siccità, disboscamento, azione del vento*) □ **d. cloth**, copertina, foderina (*su un mobile, ecc.*) □ **d. cloud**, nube di polvere; polverone □ **d. colour**, color polvere □ **d. control** (*o* **d. extraction**), eliminazione della polvere □ **d. cover**, copertina, foderina; sopraccoperta (*di libro*) □ (*meteor.*) **d.-devil**, turbine di polvere (*nelle regioni desertiche*) □ **d. guard**, parapolvere (*di bicicletta, ecc.*) □ **d. jacket**, sopraccoperta (*di libro*) □ (*zool.*) **d. mite**, acaro della polvere: **house d. mite**, acaro della polvere di casa □ (*elettr.*, *autom.*) **d.-protection cover**, coperchio parapolvere □ **d. shot**, pallini da caccia minutissimi □ **d. storm**, tempesta di polvere □ (*meteor.*) **d. whirl**, turbine di polvere □ **d. wrapper**, copertina, foderina □ (*fig.*) **to bite the d.**, mordere la polvere; cadere ferito (*o* morto); (*di un piano*) essere bocciato; (*autom.*) □ **to cover with d.**, impolverare □ (*autom.*) **to eat sb.'s d.**, mangiare la polvere di q. (*che ci precede*) □ (*fig.*) **to be in the d.**, essere umiliato (*o* vinto) □ (*fam.*) **to kick up a d. about st.**, alzare un (*gran*) polverone per qc.; sollevare un putiferio per qc. □ (*della pioggia, ecc.*) **to lay the d.**, smorzare la polvere □ (*fig.*) **to lick the d.**, mordere la polvere, morire ammazzato; umiliarsi □ (*fig.*) **to raise a d. about st.**→**to kick up a d. about st.**→ (*fig.*) **to shake the d. off one's feet**, andarsene adirato (*o* indignato, sdegnato) □ **to throw d. in sb.'s eyes**, gettare la polvere negli occhi a q.; (*fig.*) ingannare q.

to **dust** /dʌst/ **A** v. t. 1 (*spesso* **to d. off**) spolverare (*mobili, ecc.*) 2 spolverizzare; spolverare; cospargere: **to d. a cake with sugar**, spolverare di zucchero un dolce 3 spargere (*sostanze in polvere*); spolverizzare; polverizzare (*prodotti chimici: come offensiva*); (*agric.*) irrorare: **to d. crops**, irrorare le colture (*con piccoli aerei*) 4 spolverare polvere da; spazzare (*fig.*): *'Limbs glossy and supple, tail dusting the ground'* W. WHITMAN, 'membra lucide e snelle, coda che spazza la terra' **B** v. i. 1 spolverare; levare la polvere 2 (*d'uccelli*) fare un bagno di polvere.

■ **dust down** v. t. + avv. 1 spolverare, dare una spolverata a: *He got up and dusted himself down*, si alzò da terra e si diede una

spolverata 2 (*fam.*) sgridare, fare una ramanzina a (q.).

■ **dust off** v. t. + avv. 1 spolverare; togliere la polvere a (qc.) 2 (*fam.*) rispolverare, tirar fuori di nuovo; riciclare: *You could d. off your old lecture on Byron*, potresti rispolverare la tua vecchia conferenza su Byron 3 (*slang USA*) spolverare, spazzare, divorare, far fuori (*cibo*) 4 (*slang USA*) far fuori, ammazzare, eliminare (q.) 5 (*sport*: *baseball*) eliminare (*un battitore*) con un → «duster» (*def. 8*).

■ **dust out** v. t. + avv. spolverare a fondo; pulire a fondo (qc.).

◆**dustbin** /'dʌstbɪn/ n. (*ingl.*) pattumiera; bidone dell'immondizia (*o della spazzatura*) (*USA* **ash can**→**ash**②, **garbage can**→**garbage**, **trash can**→**trash**①) ● **d. man**→**dustman**.

dustbowl /'dʌstbəʊl/ n. (*geogr.*) zona arida.

dustcart /'dʌstkɑ:t/ n. (*ingl.*) camion della nettezza urbana; autoimmondizie (*cfr. USA* **garbage truck**, *sotto* **garbage**).

dustcoat /'dʌstkəʊt/ n. soprabito leggero; spolverino.

duster /'dʌstə(r)/ n. 1 chi spolvera, ecc. (→ to **dust**) 2 straccio per la polvere; spolverino 3 vasetto per spolverizzare (*zucchero, ecc.*); spolverino 4 (*USA*) soprabito leggero; spolverino: *Cowboys often wear dusters*, spesso i cowboy portano uno spolverino 5 cancellino (*per la lavagna*) 6 (*agric.*, *mecc.*) polverizzatore 7 (*pl.*) (*slang USA*) tirapugni 8 (*baseball*) palla (*o* lancio) che colpisce la testa del battitore (*o* che la rasenta) ● (*agric.*, *USA*) **d. plane**, aereo per l'irrorazione: **crop d. plane**, aereo per irrorare le colture □ **feather d.**, piumino (*per spolverare*).

dustiness /'dʌstɪnəs/ n. Ⓤ l'essere polveroso.

dusting /'dʌstɪŋ/ n. 1 spolverata 2 (*cucina*) spolverizzata 3 (*agric.*) irrorazione (*con un aereo*): **crop d.**, irrorazione delle colture (*con piccoli aerei*) 4 spargimento, polverizzazione (*di prodotti chimici: come forma di aggressione*) 5 (*fam.*) bastonatura; botte.

dustless /'dʌstləs/ a. senza polvere: **a d. room**, una stanza senza polvere.

dustman /'dʌstmən/ n. (pl. **dustmen**) (*ingl.*) spazzino; netturbino (*cfr. USA* **garbage collector**, *sotto* **garbage**).

dustoff /'dʌstɒf/ n. (*aeron.*, *mil.*) elicottero per l'evacuazione di feriti (*o* di truppe).

dustpan /'dʌstpæn/ n. paletta per la spazzatura.

dustsheet /'dʌstʃi:t/ n. telo, telone (*contro la polvere*: *per coprire mobili, merce, ecc.*).

dustup, **dust-up** /'dʌstʌp/ n. (*slang*) lite; rissa; zuffa.

dusty /'dʌstɪ/ **A** a. 1 polveroso; coperto di polvere 2 in polvere; fine 3 (*di colore*) opaco 4 (*fig.*) incerto; nebuloso; vago: **a d. answer**, una risposta vaga (*o* incerta) **B** n. 1 →**dustman** 2 (*fam.*) persona anziana; vecchione ● (*nella pesca*) **d. miller**, mosca artificiale □ **to get d.**, impolverarsi □ **to make d.**, impolverare □ (*fam.*) **not so d.**, discreto; abbastanza buono; mica male (*fam.*); benino.

Dutch /dʌtʃ/ **A** a. 1 olandese: **D. cheese**, formaggio olandese 2 (*pittura*) fiammingo 3 (*arc.*) tedesco 4 (*in Sud Africa*) boero; afrikaner **B** n. 1 Ⓤ (*lingua*) olandese 2 (*arc.*) tedesco 3 (*collett.*) – **the D.**, gli olandesi ● (*comm.*) **D. auction**, asta olandese (*o* all'inbasso); incanto all'olandese □ **D. barn**, fienile □ **D. cap**, cuffietta olandese; (*med.*) diaframma; pessario □ **D. courage**, coraggio fittizio, prodotto da stimolanti (*liquori, ecc.*) □ (*bot.*) **D. elm disease**, grafiosi dell'olmo □ (*metall.*) **D. metal**, tombacco □ **D. oven**, forno portatile; pentola a pressione □ **D. treat**,

d

festa, pasto (*al ristorante, ecc.*) in cui ognuno paga la sua parte □ **double D.**, linguaggio incomprensibile; turco, arabo (*fig.*) □ (*fam.*) **to go D.**, fare alla romana; dividere le spese; pagare ciascuno per sé (*fam.*) **to drink D.**, pagare da sé quel che si beve □ (*pop. USA*) **to be in D.**, essere in difficoltà (o nei guai) □ **to talk to sb. like a D. uncle**, fare una paternale a q.

Dutchman /'dʌtʃmən/ n. (pl. **Dutchmen**) **1** olandese (*uomo*) **2** (*naut., stor.*) nave olandese ● the Flying D., il vascello fantasma; l'Olandese volante □ **I'm a D. if...**, non sono più io se...

Dutchwoman /'dʌtʃwomən/ n. (pl. **Dutchwomen**) olandese (*donna*).

duteous /'dju:tɪəs, USA 'du:-/ a. obbediente; ligio al dovere; sottomesso | **-ly** avv. | **-ness** n. Ⓤ.

dutiable /'dju:tɪəbl, USA 'du:-/ a. (*comm.*) soggetto a dazio (o a dogana); schiavo di dazio; daziabile; tassabile.

dutiful /'dju:tɪfl, USA 'du:-/ a. **1** deferente; rispettoso **2** obbediente; ligio al dovere | **-ly** avv. | **-ness** n. Ⓤ.

♦**duty** /'dju:tɪ, USA 'du:tɪ/ n. **1** Ⓤ dovere (*anche leg.*); obbligo morale: **to do one's d.**, fare il proprio dovere; **when d. calls...**, quando il dovere ci chiama...; **d. call**, visita di dovere **2** Ⓤ deferenza; doveroso rispetto: **filial d.**, doveroso rispetto verso i genitori **3** (*di solito pl.*) compito; funzione; lavoro; mansione; servizio; ruolo: **the duties of a librarian**, i compiti di un bibliotecario; *These will be your new duties*, queste saranno le tue nuove mansioni; **a heavy-d. tractor**, un trattore per lavori pesanti; **to be on d.**, essere in servizio **4** (*econ., fisc.*) dazio; imposta; tassa; diritto: **customs d.**, dazio doganale; **excise d.**, imposta di consumo; dazio; **import and export duties**, dazi d'importazione e d'esportazione; **death d.**, imposta di successione; **stamp d.**, tassa di bollo **5** Ⓤ (*mecc.*) rendimento di lavoro (*d'una macchina*) **6** doveri; ossequi; complimenti: **to pay one's d. to sb.**, fare i propri doveri (o presentare i propri ossequi) a q. ● **to be d.-bound**, avere il dovere morale (*di fare qc.*) □ (*di merce*) **d.-free**, esente da dazio; franco di dazio □ (*tur.*) **d.-free allowance**, generi ammessi in franchigia doganale □ **d.-free entry**, importazione in franchigia doganale □ (*naut.*) **d.-free port**, porto franco ● **d.-free shop**, negozio esente da dazio □ (*mil.*) **d. officer**, ufficiale di giornata □ **d.-paid**, sdaziato; sdoganato; (avv.) franco dogana □ (*comm.*) **d. unpaid**, dazio escluso (*da pagare*) □ **to act out of d.**, fare qualcosa soltanto perché si è tenuti a farlo □ **to do d. as** (o **for**), servire da, fare da: *To the soap-box orators of Hyde Park Corner, a box does d. as a stand*, per gli oratori improvvisati di Hyde Park Corner, una cassa serve da tribuna □ **to come** (o **to go**) **off d.**, cessare (o smontare) dal servizio □ **to come** (o **to go**) **on d.**, entrare (o montare) in servizio □ 'mechanic on d.' (*cartello*), 'meccanico: aperto' □ **to be off d.**, essere fuori servizio; essere smontato.

duumvir /dju:'ʌmvə(r), USA du:-/ n. (pl. **duumvirs, duumviri**) (*stor. romana*) duumviro.

duumvirate /dju:'ʌmvɪrət, USA du:-/ n. (*stor. romana*) duumvirato.

duvet /'du:veɪ/ (*franc.*) n. **1** (*bot.*) peluria **2** piumino (*d'oca*).

duvetyn /'dju:vətɪn, USA 'du:-/, **duvetyne** /'dju:vətaɪn, USA 'du:-/ n. Ⓤ (*ind. tess.*) duvetina; duvetine.

DVD sigla (*elettron., un tempo* **digital video disc**, *ora* **digital versatile disc**) video disco digitale, disco digitale digitale (DVD); *What's that DVD you've got there?*, cos'è quel DVD che hai là?

DVD-R sigla (*elettron.*, **digital versatile disc recordable**) DVD registrabile (*una sola volta*).

DVI n. (*comput.*, **Digital Visual Interface**) interfaccia video digitale (*per ottimizzare la resa di dispositivi digitali*).

DVLA sigla (*GB*, **Driver and Vehicle Licensing Agency**) Ente per la concessione delle licenze per la guida e per veicoli (*equivalente dell'Ufficio della Motorizzazione Civile*).

DVT sigla (*med.*, **deep vein thrombosis**), trombosi venosa profonda.

dwale /dweɪl/ n. (*bot., Atropa belladonna*) belladonna.

dwarf /dwɔ:f/ Ⓐ n. (pl. **dwarfs, dwarves**) **1** nano, nana; gnomo **2** (*bot., zool.*) animale (o vegetale) nano **3** (*astron.*) nana (*stella*) Ⓑ a. nano: **a d. tree**, un albero nano; un bonsai ● (*bot.*) **d. disease**, nanismo; rachitismo □ (*astron.*) **d. star**, stella nana.

to **dwarf** /dwɔ:f/ v. t. **1** impedire la crescita (o lo sviluppo) di (*una pianta, ecc.*) **2** rimpicciolire **3** far apparire piccolo (o basso); schiacciare (*fig.*): *King Kong dwarfed the tallest skyscrapers of New York*, King Kong faceva sembrare bassi i più alti grattacieli di New York ● **the art of dwarfing trees**, l'arte (giapponese e cinese) di creare bonsai.

dwarfish /'dwɔ:fɪʃ/ a. **1** di (o da) nano **2** piccolissimo; minuscolo.

dwarfism /'dwɔ:fɪzəm/ n. Ⓤ (*med.*) nanismo.

dwarves /dwɔ:vz/ pl. di **dwarf**.

dweeb /dwi:b/ n. (*fam. USA*) **1** individuo goffo e noioso; imbranato **2** stupido; cretino **3** sgobbone; secchione.

dwell /dwɛl/ n. (*mecc.*) pausa, sosta (*nel movimento di una macchina*).

to **dwell** /dwɛl/ v. i. (*pass. e. p. p.* **dwelt**, **dwelled** ☞ Nota: *participle* → **participle**), v. i. **1** (*lett.*) dimorare; abitare; risiedere (*anche leg.*); soggiornare; stare: **to d. in the country**, abitare in campagna **2** (*di cavallo*) rifiutare l'ostacolo ● **to d. on** (o **upon**) **st.**, indugiare, soffermarsi su qc.; trattare ampiamente qc.; dilungarsi su qc.: **to d. on the past**, soffermarsi sul passato; **to d. on one's misfortunes**, dilungarsi sulle proprie sventure □ (*mus.*) **to d. upon a note**, prolungare una nota.

dweller /'dwɛlə(r)/ n. abitante; abitatore, abitatrice: **a city** (o **a town**) **d.**, un abitante della città; un cittadino; **cave dwellers**, abitatori delle caverne; cavernicoli.

♦**dwelling** /'dwɛlɪŋ/ n. **1** Ⓤ il dimorare; l'indugiare; il soffermarsi (*su qc.*), → to **dwell 2** abitazione; dimora; casa ● (*edil., leg.*) **d. house**, casa d'abitazione □ **d. place**, luogo di residenza.

dwelt /dwɛlt/ pass. e p. p. di **to dwell**.

DWEM abbr. di → **dead white European male**, → **dead** ①.

to **dwindle** /'dwɪndl/ v. i. **1** diminuire; decrescere; rimpicciolire; ritrarsi; scemare **2** (*fig.*) perdere importanza; ridursi; risolversi: **the whole matter has dwindled to nothing**, l'intera faccenda s'è risolta in nulla.

dwindling /'dwɪndlɪŋ/ a. decrescente; in calo: *Italy's d. population*, la popolazione italiana in calo.

DWP sigla (*GB*, **Department for Work and Pensions**) Ministero del lavoro e delle pensioni.

dyad /'daɪæd/ Ⓐ n. **1** (*mat.*) coppia; paio **2** (*chim.*) elemento (o atomo, radicale) bivalente **3** (*filos., biol., mus.*) diade Ⓑ a. **1** (*filos., biol.*) diadico **2** (*chim.*) bivalente || **dyadic** a. **1** (*mat.*) diadico; binario **2** (*chim.*) bivalente **3** (*filos., biol.*) diadico.

dye /daɪ/ n. Ⓤ **1** tinta; colore: **fast dye**, colore indelebile **2** materia colorante; colorante; tintura: **hair dye**, tintura per capelli ● **dye-house**, tintoria (*il locale, lo stabilimento*) □ (*arti grafiche*) **dye toning**, viraggio □ **dye transfer**, fotoriproduzione.

to **dye** /daɪ/ (*pass. e. p. p.* **dyed**, part. pres. **dyeing**) Ⓐ v. t. **1** tingere: **to dye a dress red**, tingere di rosso un vestito; **to dye one's hair black**, tingersi di nero i capelli **2** colorare; arrossare: *A warm flush dyed my cheeks*, una vampata di calore mi arrossò le guance Ⓑ v. i. (*di stoffa*) tingersi; prendere il colore: *This cloth dyes well*, questa stoffa prende bene il colore ● **to dye in the wool** [**in the yarn**], tingere la lana [il filato] (*prima della filatura*): **dyed-in-the-wool**, (*di tessuto*) tinto (*prima della filatura*) (*fig.*) connaturato, radicato, inveterato; (*di sportivo e sim.*) appassionato, fanatico; (*di politico*) dalla testa ai piedi, tutto d'un pezzo; (*di uno scapolo*) impenitente □ **dyed in the grain**, (*di tessuto*) tinto allo stato grezzo; (*fig.*) radicato, inveterato.

dyeing /'daɪɪŋ/ n. Ⓤ tintura; tintoria (*arte del tingere*).

dyer /'daɪə(r)/ n. tintore ● (*bot.*) **d.'s broom** (*Genista tinctoria*), ginestrella; baccellina.

dyestuff /'daɪstʌf/ n. Ⓤ colorante.

dyeworks /'daɪwɜ:ks/ n. (inv. al pl.) tintoria: *Jane works at a d.*, Jane lavora in (una) tintoria.

dying /'daɪɪŋ/ Ⓐ a. **1** morente; moribondo: **a d. man**, un moribondo **2** in punto di morte; estremo; ultimo: *His d. words were for you*, le sue ultime parole furono per te Ⓑ n. **1** Ⓤ il morire; morte; agonia **2** (pl. collett.) – **the d.**, i morenti; i moribondi ● **d. bed**, letto di morte □ (*ecol.*) **d. breed**, razza in via di estinzione □ **d. oath**, giuramento in punto di morte □ (*sport*) **d. seconds**, gli sgoccioli (*di un incontro*) □ **a d. social order**, un ordine sociale in pieno disfacimento □ **a d. tradition**, una tradizione che si va estinguendo □ **d. wish**, ultimo desiderio (*di un morente o morituro*) □ **to one's d. day**, fino alla morte.

dyke① /daɪk/ → **dike**①.

dyke② /daɪk/ (*slang spreg.*) n. lesbica || **dykey** a. di (o da) lesbica.

dynamic① /daɪ'næmɪk/ n. energia; forza motrice (*della storia, ecc.*).

dynamic② /daɪ'næmɪk/ a. **1** (*fis. e fig.*) dinamico: **a d. man**, un uomo dinamico; (*mecc.*) **d. balance**, equilibrio dinamico **2** in atto; non potenziale **3** (*med.*) funzionale **4** (*ling.*) durativo: *Watch* is a d. verb, «to watch» è un verbo durativo **5** (*comput.*) dinamico: **d. allocation**, allocazione dinamica; **d. IP address**, indirizzo IP dinamico ● (*tur.*) **d. packaging**, dynamic packaging (*sistema che permette di prenotare tutte le componenti di un viaggio attraverso lo stesso sito web*).

dynamical /daɪ'næmɪkl/ a. dinamico (*anche fig.*): **a d. man**, un uomo dinamico | **-ly** avv.

dynamics /daɪ'næmɪks/ n. pl. (col verbo al sing.) **1** dinamica (*parte della fisica*) **2** (*mus.*) dinamica.

dynamism /'daɪnəmɪzəm/ (*filos.*) n. Ⓤ dinamismo (*anche fig.*) || **dynamist** n. dinamista.

dynamite /'daɪnəmaɪt/ Ⓐ n. Ⓤ **1** dinamite (*anche fig.*) **2** (*fam. USA*) cosa (o persona) eccezionale; bomba (*fig.*) **3** (*slang USA*) droga pesante Ⓑ a. **1** dinamitardo **2** (*fam. USA*) eccezionale; favoloso; ottimo.

to **dynamite** /'daɪnəmaɪt/ v. t. far saltare con la dinamite.

dynamiter /'daɪnəmaɪtə(r)/ n. dinamitardo, dinamitarda.

dynamo /'daɪnəməʊ/ n. (pl. **dynamos**) **1** (*elettr.*) dinamo **2** (*fam.*) tipo dinamico.

dynamoelectric /daɪnəməʊɪ'lektrɪk/ a.

dinamoelettrico.

dynamometer /daɪnəˈmɒmɪtə(r)/ (*mecc.*, *med.*) n. dinamometro || **dynamometric**, a. dinamometrico || **dynamometry** n. Ⓤ dinamometria.

dynamotor /ˈdaɪnəməʊtə(r)/ n. (*elettr.*) convertitore rotante.

dynast /ˈdɪnæst, *USA* ˈdaɪ-/ n. dinasta; sovrano.

dynasty /ˈdɪnəstɪ, *USA* ˈdaɪ-/ n. dinastia: **the Stuart d.**, la dinastia degli Stuart || **dynastic**, **dynastical** a. dinastico || **dynastically** avv. dinasticamente.

dyne /daɪn/ n. (*fis.*) dina.

d'you /djuː, dʒə/ contraz. *fam.* di **do you**.

dyscrasia /dɪsˈkreɪzɪə/ n. Ⓤ (*med.*) discrasia.

dysentery /ˈdɪsntrɪ/ (*med.*) n. Ⓤ dissenteria || **dysenteric** a. dissenterico.

dysfluency /dɪsˈfluːənsɪ/ n. (*med.*) dislalia.

dysfunction /dɪsˈfʌŋkʃn/ n. ⓊⒸ (*med.*) disfunzione (*anche fig.*).

to **dysfunction** /dɪsˈfʌŋkʃn/ v. i. cessare di funzionare; non funzionare; funzionare

male.

dysfunctional /dɪsˈfʌŋkʃnəl/ a. che funziona male; disastrato; (*psic.*, *sociol.*) disfunzionale: **d. family**, famiglia disastrata; famiglia disfunzionale.

dysfunctioning /dɪsˈfʌŋkʃənɪŋ/ n. Ⓤ disfunzione; malfunzionamento.

dysgenic /dɪsˈdʒɛnɪk/ a. (*biol.*) disgenico.

dyskinesia /dɪskaɪˈniːzɪə/ n. Ⓤ (*med.*) discinesia.

dyslalia /dɪsˈleɪlɪə/ n. Ⓤ (*med.*) dislalia.

dyslexia /dɪsˈlɛksɪə/ (*med.*) n. Ⓤ dislessia || **dyslexic** a. dislessico.

dysmenorrhoea, (*USA*) **dysmenorrhea** /dɪsmɛnəˈriːə/ (*med.*) n. Ⓤ dismenorrea.

dysmorphia /dɪsˈmɔːfɪə/ (*med.*) n. dismorfia || **dysmorphic** a. (*med.*) dismorfico || **dysmorphism** n. (*med.*) dismorfismo.

dyspepsia /dɪsˈpɛpsɪə/ n. Ⓤ (*med.*) dispepsia.

dyspeptic /dɪsˈpɛptɪk/ a. e n. (*med.*) dispeptico.

dysphagia /dɪsˈfeɪdʒɪə/ n. Ⓤ (*med.*) disfagia.

dysphasia /dɪsˈfeɪzɪə/ (*med.*) n. Ⓤ disfasia || **dysphasic** a. disfasico.

dysphonia /dɪsˈfəʊnɪə/ (*med.*) n. Ⓤ disfonia || **dysphonic** a. disfonico.

dysplasia /dɪsˈpleɪzɪə/ (*med.*) n. Ⓤ displasia || **dysplastic** a. displasico.

dyspnoea, (*USA*) **dyspnea** /dɪspˈniːə/ (*med.*) n. Ⓤ dispnea || **dyspnoeic**, (*USA*) **dyspneic** a. dispnoico.

dyspraxia /dɪsˈpræksɪə/ n. Ⓤ (*med.*) disprassia || **dyspraxic** a. disprassico.

dysprosium /dɪsˈprəʊsɪəm/ n. Ⓤ (*chim.*) disprosio.

dysthymia /dɪsˈθaɪmɪə/ n. Ⓤ (*psic.*) distimia.

dystonia /dɪsˈtəʊnɪə/ (*med.*) n. Ⓤ distonia || **dystonic** a. distonico.

dystopia /dɪsˈtəʊpɪə/ n. Ⓤ **1** (*letter.*) distopia; utopia negativa **2** (*med.*) distopia; ectopia.

dystrophia /dɪsˈtrəʊfɪə/ → **dystrophy**.

dystrophy /ˈdɪstrəfɪ/ (*med.*) n. Ⓤ distrofia || **dystrophic** a. distrofico.

dysuria /dɪsˈjʊərɪə/, n. Ⓤ (*med.*) disuria.

dz. abbr. (**dozen**) dozzina.

a
b
c
d
e
f
g
h
i
j
k
l
m
n
o
p
q
r
s
t
u
v
w
x
y
z

e, E

E ①, e /iː/ *n.* (pl. *E's*, *e's*; *Es*, *es*) **1** E, e (*quinta lettera dell'alfabeto ingl.*) **2** (*mus.*) mi (*nota e scala corrispondente*) **3** (*comm., naut.*) nave di seconda categoria (*secondo il registro del Lloyd di Londra*) **4** (*nelle scuole*) votazione (*o classifica*) di grave insufficienza **5** (*comput.*) E (*corrisponde al valore decimale 14*) **6** (*slang, droga*) ecstasy **7 = E-number** → *sotto* ● **e for Echo**, e come Empoli □ (*in GB*) **E-free**, (*di alimento*) senza additivi; senza coloranti o conservanti □ (*in GB*) **E-number**, codice preceduto dalla lettera E che identifica un additivo alimentare; (*per estens.*) additivo alimentare.

E ② *sigla* **1** (**east**) est **2** (**eastern**) orientale **3** (**engineer**) ingegnere (Ing.) **4** (**engineering**) ingegneria **5** (**English**) (l')inglese.

e *abbr.* (*elettr.*, **earth**) terra.

E. *abbr.* **1** (**earl**) conte **2** (**Excellency**) Eccellenza (Ecc.) **3** (**excellent**) eccellente.

e- *abbr.* (*prefisso*, **electronic**) elettronico.

ea. *abbr.* (*comm.*, **each**) ogni; cadauno.

◆**each** /iːtʃ/ Ⓐ *a.* ciascuno; ogni: *E. chapter begins with a quotation*, ciascun capitolo si apre con una citazione; **e. day**, ogni giorno; **e. man**, ciascun uomo; ognuno; **e. time**, ogni volta; **e. one**, ciascuno; ognuno; **e. one of them**, ciascuno di loro Ⓑ *pron.* ciascuno; ognuno: *There are 20 rooms, e. with its own bathroom*, ci sono 20 stanze, ciascuna con bagno; **e. of the men**, ciascun uomo; *E. of us has a book* (*o we e. have a book*), ciascuno di noi ha un libro; *I spoke to them e.*, parlai con ciascuno (di loro) Ⓒ *avv.* a testa; l'uno: *They cost a pound e.*, costano una sterlina l'uno; *We were given a box e.*, a ciascuno di noi fu data una scatola ● **e. and all of us**, noi tutti □ **e. and every**, tutti (quanti); ogni singolo □ **e. and every morning**, tutte le mattine □ **e. other**, l'un l'altro; scambievolmente; a vicenda: **to hate e. other**, odiarsi; **to help e. other**, aiutarsi a vicenda; *They fell in love with e. other*, si sono innamorati (l'uno dell'altro); *I always thought you two were made for e. other*, ero convinto che foste fatti l'uno per l'altro; *We don't speak to e. other any more*, non ci parliamo più; non ci rivolgiamo la parola; *We commented on e. other's work*, commentammo scambievolmente il nostro lavoro ● **e. way**, da una parte e dall'altra; a destra e a sinistra; (*rif. a spostamento, viaggio*) in un senso e nell'altro, andata e ritorno □ (*ipp., GB*) **e. way**, *loc. avv.*, vincente o piazzato: *I put £20 e. way on Killick*, puntai 20 sterline su Killick vincente o piazzato; **to back a horse e. way**, scommettere su un cavallo vincente o piazzato □ **e.--way bet**, (*ipp., GB*) scommessa su un cavallo vincente o piazzato; (*fig.*) buone probabilità (pl.), buona scelta □ **e. way chance**, buone probabilità (pl.).

❶ Nota: *each other o one another?*
Abitualmente si preferisce usare *each other* solo quando ci si riferisce a due persone e *one another* quando ci si riferisce a più di due. Tuttavia, nell'uso comune si tende a ignorare questa distinzione.

◆**eager** /'iːgə(r)/ *a.* **1** ansioso; impaziente: **e. to begin**, ansioso (*o impaziente*) di co-

minciare; *He's e. to meet you*, è ansioso di conoscerti; desidera molto conoscerti; *I'm sure you are all e. to see some of the designs*, sono sicura che siete tutti ansiosi di vedere dei progetti **2** desideroso; avido; bramoso; **e. for a change**, desideroso di cambiamenti; che ha una gran voglia di cambiare; **e. for knowledge**, avido di conoscenza **3** animato da vivo interesse; entusiasta; appassionato; entusiastico; (*di viso, espressione*) eccitato, acceso: **e. attention**, viva attenzione; **e. opera goers**, melomani appassionati; **e. supporters**, sostenitori entusiasti **4** diligente; volonteroso ● (*fam.*) **e. beaver**, lavoratore indefesso; stacanovista □ **to be e. to please**, essere molto disponibile; essere servizievole; fare di tutto per compiacere (*o per riuscire gradito a*).

eagerly /'iːgəli/ *avv.* **1** ansiosamente; con impazienza; con vivo desiderio; con bramosia: **e. anticipated**, pregustato con impazienza; **e. awaited**, atteso con ansia; sospirato; **e. sought-after**, molto ricercato; ambitissimo **2** con vivo interesse; con entusiasmo; con ardore; alacremente.

eagerness /'iːgənəs/ *n.* Ⓤ **1** ansia; impazienza; vivo desiderio; brama **2** entusiasmo.

eagle /'iːgl/ *n.* **1** (*zool.*, *Aquila*) aquila **2** (*come simbolo o emblema*) aquila: **the Roman eagles**, le aquile romane **3** (*golf*) 'eagle' (*due colpi sotto la norma*) **4** (*USA*) antica moneta d'oro da dieci dollari: **double e.**, moneta da venti dollari ● (*fig.*) **e. eye**, occhio d'aquila; occhio vigile: **to keep an e. eye on st.**, tenere d'occhio qc.; non perdere d'occhio qc.; *He had his e. eye on us all the time*, non ci perdeva d'occhio un istante □ **e.-eyed**, dall'occhio d'aquila; occhiuto; attentissimo □ (*zool.*) **e. owl** (*Bubo bubo*), gufo reale □ (*zool.*) **e. ray** (*Myliobatis aquila*), aquila di mare □ **bald e. → bald**.

eaglet /'iːglət/ *n.* aquilotto.

E&OE *sigla* (*comm.*, **errors and omissions excepted**) salvo errori o omissioni (SE&O).

◆**ear** ① /ɪə(r)/ *n.* **1** (*anat.*) orecchio, orecchia: **inner ear**, orecchio interno; **outer ear**, orecchio esterno; **deaf in one ear**, sordo da un orecchio **2** (*fig.*) orecchio: **to have an ear for music** [**for languages**], avere orecchio per la musica [per le lingue]; **to play by ear**, suonare a orecchio **3** (*fig.*) attenzione; ascolto; orecchio: **a sympathetic ear**, disponibilità ad ascoltare; orecchio bendisposto; **to close one's ear to st.**, rifiutarsi di ascoltare qc.; turarsi le orecchie; **to lend an ear to**, prestare orecchio a; **to gain sb.'s ear**, trovare ascolto presso q.; riuscire a farsi ascoltare da q.; **to have sb.'s ear**, essere molto ascoltato da q.; *It has come to my ear that...*, mi è giunto all'orecchio che... **4** (*di brocca, ecc.*) ansa; manico ● (*fam. USA*) **ear--bender**, chiacchierone, chiacchierona; attaccabottoni □ (*fam. USA*) **ear candy**, musichetta (*o motivetto*) orecchiabile □ **ear--catcher**, cosa che colpisce l'orecchio; canzone (musica, ecc.) orecchiabile □ **ear defenders**, tappi auricolari □ (*anat.*) **ear lobe**, lobo dell'orecchio □ **ear-piercing**, (*sost.*) pratica di forare le orecchie; piercing all'orecchio; (*agg.*) penetrante, lacerante □

(*zool.*) **ear shell**, orecchia di mare; abalone □ (*zool.*) **ear snail**, chiocciola di mare □ (*med.*) **ear specialist**, otoiatra □ **ear-splitting**, assordante; rintronante; lacerante; che spacca i timpani (*fam.*) □ (*med.*) **ear trumpet**, cornetto acustico □ (*leg.*) **ear-witness**, testimone auricolare □ **about one's ears**, addosso; su di sè: **to bring st. down about one's ears**, tirarsi addosso qc. (*anche fig.*) □ (*fam.*) **to be all ears**, essere tutt'orecchi (*fig.*) □ (*fam.*) **My ears were burning**, mi fischiavano le orecchie (*fig.*) □ **from ear to ear**, da un orecchio all'altro □ **to give sb. a thick ear**, dare un ceffone (*o uno schiaffone*) a q. □ **to go in** (**at**) **one ear and out** (**at**) **the other**, entrare da un orecchio e uscire dall'altro (*fig.*) □ **to have** (*o* **to keep**) **an ear to the ground**, tenere le orecchie aperte; stare in campana □ (*fam.*) **to be coming out of one's ears**, averne a bizzeffe di qc.; avere tanto... da non saperne che fare □ **to have good ears**, avere l'udito fine □ **to keep one's ears open**, tenere le orecchie aperte □ **to listen with half an ear**, ascoltare distrattamente (*o con un orecchio solo*) □ (*fam.*) **out on one's ear**, licenziato; messo alla porta; buttato fuori; a spasso □ **to set by the ears**, mettere in subbuglio; creare scompiglio fra; far litigare □ (*fam.*) **up to one's ears**, fino al collo; fin sopra i capelli; fino agli occhi: **to be up to one's ears in debt**, essere indebitato fino al collo; **to be up to one's ears in work**, avere lavoro fin sopra i capelli.

ear ② /ɪə(r)/ *n.* (*bot.*) **1** spiga **2** (*USA*) pannocchia di granturco.

to ear /ɪə(r)/ *v. i.* (*di cereale*) spigare; fare la spiga.

earache /'ɪəreɪk/ *n.* (*med.*) mal d'orecchi.

earbuds /'ɪəbʌdz/ *n. pl.* (microfono) auricolare; auricolari.

earclip /'ɪəklɪp/ *n.* orecchino a clip.

eardrop /'ɪədrɒp/ *n.* **1** pendente (*orecchino*) **2** (al pl.) (*farm.*) gocce per le orecchie.

eardrum /'ɪədrʌm/ *n.* (*anat.*) timpano.

eared ① /ɪəd/ *a.* **1** (*zool.*) fornito d'orecchie **2** (nei composti) dall'orecchio; dalle orecchie: **sharp-e.**, d'orecchio acuto **3** (*bot.*) auricolato ● (*zool.*) **e. seal** (*Otaria*), otaria.

eared ② /ɪəd/ *a.* (*bot.*) spigato.

earflap, ear flap /'ɪəflæp/ *n.* **1** paraorecchie (sing.) (*di berretto*) **2** (*anat.*) padiglione auricolare.

earful /'ɪəfʊl/ *n.* (*fam.*) **1** sfilza di improperi, di parolacce, di lamentele, ecc. **2** (*USA*) sfilza di pettegolezzi, di chiacchiere, di rivelazioni, ecc. ● **to give sb. an e.**, riversare improperi su q.; fare un'urlata a q.; riempire q. di chiacchiere; raccontare tutti i pettegolezzi a q.

earhole /'ɪəhəʊl/ *n.* **1** (*anat.*) atrio auricolare; meato uditivo **2** (*fam.*) orecchio.

earing ① /'ɪərɪŋ/ *n.* Ⓤ (*agric.*) spigatura (*di cereale*).

earing ② /'ɪərɪŋ/ *n.* (*naut.*) matafione.

earl /ɜːl/ *n.* (titolo nobiliare ingl. di origine anglosassone) conte.

earldom /'ɜːldəm/ *n.* **1** titolo di conte **2**

contea.

earless① /'ɪələs/ a. **1** senza orecchi **2** che non ha orecchio; stonato.

earless② /'ɪələs/ a. (di cereale) senza spiga.

♦**earlier** /'ɜːlɪə(r)/ **A** a. (compar. di → **early**) **1** precedente; anteriore; di prima; trascorso; passato: **e. events**, fatti precedenti; **my e. attempt**, il mio tentativo precedente; *I'll catch an e. train*, prenderò un treno prima; **at an e. date**, precedentemente; prima; **in e. days**, in passato; un tempo; **in e. times**, in epoche precedenti; in tempi passati; **in e. years**, in anni passati; anni prima **2** iniziale; primo (di due o di due parti); precedente: **in the e. chapters of the book**, nel capitoli iniziali (o nei primi capitoli) del libro; *Picasso's e. work*, la prima produzione di Picasso; le opere giovanili di Picasso **B** avv. **1** più presto; prima; in anticipo: **e. than usual**, prima del solito; **ten minutes e.**, dieci minuti prima; con un anticipo di dieci minuti; **no e. than 1950**, non prima del 1950; *Can you make it e.?*, ti è possibile prima?; possiamo anticipare? **2** in precedenza; precedentemente; prima; anteriormente: **ten hours e.**, dieci ore prima; *As I said e.*, come ho detto prima; *We had met e.*, ci eravamo incontrati in precedenza; **e. this year**, in precedenza quest'anno.

earliest /'ɜːlɪɪst/ **A** a. (superl. di → **early**) primo; più lontano (nel tempo); più antico: **my e. memories**, i miei ricordi più lontani; i miei primi ricordi; **the e. mention of this name**, la prima menzione di questo nome; *I need the e. possible flight you've got*, ho bisogno del primo volo possibile **B** n. (solo in alcune loc.): **at the e.**, al più presto; *The e. I can give you is Friday the 22nd at 9.30*, il primo appuntamento che posso fissarle è per venerdì 22 alle 9:30 ● (comm.) **at your e. convenience**, con cortese sollecitudine; non appena possibile □ **at the e. possible opportunity**, non appena sarà possibile.

earliness /'ɜːlɪnəs/ n. ① **1** l'esser mattiniero **2** l'essere all'inizio **3** prossimità, vicinanza (nel tempo) **4** primitività; antichità **5** precocità (di un frutto, della stagione, ecc.) **6** tempestività (di un allarme, di un preavviso).

♦**early** /'ɜːlɪ/ (→ **earlier**, **earliest**) **A** a. **1** primo; iniziale: **e. childhood**, la prima infanzia; **e. morning**, primo mattino; **the e. train**, il primo treno (della mattina); **the e. Middle Ages**, il primo Medioevo; l'Alto Medioevo; **in the e. afternoon**, nel primo pomeriggio; **in the e. evening**, nel tardo pomeriggio; **in e. spring**, all'inizio della primavera; **in the e. thirties**, nei primi anni trenta; **e.-summer flowers**, i fiori della prima estate **2** per tempo; di buon'ora; mattiniero: **at an e. hour**, di buon'ora; **an e. start**, una partenza di buon'ora **3** primitivo; antico: **the E. Church**, la Chiesa cristiana primitiva; **e. ages**, età antiche **4** vicino (nel tempo): **to fix an e. date**, fissare una data vicina **5** prima del tempo; in anticipo; anticipato; prematuro: **an e. general election**, elezioni politiche anticipate; **an e. death**, una morte prematura; **to have an e. lunch**, pranzare presto; anticipare il pranzo; *You're e.*, sei arrivato presto; sei in anticipo; *It's too e. to say*, è troppo presto per dirlo **6** (bot.) precoce; primaticcio: **e. cherries**, ciliege primaticce **B** avv. **1** prima del tempo stabilito; in anticipo; per tempo; presto; di buon'ora: *She always arrives e.*, arriva sempre in anticipo; **to get up e.**, alzarsi di buon'ora; **to go to bed e.**, andare a letto presto **2** agli inizi: **e. in his career**, agli inizi della carriera; **e. in life**, in età giovanile; **e. next week**, all'inizio della prossima settimana ● (tecn.) **e. adopter**, utente pioniere (delle nuove tecnologie, ecc.) □ (Borsa) **e. bargains**, scambi in apertura □ (fam.) **e.**

bird, persona mattiniera; tipo mattiniero □ (archit.) **E. Christian**, paleocristiano □ (GB) **e.-closing day**, giorno di chiusura pomeridiana (dei negozi) □ (archit.) **E. English**, (in stile) gotico inglese del primo periodo □ **e. fruit**, primizia □ **an e. grave**, una morte prematura □ **the e. hours**, il primissime ore del giorno (dopo mezzanotte e prima dell'alba) □ **e. in the day**, di primo mattino; (fig.) per tempo, presto □ **e. leaver**, chi va via presto □ **e.-morning**, di primo mattino; di buon'ora □ (mus.) **e. music**, musica medievale e rinascimentale; musica antica □ **e. on**, agli inizi; presto; quasi subito □ **e. retirement**, pensionamento anticipato; prepensionamento: **to take e. retirement**, andare in prepensionamento □ **e. riser**, persona mattiniera: *I'm an e. riser*, sono mattiniero; mi alzo sempre presto □ (mil. ed estens.) **e.-warning system**, sistema di preallarme □ (bot.) **e. wood**, legno primaverile □ **as e. as**, fin da; già in: **as e. as 1970**, fin dal 1970; già nel 1970 □ (form.) **We await your e. reply**, restiamo in attesa di una vostra sollecita risposta □ **to have an e. night**, andare a letto presto □ **It's e. days yet**, è troppo presto per dirlo; siamo solo agli inizi □ **to keep e. hours**, andare a letto presto e alzarsi di buon'ora □ (prov.) **The e. bird catches the worm**, chi dorme non piglia pesci; chi tardi arriva male alloggia □ (prov.) **E. to bed and e. to rise, makes a man healthy, wealthy and wise**, le ore del mattino hanno l'oro in bocca.

earmark /'ɪəmɑːk/ n. **1** marchio (sull'orecchio d'un animale, in segno di proprietà) **2** (fig.) contrassegno; caratteristica **3** (leg.) marchio di proprietà (o d'identificazione).

to **earmark** /'ɪəmɑːk/ v. t. **1** marchiare, marcare (bestiame) **2** contrassegnare; distinguere **3** (fig., fin.) mettere da parte (per uno scopo particolare); destinare; accantonare; stanziare: **to e. supplies for the army**, mettere da parte provviste per l'esercito; **to e. part of the national income for scientific research**, destinare parte del reddito nazionale alla ricerca scientifica ‖ **earmarking** n. ① accantonamento; destinazione; stanziamento.

earmuffs /'ɪəmʌfs/ n. pl. paraorecchie.

♦to **earn** /ɜːn/ v. t. **1** guadagnare: *How much do you e.?*, quanto guadagni?; **to e. one's living**, guadagnarsi la vita **2** guadagnarsi; conquistare; meritarsi; procurarsi: **to e. sb.'s respect**, guadagnarsi il rispetto di q.; *He's earned a reputation as a skilful administrator*, si è guadagnato la reputazione di abile amministratore **3** (fin.) fruttare; rendere: **to e. a high interest**, fruttare un alto interesse; *Money in bonds earns less*, il denaro investito in obbligazioni rende di meno ● **to e. one's daily bread**, guadagnarsi il pane quotidiano □ **to e. one's keep**, lavorare in cambio di vitto e alloggio; guadagnarsi il pane □ (econ., fisc.) **earned income**, redditi di lavoro.

earner /'ɜːnə(r)/ n. **1** (spec. nei composti) chi guadagna; percettore di reddito: **high e.**, chi ha un reddito elevato; **wage-earner**, salariato **2** fonte di reddito; fonte di guadagno; attività lucrativa: *Tourism is this country's biggest e.*, il turismo è la maggior fonte di reddito di questo paese; (fam.) **a nice little e.**, un'attività che frutta un bel po' di soldi; una bella fonte di guadagno.

earnest① /'ɜːnɪst/ **A** a. **1** (di persona) serio; sincero; convinto; sollecito; scrupoloso; zelante; assiduo: **an e. student**, uno studente serio; **an e. philanthropist**, un filantropo sincero, convinto; **an e. worker**, un assiduo lavoratore **2** (di cosa) serio; importante; pressante; fervido; ardente; caloroso: **an e. desire**, un ardente desiderio; **e. prayer**, fervida preghiera; **an e. request for help**, una

pressante richiesta d'aiuto; **e. matters**, cose importanti **B** n. (solo nella loc.:) – **in e.**, sul serio; seriamente: **to be in e.**, fare sul serio; *Work started in e. on the ninth*, i lavori cominciarono sul serio il nove | **-ly** avv. | **-ness** n. ①

earnest② /'ɜːnɪst/ n. **1** garanzia; pegno; promessa **2** (comm. = **e. money**) caparra.

♦**earning** /'ɜːnɪŋ/ **A** n. **1** (il) guadagnare; guadagno **2** (al pl.) → **earnings B** a. **1** che guadagna **2** di guadagno; di reddito; che rende; che dà un certo reddito: **e. capacity** (o **e. power**), (di persona) capacità di guadagno; (di impresa) capacità di (produrre) reddito; **e. potential**, potenziale di guadagno; (fin.) **e. rate**, tasso di redditività (di un'azienda); (rag.) **e. assets**, attività che producono reddito.

♦**earnings** /'ɜːnɪŋz/ n. pl. **1** (fin.) guadagni; profitti; utili; **e. per share**, utili per azione ordinaria **2** entrate; stipendio (sing.); salario (sing.): **take-home e.**, stipendio al netto **3** (fin., rag.) entrate: **invisible e.**, entrate delle partite invisibili (nella bilancia dei pagamenti) ● (econ.) **e. drift**, slittamento salariale □ (fin.) **e. performance**, redditività (di un'azienda) □ **e.-related**, rapportato al reddito; calcolato su base retributiva; agganciato alla dinamica salariale: **e.-related pension**, pensione calcolata su base retributiva □ (fin.) **e. yield**, rendimento azionario complessivo □ **loss of e.**, mancati guadagni; perdita di reddito.

earphone /'ɪəfəʊn/ n. **1** (radio, TV) auricolare **2** (telef.) ricevitore; auricolare **3** (pl.) cuffia (per ascolto).

earpiece /'ɪəpiːs/ n. **1** → **earphone**, def. 1 e 2 **2** stanghetta (d'occhiali) **3** paraorecchie.

earplugs /'ɪəplʌgz/ n. pl. tappi per le orecchie; tappi auricolari.

earring /'ɪərɪŋ/ n. orecchino.

earshot /'ɪəʃɒt/ n. portata d'orecchio (o di voce): **out of e.**, fuori portata d'orecchio; **within e.**, a portata d'orecchio.

♦**earth** /ɜːθ/ n. **1** ① terra; mondo: *The e. orbits the sun*, la terra gira intorno al sole; **life on e.**, la vita sulla terra; **at the ends of the e.**, ai confini del mondo; in capo al mondo; **the e.'s axis**, l'asse terrestre; **the e.'s crust**, la crosta terrestre; **the greatest scientist on e.**, il più grande scienziato del mondo; (Bibbia) *Thy will be done on e. as it is in heaven*, sia fatta la tua volontà così in cielo come in terra **2** terra; suolo: *The satellite crashed to e.*, il satellite precipitò sulla terra **3** terreno; terriccio; suolo: **damp e.**, terriccio umido; **to fill a hole with e.**, riempire un buco di terra **4** covo, tana (di volpe, tasso, ecc.): **to go to e.**, rintanarsi; (fig.) nascondersi, rintanarsi, scomparire dalla circolazione; **to run to e.**, fuggire dentro la tana; rintanarsi; (anche) inseguire (un animale) fino alla tana; (fig.) scovare, stanare **5** ① (elettr., GB) (collegamento di) terra; massa: **e. circuit**, circuito di terra; **e. connection**, messa a terra; presa di terra; **e. wire**, filo di terra **6** (fig.) – **the e.**, un occhio della testa; una fortuna: **to pay the e.**, pagare un occhio della testa ● (polit.) **E. Charter**, Carta della Terra □ (costr.) **e. dam**, diga di terra □ **e. mover = earthmover** □ (mecc.) **e.-moving machine**, macchina (per) movimento terra □ (zool.) **e.-pig = aardvark** □ (elettr.) **e. plate**, piastra di terra □ **e. sciences**, scienze della terra □ **e.-shaking** (**e.-shattering**), clamoroso; sconvolgente □ (astrol.) **e. sign**, segno di terra □ (radio, miss.) **e. station**, stazione terrestre □ (ipp.) **e. track**, pista di terra battuta □ **e. tremor**, terremoto; scossa □ **to bring sb. back to e.**, riportare q. con i piedi per terra (o alla realtà) □ **to come back** (o **down**) **to e.**, rimettere i piedi per terra (fig.); tornare alla realtà □ (fam.) **like noth-**

a b c d e f g h i j k l m n o p q r s t u v w x y z

ing on e., stranissimo; incredibile: **to look like nothing on e.**, avere un aspetto stranissimo; **to feel like nothing on e.**, sentirsi malissimo □ (*fam. scherz.*) **to make the e. move for sb.**, portare q. all'orgasmo □ **nothing on e.**, niente (o nessuna cosa) al mondo □ **on e.**, (*nelle domande*) diamine; diavolo: *What on e. is that?*, che diamine è?; cosa diavolo è?; *Why on e. didn't you come?*, perché diamine non sei venuto? □ (*Bibbia*) **E. to e., ashes to ashes**, terra alla terra, cenere alla cenere.

to **earth** /ɜːθ/ **A** v. t. **1** costringere (*una volpe, ecc.*) a rintanarsi **2** (*elettr., GB*) collegare a terra; mettere a terra **B** v. i. (*di volpe, ecc.*) rintanarsi.

■ **earth up** v. t. + avv. rincalzare (*una pianta*).

earthborn /'ɜːθbɔːn/ a. **1** (*mitol.*) nato dalla terra **2** (*fig.*) umano; mortale.

earthbound /'ɜːθbaʊnd/ a. **1** (*di animale*) incapace di volare; terrestre **2** mondano; terreno **3** terra terra; privo di fantasia **4** (*di missile, ecc.*) diretto verso la terra.

earthen /'ɜːθn/ a. **1** di terra: **e. floors**, pavimenti di terra **2** di terracotta: **e. jars**, vasi di terracotta **3** (*fig., lett.*) terreno; mondano.

earthenware /'ɜːθnweə(r)/ n. □ terraglie (pl.); oggetti (pl.) di terracotta (o di coccio): **an e. jar**, un vaso di terracotta.

earthflow /'ɜːθfləʊ/ n. (*geol.*) colata di fango; frana di ammollimento.

earthiness /'ɜːθɪnəs/ n. □ **1** l'essere terroso **2** l'essere terreno (o terrestre); mondanità **3** realismo; materialismo **4** grossolanità; rozzezza.

earthing /'ɜːθɪŋ/ n. ᵘᶜ (*elettr.*) messa a terra ● **e. up**, interramento, rincalzatura (*di piante*)

earthlight /'ɜːθlaɪt/ n. /→ **earthshine**.

earthling /'ɜːθlɪŋ/ n. (*fantascienza*) (creatura) terrestre.

earthly /'ɜːθlɪ/ a. **1** terreno; terrestre: **e. temperatures**, temperature terrestri; **e. paradise**, paradiso terrestre **2** terreno; mondano; materiale: **e. possessions**, beni terreni (o materiali); **e. pleasures**, piaceri mondani **3** (*fam.*) (in frase neg.) concepibile; immaginabile: **a thing of no e. use**, una cosa di nessuna immaginabile utilità; **for no e. reason**, per nessuna ragione al mondo; *I don't stand not an e.* (*chance*), non ho la minima probabilità (*di fare qc.*). | -**iness** n. □.

earthman /'ɜːθmən/ n. (pl. *earthmen*) (creatura) terrestre; abitante della terra.

earthmover /'ɜːθmuːvəz/ n. (*tecn.*) macchina (per) movimento terra.

earthnut /'ɜːθnʌt/ n. (*bot.*) **1** (*Bunium bulbocastanum*) castagna di terra; bulbocastano **2** (*Arachis hypogaea*) arachide **3** (*Tuber*) tartufo.

earthquake /'ɜːθkweɪk/ n. **1** terremoto; sisma **2** (*fig.*) terremoto; sconvolgimento ● (*edil.*) **e.-resistant house**, abitazione antisismica □ **e. shock**, scossa sismica □ **submarine e.**, maremoto.

earthrise /'ɜːθraɪz/ n. (*astron., miss.*) lo spuntare della terra (*visto da un altro corpo celeste*).

earthshine /'ɜːθʃaɪn/ n. (*astron.*) luce cinerea (*sulla luna*).

earthwards, earthward /'ɜːθwəd(z)/ avv. verso (la) terra.

earthwork /'ɜːθwɜːk/ n. □ **1** lavori (pl.) di sterro; sterramento **2** terrapieno.

earthworm /'ɜːθwɜːm/ n. (*zool.*) lombrico.

earthy /'ɜːθɪ/ a. **1** terroso; di terra: **e. flavour**, sapore di terra (o terroso); **e. materials**, sostanze terrose **2** terreno; mondano; materiale **3** realistico; pratico; schietto; robusto; concreto **4** disinvolto; disinibito **5**

(*di umorismo, ecc.*) grosso; grossolano.

earwax /'ɪəwæks/ n. cerume.

earwig /'ɪəwɪg/ n. (*zool., Forficula auricularia*) forfecchia; forbicina.

to **earwig** /'ɪəwɪg/ v. i. origliare; ascoltare di nascosto.

earworm /'ɪəwɜːm/ n. **1** (= **corn earworm**, *zool., fam., Helicoverpa Zea*) verme del cotone **2** (*fig., fam.*) (canzone) tormentone.

♦**ease** /iːz/ n. □ **1** facilità; disinvoltura; agio; comodo; comodità: *She won with e.*, vinse con facilità; vinse agevolmente; **e. of access**, facilità di accesso; **e. of use**, facilità d'uso; comodità d'uso **2** (*antiq.*) naturalezza (di modi); disinvoltura **3** agio; quiete; tranquillità: **at (one's) e.**, a proprio agio; *He soon put me at my e.*, mi mise subito a mio agio; **ill at e.**, a disagio **4** agiatezza; benessere: **to lead a life of e.**, vivere nell'agiatezza; fare vita agiata **5** (*sartoria*) ampiezza; ricchezza ● **to put sb.'s mind at e.**, tranquillizzare q. □ (*mil.*) (**Stand**) **at e.!**, riposo! □ (*form.*) **to take one's e.**, riposarsi; rilassarsi.

to **ease** /iːz/ **A** v. t. **1** alleviare; calmare; lenire; attenuare; allentare; ridurre: **to e. a pain**, attenuare (o alleviare) un dolore; **to e. sb.'s anxiety**, alleviare l'ansia di q.; **to e. the tension**, allentare (o attenuare) la tensione; **to e. taxes**, allentare la pressione fiscale; **to e. the trade deficit**, alleviare il deficit della bilancia commerciale **2** alleggerire; facilitare; decongestionare; distendere: **to e. traffic**, decongestionare il traffico; **to e. sb.'s task**, facilitare il compito a q. **3** liberare (*da un gravame, ecc.*); alleggerire (*anche scherz.*): **to e. sb. of a worry**, togliere una preoccupazione a q.; *The pickpocket eased him of his wallet*, il borsaiolo lo alleggerì del portafogli **4** muovere (o spostare) con cautela (o delicatamente, adagio): **to e. a drawer open**, aprire un cassetto senza sforzare; **to e. a car into a parking place**, infilare adagio un'auto in un posteggio; **to e. a nail out of a wall**, estrarre delicatamente un chiodo dal muro; *He eased himself into the seat*, scivolò a sedere; → **to e. away, to e. back, to e. off, to e. out 5** (*naut.*) allascare; mollare; allentare: **to e. a cable**, allentare un cavo **6** (*sartoria*) allargare; dare più agio a **B** v. i. **1** attenuarsi; calmarsi; allentarsi; scendere: *The tension showed no signs of easing*, la tensione non accennava ad allentarsi **2** (*di prezzi, quotazioni*) scendere; cedere ● (*naut.*) **to e. the helm**, levare la barra □ **to e. sb. into a job**, inserire gradatamente q. in un posto di lavoro □ **to e. sb.'s mind**, tranquillizzare q. □ (*naut.*) **E. her!**, adagio! (*ordine dato ai macchinisti*)

■ **ease away A** v. t. + avv. (*naut.*) filare, mollare (*manovre, cavi*) a mano o gradatamente; calumare; sartiare **B** v. i. + avv. attenuarsi e scomparire.

■ **ease back A** v. t. + avv. **1** tirare adagio (*una leva, qc.*); rilasciare **2** alleggerire la pressione su (qc.) **B** v. i. + avv. tornare ad appoggiarsi, ad adagiarsi; riaccomodarsi: *He eased back into the armchair*, si riaccomodò nella poltrona.

■ **ease down** v. t. e i. + avv. rallentare: *E. down before the crossing*, rallenta prima dell'incrocio.

■ **ease off A** v. t. + avv. **1** allentare; ridurre: **to e. off the pressure**, allentare la tensione; **to e. off the brake**, rilasciare adagio il freno **2** rimuovere delicatamente; togliere adagio; sfilare: *I eased off my shoes*, mi sfilai le scarpe **3** (*naut.*) → **to e. away, A B** v. i. + avv. **1** attenuarsi; diminuire; ridursi; rallentare; calare; scendere: *The pain will e. off in a couple of hours*, il dolore si attenuerà nel giro di un paio d'ore; *The rain is easing off*, la pioggia sta diminuendo **2** (*fam.*) ridurre il ritmo; l'impegno; rallentare; cal-

marsi; prendersela con più calma (*fam.*); mollare un po' (*fam.*): *The doctor advised me to e. off a bit*, il dottore mi ha consigliato di prendermela un po' più con calma; *E. off, will you?*, calmati!; datti una calmata! **3** (*naut.*) filare adagio.

■ **ease out A** v. t. + avv. **1** togliere, rimuovere delicatamente **2** (*fam.*) rimuovere (*da un posto di lavoro*); mettere da parte **3** (*naut.*) allentare, mollare, allascare (*cavi, sartie, vele*) **B** v. i. + avv. uscire con cautela (*da uno spazio ridotto*); scivolare fuori; sfilarsi.

■ **ease up** v. i. + avv. **1** → **ease off, B**, *def. 1 e 2* **2** – (*fam.*) **to e. up on**, allentare la pressione su (q.); essere meno severo con; stare meno addosso a **3** (*fam.*) stringersi (*su un sedile, per fare posto*).

easeful /'iːzfl/ a. (*lett. o poet.*) **1** che calma; che lenisce; che dà sollievo; riposante **2** che sta comodo; a proprio agio.

easel /'iːzl/ n. cavalletto (*da pittore, per lavagna, ecc.*).

easement /'iːzmənt/ n. **1** (*leg.*) servitù: **e. of light and air**, servitù di luce ed aria; **e. over land**, servitù prediale; diritto di passaggio **2** (*poet. o lett.*) sollievo; conforto.

♦**easily** /'iːzəlɪ/ avv. **1** facilmente; agevolmente; senza sforzo; con disinvoltura: **e. accessible**, facilmente raggiungibile; di facile accesso; *The nail came out e.*, il chiodo uscì senza sforzo; **to chat e.**, chiacchierare con disinvoltura **2** facilmente; prontamente; spesso: **e. moved**, che si commuove facilmente; facile alla commozione; **e. forgotten**, spesso dimenticato **3** senza dubbio; senz'altro: *He is e. the best pupil in the school*, è senza dubbio l'alunno migliore della scuola **4** con tutta probabilità; facilmente; benissimo: *The total may e. exceed $2,000*, il totale potrebbe facilmente superare i duemila dollari; *It could e. have been him*, sarebbe potuto benissimo essere stato lui.

easiness /'iːzɪnəs/ n. □ **1** agevolezza; facilità; semplicità: **the e. of a problem**, la facilità d'un problema; (*fin.*) **e. of credit**, facilità di credito **2** benessere; agi (pl.); comodità (pl.) **3** disinvoltura; naturalezza; scioltezza **4** indulgenza; arrendevolezza **5** (*fin.*) ristagno (*in Borsa*).

♦**east** /iːst/ **A** n. □ **1** (*geogr.*) est; oriente; levante: **from the e.**, da est; da levante; **in the e.**, a est: a oriente; *The snow will spread to the e.*, le nevicate si estenderanno a est; *Japan is to the e. of China*, il Giappone è a est della Cina; **true e.**, est vero **2** parte orientale; zona est; est: **the e. of the city**, la zona est (o i quartieri orientali) della città **3** (*geogr.*) – **the E.**, l'Oriente; i paesi (pl.) orientali: **the Middle E.**, il Medio Oriente; **the Far E.**, l'Estremo Oriente; **the Near E.**, il Vicino Oriente; (*arc.*) i Balcani e la Turchia **4** (*stor.*) – **the E.**, i paesi (pl.) dell'est europeo; l'Europa orientale **5** (*in USA*) – **the E.**, gli Stati (pl.) a est degli Alleghены **6** (*bridge*: **E.**) Est **B** a. **1** (*geogr.*) orientale; dell'est: **the e. coast**, la costa orientale; **E. Africa**, (l') Africa Orientale; **the E. Indies**, le Indie Orientali; **E. European**, dell'Europa dell'est **2** (situato a) est; (esposto, rivolto, che guarda) a est: **the e. entrance**, l'entrata est; **the e. side of the house**, il lato est della casa; **an e. window**, una finestra (che guarda) a est **3** da est; di levante: **e. wind**, vento da est (o dell'est); (vento di) levante **C** avv. a (o verso) oriente (o est): **facing e.**, rivolto a oriente; che guarda verso est; esposto a est; **to travel e.**, viaggiare verso oriente; **e. of**, a est di ● (*stor.*) **E. Berlin**, Berlino Est □ (*naut.*) **e. by north**, est quarta nordo □ (*naut.*) **e. by south**, est quarta sud □ **the E. End**, (*a Londra*) i quartieri orientali (*a est della City*)

❶ CULTURA ● East End: è da sempre considerato

la zona «povera» di Londra in confronto al ricco **West End**. Nell'800 era famoso per il numero di immigrati e per la sua sovrappopolazione. In particolare nel 1888 acquistò una tetra notorietà per gli omicidi attribuiti a Jack lo Squartatore. Oggi è in via di trasformazione □ **E.-Ender**, abitante dei quartieri orientali di Londra □ (*stor.*) **E. Germany**, la Germania Est (*o* dell'Est) □ (*stor.*) **the E. India Company**, la Compagnia delle Indie Orientali □ (*naut.*, *stor.*) **E. Indiaman**, nave mercantile (armata dalla Compagnia delle Indie Orientali) □ (*naut.*) **e.-north-e.**, est-nord-est □ **E. Side**, (*a New York*) East Side (*la parte di Manhattan tra l'East River e la Quinta Strada*) □ (*naut.*) **e.-south-e.**, est-sud-est □ (*geogr.*) **E. Timor**, Timor Est □ (*polit.*) **E.-West relations**, relazioni Est-Ovest □ (*fam. USA*) **down E.**, nella Nuova Inghilterra; (*in particolare*) nel Maine.

eastbound /'iːstbaʊnd/ *a.* diretto a oriente (*o* a est); che va verso est; in direzione est: (*autom.*) **the e. carriageway**, la corsia in direzione est; **e. traffic**, il traffico diretto a est; *Take the first train to Earl's Court then change and take the Piccadilly line e. to Russell Square*, prendi il primo treno per Earl's Court, poi cambi e prendi la Piccadilly line in direzione est fino a Russell Square.

♦**Easter** /'iːstə(r)/ *n.* Pasqua: **at E.**, a Pasqua; **E. Day** (*o* **E. Sunday**), il giorno di Pasqua; **E. egg**, uovo di Pasqua; (*comput.*) contenuto divertente *o* curioso nascosto dai progettisti in un programma, uovo di Pasqua; **E. holidays**, vacanze di Pasqua; feste pasquali; *Happy E.!*, Buona Pasqua! ● (*geogr.*) **E. Island**, l'Isola di Pasqua □ **E. Monday**, il lunedì dopo la Pasqua (*o* dell'Angelo); la pasquetta (*fam.*) ❶ CULTURA ‣ **bank holiday**, *sotto* **bank**② □ (*fam.*) **E. Saturday**, Sabato Santo □ **E. week**, la settimana dopo la domenica di Pasqua.

easterly /'iːstəli/ **A** *a.* **1** orientale: **the e. side of the mountain**, il fianco orientale della montagna **2** (*che viene*) da est; di levante: **e. wind**, vento da est (*o* di levante) **3** verso l'est; verso oriente: **in an e.**, in direzione l'est; verso est; (*naut.*, *aeron.*) **an e. course**, una rotta verso est **B** *avv.* **1** (*del vento*) da est; da levante: *The wind blew e.*, il vento soffiava da est **2** verso est; verso oriente: **to sail e.**, navigare verso oriente **C** *n.* vento da est; vento di levante.

♦**eastern** /'iːstən/ *a.* **1** orientale; d'oriente; dell'est: **e. countries**, paesi orientali; **E. Europe**, l'Europa orientale (*o* dell'est); **the E. Church**, la Chiesa d'Oriente; **the E. Empire**, l'Impero (Romano) d'Oriente **2** esposto (rivolto, che guarda) a est *o* oriente, a levante): **an e. window**, una finestra a levante ● (*polit.*, *stor.*) **the E. bloc**, il blocco orientale □ **E. Daylight Time** (abbr. **EDT**), ora legale del fuso orario orientale (*GMT-4*) □ **E. Standard Time** (abbr. **EST**), fuso orario orientale (*GMT-5*) ‖ **easterner** *n.* abitante della parte orientale di un paese; uno dell'est ‖ **easternmost** *a.* (il) più orientale.

Eastertide /'iːstətaɪd/ *n.* ☐ **1** il periodo pasquale (*dal Venerdì Santo al lunedì dell'Angelo*) **2** il periodo che va da Pasqua a Pentecoste.

easting /'iːstɪŋ/ *n.* ☐ (*naut.*) distanza percorsa verso est; appartamento est.

eastward /'iːstwəd/ **A** *a.* verso est; in direzione est; verso levante: **e. expansion**, espansione verso est **B** *avv.* (*anche* **eastwards**) verso est; in direzione est; verso levante: **to travel e.**, viaggiare verso est.

♦**easy** /'iːzɪ/ **A** *a.* **1** facile; agevole: **an e. problem**, un problema facile; **an e. victory**, una vittoria facile; **an e. target**, un bersaglio facile; **e. to use**, facile da usare; **e. to please**, che si accontenta facilmente; di facile contentatura; **an e. question to answer**, una domanda a cui è facile rispondere; **the**

e. way, il (*o* nel) modo più facile; **within e. reach**, facile a raggiungersi; facilmente raggiungibile; **the easiest thing in the world**, la cosa più facile che esista **2** facile; comodo; agiato: **to lead an e. life**, fare vita comoda; fare vita agiata; **to be in e. circumstances**, vivere nell'agiatezza; essere di condizione agiata; (*comm.*) **by e. instalments**, in comode rate **3** tranquillo; sereno: **to feel e. about the future**, essere tranquillo riguardo al futuro; **with an e. mind**, con l'animo sereno; tranquillo **4** rilassato; sciolto; spigliato; disinvolto; facile; scorrevole: **e. manners**, maniere spigliate; **e. style**, stile scorrevole; **at an e. pace**, con andatura rilassata **5** indulgente; accomodante: **an e. disposition**, un'indole accomodante; **an e. customer**, un cliente facile da contentare **6** (*fam. spreg.: di donna*) facile; che ci sta **7** (*di indumento*) comodo.: **an e. coat**, una giacca comoda **8** (*comm.: di mercato, ecc.*) moderato, poco attivo; (*di prezzo*) ribassato, accessibile **B** *avv.* **1** piano; con calma: *Take it e.!*, fa' con calma; (*anche*) non lavorare troppo!, rilassati; non prenderla! ; **to take things e.**, prendere le cose con calma; prendere la vita come viene **2** (*fam. USA*) facilmente; con facilità; bene **3** (*naut.*) adagio: *E. ahead!*, avanti adagio!; *E. astern!*, indietro adagio! ● (*naut.*) **E. all!**, fila remi!; basta così! □ **e. chair**, poltroncina; sedia a bracciolini □ (*fam.*) **E. come, e. go**, (*di vincita, guadagno inaspettato, ecc., presto scomparso*) ottenuto senza sforzo, lasciato senza rimpianto; (*anche*) come vengono, vanno; tanti presi, tanti spesi □ (*fam.*) **E. does it!**, piano!; adagio! □ (*fam.*) **e. game**, semplicciotto; credulone; gonzo; babbeo □ (*fam.*) **e. lay** = **e. make** → *sotto* □ (*mus.*) **e. listening**, motivi orecchiabili; musica leggera □ (*fam.*) **e. make**, una che ci sta □ (*fam.*) **e. mark** = **e. game** → *sopra* □ (*fam.*) **e. meat**, facile vittima; bersaglio facile □ **e. money**, guadagni facili; guadagno facile □ (*fam.*) **e. on the ear**, piacevole da ascoltare □ (*fam.*) **e. on the eye**, gradevole da guardare □ (*market.*) **e. on the wallet**, alla portata di tutte le tasche □ (*infant.*) **e.-peasy**, facilissimo □ (*fam.*) **e. ride**, percorso facile; strada aperta (*o* spianata); vita facile (*fig.*): *They won't give us an e. ride*, non ci renderanno la vita facile; ci daranno del filo da torcere □ **e. to get on with**, (*di persona*) con cui è facile andare d'accordo □ (*fam.*) **as e. as ABC** (*o* **as pie**, **as falling off a log**), facilissimo; elementare; roba da nulla □ **by e. stages**, a piccole tappe □ **to go e. on st.**, andarci piano con qc.; usare qc. con moderazione □ **to go e. on sb.**, essere indulgente con q.; non essere duro con q. □ (*fam.*) **to have it e.**, fare vita comoda; passarsela bene □ (*antiq. o scherz.*) **of e. virtue**, di facili costumi □ (*fam.*) **on e. street**, finanziariamente sistemato (*o* a posto); nell'agiatezza □ (*comm.*) **on e. terms**, con facilitazioni di pagamento; a condizioni agevolate □ **to rest** (*o* **to sleep**) **e.**, stare tranquillo; dormire sogni tranquilli □ **to take the e. way out**, scegliere la via più facile (*per cavarsi d'impaccio*) □ **with an e. conscience**, con la coscienza a posto □ (*fam. GB*) **I'm e.!**, per me va bene tutto (*rispondendo a una proposta*); non ho preferenze □ **It's easier said than done**, è più facile a dirsi che a farsi; si fa presto a dirlo!; (*o* parola!) □ (*mil.*) **Stand e.!**, comodi!; in libertà!

easy-care /'iːzɪkeə(r)/ *a.* (*di stoffa, indumento. ecc.*) che si lava e si stira facilmente; pratico.

easy-going /'iːzɪ'gəʊɪŋ/ *a.* **1** indulgente; tollerante; accomodante; bonario; bonaccione; pacioso **2** (*di cavallo*) dall'andatura sciolta.

♦**to eat** /iːt/ (*pass.* **ate**, p. p. **eaten**) **A** *v. t.* **1** mangiare: *She was eating a pear*, stava

mangiando una pera; *This dish is best eaten cold*, questo piatto è da mangiarsi preferibilmente freddo **2** consumare (*un pasto*): **to eat breakfast**, fare colazione; **to eat dinner**, cenare; **to eat lunch**, pranzare **3** (*fam.*) rodere; preoccupare; irritare: *What's eating him?*, cosa c'è che lo rode? **4** divorare; distruggere; mangiarsi (*fam.*): *The flames ate the wood*, le fiamme distrussero il bosco **5** (*volg. slang*) fare una fellatio (*o* un cunnilingio) a; leccare; succhiare **B** *v. i.* **1** mangiare: *I like to eat well*, mi piace mangiare bene; **to eat healthily**, mangiare cibi sani **2** consumare un pasto; mangiare: *Let's go out to eat*, mangiamo (*o* pranziamo, ceniamo) fuori; *What time do you eat?*, a che ora mangi? ● (*fam.*) **to eat sb. alive**, (*di insetti, ecc.*) mangiare vivo q.; (*fig.*) fare un sol boccone di q. □ (*fam. USA*) **to eat crow** = **to eat humble pie** → *sotto* □ **to eat dirt**, ingoiare il rospo; chinare il capo □ **to eat one's fill**, mangiare a sazietà □ (*fam.*) **to eat sb. for breakfast**, fare un sol boccone di q. (*fig.*) □ **to eat one's heart out**, rodersi (*di invidia, rabbia,* ecc.); schiattare; mangiarsi il fegato □ **to eat one's heart out for**, struggersi dal desiderio per; struggersi d'amore per □ *If he wins, I'll eat my hat*, scommetto qualsiasi cosa che non vincerà □ (*fam.*) *I could eat a horse*, ho una fame che mangerei un bue □ **to eat humble pie**, ammettere di avere sbagliato; andare a Canossa; mangiare pan pentito □ **to eat like a bird**, mangiare come un uccellino □ **to eat like a horse**, mangiare come un lupo; mangiare per dieci □ **to eat out of sb.'s hand**, (*di animale*) prendere il cibo dalle mani di q.; (*fig. fam.*) fare tutto quello che q. vuole; essere sottomesso a q.; essere un agnellino □ (*fam. GB*) **to eat sb. out of house and home**, (*di ospite, ecc.*) svuotare la dispensa a q.; mandare q. in rovina mangiando a quattro palmenti □ **to eat oneself sick (on st.)**, mangiare (q.) fino a star male; ingozzarsi fino alla nausea (di qc.); strafogarsi (di qc.) □ **to eat through st.**, (*di animale*) perforare (*rodendo*) □ **to eat one's way through st.**, (*di animale*) perforare (*rodendo*); (*di persona*) mangiare tutto quanto qc. □ **to eat one's words**, rimangiarsi ciò che si è detto; ritrattare □ **Eat, drink and be merry (for tomorrow we die)!**, mangia, bevi e divertiti (perché la vita è breve)! □ (*volg. slang*) **Eat me!**, vaffanculo!

■ **eat away** *v. t.* + *avv.* (*spesso* **eat away at**) **1** corrodere; erodere; attaccare: *The acid had eaten away at the metal*, l'acido aveva corroso il metallo **2** (*fig.*) rodere; tormentare: *That thought was eating away at her*, quel pensiero la rodeva **3** → **to eat into**, def. 2.

■ **eat in** *v. i.* + *avv.* **1** mangiare a casa (*invece che al ristorante*) **2** (*spec. in un fast food*) mangiare al ristorante (*invece di portare via*): *Eat in or take-away?*, da mangiare qui o da portare via?

■ **eat into** *v. i.* + *prep.* **1** corrodere; attaccare; bucare: *Rust eats into iron*, la ruggine attacca il ferro **2** (*fig.*) erodere; consumare; intaccare: *Inflation has heavily eaten into our earnings*, l'inflazione ha eroso pesantemente i nostri guadagni; **to eat into one's savings**, intaccare i propri risparmi.

■ **eat out** *v. i.* + *avv.* mangiare fuori (*al ristorante, ecc.*); andare al ristorante.

■ **eat up** **A** *v. t.* + *avv.* **1** mangiare tutto; finire (*di mangiare*): *He's eaten up all the ice cream!*, si è mangiato tutto il gelato!; *Come on, children, eat up your soup*, avanti, bambini, finite la minestra **2** (*fig.*) consumare; mangiare; divorare; papparsi (*fam.*); (*autom.*) bere (*la benzina*): *My new car eats up a lot of money*, la macchina nuova mi mangia un sacco di soldi; *Their inheritance was eaten up by debt*, la loro eredità fu di-

vorata dai debiti **3** (al passivo) – **to be eaten up with**, essere divorato (o roso) da: **to be eaten up with curiosity**, essere divorato dalla curiosità; *He's eaten up with envy*, è divorato (o roso) dall'invidia **4** (*fam.*) credere ciecamente a; bere: *I'm not going to eat up that stuff about tax reduction*, questa balla sulla riduzione delle tasse io non me la bevo **5** (*fam.*) ascoltare con ammirata attenzione; bere: **to eat up the speaker's every word**, bere ogni parola dell'oratore **6** (*fam., autom.*) divorare (*la strada, i kilometri*) **B** v. i. + avv. **1** mangiare tutto; finire quello che sta nel piatto **2** mangiare (*di buona voglia*): *Eat up!, there's plenty more!*, mangiate, che ce n'è dell'altro.

eatable /'i:təbl/ **A** a. mangereccio; commestibile **B** n. (al pl.) commestibili; vivande; viveri.

eaten /'i:tn/ p. p. di **to eat**.

eater /'i:tə(r)/ n. **1** mangiatore: **cheese e.**, mangiatore di formaggio; **compulsive e.**, bulimico; **good** (o **a big**) **e.**, gran mangiatore; buona forchetta; **fussy e.**, persona difficile (o schizzinosa) nel mangiare; **messy e.**, persona che si sporca mangiando; sbrodolone (*fam.*); frittellone (*fam.*); **moderate e.**, persona parca nel mangiare **2** (*fam. GB*) mela (o pera) da mangiare cruda.

eatery /'i:təri/ n. (*fam.*) ristorante.

eating /'i:tiŋ/ **A** n. ⓤ **1** il mangiare; l'alimentazione; il cibo: **healthy e.**, alimentazione sana; il mangiar sano; *He's fond of e.*, gli piace mangiare **2** (*volg.*) sesso orale; bocchini (*volg.*); leccate (*volg.*) **B** a. attr. **1** alimentare; dell'alimentazione: **e. habits**, abitudini alimentari; (*med.*) **e. disorder**, disturbo dell'alimentazione **2** da mangiare; da tavola: **e. apple**, mela da mangiare cruda; **e. grapes**, uva da tavola ● (*USA*) **e. hall**, refettorio □ **e. house**, trattoria □ **e. place**, posto dove si mangia; trattoria; ristorante.

eats /i:ts/ n. pl. (*fam.*) roba (sing.) da mangiare; cibarie.

eau de cologne /ˌəʊdəkə'ləʊn/ loc. n. acqua di Colonia.

eaves /i:vz/ n. pl. (*edil.*) gronda; grondaia; cornicione del tetto.

to **eavesdrop** /'i:vzdrɒp/ v. i. **1** origliare; ascoltare di nascosto **2** intercettare telefonate ‖ **eavesdropper** n. chi origlia ‖ **eavesdropping** n. ⓤ **1** l'origliare **2** intercettazione (*spesso elettronica*) di telefonate.

e-banking /i:'bæŋkɪŋ/ n. ⓤ (*comput.*) e-banking (*attività bancaria che si esegue tramite Internet*).

ebb /ɛb/ n. ⓤ **1** riflusso: *The canoes went out on the ebb*, le canoe presero il mare al riflusso **2** (*fig.*) declino; ribasso: **the ebb of one's hopes**, il declino delle proprie speranze; **to be at a low ebb**, essere in ribasso (o a un punto basso) ● **ebb and flow**, flusso e riflusso (*del mare*); (*fig.*) moto alterno, avanti e indietro □ **ebb tide**, riflusso della marea; marea calante (o discendente); bassa marea: (*naut.*) **to sail out on the ebb tide**, salpare con la bassa marea.

to **ebb** /ɛb/ v. i. **1** (*della marea*) rifluire; abbassarsi; calare **2** (*fig.*) decadere; declinare; venir meno: *Life was ebbing away*, la vita declinava (o era al lumicino); *His strength was beginning to ebb*, le forze cominciavano a venirgli meno.

EBIT sigla (*econ.*, **earnings before interest and taxes**) utile al lordo di interessi e tasse.

EBITDA sigla (*econ.*, **earnings before interest, taxes, depreciation and ammortization**) margine operativo lordo (*utili al lordo di interessi, imposte, svalutazione e ammortamenti*).

e-biz /i:'bɪz/ → **e-business**.

E-boat /'i:bəʊt/ n. (contraz. di **enemy**

boat) (*marina mil.*) motosilurante tedesca (*nella seconda guerra mondiale*).

Ebonics /ɛ'bɒnɪks/ n. pl. (col verbo al sing.) (*USA*) l'inglese parlato dai neri americani (*considerato come lingua, anziché come dialetto dell'inglese standard*).

ebonite /'ɛbənaɪt/ n. ⓤ (*ind.*) ebanite.

to **ebonize** /'ɛbənaɪz/ v. t. (*ind.*) ebanitare; dare il colore dell'ebano (a).

ebony /'ɛbənɪ/ **A** n. **1** ⓤ (*legno*) ebano **2** (*bot., Diospyros ebenum*) ebano **B** a. **1** d'ebano **2** nero come l'ebano; nero e lucente.

e-book /'i:bʊk/ n. (*comput.*) (acronimo di **electronic book**) libro elettronico.

EBRD sigla (**European Bank for Reconstruction and Development**) Banca europea per la ricostruzione e lo sviluppo (BERS).

ebullient /ɪ'bʌlɪənt/ a. **1** in ebollizione; bollente **2** (*fig.*) esuberante; pieno di vita ‖ **ebullience** n. ⓤ **1** ebollizione (*anche fig.*) **2** (*fig.*) esuberanza; vitalità.

ebulliometer /ɪbʌlɪ'ɒmɪtə(r)/ (*chim., fis.*) n. ebulliometro.

ebullition /ɛbə'lɪʃn/ n. ⓤ **1** ebollizione **2** (*fig.*) accesso (*d'ira, ecc.*); scoppio improvviso (*della guerra, ecc.*).

eburnation /i:bə'neɪʃn/ n. ⓤ (*med.*) eburneazione.

e-business /i:'bɪznɪs/ n. ⓤ (*comput.*) (acronimo di **electronic business**) → **e-commerce**.

EBV sigla (*med.*, **Epstein-Barr virus**) virus di Epstein-Barr.

EC sigla **1** (*geogr.*, **east central**) centro-orientale (*anche come distretto postale, a Londra*) **2** (**European Commission**) Commissione europea (CE) **3** (*stor.*, **European Community**) (*ora* Union) Comunità europea (*cfr. ital. «UE»*) **4** (**executive committee**) comitato esecutivo.

e-card /'i:ka:d/ n. (*comput.*) (acronimo di **electronic card**) cartolina elettronica.

e-cash /i:'kæʃ/ n. ⓤ (*comput.*) (acronimo di **electronic cash**) contante elettronico.

ECB sigla (**European Central Bank**) Banca centrale europea (BCE).

ECC sigla (*comput.*, **error-correction code**) codice a correzione d'errore.

eccentric /ɪk'sɛntrɪk/ **A** a. (*anche geom., mecc.*) eccentrico; (*fig.*) originale, stravagante **B** n. (*anche mecc.*) eccentrico ‖ **-ally** avv.

eccentricity /ɛksɛn'trɪsətɪ/ n. ⓤ (*fis., geom. e fig.*) eccentricità.

ecchymosis /ɛkɪ'məʊsɪs/ n. (pl. **ecchymoses**) ecchimosi.

ecclesia /ɪ'kli:zɪə/ n. (pl. **ecclesiae**) (*stor.*) ecclesia; assemblea.

ecclesial /ɪ'kli:zɪəl/ a. (*relig.*) ecclesiale; ecclesiastico.

ecclesiast /ɪ'kli:zɪæst/ n. **1** (*stor.*) ecclesiaste; membro di ecclesia **2** (*Bibbia*) chi arringa il popolo; Salomone (*fig.*).

Ecclesiastes /ɪkli:zɪ'æsti:z/ n. (*Bibbia*) Ecclesiaste.

ecclesiastic /ɪkli:zɪ'æstɪk/ n. ecclesiastico.

ecclesiastical /ɪkli:zɪ'æstɪkl/ a. ecclesiastico ‖ **-ly** avv.

ecclesiasticism /ɪkli:zɪ'æstɪsɪzəm/ n. ⓤ **1** rituale ecclesiastico **2** clericalismo.

ecclesiology /ɪkli:zɪ'ɒlədʒɪ/ n. ⓤ ecclesiologia ‖ **ecclesiologist** n. ecclesiologo.

ECDL sigla (*comput.*, **European Computer Driving Licence**), ECDL; patente europea del computer (*certificazione di competenza informatica*).

ecdysiast /ɛk'dɪzɪæst/ n. (*scherz.*) spogliarellista (*parola coniata dal linguista americano H.L. Mencken*).

ecdysis /'ɛkdəsɪs/ n. (pl. **ecdyses**) (*zool.*) **1** ecdisi; esuviazione; il mutar pelle, il cambiar guscio (*di rettili e insetti*) **2** spoglia; esuvia.

ECG sigla (*med.*, **electrocardiogram**) elettrocardiogramma (ECG).

echelon /'ɛʃəlɒn/ n. **1** (*mil.*) scaglione: **in e.**, a scaglioni **2** (*aeron., naut.*) formazione in linea **3** (*fig.*) gradino; grado: **the higher echelons of the Civil Service**, i gradi più alti della Pubblica Amministrazione ● **an e. of wild geese**, uno stormo d'oche selvatiche.

to **echelon** /'ɛʃəlɒn/ (*mil.*) **A** v. t. scaglionare; disporre (*truppe*) a scaglioni **B** v. i. avanzare (o muoversi) a scaglioni.

echidna /ɪ'kɪdnə/ n. (pl. **echidnas**, **echidnae**) (*zool.*, *Tachyglossus aculeatus*) echidna istrice.

echinacea /ɛkɪ'neɪʃə/ n. ⓤ (*bot*) echinacea.

echinate /'ɛkɪneɪt/ a. (*bot., zool.*) echinato.

echinococcus /ɛ'kaɪnəkɒkəs/ n. (*zool.*, *Echinococcus granulosus*) echinococco.

echinoderms /ɪ'kaɪnəʊdɜ:mz/ n. pl. (*zool.*, *Echinodermata*) echinodermi.

echinus /ɪ'kaɪnəs/ n. (pl. **echini**) **1** (*archit.*) echino **2** (*zool.*, *Echinus*) echino; riccio di mare.

echium /'ɛkɪəm/ n. (*bot.*, *Echium*) echio.

♦**echo** /'ɛkəʊ/ n. (pl. **echoes**) **1** (*fis., elettron.*) eco: *The mountain threw back the e.*, la montagna rimandò l'eco **2** (*fig.*) eco; risonanza: *His requests found an unexpected e.*, le sue richieste trovarono un'eco inaspettata **3** (*fig.*) traccia; accenno; eco: *There are echoes of Auden in his poetry*, nella sua poesia ci sono echi di Auden **4** (*fig., arc.*) chi fa eco a q.; pedissequo imitatore (o seguace) **5** (*bridge*) carta «informativa» (*calata per chiedere al compagno di uscire nello stesso seme o per indicare il numero di carte di quel seme possedute*) **6** (*radio, tel.*: E.) (la lettera) e; Eco ● (*fis.*) **e. chamber**, camera a eco □ (*comput.*) **e. check**, controllo a eco □ **e. ranging**, (*naut.*) ecometria, ecogoniometria; (*zool.*) ecolocazione, ecolocalizzazione □ (*naut.*) **e. sounder**, ecoscandaglio; ecometro □ (*naut.*) **e. sounding**, scandaglio a ultrasuoni; ecometria (*poesia*) **e. verse**, componimento ecoico □ (*med.*) **e. virus** → **echovirus** □ **to cheer sb. to the e.**, applaudire fragorosamente.

to **echo** /'ɛkəʊ/ **A** v. i. **1** (*di suono*) echeggiare; suscitare un'eco, rimbombare: *His voice echoed in the hall*, la sua voce echeggiò nella sala; **to e. back**, essere rimandato indietro (*come eco*) **2** (*di luogo*) echeggiare; rimandare l'eco (*di qc.*); rimbombare: *The room echoed with laughter*, la stanza echeggiava di risa **3** (*fig.*) riecheggiare; ripercuotersi **B** v. t. **1** (*anche fig.*) rimandare l'eco di **2** (*fig.*) fare eco a; ripetere (*parole, ecc.*): **to e. sb.'s remarks**, ripetere le osservazioni di q.; *«Tomorrow?» Sam echoed, «Domani?»* ripeté Sam **3** (*fig.*) riprendere; imitare.

echocardiogram /ɛkəʊ'ka:dɪəgræm/ n. (*med.*) ecocardiogramma.

echocardiography /ɛkəʊkɑ:dɪ'ɒgrəfɪ/ n. ⓤ (*med.*) ecocardiografia.

echoencephalogram /ɛkəʊɛn'sɛfələgræm/ n. (*med.*) ecoencefalogramma.

echogram /'ɛkəʊgræm/ n. (*naut.*) ecogramma.

echograph /'ɛkəʊgræf/ n. (*naut.*) ecografo.

echoic /ɛ'kəʊɪk/ a. (*poesia*) ecoico.

echolalia /ɛkəʊ'leɪlɪə/ n. ⓤ (*psic., ling.*) ecolalia.

echoless /'ɛkəʊləs/ a. privo d'eco ● (*cinem.*) **e. studio**, studio insonorizzato.

echolocation /ɛkəʊləˈkeɪʃn/ n. ☐ (*tecn.*, *zool.*) ecolocazione; ecolocalizzazione.

echovirus /ˈɛkəʊvaɪrəs/ n. (*med.*) echovirus; virus Echo.

echt /ɛxt/ (*ted.*) a. autentico; tipico.

éclair /eɪˈkleə(r)/ (*franc.*) n. bignè lungo (*in genere ricoperto di cioccolato*).

eclampsia /ɪˈklæmpsɪə/ n. ☐ (*med.*) eclampsia.

éclat /eɪˈklɑː/ (*franc.*) n. ☐ **1** fulgore; splendore **2** grande successo **3** ostentazione; esibizione ● **4** applauso; acclamazione.

eclectic /ɪˈklɛktɪk/ (*anche filos.*) a. e n. eclettico ‖ **eclectically** avv. ecletticamente ‖ **eclecticism** n. ☐ eclettismo; ecletticismo.

eclipse /ɪˈklɪps/ n. **1** (*astron.*) eclissi, eclisse: **lunar [solar]** e., eclissi lunare [solare]; **annular** e., eclissi anulare; **partial [total]** e., eclissi parziale [totale] **2** ☐ (*fig.*) decadenza; declino; oscurità; eclissi ● (*zool.*: *degli uccelli*) e. **plumage**, livrea eclissale ☐ **to be in e.**, (*fig.*) essere in declino; essere decaduto; (*d'uccello*) aver perso la livrea nuziale.

to **eclipse** /ɪˈklɪps/ v. t. **1** (*astron.*) eclissare **2** (*fig.*) eclissare; oscurare; mettere in ombra.

ecliptic /ɪˈklɪptɪk/ ◢ n. (*astron.*) eclittica ◣ a. (*astron.*) eclittico.

eclogue /ˈɛklɒg/ n. (*poesia*) egloga, ecloga.

ecocide /ˈiːkəsaɪd/ (*ecol.*) n. distruzione ecologica; distruzione dell'ambiente; ecocidio ‖ **ecocidal** a. che porta alla distruzione ecologica.

ecofeminism /iːkəʊˈfɛmɪnɪzəm/ n. (*filos.*, *polit.*) ecofemminismo.

eco-friendly /iːkəʊˈfrɛndlɪ/ a. non dannoso per l'ambiente; ecologico: **an eco--friendly product**, un prodotto ecologico.

ecoid /ˈiːkɔɪd/ n. (*ecol.*) ecoide.

eco-label /ˈiːkəʊleɪbl/ n. ecoetichetta ‖ **echo-labelling** n. ☐ uso dell'ecoetichetta.

ecolodge /ˈiːkəʊlɒdʒ/ n. (*tur.*) ecolodge; struttura abitativa in contatto con la natura con impatto ambientale minimo.

ecology /ɪˈkɒlədʒɪ/ n. ☐ ecologia ‖ **ecological, ecologic** a. ecologico ● **ecological footprint**, impronta ecologica ‖ **ecologically** avv. ecologicamente ‖ **ecologist** n. ecologo; ecologista.

e-commerce /ˈiːkɒmɜːs/ n. ☐ (*comput.*, *market.*) commercio elettronico.

econometrics /ɪkɒnəˈmetrɪks/ (*econ.*) n. pl. (col verbo al sing.) econometria ‖ **econometric** a. econometrico: **econometric model**, modello econometrico ‖ **econometrician** n. econometrista ‖ **econometrist** n. econometrista.

◆**economic** /iːkəˈnɒmɪk/ a. **1** economico; che concerne l'economia; dell'economia: e. **geography**, geografia economica; e. **law**, diritto dell'economia; **the government's e. policy**, la politica economica del governo; e. **recovery** (*o* **revival**), ripresa economica; e. **trend**, tendenza dell'economia; (evoluzione della) congiuntura **2** economico; remunerativo: *The shuttle service is no longer e.*, il servizio navetta non è più remunerativo ● (*rag.*) e. **accounts**, conti economici (*o* derivati) ● e. **activity**, attività economica ● e. **barometer**, barometro congiunturale ● e. **cost**, costo economico ● e. **cycle**, ciclo economico ☐ (*stat.*) e. **forecasting**, previsioni economiche ☐ (*econ.*) e. **good**, bene economico ● e. **growth**, sviluppo economico ☐ (*fin.*) e. **interest**, cointeressenza ☐ e. **migrant**, immigrante in cerca di lavoro ☐ e. **miracle**, miracolo economico ☐ e. **outlook**, prospettive dell'economia; congiuntura: *The e. outlook is brightening*, c'è una schiarita della congiuntura ☐ e. **planning**, programmazione economica ☐ e. **refugee**, im-

migrato (*spesso abusivo*) in cerca di lavoro ☐ (*econ.*) e. **rent**, rendita economica; sovrappiù ☐ **to make e. sense**, essere (*o* rivelarsi) conveniente dal punto di vista economico.

❶ **NOTA:** *economic o economical?*
L'aggettivo *economic* significa "economico" nel senso di "relativo all'economia": *changes in government economic policy*, cambiamenti nella politica economica del governo; si usa anche in riferimento a un'attività che produce un profitto: ad esempio, *economic price* nella frase *to sell goods at an economic price*, indica un prezzo di mercato da cui il venditore ricava un profitto. Per dire, invece, "economico" nel senso di poco costoso si usa l'aggettivo *economical*: *What is the most economical fuel?*, qual è il carburante più economico? Allo stesso modo, si usa *economical* per descrivere chi spende con oculatezza: *tips for economical management*, suggerimenti per fare economia.

economical /iːkəˈnɒmɪkl/ a. **1** economico; che fa risparmiare; efficiente: **an e. fuel**, un carburante economico; **an e. car**, un'auto che consuma poco; **an e. method of heating**, un sistema di riscaldamento che fa risparmiare combustibile **2** (*di persona*) economo; parsimonioso **3** contenuto; parsimonioso; sobrio: **to make e. use of st.**, usare qc. con parsimonia ● (*naut.*, *aeron.*) e. **speed**, velocità economica ☐ **to be e. of one's time**, fare economia (*o* buon uso) del proprio tempo ☐ (*iron.*) **e. with the truth**, parsimonioso nel dire la verità; reticente ❶ **NOTA:** *economic o economical?* → **economic** ‖ **economically** avv. **1** economicamente; sotto il profilo economico **2** vantaggiosamente; a costi contenuti; in economia **3** con parsimonia ● (*market.*) **economically viable prices**, prezzi sufficientemente remunerativi.

◆**economics** /iːkəˈnɒmɪks/ n. pl. (col verbo al sing.) **1** economia; scienze economiche: **degree in e.** (*o* **e. degree**), laurea in economia; **e. student**, studente di economia **2** economia; attività economica **3** aspetto economico: **the e. of nuclear power**, l'aspetto economico del nucleare.

economism /ɪˈkɒnəmɪzəm/ n. ☐ (*polit.*) economicismo ● **based on e.**, economicistico.

◆**economist** /ɪˈkɒnəmɪst/ n. economista.

to **economize** /ɪˈkɒnəmaɪz/ v. i. fare economia (di); risparmiare; economizzare: *We have to e.*, dobbiamo fare economia; **to e. on st.**, fare economia di qc.; economizzare qc. ‖ **economization** n. ☐ economizzazione; economia; risparmio.

economizer /ɪˈkɒnəmaɪzə(r)/ n. economizzatore.

◆**economy** /ɪˈkɒnəmɪ/ ◢ n. **1** ☐ economia (*produzione e consumo di beni e servizi*) **2** economia; sistema economico: **an expanding e.**, un'economia in espansione; **free-market e.**, economia di mercato; **new e.**, nuova economia (*basata sull'innovazione tecnologica e finanziaria*); «new economy» **3** ☐ economia; parsimonia; uso oculato; risparmio: **to practise e.**, fare economia; risparmiare; *We made a few economies*, abbiamo fatto un po' di economia **4** (*aeron.*, *naut.*... e. **class**) classe economica (*o* turistica) ◣ a. attr. economico; che fa risparmiare: e. **pack**, confezione economica ● (*autom.*) e. **car**, utilitaria ☐ (*fam.*, *med.*) e. **class syndrome**, sindrome da classe economica (*fam.*); trombosi venosa profonda ● e. **drive**, campagna di risparmio ☐ e.**-minded**, amante delle economie; economo ☐ **economies of scale**, economie di scala ☐ (*autom.*) e. **run**, economy run ☐ (*market.*) e. **size** (*o* e.**-sized**), in formato economico; in confezione economica ☐ (*antiq.*) **political** e., economia politica.

e-conomy /iːˈkɒnəmɪ/ n. (*comput.*, *market.*) economia elettronica.

ecopacifist /iːkəʊpæsɪfɪst/ n. ecopacifista.

ecophobia /iːkəˈfəʊbɪə/ n. ☐ (*psic.*) ecofobia.

ecospecies /iːkəʊspiːsiːz/ n. (*ecol.*) ecospecie.

ecosphere /ˈiːkəʊsfɪə(r)/ n. (*astron.*) ecosfera.

ecosystem /ˈiːkəʊsɪstəm/ n. (*ecol.*) ecosistema.

eco-terrorism /iːkəʊˈterərɪzəm/ (*ecol.*) n. ☐ terrorismo ecologico ‖ **eco-terrorist** n. ecoterrorista.

ecotone /ˈɛkəʊtəʊn/ n. (*ecol.*) ecotono.

ecotourism /iːkəʊtʊərɪzəm/ n. ☐ ecoturismo; turismo ecologico.

ecotype /ˈiːkətaɪp/ n. (*biol.*) ecotipo.

ecovillage /ˈiːkəʊvɪlɪdʒ/ n. (*ecol.*) ecovillaggio.

ecowarrior /ˈiːkəʊwɒrɪə(r)/ n. (*fam.*) ambientalista militante.

e-crime /iːˈkraɪm/ n. ☐☐ (*comput*, abbr. di **electronic crime.**) reato elettronico; crimine informatico.

ecru /ˈeɪkruː/ ◢ n. color tela greggia; écru ◣ a. bianco sporco.

ECS sigla (*biol.*, **embryonic stem cell**), cellula staminale embrionale.

ECSC sigla (*stor.*, **European Coal and Steel Community**) Comunità europea del carbone e dell'acciaio (CECA).

to **ecstasize** /ˈɛkstəsaɪz/ ◢ v. t. estasiare; mandare in estasi; rendere estatico ◣ v. i. andare in estasi; estasiarsi.

ecstasy /ˈɛkstəsɪ/ n. **1** ☐ (*relig.*, *psic.*) estasi; rapimento mistico **2** (*fig.*) estasi; trasporto; rapimento: **in an e. of joy**, in un trasporto di gioia; **in ecstasies (over st.)**, in estasi (per qc.); **to go into ecstasies over st.**, andare in estasi per qc. **3** (*fig.*) parossismo: **in an e. of grief**, in un parossismo di dolore **4** ☐☐ (*slang*, *droga:* E.) ecstasy.

ecstatic /ɪkˈstætɪk/ a. **1** (*relig.*, *psic.*) estatico **2** (*fig.*) estatico; estasiato; rapito; entusiasta ‖ **-ally** avv.

ECT sigla (*med.*, **electroconvulsive therapy**) elettroshockterapia; elettroconvulsivoterapia; elettroshock.

ectoblast /ˈɛktəʊblæst/ n. (*biol.*) ectoblasto.

ectoderm /ˈɛktəʊdɜːm/ (*biol.*) n. ectoderma ‖ **ectodermal** a. ectodermico.

ectopic /ɛkˈtɒpɪk/ a. (*med.*) ectopico: e. **beat**, battito ectopico (*del cuore*); e. **kidney**, rene ectopico; e. **pregnancy**, gravidanza extrauterina (*o* ectopica).

ectoplasm /ˈɛktəʊplæzəm/ (*biol. e parapsicologia*) n. ectoplasma ‖ **ectoplasmic** a. ectoplasmatico.

ecu /ˈeɪkjuː, eɪˈkjuː/ n. (pl. **ecus** *o* **ecu**) (acronimo di **European Currency unit**) (*fin.*) ecu; euroscudo.

Ecuadorian /ɛkwəˈdɔːrɪən/ a. e n. ecuadoriano; ecuadoregno.

ecumenical /iːkjuˈmenɪkl/ (*anche relig.*) a. ecumenico ‖ **ecumenically** avv. ecumenicamente ‖ **ecumenicalism** n. ☐ ecumenismo.

ecumenicity /ɛkjumenˈɪsɪtɪ/ n. ☐ interconfessionalità.

ecumenism /ɪˈkjuːmənɪzəm/ n. ☐ (*relig.*) ecumenismo.

eczema /ˈɛksɪmə/ (*med.*) n. eczema ‖ **eczematous** a. eczematoso.

ed., edit. abbr. **1** (**edited by**) dato alle stampe da; a cura di **2** (**edition**) edizione (ed.) **3** (**editor**) curatore (*di un testo*) **4** (**editor**) direttore, redattore (*di giornale, rivista, ecc.*).

a b c d e f g h i j k l m n o p q r s t u v w x y z

edacious /ɪˈdeɪʃəs/ (*lett.*) a. edace (*lett.*); vorace ‖ **edacity** n. voracità.

edaphic /ɪˈdæfɪk/ a. (*biol.*) edafico ● **e. adaptation**, edafismo.

edaphology /ˌedəˈfɒlədʒɪ/ n. ⓤ (*ecol.*) edafologia.

edaphon /ˈedəfɒn/ n. (*biol.*) edafon.

eddy /ˈedɪ/ n. gorgo; mulinello; risucchio; spira; turbine; vortice: **in an e. of dust**, in un turbine di polvere; **eddies of mist**, spire di nebbia; **the eddies of a river**, i gorghi di un fiume ● **e. current**, corrente vorticosa; (*elettr.*) corrente parassita.

to **eddy** /ˈedɪ/ v. i. mulinare; turbinare; girare vorticosamente.

edelweiss /ˈeɪdlvaɪs/ n. (*bot.*, *Leontopodium alpinum*) stella alpina; edelweiss.

edema /ɪˈdiːmə/ (*USA*, *med.*) n. (pl. **edemas**, **edemata**) edema ‖ **edematous** a. edematico; edematoso.

Eden /ˈiːdn/ (*anche fig.*) n. ⓤ eden; paradiso terrestre ‖ **Edenic** a. edenico.

edentate /iˈdenteɪt/ (*zool.*) Ⓐ a. degli sdentati (*o* dei maldentati) Ⓑ n. sdentato (*o* maldentato).

edentulous /iˈdentʃuləs/ a. (*med.*) edentulo; privo di denti.

Edgar /ˈedgə(r)/ n. Edgardo.

♦**edge** /edʒ/ n. **1** margine; limite; orlo; ciglio; bordo; costa: **the e. of a ravine**, l'orlo (*o* il ciglio) di un dirupo; **the e. of a wood**, il margine di un bosco; **along the e. of the pool**, lungo il bordo della piscina; **at the water's e.**, al bordo dell'acqua; **on the e. of town**, ai margini della città **2** (*di lama*) filo, taglio: **razor's e.**, filo del rasoio; **a knife with a sharp e.**, un coltello affilato; *The axe has no e.*, la scure ha perso il taglio; **blunted e.**, filo smussato **3** (*di ferita*) labbro **4** (*di libro*) taglio della legatura **5** (*fig.*) orlo; margine; limite: **on the e. of madness**, sull'orlo della pazzia **6** ⓤ (*fig.*) mordente; forza: *The walk gave an e. to my appetite*, la passeggiata mi stimolò l'appetito **7** ⓤ (*fig. fam.*) tensione; durezza; antagonismo: *He spoke with an e. to his voice*, parlò con una certa durezza; **with an e. of sarcasm**, con un certo sarcasmo **8** ⓤ (*fig. fam.*) vantaggio; superiorità; numero (*o* marcia) in più; qualità speciale: **to have the e. over sb.**, avere un vantaggio su q. **9** (al pl.) (*degli sci*) lamine; spigoli ● **e.-on**, di costa; di lato □ **e. tool**, arnese da taglio □ (*giardinaggio*) **e. trimmer**, tagliabordi □ **cutting e.**, taglio (*di lama, ecc.*); tagliente; (*fig.*) incisività, mordente; forza: (*fig.*) **to be at the cutting e. of st.**, essere all'avanguardia in qc.; essere la punta di diamante di qc. □ (*fam.*) **to get the rough e. of sb.'s tongue**, prendersi una strigliata (*o* una ramanzina) da q. □ (*fam.*) **to give sb. the e. of one's tongue**, dare una strigliata a q.; fare una ramanzina a q.; dirne quattro a q. □ **on e.**, teso; con i nervi tesi; nervoso □ **on the e.**, in posizione precaria; in bilico; (*anche*) sotto tensione, sotto pressione □ **on the e. of doing st.**, sul punto di fare qc. □ (*fam.*) **on the e. of one's seat**, affascinato (*da qc.*); tutto preso (*da qc.*); che pende dalle labbra di q. □ (*fig.*) **rough edges**, difetti; imprecisioni; pecche; smagliature □ **to set sb.'s teeth on e.**, (*di suono, ecc.*) far rabbrividire q.; (*per estens.*) dare sui nervi a q.; irritare q. □ **to take the e. off st.**, attenuare q.; smorzare q.

to **edge** /edʒ/ Ⓐ v. t. **1** bordare; orlare; contornare; fiancheggiare: *Tall poplars edged the road*, la strada era fiancheggiata da alti pioppi **2** tagliare l'erba lungo il bordo di (*un'aiola, ecc.*) **3** (al passivo) (*fig.*) avere una punta (di qc.): *His voice was edged with envy*, la sua voce aveva una punta d'invidia **4** (con avv. o prep.) muovere (*o* spostare) a poco a poco: *I edged my chair closer to*

hers, accostai la mia sedia a quella di lei; *They're trying to e. me out of the board*, stanno cercando di estrommettermi dal consiglio d'amministrazione; (*sport*) **to e. out an opponent**, superare un avversario **5** (*sport*) mettere (*gli sci*) di taglio **6** affilare; fare il filo a Ⓑ v. i. **1** (con avv. o prep.) muoversi adagio (*in una data direzione*); spostarsi a poco a poco: **to e. ahead**, passare gradatamente in vantaggio; **to e. away**, allontanarsi adagio; scostarsi a poco a poco; **to e. down a slope**, scendere con cautela per un pendio; *The lifeboat edged off from the ship*, la lancia si scostò dalla nave; *Prices are beginning to e. up again*, i prezzi stanno cominciando a risalire **2** (*sport*) spigolare (*con gli sci*) ● **to e. one's way** (+ compl. di moto), muoversi adagio (*in una data direzione*); spostarsi a poco a poco: **to e. one's way into a room**, entrare di soppiatto in una stanza; *I edged my way through the bystanders*, mi inserii tra i presenti.

edged /edʒd/ a. (nei composti) orlato; bordato; con il bordo (*di un certo tipo*): **brown-e.**, orlato di marrone; **jagged-e.**, (col bordo) frastagliato; **sharp-e.**, affilato; tagliente.

edgeless /ˈedʒləs/ a. **1** senza orlo; senza bordo **2** senza taglio; che ha perso il filo; smussato.

edger /ˈedʒə(r)/ n. **1** orlatore, orlatrice **2** tagliabordi (*da giardino*) **3** (*metall.*) tagliolo.

edgeways /ˈedʒweɪz/, **edgewise** /ˈedʒwaɪz/ avv. di fianco; di taglio; di costa; di spigolo; di traverso ● **to be unable to get a word in e.**, non riuscire a infilare una parola (*in una conversazione*).

edging /ˈedʒɪŋ/ n. ⓒⓤ **1** orlo; frangia; guarnizione; orlatura; bordura: **an e. of lace**, una guarnizione di merletto **2** (*metall.*) rifinitura dei bordi ● **e. shears**, cesoie per prato all'inglese.

edgy /ˈedʒɪ/ a. **1** teso; nervoso; inquieto; irritabile **2** (*di brano musicale, stile, ecc.*) nervoso; scattante **3** (*di disegno*) a linee troppo dure; spigoloso **4** (*fam.*) originale; all'avanguardia ‖ **edginess** n. ⓤ tensione; nervosismo; irritabilità.

EDI sigla (*comput.*, **electronic data interchange**) interscambio elettronico di informazioni.

edible /ˈedəbl/ Ⓐ a. commestibile; mangereccio; edule ● (*zool.*) **e. frog** (*Rana esculenta*), rana verde ● (*zool.*) **e. snail** (*Helix pomatia*), chiocciola commestibile; lumaca Ⓑ n. (al pl.) commestibili ‖ **edibility** n. ⓤ commestibilità.

edict /ˈiːdɪkt/ n. editto; proclama ‖ **edictal** a. di editto.

edification /ˌedɪfɪˈkeɪʃn/ n. ⓤ edificazione; beneficio (*o* conforto) morale; buon esempio.

edifice /ˈedɪfɪs/ n. **1** (*form.*) edificio; costruzione **2** (*fig.*) edificio; struttura; complesso.

edifier /ˈedɪfaɪə(r)/ n. (*form. fig.*) edificatore, edificatrice.

to **edify** /ˈedɪfaɪ/ (*form.*) v. t. (*form.*) edificare; ammaestrare, istruire (*con l'esempio*) ‖ **edifying** a. edificante.

edile /ˈiːdaɪl/ n. (*stor. romana*) edile.

Edinburgh /ˈedɪnbrə/ n. (*geogr.*) Edimburgo.

edit /ˈedɪt/ n. (*comput.*) **1** editing **2** modifica, correzione (*fatta durante l'editing*) ● **e. menu**, menu di editing □ **e. mode**, modalità per l'editing.

♦to **edit** /ˈedɪt/ v. t. **1** rivedere (*un testo*) per la stampa; fare l'editing di **2** curare l'edizione di; fare la curatela di; compilare (*un'antologia, ecc.*): *He edited Yeats' letters*, ha curato l'edizione delle lettere di Yeats; **edited by**, a cura di **3** (*cinem.*, *TV*) montare

(*un documentario, un programma*) **4** (*comput.*) editare; fare l'editing di **5** dirigere (*un giornale, una rivista, ecc.*) **6** adattare (*un testo, per renderlo più accettabile*) ● **to e. out**, eliminare, espungere (*da un testo, un filmato, ecc.*).

editable /ˈedɪtəbl/ a. (*comput.*) modificabile (dall'utente); editabile.

edited /ˈedɪtɪd/ a. **1** pubblicato con curatela editoriale **2** riveduto; tagliato; adattato; scelto: **an e. version of an interview**, una versiona tagliata di un'intervista; *The BBC showed e. highlights of the swearing-in ceremony*, la BBC trasmise una sintesi della cerimonia del giuramento **3** (*cinem.*, *TV*) montato: **e. print**, copia montata.

Edith /ˈiːdɪθ/ n. Editta.

editing /ˈedɪtɪŋ/ n. ⓤ **1** (*editoria*) preparazione redazionale (*di un testo*); revisione; editing **2** (*comput.*) editing **3** (*cinem.*, *TV*) montaggio: **e. assistant**, assistente al montaggio **4** direzione (*di un giornale, ecc.*).

♦**edition** /ɪˈdɪʃn/ n. **1** (*editoria, giorn., radio, TV*) edizione: **revised e.**, edizione riveduta; **pocket e.**, edizione tascabile; **first e.**, prima edizione; **limited e.**, edizione (a tiratura) limitata; **morning e.**, edizione del mattino (*di un giornale*); **the Monday e. of the nine-o'clock news**, l'edizione del lunedì del telegiornale delle nove **2** (*editoria, giorn.*) tiratura: **limited e.**, tiratura limitata **3** (*giorn.*) numero (*di rivista*) **4** cura, curatela (*di un testo*) **5** (*fig., di evento*) edizione: **this year's e. of the motor show**, l'edizione di quest'anno del salone dell'automobile **6** (*fig., di persona o cosa*) versione: *The palace is a smaller e. of Versailles*, il palazzo è una Versailles in versione ridotta.

♦**editor** /ˈedɪtə(r)/ n. **1** (*giorn.*) direttore, direttrice (responsabile) **2** curatore, curatrice (*di un testo*) **3** (*giorn.*) redattore, redattrice: **literary e.**, redattore letterario; **sports e.**, redattore sportivo; **e. in chief**, redattore capo; caporedattore **4** (*editoria*) redattore, redattrice; editor **5** (*cinem.*, *TV*) tecnico del montaggio; montatore **6** (*comput.*) editor (di testi ecc.) ● **❶ FALSI AMICI** ● **editor** non significa editore ‖ **editorship** n. **1** direzione (*d'un giornale*) **2** cura, curatela (*di un testo*).

♦**editorial** /ˌedɪˈtɔːrɪəl/ Ⓐ a. **1** (*editoria*) redazionale; di redazione: **the e. staff**, il personale della redazione; la redazione; **e. alterations of the text**, modifiche redazionali al testo; **e. assistant**, segretario (*o* segretaria) di redazione; **e. manager**, capo della segreteria redazionale; **e. supervisor**, revisore redazionale **2** (*giorn.*) della direzione; del giornale; editoriale: **e. policy**, la linea di un giornale; **e. comment**, editoriale; **the e. chair**, la direzione (*di un giornale*) Ⓑ n. editoriale; articolo di fondo; fondo (*fam.*); articolo di opinione ‖ **editorialist** n. editorialista ‖ **editorially** avv. redazionalmente.

to **editorialize** /ˌedɪˈtɔːrɪəlaɪz/ v. i. **1** commentare (*in un editoriale*); esprimere un'opinione (*sotto forma di editoriale*) **2** (*spreg.*) esprimere commenti (*invece di limitarsi alle sole notizie*).

editress /ˈedɪtrɪs/, **editrix** /ˈedɪtrɪks/ n. (*antiq. o scherz.*) **1** curatrice (*di un libro, ecc.*) **2** direttrice (*di un giornale, ecc.*) **3** redattrice.

Edmund /ˈedmənd/ n. Edmondo.

EDP sigla (*comput.*, **electronic data processing**) elaborazione elettronica dei dati.

EDT sigla (**Eastern Daylight Time**) ora legale del fuso orario orientale (*GMT-4*).

to **educate** /ˈedʒukeɪt/ v. t. **1** (*spesso al passivo*) istruire: **to be educated at a boarding school**, studiare in collegio **2** provvedere all'istruzione di; far studiare **3** informare (*per ingenerare un dato comportamento*): **to e. people about recycling**, informare le persone sul riciclaggio; **to e. the young on**

the dangers of smoking, informare i giovani sui pericoli del fumo **4** educare; affinare: **to e. one's ear**, educare l'orecchio **❶ FALSI AMICI** • to educate *non significa* educare *nel senso di formare le qualità intellettuali e morali* || **educability** n. ⓤ educabilità || **educable** a. **1** (*di gusto, ecc.*) educabile **2** (*di persona*) che si può istruire || **educative** a. istruttivo; educativo.

educated /ˈɛdʒʊkeɪtɪd/ a. **1** colto; istruito: **e. speakers**, i parlanti colti **2** coltivato; raffinato: **e. tastes**, gusti raffinati **3** (nei composti) che ha studiato: **Yale-e.**, che ha studiato a Yale ● **e. guess**, ipotesi ragionevole (*perché fondata su conoscenze ed esperienza*) **❶ FALSI AMICI** • educated *non significa* educato.

♦**education** /ɛdʒʊˈkeɪʃn/ n. ⓤ **1** istruzione; studi (pl.); formazione: **to receive a good e.**, ricevere una buona istruzione; **primary e.**, istruzione elementare; **secondary e.**, istruzione secondaria; **higher e.**, istruzione superiore; **further e.**, istruzione successiva a quella dell'obbligo scolastico; istruzione per adulti; **college e.**, studi universitari; formazione universitaria; **level of e.**, livello di istruzione; livello culturale **2** pedagogia; didattica; insegnamento: **a diploma in e.**, un diploma in pedagogia **3** cultura: **an encyclopaedic e.**, una cultura enciclopedica **4** informazione (*in un dato campo*); educazione: **health e.**, informazione sanitaria; **sex e.**, educazione sessuale **5** (*fig.*) – **an e.**, un'esperienza istruttiva **❶ FALSI AMICI** • education *non significa* educazione *nel senso di comportamento corretto* || **educationist** n. educatore, educatrice; pedagogista.

♦**educational** /ɛdʒʊˈkeɪʃənl/ a. **1** relativo all'apprendimento; scolastico: **e. achievements**, rendimento scolastico; (*psic.*) **e. age**, età scolastica; **e. potential**, potenziale di apprendimento **2** didattico; pedagogico; relativo all'istruzione; relativo all'insegnamento; scolastico: **the e. system**, il sistema scolastico; la pubblica istruzione; **e. and recreational activities**, attività didattiche e ricreative; **e. establishment**, istituto di istruzione; **e. holiday**, vacanza-studio; **e. theory**, pedagogia; **e. work**, attività didattica; insegnamento **3** educativo; istruttivo; formativo: **an e. experience**, un'esperienza formativa; un'esperienza istruttiva ● **e. psychologist**, psicopedagogista □ **e. psychology**, psicopedagogia □ **e. television**, le trasmissioni (*o* i servizi) della televisione che si occupano di pubblica istruzione || **educationalist** n. **1** educatore, educatrice **2** pedagogista. || **educationally** avv. **1** educativamente **2** didatticamente; pedagogicamente.

educator /ˈɛdʒʊkeɪtə(r)/ n. (*spec. USA*) **1** educatore, educatrice **2** pedagogista.

to **educe** /ɪˈdjuːs, *USA* ɪˈduːs/ v. t. (*form.*) **1** estrarre; portare alla luce **2** dedurre; desumere; evincere || **educible** a. (*form.*) **1** estraibile **2** deducibile; desumibile || **eduction** n. **1** (*form.*) l'estrarre, il portare alla luce, ecc. **2** (*form.*) deduzione; illazione **3** (*mecc.*) emissione; scarico || **eductor** n. (*tecn.*) eiettore (*per fluidi*).

to **edulcorate** /ɪˈdʌlkəreɪt/ v. t. **1** (*arc.*) edulcorare (*anche fig.*); dolcificare **2** (*chim.*) purificare || **edulcoration** n. ⓤ **1** (*arc.*) edulcorazione; dolcificazione **2** (*chim.*) purificazione.

edutainment /ɛdjʊˈteinmənt/ n. ⓤ (*comput.*, acronimo di **education** e **entertainment**) intrattenimento con una componente istruttiva.

Edward /ˈɛdwəd/ n. Edoardo.

Edwardian /ɛdˈwɔːdɪən/ **A** a. edoardiano (*del regno di Edoardo VII: 1901-1910*) **B** n. persona vissuta nel periodo edoardiano.

Edwardiana /ɛdwɔːdɪˈɑːnə/ n. pl. oggetti di collezionismo dell'epoca di Edoardo VII (*1901-1910*).

EE sigla (**electrical engineer**) ingegnere elettrotecnico.

e.e. sigla (*comm.*, **errors excepted**) salvo errori.

EEA sigla **1** (*polit.*, **European Economic Area**) Area economica europea (AEE) **2** (*polit.*, **European Environmental Agency**) Agenzia ambientale europea.

EEC sigla (*stor.*, **European Economic Community**) Comunità economica europea (CEE).

EEG abbr. (*med.*, **electroencephalogram**) elettroencefalogramma (EEG).

eejit /ˈiːdʒət/ n. *grafia scherz.* di **idiot**.

eel /iːl/ n. (pl. ***eels, eel***) (*zool., Anguilla; anche fig.*) anguilla ● **eel basket**, nassa per le anguille □ **eel-like** = **eely** → *sotto* □ (*zool.*) **eel-worm** (*Anguillula*), anguillula || **eely** a. anguillesco; sfuggente.

eelgrass /ˈiːlgrɑːs/ n. (*bot.*) **1** (*Zostera marina*) zostera **2** (*Vallisneria spiralis*) vallisneria.

eelpout /ˈiːlpaʊt/ n. (*zool.*) **1** (*Zoarces anguillaris*) blennio anguillare **2** (*Zoarces viviparus*) blennio viviparo.

e'en /iːn/ (*poet.*) → **even**②.

eensy /ˈiːnsɪ/ a. (*fam.*) piccolissimo; minuscolo; mini.

EEPROM sigla (*elettron.*, **electrically erasable programmable read-only memory**) Memoria ROM programmabile e cancellabile elettricamente.

e'er /ɛə(r)/ (*poet.*) → **ever**.

eerie /ˈɪərɪ/ a. strano e misterioso; che mette addosso una sensazione strana; che dà i brividi; innaturale || **eerily** avv. stranamente; misteriosamente; paurosamente || **eeriness** n. ⓤ carattere strano e misterioso; aspetto strano e inquietante; senso di mistero.

eery /ˈɪərɪ/ → **eerie**.

eeyorish /ˈiːɔːrɪʃ/ a. (*fam.*) pessimistico; scoraggiato; depresso.

ef /ɛf/ n. effe; lettera f.

to **eff** /ɛf/ v. i. (*eufem. slang GB per* **fuck**: spec. nella loc.) **to eff and blind**, dire parolacce; tirare moccoli; imprecare.

■ **eff off** v. i. + avv. (*eufem. slang GB*) andare al diavolo (*o* a quel paese); andare in malora: *I told him to eff off*, l'ho mandato al diavolo.

■ **eff up** v. i. + avv. (*eufem. slang GB*) incasinare.

to **efface** /ɪˈfeɪs/ v. t. **1** cancellare; obliterare; far scomparire: **to e. the memory of a terrible event**, cancellare il ricordo di un evento terribile **2** eclissare; sorpassare: *The new record effaces all previous exploits*, il nuovo primato eclissa ogni precedente risultato ● **to e. oneself**, tenersi in disparte; eclissarsi; (*fig.*) farsi piccolo || **effaceable** a. cancellabile, ecc. || **effacement** n. ⓤ cancellazione; obliterazione.

♦**effect** /ɪˈfɛkt/ n. **1** ⓒⓤ effetto; conseguenza; risultato; impatto: **the terrible effects of drug addiction**, i terribili effetti della droga; *The medicine hasn't had any e.*, la medicina non ha fatto effetto; *That decision had a great e. on his career*, quella decisione influenzò profondamente la sua carriera **2** ⓤ effetto (*voluto*); impressione; colpo: *He only said it for e.*, l'ha detto solo per fare colpo **3** ⓤ (*anche leg.*) vigore; efficacia: *The law is still in e.*, la legge è ancora in vigore; **to come** (*o* **to go**) **into e.**, entrare in vigore **4** (*scient.*) effetto: **the Doppler e.**, l'effetto Doppler **5** ⓤ (*form.*) senso; significato; tenore: *I wrote him to that e.*, gli scrissi in quel senso; *His answer was to the e. that...*, rispose dicendo che... **6** (al pl.) effetti; beni; oggetti: **household effects**, oggetti domestici; masserizie; **personal effects**, oggetti di vestiario; effetti personali **7** (al pl.) (*cinem., teatr., TV*) effetti: **stage effects**, effetti scenici; **sound effects**, effetti acustici; *The special effects were fantastic*, gli effetti speciali erano fantastici ● **to bring** (*o* **to carry**) **st. to e.**, mandare a effetto, mettere in atto, eseguire qc. □ **to give e. to**, attuare (*una promessa, un provvedimento, un progetto*) □ **in e.**, effettivamente; praticamente; in realtà □ (*comm.*) **no effects**, privo di fondi (*scritto su un assegno emesso allo scoperto*) □ **of no e.**, inefficace; inutile □ **to take e.**, avere effetto; (*di legge, ecc.*) entrare in vigore □ **to great e.**, con ottimi risultati; con notevole effetto □ **to no e.**, inutilmente; invano □ **or words to that e.**, o parole simili; o qualcosa del genere **❶ NOTA:** *to affect o to effect?* → **to affect**.

to **effect** /ɪˈfɛkt/ v. t. **1** effettuare; compiere; eseguire; attuare; fare: **to e. a payment**, effettuare (*o* eseguire) un pagamento; **to e. a delivery**, fare una consegna **2** causare; determinare; avere come effetto (*o* risultato) ● (*leg.*) **to e. a composition**, giungere a una transazione □ (*sport*) **to e. a turnover**, ribaltare il gioco **❶ NOTA:** *to affect o to effect?* → **to affect**.

♦**effective** /ɪˈfɛktɪv/ **A** a. **1** efficace: **e. measures to curb inflation**, provvedimenti efficaci per tenere a freno l'inflazione **2** d'effetto; che colpisce: **an e. flower arrangement**, una composizione floreale d'effetto **3** effettivo; reale; di fatto: *The rebel army is in e. control of the region*, l'esercito ribelle ha il controllo effettivo della regione (*o* controlla di fatto la regione); (*fin.*) **e. yield**, rendimento effettivo; (*econ.*) **e. demand**, domanda effettiva; (*mil.*) **e. range of a gun**, portata effettiva d'un cannone **4** operante; in vigore: **to become e.**, entrare in vigore **5** (*mil.*) in assetto di guerra **B** n. (*mil.*) effettivo || **effectiveness** n. ⓤ **1** efficacia **2** rendimento (*della manodopera, ecc.*).

♦**effectively** /ɪˈfɛktɪvlɪ/ avv. **1** efficacemente; con efficacia; bene **2** di fatto; sostanzialmente; in realtà. **❶ FALSI AMICI** • effectively *non significa* effettivamente *nel senso di veramente*.

effector /ɪˈfɛktə(r)/ n. (*anat.*) effettore.

effectual /ɪˈfɛktʃʊəl/ a. **1** (*form.*) efficace **2** (*leg.*) che ha efficacia giuridica; valido || **effectuality** n. ⓤ **1** (*form.*) efficacia **2** (*leg.*) validità || **effectually** avv. (*form.*) **1** efficacemente **2** effettivamente; in effetti || **effectualness** n. ⓤ (*form.*) efficacia.

to **effectuate** /ɪˈfɛktʃʊeɪt/ (*form.*) v. t. **1** effettuare; compiere; attuare; porre in atto **2** causare; determinare; avere come effetto (*o* risultato) || **effectuation** n. ⓤ effettuazione; esecuzione.

effeminacy /ɪˈfɛmɪnəsɪ/ n. ⓤ effeminatezza.

effeminate /ɪˈfɛmɪnət/ **A** a. effeminato **B** n. uomo effeminato | **-ly** avv.

efferent /ˈɛfərənt/ a. (*anat.*) efferente: **e. duct**, dotto efferente.

to **effervesce** /ɛfəˈvɛs/ v. i. **1** essere effervescente; spumeggiare **2** (*fig.*) essere esuberante, brioso, spumeggiante.

effervescent /ɛfəˈvɛsnt/ a. **1** effervescente; spumeggiante **2** (*fig.*); esuberante; brioso; spumeggiante || **effervescence** n. ⓤ **1** effervescenza **2** (*fig.*) esuberanza; brio; vivacità.

effete /ɪˈfiːt/ a. **1** svigorito; fiacco; senza nerbo; logoro; esausto; sterile: **an e. aristocracy**, un'aristocrazia senza nerbo; **e. institutions**, istituzioni logore **2** decadente **3** effeminato; languido | **-ly** avv. | **-ness** n. ⓤ.

efficacious /ɛfɪˈkeɪʃəs/ (*form.*) a. efficace | **-ly** avv. | **-ness** n. ⓤ.

efficacy /ˈɛfɪkəsɪ/ (*form.*) n. ⓤ efficacia;

a b c d e f g h i j k l m n o p q r s t u v w x y z

e

valore.

◆**efficiency** /ɪˈfɪʃnsɪ/ n. **1** Ⓤ efficienza: (*cronot.*) e. **comparison**, misurazione dell'efficienza; (*stat.*) e. **factor**, fattore di efficienza **2** Ⓤ (*org. az.*) efficienza; rendimento; operosità: e. **bonus**, premio di operosità **3** Ⓤ (*pubbl.*) efficacia pubblicitaria **4** Ⓤ (*tecn.*, *ind.*) efficienza, rendimento; resa: (*econ.*) e. **ratio**, indice di efficienza; **overall e.**, rendimento globale; **thermal e.**, rendimento termico; *The implemented rationalization will improve efficiencies*, la razionalizzazione messa in atto aumenterà il rendimento **5** Ⓤ efficacia (*di un rimedio*) **6** (*USA*, = e. **apartment**) appartamentino; monolocale ● (*stat.*) e. **curve**, curva di efficienza □ e. **engineer** (*o* **expert**), esperto di problemi di efficienza □ (*org. az.*) e. **pay**, retribuzione secondo il rendimento.

◆**efficient** /ɪˈfɪʃnt/ a. **1** efficiente: e. **machines**, macchine efficienti; **an e. worker**, un lavoratore efficiente **2** abile; efficace: *He's very e. at advancing his career*, è molto abile nel fare carriera **3** (*econ.*) effettivo: e. **demand**, domanda effettiva ● (*filos.*) e. **cause**, causa efficiente □ (*stat.*) e. **estimates**, stime efficienti ‖ **efficiently** avv. **1** efficientemente **2** con abilità; con competenza **3** efficacemente.

effigy /ˈɛfɪdʒɪ/ n. effigie, effige ● **to burn sb. in e.**, bruciare q. in effigie.

effing /ˈɛfɪŋ/ (*eufem. slang GB per* **fucking**) Ⓐ a. attr. stupido; maledetto; del diavolo Ⓑ avv. molto, assai.

to **effloresce** /ɛflɔːˈrɛs/ v. i. **1** (*bot.*) fiorire (*anche fig.*); sbocciare; schiudersi **2** (*chim.*) formare (*o* coprirsi di) efflorescenze ‖ **efflorescence** n. Ⓤ **1** (*bot.*) fioritura (*anche fig.*) **2** (*chim.*) efflorescenza **3** (*fig.*) culmine; apogeo **4** (*med.*) eruzione cutanea ‖ **efflorescent** a. **1** (*bot.*) fiorito; in fiore **2** (*chim.*) efflorescente.

effluence /ˈɛflʊəns/ n. Ⓤ emanazione; efflusso; effusione (*di luce, ecc.*).

effluent /ˈɛflʊənt/ Ⓐ a. effluente; defluente Ⓑ n. **1** (*geogr.*) emissario **2** deflusso; scarico (*di fogna, ecc.*) **3** (*ind.*, *ecol.*) effluente.

effluvium /ɪˈfluːvɪəm/ n. (pl. **effluvia**, **effluviums**) effluvio (*in ogni senso*).

efflux /ˈɛflʌks/, **effluxion** /ɛˈflʌkʃn/ n. **1** efflusso; deflusso; effusione (*di liquido, gas, ecc.*) **2** emanazione.

◆**effort** /ˈɛfət/ n. **1** Ⓤ sforzo; fatica: **a great e. of will**, un grande sforzo di volontà; **to spare no e.**, non risparmiare gli sforzi; *It takes a lot of e.*, bisogna fare un bello sforzo **2** sforzo; serio tentativo: **to make an e.**, fare uno sforzo; sforzarsi; fare il possibile; *Do make an e. to come*, cerca di fare il possibile per venire; *All efforts will be made to free them*, faremo ogni sforzo per liberarli **3** (*fam.*) risultato; realizzazione; prestazione; impresa; lavoro: **a poor e.**, un risultato scadente; *That's not a bad e.*, (non è) niente male!; *It has been a pretty good e.*, è stata una bella impresa; c'è voluto del bello e del buono **4** sforzo; impegno: **the war e.**, lo sforzo bellico **5** (*mecc.*) sforzo.

effortless /ˈɛfətləs/ a. **1** (che si fa) senza sforzo; agevole; facile: e. **success**, successo ottenuto senza sforzo **2** naturale; spontaneo; sciolto; fluido; disinvolto: e. **grace**, grazia spontanea; **an e. manoeuvre**, una manovra fluida **|** **-ly** avv. **|** **-ness** n. Ⓤ.

effrontery /ɪˈfrʌntərɪ/ n. Ⓤ sfrontatezza; impudenza; sfacciataggine.

effulgent /ɪˈfʌldʒənt/ (*lett.*) a. fulgido; splendido; splendente ‖ **effulgence** n. Ⓤ fulgore; splendore.

effuse /ɪˈfjuːs/ a. (*bot.*) effuso.

to **effuse** /ɪˈfjuːz/ v. t. effondere; emanare; spargere; irradiare.

effusiometer /ɪfjuːzɪˈɒmɪtə(r)/ n. (*fis.*) effusiometro.

effusion /ɪˈfjuːʒn/ n. Ⓤ **1** effusione; efflusso; profusione: (*med.*) e. **of blood**, effusione (*o* versamento) di sangue **2** (*chim.*, *fis.*) effusione; espansione.

effusive /ɪˈfjuːsɪv/ a. effusivo; espansivo; esuberante; profuso: (*geol.*) e. **rocks**, rocce effusive; e. **demonstrations of affection**, esuberanti dimostrazioni d'affetto **|** **-ly** avv. **|** **-ness** n. Ⓤ.

e-fit, **E-fit** /ˈiːfɪt/ n. identikit (*di criminale, ecc.*) generato dal computer.

EFL sigla (**English as a foreign language**) l'inglese come lingua straniera.

eft /ɛft/ n. (*zool.*, *Molge cristata*) tritone crestato.

EFT sigla (**electronic funds transfer**) trasferimento elettronico di denaro.

EFTA sigla (**European Free Trade Association**) Associazione europea di libero scambio.

◆**e.g.** sigla (*lat.*: *exempli gratia*) per esempio; p. es.

❶ NOTA: *e.g. o i.e.?*
E.g. e *i.e.* sono due abbreviazioni di origine latina, entrambe d'uso comune nella lingua inglese. *E.g.* è l'abbreviazione di *exempli gratia* e corrisponde all'italiano "per esempio": *The holiday will include visits to some of the local attractions, e.g. the caves and the pottery*, la vacanza comprenderà visite ad alcune delle attrattive locali, per esempio le grotte e la fabbrica di ceramiche.
I.e. è l'abbreviazione di *id est* e si traduce con "cioè": *Ensure you have all the relevant details of your insurance, i.e. the name of your insurance company and the name of your insurance broker*, assicurati di avere tutti i dettagli della tua assicurazione, cioè il nome della tua compagnia e il nome del tuo agente.

egad /iːˈɡæd/ inter. (*arc.*) perbacco; cospetto.

egalitarian /ɪɡælɪˈtɛərɪən/ (*polit.*) a. e n. egualitario ‖ **egalitarianism** n. Ⓤ egualitarismo.

◆**egg** /ɛɡ/ n. **1** Ⓤ uovo: **to suck an egg**, bere un uovo; *The black hen has laid three eggs*, la gallina nera ha fatto tre uova; *You've got egg on your shirt*, hai dell'uovo sulla camicia; **fried eggs**, uova al tegame; **boiled eggs**, uova sode; **soft-boiled eggs**, uova alla coque **2** (*biol.*) uovo; ovulo **3** (*archit.*) ovolo **4** (*slang mil.*) bomba; granata **5** (*slang antiq.*) individuo; tipo; uomo: **a bad egg**, un tipaccio; un poco di buono; **a good egg**, una brava persona; un bravo ragazzo ● **egg-and-spoon race**, corsa delle uova (fatta reggendo un cucchiaio su cui posa un uovo che non si deve lasciar cadere) □ **egg beater** → **eggbeater** □ (*biol.*) **egg case** (*o* **capsule**), ooteca, ovoteca □ (*biol.*) **egg cell**, ovulo □ (*biol.*) **egg cleavage**, lo schiudersi delle uova □ **egg-cosy**, copriuovo □ **egg crate**, scatola per uova; portauova □ **egg cup** → **eggcup** □ **egg custard**, crema (a base di latte e uova) □ (*GB.*) **egg flip** (*o* **egg-nog**), bevanda alcolica a base di birra, sidro o vino, con uovo sbattuto e zucchero □ (*cucina cinese, USA*) **egg roll**, involtino primavera (fritto, con ripieno di carne, verdura, gamberetti, ecc.) □ **egg-shaped**, a forma d'uovo; ovoidale □ (*pitt.*) **egg tempera**, tempera al rosso d'uovo □ (*cucina*) **egg timer**, contaminuti per uova □ (*biol.*) **egg tooth**, protuberanza sul becco dell'embrione di un uccello (*che servirà per rompere il guscio dell'uovo*) □ **egg whisk**, sbattiuovo; frullino; frusta □ **egg white**, albume; chiara d'uovo (*fam.*) □ (*bot. fam.*) **eggs and bacon**, pianta con fiore giallo screziato di arancione o rosso □ (*fam.*) **as sure as eggs is eggs**, senza possibilità di dubbio; sicuro

come l'oro □ (*fam. USA*) **to lay an egg**, far cilecca; far fiasco □ (*fam.*) **to have egg on one's face**, fare la figura dello sciocco (*con una gaffe, un errore, ecc.*); fare una magra figura; essere imbarazzatissimo □ **to put all one's eggs in one basket**, puntare tutto su una carta sola; rischiare tutto in un colpo solo □ **to teach one's grandmother to suck eggs**, dare consigli a chi ha più esperienza di noi □ **to tread upon eggs**, camminare sulle uova; muoversi in punta di piedi (*fig.*).

to **egg** /ɛɡ/ v. t. - **to egg on**, incitare; istigare; stimolare.

eggbeater /ˈɛɡbiːtə(r)/ n. **1** sbattiuova; frullino; frusta **2** (*scherz.*, *aeron.*) elicottero **3** (*scherz.*, *naut.*) motore fuori bordo.

eggcorn /ˈɛɡkɔːn/ n. (*ling. fam.*) storpiatura di una parola che viene resa con un'altra omofona o dal suono simile e che ha un suo senso nel contesto.

eggcup /ˈɛɡkʌp/ n. portauovo.

egger /ˈɛɡə(r)/ n. (*zool.*) lasiocampa (*in genere*) ● (*zool.*) **oak e.** (*Lasiocampa quercus*), bombice delle querce.

egghead /ˈɛɡhɛd/ n. (*slang*) intellettuale; testa d'uovo.

eggplant /ˈɛɡplɑːnt/ n. (*bot.*, *Solanum melongena*) (*USA*) melanzana.

eggshell /ˈɛɡʃɛl/ n. guscio d'uovo.

eggy /ˈɛɡɪ/ a. **1** (*cucina*) ricco di uova **2** che sa di uova.

egis → **aegis**

eglantine /ˈɛɡləntaɪn/ n. (*bot.*) **1** (*Rosa eglanteria*) eglantina **2** (*Rosa canina*) rosa canina; rosa di macchia.

EGM sigla (**extraordinary general meeting**), assemblea generale straordinaria.

ego /ˈiːɡəʊ, ˈɛɡəʊ/ n. (pl. **egos**) **1** (*psic.*) io; ego **2** opinione di sé; ego: **to boost sb.'s ego**, infondere fiducia a q.; gratificare q.; **to massage** (*o* **to stroke**) **sb.'s ego**, riempire di attenzioni (*o* di lodi) q.; lisciare il pelo a q.; **an easily bruised ego**, un carattere suscettibile ● **ego boost**, gratificazione; iniezione di fiducia □ (*fam.*) **ego trip**, comportamento egoistico (*o* egocentrico); autocelebrazione; autoesaltazione □ **to be on an ego trip**, autocelebrarsi; autoesaltarsi; mettersi in mostra.

egocentric /iːɡəʊˈsɛntrɪk, ɛɡ-/ a. e n. egocentrico ‖ **egocentricity**, **egocentrism** n. Ⓤ egocentricità; egocentrismo.

egoism /ˈiːɡəʊɪzəm, ˈɛɡ-/ n. Ⓤ **1** egoismo **2** egotismo; egocentrismo ‖ **egoist** n. **1** egoista **2** persona egocentrica; egotista ‖ **egoistic**, **egoistical** a. **1** egoistico **2** egocentrico ‖ **egoistically** avv. egoisticamente.

egomania /iːɡəʊˈmeɪnɪə/ n. egocentrismo; egomania ‖ **egomaniac** n. malato di egocentrismo.

egotism /ˈiːɡəʊtɪzəm, ˈɛɡ-/ n. Ⓤ **1** egotismo; egocentrismo **2** egoismo ‖ **egotist** n. **1** egotista; egocentrico **2** egoista ‖ **egotistic**, **egotistical** a. **1** egotistico **2** egoistico ‖ **egotistically** avv. ogotisticamente.

e-governance /iːˈɡʌvənəns/ n. Ⓤ e-governance; governo elettronico; amministrazione elettronica.

e-government /iːˈɡʌvnmənt/ n. Ⓤ (*comput.*), acronimo di **electronic government**) e-government (*procedure di automazione informatiche e telematiche in supporto all'amministrazione pubblica*).

egregious /ɪˈɡriːdʒəs/ a. (*spreg.*) enorme; madornale; che passa il segno: **an e. blunder**, un errore madornale; e. **folly**, follia che passa il segno **|** **-ly** avv. **|** **-ness** n. Ⓤ **❶ FALSI AMICI** ● egregious *non significa* egregio.

egress /ˈiːɡrɛs/ n. Ⓤ **1** uscita **2** (*leg.*, = **right of e.**) diritto d'uscita **3** (*fig.*) via d'uscita; scappatoia **4** (*astron.*) egresso, uscita

da un'eclissi.

egression /iːˈɡrɛʃn/ n. ⓤ (*form.*) uscita.

egressive /ɪˈɡrɛsɪv/ a. (*ling.*) egressivo.

egret /ˈiːɡrət/ n. **1** (*zool.*, *Egretta*) airone bianco; egretta; garzetta **2** (*moda*) aigrette (*franc.*) **3** (*bot.*) lanugine dei semi del cardo (o del tarassaco: *che vola via soffiando*).

Egypt /ˈiːdʒɪpt/ n. (*geogr.*) Egitto.

Egyptian /ɪˈdʒɪpʃn/ a. e n. **1** egiziano: E. **pound**, lira egiziana **2** (*stor.*, *arte*) egizio: E. **art**, l'arte egizia; **the ancient Egyptians**, gli (antichi) egizi ● **E. cotton**, cotone makò □ (*zool.*) **E. mongoose** (*Herpestes ichneumon*), icneumone □ (*zool.*) **E. plover** (*Pluvianus aegyptius*), guardiano dei coccodrilli.

Egyptology /iːdʒɪpˈtɒlədʒɪ/ n. ⓤ egittologia ‖ **Egyptologist** n. egittologo.

eh /eɪ/ inter. (*di sorpresa, dubbio, interrogazione, ecc.*) eh!; eh?

EI sigla (*psic.*, **emotional intelligence**) intelligenza emozionale (IE).

eider /ˈaɪdə(r)/ n. (*zool.*, *Somateria mollissima*; = **e. duck**) edredone; anatra dal piumino.

eiderdown /ˈaɪdədaʊn/ n. **1** ⓤ (*collett.*) piume della femmina dell'edredone **2** piumino (*o trapunta*) imbottito di tali piume.

eidetic /aɪˈdɛtɪk/ a. (*psic.*) eidetico.

eidolon /aɪˈdəʊlɒn/ n. (pl. **eidolons**, **eidola**) **1** apparizione; fantasma **2** immagine ideale (*o idealizzata*).

eigenfrequency /ˈaɪɡənfriːkwənsɪ/ n. ⓤ (*fis.*) frequenza normale; frequenza propria.

eigenfunction /ˈaɪɡənfʌŋkʃn/ n. (*mat.*) autofunzione.

eigenvalue /ˈaɪɡənvæljuː/ n. (*mat.*) autovalore.

◆**eight** /eɪt/ Ⓐ a. otto: **e. hundred**, ottocento; *Only e. were invited*, ne furono invitati solo otto; **an e.-hour working day**, una giornata lavorativa di otto ore Ⓑ n. **1** otto (*anche età, carta da gioco*): **a boy of e.**, un ragazzo di otto anni **2** le (ore) otto: **at e. p.m.**, alle otto di sera; alle venti **3** (col verbo al sing. *o* al pl.) (*canottaggio*) otto (*equipaggio e imbarcazione*): *The Oxford e. has (o have) taken the lead*, l'otto di Oxford è andato in testa **4** (al pl.) **– the Eights**, le gare di canottaggio estive fra i college di Oxford ● (*biliardo, USA*) **e. ball**, palla nera; palla numero otto □ (*telef.*, *USA*) **800 line** (*o number*), numero verde □ (*sport*) **800-metre runner**, ottocentista □ (*slang USA*) **behind the e. ball**, nei guai; nei casini □ (*fam. GB*) **one over the e.**, un bicchiere di troppo; (*come pred.*) che ha bevuto un bicchiere di troppo, brillo, che ha alzato il gomito.

◆**eighteen** /eɪˈtiːn/ a. e n. diciotto ● **e.-carat**, (*dell'oro*) a 18 carati; (*fig.*) genuino, autentico □ (*in GB*) **an 18 film**, un film vietato ai minori di 18 anni □ (*fam. USA*) **18-wheeler**, grosso autotreno (*con 18 ruote*); bisonte della strada ‖ **eighteenth** a. e n. diciottesimo.

eighteenmo /eɪˈtiːnməʊ/ a. e n. (pl. **eighteenmos**) (*tipogr.*) diciottesimo.

eightfold /ˈeɪtfəʊld/ Ⓐ a. ottuplo Ⓑ avv. otto volte (tanto).

eighth /eɪtθ/ Ⓐ a. ottavo Ⓑ n. **1** ottavo: **five eights**, cinque ottavi **2** (*mus.*, *USA*, = **e. note**) croma ‖ **eighthly** avv. all'ottavo posto; in ottavo luogo.

eightsome /ˈeɪtsəm/ n. (= **e. reel**) danza scozzese per quattro coppie.

8vo abbr. di **octavo**.

◆**eighty** /ˈeɪtɪ/ Ⓐ a. ottanta Ⓑ n. **1** ottanta (*anche l'età*) **2** ottanta miglia all'ora; ottanta chilometri all'ora; gli ottanta **3** (al pl.) **– the eighties**, gli anni '80 **4** (al pl.) età fra gli 80 e gli 89: *He's in his eighties*, ha passato gli ottanta ● (*slang USA*) **e.-six**, individuo inde-

siderabile (*in un locale pubblico*) ‖ **eightieth** a. e n. ottantesimo.

to **eighty-six** /ˈeɪtɪˈsɪks/ v. t. (*slang USA*) **1** cacciare, buttare fuori (*da un locale pubblico*) **2** cancellare; eliminare **3** uccidere; far fuori.

einkorn /ˈaɪnkɔːn/ n. ⓤ (*bot.*, *Triticum monococcum*) farro piccolo.

Einsteinian /aɪnˈstaɪnɪən/ a. einsteiniano.

einsteinium /aɪnˈstaɪnɪəm/ n. ⓤ (*chim.*) einsteinio.

Eire /ˈɛərə/ n. (*geogr.*) Eire; Repubblica d'Irlanda.

eirenic /aɪˈriːnɪk/, **eirenics** /aɪˈriːnɪks/ → **irenic**, **irenics**.

eisteddfod /aɪˈstɛdfəd/ n. (pl. **eisteddfods**, **eisteddfodau**) convegno di bardi e musici gallesi; certame poetico e musicale.

◆**either** /ˈaɪðə(r), *USA* ˈiːðə(r)/ Ⓐ pron. l'uno o l'altro; uno dei due; entrambi, tutt'e due (*non importa quale*); (in frase neg.) né l'uno né l'altro, nessuno dei due: *E. of you can go*, può andare l'uno o l'altro di voi; *I don't want e.* (*of them*), non voglio né l'uno né l'altro; *E. will do*, vanno bene entrambi ❶ NOTA: *they* → **they** Ⓑ a. **1** l'uno o l'altro di; entrambi (*non importa quale*): **for e. reason**, per una o l'altra delle due ragioni; **in e. case**, nell'un caso o nell'altro; comunque **2** entrambi; ambedue; tutt'e due: *E. view is tenable*, entrambe le opinioni sono sostenibili; *There are shops on e. side*, ci sono negozi su ambedue (*o ambo*) i lati Ⓒ avv. neanche; nemmeno; neppure: *I didn't go e.*, non ci sono andato nemmeno io; *I don't want that e.*, non voglio neanche quello; «*I cannot swim*» «*I can't, e.*», «Non so nuotare» «Neanch'io» Ⓓ cong. (correl. di **or**) o (*spesso omesso*); (in frase neg.) né (...né): *He is e. in Rome or Florence*, è o a Roma o a Firenze; *I want it e. in green or in blue*, lo voglio (o) in verde o in azzurro; *She didn't come that day or the following one*, non venne né quel giorno né il seguente ● (*fam.*) **an e.-or situation**, una situazione con una sola via d'uscita; o bere o affogare (*fam.*) □ (*banca:* su *un libretto, ecc.*) «**E. to sign**», «a firma disgiunta» □ **e. way**, in un modo o nell'altro; in un senso o nell'altro; (*per estens.*) in ogni caso, comunque.

to **ejaculate** /ɪˈdʒækjʊleɪt/ v. t. **1** (*fisiol.*) eiaculare **2** (*form.*) esclamare; prorompere in ‖ **ejaculation** n. ⓤ **1** (*fisiol.*) eiaculazione **2** (*form.*) esclamazione.

ejaculate /ɪˈdʒækjʊlət/ n. (*fisiol.*) sperma eiaculato.

ejaculatory /ɪˈdʒækjʊleɪtrɪ/ a. **1** (*fisiol.*) eiaculatorio **2** (*form.*) esclamativo, veemente: **e. words**, parole veementi.

to **eject** /ɪˈdʒɛkt/ v. t. **1** emettere: *The chimney ejects smoke*, il camino emette fumo **2** espellere; estromettere; scacciare: *The intruder was ejected from the meeting*, l'intruso fu espulso dalla riunione **3** (*mecc.*) eiettare ● (*leg.*) espropriare **5** (*leg.*) sfrattare: *He was ejected for not paying the rent*, fu sfrattato per non aver pagato l'affitto ‖ **ejection** n. ⓤ **1** emissione **2** espulsione; estromissione; cacciata **3** (*mecc.*, *ling.*) eiezione **4** (*leg.*) espropriazione **5** (*leg.*) sfratto; escomio ● (*aeron.*) **ejection seat**, seggiolino eiettabile.

ejecta /ɪˈdʒɛktə/ n. pl. **1** (*geol.*) materiali piroclastici **2** (*fisiol.*) escrementi **3** (*scient.*) materia espulsa.

ejective /iːˈdʒɛktɪv/ a. **1** che è causa di emissione, espulsione, ecc. (= **ejection** → to **eject**) **2** (*ling.*) eiettivo.

ejectment /ɪˈdʒɛktmənt/ n. ⓤ **1** (*leg.*) esproprio forzato **2** sfratto; escomio.

ejector /ɪˈdʒɛktə(r)/ n. **1** chi emette, espelle, ecc. (→ to **eject**) **2** (*mecc.*) eiettore,

estrattore **3** (*mil.*) eiettore, espulsore (*d'arma da fuoco*) ● (*aeron.*) **e. seat**, seggiolino eiettabile.

to **eke** /iːk/ v. t. **– to eke out**, far durare (*con un uso frugale*): **to eke out one's supplies**, far durare le provviste; *He eked out his income doing odd jobs in his spare time*, riusciva ad arrivare alla fine del mese (*o arrotondava lo stipendio*) facendo lavoretti nel tempo libero ● **to eke out a (bare) living**, tirare avanti in qualche modo; riuscire a campare; sbarcare il lunario.

el ① /ɛl/ n. (abbr. di **elevated**) (*fam. USA*) ferrovia soprelevata.

el ② /ɛl/ n. elle; lettera l.

elaborate /ɪˈlæbərət/ a. elaborato; complesso; complicato; minuzioso; particolareggiato: **an e. speech**, un discorso elaborato; **e. preparations**, preparativi minuziosi ‖ **-ly** avv. ‖ **-ness** n. ⓤ.

to **elaborate** /ɪˈlæbəreɪt/ v. t. **1** sviluppare, elaborare, mettere a punto (*una teoria, un metodo, un progetto, ecc.*) **2** aggiungere particolari, informazioni; approfondire; circostanziare meglio: *Would you care to e.* (*on it*)?, potresti darci altri particolari?; *He refused to e.*, rifiutò di aggiungere altro **3** (*biol.*) produrre (*una sostanza*) ❶ FALSI AMICI ● to **elaborate** *non significa* elaborare *in senso informatico*.

elaboration /ɪlæbəˈreɪʃn/ n. ⓤ elaborazione.

elaborative /ɪˈlæbərətɪv/ a. capace di elaborare.

elaborator /ɪˈlæbəreɪtə(r)/ n. chi elabora; elaboratore (*uomo*).

élan /eɪˈlɑːn/ (*franc.*) n. ⓤ insieme di stile e vivacità; brio; slancio.

eland /ˈiːlənd/ n. (pl. **elands**, **eland**) (*zool.*, *Taurotragus orix*) taurotrago orice; antilope alcina ● (*zool.*) **giant e.** (*Taurotragus derbianus*), taurotrago; antilope gigante.

to **elapse** /ɪˈlæps/ v. i. (*del tempo*) passare; scorrere; trascorrere.

elastic /ɪˈlæstɪk/ Ⓐ a. **1** elastico (*anat.*) **e. tissue**, tessuto elastico; (*GB*) **e. band**, elastico; **e. braces**, bretelle d'elastico; (*med.*) **e. stocking**, calza elastica **2** (*fig.*) elastico; sciolto: **e. step**, passo elastico **3** (*fig.*) elastico; adattabile; modificabile: **an e. conscience**, una coscienza elastica; **an e. time-table**, un orario elastico Ⓑ n. ⓤ elastico: **a piece of e.**, un pezzo d'elastico; un elastico ● (*econ.*) **e. demand** [**supply**], domanda [offerta] elastica (*anat.*) **e. fibre**, fibra elastica □ (*fis.*) **e. modulus**, modulo di elasticità □ **e.-side boots** (*o e. sides*), stivaletti con l'elastico.

elasticated /ɪˈlæstɪkeɪtɪd/ a. (*di tessuto*) elasticizzato.

elasticity /ɪlæˈstɪsətɪ/ n. ⓤ **1** elasticità **2** (*fig.*) elasticità; capacità di recupero; adattabilità: (*econ.*) **the e. of demand**, l'elasticità della domanda.

elasticized /ɪˈlæstɪsaɪzd/ a. (*di tessuto*) elasticizzato.

elastin /ɪˈlæstɪn/ n. ⓤ (*biochim.*) elastina.

elastomer /ɪˈlæstəmə(r)/ (*chim.*) n. elastomero ‖ **elastomeric** a. elastomerico.

Elastoplast® /ɪˈlæstəplɑːst/ n. (*GB*) cerotto.

elate /ɪˈleɪt/ (*poet.*) → **elated**.

elated /ɪˈleɪtɪd/ a. esultante; giubilante; euforico.

elater /ˈɛlətə(r)/ n. **1** (*zool.*) elatere, elaterio (*insetto*) **2** (*bot.*) elatere.

elaterium /ɛləˈtɪərɪəm/ n. ⓤ (*chim.*) elaterio.

elation /ɪˈleɪʃn/ n. ⓤ esultanza; giubilo; euforia.

elative /ˈiːlətɪv/ a. (*ling.*) elativo.

E-layer /ˈiːleɪə(r)/ n. (*fis.*) strato E.

a b c d **e** f g h i j k l m n o p q r s t u v w x y z

Elbe /ɛlb/ n. (*geogr.*) Elba (*fiume*).

♦**elbow** /'ɛlbəʊ/ n. **1** (*anat. e di indumento*) gomito **2** (*di tubo, ecc.*) gomito ● (*fam.*) **e. bender**, chi alza spesso il gomito; grosso bevitore; beone □ **e. chair**, sedia a braccioli □ (*fam.*) **e. grease**, olio di gomito □ (*sartoria*) **e. pad**, paragomito □ **e. room**, spazio per muoversi; spazio a sufficienza; (*fig.*) libertà di manovra, agio □ **e.-to-e.**, gomito a gomito □ **at one's e.**, a portata di mano; vicinissimo □ (*fam.*) **to bend the e.**, alzare il gomito; bere troppo □ (*slang*) **to get the e.**, essere licenziato; (*anche*) essere piantato □ (*slang*) **to give sb. the e.**, licenziare q.; dare il benservito a q.; (*anche*) piantare q. □ (*slang*) **to give st. the e.**, respingere; rifiutare □ **out at (the) elbows**, (*di indumento*) sdrucito ai gomiti; (*di persona*) male in arnese; scalcinato □ **to rub elbows with**, frequentare, essere a contatto di (*persone di ambiente o ceto più elevati*) □ (*fam.*) **up to the elbows in**, immerso fino ai gomiti in; (*fig.*) immerso fino al collo in (*un lavoro, ecc.*).

to **elbow** /'ɛlbəʊ/ v. t. dare una gomitata a; dare gomitate a; spingere (*o* spostare) a gomitate: **to e. sb. in the side**, dare una gomitata nel fianco a q.; **to e. sb. out of the way**, allontanare q. a gomitate; **to e. oneself forward**, farsi avanti a gomitate □ **to e. aside**, scostare con una gomitata; (*fig.*) accantonare, ignorare (*un problema, ecc.*) □ **to e. in on st.**, immischiarsi in qc.; mettere il becco in qc. □ **to e. sb. out**, estromettere, scalzare q. □ **to e. one's way through st.**, farsi largo a gomitate tra qc.

elder① /'ɛldə(r)/ Ⓐ a. (compar. irr. di **old**) **1** (*di due membri d'una famiglia*) maggiore (*d'età*); più vecchio; più anziano: *My e. sister* [*daughter*] *is married*, la mia sorella [figlia] maggiore è sposata **2** (*con nome proprio*) **– the E.**, il Vecchio; Maggiore: **Pliny the E.**, Plinio il V.; **Cato the E.**, Catone Maggiore Ⓑ n. **1** (spec. al pl.) persona maggiore di età; persona più anziana, più vecchia; anziano: *He is my e. by five years*, ha cinque anni più di me; *You should listen to your elders*, dovresti dare ascolto a chi è più vecchio di te; **respect for elders**, il rispetto degli anziani **2** (*antrop.*) anziano: **the village elders**, gli anziani del villaggio **3** (*relig.*: *di varie chiese protestanti*) anziano; dignitario ● **our elders and betters**, chi è più anziano e ha più esperienza di noi □ **e. statesman**, (*polit.*) anziano uomo politico (*dal passato prestigioso e ancora consultato*); (*anche fig.*) grande vecchio.

ⓘ **NOTA:** *elder o older?*
Elder si usa in riferimento alle relazioni familiari: *I have an elder sister*, ho una sorella maggiore; *Roger is the elder of the two brothers*, Roger è il maggiore dei due fratelli. Negli altri casi si usa *older: older pupils*, gli studenti più grandi; *the older generation*, la generazione più anziana. Non si può dire *elder than*, bisogna invece usare *older than: Rosalind is older than Martin*, Rosalind è più vecchia di Martin.

elder② /'ɛldə(r)/ n. (*bot.*, *Sambucus nigra*) sambuco.

elderberry /'ɛldəbrɪ/ n. (*bot.*) **1** bacca di sambuco **2** sambuco ● **e. wine**, vino di sambuco.

eldercare /'ɛldəkeə(r)/ n. Ⓤ (*USA*) assistenza agli anziani.

♦**elderly** /'ɛldəlɪ/ Ⓐ a. **1** anziano; attempato **2** vecchiotto; antiquato Ⓑ n. collett. **– the e.**, gli anziani.

eldership /'ɛldəʃɪp/ n. Ⓤ **1** anzianità **2** dignità (*o* carica) di anziano (*in una comunità religiosa*)

eldest /'ɛldɪst/ a. (superl. irr. di **old**) (*di membri d'una famiglia*) (il) più vecchio; (il) maggiore; primogenito: *Charles is my e.*

son, Charles è il mio primogenito ● (*a carte, con tre o più giocatori*) **e. hand**, giocatore che per primo riceve una mano completa.

El Dorado /ɛldə'rɑːdəʊ/ n. (pl. **El Dorados**) eldorado.

eldritch /'ɛldrɪtʃ/ a. spettrale; inquietante; sinistro.

Eleanor /'ɛlənə(r)/ n. Eleonora.

e-learning /iː'lɜːnɪŋ/ n. Ⓤ (*comput.*) (acronimo di **electronic learning**) apprendimento elettronico.

Eleatic /ɛlɪ'ætɪk/ (*filos.*) a. e n. eleatico ‖ **Eleaticism** n. Ⓤ eleatismo.

elec., **elect.** abbr. **1** (**election**) elezione **2** (**electric**, **electrical**) elettrico.

elecampane /ɛlɪkæm'peɪn/ n. (*bot.*, *Inula helenium*) enula campana; elenio.

elect /ɪ'lɛkt/ Ⓐ a. **1** (posposto) eletto (*ma non ancora insediato*); prescelto; nominato; designato: **the bishop e.**, il vescovo nominato **2** scelto; eletto: **an e. group**, un gruppo eletto **3** (*relig.*) eletto Ⓑ n. collett. **– the e.** **1** (*relig.*, = God's e.) gli eletti (del Signore) **2** gli eletti; l'élite.

♦to **elect** /ɪ'lɛkt/ Ⓐ v. t. eleggere: **to e. sb. as president**, eleggere q. presidente; **to be elected secretary**, essere eletto segretario; *I was elected to the committee*, fui eletta a far parte della commissione Ⓑ v. i. (*form.*) scegliere; optare; preferire: *They elected not to continue*, scelsero di non proseguire.

electable /ɪ'lɛktəbl/ a. eleggibile.

♦**election** /ɪ'lɛkʃn/ n. Ⓒ **1** (*polit.*) elezioni (pl.): **a general e.**, le elezioni generali (*o* politiche); **local elections**, elezioni amministrative; **to call an e.**, indire le elezioni; **to hold an e.**, tenere le elezioni; *The e. is next Thursday*, le elezioni sono giovedì prossimo; **to stand for e.**, candidarsi alle elezioni; **e. day**, giorno delle elezioni; giornata elettorale; **e. results**, risultati elettorali **2** elezione: **his e. to the Lower House**, la sua elezione alla Camera bassa; **to choose by e.**, eleggere; scegliere per elezione **3** (*relig.*) elezione ● ⓘ **CULTURA** • Negli USA si chiama **Election Day** il giorno in cui si tengono le elezioni per il Senato, il Congresso o la presidenza. È sempre il martedì dopo il primo lunedì di novembre di un anno pari (*che sia divisibile per quattro nel caso delle elezioni presidenziali*) ed è considerato in genere giorno festivo. In GB l'**Election Day** è per tradizione il giovedì.

electioneer /ɪlɛkʃə'nɪə(r)/ n. (*polit.*) chi fa propaganda elettorale; attivista.

to **electioneer** /ɪlɛkʃə'nɪə(r)/ v. i. (*polit.*) fare propaganda elettorale ‖ **electioneering** n. Ⓤ propaganda elettorale.

elective /ɪ'lɛktɪv/ Ⓐ a. **1** elettivo: **an e. assembly**, un'assemblea elettiva; **e. office**, carica elettiva **2** (*di corso di studi, materia, ecc.*) facoltativo; opzionale; libero **3** (*med.*) elettivo; di elezione Ⓑ n. (*USA*) materia (di studio) facoltativa; corso opzionale ● (*chim. e fig.*) **e. affinity**, affinità elettiva | **-ly** avv. | **-ness** n. Ⓤ.

elector /ɪ'lɛktə(r)/ n. **1** elettore **2** (*polit., USA*) grande elettore; membro dell'«electoral college» (→ **electoral**) **3** (*stor.*) principe elettore ‖ **electorship** n. Ⓤ **1** l'essere elettore **2** grado, ufficio di elettore; elettorato.

♦**electoral** /ɪ'lɛktərəl/ a. elettorale: **e. campaign**, campagna elettorale; **e. register** (*o* **e. roll**), liste (pl.) elettorali; **e. college**, corpo elettorale ● (*polit., USA*) **E. College**, assemblea dei grandi elettori (*che eleggono il Presidente e il Vicepresidente*).

electorate /ɪ'lɛktərət/ n. (col verbo al sing. o al pl.) **1** elettorato; (gli) elettori (pl.) **2** (*Austr.*) circoscrizione elettorale (*rappresentata da un membro del parlamento*) **3** (*stor.*) elettorato (*titolo, territorio d'un principe elettore*).

Electra /ɪ'lɛktrə/ n. (*mitol.*) Elettra ● (*psic.*) **E. complex**, complesso di Elettra.

electress /ɪ'lɛktrɪs/ n. (*stor.*) consorte (*o* vedova) di principe elettore.

electret /ɪ'lɛktrət/ n. (*fis.*) elettrete.

♦**electric** /ɪ'lɛktrɪk/ Ⓐ a. **1** elettrico: **e. charge**, carica elettrica; **e. circuit**, circuito elettrico; **e. cooker**, cucina elettrica; **e. heating**, riscaldamento elettrico; **e. light**, luce elettrica; **e. power**, energia elettrica **2** (*fig.*) elettrico; carico di elettricità: *The atmosphere was e.*, l'atmosfera era elettrica **3** dielettrico: **e. displacement** (*o* **e. induction**), induzione dielettrica Ⓑ n. **1** veicolo a trazione elettrica; (*in particolare*) tram elettrico, elettrotreno **2** (*fam. GB*) elettricità; luce (*elettrica*) **3** (al pl.) (*fam. GB*) impianto elettrico; circuiti elettrici ● **e. appliances**, elettrodomestici □ **e. arc**, arco voltaico □ **e. blanket**, termocoperta □ **e. blue**, blu elettrico □ **e. chair**, sedia elettrica: (*fam. USA*) *He got the e. chair*, è finito sulla sedia elettrica □ (*zool.*) **e. eel** (*Electrophorus electricus*), anguilla elettrica; gimnoto □ (*fam.*) **e. eye**, cellula fotoelettrica □ **e. fence**, recinto elettrificato □ (*fis.*) **e. field**, campo elettrico □ (*GB*) **e. fire**, stufetta elettrica □ (*autom., mecc.*) **e. fuel pump**, pompa elettrica (*della benzina*) □ **e. generator**, gruppo elettrogeno □ (*mus.*) **e. guitar**, chitarra elettrica □ **e. heater**, stufetta elettrica □ **e. lock**, serratura elettrica □ (*autom.*) **e. locks**, chiusura centralizzata (*delle portiere*) □ (*ferr.*) **e. locomotive**, elettromotrice □ **e. meter**, contatore della luce (elettrica) □ **e. mixer**, frullatore □ **e. motor**, motore elettrico □ (*mus.*) **e. organ**, organo elettrico □ **e. oven**, forno elettrico □ **e. power point**, presa di corrente (elettrica) □ **e. railway**, ferrovia elettrificata □ **e. range**, elemento elettrico (*di una cucina*) □ (*zool.*) **e. ray** (*Torpedo*), razza elettrica; torpedine □ **e. razor** (*o* **e. shaver**), rasoio elettrico □ **e. shock**, scossa elettrica; (*med.*) shock da folgorazione □ (*med.*) **e. shock therapy**, elettroshockterapia □ (*meteor.*) **e. storm**, temporale □ **e. torch**, torcia elettrica □ (*ferr.*) **e. traction**, trazione elettrica; elettrotrazione □ (*ferr.*) **e. train**, elettrotreno □ (*tecn.*) **e. valve**, elettrovalvola □ (*autom.*) **e. windows**, alzacristalli elettrici.

♦**electrical** /ɪ'lɛktrɪkl/ Ⓐ a. **1** elettrico: **e. unit**, unità elettrica; **e. equipment**, apparato elettrico; **e. fault**, guasto elettrico; **e. output**, erogazione di energia elettrica **2** elettrotecnico: **e. engineer**, ingegnere elettrotecnico; **e. engineering**, elettrotecnica **3** (*fig.*) elettrizzante Ⓑ n. (al pl.) **1** i circuiti elettrici **2** azioni di compagnie produttrici di articoli elettrici ● **e. appliances**, elettrodomestici □ **e. contractor**, elettricista (*installatore d'impianti*) □ **e. heating**, riscaldamento elettrico □ **e. outfitter**, elettricista □ (*autom.*) **e. repairs**, lavori di elettrauto □ (*autom.*) **e. repair shop**, elettrauto □ **e. system**, impianto elettrico □ **e. technology**, elettrotecnica □ **e. wiring**, impianto elettrico; cablaggio | **-ly** avv.

electrician /ɪlɛk'trɪʃn/ n. elettricista.

♦**electricity** /ɪlɛk'trɪsətɪ/ n. Ⓤ **1** (*fis.*) elettricità; energia elettrica: **static e.**, elettricità statica; **positive [negative] e.**, elettricità positiva [negativa] ● **e. supply**, fornitura dell'energia elettrica **2** erogazione dell'energia elettrica; corrente; luce (*fam.*): **to cut off the e.**, interrompere l'erogazione dell'elettricità; togliere la corrente; *The e. is back on*, è tornata la corrente; **e. bill**, bolletta della luce; **e. cut**, interruzione dell'erogazione dell'energia elettrica; interruzione della corrente **3** (*fig.*) elettricità; eccitazione.

to **electrify** /ɪ'lɛktrɪfaɪ/ v. t. **1** elettrificare: **to e. a railway**, elettrificare una ferrovia **2** (*fig.*) elettrizzare ‖ **electrification** n. Ⓤ **1** elettrificazione **2** (*fig.*) elettrizzazione ‖

electrified a. **1** elettrificato; provvisto di energia elettrica **2** (*fig.*) elettrizzato ‖ **electrifying** a. (*fig.*) elettrizzante.

electro /ɪˈlɛktrəʊ/ n. (pl. *electros*) (*fam.*) **1** (*tipogr.*, abbr. di **electrotype**) galvanotipo; cliché **2** (*ind.*, abbr. di **electroplate**) oggetto placcato (mediante galvanostegia).

electroacoustic, **electro-acoustic** /ɪˌlɛktrəʊəˈkuːstɪk/ Ａ a. elettroacustico Ｂ n. (*mus.*) chitarra elettroacustica.

electroacoustics, **electro-acoustics** /ɪˌlɛktrəʊəˈkuːstɪks/ (*fis.*) n. pl. (col verbo al sing.) elettroacustica.

electrobiology /ɪˌlɛktrəʊbaɪˈɒlədʒɪ/ n. ⓤ elettrobiologia.

electrocapillarity /ɪˌlɛktrəʊkæpɪˈlærətɪ/ n. ⓤ (*fis.*) elettrocapillarità.

electrocardiogram /ɪˌlɛktrəʊˈkɑːdɪəgræm/ n. (*med.*) elettrocardiogramma.

electrocardiograph /ɪˌlɛktrəʊˈkɑːdɪəgrɑːf/ n. (*med.*) elettrocardiografo.

electrocardiography /ɪˌlɛktrəʊkɑːdɪˈɒgrəfɪ/ n. ⓤ elettrocardiografia ‖ **electrocardiographic** a. elettrocardiografico.

electrocatalysis /ɪˌlɛktrəʊkəˈtæləsɪs/ n. ⓤ (*chim.*) elettrocatalisi.

electrocautery /ɪˌlɛktrəʊˈkɔːtərɪ/ n. ⓤ (*chir.*) elettrocauterizzazione.

electrochemistry /ɪˌlɛktrəʊˈkemɪstrɪ/ n. ⓤ elettrochimica ‖ **electrochemical** a. elettrochimico.

electrocoagulation /ɪˌlɛktrəʊkəʊægjʊˈleɪʃn/ n. ⓤ (*med.*) elettrocoagulazione.

electroconvulsive /ɪˌlɛktrəʊkənˈvʌlsɪv/ a. (*med.*) elettroconvulsivo: **e. therapy**, elettroconvulsivoterapia; elettroshockterapia.

to **electrocute** /ɪˈlɛktrəkjuːt/ v. t. **1** colpire con una scarica elettrica; folgorare **2** (*leg.*) giustiziare sulla sedia elettrica; giustiziare mediante elettrocuzione ‖ **electrocution** n. ⓤⓒ **1** folgorazione; elettrocuzione **2** (*leg.*) elettroesecuzione; elettrocuzione.

electrode /ɪˈlɛktrəʊd/ n. elettrodo; piastra (*d'una batteria*) ● **e. potential**, potenziale elettrodico.

electrodialysis /ɪˌlɛktrəʊdaɪˈæləsɪs/ n. ⓤ (*chim.*, *fis.*) elettrodialisi.

electrodynamics /ɪˌlɛktrəʊdaɪˈnæmɪks/ n. pl. (col verbo al sing.) elettrodinamica ‖ **electrodynamic** a. elettrodinamico.

electroencephalogram /ɪˌlɛktrəʊenˈsefələgræm/ n. (*med.*) elettroencefalogramma.

electroencephalograph /ɪˌlɛktrəʊenˈsefələgrɑːf/ n. (*med.*) elettroencefalografo.

electroencephalography /ɪˌlɛktrəʊensəfəˈlɒgrəfɪ/ n. ⓤ elettroencefalografia ‖ **electroencephalographic** a. elettroencefalografico.

electrofishing /ɪˈlɛktrəʊfɪʃɪŋ/ n. ⓤ pesca con la corrente elettrica (*in uno specchio d'acqua*).

electroforming /ɪˈlɛktrəʊfɔːmɪŋ/ n. ⓤ (*metall.*) elettroformatura.

electrogenic /ɪˌlɛktrəʊˈdʒɛnɪk/ a. (*fisiol.*) elettrogenico.

electrokinetics /ɪˌlɛktrəʊkaɪˈnɛtɪks/ n. pl. (col verbo al sing.) elettrocinetica.

electrolier /ɪˌlɛktrəˈlɪə(r)/ n. lampadario elettrico.

electrology /ɪlɛkˈtrɒlədʒɪ/ n. ⓤ (*fis.*) elettrologia.

electroluminescence /ɪˌlɛktrəʊluːmɪˈnɛsəns/ (*fis.*) n. ⓤ elettroluminescenza ‖ **electroluminescent** a. elettroluminescente.

to **electrolyse** /ɪˈlɛktrəlaɪz/ (*chim.*) v. t. sottoporre a elettrolisi; elettrolizzare ‖ **electrolyser** n. elettrolizzatore.

electrolysis /ɪlɛkˈtrɒləsɪs/ n. ⓤ **1** (*chim.*)

elettrolisi **2** (*med.*) distruzione (*di peli, ecc.*) con trattamento diatermico ‖ **electrolytic** a. (*chim.*) elettrolitico.

electrolyte /ɪˈlɛktrəlaɪt/ n. (*chim.*) elettrolito.

to **electrolyze** /ɪˈlɛktrəlaɪz/ e deriv. (*USA*) → **to electrolyse**, e deriv.

electromagnet /ɪˈlɛktrəʊmægnɪt/ n. elettromagnete; elettrocalamita.

electromagnetic /ɪˌlɛktrəʊmægˈnɛtɪk/ a. elettromagnetico: **e. pollution**, inquinamento elettromagnetico; elettrosmog; **e. field**, campo elettromagnetico; **e. interaction**, interazione elettromagnetica; **e. spectrum**, spettro elettromagnetico.

electromagnetism /ɪˌlɛktrəʊˈmægnətɪzəm/ n. ⓤ elettromagnetismo.

electromechanical /ɪˌlɛktrəʊməˈkænɪkl/ a. elettromeccanico.

electrometallurgy /ɪˌlɛktrəʊmɪˈtælədʒɪ/ n. ⓤ elettrometallurgia.

electrometer /ɪlɛkˈtrɒmɪtə(r)/ (*fis.*) n. elettrometro ‖ **electrometry** n. ⓤ elettrometria.

electromotive /ɪˌlɛktrəʊˈməʊtɪv/ a. elettromotore: **e. force**, forza elettromotrice.

electromotor /ɪˌlɛktrəʊˈməʊtə(r)/ n. motore elettrico; elettromotore.

electromyogram /ɪˌlɛktrəʊˈmaɪəgræm/ n. (*med.*) elettromiogramma.

electromyography /ɪˌlɛktrəʊmaɪˈɒgrəfɪ/ (*med.*) n. ⓤ elettromiografia ‖ **electromyograph** n. elettromiografo ‖ **electromyographic** a. elettromiografico.

electron /ɪˈlɛktrɒn/ n. (*fis.*) elettrone ● **e. beam**, fascio di elettroni □ **e. diffraction**, diffrazione degli elettroni □ **e. flow**, flusso di elettroni □ **e. gun**, cannone elettronico □ **e. microscope**, microscopio elettronico □ **e. optics**, ottica elettronica □ **e. pair**, coppia di elettroni □ **e. synchrotron**, elettrosincrotrone □ **e. tube**, tubo elettronico; valvola elettronica.

electronegative /ɪˌlɛktrəʊˈnɛgətɪv/ a. elettronegativo ‖ **electronegativity** n. ⓤ elettronegatività.

♦**electronic** /ɪlɛkˈtrɒnɪk/ a. elettronico: **e. circuitry**, circuiti elettronici; **e. engineering**, ingegneria elettronica ● **e. access device**, sistema di chiusura elettronico □ (*Borsa*) **e. board**, tabellone elettronico □ **e. brain**, cervello elettronico □ **e. commerce** → **e-commerce** □ (*fam. USA*) **e. cottage**, ambiente casalingo attrezzato per il telelavoro □ (*comput.*) **e. data processing** (abbr. **EDP**), elaborazione elettronica dei dati □ (*fotogr.*) **e. flash**, flash elettronico □ **e. mail**, posta elettronica □ (*mus.*) **e. music**, musica elettronica □ (*comput.*) **e. pen**, penna elettronica □ **e. publishing**, editoria elettronica □ (*comput.*) **e. signature**, firma elettronica □ **e. tag**, talloncino elettronico (*su oggetti*); (*polizia*) braccialetto elettronico □ **e. tagging**, applicazione o uso di un » «electronic tag» (*sopra*) □ **e. ticket** → **e-ticket** □ (*banca, fin.*) **e. transfer of funds**, trasferimento telematico di fondi □ (*mil.*) **e. warfare**, guerra elettronica.

electronica /ɛlɛkˈtrɒnɪkə/ n. pl. (col verbo al sing.) (*mus.*) musica elettronica.

electronics /ɪlɛkˈtrɒnɪks/ n. pl. **1** (col verbo al sing.) elettronica: **e. engineer**, ingegnere elettronico **2** circuiti elettronici; dispositivi elettronici.

electronvolt /ɪˈlɛktrɒnvəʊlt/ n. (*fis.*) elettronvolt.

electro-oculography /ɪˌlɛktrəʊɒkjuˈlɒgrəfɪ/ (*med.*) n. ⓤ elettro-oculografia ‖ **electro-oculogram** n. elettro-oculogramma.

electro-optics /ɪˌlɛktrəʊˈɒptɪks/ n. pl. (col verbo al sing.) elettroottica.

electro-osmosis /ɪˌlɛktrəʊɒzˈməʊsɪs/ (*chim.*, *fis.*) n. ⓤ elettrosmosi ‖ **electro-osmotic** a. elettrosmotico.

electrophilic /ɪˌlɛktrəʊˈfɪlɪk/ a. (*chim.*) elettrofilo: **e. reagent**, reagente elettrofilo.

electrophoresis /ɪˌlɛktrəʊfəˈriːsɪs/ (*chim.*) n. ⓤ elettroforesi ‖ to **electrophorese** v. t. sottoporre a elettroforesi ‖ **electrophoretic** a. elettroforetico.

electrophorus /ɪlɛkˈtrɒfərəs/ n. (pl. *electrophoruses*, *electrophori*) (*fis.*) elettroforo.

electrophysiology /ɪˌlɛktrəʊfɪzɪˈɒlədʒɪ/ (*med.*) n. ⓤ elettrofisiologia ‖ **electrophysiological** a. elettrofisiologico.

electroplate /ɪˈlɛktrəpleɪt/ n. (collett.) oggetti placcati (*spec. in argento*) mediante galvanostegia.

to **electroplate** /ɪˈlɛktrəpleɪt/ (*metall.*) v. t. trattare con la galvanostegia; placcare (*spec. in argento*) con la galvanoplastica ‖ **electroplated** a. placcato (*in oro o argento*) ‖ **electroplater** n. galvanostegista; galvanizzatore; tecnico di galvanoplastica ‖ **electroplating** n. ⓤ galvanostegia; galvanoplastica.

electropollution /ɪˌlɛktrəʊpəˈluːʃn/ n. ⓤ (*ecol.*) inquinamento da elettricità.

electropositive /ɪˌlɛktrəʊˈpɒzətɪv/ a. elettropositivo ‖ **electropositivity** n. ⓤ elettropositività.

electrorefining /ɪˌlɛktrərɪˈfaɪnɪŋ/ n. ⓤ (*chim.*, *metall.*) elettroraffinazione.

electroretinogram /ɪˌlɛktrəʊˈrɛtɪnəʊgræm/ n. (*med.*) elettroretinogramma.

electroscope /ɪˈlɛktrəskəʊp/ n. elettroscopio.

electrosensitive /ɪˌlɛktrəʊˈsɛnsətɪv/ a. (*fotogr.*) elettrosensibile.

electroshock /ɪˈlɛktrəʊʃɒk/ n. (*med.*) elettroshock ● **e. therapy**, elettroshockterapia; elettroshock (*fam.*).

electrosmog /ɪˈlɛktrəʊsmɒg/ n. elettrosmog.

electrostatic /ɪˌlɛktrəˈstætɪk/ a. elettrostatico ● **e. field**, campo elettrostatico □ **e. gyroscope**, giroscopio elettrostatico □ **e. precipitator**, precipitatore elettrostatico.

electrostatics /ɪˌlɛktrəˈstætɪks/ n. pl. (col verbo al sing.) elettrostatica.

electrosurgery /ɪˌlɛktrəʊˈsɜːdʒərɪ/ n. ⓤ elettrochirurgia.

electrotechnics /ɪˌlɛktrəʊˈtɛknɪks/ n. pl. (col verbo al sing.) elettrotecnica ‖ **electrotechnical**, **electrotechnic** a. elettrotecnico ‖ **electrotechnology** n. ⓤ elettrotecnologia.

electrotherapeutics /ɪˌlɛktrəʊθɛrəˈpjuːtɪks/ n. pl. (col verbo al sing.) (*med.*) elettroterapia.

electrotherapy /ɪˌlɛktrəʊˈθɛrəpɪ/ (*med.*) n. ⓤ elettroterapia ‖ **electrotherapeutic**, **electrotherapeutical** a. elettroterapico ‖ **electrotherapist** n. elettroterapista; medico che usa l'elettroterapia.

electrothermal /ɪˌlɛktrəʊˈθɜːml/, **electrothermic** /ɪˌlɛktrəʊˈθɜːmɪk/ a. elettrotermico.

electrothermics /ɪˌlɛktrəʊˈθɜːmɪks/ n. pl. (col verbo al sing.) (*fis.*) elettrotermia (*parte dell'elettrotecnica*).

electrotype /ɪˈlɛktrəʊtaɪp/ n. (*tipogr.*) cliché; galvanotipo.

to **electrotype** /ɪˈlɛktrəʊtaɪp/ (*tipogr.*) v. t. riprodurre mediante galvanotipia ‖ **electrotyper** n. galvanotipista ‖ **electrotyping** n. ⓤ galvanotipia; elettrotipia.

electrovalent /ɪˌlɛktrəʊˈveɪlənt/ (*chim. fis.*) a. elettrovalente ‖ **electrovalence**, **electrovalency** n. ⓤ elettrovalenza; valenza ionica.

electrum /ɪˈlɛktrəm/ n. ⓤ **1** (*miner.*) elettro; lega naturale d'oro e argento **2** argentone; lega di rame, nichel e zinco (*usata per vasellame*).

electuary /ɪˈlɛktjʊərɪ/ n. (*med.*) elettuario.

eleemosynary /ˌɛliːˈmɒsɪnərɪ/ a. (*form.*) **1** di (*o* dato in) elemosina; caritatevole; di beneficienza; benefico: **e. foundation**, fondazione caritatevole **2** che vive di carità (*o* d'elemosina).

elegance /ˈɛlɪɡəns/ n. ⓤ eleganza; finezza; raffinatezza.

♦**elegant** /ˈɛlɪɡənt/ a. **1** elegante; fine; raffinato: **e. clothes**, abiti eleganti; **e. manners**, modi raffinati; **to look e.**, avere un'aria elegante; fare figura **2** (*scient.*) elegante: **an e. solution**, una soluzione elegante ● **e. variation**, uso studiato (*o* eccessivo) di sinonimi (*in un testo, per evitare ripetizioni*) | **-ly** avv.

elegiac /ˌɛlɪˈdʒaɪək/ Ⓐ a. elegiaco: **e. couplet**, distico elegiaco Ⓑ n. **1** (*verso*) elegiaco; pentametro **2** (pl.) versi elegiaci ‖ **elegiacal** a. elegiaco.

to **elegize** /ˈɛlɪdʒaɪz/ Ⓐ v. i. scrivere elegie (*o* versi elegiaci) Ⓑ v. t. commemorare con un'elegia; scrivere un'elegia su (q.) ‖ **elegist** n. poeta elegiaco.

elegy /ˈɛlədʒɪ/ n. elegia.

elektron /ɪˈlɛktrɒn/ n. ⓤ (*metall.*) electron; elektron (*lega*).

elem. abbr. **1** (**element**) elemento **2** (**elementary**) elementare.

♦**element** /ˈɛlɪmənt/ n. **1** elemento (costitutivo); componente: **all the necessary elements**, tutti gli elementi necessari; *Another important e. is speed*, un altro fattore importante è la velocità **2** fattore; componente: **the human e.**, il fattore umano; **an e. of risk**, una componente di rischio; **the e. of surprise**, il fattore sorpresa; *There is an e. of truth in what he says*, c'è del vero in ciò che dice **3** (*chim.*) elemento **4** (*elettr., di bollitore elettrico, stufetta, ecc.*) elemento **5** (*mat., logica*) elemento **6** (*filos., stor.*) elemento: **the four elements**, i quattro elementi **7** (al pl.) elementi; gruppi: **radical elements**, elementi radicali **8** (al pl.) (gli) elementi (atmosferici): **the fury of the elements**, la furia degli elementi **9** (al pl.) nozioni elementari; elementi; rudimenti: **elements of physics**, elementi di fisica ● (*leg.*) **e. of proof**, mezzo di prova □ **in** [**out of**] **one's e.**, nel [fuori del] proprio elemento.

elemental /ˌɛlɪˈmɛntl/ a. **1** fondamentale; primario; basilare **2** (*chim.*) elementare; semplice **3** relativo agli elementi naturali: **e. fury**, la furia degli elementi **4** (*fig.*) primitivo; primordiale: (*psic.*) **e. drives**, impulsi primitivi.

elementary /ˌɛlɪˈmɛntrɪ/ a. **1** elementare; basilare; fondamentale: (*comput.*) **e. instruction**, istruzione elementare; **e. mistakes**, errori di fondo; **e. school**, scuola elementare **2** elementare; semplice; rudimentale: **e. knowledge**, conoscenza rudimentale **3** (*chim., fis.*) elementare: **e. particle**, particella elementare | **-ily** avv. ‖ **-iness** n. ⓤ.

elephant /ˈɛlɪfənt/ n. (pl. *elephants, elephant*) **1** (*zool., Elephas*) elefante **2** (*tipogr.*) foglio di carta di 28 per 23 pollici (pari a cm 71 per 58 circa) ● (*bot.*) **e. ear** (*o* **e.'s ear**), nome di varie piante con foglie larghe e a forma di cuore, *spec.* begonia □ (*zool.*) **e. fish** (*Callorhynchus callorhynchus*), pesce elefante ● (*fig., fam., polit.*) **e. in the room**, questione (*o* fatto, problema, ecc.) fondamentale (*che non si vuole discutere*) □ (*zool.*) **e. seal** (*Mirounga leonina*), elefante marino; foca elefantina □ (*fam. USA*) **to see the e.**, ve-

dere, conoscere il mondo.

elephantiasis /ˌɛlɪfənˈtaɪəsɪs/ (*med.*) n. ⓤ elefantiasi.

elephantine /ˌɛlɪˈfæntaɪn/ a. **1** di elefante; degli elefanti; da elefante: **e. memory**, memoria da elefante **2** (*fig.*) elefantesco; da elefante; da elefante; **e. movements**, movimenti da elefante; **an e. burocracy**, una burocrazia elefantiaca **3** (*fig.*) gigantesco; enorme: **e. boots**, stivali enormi; **an e. task**, un compito gigantesco.

Eleusinian /ˌɛljuːˈsɪnɪən/ a. eleusino: (*stor., relig.*) **E. mysteries**, misteri eleusini.

Eleusis /ɪˈluːsɪs/ n. (*geogr., stor.*) Eleusi.

elev. abbr. (**elevation**) elevazione; altitudine (alt.).

to **elevate** /ˈɛlɪveɪt/ v. t. **1** (*form.*) sollevare; alzare: (*relig.*) **to e. the chalice**, sollevare il calice (*durante l'Elevazione*) **2** (*form.*) aumentare; accrescere: **to e. lipid levels**, aumentare il livello dei lipidi **3** elevare; innalzare; promuovere; far assurgere: **to e. sb. to the peerage**, elevare q. alla carica di Pari d'Inghilterra; **to e. people culturally**, innalzare il livello culturale delle persone; **to e. a mere notion to a fully-fledged theory**, far assurgere a teoria una semplice idea **4** (*mil.*) dare l'alzo a (*un pezzo di artiglieria*).

elevated /ˈɛlɪveɪtɪd/ Ⓐ a. **1** elevato; superiore; di prestigio: **e. status**, elevata posizione (*sociale, ecc.*) **2** elevato; alto; nobile: **e. sentiments**, sentimenti elevati; **e. aims**, nobili scopi **3** soprelevato; elevato; rialzato: **an e. railway**, una ferrovia soprelevata; **in an e. position**, in posizione elevata (*rispetto a qc.*) **4** eccessivamente alto; elevato: (*med.*) **e. blood pressure**, pressione elevata **5** (*fam., antiq.*) alticcio; brillo Ⓑ n. (*fam. USA*) ferrovia soprelevata.

elevating /ˈɛlɪveɪtɪŋ/ a. **1** che eleva lo spirito **2** (*tecn.*) elevatore; di elevazione: **e. gear**, dispositivo di elevazione ● **e. arc**, settore di elevazione; (*mil.*) alzo (*d'arma da fuoco*) □ (*aeron.*) **e. power**, forza ascensionale.

elevation /ˌɛlɪˈveɪʃn/ n. ⓤ **1** elevazione; innalzamento: **e. to the peerage**, elevazione alla carica di Pari **2** innalzamento; aumento: **a sudden e. of temperature**, un improvviso innalzamento della temperatura **3** (*relig.*: E.) Elevazione **4** (*geogr.*) altezza: **at an e. of 500 metres**, a un'altezza di 500 metri **5** elevatezza (*di sentimenti, ecc.*); altezza; nobiltà **6** altura; rilievo; rialzo; eminenza; colle **7** (*disegno: di edificio*) prospetto **8** (*mil.*) elevazione, alzo (*di un cannone*): **e. table**, tavola di alzo **9** (*astron.*) altezza; elevazione **10** (*topogr.*) quota **11** (*danza*) elevazione.

♦**elevator** /ˈɛlɪveɪtə(r)/ n. **1** (*mecc.*) elevatore; montacarichi **2** (*USA*) ascensore **3** elevatore di granaglie **4** (*agric., USA*) silo **5** (*aeron.*) timone di profondità (*o* di quota) **6** (*mil.*) elevatore (*d'arma da fuoco*) **7** (*anat.*) muscolo elevatore **8** (= **e. shoe**) scarpa con alzatacco interno ● (*USA*) **e. boy**, ascensorista; lift □ (*ind. min.*) **e. dredge**, draga a tazze □ **e. music**, musica di sottofondo (*diffusa in locali pubblici*).

♦**eleven** /ɪˈlɛvn/ a. e n. **1** undici **2** undici anni (*d'età*) **3** (*di ora*) le undici; **at e. o'clock sharp**, alle undici in punto **4** (*sport*) undici ● (*in GB, stor.*) **e.-plus** (**examination**), esame obbligatorio di accesso alla scuola secondaria ● **eleven-plus**: sostenuto *all'età di 11-12 anni: la promozione indirizzava alla → «grammar school» (→ **grammar**), la bocciatura alla → «secondary modern school» (→ **secondary**, A) o alla → «technical school» (→ **technical**). Ha cessato di essere obbligatorio con l'introduzione della → «comprehensive school» (→ **comprehensive**), negli anni '50 e sopravvive per l'ammissione ad alcune «grammar schools».*

elevenses /ɪˈlɛvnzɪz/ n. pl. (*fam., in GB*) spuntino di metà mattina.

eleventh /ɪˈlɛvnθ/ Ⓐ a. undicesimo Ⓑ n. **1** undicesimo **2** (*mus.*) undicesima ● (*fig.*) **at the e. hour**, all'ultimo momento; appena in tempo.

elevon /ˈɛlɪvɒn/ n. (*aeron.*) elevone.

elf /ɛlf/ n. (pl. *elves*) (*mitol.*) elfo; folletto; fata ● **elf-child**, bambino sostituito a un altro dai folletti □ **elf-locks**, massa di capelli arruffati ‖ **elfish** Ⓐ a. **1** di elfo; degli elfi; di folletto; di fata **2** birichino; malizioso Ⓑ n. ⓤ → **elvish**.

ELF sigla (*fis.*, **extremely low frequency**) frequenza estremamente bassa.

elfin /ˈɛlfɪn/ a. **1** (*di viso, ecc.*) delicato e vivace; dal fascino malizioso **2** malizioso; birichino **3** (*antiq.*) di elfo; degli elfi; di folletto; di fata.

Elias /ɪˈlaɪəs/ n. → **Elijah**.

to **elicit** /ɪˈlɪsɪt/ (*form.*) v. t. **1** far uscire, cavar fuori, suscitare, strappare (*di solito fig.*): *My remark elicited an angry reply*, la mia osservazione suscitò una risposta irosa; **to e. applause from the audience**, strappare applausi al pubblico **2** dedurre; ricavare: **to e. the truth from data**, dedurre la verità da dati di fatto ‖ **elicitation** n. ⓤ **1** (il) cavar fuori **2** deduzione.

🛈 **NOTA:** *elicit o illicit?*
La pronuncia di queste due parole può essere uguale, ma il loro significato è molto diverso. Il verbo *to elicit* significa principalmente "suscitare" o "dedurre, trarre": *to elicit a response*, suscitare una reazione; *to have difficulty in eliciting information from the suspect*, avere difficoltà a ottenere informazioni dal sospettato. *Illicit*, invece, significa "illecito, non permesso": *the use of illicit drugs*, l'uso di sostanze illecite; *to engage in an illicit relationship*, avere una relazione illecita.

to **elide** /ɪˈlaɪd/ v. t. elidere; sopprimere.

eligibility /ˌɛlɪdʒəˈbɪlətɪ/ n. ⓤ **1** idoneità; l'essere adatto; l'avere i requisiti necessari **2** (*leg.*) l'avere diritto (*a qc.*) ● **e. for re-election**, rieleggibilità 🛈 **FALSI AMICI** ● *eligibility non significa eleggibilità in senso politico o amministrativo*.

eligible /ˈɛlɪdʒəbl/ a. **1** adatto; idoneo; che ha i requisiti (necessari): **to be e. for office**, avere i requisiti per ricoprire una carica; **e. to be employed**, che ha i titoli per essere assunto; **e. for election**, eleggibile; **e. for re-election**, rieleggibile; **to be e. for membership in a club**, avere i requisiti per essere ammesso a un circolo **2** (*leg.*) che ha diritto; che ha i titoli: **to be e. for family allowance**, avere diritto agli assegni familiari **3** (*fin.*: *di un titolo*) bancabile **4** (*rag.*: *di spesa*) imputabile ● **an e. bachelor**, un buon partito (*per una donna*) □ **an e. match**, un buon partito 🛈 **FALSI AMICI** ● *eligible non significa eleggibile in senso politico o amministrativo*.

Elijah /ɪˈlaɪdʒə/ n. Elia (*profeta biblico*).

eliminable /ɪˈlɪmɪnəbl/ a. eliminabile.

♦to **eliminate** /ɪˈlɪmɪneɪt/ v. t. **1** eliminare; rimuovere; sopprimere: **e. unnecessary details**, eliminare i particolari superflui; **to e. the risk of nuclear war**, eliminare il rischio della guerra nucleare **2** escludere; scartare **3** (*sport*) eliminare **4** (*eufem.*) eliminare; sopprimere; liquidare **5** (*mat., chim.*) eliminare **6** (*fisiol.*) eliminare; espellere.

elimination /ɪˌlɪmɪˈneɪʃn/ n. ⓤ **1** eliminazione; rimozione; soppressione: **the e. of customs barriers**, l'eliminazione delle barriere doganali **2** esclusione; eliminazione; processo di scarto: **by a process of e.**, procedendo per eliminazione **3** (*eufem.*) eliminazione; soppressione; uccisione **4** (*sport*) eliminazione **5** (*mat.*) eliminazione ●

(*med.*) **e. diet**, dieta di eliminazione.

eliminator /ɪ'lɪmɪneɪtə(r)/ **n. 1** chi elimina **2** (*elettron.*) soppressore; eliminatore.

eliminatory /ɪ'lɪmɪnətrɪ/ **a.** eliminatorio.

ELISA /ɪ'laɪzə/ sigla (**enzyme-linked immunosorbent assay**) saggio di immunoassorbimento a correlazione enzimatica.

Elisabeth /ɪ'lɪzəbəθ/ → **Elizabeth**.

Elisha /ɪ'laɪʃə/ n. Eliseo (*profeta biblico*).

elision /ɪ'lɪʒn/ n. ⓤ (*fon.*, *poesia*) elisione.

elite /eɪ'li:t/ Ⓐ **n.** élite (*franc.*); gruppo scelto; gruppo ristretto Ⓑ **a.** d'élite; scelto: **e. units**, unità scelte.

elitism /eɪ'li:tɪzəm/ n. ⓤ elitarismo.

elitist /eɪ'li:tɪst/ Ⓐ **a.** elitario; elitistico; d'élite Ⓑ **n.** elitista.

elixir /ɪ'lɪksə(r)/ n. **1** (*farm.*) elisir **2** pozione magica; elisir: **e. of life**, elisir di lunga vita; **e. of youth**, elisir della giovinezza **3** (*fig.*) rimedio; panacea.

Eliza /ɪ'laɪzə/ n. Elisa.

Elizabeth /ɪ'lɪzəbəθ/ n. Elisabetta.

Elizabethan /ɪlɪzə'bi:θn/ a. e n. elisabettiano: **the E. Age**, l'età elisabettiana (*di Elisabetta I, regina d'Inghilterra dal 1558 al 1603*).

elk /elk/ n. (pl. **elk**, **elks**) (*zool.*) **1** (*Alces alces*) alce **2** (*Cervus canadensis*) vapiti, wapiti ● **elk hound**, cane da alce.

ell /el/ n. (= **English ell**) antica misura di lunghezza, pari a circa 114 cm; braccio.

ellipse /ɪ'lɪps/ n. (*geom.*) ellisse.

ellipsis /ɪ'lɪpsɪs/ n. ⓤ (pl. **ellipses**) **1** (*gramm.*) ellissi **2** (*tipogr.*) puntini (pl.) di omissione; segno d'omissione.

ellipsoid /ɪ'lɪpsɔɪd/ (*geom.*) n. ellissoide ‖ **ellipsoidal** a. ellissoidale.

elliptic /ɪ'lɪptɪk/ a. (*geom.*, *mat.*) ellittico: **e. function**, funzione ellittica; **e. geometry**, geometria ellittica; geometria di Riemann.

elliptical /ɪ'lɪptɪk(l)/ a. **1** (*scient.*, *ling.*, *ecc.*) ellittico: (*astron.*) **e. galaxy**, galassia ellittica; **e. orbit**, orbita ellittica; **e. mark**, segno di omissione **2** → **elliptic 3** (*fig.*) indiretto; enigmatico; ambiguo: **an e. remark**, un commento enigmatico | **-ly** avv.

ellipticity /elɪp'tɪsətɪ/ n. ⓤ **1** (*gramm.*) forma ellittica **2** (*geom.*, *elettron.*) rapporto assiale; ellitticità.

elm /elm/ n. **1** (*bot.*, *Ulmus*) olmo **2** ⓤ olmo (*il legno*) ● **elm grove**, olmeto; olmaia.

elocution /elə'kju:ʃn/ n. ⓤ elocuzione; dizione; recitazione ‖ **elocutionary a. 1** pertinente all'elocuzione; elocutorio (*raro*) **2** declamatorio; oratorio ‖ **elocutionist** n. **1** maestro d'elocuzione; professore di recitazione **2** declamatore; dicitore.

elongate /'i:lɒŋgeɪt/ a. (*bot.*, *zool.*) allungato; oblungo.

to **elongate** /'i:lɒŋgeɪt/ Ⓐ **v. t.** allungare; prolungare Ⓑ **v. i.** allungarsi; prolungarsi.

elongation /i:lɒŋ'geɪʃn/ n. ⓤ **1** allungamento; prolungamento **2** (*astron.*, *geom.*) elongazione **3** (*poesia*) allungamento **4** (*tecn.*) allungamento: **e. due to pull**, allungamento da trazione.

to **elope** /ɪ'ləup/ v. i. **1** (*spec. di donna*) fuggire, scappare (*spec. per potersi sposare*) **2** (*di due innamorati*) fuggire (insieme) ‖ **elopement**. n. ⓒⓤ fuga (*di due innamorati: spec. per potersi sposare*).

eloquence /'eləkwəns/ n. ⓤ eloquenza.

eloquent /'eləkwənt/ a. eloquente (*anche fig.*): **an e. sigh**, un sospiro eloquente ● **e. of**, che dice molto di; indicativo, significativo di: *The poor crops are e. of their farming methods*, la scarsità dei raccolti è indicativa dei loro metodi di coltivazione | **-ly** avv.

◆**else** /els/ Ⓐ **a. pred. e avv.** (dopo un pron. o un avv. interr. o indef. o un composto di **some**, **any**, **no** ed **every**) altro (*in aggiunta*

o *diverso*); (di) più: *What e. could I say?*, che altro potevo dire?; *Where e. did you go?*, in quale altro luogo sei andato?; *Who e. was there?*, chi altro c'era?; *I don't know how e. to do it*, non so in che altro modo farlo; *Why e. would she write me?*, per quale altro motivo dovrebbe scrivermi?; **nothing e.**, nient'altro; nulla più; **everybody e.**, tutti gli altri; **somewhere e.**, da qualche altra parte; **nowhere e.**, in nessun altro luogo Ⓑ **or else** loc. cong. **1** oppure **2** altrimenti; se no: *You must leave at once, or e. you'll miss your train*, devi andar via subito, altrimenti perderai il treno **3** (*escl.*, *fam.*) sennò (*o altrimenti*) guai a te, lui, ecc.; sennò son guai!: **You will go or e.!**, ci andrai; sennò, guai a te!

◆**elsewhere** /els'weə(r)/ Ⓐ avv. altrove; in qualche altro luogo Ⓑ **n.** – (solo nella loc.) **from e.**, da altri luoghi; da altrove.

ELT sigla (**English language teaching**), insegnamento della lingua inglese (*spec. come lingua straniera*).

eluant /'eljuənt/ → **eluent**.

eluate /'eljueɪt/ n. (*chim.*) eluato; eluito.

to **elucidate** /ɪ'lu:sɪdeɪt/ (*form.*) v. t. delucidare; spiegare ‖ **elucidation** n. ⓤ delucidazione; spiegazione; chiarimento; schiarimento ‖ **elucidative, elucidatory** a. delucidatorio; esplicativo ‖ **elucidator** n. delucidatore; esplicatore.

to **elude** /ɪ'lu:d/ v. t. **1** eludere; evitare; sfuggire a; sottrarsi a: **to e. an inquiry**, eludere una domanda; **to e. one's pursuers**, sfuggire ai propri inseguitori; **to e. payment**, sottrarsi al pagamento **2** sfuggire a: *Its rationale eludes me*, mi sfugge la logica della cosa; *The answer eluded me for months*, per mesi non riuscii a trovare la risposta **3** sfuggire a; non venire: *Success eluded him once again*, ancora una volta gli sfuggì il successo; ancora una volta mancò il successo; *Sleep eluded him*, il sonno non venne ‖ **elusion** n. ⓤ elusione; lo schivare (*qc.*); lo sfuggire, il sottrarsi (*a q. o qc.*).

eluent /'eljuənt/ n. (*chim.*) eluente.

elusive /ɪ'lu:sɪv/ a. **1** difficile da catturare (*anche fig.*); sfuggente; inafferrabile: **an e. animal**, un animale difficile da trovare (*o da catturare*); **e. fame**, la sfuggente fama; **an e. virus**, un virus difficile da isolare **2** difficile da definire; indefinibile; sfuggente: **an e. concept**, un concetto difficile da definire **3** evasivo: *He answered with an e. 'It all depends'*, rispose con un evasivo 'Dipende' | **-ly** avv. | **-ness** n. ⓤ.

elusory /ɪ'lu:sərɪ/ a. elusivo; elusorio; ingannevole; illusorio.

to **elute** /i:'lu:t/ (*chim.*) v. t. eluire ‖ **elution** n. ⓤⓒ eluizione.

to **elutriate** /ɪ'lu:trɪeɪt/ (*chim.*) v. t. elutriare ‖ **elutriation** n. ⓤ elutriazione.

eluvium /ɪ'lu:vɪəm/ (*geol.*) n. ⓤ eluvio ‖ **eluvial** a. eluviale.

elven /'elvən/ a. degli elfi; di elfo.

elver /'elvə(r)/ n. (*zool.*) ceca; anguilla giovane.

elves /elvz/ n. pl. di **elf**.

elvish /'elvɪʃ/ Ⓐ **a.** di elfo; degli elfi; da elfo Ⓑ **n.** ⓤ la lingua degli elfi.

Elysian /ɪ'lɪzɪən/ a. **1** (*mitol.*) elisio: **the E. Fields**, i Campi Elisi **2** (*fig.*) beato; felice; paradisiaco.

Elysium /ɪ'lɪzɪəm/ n. (pl. **Elysiums**, **Elysia**) **1** (*mitol.*) Elisio; Eliso **2** (*fig.*) paradiso.

elytron /'elɪtrɒn/ n. (pl. **elytra**) (*zool.*) elitra.

Elzevir /'elzɪvɪə(r)/ a. e n. (*tipogr.*) elzeviro (*carattere e libro*).

'em /əm, m/ pron. pers. (*fam. per* **them**) loro; essi, esse.

em /em/ n. **1** emme; lettera m **2** (*tipogr.*) quadratone **3** (*tipogr.*) corpo 12.

to **emaciate** /ɪ'meɪʃɪeɪt/ Ⓐ **v. t. 1** emaciare; far deperire; far dimagrire **2** (*fig.*) svuotare di vigore (forza, ecc.); impoverire (*il terreno*) Ⓑ **v. i.** emaciarsi; deperire.

emaciated /ɪ'meɪʃɪeɪtɪd/ a. **1** emaciato; smunto; deperito **2** (*fig.*) svuotato di vigore (di forza, ecc.); (*di terreno*) impoverito ‖ **emaciation** n. ⓤ **1** macilenza; emaciazione; deperimento **2** (*fig.*) perdita di vigore.

◆**e-mail**, **email** /'i:meɪl/ n. **1** ⓤ posta elettronica; e-mail: **e-mail address**, indirizzo e-mail: *Our e-mail address is jbriars808, all one word, at email dot com*, il nostro indirizzo e-mail è jbriars808, tutto attaccato, chiocciola email punto com; **e-mail filter**, filtro per la posta elettronica; filtro antispam; **e-mail program**, programma per la posta elettronica; *Could you send me the details via e-mail?*, puoi mandarmi i dettagli per e-mail? **2** ⓤ (messaggi di) posta elettronica; e-mail (pl.); mail (pl.) **3** messaggio di posta elettronica; e-mail; mail.

to **e-mail**, to **email** /'i:meɪl/ v. t. (*comput.*) **1** inviare una e-mail (o una mail) a (q.) **2** inviare (*un messaggio*) per e-mail (o per posta elettronica).

to **emanate** /'eməneɪt/ Ⓐ **v. i.** emanare; derivare; scaturire Ⓑ **v. t.** emanare; diffondere.

emanation /emə'neɪʃn/ n. ⓤⓒ emanazione: **radioactive e.**, emanazione radioattiva.

to **emancipate** /ɪ'mænsɪpeɪt/ (*leg.*, *anche fig.*) v. t. emancipare: **to e. a slave**, emancipare uno schiavo ‖ **emancipated** a. emancipato ‖ **emancipation** n. ⓤ emancipazione ‖ **emancipator** n. emancipatore ‖ **emancipatory** a. di emancipazione; che emancipa.

Emanuel /ɪ'mænjuəl/ → **Emmanuel**.

emasculate /ɪ'mæskjulət/, **emasculated** /ɪ'mæskjuleɪtɪd/ a. **1** evirato **2** (*fig.*) effeminato; snervato; fiacco.

to **emasculate** /ɪ'mæskjuleɪt/ v. t. **1** evirare **2** (*fig.*) effeminare; indebolire; infiacchire ‖ **emasculation** n. ⓤ **1** evirazione **2** (*fig.*) effeminatezza; indebolimento ‖ **emasculatory** a. (*fig.*) che effemina; che infiacchisce.

Emb. abbr. **1** (*di fiume*, **embankment**) argine **2** (**embassy**) ambasciata.

to **embalm** /ɪm'bɑ:m/ v. t. **1** imbalsamare **2** rendere balsamico ‖ **embalmer** n. imbalsamatore, imbalsamatrice ‖ **embalment** n. ⓤ imbalsamazione.

embalmed /ɪm'bɑ:md/ a. **1** imbalsamato **2** (*slang antiq.*) sbronzo; ubriaco.

to **embank** /ɪm'bæŋk/ v. t. arginare (*un fiume*).

embankment /ɪm'bæŋkmənt/ n. **1** arginamento **2** argine; banchina; terrapieno; alzaia ● **the E.**, il Lungotamigi settentrionale (*il* **Victoria E.**, a Londra).

embargo /ɪm'bɑ:gəu/ n. (pl. **embargoes**) ⓤⓒ **1** (*leg.*, *naut.*) embargo; fermo (o sequestro) imposto a navi mercantili (*spec. straniere*) **2** (*econ.*) embargo; divieto: **the oil e.**, l'embargo sul petrolio; **e. on exports**, divieto d'esportazione (*di talune merci*) **3** (*fig.*) divieto; proibizione; veto: **news e.**, divieto di diffondere notizie ● **to lay an e. on**, mettere l'embargo su □ (*di un governo*) **to lay st. under an e.**, requisire qc. □ **to lift** (*o to* **raise**) **the e. on**, togliere l'embargo a □ **to be under e.**, essere sotto embargo.

to **embargo** /ɪm'bɑ:gəu/ v. t. (*leg.*, *naut.*) **1** mettere l'embargo su (*navi*, *merci*) **2** requisire, sequestrare (*navi*, *merci*).

to **embark** /ɪm'bɑ:k/ v. t. e i. (*naut.*, *aeron.*) imbarcare; imbarcarsi (*anche fig.*): *The airplane embarked more passengers at*

Shannon, l'aereo imbarcò altri passeggeri a Shannon; **to e. on a new venture [career]**, imbarcarsi in una nuova impresa [carriera].

embarkation /ˌɛmbɑːˈkeɪʃn/ n. ⓤ **1** (*naut.*, *aeron.*) imbarco: **port of e.**, porto d'imbarco **2** (*fig.*) (l') imbarcarsi (*in un'impresa, ecc.*) ❶ FALSI AMICI • embarkation *non significa* imbarcazione.

to **embarrass** /ɪmˈbærəs/ v. t. **1** imbarazzare; mettere in imbarazzo; mettere a disagio: *She embarrassed him with her questions*, lo mise in imbarazzo con le sue domande **2** mettere in difficoltà; mettere in imbarazzo: *The government has been severely embarrassed by the sudden rise of the price of oil*, il governo è stato messo in serie difficoltà dall'improvviso rialzo del presso del petrolio.

♦**embarrassed** /ɪmˈbærəst/ a. **1** imbarazzato; a disagio: **an e. silence**, un silenzio imbarazzato; *Are you e. to talk about it?*, ti mette in imbarazzo parlarne?; prova disagio a parlarne?; *She felt e. at her husband's behaviour*, era imbarazzata (o a disagio) per il comportamento di suo marito **2** in difficoltà; in imbarazzo: **financially e.**, in difficoltà finanziarie.

♦**embarrassing** /ɪmˈbærəsɪŋ/ a. imbarazzante: **an e. question**, una domanda imbarazzante ● **How e.!**, che imbarazzo!; che figura!

embarrassment /ɪmˈbærəsmənt/ n. **1** ⓤ imbarazzo; confusione; disagio: **red with e.**, rosso dall'imbarazzo; **much to my e.**, con mio grande imbarazzo **2** fonte di imbarazzo: *Their daughter is a bit of an e. to them*, la figlia è una discreta fonte di imbarazzo per loro **3** impaccio; impedimento; ostacolo **4** (*fig.*) difficoltà (pl.): **financial e.**, difficoltà finanziarie **5** sovrabbondanza; quantità eccessiva: **an e. of choice**, l'imbarazzo della scelta; **an e. of riches**, troppa ricchezza; scelta sovrabbondante.

♦**embassy** /ˈɛmbəsɪ/ n. **1** ambasciata: **the American e. in Rome**, l'ambasciata americana a Roma **2** (*stor.*) missione diplomatica; legazione; ambasciata.

to **embattle** /ɪmˈbætl/ v. t. (*mil.*) **1** (*arc.*) disporre in ordine di battaglia; schierare a battaglia **2** fortificare; munire di fortificazioni.

embattled /ɪmˈbætld/ a. **1** circondato dai nemici; assediato **2** (*fig.*) assillato da difficoltà, da problemi; tormentato; angustiato **3** (*archit.*, *arald.*) merlato.

embattlement /ɪmˈbætlmənt/ n. (*archit.*, *arald.*) merlatura.

to **embay** /ɪmˈbeɪ/ v. t. **1** (*naut.*, *del vento*; generalm. al passivo) costringere (*una nave*) a ridossarsi in una baia **2** (*fig.*) circondare; racchiudere || **embayed** a. (*geogr.*) ricco di insenature || **embayment** n. insenatura; baia.

to **embed** /ɪmˈbɛd/ v. t. **1** conficcare; incastrare; incassare; incastonare (*una gemma, ecc.*): *The knife was embedded in the wood*, il coltello era conficcato nel legno **2** (*fig.*) configgere (*nella mente, nella memoria, ecc.*); radicare; incidere **3** (*ling.*) incassare **4** (*tecn.*, *comput.*) incorporare; integrare; inglobare; nascondere; incassare || **embeddable** a. (*tecn.*, *comput.*) incorporabile; da incasso; per inclusione.

embedded /ɪmˈbɛdɪd/ a. **1** confitto; incastrato; (*di gemma, ecc.*) incastonato **2** (*fig.*) confitto; radicato: **an e. prejudice**, un pregiudizio radicato **3** (*ling.*) incassato **4** (*tecn.*, *comput.*) incorporato; integrato; inglobato; nascosto; incassato: **e. code**, codice inglobato; codice nascosto; **e. hyperlink**, collegamento ipertestuale incorporato; e.

system, sistema incorporato; computer incorporato **5** (*mil.*, *giorn.*, *di giornalista*) ufficialmente al seguito (*di un'unità di combattimento*); aggregato; integrato; inglobato.

embedding /ɪmˈbɛdɪŋ/ n. ⓤ **1** (il) conficcare, (il) conficcarsi; inclusione; incassamento **2** (*fig.*) (il) configgersi (*nella mente, ecc.*); (l')imprimersi; radicamento **3** (*ling.*) incassamento **4** (*tecn.*, *comput.*) inclusione; integrazione; incorporamento; inglobamento.

to **embellish** /ɪmˈbɛlɪʃ/ v. t. abbellire; ornare.

embellishment /ɪmˈbɛlɪʃmənt/ n. ⓒ⋃ l'abbellire; abbellimento; ornamento.

ember /ˈɛmbə(r)/ n. **1** tizzone; brace **2** (al pl.) brace; cenere ardente.

Ember days /ˈɛmbədeɪz/ n. pl. (*relig.*) (giorni del digiuno delle) Quattro Tempora.

to **embezzle** /ɪmˈbɛzl/ (*leg.*) v. t. appropriarsi indebitamente di, sottrarre (*denaro o altri beni*); malversare || **embezzlement** n. ⓤ appropriazione indebita; malversazione; peculato || **embezzler** n. malversatore.

to **embitter** /ɪmˈbɪtə(r)/ v. t. **1** esasperare; esacerbare **2** amareggiare **3** inasprire, aggravare (*un male*) **4** avvelenare (*un piacere, ecc.*) || **embittered** a. **1** esasperato; esacerbato; inasprito **2** amareggiato || **embitterment** n. **1** esasperazione; inasprimento **2** amarezza **3** inasprimento; aggravamento.

to **emblazon** /ɪmˈbleɪzn/ v. t. **1** adornare; decorare (*con uno stemma o con brillanti colori*) **2** (*fig.*) celebrare; elogiare; esaltare **3** (*arald.*) blasonare || **emblazonment** n. ⓤ **1** adornamento; decorazione **2** celebrazione; esaltazione; elogio **3** (pl.) (*arald.*) pezze onorevoli.

emblem /ˈɛmbləm/ n. **1** emblema; simbolo **2** (*arald.*) emblema; blasone; stemma || **emblematic**, **emblematical** a. emblematico; paradigmatico: **to be emblematic of**, essere emblematico di; essere simbolo di || **emblematically** avv. emblematicamente.

emblematist /ɛmˈblɛmətɪst/ n. creatore di emblemi.

to **emblematize** /ɛmˈblɛmətaɪz/ v. t. (*form.*) simboleggiare; rappresentare.

emblements /ˈɛmblmənts/ n. pl. (*leg.*) frutti annuali della terra; prodotti del suolo.

embodiment /ɪmˈbɒdɪmənt/ n. ⓤ **1** incarnazione; personificazione: *Mary is the e. of virtue*, Maria è la personificazione della virtù **2** incorporamento; inclusione.

to **embody** /ɪmˈbɒdɪ/ v. t. **1** incarnare; concretare; dar forma concreta a; tradurre (*fig.*); personificare; rappresentare: **to e. an idea**, incarnare un concetto; **to e. one's principles in actions**, tradurre i propri principi in azioni; *He embodies the aspiration of his people to liberty*, egli rappresenta l'aspirazione del suo popolo alla libertà **2** incorporare; comprendere; racchiudere: *Our opinions are embodied in the committee's report*, le nostre opinioni sono racchiuse nel rapporto della commissione ● (*leg.*) **to e. a clause**, inserire una clausola □ **an embodied spirit**, uno spirito incarnato.

to **embolden** /ɪmˈbəʊldən/ v. t. dare coraggio a; rendere baldanzoso; imbaldanzire.

embolectomy /ˌɛmbəˈlɛktəmɪ/ n. (*chir.*) embolectomia.

embolism /ˈɛmbəlɪzəm/ n. **1** (*med.*) embolia; embolismo **2** (*med.*) embolo **3** (*relig. cattolica*) embolismo.

embolus /ˈɛmbələs/ n. (pl. *emboli*) embolo || **embolic** a. embolico: **embolic aneurysm**, aneurisma embolico.

to **embosom** /ɪmˈbʊzəm/ v. t. (*lett.*) **1** abbracciare; stringere al seno **2** (*fig.*) avvol-

gere; cingere; circondare; racchiudere.

to **emboss** /ɪmˈbɒs/ v. t. **1** lavorare a sbalzo, sbalzare (*un metallo, ecc.*) **2** (*tecn.*) goffrare **3** (*tipogr.*) imprimere a secco; stampare in rilievo: *The card was embossed with a coronet*, sul biglietto era stampata in rilievo una corona ducale **4** (*fig.*) abbellire; adornare.

embossed /ɪmˈbɒst/ a. a rilievo; a sbalzo, sbalzato; goffrato: **e. heading**, intestazione a rilievo; **e. leather**, cuoio goffrato.

embosser /ɪmˈbɒsə(r)/ n. (*ind.*) **1** goffratore; stampatore in rilievo **2** goffratrice (*la macchina*).

embossing /ɪmˈbɒsɪŋ/ n. **1** (*metall.*) lavoro a sbalzo **2** (*tecn.*) goffratura; goffraggio **3** (*tipogr.*) impressione a secco **4** timbratura a secco ● **e. machine**, goffratrice.

embossment /ɪmˈbɒsmənt/ n. **1** rilievo; sbalzo **2** (*tecn.*) goffratura; goffraggio **3** figura (*o ornamento*) a sbalzo **4** gonfiore; protuberanza ● **e. map**, mappa in rilievo.

embouchure /ˌɒmbʊˈʃʊə(r)/ (*franc.*) n. ⓤ **1** (*mus.*) imboccatura, modo d'imboccare, bocchino (*di strumento a fiato*) **2** (*geogr.*) sbocco, foce (*di un fiume*).

embourgeoisement /ˌɒmbʊəʒwɑːzˈmɒŋ/ (*franc.*) n. ⓤ imborghesimento.

embrace /ɪmˈbreɪs/ n. abbraccio; amplesso (*lett.*).

to **embrace** /ɪmˈbreɪs/ Ⓐ v. t. **1** abbracciare: *She embraced me laughing*, mi abbracciò ridendo **2** (*fig.*) abbracciare; accettare; scegliere: **to e. Buddhism**, abbracciare il buddismo; **to e. an opportunity**, cogliere un'occasione **3** (*fig.*) abbracciare; coprire; comprendere; includere: *His book embraces several key topics*, il suo libro copre diversi argomenti cruciali Ⓑ v. i. abbracciarsi || **embracement** n. ⓒ⋃ (*fig.*) (l')abbracciare; scelta; accettazione.

embracery /ɪmˈbreɪsərɪ/ n. ⓤ (*leg.*) subornazione (*di testi o di giurati*).

embranchment /ɪmˈbrɑːntʃmənt/ n. diramazione, biforcazione (*d'un fiume*).

embrasure /ɪmˈbreɪʒə(r)/ n. **1** (*archit.*) strombatura; strombo (*di una finestra o porta*) **2** (*mil.*) cannoniera; feritoia per cannone.

to **embrocate** /ˈɛmbrəʊkeɪt/ (*med.*) v. t. embrocare; frizionare con un linimento || **embrocation** n. ⓒ⋃ embrocazione; linimento.

to **embroider** /ɪmˈbrɔɪdə(r)/ v. t. e i. ricamare (*anche fig.*); infiorare, abbellire, aggiungere frange a (*un racconto, ecc.*) || **embroiderer** n. ricamatore || **embroideress** n. ricamatrice.

embroidery /ɪmˈbrɔɪdərɪ/ n. **1** ⓤ (arte del) ricamo **2** ⓒ⋃ (lavoro di) ricamo: *She took up her e.*, prese in mano il suo ricamo; **to do e.**, fare ricamo; ricamare **3** (*fig.*) ricamo; abbellimento; infiorettatura.

to **embroil** /ɪmˈbrɔɪl/ v. t. **1** coinvolgere; immischiare; impegolare: *I refuse to get embroiled*, non voglio essere coinvolto; **to be embroiled in a legal battle**, essere impegolato in una battaglia legale **2** (*antiq.*) confondere; imbrogliare; ingarbugliare || **embroilment** n. **1** ⓤ coinvolgimento; (l')essere implicato (*o impegolato*) **2** pasticcio; garbuglio; imbroglio.

to **embrown** /ɪmˈbraʊn/ v. t. abbrunire; rendere bruno (*o scuro*).

embryo /ˈɛmbrɪəʊ/ (*biol.*, *anche fig.*) Ⓐ n. (pl. *embryos*) embrione: **in e.**, in embrione Ⓑ a. attr. embrionale.

embryogenesis /ˌɛmbrɪəʊˈdʒɛnəsɪs/, **embryogeny** /ˌɛmbrɪˈɒdʒənɪ/ (*biol.*) n. ⓤ embriogenesi || **embryogenetic**, **embryogenic** a. embriogenetico; embriogenico.

embryology /ˌɛmbrɪˈɒlədʒɪ/ (*biol.*) n. ◍ embriologia || **embryological** a. embriologico || **embryologist** n. embriologo.

embryonal /ˈɛmbrɪənl/ → **embryonic**.

embryonic /ˌɛmbrɪˈɒnɪk/ a. (*biol. e fig.*) embrionale.

to **embus** /ɪmˈbʌs/ Ⓐ v. t. **1** far salire (*o* imbarcare) su un autobus **2** (*mil.*) caricare (*truppe*) su autocarri Ⓑ v. i. salire su un autobus.

emcee /ɛmˈsiː/ n. (*abbr. fam. di* **master of cerimonies**) cerimoniere; (*TV*) presentatore.

to **emcee** /ɛmˈsiː/ Ⓐ v. t. (*TV*) presentare (*uno spettacolo*) Ⓑ v. i. fare il (*o* da) cerimoniere (*o* presentatore); (*TV*) presentare.

em dash /ˈɛmdæʃ/ → **em rule**.

to **emend** /ɪˈmɛnd/ v. t. emendare; correggere (*un testo e sim.*) || **emendation** n. ◍ᴄ emendamento; emendazione; correzione || **emendator** n. emendatore, correttore || **emendatory** a. emendativo ❶ **NOTA:** *amend o emend?* → **to amend**

emerald /ˈɛmərəld/ Ⓐ n. **1** (*miner.*) smeraldo **2** (*colore*) verde smeraldo **3** (*tipogr.*) corpo sei e mezzo Ⓑ a. **1** di smeraldi: **an e. ring**, un anello di smeraldi **2** color smeraldo, smeraldino ● (*gioielleria*) **e. cut**, taglio a smeraldo ▫ (*fig.*) **the E. Isle**, l'isola di smeraldo (*l'Irlanda*).

emeraldine /ˈɛmərəldaɪn/ a. smeraldino.

◆to **emerge** /ɪˈmɜːdʒ/ v. i. **1** emergere; uscire; comparire; spuntare: *A human form emerged from the shadows*, dalla penombra emerse una figura umana **2** emergere; venire alla luce; risultare: *An important point has emerged from this discussion*, da questa discussione è emerso un punto importante; *It emerged that there had been a private deal between them*, si scoprì che tra di loro c'era stato un accordo segreto; *Caesar emerged the victor*, Cesare risultò il vincitore **3** nascere; sorgere: *New political parties have emerged*, sono sorti nuovi partiti politici **4** riemergere; riaffiorare; uscire: **to e. from recession**, uscire dalla recessione **5** (*zool.*, *di insetto, ecc.*) emergere (*dall'uovo, dal bozzolo, ecc.*).

emergence /ɪˈmɜːdʒəns/ n. ◍ **1** emersione; apparizione; manifestazione **2** (*scient.*) derivazione; emergenza **3** (*geol.*) emersione **4** (*fig.*) comparsa; l'apparire sulla scena.

◆**emergency** /ɪˈmɜːdʒənsɪ/ Ⓐ n. ◍ᴄ **1** emergenza: **to declare a state of e.**, dichiarare lo stato di emergenza; *In an e., call Jack*, in caso di emergenza chiama Jack; **to be called out on an e.**, essere chiamato per un'emergenza **2** (*USA* = **e. room**) (reparto di) pronto soccorso Ⓑ a. attr. **1** d'emergenza; d'urgenza; di fortuna: **e. food aid**, aiuti alimentari d'emergenza; (*aeron.*) **e. landing**, atterraggio di fortuna; **e. measures**, misure d'emergenza; **e. services**, servizi d'emergenza; *He had to have e. surgery*, l'hanno dovuto operare d'urgenza **2** di sicurezza; di riserva; d'emergenza: **e. door** (*o* **e. exit**), uscita di sicurezza; **e. food rations**, razioni di riserva ● (*autom., USA*) **e. brake**, freno di stazionamento; freno a mano ▫ (*ferr.*) **e. cord**, segnale d'allarme ▫ (*med.*) **e. medicine**, medicina d'urgenza ▫ (*fin.*) **e. fund**, fondo di riserva ▫ (*autom.*) **e. lane**, corsia d'emergenza ▫ (*mil., polit.*) **e. rule**, stato d'emergenza ▫ (*aeron.*) **e. runway**, pista d'emergenza.

emergent /ɪˈmɜːdʒənt/ a. (*anche polit.*) emergente: **e. countries**, i paesi emergenti.

emerging /ɪˈmɜːdʒɪŋ/ a. emergente: (*polit.*) **e. countries**, i paesi emergenti.

emeritus /ɪˈmɛrɪtəs/ (*lat.*) a. emerito: **professor e.**, professore emerito.

emersion /ɪˈmɜːʃn/ n. ◍ᴄ (*astron., naut.,*

ecc.) emersione.

Emery /ˈɛmərɪ/ n. Amerigo.

emery /ˈɛmərɪ/ n. ◍ smeriglio ● **e. board**, limetta per le unghie (*di cartone smerigliato*) ▫ **e. cloth**, tela smeriglio ▫ **e. paper**, carta smerigliata ▫ (*mecc.*) **e. paste**, spoltiglia, spoltiglio ▫ **e. rubbing**, smerigliatura ▫ (*mecc.*) **e. wheel**, mola a smeriglio.

emetic /ɪˈmɛtɪk/ a. e n. (*farm.*) emetico.

emetine /ˈɛmiːtiːn/ n. ◍ (*chim., farm.*) emetina.

EMF sigla 1 (*fis.*, **electro magnetic field**) campo elettromagnetico **2** (**European Monetary Fund**) Fondo monetario europeo.

emf abbr. (*fis.*, **electromotive force**) forza elettromotrice.

emic /ˈiːmɪk/ a. (*ling.*) emico.

emigrant /ˈɛmɪɡrənt/ a. e n. emigrante; emigrato.

to **emigrate** /ˈɛmɪɡreɪt/ Ⓐ v. i. emigrare Ⓑ v. t. far emigrare || **emigration** n. ◍ emigrazione.

émigré /ˈɛmɪɡreɪ/ (*franc.*) n. (*spec. stor.*) esule; profugo; rifugiato politico.

Emil /ɛˈmiːl/ n. Emilio.

Emily /ˈɛməlɪ/ n. Emilia.

eminence /ˈɛmɪnəns/ n. **1** ◍ eminenza **2** personaggio eminente; persona influente **3** (*form. o lett.*) altura; elevazione; colle **4** (*anat.*) sporgenza; rilievo; protuberanza ● (*fig.*) **éminence grise** (*franc.*), eminenza grigia ▫ (*relig.*) **His E.**, Sua Eminenza.

eminency /ˈɛmɪnənsɪ/ n. ◍ (*form.*) eminenza; preminenza.

eminent /ˈɛmɪnənt/ a. **1** eminente; prominente; celebre **2** considerevole; notevole; ragguardevole: *He is a man of e. good sense*, è un uomo di notevole buon senso ● (*leg., USA*) **e. domain**, potere d'espropriazione per pubblica utilità | **-ly** avv.

emir /ɛˈmɪə(r)/ n. emiro.

emirate /ɛˈmɪərɪt/ n. (*stor., geogr.*) emirato.

emissary /ˈɛmɪsərɪ/ n. **1** emissario; inviato **2** (*anat.*, = **e. vein**) vena emissaria.

emission /ɪˈmɪʃn/ n. ◍ᴄ **1** (*fis., fisiol., radio*) emissione: **the e. of light** [**heat**], l'emissione di luce [calore]; **radon e.**, l'emissione di radon **2** (*ind., ecol.*) scarico; emissione; esalazione **3** (*fisiol.*) eiaculazione ● (*astron.*) **e. nebula**, nebulosa a emissione ▫ (*fis.*) **e. spectrum**, spettro di emissione.

emissive /ɪˈmɪsɪv/ (*scient.*) a. emissivo; d'emissione || **emissivity** n. ◍ emissività; intensità d'emissione specifica.

to **emit** /ɪˈmɪt/ v. t. **1** emettere (*gas, odore, ecc.*); emanare; mandare **2** emettere (*un suono, ecc.*); mandare; lanciare: **to e. a cry**, mandare un grido; **to e. a curse**, lanciare un'imprecazione.

emittance /ɪˈmɪtəns/ n. ◍ (*fis.*) emittanza.

emitter /ɪˈmɪtə(r)/ n. **1** chi emette **2** (*elettron.*) emettitore.

Emmanuel /ɪˈmænjʊəl/ n. Emanuele.

emmenagogue /ɪˈmɛnəɡɒɡ/ a. e n. (*med.*) emmenagogo.

emmer /ˈɛmə(r)/ n. ◍ (*bot., Triticum dicoccum*) farro (medio).

emmetropia /ˌɛmɪˈtrəʊpɪə/ (*med.*) n. ◍ emmetropia || **emmetropic** a. emmetropico.

Emmy /ˈɛmɪ/ n. (*USA, TV* = **E. Award**) (Premio) Emmy (*assegnato annualmente dall'Academy of Television Arts and Sciences e consistente in una statuetta d'oro*).

emo /ˈiːməʊ/ (*abbr. di* **emotional**) (*mus., spec. USA*) Ⓐ n. ◍ emo (*genere musicale punk-rock alternativo*) Ⓑ a. attr. relativo alla musica emo.

emollient /ɪˈmɒlɪənt/ a. e n. (*farm.*) emolliente.

emolument /ɪˈmɒljʊmənt/ n. emolumento.

e-money /iːˈmʌnɪ/ n. ◍ (*comput.*) e-money; denaro elettronico (*denaro virtuale utilizzato come mezzo di pagamento in Internet*).

to **emote** /ɪˈməʊt/ v. i. (*fam. USA, teatr.*) esprimere un'emozione; fare sfoggio di emozione; recitare in modo enfatico; gigioneggiare.

emoticon /ɪˈməʊtɪkɒn/ n. (*acronimo di* **emotion icon**) (*comput.*) faccina; emoticon.

◆**emotion** /ɪˈməʊʃn/ n. **1** ◍ᴄ emozione: **overcome with e.**, sopraffatto dall'emozione; **an intense e.**, un'emozione intensa **2** ◍ emozioni (pl.); sentimenti (pl.): **to express e.**, esprimere le emozioni (*o* un'emozione); **to be ruled by e.**, essere dominato dalle emozioni.

◆**emotional** /ɪˈməʊʃənl/ a. **1** (*psic.*) emozionale; emotivo; di emozione: **from an e. perspective**, da una prospettiva emozionale; **e. reaction**, reazione emotiva; **e. control**, dominio delle emozioni; **an e. cripple**, persona che non sa esprimere le proprie emozioni **2** (*di persona*) emotivo; che si fa prendere dall'emozione; che si commuove: *'He's very sensitive; it is his Welsh blood, you know; it makes people very e.'* E. WAUGH, 'è molto sensibile; vede, è il suo sangue gallese: rende la gente molto emotiva'; **to get e.**, farsi prendere dall'emozione; commuoversi **3** commovente; carico di emozione; che desta emozione: **an e. speech**, un discorso commovente; *It was a very e. moment*, è stato un momento di grande commozione ● (*psic.*) **e. intelligence** (abbr. **EI**), intelligenza emotiva (abbr. IE) || **emotionalism** n. ◍ **1** emotività; l'essere commovente; il fare appello ai sentimenti **2** (*psic.*) emozionabilità; temperamento emotivo; emozionalità || **emotionalist** n. **1** persona che agisce in base alle emozioni, che si affida alle emozioni **2** persona emotiva; emotivo || **emotionality** n. ◍ (*psic.*) **1** emotività; emozionalità **2** emozionabilità; impressionabilità.

❶ **NOTA:** *emotional o emotive?*
L'aggettivo *emotional* significa "emotivo" nel senso di "relativo alle emozioni": *his emotional needs*, i suoi bisogni emotivi; *a purely emotional response*; una reazione assolutamente emotiva; *to provide emotional support*, fornire un sostegno emotivo. Detto di una persona, *emotional* significa che mostra apertamente i suoi sentimenti, che è "emotivo". In riferimento a ciò che suscita emozione e forti sentimenti, invece, si usa l'aggettivo *emotive*: *Sexual orientation is an emotive issue*, l'orientamento sessuale è un argomento che suscita forti emozioni.

emotionally /ɪˈməʊʃnəlɪ/ avv. **1** (*psic.*) emozionalmente; emotivamente; sotto il profilo emotivo: **e. disturbed**, affetto da turbe emotive; disturbato emotivamente **2** emotivamente; in modo emotivo; con emozione: **to respond e.**, reagire in modo emotivo **3** sentimentalmente: **e. bruised**, ferito nei sentimenti; **to get e. involved with sb.**, innamorarsi di q.; legarsi sentimentalmente a q.

emotionless /ɪˈməʊʃnlɪs/ a. freddo; impassibile; privo di emozione.

emotive /ɪˈməʊtɪv/ a. **1** (*psic.*) emotivo: **e. crisis**, crisi emotiva **2** che suscita emozioni: *Abortion is a highly e. issue*, l'aborto è un argomento che suscita forti emozioni **3** che fa appello ai sentimenti; carico di emozione: **to use e. language**, usare un linguaggio carico di emozione | **-ly** avv. | **-ness** n. ◍ ❶ **NOTA:** *emotional o emotive?* → **emotional**.

Emp. abbr. **1** (**emperor**) imperatore **2** (**empire**) impero **3** (**empress**) imperatrice.

to **empanel** /ɪm'pænl/ (*leg.*) v. t. **1** formare, scegliere (*una giuria*) **2** iscrivere (q.) in una giuria; scegliere come giurato ‖ **empanelment** n. ▭ **1** formazione, scelta (*di una giuria*) **2** iscrizione come giurato.

empath /'ɛmpæθ/ n. **1** (*fantascienza*) empatico **2** persona intuitiva, empatica.

empathetic /ɛmpə'θɛtɪk/, **empathic** /ɛm'pæθɪk/ a. che si immedesima; che capisce intuitivamente; che prova empatia; intuitivo; empatico.

to **empathize** /'ɛmpəθaɪz/ v. i. (*psic.*) identificarsi (*con q.*); simpatizzare (*con q.*).

empathy /'ɛmpəθɪ/ n. ▭ (*psic.*) identificazione; immedesimazione; empatia.

emperor /'ɛmpərə(r)/ n. imperatore ● (*zool.*) **e. dragonfly** (*Anax imperator*), libellula imperatore □ (*zool.*) **e. moth** (*Saturnia pavonia*), pavonia maggiore □ (*zool.*) **e. penguin** (*Aptenodytes forsteri*), pinguino imperatore ‖ **emperorship** n. ▯◦ dignità (*o* ufficio) d'imperatore.

♦**emphasis** /'ɛmfəsɪs/ n. (pl. **emphases**) ▭ **1** importanza; rilievo; risalto; enfasi: **to place great e. on st.**, dare grande importanza a qc. **2** enfasi; forza; vigore; veemenza **3** (*fon.*) accento tonico.

♦to **emphasize** /'ɛmfəsaɪz/ v. t. mettere in evidenza; mettere in rilievo; sottolineare; porre l'accento su: *He emphasized the fact that he did not know the thief*, mise in evidenza il fatto che non conosceva il ladro; *He banged his fist to e. his point*, diede un pugno sul tavolo per sottolineare le sue parole.

emphatic /ɪm'fætɪk/ a. **1** energico; categorico; risoluto; reciso: **an e. no**, un no categorico; *She was e. that she didn't wish to see him*, dichiarò recisamente che non voleva vederlo; **in an e. fashion**, con enfasi; con forza **2** chiaro; netto: **an e. defeat**, una netta sconfitta **3** (*fon.*) tonico: **e. syllable**, sillaba tonica.

emphatically /ɪm'fætɪklɪ/ avv. **1** con forza; con enfasi; energicamente: **to state st. e.**, affermare qc. con forza; *Jim shook his head e.*, Jim scosse energicamente la testa **2** decisamente; certamente; assolutamente: *The district is e. middle-class*, il quartiere è decisamente borghese; *I will e. not accept his offer*, non intendo minimamente accettare la sua offerta.

emphysema /ɛmfɪ'siːmə/ (*med.*) n. ▭ enfisema ‖ **emphysematous** a. enfisematoso.

emphyteusis /ɛmfɪ'tjuːsɪs/, *USA* -'tuː-/ (*leg.*) n. (pl. **emphyteuses**) (*in Italia, Francia, ecc.*) enfiteusi ‖ **emphyteuta** n. (pl. **emphyteutae**) enfiteuta ‖ **emphyteutic** a. enfiteutico.

♦**empire** /'ɛmpaɪə(r)/ Ⓐ n. **1** (*polit.*, *comm.*) impero: (*stor.*) **the British E.**, l'Impero Britannico; **a business e.**, un impero commerciale **2** (*fig.*) ambito esclusivo, regno: **The kitchen is her e.**, la cucina è il suo regno **3** ▯ potere supremo; autorità assoluta Ⓑ a. attr. (*anche* E.) stile impero; impero: **E. style**, stile impero; (*sartoria*) **e. line**, linea impero ● **e.-builder**, persona che contribuisce alla creazione o al rafforzamento di un impero; (*fig.*) persona che cerca di crearsi una posizione di potere (*all'interno di un'organizzazione*) □ (*in GB*, *stor.*) **E. Day**, la Festa dell'Impero (*il secondo lunedì di marzo: sostituita nel 1958 dal Commonwealth Day*) □ (*fam.*, *USA*) **the E. State**, lo Stato di New York.

empiric /ɛm'pɪrɪk/ Ⓐ a. → **empirical** Ⓑ n. **1** empirista **2** medicastro; ciarlatano.

empirical /ɪm'pɪrɪkl/ a. empirico: **e. evidence**, prove empiriche; **the e. method**, il metodo empirico; (*chim.*) **e. formula**, formula empirica | **-ly** avv.

empiricism /ɪm'pɪrɪsɪzəm/ (*filos.*) n. ▯ empirismo ‖ **empiricist** n. empirista.

emplacement /ɪm'pleɪsmənt/ n. **1** ▯ collocazione; ubicazione **2** (*mil.*) postazione, piazzola (*di cannone, mitragliatrice, ecc.*).

to **emplane** /ɪm'pleɪn/ Ⓐ v. i. salire a bordo d'un aereo Ⓑ v. t. far salire (*o* imbarcare) su un aereo.

employ /ɪm'plɔɪ/ n. impiego; occupazione ● **to be in sb.'s e.**, essere alle dipendenze di q.

♦to **employ** /ɪm'plɔɪ/ v. t. **1** (*form.*) impiegare; adoperare; usare: *Four cameras were employed to film that scene*, per filmare quella scena furono impiegate quattro cineprese **2** (*fin.*) impiegare (*capitali, ecc.*) **3** (*econ.*) dare lavoro a; impiegare; occupare; assumere: *That firm employs hundreds of lawyers*, quella ditta dà lavoro a centinaia di avvocati; *He is employed as a chef in a restaurant*, lavora come capocuoco in un ristorante; **to be employed by sb.**, essere alle dipendenze di q.; essere assunto da q.; **to be employed in industry**, lavorare (*o* essere occupato) nell'industria **4** (generalm. al passivo) occupare; impegnare: **to be employed in doing st.**, essere occupato a fare qc. ‖ **employable** a. **1** impiegabile; utilizzabile **2** che può essere assunto; idoneo al lavoro.

♦**employee** /ɛmplɔɪ'iː/ n. (*econ.*) impiegato; dipendente: *The firm has three hundred employees*, la ditta ha trecento dipendenti ● (*ind.*) **e. benefit plan**, piano previdenziale (*per i dipendenti*) □ (*fin.*) **e. shareholding**, azionariato operaio.

♦**employer** /ɪm'plɔɪə(r)/ Ⓐ n. **1** (*econ.*) datore di lavoro; principale **2** chi impiega (*qc.*); chi fa uso (*di qc.*) Ⓑ a. attr. (*econ.*) padronale; datoriale ● **employers' association**, associazione di datori di lavoro; sindacato datoriale □ **e.'s liability**, responsabilità civile del datore di lavoro □ (*econ.*) **e.'s surplus**, rendita del datore di lavoro.

♦**employment** /ɪm'plɔɪmənt/ n. **1** ▯ occupazione; impiego; lavoro: **female e.**, l'occupazione femminile; **paid e.**, lavoro retribuito; **to find e.**, trovare un'occupazione; **to be in full-time e.**, essere occupato a tempo pieno; **a policy of full e.**, una politica di piena occupazione **2** ▯ (*anche fin.*) impiego; uso: **the e. of capital in industry**, l'impiego di capitali nell'industria **3** occupazione; attività ● **e. agency** (*o* **e. bureau**), agenzia di collocamento □ **e. card**, libretto di lavoro □ (*econ.*) **e. cost**, costo del lavoro (*o* della manodopera) □ (*stor.*, *in GB*) **e. exchange**, ufficio di collocamento □ (*econ.*) **e. index**, indice dell'occupazione □ (*org. az.*) **e. manager**, capo dell'ufficio assunzioni □ (*in GB*) **e. office**, ufficio di collocamento governativo □ (*leg.*) **e. protection**, la tutela dei lavoratori □ (*stat.*) **e. rate**, tasso d'occupazione.

emporium /ɛm'pɔːrɪəm/ n. (pl. **emporiums**, **emporia**) emporio; centro (*o* base) commerciale.

to **empower** /ɪm'paʊə(r)/ v. t. **1** conferire poteri a; concedere autorità a **2** autorizzare; dare facoltà a: *The President of the United States is empowered to veto legislation*, il Presidente degli Stati Uniti ha facoltà di porre il veto alle leggi del Congresso **3** rendere autonomo e responsabile; conferire autonomia e responsabilità a; dare potere a.

empowerment /ɪm'paʊəmənt/ n. ▯ **1** conferimento di poteri; autorizzazione **2** (il) diventare autonomo e responsabile; conquista dell'autonomia e della responsabilità; responsabilizzazione; acquisizione di potere (*da parte di un gruppo*).

empress /'ɛmprɪs/ n. imperatrice.

emptily /'ɛm(p)təlɪ/ avv. in modo vacuo; con sguardo assente.

emptiness /'ɛm(p)tɪnəs/ n. ▯ **1** vuoto: **a feeling of e.**, un senso di vuoto **2** vuotaggine; vacuità; vanità; futilità.

emption /'ɛm(p)ʃn/ n. (*leg.*) acquisto; compera: **right of e.**, diritto d'acquisto.

emptor /'ɛm(p)tə(r)/ (*lat.*) n. (*leg.*) acquirente; compratore.

♦**empty** /'ɛm(p)tɪ/ Ⓐ a. **1** vuoto: **an e. house**, una casa vuota; **e. cups**, tazze vuote **2** (*fig.*) vuoto; vacuo; vano; inutile: **e. words**, parole vuote; **e. promises**, promesse vane; **e. threats**, vane minacce; *My life felt e.*, la mia vita mi pareva vuota **3** (*di posto, ecc.*) vacante; libero **4** – **e. of**, privo di; senza: **e. of traffic**, privo di traffico; **a room e. of furniture**, una stanza senza mobili **5** (*mat.*) vuoto Ⓑ n. (recipiente, imballaggio, ecc.) vuoto: **to return the empties**, restituire i vuoti ● **e.-handed**, a mani vuote (*anche fig.*) □ **e.-headed**, sciocco □ (*ferr.*) **e. journey**, percorso a vagone vuoto □ (*fam.*) **e.-nester**, genitore con i figli grandi usciti di casa □ (*comput.*) **e. string**, stringa vuota □ **e. weight**, peso a vuoto (*di un veicolo*) □ (*ling.*) **e. word**, parola priva di significato ma con una funzione grammaticale □ **on an e. stomach**, a stomaco vuoto; a digiuno.

to **empty** /'ɛm(p)tɪ/ Ⓐ v. t. **1** vuotare; svuotare: **to e. one's glass**, vuotare il bicchiere; **to e. (out) one's pockets**, vuotarsi le tasche; **to e. a bucket into a tank**, svuotare un secchio (*o* versare il contenuto di un secchio) in una cisterna; *The house had been emptied of all its furniture*, la casa era stata sgombrata di tutti i mobili **2** versare, rovesciare (*il contenuto di qc.*); svuotare: *He emptied out the contents of his suitcase*, svuotò la valigia **3** (*fig.*) svuotare; privare: **to e. a sentence of all meaning**, svuotare una frase di ogni significato Ⓑ v. i. **1** vuotarsi: *The piazza emptied in no time*, la piazza si vuotò in un baleno **2** (*anche* **to empty out**) (*dell'acqua*) scaricarsi; defluire **3** (*di fiume*) sboccare; sfociare: *The Po river empties* (*itself*) *into the Adriatic sea*, il Po sfocia nel mare Adriatico.

to **empurple** /ɛm'pɜːpl/ Ⓐ v. t. rendere viola (*o* paonazzo) Ⓑ v. i. diventare viola (*o* paonazzo).

empyema /ɛmpaɪ'iːmə/ n. ▯ (*med.*) empiema.

empyrean /ɛmpaɪ'riːən/ a. e n. empireo ‖ **empyreal** a. empireo.

em rule /'ɛmruːl/ loc. n. (*tipogr.*) tratto lungo; lineetta lunga.

EMS sigla **1** (*econ.*, *fin.*, **European Monetary System**) Sistema monetario europeo (abbr. SME): **EMS exchange rates**, (quotazioni dei) cambi SME **2** (*med.*, **emergency medical service**) pronto soccorso medico.

emu /'iːmjuː/ n. (*zool.*, *Dromiceius novae-hollandiae*) emù.

EMU /'iːmjuː/ sigla (**European Monetary Union**) Unione monetaria europea.

to **emulate** /'ɛmjʊleɪt/ v. t. (*anche comput.*) emulare ‖ **emulation** n. ▯ (*anche comput.*) emulazione: (*comput.*) **terminal emulation**, emulazione di terminale; (*comput.*) **emulation software**, software di emulazione ‖ **emulative** a. d'emulazione; emulativo ‖ **emulator** n. **1** emulatore; emulo **2** (*comput.*) emulatore.

emulous /'ɛmjʊləs/ a. **1** competitivo; rivale **2** – **e. of**, che cerca di emulare (*q.*, *qc.*).

to **emulsify** /ɪ'mʌlsɪfaɪ/ Ⓐ v. t. emulsionare Ⓑ v. i. emulsionarsi ‖ **emulsifiable** a. emulsionabile ‖ **emulsification** n. ▯ (*chim.*) emulsificazione ‖ **emulsifier** n. (*chim.*) emulsionante.

emulsion /ɪ'mʌlʃn/ n. ▯◦ emulsione ● (*tecn.*) **e. paint**, pittura a emulsione ‖ **emulsive** a. emulsivo.

emunctory /ɪ'mʌŋktərɪ/ a. e n. (*anat.*)

(organo) emuntorio.

en /ɛn/ n. **1** enne; lettera n **2** (*tipogr.*) quadratino ● (*tipogr.*) **en dash**, trattino.

♦to **enable** /ɪˈneɪbl/ v. t. **1** permettere a; rendere possibile a; mettere in grado (*o in condizione*) di; consentire a: **a device which enables you to see in the dark**, uno strumento che permette di vedere al buio; *These measures will e. us to make considerable savings*, queste misure ci consentiranno di risparmiare notevolmente **2** (*leg.*) autorizzare; consentire; dare diritto a; dare il permesso a **3** (*comput.*) abilitare; attivare: **to e. a terminal for login**, abilitare un terminale all'accesso; **read e. signal**, segnale di abilitazione alla lettura ‖ **enabler** n. persona o cosa che permette, che mette in grado.

enabling /ɪˈneɪblɪŋ/ a. **1** che permette; che mette in grado **2** (*leg.*) che conferisce il potere (*di fare qc.*): **e. act**, legge che conferisce poteri specifici a una persona o un ente; (*in USA, anche*) legge che regola l'adesione di un territorio all'Unione (*autorizzandolo a stendere una costituzione*); (*leg., GB*) **e. act of Parliament**, legge che conferisce poteri legislativi a un ente; legge delega **3** (*comput.*) di abilitazione, di attivazione: **e. signal**, segnale di abilitazione.

to **enact** /ɪˈnækt/ v. t. **1** adottare (*una misura, ecc.*); mettere in atto (*un programma, ecc.*) **2** (*leg.*) approvare, convertire in legge (*un disegno di legge*); emanare, promulgare (*un decreto, una legge*): **enacting clause**, formula di promulgazione di una legge **3** mettere in atto; rappresentare; recitare; (*al passivo, anche*) aver luogo, accadere, svolgersi: **to e. ancient rituals**, rappresentare antichi riti; *A curious drama was being enacted before us*, davanti a noi si stava rappresentando un curioso dramma **4** (*teatr.*) interpretare, recitare (*una parte*) ‖ **enaction** → **enactment**, *def. 1*.

enactment /ɪˈnæktmənt/ n. **1** ⓤ (*leg.*) emanazione; approvazione; conversione in legge **2** (*leg.*) legge; decreto **3** ⓤ rappresentazione; (*anche psic.*) messa in atto.

enallage /ɛˈnælədʒi/ n. (*ling., retor.*) enallage.

enamel /ɪˈnæml/ n. **1** (*tecn.*) smalto **2** oggetto smaltato; lacca **4** (*anat.*) smalto (*dei denti*) **5** (*antiq.*) smalto (*da unghie*).

to **enamel** /ɪˈnæml/ v. t. smaltare; decorare a smalto ‖ **enameller**, (*USA*) **enameler** n. smaltatore, smaltatrice ‖ **enamelling**, (*USA*) **enameling** n. ⓤ smaltatura; (decorazione a) smalto.

enamelled, (*USA*) **enameled** /ɪˈnæməld/ a. smaltato; rivestito di smalto.

enamelware /ɪˈnæməlweə(r)/ n. ⓤ stoviglie (pl.) smaltate.

enamelwork /ɪˈnæməlwɜːk/ n. ⓤ smaltatura; lavori (pl.) a smalto.

to **enamor** /ɪˈnæmə(r)/ (*USA*) → **to enamour**.

to **enamour** /ɪˈnæmə(r)/ v. t. innamorare; affascinare ● **to be enamoured of sb.** [st.], essere innamorato di q. [qc.] □ **to become enamoured**, innamorarsi.

enantiomer /ɛnˈæntɪəmə(r)/ n. (*fis.*) enantiomero.

enantiomorphism /ɛnæntɪəˈmɔːfɪzəm/ (*scient.*) n. ⓤ enantiomorfismo ‖ **enantiomorphic** a. enantiomorfo.

enarthrosis /ɛnɑːˈθrəʊsɪs/ n. (pl. **enarthroses**) ⓤⓒ (*anat.*) enartrosi.

en bloc /ɒnˈblɒk/ (*franc.*) loc. avv. in blocco; in massa.

to **encage** /ɪnˈkeɪdʒ/ v. t. ingabbiare; (*fig.*) rinchiudere.

to **encamp** /ɪnˈkæmp/ v. t. e i. (*mil.*) accampare, accamparsi.

encampment /ɪnˈkæmpmənt/ n. **1** accampamento; campo **2** ⓤ (l')accamparsi.

encapsulant /ɪnˈkæpsjʊlənt/ n. ⓤ (*tecn.*) materiale per incapsulare.

to **encapsulate** /ɪnˈkæpsjʊleɪt/ Ⓐ v. t. **1** incapsulare **2** (*fig.*) contenere «in nuce»; racchiudere Ⓑ v. i. incapsularsi ‖ **encapsulation** n. ⓤⓒ incapsulamento.

to **encase** /ɪnˈkeɪs/ v. t. **1** chiudere in un astuccio (*o in una cassa*) **2** racchiudere; ricoprire **3** cingere; avvolgere; circondare.

to **encash** /ɪnˈkæʃ/ v. t. (*GB*) **1** (*comm., banca*) incassare (*un assegno, ecc.*) **2** (*fin., rag.*) convertire in contanti; realizzare (*un credito, ecc.*) ‖ **encashment** n. ⓤ **1** (*comm., banca*) incasso **2** (*fin., rag.*) realizzazione; realizzo.

encaustic /ɪnˈkɔːstɪk/ Ⓐ n. ⓤ (*arte*) (tecnica dell')encausto; encaustica Ⓑ a. **1** (*arte*) encaustico; a encausto **2** decorato a fuoco: **e. tile**, piastrella decorata a fuoco.

encephalic /ɛnsɪˈfælɪk/ a. (*anat.*) encefalico.

encephalitis /ɛnsefəˈlaɪtɪs/ (*med.*) n. ⓤ encefalite: **e. lethargica**, encefalite letargica ‖ **encephalitic** a. encefalitico.

encephalogram /ɛnˈsefələgræm/ n. (*med.*) encefalogramma.

encephalography /ɛnsefəˈlɒgrəfɪ/ n. ⓤ (*med.*) encefalografia.

encephalomyelitis /ɛnsefələʊmaɪəˈlaɪtəs/ n. ⓤ (*med.*) encefalomielite.

encephalon /ɛnˈsefəlɒn/ n. (pl. **encephala**) (*anat.*) encefalo.

encephalopathy /ɛnsefəˈlɒpəθɪ/ n. ⓤ (*med.*) encefalopatia.

to **enchain** /ɪnˈtʃeɪn/ (*anche fig.*) v. t. incatenare ‖ **enchainment** n. ⓤ incatenamento.

to **enchant** /ɪnˈtʃɑːnt/ v. t. **1** incantare; affascinare; ammaliare: *Mary was enchanted with the idea*, Mary trovò l'idea affascinante **2** mettere sotto incantesimo; fare un incantesimo a; stregare; affatturare: **an enchanted garden**, un giardino incantato.

enchanter /ɪnˈtʃɑːntə(r)/ n. incantatore; mago.

enchanting /ɪnˈtʃɑːntɪŋ/ a. incantevole; affascinante.

enchantment /ɪnˈtʃɑːntmənt/ n. **1** ⓤ incanto; fascino; malia **2** incantesimo; sortilegio; fattura.

enchantress /ɪnˈtʃɑːntrɪs/ n. **1** incantatrice; maga **2** (*fig.*) ammaliatrice; donna affascinante; maliarda.

to **enchase** /ɪnˈtʃeɪs/ v. t. **1** cesellare (*un metallo*); lavorare a sbalzo **2** incastonare (*una gemma*).

enchilada /ɛntʃɪˈlɑːdə/ n. (*slang USA*) – (solo nelle loc.) **big e.**, pezzo grosso; gran capo; **the whole e.**, tutto quanto; tutta la faccenda.

to **encipher** /ɪnˈsaɪfə(r)/ v. t. (*anche comput.*) cifrare; mettere in cifra; codificare ‖ **encipherment** n. cifratura; codifica.

to **encircle** /ɪnˈsɜːkl/ v. t. **1** circondare; cingere; attorniare **2** (*mil.*) accerchiare ‖ **encirclement** n. ⓤ **1** il circondare **2** (*mil.*) accerchiamento.

encl. abbr. (**enclosure**) allegato (all.).

to **enclasp** /ɪnˈklɑːsp/ v. t. (*form.*) abbracciare; stringere al petto.

enclave /ˈenkleɪv/ n. (*polit.*) enclave (*anche fig.*); oasi territoriale.

enclisis /ɛnˈklɪsɪs/ n. ⓤ (*ling.*) enclisi.

enclitic /ɛnˈklɪtɪk/ (*gramm.*) Ⓐ a. enclitico Ⓑ n. enclitica.

to **enclose** /ɪnˈkləʊz/ v. t. **1** circondare; cingere; recingere; racchiudere: **to e. a fruit garden with a fence**, circondare un orto

con uno steccato **2** (*stor., in GB*) recingere (*terreni comuni, rendendoli proprietà privata*; → **enclosure**, *def. 1*) **3** accludere; allegare; unire: *We e. a cheque for two hundred dollars*, si allega un assegno di duecento dollari **4** (*relig.*) mettere in clausura.

enclosed /ɪnˈkləʊzd/ a. **1** racchiuso; cinto; recintato: **an e. car park**, un parcheggio recintato; **an e. natural harbour**, un porto naturale protetto **2** (*stor., in GB*) recintato (→ **enclosure**, *def. 1*) **3** limitato; chiuso; ristretto; angusto: **an e. space**, uno spazio ristretto **4** accluso; allegato: *Please fill in the e. application form*, si prega di compilare l'accluso modulo di domanda **5** (*fig.*) chiuso; isolato; appartato: **an e. group**, un gruppo chiuso **6** (*relig.*) di clausura: **e. order**, ordine di clausura.

enclosure /ɪnˈkləʊʒə(r)/ n. **1** ⓤ chiusura; recinzione: (*stor., in GB*) **e. of common land**, enclosure; recinzione di terre già appartenute alla comunità ❶ CULTURA • **enclosure**: *tra il 1760 e il 1830 il Parlamento britannico approvò gli* Enclosure Acts, *una serie di leggi che stabilivano la recinzione, da parte dei proprietari terrieri, delle terre fino ad allora di uso comune. La conseguenza vistosa di questo processo fu la pressoché totale scomparsa delle coltivazioni in comune e l'impoverimento dei piccoli contadini a favore dei grandi possidenti* **2** recinto; muro di cinta; steccato **3** terreno cintato; proprietà privata **4** allegato: *Don't forget to send the enclosures with the letter*, non dimenticare di spedire gli allegati con la lettera **5** (*tecn.*) alloggiamento; contenitore; involucro; scatola **6** ⓤ (*relig.*) clausura.

to **encode** /ɪnˈkəʊd/ v. t. **1** mettere in cifra, cifrare (*un messaggio, ecc.*) **2** (*comput.*) codificare ‖ **encoder** n. (*comput., ling.*) codificatore ‖ **encoding** n. (*comput., ling.*) codifica.

encomiast /ɪnˈkəʊmiæst/ n. encomiasta; encomiatore, encomiatrice ‖ **encomiastic**, **encomiastical** a. encomiastico; elogiativo.

encomium /ɪnˈkəʊmiəm/ n. (pl. **encomiums**, **encomia**) encomio; panegirico.

to **encompass** /ɪnˈkʌmpəs/ v. t. **1** racchiudere; includere; comprendere; abbracciare **2** (*arc.*) causare, determinare (*qc. di spiacevole*).

encore /ˈɒŋkɔː(r)/ Ⓐ inter. bis! Ⓑ n. **1** bis: **to give an e.**, concedere (*o dare*) il bis **2** richiesta di un bis: *The pianist got an e.*, al pianista fu chiesto il bis.

to **encore** /ˈɒŋkɔː(r)/ Ⓐ v. i. concedere il bis Ⓑ v. t. eseguire come bis.

encounter /ɪnˈkaʊntə(r)/ n. **1** incontro (*casuale o improvviso*): **a close e.**, un incontro ravvicinato **2** scontro; combattimento; faccia a faccia: **an e. with death**, un faccia a faccia con la morte ● (*psic.*) **e. group**, gruppo di incontro.

♦to **encounter** /ɪnˈkaʊntə(r)/ v. t. e i. **1** incontrare; imbattersi in: **to e. an old friend**, incontrare un vecchio amico; **to e. difficulties**, incontrare difficoltà **2** affrontare; scontrarsi con: **to e. the enemy**, scontrarsi con il nemico.

♦to **encourage** /ɪnˈkʌrɪdʒ/ v. t. **1** incoraggiare; incitare **2** incoraggiare; favorire; promuovere; stimolare: **to e. economic recovery**, favorire la ripresa dell'economia ‖ **encouragement** n. ⓤⓒ incoraggiamento ‖ **encourager** n. incoraggiatore, incoraggiatrice.

♦**encouraging** /ɪnˈkʌrɪdʒɪŋ/ a. incoraggiante: *«Have some wine», the March Hare said in an e. tone'* L. CARROLL, «prendi un po' di vino!», disse la Lepre Marzolina in tono incoraggiante' ‖ **-ly** avv.

to **encroach** /ɪnˈkrəʊtʃ/ v. i. **1** intromettersi in; introdursi in; abusare di; invadere: **to e. upon other people's land**, invadere (*o*

occupare illegalmente) terre altrui; **to e. on sb.'s time**, abusare del tempo di q. **2** (*leg.*) ledere, violare; usurpare: **to e. upon sb.'s rights**, usurpare i diritti di q. ● (*del mare*) **to e. upon the land**, invadere la spiaggia ‖ **encroacher** n. **1** (*leg.*) usurpatore, usurpatrice **2** intruso, intrusa ‖ **encroachment** n. CU **1** abuso; invasione (*di proprietà privata*) **2** (*leg.*) violazione (*in particolare, del diritto di proprietà altrui*).

to **encrust** /ɪnˈkrʌst/ A v. t. **1** incrostare **2** ricoprire, rivestire, adornare fittamente di (*gioielli, ecc.*) B v. i. incrostarsi ‖ **encrustation** n. UC incrostazione.

to **encrypt** /ɪnˈkrɪpt/ (*tel.*) v. t. criptare; cifrare ‖ **encrypted** a. criptato; cifrato ‖ **encryption** n. **1** (*tel.*) criptare; criptaggio; cifratura **2** crittografia.

enculturation /ɛnkʌltʃəˈreɪʃn/ n. ◻ (*sociol.*) inculturazione.

to **encumber** /ɪnˈkʌmbə(r)/ v. t. **1** ingombrare; impacciare (*i movimenti, ecc.*); ostacolare; intralciare: *This old furniture encumbers the room*, questi vecchi mobili ingombrano la stanza **2** imbarazzare; gravare: **to be encumbered with debts**, essere gravato di debiti.

encumbrance /ɪnˈkʌmbrəns/ n. **1** ingombro; impaccio; ostacolo; impedimento; intralcio **2** gravame; carico; onere **3** (*leg.*) carico ipotecario **4** (*fin., rag.*) impegno di spesa **5** (*arc.*) persona (*spec.* figlio) a carico.

ency. abbr. (**encyclopaedia**) enciclopedia.

encyclical /ɪnˈsɪklɪkl/, **encyclic** /ɪnˈsɪklɪk/ A a. enciclico B n. (*relig.*) enciclica.

encyclopedia, **encyclopaedia** /ɪnsaɪkləˈpiːdɪə/ n. enciclopedia.

encyclopedic, **encyclopaedic** /ɪnsaɪkləˈpiːdɪk/ a. enciclopedico.

encyclopedism, **encyclopaedism** /ɪnsaɪkləˈpiːdɪzəm/ n. ◻ enciclopedismo.

encyclopedist, **encyclopaedist** /ɪnsaɪkləˈpiːdɪst/ n. collaboratore di un'enciclopedia ● (*stor.*) **the Encyclopaedists**, gli Enciclopedisti.

to **encyst** /ɛnˈsɪst/ (*scient.*) A v. t. incistare B v. i. incistarsi ‖ **encystation**, **encystment** n. UC incistamento.

♦to **end** /ɛnd/ A n. **1** fine; conclusione; termine: **the end of the day** [**of the year**], la fine del giorno [dell'anno]; **the end of a story** [**of a friendship**], la fine di un racconto [di un'amicizia]; *There will be no end to this work*, questo lavoro non avrà mai fine; **to bring to an end**, portare a termine; concludere; **to put an end to**, metter fine a; porre termine a; **to come to an end**, finire; terminare; giungere alla fine; cessare **2** estremità; fine; capo: **the end of a road**, la fine di una strada; **the lower end of a pole**, l'estremità inferiore d'un palo; **the two ends of a rope**, i due capi di una corda; **the other end of the world**, l'altro capo del mondo; *The stick had a hook at one end*, il bastone aveva un gancio a un'estremità; **from end to end**, da un'estremità all'altra; da un capo all'altro **3** mozzicone; residuo: **cigarette ends**, mozziconi di sigarette; cicche **4** rovina; fine; morte: **to meet one's end**, incontrare la morte; *You'll be the end of me!*, tu mi farai morire! **5** parte (*di un'attività, una situazione, ecc.*); lato; settore; versante: **the promotional end of an operation**, la parte promozionale di un'operazione; **our end of the bargain**, la nostra parte dell'accordo; **at the higher end of the price range**, nella parte superiore della gamma dei prezzi; *What's new your end?*, che novità ci sono da quelle parti? **6** (*telef.*, = **end of the line**) capo del filo: *There was a moment's silence at the other end*, all'altro capo del filo ci fu un attimo di silenzio **7** (*sport*) (parte del)

campo (*difeso da una squadra*); metà campo: **to change ends**, fare il cambio di campo; cambiare campo; **to choose ends**, scegliere il campo **8** fine; intento; scopo: **to further one's own ends**, raggiungere il proprio intento; **to this end**, a questo scopo **9** (*fam.*, solo come pred.) – **the end**, cosa (o persona) che non ha eguali (*in positivo o in negativo*); il massimo: *You really are the end!*, sei impagabile! **10** (*fam.*, solo come pred.) – **the end**, il limite; il colmo: *This is the end!*, è il colmo!; questo è troppo!; *That was the absolute end!*, quello fu proprio il colmo **11** (al pl.) (*slang USA*) scarpe **12** (al pl.) (*slang USA*) soldi; quattrini B a. attr. terminale; finale; conclusivo; di arrivo; estremo; in fondo: **end result**, risultato finale; **end user**, utente finale; consumatore finale; **the end house**, la casa in fondo ● (*anat.*) **end bulb**, bulbo terminale ◻ **to be an end in itself**, essere fine a se stesso; essere l'unico scopo ◻ (*sport*) **end line**, linea di fondo (o di fondocampo) ◻ **the end of the line**, la capolinea (*di tram, ecc.*); (*fig.*) la fine, il capolinea, il limite della sopportazione, lo stremo ◻ **the end of the matter**, il risultato finale; la conclusione ◻ (*fig.*) **the end of the road**, la destinazione finale; il punto di arrivo (→ **the end of the line**) ◻ **the end of one's tether** (*o, USA*, **rope**), lo stremo: *I had reached* (*o I was at*) *the end of my tether*, avevo raggiunto il limite; non ne potevo più; la mia pazienza era agli sgoccioli ◻ **end-of-season**, di fine stagione ◻ (*fam. fig.*) **the end of the world**, la fine del mondo; un disastro; una tragedia ◻ **end-of-year**, di fine anno: *I'll do my best to pass the end-of-year exams*, farò del mio meglio per passare gli esami di fine anno ◻ **end on**, con l'estremità rivolta verso chi guarda; di fronte; frontalmente; (*anche, di più oggetti*) con le estremità che si toccano, in fila ◻ (*zool.*) **end plate**, placca motrice ◻ (*mecc.*) **end play**, gioco assiale ◻ **end-point**, punto finale (*anche chim.*); punto di arrivo ◻ (*econ.*) **end product**, prodotto finito ◻ **end result**, risultato finale ◻ **end-to-end**, con le estremità che si toccano; testa a testa; in fila; (*comput.*) da utente a utente: **end-to-end control**, controllo da utente a utente ◻ (*fam.*) **all ends up**, completamente ◻ **to be at an end**, aver finito; essere finito; essere esaurito ◻ **at the end**, alla fine; in fondo ◻ (*fam.*) **at the end of the day**, alla fin fine; a conti fatti; in definitiva; alla fin della fiera ◻ (*fam.*) **at the end of it all**, alla fine (di tutto); in conclusione ◻ (*fam.*) **to be at a loose end** (*USA*: **at loose ends**), non avere nulla da fare; essere senza occupazione; ritrovarsi con le mani in mano ◻ **to be at one's wits' end**, non sapere a che santo votarsi; non sapere dove sbattere il capo ◻ **to come to a bad end**, fare una brutta fine ◻ **to go off the deep end**, uscir dai gangheri; fare una scenata ◻ (*anche fig.*) **to go to the ends of the earth**, andare in capo al mondo ◻ **in the end**, alla fine; in conclusione ◻ (*fam.*) **to keep one's end up**, comportarsi bene (*in una difficoltà*); tener duro; difendersi; resistere ◻ **not to know one end of st. from the other**, non intendersi affatto di q.; non avere la minima idea di come sia fatto qc.; non avere la più pallida idea di come fare qc.; non sapere dove mettere le mani ◻ (*fam.*) **to make an end of st.**, farla finita; chiudere la faccenda ◻ (*fam.*) **to make (both) ends meet**, far quadrare il bilancio familiare; arrivare alla fine del mese ◻ (*fam.*) **no end**, moltissimo; enormemente: *That cheered me up no end*, la cosa mi tirò enormemente su di morale ◻ (*fam.*) **no end of**, un mucchio; un sacco di; moltissimo: **no end of trouble**, un sacco di guai ◻ **on end**, (*rif. a oggetto*) diritto, ritto, in posizione verticale, in piedi; (*rif. a tempo*) senza interruzione, di seguito, di fila: *Place

the cases on end*, metti ritte le casse; *My hair stood on end*, mi si rizzarono i capelli; **for hours on end**, per ore e ore ◻ **to put an end to oneself**, togliersi la vita; uccidersi; farla finita (*fam.*) ◻ (*antiq.*) **to no end**, invano; inutilmente ◻ **without end**, senza fine; infinito; a non finire (*prov.*) **The end justifies the means**, il fine giustifica i mezzi.

♦to **end** /ɛnd/ A v. i. **1** finire; terminare; cessare; concludersi; chiudersi; andare a finire: *The war ended in 1990*, la guerra finì nel 1990; *The journey ends here*, il viaggio finisce qui; *How did it end?*, com'è finita?; com'è andata a finire?; *The concert ended at midnight*, il concerto terminò a mezzanotte; *He ended by refusing our offer*, finì col rifiutare la nostra offerta; *His life ended in poverty*, la sua vita finì in miseria; *Their marriage ended in divorce*, il loro matrimonio finì in un divorzio; *The match ended in a draw*, l'incontro si chiuse in pareggio **2** (*di strada*) – **to end in**, sbucare in; sboccare in; finire in **3** (*gramm.*) – **to end in**, terminare in: *Most abstract nouns end in -ness*, la maggior parte dei nomi astratti termina in -ness B v. t. finire; concludere; terminare; ultimare; porre fine a: *I ended the letter with my best wishes*, finii la lettera con i miei migliori saluti; **to end a discussion**, porre fine a una discussione ● **to end in smoke**, finire in fumo (*fig.*) ◻ **to end in tears**, finire in pianto; finire con qualcuno in lacrime ◻ (*fam.*) **to end it all**, finirla, farla finita (*con la vita*); suicidarsi.

■ **end in** v. i. + prep. **1** finire in; andare a finire in; concludersi con: *Their marriage ended in divorce*, il loro matrimonio finì in un divorzio; *The match ended in a draw*, l'incontro si chiuse in pareggio; **to end in smoke**, finire in fumo (*fig.*) **2** (*di una strada*) sbucare in; sboccare in; dare in; finire in **3** terminare in: *Most abstract nouns end in -ness*, la maggior parte dei nomi astratti termina in -ness.

■ **end off** v. t. + avv. concludere; finire: *He ended off his lecture with an anecdote*, concluse la conferenza con un aneddoto.

■ **end up** v. i. + avv. **1** finire; andare a finire; ritrovarsi: *You will end up in jail*, finirai in galera; *The car swerved off the road and ended up against a tree*, l'auto uscì di strada e finì contro un albero; *He ended up as the head of the business*, alla fine diventò il capo dell'azienda; *I ended up paying for everyone*, andò a finire che pagai io per tutti **2** concludersi: *Their expedition ended up in disaster*, la loro spedizione si concluse in un disastro.

to **endanger** /ɪnˈdeɪndʒə(r)/ v. t. rischiare; mettere in pericolo (o a repentaglio); compromettere: **to e. one's life**, rischiare la vita; **to e. one's health**, mettere in pericolo la propria salute; **to e. one's chances of being elected**, compromettere le proprie possibilità d'essere eletto.

endangered /ɪnˈdeɪndʒəd/ a. **1** in pericolo **2** (*ecol.*: *di una specie, ecc.*) in pericolo (o in via) d'estinzione.

en dash /ˈɛndæʃ/ → **en rule**.

to **endear** /ɪnˈdɪə(r)/ v. t. accattivare; rendere caro ● **to e. oneself to**, accattivarsi la benevolenza (o la simpatia) di; rendersi caro (o simpatico) a; farsi amico di: *The babysitter endeared herself to the children*, la babysitter si accattivò la simpatia dei bambini.

endearing /ɪnˈdɪərɪŋ/ a. affettuoso; dolce; gentile; tenero.

endearment /ɪnˈdɪəmənt/ n. **1** ◻ affetto; affettuosità; tenerezza **2** parola affettuosa; gesto affettuoso; affettuosità; carezza ● **term of e.**, appellativo affettuoso; vezzeggiativo. ● NOTA: *diminutive, pejorative, terms of endearment* → **diminutive**.

endeavour, (USA) **endeavor** /ɪnˈdɛvə(r)/ n. **1** sforzo; tentativo: *We're making every e. to curb inflation*, facciamo ogni sforzo per frenare l'inflazione **2** ▣ impegno tenace **3** impresa.

to **endeavour**, (USA) to **endeavor** /ɪnˈdɛvə(r)/ v. i. sforzarsi; adoperarsi; tentare: **to e. to do st.**, sforzarsi di fare qc.

endemic /ɛnˈdɛmɪk/ ▲ a. **1** (biol.) endemico; tipico di una zona (o di una popolazione) **2** (med.) endemico ▣ n. (med., biol.) malattia (o pianta) endemica ● **e. disease**, endemia ‖ **endemicity** n. ▣ (med.) endemicità ‖ **endemism** n. ▣ (biol.) endemismo.

endergonic /ɛndəˈgɒnɪk/ a. (biochim.) endoergonico.

endermic /ɛnˈdɜːmɪk/, **endermical** /ɛnˈdɜːmɪkl/ a. (med.) endermico.

endgame /ˈɛndgeɪm/ n. (scacchi) fine partita.

ending /ˈɛndɪŋ/ n. **1** fine; finale; conclusione; epilogo: **to have a happy e.**, essere a lieto fine; finire bene; *I thought the e. was a little disappointing*, penso che il finale sia stato un po' deludente **2** terminazione; estremità: **nerve e.**, terminazione nervosa **3** (gramm.) terminazione; desinenza.

endive /ˈɛndaɪv/ n. ▣ (bot.) **1** (*Cichorium endivia*) indivia **2** (USA, = **Belgian e.**, *Cichorium intybus*) cicoria; insalata belga.

endless /ˈɛndləs/ a. **1** senza fine; infinito; sconfinato; sterminato; interminabile: *This will save e. trouble*, questo ci risparmierà infiniti guai; **an e. speech**, un discorso interminabile **2** continuo; incessante: **e. reproaches**, rimproveri continui **3** (mecc.) continuo; senza fine: **e. screw**, vite senza fine; **an e. belt**, un nastro continuo | **-ly** avv. | **-ness** n. ▣.

endmost /ˈɛndməʊst/ a. (il) più vicino all'estremità; finale; ultimo.

endnote /ˈɛndnɔːt/ n. nota finale, nota di chiusura (*di un libro o capitolo*).

endocardial /ɛndəʊˈkɑːdɪəl/ a. endocardico.

endocarditis /ɛndəʊkɑːˈdaɪtɪs/ n. ▣ (med.) endocardite.

endocardium /ɛndəʊˈkɑːdɪəm/ n. ▣ (pl. **endocardia**) (anat.) endocardio.

endocarp /ˈɛndəʊkɑːp/ n. ● (bot.) endocarpo.

endocentric /ɛndəʊˈsɛntrɪk/ a. (ling.) endocentrico.

endocranium /ɛndəʊˈkreɪnɪəm/ (anat.) n. (pl. **endocrania**) endocranio ‖ **endocranial** a. endocranico.

endocrinal /ɛndəʊˈkraɪnl/ a. (anat.) endocrino.

endocrine /ˈɛndəkraɪn/ ▲ a. (anat.) endocrino ▣ n. **1** (anat.) ghiandola endocrina **2** (fisiol.) secrezione endocrina.

endocrinology /ɛndəʊkraɪˈnɒlədʒɪ/ (med.) n. ▣ endocrinologia ‖ **endocrinological** a. endocrinologico ‖ **endocrinologist** n. endocrinologo.

endocytosis /ɛndəʊsaɪˈtəʊsɪs/ n. ▣ (biol.) endocitosi.

endoderm /ˈɛndəʊdɜːm/ (biol.) n. ▣ endoderma ‖ **endodermal** a. endodermico.

endodermis /ɛndəʊˈdɜːmɪs/ n. ▣ (bot.) endoderma.

endogamy /ɛnˈdɒgəmɪ/ (biol., etnol.) n. ▣ endogamia ‖ **endogamous** a. endogamo.

endogenesis /ɛndəʊˈdʒɛnəsɪs/ n. ▣ (biol., geol.) endogenesi.

endogenic /ɛndəʊˈdʒɛnɪk/ a. (geol.) endogeno.

endogenous /ɛnˈdɒdʒənəs/ a. (biol., psic.) endogeno.

endogeny /ɛnˈdɒdʒənɪ/ n. ▣ (biol., geol., psic.) endogenesi.

endolymph /ˈɛndəʊlɪmf/ n. (anat.) endolinfa.

endometriosis /ɛndəʊmiːtrɪˈəʊsɪs/ n. ▣ (biol.) endometriosi.

endometritis /ɛndəʊmɪˈtraɪtɪs/ n. ▣ (med.) endometrite.

endometrium /ɛndəʊˈmiːtrɪəm/ n. ▣ (pl. **endometria**) (anat.) endometrio.

endomitosis /ɛndəʊmaɪˈtəʊsɪs/ n. ▣ (biol.) endomitosi.

endomorph /ˈɛndəʊmɔːf/ (geol., miner.) n. minerale endomorfo ‖ **endomorphic** a. endomorfo ‖ **endomorphism** n. ▣ endomorfismo.

endoparasite /ɛndəʊˈpærəsaɪt/ n. (biol.) endoparassita.

endophyte /ˈɛndəʊfaɪt/ (bot.) n. endofita ‖ **endophytic** a. endofitico.

endoplasm /ˈɛndəʊplæzəm/ (biol.) n. endoplasma ‖ **endoplasmic** a. endoplasmatico: **endoplasmic reticulum**, reticolo endoplasmatico.

endorphin /ɛnˈdɔːfɪn/ n. (biochim.) endorfina.

endorsable /ɪnˈdɔːsəbl/ a. (fin.) girabile.

to **endorse** /ɪnˈdɔːs/ v. t. **1** (anche fin.) attergare; firmare a tergo; girare; vistare: **to e. a cheque [a bill]**, girare un assegno [una cambiale]; **to e. a passport**, vistare un passaporto **2** (leg.) avallare **3** (fig.) sottoscrivere; approvare; appoggiare: **to e. the policy of the government**, approvare la politica del governo ● (autom., in GB) **to e. a driving licence**, annotare le infrazioni sulla patente di guida.

endorsee /ɛndɔːˈsiː/ n. (fin.) giratario.

endorsement /ɪnˈdɔːsmənt/ n. ▣ **1** (anche fin.) attergato; girata; visto: **blank e.**, girata in bianco; **qualified e.**, girata condizionata **2** (ass.) clausola aggiuntiva (in una polizza di assicurazione) **3** (autom., in GB) annotazione di un'infrazione grave (sulla patente) **4** (leg.) avallo **5** (fig.) approvazione; adesione; appoggio; sostegno: *In June 2001, The Times for the first time offered a clear e. of the Labour electoral campaign*, nel giugno del 2001, per la prima volta il 'Times' offrì un chiaro sostegno alla campagna elettorale laburista **6** pubblicità (fatta da un testimonial): **athlete e.**, utilizzo di un atleta come testimonial.

endorser /ɪnˈdɔːsə(r)/ n. **1** (fin.) girante **2** (leg.) avallante **3** (fig.) sottoscrittore; chi appoggia, chi approva (un programma, ecc.).

endoscope /ˈɛndəʊskəʊp/ (med.) n. endoscopio ‖ **endoscopic** a. endoscopico ‖ **endoscopy** n. ▣ endoscopia.

endoskeleton /ɛndəʊˈskɛlɪtn/ n. (anat.) endoscheletro.

endosperm /ˈɛndəʊspɜːm/ n. (bot.) endosperma.

endospore /ˈɛndəʊspɔː(r)/ n. (bot.) endospora.

endothelium /ɛndəʊˈθiːlɪəm/ n. (pl. **endothelia**) (anat.) endotelio.

endotherm /ˈɛndəʊθɜːm/ n. (zool.) endotermo.

endothermic /ɛndəʊˈθɜːmɪk/ a. (chim., fis.) endotermico.

endothermy /ɛndəʊˈθɜːmɪ/ n. ▣ (fisiol.) endotermia.

endotoxin /ɛndəʊˈtɒksɪn/ n. (biol.) endotossina.

endotracheal /ɛndəʊˈtreɪkɪəl/ a. (med.) endotracheale.

to **endow** /ɪnˈdaʊ/ v. t. **1** dotare; fare una donazione in perpetuo a; assegnare in lascito a: **to e. a charity**, fare una donazione a un ente benefico **2** dotare di fondi; sovvenzionare con una donazione; creare con una donazione un lascito: **to e. a ward in a hospital**, dotare di fondi il reparto di un ospedale; **to e. a pro-**

fessorship, fondare una cattedra universitaria (con una donazione o un lascito) **3** (fig.) dotare; provvedere; fornire: *He is endowed with an insatiable curiosity*, è dotato di una curiosità insaziabile **4** (arc.) provvedere di dote; dotare.

endowed /ɪnˈdaʊd/ a. **1** che gode di un lascito, di una sovvenzione; dotato di fondi; sovvenzionato: **a richly e. institution**, un'istituzione che gode di ricche donazioni **2** dotato.

endowment /ɪnˈdaʊmənt/ n. **1** ▣ assegnazione; donazione; lascito; sovvenzione: *This university has several endowments*, quest'università gode di diversi lasciti **2** (fig.) dote; talento naturale: **mental endowments**, doti intellettuali ● **e. fund**, fondo di dotazione (per i dipendenti) □ (ass.) **e. insurance**, assicurazione mista (caso di morte o capitale a scadenza fissa) □ (ass., in GB) **e. mortgage**, ipoteca legata a una polizza mista □ (ass.) **e. policy**, polizza mista.

endpaper /ˈɛndpeɪpə(r)/ n. (editoria) risguardo.

endurability /ɪndjʊərəˈbɪlətɪ, USA -dʊ-/ n. ▣ sopportabilità.

endurable /ɪnˈdjʊərəbl, USA -ˈdʊə-/ a. sopportabile; tollerabile | **-bly** avv.

endurance /ɪnˈdjʊərəns, USA -ˈdʊə-/ n. ▣ **1** sopportazione; tolleranza; pazienza; resistenza: *He has great powers of e.*, ha grandi capacità di resistenza **2** (mecc.) resistenza; durata: **e. test** (o **trial**), prova di durata; (autom., sport) prova (o gara) di resistenza **3** (aeron., naut.) autonomia **4** (sport) tenuta ● (mecc.) **e. limit**, limite di fatica □ **past** (o **beyond**) **e.**, insopportabile; intollerabile.

to **endure** /ɪnˈdjʊə(r), USA -ˈdʊə(r)/ ▲ v. t. sopportare; resistere a; soffrire; tollerare: **to e. suffering [pain]**, sopportare le sofferenze [il dolore]; **to e. torture**, resistere alla tortura; *I cannot e. the sight of blood*, non sopporto la vista del sangue; *I can't e. that man*, non posso soffrire quell'uomo ▣ v. i. **1** resistere; tener duro: *The defenders of Leningrad endured to the end*, i difensori di Leningrado resistettero fino all'ultimo **2** durare; permanere: *Dante's name will e. forever*, il nome di Dante durerà in eterno.

enduring /ɪnˈdjʊərɪŋ, USA -ˈdʊə-/ a. **1** durevole; duraturo; permanente: **e. fame**, fama duratura **2** paziente; resistente; tenace.

enduro /ɪnˈdjʊərəʊ, USA -ˈdʊə-/ n. (sport) enduro; gara di resistenza (per auto o moto).

endways /ˈɛndweɪz/, **endwise** /ˈɛndwaɪz/ avv. **1** testa contro testa; di faccia; di punta **2** in posizione verticale; per ritto **3** per il lungo.

Endymion /ɛnˈdɪmɪən/ n. (mitol.) Endimione.

ENE sigla (geogr., **east-north-east**) est-nord-est (ENE).

ENEA sigla (**European Nuclear Energy Agency**) Agenzia europea per l'energia nucleare; ENEA.

enema /ˈɛnəmə/ n. (pl. **enemas**, **enemata**) (med.) clistere; enteroclisma.

◆**enemy** /ˈɛnəmɪ/ ▲ n. **1** (anche fig.) nemico: *He has made a lot of enemies*, si è fatto molti nemici; **an e. of progress**, un nemico del progresso **2** – (col verbo al sing. o al pl.) **the e.** (il) nemico; (i) nemici: *The e. were (o was) advancing*, il nemico avanzava ▣ a. nemico; del nemico: **e. aircraft**, aerei nemici; **behind the e. lines**, dietro le linee nemiche; **to fall into e. hands**, cadere in mano al nemico ● **e. alien**, residente straniero di nazionalità nemica (in tempo di guerra) □ (mil.) **e. combatant**, combattente nemico □ **to be one's own worst e.**, essere il peggior nemico di se stesso □ (scherz., antiq.) **How goes the e.?**, che ora è?

energetic /ɛnəˈdʒɛtɪk/ a. **1** energico; at-

a b c d e f g h i j k l m n o p q r s t u v w x y z

tivo **2** (*fis.*) energetico | **-ally** avv.

energetics /ɛnəˈdʒɛtɪks/ n. pl. (col verbo al sing.) (*fis.*) energetica.

to **energize** /ˈɛnədʒaɪz/ v. t. **1** (*elettr.*) mettere sotto tensione; energizzare **2** infondere energia in; dare energia a; rinvigorire; stimolare || **energized** a. (*elettr.*) sotto tensione || **energizer** n. (*farm.*) energetico; energizzante.

♦**energy** /ˈɛnədʒɪ/ Ⓐ n. ⓊⒸ (*anche fis.*) energia: **potential e.**, energia potenziale; **electrical e.**, energia elettrica; **alternative sources of e.**, fonti di energia alternative; **to waste one's energies** sprecare le proprie energie Ⓑ a. attr. energetico; di energia: (*econ.*) **e. crisis**, crisi energetica; **e. level**, livello energetico; **e. budget**, bilancio energetico; **e. source**, fonte energetica (*o* di energia) ● **e. bars**, tavolette energetiche □ **e. drink**, bevanda energetica; bibita energetica (*anche med.*) **e.-giving**, energetico: **e.-giving food**, cibo energetico □ **e.-saving**, che fa risparmiare energia.

enervate /ˈɛnəveɪt/ a. snervato; debilitato; fiacco; molle.

to **enervate** /ˈɛnəveɪt/ v. t. snervare; debilitare; infiacchire || **enervating** a. che debilita; snervante || **enervation** n. Ⓤ debilitazione; infiacchimento; mollezza.

to **enface** /ɪnˈfeɪs/ v. t. (*comm.*) **1** scrivere, stampare (qc.) sul recto di una cambiale, un assegno, ecc. **2** munire (*il recto di una cambiale, ecc.*) di una dicitura a mano (*o* a stampa).

enfant terrible /ɒnˈfɒn tɛˈriːbl(ə)/ (*franc.*) loc. n. (pl. **enfants terribles**) enfant terrible.

to **enfeeble** /ɪnˈfiːbl/ v. t. indebolire; debilitare; infiacchire || **enfeeblement** n. Ⓤ indebolimento; debilitazione.

to **enfeoff** /ɪnˈfiːf/ (*stor.*) v. t. investire (q.) di un feudo; infeudare || **enfeoffment** n. Ⓤ investitura (*d'un feudo*); infeudamento; infeudazione.

enfilade /ɛnfɪˈleɪd/ n. Ⓒ Ⓤ **1** (*mil.*) tiro d'infilata **2** infilata (*di stanze, alberi, ecc.*).

to **enfilade** /ɛnfɪˈleɪd/ v. t. **1** (*mil.*) battere, colpire (*truppe, ecc.*) d'infilata **2** disporre in infilata (*stanze, alberi, ecc.*).

to **enfold** /ɪnˈfəʊld/ v. t. **1** avviluppare; avvolgere **2** abbracciare; stringere fra le braccia **3** piegare; disporre in pieghe.

to **enforce** /ɪnˈfɔːs/ v. t. **1** far osservare; far rispettare; far valere; applicare (*una legge, ecc.*): **to e. a rule** [**a truce**], far rispettare una regola [una tregua]; **to e. a right**, far valere un diritto **2** imporre; intimare; ingiungere: **to e. silence**, imporre il silenzio; **to e. obedience**, imporre l'obbedienza; farsi obbedire; **to e. one's will upon sb.**, imporre a q. la propria volontà **3** corroborare; avvalorare: **to e. one's argument with examples**, corroborare la propria tesi con esempi.

enforceable /ɪnˈfɔːsəbl/ a. **1** che si può far valere; che si può imporre; imponibile; esigibile: **e. rights**, diritti che si possono far valere; **e. standards of cleanliness**, livelli di igiene imponibili; **legally e.**, imponibile per legge **2** (*leg.*) esecutorio; esecutivo: **e. judgement**, sentenza esecutiva || **enforceability** n. imponibilità; esigibilità.

enforced /ɪnˈfɔːst/ a. forzato; obbligato; imposto: **a period of e. rest**, un periodo di riposo forzato || **enforcedly** avv. (*leg.*) forzatamente; coercitivamente.

enforcement /ɪnˈfɔːsmənt/ n. Ⓤ **1** (il) far valere; (il) far rispettare; applicazione: **the e. of rules** [**of antitrust legislation**], l'applicazione del regolamento [delle leggi contro i monopoli]; **law e.**, il far rispettare la legge; il mantenimento dell'ordine pubblico **2** imposizione: **the e. of a no-fly zone**, l'im-

posizione di una zona di interdizione al volo; **the e. of celibacy**, l'imposizione del celibato **3** (*leg.*) esecuzione forzata (*di un contratto*); esercizio coattivo (*di un diritto*).

to **enfranchise** /ɪnˈfræntʃaɪz/ v. t. **1** affrancare; emancipare; liberare (*schiavi, ecc.*) **2** (*polit.*) concedere il diritto di voto a: *In Italy, women were enfranchised in 1946*, in Italia le donne ottennero il diritto di voto nel 1946 || **enfranchisement** n. Ⓤ **1** affrancamento; emancipazione; liberazione (*di schiavi, ecc.*) **2** (*polit.*) concessione del diritto di voto ❶ NOTA: *-ise o -ize?* → **-ise**.

eng. abbr. **1** (**engine**) macchina **2** (*trasp.*, **engineer**) ingegnere; motorista; macchinista **3** (**engineering**) ingegneria **4** (*arte*, **engraved**) inciso **5** (*arte*, **engraver**) incisore (inc.).

Eng. abbr. **1** (**England**) Inghilterra **2** (**English**) inglese (ingl.).

♦to **engage** /ɪnˈgeɪdʒ/ Ⓐ v. t. **1** occupare; assorbire: *Angling would e. him for hours*, la pesca con la lenza lo assorbiva per ore **2** attirare; attrarre; impegnare: **to e. sb.'s attention**, attirare l'attenzione di q.; **to e. sb. in a discussion**, impegnare q. in una discussione; **to e. sb. in a conversation**, iniziare una conversazione con q.; attaccare discorso con q. **3** ingaggiare; assumere: **to e. sb. as a guide**, ingaggiare q. come guida; **to e. an assistant**, assumere un assistente **4** (*antiq.*) prenotare; noleggiare: **to e. a room in a hotel**, prenotare una camera in albergo **5** (seguito da inf.) impegnarsi: *I engaged to pay him back on the 15th*, mi impegnai a restituirgli la somma il giorno 15 **6** (*mil.*) impegnare; attaccare: **to e. the enemy more closely**, impegnare più dappresso il nemico **7** (*mecc.*) innestare; ingranare; inserire: **to e. the clutch**, innestare la frizione Ⓑ v. i. **1 – to e. in**, intraprendere; dedicarsi a; praticare: *Civil servants are forbidden to e. in any form of business activity*, ai funzionari statali è vietato intraprendere qualsiasi attività commerciale; **to e. in sports**, praticare lo sport; **to e. in criminal activities**, dedicarsi ad attività criminose **2** (*mil.*) impegnare il combattimento; attaccare: **to e. with the enemy**, attaccare il nemico **3** (*mecc.*) ingranare; innestarsi; entrare: *The clutch won't e.*, la frizione non ingrana.

engaged /ɪnˈgeɪdʒd/ a. **1** occupato; impegnato: *She's e. in community work*, è impegnata in attività sociali; **to be otherwise e.**, essere occupato in altre cose; avere altri impegni **2** (*telef.*, *GB*) occupato: *Sorry, (the) line (is) e.*, spiacente, ma la linea è occupata; **e. tone** (*o* **e. signal**), segnale di linea occupata (*o* di occupato) **3** (*di toilette*) occupato **4** fidanzato: *She's e. to my son*, è fidanzata con mio figlio; *They're e. to be married*, sono fidanzati; **to get e. to sb.**, fidanzarsi con q.; **the e. couple**, i fidanzati **5** (*mil.*) impegnato in combattimento **6** (*mecc.*) ingranato, innestato; in presa **7** (*archit.*) – **e. column** (*o* **e. pilaster**), lesena; parasta.

engagement /ɪnˈgeɪdʒmənt/ n. **1** impegno: *I can't be there, due to a prior e.*, non posso esserci a causa di un impegno precedente; **a business e.**, un impegno di lavoro; **a dinner e.**, un impegno per cena; un invito a cena **2** Ⓤ impegno; partecipazione attiva: **political e.**, impegno in politica **3** promessa di matrimonio; fidanzamento: **to announce one's e.**, annunciare il proprio fidanzamento; **to break off one's e.**, rompere il fidanzamento; **e. ring**, anello di fidanzamento: *He gave her an e. ring up the Eiffel Tower*, le ha dato un anello di fidanzamento sulla Torre Eiffel **4** Ⓤ assunzione; ingaggio; scrittura: **conditions of e.**, condizioni di assunzione **5** (*mil.*) combattimento; scontro **6** Ⓤ (*mecc.*) ingranamento, l'innestarsi (*di una marcia, ecc.*) ● (*mil.*) **rules of e.**,

regole di ingaggio.

engaging /ɪnˈgeɪdʒɪŋ/ a. attraente; molto simpatico; seducente: **an e. manner**, un modo di fare molto simpatico; **an e. smile**, un sorriso seducente.

to **engender** /ɪnˈdʒɛndə(r)/ v. t. **1** (*form.*) generare; causare; produrre: *Social unrest is often engendered by unemployment*, spesso i disordini sociali sono causati dalla disoccupazione **2** (*arc.*) generare; procreare.

♦**engine** /ˈɛndʒɪn/ n. **1** (*mecc.*) motore; macchina: **four-stroke e.**, motore a quattro tempi; **internal-combustion e.**, motore a combustione interna; motore a scoppio; **the invention of the steam e.**, l'invenzione della macchina a vapore **2** (*ferr.* = **railway e.**) locomotiva; macchina **3** (= **fire e.**) autopompa **4** (*fig.*) elemento trainante: *Entrepreneurs are a major e. of economic growth*, gli imprenditori sono un importante elemento trainante dello sviluppo dell'economia **5** (*stor.*) macchina da guerra ● (*mecc.*) **e. block**, monoblocco (*di motore*) □ (*ferr.*) **e. cab**, cabina del macchinista □ (*ferr.*, *GB*) **e. driver**, macchinista □ (*naut.*) **e. hatchway**, boccaporto delle macchine □ **e. house**, rimessa delle autopompe □ (*mecc.*) **e. lathe**, tornio parallelo per filettare □ (*aeron.*) **e. mounting pylon**, castello motore □ (*ferr.*) **e. pit**, buca per la riparazione delle locomotive □ (*mecc.*) **e. power**, potenza del motore □ (*autom.*, *mecc.*) **e. reconditioning**, revisione del motore □ (*anche naut.*) **e. room**, sala (delle) macchine □ (*naut.*) **e.-room personnel**, personale di macchina □ (*autom.*, *mecc.*) **e. size** (*o* **displacement**), cilindrata (*del motore*) □ (*autom.*) **e. starter**, motorino d'avviamento □ (*autom.*, *aer.*) **e. trouble**, guai al motore □ (*autom.*, *mecc.*) **e. tuning**, messa a punto del motore.

engined /ˈɛndʒɪnd/ a. (*mecc.*; nei composti) che ha un motore (*o* una cilindrata): **a small-e. car**, un'auto di piccola cilindrata ● (*aeron.*) **twin-e. plane**, bimotore.

♦**engineer** /ɛndʒɪˈnɪə(r)/ n. **1** ingegnere: **civil e.**, ingegnere civile; **electrical e.**, ingegnere elettrotecnico; **mining e.**, ingegnere minerario **2** (*naut.*) macchinista; ufficiale di macchina **3** (*aeron.*) motorista: **flight e.**, motorista di bordo **4** (*ferr.*, *USA*) macchinista **5** tecnico (specializzato); meccanico: **lift e.**, tecnico della manutenzione degli ascensori; **maintenance e.**, manutentore; (*cinem.*) **sound e.**, tecnico del suono **6** (*mil.*) geniere: **the E. Corps** (*o* **The Engineers**), l'Arma del Genio; il Genio; **e. officer**, ufficiale del genio **7** (*fig.*) ideatore; escogitatore; architetto.

❶ NOTA: *engineer*
Engineer vuol dire "ingegnere" in riferimento alla professione: *civil engineer*, ingegnere civile. La parola *engineer* però ha anche un altro significato molto importante in inglese, quello di "tecnico" generico di diversi ambiti: quindi un *sound engineer* non è un ingegnere in senso stretto, è un "tecnico del suono".

to **engineer** /ɛndʒɪˈnɪə(r)/ v. t. **1** (*mecc.*) progettare; costruire: **to e. an engine**, costruire un motore **2** ideare e mettere in atto; organizzare; architettare; ottenere con macchinazioni: **to e. a rebellion**, organizzare una ribellione; *She engineered a meeting between them*, riuscì a farli incontrare (*o* a fare in modo che si incontrassero); *His enemies soon engineered his downfall*, i suoi nemici riuscirono presto a provocarne la caduta **3** (*biochim.*) modificare (geneticamente); manipolare.

♦**engineering** /ɛndʒɪˈnɪərɪŋ/ Ⓐ n. Ⓤ **1** ingegneria: **a degree in e.**, una laurea in ingegneria; **a feat of e.**, un'impresa ingegneristica; un capolavoro dell'ingegneria; **civil**

e., ingegneria civile **2** tecnica: **radio e.**, radiotecnica **3** engineering; progettazione d'impianti **4** (*biochim.*) ingegneria; manipolazione: **genetic e.**, ingegneria genetica **B** a. ingegneristico; di ingegneria: **e. department**, ufficio tecnico; **e. firm**, studio tecnico d'ingegneri; **e. industry**, industria elettromeccanica; **an e. job**, un lavoro come ingegnere ● (*ass.*) **e. insurance**, assicurazione contro i rischi del montaggio industriale ○ (*chim.*) **e. resin**, tecnopolimero; resina per l'ingegneria.

to **engird** /ɪnˈɡɜːd/, to **engirdle** /ɪnˈɡɜːdl/ v. t. cingere; circondare.

England /ˈɪŋɡlənd/ n. (*geogr.*) Inghilterra ● (*scherz.*, *GB*) **to do st. for E.**, fare qc. da campione; essere imbattibile in qc.

◆**English** /ˈɪŋɡlɪʃ/ **A** a. **1** inglese: **E. history**, la storia inglese **2** di (lingua) inglese; inglese; dell'inglese; in inglese: **E. lessons**, lezioni di inglese; **E. grammar**, la grammatica inglese; **E. subtitles**, sottotitoli in inglese; **E. speaker**, chi parla inglese **B** n. **1** ⓤ (la lingua) inglese: *How do you say «vino» in E.?*, come si dice «vino» in inglese?; **to improve one's E.**, migliorare il proprio inglese; *British and American E.*, l'inglese parlato nel Regno Unito e quello parlato in America; l'inglese britannico e l'inglese americano ❶ CULTURA ● English: *l'inglese è la lingua ufficiale nel Regno Unito, in Irlanda, negli Stati Uniti, in Canada, Australia, Nuova Zelanda e in molti altri Stati: uno studio recente stima il numero di anglofoni madrelingua in più di 337 milioni. Storicamente è una lingua indoeuropea di ceppo germanico, ma il suo lessico è stato fortemente influenzato dal franco-normanno, dal latino e dal francese, e inoltre si è arricchito di apporti da molte altre lingue anche non indoeuropee* **2** lingua e letteratura inglese (*come materia di studio*) **3** – (collett.) **the E.**, gli inglesi: *'The E. are a race apart'* GB SHAW, 'gli inglesi sono una razza a sé' **4** ⓤ (*tipogr.*) corpo 14 **5** (al pl.) varietà d'inglese ● **E.-born**, inglese di nascita □ **E. breakfast**, colazione all'inglese □ **E. Canadian**, anglocanadese □ (*geogr.*) **the E. Channel**, la Manica □ (*mus.*) **E. flute**, flauto dolce □ (*mus.*, *USA*) **E. horn**, corno inglese □ (*USA*) **E. muffin**, focaccina soffice (*da mangiarsi calda e spalmata di burro*) □ **E. rose**, (*di ragazza*) classica bellezza inglese □ **E. setter** (*cane*), setter inglese □ **E.-speaking**, anglofono; di lingua inglese; **E.-speaking countries**, i paesi di lingua inglese □ **E. studies**, anglistica ● **in plain E.**, chiaro e tondo; esplicitamente; senza tanti giri di parole.

Englishman /ˈɪŋɡlɪʃmən/ n. (pl. ***Englishmen***) inglese (*uomo*).

Englishness /ˈɪŋɡlɪʃnəs/ n. ⓤ inglesità; anglicità.

Englishwoman /ˈɪŋɡlɪʃwʊmən/ n. (pl. ***Englishwomen***) inglese (*donna*).

engobe /ɒnˈɡəʊb/ n. ⓤ (*ceramica*) ingobbio.

to **engorge** /ɪnˈɡɔːdʒ/ v. t. **1** ingozzare; divorare; ingollare; ingurgitare **2** (*med.*) congestionare (*una vena, un tessuto*) ‖ **engorgement** n. ⓤ **1** ingurgitamento **2** (*med.*) congestione, ingorgo.

engr. abbr. **1** (**engraver**) incisore **2** (**engraved**) inciso **3** (*anche* **engr**) (**engineer**) ingegnere; (*trasp.*) motorista, macchinista.

to **engraft** /ɪnˈɡrɑːft/ v. t. **1** (*bot. e fig.*) innestare; inserire; incorporare **2** (*fig.*) inculcare; infondere: *His father engrafted loyalty in his soul*, suo padre gli inculcò nell'animo la lealtà.

to **engrail** /ɪnˈɡreɪl/ v. t. dentellare.

to **engrain** /ɪnˈɡreɪn/ → **to ingrain**.

engram /ˈenɡræm/ n. (*psic.*) engramma, traccia mnemonica.

to **engrave** /ɪnˈɡreɪv/ v. t. **1** incidere; intagliare: **to e. an inscription on a tombstone**, incidere un'iscrizione su una lapide; **to e. a metal plate**, incidere una lastra di metallo **2** (*fig.*) imprimere; stampare: *The scene was engraved on his memory*, la scena era impressa nella sua memoria ● **engraved printing**, stampa in rilievo **‖ engraver** n. incisore; intagliatore **‖ engraving** n. **1** incisione; stampa **2** ⓤ (arte dell')incisione; stampa.

to **engross** /ɪnˈɡrəʊs/ v. t. **1** assorbire; avvincere; prendere totalmente: *The music totally engrossed him*, la musica lo avvinse completamente; **to become engrossed in st.**, essere assorbito da qc.; *She was engrossed in an article*, era immersa nella lettura di un articolo **2** (*econ.*) accaparrare, incettare (*merci, ecc.*) **3** (*leg.*) redigere in forma legale (*un documento*) ❶ FALSI AMICI ● to engross *non significa* ingrossare **‖ engrossing** **A** a. avvincente; appassionante; affascinante **B** n. ⓤ (*econ.*) accaparramento; incetta **‖ engrossment** n. ⓤ **1** (*leg.*) versione definitiva (*di un documento*) **2** (*econ.*) accaparramento; incetta **3** l'essere assorto, avvinto.

to **engulf** /ɪnˈɡʌlf/ v. t. **1** sommergere; inghiottire; avvolgere: *Darkness engulfed them*, l'oscurità li inghiottì; **to be engulfed by flames**, essere avvolto dalle fiamme **2** (*fig.*) (spec. al passivo) travolgere, sommergere; abbattersi su; opprimere: *A new crisis threatened to e. us*, una nuova crisi minacciava di travolgerci.

◆to **enhance** /ɪnˈhɑːns/ v. t. **1** aumentare, accrescere; incrementare; accentuare; valorizzare: **to e. the efficiency of st.**, aumentare l'efficienza di qc.; *The varnish will e. its natural colour*, la vernice accentuerà il suo colore naturale **2** esaltare; magnificare **3** (*econ.*) aumentare, far salire (*prezzi e sim.*).

enhancement /ɪnˈhɑːnsmənt/ n. **1** ⓤⓒ accrescimento; aumento; potenziamento; accentuazione; valorizzazione; miglioramento: **staffing e.**, aumento (*o potenziamento*) del personale; (*comput.*) **colour e.**, potenziamento dei colori; **breast e.**, aumento del seno; **a town centre e. scheme**, un progetto per la valorizzazione del centro cittadino **2** ⓤ esaltazione; magnificazione.

enharmonic /enhɑːˈmɒnɪk/ a. (*mus.*) enarmonico.

enigma /ɪˈnɪɡmə/ n. (pl. ***enigmas***, ***enigmata***) enigma.

enigmatic, **enigmatical** /enɪɡˈmætɪk(l)/ a. enigmatico | **-ally** avv.

to **enigmatize** /ɪˈnɪɡmətaɪz/ v. t. rendere enigmatico.

enjambment, **enjambement** /ɪnˈdʒæmbmənt/ n. (*poesia*) inarcatura; enjambement.

to **enjoin** /ɪnˈdʒɔɪn/ v. t. **1** comandare, ingiungere; (*anche leg.*) imporre, intimare: **to e. obedience**, imporre l'obbedienza; **to e. sb. that st. should be done**, intimare a q. di fare qc. **2** (*spec. USA*) proibire; vietare; diffidare: *The company was enjoined from selling the damaged goods*, la società fu diffidata dal vendere la merce deteriorata **‖ enjoinment** n. ⓤⓒ (*anche leg.*) **1** ingiunzione; intimazione; ordine **2** (*spec. USA*) proibizione; divieto; diffida.

◆to **enjoy** /ɪnˈdʒɔɪ/ v. t. **1** trarre piacere da; gustare; gradire molto; godere: *I e. driving*, mi piace guidare; *I enjoyed that film very much*, quel film mi è piaciuto moltissimo; **to e. a meal**, gustare un pasto; *I really enjoyed it thanks*, l'ho gradito molto, grazie; **E. your holiday!**, buona vacanza!; **E. your flight**, buon volo; **E.!**, divertiti! goditela! **2** godere di; avere: **to e. good health**, godere di buona salute; **to e. a right**, godere di un diritto ● **to e. oneself**, godersela; divertirsi: *E.*

yourself, divertiti.

◆**enjoyable** /ɪnˈdʒɔɪəbl/ a. piacevole; divertente; godibile: **an e. experience**, un'esperienza piacevole; *We had a most e. time*, ci siamo divertiti moltissimo; è stato piacevolissimo | **-ness** n. ⓤ | **-bly** avv.

enjoyment /ɪnˈdʒɔɪmənt/ n. ⓤ **1** godimento; divertimento; piacere: **aesthetic e.**, godimento estetico; **out of sheer e.**, per puro divertimento; *The ambience added to our e. of the food*, l'atmosfera del locale rese ancor più gustoso il pranzo; *I got little e. out of it*, la cosa mi divertì assai poco **2** (*leg.*) godimento: **the e. of civil rights**, il godimento dei diritti civili.

to **enkindle** /ɪnˈkɪndl/ v. t. (*anche fig.*) accendere; infiammare.

to **enlace** /ɪnˈleɪs/ v. t. **1** avvolgere; cingere **2** (*fig.*) allacciare; intrecciare.

to **enlarge** /ɪnˈlɑːdʒ/ **A** v. t. ampliare; ingrandire; allargare; espandere: **to e. one's house**, ampliare la propria casa; **to e. a photograph**, ingrandire una fotografia; **to e. one's business**, espandere la propria attività **B** v. i. ampliarsi; ingrandirsi; allargarsi; espandersi.
■ **enlarge on** (*o* **upon**) v. i. + prep. diffondersi su; soffermarsi su; dilungarsi su: *I would like to e. on this point*, vorrei soffermarmi su questo punto.

enlargement /ɪnˈlɑːdʒmənt/ n. ⓤⓒ **1** ampliamento; allargamento; ingrandimento; espansione **2** (*fotogr.*) ingrandimento **3** (*leg.*) estensione (*di diritti*)

enlarger /ɪnˈlɑːdʒə(r)/ n. (*fotogr.*) ingranditore.

to **enlighten** /ɪnˈlaɪtn/ v. t. **1** dare spiegazioni o informazioni a; illuminare; dare lumi a (*scherz.*): *Mrs Jones will be able to e. you on this point*, Mrs Jones è la persona che potrà darti informazioni in proposito **2** (*relig.*, *ecc.*) illuminare la mente di; portare la verità a **3** fare luce su (*un problema, ecc.*) **4** (*arc.*) illuminare.

enlightened /ɪnˈlaɪtnd/ a. **1** illuminato (*fig.*); aperto; di larghe vedute: **an e. ruler**, un governante illuminato; **e. views**, vedute aperte; larghe vedute **2** (*relig.*) illuminato (*dalla grazia*).

enlightening /ɪnˈlaɪtənɪŋ/ a. illuminante; rivelatore; che apre gli occhi; istruttivo: **an e. experience**, un'esperienza illuminante.

enlightenment /ɪnˈlaɪtnmənt/ n. ⓤ **1** spiegazione, spiegazioni; lumi (pl.) **2** illuminazione; rivelazione **3** (*stor. filos.*) – **the E.**, l'Illuminismo.

to **enlist** /ɪnˈlɪst/ **A** v. t. **1** (*mil.*) arruolare: **to e. volunteers**, arruolare volontari **2** prendere (q.) a fare parte di; iscrivere (*fig.*): *We shall e. him in our movement*, lo iscriveremo al nostro movimento **3** ottenere, procurarsi (*l'aiuto, l'appoggio di q.*): **to e. the help of an expert**, ottenere la collaborazione di un esperto; rivolgersi a un esperto **B** v. i. **1** (*mil.*) arruolarsi: **to e. as a volunteer**, arruolarsi volontario **2** (*fig.*) schierarsi: **to e. under the banner of freedom**, schierarsi sotto il vessillo della libertà ● (*USA*) **enlisted man**, militare di bassa forza **‖ enlistment** n. ⓤ (*mil.*) **1** arruolamento **2** ferma.

to **enliven** /ɪnˈlaɪvn/ v. t. animare; ravvivare; rallegrare: *The wedding party was enlivened by music and songs*, la festa nuziale fu rallegrata da musica e canzoni.

en masse /ɒnˈmæs/ (*franc.*) loc. avv. en masse; in massa; indiscriminatamente.

to **enmesh** /ɪnˈmeʃ/ v. t. irretire; intrappolare.

enmity /ˈenmətɪ/ n. ⓤ inimicizia; ostilità; animosità; avversione.

ennead /ˈeniæd/ n. serie di nove (*discorsi, libri, ecc.*); enneade.

e

to **ennoble** /ɪˈnəʊbl/ v. t. nobilitare; far nobile (q.); elevare ‖ **ennoblement** n. ⓤ nobilitazione; elevazione al rango di nobile.

ennui /ɒnˈwiː/ (*franc.*) n. ⓤ noia; tedio.

enol /ˈiːnɒl/ n. (*chim.*) enolo.

enology (USA) → **oenology**.

enormity /ɪˈnɔːmətɪ/ n. **1** ⓤⓒ enormità; mostruosità; scelleratezza **2** ⓒ atto scellerato; scelleratezza; efferatezza **3** ⓤ enormità; immensità.

♦**enormous** /ɪˈnɔːməs/ a. enorme; grandissimo: **an e. difference**, una differenza enorme; **an e. amount of debts**, una quantità di debiti enorme | **-ly** avv. | **-ness** n. ⓤ.

♦**enough** /ɪˈnʌf/ **A** a. e n. abbastanza; a sufficienza; quanto basta; bastante; sufficiente: *There was just e. room for two*, c'era spazio giusto a sufficienza per due; *We have beer e.* (*o e. beer*), c'è birra a sufficienza; *There isn't e. for all of us*, non ce n'è abbastanza per tutti (noi); *This'll be e. to keep her occupied for an hour*, questo basterà per tenerla occupata per un'ora; *Ten men are e.*, dieci uomini sono sufficienti (*o bastano*) **B** avv. **1** abbastanza; a sufficienza; quanto basta: **well e.**, abbastanza bene; *Is the trunk large e.?*, il baule è abbastanza grande?; *This isn't good e.*, non è sufficiente; non va bene **2** abbastanza; discretamente: **interesting e.**, abbastanza interessante; *He seems nice e.*, sembra abbastanza simpatico **3** (*con valore rafforzativo*) così; ben: *I was fool e. to believe him*, fui così stupido da credergli; *He was glad e. to leave*, fu ben lieto di andarsene; **curiously e.** (*o oddly e.*), strano a dirsi; stranamente; **sure e.**, infatti; difatti; come previsto: *I checked my pocket, and sure e., the keys were there*, controllai in tasca e difatti le chiavi c'erano **C** inter. basta!: *E.!*, basta così!; non dire altro! ● (*fam. USA*) *E. already!*, basta! ● **E. is e.!**, quando è troppo, è troppo!; adesso basta!; è ora di finirla! □ (*fam.*) **e. to be going on with**, abbastanza per il momento □ (*fam. USA*) **e. to choke a horse**, una porzione enorme; un piattone □ **to cry «e.»**, arrendersi; darsi per vinto; riconoscersi sconfitto □ **e. and to spare**, più che a sufficienza; anche troppo □ **to have had e. (of)**, averne abbastanza (di); essere stufo (di); non poterne più (di): *We've had e.!*, ne abbiamo abbastanza!; siamo stufi!; non ne possiamo più!; *I've had e. of you!*, ne ho abbastanza di te! □ **more than e.**, più che a sufficienza; anche troppo □ (*prov.*) **E. is as good as a feast**, il troppo stroppia; chi si contenta gode.

🚫 **NOTA:** *enough*

1 Come aggettivo, **enough** in genere precede il nome: *Is there enough bread?*, c'è abbastanza pane?; *I'm afraid we haven't got enough rooms to accommodate you*, purtroppo non abbiamo abbastanza stanze per ospitarvi. La combinazione inversa, nome + **enough**, è ormai antiquata, ma ancora abbastanza frequente con alcuni nomi, ad esempio **time**: *I don't have time enough* (*o enough time*) *to go to the gym*, non ho abbastanza tempo per andare in palestra.

2 Come avverbio, **enough** segue sempre l'aggettivo, l'avverbio o il verbo che modifica: *Mary isn't clever enough for that job*, non è abbastanza sveglio per quel lavoro; *You're old enough to earn your living*, sei grande abbastanza per mantenerti; *Mary is a good enough teacher*, Mary è un'insegnante valida (*o all'altezza*); *He fought bravely enough*, ha combattuto con il coraggio necessario; *You haven't studied enough*, non hai studiato abbastanza. Con alcuni avverbi posti di norma all'inizio della frase, **enough** possiede un generico valore rafforzativo: *Curiously enough, nobody had noticed the mistake before*, curiosamente (*o curioso a dir-*

si), nessuno aveva mai notato prima l'errore; **oddly** (o **strangely**) **enough**, strano a dirsi, stranamente; **funnily enough**, buffo a dirsi.

to **enounce** /iːˈnaʊns/ v. t. (*form.*) **1** enunciare; formulare **2** annunciare; proclamare.

en passant /ɒnpæˈsɑːnt/ (*franc.*) avv. **1** en passant; incidentalmente; di sfuggita **2** (*scacchi*) en passant.

to **enplane** /ɪnˈpleɪn/ → **to emplane**.

to **enqueue** /ɛnˈkjuː/ v. t. (*comput.*) mettere in coda, accodare.

to **enquire** /ɪnˈkwaɪə(r)/ e *deriv.* → **to inquire**, e *deriv.*

to **enrage** /ɪnˈreɪdʒ/ v. t. (*spesso al passivo*) (far) infuriare; mandare (*o far andare*) in collera; far arrabbiare ‖ **enraged** a. infuriato; arrabbiato; incollerito; furioso; *We were enraged at the news*, la notizia ci infuriò.

to **enrapture** /ɪnˈræptʃə(r)/ v. t. (*spesso al passivo*) rapire (*fig.*); mandare in estasi ‖ **enraptured** a. rapito (*fig.*); estasiato; in estasi.

to **enrich** /ɪnˈrɪtʃ/ v. t. arricchire (*anche fig.*); rendere più ricco; fertilizzare; integrare: *Music has enriched my life*, la musica ha reso più piena la mia vita; **to e. the soil**, fertilizzare il terreno; **to e. milk with vitamins**, integrare il latte con l'aggiunta di vitamine ● (*fis. nucl.*) **enriched uranium**, uranio arricchito ‖ **enrichment** n. ⓤ arricchimento (*anche fig.*); fertilizzazione (*del terreno*); integrazione; aggiunta.

to **enrobe** /ɪnˈrəʊb/ v. t. rivestire (*di panni curiali*); abbigliare.

to **enrol**, (USA) to **enroll** /ɪnˈrəʊl/ **A** v. t. **1** iscrivere: **to e. sb. as a member of a club**, iscrivere q. come socio d'un circolo **2** reclutare (*per un lavoro, un sostegno, ecc.*): **to e. volunteers**, reclutare volontari **3** (*arc.*) iscrivere (q.) in un registro; registrare il nome di **B** v. i. iscriversi: **to e. in art school [on a French course]**, iscriversi all'accademia di belle arti [a un corso di francese]; *It's best to e. as soon as possible to make sure you get on the course*, è meglio iscriversi al corso appena possibile per assicurarsi di trovare posto; **to e. for a law degree**, iscriversi alla facoltà di legge; **to e. as a member of**, iscriversi a (*un club, ecc.*).

enrolment, (USA) **enrollment** /ɪnˈrəʊlmənt/ n. **1** ⓤ iscrizione **2** (*al pl.*) iscrizioni; numero di iscritti: *E. are down this year*, le iscrizioni sono scese quest'anno **3** (USA) numero di iscritti (*in un corso, una scuola, ecc.*); studenti (pl.): **an e. of 2,000**, duemila iscritti **4** (*arc.*) registrazione ● **e. fee**, tassa d'iscrizione □ **e. form**, modulo d'iscrizione.

en route /ɒnˈruːt/ (*franc.*) **a.** e avv. in viaggio; durante il viaggio; lungo la strada: **en route to Paris**, durante il viaggio per Parigi; **en route delays**, ritardi durante il viaggio.

en rule /ˈɛnruːl/ loc. n. (*tipogr.*) trattino medio (*usato per gli incisi*); lineetta media.

ens /ɛnz/ (*lat.*) n. (pl. **entia**) (*filos.*) ente; entità.

ENSA sigla (*stor.*, GB, **Entertainments National Service Association**) Associazione spettacoli per le forze armate.

to **ensconce** /ɪnˈskɒns/ v. t. **1** sistemare; accomodare: **to e. a statue in a niche**, sistemare una statua in una nicchia **2** mettere al sicuro; nascondere ● **to e. oneself**, accomodarsi; mettersi comodo; installarsi: *He ensconced himself in an armchair*, si accomodò su una poltrona; nascondersi.

ensemble /ɒnˈsɒmbl/ (*franc.*) n. **1** insieme; complesso **2** (*mus.*) complesso **3** (*moda*) completo; insieme **4** (*teatr.*) corpo di

ballo **5** effetto d'insieme: *The e. of the violins is very good*, l'effetto d'insieme dei violini è ottimo.

to **ensheath** /ɪnˈʃiːθ/ v. t. (*biol.*) inguainare.

to **enshrine** /ɪnˈʃraɪn/ v. t. **1** mettere in un reliquiario **2** (*fig.*) conservare come una reliquia; custodire gelosamente (*un ricordo, ecc.*) ‖ **enshrinement** n. ⓤ il conservare come una reliquia; il custodire gelosamente.

to **enshroud** /ɪnˈʃraʊd/ v. t. avvolgere (*come in un sudario*); ricoprire completamente; celare alla vista.

ensiform /ˈɛnsɪfɔːm/ a. ensiforme: (*anat.*) **e. cartilage**, cartilagine ensiforme.

ensign /ˈɛnsən/ n. **1** bandiera; stendardo; vessillo **2** (*marina mil., in USA*) guardiamarina **3** (*mil. stor.*) alfiere; portabandiera **4** (*arc.*) segno; insegna; emblema.

ensilage /ˈɛnsɪlɪdʒ/ n. ⓤ (*agric.*) **1** insilamento, insilatura (*del foraggio*) **2** foraggio insilato ● **e. blower** (*o cutter*), insilatrice.

to **ensile** /ɛnˈsaɪl/ (*agric.*) v. t. insilare (*foraggio, ecc.*) ‖ **ensiler** n. insilatrice (*macchina*).

to **enslave** /ɪnˈsleɪv/ v. t. **1** rendere schiavo; ridurre in schiavitù; asservire **2** (*fig.*) rendere schiavo; soggiogare: **to be enslaved by hate**, divenire schiavo dell'odio ‖ **enslavement** n. ⓤ **1** riduzione in schiavitù; schiavizzazione **2** (*fig.*) asservimento; schiavitù ‖ **enslaver** n. chi riduce in schiavitù; schiavizzatore, schiavizzatrice.

to **ensnare** /ɪnˈsneə(r)/ v. t. prendere in trappola; irretire, intrappolare (*anche fig.*).

to **ensoul** /ɪnˈsəʊl/ v. t. (*lett.*) infondere un'anima in (q. *o* qc.); animare.

to **ensue** /ɪnˈsjuː/ v. i. seguire; conseguire; derivare; risultare (*come conseguenza*).

ensuing /ɪnˈsjuːɪŋ/ USA ɪnˈsuːɪŋ/ a. **1** successivo; seguente: **in the e. weeks**, nelle settimane seguenti **2** derivante; che segue (qc.): **the e. battle**, la battaglia che ne seguì.

en-suite, en suite /ɒnˈswiːt/ (*franc.*) **A** a. e avv. (*di bagno, ecc.*) adiacente alla camera; privato: *We've got a double with en-suite bathroom available for those nights*, abbiamo una matrimoniale con bagno privato per quelle notti **B** a. (*di camera*) con bagno; dotato di servizi: **22 bedrooms, all en suite**, 22 camere, tutte con bagno **C** n. **1** bagno (*adicante alla camera da letto*) **2** camera con bagno.

♦to **ensure** /ɪnˈʃʊə(r)/ v. t. assicurare; garantire; dare per sicuro: **to e. a good harvest**, assicurare un buon raccolto; *This device ensures that the speed remains constant*, questo dispositivo garantisce che la velocità rimanga costante; *Always e. power is off before opening it*, assicurati sempre che sia scollegato dalla corrente prima di aprirlo; **to e. against st.**, mettere al sicuro da qc.; premunire contro qc.; garantire che non accada qc. 🚫 **NOTA:** *to assure, to ensure o to insure?* › **to assure**

to **enswathe** /ɪnˈsweɪð/ v. t. avvolgere; bendare; fasciare.

ENT sigla (*med.*, **ear, nose and throat**) orecchio, naso, gola.

entablature /ɛnˈtæblətʃə(r)/ n. (*archit.*) trabeazione.

entablement /ɪnˈteɪblmənt/ n. (*archit.*) **1** trabeazione **2** basamento di una statua (*sopra il piedistallo*).

entail /ɪnˈteɪl/ n. ⓤ **1** (*leg.*) lascito soggetto a vincolo di inalienabilità; eredità inalienabile **2** (*fig.*) conseguenza inevitabile; implicazione.

to **entail** /ɪnˈteɪl/ v. t. **1** comportare; implicare; richiedere (*come conseguenza*): *Your schemes e. enormous expenses*, i tuoi pro-

getti comportano spese enormi **2** (*leg.*) lasciare in eredità (*terre, ecc.*) con vincolo d'inalienabilità.

entailment /ɪn'teɪlmənt/ → **entail**, *def. 1*.

to **entangle** /ɪn'tæŋgl/ v. t. **1** impigliare; aggrovigliare; intricare; intrappolare: **to e. a prey**, intrappolare una preda (*facendola impigliare in qc.*); *The rabbit had entangled itself in the net*, il coniglio si era impigliato nella rete; **to get** (*o* **to become**) **entangled**, impigliarsi; restare impigliato; restare preso **2** (*fig.*) immischiare; impegolare; invischiare; impelagare: *I found myself entangled in a difficult relationship*, mi ritrovai invischiato in una relazione difficile **3** (*fig.*) complicare; arruffare; imbrogliare: *Don't e. the matter further*, non complicare di più la faccenda!

entanglement /ɪn'tæŋglmənt/ n. **1** ⓤ l'impigliarsi; l'irretire **2** ⓤ il rimanere impigliato; l'essere irretito **3** complicazione; intrico; groviglio: **financial entanglements**, grovigli finanziari **4** coinvolgimento (*dei sentimenti*); relazione complicata: **emotional e.**, coinvolgimento emotivo **5** (*mil.*, = **barbed-wire e.**) reticolato.

entasis /'ɛntəsɪs/ n. (pl. **entases**) (*archit.*) entasi.

entelechy /ɪn'tɛləkɪ/ n. ⓤ (*filos.*) entelechia.

entellus /ɛn'tɛləs/ n. (*zool.*, *Presbytis entellus*) entello.

entente /ɒn'tɒnt/ (*franc.*) n. ⓤⓒ (*polit.*) intesa: (*stor.*) **the Triple E.**, la Triplice Intesa.

enter /'ɛntə(r)/ n. (*comput.*, = **e. key**) invio.

♦to **enter** /'ɛntə(r)/ **A** v. t. **1** entrare in: *I entered the room*, entrai nella stanza; *The bullet entered his head*, la pallottola gli entrò nella testa; *The campaign has entered its final stage*, la campagna è entrata nella fase finale **2** iscriversi a; arruolarsi in; entrare in; intraprendere (*un'attività*); darsi a: **to e. a club**, iscriversi a un circolo; **to e. university**, iscriversi all'università; **to e. a race**, iscriversi a una corsa; **to e. the Navy**, arruolarsi in marina; **to e. a convent**, entrare in convento; **to e. the Church**, farsi sacerdote (*o* prete); **to e. the legal profession**, intraprendere l'attività legale; darsi all'avvocatura; **to e. politics**, entrare in politica; darsi alla politica **3** diventare parte di; penetrare in; inserirsi; iscrivere; mettere in lista: *He entered his son at a private school*, iscrisse suo figlio a una scuola privata; **to e. a project for a competition**, iscrivere un progetto a una gara; **to e. one's name for st.**, iscriversi a qc.; mettersi in lista per qc. **4** registrare; segnare; scrivere; annotare; inserire: *I entered the date in my diary*, segnai la data nella mia agenda; *Please e. your name here*, scriva qui il suo nome; *Can you e. your PIN here please?*, può inserire qui il suo PIN per favore?; *He entered the sum in his account book*, registrò la somma nel suo libro dei conti; **to e. in the minutes**, mettere a verbale; **to e. a word in a dictionary**, registrare una parola in un dizionario; lemmatizzare una parola; (*comput.*) **to e. data**, inserire dati **5** (*comm.*) registrare; riportare; portare; dichiarare: (*rag.*) **to e. a sum on the credit side**, registrare (*o* portare) una somma a credito; (*rag.*) **to e. in the ledger**, riportare a mastro; **to e. a ship [a cargo]**, registrare una nave [un carico] alla dogana; **to e. goods in transit**, registrare merci in transito (*alla dogana*) **6** (*form.*) presentare; sporgere; inoltrare; fare: **to e. a complaint**, presentare un reclamo; sporgere reclamo; (*leg.*) **to e. evidence**, presentare prove; **to e. a bid at an auction**, fare un'offerta all'asta **7** (*leg.*) far mettere a verbale; iscrivere a ruolo; depositare (*un documento*): **to e. a plea of not guilty**, dichiararsi innocente; **to e. an appearance**, costituirsi in giudizio; **to e. a protest**, fare un protesto (cambiario); **to e. a suit for trial**, iscrivere a ruolo una causa **8** domare (*un cavallo*); (cominciare ad) ammaestrare (*un cane*) **B** v. i. **1** entrare: E.!, entra!; avanti! **2** (*mus., di suonatore, cantante*) entrare **3** iscriversi: *I've entered for the second race*, mi sono iscritto alla seconda corsa ● (*teatr., nelle didascalie*) E., entra; entrano: *E. Kent* [*three women*], entra Kent [entrano tre donne] □ **to e. sb.'s head**, passare per la testa: *The idea never entered my head*, l'idea non m'era mai passata per la testa □ (*dog., naut.*) **to e. inwards** [**outwards**], fare dichiarazione d'entrata [di uscita] dal porto □ (*boxe*) **to e. the ring**, salire sul ring.

■ **enter into** v. i. + prep. **1** entrare in: **to e. into details**, entrare nei particolari; (*leg.*) **to e. into force**, entrare in vigore; (*leg.*) **to e. into possession of st.**, entrare in possesso di qc. **2** avviare; iniziare; intavolare; intraprendere; dare inizio a: **to e. into negotiations with sb.**, avviare trattative con q.; **to e. into conversation with sb.**, iniziare una conversazione con q.; **to e. into a relationship with sb.**, iniziare una relazione con q. **3** stipulare; concludere: **to e. into an agreement [a contract] with sb.**, stipulare un accordo [un contratto] con q.; **to e. into a treaty [an alliance]**, concludere un trattato [un'alleanza]; (*fin.*) **to e. into a partnership**, associarsi; fare una società di persone **4** entrare in; rientrare in; avere a che fare con; entrarci: *The time factor also entered into my calculations*, nei miei calcoli rientrava anche l'elemento tempo; *Money doesn't e. into it*, i soldi non c'entrano.

■ **enter up** v. t. + avv. **1** prendere nota di; (*anche rag.*) registrare **2** (*rag.*) aggiornare.

■ **enter upon** v. i. + prep. **1** (*form.*) intraprendere, cominciare; iniziare; dare inizio a: **to e. upon a new career**, intraprendere una nuova carriera; **to e. upon a subject**, cominciare a trattare un argomento; **to e. upon one's duties**, prendere servizio **2** (*leg.*) entrare in possesso di: **to e. upon an inheritance**, entrare in possesso di un'eredità.

enterable /'ɛntərəbl/ a. **1** accessibile **2** iscrivibile, registrabile **3** (*comput., di finestra, campo, ecc.*) attivo; aperto.

enteral /'ɛntərəl/ a. (*med.*) enterale.

enteric /ɛn'tɛrɪk/ a. (*anat., med.*) enterico: **e. fever**, febbre enterica.

entering /'ɛntərɪŋ/ n. ⓤ **1** (l')entrare (*in qc.*); ingresso; entrata **2** (*leg.*) dichiarazione: **e. for non suit**, dichiarazione di non luogo a procedere **3** inserimento (*di dati, ecc.*); registrazione; iscrizione; contabilizzazione (*rag.*).

enteritis /ɛntə'raɪtɪs/ n. ⓤ (*med.*) enterite.

enterocolitis /ɛntərəʊkə'laɪtɪs/ n. ⓤ (*med.*) enterocolite.

enterology /ɛntə'rɒlədʒɪ/ (*med.*) n. ⓤ enterologia || **enterologist** n. enterologo.

enteropathy /ɛntə'rɒpəθɪ/ n. ⓤⓒ (*med.*) enteropatia.

enterotomy /ɛntə'rɒtəmɪ/ n. ⓤⓒ (*med.*) enterotomia.

enterotoxin /'ɛntərəʊtɒksɪn/ n. ⓤ (*med.*) enterotossina.

enterovirus /'ɛntərəʊvaɪrəs/ n. (*med.*) enterovirus || **enteroviral** a. da enterovirus: **enteroviral infection**, infezione da enterovirus.

♦**enterprise** /'ɛntəpraɪz/ n. **1** impresa: **to embark on an e.**, accingersi a un'impresa **2** ⓤ intraprendenza; iniziativa; imprenditorialità (*econ.*): *He has no e.*, non ha intraprendenza; (*econ.*) **private e.**, l'iniziativa privata **3** (*econ.*) impresa; azienda ● (*rag.*) **e. accounting**, contabilità d'impresa □ (*comput.*) **e. culture**, cultura imprenditoriale □ (*comput.*) **e. server**, elaboratore aziendale □ (*fin.*) **e. value**, valore d'avviamento □ (*in GB*) **e. zone**, zona di sviluppo industriale.

enterprising /'ɛntəpraɪzɪŋ/ a. intraprendente; pieno d'iniziativa.

♦to **entertain** /ɛntə'teɪn/ **A** v. t. **1** intrattenere; divertire **2** ricevere; ospitare; avere: **to e. friends to dinner**, avere amici a cena **3** avere (*in mente, in animo*); nutrire; accarezzare: **to e. an idea [a doubt]**, avere un'idea [un dubbio]; **to e. hopes of success**, nutrire speranze di buona riuscita; **to e. feelings of revenge**, nutrire sentimenti di vendetta **4** (*form.*) prendere in considerazione; considerare: **to e. a proposal**, prendere in considerazione una proposta **B** v. i. ricevere; avere ospiti: *They e. a great deal*, ricevono molto.

entertainer /ɛntə'teɪnə(r)/ n. intrattenitore professionista (*spec. cantante, canzonettista, cabarettista, ecc.*).

entertaining /ɛntə'teɪnɪŋ/ **A** a. divertente; piacevole **B** n. ⓤ **1** intrattenimenti (pl.): **corporate e.**, intrattenimenti organizzati da una società (*per visitatori, clienti, ecc.*) **2** il ricevere; il dare party, ricevimenti, ecc.: *We do a lot of e.*, riceviamo molto; **al fresco e.**, ricevimenti all'aperto.

♦**entertainment** /ɛntə'teɪnmənt/ n. **1** ⓤ divertimento; intrattenimento; passatempo: **music, films and other e.**, musica, film e altre forme di divertimento; *We make our own e.*, organizziamo noi i nostri divertimenti; ci divertivamo da soli; **e. industry**, industria del divertimento **2** intrattenimento; spettacolo: **e. duty**, tassa sugli spettacoli **3** ⓤ il ricevere; ospitalità; accoglienza **4** ⓤ (*form.*) l'avere in mente (*o* nell'animo); il nutrire (*speranze, ecc.*) ● **e. allowance**, indennità di rappresentanza □ **e. centre**, mobile attrezzato (*con TV, mangianastri, ecc.*) □ **e. system**, sistema multimediale; «entertainment system».

enthalpy /'ɛnθælpɪ/ n. ⓤ (*fis.*) entalpia.

to **enthral**, (*USA*) **enthrall** /ɪn'θrɔːl/ v. t. **1** asservire; rendere schiavo; schiavizzare **2** (*fig.*) ammaliare; affascinare; incantare: *I was enthralled by her simple grace*, fui affascinato dalla sua semplice grazia || **enthralment**, (*USA*) **enthrallment** n. ⓤ **1** asservimento; schiavizzazione **2** l'affascinare; l'essere affascinato; malia || **enthralling** a. affascinante; incantevole.

to **enthrone** /ɪn'θrəʊn/ v. t. **1** insediare (*sul trono*); intronizzare: **to e. a bishop**, insediare un vescovo **2** (*fig.*) esaltare; mettere su un piedistallo || **enthronement** n. ⓤⓒ insediamento (*sul trono*); intronizzazione.

to **enthuse** /ɪn'θjuːz/, USA -'θuːz/ **A** v. t. e i. dire, parlare con entusiasmo; tessere le lodi (di); esaltarsi: «*It's a masterpiece!*» *she enthused*, «è un capolavoro!» dichiarò entusiasta; *I listened to him enthusing over his new job*, lo ascoltai descrivere con entusiasmo il suo nuovo lavoro **B** v. t. (far) appassionare; rendere entusiasta; elettrizzare: **to e. one's students**, fare appassionare i propri studenti.

♦**enthusiasm** /ɪn'θjuːzɪæzəm/, USA -'θuːz-/ n. **1** ⓤ entusiasmo: **to be full of e. for** (*o* about) st., essere pieno d'entusiasmo per qc. **2** passione: *His two enthusiasms are fishing and shooting*, pesca e caccia sono le sue due passioni **3** ⓤ entusiasmo (religioso); invasamento.

enthusiast /ɪn'θjuːzɪæst, USA -'θuːz-/ n. appassionato; entusiasta; tifoso (*sport*); fan; fanatico: **to be an e. for** (*o* of) st., essere un appassionato di qc.; avere la passione di qc.; **a DIY e.**, un appassionato del fai-da-te; **a Wagner e.**, un patito di Wagner.

♦**enthusiastic** /ɪnθjuːzɪ'æstɪk, USA -θuːz-/

a. 1 (*di cosa*) pieno di entusiasmo; entusiastico; appassionato; caloroso: **an e. letter**, una lettera piena di entusiasmo; **e. cheering**, applausi entusiastici **2** (*di persona*) pieno di entusiasmo; entusiasta; appassionato; accanito: *He's e. about the scheme*, è entusiasta del progetto; **an e. teacher**, un insegnante pieno di entusiasmo; **an e. sportsman**, uno sportivo appassionato; un patito dello sport; **an e. gardener**, un patito del giardinaggio | **-ally** avv.

enthymeme /'ɛnθɪmiːm/ n. (*filos.*) entimema.

to **entice** /ɪn'taɪs/ v. t. attirare; attrarre; allettare; indurre (*con lusinghe, promesse, ecc.*); sedurre: *It's just a trick to e. people into the shop*, è solo un trucco per attirare la gente nel negozio; *He tried to e. her away from me*, ha cercato di allontanarla da me con belle parole; **to e. sb. to do st.**, indurre q. a fare qc.

enticement /ɪn'taɪsmənt/ n. **1** ⓤ allettamento; seduzione; lusinghe (pl.): **the e. of power**, le lusinghe del potere **2** allettamento; lusinga; seduzione; attrattiva **3** ⓤ (*leg.*) seduzione; istigazione.

enticing /ɪn'taɪsɪŋ/ a. allettante; seducente | **-ly** avv.

♦**entire** /ɪn'taɪə(r)/ **A** a. **1** intero; completo; al completo; tutto: **the e. area**, l'intera zona; **the e. staff**, tutto il personale; il personale al completo; **in my e. life**, in tutta la mia vita **2** totale; completo: **to be in e. agreement with sb.**, essere completamente d'accordo con q. **3** (*zootecnia, di cavallo*) intero **B** n. **1** (*zootecnia*) cavallo intero; stallone **2** (*filatelia*) busta affrancata.

♦**entirely** /ɪn'taɪəlɪ/ avv. **1** interamente; completamente; totalmente; del tutto: **e. forgotten**, completamente dimenticato; **not e. clear**, non del tutto chiaro **2** esclusivamente; unicamente; soltanto: *She plays e. by ear*, suona esclusivamente a orecchio; **e. on humanitarian grounds**, unicamente per ragioni umanitarie; *It's your fault e.*, è soltanto colpa tua.

entirety /ɪn'taɪərətɪ/ n. **1** ⓤ interezza; integrità; completezza: **to quote st. in its e.**, citare qc. per intero (*o* integralmente) **2** ⓤ totalità; complesso; insieme: **the e. of the resources**, la totalità delle risorse; **the e. of France**, tutta la Francia; *You should consider the problem in its e.*, devi considerare il problema nel suo complesso **3** (*leg., arc.* = **possession by entireties**) proprietà indivisa tra marito e moglie.

♦to **entitle** /ɪn'taɪtl/ v. t. **1** intitolare; dare un titolo a: *a novel entitled «Emma»*, un romanzo intitolato (*o* che si intitola) «Emma» **2** autorizzare; dare facoltà a: *This coupon entitles you to a free meal*, questo tagliando ti dà diritto a un pasto gratuito; **to be entitled to st.**, avere diritto a qc.; *You are entitled to free dental care*, ha diritto a cure dentistiche gratuite; **to be entitled to do st.**, essere autorizzato a fare qc.; avere il diritto di fare qc. **3** (*arc.*) conferire (*un titolo, un rango*) a; creare ● (*leg.*) **entitled to succeed**, successibile.

entitlement /ɪn'taɪtlmənt/ n. ⓤⓒ (l'avere) diritto: *We discussed her e. to benefit*, discutemmo del suo diritto a un sussidio **2** cosa (*somma, assistenza, ecc.*) cui si ha diritto; diritto acquisito: **holiday e.**, giorni di ferie cui si ha diritto; **legal entitlements**, ciò cui si ha diritto per legge.

entity /'ɛntətɪ/ n. (*anche comput.*) entità ● (*leg.*) **e. convention**, convenzione della «persona giuridica».

to **entomb** /ɪn'tuːm/ v. t. **1** seppellire; inumare; tumulare **2** (*fig.*) seppellire (sotto qc.); intrappolare: *Thirty miners were entombed by the explosion*, trenta minatori furono sepolti dall'esplosione || **entombment** n. ⓤ seppellimento; sepoltura; inumazione; tumulazione ● (*relig.*) **the Entombment of Christ** (*nei dipinti*), la Deposizione nel Sepolcro.

to **entomologize** /ɛntə'mɒlədʒaɪz/ v. i. fare l'entomologo; raccogliere insetti.

entomology /ɛntə'mɒlədʒɪ/ n. ⓤ entomologia || **entomological** a. entomologico || **entomologist** n. entomologo.

entomophagous /ɛntə'mɒfəgəs/ a. (*zool.*) entomofago.

entomophilous /ɛntə'mɒfɪləs/ (*bot.*) a. entomofilo || **entomophily** n. ⓤ entomofilia.

entoptic /ɛn'tɒptɪk/ a. (*med.*) entottico.

entourage /ɒntʊ'rɑːʒ/ (*franc.*) n. entourage; cerchia; seguito.

entr'acte /ɒn'trækt/ (*franc.*) n. **1** (*mus.*) intermezzo **2** (*teatr.*) intermezzo; intervallo.

entrails /'ɛntreɪlz/ n. pl. **1** (*anat.*) visceri; interiora; intestini **2** (*fig.*) viscere: **in the e. of the earth**, nelle viscere della terra.

to **entrain** ① /ɪn'treɪn/ **A** v. t. far salire, mettere (*spec. soldati*) sul treno; prendere a bordo **B** v. i. (*spec. mil.*) salire in treno.

to **entrain** ② /ɪn'treɪn/ **A** v. t. **1** (*di fiume, corrente*) trascinare; trasportare **2** portare con sé (*come conseguenza*) **3** (*biol.*) mettere in sincronia; sincronizzare **B** v. t. entrare in sincronia.

to **entrammel** /ɪn'træml/ v. t. (*lett.*) impigliare; intralciare; ostacolare.

♦**entrance** /'ɛntrəns/ n. **1** entrata; accesso; ingresso; adito: **front e.**, entrata principale; **back e.**, ingresso posteriore **2** ⓤ entrata; ingresso: *Her sudden e. put an end to the conversation*, la sua entrata improvvisa mise fine alla conversazione; **to make one's e.**, fare il proprio ingresso; *He was refused e. to the club*, gli fu vietato l'accesso al circolo; **e. into office**, entrata in carica; **e. channel**, canale di accesso **3** ⓤ ammissione; ingresso: **free e.**, ingresso libero, gratuito; **e. examination**, esame d'ammissione; **e. fee**, tassa d'ammissione (*o* d'iscrizione); **to gain e. to st.**, essere ammesso a qc. **4** (*teatr.*) entrata in scena: **entrances and exits**, entrate e uscite di scena ● **e. hall**, vestibolo □ **e. phone**, citofono (*in una casa*) □ **e. porch**, portico (*o* veranda) d'accesso □ **e. steps**, scalinata d'accesso (*a un tempio, ecc.*) □ «**No e.!**», «vietato l'accesso»; «divieto d'accesso» (*cartello*).

to **entrance** /ɪn'trɑːns/ v. t. **1** estasiare; incantare; affascinare; rapire **2** far cadere in trance || **entranced** a. estasiato; affascinato; in estasi; rapito || **entrancement** n. ⓤ **1** il far cadere in trance **2** (*fig.*) estasi; rapimento || **entrancing** a. affascinante; incantevole; fascinoso.

entrant /'ɛntrənt/ n. **1** chi entra **2** chi intraprende una professione; principiante; debuttante **3** chi s'iscrive a una società; nuovo socio **4** nuovo studente **5** (*sport*) iscritto a una gara; concorrente; competitore; partecipante.

to **entrap** /ɪn'træp/ v. t. **1** intrappolare; prendere in trappola; far cadere in trappola; irretire **2** (*scient.*) catturare; imprigionare **3** (*USA*) indurre subdolamente a un reato (*q., per poterlo incriminare*) || **entrapment** n. ⓤ **1** l'intrappolare; (messa in) trappola **2** (*scient.*) cattura **3** (*USA*) induzione al reato (*per ottenere un'incriminazione*).

to **entreat** /ɪn'triːt/ v. t. **1** implorare; pregare; supplicare; scongiurare: *We entreated him to go*, lo supplicammo di andare via **2** chiedere supplichevolmente || **entreating-ly** avv. supplichevolmente; insistentemente.

entreaty /ɪn'triːtɪ/ n. ⓒⓤ implorazione; preghiera; supplica; petizione.

entrecôte /'ɒntrəkəʊt/ (*franc.*) n. (*cucina*) costata.

entrée /'ɒntreɪ/ (*franc.*) n. **1** (*cucina*) entrée; prima portata **2** (*cucina, in GB*) entrée; piatto servito tra la portata di pesce e quella di carne **3** ⓤ accesso, ingresso (*in un ambiente, ecc.*); entrée; entratura (*fam.*): *That move gave him an e. to a very exclusive market*, quella mossa gli procurò l'accesso a un mercato molto esclusivo.

to **entrench** /ɪn'trentʃ/ **A** v. t. **1** (*mil.*) trincerare; fortificare **2** (*fig.*) stabilire saldamente; consolidare; radicare: **to e. one's position**, consolidare la propria posizione; **to e. a habit**, radicare un'abitudine **B** v. i. (*mil. e fig.*) trincerarsi; arroccarsi ● (*mil. e fig.*) **to e. oneself**, trincerarsi; arroccarsi □ (*arc.*) **to e. upon a right**, usurpare un diritto.

entrenched /ɪn'trentʃt/ a. **1** (*mil.*) trincerato; arroccato: *The Germans were e. on the top of the mountain*, i tedeschi erano trincerati in cima alla montagna; **firmly e.**, saldamente arroccato; **e. camp**, campo trincerato **2** (*fig.*) trincerato; arroccato; radicato; cristallizzato; irriducibile: *She's e. in her views*, è radicata nelle sue opinioni; **e. opposition**, opposizione irriducibile; **to become e.**, radicarsi; cristallizzarsi **3** (*geogr., di corso d'acqua*) incassato || **entrenchment** n. ⓤ **1** il trincerare; il trincerarsi **2** (*mil.*) trinceramento **3** ⓤ (*fig.*) consolidamento; radicamento.

entre nous /ɒntrə'nuː/ (*franc.*) loc. avv. tra noi; detto tra noi.

entrepôt /'ɒntrəpəʊ/ (*franc.*) n. (*comm.*) **1** punto franco **2** deposito franco; magazzino doganale ● (*naut.*) **e. port**, porto franco.

entrepreneur /ɒntrəprə'nɜː(r)/ (*franc.*) n. **1** (*econ.*) imprenditore; operatore economico **2** (*mus., teatr.*) impresario ● **e.-executive**, imprenditore-manager || **entrepreneurial** a. (*econ.*) imprenditoriale || **entrepreneurship** n. ⓤ (*econ.*) imprenditorialità.

entresol /'ɒntrəsɒl/ (*franc.*) n. (*edil.*) mezzanino; ammezzato.

entropy /'ɛntrəpɪ/ n. ⓤ (*fis., ling. e fig.*) entropia || **entropic** a. (*fis.*) entropico.

to **entrust** /ɪn'trʌst/ v. t. affidare; consegnare; commettere (*lett.*): **to e. money** [**a new responsibility, a task**] **to sb.**; (*anche*) **to e. sb. with money** [**a new responsibility, a task**], affidare denaro [una nuova responsabilità, un compito] a q. || **entrustment** n. ⓤ affidamento.

♦**entry** /'ɛntrɪ/ n. **1** ⓤ entrata; ingresso; accesso: **a triumphal e.**, un'entrata trionfale; *Italy's e. into the war*, l'entrata in guerra dell'Italia; **to allow e.**, permettere [negare] l'accesso; *He was denied e.*, gli fu rifiutato l'accesso; gli fu impedito di entrare; **to gain e. to**, accedere a; **free e.**, ingresso libero; entrata libera; (*leg.*) **illegal e.**, entrata illegale (*di un clandestino in un paese*); **e. requirements**, requisiti per accedere (a qc.); requisiti per l'ammissione **2** entrata; ingresso; atrio; passaggio: **a narrow e. at the back of a house**, uno stretto passaggio dietro una casa **3** ⓤ (*leg.* = **e. into possession**) entrata in possesso (*d'una casa, d'una proprietà, ecc.*); insediamento **4** (*mus.*) entrata **5** annotazione; cosa registrata; voce: **an e. in the log-book**, una registrazione sul libro di bordo; **to make an e.**, fare un'annotazione; registrare qc. **6** ⓤ registrazione; (*anche comput.*) immissione (*di dati*) **7** (*rag.*) registrazione; scrittura; posta; voce (contabile); partita: **an e. in the balance sheet**, una voce del bilancio; **e. in reversal**, scrittura di storno; **double e.**, partita doppia **8** (*dog.*) dichiarazione; bolletta; bolla: **e. for dutiable goods**, dichiarazione per merce schiava di dazio; **e. for free goods**, bolletta d'entra-

ta di merce esente da dazio; **e. inwards** [**outwards**], bolletta doganale d'entrata [d'uscita]; **e. under bond**, bolletta di cauzione (o di transito) **9** ▣ (*leg.*) registrazione (*di un atto, in un pubblico registro*); trascrizione; iscrizione; deposito, presentazione (*di un documento*) **10** (= *e. word, dictionary e., main e.*) voce (*di dizionario*); lemma; esponente **11** persona o cosa che partecipa a un concorso o a una gara; partecipante; concorrente; elaborato, opera, risposta (*con cui si concorre*): **the first correct e. drawn**, la prima risposta esatta sorteggiata **12** ▣ iscrizione (*a una gara, un concorso*) **13** (*mat.*) elemento (*di una matrice*) **14** (*geogr.*) sbocco (*di un fiume*); foce ● **e. fee**, tassa d'iscrizione □ **e. form**, modulo d'iscrizione □ (*leg.*) **e. into force**, entrata in vigore ● **e.-level**, (*di prodotto, spec. comput.*) per principianti; iniziale; (*di impiego o impiegato*) al primo livello nella scala professionale □ (*leg.*) **e. of appearance**, costituzione in giudizio □ **e. point**, (*comput.*) punto d'entrata; (*autom.*) punto (*in Italia*: casello) d'entrata (*in autostrada*) □ (*leg.*) **e. visa** (o **e. permit**), visto d'ingresso □ (*med.*) **e. wound**, ferita causata dall'ingresso del proiettile □ **new e.**, nuova voce; nuovo elemento; nuovo iscritto; (*fig.*, *di canzone, libro, ecc.*) nuovo arrivo in classifica □ (*autom.*) «**No e.**», «divieto d'accesso» (*cartello*).

entryism /ˈɛntrɪɪzəm/ (*polit.*) n. ▣ entrismo || **entryist** n. entrista; infiltrato.

entryphone® /ˈɛntrɪfəʊn/ n. citofono (*in una casa*).

entryway /ˈɛntrɪweɪ/ n. (*USA*) entrata; ingresso; passaggio.

to **entwine** /ɪnˈtwaɪn/ **A** v. t. intrecciare; attorcere **B** v. i. intrecciarsi; attorcersi.

to **enucleate** /ɪˈnjuːklɪeɪt/, *USA* ɪˈnuː-/ v. t. **1** (*biol.*) privare del nucleo **2** (*chir.*) enucleare || **enucleation** n. ▣ **1** (*biol.*) asportazione del nucleo **2** (*chir.*) enucleazione.

to **enumerate** /ɪˈnjuːməreɪt/, *USA* ɪˈnuː-/ v. t. enumerare; contare; elencare || **enumeration** n. ▣ enumerazione; elencazione || **enumerative** a. enumerativo.

enumerator /ɪˈnjuːməreɪtə(r)/, *USA* ɪ-ˈnuː-/ n. chi enumera; enumeratore.

enunciable /ɪˈnʌnsɪəbl/ a. enunciabile.

to **enunciate** /ɪˈnʌnsɪeɪt/ v. t. **1** enunciare: *Einstein enunciated a new theory*, Einstein enunciò una nuova teoria **2** annunciare; proclamare **3** pronunciare; articolare: **to e. one's words with particular clarity**, pronunciare le parole in modo particolarmente chiaro || **enunciation** n. **1** enunciazione **2** annuncio; proclama **3** ▣ pronuncia; articolazione || **enunciative** a. **1** (*anche ling.*) enunciativo **2** che annuncia; che proclama || **enunciator** n. **1** enunciatore **2** proclamatore.

to **enure** /ɪˈnjʊə(r)/ → **to inure**.

enuresis /ˌenjʊəˈriːsɪs/ (*med.*) n. ▣ enuresi || **enuretic** a. enuretico.

to **envelop** /ɪnˈvɛləp/ v. t. **1** avvolgere; avviluppare; nascondere: **to e. a baby in warm clothes**, avvolgere un bambino in panni caldi; *The peak was enveloped in black clouds*, la vetta era nascosta da nuvole nere **2** (*mil.*) accerchiare.

♦**envelope** /ˈɛnvələʊp/ n. **1** busta: **stamped addressed e.**, busta affrancata e preindirizzata; **sealed e.**, busta chiusa; busta sigillata **2** (*tecn., bot., biol.*) involucro **3** (*mat.*) inviluppo ● **brown e.**, busta di carta marroncina; (*per estens., GB*) lettera ufficiale (*mandata da un ufficio pubblico*) □ (*fam.*) **e. stuffer**, materiale pubblicitario □ (*slang USA*) **to push the e.**, spingersi al limite; superare il limite □ (*fam.*) **to stuff envelopes**, riempire buste di materiale commerciale, circolari, ecc.

envelopment /ɪnˈvɛləpmənt/ n. ▣ avvolgimento; l'avviluppare **2** (*tecn., bot., biol.*) involucro.

to **envenom** /ɪnˈvɛnəm/ v. t. **1** avvelenare (*fig.*); invelenire; mettere del veleno in **2** (*arc.*) avvelenare.

to **envenomate** /ɪnˈvɛnəmeɪt/ (*zool., med.*) v. t. avvelenare || **envenomation** n. ▣ avvelenamento.

enviable /ˈɛnvɪəbl/ a. invidiabile | **-bly** avv.

envious /ˈɛnvɪəs/ a. invidioso: **to be e. of another person's good fortune**, essere invidioso della buona fortuna altrui; **an e. glance**, un'occhiata d'invidia | **-ly** avv. | **-ness** n. ▣.

to **environ** /ɪnˈvaɪərən/ v. t. **1** attorniare; circondare: *The village was environed by woods*, il paese era circondato da boschi **2** (*mil.*) accerchiare.

♦**environment** /ɪnˈvaɪərənmənt/ n. ▣◻ **1** territorio circostante; dintorni (pl.) **2** ambiente; condizioni (ambientali) (pl.); habitat: **one's home e.**, il proprio ambiente familiare; **the social e.**, le condizioni sociali **3** (*ecol.*) (l')ambiente **4** (*comput.*) ambiente ● (*di prodotto, ecol.*) **e.-friendly**, che non danneggia l'ambiente; ecologico.

♦**environmental** /ɪnvaɪərənˈmentl/ a. **1** dell'ambiente; ambientale; ecologico: **e. conservation** (o **e. protection**), protezione dell'ambiente; **e. damage**, danno ecologico; **e. effect**, impatto ambientale **2** (*radio, TV*) di fondo: **e. sound**, rumori di fondo ● **e. audit**, certificazione dell'impatto ambientale (*di un impianto, ecc.*); auditing ambientale □ (*leg.*) **e. offence**, reato ecologico || **environmentalist** n. (*psic., ecol.*) ambientalista || **environmentalism** n. ▣ (*psic., ecol.*) ambientalismo.

environmentally /ɪnvaɪərəˈmentəlɪ/ avv. ambientalmente; ecologicamente; eco-: **e. aware**, sensibilizzato ai problemi dell'ambiente; **e. compatible**, ecocompatibile; **e. friendly**, che non danneggia l'ambiente; ecologico ● (*in GB*) **E. Sensitive Area →** **ESA**, def. 2.

environs /ɪnˈvaɪərənz/ n. pl. dintorni; periferia (sing.); sobborghi.

to **envisage** /ɪnˈvɪzɪdʒ/ v. t. **1** immaginare; prevedere; avere in vista: *We e. starting in May*, prevediamo di cominciare a maggio **2** farsi un'immagine mentale di: immaginare.

to **envision** /ɪnˈvɪʒn/ (*spec. USA*) → **to envisage**, def. 1.

envoy① /ˈɛnvɔɪ/ n. **1** inviato; delegato; messo; rappresentante **2** (*polit.*, = **e. extraordinary**) inviato straordinario.

envoy② /ˈɛnvɔɪ/ n. (*letter.*) commiato; congedo (*che concludeva talune poesie*).

envy /ˈɛnvɪ/ n. **1** invidia: *They have (o feel) a wild e. of their eldest brother*, hanno (o provano) una fortissima invidia per il fratello maggiore; **e. at sb.'s good luck** [**success**], invidia della fortuna [del successo] di q.; **out of e.**, per pura invidia **2** (*relig.*) invidia (*uno dei sette peccati capitali*) **3** oggetto d'invidia: *She's the e. of the neighbourhood*, è l'invidia del vicinato ● **to be green with e.**, essere verde d'invidia.

to **envy** /ˈɛnvɪ/ v. t. invidiare: *I don't e. you this difficult task*, davvero non t'invidio questo tuo difficile compito; *Such people are to be envied*, gente siffatta è degna d'invidia (o è da invidiare).

to **enwrap** /ɪnˈræp/ v. t. avvolgere; avviluppare; involtare ● (*fig.*) **to be enwrapped in thought**, essere meditabondo.

to **enwreathe** /ɪnˈriːð/ v. t. **1** inghirlandare **2** intrecciare.

enzootic /ˌenzəʊˈɒtɪk/ (*vet.*) **A** a. enzooti-

co **B** n. (= **e. disease**) enzoozia.

enzyme /ˈɛnzaɪm/ (*chim.*) n. enzima: *Pepsin is a digestive e.*, la pepsina è un enzima della digestione ● **e. detergent**, detergente a base di enzimi || **enzymatic** a. enzimatico.

enzymology /ˌenzaɪˈmɒlədʒɪ/ n. ▣ (*scient.*) enzimologia || **enzymological** a. enzimologico || **enzymologist** n. enzimologo.

e.o. sigla (*lat.: ex officio*) d'ufficio.

EO sigla (*USA*: **executive order**) → **executive**.

EOC sigla (*GB*, **Equal Opportunities Commission**) Commissione per le pari opportunità.

Eocene /ˈiːəʊsiːn/ (*geol.*) **A** n. ▣ Eocene **B** a. eocenico.

EOF sigla (*comput.*, **end of file**) fine del file.

eolian /ˈiːəʊlɪən/ → **aeolian**.

eolith /ˈiːəʊlɪθ/ n. (*paleont.*) eolite.

Eolithic /iːəʊˈlɪθɪk/ a. (*preistoria*) eolitico.

e.o.m. sigla (*comm.*, **end of (the) month**) fine (del) mese.

eon /ˈiːən/ (*USA*) → **aeon**.

eosin, eosine /ˈiːəsiːn/ n. ▣ (*chim., ind.*) eosina.

eosinophil /iːəˈsɪnəfaɪl/ n. (*biol.*) eosinofilo.

eosinophilia /iːəsɪnəˈfɪlɪə/ (*med.*) n. ▣ eosinofilia || **eosinophilic** a. eosinofilo.

EOT sigla **1** (*comput.*, **end of tape**) fine del nastro **2** (*comput.*, **end of transmission**) fine della trasmissione.

EP sigla **1** (**European Parliament**) Parlamento europeo (PE) **2** (**extended-play**) esecuzione estesa (*nei dischi microsolco*).

EPA sigla (*USA*, **Environmental Protection Agency**) Ente per la protezione dell'ambiente.

epact /ˈiːpækt/ n. (*astron.*) epatta.

eparch /ˈepɑːk/ n. (*stor. greca*) eparca.

eparchy /ˈepɑːkɪ/ n. (*stor. greca*) eparchia.

epaulette, (*USA*) **epaulet** /ˈepəlet/ n. (*mil.*) spallina ● (*fig.*) **to win one's epaulettes**, guadagnarsi le spalline; diventare ufficiale sul campo.

epaxial /eˈpæksɪəl/ a. (*anat., biol.*) epiassiale.

EPC sigla (*comm.*, **electronic product code**) codice EPC (*codice elettronico che identifica un prodotto*).

épée /ˈepeɪ/ (*franc.*), (*scherma*) n. spada ● **épée fencing**, scherma di spada; la spada (*la specialità*) || **épéeist** n. spadista.

epeirogenesis /ɪpaɪrəˈdʒenəsɪs/, **epeirogeny** /ɪpaɪˈrɒdʒenɪ/ n. ▣ (*geol.*) epirogenesi.

epenthesis /eˈpenθəsɪs/ (*ling.*) n. (pl. **epentheses**) epentesi || **epenthetic** a. epentetico.

epergne /ɪˈpɜːn/ (*franc.*) n. centrotavola (*ornamentale*); trionfo.

ephebe /ɪˈfiːb/ n. efebo || **ephebic** a. efebico.

ephedra /əˈfedrə/ n. ▣◻ (*bot.: Ephedra*) efedra.

ephedrine /ˈɛfədrɪn/ n. ▣ (*chim.*) efedrina.

ephemera /ɪˈfɛmərə/ n. **1** (pl. **ephemeras, ephemerae**) (*zool., Ephemera vulgata*) effimera, efemera **2** (pl.) cose effimere **3** (pl.) cimeli di mode o usi passati (*biglietti, foto, opuscoli, ecc.*); ephemera.

ephemeral /ɪˈfɛmərəl/ **A** a. **1** effimero; caduco; passeggero: **e. glory**, gloria effimera **2** (*bot., zool.*) effimero **B** n. (*bot., zool.*) insetto effimero; pianta effimera | **-ly** avv.

ephemerality /ɪfɛməˈrælətɪ/ n. ▣ l'essere effimero; caducità.

ephemeris /ɪˈfɛmərɪs/ n. (pl. *ephemerides*) (*astron.*, *astrol.*) effemeride.

ephemeron /ɪˈfɛmərɒn/ n. (pl. *ephemerons*, *ephemera*) (*zool.*) insetto effimero.

Ephesian /ɪˈfiːʒn/ **A** a. (*stor.*) efesino; di Efeso; efesio **B** n. abitante di Efeso; efesino.

Ephesus /ˈɛfɪsəs/ n. (*geogr.*, *stor.*) Efeso.

ephod /ˈiːfɒd/ n. (*relig. ebraica*) efod.

ephor /ˈɛfə(r)/ n. (pl. *ephors*, *ephori*) (*stor. greca*) eforo || **ephorate** n. eforato.

epic /ˈɛpɪk/ **A** n. **1** poema epico; epopea: **national e.**, poema epico nazionale **2** Ⓤ (*poesia*) epica; epopea **3** (*fig.*) epopea: the **e. of the West**, l'epopea del Far West **B** a. epico: **e. poetry**, poesia epica; epica; **an e. fight**, una lotta epica | **-ally** avv.

epicanthus /ɛpɪˈkænθəs/ (*anat.*) n. (pl. *epicanthi*) epicanto || **epicanthic** a. epicantico: **epicanthic fold**, piega epicantica; epicanto.

epicardium /ɛpɪˈkɑːdɪəm/ n. (pl. *epicardia*) (*anat.*) epicardio.

epicarp /ˈɛpɪkɑːp/ n. (*bot.*) epicarpo.

epicedium /ɛpɪˈsiːdɪəm/ n. (pl. *epicedia*) (*letter.*) epicedio.

epicene /ˈɛpɪsiːn/ **A** a. **1** (*gramm.*) epiceno **2** di sesso indeterminato; asessuato **3** (*fig.*) effeminato **B** n. persona di sesso indeterminato.

epicentre, (*USA*) **epicenter** /ˈɛpɪsɛntə(r)/, **epicentrum** /ˈɛpɪsɛntrəm/ n. (*geol.*) epicentro.

epicondyle /ɛpɪˈkɒndɪl/ n. (*anat.*) epicondilo || **epicondylitis** n. Ⓤ (*med.*) epicondilite.

epicontinental /ɛpɪkɒntɪˈnɛntl/ a. (*geogr.*) epicontinentale.

epicure /ˈɛpɪkjʊə(r)/ n. buongustaio; intenditore.

Epicurean /ɛpɪkjʊˈriːən/ a. e n. (*fig.*, *anche* **e.**) epicureo.

Epicureanism /ɛpɪkjʊˈriːənɪzəm/, **Epicurism** /ˈɛpɪkjʊərɪzəm/ n. Ⓤ epicureismo (*la dottrina d'Epicuro; una vita da epicureo*).

Epicurus /ɛpɪˈkjʊərəs/ n. (*stor. filos.*) Epicuro.

epicycle /ˈɛpɪsaɪkl/ (*geom.*, *astron.*, *mecc.*) n. epiciclo || **epicyclic**, **epicyclical** a. epicicloidale: (*mecc.*) **epicyclic train**, rotismo epicicloidale.

epicycloid /ɛpɪˈsaɪklɔɪd/ (*geom.*) n. epicicloide || **epicycloidal** a. epicicloidale.

epideictic /ɛpɪˈdaɪktɪk/ a. epidittico; dimostrativo; espositivo.

epidemic /ɛpɪˈdɛmɪk/ **A** a. (*med.*) epidemico **B** n. (*med. e fig.*) epidemia.

epidemicity /ɛpɪdɪˈmɪsəti/ n. Ⓤ epidemicità.

epidemiology /ɛpɪdiːmɪˈɒlədʒi/ (*med.*) n. Ⓤ epidemiologia || **epidemiological** a. epidemiologico.

epidermis /ɛpɪˈdɜːmɪs/ (*anat.*) n. Ⓤ Ⓒ epidermide || **epidermal**, **epidermic** a. epidermico.

epidiascope /ɛpɪˈdaɪəskəʊp/ n. (*fis.*) epidiascopio.

epididymis /ɛpɪˈdɪdɪməs/ n. (pl. *epididymes*, *epididymides*) (*anat.*) epididimo.

epidote /ˈɛpɪdəʊt/ n. Ⓤ Ⓒ (*miner.*) epidoto.

epidural /ɛpɪˈdjʊərəl/, *USA* -ˈdʊə-/ a. (*anat.*, *med.*) epidurale.

epigastrium /ɛpɪˈɡæstrɪəm/ (*anat.*) n. (pl. *epigastria*) epigastrio || **epigastric** a. epigastrico.

epigeal /ɛpɪˈdʒiːəl/ a. (*bot.*, *zool.*) epigeo.

epigenesis /ɛpɪˈdʒɛnəsɪs/ (*scient.*) n. Ⓤ epigenesi || **epigenetic** a. epigenetico || **epigenetics** n. pl. (col verbo al sing.) epigenetica; epigenia.

epiglottis /ɛpɪˈɡlɒtɪs/ (*anat.*) n. (pl. *epi-*

glottises, **epiglottides**) epiglottide || **epiglottic** a. epiglottico.

epigone /ˈɛpɪɡəʊn/ n. (pl. *epigones*, *epigoni*) epigono.

epigram /ˈɛpɪɡræm/ (*letter.*) n. epigramma || **epigrammatist** n. epigrammista.

epigrammatic /ɛpɪɡrəˈmætɪk/ a. epigrammatico | **-ally** avv.

to **epigrammatize** /ɛpɪˈɡræmətaɪz/ **A** v. t. esprimere in forma epigrammatica **B** v. i. scrivere epigrammi; epigrammatizzare.

epigraph /ˈɛpɪɡrɑːf/ n. **1** epigrafe; iscrizione **2** citazione.

epigraphy /ɛˈpɪɡrəfi/ n. Ⓤ epigrafia || **epigraphic** a. epigrafico || **epigraphist** n. epigrafista.

epilepsy /ˈɛpɪlɛpsi/ n. Ⓤ (*med.*) epilessia.

epileptic /ɛpɪˈlɛptɪk/ a. e n. epilettico: **an e. fit**, un attacco epilettico.

epileptoid /ɛpɪˈlɛptɔɪd/ a. e n. (*med.*) epilettoide.

epilogue, (*USA*) **epilog** /ˈɛpɪlɒɡ/ (*letter.*) n. epilogo || **epilogist** n. chi scrive o pronuncia un epilogo.

epimer /ˈɛpəmə(r)/ n. (*chim.*) epimero.

epimere /ˈɛpɪmɪə/ n. (*embriologia*) epimero.

epinephrine /ɛpɪˈnɛfrɪn/ n. (*chim.*) epinefrina.

epiphany /ɪˈpɪfəni/ n. **1** apparizione (*d'un essere soprannaturale*); epifania (*lett.*) **2** Ⓤ – (*relig.*) E., Epifania **3** (*fig.*) grande rivelazione; momento illuminante; epifania || **epiphanic** a. epifanico.

epiphenomenon /ɛpɪfɪˈnɒmɪnən/ (*med.*, *filos.*) n. (pl. *epiphenomena*, *epiphenomenons*) epifenomeno; fenomeno secondario || **epiphenomenal** a. epifenomenico.

epiphragm /ˈɛpɪfræɡm/ n. (*bot.*, *zool.*) epifragma.

epiphysis /ɛˈpɪfəsɪs/ (*anat.*) n. (pl. *epiphyses*) epifisi || **epiphyseal** a. epifisario.

epiphyte /ˈɛpɪfaɪt/ n. (*bot.*) epifita.

Epirote /ɛˈpaɪrəʊt/ a. e n. Epirota.

Epirus /ɛˈpaɪrəs/ n. (*geogr.*) Epiro.

Episc. abbr. di → **Episcopal**.

episcopacy /ɪˈpɪskəpəsi/ n. Ⓤ (*relig.*) episcopato.

episcopal /ɪˈpɪskəpl/ (*relig.*) a. episcopale; vescovile ● the **E. Church**, la Chiesa Episcopale (*in Scozia*) || **Episcopalism** n. episcopalismo.

Episcopalian /ɪpɪskəˈpeɪlɪən/ (*relig.*) **A** a. episcopaliano **B** n. membro della Chiesa Episcopale || **Episcopalianism** n. Ⓤ episcopalismo.

episcopate /ɪˈpɪskəpət/ n. **1** episcopato; vescovado: the **e.**, l'episcopato (*i vescovi*) **2** episcopio (*lett.*); vescovado **3** diocesi.

episcope /ˈɛpɪskəʊp/ n. episcopio.

episiotomy /ɪpɪziˈɒtəmi/ n. (*med.*) episiotomia.

episode /ˈɛpɪsəʊd/ n. (*letter.*, *med.*, *mus.*) episodio.

episodic /ɛpɪˈsɒdɪk/ a. **1** episodico; sporadico; occasionale **2** a episodi | **-ally** avv.

epistasis /ɪˈpɪstəsɪs/ n. Ⓒ Ⓤ (pl. *epistases*) (*genetica*) epistasi.

epistaxis /ɛpɪˈstæksɪs/ n. Ⓒ Ⓤ (*med.*) epistassi.

epistemology /ɪpɪstɪˈmɒlədʒi/ (*filos.*) n. Ⓤ epistemologia || **epistemological** a. epistemologico || **epistemologist** n. epistemologo.

epistle /ɪˈpɪsl/ n. **1** epistola: (*relig.*) The *Epistles*, le Epistole degli Apostoli **2** (*lett. o scherz.*) lettera; epistola.

epistolary /ɪˈpɪstələri/ **A** a. epistolare: **e. novel**, romanzo epistolare **B** n. (*relig.*) epi-

stolario.

epistolographer /ɛpɪstəˈlɒɡrəfə(r)/ n. epistolografo || **epistolography** n. Ⓤ epistolografia.

epistrophe /ɛˈpɪstrəfi/ n. **1** (*retor.*) epistrofe **2** (*mus.*) ritornello.

epistyle /ˈɛpɪstaɪl/ n. (*archit.*) epistilio.

epitaph /ˈɛpɪtɑːf/ n. epitaffio.

epitasis /ɪˈpɪtəsɪs/ n. (pl. *epitases*) (*letter. greca*) epitasi.

epitaxy /ˈɛpɪtæksi/ (*miner.*) n. Ⓤ epitassia || **epitaxial** a. epitassiale.

epithalamium /ɛpɪθəˈleɪmɪəm/, **epithalamion** /ɛpɪθəˈleɪmɪən/ (*letter.*) n. (pl. *epithalamiums*, *epithalamia*) epitalamio || **epithalamic** a. epitalamico.

epithalamus /ɛpɪˈθæləməs/ n. (pl. *epithalami*) (*anat.*) epitalamo.

epithelium /ɛpɪˈθiːlɪəm/ (*anat.*) n. (pl. *epithelia*, *epitheliums*) epitelio || **epithelial** a. epiteliale: **epithelial tissue**, tessuto epiteliale || **epithelioma** n. (pl. *epitheliomas*, *epitheliomata*) (*med.*) epitelioma.

epithet /ˈɛpɪθɛt/ n. epiteto; qualifica.

epitome /ɪˈpɪtəmi/ n. **1** epitome; compendio; sommario **2** (*fig.*) incarnazione; personificazione: *He is the e. of envy*, egli è l'invidia in carne e ossa || **epitomist** n. epitomatore, epitomatrice.

to **epitomize** /ɪˈpɪtəmaɪz/ v. t. **1** incarnare; impersonare **2** (*arc.*) compendiare; riassumere.

epizoon /ɛpɪˈzəʊən/ n. (pl. *epizoa*) (*zool.*) epizoo.

epizootic /ɛpɪzəʊˈɒtɪk/ **A** a. (*vet.*) epizootico: **e. aphtha**, afta epizootica **B** n. malattia epizootica; epizoozia, epizoozia.

EPO sigla **1** (*med.*, **erythropoietin**) eritropoietina (EPO) **2** (**European Patent Office**) Ufficio brevetti europeo.

epoch /ˈiːpɒk/, *USA* ˈɛpək/ n. **1** epoca; era; età: **the Elizabethan e.**, l'età elisabettiana **2** (*astron.*, *geol.*) epoca **3** (*fig.*) momento importante; svolta decisiva ● **e.-making**, che fa (*o* che fece) epoca; epocale: **an e.-making decision**, una decisione epocale || **epochal** a. **1** caratteristico di un'epoca **2** epocale; che fa epoca.

epode /ˈɛpəʊd/ (*poesia*) n. epodo.

eponym /ˈɛpənɪm/ n. eponimo.

eponymous /ɪˈpɒnɪməs/ a. **1** eponimo **2** (*di cosa*) dallo stesso nome (*dell'autore, del fondatore, ecc.*); omonimo || **eponymy** n. Ⓤ eponimia.

EPOS sigla (**electronic point of sale**) punto di vendita elettronico.

epos /ˈɛpɒs/ n. epos.

epoxide /ɪˈpɒksaɪd/ n. (*chim.*) epossido.

epoxy /ɪˈpɒksi/ a. (*chim.*) epossidico: **e. resins**, resine epossidiche.

e-procurement /ɪprəˈkjʊəmənt/ n. Ⓤ (*Internet*, acronimo di **electronic procurement**) e-procurement, intermediazione elettronica.

EPROM /ˈiːprɒm/ sigla (*elettron.*, **erasable programmable read-only memory**) memoria ROM programmabile e cancellabile (*con raggi UV*; cfr. **EEPROM**).

eps sigla (*comm.*, **earnings per share**) reddito per azione.

epsilon /ɛpˈsaɪlən, *USA* ˈɛpsɪlɒn/ n. epsilon (*quinta lettera dell'alfabeto greco*).

Epsom /ˈɛpsəm/ n. **1** (*geogr.*) Epsom (*città inglese*) **2** ippodromo (*o* corsa) di Epsom ● (*med. farm.*) **E. salts**, sale inglese.

epsomite /ˈɛpsəmaɪt/ n. Ⓤ (*miner.*) epsomite.

EPU sigla (**European Payments Union**) Unione europea dei pagamenti (UEP).

e-publishing /ˈiːpʌblɪʃɪŋ/ n. Ⓤ (*comput.*) (acronimo di **electronic publishing**) edito-

ria elettronica.

epulis /ə'pjuːləs/ n. (pl. **epulides**) (med.) epulide.

epyllion /ɛp'ɪlɪən/ n. (pl. **epyllia, epyllions**) (lett.) epillio.

EQ sigla (**emotional quotient**) quoziente emotivo; QE.

eq. abbr. **1** (**equal**) uguale **2** (anche **eqn**) (mat., **equation**) equazione **3** (**equatoriale**) equatoriale **4** (anche **eqpt**) (**equipment**) equipaggiamento, attrezzatura **5** (anche **equiv.**) (**equivalent**) equivalente.

equability /ɛkwə'bɪlətɪ/ n. **1** equabilità (lett.); uniformità **2** imperturbabilità; calma; serenità; equanimità.

equable /'ɛkwəbl/ a. **1** uniforme; costante: **e. temperature**, temperatura uniforme **2** imperturbabile; calmo; sereno; equanime: **e. affection**, affetto calmo, sereno | **-bly** avv.

❶ **NOTA:** *equable o equitable?*
L'aggettivo *equable* significa "costante, uniforme", in riferimento a ciò che non subisce grandi variazioni: *an equable climate*, un clima temperato; *her equable temperament means that he always stays calm*, il carattere imperturbabile di lei fa sì che lui resti sempre calmo. Non si deve confondere *equable* con *equitable*, che invece significa "equo, giusto": *Is democracy an equitable means of government?* la democrazia è un sistema di governo giusto?; *to distribute money in an equitable manner*, distribuire il denaro in modo equo.

◆**equal** /'iːkwəl/ **A** a. **1** uguale, eguale; pari; medesimo; stesso: **e. rights**, uguali diritti; pari diritti; **e. pay for e. work**, la stessa retribuzione per lo stesso lavoro; **two e. shares**, due parti uguali; **e. in weight**, pari per peso; *All men are created e.*, tutti gli uomini sono creati uguali; *'All animals are e., but some are more e. than others'* G. OR-WELL, 'tutti gli animali sono uguali, ma alcuni sono più uguali degli altri' **2** alla pari; equo; giusto: **an e. contest**, un incontro alla pari; **e. laws**, leggi eque **3** – **e. to**, all'altezza di: **e. to the situation [to the task]**, all'altezza della situazione [del compito] **4** uniforme; equanime **B** n. pari; uguale: *He has no e.*, non ha l'uguale; non c'è un altro uguale a lui; (mat.) *Let x be the e. of y...*, sia x uguale a y...; **first among equals**, primus inter pares (lat.) ● (cartografia) **e.-area**, equivalente □ (comm.) **e. competitive footing** (o **e. conditions of competition**), parità concorrenziale □ (econ.) **e. cost line**, isocosto □ **e. distance**, distanza uguale; equidistanza (geom.) □ (mat.) **e. mark**, segno d'uguaglianza (=) □ **e. opportunity** (o **e. opportunities**), pari opportunità □ (econ.) **e. pay (for e. work)**, parità salariale □ (econ.) **e. product curve**, isoquanto □ **e. sign** (o **signs**) → **e. mark** □ (mus.) **e. temperament**, scala temperata □ (econ.) **e. value**, equivalore □ *All are e. under the law*, la legge è uguale per tutti □ **all things being e.**, a parità di condizioni □ **on an e. footing**, su un piede di parità □ **on e. terms**, alla pari; in condizione di parità; da pari a pari.

to **equal** /'iːkwəl/ v. t. **1** essere uguale (o pari) a; equivalere a: *The internal pressure equals the external pressure*, la pressione interna è pari a quella esterna; *His ignorance is equalled only by his arrogance*, la sua ignoranza è pari solo alla sua arroganza **2** uguagliare; eguagliare: **to e. a record**, eguagliare un primato **3** (mat.) essere uguale a; (nelle operazioni) fare: *Y equals X squared*, Y è uguale a X al quadrato; **3 times 5 equals 15**, 3 per 5 fa 15.

equalitarian /iːkwɒlɪ'tɛərɪən/ (polit.) a. e n. egualitario || **equalitarianism** n. ⓤ egualitarismo.

equality /ɪ'kwɒlətɪ/ n. **1** ⓤ uguaglianza, eguaglianza; parità: *I believe in the e. of men*, credo nell'uguaglianza degli uomini; **e. of opportunity**, uguaglianza di opportunità; pari opportunità; (econ.) **e. of starting points**, uguaglianza dei punti di partenza **2** ⓤⒸ (mat.) uguaglianza.

equalization /iːkwəlaɪˈzeɪʃn, USA -lɪˈz-/ n. ⓤ **1** pareggiamento; uguagliamento; livellamento; perequazione: **the e. of taxes**, la perequazione delle imposte **2** (sport) pareggio **3** (fin., tecn.) equalizzazione.

to **equalize** /'iːkwəlaɪz/ **A** v. t. **1** pareggiare; uguagliare (rendere uguale, uniforme); livellare; equiparare; perequare: **to e. salaries**, equiparare gli stipendi; **to e. the burden of taxation**, livellare il carico d'imposta **2** (fin., tecn.) equalizzare **B** v. i. (sport) pareggiare; raggiungere il pareggio: **to e. for Italy**, pareggiare per la nazionale italiana; (calcio) **to e. from a penalty**, pareggiare su rigore.

equalizer /'iːkwəlaɪzə(r)/ n. **1** uguagliatore; livellatore **2** (sport) punto (o gol) del pareggio **3** (elettr.) equalizzatore **4** (slang USA) arma da fuoco; pistola.

equalizing /'iːkwəlaɪzɪŋ/ **A** a. che parifica; perequativo: (fin.) **e. dividend**, dividendo perequativo **B** n. ⓤ pareggiamento; equalizzazione ● (rag.) **e. entry**, registrazione di chiusura □ (sport) **e. goal**, gol del pareggio □ (stat.) **e. value**, adeguato numerico.

◆**equally** /'iːkwəlɪ/ avv. **1** ugualmente, egualmente; in misura eguale: *They are e. strong*, sono ugualmente forti **2** ugualmente; altrettanto: *This tool will work e. well*, questo arnese funzionerà altrettanto bene **3** in parti uguali; equamente; in egual misura: *Cut up the cake e.*, dividi la torta in parti uguali! **4** uniformemente; allo stesso modo: **e. distributed**, distribuito uniformemente **5** (a inizio di frase) in forza dello stesso ragionamento; per lo stesso motivo; analogamente.

equanimity /ɛkwə'nɪmətɪ/ n. ⓤ **1** calma; serenità; equilibrio **2** (arc.) equanimità
❶ **FALSI AMICI** • *nell'inglese attuale* equanimity *non significa* equanimità || **equanimous** a. calmo; sereno; equilibrato.

to **equate** /ɪ'kweɪt/ **A** v. t. **1** equiparare; mettere sullo stesso piano **2** (mat.) uguagliare; rendere uguale **3** livellare; pareggiare: (econ.) **to e. exports and imports**, pareggiare esportazioni e importazioni **B** to **equate to** (o **with**) v. t. essere uguale o equivalente a; equivalere a; essere alla pari di.

◆**equation** /ɪ'kweɪʒn/ n. **1** (mat., chim.) equazione: **first degree e.**, equazione di primo grado; **e. of the second order**, equazione del second'ordine; **e. of state**, equazione di stato; (astron.) **e. of time**, equazione del tempo **2** (fig.) (il) considerare uguali; equazione: **the e. of success with happiness**, il considerare il successo sinonimo di felicità; l'equazione successo uguale felicità **3** ⓤ adeguamento; equiparazione; livellamento; (econ.) **the e. of demand and supply**, il livellamento della domanda e dell'offerta ● (fig.) **the other side of the e.**, l'altro lato della medaglia (fig.) □ **to come into the e.**, dover essere calcolato (o preso in considerazione).

equational /ɪ'kweɪʃənl/ a. **1** (mat.) di equazione **2** (logica, biol.) equazionale.

equative /ɪ'kweɪtɪv/ a. (ling.) equativo.

equator /ɪ'kweɪtə(r)/ n. ⓤ (geogr., astron.) equatore: **magnetic e.**, equatore magnetico; **celestial e.**, equatore celeste.

equatorial /ɛkwə'tɔːrɪəl/ **A** a. equatoriale: **E. Africa**, l'Africa equatoriale; **e. heat**, caldo equatoriale; (astron.) **e. mount**, mon-tatura equatoriale **B** n. (= **e. telescope**) equatoriale.

equerry /ɪ'kwɛrɪ/ n. scudiero (carica di corte in Inghilterra).

equestrian /ɪ'kwɛstrɪən/ **A** a. equestre; di equitazione; ippico; di cavallerizzo: **an e. statue**, una statua equestre; **e. events**, gare d'equitazione; gare ippiche; **e. exercises**, esercizi equestri; **e. portrait**, ritratto a cavallo; **e. skill**, abilità di cavallerizzo **B** n. cavaliere; cavallerizzo (anche di circo).

equestrianism /ɪ'kwɛstrɪənɪzəm/ n. (sport) sport (pl.) equestri.

equestrienne /ɪkwɛstrɪ'ɛn/ n. **1** amazzone; cavallerizza **2** cavallerizza di circo.

equiangular /iːkwɪ'æŋgjʊlə(r)/ a. (geom.) equiangolo.

equid /ˈɛkwɪd/ n. (zool.) equide.

equidistant /iːkwɪ'dɪstənt/ (anche fig.) a. equidistante || **equidistantly** avv. equidistantemente || **equidistance** n. ⓤ equidistanza.

equilateral /iːkwɪ'lætərəl/ **A** a. (geom.) equilatero **B** n. poligono equilatero.

to **equilibrate** /iːkwɪ'laɪbreɪt/ v. t. e i. equilibrare, equilibrarsi || **equilibration** n. ⓤ equilibramento.

equilibrist /ɪ'kwɪlɪbrɪst/ n. (arc.) equilibrista; acrobata.

equilibrium /iːkwɪ'lɪbrɪəm/ n. ⓒⓤ (pl. **equilibriums, equilibria**) (anche fig.) equilibrio: **to keep one's e.**, mantenersi in equilibrio; mantenere l'equilibrio; **to reach e.**, raggiungere l'equilibrio; **in a state of e.**, in condizioni di equilibrio ● (demogr.) **population**, popolazione in equilibrio □ (econ.) **e. price**, prezzo di equilibrio (o di mercato) □ (econ.) **e. theory**, teoria dell'equilibrio.

equine /ˈɛkwaɪn/ **A** a. **1** (zool.) equino **2** da cavallo; cavallino: **his e. face**, la sua faccia cavallina **B** n. (zool.) equino.

equinoctial /iːkwɪ'nɒkʃl/ **A** a. (astron., geogr.) equinoziale: **e. points**, punti equinoziali; (naut.) **e. gale**, burrasca equinoziale **B** n. (astron., antiq., = **e. line**) linea equinoziale; equatore celeste.

equinox /ˈiːkwɪnɒks,/ n. (astron.) equinozio: **the spring** (o **vernal**) **e.**, l'equinozio di primavera; **the autumnal e.**, l'equinozio d'autunno.

to **equip** /ɪ'kwɪp/ v. t. **1** attrezzare; equipaggiare (anche mil.); armare (naut.); corredare; provvedere; dotare: **to e. a workshop**, attrezzare un laboratorio; **to e. an army**, equipaggiare un esercito; **to e. one's children with a good education**, dotare i propri figli d'una buona istruzione **2** preparare; fornire di una preparazione: *His training has not equipped him for this role*, il suo addestramento non l'ha preparato a questo ruolo ● **to e. oneself**, equipaggiarsi; attrezzarsi: **to e. oneself for a journey**, attrezzarsi per un viaggio.

equipage /ˈɛkwɪpɪdʒ/ n. ⓤ equipaggiamento; attrezzatura **2** (stor.) equipaggio (nel senso di: carrozza signorile e servi in livrea).

equipartition /iːkwɪpɑː'tɪʃn/ n. ⓤ (scient.) equipartizione.

◆**equipment** /ɪ'kwɪpmənt/ n. ⓤ **1** attrezzatura; apparecchiatura; dispositivi (pl.); forniture (pl.); equipaggiamento; impianto: **electrical e.**, apparecchiatura elettrica; **military e.**, equipaggiamento militare; attrezzature militari; **office e.**, forniture per ufficio; **piece of e.**, strumento; arnese; dispositivo; **e. design**, progettazione d'impianti **2** allestimento (anche mil.); preparazione; equipaggiamento; armamento (naut.): **the e. of the new school**, l'allestimento della nuova scuola **3** (ferr.) materia-

le rotabile **4** (*fig.*) preparazione (*psicologica, intellettuale*); risorse (pl.); bagaglio culturale.

equipoise /'ɛkwɪpɔɪz/ n. **1** Ⓤ (*spesso fig.*) equilibrio **2** (*fig.*) contrappeso; influsso che ne bilancia un altro.

to **equipoise** /'ɛkwɪpɔɪz/ v. t. bilanciare; equilibrare.

equipollent /i:kwɪ'pɒlənt/ (*anche filos.*) a. equipollente; equivalente || **equipollence** n. Ⓤ equipollenza; equivalenza.

equipotent /ɛkwɪ'pəʊtənt/ a. (*scient.*) equipotente.

equipotential /i:kwɪpə'tɛnʃl/ a. (*fis.*) equipotenziale.

equipped /ɪ'kwɪpt/ a. **1** attrezzato; fornito; equipaggiato; allestito: **a poorly e. school**, una scuola male attrezzata **2** preparato; fornito di preparazione: *I'm not e. for this task*, non sono preparato per questo compito.

equiprobable /ekwɪ'prɒbəbl/ a. (*mat.*) equiprobabile.

equisetum /ɛkwɪ'si:təm/ n. (pl. **equisetums, equiseta**) (*bot., Equisetum*) equiseto; coda cavallina.

equitable /'ɛkwɪtəbl/ a. **1** equo; giusto: (*leg.*) **an e. decision**, una sentenza giusta; **an e. price**, un prezzo equo **2** (*leg.*) che deriva dai princìpi della → «equity» (*def. 2*) **3** (*leg.*) equitativo: **e. construction**, interpretazione equitativa ● **e. lien**, privilegio che prescinde dal possesso del bene || **-ness** n. Ⓤ | **-bly** avv. ❶ **Nota:** *equable o equitable?* → **equable**

equitation /ɛkwɪ'teɪʃn/ n. Ⓤ (*form.*) equitazione.

◆**equity** /'ɛkwɪtɪ/ n. Ⓤ equità; giustizia **2** Ⓤ (*leg.*) «equity»; ❶ **Cultura** ● *equity*: complesso di regole giurisprudenziali integrative della → «common law» (→ **common** ①) che si applicano soltanto in materia civile, in caso di conflitto con la **common law**, prevale la **equity 3** (generalm. al pl.) (*fin.*) azione ordinaria: **e. interests**, partecipazioni azionarie; **e. investments trusts**, fondi comuni azionari; **the equities market**, il mercato azionario; **e. stake**, quota di partecipazione azionaria **4** Ⓤ (*fin.*, = **e. capital**) capitale (*o* patrimonio) netto (*di una società per azioni*): **e. ratios**, indici patrimoniali; **e. turnover**, indice di rotazione del capitale netto **5** (al pl.) (*leg.*) diritti (quote di proprietà, pretese, ecc.) consentiti (*o* riconosciuti) in base alle norme dell'«equity» **6** – E. (*per esteso*, **Actors' E. Association**), sindacato degli attori (*di teatro, ecc.*): **E. card**, carta del sindacato degli attori ● **e. of redemption**, diritto di riscatto (*di un'ipoteca*).

equivalence /ɪ'kwɪvələns/ n. Ⓤ (*anche scient.*) equivalenza: (*mat.*) **e. class**, classe di equivalenza; (*fis.*) **e. principle**, principio di equivalenza.

equivalency /ɪ'kwɪvələnsɪ/ → **equivalence**.

◆**equivalent** /ɪ'kwɪvələnt/ Ⓐ a. **1** equivalente; pari: **to be e. to**, essere equivalente (*o* pari) a; equivalere a **2** (*scient.*) equivalente Ⓑ n. equivalente; corrispettivo **2** (*chim., mat., fin.*) equivalente **3** (parola) equivalente: *What is the Italian e. of the English word «privacy»?*, qual è la parola italiana equivalente all'inglese «privacy»?

equivocal /ɪ'kwɪvəkl/ a. **1** equivoco; ambiguo; evasivo: **an e. answer**, una risposta equivoca; **e. conduct**, condotta equivoca **2** dubbio; incerto; poco chiaro: **an e. outcome**, un risultato incerto ● (*biol., stor.*) **e. generation**, generazione spontanea || **equivocality, equivocalness** n. Ⓤ equivocità; ambiguità.

to **equivocate** /ɪ'kwɪvəkeɪt/ v. i. parlare, rispondere, ecc., in modo ambiguo; giocare

sulle parole (*o* sull'equivoco) ❶ **Falsi amici** ● to equivocate *non significa* equivocare.

equivocation /ɪkwɪvə'keɪʃn/ n. **1** il giocare sulle parole (*o* sull'equivoco) **2** espressione volutamente equivoca (*o* ambigua); ambiguità ❶ **Falsi amici** ● equivocation *non significa* equivoco.

equivocator /ɪ'kwɪvəkeɪtə(r)/ n. persona che gioca sull'equivoco.

equivoque, equivoke /'ɛkwɪvəʊk/ n. **1** doppio senso; gioco di parole; espressione volutamente equivoca (*o* ambigua) **2** Ⓤ ambiguità ❶ **Falsi amici** ● equivoke *ed* equivoque *non significano* equivoco.

◆**er** /ə, ɜ:/ inter. ehm (*esprime esitazione nel parlare*).

ER sigla **1** (**emergency room**) pronto soccorso (PS) **2** (*lat.*: *Eduardus Rex*) (**King Edward**) Edoardo Re **3** (*lat.*: *Elizabetha Regina*) (**Queen Elizabeth**) Elisabetta Regina.

◆**era** /'ɪərə/ n. era (*anche geol.*); epoca; età: **the Christian era**, l'era cristiana (*o* volgare); **the Victorian era**, l'epoca vittoriana.

to **eradiate** /ɪ'reɪdɪeɪt/ Ⓐ v. i. raggiare; emettere raggi Ⓑ v. t. irradiare; irraggiare || **eradiation** n. ᵁᶜ irradiazione; irradiamento.

to **eradicate** /ɪ'rædɪkeɪt/ v. t. sradicare; estirpare; eliminare: **to e. illiteracy**, eliminare l'analfabetismo || **eradicable** a. sradicabile; estirpabile; eliminabile || **eradication** n. Ⓤ sradicamento; estirpazione; eliminazione.

eradicator /ɪ'rædɪkeɪtə(r)/ n. **1** sradicatore **2** smacchiatore (*per macchie d'inchiostro, ruggine, ecc.*).

erasable /ɪ'reɪzəbl/ a. cancellabile ● (*comput.*) **e. optical disk**, disco ottico riscrivibile.

◆to **erase** /ɪ'reɪz/ v. t. **1** cancellare; cassare **2** (*fig.*) cancellare; eliminare **3** (*comput.*) cancellare.

erase head /ɪ'reɪzhɛd/, **erasing head** /ɪ'reɪzɪŋhɛd/ loc. n. testina di cancellazione (*di registratore*).

◆**eraser** /ɪ'reɪzə(r)/ n. **1** (*spec. USA*) gomma (*da cancellare*): **a pencil e.**, una gomma da matita **2** (= **blackboard e.**) cimosa, cancellino (*da lavagna*).

erasing knife /ɪ'reɪzɪŋ naɪf/ n. (pl. **erasing knives**) sgarzino.

erasion /ɪ'reɪʒn/ n. ᵁᶜ **1** cancellazione **2** (*med.*) raschiamento.

Erasmian /ɪ'ræzmɪən/ a. (*stor. filos.*) erasmiano.

Erasmus /ɪ'ræzməs/ n. (*stor.*) Erasmo.

erasure /ɪ'reɪʒə(r)/ n. cancellatura; cassatura; raschiatura.

erbium /'ɜ:bɪəm/ n. Ⓤ (*chim.*) erbio.

ere /eə(r)/ prep., cong. e avv. (*poet.*) prima; prima di; prima che: *'He was shot out of the boat ere the crew knew he was gone'* H. Melville, 'fu scagliato fuori dalla barca prima che la ciurma si accorgesse che non c'era più' ● **ere long**, fra breve; in breve; presto.

Erebus /'ɛrɪbəs/ n. (*mitol.*) Erebo.

erect /ɪ'rɛkt/ a. eretto; diritto; ritto: **to sit e.**, stare seduto con la schiena dritta; **with hair e. from fright**, con i capelli ritti per la paura; **to stand e.**, stare dritto; raddrizzarsi.

to **erect** /ɪ'rɛkt/ v. t. **1** erigere; costruire; fabbricare; alzare; innalzare: **to e. a greasy pole**, innalzare un albero della cuccagna; *They erected arbitrary social barriers*, eressero barriere sociali arbitrarie **2** costituire; fondare: **to e. a new government**, costituire un nuovo governo **3** (*anche mecc.*) montare: **to e. a lathe**, montare un tornio **4** (*geom.*) tracciare **5** (*ottica*) raddrizzare.

erectile /ɪ'rɛktaɪl/ a. (*anat.*) erettile: **e. tis-**

sue, tessuto erettile; (*med.*) **e. dysfunction**, disfunzione erettile.

erection /ɪ'rɛkʃn/ n. **1** Ⓤ erezione; costruzione; edificazione **2** edificio; struttura **3** (*fisiol.*) erezione **4** Ⓤ (*mecc.*) montaggio.

erectness /ɪ'rɛktnəs/ n. Ⓤ **1** l'essere eretto **2** portamento eretto; posizione eretta.

erector /ɪ'rɛktə(r)/ n. **1** erettore, erettrice (*rari*); chi erige, ecc. (→ **to erect**) **2** (*fis.*) sistema ottico raddrizzatore **3** (*mecc.*) montatore ● (*anat.*) **e. muscle**, muscolo erettore.

erepsin /ɪ'rɛpsɪn/ n. Ⓤ (*biochim.*) erepsina.

erethism /'ɛrəθɪzəm/ (*med., psic.*) n. Ⓤ eretismo.

erewhile /eə'waɪl/ avv. (*arc.*) tempo prima.

erg /ɜ:g/ n. (*fis.*) erg; ergon.

ergative /'ɜ:gətɪv/ a. (*ling.*) ergativo.

ergo /'ɜ:gəʊ/ avv. ergo; dunque.

ergodic /ɜ:'gɒdɪk/ a. (*fis.*) ergodico.

ergograph /'ɜ:gəʊgrɑ:f/ n. (*fisiol.*) ergografo.

ergometer /ɜ:'gɒmɪtə(r)/ (*med.*) n. ergometro || **ergometry** n. Ⓤ ergometria.

ergonomics /ɜ:gə'nɒmɪks/ n. pl. (col verbo al sing.) ergonomia || **ergonomic** a. ergonomico || **ergonomist** n. ergonomo.

ergonomy /ɜ:'gɒnəmɪ/ → **ergonomics**.

ergosterol /ɜ:'gɒstərɒl/ n. Ⓤ (*chim.*) ergosterolo, ergosterina.

ergot /'ɜ:gət/ n. (*bot.*) (fungo della) segale cornuta.

ergotamine /ə'gɒtəmi:n/ n. (*chim.*) ergotamina.

ergotherapy /ɜ:gəʊ'θerəpɪ/ n. Ⓤ (*med.*) ergoterapia.

ergotism /'ɜ:gətɪzəm/ n. Ⓤ (*med.*) ergotismo.

Erinys /ɪ'raɪnɪs/ n. (pl. **Erinyes**) (*mitol.*) Erinni.

eristic /ɛ'rɪstɪk/ Ⓐ a. **1** (*filos.*) eristico **2** (*fig.*) capzioso; polemico Ⓑ n. (*filos.*) **1** Ⓤ eristica **2** filosofo eristico.

Eritrean /ɛrɪ'treɪən/ a. e n. eritreo.

Erlenmeyer flask /'ɜ:lənmaɪəflɑ:sk/ loc. n. (*chim.*) beuta; bevuta.

erlking /'ɜ:lkɪŋ/ n. (*mitol.*) (il) re degli elfi.

ermine /'ɜ:mɪn/ n. **1** (*zool.*, *Mustela erminea*: pl. **ermines, ermine**) ermellino **2** (pelliccia di) ermellino **3** (*fig.*) toga **4** Ⓤ (*fig.*) dignità di Pari **5** (*arald.*) ermellino ● (*fig.*) **to wear the e.**, vestire la toga; essere giudice || **ermined** a. **1** che indossa l'ermellino **2** guarnito d'ermellino **3** (*arald.*) ermellinato; armellinato.

erne, ern /ɜ:n/ n. (*zool.*, *Haliaeetus albicilla*) aquila di mare.

Ernest /'ɜ:nɪst/ n. Ernesto.

to **erode** /ɪ'rəʊd/ Ⓐ v. t. **1** erodere (*anche geol.*); corrodere; scavare **2** (*fig.*) minare; intaccare; sgretolare Ⓑ v. i. **1** (*anche* **to e. away**) essere eroso; subire l'erosione **2** (*fig.*) sgretolarsi; essere intaccato || **erodible** a. erodibile.

erogenous /ɪ'rɒdʒənəs/ a. (*fisiol.*) erogeno; erotogeno.

eros /'ɛrɒs/ n. Ⓤ (*psic.*) eros.

erosion /ɪ'rəʊʒn/ (*anche geol.*) n. Ⓤ erosione: **soil e.**, erosione del terreno; **the e. of the purchasing power of the pound**, l'erosione del potere d'acquisto della sterlina inglese || **erosional, erosive** a. erosivo.

erotic /ɪ'rɒtɪk/ Ⓐ a. erotico Ⓑ n. (*letter.*) poesia erotica | **-ally** avv.

erotica /ɪ'rɒtɪkə/ n. pl. opere d'arte (*o* letteratura) di carattere erotico.

eroticism /ɪ'rɒtɪsɪzəm/, **erotism** /'ɛrətɪzəm/ n. Ⓤ **1** erotismo **2** (*fisiol.*) impulso sessuale.

erotogenic /ɪrɒtə'dʒɛnɪk/ → **erogenous**.

erotology /ɛrə'tɒlədʒɪ/ n. ⓤ erotologia.

erotomania /ɪrɒtəʊ'meɪnɪə/ (*psic.*) n. ⓤ erotomania ‖ **erotomaniac** n. erotomane.

ERP sigla (*stor.*, **European Recovery Programme**) Programma per la ripresa economica europea (*c.d.* «Piano Marshall»).

to **err** /ɜː(r)/ v. i. (*lett.*) **1** errare; sbagliare **2** errare; peccare ● (*prov.*) **to err is human**, errare è umano □ **to err on the right side**, errare a fin di bene □ **to err on the side of**, eccedere in.

errancy /'ɛrənsɪ/ n. ⓤ erranza (*lett.*); l'errare; lo sviarsi; l'essere in errore.

errand /'ɛrənd/ n. **1** commissione; incombenza: **to go on** (*o* **to run**) **errands for sb.**, andare a fare commissioni per q. **2** (*arc.*) ambasciata; messaggio ● (*antiq.*) **e. boy**, fattorino □ **e. of mercy**, missione di aiuto; missione di soccorso.

errant /'ɛrənt/ a. **1** (*poet. o scherz.*) che è in errore **2** (*poet. o scherz.*) errante; peccatore **3** (*posposto*) (*arc. o lett.*) errante; vagante: **knight e.**, cavaliere errante ‖ **errantry** n. ⓤ (*stor.*) condizione (*o* ideali) d'un cavaliere errante; cavalleria.

errata /ɪ'rɑːtə/ (*lat.*) pl. *di* **erratum**.

erratic /ɪ'rætɪk/ ◻ a. **1** irregolare; frammentario; discontinuo: (*med.*) **e. pulse**, polso irregolare **2** incostante; imprevedibile; stravagante: **e. eating habits**, abitudini alimentari incostanti; **e. behaviour**, comportamento imprevedibile **3** (*geol.*) erratico: **e. boulder** (*o* **block**), masso erratico ◻ n. (*geol.*) masso erratico ‖ **-ally** avv.

erratum /ɪ'rɑːtəm/ (*lat.*) n. (pl. **errata**) **1** refuso, errore di stampa **2** (al pl.) errata corrige ● **errata slip**, errata corrige (*il foglietto allegato*).

erroneous /ɪ'rəʊnɪəs/ a. erroneo; sbagliato | **-ly** avv. | **-ness** n. ⓤ.

◆**error** /'ɛrə(r)/ n. ⓤⒸ **1** errore; sbaglio; fallo: **to make an e.**, fare un errore; **grammatical e.**, errore di grammatica; **clerical e.**, errore di trascrizione; errore materiale; **e. of judgement**, errore di giudizio; **to repent the errors of one's youth**, pentirsi degli errori giovanili; **caused by human e.**, provocato da un errore umano; **to do st. in e.**, fare qc. per errore (*o* per sbaglio) **2** (*comput.*) errore: **fatal e.**, errore fatale; **system e.**, errore di sistema; **e. correction**, correzione degli errori; **e. message**, messaggio di errore ● (*comm.*) **errors and omissions excepted**, salvo errori e omissioni □ (*stat.*) **e. band**, fascia d'errore □ (*leg.*) **e. in** (*o* **of**) **fact**, errore di fatto □ (*leg.*) **e. in** (*o* **of**) **law**, errore di diritto □ (*stat.*) **e. of sampling**, errore di campionamento □ **e.-prone**, facile agli errori □ **the e. of one's ways**, i propri errori; il proprio comportamento sbagliato.

ersatz /'ɛəzæts/ (*ted.*) a. **1** surrogato; artificiale; sintetico: **e. coffee**, surrogato di caffè **2** non autentico; artificiale; finto.

Erse /ɜːs/ a. e n. (*ling.*) Erse (*gaelico della Scozia o dell'Irlanda*).

erstwhile /'ɜːstwaɪl/ ◻ a. (*form.*) di un tempo; precedente; di prima; ex: già (avv.): **his e. enemies**, i suoi nemici un tempo; i suoi ex nemici; **the e. president**, l'ex presidente; *Mr B., the e. head of the firm*, Mr B., già a capo della ditta ◻ avv. (*arc.*) un tempo; in passato.

erubescent /ɛru:'bɛsnt/ (*lett.*) a. erubescente (*lett.*); che arrossisce ‖ **erubescence** n. ⓤ erubescenza (*lett.*); rossore.

to **eruct** /ɪ'rʌkt/, to **eructate** /ɪ'rʌkteɪt/ v. t. e i. **1** eruttare; ruttare **2** (*di vulcano*) eruttare ‖ **eructation** n. ⓤⒸ **1** eruttazione; rutto **2** (*geol.*) eruzione; materiali eruttati.

erudite /'ɛru:daɪt/ a. erudito; dotto | **-ly** avv. | **-ness** n. ⓤ.

erudition /ɛru:'dɪʃn/ n. ⓤ erudizione; dottrina.

to **erupt** /ɪ'rʌpt/ ◻ v. i. **1** (*d'un vulcano*) entrare in eruzione **2** (*di lava, ecc.*) erompere; sgorgare **3** (*di denti, foruncoli, ecc.*) spuntare; erompere **4** (*fig.*) erompere; esplodere, scoppiare (*fig.*) ◻ v. t. (*di vulcano*) eruttare.

eruption /ɪ'rʌpʃn/ n. ⓤⒸ **1** (*geol., med.*) eruzione **2** scoppio (*d'una guerra, di tumulti, ecc.*); l'esplodere (*delle passioni, ecc.*) **3** (*fisiol.*) lo spuntare (*dei denti*); eruzione.

eruptive /ɪ'rʌptɪv/ a. **1** (*geol., med.*) eruttivo: **e. rock**, roccia eruttiva **2** (*fig.*) che tende a scoppiare (*o* a esplodere); erompente.

erysipelas /ɛrɪ'sɪpɪləs/ (*med.*) n. ⓤ erisipela; risipola (*pop.*).

erythema /ɛrɪ'θiːmə/ n. ⓤ (*med.*) eritema.

erythrite /ɪ'rɪθraɪt/ n. ⓤ (*chim., miner.*) eritrite.

erythritol /ɪ'rɪθrɪtɒl/ n. ⓤ (*chim.*) eritritolo.

erythroblast /ɪ'rɪθrəblæst/ n. (*biol.*) eritroblasto.

erythrocyte /ɪ'rɪθrəsaɪt/ n. (*anat.*) eritrocita; eritrocita.

erythromycin /ɪrɪθrə'maɪsɪn/ n. ⓤ (*chim., farm.*) eritromicina.

erythrosin /ɪ'rɪθrəsɪn/ n. (*chim.*) eritrosina.

es /ɛs/ → **ess**.

ESA sigla **1** (**European Space Agency**) Agenzia spaziale europea **2** (*GB*, **environmental sensitive area**) area sottoposta a protezione ambientale.

Esau /'iːsɔː/ n. Esaù.

escalade /ɛskə'leɪd/ n. ⓒ (*mil., stor.*) scalata (*delle mura di una città, ecc.*).

to **escalade** /ɛskə'leɪd/ v. t. (*mil., stor.*) dare la scalata a; scalare.

to **escalate** /'ɛskəleɪt/ ◻ v. t. (*polit.*) aumentare; intensificare: **to e. the war**, intensificare le operazioni belliche ◻ v. i. **1** (*polit.*) intensificarsi; aggravarsi **2** (*di prezzi, salari, ecc.*) aumentare; salire; crescere.

escalation /ɛskə'leɪʃn/ n. ⓤⒸ **1** (*polit.*) escalation; intensificazione; scalata (*fig.*): **the e. from political protest to violence**, l'escalation dalla protesta politica alla violenza **2** (*econ., fin.*) adeguamento automatico (*di salari, ecc.*); aumento (*di prezzi, ecc.*).

escalator /'ɛskəleɪtə(r)/ n. **1** (*mecc.*) scala mobile **2** (*econ.*, **e. clause**) clausola dell'adeguamento monetario (*o* d'indicizzazione: *di prezzi, ecc.*) (*N.B. La scala mobile delle retribuzioni, abolita in Italia nel 1992, non è mai esistita in GB*).

escalatory /ɛskə'leɪtrɪ/ a. (*polit.*) dell'escalation; verso l'escalation: **e. moves**, passi verso l'escalation.

escallop, **escalop** /ɪ'skɒləp/ n. **1** → **scallop**, def. 1-4 **2** (*arald.*) conchiglia **3** → **escalope**.

escalope /'ɛskələʊp/ (*franc.*) n. (*cucina*) scaloppina; scaloppa.

escapable /ɪ'skeɪpəbl/ a. evitabile.

escapade /ɛskə'peɪd/ n. prodezza; bravata; scappata; scappatella.

◆**escape** /ɪ'skeɪp/ n. ⓤⒸ **1** (*anche fig.*) fuga; evasione: **an e. from a POW camp**, una fuga (*o* un'evasione) da un campo di prigionia; **an e. from reality**, una fuga dalla realtà; **to make one's e.**, fuggire; evadere; **e. route**, via di fuga; via di salvezza **2** lo scampare; lo sfuggire; scampo: *That was a lucky e.*, l'ha scampata bella; *There's no e. from here*, non c'è modo di fuggire di qui **3** (*tecn., scient.*) fuoriuscita; fuga; perdita: **an e. of gas**, una fuga di gas **4** (*di liquido*; *anche med.*) fuoriuscita; perdita **5** (*mecc.*) scappamento; scarico; sfogo: **e. pipe**, tubo di scappamento; **e. valve**, valvola di scarico **6** (*edil.*) uscita (*o* scala) di sicurezza **7** (*comput.*, = **e. key**) tasto di uscita ● **e. artist** → **escapologist**, def. 2 □ (*naut.*) **e. chamber**, garitta di salvataggio □ (*leg.*) **e. clause**, clausola di recesso dal contratto □ **e. door**, porta di sicurezza □ **e. hatch**, uscita di sicurezza; (*naut., di sommergibile*) boccaporto di sicurezza □ (*psic.*) **e. mechanism**, meccanismo di fuga □ (*autom., GB*) **e. road**, strada di fuga (*nelle miniere*) **e. shaft**, galleria d'emergenza □ **e. stair**, scala di sicurezza □ (*miss.*) **e. velocity**, velocità di fuga □ **e. wheel**, scappamento (*di un orologio: la ruota dentata*) □ **to have a narrow e.**, scamparla per miracolo (*o* per un soffio, per un pelo).

◆to **escape** /ɪ'skeɪp/ ◻ v. i. **1** scappare; fuggire; evadere: **to e. from prison**, evadere dal carcere; **to e. from reality**, evadere dalla realtà **2** cavarsela; salvarsi; scamparla; uscire: *He escaped with just a broken rib*, se la cavò (*o* ne uscì) con solo una costola rotta **3** (*di liquido, gas, ecc.*) fuoriuscire; sgorgare; scorrere; uscire: *The water escaped from the tub*, l'acqua usciva dalla tinozza **4** (*miss.*) acquistare la velocità di fuga (*da una traiettoria*) ◻ v. t. **1** sfuggire a; sottrarsi a; evitare; scansare; schivare: **to e. death**, sfuggire alla morte; **to e. notice**, evitare di essere notato; sfuggire all'attenzione; **to e. punishment**, sfuggire alla punizione; *His name escapes me*, il suo nome mi sfugge; *'Be thou chaste as ice, as pure as snow, thou shalt not e. calumny'* W. SHAKESPEARE, 'anche se sei casta come il ghiaccio, e pura come la neve, non ti sottrarrai alla calunnia' **2** (*di parole, ecc.*) sfuggire da; uscire da: *A scream escaped her lips*, un grido le sfuggì dalle labbra.

escapee /ɪskeɪ'piː/ n. **1** evaso; fuggiasco **2** (*ciclismo*) fuggitivo.

escapement /ɪ'skeɪpmənt/ n. scappamento (*di orologio, pianoforte*).

escapism /ɪ'skeɪpɪzəm/ n. ⓤ evasione dalla realtà; evasione; escapismo (*psic.*) ‖ **escapist** ◻ n. escapista; persona che tende a evadere dalla realtà; persona che cerca l'evasione ◻ a. attr. d'evasione: **escapist reading**, letture d'evasione.

escapologist /ɛskə'pɒlədʒɪst/ n. illusionista (*che si fa rinchiudere in bauli, ecc., liberandosi poi da solo*) ‖ **escapology** n. ⓤ illusionismo.

escarp /ɪ'skɑːp/ n. scarpata; terrapieno a scarpa.

to **escarp** /ɪ'skɑːp/ v. t. **1** tagliare (*un terreno, ecc.*) a scarpata **2** provvedere di scarpata.

escarpment /ɪ'skɑːpmənt/ n. scarpa; scarpata (*anche mil.*).

eschar /'ɛskɑː(r)/ n. (*med.*) escara.

eschatology /ɛskə'tɒlədʒɪ/ n. ⓤ escatologia ‖ **eschatological** a. escatologico ‖ **eschatologically** avv. escatologicamente ‖ **eschatologist** n. escatologo.

eschaton /'ɛskətɒn/ n. (*teol.*) eschaton; (la) fine dei tempi.

escheat /ɪ'stʃiːt/ n. (*leg.*) **1** ⓤ incameramento (*di proprietà privata da parte dello Stato o, stor., del signore feudale; per mancanza d'eredi e in assenza di testamento*) **2** proprietà incamerata dallo Stato.

to **escheat** /ɪ'stʃiːt/ (*leg.*) ◻ v. i. (*leg.: di un bene*) essere incamerato dallo Stato (*o, stor., dal signore feudale*); passare allo Stato ◻ v. t. (*generalm. come agg.*: **escheated**) incamerare.

to **eschew** /ɪ'stʃuː/ v. t. evitare; astenersi da.

escort /'ɛskɔːt/ n. **1** scorta; accompagnamento; accompagnatore; accompagnatrice; gruppo d'accompagnatori **2** cavaliere: *Philip was her e. at the dance*, il suo cavaliere al ballo era Philip **3** (*mil.*) scorta: **an e. of**

five cruisers, una scorta di cinque incrociatori; (*naut.*) **e. vessel**, avviso scorta ● **e. agency**, agenzia che procura accompagnatori o accompagnatrici □ (*naut.*) **e. carrier**, portaerei di scorta.

to **escort** /ɪˈskɔːt/ v. t. scortare (*anche mil.*); accompagnare: *The king's plane was escorted by two jets*, l'aeroplano del re era scortato da due reattori; *John escorted the girl home*, John accompagnò la ragazza a casa.

to **escribe** /ɪˈskraɪb/ v. t. (*geom.*) exinscrivere (*un cerchio*).

escritoire /ˌɛskrɪˈtwɑː(r)/ n. secrétaire (*franc.*); scrivania.

escrow /ˈɛskrəʊ/ n. **1** 🔲 (*leg.*) impegno scritto (*affidato a terzi e inoperante fino all'adempimento di talune condizioni*) **2** (*banca*) deposito a garanzia.

escudo /ɛˈskuːdəʊ/ n. (pl. *escudos*) escudo (*unità monetaria portoghese*).

esculent /ˈɛskjʊlənt/ a. esculento; commestibile.

escutcheon /ɪˈskʌtʃən/ n. **1** (*arald.*) scudo; arme gentilizia; stemma; blasone **2** bocchetta (*di serratura*) **3** borchia; ghiera; targa metallica (*per il nome*) **4** (*naut.*) quadro (*o scudo*) di poppa.

ESE sigla (*geogr.*, **east-south-east**) est-sud-est (ESE).

Eskimo /ˈɛskɪməʊ/ 🅰 n. (pl. *Eskimo*, *Eskimos*) **1** eschimese, esquimese **2** 🔲 eschimese (*la lingua*) 🅱 a. eschimese, esquimese ● **the E.**, gli eschimesi □ (*zool.*) **e. dog**, (cane) eschimese □ (*ling.*) **E.-Aleut**, gruppo linguistico eschimo-aleutino □ (*sport: canoa*) **E. roll**, eskimo ❶ NOTA D'USO ● *Per indicare gli eschimesi di Canada, Alaska e Groenlandia oggi si preferisce* **Inuit**.

Esky® /ˈɛskɪ/ n. (*Austral.*) borsa termica; borsa frigo.

ESL sigla (**English as a second language**) l'inglese come seconda lingua.

esocentric /ˌɛsəʊˈsentrɪk/ a. (*ling.*) esocentrico.

ESOL /ˈiːsɒl/ sigla (**English for speakers of other languages**) l'inglese per i parlanti di un'altra lingua (*in un paese multilingue*).

esophagus /iːˈsɒfəgəs/ e *deriv.* → **oesophagus**, e *deriv.*

esoteric /ˌɛsəˈtɛrɪk/ a. **1** (*relig.*, *filos.*) esoterico; riservato agli iniziati **2** (*fig.*) esoterico; astruso; difficile: **e. poetry**, poesia esoterica **3** misterioso; segreto: **an e. plan**, un piano segreto | **-ally** avv.

esoterica /ˌɛsəˈtɛrɪkə/ n. pl. **1** aspetti esoterici **2** materiale esoterico; pubblicazioni esoteriche.

esotericism /ˌɛsəˈtɛrɪsɪzəm/ (*relig.* e *fig.*) n. 🔲 esoterismo || **esotericist** n. esoterista.

ESP sigla (**extrasensory perception**) percezione extrasensoriale.

esp., **espec.** abbr. (**especially**) specialmente (spec.).

espadrille /ˈɛspədrɪl/ n. scarpa di tela con suola di corda; espadrilla.

espagnolette /ɛˌspænjəʊˈlɛt/ (*franc.*) n. spagnoletta (*serrame per finestra*).

espalier /ɪˈspælɪeɪ/ (*franc.*) n. **1** spalliera; graticcio; traliccio di legno; graticciata **2** pianta (*o fila di piante*) a spalliera.

esparto /ɛˈspɑːtəʊ/ n. (pl. *espartos*) (*bot.*, = **e. grass**) **1** (*Stipa tenacissima*) alfa **2** (*Lygeum spartum*) sparto.

especial /ɪˈspɛʃl/ a. speciale; particolare: **a matter of e. interest**, una faccenda di particolare interesse.

♦**especially** /ɪˈspɛʃəlɪ/ avv. **1** specialmente; particolarmente; soprattutto: *I was e. struck by the colours of the rocks*, fui particolarmente colpito dai colori delle rocce **2** appositamente; apposta: *This model was*

created e. for you, questo modello è stato creato appositamente per te ❶ NOTA: *specially o especially?* → **specially**.

Esperanto /ˌɛspəˈræntəʊ/ n. 🔲 esperanto || **Esperantist** n. esperantista.

espionage /ˈɛspɪənɑːʒ/ n. 🔲 spionaggio.

esplanade /ˈɛspləneɪd/ n. **1** passeggiata (*spec. a mare*) **2** (*anche mil.*) spianata.

to **espouse** /ɪˈspaʊz/ v. t. sposare, abbracciare, adottare; aderire a (*un'idea, una causa, ecc.*): **to e. a new religion**, abbracciare una nuova religione || **espouser** n. chi sposa (*o abbraccia*) (*una idea, ecc.*).

espousal /ɪˈspaʊzl/ n. 🔲 adesione; l'abbracciare (*un'idea, una causa, ecc.*).

espresso /ɛˈspresəʊ/ (*ital.*) n. 🔲🔲 (pl. *espressos*) (= **e. coffee**) (caffè) espresso: *We'll have two espressos*, prendiamo due espressi ● **e. bar**, bar che serve caffè espresso; bar all'italiana □ **e. machine**, macchina (per caffè) espresso.

esprit /ɛˈspriː/ (*franc.*) n. 🔲 spirito; verve (*franc.*) ● **e. de corps**, spirito di corpo.

to **espy** /ɪˈspaɪ/ v. t. (*lett.*) **1** scorgere; vedere **2** scoprire (*un fallo, ecc.*).

Esq. abbr. (**Esquire**) Signor (*titolo di cortesia nell'indirizzo di lettere a professionisti, ecc.*).

Esquimau /ˈɛskɪməʊ/ n. (pl. *Esquimaus*, *Esquimaux*) → **Eskimo**.

esquire /ɪˈskwaɪə(r)/ n. **1** (*stor.*) scudiero **2** → **squire 3** (*in GB, titolo di cortesia molto formale usato nell'indirizzare lettere a uomini di riguardo, di solito abbreviato in* **Esq.**; *per es.:*) *Robert Smith, Esq.*, Egr. Sig. Robert Smith **4** (*in USA, titolo di cortesia usato dopo il nome di avvocati, di solito abbreviato in* **Esq.**; *per es.:*) *John Smith, Esq.*, Avv. John Smith.

ESR sigla **1** (*fis.*, **electron-spin resonance**) risonanza di spin elettronico **2** (*med.*, **erythrocyte sedimentation rate**) velocità di eritrosedimentazione (VES).

ESRC sigla (*GB*, **Economic and Social Research Council**) Consiglio per le ricerche economiche e sociali.

ess /ɛs/ n. **1** esse; lettera s **2** oggetto fatto a esse.

♦**essay** /ˈɛseɪ/ n. **1** saggio; monografia **2** (*a scuola*) saggio; componimento; tema **3** (*form.*) prova; tentativo; cimento **4** (*filatelia*) prova di stampa.

to **essay** /ˈɛseɪ/ v. t. e i. (*form.*) saggiare; provare; cercare; tentare: **to e. to do st.**, cercare di fare qc.; cimentarsi in qc.

essayist /ˈɛseɪɪst/ n. (*letter.*) saggista || **essayistic** a. saggistico.

essence /ˈɛsns/ n. **1** 🔲 (*anche filos.*) essenza; sostanza **2** (*chim.*, *ind.*) estratto: **meat essences**, estratti di carne **3** essenza; profumo ● **in e.**, in sostanza, fondamentalmente ● **of the e.**, essenziale; fondamentale: *Time is of the e.*, è essenziale fare presto.

Essene /ˈesiːn/ (*relig.*, *stor.*) n. esseno.

♦**essential** /ɪˈsɛnʃl/ 🅰 a. **1** essenziale; indispensabile: *Water is e. to life*, l'acqua è indispensabile alla vita; **e. services**, servizi essenziali **2** essenziale; fondamentale: **an e. difference**, una differenza fondamentale **3** (*chim.*) essenziale: **e. oils**, oli essenziali **4** (*med.*) essenziale: **e. hypertension**, ipertensione essenziale 🅱 n. **1** cosa indispensabile: **the bare essentials**, lo stretto indispensabile **2** (al pl.) elementi essenziali; concetti fondamentali; fondamenti.

essentialism /ɪˈsɛnʃlɪzəm/ n. 🔲 (*filos.*) essenzialismo.

essentiality /ɪˌsɛnʃɪˈælətɪ/ n. 🔲 **1** essenzialità **2** essenza; sostanza **3** qualità essenziale **4** cosa indispensabile.

♦**essentially** /ɪˈsɛnʃəlɪ/ avv. **1** essenzialmente; fondamentalmente: **an e. agricultural society**, una società fondamentalmente

te agricola **2** in sostanza; sostanzialmente: **e. correct**, sostanzialmente esatto; *So what you're e. saying is that...*, insomma, quello che stai dicendo in sostanza è che...

Essex man /ˈɛsɪks mæn/ loc. n. (pl. *Essex men*) (*GB*, *spreg.*) giovane ricco e volgare di idee conservatrici (*spec. negli anni '80 e '90*).

EST sigla (**Eastern Standard Time**) fuso orario orientale (*GMT-5*).

est. abbr. **1** (**established**) consolidato; fondato **2** (*leg.*, **estate**) proprietà **3** (**estimated**) stimato; previsto.

♦to **establish** /ɪˈstæblɪʃ/ v. t. **1** costituire; fondare; impiantare; instaurare: *In 1946 we voted to e. a new republican state*, nel 1946 andammo alle urne per costituire un nuovo stato repubblicano; *This firm was established in London in 1840*, questa ditta fu fondata a Londra nel 1840; **to e. diplomatic relations**, instaurare rapporti diplomatici **2** stabilire; provare (*in modo definitivo*); dimostrare; enunciare: **to e. a principle**, stabilire un principio; (*leg.*) **to e. a precedent**, stabilire un precedente; **to e. one's claim to st.**, provare il proprio diritto a qc.; **to e. a new theory**, dimostrare una nuova teoria; **to e. a scientific law**, enunciare una legge scientifica; **to e. one's reputation as**, farsi un nome come; affermarsi come **3** imporre: *This book will e. him as a leading expert in the field*, questo libro lo imporrà come esperto in materia **4** accertare; stabilire; determinare: **to e. the cause of death**, accertare la causa del decesso; **to e. sb.'s real motives**, stabilire i veri motivi di q. **5** (*relig.*) istituire (*una Chiesa*) come religione ufficiale dello Stato ● **to e. oneself**, stabilirsi; installarsi; sistemarsi; (*anche*) affermarsi, imporsi, farsi un nome: **to e. oneself in business**, mettersi in affari; *He established himself as a photographer*, mise su uno studio fotografico; si fece un nome come fotografo.

♦**established** /ɪˈstæblɪʃt/ a. **1** affermato; provato; consolidato; fisso: **e. fact**, fatto provato; fatto incontrovertibile; **to have an e. reputation**, essere un nome affermato; **e. customers**, clienti fissi (*di persona*) affermato; famoso: **an e. author**, uno scrittore affermato **3** (*di religione*) ufficiale; di Stato ● (*in GB*) **the E. Church**, la Chiesa nazionale (*la Chiesa anglicana e la Chiesa di Scozia*).

establisher /ɪˈstæblɪʃə(r)/ n. fondatore, fondatrice.

♦**establishment** /ɪˈstæblɪʃmənt/ n. **1** 🔲 fondazione; costituzione; instaurazione: **the e. of the Italian republic**, la fondazione della repubblica italiana; **the e. of the European Common Market**, l'instaurazione del Mercato Comune Europeo **2** organizzazione; istituto; fondazione; impresa; stabilimento; azienda; fabbrica **3** (*org. az.*) organico **4** (*mil.*) effettivi (pl.) **5** (*antiq.*) casa; famiglia e servitù **6** (*polit.*) – **the E.**, l'establishment; (la) classe dirigente; (il) sistema **7** (*con agg.*) gruppo influente (*o di potere*) (*in una professione, ecc.*); ambienti influenti: **the medical e.**, gli ambienti medici influenti **8** (*relig.*) – **the E.** (o **the Church E.**), la Chiesa nazionale inglese, la Chiesa anglicana; la Chiesa nazionale scozzese, la Chiesa di Scozia.

establishmentarian /ɪˌstæblɪʃmənˈtɛərɪən/ a. e n. **1** (persona) che propugna i principi d'una Chiesa nazionale **2** (*polit.*) (persona) che appartiene (o è favorevole) alla classe dirigente; che (o chi) è inserito nel sistema.

♦**estate** /ɪˈsteɪt/ n. **1** proprietà (terriera) (*con casa padronale*); tenuta; possedimento: *He has bought a large e. in Devon*, ha comprato una grossa proprietà nel Devon **2** (*GB*) area edificata; complesso; zona; quar-

tiere: **housing e.**, complesso abitativo; **industrial e.**, zona industriale; **council e.**, quartiere di edilizia popolare **3** piantagione: **a rubber e.**, una piantagione di gomma **4** (*leg.*) beni e diritti, situazione patrimoniale; asse patrimoniale; asse ereditario; eredità: **a bankrupt's e.**, la situazione patrimoniale d'un fallito; **a disputed e.**, un'eredità contesa **5** (*lett.*) condizione; stato: **man's e.**, la condizione umana **6** (*form. o stor.*) stato; classe sociale; ceto: **all estates of society**, tutte le classi sociali; **the Three Estates** (*o* **the estates of the realm**), i tre stati (*clero, nobiltà, borghesia*); **the Third E.**, il Terzo Stato ● **e. agency**, agenzia immobiliare □ **e. agent**, agente immobiliare; (*anche*) amministratore (*di tenuta*), sovrintendente (*di azienda agricola*) □ (*leg.*) **e. and property**, asse patrimoniale □ (*di vino*) **e.-bottled**, imbottigliato all'origine □ (*autom., GB*) **e. car**, station wagon; familiare: *I left an old, red, two-litre estate car with you this morning*, stamattina ho lasciato qui da voi una vecchia due litri rossa station wagon □ (*fisc., stor.: fino al 1975*) **e. duty**, imposta di successione □ (*leg.*) **e. in land**, diritto immobiliare □ (*fisc., USA*) **e. tax**, imposta di successione (*su beni immobili*).

esteem /ɪ'stiːm/ *n.* ⓤ stima; considerazione; apprezzamento: **to hold sb. in high e.**, fare gran conto di q.; avere q. in grande stima.

to **esteem** /ɪ'stiːm/ *v. t.* **1** stimare; apprezzare: *That writer is esteemed by most critics*, quello scrittore è apprezzato dalla maggior parte dei critici **2** (*form.*) stimare; ritenere; considerare: *I would e. it a kindness on his part*, la stimerei una gentilezza da parte sua.

ester /'ɛstə(r)/ *n.* (*chim.*) estere.

esterase /'ɛstəreɪz/ *n.* (*biochim.*) esterasi.

to **esterify** /'ɛstərɪfaɪ/ (*chim.*) *v. t.* esterificare ‖ **esterification** *n.* ⓤ esterificazione.

Esther /'ɛstə(r)/ *n.* Ester; Esther.

esthete /'ɛsθiːt/, **esthetic** /iːs'θɛtɪk/ e *deriv.* (*USA*) → **aesthete, aesthetic**, e *deriv.*

esthetic e *deriv.* (*USA*) → **aesthetic** e *deriv.*

estimable /'ɛstɪməbl/ *a.* stimabile; pregevole; degno di stima.

estimate /'ɛstɪmət/ *n.* **1** stima; previsione; calcolo (di previsione); computo: **e. of costs**, stima dei costi; computo estimativo; (*fin., rag.*) **e. of revenue** [**of expenditure**], previsione di entrate [di spesa]; **a conservative e.**, una stima prudente; **to make an e. of the costs**, fare una stima dei costi; **at a rough e.**, a un calcolo approssimativo **2** (*fin., rag., comm.*) preventivo: **to get an e.**, farsi fare un preventivo; **to put in an e.**, presentare un preventivo; **free e.**, preventivo gratuito **3** valutazione; giudizio.

◆to **estimate** /'ɛstɪmeɪt/ ▲ *v. t.* **1** (*fin.*) stimare; valutare: *The cost of the plant has been estimated at two million pounds*, il costo dell'impianto è stato stimato in due milioni di sterline; (*ass.*) **to e. damages**, stimare (*o periziare*) i danni **2** (*fin., rag.*) preventivare; fare il preventivo di: **to e. expenditures**, fare il preventivo delle spese **3** (*demogr., stat.*) stimare **4** giudicare; prevedere: *it will be difficult to carry out our five-year plan*, prevedo che sarà difficile portare a termine il nostro piano quinquennale ▣ *v. i.* (*comm.*) fare un preventivo (*per qc.*).

estimated /'ɛstɪmeɪtɪd/ *a.* **1** (*fin., rag.*) stimato; di stima; preventivato; preventivo: **e. costs**, costi stimati; **e. expenditure**, spese (*o* uscite) previste; **e. income**, reddito previsto; **e. price**, prezzo stimato (*o* di preventivo); **e. revenue**, entrate previste; **e. value**, valore stimato (*o* di stima); valore approssimativo **2** (*demogr., stat.*) stimato:

e. variance, varianza stimata **3** previsto; presunto: **e. time of arrival**, ora d'arrivo prevista.

estimation /ɛstɪ'meɪʃn/ *n.* **1** opinione; giudizio; avviso: **in the e. of most people**, secondo il giudizio dei più; per opinione generale; **in my e.**, a mio avviso **2** (*anche fin.*) stima; valutazione **3** stima; considerazione; apprezzamento; conto: **to be held in high e.**, essere tenuto in grande considerazione **4** (*demogr., stat.*) stima (*il procedimento*).

estimative /'ɛstɪmətɪv/ *a.* estimativo; atto a valutare.

estimator /'ɛstɪmeɪtə(r)/ *n.* **1** estimatore **2** (*comm.*) stimatore; valutatore (*di immobili, ecc.*); perito in preventivi; preventivista **3** (*stat.*) stimatore.

estival /iː'staɪvəl/ *a.* → **aestival**.

to **estivate** /'ɛstɪveɪt/ e *deriv.* (*USA*) → **to aestivte**, e *deriv.*

Estonia /ɛ'stəʊnɪə/ *n.* Estonia ‖ **Estonian** ▲ *a.* e *n.* estone ▣ *n.* estone (*la lingua*).

to **estop** /ɪ'stɒp/ *v. t.* (*leg.*) precludere.

estoppel /ɪ'stɒpl/ *n.* ⓤⓒ (*leg.*) preclusione (*per vari motivi*); eccezione di malafede.

estovers /ɪ'stəʊvəs/ *n. pl.* (*leg.*) (diritto di) legnatico (*concesso a un affittuario*).

estrade /ɛ'strɑːd/ *n.* piattaforma; palco.

to **estrange** /ɪ'streɪndʒ/ *v. t.* alienare; allontanare; disaffezionare; estraniare; causare una rottura (di rapporti) (*tra due persone*): *The quarrel estranged her from her sister*, la lite la allontanò dalla sorella.

estranged /ɪ'streɪndʒd/ *a.* **1** disaffezionato; che non è più in buoni rapporti; in rotta: **his e. son**, suo figlio, che non è più in buoni rapporti con lui **2** (*rif. a una coppia*) separata; diviso: **her e. husband**, il marito, da cui è separata; **to become e.**, separarsi.

estrangement /ɪ'streɪndʒmənt/ *n.* ⓤ ⓒ allontanamento; disaffezione; estraniazione; rottura (di rapporti) **2** (*cinem., letter., ecc.*) straniamento.

estreat /ɪ'striːt/ *n.* (*leg.*) estratto; copia (→ to estreat).

to **estreat** /ɪ'striːt/ *v. t.* (*leg.*) fare un estratto (*o* una copia) di (*spec. un atto relativo a un procedimento penale*).

estrogen /'iːstrədʒən/ (*biochim., USA*) *n.* estrogeno ‖ **estrogenic** *a.* estrogenico.

estrone /'iːstrəʊn/ *n.* (*biochim.*) estrone.

estrus /'iːstrəs/ (*biol.*) *n.* estro ‖ **estrous** *a.* estrale; dell'estro: **estrous cycle**, ciclo estrale.

estuary /'ɛstʃʊərɪ/ (*geogr.*) *n.* estuario ● (*ling.*) **E. English**, accento inglese caratteristico della zona di Londra e del sud-est dell'Inghilterra (*unisce elementi della pronuncia standard con elementi Cockney*) ‖ **estuarine** *a.* formatosi (*o* depositatosi) in un estuario.

esurient /ɪ'sjʊərɪənt/ (*spesso scherz.*) *a.* affamato; avido; vorace ‖ **esurience** *n.* ⓤ fame; avidità; voracità.

ET sigla (**extraterrestrial**) extraterrestre.

eta /'eɪtə/ *n.* eta (*settima lettera dell'alfabeto greco*).

ETA sigla (*orari*, **estimated time of arrival**) ora di arrivo prevista.

et al. abbr. (*lat.*: **et alii, et alia**) et al.; e altri; e altre cose.

◆**etc.** /ɛt'sɛtərə/ abbr. (*lat.*: **et cetera**) eccetera (ecc.).

et cetera /ɪt'sɛtrə/ (*lat.*) avv. eccetera.

etceteras /ɪt'sɛtrəz/ *n. pl.* annessi e connessi.

to **etch** /ɛtʃ/ ▲ *v. t.* **1** incidere all'acquaforte **2** incidere (*con un coltello o sim.*) **3** (*chim., metall.*) attaccare; corrodere **4** (*fig.*) imprimere (*nella mente*) ▣ *v. i.* fare incisioni all'acquaforte ‖ **etcher** *n.* acquafortista.

etching /'ɛtʃɪŋ/ *n.* **1** ⓤ arte dell'acquafor-

te **2** incisione all'acquaforte; acquaforte **3** lastra incisa all'acquaforte **4** ⓤ (*chim.*) corrosione (*dei metalli*) ● (*tecn.*) **e. cleaning**, disincrostazione elettrolitica □ **e. needle**, bulino.

eternal /ɪ'tɜːnl/ *a.* **1** eterno (*relig.*) **e. life**, la vita eterna; **the E. City**, la città eterna (*Roma*) **2** (*fam.*) continuo; incessante; ininterrotto: *Stop your e. complaints*, smettila con le tue continue lagnanze ● (*fig.*) **the e. triangle**, il classico (*o* il solito) triangolo.

to **eternalize** /ɪ'tɜːnəlaɪz/ → **to eternize**.

eternity /ɪ'tɜːnətɪ/ *n.* **1** ⓤ eternità **2** (*fig.*) eternità; periodo lunghissimo **3** (*pl.*) verità eterne, immutabili ● (*slang USA*) **e. box**, bara □ **e. ring**, anello con pietre montate tutt'intorno (*simbolo di amore eterno*) □ **to send** (*o* **to blow, etc.**) **sb. to e.**, mandare q. all'altro mondo.

to **eternize** /ɪ'tɜːnaɪz/ *v. t.* eternare; immortalare.

Etesian winds /ɪ'tiːʒən wɪndz/ loc. n. pl. (venti) etesii; meltemi.

eth /ɛθ/ *n.* (*ling.*) (la) lettera ð (*nell'alfabeto anglosassone e nell'IPA*).

ethane /'ɛθeɪn/ *n.* ⓤ (*chim.*) etano.

ethanol /'ɛθənɒl/ *n.* ⓤ (*chim.*) etanolo; alcol etilico.

ethene /'ɛθiːn/ *n.* ⓤⓒ (*chim.*) etilene.

ether /'iːθə(r)/ ▲ *n.* ⓤ **1** (*chim., fis.*) etere **2** (*chim.*, = **diethyl e.**) etere etilico **3** (*lett. o poet.*) etere; aria ▣ *a.* attr. (*chim.*) etereo; eterico.

ethereal /ɪ'θɪərɪəl/ *a.* etereo: **e. beauty**, bellezza eterea **2** (*chim.*) etereo; eterico: **e. oil**, olio etereo (*o* essenziale) ‖ **ethereality** *n.* ⓤ l'essere etereo; spiritualità.

to **etherealize** /ɪ'θɪərɪəlaɪz/ *v. t.* **1** rendere etereo; spiritualizzare **2** (*chim.*) eterizzare.

to **etherify** /iː'θɛrɪfaɪ/ (*chim.*) ▲ *v. t.* eterificare ▣ *v. i.* eterificarsi ‖ **etherification** *n.* ⓤ eterificazione.

to **etherize** /'iːθəraɪz/ *v. t.* (*med.*) eterizzare; anestetizzare con l'etere ‖ **etherization** *n.* ⓤⓒ (*med.*) eterizzazione; anestesia mediante etere.

Ethernet /'iːθənɛt/ *n.* (*comput.*) ethernet (*standard per connettere sistemi quali PC, stampanti, ecc., in una rete locale*).

ethic /'ɛθɪk/ *n.* etica: **the Christian e.**, l'etica cristiana.

ethical /'ɛθɪkl/ *a.* etico; morale: **e. standards**, principi etici ● (*gramm.*) **e. dative**, dativo etico □ (*farm.*) **e. drug**, medicina soggetta a prescrizione medica; farmaco etico □ (*fin.*) **e. investment**, investimento in società che l'investitore approva moralmente | **-ly** avv. | **-ness** *n.* ⓤ.

ethics /'ɛθɪks/ *n. pl.* **1** (col verbo al sing.) etica; filosofia morale **2** (col verbo al pl. o al sing.) etica; sistema di valori; codice morale; deontologia: **a question of e.**, una questione morale; **code of e.**, codice di valori; codice deontologico; **professional e.**, etica (*o* deontologia) professionale; **medical e.**, deontologia medica; **e. committee**, comitato etico.

Ethiopia /iːθɪ'əʊpɪə/ *n.* (*geogr.*) Etiopia.

Ethiopian /iːθɪ'əʊpɪən/ *a.* e *n.* etiope.

Ethiopic /iːθɪ'ɒpɪk/ *a.* e *n.* ⓤ (linguaggio) etiopico.

ethmoid /'ɛθmɔɪd/ (*anat.*) ▲ *a.* etmoidale; etmoideo ▣ *n.* etmoide.

◆**ethnic** /'ɛθnɪk/ ▲ *a.* **1** etnico: **e. group**, gruppo etnico; etnia; **e. minority**, minoranza etnica; **e. origin**, origini etniche; appartenenza etnica **2** (con un agg. di nazionalità) di (una data) etnia: **e. Albanian**, di etnia albanese **3** (*spec. USA*) tradizionale (*di una cultura non occidentale*); tipico; esotico; etnico:

e. food, cucina esotica; cucina tipica; **e. jewellery**, gioielli esotici B n. (USA) membro di una minoranza etnica ● (*polit. eufem.*) **e. cleansing**, pulizia etnica □ **e. pride**, orgoglio della propria appartenenza etnica | **-ally avv.**

ethnicity /ɛθ'nɪsəti/ n. ⓤ etnicità.

ethnocentric /ɛθnəʊ'sɛntrɪk/ a. etnocentrico.

ethnographer /ɛθ'nɒɡrəfə(r)/ n. etnografo.

ethnographic, **ethnographical** a. etnografico || **ethnographically avv.** etnograficamente.

ethnography /ɛθ'nɒɡrəfɪ/ n. ⓤ etnografia.

ethnolinguistics /ɛθnəʊlɪŋ'ɡwɪstɪks/ n. pl. (col verbo al sing.) etnolinguistica.

ethnology /ɛθ'nɒlədʒɪ/ n. ⓤ etnologia || **ethnologic**, **ethnological** a. etnologico || **ethnologically avv.** etnologicamente || **ethnologist** n. etnologo.

ethnomusicology /ɛθnəʊmjuːzɪ'kɒlədʒɪ/ n. ⓤ etnomusicologia.

ethology /iː'θɒlədʒɪ/ n. ⓤ etologia || **ethological** a. etologico || **ethologist** n. etologo.

ethos /'iːθɒs/ n. ⓤ ethos; costume, carattere particolare (*di un popolo, ecc.*).

ethyl /'ɛθɪl/ (*chim.*) A n. etile B a. attr. etilico: **e. alcohol**, alcol etilico; **e. acetate**, acetato di etile.

ethylene /'ɛθɪliːn/ n. ⓤⓒ (*chim.*) etilene.

ethylic /ɛ'θɪlɪk/ a. (*chim.*) etilico.

etic /'ɛtɪk/ a. (*ling.*) etico.

e-ticket /iː'tɪkɪt/ n. (acron. di **electronic ticket**) biglietto elettronico; e-ticket.

to **etiolate** /'iːtɪəʊleɪt/ v. t. (*bot.*) eziolare; far scolorire || **etiolated a. 1** (*bot.*) eziolato **2** (*fig.*) esangue; estenuato; svigorito || **etiolation n. 1** (*bot.*) eziolamento; scolorimento **2** (*fig.*) l'essere esangue; svigorimento.

etiology /iːtɪ'ɒlədʒɪ/, **etiological** /iːtɪə'lɒdʒɪkl/ (USA) → **aetiology**, e *deriv.*

etiquette /'ɛtɪkɛt/ n. ⓤ **1** etichetta; cerimoniale; protocollo; galateo **2** (*di un medico, ecc.*) etica professionale; deontologia.

Eton /'iːtn/ n. (*geogr.*) Eton (*città inglese, famosa per la sua «public school»*) ● **E. collar**, ampio colletto inamidato, che risvolta sopra la giacca □ **E. crop**, taglio dei capelli alla maschietta (*corti sul collo; negli anni '20*) □ **E. jacket**, giacca nera a vita.

Etonian /iː'təʊnɪən/ A a. dell'Eton College; di Eton B n. **1** studente di Eton **2** (*anche* **Old E.**) ex studente di Eton.

étrier /'eɪtrɪeɪ/ (*franc.*) n. (*alpinismo*) staffa.

Etrurian /ɪ'trʊərɪən/ a. e n. etrusco.

Etruscan /ɪ'trʌskən/ A a. e n. etrusco B n. ⓤ etrusco (*la lingua*).

to **etymologize** /ɛtɪ'mɒlədʒaɪz/ A v. t. etimologizzare; dare l'etimologia di (*una parola*) B v. i. occuparsi d'etimologia.

etymology /ɛtɪ'mɒlədʒɪ/ n. ⓤⓒ etimologia || **etymological**, **etymologic** a. etimologico || **etymologically avv.** etimologicamente || **etymologist** n. etimologista; etimologo.

etymon /'ɛtɪmɒn/ n. (pl. **etymons**, **etyma**) (*ling.*) etimo.

EU sigla (**European Union**) Unione europea (UE).

eucalyptol /juːkə'lɪptɒl/ n. ⓤ (*chim., farm.*) eucaliptolo.

eucalyptus /juːkə'lɪptəs/ n. (pl. **eucalyptuses**, **eucalypti**) (*bot., Eucalyptus*) eucalipto ● **e. oil**, olio essenziale d'eucalipto.

Eucharist /'juːkərɪst/ n. (*relig.*) n. eucaristia, eucarestia; comunione: **to give** [**to re-**

ceive**] the E.**, amministrare [ricevere] l'eucaristia || **Eucharistic**, **Eucharistical** a. eucaristico: **Eucharistic Congress**, congresso eucaristico.

euchre /'juːkə(r)/ n. ⓤ «euchre» (*gioco di carte americano, per 2, 3 o 4 persone; con mazzo di 32 carte, dal sette all'asso*).

to **euchre** /'juːkə(r)/ v. t. **1** guadagnare due punti su (*un avversario*) al gioco dello «euchre» **2** (*fam. USA*) truffare; imbrogliare; mettere nel sacco; farla in barba a; fregare (*pop.*).

Euclid /'juːklɪd/ n. Euclide || **Euclidean**, **Euclidian** a. euclideo.

eucrite /'juːkraɪt/ n. ⓤⓒ (*geol.*) eucrite.

eudemonism, **eudaemonism** /juː'diːmənɪzəm/ n. ⓤ eudemonismo.

eudiometer /juːdɪ'ɒmɪtə(r)/ (*fis.*) n. eudiometro || **eudiometrical** a. eudiometrico.

Eugene /'juːdʒiːn/ n. Eugenio.

eugenics /juː'dʒɛnɪks/ (*biol.*) n. pl. (col verbo al sing.) eugenetica || **eugenic** a. eugenetico; eugenico || **eugenically avv.** eugeneticamente || **eugenicist** n. eugenista || **eugenist** n. eugenista.

eugenol /'juːdʒɛnɒl/ n. ⓤ (*chim.*) eugenolo.

euhemerism /juː'hiːmərɪzəm/ (*filos.*) n. ⓤ evemerismo || **euhemerist** n. evemerista || **euhemeristic a.** evemeristico.

eukaryote /juː'kærɪəʊt/ n. (*biol.*) eucariote.

Euler /'ɔɪlə(r)/ n. Eulero: **E.'s constant**, costante di Eulero.

to **eulogize** /'juːlədʒaɪz/ v. t. esaltare; magnificare; fare il panegirico di || **eulogist** n. elogiatore; panegirista; elogista || **eulogistic a.** laudativo; encomiastico || **eulogistically avv.** encomiasticamente.

eulogy /'juːlədʒɪ/ n. ⓤⓒ **1** panegirico; esaltazione **2** elogio funebre.

Eumenides /juː'mɛnɪdiːz/ n. pl. (*mitol.*) Eumenidi.

eunuch /'juːnək/ n. eunuco.

euonymus /juː'ɒnɪməs/ n. (*bot.*, *Evonymus*) evonimo.

eupepsia /juː'pɛpsɪə/ (*med.*) n. ⓤ eupepsia || **eupeptic a.** eupeptico.

euphemism /'juːfəmɪzəm/ n. eufemismo.

euphemistic /juːfɪ'mɪstɪk/, **euphemistical** /juːfɪ'mɪstɪkl/ a. eufemistico | **-ally avv.**

to **euphemize** /'juːfɪmaɪz/ v. t. e i. parlare, scrivere o parlare (di qc.) in modo eufemistico.

euphonic /juː'fɒnɪk/ a. (*anche fon.*) eufonico.

euphonious /juː'fəʊnɪəs/ a. eufonico | **-ly avv.**

euphonium /juː'fəʊnɪəm/ n. (*mus.*) eufonio; flicorno basso.

to **euphonize** /'juːfənaɪz/ v. t. (*fon.*) rendere eufonico.

euphony /'juːfənɪ/ n. ⓤⓒ (*anche fon.*) eufonia.

euphorbia /juː'fɔːbɪə/ n. (*bot.*, *Euphorbia*) euforbia.

euphorbium /juː'fɔːbɪəm/ n. (*bot.*, *farm.*) euforbio.

euphoria /juː'fɔːrɪə/ n. ⓤ (*anche psic.*) euforia.

euphoriant /juː'fɔːrɪənt/ a. e n. (*anche psic.*) euforizzante.

euphoric /juː'fɒrɪk/ a. (*anche psic.*) euforico.

euphrasia /juː'freɪzɪə/ n. (*bot.*, *Euphrasia officinalis*) eufrasia.

Euphrates /juː'freɪtiːz/ n. (*geogr.*) Eu-

frate.

Euphrosyne /juː'frɒzɪniː/ n. (*mitol.*) Eufrosine.

euphuism /'juːfjuːɪzəm/ (*letter. ingl.*) n. ⓤ eufuismo; manierismo; preziosità verbale || **euphuist** n. eufuista; scrittore eufuistico || **euphuistic** a. eufuistico || **euphuistically avv.** eufuisticamente.

Eur. abbr. **1** (**Europe**) Europa **2** (**European**) europeo (eur.).

Eurasian /jʊə'reɪʒn/ a. e n. eurasiano; eurasiatico.

EURATOM /jʊə'rætəm/ abbr. (**European Atomic Energy Community**) Comunità europea per l'energia atomica (CEEA).

eureka /jʊə'riːkə/ inter. eureka.

eurhythmics /juː'rɪðmɪks/ n. pl. (col verbo al sing.) **1** euritmia; armonia di movimenti **2** ginnastica ritmica.

eurhythmy /juː'rɪðmɪ/ n. ⓤ **1** euritmia **2** → **eurhythmics** || **eurhythmic**, **eurhythmical** a. euritmico; armonioso.

Euripides /jʊə'rɪpɪdiːz/ (*stor. letter.*) n. Euripide || **Euripidean** a. euripideo.

Euro /'jʊərəʊ/ A n. → **euro** B a. dell'Unione Europea; europeo; euro-: **E. directive**, direttiva europea; eurodirettiva.

euro /'jʊərəʊ/ n. (pl. **euros**) (*fin.*) euro (*moneta dell'Unione Europea*).

Euro-American /jʊərəʊə'mɛrɪkən/ a. euroamericano.

Eurobashing /'jʊərəʊbæʃɪŋ/ n. ⓤ (*polit.*) dure critiche rivolte verso l'Unione Europea.

Eurobond /'jʊərəʊbɒnd/ n. (*fin.*) eurobond; euroemissione; eurobbligazione.

Eurocentric /jʊərəʊ'sɛntrɪk/ (*polit.*) a. eurocentrico || **Eurocentrism** n. ⓤ eurocentrismo.

Eurocheque /'jʊərəʊtʃɛk/ n. (*fin.*) eurocheque; euroassegno.

Eurocommunism /jʊərəʊ'kɒmjuːnɪzəm/ (*polit.*) n. ⓤ eurocomunismo || **Eurocommunist** a. e n. eurocomunista.

Eurocracy /jʊə'rɒkrəsɪ/ (*econ.*) n. ⓤ eurocrazia || **Eurocrat** n. eurocrate.

Eurocurrency /jʊərəʊkʌrənsɪ/ n. (*fin.*) eurodivisa; euromoneta; eurovaluta.

Eurodollar /'jʊərəʊdɒlə(r)/ n. (*fin.*) eurodollaro.

Eurofunds /'jʊərəʊfʌndz/ n. pl. (*fin.*) eurofondi.

Euroland /'jʊərəʊlænd/ n. ⓤ Eurolandia; l'Europa dell'euro.

Euromarket /'jʊərəʊmɑːkɪt/ n. ⓤ (*fin.*) euromercato.

Euromoney /'jʊərəʊmʌnɪ/ n. ⓤ (*fin.*) euromoneta; eurodivisa; eurovaluta.

Euro-MP /'jʊərəʊɛm'piː/ n. (*polit.*) europarlamentare; eurodeputato.

♦**Europe** /'jʊərəp/ n. **1** (*geogr.*) Europa **2** Unione Europea **3** Europa continentale (*escluse le Isole Britanniche*).

♦**European** /jʊərə'piːən/ a. e n. **1** europeo **2** (*rif. all'UE*) europeo; eurocomunitario; comunitario **3** (*polit.*) europeista ● **E. Bank for Reconstruction and Development**, Banca europea per la ricostruzione e lo sviluppo □ **E. Central Bank**, Banca centrale europea □ **E. Commission**, Commissione europea □ **E. Common Market**, Mercato comune europeo □ **E. Community**, Comunità Europea; (a. attr.) eurocomunitario, comunitario □ **E. Council**, Consiglio europeo □ **E. Court of Justice**, Corte di giustizia europea □ **E. Economic Community**, Comunità economica Europea □ (*stor.*) **E. Free Trade Association**, Associazione europea di libero scambio □ **E. Investment Bank**, Banca europea degli investimenti □ **E. Monetary Fund**, Fondo monetario europeo □ **E. Nu-**

clear Energy Agency → **ENEA** □ **E. Parliament**, Parlamento europeo □ **E. Regional Development Fund**, Fondo europeo di sviluppo regionale □ **E. Space Agency**, Agenzia Spaziale Europea □ **E. Union**, Unione Europea ‖ **Europeanism** n. ⓤ europeismo ‖ **Europeanist** n. europeista.

to **Europeanize** /ˈjʊərəˈpiːənaɪz/ v. t. europeizzare ‖ **Europeanization** n. ⓤ europeizzazione.

Europhile /ˈjʊərəʊfaɪl/ n. europeista; eurofilo.

Europhobe /ˈjʊərəʊfəʊb/ n. antieuropeista ‖ **Europhobic** a. antieuropeista.

europium /jʊəˈrəʊpɪəm/ n. ⓤ (*chim.*) europio.

Eurosceptic /ˈjʊərəʊˈskɛptɪk/ a. e n. euroscettico ‖ **Euroscepticism** n. ⓤ euroscetticismo.

Eurostar® /ˈjʊərəʊstɑː(r)/ n. (*ferr.*) Eurostar (*il servizio ferroviario che collega Parigi, Bruxelles e Londra passando sotto la Manica*).

Eurotunnel /ˈjʊərəʊtʌnl/ n. **1** tunnel sotto la Manica **2** (*fin.*) società di promozione e gestione di detto tunnel.

Eurovision /ˈjʊərəʊvɪʒn/ n. ⓤ (*TV*) eurovisione.

Eurozone /ˈjʊərəʊzəʊn/ n. ⓤ (*fin.*) eurozona; eurolandia; l'Europa dell'euro.

Eurus /ˈjʊərəs/ n. (*mitol.*) Euro (*vento di est-sud-est*).

Eurydice /jʊəˈrɪdɪsɪ/ n. (*mitol.*) Euridice.

eurythmy /jʊˈrɪðmɪ/ (*USA*) → **eurhythmy**, e deriv.

Eustachian tube /juːˈsteɪʃn tjuːb, *USA* -tuːb/ loc. n. (*anat.*) tromba d'Eustachio.

eustasy /ˈjuːstəsɪ/ (*geol., oceanografia*) n. ⓤ eustatismo ‖ **eustatic** a. eustatico.

eutectic /juːˈtɛktɪk/ a. (*metall.*) eutettico: **e. alloy**, lega eutettica.

eutectoid /juːˈtɛktɔɪd/ n. (*metall.*) eutettoide.

euthanasia /juːθəˈneɪzɪə/ n. ⓤ eutanasia.

to **euthanize** /ˈjuːθənaɪz/ v. t. (*USA*) sopprimere (*un animale malato o ferito*).

eutrophic /juːˈtrɒfɪk/ a. (*biol., fisiol., farm.*) eutrofico ● **to render more e.**, eutrofizzare.

eutrophication /juːtrɒfɪˈkeɪʃn/ n. ⓤ (*biol., ecol.*) eutrofizzazione.

eutrophy /ˈjuːtrəfɪ/ n. ⓤ (*biol.*) eutrofia.

EVA sigla (*astronautica*, **extravehicular activity**) attività extraveicolare.

evacuant /ɪˈvækjʊənt/ (*med.*) Ⓐ a. evacuativo Ⓑ n. purgante.

to **evacuate** /ɪˈvækjʊeɪt/ v. t. e i. **1** (*fisiol.*) evacuare **2** (*mil.*) evacuare; sgombrare; sfollare.

evacuation /ɪvækjʊˈeɪʃn/ n. ⓤⒸ **1** (*fisiol.*) evacuazione **2** (*mil.*) evacuazione; sfollamento.

evacuative → **evacuant**.

evacuee /ɪvækjuˈiː/ n. evacuato; sfollato.

evadable /ɪˈveɪdəbl/ a. che si può eludere; evitabile.

to **evade** /ɪˈveɪd/ Ⓐ v. i. essere evasivo ❶ **FALSI AMICI** ● **to evade** *non significa* evadere *di prigione o evadere nel senso di fuggire* Ⓑ v. t. **1** eludere; evitare; schivare; sfuggire, sottrarsi a: **to e. one's pursuers [the police]**, sfuggire ai propri inseguitori [alla polizia]; **to e. a blow [an obstacle]**, schivare un colpo [evitare un ostacolo]; **to e. a question [the law]**, eludere una domanda [la legge]; **to e. service during the war [paying taxes]**, sottrarsi al servizio militare in tempo di guerra [al pagamento delle tasse] **2** (*fisc.*) evadere: **to e. taxes**, evadere le imposte.

evader /ɪˈveɪdə(r)/ n. evasore: **tax e.**, evasore fiscale.

to **evaginate** /ɪˈvædʒɪneɪt/ Ⓐ v. t. (*med.*)

---

evaginare Ⓑ v. i. (*biol.*) evaginarsi ‖ **evagination** n. ⓤⒸ (*med., biol.*) evaginazione; protrusione.

eval. abbr. **1** (**evaluated**) valutato, stimato **2** → **evaluation**.

to **evaluate** /ɪˈvæljʊeɪt/ v. t. **1** (*anche econ., fin., stat.*) valutare; stimare; giudicare: **to e. results**, valutare i risultati; **to e. books for a film company**, giudicare libri per una società cinematografica **2** (*mat.*) calcolare (*il valore numerico di un'espressione*).

♦**evaluation** /ɪvæljuˈeɪʃn/ n. ⓤⒸ **1** (*anche econ., fin., stat.*) valutazione; stima: **the e. of students [of a survey]**, la valutazione degli studenti [di un'indagine]; (*leg.*) **e. of evidence**, valutazione delle prove **2** (*mat.*) valutazione; calcolo ‖ **evaluative** a. valutativo; estimativo ‖ **evaluator** n. valutatore; stimatore.

to **evanesce** /ɛvəˈnɛs/ v. i. (*form.*) svanire; scomparire.

evanescent /ɛvəˈnɛsnt/ (*form.*) a. evanescente; fugace ‖ **evanescence** n. ⓤ evanescenza.

evangelical /iːvænˈdʒɛlɪkl/, **evangelic** /iːvænˈdʒɛlɪk/ (*relig.*) Ⓐ a. evangelico: **the e. message**, il messaggio evangelico; **the E. Churches**, le Chiese evangeliche Ⓑ n. membro d'una Chiesa evangelica; evangelico ‖ **evangelicalism** n. ⓤ **1** dottrina delle Chiese evangeliche **2** appartenenza a una delle Chiese protestanti ‖ **evangelically** avv. evangelicamente.

Evangeline /ɪˈvændʒɪliːn/ n. Evangelina.

evangelism /ɪˈvændʒəlɪzəm/ n. ⓤ **1** evangelismo **2** (*relig.*) = **evangelicalism** → **evangelical**.

evangelist /ɪˈvændʒəlɪst/ n. **1** evangelista **2** predicatore evangelico; evangelizzatore **3** – (*Bibbia*) E., Evangelista ‖ **evangelistic** a. **1** d'un evangelista; d'un evangelizzatore evangelico **3** – (*Bibbia*) **Evangelistic**, di uno dei quattro Evangelisti.

to **evangelize** /ɪˈvændʒəlaɪz/ v. t. evangelizzare ‖ **evangelization** n. ⓤ evangelizzazione ‖ **evangelizer** n. evangelizzatore.

evaporable /ɪˈvæpərəbl/ a. (*fis.*) evaporabile.

to **evaporate** /ɪˈvæpəreɪt/ Ⓐ v. i. **1** (*fis.*) evaporare **2** (*fig. fam.*) svanire; dissolversi: *His determination evaporated very soon*, la sua risolutezza svanì ben presto Ⓑ v. t. far evaporare; evaporare ‖ **evaporation** n. ⓤ **1** (*fis.*) evaporazione **2** (*fig. fam.*) scomparsa; sparizione.

evaporated /ɪˈvæpəreɪtɪd/ a. (*ind.*) evaporato: **e. milk**, latte evaporato.

evaporative /ɪˈvæpərətɪv/ a. evaporativo.

evaporator /ɪˈvæpəreɪtə(r)/ n. (*tecn.*) evaporatore.

evaporimeter /ɪvæpəˈrɪmɪtə(r)/ n. (*meteor.*) evaporimetro.

evapotranspiration /ɪvæpəʊtrænspəˈreɪʃn/ n. ⓤ (*idrologia*) evapotraspirazione.

evasion /ɪˈveɪʒn/ n. **1** ⓤ evasione: **tax e.**, evasione fiscale **2** pretesto; scappatoia; sotterfugio; espediente **3** discorso evasivo; risposta evasiva ❶ **FALSI AMICI** ● **evasion** *non significa* evasione *nel senso di fuga*.

evasive /ɪˈveɪsɪv/ a. **1** evasivo; elusivo; ambiguo: **an e. answer**, una risposta evasiva; **e. talk**, parole ambigue **2** inafferrabile; sfuggente: **an e. prey**, una preda inafferrabile; **e. eyes**, occhi sfuggenti ● (*mil., aeron., naut.*) **to take e. action**, sottrarsi al combattimento; (*anche fig.*) disimpegnarsi | **-ly** avv. | **-ness** n. ⓤ.

Eve /iːv/ n. Eva: **the daughters of Eve**, le figlie d'Eva (*le donne*).

eve /iːv/ n. **1** vigilia: **on the eve of victory**,

---

alla vigilia della vittoria; *Christmas Eve*, la vigilia di Natale **2** (*poet.*) sera: *The stag at eve had drunk his fill* W. SCOTT, 'la sera il cervo aveva bevuto a sazietà' ● **New Year's Eve**, l'ultimo giorno dell'anno; la vigilia di Capodanno.

evection /ɪˈvɛkʃn/ n. ⓤ (*astron.*) evezione.

Eveline /ˈiːvlɪn, ˈɛv-/ n. Evelina.

Evelyn /ˈiːvlɪn, ˈɛv-/ n. Evelina, Evelino.

♦**even** ① /ˈiːvn/ a. **1** piano; liscio; piatto: *The lawn is perfectly e.*, il prato è perfettamente liscio; **to make e.**, spianare; lisciare **2** uniforme; uguale; regolare; allo stesso livello: **even stitches**, punti tutti uguali; punti regolari; *The pegs were all e. with each other*, i pioli erano tutti alla stessa altezza **3** costante; uniforme: **at an e. pace**, con ritmo uniforme; ad andatura costante **4** pari; alla pari; equilibrato; equo; giusto: **an e. contest**, una gara alla pari; uno scontro ad armi pari; **e. score**, punteggio pari; parità; risultato di parità; *Our scores are e.*, siamo alla pari (*o* in parità); **an e. balance**, un giusto equilibrio; **an e. exchange**, uno scambio equo **5** calmo; placido; tranquillo: **an e. tone of voice**, un tono di voce calmo; **an e. temper**, un carattere calmo; **e.-tempered**, calmo; placido; **an e. disposition**, un temperamento tranquillo **6** (*mat. ed estens.*) pari: **e. numbers**, numeri pari; **e. function**, funzione pari; **e. pages**, pagine pari ● (*fam.*) **e. break**, buona probabilità □ **e. chance**, parità di probabilità: *It's an e. chance that he won't accept*, forse accetterà e forse no; **to stand an e. chance**, avere il cinquanta per cento di probabilità □ **e.-handed**, imparziale □ **e.-handedness**, imparzialità □ **e. money**, puntata alla pari; (*fig.*) pari probabilità □ (*fam.*) **e.-steven** (agg. e avv.), alla pari □ **to be e. with sb.**, essere pari (*fam.*: pari e patta) con q. □ **to break e.** → **to break** □ **to get e. with sb.**, saldare i conti con q.; prendersi la rivincita su □ **on an e. keel** → **keel** ①.

♦**even** ② /ˈiːvn/ avv. **1** anche; perfino; persino; addirittura: *E. a fool could see it*, persino uno stupido lo capirebbe; *This book is e. more interesting than I thought*, questo libro è anche (*o* ancora) più interessante di quello che pensavo **2** proprio; esattamente: *I'm listening to your record e. as I write*, sto ascoltando il tuo disco proprio ora mentre ti scrivo; *E. as he said it, he realized it was wrong*, nel momento stesso in cui lo disse si rese conto che era sbagliato **3** almeno: *Does he e. suspect the danger?*, ha almeno il sospetto di trovarsi in pericolo? ● **e. if**, anche se: *I'll do it, e. if it takes all day*, lo farò, anche se ci vorrà tutto il giorno; *E. if he asked you to, you still had no business coming here*, anche se te l'ha chiesto lui, non dovevi comunque venire qui □ **e. so**, comunque; con tutto ciò; in ogni caso: *E. so, I don't think he's dishonest*, comunque, non credo che sia disonesto □ **e. though**, anche se; benché; nonostante che: *You can contact her, e. though she's off duty*, puoi contattarla anche se non è di turno: *He still eats a lot, e. though he knows it's bad for him*, mangia sempre molto, benché sappia (*o* pur sapendo) che gli fa male □ **not e.** (*o* **never e.**), neanche; nemmeno; neppure: *He never e. answered my letter*, non ha neppure risposto alla mia lettera.

even ③ /ˈiːvn/ n. (*poet.*) sera; vespro.

to **even** /ˈiːvn/ Ⓐ v. t. **1** spianare; livellare **2** appianare Ⓑ v. i. essere (*o* andare) alla pari; pareggiarsi: *Things have probably evened between the two contestants*, la probabilità di successo ora sono forse alla pari tra i due contendenti ● **to e. the score**, (*sport*) pareggiare; (*fig.*) pareggiare il conto con q.

■ **even off** Ⓐ v. i. + avv. **1** (*del terreno, ecc.*) farsi piano; essere pianeggiante **2** (*di prezzi,*

a b c d **e** f g h i j k l m n o p q r s t u v w x y z

ecc.) pareggiarsi; livellarsi **B** v. t. + **avv. 1** spianare; rendere (*il terreno*) pianeggiare **2** (*fig.*) appianare (*difficoltà, differenze, ecc.*).

■ **even out A** v. t. + **avv. 1** spianare, livellare (*il terreno, ecc.*) **2** appianare (*difficoltà, differenze*) **3** colmare (*un divario*) **B** v. i. + **avv. 1** livellarsi **2** (*di difficoltà*) appianarsi **3** (*di una situazione*) normalizzarsi **4** (*fam.*) rimettersi in sesto; ritrovare l'equilibrio (*fig.*).

■ **even up A** v. t. + **avv. 1** rendere pari, pareggiare: **to e. up the odds**, rendere pari le probabilità di riuscita, di vittoria, ecc.; **to e. up the score**, (*sport*) riportarsi in parità; (*fig.*) rimettersi in pari, pareggiare il conto con q. **2** (*rag.*) compensare a saldo **B** v. i. + **avv.** (*fig.*) farsi pari, saldare i conti (*con q.*) □ **to e. things up**, essere pari (*con q., dando qc. in cambio*); pareggiare il conto □ (*fam. USA*) **to e. up on sb.**, ricambiare un favore a q.

◆**evening** /'iːvnɪŋ/ **A** n. **1** sera: **this e.**, questa sera; **tomorrow e.**, domani sera; **on the e. of the 10th**, la sera del dieci; **in the e.**, di sera; la sera; **on Saturday e.**, sabato sera; **on Saturday evenings**, tutti i sabato sera; *Good e.*, buona sera **2** serata: *We've had a pleasant e.*, abbiamo passato una bella serata; **a musical e.**, una serata musicale **3** (*fig.*) tramonto; declino: **in the e. of life**, nel tramonto della vita **B** a. attr. **1** della sera; di sera; serale: **e. meal**, pasto della sera (*tra le ore 18 e le 20*); cena; **e. paper**, quotidiano della sera; **e. classes**, lezioni serali; corso serale; *I'm thinking of doing an e. class*, sto pensando di fare un corso serale **2** per la sera; da sera: **e. dress**, abito da sera; (*da uomo*) marsina, frac; (*da donna*) vestito da sera; **e. suit**, abito da sera (*da uomo*); **e. gown**, abito lungo, vestito da sera ● (*sport*) **e. match**, (partita) notturna: **to play an e. match**, giocare in notturna □ (*relig.*) **e. prayer**, preghiera della sera; (al pl.) vespro; (*nella Chiesa anglicana*) preghiera della sera □ (*bot.*) **e. primrose** (*Oenothera biennis*), enotera; onagra □ **the e. star**, la stella della sera (*Venere*) □ **e. wear**, abiti da sera (collett.).

evenings /'iːvnɪŋz/ avv. (*fam.*) di sera; la sera.

evening-up /'iːvnɪŋʌp/ n. ▢ **1** livellamento; pareggiamento **2** (*rag.*) compensazione a saldo.

evenly /'iːvnlɪ/ avv. **1** in modo uguale **2** uniformemente; regolarmente **3** pacatamente; con calma; tranquillamente **4** imparzialmente; equamente **5** in parti uguali ● (*di due concorrenti*) **e. matched**, della stessa forza (o abilità); che si equivalgono.

evenness /'iːvnnəs/ n. ▢ **1** parità; uniformità; regolarità; uguaglianza **2** calma; serenità; tranquillità **3** equità; imparzialità **4** equilibrio; condizione di parità.

evens /'iːvnz/ a. attr. e avv. **1** (*di scommessa*) alla pari **2** (*di cavallo, ecc.*) (dato) alla pari.

evensong /'iːvnsɒŋ/ n. ▢ (*relig.*) **1** (*nella Chiesa cattolica*) vespro **2** (*nella Chiesa anglicana*) preghiera della sera.

◆**event** /ɪ'vɛnt/ n. **1** avvenimento; fatto; evento: **the events of the day before**, gli avvenimenti del giorno prima, quello che era accaduto il giorno prima; *The film is based on a real e.*, il film si basa su un fatto vero; *We were overtaken by events*, fummo superati dagli eventi **2** (al pl.) eventi; situazione (sing.); (le) cose: *Suddenly events began to move very fast*, di colpo la situazione prese un andamento precipitoso; **to await events**, aspettare gli eventi; vedere come si mettono le cose **3** avvenimento (importante); evento: **annual e.**, avvenimento che ha luogo ogni anno; evento annuale; *The coronation was the chief e. of the year*, l'incoronazione

fu l'avvenimento più importante dell'anno **4** eventualità; caso: **in the e. of**, nell'eventualità di; in caso di: *In the e. of the President's death, the Vice President succeeds*, nell'eventualità della morte del Presidente, subentra il Vicepresidente; **in the e. of an accident**, in caso di incidente; nell'eventualità di un incidente; **in the e. of his not coming**, nell'eventualità ch'egli non venga; **in that e.**, in quel caso; **in any e.** (*o* **at all events**), in ogni caso; **in either e.**, in entrambi i casi **5** (*sport*) avvenimento sportivo; competizione; gara; prova: **track events**, gare su pista; **golfing events**, gare di golf ● (*comput.*) **e.-driven**, guidato dagli eventi □ (*astron.*) **e. horizon**, orizzonte degli eventi □ (*stat.*) **double e.**, evento duplice □ **in the e.**, nella realtà; all'atto pratico; di fatto □ **in the natural course of events**, nell'ordine naturale delle cose □ (*equit.*) **three-day e.**, completo.

eventer /ɪ'vɛntə(r)/ n. (*equit.*) cavallo (*o* cavaliere) di completo.

eventful /ɪ'vɛntfl/ a. **1** denso d'avvenimenti; avventuroso; movimentato: **an e. trip**, una gita avventurosa, movimentata; **an e. month**, un mese denso d'avvenimenti **2** importante; decisivo: **an e. conversation**, un colloquio decisivo, importante | **-ly avv.** | **-ness** n. ▢.

eventide /'iːvntaɪd/ n. ▢ (*poet.*) sera; vespro ● **e. home**, casa di riposo (*per anziani*).

eventing /ɪ'vɛntɪŋ/ n. ▢ (*equit.*) completo.

eventual /ɪ'vɛntʃʊəl/ a. finale; conclusivo: **errors leading to e. disaster**, errori che conducono a un disastro finale ➊ **FALSI AMICI** ● eventual *non significa* eventuale.

eventuality /ɪvɛntʃʊ'ælətɪ/ n. ▢꜀ evenienza; eventualità; caso: **to be ready for any e.**, essere pronto a tutte le evenienze.

◆**eventually** /ɪ'vɛntʃʊəlɪ/ avv. alla fine; infine; finalmente; da ultimo: *'E. I went up and went to bed'* J. FOWLES, 'alla fine salii di sopra e andai a letto' ➊ **FALSI AMICI** ● eventually *non significa* eventualmente.

to **eventuate** /ɪ'vɛntʃʊeɪt/ v. i. **1** accadere, succedere (*come conseguenza*); verificarsi; risultare: *You never know what might e.*, non si sa mai che cosa possa accadere; *A terrible drought eventuated from the great heat*, il grande caldo causò una terribile siccità **2** – **to e. in**, risolversi in; dare come risultato; produrre.

◆**ever** /'ɛvə(r)/ avv. **1** (in frasi interr. e in frasi neg.) mai (*nel senso di «qualche volta»*): *Have you e. been to London?*, sei mai stato a Londra?; *Have you e. tasted it before?*, l'hai mai assaggiato prima d'ora?; *No one e. saw him drunk*, nessuno l'ha mai visto ubriaco; *I don't recall e. speaking to her*, non ricordo di averle mai parlato; **hardly** (*o* **scarcely**) **e.**, quasi mai **2** (nelle comparazioni, con valore enfatico) mai (*nel senso di «in ogni tempo»*); sempre: **stronger than e.**, più forte che mai; **as optimistic as e.**, ottimista come sempre; ottimista come non mai; **the largest sum e. paid for a stamp**, la somma più grande mai pagata per un francobollo; *John, e. the gentleman, refrained from commenting*, John, gentiluomo come sempre, evitò di commentare **3** (con un agg.) continuamente; costantemente; sempre: **e.-increasing**, in continuo aumento; **e.-present**, sempre presente; **e. wider**, sempre più ampio **4** (in frasi interr. con valore enfatico) mai; diamine: *What e. does he want?*, che diamine vuole?; *Where e. did you go?*, dove diamine sei andato?; *Why e. didn't you say so?*, perché mai non l'hai detto? **5** (*fam. USA*; in frasi interr. con valore affermativo) – «*Did you like the book?*» «*Did I e.!*», «Ti è piaciuto quel libro?» «Eccome!» (*o* «Altroché!»); *Was she e. mad!*, come si è arrabbiata! ● **e. after**, da allora in poi; per sempre:

And they lived happily e. after, e vissero felici per sempre; e così vissero felici e contenti □ **e. and again**, di quando in quando □ **e. more**, (*anche* **for e. more**) per sempre; per tutto il tempo a venire □ **e. since**, fin da quando; da allora: *I've known him e. since he came to Italy*, lo conosco fin da quando venne in Italia; *She's been living with us e. since*, da allora vive con noi □ (*fam. GB*) **e. so**, tanto; così: *It's e. so pretty!*, quant'è carino! □ (*fam. GB*) **e. so much**, molto; infinitamente: *Thanks e. so much*, grazie mille □ (*antiq., nelle lettere ad amici*) **Yours e.** (*o* **E. yours**), sempre affettuosamente tuo □ **for e.**, per sempre ➊ **NOTA**: *for ever o forever?* → **forever** □ **for e. and e.**, per sempre; in eterno □ (*antiq.*) **for e. and a day**, per sempre □ *Did you e.!*, ma va'!; ma guarda!; ma senti!; chi l'avrebbe detto! □ *He's a stubborn man, if e. there was one*, è un testardo come ce ne sono pochi; è l'uomo più testardo che ci sia ➊ **NOTA**: *how ever o however; what ever o whatever?* → **whatever**.

Everglades /'ɛvəɡleɪdz/ n. pl. (*geogr.*) (le) Everglades (*terreno paludoso della Florida, in USA, che è un parco nazionale*).

evergreen /'ɛvəɡriːn/ **A** a. **1** (*bot.*) sempreverde **2** (*fig.*) sempre attuale, alla moda **B** n. **1** (*bot.*) (pianta) sempreverde **2** (*comm.*) articolo che si vende sempre bene **3** (*fam.*) libro (canzone, cantante, ecc.) sempre sulla cresta dell'onda.

everlasting /ɛvə'lɑːstɪŋ/ **A** a. **1** eterno; perpetuo; perenne: **e. life**, la vita eterna **2** (con valore spreg.) continuo; incessante; interminabile: *I'm fed up with your e. teasing*, sono stufo delle tue continue punzecchiature **B** n. **1** (*poet.*) eternità **2** (*bot.*) sempervivo **3** (*ind. tess.*) fustagno ● **the E.**, l'Eterno (*Dio*) | **-ly avv.** | **-ness** n. ▢.

evermore /ɛvə'mɔː(r)/ avv. (*lett.*) sempre; eternamente ● **for e.**, per sempre; (*fam.*) di continuo; incessantemente; sempre.

eversion /ɪ'vɜːʃn/ n. ▢ (*med.*) eversione; estroflessione: **e. of the cervix**, eversione della cervice uterina.

to **evert** /ɪ'vɜːt/ v. t. (*scient.*) estroflettere ● (*med.*) **to become everted**, estroflettersi.

◆**every** /'ɛvrɪ/ a. ogni; ciascuno; tutti: *He comes e. day*, viene ogni giorno; *I've seen e. film he has shot*, ho visto tutti i film che ha girato; *The boy has been given e. chance*, al ragazzo è stata data ogni possibilità; **e. time I see him**, ogni volta (e tutte le volte) che lo vedo; *You have e. right to complain*, hai tutti i diritti di lamentarti ● **e. bit as**, altrettanto: *You're e. bit as strong as he is*, sei altrettanto forte di lui □ **e. bit of it**, tutto quanto □ **e. now and then** (*o* **e. now and again**), di quando in quando □ **e. one**, ciascuno; tutti quanti: *E. one of them is wrong*, hanno torto tutti quanti; *They were drowned, e. one of them*, morirono affogati, tutti quanti □ **e. other** (*o* **e. second**), uno sì e uno no: **e. other day**, un giorno sì e uno no; ogni due giorni; a giorni alterni □ (*fam.*) **e. so often**, di quando in quando; ogni tanto □ **e. three weeks** (*o* **e. third week**), ogni tre settimane □ **in e. way**, sotto ogni aspetto; da ogni punto di vista; per ogni verso □ (*fam. USA*) **e. which way**, in ogni direzione; dappertutto; (*anche*) da tutte le parti □ **E. man for himself!**, si salvi chi può! □ (*prov.*) **E. man for himself (and God for us all)**, ognuno per sé (e Dio per tutti).

◆**everybody** /'ɛvrɪbɒdɪ/ pron. ognuno; ciascuno; tutti: *As e. knows...*, come ognuno sa...; come tutti sanno...; *E. admired him*, ognuno lo ammirava; tutti lo ammiravano; **e. else**, tutti gli altri; chiunque altro; tutti; *I want to live in peace like e. else*, voglio vivere in pace come tutti ● *E. knew e. else at the party*, alla festa si conoscevano tutti □ (**Sing up**), **e.!**, (cantate) tutti insieme!; tutti

in coro! □ **Stop e.!**, fermi tutti! ❶ **NOTA:** *they* → **they**.

everyday /ˈɛvrɪdeɪ/ *a.* **1** di ogni giorno; di tutti i giorni; quotidiano: **an e. occurrence**, una cosa che succede tutti i giorni; **e. routine**, routine quotidiana **2** di tutti i giorni; comune; ordinario: **e. life**, la vita di tutti i giorni; **e. shoes**, le scarpe di tutti i giorni; **e. speech**, la parlata comune; la lingua d'uso; **It's an e. thing!**, è cosa di tutti i giorni!

Everyman /ˈɛvrɪmæn/ *n.* (*lett.*) «Ognuno»; l'uomo della strada.

♦**everyone** /ˈɛvrɪwʌn/ *pron.* → **everybody**. ❶ **NOTA:** *they* → **they**.

everyplace /ˈɛvrɪpleɪs/ (*fam. USA*) → **everywhere**.

♦**everything** /ˈɛvrɪθɪŋ/ *pron.* ogni cosa; tutto: **E. is ready for the show**, tutto è pronto per lo spettacolo; *He thinks he knows e.*, crede di sapere tutto; *Money is not e.*, il denaro non è tutto; *Give me e. you have!*, dammi tutto quello che hai!; **e. else**, ogni altra cosa; tutto il resto ● (*fam.*) **e. but the kitchen sink**, tutto o quasi; praticamente di tutto □ (*fam.*) ... **and e.**, e tutto il resto; eccetera □ *How's e.?*, come vanno le cose?

♦**everywhere** /ˈɛvrɪweə(r)/ *avv.* in ogni luogo; dovunque; dappertutto: *I've searched e.*, ho cercato dappertutto; *E. he went he met with hostility*, incontrò ostilità dovunque andasse; **e. else**, in qualunque altro luogo.

to **evict** /ɪˈvɪkt/ (*leg.*) *v. t.* **1** evincere; recuperare (*un bene*) per mezzo di un giudizio **2** sfrattare; escomiare; dare lo sfratto (*o l'escomio*) a (*un inquilino, un colono*) ‖ **eviction** *n.* ⸤ᴄ⸥ **1** evizione **2** sfratto; escomio: **eviction notice**, notifica di sfratto; **eviction order**, ordinanza di sfratto ‖ **evictee** *n.* (*leg.*) **1** sfrattato **2** colono escomiato ‖ **evictor** *n.* chi dà lo sfratto (*o l'escomio*).

♦**evidence** /ˈɛvɪdəns/ *n.* ⸤ᵁ⸥ **1** prova, prove; segno evidente; evidenza: *There's no e. that the boy is lying*, non ci sono prove che il ragazzo menta; *The girl's pallor was e. of her uneasiness*, il pallore della ragazza era segno evidente del suo disagio; *The papers showed e. of having been tampered with*, le carte mostravano segni di manomissione; **the e. of the facts**, l'evidenza dei fatti **2** (*leg.*) prova, prove: *There isn't enough e. against him*, non ci sono prove sufficienti contro di lui; *All e. has been destroyed*, tutte le prove sono state distrutte; *an important piece of e.*, una prova importante; **to produce st. in e.**, produrre qc. come prova; **admissible in e.**, ammissibile come prova **3** (*leg.*) deposizione, deposizioni: *to give e. in court*, deporre in tribunale; **on the e. of the bystanders**, secondo le deposizioni degli astanti ● **e. to the contrary**, prova contraria; prova del contrario □ **in e.**, in evidenza; in mostra; in risalto; evidente; presente: **to be much in e.**, essere in grande evidenza; essere presente in gran numero □ (*comm.: di merce*) **«on e.»**, «come si trova» □ (*leg.*) **to turn King's** (*o* **Queen's**; *USA* **State's**) **e.**, testimoniare contro i propri complici.

to **evidence** /ˈɛvɪdəns/ *v. t.* **1** (*anche leg.*) attestare; comprovare; testimoniare **2** (*leg.*) suffragare con prove.

♦**evident** /ˈɛvɪdənt/ *a.* evidente; chiaro; manifesto; ovvio.

evidential /ɛvɪˈdɛnʃl/, **evidentiary** /ɛvɪˈdɛnʃərɪ/ *a.* (*anche leg.*) probatorio: **e. matter**, elementi probatori.

evidently /ˈɛvɪdəntlɪ/ *avv.* evidentemente.

♦**evil** /ˈiːvl/ Ⓐ *a.* **1** malvagio; cattivo; maligno: **e. deeds**, azioni malvagie; cattive azioni; **e. forces**, forze malvagie; forze del male; *The man is e.*, è un uomo malvagio; *Jenny*

has an e. tongue, Jenny ha una lingua maligna; Jenny è una malalingua **2** cattivo; dannoso; negativo; disgustoso; brutto; funesto; infausto: **e. weather**, cattivo tempo; **e. temper**, bruttissimo carattere; caratteraccio; **e. effect**, effetto negativo; **e. times**, tempi funesti; brutti tempi; **an e. taste**, un cattivo sapore **3** (*slang*) fantastico; bestiale (*pop.*); fichissimo (*pop.*) Ⓑ *n.* **1** ⸤ᵁ⸥ male; malvagità: **to do e.**, fare del male; **to return good for e.**, ricambiare il bene per il male; **the forces of e.**, le forze del male; **the e. that is in men**, la malvagità umana **2** male; danno: **the evils that beset our society**, i mali che affliggono la nostra società ● **the e. eye**, il malocchio: **to give sb. the e. eye**, gettare il malocchio addosso a q. □ **e.-minded**, malvagio, maligno; malintenzionato → (*relig.*) **the E. One**, il Maligno □ **e.-tempered**, che ha un brutto carattere; bisbetico; irascibile □ **to fall on e. days**, passare un brutto periodo; cadere in miseria □ **to put off the e. day**, allontanare il giorno infausto □ **to speak e. of sb.**, parlar male di q. □ **to wish sb. e.**, desiderare il male (*o la rovina*) di q. □ (*fam.*) **Hear no e., see no e., speak no e.**, non sento, non vedo, non parlo (*motto delle tre scimmiette*).

evildoer /ˈiːvlduːə(r)/ *n.* persona malvagia; malfattore; furfante.

to **evince** /ɪˈvɪns/ *v. t.* (*form.*) dimostrare; manifestare; rivelare: *He evinced his desire to make peace with the barons*, manifestò il suo desiderio di fare la pace con i baroni.

to **evirate** /ˈiːvɪreɪt/ *v. t.* evirare ‖ **eviration** *n.* ⸤ᵁ⸥ evirazione.

to **eviscerate** /ɪˈvɪsəreɪt/ *v. t.* **1** sventrare **2** (*fig.*) svuotare (qc.) del suo contenuto; ridurre a cosa vuota **3** (*med.*) eviscerare ‖ **evisceration** *n.* **1** sventramento; svuotamento **2** (*med.*) eviscerazione.

evocation /ɛvəˈkeɪʃn/ *n.* ⸤ᵁ⸥ (*form.*) evocazione.

evocative /ɪˈvɒkətɪv/ *a.* evocativo; evocatore; suggestivo (*di qc.*). | **-ly** *avv.*

evocatory /ɪˈvɒkətərɪ/ → **evocative**.

evo-devo /ˈiːvəʊˈdiːvəʊ/ *n.* ⸤ᵁ⸥ (*biol.*, abbr. di **evolutionary-developmental biology**) biologia evoluzionistica e dello sviluppo.

to **evoke** /ɪˈvəʊk/ *v. t.* **1** rievocare; evocare; richiamare alla memoria: **to e. the happy memories of one's childhood**, evocare le felici memorie dell'infanzia **2** provocare; suscitare; destare: **to e. curiosity** [**discontent**], suscitare curiosità [scontentezza]; **to e. no response**, non ottenere alcuna reazione (*o* risposta) **3** evocare: **to e. the dead**, evocare i morti.

evolute /ˈɛvəluːt/ Ⓐ *a.* (*bot.*) sviluppato Ⓑ *n.* (*geom.*, = **e. curve**) evoluta.

♦**evolution** /ˌiːvəˈluːʃn/, *USA* ɛ-/ *n.* **1** ⸤ᵁ⸥ evoluzione (*scient.*): **the theory of e.**, la teoria dell'evoluzione **2** ⸤ᵁ⸥ (*fis., chim.*) emanazione (*di calore*); sviluppo (*d'un gas*) **3** ⸤ᵁ⸥ (*mat.*) estrazione (*d'una radice*) **4** (*mil., sport, ecc.*) evoluzione: **to perform evolutions**, eseguire evoluzioni ‖ **evolutional** *a.* evolutivo.

♦**evolutionary** /ˌiːvəˈluːʃənərɪ, *USA* ɛ-/ *a.* **1** relativo all'evoluzione o alla teoria dell'evoluzione; dell'evoluzione; evoluzionistico: **e. theory**, teoria dell'evoluzione; **e. biology**, biologia evoluzionistica; **from an e. point of view**, da un punto di vista evoluzionistico **2** evolutivo: **e. change**, mutamento evolutivo; **e. ladder**, scala evolutiva; **e. leap**, salto evolutivo.

evolutionist /ˌiːvəˈluːʃənɪst, *USA* ɛ-/ (*scient.*) Ⓐ *n.* evoluzionista Ⓑ *a. attr.* evoluzionistico ‖ **evolutionism** *n.* ⸤ᵁ⸥ evoluzionismo ‖ **evolutionistic** *a.* evoluzionistico.

evolutive /ˈiːvɒljuːtɪv, *USA* ɛ-/ *a.* evolutivo ● **e. conditions**, condizioni favorevoli al-

l'evoluzione.

to **evolve** /ɪˈvɒlv/ Ⓐ *v. t.* **1** evolvere; sviluppare; svolgere: *He has evolved a new teaching technique*, ha sviluppato una nuova didattica **2** dedurre (*fatti, ecc.*) **3** (*fis., chim.*) emettere (*calore*); sviluppare (*gas*) Ⓑ *v. i.* evolvere; evolversi; svilupparsi: *Organic life has evolved over millions of years*, gli organismi viventi si sono evoluti in milioni di anni.

evolvement /ɪˈvɒlvmənt/ *n.* ⸤ᵁ⸥ evoluzione; svolgimento; sviluppo.

e-voting /ˈiːˈvəʊtɪŋ/ *n.* ⸤ᵁ⸥ (*polit.*) voto via Internet; voto per computer.

evulsion /ɪˈvʌlʃn/ *n.* ⸤ᵁ⸥ (*med.*) avulsione.

ewe /juː/ *n.* (*zool.*) pecora (*femmina*): **ewe's** (*o* **ewes'**) **milk**, latte di pecora ● **ewe lamb**, agnella □ (*di cavallo*) **ewe neck**, collo incavato.

ewer /ˈjuːə(r)/ *n.* (*antiq.*) brocca; caraffa.

ex① /eks/ *pref.* ex; già; un tempo: **ex-minister**, ex ministro; **ex-president**, ex presidente; **ex-husband**, ex marito; **ex-wife**, ex moglie.

ex② /eks/ (*lat.*) *prep.* **1** (*di merce*) fuori di; su; da; franco: **ex ship**, fuori della nave (*o* franco nave, allo sbarco); **ex quay**, sulla banchina (*o* franco molo); **ex factory**, franco fabbrica; **ex warehouse**, fuori magazzino; franco magazzino **2** (*fin.: di un titolo*) senza: **ex dividend**, senza dividendi; scuponato; **ex interest**, senza interessi; secco: **ex interest price**, corso (*o* prezzo) secco ● (*Borsa, fin.*) **ex all**, senza privilegi; escluso tutto □ (*di merce*) **ex bond**, sdoganata □ (*leg.*) **ex-post facto legislation**, legislazione retroattiva (*penale*) □ **ex works**, dalla (*o* alla) fabbrica: **ex-works price**, prezzo di fabbrica.

ex③ /eks/ *n.* (*fam.*) ex (*fam.*); ex marito; ex moglie.

ex. *abbr.* **1** (**examination**) esame **2** (**example**) esempio **3** (**except**) eccetto **4** (**exception**) eccezione **5** (**exchange**) scambio **6** (**executive**) esecutivo **7** (**express**) espresso **8** (**extra**) extra.

Ex. *abbr.* (*comm.*, **exchange**) borsa.

to **exacerbate** /ɪɡˈzæsəbeɪt/ *v. t.* esacerbare; inasprire; aggravare; esasperare: **to e. a disease**, aggravare una malattia; **to e. a pain**, esacerbare un dolore ‖ **exacerbation** *n.* ⸤ᵁ⸥ esacerbamento; esacerbazione; inasprimento; aggravamento (*anche med.*); esasperazione.

♦**exact** /ɪɡˈzækt/ *a.* **1** esatto; preciso: **the e. meaning**, il significato esatto; **the e. time**, l'ora esatta; **e. instructions**, istruzioni precise **2** accurato; esatto: **an e. replica**, una copia accurata **3** meticoloso; scrupoloso; rigoroso: **an e. philologist**, un filologo rigoroso **4** puntuale (*nei pagamenti*) ● **the e. sciences**, le scienze esatte □ **to be e.**, per l'esattezza; per essere precisi; esattamente.

to **exact** /ɪɡˈzækt/ *v. t.* **1** esigere; richiedere; pretendere: **to e. obedience from sb.**, esigere obbedienza da q.; **to e. payment of a debt**, esigere il pagamento d'un debito **2** infliggere: **to e. a penalty**, infliggere una punizione; **to e. revenge**, vendicarsi ‖ **exactable** *a.* esigibile.

exacta /ɪɡˈzæktə/ (*spagn.*) *n.* (*ipp.*, *USA*) accoppiata.

exacting /ɪɡˈzæktɪŋ/ *a.* **1** esigente; severo; rigoroso: **an e. teacher**, un insegnante esigente; **e. requirements**, requisiti severi; **e. standards**, criteri rigorosi **2** impegnativo; difficile: **an e. job**, un lavoro difficile; **physically e.**, fisicamente impegnativo; che richiede un notevole sforzo fisico.

exaction /ɪɡˈzækʃn/ *n.* **1** ⸤ᴄ⸥ esazione (*di denaro, ecc.*) **2** estorsione: **the e. of a confession**, l'estorsione di una confessione **3** richiesta eccessiva; imposizione.

a b c d **e** f g h i j k l m n o p q r s t u v w x y z

exactitude /ɪg'zæktɪtjuːd, *USA* -tuːd/, **exactness** /ɪg'zæktnəs/ n. ☑ **1** esattezza; precisione **2** minuziosità; rigore.

◆**exactly** /ɪg'zæktlɪ/ avv. **1** esattamente; precisamente; di preciso: *What is he e. looking for?*, che cos'è che cerca esattamente?; **at e. nine o'clock**, alle nove precise; *What do you have to do e.?*, cosa devi fare precisamente? **2** (con valore enfatico) proprio; propriamente; esattamente: **e. the opposite**, proprio il contrario; *We didn't e. quarrel, but…*, non abbiamo proprio litigato, ma…; *I found e. nothing*, non ho trovato un bel niente **3** (nelle risposte) proprio così; appunto.

exactor /ɪg'zæktə(r)/ n. **1** chi esige; chi richiede **2** esattore.

to **exaggerate** /ɪg'zædʒəreɪt/ v. t. e i. esagerare; ingrandire ‖ **exaggerated** a. esagerato ‖ **exaggeratedly** avv. esageratamente ‖ **exaggeration** n. ☑ esagerazione ‖ **exaggerating** a. che tende a esagerare ‖ **exaggerator** n. persona che esagera; esagerato (fam.).

to **exalt** /ɪg'zɔːlt/ v. t. **1** innalzare; elevare: **to e. sb. to the throne**, elevare q. al trono; **to e. sb. to the rank of ambassador**, innalzare q. al grado d'ambasciatore **2** esaltare; magnificare; lodare sperticatamente **3** esaltare; entusiasmare; infervorare **4** intensificare (colori, ecc.) ● **to e. sb. to the skies**, portare q. alle stelle.

exaltation /ˌegzɔːl'teɪʃn/ n. ☑ **1** elevamento; innalzamento **2** esaltazione; magnificazione; lodi sperticate **3** esaltazione; rapimento; infervoramento.

exalted /ɪg'zɔːltɪd/ a. **1** elevato; eminente; altolocato: **a man of e. position**, un uomo che occupa una posizione eminente **2** esaltato; estasiato; infervorato; rapito.

◆**exam** /ɪg'zæm/ n. (abbr. fam. di **examination**) **1** esame (scolastico, ecc.); prova: *I passed my French e.*, ho passato l'esame di francese; **the e. results**, i risultati degli esami (→ **examination**, def. 2) **2** (med., USA) esame; visita: **eye e.**, visita oculistica.

examinable /ɪg'zæmɪnəbl/ a. esaminabile.

◆**examination** /ɪgˌzæmɪ'neɪʃn/ n. ☑ **1** esame; indagine; ispezione; controllo; verifica: (dog.) **an e. of the luggage**, un controllo dei bagagli; una visita doganale; **an e. of business accounts**, una verifica dei conti aziendali; **a medical e.**, una visita medica; *The proposal is under e.*, la proposta è all'esame (o al vaglio); **on e.**, in seguito a esame; **on further e.**, in seguito a un esame più accurato; a un secondo esame **2** esame (scolastico, ecc.); prova: **entrance e.**, esame d'ammissione; **a history e.**, un esame di storia; **a written e.**, una prova scritta; **to pass an e.**, superare (o passare) un esame; **to fail an e.**, essere respinto (o bocciato) a un esame; **to take** (o to sit) **an e.**, sostenere un esame; **e. paper**, questionario d'esame; (anche) elaborato (d'esame), compito scritto, tema **3** (ley.) interrogatorio; escussione: **e. in chief** (o direct e.), interrogatorio dei propri testimoni; **e. of bankruptcy**, interrogatorio del fallito; **the e. of witnesses**, l'escussione dei testi.

◆to **examine** /ɪg'zæmɪn/ v. t. **1** esaminare; sottoporre a esame; prendere in esame: **to e. old documents**, esaminare vecchi documenti; **to e. a proposal**, prendere in esame una proposta **2** controllare; ispezionare; verificare: (rag.) **to e. the accounts**, verificare i conti **3** esaminare (uno studente, ecc.): *I was examined in maths and physics*, fui esaminato in matematica e fisica **4** (fig.) esaminare; analizzare; soppesare; interrogare: **to e. one's conscience**, interrogare la propria coscienza **5** (leg.) interrogare; escutere: **to e. a witness in a law court**, in-

terrogare un testimone in tribunale **6** (med.) visitare: *The doctor examined the patient*, il medico visitò l'ammalato ● **examining board**, commissione d'esame □ (leg.) **examining magistrate**, giudice delle indagini preliminari □ (fam.) **You need to get your head examined!**, devi farti visitare!; tu sei pazzo! ‖ **examinee** n. candidato (a un esame); esaminando ‖ **examiner** n. **1** esaminatore **2** ispettore.

◆**example** /ɪg'zɑːmpl/ n. **1** esempio: *This textbook gives a lot of examples*, questo libro di testo dà molti esempi; **for e.**, per esempio; ad esempio **2** esempio; modello; esemplare: *She was an e. to all*, è stata di esempio per tutti; **a fine e. of Greek pottery**, un bell'esemplare di ceramica greca; **to follow sb.'s e.**, seguire l'esempio di q.; prendere q. a modello; **to set a good [bad] e.** (to sb.), dare (a q.) il buon [il cattivo] esempio **3** avvertimento; esempio: *Let this be an e. to you*, che ciò vi serva d'avvertimento ● **to learn by e.**, imparare con l'esempio □ **to make an e. of sb.**, infliggere a q. una punizione esemplare □ (prov.) **E. is better than precept**, l'esempio vale più dell'insegnamento.

ex ante /eks'æntɪ/ (lat.) a. e avv. (econ.) ex ante.

exanthema /ˌeksæn'θiːmə/ (med.) n. (pl. **exanthemas**, **exanthemata**) esantema ‖ **exanthematic**, **exanthematous** a. esantematico.

exarch /'eksɑːk/ (stor., relig.) n. esarca ‖ **exarchate** n. esarcato.

to **exasperate** /ɪg'zɑːspəreɪt/ v. t. **1** esasperare; irritare: **to be exasperated by** (o **with**) **st.**, essere esasperato da qc. **2** aggravare; peggiorare (una malattia, ecc.).

exasperated /ɪg'zɑːspəreɪtɪd/ a. esasperato: **to grow e.**, esasperarsi; essere esasperato.

exasperating /ɪg'zɑːspəreɪtɪŋ/ a. esasperante | **-ly** avv.

exasperation /ɪgˌzɑːspə'reɪʃn/ n. ☑ **1** esasperazione **2** aggravamento; peggioramento.

exc. abbr. **1** (**excellent**) eccellente **2** (**except**) eccetto **3** (**excepted**) eccettuato **4** (**exception**) eccezione.

Exc. abbr. (titolo, **Excellency**) Eccellenza.

ex cathedra /ˌeksækə'θiːdrə/ (lat.) loc. avv. e a. ex cathedra.

to **excavate** /'ekskəveɪt/ ▲ v. t. **1** scavare: **to e. a ditch [a tunnel]**, scavare una fossa [una galleria] **2** (archeol.) compiere scavi in: *The area is being excavated*, si stanno compiendo scavi nella zona **3** dissotterrare; disseppellire; portare alla luce: **to e. Roman ruins**, portare alla luce rovine romane **4** rimuovere; estrarre: **to e. topsoil**, rimuovere lo strato superficiale; **to e. mineral ore**, estrarre minerali ▣ v. i. eseguire scavi (archeologici).

excavation /ˌekskə'veɪʃn/ n. ☑ escavazione; scavo: **e. contractors**, impresa di scavi per l'edilizia **2** ☑ (archeol.) (lavori di) scavo; disseppellimento: **the techniques used in e.**, le tecniche usate negli scavi; **the e. of an ancient fort**, il disseppellimento di un antico forte; **to carry out excavations**, compiere scavi **3** (archeol.) scavo (il sito): **the excavations of Pompeii**, gli scavi di Pompei.

excavator /'ekskəveɪtə(r)/ n. **1** scavatore; sterratore **2** (mecc.) escavatore; escavatrice: **shovel e.**, escavatore a cucchiaia ● **e. operator**, escavatorista.

◆to **exceed** /ɪk'siːd/ ▲ v. t. **1** superare; oltrepassare; andare oltre: **to e. the speed limit**, superare il limite di velocità; *Costs could e. $30,000*, i costi potrebbero superare i 30 mila dollari; *The show exceeded our*

expectations, lo spettacolo superò (o andò oltre) la nostra aspettativa; **to e. all records**, superare (o battere) ogni record **2** eccedere; esorbitare da: *You have exceeded your powers*, hai esorbitato dai tuoi poteri ▣ v. i. (antiq.) **1** eccedere; esagerare **2** eccedere nel mangiare.

exceeding /ɪk'siːdɪŋ/ ▲ a. estremo; straordinario ▣ avv. → **exceedingly**.

exceedingly /ɪk'siːdɪŋlɪ/ avv. estremamente: straordinariamente: **e. rare**, estremamente raro; rarissimo; **e. well**, straordinariamente bene; in modo eccellente; benissimo.

to **excel** /ɪk'sɛl/ ▲ v. i. eccellere; primeggiare: *He excels in self-control [in wit]*, eccelle per la padronanza di sé [per lo spirito]; **to e. in physics**, eccellere nella fisica ▣ v. t. sorpassare; superare; vincere: **to e. others in doing st.**, superare gli altri nel fare qc. ● **to e. oneself**, superare sé stesso.

excellence /'eksələns/ n. ☑ eccellenza; bravura; perfezione; superiorità **2** (form.) qualità; pregio; pregevolezza; ottima fattura.

excellency /'eksələnsɪ/ n. **1** eccellenza (titolo onorifico): *Your* [His] *E.*, Vostra [Sua] Eccellenza **2** → **excellence**.

◆**excellent** /'eksələnt/ ▲ a. eccellente; ottimo: *That would be e.*, sarebbe ottimo ▣ inter. ottimo!; benissimo!

excelsior® /ɪk'sɛlsɪɔː(r)/ (lat.) n. ☑ (USA) trucioli (per imballaggio).

excentre, (USA) **excenter** /ɛk'sɛntə(r)/ n. (mat.) excentro.

excentric /ɛk'sɛntɪk/ a. (scient.) eccentrico.

◆**except** /ɪk'sɛpt/ ▲ prep. eccetto; salvo; tranne; eccettuato; all'infuori di; a eccezione di: **every day e. Mondays**, tutti i giorni tranne il lunedì; *I'm ready to do anything e. drive*, sono pronto a fare di tutto tranne che guidare; *Everything went well e. for one thing*, tutto si svolse bene eccetto (o tranne che per) una cosa; *The room was empty e. for two chairs*, a parte due sedie la stanza era vuota; **e. when**, tranne quando ▣ cong. **1** se non (che); tranne per il fatto (che); solo (che); però: *Everything about him was the same, e. that this time he wore a hat*, aveva lo stesso aspetto di sempre, se non che questa volta portava il cappello; *I used to have a similar one, e. it was made of wood*, ne avevo uno simile, però di legno; *I would have refused, e. I needed the money*, avrei rifiutato se non fosse stato perché avevo bisogno di quei soldi **2** (arc.) a meno che; se non quando ❶ **NOTA:** *besides, except o apart from?* → **besides**.

to **except** /ɪk'sɛpt/ ▲ v. t. eccettuare; escludere; omettere: (leg.) **to e. sb. from the general pardon**, escludere q. dall'amnistia ▣ v. i. (leg.) – **to e. to**, eccepire a; sollevare obiezione a.

excepted /ɪk'sɛptɪd/ a. (posposto) eccettuato; a eccezione di; escluso: *All members, Jones e., were in favour*, tutti i soci a eccezione di Jones erano favorevoli; **present company e.**, esclusi i presenti ● **not e.**, non escluso; compreso; incluso.

excepting /ɪk'sɛptɪŋ/ prep. eccetto; salvo; fatta eccezione per; a parte ● **not e.** (o **without e.**), senza escludere; compreso: *All are fallible, not e. you*, tutti possono sbagliare, te compreso.

◆**exception** /ɪk'sɛpʃn/ n. **1** eccezione: **to be an e.**, costituire un'eccezione; fare eccezione; **with the e. of**, a eccezione di; **to make an e.**, fare un'eccezione **2** (anche leg.) obiezione: **to be open to e.**, prestarsi a obiezioni ● (leg.) **e. clause**, clausola esoneratoria □ (comput.) **e. handling**, trattamento delle eccezioni □ **by way of e.**, in via eccezionale

□ **to take e. to**, obiettare a; (*anche*) risentirsi per, offendersi per □ **without e.**, senza eccezioni; nessuno escluso □ (*prov.*) *The e. proves the rule*, l'eccezione conferma la regola.

exceptionable /ɪkˈsɛpʃnəbl/ a. **1** eccepibile; criticabile; offensivo **2** (*leg.*) impugnabile; opponibile.

exceptional /ɪkˈsɛpʃənl/ a. eccezionale; insolito; straordinario: **e. prices**, prezzi eccezionali; **an e. opportunity**, un'occasione straordinaria ‖ **exceptionality** n. ◻ eccezionalità; singolarità ‖ **exceptionally** avv. eccezionalmente; straordinariamente; in via d'eccezione.

exceptive /ɪkˈsɛptɪv/ a. **1** eccezionale **2** (*raro*) che tende a eccepire; capzioso; cavilloso **3** (*filos.*, *gramm.*) eccettuativo.

♦**excerpt** /ˈɛksɜːpt/ n. estratto; stralcio; brano scelto; passo.

to **excerpt** /ɛkˈsɜːpt/ v. t. stralciare; scegliere (*per citare, riprodurre, ecc.*); citare; trarre.

excerption /ɛkˈsɜːpʃn/ n. **1** ◻ lo stralciare; scelta di brani **2** estratto; brano scelto; passo.

♦**excess** /ɪkˈsɛs/ ◼A n. **1** (solo sing.) eccesso; sovrabbondanza: **an e. of caution**, un eccesso di prudenza; **an e. of demand**, un eccesso di domanda **2** (solo sing.) eccedenza; soprappiù: **e. of weight**, eccedenza di peso; (*rag.*) **an e. of assets over liabilities**, un'eccedenza delle attività sulle passività **3** ◻ esagerazione; dismisura; intemperanza; smoderatezza; eccesso; eccessi: **in e.**, in eccesso; senza moderazione; **to e.**, eccessivamente; con esagerazione; smodatamente; all'eccesso; a dismisura; **to eat to e.**, mangiare esageratamente; esagerare nel mangiare; **to carry st. to e.**, portare qc. all'eccesso; esagerare in qc. **4** ◻ (*ass.*, *leg.*) franchigia; valore scoperto **5** (al pl.) eccessi (*di autorità, ecc.*); abusi: **the excesses of the past regime**, gli eccessi commessi dal passato regime ◼B a. attr. **1** in eccesso; in eccedenza (*al consentito, alla norma, ecc.*): (*econ.*) **e. demand** [**supply**], domanda [offerta] in eccesso; *Trim any e. fat from the meat*, elimina dalla carne il grasso in eccesso **2** addizionale; aggiuntivo; supplementare; sopra-: **e. charge** (*o* **e. price**), soprapprezzo; (*ferr.*) **e. fare**, supplemento (di tariffa); **e. postage**, soprattassa (postale) ● **e. alcohol**, quantità (*o* tasso) eccessivo di alcol; abuso di alcol □ **e. baggage** (*o* **e. luggage**), bagaglio in eccedenza (*fig.*) **e. baggage**, cosa superflua; ingombro ● (*econ.*) **e. capacity**, capacità produttiva inutilizzata □ (*econ.*) **e.--demand inflation**, inflazione da eccesso di domanda □ (*leg.*) **e. of jurisdiction**, eccesso di potere; (*anche*) difetto di giurisdizione □ (*leg.*) **e. of power**, abuso di potere □ (*fin.*) **e. profits**, sovrapprofitti □ (*fisc.*) **e.-profits duty** (*o* **tax**), tassa sui sovrapprofitti (*spec. di guerra*) □ **e. speed**, eccesso di velocità ● **in e. of**, al di là di; più di: **to spend in e. of one's earnings**, spendere più di quello che si guadagna; *Profits were in e. of $1m*, i profitti superavano il milione di dollari.

excessive /ɪkˈsɛsɪv/ a. eccessivo; smodato: **e. demands**, richieste eccessive; **e. drinking**, bere smodato | **-ly** avv. | **-ness** n. ◻.

♦**exchange** /ɪksˈtʃeɪndʒ/ n. **1** ◻◻ scambio; cambio; permuta; baratto: **an e. of goods** [**of greetings, of prisoners**], uno scambio di merci [di saluti, di prigionieri]; **e. of gunfire**, scambio di colpi (d'arma da fuoco); **in e. for**, in cambio di **2** ◻ (*fin.*) cambio: **rate of e.** (*o* **e. rate**), corso del cambio; **e. control**, controllo dei cambi; **e. list**, listino dei cambi; **e. market**, mercato dei cambi (*o* delle valute); mercato valutario **3** (*fin.*) borsa: **stock e.**, borsa valori; Borsa; **commodity e.**,

borsa merci; **the Corn E.**, la Borsa dei cereali (*l'edificio*) **4** (*fin.*, **= foreign e.**) cambio estero; valuta (*o* divisa) estera **5** (*telef.* **= telephone e.**) centrale; centralino: **private e.**, centralino privato **6** (vivace) scambio di opinioni; discussione; scontro **7** (*= e. visit*) (visita di) scambio (*culturale, ecc.*): *He went to Ireland on an e.*, andò in Irlanda per uno scambio **8** (*scacchi*) scambio ● (*fin.*) **e. broker**, operatore di cambio; cambiavalute; cambista □ (*fin.*) **e. brokerage**, brokeraggio finanziario □ (*fin.*) **e. control**, controllo dei cambi; controllo valutario □ **e. dealer** = **e. broker** → *sopra* ● (*econ.*) **e. economy**, economia di scambio □ (*fin.*) **e. equalization**, perequazione dei cambi □ (*GB*) **e. of contracts**, rogito notarile □ (*fin.*) **e. office**, ufficio dei cambi □ (*fin.*) **e. official**, funzionario di Borsa □ (*telef.*) **e. operator**, centralinista □ (*fin.*) **e. parity** = **e. rate parity** → *sotto* □ (*fin. stor.*) *E. Rate Mechanism*, meccanismo dei tassi di cambio (*nello SME*) □ (*fin.*) **e. rate parity**, parità dei cambi; parità cambiaria □ (*fin.*) **e. reserves**, riserve valutarie (*di una banca centrale*) □ (*fin.*) **e. restrictions**, restrizioni dei cambio (*o* valutarie) □ (*banca*) **e. slip**, distinta di cambio □ (*fin.*) **e. stabilization**, stabilizzazione dei cambi ● **e. student**, studente in visita di scambio □ (*elettr.*) **e. switch**, commutatore □ (*med.*) **e. transfusion**, exsanguinotrasfusione □ (*fin.*) **e. transactions**, operazioni di cambio □ **e. value**, (*econ.*) valore di scambio; (*fin.*) controvalore (*valore in valuta estera*).

♦to **exchange** /ɪksˈtʃeɪndʒ/ ◼A v. t. **1** scambiare, scambiarsi; fare uno scambio di; permutare; barattare: **to e. glances** [**greetings, gifts, places, addresses**] **with sb.**, scambiare (*o* scambiarsi) uno sguardo [il saluto, doni, il posto, gli indirizzi] con q.; (*mil.*) **to e. prisoners**, fare uno scambio di prigionieri; **to e. fire**, scambiarsi colpi d'arma da fuoco **2** cambiare: *Tickets cannot be exchanged*, non è ammesso il cambio di biglietti; **to e. st. for st. else**, cambiare qc. con qc. altro; **to e. dollars for pounds**, cambiare dollari in sterline: *Can I e. it for another one?*, posso cambiarlo con un altro? ◼B v. i. **1** fare un cambio; (*mil.*) **to e. from** (*o* **out of**) **a regiment into another**, fare cambio di reggimento (*con un altro ufficiale*) **2** (*fin.*: *di moneta*) cambiarsi: *Once Italian lire exchanged at par with French francs*, una volta le lire italiane si cambiavano alla pari con i franchi francesi □ (*leg.*) **to e. contracts**, fare un rogito notarile; rogitare; *They should be exchanging contracts next weekend*, dovrebbero fare il prossimo fine settimana □ (*fin.*) **to e. currencies**, fare un cambio di valuta □ (*calcio, ecc.*) **to e. passes**, scambiarsi passaggi; palleggiare □ **to e. words with sb.**, venire a parole con q.

exchangeable /ɪksˈtʃeɪndʒəbl/ a. scambiabile; cambiabile; che si può scambiare ● (*d'una merce*) **e. value**, valore di scambio ‖ **exchangeability** n. ◻ possibilità di scambio (*o* di cambio); l'esser cambiabile.

exchanger /ɪksˈtʃeɪndʒə(r)/ n. **1** chi scambia; chi cambia **2** (*fin.*) cambiavalute.

Exchequer /ɪksˈtʃɛkə(r)/ n. ◻ **1** (*fin.*, in GB) «Scacchiere» ❶ **CULTURA** • **Exchequer**: è il dipartimento del ministero del Tesoro (**the Treasury**) che si occupa della riscossione delle tasse e della gestione del denaro pubblico. Ne è a capo il **Chancellor of the Exchequer**. Il nome «*Exchequer*» deriva dal panno a scacchiera che, disteso su un tavolo, veniva usato come una sorta di abaco per calcolare le spese e le entrate **2** (al pl.) (*fam.*) – **exchequers**, fondi; disponibilità (*o* risorse) finanziarie; entrate (*anche di un privato*) ● **E. and Audit Department**, Ufficio di Controllo sulla legittimità delle entrate e delle spese pubbliche (*cfr.*

ital. «Corte dei Conti») □ (*fin.*) **E. bond**, buono del tesoro □ **E. grants**, finanziamenti dello «Scacchiere» (*agli enti locali*) □ **E. return**, rendiconto settimanale del Tesoro.

excimer /ˈɛksɪmə(r)/ n. (*chim.*) eccimero.

excipient /ɪkˈsɪpɪənt/ n. (*chim.*, *farm.*) eccipiente.

excisable /ɪkˈsaɪzəbl/ a. (*fisc.*) soggetto a imposta di fabbricazione (*o* a dazio di consumo).

excise /ˈɛksaɪz/ n. ◻ (*fisc.*) **1** imposta indiretta **2** imposta di fabbricazione **3** dazio di consumo ● (*in GB*) **the E.**, l'ufficio delle imposte indirette; (*stor.*) il Dazio □ **e. duty**, imposta sui consumi; dazio di consumo; tassa sulle concessioni governative □ **e. officer**, daziere; esattore del dazio.

to **excise** ① /ɪkˈsaɪz/ v. t. imporre il pagamento di un'imposta indiretta (*o* di fabbricazione) a (q.); tassare; gravare d'imposta; (*stor.*) daziare ❶ **NOTA**: *-ise o -ize?* → **-ise**.

to **excise** ② /ɪkˈsaɪz/ v. t. tagliare; omettere; recidere; asportare: **to e. a passage**, omettere un passo (*d'un libro*); (*med.*) **to e. a tumour**, asportare un tumore ❶ **NOTA**: *-ise o -ize?* → **-ise**.

exciseman /ˈɛksaɪzmn/ n. (pl. **excisemen**) (*fisc.*) agente delle imposte indirette; (*stor.*) daziere.

excision /ɪkˈsɪʒn/ n. **1** taglio; omissione; espunzione **2** ◻ (*med.*) asportazione; escissione **3** ◻ (*relig.*) scomunica.

excitable /ɪkˈsaɪtəbl/ a. eccitabile; impressionabile ‖ **excitability** n. ◻ eccitabilità.

excitant /ˈɛksɪtənt/ a. e n. (*farm.*) eccitante, stimolante.

excitation /ɛksɪˈteɪʃn/ n. ◻ eccitazione ● (*elettr.*) **e. anode**, anodo di eccitazione □ (*fis. nucl.*) **e. function**, funzione di eccitazione.

excitative /ɪkˈsaɪtətɪv/ a. eccitativo; che causa eccitazione.

excitatory /ɛkˈsaɪtətrɪ/ a. (*fisiol.*) eccitatore.

to **excite** /ɪkˈsaɪt/ v. t. **1** eccitare; entusiasmare; elettrizzare: *I was excited by the idea*, l'idea mi entusiasmò **2** eccitare (sessualmente) **3** eccitare: *The injection of adrenalin excited the rat*, l'iniezione di adrenalina eccitò il topo; (*fis.*) **to e. the atom**, eccitare l'atomo **4** suscitare; provocare; stimolare; destare; far nascere: **to e. interest**, suscitare (*o* destare) interesse; **to e. suspicion in sb.**, far nascere sospetti in q.

♦**excited** /ɪkˈsaɪtɪd/ a. **1** eccitato; entusiasta; elettrizzato: *The children were e. at the prospect of the trip*, i bambini erano eccitati alla prospettiva della gita **2** eccitato; animato **3** eccitato (sessualmente) **4** (*scient.*) eccitato ● **to get e.**, eccitarsi; entusiasmarsi: *Don't get too e. about it!*, non eccitarti troppo!; non montarti troppo la testa! ‖ **excitedly** avv. con eccitazione; animatamente.

♦**excitement** /ɪkˈsaɪtmənt/ n. ◻◻ eccitazione; emozione: **the e. of first seeing the sea**, l'emozione di vedere il mare per la prima volta; *In the e. we forgot all about it*, nell'eccitazione generale ce ne dimenticammo.

exciter /ɪkˈsaɪtə(r)/ n. (*anche elettr.*, *elettron.*) eccitatore, eccitatrice **2** (*farm.*) eccitante; stimolante.

♦**exciting** /ɪkˈsaɪtɪŋ/ a. eccitante; emozionante; entusiasmante; esaltante: **an e. discovery**, una scoperta emozionante; **an e. adventure**, un'avventura esaltante.

exciton /ˈɛksɪtɒn/ n. (*fis.*) eccitone.

to **exclaim** /ɪkˈskleɪm/ ◼A v. t. esclamare ◼B v. i. prorompere in un'esclamazione (*o* in esclamazioni) (*di sorpresa, ira, ecc.*); gridare: *He exclaimed at the sight of the crowd*, la

vista della folla gli strappò un'esclamazione ● **to e. against sb.**, inveire contro q.

♦**exclamation** /ˌɛkskləˈmeɪʃn/ n. **1** esclamazione **2** (*gramm.*) esclamazione ● (*gramm.*) **e. mark** (*o USA* **e. point**), punto esclamativo.

exclamatory /ɪkˈsklæmətrɪ/ a. (*anche gramm.*) esclamativo.

exclave /ˈɛkskleɪv/ n. exclave.

exclosure /ɪkˈskləʊʒə/ n. recinto; zona recintata (*spec. di una foresta*).

♦**to exclude** /ɪkˈskluːd/ v. t. **1** escludere; non ammettere; lasciar fuori: **to be excluded from a duty**, essere escluso da un dovere; *Women were excluded from most clubs*, le donne non erano ammesse alla maggior parte dei club **2** estromettere; espellere; sospendere: **to e. from classes**, sospendere dalle lezioni **3** escludere; scartare: **to e. the possibility of an agreement**, scartare la possibilità di un accordo.

excluding /ɪkˈskluːdɪŋ/ prep. a esclusione di; tranne; eccetto.

exclusion /ɪkˈskluːʒn/ n. ⓤⓒ **1** esclusione **2** espulsione; sospensione **3** estromissione ● (*leg.*) **e. clause**, clausola esclusoria □ (*leg., in GB*) **e. order**, ordine che proibisce a q. l'accesso a un luogo (*specialm. per prevenire un reato*) □ (*fis.*) **e. principle**, principio di esclusione □ **e. zone**, zona vietata □ **to the e. of**, a esclusione di; escludendo; tralasciando.

exclusionary rule /ɪksˈkluːʒnrɪ ˈruːl/ loc. n. (*leg., in USA*) regola per cui le prove ottenute con mezzi lesivi dei diritti costituzionali dell'imputato non possono essere prodotte a suo carico.

exclusionist /ɪkˈskluːʒənɪst/ Ⓐ a. (*USA*) della politica d'esclusione (*di certi immigranti*) Ⓑ n. fautore di una politica d'esclusione (*di merci straniere, immigranti, ecc.*).

exclusive /ɪkˈskluːsɪv/ Ⓐ a. **1** esclusivo; in esclusiva: (*leg.*) **an e. right**, un diritto esclusivo; un'esclusiva; **an e. interview**, un'intervista in esclusiva **2** esclusivo; unico; solo: **for my e. use**, per mio uso esclusivo; **e. to**, limitato a; esclusivamente di: *This problem is not e. to our region*, questo problema non è limitato alla nostra regione **3** esclusivo; di (gran) classe; di prima qualità; di lusso: **the most e. London clubs**, i circoli più esclusivi di Londra; **an e. hotel**, un albergo di lusso **4** – **e. of**, che non include: *Prices are e. of VAT*, i prezzi non includono l'IVA; i prezzi sono IVA esclusa Ⓑ n. (*giorn., TV*) esclusiva ● (*comm.*) **e. agency**, rappresentanza esclusiva □ **e. agent**, agente (*o rappresentante*) esclusivo; esclusivista □ (*comm.*) **e. distributor**, concessionario □ (*leg., comm.*) **e. selling rights**, esclusiva di vendita □ **mutually e.**, che si escludono a vicenda; incompatibili | **-ly** avv. | **-ness** n. ⓤ.

exclusivism /ɪkˈskluːsɪvɪzəm/ n. ⓤ esclusivismo || **exclusivist** n. esclusivista.

to excogitate /ɛkˈskɒdʒɪteɪt/ v. t. escogitare; inventare; ideare || **excogitation** n. ⓤⓒ escogitazione (*raro*); invenzione.

excommunicate /ˌɛkskəˈmjuːnɪkeɪt/ a. e n. (*relig.*) scomunicato.

to excommunicate /ˌɛkskəˈmjuːnɪkeɪt/ (*relig.*) v. t. scomunicare || **excommunication** n. ⓤⓒ scomunica || **excommunicative** a. di scomunica || **excommunicator** n. chi scomunica || **excommunicatory** a. di scomunica.

to excoriate /ɛkˈskɔːrɪeɪt/ v. t. **1** escoriare; scorticare **2** (*fig.*) scuoiare (*fig.*); criticare aspramente; demolire (*fig.*) || **excoriation** n. ⓤⓒ escoriazione; scorticatura **2** (*fig.*) aspra critica; demolizione (*fig.*).

excrement /ˈɛkskrɪmənt/ n. ⓤ escremento || **excremental**, **excrementitious** a. escrementizio.

excrescence /ɪkˈskrɛsns/ n. **1** escrescenza (*anche med.*); protuberanza, sporgenza **2** (*fig.*) aggiunta superflua.

excrescent /ɪkˈskrɛsnt/ a. **1** (*med.*) escrescente **2** (*fig.*) superfluo.

excrescencial /ˌɛkskrɪˈsɛnʃl/ a. (*anche med.*) di (*o che forma*) un'escrescenza.

excreta /ɪkˈskriːtə/ n. pl. (*fisiol.*) escrementi; escrezioni.

to excrete /ɪkˈskriːt/ v. t. espellere (*escrementi*); secernere (*sudore*) || **excretive** a. escretivo.

excretion /ɪkˈskriːʃn/ n. ⓤⓒ (*fisiol.*) escrezione.

excretory /ɪkˈskriːtərɪ/ Ⓐ a. escretore; escretorio Ⓑ n. (*fisiol.*) organo escretore.

to excruciate /ɪkˈskruːʃɪeɪt/ v. t. crucciare; tormentare; torturare (*fig.*) || **excruciation** n. ⓤ cruccio; tormento; tortura (*fig.*).

excruciating /ɪkˈskruːʃɪeɪtɪŋ/ a. tormentoso; straziante; atroce: **e. pains**, dolori atroci.

to exculpate /ˈɛkskʌlpeɪt/ v. t. discolpare; scolpare; assolvere || **exculpation** n. ⓤⓒ **1** discolpa; assoluzione **2** giustificazione; scusante || **exculpatory** a. che discolpa; giustificativo.

excurrent /ɛkˈskʌrənt/ a. **1** (*scient.*) defluente **2** (*med.: di sangue*) arterioso **3** (*bot.*) sporgente.

excursion /ɪkˈskɜːʃn/ n. **1** escursione; gita; viaggetto: **to make** (*o to go on*) **an e.**, fare un'escursione; andare in gita **2** (*mecc.*) escursione, corsa (*di un pistone, ecc.*) **3** (*astron.*) deviazione **4** (*fig.*) digressione; divagazione ● (*ferr.*) **e. fare**, tariffa ridotta (*per gite*) □ **e. train**, treno popolare || **excursionist** n. escursionista.

excursive /ɛkˈskɜːsɪv/ a. **1** saltuario: **e. readings**, letture saltuarie **2** digressivo; divagante **3** (*dello stile, ecc.*) sconnesso; slegato || **excursively** avv. saltuariamente; in modo digressivo; con divagazioni || **excursiveness** n. ⓤ l'essere saltuario (*o digressivo, divagante, sconnesso*).

excursus /ɛkˈskɜːsəs/ n. (pl. **excursuses**, **excursus**) **1** dissertazione **2** digressione; divagazione; excursus.

excusable /ɪkˈskjuːzəbl/ a. scusabile; giustificabile; perdonabile || **excusability** n. ⓤ scusabilità || **excusably** avv. scusabilmente.

excusatory /ɪkˈskjuːzətrɪ/ a. giustificativo; di scusa.

♦**excuse** /ɪkˈskjuːs/ n. ⓒⓤ **1** scusa; pretesto: **to find an e.**, trovare una scusa; *The rain gave me an e. to stay*, la pioggia mi diede un pretesto per restare **2** giustificazione; scusante; scuse (pl.): **by way of e.**, per giustificarsi; come scusante; **to have no e.**, non avere scusanti; *That's no e.!*, non è una scusa valida!; **without e.**, senza giustificazione; inescusabile; **in e. of**, a giustificazione di ● (*fam.*) **e. for a**, misero esemplare di: *that pathetic e. for a tenor*, quel tenore penoso; quel, si fa per dire, tenore □ **to make one's excuses**, fare le proprie scuse.

♦**to excuse** /ɪkˈskjuːz/ v. t. **1** scusare; perdonare: **Do e. the mess!**, scusa il disordine!; **E. me!**, scusa(mi)!; mi scusi! (*anche, per passare*) (con) permesso!; (*dopo aver urtato q., USA*) scusa!, scusi!, pardon!; **E. me for not answering before**, scusami per non averti risposto prima; *E. me, does this train go to High Street Kensington?*, mi scusi, questo treno va a High Street Kensington? **2** scusare; giustificare: *His youth excuses his mistake*, la sua giovinezza giustifica il suo errore; **to e. an absence**, giustificare un'assenza **3** dispensare; esimere; esentare; esonerare; condonare: *I cannot e. you from the gym lessons*, non posso esonerarti dalle lezioni di ginnastica; *His position doesn't e.*

him from being civil, la sua posizione non lo esime dall'essere educato; *They will e. him the fee*, gli condoneranno il pagamento della tassa **4** dare a (q.) il permesso di andarsene; scusare: *If you'll e. me...*, col suo permesso... (*o chiedo scusa, ma...; se mi vuole scusare...*) (*devo andare*); (*a un insegnante*) *May I be excused?*, posso uscire? (*per andare al gabinetto*) ● **to e. oneself**, scusarsi, chiedere scusa: *I excused myself and left the room*, mi scusai con lui e uscii dalla stanza; chiedere (*e ottenere*) di essere dispensato (*da qc.*); scusarsi (*di non poter fare qc.*); mandare le proprie scuse: *I excused myself from singing*, scusandomi declinai di cantare; *She excused herself from the meeting at the last minute*, all'ultimo momento mandò le proprie scuse per non poter partecipare all'incontro; allontanarsi chiedendo scusa □ (*fam., iron.*) **E. me (for living)!**, scusami tanto!; chiedo umilmente scusa!

ex-directory /ˌɛksdɪˈrɛktərɪ/ a. (*telef.: di numero*) non in elenco; riservato ● **to go ex-directory**, far togliere il proprio numero dall'elenco telefonico.

exeat /ˈɛksɪæt/ (*lat.*) n. (*nei college universitari di Oxford, Cambridge, ecc.*) permesso d'assentarsi.

exec /ɪgˈzɛk/ n. (abbr. *fam. di* **executive**) manager; dirigente; executive.

execrable /ˈɛksɪkrəbl/ a. **1** esecrabile; escerando; odioso: **e. misdeeds**, esecrabili misfatti **2** orribile; pessimo: **e. taste**, pessimo gusto □ **-bly** avv.

to execrate /ˈɛksɪkreɪt/ Ⓐ v. t. **1** esecrare; detestare **2** maledire Ⓑ v. i. imprecare; maledire || **execration** n. ⓤⓒ **1** esecrazione; detestazione (*lett.*) **2** imprecazione; maledizione || **execrative**, **execratory** a. esecratorio; di esecrazione.

executable /ˈɛksɪkjuːtəbl/ a. **1** eseguibile; fattibile **2** (*leg.*) giustiziabile **3** (*comput.*) eseguibile: **e. file**, file eseguibile.

executant /ɪgˈzɛkjʊtnt/ n. esecutore (*spec. di musica*).

♦**to execute** /ˈɛksɪkjuːt/ v. t. **1** eseguire; adempiere; mettere in atto; svolgere: **to e. sb.'s orders**, eseguire gli ordini di q.; **to e. a plan**, mettere in atto un piano **2** eseguire; realizzare: **to e. a manoeuvre**, eseguire una manovra; **to e. a dance** [**a portrait**], eseguire una danza [un ritratto] **3** (*leg., comm.*) redigere; perfezionare; stipulare; firmare: **to e. a contract**, perfezionare un contratto **4** (*leg.*) eseguire; rendere esecutivo: **to e. a search warrant**, eseguire un mandato di perquisizione **5** (*leg.*) giustiziare ● (*leg.*) **to e. a deed**, sottoscrivere, sigillare e consegnare un atto formale (*un tempo, alla presenza di testi*) □ (*comm.*) **to e. an order**, eseguire (*o evadere, dar corso a*) un'ordinazione □ (*ass.*) **to e. a policy**, perfezionare una polizza □ (*leg.*) **to e. a will**, dare esecuzione a un testamento.

execute access /ˌɛksɪkjuːtˈækses/ loc. n. (*comput.*) accesso con privilegi di esecuzione.

execution /ˌɛksɪˈkjuːʃn/ n. **1** ⓤ esecuzione; attuazione; adempimento: *The e. of the plan failed*, l'esecuzione del piano fallì; **in the e. of one's duty**, nell'adempimento del proprio dovere **2** ⓤ esecuzione (*anche mus.*); fattura: **a work of admirable e.**, un'opera di mirabile fattura **3** ⓤⓒ (*leg.*) esecuzione (*capitale*): **the e. of a traitor**, l'esecuzione di un traditore **4** ⓤ (*leg., comm.*) redazione, perfezionamento, firma (*d'un contratto, ecc.*) **5** (*leg., comm.*) esecuzione; processo esecutivo; disposto esecutivo: **the e. of a judgment**, l'esecuzione di una sentenza **6** ⓤ (*comm.*) esecuzione, evasione (*di un'ordinazione*) ● (*fin.*) **the e. of the national budget**, la gestione del bilancio dello Stato □ (*leg.*) **e. of a will**, sottoscrizione di un testa-

mento □ **to put st. into e.**, mettere qc. in esecuzione; dare esecuzione (*o* dare corso) a qc.

executioner /ˌɛksɪˈkjuːʃənə(r)/ n. carnefice; boia.

♦**executive** /ɪgˈzɛkjutɪv/ **A** a. **1** esecutivo: (*polit.*) **the e. power**, il potere esecutivo; (*polit.*) **the e. head of a nation**, il capo del potere esecutivo in una nazione; **e. committee**, comitato esecutivo; **e. director**, direttore esecutivo **2** direttivo; dirigenziale; di direzione; da dirigente: **e. ability**, capacità direttiva; **e. duties**, mansioni dirigenziali; **e. secretary**, segretario di direzione **3** di rappresentanza; di lusso: **an e. car**, un'automobile di rappresentanza; **an e. suite**, un appartamento di rappresentanza **B** n. **1** (*polit.*, *leg.*) (potere) esecutivo **2** dirigente d'azienda; dirigente; executive; capo (*d'un servizio, ecc.*) ● (*polit., USA*) **e. agreement**, accordo internazionale esecutivo (*non necessita ratificazione del Senato*) □ **e. briefcase**, cartella portadocumenti □ **e. council**, (*org. az.*) consiglio direttivo; (*polit.*) comitato esecutivo □ (*fin.*) **e. game**, gestione simulata □ **e. jet**, jet privato (*di un uomo d'affari, ecc.*) □ (*in USA*) **E. Mansion**, residenza ufficiale del governatore d'uno dei 50 Stati □ (*in USA, antiq.*) **the US E. Mansion**, la residenza del Presidente; la Casa Bianca □ **e. officer**, (*org. az.*) dirigente superiore, funzionario; (*mil.*) comandante in seconda □ (*leg., USA*) **e. order**, provvedimento legislativo del Presidente □ (*cinem.*) **e. producer**, produttore esecutivo □ (*polit., in USA*) **e. privilege**, privilegio del presidente di non rivelare determinate informazioni □ (*polit., in USA*) **e. session**, seduta a porte chiude (*del Senato*).

executor /ɪgˈzɛkjutə(r)/ n. **1** esecutore **2** (*leg.*) esecutore testamentario ● **literary e.**, incaricato della pubblicazione di opere postume ‖ **executory** a. **1** esecutorio; esecutivo **2** (*leg.*) ancora da eseguire; incompleto; futuro **3** (*leg.*) condizionato; soggetto a condizioni.

executrix /ɪgˈzɛkjutrɪks/ n. (pl. **executrices**, **executrixes**) **1** esecutrice **2** (*leg.*) esecutrice testamentaria.

exedra /ˈɛksɪdrə/ n. (pl. **exedrae**) (*archit.*) esedra.

exegesis /ˌɛksɪˈdʒiːsɪs/ n. [U] (pl. **exegeses**) esegesi ‖ **exegetic**, **exegetical** a. esegetico.

exegete /ˈɛksɪdʒiːt/ n. esegeta; commentatore; interprete.

exegetics /ˌɛksɪˈdʒɛtɪks/ n. pl. (col verbo al sing.) esegetica.

exemplar /ɪgˈzɛmplə(r)/ n. esemplare; modello; prototipo.

exemplary /ɪgˈzɛmplərɪ/ a. esemplare; tipico: **e. behaviour**, condotta esemplare; **e. justice**, giustizia esemplare ● (*leg.*) **e. damages**, (condanna al) risarcimento di danni superiori a quelli effettivamente arrecati (*con valore punitivo*) | **-ily** avv. | **-iness** n. [U].

to **exemplify** /ɪgˈzɛmplɪfaɪ/ v. t. **1** esemplificare; illustrare con esempi **2** essere un esempio di (qc.) **3** (*leg.*) fare una copia autentica (*o* conforme) di (*un documento*) ‖ **exemplification** n. **1** [U] esemplificazione **2** (*leg.*) copia autentica (*o* conforme) (*d'un documento*).

exempt /ɪgˈzɛmpt/ **A** a. esente: *These goods are e. from duty*, questa merce è esente da dazio **B** n. **1** persona esente (*spec. da imposte*) **2** (*in GB*) ufficiale delle guardie della Torre di Londra ● **e. from military service**, esente dagli obblighi militari; militesente.

to **exempt** /ɪgˈzɛmpt/ v. t. esentare; esonerare; dispensare: **to e. sb. from service in the army**, esonerare q. dal servizio militare.

exemption /ɪgˈzɛmpʃn/ n. **1** [U] esenzione; esonero; dispensa: **e. from taxation**, i. esenzione dalle imposte; esonero fiscale **2** (*fisc., in USA*) detrazione fiscale; quota esente ● (*leg.*) **e. clause**, clausola esonerativa.

to **exenterate** /ɛgˈzɛntəreɪt/ v. t. **1** (*chir.*) eviscerare **2** (*raro*) sventrare (*solamente fig.*) ‖ **exenteration** n. [U] **1** (*chir.*) eviscerazione **2** (*raro*) sventramento (*fig.*).

exequies /ˈɛksɪkwɪz/ n. pl. esequie.

exercisable /ˈɛksəˈsaɪzəbl/ a. esercitabile.

♦**exercise** /ˈɛksəsaɪz/ n. **1** [U] (= **physical e.**) esercizio (fisico); moto: **circulatory disorders from lack of e.**, disturbi circolatori per mancanza d'esercizio fisico; **to take** (*USA to get*) **some e.**, fare un po' di moto; *You should play golf for e.*, dovresti giocare a golf per fare dell'esercizio **2** esercizio: **gymnastic exercises**, esercizi ginnici; **piano exercises**, esercizi al piano; (*relig.*) **spiritual exercises**, esercizi spirituali **3** (*mil.*) esercitazione; manovre (pl.) **4** esercizio; attuazione: **the e. of power [of one's rights]**, l'esercizio del potere [dei propri diritti] **5** (*econ.*) esercizio; esecuzione **6** esercizio; dimostrazione; prova; operazione: **an e. in tolerance**, una dimostrazione di tolleranza; **an e. in mending fences**, un'operazione di ricucitura dei rapporti **7** (al pl.) (*USA*) cerimonie: **opening exercises**, cerimonie d'apertura (*di una riunione, ecc.*) ● **e. bike**, bicicletta da camera; Cyclette® □ **e. book**, quaderno (*degli esercizi*) □ **e. machine**, attrezzo per la ginnastica da camera □ (*equit.*) **e. track**, maneggio □ **e. wear**, abbigliamento sportivo □ **e. yard**, cortile dell'aria (*in un carcere*).

to **exercise** /ˈɛksəsaɪz/ **A** v. t. **1** esercitare; mettere in pratica; usare: **to e. veto power [one's rights]**, esercitare il diritto di veto [i propri diritti]; (*Borsa*) **to e. an option**, esercitare un'opzione; **to e. self-control**, esercitare l'autocontrollo; **to e. caution**, usare cautela **2** (*anche sport*) esercitare: **to e. the abdomen muscles**, esercitare i muscoli addominali **3** far fare esercizio a (*un animale*); far camminare: **to e. a horse**, far fare esercizio a un cavallo **4** (*form.*) preoccupare; turbare: *The situation exercised him considerably*, la situazione lo preoccupava notevolmente **B** v. i. fare dell'esercizio; fare moto; fare ginnastica: *I e. every morning*, faccio ginnastica tutte le mattine.

exerciser /ˈɛksəsaɪzə(r)/ n. **1** esercitatore, esercitatrice **2** chi fa dell'esercizio fisico **3** attrezzo per esercizi fisici; estensore.

exergue /ˈɛksɜːg/ n. esergo (*di una moneta*).

to **exert** /ɪgˈzɜːt/ v. t. esercitare; applicare; fare uso di: (*mil., sport*) **to e. a considerable pressure**, esercitare una notevole pressione; **to e. all one's strength**, fare uso di tutta la propria forza; **to e. a profound influence on sb.**, esercitare un profondo influsso su q.; *The generals e. the real power*, il vero potere è esercitato dai generali ● **to e. oneself**, sforzarsi; darsi da fare: *He didn't e. himself much*, non si sforzò molto; *I hope you will e. yourself to attain your aim*, spero che ti darai da fare per raggiungere lo scopo.

exertion /ɪgˈzɜːʃn/ n. **1** [U] esercizio; impiego; uso: **the e. of real power**, l'esercizio reale del potere **2** sforzo: *All my exertions were to no end*, tutti i miei sforzi furono vani.

exertive /ɪgˈzɜːtɪv/ a. di sforzo; che tende (*o* incita) allo sforzo (*o* all'azione).

exeunt /ˈɛksɪʌnt/ (*lat.*) vc. verb. (*teatr.*) escono (*nelle didascalie di drammi*) ● **e. omnes**, escono tutti.

to **exfoliate** /ˌɛksˈfəʊlɪeɪt/ **A** v. t. **1** sfal-

dare **2** ridurre in foglie (*o* in lamine) **3** (*med.*) esfoliare; (*la pelle*) desquamare **B** v. i. **1** (*geol.*) sfaldarsi **2** (*med.*: *della pelle*) desquamarsi ‖ **exfoliation** n. [U] **1** (*geol.*) desquamazione; sfaldatura **2** (*med.*) esfoliazione (*della pelle*) desquamazione **3** (*metall.*) sfogliatura.

ex gratia /ˌɛksˈgreɪʃə/ (*lat.*) a. e avv. a titolo di favore: **ex gratia payment**, somma versata a titolo di favore (*e non perché dovuta*).

exhalant /ɛksˈheɪlənt/ a. che esala ● (*tecn.*) **e. duct**, esalatore.

exhalation /ˌɛkshəˈleɪʃn/ n. **1** [U] esalazione; emanazione; effluvio **2** (*fisiol.*) espirazione.

to **exhale** /ɛksˈheɪl/ v. t. e i. **1** esalare; emanare; emettere: **to e. a sigh**, emettere un sospiro **2** (*chim.*) liberare (*gas, ecc.*); evaporare **3** (*fisiol.*) espirare (*l'aria*).

♦**exhaust** /ɪgˈzɔːst/ n. **1** (*mecc.*) scarico; scappamento: (*autom.*) **e. pipe**, tubo di scappamento (*o* di scarico); **e. valve**, valvola di scarico; **e. steam**, vapore di scarico; (*autom.*) **e. fumes** (*o* **e. emissions**), gas di scarico **2** gas (*o* vapore) di scarico ● (*tecn.*) **e. fan**, aspiratore □ (*autom.*) **e. manifold**, collettore di scarico.

to **exhaust** /ɪgˈzɔːst/ **A** v. t. **1** esaurire; finire; dare fondo a; svuotare: **to e. one's endurance [one's resources]**, esaurire la propria sopportazione [le proprie risorse]; **to e. a gold vein**, esaurire una vena aurifera; **to e. a topic**, esaurire un argomento **2** spossare; sfinire; esaurire: *The march had exhausted me*, la marcia mi aveva spossato **3** (*mecc.*) espellere; aspirare; scaricare **B** v. i. (*mecc.: del gas, ecc.*) scaricarsi; essere espulso.

♦**exhausted** /ɪgˈzɔːstɪd/ a. **1** esaurito **2** esausto; spossato; sfinito; sfiancato.

exhauster /ɪgˈzɔːstə(r)/ n. (*tecn.*) ventilatore di scarico; aspiratore.

exhaustible /ɪgˈzɔːstəbl/ a. esauribile ‖ **exhaustibility** n. [U] esauribilità.

exhausting /ɪgˈzɔːstɪŋ/ a. **1** che rende esausto; spossante; estenuante **2** (*tecn.*) d'aspirazione; che aspira ● (*tecn.*) **e. power**, tiraggio (*di un aspiratore*).

exhaustion /ɪgˈzɔːstʃn/ n. [U] **1** esaurimento: (*rag.*) **the e. of funds**, l'esaurimento dei fondi **2** sfinimento; spossatezza: *He dropped from e.*, cadde spossato.

exhaustive /ɪgˈzɔːstɪv/ a. esauriente; esaustivo; completo: **an e. study**, uno studio esaustivo; **an e. list of articles**, una lista d'articoli completa | **-ly** avv. | **-ness** n. [U].

exhibit /ɪgˈzɪbɪt/ n. **1** oggetto esposto; opera esposta **2** (*USA*) esposizione; mostra: **works on e.**, opere in mostra **3** (*leg.*) oggetto, documento esibito (*o* prodotto) in giudizio; reperto; prova materiale: **e. B**, il reperto B; l'allegato B **4** (al pl.) (*market.*) materiale da esposizione.

to **exhibit** /ɪgˈzɪbɪt/ **A** v. t. **1** esporre; mettere in mostra (*o* in vetrina): **to e. goods in a shop window**, esporre merce in vetrina **2** (*arte*) esporre: **to e. paintings**, esporre quadri; *Young artists were exhibited*, sono state esposte le opere di giovani artisti **3** esibire; dimostrare; mettere in mostra: *He exhibited his carving skills*, esibì la propria abilità di intagliatore **4** mostrare; manifestare; dimostrare: **to e. a tendency [a symptom]**, manifestare una tendenza [un sintomo]; **to e. bravery**, dimostrare valore; *She exhibited no emotion*, non mostrò alcuna emozione **5** (*leg.*) esibire; produrre (*documenti, prove, ecc.*) **B** v. i. (*di pittore, ecc.*) tenere una mostra; esporre.

exhibiter /ɪgˈzɪbɪtə(r)/ → **exhibitor**.

♦**exhibition** /ˌɛksɪˈbɪʃn/ n. [U/C] **1** esposizione; mostra: **an art e.**, un'esposizione d'arte;

e

the Great E., la Grande Esposizione (*a Londra, nel 1851*); **on e.**, in mostra; in esposizione; esposto; **e. hall**, salone d'esposizione **2** dimostrazione: **an e. of one's skill**, una dimostrazione della propria abilità **3** esibizione; ostentazione; mostra: **a chilling e. of unconcern**, una raggelante esibizione di indifferenza **4** (*in GB*) borsa di studio (*assegnata mediante esame*) **5** (*leg.*) produzione, esibizione (*di documenti*) ● **to make an e. of oneself**, dare spettacolo; rendersi ridicolo.

exhibitioner /ˌɛksɪˈbɪʃənə(r)/ n. (*GB*) borsista.

exhibitionism /ˌɛksɪˈbɪʃənɪzəm/ (*anche psic.*) n. ☐ esibizionismo || **exhibitionist** n. esibizionista || **exhibitionistic** a. esibizionistico.

exhibitor /ɪgˈzɪbɪtə(r)/ n. **1** espositore **2** (*cinem.*) gestore (*o* esercente) di sala cinematografica.

exhibitory /ɪgˈzɪbɪtrɪ/ a. di, da esposizione; per mostra.

to exhilarate /ɪgˈzɪləreɪt/ v. t. **1** entusiasmare; rendere euforico; eccitare; elettrizzare: *The speed exhilarated him*, la velocità lo rese euforico **2** stimolare; tonificare ❶ FALSI AMICI • to exhilarate *non significa* esilarare || **exhilarating** a. **1** entusiasmante, eccitante; elettrizzante **2** stimolante; tonificante ❸ FALSI AMICI • exhilarating *non significa* esilarante || **exhilaration** n. ☐ **1** allegrezza; euforia; eccitazione **2** tonificazione; rinvigorimento.

to exhort /ɪgˈzɔːt/ v. t. esortare: *The teacher exhorted us to study hard*, l'insegnante ci esortò a studiare con impegno || **exhortation** n. ☐ esortazione || **exhortative** a. esortativo || **exhortatory** a. esortativo || **exhorter** n. esortatore, esortatrice.

to exhume /ɛksˈhjuːm, *USA* ɪgˈzuːm-/ v. t. (*anche fig.*) esumare || **exhumation** n. ☐ esumazione.

exigence /ˈɛksɪdʒəns/ → **exigency**.

exigency /ˈɛksɪdʒənsɪ/ n. ☐ **1** esigenza; bisogno; necessità; urgenza **2** emergenza.

exigent /ˈɛksɪdʒənt/ a. urgente; impellente | **-ly** avv.

exigible /ˈɛksɪdʒəbl/ a. (*anche leg.*: *di un debito, ecc.*) esigibile.

exiguity /ˌɛgzɪˈgjuːətɪ/ n. ☐ esiguità; tenuità.

exiguous /ɛgˈzɪgjʊəs/ a. esiguo; piccolo; tenue | **-ly** avv. | **-ness** n. ☐.

♦**exile** /ˈɛksaɪl/ n. **1** esilio; bando; proscrizione: **to go into e.**, andare in esilio; **to return from e.**, tornare dall'esilio; *He lived in e. in Paris*, visse esule (*o* in esilio) a Parigi **2** esule; esiliato **3** – (*stor.*) **the E.**, l'Esilio (d'Israele); la Cattività babilonese.

to exile /ˈɛksaɪl/ v. t. esiliare; mandare in esilio: *Napoleone was exiled to Elba*, Napoleone fu esiliato sull'isola d'Elba.

exiled /ˈɛksaɪld/ a. esiliato; esule; in esilio: **the e. king**, il re in esilio.

exilic /ɛgˈzɪlɪk/ a. relativo all'esilio (*spec.*, *degli ebrei a Babilonia*); esilico.

♦**to exist** /ɪgˈzɪst/ v. i. **1** esistere; esserci: *Do ghosts e.?*, esistono i fantasmi?; *TV didn't e. then*, allora non esisteva la TV; *There existed some tension between them*, tra di loro esisteva una certa tensione; **to cease to e.**, cessare di esistere **2** esserci; trovarsi: *Several kinds of fish e. in this lake*, in questo lago esistono diverse specie di pesci **3** vivere; sopravvivere: *Man cannot e. without air*, l'uomo non può vivere senza l'aria; **to e. on (a diet of) fruit**, vivere di frutta; sopravvivere con una dieta di sola frutta; *The organization exists on charitable donations*, l'organizzazione sopravvive grazie a donazioni.

♦**existence** /ɪgˈzɪstəns/ n. ☐ **1** esistenza:

He acknowledged the e. of a problem, riconobbe l'esistenza di un problema; *This is the largest ship in e.*, questa è la nave più grande che esista; **to come into e.**, avere origine, nascere (*fig.*) **2** esistenza; sopravvivenza: *The organization's very e. is endangered*, la sopravvivenza stessa dell'organizzazione è in pericolo **3** esistenza; vita: **a wretched e.**, un'esistenza grama; una vita infelice.

existent /ɪgˈzɪstənt/ a. esistente; attuale; presente.

existential /ˌɛgzɪˈstɛnʃl/ a. (*anche filos.*) esistenziale.

existentialism /ˌɛgzɪˈstɛnʃəlɪzəm/ (*filos.*) n. ☐ esistenzialismo || **existentialist** a. e n. esistenzialista.

♦**existing** /ɪgˈzɪstɪŋ/ a. esistente; attuale.

♦**exit** /ˈɛksɪt/ n. **1** uscita: **emergency e.**, uscita di sicurezza; **rear e.**, uscita posteriore (*o* sul retro); *Take the first e. after the service station*, prendi la seconda uscita dopo la stazione di servizio **2** (*teatr.*) uscita di scena ● **e. line**, (*teatr.*) battuta finale (*prima di uscire di scena*); (*fig.*) ultime parole, ultima battuta □ (*polit.*) **e. poll**, exit poll; sondaggio all'uscita del seggio elettorale; sondaggio post-voto: *The e. polls are predicting a small Conservative majority*, gli exit poll prevedono una maggioranza scarsa dei conservatori □ (*autom.*) **e. sign**, segnale d'uscita (*d'autostrada*) □ (*mil. e fig.*) **e. strategy**, strategia di disimpegno □ (*tur.*) **e. visa** (*o* **e. permit**), visto d'uscita □ (*med.*) **e. wound**, ferita causata dall'uscita del proiettile □ **to make an e.**, uscire; andarsene □ **to make a hasty e.**, uscire in fretta; filarsela; eclissarsi □ **to make one's e.**, (*teatr.*) uscire di scena; (*fig.*) morire, andarsene □ «No e.» (*cartello*), «uscita vietata»; (*autom.*) «uscita chiusa».

to exit /ˈɛksɪt/ v. i. **1** uscire; andare fuori; andarsene **2** (*teatr.*) uscire di scena **3** (*eufem.*) andarsene; morire ● (*teatr.*, *nelle didascalie*) E., esce; escono: E. Horatio, esce Orazio.

ex-libris /ˌɛksˈlaɪbrɪs/ (*lat.*) n. (inv. al pl.) ex libris.

exobiology /ˌɛksəʊbaɪˈɒlədʒɪ/ n. ☐ (*biol.*) esobiologia || **exobiologist** n. esobiologo.

exocrine /ˈɛksəʊkraɪn/ A a. (*anat.*) esocrino B n. (*anat.*, = **e. gland**) ghiandola esocrina.

exocytosis /ˌɛksəʊsaɪˈtəʊsɪs/ n. ☐ (*biol.*) esocitosi.

exodermis /ˌɛksəʊˈdɜːmɪs/ n. (*bot.*) esoderma.

exodus /ˈɛksədəs/ n. **1** esodo; partenza in massa: **a refugee e.**, un esodo di profughi; **weekend e.**, l'esodo del weekend **2** (*Bibbia*: E.) l'Esodo (*libro*) **3** (*stor.*) – **the E.**, l'Esodo (*degli ebrei dall'Egitto*).

ex officio /ˌɛksəˈfɪʃɪəʊ/ (*lat.*) a. e avv. ex officio; di diritto: **an ex officio member**, (un) membro di diritto (*di un ente, ecc.*).

exogamy /ɛkˈsɒgəmɪ/ (*antrop.*) n. ☐ esogamia || **exogamous** a. esogamico.

exogen /ˈɛksədʒən/ n. (*bot.*) (pianta) esogena.

exogenous /ɛkˈsɒdʒənəs/ a. (*biol.*, *geol.*, *econ.*) esogeno: (*econ.*) **e. change**, cambiamento esogeno | **-ly** avv.

exon ① /ˈɛksɒn/ n. (*biol.*) esone.

exon ② /ˈɛksɒn/ n. (*in GB*) ufficiale delle guardie della Torre di Londra (*ve ne sono quattro*).

to exonerate /ɪgˈzɒnəreɪt/ v. t. **1** (*anche leg.*) discolpare; assolvere; prosciogliere: *His account totally exonerates you*, la sua versione dei fatti ti discolpa completamente; *He was exonerated of all blame*, fu assolto da ogni accusa **2** esonerare; dispensare: **to e. sb. from answering**, dispensare q. dal ri-

spondere || **exoneration** n. **1** ☐ (*anche leg.*) discolpa; proscioglimento **2** esonero; dispensa || **exonerative** a. **1** giustificativo; che discolpa; che assolve **2** che esonera; che dispensa.

exophthalmos /ˌɛksɒfˈθælməs/, **exophthalmus** /ˌɛksɒfˈθælməs/ (*med.*) n. ☐ esoftalmo || **exophthalmic** a. esoftalmico.

exorbitant /ɪgˈzɔːbɪtənt/ a. esorbitante; eccessivo; esagerato; (*di un prezzo*) esoso || **exorbitance** n. ☐ esorbitanza; eccessività; esagerazione.

to exorcise /ˈɛksɔːsaɪz/ → **to exorcize**.

exorcism /ˈɛksɔːsɪzəm/ n. ☐☐ esorcismo || **exorcist** n. **1** esorcizzatore **2** (*relig.*) esorcista || **exorcistic** a. esorcistico.

to exorcize /ˈɛksɔːsaɪz/ v. t. (*anche fig.*) esorcizzare || **exorcization** n. ☐ esorcizzazione.

exordium /ɛkˈsɔːdɪəm/ n. (pl. **exordiums**, **exordia**) (*form.*) esordio; proemio || **exordial** a. di esordio; introduttivo; proemiale (*lett.*).

exoskeleton /ˌɛksəʊˈskɛlɪtn/ n. (*anat.*, *zool.*) esoscheletro.

exosphere /ˈɛksəʊsfɪə(r)/ n. (*geol.*) esosfera.

exostosis /ˌɛksɒˈstəʊsɪs/ n. (pl. **exostoses**) (*med.*) esostosi.

exoteric /ˌɛksəʊˈtɛrɪk/, **exoterical** /ˌɛksəʊˈtɛrɪkl/ a. essoterico.

exothermic /ˌɛksəʊˈθɜːmɪk/ a. (*fis. nucl.*) esotermico.

exotic /ɪgˈzɒtɪk/ A a. (*anche fig.*) esotico: **e. places**, luoghi esotici; **e. tastes**, gusti esotici B n. **1** (*bot.*) pianta esotica **2** (*zool.*) animale esotico ● **e. dancer**, spogliarellista | **-ally** avv. | **-ness** n. ☐.

exotica /ɪgˈzɒtɪkə/ n. pl. oggetti esotici; curiosità esotiche.

exoticism /ɪgˈzɒtɪsɪzəm/ n. **1** ☐ esotismo; esoticità **2** (*ling.*) esotismo.

exp. abbr. **1** (**expenses**) spese, costi **2** (**experimental**) sperimentale **3** (**expiry**) scadenza (scad.) **4** (**export**) esportazione **5** (**express**) espresso.

♦**to expand** /ɪkˈspænd/ A v. t. **1** allargare; dilatare; gonfiare: *The excessive heat had expanded the rails*, l'eccessivo calore aveva dilatato le rotaie; **to e. one's chest**, gonfiare il petto **2** espandere; allargare; ampliare; estendere: *He is trying to e. his business*, cerca di ampliare il suo giro d'affari; *Education expands the minds of children*, l'istruzione allarga la mente dei ragazzi; **to e. one's influence**, estendere il proprio raggio d'influenza; (*fin.*) **to e. one's holdings**, aumentare il numero delle proprie partecipazioni azionarie **3** distendere; spiegare: *The eagle expanded its wings*, l'aquila spiegò le ali **4** sviluppare (*un concetto, ecc.*); approfondire (*un argomento*) **5** (*mat.*) sviluppare (*un'espressione*) B v. i. **1** allargarsi; dilatarsi: *Most substances e. if you warm them up*, la maggior parte delle sostanze si dilata se le si riscalda; *Lake Garda expands there*, il lago di Garda s'allarga in quel punto **2** espandersi; ampliarsi; crescere: *Our trade will e. rapidly*, il nostro commercio si espanderà rapidamente **3** distendersi; spiegarsi; (*di fiori*) schiudersi: *His features expanded in a broad smile*, il viso gli si distese in un largo sorriso **4** (*fig. fam.*) diventare espansivo (*o* cordiale); aprirsi **5** – **to e. on**, diffondersi su; sviluppare (*un argomento, ecc.*); approfondire || **expandable** a. espansibile; dilatabile || **expander** n. **1** tenditore; estensore **2** (*mecc.*) espansore; allargatubi; mandrino.

expanded /ɪkˈspændɪd/ a. **1** allargato; ampliato; espanso; esteso; più vasto; largo: **e. edition**, edizione ampliata; **e. horizons**, orizzonti più vasti; (*tipogr.*) **e. type**, caratte-

ri larghi **2** (*tecn.*) espanso: (*comput.*) **e. memory**, memoria espansa; (*ind.*) **e. plastic**, resina espansa; espanso **3** (*metall.*) stirato: **e. metal**, lamiera stirata.

expanding /ɪkˈspændɪŋ/ **a.** che si espande; in espansione: **an e. economy**, un'economia in espansione; (*fis.*) **the e. universe theory**, la teoria dell'universo in espansione.

expanse /ɪkˈspæns/ **n. 1** distesa; tratto; estensione: **the blue e. of the Atlantic**, l'azzurra distesa dell'Atlantico **2** estensione; apertura: **wing e.**, apertura alare.

expansible /ɪkˈspænsəbl/ **a.** espansibile; dilatabile ‖ **expansibility** n. ⓤ espansibilità; dilatabilità.

expansile /ɪkˈspænsaɪl/ **a.** espansibile.

♦**expansion** /ɪkˈspænʃn/ **n. 1** ⓒⓤ espansione; allargamento; ampliamento; aumento; sviluppo: (*polit.*) **territorial e.**, espansione territoriale; (*econ.*) **the e. of home demand**, la dilatazione della domanda interna; **the e. of an idea**, lo sviluppo di un'idea; **the e. of armaments**, l'aumento degli armamenti; **the e. of trade**, il moltiplicarsi degli scambi **2** ⓤ (*scient.*) dilatazione; espansione **3** ⓤ (*mat.*) sviluppo (*di un'espressione*) ● (*comput.*) **e. board** (*o* **e. card**), scheda di espansione □ (*mecc.*) **e. bolt**, bullone a espansione □ (*mecc.*) **e. coupling**, attacco (*o* giunto) ad espansione □ (*comput.*) **e. slot**, connettore di espansione; slot.

expansionary /ɪkˈspænʃənərɪ/ **a.** (*econ.*) espansionistico.

expansionism /ɪkˈspænʃənɪzəm/ (*polit.*, *econ.*) **n.** ⓤ espansionismo ‖ **expansionist** Ⓐ **n.** espansionista Ⓑ **a.** espansionistico; espansionista: **an expansionist policy**, una politica espansionista ‖ **expansionistic a.** espansionista; espansionistico.

expansive /ɪkˈspænsɪv/ **a. 1** ampio; esteso; vasto; aperto; grande: **an e. gesture**, un ampio gesto; **e. views**, grandi vedute; **on an e. scale**, su vasta scala **2** (*di persona, ecc.*) aperto; espansivo; cordiale; estroverso; esuberante: **an e. and creative mind**, una mente aperta e creativa; *He was in an e. mood*, era di umore espansivo; *She was e. about her love affairs*, parlava liberamente delle proprie storie sentimentali **3** espansionistico; d'espansione: **an e. foreign policy**, una politica estera espansionistica **4** (*tecn.*) espansivo: **the e. power of steam**, la forza espansiva del vapore **5** (*di motore*) a espansione ‖ **-ly avv.** ‖ **-ness n.** ⓤ.

expansivity /ˌɛkspænˈsɪvətɪ/ **n.** ⓤ **1** espansività **2** (*fis.*) coefficiente d'espansione cubica.

expat /ɛkˈspæt/ **n.** (abbr. *fam. di* **expatriate**) persona (*spec. cittadino britannico*) che risiede all'estero.

to **expatiate** /ɪkˈspeɪʃɪeɪt/ **v. i.** diffondersi, spaziare (*su un argomento*): *He expatiated on climatic changes*, si diffuse sui cambiamenti climatici ‖ **expatiation** n. ⓤ **1** il diffondersi; il dilungarsi **2** ampia relazione; lungo discorso **3** ⓤ prolissità ‖ **expatiatory a. 1** che si diffonde; che si dilunga **2** prolisso.

expatriate /ɛkˈspætrɪət/ Ⓐ **a.** residente all'estero; espatriato: *Many e. Americans live in Tuscany*, numerosi americani si sono stabiliti in Toscana; (*comm.*) **e. enterprise**, impresa all'estero Ⓑ **n.** persona che risiede all'estero; espatriato: **a French e. in the US**, un francese che vive negli USA.

to **expatriate** /ɛkˈspætrɪeɪt/ Ⓐ **v. i. 1** trasferirsi all'estero; espatriare **2** (*arc.*) rinunciare alla propria nazionalità Ⓑ **v. t.** (*arc.*) **1** bandire; esiliare **2** togliere la cittadinanza a ‖ **expatriation n.** ⓤ **1** trasferimento all'estero; espatrio **2** (*arc.*) messa al bando; mandata in esilio **3** (*leg., arc.*) perdita della

cittadinanza d'origine.

♦to **expect** /ɪkˈspɛkt/ **v. t. 1** aspettarsi; prevedere: *Don't e. great things!*, non aspettarti grandi cose; *I e. to be there by Monday*, prevedo di essere là per lunedì; *The President is expected to make a statement tomorrow*, si prevede che il Presidente rilascerà una dichiarazione domani **2** aspettare; attendere: *Mrs Green is expecting you*, la signora Green la sta aspettando; *I'm expecting a wire*, aspetto un telegramma; *The ship is expected at Plymouth tomorrow*, la nave è attesa domani a Plymouth; *I had been expecting a promotion which didn't arrive*, ero in attesa di una promozione che non è arrivata **3** aspettarsi; contare su: *Just what I expected of him*, proprio quello che m'aspettavo da lui; *Don't e. any help from him!*, non aspettarti un aiuto da lui!; *I e. you to be punctual*, mi aspetto che tu sia puntuale; «*England expects that every man shall do his duty*», «L'Inghilterra si aspetta che ognuno faccia il proprio dovere» (*messaggio di Nelson prima della battaglia di Trafalgar*) **4** esigere; pretendere: *Some parents e. too much from their children*, certi genitori pretendono troppo dai figli **5** (*fam.*) immaginare; supporre; presumere: *I e. he'll phone before coming*, immagino che telefonerà prima di venire; *It's cheaper than I expected*, è più a buon mercato di quanto supponessi; *I e. so*, presumo di sì; penso di sì; *Not all of the questions I expected came up*, non sono uscite tutte le domande che mi aspettavo ● **to e. the worst**, aspettarsi il peggio □ (*fam.*) **to be expecting**, aspettare (un bambino); essere in attesa: *I'm expecting a baby!*, aspetto un bambino! □ *That's only to be expected*, è naturale; non sorprende □ *It was only to be expected*, c'era da aspettarselo; era prevedibile □ *What can you e.?*, che cosa pretendi?; che ti aspettavi? □ **better than expected**, meglio del previsto □ **when least expected**, quando uno non se l'aspetta; quando meno te l'aspetti □ (*fam.*) **E. me when you see me**, arrivo quando arrivo; non so quando arrivo.

expectable /ɪkˈspɛktəbl/ **a.** che ci si può aspettare; prevedibile.

expectancy /ɪkˈspɛktənsɪ/ **n.** ⓤⓒ aspettativa; speranza: *The air was alive with e.*, c'era grande attesa in aria; attesa; (*stat.*) **life e.**, aspettativa (*o* speranza) di vita; (*anche, di cosa*) durata (*o* vita) presunta.

expectant /ɪkˈspɛktənt/ Ⓐ **a. 1** pieno di attesa; ansioso; in ansia; speranzoso **2** in attesa (*di un figlio*); incinta: **e. mother**, madre in attesa; donna incinta; futura mamma; **e. father**, futuro padre Ⓑ **n.** (*arc.*) persona in attesa (*di una nomina, un titolo, ecc.*); candidato ● (*leg.*) **e. heir**, persona con aspettativa di futura successione ‖ **expectantly avv.** in ansiosa attesa; con ansia; ansiosamente.

♦**expectation** /ˌɛkspɛkˈteɪʃn/ **n.** ⓒⓤ **1** aspettativa; attesa; previsione; speranza: **the client's expectations**, le attese del cliente; **a thrill of e.**, un brivido di attesa speranzosa; *It is our e. that...*, ci aspettiamo che...; *There is a reasonable e. that...*, è ragionevole attendersi che...; **to arouse expectations**, suscitare speranze; **to answer** (*o* **to meet**) **one's expectations**, rispondere alle aspettative; **to fall short of** (*o* **not to come up to**) **sb.'s expectations**, non corrispondere all'aspettativa di q.; **to raise sb.'s expectations**, illudere q.; **beyond expectations**, oltre le previsioni; oltre l'atteso; **against** (*o* **contrary to**) **expectations**, contro ogni aspettativa **2** (*stat.*) speranza matematica; aspettativa; probabilità: **e. of life**, aspettativa (*o* speranza) di vita; (*anche*) durata (*o* vita) presunta **3** (al pl.) (*arc.*) prospettive di eredità.

expected /ɪkˈspɛktɪd/ **a.** previsto; atteso; presunto: **the e. an e. loss of €1m**, una perdita prevista di un milione di euro; (*stat.*) **e. value**, valore presunto ● **as e.**, come previsto; da prevedersi; secondo copione (*fam. iron.*).

expectorant /ɪkˈspɛktərənt/ **a.** e **n.** (*farm.*) espettorante.

to **expectorate** /ɪkˈspɛktəreɪt/ (*anche med.*) **v. t.** e **i.** espettorare ‖ **expectoration** n. **1** ⓤ espettorazione **2** espettorato.

expedient /ɪkˈspiːdɪənt/ Ⓐ **a. 1** conveniente; opportuno; utile; vantaggioso **2** di opportunità; opportunistico: **for e. reasons**, per motivi di opportunità Ⓑ **n.** espediente; accorgimento; mezzo ingegnoso; ripiego ‖ **expedience, expediency** n. ⓤ **1** convenienza; opportunità; utilità **2** interesse; vantaggio personale; opportunismo ‖ **expediential a.** basato sulla convenienza; opportunistico ‖ **expediently avv.** convenientemente; opportunamente.

to **expedite** /ˈɛkspɪdaɪt/ **v. t.** (*form.*) accelerare; facilitare; sbrigare.

expedition /ˌɛkspɪˈdɪʃn/ **n. 1** spedizione: **an e. to the North Pole**, una spedizione al polo nord; **to go on an e.**, fare una spedizione **2** (*form.*) rapidità; celerità; prontezza; speditezza; sollecitudine.

expeditionary /ˌɛkspɪˈdɪʃənərɪ/ **a.** di spedizione: (*mil.*) **e. force**, corpo di spedizione.

expeditious /ˌɛkspɪˈdɪʃəs/ **a.** (*form.*) rapido; celere; spedito; pronto; sollecito ‖ **-ly avv.** ‖ **-ness n.** ⓤ.

to **expel** /ɪkˈspɛl/ **v. t. 1** espellere; cacciare: *Lew was expelled from college for stealing*, Lew fu espulso dal college per aver rubato; **to e. the invaders**, cacciare gli invasori **2** (*med.*) espellere ‖ **expellee n.** espulso.

to **expend** /ɪkˈspɛnd/ **v. t. 1** spendere; prodigare: **to e. one's energy**, prodigare energia **2** esaurire; consumare.

expendable /ɪkˈspɛndəbl/ **a. 1** usabile; di consumo; eliminabile dopo l'uso: **e. machine**, macchina d'uso **2** (*mil.*: *di truppe, ecc.*) sacrificabile; che si può sacrificare **3** (*di persona*) non indispensabile; eliminabile: *We are all e.*, nessuno di noi è indispensabile ● (*fin.*) **e. fund**, fondo disponibile.

♦**expenditure** /ɪkˈspɛndɪtʃə(r)/ **n. 1** spesa; spese; uscita; uscite (*fin., rag.*): **public e.**, la spesa pubblica; **e. on education**, la spesa per l'istruzione; **income and e.**, le entrate e le uscite **2** ⓤ consumo; dispendio (*di tempo, di energia, ecc.*).

♦**expense** /ɪkˈspɛns/ **n.** ⓒⓤ spesa, spese: *Expenses will be charged to your account*, le spese saranno addebitate al vostro conto; **public e.**, la spesa pubblica; **travel expenses**, spese di viaggio; **at great e.**, sostenendo una forte spesa **2** (al pl.) (*leg.*: *in Scozia*) spese processuali ● **e. account**, conto spese; nota spese (*da rimborsare*): **to be on an e. account**, essere in trasferta con rimborso a piè di lista □ **e.-account**, (che va, che si può mettere) in conto spese; deducibile, detraibile □ **e. account per diem**, diaria □ (*ass., fin.*) **e. ratio**, indice (*o* coefficiente) di spesa □ **e. voucher**, giustificativo di spesa; pezza d'appoggio (*fam.*) □ **all expenses paid**, spesato di tutto; completamente spesato □ **at sb.'s e.**, (*rag.*) a carico di q.; (*fig.*) a spese di q., alle spalle di q.: *Freight is at the importer's e.*, il nolo è a carico dell'importatore; **at the taxpayers' e.**, a spese del contribuente; *I've learnt it at my e.*, l'ho imparato a mie spese; *They're having fun at his e.*, ridono alle sue spalle □ (*fig.*) **at the e. of**, a scapito di; a danno di: *Motorists are reluctant to buy fuel economy at the e. of performance*, gli automobilisti non vogliono sacrificare le prestazioni al risparmio di benzina □ **at**

a b c d **e** f g h i j k l m n o p q r s t u v w x y z

public e., a spese dello Stato (o della comunità) □ **to claim expenses**, chiedere il rimborso spese □ **to claim st. back on expenses**, mettere qc. in conto spese □ **to go to the e. of**, sobbarcarsi alla spesa di □ **to put sb. to the e. of buying st.**, far sostenere a q. la spesa d'acquistare qc. □ **to spare no e.**, non badare a spese.

♦**expensive** /ɪk'spɛnsɪv/ a. costoso; caro; dispendioso: **a very e. fur**, una pelliccia assai costosa; **e. tastes**, gusti costosi; gusti dispendiosi; **an e. mistake**, un errore che costa caro; **to be e.**, essere caro; costare (caro) || **expensively avv.** spendendo molto; dispendiosamente; ad alto costo (o prezzo) || **expensiveness** n. ⓤ alto costo; l'avere un prezzo elevato; dispendiosità.

♦**experience** /ɪk'spɪərɪəns/ n. **1** ⓤ esperienza: *I've learnt by e.*, ho imparato con l'esperienza; **teaching e.**, esperienza come insegnante; pratica d'insegnamento; *I have 20 years' e. in this field*, ho vent'anni di esperienza in questo campo; **in my e.**, secondo la mia esperienza; **to gain e.**, acquistare esperienza; **to judge by e.**, giudicare in base all'esperienza; **to know from e.**, sapere per esperienza **2** esperienza; avventura: **a pleasant e.**, una piacevole esperienza; **a traumatic e.**, un'esperienza traumatica; **to go through a painful e.**, fare una dolorosa esperienza; *That was quite an e.!*, che esperienza!; che avventura! **3** ⓤ (ass.) sinistrosità.

to **experience** /ɪk'spɪərɪəns/ v. t. **1** provare; sentire: **to e. pleasure**, provare piacere; **to e. a sensation of cold**, provare una sensazione di freddo; **to e. pain**, sentire dolore **2** incontrare; conoscere; sperimentare; fare l'esperienza di; subire: **to e. difficulties**, incontrare difficoltà; **to e. a loss**, subire una perdita; **to e. defeat**, conoscere la sconfitta; *We are experiencing technical difficulties today*, oggi abbiamo problemi tecnici.

♦**experienced** /ɪk'spɪərɪənst/ a. **1** esperto; competente; pratico; versato: **an e. accountant**, un contabile esperto; **e. in advertising**, esperto di pubblicità **2** navigato; vissuto.

experiential /ɪkspɪərɪ'ɛnʃl/ a. (form.) sperimentale; empirico: **e. philosophy**, filosofia sperimentale.

experientialism /ɪkspɪərɪ'ɛnʃəlɪzəm/ n. ⓤ sperimentalismo || **experientialist** n. sperimentalista.

♦**experiment** /ɪk'spɛrɪmənt/ n. esperimento; sperimentazione; esperienza; **to carry out** (o **to perform**) **an e.**, eseguire (o compiere) un esperimento; **to determine st. by e.**, determinare qc. mediante sperimentazione; **an educational e.**, un esperimento didattico.

to **experiment** /ɪk'spɛrɪmənt/ v. i. **1** (scient.) fare esperimenti: **to e. on animals**, fare esperimenti su animali **2** sperimentare; provare; fare l'esperimento (di qc.): **to e. with new methods of teaching**, sperimentare nuovi metodi d'insegnamento.

♦**experimental** /ɪkspɛrɪ'mɛntl/ a. **1** (scient.) sperimentale; di, da esperimento; empirico: **e. evidence**, prove sperimentali; **e. results**, risultati sperimentali; **e. animals**, animali da esperimento; cavie; **e. method**, metodo sperimentale; metodo empirico; **e. psychology**, psicologia sperimentale; **at the e. stage**, in fase sperimentale **2** (arte) sperimentale: **e. theatre**, teatro sperimentale **3** sperimentale; di prova: **an e. model**, un modello sperimentale; un prototipo || **experimentalism** n. ⓤ sperimentalismo || **experimentalist** n. sperimentalista || **experimentally avv.** sperimentalmente; in via sperimentale.

experimentation /ɪkspɛrɪmɛn'teɪʃn/ n.

ⓤ sperimentazione.

experimenter /ɪk'spɛrɪməntə(r)/ n. sperimentatore, sperimentatrice.

expert /'ɛkspɜːt/ Ⓐ a. **1** esperto; competente; provetto; versato; abile: **an e. pilot**, un pilota esperto; **to be e. at st.**, essere esperto in qc. (o a fare qc.) **2** di un esperto: **an e. opinion**, il parere d'un esperto; **to seek e. advice**, chiedere il parere di un esperto; rivolgersi a un esperto Ⓑ n. esperto; specialista; perito: **a financial e.**, un esperto finanziario; **chemical e.**, perito chimico; **an e. in code-breaking**, un esperto di decrittazione; *He's an e. at equivocating*, è un esperto della tergiversazione; è bravissimo a tergiversare ● (leg.) **e. evidence**, testimonianza di un consulente tecnico □ (leg.) **e.'s report**, perizia tecnica □ (comput.) **e. system**, sistema esperto □ **e. eye**, occhio esperto; occhio clinico □ (leg.) **e. witness**, consulente tecnico; perito □ **in an e. capacity**, in qualità d'esperto || **expertly avv.** abilmente; con grande perizia || **expertness** n. ⓤ abilità; competenza; perizia.

♦**expertise** /ɛkspɜː'tiːz/ n. **1** ⓤ competenza; perizia **2** (arte) perizia; expertise (franc.).

to **expiate** /'ɛkspɪeɪt/ v. t. espiare || **expiable** a. espiabile || **expiation** n. ⓤ espiazione || **expiator** n. espiatore || **expiatory** a. espiatorio.

expiration /ɛkspɪ'reɪʃn/ n. **1** ⓤⓒ (fisiol.) espirazione **2** ⓤ scadenza: **the e. of a contract [of an option]**, la scadenza di un contratto [di un'opzione] **3** data di scadenza; termine.

expiratory /ɪk'spaɪərətrɪ/ a. **1** espiratorio **2** (anat.) espiratore: **e. muscles**, muscoli espiratori.

to **expire** /ɪk'spaɪə(r)/ v. t. e i. **1** (fisiol.) espirare: *Air is expired from the lungs*, l'aria viene espirata dai polmoni **2** (lett.) spirare; morire **3** finire; terminare; scadere: *The lease will e. soon*, il contratto d'affitto scadrà presto **4** (di fuoco o sim.) spegnersi **5** (di casata, ecc.) estinguersi ● (market.) «**Expires 8th November 2003**» (cartello), «Offerta valida fino all'8 novembre 2003».

expiry /ɪk'spaɪərɪ/ n. **1** fine; termine: **e. of a term of office**, termine della permanenza in carica **2** (comm.) scadenza: **e. notice**, avviso di scadenza; *What's the e. date?*, qual è la data di scadenza? **3** (fig.) lo spirare; decesso; morte.

♦to **explain** /ɪk'spleɪn/ Ⓐ v. t. spiegare: **to e. a phenomenon**, spiegare un fenomeno; *She explained to me that...*, mi spiegò che...; *That explains it!*, ecco spiegata la cosa!; questo spiega tutto! Ⓑ v. i. dare spiegazioni; giustificarsi ● **to e. oneself**, spiegarsi; dare spiegazioni; giustificarsi || **explainable** a. spiegabile || **explainer** n. chi spiega.

■ **explain away** v. t. + avv. dare una spiegazione soddisfacente (o rassicurante) di; giustificare: *These discrepancies won't be easily explained away*, non sarà facile dare una spiegazione soddisfacente di queste discrepanze.

♦**explanation** /ɛksplə'neɪʃn/ n. ⓒ ⓤ **1** spiegazione; chiarimento; delucidazione: **a clear e.**, una spiegazione chiara; **to offer an e.**, offrire una spiegazione; *He left without e.*, se ne andò senza una spiegazione **2** spiegazione; giustificazione.

explanatory /ɪk'splænətrɪ/ a. esplicativo; di spiegazione.

explant /'ɛksplɑːnt/ n. (med.) espianto (il tessuto).

to **explant** /ɛk'splɑːnt/ (med.) v. t. espiantare || **explantation** n. ⓤ espiantazione; espianto (l'azione).

expletive /ɪk'spliːtɪv/, USA 'ɛksplə-/ Ⓐ n. **1** imprecazione; parolaccia **2** (ling.) parti-

cella espletiva Ⓑ a. (ling.) espletivo.

expletory /ɪk'spliːtərɪ, USA 'ɛksplə-/ a. (ling.) espletivo.

explicable /ɪk'splɪkəbl/ a. esplicabile; spiegabile | **-bly avv.**

to **explicate** /'ɛksplɪkeɪt/ (form.) v. t. **1** esplicare; spiegare; chiarire **2** districare; sbrogliare || **explication** n. ⓒ esplicazione; spiegazione; chiarimento || **explicative**, **explicatory** a. esplicativo.

explicit /ɪk'splɪsɪt/ a. **1** esplicito; preciso; chiaro: **e. instructions**, istruzioni precise; **to make st. e.**, rendere esplicito qc.; esplicitare qc.; dire chiaramente qc. **2** chiaro; franco: **to be quite e. about st.**, essere molto franco su qc. **3** netto; reciso; categorico: **an e. refusal**, un rifiuto categorico **4** (→ **sexually e.**) (di senso) esplicito; (di film, ecc.) che contiene scene di sesso | **-ly avv.** | **-ness** n. ⓤ.

♦to **explode** /ɪk'spləʊd/ Ⓐ v. i. **1** esplodere; scoppiare: *The mine exploded with a terrific bang*, la mina scoppiò con un terribile fracasso **2** (rif. a persona) esplodere; scoppiare; sbottare (a dire): **to e. with anger**, esplodere (o scoppiare) dalla rabbia; **to e. into laughter**, esplodere in una risata: *«That's enough!» she exploded*, «Basta!» esplose (o sbottò) lei **3** (di moda, ecc.) esplodere: *The miniskirt fashion exploded in the mid sixties*, la moda della minigonna esplose intorno al 1965 **4** (di città, ecc.) subire un'esplosione demografica, esplodere Ⓑ v. t. **1** far esplodere; far brillare **2** screditare; demolire; smontare; dimostrare la falsità di: **to e. a myth [a rumour]**, dimostrare la falsità di un mito [di una diceria] ● **to e. into violence**, degenerare improvvisamente in violenza □ **to e. into life**, animarsi di colpo.

exploded /ɪk'spləʊdɪd/ a. **1** esploso **2** (tecn.: di disegno, grafico, ecc.) esploso: **e. diagram**, disegno esploso **3** screditato; demolito: **an e. theory**, una teoria screditata.

exploder /ɪk'spləʊdə(r)/ n. esploditore; detonatore: **magneto e.**, detonatore elettrico (per cariche d'esplosivo).

exploding /ɪk'spləʊdɪŋ/ a. esplodente; che esplode.

exploit /'ɛksplɔɪt/ n. impresa; prodezza; (al pl., anche) gesta.

♦to **exploit** /ɪk'splɔɪt/ v. t. sfruttare: **to e. natural resources**, sfruttare le risorse naturali; **to e. the working classes**, sfruttare le classi lavoratrici || **exploitable** a. sfruttabile; utilizzabile || **exploitative** a. che tende a sfruttare; basato sullo sfruttamento || **exploiter** n. sfruttatore, sfruttatrice.

exploitation /ɛksplɔɪ'teɪʃn/ n. ⓤ sfruttamento; utilizzazione: **the e. of a coal mine**, lo sfruttamento d'una miniera di carbone; **the e. of water power**, l'utilizzazione dell'energia idrica; **e. in the workplace**, sfruttamento sul lavoro.

explorable /ɪk'splɔːrəbl/ a. esplorabile.

exploration /ɛksplə'reɪʃn/ n. ⓒ ⓤ (anche med.) esplorazione.

explorative /ɛk'splɒrətɪv/, **exploratory** /ɪk'splɒrətrɪ/ a. (anche med.) esplorativo; d'esplorazione: (polit., fin., ecc.) **e. talks**, colloqui esplorativi.

♦to **explore** /ɪk'splɔː(r)/ Ⓐ v. t. **1** (anche med.) esplorare **2** esaminare; analizzare; indagare (su, intorno a); investigare: **to e. a question**, indagare (su) una questione; **to e. all the possibilities**, esplorare ogni possibilità Ⓑ v. i. **1** (ind.) fare ricerche: **to e. for oil**, fare ricerche petrolifere **2** esplorare; fare l'esploratore.

explorer /ɪk'splɔːrə(r)/ n. **1** esploratore; esploratrice **2** (med.) specillo.

♦**explosion** /ɪk'spləʊʒn/ n. ⓒ ⓤ esplosione; scoppio: **the e. of an H-bomb**, l'esplosione di una bomba H; **an e. of wrath**, un'esplo-

sione di collera; (*stat.*) **population e.**, esplosione demografica ● (*tecn.*) **e.-proof**, antiscoppio; antideflagrante.

explosive /ɪk'spləʊsɪv/ Ⓐ a. **1** (*anche fig.*) esplosivo: **e. device**, ordigno esplosivo; **a volcano's e. activity**, l'attività esplosiva di un vulcano; **an e. situation**, una situazione esplosiva **2** (*fig.*) collerico; irascibile: **an e. temper**, un carattere collerico **3** (*fon.*) esplosivo Ⓑ n. **1** esplosivo: **high e.**, alto esplosivo **2** (*fon.*) consonante esplosiva ● (*tecn.*) **e. bolt**, bullone esplosivo □ **e. expert**, tecnico degli esplosivi □ (*stat.*) **e. process**, processo esplosivo **| -ly** avv. **| -ness** n. Ⓤ.

expo /'ɛkspəʊ/ n. (pl. *expos*) (abbr. *fam. di* **exposition**) esposizione; mostra.

exponent /ɪk'spəʊnənt/ n. **1** espositore; illustratore; interprete (*di teorie, di musica, ecc.*) **2** esponente; rappresentante **3** fautore; sostenitore **4** (*mat.*) esponente; indice.

exponential /ɛkspəʊ'nɛnʃl/ a. (*mat.*) esponenziale: (*fis.*) **e. growth [decay]**, crescita [decadimento] esponenziale **|| exponentially** avv. esponenzialmente; in misura esponenziale.

♦**export** /'ɛkspɔːt/ Ⓐ n. Ⓤ (*econ.*) **1** merce (*o prodotto*) d'esportazione; (*al pl., anche*) esportazioni, export: *Oil is the country's chief e.*, il petrolio è il principale prodotto d'esportazione del paese; **a ban on exports** (*o an e. ban*), un embargo sulle esportazioni **2** Ⓤ esportazione: **the e. of coal [of capitals]**, l'esportazione di carbone [di capitali] Ⓑ a. attr. di, da esportazione; per l'esportazione: **e. duty**, dazio d'esportazione; **e. licence**, licenza d'esportazione; **e. packing**, imballaggio per l'esportazione; **e. wines**, vini per l'esportazione ● **e. agent**, agente d'esportazione □ **e. bounty**, premio all'esportazione □ **e. drive**, campagna (*o iniziativa*) atta a promuovere le esportazioni □ **e. merchant**, esportatore □ **e. refunds**, restituzioni (*o rimborsi*) all'esportazione □ **e. surplus**, eccedenza delle esportazioni □ **e. trade**, commercio con l'estero.

♦to **export** /ɪk'spɔːt/ v. t. e i. **1** (*econ. e fig.*) esportare: *We e.* (*goods*) *to China*, esportiamo (merci) in Cina **2** (*comput.*) trasferire, esportare (*dati*) **|| exportable** a. esportabile **|| exportation** n. (*econ.*) **1** Ⓤ esportazione **2** (*spec. USA*) prodotto (*o merce*) d'esportazione **|| exporter** n. (*econ.*) esportatore, esportatrice; ditta esportatrice; paese esportatore **|| exporting** a. (*econ.*) esportatore.

exposé /ɛk'spəʊzeɪ, USA ɛkspəʊ'zeɪ/ (*franc.*) n. **1** denuncia; rivelazioni (pl.) **2** rapporto di denuncia; esposto.

♦to **expose** /ɪk'spəʊz/ v. t. **1** esporre; mostrare; rivelare; scoprire; mettere a nudo: **to e. one's skin to the sun**, esporre la pelle al sole; **to e. one's chest**, scoprire il petto: *The man laughed, exposing bad teeth*, l'uomo rise, rivelando una dentatura guasta **2** mettere in evidenza; rivelare; portare alla luce: *The debate exposed the government's weakness*, il dibattito mise in evidenza la debolezza del governo **3** esporre (*a rischio, influenza, ecc.*): **to e. to infections**, esporre a infezioni; **to be exposed to radiation**, essere esposti a radiazioni **4** denunciare; rendere pubblico; smascherare: **to e. a scandal**, denunciare uno scandalo; **to e. a traitor**, smascherare un traditore; *She was exposed as a spy*, venne rivelato che era una spia **5** (*fotogr.*) esporre, impressionare **6** esporre (*un neonato*) ● **to e. oneself**, esporsi (*a un pericolo, al ridicolo, ecc.*); (*leg.*) scoprire i genitali; fare dell'esibizionismo.

exposed /ɪk'spəʊzd/ a. **1** esposto; orientato: *This house is e. to the east*, questa casa è esposta a oriente **2** esposto; non riparato; allo scoperto: **e. to the wind**, esposto al vento **3** smascherato; scoperto **4** (*foto-*

---

gr.) impressionato.

exposition /ɛkspə'zɪʃn/ n. Ⓤ Ⓒ **1** (*form.*) esposizione; illustrazione; spiegazione **2** (*mus.*) esposizione **3** esposizione; mostra: **an international e.**, un'esposizione internazionale **4** (*relig.*) esposizione **5** (*leg.*) narrativa.

expositive /ɛk'spɒzɪtɪv/ a. espositivo; descrittivo; esplicativo.

expositor /ɛk'spɒzɪtə(r)/ n. espositore; commentatore; chiosatore.

expository /ɛk'spɒzɪtrɪ/ → **expositive**.

to **expostulate** /ɪk'spɒstʃʊleɪt/ (*form.*) v. i. lagnarsi; fare rimostranze; protestare: **to e. with sb. about st.**, lagnarsi con q. per qc. **|| expostulation** n. Ⓤ Ⓒ lagnanza; rimostranza; protesta **|| expostulative**, **expostulatory** a. di lagnanza; di rimostranza.

♦**exposure** /ɪk'spəʊʒə(r)/ n. **1** Ⓤ Ⓒ esposizione: **e. to the rain [to sunlight]**, esposizione alla pioggia [al sole, alle radiazioni atomiche]; **several exposures to radiation**, diverse esposizioni a radiazioni; **e. to dangerous influences**, esposizione a influenze pericolose **2** Ⓤ (*med.*) assideramento: **to die of e.**, morire per assideramento; morire assiderato **3** rivelazione; denuncia; smascheramento: **the e. of a case of corruption**, la rivelazione di un caso di corruzione; **the e. of a spy**, lo smascheramento di una spia; **to live in fear of public e.**, vivere nel timore d'essere smascherato (*o scoperto*) **4** Ⓤ Ⓒ (*fotogr.*) esposizione; posa: **e. meter**, esposimetro; **e. time**, tempo d'esposizione (*o di posa*); **double e.**, doppia esposizione; sovrimpressione **5** (*di una stanza, ecc.*) esposizione: **a bedroom with an eastern e.**, una camera da letto con esposizione a oriente **6** pubblicità (*soprattutto sui media*); propaganda: **to give st. a lot of e.**, pubblicizzare abbondantemente qc. **7** (*banca, fin.*) esposizione **8** (*leg.*) **- indecent e.**, esibizionismo (sessuale); atti (pl.) osceni; (*anche*) oltraggio al pudore (*comparendo nudi in pubblico*).

to **expound** /ɪk'spaʊnd/ v. t. e i. (*anche* **to e. on**) esporre; esprimere: **to e. a new philosophy**, esporre una nuova filosofia; **to e. one's views**, esprimere le proprie opinioni ● **to e. a text**, interpretare (*o spiegare*) un testo **|| expounder** n. espositore, espositrice (*di teorie, ecc.*).

express ① /ɪk'sprɛs/ a. **1** espresso; chiaro; esplicito; manifesto; esatto; preciso: **an e. injunction**, un'espressa ingiunzione; **an e. provision**, una clausola esplicita; **at his e. wish**, per suo espresso desiderio; **for this e. purpose**, per questo preciso scopo; **an e. reason**, un chiaro motivo **2** (*arc., di somiglianza, ecc.*) esatto; preciso ● (*leg.*) **e. acceptance**, accettazione esplicita □ (*leg.*) **e. agreement**, accordo espresso (*o esplicito*).

express ② /ɪk'sprɛs/ Ⓐ a. **1** espresso; rapido; veloce: **e. service**, servizio espresso; (*USA*) **e. elevator**, ascensore rapido **2** (*posta*) per espresso: **e. delivery**, consegna per espresso; **e. letter**, (lettera) espresso; **e. post**, servizio postale espresso Ⓑ avv. per espresso: **to send a package e.**, mandare un pacco per espresso Ⓒ n. **1** (*ferr.*) = **e. train**) treno espresso **2** autobus espresso **3** (*servizio postale*) espresso: **by e.**, per espresso **4** (*USA*, = **e. company**) agenzia di spedizioni per espresso; servizio di corriere **5** (= **e. rifle**) fucile a tiro rapido ● (*mil.*) **e. bullet**, proiettile a espansione □ (*USA*) **an e. highway**, un'autostrada □ (*autom.*) **e. lane**, corsia veloce (*o preferenziale*; *anche fig.*).

♦to **express** /ɪk'sprɛs/ v. t. **1** esprimere; manifestare; dichiarare: **to e. surprise [one's doubts]**, esprimere (*o manifestare*) sorpresa [i propri dubbi]; *I cannot e. what I feel*, non so esprimere quel che sento **2** (*GB*) spedire per espresso **3** (*scient.*) esprimere:

Results are expressed as a mean, i risultati sono espressi come medie **4** (*form.*) spremere; estrarre mediante spremitura ● **to e. oneself**, esprimersi: **to e. oneself openly**, esprimersi apertamente.

expressage /ɪk'sprɛsɪdʒ/ n. Ⓤ (*spec. USA*) **1** trasporto di pacchi per espresso **2** spese di trasporto per espresso.

expressible /ɪk'sprɛsəbl/ a. esprimibile.

♦**expression** /ɪk'sprɛʃn/ n. **1** Ⓤ espressione; manifestazione: **to give e. to st.**, esprimere qc.; dare espressione a qc.; **to find e. in**, trovare espressione in; esprimersi in; **expressions of sympathy**, manifestazioni di solidarietà; **freedom of e.**, libertà di espressione (*o di parola*) **2** espressione (*del viso*): **an e. of disgust**, un'espressione disgustata; **an impenetrable e.**, un'espressione indecifrabile **3** modo di dire; espressione: **an idiomatic e.**, un'espressione idiomatica **4** espressione; espressività: **to play with e.**, suonare con espressione **5** (*mat.*) espressione **6** (*form.*) spremitura ● **beyond** (*o past*) **e.**, impossibile a esprimersi; inesprimibile; indicibilmente; oltre ogni dire □ (*mus.*) **e. mark**, indicazione agogica **|| expressional** a. pertinente all'espressione.

expressionism /ɪk'sprɛʃənɪzəm/ (*arte*) n. Ⓤ espressionismo **|| expressionist** a. e n. espressionista **|| expressionistic** a. espressionistico.

expressionless /ɪk'sprɛʃnləs/ a. senza espressione; inespressivo; impassibile.

expressive /ɪk'sprɛsɪv/ a. espressivo; significativo; eloquente: **an e. voice**, una voce espressiva; **an e. look**, uno sguardo significativo; **e. silence**, silenzio eloquente ● **e. of**, che esprime: **a song e. of joy**, un canto che esprime la gioia **| -ly** avv. **| -ness** n. Ⓤ.

expressly /ɪk'sprɛslɪ/ avv. espressamente; esplicitamente; chiaramente; appositamente.

expressway /ɪk'sprɛsweɪ/ n. (*autom.*, *USA*) autostrada (*nei pressi di una grande città*).

to **expropriate** /ɛk'sprəʊprɪeɪt/ (*anche leg.*) v. t. espropriare **|| expropriation** n. Ⓤ Ⓒ espropriazione; esproprio **|| expropriator** n. espropriatore, espropriatrice.

expulsion /ɪk'spʌlʃn/ n. Ⓤ Ⓒ (*anche med.*) espulsione; (*polit.*) **e. order**, ordine d'espulsione **|| expulsive** a. (*anche med.*) espulsivo.

expunction /ɛk'spʌŋkʃn/ n. Ⓤ Ⓒ espunzione.

to **expunge** /ɪk'spʌndʒ/ v. t. (*form.*) **1** espungere; cancellare: **to e. a name from a list**, espungere un nome da un elenco **2** (*fig.*) annientare; distruggere.

to **expurgate** /'ɛkspɜːgeɪt/ v. t. espurgare; purgare (*un libro e sim.*) **|| expurgated** a. espurgato: **expurgated version**, versione espurgata **|| expurgation** n. Ⓤ Ⓒ espurgazione **|| expurgator** n. espurgatore, espurgatrice (*di scritti*) **|| expurgatorial**, **expurgatory** a. espurgatorio; purificatorio.

exquisite /ɪk'skwɪzɪt, USA 'ɛks-/ Ⓐ a. **1** squisito; delizioso; delicato; raffinato; ricercato; mirabile: **e. taste**, gusto squisito; **e. features**, lineamenti delicati; **e. craftsmanship**, abilità artistica raffinata; fattura squisita; **an e. ear for music**, un raffinato orecchio per la musica **2** acuto; intenso; vivo: **e. delight**, gioia intensa; **an e. pain**, un dolore intenso Ⓑ n. damerino; zerbinotto; dandy **| -ly** avv. **| -ness** n. Ⓤ.

to **exsanguinate** /ɛk'sæŋgwɪneɪt/ (*med.*) v. i. dissanguare **|| exsanguination** n. dissanguamento.

exsanguine /ɛk'sæŋgwɪn/ a. (*poet.*) esangue.

to **exscind** /ɛk'sɪnd/ v. t. **1** recidere; estirpare **2** (*fig.*) omettere.

to **exsect** /ɛk'sɛkt/ (*med.*) v. t. asportare || **exsection** n. ▢ escissione.

to **exsert** /ɛk'sɜːt/ v. t. (*scient.*) sporgere; protrudere.

ex-service /ɛks'sɜːvɪs/ a. (*mil.*, *GB*) ex militare; di ex militari; di reduci: **ex-service personnel**, ex militari; **ex-service organisations**, associazioni di ex militari.

ex-serviceman /ɛks'sɜːvɪsmən/ (pl. **ex--servicemen** /ɛks'sɜːvɪsmən/; fem. **ex-servicewoman** /ɛks-'sɜːvɪswʊmən/ (pl. **ex-servicewomen**) n. (*mil.*, *GB*, *Austral.*) ex militare; reduce.

to **exsiccate** /'ɛksɪkeɪt/ v. t. essiccare.

ext. abbr. **1** (*telef.*, **extension**) interno **2** (**external**) esterno; estero **3** (**extract**) estratto.

extant /ɛk'stænt, *USA* 'ɛkstənt/ a. (*di documento*, *opera*, *animali*, *piante*, *ecc.*) ancora esistente.

extemporaneous /ɛkstɛmpə'reɪnɪəs/ a. **1** estemporaneo; improvvisato: **an e. speech**, un discorso estemporaneo **2** improvvisato; di fortuna: **an e. fireplace**, un focolare improvvisato | **-ly** avv. | **-ness** n. ▢.

extemporary /ɛk'stɛmprərɪ/ a. estemporaneo; improvvisato | **-ily** avv. | **-iness** n. ▢.

extempore /ɛk'stɛmpərɪ/ ◼A a. attr. estemporaneo ◼B avv. estemporaneamente; improvvisando: **to speak e.**, parlare improvvisando (*o* a braccio).

to **extemporize** /ɛk'stɛmpəraɪz/ v. t. e i. (*anche teatr.*) improvvisare || **extemporization** n. ▢ improvvisazione.

♦to **extend** /ɪk'stɛnd/ ◼A v. t. **1** estendere; allargare; ampliare: *Russia extended its power into Asia*, la Russia estese il suo dominio sull'Asia; *Emperor Trajan extended the boundaries of the Roman Empire*, l'imperatore Traiano allargò i confini dell'impero romano; **to e. a school building**, ampliare un edificio scolastico; **to e. one's activities**, estendere (o ampliare) le proprie attività; **to e. one's vocabulary**, ampliare il proprio lessico; **to e. choice**, allargare la scelta **2** allungare; prolungare: **to e. a road** [**a railway**], prolungare una strada [una ferrovia]; **to e. an antenna**, allungare un'antenna **3** prolungare; protrarre; allungare: **to e. one's stay**, protrarre la propria permanenza; **to e. one's holidays**, allungare le vacanze; **to e. a guarantee [a cease-fire]**, prolungare una garanzia [un cessate il fuoco] **4** (*rif. al corpo*) tendere; stendere; distendere; allungare: **to flex and e. one's arms**, flettere e tendere le braccia; **to e. one's legs**, stendere (o allungare) le gambe **5** (*comm.*, *fin.*) dilazionare; differire; prorogare: (*fin.*) **to e. the maturity of a bill**, differire la scadenza di una cambiale; **to e. a deadline**, prorogare (o spostare in avanti) una data di consegna **6** (*form.*) offrire; porgere; rivolgere: **to e. a warm welcome to sb.**, porgere un cordiale benvenuto a q.; **to e. an invitation to sb.**, rivolgere un invito a q.; **to e. one's sympathy to sb.**, porgere le proprie condoglianze a q. **7** accordare; concedere: **to e. credit to sb.**, concedere un credito a q. **8** (*leg.*) stimare, valutare (*terreni*, *ecc.*) **9** (*sport*) impegnare (*un avversario*) al massimo; forzare l'andatura di (*un cavallo*) **10** (*rag.*) riportare a nuovo **11** (*rag.*) totalizzare (*conti*) ◼B v. i. **1** estendersi; stendersi; spingersi: *My farm extends as far as the foothills*, la mia fattoria si estende fino alle colline; **to e. on all sides**, stendersi da ogni lato; **to e. beyond st.**, arrivare oltre a qc.; spingersi oltre qc.; andare oltre qc.; **to e. over st.**, coprire **2** (*di oggetto*) estendersi; allungarsi; essere allungabile (o estensibile) **3** protrarsi; prolungarsi; durare; continuare: *The debate extended into the night*, la discussione si protrasse fino a tarda notte; **to e. into June**, continuare fino a giugno

inoltrato **4** (*fig.*) spingersi; estendersi; arrivare a includere; valere; riguardare: *His love of animals does not e. to insects*, il suo amore per gli animali non si spinge fino agli insetti; **to e. to doing st.**, arrivare a (o spingersi al punto di) fare qc. **5** (*mil.*) prolungare la ferma; raffermarsi ● **to e. oneself**, distendersi (*con il corpo*); allungarsi; (*anche*) impegnarsi al massimo; (*sport*) *The goalie extended himself fully to save*, il portiere si distese per parare; *At the Olympics, many athletes e. themselves to the limits of their abilities*, alle Olimpiadi, molti atleti si impegnano al limite delle loro capacità.

extendable /ɪk'stɛndəbl/ a. **1** estensibile; allungabile **2** (*comm.*) dilazionabile; differibile; prorogabile.

extended /ɪk'stɛndɪd/ a. **1** teso; steso; disteso: **e. arms**, braccia tese **2** prolungato; protratto; lungo: **e. shopping hours**, orario prolungato (*dei negozi*); **an e. holiday**, una vacanza prolungata; una lunga vacanza **3** esteso; lungo; ampio; vasto: **an e. area**, una zona estesa; una vasta superficie; un ampio tratto; **an e. coastline**, una costa estesa; **an e. vocabulary**, un ampio vocabolario; **an e. range of services**, una vasta gamma di servizi **4** ampliato; allargato **5** (*sociol.*) esteso: **e. family**, famiglia estesa **6** (*comm.*) prorogato; dilazionato: (*fin.*) **e. bond**, obbligazione prorogata; **to give e. credit**, concedere un'estensione di credito; **to apply for an e. licence**, fare domanda per un'estensione di licenza **7** (*rag.*) riportato a nuovo ● (*scherma*) **e. lunge**, allungo □ (*mus.*) **e.-play record**, (disco) extended play; microsolco a 45 giri (*che suona da 6 a 8 minuti*).

extendible /ɪk'stɛndəbl/ a. estendibile; estensibile; allungabile.

extensible /ɪk'stɛnsəbl/ → **extendible** || **extensibility** n. ▢ **1** estensibilità; estendibilità **2** (*mecc.*) allungamento a rottura.

extensile /ɪk'stɛnsaɪl/ a. estendibile; protrattile.

♦**extension** /ɪk'stɛnʃn/ n. **1** ▢ estensione; espansione; allargamento; ampliamento; **an e. of the empire's frontiers**, un allargamento delle frontiere dell'impero; **an e. of my powers**, un ampliamento dei miei poteri **2** (*edil.*) aggiunta; locale aggiunto; nuova ala: *We're having a loft e. done*, stiamo facendo allargare il sottotetto; **We're having an e. built onto our cottage**, stiamo ampliando la nostra villetta **3** prolungamento; allungamento: **the e. of a railway**, il prolungamento d'una ferrovia **4** ▢ prolungamento (*nel tempo*); (*anche comm.*) dilazione, proroga: **an e. my of stay**, un prolungamento del mio soggiorno: **to grant an e.**, concedere una proroga; *I had to ask for an e. for my economics assignment*, ho dovuto chiedere una proroga per il mio compito di economia **5** (*gramm.*) apposizione **6** (*telef.*) raccordo interno; (numero) interno: *I'm on e. 444*, sono all'interno 444 **7** (*in GB*) permesso (*a un pub*) di prolungare l'orario di apertura **8** (*elettr.*) **e. lead, e. cable**, *GB*; **e. cord**, *USA* prolunga **9** ciocca (di capelli) posticcia; estensione **10** (*USA*, = **e. course**) corso speciale; corso serale **11** ▢ (*med.*) estensione; trazione **12** ▢ (*mil.*) rafferma **13** (*comput.*) estensione **14** (*rag.*) calcolo dell'ammontare complessivo (*di una fattura*, *ecc.*) ● **e. ladder**, scala allungabile □ **e. pipe**, tubo di prolunga □ **e. table**, tavolo allungabile □ (*fotogr.*) **e. tube**, tubo distanziatore.

♦**extensive** /ɪk'stɛnsɪv/ a. **1** esteso; ampio; vasto: **an e. estate**, una vasta tenuta **2** considerevole; notevole; rilevante; ampio; su vasta scala: **e. damage**, danni rilevanti; **e. repairs**, riparazioni su larga scala **3** esauriente; dettagliato; ampio: **an e. report**, una relazione esauriente; **e. TV coverage**, ampia copertura televisiva **4** (*agric.*) esten-

sivo: **e. farming**, coltura estensiva | **-ly** avv. | **-ness** n. ▢.

extensometer /ɛkstɛn'sɒmɪtə(r)/ n. (*fis.*) estensimetro.

extensor /ɪk'stɛnsə(r)/ n. (*anat.*, = **e. muscle**) (muscolo) estensore.

♦**extent** /ɪk'stɛnt/ n. ▢ ▢ **1** estensione; ampiezza; dimensioni (pl.): **the e. of a desert**, l'estensione di un deserto; **half an acre in e.**, mezzo acro di ampiezza **2** estensione; ampiezza; ambito; entità; dimensioni (pl.): *The e. of his powers is remarkable*, l'ampiezza dei suoi poteri è notevole; *What's the e. of his knowledge of computers?*, dove arriva la sua conoscenza dei computer?; *We calculated the e. of the damage*, calcolammo l'entità dei danni **3** misura; grado; punto: **to a great e.**, in larga misura; **to a certain e.** (*o* **to some e.**), fino a un certo punto; in una certa misura; **to a large e.**, in larga misura; **to such an e. that...**, a tal (o al) punto che...; **to what e.?**, fino a che punto?; **to the e. of**, nella misura di; per una cifra di; (*comm.*) fino alla concorrenza di; **to the e. of doing st.**, fino al punto di fare qc.

to **extenuate** /ɪk'stɛnjueɪt/ v. t. **1** (*leg.*) attenuare; ridurre: *Is there anything that can e. his guilt?*, c'è nulla che possa attenuare la sua colpa? **2** (*arc.*) diminuire; ridurre; assottigliare ➊ **FALSI AMICI** ● **to extenuate** *non significa* estenuare.

extenuating /ɪk'stɛnjueɪtɪŋ/ a. (*leg.*) attenuante: **e. circumstances**, circostanze attenuanti.

extenuation /ɪkstɛnju'eɪʃn/ n. (*leg.*) **1** ▢ attenuazione **2** (circostanza) attenuante.

extenuative /ɪk'stɛnjuətɪv/, **extenuatory** /ɪk'stɛnjuətrɪ/ a. (*leg.*) attenuante.

exterior /ɪk'stɪərɪə(r)/ ◼A a. esteriore; esterno: **an e. wall**, un muro esterno; (*geom.*) **e. angle**, angolo esterno; **e. forces**, forze esterne ◼B n. **1** esterno; parte esterna: **the e. of a building**, la parte esterna d'un edificio **2** aspetto (esteriore) **3** (*cinem.*, *fotogr.*, *pitt.*, *TV*) esterno ● **e. paint**, vernice per esterni □ (*cinem.*) **e. shooting**, ripresa girata all'aperto; esterno □ (*cinem.*) **e. shots**, esterni; riprese in esterno || **exteriority** n. esteriorità || **exteriorly** avv. esteriormente.

to **exteriorize** /ɪk'stɪərɪəraɪz/ v. t. **1** (*psic.*, *med.*) esteriorizzare **2** estrinsecare; esprimere || **exteriorization** n. ▢ **1** (*psic.*, *med.*) esteriorizzazione **2** estrinsecazione; espressione; manifestazione.

to **exterminate** /ɪk'stɜːmɪneɪt/ v. t. sterminare; annientare; distruggere; estirpare || **exterminable** a. sterminabile; annientabile || **extermination** n. ▢ sterminio; distruzione || **exterminative, exterminatory** a. di sterminio; distruttivo || **exterminator** n. **1** sterminatore **2** (*chim.*) disinfestante (*topicida*, *ecc.*) **3** disinfestatore.

extern /'ɛkstɜːn/ n. **1** studente esterno **2** (*med.*) medico esterno.

♦**external** /ɪk'stɜːnl/ ◼A a. **1** esterno: **e. pressure**, pressione esterna; (*med.*) **for e. use only**, solo per uso esterno; **the e. world**, il mondo esterno **2** esteriore; superficiale: **e. politeness**, cortesia esteriore (o superficiale) **3** (*anche leg.*) esterno; estrinseco: **e. evidence**, prova esterna (o estrinseca) **4** estero: **e. affairs**, affari esteri; (*fin.*) **e. debt**, debito estero; (*econ.*) **e. trade**, scambi con l'estero; commercio estero ◼B n. (al pl.) **1** aspetto esterno; aspetti esteriori; esteriorità; apparenze: **the externals of religion**, gli aspetti esteriori della religione **2** (*edil.*) elementi esterni ● (*anat.*) **e. ear**, orecchio esterno □ (*in GB*) **e. examiner**, esaminatore esterno □ (*edil.*) **e. light**, luce all'esterno (*della casa*) □ **e. relations**, rapporti con il pubblico; (*polit.*) rapporti con l'estero □ **e. student**, studente esterno || **externality** n.

esteriorità; l'essere esterno.

to **externalize** /ɪk'stɜːnəlaɪz/ v. t. **1** estrinsecare; esprimere; manifestare **2** (*psic.*) rivolgere verso l'esterno; esteriorizzare ∥ **externalization** n. Ⓤ **1** estrinsecazione; espressione; manifestazione **2** (*psic.*) esteriorizzazione.

externally /ɪk'stɜːnəlɪ/ avv. esternamente.

♦**extinct** /ɪk'stɪŋkt/ a. **1** (*anche fig.*) estinto: **an e. species**, una specie estinta **2** (*anche fig.*) spento: **an e. volcano**, un vulcano spento; **an e. pipe**, una pipa spenta **3** morto; finito; scomparso; defunto: **an e. custom**, una tradizione scomparsa; **an e. language**, una lingua morta ● **to become e.**, estinguersi; scomparire; spegnersi; morire.

extinction /ɪk'stɪŋkʃn/ n. Ⓤ estinzione (*in ogni senso*): **the e. of a species** [**of a debt**], estinzione di una specie [di un debito].

extinctive /ɪk'stɪŋktɪv/ a. estintivo; che estingue; che spegne.

to **extinguish** /ɪk'stɪŋgwɪʃ/ v. t. **1** spegnere; estinguere; smorzare: **to e. a light** [**a fire**], spegnere una luce [un fuoco] **2** estinguere; mettere fine a; spegnere; distruggere: **to e. sb.'s hopes**, distruggere le speranze di q. **3** eclissare; oscurare: *Her beauty extinguished that of all the other ladies*, la sua bellezza eclissava quella di tutte le altre signore **4** (*fin.*) estinguere: **to e. a debt**, estinguere un debito **5** (*leg.*) cancellare; estinguere; annullare: **to e. a mortgage**, cancellare un'ipoteca; **to e. a right**, estinguere un diritto ∥ **extinguishable** a. estinguibile; spegnibile ∥ **extinguisher** n. **1** estintore **2** spegnitoio (*per candele*); spegnimoccolo ∥ **extinguishment** n. Ⓤ **1** estinzione; spegnimento **2** annientamento; fine **3** (*fin., leg.*) estinzione; cancellazione.

to **extirpate** /'ekstəpeɪt/ v. t. estirpare; sradicare; distruggere ∥ **extirpation** n. Ⓤ estirpazione; sradicamento ∥ **extirpator** n. estirpatore.

to **extol** /ɪk'stəʊl/ (*form.*) v. t. celebrare; decantare; esaltare; estollere (*poet.*) ∥ **extoller** n. celebratore, celebratrice; esaltatore, esaltatrice ∥ **extolment** n. Ⓤ esaltazione; lode sperticata.

to **extort** /ɪk'stɔːt/ v. t. estorcere (*anche leg.*); strappare (*con la forza o minacce*): **to e. a confession**, estorcere una confessione; **to e. a promise from sb.**, strappare una promessa a q.

extortion /ɪk'stɔːʃn/ n. Ⓤ **1** (*anche leg.*) estorsione **2** denaro estorto; cosa estorta ● (*leg.*) **e. by colour of office**, concussione ∥ **extortioner, extortionist** n. chi estorce denaro; strozzino.

extortionate /ɪk'stɔːʃənət/ a. **1** che estorce eccessivo; esorbitante: **an e. demand**, una richiesta eccessiva; **an e. price**, un prezzo esorbitante.

extortive /ɪk'stɔːtɪv/ a. di estorsione.

♦**extra** /'ekstrə/ Ⓐ a. **1** addizionale; aggiuntivo; supplementare; straordinario; speciale; sopra-, sovra-; extra: **e. charge**, sovrapprezzo; soprattassa; supplemento; **e. pay**, compenso aggiuntivo (*oltre la paga*); supplemento; **e. postage**, soprattassa (*di lettera*); *These plants need e. care*, queste piante hanno bisogno di un'attenzione speciale; *We need e. help*, ci serve un aiuto extra; ci serve dell'altro personale; **an e. £50**, altre 50 sterline; *It's £25 e. per night*, sono £25 in più a notte **2** di qualità superiore; (*comm.*) extra: **e. calf**, vitello di qualità superiore; cuoio extra di vitello Ⓑ avv. **1** particolarmente; più del solito; ultra- (*fam.*): **e. cautious**, particolarmente prudente; ultraprudente; *We left e. early*, siamo partiti prestissimo **2** in aggiunta; di più; in più; come supplemento: **to pay e. for st.**, pagare un supplemento per qc. Ⓒ n. **1** aggiunta; supplemento; spesa aggiuntiva; (*comm.*) extra: (*sul menu*) *Wine is an e.*, il vino è un extra; **hidden extras**, spese aggiuntive non dichiarate **2** (*cinem., teatr.*) comparsa **3** (*giorn., ant.*) edizione straordinaria; edizione speciale ● (*fin.*) **e. dividend**, dividendo straordinario □ (*trasp.*) **e. fare**, supplemento □ **e.-fine quality**, qualità superiore (*o* extrafine) □ **e. foolscap**, foglio protocollo di formato maggiore del normale □ (*comm., naut.*) **e. freight**, soprannolo □ (*ass.*) **e. premium**, premio supplementare □ (*econ.*) **e. profit**, soprapprofitto; extraprofitto □ (*fisc.*) **e. tax**, soprattassa; sovrimposta □ (*sport, GB*) **e. time**, tempo supplementare: **to go into e. time**, andare ai tempi supplementari □ (*tur.*) "**No extras**", «senza supplementi»; «tutto compreso» □ **to work e. time** (*o* **e. hours**), fare dello straordinario; fare lo straordinario.

extracellular /ekstrə'seljʊlə(r)/ a. (*biol.*) extracellulare.

extracorporeal /ekstrəkɔː'pɔːrɪəl/ a. (*med.*) extracorporeo.

extract /'ekstrækt/ n. **1** Ⓒ Ⓤ estratto; essenza; concentrato: **beef e.**, estratto di manzo; **vanilla e.**, essenza di vaniglia **2** brano; passo; stralcio: **an e. from a letter**, un brano da una lettera.

to **extract** /ɪk'strækt/ v. t. **1** estrarre: *He extracted a folder from the drawer*, estrasse dal cassetto una cartella; (*med.*) **to e. a tooth**, estrarre un dente; **to e. the juice of apples to make cider**, estrarre il succo delle mele per fare il sidro; **to e. copper from copper ore**, estrarre il rame dal minerale ramifero; (*mat.*) **to e. the square root of a number**, estrarre la radice quadrata di un numero **2** ottenere (*con sforzo o con la forza*); strappare; tirare fuori; spremere; spillare (*denaro*): **to e. information** [**a promise, a confession**] **from sb.**, strappare informazioni [una promessa, una confessione] da q.; **to e. money from sb.**, spillare denaro a q. **3** trarre; prendere; togliere; scegliere: **to e. passages from a book**, scegliere brani da un libro.

extractable, **extractible** /ɪk'stræktəbl/ a. estraibile; ricavabile.

extraction /ɪk'strækʃn/ n. **1** Ⓤ (*anche mat. e med.*) estrazione: **the e. of oil** [**of a tooth**], l'estrazione del petrolio [di un dente] **2** origine; estrazione; discendenza: **of Greek e.**, di origine greca; **of low e.**, di umile estrazione □ (*ind., chim.*) **e. column**, torre d'estrazione.

extractive /ɪk'stræktɪv/ Ⓐ a. estrattivo: (*econ.*) **e. industries**, industrie estrattive Ⓑ n. **1** (*bot.*) estrattivo **2** estratto; sostanza estratta.

extractor /ɪk'stræktə(r)/ n. **1** (*anche mecc.*) estrattore (*per es., d'un fucile*) **2** (*med.*) estrattore **3** (*tecn., =* **e. fan**) aspiratore (*da cucina*) **4** (*tecn., =* **e. hood**) cappa aspirante **5** (*econ.*) imprenditore dell'industria estrattiva.

extracurricular /ekstrəkə'rɪkjʊlə(r)/ a. **1** extracurriculare **2** (*scherz.*) extramatrimoniale.

to **extradite** /'ekstrədaɪt/ v. t. (*leg.*) **1** estradare **2** ottenere l'estradizione di (q.) ∥ **extraditable** a. (*leg.*) **1** che può essere estradato **2** (*di un reato*) che rende (q.) passibile d'estradizione ∥ **extradition** n. (*leg.*) estradizione.

extrados /ek'streɪdəs/ n. (pl. ***extradoses, extrados***) (*archit.*) estradosso.

extra-European /ekstrəjʊərə'piːən/ a. (*geogr.*) extraeuropeo.

extrafamilial /ekstrəfə'mɪlɪəl/ a. al di fuori della famiglia; esterno alla famiglia.

extragalactic /ekstrəgə'læktɪk/ a.

(*astron.*) extragalattico.

extrajudicial /ekstrədʒuː'dɪʃl/ a. (*leg.*) extragiudiziale; stragiudiziale: **e. avoidance**, risoluzione stragiudiziale (*di un contratto*) ∥ **-ly avv.**

extralegal /ekstrə'liːgl/ a. (*leg.*) metagiuridico; extralegale.

extralinguistic /ekstrəlɪŋ'gwɪstɪk/ a. (*ling.*) extralinguistico.

extramarital /ekstrə'mærɪtl/ a. (*di una relazione, ecc.*) extraconiugale.

extramundane /ekstrə'mʌndeɪn/ a. ultraterreno.

extramural /ekstrə'mjʊərəl/ a. **1** (*rif. a un'università*) che non fa parte dei corsi di laurea; libero: **e. classes**, corsi liberi; **e. department**, dipartimento che gestisce i corsi liberi **2** (*rif. ad attività, studio, ecc.*) collaterale; esterno: **e. activities**, attività collaterali; (*med.*) **e. care**, cura a domicilio (*fornita da un ospedale*) **3** (*sport, USA: di partita, ecc.*) contro la squadra di un'altra scuola; interistituto **4** fuori delle mura (*d'una città*); extramurale; extramoenia (*lat.*) ∥ **-ly avv.**

extraneous /ɪk'streɪnɪəs/ a. **1** estraneo; non pertinente: **an e. substance**, una sostanza estranea **2** che viene dal difuori: **e. noises**, rumori dall'esterno ∥ **-ly avv.** ∥ **-ness** n. Ⓤ.

extranet /'ekstrənet/ a. (*comput.*) extranet (*rete informatica tra un'azienda e i suoi fornitori e i clienti*).

extranuclear /ekstrə'njuːklɪə(r), USA -'nuː-/ a. **1** (*biol.*) extranucleare **2** (*mil.: d'arma*) extranucleare; convenzionale.

extraordinaire /ɪkstrɔːdɪ'neə(r)/ a. (posposto al sost.) (*fam.*) eccellente; d'eccezione.

♦**extraordinary** /ɪk'strɔːdnərɪ/ a. **1** straordinario; eccezionale; raro: **envoy e.**, inviato straordinario; **a girl of e. beauty**, una ragazza di straordinaria (*o* rara) bellezza; (*leg.*) **e. powers**, poteri straordinari; **e. expenses**, spese eccezionali; **e. general meeting**, assemblea generale straordinaria **2** singolare; strano ∥ **extraordinarily** avv. straordinariamente ∥ **extraordinariness** n. Ⓤ **1** straordinarietà; eccezionalità **2** singolarità; stranezza.

extraparliamentary /ekstrəpɑːlə'mentərɪ/ a. extraparlamentare.

to **extrapolate** /ɪk'stræpəleɪt/ v. t. **1** (*mat., stat.*) estrapolare; interpolare **2** (*fig.*) arguire; dedurre; estrapolare (*fig.*) ∥ **extrapolation** n. Ⓤ Ⓒ (*mat., stat.*) estrapolazione.

extrapyramidal /ekstrəpɪ'ræmɪdl/ a. (*anat.*, med.) extrapiramidale.

extrasensory /ekstrə'sensərɪ/ a. extrasensoriale: **e. perception**, percezione extrasensoriale.

extrasolar /ekstrə'səʊlə(r)/ a. (*astron.*) extrasolare.

extrasystole /ekstrə'sɪstəlɪ/ (*med.*) n. extrasistole ∥ **extrasystolic** a. extrasistolico.

extraterrestrial /ekstrətə'restrɪəl/ Ⓐ a. (*astron.*) extraterrestre Ⓑ n. (*fantascienza*) extraterrestre.

extraterritorial /ekstrəterɪ'tɔːrɪəl/ (*leg.*) a. extraterritoriale, estraterritoriale ∥ **extraterritoriality** n. Ⓤ extraterritorialità, estraterritorialità.

extrauterine /ekstrə'juːtəraɪn/ a. (*med.*) extrauterino: **e. pregnancy**, gravidanza extrauterina.

extravagance /ɪk'strævəgəns/, **extravagancy** /ɪk'strævɪgənsɪ/ n. **1** Ⓤ prodigalità; sperpero; spese esagerate; dispendio eccessivo (*di risorse, ecc.*): *His children's e. ruined him*, la prodigalità dei suoi figli lo mandò in rovina **2** cosa esagerata

a b c d e f g h i j k l m n o p q r s t u v w x y z

cara o causa di spreco; acquisto dispendioso; abitudine dispendiosa; lusso; follia: *Sailing is my only e.*, la barca a vela è l'unico lusso che mi concedo **3** Ⓤ esagerazione; eccesso; esorbitanza ❶ **Falsi amici** • extravagance *non significa* stravaganza *nel senso di comportamento bizzarro o bizzarria*.

extravagant /ɪkˈstrævəɡənt/ a. **1** prodigo; scialacquatore; che spende e spande (*fam.*) **2** esageratamente costoso; dispendioso: **an e. gift**, un regalo esageratamente costoso; **e. tastes**, gusti dispendiosi **3** esagerato; eccessivo; esorbitante: **e. behaviour**, comportamento esagerato (*o* eccessivo); **e. praise**, lodi esagerate (*o* eccessive); **e. prices**, prezzi esorbitanti **4** che vuole fare colpo; esageratamente elaborato; molto appariscente ❶ **Falsi amici** • extravagant *non significa* stravagante *nel senso di bizzarro* | **-ly** avv.

extravaganza /ɪkstrævəˈɡænzə/ n. **1** (*mus.*) extravaganza **2** (*teatr.*) rappresentazione spettacolare **3** (*fig.*) spettacolo straordinario; trionfo ❶ **Falsi amici** • extravaganza *non significa* stravaganza.

to **extravasate** /ɛkˈstrævəseɪt/ Ⓐ v. t. **1** (*med.*) far travasare (*sangue e sim.*) **2** (*geol.*) eruttare (*lava, ecc.*) Ⓑ v. i. **1** (*med.*) travasarsi **2** (*geol.*) fuoriuscire || **extravasation** n. **1** Ⓤ (*med.*) stravaso, travaso (*di sangue, ecc.*) **2** (*geol.*) eruttazione **3** (*geol.*) materiale eruttato.

extravascular /ɛkstrəˈvæskjʊlə(r)/ a. (*anat.*) extravascolare.

extravehicular /ɛkstrəviˈhɪkjʊlə(r)/ a. (*miss.*) extraveicolare: **e. excursion**, escursione extraveicolare (*nello spazio*).

extravert /ˈɛkstrəvɜːt/ = **extrovert** → **extroversion**.

extra-virgin /ɛkstrəˈvɜːdʒɪn/ a. (*dell'olio, ecc.*) extravergine.

♦**extreme** /ɪkˈstriːm/ Ⓐ a. **1** estremo: **the e. North**, l'estremo Nord; **e. old age**, estrema vecchiaia; **e. poverty**, estrema povertà; (*polit.*) **the e. left [right]**, l'estrema sinistra [destra]; **an e. case**, un caso estremo; **e. cold**, freddo estremo **2** drastico; energico: **e. measures**, provvedimenti drastici **3** estremistico: **e. views**, opinioni da estremista; **to be e. in one's views**, avere posizioni estremistiche **4** (*sport*) estremo: **e. skiing**, sci estremo Ⓑ n. **1** estremo (*anche mat.*): *Extremes meet*, gli estremi si toccano; **from one e. to the other**, da un estremo all'altro **2** estremo; posizione estrema; eccesso; esagerazione: **to avoid extremes**, evitare le posizioni estreme; evitare gli eccessi; **to take st. to extremes**, portare qc. all'eccesso; **extremes of temperature**, temperature estreme; **extremes of wealth and poverty**, enormi disuguaglianze sociali **3** misura estrema; rimedio estremo • (*sport*) **e. fighting**, combattimento senza regole che sfrutta tecniche di diverse arti marziali (*relig.*) **e. unction**, l'estrema unzione □ (*stat.*) **e. values**, valori estremi □ **to be driven to extremes**, essere spinto all'estremo □ **to go to any e.**, essere disposto a tutto; non fermarsi davanti a niente □ **to go to the e. of doing st.**, arrivare al punto di fare qc. □ **to go to e. lengths to do st.**, fare di tutto per fare qc. □ **in the e.**, estremamente; sommamente: *boring in the e.*, estremamente noioso | **-ness** n. Ⓤ.

♦**extremely** /ɪkˈstriːmlɪ/ avv. estremamente; molto; assai.

extremist /ɪkˈstriːmɪst/ Ⓐ n. (*polit.*) estremista; oltranzista Ⓑ a. estremistico || **extremism** n. Ⓤ (*polit.*) estremismo; oltranzismo || **extremistic** a. (*polit.*) estremistico.

extremity /ɪkˈstremətɪ/ n. **1** estremità; punto estremo: (*anat.*) **the lower extremi-**

ties, le estremità inferiori **2** eccesso; colmo; stremo: **an e. of grief [of joy]**, un eccesso di dolore [di gioia]; **to be driven to e.**, essere spinto allo stremo **3** caso estremo; frangente (*o* situazione) grave; estremo pericolo: *What can we do in this e.?*, che cosa possiamo fare in questo grave frangente? **4** misura estrema (*o* drastica); provvedimento eccezionale; passo estremo: **to go** (*o* **to proceed, to resort) to extremities**, adottare misure drastiche **5** Ⓤ (*polit.*) estremismo: **the e. of his political opinions**, l'estremismo delle sue idee politiche.

extricable /ɪkˈstrɪkəbl/ a. districabile; liberabile.

to **extricate** /ˈɛkstrɪkeɪt/ v. t. **1** districare; liberare; sbrogliare: **to e. one's paws from a snare**, districare le zampe da una trappola; **to e. oneself from a dangerous situation**, districarsi da una situazione pericolosa; **to e. oneself from debt**, liberarsi dai debiti **2** (*chim., raro*) liberare: **to e. a gas**, liberare un gas || **extricable** a. districabile; liberabile || **extrication** n. Ⓤ **1** il districarsi; il trarre (*o* trarsi) d'impaccio; liberazione **2** (*chim., raro*) liberazione (*di un gas*).

extrinsic /ɛkˈstrɪnsɪk/ a. **1** estrinseco: **the e. value of a coin**, il valore estrinseco di una moneta **2** esterno; estraneo • (*leg.*) **e. fraud**, condotta processuale fraudolenta | **-ally** avv.

extrorse /ɪkˈstrɔːs/ a. (*bot.*) estrorso.

extroversion /ɛkstrəˈvɜːʃn/ n. Ⓤ (*psic.*) estroversione || **extrovert** Ⓐ n. (*psic.*) estroverso Ⓑ a. estroverso (*anche psic.*); vivace || **extroverted** a. (*psic.*) estroverso.

to **extrude** /ɪkˈstruːd/ v. t. (*mecc., metall.*) estrudere || **extruder** n. (*tecn.*) estrusore.

extrusion /ɪkˈstruːʒn/ n. Ⓤ **1** (*mecc., metall.*) estrusione: **e. ingot**, lingotto di estrusione **2** (*geol.*) estrusione; materiale estrusivo.

extrusive /ɛkˈstruːsɪv/ a. (*geol.*) estrusivo: **e. rocks**, rocce estrusive.

exuberant /ɪɡˈzjuːbərənt, USA -ˈzuː-/ a. **1** esuberante; vivace: **an e. person**, una persona esuberante **2** lussureggiante; rigoglioso; sovrabbondante: **e. vegetation**, vegetazione lussureggiante; **an e. crop**, un raccolto sovrabbondante || **exuberance** n. Ⓤ **1** esuberanza **2** rigoglio; sovrabbondanza || **exuberantly** avv. **1** con esuberanza **2** rigogliosamente; in (grande) abbondanza.

exudate /ˈɛɡzjʊdeɪt, USA -zʊ-/ n. (*med.*)

to **exude** /ɪɡˈzjuːd, USA -zuːd/ Ⓐ v. t. **1** trasudare; stillare **2** (*fig.*) emanare (*un odore, ecc.*); diffondere: *The roasting pig exuded a delicious smell*, il maiale che arrostiva diffondeva un odore delizioso Ⓑ v. i. (*biol., med.*) trasudare; essudare || **exudation** n. Ⓤ (*med., biol.*) essudazione || **exudative** a. (*med.*) essudativo.

to **exult** /ɪɡˈzʌlt/ v. i. esultare; gioire; giubilare; rallegrarsi: **to e. in** (*o* **at) the victory of one's team**, esultare per la vittoria della propria squadra; **to e. at** (*o* **in) one's success**, gioire per il (*o* rallegrarsi del) proprio successo • **to e. over a defeated enemy**, esultare per la sconfitta di un nemico || **exultation** n. Ⓤ esultanza; giubilo || **exultingly** avv. con grande esultanza (*o* giubilo).

exultant /ɪɡˈzʌltənt/ a. esultante || **exultance, exultancy** n. Ⓤ esultanza.

exurb /ˈɛksɜːb/ n. (pl. *exurbia, exurbs*) (*USA*) quartiere residenziale all'estrema periferia; (al pl., *anche*) periferia residenziale || **exurban** a. relativo alla periferia residenziale || **exurbanite** n. abitante della periferia residenziale.

exuviae /ɪɡˈzjuːviːiː/ (*biol.*) n. pl. esuvia (sing.); spoglie (*degli animali*) || **exuvial** a.

esuviale.

to **exuviate** /ɪɡˈzjuːvɪeɪt/ (*biol.*) v. i. spogliarsi; mutar pelle (*anche fig.*) || **exuviation** n. Ⓤ esuviazione, muta, cambiamento della pelle (*di rettili, ecc.*).

ex-works /ɛksˈwɜːks/ a. *e* avv. franco fabbrica: **ex-works prices**, prezzi franco fabbrica.

eyas /ˈaɪəs/ n. (*sport: falconeria*) falco giovane (*ancora da addestrare*).

♦**eye** /aɪ/ n. **1** (*anat.*) occhio: **blue eyes**, occhi azzurri; **blind in one eye**, cieco da un occhio; **to look sb. in the eye**, guardare q. negli occhi; *He got a black eye*, gli hanno fatto un occhio nero (*con un pugno*) **2** occhio; sguardo; vista: **sharp eyes**, occhi acuti; vista acuta; **to raise one's eyes**, alzare gli occhi; sollevare lo sguardo; *I couldn't take my eyes off her*, non riuscivo a staccare gli occhi da lei; **to cast an eye on st.**, gettar l'occhio su qc.; **to have a keen eye**, avere la vista acuta; **under my very eyes**, sotto i miei stessi occhi; davanti ai miei occhi; **with fear in his eyes**, con gli occhi pieni di paura **3** (= **eye of the needle**) cruna (*d'ago*) **4** (*tecn.*) occhiello, maglietta (*di gancio, ecc.*); foro (*di manico*) **5** occhiello, asola (*di un abito*) **6** (*meteor.*) occhio, centro (*di un ciclone*) **7** (*bot.*) occhio; gemma; bottone **8** (*zool.*) macchia tonda, occhio (*sulla coda del pavone*) **9** (*elettr.*, = **electric eye**) occhio magico; cellula fotoelettrica **10** (*fotogr.*) obiettivo **11** (*naut.*, = **eye hole**) gassa **12** (*slang USA*) malocchio • (*med.*) **eye bank**, banca degli occhi □ (*cosmesi*) **eye black**, mascara □ (*fam.*) **eye candy**, cosa o cose gradevoli alla vista ma di poca sostanza; robetta graziosa ma niente di più; persona o persone attraenti ma vuoti □ (*med.*) **eye care**, oculistica □ **eye-care clinic**, clinica oculistica □ **eye-care professional**, oculista □ **eye-catcher**, cosa (*o* oggetto, prodotto, ecc.) che attira lo sguardo □ **eye-catching**, che attira l'attenzione; che dà nell'occhio; che colpisce; vistoso, appariscente □ (*med.*) **eye chart**, tabellone per l'esame della vista □ (*med.*) **eye clinic**, clinica oculistica □ **eye contact**, il guardare q. negli occhi; incrocio di sguardi: **to avoid eye contact**, evitare di guardare negli occhi; sfuggire lo sguardo altrui; **to establish eye contact with sb.**, riuscire a guardare q. negli occhi; afferrare lo sguardo di q.; **to make eye contact with sb.**, guardare negli occhi q.; incrociare lo sguardo di qc. □ **eye doctor**, oculista □ (*farm.*) **eye drops**, gocce per gli occhi; collirio □ (*med.*) **eye examination**, esame oculistico □ (*anat.*) **eye ground**, fondo dell'occhio □ (*ottica*) **eye lens**, oculare □ **eye mask**, mascherina per gli occhi □ (*naut.*) **the eye of the wind**, il letto del vento □ (*fig. fam.*) **eye-opener**, cosa che fa aprir gli occhi (*o* capire le cose); rivelazione; (*anche, pop.*) bicchierino di liquore bevuto di primo mattino: *Her long absence was an eye-opener for him*, la lunga assenza di lei gli aprì gli occhi □ **eye patch**, benda sull'occhio □ (*fam.*) **eye-popper**, cosa che fa strabuzzare gli occhi □ (*fam.*) **eye-popping**, strabiliante □ (*poesia*) **eye rhyme**, rima all'occhio (*e non per il suono*) □ (*cosmesi*) **eye shadow**, ombretto □ (*anat.*) **eye socket**, orbita; cavità orbitale □ **eye splice**, impiombatura a occhio □ (*med.*) **eye test**, esame della vista □ (*med.*) **eye trouble**, problemi agli occhi; problemi di vista □ **eye wink**, sguardo, occhiata; batter d'occhi, baleno: **In an eye wink**, in un batter d'occhio; in un baleno □ (*mil.*) **Eyes front!**, fissi! □ (*mil.*) **Eyes right** [left]!, attenti a destr [sinistr]! □ (*fam.*) **eyes-only**, riservato, confidenziale: **an eyes-only memo**, un promemoria riservato □ **to be all eyes**, essere tutt'occhi □ (*fam. antiq.*) **all my eye (and Betty Martin)**, tutte balle; tutte panzane □ **as far as the eye**

can see, a perdita d'occhio; fin dove arriva l'occhio □ **at eye level**, all'altezza degli occhi □ **to catch sb.'s eye**, attirare l'attenzione di q.; dar nell'occhio □ (*fam.*) **to clap eyes on**, vedere □ (*fam.*) **to give sb. the eye**, lanciare occhiate seducenti a q.; fare gli occhi dolci a q. □ **to have an eye for**, avere occhio (*capacità di valutare, apprezzare, godere*) per; essere un buon conoscitore di: *He has an eye for proportion*, ha occhio per le proporzioni □ (*fam.*) **to have an eye for the main chance**, pensare al proprio interesse; non perdere di vista il proprio tornaconto □ **to have an eye to**, pensare a; tenere conto di □ (*fam.*) **to have eyes bigger than one's stomach**, avere gli occhi più grandi dello stomaco □ **to have one's eye on**, aver messo gli occhi su; volere □ (*fam.*) **to have eyes in the back of one's head**, avere cento occhi; avere occhi anche di dietro (*pop.*) □ **to have eyes only for sb.**, non avere occhi che per q.; non vedere che q. □ **to have a sure eye**, avere occhio; saper giudicare □ **in the eyes of**, agli occhi di; secondo □ **in the mind's eye**, con l'occhio della mente (*o* dell'animo) □ **to be in the public eye**, avere una posizione eminente; essere ben conosciuto; essere in vista □ **to keep an eye on**, tener d'occhio; sorvegliare; non perdere di vista: *You'd better keep an eye on how much wine you drink*, faresti bene a tenere d'occhio quanto vino bevi □ (*GB*) **to keep one's eye in**, tenersi in esercizio; conservare la mano □ (*fam.*) **to keep an eye out (for st.)**, stare attento (*per trovare qc.*) □ (*fam.*) **to keep one's eyes open**, tenere gli occhi aperti □ (*fam.*) **to keep one's eyes peeled** (*o* **skinned**), stare all'erta; tenere gli occhi bene aperti □ (*fam.*) **to lay one's eyes on**, vedere □ (*fam.*) **to make (sheep's) eyes at sb.**, fare l'occhio di triglia a q.; fare gli occhi dolci a q. □ **Mind your eye!**, occhio!; occhio alla penna! (*fam.*); attenzione! □ (*slang*) **my eye!**, accidenti!; cavolo! □ **It was one in the eye for him**, un bello smacco per lui; se l'è meritato □ **to open sb.'s eyes to st.**, aprire gli occhi a q. su qc. □ **out of the corner of one's eye**, con la coda dell'occhio □ **to run one's eyes over** (*o* **through**) **st.**, dare una scorsa a qc. □ **to see eye to eye with sb.**, essere pienamente d'accordo con q.; essere dello stesso avviso di q. □ **to see with a friendly eye**, vedere di buon occhio □ **to see st. with half an eye**, capire qc. a prima vista; accorgersi di qc. alla prima occhiata □ **to set one's eyes on**, posare gli occhi su □ **to show an eye for**, dimostrare d'aver occhio per □ **to sleep with one eye open**, dormire con gli occhi aperti □ **to take the eye**, attirare gli sguardi; fare colpo □ **to turn a blind eye to st.**, chiudere un occhio su qc.; fingere di non vedere qc. □ **up to the** (*o* **one's**) **eyes [in work]**, occupatissimo; indaffaratissimo □ **up to the** (*o* **one's**) **eyes in debt**, indebitato fino agli occhi □ (*fam.*) **Use your eyes!**, ma che, sei cieco? □ **with an eye to**, pensando a; con l'intenzione di □ (*fig.*) **with one's eyes open**, con gli occhi aperti; con piena consapevolezza □ **with one's eyes shut** (*o* **closed**), a occhi chiusi: *I could get*

home with my eyes shut, saprei tornare a casa a occhi chiusi □ **with an eye to**, avendo di mira; tenendo conto di: *You must write with an eye to the public*, devi scrivere tenendo conto dei gusti del pubblico □ **with half an eye**, a prima vista; facilmente; subito: *Anyone with half an eye could see...*, lo si vede subito che...; lo vedrebbe anche un cieco che... □ **with the naked eye**, a occhio nudo □ (*prov.*) **An eye for an eye**, occhio per occhio, dente per dente □ (*prov.*) **What the eye doesn't see, the heart doesn't grieve over**, occhio non vede, cuore non duole.

to **eye** /aɪ/ v. t. **1** guardare; osservare; sbirciare; squadrare: **to eye sb. with mistrust**, squadrare q. con sospetto; **to eye narrowly**, osservare da vicino **2** tener d'occhio; osservare attentamente: **to eye the fluctuations of market prices**, tener d'occhio le fluttuazioni dei prezzi di mercato **3** → **to eye up** → *sotto* **4** provvedere (*un abito*) di occhielli ● (*GB, fam.*) **to eye sb. up**, guardare con occhio languido; adocchiare: *That guy is eyeing you up*, quel tipo ti sta adocchiando □ (*GB, fam.*) **to eye st. up**, mangiare con gli occhi: *You're eyeing up that chocolate cake!*, te la stai mangiando con quella torta al cioccolato!

■ **eye up** v. t. + avv. (*fam. GB*) guardare con desiderio; adocchiare.

eyeball /'aɪbɔːl/ n. (*anat.*) globo dell'occhio; bulbo oculare ● (*fam.*) **to be e. to e. with sb.**, essere ai ferri corti con q. □ **an e.-to-e. confrontation**, uno scontro faccia a faccia.

to **eyeball** /'aɪbɔːl/ v. t. (*slang USA*) **1** fissare; scrutare; squadrare **2** tenere d'occhio; sorvegliare.

eyebath /'aɪbɑːθ/ n. (*med.*) **1** lavaggio oculare **2** occhiera; occhino.

eyebolt /'aɪbəʊlt/ n. (*mecc.*) golfare; bullone a occhio.

eyebright /'aɪbraɪt/ n. (*bot., Euphrasia officinalis*) eufrasia.

eyebrow /'aɪbraʊ/ n. sopracciglio: **e. pencil**, matita per le sopracciglia □ **to knit one's eyebrows**, aggrottare le ciglia □ **to raise one's eyebrows**, alzare (*o* inarcare) le ciglia □ (*fam.*) **to be up to one's eyebrows in work**, avere lavoro fin sopra i capelli.

eyecup /'aɪkʌp/ n. (*USA*) (*med.*) occhiera; occhino.

eyed /aɪd/ a. (*nei composti:*) dagli occhi: **green-e.**, dagli occhi verdi.

eyeful /'aɪfʊl/ n. (*fam.*) **1** lunga occhiata; sguardo: **to get an e. of st.**, dare una lunga occhiata a qc. **2** cosa che riempie gli occhi; bello spettacolo; panorama (*fig.*) **3** donna bellissima: *She's quite an e.!*, quella donna è splendida!

eyeglass /'aɪglɑːs/ n. **1** lente; monocolo **2** oculare (*di microscopio*) **3** (pl.) (*antiq. o USA per* **glasses**) occhiali.

eyehole /'aɪhəʊl/ n. **1** orbita dell'occhio; occhiaia **2** spiraglio; spioncino (*di una porta*); (*mil.*) feritoia **3** buco per gli occhi; occhio (*per es., di una maschera*).

eyelash /'aɪlæʃ/ n. ciglio.

eyeless /'aɪləs/ a. **1** senz'occhi; cieco **2** (*di ago*) senza cruna.

eyelet /'aɪlət/ n. **1** occhiello; asola **2** (*mecc.*) occhiello; occhiello metallico **3** (*mil.*, = **e.-hole**) feritoia ● **e. lace**, sangallo □ (*mecc.*) **e. punch**, (macchina) occhiellatrice ‖ **eyeletting** n. (*tecn.*) occhiellatura.

eyelid /'aɪlɪd/ n. palpebra ● (*fig.*) **to hang on by one's eyelids**, essere sospeso a un capello □ (*fig.*) **without batting an e.**, senza batter ciglio.

eyeliner /'aɪlaɪnə(r)/ n. (*cosmesi*) eyeliner (*liquido per il trucco degli occhi*).

eyepiece /'aɪpiːs/ n. oculare; lente (*di microscopio, ecc.*).

eyeshade /'aɪʃeɪd/ n. visiera (*contro i raggi del sole*).

eyeshot /'aɪʃɒt/ n. (*sing.*) portata d'occhio (*o* visiva); vista: **within e.**, a portata d'occhio; **beyond e.**, fuori di vista; a perdita d'occhio.

eyesight /'aɪsaɪt/ n. (*sing.*) vista; capacità visiva: **a person with good [poor] e.**, una persona dalla vista buona [cattiva].

eyesore /'aɪsɔː(r)/ n. pugno nell'occhio (*fig.*); cosa che offende la vista; enormità; orrore; mostruosità: *'Only Miss Emily's house was left, lifting its stubborn and coquettish decay above the cotton wagons and gasoline pumps – an e. among eyesores'* W. FAULKNER, 'soltanto la casa di Miss Emily restava lì, tenendo alta la sua ostinata civettuola rovina sopra i carri del cotone e le pompe di benzina – un pugno nell'occhio fra i tanti'.

eyespot /'aɪspɒt/ n. **1** (*biol.*) macchia oculare **2** (*bot.*) occhio **3** (*zool.*) ocello.

eyestalk /'aɪstɔːk/ n. (*zool.*) peduncolo oculare.

eyestrain /'aɪstreɪn/ n. (*sing.*) (*med.*) astenopia; affaticamento degli occhi (*per il troppo leggere, ecc.*).

Eyetie /'aɪtaɪ/ a. e n. (*fam., GB, spreg.*) italiano.

eyetooth /'aɪtuːθ/ n. (pl. **eyeteeth**) dente canino: **to cut one's eyeteeth**, mettere i canini; (*fig.*) diventare grande ● (*fam.*) **I'd give my eyeteeth for that motorbike**, darei un occhio della testa per quella moto.

eyewash /'aɪwɒʃ/ n. (*sing.*) **1** (*fam.*) collirio **2** (*fam.*) polvere negli occhi (*fig.*); balle; fandonie; fumo negli occhi (*fig.*).

eyewear /'aɪweə(r)/ n. (*sing.*) occhiali e lenti a contatto.

eyewitness /'aɪwɪtnəs/ n. (*leg.*) testimone oculare.

to **eyewitness** /'aɪwɪtnəs/ v. t. (*leg.*) essere testimone oculare di (qc.).

eyot /aɪt/ n. (*nei toponimi*) isoletta; isolotto.

eyre /eə(r)/ n. (*leg., stor.*) **1** corte di giustizia ambulante **2** itinerario (*o* seduta) di detta corte ● **justices in e.**, giudici ambulanti.

eyrie, eyry /'aɪəri/ n. **1** nido di rapace; nido d'aquila **2** (*fig.*) nido d'aquila **3** nidiata di rapaci; nidiata di aquilotti.

e-zine, ezine /'iːziːn/ n. (*Internet*) fanzine elettronica.

f, F

F① , f /ɛf/ n. (pl. **F's, f's; Fs, fs**) **1** F, f (*sesta lettera dell'alfabeto ingl.*) **2** (*mus.*) fa (*nota, e scala e tonalità corrispondenti*) ● **f for Foxtrot**, f come Firenze.

F② sigla **1** (*comput.*, **F**) F (*corrisponde al valore decimale 15*) **2** (**Fahrenheit**) (scala) Fahrenheit **3** (*votazione scolastica*, **fail**) insufficiente **4** (*relig.*, **Father**) Padre **5** (**fellow**) membro, socio (*di università o istituzione culturale o scientifica*) **6** (**female**) femmina **7** (*elettr.*, **farad**) farad **8** (*mil.*, **fighter**) aereo da caccia (*seguito dal numero di modello*) **9** (**Friday**) venerdì (ven.) **10** (**full**) pieno.

f. f. abbr. **1** (**farthing**) farthing (*un quarto di penny, fino al 1971*) **2** (**fathom**) braccio (*misura di profondità*) **3** (*gramm.*, **feminine**) femminile (femm.) **4** (*fotogr.*, **focal length**) distanza focale **5** (**following**) seguente (seg.) **6** (*elettron.*, **frequency**) frequenza **7** (*mat.*, **function**) funzione **8** (*mus.*, **forte**) forte ● **f-number** (*fotogr.*, = **focal number**), luminosità; apertura (numerica) □ **f-stop** (*fotogr.*, = **focal-stop**), regolatore di luminosità (o di apertura).

fa /fɑː/ n. (pl. **fas**, **fa's**, **fa's**) (*mus.*) fa (*nota*).

FA sigla **1** (*sport*, *GB*, **Football Association**) Associazione del gioco del calcio **2** (*anche* **f.a.**) (*fam.*, *volg.*, **Fanny Adams** o **fuck-all**) un bel niente.

FAA sigla **1** (*mil.*, *GB*, **Fleet Air Arm**) Aviazione della marina **2** (*USA*, **Federal Aviation Administration**) Ente federale aeronautico.

fab /fæb/ a. (*fam. GB*) favoloso; fantastico; grandioso: **a fab house**, una casa fantastica ● **the fab four**, i Beatles.

faba bean /ˈfɑːbə biːn/ → **fava bean**.

Fabian /ˈfeɪbɪən/ n. e a. (*stor.*) fabiano: **the F. Society**, la Società fabiana (*fautrice di un socialismo riformista*) ‖ **Fabianism** n. ⓤ (*stor.*) fabianesimo; fabianismo.

fable /ˈfeɪbl/ n. **1** favola: *Aesop's fables*, le favole d'Esopo **2** leggenda; fiaba **3** ⓤ leggenda, leggende; mito: **the realm of f.**, il mondo delle leggende **4** (*fig.*) invenzione; fandonia.

to **fable** /ˈfeɪbl/ v. t. favoleggiare di; romanzare ‖ **fabled** a. **1** leggendario (*di favola*; favoloso **2** di cui si favoleggia; favoleggiato; leggendario; mitico: **his fabled collection of clocks**, la sua favoleggiata collezione di orologi ‖ **fabler** n. **1** favoleggiatore **2** (*letter.*) favolista.

♦**fabric** /ˈfæbrɪk/ n. **1** ⓤⒸ (*anche* **textile f.**) stoffa; tessuto: **curtain f.**, stoffa per tendaggi; **printed fabrics**, stoffe stampate; stampati; **f. conditioner** (o **softener**), ammorbidente (*per bucato*) **2** ⓤ edificio; fabbricato; struttura **3** ⓤ (*fig.*) struttura; tessuto: **the f. of society**, la struttura della società; il tessuto sociale **4** ⓤ (*geol.*) composizione ❶ **FALSI AMICI** • fabric *non significa* fabbrica.

to **fabricate** /ˈfæbrɪkeɪt/ v. t. **1** inventare (*a scopo di inganno*); architettare; fabbricare; falsificare: **to f. an excuse**, inventarsi una scusa; **to f. evidence**, creare prove false; falsificare le prove **2** (*form.*, *tecn.*) fabbricare; costruire; assemblare; montare.

fabrication /fæbrɪˈkeɪʃn/ n. **1** ⓤ invenzione; montatura; menzogna; falso; falsificazione **2** ⓤ (*form.*, *tecn.*) fabbricazione; costruzione; assemblaggio; montaggio.

fabricator /ˈfæbrɪkeɪtə(r)/ n. **1** inventore; contraffattore; falsificatore: **f. of evidence**, inventore di prove false; **f. of lies**, mentitore; bugiardo **2** (*form.*, *tecn.*) fabbricante; costruttore.

fabulist /ˈfæbjʊlɪst/ n. **1** (*letter.*) favolista **2** mentitore; bugiardo.

fabulosity /ˈfæbjʊˈlɒsətɪ/ n. ⓤ favolosità; l'essere favoloso.

fabulous /ˈfæbjʊləs/ a. **1** favoloso; leggendario: **f. creatures**, creature favolose **2** favoloso; enorme; straordinario: **f. riches**, ricchezza favolosa **3** (*fam.*) favoloso; fantastico; stupendo; grandioso: **f. beaches**, spiagge favolose; *They've got a f. house*, hanno una casa stupenda | **-ly** avv. | **-ness** n. ⓤ.

façade, **facade** /fəˈsɑːd/ (*franc.*) n. **1** (*archit.*) facciata **2** (*fig.*) aspetto esteriore; apparenza; facciata: **a f. of wellbeing**, un'apparenza di benessere.

♦**face** /feɪs/ n. **1** faccia; viso; volto; muso (*d'animale*): **a round** [**pale**] **f.**, una faccia tonda [pallida]; un viso tondo [pallido]; **a friendly** [**sad**] **f.**, una faccia amica [triste]; *She had a puzzled expression on her f.*, aveva l'aria perplessa; *There were several new faces*, c'erano diverse facce nuove **2** faccia; espressione; aria: **with a cheerful f.**, con la faccia allegra; **long f.**, faccia seria; faccia lunga; muso; **to pull a long f.**, fare la faccia lunga; fare il broncio **3** smorfia; boccaccia: **to make a f.**, fare una smorfia; **to make** (o **to pull**) **faces at sb.**, fare le boccacce (o le smorfie) a q. **4** aspetto (*di cosa, situazione, ecc.*); faccia: *This'll change the f. of the neighbourhood*, questo cambierà l'aspetto del quartiere; **to put a new f. on st.**, conferire (o dare) un aspetto nuovo a qc.; cambiare qc. **5** ⓤ faccia tosta; impudenza; sfacciataggine; (bel) coraggio: **to have the f. to do st.**, avere la faccia tosta di fare qc. **6** faccia; superficie: *A cube has six faces*, il cubo ha sei facce; **on the f. of the earth**, sulla faccia della terra **7** quadrante (*d'orologio*) **8** (*edil.*) facciata; faccia; fronte **9** (*di stoffa*) diritto; (*di un documento*) recto **10** (*di monte*) parete **11** (*ind. min.*) fronte: **the coal f.**, la fronte del carbone **12** (*tipogr.*) faccia; occhio **13** (*mecc.*: *di utensile*) faccia; taglio **14** (*slang*) bocca; becco: **to open one's f.**, parlare; *Shut your f.!*, taci!; chiudi il becco! **15** (*slang*) persona assai nota; personaggio; celebrità **16** (*slang USA*) (uomo) bianco ● **f.-ache**, nevralgia facciale; (*fig. fam.*) brutta faccia, brutto muso; faccia da funerale (*fam.*) **a f. as long as a fiddle**, una faccia da funerale □ (*USA*) **f. card**, figura (*delle carte da gioco*); (*fig. fam.*) personaggio importante (*miner.*) **f.-centred**, a facce centrate □ (*cosmesi*) **f. cream**, crema per il viso □ **f. down**, a faccia in giù; bocconi, prono; (*di carta da gioco*) coperta □ (*GB*) **f. flannel** → **facecloth** □ (*mecc.*) **f. gear**, ingranaggio (o ruota dentata) frontale □ (*fam. GB*) **a f. like the end of a bus**, faccia sgradevole (*spec. di donna*) □ **f. lathe**, tornio per spianatura □ **f.-lift** (o **f.-lifting**), (*cosmesi, med.*) plastica facciale; lifting, ritidectomia; (*fig.*) restauro, rifaci-

mento, maquillage (*franc.*), modernizzazione, svecchiamento □ **a f. like thunder**, una faccia scura; un'espressione furibonda □ **f. mask**, maschera di protezione; (*comesi, USA*) maschera di bellezza □ (*archit.*) **f. of the arch**, fronte dell'arco □ (*sport*) **f. of the goal**, specchio della porta □ (*cosmesi*) **f. pack**, maschera di bellezza ● **f. paint**, pittura per la faccia □ **f. painting**, il dipingersi la faccia (*per decorazione, rito, gioco, ecc.*) □ (*cosmesi*) **f. powder**, cipria □ **f.-saver**, espediente (*o gesto, risultato, ecc.*) che salva la faccia □ **f.-saving**, (sost.) il salvare la faccia; (agg.) che salva la faccia, onorevole □ (*mecc.*) **f. shield**, visiera di protezione (*per saldatori, ecc.*) □ **f. to f. (with)**, (a) faccia a faccia (con); di fronte (a, a quattr'occhi (con); a tu per tu (con): **to come f. to f. with st.**, trovarsi di fronte a qc.; sperimentare qc. di persona; **a f.-to-f. meeting**, un incontro faccia a faccia □ **f. up**, a faccia in su; supino; (*di carta da gioco*) scoperta □ (*fam. USA*) **f. time**, periodo di contatto diretto, di rapporto faccia a faccia (*tra superiori e inferiori*) □ (*psic.*) **f. validity**, validità esteriore (o di facciata) □ **f. value**, (*fin.*) valore nominale (o di facciata) (*di moneta, banconota, ecc.*); (*fig.*) valore apparente, apparenza; **to take st. at** (its) **f. value**, prendere qc. per quello che sembra; giudicare qc. dall'aspetto; prendere qc. alla lettera □ (*slang USA*) **to chew f.**, baciarsi (*fam.*) **to crack one's f.**, sorridere □ (*fam.*) **to do one's f.**, truccarsi; rifarsi il trucco □ **His f. fell**, ha fatto una faccia (*per la delusione*); c'è rimasto male □ **to fly in the f. of**, sfidare; andare contro: **to fly in the f. of all logic**, sfidare ogni logica □ (*fam. USA*) **to get out of sb.'s f.**, levarsi di torno; togliersi di mezzo □ **in the f. of**, davanti a; di fronte a; (*anche*) nonostante, a dispetto di: **to show calm in the f. of difficulties**, mostrare calma davanti alle difficoltà; *The motion passed in the f. of strong opposition*, la mozione passò nonostante una forte opposizione □ (*slang USA*) **In your f.!**, va' al diavolo; bèccati questo!; tiè! □ (*fam.*) **in your f.** (attr. **in--your-f.**), aggressivo; vistoso; provocatorio; sfacciato □ **to keep a firm f.**, mantenere la calma e la sicurezza □ **to keep a straight f.**, trattenersi dal ridere; restare serio □ **to laugh in sb.'s f.**, ridere in faccia a q. □ **to look sb. in the f.**, guardare q. in faccia; (*fig.*) guardare bene in faccia q. □ **to lose** (one's) **f.**, perdere la faccia □ (*fam.*: *spec. di donna*) **not just a pretty f.**, non solo carina; che ha anche un cervello □ **on one's f.**, a faccia in giù; bocconi; disteso: **to fall on one's f.**, cadere a faccia in giù; cadere disteso □ **on the f. of it**, a prima vista; a giudicare dalle apparenze; a quanto pare □ **to put a brave** (o **bold** o **good**) **f. on st.**, fare buon viso a qc.; reagire con coraggio a qc.; prendere con filosofia qc. □ **to set one's f. against**, opporsi a; contrastare; resistere a □ **to save** (one's) **f.**, salvare la faccia □ **to set one's f. against st.**, opporsi a qc. □ **to show one's f.**, mostrare la faccia; farsi vedere; comparire □ (*fam.*) **to stuff one's f.**, rimpinzarsi; ingozzarsi; abbuffarsi □ (*fig.*) **to throw st. in sb.'s f.**, rinfacciare qc. a q. □ **to sb.'s f.**, in faccia a q.; in presenza di q.: *I told him to his f.*, glielo dissi in faccia; **to criticize sb. to**

his f., criticare q. in sua presenza.

♦to **face** /feɪs/ **A** v. t. **1** essere (o stare o mettersi) di fronte a; guardare verso; essere rivolto a; fronteggiare: *Our hotel faced the church*, il nostro albergo era di fronte alla chiesa; **to f. east**, essere rivolto a est; guardare verso est; **the building facing you**, l'edificio di fronte a voi (o che avete di fronte); *We stood facing each other*, eravamo di fronte all'altro; ci fronteggiammo; **the windows facing the lake**, le finestre prospicienti al (o che danno sul) lago; *I was ordered to stand facing the wall*, mi fu ordinato di mettermi con la faccia al muro; **the picture facing p. 45**, l'illustrazione di fronte a p. 45 **2** avere di fronte; trovarsi di fronte; dover affrontare; dover far fronte a; avere la prospettiva di: **the dilemma we are facing**, il dilemma che abbiamo di fronte; *I felt nervous about facing him*, ero agitato all'idea di doverlo affrontare; **the tasks faced by teachers**, i compiti che gli insegnanti si trovano di fronte (o devono affrontare); *He faces up to a three years in prison*, gli si prospettano (o rischia) fino a tre anni di prigione **3** affrontare; far fronte a: *She stood and faced him angrily*, lei si alzò e lo affrontò furiosa; **to f. the press**, affrontare la stampa **4** affrontare; accettare; guardare in faccia: **to f. facts**, affrontare le cose come stanno; accettare la realtà dei fatti; **to f. the truth**, affrontare la verità; guardare in faccia la realtà; **to f. a problem**, affrontare un problema **5** (edil.) ricoprire; rivestire: **a wall faced with mirrors**, una parete rivestita di specchi **6** (sartoria) guarnire; rinforzare **7** (mecc.) sfacciare; spianare; tornire in piano **8** voltare (una carta da gioco) a faccia in su **B** v. i. **1** affacciarsi (su); essere rivolto a; guardare (verso): *The houses f. on to a canal*, le case si affacciano su un canale **2** (mil.) voltarsi; girarsi: *Left [Right] f.!*, fronte sinistr [destr]! ● (fig.) **to f. the music**, affrontare le conseguenze (di ciò che si è fatto) □ **to f. trial**, essere processato □ *Let's f. it!*, ammettiamolo!; siamo sinceri!; diciamo la verità!

▪ **face about** **A** v. i. + avv. **1** (mil.) fare dietro front: *About f.!*, dietro front! **2** (fig.) fare un voltafaccia **B** v. t. + avv. (mil.) far fare dietro front a.

▪ **face down A** v. t. + avv. affrontare e vincere; riuscire a tener testa a; imporsi a **B** v. i. + avv. essere a faccia in giù; mettersi a faccia in giù.

▪ **face off A** v. t. + avv. (edil.) spianare, levigare (una pietra) **B** v. i. + avv. **1** (hockey su ghiaccio) effettuare l'ingaggio **2** (USA) affrontarsi minacciosamente.

▪ **face out** v. t. + avv. (fam.) affrontare con fermezza (o coraggio) □ **to f. it out**, tener duro.

▪ **face up to** v. t. + avv. + prep. → **to face, A**, def. 4.

▪ **face with** v. t. + prep. mettere (q.) di fronte (o davanti) a; (al passivo) avere di fronte, trovarsi di fronte a, essere messo di fronte a, dover affrontare: *His answer faced me with a dilemma*, la sua risposta mi mise davanti a un dilemma; *We are faced with a hard choice*, abbiamo di fronte una scelta difficile.

facecloth /ˈfeɪsklɒθ/ n. panno di spugna (o pezzuola) per lavarsi il viso.

faced /feɪst/ a. (nei composti) **1** dalla faccia; dal viso; dall'aria; **full-f.**, dalla faccia tonda; paffuto; **stern-f.**, col viso severo; dall'aria severa **2** (tecn.) ricoperto (o rivestito) di.

facedown /ˈfeɪsdaʊn/ n. (USA) confronto diretto; scontro a muso duro; prova di forza.

faceless /ˈfeɪsləs/ a. **1** senza volto **2** (fig.) anonimo; impersonale: **f. people**, gente anonima.

face-off /ˈfeɪsɒf/ n. **1** (hockey su ghiaccio) ingaggio (all'inizio o alla ripresa del gioco) **2** (fam. USA) confronto diretto; sfida; scontro a muso duro; prova di forza.

facer /ˈfeɪsə(r)/ n. **1** (mecc.) utensile per sfacciare **2** (fam. GB) colpo in faccia **3** (fam. GB) difficoltà improvvisa; serio intoppo; osso duro.

facet /ˈfæsɪt/ n. **1** (di gemma) faccetta; sfaccettatura **2** (fig.) aspetto, lato (di una questione, ecc.).

to **facet** /ˈfæsɪt/ v. t. sfaccettare (una gemma).

facetious /fəˈsiːʃəs/ a. **1** spiritoso; faceto **2** che fa dello spirito (fuori luogo); spiritoso; poco serio: *Don't mind him, he's just being f.*, non badargli, vuole fare lo spiritoso (o fa solo dello spirito); **f. remark**, spiritosaggine ‖ **facetiously** avv. in modo faceto; facendo dello spirito; in tono poco serio ‖ **facetiousness** n. ▯ spirito; spiritosaggine.

facework /ˈfeɪswɜːk/ n. (edil.) rivestimento di facciata.

facia /ˈfeɪʃə/ n. → **fascia**, def. 4.

facial /ˈfeɪʃl/ **A** a. facciale; della faccia; del viso: **f. expression**, espressione del viso: (anat.) **f. angle**, angolo facciale; (anat.) **f. nerve**, nervo facciale **B** n. (comesi, fam.) trattamento di bellezza del viso; massaggio facciale | **-ly avv.**

facialist /ˈfeɪʃlɪst/ n. visagista.

facies /ˈfeɪsiːz/ n. (pl. **facies**) (med., geol.) facies.

facile /ˈfæsaɪl/ a. **1** semplicistico; superficiale: **f. solutions to complex problems**, soluzioni semplicistiche per problemi complessi **2** (spec. sport) (ottenuto) con facilità; facile; disinvolto; senza sforzo: **a f. success**, un facile successo | **-ly avv.** | **-ness** ▯

❶ FALSI AMICI • *nell'inglese attuale* facile *non significa* facile *in senso positivo*.

to **facilitate** /fəˈsɪlɪteɪt/ v. t. (form.) facilitare; agevolare.

facilitation /fəsɪlɪˈteɪʃn/ n. ▯ (form.) facilitazione; agevolazione.

facilitator /fəˈsɪlɪteɪtə(r)/ n. chi facilita, agevola o favorisce.

♦**facility** /fəˈsɪlɪti/ n. **1** ▯ (form.) predisposizione; facilità; abilità; destrezza: **a f. for languages**, una predisposizione per le lingue **2** ▯ (form.) facilità; agio; disinvoltura **3** facilitazione; agevolazione; possibilità; servizio aggiuntivo: **overdraft f.**, apertura di credito **4** ▯ arrendevolezza; condiscendenza; remissività **5** impianto; struttura; stabilimento; installazione; centro; base; (al pl. anche) attrezzature, servizi, mezzi: *This f. is designed to accommodate multiple groups*, questa struttura può accogliere diversi gruppi; (mil.) **space launch f.**, base missilistica; **sports facilities**, attrezzature sportive; impianti sportivi; **cooking facilities**, attrezzatura per cucinare; possibilità di cucinare; *There's a mini-bar in the corner and tea and coffee-making facilities too*, c'è un mini-bar nell'angolo e tutto il necessario per preparare tè e caffè; **medical facilities**, strutture sanitarie; **shopping facilities**, negozi e supermercati; **toilet facilities**, servizi igienici; toilette; *Facilities include a swimming pool and two tennis courts*, tra le attrezzature disponibili ci sono anche una piscina e due campi da tennis **6** (tecn.) dispositivo: **an automatic-reply f.**, il dispositivo di risposta automatica; **a cellphone with Internet f.**, un cellulare che può collegarsi a Internet **7** (al pl.) (econ.) infrastrutture **8** (al pl.) (eufem.) toilette; servizi.

facing /ˈfeɪsɪŋ/ **A** n. **1** (sartoria) copririsvolto; paramontura; rinforzo **2** (al pl.) (mil.) risvolti (di uniforme, in colore contrastante) **3** (edil.) rivestimento **4** (mecc.) guarnizione; spessore (dei dischi, ecc.) **5**

(mecc.) sfacciatura; tornitura in piano **6** (metall.) sabbia da modello **B** a. **1** di fronte; opposto: **the f. seat**, il sedile di fronte; **on the f. page**, sulla pagina opposta **2** − (mecc.) **f. machine**, macchina per tornire in piano; (metall.) **f. sand**, sabbia da modello; (edil.) **f. wall**, muro di trincea.

facsimile /fækˈsɪmɪlɪ/ n. **1** facsimile; copia esatta; copia anastatica: **in f.**, in facsimile; (editoria) **f. edition**, edizione anastatica **2** (telef.) telefax; fax; facsimile.

to **facsimile** /fækˈsɪmɪlɪ/ v. t. fare un facsimile di; riprodurre esattamente; (editoria) riprodurre anastaticamente.

♦**fact** /fækt/ n. **1** fatto; circostanza; evento; (al pl., anche) (l') accaduto: **the plain facts**, i nudi fatti; le cose come stanno; **hard facts**, fatti concreti; *Give me the facts!*, dammi i fatti!; dimmi quello che è successo! **2** dato di fatto; realtà: *Cloning is now a f.*, la clonazione è ormai una realtà; **to face facts**, guardare in faccia la realtà **3** ▯ realtà; fatti (pl.) realmente accaduti: *F. or fiction?*, realtà o invenzione?; *The film is based on f.*, il film è basato su fatti realmente accaduti ● (editoria) **f.-checker**, redattore incaricato del controllo di dati, informazioni, ecc. □ **f.-finder**, chi indaga sui fatti; (leg.) inquirente □ **f.-finding**, (sost.) indagine, investigazione, accertamento dei fatti; (agg.) che indaga sui fatti, (leg.) inquirente, conoscitivo, di inchiesta, di indagine; **f.-finding inquiry**, indagine conoscitiva; **f.-finding commission**, commissione inquirente (o d'inchiesta) □ **a f. of life**, una cosa che succede; una realtà della vita □ **The f. is that...**, il fatto è che... □ **the f. of the matter**, la verità; i fatti; le cose reali: *The f. of the matter is that...*, la verità è che... □ **The f. remains that...**, resta il fatto che... **f. sheet**, foglio informativo (con i dati essenziali relativi a un'organizzazione, un evento, un programma radiotelevisivo, ecc.) □ **facts and figures**, dati e cifre; dati precisi □ (eufem.) **the facts of life**, la sessualità; le cose del sesso (spec. spiegate a un bambino); come nascono i bambini (eufem.) □ **after the f.**, a fatto compiuto □ **as a matter of f.**, in realtà; in effetti; per la verità; a dire il vero □ **before the f.**, prima del fatto (o dell'atto) □ **for a f.**, per certo; con certezza: *I know it for a f. that...*, so per certo che... □ **in actual f.**, in realtà; in effetti; per la verità; a dire il vero □ **in f. point of f.**), anzi; in realtà □ (fam.) **Is that a f.?**, davvero?; sul serio? □ (fam.) **It's a f.!**, è un dato di fatto!; è la pura verità! □ (prov.) *F. is stranger than fiction*, la realtà supera la fantasia.

facticity /fækˈtɪsɪti/ n. ▯ (filos.) fatticità.

♦**faction** ① /ˈfækʃn/ n. **1** fazione; setta **2** (polit.) corrente; fronda **3** ▯ (form.) discordia; faziosità; lotte (pl.) intestine; faide (pl.).

faction ② /ˈfækʃn/ n. ▯ (contraz. di **fact** e **fiction**) (letter., cinem.) genere in cui personaggi storici sono protagonisti di una vicenda inventata.

factional /ˈfækʃnl/ a. **1** di fazione; settario; tra fazioni; dissenziente; di dissenso **2** (polit.) di corrente; correntizio ‖ **factionalism** n. ▯ **1** (l') essere di una fazione; settarismo **2** (polit.) (l') essere correntizio ‖ **factionalist** n. faziosо; settario.

to **factionalize** /ˈfækʃənəlaɪz/ v. i. dividersi in fazioni; dividersi in correnti.

factious /ˈfækʃəs/ a. fazioso; settario | **-ly avv.** | **-ness** n. ▯.

factitious /fækˈtɪʃəs/ a. fittizio; artificiale; artificioso; innaturale; falso | **-ly avv.** | **-ness** n. ▯.

factitive /ˈfæktɪtɪv/ a. (ling.) causativo; fattitivo.

factive /ˈfæktɪv/ a. (ling.) fattivo.

factoid /ˈfæktɔɪd/ n. **1** affermazione che a

forza di essere ripetuta viene considerata vera; pseudoverità **2** (*USA*) fatterello; notiziola.

♦**factor** /'fæktə(r)/ n. **1** fattore; elemento: **hereditary factors**, fattori ereditari; **the time f.**, il fattore tempo; (*econ.*) **the factors of production**, i fattori della produzione; **an unknown f.**, un elemento (*o* fattore) sconosciuto **2** coefficiente; grado; fattore: **f. of safety** (*o* **safety f.**), coefficiente di sicurezza **3** (*mat.*) fattore **4** (*comm.*) agente commissionario; depositario; mandatario (*anche* *leg.*) **5** (*fin.*) società di factoring **6** (*scozz.*) fattore; agente agricolo; amministratore ● (*mat.*, *stat.*) **f. analysis**, analisi fattoriale □ (*econ.*, *ind.*) **f. cost**, costo di produzione (*di un articolo*) □ (*econ.*) **f. cost line**, linea di isocosto □ (*fisiol.*) **f. VIII**, fattore VIII □ (*econ.*) **f. of expansion**, fattore d'espansione.

to **factor** /'fæktə(r)/ ☒ v. t. → **to factorize** ☒ v. i. (*fin.*) fare operazioni di factoring.

■ **factor in** v. t. + avv. includere (*in un calcolo, in una valutazione*); calcolare.

■ **factor out** v. t. + avv. escludere (*da un calcolo, da una valutazione*).

factorage /'fæktərɪdʒ/ n. ⓤ (*comm.*) commissione; provvigione (*di commissionario*).

factorial /fæk'tɔːrɪəl/ ☒ n. (*mat.*) fattoriale ☒ a. **1** (*mat.*) di fattore; fattoriale **2** (*comm.*) relativo a un commissionario.

factoring /'fæktərɪŋ/ n. ⓤ **1** (*fin.*) factoring (*rilevamento e incasso di crediti di una società, dietro un compenso percentuale*) **2** (*mat.*) fattorizzazione ● **f. company** (*o* **firm**), società di factoring.

to **factorize** /'fæktəraɪz/ (*mat.*) ☒ v. t. fattorizzare; scomporre in fattori ☒ v. i. essere scomponibile in fattori ‖ **factorization** n. ⓤ fattorizzazione; scomposizione in fattori.

♦**factory** /'fæktərɪ/ n. **1** fabbrica; stabilimento; manifattura; opificio: **car f.**, fabbrica di automobili; **silk f.**, setificio **2** (*fig.*) fabbrica **3** (*stor.*) fondaco ● (*stor.*, *in GB*) **F. Acts**, leggi sul lavoro industriale □ (*econ.*) **f. cost**, costo di produzione; costo industriale □ **f. employment**, occupazione industriale □ **f. farm**, allevamento industriale (*di polli, mucche da latte, ecc.: il luogo*) □ **f. farming**, allevamento industriale □ **f.-farmed**, allevato in batteria; di batteria □ (*ind.*) **f. floor**, reparto produzione; (*estens.*) (gli) operai □ **f. gate prices**, prezzi di fabbrica; prezzi alla produzione □ (*in GB*) **f. inspectors**, ispettori del lavoro □ **f. outlet**, negozio al dettaglio (*gestito dal fabbricante*); spaccio □ **f. price**, prezzo di fabbrica □ (*tecn.*) **f. setting**, impostazioni di fabbrica; taratura di fabbrica ● (*naut.*) **f. ship**, nave fattoria □ **f. shop**, spaccio aziendale □ **f. worker**, operaio (manifatturiero) ❶ **FALSI AMICI** • factory *non significa* fattoria.

factotum /fæk'təʊtəm/ n. factotum; tuttofare.

factual /'fæktʃʊəl/ a. che riguarda i fatti; effettivo; reale; fattuale: **a f. account**, un resoconto dei puri fatti; **f. basis**, reale fondamento; **f. error**, errore di fatto | **-ly** avv. | **-ness** n. ⓤ.

facula /'fækjʊlə/ n. (pl. *faculae*) (*astron.*) facola; facella.

facultative /'fækltətɪv/ a. facoltativo.

faculty /'fæklti/ n. **1** facoltà (*intellettuale o fisica*): **the f. of hearing**, la facoltà dell'udito; **to be in possession of all one's faculties**, essere in possesso di tutte le proprie facoltà **2** capacità; abilità; talento **3** (*università*) facoltà; **the Law F.**, la Facoltà di giurisprudenza **4** (*spec. USA*) corpo docente (*di un'università, un college o una scuola*); (i) docenti **5** (*leg.*) facoltà; diritto; autorizzazione **6** (*antiq.*) (gli) appartenenti a una professione; (*in particolare*) (i) medici, (la) professione

medica ● (*in GB*) **the F. of Advocates**, il collegio degli avvocati scozzesi.

fad /fæd/ n. **1** moda passeggera; mania; capriccio della moda: **the current fad**, la moda del momento; *There was a fad for it in the seventies*, andava molto di moda negli anni settanta; **fad diet**, dieta di moda (*spec. strana*) **2** mania; fisima; pallino; capriccio: **children's fads**, le fisime dei bambini (*spec. nel mangiare*).

faddiness /'fædɪnəs/ n. ⓤ **1** propensione a seguire mode passeggere **2** l'avere delle fisime; (*spec. di bambino*) l'essere schizzinoso nel mangiare.

faddish /'fædɪʃ/ a. **1** dettato da moda passeggera; capriccioso **2** → **faddy**, *def. 2* ‖ **faddishness** n. ⓤ → **1** l'essere dettato da moda passeggera; capriccio **2** propensione a seguire mode passeggere.

faddism /'fædɪzəm/ n. ⓤ **1** propensione a seguire mode passeggere **2** capricciosità; stramberia ‖ **faddist** n. **1** chi segue mode passeggere **2** persona piena di fisime; maniaco, fissato.

faddy /'fædɪ/ a. **1** → **faddish**, *def. 1* **2** (*di persona*) che ha molte fisime (*spec. nel mangiare*); difficile nel mangiare; schizzinoso.

fade /feɪd/ n. **1** scoloritura **2** (*cinem.*, *radio*, *TV*) dissolvenza **3** (*slang USA*) **to do a f.**, scappare; filar via; tagliare la corda.

♦to **fade** /feɪd/ ☒ v. i. **1** (*di suono*) affievolirsi; attenuarsi; smorzarsi; estinguersi **2** (*di luce*) affievolirsi; attenuarsi; diminuire **3** scolorire; sbiadire; stingere; stingersi: *This material will never f.*, questa stoffa non scolorirà mai **4** appassire; avvizzire; sfiorire **5** indebolirsi; attenuarsi; affievolirsi; scomparire; sparire; svanire: *Hopes of saving him are fading fast*, le speranze di salvarlo si stanno affievolendo rapidamente; *My memory is fading*, la mia memoria si sta indebolendo; **to f. from view**, scomparire alla vista; scomparire in lontananza; **to f. into**, sfumare in **6** (*sport: di atleta, cavallo*) perdere vigore (*o* velocità); (*di squadra*) perdere mordente; perdere smalto; appannarsi **7** (*slang USA*) dileguarsi; svignarsela; eclissarsi **8** (*golf: di palla*) deviare ☒ v. t. **1** affievolire; far appassire; far avvizzire; sbiadire: *Time has not faded the brilliance of his style*, il tempo non ha sbiadito il suo stile brillante **2** scolorire; sbiadire; stingere **3** (*golf*) far deviare (*la palla, colpendo d'effetto*).

■ **fade away** v. i. + avv. **1** scomparire in lontananza; svanire **2** (*di suono*) affievolirsi; smorzarsi **3** indebolirsi; attenuarsi; esaurirsi; scomparire **4** (*di persona*) indebolirsi; deperire.

■ **fade down** v. t. + avv. ridurre l'intensità di (*un suono*); attutire; smorzare.

■ **fade in** v. i. + avv. **1** (*di immagine*) comparire a poco a poco **2** (*di suono*) crescere gradatamente **3** (*cinem.*, *TV*) aprire (*o* aprirsi) in dissolvenza ☒ v. t. + avv. **1** (*cinem.*, *TV*) aprire in dissolvenza su **2** (*radio*) aumentare gradatamente (*un suono*).

■ **fade out** ☒ v. i. + avv. **1** (*di immagine*) svanire lentamente **2** (*di suono*) smorzarsi; spegnersi **3** (*cinem.*, *TV*) chiudere (*o* chiudersi) in dissolvenza ☒ v. t. + avv. **1** (*cinem.*, *TV*) fare una dissolvenza di; chiudere in dissolvenza su **2** (*radio*) smorzare a poco a poco (*un suono*).

■ **fade up** v. t. + avv. (*tecn.*) alzare gradualmente il volume di.

faded /'feɪdɪd/ a. **1** (*di fiore, ecc. e fig.*) sfiorito; appassito; avvizzito: **f. beauty**, bellezza sfiorita **2** (*di colore*) sbiadito **3** (*di stoffa*) scolorito; sbiadito **4** (*di suono*) smorzato; fioco.

fade-in /'feɪdɪn/ n. **1** (*cinem.*, *TV*) dissolvenza in apertura **2** graduale aumento (*del volume, del segnale, ecc.*).

fadeless /'feɪdləs/ a. **1** (*di colore, ecc.*) so-

lido; resistente **2** (*fig.*) che non svanisce; che non muore.

fade-out /'feɪdaʊt/ n. **1** (*cinem.*, *TV*) dissolvenza in chiusura **2** affievolimento (*del volume, del segnale, ecc.*).

fader /'feɪdə(r)/ n. (*tecn.*) attenuatore.

fade-up /'feɪdʌp/ n. (*tecn.*) aumento della luminosità (*o* del suono).

fading /'feɪdɪŋ/ ☒ a. **1** che appassisce **2** che si scolora **3** (*della luce*) che si affievolisce **4** (*di un suono*) che si smorza ☒ n. ⓤ **1** appassimento **2** scolorimento; sbiadimento **3** affievolimento; indebolimento; smorzamento **4** (*elettrotecnica*) fading; evanescenza; fluttuazione **5** (*cinem.*, *TV*) dissolvenza.

FAE sigla (*mil.*, **fuel air explosive**) esplosivo aria-combustibile (*tipo di bomba termobarica*).

faeces, (*USA*) **feces** /'fiːsiːz/ n. pl. feci; escrementi ‖ **faecal**, (*USA*) **fecal** a. fecale: (*med.*) **faecal mass**, massa fecale.

faerie /'feɪərɪ/, **faery** /'feɪərɪ/ ☒ n. (*lett.*) **1** (F.) il paese delle fate; il mondo degli esseri fatati **2** fata; essere fatato ☒ a. fatato; immaginario.

faff /fæf/ n. ⓤ (*fam. GB*) agitazione (*senza costrutto*); trambusto.

to **faff** /fæf/ v. i. (*di solito* **to f. about**, **to f. around**) (*fam. GB*) agitarsi senza costrutto (*o* senza concludere nulla).

fag /fæg/ n. **1** (*fam. GB*) lavoro faticoso e ingrato; faticata; sfacchinata; scocciatura (*fam.*); rottura, menata (*pop.*) **2** (*in GB, in alcune scuole private*) studente di corso inferiore che fa servizi a uno studente anziano; galoppino **3** (*slang GB*) sigaretta; cicca; paglia (*pop.*) **4** (*slang USA*, spreg.) finocchio; frocio; checca ● (*GB*) **fag-end**, mozzicone di sigaretta; cicca; (*anche*) parte finale, residuo, resto, coda, rimasuglio: **at the fag-end of the year**, alla fine dell'anno □ (*slang spreg.*) **fag hag**, amica di omosessuali.

to **fag** /fæg/ v. i. (*GB*) **1** faticare; sfacchinare; sgobbare **2** (*in alcune scuole private*) fare servizi (*a uno studente anziano*); fare il galoppino.

fagged /fægd/, **fagged out** a. (solo pred.) (*slang GB*) stanco morto; sfinito; distrutto; a pezzi; spompato (*pop.*).

faggot, (*USA*) **fagot** /'fægət/ n. **1** (*antiq.*) fascina; fascio; fastello **2** (*cucina, GB*) polpetta (*di carne, pane e erbe, fritta o cotta al forno*) **3** (*slang GB*) persona (*spec. donna*) stupida o antipatica: *Silly old f.!*, che idiota! **4** (*slang spreg.*, *USA*) finocchio; frocio; checca ❶ **FALSI AMICI** • faggot *non significa* fagotto.

to **faggot** /'fægət/ v. t. (*antiq.*) legare in fascine.

faggotry /'fægətrɪ/ n. ⓤ (*slang spreg.*, *USA*) omosessualità (*maschile*).

faggoty /'fægətɪ/, **faggy** /'fægɪ/ a. (*slang*, *spreg. USA*) da finocchio; da frocio; da checca.

fagot /'fægət/ e deriv. (*USA*) → **faggot**, e deriv.

fagotto /fə'gɒtəʊ/ (*ital.*), (*mus.*) n. fagotto ‖ **fagottist** n. suonatore di fagotto.

fah /fɑː/ n. (pl. **fahs**) (*mus.*) fa (*nota*).

Fahrenheit /'færənhaɪt/ (abbr. **F**) n. e a. (*fis.*) Fahrenheit.

faience /faɪ'ɒns/ n. ceramica; faenza; faentina.

fail /feɪl/ n. **1** bocciatura: **a f. in French**, una bocciatura in francese **2** ⓤ fallo (solo nella loc.): **without f.**, senza fallo; certamente ● (*tecn.*) **f.-safe**, (agg.) di sicurezza; a prova d'errore (*o* di guasto); fail-safe; (sost.) misura di sicurezza, misura o piano di riserva: **f.-safe device**, dispositivo ausiliario di sicurezza; dispositivo fail-safe.

♦to **fail** /feɪl/ ☒ v. i. **1** fallire; andare a vuoto; fare fiasco: **to f. in an attempt**, fallire in

un tentativo; *Our plan failed*, il nostro piano fallì (*o* fece fiasco); *The wheat crop failed*, il raccolto del grano andò perduto **2** non riuscire: **to f. to reach an agreement**, non riuscire ad accordarsi; *Our team failed to score*, la nostra squadra non riuscì a segnare; *He failed to be admitted*, non fu ammesso; *I fail to understand why you quit your job*, non capisco (*o* non riesco a capire) perché tu ti sia licenziato; *No one can f. to notice that…*, non si può non notare che… **3** (+ inf.) trascurare; omettere; mancare; non…: *He failed to warn us*, trascurò di avvertirci; non ci avvertì; *Don't f. to inform us*, non mancare di informarci; *John failed to turn up*, John non si fece vedere; *The letter failed to arrive*, la lettera non arrivò; *You failed to stop at the lights*, non ti sei fermato al semaforo; *It never fails to irritate me*, non manca mai di (*o* riesce sempre a) irritarmi **4** essere respinto (*o* bocciato): *Many candidates failed*, molti candidati furono respinti; *If I f. the exams I might get kicked out of college*, se non passo gli esami potrei essere espulso dall'università **5 – to f. in**, mancare a; venir meno a: **to f. in one's duty**, mancare (*o* venir meno) al proprio dovere **6 – to f. in**, essere privo di; mancare di: **to f. in imagination**, essere privo di fantasia **7** diminuire; scemare; esaurirsi; venir meno; indebolirsi; affievolirsi: *Light was failing*, la luce stava scemando; *Our supplies are failing*, le nostre scorte si stanno esaurendo; **to be failing fast**, esaurirsi in fretta; (*rif. a salute*) essere sempre più debole, peggiorare velocemente **8** (*mecc.*) smettere di funzionare; rompersi; guastarsi; andare in panne; fermarsi: *The engine has failed*, s'è guastato il motore **9** (*fin., leg.*) fallire; andar fallito **B** *v. t.* **1** respingere; bocciare: *I had to f. him*, ho dovuto bocciarlo **2** non superare (*un esame*); essere respinto (*o* bocciato) in: **to f. one's driving test**, non superare l'esame di guida; *I failed maths*, sono stato bocciato (*o* mi hanno bocciato) in matematica **3** abbandonare (q.); mancare a; venir meno a; voltare le spalle a; tradire (le aspettative di): *His courage failed him*, gli mancò il coraggio; *Words f. me*, non ho parole; mi mancano le parole; non so cosa dire; *I won't f. you*, non verrò meno alla tua fiducia; non ti deluderò; non ti abbandonerò ● **if all else fails**, in mancanza d'altro; alla peggio.

failed /feɪld/ *a.* **1** fallito; mancato: **a f. test**, un esperimento fallito; **a f. artist**, un artista fallito **2** guasto; difettoso.

failing /'feɪlɪŋ/ **A** *n.* **1** debolezza; difetto; manchevolezza **2 → failure**, *def.* 8 **B** *prep.* in mancanza di; in assenza di: **f. instructions**, in mancanza (*o* in assenza) di istruzioni; **f. that**, in mancanza di ciò; in caso contrario; se non…; *We agreed to meet in Rome or, f. that*, in Florence, concordammo un incontro a Roma, o se fosse risultato impossibile, a Firenze; **f. all else**, in mancanza d'altro; alla peggio **C** *a.* che sta diminuendo; che sta esaurendo; che vacilla; in via di fallimento; in crisi: **f. light**, luce sempre più fioca; **a f. economy**, un'economia in crisi.

faille /feɪl/ (*franc.*) *n.* Ⓤ (*ind. tess.*) faglia; faille.

failover /'feɪləʊvə(r)/ *n.* (*comput.*) failover; meccanismo di subentro (*sostituzione automatica di una componente hardware o software in caso di guasto o malfunzionamento*).

fail-safe /'feɪlseɪf/ *a.* **1** (*di meccanismo, ecc.*) di sicurezza (→ *anche* **to fail-safe**) **2** che non può fallire; garantito; affidabile.

to fail-safe /'feɪlseɪf/ *v. i.* (*di meccanismo, ecc.*) riportare il sistema a uno stato che non causerà incidenti; fermarsi in caso di guasto.

♦**failure** /'feɪljə(r)/ *n.* **1** Ⓒ/Ⓤ insuccesso, falli-

mento; fiasco; disastro: *The party was a total f.*, la festa fu un fiasco completo (*o* un disastro); **doomed to f.**, destinato (*o* condannato) al fallimento; **to end in f.**, fallire; fare fiasco; finire male; **to meet with f.**, fallire; non avere successo; fare fiasco **2** (*di persona*) fallito, fallita; fallimento; disastro; frana (*fam.*): *He thinks of himself as a f.*, si considera un fallito; *He's a f. as a teacher*, come insegnante, è un disastro **3** Ⓤ/Ⓒ (il) non fare qc.; mancanza; inadempienza; omissione: **f. to obey the rules**, l'inosservanza del regolamento; **the government's f. to address the problem**, l'inerzia del governo riguardo a questo problema; **his f. to understand**, la sua incapacità di capire; il fatto che non capisca; **your f. to be elected**, la tua mancata elezione **4** Ⓤ/Ⓒ (il) venir meno; perdita; rovina: **crop failure**, perdita del raccolto **5** (*med.*) collasso: **heart f.**, collasso (*o* arresto) cardiaco **6** (*edil.*) cedimento (*delle strutture, del terreno, ecc.*) **7** (*comput., mecc.*) guasto, panne; avaria; malfunzionamento; interruzione: **engine f.**, guasto al motore; (*elettr.*) **power f.**, interruzione della corrente; (*comput.*) **f. recovery**, ripristino dopo un malfunzionamento **8** Ⓤ/Ⓒ (*fin., leg.*) fallimento **9** Ⓤ bocciatura; scarto (*di candidati*) **10** esame fallito; studente bocciato ● (*leg.*) **f. of issue**, mancanza di discendenti (*o* d'eredi) □ (*leg.*) **f. to appear**, mancata comparizione in giudizio; contumacia □ (*leg.*) **f. to perform**, mancata esecuzione; inadempimento contrattuale.

fain ① /feɪn/ (*arc.*) **A** *a. pred.* **1** contento, lieto (di) **2** disposto, rassegnato (a) **B** *avv.* volentieri; di buon grado: *'Death shuns the wretch who f. the blow would meet'* G.G. BYRON, 'la morte sdegna il misero che di buon grado riceverebbe il suo colpo'.

fain ② /feɪn/ → **fen** ②.

faint ① /feɪnt/ *a.* **1** debole; fievole; flebile; fioco; lieve; indistinto; vago: **f. sounds**, suoni fievoli; **a f. accent**, un lieve (*o* vago) accento; **a f. tremor**, un lieve (*o* debole) tremore; **f. memories**, vaghi ricordi; ricordi confusi; *These copies are coming out all f.*, queste fotocopie vengono tutte sbiadite **2** debole; vago; pallido; timido: **a f. hope**, una vaga (*o* debole, remota) speranza; **f. protests**, deboli proteste; **f. attempt**, debole (*o* timido) tentativo; **a f. resemblance**, una vaga somiglianza **3** debole; spossato; estenuato; sul punto di svenire: **f. with hunger**, debole per la fame; **to feel f.**, sentirsi svenire ● **f.-hearted**, pusillanime; pauroso; codardo; (*di tentativo*) debole: **not for the f.-hearted**, non indicato per chi è pauroso (*o* pavido) □ **f.-heartedness**, pusillanimità; pavidità □ (*fam.*) *I haven't the faintest* (*idea*), non ne ho la più pallida (*o* la minima) idea □ **to grow f.**, affievolirsi; indebolirsi □ (*prov.*) *F. heart ne'er won fair lady*, amante non sia chi coraggio non ha; chi non risica non rosica.

faint ② /feɪnt/ *n.* **1** svenimento; mancamento; perdita di conoscenza (*o* dei sensi); deliquio: **to fall in a (dead) f.**, svenire; cadere svenuto; perdere ogni conoscenza **2** → **faints**.

to faint /feɪnt/ *v. i.* **1** svenire; perdere conoscenza (*o* i sensi); venir meno: **to faint from the heat**, svenire per il caldo **2** (*poet.*) languire; indebolirsi ● **fainting fit**, svenimento.

faintly /'feɪntlɪ/ *avv.* **1** debolmente; flebilmente; vagamente; timidamente **2** vagamente; lievemente; leggermente: *He looked f. amused*, aveva l'aria lievemente divertita.

faintness /'feɪntnəs/ *n.* Ⓤ **1** debolezza; fievolezza; flebilità; l'esser vago (*o* indistinto) **2** languore; fiacchezza.

faints /feɪnts/ *n. pl.* alcol di testa e di coda (*nella distillazione di un alcolico*).

fair ① /feə(r)/ *n.* **1** fiera; mercato: **trade f.**, fiera campionaria; **book f.**, fiera del libro; **world f.**, fiera universale **2** fiera di beneficienza **3** sagra; festa (paesana) **4** luna park; parco divertimenti ● (*fig.*) **a day after the f.**, troppo tardi; al fumo delle candele.

♦**fair** ② /feə(r)/ **A** *a.* **1** giusto; equo; equanime; imparziale; leale; onesto; legittimo: **f. price**, prezzo giusto (*o* onesto); **f. treatment**, trattamento imparziale; **f. criticism** (*o* **comments**), critiche giuste (*o* oggettive); **a f. judge**, un giudice equanime; **f. trial**, processo equo; **f. share**, parte equa; giusta parte; (*econ.*) **f. competition**, concorrenza leale; **f. question**, domanda legittima (*o* pertinente); **my f. share of work**, la mia giusta parte di lavoro; *That's not f.!*, non è giusto! **2** (*sport*) regolare; corretto; consentito: **a f. tackle**, un tackle regolare **3** discreto; soddisfacente; abbastanza (+ *agg.*): **a f. knowledge of English**, una discreta conoscenza dell'inglese; **a f. amount**, una discreta quantità; un bel po'; **a f. size**, dimensioni abbastanza grandi; **a f.-sized house**, una casa abbastanza grande; *We still have a f. way to go*, abbiamo ancora un bel po' di strada da fare; **a f. amount of**, un bel po'; parecchio **4** discretamente probabile; verosimile; abbastanza chiaro (*o* preciso): **a f. chance of success**, una discreta possibilità di successo; *I've got a f. idea of what he wants*, ho un'idea abbastanza chiara di quello che vuole **5** biondo; chiaro (di carnagione): **f. hair**, capelli biondi; **f.-haired**, biondo; dai capelli biondi; **a f. complexion**, una carnagione chiara **6** (*del tempo o degli elementi*) bello; sereno; buono; favorevole: **f. weather**, tempo bello (*o* buono); **a f. wind**, vento favorevole **7** (*iron.*): di *parole, promesse, ecc.*) bello: **f.** **8** (*fam.*) vero; autentico: **a f. treat**, un vero piacere **9** (*arc.*: *di donna*) bella; leggiadra: **a f. maiden**, una leggiadra donzella **B** *avv.* **1** correttamente; lealmente; sportivamente: **to play f.**, fare un gioco corretto; agire correttamente **2** esattamente; proprio; in pieno: *He struck me f. in the face*, mi colpì in piena faccia **3** decisamente; letteralmente **C** *n.* (*arc.*) **1** bella donna **2** cosa bella; bellezza ● **f. and equal**, giusto; equo □ **f. and square**, (agg.) onesto; equo; (avv.) correttamente; onestamente, a carte scoperte; (*anche*) proprio al centro, in pieno □ (*comm.*) **f. average quality**, buona qualità media □ **f. copy**, bella copia □ **f. deal**, accordo equo; trattamento equo □ **f. dealing**, comportamento corretto; correttezza negli affari; rispetto delle regole □ (*fam. Austral.*) **f. dinkum → dinkum** □ (*infant. o fam. GB*) **F. do's** (*o* **dos**)!, facciamo le parti giuste! (*per estens.*) siamo giusti!, un po' di giustizia! □ **F. enough!**, mi sembra giusto!; d'accordo, e va bene □ **f. game**, preda consentita; (*fig.*) bersaglio facile, bersaglio lecito (*di critiche, interesse mediatico, ecc.*) □ (*fam. Austral.*) **F. go!**, sii giusto!; un po' di giustizia! □ **F.'s f.!**, quel che è giusto è giusto! □ (*fam. USA*) **f.-haired boy**, beniamino; prediletto; cocco (*fam.*) □ **f.-minded**, equanime; imparziale; giusto □ **f.-mindedness**, equanimità; imparzialità □ **f. play**, fair play; comportamento corretto; correttezza; rispetto delle regole □ **f. rent**, equo canone □ (*antiq.*) **the f. sex**, il gentil sesso □ (*fam. USA*) **f. shake**, accordo leale; trattamento equo □ (*antiq.*) **f.-spoken**, gentile, cortese (nel parlare) □ **f.-to-middling**, discreto; sufficiente; così così □ **f. trade**, commercio equo e solidale □ (*market.*) **f.-trade agreement**, accordo di mantenimento dei prezzi □ **f.-trade practices**, correttezza commerciale □ (*market.*) **f.-trade price**, prezzo imposto □ **f. wear and tear**, deterioramento normale (*di un bene strumentale*) □ **f.-weather friend**, amico della buona sorte; amico inaffidabile □ **to bid f.**, avere buone probabilità □ **by f. means**, con mezzi

leciti □ **by f. means or foul**, con ogni mezzo, lecito o illecito; con le buone o con le cattive; di riffa o di raffa □ (*fam. USA*) **for f.**, completamente □ **in a f. way to do st.**, sulla buona strada (*o* ben avviato) per fare qc.; con buone probabilità di fare qc. □ (*antiq.*) **in f. or foul weather**, col buono o col cattivo tempo; (*fig.*) nella buona e nella cattiva sorte □ (*fam. GB*) **It's a f. cop!**, (*detto di un arrestato alla polizia*) O.K., mi arrendo! □ (*del tempo*) **to be set f.**, essersi messo al bello; essere sul bello stabile □ **through f. and foul**, nella buona e nella cattiva sorte; nel bene e nel male □ **to be f.**, a onor del vero; a essere onesti □ (*prov.*) **All's f. in love and war**, in amore e in guerra tutto è lecito.

to **fair** /fɛə(r)/ v. t. 1 (*del tempo*) mettersi al bello 2 (*naut.*) lisciare, spianare (*assi della nave e sim.*) 3 (*autom., aeron.*) carenare.

fairfaced /'fɛə'feɪst/ a. (*edil.: di muro di mattoni*) a vista.

fairground /'fɛəɡraʊnd/ n. 1 (*GB*) (area occupata da un) parco divertimenti, luna park 2 zona fieristica.

fairing /'fɛərɪŋ/ n. (*autom., aeron.*) carenatura.

fairish /'fɛərɪʃ/ a. 1 discreto; mediocre; passabile 2 biondastro; biondiccio.

fairlead /'fɛəliːd/ n. 1 (*aeron.*) passacavo 2 (*naut.*) golfare; passascotte 3 (*mecc.*) gruppo di pulegge di guida.

♦**fairly** /'fɛəlɪ/ avv. 1 con giustizia; equamente; onestamente: *He treated me f.*, mi trattò con giustizia 2 discretamente; abbastanza; piuttosto: *I am f. well*, sto abbastanza bene; **f. late**, piuttosto tardi; **f. good**, abbastanza buono; discreto 3 veramente; letteralmente: *You f. took me by surprise*, mi hai veramente sorpreso; *The river was f. alive with crocodiles*, il fiume era letteralmente brulicante di coccodrilli □ **f. and squarely → fair and square** *sotto* **fair** ②.

fairness /'fɛənəs/ n. ◍ 1 equità; equanimità; imparzialità; correttezza: **to act with f.**, comportarsi imparzialmente; **in f. to**, a voler essere giusti con 2 (*di capelli*) colore biondo, biondezza; (*di carnagione*) colore chiaro 3 (*arc.*) bellezza; leggiadria.

fairway /'fɛəweɪ/ n. 1 (*naut.*) canale d'accesso; tratto (*o* zona) navigabile; acque libere: **f. buoy**, boa di acque libere 2 (*golf*) fairway.

fairy /'fɛərɪ/ Ⓐ n. 1 fata; essere fatato; (*anche*) folletto; spiritello 2 (*slang, spreg.*) finocchio; checca; frocio Ⓑ a. delle fate; di (*o* da) fata; del mondo delle fate; fatato: **f. queen**, regina delle fate; **f. costume**, costume da fata ● (*zool.*) **f. armadillo** (*Clamyphorus*), clamiforo □ (*cucina*) **f. cake**, piccolo pan di Spagna ricoperto di glassa □ (*Austral.*) **f. floss**, zucchero filato □ **f. godmother**, (*nelle favole*) fata madrina, fata buona; (*fig. fam.*) benefattrice □ **f. lights**, lucine colorate □ **f. ring**, circolo magico; cerchio d'erba più scura (*in un prato, attribuito a danze delle fate*) □ **f. tale** (*o* **f. story**), racconto di fate; fiaba; (*per estens.*) storia incredibile, fandonia, frottola □ **f.-tale** (agg.), di favola; fiabesco; da favola; magico; irreale.

fairyland /'fɛərɪlænd/ n. ◍ (il) regno (*o* paese) delle fate 2 (*fig.*) paese incantato; paese dei sogni; luogo di favola.

fait accompli /feɪtə'kɒmpliː/ (*franc.*) loc. n. fatto compiuto; cosa fatta: **to present sb. with a fait accompli**, mettere q. davanti al fatto compiuto.

♦**faith** /feɪθ/ n. 1 ◍ fede; fiducia; **to have f. in**, avere fiducia in; **f. in oneself**, fiducia in se stessi 2 ◍ (*relig.*) fede; religione; credo: **the Catholic f.**, la fede cattolica 3 ◍ (*relig.*) fede; **f. in God**, fede in Dio; **act of f.**, atto di fede 4 ◍ promessa; parola data: **to break f.**, mancare alla parola data; non essere di

parola; **to keep f. with sb.**, mantenere la parola data a q.; **to pledge** (*o* **to give**, **to plight**) **one's f.**, dare la propria parola ● **f.-healer**, guaritore, guaritrice; santone □ **f.-healing**, cura (*o* guarigione) mediante preghiere o suggestione □ (*GB*) **f. school**, scuola (statale) di impostazione religiosa □ **bad f.**, malafede □ **good f.**, buona fede □ (*fam., spec. all'imper.*) **to keep the f.**, tenere duro; farsi coraggio □ **to pin one's f. to** (*o* **upon**), dare (*o* prestar) fede a □ **O, ye of little f.!**, o voi di poca fede!

faithful /'feɪθfl/ Ⓐ a. 1 fedele; fido: **a f. friend**, un amico fedele; **a f. husband**, un marito fedele; **to be f. to one's word**, essere fedele alla parola data 2 fedele; accurato; esatto; puntuale: **f. account**, resoconto fedele; **a f. copy of a document**, una copia fedele di un documento Ⓑ n. 1 seguace fedele 2 (*al pl.*) – (*relig.*) **the f.**, i fedeli ‖ **faithfulness** n. ◍ 1 fedeltà; lealtà 2 accuratezza; fedeltà; precisione; esattezza.

faithfully /'feɪθfəlɪ/ avv. 1 fedelmente; lealmente 2 fedelmente; esattamente; accuratamente ● (*nelle lettere*) **Yours f.**, distinti saluti □ (*fam.*) **to promise f.**, promettere solennemente.

faithless /'feɪθləs/ a. 1 infedele; fedifrago: **a f. friend**, un amico infedele 2 (*relig.*) senza fede; infedele; miscredente | **-ly** avv. ‖ **faithlessness** n. ◍ 1 infedeltà 2 mancanza di fede; miscredenza.

fake ① /feɪk/ Ⓐ n. 1 (*oggetto*) falso; imitazione; contraffazione: *This stamp is a f.*, questo francobollo è un falso 2 impostore, impostora; imbroglione, imbrogliona 3 inganno; raggiro; trucco; bidone (*fam.*) 4 (*sport*) finta Ⓑ a. attr. falso; finto; fasullo; contraffatto: **f. fur**, pelliccia finta (*o* sintetica); **a f. priest**, un falso prete; **a f. laugh**, una finta risata.

fake ② /feɪk/ n. (*naut.*) duglia; collo.

to **fake** ① /feɪk/ Ⓐ v. t. 1 alterare; contraffare; truccare; falsare; falsificare; contraffare: **to f. accounts**, alterare (*o* falsare) i conti; **to f. results**, truccare i risultati; **to f. a signature**, falsificare una firma; fare una firma falsa; **to f. a claim for damages**, fare una richiesta di risarcimento falsa 2 fingere; simulare: **to f. surprise**, fingere sorpresa; **to f. illness**, fingersi malato; **to f. a toothache**, fingere di avere mal di denti; **to f. a robbery**, simulare una rapina 3 (*sport*, *anche* **to f. out**) fintare (*un tiro, un avversario, ecc.*) 4 (*mus. jazz*) improvvisare Ⓑ v. i. 1 fingere; simulare; fare finta: *Don't believe him, he's just faking*, non credergli, fa solo finta 2 (*sport*) fare una finta; fintare ● **to f. it**, fingere; far finta; bluffare; (*mus. jazz*) improvvisare.

to **fake** ② /feɪk/ v. t. (*naut.*) adugliare; cogliere.

faker /'feɪkə(r)/ n. 1 contraffattore, contraffattrice; falsificatore, falsificatrice; imitatore, imitatrice 2 impostore, impostora; imbroglione, imbrogliona; ciarlatano, ciarlatana.

fakery /'feɪkərɪ/ n. falso; contraffazione; impostura.

fakir /'feɪkɪə(r), USA fə'kɪə(r)/ n. fachiro ‖ **fakirism** n. ◍ fachirismo.

falafel /fə'læfəl/ n. ◍ (*cucina*) falafel.

Falangism /fə'lændʒɪzəm/ (*stor., polit.*) n. ◍ falangismo ‖ **Falangist** n. falangista.

Falasha /fə'læʃə/ n. e a. falascià.

falbala /'fælbələ/ n. (*sartoria*) falpalà; balza.

falcate /'fælkeɪt/, **falcated** /fæl'keɪtɪd/ a. 1 (*astron.*) falcato 2 (*bot., zool.*) falciforme.

falchion /'fɔːltʃən/ n. (*stor., mil.*) daga.

falciform /'fælsɪfɔːm/ a. (*anat., biol.*) falciforme: **f. ligament**, legamento falciforme.

falcon /'fɔːlkən, USA 'fæl-/ n. 1 (*zool., Falco*) falco 2 (*stor., falconeria*) falcone 3 (*stor., mil.*) falcone ● **f. house**, falconara.

falconer /'fɔːlkənə(r), USA 'fæl-/ n. falconiere.

falconet /'fɔːlkənɪt/ n. 1 (*stor., mil.*) falconetto 2 (*zool., Microhierax*) microierace.

falconry /'fɔːlkənrɪ, USA 'fæl-/ n. ◍ falconeria.

falderal /'fældəræl/, **falderol** /'fældərɒl/ n. → **folderol**.

faldstool /'fɔːldstuːl/ n. (*relig.*) 1 (*Chiesa cattolica*) faldistorio 2 inginocchiatoio 3 (*Chiesa anglicana*) banco da cui si leggono le litanie.

Falkland Islands /'fɔːlkləndaɪləndz/, **Falklands** /'fɔːlkləndz/ n. pl. (*geogr.*) isole Falkland.

♦**fall** /fɔːl/ n. 1 caduta; ruzzolone: **a f. from a ladder** [**from a horse**], una caduta da una scala a pioli [da cavallo]; **a bad** (*o* **nasty**) **f.**, una brutta caduta; **to have** (*o* **to take**) **a f.**, cadere per terra; fare una caduta: *Did you have any major falls?*, hai fatto qualche brutta caduta?; **to break a f.**, attutire una caduta 2 caduta; crollo; capitolazione: **a rock f.**, una caduta di massi; **the f. of the Roman Empire**, la caduta (o il crollo) dell'impero romano; **the f. of the government**, la caduta del governo; **the f. of Saigon**, la caduta di Saigon 3 (*relig.*: **the F.**) la caduta (di Adamo); il peccato originale 4 (*meteor.*) caduta; precipitazione (atmosferica): **a f. of snow**, una nevicata; **a heavy f. of hailstones**, un forte rovescio di grandine 5 (il) cadere; (il) calare: **at the f. of darkness**, al calare della notte; al calare del buio 6 strapiombo; caduta; dislivello: **a f. of 100 metres**, uno strapiombo di cento metri 7 (*al pl., spec. nei toponimi* = **waterfall**) cascata, cascate: **the Niagara Falls**, le cascate del Niagara 8 declivio; pendio; discesa 9 diminuzione; calo; ribasso; abbassamento; (*econ., fin.*) flessione; (*della moneta, delle quotazioni, ecc.*) svilimento: **a f. in temperature**, un abbassamento di temperatura; **a f. in exports**, una flessione delle esportazioni; **a f. in unemployment**, un calo della disoccupazione 10 (*USA*) autunno 11 (*mus., poet.*) cadenza: '*That strain again! It had a dying f.*' W. SHAKESPEARE, 'Ancora quell'aria! Aveva una cadenza morente' 12 modo di ricadere (*di qc.*): **the f. of her hair**, il modo in cui ricadevano i suoi capelli 13 cosa (ciocca di capelli, lembo di stoffa, ecc.) che ricade 14 (*lotta*) schienata 15 (*mecc.*) catena di comando; cavo di manovra 16 (*naut.*) tirante 17 (*ind. min.*) distacco (di roccia, di minerale) 18 figliata (*spec. di agnelli*) 19 (*slang USA*) arresto; condanna: **to do** (*o* **to take**) **a f.**, essere arrestato; andare in galera; andare dentro ● (*comput.*) **f. back**, fall back (*capacità del modem di ridurre automaticamente la velocità di trasmissione*) □ (*comput.*) **f. forward**, fall forward (*capacità del modem di aumentare la velocità di trasmissione*) □ **f. from grace**, caduta nel peccato; (*anche*) caduta in disgrazia, perdita di prestigio □ (*fam. USA*) **f. guy**, capro espiatorio; vittima, (*anche*) facile vittima, gonzo, pollo, piccione (*fam.*) □ **f. line**, (*sci*) linea di massima pendenza; (*geol.*) linea di caduta (o di stacco) □ **the F. of Man**, → **fall**, *def. 3* □ (*anche fig.*) **the f. of the curtain**, il calare del sipario □ (*edil.*) **f. pipe**, pluviale; doccia □ (*slang USA*) **to take the f.**, prendersi la colpa (o la punizione, *al posto di un altro*) □ (*fam. USA*) **to take a f. out of sb.**, avere la meglio (o spuntarla) su q.

♦to **fall** /fɔːl/ (*pass.* **fell**, *p. p.* **fallen**) v. i. 1 cadere; cascare; precipitare; crollare: *I slipped and fell*, scivolai e caddi (a terra); **to f. on one's knees**, cadere in ginocchio; **to f. to the floor**, cadere per terra (*o* sul pavimento); **to f. off a wall** [**down the stairs**, **into a**

well, out of the window], cadere da un muro [giù dalle scale, in un pozzo, dalla finestra]; *He fell on the bed*, cadde (*o* crollò) sul letto; *We fell into each other's arms*, ci buttammo l'uno nelle braccia dell'altro; **to f. into a deep sleep**, cadere in un sonno profondo **2** cadere; scendere: *The rain was falling*, cadeva la pioggia; *Night fell suddenly*, la notte cadde di colpo; *Silence fell on the assembly*, sull'assemblea cadde il silenzio; *My eyes fell on the date*, il mio sguardo cadde sulla data; *Her hair fell down her back*, i capelli le scendevano sulla schiena **3** cadere; crollare; capitolare: *The government has fallen*, è caduto il governo; *The city fell to the enemy*, la città cadde nelle mani del nemico **4** cadere (*in guerra*); essere ucciso: *He fell on the Western front*, cadde sul fronte occidentale **5** (*fin.*) calare, scendere, diminuire, abbassarsi; (*della moneta*) deprezzarsi, svalutarsi: *Prices will f.*, i prezzi caleranno; *Temperatures fell below zero*, le temperature scesero sotto lo zero; *The water table has fallen considerably*, la falda acquifera si è abbassata notevolmente; *His voice fell to a whisper*, la sua voce si abbassò fino a un sussurro; *The yen has fallen against the euro*, lo yen è sceso rispetto all'euro; *The wind fell*, il vento diminuì **6** (*di data*) cadere; capitare: *Easter falls in March this year*, la Pasqua cade di marzo quest'anno **7** (*di parola*) cadere; uscire; sfuggire: **to f. from sb.'s lips**, uscire di bocca; *He let fall that…*, si lasciò sfuggire che… **8** cadere in tentazione; peccare **9** (*di fiume, ecc.*) sboccare; sfociare **10** (*del viso, ecc.*) mostrare disappunto; mostrare sgomento: *His face fell when I told him*, quando glielo dissi ci rimase **11** (*di animali, spec. agnello*) nascere **12** (*slang USA*) farsi prendere; essere arrestato **13** (*seguito da* agg.) cadere (*in una data condizione o situazione*); diventare: **to f. asleep**, addormentarsi; **to f. ill**, ammalarsi; **to f. open**, aprirsi, spalancarsi (*cadendo*) ● (*fam.*) **to f. about one's ears**, crollare; andare a rotoli □ (*fam.*) **to f. between the cracks**, andare perso; finire ignorato □ **to f. between two stools**, mancare entrambi i bersagli; perdere sui due fronti □ **to f. by the wayside**, rinunciare; abbandonare □ **to f. due**, scadere □ **to f. flat**, non avere successo, andare a vuoto; fare fiasco; fare cilecca (*fam.*); (*di battuta, ecc.*) non essere capito, non far ridere □ **to f. flat on one's face**, cadere bocconi; (*fig.*) fare fiasco, fare una figura barbina □ **to f. foul** (*o* **afoul**) **of**, scontrarsi con; urtarsi con; entrare in conflitto con; trovarsi contro (q.); mettersi nei guai con; pestare i piedi a; infrangere (*una regola, una legge*); (*naut.*) entrare in collisione con (*un'altra nave*) □ (*relig.*) **to f. from grace**, perdere lo stato di grazia; cadere nel peccato; (*anche*) perdere prestigio, cadere in disgrazia □ **to f. in love** (**with**), innamorarsi (di) □ (*aeron.*) **to f. in spin**, cadere in vite; avvitarsi □ **to f. in two**, spaccarsi in due □ (*di cavallo e sim.*) **to f. lame**, azzopparsi □ **to nearly f. off one's chair**, rimanere di stucco □ (*fam.*) **to f. off the back of a lorry** → **lorry** □ **to f. on deaf ears**, restare inascoltato; cadere nel vuoto □ **to f. on one's feet**, cadere in piedi (*anche fig.*) □ **to f. on hard times**, avere un rovescio di fortuna □ **to f. on one's sword**, gettarsi sulla spada (*per uccidersi*) □ **to f. on stony ground**, (*di parole, consiglio, ecc.*) venire ignorato; cadere nel vuoto □ **to f. prey to**, cadere in preda a; cadere in □ **to f. short** (**of**), (*di tiro, ecc.*), essere troppo corto (e non raggiungere); (*fig.*) essere insufficiente (a), non bastare (per), non raggiungere (*il numero, ecc., desiderato*); essere inferiore a (*speranze, aspettative, ecc.*) □ (*fig. fam.*) **to f. through the floor**, restare di stucco □ **to f. to one's death**, precipitare (*da un luogo elevato*) e restare ucciso; morire per una caduta dall'alto □ **to f. to pieces**, → **f. apart** □ (*di voce*) **to f. to a whisper**, diventare un sussurro □ **to f. victim to**, cadere vittima di.

■ **fall about** v. i. + avv. (*fam. GB, anche* **to f. about laughing**) ridere a più non posso; sbellicarsi.

■ **fall apart** v. i. + avv. **1** aprirsi; separarsi; dividersi **2** andare in pezzi; sfasciarsi; cadere a pezzi: *My bike is falling apart*, la mia bici sta cadendo a pezzi **3** andare in rovina; andare a rotoli; sfasciarsi; crollare *The whole country is falling apart*, l'intero paese sta andando a rotoli; *Their marriage fell apart*, il loro matrimonio si sfasciò; *Her world fell apart*, il suo mondo crollò **4** (*di persona*) avere un crollo; crollare **5** rompere i rapporti (*con q.*); separarsi **6** (*fam. USA*) perdere la calma (*o* la testa) ● **to be falling apart at the seams**, (*di indumento*) aprirsi alle cuciture; (*fig. fam.*) cadere a pezzi; (*di persona*) essere vicina al crollo; (*di matrimonio*) andare a rotoli.

■ **fall away** v. i. + avv. **1** (*del terreno*) digradare **2** (*di rocce, intonaco, ecc.*) staccarsi; cadere **3** calare; diminuire **4** scomparire; svanire **5** (*sport*) perdere smalto; perdere forma.

■ **fall back** v. i. + avv. **1** indietreggiare; arretrare; ripiegare; ritirarsi: *The rebels had to f. back*, i rivoltosi dovettero ritirarsi **2** (*di prezzi, ecc.*) calare, diminuire (*dopo un precedente aumento*) **3** – **to f. back on**, (*mil.*) ripiegare su (*una posizione*); (*fig.*) ricorrere a, fare ricorso a: *I have my savings to f. back on*, posso ricorrere ai miei risparmi.

■ **fall behind** v. i. + avv. **1** restare (*o* rimanere) indietro; farsi superare: *Our firm has fallen behind*, la nostra ditta s'è fatta superare **2** essere in arretrato; restare (*o* rimanere) indietro: **to f. behind with one's payments**, essere in arretrato con i pagamenti.

■ **fall down** v. i. + avv. **1** cadere (a terra); crollare: *I fell down and broke my leg*, caddi e mi ruppi una gamba **2** (*di prezzi, ecc.*) calare; scendere; crollare **3** (*fam.*) non funzionare; non reggere; essere inadeguato: **to f. down on the job**, non rendere sul lavoro **4** non riuscire; fallire.

■ **fall for** v. i. + prep. (*fam.*) **1** innamorarsi di; prendere una cotta per: *I fell for her the moment I saw her*, m'innamorai di lei a prima vista **2** farsi ingannare da; credere a; abboccare a; bere; cascarci: *You fell for it!*, ci sei cascato!; l'hai bevuta!

■ **fall in** **A** v. i. + avv. **1** (*di tetto, ecc.*) cedere; crollare; sprofondare **2** (*mil.*) formare le file; serrare; (*di soldato*) mettersi in riga: *F. in!*, nei ranghi!; serrate! **3** (*di contratto, di debito, ecc.*) scadere; maturare □ **to f. in alongside** (*o* **beside**) **sb.**, accodarsi a q. (*che sta camminando*) **B** v. t. + avv. (*mil.*) mettere (*soldati*) nei ranghi.

■ **fall into** v. i. + prep. **1** cadere (*in una data condizione o situazione*); cominciare: **to f. into error**, cadere nell'errore; **to f. into sb.'s hands**, cadere nelle mani di q.; **to f. into ruin**, cadere in rovina; **to f. into a doze**, appisolarsi; **to f. into a habit**, prendere un'abitudine; **to f. into debt**, indebitarsi; **to f. into conversation with**, mettersi a parlare con **2** dividersi; suddividersi; rientrare: *Our customers f. into three categories*, i nostri clienti si dividono in tre categorie □ (*fin.*) **to f. into arrears**, andare in mora □ **to f. into disrepair**, cadere in rovina; essere fatiscente □ **to f. into a doze**, appisolarsi □ **to f. into a habit**, prendere un'abitudine □ **to f. into line**, (*mil.*) mettersi in riga; formare le file; serrare; (*fig.*) adeguarsi; allinearsi □ **to f. into place**, (*di una parte di qc.*) andare a posto, entrare, inserirsi; (*di una serie di fatti*) acquistare un senso; diventare chiaro, formare un disegno logico □ **to f. into step with sb.**, mettersi al passo con q.

■ **fall in with** v. i. + avv. + prep. **1** accettare; aderire a; adeguarsi a; conformarsi con **2** imbattersi e unirsi a; cominciare a frequentare; mettersi con: **to f. in with the wrong crowd**, cominciare a frequentare gente di malaffare.

■ **fall off** v. i. + avv. **1** cadere (*da un punto più alto*): *He was standing on a chair when he fell off*, era in piedi su una sedia ed è caduto **2** (*di bottone e sim.*) staccarsi; venire via **3** (*fig.*) staccarsi (*da un partito, ecc.*); defezionare **4** (*di prezzi, ecc.*) calare; diminuire; scendere; contrarsi: *Sales have fallen off*, le vendite sono calate **5** peggiorare; deteriorarsi; scadere: *The quality of the goods has fallen off badly*, la qualità della merce è assai peggiorata **6** (*naut.*) scadere sottovento; scarrocciare.

■ **fall on** v. i. + prep. **1** (*anche mil.*) gettarsi su; attaccare; assalire **2** gettarsi (*o* buttarsi) su; avventarsi su: *The dogs fell on the food greedily*, i cani si buttarono avidamente sul cibo **3** (*form.*) ricadere su; toccare (*come dovere*) a: *The entire responsibility falls on me*, tutta la responsabilità ricade su di me; *It falls on me to introduce the speaker*, tocca a me presentare l'oratore.

■ **fall out** **A** v. i. + avv. **1** (*di denti, capelli*) cadere **2** cadere fuori; uscire; rovesciarsi; (*di acque reflue, ecc.*) fuoriuscire **3** (*di situazione, ecc.*) andare; mettersi: *Let's wait and see how things f. out*, stiamo a vedere come si mettono le cose **4** litigare; rompere (i rapporti): *He's fallen out with most of his friends*, ha litigato con quasi tutti i suoi amici **5** (*mil.*) rompere le file (*o* le righe): *F. out!*, rompete le righe! **6** (*fam. USA*) mettersi a; scoppiare a: **to f. out crying**, scoppiare in lacrime; **to f. out laughing**, sbellicarsi dal ridere **7** (*fam. USA*) addormentarsi; perdere i sensi ● **to f. out of love** (**with**), disinnamorarsi (di); non essere più innamorato (di) **B** v. t. + avv. (*mil.*) dare il «rompete le righe» a (*un reparto*).

■ **fall outside** v. i. + prep. non rientrare in: **to f. outside sb.'s competence**, non rientrare nelle competenze di q.

■ **fall over** **A** v. i. + avv. cadere (*da una posizione eretta*); rovesciarsi; *Tommy's fallen over and hurt himself in the garden*, Tommy è caduto in giardino e si è fatto male **B** v. i. + prep. cadere inciampando su (*o* in): *I fell over a stump*, inciampai in un ceppo e caddi □ **to f. over each other**, fare a gara; sgomitare □ **to f. over one's own feet**, farsi lo sgambetto da solo □ **to f. over backwards**, cadere all'indietro, rovesciarsi; (*fig. fam.*) darsi un gran da fare, farsi in quattro (*per fare qc.*) □ (*fam.*) **to f. over oneself to do st.**, fare a gara per fare qc.; farsi in quattro per fare qc.; prodigarsi in qc.

■ **fall through** v. i. + avv. andare a monte (*o* all'aria); fallire; sfumare; finire in niente: *All my plans fell through*, tutti i miei progetti fallirono.

■ **fall to** **A** v. i. + avv. **1** (*di tende, ecc.*) cadere (*o* ricadere) chiudendosi **2** mettersi a mangiare **3** mettersi all'opera; darci sotto (*fam.*) **4** accapigliarsi; venire alle mani **B** v. i. + prep. **1** (*seguito da* inf.) cominciare a; mettersi a: *He fell to thinking about his new colleague*, cominciò a pensare al collega nuovo **2** spettare a; toccare a: *The hardest part fell to me*, a me toccò il lavoro più duro.

■ **fall under** v. i. + prep. **1** cadere sotto (*il dominio, l'influenza di q.*) **2** rientrare in (*una categoria, ecc.*): *This case falls under section 8 of the Act*, questo caso rientra nella sezione 8 della legge; **to f. under sb.'s jurisdiction**, rientrare nella giurisdizione di q. **3** essere suddiviso in: *The subject falls under four headings*, l'argomento è suddiviso in quattro punti.

■ **fall within** v. i. + prep. rientrare (*in una classe, ecc.*); ricadere in; fare parte di, essere incluso in: **to f. within sb.'s competence**,

essere di competenza di q.; *This decision doesn't f. within my brief*, questa decisione non rientra nel mio mandato.

fallacious /fə'leɪʃəs/ a. fallace; falso; erroneo: **a f. argument**, un ragionamento fallace (o falso) | **-ly avv.** | **-ness n.** ⒰.

fallacy /'fæləsɪ/ n. **1** errore; credenza erronea; superstizione: **a popular f.**, una credenza erronea assai comune **2** falso ragionamento; sofisma **3** ⒰ erroneità; errore **4** ⒰ fallacia; falsità; ingannevolezza.

fallaway /'fɔːləweɪ/ n. diminuzione; flessione; calo; declino.

fallback /'fɔːlbæk/ **A** n. **1** ripiego; misura di riserva **2** ripiegamento; ritirata **B** a. **attr.** di ripiego; di riserva: **a f. plan**, un piano di riserva.

fallen /'fɔːlən/ **A** a. **1** caduto: **f. branches**, rami caduti **2** caduto (*in guerra*) **3** peccatore **B** n. pl. (collett.: **the f.**), i caduti (*in guerra*) ● **f. angel**, (*relig.*) angelo caduto; (*Borsa, fin.*) titolo il cui prezzo ha subìto un tracollo □ **f. arches**, piedi piatti □ (*antiq.*) **f. woman**, donna di cattiva reputazione; peccatrice.

faller /'fɔːlə(r)/ n. (*ippica*) cavallo caduto (*spec. in una corsa siepi*).

fallibilism /'fælɪbəlɪzəm/ n. ⒰ (*filos.*) fallibilismo || **fallibilist** n. fallibilista.

fallible /'fæləbl/ a. (*form.*) fallibile; che è soggetto a errare || **fallibility** n. ⒰ fallibilità.

falling /'fɔːlɪŋ/ **A** a. **1** cadente: **f. star**, stella cadente **2** calante; in calo; in diminuzione: **f. birth-rate**, natalità in calo **3** (*ling.*) discendente **B** n. ⒰⒞ **1** caduta **2** decadimento; abbassamento **3** diminuzione ● (*autom.*) «**F. rocks**» (*cartello*), «caduta massi» □ (*med. arc.*) **f. sickness**, malcaduco □ **f. stone**, meteorite.

falling-away /'fɔːlɪŋə'weɪ/ loc. n. **1** allontanamento; defezione: **a falling-away from faith**, un allontanamento dalla fede **2** → **fall-off**.

falling-off /'fɔːlɪŋ'ɒf/ → **fall-off**.

falling-out /'fɔːlɪŋ'aʊt/ n. dissidio; litigio; screzio.

fall-off /'fɔːlɒf/ n. declino; diminuzione; riduzione; calo; flessione; contrazione: **a fall-off in sales**, una diminuzione (o flessione) delle vendite; **a fall-off in exports**, una contrazione delle esportazioni.

Fallopian tubes /fə'ləʊpɪən tjuːbz, USA tuː-/ loc. n. (*anat.*) tube di Falloppio; salpingi.

fallout /'fɔːlaʊt/ n. **1** (*fis. nucl.*) fallout; caduta (o pioggia) di materiale radioattivo; ricaduta radioattiva **2** (*fig.*) conseguenza (*spec. negativa*); ricaduta negativa; ripercussione **3** (*econ.*) derivato; prodotto derivato ● (*stat.*) **f. rate**, percentuale di abbandono □ (*edil.*) **f. shelter**, rifugio contro le radiazioni atomiche.

fallow ① /'fæləʊ/ **A** n. ⒰ (*agric.*) maggese; maggesato **B** a. **1** (*agric.*) a riposo; a maggese: **to lie f.**, restare a riposo; essere (tenuto) a maggese **2** (*fig.*) inattivo; improduttivo; infruttuoso; inutilizzato | **-ness n.** ⒰.

fallow ② /'fæləʊ/ a. fulvo; rossastro ● (*zool.*, inv. al pl.) **f. deer** (*Dama dama*), daino.

to **fallow** /'fæləʊ/ v. t. (*agric.*) maggesare; tenere (o lasciare) a maggese.

♦**false** /fɔːls/ **A** a. **1** falso; non vero; sbagliato; errato: **to give a f. impression**, creare un'impressione sbagliata (*caccia e fig.*) **a f. scent**, una pista sbagliata **2** illusorio; falso; infondato: **f. hopes**, speranze illusorie; **a f. sense of security**, un falso senso di sicurezza **3** infedele; infido: **a f. lover**, un amante infedele; (*anche ling.*) **f. friends**, falsi amici; **f.-hearted**, falso; traditore **4** falso; contraffatto; falsato; falsificato: **a f. passport**, un passaporto falso **5** artificiale; posticcio; finto: **f. teeth**, denti finti; dentiera; **a f. drawer**, un finto cassetto; **f. beard**, barba finta (o posticcia); **f. smiles**, sorrisi finti **6** (*leg.*) illegale; abusivo; illegittimo: **f. arrest**, arresto illegale; **f. imprisonment**, incarcerazione illegale; detenzione abusiva **7** (*comput.*) falso (*nella logica booleana*) **8** (*mus.*) falso; stonato **B** avv. **1** falso: *It sounds f.*, suona falso **2** slealmente (*solo nella loc.*: **to play sb. f.**, ingannare q.; tradire q. ● (*bot.*) **f. acacia** (*Robinia pseudoacacia*), robinia □ **f. alarm**, falso allarme □ **f. bottom**, doppiofondo □ (*edil.*) **f. ceiling**, controsoffitto; soffittatura □ **f. dawn**, alba falsa; (*fig.*) speranza fallace, falsa schiarita □ **f. economy**, falso risparmio □ (*leg.*) **f. entry**, falso in scritture contabili □ **f.-faced**, ipocrita □ (*bot.*) **f. fruit**, falso frutto; pseudofrutto □ (*naut. stor*) **f.-flag**, falsa bandiera (*detto di naviglio che batte la bandiera del nemico*); (*mil.*) falsa bandiera (*detto di azioni militari o terroristiche compiute da forze amichevoli per giustificare una reazione contro il nemico*) □ (*naut.*) **f. keel**, falsachiglia □ **f. move**, mossa falsa □ **f. position**, una posizione falsa □ (*leg.*) **f. pretences**, millantato credito □ **under f. pretences**, con l'inganno; con la frode □ (*anat.*) **f. rib**, falsa costola □ (*sport e fig.*) **f. start**, falsa partenza □ **f. step**, passo falso □ **to be f. to one's promises**, non tener fede alle promesse □ (*leg.*) **f. witness**, falsa testimonianza; **to give f. witness**, deporre (o testimoniare) il falso □ **to sail under f. colours**, (*naut.*) battere falsa bandiera; (*fig.*) spacciarsi per quello che non si è, agire sotto mentite spoglie □ **to strike a f. note**, (*mus.*) fare una stecca; (*fig.*) toccare un tasto falso.

falsehood /'fɔːlshʊd/ n. **1** ⒰ falsità; falso **2** menzogna; falsità **3** credenza errata.

falsely /'fɔːlslɪ/ avv. falsamente.

falseness /'fɔːlsnəs/ n. ⒰ **1** (*di notizia, ecc.*) falsità **2** (*di persona*) falsità; doppiezza; ipocrisia.

falsetto /fɔːl'setəʊ/ (*ital.*), (*mus.*) **A** n. ⒞ (pl. **falsettos**) falsetto **2** falsettista **B** a. di falsetto **C** avv. in falsetto.

falsework /'fɔːlswɜːk/ n. (*edil.*) gabbia; armatura; ponteggio.

falsies /'fɔːlsɪz/ n. pl. (*fam.*) **1** reggiseno imbottito; seno finto; tette finte (*fam.*) **2** ciglia finte.

falsifiable /'fɔːlsɪfaɪəbl/ a. falsificabile || **falsifiability** n. ⒰ falsificabilità.

falsification /fɔːlsɪfɪ'keɪʃn/ n. ⒰ **1** falsificazione; contraffazione **2** (il) dimostrare errato; falsificazione.

falsifier /'fɔːlsɪfaɪə(r)/ n. falsificatore, falsificatrice; contraffattore; falsario, falsaria.

to **falsify** /'fɔːlsɪfaɪ/ v. t. **1** falsificare; contraffare; falsare; alterare: **to f. accounts** [**documents**], alterare i conti [falsificare documenti] **2** deludere (*aspettative, speranze, ecc.*); ingannare **3** (*filos.*) dimostrare errato (o infondato); falsificare **4** dimostrare falso, infondato (*un timore e sim.*); dimostrare inattendibile (*una promessa, ecc.*).

falsity /'fɔːlsətɪ/ n. **1** ⒰ falsità; doppiezza; perfidia; slealtà **2** falsità; menzogna; bugia.

falter /'fɔːltə(r)/ n. **1** esitazione; incertezza; vacillamento **2** balbettamento; borbottio.

to **falter** /'fɔːltə(r)/ v. i. **1** barcollare; incespicare; vacillare **2** (*fig.*) vacillare; indebolirsi; farsi incerto; (*di azienda, ecc.*) perdere colpi: *The Prime Minister's popularity began to f.*, la popolarità del primo ministro cominciò a vacillare; *Her courage never faltered*, il suo coraggio non vacillò mai; *His smile faltered*, il suo sorriso si fece incerto **3** parlare con voce esitante; balbettare; impappinarsi.

faltering /'fɔːltərɪŋ/ a. **1** barcollante; vacillante **2** esitante; incerto; vacillante.

fame /feɪm/ n. ⒰ fama; celebrità; rinomanza; reputazione (*buona o cattiva*): **ill f.**, cattiva fama; **to win** (o **to rise to**) **f.**, diventare famoso.

famed /feɪmd/ a. **1** famoso; celebre; rinomato **2** conosciuto; noto.

familial /fə'mɪlɪəl/ a. **1** familiare; di famiglia: **f. background**, ambiente familiare **2** (*med.*) ereditario: **f. disease**, malattia ereditaria.

♦**familiar** /fə'mɪlɪə(r)/ **A** a. **1** familiare; noto; conosciuto: *There was something f. about that place*, quel posto aveva qualcosa di familiare; **a f. voice**, una voce nota; **f. sight**, vista (o spettacolo) familiare **2** noto; comune: **a f. problem**, un problema noto (o comune) **3** – **f. with**, che conosce (q.c. o q.); che ha familiarità (o dimestichezza) con; pratico di; in confidenza con: **to be f. with the rules**, conoscere il regolamento; *Are you f. with this machine?*, sai come funziona questa macchina?; conosci questa macchina?; **to make (oneself) f. with st.**, acquistare familiarità (o dimestichezza) con qc.; **to grow f. with**, prendere confidenza con **4** intimo; in confidenza; confidenziale: **to be on f. terms with**, essere intimo di; essere in rapporto di confidenza con; **to get too f. with**, prendersi troppa familiarità con **5** informale; familiare; alla buona **6** (*di animale*) domestico **B** n. **1** (*mitol.*, = **f. spirit**) demone familiare (*di strega, ecc.*) **2** (*eccles.*) famiglio; cameriere (*di vescovo, ecc.*) **3** (*antiq.*) (amico) intimo ● (*fig.*) **to be on f. ground**, trovarsi a proprio agio (o nel proprio elemento).

familiarity /fəmɪlɪ'ærətɪ/ n. ⒰ **1** buona conoscenza; dimestichezza; pratica: **f. with Chinese**, buona conoscenza del cinese; **lack of f.**, scarsa dimestichezza; ignoranza **2** familiarità; confidenza; intimità; confidenzialità: **unwelcome f.**, confidenzialità sgradita **3** familiarità; (l')essere noto ● (*prov.*) **f. breeds contempt**, confidenza toglie riverenza.

to **familiarize** /fə'mɪlɪəraɪz/ v. t. **1** far conoscere; far acquistare dimestichezza a; addestrare **2** diffondere; rendere noto; rendere familiare **3** – **to f. oneself**, familiarizzarsi; acquistare dimestichezza || **familiarization** n. ⒰ **1** (il) familiarizzarsi; (l')acquistare dimestichezza **2** (il) familiarizzare; (l')entrare in rapporti familiari (con).

familiarly /fə'mɪlɪəlɪ/ avv. familiarmente; con familiarità.

familism /'fæməlɪzəm/ (*sociol.*) n. ⒰ familismo || **familist** n. familista || **familistic** a. familistico.

♦**family** /'fæmlɪ/ **A** n. **1** (GB, anche col verbo al pl.) famiglia; nucleo familiare: **a f. of five**, una famiglia di cinque persone; **a large f.**, una famiglia numerosa; **a great f.**, una famiglia importante; una grande famiglia: *The f. is a basic social unit*, la famiglia è un'unità sociale fondamentale; *His f. is* (o, GB, are) *backing him unreservedly*, la sua famiglia lo appoggia fino in fondo; *Do you have any f.?*, hai famiglia?; hai figli?; *You're one of the f.*, sei di famiglia **2** figli (pl.); famiglia: **parents with young families**, genitori con figli piccoli; **to raise a f.**, crescere (o tirare su) i figli; **to start a f.**, metter su famiglia; avere il primo figlio **3** famiglia (*in senso lato*); parenti (pl.): **the immediate f.**, i parenti stretti; **extended f.**, famiglia allargata; *This firm has been in the f. for three generations*, la ditta è proprietà della famiglia da tre generazioni **4** (*zool., bot., ling.*) famiglia: **the cat f.**, la famiglia dei felini; **the Finno-Ugric f. of languages**, la famiglia delle lingue ugro-finniche **B** a. **1** familiare; di (o della) famiglia; in famiglia: **the f. circle**, la cerchia familiare; **f. members**, membri della famiglia; componenti la famiglia; familiari; **f. budget** [**income**], bilancio [reddito]

familiare; **f. ties**, legami (*o* vincoli) familiari; **f. life**, vita in famiglia; vita familiare; **f. friend**, amico di famiglia; **f. values**, valori familiari **2** per famiglie; per tutta la famiglia: **f. film**, film per tutti; **f. hotel**, albergo di tipo familiare **3** per uso familiare; da famiglia: **f. car**, automobile per uso familiare **4** (pred.) di famiglia: *You can stay, you're f.*, puoi restare, sei di famiglia ● (*un tempo*) **f. allowance**, assegni familiari (*ora* **child benefit**)□ **f. bible**, la Bibbia di famiglia (*sulle cui pagine bianche si segnavano le nascite, i matrimoni, ecc.*) □ **f. business**, impresa (*a* conduzione) familiare □ (*econ.*) **f.-controlled**, a conduzione familiare □ (*in GB*) **f. credit**, sussidio statale a famiglie con basso reddito □ (*leg., in GB*) **F. Division**, tribunale che tratta questioni attinenti alla famiglia (*divorzi, minori, successioni, ecc.; uno dei quattro rami della* **High Court of Justice**, *q.v., sotto* **high**) □ **f. doctor**, medico di famiglia (*o* di base) □ (*in GB*) **f. income supplement** → **f. credit**, *sopra* □ (*TV, USA*) **f. hour**, fascia preserale (*tra le 18 e le 20, in cui sono trasmessi programmi adatti a tutti*) □ **f. jewes**, gioielli di famiglia; (*slang*) genitali maschili □ (*leg.*) **f. law**, diritto di famiglia □ **f. likeness**, somiglianza tra familiari; aria di famiglia □ **f. man**, uomo che ha famiglia; padre di famiglia; (*anche*) uomo tutto famiglia □ **f. name**, cognome □ **f. pack**, confezione famiglia □ **f. planning**, pianificazione familiare □ (*med., USA*) **f. practice**, medicina generale □ (*med., USA*) **f. practitioner**, medico generico (*o* di base) □ **f. room**, soggiorno; (*tur.*) stanza a tre o più letti □ **f.-run**, a gestione (*o* conduzione) familiare □ (*comm.*) **f.-size package**, confezione (tipo) famiglia □ (*psic.*) **f. therapy**, terapia familiare □ **f. time**, → **f. hour**, *sopra* □ **f. tree**, albero genealogico □ (*econ.*) **f. worker**, familiare coadiuvante □ **in the f.**, in famiglia; di famiglia: *It runs in the f.*, è un tratto di famiglia □ (*fam.: di donna*) **in the f. way**, incinta.

famine /'fæmɪn/ n. **1** ᴄ carestia: **the Irish potato f.**, la carestia delle patate in Irlanda; **f. relief**, aiuti contro la carestia **2** grande scarsità; penuria **3** ᴜ (*arc.*) fame ● **f. prices**, prezzi molto alti (*a causa d'una carestia o fig.*).

to **famish** /'fæmɪʃ/ (*arc.*) ⒜ v. t. affamare; far morire di fame ⒝ v. i. patire la fame.

famished /'fæmɪʃt/ a. (*fam.*) affamato; con una fame da lupo: *I'm f.*, ho una fame da lupo.

◆**famous** /'feɪməs/ a. **1** famoso; celebre; rinomato: **a f. writer**, uno scrittore famoso **2** strepitoso; clamoroso: **his party's f. victory**, la strepitosa vittoria del suo partito **3** (*antiq.*) ottimo; eccellente: **f. weather**, tempo eccellente **4** (*arc.*) famigerato □ (*scherz.*) **f. last words**, ultime parole famose ‖ **famousness** n. ᴜ fama; rinomanza; l'essere famoso.

famously /'feɪməslɪ/ avv. **1** com'è ampiamente noto; come tutti sanno: *He is f. rude with journalists*, la sua maleducazione con i giornalisti è famosa **2** (*fam., antiq.*) magnificamente; splendidamente: a meraviglia: *She and Dad got on f.*, lei e papà hanno familiarizzato subito magnificamente.

famulus /'fæmjʊləs/ (*lat.*) n. (pl. **famuli**) **1** (*stor.*) famulus; famulo **2** (*lett.*) assistente (*di mago, ecc.*); apprendista stregone.

◆**fan** ① /fæn/ n. **1** ventaglio **2** (*elettr., mecc.*) ventilatore; ventola □ (*tur.*) **ceiling fan**, ventilatore a soffitto; **fan blade** [belt], pala [cinghia] del ventilatore **3** ventola; sventola **4** pala ausiliaria (*di mulino a vento*) **5** (*naut.*) pala dell'elica **6** (*zool.*) coda (*del pavone*) **7** (*zool.*) pinna caudale (*di balena*) **8** (*agric.*) vaglio (*per il grano*) **9** (*geol.*) conoide ● **fan--assisted oven**, forno ventilato □ (*mecc.*) **fan blower**, soffiante a ventola □ **fan dance**, danza dei ventagli □ (*ind. min.*) **fan drilling**, perforazione a ventaglio □ **fan heater**, termoconvettore □ (*aeron.*) **fan jet**, turbogetto a soffiante (o a doppio flusso) □ (*bot.*) **fan palm**, palma a ventaglio □ (*zool.*) **fan--tailed**, dalla coda a ventaglio □ (*zool.*) **fan--tailed warbler** (*Cisticola juncidis*), beccamoschino □ (*archit.*) **fan tracery**, motivi ornamentali a ventaglio.

fan ② /fæn/ n. (*fam.*) ammiratore, ammiratrice; appassionato; appassionata; fanatico, fanatica; (*sport*) tifoso, tifosa: *Jane is a big fan of yours*, Jane è una tua grande ammiratrice; **soccer fans**, tifosi del calcio; **film fan**, appassionato di cinema; cinefilo ● **fan base**, pubblico di appassionati; fedelissimi; tifoseria □ **fan club**, club di tifosi (*o* di ammiratori); fan club □ **fan letters** (*o* **fan mail**), lettere di ammiratori □ **fan fiction**, racconto realizzato dai fan di una serie, di un film, ecc.; fan fiction; fanfiction; fanfic.

to **fan** /fæn/ ⒜ v. t. **1** fare vento; sventagliare; sventolare; ventilare: **to fan oneself**, farsi vento; sventolarsi; sventagliarsi **2** alimentare (*facendo vento*); ravvivare; rattizzare: *The wind fanned the flames*, il vento alimentò le fiamme; **to fan the fire**, fare vento al fuoco **3** (*del vento, ecc.*) alitare su **4** (*agric.*) vagliare (*grano, ecc., dalla pula*); spulare **5** → **to fan out 6** (*fig.*) fomentare; incitare; alimentare: **to fan resentment**, alimentare lo scontento **7** (*slang USA*) perquisire, frugare (q.) **8** (*slang USA*) azionare (*una pistola, ecc.*) a raffica; sventagliare una raffica di ⒝ v. i. **1** (*del vento*) soffiare lievemente **2** → **to fan out** ● (*fig.*) **to fan the air**, menar colpi in aria □ (*fam.*) **to fan sb.'s behind**, sculacciare q. □ (*fig.*) **to fan the flames**, soffiare sul fuoco.

▪**fan away** v. t. allontanare, scacciare, mandar via (*agitando qc.*): **to fan away a fly**, scacciare una mosca.

▪**fan out** ⒜ v. t. **1** aprire a ventaglio; disporre a ventaglio **2** allargare; distendere ⒝ v. i. **1** aprirsi a ventaglio; disporsi a ventaglio **2** (*di un gruppo di persone*) sparpagliarsi **3** (*di gonna, capelli, ecc.*) allargarsi.

fanatic /fə'nætɪk/ a. e n. **1** fanatico; esaltato; estremista **2** fanatico; patito: **a cricket f.**, un patito del cricket ‖ **fanaticism** n. ᴜ **1** fanatismo **2** fanatismo sportivo; tifo (*fam.*).

fanatical /fə'nætɪkl/ a. **1** fanatico: **f. devotion**, devozione fanatica **2** fanatico; maniaco; un fanatico della pesca; *He's f. about tidiness*, è (un) maniaco dell'ordine | **-ly** avv.

to **fanaticize** /fə'nætɪsaɪz/ ⒜ v. t. rendere fanatico; portare al fanatismo; fanatizzare ⒝ v. i. comportarsi da fanatico.

fanciable /'fænsɪəbl/ a. (*fam.*) (*sessualmente*) attraente; su cui fare un pensierino (*fam.*).

fancied /'fænsɪd/ a. **1** immaginario **2** favorito: **the f. horse in the next race**, il (cavallo) favorito nella prossima corsa.

fancier /'fænsɪə(r)/ n. **1** amatore; appassionato; cultore; collezionista **2** appassionato allevatore; appassionato coltivatore: **a pigeon f.**, un allevatore di piccioni; **a rose f.**, un appassionato coltivatore di rose.

fanciful /'fænsɪfl/ a. **1** fantasioso; immaginoso; stravagante: **full of f. notions**, pieno di idee fantasiose **2** immaginario; fantastico | **-ly** avv.

fancifulness /'fænsɪflnəs/ n. ᴜ **1** l'esser fantasioso; bizzarria **2** fantasticheria; capriccio.

◆**fancy** /'fænsɪ/ ⒜ n. ᴜ **1** (libera) fantasia; immaginazione: **to catch** (*o* **to take**) **sb.'s f.**, colpire la fantasia di q.; piacere subito a q.; **a flight of f.**, un volo della fantasia; un volo poetico; **facts and f.**, realtà (*o* fatti) e fantasia; *Is it just my f., or...?*, me lo sono immaginato, o...? **2** voglia; capriccio; ghiribizzo; desiderio; gusto; inclinazione; simpatia: **a passing f.**, un capriccio passeggero; **to take a f. to**, prendere in simpatia (q.); affezionarsi a (q.); incapricciarsi di (qc.); *when the f. takes me*, quando mi vien voglia; quando mi salta il ticchio (*fam.*) **3** idea; impressione: *I have a f. that he won't come*, ho idea (o l'impressione) che non verrà **4** (*sport*) favorito **5** (collett.: **the f.**) (*sport, antiq.*) (gli) appassionati di uno sport (*spec. della boxe*) **6** → **f. cake**, *sotto* **7** (*mus., stor.*) fantasia ⒝ a. attr. **1** elaborato; molto decorato; fantasia: **a f. frame**, una cornice decorata; **a f. tie**, una cravatta fantasia; **written in f. lettering**, scritto a caratteri elaborati **2** estroso; fantasioso; speciale; ricercato; che vuole fare colpo; ad effetto; stravagante: **f. names**, nomi (di battesimo) estrosi; *It'll be nothing f., just a friendly get-together*, non sarà niente di speciale, solo una riunione fra amici **3** di lusso; costoso: **a f. restaurant**, un ristorante di lusso; **a f. yacht**, un panfilo di lusso; **f. clothes**, abiti costosi; **f. living**, vita dispendiosa; vita alla grande **4** esorbitante; d'affezione: **f. prices**, prezzi esorbitanti **5** (*di animale*) selezionato per sviluppare una caratteristica particolare **6** (*di alimento, USA*) extra; di qualità superiore: **f. fruits**, frutta extra; **f. cakes**, pasticcini glassati **7** (*di fiore*) di vari colori; multicolore ● **f. bread**, pane speciale □ **f. cake**, pasticcino □ **f. dress**, travestimento (in maschera); costume; costumi: **to wear f. dress**, mettersi in maschera; mascherarsi; essere in maschera; **f.-dress ball** (*o* **f.-ball**), ballo mascherato (o in maschera); **f.-dress party**, festa in maschera □ **f. fair**, fiera di beneficenza con vendita di articoli vari □ **f. footwork**, (*sport*) abile gioco di gambe; (*danza*) passi (pl.) complicati; (*fig.*) prontezza di riflessi e abilità (*spec. per togliersi d'impiccio*) □ **f.-free**, spensierato, allegro; (*anche*) libero da legami sentimentali □ (*market.*) **f. goods**, articoli da regalo; chincaglieria □ (*fam. spreg.*) **f. man**, amante; amichetto; ganzo (*pop.*) □ (*fam. USA*) **f. pants**, elegantone; damerino □ (*fam. spreg.*) **f. woman**, amante (donna); amichetta (*fam.*); ganza (*pop.*).

◆to **fancy** /'fænsɪ/ v. t. **1** (*form.*) avere l'impressione di; sembrare a, parere a (impers.): *He fancied he heard a noise*, gli sembrò di aver sentito un rumore **2** (*form.*) credere; immaginare; supporre: *If I would like living in Paris*, credo che mi piacerebbe vivere a Parigi **3** (*fam.*) avere voglia di; gradire; andare a (impers.): *What do you f.?*, che cosa ti andrebbe?; (*al bar*) che cosa prendi?; *What do you f. doing tonight?*, che cosa ti va di fare stasera?; *I could f. a beer*, ho voglia (o mi andrebbe) una birra; *F. a game of darts?*, ti va di giocare a freccette?; *I really f. a change*, ho proprio voglia di un cambiamento **4** (*fam. GB*) trovare attraente; piacere a (impers.): *I think he fancies you*, secondo me gli piaci; *I could f. him, if he wasn't such a cheapskate*, ci farei su un pensierino, se non fosse così taccagno **5** ritenere probabile: **to f. sb. to win**, credere che q. vincerà; *I don't f. your chances of finding it*, non credo che riuscirai a trovarlo **6** (*solo all'imper.*) immaginare; pensare; figurarsi: **F. having to live here!**, pensa cosa dev'essere abitare qui!; **F. that!**, pensa un po'!; ma guarda!; **Just f.!**, pensa un po'!; figurati!; *F. meeting you here!*, che combinazione incontrarti qui! **7** (*fam.*) − **to f. oneself**, credersi speciale (*per intelligenza, bravura, fascino, ecc.*); darsi delle arie: *He fancies himself as another Olivier*, si crede un secondo Olivier; *She really fancies herself*, si dà un sacco d'arie; crede di essere chissà chi.

fancywork /'fænsɪwɜːk/ n. ᴜ ricamo.

fandangle /fæn'dæŋgl/ n. (fam., antiq.) **1** fronzolo **2** sciocchezza; stupidaggine.

fandango /fæn'dæŋgəʊ/ n. (pl. **fandangos**) **1** (mus.) fandango (danza e musica) **2** Ⓤ (fam. USA) buffonata, buffonate.

fandom /'fændəm/ n. Ⓤ (fam.) il mondo degli appassionati (di qc.); i fanatici (collett.); (sport) tifoseria, i tifosi (collett.): **the Sci-fi f.**, i fanatici della fantascienza.

fane /feɪn/ n. (poet.) tempio.

fanfare /'fænfɛə(r)/ n. **1** (mus.) squillo di trombe (che annuncia l'arrivo di q.) **2** (fig.) accoglienza chiassosa; gran chiasso; grandi celebrazioni (pl.).

fanfaronade /fænfærə'nɑːd/ n. fanfaronata; millanteria; spacconata.

fanfiction /'fænfɪkʃən/, **fanfic** /'fænfɪk/ n. (fam.) = **fan fiction** →**fan**.

fanfold /'fænfəʊld/ a. attr. (di carta, cartone, ecc.) piegato a Z; piegato a fisarmonica; pieghettato: a ventaglio ● (comput.) f. **paper**, carta a modulo continuo (o a fogli Z).

fang /fæŋ/ n. **1** zanna (di cane, lupo, ecc.) **2** dente (di serpente velenoso) **3** punta (di forca, bidente e sim.) **4** (anat.) punta della radice (d'un dente).

to **fang** /fæŋ/ v. t. **1** azzannare **2** (tecn.) adescare (una pompa).

fanged /fæŋd/ a. zannuto; provvisto di zanne.

fangless /'fæŋləs/ a. senza zanne.

fango /'fæŋgəʊ/ (ital.) n. fango termale.

fanion /'fænjən/ n. (tecn., mil.) bandierina di segnalazione (da piantare nel terreno).

fanlight /'fænlaɪt/ n. (archit.) lunetta a ventaglio; sopraluce; sopraporta.

fanner /'fænə(r)/ n. **1** chi sventola **2** ventilatore **3** (= f. **basket**) ventilabro.

Fannie Mae /fænɪ'meɪ/ loc. n. (fam., in USA) → **FNMA**.

fanny /'fænɪ/ n. **1** (volg. GB) genitali (pl.) femminili; passera, topa (volg.) **2** (fam. USA) sedere; deretano; culo (volg.) ● (fam. USA) f. **pack**, marsupio; borsetta alla cintura.

fanon /'fænən/ n. (eccles.) fanone.

fantabulous /fæn'tæbjʊləs/ a. (fam.) fantastico; favoloso; stupendo.

fantail /'fænteɪl/ n. **1** coda a ventaglio **2** (zool. = f. **pigeon**) piccione con la coda a ventaglio **3** (di mulino a vento) pala ausiliaria **4** (archit.) struttura ornamentale a ventaglio **5** (naut., USA) volta di poppa ellittica ● (zool.) f. **warbler** (Cisticola juncidis), beccamoschino.

fantasia /fæn'teɪzɪə/ (ital.) n. (mus., arte, ecc.) fantasia.

fantasist /'fæntəsɪst/ n. **1** visionario; sognatore **2** mitomane; chi si inventa le cose **3** (mus.) compositore di fantasie **4** (letter.) scrittore di genere fantastico.

to **fantasize** /'fæntəsaɪz/ v. i. fantasticare; perdersi in fantasticherie; sognare (ad occhi aperti); vagheggiare.

fantast /'fæntæst/ n. (arc. o USA) sognatore; visionario.

♦**fantastic** /fæn'tæstɪk/ (nella def. 1) **fantastical** /fæn'tæstɪkl/ a. **1** fantastico; frutto di fantasia **2** bizzarro; eccentrico; strano; stravagante: f. **costumes**, costumi stravaganti; f. **ideas**, idee bizzarre **3** enorme; fantastico; incredibile; pazzesco; assurdo: a **f. sum of money**, una somma fantastica; f. **prices**, prezzi pazzeschi **4** (fam.) fantastico; straordinario; meraviglioso; splendido; stupendo: f. **discovery**, scoperta fantastica; f. **news**, notizia meravigliosa; f. **weather**, tempo stupendo; We've had f. **support**, abbiamo avuto un sostegno fantastico; «How was your holiday?» «It was fantastic», «Com'è stata la tua vacanza?» «È stata stupenda» ‖ **fantasticality**, **fantastical-ness** n. Ⓤ fantasticheria; bizzarria; stranezza; stravaganza ‖ **fantastically** avv. **1** fantasticamente **2** (fam.) splendidamente; in modo eccellente.

♦**fantasy** /'fæntəsɪ/ n. **1** Ⓤ fantasia; immaginazione: **the realm of f.**, il mondo della fantasia; **a world of f.**, un mondo irreale (o di fantasia) **2** ⓊⒸ fantasia; invenzione: His story is pure f., la sua storia è fantasia pura **3** idea fantastica; fantasia; fantasticheria; illusione: **sexual fantasies**, fantasie sessuali **4** credenza (o convinzione) erronea; idea sbagliata; fantasia **5** (mus.) fantasia **6** Ⓤ (genere letter. e cinem.) fantasy ● (sport) f. **football**, fantacalcio.

fantod /'fæntɒd/ n. (generalm. al pl.: **the fantods**) (fam. USA) agitazione; nervosismo; smania: Just seeing him gives me the fantods, il solo vederlo mi fa saltare i nervi.

fanzine /'fænziːn/ n. (contraz. fam. di **fan magazine**) fanzine; fanzina (rivista destinata agli appassionati di un settore).

FAO sigla **1** (ONU, **Food and Agriculture Organization**) Organizzazione per l'alimentazione e l'agricoltura (Italia) **2** (**for the attention of**) alla cortese attenzione di.

FAQ sigla (comput., **frequently asked questions**) domande frequenti; FAQ.

f.a.q. sigla (**fairly average quality**) (di) buona qualità media.

faquir /'feɪkɪə(r), USA fə'kɪə(r)/ n. fachiro.

♦**far** /fɑː(r)/ Ⓐ avv. (compar. **farther**, **further**; superl. relat. **farthest**, **furthest**) **1** lontano: They didn't go far, non andarono lontano; We've gone too far, ci siano spinti troppo lontano; siamo andati troppo oltre; (fig.) abbiamo esagerato; How far?, fin dove?; fino a che punto? (anche fig.); She can't be far away, non può essere lontana; How far is it to your house?, quanto è lontana (o quanto dista, quanto siamo lontani da) casa tua?; Is it far to the train station?, è lunga la strada per la stazione?; **far beyond our solar system**, molto al di là del (o a un'enorme distanza dal) nostro sistema solare; **far into the future**, nel lontano futuro; **far into the night**, fino a tarda notte **2** molto; assai; di molto; di gran lunga: decisamente: **far better**, molto (o assai) migliore; **far longer**, molto più lungo; **far too long**, decisamente troppo lungo; I'm far too busy to see them, sono davvero troppo occupato per vederli ❶ NOTA: molto →**molto** Ⓑ a. (compar. **farther**, **further**; superl. relat. **farthest**, **furthest**) **1** lontano; distante; remoto: **the far past**, il lontano passato **2** opposto; altro: **the far end of**, la parte opposta di; l'estremo opposto di; l'estremità opposta di; l'altro capo di **3** (geogr.) lontano; estremo: **the Far East**, l'Estremo Oriente; **the Far West**, il lontano Ovest; (in USA) il Far West **4** (polit.) estremo: **the far left** [**right**], l'estrema sinistra [destra]; **a far-right leader**, un leader dell'estrema destra ● **far above**, molto (al di) sopra (di qc.); (fig.) di gran lunga superiore (a q.) □ **far afield**, lontano: **to come from far afield**, venire da lontano □ **far ahead** (**of**), molto avanti (a); molto avanzato (rispetto a) □ **far and away**, di gran lunga: **far and away the youngest**, di gran lunga il più giovane □ **far and near**, vicino e lontano; dappertutto; ogni dove □ **far and wide**, in lungo e in largo; dappertutto: He has travelled far and wide, ha viaggiato in lungo e in largo; **from far and wide**, da ogni parte □ **far-away**, lontano, distante, remoto; → anche **faraway** □ **far between** → **few and far between**, sotto **few** □ **a far cry from**, ben diverso da; lontanissimo da □ **far-famed**, di vasta rinomanza; famoso □ **far-fetched**, lambiccato; forzato; stiracchiato; improbabile; inverosimile □ **far-flung**, lontano, remoto; (anche) esteso,

ampio, assai diffuso □ **far from**, tutt'altro che; lungi da: He's far from well, sta tutt'altro che bene; **far from satisfied**, tutt'altro che (o lungi dall'essere) soddisfatto; His optimism, far from cheering me, began to jar, il suo ottimismo, lungi dal tirarmi su di morale, cominciò a infastidirmi; Far from it!, al contrario!; tutt'altro!; anzi!; Far be it from me to..., lungi da me l'idea di... □ **far gone**, molto avanti (o in là) (in una situazione o stato); malandato; molto malato; ubriaco: **far gone in pregnancy**, molto avanti nella gravidanza; **far gone in debt**, indebitato fino agli occhi; These trees are too far gone to be saved, questi alberi sono troppo malandati per poterli salvare □ **far off** (avv.), (molto) lontano; in lontananza □ **far-off**, lontano; distante; remoto □ **far out**, lontano, remoto; (fam.) originale, fantasioso, stravagante, bizzarro; (slang USA) grandioso, fantastico □ (fam.) **not far out**, abbastanza vicino (al giusto) □ **far-reaching**, di grande estensione; di vasta portata: **far-reaching reforms**, riforme di larga portata □ **far-seeing**, che vede lontano; (fig.) lungimirante, preveggente □ **far-sighted**, (med. USA) presbite, ipermetrope; (fig.) perspicace, sagace; lungimirante, preveggente □ **far-sightedness**, (med. USA) presbiopia, ipermetropia; (fig.) perspicacia, lungimiranza □ **as far as** (+ sost.), fino a: We went as far as the station, andammo fino alla stazione □ **as far as** (+ verbo), fino a (o fin) dove; (anche) per quanto, per quello che: **as far as I could see**, fin dove riuscivo a vedere; **as far as I know**, per quanto ne so; **as far as I can tell**, per quello che posso giudicare; a quanto mi sembra; **as far as I'm concerned**, per quel che mi riguarda; quanto a me □ **as far as it goes**, nel complesso; tutto sommato; con le dovute riserve: That is good, as far as it goes, but..., nel complesso va bene, ma...; per andar bene va bene, ma... □ **That's as far as it goes**, questo e non di più; (anche) e questo è quanto □ **as far as possible**, per quanto possibile □ **by far**, di gran lunga: **by far the best**, di gran lunga il migliore □ (fig.) **to carry** (o **to take**) **st. too far**, spingere troppo avanti qc.; esagerare: This is really carrying the joke too far, ora si esagera! □ (fig.) **to go far**, andare lontano; fare molta strada; fare carriera; (di cibo, provviste, ecc.) durare □ **to go far towards doing st.**, contribuire notevolmente a fare qc.; essere di grande aiuto per fare qc. □ **to go too far**, esagerare; passare il segno □ **in so far as** → **insofar** □ **so far**, fino a questo punto; fin qui; finora; a tutt'oggi: Everything's been quiet so far, finora è stato tutto tranquillo; **only so far** (**and no further**), fino a un certo punto (e non oltre) □ **so far so good**, fin qui tutto bene; tutto bene per ora □ **thus far**, fin qui; finora □ **a.**, fare, un... di troppo.

farad /'færəd/ n. (elettr.) farad.

faradaic /færə'deɪɪk/, **faradic** /fə'rædɪk/ a. (elettr.) faradico.

Faraday /'færədeɪ/ n. (elettr.) faraday ● F. **cage**, gabbia di Faraday □ F. **effect**, effetto Faraday.

farandole /'færəndəʊl/ n. (danza, stor.) farandola.

faraway /'fɑːrəweɪ/ a. **1** lontano; distante; remoto: f. **towns**, città lontane **2** sognante; assente; remoto; perso nel vuoto: a f. **look**, uno sguardo assente.

farce /fɑːs/ n. Ⓒ **1** (teatr.) farsa **2** farsa; buffonata; presa in giro; burla: The election was a farce, le elezioni sono state una farsa; **to turn** (o **to degenerate**) **into** (**a**) f., degenerare nella farsa.

to **farce** /fɑːs/ v. t. (cucina, antiq.) farcire.

farceur /fɑː'sɜː(r)/ n. **1** autore di farse **2** attore di farse **3** tipo comico; buontempone; burlone.

farcical /ˈfɑːsɪkl/ a. farsesco; comico; ridicolo ‖ **farcicality** n. U l'essere farsesco; comicità ‖ **farcically** avv. farsescamente.

farcy /ˈfɑːsɪ/ n. (vet.) farcino (spec. del cavallo).

fardel /ˈfɑːdl/ n. (arc., anche fig.) fardello.

♦**fare** /fɛə(r)/ n. **1** prezzo del biglietto (su un mezzo di trasporto); tariffa di viaggio; costo di una corsa (in taxi): What's the train f. from Milan to Rome?, quanto costa il biglietto del treno (o un viaggio in treno, andare in treno) da Milano a Roma?; **air fares**, tariffe aeree; **full f.**, tariffa piena; biglietto intero; **f. scheme**, sistema tariffario; Fares, please!, chi deve fare il biglietto?; passeggeri senza biglietto? **2** passeggero (di taxi); cliente **3** U cibo; vitto; piatti (pl.); cucina: **good f.**, vitto buono; **Christmas f.**, piatti che si mangiano a Natale; **simple home-cooked f.**, cucina familiare **4** offerta (di programmi, articoli, ecc.): Documentaries are the standard f. on this TV channel, questo canale offre soprattutto documentari ● **f. dodger**, viaggiatore senza biglietto; passeggero abusivo □ (GB) **f. stage**, tratta tariffaria (di tram, autobus, ecc.).

to **fare** /fɛə(r)/ v. i. **1** comportarsi; andare; funzionare; passarsela, cavarsela (fam.): He fared badly [well] in the exam, l'esame gli è andato male [bene]; How did you f. abroad?, come te la sei passata all'estero?; How do such buildings f. in an earthquake?, che cosa succede a costruzioni simili in un terremoto?; (fam.) **How fares it?**, come va la vita? **2** (arc.) mangiare; trattarsi (a cibo) **3** (poet.) viaggiare: **to f. forth**, mettersi in viaggio; partire.

farewell /fɛəˈwel/ **A** inter. addio: 'F., happy fields, / Where joy for ever dwells' J. MILTON, 'addio, campi felici, / Dove la gioia ha sua eterna dimora' **B** n. U addio; congedo; commiato: **a fond f.**, un addio affettuoso; **a f. bow**, un inchino di commiato ● **f. party**, festa d'addio □ **to bid sb. f.**, dire addio a q.; dare l'addio a q. □ **to say one's farewells**, dire addio; accomiatarsi. ❶ NOTA: goodbye → **goodbye**.

farina /fəˈriːnə, -ˈraɪ-/ n. UC **1** farina **2** (sostanza in) polvere **3** (chim., arc.) amido **4** (bot.) polline ‖ **farinaceous** a. **1** farinaceo **2** amidaceo **3** (biol.) farinoso ‖ **farinose** a. farinoso.

farl /fɑːl/ (scozz.) n. focaccia di farina d'avena (o di grano) di forma triangolare (tradizionale della Scozia).

♦**farm** /fɑːm/ **A** n. **1** fattoria; azienda agricola; tenuta: **to work on a f.**, lavorare in una fattoria **2** (= **farmhouse**) fattoria; casa colonica **3** (con attr.) allevamento; vivaio: **chicken [mink] f.**, allevamento di polli [di visoni]; **oyster f.**, vivaio di ostriche ● (fam.) nido d'infanzia **5** (con attr.) (tecn.) impianto; parco; area (di raccolta, o di deposito): **wind f.**, parco eolico **6** (comput.) insieme: **web f.**, web farm (insieme di server web) **B** a. **1** di fattoria; da fattoria: **f. animals**, animali da fattoria **2** agricolo: **f. trade**, commercio agricolo; **f. implements**, attrezzi agricoli **3** agrario: **f. policy**, politica agraria; **f. credit**, credito agrario **4** di prodotti agricoli: (comm.) **f. exports**, esportazioni di prodotti agricoli ● **f. bailiff**, agente di campagna □ (USA) **f. belt**, zona agricola □ **f.-gate**, al produttore; **f.-gate prices**, prezzi al produttore; **f.-gate sale**, vendita diretta (di prodotti agricoli) □ **f. labourer** (o **f. hand**, **f. worker**), bracciante agricolo □ **f. owner**, coltivatore diretto □ **f. prices**, prezzi agricoli □ **f. produce**, prodotti agricoli □ **f. shop**, fattoria che vende i prodotti al pubblico □ **f. subsidies**, sussidi all'agricoltura □ (econ.) **f. surplus**, eccedenza agricola □ **f. tourism**, agriturismo □ (slang) **to bet the f.**, scommettere tutto □ (slang) **to buy the f.**, essere ammazzato; lasciarci la pelle.

to **farm** /fɑːm/ **A** v. t. **1** coltivare: He farms 100 acres of land, coltiva cento acri di terra **2** allevare (animali): **to f. sheep and pigs**, allevare pecore e maiali **3** (fin. stor.) dare in appalto (la riscossione di imposte) **B** v. i. coltivare la terra; fare l'agricoltore; avere una fattoria: **to f. organically**, usare metodi di coltivazione biologici ● **organically farmed**, proveniente da coltivazione biologica.

▪ **farm into** v. i. + prep. (econ.) partecipare a (un'impresa).

▪ **farm out** v. t. + avv. **1** appaltare; dare in appalto; affidare all'esterno: Jobs are often farmed out to the private sector, i lavori sono spesso dati in appalto al settore privato **2** affidare temporaneamente ad altri (un bambino, spesso dietro compenso).

farmable /ˈfɑːməbl/ a. coltivabile.

♦**farmer** /ˈfɑːmə(r)/ n. **1** agricoltore; coltivatore (diretto o affittuario); fattore; colono; imprenditore agricolo **2** allevatore: **sheep f.**, allevatore di pecore **3** (fin. stor.) appaltatore (d'imposte) ● (med. fam.) **f.'s lung**, aspergillosi □ **farmers' union**, consorzio agrario.

farmhand /ˈfɑːmhænd/ n. bracciante agricolo.

farmhouse /ˈfɑːmhaʊs/ n. casa colonica; fattoria ● **f. loaf**, grossa forma di pane arrotondata.

farming /ˈfɑːmɪŋ/ n. U **1** agricoltura; coltivazione **2** allevamento: **cattle [sheep] f.**, allevamento di bovini [di pecore] **3** (fin. stor.) appalto (d'imposte).

farmland /ˈfɑːmlænd/ n. CU terreno coltivato (o coltivabile); terreno agricolo; coltivo.

farmstead /ˈfɑːmsted/ n. casa colonica (con edifici annessi); fattoria.

farmyard /ˈfɑːmjɑːd/ n. aia; corte.

faro /ˈfɛərəʊ/ n. faraone (gioco d'azzardo).

farouche /fəˈruːʃ/ (franc.) a. selvatico; scontroso; timido.

farrago /fəˈrɑːɡəʊ/ n. (pl. **farragoes**) farragine; congerie; guazzabuglio ‖ **farraginous** a. farraginoso.

farrier /ˈfærɪə(r)/ n. maniscalco ‖ **farriery** n. **1** mascalcia; arte di maniscalco **2** mascalcia; bottega di maniscalco.

farrow /ˈfærəʊ/ n. **1** parto (di scrofa) **2** figliata (di maialini).

to **farrow** /ˈfærəʊ/ v. t. e i. (di scrofa) figliare.

fart /fɑːt/ n. (volg.) **1** peto; scoreggia (volg.) **2** (spec. old f.) cretino; coglione (volg.).

to **fart** /fɑːt/ v. i. (volg.) scoreggiare ● **to f. about** (o around), gingillarsi; cincischiare; cazzeggiare (volg.).

farther /ˈfɑːðə(r)/ (compar. di **far**; → **further**) **A** avv. più lontano; oltre; più oltre: I was so tired I couldn't go any f., ero così stanco che non potei andare oltre; **f. down the path**, più avanti (sul sentiero); **f. back**, più indietro **B** a. più lontano; più distante; più remoto: **on the f. side**, sul lato più lontano ❶ NOTA: further o farther? → **further**.

farthermost /ˈfɑːðəməʊst/ a. (il) più lontano (o distante o remoto).

farthest /ˈfɑːðɪst/ (superl. di **far**) **A** a. (il) più lontano (o distante o remoto): beyond the f. fields, oltre i campi più lontani **B** avv. il più lontano: **the village that is f. away from the river**, il villaggio più lontano dal fiume ● **at (the) f.**, al massimo; al più tardi.

farthing /ˈfɑːðɪŋ/ n. **1** (stor., in GB) «farthing» (moneta del valore di un quarto di **penny**; non più in uso dal 1961) **2** (in frase neg.: **a f.**) niente; un soldo; un centesimo: He didn't own a f., non possedeva niente; **It isn't worth a brass f.**, non vale un soldo (o un centesimo).

farthingale /ˈfɑːðɪŋɡeɪl/ n. (stor.) guardinfante; crinolina.

FAS, **f.a.s.** sigla (comm., **free alongside ship**) franco sotto paranco.

fasces /ˈfæsiːz/ pl. (stor.) fasci (littori).

fascia (def. 1 /ˈfæʃə/, def. 2, 3 e 4 /ˈfeɪʃə/) (lat.) n. **1** (pl. **fasciae**) (anat.) fascia **2** (autom., GB) cruscotto **3** (GB) insegna di negozio **4** (edil.) assicella (o mantovana) di gronda **5** (telef.) mascherina intercambiabile per cellulari; cover.

fasciated /ˈfæʃɪeɪtɪd/ a. **1** (bot.) affastellato; fasciolato **2** (zool.) striato.

fascicle /ˈfæsɪkl/ n. **1** (anche bot.) fascetto; fastello; ciuffo **2** (anat.) fascicolo **3** fascicolo (di pubblicazione a puntate); dispensa ‖ **fascicled** → **fasciculate**.

fasciculate /fəˈsɪkjʊlət/ a. (bot.) fascicolato.

fasciculation /fəsɪkjʊˈleɪʃn/ n. UC (scient.) formazione in fascetti.

fascicule /ˈfæsɪkjuːl/ n. **1** (scient.) fascio; fascetto **2** fascicolo; dispensa.

fasciculus /fəˈsɪkjʊləs/ n. (pl. **fasciculi**) → **fascicle**, def. 1 e 2.

to **fascinate** /ˈfæsɪneɪt/ v. t. **1** affascinare; ammaliare; incantare: Anything to do with the Etruscans fascinates her, tutto quello che ha a che fare con gli etruschi la affascina; I was fascinated to watch his performance, guardai affascinato (o incantato) la sua esibizione; She was fascinated by his words, fu incantata dalle sue parole **2** (di serpente) paralizzare con lo sguardo.

♦**fascinating** /ˈfæsɪneɪtɪŋ/ a. affascinante; incantevole; seducente ; **-ly** avv.

fascination /fæsɪˈneɪʃn/ n. **1** fascino; incanto; malia; seduzione **2** U interesse affascinato; estasi; rapimento: He watched in f., osservò affascinato.

fascinator /ˈfæsɪneɪtə(r)/ n. **1** affascinatore **2** (moda) acconciatura ornamentale femminile: **f. hat**, cappello con ornamenti di veli, fiori, ecc. **3** (moda, stor.) leggero foulard di pizzo o merletto.

fascine /fæˈsiːn/ n. (edil., mil.) fascina (per rafforzare trincee, argini e sim.).

Fascism /ˈfæʃɪzəm/ n. U (stor.) fascismo ‖ **Fascist** n. e a. fascista ‖ **fascistoid** a. fascistoide.

♦**fashion①** /ˈfæʃn/ n. **1** maniera; modo: **to behave in a strange f.**, comportarsi in modo strano; **after** (o **in**) **the f. of**, alla maniera di; al modo di **2** UC moda; voga: F. changes every season, la moda cambia ogni stagione; **the latest f.**, l'ultima moda; **to bring into f.**, far diventare di moda; **to come into f.**, diventare di moda; **in f.**, di moda; **out of f.**, fuori moda; passato di moda; **to go out of f.**, passare di moda; **to follow the f.**, seguire la moda; **a f. magazine**, una rivista di moda **3** (al pl.) articoli di moda: Italian fashions, articoli della moda italiana ● **f.-conscious**, che ci tiene a seguire la moda □ **f. designer**, stilista; disegnatore di moda; figurinista □ **f. plate**, figurino (anche fig.) □ **f. shop**, negozio di mode □ **f. show**, sfilata di moda □ **f. statement**, scelta che fa moda; idea-moda □ **f. victim**, schiavo della moda; modaiolo □ **f. wear**, indumenti alla moda; abbigliamento di moda ● **after a f.**, in qualche modo; più o meno; a modo mio (tuo, suo, ecc.): He can dance, after a f., a modo suo, balla □ (prov.) Everyone after his f., ciascuno a suo modo □ **to be all the f.**, essere di gran moda; andare per la maggiore □ **to set the f.**, creare (o lanciare) la moda □ **to be a slave to f.**, essere schiavo della moda.

fashion② /ˈfæʃn/ suffissoide a mo' di; alla (+ agg. femm.): **to walk crab-f.**, camminare a mo' dei granchi; **American-f.**, all'americana.

to **fashion** /'fæʃn/ v. t. **1** foggiare; fabbricare; fare: to **f. a shelter**, farsi un riparo; to **f. leather into bags and belts**, fabbricare con cuoio borse e cinture; *The canoe had been fashioned out of a tree trunk*, la canoa era stata ricavata da un tronco d'albero **2** (*fig.*) formare; forgiare; plasmare: to **f. sb.'s character**, forgiare il carattere di q.

♦**fashionable** /'fæʃnəbl/ a. **1** alla moda; di moda: **a f. dress**, un abito alla moda; **a f. theory**, una teoria di moda; to **become f.**, diventare di moda; entrare in voga **2** (*di persona*) (che veste) alla moda; elegante ‖ **fashionableness** n. ▣ l'essere alla moda; eleganza ‖ **fashionably** avv. alla moda; con eleganza.

fast ① /faːst/ n. digiuno; vigilia: **f. day**, giorno di vigilia ● to **break one's f.**, rompere il digiuno.

♦**fast** ② /faːst/ ▲ a. **1** rapido; veloce; celere: **a f. car**, un'automobile veloce; **f. train**, treno rapido; **f. growth**, crescita rapida; **f. music**, musica veloce; *I'm a f. reader*, sono veloce nella lettura; leggo velocemente **2** fermo; fisso; saldo; sicuro; solido; stretto: *The pole was set f. in the ground*, il palo era saldamente conficcato nel terreno; **a f. knot**, un nodo ben stretto **3** che consente alte velocità: (*autom.*) **f. lane**, corsia di marcia veloce; corsia di sorpasso; **f. road**, strada a scorrimento veloce **4** (*d'orologio*) che è (o va) avanti: *My watch is (half an hour) f.*, il mio orologio va avanti (di mezz'ora) **5** (*di colore*) solido; che non stinge: **f.-colour T-shirts**, magliette dai colori solidi **6** (*fotogr.*: *di pellicola*) ad alta sensibilità **7** (*tecn.*) resistente: **f. to sunlight**, resistente alla luce del sole **8** (*sport*) (*della pista*) scorrevole; (*del terreno di gioco*) duro; asciutto **9** (*antiq.*) dissoluto; gaudente ▣ avv. **1** fermamente; saldamente; solidamente; bene: *The windows are shut f.*, le finestre sono ben chiuse; to **hold f.**, stringere; trattenere; tenere fermo; **f. asleep**, profondamente addormentato; *Our car was stuck f. in the mud*, la nostra auto era piantata nel fango **2** in fretta; presto; rapidamente: to **walk f.**, camminare in fretta; *Not so f.!*, (più) adagio!; **Make it f.!**, fa' in fretta!; sbrigati! **3** in rapida successione: uno dopo l'altro: *The bullets were coming f.*, i proiettili piovevano fitti **4** (*rif. a orologio*) in anticipo; avanti: *This clock runs f.*, quest'orologio va avanti ● **f. and furious**, (avv.) molto rapidamente; (agg.) scatenato, pieno di foga, frenetico, sfrenato □ **f.-acting**, ad azione rapida □ (*fis. nucl.*) **f. breeder** (**reactor**), reattore autofertilizzante veloce □ (*fam. USA*) **a f. buck**, denaro fatto in fretta; denaro facile □ (*fis. nucl.*) **f.-burst reactor**, reattore impulsato □ (*poet.*) **f. by** (o **f. beside**), presso; vicino a □ (*GB*) **f. coloureds**, indumenti a colori solidi □ **f. food**, pasto veloce; cibi (pl.) pronti □ **f. food restaurant**, fast food (*il locale*) □ (*tecn.*: *di registratore, ecc.*) **f. forward**, avanti: **f. forward button**, tasto che manda avanti veloce □ **f. friend**, amico intimo; grande amico □ **f.-growing**, che cresce rapidamente; in rapido aumento; in rapida espansione □ (*USA*) **f. line service**, servizio di consegna rapida (*di pacchi*); corriere espresso □ (*fam.*) to **be f. on the uptake**, capire al volo □ (*comput.*) **f. store**, memoria rapida □ (*in GB*) **F. Stream**, programma di formazione intensiva (*nell'amministrazione statale*) □ (*fam., in GB*) **f. streamer**, chi segue il programma di formazione intensiva dell'amministrazione statale; impiegato statale in carriera (*fam.*) □ (*slang*) **f. talk**, discorso da ciarlatano; chiacchiere imbonitrici □ **f. talker**, uno che ha una parlantina; imbonitore □ **f. track**, canale o iter veloce; corsia preferenziale (*fig.*); attività o settore professionale che garantisce una carriera rapida; (*iron.*) modo più veloce (*per

fare una fine spiacevole): **on the f. track**, avviato a una carriera rapida □ **f.-track**, veloce; velocizzato; su una corsia preferenziale; (*di persona*) che vuole fare carriera velocemente, ambizioso □ (*fam.*) **f. worker**, uno che va dritto allo scopo (*negli approcci*); uno che ci prova subito □ **life in the f. lane**, vita intensa; vita eccitante □ to **make f.**, assicurare; legare: to **make a rope f. to st.**, assicurare (*o legare*) una corda a qc.; to **make a boat f.**, ormeggiare una barca □ to **play f. and loose with st.**, fare a tira e molla con qc.; essere incostante, infido □ (*fam.*) to **pull a f. one on sb.**, giocare un brutto tiro a q. □ to **stand f.**, rimanere immobile; star saldo; (*fig.*) resistere, tener duro.

to **fast** /faːst/ v. i. digiunare; osservare il digiuno.

fastback /'faːstbæk/ n. (*autom.*) auto (*di solito, a due porte*) con grande lunotto posteriore.

fastball /'faːst(t)bɔːl/ n. (*USA, baseball*) palla (*o tiro*) veloce verso il battitore.

♦to **fasten** /'faːsn/ ▲ v. t. **1** assicurare; fermare; fissare; attaccare; appuntare: to **f. one's hair with pins**, fermarsi i capelli con le forcine; to **f. a note on a noticeboard**, attaccare un avviso su un tabellone; to **f. together**, assicurare insieme; to **f. one's attention [one's eyes] on st.**, fissare (*o fermare*) la propria attenzione [gli occhi] su qc. **2** chiudere; serrare; allacciare: *He fastened all the doors and windows*, chiuse tutte le porte e finestre; *F. your seat belts*, allacciarsi le cinture di sicurezza!; to **f. with buttons**, chiudere con bottoni; *She fastened a necklace round her neck*, si mise al collo una collana ● to **f. back**, legare (*o assicurare*) nella posizione di prima; riallacciare ▣ v. i. chiudersi; allacciarsi: *This purse doesn't f. properly*, questo borsellino non si chiude bene; *This blouse fastens down the back*, questa camicetta si allaccia dietro; *His hands fastened round Jane's throat*, le mani di lui si chiusero intorno alla gola di Jane.

■ **fasten off** v. i. + avv. assicurare il filo (*alla fine di una cucitura*).

■ **fasten on** (o **upon**) ▲ v. i. + prep. **1** fissarsi; attaccarsi: *He fastened on that idea and wouldn't budge*, si fissò su quell'idea e tenne duro **2** concentrare l'attenzione su; concentrarsi su **3** scegliere; mettere gli occhi su **4** prendere di mira; prendersela con ▣ v. t. + avv. **1** indossare qc. (*affibbiandola, legandola, ecc.*) **2** attribuire (qc.) a (q.); imputare (qc.) a (q.): *They've fastened the blame on me*, hanno attribuito a me la colpa.

■ **fasten onto** v. i. + prep. tenersi stretto a; stringere; stringersi a; attaccarsi a; aggrapparsi a.

■ **fasten up** ▲ v. t. + avv. chiudere (completamente); allacciare ▣ v. i. + avv. (*di indumento*) chiudersi (completamente); allacciarsi.

fastener /'faːsnə(r)/ n. **1** chi ferma, fissa, attacca, ecc. (→ to **fasten**) **2** chiusura; fermaglio; fibbia; gancio; bottone: *I used Velcro as a f.*, come chiusura ho usato del Velcro; **zip f.**, chiusura lampo; **paper f.**, fermaglio per fogli di carta; graffetta; **snap f.**, bottone automatico (*a pressione*); **touch-and-close f.**, chiusura a pressione **3** (*mecc.*) dispositivo di chiusura; elemento di fissaggio.

fastening /'faːsnɪŋ/ n. **1** → **fastener**, def. 2 **2** (*di porta, finestra*) gancio; chiavistello **3** (*mecc.*) elemento di fissaggio.

to **fast forward** /faːst 'fɔːwəd/ ▲ v. t. **1** (*tecn.*) far avanzare velocemente (*un nastro di videocassetta, ecc.*) **2** (*fig.*) migliorare rapidamente; mettere il turbo a: *Fast forward your skills!*, metti il turbo alle tue capacità! ▣ v. i. **1** (*tecn.*) far avanzare velocemente il nastro di una videocassetta **2** (*fig.*) spo-

starsi con un balzo (*nel tempo*): *Let us now fast forward to the following century*, spostiamoci ora con un balzo al secolo successivo.

fastidious /fæ'stɪdɪəs/ a. **1** pignolo; esigente; difficile: **f. palate**, un palato esigente; **f. about personal cleanliness**, pignolo in fatto di pulizia personale **2** schifiltoso; schizzinoso: **f. about one's food**, schizzinoso nel mangiare ❶ FALSI AMICI • fastidious *non significa* fastidioso | **-ly** avv. | **-ness** n. ▣.

fastigiate /fæ'stɪdʒət/ a. (*archit., bot.*) fastigiato.

fasting /'faːstɪŋ/ n. ▣ ▣ (il) digiunare; digiuno: **f. day**, giorno di digiuno.

fastness /'faːstnəs/ n. **1** ▣ fermezza; saldezza; solidità **2** ▣ (*di colori e sim.*) solidità **3** (*lett.*) fortezza; luogo fortificato; rifugio inespugnabile.

to **fast-talk** /'faːst'tɔːk/ v. t. (*fam. USA*) convincere con la parlantina: *The man fast-talked him into signing the paper*, l'uomo lo convinse a forza di chiacchiere a firmare il foglio.

to **fast-track** /'faːstræk/ ▲ v. t. **1** dare la priorità a; porre (*un provvedimento, ecc.*) su una corsia privilegiata **2** far avanzare velocemente (*nella carriera*); promuovere rapidamente ▣ v. i. far carriera rapidamente.

♦**fat** /fæt/ ▲ a. **1** (*di persona, animale*) grasso; pingue: **fat cheeks**, guance grasse; **fat cattle**, bestiame grasso; to **get fat**, ingrassare **2** (*anat.*) adiposo: **fat cell**, cellula adiposa **3** (*di cosa*) grasso: **fat cheese**, formaggio grasso; **fat meat**, carne grassa; **fat lime**, calce grassa **4** (*di terreno, ecc.*) fertile; grasso **5** grosso; spesso; voluminoso; gonfio: **a fat cigar**, un grosso sigaro; **a fat volume**, un grosso volume; un volumone; **a fat wallet**, un portafogli gonfio **6** (*fig.*) sostanzioso; ben fornito; pingue; lauto; ricco; lucroso: **a fat fee**, un lauto compenso; una ricca parcella; **fat profits**, ricchi profitti **7** (*fig.*) prospero; florido; grasso; fruttifero: **fat years**, anni grassi; anni di vacche grasse **8** (*fam. iron.*) pochissimo; quasi nessuno: **a fat lot of good**, un bel niente: *A fat lot of good it did you!*, per quel che ti è servito!; *Fat chance he has of winning*, sai quante probabilità ha di vincere! **9** (*tipogr., di carattere*) grande; grosso ▣ n. **1** ▣ grasso; ciccia (*fam.*): to **put on fat**, ingrassare; appesantirsi **2** ▣ (*anat.*) grasso; adipe; tessuto adiposo **3** ▣ (*chim.*) grasso: **vegetable fats**, grassi vegetali; **fat-free**, senza grassi; **fat content**, contenuto di grassi; *I can't eat fat*, non posso mangiare cibi grassi **4** ▣ (*cucina*) olio; burro; lardo; grasso; unto: to **fry in deep fat**, friggere con molto olio (*o burro, ecc.*) **5** (*teatr.*) pezzo di bravura; pezzo forte ● (*zool.*) **fat body**, corpo grasso □ (*USA*) **fat camp**, campeggio estivo per bambini in sovrappeso (*a scopo di dimagrimento*) □ (*fam.*) **fat cat**, ricco pezzo grosso, magnate; riccone □ (*min.*) **fat coal**, carbone grasso □ (*slang USA*) **fat farm**, centro per cura dimagrante □ (*slang*) **fat guts**, grassone; pancione □ (*fam.*) **fat head**, testone duro; zucca dura: *Will you get that into that fat head of yours?*, vuoi fartelo entrare in quella zucca dura? □ (*fam.*) **fat-headed**, stupido; sciocco □ (*bot.*) **fat hen** (*Chenopodium alba*), spinacio selvatico; chenopodio □ **fat lady**, donna cannone (*di circo*) □ (*fam.*) *The opera* (**o**) **fat lady isn't over until the fat lady sings**, manca ancora la parte più importante; la faccenda non è ancora finita □ **fat removal** (o **suction**), liposuzione □ **fat-witted**, stupido; stolto □ (*fig.*) to **chew the fat**, chiacchierare; fare due chiacchiere □ (*fig. slang*) to **cut it fat**, fare bella mostra; fare sfoggio □ (*fam. USA*) to **get** (o **grow**) **fat**, arricchirsi □ (*slang USA*) to **be in fat city**, essere a cavallo (*fig.*) □ to **live off** (o **on**) the fat of the land, vivere nell'abbon-

danza; avere ogni ben di Dio □ **to run to fat**, appesantirsi; ingrassare □ (*fam.*) **The fat is in the fire**, la frittata è fatta!; ora arrivano i guai!

FAT sigla (*comput.*, **file allocation table**) FAT; tabella di allocazione dei file.

fatal /ˈfeɪtl/ a. **1** mortale: **a f. accident**, un incidente mortale **2** funesto; fatale; disastroso; catastrofico; rovinoso: **a f. mistake**, un errore fatale; *A delay could be f. at this stage*, un ritardo a questo punto potrebbe essere fatale **3** (*fam.*) micidiale; rovinoso **4** fatale; fatidico; decisivo: **f. day**, giorno fatidico **5** (*comput.*) irreversibile: **f. error**, errore irreversibile ● (*mitol.*) **the F. Sisters**, le Parche ‖ **fatally** avv. **1** mortalmente; a morte: **fatally wounded**, ferito a morte **2** fatalmente; inevitabilmente.

🛈 NOTA: *fatal, fateful o mortal?*
Fatal e *mortal* significano principalmente mortale", nel senso di "ciò che cagiona morte". Tra i due è più comune *fatal*, che si può riferire sia al passato che al futuro: *a fatal accident*, un incidente mortale; *The disease may prove fatal*, la malattia potrebbe rivelarsi mortale. Anche se spesso si ignora questa distinzione, *mortal* propriamente si riferisce solo al passato e a una morte che è già avvenuta: *He suffered a mortal blow to the head*, subì un colpo mortale alla testa; *The soldiers inflicted mortal wounds to the enemy*, i soldati inflissero ferite mortali al nemico. Per tradurre "fatale" nel senso di "fatidico", ed evitare equivoci con il significato principale di *fatal*, si può usare *fateful*: *on that fateful day*, in quel giorno fatale.

fatalism /ˈfeɪtəlɪzəm/ n. Ⓤ fatalismo ‖ **fatalist** n. e a. fatalista ‖ **fatalistic** a. fatalistico.

fatality /fəˈtæləti/ n. **1** Ⓒⓤ morte (violenta): **to minimize the risk of f.**, ridurre il rischio di morte; *Road accidents cause many fatalities*, gli incidenti stradali sono la causa di molte morti; **pedestrian fatalities**, investimenti mortali di pedoni; incidenti con morte di pedoni **2** vittima; morto: *There was only one f.*, ci fu una sola vittima **3** Ⓤ esito mortale: **the f. of a disease**, il carattere (o esito) mortale d'una malattia **4** Ⓤ fatalità; destino contrario.

♦**fate** /feɪt/ n. **1** Ⓤ fato; destino: *Fate decided otherwise*, il destino decise altrimenti; **to leave sb. to his f.**, abbandonare q. al suo destino; **a twist** (o **turn**) **of f.**, uno scherzo del destino **2** sorte: *I was anxious about the f. of the missing climber*, ero in ansia per la sorte dello scalatore disperso; **to decide sb.'s f.**, decidere della sorte di q.; **to suffer the same f.**, subire la stessa sorte **3** (al pl.) (*mitol.*) – **the Fates**, le Parche ● **a f. worse than death**, una sorte peggiore della morte; (*antiq. o scherz.*) perdita della verginità (*per seduzione o violenza*) □ **as sure as f.**, sicurissimo; quanto è vero Iddio □ **to go to one's f.**, andare incontro al proprio destino □ **to meet one's f.**, trovare la morte; restare ucciso □ **to tempt f.**, sfidare la sorte.

to **fate** /feɪt/ v. t. (di solito al passivo) assegnare in sorte; destinare; condannare: *He was fated to die young*, era destinato a morire giovane.

fateful /ˈfeɪtfl/ a. **1** fatale; fatidico; decisivo: **f. consequences**, conseguenze fatali; **a f. day**, un giorno fatidico **2** fatidico; profetico ‖ **-ly** avv. ‖ **-ness** n. Ⓤ 🛈 NOTA: *fatal, fateful o mortal?* → **fatal**.

fathead /ˈfæthed/ n. (*fam.*) testone; zuccone; stupido.

♦**father** /ˈfɑːðə(r)/ n. **1** padre; papà; babbo: **my f. and mother**, mio padre e mia madre; **to become a f.**, diventare padre; **a f. of three**, un padre di tre figli; **adoptive f.**, padre adottivo; *I'm going to marry Linda, f.*,

papà, sposo Linda **2** (*fig.*) padre: *Euclid was the founding f. of geometry*, Euclide fu il padre fondatore della geometria **3** (al pl.) padri; antenati: «*Land of My Fathers*» (*inno nazionale gallese*), «Terra dei miei padri» **4** (*relig.*, *anche* F.) padre, Padre: **God the F.**, Dio padre; *Our F., who art in heaven*, Padre nostro, che sei nei cieli; **F. Matthew**, Padre Matthew ● (*fam.*) **the f. and mother of**, enorme; tremendo: '*Handed him the father and mother of a beating*' J. JOYCE, 'Lo pestò ben bene' □ **F. Christmas**, Babbo Natale □ (*relig.*) **f. confessor**, padre spirituale □ **F.'s Day**, la festa del papà (*3ª domenica di giugno in GB e USA; 1ª domenica di settembre in Australia*) □ (*psic.*) **f. figure**, figura paterna □ **f.-in- -law**, suocero □ (*in GB*) **F. of the House**, il deputato ai Comuni con la maggior anzianità di servizio continuato □ **F. Time**, il Tempo (*personificato*) □ **f.-to-be**, futuro padre □ **the Fathers of the Church**, i Padri della Chiesa □ (*fam. antiq. GB*) **a bit of how's your f.**, attività sessuale; sesso □ *Like f., like son*, tale il padre, tale il figlio □ (*relig.*) **the Holy F.**, il Santo Padre □ (*relig.*) **Our F.**, paternostro; padrenostro (*la preghiera*).

to **father** /ˈfɑːðə(r)/ v. t. **1** (*form.*) generare; procreare; essere padre di; avere: *He fathered two sons*, fu padre (o ebbe) due figli; *Her children were fathered by two different men*, ebbe figli da due padri diversi **2** fare da padre a **3** ideare; inventare; concepire; essere il padre di **4** assumersi la paternità di (qc.) **5** – **to f. on**, attribuire (o addossare) la paternità (*di qc.*) a: *The pamphlet was fathered on him*, gli fu attribuita la paternità del libello.

fatherhood /ˈfɑːðəhʊd/ n. Ⓤ paternità.

fatherland /ˈfɑːðəlænd/ n. madrepatria; patria.

fatherless /ˈfɑːðələs/ a. senza padre; orfano di padre.

fatherlike /ˈfɑːðəlaɪk/ a. da padre; paterno.

fatherly /ˈfɑːðəli/ a. di padre; paterno: **f. duties**, doveri di padre; **f. advice**, consigli paterni ● **in a f. way**, paternamente ‖ **fatherliness** n. Ⓤ comportamento paterno; amore paterno.

fathom /ˈfæðəm/ n. (*naut.*) fathom; braccio (*misura di profondità, pari a 6 piedi o metri 1,83 circa*): **ten fathoms deep**, a una profondità di dieci braccia.

to **fathom** /ˈfæðəm/ v. t. **1** scandagliare; sondare; misurare la profondità di **2** (*fig.*, *anche* **to f. out**) (riuscire a) capire; decifrare: *I cannot f. his intentions*, non riesco a capire le sue intenzioni; *I cannot f. him out*, non riesco a capire che tipo sia.

fathomable /ˈfæðəməbl/ a. **1** scandagliabile; sondabile; misurabile **2** (*fig.*) comprensibile; penetrabile.

Fathometer® /fəˈðɒmɪtə(r)/ n. (*naut.*) ecometro; scandaglio acustico (o ultrasonoro).

fathomless /ˈfæðəmləs/ a. **1** incommensurabile; senza fondo; insondabile **2** (*fig.*) impenetrabile; incomprensibile.

fatidical /feɪˈtɪdɪkl/, (*raro*) **fatidic** /feɪˈtɪdɪk/ a. fatidico; profetico.

fatigue /fəˈtiːɡ/ n. **1** Ⓤ stanchezza; affaticamento; logoramento: **bodily [mental] f.**, stanchezza fisica [mentale]; (*mil.*) **battle f.**, nevrosi da combattimento **2** Ⓤ (*mecc., tecn.*) fatica; usura: **metal f.**, fatica dei metalli; **f. failure**, rottura per fatica; **f. test**, prova di (resistenza alla) fatica **3** (con attr.) stanchezza da sovraesposizione; logorio: **museum f.**, rifiuto dei musei (*perché se ne è visitati troppi*); **compassion f.**, irrigidimento nei confronti delle sventure altrui (*per troppa sollecitazione da parte dei media, delle associazioni benefiche, ecc.*) **4** (*mil.*) corvé: **to be put**

on f., essere messo di corvé; **f. uniform**, uniforme di fatica; **f. duty**, corvé; **f. party**, squadra di corvé **5** (al pl.) uniforme di fatica.

to **fatigue** /fəˈtiːɡd/ v. t. (*generalm. al passivo*) affaticare; stancare; sfibrare; logorare.

fatiguing /fəˈtiːɡɪŋ/ a. affaticante; faticoso; sfibrante; snervante.

fatless /ˈfætləs/ a. senza grasso; senza grassi.

fatling /ˈfætlɪŋ/ n. bestia giovane (*vitello, ecc.*) da ingrasso.

fatly /ˈfætli/ avv. **1** lautamente; riccamente **2** pesantemente.

fatness /ˈfætnəs/ n. Ⓤ **1** grassezza; pinguedine **2** oleosità; untuosità **3** fertilità (*di terreni e sim.*).

fatso /ˈfætsəʊ/ n. (*fam.*) ciccione, cicciona.

fatstock /ˈfætstɒk/ n. Ⓤ (*GB*) animali (pl.) ingrassati per la macellazione.

fatted /ˈfætɪd/ a. ingrassato; grasso: **f. duck**, anatra grassa ● **to kill the f. calf**, uccidere il vitello grasso (*per chi torna pentito*); festeggiare chi ritorna all'ovile.

to **fatten** /ˈfætn/ Ⓐ v. t. **1** ingrassare: **to f. animals**, ingrassare bestie (*per la macellazione*) **2** (*fig.*) arricchire; impinguare Ⓑ v. i. **1** ingrassare; diventare grasso **2** (*fig.*) arricchirsi; prosperare; impinguarsi ● **to f. up**, → **to fatten**.

fattener /ˈfætənə(r)/ n. **1** chi ingrassa animali **2** animale da ingrasso.

fattening /ˈfætnɪŋ/ Ⓐ a. **1** che ingrassa; che sta ingrassando **2** ingrassante; che fa ingrassare Ⓑ n. Ⓤ ingrassamento; ingrasso.

fattish /ˈfætɪʃ/ a. grassoccio; grassottello; piuttosto pingue.

fattism /ˈfætɪzəm/ n. Ⓤ pregiudizi (pl.) o discriminazione nei confronti delle persone sovrappeso.

fatty /ˈfæti/ Ⓐ a. **1** grasso; ricco di grassi: **f. meat**, carne grassa; **f. food**, cibi ricchi di grassi **2** (*chim.*) grasso; **f. acids**, acidi grassi **3** (*med.*) adiposo; grasso: **f. tissue**, tessuto adiposo; **f. degeneration**, degenerazione grassa Ⓑ n. (*fam.*) grassone; ciccione ‖ **fattiness** n. Ⓤ **1** grassezza; pinguedine **2** untuosità.

fatuity /fəˈtjuːəti/, USA -ˈtuː-/ n. Ⓤⓒ fatuità; frivolezza; sciocchezza.

fatuous /ˈfætjʊəs/ a. fatuo; frivolo; sciocco ‖ **-ly** avv. ‖ **-ness** n. Ⓤ.

fatwa, **fatwah** /ˈfætwɑː/ (*arabo*) n. (pl. **fatwas**, **fatwahs**) fatwa.

fauces /ˈfɔːsiːz/ n. pl. (*anat.*) fauci; gola ‖ **faucal** a. **1** (*anat.*) faucale; delle fauci **2** (*fon.*) faucale.

faucet /ˈfɔːsɪt/ n. (USA) **1** rubinetto **2** (*di barile*) zipolo; zaffo.

faugh /fɔː/ inter. (*di disgusto, disprezzo*) puah!; puh!

Faulknerian /fɔːkˈnɪərɪən/ a. (*letter.*) faulkneriano.

♦**fault** /fɔːlt/ n. **1** difetto; manchevolezza; menda: *She is blind to her son's faults*, è incapace di vedere i difetti di suo figlio; **the f. of the system**, i difetti del sistema; **a basic f.**, un difetto di base **2** Ⓤ colpa: *It was his f. that we lost*, fu colpa sua se perdemmo; *Whose f. is it?*, di chi è la colpa?; *The f. lay with the management*, la colpa era della direzione; **to be at f.**, essere colpevole; essere responsabile (di qc.); **My f.!**, colpa mia!; ho sbagliato io!; *It was all my own f.*, è stata tutta colpa mia; **through no f. of my own**, non per colpa mia; (*leg.*) **f. liability**, responsabilità per colpa **3** errore; sbaglio; mancanza; fallo **4** (*geol.*) faglia; frattura (*degli strati*): *San Andreas f.*, la faglia di Sant'Andrea (*in California*) **5** (*elettr., elettron.*) guasto; avaria; anomalia: **a f. on the telephone line**, un guasto alla li-

nea telefonica; **to develop a f.**, manifestare un'anomalia di funzionamento; guastarsi **6** (*sport*) fallo: (*tennis*) **double f.**, doppio fallo **7** (*equit.*) penalità **8** (*scherma*) mancanza ● (*geol.*) **f. block**, blocco fagliato □ **f.-finder**, chi trova a ridire su tutto; criticone; (*tecn.*) localizzatore di guasti, cercaguasti □ **f.-finding**, tendenza al biasimo (o alla critica); (*tecn.*) ricerca di guasti; (*autom., mecc.*) rilevazione dei difetti (o dei guasti) □ **f. repairs**, riparazione guasti □ (*telef.*) **f. reporting**, denuncia guasti □ **f. technician**, riparatore di guasti □ **to find f. (with)**, trovare a ridire (su); criticare; lagnarsi (di) □ **to a f.**, eccessivamente; troppo; fin troppo: **meticulous to a f.**, troppo meticoloso □ (*comm.*) **with all faults**, a rischio del compratore.

to **fault** /fɔːlt/ **Ⓐ** v. t. **1** biasimare; criticare; trovare difetti in; trovare da ridire su **2** (*arc.*) sbagliare; errare **3** (*geol.*) provocare una faglia in (*uno strato*) **Ⓑ** v. i. **1** (*geol.*) fare una faglia **2** (*sport*) commettere un fallo; fare fallo.

faulting /ˈfɔːltɪŋ/ n. ⓤ (*geol.*) fagliamento.

faultless /ˈfɔːltləs/ a. **1** senza difetti; perfetto; impeccabile; ineccepibile; irreprensibile; senza errori **2** (*equit.*) (*di un percorso*) netto; pulito | **-ly** avv. | **-ness** n. ⓤ.

faulty /ˈfɔːltɪ/ a. **1** difettoso; che ha un difetto di funzionamento; mal funzionante: **f. goods**, merci difettose; (*mecc.*) **a f. bolt**, un bullone difettoso; (*naut.*) **f. stowage**, stivaggio difettoso **2** scorretto; difettoso; errato; erroneo: **f. pronunciation**, pronuncia scorretta; **f. learning**, apprendimento sbagliato; **f. premises**, premesse errate; **f. reasoning**, ragionamento erroneo ‖ **faultily** avv. imperfettamente; in modo difettoso; male ‖ **faultiness** n. ⓤ imperfezione; difettosità.

faun /fɔːn/ n. (*mitol.*) fauno.

fauna /ˈfɔːnə/ n. (pl. **faunas**, **faunae**) fauna ‖ **faunal** a. della fauna; faunistico ‖ **faunist** n. studioso della fauna ‖ **faunistic**, **faunistical** a. faunistico.

Faustian /ˈfaʊstɪən/ a. (*letter.*) faustiano.

Faustus /ˈfaʊstəs/ n. **1** Fausto **2** (*lett.*) Faust.

Fauve /fəʊv/ (*franc.*) a. e n. (*pitt.*) fauve.

Fauvism /ˈfəʊvɪʒəm/ n. ⓤ (*pitt.*) fauvismo ‖ **Fauvist** a. e n. (*pitt.*) fauve.

faux /fəʊ/ a. (*spec. form.*) sintetico; finto: **f. fur**, pelliccia sintetica.

faux pas /ˈfəʊ ˈpaː/ (*franc.*) loc. n. (inv. al pl.) passo falso; errore; gaffe (*franc.*).

fava bean /ˈfaːvəbiːn/ loc. n. (*bot.*, Vicia faba) fava.

fave /feɪv/ a. (*slang USA*; abbr. di **favorite**) favorito; preferito.

favism /ˈfaːvɪzəm/ n. ⓤ (*med.*) favismo.

favor, to **favor** /ˈfeɪvə(r)/ (*USA*), e deriv. → **favour**, to **favour**, e deriv.

favorite /ˈfeɪvərɪt/ **Ⓐ** a. (*USA*) → **favourite Ⓑ** n. (al pl.) (*comput.*) – preferiti (*elenco delle pagine di interesse personale registrate in un browser*).

♦**favour**, (*USA*) **favor** /ˈfeɪvə(r)/ n. **1** favore; benevolenza; simpatie (pl.); grazie (pl.): **royal f.**, il favore del sovrano; **to keep sb.'s f.**, rimanere nelle grazie di q.; **to win sb.'s f.**, conquistare il favore di q.; **to enter nelle grazie di q.; **to look on** (o **upon**) st. **with f.**, guardare con favore a qc.; **to be in [out] of f. with**, godere [non godere] delle simpatie (o del favore) di **2** ⓤ favoritismo; parzialità; favori (pl.): **to show f. towards sb.**, mostrarsi parziale verso q. **3** favore; piacere; cortesia: **to ask a f. of sb.** (o **to ask sb. a f.**), chiedere un favore a q.; **to do sb. a f.**, fare un favore a q.; **to return a f.**, ricambiare un favore; *You wouldn't do me a f. and make a copy of this contract, would you?*, non è che mi faresti il favore di fotocopiare

questo contratto?; (*fam. iron.*) *Do me a f.!*, ma fammi il piacere! **4** (al pl.) (*antiq. o scherz.*, *rif. a una donna*) favori; grazie: *She granted him her favours*, gli concesse le sue grazie **5** (*spec. USA*) omaggio; cotillon (*franc.*) **6** (*spec. GB*) distintivo (*d'appartenenza a un'associazione, ecc.*); coccarda; colori (*d'una squadra*) ● (*sulla busta di una lettera consegnata a mano*) **by f. of Mr X**, a mezzo (o alla cortesia) del Sig. X □ (*comm.*) **a cheque drawn in your f.**, un assegno emesso a vostro favore □ **to curry f. with sb.**, cercare di ingraziarsi q. □ **to find f. in sb.'s eyes**, essere apprezzato da q.; essere nelle buone grazie di q. □ **to be** (o **to stand**) **high in sb.'s f.**, essere molto stimato da q.; essere nelle buone grazie di q. □ **in f. of**, favorevole a; a favore di; per: *She's in f. of birth control*, è favorevole alla contraccezione; **to vote in f. of a motion**, votare per una mozione; **to come out in f. of st.**, pronunciarsi a favore di qc.; *The court decided in f. of the plaintiff*, la corte si pronunciò a favore del querelante □ **in f. with**, in auge presso; che gode il favore di □ **in sb.'s f.**, a favore di; a vantaggio di: **to speak in sb.'s f.**, parlare a favore di q.; *Things turned in my f.*, la situazione si volse a mio favore □ **to lose f.**, perdere la popolarità □ **to be out of f. with the people**, non godere il favore popolare.

to **favour**, (*USA*) to **favor** /ˈfeɪvə(r)/ v. t. **1** approvare; appoggiare; essere a favore di; sostenere: *The minister favours new restrictions*, il ministro è a favore di nuove restrizioni **2** prediligere; preferire; privilegiare; mostrare una parzialità per: *She favours loose, comfortable clothes*, predilige i vestiti ampi e comodi; *He favours his daughter over his son*, preferisce la figlia al figlio **3** favorire; aiutare; avvantaggiare; agevolare: *The mild weather favoured the formation of avalanches*, il tempo mite favoriva la formazione di valanghe; *Fortune favours the brave*, la fortuna aiuta gli audaci **4** (*antiq.*) somigliare a; assomigliare a; aver preso da **5** usare con cautela (*un arto dolente*); evitare di sforzare; risparmiare **6** (*form.*) – **to f. with**, favorire (q.) di; fare (a q.) l'onore di; concedere: *He favoured us with a visit*, ci fece l'onore di una visita.

favourable, (*USA*) **favorable** /ˈfeɪvərəbl/ a. **1** favorevole; positivo: **f. criticism**, critiche positive; **a f. impression**, un'impressione favorevole (o positiva); **a f. prognosis**, una prognosi favorevole **2** propizio; che favorisce: **a f. climate for citrus fruits**, un clima propizio agli agrumi **3** (*di vento*) favorevole; a favore **4** favorevole; vantaggioso: **f. loan terms**, condizioni di prestito favorevoli **5** (*econ., fin.*) favorevole; (in) attivo: **a f. balance of trade**, una bilancia commerciale attiva; **f. trend**, tendenza favorevole; alta congiuntura | **-bly** avv. | **-ness** n. ⓤ.

favoured, (*USA*) **favored** /ˈfeɪvəd/ a. **1** favorito; preferito: (*comm. est.*) **most f. nation clause**, clausola della nazione più favorita; *This is a view f. by conservatives*, questa è una teoria cara ai conservatori **2** privilegiato; favorito; di favore: **f. treatment**, trattamento privilegiato (o di favore) **3** (*seguito da* **with**) dotato (di) ● (*antiq.*) (*sulla busta di una lettera consegnata a mano*) **f. by Mr X**, a mezzo (o alla cortesia) del Sig. X.

favourer, (*USA*) **favorer** /ˈfeɪvərə(r)/ n. **1** chi favorisce **2** fautore, fautrice.

♦**favourite** /ˈfeɪvrɪt/ **Ⓐ** a. preferito; favorito; prediletto: **my f. novelist**, il mio romanziere preferito **Ⓑ** n. **1** (*di cosa*) preferito, preferita **2** (*di persona*) beniamino, beniamina; favorito, favorita; prediletto, prediletta: **her father's f.**, il beniamino [la beniamina] di suo padre; **the king's f.**, il favorito [la favorita] del re **3** (*sport*) favorito, favorita ● **f. son**, uomo famoso, benemerito del luogo

natale; (*polit. USA*) candidato proposto dal suo Stato natale (*alla presidenza degli USA*).

favouritism, (*USA*) **favoritism** /ˈfeɪvrɪtɪzəm/ n. ⓤ favoritismo.

favus /ˈfeɪvəs/ (*lat.*) n. ⓤ **1** (*med.*) favo; tigna favosa **2** (*vet.*) favo dei polli.

fawn /fɔːn/ **Ⓐ** n. **1** (*zool.*) cerbiatto (*di età inferiore all'anno*) **2** (color) fulvo chiaro **Ⓑ** a. (= **f.-coloured**) (di color) fulvo chiaro; marrone chiaro ● (*di cerva, daina*) **in f.**, pregna.

to **fawn** ① /fɔːn/ v. t. e i. (*di cerva, daina*) figliare.

to **fawn** ② /fɔːn/ v. i. **1** (*di animale, spec. del cane*) fare festa; fare le feste **2** (*fig. spreg.*) adulare servilmente; essere servile e strisciante; fare salamelecchi: *They were all fawning on him*, gli erano tutti intorno ad adularlo.

fawner /ˈfɔːnə(r)/ n. adulatore servile; leccapiedi; piaggiatore.

fawning /ˈfɔːnɪŋ/ **Ⓐ** a. **1** servile; strisciante **2** (*di animale*) festoso; che fa festa **Ⓑ** n. ⓤ adulazione servile.

fawnlike /ˈfɔːnlaɪk/ a. di (o da) cerbiatto.

fax /fæks/ n. (*telef., elettron.*) **1** fax; documento via fax **2** (= **fax machine**) (apparecchio per) fax **3** ⓤ fax (*il sistema*): **by fax**, via fax; per fax; *Could you send me confirmation by fax?*, può mandarmi una conferma per fax?; **fax number**, numero di fax.

to **fax** /fæks/ v. t. (*telef., elettron.*) **1** trasmettere (o inviare) per fax; faxare **2** mandare un fax a; comunicare per fax con: *You can fax me*, puoi mandarmi un fax.

faxmodem /fæksˈməʊdəm/ n. (*comput.*) faxmodem (*modem con le funzioni di fax*).

fay /feɪ/ n. (*poet.*) fata; essere fatato.

to **faze** /feɪz/ v. t. (*USA*) sconcertare; preoccupare; turbare.

FBA sigla (**Fellow of the British Academy**) membro dell'Accademia britannica.

FBI sigla (*USA*, **Federal Bureau of Investigation**) Ufficio federale investigativo.

FC sigla **1** (*GB*, **football club**) società calcistica **2** (*GB*, **Forestry Commission**) Commissione per le foreste.

FCC sigla (*USA*, **Federal Communications Commission**) Commissione federale per le comunicazioni.

FCO sigla (*GB*, **Foreign and Commonwealth Office**) Ministero degli affari esteri e per il Commonwealth.

FD sigla (*lat.*: *fidei defensor*) (**Defender of the Faith**) difensore della fede (*titolo dei sovrani d'Inghilterra*).

FDA sigla (*USA*, **Food and Drug Administration**) Ente governativo per il controllo di cibi, medicamenti, cosmetici e simili.

FDC sigla (**first day cover**) (*filatelia*) busta primo giorno.

FDIC sigla (*USA*, **Federal Deposit Insurance Corporation**) Istituto federale per l'assicurazione dei depositi.

fealty /ˈfiːəltɪ/ n. ⓤⓒ **1** (*stor.*) fedeltà (*di vassallo*): **to owe f. to**, aver giurato fedeltà a; essere vassallo di; **to swear** (o **to do**) **f. (to)**, giurare fedeltà (a) **2** (*poet.*) fedeltà; lealtà in suddito; sudditanza.

♦**fear** /fɪə(r)/ n. **1** ⓤ paura: *I have a great f. of dogs*, ho una gran paura dei cani; i cani mi fanno molta paura; **a f. of flying**, paura di volare (o dell'aereo); **to live in f.**, vivere nella paura; **to tremble with f.**, tremare di paura **2** paura; timore; apprensione; ansia: **irrational fears**, paure (o timori) irrazionali; **for f. of [that]**, per paura (o timore) di [che]; **to be in f. of one's life**, temere per la propria vita; *There is no f. of that*, non c'è da temere (o non c'è pericolo) che accada **3** timore (reverenziale): **the f. of God**, il timore di Dio ● **No f.!**, niente paura!; (*fam. GB*) macché!, non c'è pericolo!, figurarsi! □

put the f. of God into sb., spaventare a morte q.; mettere addosso a q. una paura del diavolo; terrorizzare q. □ **to stand in f. of**, avere paura di; temere □ **without f. or favour**, imparzialmente.

to **fear** /fɪə(r)/ **A** v. t. **1** aver paura di; temere: *I don't f. you*, non ho paura di te; non ti temo; **to f. death**, temere la morte **2** temere; paventare (*lett.*): *We feared that we might be late*, temevamo di arrivare in ritardo; *The doctors f. a relapse*, i dottori temono (*o* paventano) una ricaduta; *The hostages are feared dead*, si teme che gli ostaggi siano morti; *I feared being misunderstood*, temevo di essere frainteso; **to f. to do** (*o* **doing**) **st.**, aver paura di fare qc.; (*anche*) trattenersi (*per timore*) dal fare qc. **B** v. i. temere; aver paura: *We f. for his health*, temiamo per la sua salute; *They won't come, I f.*, non verranno, temo; **I f. not** [**so**], temo di no [di sì] ● **Never f.!**, niente paura!; sta' tranquillo! □ (*prov.*) *Fools rush in where angels f. to tread*, gli stolti si precipitano là dove gli angeli temono di posare il piede.

fearful /'fɪəfl/ a. **1** terribile; tremendo; spaventevole; spaventoso: **a f. sight**, uno spettacolo tremendo; **a f. cry**, un grido terribile; *What a f. mess!*, che caos spaventoso! **2** (pred.) pauroso; timoroso; apprensivo; in ansia: **to be f. of st.**, aver paura di qc.; temere qc.; **to be f. for**, stare in ansia per; **to be f. that** (*o* **lest**) **st. should happen**, temere che qc. accada **3** impaurito; spaventato: **a f. look**, uno sguardo impaurito **4** (*fam. antiq.*) grandissimo; tremendo ‖ **fearfully** avv. **1** con paura; timorosamente **2** (*antiq.*) terribilmente; tremendamente: **fearfully clever**, intelligentissimo ‖ **fearfulness** n. ☐ **1** terribilità; spaventosità **2** timore; paura.

fearless /'fɪələs/ a. senza paura; impavido; intrepido ‖ **fearlessness** n. ☐ impavidità; intrepidezza.

fearsome /'fɪəsəm/ a. (*lett. o scherz.*) spaventevole; spaventoso; terrificante: *The lion opened its f. jaws*, il leone aprì le sue fauci spaventose | **-ly** avv. | **-ness** n. ☐.

feasibility /fi:zə'bɪlətɪ/ n. ☐ l'esser fattibile; fattibilità; attuabilità; realizzabilità; praticabilità ● **f. study**, analisi di fattibilità; (*econ.*) calcolo di convenienza economica.

feasible /'fi:zəbl/ a. **1** fattibile; praticabile; possibile; attuabile; realizzabile: **a f. plan**, un piano attuabile; *It should be f. to find a replacement*, dovrebbe essere possibile trovare un sostituto **2** (*fam.*) probabile: **a f. explanation**, una spiegazione probabile ● **f. solution**, (*mat.*) soluzione possibile; (*comput.*) soluzione accettabile.

feast /fi:st/ n. **1** banchetto; festino; pranzo di gala; convito (*lett.*): **wedding f.**, banchetto di nozze **2** (*fam.*) gran quantità; dovizia; trionfo: *There's a f. of live football this week on TV*, ci sono una quantità di partite in diretta alla TV questa settimana; **a f. of colours**, un trionfo di colori **3** (*relig.*) festa; festività: **the f. of St. Mark**, la festività (*o* il giorno) di san Marco; **f. day**, giorno festivo; festività **4** (*GB*) festa di paese ● **a f. for the eyes**, un piacere per gli occhi □ **a f. or a famine**, grande abbondanza *o* grande penuria; troppo *o* troppo poco.

to **feast** /fi:st/ **A** v. i. **1** banchettare **2** – **to f. on** (**st.**), banchettare con; pascersi di (*anche fig.*) **B** v. t. festeggiare; intrattenere a banchetto ● **to f. one's eyes on st.**, pascersi gli occhi di qc.; contemplare rapito qc.

feaster /'fi:stə(r)/ n. **1** convitato, convitata **2** gaudente; festaiolo, festaiola.

feasting /'fi:stɪŋ/ n. ☐ **1** banchetto **2** festeggiamento; festeggiamenti.

feat /fi:t/ n. impresa; prodezza; prova: **a f. of daring**, un'impresa coraggiosa; **a f. of strength**, una prova di forza; **an architec-**

tural f., una prodezza architettonica; **hero's feats**, imprese eroiche; gesta ● **feats of arms**, fatti d'arme.

♦**feather** /'feðə(r)/ n. **1** penna; piuma: **an ostrich f.**, una penna (*o* piuma) di struzzo **2** (collett.) piumaggio **3** (*mil.*) pennacchio **4** (al pl.) (*di freccia*) impennaggio (*sing.*) **5** (al pl.) (*di cane, cavallo*) frange; fiocco (*sing.*) **6** (*mecc.*) aletta (*o* flangia) in aggetto; nervatura **7** (*naut.*) spalatura (*nel remare*) **8** (*naut.*: *di periscopio*) scia ● **f. bed**, letto di piume; materasso di piume; (*fig.*) comodità, lusso □ (*moda*) **f. boa**, boa (*di piume*) □ **f.-brain**, persona stupida, senza cervello; scriteriato □ **f.--brained**, stupido; senza cervello; scriteriato □ (*ind. tess.*) **f. cloth**, piumino □ **f. duster**, piumino per spolverare; spolverino □ **f.--edge**, estremità bene smussata di asse; spigolo acuto; (*edil.*) stecca per lisciare; (*metall.*) bava; (*di strada ghiaiata*) manto a schiena d'asino □ (*fig.*) **a f. in one's cap**, un motivo di orgoglio; un vanto □ **f.-light**, leggero come una piuma; leggerissimo □ (*naut.*) **f.--spray**, baffi di prua □ (*zool.*) **f. star**, comatula □ **f.-stitch**, punto spiga (*o* a lisca) □ (*caccia*) **fur and f.**, selvaggina di pelo e penna □ **as light as a f.**, leggero come una piuma □ (*d'uccello*) **in f.**, coperto di penne (*o* di piume); pennuto □ **in high** (*o* **fine**) **f.**, di ottimo umore; in ottima salute; in gran forma □ (*fig.*) **to make the feathers fly**, fare una scenata; far scoppiare un pandemonio □ (*fig.*) **to show the white f.**, comportarsi da vigliacco □ **to ruffle sb.'s feathers**, irritare q.; indispettire q. □ **to smooth sb.'s** (**ruffled**) **feathers**, calmare q.; rabbonire q. □ **to be spitting feathers**, aver una gran sete; (*anche*) essere furibondo; fare fuoco e fiamme.

to **feather** /'feðə(r)/ **A** v. t. **1** coprire di piume; ornare di piume **2** impennare, dotare di impennaggio (*una freccia*) **3** sfiorare; scorrere lievemente su: *A shiver feathered his spine*, un leggero brivido gli corse giù per la schiena **4** (*naut.*) spalare (*un remo*) **5** (*aeron., mecc.*) bandierare; mettere (*un'elica*) in bandiera **6** → **to feather-cut B** v. i. **1** (*d'uccello*) mettere le penne **2** ondeggiare (*o* volare) come piume **3** (*di inchiostro, rossetto, ecc.*) rigarsi; screpolarsi **4** (*di capelli*) essere scalati; essere corti e sfumati ● (*fig.*) **to f. one's nest**, arricchirsi (*indebitamente*); riempirsi le tasche.

featherbed /'feðəbed/ a. attr. **1** facile; comodo; di tutto riposo **2** (*econ.*) relativo al → **featherbedding**.

to **featherbed** /'feðəbed/ v. t. (*GB*) **1** agevolare; favorire **2** (*econ.*) agevolare, favorire (*un'industria, i lavoratori*) mediante il → **featherbedding**; sovvenzionare.

featherbedding /'feðəbedɪŋ/ n. ☐ (*econ.*) agevolazioni (pl.) concesse a un'industria (*spec. mantenendo artificialmente alto il livello di occupazione*).

feathercut /'feðəkʌt/ n. taglio scalato (*di capelli*); taglio sfumato.

to **feather-cut** /'feðəkʌt/ v. t. (pass e p.p. *feather-cut*) tagliare (*i capelli*) scalandoli; tagliare a ciocche corte e sfumate.

feathered /'feðəd/ a. **1** pennuto; piumato **2** (*fig.*) alato; veloce ● (*scherz.*) **our f. friends**, i nostri amici pennuti; gli uccelli.

feathering /'feðərɪŋ/ n. ☐ **1** piumaggio **2** (*di freccia*) impennaggio **3** (*di capelli*) frangia **4** (*di cane, cavallo*) frange (pl.); fiocco **5** (*disegno*) sfumatura tratteggiata **6** (*archit.*) ornamento a fogliami **7** (*aeron.*) messa in bandiera (*di un'elica*).

featherless /'feðələs/ a. senza penne; implume.

featherweight /'feðəweɪt/ n. **1** (*boxe*) peso piuma **2** (*fig.*) individuo insignificante (*o* che non conta).

♦**feathery** /'feðərɪ/ a. **1** pennuto; piumato **2** frangiato **3** leggero e soffice; vaporoso ‖ **featheriness** n. ☐ **1** l'essere pennuto, piumato **2** leggerezza; morbidezza; vaporosità.

♦**feature** /'fi:tʃə(r)/ n. **1** caratteristica; aspetto tipico; tratto distintivo: **the distinctive features of the Dutch landscape**, le caratteristiche (*o* gli aspetti tipici) del paesaggio olandese **2** (*spec. al pl.*) lineamento; fattezza: **regular features**, fattezze regolari **3** (*giorn.*) pezzo (importante); servizio speciale **4** (*TV*) servizio speciale: **f. programme**, programma di approfondimento **5** (= **f. film**), (*cinem.*) lungometraggio; film: **main f.**, film principale (*in un programma di due*) ● (*cinem.*) **f.-length**, di lunghezza pari a un film (*circa 90 minuti*).

to **feature** /'fi:tʃə(r)/ **A** v. t. **1** avere (come caratteristica); essere caratterizzato da; essere dotato di; offrire; presentare: *The hotel features a swimming pool and a tennis court*, l'albergo offre una piscina e un campo da tennis; *This laptop features a DVD drive and a TFT screen*, questo laptop è dotato di masterizzatore DVD e di schermo TFT **2** (*cinem., teatr., TV*) avere come attore: *The film also features Robin Williams as a mad scientist*, tra gli attori c'è anche Robin Williams nella parte di uno scienziato pazzo; *a new series featuring...*, una nuova serie con... **3** presentare; dare risalto a; reclamizzare **4** mostrare; rappresentare; ritrarre **5** (*fam. USA*) immaginare; credere **B** v. i. essere presente (*come caratteristica o elemento importante*); figurare; comparire (*tra i primi*).

featured /'fi:tʃəd/ a. (nei composti) dalle fattezze, dai lineamenti: **hard-f.**, dai lineamenti duri.

featureless /'fi:tʃələs/ a. piatto; scialbo; noioso; anonimo.

Feb. abbr. (**February**) febbraio (Feb., Febb.).

febrifuge /'febrɪfju:dʒ/ (*farm.*) n. febbrifugo; antipiretico ‖ **febrifugal** a. febbrifugo; antipiretico.

febrile /'fi:braɪl, USA 'febrɪl/ a. **1** (*med.*) febbrile; febbricitante; con febbre **2** (*fig.*) febbrile; convulso.

♦**February** /'febrʊərɪ, USA -ʊerɪ/ **A** n. ☐ febbraio (*per gli esempi d'uso* → **April**) **B** a. attr. di febbraio.

feces /'fi:si:z/ e deriv. (*USA*) → **faeces**, e deriv.

feckless /'fekləs/ a. **1** inefficiente; inetto; incapace **2** incosciente; irresponsabile **3** (*arc.*) debole; indifeso | **-ly** avv. | **-ness** n. ☐.

feculent /'fekjʊlənt/ a. **1** stercorario **2** sudicio; torbido ‖ **feculence** n. ☐ **1** l'essere stercorario; sozzura **2** materia fecale; feccia; sudiciume.

fecund /'fekənd, 'fi:k-/ a. **1** fecondo; fertile; prolifico: **f. imagination**, fantasia fertile **2** (*fisiol.*) fecondo; fertile ‖ **fecundity** n. ☐ fecondità; fertilità; prolificità.

to **fecundate** /'fi:kəndeɪt/ v. t. fecondare; rendere fertile ‖ **fecundation** n. ☐ fecondazione, fertilizzazione.

fed /fed/ pass. e p. p. di **feed**.

Fed /fed/ abbr. (*USA*) **1** (**the Fed**) = Federal Reserve Board, → **federal 2** (**the Fed**) = Federal Reserve System, → **federal 3** (al pl.: **the Feds**) quelli del governo; il governo **4** (*spec. al pl.*) funzionario (del governo) federale; (*spec.*) agente dell'FBI.

fedayee /fə'dɑːjiː/ n. (pl. *fedayeen*) fedain; fedayn; feddayn.

♦**federal** /'fedərəl/ **A** a. **1** federale: **f. constitution**, costituzione federale; **f. republic**, repubblica federale **2** del governo federale; federale: (*in USA*) **f. agency**, dipartimento federale; **f. property**, proprietà del governo

federale; demanio, beni demaniali **3** (*stor. USA*) f., federalista **B** n. **1** federalista **2** – (*stor. USA*) f., soldato (*o sostenitore*) del governo federale (*nella guerra civile*); nordista **3** – (*USA*) f., funzionario (del governo) federale ● (*USA*) F. **Bureau of Investigation** (*abbr.* **FBI**), Ufficio investigativo federale □ (*leg.*) **f. case**, caso di competenza della giustizia federale □ **f. law**, legge (*o diritto*) federale □ (*fin., in USA*) F. **Reserve Board (of Governors)**, Comitato (delle 12 banche) della Riserva federale (*equivale alla Banca d'Italia, alla Bank of England, ecc.*) □ (*fin., in USA*) F. **Reserve System**, la Riserva federale (*la Banca centrale*) | **-ly** avv.

federalism /'fɛdərəlɪzəm/ n. ⊍ federalismo ‖ **federalist** n. e a. **1** federalista **2** – (*stor. USA*) **Federalist**, nordista.

to **federalize** /'fɛdərəlaɪz/ v. t. federare; confederare ‖ **federalization** n. ⊍ atto (*o* effetto) del federare; federazione.

federate /'fɛdəreɪt/ a. federato; confederato.

to **federate** /'fɛdəreɪt/ **A** v. t. federare; confederare **B** v. i. federarsi; confederarsi.

◆**federation** /fɛdəˈreɪʃn/ n. **1** ⊍ il federarsi **2** (*anche polit.*) federazione; confederazione; lega.

federative /'fɛdərətɪv/ a. federativo; confederativo.

fedora /fɪˈdɔːrə/ n. cappello floscio di feltro.

fed up /fɛdˈʌp/ a. pred. (*fam.*) stufo; scocciato; che si è rotto le scatole: *I am fed up with you*, sono stufo di te; *I'm fed up repeating myself*, sono stufo di ripetere sempre le stesse cose ● **fed up to the (back) teeth**, stufo marcio; arcistufo.

◆**fee** /fiː/ n. **1** onorario; parcella; compenso; emolumento; competenze (pl.): *a doctor's fee*, l'onorario di un dottore; **lawyer's fee**, parcella di avvocato; **for a fee**, dietro compenso **2** quota, tassa (*di iscrizione, ecc.*): *How much are the course fees?*, quanto costa il corso?; diritto; **entrance fee**, tassa d'iscrizione; **club fees**, quote sociali (*di circolo*); **booking fee**, diritto di prenotazione; *There's a small fee of £20 for changing flights*, c'è una piccola penale di £20 per la modifica del volo; **consular fees**, diritti consolari; **college fees**, tasse universitarie; *You have to pay a subscription fee to play online*, ti devi abbonare per giocare online **3** (al pl.) retta: **school fees**, retta scolastica **4** (prezzo di) biglietto: **admission** (*o* **entrance, entry**) **fee**, biglietto di ingresso (*a museo, mostra, ecc.*) **5** canone (*di abbonamento*): **TV licence fee**, canone televisivo **6** (*stor.*) feudo; possesso (*o beneficio*) feudale **7** ⊍ (*leg.*) diritti di proprietà derivanti da discendenza ● (*leg.*) **fees and costs**, competenze e spese □ (*stor.*) **fee farm**, possedimento perpetuo dietro canone fisso; (*anche*) il canone pagato □ **on a fee-for-service basis**, per servizio reso □ **fee-paying**, (*di allievo*) pagante; (*di scuola, ecc.*) con retta □ (*leg.*) **fee simple**, proprietà assoluta □ (*leg.*) **fee tail**, proprietà con limitazioni circa la successione □ (*stor.*) **to hold st. in fee of sb.**, aver ricevuto qc. in feudo da q.

to **fee** /fiː/ v. t. **1** pagare; remunerare (*un professionista*) **2** dare la mancia a **3** (*arc.*) assicurarsi le prestazioni di; assumere.

feeble /'fiːbl/ a. **1** debole; senza forze; fiacco; fragile: **a f. man**, un uomo debole **2** debole; fioco; fievole: **a f. light**, una luce debole (*o fioca*) **3** debole; fiacco; senza efficacia; irresoluto: **a f. attempt**, un debole tentativo; **f. excuse**, scusa debole; **f. joke**, battuta fiacca ● **f.-minded**, stupido; idiota; (*med., antiq.*) debole di mente, frenastenico □ **f.-mindedness**, stupidità; idiozia; (*med. antiq.*) frenastenia | **-ness** n. ⊍ | **-bly** avv.

feed ① /fiːd/ n. **1** ⊡ (*di bestiame*) pasto; pascolo: **The cows are out at (their) f.**, le vacche sono al pascolo **2** (*di bambino*) pasto; poppata: **to give a baby its f.**, dar da mangiare a un bambino **3** ⊍ foraggio; mangime; alimento: **hen f.**, mangime per i polli; **f. for the horses**, foraggio per i cavalli **4** (*fam., USA*) pasto; mangiata **5** ⊍ (*mecc.*) (dispositivo di) avanzamento, rifornimento, alimentazione: (*autom.*) **petrol f.**, (sistema di) alimentazione della benzina; (*di stampante, ecc.*) **paper f.**, (meccanismo di) alimentazione della carta; **f. pump**, pompa di alimentazione **6** ⊍ (*mil.*) carica (*di cannone*) **7** (*teatr.*) battuta (*data a un altro attore*) **8** (*teatr.*) chi dà la battuta; spalla **9** (*ind. della birra*) mosto fermentato ● (*mecc.*) **f. dog**, trasportatore (*di una macchina da cucire*) □ (*agric.*) **f. grains**, cereali foraggieri (*o per la zootecnia*) □ (*mecc.*) **f. pipe**, tubo di mandata □ (*mecc.*) **f. screw**, vite d'alimentazione □ (*tecn.*) **f. table**, alimentatore □ (*ferr.*) **f. tank** (*o* **f. trough**), serbatoio di rifornimento (*d'acqua, per locomotive*) □ (*fam.*) **to be off one's f.**, non aver voglia di mangiare; essere inappetente.

feed ② /fiːd/ pass. e p. p. di **to fee**.

◆to **feed** /fiːd/ (pass. e p. p. **fed**) **A** v. t. **1** dare da mangiare a; nutrire; provvedere di cibo a; cibare; (*rif. a neonato*) allattare: *They have a large family to f.*, hanno molti figli da nutrire; *We f. our cat on tinned food*, al nostro gatto diamo da mangiare roba in scatola **2** imboccare: *I had to f. him like a baby*, dovetti imboccarlo come un bambino **3** dare da mangiare (*qc.*): *Don't f. bread to the swans*, non dare da mangiare pane ai cigni **4** – **to f. oneself**, nutrirsi; alimentarsi **5** – **to f. oneself**, mangiare da sé, da solo: *The baby can already f. itself*, il bambino sa già mangiare da solo **6** (*giardinaggio*) dare fertilizzante a (*una pianta*); nutrire **7** (*fig., anche mecc.*) alimentare: *The pond is fed by a stream*, il laghetto è alimentato da un ruscello; **to f. a fire [a machine]**, alimentare un fuoco [una macchina]; **to f. fears**, alimentare timori; *The news fed his anger*, la notizia alimentò la sua ira **8** – **to f. into**, inserire in, introdurre in: *I fed my card into the slot of the cash dispenser*, inserii la carta di credito nella fessura del Bancomat; **to f. data into a computer**, inserire dati in un computer **9** – **to f. through**, far scorrere (*qc.*) attraverso (*qc.*): *I fed the string through the hole*, feci scorrere lo spago attraverso il foro **10** fornire, passare (*informazioni, ecc., a q.*): *For years he fed them false information*, per anni passò loro informazioni false; **to f. sb. with lies**, riempire q. di bugie **11** (*sport: calcio, ecc.*) passare la palla a; fare un passaggio a; servire **12** (*teatr.*) dare (*la battuta a q.*); suggerire a: *I had to keep feeding Tom his lines*, dovevo continuamente dare a Tom la battuta **B** v. i. **1** (*spec. d'animale*) mangiare; nutrirsi; cibarsi; (*di neonato*) poppare: *Koalas f. on eucalyptus leaves*, i koala mangiano (*o si nutrono*) di foglie d'eucalipto; *In winter walruses f. off their own fat*, d'inverno i trichechi consumano il grasso accumulato; *The colt was feeding off its mother*, il puledrino poppava dalla madre **2** (*di bestiame*) pascolare **3** (*mecc.*) – **to f. into**, entrare (*in una fessura, un vano, ecc.*); inserirsi: *The bullets f. in here*, i proiettili si inseriscono qui **4** (*di acqua corrente*) – **to f. into**, alimentare (*una pozza, ecc.*); immettersi in **5** (*fig.*) – **to f. off**, alimentarsi di; prosperare su; trovare terreno fertile in ● (*fam. med.*) **to f. a cold (and starve a fever)**, mangiare quando si ha il raffreddore (e digiunare quando si ha la febbre) □ (*slang USA*) **to f. one's face**, mangiare; rimpinzarsi □ **to f. the fishes**, dar da mangiare ai pesci; (*fig. scherz.*) finire in pasto ai pesci □ (*fig.*) **to f. on itself**, autoalimentarsi.

■ **feed back A** v. t. + avv. **1** dare, fornire in risposta (*indicazioni, idee, ecc.*) **2** rimandare indietro (*un segnale, ecc.*); rinviare; ritrasmettere **B** v. i. + avv. (*di indicazioni, informazioni, ecc.*) arrivare di ritorno; fornire un riscontro.

■ **feed in** v. t. + avv. (*o prep.*) (*comput.*) inserire (*dati, ecc.*); introdurre.

■ **feed through** v. i. + avv. (*di fattore nuovo*) cominciare ad avere effetto; cominciare a farsi sentire.

■ **feed up** v. t. + avv. **1** ingrassare (*un animale*) **2** nutrire bene.

◆**feedback** /'fiːdbæk/ n. ⊍ **1** (*scient.*) retroazione; feedback: **negative [positive] f.**, retroazione negativa [positiva]; (*elettron.*) **amplifier**, amplificatore retroazionato; (*elettron.*) **f. factor**, fattore di retroazione; (*biol.*) **f. inhibition**, inibizione da feedback (*o da retroazione*); retroinibizione **2** ritorno di segnale (*nei sistemi di controllo*) **3** (*fig.*) feedback; informazioni (pl.) di ritorno; reazioni (pl.); risposta: *The f. we get from listeners will affect future broadcasts*, il feedback che riceviamo dal pubblico condizionerà le trasmissioni future **4** (*psic.*) risposta.

feedbag /'fiːdbæg/ n. (*USA*) musetta; sacchetto per la biada.

feeder /'fiːdə(r)/ n. **1** chi mangia, si ciba, si nutre, ecc.: **noisy f.**, persona che mangia rumorosamente; **plankton f.**, animale che si nutre di plancton **2** chi alimenta; chi nutre, ecc. **3** (*mecc.*) alimentatore; (sistema di) alimentazione: (*autom.*) **petrol f.**, alimentazione della benzina (*il sistema*) **4** contenitore del becchime **5** poppatoio; biberon **6** (*GB*) bavaglino (*per bimbo*) **7** affluente (*di fiume*); immissario (*di lago*) **8** (*ferr.*) raccordo: **f. line**, binario di raccordo **9** ferrovia (*o linea aerea, fluviale, ecc.*) secondaria (*o sussidiaria*) **10** (*elettr.*) linea (*o cavo*) d'alimentazione (*o di distribuzione, o di trasmissione*) **11** (*geol.*) filone; vena **12** (*zootecnia, spec. USA*) animale da ingrasso **13** (*tipogr.*) mettifoglio ● (*geol.*) **f. beach**, spiaggia di ripascimento.

feedforward /'fiːdfɔːwəd/ n. ⊍ (*elettron.*) «feedforward»; preazione ● **f. control**, regolazione anticipativa (*o stimata*).

feeding /'fiːdɪŋ/ **A** n. ⊍⊡ **1** (il) dar da mangiare; alimentazione; nutrimento; pasto; (*di neonato*) poppata: **f. time**, ora del pasto; ora della poppata **2** (*tecn.*) alimentazione: (*elettr.*) **f. point**, punto di alimentazione (*della linea*) **B** a. **1** che alimenta, nutre **2** che si ciba, si nutre, ecc. (→ **to feed**) ● **f. bottle**, poppatoio; biberon □ **f. cup**, ochetta; bicchiere con beccuccio (*per malati*) □ **f. frenzy**, (*zool.*) frenesia alimentare (*di taluni animali*); (*fig.*) concorrenza frenetica; gara frenetica; interesse frenetico (*dei media*) □ (*zool.*) **f. ground**, pascolo naturale; terreno di pascolo; territorio di caccia □ (*Vangelo*) **the F. of the Five Thousand**, la Moltiplicazione dei pani e dei pesci.

feedlot /'fiːdlɒt/ n. (*zootecnia, USA*) recinto di allevamento di animali da macellazione.

feedstock /'fiːdstɒk/ n. ⊍ **1** (*ind.*) materia prima; materiale (*per la lavorazione*) **2** (*tecn.*) carica (*per una macchina o un processo di lavorazione*).

feedstuff /'fiːdstʌf/ n. ⊍ (*zootecnia*) mangime; foraggio.

feedthrough /'fiːdθruː/ n. (*elettr.*) passante ● (*elettr.*) **f. terminal**, isolatore passante.

feedwater /'fiːdwɔːtə(r)/ n. ⊍ (*tecn.*) acqua di alimentazione (*per una caldaia, ecc.*).

fee-fi-fo-fum /fiːfɔːˈfʌm/ inter. (*dell'orco, nella favola*) ucci ucci: *Fee-fi-fo-fum, I*

smell the blood of an Englishman, ucci ucci, sento odor di cristianucci.

feel /fiːl/ n. **1** ▫ tatto **2** sensazione (tattile *o* al tatto): **to have a smooth f.**, essere liscio al tatto; *I like the f. of it*, mi piace al tatto; mi piace toccarlo; *'I have the f. of the oar in my hand'* J. CONRAD, 'ho la sensazione del remo nella mano' **3** tastata; toccata: *Let me have a f. of it*, fammelo toccare; fammelo tastare **4** ▫ sensibilità; abilità; facilità: **to have a f. for words**, saper usare le parole: **to have a f. for animals**, saperci fare con gli animali **5** ▫ aria; atmosfera; impressione: *That place has the f. of home*, ci si sente a casa propria in quel posto; **to catch the f. of st.**, cogliere l'atmosfera di qc.; **to get the f. of st.**, farsi un'idea di qc.; abituarsi a qc.

♦to **feel** /fiːl/ (pass. e p. p. *felt*) **A** v. t. **1** sentire (*tastando*); tastare; toccare; palpare: *F. my hand!*, senti (*o* tocca) la mia mano!; *I felt the material*, palpai la stoffa; (*anche fig.*) **to f. sb.'s pulse**, tastare il polso a q.; **to f. sb.'s forehead**, toccare la fronte a q. **2** provare (*una sensazione fisica*); sentire; avvertire; percepire; **to f. pain**, sentire (*o* provare) dolore; **to f. the wind on one's face**, sentire (*o* sentirsi) il vento sulla faccia; *I felt someone touching my elbow*, sentii qualcuno toccarmi il gomito; *I felt the floor shake under my feet*, sentii tremare il pavimento sotto i piedi; *I felt myself blushing*, sentii che stavo arrossendo; *He felt himself stiffen*, sentì che il suo corpo si irrigidiva; si accorse di essersi irrigidito; *She felt herself lifted from the bed*, si sentì sollevare dal letto **3** provare (*un'emozione, un sentimento*); sentire: **to f. an impulse [a desire]**, provare un impulso [un desiderio]; **to f. pity for sb.**, sentire compassione (*o* provare, avere pietà) di q. **4** sentire (*qc. di spiacevole*); soffrire: **to f. the loss of sb.**, sentire (*o* soffrire per) la perdita di q.; **to f. the cold [the heat]**, soffrire il freddo [il caldo] **5** avere l'impressione (di, che); avere la sensazione (che); sentire; avvertire; parere (*impers.*): *I f. trouble brewing*, ho l'impressione che siano in arrivo dei guai; *I felt a presence in the room*, sentii (*o* avvertii) una presenza nella stanza; *I felt myself in danger*, mi sentii in pericolo; *I f. you haven't really understood*, ho l'impressione che tu in realtà non abbia capito; *I felt he was about to say something*, ebbi la sensazione che stesse per dire qualcosa; *He felt he recognized her*, gli parve di riconoscerla **6** pensare; ritenere; essere dell'opinione che: *I f. I ought to do something*, penso che dovrei fare qualcosa; *We f. that the chair should resign*, riteniamo che il presidente debba dimettersi **7** *I don't f. quite myself*, non mi sento troppo bene; *You'll f. yourself again in a few days*, starai bene di nuovo entro pochi giorni **8** (*mil.*) fare una ricognizione del (*terreno*); saggiare la forza del (*nemico*) **9** (*boxe*) accusare: **to f. a blow**, accusare un colpo **B** v. i. **1** avere (*o provare*) sensazioni; provare emozioni: *The dead cannot f.*, i morti non hanno sensazioni (*o* non sentono nulla) **2** sentirsi: **to f. happy**, sentirsi felice; *I f.* (*o I'm feeling*) *tired*, mi sento stanco; *Do you f. better?*, ti senti meglio?; *I'm not feeling too well at all*, non mi sento per niente bene; **to f. obliged to do st.**, sentirsi obbligato a fare qc.; *I felt a fool*, mi sentii un idiota; *How would you f. if you were me?*, come ti sentiresti (*o* che cosa proveresti) se tu fossi al mio posto?; *My arm feels as if it's broken*, ho paura di essermi rotto il braccio; (*USA*) *I f. uncomfortable around her*, mi sento a disagio con lei **3** (+ agg.) avere (+ sost.); essere (+ agg.): **to f. cold [hot]**, avere freddo [caldo]; **to f. hungry [thirsty, sleepy]**, aver fame [sete, sonno]; **to f. angry [nervous, sure]**, essere arrabbiato [agitato, sicuro]; **to f. giddy**, sen-

tirsi girare la testa; **to f. sick**, avere la nausea; aver voglia di vomitare **4** tastare; cercare (*tastando*): **to f.** (*around*) *in my handbag*, tastai nella borsa **5** essere (*al tatto, ecc.*): *Velvet feels smooth*, il velluto è liscio al tatto; *The bag felt heavy*, la borsa era pesante; *Your hands f. cold*, (sento che) hai le mani fredde; *You f. quite hot*, sei piuttosto calda **6** (*impers.*) fare; essere: *It feels hot in here*, fa caldo qui dentro; *It feels good to be home again*, è bello essere di nuovo a casa ● **to f. one's age**, sentire l'età; sentire il peso degli anni □ **to f. as if**, avere l'impressione (*o* la sensazione) di; parere; sembrare: *I felt as if I'd lived here forever*, avevo l'impressione di essere (*o* mi pareva di aver) vissuto sempre qui □ **to f. bad about st.**, essere dispiaciuto per qc.; sentirsi in colpa per qc. □ (*fam.*) **to f. cheap**, sentirsi un verme □ **to f. one's feet** (*o legs*), poggiare saldamente i piedi; (*fig.*) sentirsi a proprio agio □ (*spesso all'imper.*) **to f. free to do st.**, sentirsi libero di fare qc.; fare pure: *F. free to ask*, chiedi pure □ **to f. in one's bones**, sentire istintivamente; sentirsela: *I f. it in my bones!*, me lo (*o* la) sento! □ **to f. like**, (di cosa *o* impers.) sembrare; (*di persona*) aver voglia di: *It feels like glass*, sembra vetro (al tatto); *It feels like spring*, sembra (di essere in) primavera; *What does it f. like being here?*, che impressione fa essere qui?; *I f. like a coffee*, ho voglia di un caffè; *I f. like some pasta*, mi andrebbe della pasta; *I don't f. like sleeping*, non ho voglia di dormire; *I felt like hitting him on the chin*, mi venne voglia di tirargli un pugno sul mento □ (*fam.*) **to f. like hell**, sentirsi da cani; sentirsi uno straccio □ (*fam.*) **to f. like a million dollars**, sentirsi in gran forma □ (*fam.*) **to f. out of it**, sentirsi estraneo; sentirsi tagliato fuori □ **to f. out of sorts**, sentirsi indisposto; essere di malumore □ **to f. small**, farsi piccolo (*fig.*) □ **to f. strongly about st.**, accalorarsi per qc. (a favore *o* contro); reagire con forza a proposito di qc. □ **to f. one's way**, andare a tentoni; (*anche fig.*) procedere con cautela; (*fig.*) tastare il terreno □ **to make itself felt**, (di situazione, ecc.) farsi sentire.

■ **feel for** v. i. + prep. **1** cercare (tastando): *He felt for some change in his pocket*, cercò in tasca degli spiccioli; *I felt around for the scissors*, tastai intorno in cerca delle forbici **2** essere compassione per; provare pietà per: *I do f. for the poor woman*, povera donna, mi fa davvero pena.

■ **feel out** v. t. + avv. sondare (qc., q.); tastare il polso a; valutare; soppesare.

■ **feel up** v. t. + avv. (*fam.*) palpare (q.); palpeggiare; fare la mano morta a.

■ **feel up to** v. i. + avv. + prep. avere l'energia di; sentirsela di: *I don't f. up to going out tonight*, non me la sento di uscire stasera.

feel-bad /'fiːlbæd/ a. (*fam.*) che induce sensazioni negative o pessimismo; negativo.

feeler /'fiːlə(r)/ n. **1** (*zool.*: di insetto) antenna; (*di gatto*) vibrissa, baffo **2** atto, discorso, osservazione, ecc., fatti allo scopo di tastare il terreno (*o di saggiare le intenzioni di q.*); sondaggio: (*fam.*) **peace feelers**, sondaggi per la pace; **to put out a f.** (*o feelers*), sondare la situazione; tastare il terreno **3** (*mecc.*) sonda ● **f. gauge**, (*mecc.*) calibro a spessori, spessimetro (*ind. tess.*) tastatore.

feel-good, **feelgood** /'fiːlgʊd/ a. che induce ottimismo, senso di benessere, ecc.: (*cinem.*, *fam.*) **feel-good movie**, un film a lieto fine (*che tira su il morale e fa stare meglio*); (*polit.*) **feel-good factor**, sensazione di ottimismo e benessere (*da parte degli elettori*).

♦**feeling** ① /'fiːlɪŋ/ n. **1** sentimento; senso: **a f. of hostility**, un sentimento di ostilità; **a f. of shame**, un senso di vergogna **2** ▫ emozione, emozioni; sentimenti; sentimenti; in-

tensità; passione: *She spoke with f.*, parlò con intensità; *F. ran high*, gli animi si scaldarono; **a face taut with f.**, un viso teso dall'emozione; **bad** (*o ill*) **f.**, risentimento; animosità; malanimo; cattivo sangue **3** (al pl.) sentimenti: **to reveal one's feelings**, rivelare i propri sentimenti; **to hurt sb.'s feelings**, ferire i sentimenti (*o la sensibilità) di q.; ferire q.; **to return sb.'s feelings**, ricambiare i sentimenti di q.; **bad feelings**, sentimenti negativi; ostilità; *No hard feelings!*, senza rancore! ▫ **4** sensazione (fisica); senso: **a f. of pain**, una sensazione di dolore; **a f. of hunger**, senso di fame; **the f. of ice against the skin**, la sensazione del ghiaccio sulla pelle **5** ▫ sensibilità (fisica); senso del tatto: *I've lost all f. in my arm*, ho perso ogni sensibilità nel braccio **6** sensazione; impressione: *I have a f. that something unpleasant will happen*, ho la sensazione che succederà qualcosa di spiacevole; *I've got the f. I'm not welcome here*, ho l'impressione di non essere il benvenuto; *What's your f. about it?*, che ne pensi?; di che opinione sei in proposito?; *I've a f. I've got something on this weekend*, mi sa che ho qualcosa in programma nel fine settimana **7** atmosfera; aria: *There was an odd f. about the place*, c'era qualcosa di strano in quel posto; quel posto aveva un che di strano **8** convinzione; convincimento; opinione **9** sensibilità particolare: **to have a natural f. for st.**, avere una sensibilità innata per qc.; essere portato per qc. **10** ▫ compassione; comprensione; simpatia: *He has no f. for the needs of the poor*, non ha compassione per i bisogni dei poveri ● **to appeal to sb.'s better feelings**, fare appello al lato migliore di q. □ **to have mixed feelings about st.**, essere incerto su come giudicare qc. □ **I know the f.!**, so cosa si prova!; so com'è!; (come) ti capisco! ❶ FALSI AMICI • feeling *non significa* feeling *nel senso di intesa o sintonia*.

feeling ② /'fiːlɪŋ/ a. pieno di sensibilità, di emozione; intenso; appassionato ‖ **feelingly** avv. con sincera emozione; con passione; con sentimento; con intensità.

feet /fiːt/ pl. di **foot**.

to **feign** /feɪn/ v. t. e i. **1** fingere; simulare: **to f. surprise**, fingersi sorpreso; simulare sorpresa; **to f. madness**, fingersi pazzo; **to f. sleep**, fingere di dormire; **to f. a limp**, fingere di essere zoppo **2** imitare; contraffare: **to f. sb.'s voice**, imitare la voce (*o) di q. **3** (*arc.*) inventare.

feigned /feɪnd/ a. **1** finto; simulato **2** imitato; contraffatto **3** (*arc.*) inventato.

feigner /'feɪnə(r)/ n. **1** simulatore, simulatrice **2** falsificatore, falsificatrice.

feint ① /feɪnt/ n. **1** (*anche sport*) finta: **to make a f.**, fare una finta **2** (*mil.*) finto attacco.

feint ② /feɪnt/ (*tipogr.*) **A** a. (*rif. a riga*) sottile: **f. ruling**, rigatura sottile; **f.-ruled paper**, carta con rigatura sottile **B** avv. con rigatura sottile.

to **feint** /feɪnt/ v. i. **1** (*anche sport*) fintare; fare una finta: *The boxer feinted with his right*, il pugile fece una finta di destro **2** (*mil.*) lanciare un finto attacco.

feints /feɪnts/ n. pl. → **faints**.

feisty /'fiːsti/ a. (*fam. USA*) **1** combattivo; energico; grintoso **2** irritabile; litigioso; aggressivo.

felafel /fə'læfəl/ n. ▫ → **falafel**.

feldspar /'feldspɑː(r)/ n. ▫ (*miner.*) feldspato.

feldspathic /feld'spæθɪk/ a. (*miner.*) feldspatico.

felicific /fiːlɪ'sɪfɪk/ a. (*filos.*) volto a promuovere la felicità; felicifico.

to **felicitate** /fə'lɪsɪteɪt/ v. t. congratularsi con; felicitarsi con.

felicitations /fəlɪsɪ'teɪʃnz/ n. pl. congratulazioni; felicitazioni.

felicitous /fə'lɪsɪtəs/ a. **1** felice; appropriato; ben scelto; calzante; **a f. phrase**, un'espressione felice (o calzante) **2** felice; fortunato.

felicity /fə'lɪsətɪ/ n. **1** ▣ felicità; letizia; beatitudine: **domestic f.**, felicità domestica; 'Absent thee from f. awhile' W. SHAKESPEARE, 'assentati per un poco dalla felicità' **2** ▣ felicità; appropriatezza; proprietà: **f. of phrase**, felicità di espressione; espressione felice **3** espressione felice; scelta felice.

felid /'fiːlɪd/ n. (zool.) felide; felino.

feline /'fiːlaɪn/ **A** a. felino: **f. claws**, artigli felini; **f. grace**, grazia felina **B** n. (zool.) felino ‖ **felinity** n. ▣ l'essere felino; natura di felino.

fell① /fɛl/ pass. di **to fall**.

fell② /fɛl/ n. ▣ **1** (USA) quantità di alberi abbattuti (in una stagione) **2** (cucito) ribattitura.

fell③ /fɛl/ n. (arc.) pelle; vello.

fell④ /fɛl/ n. **1** collina (o altura) rocciosa e brulla; (spec. nel Nord dell'Inghilterra e nei toponimi) **2** regione di brughiera collinosa ● **f.-walking**, escursionismo sui **fell**.

fell⑤ /fɛl/ a. (poet.) crudele; feroce; terribile; spietato.

to **fell** /fɛl/ v. t. **1** abbattere (un albero) **2** atterrare (q.) **3** (cucito) ribattere.

fella /'fɛlə/ n. → **fellow**, A, def. 1-5.

fellah /'fɛlə/ n. (pl. **fellahin**, **fellaheen**) fellah.

to **fellate** /fə'leɪt/ v. t. irrumare.

fellatio /fə'leɪʃɪəʊ/ (lat.) n. ▣ fellatio.

feller① /'fɛlə(r)/ n. **1** taglialegna **2** (cucito) macchina per ribattiture.

feller② /'fɛlə(r)/ n. → **fellow**, def. 1-5.

felling /'fɛlɪŋ/ n. ▣ taglio (di un bosco, del legname).

fellmonger /'fɛlmʌŋɡə(r)/ n. commerciante di (o in) pelli.

felloe /'fɛləʊ/ n. (falegn.) **1** cerchio di ruota **2** gavello (segmento circolare o settore di ruota).

♦**fellow** /'fɛləʊ/ **A** n. **1** (fam.) uomo; ragazzo; individuo; tipo: See those fellows over there?, li vedi quelli (o quei tipi) laggiù?; **a pleasant f.**, un tipo simpatico; Poor f.!, povero diavolo!; poveretto! **2** (con agg.) (fam. antiq.) amico; caro: **my dear f.**, mio caro; Cheer up, old f.!, coraggio, amico! **3** (spec. al pl.) compagno; collega: **the fellows at work**, i miei colleghi **4** (fam., GB) amico; amante; uomo: She's got a new f., ha un nuovo amico **5** (di oggetto appaiato) compagno; altro: I've lost the f. of this earring, ho perso l'orecchino compagno di questo (o l'altro orecchino) **6** – F., membro (di accademia culturale); socio; accademico: **F. of the Royal Society**, membro della Royal Society **7** – (in GB) F., «fellow»; docente universitario membro di un college (nel quale svolge insegnamento tutoriale) **8** (in GB) membro di un senato accademico **9** (laureato) borsista: **Fulbright f.**, borsista Fulbright **10** (= **research f.**) ricercatore universitario **B** a. attr. **1** compagno; collega: **f. student**, compagno di scuola; collega di studi; **f. workers**, colleghi; compagni di lavoro **2** simile; altro: **f. human beings**, gli altri esseri umani; il prossimo: We met a f. Australian, incontrammo un altro australiano (come noi) ● **one's f. beings**, il prossimo; i propri simili □ **f. citizen**, concittadino □ **f. countryman**, compatriota; connazionale □ **one's f. creatures**, i propri simili; tutte le creature (anche gli animali) □ **f. feeling**, solidarietà; cameratismo; colleganza **2** (leg.) **f. heir**, coerede □ **f.-men**, (gli) altri (esseri umani); (il) prossimo □ **f. passenger**, compagno di

viaggio □ **f. soldier**, commilitone □ **f. traveller**, compagno di viaggio; (polit. antiq.) simpatizzante (spec. del partito comunista), compagno di strada.

fellowship /'fɛləʊʃɪp/ n. **1** ▣ (spirito di) amicizia; spirito cameratesco; cameratismo; collegganza: **good f.**, buona collegganza; cordialità; socievolezza **2** associazione; confraternita; società **3** (nelle università) borsa di studio (a laureato): **research f.**, borsa di ricerca **4** (nelle università) grado (o titolo, retribuzione) di «Fellow» (cfr. **fellow**, A, def. 7).

felly /'fɛlɪ/ n. → **felloe**.

felo de se /fiːləʊdɪ'siː/ loc. n. (spagn.) **1** (pl. **felos de se**) suicida **2** ▣ (leg.) suicidio.

felon① /'fɛlən/ **A** n. (leg.) colpevole del reato di → **felony**; criminale **B** a. (poet.) crudele; malvagio; scellerato.

felon② /'fɛlən/ n. (med. antiq.) patereccio; giradito.

felonious /fɪ'ləʊnɪəs/ a. **1** criminale; delinquenziale **2** (leg.) criminoso; delittuoso | **-ly** avv.

felony /'fɛlənɪ/ n. (leg.) **1** (in USA e stor., in Inghil. e nel Galles fino al 1967) reato grave (che comporta violenza) **2** ▣ (stor.: diritto feudale) delitto capitale; fellonia.

felsite /'fɛlsaɪt/ n. (geol.) felsite.

felspar /'fɛlspɑː(r)/ n. ▣ (miner.) feldspato.

felt① /fɛlt/ pass. e p. p. di **to feel**.

felt② /fɛlt/ **A** n. ▣ (ind. tess.) feltro **B** a. attr. di feltro: **f. hat**, cappello di feltro ● **f.-board**, lavagna con velcro; lavagna attacca-stacca □ **f.-tip pen** (anche **f.-tipped pen**, **f. tip**), pennarello.

to **felt** /fɛlt/ **A** v. t. **1** (ind. tess.) feltrare **2** rivestire di feltro; feltrare **B** v. i. (di stoffa e sim.) infeltrire, infeltrirsi.

felting /'fɛltɪŋ/ n. ▣ **1** feltratura **2** panno feltrato (o per feltro).

felucca /fɛ'lʌkə/ n. (naut.) feluca.

FEMA sigla (USA, **Federal Emergency Management Agency**) Agenzia federale per la gestione delle emergenze (equivalente del Dipartimento della protezione civile italiano).

♦**female** /'fiːmeɪl/ **A** a. **1** (biol.) femminile: **the f. body**, il corpo femminile **2** (rif. ad animale) femmina (attr.) (ma vi può anche corrispondere un sost. femminile): **a f. tiger**, una tigre femmina; una femmina di tigre; **f. cat**, gatta; **f. bear**, orsa **3** (rif. a persona) (di sesso) femminile; donna (attr.) (ma vi può anche corrispondere un sost. femminile): **f. audience**, pubblico femminile; **a f. prime minister**, un primo ministro donna; **f. child**, figlia femmina; figlia; **my f. friends**, le mie amiche; **f. student**, studentessa; Most students here are f., la maggior parte degli studenti qui sono femmine **4** femminile; della donna; delle donne: (econ.) **f. labour**, manodopera femminile; (polit.) **f. suffrage**, voto alle donne; **f. crime**, delitti compiuti da donne **5** (tecn.) femmina: **f. gauge**, calibro femmina **B** n. **1** (biol.) femmina **2** donna; femmina: Opposite me sat a f. of uncertain age, davanti a me sedeva una donna di età indefinibile ● (bot.) **f. fern**, (Athyrium filix-foemina) felce femmina; (Pteridium aquilinum) felce aquilina □ (fam., elettr.) **f. plug**, presa (di corrente); □ (mecc.) **f. screw**, vite femmina; madrevite □ (leg.) **f. ward**, pupilla ‖ **femaleness** n. ▣ l'essere femmina; l'essere donna; natura femminile; femminilità.

❶ NOTA: female o feminine?

L'aggettivo female si riferisce al sesso femminile e si traduce in italiano soprattutto con l'attributo "femmina": a vixen is a female fox, la volpe femmina si chiama vixen in inglese. L'aggettivo feminine significa "femminile" nel senso di "relativo alle donne o a quello che si ritiene essere tipico delle donne":

feminine charms, fascino femminile, feminine intuition, intuito femminile. Si usa anche in riferimento al genere grammaticale: «La porte» is a feminine noun in French, «la porte» è un nome femminile in francese.

feminine /'fɛmənɪn/ **A** a. **1** femminile: **f. beauty**, bellezza femminile; **f. company**, compagnia femminile; (gramm.) **f. gender**, genere femminile **2** femmineo; donnesco **3** effeminato **B** n. **1** femminilità; femminile; femminino **2** (gramm.) femminile ● (poesia) **f. caesura**, cesura debole □ (poesia) **f. rhyme**, rima piana o sdrucciola; rima femminile ● **the eternal f.**, l'eterno femminino | **-ly** avv. | **-ness** n. ▣ **❶ NOTA:** female o feminine? → **female**.

femininity /fɛmə'nɪnətɪ/ n. ▣ femminilità.

feminism /'fɛmənɪzəm/ n. ▣ femminismo.

♦**feminist** /'fɛmɪnɪst/ a. e n. (polit., filos.) femminista.

to **feminize** /'fɛmənaɪz/ v. t. (spec. biol.) femminilizzare ‖ **feminization** n. ▣ (anche biol.) femminilizzazione.

femme fatale /fɛmfə'tæl/ n. (pl. **femmes fatales**) (franc.) ammaliatrice; seduttrice; vamp.

femur /'fiːmə(r)/ (anat.) n. (pl. **femurs**, **femora**) femore ‖ **femoral** a. femorale.

fen① /fɛn/ n. terreno paludoso; palude; acquitrino; maremma ● (geogr.) **the Fens**, zone un tempo paludose del Cambridgeshire, del Lincolnshire e del Norfolk □ **fen fire**, fuoco fatuo.

fen② /fɛn/ inter. (nei giochi infant.) fermi!; alt!

fenberry /'fɛnbərɪ/ n. (bot., Vaccinium oxycoccus) mirtillo palustre; mirtillo americano.

♦**fence** /fɛns/ n. **1** recinto; recinzione; steccato; staccionata; palizzata; barriera: **boundary f.**, recinto di confine (di una proprietà) **2** (ipp.) ostacolo (verticale) **3** (baseball) recinto **4** (mecc.) guida di appoggio **5** (tecn.) recinto schermante **6** (mil.) cortina radar **7** (fam.) ricettatore ● **f.-mending**, riparazione di steccati; (fig., spec. polit.) ristabilimento di relazioni amichevoli; ricucitura di uno strappo □ **f. month** [**time**], mese [tempo] della chiusura della caccia o della pesca □ **f. pliers**, pinza per steccati □ **f.-sitter**, chi si mantiene neutrale o equidistante; chi non prende una posizione; chi resta alla finestra □ (fig.) **to come down off the f.**, decidere da che parte stare; schierarsi □ (fig.) **to come down on the right [wrong] side of the f.**, schierarsi dalla parte del vincitore [del perdente] □ (fig.) **to mend fences**, riconciliarsi; riallacciare i rapporti; ricucire uno strappo □ (fam. Austral.) **over the f.**, esagerato; eccessivo; inaccettabile □ (fig.) **to sit on** (o **to straddle**) **the f.**, rimanere neutrale o equidistante; non prendere una posizione; restare alla finestra.

to **fence** /fɛns/ **A** v. t. **1** recintare; cintare; cingere: **to f. a garden**, recintare un giardino **2** (fam.) ricettare; fare il ricettatore di **B** v. i. **1** tirare di scherma **2** (fig.) fare schermaglie; duellare verbalmente; fare uso di abili argomentazioni **3** (fig.) rispondere evasivamente; destreggiarsi abilmente: I realized I was being fenced with, capii che l'altro cercava di evadere le mie domande **4** (di cavallo) saltare ostacoli **5** (slang) fare il ricettatore ● (scherma) F.!, (detto dall'arbitro) gioco!

▪ **fence in** v. t. + avv. **1** chiudere con un recinto; recintare **2** chiudere (animali, ecc.) dentro un recinto **3** (fig.) costringere, opprimere, imprigionare: She feels fenced in by conventions, si sente imprigionata dalle convenzioni.

▪ **fence off** v. t. + avv. **1** recintare **2** (fig.)

porre riparo a; evitare.

■ **fence out** v. t. + avv. impedire l'accesso a (q.) mediante un recinto.

fenceless /'fɛnsləs/ a. non recintato; aperto.

fencer /'fɛnsə(r)/ n. **1** (*sport*) schermidore **2** (*di cavallo*) saltatore **3** chi fa (*o ripara*) steccati.

fencing /'fɛnsɪŋ/ n. ⓤ **1** (*sport*) scherma; **f. master**, maestro di scherma **2** (*fig.*) abilità nell'evadere un argomento (*in una discussione*) **3** (collett.) recinzione; recinti (pl.) **4** materiale da recinzione **5** costruzione di recinti; posa in opera di recinzione: **f. contractors**, impresa di posa in opera di recinzioni **6** (*ippica*) salto degli ostacoli **7** (*fam.*) ricettazione.

to **fend** /fɛnd/ v. i. to f. for oneself, provvedere (*o* badare) a se stesso, cavarsela da solo; arrangiarsi.

■ **fend off** v. t. + avv. **1** parare; allontanare; respingere: **to f. off a blow**, parare un colpo **2** respingere; difendersi da; tenere lontano: (*fin.*) **to f. off a takeover bid**, respingere un'offerta d'acquisto; **to f. off the cold**, difendersi dal freddo **3** evitare; eludere: **to f. off a question**, eludere una domanda.

fender /'fɛndə(r)/ n. **1** parafuoco (*davanti a un camino*) **2** (*ferr.*) cacciapietre **3** (*naut.*) parabordo d'accosto **4** (*USA*) parafango (*di bicicletta, automobile, ecc.*) ● (*fam. USA*) f.--bender, lieve incidente automobilistico; piccolo tamponamento; bottarella (*fam.*).

fenestrate /fə'nɛstreɪt/ a. (*bot., zool.*) fenestrato.

fenestrated /fə'nɛstreɪtɪd/ a. **1** (*archit.*) con finestre; finestrato **2** → **fenestrate**.

fenestration /fɛnɪ'streɪʃn/ n. ⓤ **1** (*archit.*) disposizione delle finestre (*in un edificio*) **2** (*bot., zool., chir.*) fenestrazione.

feng shui /fɛŋ'ʃuːɪ, fʌŋ'ʃweɪ/ (*cinese*) n. ⓤ feng shui.

Fenian /'fiːnɪən/ n. e a. **1** (*stor.*) feniano (*membro d'una società nazionalistica rivoluzionaria irlandese*) **2** (*spreg., nell'Irlanda del Nord*) cattolico; feniano ‖ **Fenianism** n. ⓤ fenianismo.

fenland /'fɛnlænd/ n. (*geogr.*) **1** zona paludosa (*o* acquitrinosa) **2** – the F. → the **Fens** sotto **fen**①.

fennec /'fɛnɛk/ n. (*zool., Fennecus zerda*) fennec; volpe del deserto; volpe della sabbia.

fennel /'fɛnl/ n. (*bot., Foeniculum vulgare*) finocchio.

fennelflower /'fɛnlflaʊə(r)/ n. (*bot., Nigella*) nigella.

fenny /'fɛnɪ/ a. **1** paludoso; acquitrinoso **2** (*bot., zool.*) palustre.

fenugreek /'fɛnjʊɡriːk/ n. ⓤ (*bot., Trigonella foenum-graecum*) fieno greco; trigonella.

feoffee /fiː'fiː/ n. **1** (*stor.*) feudatario **2** (*leg.*) donatario; cessionario.

feoffment /'fiːfmənt/ n. ⓤ (*stor.*) infeudamento; infeudazione.

feoffor /'fiːfɔː(r)/, **feoffer** /'fiːfə(r)/ n. (*stor.*) chi dà terreni in feudo; infeudatore.

feral① /'fɛrəl/ a. **1** (*d'animale domestico*) inselvatichito **2** selvatico: **a f. smell**, un odore selvatico **3** ferino; feroce; animalesco; selvaggio: **a f. grin**, un sorriso ferino.

feral② /'fɛrəl/ a. **1** funereo; tetro **2** (*arc.*) ferale; funesto.

Ferdinand /'fɜːdɪnənd/ n. Ferdinando.

ferial /'fɪərɪəl/ a. (*spec. relig.*) feriale.

ferine /'fɪəraɪn/ a. ferino; bestiale; selvaggio; selvatico.

fermata /fə'mɑːtə/ n. (*mus.*) **1** pausa **2** corona.

ferment /'fɜːmɛnt/ n. **1** ⓤ (*fig.*) fermento; agitazione; eccitazione; subbuglio: **to be in**

(a state of) **f.**, essere in fermento **2** (*biol., chim.*) fermento; lievito.

to **ferment** /fə'mɛnt/ Ⓐ v. i. **1** (*biol., chim.*) fermentare **2** (*fig.*) agitarsi; eccitarsi; essere in fermento Ⓑ v. t. **1** (*biol., chim.*) far fermentare **2** (*fig.*) fomentare; agitare; eccitare; mettere in fermento.

fermentable /fə'mɛntəbl/ a. (*biol., chim.*) fermentabile.

fermentation /fɜːmɛn'teɪʃn/ n. **1** ⓤⓒ (*biol., chim.*) fermentazione **2** (*arc.*) fermento; agitazione; subbuglio ‖ **fermentative** a. (*biol., chim.*) fermentativo.

fermenter /fə'mɛntə(r)/, (*USA*) **fermentor** /fə'mɛntɔː(r)/ n. **1** fermentatore (*apparecchio*) **2** agente fermentativo.

fermion /'fɜːmɪən/ n. (*fis. nucl.*) fermione.

fermium /'fɜːmɪəm/ n. ⓤ (*chim.*) fermio.

fern /fɜːn/ n. (*bot.*) felce ● (*zool.*) **f. owl** (*Caprimulgus europaeus*), succiacapre; caprimulgo ‖ **fernery** n. **1** felceto; felceta **2** (collett.) felci (pl.) ‖ **ferny** a. coperto (*o* ricco) di felci.

ferocious /fə'rəʊʃəs/ a. **1** feroce: **a f. dog**, un cane feroce **2** feroce; crudele; spietato; violento; sfrenato: **a f. headache**, un feroce mal di testa: *The heat was f.*, faceva un caldo feroce; **f. criticism**, critiche feroci; **f. ambition**, ambizione sfrenata | **-ly** avv. | **-ness** n. ⓤ.

ferocity /fə'rɒsətɪ/ n. ⓤ **1** ferocia **2** intensità; violenza.

ferrate /'fɛreɪt/ n. (*chim.*) ferrato.

ferret① /'fɛrət/ n. **1** (*zool., Mustela furo*) furetto **2** (*zool., Mustela nigripes*) mustela dai piedi neri **3** investigatore **4** ricerca (*spec. in uno spazio ridotto*) **5** (*mil.*) radiogoniometro mobile ● (*zool.*) **f.-badger** (*Melogale*), tasso furetto.

ferret② /'fɛrət/ n. fettuccia; nastro.

to **ferret** /'fɛrət/ Ⓐ v. t. cacciare, stanare (*conigli, ecc.*) con il furetto Ⓑ v. i. **1** (*fig.*) indagare; investigare; cercare attentamente **2** frugare; rovistare: **to f. through st.**, rovistare in mezzo a qc.

■ **ferret out** v. t. + avv. riuscire a scoprire; scovare; stanare; snidare: **to f. out the truth**, scoprire la verità.

ferreting① /'fɛrɪtɪŋ/ n. ⓤ caccia con il furetto.

ferreting② /'fɛrətɪŋ/ → **ferret**②.

ferrety /'fɛrətɪ/ a. di (*o* da) furetto.

ferriage /'fɛrɪdʒ/ n. ⓒ⒰ (prezzo del) trasporto in nave traghetto.

ferric /'fɛrɪk/ a. (*chim.*) ferrico.

ferrimagnetic /fɛrɪmæɡ'nɛtɪk/ a. (*fis.*) ferrimagnetico ‖ **ferrimagnetism** n. ⓤ ferrimagnetismo.

Ferris wheel /'fɛrɪswiːl/ loc. n. ruota panoramica (*di luna park*).

ferrite /'fɛraɪt/ n. ⓤ **1** (*metall., miner.*) ferrite **2** (*chim.*) ferrito.

ferritin /'fɛrɪtɪn/ n. ⓤⓒ (*biochim.*) ferritina.

ferroalloy /fɛrəʊ'ælɔɪ/ n. (*metall.*) ferrolega.

ferro-cement, **ferrocement** /'fɛrəʊsɪmɛnt/ n. ⓤ ferrocemento.

ferrochromium /fɛrəʊ'krəʊmɪəm/ n. ⓤ (*metall.*) ferrocromo.

ferroconcrete /fɛrəʊ'kɒnkriːt/ n. ⓤ (*edil.*) cemento armato.

ferrocyanide /fɛrəʊ'saɪənaɪd/ n. ⓤ (*chim.*) ferrocianuro.

ferroelectric /fɛrəʊɪ'lɛktrɪk/ a. (*elettr.*) ferroelettrico.

ferromagnetic /fɛrəʊmæɡ'nɛtɪk/ (*fis.*) a. ferromagnetico ‖ **ferromagnetism** n. ⓤ ferromagnetismo.

ferromanganese /fɛrəʊ'mæŋɡəniːz/ n. ⓤ (*metall.*) ferromanganese.

ferronickel /fɛrəʊ'nɪkl/ n. ⓤ (*metall.*) ferronichel.

ferrosilicon /fɛrəʊ'sɪlɪkən/ n. ⓤ (*chim.*) ferrosilicio.

ferrotype /'fɛrəʊtaɪp/ n. (*fotogr.*) **1** ferrotipo **2** ferrotipia.

ferrous /'fɛrəs/ a. (*chim.*) ferroso: **f. oxide**, ossido ferroso; **f. sulphate**, solfato ferroso.

ferruginous /fɛ'ruːdʒɪnəs/ a. **1** ferruginoso **2** ferrigno; color ruggine ● (*zool., Aythya nyroca*) **f. duck**, moretta tabaccata.

ferrule /'fɛruːl/ n. **1** (*mecc.*) boccola; ghiera; virola **2** (*di bastone, ecc.*) puntale, calzuolo.

ferry /'fɛrɪ/ n. **1** (= **f. boat**) traghetto; nave traghetto **2** (servizio di) traghetto **3** punto di arrivo e partenza di traghetti **4** ⓤ (*leg.*) diritto di traghetto ● (*naut.*) **f. bridge**, ponte trasbordatore.

to **ferry** /'fɛrɪ/ Ⓐ v. t. **1** (*naut.*) traghettare **2** (*anche aeron.*) trasportare **3** (*fam.*) portare (*avanti e indietro*): **to f. the children to and from school**, portare i bambini a scuola e andare a prenderli **4** (*aeron.*) consegnare (*un aereo, a una compagnia di volo*) Ⓑ v. i. (*naut.*) attraversare (*con traghetto*).

ferryboat /'fɛrɪbəʊt/ n. traghetto; nave traghetto.

ferryman /'fɛrɪmæn/ n. (pl. **ferrymen**) traghettatore.

fertile /'fɜːtaɪl, USA 'fɜːtl/ a. **1** (*anche fig.*) fertile; fecondo: **f. lands**, terreni fertili; **f. imagination**, immaginazione fertile; **a f. seed**, un seme fecondo **2** (*fis. nucl.*) fertile ● (*stor.*) **the F. Crescent**, la fertile Mezzaluna.

fertility /fə'tɪlətɪ/ n. ⓤ (*anche fig.*) fertilità; fecondità ● (*med.*) **f. clinic**, clinica della fertilità □ **f. rites**, riti della fertilità □ (*farm.*) **f. drug**, medicina contro la sterilità.

fertilization /fɜːtɪlaɪ'zeɪʃn, USA -lɪ'z-/ n. ⓤ fertilizzazione; fecondazione.

to **fertilize** /'fɜːtɪlaɪz/ v. t. **1** fertilizzare; fecondare **2** (*agric.*) fertilizzare; concimare **3** (*fis. nucl.*) fertilizzare.

◆**fertilizer** /'fɜːtɪlaɪzə(r)/ n. ⓒⓤ **1** fertilizzante; concime **2** (*biol.*) (agente) fecondatore ● (*agric.*) **f. distributor** (*o* **f. spreader**), spandiconcime.

ferula /'fɛrʊlə/ n. **1** (*bot., Ferula*: pl. **ferulas**, **ferulae**) ferula **2** → **ferule**.

ferule /'fɛruːl/ n. ferula; bacchetta (*per punizioni corporali*).

fervency /'fɜːvənsɪ/ n. ⓤ fervore; ardore; calore; zelo.

fervent /'fɜːvənt/ a. **1** fervente; fervido; ardente; appassionato: **f. belief**, convinzione fervente; **f. supporter**, acceso sostenitore; **f. love**, amore ardente; **a f. hope**, una fervida speranza **2** (*poet.*) caldo; infuocato; ardente | **-ly** avv.

fervid /'fɜːvɪd/ a. **1** fervido; ardente: **f. imagination**, fervida immaginazione **2** (*poet.*) caldo; infuocato; ardente | **-ly** avv.

fervour, (*USA*) **fervor** /'fɜːvə(r)/ n. ⓤ fervore; ardore; calore; zelo.

Fescennine /'fɛsənaɪn/ a. fescennino.

fescue /'fɛskjuː/ n. **1** (*bot., Festuca*) festuca **2** (*bot.*) fuscello.

fess, **fesse** /fɛs/ n. (*araldica*) fascia.

to **fess up** /'fɛsʌp/ v. i. + avv. (*fam. USA*) confessare: **to fess up to doing st.**, confessare di aver fatto qc.

festal /'fɛstl/ a. (*arc.*) **1** festivo; di (*o* da) festa **2** festoso; allegro; festante.

to **fester** /'fɛstə(r)/ Ⓐ v. i. **1** (*med.*) suppurare; produrre pus **2** (*fig.*) inasprirsi; esacerbarsi; esasperarsi; incancrenire: *Resentment festered in his mind*, il rancore si esacerbò nella sua mente **3** (*anche fig.*) marcire; corrompersi; guastarsi Ⓑ v. t. **1** (*med.*) far suppurare **2** (*fig.*) inasprire; esacerbare; esasperare.

◆**festival** /ˈfɛstɪvl/ Ⓐ n. **1** (*relig.*) festa; festività **2** festival Ⓑ a. attr. **1** festivo; di festa: **f. day**, giorno di festa **2** di (*o* del) festival.

festive /ˈfɛstɪv/ a. **1** di festa (religiosa); delle feste; festivo: **the f. season**, le festività natalizie; il periodo delle feste; **the f. table**, la tavola imbandita (per le feste) **2** di festa; festoso; gioioso; lieto: **f. air**, atmosfera di festa; **f. occasion**, occasione festosa ❶ **FALSI AMICI** • festive *non significa* festivo *nel senso di un giorno di festa* | **-ly** avv. | **-ness** n. Ⓤ.

festivity /fɛˈstɪvətɪ/ n. **1** Ⓤ festività; festosità; gaiezza; lietezza **2** (al pl.) celebrazioni; festeggiamenti; feste.

festoon /fɛˈstuːn/ n. (*anche archit.*) festone.

to **festoon** /fɛˈstuːn/ v. t. ornare di festoni; decorare (*con rami, luci, ecc.*).

FET sigla (*elettron.*, **field effect transistor**) transistor a effetto di campo.

feta /ˈfɛtə/ n. Ⓤ (*alim.*, *anche* **f. cheese**) feta.

fetal /ˈfiːtl/ a. (*biol.*, *med.*) fetale; di feto.

fetch① /fɛtʃ/ n. **1** (*naut.*) fetch; lunghezza del tratto di mare aperto su cui spira il vento **2** (*naut.*) estensione di una baia **3** (l'andare a prendere (→ **to fetch**, def. 1) **4** (*comput.*) acquisizione (*di dati*) **5** (*arc.*) stratagemma; trucco.

fetch② /fɛtʃ/ n. (*arc.*) apparizione (*di persona vivente*); doppio; Doppelgänger (*ted.*).

◆to **fetch** /fɛtʃ/ v. t. **1** andare a prendere (*o* a cercare); portare; (andare a) chiamare; far venire; (*di cane da caccia*) riportare: *He fetched a towel*, andò a prendere un asciugamano; *Could you f. me the ladder?*, mi puoi portare la scala a pioli?; *Run and f. your father!*, corri a chiamare tuo padre!; *I'll f. in your bags*, porto dentro le tue borse; (*a un cane*) *F.!*, porta! **2** (*comm.*) ottenere; spuntare (*un prezzo*); rendere; valere; essere venduto per: *These goods will f. a high price*, questi beni spunteranno un buon prezzo **3** (*fam.*) assestare; mollare; appioppare: *I fetched him one*, gli mollai un pugno **4** (*antiq.*) provocare; suscitare; far uscire (*sangue o lacrime*); emettere; mandare (*un sospiro, ecc.*): **to f. a round of applause**, suscitare un applauso **5** (*fam. antiq.*) attirare; attrarre; interessare; avvincere: **to f. in customers**, attirare i clienti **6** (*comput.*) prelevare (*dati*) da una memoria **7** (*naut.*) raggiungere; guadagnare ● (*fig.*) **to f. and carry**, sfacchinare; servire (q.); fare da servitore (a q.); fare da galoppino (a q.).

■ **fetch about** v. i. + avv. (*naut.*) virare di bordo.

■ **fetch back** v. t. + avv. riportare.

■ **fetch out** v. t. + avv. **1** portare fuori; tirare fuori **2** far uscire **3** (*fig.*) tirare fuori; portare alla luce; far emergere.

■ **fetch up** Ⓐ v. t. + avv. **1** far arrestare; bloccare: *His remark fetched me up short*, le sue parole mi fecero arrestare di botto **2** (*fam.*) vomitare (*antiq. GB*) tirare su; allevare Ⓑ v. i. + avv. **1** (*fam.*) (andare a) finire; capitare; ritrovarsi: *We fetched up in Bath*, siamo finiti a Bath; **to f. up in prison**, finire in galera **2** (*fam.*) vomitare; dare di stomaco **3** (*naut.*) fermarsi; arrestarsi **4** (*naut.*) arrivare.

fetching /ˈfɛtʃɪŋ/ a. (*antiq.*) attraente; avvincente; bello; seducente.

fête, **fete** /feɪt/ n. **1** (*GB*) festa (all'aperto); festa di beneficenza **2** (*USA*) festa (*spec. all'aperto*) **3** festività.

to **fête**, to **fete** /feɪt/ v. t. festeggiare; fare grandi feste a.

feticide /ˈfiːtɪsaɪd/ n. Ⓒ (*leg.*) feticidio.

fetid /ˈfɛtɪd, ˈfiːt-/ a. fetido || **fetidity**, **fetidness** n. Ⓤ fetore; fetidume || **fetidly** avv. fetidamente.

fetish, **fetich**, **fetiche** /ˈfɛtɪʃ/ n. **1** (*relig.*,

psic., *fig.*) feticcio **2** (*fig.*) fissazione; mania: **to have a f. about st.**, avere la mania di qc. ‖ **fetishism** n. Ⓤ **1** (*relig.*, *psic.*) feticismo **2** (*fig.*) fanatismo; idolatria ‖ **fetishist** n. (*relig.*, *psic.*) feticista ‖ **fetishistic** a. feticistico.

fetlock /ˈfɛtlɒk/ n. (*di cavallo*, *anche* **f. joint**) nodello; nocca.

fetology /fiːˈtɒlədʒɪ/ (*med.*) n. Ⓤ fetologia ‖ **fetologist** n. fetologo.

fetor /ˈfiːtə(r)/ n. Ⓤ fetore.

fetoscope /ˈfiːtəʊskəʊp/ (*med.*) n. fetoscopio ‖ **fetoscopy** n. Ⓤ fetoscopia.

fetter /ˈfɛtə(r)/ n. **1** (al pl.) ceppi; ferri; catene **2** (*spesso al pl.*) (*fig.*) impedimento; ostacolo; pastoia.

to **fetter** /ˈfɛtə(r)/ v. t. **1** mettere in ceppi (*o* ai ferri, in catene); incatenare **2** impastoiare (*un cavallo*) **3** (*fig.*) impedire; ostacolare; inceppare.

fetterlock /ˈfɛtəlɒk/ n. **1** pastoia **2** → **fetlock**.

fettle /ˈfɛtl/ n. Ⓤ condizione; stato; forma: **in fine f.**, in ottime condizioni; in forma.

to **fettle** /ˈfɛtl/ v. t. **1** (*metall.*) scriccare **2** (*fonderia*) sbavare **3** (*fonderia*) ricoprire di materiale refrattario (*la suola di un forno*) **4** (*dial. GB*) aggiustare; riparare; rifinire.

fettling /ˈfɛtlɪŋ/ n. Ⓤ **1** (*metall.*) scriccatura **2** (*fonderia*) sbavatura **3** (*fonderia*) materiale refrattario.

fetus /ˈfiːtəs/ n. (pl. **fetuses**, **feti**) (*biol.*) feto.

feud① /fjuːd/ n. faida; lite; lotta; contesa: **family f.**, faida familiare; lite familiare; **blood f.**, faida; **a deadly f.**, una contesa all'ultimo sangue.

feud② /fjuːd/ n. (*stor.*) feudo.

to **feud** /fjuːd/ v. i. essere in lite; essere coinvolto in una faida.

feudal /ˈfjuːdl/ a. feudale ‖ **feudally** avv. feudalmente.

feudalism /ˈfjuːdəlɪzəm/ n. Ⓤ (*stor.*) feudalesimo; feudalismo ‖ **feudalist** n. fautore del feudalesimo ‖ **feudalistic** a. feudale; favorevole al feudalesimo.

feudality /fjuːˈdælətɪ/ n. (*stor.*) **1** Ⓤ l'esser feudale; feudalità **2** feudo.

to **feudalize** /ˈfjuːdəlaɪz/ v. t. rendere feudale ‖ **feudalization** n. Ⓤ trasformazione in regime feudale.

feudatory /ˈfjuːdətrɪ/ (*stor.*) Ⓐ n. feudatario; vassallo Ⓑ a. feudatario; soggetto a un signore feudale.

fever /ˈfiːvə(r)/ n. Ⓒ **1** (*med.*) febbre: **to run a high f.**, avere la febbre alta; **yellow [typhoid] f.**, febbre gialla [tifoide] **2** (*fig.*) febbre; frenesia; eccitazione: **election f.**, febbre elettorale; **a f. of expectation**, un'attesa febbrile ● (*med.*) **f. blister**, erpete febbrile; febbre (*fam.*) □ **f. heat**, calore febbrile; (*fig.*) grande eccitazione □ **f. pitch**, (*med.*) punto massimo della febbre, picco febbrile; (*fig.*) parossismo, delirio, frenesia: **at f. pitch**, frenetico; parossistico; al culmine dell'entusiasmo (*o* del delirio); **to rise to** (*o* to reach) **f. pitch**, salire alle stelle; arrivare al parossismo; diventare incontenibile □ **f. sore** → **f. blister**.

to **fever** /ˈfiːvə(r)/ v. t. (*arc.*) **1** provocare la febbre in **2** (*fig.*) sovreccitare; rendere febbricitante.

fevered /ˈfiːvəd/ a. **1** febbricitante **2** (*fig.*) febbrile; sovreccitato: **a f. imagination**, una fantasia sovreccitata.

feverfew /ˈfiːvəfjuː/ n. (*bot.*, Chrysanthemum parthenium) partenio; matricale; amarella.

feverish /ˈfiːvərɪʃ/ a. **1** febbricitante; che ha la febbre: *He's a bit f.*, ha un po' di febbre; **to feel f.**, sentirsi la febbre addosso; **f. cold**, raffreddore con febbre; infreddatura

2 dovuto alla febbre: **f. dreams**, sogni dovuti alla febbre **3** (*fig.*) eccitato; febbrile; frenetico; convulso: **f. activity**, attività febbrile; **f. with desire**, in preda a un desiderio febbrile | **-ly** avv. | **-ness** n. Ⓤ.

feverous /ˈfiːvərəs/ → **feverish**.

◆**few** /fjuː/ Ⓐ a. e pron. **1** pochi, poche; scarsi, scarse: *I have few friends in this town*, ho pochi amici in questa città; *Few words were said*, furono dette poche parole; *Few know the truth*, pochi sanno la verità; *Few of them knew*, pochi di loro lo sapevano ❶ **NOTA: meno** (*less* / *fewer*) → **meno 2** – **a few**, alcuni, alcune; qualcuno, qualcuna; qualche (sing.): **for a few minutes**, per alcuni minuti; per qualche minuto; *There were only a few people at the funeral*, al funerale c'era solo qualche persona; *in a few days*, fra qualche giorno; **a few of them**, alcuni di loro **3** – **only a few**, pochi; troppo pochi: *Only a few of us were there*, eravamo in pochi Ⓑ n. (**the few**) i pochi, le poche: **the few I saw**, i pochi che vidi ● **few and far between**, molto infrequenti; pochissimi; rari □ **a few more**, degli altri; ancora: *I like these apples: I'd like a few more*, queste mele mi piacciono: ne vorrei delle altre □ **as few as**, solo; appena □ **the chosen few**, i pochi eletti □ **every few minutes [days]**, a intervalli di pochi minuti [di pochi giorni]; ogni due o tre (*o* tre o quattro, ecc.) minuti [giorni] □ (*fam.*) **a good few** (*o* quite a few), un buon numero; parecchi; un bel po': *It's been a good few years since we last spoke, hasn't it?*, sono passati un bel po' di anni da quando ci siamo sentiti l'ultima volta, vero? □ (*fam.*) **to have had a few**, essere brillo; aver alzato il gomito □ **to name but a few**, per citarne qualcuno □ **not a few**, non pochi; un bel po' □ (*fam.*) **precious few**, pochissimi; ben pochi □ **some few**, alcuni; taluni ❶ **NOTA: less o fewer?** → **less**.

fewer /ˈfjuːə(r)/ a. (compar. di **few**) meno (con nomi pl.): *I have f. clothes than you*, ho meno vestiti di te; *F. people go to the cinema*, meno persone vanno al cinema ● **no f. than**, non meno di: *No f. than two hundred soldiers were killed*, non meno di duecento soldati furono uccisi.

fewest /ˈfjuːɪst/ a. (superl. relat. di **few**) meno (con nomi pl.); il minor numero di: *Which of you made the f. mistakes?*, chi di voi ha fatto meno errori?; *I got the f. presents*, ricevetti meno regali di tutti.

fey /feɪ/ a. **1** strano; strambo, bislacco; bizzarro; esaltato **2** che ha il dono della chiaroveggenza **3** (*scozz.*) destinato a morire; prossimo a morire | **-ly** avv. | **-ness** n. Ⓤ.

fez /fɛz/ n. (pl. **fezzes**, **fezes**) fez.

ff abbr. (*mus.*) fortissimo.

ff. abbr. (*editoria*) e pagine [versi] seguenti; sgg.

F2F sigla (*Internet*, *telef.*, **face to face**) faccia a faccia.

Fg Off abbr. (*aeron.*, *in GB*, **Flying Officer**) tenente pilota.

FHLMC sigla (*USA*, **Federal Home Loan Mortgage Corporation**) Società federale per le ipoteche su abitazioni private.

FHSA sigla (*in GB*, **Family Health Services Authority**) Autorità sanitaria locale.

fiancé /fɪˈɒnseɪ, USA fɪɑːnˈseɪ/ (*franc.*) n. fidanzato; promesso sposo.

fiancée /fɪˈɒnseɪ, USA fɪɑːnˈseɪ/ (*franc.*) n. fidanzata; promessa sposa.

fiasco /fɪˈæskəʊ/ (*ital.*) n. (pl. **fiascoes**, **fiascos**) fallimento; fiasco; insuccesso: **to turn into a f.**, risolversi in un fiasco; fare fiasco.

fiat /ˈfiːæt, ˈfaɪæt/ n. ordine; decreto; ordinanza: **presidential f.**, ordine presidenziale; **to rule by f.**, governare a forza di decreti ● (*econ.*, *fin.*) **f. money**, moneta a corso

forzoso.

fib /fɪb/ n. (*fam.*) bugia; frottola; fandonia.

to **fib** ① /fɪb/ v. i. dir bugie; contar frottole.

to **fib** ② /fɪb/ v. t. dar pugni a (q.); colpire; picchiare.

fibber /'fɪbə(r)/ n. bugiardo; contafrottole; contastorie.

fiber /'faɪbə(r)/ e *deriv.* (*USA*) → **fibre**, e *deriv.*

fibre /'faɪbə(r)/ n. **1** ⊂ʊ (*biol.*, *anat.*, *chim.*, *fis.*, *tess.*) fibra: **cotton fibres**, le fibre del cotone; **natural [man-made] fibres**, fibre naturali [artificiali]; **carbon f.**, fibre di carbonio; **optical fibres**, fibre ottiche **2** ⊍ (*fig.*) fibra; tempra: **moral f.**, fibra (*o* tempra) morale; **with every f. of my being**, con ogni fibra del mio essere **3** (*bot.*) fibra; radice fibrosa **4** ⊍ (*alim.*) fibra, fibre: **dietary f.**, fibre alimentari; **a diet rich in f.**, una dieta ricca di fibre ● (*fis.*) **f. optics**, ottica a fibre □ (*fis.*, *comput.*) **f. optic cable**, cavo in fibra ottica □ **f.-tip** (**pen**), pennarello.

fibreboard /'faɪbəbɔːd/ n. ⊍ (*ind.*) fibra.

fibred /'faɪbəd/ a. (nei composti) a fibre: **long-f.**, a fibre lunghe.

fibrefill /'faɪbəfɪl/ n. ⊍ (*ind.*) fibra sintetica per imbottiture.

fibreglass /'faɪbəɡlɑːs/ n. ⊍ (*ind.*) fibra di vetro; fiberglass.

fibreless /'faɪbəlɪs/ a. **1** senza fibre **2** senza carattere; senza fibra morale.

fibrescope /'faɪbəskəʊp/ n. (*med.*) fibroscopio.

fibriform /'faɪbrɪfɔːm/ a. fibriforme.

fibril /'faɪbrɪl/ (*scient.*, *biol.*) n. fibrilla || **fibrillar**, **fibrillary** a. fibrillare.

to **fibrillate** /'faɪbrɪleɪt/ v. i. (*med.*) fibrillare; essere in fibrillazione.

fibrillation /faɪbrɪ'leɪʃn/ n. ⊍ (*med.*) fibrillazione.

fibrin /'faɪbrɪn/ (*biol.*) n. ⊍ fibrina || **fibrinous** a. fibrinoso.

fibrinogen /faɪ'brɪnədʒən/ n. ⊍ (*biol.*) fibrinogeno.

fibrinolysis /faɪbrɪ'nɒlɪsɪs/ n. ⊍ (*biol.*) fibrinolisi || **fibrinolytic** a. fibrinolitico.

fibro /'faɪbrəʊ/ n. ⊍ (*Austral.*) → **fibro-cement**.

fibroadenoma /faɪbrəʊædə'nəʊmə/ n. (pl. **fibroadenomas**, **fibroadenomata**) (*med.*) fibroadenoma.

fibroblast /'faɪbrəblæst/ n. (*biol.*) fibroblasto.

fibro-cement /faɪbrəʊsɪ'mɛnt/ n. ⊍ (*edil.*) fibrocemento.

fibrocystic /faɪbrəʊ'sɪstɪk/ a. (*med.*) fibrocistico.

fibrocyte /'faɪbrəsaɪt/ n. (*biol.*) fibrocita.

fibroid /'faɪbrɔɪd/ Ⓐ a. fibroide; fibroso Ⓑ n. (*med.*) tumore fibroso; fibroma.

fibroin /'faɪbrəʊɪn/ n. ⊍ (*chim.*) fibroina.

fibroma /faɪ'brəʊmə/ n. (pl. **fibromas**, **fibromata**) (*med.*) fibroma.

fibrosarcoma /faɪbrəʊsɑː'kəʊmə/ n. (pl. **fibrosarcomas**, **fibrosarcomata**) (*med.*) fibrosarcoma.

fibrosis /faɪ'brəʊsɪs/ n. ⊍ (*med.*) fibrosi.

fibrous /'faɪbrəs/ (*biol.*) a. fibroso || **fibrousness** n. ⊍ fibrosità.

fibster /'fɪbstə(r)/ → **fibber**.

fibula /'fɪbjʊlə/ n. (pl. **fibulae**, **fibulas**) **1** (*anat.*) fibula; perone **2** (*archeol.*) fibula; fermaglio; fibbia.

fiche /fiːʃ/ n. microfiche.

fichu /'fiːʃuː/ (*franc.*) n. fisciù; fazzoletto da collo; scialle.

fickle /'fɪkl/ a. incostante; instabile; mutevole; volubile: **a f. electorate**, elettorato volubile; **f. weather**, tempo instabile | **-ness** n. ⊍.

fictile /'fɪktaɪl/ a. **1** fittile; di terracotta **2** dell'arte ceramica.

◆**fiction** /'fɪkʃn/ n. **1** ⊍ (*letter.*) narrativa; romanzi e racconti: opere di fantasia: **works of f.**, opere di narrativa; romanzi, racconti; **popular f.**, romanzi di largo consumo; **Calvino's f.**, la narrativa di Calvino; *I don't read novels, I prefer non-f. and biographies*, non leggo romanzi, preferisco la saggistica e le biografie **2** ⊍ finzione; fantasia, fantasie: *We want facts, not f.*, vogliamo fatti, non fantasie **3** invenzione; menzogna ● (*leg.*) **f. of law**, finzione giuridica □ (*prov.*) *Truth is stranger than f.*, la verità è più strana della fantasia || **fictionist** n. narratore; romanziere; novellista.

fictional /'fɪkʃənl/ a. **1** immaginario; inventato; di fantasia; romanzesco; romanzato: **a f. character [world]**, un personaggio [un mondo] inventato (o di fantasia) **2** (*letter.*) romanzesco; di romanzo; narrativo; **f. conventions**, convenzioni narrative.

❶ NOTA: *fictional o fictitious?*
L'aggettivo *fictional* significa "che ha a che fare con la fantasia", soprattutto in riferimento a opere di narrativa (*fiction* in inglese) o contesti simili: *Jane Eyre is a fictional character*, Jane Eyre è un personaggio di fantasia. L'aggettivo *fictitious* significa "fittizio, falso, inventato", che non ha un rapporto con la realtà: *He assumed a fictitious name*, assunse un nome falso.

to **fictionalize** /'fɪkʃənəlaɪz/ v. t. romanzare || **fictionalization** n. ⊍ il romanzare; versione romanzesca || **fictionalized** a. romanzato.

fictitious /fɪk'tɪʃəs/ a. **1** fittizio; immaginario; inventato: *Tom Jones is a f. character*, Tom Jones è un personaggio immaginario **2** simulato; falso **3** (*leg.*, *tecn.*, *scient.*) fittizio: **f. sale**, vendita fittizia (*o* simulata) ● (*rag.*) **f. assets**, attività fittizie □ (*leg.*) **f. payee**, beneficiario fittizio | **-ly avv.** | **-ness** n. ⊍.
❶ NOTA: *fictional o fictitious?* → **fictional**.

fictive /'fɪktɪv/ a. **1** dotato d'inventiva **2** fittizio; immaginario.

ficus /'faɪkəs/ n. (*bot.*, *Ficus*) ficus.

fid /fɪd/ n. **1** (*naut.*) caviglia (*per impiombare*) **2** (*naut.*) chiave d'albero **3** cuneo.

fiddle /'fɪdl/ n. **1** (*mus.*, *fam. o nella musica folk*) violino **2** (*fam.*) imbroglio; truffa; frode; falsificazione; manipolazione: **insurance f.**, frode assicurativa **3** (*fam.*) operazione difficile che richiede pazienza; lavoro certosino **4** (*naut.*) tavola de fiddle **5** ⊍ (*fam.*) schocchezze (pl.); stupidaggini (pl.) ● **f.-de-dee!**, sciocchezze! □ (*fam.*) **f.-faddle**, inezie; sciocchezze; piccinerie □ **as fit as a f.**, in perfette condizioni fisiche; in perfetta forma □ **a face as long as a f.**, faccia scontenta (*o* da funerale); muso lungo □ (*antiq.*) **to hang up one's f.**, ritirarsi; andare in pensione □ (*fam.*) **to be on the f.**, essere dedito a piccole truffe; essere un imbroglione □ (*fig.*) **to play second f. (to)**, avere un ruolo di secondo piano (rispetto a); fare da spalla (a).

to **fiddle** /'fɪdl/ Ⓐ v. i. (*fam.*) **1** muovere continuamente le mani (*toccando o spostando oggetti*) **2** → **to f. with 3** suonare il violino Ⓑ v. t. (*fam.*) **1** falsificare; manipolare; truccare; imbrogliare su: **to f. the books**, falsificare i libri contabili; **to f. one's income tax**, imbrogliare nella denuncia dei redditi; frodare il fisco; **to f. a report**, manipolare una relazione **2** frodare; intascare; fregare (*fam.*): *He's fiddled five pounds on his expenses*, ha fregato cinque sterline sulle spese ● **to f. away**, continuare a strimpellare; (*anche*) perdere tempo in sciocchezze □ (*fig.*) **to f. while Rome burns**, gingillarsi mentre succede il peggio.

■ **fiddle about** (*o* **around**) v. i. + avv. (*fam.*)

1 perder tempo; gingillarsi; trastullarsi **2** → **to f. with**.

■ **fiddle with** v. i. + prep. (*fam.*) **1** giocherellare con; spostare qua e là: *Stop fiddling with the lighter!*, smettila di giocherellare con l'accendino! **2** armeggiare con; trafficare con; ritoccare continuamente: *He started fiddling with the lock*, cominciò ad armeggiare con la serratura **3** mettere le mani fra; spostare; toccare: *I won't have him fiddling with my papers*, non voglio che lui tocchi le mie carte.

to **fiddle-faddle** /'fɪdlfædl/ v. i. gingillarsi; baloccarsi; perdere tempo.

fiddler /'fɪdlə(r)/ n. **1** (*mus.*, *fam.*) violinista; (*spreg.*) strimpellatore **2** (*fam.*) imbroglione; truffatore **3** (*zool.*, *Rhinobatus*) pesce chitarra ● (*zool.*) **f. crab**, granchio violinista □ (*naut. fam.*) F.'s Green, il paradiso dei marinai.

fiddlestick /'fɪdlstɪk/ n. **1** (*mus.*, *fam.*) archetto del violino **2** (al pl.) (*antiq.*) sciocchezze; stupidaggini.

fiddling ① /'fɪdlɪŋ/ a. **1** insignificante; irrilevante; da nulla **2** disonesto; imbroglione.

fiddling ② /'fɪdlɪŋ/ n. ⊍ **1** (il) giocherellare nervosamente con qc. **2** (l')armeggiare; armeggiamento **3** manomissione; manipolazione; frode.

fiddly /'fɪdlɪ/ a. (*fam. GB*) **1** (*di oggetto*) complicato da maneggiare **2** (*di lavoro*) complicato; che richiede dita agili; da certosino; rognoso (*fam.*).

fideism /'fiːdeɪɪzəm/ n. ⊍ (*relig.*) fideismo || **fideist** n. fideista || **fideistic** a. fideistico.

fidelity /fɪ'delɪtɪ/ n. ⊍ **1** fedeltà: **f. to one's ideals**, fedeltà ai propri ideali **2** fedeltà; accuratezza; esattezza: **the f. of a translation**, la fedeltà di una traduzione ● (*ass.*) **f. insurance**, assicurazione contro i danni provocati dalla disonestà dei dipendenti.

fidget /'fɪdʒɪt/ n. **1** persona irrequieta (*o* nervosa, che s'agita) **2** (al pl.) irrequietezza; nervosismo; smanie (pl.): **to have the fidgets** (*o* **to be in a f.**), non riuscire a star fermo; avere le smanie; stare sulle spine.

to **fidget** /'fɪdʒɪt/ Ⓐ v. i. **1** agitarsi; dimenarsi nervosamente: *He was fidgeting on his chair*, si dimenava nervosamente sulla sedia **2** – **to f. with**, giocherellare (nervosamente) con; tormentare: **to f. with a pencil**, giocherellare con una matita **3** essere impaziente, ansioso; non vedere l'ora (di) Ⓑ v. t. mettere a disagio; infastidire; innervosire.

fidgetingly /'fɪdʒɪtɪŋlɪ/ avv. nervosamente.

fidgety /'fɪdʒətɪ/ a. irrequieto; nervoso || **fidgetiness** n. ⊍ irrequietezza; nervosismo.

fiducial /fɪ'djuːʃəl, *USA* -'duː-/ a. **1** fiduciale; fiduciario **2** (*astron.*, *ottica*, *agrimensura*) di riferimento: **f. point**, punto (*o* segno) di riferimento.

fiduciary /fɪ'djuːʃɪərɪ, *USA* -'duː-/ Ⓐ a. **1** (*anche leg.*, *fin.*) fiduciario: **a f. guardian for a minor**, un tutore fiduciario d'un minorenne; **f. circulation**, circolazione fiduciaria (*di cartamoneta*) **2** → **fiducial**, def. 2 Ⓑ n. (*leg.*) fiduciario ● (*fin.*) **f. currency** (*o* **money**), moneta a circolazione fiduciaria.

fie /faɪ/ inter. (*arc. o scherz.*) vergogna!; vergognati!

fief /fiːf/ n. (*stor. e fig.*) feudo.

◆**field** /fiːld/ n. **1** (*agric.*) campo: **a f. of oats**, un campo di avena; **to work in the fields**, lavorare nei campi **2** (*mil.*) campo: **f. of battle** (*o* **battlefield**), campo di battaglia; **f. kitchen**, cucina da campo **3** (*sport*) campo; terreno di gioco: **football f.**, campo di (*o* da) calcio; **sports f.**, campo da gioco **4** (*sport*:

the f.) i concorrenti; i partecipanti; gli atleti in campo; il gruppo; i corridori: **a good f.**, una schiera di ottimi concorrenti **5** (*ipp.*: **the f.**) i cavalli iscritti a una corsa (*eccetto il favorito*) **6** (*baseball, cricket*) difensori (pl.); squadra di difesa **7** (*caccia alla volpe*: **the f.**) la comitiva dei cacciatori **8** (*geol., spesso in combinazione*) bacino; giacimento: **gold f.**, bacino aurifero; **coalfield**, bacino carbonifero; **oilfield**, giacimento petrolifero; bacino petrolifero **9** distesa; campo: **a f. of ice** (*o* **an ice f.**), una distesa di ghiaccio; **snow f.**, distesa (*o* campo) di neve **10** (*fig.*) campo (*di studio, di attività*); campo d'azione; area; settore; branca: **the f. of science** [**of art**], il campo della scienza [dell'arte]; *She's the best in her f.*, è la migliore nel suo campo; *What's your f.?*, di che cosa ti occupi?; *That's outside my f.*, esula dal mio campo; **f. research** [**studies**], ricerca [studi] sul campo **11** (*tecn., scient.*) campo: (*fis.*) **gravitational** [**magnetic**] **f.**, campo gravitazionale [magnetico]; (*fis.*) **force f.**, campo di forze; (*fisiol., med.*) **f. of view** (*o* **f. of vision**), campo visivo **12** (*elettron.*) semiquadro **13** (*comput.*) campo: **f. delimiter**, delimitatore del campo; **f. width**, ampiezza del campo **14** (*arald., numism.*) campo ● (*mil.*) **f. allowance**, soprassoldo, indennità di campagna (*pagata agli ufficiali*) □ (*mil.*) **f. artillery**, artiglieria da campo (*o* campale) □ (*bot.*) **f. balm** (*Satureja nepeta*), mentuccia □ (*mil.*) **f. battery**, batteria da campo (*o* campale) □ **f. book**, taccuino da agrimensore □ **f. boots**, stivali militari al ginocchio □ (*elettr.*) **f. coil**, avvolgimento di campo; bobina eccitatrice □ (*USA*) **f. corn**, granturco usato come mangime □ (*zool.*) **f. cricket** (*Gryllus campestris*), grillo □ **f. day**, (*mil.*) giorno delle grandi manovre; (*a scuola*) giornata passata all'aperto (*per fare dello sport, studiare la natura, ecc.*); (estens.) giornata di grande attività □ (*fam.*) **to have a f. day**, fare qc. con grande entusiasmo; divertirsi un mondo (*a fare qc.*); (*anche*) buttarsi a pesce su q., andarci a nozze: *We had a f. day in town*, abbiamo fatto un sacco di cose in città; *The press had a f. day with her divorce*, la stampa si buttò a pesce sul suo divorzio □ **f. dressing**, pacco di medicazioni d'emergenza □ (*elettr.*) **f.-effect transistor**, transistor a effetto di campo □ (*fis.*) **f. emission**, emissione di campo □ **f. engineer**, ingegnere di cantiere; (*comput.*) tecnico per l'assistenza presso il cliente □ (*sport*) **f. events**, (gare di) atletica leggera (*non su pista*) □ (*market.*) **f. force**, gruppo d'intervistatori □ **f. glasses**, binocolo (da campagna) □ (*sport*) **f. goal**, (*basket*) canestro segnato su azione; (*football americano*) calcio piazzato, messo a segno □ **f. guide**, guida (*libro*) alle caratteristiche naturali (*di una regione*) □ (*mil.*) **f. gun**, cannone da campagna □ (*USA*) **f. hand**, bracciante agricolo □ (*sport*) **f. hockey**, hockey su prato □ (*med. mil.*) **f. hospital**, ospedale da campo □ (*sport*) **f. house**, edificio degli spogliatoi □ **f. ice**, banchisa □ (*market.*) **f. investigation**, indagine esterna □ (*sport*) **f. judge**, giudice di campo □ (*market.*) **f. manager**, direttore di zona □ (*mil., in GB*) **f. marshal**, 'field marshal' (*è il grado più alto dell'esercito; non ha equivalente in Italia*) □ **f. mouse**, topo campagnolo □ **f. mushroom**, (fungo) prataiolo □ (*mil.*) **f. of fire**, campo di fuoco (*o* di tiro) □ (*mil.*) **f. officer**, ufficiale superiore □ (*aeron.*) **f. personnel**, personale a terra □ **f. preacher**, predicatore ambulante □ (*mil.*) **f. rank**, grado superiore □ **f. scientist**, scienziato impegnato in ricerche sul campo □ (*basket*) **f. shot**, tiro da due (*o* da tre) □ (*sport*) **f. sports**, caccia e pesca □ **f. staff**, personale esterno (*che lavora fuori sede*) □ **f. study**, ricerca sul campo □ **f. telephone**, telefono da campo □ **f. test**, prova (*o* test) sul campo; collaudo in condizioni reali di utilizzo □ **f. trip**, viaggio per ricerche sul campo; gita (scolastica) di istruzione □ (*baseball*) **f. umpire**, secondo arbitro □ (*zool.*) **f. vole** (*Microtus arvalis*), topo campagnolo comune □ (*sport e fig.*) **ahead of the f.**, in testa a tutti; primo □ (*agric.*) **to burn off the fields**, bruciare le stoppie □ **to give fair f. and no favour**, concedere campo franco e sicuro; assicurare condizioni di parità a due concorrenti □ **to hold the f.**, tenere (*o* dominare) il campo □ **in the f.**, (*mil.*) sul campo; (*rif. ad attività lavorativa*) sul campo, fuori dell'ufficio (*o* dell'azienda, ecc.) □ **to keep the f.**, (*mil.*) restare in campo; (*fig.*) non abbandonare un'attività (*o* una gara) □ **to lead the f.**, (*sport*) guidare il gruppo; essere in testa; (*fig.*) essere il primo, guidare la classifica □ (*fam. USA*) **out in left f.**, completamente fuori strada □ (*fam. USA*) **out of left f.**, all'improvviso; di punto in bianco □ (*fam.*) **to play the f.**, correre la cavallina; passare da un'avventura all'altra □ **to take the f.**, (*mil., sport e fig.*) scendere in campo.

to **field** /fiːld/ **A** v. t. **1** (*mil.*) mettere in campo, schierare **2** (*sport*) mettere (*o* mandare) in campo; far giocare; schierare **3** (*baseball e cricket*) ricevere (*o* prendere) e rilanciare (*la palla battuta*) **4** (*polit.*) presentare (*un candidato*) **5** (*fig.*) rispondere (abilmente) a (*domande, ecc.*); tener testa a: *I had to f. a barrage of questions*, dovetti rispondere a un fuoco di fila di domande **B** v. i. (*baseball e cricket*) essere alla ricezione; giocare in difesa.

fielder /ˈfiːldə(r)/ n. (*baseball, cricket*) esterno; difensore.

fieldfare /ˈfiːldfɛə(r)/ n. (*zool., Turdus pilaris*) cesena; viscarda.

fieldmouse /ˈfiːldmaʊs/ n. (pl. ***fieldmice***) (*zool., Arvicola arvensis*) topo di campagna; arvicola.

fieldpiece /ˈfiːldpiːs/ n. (*mil., arc.*) cannone da campagna.

fieldsman /ˈfiːldzmən/ n. (pl. ***fieldsmen***) → **fielder**.

to **field-test** /ˈfiːldtɛst/ v. t. sottoporre a prova sul campo; sperimentare sul campo; collaudare in condizioni reali di utilizzo.

fieldwork /ˈfiːldwɜːk/ n. **1** Ⓤ (*scient.*) lavoro sul campo; ricerca sul campo **2** (*mil.*) fortificazione campale || **fieldworker** n. ricercatore sul campo.

fiend /fiːnd/ n. **1** demonio; diavolo; spirito maligno **2** persona malvagia; demonio; mostro **3** (*fam.*) fanatico (*di qc.*); maniaco; **fresh-air f.**, maniaco dell'aria fresca; **crossword f.**, fanatico delle parole crociate; **coke f.**, cocainomane **4** (*fam.*) bambino dispettoso; demonietto || **fiendlike** a. da demonio; diabolico; infernale.

fiendish /ˈfiːndɪʃ/ a. **1** diabolico; demoniaco **2** diabolico; scellerato; empio; crudele **3** diabolico; astuto; machiavellico: **a f. plot**, una macchinazione diabolica **4** (*fam.*) difficilissimo; tremendo | **-ly** avv. | **-ness** n. Ⓤ.

fiendlike /ˈfiːndlaɪk/ a. demoniaco; diabolico.

♦**fierce** /fɪəs/ a. **1** feroce; spietato: **a f. dog**, un cane feroce; **a f. critic**, un critico spietato **2** fiero; truce **3** (*rif. a emozioni*) forte; accanito; grintoso; violento; furioso; furibondo: **f. passion**, passione violenta; **f. arguments**, discussioni accanite (*o* furibonde); **f. competition**, concorrenza accanita; **f. loyalty**, strenua fedeltà **4** (*rif. al tempo*) forte; intenso; feroce; furioso: **a f. storm**, una violenta tempesta; **a f. wind**, un vento furioso; **f. heat**, caldo intenso | **-ly** avv. | **-ness** n. Ⓤ.

fierily /ˈfaɪərəlɪ/ avv. ardentemente; focosamente; impetuosamente.

fieriness /ˈfaɪərɪnəs/ n. Ⓤ **1** ardore; foga; impeto; impetuosità **2** focosità; irritabilità.

fiery /ˈfaɪərɪ/ a. **1** infuocato; fiammeggiante; di fuoco; ardente: **f. tongues**, lingue di fuoco; **a f. sun**, un sole ardente **2** rosso fuoco; rosso acceso; fiammeggiante; di fiamma: **a f. sunset**, un tramonto fiammeggiante; **a f. blush**, un rossore di fiamma; **f. red hair**, capelli di un rosso acceso **3** (*di alimento*) piccantissimo di fuoco; (*di bevanda*) fortissimo, infuocato, di fuoco **4** focoso; ardente; infuocato; impetuoso; appassionato: **f. temper**, carattere focoso; **f. eyes**, occhi ardenti; **f. words**, parole di fuoco.

fiesta /fɪˈɛstə/ (*spagn.*) n. **1** (*relig.*) (giorno di) festa **2** festa; sagra.

fife /faɪf/ n. (*mus.*) piffero (*spec. in una banda mil.*).

to **fife** /faɪf/ v. t. e i. suonare il piffero; suonare col piffero || **fifer** n. pifferaio; piffero.

FIFO /ˈfaɪfəʊ/ sigla (*comm., comput.*, **first in, first out**) il primo ad entrare è il primo ad uscire (*criterio di gestione per scorte di magazzino o code di messaggi, ecc.*).

♦**fifteen** /fɪfˈtiːn/ **A** a. **1** quindici: **f. metre long**, lungo quindici metri **2** (*cinem., in GB*) vietato ai minori di quindici anni **B** n. **1** quindici **2** (*sport*) squadra (*di 15 giocatori*).

fifteenth /fɪfˈtiːnθ/ **A** a. quindicesimo **B** n. **1** (un) quindicesimo; (la) quindicesima parte **2** (*nelle date*) 15: **June 15th**, 15 giugno **3** (*mus.*) quindicesima.

♦**fifth** /fɪfθ/ **A** a. quinto **B** n. **1** (un) quinto; (la) quinta parte **2** (*mus.*) quinta **3** (*nelle date*) 5: *April 5th*, 5 aprile **4** Ⓤ (*autom., mecc.*) quinta (*marcia*) **5** (*USA*) (un) quinto di gallone (*soprattutto come misura di liquore*) ● (*polit.*) **f. column**, quinta colonna □ (*polit.*) **f. columnist**, membro di una quinta colonna □ (*a scuola, in GB*) **f. form**, classe quinta (*ultimo anno delle secondarie*) □ **f. wheel**, (*mecc.*) ralla; (*autom.*) ruota di scorta; (*fig.*) persona indesiderata *o* inutile, ultima ruota del carro □ (*in USA, leg.*) **the F. Amendment**, il Quinto emendamento (*della Costituzione, che tratta dei diritti di un accusato, tra i quali quello di non testimoniare contro se stesso*): **to take the F.** (**Amendment**), rifiutarsi di rispondere (davanti a un giudice) invocando il quinto emendamento.

fifthly /ˈfɪfθlɪ/ avv. in quinto luogo.

fiftieth /ˈfɪftɪəθ/ **A** a. cinquantesimo **B** n. (un) cinquantesimo; (la) cinquantesima parte.

♦**fifty** /ˈfɪftɪ/ **A** a. cinquanta **B** n. **1** cinquanta **2** (*autom.*) cinquanta (*chilometri, miglia*) all'ora **3** banconota da cinquanta (dollari, sterline) **4** (al pl.: **the fifties**), gli anni dai 50 ai 60 (*nella vita di q.*); gli anni dai '50 ai '60, gli anni cinquanta (*di un secolo*) ● **f.-f.**, (avv.) a metà; al cinquanta per cento; fifty-fifty (agg.) del (*o* al) cinquanta per cento, pari: **to go f.-f. with sb.**, fare a metà con q. (*nel pagamento di qc.*); fare alla romana (*fam.*) □ **on a f.-f. basis**, a metà; alla pari; fifty-fifty; **a f.-f. chance**, una probabilità su due; cinquanta per cento di probabilità; **f.-f. partners**, soci al cinquanta per cento.

fiftyish /ˈfɪftɪɪʃ/ a. sulla cinquantina.

fig ① /fɪɡ/ n. **1** fico: **green** [**dried**] **figs**, fichi freschi [secchi] **2** (*bot., Ficus carica*; = **fig tree**) fico **3** (*fam.*: **a fig**) niente; un fico (secco); un tubo: **I don't care** (*o* **give**) **a fig** (**about him**), non m'importa un fico (di lui) ● (*zool.*) **fig-eater** (*o* **fig-pecker**) (*Sylvia simplex*), beccafico □ (*anche arte e fig.*) **fig leaf**, foglia di fico.

fig ② /fɪɡ/ n. Ⓤ (*fam. antiq.*; nella loc.:) **in full fig**, in ghingheri; in tiro (*fam.*).

fig. abbr. (**figure**) figura (fig.).

♦**fight** /faɪt/ n. **1** combattimento; lotta; scontro; battaglia: **a f. between two armies**, un combattimento fra due eserciti; **to give f.**, dare battaglia **2** lite; rissa; zuffa: **cat f.**, zuffa fra due gatti; *A f. broke out*, scoppiò una

rissa **3** (*boxe*) incontro; combattimento **4** (*fig.*) battaglia; lotta: **the f. against AIDS** [**against crime**], la lotta contro l'AIDS [contro la criminalità]; **a f. for higher wages**, una battaglia per ottenere salari più alti **5** competizione; gara; lotta **6** Ⓤ spirito combattivo; combattività; volontà di combattere: *He still had some f. in him*, aveva ancora dello spirito combattivo; **to show f.**, mostrarsi combattivo; mostrare i denti; **f. or flight response**, reazione fisiologica davanti a un pericolo (*che prepara alla fuga o all'attacco*) ● **to fight the good f.**, → **to fight** □ **to make a f. of it**, battersi bene; combattere bene □ **to put up a f.**, opporre resistenza; resistere; combattere □ **to put up a good** [**poor**] **f.**, battersi bene [male].

♦to **fight** /faɪt/ (*pass. e p. p. **fought***) Ⓐ v. i. **1** combattere; battersi: *Italy fought against Germany in World War I*, l'Italia combatté contro la Germania nella prima guerra mondiale; **to f. with sb.**, combattere fianco a fianco di qc.; *He fought bravely*, combatté (*o* si batté) con coraggio; *I had to f. through a lot of hard opposition*, dovetti superare un'accanita opposizione **2** azzuffarsi; picchiarsi; venire alle mani; fare a pugni: *The cats are fighting*, i gatti si stanno azzuffando **3** litigare: *Stop fighting!*, smettetela di litigare!; **to f. over st.**, litigarsi per qc. **4** (*fig.*) combattere; lottare: **to f. against poverty**, lottare contro la povertà; **to f. for one's rights**, lottare per i propri diritti; *I fought to regain my self-control*, lottai per ritrovare il mio autocontrollo **5** gareggiare; battersi: **to f. for first place**, gareggiare per il primo posto **6** (*sport*) boxare; combattere Ⓑ v. t. **1** combattere: **to f. a battle** [**a war**], combattere una battaglia [una guerra] **2** (*fig.*) combattere; lottare contro; battersi contro: **to f. crime**, combattere la criminalità; **to f. a fire**, lottare contro un incendio; *He fought Jones for the party leadership*, contese a Jones la guida del partito **3** resistere a; lottare contro; opporsi a: **to f. a smile**, lottare per non sorridere, (*mil., antiq.*) manovrare in battaglia **4** far combattere (*animali*): **to f. dogs**, far combattere i cani **5** (*sport*) combattere contro (q.); incontrare (*un avversario*); disputare (*un incontro*) ● **to f. a cause** (*o* **a suit at law**) **against sb.**, portare avanti una causa contro q. □ (*fam.*) **to f. one's corner**, lottare per difendere i propri interessi □ **to f. a duel**, fare un duello; battersi (in duello) □ **to f. an election**, essere candidato in un'elezione: *He fought a hard election campaign*, si impegnò in una difficile campagna elettorale □ **to f. fire with fire**, combattere il fuoco col fuoco □ **to f. for breath**, respirare a fatica □ **to f. for one's** (*o* **for dear**) **life**, lottare per la vita; lottare contro la morte □ **to f. the good fight**, cercare di vivere bene; comportarsi bene □ **to f. like a tiger**, lottare come una tigre; battersi come un leone □ **to f. a losing battle**, combattere una battaglia già perduta; lottare per una causa persa □ **to f. shy of**, evitare; evitare di (*fare qc.*); tenersi lontano da □ **to f. to the bitter end**, lottare fino all'ultimo □ **to f. to a finish**, battersi a oltranza □ **to f. one's way through st.**, farsi largo (*o* farsi strada, aprirsi un varco) a fatica tra qc. □ (*fig.*) **to f. one's way to the top**, arrivare in alto, lottando tenacemente.

▪ **fight back** Ⓐ v. i. + avv. rispondere a un attacco; reagire; contrattaccare: **to f. back against** (*o* **at**) **st.**, reagire a qc.; combattere contro (*un aggressore*) Ⓑ v. t. + avv. reprimere; soffocare; trattenere: **to f. back a yawn**, soffocare uno sbadiglio; **to f. back tears**, trattenere le lacrime.

▪ **fight down** v. t. + avv. reprimere, soffocare (*un'emozione*): **to f. down one's anger**, reprimere l'ira.

▪ **fight off** v. t. + avv. **1** respingere (*un ag-*

gressore, ecc.): *The police fought off the demonstrators*, la polizia respinse i dimostranti **2** battere; sconfiggere; vincere; stroncare: **to f. off a cold**, stroncare un raffreddore □ (*market.*) **to f. off the competition**, battere la concorrenza.

▪ **fight on** v. i. + avv. continuare a combattere (*o* a lottare, a battersi); continuare la lotta.

▪ **fight out** v. t. + avv. (*fam.*; nella loc.:) **to f. it out**, risolvere una questione battendosi (*o* facendo a pugni); farla fuori: *We decided to f. it out*, decidemmo di farla fuori a pugni; *Let them f. it out between themselves!*, se la vedano tra di loro!

fight through Ⓐ v. i. + avv. combattere, battersi fino in fondo Ⓑ v. t. + avv. **1** combattere, condurre (*una lotta, ecc.*) fino alla fine **2** far approvare (*una proposta, ecc.*) battendosi a più non posso Ⓒ v. i. + prep. farsi largo lottando tra (*la folla, ecc.*).

fightback /'faɪtbæk/ n. (*mil. e fig.*) contrattacco; controffensiva.

♦**fighter** /'faɪtə(r)/ n. **1** combattente **2** lottatore; contendente **3** persona che non si dà per vinta; lottatore **4** (*sport*) pugile **5** (*mil.*, = **f. plane**) (aereo da) caccia ● (*mil.*) **f. bomber**, cacciabombardiere □ (*mil.*) **f. interceptor**, caccia intercettore □ (*mil.*) **f. pilot**, pilota da combattimento; pilota di caccia.

fighting /'faɪtɪŋ/ Ⓐ n. Ⓤ combattimento; combattimenti; scontro; scontri; battaglia; lotta: **heavy f.**, aspri combattimenti Ⓑ a. **1** combattente; combattivo; battagliero: **f. men**, (soldati) combattenti **2** di (*o* da) combattimento ● **a f. plane**, un aereo da combattimento (*o* da caccia); un caccia; (*fig.*) **f. cock**, gallo da combattimento; (*fig.*) individuo combattivo; tipo pugnace **3** combattivo; battagliero: **f. spirit**, spirito combattivo (*o* battagliero); combattività ● (*pesca, USA*) **f. chair**, sedia fissa (*per la pesca sportiva d'altura*) □ **f. chance**, probabilità di riuscita (*o* di successo) se ci si dà da fare; piccola ma concreta probabilità □ (*zool.*) **f. fish** (*Betta splendens*), pesce combattente □ **f. fit**, in gran forma □ (*mil.*) **f. line**, linea del fuoco; prima linea □ (*mil.*) **the f. services**, i reparti da combattimento □ (*aeron. mil.*) **f. squadron**, squadriglia di caccia □ **f. words** (*o* **f. talk**), parole belliccose.

figment /'fɪɡmənt/ n. finzione; invenzione; creazione (*o* parto) della fantasia; fantasma: **a f. of the imagination**, un parto della fantasia.

figural /'fɪɡjərəl/ a. figurale.

figurant /'fɪɡjərənt/ n. **1** (*teatr.*) figurante (m.); comparsa **2** (*danza*) ballerino di fila.

figurante /fɪɡjʊ'rænti/ n. **1** (*teatr.*) figurante (f.); comparsa (*donna*) **2** (*danza*) ballerina di fila.

figuration /fɪɡə'reɪʃn/ n. **1** Ⓤ (*anche arte*) figurazione; rappresentazione; (*anche*) ornamentazione **2** (*letter.*) allegoria; rappresentazione allegorica **3** (*mus.*) figurazione.

figurative /'fɪɡərətɪv/ a. **1** figurato; metaforico; traslato: **f. language**, linguaggio figurato; **in a f. sense**, in senso figurato; figurativamente **2** allegorico; simbolico **3** figurativo: **f. arts**, arti figurative **4** (*arte*) ornato; fiorito ‖ **figuratively** avv. **1** in senso figurato; figuratamente **2** (*arte*) figurativamente ‖ **figurativeness** n. Ⓤ **1** l'essere figurato **2** (*arte*) figuratività.

♦**figure** /'fɪɡə(r)/ n. **1** (*mat.*) cifra; numero; (al pl., *anche*) dati (numerici): **a number written in figures**, un numero scritto in cifre; **double figures**, numeri di due cifre; *His income runs into five figures*, il suo reddito si aggira sulle cinque cifre; **in round figures**, in cifra tonda; *Our figures are aggregates*, i nostri dati rappresentano valori globali; **good at figures**, bravo coi numeri (*o* in

aritmetica, a fare i conti); *I'll send you all the figures via e-mail*, ti mando tutti i dati per e-mail **2** somma (*di denaro*); cifra: **to get st. at a high f.**, pagare qc. una bella cifra **3** linea; corpo; personale: **to keep one's f.**, mantenere la linea; conservarsi snelli; *I have to watch my f.*, devo stare attenta alla linea **4** figura; forma (*umana o animale*): *I saw her slender f. in the crowd*, vidi la sua esile figura tra la folla **5** personaggio; figura: **historical f.**, personaggio storico; *a great f. of our time*, una grande figura del nostro tempo **6** (*geom.*) figura: **a plane** [**solid**] **f.**, una figura [solida] piana **7** figura; diagramma; disegno: *See F. 5*, si veda la figura 5 **8** (*danza, pattinaggio*) figura: **f. skating**, pattinaggio artistico ● **f.-dance**, ballo figurato □ **f. drawing**, disegno di figura □ **f. (of) eight**, otto; nodo sabaudo; (*pattinaggio, alpinismo*) otto □ **f.-hugging**, attillato; aderente □ **f. of fun**, individuo ridicolo; zimbello □ **a f. of sorrow**, l'immagine stessa del dolore □ **f. of speech**, modo di dire; (*ling.*) figura retorica □ **to cut a... f.**, fare una data impressione; apparire in un dato modo: **to cut a fine f.** (*o* **quite a f.**) farsi notare (per l'eleganza, ecc.); fare colpo; **to cut a poor f.**, avere l'aria da poco; sfigurare; **to cut a sorry f.**, avere un aspetto miserando; fare pena □ **to put a f. on st.**, dare un prezzo a qc.; quantificare qc. □ **a mistake in the figures**, un errore nei calcoli.

to **figure** /'fɪɡə(r)/ Ⓐ v. i. **1** figurare; comparire; avere un posto preminente: *His name didn't f. on my list*, il suo nome non figurava nella mia lista; *His name will certainly f. in history*, il suo nome sarà di certo ricordato nella storia; **to f. prominently**, essere in primo piano; figurare tra i primi; avere un ruolo importante **2** (*fam.: di fatto, situazione, ecc.*) essere comprensibile; essere prevedibile; quadrare: *That figures*, è comprensibile; è logico; c'era da immaginarselo! Ⓑ v. t. **1** (*spec. USA*) immaginare; pensare; ritenere: *I figured he could give us a hand*, ho pensato che avrebbe potuto darci una mano **2** calcolare **3** raffigurare; rappresentare ● (*fam. USA*) **Go f.!**, va' a sapere!; va' a capire; chissà perché!

▪ **figure in** v. t. + avv. (*fam. USA*) includere (*un calcolo, un conto, ecc.*): tener conto di: *I still have to f. in the cost of petrol*, devo ancora includere il costo della benzina.

▪ **figure on** v. i. + prep. (*spec. USA*) **1** contare su; fare conto (*o* affidamento) su: *I figured on him helping me*, facevo affidamento sul suo aiuto **2** prevedere; mettere in conto; calcolare: *We f. on having to pay at least $500*, calcoliamo di dover pagare almeno 500 dollari.

▪ **figure out** v. t. + avv. (*fam. spec. USA*) **1** calcolare: **to f. out expenses**, calcolare le spese **2** scoprire; trovare (*ragionando*): *I figured out a way to do it*, ho trovato il modo di farlo; *We still have to f. out a motive for the crime*, dobbiamo ancora trovare un movente per il delitto **3** capire: *I can't f. him out*, non riesco a capire che tipo sia.

▪ **figure up** (*fam. USA*) Ⓐ v. t. + avv. calcolare (*un totale, un prezzo, ecc.*) Ⓑ v. i. + avv. ammontare (a).

figured /'fɪɡəd/ a. **1** decorato, ornato con motivi; lavorato: **f. satin**, raso lavorato **2** (decorato) con figure: **a f. medallion**, un medaglione con figure ● (*mus.*) **f. bass**, basso cifrato (*o* numerato).

figurehead /'fɪɡəhed/ n. **1** (*naut.*) polena **2** (*fig.*) capo puramente rappresentativo; pura figura di facciata.

figurine /'fɪɡəriːn, USA fɪɡjə'riːn/ n. figurina; statuetta.

figwort /'fɪɡwɜːt/ n. (*bot.*) **1** (*Scrophularia*) scrofularia **2** (*Ranunculus ficaria*) favagello.

Fiji /'fiːdʒiː/ n. (*geogr.* = **F. Islands**) isole

Figi.

Fijian /ˈfiːdʒiːən/ **A** a. delle (isole) Figi; figiano **B** n. **1** abitante (o nativo) delle (isole) Figi; figiano **2** U (ling.) figiano.

filament /ˈfɪləmənt/ n. **1** (anat., bot., elettr.) filamento: **f. bulb**, lampadina (con filamento) a incandescenza **2** (ind. tess.) (continuo): **silk f.**, filo di seta; **f. yarn**, filato a filo continuo **3** (metall.) filo: **f. drawing**, trafilatura di filo **4** (fig.) filo; filamento ‖ **filamentary, filamentous** a. filamentoso.

filaria /fɪˈlɛərɪə/ n. (pl. **filariae**) (zool.) filaria.

filariasis /ˌfɪləˈraɪəsɪs/ n. Uc (med., vet.) filariasi; filariosi.

filature /ˈfɪlətʃə(r)/ n. (ind. tess.) **1** U filatura della seta **2** setificio.

filbert /ˈfɪlbət/ n. **1** (bot., Corylus avellana) nocciolo; avellano **2** nocciola; avellana **3** (pitt. = **f. brush**) pennello a lingua di gatto.

to **filch** /fɪltʃ/ v. t. rubare; rubacchiare; sgraffignare; far sparire ‖ **filcher** n. ladruncolo, ladruncola ‖ **filching** n. U rubacchiamento.

♦**file**① /faɪl/ n. **1** raccoglitore; schedario; classificatore; cartella; filza; (al pl., anche) archivio, schedario: I found it in the f. marked 'Loans', l'ho trovato nel raccoglitore intestato 'Prestiti'; I'll check in the files, controllerò nel nostro archivio **2** pratica; dossier (franc.); fascicolo; incartamento; scheda: **a confidential f.**, un dossier segreto; **personal f.**, scheda personale **3** (comput.) file: **compressed f.**, file compresso; **data f.**, file di dati; **f. extension**, estensione di un file ● **f. card**, scheda (d'archivio) □ **f. case**, classificatore □ **f. clerk**, schedarista □ **f. copy**, copia per l'archivio □ **f. folder**, raccoglitore; carpetta (bur.) □ (TV, USA) **f. footage**, immagini di repertorio □ **f. material**, materiale d'archivio □ (slang USA) **f. thirteen**, cestino della carta straccia □ (slang USA) **circular f.**, cestino della carta straccia □ **to keep** (o to have) **a f. on sb.**, tenere q. schedato; tenere un dossier su q. □ **on f.**, registrato; schedato; in archivio □ **on the files**, in archivio; archiviato.

file② /faɪl/ n. **1** fila; coda: **a f. of soldiers** [of ants], una fila di soldati [di formiche]; **in single** (o **Indian**) **f.**, in fila indiana; **to march in f.**, marciare in fila; sfilare; **f. leader**, capofila **2** (scacchi) colonna.

file③ /faɪl/ n. **1** (tecn.) lima **2** (slang GB, antiq.) tipo furbo; volpone; filone (fam.); lenza (pop.) ● **f. dust**, limatura □ (mecc.) **f. hardness**, durezza alla lima □ **cabinet-f.**, lima per ebanisti □ **diamond-f.**, lima a spada □ **knife-edge f.**, lima a coltello □ **three-square f.**, lima triangolare.

to **file**① /faɪl/ v. t. **1** schedare; archiviare: **to f. invoices**, schedare fatture; F. these papers under 'New Students', archivia questi fogli sotto 'Studenti nuovi' **2** presentare, depositare (un documento); inoltrare (una domanda); (leg.) presentare istanza, intentare: **to f. a petition**, presentare una petizione; **to f. an application**, inoltrare una domanda; (leg.) **to f. a bankruptcy petition**, presentare istanza di fallimento; **to f. a complaint**, protestare ufficialmente; (leg.) sporgere querela; (leg.) **to f. a charge against sb.**, formalizzare un'accusa contro q.; Charges have been filed against him, è stato formalmente incriminato; (leg.) **to f. a lawsuit against sb.**, intentare un'azione legale contro q., citare q. in giudizio; fare causa a q. **3** (leg.) mettere, passare agli atti: The case documents were filed by the clerks of the court, i documenti sulla causa furono messi agli atti dai cancellieri del tribunale **4** (giorn.) mandare (un articolo) a un giornale.

■ **file away** v. t. **1** archiviare **2** (fig.) pren-

dere mentalmente nota di.

■ **file for** v. i. + prep. (leg.) presentare istanza di: **to f. for bankruptcy [for divorce]**, presentare istanza di fallimento [di divorzio].

to **file**② /faɪl/ **A** v. i. marciare (o camminare) in fila; sfilare: **to f. away** (o **off**), andarsene (marciando) in fila; **to f. in** [**out**], entrare [uscire, allontanarsi] in fila; **to f. past** (st.), sfilare (davanti a qc.) **B** v. t. far marciare in fila; far sfilare.

to **file**③ /faɪl/ v. t. e i. (tecn.) limare: **to f. one's nails**, limarsi le unghie; **to f. through window bars**, limare le sbarre di una finestra ● **to f. away** (o **off**), rimuovere (o togliere) con la lima □ **to f. down**, levigare.

filename /ˈfaɪlneɪm/ n. (comput.) nome di file.

filer /ˈfaɪlə(r)/ n. (tecn.) limatore.

filesharing /ˈfaɪlʃeərɪŋ/ a. e n. U = **file sharing** → **file**.

filet /ˈfɪleɪ/ n. **1** (USA) → **fillet**, def. 1 **2** U (uncinetto) filet.

to **filet** /ˈfɪlət/ v. t. (USA) → **to fillet**, def. 1 e 2.

filial /ˈfɪlɪəl/ a. filiale: **f. devotion**, devozione filiale.

filiation /ˌfɪlɪˈeɪʃn/ n. U (anche leg.) filiazione.

filibuster /ˈfɪlɪbʌstə(r)/ n. **1** (stor.) filibustiere **2** U (polit., USA) ostruzionismo parlamentare; tattica ostruzionistica.

to **filibuster** /ˈfɪlɪbʌstə(r)/ v. i. **1** (stor.) fare il filibustiere **2** (polit., USA) fare ostruzionismo (in parlamento).

filibusterer /ˈfɪlɪbʌstərə(r)/ n. (polit., USA) ostruzionista (in parlamento).

filibustering /ˈfɪlɪbʌstərɪŋ/ n. U (polit., USA) ostruzionismo; filibustering.

filiform /ˈfɪlɪfɔːm/ a. filiforme.

filigree /ˈfɪlɪgriː/ n. U filigrana: **f. jewellery**, gioielli a filigrana.

filigreed /ˈfɪlɪgriːd/ a. filigranato; a filigrana.

filing① /ˈfaɪlɪŋ/ n. U **1** archiviazione; schedatura: **f. system**, sistema di schedatura; criterio di archiviazione **2** presentazione, inoltro (di domande, documenti, ecc.) ● **f. cabinet**, classificatore; schedario; casellario □ **f. card**, scheda d'archivio □ **f. clerk**, schedarista; archivista □ **f. room**, archivio.

filing② /ˈfaɪlɪŋ/ n. U **1** limatura; operazione del limare **2** (al pl.) limatura (la polvere, i trucioli): **iron filings**, limatura di ferro.

Filipina /ˌfɪlɪˈpiːnə/ n. filippina.

Filipino /ˌfɪlɪˈpiːnəʊ/ **A** a. delle Filippine **B** n. **1** (pl. **Filipinos**) filippino; abitante (o nativo) delle Filippine **2** U (ling.) filippino.

fill /fɪl/ n. **1** U sazietà; sufficienza; quantità sufficiente: **to eat one's f.**, mangiare a sazietà; (anche fig.) **to have had one's f. of**, averne abbastanza di; averne le tasche piene di (fam.) **2** (edil., ind. costr.) colmata; riporto; rinterro **3** carica (della pipa) **4** (autom.) pieno: **a f. of petrol**, un pieno di benzina **5** (ind. min.) ripiena ● **f.-in**, inserzione, inserto; rimpiazzo, sostituto; tappabuchi; (fam. USA) riassunto di notizie (o informazioni) □ (autom.) **f.-up**, pieno (di benzina) □ **to cry one's f.**, piangere tutte le proprie lacrime □ **to drink one's f.**, bere a volontà.

♦to **fill** /fɪl/ **A** v. t. **1** riempire; colmare: I filled my pockets with nuts, mi riempii le tasche di noci; The mist filled the valley, la nebbia riempiva la valle; **to f. a gap**, colmare una lacuna **2** (rif. a persone) riempire; gremire; affollare **3** turare; tappare; otturare (med.): **to f. a hole with mortar**, riempire un buco di malta; turare un buco con la malta; **to have a tooth filled**, farsi otturare un dente **4** riempire; caricare: **to f. one's**

pipe, caricare la pipa **5** (naut.: del vento) gonfiare (le vele) **6** (fig.) riempire; pervadere; invadere: The news filled us with joy, la notizia ci riempì di gioia; I was filled with fear, mi invase la paura **7** adempiere; compiere (un dovere, una mansione) **8** occupare (un posto); ricoprire (una carica); svolgere (un ruolo): **to f. a vacancy**, occupare un posto vacante **9** impiegare, occupare, riempire (il proprio tempo) **10** soddisfare (un requisito, ecc.): **to f. a need**, soddisfare un bisogno **11** (comm., spec. USA) eseguire; evadere: **to f. an order**, eseguire un'ordinazione **B** v. i. **1** riempirsi; colmarsi: The theatre soon filled, il teatro si riempì in breve tempo **2** (naut.: delle vele) gonfiarsi ● (fam. USA) **to f. the bill**, andare bene; essere quello che ci vuole; fare al caso di q. □ (fam.) **to f. sb.'s shoes**, prendere il posto di q.; rimpiazzare (degnamente) q. □ **to f. st. too full**, riempire troppo qc.

■ **fill away** v. i. + avv. (naut.) mettere le vele al vento; far servire.

■ **fill in A** v. t. + avv. **1** riempire; turare; otturare **2** (GB) compilare; completare; riempire: **to f. in a form**, compilare un modulo; **to f. in a cheque**, riempire un assegno **3** inserire (in un modulo e sim.); scrivere; mettere: F. in your name and address, scrivi il tuo nome e indirizzo (nello spazio apposito); In this exercise you have to f. in the missing word, in questo esercizio dovete inserire la parola mancante **4** occupare, riempire (il tempo libero): I have a whole day to f. in, devo trovare il modo di occupare un'intera giornata **5** riempire di colore, colorare (figure disegnate, ecc.) **6** mettere al corrente; ragguagliare; aggiornare: He filled me in with the little he knew, mi mise al corrente del poco che sapeva **7** (slang GB, antiq.) picchiare; pestare; riempire di botte **B** v. i. – to f. in for, sostituire, rimpiazzare (q.): Can you fill in for me tomorrow?, puoi sostituirmi domani?

■ **fill out A** v. t. + avv. **1** riempire (completamente): Just fill the form out and take it in person, or post the form to the address on the back, riempia semplicemente il modulo e lo consegni di persona, oppure invii il modulo all'indirizzo sul retro **2** (USA) → **to f. in, A** def. 2 **3** arrotondare (le forme del corpo) **4** (fig.) rendere più corposo (un racconto, ecc.); rimpolpare **B** v. i. + avv. **1** ingrassare (gener. in senso positivo); arrotondarsi; ingrossare; mettere su un po' di peso (fam.): If she stopped smoking, she would f. out a little, se smettesse di fumare, ingrasserebbe un po'; The plums are beginning to f. out, le susine cominciano ad arrotondarsi **2** (delle vele, ecc.) gonfiarsi.

■ **fill up A** v. t. + avv. **1** riempire; colmare: We filled up the pond with stones, colmammo lo stagno di sassi; (autom.) **to f. up with petrol**, fare il pieno: F. her up!, please, (mi faccia) il pieno, per favore! **2** riempire (lo stomaco di); saziare **3** (GB) riempire, compilare (un modulo, ecc.) **B** v. i. + avv. **1** riempirsi; colmarsi: The lecture room filled up in no time, la sala delle conferenze si riempì in un baleno **2** fare il pieno: We've got under a quarter of a tank, we'd better stop and fill up, abbiamo un quarto di serbatoio, sarà meglio fermarsi e fare il pieno.

filled /fɪld/ a. pred. **1** pieno; colmo: I was f. with envy, ero pieno d'invidia **2** pieno; affollato; gremito: **f. with people**, pieno di gente; The theatre was f. to capacity, il teatro era completamente pieno; in teatro c'era un pienone; **f. to the brim**, pieno fino all'orlo.

filler /ˈfɪlə(r)/ n. **1** chi riempie **2** cosa che riempie; riempitivo: **Christmas stocking f.**, regalino per la calza dei doni di Natale **3** dispositivo di riempimento (o di carica): **fountain pen f.**, pompetta di stilografica **4** U

(*tecn.*) stucco (*per legno*); turapori **5** (*chim.*) elemento riempitivo; filler; additivo **6** (*autom.*) riporto (*della carrozzeria*); bocchettone di riempimento (*del serbatoio della benzina*): **f. cap**, tappo del serbatoio **7** (*giorn.*) tappabuco; zeppa **8** (*radio,TV*) programma (*o musica, ecc.*) tappabuchi **9** (*chim.*) carica **10** (*metall.*) metallo di apporto: **f. rod**, bacchetta di apporto (*per saldature*) ● (*autom.*) **f. cap**, tappo del serbatoio.

fillet /ˈfɪlət/ n. **1** ⓊⒸ (*cucina*) filetto: **f. of beef** [**of trout**], filetto di manzo [di trota]; **f. steak**, bistecca di filetto **2** benda, nastro (*per capelli, ecc.*) **3** (*archit., edil.*) listello **4** (*tipogr.*) filetto **5** (*arald.*) filetto **6** (*mecc.*) raccordo concavo **7** (*anat.*) lemnisco.

to **fillet** /ˈfɪlət/ v. t. **1** (*cucina*) disossare (*carne*); diliscare, spinare (*pesce*) **2** (*cucina*) tagliare a striscioline; sfilettare (*pesce*) **3** (*fig. fam.*) fare a pezzi; affettare.

filleted /ˈfɪlətɪd/ a. **1** (*cucina, di pesce*) diliscato; spinato **2** (*fam.*) scioccato; sconvolto; distrutto.

fill-in /ˈfɪlɪn/ n. sostituto; tappabuchi (*fam.*).

filling /ˈfɪlɪŋ/ Ⓐ n. **1** Ⓤ (il) riempire; riempimento; riempitura: **f. station**, (*autom.*) stazione di rifornimento (*o di servizio*) **2** ⓊⒸ (*med.*) otturazione: **white** [**gold**] **fillings**, otturazioni bianche [d'oro] **3** Ⓒ Ⓤ imbottitura (*di cuscini, ecc.*) **4** Ⓒ Ⓤ (*cucina*) ripieno; farcia **5** (*ind. costr.*, = **f. material**) materiale di riporto **6** Ⓤ (*geol.*) rinterro; colmata **7** Ⓤ (*comm.*) esecuzione, evasione: **the f. of orders**, l'esecuzione di ordinativi **8** (*ind. tess., USA*) trama Ⓑ a. che sazia; sostanzioso; che riempie (lo stomaco): *Potatoes are very f.*, le patate riempiono molto.

fillip /ˈfɪlɪp/ n. **1** buffetto (*il far scattare un dito dopo averlo premuto sul pollice*) **2** (*fig.*) incentivo; incitamento; impulso; stimolo.

to **fillip** /ˈfɪlɪp/ Ⓐ v. t. **1** lanciare (*una moneta, ecc.*) con un buffetto **2** dare un buffetto (*o buffetti*) a **3** (*fig.*) incitare; stimolare; incentivare Ⓑ v. i. dare buffetti.

fillis /ˈfɪlɪs/ n. Ⓤ (*anche* **fillis string**) (*GB*) corda da giardinaggio.

fillister /ˈfɪlɪstə(r)/ n. (*falegn.*) **1** scanalatura, incassatura (*per finestra*) **2** incorsatoio; pialletto per scanalature.

fill light /ˈfɪl laɪt/ loc. n. (*cinem.*) luce di riempimento.

fill-up /ˈfɪlʌp/ n. **1** riempimento; rabbocco **2** (*autom.*) pieno **3** riempitivo.

filly /ˈfɪlɪ/ n. **1** puledra; cavallina **2** (*fam. antiq.*) bella ragazza; bella figliola (*fam.*).

♦**film** /fɪlm/ Ⓐ n. **1** foglio sottile; pellicola: **plastic f.**, strato di plastica; (*anche*) pellicola per alimenti **2** strato sottile; velo; patina: **a f. of dust**, un sottile strato di polvere; **a f. of ice**, un sottile strato di ghiaccio; **a f. of oil**, un velo d'olio; **a f. of tears**, un velo di lacrime **3** Ⓤ (*fotogr., cinem.*) pellicola **4** (= **a roll of f.**) rotolo di pellicola; rullino: **to load a f. into a camera**, inserire un rullino nella macchina fotografica **5** (*cinem.*) film: **colour f.**, film a colori; **sub-standard film**, film a passo ridotto; **short f.**, cortometraggio **6** il cinema: **television and f.**, la televisione e il cinema **7** (*anat.*) pellicola; membrana Ⓑ a. attr. **1** (*fotogr.*) di pellicola; fotografico: **f. speed**, velocità di una pellicola **2** (*cinem.*) cinematografico; di film; di cinema: **f. actor**, attore del cinema; attrice del cinema; **f. director**, regista (cinematografico); **f. distributor**, distributore di film; **f. industry**, industria cinematografica (*o* del cinema) ● **f. badge**, dosimetro individuale □ (*TV*) **f. clip**, filmato □ **f. club**, cineclub □ **f. library**, cineteca; filmoteca □ **f.-maker**, regista o produttore cinematografico □ **f.-making**, produzione cinematografica □ (*fotogr.*) **f. pack**, cartuccia □ **f. première**, prima cinemato-

grafica □ **f. producer**, produttore cinematografico □ **f. script**, copione cinematografico □ **f. set**, set cinematografico □ **f. slide**, diapositiva □ **f. society**, cineclub □ **f. star**, stella del cinema; divo (*o* diva) dello schermo □ **f. stock**, pellicola vergine □ **f. test**, provino cinematografico □ **f. weld**, giunta (*di pellicola*).

to **film** /fɪlm/ Ⓐ v. t. **1** riprendere (*con una cinecamera*); filmare; girare: *They were filmed by a video surveillance camera*, sono stati ripresi da una telecamera di sorveglianza; **to f. a scene**, filmare (*o* girare) una scena **2** adattare per il cinema; ridurre a film; trarre un film da **3** coprire di un velo (*o* di una patina): *Sweat filmed his forehead*, un velo di sudore gli copriva la fronte Ⓑ v. i. **1** fare riprese; filmare; girare **2** prestarsi a un adattamento cinematografico **3** (*di oggetto, scena, ecc.*) risultare (*bene, male, ecc.*); dare un risultato.

■ **film over** v. i. + avv. coprirsi di un velo (*o* di una patina); velarsi, annebbiarsi: *Her eyes filmed over*, i suoi occhi si velarono.

filmable /ˈfɪlməbl/ a. (*cinem.*) filmabile.

filmcraft /ˈfɪlmkrɑːft/ n. Ⓤ arte (*o* tecnica) del cinema.

filmdom /ˈfɪlmdəm/ n. Ⓤ il mondo del cinema.

filmgoer /ˈfɪlmɡəʊə(r)/ n. frequentatore (*o* frequentatrice) di cinema: **a keen f.**, uno che va spesso al cinema.

filmgoing /ˈfɪlmɡəʊɪŋ/ Ⓐ n. Ⓤ (l')andare spesso al cinema Ⓑ a. che va spesso al cinema; che frequenta le sale cinematografiche.

filmic /ˈfɪlmɪk/ a. filmico; filmistico.

filmily /ˈfɪlmɪlɪ/ avv. **1** in modo confuso, appannato **2** in modo trasparente.

filminess /ˈfɪlmɪnəs/ n. Ⓤ **1** opacità; nebulosità **2** trasparenza.

filming /ˈfɪlmɪŋ/ n. Ⓤ (*cinem.*) lavorazione (*di un film*); riprese (pl.): **f. on location**, riprese in esterni.

filmland /ˈfɪlmlænd/ n. Ⓤ il mondo del cinema.

filmlet /ˈfɪlmlət/ n. filmetto.

filmmaking /ˈfɪl(m)meɪkɪŋ/ n. Ⓤ = **film--making → film**.

filmography /fɪlˈmɒɡrəfɪ/ n. Ⓤ filmografia.

filmsetting /ˈfɪlmsetɪŋ/ (*tipogr.*) n. Ⓤ fotocomposizione ‖ to **filmset**, (pass. e p. p. **filmset**), v. t. fotocomporre ‖ **filmsetter** n. **1** fotocompositrice **2** (macchina) fotocompositrice.

filmstrip /ˈfɪlmstrɪp/ n. filmina.

filmy /ˈfɪlmɪ/ a. **1** leggerissimo; velato; diafano; trasparente: **a f. silk dress**, un leggerissimo abito di seta **2** annebbiato; velato: **a f. look**, uno sguardo velato.

filo /ˈfiːləʊ/ n. Ⓤ (*cucina*) (= **filo pastry**) pasta sfoglia (*spec. della cucina tradizionale greca*).

Filofax® /ˈfaɪləʊfæks/ n. agenda personale.

filoselle /ˈfɪləsel/ n. Ⓤ (*ind. tess.*) filaticcio.

filter /ˈfɪltə(r)/ n. **1** (*anche fotogr., comput., fig.*) filtro **2** (*autom. GB*, = **traffic f.**) freccia consensiva (*di semaforo*) ● **f. bed**, letto filtrante □ **f. coffee**, caffè fatto con una caffettiera (*o* filtro) □ (*elettron.*) **f. crystal**, filtro a cristallo (*o* a quarzo) □ (*zool.*) **f. feeding**, (*di animale acquatico*) che si alimenta per filtrazione □ **f. paper**, carta da filtro; filtro di carta □ **f. press**, filtropressa □ **f. tip**, filtro (*di sigaretta*) □ **f.-tipped**, col filtro □ **to act as a f.**, fare da filtro.

to **filter** /ˈfɪltə(r)/ Ⓐ v. t. (*anche fig.*) filtrare: *We have to f. all our water*, dobbiamo filtrare tutta l'acqua che usiamo; **to f. calls**, filtrare le telefonate Ⓑ v. i. **1** (seguito da prep.) (*anche fig.*) filtrare; penetrare: *The light filtered through the shutters* [*into the room*],

la luce filtrava attraverso le persiane [nella stanza] **2** (*fig.*) diffondersi lentamente **3** (*fig.*) entrare alla spicciolata: *People began to f. into the hall*, la gente cominciò a entrare alla spicciolata nella sala **4** (*autom., GB: del traffico*) girare a destra o a sinistra a un semaforo seguendo le frecce consensive; immettersi.

■ **filter back** v. i. + avv. **1** (*di notizia, voce, ecc.*) essere riportato; arrivare (a); raggiungere: *The rumour eventually filtered back to his wife*, la voce alla fine raggiunse sua moglie **2** (*di persone, ecc.*) tornare alla spicciolata.

■ **filter down** v. i. + avv. arrivare (fino a); raggiungere.

■ **filter in** v. i. + avv. **1** penetrare; entrare: *A dim light filtered in through the dirty panes*, una luce fioca penetrava a fatica attraverso i vetri sporchi **2** (*di notizia, ecc.*) filtrare; arrivare; trapelare **3** (*di persone, ecc.*) entrare alla spicciolata.

■ **filter out** Ⓐ v. t. + avv. eliminare filtrando: *Impurities are filtered out*, le impurità vengono eliminate mediante un filtro; **to f. out harmful rays**, non lasciar passare raggi nocivi Ⓑ v. i. + avv. **1** (*di notizia, ecc.*) filtrare; trapelare **2** (*di persone, ecc.*) uscire alla spicciolata.

■ **filter through** v. i. + avv. **1** penetrare; filtrare **2** (*di notizia, ecc.*) filtrare; trapelare: *The news filtered through that the minister was going to resign*, trapelò la notizia che il ministro stava per dimettersi.

filterable /ˈfɪltrəbl/ a. (*anche biol.*) filtrabile: **f. virus**, virus filtrabile ‖ **filterability** n. Ⓤ filtrabilità.

filtering /ˈfɪltərɪŋ/ n. Ⓤ filtrazione; (*tecn.*) filtraggio.

filth /fɪlθ/ n. Ⓤ **1** sudiciume; luridume; sporcizia; schifezza, schifezze; sozzura; lordura: **to live in f.**, vivere nel sudiciume; *I washed the f. off my hands*, mi lavai le mani sudice; *Get rid of that f.!*, leva di torno quella schifezza! **2** materiale osceno; oscenità; porcherie (pl.); sconcezze (pl.): *Children are exposed to all kinds of f.*, i bambini sono esposti a ogni genere di porcherie **3** linguaggio osceno; turpiloquio; sconcezze (pl.); oscenità (pl.): *I don't want to listen to your f.*, non voglio sentire le tue sconcezze **4** individuo (*o* individui) spregevoli **5** (*GB, spreg.*, col verbo al pl.) – **the filth**, (la) polizia; (gli) sbirri.

♦**filthy** /ˈfɪlθɪ/ Ⓐ a. **1** sudicio; sozzo; lordo: **a f. room**, una stanza sudicia; **f. clothes**, abiti lerci **2** sconcio; indecente; scurrile; osceno: **f. language**, linguaggio scurrile (*o* osceno); turpiloquio **3** pessimo; orribile; disgustoso; schifoso: **f. weather**, tempo schifoso; tempaccio; **f. mood**, pessimo umore; **f. temper**, carattere schifoso; caratteraccio; *He gave me a f. look*, mi diede un'occhiataccia; *You f. thief!*, ladro schifoso! Ⓑ avv. (*fam.*) enormemente: **f. rich**, ricco sfondato ‖ **filthily** avv. **1** sudiciamente; sozzamente **2** oscenamente; indecentemente **3** schifosamente ‖ **filthiness** n. Ⓤ **1** sudiciume; sozzura **2** indecenza; oscenità.

filtrability /fɪltrəˈbɪlətɪ/, **filtrable** /ˈfɪltrəbl/ → **filterable**.

filtrate /ˈfɪltreɪt/ n. Ⓤ (*chim.*) filtrato; sostanza filtrata.

to **filtrate** /ˈfɪltreɪt/ v. t. e i. filtrare.

filtration /fɪlˈtreɪʃn/ n. Ⓤ filtrazione; (*tecn.*) filtraggio.

fimbria /ˈfɪmbrɪə/ n. (pl. **fimbriae**) (*anat.*) fimbria.

fimbriate /ˈfɪmbrɪət/, **fimbriated** /ˈfɪmbrɪeɪtɪd/ a. (*bot., zool.*) fimbriato.

fin /fɪn/ n. **1** (*di pesce*) pinna; (*di cetaceo*) natatoia: **caudal** [**dorsal, ventral**] **fin**, pinna caudale [dorsale, addominale] **2** (*sport*)

pinna (*per nuoto*, *pesca subacquea*, *sci nauti-co*) **3** (*aeron.*, *naut.*) pinna; deriva; aletta: **anti-pitching fin**, pinna antibeccheggio; **anti-roll fin**, aletta di rollio; (*miss.*) **stabiliz-ing fin**, pinna stabilizzatrice; **tail fin**, deriva di coda **4** (*fonderia*) bava; bavatura **5** (*mecc.*) aletta (*di termoconvettore*, *ecc.*) **6** (*slang antiq.*) mano; braccio **7** (*slang USA*) (biglietto da) 5 dollari ● (*naut.*) **fin keel**, chiglia di deriva; deriva.

fin. abbr. 1 (**finance**) finanza **2** (**finan-cial**) finanziario **3** (**finished**) finito.

finable /'faɪnəbl/ **a.** passibile di multa; multabile.

to **finagle** /fɪ'neɪgl/ (*fam.*) **A v. i.** brigare; intrallazzare; fare imbrogli **B v. t. 1** procurarsi (brigando o imbrogliando); rimediare **2** indurre (q. con un trucco o con l'inganno, a fare qc.): *He was finagled into signing the paper*, lo convinsero a firmare il foglio; **to f. sb. out of st.**, carpire qc. a q. ‖ **finagler n.** imbroglione, imbrogliona; intrallazzatore, intrallazzatrice.

◆**final** /'faɪnl/ **A a. 1** finale; ultimo; estremo: **the f. scene of a play**, l'ultima scena di un dramma; **f. attempt**, ultimo tentativo; **f. of-fer**, ultima offerta; offerta finale; (*econ.*) **f. product**, prodotto finale **2** definitivo; decisivo; conclusivo; irrevocabile: **f. answer**, risposta definitiva; **f. decision**, decisione definitiva; (*leg.*) sentenza inappellabile; (*stor.*) **f. solution**, soluzione finale; **a f. decree**, un decreto irrevocabile; *You'll stay here, and that's f.!*, rimarrai qui, e basta! **B n. 1** (*sport*) finale (f.): **the Cup f.**, la finale di Coppa; **tennis finals**, le finali di tennis **2** (*USA*) esame finale (*di un trimestre*, *un corso*, *un anno di studio*); (al pl., *GB*) esami finali (*di corso di laurea*): **to take one's finals**, sostenere gli esami finali **3** (*fam.*) ultima edizione (*d'un giornale*) ● (*rag.*) **f. balance**, (bilancio) consuntivo □ (*ind. min.*) **f. cut**, materiale di sterro □ (*econ.*) **f. goods**, beni finali □ (*econ.*) **f. product**, prodotto finale □ (*tipogr.*) **f. proof**, cianografica □ (*leg.*) **f. statement (of a case)**, (comparsa) conclusionale.

final clause /faɪnəl'klɔːz/ **loc. n.** (*gramm.*) proposizione finale.

finale /fɪ'nɑːlɪ/ (*ital.*) **n.** (*mus.*, *teatr.* e *fig.*) finale (m.): *I really enjoyed the film, especially the f.*, il film mi è piaciuto davvero, specialmente il finale.

finalism /'faɪnəlɪzəm/ **n.** ⓤ (*filos.*) finalismo.

finalist /'faɪnəlɪst/ **n.** (*sport*, *filos.*) finalista.

finality /faɪ'næləti/ **n.** ⓤ (*filos.*) finalità: **the principle of f.**, il principio di finalità **2** ⓤ l'essere definitivo (*o* decisivo, conclusivo, irrevocabile); qualità definitiva (*o* conclusiva); definitività; irrevocabilità: **the f. of death**, la definitività della morte; **to say st. with f.**, dire qc. in tono che non ammette repliche **3** cosa finale (o definitiva); cosa che mette fine a tutto ❶ FALSI AMICI ● finality *non significa* finalità *nel senso di fine, scopo.*

to **finalize** /'faɪnəlaɪz/ **v. t. 1** completare; ultimare; concludere **2** rendere definitivo (*un accordo*, *ecc.*); definire: *We finalized all the details and they should go into production next month*, abbiamo definito tutti i dettagli e dovrebbero andare in produzione il prossimo mese.

◆**finally** /'faɪnəlɪ/ **avv. 1** alla fine; infine; per finire; da ultimo **2** definitivamente.

◆**finance** /'faɪnæns, faɪ'næns/ **n. 1** ⓤ finanza, finanze: **the Minister of F.**, il ministro delle finanze **2** ⓤ finanziamento; sovvenzione **3** (al pl.) finanze; mezzi (finanziari) fondi; *My family finances were badly affected*, le mie finanze ne soffrirono molto: *We had to close down for lack of finances*, dovemmo chiudere per mancanza di fondi ● (*leg.*)

f. act, legge finanziaria □ **f. broker**, broker finanziario □ **f. company**, società finanziaria; istituto che finanzia le vendite rateali □ **f. corporation for industry**, istituto per il finanziamenti all'industria □ (*in GB*) **f. house** = **f. company** → *sopra* □ **f. market**, mercato finanziario □ **f. shares**, azioni finanziarie □ **f. stamp**, bollo sui titoli.

to **finance** /'faɪnæns, faɪ'næns/ **v. t.** finanziare; sovvenzionare: *The State will f. the project*, lo Stato finanzierà il progetto.

◆**financial** /faɪ'nænʃl, fɪ'-/ **a.** finanziario; della finanza: **f. difficulties**, difficoltà finanziarie; **f. adviser** [**market**], consulente [mercato] finanziario; **f. charges**, oneri finanziari; **f. year**, anno (o esercizio) finanziario; **the f. world**, il mondo della finanza ● (*leg.*) **f. ability**, solvibilità (*di un debitore*) □ (*USA*) **f. aid**, prestito per gli studi universitari □ **f. analyst**, analista finanziario □ **f. back-er**, finanziatore; sovvenzionatore □ (*leg.*) **f. bill**, disegno di legge finanziaria □ **f. consul-tant**, consulente finanziario □ (*USA*) **f. edi-tor**, redattore finanziario □ **f. expense**, spesa di finanziamento □ **f. forecast**, previsione finanziaria □ **f. horoscope**, oroscopo finanziario □ **f. incentive**, incentivo monetario □ **f. institution**, istituto finanziario □ **f. investment**, investimento mobiliare □ **f. leasing**, leasing finanziario; locazione finanziaria □ **f. leverage**, leva finanziaria □ **f. policy**, politica finanziaria □ (*rag.*) **f. ratio**, indice di bilancio; (*fin.*) indice finanziario □ **f. status**, posizione finanziaria □ **f. struc-ture**, assetto finanziario (*di un'impresa*) □ **f. sweetener**, bustarella; tangente □ **f. trans-action**, operazione finanziaria □ **f. upheav-al**, terremoto finanziario.

financially /faɪ'nænʃəlɪ, fɪ'-/ **avv.** finanziariamente ● (*leg.: di debitore*) **f. able**, solvibile.

financier /faɪ'nænsɪə(r), fɪ'-/ **n. 1** finanziere **2** finanziatore.

financing /'faɪnænsɪŋ, fɪ'-/ **n.** ⓤ finanziamento ● **f. by corporate saving**, autofinanziamento.

finch /fɪntʃ/ **n.** (*spesso nei composti*) (*zool.*) passeriforme della famiglia dei fringillidi (*fringuello*, *canarino*, *cardellino*, *ecc.*).

find /faɪnd/ **n.** scoperta; ritrovamento; oggetto trovato: *This book* [*restaurant*] *is a real f.*, questo libro [ristorante] è una grande scoperta ● **a sure f.**, (*caccia*) un posto dove si è sicuri di trovare la volpe; un buon appostamento; (*anche*) persona (o cosa) che si può star certi di trovare.

◆to **find** /faɪnd/ (*pass.* e *p. p.* **found**) **A v. t. 1** trovare; scoprire; reperire; rinvenire: *Have you found your wallet?*, hai ritrovato il portafoglio?; *I can't f. my ring*, non trovo il mio anello; **to f. a job**, trovare lavoro; impiegarsi; sistemarsi; **to f. happi-ness**, trovare la felicità; **to f. oil**, scoprire il petrolio; *He was found after a long search*, fu ritrovato dopo lunghe ricerche **2** accorgersi; rendersi conto; scoprire; trovare: *I f. that I have been mistaken*, mi accorgo che avevo torto (o mi sbagliavo); *I f. it difficult to believe him*, trovo difficile credergli; *I don't f. it that easy to make friends quickly*, non è facile per me fare amicizia rapidamente **3** trovare; giudicare; reputare; stimare: *If. the terms reasonable*, trovo (o giudico) ragionevoli le condizioni; *How's f. finding his new school?*, cosa ne pensa della scuola nuova? **4** provvedere; provvedersi di; procurarsi: **to f. one's own tools**, procurarsi gli attrezzi da lavoro **5** (*leg.*) giudicare; dichiarare; riconoscere; emettere (*una sentenza o un verdetto*): *The jury found him guilty*, la giuria lo dichiarò colpevole **B v. i. 1** (*caccia*) scoprire la traccia **2** (*leg.*) emettere una sentenza (*o un verdetto*) ● (*com-put.*) **f. and replace**, trova e sostituisci

(*istruzione*) □ (*anche fig.*) **to f. one's bear-ings**, orientarsi □ **to f. fault with**, trovar da ridire su; criticare □ **to f. favour with sb.**, incontrare il favore (o la simpatia) di □ **to f. one's feet**, reggersi in piedi; riuscire a camminare (da solo); (*fig.*) ambientarsi; cavarsela □ **to f. it in one's heart**, sentirsela; avere l'animo (di): *I cannot f. it in my heart to blame him*, non me la sento di biasimarlo □ (*di proiettile*) **to f. its mark**, colpire il bersaglio; andare a segno □ **to f. mercy in sb.**, trovare compassione in q. □ **to f. one-self**, trovarsi; ritrovarsi; (*anche*) scoprirsi, accorgersi; scoprire la propria vocazione: *He'll soon f. himself in prison*, si ritroverà presto in prigione; *She found herself with plenty of spare time*, si ritrovò con parecchio tempo libero; *I found myself agreeing with him*, mi resi conto che ero d'accordo con lui □ **to f. one's place (in a book)**, trovare il segno (in un libro) □ **to f. pleasure in st.**, provare piacere in qc. □ **to f. one's tongue**, ritrovare la voce; trovare il coraggio di parlare □ (*anche fig.*) **to f. one's way**, trovare la strada.

■ **find against v. i. + prep.** (*leg.*) condannare; emettere una sentenza sfavorevole a; (*di giuria*) pronunciarsi a sfavore di.

■ **find for v. i. + prep.** (*leg.*) assolvere; (*di giuria*) pronunciarsi a favore di, emettere un verdetto favorevole a (q.).

■ **find out v. t. + avv. 1** scoprire; trovare: *I've found out his address*, ho scoperto il suo indirizzo **2** smascherare; scoprire.

findable /'faɪndəbl/ **a.** che si può trovare; trovabile.

finder /'faɪndə(r)/ **n. 1** chi trova; scopritore: *Lost, a gold watch: f. will be rewarded*, smarrito un orologio d'oro: ricompensa a chi lo troverà **2** (*fotogr.*, *fis.*) mirino; traguardo **3** (*astron.*) (telescopio) cercatore **4** (*comput.*) finder (*interfaccia grafica*) ● (*fam.*) **Finders keepers**, la roba è di chi la trova; l'ho trovato e me lo tengo; chi trova tiene.

fin de siècle /fæn də'sjɛklə/ (*franc.*) **loc. a.** fin de siècle; (della) fine Ottocento.

◆**finding** /'faɪndɪŋ/ **n. 1** ⓤ ritrovamento; reperimento; scoperta **2** ⓤ (*leg.*) accertamento **3** (*leg.*) sentenza; verdetto **4** (al pl.) conclusioni, risultanze (*di un'inchiesta*, *una ricerca*, *ecc.*).

findspot /'faɪndspɒt/ **n.** (*archeol.*) zona di reperimento; zona di scavi.

◆**fine**① /faɪn/ **A a. 1** bello (*anche iron.*); (*del tempo*, *anche*) buono: **f. weather**, bel tempo; tempo buono; *That's a f. thing to say!*, bella cosa da dire! **2** elegante: *You're looking very f. today*, sei molto elegante oggi **3** eccellente; di qualità; fine; raffinato; pregiato; squisito: **a f. wine**, un vino pregiato; **f. workmanship**, lavorazione fine; fattura squisita **4** bravo; ottimo: **a f. teacher**, un bravo insegnante; **a f. pianist**, un bravo pianista **5** fine; sottile: **f. sand**, sabbia fine; **a f. dust**, una polvere fine; **f. thread**, filo sottile; **a f. distinction**, una distinzione sottile **6** acuto; aguzzo; tagliente **7** che va bene; (che è) a posto; che sta bene (*di salute*): *These seats are f.*, questi posti (da sedere) vanno bene; *I'm f., thank you*, sto bene, grazie; *These are f., I'll take them*, questi vanno bene, li prendo **8** troppo elegante; troppo raffinato; (*eccl.*, lezioso **9** (*di metallo*) fino: **f. gold**, oro fino **B n. 1** (*arc.*) bel tempo; tempo buono **2** (pl.) materiale fine **3** (pl.) (*metall.*) fini **C avv. 1** finemente **2 to cut up st. very f.**, tagliare fine qc. **2** (*fam.*) bene; benissimo: *I'm feeling f. today*, oggi mi sento bene **3** (*fam.*) molto; moltissimo: *I like it f.*, mi piace molto ● **the f. arts**, le belle arti □ **f. chemicals**, prodotti chimici raffinati, puri □ **f.-drawn**, rammendato con grande precisione; (*fig.*) esile, assai sottile; (*sport*) riportato entro i limiti del peso (*di pu-*

gile, ecc.) □ **f. feathers**, belle piume; (fig.) abiti sfarzosi □ **a f. gentleman [lady]**, un signore [una signora] del bel mondo □ **f.--grained**, a grana fine □ (fin.) **f. paper**, un effetto di buona firma (o di prim'ordine) □ **f. print**, (tipogr.) caratteri minuti; (estens.) clausole minori □ **f.-spoken**, che parla bene □ **f.-spun**, (ind. tess.) fine, a trama sottile; (fig.) delicato (di costituzione); esile; (di una teoria, un argomento, ecc.) troppo sottile, ricercato, elaborato □ **f.-tooth comb**, pettine fitto; pettinina; (fig.) **to go over st. with a f.-tooth comb**, esaminare qc. a fondo; passare qc. al setaccio □ **f.-tuning**, (mecc., e fig.) messa a punto; (radio) sintonizzazione accurata; regolazione □ (fam.) **to cut it (o things) f.**, farcela appena (o per un pelo); arrivare appena in tempo □ (slang) **to do sb. f.**, andare bene (o a genio) a q. □ (fig.) **not to put too f. a point on it**, per dirla schietta; papale papale □ **One f. day he arrived...**, un bel giorno arrivò... □ (iron.) **You're a f. one to talk!**, senti chi parla!

fine② /faɪn/ n. **1** multa; contravvenzione; ammenda: (autom.) **speeding f.**, multa per eccesso di velocità; **on-the-spot f.**, multa conciliata (pagata subito) **2** (leg.) indennità; buonuscita (pagata dall'inquilino subentrante).

to **fine**① /faɪn/ **A** v. t. **1** chiarificare, schiarire (birra, vino, ecc.) **2** (ind. vetro) affinare **B** v. i. (di vino, birra, ecc.) schiarirsi; diventare limpido ● **to f. away (o down, off)**, assottigliare, levigare, smussare; assottigliarsi, levigarsi, smussarsi; raffinare (metalli e sim.).

■ **fine down A** v. t. + avv. **1** assottigliare **2** affinare **B** v. i. + avv. assottigliarsi.

to **fine**② /faɪn/ v. t. multare; fare la contravvenzione a.

fineable /'faɪnəbl/ a. soggetto a multa; multabile.

to **fine-draw** /'faɪn'drɔː/ (pass. **fine--drew**, p. p. **fine-drawn**), v. t. **1** cucire con rammendo invisibile **2** (tecn., metall.) trafilare a fondo (un tubo, ecc.).

fine-drawn /'faɪndrɔːn/ a. (fig.) delicato; armonioso.

finely /'faɪnlɪ/ avv. **1** finemente, delicatamente **2** finemente; fine: **f. cut**, tagliato fine.

fineness /'faɪnnəs/ n. ⓤ **1** bellezza; eccellenza; eleganza **2** finezza; acutezza; delicatezza; raffinatezza; sottigliezza (anche fig.); squisitezza **3** (metall.) titolo (dell'oro, ecc.).

finery① /'faɪnərɪ/ n. **1** ⓤ eleganza; (fig.) splendore: **nature in its spring f.**, la natura nel suo splendore primaverile **2** abiti (pl.) di gala; vestiti (pl.) eleganti: **to put on one's f.**, vestirsi di gala; mettersi in ghingheri (fam.) **3** (pl.) fronzoli.

finery② /'faɪnərɪ/ n. (metall.) forno di puddellaggio.

finesse /fɪ'nɛs/ n. **1** ⓤ finezza; diplomazia; sottigliezza; tatto **2** ⓤ (arc.) artificio; astuzia; furberia **3** stratagemma; trucco **4** (a bridge) impasse.

to **finesse** /fɪ'nɛs/ **A** v. i. **1** usare diplomazia (o sottigliezza, tatto, ecc.); manovrare **2** (nel gioco del bridge) fare l'impasse **B** v. t. (a bridge) giocare (una carta) facendo l'impasse.

to **fine-tune** /faɪn'tjuːn, USA -'tuːn/ v. t. **1** (mecc. e fig.) mettere a punto; regolare **2** (radio) sintonizzare accuratamente **3** (econ., fin.) sintonizzare.

♦**finger** /'fɪŋɡə(r)/ n. **1** dito (della mano, di solito eccetto il pollice; di un guanto) **2** (misura di un) dito: **a f. of gin**, un dito di gin **3** (mecc.) dente; lancetta; nottolino; guida **4** (fonderia) maschio; pistone **5** (cucina) bastoncino: **chocolate fingers**, biscottini lunghi ricoperti di cioccolato; **fish fingers**, bastoncini di pesce **6** (slang USA) informatore

(della polizia o della malavita) **7** (volg. USA, solo nell'espress.) **to give sb. the f.**, mostrare a q. il dito medio tenuto dritto (gesto sconcio); fare un gesto sconcio a q. (tenendo dritto il dito medio) **8** (comput.) finger (comando che permette di reperire indirizzi o altre informazioni su utenti) ● **f. alphabet**, linguaggio dei segni (usato dai sordomuti) □ **f. bowl**, coppa lavadita □ **f.'s breadth** → **fingerbreadth** □ **f. cot**, copridito; salvadito □ (bot.) **f. fern**, (Ceterach officinarum) cedracca; (Asplenium) asplenio; (Phyllitis scolopendrium) fillitide □ (zool.) **f.-fish** (Asteria, Odina, Echinaster, ecc.), stella di mare □ **f. food**, stuzzichini, cibo da mangiare senza posate □ (mus.) **f. hole**, foro (di strumento a fiato); foro (di palla da bowling); (telef.) foro (del disco combinatore) □ **f. mark**, ditata; segno lasciato da un dito □ **f. post**, cartello (stradale) indicatore di direzione □ (med.) **f. pricking**, 'finger pricking'; digitopuntura □ **to be all fingers and thumbs**, essere molto maldestro □ (fig.) **to get one's fingers burnt**, scottarsi; bruciarsi le dita □ (fig.) **to have a f. in every pie**, avere le mani in pasta dappertutto □ (fig.) **to have a f. in the pie**, avere lo zampino in qc.; essere dentro all'affare □ (fig. fam.) **to have itchy fingers**, avere le mani lunghe; essere un ladro □ (fam.) **to keep one's fingers crossed**, toccare ferro; fare scongiuri; incrociare le dita □ **to let st. slip through one's fingers**, lasciarsi sfuggire qc. di mano (o di tra le dita); (fig.) perdere un'occasione □ **little f.**, (dito) mignolo □ **middle f.**, (dito) medio □ (fig.) **not to lay a f. on sb.**, non toccare q. nemmeno con un dito □ (fig.) **not to lift (o not to raise, not to stir) a f.**, non muovere un dito □ **to point the f. at sb.**, (fig.) accusare q.; puntare l'indice contro q. □ (slang) **to put the f. on sb.**, fare la spia a q.; designare q. come vittima □ (fig.) **to put one's f. on st.**, identificare la vera natura di qc.; individuare qc.; riconoscere, trovare (un difetto, ecc.) □ **to show two fingers to sb.**, fare le corna a q. (il gesto volgare) □ **to turn (o to twist) sb. round one's (little) f.**, rigirare q.; fare di q. quel che si vuole □ (fam.) **to work one's fingers to the bone**, ammazzarsi di lavoro □ **Fingers crossed!**, incrociamo le dita!; tocchiamo ferro!; speriamo bene! □ (fig.) **My fingers itch**, non sto nella pelle; sono impaziente.

to **finger** /'fɪŋɡə(r)/ v. t. **1** toccare; tastare; palpare: **to f. the beads of a rosary**, far scorrere fra le dita i grani di un rosario **2** (mus.) indicare la diteggiatura su (una composizione) **3** (mus.) suonare con una data diteggiatura; diteggiare **4** suonare (uno strumento a corde, un pianoforte, spec. senza troppo impegno) **5** (fam. USA) denunciare alla polizia (un complice); identificare come colpevole; fare una soffiata su **6** (fam. USA) segnalare come vittima.

fingerboard /'fɪŋɡəbɔːd/ n. (mus.) tastiera (di pianoforte, violino, chitarra, ecc.).

fingerbreadth /'fɪŋɡəbredθ, -ɛtθ/ n. (un) dito (come misura; 2 cm circa).

fingered /'fɪŋɡəd/ a. **1** (nei composti) dalle dita: **light-f.**, dalle dita agili (o veloci); (fig.) lesto di mano, bravo a rubare **2** (= **finger-marked**) segnato da ditate **3** (biol.) digitato **4** (mus.) diteggiato.

fingering① /'fɪŋɡərɪŋ/ n. ⓤ **1** il tastare; il palpare; tocco **2** (mus.) diteggiatura.

fingering② /'fɪŋɡərɪŋ/ n. ⓤ lana grossa per lavori a maglia.

fingerless /'fɪŋɡələs/ a. senza dita.

fingerling /'fɪŋɡəlɪŋ/ n. **1** oggetto minuscolo (grosso come un dito) **2** pesciolino (lungo un dito); (spec.) piccolo salmone.

fingernail /'fɪŋɡəneɪl/ n. unghia (della mano).

fingerplate /'fɪŋɡəpleɪt/ n. placca protettiva (di vetro o di metallo: su una porta).

fingerprint /'fɪŋɡəprɪnt/ n. **1** impronta digitale **2** (med.) dattilogramma **3** (fig.) caratteristica; peculiarità.

to **fingerprint** /'fɪŋɡəprɪnt/ v. t. prendere le impronte digitali a.

fingerstall /'fɪŋɡəstɔːl/ n. copridito; salvadito; dito di gomma.

fingertip /'fɪŋɡətɪp/ **A** n. **1** punta di un dito (o delle dita); (anche) polpastrello **2** (USA) copridito; salvadito **B** a. attr. a portata di mano: **f. information**, informazioni a portata di mano ● **to have st. at one's fingertips**, sapere qc. a menadito (o sulla punta delle dita) □ **to one's fingertips**, dalla testa ai piedi; fino alla punta dei capelli.

finial /'fɪnɪəl/ n. **1** (archit.) ornamento terminale (di pinnacolo), spec. in forma di fiore cruciforme **2** (falegn.) pigna (in cima a un mobile) ● **f.-topped**, dallo schienale che termina con una pigna.

finical /'fɪnɪkl/, **finicky** /'fɪnɪkɪ/ a. **1** esigente; difficile; meticoloso; pignolo **2** schizzinoso; sofistico **3** (di lavoro) delicato; minuzioso ∥ **finicality, finicalness** n. ⓤ **1** meticolosità; pignoleria **2** schizzinosità; sofisticheria ∥ **finically** avv. **1** meticolosamente; con pignoleria **2** schizzinosamente; sofisticamente.

fining /'faɪnɪŋ/ n. **1** ⓤ (ind. alimentare) chiarificazione (del vino, della birra, ecc.) **2** (pl.) (ind. alimentare) chiarificante (per vino, birra, ecc.) **3** ⓤ (ind. vetro) affinaggio ● **f. agent**, chiarificante.

finis /'faɪnɪs/ n. ⓤ fine (spec. d'un libro, film e sim.).

finish /'fɪnɪʃ/ n. **1** fine: **from start to f.**, dall'inizio alla fine **2** (sport: nelle corse) (tratto) finale; finish; arrivo: **a close f.**, finale combattuto **3** (sport: calcio, ecc.) conclusione; tiro in porta (o a rete); tiro a canestro **4** (sport, = **finish line**) (linea del) traguardo **5** ultima fase **6** prodotto (appretto, vernice, ecc.) che serve a rifinire un oggetto **7** ⓤ finitura; rifinitura: **mahogany f.**, rifinitura in mogano **8** ⓤ raffinatezza; perfezione.

♦to **finish** /'fɪnɪʃ/ **A** v. t. **1** finire; completare; terminare; portare a termine; concludere: **to f. doing st.**, finire di fare qc.; **to f. one's work**, finire il proprio lavoro; **to f. work at 5 p.m.**, smettere di lavorare alle 17; **We finished the meeting with a handshake**, concludemmo l'incontro con una stretta di mano **2** → **finish off 3** finire; rovinare; distruggere: **That scandal will f. him as a politician**, quello scandalo distruggerà la sua carriera politica **4** (tecn.) rifinire (legno, tessuti, ecc.) **5** (sport) rifinire (un gol, ecc.); finalizzare (un passaggio, ecc.) **6** (sport) battere; sconfiggere **B** v. i. **1** finire; cessare; terminare: **School will f. tomorrow**, le lezioni finiranno domani **2** (sport) finire; arrivare; classificarsi: **He finished third**, arrivò terzo **3** (calcio, ecc.) segnare; realizzare **4** (di malattia) avere un esito: **to f. fatally**, avere un esito letale.

■ **finish off** v. t. + avv. **1** finire; portare a termine; completare: **to f. off a job**, finire (o portare a termine) un lavoro **2** (di cibo, bevanda) finire: **to f. off a bottle of wine**, finire una bottiglia di vino **3** porre fine a; troncare (una discussione, ecc.) **4** (fam.) finire; uccidere: **to f. off a wounded lion**, finire un leone ferito **5** (fam.) stremare; distruggere: **Climbing the mountain has finished me off**, la scalata del monte mi ha stremato.

■ **finish up A** v. i. + avv. (andare a) finire; ritrovarsi: **We toured the States and finished up in New York**, il nostro giro degli Stati Uniti finì a New York; **He'll f. up in jail**, finirà in prigione; **He finished up as the head of the firm**, finì col diventare il capo dell'azienda **B** v. t. + avv. finire (cibo o bevande).

■ **finish with** v. i. + prep. **1** finire di usare;

finire con: *Have you finished with the newspaper?*, hai finito di leggere il giornale? **2** (*fam.*) finire con (q.); rompere con (q.); far la finita con (qc.): *I haven't finished with you yet*, non ho ancora finito con te: *I've finished with smoking*, l'ho fatta finita col fumo.

finished /'fɪnɪʃt/ a. **1** finito; terminato; concluso **2** finito; rifinito; eccellente; perfetto; raffinato: (*econ.*) **f. goods**, prodotti finiti; **a f. artist**, un artista finito (*o* perfetto); **a f. performance**, una rappresentazione eccellente; un'esecuzione perfetta **3** (*fam.*) che ha finito; che ha chiuso: *When will he be f.?*, quando avrà finito?; concluso: *I'm f. with getting up at 5*, ho finito con le alzate alle cinque **4** finito; che non vale più niente; rovinato: *He's f.*, è un uomo finito!

finisher /'fɪnɪʃə(r)/ n. **1** finitore; rifinitore; chi dà l'ultimo tocco **2** (*costr. stradali*) macchina per rifinire; finitrice **3** (*fam.*) colpo di grazia; avvenimento decisivo **4** (*sport*) chi (*o* cavallo che) finisce una gara; chi arriva al traguardo **5** (*calcio, ecc.*) rifinitore; finalizzatore; realizzatore ● (*ind. tess.*) **f. card**, carda finitrice.

finishing /'fɪnɪʃɪŋ/ A n. ⬛ **1** finitura; rifinitura; ultima mano **2** (*ind. tess.*) finissaggio **3** (*sport*) rifinitura; conclusione (*a rete*); finalizzazione; capacità di realizzo **4** (al pl.) (*tecn.*) rifiniture B a. conclusivo; ultimo: **the f. touches**, gli ultimi tocchi ● (*boxe e fig.*) **f. blow**, colpo di grazia □ (*sport*) **f. line**, (linea del) traguardo; linea d'arrivo (*sport*) **f. post**, (palo del) traguardo □ (*antiq.*) **f. school**, scuola privata per signorine □ **f. stroke**, (*stor.*) colpo di grazia; (*pitt. e fig.*) ultimo tocco, ritocchi (pl.) finali □ (*tecn.*) **f. wax**, cera per lucidare (*mobili, ecc.*).

finite /'faɪnaɪt/ a. **1** limitato; circoscritto **2** (*mat., gramm.*) finito **-ly** avv. **-ness** n. ⬛.

fink /fɪŋk/ n. (*fam. USA*) **1** delatore; spia; spione **2** crumiro **3** individuo spregevole; carogna; schifoso.

to **fink** /fɪŋk/ v. i. (*fam. USA*) **1** fare la spia **2** fare il crumiro ● to f. out, rinunciare; ritirarsi; fare marcia indietro.

Finland /'fɪnlənd/ n. (*geogr.*) Finlandia ‖ **Finlander** n. finlandese.

Finlandization /fɪnləndaɪ'zeɪʃn, *USA* -dɪ'z-/ n. ⬛ (*polit., stor.*) finlandizzazione.

finless /'fɪnləs/ a. (*zool.*) senza pinne!

Finn /fɪn/ n. finlandese.

finnan /'fɪnən/ n. ⬛ (*cucina*) (= f. haddock) eglefino affumicato.

finned /fɪnd/ a. (*zool.*) che ha le pinne; fornito di pinne.

finner /'fɪnə(r)/ n. (*zool., Balaenoptera physalus*) balenottera comune.

Finnic /'fɪnɪk/ a. finnico; dei Finni.

finnicking /'fɪnɪkɪŋ/, **finnicky** /'fɪnɪkɪ/ → **finical**.

Finnish /'fɪnɪʃ/ A a. finlandese B n. ⬛ finlandese (*la lingua*).

Finno-Ugric /fɪnəʊ'juːɡrɪk/ a. (*ling.*) ugro-finnico.

finny /'fɪnɪ/ a. **1** (*zool.*) fornito di pinne **2** simile a pinna; pinniforme **3** (*poet.*) ricco di pesce; pescoso.

fiord /'fjɔːd/ n. (*geogr.*) fiordo.

fiorin /'faɪərɪn/ n. ⬛ (*bot., Agrostis alba*) agrostide; capellini; pennacchini.

fir /fɜː(r)/ n. **1** (*bot.*) abete **2** ⬛ (legno di) abete ● **fir apple** (*o* fir ball, fir cone), cono di abete ● pigna □ **fir needle**, foglia, ago (*d'abete*) □ **fir wood**, abetaia, abetina.

♦**fire** /'faɪə(r)/ n. **1** ⬛ fuoco; fiamme (pl.): **to fight f. with f.**, combattere il fuoco col fuoco; **to light a fire**, accendere un fuoco; **to make a f.**, accendere un fuoco (*all'aperto*); **to be on f.**, bruciare; andare a fuoco; essere in (preda alle) fiamme; **to set f. to st.** (*o* to set

st. on f.), dare fuoco a qc.; **F.!**, al fuoco! al fuoco!; **coal f.**, fuoco di carbone **2** incendio; fiamme (pl.): *The f. destroyed three houses*, l'incendio distrusse tre case; **to put out a f.**, spegnere un incendio; **forest fires**, incendi di boschi; **f. prevention**, prevenzione degli incendi; **f. instructions**, istruzioni in caso d'incendio **3** ⬛ (*fig.*) fuoco; ardore; fervore; slancio; eccitazione; foga: **eyes full of f.**, occhi pieni di fuoco; *The audience was on fire*, il pubblico era eccitato; **the f. of his speech**, la foga del suo discorso **4** ⬛ (*mil.*) fuoco: *We were under heavy enemy f.*, eravamo esposti al fuoco intenso del nemico; *Open [cease] f.!*, aprite [cessate] il fuoco **5** stufa; stufetta: **electric [gas] f.**, stufa elettrica [a gas] **6** ⬛ (*med.*) febbre; stato febbrile **7** (*ind. min.*) segnalazione di sparo mine **8** ⬛ (*fig.*) splendore; lucentezza; fuoco (*lett.*) □ **f. alarm**, allarme antincendio □ (*relig.*) **f. and brimstone**, il fuoco eterno □ **f. and sword**, ferro e fuoco; distruzione totale (*in guerra*) □ **f. barrier**, tagliafuoco (*muro, porta, ecc.*) □ (*edil.*) **f. basket**, cesto metallico (*o* fornello) per il fuoco all'aperto (*per i muratori*) □ (*zool.*) **f.-bird** (*Icterus galbula*), ittero di Baltimora □ (*bot.*) **f. blight**, malattia del luppolo □ **f. brigade**, (corpo dei) pompieri; vigili del fuoco □ **f. clay**, argilla refrattaria □ (*mil.*) **f. control**, controllo del tiro □ (*marina mil.*) **f.-control station**, stazione di direzione del tiro □ **f.-cracker**, petardo; castagnola □ **f. damage**, danni provocati dal fuoco □ (*USA*) **f. department**, (corpo dei) vigili del fuoco □ (*USA*) **f. department valve**, presa antincendio □ **f. door**, porta antincendio □ **f. drill**, esercitazione antincendio □ **f.-eater**, mangiafuoco; (*fig.*) attaccabrighe □ **f. engine**, carro dei pompieri; autopompa; autoincendio □ **f. escape**, uscita di sicurezza; scala antincendio □ **f. escape ladder**, scala antincendio □ **f. extinguisher**, estintore □ (*poet.*) **f.-eyed**, dagli occhi di fuoco □ **f.-fighter**, **f.-fighting** → **firefighter**, **fire-fighting** □ (*zool.*) **f.-flair** (*Trygon pastinaca*), pastinaca comune □ **f. hose**, manichetta antincendio; manica per acqua □ **f. hydrant**, idrante □ **f. insurance**, assicurazione contro l'incendio □ **f. irons**, ferri per il caminetto (*molle, paletta, attizzatoio, ecc.*) □ **f. juggler**, giocoliere col fuoco; mangiafuoco □ **f. office**, ufficio di società d'assicurazione contro gli incendi □ **f. officer**, ufficiale dei vigili del fuoco □ **f.-pan**, braciere □ (*ass.*) **f. policy**, polizza antincendio □ **f. pump**, pompa d'incendio □ (*leg.*) **f. raiser**, incendiario; piromane □ (*leg.*) **f. raising**, incendio doloso □ **f. regulations**, regolamenti antincendio □ (*tecn.*) **f.-resistant**, resistente al fuoco □ (*tecn.*) **f.-retardant**, ignifugo □ (*ass.*) **f. risk**, rischio d'incendio □ (*USA*) **f. screen**, parafuoco □ **f. service**, vigili del fuoco □ **f. ship** → **fireship** □ **f. station**, deposito di autopompe; caserma dei vigili del fuoco □ (*mil.*) **f.-step**, banchina di tiro □ **f.-teazer**, fochista □ **f. tongs**, molle per il camino □ **f. walking**, pirobazia; il camminare sulle braci ardenti (*come fanno i fachiri, ecc.*); (*stor.*) prova del fuoco □ (*USA*) **f. warden** (*o* f. watcher), vigile del servizio antincendi (*nelle foreste, in guerra, ecc.*) □ **f.-worship**, adorazione del fuoco (*come divinità*) □ (*fig.*) **to be between two fires**, essere (*o* trovarsi) tra due fuochi □ **to catch f.**, prendere fuoco; (*fig.*) pigliar fuoco, infiammarsi □ (*fig.*) **to come under f. from sb.**, essere criticato aspramente da q. □ (*arc.*) **to go through f. and water for sb.**, buttarsi nel fuoco (per q.) □ **to hang f.**, (*mil.*) cessare il fuoco; (*fig.*) tardare ad agire, indugiare, tirarla in lungo □ **to lay** (*o* to set) **a f.**, preparare il fuoco □ **to light a f. under sb.**, stimolare q. all'azione; dare uno svegliarino a q. (*fam.*) □ (*fig.*) **to play with f.**, scherzare col fuoco □ (*fig.*) **to pour oil on the f.**, soffiare sul fuoco; fomentare discor-

die, ecc. (*avendo l'aria di deprecarle*) □ (*fig.*) **to set sb. on f.**, infiammare q. □ **to set st. on f.** (*o* to set f. to st.), dar fuoco a, incendiare qc. □ (*fig.*) **to set the Thames** (*o* the world) **on f.**, fare qc. di eccezionale (*o* di straordinario); fare colpo □ **to stir the f.**, attizzare il fuoco □ **to strike f. from st.**, far sprizzare scintille da qc.; accendere il fuoco battendo su qc. □ **to take f.**, prendere fuoco; incendiarsi; (*fig.*) pigliar fuoco, infiammarsi, stizzirsi □ (*fig.*) **to take heavy f. from one's opponents**, essere criticato aspramente dai propri avversari ● (*prov.*) **There's no smoke without f.**, non c'è fumo senza arrosto.

♦to **fire** /'faɪə(r)/ A v. t. **1** sparare; far esplodere (*o* partire): **to f. a shot (at sb.)**, sparare (*o* far esplodere) un colpo (contro q.) **2** far fuoco con: **to f. a gun**, far fuoco con un fucile; sparare **3** lanciare (*un proiettile*); scagliare, scoccare (*una freccia*): (*naut.*) **to f. a torpedo**, lanciare un siluro **4** porre una serie di (*domande*); fare (*domande, commenti*): *They fired questions at me*, mi bersagliarono di domande **5** (*fam.*) licenziare: *You're fired!*, lei è licenziato!; **the right to hire and f.**, il diritto di assumere e di licenziare **6** (*fig.*) infiammare; accendere: **to f. the imagination**, infiammare la fantasia; **to f. sb. with enthusiasm**, accendere di entusiasmo q. **7** alimentare; rifornire di combustibile: **to f. a boiler**, alimentare una caldaia **8** cuocere (*nella fornace*): **to f. bricks**, cuocere mattoni **9** brillare (*mine*) **10** (*miss.*) accendere (*un razzo, ecc.*) **11** (*vet.*) cauterizzare **12** (*antiq.*) dare fuoco a; appiccare il fuoco a; incendiare B v. i. **1** far fuoco; sparare: *He ordered the squad to f.*, ordinò al plotone di sparare; **to f. at sb.**, sparare a q.; **to f. on** (*o* upon) **sb.**, sparare su q.; aprire il fuoco contro q. **2** lasciar partire un colpo; sparare: *The gun fired*, il fucile lasciò partire un colpo **3** (*fig.*) infiammarsi, eccitarsi **4** (*di una pianta*) seccarsi **5** (*mecc.: di motore*) accendersi; mettersi in moto ● **to f. a broadside**, (*naut.*) sparare una bordata; (*fig.*) lanciare un attacco verbale □ (*mil.*) **to f. a salute**, sparare una salva in segno di saluto □ (*fam.*) **to be firing on all cylinders**, lavorare a pieno ritmo; essere in piena forma.

■ **fire away** v. i. + avv. **1** continuare a far fuoco (*o* a sparare) **2** (*fam.*) cominciare, attaccare (*a fare qc.; spec. a far domande, a parlare*): *Okay f. away!*, va bene, spara!; comincia a far domande!; forza con le domande! □ (*fam. USA*) **to f. away at sb.**, attaccare, criticare aspramente q.

■ **fire back** v. i. + avv. rispondere al fuoco.

■ **fire off** v. t. + avv. **1** sparare, lasciar partire (*un proiettile, un colpo*) **2** (*fig.*) spedire una serie di (*lettere*), rivolgere una serie di (*domande, richieste*), lanciare una serie di (*ordini, imprecazioni*).

■ **fire up** A v. t. + avv. accendere (*una stufa, una fornace, ecc.*) B v. i. + avv. **1** (*autom. fam. USA*) avviare il motore; mettersi in moto **2** (*fig.*) accendere di entusiasmo, infiammare **3** (*fig.*) pigliar fuoco; infiammarsi; arrabbiarsi.

firearm /'faɪərɑːm/ n. arma da fuoco ● (*leg.*) **firearms offence**, reato di detenzione di armi da fuoco

fireback /'faɪəbæk/ n. **1** (*edil.*) parete posteriore (*o* piastra metallica verticale: *di un caminetto*) **2** (*zool., Lophura*) tipo di fagiano (*dell'Asia del sud*)

fireball /'faɪəbɔːl/ n. **1** (*mil., stor.*) palla infuocata **2** (*astron.*) bolide; meteorite **3** fulmine globulare **4** (*fis. nucl.*) fireball; sfera di fuoco **5** (*fig. fam.*) fulmine; persona energica.

fireboat /'faɪəbəʊt/ n. (*naut.*) battello antincendio; battello con motopompa.

firebomb /'faɪəbɒm/ n. (*mil.*) bomba incendiaria.

to **firebomb** /ˈfaɪəbɒm/ v. t. (*mil.*) attaccare con bombe incendiarie.

firebox /ˈfaɪəbɒks/ n. **1** focolare (*di caldaia*) **2** (*arc.*) → **tinderbox.**

firebrand /ˈfaɪəbrænd/ n. **1** tizzone (*ardente*) **2** (*fig.*) agitatore, agitatrice.

firebreak /ˈfaɪəbreɪk/ n. trincea tagliafuoco; cessa.

firebrick /ˈfaɪəbrɪk/ n. mattone refrattario.

firebug /ˈfaɪəbʌg/ n. (*fam.*) incendiario; piromane.

firecracker /ˈfaɪəkrækə(r)/ n. **1** petardo; castagnola **2** (*fam. USA*) persona o cosa brillante, entusiasmante.

firecrest /ˈfaɪəkrɛst/ n. (*zool., Regulus ignicapillus*) fiorrancino.

fired /ˈfaɪəd/ a. (nei composti) (alimentato) a: **oil-f. central heating,** riscaldamento a nafta (*o* a gasolio).

firedamp /ˈfaɪədæmp/ n. **1** ⓤ gas di miniera; grisou; grisù **2** (*ind. min.*) sbarramento antincendio ● **f. detector,** grisumetro.

firedog /ˈfaɪədɒg/ n. alare (*del camino*).

firedrake /ˈfaɪədreɪk/, **firedragon** /ˈfaɪədrægən/ n. (*mitol.*) drago che erutta fiamme.

firefight /ˈfaɪəfaɪt/ n. (*mil.*) sparatoria; scontro a fuoco.

firefighter /ˈfaɪəfaɪtə(r)/ n. vigile (m. e f.) del fuoco; pompiere; persona (*anche volontario*) impegnata nello spegnimento di un incendio.

firefighting /ˈfaɪəfaɪtɪŋ/ ▲ n. ⓤ spegnimento degli incendi ▣ a. attr. antincendio: **f. squad,** squadra antincendio.

firefly /ˈfaɪəflaɪ/ n. (*zool., Lampiris noctiluca*) lucciola.

fireguard /ˈfaɪəgɑːd/ n. parafuoco; guardacenere.

firehouse /ˈfaɪəhaʊs/ n. (*USA*) piccola caserma dei pompieri.

fireless /ˈfaɪələs/ a. **1** senza fuoco; spento **2** senza riscaldamento.

firelight /ˈfaɪəlaɪt/ n. ⓤ luce del fuoco (*o* del caminetto).

firelighter /ˈfaɪəlaɪtə(r)/ n. esca per il fuoco.

firelock /ˈfaɪəlɒk/ n. (*mil., stor.*) **1** meccanismo di sparo con acciarino **2** fucile antiquato; cacafuoco (*scherz.*).

♦**fireman** /ˈfaɪəmən/ n. (pl. **firemen**) **1** pompiere; vigile (m.) del fuoco **2** fochista (*di locomotiva, fornace, ecc.*) **3** brillatore (*di mine*) ❶ **NOTA D'USO** • *L'uso del termine al plurale per indicare la categoria e quindi entrambi i sessi non è accettato da tutti. Cfr.* **firefighter, firewoman.**

fireplace /ˈfaɪəpleɪs/ n. focolare; camino; caminetto.

fireplug /ˈfaɪəplʌg/ n. (*USA*) **1** presa antincendio; idrante **2** (*fig.*) individuo (*spec.* atleta) robusto e tracagnotto.

firepower /ˈfaɪəpaʊə(r)/ n. ⓤ (*mil.*) potenza di fuoco.

fireproof /ˈfaɪəpruːf/ a. **1** a prova di fuoco; incombustibile; antincendio: **f. curtain,** sipario incombustibile; **f. wall,** parete antincendio **2** refrattario.

to **fireproof** /ˈfaɪəpruːf/ v. t. rendere incombustibile.

firer /ˈfaɪərə(r)/ n. chi fa fuoco, incendia, spara, ecc. (→ **to fire**) ● **six-f.,** fucile semiautomatico a sei colpi.

fireship /ˈfaɪəʃɪp/ n. (*naut., mil., stor.*) brulotto.

fireside /ˈfaɪəsaɪd/ n. ⓤ **1** (angolo del) focolare: **sitting by the f.,** seduto accanto al focolare (*o* al camino) **2** (*fig.*) vita domestica; casa; focolare: **f. comforts,** le comodità della propria casa.

firestone /ˈfaɪəstəʊn/ n. ⓤ (*geol.*) pietra focaia; selce.

firestorm /ˈfaɪəstɔːm/ n. **1** grave incendio (*alimentato dai venti di un'esplosione di bombe*) **2** (*fig.*) tempesta; uragano: **f. of protests,** tempesta di proteste.

firetrap /ˈfaɪətræp/ n. edificio che può prendere fuoco con facilità; edificio pericoloso in caso di incendio; casa senza uscita di sicurezza.

firetruck /ˈfaɪətrʌk/ n. (*USA*) autopompa; autocarro dei pompieri.

firewall /ˈfaɪəwɔːl/ n. **1** (*edil.*) muro tagliafuoco; parete tagliafiamma **2** (*ind. min.*) sbarramento antincendio **3** (*aeron.*) ordinata parafiamma **4** (*comput.*) firewall (*sistema per la protezione dagli accessi esterni*).

to **firewall** /ˈfaɪəwɔːl/ v. t. (*comput.*) proteggere con un firewall.

firewarden /ˈfaɪəwɔːdn/ n. (*USA*) capo di una squadra antincendio.

firewater /ˈfaɪəwɔːtə(r)/ n. ⓤ (*fam.*) liquore forte; superalcolico.

firewire /ˈfaɪəwaɪə(r)/ n. ⓤⓒ (*comput.*) firewire (*bus seriale ad alta velocità per collegare periferiche quali dischi rigidi, telecamere, scanner, ecc.*).

firewoman /ˈfaɪəwʊmən/ n. vigile (f.) del fuoco; donna pompiere.

firewood /ˈfaɪəwʊd/ n. ⓤ legna da ardere.

fireworks /ˈfaɪəwɜːks/ n. pl. **1** fuochi d'artificio (*anche fig.*); spettacolo pirotecnico **2** (*fig.*) sfuriata; scenata.

firing /ˈfaɪərɪŋ/ n. ⓤ **1** cottura (*di ceramiche e sim.*) **2** alimentazione; il rifornire di combustibile (*una fornace, ecc.*) **3** ⓤ il far fuoco; lo sparare **4** sparatoria; spari (pl.); tiro; fuoco (*mil.*) **5** l'appiccare il fuoco; accensione **6** materiale da ardere; combustibile **7** brillamento, esplosione (*d'una mina, ecc.*) **8** (*elettron.*) accensione; innesco; attivazione **9** (*autom., mecc.*) accensione: **f. order,** ordine (*o* sequenza) dell'accensione (*dei cilindri*) **10** (*fam.*) licenziamento ● (*mil.*) **f. ground,** campo di tiro; poligono (di tiro) □ (*nelle armi*) **f. hammer,** cane □ **f. line,** (*mil.*) linea del fuoco; (*tiro a segno*) linea di tiro; (*fig.*) prima linea: **to be in the** (*USA:* **on the**) **f. line,** essere in prima linea □ (*nelle armi*) **f. lock,** congegno di sparo □ (*mil.*) **f. party,** squadra che spara salve di saluto; plotone d'esecuzione □ (*nelle armi*) **f. pin,** percussore □ **f. point,** (*mil.*) postazione di tiro; (*chim., fis.*) punto (*o* temperatura) di combustione □ (*mil.*) **f. squad,** plotone d'esecuzione □ (*mil.*) **f. step,** banchina del fuoco □ (*mil.*) **f. table,** tavola di tiro.

firkin /ˈfɜːkɪn/ n. **1** barilotto **2** «firkin» (*misura di capacità pari a 9 galloni, 41 litri circa*).

♦**firm**① /fɜːm/ a. **1** stabile; saldo; fermo; sicuro; solido: **f. foundations,** solide fondamenta; **in a f. voice,** con voce ferma; **as f. as a rock,** saldo come una roccia; **a f. belief,** una fede salda; **to be a f. believer in sb.,** credere fermamente in qc. **2** deciso; risoluto; forte; energico; robusto: **a f. refusal,** un rifiuto reciso (*o* netto); **a f. look,** uno sguardo risoluto; **a f. handshake,** una vigorosa stretta di mano **3** sodo; compatto: **f. flesh,** carne soda **4** (*polit., econ., fin.*) stabile: **a f. government,** un governo stabile; **f. prices,** prezzi stabili (*non soggetti a variazioni*) **5** (*leg.*) a fermo: (*Borsa*) **a f. bargain,** un contratto a fermo; (*leg.*) **a f. contract,** un contratto a fermo ● (*fin.*) **a f. currency,** una moneta stabile; una valuta forte □ (*fin.*) **a f. market,** un mercato sostenuto □ (*comm.*) **a f. offer,** un'offerta ferma □ (*fin.*) **a f. pound sterling,** una sterlina forte □ (*fig.*) **to be on f. ground,** andare sul sicuro □ (*fig.*) **to keep a f. hand on sb.,** tenere q. sotto stretto controllo □ (*fig.*) **to stand f.,** non cedere; essere fermo nelle proprie convinzioni.

♦**firm**② /fɜːm/ n. ditta; azienda; impresa; casa commerciale ● **f. name,** ragione sociale □ **law f.,** studio legale □ **publishing f.,** casa editrice ❶ **FALSI AMICI** • *firm non significa* firma.

to **firm** /fɜːm/ ▲ v. t. **1** fermare; consolidare **2** (*agric.*) calcare, comprimere; rassodare (*il terreno dopo avervi messo piante*) **3** (*ind. alimentare*) rassodare ▣ v. i. consolidarsi; rassodarsi ● **to f. up,** rassodare (*il corpo, la carne, ecc.*); consolidare, rafforzare (*un accordo, ecc.*); (*fig.*) consolidarsi, stabilizzarsi. ■ **firm up** ▲ v. t. + avv. **1** rassodare (*il corpo, la carne, ecc.*) **2** consolidare, rafforzare (*un accordo, ecc.*) ▣ v. i. + avv. consolidarsi; stabilizzarsi.

firmament /ˈfɜːməmənt/ n. ⓤ (*arc. o lett.*) firmamento ‖ **firmamental** a. del firmamento; celeste.

firman /fɜːˈmɑːn/ n. (*stor. turca*) firmano.

firming /ˈfɜːmɪŋ/ n. ⓤ **1** consolidazione **2** (*agric.*) rassodamento (*del terreno*) **3** (*tecn.*) rassodamento ● **f. agent,** agente rassodante.

firmness /ˈfɜːmnəs/ n. ⓤ **1** saldezza; solidità; stabilità **2** fermezza; risolutezza.

firmware /ˈfɜːmwɛə(r)/ n. ⓤ (*comput.*) firmware (*software residente nella memoria del computer*).

firn /fɜːn/ n. (*geogr.*) ⓤ **1** firn; neve ghiacciata granulare **2** nevato.

♦**first** /fɜːst/ ▲ a. **1** primo: **the f. comer,** il primo venuto; **a f. coat of paint,** una prima mano di vernice; **the f. officer of a ship,** il primo ufficiale di bordo; **the f. two [three],** i primi due [tre]; **at f. light,** alle prime luci dell'alba **2** primo; più importante; principale: **the f. scientists in Europe,** gli scienziati più importanti in Europa ▣ avv. **1** per primo; primo: (*sport*) **to come in f.,** arrivare primo **2** prima; per prima cosa: *I must speak with him f.,* prima (*o* per prima cosa) devo parlare con lui; **f. of all,** prima di tutto; per prima cosa; innanzitutto **3** (per) la prima volta: *When did you f. hear about it?,* quando ne hai sentito parlare la prima volta?; *when we f. met,* la prima volta che ci incontrammo; quando ci conoscemmo **4** inizialmente; all'inizio: *when I f. arrived,* quando arrivai; all'inizio **5** piuttosto: *He said he would die f.,* disse che piuttosto sarebbe morto ⓒ n. **1** (il) primo; (la) prima: *I was the f. to see him,* fui il primo a vederlo; *They are the f. to complain,* sono i primi a protestare; *Henry the F.,* Enrico primo **2** (il) primo (*del mese*): **the f. of June** (*o* **June the f.**), il primo (di) giugno **3** (*in GB*) laurea col massimo dei voti: **to get a f. in history,** laurearsi in storia col massimo dei voti **4** (*in GB*) laureato col massimo dei voti **5** primo esempio (*di qc.*); primo caso; primato: **to score a f.,** mettere a segno un primato **6** (*autom.*) prima (*marcia o velocità*) **7** primo premio **8** (*USA, baseball*) prima base ● (*med.*) **f. aid,** pronto soccorso □ **f.-aid kit,** cassetta di pronto soccorso □ **f.-aid station,** posto di pronto soccorso □ **f.-aid training,** addestramento al pronto soccorso □ **f. and foremost,** soprattutto; anzitutto □ **f. and last,** soprattutto □ **f. base,** (*sport: baseball*) prima base; (*fig. USA*) fase iniziale, primo stadio □ **f.-born,** (il) primo nato (*di figli*); primogenito □ (*geol.*) **f. bottom,** fondovalle fluviale □ **f. class,** (*sost.*) (*ferr., aeron.*) prima classe; (*rif. a corrispondenza, in GB*) posta prioritaria; (*market.*) prima qualità (*di merce*): **to travel f. class,** viaggiare in prima classe; **to send a letter f. class,** spedire una lettera per posta prioritaria □ **f.-class,** (agg.) (*ferr., aeron.*) di prima classe; (*fig.*) di prima qualità; eccellente; (*di corrispondenza*) di posta prioritaria: **a f.-class seat,** un posto di

prima classe; **a f.-class hotel**, un albergo di prima categoria; un albergo eccellente; (*in GB*) **f.-class honours (degree)**, laurea col massimo dei voti; **f.-class mail**, posta prioritaria; **f.-class stamp**, francobollo di posta prioritaria □ **f.-degree**, (*med.*) di primo grado: **f.-degree burns**, ustioni di primo grado; (*leg.*, *in USA*) **f.-degree murder**, omicidio di primo grado □ (*anat.*) **f. finger**, (dito) indice □ **f. floor**, (*in GB*) primo piano; (*in USA*) pianterreno □ (*in Scozia*) **f.-footer**, il primo ospite che entra in una casa dopo la mezzanotte dell'ultimo dell'anno □ (*in Scozia*) **f.-footing**, visita per gli auguri di Capodanno □ **f. fruits**, primizie; (*fig.*) primi frutti del proprio lavoro □ (*autom.*) **f. gear**, prima (marcia) □ (*anche fig.*) **f.-generation**, della (o di) prima generazione □ (*sport*) **f. half**, primo tempo (*di una partita in due tempi*) □ (*rag.*) **f. in, f. out → FIFO** □ (*in USA*) **f. lady**, moglie del Presidente degli USA; (*anche*) moglie del Governatore di uno Stato della Federazione □ **f. language**, lingua madre; madrelingua □ (*mil.*, *in USA*) **F. Lieutenant**, tenente □ **f. mate**, primo ufficiale; secondo (di bordo) □ **F. Minister**, primo ministro (*in Irlanda del Nord, Scozia e Galles*) □ **f. name**, nome proprio; nome di battesimo: **to be on f. name terms with sb.**, chiamare per nome q.; dare del tu a q. □ (*Canada*) **F. Nations**, Prime Nazioni (*nome collettivo per la popolazione indigena del Canada*) □ (*teatr.*, *cinem.*) **f. night**, prima; première (*franc.*) □ **f.-nighter**, assiduo (spettatore) di prime teatrali (o cinematografiche) □ (*fin.*) **f. of exchange**, prima di cambio; prima copia di una cambiale □ (*fam.*) **f. off**, per prima cosa; in primo luogo (correlato con → **next off**, → *sotto* **next**) □ (*leg.*) **f. offender**, reo incensurato; chi delinque per la prima volta □ **f. officer**, (*naut.*) = **f. mate** → *sopra*; (*aeron.*) secondo pilota □ **f. or last**, prima o poi; presto o tardi □ **f.-order**, di prim'ordine; di prima classe □ **f. past the post**, (*ipp.*) primo al traguardo; (*fig.*, *polit.*, *in GB*) sistema uninominale a un turno (*o a scrutinio unico*), uninominale secca; sistema maggioritario a maggioranza semplice □ (*Canada*) **F. Peoples = F. Nations** → *sopra* □ (*gramm. e fig.*) **f. person**, prima persona: **written in the f. person**, scritto in prima persona □ **f.-rate**, di prima qualità; di prim'ordine; di primaria importanza □ (*polit.*) **f. reading**, prima lettura (*di un disegno di legge*) □ (*leg.*, *market.*) **f. refusal**, diritto di prelazione; (diritto di) opzione □ (*USA*) **f. respondent**, addetto al primo intervento (*polizia, vigili del fuoco, ecc.*) □ (*USA*) **f. response**, primo intervento (*cinem.*, *USA*) **f. run**, prima visione □ **a f.-run theater**, un cinema di prima visione □ **f. school**, primo triennio delle elementari □ (*polit.*) **F. Secretary**, primo ministro (*nel Galles, dal 1998 al 2000*) □ **f. shift**, primo turno; turno di giorno □ (*cinem.*) **f. show**, prima visione □ (*autom.*) **f. speed**, prima (velocità) □ (*mil.*) **f. strike**, attacco di sorpresa □ (*mil.*, *fis. nucl.*) **f.-strike weapon**, arma per attacco di sorpresa □ **f. string**, (*mus.*) primo violino; (*fig.*, *sport*) i titolari (*di una squadra*) □ **f.-string**, di prim'ordine; di prima qualità: **a f.-string scientist**, uno scienziato di prim'ordine □ **f. team player**, titolare □ (*fam.*) **f. thing (tomorrow)**, per prima cosa (domattina) □ **f. things f.**, cominciamo dalle cose più importanti □ **f.-time buyer**, acquirente della prima casa □ **f.-timer**, chi fa qc. per la prima volta; esordiente □ (*naut.*) **f. watch**, prima comandata (*turno di guardia dalle 8 di sera a mezzanotte*) □ (*econ.*) **the F. World**, i paesi a economia forte; i paesi industrializzati □ **at f.**, in principio; dapprima; sulle prime □ **at f. hand**, di prima mano □ **at f. sight** (*o view, blush*), a prima vista □ **from f. to last**, dall'inizio alla fine; da cima a fondo □ **from the f.**, fin dal principio □ **in the f. instance** (*o*

place), in primo luogo; prima di tutto; innanzi tutto □ (*fam.*) **not to have the f. idea**, non avere la più pallida idea □ **not to know the f. thing about st.**, non sapere niente di qc.; non intendersene minimamente di qc. □ **of the f. water**, (*di pietra preziosa*) di acqua purissima; (*fig.*) della più bell'acqua □ (*prov.*) **F. come, f. served**, chi primo arriva è servito per primo; (*anche*) chi tardi arriva male alloggia: *It's f. come f. served this time*, questa volta funziona in base all'ordine di arrivo.

firstborn /'fɜːstbɔːn/ n. primogenito, primogenita; primo nato, prima nata.

firsthand, **first-hand** /'fɜːst'hænd/ a. e avv. di prima mano: **f. information**, informazioni di prima mano: **I heard the news f.**, ho avuto la notizia da fonte sicura.

firstling /'fɜːstlɪŋ/ n. 1 (di solito al pl.) primizia 2 (*d'animale*) primo nato; primogenito 3 (*fig.*) primo frutto; primo risultato.

♦**firstly** /'fɜːstlɪ/ avv. (*nelle enumerazioni*) in primo luogo; primo.

firth /fɜːθ/ n. (*spec. in Scozia*) stretto braccio di mare; estuario; fiordo.

♦**fiscal** /'fɪskl/ **A** a. 1 fiscale; del fisco; tributario: **f. charges**, oneri fiscali; **f. incentive**, incentivo fiscale; **f. policy**, politica fiscale; **f. reform**, riforma tributaria 2 finanziario: **the F. Authority**, l'Amministrazione finanziaria **B** n. 1 (*leg.*, *in Scozia*) pubblico ministero 2 (*filatelia*) fiscale ● (*leg.*) **f. cases**, il contenzioso tributario □ (*econ.*, *fin.*) **f. drag**, drenaggio fiscale □ **f. drain**, salasso fiscale □ **f. hawk**, fautore del mantenimento di una forte pressione fiscale □ (*econ.*) **f. therapy**, terapia fiscale □ (*fin.*) **f. year**, anno (o esercizio) finanziario; anno (o esercizio) sociale (*di un'azienda*).

fiscality /fɪ'skælətɪ/ n. ⓤ fiscalismo; fiscalità.

fiscally /'fɪskəlɪ/ avv. fiscalmente.

♦**fish** ① /fɪʃ/ n. 1 ⓒⓤ (pl. **fish**, **fishes**) pesce: **an exotic f.**, un pesce esotico; **a shoal of f.**, un banco di pesci; *I don't like f.*, non mi piace il pesce 2 (*fam.*) individuo, tipo; merlo, pollo: *He's an odd f.*, è un tipo strano 3 (*slang USA*) dollaro 4 (*slang USA*) (nuovo) carcerato 5 (al pl.) (*astron.*, *astrol.*) **the Fishes**, i Pesci (*costellazione e XII segno dello zodiaco*) ● **f.-and-chip shop**, friggitoria di pesce e patatine □ **f. bar**, tavola calda che vende pesce fritto (*ma anche pollo fritto, ecc.*) □ **f. bone**, lisca; spina (di pesce) □ **f. breeding**, piscicoltura □ **f. carver**, coltello grande da pesce □ **f. culture**, piscicoltura □ (*spreg. USA*) **f. eater**, cattolico □ **f.-eye**, (*tecn.*) occhio di pesce; (*fam.*) occhiata malevola; sguardo sospettoso □ (*fotogr.*) **f.-eye lens**, obiettivo ultragrandangolare □ **f. farm**, allevamento di pesci; vivaio □ **f. farmer**, piscicoltore □ **f. farming**, piscicoltura □ (*alim.*) **f. finger**, bastoncino di pesce □ **f., flesh and fowl**, pesce, carne e pollame □ **f. flour**, farina di pesce □ **f. glue**, colla di pesce □ **f.-hook**, amo □ (*cucina*) **f. kettle**, pesciaiola; pesciera □ (*mecc.*) **f. joint**, giunto a ganasce □ **f. knife**, coltello da pesce □ **f. ladder**, scala di monta (*per salmoni, ecc.*) □ **f. market**, mercato del pesce □ **f. meal**, farina di pesce □ **f. pond**, stagno (o vasca) dei pesci; peschiera □ (*scherz.*) il mare □ **f. pot**, nassa □ (*cucina*) **f. slice**, paletta per il pesce □ (*zool.*) **f.-sound**, vescica natatoria □ (*USA*) **f. stick = f. finger** → *sopra* □ (*fam. USA*) **f. story** (o **f. tale**), grossa balla; enorme bugia □ (*naut.*) **f. tackle**, pescatore (*grosso gancio*) □ (*anche metall.*) **f. tail**, coda di pesce □ **f.-tail**, a coda di pesce: (*tecn.*) **f.-tail burner**, becco a coda di pesce □ **f. tank**, pesciera; acquario □ **to drink like a f.**, bere come una spugna □ (*fig.*) **to have other f. to fry**, avere cose più importanti da fare; avere altro a cui badare □ **like a f. out of water**, come un pesce fuor

d'acqua □ **neither f. nor fowl (nor good red herring)**, né carne né pesce.

fish ② /fɪʃ/ n. (*naut.*) lapazza.

to **fish** ① /fɪʃ/ **A** v. i. 1 pescare: **to f. in the Atlantic**, pescare nell'Atlantico; **to f. for salmon**, pescare il salmone; **to f. for a living**, guadagnarsi da vivere con la pesca; **to go fishing**, andare a pesca 2 – **to f. for**, cercare (*d'ottenere*); sollecitare: **to f. for compliments**, sollecitare (o andare in cerca di) complimenti; **to f. for information**, cercare informazioni **B** v. t. pescare in: **to f. a river**, pescare in un fiume ● (*fig.*) **to f. in troubled waters**, pescare nel torbido □ (*slang USA*) **F. or cut bait!**, datti da fare, o molla tutto!

■ **fish about** (o **around**) v. i. + avv. frugare: *I fished about in my pocket for some change*, mi frugai in tasca per prendere degli spiccioli.

■ **fish out** v. t. + avv. 1 tirar fuori (*dall'acqua*); ripescare 2 tirar fuori; cavare: *He fished a key out of his pocket*, cavò di tasca una chiave 3 scoprire; pescare (*fig.*): **to f. out interesting information**, pescare informazioni interessanti.

■ **fish up** v. t. + avv. 1 ripescare (q. o qc. caduto in acqua) 2 tirare su (o fuori); pescare (*fig.*): **to f. up an excuse to leave**, tirar fuori una scusa per andarsene.

to **fish** ② /fɪʃ/ v. t. 1 (*naut.*) lapazzare 2 (*naut.*) traversare (*l'ancora*) 3 (*mecc.*) rinforzare (o unire) con un giunto a ganasce.

FISH sigla (*biol.*, **fluorescence in situ hybridization**) ibridazione in situ in fluorescenza; fluorescenza nel sito di ibridazione.

fishable /'fɪʃəbl/ a. (*di fiume, ecc.*) atto alla pesca; ricco di pesce.

fishball /'fɪʃbɔːl/ n. (*cucina*) crocchetta (o polpetta) di pesce.

fishbolt /'fɪʃbəʊlt/ n. (*mecc.*) bullone per giunto a ganasce; chiavarda.

fishbowl /'fɪʃbəʊl/ n. 1 globo (*di vetro*) per i pesci rossi 2 (*slang USA*) prigione; gattabuia (*pop.*).

fishcake /'fɪʃkeɪk/ n. (*cucina*) crocchetta di pesce.

fisher /'fɪʃə(r)/ n. 1 pescatore 2 animale che si ciba di pesce 3 (*zool.*, USA; *Martes pennanti*) martora di Pennant; pekan; pescatore ● (*nel Vangelo*) **f. of men**, pescatore d'uomini.

fisherman /'fɪʃəmən/ n. (pl. **fishermen**) 1 pescatore (*di mestiere o per sport*) 2 (*naut.*, *antiq.*) peschereccio ● (*relig.*) **f.'s ring**, anello piscatorio.

fishery /'fɪʃərɪ/ n. 1 ⓤ (industria della) pesca 2 zona di pesca: **in-shore [deep-sea] fisheries**, zone di pesca presso la costa [in alto mare] 3 ⓤ diritto di pesca 4 pescheria; vivaio ● (*naut.*) **f. protection ship**, nave guardapesca.

to **fishify** /'fɪʃɪfaɪ/ v. t. immettere pesci in (*un lago, ecc.*).

fishily /'fɪʃɪlɪ/ avv. 1 a mo' di pesce 2 (*fam.*) in modo ambiguo; in modo sospetto.

fish-in /'fɪʃɪn/ n. raduno di pescatori (dilettanti).

fishiness /'fɪʃɪnəs/ n. ⓤ 1 pescosità 2 ottusità; stupidità 3 (*fam.*) ambiguità; sospettabilità (→ **fishy**).

♦**fishing** /'fɪʃɪŋ/ **A** n. ⓤ 1 pesca: **deep-sea f.**, pesca d'altura; pesca oceanica 2 (*min.*) recupero (*di arnesi caduti in un pozzo di perforazione*) **B** a. att. di (o della) pesca; da pesca: **f. boat**, barca da pesca; peschereccio; **f. net**, rete da pesca; **f. rod**, canna da pesca ● **f. ground**, peschiera; vivaio; zona di pesca □ **f. line**, lenza □ **f. smack = f. boat** → *sopra* □ **f. tackle**, attrezzi da pesca □ (*min.*) **f. tool**, utensile per recuperi; pescatore.

fishline /'fɪʃlaɪn/ n. (*USA*) lenza.

fishmonger /'fɪʃmʌŋgə(r)/ n. pescivendolo; pesciaiolo.

fishnet /'fɪʃnet/ n. **1** (spec. USA) rete da pesca **2** ▣ tessuto a rete: (moda) **f. stockings**, calze a rete.

fishpaste /'fɪʃpeɪst/ n. ▣ (cucina) pasta di pesce.

fishplate /'fɪʃpleɪt/ n. (mecc., ferr.) stecca a ganascia; coprigiunto.

to fishtail /'fɪʃteɪl/ v. i. (autom., fam.) slittare di coda: My car fishtailed into a cab, la mia auto slittò di coda e andò a sbattere contro un taxi.

fishwife /'fɪʃwaɪf/ n. (pl. **fishwives**) pescivendola; pesciaiola.

fishy /'fɪʃɪ/ a. **1** pescoso **2** di pesce: **f. smell**, odore di pesce **3** (di occhio, sguardo) vitreo; fisso; senza espressione: **a f. stare**, uno sguardo fisso; **a f. eye**, un occhio vitreo **4** (fam.) sospetto; poco chiaro; ambiguo: **a f. story**, una storia poco chiara; There's something f. about it, la cosa mi puzza.

fissile /'fɪsaɪl, USA 'fɪsɪl/ (geol., fis. nucl.) a. fissile; facile a fendersi ‖ **fissility** n. ▣ fissilità.

fission /'fɪʃn/ n. ▣ **1** (biol.) divisione; scissione **2** (fis. nucl., = **nuclear f.**) fissione: **f. chamber**, camera di fissione ● **f. bomb**, bomba atomica □ (miner.) **f. track dating**, datazione con il metodo delle tracce di fissione.

fissionable /'fɪʃnəbl/ (fis. nucl.) Ⓐ a. fissile; fissionabile Ⓑ n. ▣ materiale fissile.

fissiparous /fɪ'sɪpərəs/ a. (biol.) fissiparo.

fissiped /'fɪsɪped/ (zool.) a. e n. fissipede ‖ **fissipedal** a. fissipede.

fissure /'fɪʃə(r)/ n. **1** fessura; fenditura; spaccatura: (geol.) **f. vein**, vena di fessura **2** crepa; screpolatura.

to fissure /'fɪʃə(r)/ Ⓐ v. t. fendere; spaccare Ⓑ v. i. fendersi.

fist /fɪst/ n. **1** pugno: He shook his f. at me, agitò il pugno contro di me **2** (fam.) mano: Give me your f.!, qua la mano! **3** (fam., scherz.) scrittura; calligrafia: I know his f., conosco la sua scrittura **4** → **fistful** ● (fam.) **to make a f. of** (o **at**) **st.**, fare bene qc.; riuscire in qc.

to fist /fɪst/ v. t. **1** (spec. sport) colpire col pugno **2** afferrare; stringere.

fisted /'fɪstɪd/ a. (nei composti) dai pugni; dalle mani: **ham-f.**, dalle mani di ricotta (fam.); maldestro.

to fist-fuck /'fɪstfʌk/ v. t. (volg.) penetrare (q.) col pugno.

fistful /'fɪstfʊl/ n. manciata; pugno.

fistic /'fɪstɪk/, **fistical** /'fɪstɪkl/ a. (sport) (arc. o scherz.) pugilistico.

fisticuffs /'fɪstɪkʌfs/ n. pl. (antiq.) scazzottatura.

fistula /'fɪstjʊlə/ n. (pl. **fistulas**, **fistulae**) **1** (med.) fistola **2** (vet.) guidalesco ‖ **fistular**, **fistulous** a. fistoloso.

fit① /fɪt/ a. **1** adatto; atto; appropriato; idoneo; conveniente; opportuno; giusto; degno: He is not fit for that job, non è idoneo a quel lavoro; It isn't fit that you should still be dependent on your parents, non è giusto che tu sia ancora a carico dei tuoi genitori; **a fit title for a book**, un titolo appropriato per un libro; I'm not fit for marriage, non sono fatto per il matrimonio; **fit to eat**, commestibile; mangiabile; **fit for nothing**, buono a nulla **2** in forma; in buona salute: **to keep** [**to feel**] **fit**, tenersi [sentirsi] in forma **3** in condizione (di); in grado (di); pronto (a, per): **to be fit for work** [**travel**], essere in condizione di lavorare [in grado di viaggiare]; He's not fit to drive, non è in condizione di guidare; **not fit to be seen**, in condizioni non presentabili (malconcio, sporco,

ecc.) ● (fam.) **fit as a fiddle** (o **as a flea**), in ottima salute; sano come un pesce □ **fit for a king**, degno di un re; da re □ **as you think fit**, come meglio credi □ **to be fit to drop**, crollare dalla stanchezza □ **to laugh fit to burst**, crepare dal ridere.

fit② /fɪt/ n. **1** adattamento; (ling.) adeguamento **2** (mecc.) accoppiamento; aggiustaggio **3** (sartoria) misura; taglia; **a slightly tight fit**, una misura (o taglia) un po' stretta; **to be a perfect fit**, andare a pennello.

fit③ /fɪt/ n. **1** accesso; attacco; parossismo; convulso: **a fainting fit**, uno svenimento; **a fit of coughing** (o **a coughing fit**), un accesso di tosse; **a fit of laughter**, un convulso di riso; **fits of depression**, attacchi di depressione **2** (med.) convulsione; attacco (di convulsioni): **epileptic fit**, convulsione epilettica; attacco epilettico; **to fall down in a fit**, avere un attacco di convulsioni **3** scatto; scoppio; slancio; impeto; accesso: **a fit of anger**, uno scatto d'ira; **a fit of generosity**, uno slancio di generosità **4** (fam.) – the fit, capriccio; ticchio: **if the fit takes me**, se mi salta il ticchio ● **by** (o **in**) **fits and starts**, a sbalzi; a scatti; a singhiozzo; in modo irregolare □ (fam.) **to give sb. a fit** (o **the fits**), far venire un colpo (o un accidente) a q. (fam.) □ (fam.) **to have** (o **to throw**) **a fit**, infuriarsi; fare una scenata; dar fuori di matto (fam.): He'll have a fit when he finds out, farà una scenata quando se ne accorge! (fam.) **to have sb. in fits**, far morire dal ridere q. □ (fam.) **to throw a fit** = **to have a fit** → sopra ❶ FALSI AMICI • **fit** non significa fitta ❶ NOTA D'USO • Per la condizione medica oggi si preferisce **seizure**.

♦**to fit** /fɪt/ Ⓐ v. t. **1** essere della misura (o della forma) giusta per; andare bene con; andare bene a (q.); adattarsi a; entrare in: This key doesn't fit the lock, questa chiave non va bene con la serratura; This dress fits me, but I don't like the colour, questo vestito come misura mi va bene, ma non mi piace il colore; It fits the hole exactly, entra perfettamente nel foro; **to fit badly**, non andare bene; non essere della misura giusta **2** rendere idoneo (o adatto): That experience fitted him for the mission, quell'esperienza lo aveva reso adatto per la missione **3** accordarsi con; concordare con; collimare con; corrispondere a: His story doesn't fit the facts, il suo racconto non concorda con i fatti; I'm sorry but nothing fitting that description has been handed in here, mi dispiace ma non hanno riportato niente che corrisponda alla sua descrizione **4** fornire; dotare; munire; provvedere **5** (anche mecc.) montare; installare; mettere; adattare: **to fit a new lock**, mettere una serratura nuova **6** (anche mecc.) aggiustare; far combaciare; incastrare **7** (sartoria) mettere (un abito) in prova; provare (un indumento) Ⓑ v. i. **1** (di indumento) essere della taglia giusta; andare bene: How do they fit?, vanno bene? **2** (di scarpa) essere del numero giusto; andare bene; calzare: These shoes fit like a glove, queste scarpe calzano come un guanto (o mi vanno a pennello) **3** inserirsi; entrare; stare: The dishwasher fits under the sink, la lavapiatti si inserisce sotto il lavandino; See if this box fits into that drawer, vedi se questa scatola ci sta in quel cassetto **4** essere adatto ● (fam.) **to fit the bill**, andar bene; essere quello che ci vuole; fare al caso di q. □ **to make st. fit**, adattare, adeguare qc. □ **to make the punishment fit the crime**, adeguare la pena al reato □ (fam.) **His face doesn't fit**, non è adatto al posto; ci stona □ (prov.) **If the cap fits, wear it**, a buon intenditor poche parole.

▪ **fit in** Ⓐ v. i. + avv. **1** inserirsi; ambientarsi; integrarsi; ingranare (fam.): I don't fit in with my new colleagues, non ingrano con i

nuovi colleghi **2** accordarsi, concordare; armonizzarsi; quadrare (fig.): My plans don't fit in with yours, i miei progetti non s'accordano con i tuoi Ⓑ v. t. + avv. **1** infilare; inserire; far entrare; far stare: I cannot fit in anything else in this bag, non riesco a infilare nient'altro in questa borsa **2** far coincidere: Try and fit your holidays in with mine, cerca di fare coincidere le tue vacanze con le mie **3** inserire (in un elenco): The dentist can fit you in this morning, il dentista la può ricevere stamattina **4** far entrare (in un programma); includere; trovare il tempo per: We managed to fit in a visit to the zoo, siamo riusciti a trovare il tempo per una visita allo zoo **5** (falegn., mecc.) inserire; alloggiare; incassare; incastrare.

▪ **fit on** v. t. + avv. **1** mettere a posto; adattare: **to fit on a lid**, adattare un coperchio **2** provarsi (un abito, ecc.).

▪ **fit out** v. t. + avv. **1** attrezzare; equipaggiare: **to fit out a ship**, equipaggiare una nave **2** arredare.

▪ **fit up** v. t. + avv. **1** (anche mecc.) montare; installare **2** fornire; mettere; provvedere **3** adattare; trasformare: We had to fit up the dining room as a spare bedroom, dovemmo adattare la stanza da pranzo a camera da letto d'emergenza **4** (slang GB) falsificare prove contro (q.); incastrare: They fitted him up for the bank robbery, lo incastrarono con prove false per la rapina alla banca **5** → **fit out**, def. 1.

fitch /fɪtʃ/ n. **1** (zool., Mustela putorius) puzzola (**2** = **f. fur**) pelo di puzzola: (pitt.) **f. brush**, pennello di pelo di puzzola.

fitful /'fɪtfl/ a. irregolare; intermittente; a sprazzi; saltuario; incostante: **f. sleep**, sonno intermittente; sonno agitato; **f. sunshine**, sole a sprazzi; **to spend a f. night**, passare una notte senza dormire o quasi | **-ly** avv. | **-ness** n. ▣.

fitly /'fɪtlɪ/ avv. convenientemente; appropriatamente; in modo adatto.

fitment /'fɪtmənt/ n. **1** (spec. al pl.) articolo d'arredamento; mobile; attrezzatura; apparecchiatura: **kitchen fitments**, mobili da cucina; **shower f.**, apparecchiatura per doccia **2** installazione; montaggio; sistemazione.

fitness /'fɪtnəs/ n. ▣ **1** appropriatezza; idoneità: **his f. for this job**, la sua idoneità a questo lavoro **2** (= **physical f.**) forma (fisica): **to attain peak f.**, raggiungere la perfetta forma: **lack of f.**, mancanza di forma; scarsa forma **3** (genetica) fitness ● **f. centre**, centro benessere □ **f. freak**, fanatico della forma.

fit-out /'fɪtaʊt/ n. **1** equipaggiamento; attrezzatura; arredo **2** corredo; abbigliamento; capi (pl.) di vestiario.

fitted /'fɪtɪd/ a. attrezzato; equipaggiato; dotato; munito: **f. with**, attrezzato con; dotato (o munito) di **2** (di mobile, ecc.) fatto su misura; incassato; a muro; incorporato: **f. wardrobe**, armadio a muro; **f. sink unit**, lavello incorporato **3** (di abito) aderente; attillato: **f. bodice**, corpetto attillato **4** (di persona) adatto; idoneo: He is f. to play the part of Romeo, è adatto a fare la parte di Romeo ● (GB) **f. carpet**, moquette (franc.) □ **f. kitchen**, cucina modulare □ **f. sheet**, lenzuolo con angoli elasticizzati.

fitter /'fɪtə(r)/ n. **1** (mecc.) installatore; montatore; **engine f.**, montatore di macchine; **gas f.**, installatore di impianto a gas **2** (sartoria) tagliatore; (anche) addetto alla prova.

fitting① /'fɪtɪŋ/ n. ▣ **1** (sartoria) prova: **f. room**, sala di prova (di sartoria); camerino di prova (di negozio) **2** montaggio; installazione; posa in opera **3** (tecn.) raccordo: **pipe fittings**, raccordi per tubazioni; raccorderia **4** (di solito al pl.) accessorio; arredo; mobi-

le: **light f.**, (punto) luce; **bathroom fittings**, arredi per bagno; **office fittings**, mobili per ufficio; **fixtures and fittings**, impianti fissi e arredi **5** (*di solito al* pl.) rifinitura: **brass and walnut fittings**, rifiniture in ottone e noce **6** (*spec. GB*) (*di abito, ecc.*) misura; taglia **7** (*stat.*) perequazione ● (*naut.*) **f.-out**, allestimento; armamento □ (*mecc.*) **f. shop**, officina (*o reparto*) di montaggio.

fitting ② /'fɪtɪŋ/ a. **1** appropriato; adatto; adeguato; conveniente; giusto; opportuno; confacente; degno: **a f. punishment**, una punizione adatta; **a f. end to a great career**, la giusta (*o degna*) conclusione di una grande carriera; **I don't think it f. for you to mention it**, non mi sembra opportuno che tu ne parli **2** (*nei composti*) – **ill-f.**, che non si adatta; che non è della misura giusta; **close f.** (*o tight-f.*), attillato; aderente; **a badly f. window**, una finestra che si chiude male.

fittingly /'fɪtɪŋlɪ/ avv. → **fitly**.

fittingness /'fɪtɪŋnəs/ n. □ adeguatezza; giustezza; convenienza; appropriatezza.

fit-up /'fɪtʌp/ n. **1** (*teatr.*) scenario mobile **2** (*slang GB*) (l')incastrare; trappola; montatura ● (*teatr.*) **fit-up company**, compagnia di prosa itinerante; compagnia di giro.

FIV sigla (*vet.*, **feline immunodeficiency virus**) virus dell'immunodeficienza felina.

♦**five** /faɪv/ A a. **1** cinque: **f. days a week**, cinque giorni alla settimana; **f. pounds**, cinque sterline; **a f.-pound note**, un biglietto da cinque sterline **2** (*pred.*) (*di persona*) che ha cinque anni: **when I was f.**, quando avevo cinque anni B n. □ **1** cinque (*anche l'ora, la carta da gioco*) **2** (*sport*) squadra di basket **3** (*fam.*) banconota da cinque sterline (*o da cinque dollari*) **4** (*slang USA*) mano; cinque (*pop.*): **Give me f.!**, qua la mano!; dammi un cinque! ● (*sport*) **f.-a-side**, calcio a cinque; calcetto □ (*fam. USA*) **f.-alarm**, (*di incendio*) furioso, grave; (*fig.*) di gran successo, straordinario, emozionante; (*di cibo*) molto piccante, infuocato □ (*slang USA*) **f.-and-dime** (*o* **f.-and-ten**, *o* **f.-cent store**), negozio che vende articoli vari a poco prezzo □ **f.-day week**, settimana corta □ (*mat.*) **f.-figure number**, numero di cinque cifre □ **f.-finger**, (*zool.*, *Echinaster, Asteria, ecc.*) stella di mare; (*bot.*, *Potentilla reptans*) pentafillo; (*Primula elatior*) primavera maggiore; (*Lotus corniculatus*) ginestrino □ (*slang USA*) **f.-finger discount**, atto di taccheggio; piccolo furto: **I got myself a f.-finger discount on it**, l'ho sgraffignato; l'ho rubato □ **f.-finger exercise**, (*mus.: al pianoforte*) esercizio per le cinque dita; (*fig.*) gioco da ragazzi, passeggiata (*fig.*) □ (*fam.*) **f. o'clock shadow**, ombra pomeridiana della barba □ **f. o'clock tea**, tè delle cinque □ (*poker*) **f. of a kind**, superpoker, pokerissimo (*quattro carte uguali più un jolly*) □ **f. pence** (*piece*), moneta di cinque penny □ (*fin.*) **f.-per-cents**, azioni al cinque per cento □ (*slang USA*) **f.-percenter**, intrallazzatore che prende una tangente del cinque per cento; (*polit.*) lobbista, faccendiere □ (*fam. USA*) **f. spot**, biglietto da cinque dollari □ (*tur.*) **f.-star**, (*o a cinque stelle; di lusso*) (*sport*) **the 5,000-metre run** (*o the* **5,000 metres**), i cinquemila □ (*econ.*) **f.-year plan**, piano quinquennale □ (*fam.*) **to take f.**, fare cinque minuti di pausa; fare uno stacco.

fivefold /'faɪvfəʊld/ A a. **1** quintuplo: **a f. increase**, un aumento del quintuplo **2** quintuplice B avv. (di) cinque volte.

to **five it** /'faɪvɪt/ vc. verb. (*slang USA*) = **to take the Fifth (Amendment)** sotto → **fifth**.

fivepence /'faɪfpəns/ n. □ cinque penny (*il valore*): **a f. piece**, una moneta di cinque penny.

fivepenny /'faɪfpənɪ/ a. attr. che vale (*o costa*) cinque penny.

fiver /'faɪvə(r)/ n. (*fam.*) **1** (*GB*) banconota da cinque sterline **2** (*USA*) banconota da cinque dollari.

fives /faɪvz/ n. □ (*sport, GB*) palla a muro, pallamuro (*praticato spec. nei college di Eton e di Rugby*).

fivescore /'faɪvskɔː(r)/ a. e n. (*arc.*) cento.

fivesome /'faɪvsʌm/ n. gruppo di cinque; quintetto.

fix /fɪks/ n. **1** (*aeron., naut.*) posizione; punto rilevato; (*naut.*) punto nave **2** (*fam.*) situazione difficile (*o imbarazzante*); difficoltà; pasticcio; imbroglio: **to be in** [**to get (oneself) into**] **a fix**, essere [mettersi] in un pasticcio (*o nei guai*); **to get sb. out of a fix**, tirare q. fuori dai guai **3** (*fam.*) soluzione; riparazione; aggiustatura: **a quick fix to our problem**, una soluzione rapida del nostro problema; (*comput.*) **bug fix**, riparazione di un baco **4** (*slang*) evento (*incontro sportivo, elezione, ecc.*) truccato; imbroglio: **The match was a fix**, l'incontro era truccato **5** (*slang*) dose di droga; buco, pera (*pop.*) ● **to get a fix on st.**, (*naut., aeron.*) determinare la posizione di qc.; (*fig. fam.*) farsi un'idea chiara di qc.; capire com'è fatto qc.

♦to **fix** /fɪks/ A v. t. **1** fissare; attaccare: **to fix a bookcase to the wall**, fissare una libreria al muro; **to fix st. in place** (*o in position*), fissare qc. al suo posto **2** fissare; fermare: **to fix one's eyes on st.**, fissare gli occhi su qc.; **to fix a name in one's mind**, imprimersi un nome nella mente **3** attirare; attrarre; concentrare: **to fix sb.'s attention**, attirare l'attenzione di q. **4** fissare; stabilire; determinare: **to fix an appointment**, fissare un appuntamento; **to fix a date** [**prices**], fissare una data [prezzi] **5** accomodare; aggiustare; riparare: **to fix a broken machine**, riparare una macchina guasta; **Has anyone come to fix your computer?**, è venuto qualcuno ad aggiustarti il computer? **6** (*fam.*) sistemare; mettere in ordine: **He's already fixed everything**, ha già sistemato tutto lui; **If you want to meet him, I can fix it**, se vuoi incontrarlo, posso occuparmene io; **to fix one's hair**, mettersi in ordine (*o sistemarsi*) i capelli; **to fix one's face**, sistemarsi (*o rifarsi*) il trucco **7** (*fam. USA*) preparare: **to fix lunch**, preparare il pranzo; **Can I fix you a drink?**, posso darti qualcosa da bere? **8** (*biol., fotogr.*) fissare **9** (*fam., eufem.*) sistemare; mettere a posto; conciare (*fam.*): **I'm going to fix him!**, lo sistemo io, quello! **10** (*fam.*) comprare (*il risultato di un'elezione, una gara, ecc.*); truccare; comprare la vittoria in: **to fix the vote**, truccare le votazioni; **to fix a judge**, corrompere un giudice **11** (*fam. USA*) sterilizzare (*un animale*) **12** (*slang*) narcotizzare B v. i. **1** fissarsi; diventare solido **2** (*fam. USA*) avere intenzione; progettare: **I'm fixing to go abroad**, ho intenzione d'andare all'estero **3** fermarsi, stabilirsi (*in un posto*) **4** (*slang*) drogarsi; bucarsi (*pop.*) ● **to fix one's affection on sb.**, riporre il proprio affetto in q. □ (*naut.*) **to fix the position**, orientarsi; fare il punto □ (*mil.*) **to fix bayonets**, inastare la baionetta; **Fix bayonets!**, baionetta in canna! □ **to fix the blame on sb.**, dare la colpa a q. □ (*econ.*) **to fix a ceiling price for st.**, calmierare qc. □ **to fix a quota for st.**, contingentare qc.

■ **fix on** v. i. + prep. **1** (*di occhi, sguardo, ecc.*) fissarsi su **2** fissare; stabilire; scegliere: **We've fixed on May 5th for the general meeting**, abbiamo fissato per la riunione generale il 5 maggio.

■ **fix up** v. t. + avv. **1** → **to fix**, *def. 5 e 6* **2** procurare (a q.); trovare (a q.): **to fix sb. up with st.**, procurare qc. a q.; **He fixed me up with something to eat**, mi preparò qualcosa da mangiare; **Can you fix me up with a bed for the night?**, puoi sistemarmi (*o darmi da*)

dormire) per questa notte? **3** sistemare; preparare: **to fix up the spare room**, sistemare la camera degli ospiti; **I've fixed everything up for you!**, per te, ho provveduto (*o sistemato tutto*) io!; **to fix oneself up**, sistemarsi.

■ **fix upon** v. i. + prep. → **fix on**.

fixable /'fɪksəbl/ a. **1** riparabile; aggiustabile **2** fissabile.

to **fixate** /fɪk'seɪt/ A v. t. **1** fissare **2** (*spec. USA*) fissare (*l'occhio, l'attenzione, ecc.*) B v. i. **1** fissarsi **2** fissare lo sguardo **3** (*psic.*) fissarsi; avere delle fissazioni.

fixated /fɪk'seɪtɪd/ a. pred. (*psic.*) fissato: **to become f. on st.**, fissarsi su qc.; sviluppare una fissazione per qc.

fixation /fɪk'seɪʃn/ n. **1** □ fissazione; fissaggio; consolidamento; solidificazione **2** (*biol.*) fissazione: **nitrogen f.**, fissazione dell'azoto **3** (*psic.*) fissazione; mania; idea fissa (*o ossessiva*); ossessione **4** □ (*psic.*) arresto dello sviluppo.

fixative /'fɪksətɪv/ A a. fissativo; che serve a fissare (*colori, ecc.*) B n. **1** (*chim., med., pitt.*) fissativo: **denture f.**, fissativo per dentiere **2** (*cosmesi, microscopia*) fissativo.

♦**fixed** /fɪkst/ a. **1** fissato: *The carpet is f. to the floor*, la moquette è fissata al pavimento; **securely f.**, fissato saldamente; **to become f.**, fissarsi **2** fisso; fermo; immobile; immutabile: **a f. purpose**, un fermo proposito; **a f. idea**, un'idea fissa; **a f. stare**, uno sguardo fisso; **f. rules**, regole fisse; **a f. smile**, un sorriso fisso (*o immobile*); *His words are f. in my mind*, ho le sue parole fisse in testa **3** fissato; deciso; stabilito: **at the f. time**, all'ora stabilita; *The date is f. and can't be changed*, la data è fissata e non può essere cambiata **4** (*fam.*) sistemato; messo (*fam.*): *I'm not sure how I'm f. this weekend*, non so bene come sono messo per il fine settimana; *How are you f. for money?*, come sei messo (*o come stai*) a soldi? **5** (*psic.*) fisso: **a f. idea**, un'idea fissa **6** (*fin., rag.*) fisso: **f. assets**, attività fisse; immobilizzazioni; immobili e impianti; **f. depreciation** [**exchange rate, income, interest**], ammortamento [tasso di cambio, reddito, interesse] fisso; **f. parity**, parità fissa; **f. prices**, prezzi fissi **7** (*econ.*) fisso; costante: **f. capital**, capitale fisso; **f. supply**, offerta costante; **f. costs**, costi fissi (*o costanti*) **8** (*chim.*) fisso; non volatile: **f. oils**, oli fissi **9** (*fam.: di partita, ecc.*) truccato ● (*econ.*) **f. allowance**, razione □ (*fin.*) **f. debenture**, obbligazione con garanzia specifica (*su un immobile ipotecato*) □ (*fin.*) **f. debt**, debito consolidato □ (*banca*) **f. deposit**, deposito vincolato □ (*comput.*) **f. disk**, disco fisso □ (*fotogr.*) **f. focus**, fuoco fisso □ (*leg.*) **f. penalty**, ammenda (*pena pecuniaria*) □ **f. point**, (*fis.*) punto fisso termometrico; (*comput.*) virgola fissa □ (*miss.*) **f. satellite**, satellite fisso □ (*astron.*) **f. star**, stella fissa □ **f.-term appointment** [**job**], nomina [lavoro] a tempo determinato □ (*aeron.*) **f.-wing**, ad ala fissa.

fixedly /'fɪksɪdlɪ/ avv. fissamente; in modo fisso.

fixedness /'fɪksɪdnəs/ n. □ fissità (*dello sguardo, ecc.*); immobilità; stabilità.

fixer /'fɪksə(r)/ n. **1** intrallazzatore; faccendiere **2** mediatore; negoziatore **3** (*chim., fotogr.*) fissatore ● (*fam. USA*) **f.-upper**, casa che ha bisogno di ristrutturazione.

fixing /'fɪksɪŋ/ A n. **1** □ fissazione: **price f.**, fissazione dei prezzi **2** □ (*mecc., chim., fotogr.*) fissaggio **3** □ (*fin.*) fixing, quotazione ufficiale (*dell'oro, del dollaro, ecc.*); riunione per la fissazione **4** □ (*GB*) viti, bulloni, ecc., per fissaggio **5** (*al pl.*) (*cucina, USA*) ingredienti **6** (*al pl.*) (*cucina, USA*) contorno, contorni **7** (*al pl.*) (*USA*) accessori B a. (*tecn.*) fissatore; di fissaggio ● (*chim.*) **f. agent**, fissatore; (*ind. tess.*) **f. bath**, bagno

fissatore; (*mecc.*) **f. screw**, vite di fissaggio.

fixit, **fix-it** /ˈfɪksɪt/ n. (*fam.*) **1** riparazione; aggiustatura **2** rimedio; soluzione **3** – **Mr F.**, persona capace di risolvere ogni problema; aggiustatutto.

fixity /ˈfɪksətɪ/ n. ⓤ **1** fissità (*dello sguardo, ecc.*) **2** fermezza; determinazione; costanza.

fixture /ˈfɪkstʃə(r)/ n. **1** impianto fisso; installazione: **bathroom fixtures**, impianti per stanze da bagno; **fixtures and fittings**, impianti fissi e arredi **2** (al pl.) (*leg.*) immobili per destinazione; pertinenze **3** (*sport, GB*) avvenimento (*gara, incontro, ecc.*) del calendario sportivo: **Premier League f.**, partita di Premier League; *The race is an annual f.*, la corsa si svolge regolarmente ogni anno; **f. list**, calendario (degli incontri) **4** (*fam.*: *di persona o oggetto*) presenza fissa; istituzione **5** (*mecc.*) dispositivo di fissaggio.

fizgig /ˈfɪzgɪg/ n. **1** (*Austral., slang*) informatore; delatore **2** (*arc.*) ragazza leggera (*o* volubile); farfallina (*fig.*).

fizz /fɪz/ n. ⓤ **1** (*di bevanda*) effervescenza; frizzante; bollicine (pl.) **2** (*fam.*) vino effervescente; spumante; champagne **3** (*fig.*) effervescenza; esuberanza **4** sibilo; sfrigolio.

to **fizz** /fɪz/ v. i. **1** (*del vino*) spumeggiare; essere effervescente **2** sibilare; sfrigolare.

fizzer /ˈfɪzə(r)/ n. (*fam., Austral.*) cosa deludente; delusione; fiasco; bidone (*fam.*).

fizzle /ˈfɪzl/ n. ⓤⓒ **1** sibilo; sfrigolio **2** (*fam.*) fiasco; delusione.

to **fizzle** /ˈfɪzl/ v. i. sibilare; sfrigolare.

▪ **fizzle out** v. i. + avv. (*fam.*) ridursi a poco a poco; esaurirsi; finire in nulla; *After a promising start, the film fizzles out*, dopo un inizio promettente il film si ammoscia e delude.

fizzy /ˈfɪzɪ/ a. (*di bevanda*) frizzante; effervescente; gassato ‖ **fizziness** n. ⓤ effervescenza.

fjord /ˈfjɔːd/ n. (*geogr.*) fiordo.

FL abbr. (*USA*, **Florida**) Florida.

fl, **f.** abbr. **1** (**fluid**) liquido (agg.): **7 fl oz**, sette once liquide **2** (**floor**) piano (*di edificio*) **3** (*lat. floruit*) fiorito (*fig.*); vissuto: **Thomas Paris, fl. c. 1250**, Thomas Paris, vissuto intorno al 1250.

flab /flæb/ n. ⓤ (*fam. spreg.*) grasso; flaccido; ciccia; trippa.

to **flabbergast** /ˈflæbəgɑːst/ v. t. (*fam.*) sbalordire; lasciare allibito; far rimanere a bocca aperta.

flabbergasted /ˈflæbəgɑːstɪd/ a. sbalordito; allibito: **to be f.**, restare sbalordito; allibire; rimanere a bocca aperta.

flabby /ˈflæbɪ/ a. **1** (*rif. al corpo*) flaccido; floscio; cascante: **f. flesh**, carne floscia **2** fiacco; molle; debole | **-ily** avv. | **-iness** n. ⓤ.

flaccid /ˈflæksɪd, ˈflæsɪd/ a. **1** flaccido; floscio **2** fiacco; debole; irresoluto ‖ **flaccidity** n. ⓤ **1** flaccidità; flaccidezza **2** fiacchezza.

flack① /flæk/ n. (*fam. USA*) agente pubblicitario; addetto stampa; pierre.

flack② /flæk/ → **flak**.

to **flack** /flæk/ v. i. e t. (*fam. USA*) fare pubblicità (a); promuovere.

flackery /ˈflækərɪ/ n. ⓤ (*fam. USA*) attività promozionale; pubblicità.

flacon /ˈflækən/ (*franc.*) n. flacone.

♦**flag**① /flæg/ n. **1** bandiera; vessillo; stendardo: **national f.**, bandiera nazionale; **white f.**, bandiera bianca; **to hoist** (*o* **to run up**) **a f.**, issare una bandiera; **to lower a f.**, ammainare una bandiera; **to fly the Italian flag**, innalzare la bandiera italiana; (*naut.*) battere bandiera italiana; *He fought under the French f.*, combatté sotto la bandiera francese **2** bandierina (*per segnalazioni; anche sport*): **chequered f.**, bandierina a scacchi (*nelle gare autom.*); **hand f.**, bandierina per segnalazioni **3** (*naut.*) bandiera di ammiraglio: **to hoist** [**to strike**] **one's f.**, (*di ammiraglio*) assumere [lasciare] il comando **4** indicatore luminoso (*di taxi*) **5** coda (*di cervo, di cane setter o terranova, ecc.*) **6** (*giorn.*) testata **7** (*tipogr.*) pesce **8** (*comput.*) flag; indicatore **9** (*elettron.*) linguetta **10** (*marina mil.*) → **flagship** ● **f.-bearer**, portabandiera ◻ (*sport*) **f. boat**, battello attorno al quale si deve virare nelle regate ◻ (*naut.*) **f. bridge**, plancia ammiraglia ◻ (*marina mil.*) **f. captain**, comandante di bandiera; capitano di vascello con funzioni di capo di stato maggiore (*del comandante di una squadra navale*) ◻ (*aeron., naut.*) **f. carrier**, compagnia di bandiera ◻ (*in GB*) **f. day**, giorno in cui si vendono bandierine di carta per le strade a scopo di beneficenza ◻ (*in USA*) **F. Day**, anniversario dell'adozione della bandiera nazionale (*14 giugno 1777*) ◻ **f. display**, imbandieramento ◻ (*marina mil.*) **f. lieutenant**, aiutante di bandiera ◻ **f. maker**, bandieraio ◻ (*naut.*) **f. of convenience**, bandiera ombra; bandiera di comodo ◻ **f. of truce**, bandiera per parlamentare; bandiera bianca ◻ (*marina mil.*) **f. officer**, ammiraglio, vice-ammiraglio *o* contrammiraglio ◻ **f.-raising**, alzabandiera ◻ (*marina mil.*) **f. rank**, rango di ammiraglio ◻ **f. station**, stazione ferroviaria con fermata facoltativa (*su segnalazione con bandierina*) ◻ (*USA*) **f. stop**, fermata a richiesta (*di autobus*) ◻ (*mil.*) **f.-wagging**, segnalazioni con bandierine ◻ **f.-waver**, sciovinista ◻ **f.-waving**, l'agitare bandiere, sbandierata, sbandieramento; (*fig.*, sost.) sciovinismo, patriottismo emotivo; (agg.) sciovinistico ◻ **black f.**, bandiera nera; vessillo della pirateria; bandiera issata sulle prigioni dopo un'esecuzione capitale ◻ **yellow f.**, bandiera gialla (*di quarantena*) ◻ **to dip the f.**, abbassare la bandiera in segno di saluto; fare il saluto con la bandiera ◻ (*fig.*) **to fly the f.**, portare alta la bandiera ◻ (*fig.*) **to keep the f. flying**, tenere alta la bandiera ◻ **to show the flag**, (*di nazione, organizzazione, ecc.*) far sentire la propria presenza ◻ **to show the white f.**, alzare bandiera bianca; (*fig.*) arrendersi ◻ (*naut.*) **to strike the f.**, ammainare la bandiera (*in segno di resa o come saluto*).

flag② /flæg/ n. → **flagstone.**

flag③ /flæg/ n. (*bot.*) **1** (*Iris pseudacorus*) acoro falso (*e altre piante del genere Iris*) **2** foglia di queste piante.

flag④ /flæg/ n. penna remigante (*di uccello*).

to **flag**① /flæg/ **A** v. t. **1** segnare, segnalare, evidenziare (*con spunta, asterisco, ecc.*): *I've flagged the best passages*, ho segnato i brani migliori **2** (*fig.*) segnalare; sottolineare; attirare l'attenzione su **3** segnalare con bandierine **4** imbandierare; pavesare **B** v. i. (*sport*: *calcio, rugby, ecc.*: *del guardalinee*) alzare la bandierina.

▪ **flag down** v. t. + avv. **1** (*anche sport*) (far) fermare (*un'auto, ecc.*, segnalando con una bandierina o agitando un braccio) segnalando con una bandierina **2** fare segno a (*un taxi*) di fermarsi.

▪ **flag off** v. t. + avv. **1** (*sport*) dare il segnale di partenza (*con una bandierina*) a **2** dare il segnale di inizio a.

▪ **flag up** v. t. + avv. segnalare; richiamare l'attenzione su; evidenziare.

to **flag**② /flæg/ v. t. lastricare.

to **flag**③ /flæg/ v. i. **1** perdere le forze; vacillare; cedere **2** affievolirsi; calare; diminuire; languire; venir meno: *His interest flagged*, il suo interesse s'affievolì (*o* venne meno); *The conversation began to f.*, la conversazione cominciò a languire.

flagellant /ˈflædʒələnt/ a. e n. (*relig.*) flagellante.

flagellate /ˈflædʒəleɪt/ **A** n. (*zool.*) flagellato **B** a. → **flagellated**.

to **flagellate** /ˈflædʒəleɪt/ (*relig.*) v. t. flagellare ‖ **flagellation** n. ⓤ flagellazione.

flagellated /ˈflædʒəleɪtɪd/ a. (*scient.*) **1** flagellato **2** flagelliforme.

flagellum /fləˈdʒeləm/ n. (pl. ***flagella***, ***flagellums***) (*bot., zool.*) flagello.

flageolet /flædʒəˈlet/ n. (*mus.*) **1** flagioletto **2** zufolo.

flagged /flægd/ a. (*edil.*) lastricato.

flagging① /ˈflægɪŋ/ **A** a. che si indebolisce; vacillante; calante; in calo: **f. hopes**, deboli speranze; **f. popularity**, popolarità in calo; (*econ.*) **f. demand**, domanda in calo **B** n. ⓤ indebolimento; affievolimento; (il) venir meno; diminuzione.

flagging② /ˈflægɪŋ/ n. ⓤ imbandierata.

flagging③ /ˈflægɪŋ/ n. **1** ⓤ lastricatura **2** lastrico; lastricato; pietre da lastrico.

flagitious /fləˈdʒɪʃəs/ a. infame; malvagio; odioso; scellerato ‖ **flagitiousness** n. ⓤ infamia; malvagità; scelleratezza.

flagman /ˈflægmən/ n. (pl. ***flagmen***) **1** (*ferr.*) segnalatore (*ai passaggi a livello, ecc.*) **2** (*sport*) segnalatore (*nelle corse*); starter **3** (*topogr.*) addetto alla stadia.

flagon /ˈflægən/ n. **1** caraffa; brocca, bricco (*di solito con coperchio e manico*) **2** bottiglione.

flagpole /ˈflægpəʊl/ n. asta della bandiera; pennone ● (*fam.*) **to run st. up a f.** (**to see who salutes it**), proporre qc. (*un'idea, ecc., per saggiare le reazioni*); saggiare qc.

flagrancy /ˈfleɪgrənsɪ/ n. ⓤ flagranza.

flagrant /ˈfleɪgrənt/ a. flagrante; evidente; manifesto; palese: **a f. violation of the rules**, una flagrante violazione delle regole ‖ **flagrantly** avv. in modo flagrante; manifestamente; palesemente.

flagship /ˈflægʃɪp/ **A** n. **1** (*marina mil.*) (nave) ammiraglia **2** (*fig.*) elemento (*struttura, prodotto, ecc.*) principale (*di un'organizzazione, una società, ecc.*); fiore all'occhiello; vanto **B** a. attr. principale; più importante: **our f. industry**, la nostra industria più importante.

flagstaff /ˈflægstɑːf/ n. asta della bandiera.

flagstone /ˈflægstəʊn/ n. lastra di pietra; pietra da lastrico; (al pl., collett., *anche*) lastrico, lastricato.

flail /fleɪl/ n. **1** (*agric.*) correggiato **2** flagello; sferza; frusta.

to **flail** /fleɪl/ v. t. **1** flagellare; sferzare; frustare **2** agitare scompostamente; dimenare: **to f. one's arms**, agitare scompostamente le braccia **3** (*agric.*) battere (*il grano, ecc.*) con il correggiato.

▪ **flail about** (*o* ***around***) **A** v. i. + avv. agitarsi scompostamente; dibattersi; annaspare **B** v. t. + avv. → **to flail**, def. 2.

flair /fleə(r)/ n. ⓤ **1** abilità; talento; predisposizione; facilità: **artistic f.**, talento artistico; **natural f.**, abilità naturale; **business f.**, fiuto per gli affari; **to have a f. for languages**, avere una predisposizione per le lingue; **to have a f. with words**, saper usare le parole; saper parlare (*o scrivere*) bene; avere facilità di parola (*o* di scrittura) **2** stile; eleganza; originalità: **a man with f.**, un uomo che ha dello stile; **to dress with f.**, vestire con eleganza.

flak /flæk/ (*ted.*) n. ⓤ **1** (*mil.*) (artiglieria) (fuoco della) contraerea **2** (*fam.*) critiche (pl.) severe; attacchi (pl.): *He came in for a lot of f.*, fu bersagliato di critiche ● **f. jacket**, giubbotto antiproiettile.

flake① /fleɪk/ n. **1** scaglia; frammento: **soap flakes**, scaglie di sapone; **flakes of paint**, scaglie di vernice **2** fiocco, falda (*di*

neve) **3** (*alim.*) fiocco (*di cereale*): **oat flakes**, fiocchi d'avena **4** favilla **5** (*bot.*) garofano dai petali screziati **6** (*metall.*) flocculo; scaglia **7** (*plastica*) granulato **8** (*slang USA*) tipo bizzarro, stravagante; eccentrico; originale ● (*pitt.*) **f. white**, biacca olandese.

flake ② /fleɪk/ n. grata su cui seccare cibi (*pesce, ecc.*).

flake ③ /fleɪk/ n. → **fake (2)**.

to **flake** /fleɪk/ **A** v. i. **1** (*anche* **to f. off**) sfaldarsi; scrostarsi; (*di pelle*) squamarsi: *The paint is flaking off*, la vernice si sta scrostando **2** formare (*o coprirsi di*) scaglie **3** (*cucina*) dividersi in scaglie **B** v. t. **1** (*anche* **to f. off**) sfaldare; scrostare; squamare **2** (*cucina*) dividere in scaglie; sminuzzare **3** cospargere a fiocchi (*o a falde*) **4** coprire di scaglie.

■ **flake out** v. i. + avv. (*slang*) **1** crollare addormentato **2** crollare dalla stanchezza.

flaked /fleɪkt/ a. in scaglie: **f. almonds** [**soap**], mandorle [sapone] in scaglie.

flaky /ˈfleɪkɪ/ a. **1** a scaglie; scaglioso **2** (*geol.*: *di roccia*) lamellare; che si sfalda **3** (*fam. USA, di persona*) inaffidabile; strambo ● (*cucina*) **f. pastry**, pasta sfoglia.

flambé /flɑːmˈbeɪ/ (*franc.*) a. (*cucina*) flambé.

to **flambé** /flɑːmˈbeɪ/ (*franc.*) v. t. (*cucina*) cucinare alla fiamma.

flambeau /ˈflæmbəʊ/ (*franc.*) n. (pl. **flambeaux, flambeaus**) fiaccola; torcia.

flamboyance /flæmˈbɔɪəns/ n. Ⓤ vistosità; enfaticità; esuberanza.

flamboyant /flæmˈbɔɪənt/ a. **1** vistoso; enfatico; esuberante **2** coloratissimo; chiassoso; sgargiante **3** ornato; fiorito; baroccheggiante **4** (*archit.*: *di tardo stile gotico*) fiammeggiante.

flame /fleɪm/ n. **1** Ⓒ fiamma; fuoco; incendio: **naked f.**, fiamma libera; fiamma non protetta; **by candle f.**, alla fiamma di una candela; **the Olympic f.**, la fiamma olimpica: **to burst into** (*o* **to erupt in**) **flames**, prendere fuoco; incendiarsi; **to go up in flames**, andare a fuoco; **ball of f.**, palla di fuoco; **sheet of f.**, cortina di fuoco; fiammata **2** (*fig.*) fiamma; fiammata; vampata: **a f. of indignation**, una fiammata di sdegno; **a tiny f. of hope**, una fiammella di speranza **3** (*fig.*) fiamma; fuoco; ardore; passione **4** (*fig.*) fiaccola **5** (*fig.*) splendore, bagliore (*del tramonto, ecc.*) **6** (*comput.*) flame (*messaggio di posta elettronica aggressivo o offensivo*) ● (*mecc.*) **f. arrester**, tagliafuoco □ (*tecn.*) **f. cutting**, taglio con il cannello; ossitaglio □ **f. proof** (*o* **f. resistant**), ininfiammabile □ **f.-red**, rosso fiamma □ (*tecn.*) **f.-retardant**, ignifugo □ (*mil.*) **f.-thrower**, lanciafiamme □ (*tecn.*) **f.-trap**, tagliafiamme □ (*tecn.*) **f-welding**, saldatura autogena □ (*fig. fam.*) **to go down in flames**, fallire clamorosamente; fare fiasco □ **to fan the flames**, alimentare l'incendio; (*fig.*) soffiare sul fuoco □ **old f.**, vecchia fiamma (*fig.*).

to **flame** /fleɪm/ **A** v. i. **1** fiammeggiare; divampare **2** (*fig.*) fiammeggiare; mandare fiamme; rosseggiare: *Her eyes flamed with indignation*, gli occhi le fiammeggiavano di sdegno **3** (*fig., anche* **to f. up**) divampare, accendersi; infiammarsi; avvampare: *Longing flamed in him*, si accese in lui il desiderio; *Her cheeks flamed*, le sue guance si infiammarono **B** v. t. **1** flambare; esporre alla fiamma **2** (*poet., anche* **to f. up**) infiammare; eccitare **3** (*fig., anche* **to f. up**) accendere **4** (*comput.*) mandare a (q.) un messaggio di posta elettronica aggressivo o offensivo.

■ **flame out** v. i. + avv. **1** (*aeron.*: *di motore a getto*) perdere potenza per estinzione della fiamma **2** (*fam. USA*) fallire clamorosamente; perdere; essere battuto; fare fiasco.

flameless /ˈfleɪmləs/ a. senza fiamma.

flamen /ˈfleɪmən/ n. (*stor. romana*) flamine.

flameout /ˈfleɪmaʊt/ n. **1** (*aeron.*: *di motore a getto*) estinzione della fiamma e perdita di potenza **2** (*fam. USA*) fiasco; sconfitta.

flamer /ˈfleɪmə(r)/ n. (*comput.*) chi manda messaggi di posta elettronica aggressivi o offensivi.

flame-throwing, **flamethrowing** /ˈfleɪmθrəʊɪŋ/ a. (*mil.*) lanciafiamme: **flame-throwing tank**, carro armato lanciafiamme.

flaming /ˈfleɪmɪŋ/ **A** a. **1** (*anche fig.*) in fiamme; che brucia; che divampa; fiammeggiante: **a pool of f. petrol**, una chiazza di benzina in fiamme; **f. stars**, astri fiammeggianti; **f. cheeks**, guance in fiamme **2** ardente; appassionato; focoso: **a f. passion**, un'ardente passione **3** esagerato; eccessivo; entusiastico: **a f. description**, una descrizione entusiastica **4** furioso; furibondo: **a f. row**, una lite furibonda **5** (*di colore*) acceso; fiammeggiante; sgargiante: **f. hair**, capelli rosso fiamma; **f. red**, rosso acceso **6** (*slang*) maledetto; dannato (*oppure come rafforzativo generico*): *You f. idiot!*, maledetto idiota! **7** (*cucina*) alla fiamma **B** n. Ⓤ **1** (*tecn.*) sterilizzazione alla fiamma; flambaggio **2** (*comput.*) invio di messaggi di posta elettronica aggressivi o offensivi.

flamingo /fləˈmɪŋgəʊ/ n. (pl. **flamingos**, **flamingoes**) (*zool.*) fenicottero.

flammable /ˈflæməbl/ (*tecn.*) a. infiammabile ● **non-f.**, ininfiammabile || **flammability** n. Ⓤ infiammabilità.

flamy /ˈfleɪmɪ/ a. simile a fiamma; fiammeggiante.

flan /flæn/ n. **1** (*cucina*) flan; timballo; sformato **2** (*cucina*) torta salata; quiche (*franc.*); torta di frutta; tartina **3** dischetto metallico (*per coniare monete*); tondello.

Flanders /ˈflɑːndəz/ n. pl. (col verbo al sing.) (*geogr.*) (le) Fiandre.

flange /flændʒ/ n. **1** (*mecc.*) flangia **2** (*ferr.*: *di rotaia*) base; suola.

to **flange** /flændʒ/ v. t. (*mecc.*) flangiare; munire di flangia ● **flanged pipe**, tubo flangiato.

flanger /ˈflændʒə(r)/ n. (*elettron., mus.*) flanger.

flangeway /ˈflændʒweɪ/ n. (*ferr.*) gola (*di rotaia*).

flank /flæŋk/ n. **1** fianco; lato: **a horse's flanks**, i fianchi di un cavallo; **the f. of a mountain**, il fianco di una montagna; **f. wall**, muro laterale **2** (*mil.*) fianco: **the right f. of an army**, il fianco destro d'un esercito **3** (*mecc.*) fianco **4** (*costr. stradali*) ciglio (*della strada*) **5** (*macelleria*) soccoscio; noce; rosa.

to **flank** /flæŋk/ v. t. **1** (*di solito al passivo*) fiancheggiare: **a road flanked with** (*o* **by**) **trees**, una strada fiancheggiata da alberi **2** (*di solito al passivo*) essere di fianco a; scortare: *He was flanked by two bodyguards*, era scortato da due guardie del corpo **3** (*mil.*) proteggere il fianco di **4** (*mil.*) aggirare il fianco di.

flanker /ˈflæŋkə(r)/ n. **1** (*mil.*) fortificazione ai fianchi (*d'un esercito*) **2** (*mil.*) fiancheggiatore **3** (*sport: rugby*) flanker **4** (*sport: football americano*) = **wide receiver** → **wide 5** (*slang GB*) imbroglio; tiro; bidone (*fam.*).

flannel /ˈflænl/ **A** n. **1** Ⓤ (*ind. tess.*) flanella **2** (*GB*) salvietta (*per lavarsi*) **3** (al pl.) pantaloni di flanella (*spec. per il cricket, per andare in barca, ecc.*) **4** (*antiq. o USA*) mutande (*o maglia*) di flanella **5** Ⓤ (*fam. GB*) chiacchiere (pl.); aria fritta **6** Ⓤ (*fam. GB*) adulazioni (pl.); belle parole (pl.); svioli-

nata **B** a. attr. di flanella.

to **flannel** /ˈflænl/ **A** v. t. **1** (*fam. GB*) sviolinare; lisciare; imbonire **2** (*antiq.*) strofinare con un panno **B** v. i. (*fam. GB*) fare chiacchiere vuote.

flannelboard /ˈflænəlbɔːd/ n. pannello (*o lavagna*) di feltro (*come strumento didattico*).

flannelette /flænəˈlɛt/ n. Ⓤ flanella di cotone.

flannelgraph /ˈflænəlgrɑːf/ → **flannelboard**.

flannelled /ˈflænld/ a. che indossa pantaloni di flanella (*usati per il cricket o per andare in barca*); in tenuta da cricket.

flap /flæp/ n. **1** falda; lembo: **the f. of an envelope**, il lembo di una busta; **f. of skin**, lembo di pelle; **tent f.**, lembo di tenda **2** (*di cappello*) paraorecchie **3** (*di tasca*) risvolto; patta; aletta: (*sartoria*) **f. pocket**, tasca ad aletta **4** ribalta (*di tavolo*): **f. table**, tavolo a ribalta **5** sportello incernierato: **cat f.**, sportello per il gatto (*in una porta*) **6** (*di libro*) risvolto (*della sovracoperta*); bandella **7** (*mecc.*) cerniera (*di valvola, ecc.*): **f. valve**, valvola a cerniera **8** (*aeron.*) flap; ipersostentatore **9** battito, colpo (*d'ala e sim.*); (*di vela*) sbattere, schiocco (*di vela*) **10** (*ling.*) monovibrazione **11** (*fam.*) agitazione; trambusto: **to be in a f.** (**over st.**), essere agitato (*per qc.*); **to get in a f.**, agitarsi **12** (*slang mil.*) stato di allarme; allerta ● (*di cane, ecc.*) **f.-eared**, dalle orecchie penzoloni □ **storm f.**, falda contro la pioggia (*di tenda o indumento*).

to **flap** /flæp/ **A** v. t. **1** agitare; sbattere; sbatacchiare; battere: *The wind flapped the sails*, il vento agitava le vele; *The pigeon was flapping its wings*, il piccione batteva le ali; **to f. a hand**, agitare una mano **2** colpire (*con qc. di largo e piatto*); scacciare: **to f. away** (*o* **off**) **flies**, scacciare le mosche **B** v. i. **1** sbattere; sbatacchiare; (*di bandiera, anche*) garrire **2** sbattere le ali: **to f. around**, svolazzare **3** (*fam.*) agitarsi; essere nervoso ● (*fam. USA*) **to f. one's chops** (*o* **jaws, lips**), chiacchierare; blaterare.

flapdoodle /ˈflæpduːdl/ n. Ⓤ (*fam. USA*) sciocchezze (pl.); idiozie (pl.); balle (pl.) (*pop.*).

flapjack /ˈflæpdʒæk/ n. **1** (*USA*) frittella **2** (*GB*) biscotto dolce di farina d'avena, burro e frutta secca; biscotto di muesli **3** portacipria.

flappable /ˈflæpəbl/ a. (*fam.*) eccitabile; che perde la testa facilmente.

flapper /ˈflæpə(r)/ n. **1** (*fam. antiq.*) ragazza spregiudicata (*degli anni venti*); maschietta **2** paletta scacciamosche **3** raganella; spaventapasseri **4** (*zool.*) grossa pinna **5** (*zool.*) coda di crostaceo **6** (*zool.*) piccolo di pernice **7** patta o lembo che pende **8** (*slang, antiq.*) mano.

flapping /ˈflæpɪŋ/ n. Ⓤ **1** (*aeron.*) flappeggio **2** (*naut.*: *di vela*) sbattimento.

flare /fleə(r)/ n. **1** bagliore; chiarore improvviso; lampo: **the sudden f. of a searchlight**, l'improvviso lampo d'un riflettore **2** fiammata; vampa; (*ind. min.*) torcia (*fiamme di gas combusti*) **3** (*mil.*) razzo; bengala; segnale luminoso; fuoco di segnalazione: **to fire off** [**to light**] **flares**, sparare razzi [accendere fuochi] di segnalazione; **distress f.**, segnale (*luminoso*) di soccorso **4** (*fig.*) vampa; fiammata; scoppio: **a f. of anger**, una vampa d'ira **5** svasatura; (*moda, anche*) scampanatura: **the f. of a skirt**, la svasatura d'una gonna **6** (al pl.) pantaloni a zampa di elefante **7** squilli (pl.) (*di tromba, ecc.*); fanfara **8** (*mec.*) svasatura **9** (*naut.*) concavità (*della carena*) **10** (*astron.*) eruzione; brillamento: **solar f.**, eruzione (*o brillamento*) solare **11** (*med.*) infiammazione; arros-

samento; eritema ● (*aeron.*) **f. path**, pista illuminata (*per atterraggio di fortuna*) □ **f. gun** (*o* **pistol**), pistola lanciarazzi.

to flare /fleə(r)/ **A** v. i. **1** accendersi; prendere fuoco; divampare **2** illuminarsi; brillare; balenare **3** (*mil.*) far segnali con razzi **4** (*fig.*) accendersi; divampare; mandare lampi: *Anger flared in his eyes*, nei suoi occhi si accese un lampo d'ira; *Gang war flared*, divampò la guerra fra bande **5** infuriarsi **6** allargarsi; essere svasato; (*moda, anche*) essere scampanato: *The skirt flares below the knees*, la gonna è svasata sotto il ginocchio **7** dilatarsi: *His nostrils flared*, le sue narici si dilatarono **8** (*aeron.*) richiamare l'aereo in atterraggio **B** v. t. **1** far brillare, ardere, ecc. **2** (*mil.*) segnalare con razzi **3** svasare; (*moda, anche*) scampanare **4** dilatare (*le narici*).

■ **flare out** v. i. + avv. **1** allargarsi; essere svasato **2** infuriarsi; imprecare **3** → **flare**, **A**, *def. 8*.

■ **flare up** v. i. + avv. **1** → **to flare**, **A**, *def. 1 e 2* **2** arrabbiarsi; infiammarsi **3** (*di violenza, epidemia, ecc.*) scatenarsi; scoppiare; divampare **4** (*med.*) riacutizzarsi.

flare-back /'fleəbæk/ n. (*mil.*) ritorno di vampa (*di cannone*).

flared /fleəd/ a. **1** svasato; a corolla; (*moda, anche*) scampanato: **f. skirt**, gonna scampanata **2** (*di narice*) dilatato ● (*mus.*) **f. bell**, campana, padiglione (*di tromba, ecc.*).

flare-out /'fleəraʊt/ n. (*aeron.*) richiamata finale.

flare-up /'fleərʌp/ n. **1** fiammata; vampa **2** scoppio d'ira; lite, rissa **3** (*med.*) riacutizzazione.

flaring /'fleərɪŋ/ **A** a. **1** abbagliante; sfolgorante **2** sfarzoso; sgargiante; vistoso **3** (*naut.*) svasato: **f. bow**, prua svasata **B** n. ⓤ (*anche metall.*) svasatura.

flash ① /flæʃ/ n. **1** bagliore; lampo; baleno; sprazzo; fiammata; vampata: **a f. of lightning**, un lampo; un baleno **2** (*fig.*) lampo; baleno: **a f. of inspiration**, un lampo di ispirazione; *I caught a f. of red in the hedge*, colsi un lampo di rosso nella siepe **3** (*cinem.*) breve sequenza **4** ⓤⓒ (*fotogr.*) flash (*dispositivo o tecnica*): **f. bulb**, lampadina del flash; **f. photography**, fotografia col flash; **f. unit**, dispositivo per il flash; *I took this photo with f.*, ho fatto questa foto col flash **5** (*giorn.*) notizia lampo; flash (*di agenzia*) **6** chiazza di colore (*come decorazione o segno identificativo*) **7** (*mil. GB*) fiamma; mostrina **8** ⓤ ostentazione; sfoggio **9** (*chim.*) evaporazione rapida; flash **10** (*metall.*) bava; sbavatura **11** (*fam.*) breve occhiata **12** (*slang*) sensazione di euforia (*provocata dalla droga*); flash; rollata **13** (*slang USA*) esibizione dei genitali ● (*elettr.*) **f. barrier**, protezione antifiamma □ (*a scuola*) **f. card** = **flashcard** □ (*mil.*) **f. hider**, coprifiamma (*di cannone*) □ (*fig.*) **a f. in the pan**, un fuoco di paglia (*o* **comput.**) **f. memory**, memoria flash □ **f. point**, → **flashpoint** □ **f. suit**, tuta ignifuga □ (*mil.*) **f. suppressor**, inibitore di fiamma □ (*mecc.*) **f.-welding**, saldatura a scintillio □ **in a f.**, in un lampo; in un baleno □ (**as**) **quick as a f.**, veloce come un lampo.

flash ② /flæʃ/ a. **1** (*di piena, incendio, ecc.*) improvviso e violento **2** vistoso; chiassoso; appariscente **3** (*di persona, spreg.*) disinvolto e alla moda **4** (*fam. arc.*) della malavita; dei vagabondi ● (*fam. USA*) **f. check**, assegno a vuoto.

♦**to flash** /flæʃ/ **A** v. i. **1** balenare; brillare; lampeggiare; mandare lampi; (*di lampo*) guizzare: *Lightning flashed*, guizzavano i lampi; *His eyes flashed with anger*, gli occhi gli lampeggiavano d'ira **2** (*con avv. o prep.*) passare in un lampo; sfrecciare; saettare: *He flashed by* (*o past*) *on his motorbike*, sfrecciò davanti in moto; *An idea flashed*

through her mind, le balenò (in mente) un'idea; *My mind flashed back to our first meeting*, mi tornò subito in mente il nostro primo incontro **3** essere proiettato brevemente (*su uno schermo*); scorrere; passare (*di fiume*) ingrossarsi; (*di acqua*) precipitarsi **5** (*slang*) denudarsi in pubblico (*per dileggio o protesta*); mettere in mostra i genitali **B** v. t. **1** proiettare, gettare (*luce e sim.*); lampeggiare: **to f. a beam of light on st.**, proiettare (o gettare) un fascio di luce su qc.; (*autom.*) **to f. one's lights (at sb.)**, lampeggiare (a q.) **2** mandare, lanciare: **to f. a signal**, mandare un segnale, (luminoso); **to f. a smile [a glance] at sb.**, lanciare un sorriso [uno sguardo] a q. **3** mostrare con un gesto rapido; far balenare: *The cop flashed his badge*, il poliziotto mostrò (o fece balenare) il distintivo **4** (*fam.*) mettere in mostra; ostentare; sfoggiare: **to f. money about**, ostentare i propri soldi **5** proiettare brevemente (*su uno schermo*) **6** trasmettere, diffondere (*per telegrafo, radio, ecc.*) **7** (*ind. del vetro*) placcare; coprire (*il vetro*) d'uno strato vitreo d'altro colore **8** (*dell'acqua*) riempire (*un canale, ecc.*) **9** aprire le chiuse e riempire (*un canale, ecc.*) ● (*autom.*) **to f. one's lights (at sb.)**, lampeggiare (a q.).

■ **flash back** **A** v. i. + avv. **1** (*cinem., TV, letter.*) fare un flashback **2** (*fig.: della mente*) riandare, tornare di colpo (*al passato, ecc.*) **B** v. t. + avv. (*riportando il discorso diretto*) ribattere immediatamente.

flashback /'flæʃbæk/ n. **1** (*cinem., letter.*) scena retrospettiva; flashback **2** ricordo improvviso; flashback: *I had a sudden f. to my first trip abroad*, di colpo mi tornò in mente il mio primo viaggio all'estero **3** (*mecc.: dell'acqua*) ritorno di fiamma **4** (*med.*) ritorno di un'allucinazione (*da droga*).

flashboard /'flæʃbɔːd/ n. grembiale di coronamento (*di una diga*).

flashbulb /'flæʃbʌlb/ n. (*fotogr.*) lampadina per flash; lampada al magnesio.

flashcard /'flæʃkɑːd/ n. cartoncino didattico, cartella didattica (*recante una figura, un numero, ecc.*).

flashcube /'flæʃkjuːb/ n. (*fotogr.*) cubo per flash (*di plastica*); flash a cubo.

flasher /'flæʃə(r)/ n. **1** faro (*o boa*) a luce intermittente **2** (*elettr., autom.*) lampeggiatore **3** (*fotogr.*) lampo di magnesio **4** (*slang*) esibizionista; chi si denuda in pubblico.

flash-forward /'flæʃ'fɔːwəd/ n. (*cinem., TV, letter.*) flash-forward (*scena proiettata, o descritta, in anticipo*).

to flash-freeze /'flæʃfriːz/ v. t. (pass. *flash-froze*, p. p. *flash-frozen*) surgelare rapidamente.

flashgun /'flæʃgʌn/ n. (*fotogr.*) flash, lampeggiatore (*il supporto*).

flashily /'flæʃɪlɪ/ avv. vistosamente; pacchianamente.

flashiness /'flæʃɪnɪs/ n. ⓤ vistosità; chiassosità; appariscenza; pacchianeria.

flashing /'flæʃɪŋ/ **A** n. ① (*anche autom.*) lampeggiamento **2** (*elettr.*) scintillio **3** ⓤ improvviso aumento del livello dell'acqua in un canale **4** (*edil.*) scossalina; grembialina; fandale **5** ⓤ (*tecn.*) flashing **B** a. **1** lampeggiante; scintillante **2** (*autom.*) a intermittenza: **f. amber lights**, semaforo a intermittenza (o con lampeggio).

flashlight /'flæʃlaɪt/ n. **1** (*fotogr.*) lampo di magnesio **2** (*fotogr.*) flash **3** (*naut.*) luce intermittente (*di un faro, ecc.*) **4** (*spec. USA*) lampadina portatile; torcia elettrica.

flashover /'flæʃəʊvə(r)/ n. **1** (*elettr.*) flashover; scarica esterna **2** (*in un incendio*) incendio improvviso di tutti i materiali combustibili; flashover.

flashpoint /'flæʃpɔɪnt/ n. **1** (*chim.*) pun-

to (*o temperatura*) d'infiammabilità (*del vapore di un olio*); temperatura di ignizione **2** (*fig.*) punto critico; punto di crisi: **to reach a** (*o* **one's**) **f.**, arrivare a un punto critico; essere sul punto di esplodere **3** (*fig.*) punto caldo (*di una regione, ecc.*); focolaio di disordini.

flashy /'flæʃɪ/ a. appariscente; vistoso; chiassoso; sgargiante; pacchiano.

flask /flɑːsk/ n. **1** (*chim.*) matraccio; pallone **2** fiasco **3** fiasca; fiaschetta: **hip f.**, fiaschetta tascabile (*per liquore*); (*mil., stor.*) **powder f.**, fiasca per la polvere **4** boccetta, bottiglietta (*per profumo*) **5** (*GB*) thermos **6** (*metall.*) staffa.

♦**flat** ① /flæt/ **A** a. **1** piatto; liscio; piano; pianeggiante: **f. land**, terreno piatto (*o piano*); **f. country**, regione pianeggiante; **f. roof**, tetto piano; **f. feet**, piedi piatti; (*TV, ecc.*) **f. screen**, schermo piatto; *The sea was f.*, il mare era piatto **2** schiacciato; appiattito; disteso; piatto: **f. nose**, naso schiacciato (*o camuso*) **3** monotono; scialbo; piatto; noioso; insipido: **in a f. voice**, con voce monotona; **a f. speech**, un discorso noioso **4** (*di persona*) senza energia; demoralizzato; depresso; giù (*di corda*) **5** (*di costo, tariffa*) fisso; forfettario; unico; uniforme; flat: **f. rate**, importo fisso; tariffa forfettaria; tariffa fat; (*fin.*) rendimento uniforme; (*fisc.*) aliquota fissa (*o unica*) **6** netto; reciso; secco; puro e semplice; bell'e buono: **a f. denial**, un netto rifiuto; *That's f. nonsense*, questa è una sciocchezza pura e semplice; *And that's f.!*, e basta!; e non si discute! **7** (*econ., comm.*) fiacco; inattivo; in ristagno; rigido: **f. market**, mercato inattivo (*o in ristagno*) **8** (*di bevanda*) non più effervescente; sgassato; (*di vino*) svaporato: **to go f.**, perdere l'effervescenza; sgasarsi; svaporare **9** (*di pneumatico*) sgonfio; a terra **10** (*elettr.: di batteria*) scarico; a secco **11** (*posposto*) (*mus.*) bemolle: *D f.*, re bemolle **12** (*mus.: di voce, strumento*) sotto tono; non intonato **13** (*fam.*) senza un soldo; al verde; in bolletta **14** (*di vernice, colore*) opaco **15** (*di colore*) smorzato; uniforme **16** (*pitt.: di quadro, ecc.*) piatto; senza prospettiva **B** avv. **1** in posizione orizzontale; di piatto; disteso, piatto (agg.): (*fig.*) fare fiasco, fallire; **to lie f.**, essere disteso; essere adagiato; *This sheet won't lie f.*, questo foglio non vuole stare piatto; **to fold st. f.**, ripiegare e appiattire qc.; **to knock f.**, abbattere; atterrare; *I spread the map f. on the table*, spiegai la cartina sul tavolo **2** (*fam.*) nettamente; recisamente; categoricamente; seccamente; senza mezzi termini: **to refuse st. f.**, rifiutare recisamente qc.; *I told her f.*, gliel'ho detto chiaro e tondo (*o senza mezzi termini*) **3** (*fam.*) esattamente; precisamente; esatto, preciso, spaccato (agg.): **in ten seconds f.**, in dieci secondi esatti; **in no time f.**, in men che non si dica **4** completamente; del tutto: (*fam.*) **f. broke**, completamente al verde; in bolletta sparata (*fam.*) **5** (*mus.*) sotto tono **C** n. **1** parte piatta; piatto; piano: **the f. of the blade**, il piatto della lama; **the f. of the hand**, il palmo della mano **2** terreno piano: **on the f.**, in piano; su terreno piano; in pianura **3** terreno basso (*spec. vicino all'acqua*); piana; distesa: **river flats**, terreni bassi presso un fiume; **mud flats**, distese di fango; terreno basso e fangoso; pantano; **salt f.**, piana (*o distesa*) di sale **4** terreno paludoso; acquitrino; palude: **coastal flats**, acquitrini lungo la costa **5** secca; bassofondo **6** (*mus.*) bemolle **7** (spec. al pl.) (*teatr.*) fondale **8** (*autom., spec. USA*) gomma a terra; foratura: *We've got a f.*, abbiamo una gomma a terra; abbiamo forato **9** (al pl.) scarpe basse **10** (*naut.*) barca a fondo piatto; chiatta **11** (*ferr.*) carro senza sponde; pianale **12** (*slang*) sciocco; babbeo **13** (*ipp.*) –

the F., la stagione delle corse piane ● (*archit.*) f. **arch**, arco ribassato (*o* scemo); piattabanda □ (**as**) **f. as a pancake**, piatto come una tavola □ **f.-bed** → **flatbed** □ **f.-bottom** (*o* f.-bottomed), a fondo piatto □ **f. brush**, pennellessa □ **f. cap**, berretto floscio; coppola basco □ **f.-chested**, (*di donna*) piatta; senza seno □ (*econ.*) **f. cost**, costo di produzione; costo primo □ (*fam.*, *USA*) **f. food**, piatti «espresso» (*serviti anche a domicilio, da ristoranti e da tavole calde*) □ **f.-footed**, che ha i piedi piatti; (*anche*) a piedi pari, posando con forza i piedi; (*fig.*) goffo, maldestro, impacciato; (*fig.*) piatto, fiacco, senza originalità: **to catch sb. f.-footed**, cogliere q. impreparato; prendere q. in contropiede □ **f. iron** → **flatiron** □ **f. line**, tracciato piatto; encefalogramma piatto □ (*volg.*) **f. on one's ass**, senza un soldo; col culo a terra (*volg.*) □ **f. on one's back**, disteso sulla schiena; (*fam.*) a letto (malato); (*fig.*) nei guai, a terra □ **f. on one's face**, disteso bocconi: **to fall f. on one's face**, cadere lungo disteso; (*fig.*) fallire clamorosamente □ **f. out** (avv.), lungo disteso; (*fam.*) a tutto spiano, a più non posso, a rotta di collo, a tutto gas (*fam.*), a tavoletta (*fam.*), sparato (*fam.*); (*mecc.*, *autom.*) a tutta potenza, a pieno regime; (*fam.*, *USA*) senza esitazione, senza mezzi termini, chiaro e tondo: *She was lying f. out on the floor*, era lunga distesa sul pavimento; **to work f. out**, lavorare a più non posso; (*mecc.*) funzionare a pieno regime; *I told him f. out*, glielo dissi chiaro e tondo □ (*fam. USA*) **f.--out** (agg.), assoluto; completo; totale: **a f.--out failure**, un fallimento totale □ **f.-pack** → **flatpack** □ **f.-packed**, imballato in una scatola piatta; in un imballaggio piatto □ (*ipp.*) **f. race**, corsa piana (gara) □ (*ipp.*) **f. racing**, corsa piana (specialità) □ **f. shoes**, scarpe basse (*o* senza tacco) □ **f. spin**, (*aeron.*) vite piatta; (*fam.*, *GB*) (stato di) agitazione, panico: **to be in a f. spin**, essere agitatissimo; aver perso la testa; **to go into a f. spin**, (*di aereo*) avvitarsi (*in vite piatta*); (*fam. GB*) agitarsi, perdere la testa, farsi prendere dal panico □ **f.-top**, → **flattop** □ **f.--woven**, (*di tappeto*) piatto; senza vello □ **to fall f.**, cadere lungo disteso; (*fig.*) andare a vuoto, fare fiasco, essere un fiasco, un insuccesso; (*di battuta, ecc.*) non far ridere.

♦**flat**② /flæt/ n. (*GB*) **1** appartamento **2** (al pl.) palazzo di appartamenti; caseggiato ● **f. share**, condivisione di un appartamento con q. □ **f.-sitter**, chi bada a un appartamento (*in assenza del proprietario*) □ **block of flats**, palazzo di appartamenti; caseggiato □ **to go f.-hunting**, cercare casa.

to **flat**① /flæt/ v. t. **1** (*mus.*, *USA*) bemollizzare (*una nota*) **2** (*arc.*) spianare; appiattire.

to **flat**② /flæt/ v. i. (*Austral.*) abitare in un appartamento.

flatbed /'flætbɛd/ n. **1** pianale **2** (*autom.*) veicolo a pianale aperto **3** (*ferr.*, *USA*) carro senza sponde; pianale ● (*tipogr.*) **f. press**, macchina piana □ (*comput.*) **f. scanner**, scanner piatto □ (*autom.*) **f. truck**, autocarro a pianale aperto.

flatboat /'flætbəʊt/ n. barca a fondo piatto; chiatta.

flatbread /'flætbrɛd/ n. (*alim.*, *USA*) pane non lievitato; schiacciata.

flatcar /'flætkɑ:(r)/ n. (*ferr.*, *USA*) carro senza sponde; pianale.

to **flat-fell** /'flætfɛl/ v. t. (*cucito*) ribattere (*una cucitura*).

flatfish /'flætfɪʃ/ n. (*zool.*) pesce piatto (*in genere*); pesce dei pleurnettidi (*platessa, rombo, passera, sogliola, ecc.*).

flatfoot /'flætfʊt/ n. (pl. **flatfeet** e **flatfoots**) (*fam.*, *antiq.*) piedipiatti, sbirro (*pop.*).

flathead /'flæthɛd/ n. (*di vite*) a testa piatta.

flatiron /'flætaɪən/ n. ferro da stiro (*non elettrico*).

flatlet /'flætlət/ n. piccolo appartamento; appartamentino.

to **flatline** /'flætlaɪn/ v. i. (*fam.*) mostrare un encefalogramma piatto; (estens.) morire.

flatly /'flætlɪ/ avv. **1** con voce piatta; in tono distaccato **2** uniformemente **3** piattamente; monotonamente; nettamente; recisamente; seccamente: **to refuse f.**, rifiutare seccamente.

flatmate /'flætmeɪt/ n. (*GB*) persona con cui si divide un appartamento; compagno di appartamento.

flatness /'flætnəs/ n. ⓤ **1** l'esser piano (*o* piatto); piattezza **2** piattezza; monotonia; uniformità **3** (*di rifiuto, ecc.*) secchezza; recisione (→ **flat**①).

flatpack, **flat-pack** /'flætpæk/ a. e n. (*GB*) (*mobile, ecc.*) venduto in pezzi separati da montare; (in) kit da montare.

flatted /'flætɪd/ a. **1** (*GB*) trasformato in appartamenti **2** (*GB*) formato da caseggiati popolari: **f. estate**, quartiere di caseggiati popolari **3** (*mus.*) – **f. fifth**, quinta diminuita.

to **flatten** /'flætn/ Ⓐ v. t. **1** appiattire; spianare; schiacciare: **to f. st. with a hammer**, appiattire qc. con un martello; *He flattened himself against the wall*, si appiattì contro il (*o* si addossò al) muro **2** abbattere; mettere (*o* mandare) a terra; stendere: *He flattened his opponent with a hook*, con un gancio mise a terra l'avversario **3** radere al suolo; distruggere **4** (*fam. sport*) battere; stendere; stracciare **5** smorzare (*un colore*) **6** opacizzare, rendere opaco (*una vernice, un colore*) **7** (*metall.*) spianare **8** (*mus.*) bemollizzare **9** (*fig.*) umiliare; deprimere Ⓑ v. i. **1** appiattirsi; spianarsi **2** schiacciarsi **3** (*fig.*) abbattersi; deprimersi **4** (*di colore*) opacizzarsi **5** (*di sapore*) guastarsi; (*di cibo*) diventare insipido **6** (*naut.*) → **to flatten in**.

■ **flatten in** v. t. + avv. (*naut.*) tesare; bordare.

■ **flatten out** Ⓐ v. t. + avv. (*aeron.*) riportare (*un aereo*) in linea di volo Ⓑ v. i. + avv. **1** livellarsi **2** (*aeron.*) rimettersi in linea di volo.

flattener /'flætnə(r)/ n. **1** cosa che serve a spianare, ecc. (→ **to flatten**) **2** (*boxe*) colpo (*o* pugno) da K.O.

flattening /'flætnɪŋ/ n. ⓤ **1** (*anche fig.*) appiattimento **2** (*metall.*) spianatura **3** (*mus.*) bemollizzazione ● **f.-out**, appiattimento, spianamento; (*aeron.*) richiamata; ripresa: (*econ.*) **the f.-out of prices**, l'appiattimento dei prezzi.

to **flatter** /'flætə(r)/ v. t. **1** adulare **2** lusingare: *He was greatly flattered by the review of his novel*, fu molto lusingato dalla recensione del suo romanzo **3** far sembrare più bello; imbellire; (*di abito*) donare: *This photo flatters her*, sembra più carina in questa foto; *This dress does not f. you*, questo vestito non ti dona **4** – **to f. oneself**, illudersi: *Don't f. yourself that he will forgive you*, non illuderti che lui ti perdoni **5** – **to f. oneself**, vantarsi; pensare con orgoglio: *I f. myself I'm an expert with computers*, mi vanto di essere un esperto di computer.

flatterer /'flætərə(r)/ n. adulatore, adulatrice; lusingatore, lusingatrice.

flattering /'flætərɪŋ/ a. **1** adulatorio; di adulazione **2** lusingatore **3** lusinghiero: **f. comments**, commenti lusinghieri; *I found his attention f.*, fui lusingata dalla sua attenzione che rende più bello; che imbellisce; che dona: **a f. photo**, una foto che imbellisce; **a f. hairdo**, un'acconciatura che dona |

-**ly** avv.

flattery /'flætərɪ/ n. ⓤ adulazione, adulazioni.

flattie /'flætɪ/ n. (*fam.*) **1** scarpa piatta **2** → **flatty**.

flatting /'flætɪŋ/ n. ⓤ **1** appiattimento **2** smorzamento (*di colori*) **3** (*metall.*) spianatura **4** (*tecn.*) verniciatura opaca ● **f. agent**, agente opacizzante; flatting (*per vernici*).

flattish /'flætɪʃ/ a. piuttosto piatto; pianeggiante.

flattop /'flættɒp/ n. (*fam. USA*) **1** (*anche* **f. haircut**, **f. hairstyle**) taglio (di capelli) a spazzola **2** (*marina mil.*) portaerei **3** (*mus.*) chitarra acustica con tavola armonica piatta; chitarra flattop.

flatty /'flætɪ/ n. (*slang*) piedipiatti, sbirro (*pop.*).

flatulent /'flætjələnt/ a. **1** (*med.*) flatulento **2** (*fig.*) tronfio; borioso; pretenzioso; vanitoso || **flatulence**, **flatulency** n. ⓤ **1** (*med.*) flatulenza **2** (*fig.*) l'esser tronfio; boria; vanagloria; pretenziosità.

flatus /'fleɪtəs/ n. ⓤ (*med.*) flato.

flatware /'flætweə(r)/ n. ⓤ **1** vasellame piatto; piatti e piattini (pl.) **2** (*USA*) posateria; posate (pl.).

flatwater /'flætwɔ:tə(r)/ n. ⓤ acqua ferma; acqua immota: (*canoa*) **f. racing**, gare sull'acqua ferma.

flatways /'flætweɪz/, (*USA*) **flatwise** /'flætwaɪz/ avv. di piatto.

flatworm /'flætwɜ:m/ n. (*zool.*) platelminta.

to **flaunt** /flɔ:nt/ Ⓐ v. t. mettere in mostra; ostentare; esibire; sfoggiare: **to f. one's knowledge [one's wealth]**, sfoggiare il proprio sapere [la propria ricchezza] Ⓑ v. i. **1** mettersi in mostra; pavoneggiarsi **2** (*di bandiera, ecc.*) sventolare; garrire || **flaunter** n. ostentatore, ostentatrice; esibizionista; mattatore (*fam.*) || **flaunting** a. **1** pomposo; vanitoso **2** (*di una bandiera, ecc.*) che sventola; che garrisce.

❶ NOTA: *to flaunt o to flout?*
Il verbo *to flaunt* significa "mettere in mostra, ostentare": *to flaunt one's wealth*, ostentare la propria ricchezza; attenzione a non confonderlo con *to flout*, che vuol dire "farsi beffe di, trasgredire intenzionalmente": *to flout laws*, ignorare apertamente le leggi.

flautist /'flɔ:tɪst/ n. (*mus.*) flautista.

flavescent /fleɪ'vɛsnt/ a. biondeggiante; flavescente (*lett.*).

flavin /'fleɪvɪn/ n. (*chim.*, *biol.*) flavina.

flavone /'fleɪvəʊn/ n. ⓤ (*chim.*) flavone.

flavoprotein /'fleɪvəʊprəʊti:n/ n. (*biol.*) flavoproteina.

flavor /'fleɪvə(r)/ (*USA*) e deriv. → **flavour**, e deriv.

♦**flavorous** /'fleɪvərəs/ a. (*antiq.*) aromatico; fragrante; profumato.

♦**flavour**, (*USA*) **flavor** /'fleɪvə(r)/ n. ⓤⓒ **1** gusto; sapore; aroma; fragranza: **to add f. to a dish**, aggiungere sapore a un piatto; insaporire un piatto; *Which f. (of ice cream) do you want?*, quale gusto (di gelato) vuoi?; «*What other flavours do you have?*», «Che altri gusti avete?»; **full of f.**, ricco di sapore; gustoso; **to have no f.**, non avere sapore; essere insipido; non sapere di niente **2** (*fig.*) sapore; tono; atmosfera; carattere peculiare: **the f. of rural life**, il sapore della vita di campagna; *I enjoyed the international f. of the place*, mi piacque l'atmosfera internazionale del posto **3** (*USA*) aromatizzante **4** (*fig. fam.*) varietà; tipo; modello **5** (*fis. nucl.*) sapore ● (*alim.*) **f. enhancer**, esaltatore di sapidità; aromatizzante □ (*fam.*) **f. of the month**, il favorito del momento.

to **flavour**, (*USA*) to **flavor** /'fleɪvə(r)/ v. t. **1** (*cucina*) insaporire; dare a (qc.) il gusto di;

aromatizzare: **to f. soup with garlic**, insaporire la zuppa con l'aglio; **to f. with cinnamon**, aromatizzare con cannella **2** (*fig.*) dare un carattere particolare; dare un tono.

flavoured, (*USA*) **flavored** /'fleɪvəd/ **a. 1** insaporito; aromatizzato: **f. with basil**, insaporito con basilico; **f. with pepper**, pepato **2** (con avv.) saporito: **highly f.**, molto saporito; dal gusto forte; **delicately f.**, dal gusto delicato; **full-f.**, dal sapore deciso **3** (nei composti) all'aroma di; al gusto di: **lemon-f.**, all'aroma di limone; **strawberry-f.**, al gusto di fragola.

flavouring, (*USA*) **flavoring** /'fleɪvərɪŋ/ **A n. 1** ⓤ aromatizzazione **2** ⓒⓤ aroma (*aggiunto a un alimento*); (sostanza) aromatizzante: **artificial f.**, aroma artificiale; **vanilla f.**, aroma di vaniglia **B a.** aromatizzante: (*ind.*) **f. essence**, (essenza) aromatizzante.

flavourless, (*USA*) **flavorless** /'fleɪvələs/ **a.** senza aroma; insaporo; insipido.

flavoursome, (*USA*) **flavorsome** /'fleɪvəsəm/ **a. 1** ricco di sapore; gustoso; saporito **2** aromatico; fragrante **3** (*fig.*) ricco di atmosfera.

flaw① /flɔː/ **n. 1** difetto; imperfezione; fallo; magagna: **There's a f. in this vase**, questo vaso ha un difetto (*o* è fallato) **2** difetto; manchevolezza; pecca: **a character f.**, un difetto nel carattere; **a genetic f.**, un difetto genetico **3** errore; (*leg.*) vizio: **a f. in your reasoning**, un errore nel tuo ragionamento; **a f. in a will**, un vizio in un testamento.

flaw② /flɔː/ **n.** (*poet.*) **1** raffica, folata di vento **2** scroscio di pioggia.

to flaw /flɔː/ **v. t.** (*spec. al passivo*) **1** rovinare; danneggiare guastare **2** (*anche leg.*) viziare; invalidare.

flawed /flɔːd/ **a. 1** (*di oggetto*) difettoso; fallato; che presenta imperfezioni **2** (*di ragionamento, ecc.*) errato; viziato **3** (*leg.*) viziato **4** (*di persona, carattere, ecc.*) che ha un difetto o difetti.

flawless /'flɔːləs/ **a. 1** senza difetti; integro; perfetto: **f. complexion**, carnagione perfetta **2** senza difetti; impeccabile; perfetto: **He answered in f. French**, rispose in un francese impeccabile ‖ **flawlessly** avv. impeccabilmente; senza difetti ‖ **flawlessness n.** ⓤ integrità; perfezione; impeccabilità.

flax /flæks/ **n.** ⓤ **1** (*bot.*, *Linum usitatissimum*) lino **2** lino (*la fibra*) **3** tessuto di lino ● (*bot.*) **f. dodder** (*Cuscuta epilinum*), strozzalino □ (*bot.*) **f. lily** (*Phormium tenax*), lino della Nuova Zelanda □ **f.-seed**, seme di lino.

flaxen /'flæksn/ **a. 1** di lino **2** (*di capelli*) biondo chiaro; biondo pallido.

flaxy /'flæksɪ/ **a. 1** di lino **2** simile al lino.

to flay /fleɪ/ **v. t. 1** levare la pelle a; scorticare; scuoiare **2** fustigare a sangue; sferzare **3** criticare severamente; stroncare **4** estorcere a; spogliare; derubare ‖ **flayer n. 1** scorticatore, scorticatrice **2** critico severo; stroncatore.

flay-flint /'fleɪflɪnt/ **n.** (*fam.*) avaro; spilorcio; taccagno; tirchio.

flaying /'fleɪɪŋ/ **n.** ⓤ **1** scorticamento **2** (*fig.*) aspre (pl.) critiche ● **f. knife**, scotennatoio; scarnatoio.

flea /fliː/ **n.** (*zool.*) pulce ● (*bot.*) **f.-bane**, (*Erigeron*), pulicaria, erigerone (*Plantago psyllium*) psillio □ (*zool.*) **f. beetle** (*Haltica, Phyllotaeta, ecc.*), altica (*e altri coleotteri nocivi al luppolo, alla rapa, ecc.*) □ **f. bite**, puntura (*o morso*) di pulce; (*fig.*) piccola ferita; (*anche*) piccolo inconveniente, inezia, bazzecola □ **f.-bitten**, punto dalle pulci; infestato di pulci; (*fig.*) sordido, sozzo; (*di cavallo*) maculato di puntini rossastri □ **f. circus**, spettacolo di pulci ammaestrate □ **f. collar**, collare antipulci □ (*zool.*) **f.-louse** (*Euphyllura, ecc.*), falso pidocchio □ **f. market**, mercato

delle pulci □ **a f. in sb.'s ear**, un rimprovero; un rabbuffo: **to send sb. away with a f. in his** (*o* **her**) **ear**, mandare via q. con un rimprovero; allontanare q. in malo modo.

fleabag /'fliːbæg/ **n.** (*fam.*) **1** individuo sporco **2** animale pulcioso; sacco di pulci **3** (*USA*) albergo (*o* locale) d'infimo ordine **4** (*scherz.*) sacco a pelo.

fleabite /'fliːbaɪt/ **n.** = **flea bite** → **flea**.

fleam /fliːm/ **n.** (*vet.*) lancetta (*per cavar sangue*).

fleapit /'fliːpɪt/ **n.** (*slang*) pulciaio.

fleawort /'fliːwɜːt/ **n.** (*bot.*, *Plantago psyllium*) psillio; pulicaria.

flèche /fleʃ/ **n.** (*franc.*) (*archit.*) guglia sottile (*spec. sull'intersezione tra il transetto e la navata centrale*).

flechette /fleɪˈʃet/ (*franc.*) **n.** (*mil.*) fléchette.

fleck /flek/ **n. 1** piccola chiazza; macchiolina **2** particella; granello: **f. of dust**, granello di polvere **3** (*fonderia*) fiocco.

to fleck /flek/ **v. t.** (*spec. al passivo*) macchiettare; punteggiare; picchiettare; screziare: **red petals flecked with black**, petali rossi punteggiati di nero; **flecked with rust**, picchiettato di ruggine.

flection /'flekʃn/, **flectional** /'flekʃənl/ → **flexion**, **flexional**.

fled /fled/ *pass. e p. p.* di **to flee**.

to fledge /fledʒ/ **A v. t. 1** allevare (*un uccello*) finché sia in grado di volare **2** provvedere (*una freccia*) di impennatura **B v. i.** (*di uccello*) metter le penne (*per volare*); impiumarsi.

fledged /fledʒd/ **a. 1** (*di uccello*) pennuto; in grado di volare **2** (*di freccia*) con impennatura **3** (nei composti) – **fully f.**, → **fully**; **newly f.**, di fresca nomina; novellino.

fledgeless /'fledʒləs/ **a.** implume; incapace di volare.

fledgeling /'fledʒlɪŋ/, **fledgling** /'fledʒlɪŋ/ **A n. 1** uccellino (*che ha appena lasciato il nido*) **2** (*fig.*) novellino; principiante; pivello **B a.** (*fig.*) alle prime armi; che muove i primi passi.

♦**to flee** /fliː/ (*pass. e p. p.* **fled**) **A v. i. 1** fuggire; darsi alla fuga: **He turned and fled**, si voltò e fuggì; **to f. abroad**, fuggire all'estero **2** scomparire; svanire; dileguarsi; sfumare **B v. t.** fuggire da; abbandonare: **He fled the country when the war started**, abbandonò il paese (*o* riparò all'estero) quando scoppiò la guerra **2** (*lett.*) fuggire; evitare; scansare ● **to f. for one's life**, cercare scampo nella fuga; fuggire per salvarsi □ **to f. to safety**, mettersi in salvo (con la fuga).

fleece /fliːs/ **n. 1** vello **2** quantità di lana ricavata da una tosatura **3** (*per estens.*) pelame; folta chioma **4** (*ind. tess.*, = **synthetic f.**) pile **5** (*moda*) indumento di pile ● **the Golden F.**, (*mitol.*) il Vello d'oro; (*stor.*) il Toson d'oro.

to fleece /fliːs/ **v. t. 1** spennare; pelare: **They fleeced us at that restaurant**, in quel ristorante ci hanno pelati **2** rivestire, coprire (*come di un vello*).

fleecy /'fliːsɪ/ **a. 1** (*di indumento*) fatto o foderato di lana soffice **2** fioccoso; soffice: **f. clouds**, nuvole fioccose; pecorelle **3** (*poet.*) villoso; lanoso ‖ **fleeciness n.** ⓤ lanosità; fioccosità.

♦**fleet**① /fliːt/ **n. 1** (*naut.*) flotta; flottiglia: **the British f.**, la flotta inglese; **fishing f.**, flottiglia di pescherecci **2** (*aeron.*) flotta **3** parco (*di taxi, autocarri, ecc.*): **f. of cars** (*o* **car f.**), parco macchine ● (*marina mil.*, *USA*) **F. Admiral**, 'Fleet Admiral' (*il grado più elevato; in Italia*, 'Ammiraglio di Squadra con incarichi speciali') □ (*marina mil.*, *in GB*) **F. Chief Petty Officer** (*il grado più alto dei sottufficiali*) Aiutante □ (*ass.*) **f. policy**, polizza cumu-

lativa.

fleet② /fliːt/ **a.** (*poet.*, *lett.*) rapido; veloce; lesto; svelto ● **f. of foot** (*o* **f.-footed**), lesto di gambe; veloce (nella corsa) ‖ **-ness n.** ⓤ.

to fleet /fliːt/ (*poet.*, *lett.*) **A v. i. 1** muoversi, passare, trascorrere rapidamente **2** – **to f. away**, scomparire; svanire **B v. t.** far passare (*il tempo*).

fleeting /'fliːtɪŋ/ **a.** breve; fugace; fuggitivo; passeggero: **for a f. moment**, per un attimo; **to catch a f. glimpse of sb.**, vedere q. di sfuggita.

Fleming /'flemɪŋ/ **n.** fiammingo.

Flemish /'flemɪʃ/ **A a.** fiammingo **B n.** ⓤ fiammingo (*la lingua*).

to flench /flentʃ/, **to flense** /flens/ **v. t.** togliere il grasso a (*una balena*); scuoiare (*una foca*).

♦**flesh** /fleʃ/ **n.** ⓤ **1** carne (*spec. di animale vivo*): **firm** [**soft**] **f.**, carne soda [morbida]; *The metal tore into his f.*, il metallo gli penetrò nella carne; **f.-eating plant**, pianta carnivora **2** (*di frutto e sim.*) polpa; parte carnosa **3** (*fig.*) la carne; l'essere umano; l'uomo; l'umanità: *The spirit is willing, but the f. is weak*, lo spirito è forte, ma la carne è debole; (*relig.*) **to become f.**, diventare carne; incarnarsi **4** (*fig.*) carne; sensualità; (i) sensi: **the pleasures of the f.**, i piaceri della carne (*o* carnali) ● **f. and blood**, essere umano, esseri umani; persona vera; la natura umana; il sangue: **more than f. and blood can stand**, più di quanto un essere umano possa sopportare; *I'm only f. and blood!*, sono un essere umano anch'io!; **one's** (**own**) **f. and blood**, persona (*o* persone) del proprio sangue; sangue del proprio sangue □ **f. and bone**, carne e ossa; (il) corpo umano □ **f.-coloured**, (di) color carne; carnicino □ (*zool.*) **f.-eater**, animale carnivoro □ (*zool.*) **f. fly** (*Sarcophaga*), mosca carnaria □ **f. pink**, (color) rosa carne; carnicino □ (*USA*) **f.-tone** = **f.-coloured** → *sopra* □ **f. wound**, ferita superficiale □ (*fig.*) **to demand one's pound of f.**, esigere il pagamento d'un debito fino al limite centesimo (*come Shylock nel 'Mercante di Venezia' di Shakespeare*) □ **to go the way of all f.**, (*lett.*) morire, fare la fine di tutti; (*fig. scherz.*) finire, scomparire, rompersi, essere distrutto □ **in the f.**, in carne e ossa; in persona; di persona □ **to make sb.'s f. creep**, fare accapponare la pelle a q.; far venire la pelle d'oca a q. □ (*fig.*) **neither f. nor fowl** (**nor good red herring**), né carne né pesce □ **to be one f.**, essere due anime in un corpo solo □ (*di politico*) **to press the f.**, andare in giro a stringere la mano a tutti; fare un bagno di folla □ **to put f. on st.**, dare più contenuto (*o* più sostanza) a qc. (*un testo, ecc.*); rimpolpare qc. □ **to put on f.**, metter su carne (*o* peso); ingrassare.

to flesh /fleʃ/ **v. t. 1** aizzare, incitare (*un cane, ecc.*) dando da assaggiare carne **2** (*fig. arc.*) aizzare, incitare (*uomini*) facendo pregustare i vantaggi della vittoria **3** (*fig.*) indurire; temprare **4** immergere (*la spada, ecc.*) nella carne; insanguinare (*la spada, ecc.*) per la prima volta **5** (*nella concia*) scarnire; scarnificare (*pelli*) ● **fleshing machine**, scarnatrice.

■ **flesh out v. t. + avv. 1** ingrassare **2** (*fig.*) dare più contenuto (*o* più sostanza) a (*un testo, ecc.*); rimpolpare.

flesher /'fleʃə(r)/ **n. 1** scarnificatore, scarnificatrice **2** (*scozz.*) macellaio.

fleshings /'fleʃɪŋz/ **n. pl. 1** (*teatr.*) calzamaglia (sing.) color carne **2** (*conceria*) carnicci.

fleshless /'fleʃləs/ **a.** scarno; ossuto.

fleshly /'fleʃlɪ/ **a. 1** carnale; sensuale **2** materiale; corporeo; terreno ‖ **fleshliness**

n. ⓤ carnalità; sensualità; mondanità.

fleshpot /'flɛʃpɒt/ n. **1** luogo di piacere; locale di vita **2** – (al pl.) **the fleshpots**, vita di piaceri; vita di lussi.

fleshy /'flɛʃɪ/ a. **1** carnoso; bene in carne **2** (di frutto e sim.) polposo; carnoso ‖ **fleshiness** n. ⓤ carnosità; corpulenza.

fletch /flɛtʃ/ n. (di freccia) aletta di impennaggio.

to **fletch** /flɛtʃ/ v. t. munire di impennaggio (una freccia).

fletching /'flɛtʃɪŋ/ n. ⓤ (di freccia) impennaggio.

fleur-de-lis /'flɜːdə'liː/ (franc.) n. (pl. **fleurs-de-lis**) **1** (bot., Iris pseudacorus) acoro falso; giglio giallo **2** (arald.) giglio; fiordaliso.

fleuron /'fluərɒn/ n. (archit.) fiorone; rosone.

fleury /'fluərɪ/ a. (arald.) gigliato.

flew /fluː/ pass. di **to fly**.

flews /fluːz/ n. pl. labbra pendenti (di cani da caccia come il bracco, il segugio, ecc.).

flex /flɛks/ n. **1** (elettr., telef.) filo (flessibile); filo di presa **2** (mat.) flesso.

to **flex** /flɛks/ v. t. **1** flettere; piegare **2** contrarre (un muscolo); flettere; tendere B v. i. **1** flettersi; piegarsi **2** (di muscolo) contrarsi; tendersi ● **to f. one's muscles**, flettere i muscoli; (sport) scaldarsi; (fig.) far mostra della propria forza (per intimidire); mostrare i muscoli.

flexibility /flɛksə'bɪlətɪ/ n. ⓤ **1** flessibilità; duttilità; elasticità **2** (fig.) flessibilità; adattabilità; elasticità; capacità di adattamento **3** (fig.) duttilità; versatilità.

♦**flexible** /'flɛksəbl/ a. **1** flessibile; elastico; pieghevole: **f. hose**, tubo flessibile **2** (fig.) flessibile; elastico; duttile; adattabile: (org. az.) **f. working hours**, orario flessibile (di lavoro); (fin.) **f. exchange rate**, tasso di cambio flessibile; They're fairly f. about the deadline, sono abbastanza elastici sulla data di consegna.

flexion /'flɛkʃn/ n. ⓒⓤ **1** flessione; piegamento **2** (gramm.) flessione ● (fisiol.) **f. reflex**, riflesso flessorio ‖ **flexional** a. **1** di (o pertinente a) flessione **2** (gramm.) flessivo: **a flexional language**, una lingua flessiva.

flexiplace /'flɛksɪpleɪs/ n. (contraz. fam. USA di **flexible** e **workplace**) luogo di lavoro alternativo a quello dell'ufficio; il relativo accordo col datore di lavoro.

flexitime /'flɛksɪtaɪm/ n. ⓤ (org. az.) orario flessibile (di lavoro).

flexography /flɛk'sɒgrəfɪ/ n. ⓤ (tipogr.) flessografia ‖ **flexographic** a. flessografico.

flexor /'flɛksə(r)/ n. (fisiol. = f. muscle) flessore.

flextime /'flɛkstaɪm/ n. ⓤ → **flexitime**.

flexuous /'flɛksʊəs/, **flexuose** /'flɛksʃʊəʊs/ a. sinuoso; flessuoso ‖ **flexuosity** n. ⓤ sinuosità; flessuosità.

flexure /'flɛkʃə(r)/ n. ⓒⓤ **1** (scient.) flessione; piegamento; cedimento **2** (mat.) curvatura **3** (geol.) flessura; flessione, piegamento **4** (fis., mecc.) inflessione ‖ **flexural** a. (tecn.) flessionale.

flibbertigibbet /'flɪbətɪ'dʒɪbɪt/ n. (fam.) **1** persona frivola e volubile; farfallina **2** chiacchierone, chiacchierona; pettegolo, pettegola.

flick /flɪk/ n. **1** scatto; guizzo; mossa repentina: **a f. of a switch**, lo scatto di un interruttore; **a f. of the wrist**, uno scatto del polso; With a f. of its tail the fish disappeared, con un guizzo della coda il pesce scomparve **2** colpo (breve e secco); schiocco: **a f. of the whip**, un colpo di frusta; **a f. of the fingers**, un colpetto secco delle dita (dato con due dita); un buffetto **3** (fam., anche

f. through) scorsa; occhiata: **a f. through the papers**, una scorsa ai giornali **4** (fam.) film **5** (pl. collett.) – **the flicks**, (il) cinema.

to **flick** /flɪk/ A v. i. (spesso con avv. o prep.) muoversi a scatti o rapidamente; guizzare: His eyes flicked over the page, i suoi occhi percorsero rapidamente la pagina; The snake's tongue flicked out, la lingua del serpente guizzò fuori (o apparve con un guizzo); A knowing glance flicked between them, si scambiarono una rapida occhiata d'intesa; **to f. past** (st.), passare (davanti a qc.) con un guizzo (o di scatto) B v. t. (spesso con avv. o prep.) **1** agitare, scuotere (brevemente); scrollare; (far) schioccare (una frusta, ecc.): I flicked my hand and the insect flew away, scossi la mano e l'insetto volò via; She flicked the ash of l igarette to the floor, scosse la sigaretta acendo cadere a terra la cenere; **to f. back one's hair**, rigettare indietro i capelli **2** colpire leggermente; dare un colpetto (o un buffetto) a: **to f. st. off one's sleeve**, togliersi qc. dalla manica con un colpetto **3** far scattare, azionare (un interruttore, una serratura): **to f. a switch**, azionare un interruttore; He flicked back the locks and opened the lid, fece scattare le chiusure e sollevò il coperchio; **to f. open**, aprire (facendo scattare la serratura) **4** lanciare, scoccare (un'occhiata): She flicked him an irritated glance, lei gli scoccò un'occhiata irritata ● (TV) **to f. channels**, cambiare canali velocemente; fare zapping; smanettare col telecomando (fam.).

■ **flick off** A v. t. + avv. **1** spegnere (azionando un interruttore) **2** togliere (con un colpetto della mano o scuotendo); scacciare: **to f. off an insect**, scacciare un insetto; He flicked off a leaf that had fallen on his shoulder, si tolse con un colpetto una foglia che gli era caduta sulla spalla B v. i. + avv. (di luce) spegnersi (di scatto).

■ **flick on** A v. t. + avv. **1** accendere (azionando un interruttore): (autom.) **to f. on the headers**, accendere i fari anteriori; Jack flicked on the box, Jack accese la tivù **2** (calcio) passare (la palla) con un tiro corto B v. i. + avv. (di luce) accendersi (di scatto).

■ **flick over** A v. t. + avv. sfogliare velocemente; scorrere in fretta: **to f. over the pages of a book**, girare velocemente le pagine di un libro B v. i. + avv. (TV, fam.) cambiare canale: Can I just f. over to Channel 4?, posso mettere un attimo su Canale 4?

■ **flick through** v. i. + prep. sfogliare velocemente; scorrere in fretta; dare una scorsa a; passare in veloce rassegna: **to f. through a magazine**, sfogliare velocemente una rivista; I flicked through his CDs, passai in veloce rassegna i suoi cd.

flicker /'flɪkə(r)/ n. **1** breve movimento; guizzo; fremito; tremolio: The candle gave a last f., la candela diede un ultimo guizzo; **the f. of an eyelid**, il fremito di una palpebra; **a f. of light**, un guizzo di luce; un breve bagliore **2** (fig.) apparizione fugace; lampo; balenìo; fremito: **a f. of a smile**, il lampo di un sorriso; I caught a f. of amusement in his eyes, colsi un lampo divertito nei suoi occhi; **a f. of fear**, un fremito di paura **3** (fig.) accenno; barlume: **a f. of hope**, un barlume di speranza; **a f. of interest**, un accenno di interesse; On meeting him, she didn't show a f. of recognition, nell'incontrarlo, lei non diede il minimo segno di riconoscerlo **4** ⓤ (ottica, TV) sfarfallamento; sfarfallio.

to **flicker** /'flɪkə(r)/ v. i. **1** (di cosa luminosa) tremolare; guizzare; balenare; mandare lampi: A faint light flickered among the trees, una luce fioca tremolava fra gli alberi; The jewel flickered with a blue light, la gemma mandava lampi di luce azzurra; The flame flickered and died, la fiamma guizzò

brevemente e si spense; **to f. into flame**, accendersi con un guizzo **2** agitarsi; fremere; vacillare; ondeggiare: Shadows flickered on the wall, sul muro si agitavano ombre; His expression did not f., il suo viso non ebbe un fremito; 'Far flickers the flight of the swallows' A. SWINBURNE, 'da lungi ondeggia il volo delle rondini **3** (con avv. o prep.) muoversi, passare rapidamente; apparire fugacemente; balenare: A smile flickered across her lips, un sorriso le balenò sulle labbra; sulle sua labbra passò il fremito di un sorriso; His eyes flickered around the room, i suoi occhi saettarono per la stanza **4** (di palpebra) sbattere appena; fremere: The girl's eyes flickered open, la ragazza sbaté le palpebre e aprì gli occhi **5** (di uccello, insetto) svolazzare.

■ **flicker on** v. i. + avv. accendersi con un guizzo: **to f. on and off**, accendersi e spegnersi.

■ **flicker out** v. i. + avv. spegnersi con un guizzo.

flickering /'flɪkərɪŋ/ A n. ⓤ **1** (il) lampeggiare; tremolio; balenìo; bagliori (pl.) **2** ondeggiamento **3** svolazzìo B a. **1** vacillante; tremolante; guizzante; ondeggiante **2** (fig.) vago; tenue: **a f. hope**, una vaga speranza; un barlume di speranza.

flick-knife /'flɪknaɪf/ n. (pl. **flick-knives**) (fam., GB) coltello a serramanico; coltello a scrocco.

flick-on /'flɪkɒn/ n. (calcio, ecc.) tocco in avanti; passaggio corto e secco; pallone corto.

flier /'flaɪə(r)/ → **flyer**.

♦**flight**① /flaɪt/ n. **1** ⓤ volo: **the principles of f.**, i principi del volo; **to be capable of f.**, essere in grado di volare; **space f.**, voli (pl.) spaziali, volo spaziale; **a bird in f.**, un uccello in volo; **to take f.**, prendere (o spiccare) il volo **2** volo; (aeron., anche) viaggio in aereo: **to book a f.**, prenotare un volo; **to catch [to miss] one's f.**, prendere [perdere] il volo (o l'aereo); What time's our f.?, a che ora è il nostro volo?; a che ora parte il nostro aereo?; **the early f. to London**, il volo del mattino per Londra; Did you have a good f.?, hai fatto buon viaggio?; **return f.**, volo di andata e ritorno; **test f.**, volo di collaudo; **f. time**, durata del volo; Why do you need to change your f.?, perché devi cambiare il tuo volo? **3** ⓤ traiettoria (di proiettile, ecc.); percorso; tragitto; distanza coperta in volo; portata: **the f. of an arrow**, la traiettoria d'una freccia **4** (fig.) rapido passaggio; (il) volare; fuga: **the f. of time**, la fuga del tempo **5** (fig.) volo: **a f. of the imagination**, un volo della fantasia **6** (zool.) stormo (d'uccelli); sciame (d'insetti) **7** (zool.) migrazione (di uccelli o insetti) **8** (aeron. mil.) stormo **9** nugolo (di frecce) **10** rampa (di scale); scala; scalinata: **a short f. of stairs**, una breve rampa di scale; **a f. of steps**, una rampa (o una serie) di gradini; una gradinata **11** serie di chiuse (di un canale) **12** impennaggio (di freccia) ● (aeron. USA) **f. attendant**, assistente (m. e f.) di volo; hostess; steward □ **f. bag**, borsa da aereo □ **f. call**, chiamata di un volo □ **f. case**, valigia da aereo □ (aeron.) **f. control**, controllo di volo □ (aeron.) **f. controller**, controllore di volo □ **f. crew**, equipaggio di aereo □ **f. deck**, (aeron.) cabina di pilotaggio; (naut.) ponte di volo (di portaerei) □ (aeron. mil., in GB) **f. engineer**, motorista di bordo □ (aeron.) **f. envelope**, insieme delle combinazioni di velocità e altitudine o velocità e autonomia possibili a un tipo di aereo o di motore d'aereo □ (zool.) **f. feathers**, penne remiganti primarie □ (aeron.) **f. formation**, formazione di volo □ (aeron.) **f. level**, quota di volo □ (aeron. mil., in GB) **f. lieutenant**, capitano d'aviazione □ **f. path**, (aeron.) rotta stabilita; (di proiettile, ecc.)

traiettoria □ (*aeron.*) **f. plan**, piano di volo □ (*aeron.*) **f. recorder**, registratore di volo; scatola nera (*fam.*) □ (*aeron.*) **f. refuelling**, rifornimento in volo □ (*aeron. mil.*, *in GB*) **f. sergeant**, maresciallo di 3ª □ (*aeron.*) **f. simulator**, simulatore di volo □ (*aeron.*) **f. test**, volo di collaudo □ **in the top f.**, di primo rango (*o piano*); (*sport*) nella massima serie.

flight② /flaɪt/ n. ① fuga: **f. from danger**, fuga da un pericolo; **f. from reality**, fuga dalla realtà; (*econ.*) **a f. of capital abroad**, una fuga di capitali all'estero; (*econ.*) **the f. from the dollar**, la fuga dal dollaro; *The enemy is in f.*, il nemico è in fuga; **to put sb. to f.**, mettere in fuga q.; **to take f.**, prendere la fuga; darsi alla fuga ● **f. capital**, capitali (pl.) in fuga □ (*relig.*) **the F. into Egypt**, la Fuga in Egitto □ **in full f.**, in fuga; (*anche*) lanciato, in pieno slancio.

to **flight** /flaɪt/ A v. i. (*di uccelli*) volare in stormo; migrare B v. t. 1 sparare a (*uccelli in volo*) 2 (*sport*) alzare (*la palla*) con un lancio lento 3 impennare (*una freccia*).

flightless /ˈflaɪtləs/ a. (*zool.*) inabile al volo; incapace di volare.

flightline /ˈflaɪtlaɪn/ n. 1 (*aeron.*) piazzale (*di aeroporto*); area di stazionamento 2 linea di volo.

to **flight-test** /ˈflaɪt tɛst/ v. t. (*aeron.*) collaudare.

flightworthy /ˈflaɪtwɜːðɪ/ a. (*aeron.*) 1 atto al volo 2 utilizzabile a bordo di un aereo.

flighty /ˈflaɪtɪ/ a. capriccioso; incostante; volubile; frivolo; leggero; irresponsabile ‖ **flightily** avv. capricciosamente; volubilmente; con leggerezza ‖ **flightiness** n. Ⓤ capricciosità; incostanza; volubilità; leggerezza; irresponsabilità.

flimflam /ˈflɪmflæm/ n. (*fam.*) 1 Ⓤ chiacchiere (pl.); sciocchezze (pl.); ciance (pl.) 2 imbroglio; inganno; truffa; bidone (*fam.*) ● **f. artist**, imbroglione; truffatore.

to **flimflam** /ˈflɪmflæm/ v. t. (*fam.*) imbrogliare; ingannare; truffare.

flimsily /ˈflɪmzɪlɪ/ avv. 1 fragilmente; debolmente 2 frivolamente.

flimsiness /ˈflɪmzɪnəs/ n. Ⓤ 1 fragilità; debolezza; cedevolezza 2 frivolezza; inconsistenza; superficialità.

flimsy /ˈflɪmzɪ/ A a. 1 leggero; sottile: **a f. blouse**, una camicetta leggera 2 poco solido; fragile: **a f. structure**, una struttura fragile 3 debole; poco convincente: **a f. excuse**, una scusa debole B n. 1 Ⓤ carta velina 2 (*fam. GB*) copia (*su carta velina*); velina.

flinch /flɪntʃ/ n. sussulto; fremito (*per dolore, paura*); smorfia (*di dolore, di disgusto*).

to **flinch**① /flɪntʃ/ → **to flench**.

to **flinch**② /flɪntʃ/ v. i. 1 sussultare, trasalire, fremere (*per dolore, paura, disgusto*); avere un sussulto (*o un fremito*); fare una smorfia (*di dolore, di disgusto*): *The sound of gunfire made her f.*, il rumore degli spari la fece sobbalzare; **to f. inwardly**, avere un fremito interno; fremere nell'intimo; **without flinching**, senza un fremito; senza batter ciglio; senza una smorfia di dolore 2 – **to f. from**, tirarsi indietro di fronte a; sottrarsi a: **to f. from a responsibility**, sottrarsi a una responsabilità ‖ **flincher** n. chi si tira indietro; chi si sottrae (*a un dovere, ecc.*).

flinders /ˈflɪndəz/ n. pl. frammenti; frantumi; schegge.

fling /flɪŋ/ n. 1 (*fam.*) breve periodo di divertimento; botta di vita (*fam.*) 2 (*fam.*) breve relazione amorosa; avventura; flirt 3 frecciata; battuta sarcastica 4 (*fam. USA*) tentativo; prova: *Let's have a last f. at it*, facciamo un ultimo tentativo; proviamoci per l'ultima volta 5 lancio; getto; tiro: **a f. of the dice**, un lancio dei dadi 6 movimento brusco; slancio; balzo 7 (= **Highland f.**)

animata danza scozzese 8 (*di cavallo*) impennata; scarto ● (*fam.*) **to have one's f.**, godersela; correre la cavallina □ (**in**) **full f.**, a tutta velocità; a tutta birra (*fam.*); a pieno ritmo.

to **fling** /flɪŋ/ (pass. e p. p. *flung*) A v. t. 1 lanciare; gettare; scagliare: **to f. a stone at sb.**, scagliare una pietra contro q.; **to f. sb. into prison**, gettare q. in prigione; *We flung our arms round each other*, ci gettammo le braccia al collo; **to f. sb. a glance**, gettare un'occhiata a q.; (*fig.*) **to f. dirt at sb.**, gettare fango su q.; (*fig.*) **to f. money out of the window**, gettare i soldi dalla finestra; **to f. oneself into a venture**, gettarsi a capofitto in un'impresa 2 (*con avv.*) muovere con energia (*in una data direzione*): **to f. one's arms wide**, spalancare le braccia; **to f. a door open**, spalancare una porta; *He flung back the blanket*, gettò indietro la coperta; **to f. out one's arms**, allargare le braccia 3 (*di cavallo, lottatore, ecc.*) gettare a terra (*il cavaliere, l'avversario*) 4 emettere (*un suono, ecc.*); mandare (*profumo, ecc.*); dare, diffondere (*luce*) B v. i. 1 lanciarsi; gettarsi; precipitarsi 2 → **to fling off**, **to fling out.**

■ **fling off** A v. t. + avv. togliersi in fretta (*indumenti*); gettare via; sbarazzarsi di B v. i. + avv. andarsene a precipizio (*o di furia*): *He flung off in a rage*, se ne andò di furia tutto arrabbiato.

■ **fling on** v. t. + avv. indossare in fretta; buttarsi addosso; infilare: *She flung on her jacket and left*, s'infilò la giacca e uscì; **to f. on one's clothes**, vestirsi in fretta e furia.

■ **fling out** A v. t. + avv. 1 buttare fuori; mettere alla porta (q.) 2 rigettare, respingere (*una proposta, ecc.*) 3 fare, tirare fuori (*una proposta*); buttare là, lanciare, proporre (*un'idea*) 4 buttare fuori, sfrattare (q.) B v. i. + avv. 1 (*di cavallo*) scalciare; sgroppare 2 (*fam.*) precipitarsi fuori; andarsene a precipizio (*o di furia*); scappare via.

■ **fling up** v. t. + avv. 1 gettare in aria 2 alzare al cielo: **to f. up one's arms in despair**, alzare le braccia al cielo in segno di disperazione 3 rinunciare a, lasciare, abbandonare (*un lavoro, ecc.*) 4 buttare via, sciupare, sprecare (*un'occasione, ecc.*) 5 costruire (*un riparo, ecc.*) in fretta; tirare su (*fam.*) 6 tirare fuori (*fam.*); tirare in ballo (*fam.*) ● (*fig.*) **to f. up one's hands in horror**, essere indignato; stracciarsi le vesti.

flint /flɪnt/ n. 1 Ⓤ (*geol.*) selce 2 (*paleont.*) pietra lavorata; amigdala 3 pietra focaia: **f. and steel**, pietra focaia e acciarino 4 pietrina (*per accendisigari*) ● **f. glass**, flint (*vetro per lenti e cristalli*) □ **f.-hearted**, dal cuore di pietra □ **eyes like f.**, occhi duri; sguardo duro.

flintlock /ˈflɪntlɒk/ n. (*mil., stor.*) fucile a pietra focaia.

flinty /ˈflɪntɪ/ a. 1 di selce; siliceo; pietroso 2 (*fig.*) duro come la selce; crudele; spietato: **a f. heart**, un cuore crudele (*o di pietra*) ‖ **flintiness** n. Ⓤ durezza (*di cuore*); crudeltà; spietatezza.

flip① /flɪp/ n. 1 colpetto secco; buffetto 2 movimento brusco; scatto 3 (*tuffi, pattinaggio artistico*) capriola; salto mortale: **back f.**, capriola all'indietro 4 (*fam. GB*) breve volo di piacere ● **f. book**, libro animato (*da sfogliare velocemente*); cineografo □ **f. chart**, lavagna a fogli mobili (*per presentazioni*) □ **the f. of a coin**, il lancio di una moneta □ **f. phone**, cellulare con sportellino sollevabile □ (*fam.*) **the f. side**, la seconda faccia, il retro (*di un disco*); (*fig.*) l'altra faccia (*di q.*); il rovescio della medaglia (*di un problema, ecc.*) □ (*nuoto*) **f. turn**, capovolta.

flip② /flɪp/ n. bevanda calda, di birra, sidro, ecc., a base di uovo sbattuto.

flip③ /flɪp/ (*fam.*) → **flippant.**

to **flip** /flɪp/ A v. t. 1 rovesciare (*con un mo-

vimento rapido*); girare; capovolgere; ribaltare: **to f. an omelette**, rivoltare un'omelette; **to f. a coin**, lanciare (in aria) una moneta; (*anche*) fare a testa o croce 2 muovere, lanciare (con un colpetto o un movimento secco); dare, aprire di scatto qc.; *He flipped a few coins on the table*, gettò sul tavolo qualche moneta 3 azionare, far scattare (*un interruttore*) B v. i. 1 fare il gesto di dare un buffetto; schioccare le dita 2 (*di oggetto o animaletto*) muoversi a scatti; saltellare 3 (*slang*) infuriarsi; imbufalirsi (*fam.*); dar fuori di matto (*pop.*) 4 (*slang*) impazzire di entusiasmo, di gioia 5 (*slang*) perdere la testa (*fam.*); sballare, sbarellare (*pop.*) ● (*volg. USA*) **to f. sb. the bird**, mostrare a q. il dito medio tenuto dritto (*gesto sconcio*); fare un gesto sconcio a q. (*tenendo dritto il dito medio*) □ (*fam.*) **to f. for it**, fare a testa o croce; giocarsi qc. a testa o croce □ **to f. one's lid** (*o* **one's top**) → **to flip**, def. B 3 e 4.

■ **flip off** v. t. + avv. 1 togliere (*o allontanare*) con un buffetto o uno scatto: *She flipped off her glasses*, si tolse di scatto gli occhiali 2 spegnere (*girando un interruttore*) 3 (*volg.*) mostrare a (q.) il dito medio tenuto ritto (*gesto sconcio*); fare un gesto sconcio a.

■ **flip on** v. t. + avv. accendere (*girando un interruttore*).

■ **flip out** → **to flip**, B *def.* 3-5.

■ **flip over** A v. t. + avv. rivoltare; capovolgere; ribaltare B v. i. + avv. rivoltarsi; girarsi; rovesciarsi; capovolgersi; cappottarsi: *The car flipped over*, l'auto si capottò.

■ **flip through** v. t. + prep. girare velocemente le pagine di; sfogliare velocemente; scartabellare; dare una scorsa a.

flip chip /ˈflɪp tʃɪp/ n. (*elettron.*) flip chip (*chip montato con i transistor a diretto contatto con la base*).

flip-down /ˈflɪpdaʊn/ a. abbassabile.

flip-flop /ˈflɪpflɒp/ A n. 1 ciabattina infradito; samurai 2 (*USA*) capriola all'indietro 3 (*fam.*) ripensamento improvviso; dietrofront; voltafaccia 4 (*elettron.*) flip-flop; multivibratore bistabile B a. attr. esitante; tentennante; a fasi alterne.

to **flip-flop** /ˈflɪpflɒp/ v. i. 1 ciabattare 2 (*USA*) cambiare idea; fare dietrofront ‖ **flip-flopper** n. chi cambia spesso opinione; banderuola.

flippancy /ˈflɪpənsɪ/ n. Ⓤ 1 frivolezza; leggerezza 2 impertinenza; mancanza di rispetto; irriverenza.

flippant /ˈflɪpənt/ a. 1 frivolo; leggero 2 impertinente; irriverente; irrispettoso; insolente: **a f. answer**, una risposta impertinente.

flipper /ˈflɪpə(r)/ n. 1 (*zool.*) natatoia; pinna (*di mammifero acquatico*); ala atta al nuoto (*di pinguino*); zampa atta al nuoto (*di tartaruga*) 2 pinna (*di nuotatore o sommozzatore*) 3 aletta (*di flipper*) 4 (*slang*) mano; braccio ❶ **FALSI AMICI** ● flipper *non significa* flipper *nel senso italiano di biliardino elettrico*.

flipping /ˈflɪpɪŋ/ (*pop. eufem.*) A a. stupido; del cavolo: *He must be out of his f. mind!*, deve avergli dato di volta il cervello! B avv. moltissimo: *It's f. cold today*, fa un freddo cane oggi.

flip-top /ˈflɪptɒp/ a. attr. con coperchio incernierato; con coperchio a scatto.

flirt /flɜːt/ n. 1 (*di donna*) civetta; fraschetta 2 (*di uomo*) donnaiolo; farfallone; civettone; cascamorto 3 movimento rapido ❶ **FALSI AMICI** ● flirt *non significa* flirt *nel senso italiano di relazione sentimentale breve e superficiale.*

to **flirt** /flɜːt/ A v. i. 1 amoreggiare; flirtare; civettare 2 muoversi a scatti; procedere a balzi 3 – **to f. with**, trastullarsi con; interessarsi superficialmente di 4 – **to f. with**, scherzare con (*un pericolo, la morte*) B v. t. 1

spingere avanti (*o* lanciare) con un buffetto **2** (*di uccello*) agitare, scuotere (*le ali, ecc.*) **3** agitare (*un ventaglio*).

flirtation /flɜːˈteɪʃn/ *n.* **1** ⓤ (il) flirtare; amoreggiamento **2** flirt **3** (*fig.*) interesse superficiale: **a brief f. with golf**, una breve passione per il golf.

flirtatious /flɜːˈteɪʃəs/ *a.* **1** (*rif. a donna*) civettuolo; leggero; provocante: **a f. glance**, un'occhiata civettuola **2** (*rif. a uomo*) galante; da donnaiolo | **-ly** avv.

flirty /ˈflɜːtɪ/ → **flirtatious**.

flit /flɪt/ *n.* **1** battito; movimento rapido e leggero **2** (*fam. GB*) trasloco (fatto) alla chetichella (*per non pagare l'affitto*) **3** (*slang USA, spreg.*) finocchio; frocio; checca.

to **flit** /flɪt/ *v. i.* **1** svolazzare; volteggiare: *Butterflies were flitting about*, le farfalle svolazzavano intorno **2** passare rapidamente: *Time was flitting away*, il tempo passava veloce; *A new idea flitted through my mind*, mi balenò in mente una nuova idea **3** (*fam. GB*) traslocare di soppiatto (*per non pagare i debiti, ecc.*); squagliarsela (*fam.*).

flitch /flɪtʃ/ *n.* **1** cotenna della pancetta **2** fetta di pesce (*da affumicare*) **3** sciavero, scorcione (*di un tronco d'albero*) **4** (*falegn.*) piallaccio; foglio da impiallacciatura **5** (*edil.*) elemento (*di trave*) ● (*edil.*) **f. beam**, trave composta.

to **flitter** /ˈflɪtə(r)/ *v. i.* muoversi rapidamente; svolazzare; volteggiare.

flittermouse /ˈflɪtəmaʊs/ *n.* (*pl.* **flittermice**) (*arc.*) pipistrello.

flivver /ˈflɪvə(r)/ *n.* (*slang USA, antiq.*) automobile vecchia e scassata; macinino; catorcio.

float /fləʊt/ *n.* **1** (*naut., aeron., idraul., mecc.*) galleggiante **2** (*pesca*) galleggiante; sughero **3** tavola galleggiante (*per nuotatori*); pontone; salvagente **4** (*zool.*) vescica natatoria (*di pesce*) **5** (*naut.*) zattera; chiatta **6** massa galleggiante (*d'erbacce, di ghiacci, ecc.*) **7** (*GB*) furgoncino (*a motore elettrico*): **milk f.**, furgoncino del latte **8** carro allegorico; carro carnevalesco **9** (*al pl.*) (*teatr.*) luci della ribalta **10** (*edil.*) pialletto, frattazzo, taloccia, spianatoio (*per levigare cemento, intonaco, ecc.*) **11** (*edil.*) levigatrice; spianatrice **12** (*agric.*) erpice livellatore (*a lame inclinate*) **13** (*mecc.*) lima a taglio semplice **14** (= **floatboard**) pala (*di una ruota ad acqua*) **15** provvista di spiccioli (*di negozio, all'inizio della giornata*) **16** (*rag.*) fondo cassa **17** ⓤ (*banca, fin.*) titoli (pl.) di credito (*assegni, ecc.*) in corso di compensazione; (*anche*) → **floatation**, *def. 2* **18** ⓤ (*econ., fin.*) fluttuazione (*di una moneta*) **19** (*sport: calcio, ecc.*) lancio, rilancio (*della palla*) **20** (= **ice-cream f.**) bevanda analcolica con una pallina di gelato ● **f. chamber**, recipiente a galleggiante; vaschetta □ (*edil.*) **f. finish**, frattazzatura □ (*ind. vetro*) **f. glass**, vetro float □ (*ind. vetro*) **f. process**, metodo di fabbricazione del vetro float □ (*bot.*) **f.-grass** (*Alopecurus geniculatus*), volpino angoloso □ (*mecc.*) **f. valve**, valvola a sfera ● **on the f.**, a galla.

♦to **float** /fləʊt/ Ⓐ *v. i.* **1** galleggiare; stare a galla; (*nel nuoto: anche* to **f. on one's back**) fare il morto: **to f. in a fluid [in a gas]**, galleggiare in un liquido [in un gas]; **to f. to the surface**, salire a galla; tornare a galla **2** fluttuare, librarsi (*nell'aria*) **3** scorrere, scivolare (*su un liquido, nell'aria*); lasciarsi trasportare dalla corrente; (*di legname*) fluitare: **to f. downstream**, essere trasportato dalla corrente; scendere un fiume lasciandosi portare dalla corrente; *Clouds floated across the sky*, nell'aria scivolavano le nuvole **4** presentarsi (*alla mente*); apparire; agitarsi; fluttuare: *His face floated into my mind*, mi tornò in mente il suo viso; *Confused ideas floated through his mind*, idee

confuse gli si agitavano nella mente **5** (*di suono, odore*) arrivare; giungere: *Distant voices floated into the room*, nella stanza arrivava il suono di voci lontane **6** muoversi con passo leggero: *She floated down the stairs*, scese con passo leggero le scale **7** spostarsi senza una meta; vagabondare **8** (*fin.*) fluttuare **9** (*fin.: di cambiale accettata*) essere in circolazione, in attesa della scadenza Ⓑ *v. t.* **1** far galleggiare; tenere (*o rimettere*) a galla: **to f. a stranded ship**, rimettere a galla una nave arenata **2** far scendere con la corrente; flottare: **to f. timber**, flottare legname **3** (*fig.*) proporre; suggerire; avanzare; lanciare: **to f. a plan**, proporre un piano; **to f. an idea**, lanciare un'idea **4** (*fig.*) diffondere (*una notizia*) **5** (*fin.*) lanciare (*con emissione di titoli*): **to f. a loan**, lanciare un prestito **6** (*fin.*) lanciare; emettere: **to f. a new company**, lanciare (*o costituire*) una nuova società (*emettendo azioni, ecc.*); **to f. bonds**, emettere obbligazioni **7** (*fin.*) lasciar fluttuare (*una moneta*); far fluttuare: **to f. the exchange rate**, far fluttuare il tasso di cambio **8** (*edil.*) lisciare, spianare (*cemento, intonaco, ecc.*) ● (*slang*) **to f. sb.'s boat**, eccitare q.; arrapare q. (*pop.*) □ (*fig.*) **to f. on air**, essere al settimo cielo.

■ **float about** (*o* ***around***) *v. i.* + *avv.* **1** (*di oggetto*) essere in giro; esserci: *There should be some stamps floating around*, dovrebbero esserci dei francobolli in giro **2** (*di persona*) cambiare lavoro di continuo **3** (*di idea, notizia*) circolare; diffondersi: *Strange rumours are floating around*, circolano voci strane.

floatable /ˈfləʊtəbl/ *a.* **1** che può galleggiare (*o* stare a galla) **2** (*di fiume*) navigabile (*per chiatte o zattere*) **3** (*ind. min.: di minerale*) flottabile || **floatability** *n.* ⓤ **1** galleggiabilità **2** (*di fiume*) navigabilità **3** (*ind. min.*) flottabilità.

floatage /ˈfləʊtɪdʒ/ *n.* ⓤ (*naut.*) **1** galleggiamento **2** relitto galleggiante **3** (*collett.*) imbarcazioni (pl.) in navigazione (*su un fiume*) **4** massa galleggiante (*di alghe, ecc.*) **5** galleggiabilità **6** opera morta.

floatation /fləʊˈteɪʃn/ → **flotation**.

floatel /fləʊˈtɛl/ *n.* **1** imbarcazione usata come albergo; albergo galleggiante **2** alloggio su una piattaforma petrolifera.

floater /ˈfləʊtə(r)/ *n.* **1** persona (*o cosa*) che galleggia **2** (*fin.*) promotore di società per azioni **3** (*fin.*) obbligazione a tasso d'interesse variabile; (*anche*) titolo di prim'ordine (*non quotato*) al portatore **4** (*fam.*) persona che cambia spesso lavoro **5** (*USA*) lavoratore temporaneo **6** (*fam. USA*) vagabondo **7** (*polit.*) = **floating voter** → **floating 8** (*med.*) mosca volante (*nell'occhio*).

floating /ˈfləʊtɪŋ/ Ⓐ *a.* **1** galleggiante: **f. bridge**, ponte galleggiante (*di barche*) **2** (*ass., naut.*) flottante: **f. policy**, polizza flottante (*o aperta*); **f. cargo**, carico flottante **2** fluttuante; oscillante; variabile: (*fin.*) **f. debt [balance]**, debito [saldo attivo] fluttuante; (*econ.*) **f. devaluation [supply]**, svalutazione [offerta] fluttuante; (*stat.*) **f. population**, popolazione fluttuante; (*fin.*) **f. pound**, sterlina fluttuante (*o a cambio libero*); (*fin.*) **f. rate**, cambio fluttuante; (*anche*) tasso d'interesse variabile; (*fin.*) **f.-rate bonds** (*o* **notes**), obbligazioni a tasso d'interesse variabile **4** (*rag.*) corrente: **f. assets**, attività correnti **5** (*fisiol., med.*) mobile: **f. rib [kidney]**, costola [rene] mobile **6** (*elettron.: di dispositivo, ecc.*) isolato; appeso Ⓑ *n.* **1** galleggiamento **2** fluitazione (*del legname*) **3** (*fin.*) lancio (*di una società per azioni*) **4** (*fin.*) emissione (*di un prestito*) **5** (*fin.*) floating; fluttuazione (*dei cambi con l'estero*) **6** (*basket*) flottaggio ● (*naut.*) **f. anchor**, ancora galleggiante □ (*fin.*) **f. capital**, capitale fluttuante; capitale circolante □ (*leg., fin.*) **f.**

charge, garanzia (*o* privilegio) da cui è assistita un'obbligazione (*di una società: non esiste in Italia*) □ (*giardinaggio*) **f. cloche**, telo di plastica protettivo □ (*naut.*) **f. crane**, gru su pontone □ (*fin.*) **f. currency**, moneta (*o* valuta) a tasso di cambio fluttuante (*o* a corso libero) □ (*naut.*) **f. dock**, bacino di carenaggio galleggiante □ (*naut.*) **f. light**, faro galleggiante □ (*cucina*) **f. island**, crema pasticcera con panna o albume montati a neve □ (*mat., comput.*) **f. point**, virgola mobile: **f. point number**, numero a virgola mobile; **f.-point representation**, rappresentazione in virgola mobile □ (*naut.*) **f. stage**, pontone □ (*polit.*) **the f. vote**, il voto fluttuante (*o* degli elettori indecisi) □ (*polit.*) **f. voter**, elettore indeciso; elettore che non vota sempre per lo stesso partito.

floatplane /ˈfləʊtpleɪn/ *n.* (*aeron., USA*) idrovolante.

floatstone /ˈfləʊtstəʊn/ *n.* ⓤ (*geol.*) pietra pomice.

floccillation /flɒksɪˈleɪʃn/ *n.* ⓤ (*med.*) carfologia.

floccose /ˈflɒkəʊs/ *a.* (*bot.*) fioccoso; lanuginoso.

flocculant /ˈflɒkjələnt/ *n.* (*chim.*) additivo flocculante.

floccular /ˈflɒkjʊlə(r)/ *a.* (*chim.*) flocculare.

to **flocculate** /ˈflɒkjʊleɪt/ *v. i.* (*scient.*) flocculare.

flocculation /flɒkjʊˈleɪʃn/ *n.* ⓤ (*chim.*) flocculazione.

floccule /ˈflɒkjuːl/ *n.* **1** ciuffo; fiocco **2** (*chim.*) flocculo.

flocculent /ˈflɒkjʊlənt/ *a.* **1** fioccoso; bioccoloso; lanuginoso **2** (*chim.*) fioccoso; flocculare || **flocculence** *n.* ⓤ l'esser fioccoso (*o* bioccoloso, lanuginoso).

flocculus /ˈflɒkjʊləs/ *n.* (*pl.* **flocculi**) **1** (*astron.*) flocculo; facola **2** (*anat.*) flocculo.

flock① /flɒk/ *n.* **1** gregge (*di pecore, capre*) **2** stormo (*d'uccelli*); branco (*di oche domestiche*) **3** folla; gruppo; stuolo **4** (*relig.*) fedeli (pl.); gregge ● **f.-master**, pastore.

flock② /flɒk/ *n.* ⓤ (*ind. tess.*) cascami (pl.): **f. mattress**, materasso di cascami **2** bioccolo; fiocco (*di lana, ecc.*) **3** (*tecn.*) flock **4** (*al pl.*) (*chim.*) flocculi ● **f. wallpaper**, carta da parati rugosa || **flocky** *a.* fioccoso; lanuginoso.

to **flock**① /flɒk/ *v. i.* affollarsi; congregarsi; riunirsi (*in gregge, in stormo, ecc.*); accalcarsi; affluire in folla: *The pupils flocked round the headmaster*, gli alunni si accalcarono attorno al preside.

to **flock**② /flɒk/ *v. t.* **1** imbottire di bioccoli (*o di cascami*) **2** (*ind. tess.*) floccare.

flocking /ˈflɒkɪŋ/ *n.* ⓤ (*ind. tess.*) floccaggio.

floe /fləʊ/ *n.* (= **ice floe**) banco, lastrone di ghiaccio galleggiante.

to **flog** /flɒg/ *v. t.* **1** frustare; fustigare; sferzare **2** (*slang*) vendere; rifilare, sbolognare (*fam.*) **3** (*slang*) battere; superare; vincere **4** (*fam. GB*) scarpinare ● (*fig.*) **to f. a dead horse**, fare un lavoro inutile; sprecare tempo ed energie; sprecare fiato □ (*fam.*) **to f. st. to death**, ripetere qc. fino alla nausea; stancare a furia di ripetere qc.: *That joke has been flogged to death*, è una storiella trita e ritrita.

flogger /ˈflɒgə(r)/ *n.* fustigatore, fustigatrice.

flogging /ˈflɒgɪŋ/ *n.* ⓤ fustigazione.

♦**flood** /flʌd/ *n.* **1** ⓒ alluvione; inondazione; allagamento **2** piena: *The river is in (full) f.*, il fiume è in piena **3** (= **f. tide**) flusso (*della marea*); marea crescente **4** – **the F.**, il Diluvio universale **5** (*poet.*) corso d'acqua; fiume; torrente; mare **6** (*fig.*) diluvio; proflu-

vio; profusione; fiume; mare; marea; valanga: **a f. of invitations**, un profluvio d'inviti; **a f. of protests**, una valanga di proteste; **a f. of refugees**, un fiume di profughi ● **f. bed**, alveo di piena (*di un fiume*) □ **f. control**, difesa fluviale; sistemazione di un bacino fluviale □ (*fam.*) **f. lamp** → **floodlight**, *def. 2* □ **f. level**, livello di piena □ **f. plain**, pianura soggetta a esondazioni periodiche; terreno golenale; golena □ (*scherz.*) **from before the F.**, antidiluviano □ **in a f.** (**o in floods**) **of tears**, in un mare di lacrime; che piange a dirotto □ (*fig.*) **to be in full f.**, essere in pieno svolgimento; essere lanciato (*fam.*).

to **flood** /flʌd/ **A** v. t. **1** allagare; inondare (*anche fig.*): *The river has flooded the fields*, il fiume ha allagato i campi **2** (*fig.*) inondare; pervadere, sommergere: **to f. the market with st.**, inondare il mercato di qc.; *The hall was flooded with light*, la sala era inondata di luce; **to be flooded with complaints** [**greetings**], essere sommerso da lamentele [saluti]; **to be flooded with letters**, essere inondato di posta; ricevere una valanga di lettere **3** irrigare **4** (*mecc.*) ingolfare: **to f. the carburettor**, ingolfare il carburatore **5** → **to floodlight** **B** v. i. **1** (*di fiume*) gonfiarsi; straripare **2** (*della marea*) crescere; salire; montare **3** essere inondato; essere allagato; allagarsi: *The area is liable to f.*, la zona va soggetta ad allagamenti **4** → **to flood in**.

■ **flood back** v. i. + avv. **1** rifluire **2** (*di persone, folla*) ritornare in massa; riversarsi di nuovo **3** (*di ricordi*) riaffiorarsi alla mente.

■ **flood in** v. i. + avv. **1** (*dell'acqua*) irrompere (allagando) **2** arrivare in quantità; fioccare; (*di persone, folla*) affluire in massa, riversarsi: *Readers' letters were flooding in*, fioccavano le (o ci fu un diluvio di) lettere di lettori; *The fans flooded into the stadium*, i tifosi si riversarono nello stadio.

■ **flood out** **A** v. i. + avv. **1** riversarsi fuori **2** (*autom.*) ingolfare il carburatore **B** v. t. + avv. (*di alluvione*) costringere (q.) ad abbandonare l'abitazione.

flooded /'flʌdɪd/ a. **1** inondato **2** colpito da inondazione **3** (*mecc.: del carburatore*) ingolfato **4** pieno: **eyes f. with tears**, occhi pieni di lacrime ● **f. light**, luce diffusa.

floodgate /'flʌdɡeɪt/ n. cateratta; chiusa; paratoia ● (*fig.*) **to open the floodgates to st.**, spalancare le porte a qc.; dare il via a un'ondata di qc.; dare libero sfogo a qc.; dare la stura a qc.

flooding /'flʌdɪŋ/ n. Ⓤ inondazione; allagamento.

floodlight /'flʌdlaɪt/ n. **1** riflettore; proiettore; fotoelettrica **2** Ⓤ luce di riflettore; luce di fotoelettrica.

to **floodlight** /'flʌdlaɪt/ (*pass.* e *p. p.* **floodlit**), v. t. illuminare con riflettori; illuminare a giorno ● **floodlit buildings**, edifici illuminati □ (*sport*) **floodlit match**, notturna; partita in notturna.

floodwater /'flʌdwɔːtə(r)/ n. acque (pl.) di piena (o di inondazione).

♦**floor** /flɔː(r)/ n. **1** pavimento: **the kitchen f.**, il pavimento della cucina; **wooden f.**, pavimento di assi, assito; impiantito; **brick f.**, pavimento di mattoni; mattonato; **carpeted** [**tiled**] **f.**, pavimento con moquette [a piastrelle] □ (*edil.*) **to install** (o **to lay**) **a f.**, posare un pavimento; **on the** (**bare**) **f.**, sul (nudo) pavimento; per terra; **to fall to the f.**, cadere sul pavimento (o a, per terra) **2** piano (*d'edificio*): **ground f.**, pianterreno; **first f.**, (*GB*) primo piano; (*USA*) pianterreno; **second f.**, (*GB*) secondo piano; (*USA*) primo piano; **the top f.**, l'ultimo piano, il piano più alto; **the upper floors**, i piani superiori; **a third-f. flat**, un appartamento al terzo piano **3** fondo; parte più bassa: **the ocean f.**, il fondo dell'oceano; **sea f.**, fondo marino **4**

base; fondamento: **the f. of a bridge**, la base d'un ponte **5** (= **dance f.**) pista da ballo: **to take the f.**, scendere in pista; cominciare a ballare **6** (*polit.*: *in un'assemblea legislativa*) – **the f.**, i banchi (pl.) dei deputati; (estens.) l'assemblea **7** (*in un'assemblea, ecc.*) – **the f.**, il pubblico; i partecipanti (pl.): **questions from the f.**, domande del pubblico; *I'll take any questions from the f. once the presentation is over*, risponderò a tutte le domande dei partecipanti al termine della presentazione **8** – **the f.**, facoltà di parlare (*in un'assemblea*); parola: **to have the f.**, avere la parola; *The f. is yours*, a lei la parola **9** (*ind.*) reparto; officina; (*in un negozio, ecc.*) area di vendita: **on the f.**, nell'officina; nei reparti; a contatto col pubblico (o con i clienti) **10** (*Borsa*) sala delle contrattazioni; recinto alle grida; corbeille (*franc.*) **f. broker**, procuratore alle grida; agente di sala **11** (*fin., comm.*) livello (o prezzo) minimo; quotazione minima: **wage f.**, livello salariale minimo **12** (*naut.*) pagliolo; platea; madiere **13** (*boxe*) tappeto (*del ring*) **14** (*basket*) parquet ● **f. beam**, (*edil.*) trave portante; (*costr. ponti*) trave di controvento □ **f. cloth**, (*GB*) strofinaccio per pavimenti □ (*USA*) tappeto leggero (*di tela olona, ecc.*) □ **f. covering**, rivestimento per pavimenti □ (*Borsa*) **f. dealer** = **f. trader** → *sotto* □ (*Borsa*) **f. dealings**, contrattazioni alle grida □ (*ginnastica*) **f. exercise**, esercizio a terra; esercizio a 'corpo libero' □ (*sport, fam. USA*) **f. hockey**, hockey giocato al chiuso □ (*USA*) **f. lamp**, lampada a stelo (*edil.*) **f.-layer**, pavimentista □ (*polit., USA*) **f. leader**, capogruppo parlamentare □ **f. manager**, (*TV*) direttore di scena; direttore artistico; (*comm.*) caporeparto; (*teatr., ecc., USA*) direttore di sala □ **f. plan**, pianta (*di un piano di casa*) □ **f. polish**, cera da pavimenti □ **f.-polisher**, lucidatrice (elettrica) per pavimenti; spandicera □ (*comm.*) **f. price**, prezzo minimo □ (*edil.*) **f. resurfacing**, rifacimento dei pavimenti □ (*edil.*) **f. safe**, cassaforte fissata al pavimento □ (*edil.*) **f. sanding and polishing**, levigatura dei pavimenti □ **f. show**, spettacolo di varietà (*in un night-club, ecc.*) □ **f. space**, superficie utilizzabile (*di appartamento*); spazio (*utile*) □ (*ind. costr.*) **f. system**, impalcato □ (*USA*) **f.-through**, appartamento che occupa un intero piano □ (*edil.*) **f. tile**, piastrella per pavimenti □ (*edil.*) **f. tiling**, pavimentazione a mattonelle □ (*Borsa*) **f. trader**, operatore in titoli (*per conto proprio*) □ (*polit., GB*) **to cross the f.**, passare all'opposizione (o dalla parte del governo); votare con il partito avverso □ (*fig.*) **to fall through the f.**, crollare □ **from f. to ceiling**, dal pavimento al soffitto; da cima a fondo □ (*fig.*) **to hold the f.**, parlare senza essere interrotto; tenere banco □ **to take the f.**, scendere sulla pista da ballo; cominciare a ballare; (*anche*) alzarsi a parlare (*in un'assemblea, in un dibattito*) □ (*fam.*) **to wipe the f. with sb.**, annientare, schiacciare, travolgere q. (*in una discussione, ecc.*).

to **floor** /flɔː(r)/ v. t. **1** pavimentare; ammattonare **2** gettare a terra; atterrare (*spec. con un pugno*); (*boxe*) mettere (o mandare) al tappeto **3** confondere; lasciare muto, senza parola; ridurre al silenzio: *The next question floored him*, la domanda successiva lo lasciò muto **4** (*fig.*) battere; sconfiggere; stendere (*fam.*) **5** (*fam., autom.*) schiacciare a fondo (*un pedale*); pigiare su: **to f. the accelerator** (o **to f. it**), schiacciare a fondo l'acceleratore; andare a tavoletta (*fam.*).

floorboard /'flɔːbɔːd/ n. **1** asse, tavola (*di pavimento di legno*) **2** (al pl., collett.) pavimento (*di legno*); assito; piancito; tavolato **3** (*ind. min.*) tavolato.

flooring /'flɔːrɪŋ/ n. □ **1** (*edil.*) pavimentazione; posa di pavimenti **2** pavimento; pavimentazione; (*edil., =* **f. materials**)

materiali da pavimentazione **4** (*boxe*) atterramento; messa al tappeto ● **f. contractors**, pavimentisti; impresa di pavimentazione □ **f. specialist**, addetto al (o tecnico del) rivestimento; pavimentista.

floorwalker /'flɔːwɔːkə(r)/ n. (*spec. USA*) caporeparto di grande magazzino.

floosie, **floozy** /'fluːzɪ/ n. (*slang*) sgualdrina.

flop /flɒp/ **A** n. **1** caduta pesante; tonfo: **to fall with a f.**, cadere con un tonfo; **belly f.**, panciata (*tuffandosi*) **2** (*fam.*) fiasco; fallimento; flop: *The play was a f.*, la commedia fu un fiasco **3** capelli (pl.) ricadenti sulla fronte; ciuffo; zazzera **4** (*slang USA*) letto di fortuna; posto per dormire **5** (*slang*) persona grossa e flaccida **6** (*comput.*) → **FLOP** **B** attr. (solo nei composti) cascante; floscio; pendulo; (a) penzoloni: **f.-brimmed hat**, cappello dalla tesa floscia; **f.-eared**, con le orecchie pendule.

to **flop** /flɒp/ **A** v. i. **1** cadere pesantemente; lasciarsi cadere: *He flopped into an armchair* [*down in a chair*], si lasciò cadere in una poltrona [su una sedia]; *Her head flopped back* [*forward*], la testa le ricadde all'indietro [in avanti] **2** (*anche* **to f. around**) ciondolare; sbattere; sbatacchiare: *Her books flopped around in the bag*, i libri sbattevano nella borsa **3** (*anche* **to f. around**) bighellonare; ciondolare **4** (*fam.*) fallire; far fiasco **5** (*slang*) dormire; passare la notte **B** v. t. lasciar cadere pesantemente; sbattere.

FLOP /flɒp/ sigla (*comput.*, **floating-point operations per second**) numero di operazioni in virgola mobile al secondo.

flophouse /'flɒphaʊs/ n. (*slang USA*) albergo (o pensione) d'infimo ordine.

flopover /'flɒpəʊvə(r)/ n. (*elettron., TV*) sganciamento del verticale (*difetto*); perdita del sincronismo.

flopperoo /flɒpə'ruː/ n. (*fam.*) fiasco clamoroso; flop.

floppy /'flɒpɪ/ a. floscio; molle; pendulo; penzolante; moscio: **f. hat**, cappello floscio; **f. ears**, orecchie pendule; **f. hair**, capelli che ricadono sulla fronte ● (*comput.*) **f. disk**, dischetto; floppy (disk) □ **f. drive**, lettore di floppy | **-iness** n. Ⓤ.

flora /'flɔːrə/ n. (pl. **floras**, **florae**) (*bot.*) flora.

floral /'flɔːrəl/ a. **1** floreale; di fiori: **f. arrangement**, composizione floreale; **f. tribute**, mazzo di fiori, corona di fiori (*spec. a un funerale*) **2** floreale; a fiori: **f. pattern**, motivo a fiori **3** (*bot.*) fiorale, florale.

Florence /'florəns/ n. **1** (*geogr.*) Firenze **2** (*ind. tess.*) fiorenza ● (*bot.*) **F. fennel** (*Foeniculum dulce*), finocchio dolce □ (*chim.*) **F. flask**, matraccio.

Florentine /'florəntaɪn/ a. e n. fiorentino ● (*bot.*) **F. iris** (*Iris florentina*), giglio fiorentino.

florescence /flɔː'resns/ n. Ⓤ (*bot.* e *fig.*) fioritura.

floret /'flɔːrət/ n. (*bot.*) fioretto; flosculo.

floriated /'flɔːrɪ'eɪtɪd/ a. (*archit.*) decorato con motivi di fiori.

floribunda /flɔːrɪ'bʌndə/ **A** n. (*bot.*) inflorescenza racemosa **B** a. (*bot.*) racemoso; a grappolo.

floriculture /'flɔːrɪkʌltʃə(r)/ n. Ⓤ floricultura, floricoltura ‖ **floricultural** a. della floricultura, floricoltura; floricolo ‖ **floriculturist** n. floricultore, floricoltore.

florid /'florɪd/ a. **1** rubicondo; rubizzo: **a f. face**, una faccia rubiconda **2** (*di linguaggio, stile, ecc.*) eccessivamente ornato o elaborato; fiorito **3** (*med.*) conclamato **4** (*arc.*) florido; fiorente ‖ **floridity**, **floridness** n. Ⓤ **1** colore rubizzo **2** eccessiva elaboratezza o ornatezza.

Florida room /'flɒrɪdə ruːm/ loc. n. (*USA*) stanza con ampie vetrate; veranda.

floriferous /flɔː'rɪfərəs/ a. (*bot.*) florifero.

florilegium /flɒːrɪ'liːdʒɪəm/ (*lat.*) n. (pl. *florilegia, florilegiums*) florilegio.

florin /'flɒrɪn/ n. **1** (*stor.*) fiorino (*fiorentino, inglese, olandese*) **2** (*stor., in GB, fino al 1971*) moneta da due scellini; fiorino.

florist /'flɒrɪst/ n. fioraio, fioraia; fiorista.

floristic /flɒ'rɪstɪk/ a. (*bot., ecol.*) floristico.

floristics /flɒ'rɪstɪks/ n. pl. (col verbo al sing.) floristica.

flory /'flɔːrɪ/ a. (*arald.*) gigliato.

floss /flɒs/ n. ⚏ **1** (*ind. tess.*) bava, bavella (*del bozzolo*) **2** (*ind. tess.*) cascame **3** (*ind. tess.,* = **f. silk**) filaticcio; spelaia; filo di seta da ricamo **4** (*bot.*) lanugine (*di piante*) **5** (= **dental f.**) filo interdentale **6** (*metall.*) scoria fusa galleggiante.

to **floss** /flɒs/ v. t. e i. (*USA*) pulirsi (*i denti*) con filo interdentale.

flossy /'flɒsɪ/ a. **1** simile a seta; serico **2** (*fam. USA*) sgargiante; vistoso; chiassoso.

flotage /'fləʊtɪdʒ/ → **floatage**.

flotation /fləʊ'teɪʃn/ n. ⚏ **1** galleggiamento; flottazione **2** (*fin.*) costituzione, lancio (*di impresa o società commerciale*) **3** (*fin.*) emissione (*di azioni*) **4** (*ind. min.*) flottazione ● (*naut.*) **f. tank**, cassa (*o cassone*) di galleggiamento □ (*naut.*) **centre of f.**, centro di gravità (*di natante*) □ (*fis.*) **principle of f.**, principio di Archimede.

flotilla /fləʊ'tɪlə/ n. (*naut.*) flottiglia.

flotsam /'flɒtsəm/ n. ⚏ (solo nella loc.: **flotsam and jetsam**) **1** (*leg., naut.*) relitti (pl.) (*o rottami,* pl.) galleggianti **2** (*fig.*) derelitti (pl.); vagabondi (pl.) **3** (*fig.*) mucchio di cose senza valore; cianfrusaglie (pl.).

flounce ① /flaʊns/ n. gesto, mossa d'impazienza (*o di stizza*); scatto.

flounce ② /flaʊns/ n. balza; gala; volant; falpalà.

to **flounce** ① /flaʊns/ v. i. muoversi con impazienza (*o con stizza*): **to f. up and down**, camminare impazientemente su e giù; *She flounced out of the room*, lasciò la stanza stizzita.

to **flounce** ② /flaʊns/ v. t. ornare di balze (*o gale, o falpalà*) ‖ **flounced** a. ornato di balze; con le balze.

flouncy /'flaʊnsɪ/ a. con le balze; con falpalà.

flounder ① /'flaʊndə(r)/ n. ⚏ il dibattersi; dimenamento; movimento stentato.

flounder ② /'flaʊndə(r)/ n. (pl. *flounder, flounders*) (*zool.*) **1** (*Pleuronectes flesus*) passera nera; passera di mare **2** (*USA*) pesce piatto (*eccetto la sogliola*).

to **flounder** /'flaʊndə(r)/ v. i. **1** agitarsi; dibattersi; annaspare **2** confondersi; impappinarsi **3** trovarsi in difficoltà; annaspare.

♦ **flour** /'flaʊə(r)/ n. ⚏ **1** farina **2** (*edil.*) polvere finissima ● **f. bag**, sacco di farina; pacco di farina □ **f. bin**, madia □ (*zool.*) **f. beetle** (*Tenebrio molitor*), tenebrione; verme della farina □ **f. box**, barattolo (*con coperchio bucherellato*) per spargere la farina □ **f. dressing**, abburattatura □ **f. mill**, mulino (*da grano*) □ (*zool.*) **f. moth** (*Ephestia kuhniella*), tignola grigia della farina □ **self-raising f.**, → **self-**.

to **flour** /'flaʊə(r)/ v. t. **1** infarinare **2** (*USA*) macinare (*il grano*); trasformare in farina.

flourish /'flʌrɪʃ/ n. **1** gesto enfatico: *He offered me the book with a f.*, mi offrì il libro con un ampio gesto del braccio **2** sventolio (*di cappello, ecc.*); mulinello (*di spada, ecc.*) **3** svolazzo; ghirigoro: **to sign with a f.**, firmare con uno svolazzo **4** (*di tromba*) squilli

(pl.); fanfara **5** abbellimento retorico; infiorettatura; espressione fiorita **6** (*mus.*) fioritura; fiorettatura ● (*antiq.*) **in full f.**, in pieno rigoglio.

to **flourish** /'flʌrɪʃ/ **A** v. i. **1** (*di persona*) prosperare; essere fiorente; essere in ottima salute **2** (*bot.*) attecchire; prosperare: *Palm trees don't f. in cold countries*, le palme non prosperano nei paesi freddi **3** (*di movimento, scuola, ecc.*) fiorire; svilupparsi; diffondersi; essere fiorente **4** (*di affari, impresa, ecc.*) prosperare; essere fiorente; andare a gonfie vele **5** usare un linguaggio (*o uno stile*) fiorito **6** (*mus.*) eseguire una fioritura **7** (*di trombe*) squillare; suonare una fanfara **B** v. t. **1** agitare; sventolare; brandire; scuotere: *He flourished a credit card*, sventolò una carta di credito; **to f. one's sword**, brandire la spada **2** mettere in mostra; ostentare.

flourishing /'flʌrɪʃɪŋ/ a. fiorente; prosperoso; rigoglioso.

floury /'flaʊərɪ/ a. **1** farinoso **2** coperto di farina; infarinato.

flout /flaʊt/ n. beffa; atto di scherno; derisione; dileggio.

to **flout** /flaʊt/ **A** v. t. trasgredire intenzionalmente; ignorare apertamente; sfidare; farsi beffe di: **to f. the rules**, ignorare apertamente il regolamento; **to f. convention**, sfidare le convenzioni **B** v. i. (*arc.*) deridere; schernire; farsi beffe (di); sbeffeggiare: **to f. at sb.**, deridere q.; schernire q.; farsi beffe di q. ❶ NOTA: *to flaunt o to flout?* → **flaunt**.

♦ **flow** /fləʊ/ n. **1** flusso; corrente: **the f. of blood**, il flusso del sangue; (*fisiol.*) **menstrual f.**, il flusso mestruale; **to swim against the f.**, nuotare contro la corrente (*di un fiume*) **2** portata; flusso: **a spring with a constant f. of water**, una sorgente d'acqua a portata costante **3** flusso (*della marea*); marea montante: **ebb and f.**, flusso e riflusso **4** (*fig.*) flusso; corrente; scorrimento; afflusso; susseguirsi; (il) fluire: **the f. of traffic**, il flusso del traffico; **a f. of words**, un flusso di parole; **a f. of visitors**, un susseguirsi di visite; **the f. of supplies**, l'afflusso dei rifornimenti; (*comm. est.*) **the f. of trade**, le correnti di scambio; **the f. of conversation**, il fluire della conversazione **5** (*fis., elettr.*) flusso; corrente **6** (*comput.*) flusso **7** (*econ., fin.*) flusso; afflusso; gettito: **f. of capital**, flusso di capitali; **f. of cash**, flusso di fondi; flusso finanziario; **f. line**, linea di flusso **8** (*autom.,* = **traffic f.**) circolazione **9** (*geol.*) colata ● (*ecol.*) **f. bog**, torbiera fluttuante □ (*metall.*) **f. brazing**, brasatura a colata □ **f. chart** → **flowchart** □ (*org. az.*) **f. process**, dinamica del lavoro □ (*econ.*) **f. production**, produzione a flusso continuo □ **f. sheet** → **flowchart** □ (*mecc.*) **f. soldering**, saldatura a onda □ **to be in full f.**, essere lanciato (*a parlare*); parlare a ruota libera □ (*fig.*) **to go with the f.**, prendere le cose come vengono.

♦ to **flow** /fləʊ/ **A** v. i. **1** scorrere; fluire: *The river flows through the plain*, il fiume scorre nella pianura **2** sgorgare; fuoriuscire; uscire: *Blood flowed from the wounds*, dalla ferita usciva sangue **3** (*di fiume*) sfociare **4** (*fig.*) scorrere; procedere; fluire: *Traffic was flowing freely*, il traffico scorreva liberamente; *The conversation flowed smoothly*, la conversazione procedeva senza intoppi **5** (*di folla, ecc.*) affluire; riversarsi: *The demonstrators flowed into the square*, i dimostranti si riversarono nella piazza **6** (*di stile*) essere scorrevole **7** (*di capelli, abito, ecc.*) ricadere morbidamente; scendere **8** derivare; essere conseguenza (*di*); procedere; provenire **9** (*mecc.*) subire la deformazione plastica **10** – **to f. with**, essere inondato, coperto di (*un liquido*) **11** (*fig., letter.*) – **to f. with**, essere pieno di; abbondare di:

(*Bibbia*) **a land flowing with milk and honey**, una terra dove scorrono latte e miele **12** (*della marea*) montare; salire **B** v. t. inondare **●** (*fig.*) **to f. over sb.**, (*di critica, ecc.*) scorrere su q. come acqua; non aver effetto su q.; lasciare q. imperturbato □ (*fig.*) **to f. with the tide**, seguire la corrente.

▪ **flow in** v. i. + avv. **1** (*di liquido*) affluire; entrare **2** (*fig.*) affluire: *Foreign capital is flowing in*, affluiscono capitali dall'estero.

▪ **flow out** v. i. + avv. **1** (*di liquido*) uscire **2** (*di denaro*) essere speso; andarsene.

▪ **flow over A** v. i. + avv. straripare; traboccare **B** v. i. + prep. **1** (*delle acque*) superare (*gli argini, ecc.*) **2** (*fig.*) scorrere su (q.) come acqua; lasciare (q.) indifferente; non aver effetto su (q.): *My criticism just flowed over him*, le mie critiche lo lasciarono indifferente.

flowage /'fləʊɪdʒ/ n. ⚏ **1** inondazione; straripamento **2** inondazione; piena **3** (*geol.*) colata.

flowchart /'fləʊtʃɑːt/ n. **1** (*comput., elettron.*) diagramma di flusso; flowchart **2** (*org. az.*) diagramma del ciclo di lavorazione; flowchart.

to **flowchart** /'fləʊtʃɑːt/ v. t. (*comput.*) riportare in diagramma di flusso; diagrammare.

♦ **flower** /'flaʊə(r)/ n. **1** fiore: **a tree covered in flowers**, un albero coperto di fiori; **cut flowers**, fiori recisi; fiori freschi; **wild flowers**, fiori di campo; fiori selvatici; **f. market**, mercato dei fiori **2** ⚏ fioritura: **to come into f.**, essere in fioritura; fiorire; mettere i fiori; **in f.**, in fiore **3** (*fig.*) fiore; fior fiore; (il) meglio: **the f. of our youth**, il fiore della nostra gioventù; *He was in the f. of his youth*, era nel fiore degli anni **4** (*fig.*) fiore; ornamento: **flowers of speech**, fiori retorici **5** (al pl.) (*chim., antiq.*) fiori: **flowers of sulphur [zinc]**, fiori di zolfo [zinco] ● **f. arrangement**, composizione floreale □ **f. arranging**, disposizione artistica dei fiori □ **f. box**, fioriera □ (*bot.*) **f.-bud**, gemma florale □ **f. children** (*o* **people**), figli dei fiori (*negli anni 60 e 70*) □ **f. cup**, calice □ **f.-dust**, polline □ **f. girl**, fioraia; (*USA*) ragazza che porta fiori a un matrimonio □ **f. grower**, floricoltore □ **f.-growing**, (sost.) floricultura; (agg.) floricolo □ (*bot.*) **f. head**, capolino □ **f.-like**, simile a fiore □ **f. of wine**, fiore (*del vino*); fioretta □ **f. piece**, quadro raffigurante fiori □ **f. power**, le idee dei figli dei fiori (*negli anni 60 e 70*) □ **f. show**, esposizione floreale; mostra dei fiori □ (*bot.*) **f. stalk**, peduncolo □ **f. stand**, portafiori; portavasi; fioriera □ **flowers of tan**, fiore, muffa (*del vino, ecc.*) □ **f.-work**, motivo floreale □ «**No flowers by request**», «Si prega di non inviare fiori».

to **flower** /'flaʊə(r)/ **A** v. i. (*anche fig.*) fiorire: *His genius flowered early*, il suo genio fiorì precocemente **B** v. t. **1** far fiorire (*una pianta*) **2** ornare di fiori (*o motivi floreali*); infiorare.

flowerbed /'flaʊəbed/ n. aiuola.

flowered /'flaʊəd/ a. **1** (*di stoffa, abito*) a fiori; a fiorami; a motivi floreali **2** (*spec.* nei composti) dai fiori: **purple-f.**, dai fiori viola **3** ornato di fiori.

flowerer /'flaʊərə(r)/ n. (*con avv.*) pianta che fiorisce in un dato periodo: **late f.**, pianta che fiorisce tardi; **summer f.**, pianta che fiorisce in estate.

floweret /'flaʊərət/ n. (*bot.*) fioretto.

flowering /'flaʊərɪŋ/ **A** a. **1** fiorito; in fiore **2** che produce fiori; da fiore; fiorito: **f. bulb**, bulbi da fiore; **f. fern**, felce fiorita **3** (*con avv.*) che fiorisce (*in un dato periodo*): **winter-f.**, che fiorisce in inverno **B** n. ⚏ (*anche fig.*) fioritura ● (*bot.*) **f. cherry** (*Prunus serrulata*), ciliegio da fiore; ciliegio giapponese □ (*bot.*) **f. rush** (*Butomus umbellatus*),

giunco fiorito.

flowerless /'flauələs/ *a.* (*bot.*) privo di fiori; senza fiori.

flowerpot /'flauəpɒt/ *n.* vaso da fiori.

flowery /'flauərı/ *a.* **1** fiorito; in fiore: **f. meadows**, prati in fiore **2** a fiori; floreale: **f. wallpaper**, tappezzeria a fiori **3** fiorito; infiorato: **f. language**, linguaggio fiorito | **-iness** *n.* ◻.

flowing /'fləuıŋ/ **A** *a.* **1** fluente: **f. hair**, capelli fluenti **2** (*di abito, ecc.*) morbido; sciolto; dalle linee morbide; flou (*franc.*): **f. gown**, lunga veste morbida **3** fluido; scorrevole; sciolto: **a f. style**, uno stile fluido (*o* scorrevole); **f. brushwork**, pennellata fluida; **f. curves**, curve fluide **4** (*con avv.*) che scorre: **a fast-f. river**, in fiume che scorre rapido (*o* dalla corrente impetuosa) **5** (*naut.*: *di marea*) montante; crescente **B** *n.* ◻ **1** corso, flusso (*di fiume*) **2** scolo (*d'acqua*) ● (*metall.*) **f. furnace**, forno di colata || **flowingness** *n.* ◻ (*anche fig.*) fluidità; scorrevolezza.

flowmeter /'fləumɪːtə(r)/ *n.* (*tecn.*) flussometro.

flown /fləun/ *p. p. di* **to fly**.

Flt Lt *abbr.* (*aeron. mil., in GB*, **Flight Lieutenant**) capitano di aviazione.

Flt Sgt *abbr.* (*aeron. mil., in GB*, **Flight Sergeant**) maresciallo di 3ª.

flu /fluː/ *n.* ◻ (*med. fam.*) influenza: *I've got (the) flu*, ho l'influenza; **a nasty dose** (*o* **bout**) **of flu**, una brutta influenza; **to go down with (the) flu**, prendersi l'influenza; **sick with flu**, influenzato ● (*fam.*) **flu bug**, virus influenzale ◻ **flu vaccination** (*fam.* **flu jab**), vaccinazione antinfluenzale.

flub /flʌb/ *n.* (*fam. USA*) errore madornale; svarione; granchio; gaffe.

to flub /flʌb/ *v. t.* (*fam. USA, anche* **to f. up**) fare (*qc.*) male; pasticciare; incasinare (*pop.*) ● **to f. the dub**, incasinarsi (*pop.*).

flubdub /'flʌbdʌb/ *n.* ◻ (*fam. USA*) goffaggine; inettitudine.

fluctuant /'flʌktʃuənt/ *a.* (*lett.*) fluttuante; oscillante.

to fluctuate /'flʌktʃueɪt/ *v. i.* **1** (*anche econ., fin.*) fluttuare; oscillare **2** ondeggiare; vacillare; essere indeciso (*o* incerto); essere variabile: **to f. between hope and fear**, ondeggiare tra speranza e timore.

fluctuating /'flʌktʃueɪtɪŋ/ *a.* (*anche econ., fin.*) fluttuante; oscillante: **f. exchange rate**, tasso di cambio fluttuante; **f. prices**, prezzi oscillanti ● (*banca*) **f. overdraft**, scoperto di conto, assistito da fido; castelletto (*fam.*).

fluctuation /flʌktʃu'eɪʃn/ *n.* ◻ (*anche econ., fin.*) fluttuazione; oscillazione; variazione: **a f. in food prices**, un'oscillazione dei prezzi dei generi alimentari; **a f. in sales**, una fluttuazione delle vendite; **fluctuations in exchange rates**, oscillazioni del cambio; variazioni dei cambi; **climatic fluctuations**, variazioni climatiche ● **currency f. bands**, bande (*o* fasce) di fluttuazione fra le monete ◻ (*naut.*) **f. of the tide**, movimento di flusso e riflusso della marea.

flue ① /fluː/ *n.* **1** condotta (*del fumo, in una caldaia, ecc.*); tubo (*dell'aria calda e sim.*) **2** canna fumaria; gola del camino **3** cannello (*della pipa*) **4** (*mus.*) ancia (*di canna d'organo*): **f. pipes**, canne d'organo ad ancia.

flue ② /fluː/ *n.* ◻ lanugine; peluria.

flue ③ /fluː/ *n.* rete da pesca (*a strascico, ecc.*).

to flue /fluː/ **A** *v. t.* allargare, svasare, strombare (*un'apertura*) **B** *v. i.* allargarsi (*verso l'interno o verso l'esterno*); svasarsi.

fluency /'fluːənsı/ *n.* ◻ **1** scorrevolezza; scioltezza: **to acquire f. in reading**, acquisire sciolezza nella lettura **2** il parlare cor-

rentemente (*una lingua straniera*); sciolttezza; ottima conoscenza: *F. in French is required*, si richiede un'ottima conoscenza del francese.

fluent /'fluːənt/ *a.* **1** (*di parola, stile*) scorrevole; spedito; fluente **2** (*di persona*) che sa parlare bene; eloquente **3** (*di persona*) che parla correntemente (*una lingua straniera*): *She is f. in three languages*, parla correntemente tre lingue; **to become f. in a language**, imparare perfettamente una lingua **4** (*di lingua straniera*) parlato speditamente; ottimo: **to speak f. English**, parlare un ottimo inglese; parlare l'inglese speditamente **5** (*di flusso*) abbondante; copioso || **fluently** *avv.* correntemente; scorrevolmente; speditamente.

fluff /flʌf/ *n.* **1** ◻ lanugine; peluria **2** ◻ batuffoli (pl.) (*di piume, ecc.*): ciuffi (pl.) (*di pelo, ecc.*) **3** ◻ laniccio (*sotto il letto, ecc.*) **4** (*fam.*) errore; (*teatr., radio*) papera **5** ◻ (*slang*) cosa inconsistente, superficiale, sciocca ● (*fam. scherz.*) **a bit of f.**, una ragazza.

to fluff /flʌf/ **A** *v. t.* **1** arruffare (*le penne*) **2** (*anche* **to f. up**) gonfiare, rendere vaporosi (*i capelli*) **3** (*anche* **to f. up**) sprimacciare (*un cuscino, ecc.*) **4** (*fam.*) sbagliare; pasticciare: (*teatr.*) **to f. one's lines**, sbagliare la battuta; impaperarsi; (*calcio, ecc.*) **to f. an open goal**, sbagliare un gol sicuro **B** *v. i.* (*delle penne*) arruffarsi; (*dei capelli*) gonfiarsi.

fluffy /'flʌfı/ *a.* **1** lanuginoso; coperto di peluria **2** soffice; leggero; vaporoso; fioccoso: **f. clouds**, nuvole fioccose **3** (*cucina*) spumoso: **to beat the butter until f.**, sbattere il burro finché non diventa spumoso **4** (*di persona*) leggero; svampito (*fam.*) **5** privo di consistenza; superficiale | **-ily avv.** | **-iness** *n.* ◻.

flugelhorn /'fluːgəlhɔːn/ (*ted.*) *n.* (*mus.*) flicorno ● (*mus.*) **Eb f.**, flicorno soprano in Mi b.

fluid /'fluːıd/ **A** *a.* **1** ◻ liquido; fluido: **f. fuel**, combustibile liquido (*o* fluido) **2** fluido; fluente; sciolto; morbido: **a f. movement**, un movimento fluido **3** mutevole; fluido; variabile; instabile; incerto: **f. opinions**, opinioni mutevoli; *The situation is still very f.*, la situazione è ancora molto fluida **B** *n.* **1** liquido: *Make sure you drink plenty of fluids and keep warm*, cerca di bere molti liquidi e stai al caldo; **body fluids**, liquidi corporei (*o* dell'organismo); (*fisiol.*) **amniotic f.**, liquido amniotico; **correction f.**, correttore liquido; **f. retention**, ritenzione dei liquidi **2** (*fis., mecc.*) fluido: **f. mechanics**, meccanica dei fluidi ● (*autom.*) **f. check**, controllo del livello dei liquidi ◻ (*med.*) **f. diet**, dieta liquida ◻ (*fis.*) **f. dynamics**, fluidodinamica; dinamica dei fluidi ◻ (*mecc.*) **f. drive**, giunto idraulico; trasmissione idrodinamica ◻ (*mecc.*) **f. gear**, cambio idraulico ◻ **f. ounce**, oncia liquida (*misura per liquidi, para a decilitri 0,47 in GB e a decilitri 0,39 in USA*) ◻ (*fin.*) **f. savings**, risparmio amorfo ◻ (*fis.*) **f. statics**, fluidostatica.

fluidics /'fluːɪdɪks/ *n. pl.* (col verbo al sing.) (*fis.*) fluidica.

to fluidify /fluː'ɪdɪfaɪ/ *v. t. e i.* fluidificare; fluidificarsi || **fluidification** *n.* ◻ fluidificazione.

fluidity /fluː'ɪdətı/ *n.* ◻ fluidità; fluidezza.

to fluidize /'fluːɪdaɪz/ (*chim.*) *v. t.* fluidizzare || **fluidization** *n.* ◻ fluidizzazione || **fluidized** *a.* fluidizzato ● (*fis. nucl.*) **fluidized-bed** (*o* **fluidized**) **reactor**, reattore a combustibile fluidizzato.

fluke ① /fluːk/ *n.* (*zool.*) **1** (*Pleuronectes flesus*) passera nera (*pesce*) **2** (*Fasciola hepatica*) fasciola; distoma epatico; (*med., vet.*) fluke (*verme parassita trematode*).

fluke ② /fluːk/ *n.* **1** (*naut.*, = **f. of anchor**) patta; palma **2** punta (*di freccia, lancia o ar-*

pione) **3** (al pl.) coda della balena.

fluke ③ /fluːk/ *n.* **1** (biliardo) tiro riuscito fatto per caso **2** caso fortunato; colpo di fortuna: **to win by a f.**, vincere per puro caso.

to fluke /fluːk/ **A** *v. i.* avere un colpo di fortuna **B** *v. t.* **1** (*biliardo*) colpire (*una bilia*) per caso; mandare in buca (*una bilia*) per caso **2** (*fig.*) ottenere (*qc.*) per puro caso (*o* con un colpo di fortuna).

fluky, flukey /'fluːkı/ *a.* **1** fortuito; fortunato **2** incerto; imprevedibile; variabile | **-iness** *n.* ◻.

flume /fluːm/ *n.* **1** canale artificiale (*di solito inclinato, per usi industriali*); ponte-canale **2** (*geogr.*) canalone; gola **3** acquascivolo.

to flume /fluːm/ *v. t.* **1** trasportare (*tronchi, ecc.*) per mezzo d'un canale artificiale **2** (*ind. min.*) deviare il corso di (*un fiume*).

flummery /'flʌmərı/ *n.* **1** (*cucina*) budino alla crema **2** (*cucina, antiq.*) farinata d'orzo **3** ◻ (*fig. fam.*) complimenti sciocchi; sviolinata (*fam.*).

to flummox /'flʌməks/ *v. t.* (*fam.*) confondere; mettere in imbarazzo; sconcertare.

flump /flʌmp/ *n.* colpo sordo; tonfo.

to flump /flʌmp/ **A** *v. i.* cadere pesantemente o con un tonfo **B** *v. t.* lasciar cadere (*o* buttar giù) con un tonfo; mollare.

flung /flʌŋ/ *pass. e p. p. di* **to fling**.

flunk /flʌŋk/ *n.* (*fam. USA*) **1** fiasco (*fig.*); bocciatura (*voto d'*) insufficienza.

to flunk /flʌŋk/ **A** *v. t.* (*fam. USA*) **1** essere bocciato in: *He flunked English*, fu bocciato in inglese **2** bocciare (*uno studente*) **B** *v. i.* **1** essere bocciato: *I flunked twice*, sono stato bocciato due volte **2** cedere; ritirarsi; tirarsi indietro.

■ **flunk out** *v. i. + avv.* (dover) lasciare la scuola o l'università per scarso rendimento.

flunkey /'flʌŋkı/ *n.* **1** lacchè; valletto; domestico in livrea **2** (*fig.*) lacchè; tirapiedi || **flunkeyism** *n.* ◻ servilismo.

flunky /'flʌŋkı/ e *deriv.* → **flunkey**, e *deriv.*

fluorene /'fluərıːn/ *n.* ◻ (*chim.*) fluorene.

to fluoresce /fluə'rɛs/ *v. i.* (*fis.*) essere (*o* diventare) fluorescente.

fluorescence /fluə'rɛsns/ *n.* ◻ (*fis.*) fluorescenza.

fluorescent /fluə'rɛsnt/ *a.* **1** (*fis.*) fluorescente: **f. screen**, schermo fluorescente **2** (*fig.*) appariscente; brillante ● **f. lamp**, lampada a fluorescenza ◻ **f. lighting**, illuminazione a fluorescenza.

to fluoridate /'fluərıdeɪt/ *v. t.* (*tecn.*) fluorizzare || **fluoridation** *n.* ◻ **1** (*tecn.*) fluorizzazione (*dell'acqua, ecc.*) **2** (*geol.*) fluoridizzazione.

fluoride /'fluəraɪd/ *n.* ◻ (*chim.*) fluoruro: **sodium f.**, fluoruro di sodio ● **f. toothpaste**, dentifricio al fluoro.

to fluoridize /'fluərıdaɪz/ (*med.*) *v. t.* fluorizzare; curare con fluoro (*o* con un fluoruro) || **fluoridization** *n.* ◻ fluorizzazione; somministrazione di fluoro.

fluorimeter /fluə'rımətə(r)/ *n.* (*biochim.*) fluorimetro.

to fluorinate /'fluərıneɪt/ (*chim.*) *v. t.* fluorurare || **fluorination** *n.* ◻ fluorurazione.

fluorine /'fluərıːn/ *n.* ◻ (*chim.*) fluoro.

fluorite /'fluəraɪt/ *n.* ◻ (*miner.*) fluorite; fluorina.

fluorocarbon /fluərəu'kɑːbən/ *n.* (*chim.*) fluorocarbonio.

fluorochrome /'fluərəukrəum/ *n.* (*chim.*) fluorocromo.

fluorography /fluə'rɒgrəfı/ *n.* ◻ (*med.*) fluorografia.

fluoroscope /'fluərəskəup/ (*med.*) *n.* fluoroscopio || **fluoroscopy** *n.* ◻ fluoroscopia.

a b c d e **f** g h i j k l m n o p q r s t u v w x y z

fluorosis /ˌfluəˈrəʊsɪs/ n. ⓤ (*med.*) fluorosi.

fluorspar /ˈfluəspɑː(r)/ n. ⓤ (*chim.*) fluorite; fluorina.

fluoxetine /fluˈɒksətiːn/ n. ⓤ (*med.*) fluoxetina; Prozac®.

flurry /ˈflʌrɪ/ n. **1** folata, turbine (*di cose trascinate dal vento*); raffica, scroscio (*di pioggia*): **a f. of snow** [**of leaves**], un turbine di neve [di foglie] **2** improvviso fermento; agitazione; confusione; subbuglio; trambusto: **a f. of interest**, un improvviso interesse; **a f. of activity**, un momento di attività frenetica; un turbinio di attività; **a f. of excitement**, una grande eccitazione; *They fell in a f. of arms and legs*, caddero a terra in una confusione di braccia e gambe **3** quantità improvvisa; pioggia; raffica: **a f. of enquiries**, una pioggia di richieste di informazioni **4** (*di balena ferita a morte*) convulsioni (pl.); ultimi sussulti (pl.).

to flurry /ˈflʌrɪ/ Ⓐ v. i. **1** turbinare; essere trascinato dal vento **2** agitarsi; andare su e giù; essere indaffarato Ⓑ v. t. agitare; innervosire; confondere.

flush ① /flʌʃ/ n. **1** flusso improvviso (*d'acqua, ecc.*); getto **2** Ⓤⓒ sciacquata; ripulitura con un getto d'acqua: **to give the toilet a f.**, far scorrere l'acqua nel water **3** sciacquone (*di gabinetto*); scarico: **to press the f.**, azionare lo sciacquone; far scorrere l'acqua **4** ⓤ rigoglio; fioritura; abbondanza; profusione: **the full f. of spring**, il pieno rigoglio della primavera; **in the first f. of youth**, nel primo rigoglio della giovinezza **5** empito; impeto; ebbrezza; esaltazione; entusiasmo: **the first f. of passion**, il primo impeto della passione; **in the first f. of success**, nell'ebbrezza del primo successo **6** rossore; vampa; vampata; afflusso di sangue al viso: *The memory brought a f. of shame to her cheeks*, il ricordo le fece salire al viso una vampa di vergogna; al ricordo arrossì di vergogna; **hectic f.**, rossore febbrile; **hot f.**, vampa al viso (*in menopausa*); caldana **7** (*med.*) accesso febbrile; vampa (*di febbre, ecc.*) **8** (*caccia*) (il) fare uscire (*un uccello*) allo scoperto; (il) levarsi in volo improvviso ● **f. gate**, paratoia di spurgo □ **f.-tank**, (*di fogna, ecc.*) apparecchio di lavaggio; (*edil.*) cassetta di cacciata (*in un water*) □ **f. toilet**, gabinetto con sciacquone □ **f.-valve**, valvola di sciacquone.

flush ② /flʌʃ/ Ⓐ a. **1** a filo; pari; a livello: *f. with the floor*, a filo del pavimento **2** (*fam.*) ben provvisto di denaro; ben fornito; pieno di soldi **3** generoso; prodigo; splendido: *He is f. with his money*, è prodigo del suo denaro **4** (*di fiume*) in piena; sul punto di straripare **5** (*tipogr.*) senza capoversi e senza rientri Ⓑ avv. **1** a filo; a livello: **to cut st. f.**, tagliare qc. a filo; rifilare qc. **2** direttamente; in pieno: *The punch hit him f. on the chin*, il pugno lo colpì in pieno mento Ⓒ n. (*slang USA*) riccone ● (*naut.*) **f. decker**, nave a ponte raso □ (*tecn.*) **f.-mounted**, incassato (*edil., elettr.*) **f. socket**, presa da incasso.

flush ③ /flʌʃ/ n. (*poker*) colore ● **royal f.**, scala reale all'asso □ **straight f.**, scala reale.

to flush ① /flʌʃ/ Ⓐ v. i. **1** (*di liquido*) sgorgare; scorrere; spargersi **2** (*di water*) venir pulito (*con lo sciacquone*): *The toilet won't f.*, lo sciacquone del water non funziona **3** (*di sangue*) salire (*al viso, ecc.*) **4** (*di viso, persona*) arrossire: **to f. with embarrassment** [**anger, pleasure**], arrossire per l'imbarazzo [di rabbia, di piacere]; *The girl's face flushed scarlet*, la ragazza diventò di fuoco; la ragazza avvampò **5** accendersi; avvampare; diventare infuocato **6** (*caccia: di uccello*) levarsi in volo **7** (*di pianta*) mettere nuovi germogli; gemmare; buttare (*fam.*) Ⓑ v. t. **1** far scorrere: **to f. water down a pipe**, far scorrere acqua in un tubo **2** eliminare (*con un getto d'acqua*); scaricare: **to f. st.**

down the toilet [the sink], eliminare qc. gettandolo nel water [nello scarico del lavandino]; **to f. out st.**, eliminare qc. (*con un getto d'acqua*) **3** (*anche* **to f. out**) pulire (*con un getto d'acqua*); spurgare; sciacquare: **to f. (out) a drain**, spurgare con un getto d'acqua un canale di scolo (*o una fogna*); **to f. the toilet**, tirare l'acqua (*o azionare lo sciacquone*) del water **4** irrigare (*un terreno*) **5** arrossare; accendere: **The wind had flushed her cheeks**, il vento le aveva arrossato le guance **6** fare arrossire; far salire il sangue a: *Indignation flushed his cheeks*, lo sdegno gli fece salire il sangue alle guance **7** (*fig.*) animare; eccitare; infiammare; entusiasmare **8** (*caccia*) far alzare in volo (*un uccello*); snidare **9** (*anche* **to f. out**) snidare, stanare (*uomini o animali*); far uscire allo scoperto: **to f. sb. out of hiding**, stanare q. dal suo nascondiglio; *We wanted to f. the two spies out into the open*, volevamo far uscire le due spie allo scoperto **10** (*comput.*) svuotare: **to f. a buffer**, svuotare un buffer.

to flush ② /flʌʃ/ v. t. livellare; spianare.

flushed /flʌʃt/ a. **1** arrossato; rosso; (*di persona*) rosso (in viso): **f. with cold** [**wine**], arrossato dal freddo [dal vino]; **f. with anger** [**embarrassment, pleasure**], rosso d'ira [di imbarazzo]; *She was f. with pleasure*, era rossa di piacere **2** eccitato; inebriato: **f. with success**, inebriato dal successo.

flusher /ˈflʌʃə(r)/ n. **1** addetto alla pulizia delle strade (o delle fogne) **2** (*slang USA*) gabinetto; latrina; cesso (*pop.*).

flushing /ˈflʌʃɪŋ/ n. Ⓤⓒ **1** flusso; caduta (o getto) d'acqua **2** rossore; vampata **3** lavaggio, ripulitura, spurgo (*di canali di scolo, ecc.*) ● **f. tank**, cassetta di cacciata (*in un gabinetto*).

fluster /ˈflʌstə(r)/ n. ⓤ (stato di) agitazione; confusione ● **to be in a f.**, essere agitato.

to fluster /ˈflʌstə(r)/ Ⓐ v. t. agitare; innervosire; confondere Ⓑ v. i. agitarsi; innervosirsi; confondersi.

flute /fluːt/ n. **1** (*mus.*) flauto: *English f.*, flauto dolce; flauto diritto; **transverse** (o, *antiq.*, **German**) **f.**, flauto traverso; **f. player**, flautista **2** (*archit., mecc., metall.*) scanalatura **3** (= **f.-glass**) flûte (*franc.*); (bicchiere a) calice **4** (*moda*) piega sciolta.

to flute /fluːt/ Ⓐ v. i. (*poet., lett.*) suonare il flauto Ⓑ v. t. **1** dire con voce flautata **2** scanalare, fare scanalature in (*una colonna, ecc.*) **3** (*moda*) formare pieghe sciolte in **4** (*poet., lett.*) suonare su un flauto. ▪ **flute out** v. i. + avv. (*di abito*) allargarsi con pieghe sciolte.

fluted /ˈfluːtɪd/ a. **1** (*archit.*) scanalato: **f. columns**, colonne scanalate; **f. pilasters**, colonnine scanalate (*di un mobile*) **2** (*di suono, ecc.*) flautato.

fluting /ˈfluːtɪŋ/ n. ⓤ **1** suono di flauto; suono flautato **2** scanalatura **3** (collett.) scanalature **4** (*di abito*) pieghe (pl.) sciolte.

flutist /ˈfluːtɪst/ n. (*mus.*, *USA*) flautista; suonatore di flauto.

flutter /ˈflʌtə(r)/ n. **1** battito, frullio (*d'ali e sim.*) **2** svolazzamento (*d'uccello*) **3** sventolio: **a f. of flags**, uno sventolio di bandiere **4** fremito; palpito: *She felt a f. of impatience*, sentì dentro di sé un fremito di impazienza; **a f. of panic**, un palpito di panico **5** agitazione; nervosismo; confusione: **to be in a f.**, essere agitato; **to put sb. in a f.**, mettere q. in agitazione **6** ⓤ (*aeron.*) sbattimento; vibrazione: **tail f.**, vibrazione di coda **7** (*slang*) (piccola) scommessa; (piccola) puntata: **to have** (o **to take**) **a f. on the horses**, fare una puntata sui cavalli **8** (*med.*) fibrillazione **9** ⓤ (*mecc.*) sfarfallamento **10** ⓤ (*mus.*) flutter; tremulo ● **to cause a f.**, creare interesse; far colpo.

to **flutter** /ˈflʌtə(r)/ Ⓐ v. i. **1** battere le ali; svolazzare: *Butterflies were fluttering in the garden*, le farfalle svolazzavano nel giardino **2** sventolare; ondeggiare: *The flags fluttered in the wind*, le bandiere sventolavano (o *garrivano al vento*) **3** agitarsi; dimenarsi; andare su e giù senza posa **4** (*del cuore, ecc.*) palpitare; tremare (*per agitazione, eccitazione, ecc.*) **5** (*di aereo*) vibrare **6** (*mecc.: di valvola*) sfarfallare Ⓑ v. t. **1** battere (*le ali, le palpebre, ecc.*) **2** sventolare (*una bandiera e sim.*); agitare (*un fazzoletto*) **3** agitare; eccitare; sconvolgere; turbare ● **to f. about** (*o* **around**), camminare nervosamente su e giù (*fig.*) **to f. the dovecotes**, creare lo scompiglio (*fra un gruppo di persone*); mettere in subbuglio.

fluttering /ˈflʌtərɪŋ/ Ⓐ a. **1** svolazzante **2** che sventola; che ondeggia **3** tremante; palpitante Ⓑ n. ⓤ **1** battito (*di ali, ecc.*); svolazzamento **2** sventolio (*di bandiere*) **3** tremito; (il) palpitare; palpitazione.

flutter-tonguing /ˈflʌtətʌŋɪŋ/ n. ⓤ (*mus.*) frullato.

fluty /ˈfluːtɪ/ a. dal tono flautato.

fluvial /ˈfluːvɪəl/ a. fluviale.

fluviatile /ˈfluːvɪətaɪl/ a. fluviatile; fluviale.

fluvioglacial /ˌfluːvɪəʊˈgleɪʃl/ a. (*geol.*) fluvioglaciale.

fluviometer /ˌfluːvɪˈɒmɪtə(r)/ n. (*tecn.*) fluviometro.

flux /flʌks/ n. **1** flusso, corrente (*anche fig.*); il fluire: **the f. and reflux of the tide**, il flusso e il riflusso della marea; **the f. of time**, il fluire del tempo **2** (*med.*) versamento **3** (*med., arc.*: **the f.**) diarrea; dissenteria **4** continuo mutamento: **in a state of f.**, in continuo mutamento; instabilità **5** (*elettr., fis.*) flusso: **a f. of particles**, un flusso di particelle **6** (*fonderia, mecc.*) fondente; calcare fondente **7** (*tecn.*, = **soldering f.**) fondente per saldare; fondente **8** (*tecn.*) plastificante **9** (= **asphalt f.**) flussante per asfalto.

to flux /flʌks/ Ⓐ v. t. trattare con fondente; flussare (*metalli*) Ⓑ v. i. **1** (*metall.*) fondersi **2** (*arc.*) fluire; scorrere.

fluxing /ˈflʌksɪŋ/ n. ⓤ (*tecn.*) flussaggio.

fluxion /ˈflʌkʃn/ n. ⓤ **1** (*arc.*) continuo mutamento **2** (*mat., arc.*) flussione di differenziale **3** (*med., arc.*) flussione.

fluxional /ˈflʌkʃənl/ a. (*mat., med.; arc.*) di flussione; relativo alle flussioni (→ **fluxion**).

fly ① /flaɪ/ n. **1** (*zool.*) mosca **2** (*pesca*) insetto esca; (*anche*) mosca, esca artificiale: **fly-casting**, lancio dell'esca artificiale; **fly-fishing**, pesca con la mosca **3** (*bot.*) malattia delle piante (*dovuta a parassiti o mosche*) ● (*bot.*) **fly agaric** (*Amanita muscaria*), amanita; ovulo malefico; ovolaccio □ **fly-flap**, paletta ammazzamosche; scacciamosche □ (*fig.*) **a fly in amber**, una mosca bianca; una cosa rara □ (*fig.*) **a fly in the ointment**, un piccolo neo (*che sciupa tutto*) □ **fly-net**, rete di protezione contro le mosche; paramosche □ (*fig.*) **fly on the wall**, osservatore non visto □ (*TV*) **fly-on-the-wall documentary**, documentario-verità □ (*fig.*) **fly on the wheel**, mosca cocchiera; individuo presuntuoso, tronfio □ (*bot.*) **fly orchid** (*Ophrys insectifera*), ofride insettifera □ **fly paper**, carta moschicida □ **fly screen**, rete contro le mosche (*su una finestra*) □ **fly spray**, spray moschicida □ **fly strip**, striscia moschicida □ **fly swat** (*o* **fly swatter**), (paletta) scacciamosche □ (*slang USA*) **fly trap**, la bocca □ **fly whisk**, scacciamosche □ (*fig.*) **to break a fly on the wheel**, sprecare le proprie energie per un nonnulla □ **He wouldn't harm** (*o* **hurt**) **a fly**, non farebbe male a una mosca □ (*volg. GB*) **like a blue-arsed fly**, freneticamente; come una mosca impazzita □ **like**

a
b
c
d
e
f
g
h
i
j
k
l
m
n
o
p
q
r
s
t
u
v
w
x
y
z

flies, come le mosche; a nugoli; in gran numero: **to die** (*o* **to drop**) **like flies**, morire come le mosche □ (*slang*) **There are no flies on him**, è furbo; non è certo nato ieri; non si lascia mettere nel sacco.

fly② /flaɪ/ *n.* **1** Ⓤ volo (*solo nelle espress.*): **on the fly**, in volo; al volo: *He caught the ball on the fly*, prese la palla al volo (*comput.*) **to burn on the fly**, masterizzare 'on the fly' (*o* al volo) **2** (*baseball*) traiettoria della palla; palla; tiro **3** (*moda*) pattina; patta **4** (al pl.) patta dei pantaloni; bottega (*fam.*): *Your flies are undone*, hai la patta (*fam.* la bottega) aperta **5** → **flysheet**, *def. 1* **6** (*di bandiera*) ventame; battente **7** (*mecc.*, = **flywheel**) volano **8** (*stor.*) diligenza **9** (*stor.*) carrozza (*o* vettura) da nolo **10** (al pl.) (*teatr.*) soffitto (sing.) del palcoscenico; ballatoio (sing.) di manovra ● (*ind.*) **fly ash**, cenere volatile □ (*tur.*) **fly-cruise**, crociera con viaggio in aereo fino al porto d'imbarco □ (*rugby*) **fly-kick**, calcio al volo □ **fly-line**, percorso di volo seguito da un uccello migratore.

fly③ /flaɪ/ *a.* (*slang*, *USA*) smalizioto; dritto (*fam.*).

◆to **fly** /flaɪ/ (pass. *flew*, p. p. *flown*) Ⓐ *v. i.* **1** (*di uccello, insetto*) volare: **to fly away**, volare via; al volo (*o* svolazzare) qua e là; **to fly in** [**out**], volare dentro [fuori]; entrare [uscire] **2** (*di aereo*) volare; (*di passeggero*) volare, andare in aereo), partire (in aereo); prendere l'aereo: *I don't like flying*, non mi piace volare (*o* l'aereo); *This time I'm going to fly*, questa volta prendo l'aereo; *We flew to Athens*, andammo ad Atene in aereo; *The next day I flew to New York*, il giorno dopo partii per (*o* andai a) New York; *We flew into* [*out of*] *Gatwick at 9pm*, arrivammo (*o* atterrammo) a [partimmo *o* decollammo da] Gatwick alle nove di sera; **to fly across the Atlantic**, attraversare l'Atlantico (in aereo); fare la trasvolata dell'Atlantico; trasvolare l'Atlantico; **to fly back**, tornare (in aereo) **3** (*aeron.*) pilotare un aereo; fare il pilota **4** sventolare; ondeggiare: *Flags were flying on every mast*, le bandiere sventolavano da ogni albero della nave **5** (*di oggetto e fig.*) volare: *Bullets were flying*, volavano le pallottole; *Doesn't time fly?*, il tempo vola, vero?; *I saw a wheel fly off the lorry and slammed on the brakes*, vidi volar via dal camion una ruota e pigiai sul freno; *Accusations started to fly*, cominciarono a volare le accuse **6** (*di persona*) precipitarsi; correre a precipizio; volare: *I flew down the stairs*, mi precipitai giù per le scale; *She flew to meet him*, lei gli volò incontro **7** (*di denaro*) essere speso rapidamente; non durare; volare **8** (*arc.*) fuggire; darsi alla fuga **9** (*fam.*) andare via in fretta; scappare: *I really must fly*, devo proprio scappare Ⓑ *v. t.* **1** pilotare (*un aereo*) **2** trasportare, inviare (in aereo): *How many people do you fly a day?*, quanti viaggiatori trasportate al giorno?; *Troops were flown into the region*, nella regione furono inviate truppe (per via aerea) **3** compiere (con l'aereo): **to fly a combat mission**, compiere una missione di combattimento **4** volare con (*una compagnia aerea*): *Which airline did you fly?*, con quale compagnia hai viaggiato? **5** far volare (*un aquilone, ecc.*) **6** agitare; sventolare; (*naut.*) battere (*una bandiera*): *The ship was flying the Italian flag*, la nave batteva bandiera italiana **7** (*arc.*) abbandonare: *The rebels had to fly the country*, i ribelli dovettero fuggire dal paese **8** (*del falco*) attaccare (*una preda*) ● (*fam.*) **to fly the coop**, svignarsela; tagliare la corda (*fam.*) □ (*fig.*) **to fly the flag**, portare alta la bandiera; sbandierare il proprio patriottismo □ (*fig.*) **to fly high**, mirare in alto; essere ambizioso; (*anche*) fare carriera, avere

successo; (*slang USA*) essere sotto l'effetto della droga □ **to fly in the face of**, essere in aperta contraddizione con; andare contro (*la logica, ecc.*); sfidare □ **to fly into a panic**, farsi prendere dal panico □ **to fly into a rage** (*o* **a passion, a temper**), infuriarsi; andare su tutte le furie □ (*fig.*) **to fly a kite**, tastare il polso alla pubblica opinione; lanciare un ballon d'essai □ (*fam. USA*) **Go fly a kite!**, vattene!; levati di torno! □ (*fam.*) **to fly off the handle**, andare su tutte le furie; uscire dai gangheri; perdere le staffe □ (*di finestra, ecc.*) **to fly open**, spalancarsi □ **to fly past**, sfrecciare davanti a q. □ **to fly to arms**, correre alle armi □ (*fig.*) **to make the feathers** (*o* **the dust**) **fly**, mettere confusione; seminare zizzania; far scoppiare una lite □ **to send sb. flying**, mandare q. a gambe all'aria; far volare q. □ **to send things flying**, buttare tutto all'aria □ (*fig.*) **The bird has flown**, il prigioniero ha preso il volo.

▪ **fly at** *v. i.* + *prep.* avventarsi, lanciarsi, scagliarsi contro; attaccare; assalire □ (*fam.*) **to let fly at sb.**, sparare su q.; attaccare q. (*anche verbalmente*).

▪ **fly by** *v. i.* + *avv.* **1** passare al volo; sfrecciare **2** (*di proiettile*) volare; passare fischiando **3** (*aeron.*) volare in parata **4** (*fig.: del tempo*) passare; scorrere veloce; passare in un lampo; volare.

▪ **fly in** *v. t.* + *avv.* far arrivare (in aereo): **to fly in supplies**, far arrivare rifornimenti per via aerea.

▪ **fly off** Ⓐ *v. i.* + *avv.* **1** volare via **2** partire (in aereo) **3** scappare (via); fuggire; andarsene **4** (*di un pezzo di qc.*) staccarsi di botto; volare via Ⓑ *v. i.* + *avv.* portare via, prelevare (con un aereo *e sim.*): **to fly off refugees**, portare via profughi in aereo □ (*fig. fam.*) **to fly off at a tangent**, partire per la tangente.

▪ **fly out** Ⓐ *v. i.* + *avv.* **1** volare fuori; uscire **2** partire (in aereo) **3** precipitarsi fuori; fuggire; scappare **4** esplodere (*in parole d'ira, ecc.*) Ⓑ *v. t.* + *avv.* far partire in aereo; evacuare con aerei.

▪ **fly over** Ⓐ *v. i.* + *avv.* **1** (*di aereo*) passare sopra (*o* in alto) **2** (*aeron.*) volare in parata Ⓑ *v. i.* + *prep.* **1** volare sopra; sorvolare: *We flew over the North Pole*, sorvolammo il Polo Nord **2** (*di ponte, viadotto*) passare sopra, scavalcare.

flyaway /'flaɪəweɪ/ Ⓐ *a.* **1** (*d'abito*) ampio; svolazzante **2** (*di capelli*) che non stanno a posto; che si spettinano facilmente **3** (*di persona, antiq.*) incostante; volubile Ⓑ *n.* **1** individuo volubile **2** (*zool.*) migrazione (*di uccelli*).

flyback /'flaɪbæk/ *n.* **1** scatto (di ritorno) **2** (*di cronometro*) ritorno a zero; azzeramento **3** (*elettron.*) intervallo di ritorno; ritraccia **4** (*fam.*) assegno scoperto.

flyblow /'flaɪbləʊ/ *n.* uovo di mosca; cacchione.

to **flyblow** /'flaɪbləʊ/ (pass. *flyblew*, p. p. *flyblown*), *v. t.* **1** (*di mosca*) depositare uova in (*un cibo*) **2** (*fig.*) contaminare; guastare; sciupare.

flyblown /'flaɪbləʊn/ Ⓐ *p. p.* di **to flyblow** Ⓑ *a.* **1** punteggiato (*o* sporco) di uova di mosca **2** guasto; sciupato; rovinato: **f. meat**, carne guasta.

flyboat /'flaɪbəʊt/ *n.* (*naut., stor.*) piccolo battello veloce.

flyboy /'flaɪbɔɪ/ *n.* (*slang USA*) pilota (*d'aviazione*); aviatore.

flybridge /'flaɪbrɪdʒ/ *n.* (*naut.*) controplancia.

flyby /'flaɪbaɪ/ *n.* **1** (*miss.*) flyby; passaggio ravvicinato (*presso un corpo celeste*) **2** (*USA*) → **flypast**.

fly-by-night /flaɪbaɪˈnaɪt/ Ⓐ *a.* poco affidabile, poco raccomandabile Ⓑ *n.* (*anche* **fly-by-nighter**) persona (*spec.* affarista) poco raccomandabile; maneggione; faccen-

diere.

fly-by-wire system /flaɪbaɪˈwaɪə(r) ˈsɪstəm/ *loc. n.* (*aeron.*) telecomando a filo (elettrico).

flycatcher /'flaɪkætʃə(r)/ *n.* (*zool., Muscicapa grisola*) pigliamosche; acchiappamosche.

fly-drive /flaɪˈdraɪv/ *a.* (*tur.*: *di pacchetto, vacanza, ecc.*) che comprende viaggio in aereo e auto a nolo all'aeroporto d'arrivo.

flyer /'flaɪə(r)/ *n.* **1** aviatore **2** (con attr.) (*d'uccello*) volatore: **a strong** [**a weak**] **f.**, un buon [un cattivo] volatore **3** (con attr.) persona che prende l'aereo: **frequent f.**, persona che prende spesso l'aereo; **nervous f.**, persona che ha paura di volare **4** (*di animale, veicolo*) che procede a forte velocità **5** (*USA*) foglio volante; volantino **6** (*fam., sport*) partenza lanciata **7** (*ferr.*) treno rapido; rapido **8** (*sport*) salto di volata **9** (*mecc.*) aletta **10** (*edil.*) gradino; scalino ● (*fam.*) **high f.**, giovane ambizioso che farà carriera.

to **fly-fish** /'flaɪfɪʃ/ *v. i.* pescare con la mosca (*o* con l'esca artificiale).

fly-half /'flaɪhɑːf/ *loc. n.* (*rugby*) mediano di apertura.

fly-in /'flaɪɪn/ Ⓐ *n.* (*aeron.*) **1** raduno di piloti **2** trasporto o arrivo di merci, rifornimenti, ecc. in aereo Ⓑ *a.* (*di escursione, ecc.*) il cui punto di partenza è raggiunto in aereo.

flying /'flaɪɪŋ/ Ⓐ *a.* **1** volante: **f. saucer**, disco volante; **f. squirrel**, scoiattolo volante **2** (*di bandiera*) spiegato; al vento: **with all flags f.**, con tutte le bandiere spiegate **3** (*aeron.*) di aviazione; di volo; da aviatore: **f. instructor**, istruttore di volo; **f. jacket**, giubbotto da aviatore; **f. suit**, combinazione (*o* tenuta) di volo; **f. time**, ore di volo **4** rapido; veloce; frettoloso; di sfuggita: **a f. visit**, una visita di sfuggita; una capatina Ⓑ *n.* Ⓤ **1** volo; il volare: **fear of f.**, paura di volare; paura dell'aereo **2** (*slang USA*) viaggio (*di drogato*) ● (*mil.*) **f. boat**, idrovolante a scafo centrale □ (*mil.*) **f. bomb**, bomba volante □ **f. bridge**, passerella, ponte provvisorio; (*naut.*) controplancia □ (*archit.*) **f. buttress**, arco rampante □ (*aeron.*) **f. circus**, pattuglia acrobatica □ **f. club**, aeroclub □ (*mil.*) **f. column**, colonna volante □ (*aeron.*) **f.-crane helicopter**, eligru □ (*naut.*) **f. deck**, ponte di volo (*di nave portaerei*) □ (*in Australia*) **f. doctor**, medico che fa le visite spostandosi in aereo ● the **F. Dutchman**, l'Olandese Volante □ (*aeron.*) **f. field**, campo d'aviazione secondario; campetto □ (*zool.*) **f. fish**, pesce volante; esoceto □ (*aeron., mil.*) **f. fortress**, fortezza volante □ (*zool.*) **f. fox** (*Pteropus*), rossetta; pteropo □ (*elettron.*) **f. head**, testina flottante □ (*naut.*) **f. jib**, controfiocco (*vela*) □ **f. jump**, salto con rincorsa □ (*tecn.*) **f. lead**, cavo volante □ **f. machine**, macchina volante □ (*mil.*) **f. man**, aviatore □ (*aeron. mil., in GB*) **F. Officer**, Tenente pilota □ (*aeron.*) **f. personnel**, personale navigante □ (*sindacalismo, in GB*) **f. picket**, picchetto volante □ (*aeron.*) **f. school**, scuola di pilotaggio □ **f. shot**, tiro al volo (*cacciando*); colpo a un bersaglio mobile □ **f. squad**, squadra volante, (la) volante; (la) mobile; (per estens.) squadra di pronto intervento (di pronto soccorso, ecc.) □ (*sport*) **f. start**, partenza lanciata; partenza volante; (*fig. fam.*) buon inizio: (*fig.*) **to get off to a f. start**, cominciare alla grande; partire in quarta (*fam.*) □ **f. trapeze**, trapezio □ (*aeron.*) **f. wing**, ala volante □ **with f. colours**, a bandiere spiegate □ (*fig.*) con pieno successo, brillantemente, trionfalmente, in bellezza.

flyleaf /'flaɪliːf/ *n.* (pl. *flyleaves*) (*tipogr.*) risguardo; guardia.

flyman /'flaɪmən/ *n.* (pl. *flymen*) (*teatr.*) macchinista.

flyover /'flaɪəʊvə(r)/ n. **1** (autom., ferr., GB) cavalcavia; sovrappasso **2** (aeron., USA) parata aerea; esibizione aerea.

flypaper /'flaɪpeɪpə(r)/ n. carta moschicida.

flypast /'flaɪpɑ:st/ n. (aeron., GB) parata aerea; esibizione aerea.

to **fly-post** /'flaɪpəʊst/ v. t. e i. (GB) affiggere (manifesti) abusivamente || **fly-poster** n. **1** manifesto affisso abusivamente **2** persona che affigge manifesti abusivamente || **fly-posting** n. ⓤ affissione abusiva di manifesti.

flyscreen /'flaɪskri:n/ n. rete metallica per le mosche (alle finestre).

flysheet /'flaɪʃi:t/ n. **1** telo esterno impermeabile (per tenda) **2** volantino; opuscolo.

flyspeck /'flaɪspɛk/ (spec. USA) n. escremento di mosca || **flyspecked** a. coperto di escrementi di mosca.

fly-through /'flaɪθru:/ n. (in animazione) effetto speciale che dà allo spettatore l'impressione di sorvolare una regione, un paesaggio, ecc.; fly-through.

to **fly-tip** /'flaɪtɪp/ v. i. (GB) scaricare abusivamente rifiuti || **fly-tipping** n. ⓤ scarico abusivo di rifiuti.

flytrap /'flaɪtræp/ n. (bot., Dionaea muscipula) pigliamosche.

flyway /'flaɪweɪ/ n. rotta di migrazione (di uccelli).

flyweight /'flaɪweɪt/ n. (boxe) peso mosca.

flywheel /'flaɪwi:l/ n. (autom., mecc.) volano.

Fm abbr. (from) da.

FM sigla **1** (mil., **field-marshal**) feldmaresciallo **2** (elettron., **frequency modulation**) modulazione di frequenza.

FMCG sigla (**fast-moving consumer goods**) beni di largo consumo.

FNMA sigla (USA, **Federal National Mortgage Association**) Associazione nazionale federale per le ipoteche.

f-number /'ɛfnʌmbə(r)/ n. (fotogr., = focal number) luminosità; apertura (numerica).

fo. abbr. (**folio**) in folio (in-fol.).

FO sigla **1** (aeron., mil., GB, **flying officer**) tenente pilota **2** (stor., GB, **Foreign Office**) Ministero degli esteri.

foal /fəʊl/ n. (zool.) puledro (di cavallo, asino o mulo) ● (di cavalla o asina) **to be in** (o **with**) **f.**, essere pregna.

to **foal** /fəʊl/ v. t. e i. (di cavalla o asina) figliare; partorire ● **to be foaled**, nascere.

foam /fəʊm/ n. ⓤ **1** schiuma; spuma: **shaving f.**, schiuma da barba; **a beer with a thick head of f.**, una birra con un alto colletto di schiuma **2** schiuma alla bocca; bava **3** (poet.) mare **4** (slang USA) birra **5** (= **f. rubber**) gommapiuma: **f. mattress**, materasso di gommapiuma ● **f. board**, foglio di polistirolo rivestito di carta; polyplat, poli plat □ **f. extinguisher**, estintore a schiuma; schiumogeno □ **f. glass**, vetro multicellulare.

to **foam** /fəʊm/ Ⓐ v. i. schiumare; spumeggiare; (del sapone, ecc.) fare schiuma: **foaming beer**, birra che schiuma (o spuma); The sea was foaming, il mare spumeggiava Ⓑ v. t. far schiumare; far fare la schiuma a ● **to be foaming at the mouth**, avere la schiuma alla bocca; (fig.) essere furibondo □ **to f. with anger**, schiumare di rabbia; essere furibondo.

foamcore /'fəʊmkɔ:(r)/ n. ⓤ foglio polistirolo rivestito di carta; poliplat.

foaming /'fəʊmɪŋ/ Ⓐ a. → foamy Ⓑ n. ⓤ formazione di schiuma; schiuma.

foamy /'fəʊmɪ/ a. spumeggiante; spumante; spumoso; schiumoso || **foaminess** n. ⓤ spumosità.

fob /fɒb/ n. **1** (= **fob pocket**) taschino per l'orologio **2** (= **fob chain**) catenella di orologio **3** ciondolo (per catenella di orologio) ● **fob watch**, orologio da tasca.

to **fob**① /fɒb/ v. t. mettere (l'orologio) nel taschino; intascare.

to **fob**② /fɒb/ v. t. (arc.) imbrogliare; ingannare.

■ **fob off** v. t. + avv. **1** tener buono (con parole vuote, ecc.); sbarazzarsi di; liquidare: **to fob sb. off with a promise**, tener buono q. con una promessa **2** rifilare a (q.): He was fobbed off with a faulty set, gli hanno rifilato un apparecchio difettoso.

f.o.b. sigla (comm., **free on board**) franco a bordo.

focal /'fəʊkl/ a. **1** (fis., med.) focale: (fotogr.) **f. distance** [**length**], distanza [lunghezza], focale; focale; (med.) **f. epilepsy**, epilessia focale; **f. plane**, piano focale **2** (fig.) focale; centrale; nodale; fondamentale; cruciale ● (fotogr.) **f.-plane shutter**, otturatore a tendina □ **f. point**, punto focale; fuoco; (fig.) centro, punto focale.

to **focalize** /'fəʊkəlaɪz/ (fotogr.) v. t. **1** (fotogr.) mettere a fuoco; focalizzare **2** (fig.) focalizzare; incentrare **3** (med.) circoscrivere || **focalization** n. ⓤ messa a fuoco; focalizzazione.

foci /'fəʊkiɪ/ pl. di **focus**.

fo'c'sle /'fəʊksl/ → **forecastle**.

♦**focus** /'fəʊkəs/ n. (pl. **focuses**, spec. scient. **foci**) **1** (fis., geom., ottica, fotogr.) fuoco: **the f. of a lens**, il fuoco di una lente; **the foci of an ellipse**, i fuochi di un'ellisse; **real** [**virtual**] **f.**, fuoco reale [virtuale]; **in f.**, a fuoco; **out of f.**, fuori fuoco; **to bring into f.**, mettere a fuoco; **to come into f.**, mettersi a fuoco; **to go out of f.**, non essere più a fuoco **2** (solo sing.) centro (dell'interesse, dell'attenzione); punto focale: **the f. of attention**, il centro dell'attenzione; **the f. of a debate**, l'argomento al centro di un dibattito; The f. has so far been on the new airport, fino a questo momento tutta l'attenzione si è concentrata sul nuovo aeroporto; The boy is the f. of their affections, il loro affetto è tutto concentrato sul ragazzo; **to shift the f. on st.**, spostare l'attenzione su qc. **3** (solo sing.) enfasi; rilievo: This issue should be brought into sharper f., questa questione dovrebbe essere messa più in rilievo **4** (fotogr.) messa a fuoco: **f. control**, (dispositivo di) messa a fuoco **5** (med.) focolaio **6** (geofisica) ipocentro ● (polit., econ.) **f. group**, gruppo di persone (riunito da sondaggisti, ricercatori di mercato, ecc.) che discute un argomento assegnato (tema politico, prodotto, ecc.); focus group □ (cinem.) **f. puller**, assistente operatore addetto ai fuochi.

♦to **focus** /'fəʊkəs/ Ⓐ v. t. **1** (fis., elettron., fotogr.) mettere a fuoco; focalizzare ● **to f. the camera lens**, mettere a fuoco l'obiettivo della macchina fotografica **2** (fig.) mettere a fuoco, focalizzare (un problema, la situazione, ecc.) **3** (fig.) concentrare; far convergere; appuntare: **to f. one's eyes on st.**, concentrare il proprio sguardo su qc.; fissare qc.; All eyes were focused on her, tutti gli sguardi erano appuntati su di lei; **to f. one's attention** [**efforts**] **on st.**, concentrare la propria attenzione [i propri sforzi] su qc.; **to f. a debate on st.**, portare qc. al centro di un dibattito; Our efforts are focused on reaching this goal, tutti i nostri sforzi sono concentrati sul raggiungimento di questo obiettivo Ⓑ v. i. **1** (fis.: di raggi, ecc.) incontrarsi in un fuoco; convergere **2** (fisiol.) mettere a fuoco le immagini: A newborn baby cannot f., un neonato non riesce a mettere a fuoco le immagini **3** (fig.) concentrar-

si; focalizzarsi: **to f. on a problem**, concentrarsi su un problema **4** (fig.) convergere; appuntarsi; essere incentrato: All eyes focused on them, tutti gli sguardi si concentrarono (o si appuntarono) su di loro || **focused** a. **1** (anche fig.) messo a fuoco; focalizzato **2** concentrato; intento || **focusing** n. ⓤ (fis., fotogr.) messa a fuoco; focalizzazione ● (fotogr.) **focusing screen**, schermo di messa a fuoco.

fodder /'fɒdə(r)/ n. ⓤ **1** foraggio secco; biada **2** (scherz.) cibo **3** (fig., di cose o persone) materiale, roba (buoni solo per un dato uso): **cannon f.**, carne da cannone; **factory f.**, braccia per le fabbriche ● **f. trough**, mangiatoia.

to **fodder** /'fɒdə(r)/ v. t. dare il foraggio a; foraggiare.

foe /fəʊ/ n. (lett. o form.) **1** nemico: **bitter foe**, nemico acerrimo; **friend and foe alike**, sia gli amici sia i nemici **2** avversario; antagonista: He'll be playing against his old foe Bill Jones, giocherà contro il suo vecchio avversario Bill Jones.

FoE sigla (**Friends of the Earth**) Amici della Terra (associazione ambientalista).

foetal /'fiːtl/ → **fetal**.

foetid /'fɛtɪd/, **foetor** /'fiːtə(r)/ → **fetid**, **fetor**.

foetus /'fiːtəs/ n. (pl. **foetuses**, **foeti**) → **fetus**.

♦**fog**① /fɒg/ n. ⓒⓤ **1** nebbia: **dense** (o **thick**) **fog**, nebbia fitta (o spessa); nebbione; **patchy fog**, nebbia a banchi **2** (fig.) nebbia; confusione; nebulosità; perplessità: (fam.) **to be in a fog**, essere confuso, perplesso; non capire **3** (fotogr.) velo, velatura (sulla pellicola) ● **fog bank**, banco di nebbia □ (autom.) **fog lamp** (o **light**), (faro) antinebbia; fendinebbia □ (ferr.) **fog signal**, petardo antinebbia.

fog② /fɒg/ n. ⓤ **1** (agric.) guaime; erba autunnale; fieno settembrino **2** erba, fieno, non falciati (della stagione precedente); erbaccia.

to **fog**① /fɒg/ Ⓐ v. t. **1** annebbiare; coprire di nebbia **2** offuscare; velare; appannare: **fogged glasses**, occhiali appannati **3** (fotogr.) velare (una pellicola) **4** (fig.) confondere; offuscare: **to fog the real issue**, confondere il problema vero **5** (fig.) annebbiare; velare: My brain was fogged with sleep, il mio cervello era annebbiato dal sonno Ⓑ v. i. **1** annebbiarsi; coprirsi di nebbia **2** (di vetro, ecc.) appannarsi; offuscarsi **3** (di foto) velarsi ● (ferr.) **to fog the line**, mettere petardi sui binari (in caso di nebbia) □ **to fog up** → **to fog** □ **to be fogged in**, essere bloccato dalla nebbia; (di aeroporto) essere chiuso per nebbia □ (sport, di partita) **to be fogged off**, essere rimandato a causa della nebbia.

to **fog**② /fɒg/ v. t. **1** (agric.) lasciare (il terreno) a guaime **2** far pascolare (il bestiame) su terreno a guaime; dare il guaime a.

fogbound /'fɒgbaʊnd/ a. bloccato dalla nebbia.

fogbow /'fɒgbəʊ/, **fogdog** /'fɒgdɒg/ n. (meteor.) striscia di luce all'orizzonte, dovuta alla nebbia; arcobaleno bianco.

fogey /'fəʊgɪ/ (spreg.) n. (di solito **old f.**) persona all'antica; parruccone; passatista; vecchio barbogio (fam.) ● **young f.**, giovane tradizionalista; giovane conservatore || **fogeydom** n. ⓤ passatismo; attaccamento al passato; acceso conservatorismo || **fogeyish** a. d'idee arretrate; antiquato || **fogeyism** n. ⓤ conservatorismo; passatismo.

fogger /'fɒgə(r)/ n. **1** (ferr.) chi mette petardi sui binari, in caso di nebbia **2** (bomboletta di) insetticida spray.

♦**foggy** /'fɒgɪ/ a. **1** nebbioso: **a f. day**, una giornata nebbiosa (o di nebbia); It was very

f., c'era molta nebbia **2** (*fig.*) nebuloso; vago: **a f. idea**, un'idea nebulosa **3** (*fig.*) annebbiato; confuso; perplesso **4** (*fotogr.*) velato ● (*iron. o scherz.*, *USA*) **F. Bottom**, il Dipartimento di Stato (*ubicato a Washington in una zona bassa presso il fiume Potomac*) □ (*fam. GB*) **I haven't the foggiest (idea** *o* **notion)**, non ne ho la più pallida idea ‖ **foggily** avv. confusamente; indistintamente ‖ **fogginess** n. ⍽ **1** nebbiosità **2** (*fig.*) incertezza; nebulosità.

foghorn /'fɒɡhɔːn/ n. (*naut.*) sirena da nebbia ● **a voice like a f.** (*o* **a f. voice**), una voce forte e sgradevole; un vocione.

fogless /'fɒɡləs/ a. senza nebbia; limpido.

foglight /'fɒɡlaɪt/ = **fog lamp** → **fog** ①.

fogy /'fəʊɡɪ/ e deriv. → **fogey**, e deriv.

foible /'fɔɪbl/ n. **1** fissazione; mania; pallino **2** (*scherma*) debole (della lama: *dal mezzo alla punta*).

foil ① /fɔɪl/ n. **1** ⍽ lamina (*di metallo*); foglio; foglia: **silver f.**, lamina di argento; **gold f.**, foglia d'oro **2** ⍽ (= **tinfoil**) lamierino di stagno; (*carta*) stagnola: **f. top**, cappuccio di stagnola (*di una bottiglia, ecc.*) **3** (*cucina*, = **kitchen f.**) foglio di alluminio (*per alimenti*) **4** (*fig.*) cosa o persona che mette in risalto (*o fa risaltare*) per contrasto; cosa (*o persona*) che fa da contrasto: **to be a f. to sb.**, fare da contrasto a q.; *The plant's dark leaves provide the perfect f. for its scarlet flowers*, le foglie scure della pianta mettono ottimamente in risalto i fiori scarlatti **5** ⍽ amalgama di mercurio e stagno (*sul retro degli specchi*) **6** lamina metallica posta sotto una gemma (*per aumentarne la luce*) **7** (*archit.*) archetto (*di finestra gotica*).

foil ② /fɔɪl/ n. **1** (*caccia*) odore che fa perdere la traccia **2** (*arc.*) ripulsa; smacco; sconfitta.

foil ③ /fɔɪl/ (*scherma*) n. **1** fioretto **2** (al pl.) scherma col fioretto; arte del fioretto ‖ **foilist** n. fiorettista.

foil ④ /fɔɪl/ n. (*naut.: di aliscafo*) aletta idroplana; ala portante.

to **foil** ① /fɔɪl/ v. t. **1** mettere una lamina metallica sotto (*una gemma*) **2** (*fig.*) mettere in risalto per contrasto **3** (*archit.*) ornare (*finestre gotiche*) con archetti.

to **foil** ② /fɔɪl/ v. t. **1** frustrare; sventare; far fallire: **to f. an attempt**, frustrare un tentativo; *The bank robbery was foiled by the cops*, la rapina in banca fu sventata dalla polizia **2** (*caccia*) confondere, disperdere (*le tracce*); calpestare (*il terreno*) cancellando la pista.

to **foist** /fɔɪst/ v. t. **1** imporre (*surrettiziamente*): **to f. one's company** (*o* **oneself**) **on sb.**, imporre la propria presenza a q. **2** affibbiare; rifilare; sbolognare (*fam.*): **to f. (off) bad money on sb.**, rifilare soldi falsi a q. **3** inserire di nascosto; introdurre con l'inganno (*per es., una clausola in un contratto*).

fol. abbr. **1** (**folio**) in folio (in-fol.) **2** (**following**) seguente (seg.).

fold ① /fəʊld/ n. **1** piega; piegatura; segno di piega: **the folds of a skirt**, le pieghe di una gonna; **a f. in a sheet of paper**, una piega in un foglio di carta **2** corrugamento; increspatura; piega; plica (*anat.*): **a f. of skin**, una piega della pelle; un rotolo di carne **3** (*geogr.*) ondulazione; avvallamento; collinetta: **a f. in the land**, un'ondulazione del terreno **4** battente (*di porta a soffietto*) **5** spira (*di serpente, ecc.*) **6** (*geol.*) piega; corrugamento.

fold ② /fəʊld/ n. **1** ovile; addiaccio; stabbio **2** (*fig.*: **the f.**) ovile: **to return to the f.**, tornare all'ovile; **in the family f.**, in seno alla famiglia **3** (*relig.*) gregge (*di anime*); (i) fedeli (pl.).

♦to **fold** ① /fəʊld/ **A** v. t. **1** piegare; ripiega-

re: **to f. a letter** [**a sheet**], piegare una lettera [un lenzuolo]; **to f. a tent**, ripiegare una tenda; **to f. down the corner of a page**, piegare in giù l'angolo di una pagina; *He folded the clothes into a bundle*, fece un involto dei vestiti **2** chiudere; ripiegare, raccogliere (*ali, petali*); incrociare (*le braccia*); intrecciare (*le dita*); unire (*le mani*): *The bird folded its wings*, l'uccello chiuse le ali; **with folded arms**, a braccia conserte; *She sat with folded hands*, sedeva con le mani unite in grembo **3** (con avv. o compl.) avviluppare; avvolgere: **to f. st. in paper**, avvolgere qc. nella carta; *A scarf was folded around his neck*, una sciarpa gli avvolgeva il collo; *The cliffs were folded in fog*, le scogliere erano avvolte dalla nebbia **4** (con compl.) serrare, stringere (*fra le braccia, ecc.*); **to f. a child in one's arms**, stringere un bambino fra le braccia; **to f. sb. to one's breast**, abbracciare q. **5** (*geol.*) corrugare; piegare **B** v. i. **1** (*di tavolo, sedia, ecc.*) chiudersi; essere pieghevole: **to f. flat**, chiudersi e diventare piatto **2** (*a carte* = **to fold one's cards**) passare; non starci **3** (*comm., fam.*) chiudere (*per difficoltà finanziarie*); cessare l'attività; fallire **4** (*sport*) cedere; crollare **5** (*geol.*) corrugarsi; piegarsi.

■ **fold away A** v. t. + avv. ripiegare, piegare (*una sedia, ecc.*) **B** v. i. + avv. (*di sedia, ecc.*) ripiegarsi; essere pieghevole.

■ **fold back A** v. t. + avv. piegare indietro; ripiegare; rimboccare: **to f. back the shutters**, aprire le persiane (ripiegandole su sé stesse): **to f. back one's sleeves**, rimboccarsi le maniche **B** v. i. + avv. piegarsi all'indietro; ripiegarsi (su sé stesso).

■ **fold in v. t. + avv.**, **fold into v. t. + prep.** (*cucina*) aggiungere mescolando (a); amalgare (a); incorporare (a): *F. in the egg whites*, aggiungete mescolando gli albumi.

■ **fold out A** v. t. + avv. spiegare (*un giornale, una mappa, ecc.*) **B** v. i. + avv. **1** (*di tavolo, ecc.*) aprirsi; essere apribile **2** (*di mappa, inserto, ecc.*) aprirsi; spiegarsi.

■ **fold up A** v. t. + avv. piegare; ripiegare: *He folded up his serviette*, piegò il tovagliolo **2** chiudere (*un tavolo, ecc.*) **3** (*fam.*) **to f. up the deckchairs**, chiudere le sedie a sdraio **B** v. i. + avv. **1** piegarsi; ripiegarsi **2** (*di tavolo, sedia, ecc.*) essere pieghevole; chiudersi **3** piegarsi in due: **to f. up with laughter** [**with pain**], piegarsi in due dal ridere [dal dolore] **4** (*fam.*) cedere; crollare: *The horse folded up in the home stretch*, il cavallo cedette nella dirittura d'arrivo **5** (*comm., fam.*) chiudere (*per difficoltà finanziarie*) cessare l'attività; liquidare tutto; fallire.

to **fold** ② /fəʊld/ v. t. **1** chiudere nell'ovile **2** fare stabbiare (*pecore, ecc.*) **3** (*agric.*) stabbiare (*il terreno*).

foldable /'fəʊldəbl/ a. pieghevole.

foldaway /'fəʊldəweɪ/ a. che si può piegare e riporre; pieghevole; a scomparsa: **f. bed**, letto a scomparsa; branda.

folded /'fəʊldɪd/ a. → **to fold**.

♦**folder** /'fəʊldə(r)/ n. **1** piegatore, piegatrice **2** cartella (*per fogli*); cartelletta; raccoglitore **3** (*USA*) dépliant; pieghevole **4** (*comput.*) folder; cartella **5** (*tipogr.*, = **folding machine**) (macchina) piegafogli **6** pincenez.

folderol /'fɒldrɒl/ n. **1** ⍽ trambusto; sciocchezza **2** (*mus.: usato come ritornello*) trallerallera; trallallà **3** bazzeccola; gingillo.

folding /'fəʊldɪŋ/ **A** n. ⍽ (*geol.*) piegamento; corrugamento **B** a. pieghevole: **f. chair**, sedia pieghevole **f. bed**, branda □ (*fotogr.*) **f. camera**, macchina fotografica a soffietto □ **f. door**, porta a soffietto (*o a fisarmonica*) □ **f. gate**, cancello estensibile □ (*tipogr.*) **f. machine** (macchina) piegafogli □ (*tecn.*) **f. measure**, metro snodato □ (*USA*) **f. money**, moneta cartacea ● **f. seat**, sedile reclinabile

□ (*edil.*) **f. shutter**, imposta a libro.

fold-out /'fəʊldaʊt/ **A** a. pieghevole: **fold-out map**, cartina pieghevole (*in un libro, ecc.*); **fold-out sleeper**, divano letto pieghevole **B** n. **1** pagina pieghevole **2** mobile pieghevole.

foley artist /'fəʊlɪ 'ɑːtɪst/ loc. n. (*cinem.*, *USA*) rumorista.

foliaceous /fəʊlɪ'eɪʃəs/ a. (*bot.*) fogliaceo; simile a foglia.

foliage /'fəʊlɪdʒ/ n. ⍽ **1** (*bot.*) fogliame; foglie (pl.); chioma: **f. leaf**, foglia verde comune; **f. plant**, pianta da fogliame **2** (*archit.*) fogliame **3** (*arte*) frappa.

foliaged /'fəʊlɪdʒd/ a. (nei composti) dal fogliame.

foliar /'fəʊlɪə(r)/ a. (*bot.*) fogliare; di foglia: **f. feed**, nutrienti fogliari.

foliate /'fəʊlɪət/ a. **1** simile a foglia **2** che ha foglie; fronzuto.

to **foliate** /'fəʊlɪeɪt/ **A** v. t. **1** (*mecc.*) ridurre (*un metallo*) in lamine **2** (*archit.*) ornare (*una finestra gotica*) di archetti **3** numerare i fogli di (*un libro*) **B** v. i. **1** mettere le foglie **2** dividersi in lamine; sfaldarsi.

foliation /fəʊlɪ'eɪʃn/ n. ⍽ **1** (*bot.*) fogliazione **2** (*geol.*) foliazione **3** (*mecc.*) riduzione in lamine mediante battitura (*d'un metallo*) **4** numerazione dei fogli (*d'un libro*) **5** (*archit.*) decorazione ad archetti

folic /'fəʊlɪk/ a. (*chim.*) folico: **f. acid**, acido folico.

folio /'fəʊlɪəʊ/ n. (pl. **folios**) **1** (*tipogr.*) foglio; pagina (*numerata su solo lato*) **2** (*tipogr.*) numero di pagina **3** (*editoria*) formato in-folio **4** (*editoria*, = **f. volume**) (volume) in folio **5** (*rag.*) pagina, foglio intero (*di registro contabile*).

foliole /'fəʊlɪəʊl/ n. (*bot.*) fogliolina (*parte di foglia composta*).

♦**folk** /fəʊk/ **A** n. **1** (pl., *anche* **folks**) gente (sing.); persone: *Her family were decent f.*, i suoi erano gente per bene; *Are there other f. around?*, c'è altra gente qui?; *Folks say that...*, la gente dice che...; dicono che...; *I like to listen to the old f. telling stories*, mi piace ascoltare i racconti dei vecchi; **ordinary f.**, gente comune; **country** [**town**] **f.**, gente di campagna [di città] **2** (al pl.) **one's folks**, i parenti; i familiari; (*spec.*) i genitori **3** (al pl.) (*vocat.*, *fam.*) gente; amici; ragazzi **4** (*mus.*) musica folk **5** (*antiq.*) popolo; nazione; tribù **B** a. popolare; tradizionale; folkloristico; (*mus.*, *anche*) folk: **f. culture**, cultura popolare □ **f. medicine**, medicina popolare; **f. music**, musica tradizionale; musica folk; **f. singer**, cantante folk; **f. wisdom**, saggezza popolare ● **f. dance**, danza folcloristica; danza popolare □ **f. dancer**, ballerino (*o* ballerina) in costume tradizionale □ **f. devil**, male sociale □ **f. etymology**, etimologia popolare □ **f. hero**, eroe popolare □ **f. memory**, memoria popolare □ **f. museum**, museo etnografico (della civiltà contadina, ecc.) □ **f. psychology**, demopsicologia □ (*mus.*) **f. rock**, folk rock □ (*mus.*) **f.-rocker**, cantante (*o suonatore*) di folk rock □ **f. song**, canto popolare; canzone folk □ **f. story** (*o* **f. tale**), leggenda popolare □ (*fam.*) **the folks back home**, gli amici a casa □ (*USA*) **the old folks at home**, i genitori; i nonni; i vecchi (*fam.*) □ **old folks' home**, casa di riposo per anziani.

folkie /'fəʊkɪ/ n. (*slang*) **1** cantante o musicista folk **2** appassionato di musica folk.

folkish /'fəʊkɪʃ/ a. **1** popolare; popolaresco **2** (di musica) folk.

folklore /'fəʊklɔː(r)/ **A** n. ⍽ **1** folclore; usi e costumi (pl.) popolari; tradizioni (pl.) popolari **2** folclore; demologia **B** a. attr. folclorico; folcloristico ‖ **folkloric** a. folclorico ‖ **folklorism** n. ⍽ folclorismo ‖ **folklorist** n. studioso di folclore; folclorista ‖ **folklor-**

a b c d **f** g h i j k l m n o p q r s t u v w x y z

istic a. folcloristico.

folksonomy /fɒlk'sɒnəmɪ/ n. (*comput.*) folksonomia (*classificazione di contenuti mediante parole chiave*); folksonomy.

folksy /'fəʊksɪ/ a. **1** (*spesso spreg.*) popolaresco; popolareggiante; campagnolo; rustico **2** (*fam. USA*) alla buona; alla mano; socievole; cordiale.

folkways /'fəʊkweɪz/ n. pl. usi e tradizioni popolari.

folkweave /'fəʊkwiːv/ n. ▯ tessuto rustico.

folky /'fəʊkɪ/ → **folksy**.

follicle /'fɒlɪkl/ n. **1** (*anat.*, *bot.*) follicolo **2** (*zool.*) bozzolo ● (*med.*) **f.-stimulating hormone**, ormone follicolo-stimolante ‖ **follicular** a. (*anat.*, *bot.*) follicolare ‖ **folliculate, folliculated** a. **1** (*anat.*) follicolare **2** (*zool.*) racchiuso in un bozzolo; provvisto di bozzolo.

folliculin /fə'lɪkjʊlɪn/ n. ▯⊂ (*biochim.*) follicolina.

folliculitis /fɒləkjʊ'laɪtəs/ n. ▯ (*med.*) follicolite.

◆to **follow** /'fɒləʊ/ Ⓐ v. t. **1** seguire; andare [venire] dietro a: *Please f. me*, mi segua, prego; *If you'd like to f. me, the meeting's up on the second floor*, se vuole seguirmi, la sala riunioni è al secondo piano; *We are being followed*, qualcuno ci sta seguendo; siamo pedinati; **to f. sb. closely**, seguire q. da vicino; *I followed the sign and came to a fork in the road*, seguii il cartello e arrivai a un bivio; *He followed me in* [out], entrò [uscì] dietro di me; *The author follows Jung in thinking that...*, l'autore segue Jung nel ritenere che... **2** seguire; venire dopo: *The announcement was followed by a silence*, all'annuncio seguì un silenzio; *July follows June*, luglio viene dopo giugno **3** succedere a; subentrare a: *He followed his father as company manager*, successe a suo padre come direttore della ditta **4** seguire; obbedire a; eseguire; attenersi a; osservare: **to f. sb.'s advice** [**example**], seguire i consigli [l'esempio] di q.; **to f. orders**, obbedire agli (o eseguire gli) ordini; **to f. the instructions**, seguire le (o attenersi alle) istruzioni; **to f. the fashion**, seguire la moda; **to f. the rules**, osservare il regolamento **5** seguire; capire: **to f. an argument**, seguire (o capire) un ragionamento; *I don't quite f. you*, non ti seguo; non ho capito bene **6** seguire; interessarsi di: *I don't f. politics much*, non seguo molto la politica; non m'interesso granché di politica **7** seguire; frequentare: *I'm following a cookery course*, frequento un corso di cucina **8** far seguire: **to f. praise with criticism**, far seguire le critiche agli elogi **9** (*antiq.*) esercitare (*un mestiere e sim.*); svolgere: **to f. the law**, esercitare l'avvocatura; fare l'avvocato; **to f. a trade**, esercitare un mestiere **10** derivare da; risultare da: *Disease often follows malnutrition*, spesso le malattie derivano da una cattiva nutrizione **11** (*sport*) tifare, fare il tifo per (*una squadra*) Ⓑ v. i. **1** seguire; venire dopo: *A letter will f.*, segue lettera; *I'll f. later*, verrò dopo; **to f. behind**, venire dietro; **in the years that followed**, negli anni che seguirono **2** seguire; capire: *I don't quite f.*, non credo di seguire; non credo di aver capito **3** conseguire; seguire; derivare; discendere; essere la conseguenza (di): *If he knew about it, it follows someone warned him*, se ne era informato, ne segue che qualcuno lo avvertì ● **to f.**, e poi; e dopo: *I'll have a hamburger and an ice cream to f.*, prenderò un hamburger e poi un gelato □ (*fig.*) **to f. st. home**, portare qc. alle conseguenze naturali; sfruttare qc. a fondo □ (*fig.*) **to f. in sb.'s footsteps**, seguire (o calcare) le orme di q. □ **to f. one's nose**, andare sempre dritto; (al naso); andare a lume di naso □ (*fam.*) **to f. the**

plough, fare il seguire il proprio naso; (*fig.*) seguire il proprio istinto □ **to f. suit**, (*a carte*) rispondere a colore; (*fig.*) fare lo stesso, fare altrettanto (*seguendo l'esempio di q.*) □ **as follows**, come segue; nel modo seguente.

■ **follow on** Ⓐ v. i. + avv. **1** seguire; andare [venire] dopo: *Go ahead, and we'll f. on*, andate avanti!; noi veniamo dopo **2 – to f. on from**, essere la conseguenza (o il risultato) di; derivare da; conseguire da Ⓑ v. i. + prep. conseguire a; essere la conseguenza di: *His dismissal followed on his quarrel with the boss*, il suo licenziamento fu la conseguenza della lite con il capo.

■ **follow out** v. t. + avv. **1** seguire accuratamente (o fino in fondo): **to f. out sb.'s instructions**, seguire accuratamente le istruzioni di q. **2** eseguire fino in fondo; portare a termine: **to f. out a plan**, eseguire un piano; **to f. out sb.'s orders**, eseguire gli ordini di q.

■ **follow through** Ⓐ v. t. + avv. **1** seguire passo passo: **to f. through the development of st.**, seguire gli sviluppi di qc. **2** (*sport*) accompagnare (*un colpo, ecc.*) **3** portare a termine; completare; seguire fino in fondo Ⓑ v. i. + avv. continuare (con); fare seguito a); procedere (con).

■ **follow up** Ⓐ v. t. + avv. **1** seguire; indagare su; investigare; andare a fondo di: **to f. up a clue**, indagare su un indizio **2** tenere sotto osservazione; monitorare: *We followed up 50 patients for three years*, abbiamo tenuto sotto osservazione 50 pazienti per tre anni **3** fare seguito a; far seguire: *I followed up my telegram with a visit*, feci seguito al mio telegramma con una visita; *The written test is followed up by an oral examination*, al test segue un esame orale **4** approfittare di; sfruttare Ⓑ v. i. + avv. seguire; tener dietro.

follower /'fɒləʊə(r)/ n. **1** seguace; discepolo; aderente: **a f. of Islam**, un seguace dell'Islam; **a f. of Freud**, un discepolo di Freud **2** chi è al seguito di q.; persona del seguito; servitore: **the Duke and his followers**, il duca e gli uomini del suo seguito **3** chi segue e obbedisce a q.; sostenitore **4** chi segue o osserva qc.; seguace: **a f. of fashion**, uno che segue la moda **5** (*sport*) tifoso; sostenitore **6** (*mecc.*) anello premistoppa **7** (*d'arma da fuoco*) elevatore.

◆**following** /'fɒləʊɪŋ/ Ⓐ a. **1** seguente; successivo: **the f. day**, il giorno seguente; l'indomani; *It was done in the f. way*, fu fatto nel modo seguente (o come segue) **2** (*naut.*) in poppa; di poppa: **f. sea**, mare di poppa, **f. wind**, vento in poppa Ⓑ prep. in seguito a; dopo; a seguito di; facendo seguito a: *In May, f. the general election...*, in maggio, dopo le elezioni...; *F. your letter of...* facendo seguito alla vostra lettera del... Ⓒ n. **1** seguito; sostenitori (pl.); seguaci (pl.): **a man with a large f.**, un uomo con un grande seguito **2** pubblico; ammiratori (pl.): **cult f.**, pubblico di appassionati **3** (*sport*) tifosi (pl.); tifoseria (*fam.*); sostenitori (pl.) **4 – the f.**, i seguenti, le seguenti persone; quel che segue; quanto segue.

follow-my-leader /'fɒləʊmaɪ'liːdə(r)/ loc. n. gioco in cui tutti imitano i gesti del capofila.

follow-on /'fɒləʊ ɒn/ Ⓐ n. ▯⊂ seguito; continuazione Ⓑ a. seguente; successivo.

follow-the-leader /'fɒləʊ ðə'liːdə(r)/ loc. n. (*USA*) → **follow-my-leader** ● (*org. az.*) **follow-the-leader planning**, pianificazione guidata.

follow-through /'fɒləʊ'θruː/ n. ▯⊂ **1** completamento, conclusione (*di un'azione, un lavoro*) **2** (*sport*) accompagnare (*di un colpo*).

follow-up /'fɒləʊʌp/ Ⓐ a. **1** successivo; ulteriore: **follow-up instructions**, istruzioni

successive **2** che fa seguito a una precedente azione (a un precedente contatto, ecc.): **follow-up letter**, lettera di sollecitazione; **follow-up meetings**, incontri successivi (*a una riunione precedente*) Ⓑ n. **1** seguito; continuazione; proseguimento: *She's written a follow-up to 'Jane Eyre'*, ha scritto il seguito di 'Jane Eyre' **2** azione o cosa che fa seguito a una precedente: *There was no follow-up to the meeting*, l'incontro non ebbe seguito (o non portò a nulla) **3** (*scient.*) attività di controllo; periodo di osservazione; monitoraggio; (*med.*) (periodo di) catamnesi: **a 10-year follow-up of diabetic patients**, osservazione di pazienti diabetici su un arco di 10 anni; (*med.*) **follow-up visit**, visita di controllo; (*med.*) **follow-up studies**, studi longitudinali **4** (*naut.*) inseguimento (*della girobussola*) **5** (*comput.*) replica a un messaggio di un forum (o di una mailing list, di un newsgroup).

folly /'fɒlɪ/ n. **1** ▯⊂ follia; pazzia; assurdità; sconsideratezza; idiozia: *He realized the f. of it all*, si rese conto dell'assurdità della cosa; *It was (an act of) sheer f.*, è stata una vera pazzia; **youthful follies**, follie di gioventù **2** (*archit.*) costruzione ornamentale stravagante (*spec. in un parco o un giardino*) **3** (al pl.) (*teatr.*) rivista con ballerine e attrici affascinanti.

to **foment** /fəʊ'ment/ v. t. **1** fomentare; eccitare; infiammare; istigare; provocare: *The unjust tax fomented rebellion*, quell'imposta ingiusta provocò la rivolta **2** (*med.*, *arc.*) applicare un fomento (o un impacco caldo) a.

fomentation /fəʊmen'teɪʃn/ n. **1** ▯ fomentazione; istigazione; provocazione **2** ▯ (*med.*, *arc.*) fomentazione; applicazione d'impacchi caldi **3** (*med.*, *arc.*) fomento; impacco caldo.

fomenter /fəʊ'mentə(r)/ n. fomentatore; fomentatrice; istigatore, istigatrice.

fomite /'fəʊmaɪt/ n. (*med.*) fomite.

◆**fond** /fɒnd/ a. **1** amorevole; amoroso; affezionato; tenero: **a f. smile**, un sorriso pieno di affetto **2** troppo tenero; indulgente; che stravede: **f. parents**, genitori indulgenti (o che stravedono per i figli) **3** (*di desiderio, ecc.*) vivo ma poco realistico; ingenuamente ottimistico; illusorio: **f. dreams**, sogni ad occhi aperti; **f. hopes**, speranze illusorie **4** (*di ricordo*) piacevole; bello; dolce; tenero: *I have f. memories of those summers*, ho dei bei ricordi di quelle estati **5** (*arc. o dial.*) sciocco; credulo; infatuato ● **to be fond of**, essere affezionato a; voler bene a; (*anche*) avere la passione di, essere appassionato di; (*anche*) essere portato a, essere solito, amare (+ inf.): *I'm f. of my students*, voglio bene ai miei studenti; *I'm very f. of sea food*, mi piacciono molto i (o la passione dei) frutti di mare; *He is f. of opera*, è appassionato di opera; **f. of fishing**, che ama pescare; che ha la passione della pesca; *as she is f. of saying*, come lei ama (o è solita) dire.

fondant /'fɒndənt/ (*franc.*) n. ▯⊂ (*alim.*) fondente; fondant.

to **fondle** /'fɒndl/ v. t. **1** accarezzare; coccolare **2** accarezzare eroticamente; palpeggiare ‖ **fondle** n. coccola; palpatina ‖ **fondling** n. ▯ carezze (pl.); palpeggiamento.

fondly /'fɒndlɪ/ avv. **1** affettuosamente; con affetto; amorevolmente; teneramente **2** appassionatamente; ardentemente **3** ingenuamente; illudendosi.

fondness /'fɒndnəs/ n. **1** ▯ affetto; tenerezza **2** predilezione; amore; passione; propensione; debole: **a f. for chocolate**, un debole per il cioccolato **3** (*arc. o dial.*) credulità; ingenuità; stoltezza.

fondue /fɒn'djuː/ (*franc.*) Ⓐ a. (*cucina*) fuso Ⓑ n. **1** fonduta **2** (fondue) bourguignonne

font | foot 479

a b c d e **f** g h i j k l m n o p q r s t u v w x y z

(*franc.*).

font① /fɒnt/ n. **1** (*eccles.*) fonte battesimale **2** (*eccles.*) acquasantiera **3** (*fig.*) fonte, sorgente; origine **4** serbatoio dell'olio (*in una lucerna*) ‖ **fontal** a. **1** (*eccles.*) battesimale **2** (*fig.*) che viene dalla fonte; originale; primario.

font② /fɒnt/ n. (*tipogr.*) font; fonte; serie completa di caratteri.

fontanelle, (*USA*) **fontanel** /fɒntəˈnɛl/ n. (*anat.*) fontanella.

♦**food** /fuːd/ [A] n. [U] **1** [U] cibo; nutrimento **2** [UC] cibo, cibi; alimenti (pl.); cose (pl.) da mangiare; generi (pl.) alimentari; (il) mangiare; cucina; vitto; viveri (pl.); provviste (pl.); mangime (*per animali*): **good f.**, vitto buono; buona cucina; **health f.**, cibi naturali; **everyday foods**, cose che si mangiano tutti i giorni; **plain f.**, cibi semplici; **Indian f.**, la cucina indiana; *There is very little f. in the house*, in casa c'è molto poco da mangiare; *The f. was bad*, il mangiare era cattivo; la cucina era scadente; *Are you still doing f.?*, la cucina è ancora aperta? **3** (*fig.*) argomento; materia; oggetto: **f. for thought**, materia di riflessione [B] a. attr. **1** alimentare; di (o degli) alimenti; di alimentari: **f. additives**, additivi alimentari; (*med.*) **f. poisoning**, intossicazione alimentare; **f. preservation**, conservazione degli alimenti; **f. products**, prodotti alimentari **2** di viveri; di generi alimentari: **f. parcel**, pacco viveri; **f. shop**, negozio di generi alimentari; **f. supplies**, rifornimento di viveri • **f. aid**, aiuti in generi alimentari (*a un paese estero*) □ (*USA*) **F. and Drug Administration**, → **FDA** □ (*med.*) **f. allergies**, allergie alimentari □ (*ind.*) **f. analogue**, surrogato alimentare □ (*in USA*) **f. bank**, banco alimentare □ **f. card**, tessera annonaria □ (*zool.*) **f. chain**, catena alimentare □ **f. chemistry**, chimica degli alimenti; bromatologia □ **f. colour(ing)**, colorante per alimenti; colorante consentito □ **f. coma**, sensazione di pesantezza e torpore dopo un pasto abbondante □ **f. controller**, funzionario addetto all'annona (*in tempo di guerra*) □ **f. co-op**, cooperativa di alimentari □ (*USA*) **f. coupon** = **f. stamp** → *sotto* □ **f. crop**, raccolto per il consumo alimentare □ **f. dispenser**, distributore automatico di alimenti (*panini, ecc.*) □ **f. fad**, idiosincrasia per certi alimenti □ (*agric.*) **f. grains**, cereali per alimentazione (umana) □ **f. grinder**, tritatutto □ (*GB*) **f. hall**, reparto alimentare (*di grande magazzino*) □ **f. handout**, distribuzione di viveri □ **f. industry**, industria alimentare □ (*ind.*) **f. labelling**, etichettatura degli alimenti □ **f. machine** → **f. dispenser** □ (*ind.*) **f. machinery**, macchine per le industrie alimentari e conserviere □ **f. manufacturing** → **f. industry** □ (*ecol.*) **f. miles**, (miglia o chilometri di) distanza alimentare (*distanza percorsa dai cibi per arrivare sulle tavole dei consumatori*) □ **f. mixer**, frullino; sbattitore; impastatrice □ **f. processing**, lavorazione degli alimenti □ **f.-processing industry**, industria alimentare; industria conserviera □ (*cucina*) **f. processor**, robot da cucina; mixer □ **f. rationing**, razionamento dei generi alimentari □ **f. safety**, sicurezza degli alimenti; alimenti sani □ **f. science**, tecnologia degli alimenti; scienza dell'alimentazione; dietetica □ (*USA*) **f. stamp**, buono viveri (*per i poveri*) □ **f. store**, negozio di generi alimentari □ **f. technologist**, alimentarista; nutrizionista □ **f. technology**, scienza dell'alimentazione; tecnologia degli alimenti □ **f. value**, contenuto energetico □ (*ecol.*) **f. web**, rete alimentare □ (*fig.*) **to be f. for fishes**, essere cibo per i pesci (*essere annegato*); essere finito in pasto ai pesci □ (*fig.*) **to be f. for worms**, essere cibo per i vermi (*essere morto*) □ **to have gone** (*o* **to be**) **off one's f.**, aver perso l'appetito; essere inappetente.

foodie /ˈfuːdɪ/ n. (*fam.*) buongustaio; amante della buona cucina.

foodless /ˈfuːdləs/ a. senza cibo • **to go f.**, rimanere digiuno.

foodstuff /ˈfuːdstʌfs/ n. sostanza alimentare; derrata alimentare.

♦**fool**① /fuːl/ [A] n. **1** sciocco; stupido; idiota; cretino; stolto (*lett.*): *Don't be such a f.!*, non essere sciocco (*o* stupido)!; non essere ridicolo!; non dire stupidaggini!; *You silly little f.!*, stupido che non sei altro!; *I felt such a f. when I was told*, mi sono sentito un idiota quando me l'hanno detto; *The poor f. didn't stand a chance*, il povero disgraziato non ha avuto scampo **2** (*stor.*) buffone; giullare **3** (*arc.*) zimbello: *'O, I am fortune's f.!'* W. SHAKESPEARE, 'oh, sono lo zimbello della fortuna!' [B] a. (*fam. USA*) sciocco; stupido • **f.'s cap**, berretto da buffone (*o* da giullare); berretto conico (*un tempo imposto a uno scolaro zuccone*) □ **f.'s errand**, impresa inutile; azione inutile; viaggio a vuoto □ (*miner.*) **f.'s gold**, pirite; oro matto (*fam.*); princisbecco □ **f. parsley** (*Aethusa cynapium*), cicuta minore; cicuta aglina □ **to act the f.**, fare il buffone (*o* il pagliaccio); fare lo stupido; fare lo spiritoso □ (*fam.*) **any f.**, (chiunque,) anche un idiota: *Any f. could do it!*, anche un idiota saprebbe farlo!; non ci vuole mica un genio! □ **April F.'s Day** (*o* **All Fools' Day**), il primo aprile □ **to live in a f.'s paradise**, vivere nel mondo delle favole (*o* della luna); chiudere gli occhi alla realtà; essere un illuso □ **to make a f. of sb.**, prendere in giro q.; farsi gioco di q.; imbrogliare q. □ **to make a f. of oneself**, rendersi ridicolo; fare la figura dello stupido □ (*fam.*) **More f. you [him, etc.]!**, che stupido!; peggio per te [lui, ecc.] □ **to be no** (*o* **nobody's**) **f.**, non essere nato ieri; sapere il fatto proprio □ **to play the f.**, = **to act the f.** → *sopra* □ (*prov.*) **A f. and his money are soon parted**, i soldi durano poco in mano agli sciocchi □ (*prov.*) **Fools rush in where angels fear to tread**, gli sciocchi si precipitano là dove gli angeli non osano posare il piede □ **There's no f. like an old f.**, non c'è sciocco peggiore di un vecchio sciocco ❶ FALSI AMICI • fool *non significa* folle.

fool② /fuːl/ n. (*cucina*) dolce di frutta cotta, ricoperto di panna montata.

to **fool** /fuːl/ [A] v. i. **1** fare il buffone (*o* lo stupido); comportarsi da sciocco **2** scherzare; non fare sul serio: **to f. with**, scherzare con; giocare con [B] v. t. imbrogliare; ingannare; prendere in giro; menare per il naso, infinocchiare (*fam.*); fare fesso (*pop.*): *I knew her well enough not to be fooled by her words*, la conoscevo abbastanza da non lasciarmi ingannare dalle sue parole; **to f. sb. into believing st.**, fare credere qc. a q.; *Don't be fooled into thinking that...*, non crederti (*o* illuderti) che...; *He was fooled into buying that old car*, si è lasciato infinocchiare e ha comprato quella vecchia macchina • (*fam.*) *You can't f. me!*, non mi imbrogli!; non me la fai!; non ci casco! □ (*fam.*) *You could have fooled me!*, quasi quasi ci credevo!; stavo per cascarci! □ *For a moment or two, he had me fooled*, per un momento gli ho creduto (*o* ci sono cascato).

■ **fool about** (*o* **around**) v. i. + avv. **1** fare lo scemo (o il pagliaccio, il buffone): *Stop fooling about and listen!*, smettila di fare lo scemo e ascolta! **2** – **to f. around with**, giocherellare; fare lo stupido con: **to f. around with a gun**, giocherellare con una pistola; **to f. around with a woman**, fare lo stupido con una donna; stare dietro a una donna **3** perdere tempo (in sciocchezze); trastullarsi; gingillarsi.

■ **fool along** v. i. + avv. (*USA*) procedere lentamente o senza meta.

foolery /ˈfuːlərɪ/ n. [U] comportamento sciocco; idiozie (pl.); stupidaggini (pl.); scempiaggini (pl.); buffonate (pl.).

foolhardy /ˈfuːlhɑːdɪ/ a. avventato; temerario | **-ily** avv. | **-iness** n. [U].

fooling /ˈfuːlɪŋ/ n. [U] buffonate (pl.); scempiaggini (pl.); sciocchezze (pl.).

foolish /ˈfuːlɪʃ/ a. sciocco; stupido; assurdo; ridicolo: **f. notions**, idee ridicole; **How f. of you!**, che sciocchezza da parte tua!; che sciocco sei stato!; *It would be f. to sell now*, sarebbe da stupidi vendere ora | **-ly** avv. | **-ness** n. [U].

foolproof /ˈfuːlpruːf/ a. **1** facilissimo da usare o da capire; semplicissimo; elementare **2** sicuro; infallibile; che funziona sempre; a prova di bomba: **a f. system**, un sistema infallibile.

foolscap /ˈfuːlskæp/ n. carta formato protocollo (*17 pollici per 13 pollici e mezzo*).

foosball /ˈfʊsbɔːl/, **foos** /fʊs/, **foosing** /fʊsɪŋ/ n. [U] calcio-balilla; calcetto; biliardino.

♦**foot** /fʊt/ [A] n. (pl. ***feet***) **1** (*anat. e di calza*) piede: **flat feet**, piedi piatti; **at my feet**, ai miei piedi; **with bare feet**, a piedi nudi; **to rise** [*o* **to get**] **to one's feet**, alzarsi in piedi; **to tread on sb.'s f.**, pestare un piede a q. **2** (*zool.*) zampa; zoccolo **3** passo; andatura: **with a light f.**, con passo leggero; **swift of f.**, veloce **4** (*di cosa*) piede, piedi; fondo; base; zoccolo; parte inferiore: **the f. of a hill**, i piedi d'un colle; **at the f. of the page**, in fondo alla pagina; a piè di pagina; in calce; **at the f. of the bed** [**of the stairs**], ai piedi del letto [della scala]; **at the f. of the table**, in fondo al tavolo **5** (pl. ***feet***, ***foot***) (*misura di lunghezza*) piede (*pari a cm 30,48*): **six f.** (*o* **feet**) **tall**, alto sei piedi; *She's five-foot six*, è alta cinque piedi e sei pollici; **a ten-f. pole**, una pertica di dieci piedi **6** [U] (*mil., stor. o form.*) fanteria **7** (*metrica*) piede **8** (*di macchina da cucire*) piedino **9** (*chim.*: pl. ***foots***) residuo; sedimento; feccia **10** (*naut.*: *di vela*) bordame; cazzame **11** (*ferr.*) base, suola (*della rotaia*) [B] a. attr. **1** del piede; dei piedi; per i piedi: (*relig.*) **f.-washing**, lavanda dei piedi **2** (*mecc.*) (azionato) a piede; a pedale: **f. brake**, freno a pedale; **f. drill**, trapano a piede; **f.-pump**, pompa a pedale **3** (*mil.*) di fanteria; a piedi: **f. guards**, guardie a piedi; **f. soldier**, soldato di fanteria; fantaccino • (*vet.*) **f.-and-mouth disease**, afta epizootica □ **f.-bath**, pediluvio □ (*stor*) **f. binding**, pratica cinese di fasciare i piedi alle donne □ (*fis., antiq.*) **f.-candle**, candela-piede □ **f.-dragging**, temporeggiamento; il tirare per le lunghe; melina (*fam.*) □ (*tennis, squash*) **f. fault**, fallo di piede □ (*scherz.*) **f.-in-mouth disease**, tendenza a fare gaffe □ (*USA*) **f. log**, tronco d'albero usato come ponte □ **f.-passenger**, passeggero (*o* viaggiatore) a piedi (*spec. su un traghetto*); pedone □ (*mecc.*) **f.-pound**, piede libbra-forza □ (*sport*) **f.-race**, corsa; gara podistica □ (*sport*) **f. racer**, podista □ **f. spa**, pediluvio con idromassaggio; vasca per pediluvio □ (*sport*) **f. racing**, corse a piedi; podismo □ **f. rot**, (*vet.*) zoppina; pedaina (*dei bovini e degli ovini*); (*bot.*: *delle piante*) marciume pedale; (*sport, fam.*) piede d'atleta □ **f. rule**, righello lungo un piede (30,48 cm); metro da muratore, falegname, ecc. □ **f. scooter**, monopattino □ **f. support**, appoggiapiedi; (*di calzatura*) sostegno del piede □ **f. switch**, interruttore a pedale □ **f.-tapping**, (*di musica, ecc.*) fortemente ritmato □ (*rugby*) **f.-up**, fallo di alzata di piedi (*di un uomo di mischia*) □ **f. warmer**, scaldapiedi; scaldino □ (*relig.*) **f. washing**, lavanda dei piedi □ **feet first**, coi piedi in avanti □ (*fig.*) **feet of clay**, piedi di argilla □ **at f.**, in calce; (*di animale*) che sta vicino alla madre □ **at sb.'s the feet**, ai piedi di q. □ **to catch sb. on the wrong f.**, cogliere q. sbilanciato; (*fig.*) prendere q. in contropiede □ **cold feet** = **to get cold feet**

→ *sotto* □ **to drag one's feet**, strascicare i piedi; (*fig.*) traccheggiare, tirarla per le lunghe □ (*fam.*) **to fall on one's feet**, cadere in piedi (*fig.*); cavarsela □ (*fam.*) **to get cold feet**, prendersi paura e tirarsi indietro; ripensarci; fare marcia indietro; non sentirsela all'ultimo momento □ (*fam.*) **to get** (*o to have*) **a f. in the door**, riuscire a inserirsi (*in un ambiente, un mercato*); ottenere un'apertura; farsi un'entratura □ (*fam.*) **to get a f. in st.**, inserirsi in qc.; entrare a far parte di qc. □ **to get one's feet under the table**, installarsi saldamente □ **to get one's feet wet**, cominciare a prendere parte attiva in qc. □ **to get** (*o to start*) **off on the right [wrong] f.**, partire con il piede giusto [sbagliato] □ **to go at a f.'s pace**, andare al passo; camminare □ (*fam.*) **to go out feet first**, uscire con i piedi in avanti; lasciarci la pelle (*o la vita*) □ **to have** (*o to keep*) **a f. in both camps**, riuscire a giostrare due cose, due attività, ecc.; tenere il piede in due staffe □ **to have one f. in the grave**, avere un piede nella fossa □ **to have feet of clay**, essere un gigante dai piedi d'argilla □ (*fig.*) **to have [to keep] both feet on the ground**, avere [tenere] i piedi per terra; essere realistico □ **to have two left feet**, essere un cattivo ballerino; ballare come un orso □ **to find one's feet**, cominciare con sicurezza; (*fig.*) ambientarsi, prendere confidenza con qc., cominciare a cavarsela □ **to keep one's feet**, rimanere in piedi; non perdere l'equilibrio □ (*fam.*) **My f.!**, un corno!; un accidente! □ **off one's feet**, (sollevato) da terra: **to be swept off one's feet**, essere sollevato di colpo da terra; (*fig.*) essere affascinato, essere conquistato □ **on f.**, a piedi □ **on one's feet**, in piedi; (*fig.: di attività, azienda, ecc.*) avviato, attivo, in piedi; *I've been on my feet since six*, sono in piedi dalle sei; non mi siedo dalle sei □ **on one's feet again** (*o back on one's feet*), guarito; ristabilito; ripreso; di nuovo in piedi; (*fig.*) rimesso in sesto: **to get a firm back on its feet**, rimettere in sesto un'azienda □ **to put a f. wrong**, sbagliare; fare un errore; fare un passo falso □ (*fam.*) **to put one's best f. forward**, camminare di buon passo; (*fig.*) mettersi d'impegno, mettersi sotto; partire bene □ **to put one's f. down**, (*fig.*) opporsi energicamente; puntare i piedi; imporsi; essere fermo; (*autom.*) pigiare sull'acceleratore □ (*fam.*) **to put one's f. in it** (*o in one's mouth*), fare una gaffe; dirla grossa □ (*fam.*) **to put one's feet up**, sedersi e riposarsi; stendere le gambe □ **to set f. in** [**on**], mettere piede in; posare il piede su □ **to stand on one's own** (**two**) **feet**, essere indipendente, cavarsela da solo; camminare con le proprie gambe □ **to start off on the right [wrong] f.**, partire col piede giusto [sbagliato] □ **to think on one's feet**, decidere su due piedi; reagire subito □ **under f.**, per terra; sotto i piedi; (*fig.*) in proprio potere □ **under sb.'s feet**, tra i piedi; in mezzo: *I don't want a dog under my feet*, non voglio un cane tra i piedi.

to **foot** /fʊt/ *v. t.* **1** (*fam.*) pagare: **to f. the bill**, pagare il conto; sostenere le spese **2** (*arc.*) ballare; danzare **3** rifare il piede a (*una calza*) ● **to f. it**, camminare, andare a piedi; (*arc.*) ballare, danzare.

■ **foot up** Ⓐ *v. t.* sommare; fare la somma di: **to f. up an account**, addizionare, fare la somma delle varie voci di un conto Ⓑ *v. i.* – (*di cifre, spese, ecc.*) **to f. up to**, ammontare a.

footage /ˈfʊtɪdʒ/ *n.* ⓤ **1** lunghezza espressa in piedi **2** (*cinem.*) spezzoni (pl.) di pellicola; materiale girato; riprese (pl.); sequenze (pl.): **old f.**, materiale d'archivio; vecchie riprese **3** (*comm.*) tariffa espressa in piedi; (*anche*) somma pagata in base a tale tariffa.

♦**football** /ˈfʊtbɔːl/ *n.* (*sport*) **1** pallone,

palla (*da calcio o rugby*) **2** ⓤ (*GB* = **association f.**) (gioco del) calcio: *You'll see some impressive f. tomorrow*, domani vedrai giocare a calcio in modo eccezionale; **f. match**, partita di calcio **3** ⓤ (*GB* = **rugby f.**) rugby; pallaovale **4** ⓤ (*USA*) football americano **5** (*fam. USA*) patata bollente (*fig.*) ● **f. club**, società calcistica □ **f. fan**, tifoso del calcio □ **f. field**, campo di calcio □ **f. hooligans**, hooligan; teppisti degli stadi di calcio □ **f. pitch**, campo di calcio □ **f. pools**, totocalcio □ **f. season**, stagione calcistica □ **f. shirt**, maglia da calciatore □ **f. supporters**, tifosi di calcio □ **f. team**, squadra di calcio □ **f. violence**, hooliganismo □ (*fam., fig.*) **political f.**, questione che diventa oggetto di contesa politica.

♦**footballer** /ˈfʊtbɔːlə(r)/ *n.* (*sport*) **1** giocatore di calcio; calciatore **2** giocatore di rugby; rugbista **3** (*USA*) giocatore di football americano.

footballing /ˈfʊtbɔːlɪŋ/ *a. attr.* (*sport*) **1** del calcio; calcistico **2** del rugby; rugbistico **3** (*USA*) del football americano.

footbath /ˈfʊtbɑːθ/ *n.* **1** pediluvio **2** catino (*o bacinella*) per pediluvio.

footbed /ˈfʊtbed/ *n.* soletta; suola anatomica.

footboard /ˈfʊtbɔːd/ *n.* **1** pediera (*di letto*) **2** predellino (*d'automobile, tram, ecc.*) **3** pedana (*di veicolo*) **4** pedale (*di tornio da vasaio, ecc.*).

footbridge /ˈfʊtbrɪdʒ/ *n.* passerella; ponticello pedonale.

footed /ˈfʊtɪd/ *a.* (nei composti) **1** che ha un certo numero di piedi; -pede: **four-f.**, quadrupede **2** con i piedi; dai piedi; dal piede: **bare-f.**, a piedi nudi; con i piedi nudi; **flat-f.**, dai piedi piatti; **light-f.**, agile; lesto; svelto.

footer /ˈfʊtə(r)/ *n.* **1** (nei composti) persona o cosa alta un certo numero di piedi: *Paul is a six-f.*, Paul è alto sei piedi **2** (*calcio, ecc.*) calcio (*dato con un piede specifico*); tiro: **left f.**, calcio di sinistro; sinistro **3** (*fam. GB*) gioco del calcio; football **4** (*comput., tipogr.*) (testo a) piè di pagina.

to **footer** /ˈfʊtə(r)/ *v. i.* (*scozz.*) giocherellare; armeggiare: *Stop footering with that radio!*, piantala di armeggiare con quella radio!

footfall /ˈfʊtfɔːl/ *n.* **1** (rumore di) passo; passi (pl.) **2** (*equit.*) battuta (*del piede del cavallo*).

to **foot-fault** /ˈfʊtfɔːlt/ *v. i.* (*tennis, ecc.*) **1** commettere fallo di piede **2** penalizzare per un fallo di piede.

footgear /ˈfʊtɡɪə(r)/ *n.* ⓤ → **footwear**.

foothills /ˈfʊthɪlz/ *n. pl.* colline pedemontane ● (*geogr.*) **the f. of the Alps**, le Prealpi (*in Italia*).

foothold /ˈfʊthəʊld/ *n.* **1** appiglio (*per il piede*); (punto d')appoggio **2** (*fig.*) posizione forte (*da cui avanzare*); base di partenza; piede: *The firm is trying to gain a f. in the German market*, la ditta sta cercando di mettere piede nel mercato tedesco; **to have a firm f. in a market**, essere solidamente presenti su un mercato; **to secure a f.**, assicurarsi una solida base di partenza.

footie /ˈfʊtɪ/ *n.* (*fam.*) → **footy**.

footing /ˈfʊtɪŋ/ *n.* **1** appiglio (*per il piede*); (punto d') appoggio: **to struggle for a f.**, annaspare in cerca di un appoggio per il piede; **to keep one's f.**, mantenersi in equilibrio; **to miss** (*o to lose*) **one's f.**, mettere il piede in fallo; perdere l'equilibrio **2** ⓤ (*fig.*) base, basi (*per agire*); posizione; appoggio: **to be on a sound f.**, poggiare su basi solide **3** situazione; posizione; condizioni (pl.); piano; rapporto; relazione: **on an equal f.** (*o on a f. of equality*), in condizioni (*o su un piano*) di parità; alla pari; nelle stesse con-

dizioni; **on a sound f.**, su basi solide; **to be on a friendly f. with sb.**, essere in rapporti amichevoli con q.; **on a war f.**, sul piede di guerra; **to gain a f.**, inserirsi; trovare spazio; prendere piede **4** ⓤ (= **f.-up**) (l')addizionare; addizione **5** totale; somma complessiva **6** (*edil.*) plinto (di fondazione); fondamento (*d'una colonna, d'un muro*); allargamento di muro (*o* di pilastro) ❶ **FALSI AMICI** ● footing *non significa* footing *nel senso italiano di corsa a ritmo lento fatta a scopo di esercizio fisico.*

to **footle** /ˈfuːtl/ *v. i.* (*GB, fam.*) fare lo stupido; dire sciocchezze ● **to f. about**, gingillarsi; perdere tempo □ **to f. st. away**, sprecare qc. stupidamente.

footless /ˈfʊtləs/ *a.* **1** senza piedi **2** (*fig.*) senz'appiglio; senza fondamento; infondato **3** (*fam.*) inetto; buono a nulla ● (*moda*) **f. tights**, pantacollant.

footlights /ˈfʊtlaɪts/ *n. pl.* **1** luci della ribalta **2** (*fig.*) il teatro; le scene; il mestiere dell'attore.

footling /ˈfʊtlɪŋ/ *a.* (*fam.*) futile e irritante; insignificante; da nulla.

footlocker /ˈfʊtlɒkə(r)/ *n.* (*USA*) bauletto; cassetta.

footloose /ˈfʊtluːs/ *a.* **1** libero; indipendente; senza legami **2** (*econ., fin.*) mobile; libero ● **f. and fancy free**, spensierato; libero e senza legami sentimentali.

footman /ˈfʊtmən/ *n.* (pl. **footmen**) **1** domestico in livrea; lacchè; valletto **2** (*stor.*) fante; fantaccino.

footmark /ˈfʊtmɑːk/ *n.* orma (*o* impronta) di piede; pedata.

footnote /ˈfʊtnəʊt/ *n.* **1** nota a piè di pagina; nota in calce **2** (*fig.*) postilla.

to **footnote** /ˈfʊtnəʊt/ *v. t.* corredare di note in calce; annotare.

footpad /ˈfʊtpæd/ *n.* **1** (*stor.*) grassatore; predone; brigante **2** (*miss.*) piede (*di veicolo o modulo lunare*).

footpath /ˈfʊtpɑːθ/ *n.* **1** sentiero **2** marciapiede **3** passaggio pedonale.

footplate /ˈfʊtpleɪt/ *n.* (*ferr., GB*) Ⓐ *n.* piattaforma della cabina di guida Ⓑ *a. attr.* **1** relativo alla cabina di guida **2** relativo ai macchinisti; di macchina: **f. staff**, personale di macchina.

footprint /ˈfʊtprɪnt/ *n.* **1** impronta (di piede); orma; pedata **2** (*autom.*) area di contatto (*di un pneumatico*); superficie di contatto **3** ⓤ ingombro (*di un computer, ecc.*) **4** ⓤ (*radio, TV*) zona di copertura (*di un segnale*) **5** ⓤ (*miss.*) zona di ricaduta.

footrace /ˈfʊtreɪs/ *n.* (*sport*) corsa piana; corsa podistica.

footrest /ˈfʊtrest/ *n.* poggiapiedi.

footrope /ˈfʊtrəʊp/ *n.* (*naut.*) marciapiede.

footsie /ˈfʊtsɪ/ *n.* (*fam.*) (il fare) piedino: **to play f. (with)**, fare piedino (a): (*fig.*) intendersela segretamente (con).

Footsie /ˈfʊtsɪ/ *n.* (*fam. per* **FTSE Index**, acronimo di **Financial Times Stock Exchange Index**) (*fin.*) indice del 'Financial Times' dei 100 titoli principali della Borsa di Londra.

footslog /ˈfʊtslɒɡ/ *n.* (*fam.*) lunga camminata, scarpinata; (*mil.*) lunga marcia.

to **footslog** /ˈfʊtslɒɡ/ (*fam.*) *v. i.* fare lunghe camminate, scarpinare; fare lunghe marce ‖ **footslogger** *n.* camminatore; (*mil.*) fantaccino ‖ **footslogging** *n.* scarpinata, scarpinate; (*mil.*) lunga marcia, lunghe marce.

footsore /ˈfʊtsɔː(r)/ *a.* che ha male ai piedi; coi piedi doloranti.

footstalk /ˈfʊtstɔːk/ *n.* **1** (*bot.*) peduncolo; picciolo **2** (*zool.*) peduncolo.

footstall /ˈfʊtstɔːl/ *n.* (*archit.*) base di pi-

footstep /'fʊtstɛp/ n. **1** passo; (al pl., *anche*) rumore di passi: **within a f. of**, a un passo da; **to hear footsteps**, sentire dei passi (*o* un rumore di passi) **2** impronta (di piede); orma: (*fig.*) **to follow** (*o* **to tread**) **in sb.'s footsteps**, seguire (*o* calcare) le orme di q.; **to retrace one's footsteps**, tornare sui propri passi; tornare indietro **3** predellino (*di carrozza, ecc.*).

footstool /'fʊtstuːl/ n. sgabello (*per i piedi*); poggiapiedi.

footstrap /'fʊtstræp/ n. (*windsurf*) cinghia (*della tavola*) per il piede.

footsure /'fʊtʃʊə(r)/ a. saldo sui piedi.

footwall /'fʊtwɔːl/ n. (*geol.*) muro di faglia.

footway /'fʊtweɪ/ → **footpath**.

footwear /'fʊtwɛə(r)/ n. ⓤ calzature (pl.): **f. department**, reparto calzature.

footwell /'fʊtwɛl/ n. (*autom.*) vano piedi; vano gambe; alloggiamento dell'acceleratore e del freno (*a pedale*).

footwork /'fʊtwɜːk/ n. ⓤ **1** (*nella danza*) movimento dei piedi **2** (*sport*) lavoro (*o* gioco) di gambe **3** (*fig.*, generalm. con agg.) reazione (*in una data situazione*); manovre (pl.): *It took some nimble f. to survive the crisis*, ci volle una abile e veloce reazione per superare la crisi; **nimble f.**, abili manovre; reazione rapida.

footy /'fʊtɪ/ n. ⓤ (*fam. GB*) gioco del calcio; football.

foozle /'fuːzl/ n. (*fam.*) **1** pasticcio; casino (*fig.*) **2** (*golf*) colpo sbagliato.

to **foozle** /'fuːzl/ v. t. (*fam.*) **1** pasticciare; incasinare **2** (*golf*) sbagliare (*un colpo*).

fop /fɒp/ n. (*arc., spreg.*) bellimbusto; damerino; elegantone; zerbinotto ‖ **foppery**, **foppishness** n. ⓤ ⓒ affettazione; fatuità; vanità; modi (pl.) da damerino; eleganza azzimata ‖ **foppish** a. affettato; fatuo; vanesio; azzimato.

♦**for**① /fɔː(r), fə(r)/ prep. **1** (direzione, destinazione) per: **the train for London**, il treno per Londra; *This is for you*, questo è per te; **a vote for peace**, un voto per la pace **2** (scopo) per; a; di; a scopo di: **to dress for dinner**, vestirsi per la cena; **a time for rest**, tempo per riposare; *Sea air is good for children [for your health]*, l'aria di mare fa bene ai bambini [alla salute]; **a tool for cutting metal**, un utensile per tagliare il metallo; **the right man for the job**, l'uomo adatto al lavoro (*o* al posto); **to go for a doctor**, andare a cercare un dottore; **to have an ear for music**, avere orecchio per la musica; *He isn't fit for anything*, non è buono a nulla; **eager for news**, ansioso di notizie; **a desire for fame**, un desiderio di fama; **for hire**, a noleggio; a nolo; **for sale**, in vendita ❶ Nota: *per → per (sezione italiana)* **3** (causa) per; a causa di; per via di: *He was punished for stealing*, fu punito per aver rubato; *He left for fear of meeting them*, se ne andò per paura di incontrarli; *I couldn't see anything for the fog*, non vedevo niente a causa della nebbia; **reward for bravery**, ricompensa al valore **4** (tempo) per; (*nella «duration form»*) da (*o* idiom.): **to drive for hours**, guidare per ore; *The appointment is for nine o'clock*, l'appuntamento è per le nove; **for the time being**, per il momento; per ora; *I have been waiting for an hour*, aspetto da un'ora; è un'ora che aspetto; *It hadn't rained for two weeks*, non pioveva da due settimane; erano due settimane che non pioveva ❶ Nota: *da → da (sezione italiana)* **5** (distanza): per: *We walked for miles and miles*, abbiamo camminato per miglia e miglia **6** (valore) per; di: *I bought it for fifty dollars*, l'ho comprato per cinquanta dollari; **a cheque for a hundred pounds**, un as-

segno di cento sterline **7** (limitazione) per; quanto a: **for my part**, per me; per parte mia; quanto a me; **for all I know**, per quel che ne so; **for all I care**, per quel che m'importa; *It's good enough for me*, per me va bene; *It's very cool for summer*, è molto fresco per essere estate **8** a dispetto di; nonostante; malgrado; pur con: **for all our efforts**, nonostante tutti i nostri sforzi; **for all that**, nonostante tutto; con tutto ciò; **for all you say**, nonostante ciò che dici **9** in cambio di; al posto di: **oil for food**, petrolio in cambio di cibo **10** simbolo di; che sta per: *Lilies are for purity*, il giglio è simbolo di purezza; *A for Andrew*, «a» come Ancona; *F is for First*, «f» sta per «first» **11** (seguito da compl. ogg. e inf.; è idiom.:) *It's impossible for him to leave now*, gli è impossibile partire ora; *I stood aside for him to pass*, mi feci da parte perché potesse passare; *She is too young for me to leave her alone at home*, è troppo piccola perché io possa lasciarla a casa da sola; *For you to get there in time, you'll have to leave at six*, per arrivare in tempo, dovrai partire alle sei ● (*Borsa*) **for the account**, a termine □ **for all the world**, proprio; veramente: *It looked for all the world like a whale*, sembrava proprio una balena □ **for ever (and ever)**, per sempre; per l'eternità □ **for good (and all)**, per sempre; una volta per tutte: *I'll leave for good*, me ne andrò per sempre; *I want the matter settled for good*, voglio che la faccenda sia sistemata una volta per tutte □ **for instance**, per esempio □ **for life**, per tutta la vita; a vita □ **for the most part**, per la maggior parte □ *I for one don't believe it*, quanto a me, io non ci credo □ **for one thing**, tanto per cominciare; per dirne una □ **for oneself**, solo; da sé; per conto proprio □ **for or against st.**, per (*o* pro, a favore) o contro qc. o contro qc. □ **for the present**, per il momento; per ora □ **for sb.'s sake**, per amore di q.: *For God's sake!*, per amor di Dio!; *Do it for my sake!*, fallo per amor mio (*o* per me)! □ (*market.*) **for sale**, in vendita □ (*antiq.*) **For shame!**, vergogna! □ **for that matter**, quanto a questo □ **for want** (*o* **lack**) **of**, per mancanza di □ **to be all for**, essere favorevole a; essere del parere di; essere per: *We're all for taking a day off*, noi siamo per prenderci un giorno libero □ **You'll be all the better for some rest**, un po' di riposo ti farà bene □ **as for me** [**him, ecc.**], quanto a me [a lui, ecc.] □ **but for**, se non fosse (stato) per: *But for your help, I would have failed*, se non fosse stato per il tuo aiuto, avrei fatto fiasco □ **a change for the better** [**for the worse**], un cambiamento in meglio [in peggio] □ (*scherz. GB*) **to do st. for England** [**France, Italy, etc.**], fare qc. con entusiasmo; essere imbattibile in qc.; essere instancabile in qc. □ (*slang*) **to go for sb.**, attaccare q.; dare addosso a q. □ **not to be for**, non essere favorevole a; non essere dell'avviso di: *I'm not for going abroad this year*, non sono dell'avviso (*o* dell'idea) di andare all'estero quest'anno; *Economics is not for me*, economia non fa per me □ (*fam.*) **Now we're (in) for it!**, l'abbiamo fatta bella!; adesso saranno dolori! □ **Now for it!**, e adesso sotto!; e ora a noi! □ **oh, for...!**, come vorrei...!; cosa non darei per...! □ **to be out for**, andare in cerca di: *You are out for trouble*, tu vai in cerca di guai □ **There's... for you!**, bel [bella]...!; alla faccia di...!

♦**for**② /fɔː(r), fə(r)/ cong. (*form.*; *non si usa all'inizio di un periodo*) perché; poiché: *He said nothing, for he was in a state of shock*, non disse nulla, poiché era in stato di choc.

f.o.r. sigla (*comm.*, **free on rail**) franco rotaie; franco ferrovia.

forage /'fɒrɪdʒ/ n. ⓤ foraggio ● (*agric.*) **f. blower**, insilatrice □ (*mil.*) **f. cap**, berretto

da bassa uniforme; berretto con visiera; bustina □(*agric.*) **f.-harvester**, raccoglitrice di foraggio (*macchina*) □ (*agric.*) **f.-press**, pressaforaggio.

to **forage** /'fɒrɪdʒ/ Ⓐ v. i. **1** (*mil.*) cercare foraggi e vettovaglie **2** (*di animale selvatico*; *anche* **to f. for food**) essere in cerca di cibo **3** (*fig.*) – to f. for, andare in cerca di; rovistare in cerca di: **to f. (about) in the kitchen for st.**, rovistare in cucina in cerca di qc. da mangiare Ⓑ v. t. **1** (*mil.*) depredare; saccheggiare **2** provvedere di foraggio; foraggiare.

forager /'fɒrɪdʒə(r)/ n. **1** (*mil., stor.*) foraggiere **2** selvatico in cerca di pascolo.

foraging /'fɒrɪdʒɪŋ/ n. **1** ⓤ foraggiamento **2** foraggiata.

foramen /fə'reɪmən/ n. (pl. **foramens, foramina**) (*spec. anat., zool.*) forame; orifizio.

forasmuch as /fərəz'mʌtʃæz/ cong. (*arc.*) giacché; poiché; dacché; considerato che.

foray /'fɒreɪ, USA 'fɔːreɪ/ n. **1** (*mil.*) incursione; scorreria **2** (*fig.*) attacco; incursione **3** (*fig.*) breve esperienza professionale (*in una nuova attività*); incursione: **a f. into painting**, un'incursione nel campo della pittura.

to **foray** /'fɒreɪ, USA 'fɔːreɪ/ Ⓐ v. i. (*mil.*) fare un'incursione (*o* una scorreria) Ⓑ v. t. (*arc.*) depredare; saccheggiare.

forbad /fə'bæd/, **forbade** /fə'beɪd/ pass. di **to forbid**.

forbear → **forebear**.

to **forbear** /fɔː'beə(r)/ (pass. **forbore**, p. p. **forborne**), (*lett. o poet.*) Ⓐ v. i. **1** astenersi (da); evitare (di); fare a meno (di); trattenersi (da): **to f. from asking questions**, evitare di porre domande; **to f. to comment**, trattenersi dal commentare; *'F. to judge, for we are sinners all'* W. Shakespeare, 'asteniti dal giudicare, perché siamo tutti peccatori' **2** (*arc.*) essere paziente (*o* indulgente); avere pazienza; sopportare Ⓑ v. t. trattenere: *I could not f. a smile*, non potei trattenere un sorriso.

forbearance /fɔː'beərəns/ n. ⓤ (*form.*) **1** pazienza; sopportazione; tolleranza: **to beg sb.'s f.**, implorare la pazienza di q.; pregare q. di essere paziente **2** (*leg.*) astensione; omissione; acquiescenza: **f. to sue**, astensione dal proporre un'azione in giudizio.

forbearing /fɔː'beərɪŋ/ a. paziente; tollerante; comprensivo.

to **forbid** /fə'bɪd/ (pass. **forbade, forbad**; p. p. **forbidden**), v. t. **1** proibire; vietare; interdire: *I forbid you to see him ever again!*, ti proibisco di vederlo ancora!; *Smoking is strictly forbidden*, è severamente vietato fumare; *We are forbidden to speak*, ci è vietato parlare; *I was forbidden from leaving*, mi fu proibito di lasciare il posto **2** vietare l'accesso a; bandire da **3** impedire ● **God** (*o* **Heaven**) **forbid!**, Dio non voglia!; Dio ne scampi e liberi □ **«Fishing forbidden»** (*cartello*), «divieto di pesca». ❶ Nota: *to allow → to allow*.

forbiddance /fə'bɪdəns/ n. ⓤ ⓒ divieto; proibizione.

forbidden /fə'bɪdn/ Ⓐ p. p. di **to forbid** Ⓑ a. proibito; vietato: **f. books**, libri proibiti; (*relig. e fig.*) **the f. fruit**, il frutto proibito ● (*fis.*) **f. band**, banda proibita □ **the F. City**, la Città proibita □ (*leg.*) **f. degrees**, gradi di parentela fra i quali è proibito il matrimonio □ **f. ground** (*o* **f. territory**), luogo a cui è fatto divieto d'accesso; (*fig.*) argomento tabù.

forbidding /fə'bɪdɪŋ/ a. **1** arcigno; scostante; torvo; truce; minaccioso: **a f. look**, un'espressione torva; **the f. façade of the prison**, la facciata minacciosa della prigione **2** (*di regione, ecc.*) poco invitante; dall'a-

spetto impervio (o inaccessibile); ostile: **a f. landscape**, un paesaggio poco invitante; **a f. coast**, una costa dall'aspetto inaccessibile **3** (del tempo, ecc.) minaccioso | **-ly** avv. | **-ness** n. Ⓤ.

forbore /fɔːˈbɔː(r)/ pass. di **to forbear**.

forborne /fɔːˈbɔːn/ p. p. di **to forbear**.

♦**force** ① /fɔːs/ n. **1** Ⓤ forza; violenza; impeto; intensità; furia: **the f. of the wind**, la forza del vento; **the f. of an earthquake**, la forza (o l'intensità) di un terremoto; **to resort to** (o **to use**) **f.**, ricorrere alla forza; **by f.**, con la forza; **a f.-8 gale**, vento forza 8 **2** forza; energia: (econ.) **market forces**, forze di mercato; **powerful natural forces**, possenti forze naturali; **dark forces**, forze oscure; **f. of character**, forza di carattere; **from f. of habit**, per forza di abitudine **3** (fis.) forza: **the f. of gravity**, la forza di gravità; **magnetic f.**, forza magnetica; **f. field**, campo di forza; **parallelogram of force**, parallelogramma delle forze **4** Ⓤ forza; significato; valore: **the f. of a word**, il valore d'una parola **5** Ⓤ (leg.) validità; vigore: **in f.**, in vigore; vigente; *This law is no longer in f.*, questa legge non è più in vigore; **to bring** [**to come**] **into f.**, far entrare [entrare] in vigore **6** (mil., ecc.) forza, forze; reparto; unità; truppa: **police f.**, forze di polizia; **task f.**, unità operativa; **a small f. of infantry**, un piccolo reparto di fanteria; **air f.**, aviazione; forza aerea; **peacekeeping f.**, forza di pace; **landing forces**, truppe da sbarco **7** (al pl.) (mil., = **armed forces**) forze armate **8** – **the F.**, la polizia, le forze (pl.) di polizia; la forza pubblica: **to join the f.**, entrare nella polizia; diventare poliziotto **9** forza; gruppo; équipe; associazione; unità organizzativa: **labour f.**, forza lavoro; **the rebel forces**, le forze ribelli; **a small f. of doctors**, un'équipe di dottori; una piccola unità medica; **a sales f.**, una forza di vendita; un'unità organizzativa di vendita ● (elettron.) **f. feedback**, retroazione meccanica □ (tecn.) **f. gauge**, dinamometro □ (tecn.) **f. main**, tubazione di mandata □ (mecc.) **f. pump**, pompa premente □ (tecn.) **f. resistance**, resistenza alla forza (esercitata su qc.) □ **to have the f. of law**, avere forza di legge □ **by f. of**, con la forza di; mediante; per: **by f. of arms** [**of will**], con la forza delle armi [della volontà]; **by f. of instinct** [**of habit**], per istinto [abitudine]; **by f. of law**, per forza di legge □ **by main f.**, a viva forza □ **driving f.**, (mecc.) forza motrice; (fig.) stimolo, elemento propulsore, motore □ **in f.**, in forze, in gran numero: *The police turned out in f.*, la polizia arrivò in forze □ (anche mil.) **to join forces with sb.**, unire le proprie forze a quelle di q.; unirsi a q. □ **to meet f. with f.**, rispondere alla forza con la forza.

force ② /fɔːs/ n. (ingl. sett.) cascata (d'acqua).

♦**to force** /fɔːs/ v. t. **1** costringere; obbligare; forzare: *He forced me to leave*, mi costrinse a partire; *A serious illness forced him into retirement*, una grave malattia lo costrinse ad andare in pensione; *She forced her attention back to the photo*, si costrinse a osservare di nuovo la foto **2** – **to f. oneself**, sforzarsi; costringersi: *I forced myself to look satisfied*, mi sforzai di apparire soddisfatto **3** forzare; scassinare: **to f. a lock**, forzare una serratura; **to f. a door**, scassinare una porta; **to f. st. open**, forzare qc.; aprire qc. con la forza **4** sforzare; forzare; fare forza su; spingere con forza: **to f. a bolt**, sforzare un dado; *Don't f. it, or it will break*, non fare forza o si romperà **5** forzare: **to f. the** (o **one's**) **pace**, forzare l'andatura (o il passo); accelerare; **to f. a word**, forzare il significato d'una parola **6** imporre: (polit.) **to f. new elections**, imporre nuove elezioni **7** (agric.) forzare; affrettare la

crescita di; accelerare la maturazione di ● **to f. an analogy**, stiracchiare un'analogia □ (comm.) **to f. the bidding**, far salire le offerte (a un'asta) □ (leg.) **to f. an entry**, entrare con la forza □ (fig.) **to f. sb.'s hand**, forzare la mano a q. □ **to f. the issue**, spingere a una decisione; stringere i tempi □ **to f. a passage**, aprirsi un varco □ **to f. a smile**, fare un sorriso forzato □ **to f. st. on** (o **upon**) **sb.**, costringere q. ad accettare qc.; imporre qc. a q.: *He forced his presents on us*, ci costrinse ad accettare i suoi doni; **to f. one's company** (o **oneself**) **on sb.**, imporre la propria compagnia (o presenza) a q. □ **to f. one's way through a crowd**, farsi largo fra una folla.

▪ **force back** v. t. + avv. **1** respingere; far ripiegare: **to f. back the enemy**, respingere il nemico **2** (fig.) reprimere; ricacciare: **to f. back one's tears**, ricacciare (o ingoiare) le lacrime.

▪ **force down** v. t. + avv. **1** far calare; ridurre, abbassare: **to f. down prices**, far calare i prezzi **2** inghiottire con sforzo; ingoiare, mandare giù (cibo, ecc.) controvoglia **3** (aeron.) costringere all'atterraggio.

▪ **force in** v. t. + avv. far entrare a forza; pigiare; conficcare.

▪ **force out** v. t. + avv. e prep. **1** costringere a lasciare; allontanare a forza; estromettere; espellere; buttar fuori: **to f. sb. out of their job**, costringere q. a lasciare il lavoro **2** strappare (con la forza, con pressioni); estorcere: **to f. a confession out of sb.**, strappare (o estorcere) una confessione a q.

▪ **force up** v. t. + avv. far salire (prezzi, ecc.).

forceable /ˈfɔːsəbl/ a. (leg.) forzato: **f. execution**, esecuzione forzata.

forced /fɔːst/ a. **1** forzato; costretto; obbligato; coatto: **f. abstinence**, astinenza forzata; (aeron.) **f. landing**, atterraggio forzato; **f. repatriation**, rimpatrio forzato **2** forzato; artefatto; innaturale: **a f. smile**, un sorriso forzato **3** (agric., bot.) forzato: **f. fruits**, frutta forzata ● **f. circulation**, (fin.) circolazione a corso forzoso; (tecn.) circolazione forzata □ (fin.) **f. currency**, moneta (o valuta) a corso forzoso; cartamoneta inconvertibile □ (mecc.) **f. draught** (o **draft**), tiraggio forzato □ **f. labour**, lavoro forzato, lavori forzati □ (fin.) **f. loan**, prestito forzoso (autom., mecc.) **f. lubrication**, lubrificazione forzata □ (mil.) **f. marches**, marce forzate □ (leg.) **f. sale**, vendita coatta (o forzata) □ (econ.) **f. saving**, risparmio forzato □

forcedly avv. **1** forzatamente; con la coercizione; con la forza **2** con sforzo; a stento; a fatica.

to force-feed /ˈfɔːsfiːd/ (pass. e p. p. **force-fed**), v. t. **1** (med.) alimentare a forza; sottoporre ad alimentazione forzata **2** ingozzare (oche, piccioni, ecc.) **3** (fig.) imporre con la forza; propinare per forza (una materia, un'ideologia, ecc.).

forceful /ˈfɔːsfl/ a. **1** forte; forte di carattere; vigoroso; energico **2** efficace | **-ly** avv. | **-ness** n. Ⓤ.

forceless /ˈfɔːsləs/ a. senza forza; debole.

force majeure /fɔːs mæˈʒɜː(r)/ (franc.) loc. n. Ⓤ forza maggiore.

forcemeat /ˈfɔːsmiːt/ n. Ⓤ (cucina) ripieno (di carne con spezie); farcia.

forceps /ˈfɔːsɪps/ n. (pl. **forceps, forcepses, forcipes**) **1** (med.) forcipe **2** pinza (da dentista, ecc.).

forcible /ˈfɔːsəbl/ a. **1** fatto con la forza; a forza; forzato; forzoso: **f. ejection**, espulsione con la forza; **f. repatriation**, rimpatrio forzato **2** forte; energico; efficace; vigoroso; convincente; vivido: **a f. expression**, un'espressione efficace; **f. style**, stile vigoroso; **f. reminder**, efficace promemoria ● (leg.) **f. detainer**, possesso illecito □ (leg.) **f. entry**, ingresso con la forza; (della polizia, ecc.) irru-

zione: **to make a f. entry**, entrare con la forza; fare irruzione || **forcibleness** n. Ⓤ violenza; forza; efficacia; vigore || **forcibly** avv. **1** con la forza; a (viva) forza **2** energicamente; vigorosamente **3** efficacemente; vividamente.

forcing /ˈfɔːsɪŋ/ n. Ⓤ **1** forzatura; costrizione **2** (leg.) effrazione; scasso **3** (market.) spinta (delle vendite) **4** (agric.) coltura forzata; forzatura **5** (arti grafiche) sviluppo forzato ● (agric.) **f. house**, serra ❶ FALSI AMICI ● forcing non significa forcing nel senso italiano di insistente e pressante azione d'attacco.

ford /fɔːd/ n. guado.

to ford /fɔːd/ v. t. guadare; passare a guado || **fordable** a. guadabile.

Fordism /ˈfɔːdɪzəm/ n. Ⓤ (org. az.) fordismo.

fore ① /fɔː(r)/ Ⓐ a. **1** anteriore; frontale; davanti: **the f. legs**, le zampe anteriori **2** (naut.) di prua; prodiero Ⓑ n. **1** (la) parte anteriore, frontale; (il) davanti **2** (naut.) prua; prora Ⓒ inter. (nel golf) attenzione davanti! ● (naut.) **f. and aft**, da prua a poppa; per tutta (la lunghezza della) nave; longitudinalmente □ (naut.) **f.-and-aft**, longitudinale; per chiglia; (anche) avanti e indietro □ (naut.) **f.-and-aft sail**, vela di taglio □ (naut.) **f. rigged f. and aft**, attrezzato con vele di taglio □ (ind. min.) **f. drift**, cunicolo avanzato □ (naut.) **f.-topgallant sail**, velaccino □ (naut.) **f.-topgallant mast**, alberetto di velaccino □ (naut.) **f.-topmast**, alberetto di parrocchetto □ (naut.) **f.-topmast studding sail**, coltellaccino di trinchetto □ (naut.) **f.-topsail**, vela di parrocchetto □ (naut.) **f.-royal mast**, albero di controvelaccino □ (naut.) **f.-royal sail**, controvelaccino □ **to bring to the f.**, portare in primo piano; mettere in evidenza □ **to come to the f.**, venire in primo piano; emergere; mettersi in luce; venire alla ribalta.

fore ② /fɔː(r)/ prep. (poet.) → **before**, B.

forearm /ˈfɔːrɑːm/ n. (anat.) avambraccio ● (pallavolo) **f. pass**, bagher.

to forearm /fɔːrˈɑːm/ v. t. premunire.

forebear /ˈfɔːbeə(r)/ n. (di solito al pl.) antenato; progenitore.

to forebode /fɔːˈbəʊd/ v. t. **1** presagire; essere presagio di; preannunciare: *The dark skies foreboded a storm*, il cielo nero fu presagio di tempesta **2** presentire; avere un presentimento di.

foreboding /fɔːˈbəʊdɪŋ/ Ⓐ n. Ⓤ presentimento, presagio, premonizione (di eventi spiacevoli): *Hope and f. vied in her*, in lei lottavano la speranza e un cattivo presentimento; **a f. of danger**, il presentimento di un pericolo; **a sense of f.**, un presentimento; un senso di premonizione Ⓑ a. carico di presagi || **forebodingly** avv. in modo da far presagire (un disastro, ecc.); a mo' di presagio di sventura.

forebrain /ˈfɔːbreɪn/ n. (anat.) proencefalo.

forebridge /ˈfɔːbrɪdʒ/ n. (naut.) plancia; ponte di comando.

forecabin /ˈfɔːkæbɪn/ n. (naut.) cabina di prua.

forecarriage /ˈfɔːkærɪdʒ/ n. (autom.) treno anteriore.

♦**forecast** /ˈfɔːkɑːst/ n. previsione, previsioni; pronostico, pronostici: **a profit f.**, una previsione degli utili; **weather f.**, previsioni del tempo; bollettino meteorologico: *The f. is for this cold spell to continue*, le previsioni dicono che questa ondata di freddo continuerà.

to forecast /ˈfɔːkɑːst/ (pass. e p. p. **forecast** o **forecasted**), v. t. prevedere; predire; pronosticare.

forecaster /ˈfɔːkɑːstə(r)/ n. **1** (= weath-

er f.) meteorologo **2** (*econ.*) esperto in previsioni economiche.

forecasting /'fɔːkɑːstɪŋ/ n. ⓤ previsione ● (*econ.*) **f. model**, modello previsionale.

forecastle /'fəʊksl/ n. (*naut.*) castello: **f. deck**, ponte del castello; ponte di prua.

to **foreclose** /fɔːˈkləʊz/ Ⓐ v. t. **1** precludere; escludere la possibilità di; impedire: **to f. discussion on st.**, precludere una discussione su qc. **2** (*leg.*) privare (q.) del diritto di cancellare un'ipoteca (*attribuendo la proprietà del bene ipotecato al creditore ipotecario*) **3** (*leg.*) precludere la cancellazione di (*un'ipoteca*) **4** (*leg.*) pignorare; sottoporre a pignoramento: **to f. a property**, pignorare una proprietà **5** prendere una decisione su (*un argomento*) senza metterlo in discussione; concludere in anticipo Ⓑ v. i. **1** (*leg.*) pignorare una proprietà; eseguire un pignoramento **2** (*leg.*) – **to f. on**, precludere il riscatto di (*un'ipoteca*).

foreclosure /fɔːˈkləʊʒə(r)/ n. ⓤ **1** preclusione; esclusione **2** (*leg.*) privazione del diritto di cancellare un'ipoteca (*con il conseguente passaggio della proprietà del bene ipotecato al creditore ipotecario*); pignoramento.

forecourt /'fɔːkɔːt/ n. **1** piazzale; spiazzo: **station f.**, piazzale della stazione; **petrol station f.**, area dei distributori (*di una stazione di servizio*) **2** (*tennis*) zona di battuta.

to **foredate** /fɔːˈdeɪt/ v. t. antidatare (*una lettera, ecc.*).

foredeck /'fɔːdek/ n. (*naut.*) coperta a prua.

to **foredoom** /fɔːˈduːm/ v. t. condannare (in anticipo) (*al fallimento, alla rovina*); predestinare.

forefather /'fɔːfɑːðə(r)/ n. antenato; avo; progenitore.

forefinger /'fɔːfɪŋɡə(r)/ n. (*anat.*) (dito) indice.

forefoot /'fɔːfʊt/ n. (pl. **forefeet**) **1** piede (o zampa) anteriore (*di quadrupede*) **2** (*naut.*) piè di ruota (*di prora*).

forefront /'fɔːfrʌnt/ n. ⓤ **1** primo piano; prima linea; avanguardia; ribalta: **at** (o **in**) **the f. of**, in prima linea in; all'avanguardia di; **to come to the f.**, venire in primo piano; **at** (o **in**) **the f. of one's mind**, in cima ai propri pensieri **2** parte anteriore; (il) davanti.

to **foregather** /fɔːˈɡæðə(r)/ v. i. (*form.*) **1** adunarsi; riunirsi **2** fraternizzare; essere in rapporti d'amicizia (*con q.*).

to **forego** /fɔːˈɡəʊ/ → **to forgo**.

foregoing /'fɔːɡəʊɪŋ/ Ⓐ a. precedente; anteriore; summenzionato; suddetto Ⓑ n. – **the f.**, quanto detto; quanto sopra.

foregone /'fɔːɡɒn/ Ⓐ p. p. di **to forego** Ⓑ a. **1** previsto; inevitabile; scontato: **f. conclusion**, esito previsto; risultato scontato **2** (*arc., spesso posposto*) passato.

foreground /'fɔːɡraʊnd/ n. primo piano; zona anteriore; (il) davanti: **in the f.**, in primo piano; sul davanti; (*fig.*) in vista, in posizione preminente, alla ribalta, al centro dell'interesse ● (*comput.*) **f. process**, processo in primo piano; processo attivo.

to **foreground** /'fɔːɡraʊnd/ v. t. porre in primo piano; dare la preminenza a.

forehand /'fɔːhænd/ Ⓐ a. (*nel tennis*) di dritto: **a f. stroke** [**volley, passing shot**], un colpo [una volée, un passante] di dritto Ⓑ n. **1** (*tennis, ecc.*) diritto **2** parte anteriore del cavallo (*dal garrese alla testa*) Ⓒ avv. (*tennis*) di dritto.

forehanded /fɔːˈhændɪd/ Ⓐ a. **1** (*tennis*) diritto; di dritto **2** (*USA*) previdente; provvido; parsimonioso **3** (*USA*) benestante; ricco Ⓑ avv. (*tennis*) di dritto.

forehander /fɔːˈhændə(r)/ n. (*tennis*) diritto; colpo di dritto; dritto.

♦**forehead** /'fɒrɪd/ n. (*anat. e fig.*) fronte:

wide f., fronte ampia (o spaziosa); **to slap one's f.**, battersi una mano sulla fronte; darsi una pacca in fronte.

♦**foreign** /'fɒrən/ a. **1** straniero; forestiero; estero: **f. countries**, paesi stranieri; **f. languages**, lingue straniere; **f. affairs**, affari esteri; **f. flag**, bandiera estera; **f. trade**, commercio estero (o con l'estero) **2** all'estero; dall'estero: **f. travel**, viaggi all'estero; **f. news**, notizie dall'estero **3** (*solo pred.*) estraneo; non familiare; sconosciuto; alieno: *ideas f. to the main theme*, idee estranee al tema principale; *He spoke in a language that was f. to me*, parlò in una lingua a me sconosciuta; *Rudeness is f. to his nature*, la scortesia è estranea al suo carattere ● (*econ.*) **f. aid**, aiuti ai paesi esteri □ (*in GB, dal 1968*) **the F. and Commonwealth Office**, il Ministero degli esteri e per i rapporti con i paesi del Commonwealth □ (*econ., fin.*) **f. balance**, saldo con l'estero □ (*comm.*) **f. bill**, cambiale estera □ (*med.*) **f. body**, corpo estraneo □ (*banca*) **f. borrowings**, provvista in valuta estera □ **f. correspondent**, (*comm. est.*) corrispondente all'estero; (*anche*) corrispondente in lingue estere; (*giorn.*) corrispondente dall'estero □ (*fin.*) **f. currency**, divisa (o valuta) estera □ (*econ.*) **f. demand**, domanda estera □ **f. exchange**, cambio estero; = **f. currency** → *sopra* □ **f.-exchange broker**, intermediario di cambio; cambista □ (*fin.*) **f.-exchange dealer**, cambiavalute □ (*fin.*) **f.-exchange rate**, corso (o tasso) di cambio □ (*fin.*) **f.-exchange reserves**, riserve valutarie □ (*fin.*) **f.-exchange restrictions**, restrizioni valutarie □ (*comput.*) **f. key**, chiave esterna □ (*mil.*) **the F. Legion**, la legione straniera □ **f.-made**, fabbricato all'estero; di produzione estera □ (*econ.*) **f. manpower**, manodopera straniera □ (*polit.*) **f. minister**, ministro degli esteri □ (*in GB, fino al 1968*) **the F. Office**, il Ministero degli esteri □ (*econ.*) **f.-owned company**, azienda a capitale straniero □ (*in GB*) **F. Secretary**, Ministro degli esteri □ (*in USA*) **the F. Service**, la diplomazia; il corpo diplomatico □ (*lett.*) **f. soil**, terra straniera.

♦**foreigner** /'fɒrənə(r)/ n. **1** straniero; straniera; forestiero; forestiera **2** (*naut.*) nave straniera **3** animale (o oggetto) importato dall'estero.

foreignism /'fɒrɪnɪzəm/ n. (*ling.*) forestierismo.

to **forejudge** /fɔːˈdʒʌdʒ/ v. t. giudicare a priori.

to **foreknow** /fɔːˈnəʊ/ (pass. **foreknew**, p. p. **foreknown**), v. t. conoscere in anticipo; avere precognizioni di; prevedere.

foreknowledge /fɔːˈnɒlɪdʒ/ n. ⓤ preconoscenza; prescienza; precognizione.

forel /'fɒrəl/ n. ⓤ finta pergamena (*per ricoprire registri e libri contabili*).

foreland /'fɔːlənd/ n. **1** terreno antistante a qc. **2** (*geogr.*) promontorio; capo **3** (*geol.*) avampaese; avanterra.

foreleg /'fɔːleg/ n. (*zool.*) zampa anteriore (*di quadrupede*).

forelimb /'fɔːlɪm/ n. (*zool.*) arto anteriore.

forelock① /'fɔːlɒk/ n. **1** ciocca di capelli sulla fronte; ciuffo **2** (*di cavallo, ecc.*) ciuffo ● **to take time by the f.**, afferrare al volo un'occasione □ (*antiq.*) **to touch** (o **to tug at**) **one's f.**, portare la mano alla fronte (*come per togliersi un berretto, in segno di saluto rispettoso*).

forelock② /'fɔːlɒk/ n. (*mecc.*) coppiglia, copiglia.

to **forelock** /'fɔːlɒk/ v. t. (*mecc.*) assicurare, fissare (*un bullone, ecc.*) con una coppiglia.

foreman /'fɔːmən/ n. (pl. **foremen**) **1** caposquadra; capomastro; caporeparto; capo (*di operai*) **2** (*leg., anche* **f. of the jury**) por-

tavoce della giuria; primo giurato **3** (*tipogr.*) proto ● (*ind.*) **chief** (**shop**) **f.**, capo officina.

foremast /'fɔːmɑːst/ n. (*naut.*) albero di trinchetto.

forementioned /fɔːˈmenʃnd/ a. summenzionato; suddetto.

foremost /'fɔːməʊst/ Ⓐ a. **1** primo: **to be f.**, essere il primo (fra tutti) **2** principale; preminente; più eminente; primo: *He was the f. architect of his age*, fu il primo architetto del suo tempo Ⓑ avv. **1** in prima fila; in testa **2** (*di solito* **first and f.**) anzitutto; per prima cosa ● **with one's head f.**, a capofitto; a precipizio.

foremother /'fɔːmʌðə(r)/ n. antenata; ava; progenitrice.

forename /'fɔːneɪm/ n. nome (di battesimo); prenome.

forenoon /'fɔːnuːn/ n. (*USA o naut.*) mattina; mattino.

forensic /fəˈrensɪk/ a. **1** legale; giudiziario: **f. expert**, perito giudiziario; **f. laboratory**, laboratorio della (polizia) scientifica; **f. medicine**, medicina legale; **f. evidence**, prove legali **2** forense; giudiziale: **f. eloquence**, eloquenza forense ● **f. psychiatry**, psichiatria criminale; |–**ally** avv.

forensics /fəˈrensɪks/ n. pl. (col verbo al sing.) **1** metodi d'indagine scientifica della polizia **2** (*fam.*) laboratorio (o reparto) scientifico; la scientifica: *The victim's clothes were sent to f. for examination*, gli abiti della vittima furono mandati alla scientifica per essere esaminati.

to **foreordain** /fɔːrɔːˈdeɪn/ v. t. **1** preordinare **2** predestinare ‖ **foreordination** n. ⓤ **1** preordinazione **2** predestinazione.

forepart /'fɔːpɑːt/ n. parte anteriore; avantreno (*di automezzo, ecc.*).

forepaw /'fɔːpɔː/ n. zampa anteriore (*di quadrupede*).

forepeak /'fɔːpiːk/ n. (*naut.*) gavone di prua; gavone prodiero ● **f. bulkhead**, paratia di collisione; parte stagna prodiera.

foreperson /'fɔːpɜːsən/ n. (pl. **forepersons**) (*di uomo o donna*) **1** (*leg., anche* **f. of the jury**) portavoce della giuria; primo giurato **2** caposquadra; caporeparto.

foreplay /'fɔːpleɪ/ n. ⓤ preliminari (pl.) (*al rapporto sessuale*).

forequarter /'fɔːkwɔːtə(r)/ n. quarto anteriore (*di bestia macellata*).

to **forereach** /fɔːˈriːtʃ/ Ⓐ v. t. sorpassare; superare; sopravanzare Ⓑ v. i. **1** avvicinarsi in fretta; guadagnare terreno **2** (*naut.*) mantenere l'abbrivo.

forerun /'fɔːrʌn/ n. ⓤ (*chim.: nella distillazione*) testa; prodotto di testa.

to **forerun** /fɔːˈrʌn/ (pass. **foreran**, p. p. **forerun**), v. t. **1** precorrere; anticipare **2** preannunciare; presagire.

forerunner /'fɔːrʌnə(r)/ n. **1** precursore; antesignano **2** battistrada; araldo **3** (*mil. e fig.*) avanguardia **4** presagio; segno premonitore; araldo; indizio; sintomo **5** (*sci*) apripista.

foresail /'fɔːseɪl/ n. (*naut.*) **1** vela (o trevo) di trinchetto **2** trinchettina; vela di strallo **3** randa di trinchetto.

to **foresee** /fɔːˈsiː/ (pass. **foresaw**, p. p. **foreseen**), v. t. prevedere: **to f. the future**, prevedere il futuro; *We f. no difficulties*, non prevediamo difficoltà.

foreseeable /fɔːˈsiːəbl/ a. prevedibile; pronosticabile ● **in the f. future**, nel prossimo futuro.

foreseeing /fɔːˈsiːɪŋ/ a. prevegente; profetico.

foreseer n. veggente; profeta.

to **foreshadow** /fɔːˈʃædəʊ/ v. t. adombrare; prefigurare; presagire.

foreshaft /ˈfɔːʃɑːft/ n. (ind. min.) avampozzo.

foreshock /ˈfɔːʃɒk/ n. scossa premonitrice (di terremoto).

foreshore /ˈfɔːʃɔː(r)/ n. ▣ battigia; zona intercotidale; (per estens.) spiaggia, lido.

to **foreshorten** /fɔːˈʃɔːtən/ v. t. 1 (pitt.) rappresentare in scorcio, scorciare: **a foreshortened view of the Alps**, uno scorcio delle Alpi; **to be foreshortened**, apparire in scorcio 2 ridurre; accorciare; abbreviare || **foreshortening** n. ▣ 1 (pitt.) rappresentazione in scorcio; scorcio 2 l'apparire in scorcio.

foresight /ˈfɔːsaɪt/ n. 1 ▣ capacità di prevedere; preveggenza; previdenza; lungimiranza 2 accortezza; avvedutezza; prudenza 3 (topogr.) lettura altimetrica 4 (mil.) mirino (di arma da fuoco).

foresighted /fɔːˈsaɪtɪd/ a. 1 preveggente 2 previdente; prudente.

foreskin /ˈfɔːskɪn/ n. (anat.) prepuzio.

♦**forest** /ˈfɒrɪst/ n. 1 ▣ foresta; bosco; selva (lett. o fig.): **pine f.**, foresta di pini; pineta; **rain f.**, foresta pluviale; **tropical f.**, foresta tropicale; **Dante's dark f.**, la selva oscura di Dante; *This region was once covered in f.*, questa regione era un tempo coperta da una foresta (o da foreste); **f. conservation**, conservazione delle foreste; **f. fire**, violento incendio boschivo 2 (fig.) selva; folla; gran numero: **a f. of factory chimneys**, una selva di ciminiere 3 (leg. stor.) riserva di caccia (di un sovrano) ● **f. animal**, animale della foresta; animale silvicolo □ **f. conservation**, tutela del patrimonio forestale; forestazione □ (stor.) **f. laws**, leggi forestali □ **f. park**, parco nazionale di terreni boschivi □ (USA) **f. ranger**, guardia forestale □ (USA) **the F. Service**, il Corpo forestale □ **f.-tree**, albero d'alto fusto □ **f. warden**, guardia forestale; guardaparco □ **high f.**, fustaia; foresta di alberi d'alto fusto.

to **forest** /ˈfɒrɪst/ v. t. afforestare; imboschire.

forestage① /ˈfɒrɪstɪdʒ/ n. ▣ (leg., stor.) legnatico.

forestage② /ˈfɔːsteɪdʒ/ n. (teatr.) proscenio.

forestal /ˈfɒrɪstl/ a. forestale; boschivo.

to **forestall** /fɔːˈstɔːl/ v. t. 1 anticipare; prevenire; precedere: **to f. competitors**, precedere (o anticipare) la concorrenza; **to f. one's opponents**, giocare d'anticipo 2 (econ.) accaparrare, fare incetta di (merci, un raccolto, ecc.) 3 (sport e fig.) superare (q.) sull'anticipo; anticipare.

forestaller /fɔːˈstɔːlə(r)/ n. 1 (econ.) accaparratore, accaparratrice; incettatore, incettatrice 2 chi previene; anticipatore, anticipatrice.

forestalling /fɔːˈstɔːlɪŋ/ n. ▣ 1 (econ.) accaparramento; incetta 2 (sport) l'anticipare; anticipo.

forestation /fɒrəˈsteɪʃn/ n. ▣ forestazione; afforestazione; imboschimento.

forestay /ˈfɔːsteɪ/ n. (naut.) strallo (o straglio) di trinchetto.

forested /ˈfɒrɪstɪd/ a. coperto da foresta; boschivo; selvoso.

forester /ˈfɒrɪstə(r)/ n. 1 guardia forestale; guardaboschi; guardaparco 2 (antiq.) abitante (o animale) dei boschi 3 (poet.) cacciatore 4 albero di foresta; albero di alto fusto 5 (Austral.) (zool.) Macropus giganteus) canguro grigio 6 (zool., Zygaena) zigena.

forestry /ˈfɒrɪstrɪ/ n. ▣ 1 silvicoltura, selvicoltura; scienze (pl.) forestali 2 (antiq.) zona coperta da foresta; regione boschiva.

foretaste /ˈfɔːteɪst/ n. pregustazione; assaggio; anticipo: *That is only a f. of what*

will come, questo non è che un anticipo di quel che verrà.

to **foretell** /fɔːˈtɛl/ (pass. e p. p. **foretold**), v. t. predire; pronosticare || **foretelling** n. ▣ predizione; profezia.

forethought /ˈfɔːθɔːt/ ▣ **A** n. ▣ 1 ponderatezza; riflessione; premeditazione: **to say st. without f.**, dire qualcosa senza prima riflettere 2 previdenza; accortezza; avvertenza; avvedutezza: *I had the f. to take my umbrella*, ebbi l'avvertenza di prendere l'ombrello **B** a. premeditato; deliberato.

foretoken /ˈfɔːtəʊkən/ n. presagio; premonizione; annuncio premonitore.

to **foretoken** /fɔːˈtəʊkən/ v. t. presagire; preannunciare.

foretold /fɔːˈtəʊld/ pass. e p. p. di **to foretell**.

foretooth /ˈfɔːtuːθ/ n. (pl. **foreteeth**) dente davanti; incisivo.

foretop /ˈfɔːtɒp/ n. (naut.) coffa di trinchetto.

♦**forever** /fəˈrɛvə(r)/ avv. 1 per sempre; in eterno: **to last f.**, durare per sempre; **f. and ever**, per sempre; per l'eternità; **f. more**, → **forevermore** 2 definitivamente; per sempre: *She's gone f.*, se n'è andata per sempre 3 senza sosta; in continuazione: *They're f. complaining*, si lamentano in continuazione 4 un'eternità; una vita: *The meeting went on f.*, là riunione durò un'eternità; **It will take you f.**, ci metterai una vita (o un'eternità)! 5 (esclam.) viva!: *Scotland f.!*, viva la Scozia!

❶ **NOTA:** *forever o for ever?*
Per dire "per sempre", in inglese britannico alcuni preferiscono scrivere *for ever*, due parole separate: *I will love you for ever*, ti amerò per sempre. *Do you want to live for ever and ever?* vuoi vivere in eterno? *Forever* si scrive sempre come un'unica parola quando significa "continuamente": *Some people are forever complaining!*, certa gente si lamenta in continuazione!

forevermore /fərɛvəˈmɔː(r)/ avv. (lett.) per sempre; in eterno.

to **forewarn** /fɔːˈwɔːn/ v. t. preavvisare; preavvertire ● (prov.) **Forewarned is forearmed**, uomo avvisato è mezzo salvato || **forewarning** n. avvertimento; preavviso.

forewent /fɔːˈwɛnt/ pass. di **to forego**.

forewoman /ˈfɔːwʊmən/ n. (pl. **forewomen**) 1 (donna) caposquadra; caporeparto 2 (leg., anche **f. of the jury**) portavoce (f.) della giuria; prima giurata.

foreword /ˈfɔːwɜːd/ n. prefazione; introduzione.

forex /ˈfɒrɛks/ abbr. = **foreign exchange** → **exchange**.

foreyard /ˈfɔːjɑːd/ n. (naut.) pennone di trinchetto.

forfeit /ˈfɔːfɪt/ **A** n. 1 ammenda; multa; penalità; penale: *'have I sworn / To have the due and f. of my bond'* W. SHAKESPEARE, 'ho giurato di riavere ciò che mi è dovuto e in più la penale prevista dal mio contratto' 2 ▣ (leg.) confisca 3 (leg.) cosa confiscata 4 (fig.) fio; scotto; pena: *His life was the f.*, pagò il fio con la vita 5 (nei giochi) pegno 6 (al pl.) gioco dei pegni **B** a. 1 confiscato: *All his riches were f. to the Crown*, tutte le sue ricchezze furono confiscate a favore della corona 2 perduto (in seguito a condanna); condannato: *He knew his life was f.*, sapeva che la sua vita era ormai perduta.

to **forfeit** /ˈfɔːfɪt/ **A** v. t. (leg.) perdere (qc. o un diritto a qc., per inadempimento, violazione di una norma, confisca, ecc.): **to f. one's claim to compensation**, perdere il diritto a un risarcimento 2 (leg.) subire la confisca di: **to f. an estate**, subire la confisca di una proprietà; *The estate was forfeited to the*

state, la proprietà fu confiscata e passò allo Stato 3 perdere (qc., per colpa propria); giocarsi (fam.): *He may have forfeited his chance of being elected*, potrebbe aver perso (o essersi giocato) la possibilità di essere eletto 4 rinunciare a; cedere **B** v. i. (leg., arc.) essere inadempiente: *'I will have the heart of him if he f.'* W. SHAKESPEARE, 'mi prenderò il suo cuore se non rispetta il suo impegno' ● (leg.: di chi è in libertà su cauzione) **to f. one's bail**, non comparire in giudizio □ **to f. one's life**, segnare la propria condanna a morte; rinunciare alla vita.

forfeitable /ˈfɔːfɪtəbl/ a. confiscabile; che può essere perduto.

forfeiter /ˈfɔːfɪtə(r)/ n. (leg.) chi perde un bene in seguito a confisca.

forfeiting /ˈfɔːfɪtɪŋ/ n. ▣ (comm. est., fin.) forfaiting; forfetizzazione.

forfeiture /ˈfɔːfɪtʃə(r)/ n. ▣ (leg.) 1 confisca; perdita: **the f. of one's goods**, la perdita dei propri averi; **the f. of a right**, la decadenza da (o la perdita di) un diritto 2 penalità; penale 3 (ind. min.) revoca della concessione.

to **forfend** /fɔːˈfɛnd/ v. t. 1 (arc.) impedire; prevenire; stornare 2 (USA) conservare; proteggere; tutelare ● **God f.!**, Dio ne scampi e liberi!

to **forgather** /fɔːˈɡæðə(r)/ → **to foregather**.

forgave /fəˈɡeɪv/ pass. di **to forgive**.

forge /fɔːdʒ/ n. 1 fucina; forgia 2 (metall.) fornace per metalli; forno fusorio ● **f. bellows**, mantice □ **f. hammer**, maglio per fucinare.

to **forge**① /fɔːdʒ/ **A** v. t. 1 fucinare, forgiare (metalli, ecc.) 2 (fig.) forgiare; creare; costituire; formare; stringere; forgiare: **to f. an alliance**, formare un'alleanza; **to f. a bond**, stringere un legame 3 contraffare; falsificare: **to f. a signature**, contraffare una firma; **to f. a banknote [a cheque]**, falsificare una banconota [un assegno] 4 (fig.) fabbricare, inventare: **to f. an excuse**, inventare una scusa **B** v. i. 1 lavorare in una fucina; fare il fabbro ferraio 2 commettere un falso.

to **forge**② /fɔːdʒ/ v. i. 1 (naut. spec. **to f. ahead**) procedere a tutta velocità 2 (fig.) avanzare con sicurezza; fare progressi: **to f. ahead**, procedere a gonfie vele; procedere a tappe forzate; fare grandi progressi; (sport) **to f. into the lead**, prendere il comando; passare in testa.

forgeable /ˈfɔːdʒəbl/ (metall.) a. fucinabile || **forgeability** n. ▣ fucinabilità.

forged /fɔːdʒd/ a. 1 (di metallo) fucinato; forgiato 2 contraffatto; falso: **a f. passport**, un passaporto falso; **a f. work of art**, un'opera d'arte contraffatta; un falso.

forgeman /ˈfɔːdʒmən/ n. (pl. **forgemen**) fabbro ferraio.

forgemaster /ˈfɔːdʒmɑːstə(r)/ → **forgeman**.

forger /ˈfɔːdʒə(r)/ n. 1 (metall.) fucinatore; forgiatore 2 (leg.) contraffattore; falsario, falsaria.

forgery /ˈfɔːdʒərɪ/ n. ▣ 1 contraffazione; falsificazione 2 cosa falsificata; falso: *This signature is a f.*, questa firma è un falso; **an exhibition of famous forgeries**, una mostra di falsi famosi ● (leg.) **f. of seals**, falsificazione dei sigilli □ (leg.) **crime of f.**, reato di falso.

♦to **forget** /fəˈɡɛt/ (pass. **forgot**, p. p. **forgotten**) **A** v. t. 1 dimenticare, dimenticarsi di; scordare, scordarsi di; non ricordare: *I'll never f. you*, non ti dimenticherò mai; *He forgot to sign his name*, dimenticò di firmare; *I forgot all about it*, me ne dimenticai completamente; *I forgot to bring a note*, mi sono dimenticato di portare il biglietto; *I f.*

the details now, but I wrote it all down, ora non ricordo i particolari, ma l'ho messo tutto per scritto; **to f. oneself**, dimenticarsi di sé; non pensare a se stessi; (*fam.*) *Let's f. all about it*, lasciamo perdere; non parliamone più; mettiamoci una pietra sopra; (*fam.*) *F. it!*, lascia perdere!; non importa!; non fa niente!; ma figurati!; (*iron.*) scordatelo!, non illuderti! **2** non tenere in nessun conto; trascurare: **to f. one's duty**, trascurare il proprio dovere; **not forgetting**, senza trascurare; compreso; incluso **3** – **to f. oneself**, dimenticare le buone maniere; (*anche*) perdere le staffe **B** v. i. dimenticarsi (di); scordarsi (di); non ricordare: *I almost forgot about the meeting*, quasi mi dimenticavo della riunione.

❶ NOTA: *to forget*
a to forget to do st. significa dimenticare di fare qualcosa: *Don't forget to lock the door*, non dimenticare (o non scordarti) di chiudere a chiave la porta; *I forgot to send her a confirmation e-mail*, mi sono dimenticato di inviarle un'e-mail di conferma.
b to forget doing st. significa dimenticarsi di aver fatto qualcosa: *I'll never forget seeing him for the first time*, non dimenticherò mai la prima volta che l'ho visto; *He forgot sending her the file*, si dimenticò di averle spedito il file (non si dimenticò di spedirle il file).

forgetful /fə'ɡetfl/ a. **1** di poca memoria; smemorato; che dimentica le cose facilmente; distratto **2** dimentico; noncurante; immemore: *He is f. of his duties*, è dimentico dei suoi doveri **3** (*poet.*) che dà l'oblio: **f. sleep**, il sonno che dà l'oblio | **-ly** avv. | **-ness** n. ⓤ.

forget-me-not /fə'ɡetmɪnɒt/ n. (*bot.*, *Myosotis scorpioides*) nontiscordardimé; miosotide.

forgettable /fə'ɡetəbl/ a. che si può dimenticare; dimenticabile; (*anche*) da dimenticare.

forgetter /fə'ɡetə(r)/ n. persona di poca memoria; smemorato.

forging /'fɔːdʒɪŋ/ n. **1** ⓤ fucinatura, forgiatura (*di metalli, ecc.*) **2** (*pezzo*) fucinato, forgiato ● (*metall.*) **f. machine**, fucinatrice; forgiatrice □ (*metall.*) **f. press**, pressa per fucinatura (*o per stampaggio*) a caldo.

forgivable /fə'ɡɪvəbl/ a. perdonabile.

◆to **forgive** /fə'ɡɪv/ (pass. **forgave**, p. p. **forgiven**), v. t. e i. **1** perdonare (a); scusare: *F. me!*, perdonami!; perdono!; **to f. sb. for doing st.**, perdonare a q. d'aver fatto qc.; **to f. sb. (for) st.**, perdonare qc. a q.; *F. me for asking, but...*, scusa la domanda, ma...; *F. my curiosity*, scusa la mia curiosità; *F. my intruding like this*, scusa se mi intrometto; scusa l'intromissione **2** condonare (*una colpa, una pena, ecc.*); rimettere: **to f. a debt**, condonare un debito; (*relig.*) *F. us our sins*, rimetti a noi i nostri peccati ● **to forgive and f.**, perdonare e dimenticare; metterci una pietra sopra □ *All is forgiven!*, sei perdonato! □ **You could be forgiven for thinking [concluding, etc.] that...**, è comprensibile che tu pensi [concluda] che...

forgiven /fə'ɡɪvn/ p. p. di **to forgive**.

forgiveness /fə'ɡɪvnəs/ n. ⓤ **1** perdono: **to ask for f.**, chiedere perdono; **to ask [to beg] sb.'s f.**, chiedere perdono a q. **2** remissione; condono: (*relig.*) **the f. of sins**, la remissione dei peccati **3** clemenza; indulgenza; comprensione.

forgiving /fə'ɡɪvɪŋ/ a. clemente; indulgente; comprensivo | **-ly** avv. | **-ness** n. ⓤ.

to **forgo** /fɔː'ɡəʊ/ (pass. **forwent**, p. p. **forgone**), v. t. rinunciare a; fare a meno di; astenersi da: **to f. an opportunity**, rinunciare a un'occasione; *I decided to f. lunch and leave at once*, decisi di rinunciare al pranzo

e partire subito.

forgone /fɔː'ɡɒn/ p. p. di **to forgo**.

forgot /fə'ɡɒt/ pass. di **to forget**.

forgotten /fə'ɡɒtn/ **A** p. p. di **to forget** **B** a. dimenticato: **f. traditions**, tradizioni dimenticate ● **long f.**, dimenticato da tempo □ **never-to-be-f.**, indimenticabile; memorabile.

◆**fork** /fɔːk/ n. **1** forchetta: **to eat with a knife and f.**, mangiare con coltello e forchetta **2** (*agric.*, = **pitchfork**) forca; forcone; bidente; tridente: **stable f.**, forcone da stalla **3** biforcazione; bivio; diramazione: **a f. in the road**, una biforcazione della strada; un bivio **4** ramo di biforcazione; diramazione; strada: *Take the left f. towards the lake*, prendi la diramazione a sinistra in direzione del lago **5** ramo biforcuto; forcella **6** (*anat.*) inforcatura **7** (anche al pl.) (*mecc.*) forcella (*di bicicletta o motocicletta*): **telescopic f.**, forcella telescopica (*di motocicletta*) **8** (*scacchi, dama*) forchetta **9** (*tecn.*) forca (*di carrello elevatore*) **10** (*mus.*, = **tuning f.**) diapason ● **f. lift** → **forklift** □ **f. supper**, cena in piedi □ (*mecc.*) **f. truck**, carrello elevatore a forca □ (*mecc.*) **f.-wrench**, chiave a forcella □ **toasting f.**, forchetta per tostare (*tenendo il pane, ecc., sulla fiamma*).

to **fork** /fɔːk/ **A** v. t. **1** (*agric.*) smuovere (*o* spostare, trasportare) con la forca; inforcare: **to f. hay into a cart**, caricare fieno su un carro col forcone **2** portare con la forchetta: *He forked an olive into his mouth*, infilzò un'oliva con la forchetta e se la portò alla bocca **3** biforcare; dividere in due **4** (*scacchi*) attaccare due pezzi simultaneamente **B** v. i. **1** biforcarsi; diramarsi: *The river forks here*, il fiume si biforca in questo punto; *Lightning forked across the sky*, nel cielo si biforcò un lampo **2** (*a un bivio*) prendere; andare; girare: *F. right at the church*, alla chiesa, prendi a destra.

■ **fork out** v. t. + i. (*fam.*) sborsare; tirar fuori; sganciare; cacciar fuori: *I had to f. out £100*, ho dovuto sborsare cento sterline; *I was asked to f. out for it*, hanno chiesto a me di tirar fuori i soldi.

■ **fork over** v. t. + avv. **1** rivoltare (*il terreno*); sovesciare **2** ⓤ → **to f. out**.

forked /fɔːkt/ a. **1** che si biforca: **a f. road**, una strada che si biforca; **f. lightning**, fulmine a zigzag **2** biforcuto; forcuto: **f. beard**, barba biforcuta; **f. tongue**, lingua biforcuta **3** (*mecc.*) a forcella: **f. lever**, leva a forcella ● **three-f.**, a tre rebbi; a tre punte.

forkful /'fɔːkfʊl/ n. **1** forchettata: **a f. of spaghetti**, una forchettata di spaghetti **2** (*agric.*) forcata.

forklift /'fɔːklɪft/ n. (*mecc.*, = **f. truck**) carrello elevatore a forca.

to **forklift** /'fɔːklɪft/ v. t. (*mecc.*) sollevare (*con un carrello elevatore a forca*).

forky /'fɔːkɪ/ a. (*poet.*) forcuto; biforcuto.

forlorn /fə'lɔːn/ a. **1** abbandonato; dimenticato; derelitto: **a f. garden**, un giardino abbandonato **2** infelice; desolato; misero; sconsolato; dall'aria sperduta **3** disperato; vano; illusorio: **a f. attempt**, un vano tentativo; **f. hope**, vana speranza; (*fig.*) impresa disperata; (*mil., antiq.*) pattuglia d'assalto **4** (*lett.*) privo; privato: **f. of all hope**, privo di ogni speranza || **forlornly** avv. in uno stato di abbandono; desolatamente || **forlornness** n. ⓤ stato d'abbandono; sconforto; desolazione.

◆**form** /fɔːm/ n. **1** ⓒⓤ forma; aspetto; sembianza; foggia; guisa (*lett.*): **to take the f. of**, assumere la forma (*o* l'aspetto) di; apparire in veste di; **in the f. of**, sotto forma di; in forma di; a forma di **2** forma; sagoma; figura: **the female f.**, la figura femminile; le forme femminili **3** forma; tipo; genere: **a f. of protest**, una forma di prote-

sta; **forms of government**, forme di governo; **forms of transport**, tipi di trasporto; **a new f. of algae**, un nuovo tipo di alghe; **life form**, forma di vita **4** ⓤ forma fisica; condizioni (pl.) fisiche; (estens.) umore; morale: **in** (*o* **on**) **good f.**, in buone condizioni fisiche; in forma; **in excellent** (*o* **top**) **f.**, in forma eccellente; in gran forma; di ottimo umore; **off** (*o* **out of**) **f.**, giù di forma; in cattiva forma; (*di atleta, ecc.*) **to lose one's f.**, andare giù di forma **5** formulazione; forma; formula: **the f. of a letter**, la forma di una lettera **6** modulo; modello; stampato: **application f.**, modulo di domanda; **income tax f.**, modulo per la dichiarazione dei redditi; **to fill in** (*o* **up, out**) **a f.**, compilare (*o* riempire) un modulo **7** ⓤ forma; forme; formalità; convenzioni (pl.) sociali: **for f.'s sake**, per la forma; per salvare le forme; *It's bad f.*, non è educato; è ineducato; non sta bene; non si fa **8** modo; procedura: **in some f. or other**, in un modo o nell'altro **9** (*fam.*) – **the f.**, la situazione **10** (*filos.*) forma **11** (*gramm.*) forma: **inflected f.**, forma flessa; **plural f.**, forma plurale **12** panca; banco (*lungo e senza spalliera, un tempo usato nelle scuole*) **13** (*in GB*) classe (scolastica): anno (di scuola) (*delle secondarie*): *He is in the fourth f.*, è in quarta; fa la quarta **14** (*sport*) prestazioni (pl.) passate **15** (*slang, GB*) fedina (penale) sporca: *He's got f.*, ha la fedina sporca; è schedato **16** (*USA: tipogr.*) forma (*di stampa*) **17** (*tecn.*) forma; stampo; cassaforma **18** tana (*di lepre e sim.*) **19** (*comput.*) form; maschera di raccolta (*dei dati sullo schermo*) ● **f. of address**, modo di rivolgersi (*a q.*) □ (*GB*) **f. captain**, capoclasse □ (*comput.*) **f. feed character**, carattere di controllo avanzamento modulo □ (*comput.*) **f. feed printer**, stampante per modulo continuo □ (*mecc.*) **f. grinding**, profilatura alla mola □ **f. letter**, lettera prestampata □ **f. of address**, modo di rivolgersi (*a una persona*) □ **f. of speech**, espressione; forma linguistica □ (*in GB*) **f. teacher**, docente 'della classe' (*che insegna e inoltre assiste gli studenti nei problemi personali e di gruppo*) □ **as a matter of f.**, per la forma; come pura formalità; pro forma □ **in due f.**, nella debita forma; come si conviene; secondo la consuetudine □ **true to f.**, secondo la prassi; come prevedibile; com'è il suo [loro, ecc.] solito.

◆to **form** /fɔːm/ **A** v. t. **1** formare; fare; costruire: **to f. a circle**, formare un cerchio; disporsi in cerchio; **to f. a queue**, formare una fila; mettersi in fila; **to f. a chain**, fare una catena; (*ling.*) **to f. sentences**, formare (*o* costruire) frasi; **to f. an opinion about st.**, farsi un'opinione su qc. **2** formare; costituire: **to f. a new government**, formare un nuovo governo; (*fin.*) **to f. a company**, costituire una società di capitali; *The river forms the northern boundary of the region*, il fiume forma il confine settentrionale della regione; **to f. a habit**, prendere un'abitudine; **to f. the basis of st.**, costituire la base di qc.; **to f. part of**, fare parte di; **a recently formed group**, un gruppo di recente formazione **3** formare; foggiare; plasmare: **to f. sb.'s mind**, formare il carattere di q.; *He formed the clay into a ball*, diede all'argilla la forma di una sfera **4** (*spec. mil., anche* **to f. up**) disporre; ordinare; schierare: **to f. soldiers into line**, mettere in riga (*o* allineare) soldati; **to f. into columns**, disporre in colonna; incolonnare **B** v. i. **1** formarsi; farsi; costituirsi: *Ice forms when the temperature falls below zero*, il ghiaccio si forma quando la temperatura scende sotto lo zero; *A group formed outside the house*, davanti alla casa si formò un gruppo **2** formarsi; prendere forma: *A new plan formed in my mind*, un nuovo progetto prese forma nella mia mente **3** (*spec. mil., anche* **to f. up**) disporsi; ordinarsi; schierarsi: **to f. into col-**

umns, incolonnarsi; **to f. fours**, disporsi per quattro.

formable /'fɔːməbl/ (tecn.) a. lavorabile; foggiabile ‖ **formability** n. Ⓤ lavorabilità; foggiabilità.

♦**formal** /'fɔːml/ Ⓐ a. **1** formale; esplicito; solenne; regolare: **f. offer**, offerta formale; **f. invitation**, invito formale; (leg.) **f. contract**, contratto formale **2** ufficiale: **f. consultations**, consultazioni ufficiali; **f. denial**, smentita ufficiale; **f. enquiry**, inchiesta ufficiale **3** formale; cerimoniale; di convenienza: **f. manners**, maniere formali; **f. language**, linguaggio formale; **a f. bow**, un inchino formale; **f. call**, visita di convenienza **4** di sola forma; formale; non essenziale; non sostanziale: **a f. requirement**, un requisito non essenziale; *It's a purely f. matter*, è una faccenda puramente formale (o di pura forma) **5** formale; tradizionale: **f. classroom teaching**, insegnamento tradizionale in classe; **f. wedding**, matrimonio tradizionale **6** regolare; che obbedisce alle regole; formalistico: **f. education**, istruzione regolare **7** di (o da) cerimonia; elegante: **f. dress**, abito da cerimonia; **f. dinner**, pranzo elegante **8** di forma regolare; geometrico; simmetrico: **f. garden**, giardino classico (o all'italiana) **9** (filos.) formale: **f. cause**, causa formale Ⓑ n. (USA) **1** occasione formale **2** abito da cerimonia ● **f. handshake**, stretta di mano di prammatica □ (leg.) **f. information**, denuncia □ (leg.) **f. notice**, intimazione.

formaldehyde /fɔː'mældɪhaɪd/ n. Ⓤ (chim.) formaldeide.

formalin /'fɔːməlɪn/ n. Ⓤ (chim.) formalina.

formalism /'fɔːməlɪzəm/ n. Ⓤ formalismo ‖ **formalist** Ⓐ n. formalista Ⓑ a. formalistico ‖ **formalistic** a. formalistico.

formality /fɔː'mælətɪ/ n. **1** Ⓤ formalismo; maniere (pl.) formali **2** Ⓤ formalità; forme (pl.) esteriori; cerimoniosità **3** formalità: **legal formalities**, formalità legali; **a mere f.**, una pura formalità; *Let's dispense with formalities*, lasciamo perdere le formalità.

formalization /fɔːməlar'zeɪʃn/, USA -lɪ'z-/ n. Ⓤ **1** (filos., ling.) formalizzazione **2** formalizzazione; il rendere ufficiale; ufficializzazione.

to **formalize** /'fɔːməlaɪz/ v. t. **1** (filos.) formalizzare **2** rendere formale **3** formalizzare; rendere ufficiale **4** dare forma a; formare; foggiare.

formally /'fɔːməlɪ/ avv. **1** formalmente; ufficialmente **2** formalmente; riguardo alla forma **3** formalmente; nel modo prescritto; secondo l'etichetta; cerimoniosamente.

formant /'fɔːmənt/ n. (fon.) formante.

♦**format** /'fɔːmæt/ n. **1** struttura; schema; impianto; formato: **the f. of a CV**, lo schema di un curriculum; **the f. of an exam**, il modo in cui è strutturato un esame **2** formato (libro e sim.): **A4 f.**, formato A4 **3** (comput.) formato; tracciato; impaginazione; struttura **4** (TV) format.

to **format** /'fɔːmæt/ v. t. (comput.) formattare.

formate /'fɔːmeɪt/ n. Ⓤ (chim.) formiato (sale dell'acido formico).

♦**formation** /fɔː'meɪʃn/ n. **1** Ⓤ formazione; (il) formarsi: **the f. of ice**, la formazione del ghiaccio; **the f. of one's character**, la formazione del proprio carattere; **word f.**, la formazione delle parole **2** Ⓤ formazione; costituzione: **the f. of a government**, la formazione di un governo; **the f. of a company**, la costituzione di una società di capitali **3** ⒸⓊ (mil.) formazione; ordine; schieramento: **close f.**, formazione serrata; (aeron.) **f. flying**, volo in formazione; **to fly [to march] in f.**, volare [marciare] in forma-

zione **4** Ⓒ (geol., meteor.) formazione: **cloud f.**, formazione di nubi; **rock formations**, formazioni rocciose ❶ Falsi amici ● formation non significa formazione nel senso di addestramento o nel significato sportivo.

formative /'fɔːmətɪv/ Ⓐ a. **1** formativo; di (o della) formazione: **f. years**, anni formativi; **f. age**, età della formazione **2** (gramm. e ling.) formativo Ⓑ n. (gramm.) **1** elemento formativo; affisso **2** parola composta (con un affisso) **| -ly** avv.

formatting /'fɔːmætɪŋ/ n. Ⓤ (comput.) formattazione.

forme /fɔːm/ n. (tipogr.) forma (di stampa).

former① /'fɔːmə(r)/ n. **1** persona che forma qc.; formatore **2** (tecn.) attrezzo per dare una forma; stampo **3** (nei composti) (GB) studente (di un dato anno): **a fifth-f.**, uno studente del quinto anno (delle secondarie).

♦**former**② /'fɔːmə(r)/ Ⓐ a. **1** precedente; passato; andato: **on a f. occasion**, in un'occasione precedente; **in f. times**, nei tempi andati (o passati); *Can I have the name and address of two f. employers?*, può darmi il nome e l'indirizzo di due precedenti datori di lavoro? **2** ex; di un tempo: **his f. wife**, la sua ex moglie; **my f. students**, i miei ex alunni; **a f. colleague of mine**, un mio ex collega; *He's a f. chairman of the company*, è un ex presidente (o è stato presidente) della società Ⓑ pron. – **the f.**, il primo (di due); (correl. di **latter**:) questo; l'uno: *Of the two pictures, I prefer the f.*, dei due quadri preferisco il primo; **the f..., the latter**, il primo... il secondo; quello... questo; l'uno... l'altro ● **She is once again her f. self**, è tornata quella di prima; è di nuovo lei ‖ **formerly** avv. tempo addietro; un tempo; una volta; in passato; precedentemente; già.

formic /'fɔːmɪk/ a. (chim.) formico: **f. acid**, acido formico.

Formica® /fɔː'maɪkə/ n. Ⓤ (ind.) formica®: **a F.-topped desk**, una scrivania col piano di formica.

formication /fɔːmɪ'keɪʃn/ n. (solo al sing.) (med.) formicolio.

formidability /fɔːmɪdə'bɪlətɪ/ n. Ⓤ **1** l'essere arduo, impegnativo; difficoltà **2** temibilità ● imponenza; eccezionalità.

formidable /'fɔːmɪdəbl/ a. **1** arduo; impegnativo; difficile: **a f. task**, un arduo compito **2** che incute soggezione (o rispetto); di tutto rispetto; che incute timore; intimorente; temibile: **f. opponents**, avversari temibili; **a f. competitor**, un concorrente di tutto rispetto; *His mother was quite f.*, sua madre era una donna che incuteva soggezione **3** eccezionale; impressionante; formidabile | **-bly** avv. **| -ness** n.

forming /'fɔːmɪŋ/ n. Ⓤ **1** (anche elettr.) formazione **2** (metall., ecc.) formatura **3** (mecc.) piegatura ● (mecc.) **f. press**, pressa per piegatura □ (mecc.) **f. tool**, utensile profilatore.

formless /'fɔːmləs/ a. informe; amorfo; senza forma ‖ **formlessness** n. Ⓤ l'essere informe; mancanza di forma.

Formosa /fɔː'məʊsə/ n. (geogr., stor.) Formosa.

♦**formula** /'fɔːmjʊlə/ n. (pl. **formulas**, **formulae**) **1** (scient.) formula: **chemical f.**, formula chimica **2** (fig.) formula; ricetta; modo sicuro; segreto: **a f. for success**, una formula per arrivare al successo; **a f. for trouble**, un modo sicuro per cacciarsi nei guai **3** formula (fissa); espressione corretta; frase di rito: **legal formulas**, formule legali **4** (letter.) formula **5** convenzione; formalità **6** Ⓤ (alim., USA) latte in polvere (per neonati); latte artificiale **7** Ⓤ (autom.) formula: **a F-one car**, una vettura di formula uno.

formulaic /fɔːmjʊ'leɪɪk/ a. **1** (scient.) di formule; composto di (o basato su) formule;

formulare **2** che obbedisce a formule fisse **3** (letter.) formulare **4** (spreg.) stereotipato; pieno di cliché; scontato.

to **formularize** /'fɔːmjʊləraɪz/ → to formulate ‖ **formularization** n. Ⓤ → formulation.

formulary /'fɔːmjʊlərɪ/ n. **1** (chim.) formulario **2** (relig.) prontuario di formule rituali, preghiere, ecc. **3** repertorio farmaceutico Ⓑ a. di formula; messo in formula; espresso in formule.

to **formulate** /'fɔːmjʊleɪt/ v. t. **1** formulare; enunciare; esporre; esprimere in maniera sistematica: **to f. a theory [a question]**, formulare una teoria [una domanda]; **to f. one's ideas**, esporre le proprie idee **2** elaborare; formulare: **to f. a plan**, elaborare un piano.

formulation /fɔːmjʊ'leɪʃn/ n. Ⓤ **1** ideazione; elaborazione; formulazione: **the f. of a plan**, l'elaborazione di un piano **2** formulazione; enunciazione; esposizione **3** (scient.) preparato.

formwork /'fɔːmwɜːk/ n. (edil.) cassaforma.

formyl /'fɔːmɪl/ n. (chim.) formile.

to **fornicate** /'fɔːnɪkeɪt/ v. i. fornicare ‖ **fornication** n. Ⓤ fornicazione ‖ **fornicator** n. fornicatore ‖ **fornicatory** a. fornicatorio ‖ **fornicatrix** n. (pl. **fornicatrices**) fornicatrice.

fornix /'fɔːnɪks/ n. (pl. **fornices**) (archit., anat., bot.) fornice.

to **forsake** /fə'seɪk/ (pass. **forsook**, p. p. **forsaken**), v. t. **1** abbandonare; lasciare (solo, senza aiuto e sim.): **to f. one's family**, abbandonare la famiglia **2** abbandonare; rinunciare a: **to f. bad habits**, rinunciare alle cattive abitudini.

forsaken /fə'seɪkən/ Ⓐ p. p. di **to forsake** Ⓑ a. abbandonato; desolato; derelitto.

forsook /fə'sʊk/ pass. di **to forsake**.

forsooth /fə'suːθ/ inter. (arc. o scherz.) davvero; perbacco.

forspent /fə'spɛnt/ a. (poet.) esausto; stremato.

forsterite /'fɔːstəraɪt/ n. Ⓤ (geol.) forsterite.

to **forswear** /fɔː'sweə(r)/ (pass. **forswore**, p. p. **forsworn**) Ⓐ v. t. **1** rinunciare (solennemente) a: **to f. smoking**, rinunciare al fumo; **to f. marriage**, rinunciare al matrimonio **2** negare, smentire (con giuramento) **3** – **to f. oneself**, spergiurare; giurare il falso Ⓑ v. i. spergiurare; giurare il falso ● **to be forsworn**, commettere spergiuro; essere spergiuro.

forswore /fɔː'swɔː(r)/ pass. di **to forswear**.

forsworn /fɔː'swɔːn/ Ⓐ p. p. di **to forswear** Ⓑ a. spergiuro.

forsythia /fɔː'saɪθɪə/ n. (bot., Forsythia) forsythia; forsizia (fam.).

fort /fɔːt/ n. (mil.) forte; fortino; posto fortificato ● (stor.) **hill f.**, forte collinare; collina fortificata □ (fig. fam.) **to hold the f.**, badare a qc. (per conto di un assente); restare di guardia; mandare avanti la baracca (fam.).

fortalice /'fɔːtəlɪs/ n. **1** (poet.) fortezza **2** (mil., arc.) fortilizio.

forte① /'fɔːteɪ/ n. **1** forte; punto forte: *Mathematics is not my f.*, la matematica non è il mio forte **2** (scherma) forte (della lama: dall'impugnatura al mezzo).

forte② /'fɔːteɪ/ (ital.) a. e avv. (mus.) forte.

♦**forth** /fɔːθ/ avv. **1** (in) avanti: **back and f.**, avanti e indietro **2** fuori; in vista: *The trees put f. new leaves in spring*, gli alberi mettono (fuori) le foglie nuove a primavera **3** in avanti; innanzi; in poi: **from this time f.**, d'ora in avanti; d'ora innanzi ● **and so f.**, e così via; eccetera □ (naut.) **to sail f.**, far ve-

la; salpare □ **to set f.**, mettersi in viaggio.

forthcoming /fɔːˈθkʌmɪŋ/ a. **1** prossimo; imminente; vicino; in programma: **the f. elections**, le imminenti elezioni; **f. books**, libri di prossima pubblicazione; **f. events**, spettacoli, gare, ecc., in programma **2** disponibile; a disposizione; pronto: *New financial aid will be f.*, saranno disponibili nuovi aiuti finanziari; *No answer was f.*, non ci fu nessuna risposta **3** (*fam.*) pronto a dare informazioni; disponibile; aperto; comunicativo: *He wasn't very f. about his partner's movements*, non si sbottonò sui movimenti del socio | **-ness** n. ☐.

forthright /ˈfɔːθraɪt/ **A** a. **1** franco; esplicito; schietto; sincero: **a f. answer**, una franca risposta; **a f. comment**, un commento esplicito **2** (*arc.*) diritto; senza deviazioni **B** avv. **1** francamente; schiettamente **2** immediatamente; subito.

forthwith /fɔːθˈwɪθ/ avv. (*form.*) immediatamente; subito.

fortieth /ˈfɔːtɪəθ/ a. e n. quarantesimo.

fortifiable /ˈfɔːtɪfaɪəbl/ a. fortificabile.

fortification /ˌfɔːtɪfɪˈkeɪʃn/ n. **1** ☐ rinvigorimento; rafforzamento **2** (*spesso al pl.*) (*mil.*) fortificazione; difesa **3** ☐ aggiunta di alcol; alcolizzazione (*del vino*) **4** ☐ arricchimento, integrazione (*di alimento, con vitamine, ecc.*).

fortified /ˈfɔːtɪfaɪd/ a. **1** (*mil.*) fortificato **2** (*alim.*) arricchito; integrato: **f. with vitamins**, arricchito di vitamine **3** (*di vino*) alcolizzato.

fortifier /ˈfɔːtɪfaɪə(r)/ n. **1** fortificatore, fortificatrice **2** corroborante.

to **fortify** /ˈfɔːtɪfaɪ/ **A** v. t. **1** (*mil.*) fortificare: **to f. a town**, fortificare una città **2** (*fig.*) fortificare; rafforzare; corroborare; rinvigorire: **to f. one's spirit**, fortificare lo spirito; **to f. oneself**, fortificarsi; corroborarsi **3** alcolizzare, rendere alcolico, irrobustire (*un vino*) **4** integrare, arricchire (*un alimento, con vitamine, ecc.*) **B** v. i. fortificarsi; costruire fortificazioni || **fortifying** a. fortificante; corroborante.

Fortinbras /ˈfɔːtɪnbræs/ n. (*letter.*) Fortebraccio.

fortis /ˈfɔːtɪs/ a. (*ling.*) forte: **a f. consonant**, una consonante forte.

fortissimo /fɔːˈtɪsɪməʊ/ (*ital.*) a., avv. e n. (pl. **fortissimos**, **fortissimi**) (*mus.*) fortissimo.

fortitude /ˈfɔːtɪtjuːd/, USA -tuːd/ n. ☐ forza d'animo; coraggio morale; fermezza.

♦**fortnight** /ˈfɔːtnaɪt/ n. due settimane (pl.); quindici giorni (pl.): *A f. passed without an answer*, passarono due settimane senza risposta; **a f.'s holiday**, due settimane di vacanza; *We're going to Venice for a f.*, andiamo a Venezia per quindici giorni ● **a f. today** (*o* **today f.**), oggi a quindici.

fortnightly /ˈfɔːtnaɪtlɪ/ **A** a. quindicinale; bimensile: **f. review**, rivista quindicinale **B** n. quindicinale (*pubblicazione*) **C** avv. ogni due settimane; ogni quindici giorni.

Fortran /ˈfɔːtræn/ n. (contraz. di **Formula translation**) (*comput.*) Fortran (*linguaggio di programmazione*).

fortress /ˈfɔːtrɪs/ n. fortezza; piazzaforte ● **f. town**, città fortificata.

to **fortress** /ˈfɔːtrɪs/ v. t. (*mil.*) fortificare.

fortuitous /fɔːˈtjuːɪtəs/, USA -ˈtuː-/ a. **1** fortuito; accidentale; casuale **2** (*fam.*) dovuto a una fortunata combinazione; fortunato | **-ly** avv.

fortuitousness /fɔːˈtjuːɪtəsnəs/, USA -ˈtuː-/, **fortuity** /fɔːˈtjuːɪtɪ/, USA -ˈtuː-/ n. ☐ **1** accidentalità; casualità **2** avvenimento fortuito.

♦**fortunate** /ˈfɔːtʃənət/ a. **1** fortunato: *I consider myself f.*, mi reputo fortunato; **a f.**

choice, una scelta felice **2** favorevole; fausto; di buon auspicio; propizio: **a f. omen**, un auspicio favorevole.

♦**fortunately** /ˈfɔːtʃənətlɪ/ avv. fortunatamente; per fortuna: *F, nobody was hurt in the accident*, fortunatamente nessuno fu ferito nell'incidente.

♦**fortune** /ˈfɔːtʃən/ n. **1** ☐ fortuna; sorte; caso; ventura (*lett.*): **bad f.**, cattiva sorte; sfortuna; **good f.**, buona sorte; fortuna; *I had the good f. to meet her*, ho avuto la fortuna di incontrarla; **to try one's f.**, tentare la sorte; sfidare la fortuna; *F. smiled on me*, mi arrise la fortuna; la fortuna mi fu propizia; *F. was on our side*, la fortuna era dalla nostra; **a change of f.**, un mutamento della sorte; **a stroke of f.**, un colpo di fortuna **2** futuro (*di una persona*); fortuna: **to have one's f. read** [**told**], farsi predire il futuro (*o* la fortuna) **3** (al pl.) vicende; sorti; fortuna, fortune: **the fortunes of war**, le vicende della guerra; **mixed fortunes**, vicende alterne; **a reversal of fortunes**, un rovescio di fortuna **4** fortuna; patrimonio; ricchezze (pl.): **to be worth a f.**, valere una fortuna (*o* un patrimonio); **to make a** (*o* **one's**) **f.**, accumulare una fortuna; **to come into a f.**, ereditare un grosso patrimonio; **to cost a f.**, costare una fortuna (*o* un patrimonio) ● (*USA*) **f. cookie**, biscottino che contiene un bigliettino che predice la sorte (*offerto, alla fine del pasto, nei ristoranti cinesi*) □ **f. hunter**, cacciatore di dote □ **f.-teller**, indovino, indovina □ **f.-telling**, predizione del futuro □ **to seek one's f.**, cercare fortuna □ **a small f.**, una fortuna; un capitale: **to make a small f.**, mettere insieme una fortuna; **to pay a small f. for st.**, pagare un capitale per qc. □ (*prov.*) *F. favours the brave*, la fortuna aiuta gli audaci.

to **fortune** /ˈfɔːtʃən/ v. i. (*poet.*) accadere; capitare; succedere.

fortuneless /ˈfɔːtʃənlɪs/ a. **1** senza fortuna; sfortunato **2** sprovvisto di beni di fortuna; povero.

♦**forty** /ˈfɔːtɪ/ a. e n. quaranta: **f.-one**, quarantuno; **f. first**, quarantunesimo; *He's about f.*, ha circa quarant'anni; è sulla quarantina; **f.-year-old**, che ha quarant'anni; quarantenne; **a f.-hour working week**, una settimana lavorativa di 40 ore ● **the forties**, gli anni del '40 al '49 (*di un secolo*); gli anni quaranta (*spec. del Novecento*) □ **the Forties**, zona del Mare del Nord tra la Scozia e la Norvegia (*della profondità di circa 40 braccia*); (*fam. USA*) le strade di Manhattan tra la 40ª e la 49ª; (*anche*) → **roaring forties** → **roaring** □ (*fam.*) **f.-five**, pistola del calibro di 0,45 pollici; (*mus.*) (disco a) 45 giri □ (*stor. USA*) **f.-niner**, cercatore d'oro (*in California nel 1849*) □ (*fam.*) **f. winks**, sonnellino; pisolino: **to have f. winks**, schiacciare un pisolino □ **in one's forties**, tra i quaranta e i cinquanta (*anni d'età*) □ **in one's early** [**late**] **forties**, che ha passato da poco i quaranta [che è vicino ai cinquanta].

forum /ˈfɔːrəm/ n. (pl. **forums**, **fora**) **1** forum (*anche comput.*); tribuna; area di dibattito; spazio aperto: **a f. on politics**, una tribuna politica **2** (*leg. e fig.*) foro; tribunale: **the f. of public opinion**, il tribunale dell'opinione pubblica **3** (*stor. romana*) foro.

♦**forward** /ˈfɔːwəd/ **A** a. **1** in avanti: **a f. movement**, un movimento in avanti; (*sport; rugby*) **f. pass**, passaggio in avanti **2** primo; avanzato: **the f. coaches of the train**, le prime carrozze del treno; **the f. ranks of a column**, le prime file di una colonna; **f. position**, posizione avanzata **3** avanzato; precoce; primaticcio; progredito; progressista; d'avanguardia: **f. views**, idee avanzate; **a f. child**, un bambino precoce; **f. fruits**, frutti precoci, primaticci **4** in anticipo; anticipato; tempestivo: **f. planning**, programmazio-

ne anticipata **5** pronto; premuroso; sollecito: *He was f. in helping*, fu pronto a dare aiuto **6** impertinente; sfacciato **7** (*naut.*) prodiero; di prua: **f. deck**, ponte prodiero **8** (*Borsa*, *fin.*, *market.*) differito; futuro; per consegna futura (*o* differita); a termine: **f. prices**, prezzi per futura consegna; **f. delivery**, consegna differita (*o* futura); **a f. contract**, un contratto a termine; **f. purchases**, acquisti per consegna differita; **f. exchange rate**, corso (*o* tasso) di cambio a termine **B** avv. **1** (in) avanti; innanzi: **to come f.**, farsi avanti; **to go f.**, andare avanti; progredire; **to fall f.**, cadere in avanti; **to put a clock f.**, mettere avanti un orologio; **from this time f.**, d'ora in avanti; d'ora innanzi; d'ora in poi **2** (*naut.*) a proravia; di prua **C** n. **1** (*sport*) avanti; attaccante; (*calcio, anche*) punta **2** (*basket*) ala ● (*rag.*) **f. accounting**, contabilità di previsione □ (*econ.*) **f. buying**, stoccaggio □ (*elettron.*) **f. current**, corrente diretta □ **f.-looking** (*o* **f.-thinking**), lungimirante, previdente; (*anche*) idee avanzate, avanzato, progressista □ (*Borsa, fin.*) **f. market**, mercato delle operazioni per consegna differita; mercato dei futures □ (*fisc.*) **f. shifting**, traslazione (*d'imposta*) (*mecc.*) **f. speed**, marcia avanti □ (*leg.*) **to bring f. evidence**, produrre prove □ **to bring f. new ideas**, proporre idee nuove □ (*comm.*) **carriage f.**, porto assegnato □ (*comm.*) **to date f.**, postdatare □ (*su registratore, ecc.*) **fast f.**, avanti veloce □ **to look f.**, guardare innanzi a sé; pensare al futuro □ **to look f. to**, attendere con ansia; pregustare; non vedere l'ora di: *I am looking f. to meeting you*, non vedo l'ora d'incontrarvi; *Wonderful, I look f. to it*, fantastico, non vedo l'ora □ **to put** (*o* **to set**) **f.**, addurre, mettere avanti (*un motivo, un pretesto, ecc.*) □ **to put** (*o* **to set**) **oneself f.**, farsi avanti; mettersi in vista (*o* in mostra).

to **forward** /ˈfɔːwəd/ v. t. **1** promuovere; aiutare; agevolare; favorire; assecondare; appoggiare: **to f. a political cause**, aiutare (*o* appoggiare) una causa politica **2** inoltrare; rispedire; far proseguire: **to f. letters to a new address**, inoltrare lettere a un nuovo indirizzo; (*sulla busta d'una lettera*) «**Please f.**», «con preghiera d'inoltrare» **3** (*comm.*) spedire; inviare (*spec. per via di terra*): **to f. goods to a customer**, spedire merce a un cliente **4** (*rag.*) riportare (*un totale, un saldo*) a nuovo **5** (*comput.*) inoltrare (*un messaggio di posta elettronica*) a un altro indirizzo.

forwarder /ˈfɔːwədə(r)/ n. **1** speditore; mittente (*di merce*) **2** (*comm.*) spedizioniere **3** promotore; fautore.

forwarding /ˈfɔːwədɪŋ/ n. ☐ **1** (*comm.*) spedizione; invio (*di merce*) **2** (*rag.*) riporto a nuovo ● **f. address**, indirizzo per l'inoltro; recapito □ (*comm.*) **f. agency**, agenzia di spedizioni □ (*comm.*) **f. agent**, spedizioniere (*spec. per via di terra*) □ (*comm.*) **f. and shipping agent**, spedizioniere (*in genere*) □ **f. charges**, spese di spedizione □ (*org. az.*) **f. department**, ufficio spedizioni □ (*comm.*) **f. note**, bolla (*o* bolletta) di spedizione □ (*ferr.*) **f. station**, stazione di partenza (*della merce*).

forwardly /ˈfɔːwədlɪ/ avv. con impertinenza; sfacciatamente.

forwardness /ˈfɔːwədnəs/ n. ☐ **1** l'essere avanti (*o* avanzato, progredito); precocità **2** prontezza; premura; sollecitudine **3** impertinenza; sfacciataggine.

forwards /ˈfɔːwədz/ → **forward**②.

forwent /fɔːˈwent/ pass. di **to forgo**.

Fosbury flop /ˈfɒzbrɪ flɒp/ loc. n. (*sport*) stile Fosbury; salto Fosbury (*salto in alto con scavalcamento dorsale dell'asticella*).

fossa /ˈfɒsə/ n. (pl. **fossae**) (*anat.*) fossa.

fosse /fɒs/ n. (*mil.*) fossa; fossato (*spec. di fortezza*).

to **fossick** /ˈfɒsɪk/ v. i. (*fam. Austral.*) **1**

cercare qua e là; rovistare **2** cercare oro in miniere abbandonate.

fossil /'fɒsl/ **A** n. **1** (geol., ling.) fossile: **to hunt for fossils**, andare in cerca di fossili **2** (fig.) fossile; persona antiquata **B** a. **1** (geol.) fossile: **f. fuel**, combustibile fossile **2** (fig.) fossilizzato; fossile ● (paleont.) **f. man**, uomo fossile.

fossiliferous /fɒsɪ'lɪfərəs/ a. (geol.) fossilifero.

to **fossilize** /'fɒsɪlaɪz/ (anche fig.) **A** v. t. fossilizzare **B** v. i. fossilizzarsi ‖ **fossilization** n. ⓤ fossilizzazione.

fossorial /fɒ'sɔːrɪəl/ **A** a. (zool.) scavatore; atto a scavare: **f. paws**, zampe atte a scavare **B** n. (zool.) animale scavatore.

foster /'fɒstə(r)/ a. attr. **1** (leg.) affidatario; in affidamento; in affido: **f. parents**, genitori affidatari; **f. child**, bambino dato in affidamento; **f. home**, casa affidataria; **f. care**, affidamento; **to place in f. care**, dare in affidamento (o in affido) **2** (anche fig.) adottivo; d'adozione: **f. father**, padre adottivo; vicepadre; **f. sister**, sorella adottiva; (anche) sorella di latte (antiq.).

to **foster** /'fɒstə(r)/ v. t. **1** allevare, prendersi cura di (un bambino altrui) **2** (leg., anche **to f. out**) dare in affidamento (o in affido) **3** (fig.) nutrire: She fostered hopes of becoming an actress, nutriva speranze di diventare un'attrice **4** favorire; incoraggiare; promuovere; incrementare: Undernutrition fosters disease, la denutrizione favorisce l'insorgere di malattie.

fosterage /'fɒstərɪdʒ/ n. ⓤ **1** allevamento (di bambino); baliatico **2** l'essere figlio adottivo **3** il favorire; il promuovere; incoraggiamento.

fosterer /'fɒstərə(r)/ n. **1** genitore adottivo **2** promotore; fautore.

fosterling /'fɒstəlɪŋ/ n. (antiq.) figlio adottivo.

fought /fɔːt/ pass. e p. p. di **to fight**.

foul /faʊl/ **A** a. **1** disgustoso; orribile; pessimo; schifoso: **f. weather**, tempo orribile; tempaccio; **a f. temper**, un brutto carattere; un caratteraccio; **a f. day**, una giornata orribile; una giornataccia; **a f. meal**, un pasto schifoso: He was in a f. mood, era di pessimo umore **2** (rif. a odore) fetido; disgustoso; nauseante; schifoso: **f. smell**, odore disgustoso; puzza; **f. air**, aria irrespirabile; **f. breath**, alito fetido **3** osceno; sconcio; scurrile; triviale: **f. language**, linguaggio osceno; oscenità (pl.); (sport, calcio) **f. and abusive language**, linguaggio offensivo, ingiurioso o minaccioso **4** malvagio; infame; nefando: **a f. crime**, un infame delitto; **a f. deed**, un'azione malvagia **5** (sport) falloso: **f. tackle**, intervento falloso **6** otturato; intasato; ingorgato; ostruito: **a f. pipe**, una tubatura otturata; **a f. chimney**, un camino ostruito; **f. with weeds**, ostruito da erbacce **7** (naut.: di cavo, ecc.) impigliato; inceppato; incagliato: **a f. anchor**, un'ancora impigliata **8** (naut.: di carena) sporco; incrostato **9** (naut.: di costa, fondale) pieno di scogli; roccioso **10** (di vento) contrario; sfavorevole **11** (tipogr.: di bozza) sporca; piena di correzioni **12** (nei giochi di carte) non valido: The hand is f., la mano non è valida **B** avv. disonestamente; scorrettamente **C** n. **1** azione scorretta; atto sleale **2** (sport) infrazione; intervento falloso: **to commit a f.**, commettere un fallo; **a blatant f.**, un fallo clamoroso **3** (baseball) foul; territorio foul; territorio non valido **4** (equit.) urto (fra cavallerizzi) **5** (naut.) collisione ● **f. ball**, (baseball) palla fuori; (slang USA) individuo inetto, buono a nulla □ (naut.) **f. berth**, cattivo ormeggio □ (naut.) **f. bill of health**, patente di sanità sporca □ (geol.) **f. clay**, galestro □ (relig.) **the f. fiend**, il demonio, il Maligno □

(basket) **f. line**, linea di tiro libero □ **f. mouth**, tendenza a usare oscenità: **to have a f. mouth**, essere sboccato (o scurrile) □ **f.-mouthed**, sboccato; scurrile; triviale □ **f. play**, (sport) gioco falloso (o scorretto); fallosità; (fig.) comportamento disonesto, gioco sporco; (anche) azione criminale: The police suspect f. play, la polizia sospetta che si tratti di omicidio [di un attentato, ecc.] □ (basket) **f. shot**, tiro libero (di punizione) □ **by fair means or f.**, con ogni mezzo, lecito o illecito; con le buone o con le cattive; di raffa o di raffa □ **to fall f. of**, (naut.) entrare in collisione con; (fig.) scontrarsi con, urtarsi con, cadere preda di, cadere in (una trappola, ecc.) □ **to fall f. of the law**, incorrere nei rigori della legge □ **in fair weather or f.**, con bello o col cattivo tempo □ **to play sb. f.**, ingannare q.; trattare q. in modo sleale □ **to run f. of**, (naut.) entrare in collisione con; (fig.) scontrarsi con, entrare in conflitto con.

to **foul** /faʊl/ **A** v. t. **1** imbrattare; insozzare; insudiciare **2** contaminare; infettare; inquinare: **to f. the waters of a river**, contaminare (o inquinare) le acque di un fiume; **to f. the air**, inquinare l'aria **3** (fig.) disonorare; macchiare; insozzare; screditare: **to f. one's good name**, sporcarsi la reputazione; insozzare il proprio buon nome **4** ostruire; intasare; bloccare: **to f. a gun**, ostruire un'arma da fuoco **5** (spec. naut.) impigliare (un cavo, ecc.); inceppare (un'ancora, un'elica) **6** (naut.) entrare in collisione con; investire; urtare **7** (naut.) incrostare (la carena) **8** (sport) commettere un fallo su **B** v. i. **1** insozzarsi; insudiciarsi; sporcarsi **2** (di tubazioni e sim.) intasarsi; ostruirsi **3** (spec. naut.: di cavo, ecc.) impigliarsi; (di ancora) incepparsi **4** (naut.) urtarsi; entrare in collisione **5** (sport) commettere un fallo (o falli); essere falloso **6** (di animale) sporcare (con escrementi); insudiciare ● (fig.) **to f. one's (own) nest**, danneggiare se stessi (o i propri interessi); tirare sassi in piccionaia.

■ **foul out** v. t. + avv. (sport) espellere per i troppi falli commessi.

■ **foul up** v. t. + avv. (fam.) rovinare; incasinare (pop.).

foulard /'fuːlɑːd, USA fuːˈlɑːd/ (franc.) n. ⓤⓒ foulard.

foully /'faʊlɪ/ avv. **1** sudiciamente **2** disonestamente; perfidamente; slealmente; vilmente **3** oscenamente; sconciamente.

foulness /'faʊlnəs/ n. ⓤ **1** immondezza; sozzura; sporcizia; sudiciume **2** oscenità; sconcezza **3** disonestà; malvagità; perfidia; slealtà; scelleratezza.

foul-up /'faʊlʌp/ n. **1** (slang) confusione; casino, incasinamento (pop.) **2** (mecc.) guasto; panne.

foumart /'fuːmɑːt/ n. (antiq.; zool., Mustela putorius) puzzola.

found /faʊnd/ **A** pass. e p. p. di **to find** **B** a. **1** trovato; ritrovato; rinvenuto: **f. articles**, oggetti ritrovati **2** equipaggiato; attrezzato: (solo nella loc.) **well f.**, ben equipaggiato ● (arte) **f. art**, utilizzo creativo di oggetti trovati.

♦to **found** ① /faʊnd/ v. t. **1** fondare; creare; costituire; istituire: **to f. a city** [a colony, an institution], fondare una città [una colonia, un'istituzione] **2** fondare; basare: **to be founded on fact**, essere basato su dati di fatto.

to **found** ② /faʊnd/ v. t. (metall.) fondere; colare (un metallo).

♦**foundation** /faʊnˈdeɪʃn/ n. **1** (edil.) fondazione; (al pl.) fondazioni, fondamenta **2** (fig.) base, basi; (al pl., anche) fondamenta: **the foundations of civilization**, le basi della civiltà; **to lay the f. for st.**, gettare le basi di qc. **3** (fig.) fondamento (di verità): **to have no f.** (o **to be without f.**), essere privo

di (o senza) fondamento; essere infondato **4** fondazione; ente morale: **charitable f.**, ente benefico; **the Carnegie F.**, la fondazione Carnegie **5** fondazione; costituzione: **the f. of a colony** [of a university], la fondazione di una colonia [di un'università] **6** (ind. costr.) sottofondo: **a road f.**, il sottofondo d'una strada **7** (cosmesi, = **f. cream**) fondotinta **8** (antiq., = **f. garment**) corsetto, bustino, modellatore (per donna) ● **f. course**, corso di base (o propedeutico) □ (edil.) **f. mat**, cordolo di fondazione □ (fin.) **f. member**, socio fondatore □ **f. scholar**, borsista □ **f. school**, scuola sovvenzionata, provvista di lascito □ **f. stone**, (edil.) prima pietra, pietra angolare; (fig.) pilastro: **to lay the f. stone**, posare la prima pietra □ (a scuola, GB) **f. subjects**, materie fondamentali □ **to lay the foundations**, (edil.) gettare le fondamenta; (fig.) porre le basi (di qc.) □ (fig.) **to shake st. to its foundations** (o **to rock the foundations of st.**), scuotere qc. fino alle fondamenta.

foundational /faʊnˈdeɪʃənl/ a. **1** di fondazione **2** fondamentale.

foundationer /faʊnˈdeɪʃənə(r)/ n. borsista; titolare di borsa di studio.

♦**founder** ① /'faʊndə(r)/ n. **1** fondatore, fondatrice; (fin., anche **f. member**) socio fondatore: **the f. of a school**, il fondatore di una scuola; The town was named after its f., la città prese il nome dal suo fondatore; (fin.) **founders' shares** (o stock), azioni di fondazione **2** (zool.) fondatore (di colonia).

founder ② /'faʊndə(r)/ n. (metall.) fonditore.

founder ③ /'faʊndə(r)/ n. ⓤ (vet.: di cavallo) podoflemmatite.

to **founder** /'faʊndə(r)/ **A** v. i. **1** (di nave) affondare; andare a picco, colare a picco **2** (fig.: di progetto, ecc.) fallire; naufragare; andare a picco **3** (di cavallo) cadere a terra (per eccesso di fatica); azzopparsi **4** (di edificio) sfasciarsi, crollare; (di argine) franare **5** (vet.: di cavallo) contrarre la podoflemmatite **B** v. t. **1** (naut.) affondare; colare (o mandare) a picco **2** azzoppare, stremare (un cavallo).

founding ① /'faʊndɪŋ/ **A** n. ⓤ fondazione; il fondare **B** a. fondatore; che fonda ● (stor. USA) **the F. Fathers**, i Padri Fondatori □ (USA) **f. member**, socio fondatore □ **f. speech**, discorso inaugurale.

founding ② /'faʊndɪŋ/ n. ⓤ (metall.) fusione.

foundling /'faʊndlɪŋ/ n. trovatello, trovatella ● **f. hospital**, ospizio dei trovatelli; brefotrofio.

foundress /'faʊndrɪs/ n. **1** (antiq.) fondatrice **2** (zool.) fondatrice (di colonia).

foundry /'faʊndrɪ/ n. (metall.) **1** fonderia: **type f.**, fonderia di caratteri tipografici **2** ⓤ fonderia, tecnica della fusione ● (tipogr.) **f. type**, carattere di fonderia.

fount ① /faʊnt/ n. **1** (poet., fig.) fonte; sorgente: **a f. of wisdom**, una fonte di saggezza **2** serbatoio (di lampada a olio o di stilografica).

fount ② /faʊnt/ n. → **font** ②.

fountain /'faʊntɪn/ n. **1** fontana: **to drink from a f.**, bere a una fontana; **drinking f.**, fontana (pubblica) d'acqua potabile **2** getto; zampillo: A f. of water gushed into the air, un getto d'acqua si levò nell'aria **3** (fig.) cascata: **a f. of white tulle**, una cascata di tulle bianco **4** (fig.) fonte; sorgente; origine **5** serbatoio (di lampada, penna, ecc.) ● **f. pen**, penna stilografica.

to **fountain** /'faʊntɪn/ v. i. sgorgare copiosamente; zampillare.

fountainhead /'faʊntɪnhɛd/ n. (fig.) fonte; sorgente; origine.

♦**four** /fɔː(r)/ a. e n. **1** quattro: **the f. of**

clubs, il quattro di fiori (*nei giochi di carte*); **to the f. winds**, ai quattro venti; **a party of f.**, un gruppo di quattro (persone) **2** quattro anni (*di età*) **3** (le) quattro (*ora*): **See you at f.**, ci vediamo alle quattro **4** – (*sport, naut.*) quattro; armo a quattro rematori **5** – (*autom.*) «quattro cilindri» **6** (*a bocce*) squadra di quattro giocatori ● (*mecc.*) **f.-bar linkage**, quadrilatero (*o* parallelogramma) articolato □ (*fam. USA*) **f. bits**, mezzo dollaro □ (*autom.*) **f.-by-f.**, veicolo con trazione integrale; quattro per quattro □ (*archit.*) **f.--centred arch**, arco a carena □ (*tipogr.*) **f.--colour printing** (*o* **process**), quadricromia □ (*geom.*) **f.-cornered**, quadrangolare □ **the f. corners of the earth**, i punti più remoti della terra □ (*di raccolto*) **f.-course**, a rotazione quadriennale □ (*USA: di motore*) **f.-cycle**, a quattro tempi □ (*fis., mat.*) **f.-dimensional**, quadrimensionale □ (*aeron.*) **a f.-engined plane**, un quadrimotore □ (*aeron.*) **a f.-engined jet**, un quadrigetto; un quadrireattore □ (*fam. spreg.*) **f.-eyes**, quattrocchi □ (*poker*) **f. flush**, colore mancato □ (*fam.*) **f.--flusher**, bluffatore; imbroglione, impostore □ **f.-footed**, quadrupede (agg.); a quattro zampe □ **the f. freedoms**, le quattro liberà fondamentali (*di parola, di culto, dal bisogno, dalla paura*) □ (*mus.*) **f.-f. time**, (tempo di) quattro quarti □ **f.-handed** ● (*di gioco*) che si gioca in quattro; (*mus.*) a quattro mani □ (*USA*) **the f. hundred**, la buona società, i notabili (*di una comunità*) □ (*sport*) **the 400-metre hurdles**, i quattrocento a ostacoli □ (*sport*) **the 400-metre relay**, la staffetta 4 × 400 □ (*sport*) **the 400-metre run** (*o* **the 400 metres**), i quattrocento (piani) □ (*sport*) **400-metre runner**, quattrocentista □ **f.-in--hand**, tiro a quattro; (*riferito a cravatta*) nodo four-in-hand, nodo semplice □ (*aeron.*) **f.-jet plane**, quadrigetto □ ● **f.-leaf** (*o* **f.--leaved**) **clover**, quadrifoglio □ **f.-legged**, che ha quattro gambe (*o* zampe) □ **f.-letter word**, parola sconcia; parolaccia □ (*sport*) **f.-man bobsled** (*o* **bobsleigh**), bob a quattro □ (*mus.*) **f. (beats) in a bar**, (tempo di) quattro quarti □ (*naut.*) **f.-masted barque**, brigantino a palo a quattro alberi □ **f. o'clock**, le quattro (*dell'orologio*); (*bot., Mirabilis jalapa*), bella di notte □ (*poker*) **f. of a kind**, poker (*il punto*) □ (*naut.*) **f.-oar**, barca a quattro remi □ (*comm.*) **f.-pack**, confezione di quattro pezzi □ (*di canto*) **f.-part**, a quattro voci (*di lana, ecc.*) **f.-ply**, a quattro capi □ (*naut.*) **f.-point bearing**, rilevamento al traverso □ (*autom.*) **f.-poster** (**bed**), letto a (quattro) colonne; letto a baldacchino □ (*autom.*) **f.-seater**, automobile a quattro posti □ **f.--square**, quadrato; (*fig.: di edificio*) solido; (*fig.*) saldo, deciso, fermo, tenace □ **f.-star**, (*tur.*) a quattro stelle; (*di benzina*) super; (*mil.*) a quattro stelle (*di motore*) **f.-stroke**, a quattro tempi □ (*mecc.*) **f.-stroke cycle**, ciclo in quattro tempi □ **f.-way**, (*di interruttore, semaforo, ecc.*) a quattro vie; (*di dibattito, ecc.*) a quattro □ (*autom.*) **f.-wheel drive**, trazione sulle quattro ruote; trazione integrale □ **f.-wheeler**, (*stor.*) carrozza a quattro ruote; (*fam. USA*) automobile □ (*a carte*) **to make up a f.**, fare il quarto □ **on all fours**, a quattro zampe; carponi: **to get down on all fours**, mettersi carponi □ (*mil.*) **Form fours!**, per quattro!

to **four-flush** /ˈfɔːflʌʃ/ v. i. **1** (*a poker*) bluffare fingendo di avere colore **2** (*fig., fam.*) bluffare; imbrogliare; truffare.

fourfold /ˈfɔːfəʊld/ **A** a. **1** quadruplice **2** quadruplo **B** avv. quattro volte (tanto, tanti, ecc.).

fourpence /ˈfɔːpəns/ n. (somma o valore di) quattro penny.

fourpenny /ˈfɔːpənɪ/ a. attr. che costa quattro penny.

fourscore /ˈfɔːskɔː(r)/ a. e n. (*arc.*) ottanta.

foursome /ˈfɔːsəm/ n. **1** (*golf*) partita giocata da due coppie **2** (*fam.*) (gruppo di) quattro persone; quartetto.

♦ **fourteen** /fɔːˈtiːn/ a. e n. quattordici || **fourteenth** a. e n. **1** quattordicesimo **2** (*nelle date*) quattordici: **April 14th**, il 14 di aprile.

♦ **fourth** /fɔːθ/ **A** a. quarto; **the f. part**, la quarta parte; un quarto; **three fourths**, tre quarti **B** n. **1** quarto **2** (*mus.*) quarta **3** (*autom., = **f. gear**) quarta (*marcia*) **4** (*GB*) quarta (classe) ● (*fis., mat.*) **f. dimension**, quarta dimensione □ **the f. estate**, (*stor.*) il quarto stato; (*fig.*) il quarto potere, la stampa □ **the f. finger**, il (dito) mignolo □ (*fin.*) **f. market**, quarto mercato (*di titoli non quotati in borsa*) □ (*in USA*) **the F. of July**, il quattro luglio ❶ CULTURA • *Fourth of July: è la data in cui si festeggia la promulgazione, nel 1776, della Dichiarazione d'indipendenza e quindi l'indipendenza degli Stati Uniti dall'Inghilterra. In realtà il documento fu proposto il 4 luglio, ma fu firmato dalla maggioranza dei delegati all'inizio di agosto, e l'ultima firma fu apposta solo nel 1781. Un altro nome di questa ricorrenza è Independence Day* □ (*danza*) **f. position**, quarta □ (*autom.*) **f. speed**, quarta (velocità) **the F. World**, il Quarto mondo.

fourthly /ˈfɔːθlɪ/ avv. in quarto luogo (*nelle enumerazioni*).

4WD sigla (**four-wheel drive**) trazione integrale.

fovea /ˈfəʊvɪə/ n. (pl. **foveae**, **foveas**) (*anat.*) fovea; fossa.

fowl /faʊl/ n. (pl. **fowl**, **fowls**) **1** gallinaceo domestico; pollo; (al pl.) pollame (sing.): **to keep fowls**, allevare polli **2** ▫ carne di volatile; pollame; carne bianca **3** (collett.) (*spec. caccia*) uccelli (pl.) **4** (*poet. o in combinazione*) uccello ● **f. house**, pollaio (*la costruzione*) □ (*vet.*) **f. pest**, malattia dei polli □ **f. plague**, peste dei polli □ (*vet.*) **f. pox**, vaiolo aviario □ **f. run**, pollaio (*il recinto*) □ **barndoor** (*o* **game**) **f.**, gallo domestico; gallina domestica.

fowling /ˈfaʊlɪŋ/ n. ▫ (*caccia*) caccia di uccelli; uccellagione ● **f. piece**, leggero fucile da caccia.

fox /fɒks/ n. (pl. **fox**, **foxes**) **1** (*zool.*) volpe: **Arctic fox**, volpe polare; **blue fox**, volpe azzurra; **red fox**, volpe rossa; **silver fox**, volpe argentata **2** (= **fox fur**) pelliccia di volpe; volpe **3** (*fig.*) volpe; volpone; furbacchione; drittone (*fam.*): *The wily old fox must have guessed it*, quella vecchia volpe deve aver indovinato **4** (*naut.*) morsello; commando **5** (*slang USA*) ragazza, donna sexy ● **fox brush**, coda di volpe □ **fox cub**, piccolo di volpe; volpacchiotto □ **fox earth**, tana della volpe □ **fox-hunt**, (riunione di) caccia alla volpe □ **fox-hunting**, caccia alla volpe (*lo sport*) □ (*mecc.*) **fox lathe**, tornio per filettare □ **fox mark**, macchia giallastra (*della carta*); fioritura □ **fox terrier**, fox-terrier (*cane*) □ (*mecc.*) **fox wedge**, controchiavetta.

to **fox** /fɒks/ **A** v. t. **1** (*fam.*) imbrogliare; fregare (*pop.*) **2** lasciare perplesso; mettere in difficoltà; confondere; sconcertare: *That question foxed him completely*, quella domanda lo mise in seria difficoltà **3** inacidire, rendere acido (*birra, ecc.*) **4** (*rif. a carta*) causare la fioritura di **B** v. i. **1** (*di birra*) inacidirsi **2** (*della carta*) fiorire.

foxed /fɒkst/ a. (*della carta*) che presenta fioritura: **uncut pages, slightly f.**, pagine intonse, con qualche lieve fioritura.

foxglove /ˈfɒksɡlʌv/ n. (*bot., Digitalis purpurea*) digitale.

foxhole /ˈfɒkshəʊl/ n. **1** (*mil.*) buca; appostamento a buca **2** nascondiglio; tana.

foxhound /ˈfɒkshaʊnd/ n. foxhound; cane da volpe.

to **fox-hunt** /ˈfɒkshʌntə(r)/ v. i. cacciare la volpe.

foxhunter /ˈfɒkshʌntə(r)/ n. **1** cacciatore di volpi **2** cavallo per la caccia alla volpe.

foxing /ˈfɒksɪŋ/ n. ▫ (*della carta*) fioritura.

foxlike /ˈfɒkslaɪk/ a. **1** simile a volpe; volpino **2** astuto; scaltro; volpino, da volpe.

foxtail /ˈfɒksteɪl/ n. **1** coda di volpe **2** (*bot., Alopecurus pratensis*) coda di volpe **3** (*bot., Lycopodium clavatum*) licopodio.

foxtrot /ˈfɒkstrɒt/ n. **1** fox-trot (*danza*) **2** (*radio, tel.*: F.) (la lettera) f; Foxtrot.

to **foxtrot** /ˈfɒkstrɒt/ v. i. ballare il fox--trot.

foxy /ˈfɒksɪ/ a. **1** simile a volpe; da volpe; volpino **2** astuto; scaltro; volpino **3** color della volpe; fulvo **4** (*slang USA, di donna*) sexy **5** (*di carta*) fiorito; con fioritura **6** (*di vino*) acido || **foxily** avv. astutamente; scaltramente || **foxiness** n. ▫ astuzia volpina; scaltrezza.

foyer /ˈfɔɪeɪ/ (*franc.*) n. **1** (*teatr.*) ridotto; foyer **2** (*di albergo, ecc.*) atrio.

f.p. sigla (*fis.*, **freezing point**) punto di congelamento.

FPA sigla (**Family Planning Association**) Associazione per la pianificazione familiare.

fps sigla **1** (**feet per second**) piedi al secondo **2** (*fis.*, **foot-pound-second** (**unit**)) (unità) piede-libbra-secondo **3** (**frames per second**) fotogrammi al secondo.

FPU sigla (*comput.*, **floating point unit**) unità (di elaborazione) in virgola mobile.

Fr. abbr. **1** (*relig.*, **Father**) Padre **2** (**France**) Francia **3** (**French**) francese.

frabjous /ˈfræbdʒəs/ a. (*scherz.*) gioioso; radioso.

fracas /ˈfrækɑː, USA ˈfreɪkəs/ n. (pl. **fracases**, **fracas**) alterco; lite; rissa.

fractal /ˈfræktəl/ a. e n. (*mat.*) frattale.

fraction /ˈfrækʃn/ n. **1** (*mat.*) frazione: **vulgar f.**, frazione ordinaria; **decimal f.**, frazione decimale; **improper f.**, frazione impropria **2** parte; porzione; pezzo: **a mere f. of the total**, solo una parte del totale; **a significant f. of the population**, una parte considerevole della popolazione **3** frazione; pezzetto: **a f. of a second too late**, una frazione di secondo in ritardo; *I bought it at a f. of the original price*, l'ho comprato per una frazione del prezzo originale **4** (un) pochino; (un) tantino; (un')idea: *The hem is a f. too long*, l'orlo è un tantino troppo lungo **5** (*relig.*) frazione (*dell'ostia*) **6** (*Borsa*) spezzatura (*di azioni*).

to **fraction** /ˈfrækʃn/ v. t. frazionare.

fractional /ˈfrækʃənl/ a. **1** (*mat.*) frazionario **2** (*chim.*) frazionato: **f. distillation**, distillazione frazionata **3** (*fam.*) minimo; esiguo ● (*econ.*) **f. currency** (*o* **money**), moneta divisionale (*o* divisionaria) □ (*mat.*) **f. part**, parte decimale (*di un numero*) □ (*banca*) **f. reserves**, riserve proporzionali || **fractionally** avv. in minimo grado; appena; di poco: *It's fractionally incorrect*, è sbagliato, di poco.

fractionalism /ˈfrækʃənəlɪsm/ (*polit.*) n. ▫ frazionalismo || **fractionalist** n. frazionalista.

fractionary /ˈfrækʃnrɪ/ a. **1** (*mat.*) frazionario **2** frammentario.

to **fractionate** /ˈfrækʃəneɪt/ v. t. **1** frazionare **2** (*chim.*) sottoporre a distillazione frazionata ● (*chim.*) **fractionating column**, colonna di frazionamento || **fractionation** n. ▫ (*chim.*) frazionamento.

fractioning /ˈfrækʃnɪŋ/ n. ▫ frazionamento.

to **fractionize** /ˈfrækʃnaɪz/ (*mat.*) v. t. frazionare || **fractionization** n. ▫ frazionamento.

fractious /'frækʃəs/ a. **1** (spec. di bambino) irritabile; insofferente; stizzoso **2** litigioso; indisciplinato; ribelle | **-ly** avv. | **-ness** n. ⓤ.

fracture /'fræktʃə(r)/ n. **1** (med.) frattura: **a leg f.**, una frattura della gamba; **compound and comminuted f.**, frattura esposta e comminuta; **depressed f.**, frattura infossata; **multiple fractures**, fratture multiple; **to suffer** (o **to sustain**) **a f.**, subire (o riportare) una frattura; **to set** (o **to reduce**) **a f.**, ridurre una frattura **2** (geol., miner.) frattura **3** ⓒⓤ rottura; incrinatura: **a f. in a pipe**, una rottura in un tubo **4** (fon.) frattura; dittongazione ● (geol.) **rock f.**, litoclasi.

to **fracture** /'fræktʃə(r)/ Ⓐ v. t. **1** fratturare; rompere; spaccare; incrinare: **to f. one's ankle**, fratturarsi una caviglia **2** (fam. USA) far morire dal ridere Ⓑ v. i. fratturarsi; rompersi; spaccarsi; incrinarsi.

fraenum /'friːnəm/ n. (pl. **fraenums**, **fraena**) (anat.) frenulo.

frag /fræg/ n. (slang mil. USA) bomba a mano.

to **frag** /fræg/ v. t. (slang mil. USA) uccidere deliberatamente (un proprio ufficiale) con una bomba a mano.

fragile /'frædʒaɪl, USA -dʒəl/ a. **1** fragile; delicato: **f. bones**, ossa fragili; **f. goods**, merci fragili; **a f. alliance**, un'alleanza fragile; **a f. ecosystem**, un ecosistema fragile (o delicato) **2** fragile di salute; delicato; gracile; cagionevole; debole ‖ **fragility** n. ⓤ **1** fragilità; delicatezza **2** debolezza (di salute); gracilità; cagionevolezza.

◆**fragment** /'frægmənt/ n. **1** frammento; pezzo; pezzetto; coccio; scheggia **2** frammento; parte; brandello; brano: **fragments of a conversation**, brandelli di una conversazione; **fragments of ancient poetry**, frammenti di poesia antica.

to **fragment** /fræg'mɛnt/ Ⓐ v. t. frammentare; fare a pezzi; spezzettare; parcellizzare Ⓑ v. i. frammentarsi; spezzettarsi.

fragmentary /'frægməntrɪ/ a. frammentario; disorganico; parcellizzato | **-ily** avv. | **-iness** n. ⓤ.

fragmentation /frægmən'teɪʃn/ n. ⓤ **1** frammentazione; spezzettamento; parcellizzazione **2** (comput.) frammentazione (di un file disposto su più settori) ● (mil.) **f. bomb**, bomba a frammentazione; bomba dirompente.

fragmented /fræg'mɛntɪd/ a. **1** frammentato; in frammenti; spezzettato **2** frammentario; disorganico; parcellizzato: **a f. report**, un resoconto frammentario **3** (comput.) frammentato; disposto su più settori: **f. file**, file frammentato.

fragrance /'freɪgrəns/, n. ⓤⓒ fragranza; profumo.

fragrancy /'freɪgrənsɪ/ (antiq.) → **fragrance**.

fragrant /'freɪgrənt/ a. fragrante; profumato; odoroso ‖ **fragrantly** avv. profumatamente.

frail ① /freɪl/ a. **1** fragile; delicato: **a f. craft**, un'imbarcazione fragile; **a f. hope**, una fragile speranza **2** debole; gracile; cagionevole: **She's old and very f.**, è vecchia e molto debole; **f. health**, salute cagionevole **3** moralmente fragile (o debole): **Human nature is f.**, la natura umana è fragile.

frail ② /freɪl/ n. cestello (per frutta); cesto di giunchi.

frailty /'freɪltɪ/ n. **1** ⓤ fragilità; delicatezza **2** debolezza (di salute) gracilità **3** debolezza (di carattere o morale); fragilità.

framboesia, (USA) **frambesia** /fræm'biːzɪə/ n. ⓤ (med.) framboesia.

◆**frame** ① /freɪm/ n. **1** telaio; intelaiatura; cornice: **the f. of a window**, il telaio di una finestra; **the f. of an airship**, l'intelaiatura di un dirigibile **2** (di quadro, ecc., e fig.) cornice: **picture f.**, cornice per quadro; **a f. of dark hair**, una cornice di capelli scuri **3** (al pl.) montatura (di occhiali) **4** (edil.) struttura portante; armatura: **the steel f. of a skyscraper**, l'armatura d'acciaio di un grattacielo **5** incastellatura; impalcatura; castello **6** carcassa (di macchina elettrica, ecc.) **7** (di bicicletta, autom.) telaio **8** struttura (fisica); fisico; corporatura; ossatura; corpo: **an athlete with a powerful f.**, un atleta dalla possente struttura fisica **9** ordinamento; struttura: **the f. of society**, la struttura della società; (market.) **the f. of distribution**, la struttura distributiva **10** contesto generale; quadro; sistema: **a f. for interpretation**, un quadro interpretativo **11** fusto (di ombrello) **12** (cinem., fotogr.) fotogramma; inquadratura **13** (nei fumetti) vignetta **14** (TV) quadro (dell'immagine): **f. synchronization**, sincronizzazione del quadro **15** (elettron., comput.) frame: **f.-free**, senza frame **16** (naut.) ordinata; costa **17** (giardinaggio) cassetta con coperchio di vetro; piccola serra **18** telaio (per ricamo, tessitura, maglieria, ecc.) **19** (apicoltura) telaino **20** (telef.) sequenza **21** (stat.) delimitazione (del campione) **22** (didattica) testo da completare (riempiendo gli spazi vuoti) **23** (ind. min.) tavola per lavaggio di minerali **24** mano (di una partita a carte) **25** (snooker, bowling) frame (frazione di gioco) **26** (fam. USA) → **frame-up** ● (TV) **f. aerial**, antenna a gabbia □ **f. house**, casa con strutture in legno □ **f.-maker**, corniciaio □ **f. of mind**, stato d'animo; umore; disposizione di spirito; vena: **in a happy f. of mind**, di buon umore; **I'm not in the right f. of mind to see people**, non sono dell'umore giusto (o adatto) per vedere gente □ **f. of reference**, (tecn.) sistema di riferimento; (fig.) schema, modello, angolazione, ottica □ **f. saw**, sega a telaio □ **f. tent**, tenda da campo (con pareti verticali) □ (stor.) **f.-work**, lavoro a telaio □ (stor.) **f.-worker**, tessitore □ **f. door f.**, telaio di porta; infisso □ **in the f.**, sotto considerazione; in predicato.

to **frame** /freɪm/ Ⓐ v. t. **1** incorniciare; mettere in cornice; inquadrare: **to f. a painting**, incorniciare un quadro **2** corniciare; circondare; fare da cornice: **Long black hair framed her face**, lunghi capelli neri le incorniciavano il viso **3** concepire; ideare; elaborare; redigere: **to f. a scheme**, ideare un piano; **to f. a constitution**, elaborare una costituzione **4** enunciare; formulare; esprimere: **to f. an answer**, formulare una risposta **5** costruire: **a building framed to resist earthquakes**, un edificio costruito con criteri antisismici **6** (fam.) montare un'accusa contro (q.); incastrare (pop.) **7** adattare; regolare **8** (cinem., TV) inquadrare Ⓑ v. i. (arc.: di piano, ecc.) procedere; progredire; svilupparsi.

■ **frame up** v. t. + avv. (slang) **1** montare (un'accusa falsa) **2** truccare (un'elezione, ecc.).

framed /freɪmd/ a. **1** incorniciato; montato **2** (nei composti) con una data struttura: **timber-f.**, con struttura in legno.

framer /'freɪmə(r)/ n. **1** artefice; creatore; costruttore **2** formulatore; estensore: (USA) **the Framers of the Constitution**, gli estensori della costituzione americana **3** (= picture-f.) fabbricante di cornici; corniciaio **4** (elettron.) inquadratore.

frame-up /'freɪmʌp/ n. (fam.) complotto (per incriminare falsamente q.); macchinazione; montatura; incastrata (pop.).

◆**framework** /'freɪmwɜːk/ n. **1** intelaiatura; struttura; struttura portante; incastellatura; armatura; ossatura; traliccio; centina: **the f. of a house**, la struttura d'una casa **2** (fig.) struttura; sistema; impianto: **the f. of our society**, la struttura della nostra società; **The book has a sound theoretical f.**, il li-

bro ha un solido impianto teorico **3** (fig.) sistema di riferimento; contesto; cornice; quadro: **the economic f.**, il contesto economico; **the political f.**, il quadro politico **4** = **frame-work** → **frame** ● (econ., sindacalismo) **f. agreement**, convenzione quadro.

framing /'freɪmɪŋ/ n. ⓤ **1** incorniciatura; montatura; intelaiatura **2** (collett.) cornici (pl.) **3** composizione; costruzione; formulazione; enunciazione; ideazione; struttura **4** (elettron.) messa in quadro **5** (fam.) costruzione di un castello di accuse (o di prove) false ● **f. camera**, cinepresa ad aggiustamento automatico (delle immagini) □ **f. square**, squadra da falegname.

franc /fræŋk/ n. franco (moneta).

France /frɑːns/ n. (geogr.) Francia.

Frances /'frɑːnsɪs/ n. Francesca.

franchise /'fræntʃaɪz/ n. **1** (leg.) concessione, licenza: **to have a f. for a bus service**, avere in concessione un servizio di autobus; **to operate under f.**, operare su licenza; **TV f.**, concessione televisiva **2** (leg., market.) (diritto di) esclusiva; affiliazione commerciale; contratto di franchising **3** ⓤ (leg.) diritto di voto; voto; suffragio: **The f. was extended to all adults over 18**, il diritto di voto fu esteso a tutti gli adulti al di sopra dei 18 anni; **universal f.**, suffragio universale **4** (leg., fin., USA) licenza di costituzione di una società **5** (ass., naut.) (valore in) franchigia: **f. clause**, clausola della franchigia **6** ⓒⓤ (leg., stor.) franchigia, privilegio (di una città, ecc.) **7** (sport, USA) squadra professionista ● **f. business** → **franchising** □ **f. holder** → **franchisee** □ **f. stamp**, francobollo in franchigia postale □ **f. tax**, tassa di concessione; (fin.) imposta sulle società □ **on a f. basis**, su licenza; su concessione; in esclusiva; in franchising.

to **franchise** /'fræntʃaɪz/ v. t. **1** (leg., market.; spec. USA) concedere in affiliazione commerciale (o in franchising) **2** (arc.) → **to enfranchise** ❶ NOTA: -ise o -ize? → -ise.

franchisee /fræntʃaɪ'ziː/ n. **1** (leg.) appaltatore (spec. di lavori o servizi pubblici) **2** (leg., market.) concessionario di un'esclusiva (o di una privativa); esclusivista **3** (leg., market.) titolare di un contratto di franchising; affiliato.

franchiser /'fræntʃaɪzə(r)/ n. **1** → **franchisor 2** (leg.) chi ha diritto di voto.

franchising /'fræntʃaɪzɪŋ/ n. ⓤ (leg., market.) franchising; affiliazione commerciale.

franchisor /'fræntʃ(a)ɪˈzɔː(r)/ n. (leg., market.) concedente di un diritto di esclusiva; affiliante.

Francis /'frɑːnsɪs/ n. Francesco.

Franciscan /fræn'sɪskən/ Ⓐ a. francescano Ⓑ n. (frate) francescano.

francium /'frænsɪəm/ n. ⓤ (chim.) francio.

Franco- /'fræŋkəʊ/ pref. (nei composti) franco-: **the Franco-Prussian war**, la guerra franco-prussiana (del 1870-71).

Francoism /'fræŋkəʊɪzəm/ (stor., polit.) n. ⓤ franchismo ‖ **Francoist** n. franchista.

francolin /'fræŋkəʊlɪn/ n. (zool., Francolinus francolinus) francolino.

Franconian /fræŋ'kəʊnɪən/ Ⓐ a. franconе Ⓑ n. **1** franco; abitante della Franconia **2** ⓤ francone (la lingua).

Francophile /'fræŋkəʊfaɪl/ a. e n. francofilo ‖ **Francophilia** n. ⓤ francofilia.

Francophobe /'fræŋkəʊfəʊb/ a. e n. francofobo ‖ **Francophobia** n. ⓤ francofobia.

Francophone /'fræŋkəʊfəʊn/ a. e n. francofono.

frangible /'frændʒəbl/ a. frangibile; fragile ‖ **frangibility** n. ⓤ l'essere frangibile; fragilità.

frangipane /'frændʒɪpeɪn/ n. **1** (*cucina*) dolce di crema e mandorle tritate **2** ▣ → **frangipani**, *def. 2.*

frangipani /frændʒɪ'pɑːnɪ/ n. (pl. *frangipani, frangipanis*) **1** (*bot.*, *Plumiera rubra*) frangipani; gelsomino rosso **2** ▣ profumo di gelsomino rosso.

Franglais /'frɒŋgleɪ, USA frɑːŋ'gleɪ/ n. ▣ franglais; francese pieno d'anglicismi.

frank① /fræŋk/ a. **1** franco; schietto; aperto; sincero: **a f. answer**, una risposta schietta; *Let me be perfectly f. with you*, sarò del tutto franco con te; **brutally f.**, di una franchezza brutale; **a f. discussion**, una discussione franca **2** esplicito; evidente; manifesto; dichiarato: **a f. avowal**, un'ammissione esplicita **3** (*antiq.*) aperto; liberale; generoso **4** (*med.*) evidente; conclamato.

frank② /fræŋk/ n. **1** bollo (*o* timbro) di franchigia **2** (*stor.*) firma che affrancava una lettera **3** (*stor.*) lettera spedita in franchigia.

frank③ /fræŋk/ n. (abbr. *slang USA*) salsicciotto affumicato; würstel.

to **frank** /fræŋk/ v. t. **1** apporre il bollo (*o* il timbro) di franchigia; affrancare **2** annullare, obliterare (*un francobollo*) **3** (*stor.*) firmare (*una lettera, ecc.*) per affrancarla **4** esentare, esimere (*da un pagamento, da imposte, ecc.*).

Frank /fræŋk/ n. (*anche stor.*) Franco (*nome proprio di persona e di popolo*): **the Franks**, i Franchi.

frankfurt /'fræŋkfɜːt/ (USA) → **frankfurter**.

Frankfurt /'fræŋkfət/ n. (*geogr.*) Francoforte ‖ **Frankfurter** n. abitante (*o* nativo) di Francoforte.

frankfurter /'fræŋkfɜːtə(r)/ n. salsicciotto affumicato; würstel.

frankincense /'fræŋkɪnsɛns/ n. ▣ incenso.

franking /'fræŋkɪŋ/ n. ▣ **1** affrancatura **2** esenzione **3** (*fisc.*) franchigia fiscale **4** franchigia postale ● **f. machine**, (macchina) affrancatrice.

Frankish /'fræŋkɪʃ/ **A** a. (*stor.*) franco; dei Franchi **B** n. ▣ lingua dei Franchi.

franklin /'fræŋklɪn/ n. (*stor.*, *nei secoli XIV e XV*) libero proprietario terriero d'origine non nobile.

♦**frankly** /'fræŋklɪ/ avv. francamente; sinceramente; schiettamente.

frankness /'fræŋknəs/ n. ▣ franchezza; sincerità; schiettezza.

frantic /'fræntɪk/ a. **1** frenetico; affannoso; convulso: **f. efforts**, sforzi frenetici; **at a f. pace**, a un ritmo convulso **2** agitatissimo; angosciato; sconvolto; fuori di sé: **f. with fear**, fuori di sé dalla paura; **f. with worry**, preoccupatissimo; angosciato: *The kids have been driving me f. all day*, è tutto il giorno che i bambini mi fanno impazzire | **-ally** avv. | **-ness** n. ▣

to **frap** /fræp/ v. t. (*naut.*) imbrigliare; legare strettamente; tesare.

frappé /'fræpeɪ/ (*franc.*) **A** a. (*di bibita alcolica*) molto freddo; gelato **B** n. **1** liquore da dessert, con ghiaccio tritato **2** (*anche* **frappe**) frappé; frullato.

frat /fræt/ n. (abbr. *fam. USA*) → **fraternity**, *def. 4.*

frater /'freɪtə(r)/ n. (*stor.*) refettorio (*di monastero*).

fraternal /frə'tɜːnl/ a. **1** fraterno **2** (*di gemelli*) dizigotico ● **f. order** (*o* **f. society**), confraternita (*o* società) segreta; (*leg.*, *USA*) società di mutuo soccorso ‖ **fraternally** avv. fraternamente.

fraternity /frə'tɜːnətɪ/ n. **1** confraternita **2** comunità; categoria; classe: **the legal f.**, la categoria (*o* la classe) degli avvocati; gli

avvocati; **the golfing f.**, la comunità dei golfisti; **the criminal f.**, i criminali; la criminalità **3** (*USA*) club studentesco universitario maschile **4** ▣ fraternità; fratellanza.

to **fraternize** /'frætənaɪz/ v. i. fraternizzare; socializzare; fare amicizia (*con q.*) ‖ **fraternization** n. ▣ fraternizzazione.

fratricidal /frætrɪ'saɪdl/ a. fratricida.

fratricide /'frætrɪsaɪd/ n. **1** ▣ fratricidio **2** fratricida.

♦**fraud** /frɔːd/ n. **1** ▣▣ (*leg.*) frode; truffa: *He was convicted of f.*, è stato condannato per truffa; **f. on creditors**, frode ai danni dei creditori; **tax f.**, frode fiscale; **a computer f.**, una frode informatica; **by f.**, in maniera fraudolenta; fraudolentemente **2** imbroglio; impostura: *The whole thing is a f.*, è tutto un imbroglio **3** (*polit.*) broglio elettorale **4** impostore, impostora; imbroglione, imbrogliona; ciarlatano, ciarlatana; truffatore, truffatrice ● (*GB*) **f. squad**, squadra contro le frodi industriali; squadra antifrodi □ (*GB, NZ, leg.*) **Serious F. Office**, ufficio per la repressione delle frodi gravi.

fraudster /'frɔːdstə(r)/ n. truffatore; imbroglione, imbrogliona.

fraudulence /'frɔːdjʊləns/, **fraudulency** /'frɔːdjʊlənsɪ/ n. ▣ (*leg.*) fraudolenza; dolo.

fraudulent /'frɔːdjʊlənt/ a. (*leg.*) fraudolento; doloso; disonesto ● (*leg.*) **f. conversion**, distrazione dolosa, appropriazione indebita □ (*leg.*) **f. conveyance**, alienazione di beni in frode dei creditori | **-ly** avv.

fraught /frɔːt/ **A** a. **1** carico; denso; gravido; pieno: **f. with risk**, pieno di rischi; **f. with meaning**, denso di significato **2** teso; agitato: **a f. relationship**, un rapporto teso **B** n. (*naut.*, *scozz.*) carico (*di nave*).

fraxinella /fræksɪ'nelə/ n. (*bot.*, *Dictamnus albus*) frassinella; dittamo.

fray /freɪ/ n. (solo sing.) **1** scontro; mischia; zuffa: **eager for the f.**, ansioso di gettarsi nella mischia; **to rush into the f.**, gettarsi nella mischia **2** (*fig.*) contesa, scontro; mischia; agone: **the election f.**, la contesa elettorale; **the political f.**, l'agone politico; **to enter the f.**, scendere in campo.

to **fray** /freɪ/ **A** v. t. **1** consumare (*per sfregamento*); logorare; sfilacciare: **to f. the edges of a coat sleeve**, logorare l'orlo della manica d'una giacca; **frayed cuffs**, polsini logori, sfilacciati **2** (*fig.*) logorare: **to f. sb.'s nerves**, logorare i nervi di q. **B** v. i. **1** consumarsi; logorarsi; sfilacciarsi **2** (*fig.*) logorarsi **3** (*di cervo, ecc.*) sfregare la testa contro (*un albero, ecc.*).

frazil /'freɪzɪl/ n. (USA) ghiaccio che si forma sul fondo di una corrente.

frazzle /'fræzl/ n. (*fam.*, solo nella loc.:) **to a f.**, completamente; fino in fondo; all'estremo; **burnt to a f.**, completamente bruciato; carbonizzato; incenerito; **nerves worn to a f.**, nervi a pezzi; *I'm worn to a f.*, sono esausto (*o* sfinito, a pezzi).

to **frazzle** /'fræzl/ (*fam.*) **A** v. t. **1** consumare; logorare **2** sfinire; logorare; esaurire **3** bruciare; carbonizzare **B** v. i. carbonizzarsi ‖ **frazzled** a. **1** logoro; consumato **2** esausto; sfinito; a pezzi.

freak① /friːk/ **A** n. **1** bizzarria; capriccio; fenomeno bizzarro; fatto bizzarro: **a f. of fate**, una bizzarria del destino **2** (= **f. of nature**) scherzo di natura; mostro; sgorbio; (*anche* **f. in a sideshow**) fenomeno da baraccone: **f. show**, spettacolo con fenomeni da baraccone **3** persona dal comportamento insolito; tipo bizzarro **4** (*fam.*) fanatico; patito; entusiasta: **film f.**, fanatico del cinema; **health f.**, salutista fanatico **5** (*slang*) frichettone (*pop.*) **6** (*slang*: = **pill f.**) drogato **7** (*slang*) droga preferita **B** a. imprevedibile; anomalo; bizzarro; curioso; strampalato: **a**

f. accident, un incidente imprevedibile; **a f. storm**, un temporale anomalo; **a f. wave**, un'onda anomala; **f. weather**, tempo matto.

freak② /friːk/ n. macchiolina (*di colore*); stria.

to **freak**① /friːk/ **A** v. t. **1** (*slang*, *anche* **to f. out**) far impazzire (*dalla paura, dalla rabbia*); mandare fuori di testa; mandare in paranoia (*pop.*) **2** far impazzire (*di entusiasmo*); far sballare (*pop.*) **3** (*di droga, spec. LSD*) provocare allucinazioni; far strippare (*pop.*) **B** v. i. (*slang*, *anche* **to f. out**) **1** impazzire di paura; perdere la testa; sbarellare (*pop.*) **2** andare fuori di testa (*per la rabbia, ecc.*); dare fuori di matto, andare in paranoia (*pop.*) **3** entusiasmarsi; sballare (*pop.*) **4** avere allucinazioni (*sotto l'effetto della droga, spec. LSD*); fare un brutto viaggio; strippare (*pop.*).

to **freak**② /friːk/ v. t. macchiettare; screziare; striare ‖ **freaked** a. screziato; striato; variegato.

freaking /'friːkɪŋ/ a. (*slang USA*) eufem. per **fucking**.

freakish /'friːkɪʃ/ a. anomalo; strano; capriccioso; bizzarro | **-ly** avv.

freakishness /'friːkɪʃnəs/ n. ▣ capricciosità; bizzarria; stramberia.

freak-out /'friːkaʊt/ n. (*slang*) **1** brutta esperienza di droga (*spec. con l'LSD*); brutto viaggio **2** reazione (*o* comportamento) irrazionale; reazione da schizzato (*pop.*).

freaky /'friːkɪ/ → **freakish**.

freckle /'frekl/ n. lentiggine; efelide.

to **freckle** /'frekl/ **A** v. t. coprire di lentiggini **B** v. i. coprirsi di lentiggini.

freckled /'frekld/, **freckly** /'freklɪ/ a. lentigginoso.

Freddie Mac /fredɪ'mæk/ loc. n. (*fam.*, *in USA*) → **FHLMC**.

♦**free** /friː/ (compar. **freer**, superl. **freest**) **A** a. **1** libero: **f. choice**, libera scelta; **f. press**, stampa libera; **f. enterprise**, libera iniziativa; libera impresa; **f. spirit**, spirito libero; **f. translation**, traduzione libera; *This is a f. country*, questo è un paese libero; *Are you f. this afternoon?*, sei libero oggi pomeriggio?; *What do you do in your f. time?*, cosa fai nel tempo libero?; *Is this seat f.?*, è libero questo posto?; **f. to choose**, libero di scegliere; **to go f.**, andarsene libero; **to set sb. f.**, mettere q. in libertà; liberare q. **2** sciolto; slegato; libero: **the f. end of a rope**, il capo libero di una corda **3** sgombro; libero: *The road is f.*, la strada è sgombra **4** gratuito; gratis; libero; omaggio: **f. admission**, ingresso gratuito (*o* libero): *It's f. admission on Tuesdays*, il martedì l'ingresso è gratuito; **f. health care**, cure sanitarie gratuite; *The course is f.*, il corso è gratuito; **f. copy**, copia omaggio; *The boy goes f. but the girl pays half price*, il bambino entra gratis mentre la bambina paga la metà **5** (*comm.*) esente: **f. of duty** (*o* **duty f.**,) esente da dazio; in esenzione doganale **6** (*dog.*, *trasp.*) franco; franco spese: **f. port**, porto franco; **f. of charges**, franco di ogni spesa; franco a domicilio; **f. of freight**, franco di nolo; **f. delivery**, consegna franco spese (*o* gratuita) **7** – **f. from** (*o* **of**), privo di; libero da; senza; esente: **f. from pain**, senza dolori; **f. from worries**, senza preoccupazioni; **f. from** (*o* **of**) **difficulty**, privo di difficoltà; **f. from doubt**, privo di dubbi; **f. of debt**, privo di debiti; **f. from mortgage**, libero da ipoteca; **f. of tax**, esente dal pagamento delle imposte; esentasse **8** (*nei composti*) senza; privo di; esente da: **fat-f.**, senza (*o* privo di) grassi; **rent-f.**, senza canone d'affitto **9** (*di gesto, movimento*) agevole; disinvolto; sciolto; spigliato: **f. step**, passo disinvolto (*o* sciolto) **10** dai modi franchi, liberi; (*spreg.*) troppo confidenziale: *She's too f. with everyone*, si

prende troppa confidenza con tutti; **f. manners**, maniere troppo confidenziali; eccessiva familiarità **11** – **f. with**, generoso di; largo di; prodigo di; munifico di: **f. with one's advice**, prodigo di consigli; **f. with praise**, largo di lodi **12** abbondante: **a f. flow of capital**, un abbondante afflusso di capitali **13** (*naut.: del vento*) favorevole **14** (*mecc.*) libero; in folle **15** (*chim., fis.*) libero; allo stato libero: **f. carbon [electron]**, carbonio [elettrone] libero; **f. oxygen**, ossigeno allo stato libero **16** (*ginnastica*) a corpo libero **17** (*fon.: di vocale*) libero; in sillaba aperta **B** avv. **1** gratis; gratuitamente: **to get in f.**, entrare gratis; **for f.**, gratuitamente; gratis **2** liberamente: **to run f.**, correre liberamente **3** (*idiom.*): **to pull** (*o* **to push***, etc.*) **f.**, estrarre (districare, *o* liberare, ecc.): *I pulled the wounded man f. from the wrecked car*, estrassi il ferito dai rottami dell'auto; *He shook himself f.*, si liberò con uno scrollone; *The bolt has worked itself f.*, il bullone si è allentato ● **f. agent**, persona indipendente; persona libera di agire; individuo padrone di sé □ (*trasp.*) **f. allowance**, franchigia (*di peso*) per il bagaglio □ (*trasp., naut.*) **f. alongside ship** (abbr. **F.A.S.**), FAS partenza; franco lungo bordo □ **f. and easy**, rilassato; accomodante; (*spreg.*) molto disinvolto □ (*psic.*) **f. association**, libera associazione (*d'idee, ecc.*) □ (*trasp.*) **f. baggage**, bagaglio in franchigia □ (*telef.*) **f. call out**, chiamata gratuita □ (*comm.*) **f. carrier**, franco vettore □ **the F. Churches**, le Chiese non conformiste (*d'Inghilterra*) □ (*alpinismo*) **f. climb**, arrampicata libera (*singola*); libera (*alpinismo*) **f. climbing**, arrampicata libera (*lo sport*); libera (*market., econ.*) **f. competition**, libera concorrenza □ (*leg.*) **f. consent**, libero consenso □ **f. diving**, immersione senza scafandro □ **f. economy**, economia di mercato □ **f. fall**, caduta libera: **f.-fall drop**, lancio a caduta libera (*dall'aereo*) □ **f. fight**, mischia generale; (*anche*) zuffa, rissa; (*fig.*) competizione aperta a tutti □ **f.-floating**, → **free-floating** (*di prodotto*) **f. from vice**, senza difetti; esente da imperfezioni □ **f.-form**, → **free-form** □ (*market.*) **f. gift**, omaggio □ (*pubbl.*) **f.-gift advertising**, pubblicità con l'invio di campioni gratuiti □ **f. gold**, oro allo stato puro; (*fin., USA*) oro che eccede il fabbisogno della riserva legale □ (*econ.*) **f. good**, bene non economico (*come l'aria*) □ **f. hand**, mano libera: **to give sb. a f. hand**, dare mano libera a q.; **to have** (*o* **to get**) **a f. hand in st.**, avere (*o* ottenere) mano libera in qc. □ **f.-handed**, generoso; munifico □ **f.-handedness**, generosità; munificenza □ **f.-hearted**, franco, spontaneo, sincero; generoso, munifico, prodigo □ (*polo*) **f. hit**, tiro libero (*o di punizione*) □ (*GB*) **f. house**, pub non legato a una determinata fabbrica di birra □ (*trasp., naut.*) **f. in and out**, franco di spese di caricazione e discarica □ (*trasp., ferr.*) franco vagone partenza □ (*fin.*) **f. issue**, emissione di azioni gratuite □ (*sport*) **f. kick**, (*calcio di*) punizione; (*rugby*) tiro libero □ (*GB*) **f. labour**, operai non iscritti a sindacati □ (*leg.*) **f. legal aid**, patrocinio gratuito; difesa d'ufficio □ **f. library**, biblioteca con prestito gratuito □ **f. list**, (*comm. est.*) lista di merci d'importazione libera; (*teatr.*) elenco delle entrate di favore □ **f. living**, che fa vita libera, da gaudente; (*biol.*) che vive libero, non in simbiosi □ **f. love**, libero amore □ (*trasp.*) **f. luggage**, bagaglio in franchigia □ (*econ.*) **f. market**, mercato libero; libero scambio, liberismo □ (*econ.*) **f.-market capitalism**, capitalismo liberista □ **f.-market economy**, economia di mercato libero □ (*ass., naut.*) **f. of (all) average**, franco d'avaria □ (*trasp.*) **f. of carriage**, franco di porto □ **f. of charge**, gratuitamente; gratis; (*fisc.*) esente da imposta (*o da tassa*); (*leg.*) a titolo gratuito □

(*leg.*) **f. of mortgage**, libero da ipoteche □ (*market.*) **f. offer**, offerta gratuita □ (*trasp., naut.*) **f. on board** (abbr. **F.O.B.**), franco a bordo; FOB partenza □ (*trasp., ferr.*) **f. on rail** (abbr. **F.O.R.**), franco stazione (di partenza); franco vagone □ (*trasp., naut.*) **f. on wharf**, franco banchina □ (*trasp., naut.*) **f. overside**, franco sotto paranco; FOB destino □ **f. paper**, giornale locale distribuito gratuitamente □ (*leg.*) **f. pardon**, condono □ **f. pass**, lasciapassare; (*ferr.*) biglietto di libera circolazione □ (*a scuola*) **f. period**, ora libera; 'buco' (*fam.*) □ (*chim.*) **f. radicals**, radicali liberi □ **f.-range chicken**, pollo ruspante □ **f.-range eggs**, uova di fattoria (*o di campagna*); uova di gallina allevate in libertà □ (*fin.*) **f. rate of exchange**, (tasso di) cambio libero □ **f. ride**, viaggio senza pagare; (*fig.*) uso indebitamente gratuito o agevolato □ **f.-running**, libero; regolare; di regime: (*ferr.*) **f.-running speed**, velocità di regime □ (*comput.*) **f. search**, ricerca a testo libero □ **f. shop**, negozio in franchigia doganale □ (*sport*) **f. skating**, pattinaggio libero □ (*comput.*) **f. space**, spazio libero □ **f. speech**, libertà di parola □ **f. spender**, spendaccione □ **f.-spoken**, franco; esplicito; sincero □ (*stor. USA*) **f. State**, Stato antischiavista □ (*econ.*) **f. supply**, offerta libera □ (*basket*) **f. throw**, tiro libero □ (*TV, di canale e trasmissioni satellitari*) **f.-to-air**, gratuito; in chiaro □ (*econ.*) **f. trade**, libero scambio; liberismo, liberoscambismo □ (*dog.*) **f. trade zone**, punto franco □ (*leg.*) **f. union**, unione libera □ (*poesia*) **f. verse**, versi sciolti □ (*leg.*) **f. waters**, acque internazionali □ (*mecc.*) **f. wheel**, ruota libera (*di bicicletta*) □ (*relig., filos.*) **f. will**, libero arbitrio □ **of my own f. will**, di mia spontanea volontà □ **f.-will**, volontario; spontaneo □ (*antiq.*) **the f. world**, il mondo libero; i paesi occidentali □ (*dog.*) **f. zone**, punto franco □ **to be f. of st.**, sbarazzarsi di qc.; essersi sbarazzato di qc. □ **to be f. with one's money**, spendere con larghezza; essere uno spendaccione □ **to feel f. to do st.**, sentirsi libero di fare qc.; sentirsi autorizzato a fare q.; *Feel f. to ask*, chiedi pure liberamente; *If anyone has a question then please feel f. to interrupt*, se qualcuno ha una domanda interpretemi pure; *Feel f.*, fa' pure; accomodati □ (*fam.*) **for f.**, gratis □ **to get f.**, liberarsi; sciogliersi (*da corde o vincoli*) □ **to give sb. f. rein**, dare completa libertà d'azione a q.; dare carta bianca a q. □ **to have one's hands f.**, avere le mani libere (*anche fig.*); essere libero da lavori o impegni □ **to make f. with sb.**, prendersi delle libertà con q. □ **to make f. with st.**, servirsi liberamente di qc.; approfittare di qc. □ (*naut.*) **to sail f.**, navigare a vento largo (*o* con il vento favorevole) □ (*fig., scherz.*) *There's no such thing as a f. lunch*, nessuno fa qualcosa per niente; niente è gratis nella vita.

♦**to free** /friː/ v. t. **1** liberare; mettere in libertà: *All the prisoners were freed*, tutti i prigionieri furono liberati; **to f. from captivity**, liberare dalla prigionia; **to f. from jail**, scarcerare; *He freed himself from the wreckage of his car*, si liberò dai rottami dell'auto **2** liberare; affrancare, emancipare: **to f. slaves**, emancipare gli schiavi (*anche leg.*) esonerare; esentare: **to f. sb. from a duty**, esonerare q. da un dovere **4** (*econ., fin.*) liberalizzare; togliere le restrizioni a: **to f. movements of capital**, liberalizzare i movimenti di capitali **5** (*autom., mecc.*) sbloccare.

■ **free up** v. t. + avv. (*fam.*) liberare; rendere libero (*o* disponibile): **to f. up the afternoon**, liberarsi il pomeriggio.

freebase /ˈfriːbeɪs/ n. ⓤ (= **freebase cocaine**) freebase; cocaina cloridrato trattata con ammoniaca ed etere etilico.

to freebase /ˈfriːbeɪs/ v. i. assumere → **freebase**.

freebie, **freebee** /ˈfriːbɪ/ n. (*fam. spec. USA*) (oggetto dato in) omaggio.

freeboard /ˈfriːbɔːd/ n. (*naut.*) bordo libero.

freebooter /ˈfriːbuːtə(r)/ n. filibustiere; pirata; predone ‖ **to freeboot** v. i. fare il filibustiere (*o* il pirata).

freeborn /ˈfriːbɔːn/ a. (*leg.*) nato libero; che gode di pieni diritti politici per nascita.

freed /friːd/ pass. e p. p. di **to free**.

freedman /ˈfriːdmæn/ n. (pl. **freedmen**) (*stor. romana*) liberto.

♦**freedom** /ˈfriːdəm/ n. **1** ⓒ libertà: **f. of speech [of expression]**, libertà di parola [di espressione]; **f. of thought**, libertà di parola; **f. of the press**, libertà di stampa; **f. of action**, libertà di azione (*o* di agire); **f. of choice**, libertà di scelta; **to give sb. his [her] f.**, ridare la libertà a q. **2** ⓤ l'essere esente (da qc.); libertà: **f. from defects [from disease]**, l'essere esente da difetti [da malattie]; **f. from want**, libertà dal bisogno **3** ⓤ (*leg.*) esenzione; esonero; dispensa: **f. from taxation**, esenzione fiscale **4** ⓤ (*stor.*) franchigia; privilegio (*di città, corporazione, ecc.*) **5** libertà; franchezza; schiettezza: **to speak with f.**, parlare con franchezza (*o* francamente) **6** libertà; facilità; disinvoltura, scioltezza: **f. of movements**, libertà di movimenti; (*mecc.*) gioco ● **f. fighter**, combattente per la libertà; partigiano □ **f. of assembly**, libertà di associazione □ **f. of contract**, libertà di contrarre; autonomia contrattuale □ **f. of the city**, cittadinanza onoraria □ **f. of the seas**, libertà dei mari □ (*econ.*) **f. of trade**, libertà dei traffici; libero scambio □ **f. of worship**, libertà di culto □ **academic f.**, libertà di insegnamento e di ricerca □ **to have the f. of a house**, poter girare liberamente per una casa; avere una casa a disposizione.

to free-drop /ˈfriːdrɒp/ v. t. (*aeron.*) lanciare (*materiale*) a caduta libera.

freedwoman /ˈfriːdwʊmən/ n. (pl. **freedwomen**) (*stor. romana*) liberta.

free-floating /ˈfriːfləʊtɪŋ/ a. **1** che galleggia liberamente; che può muoversi liberamente; libero **2** (*fig.*) libero; non vincolato; non controllato; svincolato; sganciato; **free-floating exchange rates**, tassi di cambio liberi **3** (*fig.: di persona*) non impegnato; non allineato; libero.

freefone /ˈfriːfəʊn/ → **freephone**.

free-for-all /ˈfriːfərɔːl/ **A** a. libero; aperto a tutti; generale; senza regole (*o* restrizioni) **B** n. **1** discussione caotica; zuffa generale; rissa; parapiglia **2** situazione priva di regole **3** (*econ.*) liberalizzazione sregolata.

free-form /ˈfriːfɔːm/ a. **1** (*arte, mus.*) libero; a forma libera **2** spontaneo; fuori da ogni schema; non convenzionale **3** (*comput.*) in formato libero.

freehand /ˈfriːhænd/ a. e avv. a mano libera: **f. drawing**, disegno a mano libera.

freehold /ˈfriːhəʊld/ (*leg.*) **A** n. **1** ⓤ proprietà piena e assoluta **2** immobile detenuto in proprietà piena e assoluta **3** ⓤ (*stor.*) allodio **4** (*stor.*) beni (pl.) allodiali **B** a. (*di un bene*) (detenuto) in proprietà piena e assoluta **C** avv. in proprietà piena e assoluta: *We bought the house f.*, comprammo la casa in proprietà assoluta ‖ **freeholder** n. possessore di un bene immobile in proprietà piena e assoluta.

freelance /ˈfriːlɑːns/ **A** n. **1** freelance; collaboratore esterno; giornalista [fotografo, ecc.] indipendente **2** (*stor.*) soldato di ventura; mercenario **B** a. attr. (*di professionista, ecc.*) freelance; indipendente **C** avv. come (*o* da) freelance; in proprio: **to work f.**, lavorare come freelance; lavorare in pro-

prio; **to go f.**, mettersi a lavorare come freelance; mettersi in proprio ● (*moda*) **f. model**, indossatrice volante □ **on a f. basis**, come freelance.

to **freelance** /ˈfriːlɑːns/ v. i. lavorare come freelance; lavorare in proprio; essere indipendente: **to f. as a sports reporter**, fare il cronista sportivo freelance; *I f. for the BBC*, lavoro come freelance per la BBC.

freelancer /ˈfriːlɑːnsə(r)/ n. → **freelance**, def. 1.

to **freeload** /ˈfriːləʊd/ v. i. (*fam. USA*) vivere a sbafo; scroccare; fare lo scroccone.

freeloader /ˈfriːləʊd/ n. scroccone, scroccona; parassita.

freely /ˈfriːlɪ/ avv. **1** liberamente; senza impedimenti: **to move f.**, muoversi liberamente **2** liberamente; apertamente; francamente; spontaneamente: **to speak f.**, parlare liberamente **3** generosamente; con prodigalità **4** gratuitamente; gratis **5** alla buona; senza cerimonie ● **f. available**, a disposizione.

freeman (*def. 1* /ˈfriːmæn/, *def. 2* /ˈfriːmən/) n. (pl. **freemen**) **1** (*stor.*) uomo libero; cittadino **2** cittadino onorario: **a f. of the City of Oxford**, un cittadino onorario della città di Oxford.

freemartin /ˈfriːmɑːtɪn/ n. (*zool.*) vitella sterile.

freemason /ˈfriːmeɪsn/ n. massone; frammassone.

freemasonry /ˈfriːmeɪsnrɪ/ n. ① **1** massoneria; frammassoneria **2** (*fig.*) intesa; simpatia immediata.

freephone /ˈfriːfəʊn/ n. ① (*in GB*) servizio di numero verde ● **f. number**, numero verde.

freepost /ˈfriːpəʊst/ n. ① (*in GB*) affrancatura a carico del destinatario.

freesheet /ˈfriːʃiːt/ n. pubblicazione gratuita.

freesia /ˈfriːzɪə/ n. (*bot.*, *Freesia*) fresia.

freestanding, **free-standing** /friːˈstændɪŋ/ a. **1** (*di oggetto*) che sta in piedi da solo; senza supporto; non fissato; autoportante; autoreggente **2** (*fig.*) indipendente; autonomo; svincolato **3** (*gramm.: di proposizione*) indipendente.

freestone /ˈfriːstəʊn/ n. **1** (*edil.*) pietra da taglio **2** (*bot.*) frutto spiccace.

freestyle /ˈfriːstaɪl/ (*sport*) Ⓐ a. attr. e avv. (a) stile libero (*nuoto*) **the 100 metres f.**, i cento metri (a) stile libero; **f. wrestling**, lotta libera; catch; (*nuoto*) **the f. title**, il titolo nello stile libero Ⓑ n. **1** (*nuoto*) stile libero **2** (*sci*) (gara di) sci acrobatico ● (*nuoto*) **f. relay**, staffetta stile libero □ (*nuoto*) **f. swimmer**, stilliberista.

freethinker /friːˈθɪŋkə(r)/ n. libero pensatore ‖ **freethinking** Ⓐ n. ① libertà di pensiero; libero pensiero Ⓑ a. di libero pensatore.

freeware /ˈfriːweə(r)/ n. ① (*comput.*) software gratuito; freeware.

◆**freeway** /ˈfriːweɪ/ n. (*autom.*, *USA*) autostrada senza pedaggio (*nei pressi di una grande città*); superstrada.

freewheel /friːˈwiːl/ n. (*mecc.*) ruota libera (*il meccanismo*).

to **freewheel** /friːˈwiːl/ v. i. **1** andare a ruota libera (*in bicicletta*) **2** (*autom.*) andare a motore spento **3** (*fig.*) procedere liberamente; agire senza vincoli **4** (*fig.*); vivere in modo scanzonato; comportarsi in modo irresponsabile.

freewheeling /friːˈwiːlɪŋ/ Ⓐ n. ① l'andare a ruota libera (*o in folle*) Ⓑ a. **1** che va a ruota libera **2** (*fig. fam.*) libero; non soggetto a regole; senza remore; libero; disinvolto; scanzonato; incurante; menefreghista (*fam.*).

freeze /friːz/ n. **1** gelo; gelata **2** (*econ.*) blocco; congelamento: **f. on hiring**, blocco delle assunzioni; **pay f.**, blocco dei salari **3** → **freeze-frame** ● (*ind.*) **f. drying**, liofilizzazione (*di alimenti*).

◆to **freeze** /friːz/ (pass. **froze**, p. p. **frozen**) Ⓐ v. t. **1** (*anche* **to f. up**) congelare; (far) gelare; ghiacciare **2** (*alim.*) congelare; surgelare: **to f. meat**, surgelare la carne **3** (*econ.*, *fin.*) bloccare; imporre il blocco di; congelare: **to f. wages**, bloccare (o congelare) i salari; **to f. credit**, congelare i crediti; (*leg.*) **to f. assets**, congelare i beni **4** (*med.*) anestetizzare (con il freddo) **5** (*fig.*) gelare; agghiacciare; raggelare: *He froze me with one look*, mi gelò con uno sguardo **6** (*fig.*) far irrigidire; bloccare; immobilizzare; paralizzare: *The village seemed to have been frozen in time*, il villaggio sembrava essersi bloccato nel tempo **7** (*cinem.*, *TV*) fermare, bloccare (*il fotogramma, l'immagine*) Ⓑ v. i. **1** (*anche* **to f. up**) gelare; ghiacciare; coprirsi di ghiaccio: *Water freezes at 0 °C*, l'acqua gela a 0° centigradi; *It froze last night*, stanotte ha gelato; *The pipes froze up last January*, il gennaio scorso i tubi sono gelati **2** (*alim.*) congelare; surgelare; essere congelabile (o surgelabile) **3** (*solo alla forma progressiva*) (*fam.*) avere molto freddo; gelare; morire di freddo (*fam.*): *I'm freezing*, sto morendo di freddo **4** rimanere attaccato (*per il gelo*) **5** (*anche* **to f. up**) raggelarsi; irrigidirsi; arrestarsi; bloccarsi; immobilizzarsi; restare paralizzato: *His smile froze*, il suo sorriso si irrigidì; **to f. with horror**, essere paralizzato dall'orrore; *The woman froze to the spot*, la donna si immobilizzò; (*fam.*) *F.!*, fermo dove sei!; fermi tutti! **6** (*anche* **to f. up**) (*di attore*) dimenticare la battuta **7** (*di comput.*) bloccarsi; impallarsi (*fam.*) ● **to f. on to st.**, restare attaccato a qc. per il gelo; (*fig.*) attaccarsi ostinatamente a qc. (*un'idea, ecc.*) □ **to f. solid**, diventare un blocco [una lastra] di ghiaccio: *The lake had frozen solid*, il lago era una lastra di ghiaccio □ **to f. to death**, morire assiderato □ (*fam.*) **I'm freezing to death**, sto gelando; sto morendo di freddo □ **to make sb.'s blood f.**, far gelare il sangue (nelle vene) a q.

■ **freeze off** v. t. + avv. (*med.*) rimuovere mediante crioterapia.

■ **freeze out** Ⓐ v. t. + avv. **1** (*fam.*) escludere; espellere; eliminare; tagliar fuori: **to f. out competition**, tagliar fuori la concorrenza; *I was frozen out of all decision-making*, sono stato tagliato fuori da ogni attività decisionale **2** (*fam.*) ignorare completamente; fare come se (q.) non esistesse **3** (*USA*) annullare; sospendere (*una corsa, una gara*) per il gran freddo Ⓑ v. i. + avv. (*di pianta*) seccarsi (o morire) per il gelo.

■ **freeze over** v. i. + avv. gelare; ghiacciare; coprirsi di ghiaccio: *The pond froze over in January*, lo stagno gelò a gennaio □ (*fam.*) **when hell freezes over**, quando voleranno gli asini; l'anno del mai.

■ **freeze up** Ⓐ v. t. + avv. → **to freeze**, A, def. 1 Ⓑ v. i. + avv. **1** → **to freeze**, B, def. 1, 4, 5 **2** bloccarsi per il ghiaccio: *The door lock has frozen up*, la serratura dello sportello si è bloccata per il ghiaccio.

to **freeze-dry** /ˈfriːzdraɪ/ (*tecn.*) v. t. liofilizzare ‖ **freeze-dried** a. (*di un alimento*) liofilizzato ‖ **freeze-drying** n. ① liofilizzazione; crioessiccazione.

freeze-frame /ˈfriːzfreɪm/ n. **1** (*cinem.*) inquadratura fissa **2** (*cinem.*) fotogramma **3** (*TV*) fermo immagine.

to **freeze-frame** /ˈfriːzfreɪm/ v. t. **1** (*cinem.*) fermare, bloccare (*un'inquadratura*) **2** (*TV*) fermare (*un video, usando il fermo immagine*) **3** (*fig. fam.*) bloccare; arrestare.

freeze-out /ˈfriːzaʊt/ n. **1** varietà di poker in cui i giocatori lasciano il posto una

volta perduta la posta **2** (*comm.*) eliminazione; esclusione; boicottaggio.

◆**freezer** /ˈfriːzə(r)/ n. **1** (*ind.*) impianto refrigerante; cella frigorifera **2** (= **f. compartment**) freezer; congelatore; (*un tempo, anche*) comparto del ghiaccio ● **f. bag**, sacchetto per congelatore □ **f. centre**, negozio di surgelati □ **f. pack**, mattonella refrigerante □ **chest f.**, bancone congelatore (*in un negozio*).

freeze-up /ˈfriːzʌp/ n. **1** gelata **2** blocco causato dal ghiaccio.

◆**freezing** /ˈfriːzɪŋ/ Ⓐ a. **1** gelido; glaciale; polare: **f. air**, aria gelida; **f. temperatures**, temperature polari; *It's freezing (cold) in here*, qui dentro si gela (o fa un freddo polare); **in f. conditions**, in condizioni di gelo polare; con temperature sottozero **2** (*fig.*) gelido; glaciale: **f. behaviour**, comportamento gelido **3** (*scient.*) frigorifero; congelante: **f. mixture**, miscela frigorifera Ⓑ n. ① **1** congelamento **2** (*econ.*, *leg.*) congelamento; blocco: **the f. of investments**, il blocco degli investimenti; **assets f.**, congelamento di beni; sequestro conservativo **3** (*fam.*) zero: **below f.**, sotto (lo) zero ● **f. point**, punto di congelamento (o di solidificazione) □ (*Austral.*) **f. works**, impianto di macellazione e congelamento.

freight /freɪt/ n. ① **1** (*trasp.*) trasporto (*di merci*): **air [rail, sea] f.**, trasporto aereo [per ferrovia, via mare]; **to send st. by air f.**, spedire qc. per via aerea; **to shift f. from road to rail**, spostare il trasporto merci dalla ruota alla rotaia; **f. company**, società di trasporto; **f. charges**, spese di trasporto **2** merce trasportata; merci (pl.); carico: **to carry f.**, trasportare merci (o un carico); **heavy f.**, carico pesante; **f. wagon** (*o*, *USA*, **car**), carro (o vagone) merci; **f. train**, treno merci; **f. service**, servizio merci; **paying f.**, carico pagante **3** (*comm.*, *spec. USA*) spese (pl.) di trasporto; porto **4** (*aeron.*, *naut.*) nolo: **f. brokerage**, provvigione sul nolo; **f. in advance**, nolo anticipato ● **f. broker**, sensale di noli □ (*in USA*) **F. Bureau**, Conferenza della Navigazione □ **f. charges**, spese di trasporto; (*naut.*) spese di nolo □ (*USA*) **f. collect** = **f. forward** → *sotto* □ (*naut.*) **F. Conference**, Conferenza della Navigazione □ (*naut.*) **f. contracting**, noleggio (*di navi*) □ (*ferr.*, *USA*) **f. depot**, scalo merci □ **f. elevator**, montacarichi □ (*autom.*) «**F. flow**» (*cartello*), «autocarri in manovra» □ **f. forward**, (*USA*) porto assegnato; (*naut.*) nolo pagato a destinazione (o posticipato) □ **f. forwarder** (*o* **forwarding agent**), spedizioniere □ (*naut.*) **f. market**, mercato dei noli □ **f. rate**, (*USA*) tariffa di trasporto (*di merci*); (*naut.*) rata (o tariffa) di nolo □ (*naut.*) **f. ship**, nave da carico □ (*naut.*) **f. ton**, tonnellata di nolo (o di noleggio; *1000 kg se è metrica, 1016 se è imperiale*) □ (*naut.*) **f. unpaid**, nolo assegnato □ (*USA*) **f. yard**, scalo merci.

to **freight** /freɪt/ v. t. **1** caricare (*spec. una nave*) **2** trasportare, spedire (*merce*) **3** (*naut.*) noleggiare (*una nave*) **4** (*fig.*) (*al passivo*) caricare: *His words were freighted with innuendo*, le sue parole erano cariche di sottintesi.

freightage /ˈfreɪtɪdʒ/ n. ① (*comm.*) **1** trasporto (*di merci*) **2** nolo, noleggio (*di mezzo di trasporto, spec. di nave*); spese di trasporto **3** carico (*spec. di nave*).

freighter /ˈfreɪtə(r)/ n. **1** (*naut.*) nave da carico; cargo; mercantile **2** (*aeron.*) aereo per trasporto merci **3** (*naut.*) spedizioniere marittimo **4** (*naut.*) noleggiante.

freighting /ˈfreɪtɪŋ/ n. ① trasporto (*di merci*).

freightliner /ˈfreɪtlaɪnə(r)/ n. (*ferr.*, *in GB*) treno merci per container; treno portacontenitori.

fremitus /ˈfremɪtəs/ (*lat.*) n. ① (*med.*) fre-

mito.

French /frɛntʃ/ **A** a. **1** francese: F. **nationals**, cittadini francesi **2** di (lingua) francese: F. **lessons** [**teacher**], lezioni [insegnante] di francese **B** n. **1** Ⓤ il francese (*la lingua*) **2** – (collett.) the F., i francesi ● F. **beans**, fagiolini (verdi) □ F. **bread**, pane francese; baguette (*franc.*) □ F. **Canadian**, franco-canadese; canadese francofono □ F. **chalk**, gesso (*o pietra*) da sarto □ F. **cuff**, polsino doppio □ (*grafica*) F. **curve**, curvilineo □ (*USA*) F. **door** = F. **window** → *sotto* □ (*edil.*) F. **drain**, vespaio □ F. **dressing**, vinaigrette (*franc.*); (*in USA, anche*) condimento per insalata a base di maionese e ketchup □ (*USA*) F. **fries**, patatine fritte (*a bastoncino*) □ (*mus.*) F. **horn**, corno a pistoni; corno francese □ F. **kiss**, bacio in bocca; bacio con la lingua □ (*ricamo*) F. **knot**, punto nodo □ (*fam.*) F. **letter**, preservativo; profilattico □ F. **loaf**, filone (*di pane*) francese; filoncino; baguette (*franc.*) □ (*tecn.*) F. **polish**, vernice a spirito a base di gommalacca (*per mobili*) □ F. **polisher**, verniciatore con la gommalacca; lucidatore (*di mobili*) □ F. **press**, caffettiera (*a pressione-infusione*) □ (*stor.*) the F. **Revolution**, la Rivoluzione francese □ (*geogr.*) the F. **Riviera**, la Costa azzurra □ (*edil.*) F. **roof**, tetto a mansarda □ F. **roll**, chignon a banana □ (*sartoria*) F. **seam**, cucitura con gli orli ripiegati all'interno □ F. **toast**, fetta di pane passata in un miscuglio di uovo e latte e fritta □ (*edil.*) F. **window**, portafinestra □ (*fam.*) **Excuse** (*o Pardon*) **my** F., con licenza parlando □ (*GB, antiq.*) **to take** F. **leave**, andarsene alla chetichella; tagliare la corda (*fam.*); filarsela all'inglese (*fam.*).

to **french** /frɛntʃ/ v. i. (*fam. USA*) scambiarsi baci in bocca; fare lingua in bocca (*pop.*).

Frenchie /'frɛntʃɪ/ a. e n. (*fam.*) **1** francese **2** franco-canadese.

to **Frenchify** /'frɛntʃɪfaɪ/ **A** v. t. infrancesare; francesizzare **B** v. i. infrancesarsi; francesizzarsi ‖ **Frenchification** n. Ⓤ infrancesamento; francesizzazione.

Frenchman /'frɛntʃmən/ n. (pl. *Frenchmen*) francese (m.).

Frenchwoman /'frɛntʃwʊmən/ n. (pl. *Frenchwomen*) francese (f.).

Frenchy → **Frenchie**.

frenetic /frə'nɛtɪk/ a. frenetico; convulso | **-ally** avv.

frenulum /'frɛnjʊləm/ n. (pl. *frenula*) (*anat.*) frenulo.

frenum /'friːnəm/ n. (pl. *frenums, frena*) (*anat.*) freno; frenulo.

frenzied /'frɛnzɪd/ a. **1** frenetico; convulso; disperato **2** forsennato; furioso; delirante; pazzo.

frenzy /'frɛnzɪ/ n. Ⓒ Ⓤ **1** frenesia; eccitazione frenetica; smania; impeto; trasporto: **a f. of activity**, un'attività frenetica; **the f. of city life**, la vita frenetica della città; **in a f.**, freneticamente; con frenesia; **in a f. of excitement**, trascinato dall'entusiasmo (*o dall'eccitazione*) **2** delirio; parossismo; raptus: **in a f. of violence**, in un raptus di violenza; **in a f. of hatred**, in un parossismo d'odio ● **feeding f.**, (*di pesce*) frenesia divoratrice □ **to work oneself (up) into a f.**, eccitarsi fino alla frenesia; dare in smanie.

freq. abbr. **1** (**frequency**) frequenza **2** (**frequently**) frequentemente.

◆**frequency** /'friːkwənsɪ/ n. **1** Ⓤ frequenza: (*trasp.*) **f. of flights**, frequenza dei voli; *The phenomenon is occurring with alarming f.*, il fenomeno si sta verificando con preoccupante frequenza **2** Ⓒ Ⓤ (*fis., mat., radio, TV*) frequenza: **radio frequencies**, frequenze radio; **high** [**medium, low**] **f.**, alta [media, bassa] frequenza; **f. modulation**, modulazione di frequenza (abbr. **FM**) ● (*tel.*)

f. allocation, assegnazione di frequenza; assegnazione delle frequenze □ **f. band**, banda di frequenza □ (*tel.*) **f. converter**, convertitore di frequenza □ (*tel.*) **f. division multiplex**, multiplex di divisione di frequenza □ (*stat.*) **f. distribution**, distribuzione di frequenza □ (*elettron.*) **f. divider**, demoltiplicatore di frequenza □ (*elettr., fis.*) **f. meter**, frequenzimetro □ **f. response**, risposta in frequenza □ **radio f.**, radiofrequenza.

◆**frequent** /'friːkwənt/ a. **1** frequente: **f. rains**, piogge frequenti; **f. changes**, frequenti modifiche **2** frequente; abituale; costante; regolare: **f. visits**, visite frequenti; **a f. caller**, un visitatore abituale **3** (*med.*) frequente: **f. pulse**, polso frequente.

to **frequent** /frɪ'kwɛnt/ v. t. frequentare; praticare con frequenza ‖ **frequentable** a. frequentabile ‖ **frequentation** n. Ⓤ frequentazione; il frequentare ‖ **frequenter** n. frequentatore, frequentatrice.

frequentative /frɪ'kwɛntətɪv/ a. (*gramm.*) frequentativo: **f. verb**, verbo frequentativo.

◆**frequently** /'friːkwəntlɪ/ avv. frequentemente; di frequente.

fresco /'frɛskəʊ/ n. Ⓒ Ⓤ (pl. *frescoes, frescos*) (*pitt.*) affresco ● **f.-painter**, affreschista □ **to paint in f.**, dipingere a fresco; affrescare.

to **fresco** /'frɛskəʊ/ v. t. (*pitt.*) affrescare.

◆**fresh** /frɛʃ/ **A** a. **1** fresco; non conservato: **f. vegetables**, verdura fresca; **f. fish**, pesce fresco **2** fresco; recente; appena fatto; arrivato di fresco: **f. bread**, pane fresco; **f. paint**, vernice fresca; **a f. wound**, una ferita recente; *My memories of the event are still f.*, i miei ricordi dell'accaduto sono ancora freschi; **a new car f. from the factory**, un'automobile nuova, appena arrivata dalla fabbrica; **f. from the oven**, fresco di forno; **f. off the press**, fresco di stampa; **f. from the wash**, (fresco) di bucato; **a boy f. from school**, un ragazzo che ha appena terminato gli studi; **f. out of college** (*o* **f. from university**), appena laureato; fresco di laurea **3** pulito; non usato: **f. clothes**, abiti puliti; **f. sheets**, lenzuola pulite; **a f. shirt**, una camicia pulita (*o* fresca di bucato); **a f. sheet of paper**, un foglio bianco **4** (*di persona*) fresco; riposato; pieno di energia **5** (*di persona*) giovane e innocente **6** (*di viso, carnagione*) fresco; pulito **7** nuovo; altro; ulteriore: **a f. supply**, una nuova provvista; un nuovo rifornimento; **f. evidence**, nuove prove; **f. troops**, truppe fresche; **to bring f. hope**, portare una nuova speranza; rinnovare la speranza **8** nuovo; originale: **f. ideas**, idee nuove; **a f. approach**, un approccio nuovo (*o* originale) **9** (*di acqua*) dolce **10** (*naut.: del vento*) fresco; teso; forte: **f. breeze**, vento teso; brezza tesa **11** (*fam.*) troppo intraprendente; sfacciato; impertinente: **to be** (*o* **to get**) **f. with sb.**, prendersi delle confidenze (*o* delle libertà) con q. **12** (*dial. ingl. sett.*) un po' sbronzo; alticcio; brillo **B** avv. (di solito nei composti) di fresco; da poco; appena: **f.-baked bread**, pane fresco (*o* di giornata); **f.-ground coffee**, caffè appena macinato; **f.-cut flowers**, fiori freschi; fiori appena recisi; **f.-caught**, preso di fresco **C** n. **1** (il) fresco; freschezza: **in the f. of the morning**, al fresco del mattino; nella freschezza (*di mente, ecc.*) che si ha al mattino **2** piena (*di fiume*) **3** pozza (*d'acqua dolce*); sorgente **4** folata, sbuffo, groppo (*di vento*) ● **f. air**, aria pura; aria fresca □ **f.-air** (agg.), (che si svolge) all'aria aperta; all'aperto □ **f.-faced**, dal viso giovane e fresco □ (*naut.*) **f. gale**, burrasca moderata □ (*fin.*) **f. money**, denaro fresco □ (*fam. spec. USA*) **to be f. out of**, avere appena terminato (*o* esaurito) (*un articolo, un prodotto*) □ (*fig.*) **as f. as a daisy**, fresco

come una rosa □ (*fig.*) **to break f. ground**, trattare un argomento nuovo; fare qc. di originale □ **in the f. air**, all'aria aperta; al fresco □ **to make a f. start**, cominciare daccapo (*o di nuovo*); rifarsi una vita □ **to throw f. light on a subject**, gettare nuova luce su un argomento.

to **freshen** /'frɛʃn/ **A** v. t. **1** rinfrescare: **to f. the air**, rinfrescare l'aria; **to f. one's breath**, rinfrescare l'alito **2** (*USA*) riempire di nuovo; rabboccare: *He freshened my coffee*, mi versò dell'altro caffè **3** → **to freshen up 4** dissalare (*acqua marina, ecc.*) **B** v. i. **1** rinfrescare: *The air is freshening*, l'aria rinfresca **2** (*del vento*) rinfrescare; aumentare; rinforzare **3** (*dell'acqua marina, ecc.*) diventare dolce; perdere la salinità.

■ **freshen up A** v. t. + avv. rinfrescare; dare una rinfrescata a; ravvivare: **to f. up a sofa with a new cover**, ravvivare un divano con una nuova fodera **B** v. i. + avv. darsi una rinfrescata; rinfrescarsi: *I'd like to f. up and change*, vorrei darmi una rinfrescata e cambiarmi.

freshener /'frɛʃnə(r)/ n. **1** cosa che rinfresca; rinfrescante **2** tonico (*per la pelle, ecc.*).

freshen-up /'frɛʃn'ʌp/ n. (*fam.*) rinfrescata.

fresher /'frɛʃə(r)/ n. (*fam. GB*) studente (universitario) del primo anno; matricola; *What was Freshers Week like?*, com'è stata la settimana delle matricole?

freshet /'frɛʃɪt/ n. **1** torrentello; corso d'acqua **2** piena primaverile (*di un fiume*).

freshly /'frɛʃlɪ/ avv. **1** (seguito da p. p.) di fresco; di recente; appena: **f. baked bread**, pane appena sfornato (*o* fresco di forno); pane di giornata; **f. gathered flowers**, fiori appena colti; fiori freschi **2** con aspetto fresco, vigoroso; con grande freschezza; con forze fresche **3** daccapo; di nuovo **4** (*fam.*) in modo sfacciato; con impertinenza.

freshman /'frɛʃmən/ n. (pl. *freshmen*) **1** studente (universitario) del primo anno; matricola **2** (*USA*) studente del primo anno della scuola secondaria superiore.

freshness /'frɛʃnəs/ n. Ⓤ **1** freschezza **2** vivacità **3** vigoria; forze (pl.) fresche.

freshwater /'frɛʃwɔːtə(r)/ a. **1** d'acqua dolce: **f. fish**, pesci d'acqua dolce; (*fig.*) **f. sailor**, marinaio d'acqua dolce **2** (*fig. USA*) provinciale; poco rinomato: **a f. college**, un college poco rinomato ● (*zool.*) **f. drum** (*Aplodinotus grunniens*), borbottone (*dei fiumi del Nord America*) □ **f. marsh**, palude d'acqua dolce.

freshwoman /'frɛʃwʊmən/ n. (pl. *freshwomen*) **1** studentessa (universitaria) del primo anno; matricola **2** (*USA*) studentessa del primo anno della scuola secondaria superiore

fret① /frɛt/ n. **1** (*archit.*, = **Greek f.**) greca; fregio **2** (*arald.*) cancello.

fret② /frɛt/ n. agitazione; preoccupazione: **to be in a f.**, essere agitato; **to get in a f.**, agitarsi.

fret③ /frɛt/ n. (*mus.: di strumento a corda*) tasto.

to **fret**① /frɛt/ v. t. **1** intagliare; traforare **2** (*archit.*) adornare di greche.

to **fret**② /frɛt/ **A** v. t. **1** agitare; preoccupare; crucciare **2** consumare; corrodere; logorare; intaccare: *to f. iron*, corrodere il ferro **3** increspare (*l'acqua*) **B** v. i. **1** agitarsi; tormentarsi: *You shouldn't f. about everything*, non devi agitarti per ogni cosa **2** (*di bambino*) piagnucolare **3** consumarsi; corrodersi; logorarsi **4** (*dell'acqua*) incresparsi ● **to f. and fume**, essere sulle spine; rodersi il fegato.

fretboard /'frɛtbɔːd/ n. (*mus.: di strumento a corda*) tastiera.

fretful /'frɛtfl/ a. irritabile; nervoso; stizzoso; (di bambino) piagnucoloso | **-ly** avv. | **-ness** n. ⓤ.

fretsaw /'frɛtsɔː/ n. seghetto da traforo.

fretted ① /'frɛtɪd/ a. **1** (archit., ecc.) adorno di greche **2** intagliato; traforato.

fretted ② /'frɛtɪd/ a. (mus.: di strumento a corda) fornito di tasti; con tastiera: **f. instruments**, strumenti a corda con tastiera.

fretting /'frɛtɪŋ/ n. ⓤ **1** corrosione; usura; sfregamento **2** agitazione.

fretwork /'frɛtwɜːk/ n. ⓤ lavoro d'intaglio (o di traforo) (in legno).

Freudian /'frɔɪdɪən/ (psic.) **A** a. freudiano: **F. slip**, lapsus freudiano **B** n. seguace di Freud; freudiano || **Freudianism** n. ⓤ freudismo.

Frey /freɪ/, **Freya** /'freɪə/ n. (mitol.) Freia.

Fri. abbr. (**Friday**) venerdì (ven.).

friable /'fraɪəbl/ a. friabile || **friability** n. ⓤ friabilità || **friableness** n. ⓤ friabilità.

friar /'fraɪə(r)/ n. (relig.) frate ● **F. Minor**, frate minore; francescano ☐ (farm.) **f.'s balsam**, tintura di benzoino ☐ **Austin Friars**, (frati) agostiniani ☐ **Black Friars**, (frati) domenicani ☐ **Grey Friars**, (frati) francescani ☐ **White Friars**, (frati) carmelitani.

friary /'fraɪərɪ/ n. convento (o comunità) di frati.

fribble /'frɪbl/ n. **1** persona frivola; perditempo **2** frivolezza; sciocchezza.

to **fribble** /'frɪbl/ v. i. frivoleggiare; essere frivolo; gingillarsi.

fricandeau /'frɪkændəʊ/ n. ⓤ (pl. **fricandeaus**, **fricandeaux**) (cucina) fricandò.

fricassee /'frɪkəsiː/ n. ⓤ (cucina) fricassea.

to **fricassee** /'frɪkəsiː/ v. t. cucinare (o fare) in fricassea ● **fricasseed chicken**, fricassea di pollo.

fricative /'frɪkətɪv/ (fon.) **A** a. fricativo **B** n. (consonante) fricativa.

fricking /'frɪkɪŋ/ (eufem. slang per **fucking**) **A** a. maledetto; del cavolo; del diavolo **B** avv. molto, assai.

friction /'frɪkʃn/ n. **1** ⓤ attrito; frizione: **angle of f.**, angolo d'attrito; (autom.) **f. clutch**, innesto a frizione; **f. disk**, disco della frizione **2** ⓒⓤ (fig.) attrito; frizione; animosità; antagonismo; contrasto; disaccordo: There's going to be f. between the two directors, ci sarà attrito fra i due amministratori; **f. in the family**, contrasti in famiglia **3** (med.) frizione; massaggio ● (mecc.) **f.-brake**, freno ad attrito ☐ (mecc.) **f. coupling**, innesto a frizione ☐ (mecc.) **f. gearing** (o **f. drive**), trasmissione a frizione ☐ (USA) **f. tape**, nastro isolante.

frictional /'frɪkʃənl/ a. **1** (fis.) frizionale; (mecc.) di attrito **2** (econ.) frizionale: **f. unemployment**, disoccupazione frizionale ● (mecc.) **f. damper**, smorzatore per attrito ☐ **f. electricity**, triboelettricità ☐ (ferr., mecc.) **f. grip**, aderenza (delle ruote alle rotaie).

frictionless /'frɪkʃənləs/ a. (fis., mecc.) privo d'attrito.

♦**Friday** /'fraɪdeɪ, -dɪ/ n. ⓤⓒ venerdì ● **Good F.**, il Venerdì Santo ❶ CULTURA ▪ = **bank holiday** → **bank**②; **Good Friday Agreement**: accordi firmati il 10 aprile 1998 dal governo irlandese e da quello britannico, fondamentali per il processo di pace nell'Irlanda del Nord; He'll **arrive on f.** E. (USA e fam. ingl.: He'll arrive F.), arriverà venerdì; He's at home on Fridays, di venerdì è a casa (per gli esempi d'uso → **Tuesday**).

♦**fridge** /frɪdʒ/ n. (fam.) frigorifero; frigo (fam.) ● **f.-freezer**, frigocongelatore.

fried /fraɪd/ **A** pass. e p. p. di **to fry B** a. **1** fritto: **f. fish**, pesce fritto; **f. food**, cibi fritti; fritto **2** (slang USA) sbronzo **3** (slang USA) sfinito; fuso (fam.).

♦**friend** /frɛnd/ n. **1** amico, amica: **a good f. of mine**, un mio buon amico; **my best f.**, il mio migliore amico; **family f.**, amico di famiglia; **male friends**, amici (maschi); **female friends**, amiche; We're good friends, siamo buoni amici; He's no f. of virtue, non è amico delle virtù **2** (al pl.) alleati; nazione amica **3** – (relig.) F., quacchero, quacchera: **the Society of Friends**, i quaccheri ● **f. or foe**, amico o nemico ☐ **Let's be friends again**, facciamo la pace; ritorniamo amici ☐ **to be friends with**, essere amico di ☐ **friends in high places** (o **friends at court**), amici altolocati (o in alto loco); amicizie importanti (o influenti); santi in paradiso (fam.) ☐ **to keep** (o **to stay**) **friends with sb.**, rimanere amici con q. ☐ **to make friends again**, rifare amicizia; rappacificarsi ☐ **to make friends easily**, fare amicizia facilmente ☐ **to make friends with sb.**, fare amicizia con q. ☐ (polit., GB, detto a un membro della Camera dei comuni) **my honourable f.**, il mio onorevole collega ☐ (leg.) **my learned f.**, il mio dotto collega ☐ (polit., GB, detto a un membro della Camera dei Lord) **my noble f.**, il mio nobile collega ☐ (fam. scherz.) **With friends like these who needs enemies?**, per fortuna che ci sono degli amici!; dagli amici mi guardi Iddio, ché dai nemici mi guardo io (prov.) ☐ (prov.) **A f. in need is a f. indeed**, il vero amico si conosce al bisogno.

friendless /'frɛndləs/ a. senza amici; privo d'amici; solo | **-ness** n. ⓤ.

♦**friendly** /'frɛndlɪ/ **A** a. **1** cordiale; affabile; amichevole: **f. manners**, modi cordiali; **a f. welcome**, un'accoglienza cordiale **2** di (o da) amico; in amicizia: **f. advice**, consiglio da amico; **on f. terms**, in rapporti di amicizia; **in a f. way**, amichevolmente **3** (solo attr.) amico; che è in confidenza: He's very f. with Mary, è molto amico di Mary; **to get f. with**, entrare in confidenza con; prendersi delle confidenze con **4** (leg., sport) amichevole: **f. adjustment**, compromesso amichevole; **f. settlement**, accordo amichevole; **a f. match [game]**, un incontro [una partita] amichevole **5** propizio; favorevole: **f. breeze**, brezza favorevole **6** alleato; non ostile; amico: **f. nations**, paesi alleati (o amici); (mil.) **f. fire**, fuoco amico **7** accogliente; confortevole: **a f. place**, un posto accogliente **8** (nei composti) non nocivo per; a difesa di; di facile uso per: **environmentally f.**, non nocivo per l'ambiente; **consumer-f.**, a difesa del o (che tutela il) consumatore; **user-f.**, facile; accessibile; intuitivo **B** n. (sport) (partita) amichevole **C** avv. **1** amichevolmente; affabilmente **2** amichevolmente; da amico ● (leg.) **f. action**, azione amichevole ☐ (leg.) **f. composition**, transazione amichevole ☐ (leg.) **f. divorce**, divorzio consensuale ☐ (econ., fin.) **f. merger**, fusione amichevole (di aziende) ☐ (GB) **f. society**, società di mutuo soccorso || **friendliness** n. ⓤ cordialità; dimostrazione di amicizia.

♦**friendship** /'frɛndʃɪp/ n. ⓤ amicizia: **close f.**, amicizia intima; **a lifelong f.**, un'amicizia di una vita; **to form** (o **to strike up**) **a f. with**, fare amicizia con; diventare amico di; **the f. between our countries**, l'amicizia fra i nostri paesi ● **f. bracelet**, braccialetto dell'amicizia.

frier /'fraɪə(r)/ → **fryer**.

Friesian /'friːʒən/ n. e a. (GB) (vacca) frisona.

frieze ① /friːz/ n. **1** (archit.) fregio **2** fascia ornamentale; fregio.

frieze ② /friːz/ n. ⓤ (ind. tess.) ratina.

to **frieze** /friːz/ (ind. tess.) v. t. ratinare || **friezing** n. ⓤ ratinatura ● **friezing machine**, ratinatrice.

frig ① /frɪg/ n. (volg.) **1** chiavata, scopata **2** sega.

frig ② /frɪg/ n. (fam. antiq.) frigo; frigorifero.

to **frig** /frɪg/ v. t. e i. (volg.) **1** fottere, chiavare, scopare (volg.) **2** fare, farsi una sega (volg.) ● (fam.) **to f. about** (o **to f. around**), perdere tempo; non fare un tubo (pop.); cazzeggiare (volg.).

frigate /'frɪgət/ n. **1** (naut., anche stor.) fregata **2** (zool., Fregata; = **f. bird**) fregata.

frigging /'frɪgɪŋ/ (volg.) **A** a. maledetto; fottuto (volg.): You f. idiot!, maledetto idiota! **B** n. ⓤ scopata, scopate (volg.).

fright /fraɪt/ n. **1** ⓤⓒ paura; spavento: **to die of f.**, morire di paura; **to shake with f.**, tremare di paura; **to cry out in f.**, gridare di paura; **to give sb. a f.**, spaventare q.; far paura a q.; **to take f.** (**at st.**), spaventarsi (per qc.); impaurirsi (per qc.) **2** (fam.) persona (o cosa) spaventosa o grottesca; spauracchio; spavento; orrore: His clothes were a f., i suoi vestiti facevano spavento; **to look a f.**, essere conciato da far paura; essere uno spavento ● (fam.) **to get the f. of one's life**, morire dallo spavento ☐ **to give sb. the f. of his life**, spaventare a morte q.

♦to **frighten** /'fraɪtn/ **A** v. t. spaventare; impaurire; far paura a; intimorire: I was frightened by his looks, il suo aspetto mi spaventò; **to f. sb. to death, spaventare a morte q.; far morire q. di paura B** v. i. spaventarsi; impaurirsi: She doesn't f. easily, non si spaventa facilmente ● (fam.) **to f. the life** (o **the living daylights**) **out of sb.**, mettere in corpo a q. una paura del diavolo; far morire di paura q. ☐ **to f. sb. into doing st.**, indurre q. a fare qc. mettendogli paura ☐ **to f. sb. out of his senses** (o **wits**), spaventare a morte q.; far morire q. di paura.

■ **frighten away** v. t. + avv. mettere in fuga (spaventando).

■ **frighten off** v. t. + avv. far desistere (o scoraggiare) mettendo paura.

♦**frightened** /'fraɪtnd/ a. spaventato; impaurito; che ha paura: **a f. child**, un bambino spaventato; **a f. look**, uno sguardo spaventato; un'occhiata di paura; **to be f.**, aver paura; essere spaventato: She was too f. to run, era troppo spaventata per scappar via; I'm not f. of him, non ho paura di lui; **to get f.**, spaventarsi; impaurirsi; prendere paura; **to be f. at** (o **by**), spaventarsi per ● **to be f. to death**, spaventato a morte; morto di paura ☐ **badly f.**, spaventatissimo; terrorizzato ☐ **to be f. of heights**, soffrire di vertigini.

frightener /'fraɪtənə(r)/ n. (fam. GB) intimidatore ● **to put the frighteners on**, intimidire; minacciare.

♦**frightening** /'fraɪtnɪŋ/ a. **1** spaventoso; pauroso **2** molto allarmante.

frightful /'fraɪtfl/ a. **1** spaventoso; spaventevole; terribile **2** (fam., enfat.) orribile; tremendo; atroce: **f. weather**, tempo orribile; **a f. bore**, un tremendo seccatore; **f. manners**, maniere atroci || **frightfully** avv. **1** spaventosamente **2** (fam., enfat.) molto: **frightfully nice**, simpaticissimo; I'm frightfully sorry, sono davvero spiacente; sono desolato || **frightfulness** n. ⓤ spaventosità.

frigid /'frɪdʒɪd/ a. **1** (anche fig.) molto freddo; gelido; glaciale: **a f. climate**, un clima molto freddo; **the f. zones**, le zone glaciali; **a f. stare**, uno sguardo glaciale **2** (med., psic.) frigida ● (geogr.) **f. zone**, zona glaciale || **frigidity**, **frigidness** n. ⓤ **1** freddezza; gelo **2** (med., psic.) frigidità || **frigidly** avv. **1** con (grande) freddezza; gelidamente **2** (med., psic.) frigidamente.

frigidarium /frɪdʒɪ'deərɪəm/ n. (pl. **frigidaria**) (stor.) frigidario.

frill /frɪl/ n. **1** gala increspata; balza arricciata; volant **2** (fig.) orlo increspato; bordura; corona **3** (zool.) collare, collarino (di pelo o penne) **4** (al pl.) fronzoli; orpelli; acces-

sori superflui: **They want a car with no frills**, vogliono una macchina senza optional ● **no-frills**, senza fronzoli; semplice; essenziale; spartano.

to **frill** /frɪl/ **A** v. t. **1** arricciare; increspare **2** ornare di gale (o di balze) **B** v. i. arricciarsi.

frilled /frɪld/ a. ornato di gale; increspato ● (*zool.*) f. (o f.-neck) **lizard** (*Chlamydosaurus kingii*), clamidosauro □ (*zool.*) f. **shark** (*Chlamydoselachus anguineus*), squalo frangiato.

frillery /ˈfrɪləri/ n. ⓤ **1** gale (pl.); trine (pl.) **2** fronzoli (pl.); ammennicoli (pl.).

frilling /ˈfrɪlɪŋ/ n. ⓤ **1** stoffa per gale **2** → **frill**, def. 4.

frilly /ˈfrɪli/ **A** a. ornato di gale, volant o pizzi; (*spreg.*) fru fru: **a f. blouse**, una camicetta ornata di volant; una camicetta fru fru; **f. pants**, mutandine col pizzo **B** n. (al pl.) biancheria ornata di pizzi.

fringe /frɪndʒ/ **A** n. **1** frangia (ornamentale); penero **2** (*GB, di capelli*) frangia: **to wear a f., portare la frangetta 3** orlo; margine; zona marginale: **to live on the fringes of society**, vivere ai margini della società **4** (= f. **group**) frangia; fazione; ala; gruppuscolo: **the radical f. of a party**, l'ala radicale di un partito; **the extreme-left f.**, la frangia dell'ultrasinistra **5** (*fis.*) frangia **6** (*fotogr.*) iridescenza **B** a. attr. **1** marginale; collaterale; periferico; accessorio: **f. role**, ruolo marginale; **f. benefit**, fringe benefit; beneficio accessorio; indennità accessoria; (*econ.*) **f. market**, mercato marginale **2** anticonvenzionale; alternativo: **f. medicine**, medicina alternativa; **f. theatre**, teatro alternativo; teatro off.

to **fringe** /frɪndʒ/ **A** v. t. **1** ornare di frange; frangiare **2** orlare; contornare: *The lake is fringed with luxuriant vegetation*, il lago è contornato da una vegetazione lussureggiante **B** v. i. (*spesso to f. out*) estendersi come una frangia.

fringed /frɪndʒd/ a. frangiato; con frangia; con frange.

fringeless /ˈfrɪndʒləs/ a. senza frange.

fringing /ˈfrɪndʒɪŋ/ n. ⓤⓒ frangiatura ● (*geogr.*) **f. reef**, scogliera areale.

fringy /ˈfrɪndʒi/ a. **1** simile a una frangia **2** ornato di frange; frangiato.

frippery /ˈfrɪpəri/ n. **1** ⓤ fronzoli (pl.); orpelli (pl.) **2** cianfrusaglie (pl.); roba da rigattiere.

frisbee® /ˈfrɪzbiː/, **frisby** /ˈfrɪzbi/ n. ⓤ frisbee.

Frisian /ˈfrɪziən/ **A** a. frisone **B** n. **1** frisone **2** ⓤ frisone (*la lingua*).

frisk /frɪsk/ n. **1** (*fam.*) perquisizione (personale) **2** salto; saltello.

to **frisk** /frɪsk/ **A** v. t. **1** (*fam.*) perquisire (q.) **2** agitare; scuotere: *The puppy frisked its tail*, il cucciolo agitava la coda **3** (*slang USA*) borseggiare; scippare **B** v. i. (*spec. di animale*) saltellare; sgambettare; far capriole; ruzzare.

frisket /ˈfrɪskɪt/ n. **1** (*tipogr.*) fraschetta **2** (*grafica, USA*) maschera.

frisky /ˈfrɪski/ a. **1** saltellante; sgambettante **2** vivace; vispo; giocherellone; pazzarello | **-ily** avv. | **-iness** n. ⓤ.

frisson /ˈfriːsɒn/ (*franc.*) n. brivido (*di piacere, d'eccitazione*); fremito.

frit [1] /frɪt/ n. ⓤ **1** (*ind. del vetro*) miscela vetrificabile **2** (*ind. ceramica*) fritta.

frit [2] /frɪt/ a. (*dial. GB*) impaurito; spaventato.

to **frit** /frɪt/ v. t. (*tecn.*) fondere parzialmente (*materiali*).

frit fly /ˈfrɪtflaɪ/ loc. n. (*zool.*, *Oscinella frit*) oscinide; mosca frit.

frith /frɪθ/ → **firth**.

fritillary /frɪˈtɪləri/ n. **1** (*bot.*, *Fritillaria*)

fritillaria 2 (*bot.*, *Fritillaria meleagris*) meleagride; dama a scacchiera **3** (*zool.*, *Argynnis*) argininde.

fritt /frɪt/ → **frit** [1].

fritter /ˈfrɪtə(r)/ n. (*cucina*) frittella (*ripiena di frutta, verdura, ecc.*).

to **fritter away** /ˈfrɪtə(r)/ v. t. + avv. sciupare; sprecare; scialacquare: **to fritter away one's time**, sciupare il proprio tempo; **to fritter away one's money**, scialacquare il proprio denaro.

fritting /ˈfrɪtɪŋ/ n. ⓤ (*ind. vetro*) vetrificazione.

Fritz /frɪts/ n. (*stor.*, *spreg.*) **1** (soldato) tedesco (*spec. nella prima guerra mondiale*) **2** (collett.) (i) tedeschi.

fritz /frɪts/ n. (*fam.*, *USA*; *solo nelle loc.*): **to be on the f.**, essere guasto (o rotto); non funzionare; **to go on the f.**, rompersi; guastarsi.

Friulian /frɪˈuːliən/ **A** a. friulano **B** n. **1** friulano **2** ⓤ friulano (*la lingua*).

to **frivol** /ˈfrɪvl/ v. i. (*fam.*) frivoleggiare; essere frivolo ● **to f. away**, scialacquare; sprecare (*tempo, denaro, ecc.*).

frivolity /frɪˈvɒləti/ n. **1** ⓤ frivolezza; futilità; leggerezza **2** frivolezza; comportamento; discorso, divertimento frivolo.

frivolous /ˈfrɪvələs/ a. frivolo; futile; leggero | **-ly** avv. | **-ness** n. ⓤ.

friz, **frizz** /frɪz/ n. ⓤ **1** arricciatura; crespo **2** capelli (pl.) ricci; testa riccia.

to **friz**, to **frizz** [1] /frɪz/ **A** v. t. arricciare, increspare (*i capelli*) **B** v. i. (*di capelli*) arricciarsi; incresparsi.

to **frizz** [2] /frɪz/ v. i. sfriggere; sfrigolare.

frizzle /ˈfrɪzl/ n. ⓤ capelli (pl.) ricci.

to **frizzle** [1] /ˈfrɪzl/ **A** v. t. arricciare, increspare (*i capelli*) **B** v. i. (*di capelli*) arricciarsi; incresparsi.

to **frizzle** [2] /ˈfrɪzl/ **A** v. t. **1** friggere (*fino a rendere croccante*) **2** cuocere sulla griglia, sulla graticola **3** bruciacchiare **B** v. i. friggere; sfrigolare.

frizzly /ˈfrɪzli/, **frizzy** /ˈfrɪzi/ a. (*di capelli*) riccio; crespo.

fro [1] /frəʊ/ avv. (solo nella loc.): **to and fro**, avanti e indietro; su e giù.

fro [2] /frəʊ/ n. (*fam. USA*) → **Afro**.

frock /frɒk/ n. **1** abito, vestito (*da donna o da bambina*) **2** (*eccles.*, *antiq.*) tonaca (*di frate*); veste; abito talare **3** (*stor.*) camiciotto, blusa (*da contadino*) **4** (*stor.*) maglietta da marinaio ● **f. coat**, finanziera; redingote; stiffelius.

to **frock** /frɒk/ v. t. **1** vestire; ricoprire (→ **frock**) **2** rivestire (q.) dell'abito talare; ordinare (q.) sacerdote.

frocked /frɒkt/ a. **1** (*di donna o bambina*) che indossa un abito **2** (*eccles.*) che indossa la tonaca; che porta la veste talare.

frog [1] /frɒg/ n. **1** (*zool.*) rana; ranocchio **2** (*slang spreg.*) francese; mangiarane (*pop.*) **3** (*di archetto di violino, ecc.*) nasetto **4** (*ferr.*) cuore (*d'incrocio di binari*); (*USA*) rotaia a zampa di lepre **5** (*agric.*) ceppo, dentale (*dell'aratro*) **6** (*elettr.*) incrocio aereo ● (*nuoto*) **f. kick**, spinta di gambe (*nel nuoto a rana*) □ (*fam.*) **to have a f. in one's throat**, avere la raucedine; essere rauco □ (*med.*) **f. test**, test della rana (*diagnosi di gravidanza*) □ (*med.*, *vet.*) **f. tongue**, ranula.

frog [2] /frɒg/ n. **1** alamaro **2** (*mil.*) pendaglio (*di spada*).

frog [3] /frɒg/ n. (*zool.*) fettone, forchetta (*di zoccolo di cavallo*).

frogfish /ˈfrɒgfɪʃ/ n. (pl. **frogfish**, **frogfishes**) (*zool.*) **1** (*Antennarius hispidus*) pesce rana **2** (*Lophius piscatorius*) rana pescatrice.

frogged /frɒgd/ a. guarnito d'alamari.

froggy /ˈfrɒgi/ **A** a. **1** simile a rana **2** pie-

no di rane **B** n. (*slang spreg.*) francese; mangiarane (*pop.*).

froglet /ˈfrɒglət/ n. piccola rana; ranocchietta.

frogman /ˈfrɒgmən/ n. (pl. **frogmen**) uomo rana; sommozzatore.

frogmarch /ˈfrɒgmɑːtʃ/ n. ⓤ trasporto di q., con la faccia verso terra, da parte di quattro persone che lo tengono per le braccia e per le gambe.

to **frogmarch** /ˈfrɒgmɑːtʃ/ v. t. **1** spingere avanti (q.) tenendogli le braccia strette dietro la schiena **2** trasportare (q.) a faccia in giù reggendolo in quattro per le braccia e le gambe.

frogspawn /ˈfrɒgspɔːn/ n. ⓤ uova (pl.) di rana.

frolic /ˈfrɒlɪk/ **A** a. (*arc.*) allegro; giocoso; scherzoso **B** n. ⓤ **1** gioco allegro; divertimento; spasso **2** gioco erotico.

to **frolic** /ˈfrɒlɪk/ v. i. **1** saltellare allegramente; sgambettare; ruzzare **2** divertirsi; spassarsela.

frolicsome /ˈfrɒlɪksəm/ a. allegro; birichino; giocoso; pazzarello; scherzoso; vispo | **-ly** avv. | **-ness** n. ⓤ.

♦**from** /frɒm, frəm/ prep. **1** (provenienza, derivazione, origine, allontanamento) da; da parte di (q.): **to start f. London**, partire da Londra; **to be absent f. school**, essere assente da scuola; *Where are you f.?*, di dove sei?; da dove vieni?; *I'm f. Italy*, sono italiano; *I'm f. Macclesfield*, sono di Macclesfield; **a fall f. a horse**, una caduta da cavallo; **to be far f. home**, essere lontano da casa; **to go away f. home**, andarsene da casa; **to translate f. French**, tradurre dal francese; *Tell him f. me that...*, ditegli da parte mia che...; *You will hear f. my solicitor*, avrete notizie da parte del mio avvocato; vi contatterà il mio avvocato; *There were f. twenty to thirty people in the room*, nella stanza c'erano dalle venti alle trenta persone; *It's Dave Fox f. Cooper and Cooper*, sono Dave Fox della Cooper and Cooper **2** (sottrazione, esclusione) a; (separazione) da: **to take st. f. sb.**, portare via (o prendere, togliere) qc. a q.; **to separate st. f. st.**, separare qc. da qc.; **to hide the truth f. sb.**, nascondere la verità a q.; **to keep a secret f. others**, nascondere un segreto agli altri; **to require st. f. sb.**, richiedere qc. a q.; esigere qc. da q.; **to prevent sb. f. doing st.**, impedire a q. di fare qc. **3** (causa) per; a causa di; di: **to speak f. experience**, parlare per esperienza; **to suffer f. hunger** [f. rheumatism], soffrire per la fame [di reumatismi]; **to tremble f. fear**, tremare di (o dalla o per la) paura **4** (tempo) da; a partire da: **f. next Monday**, da lunedì prossimo **5** (differenza): *She was different f. her classmates*, era diversa dai suoi compagni; **to tell** (o **to know**) **one thing f. another**, distinguere una cosa da un'altra **6** (mezzo o materia) con; di: *Flour is made f. wheat*, la farina si fa col grano; **a box made f. wood**, una scatola fatta di legno **7** (limitazione) a giudicare da; a: **f. what I saw**, a giudicare da quello che vidi; **f. what he tells me**, a quanto mi dice (o asserisce) ❶ NOTA: *da* → **da** (*sezione italiana*) ● **f. A to B**, da un punto all'altro □ **f. A to Z**, dall'A alla Z; (*fig.*) da cima a fondo: **to know st. f. A to Z**, sapere qc. a menadito □ **f. above**, dal disopra; di sopra □ **f. bad to worse**, di male in peggio □ **f. behind**, dal didietro; da dietro □ **f. beneath**, dal disotto; da sotto □ **f. day to day**, di giorno in giorno; da un giorno all'altro □ **f. hand to hand**, di mano in mano □ **f. long ago**, da un tempo remoto □ **f. mouth to mouth**, di bocca in bocca □ **f. over**, dal disopra; da sopra □ **f. my point of view**, dal mio punto di vista □ **f. time to time**, di quando in quando; di tanto in tanto □ **f. top to toe**, da cima a fondo □ (*fam.*

USA) **f. way back**, da molto tempo; da tempo immemorabile □ **to paint f. life**, dipingere dal vero □ (*mus.*) **to play f. memory**, suonare a memoria.

frond /frɒnd/ n. (*bot.*) **1** fronda (*di felce, palma, ecc.*) **2** tallo fogliaceo ‖ **frondage** n. Ⓤ fronde; fogliame ‖ **frondose** a. frondoso.

♦**front** /frʌnt/ Ⓐ n. **1** parte anteriore; davanti; (*archit., edil.*) facciata; (*di treno, ecc.*) testa, davanti; (*di libro*) copertina, frontespizio; (*di indumento*) davanti, petto; (*di camicia inamidata*) sparato: **the f. of a building**, la facciata di un edificio; **the f. of a plane [of a car]**, la parte anteriore di un aereo [di un'auto]; **the f. of a shop**, la vetrina di un negozio; **the f. of a coat**, il davanti di una giacca; **at the f. of the stage**, sul proscenio; **to move to the f.**, portarsi davanti; (*autom.*) **to sit in the f.**, sedere davanti; *If you stay near the f. I'll tell you when to get off*, se rimane davanti le dico quando scendere; *Which side is the f.?*, quale lato è il davanti? **2** (*mil.*) fronte (m.); prima linea: *Fresh troops were sent to the f.*, truppe fresche furono mandate al fronte **3** (*fig. e polit.*) fronte (m.); campo: **the home f.**, il fronte interno (*o* nazionale); **the popular (*o* people's) f.**, il fronte popolare; *What's happening on the wages f.?*, che cosa succede sul fronte salariale?; **on all fronts**, su tutti i fronti; **a change of f.**, un cambiamento di fronte; **to present a united f.**, presentare un fronte unito **4** (*meteor.*) fronte (m.): **a cold f.**, un fronte freddo **5** (= seafront) lungomare; lungolago: **a hotel on the f.**, un albergo sul mare (*o* in prima linea) **6** aspetto, atteggiamento esteriore; facciata; apparenza: *His coldness is just a f. for his shyness*, la sua freddezza è solo una facciata che nasconde la sua timidezza; **to put on a brave f.**, mostrarsi coraggioso; fare mostra di coraggio **7** Ⓤ (*fam.*) (attività di) copertura; facciata; paravento: *The shop is a f. for drug dealing*, il negozio è una copertura per un traffico di droga **8** Ⓤ (*fig.*) impudenza; sfacciataggine; faccia tosta: *He had the f. to ignore me*, ebbe la sfacciataggine di fingere di non vedermi **9** ciuffo di capelli (*spec. falsi*) sulla fronte; frontino **10** tesa anteriore (*di cappellino*) **11** (*poet.*) fronte (f.); viso; faccia **12** (al pl.) testa (*di distillato*) Ⓑ **a. attr. 1** anteriore; frontale; davanti; in (*o* di) testa; primo: **f. garden**, giardino davanti alla casa; **the f. page of a newspaper**, la prima pagina d'un giornale; (*autom., ecc.*) **f. wheel**, ruota anteriore; (*ferr.*) **f. carriage**, carrozza di testa; **f. cover**, copertina; **f. row**, fila davanti; prima fila; **f. seat**, (*autom.*) sedile anteriore; (*a teatro, ecc.*) posto di prima fila; **f. door**, porta di casa; portone; (*mil. e fig.*) **f. line**, prima linea **2** (*fon.*) anteriore; palatale **3** (*fig.*) di facciata; di copertura; di paravento: **f. agency [organization]**, ente [organizzazione] di copertura ● (*polit., in GB*) **the f. benches**, la prima fila di posti nei due settori della Camera dei Comuni; (*estens.*) i membri del governo; i capi dell'opposizione □ (*polit., in GB*) **f.-bencher**, membro del governo; membro del governo ombra □ **f. cover**, copertina (*di libro, ecc.*); prima di copertina □ (*nuoto*) **f. crawl**, crawl □ (*mecc.*) **f. derailleur**, deragliatore (*di bicicletta*) □ (*autom.*) **f. drive = f.-wheel drive** → *sotto* □ **f. end**, davanti, parte anteriore (*di un veicolo*) □ (*comput.*) **front-end**, interfaccia utente (*applicazione o servizio con il quale l'utente interagisce frontalmente*) □ **f.-end**, (agg.) del (*o* sul) davanti, anteriore; (*spec. USA*) (pagato) in anticipo, anticipato □ (*fin.*) iniziale, di avviamento: (*fin.*) **f.-end load**, spese d'ingresso (*in un fondo d'investimento*); (*mecc.*) **f.-end loader**, pala caricatrice anteriore (*di una terna*) □ (*fin.*) **f.-end money**, → **f. money**, *sotto* □ (*comput.*: *di dispositivo*) **f.-feed**, ad alimentazione frontale □ (*mil. e

fig.) **f. line**, prima linea: **f.-line troops**, truppe di prima linea □ **f.-liner**, (*mil.*) chi è in prima linea; (*fig.*) oltranzista □ (*comput.*) **f.-load = f.-feed** → *sopra* □ **f.-loader**, lavatrice che si carica dal davanti □ **f. man**, → **frontman** = (*editoria*) **f. matter**, (pagine) preliminari □ (*spec. USA*) **f. money**, anticipo; acconto; (*fin.*) capitale iniziale □ (*fam. USA*) **f. name**, nome di battesimo □ (*USA*) **f. office**, uffici centrali; sede centrale; quartier generale □ **f.-page headline**, titolo di prima pagina □ **f.-page news**, notizie di (*o* da) prima pagina; notizie sensazionali □ **f. rank**, (*mil.*) prima linea; (*fig.*) posizione preminente, di rilievo □ **f.-rank**, (*mil.*) di prima linea; (*fig.*) di prim'ordine, di primo piano: **a f-rank actor**, un attore di primo piano □ (*in GB*) **f. room**, stanza sul davanti (*di una casa monofamiliare*); salotto □ **f. runner**, (*sport*) corridore o cavallo che preferisce fare l'andatura; (*in una gara, un'elezione*) favorito, probabile vincitore; (*fig.*) proposta (*o* idea) che ha più probabilità di successo □ (*autom.*) **f.-wheel drive**, trazione anteriore ● **at the f.**, davanti, in prima posizione; nelle prime file; sul frontespizio (*di un libro*); sul davanti (*di un abito*) ● **in f.**, davanti; avanti; in testa; nei primi posti: **the car in f.**, l'auto davanti; **to get in f.**, passare davanti; passare in testa □ **in f. of**, di fronte; dirimpetto; davanti a; in testa a: **the man seated in f. of me**, l'uomo seduto davanti (*o* di fronte) a me; *The school is in f. of you*, la scuola ti sta di fronte; *She sat in f. of the mirror*, sedette davanti allo specchio; *Not in f. of the children!*, non davanti ai bambini! □ (*fam.*) **on the f. burner**, in esame; urgente ● **out f.**, davanti; in primo piano; (*a teatro*) in platea ● **up f.**, davanti; (*anche*) → **upfront** □ (*mil.*) **Eyes f.!**, fissi!

to **front** /frʌnt/ v. t. **1** essere prospiciente a; affacciarsi su; dare su; guardare su; essere di fronte (*o* di faccia, dirimpetto) a; fronteggiare: *The hotel fronts the lake*, l'albergo dà sul lago **2** essere a capo di (*un'organizzazione, ecc.*); dirigere **3** (*mus.*) essere il cantante di (*un gruppo rock*) **4** (*TV*) essere il conduttore di (*un programma*) **5** affrontare; far fronte a; tener testa a **6** (*spec. al passivo*) porre davanti; provvedere di facciata: *The west facade is fronted by a porch*, davanti alla facciata a ovest c'è una veranda **7** (*fon.*) palatalizzare **8** (*un edificio*) (*fam. USA*) pagare in anticipo; anticipare; versare in acconto.

■ **front for** v. i. + prep. fare da copertura a (*un'attività illegale*).
■ **front onto** v. i. + prep. affacciarsi su; dare su; guardare su.

frontage /ˈfrʌntɪdʒ/ n. **1** tratto di terreno prospiciente una strada, un fiume, ecc. **2** (lunghezza della) facciata (*di un edificio*); fronte (m.) ● (*USA*) **f. road**, strada di accesso (*a una o più case*).

frontager /ˈfrʌntɪdʒə(r)/ n. (*leg.*) frontista.

frontal ① /ˈfrʌntl/ a. **1** frontale; di fronte: **f. view**, veduta frontale (*o* di fronte); (*mil.*) **f. attack**, attacco frontale; **f. nude**, nudo frontale **2** (*anat.*) frontale: **f. bone [lobe]**, osso [lobo] frontale ● (*meteor.*) **f. system**, sistema frontale ‖ **frontally** avv. frontalmente; di fronte.

frontal ② /ˈfrʌntl/ n. **1** frontale (*parte dell'armatura, bardatura, ecc.*) **2** (*relig.*) paliotto **3** (*archit.*) facciata **4** (*anat.*) (osso) frontale.

frontdoor /frʌntˈdɔː(r)/ n. (*comput.*) frontdoor (*interfaccia standard di un applicativo*).

fronted /ˈfrʌntɪd/ a. **1** (*fon.*) palatalizzato **2** (nei composti) con il davanti; con la facciata: **a whitewash-f. cottage**, un villino con la facciata intonacata.

frontier /frʌnˈtɪə(r), ˈfrʌnt-/ Ⓐ n. **1** (*anche fig.*) frontiera; confine: **to cross the f.**, at-

traversare il confine; **the frontiers of science**, le frontiere (*o* i confini) della scienza **2** (*stor. USA*) (la) frontiera (verso l'Ovest) Ⓑ a. attr. di frontiera; di confine; frontaliero: **f. area**, zona frontaliera; di confine; **f. disputes**, dispute di confine; **f. town**, città di frontiera; **f. station**, posto di confine; **f. crossing**, attraversamento del confine; (*anche*) posto di frontiera; **f. worker**, (lavoratore) frontaliero.

frontiersman /frʌnˈtɪəzmən, ˈfrʌnt-/ n. (pl. **frontiersmen**) (*stor. USA*) pioniere.

frontierswoman /frʌnˈtɪəzwʊmən/ n. (pl. **frontierswomen**) (*stor. USA*) pioniera.

frontispiece /ˈfrʌntɪspiːs/ n. **1** (*tipogr.*) illustrazione nell'antiporta (*pagina precedente il frontespizio*) **2** (*archit.*) frontespizio; facciata principale **3** (*archit.*) timpano (*su porta o finestra*) **4** (*teatr., arc.*) proscenio.

to **frontispiece** /ˈfrʌntɪspiːs/ v. t. (*tipogr.*) mettere (*un'illustrazione*) nell'antiporta.

frontless /ˈfrʌntləs/ a. (*archit.*) senza facciata.

frontlet /ˈfrʌntlɪt/ n. **1** benda (*portata sulla fronte*) **2** (*relig. ebraica*) filatterio **3** (*di altare*) paliotto **4** (*zool.*) fronte **5** (*di finimento*) frontale.

to **front-load** /frʌntˈləʊd/ v. i. (*di lavatrice, ecc.*) caricarsi dal davanti.

frontman, **front man** /ˈfrʌntmæn/ loc. n. (pl. **frontmen**, **front men**) **1** rappresentante (*di un'organizzazione*) **2** (*mus.*) cantante (*di un gruppo rock*) **3** (*TV*) conduttore presentatore **4** (*spreg.*) figura di facciata; uomo di copertura (*o* di paglia).

fronton /ˈfrʌntɒn/ n. **1** sferisterio **2** (*archit.*) frontone; timpano.

frontward /ˈfrʌntwəd/ a. e avv., **frontwards** /ˈfrʌntwədz/ avv. sul davanti; in avanti; (*diretto*) verso il davanti (*o* la parte anteriore, la prima linea, ecc.).

frost /frɒst/ n. **1** Ⓤ gelo: **hard** (*o* sharp) **f.**, freddo intenso, rigido; *We had the first hard f. of the year last night*, abbiamo avuto il primo freddo intenso dell'anno ieri sera **2** Ⓤ (= white f.) brina; ghiaccio (*su una superficie*): *The fields are covered with f.*, i campi sono coperti di brina; **f. on the window-panes**, ghiaccio sui vetri delle finestre **3** (= white f.) brinata; gelata: *All the plants died in the last f.*, tutte le piante sono morte nell'ultima gelata **4** Ⓤ (*fig.*) gelo; freddezza **5** (*slang, antiq.*) fallimento; fiasco ● (*USA*) **f. line**, profondità massima di penetrazione del ghiaccio nel terreno □ **f. work**, → **frostwork** □ **black f.**, freddo intenso senza brina □ (*GB*) **degrees of f.**, gradi sotto zero; *We had five degrees of f. last night*, la notte scorsa abbiamo avuto cinque (gradi) sotto zero.

to **frost** /frɒst/ Ⓐ v. t. **1** (*anche* to f. over, to f. up) coprire di ghiaccio (*o* di brina): **frosted windscreens**, parabrezza coperti di ghiaccio **2** far gelare, danneggiare, far morire (*piante, frutta*) **3** (*cucina*) glassare: to f. a cake, glassare una torta **4** smerigliare (*vetro o metallo*): **frosted glass**, vetro smerigliato **5** ferrare a ghiaccio (*un cavallo*) Ⓑ v. i. (*anche* to f. over, to f. up) coprirsi di ghiaccio (*o* di brina); gelare.

frostbite /ˈfrɒstbaɪt/ n. Ⓤ (*med.*) (sintomi da) congelamento: **to suffer from f.**, avere sintomi di congelamento.

frostbitten /ˈfrɒstbɪtn/ Ⓐ p. p. di to **frostbite** Ⓑ a. **1** (*med.*) congelato **2** gelato; coperto di ghiaccio (*o* di brina) **3** (*fig.*) glaciale; freddo.

frostbound /ˈfrɒstbaʊnd/ a. (*del terreno*) gelato; ghiacciato.

frosted /ˈfrɒstɪd/ a. **1** gelato; coperto di brina **2** (*di vetro*) smerigliato **3** (*cucina*) coperto di glassa; glassato.

frostily /ˈfrɒstɪlɪ/ avv. (*anche fig.*) gelida-

mente.

frostiness /'frɒstɪnɪs/ n. Ⓤ **1** gelo; freddo gelido **2** (*fig.*) freddezza; gelo; maniere (pl.) gelide.

frosting /'frɒstɪŋ/ n. Ⓤ **1** (*cucina*) glassa; glassatura **2** smerigliatura decorativa (*del vetro, ecc.*).

frostproof /'frɒstpruːf/ a. **1** resistente al gelo; (*tecn.*) ingelivo **2** (*di frigorifero*) con sbrinamento automatico.

frostwork /'frɒstwɜːk/ n. Ⓤ **1** disegni, arabeschi (pl.) formati dal ghiaccio (*su vetro, ecc.*) **2** (*arte*) arabeschi (pl.).

frosty /'frɒstɪ/ a. **1** (*anche fig.*) gelido; di gelo; glaciale: **a f. night**, una notte gelida; **a f. reception**, un'accoglienza gelida (*o* glaciale) **2** ghiacciato; gelato; coperto di brina: **f. grass**, erba coperta di brina **3** (*di capelli*) bianco; canuto; incanutito.

froth /frɒθ/ n. Ⓤ **1** schiuma; spuma: **the f. on a glass of champagne**, la spuma in un bicchiere di champagne **2** (*med., zool.*) bava (*alla bocca*) **3** (*fig.*) massa leggera; spuma: **a f. of lace**, una spuma di pizzi **4** (*fig.*) cose (pl.) di poca sostanza; frivolezze (pl.); insulsaggini (pl.) ● (*scherz.*) **f.-blower**, bevitore di birra.

to **froth** /frɒθ/ Ⓐ v. i. **1** spumeggiare; spumare; schiumare; fare (la) schiuma: *Beer froths when it is poured out*, la birra spuma quando la si versa **2** (*fig.*) schiumare (*di indignazione, ecc.*) Ⓑ v. t. **1** far spumare; far spumeggiare; far schiumare; far fare la schiuma **2** coprire di schiuma (*o di spuma*) ● (*anche fig.*) **to f. at the mouth**, aver la schiuma (*o la bava*) alla bocca.

frother /'frɒθə(r)/ n. (*chim.*) schiumogeno.

frothy /'frɒθɪ/ a. **1** schiumoso; con la schiuma; spumoso; spumeggiante: **f. cappuccino**, cappuccino con la schiuma; **f. beer**, birra spumeggiante **2** (*fig.*) frivolo; leggero; inconsistente || **frothily** avv. **1** spumeggiando; con la schiuma **2** (*fig.*) frivolamente; futilmente || **frothiness** n. Ⓤ **1** schiumosità; spumosità **2** (*fig.*) frivolezza; leggerezza; inconsistenza.

frottage /'frɒtɑːʒ/ n. **1** Ⓤ (*arte*) frottage **2** Ⓤ strofinamento nascosto contro q. (*a scopo di eccitazione sessuale*); manomorta (*fam.*).

frou-frou /'fruːfruː/ Ⓐ n. Ⓤ **1** fru fru, fruscio (*d'abiti*) **2** (*moda*) fru fru; fronzoli (pl.); trine (pl.) Ⓑ a. fru fru.

froward /'frəʊəd/ a. (*arc.*) riottoso; ostinato.

frown /fraʊn/ n. corrugamento della fronte (*per irritazione, preoccupazione, concentrazione*); aggrottamento delle sopracciglia; espressione accigliata, preoccupata o concentrata; cipiglio: **a worried f.**, un'espressione preoccupata; *He looked at me with a f. of puzzlement*, mi guardò corrugando la fronte perplesso; *There is a f. on your face*, sei accigliato; sei preoccupato per qualcosa.

to **frown** /fraʊn/ v. i. corrugare la fronte (*per irritazione, preoccupazione, concentrazione*); aggrottare le sopracciglia; acciagliarsi: *Why are you frowning?*, perché sei accigliato?; *He read the letter frowning*, lesse la lettera con la fronte corrugata; *She frowned him into silence*, lei lo zittì con un improvviso cipiglio.

■ **frown at** v. i. + prep. guardare con cipiglio; fare gli occhiacci a (*fam.*); guardare con disapprovazione.

■ **frown on** (*o* **upon**) v. i. + prep. disapprovare; condannare: *He frowns on smoking*, disapprova il fumo (*o che si fumi*).

frowning /'fraʊnɪŋ/ a. **1** accigliato; aggrondato; corrucciato: **f. gaze**, sguardo accigliato **2** incombente; minaccioso: **f. cliffs**, dirupi minacciosi || **frowningly** avv. **1** con espressione accigliata; con cipiglio; in modo corrucciato **2** minacciosamente.

frowsiness /'fraʊzɪnəs/ n. Ⓤ = **frowziness → frowzy**.

frowst /fraʊst/ n. Ⓤ (*fam. GB*) caldo e aria viziata || **frowsty** a. (*fam., GB, di aria o ambiente*) caldo e viziato; che sa di chiuso; dall'aria pesante.

frowsy /'fraʊzɪ/ → **frowzy**.

frowzy /'fraʊzɪ/ a. **1** sciatto; trasandato; sciamannato **2** che sa di chiuso; dall'aria pesante || **frowziness** n. Ⓤ **1** sciatteria; trasandatezza **2** odore di chiuso; aria pesante; mancanza d'aria.

froze /frəʊz/ pass. di **to freeze**.

◆**frozen** /'frəʊzn/ Ⓐ p. p. di **to freeze** Ⓑ a. **1** gelato; ghiacciato; coperto di ghiaccio: *The roads were f.*, le strade erano coperte di ghiaccio **2** (*alim.*) congelato; surgelato: **f. food**, cibo congelato **3** (*econ., fin.*) congelato; bloccato: **f. funds**, fondi congelati; **a f. asset**, (*fin., rag.*) un'attività congelata; (*leg.*) un bene bloccato **4** bruciato dal gelo **5** (*fig.*) gelido; glaciale: **a f. look**, uno sguardo gelido **6** (*fig.*) irrigidito; bloccato; arrestato; paralizzato: **f. with fear**, paralizzato dal terrore; **f. in time**, fermo nel tempo ● (*di fiume, lago, ecc.*) **f. over**, coperto dal ghiaccio; gelato □ (*med.*) **f. sleep**, ibernazione □ (*fam.*) **I'm f. stiff**, sono gelato; sono un pezzo di ghiaccio.

FRS sigla (*in GB*, **Fellow of the Royal Society**) membro della «Royal Society».

fructiferous /frʌk'tɪfərəs/ a. (*bot.*) fruttifero.

fructification /frʌktɪfɪ'keɪʃn/ n. Ⓤ **1** (*bot.*) fruttificazione **2** (*bot.*) organi riproduttori (*spec. di felci e muschi*) **3** (*fig.*) il dare frutto; frutto (*fig.*).

to **fructify** /'frʌktɪfaɪ/ Ⓐ v. i. (*bot.*) fruttificare; fruttare; dare frutti (*anche fig.*) Ⓑ v. t. (*bot.*) rendere fruttifero.

fructose /'frʌktəʊs/ n. Ⓤ (*chim.*) fruttosio.

fructuous /'frʌktjʊəs/ a. (*anche fig.*) fruttuoso; fruttifero | **-ly** avv.

frugal /'fruːgl/ a. frugale; parco; parsimonioso; sobrio: **a f. meal**, un pasto frugale; **a f. lifestyle**, uno stile di vita parco; **to be f. with one's money**, spendere con parsimonia || **frugality** n. Ⓤ frugalità; parsimonia; sobrietà || **frugally** avv. frugalmente.

frugivorous /fruː'dʒɪvərəs/ a. (*zool.*) frugivoro.

◆**fruit** /fruːt/ n. **1** (*bot.*) frutto; (al pl., collett., *anche*) frutta (sing.): **exotic fruits**, frutti esotici; **citrus fruits**, agrumi; **fruits and vegetables**, frutta e verdura **2** Ⓤ frutta: **fresh f.**, frutta fresca; **a piece of f.**, un frutto **3** (*lett.*) prodotto agricolo; frutto: **the fruits of the earth**, i frutti della terra **4** (*spesso al pl.*) (*fig.*) frutto; risultato: **the fruits of one's labours**, i frutti del proprio lavoro **5** (*slang spec. USA, spreg.*) finocchio; frocio ● **f.-bearing**, che produce frutti; da frutto □ **f. bowl**, fruttiera □ (*bot.*) **f. bud**, gemma fruttifera □ **f. cocktail** = **f. salad** → *sotto* □ **f. cup**, (*GB*) cocktail di frutta; (*USA*) macedonia di frutta □ **f. farmer** = **f.-grower** → *sotto* □ **f. farming** = **f.-growing** → *sotto* □ (*zool.*) **f. fly**, moscerino della frutta; drosofila □ **f. grove**, frutteto □ **f.-grower**, frutticoltore □ **f.-growing**, (sost.) frutticoltura; (agg.) frutticolo □ **f. gum**, caramella gommosa alla frutta □ **f. juice**, succo di frutta □ **f. knife**, coltello da frutta □ (*fam. GB*) **f. machine**, slot machine; macchinetta mangiasoldi □ (*fig.*) **f. of the womb**, frutto del grembo □ **f. orchard**, frutteto □ (*pitt.*) **f.-piece**, natura morta □ **f. salad**, macedonia di frutta □ **f. shop**, negozio di frutta; fruttivendolo □ (*cucina*) **f. squeezer**, spremifrutta □ **f. stall**, banchetto della frutta (*o* di fruttivendolo) □ **f. sugar**, fruttosio; levulosio □ **f. tree**, albero da frutto □ **to bear f.**, dare frutti (*anche bot.*); **in f.**, che ha i frutti; in frutto □ (*fam. antiq.*) **old f.**, vecchio mio.

to **fruit** /fruːt/ Ⓐ v. i. fruttificare; dare frutti (*anche fig.*) Ⓑ v. t. far fruttificare; fare dar frutti a.

fruitage /'fruːtɪdʒ/ n. Ⓤ (*arc., lett.*) frutta, frutti.

fruitcake /'fruːtkeɪk/ n. **1** (*cucina*) torta con uvette, frutta candita, ecc.; plumcake **2** (*slang, antiq.*) eccentrico; mattoide: *He's a bit of a f.*, è un po' tocco **3** (*slang USA, spreg.*) finocchio; frocio.

fruiter /'fruːtə(r)/ n. **1** albero che dà frutti; albero da frutto **2** nave per il trasporto di frutta **3** coltivatore di frutta; frutticoltore.

fruiterer /'fruːtərə(r)/ n. (*GB*) fruttivendolo.

fruitful /'fruːtfl/ a. **1** fruttifero; fertile **2** fruttuoso; proficuo; remunerativo; redditizio: **a f. plan**, un piano fruttuoso (*o* vantaggioso); **a f. occupation**, un'occupazione redditizia **3** (*antiq.*) fecondo; che genera molti figli: *Be f. and multiply*, crescete e moltiplicatevi | **-ly** avv. | **-ness** n. Ⓤ.

fruition /fruː'ɪʃn/ n. Ⓤ **1** fruizione; godimento; soddisfazione **2** compimento; realizzazione; buon esito; coronamento: **to bring to f.**, portare a compimento; portare a buon fine; **to come to f.**, realizzarsi; giungere a buon fine **3** (*poet.*) fruttificazione.

fruitless /'fruːtləs/ a. **1** infruttuoso; sterile; inutile; vano: **f. peace talks**, inutili (*o* sterili) negoziati di pace **2** che non dà frutto; infruttifero: **a f. plant**, una pianta infruttifera | **-ly** avv. | **-ness** n. Ⓤ.

fruity /'fruːtɪ/ a. **1** che ha sapore (*o odore*) di frutta; (*del vino*) fruttato **2** (*di voce, risata*) caldo; pastoso; profondo **3** (*fam. GB*) piccante; salace; spinto: **a f. story**, una storiella spinta **4** (*slang USA*) matto; tocco; suonato (*pop.*) **5** (*slang spec. USA*) omosessuale.

frumenty /'fruːmənti/ n. Ⓤ (*cucina*) frumento bollito nel latte, zuccherato e aromatizzato con cannella.

frump /frʌmp/ (*fam.*) n. donna trasandata, sciamannata; sciattona || **frumpish**. **frumpy** a. sciatto; trasandato; sciamannato.

◆to **frustrate** /frʌ'streɪt, *USA* 'frʌstreɪt/ v. t. **1** frustrare; far fallire; rendere vano; vanificare; mandare a vuoto: **to f. a plot**, far fallire una congiura **2** ostacolare; bloccare **3** (*fam.*) irritare; deludere.

frustrated /frʌ'streɪtɪd, *USA* 'frʌst-/ a. **1** frustrato; deluso: **f. ambition**, ambizione frustrata; **a f. artist**, un artista frustrato **2** irritato; deluso.

frustrating /frʌ'streɪtɪŋ, *USA* 'frʌst-/ a. frustrante; irritante; seccante; deludente: *How f.!*, che seccatura!

frustration /frʌ'streɪʃn/ n. **1** Ⓤ frustrazione; irritazione; delusione: *I could have wept with f.*, mi sarei messo a piangere dalla frustrazione; *Life is full of frustrations*, la vita è piena di frustrazioni **2** (*psic.*) frustrazione **3** frustrazione; vanificazione **4** (*leg.*) annullamento (*o* estinzione) per impossibilità di esecuzione (*di un contratto*).

frustule /'frʌstjuːl/ n. (*zool.*) frustulo.

frustum /'frʌstəm/ n. (pl. **frustums**, **frusta**) (*geom.*) tronco (*di cono, piramide, ecc.*).

fruticose /'fruːtɪkəʊs/ a. (*bot.*) fruticoso.

fry① /fraɪ/ n. pl. **1** avannotti; pesciolini appena nati; minutaglia (sing.) **2** piccoli (*di rana, insetto, ecc.*) **3** (*fig., spec.* nella loc.:) **small fry**, persone di poco conto; pesci piccoli; (*anche*) bambini.

fry② /fraɪ/ n. **1** Ⓤ (*cucina*) frittura; fritto: **mixed fry**, fritto misto **2** (al pl.) (*cucina, USA*) patatine fritte (*a bastoncino*) **3** (*USA*) festa e raduno in cui si servono cibi fritti.

◆to **fry** /fraɪ/ Ⓐ v. t. **1** friggere: **to fry gently**, soffriggere **2** (*slang USA*) giustiziare (*o* mandare) sulla sedia elettrica Ⓑ v. i. **1** friggere

2 (*fam.*) arrostire (*al sole*) **3** (*slang USA*) morire sulla sedia elettrica.

■ **fry up** v. i. + avv. friggere.

fryer /ˈfraɪə(r)/ n. **1** friggitore; chi frigge (*spec. pesce*) **2** friggitrice **3** (*cucina, USA*) pollo novello.

frying /ˈfraɪɪŋ/ n. ⓤ (il) friggere; frittura ● **f. pan**, padella: (*fig.*) **out of the f. pan into the fire**, dalla padella nella brace □ **f. time**, tempo di frittura.

fry-up /ˈfraɪʌp/ n. (*fam.*) **1** (*cucina, GB*) piatto di uova, salsicce e patate fritte **2** (il) friggere; frittura.

FS sigla (*aeron. mil., GB,* **Flight Sergeant**) maresciallo di 3ª.

FSA sigla **1** (*GB,* GB, **Financial Services Authority**) Autorità per i servizi finanziari (*equivalente della Consob italiana*) **2** (*GB,* **Food Standards Agency**) Agenzia per gli standard alimentari (*ente britannico preposto al controllo della qualità degli alimenti*) **3** (*GB,* **Fellow of the Society of Antiquaries**) membro dell'associazione degli antiquari.

FSF sigla (*comput.,* **Free Software Foundation**) FSF; Fondazione per il software libero.

FSH sigla (*biochim.,* **follicle-stimulating hormone**) ormone follicolo-stimolante.

f-stop /ˈɛfstɒp/ n. (*fotogr.,* = **focal stop**) **1** regolatore di apertura (*o* di luminosità) **2** luminosità; apertura.

ft abbr. (**foot, feet**) piede, piedi (*unità di misura*).

Ft abbr. (**fort**) forte; fortezza.

FTA sigla (**Free Trade Agreement**) Accordo di libero scambio (*tra USA e Canada, firmato nel 1988*).

FTC sigla (*USA,* **Federal Trade Commission**) Commissione federale per il commercio.

FTP sigla (*comput.,* **file transfer protocol**) protocollo per la trasmissione di file; protocollo di trasferimento file.

FTSE sigla (**FTSE 100 Index,** *fam.* **Footsie**) (**Financial Times Stock Exchange**) indice di borsa del «Financial Times» (*basato su 100 titoli*).

fubsy /ˈfʌbzɪ/ a. (*GB, fam.*) piccolo e grasso; grassottello.

fuchsia /ˈfjuːʃə/ n. **1** (*bot., Fuchsia*) fucsia **2** (*color*) fucsia.

fuchsin, fuchsine /ˈfuːksiːn/ n. ⓤ (*chim.*) fucsina; colorante magenta.

fuck /fʌk/ Ⓐ n. **1** (*volg.*) fottuta, chiavata, scopata (*volg.*) **2** partner in un rapporto sessuale Ⓑ inter. (*volg.*) cazzo! (*volg.*) ● **I don't give a f.**, me ne fotto!; non me ne frega un cazzo! □ (*volg.*) **Who the f. are you?**, chi cazzo sei?

◆to **fuck** /fʌk/ Ⓐ v. t. (*volg.*) **1** fottere; chiavare, scopare (*volg.*) **2** rovinare; fottere, mandare a puttane (*volg.*) **3** imbrogliare; fregare (*pop.*); fottere, metterlo in culo a (*volg.*) **4** prendere per il culo (*o* per i fondelli) (*volg.*) Ⓑ v. i. (*volg.*) **1** fottere; scopare – **to f. with**, provocare, rompere il cazzo a (*volg.*): *Don't f. with him, he's dangerous*, non provocarlo, è pericoloso! ● **F. (it)!**, cazzo!, vaffanculo! (*volg.*) ● **F. me!**, cazzo!, porca puttana! (*volg.*) □ **F. you!**, vaffanculo!, fottiti! (*volg.*) □ **Go f. yourself!**, va' a farti fottere!, vaffanculo! (*volg.*).

■ **fuck about** (*o* **around**) Ⓐ v. i. + avv. (*volg.*) **1** scopazzare; scopare a destra e a manca (*volg.*) **2** cazzeggiare, perdere tempo in cazzate, fare cazzeggi (*volg.*) Ⓑ v. t. + avv. → to **fuck**, Ⓐ, def. 3.

■ **fuck about** (*o* **around**) **with** v. i. + avv. + prep. (*volg.*) **1** armeggiare, gingillarsi con **2** rompere il cazzo a, menarla a (*volg.*) **3** prendere per il culo (*o* per i fondelli) (*volg.*).

■ **fuck off** Ⓐ v. i. + avv. (*volg.*) **1** tagliare la corda, squagliarsela (*fam.*); portar via le palle (*volg.*): *He fucked off with the money*, se l'è squagliata coi soldi **2** (di solito all'imper.) levarsi dal cazzo, togliersi dalle palle (*o dai coglioni*) (*volg.*); smammare (*pop.*): **F. off!**, vaffanculo!; va' a farti fottere!; levati (*o* fuori) dai coglioni! Ⓑ v. t. + avv. (*volg.*) far incazzare, rompere il cazzo (*o* le palle) a (*volg.*): *He really fucked me off*, mi ha proprio rotto il cazzo.

■ **fuck over** v. t. + avv. (*volg. USA*) **1** infierire su; maltrattare; tormentare **2** malmenare; pestare; menare (*pop.*).

■ **fuck up** Ⓐ v. t. + avv. (*volg.*) **1** rovinare; scassare (*fam.*); incasinare (*pop.*); mandare a puttane (*volg.*) **2** traumatizzare; incasinare la vita a (*pop.*): traumatizzare: *They f. you up, your mum and dad'* P. LARKIN, 'ti incasinano la vita, papà e mamma' **3** → **fuck over**, def. 2 Ⓑ v. i. + avv. (*volg.*) incasinare tutto (*pop.*); fare una cazzata (*volg.*).

fuck-all /fʌkˈɔːl/ n. ⓤ (*volg., GB*) un cazzo (di niente): *You did fuck-all yesterday*, ieri non hai fatto un cazzo.

fuck-brained /ˈfʌkbreɪnd/ a. (*volg. USA*) deficente; imbecille; cretino.

fucked /fʌkt/ a. (*volg.*) **1** rovinato; fottuto (*volg.*) **2** (*anche* **f. out**) sfinito; spompato, fuso; fottuto (*volg.*) ● **f. off**, incazzato (*volg.*) **f. up**, → **fucked-up**.

fucked-up /ˈfʌktʌp/ a. (*volg.*) **1** nevrotico; paranoico; fuori di testa, scoppiato (*pop.*); che si è fottuto il cervello (*volg.*) **2** incasinato; scassato; fottuto (*volg.*).

fucker /ˈfʌkə(r)/ n. (*volg.*) **1** fottitore, chiavatore, scopatore (*volg.*) **2** cazzone (*volg.*); fesso; bastardo; stronzo (*volg.*) **3** individuo; tipo; tizio: *The poor f. never stood a chance*, quel povero bastardo non ha avuto scampo.

fuckface /ˈfʌkfeɪs/ n. (*volg. USA*) faccia da cazzo (*volg.*); individuo losco; tipaccio.

◆**fucking** /ˈfʌkɪŋ/ Ⓐ a. (*volg.*) fottuto, del cazzo, di merda (*volg.*); schifoso; maledetto: *He's a f. bastard*, è un fottuto bastardo; **a f. nuisance**, una maledetta scocciatura; *Are you out of your f. mind?*, sei pazzo?; che cazzo ti viene in mente? Ⓑ n. ⓤ (*volg.*) il fottere; lo scopare (*volg.*) Ⓒ avv. (*volg.*) molto, assai: **f. huge**, grandissimo; enorme; *He's too f. old*, è troppo vecchio ● **F. hell!**, cazzo! (*volg.*); affanculo! □ **It's no f. use!**, non serve a un cazzo! (*volg.*).

fuck-me /ˈfʌkmɪ/ a. attr. (*volg., spec. di vestito*) sexy; arrapante.

fuck-up /ˈfʌkʌp/ n. (*volg.*) **1** disastro; casino completo (*pop.*); fiasco totale **2** incasinatore (*pop.*); cazzone, coglione (*volg.*).

fuckwad /ˈfʌkwɒd/, **fuckwit** /ˈfʌkwɪt/ n. (*volg.*) coglione, cazzone, testa di cazzo (*volg.*).

fucus /ˈfjuːkəs/ n. (pl. **fuci, fucuses**) (*bot., Fucus*) fuco.

fuddle /ˈfʌdl/ n. confusione, stato confusionale, intontimento, istupidimento (*spec. prodotto dall'alcol*).

fuddled /ˈfʌdld/ a. in stato confusionale, intontito, istupidito (*spec. a causa dell'alcol*).

fuddy-duddy /ˈfʌdɪdʌdɪ/ n. (*fam.*) individuo retrogrado e pomposo; vecchio barbogio; parruccone.

fudge /fʌdʒ/ Ⓐ n. **1** ⓤ caramella fondente (*a base di zucchero, latte, burro e aromi*) **2** espediente di ripiego **3** storia inventata; fandonia; panzana **4** (*giorn.*) (spazio per) notizie dell'ultima ora; notizia lampo Ⓑ inter. (*antiq.*) frottole!; sciocchezze!

to **fudge** /fʌdʒ/ Ⓐ v. t. **1** abborracciare; rabberciare; rattoppare; raffazzonare **2** falsificare, truccare (*informazioni, dati, ecc.*) **3** eludere, evitare (*un argomento*); sottrarsi a: **to f. an issue**, essere evasivo su un argomento; cercare di scansare Ⓑ v. i. **1** ingannare; imbrogliare; ciurlare nel manico

(*fam.*) **2** essere evasivo; scantonare, svicolare (*fam.*).

◆**fuel** /ˈfjuːəl/ n. ⓤ **1** combustibile; (*per motore a scoppio*) carburante: **fossil f.**, combustibile fossile; **nuclear f.**, combustibile nucleare; **heating f.**, combustibile per riscaldamento **2** (*fig.*) alimento; esca: **to add f. to the flames**, aggiungere esca al fuoco; esacerbare ● (*chim., fis.*) **f. cell**, pila a combustibile □ (*tecn.*) **f. economizer**, economizzatore di carburante □ (*fis. nucl.*) **f. element**, elemento di combustibile nucleare □ (*autom.*) **f. filter**, filtro del carburante □ (*autom.*) **f. indicator**, indicatore del livello del carburante □ (*autom.: di motore*) **f.-injected**, a iniezione □ (*autom., mecc.*) **f. injection**, iniezione (di carburante) □ **f. oil**, olio combustibile; nafta □ (*GB, fig.*) **f. poverty**, impossibilità economica di riscaldare adeguatamente la propria abitazione □ (*autom., mecc.*) **f. pump**, pompa della benzina; pompa dell'alimentazione □ (*fis. nucl.*) **f. rod**, barra di combustibile □ (*autom., mecc.*) **f. system**, alimentazione □ **f. tank**, serbatoio del combustibile (*o* del carburante) □ (*autom., fisc.*) **f. tax**, imposta sui carburanti.

to **fuel** /ˈfjuːəl/ Ⓐ v. t. **1** rifornire di combustibile (*o* di carburante): **to f. a ship**, rifornire di carburante una nave **2** alimentare (*un incendio*) **3** (*fig.*) alimentare; accrescere Ⓑ v. i. (*anche* **to f. up**) rifornirsi di combustibile (*o* di carburante); fare rifornimento ● **fuelling station**, stazione di rifornimento (*per navi, ecc.*).

fug /fʌg/ n. ⓤ (*fam.*) aria viziata; odore di chiuso.

fugacious /fjuːˈɡeɪʃəs/ a. fugace; fuggevole; effimero; transitorio | **-ly** avv. | **-ness** n. ⓤ.

fugacity /fjuːˈɡæsɪtɪ/ n. ⓤ (*termodinamica*) fugacità.

fuggy /ˈfʌɡɪ/ a. (*fam.*) che sa di chiuso; stantio; viziato.

fugitive /ˈfjuːdʒətɪv/ Ⓐ a. **1** fuggitivo; fuggiasco; in fuga; evaso; latitante: **a f. slave**, uno schiavo fuggitivo; **a f. criminal**, un criminale evaso **2** fugace; fuggevole; effimero; passeggero: **f. ideas**, idee fuggevoli **3** occasionale: **f. verse**, versi occasionali Ⓑ n. **1** fuggiasco; profugo: **political fugitives**, profughi politici; esuli **2** evaso; latitante ● (*leg.*) **a f. from justice**, uno che si sottrae alla giustizia; un contumace □ (*leg.*) **f. offender**, evaso; latitante.

fugleman /ˈfjuːɡlmən/ n. (pl. **fuglemen**) **1** (*mil., arc.*) capofila; guida **2** (*fig.*) capo; leader (*ingl.*); portavoce.

fugue /fjuːɡ/ n. **1** (*mus.*) fuga: **double f.**, doppia fuga **2** (*psic.*) fuga | **fuguist** n. (*mus.*) compositore (*o* esecutore) di fughe.

fulcrum /ˈfʊlkrəm, ˈfʌl-/ n. (pl. **fulcrums, fulcra**) (*fis., mecc.*) fulcro (*anche fig.*); punto d'appoggio ● (*mecc.*) **f. pin**, fulcro della leva.

◆to **fulfil**, (*USA*) to **fulfill** /fʊlˈfɪl/ v. t. **1** adempiere; compiere; eseguire; svolgere: **to f. one's duty**, compiere il proprio dovere; **to f. an order**, eseguire un ordine; **to f. an obligation**, adempiere un obbligo **2** mantenere; tener fede a: **to f. a promise**, mantenere una promessa **3** appagare; esaudire; realizzare: **to f. one's ambitions**, appagare (*o* realizzare) le proprie ambizioni; **to f. a desire**, appagare un desiderio; **to f. sb.'s expectations**, rispondere pienamente alle aspettative di q.; **to f. oneself**, realizzarsi; (*di profezia, ecc.*) **to be fulfilled**, adempiersi; avverarsi **4** rispettare; soddisfare; ottemperare a; rispondere a: **to f. a condition [a requirement]**, soddisfare una condizione [un requisito]; (*leg.*) rispettare una condizione (*contrattuale*); **to f. certain criteria**, soddisfare certi criteri; **to f. a purpose**, risponde-

a b c d e f g h i j k l m n o p q r s t u v w x y z

re a uno scopo **5** completare; effettuare; portare a termine: **to f. a period**, completare un periodo **6** (*comm.*) evadere; far fronte a (*un ordinativo*) || **fulfiller** n. (*anche leg.*) chi adempie (*un obbligo, ecc.*); esecutore, esecutrice (*di un contratto*) || **fulfilling** a. appagante; di soddisfazione; gratificante.

fulfilment, (*USA anche*) **fulfillment** /fʊlˈfɪlmənt/ n. [U] **1** adempimento; compimento; esecuzione: **the f. of one's duty**, l'adempimento del proprio dovere; (*leg.*) **the f. of a contract**, l'esecuzione di un contratto **2** soddisfazione; ottemperanza; adempimento: **the f. of a requirement**, la soddisfazione di un requisito **3** appagamento; soddisfazione; gratificazione: **to get one's f. in st.**, trovare appagamento (*o* la propria gratificazione) in qc.; **sexual f.**, appagamento sessuale **4** realizzazione; coronamento; (l')avverarsi: **the f. of a dream**, la realizzazione di un sogno; **to come to f.**, adempiersi; realizzarsi.

fulgent /ˈfʌldʒənt/ (*poet.*) a. fulgente; fulgido; splendente.

to **fulgurate** /ˈfʌlgjʊreɪt/ v. i. folgorare; lampeggiare.

fulgurating /ˈfʌlgjʊreɪtɪŋ/ a. **1** folgorante; lampeggiante **2** (*med.*) lancinante.

fulguration /fʌlgjʊˈreɪʃn/ n. [U] (*med.*) folgorazione.

fulgurite /ˈfʌlgjʊraɪt/ n. [U] (*geol.*) fulgurite.

fuliginous /fjuːˈlɪdʒɪnəs/ a. **1** fuligginoso **2** caliginoso; scuro.

♦**full** /fʊl/ **A** a. **1** pieno; colmo: *The bottle is f.*, la bottiglia è piena; *Don't talk with your mouth f.!*, non parlare a bocca piena!; **a mug f. of tea**, un boccale pieno di tè; **f. of people** [**of mistakes**], pieno di gente [di errori]; **f. of hope**, pieno di speranza; **f. to overflowing**, pieno fino a traboccare; stracolmo **2** (*anche* **f. up**) pieno; sazio: *I can't eat any more; I'm f.* (*up*), non posso mangiare altro; sono pieno (*o* sazio) **3** pieno, intero; completo: **f. moon**, luna piena; plenilunio; **f. board**, pensione completa; **f. pay**, paga intera; **a f. hour**, un'ora intera; **a f. meal**, un pasto completo; **f. employment**, pieno impiego; piena occupazione **4** completo; esauriente; dettagliato: **a f. account**, un resoconto completo; **f. investigation**, indagine esauriente; **f. details**, tutti i particolari **5** ampio; abbondante: **a f. supply**, un'abbondante provvista; **a f. breakfast**, una colazione abbondante; **a f. skirt**, una gonna ampia **6** largo; pieno; carnoso; grassoccio: **f. hips**, fianchi larghi; **a f. face**, una faccia piena; **f. cheeks**, gote grassocce; **f. lips**, labbra carnose **7** pieno; intenso; ricco: **a f. life**, una vita piena; **f. flavour**, aroma intenso; gusto ricco **8** (*di colore*) intenso; ricco; profondo **9** (*di suono*) pieno; vibrante **10** (*di vino*) corposo; pieno **11** (*di vela*) gonfia; spiegata: **in f. sail**, con le vele spiegate **B** n. [U] – **in f.**, completamente; pienamente; per intero; **to the f.**, pienamente; appieno **C** avv. **1** completamente; interamente; pienamente; del tutto: **f.-grown**, adulto; pienamente sviluppato; maturo; **f. well**, benissimo; perfettamente **2** in pieno; esattamente; proprio; dritto: *The ball hit him f. in the face*, la palla l'ha colpito in pieno viso ● (*leg.*) **f. age**, maggiore età □ **f.-aged**, maggiorenne □ (*naut.*) **f. and by**, di bolina stretta □ (*autom.*) **f. beam**, luce degli abbaglianti: **to put the lights on f. beam**, mettere gli abbaglianti □ **f. blood**, razza pura □ **f.-blooded**, di razza pura; purosangue; (*fig.*) senza compromessi, vigoroso, forte, energico, appassionato: **f.-blooded socialism**, socialismo senza compromessi; **f.-blooded reforms**, riforme vigorose □ **f.-blown**, (*di fiore*) del tutto sbocciato; (*fig.*) completo, pieno, vero e proprio; (*med.*) conclamato □ **f.-bodied**, (*di vino*) che ha corpo, corposo, pieno; (*di persona*) corpulento, robusto □ (*naut.*) **f.-bottomed ship**, una nave panciuta □ **f.-bottomed wig**, parrucca alla Luigi XIV □ **f. brother**, fratello germano □ (*di libro*) **f.-bound**, rilegato in tutta pelle □ (*naut.*) **f. cargo**, carico completo □ **f. circle** → **circle** □ (*spec. sport*) **f.-contact**, che prevede il contatto integrale; full-contact: (*sport*) **f.-contact karate**, full contact □ (*basket*) **f.-court press**, pressing a tutto campo □ **f. cousin**, cugino carnale □ (*ass.*) **f. cover** (*meno com.*: **f. coverage**), copertura totale □ (*alim.*) **f.-cream milk**, latte intero □ **f. daylight**, giorno fatto; pieno giorno □ **f. dress**, abito da sera (*o* da cerimonia) □ (*mil.*) **f. dress uniform**, uniforme di gala □ **f. face**, (sost.) (*tipogr.*) neretto; (avv.) di fronte □ **f.-face**, (*fotogr., pitt.*) di fronte; (*di casco, ecc.*) che copre tutta la faccia □ **f.-faced**, paffuto □ (*trasp.*) **f. fare**, tariffa intera □ (*USA, sartoria*) **f.-fashioned**, attillato, aderente □ (*USA*) **f.-fledged** = **fully fledged** → **fully** □ **f.-frontal**, (*rif. a nudo* o *nudità*) integrale, frontale; (*di scena di film, ecc.*) con nudi integrali; (*fig.*) senza freni, senza remore: **f.-frontal attack**, un attacco frontale (*o* in piena regola) □ **f.-grown**, = **fully grown** → **fully** □ (*poker*) **f. hand**, full □ **f.-hearted**, generoso □ **f. house**, (*teatr., cinem.*) pienone, tutto esaurito; (*poker*) full: *I've got a f. house, sevens over kings*, ho in mano un full di sette, con due re □ (**at**) **f. length**, (lungo) disteso □ **f.-length**, a lunghezza intera; lungo fino a terra; per esteso; intero; integrale: **f.-length curtains**, tende lunghe fino a terra; (*cinem.*) **f.-length film**, lungometraggio; **f.-length mirror**, specchio per tutta la persona; **f.-length portrait**, ritratto a grandezza naturale; **f.-length version**, versione integrale □ **f. liability**, piena responsabilità □ (*trasp.*) **f. load**, carico completo □ **f. marks**, massimo dei voti; pieni voti □ (*poet.*) **f. many**, moltissimi □ **f. measure**, piena portata; piena misura □ **f. member**, socio a pieno titolo □ (*mil., USA*) **f.-metal jacket**, cartuccia corazzata □ (*slang*) **the f. monty**, tutto quanto □ (*slang USA*) **f.-mooner**, matto; pazzo □ **f.-mouthed**, (*di bestiame*) che ha messo tutti i denti; (*di cane*) che abbaia forte; (*di stile, ecc.*) risonante, sonoro, vigoroso □ **f. name**, nome e cognome □ (*lotta greco-romana*) **f. nelson**, doppia elson □ (*fam.*) **f. of beans**, pieno di energia; vivace; in gran forma; (*USA*) che dice sciocchezze, che racconta balle □ (*fam.*) **f. of the joys of spring**, allegrissimo; pimpante; frizzante □ **f. of oneself**, pieno di sé □ **f. of years**, carico d'anni □ **f. on**, (avv.) al massimo, a tutta forza, a tutto volume; (*anche*) con forza, in pieno: *The heater was f. on*, la stufetta era al massimo; *He turned his car radio f. on*, mise l'autoradio a tutto volume; **to be hit f. on**, essere colpito in pieno □ (*fam.*) **f.-on**, (agg.) senza limiti; senza freni; completo, assoluto; vero e proprio □ (*mus.*) **f. orchestra**, grande orchestra; orchestra al completo □ **f. out**, a tutta velocità; a tutta birra (*fam.*) □ (*giorn.*) **f.-page**, a tutta pagina; a pagina intera □ (*comm.*) **f. payment**, pagamento a saldo; saldo □ (*nella punteggiatura*) **f. point**, punto; punto fermo □ (*leg.*) **f. power of attorney**, procura generale □ (*naut.*) **f.-power trials**, prove a tutta forza □ (*USA*) **f. professor**, (professore) ordinario (*d'università*) □ (*naut.*) **f. rigger** (*o* **f.-rigged ship**), nave a vela completamente attrezzata; nave a tre alberi con vele quadre e bompresso □ **f. sail**, a gonfie vele (*anche fig.*); a tutta velocità □ **f.-scale**, a grandezza naturale; (*anche*) vero e proprio, in piena regola: **f.-scale model**, modello a grandezza naturale; **f.-scale war**, vera e propria guerra; guerra totale; **f.-scale enquiry**, inchiesta in piena regola □ (*mus.*) **f. score**, partitura completa □ (*comput.*) **f. screen**, schermo intero: **f. screen view**, vista a schermo intero □ (*relig.*) **f. service**, funzione solenne (*con musica e canti del coro; simile alla 'messa cantata' dei cattolici*) □ (*comm.*) **f. settlement**, pagamento a saldo □ **f. sister**, sorella germana □ **f.-size**, a grandezza naturale □ **f. speed**, velocità massima: **at f. speed**, a tutta velocità □ (*naut.*) **F. speed ahead!**, avanti tutta! □ **f. stop**, (*GB*) punto, punto fermo; (*fam.*) punto e basta: *I won't argue with you, f. stop!*, con te non discuto più: punto e basta!; **to come to a f. stop**, arrestarsi, fermarsi (del tutto); bloccarsi □ **a f.-throated**, a piena gola □ **f.-term**, (*di neonato*) a termine □ (**at**) **f. tilt**, a tutta velocità; di gran carriera; a tutta forza □ **f. time**, tempo pieno; (*sport*) tempo scaduto, fine (*di una partita, ecc.*); (*calcio*) 90° minuto □ **f.-time** → **full-time** □ **f.-timer**, studente (*o* lavoratore) a tempo pieno □ **f. to the brim**, pieno fino all'orlo □ **f. to bursting**, strapieno; stracolmo; pieno fino a scoppiare; pieno zeppo □ **f. to capacity**, completamente pieno; gremito □ (*mecc.*) **f.-track vehicle**, veicolo cingolato □ (*fam.*) **f. up**, (*di locale, veicolo, ecc.*) pieno, al completo; (*di persona*) sazio, satollo, pieno (*fam.*) □ **to fill** (**st.**) **f.**, colmare; riempire: *Fill your glass f.*, riempi il tuo bicchiere! □ **to give f. details**, dare ampi ragguagli; fornire ogni particolare □ **half f.**, pieno a metà; mezzo vuoto □ **to have a f. heart**, avere il cuore gonfio □ **in f. career**, di gran carriera □ **in f. play**, in piena attività □ (*comm.*) **in f. settlement**, a saldo completo □ **in f. shade**, completamente in ombra □ **in f. swing**, in piena attività; in pieno svolgimento □ **in f. view**, in piena vista; pienamente visibile: **in f. view of everyone**, sotto gli occhi di tutti □ **to turn st. to f. account**, trarre il massimo profitto da qc.

to **full**① /fʊl/ **A** v. t. (*sartoria*) raccogliere (*la stoffa*) in pieghe; rendere ampio (*un abito*) **B** v. i. (*USA*: *della luna*) diventare piena.

to **full**② /fʊl/ v. t. (*ind. tess.*) follare.

fullback /ˈfʊlbæk/ n. (*sport*) **1** (*calcio*) terzino; difensore di terza linea **2** (*rugby*) estremo (*giocatore*) **3** [U] posizione (*o* ruolo) di difensore estremo ● **to play f.**, giocare in difesa.

fuller① /ˈfʊlə(r)/ n. (*ind. tess.*) follatore ● **f.'s earth**, argilla smectica; terra da follone □ (*bot.*) **f.'s teasel** (*Dipsacus fullonum*), cardo dei lanaioli.

fuller② /ˈfʊlə(r)/ n. (*metall.*) ricalcatore, presella (*per fucinatura*).

fulling /ˈfʊlɪŋ/ n. [U] (*ind. tess.*) follatura ● **f. agent**, follante □ **f. mill**, follone.

fullness /ˈfʊlnəs/ n. [U] **1** pienezza; completezza **2** rotondità; carnosità **3** sazietà **4** ampiezza; abbondanza **5** (*di colore*) intensità; ricchezza ● **in the f. of time**, a tempo debito; a suo tempo.

♦**full-time** /fʊlˈtaɪm/ **A** a. **1** a tempo pieno: **full-time job** (*o* **employment**), lavoro a tempo pieno; **full-time education**, istruzione a tempo pieno (*usato per indicare scuola e università*) **2** (*sport*) finale; di fine partita: **full-time results**, risultati finali **B** avv. a tempo pieno; **to work full-time**, lavorare a tempo pieno.

♦**fully** /ˈfʊlɪ/ avv. **1** pienamente; completamente; interamente; del tutto: **f. equipped**, completamente fornito; **f. developed**, pienamente sviluppato; **f. glazed**, tutto a vetri; *I'm f. satisfied with his offer*, sono del tutto soddisfatto della sua offerta; *I f. intend to do it*, intendo pienamente farlo **2** perfettamente; benissimo: *We f. understand*, capiamo benissimo **3** non meno di: *F. five hundred people came*, vennero non meno di cinquecento persone ● **f. booked**, tutto prenotato; al completo □ (*sartoria*) **f. fashioned**, attillato; aderente □ (*GB*) **f. fledged**, (*d'uccello*) che ha messo tutte le penne, capace di volare; (*fig.*) pienamente sviluppato, completo,

maturo, vero, a pieno titolo, effettivo, in piena regola, con tutti i crismi: **a f. fledged industry**, un'industria matura; **a f. fledged economic policy**, una vera politica economica; *He's now a f. fledged pilot*, ora è un pilota a pieno titolo □ **f. grown**, completamente sviluppato; maturo; adulto □ (*fin.*) **f. paid capital**, capitale interamente versato □ **f. paid maternity leave**, congedo di maternità a stipendio pieno □ (*fin.*) **f. paid (up) shares**, azioni interamente liberate □ **f. paid-up**, iscritto (*a un sindacato*); (*fig. fam.*) in piena regola, autentico, assoluto: **a f. paid up member of the jet set**, un autentico appartenente al jet set □ **f. qualified**, che ha tutti i requisiti □ (*comput.*) **f. qualified domain name** (acronimo **FQDN**), nome di dominio completo □ (*edil.*) **f. tiled walls**, pareti piastrellate fino al soffitto.

fulmar /ˈfʊlmə(r)/ n. (*zool.*, *Fulmarus glacialis*) procellaria artica; fulmaro.

fulminant /ˈfʌlmɪnənt/ a. (*med.*) fulminante: **f. apoplexy**, apoplessia fulminante.

fulminate /ˈfʊlmɪneɪt, ˈfʌl-/ n. (*chim.*) fulminato: **f. of mercury**, fulminato di mercurio.

to **fulminate** /ˈfʊlmɪneɪt, ˈfʌl-/ v. i. fulminare; scagliare fulmini; inveire: **to f. against corruption**, scagliar fulmini contro la corruzione.

fulminating /ˈfʊlmɪneɪtɪŋ/ a. (*med.*, *chim.*) fulminante: **f. oil**, olio fulminante; nitroglicerina.

fulmination /ˌfʌlmɪˈneɪʃn/ n. (*spec. al pl.*) denuncia (*o* invettiva) violenta; tirata; filippica; strali (pl.).

fulminatory /ˈfʊlmɪnətrɪ, ˈfʌl-/ a. di denuncia; d'invettiva: **f. words**, violente parole di denuncia.

fulminic /fʌlˈmɪnɪk/ a. (*chim.*) fulminico: **f. acid**, acido fulminico.

fulsome /ˈfʊlsəm/ a. **1** eccessivo; esagerato; smaccato; **f. praise**, lodi smaccate **2** (*da alcuni considerato scorretto*) abbondante; generoso **3** (*arc.*) stucchevole; stomachevole | **-ly** avv. | **-ness** n.

fulvous /ˈfʌlvəs/ a. fulvo.

fumaric /fjuːˈmærɪk/ a. (*chim.*) fumarico: **f. acid**, acido fumarico.

fumarole /ˈfjuːmərəʊl/ n. (*geol.*) fumarola; soffione.

fumble /ˈfʌmbl/ n. **1** armeggiamento; armeggio; annaspamento **2** (*fam.*) palpata; brancicata **3** tentativo maldestro **4** (*sport*) mancata presa; (*anche*) perdita della palla.

to **fumble** /ˈfʌmbl/ v. i. **1** armeggiare; frugare; cercare a tentoni: *He fumbled with the lock*, armeggiò con la serratura; to **f. in one's pocket**, frugarsi nelle tasche; *I fumbled for the key*, frugai in cerca della chiave; cercai a tentoni la chiave; to **f. for words**, cercare le parole; annaspare in cerca delle parole **2** (*anche* to **f. about**) brancolare; andare a tentoni: to **f. in the dark**, brancolare nel buio; to **f. along a dark corridor**, andare a tentoni lungo un corridoio buio ⓑ v. t. **1** maneggiare in modo maldestro; pasticciare; (*sport*) to **f. the ball**, lasciarsi sfuggire la palla **2** farfugliare; borbottare.

fumbler /ˈfʌmblə(r)/ n. armeggione, armeggiona; pasticcione, pasticciona; persona goffa (*o* maldestra).

fumbling /ˈfʌmblɪŋ/ ⓐ a. annaspante; goffo; maldestro ⓑ n. ⓤ armeggiamento; (il) frugare; (l')annaspare.

♦**fume** /fjuːm/ n. (di solito al pl.) **1** esalazione; vapore; fumo; gas: **petrol fumes**, vapori di benzina; **exhaust fumes**, gas di scarico; **toxic fumes**, esalazioni tossiche; **fumes of wine**, fumi del vino **2** ira; collera ● **f. cupboard** (*o*, USA, **f. hood**), cappa chimica □ **f. extractor**, aspiratore.

to **fume** /fjuːm/ ⓐ v. i. **1** fumare; esalare vapore **2** (*di vapori*) esalare **3** adirarsi; essere furioso; fumare di irritazione: *He is fuming over the delay*, è furioso per il ritardo ⓑ v. t. **1** affumicare; annerire; patinare; tingere (*di fumo*): **fumed oak**, quercia patinata **2** profumare (*d'incenso*).

fumet /ˈfjuːmɛt/ n. (*cucina*) fumetto.

fumigant /ˈfjuːmɪgənt/ n. (*chim.*) fumigante; sostanza fumigatoria.

to **fumigate** /ˈfjuːmɪgeɪt/ v. t. **1** suffumicare; suffumigare; disinfestare con il fumo: **to f. a room**, suffumicare una stanza **2** (*chim.*) fumigare.

fumigation /ˌfjuːmɪˈgeɪʃn/ n. ⓤ suffumicazione; suffumigazione **2** (*med.*) suffumigio.

fumigator /ˈfjuːmɪgeɪtə(r)/ n. **1** suffumicatore; suffumigatore; disinfestatore (*con il fumo*) **2** (*chim.*) fumigatore.

fumitory /ˈfjuːmɪtrɪ/ n. (*bot.*, *Fumaria officinalis*) fumaria.

fumy /ˈfjuːmɪ/ a. fumoso; pieno d'esalazioni (*o* di vapori).

♦**fun** /fʌn/ ⓐ n. ⓤ divertimento; spasso: *Skating is great fun*, il pattinaggio è un gran divertimento; **to have fun**, divertirsi; spassarsela; *It was a lot of fun*, è stato divertentissimo (*o* un gran divertimento); **to spoil the fun**, guastare il divertimento; *There's no fun in it*, non c'è nessun divertimento; non è divertente; *He's fun to be with*, è uno con cui ci si diverte; *It's no fun*, non è divertente; c'è poco da divertirsi; *That sounds fun*, sembra divertente ⓑ a. (*fam. spec. USA*) divertente; spassoso: **a fun sport**, uno sport divertente; *He's a real fun guy*, è proprio un tipo spassoso; *I had a real fun time*, me la sono spassata davvero ● (*anche iron. o eufem.*) **fun and games**, divertimento; spasso: **to have some fun and games**, spassarsela; *There'll be some fun and games when he finds out*, ci sarà da ridere quando lo saprà □ (USA) **Fun City**, New York □ **fun day**, giornata di divertimenti □ (*moda*) **fun fur**, pelliccia sintetica (*spec. vistosa*) □ (USA) **fun run**, corsa a piedi (*di solito per beneficenza*) □ (USA) **fun runner**, chi partecipa a una **fun run** → sopra; chi fa corse per divertimento □ **for fun**, per divertimento; per gioco; come passatempo: *We play cards for fun, not for money*, giochiamo a carte per divertimento, non per denaro □ **for the fun of**, per il divertimento (*o il gusto*) di □ **for the fun of it**, solo per divertirsi; per puro divertimento □ **a figure of fun**, un tipo ridicolo □ **to be full of fun** (*o* **to be great fun**), essere un tipo spassoso, un simpaticone □ (*fam.*) **good clean fun**, divertimento innocente; scherzi innocenti □ **in fun**, per ridere; per scherzo □ (*fam.*) (*USA*) **fun**, (inter., *USA*) figurati!; col cavolo! (*fam.*); (GB) a tutto spiano □ **to make fun of** (*o* **to poke fun at**), prendere in giro □ **to have a sense of fun**, saper prendere le cose con divertimento

> ⓘ **NOTA**: *fun o funny*
> Sia *fun* che *funny* si riferiscono al divertimento. *Fun* è prevalentemente sostantivo, ma può anche essere aggettivo in frasi come *It was a fun evening*, è stata una serata divertente; *Playing football is great fun*, giocare a calcio è molto divertente. *Funny* significa "spassoso" in riferimento a ciò "che fa ridere", mentre *fun* significa "spassoso" in senso lato: quindi, mentre *He's a funny guy*, significa è un tipo divertente (perché fa ridere), *He's a fun guy*, significa è un tipo divertente (perché si diverte con lui).

to **fun** /fʌn/ (*fam.* USA) ⓐ v. i. divertirsi; scherzare ⓑ v. t. prendere in giro; stuzzicare.

funambulism /fjuːˈnæmbjʊlɪzəm/ n. ⓤ funambolismo ‖ **funambulist** n. funam-

bolo.

♦**function** /ˈfʌŋkʃn/ n. **1** funzione; compito; mansioni (pl.): **to perform** (*o* **to carry out**) **a f.**, svolgere una funzione; **to serve a f.**, adempiere a una funzione; **the functions of the chairman**, le funzioni del presidente **2** funzionamento; funzionalità: **the renal f.**, la funzionalità renale **3** cerimonia ufficiale; funzione; *They've got an enormous f. room*, hanno una sala per cerimonie enorme **4** (*fisiol.*, *mat.*, *comput.*, *ling.*, *fig.*) funzione: **bodily functions**, funzioni fisiche **5** (*fig.*) funzione; elemento dipendente (*da un fattore*): *Production costs are a f. of wages*, i costi di produzione sono un elemento dipendente dal fattore salari (*o* sono in funzione dei salari) ● (*comput.*) **f. call**, chiamata di funzione □ (*comput.*) **f. key**, tasto funzione (*i tasti da F1 a F12*) □ (*ling.*) **f. word**, parola funzionale.

to **function** /ˈfʌŋkʃn/ v. i. **1** funzionare: *The radio was not functioning*, la radio non funzionava **2** fungere (da); servire (da); fare le funzioni (di): *In English nouns can f. as adjectives*, in inglese i sostantivi possono fungere da aggettivi.

functional /ˈfʌŋkʃənl/ ⓐ a. **1** (*archit.*, *med.*, *mat.*, *chim.*, *comput. e ling.*) funzionale: **f. architecture**, architettura funzionale; **f. disease**, malattia funzionale; **f. group**, gruppo funzionale; **f. load**, rendimento funzionale; (*org. az.*) **f. structure**, struttura funzionale **2** funzionale; pratico **3** funzionante; operativo: **fully f.**, perfettamente funzionante ⓑ n. (*mat.*) funzionale: **linear f.**, funzionale lineare ● (*mat.*, *econ.*, *comput.*) **f. analysis**, analisi funzionale □ (*comput.*, *stat.*) **f. chart** (*o* **diagram**), diagramma funzionale □ (*fin.*) **f. costing**, determinazione dei costi per funzione □ (*alim.*) **f. food**, alimento funzionale □ (*org. az.*) **f. foreman**, responsabile di funzione □ **f. illiteracy**, analfabetismo funzionale □ (*stat.*) **f. scale**, scala funzionale □ (*comput.*) **f. unit**, unità funzionale.

functionalism /ˈfʌŋkʃənəlɪzəm/ n. ⓤ (*anche archit.*, *psic.*, *ling.*) funzionalismo ‖ **functionalist** n. funzionalista ‖ **functionalistic**, **functionalist** a. del funzionalismo; funzionalista.

functionality /ˌfʌŋkʃəˈnælɪtɪ/ n. ⓤ (*comput.*, *chim. e fisiol.*) funzionalità.

functionally /ˈfʌŋkʃənəlɪ/ avv. funzionalmente; dal punto di vista funzionale.

functionary /ˈfʌŋkʃənrɪ/ n. (piccolo) funzionario; burocrate.

functioning /ˈfʌŋkʃənɪŋ/ n. ⓤ funzionamento.

functive /ˈfʌŋktɪv/ a. (*ling.*) funtivo.

functor /ˈfʌŋktə(r)/ n. (*mat.*) funtore.

♦**fund** /fʌnd/ n. **1** (*fin.*, *rag.*) fondo; cassa; accantonamento; stanziamento: **pension f.**, fondo pensione; **sinking** (*o* **depreciation**) **f.**, fondo d'ammortamento; **sickness f.**, cassa malattia; **relief f.**, stanziamento per aiuti finanziari; **to set up a f.**, istituire un fondo **2** (*fin.*) fondo (d'investimento): **balanced [bond] funds**, fondi bilanciati [obbligazionari] **3** (al pl.) (*fin.*, *rag.*) fondi; risorse; mezzi finanziari; denaro (sing.); soldi; finanze: **public funds**, fondi pubblici; **charity funds**, fondi destinati a scopi benefici; **to raise funds**, raccogliere fondi; **to run out of funds**, esaurire i fondi **4** (al pl.) (*fin.*, GB) titoli di Stato **5** (al pl.) (*banca*) fondi; provvista (sing.) (*per la copertura di assegni*): **lack of funds**, difetto totale di provvista; «**No funds**» (*su un assegno*), «mancanza di fondi» (*o* «di corrispettivo») **6** (al pl.) (*fam.*) denaro (sing.); finanze; soldi; quattrini: *My funds only run to buying a second-hand car*, le mie finanze mi permettono solo un'auto di seconda mano; **to be out of funds**, essere

senza soldi *o essere* al verde; **to be in funds**, avere denaro da spendere; stare bene a quattrini **7** riserva; scorta; bagaglio; provvista; stock: **a f. of knowledge**, un bagaglio di conoscenze; **a f. of good humour**, una riserva di buonumore; **a f. of jokes**, uno stock di barzellette ● (*rag.*) **f. account**, fondo di stanziamento □ (*fin.*) **f. drive**, sottoscrizione □ (*rag.*) **funds flow**, flusso di cassa: **funds--flow statement**, prospetto del flusso di cassa □ **f. manager**, gestore di un fondo d'investimento □ **f.-raiser**, persona che raccoglie fondi o finanziamenti (*per una causa, un'istituzione*); evento organizzato per raccogliere fondi □ **f. raising**, raccolta di fondi (*per una causa, un'istituzione*); (*fin.*) raccolta di capitali □ **f.-raising campaign**, sottoscrizione.

to **fund** /fʌnd/ v. t. **1** (*fin.*) accantonare fondi per: **to f. a pension plan**, accantonare fondi per un piano pensionistico **2** (*fin.*) provvedere di fondi; finanziare; sovvenzionare: **to f. public services**, provvedere di fondi adeguati i servizi pubblici; **to f. the Treasury's needs**, finanziare il fabbisogno monetario del Tesoro **3** (*fin.*) consolidare: **to f. a debt**, consolidare un debito **4** (*fin., GB*) investire (*denaro*) in titoli di stato.

fundament /'fʌndəmənt/ n. **1** fondamento **2** (*edil.*) fondazioni **3** (*eufem. scherz.*) fondo della schiena; deretano.

♦**fundamental** /fʌndə'mentl/ **A** a. **1** fondamentale; basilare; essenziale; primario: **a f. rule**, una regola fondamentale; **f. human rights**, diritti umani fondamentali; **f. research**, ricerca fondamentale (*o di base*); **f. to st.**, essenziale per qc. **2** di fondo; sostanziale; fondamentale: **a f. error**, un errore di fondo; **f. differences**, differenze di fondo (*o sostanziali*) **3** (*mus.*) fondamentale: **f. note**, nota fondamentale **4** elementare; fondamentale: (*fis.*) **f. particle**, particella elementare; (*fis.*) **f. frequency**, frequenza fondamentale **B** n. **1** (di solito al pl.) fondamento; elemento essenziale; base: **the fundamentals of education**, le basi dell'istruzione **2** (*mus.*) nota fondamentale; tonica **3** (*fis.*) fondamentale; prima armonica ‖ **fundamentality** n. ⓤ l'esser fondamentale (*o* basilare).

fundamentalism /fʌndə'mentəlɪzəm/ (*relig., polit.*) n. ⓤ fondamentalismo ‖ **fundamentalist** n. fondamentalista.

fundamentally /fʌndə'mentəlɪ/ avv. fondamentalmente.

funded /'fʌndɪd/ a. **1** (*fin.*) accantonato: **f. reserve**, riserva accantonata **2** (*fin.*) consolidato: **f. bond**, obbligazione consolidata **3** (*nei composti*) finanziato; sovvenzionato: **a government-f. project**, un progetto finanziato dallo Stato ● **f. debt**, debito consolidato; debito a lunga scadenza □ **f. pension plan**, piano pensionistico mediante accantonamento.

fundholder /'fʌndhəʊldər/ n. (*in GB*) medico di base che gestisce un bilancio per acquistare servizi per i pazienti.

fundie /'fʌndɪ/ abbr. *spreg.* di **fundamentalist**.

♦**funding** /'fʌndɪŋ/ n. ⓤ (*fin.*) **1** consolidamento (*di un debito*) **2** finanziamento.

fundraising /'fʌndreɪzɪŋ/ n. ⓤ = **fund raising** → **fund**.

fundus /'fʌndəs/ n. (pl. *fundi*) (*anat.*) fondo.

♦**funeral** /'fjuːnərəl/ **A** a. funebre; funerario; dei defunti: **f. procession**, corteo funebre; funerale; **f. service**, ufficio dei defunti **B** n. **1** funerale; esequie (pl.): **to attend a f.**, andare a un funerale; **to conduct a f. service**, officiare un servizio funebre **2** (*fig.*) corteo funebre; funerale **3** (*arc.*) orazione funebre ● **f. address**, orazione funebre □ **f.**

director (*o* **f. furnisher**), impresario di pompe funebri; (al pl., *anche*) impresa di pompe funebri □ **f. parlour** (*o* **f. home, f. chapel**), sede di impresa di pompe funebri □ **f. party**, (i) presenti a un funerale □ **f. procession**, corteo funebre □ **f. pyre** (*o* **pile**), rogo funebre; pira □ **f. urn**, urna funeraria □ (*fam.*) **It's your f.!**, sono affari tuoi; fatti tuoi!; arrangiati!

funerary /'fjuːnərərɪ/ a. funebre; funerario: **a f. urn**, un'urna funeraria.

funereal /fjuː'nɪərɪəl/ a. funereo; lugubre; tetro; da funerale.

funfair /'fʌnfeər/ n. luna park; parco divertimenti.

fungal /'fʌŋgl/ a. **1** (*bot.*) fungino **2** (*patologia vegetale*) da fungo: **f. disease**, malattia da fungo.

fungible /'fʌndʒəbl/ (*econ.*) **A** a. fungibile: **f. goods**, beni fungibili **B** n. pl. – **fungibles**, beni fungibili ‖ **fungibility** n. ⓤ fungibilità.

fungicide /'fʌndʒɪsaɪd/ n. ⓒⓤ (*agric.*) fungicida; anticrittogamico.

fungiform /'fʌndʒɪfɔːm/ a. fungiforme; che ha forma di fungo.

fungivorous /fʌn'dʒɪvərəs/ a. (*zool.*) fungivoro.

fungoid /'fʌŋɡɔɪd/ a. fungoso; a forma di fungo: (*med.*) **f. growths**, escrescenze fungose; fungosità.

fungous /'fʌŋɡəs/ a. **1** (*anche med.*) fungoso **2** (*fig.*) che cresce come un fungo.

fungus /'fʌŋɡəs/ n. (pl. *fungi, funguses*) **1** (*bot., Fungus*) fungo; micete **2** ⓤ (*med.*) fungosità; fungo **3** ⓤ (*fig. spreg.*) crescita a fungo; ammasso amorfo.

funhouse /'fʌnhaʊs/ n. (*al luna-park*) casa degli specchi; castello della paura.

funicle /'fjuːnɪkl/ n. (*anat., bot.*) funicolo.

funicular /fjuː'nɪkjʊlə(r)/ **A** a. funicolare **B** n. (= **f. railway**) funicolare (*a due vagoni soli, controbilanciati*).

funiculus /fjuː'nɪkjʊləs/ n. (pl. *funiculi*) (*anat., bot.*) funicolo.

funk① /fʌŋk/ n. (*fam., antiq.*) **1** ⓤ paura; tremarella, fifa (*fam.*): **to be in a blue f.**, avere una fifa da morire (*o una fifa blu*) **2** ⓤ (*USA*) depressione; abbattimento **3** vigliacco; fifone (*pop.*) ● (*mil.*) **f. hole**, ricovero sotterraneo; rifugio; (*fig. fam.*) posto per scansafatiche.

funk② /fʌŋk/ n. **1** (*mus.*) funk (*stile misto di jazz, blues e soul*) **2** (*slang USA, antiq.*) cattivo odore; puzzo.

to **funk** /fʌŋk/ **A** v. i. (*fam.*) aver paura; tirarsi indietro; avere fifa (*fam.*) **B** v. t. evitare, sottrarsi a (*un dovere, ecc., per paura*).

funkster /'fʌŋkstə(r)/ n. (*mus.*) **1** suonatore di funk **2** appassionato di funk.

to **funk up** /fʌŋk'ʌp/ v. t. (*mus.*) rendere funky.

funky① /'fʌŋkɪ/ a. impaurito; spaventato.

funky② /'fʌŋkɪ/ a. (*USA*) **1** (*mus.*) relativo alla musica funk; funky **2** (*slang*) all'ultima moda **3** (*slang*) eccentrico; originale; non convenzionale **4** (*slang*) rustico; naturale; autentico **5** (*slang, antiq.*) maleodorante; puzzolente.

funnel /'fʌnl/ n. **1** imbuto **2** (*di nave, locomotiva*) fumaiolo; ciminiera **3** pozzo d'aerazione **4** (*di camino*) canna; gola ● (*bot.*) **f. cap** (*Clitocybe infundibuliformis*), imbutino (*meteor.*) **f. cloud**, nube a proboscide □ **f.--like** (*o* **f.-shaped**), a imbuto; imbutiforme.

to **funnel** /'fʌnl/ **A** v. t. **1** incanalare; convogliare; trasferire **2** mandare; spedire; trasmettere **3** versare; travasare con un imbuto **B** v. i. **1** incanalarsi **2** formare un imbuto.

funnelled /'fʌnld/ a. **1** provvisto di fumaiolo (*o di ciminiera*) **2** a forma d'imbuto;

imbutiforme.

funnily /'fʌnəlɪ/ avv. **1** in modo buffo (*o* divertente) **2** in modo strano; in modo curioso ● **f. enough**, strano a dirsi; per uno strano caso.

funniness /'fʌnɪnəs/ n. **1** ⓤ l'essere divertente (*o* buffo); comicità **2** stranezza; bizzarria.

♦**funny**① /'fʌnɪ/ a. **1** divertente; comico; buffo; spassoso: **a f. joke**, una barzelletta divertente; **to see the f. side of st.**, vedere il lato comico di qc.; *He's trying to be f.*, fa lo spiritoso **2** strano; curioso; insolito: **a f. noise**, uno strano rumore; **a f. sort of man**, un tipo curioso; *That's f.!*, strano!; *The f. thing is...*, lo strano è che...; *This wine tastes f.*, questo vino ha un gusto strano; *This meat smells f. to me*, questa carne ha un odore strano; **to feel f.**, sentirsi strano; sentirsi poco bene; *It's a f. old world!*, il mondo è ben strano! **3** (*fam.*) poco chiaro; sospetto; subdolo; losco; poco pulito: *There's something f. about the whole thing*, c'è qualcosa di poco chiaro in tutta la faccenda **4** (*fam.*) guasto; che non va: *There's something f. about the TV set*, c'è qualcosa che non va nel televisore **5** (*fam., =* **f. in the head**) eccentrico; (un) po' matto; svanito: *He's gone a bit f. in the head*, è un po' svanito **B** n. **1** (*USA*) battuta; storiella divertente **2** (al pl.) (*USA*) fumetti (*di giornale*); pagina (*o* pagine) dei fumetti ● (*anat., fam.*) **f. bone**, punta del gomito; olecrano: *I've hit my f. bone*, ho preso la scossa al gomito □ (*fam.*) **f. business**, attività strane e sospette; manovre poco chiare: *There's some f. business going on there*, succedono cose strane laggiù; *And no f. business!*, e niente scherzi! □ (*fam.,* al vocat.) **f.-face**, simpaticone □ (*fam.*) **f. farm**, manicomio □ (*fam.*) **f. ha--ha** (*contrapposto a* → **f. peculiar,** *sotto*), divertente; comico; buffo; che fa ridere □ **f. man**, pagliaccio, clown; (*USA*) (attore) comico □ (*fam.*) **f. money**, moneta falsa; soldi finti □ (*USA*) **f. paper**, sezione dei fumetti (*in un giornale*) □ (*fam.*) **f. peculiar** (*contrapposto a* → **f. ha-ha,** *sopra*), strano; strambo; bizzarro □ (*fam.*) **Don't get f. with me!**, non fare il furbo con me! □ (*fam.*) **to go f.**, guastarsi all'improvviso □ **Are you being f.?**, fai per scherzo, è vero? □ **I don't think that's at all f.**, non ci trovo niente da ridere! □ (*fam.*) **Don't try anything f.!**, niente scherzi!; niente trucchi!; non cercare di farmela!; non fare il furbo!

funny② /'fʌnɪ/ n. (*naut.*) piccola barca a remi (*per una persona sola*).

♦**fur** /fɜː(r)/ n. **1** ⓤ pelo (*d'animale*); pelame; pelliccia **2** ⓒⓤ (*moda*) pelliccia; pelle (*per pellicce*): **mink fur**, pelliccia di visone; **a fur coat**, una pelliccia; un cappotto di pelliccia; **fur-lined**, foderato di pelliccia; **to trade in furs**, commerciare in pellicce; **ladies in furs**, signore in pelliccia (*o* impellicciate) **3** ⓤ (*GB*) deposito calcareo; incrostazione **4** ⓤ deposito, gromma, tartaro (*di vino*) **5** ⓤ patina (*sulla lingua*) ● (*caccia*) **fur and feather**, selvaggina di pelo e di penna □ **fur-bearing animals**, animali da pelliccia □ **fur breeder**, allevatore d'animali da pelliccia □ **fur-clad**, impellicciato; in pelliccia □ (*moda*) **fur-collared**, con il collo di pelliccia □ **fur dresser**, conciatore di pelli; pellicciaio, pellicciaia □ **fur dyer**, tintore di pelli □ **fur farming**, allevamento d'animali da pelliccia □ (*zool.*) **fur seal**, (*Callorhinus ursinus*) otaria orsina; (*Arctocephalus*) arctocefalo antartico □ (*fig. fam.*) **to make the fur fly**, scatenare il finimondo; causare un pandemonio; fare un quarantotto □ *The fur started to fly*, successe (*o* scoppiò) il finimondo.

to **fur** /fɜː(r)/ **A** v. t. **1** foderare (*o* guarnire) di pelliccia: **a furred jacket**, una giacca

foderata di pelliccia **2** (*GB*, *anche* **to fur up**) ricoprire di incrostazioni (*o* di patina); formare un deposito su; incrostare, ingrommare: *Cholesterol furs up the arteries*, il colesterolo si deposita all'interno delle arterie **3** (*edil.*) rivestire (*un muro*, *un pavimento*) inserendo legnetti e strisce **B** v. i. coprirsi d'incrostazioni; (*della lingua*) coprirsi di patina.

furan /'fjʊəræn/ n. ⓤ (*chim.*) **1** furano **2** furfurolo ● **f. resin**, resina furanica.

furball /'fɜːbɔːl/ n. → **hairball**.

furbelow /'fɜːbɪləʊ/ n. **1** falpalà; balza; striscia increspata **2** (al pl.) (*fig.*) ornamenti vistosi; fronzoli; orpelli.

to **furbelow** /'fɜːbɪləʊ/ v. t. ornare (*un abito, ecc.*) con falpalà (*o* con balze).

to **furbish** /'fɜːbɪʃ/ v. t. **1** (*anche* to f. up) rinnovare; rinfrescare; dare una rinfrescata a **2** (*arc.*) forbire; lucidare.

furcate /'fɜːkeɪt/ a. forcuto; biforcuto.

to **furcate** /'fɜːkeɪt/ v. i. biforcarsi.

furcation /fɜːˈkeɪʃn/ n. ⓤⓒ biforcazione; bivio.

furfuraceous /fɜːfəˈreɪʃəs/ a. forforoso; pieno di forfora.

furfural /'fɜːfjʊræl/, **furfurol** /'fɜːfjʊrɒl/ n. ⓤ (*chim.*) furfurolo; aldeide furanica.

furious /'fjʊərɪəs/ a. **1** furioso; furente; furibondo; infuriato: **f. row**, lite furiosa; **to be f. with sb.**, essere furioso con q.; **to get f.**, infuriarsi; **to make sb. f.**, far infuriare q.; far arrabbiare q. **2** furioso; impetuoso; furibondo; violento: **a f. blizzard**, una furibonda tempesta di neve; **at a f. pace**, di gran corsa; a rotta di collo ● **a fast and f.**, (avv.) molto rapidamente; (agg.) scatenato, pieno di foga, frenetico, sfrenato | **-ly** avv. | **-ness** n. ⓤ.

to **furl** /fɜːl/ **A** v. t. arrotolare (e legare); ripiegare; serrare: **to f. an umbrella**, arrotolare un ombrello; **to f. a flag**, ripiegare una bandiera; **to f. the sails**, serrare le vele **B** v. i. arrotolarsi; ripiegarsi.

furlong /'fɜːlɒŋ/ n. «furlong» (*misura di lunghezza, pari a 220 iarde o a m 201,168*).

furlough /'fɜːləʊ/ n. ⓒⓤ **1** licenza **2** congedo; permesso (*di funzionario, spec. se all'estero*): **to go home on f.**, andare in congedo in patria **3** (*naut.*) franchigia.

to **furlough** /'fɜːləʊ/ **A** v. t. **1** (*mil.*) dare una licenza a; mandare in licenza **2** concedere un congedo (*o* un permesso) a (*un funzionario*) **B** v. i. andare in congedo temporaneo (*o* in licenza) ‖ **furloughed** a. in licenza; in permesso; in congedo.

furmety /'fɜːmətɪ/ → **frumenty**.

furnace /'fɜːnəs/ n. **1** (*ind.*, *metall.*, *ecc.*) forno; fornace: **air f.**, forno a riverbero; **solar f.**, forno solare **2** camera di combustione, focolare (*di una caldaia*) **3** caldaia (*dell'acqua calda*) **4** (*USA*) impianto di riscaldamento ad aria ● **f. lining**, rivestimento (refrattario) di forno □ (*fam.*) **This place is a f.!**, questo posto è un forno!

to **furnish** /'fɜːnɪʃ/ v. t. **1** ammobiliare; arredare: **to f. a house**, ammobiliare una casa; *It was already furnished like this when we moved in except for a few bits and pieces*, era già arredata in questo modo quando ci siamo trasferiti, ad eccezione di alcune cose qua e là **2** fornire; munire; provvedere: **to f. statistical data**, fornire dati statistici; **to f. sb. with st.**, fornire di qc.; provvedere q. di qc.

furnished /'fɜːnɪʃt/ a. arredato; ammobiliato: **expensively f.**, riccamente ammobiliato; **f. flat**, appartamento (*o* ammobiliato); *Each of the bedrooms is individually f.*, le camere hanno un arredamento personalizzato; *He lived in a f. room*, viveva in una stanza ammobiliata.

furnisher /'fɜːnɪʃə(r)/ n. fornitore, fornitrice (*spec. di mobili*).

furnishing /'fɜːnɪʃɪŋ/ n. **1** arredamento (*attività*): **interior f.**, arredamento di interni **2** (*spesso al pl.*) arredamento; arredi; mobili e infissi; suppellettili **3** (al pl.) (*USA*) articoli di vestiario per uomo ● **f. fabrics** (*o* **soft f.**), stoffe (*o* tessuti) da arredamento (*tendaggi, copripoltrone, ecc.*).

♦**furniture** /'fɜːnɪtʃə(r)/ n. ⓤ **1** mobili (pl.); arredamento; mobilia: **antique f.**, mobili d'antiquariato; **a piece of f.**, un mobile; *Is this your f. or was the house already furnished?*, i mobili sono vostri o la casa era già arredata? **2** attrezzatura; attrezzi (pl.); arredi (pl.) **3** (*naut.*) attrezzatura; equipaggiamento **4** (*tipogr.*) marginatura ● **f. dealer**, commerciante di mobili; mobiliere □ **f. factory**, mobilificio □ **f. manufacturer**, fabbricante di mobili; mobiliere □ **f. removers**, impresa di traslochi □ **f. trade**, ebanisteria □ (*fam.*) **I'm part of the f. here**, qui ormai sono abituati a vedermi; ormai qui non mi si nota più □ **mental f.**, modo di pensare; struttura mentale ❶ FALSI AMICI • *furniture non significa* fornitura.

furore /fjʊˈrɔːrɪ/ (*USA*) **furor** /'fjʊərɔːr/ n. accese reazioni (pl.); scalpore; can can (*fam.*): **to cause** (*o* **to create, to spark) a f.**, creare (*o* destare, fare) scalpore; *The declaration caused Opposition f.*, la dichiarazione suscitò indignate proteste da parte dell'opposizione; **the f. about women priests**, le accese reazioni sul tema delle donne prete; *the f. of the presidential election*, il can can delle elezioni presidenziali ❶ FALSI AMICI • *furore non significa* furore.

furphy /'fɜːfɪ/ n. (*fam. Austral.*) storiella assurda; panzana; bufala.

furred /fɜːd/ a. **1** (*di animale*) coperto di pelo **2** (*di indumento*) guarnito di pelliccia; foderato di pelliccia: **a cloak f. with ermine**, un manto foderato di ermellino **3** (*di persona*) impellicciato **4** (*GB*) incrostato; coperto di deposito (*o* una patina); patinoso: (*med.*) **f.-up arteries**, arterie con depositi di colesterolo; **f. tongue**, lingua patinosa (*o* sporca) **5** (*edil.: di soffitto, ecc.*) rivestito di assicelle.

furrier /'fʌrɪə(r)/ n. **1** pellicciaio; commerciante in pellicce **2** conciatore (*di pelli*).

furriery /'fʌrɪərɪ/ n. **1** confezione di pellicce; attività del pellicciaio.

furring /'fɜːrɪŋ/ n. ⓤⓒ **1** guarnizione (*o* fodera) di pelliccia **2** deposito; incrostazione; patina **3** (*edil.*) rivestimento: **f. strip**, listello per rivestimenti ● (*edil.*) **f. brick**, mattone rigato (*o* scanalato) □ **f. tile**, piastrella da rivestimento.

furrow /'fʌrəʊ/ n. **1** solco (*di aratro, ruote, ecc.*) **2** ruga **3** (*naut.*) solco della nave; scia: *'The fair breeze blew, the white foam flew, / The f. followed free'* S.T. COLERIDGE, 'il vento spirava a favore, la bianca schiuma volava, / La scia seguiva senza intoppi' **4** (*archit., falegn.*) scanalatura **5** (*poet.*) campo arato ● (*agric.*) **f. press**, pressasolco □ (*agric.*) **f.-slice**, porca □ (*bot.*) **f.-weed**, loglio; zizzania.

to **furrow** /'fʌrəʊ/ **A** v. t. **1** aprire solchi in; arare **2** segnare con solchi, rughe, ecc.; solcare: **a face furrowed by hardships**, un viso solcato (*o* segnato) dalle privazioni **3** corrugare; increspare: *He furrowed his brow*, corrugò la fronte **4** (*archit., falegn.*) scanalare **B** v. i. corrugarsi; incresparsi.

furry /'fɜːrɪ/ a. **1** peloso; coperto di pelliccia: **small f. creatures**, animaletti pelosi **2** coperto (*o* guarnito, foderato) di pelliccia **3** simile a pelliccia **4** (*della lingua*) impastata; sporca **5** (*di tubo, ecc.*) incrostato **6** (*di suono, voce*) roco; velato.

♦**further** /'fɜːðə(r)/ (compar. di **far**) **A** a. **1** più lontano (*di due*); altro: **on the f. side of the mountain**, sull'altro versante del monte **2** ulteriore; nuovo; aggiuntivo; supplementare: **f. evidence** [**instructions**], ulteriori prove [istruzioni]; **until f. notice**, fino a nuovo avviso; (*per estens.*) indefinitamente; *I have no f. need of it*, non ne ho più bisogno **B** avv. **1** più lontano; oltre; più: *We cannot go any f.*, non possiamo andare oltre; **f. away**, (ancora) più lontano; **f. back**, (ancora) più indietro; *I haven't read f. than the first chapter*, non ho letto (*o* non sono andato) oltre il primo capitolo; *Nothing could be f. from the truth*, nulla potrebbe essere più lontano dalla verità; *Don't let it go any f.*, non dirlo a nessun altro; che rimanga fra noi **2** in aggiunta; ulteriormente: **to enquire f.**, fare ricerche più approfondite; fare ulteriori indagini; *He didn't ask f.*, non fece altre domande **3** inoltre; in aggiunta; per di più: *Let me f. remark that...*, inoltre, permettetemi d'osservare che... ● (*GB*) **f. education**, istruzione postscolastica (*non universitaria*); corsi per adulti □ (*in GB*) **f. education college**, scuola di formazione professionale (*dopo la scuola dell'obbligo*) □ (*form.*) **f. to**, facendo seguito a (*una lettera, ecc.*); a seguito di (*un accordo, ecc.*).

❶ NOTA: *further o farther?*
Sia *further* che *farther* sono forme comparative di *far* e come aggettivo o avverbio in riferimento alle distanze fisiche si possono usare entrambi, nonostante *further* sia più comune nell'inglese britannico: *There is another garage a mile or two further on*, c'è un altro garage uno o due miglia più avanti; *Aberdeen is farther north than Dundee*, Aberdeen è più a nord di Dundee. In contesti figurati o astratti, però, si può utilizzare solo *further*, per esempio quando, come aggettivo, si intende "aggiuntivo, ulteriore": *further information*, ulteriori informazioni, *further details*, ulteriori dettagli, *further education*, istruzione postscolastica, o come avverbio nel senso di "inoltre": *Further, the report describes the need for improved safety precautions*, inoltre il report parla della necessità di migliori precauzione sanitarie; o quando si tratta del verbo *to further*, che significa "promuovere, potenziare": *to further children's welfare*, potenziare i servizi sociali per i bambini.

to **further** /'fɜːðə(r)/ v. t. agevolare; appoggiare; favorire; avvantaggiare; incoraggiare; promuovere: **to f. sb.'s plans**, favorire i piani di q.; **to f. one's own career**, agire a vantaggio della (*o* avvantaggiarsi nella) propria carriera; far carriera.

furtherance /'fɜːðərəns/ n. ⓤ (*form.*) **1** appoggio; aiuto; incoraggiamento; promozione **2** progresso; avanzamento.

♦**furthermore** /ˌfɜːðəˈmɔː(r)/ avv. inoltre; in aggiunta; per di più.

furthermost /'fɜːðəməʊst/ a. (il) più lontano o distante o remoto; estremo.

furthest /'fɜːðɪst/ (superl. relat. di **far**) **A** a. (il) più lontano (*o* distante *o* remoto); estremo: **the f. regions f.**, le regioni più lontane; **the f. ends of the earth**, gli ultimi confini della terra **B** avv. **1** (il) più lontano; alla maggior distanza (*nello spazio o nel tempo*): **the room f. away from mine**, la stanza più lontana dalla mia; **Let's see who can swim f.**, vediamo chi arriva più lontano a nuoto; *Bergen is the f. north I've been*, Bergen è il posto più a nord in cui sono stato **2** maggiormente; di più: **to advance f.**, progredire maggiormente; fare i maggiori progressi ● **at the f.**, al massimo; al più tardi.

furtive /'fɜːtɪv/ a. furtivo; circospetto; clandestino; segreto: **a f. look**, uno sguardo furtivo | **-ly** avv. | **-ness** n. ⓤ.

furuncle /'fjʊərʌŋkl/ (*med.*) n. foruncolo ‖

furuncular, furunculous a. foruncoloso.
furunculosis /fjʊrʌŋkjuˈləʊsɪs/ n. ◫ (*med.*) foruncolosi.
fury /ˈfjʊərɪ/ n. **1** ◫ furia, furore; ira: *She rose in a f.*, si alzò infuriata; **a fit of f.**, un accesso d'ira; **cold f.**, fredda ira; **pent-up f.**, ira repressa accumulata **2** furia; violenza; forza: **the f. of the wind [of the battle]**, la furia del vento [della battaglia] **3** persona (*spec. donna*) furibonda; furia **4** (**F.**) (*mitol.*) Furia ● **a f. of activity**, un'attività frenetica □ **to fly into a f.**, infuriarsi; andare su tutte le furie □ (*fam.*) **like f.**, come una furia; a più non posso: **to work like f.**, lavorare come una furia □ **to send sb. into a f.**, fare infuriare q.
furze /fɜːz/ n. ◫ (*bot., Ulex europaeus*) ginestrone ‖ **furzy** a. coperto di ginestroni.
fusain /fjuːˈzeɪn/ n. ◫ (*geol.*) fusite.
fuscous /ˈfʌskəs/ a. (*scient.*) fosco; di colore scuro.
fuse① /fjuːz/ n. **1** (*elettr.*) fusibile; valvola: *A f. has blown*, è saltato un fusibile **2** (*fam.*) cortocircuito; interruzione della corrente ● (*elettr.*) **f. box**, scatola delle valvole; portafusibili □ **f.-carrier**, portafusibili □ (*elettr.*) **f. clip**, contatto a molla per fusibile □ (*elettr.*) **f. cutout**, interruttore automatico □ (*eletron.*) **f. diode**, diodo fusibile □ **f.-holder**, portafusibili □ **f. wire**, filo fusibile □ (*fig.*) **to blow a f.**, perdere la pazienza; andare su tutte le furie.
fuse② /fjuːz/ n. **1** miccia: (*anche fig.*) **to light the f.**, accendere la miccia **2** (*mil.*) spoletta: **time f.**, spoletta a tempo; **impact f.**, spoletta a percussione ● (*fam.*) **to have a short f.**, essere irascibile; scattare per un nonnulla.
to **fuse**① /fjuːz/ Ⓐ v. t. **1** fondere; unire **2** fondere (*metallo, vetro, ecc.*): **to be fused on to st.**, essere saldato per fusione su qc. **3** (*elettr., GB*) far saltare (*un fusibile*): **to f. the lights**, far saltare i fusibili **4** (*elettr.*) fornire (*un impianto*) di fusibili Ⓑ v. i. **1** fondersi; unirsi **2** (*di metallo, vetro, ecc.*) fondersi: **to f. on to st.**, fondere e saldarsi su qc. **3** (*di ossa*) saldarsi **4** (*elettr., GB: di fusibile*) saltare: *The lights have fused*, sono saltate le valvole; è andata via la luce.
to **fuse**② /fjuːz/ v. t. munire di miccia (*o di spoletta*).
fuseboard /ˈfjuːzbɔːd/ n. (*elettr.*) portafusibili.
fused /ˈfjuːzd/ a. **1** fuso; unito **2** (*elettr.*) munito di fusibile; sotto fusibile (*fam.*) ● (*elettr.*) **f. plug**, spina di sicurezza.
fusee /fjuːˈziː/ n. **1** (*d'orologio antico*) fuso **2** fiammifero controvento.
fuselage /ˈfjuːzəlɑːʒ/ n. (*aeron.*) fusoliera.
fusel oil /ˈfjuːzlˈɔɪl/ loc. n. ◫ (*chim.*) **1** olio di flemma; fusololo (*miscela di alcoli butilici e isoamilici*) **2** alcol amilico.
fusible /ˈfjuːzəbl/ a. fusibile ● (*elettr.*) **f. plug**, fusibile ‖ **fusibility** n. ◫ fusibilità.
fusiform /ˈfjuːzɪfɔːm/ a. fusiforme.
fusil /ˈfjuːzɪl/, **fusile** /ˈfjuːzaɪl/ (*stor., mil.*) n. fucile ‖ **fusileer, fusilier** n. fuciliere.
fusillade /fjuːzəˈleɪd/ n. (*mil.*) scarica di fucileria; fuoco di fila (*anche fig.*): **a f. of questions**, un fuoco di fila di domande.
to **fusillade** /fjuːzəˈleɪd/ v. t. **1** attaccare con fuoco di fucileria **2** abbattere con scariche di fucileria; fucilare; passare per le armi.
fusion /ˈfjuːʒn/ n. ◫ **1** fusione: **the f. of two breeds**, la fusione di due razze **2** (*metall.*) fusione **3** (*fis. nucl.*) fusione **4** (*ling.*) fusione **5** (*polit.*) coalizione: *He was elected on a f. ticket*, fu eletto come candidato di una coalizione **6** (*mus.*) fusion ● (*mil.*) **f. bomb**, bomba all'idrogeno □ (*fis. nucl.*) **f.**

reactor, reattore a fusione □ (*metall.*) **f. welding**, saldatura per fusione.
fusional /ˈfjuːʒənl/ a. (*ling.*) fusionale.
fusionist /ˈfjuːʒənɪst/ (*polit.*) n. fusionista ‖ **fusionism** n. ◫ fusionismo.
◆**fuss** /fʌs/ n. trambusto; agitazione; chiasso; scompiglio; subbuglio; scalpore; clamore (*pl., fam.*): *What's all the f. about?*, che cos'è tutto questo trambusto?; perché tutta questa agitazione?; **to make a great f. over nothing**, fare un gran chiasso (*o tante storie*) per nulla; **with very little f.**, senza problemi; senza clamore; con discrezione ● (*fam.*) **to get into a f.**, agitarsi; innervosirsi □ (*fam.*) **to kick up a (big) f.**, fare un gran chiasso; piantare una grana; fare un sacco di storie; fare una scenata □ (*fam.*) **to make a f. (about st.)**, protestare (*per qc.*); fare storie (*su qc.*) □ **to make a f. over (o of) sb.**, colmare q. di attenzioni (*o di premure*).
to **fuss** /fʌs/ Ⓐ v. i. agitarsi; preoccuparsi; affannarsi; darsi un gran daffare: *Stop fussing!*, smettila di agitarti!; **to f. about st.**, preoccuparsi eccessivamente per qc.; **to f. over st.**, armeggiare con qc.; *He was fussing over the stove*, stava armeggiando con la stufa; **to f. over sb.**, circondare q. di attenzioni (*o di premure*); stare addosso a q. (*fam.*); **to fuss with st.**, armeggiare con qc.; spostare qua e là qc. Ⓑ v. t. (*fam.*) **1** disturbare; seccare **2** agitare; mettere in agitazione; innervosire **3** colmare di attenzioni.
■ **fuss up** v. t. + avv. (*fam. USA*) decorare; abbellire; agghindare.
fussbudget /ˈfʌsbʌdʒɪt/ n. (*fam.*) **1** persona che fa un sacco di storie; piaga **2** pignolo, pignola; pittima.
fussed /fʌst/ a. pred. (*fam., GB*) esigente; di gusti difficili.
fusser /ˈfʌsə(r)/ n. **1** chi si agita per un nonnulla; chi fa tante storie; chi si scalmana **2** pignolo, pignola.
fussily /ˈfʌsəlɪ/ avv. **1** con eccessiva sollecitudine; dandosi un gran daffare **2** con pignoleria; puntigliosamente.
fussiness /ˈfʌsɪnəs/ n. ◫ **1** il darsi briga; l'agitarsi; il fare tante storie **2** meticolosità; puntiglio; esigenza; pignoleria **3** irritabilità; nervosismo.
fusspot /ˈfʌspɒt/ n. (*fam.*) → **fussbudget**.
fussy /ˈfʌsɪ/ a. **1** che si agita; apprensivo; nervoso **2** meticoloso; puntiglioso; esigente; pignolo; schizzinoso; che fa un sacco di storie (*fam.*): **to be f. about one's food (o to be a f. eater)**, essere schizzinoso nel mangiare; essere molto esigente in fatto di cibo **3** eccessivamente complicato o elaborato; carico di fronzoli: **a f. hat**, un cappello elaborato; *I don't like f. curtains*, non mi piacciono le tende piene di balze e fiocchi **4** (*di lavoro*) brigoso; meticoloso ● (*fam.*) **not f.**, indifferente; che non ci fa caso: *I'm not f.*, per me fa lo stesso; *I'm not f. about the colour: you choose*, qualunque colore a me va bene: scegli tu; *Are you f. about what time we eat?*, ci tieni a mangiare a un'ora precisa?
fustanella /fʌstəˈnelə/ n. (*moda*) fustanella.
fustian /ˈfʌstɪən/ Ⓐ n. ◫ **1** (*ind. tess.*) fustagno **2** (*antiq.*) ampollosità (*nel parlare o nello scrivere*); pomposità; chiacchiere (*pl.*) tronfie Ⓑ a. attr. **1** di fustagno **2** (*antiq.*) ampolloso; pomposo; pretenzioso.
fustic /ˈfʌstɪk/ n. (*bot., Chlorophora tinctoria*) legno di Cuba; fustetto vecchio.
fusty /ˈfʌstɪ/ a. **1** che sa di chiuso (*o di muffa*) **2** antiquato; sorpassato; stantio ‖ **fustiness** n. ◫ **1** odore di chiuso (*o di muffa*) **2** l'essere antiquato (*o sorpassato*).
futhark /ˈfuːθɑːk/, **futhorc** /ˈfuːθɔːk/ n. alfabeto runico.

futile /ˈfjuːtaɪl/ a. **1** inutile; futile; vano: **a f. attempt [protest]**, un tentativo [una protesta] inutile; *Talk was f.*, era inutile parlare **2** frivolo; leggero; superficiale ● (*med.*) **f. care**, accanimento terapeutico ‖ **futilely** avv. futilmente ‖ **futility** n. ◫ **1** inutilità; futilità; vanità **2** frivolezza; leggerezza; superficialità.
futon /ˈfuːtɒn/ (*giapponese*) n. futon.
futtock /ˈfʌtək/ n. (*naut.*) scalmo ● **f. shroud**, riggia.
◆**future** /ˈfjuːtʃə(r)/ Ⓐ a. **1** futuro; che verrà; venturo; per il futuro; per l'avvenire: **f. prospects**, prospettive future (*o per l'avvenire*); **f. life**, vita futura; **for f. use**, da usare in futuro; per il futuro **2** (*gramm.*) futuro: **f. tense**, tempo futuro Ⓑ n. **1** ◫ futuro; avvenire: **to look to the f.**, guardare al futuro; **for the f.**, per il futuro; per l'avvenire; in f., in futuro; d'ora innanzi; **in the near [distant] f.**, nel prossimo [lontano] futuro; *He has a great f. in politics*, ha un brillante avvenire nella vita politica; *There is no f. in this*, è una cosa che non ha futuro **2** (*gramm.*) futuro: **a verb in the f.**, un verbo al futuro; **f. perfect**, futuro anteriore **3** (*al pl.*) (*fin.*) beni per consegna a termine; futures; operazioni a termine; contratti per consegne a termine: **futures market**, mercato dei futures; mercato a termine ● (*comm.*) **f. delivery**, futura consegna □ (*comm.: di prodotto*) **f.-proof**, che non passerà di moda; intramontabile □ (*Borsa, fin.*) **f. price**, prezzo (*o corso*) a termine.

❶ **NOTA:** *future*

In inglese il futuro non si forma con la flessione del verbo, ma in numerosi altri modi. L'elenco che segue esamina tutti quelli che possono essere fatti corrispondere al futuro italiano.

1 will e shall

a Il futuro, inteso come semplice previsione generica di qualcosa che avverrà o non avverrà, si esprime in genere con il modale **will** (anche abbreviato in '**ll**) + infinito senza **to**:
The weather tomorrow will be cold, domani il tempo sarà freddo (*o domani farà freddo*); *I'll be back in half an hour*, sarò di ritorno nel giro di mezz'ora; *If you quit smoking, your health will improve*, se smetti di fumare, la tua salute migliorerà. Nella forma negativa **will not** può essere abbreviato in **won't**: *I'm afraid they won't agree*, temo che non accetteranno.
Per esprimere questo tipo di futuro si può usare **shall** in alternativa a **will** alla prima persona singolare e plurale: *We shall see who is right*, vedremo chi ha ragione; si tratta però di un uso sempre meno comune e particolarmente raro nell'inglese americano.

b will si adopera anche quando si accetta di fare qualcosa o si prende una decisione; **won't** quando ci si rifiuta di fare qualcosa: *Ok, I will* (*o I'll*) *tell you everything*, va bene, ti dirò tutto; *You're welcome, I won't give in*, ti sbaglia, io non mi arrenderò (*o io non mi arrendo*);

c un'altra funzione di **will** consiste nell'esprimere una congettura sul presente: *The phone's ringing: that will be Aunt Mary*, c'è il telefono che suona: sarà la zia Mary;

d shall è adoperato inoltre nel linguaggio legale, per descrivere previsioni di legge o contrattuali: *In no event shall the manufacturer be liable for any damages whatsoever*, in nessun caso il produttore sarà responsabile di eventuali danni di qualsivoglia tipo.

2 presente progressivo

a Il presente progressivo è usato per indicare un'azione futura programmata: *They're getting married in October*, si sposeranno a ottobre; *I'm playing tennis with Mike on*

Sunday, domenica giocherò (o gioco) a tennis con Mike;

b con i verbi di movimento esprime l'intenzione di compiere un'azione e la sua imminenza: *Are you coming with us?*, venite (o verrete) con noi?; *Get dressed*, *I'm taking you out tonight*, vestiti, stasera ti porto fuori a cena.

3 to be going + infinito con **to** è usato per:

a indicare un'intenzione: *I'm going to buy that dictionary*, comprerò (o ho intenzione di comprare) quel dizionario; *What are you going to do when you quit your job?*, che cosa farai (o che cosa hai intenzione di fare) una volta lasciato il lavoro?;

b fare una predizione basata su indizi evidenti: *It's going to rain soon*, pioverà presto; *She is going to make an excellent teacher*, sarà un'eccellente insegnante.

Si tende a evitare l'uso di **to be going** con i verbi **to come** e **to go**, a favore del presente progressivo: *I'm going to London next summer* (non *I'm going to go to London* ...), la prossima estate andrò (o ho intenzione di andare) a Londra.

4 presente semplice

a Il presente semplice, come in italiano, può indicare eventi futuri preordinati, soprattutto quando fanno parte di orari, calendari o itinerari precisi: *School finishes on 10th June*, la scuola finisce il 10 giugno; *I am on vacation next Monday*, lunedì prossimo sono in vacanza; *What time do we leave from Milan?*, a che ora partiamo da Milano?;

b a differenza dell'italiano l'uso del presente semplice è obbligatorio quando l'azione futura si trova in frasi condizionali o temporali: *She'll help you if you ask her to* (non ... *if you will ask her to*), ti aiuterà se e glielo chiederai; *I will start when I'm ready* (non ... *when I will be ready*), inizierò quando sarò pronto.

5 will (o **shall**) **be** + participio presente (= **future progressive**) può essere usato per:

a indicare un'azione che sarà in svolgimento in un momento futuro: *This time Monday we'll be flying to Honolulu*, lunedì a quest'ora saremo in volo per Honolulu;

b ipotizzare che un'azione sia attualmente in svolgimento: *He'll be sleeping now*, ormai starà dormendo;

c indicare un'azione futura che è normale attendersi o che rientra in uno schema prestabilito: *Our department will be contacting you soon*, il nostro ufficio La contatterà presto;

d domandare con gentilezza le intenzioni di qualcuno: *Will you be bringing your sister with you?*, porterai anche tua sorella?; *When will you be coming back?*, quando tornerai?, quando pensi di tornare?

6 will have + participio passato si usa per:

a indicare che in un dato momento futuro un'azione si sarà conclusa: *By the end of the year I'll have taken my degree*, per la fine dell'anno mi sarò laureato;

b esprimere la probabilità che un dato evento si sia effettivamente verificato: *Don't worry, they'll have been delayed by traffic*, non preoccuparti, saranno stati rallentati dal traffico.

7 to be + infinito con **to** può indicare, nel linguaggio formale, un'azione programmata: *The board is to meet again next Thursday*, il consiglio di amministrazione si riunirà di nuovo il prossimo giovedì.

Il futuro nel passato è espresso usando la forma passata dei verbi e delle costruzioni elencati fin qui, in genere con gli stessi significati che abbiamo sopra indicato. In particolare, le forme più usate sono le seguenti:

i would (in quanto passato di **will**): *He said he would come to the party, but he didn't show up*, ha detto che sarebbe venuto alla festa ma non si è fatto vedere; si noti come in questa locuzione l'inglese **would** + infinito senza **to** corrisponda in italiano a un condizionale passato (sarebbe venuto) anziché presente (verrebbe);

ii il passato progressivo: *She said they were meeting Joe in Catania the next day*, disse che avrebbero incontrato (o che dovevano incontrare) Joe a Catania il giorno dopo;

iii to be going + infinito con **to**: *We thought he was going to quit the team*, pensavamo che intendesse (o che avesse intenzione di) lasciare la squadra;

iv to be + infinito con **to**: *The chairman informed me I was to make the keynote speech*, il presidente mi informò che avrei tenuto (o che dovevo tenere) io il discorso chiave; questa costruzione può anche essere usata per indicare qualcosa 'che aveva in serbo il destino': *Who at that time would have thought he was to become a national hero?*, chi all'epoca avrebbe pensato che fosse destinato a diventare (o che sarebbe diventato) un eroe nazionale?

futureless /ˈfjuːtʃələs/ a. che non ha futuro; senza futuro; senza avvenire.

Futurism /ˈfjuːtʃərɪzəm/ n. ⓤ (*arte, letter.*) futurismo.

futurist /ˈfjuːtʃərɪst/ Ⓐ n. **1** – (*arte, letter.*) F., futurista **2** futurologo Ⓑ a. **1** – (*arte, letter.*) futurista **2** avveniristico; futuristico.

futuristic /fjuːtʃəˈrɪstɪk/ a. **1** avveniristico; futuristico; futuribile **2** (*antiq.*) → **futurist**, *def. 1*.

futurity /fjuːˈtjʊərətɪ, USA -ˈtʊr-/ n. **1** ⓤ futuro; avvenire; vita futura **2** evento futuro **3** (*ipp.*, **f. race**), corsa alla quale i caval-

li (di 2 o 3 anni) sono iscritti con largo anticipo: **f. stakes**, (premio in denaro per) detta corsa.

futurology /fjuːtʃəˈrɒlədʒɪ/ n. ⓤ futurologia || **futurological** a. futurologico || **futurologist** n. futurologo.

to **futz** /fʌts/ v. i. (*fam. USA*) bighellonare; ciondolare pigramente; perdere tempo.

fuze, to **fuze** /fjuːz/ → **fuse**①, **to fuse**①.

fuzz① /fʌz/ n. **1** ⓤ lanugine; peluria **2** ⓤ peluria irsuta; (*rif. a capelli*) zazzera irsuta, zazzera riccia **3** alone confuso; sfocatura ● (*bot.*) f.-ball (*Lycoperdon, Bovista*), vescia maggiore.

fuzz② /fʌz/ n. ⓤ (*slang*) – **the f.**, la polizia; gli sbirri (pl.) (*fam.*); la madama (*pop.*).

fuzzed /fʌzd/ a. (*mus.: di suono, chitarra*) fuzz; distorto.

fuzzy /ˈfʌzɪ/ a. **1** (*di capelli*) irsuto; riccio **2** (*di tessuto*) sfilacciato; sfrangiato **3** coperto di lanugine (o di peluria); lanuginoso; peloso **4** (*d'immagine, fotogr.*) sfocato; indistinto; (*di suono*) confuso: **f. TV picture**, immagine televisiva sfocata **5** (*di pensieri, ecc.*) confuso; incerto; indefinito; nebuloso; vago: **f. memories**, ricordi confusi; **f.-minded**, dalle idee confuse; *My head's a bit f.*, ho la testa un po' confusa **6** (*comput.*) relativo alla logica fuzzy; fuzzy: **f. logic**, logica fuzzy **7** (*fam. USA, anche* **warm f.**) tenero; affettuoso e sentimentale: **f. feelings**, sentimenti teneri **8** (*slang USA*) intontito dall'alcol; sbronzo **9** (*mus.*) → **fuzzed** ● (*fig.*) **f.-headed**, dalle idee confuse; vago; intontito || **fuzzily** avv. indistintamente; vagamente; confusamente || **fuzziness** n. ⓤ **1** sfilacciatura **2** arricciatura; increspatura **3** l'essere indistinto, sfuocato; sfuocatura.

fuzzy-wuzzy /ˈfʌzɪwʌzɪ/ n. (*slang GB, spreg.*) **1** negro (*spec. con capelli crespi*) **2** (*stor.*) soldato sudanese.

fwd abbr. (**forward**) avanti.

f.w.d. sigla **1** (*autom.*, **four-wheel drive**) trazione integrale **2** (*autom.*, **front-wheel drive**) trazione anteriore.

FWIW sigla (*Internet, telef.*, **for what it's worth**), per quel che vale.

F-word /ˈɛfwɜːd/ n. (*fam.*) eufemismo per la parola → **fuck**.

FX sigla (*cinema, TV*, (**special**) **effects**) effetti speciali.

FY sigla (**financial** (o **fiscal**) **year**) anno finanziario; esercizio finanziario (E.F.).

fy, fye /faɪ/ → **fie**.

FYI sigla (**for your information**) per (vo-stra) conoscenza.

fyke /faɪk/ n. (*pesca, USA*) specie di nassa.

fylfot /ˈfɪlfɒt/ n. svastica.

FYROM sigla (**Former Yugoslav Republic of Macedonia**) ex repubblica Jugoslava di Macedonia.

g, G

G① , g /dʒiː/ n. (pl. **G's**, **g's**; **Gs**, **gs**) **1** G, g (*settima lettera dell'alfabeto ingl.*) **2** (*mus.*) sol (*nota e scala corrispondente*): **G clef**, chiave di sol **3** (*comput.*) G, giga ● **g for Golf**, g come Genova □ (*USA*) **G movie**, film per tutti (*anche i bambini*) □ **G string**, perizoma; (*di spogliarellista o artista di varietà*) slippino; slip ridottissimo; cache-sexe (*franc.*); (*mus.*) corda del sol.

G② sigla **1** (**G8**, etc.) (**group (of countries)**) gruppo di paesi (*seguito dal numero*) **2** (*USA*, **Australia**, **General Exhibition**) di spettacolo visibile a tutti **3** (*geogr.*, **gulf**) golfo.

g abbr. **1** (*fis.*, **gas**) gas **2** (**gelding**) cavallo castrato **3** (*fam.*, **gravity**) (forza di) gravità; effetto gravitazionale **4** (*USA*, **slang**, **grand**) mille dollari: **50 G**, 50 mila dollari (*aeron.*) ● **g-suit** (**gravity suit**), tuta antigravità.

GA sigla (*anche* **Ga.**) (*USA*, **Georgia**) Georgia.

GAAP sigla (*org. az.*, *fin.*, **generally accepted accounting principles**) principi contabili generalmente riconosciuti.

gab /gæb/ n. Ⓤ (*fam.*) chiacchiera; parlantina; facilità di parola: **to have the gift of the gab**, avere molta (*o* una gran) chiacchiera; avere lo scilinguagnolo sciolto ● (*fam. USA*) **gab room**, vestibolo delle signore □ (*fam.*) **Cut the gab!**, chiudi il becco!

to **gab** /gæb/ v. i. **1** (*fam.*) chiacchierare; ciarlare; cianciare; cicalare.

gabardine /ˈgæbədiːn/, *USA* -ˈdiːn/ → **gaberdine**.

gabber /ˈgæbə(r)/ n. chi parla a vanvera; ciancione, cianciona.

gabble /ˈgæbl/ n. Ⓤ ciance; ciarle; borbottio; barbugliamento; farfugliamento; discorso a vanvera.

to **gabble** /ˈgæbl/ v. t. e i. **1** borbottare; barbugliare; ciancicare; ciangottare; farfugliare: *Don't g.; speak more slowly*, non farfugliare; parla più lentamente; *The old vicar gabbled through his prayer*, il vecchio curato borbottò in fretta la preghiera **2** (*delle oche, ecc.*) schiamazzare; starnazzare.

gabbler /ˈgæblə(r)/ n. borbottone, borbottona; farfuglione, farfugliona.

gabbro /ˈgæbrəʊ/ n. (pl. **gabbros**) (*geol.*) gabbro; granitone.

gabby /ˈgæbɪ/ a. (*fam.*) garrulo; ciarliero; loquace.

gabelle /gəˈbɛl/ n. (*stor. franc.*) gabella.

gaberdine /ˈgæbədiːn/, *USA* ˈgæ-/ n. **1** Ⓤ (*ind. tess.*) gabardine; gabardina **2** (*impermeabile o soprabito di*) gabardine **3** (*stor.*) gabbana; palandrana; tabarro.

gabfest /ˈgæbfɛst/ n. (*fam. USA*) **1** chiacchierata **2** party (*o* riunione) in cui si fanno molte chiacchiere.

gabion /ˈgeɪbɪən/ n. (*ind. costr.*, *stor.*, *mil.*) gabbione || **gabionade** n. gabbionata.

gable /ˈgeɪbl/ (*archit.*) n. **1** frontone; timpano **2** (= **g. end**) fastigio **3** (= **g. wall**) muro sormontato da un timpano ● **g. roof**, tetto a doppia falda; tetto a due spioventi □ **g. window**, finestra del timpano; finestra sotto lo spiovente del tetto || **gabled** a. **1** (*di edi-*

ficio) munito di timpano (*o* timpani); timpanato; con tetto a due spioventi **2** (*di tetto*) a doppia falda (*o* a due spioventi) su timpano || **gablet** n. piccolo frontone (*o* timpano).

Gabonese /ˌgæbəˈniːz/ a. e n. gabonese; (abitante o nativo) del Gabon.

Gabriel /ˈgeɪbrɪəl/ n. Gabriele.

Gad /gæd/ inter. (*arc.*) perbacco!; perdiana!; perdinci!

gad① /gæd/ n. (nella loc. *fam.*) **to be on the gad**, essere sempre in viaggio (*o* in giro: *per divertimento*).

gad② /gæd/ n. **1** pungolo (*per il bestiame*) **2** punta metallica **3** (*ind. min.*) punciotto; sbarra a cuneo **4** (*USA*) sprone (*nel Far West*).

to **gad**① /gæd/ v. i. (*di solito* **to gad about**) **1** bighellonare; girandolare; gironzolare **2** vagabondare; vagare, viaggiare (*per diletto*).

to **gad**② /gæd/ v. t. (*ind. min.*) spezzare (*roccia, carbone, ecc.*) con un punciotto.

gadabout /ˈgædəbaʊt/ n. (*fam.*) girandolone, girandolona; vagabondo, vagabonda.

gadder /ˈgædə(r)/ → **gadabout**.

gadfly /ˈgædflaɪ/ n. **1** (*zool.*, *Tabanus*) tafano **2** (*zool.*, *Oestrus*) estro **3** (*fig.*) zanzara (*fig.*); seccatore **4** (*fig.*) pungolo; stimolo.

gadget /ˈgædʒɪt/ (*fam.*) n. aggeggio; arnese; congegno; dispositivo || **gadgetry** n. Ⓤ aggeggi; congegni; dispositivi.

Gadhelic /gəˈdɛlɪk/ = **Goidelic** → **Goidel**.

gadoid /ˈgeɪdɔɪd/ a. e n. (*zool.*) (pesce) della famiglia dei gadidi.

gadoids /ˈgeɪdɔɪdz/ n. pl. (*zool.*, *Gadidae*) gadidi.

gadolinite /ˈgædəlɪnaɪt/ n. (*miner.*) gadolinite.

gadolinium /ˌgædəˈlɪnɪəm/ n. Ⓤ (*chim.*) gadolinio.

gadroon /gəˈdruːn/ n. (di solito al pl.) **1** (*archit.*) ovolo **2** (*spec. nell'argenteria*) orlatura increspata.

gadwall /ˈgædwɔːl/ n. (*zool.*, *Anas strepera*) canapiglia.

Gael /geɪl/ n. celta che parla il gaelico (*spec. nelle «Highlands» scozzesi*).

Gaelic /ˈgeɪlɪk/ a. e n. gaelico (*anche la lingua*) ❶ CULTURA • **Gaelic**: *il gaelico, lingua di ceppo celtico, si divide in tre varietà principali:* **Irish Gaelic** (*gaelico irlandese*), **Scottish Gaelic** (*gaelico scozzese*) *e* **Manx Gaelic** (*gaelico dell'Isola di Man*). *Le prime due, soprattutto quella irlandese, sono ancora usate: in passato hanno rischiato di scomparire, ma oggi si assiste a una loro rinascita e il loro insegnamento viene promosso in molte scuole. Nell'Isola di Man, invece, il gaelico sopravvive solo artificialmente, perché l'ultimo parlante madrelingua è morto nel 1974* • **G. coffee** = **Irish coffee** → **Irish** □ (*sport*) **G. football**, football gaelico.

gaff① /gæf/ n. **1** arpione; fiocina; raffio; rampone; uncino **2** (*naut.*) picco (*di randa*) ● **g. sail**, vela di randa □ **g.-topsail**, controranda.

gaff② /gæf/ n. Ⓤ (*slang*) **1** baggianata (*pop.*); fesseria; sciocchezza **2** (*USA*) imbroglio; pasticcio; difficoltà ● **to blow the g.**, fare una soffiata; spifferare tutto; cantare (*fig. pop.*) □ (*USA*) **to stand the g.**, sopportare un affronto; resistere alle critiche (*o* agli

sberleffi) □ (*USA*: *di un materiale*) **to take a great deal of g.**, resistere a una forte usura.

gaff③ /gæf/ n. (*slang ingl.*) **1** casa; appartamento **2** (= **penny g.**) teatro; varietà (*d'infimo ordine*): *The g. was sold out*, i biglietti per lo spettacolo erano stati venduti tutti **3** locanda; pensione.

to **gaff** /gæf/ v. t. arpionare, fiocinare, uncinare (*un pesce*).

gaffe /gæf/ n. gaffe; cantonata (*fig.*); topica.

gaffer /ˈgæfə(r)/ n. **1** (*fam. antiq.*) vecchio; (vecchio) compare **2** caposquadra (*di operai*); capo lavorante **3** (*fam. ingl.*) padrone; capo **4** (*cinem.*, *TV*) capoelettricista ● (*ingl.*) **g. tape**, nastro adesivo telato.

gag /gæg/ n. **1** fazzoletto (*o sim.*) appallottolato e infilato in bocca; bavaglio: **to put a gag in sb.'s mouth**, tappare la bocca a q. con un fazzoletto appallottolato; **to put a gag over sb.'s mouth**, imbavagliare q. **2** morso duro (*per cavalli*); mordacchia **3** (*fig.*) restrizione alla libertà di parola; bavaglio; mordacchia: **to put a gag on the press**, imbavagliare la stampa; **to put a gag on st.**, vietare la discussione pubblica di qc. **4** (*polit.*) chiusura di dibattito (*in un'assemblea legislativa, per impedire l'ostruzionismo*) **5** (*med.*, *odontoiatria*) apribocca **6** (*teatr.*) gag; battuta improvvisata; spunto (*di numero di varietà*) **7** (*fam.*) trovata comica; gag; battuta **8** (*slang*) trucco; raggiro **9** (*mecc.*) distanziatore **10** (*tecn.*) ostruzione (*di una valvola, ecc.*) ● (*fam. USA*) **gag comics**, fumetti demenziali □ (*fam. USA*) **gag law** (*o* **gag rule**), legge (*o* norma) limitativa della libertà di parola e di stampa □ (*polit.*) **gag order**, divieto ufficiale di discutere pubblicamente di un argomento □ (*med.*) **gag reflex**, riflesso del vomito; riflesso faringeo.

to **gag** /gæg/ Ⓐ v. t. **1** imbavagliare; mettere il bavaglio a **2** mettere il morso (*o* la mordacchia) a (*un cavallo*) **3** (*fig.*) imbavagliare; mettere la mordacchia a: **to gag the press**, imbavagliare la stampa **4** (*polit.*) porre limiti alla discussione di (*un'assemblea legislativa*) **5** (*slang*) imbrogliare; fregare (*pop.*) Ⓑ v. i. **1** avere conati di vomito; essere sul punto di soffocare: *I gagged on a morsel of hard bread*, stavo per soffocare per un boccone di pane secco **2** (*di attore*) improvvisare battute divertenti; fare gag **3** (*mecc.*: *di una valvola, ecc.*) ostruirsi ● (*fam.*) **to be gagging for st.**, morire dalla voglia di qc. □ (*polit. GB*) **gagging order** = **gag order** → **gag** □ (*scherz. USA*) **Gag me with a spoon!**, che schifo!; roba da vomito!

gaga /ˈgɑːgɑː/ a. (*pop.*) stupido; rimbambito; tocco ● **to go g.**, rimbambirsi □ **to go g. over sb.**, perdere la testa per q.

gage① /geɪdʒ/ n. **1** (*arc.*) pegno (*leg.*); arra; garanzia (*leg.*) **2** (*stor.*) guanto (*fig.*); sfida: **to throw down the g. (to sb.)**, gettare il guanto (a q.); lanciare una sfida.

gage② /geɪdʒ/ (*USA*) → **gauge**.

gage③ /geɪdʒ/ n. (abbr. di **greengage**) susina regina Claudia.

to **gage**① /geɪdʒ/ v. t. (*arc. o leg.*) dare in pegno (*o* in garanzia); impegnare.

to **gage**② /geɪdʒ/ (*USA*) → **to gauge**.

gaggle /'gægl/ n. **1** branco d'oche **2** (*spreg.*) gruppo, branco (*di ragazzi, ecc.*).

to gaggle /'gægl/ v. i. (*d'oche*) schiamazzare.

gagman /'gægmæn/ n. (pl. *gagmen*) (*teatr.*) **1** scrittore di gag **2** improvvisatore di battute comiche.

gagster /'gægstə(r)/ n. **1** (*teatr.*) → **gagman 2** individuo faceto, che ama fare battute.

gaiety /'geɪətɪ/ n. **1** ⓤ gaiezza; allegria; giocondità; vivacità: **g. of color**, vivacità di colori **2** (pl.) feste; divertimenti **3** (pl.) burle; scherzi: **freshman gaieties**, burle goliardiche.

gaily /'geɪlɪ/ avv. gaiamente; allegramente; giocondamente.

gain① /geɪn/ n. **1** ⓒⓤ guadagno; lucro; profitto; vantaggio; vincita: **ill-gotten gains**, guadagni illeciti **2** aggiunta; aumento; miglioramento: **a g. in weight**, un aumento di peso; (*fin., rag.*) **a g. of three per cent over last year sales**, un aumento del tre per cento rispetto alle vendite dello scorso anno; **a g. in health**, un miglioramento della salute **3** ⓤ (*elettr., elettron.*) guadagno **4** (*sport*) avanzata: a 15-yard g., un'avanzata di 15 iarde ● (*rag.*) **g. contingency**, guadagno imprevisto; plusvalenza; sopravvenienza attiva.

gain② /geɪn/ n. (*tecn.*) incassatura; mortasa.

♦**to gain**① /geɪn/ Ⓐ v. t. **1** guadagnare; acquistare; conseguire; ottenere; raggiungere; riportare; vincere: **to g. experience**, acquistare esperienza; **to g. an advantage**, conseguire un vantaggio; **to g. the top of a mountain**, guadagnare la cima d'un monte; **to g. time**, guadagnar tempo; **to g. ground**, guadagnar terreno; (*fig.*) fare progressi; **to g. a victory**, ottenere (o riportare) una vittoria; **to g. a battle**, vincere una battaglia; **to g. one's end**, raggiungere il proprio scopo **2** mettere su (*peso corporeo*); crescere di: *I've gained weight [two kilos] this year*, quest'anno ho preso peso [ho messo su due chili] **3** (*d'orologio*) andare avanti di: *My watch gains five minutes a day*, il mio orologio va avanti di cinque minuti al giorno **4** (*baseball*) guadagnare: **to g. a base**, guadagnare una base Ⓑ v. i. **1** guadagnarci; profittare: *You have nothing to g. by it*, non hai niente da guadagnarci **2** progredire; aumentare; crescere: *I am gaining in weight*, sto crescendo di peso; sto ingrassando ● **to g. admittance to**, ottenere l'accesso a; essere ammesso a □ **to g. by an experience**, fare tesoro di un'esperienza □ **to g. sb.'s ear**, guadagnarsi la benevola attenzione di q.; trovare ascolto presso q. □ **to g. entry through a window**, riuscire a entrare da una finestra □ (*aeron.*) **to g. height**, prendere quota □ (*Borsa*) **to g. a listing**, essere ammesso alle quotazioni □ **to g. on** (*o* **upon**), guadagnar terreno su; distanziare (*un inseguitore, ecc.*) □ **to g. sb. over**, guadagnarsi q.; trarre q. al proprio partito (*o dalla propria parte*) □ (*naut.*) **to g. port**, guadagnare il porto □ **to g. a prize**, prendere un premio □ **to g. strength**, acquistare forza; rafforzarsi: **to g. strength after an illness**, riacquistare le forze dopo una malattia; *The market is gaining strength*, il mercato si va rafforzando □ **to g. the upper hand (over sb.)**, avere il sopravvento (su q.) □ *The sea is gaining on the land*, il mare corrode la costa.

to gain② /geɪn/ v. t. (*tecn.*) mortasare; fare un incavo in (qc.).

gainable /'geɪnəbl/ a. guadagnabile; acquistabile; ottenibile.

gainer /'geɪnə(r)/ n. **1** chi guadagna, vincitore; vincente **2** (*sport*, = **full g.**) salto mortale all'indietro (*tuffo*).

gainful /'geɪnfl/ a. lucrativo; profittevole; remunerativo; redditizio; vantaggioso: **g. occupations**, occupazioni remunerative ● (*econ.*) **g. employment**, lavoro retribuito.

to gainsay /geɪn'seɪ/ (pass. e p. p. **gainsaid**), v. t. **1** negare: *There's no gainsaying his teaching ability*, è innegabile (*o* non si può negare) che sia un bravo insegnante **2** contraddire; contrastare: *He refused to be gainsaid*, non voleva essere contraddetto.

gainsayer /geɪn'seɪə(r)/ n. contraddittore, contraddittrice; oppositore, oppositrice.

gainst, **'gainst** /geɪnst/ prep. (contraz. di **against**) (*poet.*) contro.

gait /geɪt/ n. **1** andatura; passo; (*fig.*): **a heavy g.**, un'andatura pesante **2** passo (*del cavallo*).

gaiter /'geɪtə(r)/ n. **1** ghetta; uosa: **cloth gaiters**, ghette di stoffa **2** (*USA*) stivaletto (*con elastici laterali*).

GAL sigla (*Internet, telef.*) **get a life**) **1** non hai di meglio da fare?; va' a far dell'altro! **2** non dire scemenze!; ma va'.

gal /gæl/ grafia scherz. o fam. di **girl**.

gala /'gɑ:lə, 'geɪ-/ Ⓐ n. gala; festa; lusso, sfoggio (*d'abiti, ecc.*) Ⓑ a. attr. di gala: **a g. dress [night]**, un abito [una serata] di gala.

galactagogue /gə'læktəgɒg/ a. e n. (*med.*) galattagogo.

galactic /gə'læktɪk/ a. (*astron.*) galattico.

galactophorous /gæləˈktɒfərəs/ a. (*anat.*) galattoforo: **g. duct**, dotto galattoforo.

galactose /gə'læktəʊs/ n. ⓤ (*chim.*) galattosio.

galago /gə'lɑːgəʊ/ n. (*zool.*, *Galago galago*) galagone.

galah /gə'lɑː/ n. (*Austral.*) **1** (*zool.*, *Cacatua roseicapilla*) rosalba **2** (*fam. spreg.*) cretino; citrullo; stupido.

galantine /'gæləntiːn/ n. (*cucina*) galantina.

galanty show /gə'læntɪ'ʃəʊ/ loc. n. (spettacolo delle) ombre cinesi.

galatea /gæləˈtiːə/ n. ⓤ pesante stoffa di cotone a righe bianche e blu.

Galatian /gə'leɪʃn/ n. (*stor.*) galata ● (*relig.*) **The Epistle to the Galatians**, la Lettera ai Galati (*di San Paolo*).

galaxy /'gæləksɪ/ n. **1** (*astron.*) galassia **2** – (*astron.*) **the G.**, la Galassia; la Via Lattea **3** (*fig.*) schiera, stuolo, parata (*fig.*): **a g. of film stars**, una parata di stelle del cinema.

galbanum /'gælbənəm/ n. ⓤ galbano (*resina*).

gale① /geɪl/ n. **1** vento forte, violento; *It was blowing an absolute g. on the seafront*, tirava un vento fortissimo sul lungomare **2** (*naut.*) burrasca; fortunale; tempesta: **g. warning**, avviso di burrasca **3** (*poet.*) brezza; vento **4** scoppio: **a g. of laughter**, uno scoppio di risa **5** (*fam. USA*) eccitazione; allegria ● (*meteor.*) **g.-force**, (*di vento*) molto forte; impetuoso.

gale② /geɪl/ n. (*bot.*, *Myrica gale*; = **sweet g.**) mirica.

gale③ /geɪl/ n. (*leg.*, *in GB*) **1** affitto; pigione: **hanging g.**, affitto arretrato **2** (affitto di) terreno minerario in concessione.

galea /'geɪlɪə/ (*bot., zool.*) n. (pl. *galeae*) galea.

Galen /'geɪlɪn/ n. **1** (*stor.*) Galeno **2** (*scherz.*) medico.

galena /gə'liːnə/ n. ⓤ (*miner.*) galena.

galenic① /gə'lɛnɪk/ a. galenico; di Galeno.

galenic② /gə'lɛnɪk/ a. (*miner.*) galenico; che contiene galena.

galenical /gə'lɛnɪkl/ a. e n. (*farm.*) (preparato) galenico.

Galicia /gə'lɪsɪə/ n. (*geogr.*) Galizia.

Galician /gə'lɪʃən/ Ⓐ a. gallego; galiziano Ⓑ n. **1** abitante della Galizia; galiziano **2** ⓤ gallego (*la lingua*).

Galilean① /gælɪ'liːən/ a. galileiano; di Galileo (*lo scienziato*).

Galilean② /gælɪ'liːən/ a. e n. galileo; (abitante o nativo) della Galilea ● (*relig.*) **the G.**, il Galileo (*Cristo*).

galilee /'gælɪliː/ n. (*archit.*) portico esterno, cappella esterna (*di chiesa*); galileo.

Galilee /'gælɪliː/ n. (*geogr.*) Galilea.

galingale /'gælɪngeɪl/ n. (*bot.*) **1** (*Kaempferia galanga*) galanga **2** (*Alpinia officinarum*) galanga minore **3** (*Cyperus longus*) giunco odoroso.

galiot /'gælɪət/ → **galliot**.

galipot /'gælɪpɒt/ n. ⓤ trementina grezza; resina di pino.

gall① /gɔːl/ n. ⓤ **1** (*fisiol., antiq.*) bile; fiele **2** (*fig.*) amarezza; rancore: (*Bibbia*) **g. and wormwood**, fiele e assenzio; afflizioni e amarezze **3** (*fam.*) impudenza; sfacciataggine: **to have the g. to do st.**, avere la sfacciataggine di fare qc. ● (*anat.*) **g. bladder**, cistifellea □ (*anat.*) **g. duct**, dotto biliare.

gall② /gɔːl/ n. **1** (*vet.*) galla, piccolo tumore (*del cavallo*) **2** escoriazione, scorticatura, vescica (*della pelle*) **3** (*fig.*) irritazione; molestia; seccatura **4** punto rimasto nudo, scoperto (*per sfregamento*) **5** (*fig.*) falla; punto debole **6** (*arc.*) radura (*in un bosco ceduo*).

gall③ /gɔːl/ n. (*bot.*, = **gallnut**) noce di galla; cecidio ● (*zool.*) **g.-fly** (*Cynips*), cinipe □ **oak g.**, galla di quercia.

to gall /gɔːl/ v. t. **1** irritare (*la pelle*) per sfregamento; scorticare, escoriare **2** (*fig.*) irritare; infastidire; molestare; seccare: **it galls me that**, mi dà fastidio che.

gallant① /'gælənt/ a. **1** coraggioso; prode; valoroso: **a g. knight**, un prode cavaliere **2** bello; splendido; maestoso: **a g. ship**, una bella nave **3** galante; amoroso, cavalleresco; cortese (*con le donne*): **g. adventures**, avventure galanti | **-ly** avv.

gallant② /gə'lænt/ n. (*arc.*) **1** gentiluomo; cavaliere; uomo di mondo **2** cicisbeo; damerino; corteggiatore; innamorato.

gallantry /'gæləntrɪ/ n. ⓤ **1** coraggio; prodezza; valore **2** galanteria; (atto di) cortesia (*verso una donna*) **3** atto ardimentoso.

galleass /'gælɪæs/ n. (*stor., naut.*) galeazza.

galleon /'gælɪən/ n. (*stor., naut.*) galeone.

♦**gallery** /'gælərɪ/ n. **1** (*archit., arte, min., ecc.*) galleria; ballatoio; tribuna; veranda; traforo: **an art g.**, una galleria d'arte, una pinacoteca; **the Simplon g.**, il traforo del Sempione **2** (*teatr.*) loggione **3** (*fig.*) pubblico del loggione; spettatori (collett.) **4** sala (*o* salone, palazzo) d'esposizione; galleria **5** (*spec. USA*) sala d'vendite all'asta; sala d'asta ● (*naut.*) **g. deck**, ponte di batteria; sottoponte di volo (*di portaerei*) □ (*fig.*) **g. hit** (*o* **g. shot**, **g. stroke**), cosa che fa colpo; (*a teatro*) pezzo di bravura, pezzo forte □ (*teatr.*) **g. play**, dramma d'effetto; drammone □ (*fig.*) **to play to the g.**, recitare per il loggione; cercare di far colpo sul grosso pubblico.

galleryite /'gælərɪaɪt/ n. (*teatr.*) loggionista.

galley /'gælɪ/ n. **1** (*stor., naut.*) galea; galera **2** (*naut., aeron.*) cucina di bordo **3** (*naut.*) lancia **4** (*tipogr.*) vantaggio **5** (*tipogr.*) bozza in colonna ● **g. proofs**, bozze in colonna □ **g. slave**, rematore di galea, galeotto; (*fig.*) chi fa un lavoro pesante □ (*pop. spec. USA*) **g.-west**, più in là che di qua; stordito; intontito: **to knock sb. g.-west**, stordire (*o* intontire) q.

galliambic /gælɪ'æmbɪk/ (*poesia*) Ⓐ n.

galliambo **B** a. di galliambo.

galliard /ˈgælɪɑːd/ n. (stor.) gagliarda (danza concitata).

gallic /ˈgælɪk/ a. (chim.) gallico: **g. acid**, acido gallico.

Gallic /ˈgælɪk/ a. **1** (stor.) gallico (degli antichi Galli) **2** francese (di solito scherz.): **G. charm**, fascino francese.

Gallican /ˈgælɪkən/ (relig.) a. gallicano: **G. Church**, Chiesa gallicana || **Gallicanism** n. ⓤ gallicanismo.

gallicism /ˈgælɪsɪzəm/ n. ⓤ (ling.) gallicismo; francesismo.

to **gallicize** /ˈgælɪsaɪz/ **A** v. i. gallicizzare; adoperare francesismi; imitare costumi (o usi, ecc.) francesi **B** v. t. francesizzare.

galligaskins /gælɪˈgæskɪnz/ n. pl. **1** (stor.) brache ampie (del Seicento) **2** (stor.) calzoni di cuoio (dell'Ottocento) **3** (scherz.) brache; calzoni.

gallimaufry /gælɪˈmɔːfrɪ/ n. accozzaglia; miscuglio; guazzabuglio.

gallinaceous /gælɪˈneɪʃəs/ (zool.) a. dei gallinacei; gallinaceo.

galling /ˈgɔːlɪŋ/ a. **1** irritante; molesto; seccante **2** cocente; bruciante; amaro: **g. reproaches**, rimproveri brucianti.

gallinule /ˈgælɪnjuːl/, USA -nuːl/ n. (zool.) **1** rallide (in genere) **2** (USA, = **common g.**) → **moorhen**, def. 2.

galliot /ˈgælɪət/ n. (stor., naut.) galeotta.

gallipot /ˈgælɪpɒt/ n. vaso di terracotta smaltata; vaso galenico (nelle farmacie antiche).

gallium /ˈgælɪəm/ n. ⓤ (chim.) gallio.

to **gallivant** /gælɪˈvænt/ v. i. (fam., scherz. o spreg.) **1** bighellonare; andare a zonzo (o a divertirsi) **2** fare il galante; essere il gallo della Checca; amoreggiare.

♦**gallon** /ˈgælən/ n. **1** gallone (misura di capacità per liquidi; quello inglese o **imperial g.**, è pari a l 4,54; quello americano – anche **wine g.** – è pari a l 3,78) **2** misura per cereali (1/8 di bushel).

galloon /gəˈluːn/ n. gallone (sorta di guarnizione); nastro.

gallop /ˈgæləp/ n. **1** galoppo; (fig. fam.) andatura veloce; procedimento rapido: **at a g.**, al galoppo; di galoppo; **at full g.**, al gran galoppo; a briglia sciolta **2** galoppata: Let's go for a g., andiamo a fare una galoppata!

to **gallop** /ˈgæləp/ **A** v. i. galoppare; andare al galoppo; procedere (leggere, parlare, ecc.) in fretta: She galloped through her work, fece il suo lavoro di gran corsa **B** v. t. far galoppare (un cavallo) ● **to g. off**, partire al galoppo □ **to g. out**, uscire al galoppo.

galloper /ˈgæləpə(r)/ n. **1** galoppatore; cavallo che galoppa **2** (mil., stor.) aiutante di campo **3** (mil., stor.) affusto (o cannone) per batteria a cavallo.

galloping /ˈgæləpɪŋ/ a. galoppante; che galoppa ● (econ.) **g. inflation**, inflazione galoppante □ (med.) **g. phthisis**, tisi galoppante.

Gallovidian /gæləʊˈvɪdɪən/ a. e n. (abitante) del Galloway (regione della Scozia).

galloway /ˈgæləweɪ/ n. (zool.) piccolo cavallo (o bovino di piccola taglia) originario del Galloway.

gallows /ˈgæləʊz/ n. pl. (di solito col verbo al sing.) **1** forca; patibolo: **to send sb. to the g.**, mandare q. alla forca ● (a forma di forca: per cucina, ginnastica, ecc.): forcella ● (fam.) **g. bird**, avanzo di galera; pendaglio da forca; uomo da capestro □ **g. humour**, umorismo macabro ● **a g. look**, un'aria sinistra; una faccia patibolare □ **g. ripe**, da forca; da capestro □ **g. tree**, forca; patibolo.

galistone /ˈgɔːlstəun/ n. (med.) calcolo biliare.

Gallup poll /ˈgæləppəul/ loc. n. (stat.) sondaggio Gallup (per previsioni); indagine demoscopica.

galluses /ˈgæləsəz/ n. pl. (fam. USA) bretelle.

galoot /gəˈluːt/ n. (slang spec. USA) persona rozza; zoticone.

galop /ˈgæləp/ n. galoppo (ballo assai vivace).

galore /gəˈlɔː(r)/ avv. e a. (posposto al sost.) in abbondanza; a bizzeffe; à gogo; a iosa; a profusione; in quantità: **a party with whisky g.**, una festa con whisky a profusione.

galosh /gəˈlɒʃ/ n. caloscia, galoscia; soprascarpa.

to **galumph** /gəˈlʌmf/ v. i. **1** saltare dalla gioia; esultare **2** (spec. di animali) camminare in modo goffo ma allegro; sgambettare.

galvanic /gælˈvænɪk/ a. **1** (elettr.) galvanico: **g. battery [pile]**, batteria [pila] galvanica **2** (fig.) galvanizzante; elettrizzante; eccitante ● (fig.) **to have a g. effect on sb.**, galvanizzare q. || **galvanically** avv. galvanicamente.

galvanism /ˈgælvənɪzəm/ n. ⓤ (elettr.) galvanismo.

to **galvanize** /ˈgælvənaɪz/ v. t. **1** galvanizzare (anche fig.); elettrizzare; eccitare; stimolare: **to g. sb. into action**, stimolare q. all'azione **2** (metall.) galvanizzare; (spec.) zincare (elettroliticamente): **galvanized iron**, ferro zincato || **galvanization** n. ⓤ **1** (elettr., med.) galvanizzazione **2** (metall.) galvanizzazione; (spec.) zincatura || **galvanizer** n. (tecn.) galvanizzatore.

galvanometer /gælvəˈnɒmɪtə(r)/ (elettr.) n. galvanometro || **galvanometric**, **galvanometrical** a. galvanometrico.

galvanoscope /ˈgælvənəskəup/ (ind., med.) galvanoscopio.

Galwegian /gælˈwiːdʒən/ a. e n. (abitante) del Galloway (regione della Scozia).

gam /gæm/ n. **1** branco di balene **2** (naut.) scambio di visite (fra ufficiali di baleniere) **3** (slang USA) visita; riunione; incontro.

to **gam** /gæm/ v. i. **1** (di balene) riunirsi in branchi **2** (naut.) scambiarsi visite (→ **gam**) **3** (slang USA) mettersi in mostra; vantarsi.

gambit /ˈgæmbɪt/ n. **1** (a scacchi) gambetto **2** (fig.) mossa iniziale; prima mossa **3** (fig.) osservazione fatta per attaccare discorso ● **conversational g.**, modo di attaccare discorso □ **opening g.**, (a scacchi) gambetto; (fig.) prima mossa.

gamble /ˈgæmbl/ n. **1** gioco d'azzardo **2** azzardo; pericolo; rischio: It's a g.; you could lose everything, c'è il rischio che tu perda tutto ● **to be on the g.**, giocare d'azzardo; essere dedito al gioco □ **to take a g. on sb.**, puntare (o scommettere) su q. □ It's **a bit of a g.**, la cosa è un po' rischiosa; non si è mai sicuri di nulla.

to **gamble** /ˈgæmbl/ **A** v. i. **1** giocare d'azzardo **2** giocare: **to g. at poker**, giocare a poker **3** (fin.) azzardare una speculazione; speculare: He made a fortune by gambling on the Stock Exchange, fece una fortuna speculando (o giocando) in Borsa **4** scommettere; puntare: **to g. on horses**, puntare sui cavalli alla corsa **5** (fig.) puntare, contare, fare (troppo) affidamento (su qc.): Don't g. on the bus being on time, non contare sulla puntualità dell'autobus! **B** v. t. **1** scommettere, puntare: They've gambled a lot of money, hanno scommesso un sacco di soldi **2** rischiare (denaro, ecc.) ● Let's g. on its being a sunny day!, speriamo che ci sia il sole!

■ **gamble away** **A** v. i. + avv. continuare a giocare (d'azzardo) **B** v. t. + avv. perdere (al gioco; giocarsi): He's gambled away a fortune, s'è giocato un patrimonio.

■ **gamble with** v. i. + prep. **1** giocare, scherzare con: Don't g. with love!, non scherzare con l'amore! **2** arrischiare; mettere a repentaglio: **to g. with one's life**, mettere a repentaglio la propria vita.

gambler /ˈgæmblə(r)/ n. **1** giocatore d'azzardo; biscazziere **2** speculatore (di Borsa).

gambling /ˈgæmblɪŋ/ n. ⓤ **1** gioco d'azzardo **2** speculazione (in Borsa) ● **g. debts**, debiti di gioco □ (spreg.) **g. den** → **g. house** □ **g. hall**, sala da gioco □ **g. house**, casa da gioco; bisca.

gamboge /gæmˈbəʊʒ/ n. ⓤ (ind.) gommagutta arancione (dalla Cambogia).

gambol /ˈgæmbl/ n. **1** capriola; salto; sgambetto **2** gioco festoso; scherzo: **a Christmas g.**, un gioco di Natale.

to **gambol** /ˈgæmbl/ v. i. **1** saltellare; sgambettare; far capriole **2** giocare; scherzare.

gambrel① /ˈgæmbrəl/ n. **1** garretto (di cavallo, ecc.) **2** (= **g. stick**) gancio (da macelleria).

gambrel② /ˈgæmbrəl/, **gambrel roof** /ˈgæmbrəlˈruːf/ loc. n. (edil.) tetto a mansarda.

♦**game①** /geɪm/ n. **1** ⓒⓤ gioco (per lo più rispondente a regole precise; cfr. **play①**, def. 1); (fig.) gioco, scherzo: **a g. of chance [skill]**, un gioco d'azzardo [di destrezza]; **the g. of politics**, il gioco della politica; (comput.) **computer g.**, gioco al computer; (fig.) We saw through his g., capimmo qual era il suo gioco (o il suo piano) **2** (fig.) giochetto; inganno; trucco: I'm fed up with your little games!, sono stufo dei tuoi giochetti **3** ⓤ (fig.) piano (d'azione); progetto: He spoiled my g., ha rovinato il mio piano; What's his g.?, che progetti fa? **4** gara; partita; incontro: **a g. of cards**, una partita a carte; **practice g.**, partita di allenamento **5** (calcio, ecc.) tattica (di gioco): **a defensive g.**, una tattica difensiva **6** (tennis) gioco; game: I won three games in the second set, vinsi tre game nel secondo set **7** (pallavolo) set **8** ⓤ (sport) punteggio (per vincere): At half-time the g. was (o stood at) three to one, alla fine del primo tempo il punteggio era di tre a uno; In volleyball, the g. is twenty-five, nella pallavolo, il punteggio per vincere un set è di venticinque **9** (pl.) giochi ginnici; attività agonistica: gare **10** ⓤ cacciagione; selvaggina: **big g.**, selvaggina grossa; **to eat g.**, mangiare cacciagione; **fair [forbidden] g.**, selvaggina di cui è lecita [proibita] la caccia **11** (pl.) – **the Games**, i Giochi Olimpici ● **g. acts**, leggi venatorie (o sulla caccia) □ (tennis) **g. and set**, partita (vinta); vittoria □ **g. bag**, carniere □ **g. birds**, selvaggina di penna □ **g. laws = g. acts** → sopra □ **g. licence**, licenza di caccia □ (comput.) **g. master**, direttore del gioco (in un gioco di ruolo, ecc.); **games master [games mistress]**, insegnante di ginnastica □ **g. park**, parco naturale (in Africa, ecc.) □ **g. piece**, pezzo (degli scacchi); pedina (della dama) □ **g. plan**, (sport) piano tattico; schema (di gioco); tattica; (fig.) piano d'azione, strategia □ **g. point**, punto vincente (in genere); (tennis) punto game (che decide il game) □ **g. preserve**, riserva di caccia □ **g. reserve = g. park** → sopra □ **games room**, stanza dei giochi; sala di ricreazione □ (calcio, ecc.) **g. schedule**, calendario (delle partite) □ (tennis) **g. set and match**, game, set e partita; vittoria (ottenuta con l'ultimo colpo) □ **g. shooting**, caccia al gallo cedrone (o alla pernice, alla starna, ecc.; cfr. **wildfowling**) □ (TV) **g. show**, gioco (a premi) televisivo □ (mat., stat.) **g. theory**, teoria dei giochi □ **g. warden**, guardacaccia □ (sport e fig.) **to be in the g.**, essere in partita: We're still in the g.!, siamo ancora in partita! □ **to give the g. away**, scoprire il gioco (anche senza volerlo);

svelare i progetti (*di q.*); spiattellare tutto □ **to have the g. in one's hands**, avere la vittoria in pugno □ (*antiq.*) **to make g. of sb.**, prendersi gioco di q. □ (*fig.*) **to be off one's g.**, non essere in vena □ (*pop.: di donna*) **to be on the g.**, essere nel giro; fare la vita: *She's on the g.*, è una che fa la vita □ (*fig.*) **to play a double g.**, fare il doppio gioco □ (*sport*) **to play a good [a poor] g.**, essere un buon [un cattivo] giocatore □ (*fig.*) **to play sb.'s g.**, fare il gioco di q.; favorire i piani di q. (*senza volerlo*) □ (*fig.*) **to play the g.**, stare alle regole del gioco; essere corretto □ **to play a winning [a losing] g.**, esser certo di vincere [di perdere] il gioco (*o la posta*); avere buone [cattive] carte in mano □ (*fam.*) **The g. is not worth the candle**, il gioco non vale la candela; l'impresa non vale la spesa □ **The g. is up**, la partita è persa; il piano è fallito; non c'è più niente da fare □ (*fig.*) **Two can play at that g.!**, è una partita che si gioca in due; posso farlo anch'io!; posso fare altrettanto! □ (*fig.*) **What's your little g.?**, a che gioco giochiamo?

game[2] /geɪm/ a. **1** coraggioso; ardimentoso; risoluto; in gamba: **a g. old lady**, una vecchietta coraggiosa **2** pronto; disposto; che ci sta: **g. for anything**, pronto a tutto; *I'm g.!*, ci sto!

game[3] /geɪm/ a. (*antiq.*) (*d'arto*) leso; rattrappito; zoppo: **a g. leg**, una gamba zoppa.

to **game** /geɪm/ **A** v. i. giocare d'azzardo **B** v. t. (*form.*) – **to g. away**, perdere (*o sperperare*) al gioco.

gamecock /ˈgeɪmkɒk/ n. gallo da combattimento.

gamekeeper /ˈgeɪmkiːpə(r)/ n. guardacaccia ‖ **gamekeeping** n. ⓤ lavoro del guardacaccia.

gamely /ˈgeɪmlɪ/ avv. arditamente; coraggiosamente.

gameness /ˈgeɪmnəs/ n. ⓤ ardimento; coraggio.

gamer /ˈgeɪmə(r)/ n. **1** (*sport USA*) giocatore in gamba; gran giocatore **2** (*comput.*) giocatore (*di videogiochi*): *Are you a big g.?*, sei un appassionato di videogiochi?

gamesmanship /ˈgeɪmzmənʃɪp/ n. ⓤ arte (*o capacità*) di vincere (*in un gioco o in uno sport*) con l'astuzia ma senza violare del tutto le regole; (*spreg.*) furbizia inelegante; tatticismo.

gamesome /ˈgeɪmsəm/ a. allegro; gaio; giocoso; scherzoso | **-ly** avv. | **-ness** n. ⓤ.

gamester /ˈgeɪmstə(r)/ n. giocatore (*d'azzardo*); biscazziere.

gamete /ˈgæmiːt/ (*biol.*) n. gamete ‖ **gametic** a. gametico.

gametogenesis /ˌgæmɪtəˈdʒɛnəsɪs/ n. ⓤ (*biol.*) gametogenesi.

gametophyte /gəˈmiːtəʊfaɪt/ n. (*bot.*) gametofito.

gamey /ˈgeɪmɪ/ → **gamy**.

gamez /geɪmz/ n. pl. di **game** (*slang, comput.*) videogiochi, giochi (*piratati*).

gamic /ˈgæmɪk/ a. (*biol.*) gamico ● **g. reproduction**, gamia.

gamin /ˈgæmɪn/ (*franc.*) **A** n. monello; ragazzo di strada **B** a. attr. (*o da*) monello.

gamine /gæˈmiːn/ (*franc.*) n. monella.

gaminess /ˈgeɪmɪnəs/ n. ⓤ **1** gusto (*o odore*) della cacciagione frollata **2** (*raro*) ardimento; coraggio; audacia.

gaming /ˈgeɪmɪŋ/ n. ⓤ **1** il giocare, gioco (*d'azzardo*) **2** (*comput.*) il mondo dei videogiochi; l'uso dei videogiochi: **the g. industry**, l'industria dei videogiochi ● (*leg.*) **g. contract**, contratto aleatorio □ **g. house**, casa da gioco; bisca □ **g. table**, tavolo da gioco.

gamma /ˈgæmə/ n. ⓒⓤ gamma (*terza lettera dell'alfabeto greco*) ● (*chim.*) **g. acid**, acido gamma □ (*biol.*) **g. globulin**, gammaglobuli-na □ (*fis. nucl.*) **g. rays**, raggi gamma □ (*astron.*) **g. ray burst**, lampo gamma □ (*chir.*) **g. surgery**, chirurgia con raggi gamma.

gammadion /gəˈmeɪdɪən/ n. (pl. **gammadia**) (*arald.*) croce gammata (*o uncinata*).

gammon[1] /ˈgæmən/ n. ⓤ **1** prosciutto affumicato (*o salato*) **2** (*cucina*) gambuccio.

gammon[2] /ˈgæmən/ n. vittoria che conta per due partite vinte (*al gioco della tavola reale o trictrac*).

gammon[3] /ˈgæmən/ n. ⓤ (*fam.*) **1** fandonie; frottole; sciocchezze **2** imbroglio; inganno; raggiro; fregatura (*pop.*) ● (*arc.*) **to give g.**, fare da palo (*a un borseggiatore*) ● (*arc.*) **to keep sb. in g.**, distrarre l'attenzione di q. (*mentre viene borseggiato*).

gammon[4] /ˈgæmən/ n. (*naut.*) trinca (*del bompresso*).

to **gammon**[1] /ˈgæmən/ v. t. affumicare, salare (*il prosciutto*).

to **gammon**[2] /ˈgæmən/ v. t. vincere (*l'avversario*) con un «gammon» (→ **gammon**[2]).

to **gammon**[3] /ˈgæmən/ (*fam.*) **A** v. i. dir fandonie; raccontar frottole **B** v. t. imbrogliare; ingannare; raggirare; fregare (*pop.*).

to **gammon**[4] /ˈgæmən/ v. t. (*naut.*) trincare (*il bompresso*).

gammy /ˈgæmɪ/ a. (*fam. ingl.: di arto, spec. gamba*) bloccato; impedito; zoppo.

gamopetalous /ˌgæməˈpɛtələs/ a. (*bot.*) gamopetalo.

gamosepalous /ˌgæməˈsɛpələs/ a. (*bot.*) gamosepalo.

gamut /ˈgæmət/ n. **1** (*mus., stor.*) gammaut **2** (*mus., stor.*) (la) scala di Guido d'Arezzo **3** (*mus.*) scala diatonica (*moderna*) **4** (*mus.*) gamma, estensione (*della voce*) **5** ⓤ (*fig.*) gamma, serie (*completa*); successione; sfilza: **g. of colours**, gamma di colori; **the whole g. of crime**, tutta la gamma dei crimini.

gamy /ˈgeɪmɪ/ a. **1** ricco di selvaggina **2** che ha il gusto (*o l'odore*) della cacciagione frollata **3** (*di sapore*) forte; (*di cibo*) saporito **4** (*spec. USA*) salace; spinto.

gander /ˈgændə(r)/ n. **1** (*zool.*) papero **2** (*fig.*) sempliciotto; stolto; sciocco ● (*fam.*) **to take a g. at st.**, dare un'occhiata (*o una scorsa*) a qc.

Gandhism /ˈgændɪzəm/ n. ⓤ gandhismo.

G & T sigla (*di bambino o ragazzino*, **gifted and talented**) superdotato.

◆**gang**[1] /gæŋ/ n. **1** squadra; gruppo (*anche di giovani*): **a g. of workmen**, una squadra di operai; **a g. of prisoners**, un gruppo di prigionieri **2** gang, banda; combriccola; cosca; masnada: **a g. of thieves**, una banda di ladri; **the Mafia gangs**, le cosche mafiose **3** (*mecc.*) batteria; gruppo di utensili, serie di macchine (*che funzionano in collegamento*) ● (*slang*) **g. bang**, stupro di gruppo; (*anche*) orgia con scambio di partner □ (*elettr.*) **g. capacitor**, condensatori variabili accoppiati □ (*stor. e fig.*) **the G. of Four**, la Banda dei Quattro (*in Cina*) □ (*agric.*) **g. plough**, aratro polivomere □ **g. rape**, stupro di gruppo.

gang[2] /gæŋ/ → **gangue**.

to **gang**[1] /gæŋ/ v. i. formare una banda; riunirsi in una combriccola: **to g. with sb.**, far combriccola con q. **B** v. t. **1** mettere in serie, accoppiare, collegare (*utensili o macchine*) **2** (*fam.*) attaccare in gruppo ● (*fam.*) **to g. up** (**against** *o* **on sb.**), far comunella, far lega, allearsi, coalizzarsi (*contro q.*).

to **gang**[2] /gæŋ/ v. i. (*scozz.*) andare; camminare.

to **gang-bang** /ˈgæŋbæŋ/ **A** v. i. **1** commettere uno stupro di gruppo **2** (*USA*) fare parte di una banda di teppisti **B** v. t. stu-prare, violentare (*una ragazza*) in gruppo.

gangboard /ˈgæŋbɔːd/ → **gangplank**.

gangbuster /ˈgæŋbʌstə(r)/ **A** n. (*slang USA*) poliziotto specializzato nella lotta contro il crimine organizzato (*spec. al tempo di Al Capone*) **B** (*anche* **gangbusters**) a. attr. (*slang USA*) **1** eccellente; con i fiocchi; favoloso; ottimo: *The movie did g. business*, il film ebbe un successo favoloso (*o strepitoso*) **2** brutale; duro: (*della polizia*) **to avoid the gangbusters approach**, evitare di usare i metodi duri ● (*slang USA*) **to come on like gangbusters**, cominciare in grande stile; procedere a tutto spiano □ (*slang USA*) **to go gangbusters**, avere un successo strepitoso; spopolare, procedere a gonfie vele □ **like gangbusters**, a tutta birra; a tutto spiano; a rotta di collo; (*anche*) a gonfie vele; con enorme successo.

ganger /ˈgæŋə(r)/ n. caposquadra (*d'operai*).

Ganges /ˈgændʒiːz/ n. (*geogr.*) Gange ‖ **Gangetic** a. del fiume Gange.

gangland /ˈgæŋlænd/ **A** n. ⓤ (il) mondo della malavita; (l') impero delle gang **B** a. attr. delle gang; gangsteristico: **g. revenge**, vendetta delle gang ● **g. boss**, boss della malavita.

gangling /ˈgæŋglɪŋ/ a. dinoccolato; allampanato.

ganglion /ˈgæŋglɪən/ n. (pl. **ganglia**, **ganglions**) **1** (*anat.*) ganglio (*anche fig.*): **the nervous ganglia**, i gangli nervosi **2** (*fig.*) ganglio; centro di vitale importanza ‖ **ganglionic** a. (*anat.*) gangliare.

gangly /ˈgæŋglɪ/ a. → **gangling**.

gangmaster /ˈgæŋmɑːstə(r)/ n. caposquadra (*di operai*).

gangplank /ˈgæŋplæŋk/ n. (*naut.*) passerella; plancia da sbarco; scalandrone.

gangrene /ˈgæŋgriːn/ n. ⓤ (*med.*) cancrena (*anche fig.*).

to **gangrene** /ˈgæŋgriːn/ (*med.*) **A** v. i. andare in cancrena; incancrenire **B** v. t. far incancrenire; mandare in cancrena.

gangrenous /ˈgæŋgrɪnəs/ a. (*med.*) cancrenoso.

gangsta /ˈgæŋstə/ n. **1** (*gergo dei neri USA*) appartenente a una banda giovanile urbana **2** (*mus.*, = **g. rap**) gangsta rap (*rap duro e aggressivo nato nei quartieri delle bande giovanili di Los Angeles*).

gangster /ˈgæŋstə(r)/ n. **1** bandito; malvivente; malavitoso; malfattore; gangster **2** → **gangsta** ‖ **gangsterism** n. ⓤ banditismo; gangsterismo.

gangue /gæŋ/ n. ⓤ (*miner.*) ganga.

gangway /ˈgæŋweɪ/ **A** n. **1** passaggio; corridoio (*per es. nella platea d'un teatro*); corsia **2** (*naut.*) passavanti; passerella da sbarco; barcarizzo **3** (*nella Camera dei Comuni*) corridoio trasversale (*fra i banchi del governo*) **4** (*ferr.*) passaggio intercomunicante (*fra carrozze*) **5** (*aeron.*) passerella **6** (*ind. min.*) galleria principale **B** inter. (*fam.*) (fate) largo!; pista!

gannet /ˈgænɪt/ n. (pl. **gannets**, **gannet**) (*zool.*) **1** (*Sula*) sula **2** (*Mycteria americana*) jabirù americano **3** (*fig. slang*) individuo ingordo; chi s'abbuffa; mangione (*pop.*).

ganoid /ˈgænɔɪd/ a. e n. (*zool.*) (pesce) dei ganoidi.

gantlet /ˈgæntlət/ (*USA*) → **gauntlet**[2].

gantry /ˈgæntrɪ/ n. **1** (*ferr., mecc.*) incastellatura a cavalletto; ponte; carroponte: **signal g.**, ponte segnali; **g. crane**, gru a ponte; gru a cavalletto **2** (*miss.*, = **g. scaffold**) torre di servizio; incastellatura di lancio **3** cavalletto (*per barili, ecc.*) **4** (*ingl.*) fila sospesa di bottiglie di liquore capovolte (*in un pub*); (*per estens.*) assortimento di liquori.

Ganymede /ˈgænɪmiːd/ n. **1** (*mitol.*,

astron.) Ganimede **2** (*scherz.*) coppiere **3** (*spreg.*) giovane prostituto; marchetta (*spreg.*).

GAO sigla (*USA*, **General Accounting Office**) Ente per il controllo amministrativo e contabile (*della pubblica amministrazione*).

gaol /dʒeɪl/ n. (*ingl.*) carcere; prigione; galera: **to be sent to g.**, essere mandato in prigione; *'I filled the gaols with bankrupts in a year'* C. MARLOWE, 'in un solo anno ho riempito di falliti le galere ● **g.-break**, evasione.

to **gaol** /dʒeɪl/ v. t. (*ingl.*) incarcerare; mettere in prigione.

gaolbird /'dʒeɪlbɜːd/ n. (*ingl.*) avanzo di galera; criminale.

gaoler /'dʒeɪlə(r)/ n. (*ingl.*) carceriere.

♦**gap** /gæp/ n. **1** interruzione; spazio vuoto; vuoto; buco; interstizio; varco: **a gap in the hedge**, un buco (*o* un varco) nella siepe; **a gap in the conversation**, un vuoto improvviso nella conversazione; **a gap of three years**, un intervallo di tre anni; (*autom.*) **to reset the gap of the points**, registrare l'apertura delle puntine **2** (*geogr.*) gola; passo; valico; bocchetta **3** lacuna; differenza; distanza; divario; scarto; gap: **gaps in one's knowledge**, lacune nella propria cultura; **the gap between interest rates**, il divario tra i tassi d'interesse; **generation gap**, gap generazionale; **to close** (*o* **to bridge**) **a gap**, colmare un divario; ridurre uno scarto; annullare un distacco; **to fill a gap**, colmare una lacuna **4** (*mil.*) breccia; varco **5** (*comput.*) interblocco, gap **6** (*elettr.*, = **air gap**) intervallo; traferro **7** (*econ.*) deficit; disavanzo; saldo passivo; buco (*fam.*): **trade gap**, disavanzo (*o* buco) della bilancia commerciale **8** (*stat.*) saldo: **the population gap**, il saldo demografico **9** (*fig.*) grande differenza; divergenza (*d'opinioni, ecc.*) ● (*ling.*) **gap-fill**, (*esercizio*) cloze (*consistente nel riempire gli spazi vuoti con parole appropriate*) □ **gap-toothed**, che ha i denti radi □ (*in GB*) **gap year**, anno di libertà tra il liceo e l'università (*in cui si vanno a fare esperienze*): *If I don't get the grades I need to get into Manchester, I think I'll defer and take a gap year*, se non ottengo i voti necessari per entrare all'università di Manchester credo che rimanderò e prenderò un anno di pausa □ (*sport*) **to close the gap**, ridurre la distanza, annullare il distacco; (*boxe*) chiudere la distanza.

gape /geɪp/ n. **1** lo stare a bocca aperta; sbadiglio **2** (*anat.*) apertura boccale (*spec. di un animale*) **3** sguardo fisso a bocca aperta **4** (pl.) (*vet.*) singamosi, tracheite (*malattia dei polli*) **5** (pl.) (*fig., scherz.*) attacco di sbadigli **6** grande apertura; spaccatura; spacco.

to **gape** /geɪp/ v. i. **1** (*di baratro, cratere, ostrica, ecc.*) aprirsi; spalancarsi **2** spalancare la bocca; restare a bocca aperta (*per lo stupore e sim.*): *Don't stand gaping: do something!*, non star lì a bocca aperta: fai qualcosa! **3** (*di un uccello*) aprire il becco a spalangiare ● **to g. at sb.** [st.], guardare q. [qc.] a bocca aperta □ **to g. open**, squarciarsi; lacerarsi.

gaper /'geɪpə(r)/ n. **1** chi sta a bocca aperta; chi sbadiglia spesso **2** chi guarda fisso; osservatore; spettatore **3** (*pop. USA*) specchio.

gaping /'geɪpɪŋ/ a. **1** stupito; di stupore: **a g. look**, uno sguardo di stupore **2** aperto: **a g. wound**, una ferita aperta ● **g. hole**, grosso buco; squarcio □ **g. open**, squarciato ‖ **gapingly** avv. a bocca aperta; con stupore.

gapper /'gæpə(r)/ n. persona che prende un periodo di pausa (*dalla scuola, dalla carriera, ecc.*).

gappy /'gæpɪ/ a. **1** pieno di buchi: **a g. hedge**, una siepe piena di buchi **2** pieno di

lacune; lacunoso.

gar /gɑː(r)/ n. (*zool., Belone belone*) aguglia.

♦**garage** /'gæraːʒ, *USA* gə'rɑːʒ/ n. **1** (*autom.*) garage; autorimessa; box: **lock-up g.**, box **2** (*autom.*) autofficina; officina: *My car's at the g.*, la mia auto è dal meccanico; **g. services**, lavori di officina; riparazioni **3** (*autom.*) stazione di servizio; stazione di rifornimento; distributore: **to stop at a g. for petrol**, fermarsi a un distributore per fare benzina **4** (*autom.*) (= **bus g.**) rimessa di autobus; deposito **5** (*mus.*, = **g. rock**) garage (rock) (*genere di rock amatoriale dai ritmi molto energici e dal suono ruvido ed essenziale*) **6** (*mus.*) varietà di musica house influenzata dal soul ● (*fam.*) **g. sale**, vendita di roba vecchia (*di solito nel garage di casa o nei pressi*).

to **garage** /'gæraːʒ, *USA* gə'rɑːʒ/ v. t. mettere nell'autorimessa (*o* in garage).

garaging /'gæraːʒɪŋ, *USA* gə'rɑːʒ-/ n. ⓤ (*autom.*) rimessaggio.

garam masala /gɑːrəmə'sɑːlə/ n. ⓤ (*cucina indiana*) miscela di spezie aromatiche.

garb /gɑːb/ n. ⓤ abbigliamento; abito; costume; foggia del vestire; aspetto esteriore: **a man in formal g.**, un uomo in abito da cerimonia.

to **garb** /gɑːb/ v. t. abbigliare; vestire: *He was garbed as a cowboy*, era vestito da cowboy.

♦**garbage** /'gɑːbɪdʒ/ n. ⓤ **1** (*spec. USA*) pattume; immondizie; rifiuti; spazzatura **2** (*fig.*) ciarpame; robaccia: **literary g.**, ciarpame, scritti senza alcun valore **3** (*fig.*) balle (*fig.*); fesserie; scemenze; balordaggini; sciocchezze **4** (*comput.*) garbage; insieme di dati indesiderati e non significativi; informazioni inutili ● (*USA*) **g. can**, bidone dell'immondizia; pattumiera □ (*USA*) **g. collection**, raccolta dell'immondizia □ (*USA*) **g. collector**, spazzino; netturbino □ (*USA*) **g. disposal**, smaltimento dei rifiuti solidi; tritarifiuti (*del lavello della cucina*) □ (*comput.*) **G. in, g. out**, se inserisci (*nel computer*) dati errati, avrai risultati inattendibili □ (*USA*) **g. truck**, autoimmondizie; camion della nettezza urbana.

garbageman /'gɑːbɪdʒmən/ n. (pl. **garbagemen**) (*USA*) netturbino; spazzino

to **garble** /'gɑːbl/ v. t. **1** (*raro*) cernere; scegliere; vagliare **2** alterare, falsificare, mutilare (*una storia, ecc., omettendo parti o svisando fatti*) **3** arruffare, confondere (*un racconto, una citazione, ecc.*) **4** (*tecn.*) alterare, mascherare (*un messaggio*).

garboard /'gɑːbɔːd/ n. (*naut.*) torello.

garbology /gɑː'bɒlədʒɪ/ n. ⓤ (*sociol.*) studio di una comunità mediante l'analisi dei suoi rifiuti urbani ‖ **garbologist** n. **1** (*sociol.*) chi studia una comunità analizzandone i rifiuti urbani **2** (*slang Austral.*) operatore ecologico (*eufem.*); netturbino.

garçonnière /gɑːsɒnjɛə(r), gɑːsə'njɛə(r)/ (*franc.*) n. garçonnière.

♦**garden** /'gɑːdn/ Ⓐ n. **1** giardino **2** (= **kitchen-g.**, **market-g.**, **vegetable g.**) orto **3** (pl.) giardini pubblici Ⓑ a. attr. di (*o* da) giardino: **a g. wall**, un muro di giardino; **g. plants**, piante da giardino ● **g. centre**, vivaio; «tutto per il giardino» □ (*zool.*) **g. chafer** (*Phyllopertha horticola*) carruga degli orti □ **g. city**, città giardino □ **g. contractor**, costruttore di giardini □ (*bot.*) **g. cress** (*Lepidium sativum*), crescione degli orti; crescione inglese; agretto □ (*lett.*) **g.-croft**, orto □ (*edil.*) **g. flat**, appartamento con giardino privato □ **g. frame**, serra □ **g. glass**, campana di vetro per proteggere piante □ **g. hose**, tubo (*di gomma*) per irrigazione; canna (*fam.*) □ (*org. az., fam., eufem.*) **g. leave** = **gardening leave** → **gardening** □ **the g. of England**, il giardino dell'Inghilterra (*il Kent*) □ **g.**

party, garden party; trattenimento in giardino □ **g. plot**, aiuola □ **g. produce** (*o* **g. products**), ortaggi □ **g. seat**, panchina, sedile di pietra □ **g. shed**, capanna per gli attrezzi (*da giardinaggio*) □ **g. spot**, giardinetto; (*fig.*) giardino, zona fertile □ (*USA*) **the G. State**, il New Jersey □ **g. suburb**, quartiere residenziale in periferia □ (*USA*) **g.-variety** → **common or g.** □ **g. wedding**, festa di nozze in giardino □ (*zool.*) **g.-white** (*Pieris brassicae*), cavolaia □ (*fam.*) **common or g.**, comune; dozzinale; ordinario □ (*pop.*) **to lead sb. up the g. path**, menare (*o* portare) a spasso q. (*fig.*); menare q. per il naso.

to **garden** /'gɑːdn/ Ⓐ v. t. tenere (*un terreno*) a giardino Ⓑ v. i. lavorare nel (*o* in un) giardino; fare del giardinaggio.

gardener /'gɑːdnə(r)/ n. **1** giardiniere, giardiniera **2** chi pratica il giardinaggio.

gardenia /gɑː'diːnɪə/ n. (*bot.*, *Gardenia*) gardenia.

gardening /'gɑːdnɪŋ/ n. ⓤ **1** giardinaggio **2** orticoltura ● **g. gloves**, guanti da giardiniere □ (*org. az., fam., eufem.*) **g. leave**, periodo durante il quale un dipendente che ha ricevuto preavviso di licenziamento (*o che si è dimesso*) rimane a casa percependo comunque lo stipendio.

garefowl /'gɛəfaʊl/ n. (pl. **garefowls**, **garefowl**) (*zool., Pinguinus impennis*) alca impenne.

garfish /'gɑːfɪʃ/ n. (pl. **garfish**, **garfishes**) (*zool.*) **1** (*Belone belone*) aguglia **2** (*USA*, *Lepisosteus*) lepisosteo (*in genere*).

garganey /'gɑːgənɪ/ n. (*zool., Anas querquedula*) marzaiola.

gargantuan /gɑː'gæntjʊən/ a. gargantuesco; enorme; gigantesco.

garget /'gɑːgɪt/ n. ⓤ (*vet.*) mastite cronica (*spec. dei bovini*).

gargle /'gɑːgl/ n. **1** gargarismo **2** collutorio.

to **gargle** /'gɑːgl/ Ⓐ v. t. gargarizzare (*un liquido*); disinfettare mediante gargarismi (*la gola*) Ⓑ v. i. fare i gargarismi.

gargling /'gɑːglɪŋ/ n. gargarismo.

gargoyle /'gɑːgɔɪl/ n. (*archit.*) gargolla; gargouille (*franc.*); doccione.

garish /'gɛərɪʃ/ a. **1** (*di luce*) abbagliante **2** appariscente; sfarzoso; sgargiante; vistoso: **g. ornaments**, ornamenti vistosi | **-ly** avv. | **-ness** n. ⓤ.

garland /'gɑːlənd/ n. **1** ghirlanda; serto (*poet.*) **2** (*letter.*) antologia; florilegio **3** (*naut.*) ghirlanda della testa d'albero.

to **garland** /'gɑːlənd/ v. t. inghirlandare; formar ghirlanda a (qc.).

♦**garlic** /'gɑːlɪk/ n. ⓤ (*bot., Allium sativum*) aglio; **g. bread**, fetta di pane spalmata di burro all'aglio e scaldata; **g. oil**, essenza d'aglio; **g. press**, spremiaglio; **clove of g.**, spicchio d'aglio; **head of g.** (*o* **g. bulb**), testa d'aglio ‖ **garlicky** a. agliaceo; che sa d'aglio: **garlicky breath**, alito che sa d'aglio.

garment /'gɑːmənt/ n. **1** (*form.*) capo di vestiario; indumento; vestito: *'The City now doth, like a g., wear / The beauty of the morning'* W. WORDSWORTH, 'ora Londra indossa, come fosse un vestito, la bellezza del mattino' **2** (pl.) abiti; indumenti; vestiti; abbigliamento: **baby garments**, abbigliamento per bambini **3** (*fig.*) copertura; rivestimento.

to **garment** /'gɑːmənt/ v. t. (*poet.*) abbigliare; vestire; rivestire.

garner /'gɑːnə(r)/ n. **1** (*agric.*) granaio (*anche fig.*) **2** recipiente per pesare grano.

to **garner** /'gɑːnə(r)/ v. t. **1** mettere nel granaio **2** (*fig.*) mettere insieme; raccogliere, riunire **3** (*fig. raro*) acquistare; guadagnare.

garnet /'gɑːnɪt/ n. ⓤⒸ (*miner.*) granato (*mi-*

nerale e gemma) ● **g. paper**, carta vetrata con granato in polvere.

garnish /ˈɡɑːnɪʃ/ n. ⓤⓒ **1** guarnizione; ornamento **2** guarnizione, contorno (*a una pietanza*).

to **garnish** /ˈɡɑːnɪʃ/ v. t. **1** guarnire; adornare; addobbare **2** guarnire, ornare (*una pietanza*): **to g. a steak with leaves of lettuce**, guarnire una bistecca con foglie di lattuga **3** (*leg.*) citare, precettare (*come testimone, ecc.*) **4** (*leg.*) pignorare, sequestrare (*presso un terzo*) **5** (*fam.*) estorcere denaro a (q.).

garnishee /ˌɡɑːnɪˈʃiː/ n. (*leg.*) **1** chi detiene beni (*o denaro*) del convenuto, ma non può disporne (*in attesa della sentenza*) **2** terzo pignorato ● **g. proceedings**, procedimento esecutivo di pignoramento.

to **garnishee** /ˌɡɑːnɪˈʃiː/ v. t. (*leg.*) pignorare (*beni*) presso terzi.

garnishing /ˈɡɑːnɪʃɪŋ/ n. ⓤ **1** guarnizione; ornamento **2** guarnizione, contorno (*di una pietanza*).

garnishment /ˈɡɑːnɪʃmənt/ n. **1** ⓤ guarnizione; decorazione; ornamento **2** (*leg.*) intimazione (*in genere*); citazione come teste **3** (*leg.*) pignoramento (*o sequestro*) presso terzi.

garniture /ˈɡɑːnɪtʃə(r)/ n. ⓤ **1** guarnizione; decorazione; ornamento **2** abbellimento (*dello stile*); fioritura (*fig.*) **3** (*cucina*) guarnizione; contorno.

garotte /ɡəˈrɒt/ → **garrotte**.

garpike /ˈɡɑːpaɪk/ → **garfish**.

garret /ˈɡærət/ n. (*edil.*) soffitta; sottotetto; solaio ● **g. window**, abbaino.

garrison /ˈɡærɪsn/ n. (*mil.*) **1** guarnigione; distaccamento; presidio **2** piazza fortificata; fortezza ● **g. cap**, (berretto a) bustina ● **g. town**, città sede di presidio.

to **garrison** /ˈɡærɪsn/ v. t. (*mil.*) **1** fornire di guarnigione; presidiare **2** mandare (*soldati*) in servizio di guarnigione ● (*mil.*) **to be garrisoned at**, essere di guarnigione a.

garron /ˈɡærən/ n. cavalluccio; ronzino.

garrot /ˈɡærət/ n. (*zool.*, *Bucephala clangula*) quattrocchi.

garrotte, (*USA*) **garrote** /ɡəˈrɒt/ n. **1** garrotta; (strumento per) il supplizio della strangolazione **2** ⓤ garrottamento **3** ⓤ (*per estens.*) strangolamento.

to **garrotte**, (*USA*) to **garrote** /ɡəˈrɒt/ v. t. **1** garrottare; strangolare con la garrotta **2** (*per estens.*) strangolare.

garrotter, (*USA*) **garroter** /ɡəˈrɒtə(r)/ n. strangolatore; strangolatrice.

garrulity /ɡæˈruːlətɪ/ n. ⓤ **1** garrulità (*lett.*); loquacità; petulanza **2** (*dello stile*) verbosità.

garrulous /ˈɡærələs/ a. ciarliero; garrulo; chiacchierone; logorroico | **-ly** avv. | **-ness** n. ⓤ.

garter /ˈɡɑːtə(r)/ n. **1** giarrettiera **2** (*fam.*, *in GB*) – **the G.**, l'Ordine della Giarrettiera ● (*USA*) **g. belt**, reggicalze □ **G. King of Arms**, Gran Maestro dell'Ordine della Giarrettiera □ **the Order of the G.**, l'Ordine della Giarrettiera (*massima onorificenza inglese*).

to **garter** /ˈɡɑːtə(r)/ v. t. **1** reggere (*una calza*) con una giarrettiera **2** mettere una giarrettiera a (*una gamba*).

garth /ɡɑːθ/ n. (*archit.*) chiostro.

◆**gas** /ɡæs/ n. (pl. *gases*, *gasses*) **1** ⓤⓒ (*fis.*) gas: *My flat is heated by gas*, il mio appartamento ha il riscaldamento a gas; *The gas is on*, il gas è acceso; **tear gas**, gas lacrimogeno **2** ⓤ (*fam. USA*, abbr. di **gasoline**) benzina: **gas station**, distributore di benzina; stazione di rifornimento **3** ⓤ (*fig. fam.*) ciarle; ciance; sciocchezze; fesserie: *Stop your gas!*, smettila di parlare a vuoto! **4** ⓤ (*mil.*) gas (asfissiante) **5** ⓤ (*autom.*) metano;

gas **6** (*autom.*, *fam.*) gas; acceleratore: *Give it a bit of gas*, schiaccia l'acceleratore **7** ⓤ (*med.*) anestetico; anestesia **8** (*fam. USA*) cosa o persona divertente; spasso: *The party was a gas*, la festa è stata uno spasso **9** (*fam. USA*) esagerazione; vanteria **10** ⓤ (*fam. USA*) meteorismo, flatulenza (*cfr. ingl.* **wind**①, *def. 4*) **11** ⓤ (*slang USA*) liquore ● **gas appliances**, apparecchi a gas □ (*chim.*) **gas black**, nero di gas; nerofumo □ (*mil.*) **gas bomb**, bomba a gas □ **gas bottle**, bombola per (o di) gas □ (*un tempo*) **gas-bracket**, braccio per lampada a gas (*infisso al muro*) □ **gas burner**, bruciatore di gas; becco a gas: (*anche*) fornello a gas □ **gas chamber**, camera a gas □ (*tecn.*) **gas chromatograph**, gas-cromatografo □ (*chim.*) **gas chromatography**, gascromatografia □ **gas coal**, carbone da gas (o di storta) □ **gas coke**, coke □ **gas cooker**, cucina a gas □ **gas cylinder** = **gas bottle** → *sopra* □ (*fis.*) **gas dynamics**, gasdinamica □ **gas engine**, motore a gas □ **gas engineer**, gasista □ **gas fire**, stufa a gas □ (*di un impianto di riscaldamento*) **gas-fired**, a gas □ **gas fitter**, gasista □ **gas fittings** (*o* **fixtures**), raccorderia per impianti di riscaldamento a gas □ (*autom.*, *USA*) **gas gauge**, spia (*del livello*) della benzina □ (*fam. USA*) **gas-guzzler**, auto che «beve» molto □ **gas heater**, stufa (o scaldabagno) a gas □ **gas helmet**, casco munito di respiratore (*per minatori, ecc.*) □ **gas installer**, gasista □ **gas lamp**, lampada a gas □ **gas light**, luce (o lampada) a gas □ **gas lighter**, accendino a gas; accendigas □ **gas main**, conduttura del gas □ **gas mantle**, reticella metallica (*di lampada a gas*) □ **gas mask**, maschera antigas □ **gas meter**, contatore del gas □ **gas motor** = **gas engine** → *sopra* □ (*ind.*) **gas oil**, gasolio □ (*mecc.*) **gas-operated**, a gas: (*autom.*) **gas-operated dampers**, ammortizzatori a gas □ **gas oven**, forno a gas; camera a gas □ (*med.*, *scherz.*) **gas-passer**, anestesista □ (*autom.*, *USA*) **gas pedal**, pedale dell'acceleratore □ **the gas people**, quelli del gas; gli operai del gas; i gasisti □ **gas pipe**, conduttura a gas □ (*ind.*) **gas pipeline**, gasdotto □ (*bot.*, *Dictamnus albus*) **gas plant**, dittamo; frassinella □ **gas producer**, gassogeno □ (*USA*) **gas pump**, distributore di benzina; pompa (*fam.*); stazione di servizio □ **gas range**, cucina a gas □ **gas ring**, fornello a gas □ **gas stove**, cucina (o stufa) a gas □ **gas tank**, serbatoio del gas; (*autom.*, *USA*) serbatoio della benzina: **gas tank door**, sportellino della benzina (*sulla fiancata*) □ **gas-tar**, catrame di gas □ (*mecc.*) **gas turbine**, turbina a gas □ **gas warfare**, guerra in cui viene fatto uso di gas velenosi □ (*metall.*) **gas-welding**, saldatura a gas □ **gas well**, pozzo di gas □ (*fam.*) **to step on the gas**, (*autom. e fig.*) premere l'acceleratore (*pop.*): dare gas); (*per estens.*) accelerare; (*fig.*) fare in fretta, darci dentro □ **to turn on [off] the gas**, accendere [spegnere] il gas.

to **gas** /ɡæs/ Ⓐ v. t. **1** rifornire di gas **2** (*chim.*) sottoporre all'azione del gas **3** (*mil.*) asfissiare con gas tossici; gasare, gassare **4** (*di solito al passivo*) avvelenare col gas: **to be gassed in a mine**, essere avvelenati dal gas in una miniera **5** (*ind. tess.*) gazare **6** (*USA*) rifornire di benzina Ⓑ v. i. **1** emettere gas **2** (*fam.*) chiacchierare; parlare a vanvera **3** (*fam. USA*) esagerare; vantarsi; spararle grosse **4** (*fam. USA*) spassarsela; divertirsi un sacco (*fam.*) ● **to gas up**, rifornire di gas; (*USA*) rifornire di benzina; (*fam. USA*) rendere più interessante; (*autom.*, *USA*) fare benzina; fare rifornimento; (*slang USA*) fare il pieno (*fig.*); sbronzarsi.

gasbag /ˈɡæsbæɡ/ n. **1** (*aeron.*: di dirigibile) pallonetto **2** (*fam. spreg.*) chiacchierone; ciancione, otre di ciance.

Gascon /ˈɡæskən/ n. guascone (*anche fig.*);

millantatore; fanfarone; spaccone.

gasconade /ˌɡæskəˈneɪd/ n. ⓒⓤ guasconata; millanteria; fanfaronata; spacconata.

Gascony /ˈɡæskənɪ/ n. (*geogr.*) Guascogna.

gaseous /ˈɡæsɪəs/ a. gassoso: **a g. mixture**, un miscuglio gassoso; (*astron.*) **g. nebulae**, nebulose gassose.

gasfield /ˈɡæsfiːld/ n. giacimento di gas naturale; giacimento metanifero.

gash /ɡæʃ/ n. ferita; sfregio; squarcio; taglio.

to **gash** /ɡæʃ/ v. t. sfregiare; squarciare; tagliare; farsi un brutto taglio a (*un braccio, ecc.*).

gasholder /ˈɡæshəʊldə(r)/ n. gasometro (industriale).

to **gasify** /ˈɡæsɪfaɪ/ (*ind. chim.*) v. t. gassificare, gasificare || **gasification** n. ⓤ gassificazione, gasificazione || **gasifier** n. gassificatore.

gasket /ˈɡæskɪt/ n. **1** (*mecc.*) guarnizione (di tenuta) **2** (*naut.*) matafione; gerlo.

gaslight /ˈɡæslaɪt/ n. ⓒⓤ lume a gas; illuminazione a gas.

gasman /ˈɡæsmæn/ n. (pl. *gasmen*) **1** gasista **2** letturista del gas **3** (*fam. USA*) imbonitore; (*spreg.*) pubblicitario.

gasohol /ˈɡæsəhɒl/ n. (*autom.*, *spec. USA*) benzina addizionata di alcol (*ha un costo inferiore rispetto alla benzina*).

gasolene /ˈɡæsəliːn/ → **gasoline**.

gasoline /ˈɡæsəliːn/ n. ⓤ gasolina; benzina (*per aerei, ecc.*); in *USA*, anche quella per le automobili; *cfr. ingl.* **petrol** ● (*USA*) **g. engine**, motore a benzina □ (*USA*) **g. pump**, distributore di benzina; pompa (*fam.*); stazione di servizio.

gasometer /ɡæˈsɒmɪtə(r)/ n. **1** gasometro (*da laboratorio*) **2** gasometro (industriale).

gasp /ɡɑːsp/ n. anelito; respiro affannoso; rantolo; sforzo per respirare ● **to be at one's** (*o* **at the**) **last g.**, essere all'ultimo respiro (*o* moribondo); (*fig.*) essere alle ultime battute (*o* alla fine).

to **gasp** /ɡɑːsp/ v. i. **1** boccheggiare; ansare; ansimare; prender fiato a fatica **2** restare senza fiato; restare a bocca aperta: *I gasped at his impudence*, la sua impudenza mi lasciò senza fiato; *He gasped with surprise* (*o in amazement*), restò a bocca aperta per lo stupore ● **to g. for breath** (*o* **air**), boccheggiare, sentirsi mancare l'aria ● **to g. for life**, agonizzare; rantolare □ **to g. out a few words**, dire poche parole ansimando.

gasper /ˈɡɑːspə(r)/ n. **1** chi boccheggia **2** (*slang*) sigaretta che mozza il fiato; zampirone (*pop.*).

gasping /ˈɡɑːspɪŋ/ a. boccheggiante; ansimante; trafelato || **gaspingly** avv. affannosamente; boccheggiando.

gassy /ˈɡæsɪ/ a. **1** gassoso; pieno di gas **2** gassato; effervescente **3** (*fam.*) verboso; prolisso; pomposo **4** (*ind. min.*) grisutoso | **-iness** n. ⓤ.

gasteropods /ˈɡæstərəpɒdz/ (*zool.*) n. pl. (*Gasteropoda*) gasteropodi.

gastralgia /ɡæsˈtrældʒə/ n. ⓤ (*med.*) gastralgia.

gastric /ˈɡæstrɪk/ a. gastrico (*fisiol.*) **g. juice**, succo gastrico; (*med.*) **g. lavage**, lavanda gastrica; (*med.*) **g. ulcer**, ulcera gastrica.

gastritis /ɡæsˈtraɪtɪs/ n. ⓤ (*med.*) gastrite.

gastroduodenal /ˌɡæstrədjuːˈdiːnl/, *USA* -duː-/ a. (*anat.*, *med.*) gastroduodenale.

gastroduodenitis /ˌɡæstrədjuːədɪˈnaɪtɪs/, *USA* -duː-/ n. ⓤ (*med.*) gastroduodenite.

gastroenteric /ˌɡæstrəʊenˈterɪk/ a.

(*med.*) gastroenterico.

gastroenteritis /ˌgæstrəʊentəˈraɪtɪs/ n. ⓤ (*med.*) gastroenterite.

gastroenterology /ˌgæstrəʊentəˈrɒlədʒɪ/ (*med.*) n. ⓤ gastroenterologia ‖ **gastroenterologist** n. gastroenterologo.

gastrointestinal /ˌgæstrəʊɪnˈtestɪnl/ a. (*anat.*, *med.*) gastrointestinale.

gastrology /gæˈstrɒlədʒɪ/ (*med.*) n. ⓤ gastrologia ‖ **gastrologist** n. gastrologo.

gastronome /ˈgæstrənəʊm/ n. gastronomo.

gastronomy /gæˈstrɒnəmɪ/ n. ⓤ gastronomia ‖ **gastronomic**, **gastronomical** a. gastronomico ‖ **gastronomist** n. gastronomo.

gastropathy /gæˈstrɒpəθɪ/ (*med.*) n. ⓤ gastropatia.

gastropods /ˈgæstrəpɒdz/ (*zool.*) n. pl. (*Gasteropoda*) gasteropodi ‖ **gastropodous** a. dei gasteropodi.

gastroscope /ˈgæstrəskəʊp/ (*med.*) n. gastroscopio ‖ **gastroscopy** n. ⓤ gastroscopia.

gastrotomy /gæˈstrɒtəmɪ/ n. ⓤⓒ (*med.*) gastrotomia.

gastrula /ˈgæstrələ/ (*biol.*) n. (pl. *gastrulae*, *gastrulas*) gastrula ‖ **gastrulation** n. ⓤ gastrulazione.

gasworks /ˈgæswɜːks/ n. (pl. inv.) officina (di produzione) del gas.

gat /gæt/ n. (abbr. *slang* di **Gatling gun**) pistola.

♦**gate** ① /geɪt/ n. **1** porta (*di città*); portone (*d'accesso a un cortile*); cancello **2** saracinesca, paratoia (*di una chiusa*, *ecc.*: *per regolare l'acqua*): spillway g., paratoia dello sfioratore **3** gola, passo, valico (*fra i monti*) **4** (*sport*) numero di entrate a pagamento (*a una partita di calcio*, *ecc.*); spettatori: *Gates are up on last year*, gli spettatori sono cresciuti rispetto all'anno scorso **5** (*sport*, = g. **money**) incasso totale **6** (*ferr.*) barriera; cancello di passaggio a livello **7** (*aeron.*) uscita, gate (*di aeroporto*) **8** (*elettron.*) porta logica; griglia; sblocco; porta: g. **pulse**, impulso di griglia; g. **winding**, avvolgimento di sblocco **9** (*fotogr.*, *ecc.*) finestra; portapellicola **10** (*sci*) porta; (*nei salti*) cancelletto di partenza **11** (*ipp.*; = **starting g.**) cancelli (*di partenza*) **12** (*canoa*) porta **13** → **gateway** ● (*nelle università di Oxford e Cambridge*) g. **bill**, elenco dei ritorni (*d'uno studente*) al college dopo l'ora di chiusura; multa inflitta per tale infrazione □ g.**-legged** (*o* g.**-leg**) **table**, tavolo a ribalta (*con le gambe spostabili lateralmente*); tavolo a cancello □ g. **meeting**, riunione (*per lo più sportiva*) con ingresso a pagamento □ (*fig.*) **the g. of horn**, la porta dei sogni veritieri □ (*fig.*) **the g. of ivory**, la porta dei sogni fallaci □ (*sport*) g. **receipts**, incasso ai cancelli; incasso lordo □ (*fig.*) **the g. to success**, la via del successo □ (*mecc.*) g. **valve**, valvola a saracinesca □ (*slang USA*) **to get the g.**, essere messo alla porta; essere licenziato □ (*slang USA*) **to give sb. the g.**, mettere q. alla porta; licenziare q.

gate ② /geɪt/ n. (*scozz.*) via (usato anche come suffisso nei toponimi).

gate ③ /geɪt/ n. (*metall.*) **1** attacco di colata **2** colame.

to **gate** /geɪt/ v. t. **1** (*nelle università di Oxford e Cambridge*) imporre a (*studenti*) di restare nel college tutto il giorno o dopo una certa ora; togliere la libera uscita a (*uno studente*) **2** (*elettron.*) controllare per mezzo di una porta logica; commutare; selezionare.

to **gatecrash** /ˈgeɪtkræʃ/ (*fam.*) v. t. e i. **1** partecipare (a una festa) senza avere l'invito; autoinvitarsi; intrufolarsi, imbucarsi (*fam.*) **2** (*sport*) fare il portoghese ‖ **gatecrasher** n. **1** ospite non invitato; individuo

autoinvitatosi; intruso (*a un ballo*, *ecc.*) **2** (*sport*, *teatr.*, *ecc.*) portoghese (*fig.*).

gated /ˈgeɪtɪd/ a. munito di cancello; munito di porta (o porte) ● g. **community**, comunità residenziale con accesso controllato; quartiere residenziale privato.

gatefold /ˈgeɪtfəʊld/ n. inserto pieghevole ● (*mus.*: *di un disco*) g. **sleeve**, copertina che si apre a libro.

gatehouse /ˈgeɪthaʊs/ n. **1** casetta del portinaio (*all'entrata del parco d'una villa*); portineria **2** edificio sovrastante una porta di città (*un tempo usato spesso come prigione*) **3** (*stor.*) corpo di guardia **4** (*costr. idrauliche*) centrale (*che comanda il funzionamento delle saracinesche di una chiusa*).

gatekeeper /ˈgeɪtkiːpə(r)/ n. portiere, portinaio (*di villa*) ● g.'s **lodge** → **gatehouse**, def. 1.

gatepost /ˈgeɪtpəʊst/ n. **1** pilastro di cancello **2** cardine della porta (o del portone) ● (*fig.*) **between you, me and the g.**, detto tra noi (o a quattr'occhi).

gateway /ˈgeɪtweɪ/ n. **1** entrata; ingresso **2** (*fig.*) porta; strada; via: **the g. to success** [**to fame**], la strada del successo [la via della gloria] **3** (*comput.*) gateway, passaggio (*punto di transito con conversione di protocolli tra un sistema e un altro*) **4** (*telef.*) circuito selettivo; sistema di reti.

♦to **gather** /ˈgæðə(r)/ Ⓐ v. t. **1** ammassare; cogliere; raccogliere; radunare; mettere insieme; fare il raccolto di; chiamare a raccolta; fare appello a: **to g. flowers** [**fruit**], cogliere fiori [frutta]; **to g. one's things**, radunare le proprie cose; *The race start had gathered a small crowd*, la partenza della corsa aveva fatto radunare una piccola folla; **to g. wheat**, fare il raccolto del grano; **to g. one's energies**, chiamare a raccolta (o fare appello a) tutte le proprie energie **2** acquistare; assumere; prendere: *The car gathered speed*, l'automobile acquistò velocità; **to g. strength** [**volume**], acquistare forza [prendere corpo, crescere di volume]; **to g. information**, assumere informazioni; **to g. courage**, prendere coraggio; **to g. one's breath**, prendere fiato **3** dedurre; desumere; capire; arguire: *From what he said, I gathered that his request had been denied*, dalle sue parole arguii che la sua domanda era stata respinta **4** raccogliere in pieghe di (*un abito*); plissettare; increspare; pieghettare: **to g. a skirt at the waist**, increspare una gonna alla vita **5** avvolgere (*un mantello sulle spalle*); raccogliere (*uno scialle intorno al collo*) Ⓑ v. i. **1** accumularsi; assembrarsi; raccogliersi; radunarsi; addensarsi: *A crowd quickly gathered at the scene of the accident*, una folla si assembrò subito sul luogo dell'incidente **2** (*della fronte*) corrugarsi; aggrottarsi **3** (*med.*: *d'ascesso e sim.*) maturare ● (*di malato*) **to g. colour** [**strength**], riacquistare il colorito [le forze] □ (*agric.*) **to g. crops**, fare il raccolto □ (*fig.*) **to g. dust**, prendere la polvere; essere inutilizzato □ **to g. grapes**, vendemmiare □ **to g. ground**, guadagnare terreno □ (*agric.*) **to g. in**, raccogliere e riporre (*cereali*) □ **to g. oneself** (**together**), raccogliersi (*per uno sforzo*); concentrarsi; (*anche*) ricomporsi □ **to g. taxes**, riscuotere imposte □ **to g. one's thoughts**, raccogliere i propri pensieri; raccogliersi □ **to g. up**, raccogliere; mettere insieme; riunire; chiamare a raccolta: **to g. up the pieces of st.**, raccogliere i pezzi di qc. □ **to g. up into a ball**, appallottolarsi □ (*naut.*) **to g. way**, prendere l'abbrivo.

gatherer /ˈgæðərə(r)/ n. raccoglitore, raccoglitrice.

gathering /ˈgæðərɪŋ/ Ⓐ n. **1** adunata; adunanza; assembramento; raduno; riunione **2** raccolta (*di dati*, *di informazioni*; *di dena-*

ro, *spec. per beneficenza*) **3** ⓤ (*di stoffa*) increspatura; plissettatura **4** (*med.*) ascesso; suppurazione Ⓑ a. che si aduna; che si addensa ● g. **of statistical data**, raccolta di dati statistici; rilevazioni statistiche □ **the g. storm**, il temporale imminente; le nubi che si addensano.

gathers /ˈgæðəz/ n. pl. increspature; crespe; pieghe; plissettatura.

gating /ˈgeɪtɪŋ/ n. **1** (*metall.*) condotto di colata **2** (*elettron.*) sblocco del segnale.

gator /ˈgeɪtə(r)/ n. (abbr. *fam. USA* per **alligator**) alligatore ● (*cucina*) g. **on a stick**, spiedino di alligatore.

GATT /gæt/ sigla (**General Agreement on Tariffs and Trade**) Accordo generale sulle tariffe e sul commercio estero.

gauche /gəʊʃ/ (*franc.*) a. goffo; privo di tatto; rozzo; sgraziato ‖ **gaucheness** n. ⓤ mancanza di tatto; goffaggine.

gaucherie /ˈgəʊʃərɪ, *USA* -ˈriː/ (*franc.*) n. **1** ⓤ goffaggine; mancanza di tatto; rozzezza **2** azione priva di tatto; sgarberia.

gaucho /ˈgaʊtʃəʊ/ (*spagn.*) n. (pl. *gauchos*) gaucho.

gaud /gɔːd/ n. fronzolo; ninnolo; ornamento vistoso.

gaudiness /ˈgɔːdɪnəs/ n. ⓤ fasto; sfarzo; sfoggio; pacchianeria; vistosità; volgarità.

gaudy ① /ˈgɔːdɪ/ a. dai colori sgargianti; appariscente; vistoso; pacchiano | **-ily** avv.

gaudy ② /ˈgɔːdɪ/ n. grande festa annuale (*spec. per gli ex alunni d'un college di Oxford o di Cambridge*).

gauffer /ˈgɔːfə(r)/ → **goffer**.

gauge /geɪdʒ/ n. **1** (*mecc.*) calibro **2** apparecchio (*o strumento*) per misurare; indicatore di livello; (*autom.*) spia (*a indice o lancetta*); manometro; asticella graduata: (*autom.*) **petrol g.** (*USA*: **gas g.**), spia (del livello) della benzina; (*autom.*) **temperature g.**, spia (della temperatura) dell'acqua; **pressure g.**, manometro; indicatore della pressione **3** (*mil.*) calibro: **the g. of a rifle**, il calibro di una carabina **4** (*mecc.*) diametro; spessore **5** (*anche fig.*) misura base; criterio di misurazione; norma; stima: **to take the g. of st.**, fare la stima di qc.; calcolare qc. **6** (*ferr.*) scartamento: **standard g.**, scartamento normale; **broad** (*o* **wide**) **g.**, scartamento allargato; **a narrow-g. railway**, una ferrovia a scartamento ridotto **7** (*autom.*) carreggiata **8** (*tecn.*) maschera di controllo **9** (*elettr.*) gauge ● (*mecc.*) g. **pressure**, pressione relativa.

to **gauge** /geɪdʒ/ v. t. **1** misurare (*con uno strumento di precisione*): **to g. the diameter of a bolt**, misurare il diametro d'un bullone **2** (*fig.*) calcolare, stimare, valutare: **to g. a cask**, calcolare la capacità d'una botte; **to g. sb.'s strength**, valutare la forza di q.; **to g. the distance**, valutare la distanza **3** (*mecc.*) calibrare; ridurre alle dimensioni (grossezza, ecc.) normali (o volute); tarare (*uno strumento*) **4** (*edil.*) uniformare (*pietre*); mescolare (*intonaco*) ● (*fig.*) **to g. sb.'s mood**, sondare lo stato d'animo in cui si trova q. □ (*edil.*) **gauging plaster**, intonaco di gesso e grassello di calce □ (*naut.*) **gauging rod**, asta di sonda; stazza.

gaugeable /ˈgeɪdʒəbl/ a. misurabile; (*fig.*) stimabile, valutabile.

gauger /ˈgeɪdʒə(r)/ n. **1** stazzatore (*spec. agente del dazio che misura il contenuto di botti di liquore e sim.*) **2** agente del dazio (*in genere*).

Gaul /gɔːl/ n. (*stor.*) **1** Gallia **2** Gallo: **the Gauls**, i Galli **3** (*scherz.*) francese.

Gaulish /ˈgɔːlɪʃ/ (*stor.*) Ⓐ a. **1** gallico **2** (*scherz.*) francese Ⓑ n. ⓤ lingua dei Galli; gallico.

Gaullism /ˈgəʊlɪzəm/ (*polit.*, *stor.*) n. ⓤ

gollismo || **Gaullist** A n. gollista; sostenitore di Charles de Gaulle B a. gollista.

gaunt /gɔːnt/ a. **1** macilento; magro; scarno; sparuto: **g. wolves**, lupi macilenti **2** arido; desolato; spoglio; nudo: **a g. heath**, una brughiera desolata || **gauntness** n. ⓤ **1** l'esser macilento; estrema magrezza **2** aridità (*del paesaggio*); desolazione.

gauntlet① /'gɔːntlət/ n. **1** (*stor.*) guanto d'armatura; manopola; (*fig.*) guanto di sfida, sfida: **to fling** (*o* **to throw**) **down the g.**, gettare il guanto; lanciare una sfida; **to pick** (*o* **to take**) **up the g.**, raccogliere il guanto; accettare una sfida **2** guanto (*di protezione: per guidare l'automobile, per la scherma, ecc.*) || **gauntleted** a. munito di guanti.

gauntlet② /'gɔːntlət/ n. (*stor.*) pena delle verghe (*o* delle bacchette) ● **to run the g.**, passare per le bacchette (*antica punizione inflitta ai vinti*); (*fig.*) passare sotto le forche caudine; sottostare al dileggio (*di q.*).

gaunty /'gɔːntɪ/ a. (*fam.*) → **gaunt**.

gauss /gaʊs/ n. (*fis.*) gauss (*unità d'induzione magnetica*).

Gaussian /'gaʊsɪən/ a. (*mat.*) gaussiano.

gauze /gɔːz/ n. **1** ⓤ (*ind. tess.*) velo; mussolina: **a g. veil**, un velo di mussolina **2** ⓤ velo di nebbia; foschia **3** (*fotogr., cinem.*) velatino **4** (*med.*) garza: **antiseptic g.**, garza sterile **5** (*med., USA*) benda **6** ⓤ (= **wire g.**) reticella metallica **7** ⓤ rete (*o* reticella) di plastica ● (*autom.*) **g. strainer**, filtro a reticella (*della pompa dell'olio, ecc.*).

gauzy /'gɔːzɪ/ a. simile a garza (*o* a velo); diafano; trasparente | **-ily** avv. | **-iness** n. ⓤ.

gave /geɪv/ pass. di **to give**.

gavel /'gævl/ n. martelletto (*di presidente d'assemblea, di banditore d'asta pubblica, o di giudice in USA*).

gavial /'geɪvɪəl/ n. (*zool., Gavialis gangeticus*) gaviale.

gavotte /gə'vɒt/ n. gavotta (*danza e musica*).

gawd /gɔːd/ inter. (*grafia fam.* di **God**) dio: **oh my g.**! oh mio dio!

gawk /gɔːk/ n. (*fam.*) individuo balordo, tonto; goffo; allocco (*fig.*).

to **gawk** /gɔːk/ (*fam.*) v. i. guardare con l'aria allocchita: *Don't just stand there gawking!*, non startene lì a guardare come un allocco! || **gawker** n. persona che guarda con l'aria allocchita.

gawky /'gɔːkɪ/ a. balordo; tonto; goffo | **-ily** avv. | **-iness** n. ⓤ.

to **gawp** /gɔːp/ (*fam. ingl.*) v. i. guardare con l'aria allocchita; fissare a bocca aperta || **gawper** n. persona che guarda con l'aria allocchita; (*per estens.*) curioso (*che si ferma a guardare un incidente, ecc.*).

♦**gay** /geɪ/ A a. **1** omosessuale; gay; di (*o* per) gay: **a gay bar**, un bar frequentato da omosessuali; **the Gay Liberation Movement** (abbr. **the Gay Lib**), il Movimento per la liberazione degli omosessuali; **gay pride**, orgoglio gay; **gay rights**, i diritti degli omosessuali **2** (*antiq.*) vivace; allegro; gaio; festevole; spensierato; giocondo: **gay laughter**, gaie risate; **a gay song**, una canzone allegra **3** (*fig. antiq.*) gaudente; godereccio; dedito ai piaceri; dissoluto: **to lead a gay life**, darsi alla bella vita (*o* alla dissolutezza) B n. omosessuale; gay ● **gay marriage**, matrimonio gay; matrimonio omosessuale □ (*psic., spec. USA*) **gay panic** = **homosexual panic** → **homosexual**.

gaydom /'geɪdəm/ n. ⓤ (*fam.*) il mondo degli omosessuali.

gay-friendly /geɪ'frendlɪ/ a. (*di persona, associazione, servizio, ecc.*) aperto ai gay; ben disposto verso i gay; gay-friendly.

gayness /'geɪnəs/ n. ⓤ **1** gaiezza; allegria **2** (*spec.*) omosessualità.

Gazan /'gɑːzən/ A a. di Gaza B n. abitante di Gaza (*o* della Striscia di Gaza).

gaze /geɪz/ n. ⓤ sguardo fisso e intento.

to **gaze** /geɪz/ v. i. guardare con ammirazione (*o* con piacere) ● **to g. at** (*o* **on, upon**) **sb.** [**st.**], fissare q. [qc.]; contemplare q. [qc.] □ **to g. down** [**up**], guardare fisso in giù [in su].

gazebo /gə'ziːbəʊ/ n. (pl. **gazebos**, **gazeboes**) (*archit.*) gazebo; balcone panoramico; chiosco (*da giardino*).

gazelle /gə'zɛl/ n. (pl. **gazelles**, **gazelle**) (*zool., Gazella*) gazzella.

gazer /'geɪzə(r)/ n. **1** chi se ne sta incantato (*o* trasognato) a rimirare **2** (*slang USA*) agente della squadra narcotici.

gazette /gə'zɛt/ n. gazzetta; gazzetta ufficiale (*che pubblica anche il bollettino dei fallimenti*); giornale (*usato spec. nei nomi di giornali*): **the London G.**, la gazzetta ufficiale inglese.

to **gazette** /gə'zɛt/ v. t. (soprattutto al passivo) pubblicare sulla gazzetta ufficiale: *His appointment has not yet been gazetted*, la sua nomina non è stata ancora pubblicata sulla gazzetta ufficiale ● (*mil.*) **to be gazetted to a regiment**, essere assegnato a un reggimento.

gazetteer /gæzə'tɪə(r)/ n. **1** dizionario geografico **2** (*GB*), redattore della «London Gazette» (→ **gazette**).

gazillion /gə'zɪlɪən/ n. (*fam. USA*) numero iperbolico; miriade; fantastilione (*fam.*).

to **gazump** /gə'zʌmp/ (*fam. ingl.*) v. t. **1** (*di venditore di un immobile*) rimangiarsi la parola data a (*un primo acquirente*) e vendere ad altro e miglior offerente: *We were afraid of being gazumped*, avevamo paura che il venditore ci tirasse il bidone e vendesse a un altro **2** (*antiq.*) imbrogliare; raggirare; turlupinare || **gazumper** n. venditore di immobile senza scrupoli (*che pratica il «gazumping»*) || **gazumping** n. ⓤ mancato rispetto dell'accordo di vendita di un immobile e vendita ad altro e miglior offerente.

to **gazunder** /gə'zʌndə(r)/ (*fam. ingl.*) v. t. cercare di indurre (q.) a cedere un immobile per un prezzo inferiore a quello pattuito (*minacciando di recedere dal patto di futura vendita*) || **gazundering** n. ⓤ tentativo di pagare un immobile meno del prezzo pattuito.

GB sigla **1** (*comput.*, **gigabyte**) gigabyte **2** (**Great Britain**) Gran Bretagna (*anche targa autom.*).

Gb abbr. (*comput.*, **gigabit**) gigabit.

GB&I sigla (**Great Britain and Ireland**) Gran Bretagna e Irlanda.

GBE sigla (*titolo, GB*, (**Knight or Dame**) **Grand Cross of the Order of the British Empire**) (cavaliere o dama di) Gran Croce dell'Impero britannico.

GBH sigla (*leg.*, **grievous bodily harm**) lesioni personali gravi.

GBP sigla (*banca*, **British Pound**) sterlina inglese.

GC sigla (*GB*, **George Cross**) Croce di Re Giorgio (*al valor civile*).

GCB sigla (*titolo, GB*, (**knight or dame**) **Grand Cross of the Order of the Bath**) (cavaliere o dama di) Gran Croce dell'ordine del bagno.

GCE sigla (*stor., GB*, **General Certificate of Education**) diploma di scuola secondaria di livello superiore (*cfr.* **GCSE**).

GCHQ sigla (*GB*, **Government Communications Headquarters**) Agenzia governativa di spionaggio elettronico.

GCSE sigla (*GB*, **General Certificate of Secondary Education**) diploma di scuola secondaria superiore; *I've got six GCSEs*

and three A levels, ho sei materie al GCSE e tre agli A level ❶ **Cultura** ● **GCSE**: *introdotto nel 1988, il* GCSE *ha sostituito l' «O level» o «O level» come esame principale della scuola superiore, al termine della scuola dell'obbligo, di solito a 16 anni. Ogni materia d'esame, scelta dallo studente, comporta un* GCSE *e un voto specifici (*GCSE English, GCSE History, *ecc.). Dopo i GCSE chi vuole continuare gli studi passa al biennio di preparazione per gli →* «A level».

GCVO sigla (*titolo, GB,* (**knight or dame**) **Grand Cross of the Royal Victorian Order**) (cavaliere o dama di) Gran Croce dell'ordine della Regina Vittoria.

Gdns abbr. (**Gardens**) Giardini (*negli indirizzi*).

GDP sigla (**gross domestic product**) prodotto interno lordo (PIL).

♦**gear** /gɪə(r)/ n. **1** ⓒⓤ (*mecc.*) congegno; dispositivo; meccanismo; ingranaggio; ruota dentata; (*di bicicletta*) moltiplica, rapporto, (*di automobile*) marcia, cambio; (*di cannone*) cambio di mira: **differential g.**, (ingranaggio) differenziale; **spiral g.**, ingranaggio elicoidale **2** ⓤ (*fam.*) abiti; indumenti (*spec. giovanili*) **3** ⓤ (*anche sport*) attrezzatura; arnesi; attrezzi; equipaggiamento: **climbing g.**, attrezzatura da roccia; **hunting g.**, equipaggiamento per la caccia **4** bardatura (*di cavallo da tiro*) **5** ⓤ (*naut.*) manovre, attrezzatura (*d'una nave*) **6** (*slang USA*) cosa eccitante; cannonata (*fig.*) **7** (*slang USA*) droga ● **g.-case**, (*mecc.*) scatola degli ingranaggi; (*di bicicletta*) copricatena □ **g. change**, (*autom., mecc.*) cambio di marcia; (*di bicicletta*) cambio; **g. change control**, comando del cambio (*al manubrio*); **g. cutter**, fabbricante d'ingranaggi; (*mecc.*) dentatrice □ (*mecc.*) **g. drive**, trasmissione a ingranaggi □ (*autom.*) **g. lever**, leva (*o* cloche) del cambio □ (*autom.*) **g. ratio**, rapporto di riduzione (*delle marce*) □ **g. shaft**, (*mecc.*) albero portaingranaggi; (*autom.*) albero del cambio o di velocità □ (*USA*) **g. shift** → **g. lever** □ **g. stick** → **gearstick** □ (*mecc.*) **g. teeth**, dentatura □ (*mecc.*) **g. train**, ingranaggio (collett.); rotismo □ (*autom.*) **to change g.**, cambiare (marcia) □ (*autom.*) **to crash the gears**, grattare (le marce) □ (*autom.*) **to go into g.**, ingranare; entrare (*fam.*) □ **to be in g.**, (*autom.*) avere la marcia ingranata (*o* inserita); (*fig.*) essere in piena attività, funzionare □ (*autom.*) **in neutral (g.)**, (cambio) in folle □ (*fig.*) **in top g.**, a pieno ritmo: *We were working in top g.*, lavoravamo a pieno ritmo □ (*autom.*) **to move up a g.**, cambiare passando a una marcia più alta; (*fig.*) aumentare gli sforzi; partire in quarta (*fig.*) □ **to be out of g.**, (*autom.*) essere in folle; (*fig.*) non essere in piena attività, non funzionare □ (*autom.*) **to put the engine into g.**, ingranare la marcia □ (*mecc., autom.*) **to shift gears**, cambiare (marcia) □ **to slip a g.** (*autom.*) non ingranare una marcia; (*fig.*) fare uno sbaglio; sbagliare □ (*autom.: della frizione*) **to slip out of g.**, disinnestarsi, disinserirsi.

to **gear** /gɪə(r)/ A v. t. **1** (*mecc.*) provvedere (*una macchina, ecc.*) d'ingranaggi; mettere il cambio di velocità a (*una bicicletta, ecc.*) **2** (*mecc.*) innestare (*un congegno*); ingranare, inserire (*una marcia*) **3** (*spesso* **to g. up**) bardare (*una bestia da tiro*) **4** (*fig.*) adeguare; adattare; modificare: **to g. production to demand**, modificare la produzione secondo le esigenze della domanda **5** (*fig.*) preparare; attrezzare B v. i. (*mecc.: di congegno, ecc.*) ingranare; ingranare bene ● **to g. down**, (*mecc.*) demoltiplicare con ingranaggi; (*autom.*) scalare le marce; (*fig.*) abbassare, ridurre, decelerare (*l'attività, la produzione, ecc.*); rallentare □ **to g. up**, (*mecc.*) provvedere d'ingranaggi, moltiplicare con ingranaggi; (*autom.*) mettere (*o* ingranare, in-

serire) una marcia più alta; (*fin.*: *di una società*) aumentare il proprio indebitamento, indebitarsi ulteriormente; (*fig.*) potenziare, potenziarsi; aumentare, accelerare (*l'attività, la produzione, ecc.*); (*fig.*) preparare; fare i preparativi; prepararsi: *Rimini is gearing up for the tourist season*, Rimini sta facendo i preparativi per la stagione turistica.

gearbox /'ɡɪəbɒks/ n. (*autom., mecc.*) scatola del cambio; cambio: **automatic g.**, cambio automatico.

geared /'ɡɪəd/ a. **1** (*mecc.*) ingranato; inserito; innestato **2** (*mecc.*) provvisto d'ingranaggi; con riduttore: **g. turbine**, turbina con riduttore **3** (*fig.*) connesso; collegato: *All discount rates are g. to the Bank rate*, tutti i tassi di sconto sono collegati con il tasso ufficiale di sconto **4** preparato; pronto; in grado di far fronte (a): (*market.*) *We are g. for price competition*, siamo in grado di far fronte alla concorrenza in fatto di prezzi **5** attrezzato; preparato; predisposto: *In 1940, Italy wasn't g. for war*, nel 1940, l'Italia non era preparata per entrare in guerra: *My little village isn't g.* (*o g. up*) *to a modern lifestyle*, il mio paesino non è attrezzato per uno stile di vita moderno **6** finalizzato; orientato; indirizzato (a): *This film is g. towards small children*, questo film è destinato (*o adatto*) ai bambini piccoli **7** (*fin.*: *di una società*) con un determinato rapporto d'indebitamento: **a highly-g. trading corporation**, una società commerciale che ha un indebitamento eccessivo (*o che ha troppo capitale di prestito*) ● **to be g. for all emergencies**, essere in grado di far fronte a tutte le emergenze □ (*fig.*: *di una persona*) **to be g. up**, essere agitato (*o eccitato, o teso*).

gearing /'ɡɪərɪŋ/ n. ⓤ **1** (*mecc.*) rotismo; sistema d'ingranaggi **2** (*fin. ingl.*, = **capital g.**, **g. ratio**) indice di patrimonializzazione; rapporto di indebitamento; rapporto capitale/prestiti **3** (*fin.*) differenziazione del portafoglio ● **g. down**, (*mecc.*) demoltiplicazione con ingranaggi; (*autom.*) scalata di marcia; (*fig.*) riduzione, rallentamento (*di attività, produzione, ecc.*) □ **g. up**, (*mecc.*) moltiplicazione con ingranaggi; (*autom.*) inserimento di una marcia più alta; (*fig.*) potenziamento, aumento, accelerazione (*di attività, produzione, ecc.*); preparazione, il mettersi in grado di far fronte (*a un bisogno, un pericolo, ecc.*).

gearless /'ɡɪələs/ a. (*mecc.*) senza ingranaggi ● (*autom.*) **g. traction**, trazione diretta.

gearshift /'ɡɪəʃɪft/ n. (*mecc., autom. USA*) (leva del) cambio di velocità ● **steering-column g.**, (leva del) cambio sul volante.

gearstick /'ɡɪəstɪk/ n. (*autom.*) leva (*o* cloche) del cambio.

gearwheel /'ɡɪəwiːl/ n. (*mecc.*) ruota dentata.

gecko /'ɡɛkəʊ/ n. (pl. **geckos, geckoes**) (*zool.*) geco.

geddit? /'ɡɛdɪt/ inter. (*fam. ingl. per* '**did you get it?**') (hai) capito? (*una barzelletta o una battuta*).

gee① /dʒiː/, **gee-gee** /'dʒiːdʒiː/ n. (*infant.*) cavallino; cavalluccio.

gee② /dʒiː/, **gee-ho** /'dʒiːəʊ/, **gee-up** /'dʒiːʌp/ inter. (*per incitare cavalli, ecc.*) arri!; ih!; hop!

gee③ /dʒiː/ inter. (*slang USA*, abbr. di **Jesus**, = **gee whizz**) cribbio!; eccome!; perbacco!; perdiana!

gee④, /dʒiː/ n. gi; lettera g.

gee⑤ /dʒiː/ n. (*slang USA per* **grand**) mille dollari.

to **gee** /dʒiː/ Ⓐ v. t. **1** incitare, spronare (*cavalli, ecc.*) **2** (*slang USA*) scopare, fottere (*volg.*) Ⓑ v. i. collimare, corrispondere (*con qc.*) ● **to gee up** = Ⓐ, def. 1 → sopra.

geegaw /'ɡiːɡɔː, 'dʒiːɡɔː/ → **gewgaw**.

geek /ɡiːk/ n. (*slang USA*) **1** tipo bizzarro; mattoide **2** tipo introverso, goffo, imbranato; tipo del secchione **3** fanatico (*spec. di tecnologia, computer, cinema, ecc.*).

geeky /'ɡiːkɪ/ a. (*slang, spreg. spec. riferito a maschi*) goffo; imbranato; sfigato | **-iness**, n. ⓤ.

geese /ɡiːs/ pl. di **goose**.

geezer /'ɡiːzə(r)/ n. **1** (*slang*) individuo; tizio; tipo (*spec. se anziano*) **2** (*spreg.*) vecchiaccio **3** (*spreg.*) macho; bullo.

Gehenna /ɡɪ'hɛnə/ n. (*Bibbia*) geenna; inferno (*fig.*); luogo di tormenti.

Geiger counter /'ɡaɪɡə'kaʊntə(r)/ loc. n. (*fis. nucl.*) contatore Geiger.

geisha /'ɡeɪʃə/ n. (pl. **geishas, geisha**) geisha.

gel /dʒɛl/ n. ⓒⓤ (*chim., fis.*) gel; coagulato gelatinoso ● **gel paint**, pittura gelificata □ (*chim., fis.*) **gel point**, punto di gel.

to **gel** /dʒɛl/ v. i. **1** gelatinizzarsi; gelificare; gelificarsi **2** (*fig., di idee, progetti, ecc.*) prendere forma; concretizzarsi **3** (*fig., di persone*) affiatarsi; entrare in sintonia.

gelatin /'dʒɛlətɪn/, **gelatine** /'dʒɛləti:n/ n. ⓤⓒ gelatina: (*mil.*) **blasting g.**, gelatina esplosiva; **vegetable gelatines**, gelatine vegetali ● (*mil.*) **g. dynamite**, gelignite □ (*fotogr.*) **g. paper**, carta rivestita d'uno strato di gelatina □ **g. solution**, soluzione gelatinosa.

to **gelatinize** /dʒə'lætɪnaɪz/ Ⓐ v. t. **1** (*chim., fis.*) gelatinizzare **2** (*fotogr.*) coprire con uno strato di gelatina Ⓑ v. i. gelatinizzarsi || **gelatinization** n. ⓤ (*chim., fis.*) gelatinizzazione.

gelatinous /dʒə'lætɪnəs/ a. gelatinoso.

gelation /dʒə'leɪʃn/ n. ⓤ (*fis., chim.*) **1** gelificazione **2** (*raro*) congelamento.

to **geld** /ɡɛld/ (*zootecnia*) v. t. castrare || **gelder** n. castratore || **gelding** n. **1** castrone; cavallo castrato **2** ⓤ castratura; castrazione.

gelid /'dʒɛlɪd/ a. gelido; gelato; freddissimo || **gelidly** avv. gelidamente.

gelignite /'dʒɛlɪɡnaɪt/ n. ⓤ gelignite; nitrogelatina.

gelly /'dʒɛlɪ/ n. ⓤ (*fam.*) gelignite; nitroglicerina.

gelsemium /dʒɛl'siːmɪəm/ n. **1** (pl. **gelsemiums, gelsemia**) (*bot.*) pianta del genere *Gelsemium* **2** (*farm.*) gelsemio.

gem /dʒɛm/ n. **1** gemma (*anche fig.*); gioiello: *This painting is the gem of the collection*, questo quadro è la gemma della collezione **2** (*fig.*) perla; tesoro: *His girlfriend is a real gem*, la sua ragazza è una vera perla **3** (*fig. spreg.*) perla; errore madornale; strafalcione.

to **gem** /dʒɛm/ v. t. ingemmare; ornare di gemme.

geminate /'dʒɛmɪnət/ Ⓐ a. (*scient.*) geminato Ⓑ n. (*ling.*) geminata; consonante geminata.

to **geminate** /'dʒɛmɪneɪt/ Ⓐ v. t. geminare; appaiare; rendere doppio; raddoppiare; duplicare Ⓑ v. i. diventare geminato || **gemination** n. ⓤ **1** (*anche ling.*) geminazione; geminatura **2** raddoppiamento; duplicazione.

Gemini /'dʒɛmɪnaɪ, -'niː/ Ⓐ n. pl. (col verbo al sing.) **1** (*astron., astrol.*) Gemelli (*costellazione e III segno dello zodiaco*) **2** (*astrol.*) (un) gemelli; individuo nato sotto il segno dei Gemelli Ⓑ a. (*astrol.*) dei Gemelli || **Geminian** (*astrol.*) Ⓐ n. persona nata sotto il segno dei Gemelli Ⓑ a. dei Gemelli.

gemma /'dʒɛmə/ n. (pl. **gemmae**) (*bot.*) gemma.

gemmate /'dʒɛmət/ a. **1** (*biol.*) gemmato; che si riproduce per gemmazione **2** (*bot., zool.*) che ha gemme.

to **gemmate** /'dʒɛmeɪt/ v. i. **1** (*bot.*) gemmare; mettere le gemme **2** (*biol.*) riprodursi per gemmazione || **gemmation** n. ⓤ (*bot., biol.*) gemmazione.

gemmiferous /dʒɛ'mɪfərəs/ a. (*biol., bot.*) gemmifero.

gemmiparous /dʒɛ'mɪpərəs/ a. (*biol.*) gemmiparo.

gemmology /dʒɛ'mɒlədʒɪ/ (*scient.*) n. ⓤ gemmologia || **gemmological** a. gemmologico || **gemmologist** n. gemmologo.

gemmotherapy /dʒɛməʊ'θɛrəpɪ/ n. gemmoterapia.

gemmule /'dʒɛmjuːl/ n. (*biol.*) gemmula.

gemsbok /'ɡɛmzbɒk/ n. (pl. **gemsboks, gemsbok**) (*zool., Oryx gazella*) gemsbok; antilope camoscio.

gemstone /'dʒɛmstəʊn/ n. (*miner.*) gemma grezza; pietra preziosa.

to **gen** /dʒɛn/ (*slang, di solito* **to gen up**) Ⓐ v. t. informare; dare istruzioni a (q.) Ⓑ v. i. informarsi; assumere informazioni.

Gen. abbr. (*mil., general*) generale (Gen.).

gen. abbr. **1** (**general**) generale **2** (**generally**) generalmente **3** (**generic**) generico **4** (*fam.*, **general information**) informazioni.

gendarme /'ʒɒndɑːm/ (*franc.*) n. **1** gendarme; poliziotto **2** (*alpinismo*) torrione.

gendarmerie /ʒɒn'dɑːmərɪ/ (*franc.*) n. gendarmeria.

gender /'dʒɛndə(r)/ n. **1** (*gramm.*) genere: **neuter g.**, genere neutro **2** sesso; genere: **non-discrimination with regard to race, religion and g.**, mancanza di ogni discriminazione in base alla razza, alla religione e al sesso ● (*slang*) **g. bender**, personaggio del mondo dello spettacolo che assume atteggiamenti (*o indossa abiti*) tipici dell'altro sesso; (*sost.*) travestito; (*teatr.*) travesti (*franc.*); (*elettr.*) adattatore, riduttore (*per prese e spine*); (*agg.*) (*d'abiti, ecc.*) unisex □ (*med.*) **g. clinic**, clinica prenatale in cui si può scegliere il sesso del nascituro □ (*slang*) **g.-crossing**, unisex □ (*psic.*) **g. identity**, identità sessuale (*o di genere*) □ **g. studies**, studi di genere.

to **gender** /'dʒɛndə(r)/ Ⓐ v. t. (*poet.*) generare Ⓑ v. i. (*raro*) accoppiarsi.

genderism /'dʒɛndərɪzəm/ n. ⓤ (*fam. USA*) discriminazione in base al sesso.

genderless /'dʒɛndələs/ a. (*ling.*) che non ha forme grammaticali distinte per indicare i generi.

◆**gene** /dʒiːn/ n. (*biol.*) gene ● **g. frequency**, frequenza genica □ **g. overlap**, sovrapposizione di geni □ (*med.*) **g. pool**, pool genetico □ (*med.*) **g. targeting**, 'gene targeting' (*creazione di modelli animali sperimentali patologici per la terapia genica*) □ (*med.*) **g. therapy**, terapia genica.

genealogical /dʒiːnɪə'lɒdʒɪkl/ a. genealogico: **g. tree**, albero genealogico.

genealogy /dʒiːnɪ'ælədʒɪ/ n. ⓤⓒ genealogia || to **genealogize** Ⓐ v. t. fare la genealogia di (q.) Ⓑ v. i. fare ricerche genealogiche || **genealogist** n. genealogista.

genecology /dʒɛnɪ'kɒlədʒɪ/ n. ⓤ (*ecol.*) ecogenetica.

genera /'dʒɛnərə/ pl. di **genus**.

generable /'dʒɛnərəbl/ a. generabile.

◆**general**① /'dʒɛnrəl/ a. **1** generale; comune; pubblico; collettivo; universale: **a g. strike**, uno sciopero generale; **a phrase that is in g. use**, una locuzione d'uso comune; **the g. welfare**, il bene pubblico, il benessere collettivo; **a g. notion**, un concetto universale **2** generico; indeterminato; vago: *He spoke in g. terms*, parlò in termini generici; **a g. resemblance**, una vaga somiglianza **3** comune; diffuso; universale: *'Snow was g. all over Ireland'* J. JOYCE, 'tut-

ta l'Irlanda era sotto la neve) ● (*leg.*) **g. acceptance**, accettazione incondizionata (*d'una cambiale*) □ (*med.*) **g. anaesthesia**, anestesia totale □ (*ass.*, *naut.*) **g. average**, avaria generale (*o comune*) □ (*naut.*) **g. bill of lading**, polizza di carico collettiva □ **g. business**, varie ed eventuali (*ultima voce in un ordine del giorno*) □ (*naut.*) **g. cargo**, carico misto (*o a collettame*) □ (*in GB*) **the G. Council**, il Consiglio Generale (*dei sindacati britannici*) □ (*banca*) **g. crossing**, sbarratura semplice (*di un assegno*) □ (*leg.*) **g. damages**, danni presunti dalla legge e ammessi senza bisogno di prova □ **g. dealer**, commerciante (*o negoziante*) in generi vari □ **a g. degree**, una laurea generica (*in varie discipline, senza specializzazione*) □ (*USA*) **g. delivery**, fermo posta □ **g. education**, istruzione di carattere generale (*non specializzata*) □ **g. election**, elezioni generali (*o politiche*) □ (*comm.*) **g. endorsement**, girata in bianco □ **the g. feeling**, il sentimento popolare □ (*leg.*) **g. heir**, erede universale □ (*med.*) **g. hospital**, policlinico □ **g. knowledge**, cultura enciclopedica □ (*fin.*) **g. management**, direzione generale □ **g. manager**, direttore generale □ (*fin.*) **g. partner**, socio accomandatario □ (*fin.*) **g. partnership**, società in nome collettivo □ **G. Post Office**, (*in GB, fino al 1969*) Ministero delle Poste; (*spec. in USA*) posta centrale (*di una città*) □ **g. practice**, medicina generica □ (*med.*) **g. practitioner**, medico generico; medico di base □ (*leg.*) **g. proxy**, delega generale □ **the g. public**, il grande pubblico □ **g.-purpose**, pluriuso; multiuso; universale; (*mil.*) **g.-purpose bomb**, bomba multiuso; (*tecn.*) **g.-purpose weedkiller**, diserbante universale □ **a g. reader**, un lettore di letteratura varia; chi legge ogni sorta di libri □ (*stat.*) **G. Register** (*in Scozia*: **Registry Office**), Istituto Centrale di Statistica □ (*fin.*, *leg.*) **g. reserve**, riserva statutaria (*a scuola*) **g. science**, scienze naturali, chimica e fisica □ **g. servant**, domestico (*o domestica*) tuttofare □ (*mil.*) **g. staff**, stato maggiore □ **g. store**, negozio di generi vari (*alimentari, ecc.*); drogheria □ (*stor.*) **the G. Strike**, lo sciopero del 1926 in GB (*durò sei mesi*) □ (*relig.*) **the G. Synod**, il Sinodo Generale (*della Chiesa anglicana*) □ (*dog.*) **g. warehouse**, magazzino generale □ (*leg.*) **g. warrant**, mandato di cattura in bianco □ **as a g. rule**, in genere; di regola; generalmente □ **in g.**, in genere; generalmente; di solito.

general ② /'dʒɛnrəl/ a. **n. 1** (*spec. mil.*) generale: **brigadier g.**, generale di brigata; (*ora, anche in Italia*) brigadiere generale; **the g. of the Dominicans**, il generale dei domenicani **2** (*mil.*, *in GB e in USA*) – **G.**, Tenente Generale con incarichi speciali **3** (*aeron. mil.*, *in USA*) – **G.**, Generale di Squadra Aerea con incarichi speciali (*cfr. ingl.* **Air Chief Marshal**, *sotto* **air**) **4** – (*fig.*) **the g.**, il contrario di: il particolare; **5** (*pl.*) (*raro*) generalità; principi (*o nozioni*) generali **6** (*med.*) anestesia totale ● (*aeron. mil.*, *in USA*) **G. of the Airforce** (*è il grado più elevato; non ha equivalente in Italia; cfr. ingl.* **Marshal of the Royal Air Force**, *sotto* **marshal**) □ (*mil.*, *in USA*) **G. of the army** (*è il grado più elevato; non ha equivalente in Italia*).

generalissimo /dʒɛnrə'lɪsɪməʊ/ n. (pl. **generalissimos**) (*mil.*) generalissimo.

generalist /'dʒɛnrəlɪst/ n. (*med.*) medico generico.

generality /dʒɛnə'rælɪtɪ/ n. **1** generalità; idea generale **2** (*form.*) maggioranza; maggior parte; moltitudine: **the g. of students**, la maggior parte degli studenti **3** osservazione di carattere generale; banalità **4** (*pl.*) generalità; concetti generici ● **to speak in generalities**, stare (*o restare, tenersi*) sulle generali.

generalization /dʒɛnrəlaɪ'zeɪʃn/ n. Ⓤ generalizzazione.

to **generalize** /'dʒɛnrəlaɪz/ Ⓐ v. t. generalizzare; rendere generale; esprimere in termini generali: **to g. a law**, rendere generale l'applicazione d'una legge Ⓑ v. i. **1** generalizzare; parlare in generale **2** stare sulle generali; fare discorsi generici.

♦**generally** /'dʒɛnrəlɪ/ avv. **1** generalmente; in genere; in generale; di solito: *What time do you g. get up?*, a che ora ti alzi di solito? **2** generalmente; universalmente: *It is g. agreed that smoking kills*, è generalmente riconosciuto che il fumo uccide.

generalship /'dʒɛnrəlʃɪp/ n. Ⓤ **1** (*mil.*) generalato; grado di generale **2** abilità militare; strategia; tattica.

♦to **generate** /'dʒɛnəreɪt/ v. t. **1** generare; procreare **2** generare; cagionare; causare; produrre: **to g. a misunderstanding**, generare un equivoco **3** (*chim.*, *elettr.*, *ling.*) generare: **to g. sentences**, generare frasi ● (*mat.*) **generating function**, funzione generatrice □ (*elettr.*) **generating plant** (*o generating station*), centrale elettrica □ (*elettr.*) **generating set**, gruppo elettrogeno.

generated /'dʒɛnəreɪtɪd/ a. **1** generato **2** (*comput.*) generato: **computer-g.**, generato al computer; (*di un'immagine ecc.*) di sintesi.

♦**generation** /dʒɛnə'reɪʃn/ n. **1** Ⓤ (*biol.*) generazione: **equivocal** (*o spontaneous*) **g.**, generazione spontanea **2** (*demogr.*) generazione: *We have known them for three generations*, li conosciamo da tre generazioni **3** Ⓤ (*scient.*) generazione; produzione; sviluppo: **the g. of steam**, la produzione di vapore; **the g. of gas**, lo sviluppo di gas ● **g. gap**, gap generazionale ‖ **generational** a. generazionale.

generative /'dʒɛnrətɪv/ a. **1** generativo; generatore; che produce (*qc.*) **2** (*ling.*) generativo: **g.-transformational grammar**, grammatica generativo-trasformazionale.

generativism /'dʒɛnərətɪvɪzəm/ (*ling.*) n. Ⓤ generativismo ‖ **generativist** n. generativista.

generator /'dʒɛnəreɪtə(r)/ n. **1** generatore **2** (*chim.*) generatore **3** (*elettr.*) generatore; (*a corrente continua*) dinamo **4** (*autom.*) dinamo **5** (*mat.*) (*curva*) generatrice ● (*mecc.*) **steam g.**, generatore di vapore.

generatrix /'dʒɛnəreɪtrɪks/ n. (pl. **generatrices**) (*mat.*) (*curva*) generatrice.

generic /dʒə'nɛrɪk/ a. (*anche biol.*) generico ‖ **generically** avv. genericamente.

generosity /dʒɛnə'rɒsɪtɪ/ n. **1** Ⓤ generosità; liberalità; magnanimità; munificenza **2** azione generosa; atto generoso, nobile.

♦**generous** /'dʒɛnərəs/ a. **1** generoso; liberale; magnanimo; munifico: **a g. nature**, un carattere generoso **2** abbondante; ricco: **a g. portion of food**, un'abbondante porzione di cibo **3** (*di vino*) generoso; forte **4** (*di terreno*) fertile ‖ **-ly** avv. ‖ **-ness** n.

genesis /'dʒɛnɪsɪs/ n. Ⓤ genesi; origine ● (*relig.*) **the** (*Book of*) **G.**, la Genesi.

genet /'dʒɛnɪt/ n. **1** (*zool.*, *Genetta*) genetta **2** ⓊⒸ pelliccia di genetta.

genetic /dʒə'nɛtɪk/, **genetical** /dʒə'nɛtɪkl/ a. genetico: (*biol.*) **g. code**, codice genetico; **g. engineering**, ingegneria genetica □ **g. fingerprint**, impronta genetica (*per la polizia*) □ **g. fingerprinting**, analisi del DNA a scopo identificativo □ **g. map**, mappa cromosomica ‖ **genetically** avv. geneticamente: **genetically modified**, geneticamente modificato.

genetics /dʒə'nɛtɪks/ n. pl. (col verbo al sing.) genetica ‖ **geneticist** n. genetista.

Geneva /dʒə'niːvə/ n. (*geogr.*) Ginevra:

Lake G., il lago di Ginevra ● **G. Cross**, Croce Rossa Internazionale □ **G. gown**, tonaca nera (*dei predicatori calvinisti*).

Genevan /dʒə'niːvn/ a. e n. ginevrino.

Genevese /dʒɛnɪ'viːz/ a. e n. (inv. al pl.) → **Genevan**.

Genevieve /ʒɛnvɪ'ɛɪv/ n. Genoveffa.

genial ① /'dʒiːnɪəl/ a. **1** cordiale; affabile; gioviale; socievole: **a g. old man**, un vecchio gioviale; **a g. smile**, un sorriso cordiale **2** (*spec. rif. al clima, ecc.*) mite; tiepido; caldo; dolce; gradevole: **the g. sunshine**, i caldi raggi del sole ❶ **FALSI AMICI** ⊕ **genial** *non significa* geniale ‖ **geniality** n. Ⓤ **1** cordialità; giocondità; giovialità; piacevolezza; socievolezza **2** (*rif. al clima, ecc.*) mitezza; tepore; dolcezza ❶ **FALSI AMICI** ⊕ **geniality** *non significa* genialità ‖ **genially** avv. cordialmente; affabilmente; giovialmente.

genial ② /dʒə'niːəl/ a. (*anat.*) del mento.

genic /'dʒɛnɪk/ a. (*biol.*) genico; del gene.

geniculate /dʒə'nɪkjʊlət/ a. (*scient.*) genicolato.

genie /'dʒiːnɪ/ n. (pl. **genies**, **genii**) (*mitol.*) genio; genietto; spiritello.

genii /'dʒiːnɪaɪ/ pl. di **genius**, def. 2, e di **genie**.

genista /dʒə'nɪstə/ n. (*bot.*, *Genista*) ginestra.

genistein /'dʒɛnɪstaɪn/ n. (*biochim.*) genisteina.

genital /'dʒɛnɪtl/ a. (*anat.*) genitale: **g. organs**, organi genitali.

genitalia /dʒɛnɪ'teɪlɪə/, **genitals** /'dʒɛnɪtlz/ n. pl. (*anat.*) organi genitali; i genitali.

♦**genitive** /'dʒɛnətɪv/ (*gramm.*) a. e n. genitivo: **the g. case**, il caso genitivo; **g. absolute**, genitivo assoluto ‖ **genitival** a. del genitivo; genitivale.

genito-urinary /dʒɛnɪtəʊ'jʊərɪnrɪ/ a. (*anat.*) genitourinario.

genius /'dʒiːnɪəs/ n. **1** Ⓤ genio; ingegno sommo: **a work of g.**, un'opera di genio **2** Ⓤ grande ingegno; talento; dono: **a man of g.**, un uomo d'ingegno; *He has a g. for maths*, ha talento per la matematica; *She has a g. for arriving at the wrong moment*, ha il dono di arrivare sempre al momento sbagliato **3** (pl. **geniuses**) persona di genio; genio: *a musical* [*computer*] *g.*, un genio della musica [*dell'informatica*] **4** (*mitol.*: pl. **genii**) genio; nume tutelare; spirito; demone **5** (pl. **genii**) personalità ispiratrice; genio: *He has been my evil g.*, lui è stato il mio cattivo genio **6** Ⓤ genio; spirito; carattere fondamentale: **the g. of Elizabethan literature**, il carattere fondamentale della letteratura elisabettiana ● (*lat.*) **g. loci**, atmosfera (*o spirito*) di un luogo; *genius loci*.

Genoa /'dʒɛnəʊə/ n. (*geogr.*) Genova ● **G. cake**, torta di frutta, ricoperta di mandorle □ (*naut.*) **G. jib**, genoa ‖ **Genoese** a. e n. (inv. al pl.) genovese.

genocide /'dʒɛnəsaɪd/ n. Ⓤ genocidio ‖ **genocidal** a. di (*o relativo a*) genocidio.

genome /'dʒiːnəʊm/ (*biol.*) n. genoma ‖ **genomic** a. genomico ‖ **genomics** n. Ⓤ genomica.

genotype /'dʒɛnətaɪp/ (*biol.*) n. genotipo ‖ **genotypic**, **genotypical** a. genotipico.

genre /'ʒɒnrə/ (*franc.*) n. **1** genere; genere letterario; maniera; stile **2** (*form.*) genere; sorta; specie.

gent /dʒɛnt/ n. (abbr. *fam.* di **gentleman**) gentiluomo; signore ● (*fam.*) **«gents»**, (gabinetto per) «signori» (*in un albergo e sim.*): *Excuse me, where's the gents?*, scusi, dov'è il bagno degli uomini? □ **a gents hairdresser**, un parrucchiere da uomo ❶ **FALSI AMICI** ⊕ **gent** *non significa* gente.

genteel /dʒen'tiːl/ a. **1** distinto; signorile; garbato **2** (*iron.*) che ostenta modi raffinati; manieroso **3** (*arc.*) di nobili natali; nobile ● **a g. expression**, un'espressione forbita □ **a g. position**, un'occupazione rispettabile □ **to live in g. poverty**, vivere in ristrettezze, ma salvando il decoro.

genteelism /dʒen'tiːlɪzəm/ n. Ⓤ eufemismo (*un po' manierato*).

gentian /'dʒenʃn/ n. (*bot.*) **1** (*Gentiana*) genziana **2** (= **g.-root**) radice di genziana □ (*farm.*) **g.-bitter**, amaro ricavato dalle radici della genziana.

gentianella /dʒenʃə'nelə/ n. (*bot.*, *Gentiana acaulis*) genzianella.

gentile /'dʒentaɪl/ a. e n. **1** gentile (*lett.*); pagano **2** (*gramm.*) (nome) di nazionalità.

gentility /dʒen'tɪlətɪ/ n. Ⓤ **1** nascita elevata; nobiltà d'origini; distinzione **2** gentilezza; raffinatezza; modi raffinati: **shabby g.**, raffinatezza pretenziosa (*di chi è povero*).

♦**gentle**① /'dʒentl/ a. **1** dolce; mite; tenero; benevolo: **g. eyes**, occhi teneri (*o dolci*); **a g. rebuke**, un benevolo rimprovero; **Be g. with him!**, usa tatto con lui!; sii benevolo con lui!; usa la mano leggera con lui! **2** lieve; mite; dolce: **a g. breeze**, una brezza leggera; una brezzolina; **a g. heat**, fuoco basso (*di cottura*); **a g. slope**, un lieve (*o dolce*) pendio; **a g. wind**, un venticello **3** delicato; fatto con delicatezza; lieve: **a g. touch**, un tocco delicato **4** cortese; gentile; garbato: **g. manners**, modi garbati **5** (*arc.*) (di sangue) nobile; gentilizio; cortese; gentile (*arc.*): **a g. knight**, un nobile cavaliere; un gentil cavaliere; **of g. birth**, di sangue nobile; di nobili natali ● **the g. craft**, la pesca con la lenza □ **the g. sex**, il gentil sesso.

gentle② /'dʒentl/ n. baco, verme, larva (*usati come esca*).

to gentle /'dʒentl/ v. t. domare; trattare con dolce fermezza (*un cavallo*).

gentlefolk, (*antiq.*) **gentlefolks** /'dʒentlfəʊk(s)/ n. (collett., *antiq. o USA*) gente di qualità; nobili.

♦**gentleman** /'dʒentlmən/ n. (pl. **gentlemen**) **1** gentiluomo; signore: *He is a true g.*, è un vero gentiluomo; *Who's the g. down there?*, chi è quel signore laggiù? **2** (*un tempo*) uomo che vive di rendita **3** (*stor.*, = **g. in waiting**) gentiluomo di corte, del seguito (*d'un sovrano*) **4** (*stor.*) uomo libero che (*pur non essendo nobile*) aveva il diritto di portare le armi ● **a g.'s** (*o* **gentlemen's**) **agreement**, un accordo leale (*sulla parola*); (*polit.*) un accordo in forma semplificata (*o scherz.*) **You're a g. and a scholar**, Lei è un vero signore □ **g.-at-arms**, membro della guardia del corpo del re (*o della regina*) □ (*stor.*) **g. commoner**, studente di Oxford (*o di Cambridge*) che godeva di speciali privilegi □ (*autom.*, *sport*) **g. driver**, pilota non professionista □ **g. farmer**, signore di campagna; proprietario terriero; ricco agricoltore; (*scherz.*) chi fa l'agricoltore per hobby □ (*USA*) **the g. from...**, l'illustre collega, deputato per il collegio di... (*formula usata alla Camera dei Rappresentanti*) □ **g.'s g.**, domestico personale di un gentiluomo; maggiordomo □ (*equit.*) **g. rider**, cavaliere non professionista.

gentlemanhood /'dʒentlmənhʊd/ n. Ⓤ galantomismo.

gentlemanlike /'dʒentlmənlaɪk/ a. da gentiluomo; signorile; distinto; raffinato.

gentlemanly /'dʒentlmənlɪ/ → **gentlemanlike**; **-iness** n. Ⓤ.

gentleness /'dʒentlnəs/ n. Ⓤ **1** dolcezza (*di modi, ecc.*); cortesia; gentilezza; garbo **2** delicatezza; lievità; mitezza; tenerezza.

gentlewoman /'dʒentlwʊmən/ n. (pl. **gentlewomen**) (*arc.*) **1** gentildonna **2** signora **3** (*stor.*) gentildonna del seguito (*del-*

la regina, ecc.).

♦**gently** /'dʒentlɪ/ avv. **1** dolcemente; con dolcezza; mitemente; con mitezza; teneramente; benevolmente: *She smiled g. at him*, lei gli sorrise con dolcezza **2** lievemente; dolcemente; con dolcezza: *The hill sloped g.*, il colle digradava lievemente (*o dolcemente*) **3** delicatamente; con delicatezza; adagio; piano: *Put it down g.*, posalo con delicatezza (*o piano*); *Cook it g. for ten minutes*, far cuocere piano (*o a fuoco basso*) per dieci minuti; *G. (does it)!*, adagio!; piano! **4** (*arc.*) da famiglia nobile; da gentiluomo: **g. born**, nato da famiglia nobile; di nobile lignaggio; **g. bred**, allevato da gentiluomo.

to gentrify /'dʒentrɪfaɪ/ v. t. (*edil.*, di solito al passivo) trasformare (*un quartiere, una strada*) in residenziale; rendere signorile || **gentrification** n. Ⓤ trasformazione in quartiere (*o in strada*) residenziale (*o signorile*).

gentry /'dʒentrɪ/ n. (spesso col verbo al pl.) **1** Ⓒ (*stor.*) nobiltà minore; piccola nobiltà **2** Ⓒ (*form.*) persone di buona famiglia; gente perbene **3** Ⓤ (*iron. spreg.*) gente; gentaglia; individui: **these g.**, questa gentaglia ● **the landed g.**, la proprietà terriera (*i proprietari*).

to genuflect /'dʒenjʊflekt/ v. i. genuflettersi; inginocchiarsi || **genuflection**, **genuflexion** n. Ⓒ genuflessione.

♦**genuine** /'dʒenjʊɪn/ a. **1** vero; autentico; genuino: **a g. emergency**, una vera emergenza; **g. leather**, vera pelle **2** (*di persona, emozione, ecc.*) sincero; autentico; genuino; vero: **a g. idealist**, un vero idealista; **g. admiration**, ammirazione sincera ● (*fam.*) **the g. article**, (*di cosa, oggetto*) quello vero, quello autentico, l'originale; (*di persona*) esemplare genuino (*di un tipo, un'attività, ecc.*): *He was the g. article, a real professional gambler*, era proprio un autentico giocatore professionista | **-ly** avv. | **-ness** n. Ⓤ.

genus /'dʒiːnəs/ n. (pl. **genera**) genere (*spec. in biol., filos. e mat.*): **the g. Homo**, il genere umano.

geobotany /dʒiːəʊ'bɒtənɪ/ n. Ⓤ geobotanica.

geocarpy /'dʒiːəʊkɑːpɪ/ (*bot.*) n. Ⓔ geocarpia || **geocarpic** a. geocarpico.

geocentric /dʒiːə'sentrɪk/ (*astron.*) a. geocentrico || **geocentricism** n. Ⓤ geocentrismo.

geochemistry /dʒiːə'kemɪstrɪ/ (*geol.*) n. Ⓤ geochimica || **geochemical** a. geochimico.

geochronology /dʒiːəkrə'nɒlədʒɪ/ n. Ⓤ (*geol.*) geocronologia; cronologia della terra.

geode /'dʒiːəʊd/ n. (*miner.*) geode.

geodesic /dʒiːəʊ'desɪk/ Ⓐ a. (*tecn.*, *scient.*) geodetico Ⓑ n. (*mat.*) (curva) geodetica ● (*mat.*) **g. line**, linea geodetica.

geodesy /dʒiː'ɒdəsɪ/ n. Ⓤ (*scient.*) geodesia || **geodesist** n. geodeta.

geodetic /dʒiːəʊ'detɪk/, **geodetical** /dʒiːəʊ'detɪkl/ a. (*scient.*) geodetico.

geodynamics /dʒiːəʊdaɪ'næmɪks/ (*geol.*) n. pl. (col verbo al sing.) geodinamica || **geodynamic**, **geodynamical** a. geodinamico.

Geoffrey /'dʒefrɪ/ n. Goffredo.

geognosy /dʒiː'ɒgnəsɪ/ n. Ⓤ (*geol.*) geognosia.

geographical, **geographic** /dʒiːə'græfɪkl/ a. geografico ● **g. features**, configurazione del terreno | **-ly** avv.

♦**geography** /dʒiː'ɒgrəfɪ/ n. Ⓤ **1** geografia: **physical g.**, geografia fisica **2** struttura geografica; configurazione; geografia || **geographer** n. geografo, geografa.

geoid /'dʒiːɔɪd/ n. (*scient.*) geoide.

geolinguistics /dʒiːəʊlɪŋ'gwɪstɪks/ n. pl. (col verbo al sing.) geolinguistica.

to geologize /dʒɪ'plədʒaɪz/ Ⓐ v. i. studiare geologia (*o la geologia d'un luogo*) Ⓑ v. t. esaminare (*un luogo*) dal punto di vista geologico.

geology /dʒɪ'plədʒɪ/ n. Ⓤ geologia ● **structural g.**, tettonica || **geologic**, **geological** a. geologico || **geologically** avv. geologicamente || **geologist** n. geologo, geologa.

geomagnetism /dʒiːə'mægnɪtɪzəm/ (*geofisica*) n. Ⓤ geomagnetismo || **geomagnetic** a. geomagnetico.

geomancy /'dʒiːəmænsɪ/ n. Ⓤ geomanzia || **geomancer** n. geomante || **geomantic** a. geomantico.

geomatics /dʒiːə'mætɪks/ n. pl. (col verbo al sing.) geomatica.

geometer /dʒɪ'pmɪtə(r)/ n. **1** esperto di geometria **2** (*zool.*) geometride (*farfalla notturna*).

geometrical /dʒiːə'metrɪkl/, **geometric** /dʒiːə'metrɪk/ a. geometrico: **g. designs**, disegni geometrici; **g. progression**, progressione geometrica | **-ly** avv.

to geometrize /dʒɪ'pmɪtraɪz/ Ⓐ v. i. **1** studiare geometria **2** fare calcoli geometrici Ⓑ v. t. riprodurre in forma geometrica.

geometry /dʒɪ'pmɪtrɪ/ n. Ⓤ geometria: **plane g.**, geometria piana; **non-Euclidean geometries**, geometrie non euclidee **2** Ⓤ (*autom.*, *mecc.*) assetto: **front-wheel g.**, assetto delle ruote anteriori || **geometrician** → **geometer**, def. 1.

geomorphology /dʒiːəmɔː'fɒlədʒɪ/ (*geol.*) n. Ⓤ geomorfologia || **geomorphological**, **geomorphologic** a. geomorfologico.

geophagy /dʒɪ'ɒfədʒɪ/ (*med.*) n. Ⓤ geofagia.

geophone /'dʒiːəfəʊn/ n. (*geofisica*) geofono.

geophysics /dʒiːəʊ'fɪzɪks/ n. pl. (col verbo al sing.) geofisica || **geophysical** a. geofisico || **geophysicist** n. studioso di geofisica; geofisico.

geopolitics /dʒiːə'pɒlətɪks/ n. pl. (col verbo al sing.) geopolitica || **geopolitical** a. geopolitico.

geoprobe /'dʒiːəprəʊb/ n. (*miss.*) geosonda.

Geordie /'dʒɔːdɪ/ n. e a. (*GB*) (relativo a un) abitante di Newcastle (*e dintorni*).

George /dʒɔːdʒ/ n. **1** Giorgio **2** gioiello con l'immagine di San Giorgio (*parte dell'insegna dell'Ordine della Giarrettiera*) **3** (*gergo aeron. ingl.*) pilota automatico ● **G. Cross**, croce di San Giorgio (*la più alta decorazione militare britannica*) □ **G. Medal**, Medaglia di San Giorgio (*la seconda decorazione al valore britannica*) □ (*arc.*) **by G.!**, perbacco! □ **St G.**, San Giorgio (*patrono dell'Inghilterra*) □ **St G.'s cross**, la croce di San Giorgio □ **St G.'s day**, il 23 aprile.

georgette /dʒɔː'dʒet/ n. Ⓤ (*ind. tess.*) georgette; crêpe georgette.

Georgian① /'dʒɔːdʒən/ a. (*stor.*, *archit.*) georgiano (*dell'epoca dei re d'Inghilterra Giorgio I, II, III, IV o dei re Giorgio V e VI*): **G.-style bow window**, bovindo in stile georgiano.

Georgian② /'dʒɔːdʒən/ a. e n. (*geogr.*) georgiano; (abitante) della Georgia.

georgic /'dʒɔːdʒɪk/ Ⓐ a. georgico Ⓑ n. poema georgico; georgica.

geosphere /'dʒiːəsfɪə(r)/ n. Ⓤ (*geol.*) geosfera.

geostationary /dʒiːə'steɪʃnrɪ/ a. (*miss.*) geostazionario: **g. orbit**, orbita geostazionaria.

geosynchronous /dʒiːəʊ'sɪŋkrənəs/ a.

(*miss.*) geosincrono.

geosyncline /dʒiːə'sɪnklaɪn/ (*geol.*) n. geosinclinale || **geosynclinal** a. di geosinclinale; geosinclinalico.

geothermal /dʒiːə'θɜːml/, **geothermic** /dʒiːə'θɜːmɪk/ a. (*geol.*, *fis.*) geotermico: **g. power**, energia geotermica.

geotropism /dʒi'ɒtrəpɪzəm/ (*bot.*) n. ⓤ geotropismo || **geotropic** a. geotropico.

Gerald /'dʒerəld/ n. Geraldo.

Geraldine /'dʒerəldiːn/ n. Geraldina.

geranium /dʒə'reɪnɪəm/ n. (*bot.*, *Geranium*) geranio.

Gerard /'dʒerɑːd, *USA* dʒə'rɑːrd/ n. Gerardo, Gherardo.

gerbil /'dʒɜːbɪl/ n. (*zool.*, *Gerbillus gerbillus*) gerbillo.

gerfalcon /'dʒɜːfɔːlkən/ n. (*zool.*, *Hierofalco*) girfalco.

geriatric /dʒerɪ'ætrɪk/ a. (*med.*) geriatrico: **g. department**, reparto geriatrico ● (*spreg.*) **g. leadership**, gerontocrazia.

geriatrics /dʒerɪ'ætrɪks/ (*med.*) n. pl. (col verbo al sing.) geriatria || **geriatrician**, **geriatrist** n. geriatra.

Geritol® /'dʒerɪtəl/ n. ⓤ (*in USA*) Geritol (*integratore ricco di ferro per anziani*).

germ /dʒɜːm/ n. 1 (*biol.*) germe; batterio; microbo: **the flu germs**, i germi dell'influenza 2 (*fig.*) germe; embrione (*biol. e fig.*): **the g. of an idea**, l'embrione di un'idea; *The plant is still in g.*, la pianta è ancora in germe ● (*med.*) **g.-carrier**, portatore di germi □ (*biol.*) **g. cell**, cellula germinale □ (*di un animale o ambiente*) **g. free**, libero da germi; axenico □ (*biol.*) **g. line** → **germline** □ (*mil.*) **g. warfare**, guerra batteriologica.

german /'dʒɜːmən/ a. germano: **brother-g.**, fratello germano; **sister-g.**, sorella germana.

German /'dʒɜːmən/ Ⓐ a. e n. tedesco Ⓑ n. ⓤ tedesco (*la lingua*) ● (*med.*) **G. measles**, rosolia □ (*USA*) **G. shepherd** (*dog*), pastore tedesco (*cane*) (*cfr. ingl.* **Alsatian**) □ **G. silver**, argentone; alpacca □ (*ling.*) **High G.**, alto tedesco □ (*ling.*) **Low G.**, basso tedesco.

germander /dʒɜː'mændə(r)/ n. (*bot.*, *Teucrium*) teucrio □ (*bot.*) **wall g.** (*Teucrium chamaedrys*), erba querciola.

germane /dʒɜː'meɪn/ Ⓐ a. appropriato; concernente; pertinente: **a point g. to the subject**, un punto che ha pertinenza con l'argomento Ⓑ n. ⓤ (*chim.*) germano.

Germanic /dʒɜː'mænɪk/ Ⓐ a. e n. germanico: (*stor.*) **the G. Empire**, l'impero germanico Ⓑ n. ⓤ (*ling.*, *stor.*) germanico (*gruppo di lingue degli antichi germani*): *West G.*, il germanico occidentale.

Germanism /'dʒɜːmənɪzəm/ n. ⓒⓤ germanismo; germanesimo.

Germanist /'dʒɜːmənɪst/ n. germanista.

germanium /dʒɜː'meɪnɪəm/ n. ⓤ (*chim.*) germanio.

to **Germanize** /'dʒɜːmənaɪz/ Ⓐ v. t. 1 germanizzare; tedeschizzare 2 tradurre in tedesco Ⓑ v. i. germanizzarsi || **Germanization** n. ⓤ germanizzazione.

Germanophile /dʒɜː'mænəfaɪl, *USA* -fɪl/ a. e n. germanofilo.

Germanophobe /dʒɜː'mænəfəʊb/ a. e n. germanofobo || **Germanophobia** n. ⓤ germanofobia.

Germany /'dʒɜːmənɪ/ n. (*geogr.*) Germania.

germen /'dʒɜːmən/ n. (pl. **germens**, **germina**) 1 germe (*soltanto fig.*) 2 (*bot.*) ovario.

germicide /'dʒɜːmɪsaɪd/ (*chim.*, *med.*) a. e n. germicida || **germicidal** a. germicida.

germinal /'dʒɜːmɪnl/ a. 1 (*biol.*) germinale 2 (*fig.*) embrionale; in germe.

germinant /'dʒɜːmɪnənt/ a. (*bot.*) germinante; che germoglia.

to **germinate** /'dʒɜːmɪneɪt/ Ⓐ v. i. 1 (*biol.*) germinare; germogliare 2 (*fig.*) nascere; svilupparsi Ⓑ v. t. 1 far germinare 2 (*fig.*) far nascere; produrre || **germination** n. ⓤ 1 (*biol.*) germinazione; (*bot.*) germogliamento 2 (*fig.*) nascita (*fig.*); sviluppo; evoluzione || **germinative** a. 1 (*biol.*) germinativo 2 (*fig.*) che si sviluppa; che evolve.

germline /'dʒɜːmlaɪn/ n. (*biol.*) linea germinale.

gerontocracy /dʒerɒn'tɒkrəsɪ/ (*polit.*) n. ⓤ gerontocrazia || **gerontocrat** n. gerontocrate.

gerontology /dʒerɒn'tɒlədʒɪ/ (*med.*) n. ⓤ gerontologia || **gerontological** a. gerontologico || **gerontologist** n. gerontologo.

gerrymander /'dʒerɪmændə(r)/ n. 1 manipolazione di collegi elettorali 2 (*per estens.*) broglio elettorale.

to **gerrymander** /'dʒerɪmændə(r)/ v. t. 1 dividere (*un territorio*) in collegi (*o distretti elettorali*) in modo da avvantaggiare un partito 2 manipolare (*un collegio elettorale*, *ecc.*).

gerrymanderer /'dʒerɪmændərə(r)/ n. manipolatore di collegi elettorali.

Gertrude /'gɜːtruːd/ n. Geltrude; Gertrude.

gerund /'dʒerənd/ (*gramm.*) n. gerundio || **gerundial** a. del gerundio; gerundivo.

gerundive /dʒə'rʌndɪv/ (*gramm.*) a. e n. gerundivo || **gerundival** a. gerundivo.

gesso /'dʒesəʊ/ n. (pl. **gessoes**) (*arte*) 1 ⓤ gesso per calchi (*o da stucchi*) 2 calco in gesso.

Gestalt /gə'ʃtælt/ (*ted.*), (*psic.*) n. Gestalt ● **G. psychology**, gestaltismo || **Gestaltism** n. ⓤ gestaltismo || **Gestaltist** n. gestaltista.

Gestapo /gə'stɑːpəʊ/ (*ted.*) n. (pl. **Gestapos**) (*stor.*) gestapo.

to **gestate** /dʒe'steɪt/ Ⓐ v. t. 1 (*fisiol.*) portare e sviluppare (*un feto*) nell'utero 2 (*fig.*) avere in gestazione (*un piano*, *un libro*, *ecc.*); meditare su Ⓑ v. i. 1 avere una gestazione 2 (*fisiol.*, *di feto*) svilupparsi nell'utero.

gestation /dʒe'steɪʃn/ n. ⓤ 1 (*biol.*) gestazione; gravidanza: **g. period**, periodo della gravidanza; **g. time**, tempo di gestazione 2 (*fig.*) gestazione: **to be in the process of g.**, essere in gestazione || **gestational** a. gestazionale; della gravidanza: **gestational age**, età della gravidanza.

to **gesticulate** /dʒe'stɪkjʊleɪt/ Ⓐ v. i. gesticolare; parlare a gesti Ⓑ v. t. dire gesticolando; esprimere a gesti || **gesticulation** n. 1 ⓤⓒ gesticolazione; gesticolamento 2 gesto || **gesticulator** n. gesticolatore || **gesticulatory** a. 1 di (*o simile a*) gesto 2 che gesticola.

gestural /'dʒestʃərəl/ a. gestuale: **g. communication**, comunicazione gestuale: **g. art**, arte gestuale.

♦**gesture** /'dʒestʃə(r)/ n. 1 gesto; atto: **a g. of despair [sympathy]**, un gesto di disperazione [compassione]; **a g. of friendship**, un atto d'amicizia 2 ⓤ espressione gestuale; il gestire; la mimica ● **g. language**, il linguaggio dei gesti.

to **gesture** /'dʒestʃə(r)/ Ⓐ v. i. gestire; gesticolare Ⓑ v. t. esprimere a gesti ● **to g. sb. over**, fare a q. il gesto di avvicinarsi.

get /get/ n. 1 (*di animali*) piccolo; cucciolo 2 (*di animali*) procreazione 3 (*sport*) presa (*della palla*); palla presa.

♦to **get** /get/ (pass. e p. p. **got**; p. p. *arc. o USA* **gotten**) Ⓐ v. t. 1 ottenere; procurarsi; prendere; andare a prendere; acquistare; comprare: **to get a good job**, ottenere un

buon impiego; *Where did you get the money?*, dove ti sei procurato il denaro?; *I'll get my suitcase*, vado a prendere la valigia; *The children got the measles*, i bambini presero (o si buscarono) il morbillo; *Where do I get a bus to the station?*, dove si prende l'autobus per la stazione?; *What can I get you, gentlemen?*, cosa vi porto, signori? 2 prendere; guadagnare; ricavare: *He gets a good pension*, prende una buona pensione; *How much do you get a week?*, quanto prendi alla settimana? 3 ricevere: *He got a computer for his birthday*, per il suo compleanno ha ricevuto (in dono) un computer; *Did you get my letter?*, hai ricevuto la mia lettera? 4 afferrare (*fig.*); capire; comprendere; cogliere (*fig.*): *I don't get your meaning*, non afferro il significato delle tue parole; *Don't get me wrong!*, non capirmi male!; non fraintendermi!; *He didn't get the joke*, non ha colto la battuta; (*fig.*) **to get the message**, capire la situazione (o l'allusione, ecc.); *I don't get it: why did you do it?*, non lo capisco: perché l'hai fatto?; *Have you got that?*, hai capito?; (*fam.*) *Get it?*, hai capito?; ci sei? 5 udire; sentire: *I didn't quite get what you said*, non ho sentito bene quello che hai detto 6 portare; condurre; far arrivare; far pervenire; accompagnare; far approdare (*fig.*): *The taxi got me to the airport in time*, il taxi mi fece arrivare in tempo all'aeroporto; *We must get her home*, dobbiamo portarla (o accompagnarla) a casa 7 preparare (*un pasto*): *I'll get the children their supper tonight*, questa sera preparo io la cena ai bambini 8 mettersi in contatto con (q.); trovare (q.) (*anche al telefono*); prendere (*una telefonata*): «*The phone is ringing*» «*I'll get it*», «Suona il telefono» «Prendo io!»; *I wanted to speak to him, but I got his answerphone*, volevo parlare con lui, ma ho trovato (o mi ha risposto) la segreteria 9 (*fam.*) trovare; avere; esserci: *I never get a chance* [*get time*] *to go out with my friends*, non ho mai l'occasione [il tempo] di uscire con gli amici; *In summer we get plenty of sunshine here*, d'estate abbiamo molto sole qui 10 (causativo: seguito da compl. ogg. più verbo all'inf.) convincere; indurre; persuadere; fare: *I got him to leave*, lo convinsi ad andarsene; *I'll get my father to do it*, lo farò fare a mio padre 11 (causativo: seguito da un p. p.) fare: *I must get my watch repaired*, devo fare riparare l'orologio; **to get one's hair cut**, farsi tagliare i capelli; **to get sb. drunk**, fare ubriacare q. 12 (causativo: seguito da un part. pres. o un agg.) fare: *The door was jammed but I got it open*, la porta s'era incastrata ma io la feci aprire 13 (causativo: seguito da una prep. di luogo) fare (più inf. di verbo di moto): *Get that dog out of my room!*, fai uscire quel cane dalla mia stanza!; *We cannot get the table into the house*, non riusciamo a fare entrare la tavola in casa 14 (*fam.*) colpire (*fig.*); commuovere; eccitare; emozionare: *That music really gets (to) me*, quella musica mi commuove proprio 15 (*fam.*) infastidire; seccare; urtare (*fig.*); dare ai nervi a (q.); fare rabbia a (q.): *It really gets (to) me when she starts complaining*, quando comincia a lagnarsi, mi dà proprio ai nervi 16 (*fam.*) cogliere in fallo; beccare; prendere in castagna (*fam.*): *I don't know: you've got me there!*, non so rispondere: mi hai preso in castagna! 17 (*fam.*) recepire; notare; osservare: *Did you get the look on his face?*, hai notato che faccia aveva (o che faccia ha fatto)? 18 (*fam.*) beccare; pescare (*fam.*); acchiappare: *They escaped from the island prison, but the coastguard got them*, fuggirono dal carcere dell'isola, ma li beccò la guardia costiera 19 beccare (*fam.*); colpire; prendere; ferire; ammazzare: **The bullet got me on the left leg**, la pallottola mi

colpì (o mi prese) alla gamba sinistra **20** (idiom., in numerose espressioni indicanti spostamento, cambiamento, ecc.; per es.:) to **get the children ready for school**, preparare i bambini per la (o per mandarli a) scuola; **to get one's hands dirty**, sporcarsi le mani **21** (slang; soltanto all'imper.) accidenti a; ma guarda (un po')!; maledizione!: Get you! Who do you think you are?, accidenti a te (o, fam., ti prenda un colpo)! Chi credi d'essere? **B** v. i. **1** andare; arrivare; giungere; pervenire: We got to London at 8.30 a.m., arrivammo a Londra alle 8 e 30; to **get home late**, arrivare tardi a casa; We got to the station on time, arrivammo alla stazione in orario **2** diventare; divenire; farsi: I'm getting old, sto diventando vecchio; It's getting late, si fa tardi **3** riuscire a; fare in modo di; farcela a (fam.): I'll tell him, if I get to see him, se riesco a vederlo, glielo dico; She never gets to drive the new car, non ce la fa mai a prendere (o a usare) la macchina nuova **4** (nella voce passiva) essere; venire; rimanere: The hare got caught in the net, la lepre rimase impigliata nella rete **5** (fam.) mettersi a; cominciare: Whenever we meet, he gets talking about our school days, tutte le volte che c'incontriamo, si mette a parlare di quando andavamo a scuola **6** (idiom., in numerose espressioni indicanti cambiamento o trasformazione; per es.:) to **get angry**, arrabbiarsi; to **be getting cold**, raffreddarsi; to **get drunk**, ubriacarsi; to **get ill**, ammalarsi; to **get married**, sposarsi; to **get old**, invecchiare; to **get ready**, prepararsi; to **get rich**, arricchirsi; to **get tired**, stancarsi; to **get wet**, bagnarsi; prendere la pioggia **C** nelle loc.: **1** – **to have got** (con **got** pleonastico) avere; possedere: He's got a lot of money, ha un mucchio di soldi; possiede un bel po' di denaro; Mary has got red hair, Mary ha i capelli rossi; What have you got in your hand?, che cosa hai (o tieni) in mano? **2** – (fam.) **to have got it**, avere fascino, avere un certo non so che **3** (seguito da un inf.) – **to have got to**, avere da; dovere; essere tenuto a; bisognare, occorrere (impers.): I've got to see my solicitor, devo andare dall'avvocato; The doctor says I've got to eat less, il medico dice che devo mangiare di meno; You haven't got to do it, non devi (mica) farlo (se non vuoi); non sei tenuto a farlo; non occorre tu lo faccia (cfr. **You mustn't do it**, non devi farlo; non voglio, o non sta bene, ecc., che tu lo faccia) ● to **get above oneself**, montarsi la testa; inorgoglirsi □ to **get accustomed to** → **accustomed** □ to **get the axe** → **axe** □ to **get one's chance**, riuscire ad avere un'occasione □ to **get going**, muoversi; andarsene □ to **get st. in one's head**, mettersi in testa qc. □ to **get at it**, capire, afferrare; (fam.) essere rimproverato (o punito); buscarle, prenderle □ to **get to know sb.**, fare la conoscenza di q.; conoscere (meglio) q. □ (slang) **Get a life!**, impara a vivere!; impara a stare al mondo! □ to **get to like sb.**, prendere q. in simpatia □ to **get to like st.**, prendere gusto a qc.

■ **get about** **A** v. i. + avv. **1** andare in giro; circolare; spostarsi; viaggiare: I'm too old to get about much, sono troppo vecchio per andare molto in giro **2** vedere; fare vita di società **3** (di una notizia) diffondersi; divulgarsi; (di una voce) circolare; correre: The rumour is getting about that gas will soon run short, corre voce che verrà a mancare il gas tra poco **4** (dopo una malattia) muoversi; girare **B** v. i. + prep. **1** spostarsi in; girare: to **get about the city by taxi**, girare la città in taxi **2** girare intorno a; circondare (q.) **C** v. t. + prep. (di un veicolo) trasportare in: The tube will get you about London faster, con la metropolitana, ti sposterai più in fretta a Londra; il metrò ti farà girare Londra in meno tempo.

■ **get across** **A** v. i. + avv. **1** passare dall'altra parte; attraversare uno specchio d'acqua; traghettare: The train got across before the bridge was blown up, il treno passò dall'altra parte prima che il ponte saltasse in aria **2** (di un messaggio, ecc.) arrivare; essere ricevuto (o recepito); essere capito: The candidate's message didn't get across to the audience, il discorso del candidato non fu capito dal pubblico; Some teachers don't know how to get across to their students, alcuni insegnanti non sanno comunicare con gli studenti **B** v. i. + prep. attraversare; traversare; passare: to **get across the road [the Channel]**, attraversare la strada [la Manica] **C** v. t. + prep. **1** far attraversare; portare di là di; traghettare: A ferry gets passengers and cars across the estuary, un traghetto porta i viaggiatori e le auto di là dell'estuario **2** far arrivare; trasmettere; far intendere; far capire l'importanza di (qc.): to **get across a message**, far arrivare un messaggio **3** (fam. ingl.) assalire; saltare addosso a (fig. fam.); attaccare; criticare; dir male di **4** (fam. ingl.) infastidire; seccare.

■ **get after** v. i. + prep. **1** correre dietro a; inseguire: Get after the cat, it's stolen the meat!, corri dietro al gatto! ha rubato la carne **2** (fam.) star dietro a (fig.): My son has been getting after me for a year to buy him a car, è un anno che mio figlio mi sta dietro perché gli compri una macchina **3** (fam.) dare addosso a (q.); rimproverare; sgridare: The headmaster is always getting after me for being late, il preside mi dà sempre addosso perché arrivo tardi a scuola.

■ **get ahead** v. i. + avv. **1** andare avanti, fare progressi (nel lavoro, ecc.) **2** riuscire, avere successo **3** (sport e fig.) andare (o passare) in testa; (anche) andare in vantaggio **4** andare avanti di; guadagnare.

■ **get ahead of** v. i. + avv. + prep. sorpassare, superare (nelle corse e fig.): to **get ahead of the competition**, superare la concorrenza.

■ **get along** v. i. + avv. **1** andare via; andarsene: I must be getting along now, ora devo andarmene **2** andare (bene, male, ecc.): How are you getting along?, come va (la vita)?; come te la passi? **3** tirare avanti; farcela; cavarsela; sbrigarsela: The firm is getting along quite well without him, la ditta tira avanti benissimo anche senza di lui **4** andare d'accordo; ingranare (fig. fam.): We get along well with each other, andiamo molto d'accordo; I don't get along with my colleagues, con i miei colleghi non ingrano □ (fam.) **Get along with you!**, ma va'; va là; suvvia!; andiamo!; non ci credo!

■ **get anywhere** **A** v. i. + avv. **1** arrivare (o andare) dappertutto: You can get anywhere by bus in London, a Londra con l'autobus si va dappertutto **2** (fam.) venire a capo di qualcosa; andare in porto (fig.); concludere qualcosa: Are the peace talks getting anywhere?, stanno andando in porto le trattative di pace? **B** v. t. + avv. **1** (di un veicolo, ecc.) portare (o trasportare) dappertutto **2** (fam.) portare da qualche parte (fig.): Trying to cheat me won't get you anywhere, tentare d'imbrogliarmi non ti porterà da nessuna parte (o non ti servirà a niente).

■ **get around** **A** v. i. + avv. **1** → **get about**, **A 2** riuscire (a); trovare il tempo (di); farcela (a): I'll get around to that chore in ten minutes, mi metterò a fare quel lavoretto tra dieci minuti; I didn't get around to ringing you, non ce l'ho fatta a chiamarti (al telefono) **B** v. i. + prep. **1** (riuscire a) superare; aggirare (un ostacolo); risolvere (un problema) **2** schivare, eludere: He succeeded in getting around the tax laws, riuscì a eludere le disposizioni di leg-

ge fiscali **3** circuire; girarla a (fam.); prendere (fam.): His wife knows how to get around him, sua moglie sa come girargliela.

■ **get at** v. i. + prep. **1** arrivare a (anche fig.); accedere a; raggiungere; prendere: I doubt the public enquiry will get at the truth, dubito che l'inchiesta riesca ad arrivare alla verità **2** afferrare; mettere le mani (o le grinfie) su: The cat has got at the meat, il gatto ha messo le grinfie sulla carne **3** arrivare a capire; scoprire: What I'm trying to get at is whether he really means what he says, quello che tento di scoprire è se dice proprio sul serio **4** metter mano a, mettersi a fare, affrontare, intraprendere (un lavoro, ecc.) **5** intendere; voler dire; sottintendere: What are you getting at?, dove vuoi arrivare?; che cosa vorresti dire (con ciò)? **7** (fam.) dare addosso a (q.); criticare; punzecchiare: You should stop getting at your wife, devi smetterla di dare addosso a tua moglie; Stop getting at me to do my homework!, smettila d'insistere per farmi fare i compiti! **8** (fam.) corrompere; comprare, pagare (fig.): Some of the witnesses had been got at, alcuni testimoni erano stati comprati.

■ **get away** **A** v. i. + avv. **1** andare via; andarsene; allontanarsi; fuggire; scappare: I couldn't get away until the meeting was over, non potei allontanarmi fino alla fine della riunione; The net broke and the fish got away, la rete si ruppe e i pesci scapparono **2** (preceduto da **cannot** e **couldn't**) negare: You can't get away (o there's no getting away) from the fact that it would be very dangerous, non si può negare (o è innegabile) che la cosa sarebbe assai pericolosa **B** v. t. + avv. **1** allontanare; mandare via **2** togliere (via); strappare **3** (anche sport) liberarsi di: That player is very good at getting the ball away, quel giocatore è bravissimo a liberarsi della palla □ (fig.) to **get away from it all**, staccare la spina, prendersi una vacanza rilassante: They went to the mountains to get away from it all, andarono in montagna per staccare la spina □ (fig.) to **get away with it**, farla franca; passarla liscia □ (fig.) to **get away with murder**, passarla liscia dopo averne fatta una delle grosse □ (fam.) **Get away with you!**, ma va!; va là; suvvia!; andiamo! non ci credo!

■ **get back** **A** v. i. + avv. **1** tornare (indietro); ritornare: «When did you get back?» «I got back yesterday evening», «Quando sei tornato?» «Sono tornato ieri sera»; I must be getting back, devo tornare a casa **2** (mil. e sport) arretrare; retrocedere **B** v. t. + avv. **1** recuperare; riavere; riottenere; farsi ridare: I couldn't get back all my money, non riuscii a farmi ridare tutti i soldi; I'm trying hard to get back my old job, cerco in tutti i modi di riavere il mio vecchio (posto di) lavoro **2** riavere; restituire; riportare: If you lend me your bike, I'll get it back to you tomorrow, se mi presti la bicicletta, te la riporto domani **3** rimettere a posto, risistemare (una molla, un perno, ecc.) □ (fam.) to **get back at sb.**, rifarsi con q.; fare i conti con q. (fig.); vendicarsi di q. □ (fam.) to **get one's own back**, rifarsi (fam.); vendicarsi □ (polit.) to **get back in**, tornare al potere; essere rieletto □ **I'll get back to you about it**, ne riparliamo; ti farò sapere □ Tell him I'm in a meeting and I'll get back to him later, digli che sono in riunione e che lo chiamerò io più tardi □ **Let's get back to the main issue!**, torniamo (o rifacciamoci) all'argomento principale!

■ **get behind** **A** v. i. + avv. **1** rimanere (o restare) indietro (anche fig.); essere in arretrato: I've got behind with the rent, sono in arretrato con l'affitto **2** (nelle corse) restare

to get | to get 519

in coda (*al gruppo*) **B** **v. i. + prep. 1** (*mil., sport, ecc.*) portarsi alle spalle di (q.); prendere (q.) alle spalle; aggirare (*la difesa, ecc.*) **2** appoggiare, sostenere (*un piano, un progetto, ecc.*) **3** (*fam. USA*) arrivare a capire; scoprire i motivi (*o* le modalità) di (qc.).

■ **get between v. i.** (o v. t.) **+ prep. 1** mettersi (*o* mettere): *The kitten got between the sofa and the wall*, il gattino si mise (*o* s'infilò) tra il divano e la parete **2** mettersi in mezzo a (*due contendenti, ecc.*); frapporsi; intromettersi: *I won't let anything get between me and my career*, non permetterò che nulla si frapponga tra me e la mia carriera □ **to get st. between one's teeth**, prendere qc. fra i denti.

■ **get by v. i. + avv. 1** farcela (a passare); passare: *Can you get by?*, ce la fai (a passare)?; ci passi? (*con l'automobile, ecc.*) **2** farcela; cavarsela; tirare avanti: *We managed to get by on just 100 pounds a week*, riuscivamo a farcela con appena 100 sterline la settimana **3** essere passabile.

■ **get down A v. i. + avv. 1** venire giù (*da un albero, da un monte, da una scala a pioli, ecc.*) **2** scendere, smontare (*da un mezzo pubblico, dalla bicicletta, da una moto, dall'aereo, da cavallo, ecc.*) **3** (*aeron.*) atterrare; scendere **4** (*fam. spec. USA*) spassarsela, divertirsi un sacco (*spec. ballando*) **5** (*di un bambino*) alzarsi (da tavola): *Please, may I get down?*, posso alzarmi?; (*anche*) (con) permesso! **B v. i. + prep.** venire giù, scendere da: *I got down the stairs without waiting for the lift*, scesi per le scale senza aspettare l'ascensore **C v. t. + avv. 1** fare scendere; mettere (*o* tirare) giù: *Get my suit-case down, will you?*, tirami giù la valigia, per favore **2** ridurre; far calare; far scendere; abbassare: **to get unemployment down**, far calare la disoccupazione **3** mandare giù; inghiottire; ingoiare; buttare giù **4** annotare; trascrivere; scrivere; prendere, prendere giù (*fam.*); **I'll get down everything he says**, prenderò nota di tutto quello che dice; **Did you get down the number plate?**, hai preso (giù) il numero di targa? **5** deprimere; buttare giù (*fam.*); immalinconire; demoralizzare: *This rain is getting me down*, questa pioggia mi immalinconisce; *Don't let his criticism get you down!*, non farti deprimere dalle sue critiche! **6** (*naut.*) calare (*le lance, ecc.*); ammainare **D v. t. + prep.** far scendere, portare giù da (*o* per): *We couldn't get the piano down the stairs*, non riuscimmo a portare il piano giù per le scale □ (*fam.*) **to get down on sb.**, prendersela con q.

■ **get down to v. i. + avv. + prep.** mettersi a (*fare qc.*); mettersi di buona lena (*o* di buzzo buono): *We may as well get down to business straight away*, possiamo anche metterci al lavoro direttamente □ **to get down to (the) basics** (*o* **to brass tacks**), venire al sodo (*fig.*).

■ **get in A v. i. + avv. 1** entrare: *At last I succeeded in getting in*, alla fine riuscii a entrare; *How much is it to get in?*, quanto si paga per entrare? **2** riuscire a entrare; introdursi: *The burglar got in through the back door*, il ladro s'è introdotto dalla porta di dietro **3** (*di un mezzo di trasporto*) arrivare: *What time does her train get in?*, a che ora arriva il suo treno? **4** arrivare a casa (*o* in ufficio, ecc.); rientrare: *We got in before midnight*, rientrammo prima di mezzanotte **5** entrare, salire (*in automobile*); salire, montare (*in treno, ecc.*): *Please, get in!*, prego, salga! **6** (*fig.*) essere ammesso (*dopo una prova*); entrare (*all'università, ecc.*): *He applied to do chemistry but didn't get in*, chiese l'iscrizione alla facoltà di chimica ma non fu ammesso **7** (*polit.*) andare al potere; andare su (*fam.*); essere eletto: *He got in by a slim margin*, fu eletto di stretta misura **8** (*sport*) entrare in squadra; (*anche*) inserirsi; infiltrarsi; penetrare **9** (*del pallone*) entrare in rete; insaccarsi **B v. t. + avv. 1** portare dentro **2** raccogliere; fare una provvista di (*materie prime, cibo, ecc.*) **3** ritirare: **to get the washing in**, ritirare il bucato **4** far venire; chiamare: *Let's get the eye specialist in for a second opinion*, chiamiamo l'oculista a consulto! **5** far pervenire; consegnare (*un articolo, un saggio, un elaborato, ecc.*) **6** far arrivare: *The captain managed to get the plane in on time*, il comandante riuscì a far arrivare l'aereo in orario **7** mandare, fare ammettere (*q. all'università, ecc.*) **8** (*polit.*) mandare al potere; fare eleggere **9** (*fig.*) infilare dentro (*una parola, ecc.*); dire (*interloquendo*); riuscire a dare (*un suggerimento, ecc.*): *With her, I can't get a word in edgeways*, con lei, non riesco nemmeno ad aprire bocca **10** (*fig.*) mettere dentro, inserire (*in un programma*); riuscire a fare: *How can he get in three more interviews this morning?*, come può riuscire a fare altri tre colloqui questa mattina? **11** coinvolgere (q.); tirare dentro (*fam.*): *Be sure I'll get him in*, sta certo che tiro dentro anche lui **12** (*sport: calcio, ecc.*) riuscire a fare (a effettuare, ecc.): **to get in a shot at goal**, riuscire a tirare a rete **13** (*boxe*) mettere a segno, piazzare (*colpi*) □ (*calcio*) **to get one's foot in**, entrare di piede □ **to get in on**, riuscire a entrare in (*fig.*); inserirsi in: *I got in on a lucrative business deal*, riuscii a entrare in un grosso affare □ **to get in with**, entrare a far parte di; entrare in (*o* fare) amicizia con.

■ **get into A v. i. + prep. 1** entrare, penetrare, introdursi in **2** (riuscire a) entrare: *My new car doesn't get into the garage*, la mia macchina nuova non entra in garage **3** entrare in (*un indumento*); mettersi; infilarsi: *I can't get into this skirt anymore*, questa gonna non mi entra più **4** (*di un veicolo*) arrivare in (*o* a): *My train got into Euston Station at 4 p.m.*, il mio treno arrivò a Euston alle 16 **5** salire, montare in (*automobile*): *Get into the car!*, monta (in macchina)! **6** mettersi (*anche fig.*): *Don't get into trouble!*, non metterti nei guai!; **to get into a mess**, mettersi nei pasticci **7** entrare a far parte di; entrare in (*fig.*): *He got into Harvard*, entrò (o fu ammesso) a Harvard **8** (*polit.*) essere eletto a (*o* in): **to get into Parliament**, essere eletto in parlamento **9** (*fam.*) fare la mano (*o* l'abitudine) a: *Once you get into skiing, you'll like it*, quando ti sarai abituato, ti piacerà sciare **10** (*fam.*) prendere gusto (*o* appassionarsi) a (*un hobby, un argomento, ecc.*) **11** (*fig.*) prendere, succedere (impers.): *What's got into him, I wonder?*, che cosa gli ha preso?; cosa gli è successo?; che cos'ha? **B v. t. + prep. 1** far entrare; mettere dentro (*o* in); inserire, infilare in: *I cannot get the key into the lock*, non riesco a infilare la chiave nella serratura **2** far salire, far montare: *Get him into the car!*, fallo salire (*o* mettilo) in macchina! **3** mettere: *I'm sorry I got you into trouble*, scusami se ti ho messo nei guai **4** (*fig.*) spingere a; gettare in braccio a (*fig.*) □ **to get into debt**, coprirsi di debiti; indebitarsi □ **to get into a habit**, prendere un'abitudine □ (*fig.*) **to get it into one's head**, mettersi in testa qualcosa: *She got it into her head that her husband had another woman*, si mise in testa che il marito avesse un'altra donna □ **to get into a rage** (*o* **a temper**), arrabbiarsi; andare in bestia □ **to get sb. into a rage**, fare arrabbiare (*o* mandare in bestia) q.

■ **get nowhere A v. i. + avv. 1** non arrivare da nessuna parte **2** (*fig.*) non approdare a nulla; non combinare nulla; non venire a capo di niente; non concludere niente: *We're getting absolutely nowhere this way*, così, non combiniamo proprio nulla **B v. t. + avv. 1** non portare da nessuna parte **2** (*fig.*) non fare approdare a nulla; non fare combinare nulla di buono a (q.).

■ **get off A v. i. + avv. 1** andare via; andarsene; allontanarsi; partire: *I must be getting off at once*, devo andarmene subito **2** scendere, smontare (*da un veicolo o da cavallo*): *I'm getting off at the next stop*, scendo alla prossima (fermata); *Where do I get off for the Science Museum?*, qual è la fermata per il Museo delle Scienze? **3** uscire (*dal lavoro*); smontare; staccare (*fam.*): *What time do you get off?*, a che ora stacchi? **4** (*fig.*) venire fuori, uscirne (*da qc. di spiacevole*); cavarsela; farla franca; passarla liscia: *It was a bad crash, but he got off very lightly*, è stato un brutto incidente, ma ne è uscito bene; (*anche sport*) **to get off with a warning**, cavarsela con un'ammonizione **5** (*anche* **to get off to sleep**) addormentarsi **6** (*fam.*) attaccare (*con una ragazza*); mettersi ad amoreggiare; intendersela (*con q.*): *The boss is trying to get off with the new secretary*, il capo cerca di attaccare con la nuova segretaria **7** (*fam.*) eccitarsi, entusiasmarsi, andare in visibilio (*per qc.*): *He really gets off on rock music*, va proprio in visibilio per la musica rock **8** (*naut.*) salpare **9** (*aeron.*) decollare **10** (*slang*) partire, andare su di giri (*per la droga*) **11** (*slang USA*) eiaculare; venire (*volg.*) **B v. i. + prep. 1** allontanarsi, togliersi da: *Get off the grass!*, togliti dall'erba! **2** scendere, smontare da: *Don't get off the train until it stops*, non scendere dal treno finché non si ferma; **to get off a horse**, scendere da cavallo; smontare **3** liberare; sgombrare **4** uscire da (*il posto di lavoro*); smontare da: **to get off work**, uscire dal lavoro; smontare; staccare (*fam.*) **5** (*naut.*) salpare da **C v. t. + avv. 1** togliere; cavare: *I can't get the lid off*, non riesco a cavare il coperchio; *Get your feet off my desk!*, togli i piedi dalla mia scrivania! **2** far andare; mandare; spedire: *I'd like you to get these letters off today*, vorrei che tu spedissi queste lettere oggi stesso **3** cavare dai guai; fare assolvere; salvare (*fig.*): *It will take a very good barrister to get you off*, ci vorrà un avvocato molto bravo per cavarti dai guai **4** (*anche* **to get off to sleep**) fare addormentare (*un bambino, ecc.*) **5** accompagnare (*q. che parte*); mettere (*sul treno, ecc.*) **6** (*slang USA*) far venire (q.) (*volg.*) □ **to get off the ground**, far decollare (*un aereo*); (*fig.*) far decollare, avviare bene (*un'azienda, ecc.*) □ (*nelle corse*) **to get off the mark**, prendere il via □ (*fig.*) **to get off to a good start**, cominciare bene; partire con il piede giusto (*fig.*) □ (*fam.*) **Get off with you!**, vattene!; va via!; (*anche*) va là!; ma va! (*non ti credo*) □ (*fig.*) **to tell sb. where he can get off** (*o* **where to get off**), mettere a posto q. (*fig.*); cantarla a q.; dirne quattro a q.

■ **get on A v. i. + avv. 1** montare, salire (*su un mezzo pubblico, o a cavallo, in moto, in bicicletta*): *The bus stopped and they got on*, l'autobus si fermò ed essi salirono **2** (*del tempo*) passare **3** andare avanti; continuare: *I've got to get on with my homework*, devo andare avanti con i miei compiti **4** andare (*bene, male, ecc.*): *He's getting on quite well at school*, a scuola va benissimo; *How are you getting on?*, come va (la vita)?; come te la passi? **5** fare progressi; avere successo; riuscire; cavarsela bene: *He's a clever boy: he'll get on in life*, è un ragazzo intelligente: avrà successo (*o* se la caverà bene) nella vita **6** cavarsela; farcela; tirare avanti: *We cannot get on without financial backing*, non possiamo farcela senza un aiuto finanziario; *How can we get on without them?*, come possiamo cavarcela senza di loro? **7** andare d'accordo; andare (*fam.*): *How are you getting on with your boss?*, come vai col tuo capo? **8** essere avanti con gli anni; invecchiare: *Grandfather is getting on*

a b c d e f g h i j k l m n o p q r s t u v w x y z

(*in years*), il nonno è avanti con gli anni **B** **v. i. + prep. 1** salire, montare su: *We got on the plane at Pisa*, salimmo in aereo (*o* prendemmo l'aereo) a Pisa **2** andare su; mettere i piedi su **C** **v. t. + avv. 1** mettere su (*o* a posto): *I cannot get this lid on*, non riesco a mettere su il coperchio; *I can get you on to the 6.50 Gatwick-Edinburgh flight*, posso metterla sul volo da Gatwick per Edimburgo delle 6:50 **2** mettersi (*un indumento*); indossare: *He got his raincoat on*, indossò l'impermeabile **3** (*fam.*) fare progredire; tirare su (*fam.*) □ **to be getting on for**, (*del tempo*) farsi tardi; (*dell'ora*) essere circa (*o* quasi); (*dell'età*) andare per, avvicinarsi a: *It's getting on for midday*, è quasi mezzogiorno; *Ann is getting on for eighty*, Ann va per gli ottanta (*o* ha quasi ottant'anni) □ **to get on to** → **get onto** □ (*fam.*) **to get it on**, divertirsi; spassarsela; eccitarsi (*anche sessualmente*); andare su di giri (*fig. fam.*) □ **to get on in the world**, fare fortuna; avere successo □ **to get on sb.'s nerves**, dare ai nervi a q. □ (*fam.*) **Get on with you!**, ma va!, va là!; andiamo!; non ci credo!; ma scherziamo!; questa sì che è bella (*o* grossa)!

g

■ **get onto** **A** **v. i. + prep. 1** montare in, salire su; montare a cavallo di; montare in sella a: *He got onto his bike and sped off*, montò in bicicletta e partì di volata **2** entrare in (*un organo elettivo, ecc.*); entrare a far parte di; essere eletto (*o* nominato) in: *Jack has got onto the town council*, Jack è entrato in consiglio comunale **3** contattare; mettersi in contatto con; rivolgersi a: *I'll get onto the manager*, contatterò il direttore **4** intraprendere, affrontare (*un problema, un lavoro, ecc.*) **5** passare, arrivare a; cominciare a trattare (*un argomento, ecc.*): *How did we get onto that subject?*, come siamo arrivati a questo argomento?; come siamo entrati in discorso? **6** arrivare a (*fig.*); accorgersi di; riuscire a capire; scoprire; trovare; ricostruire (*fig.*): *How did the police get onto him?*, come ha fatto la polizia ad arrivare a lui? **B** **v. t. + prep.** far montare (q.) in, far salire (q.) su (*un veicolo*): *Get the children onto the coach!*, fai salire i bambini sul pullman!

■ **get out** **A** **v. i. + avv. 1** andare fuori; uscire (*anche fig.*): *I couldn't get out because the door was locked*, non potevo uscire perché la porta era chiusa a chiave; *He won't get out alive*, non ne uscirà vivo **2** andarsene; scappare; evadere: *Get out!*, vattene!; esci!; fuori!; *Someone left the gate open and the dog got out*, qualcuno ha lasciato il cancello aperto e il cane è scappato **3** scendere, smontare (*da un veicolo, un automezzo, ecc.*): *All the passengers had to get out*, tutti i passeggeri dovettero scendere **4** (*di un fatto*) venir (*o* saltare) fuori, scoprirsi; (*di una notizia*) trapelare: *The news of their divorce got out in no time*, la notizia del loro divorzio trapelò in un baleno **5** (*di un libro, ecc.*) uscire; essere pubblicato **6** (*fam.*) uscire; fare vita di società; vedere gente **7** (*Borsa, fin.*) uscire (*dal mercato*); realizzare il guadagno (*di un'operazione*) **8** (*sport*: *baseball e cricket*; *di un battitore*) uscire dal campo; essere eliminato **B** **v. t. + avv. 1** mettere fuori; tirare fuori; cavare: *His lawyer will get him out*, l'avvocato lo tirerà fuori (*di prigione*) **2** emettere; dire a stento; spiccicare; uscire in (*parole, proteste, ecc.*): *He just got out a few words*, riuscì a spiccicare quattro parole **3** risolvere (*un indovinello, un problema, ecc.*) **4** far uscire (*un libro*); pubblicare **5** (*market.*) mettere fuori (*o* sul mercato); produrre; presentare; *They've got a new album out*, hanno presentato un nuovo album **6** (*sport*: *baseball e cricket*) far uscire (*un giocatore*) dal campo; eliminare **7** prendere (*un libro*) in prestito (*da una biblioteca*) **8** (*naut.*) calare, mettere in mare, dare fuori (*le lance*) □ (*fam.*) **to get it out**, tirare fuori quel che si ha dentro (*o* in corpo); sfogarsi: *If you get it out, you'll feel better*, se ti sfoghi, starai meglio; *Get it out!*, fuori il rospo!, sputa il rospo!, sputa l'osso! (*fam.*) □ (*fam.*) **Get on or get out!**, o ti dai da fare o te ne vai; o collabori o molli tutto.

■ **get out of** **A** **v. i. + avv. + prep. 1** andare fuori da; uscire da (*o* di): *Get out of my house!*, esci dalla mia casa!; *When did he get out of jail?*, quando è uscito di prigione? **2** fuggire, scappare, evadere da: *One of the tigers has got out of the zoo*, una delle tigri è scappata dallo zoo **3** scendere, smontare da (*un veicolo, un automezzo, ecc.*): *Get out of my car!*, scendi dalla mia macchina!; smonta! **4** liberarsi di (*qc. di sgradito*); perdere (*un'abitudine*): **to get out of a bad habit**, perdere una cattiva abitudine **5** sottrarsi a; esimersi da; evitare (*di fare qc.*): *I cannot get out of going to the funeral*, non posso esimermi dall'andare al funerale **B** **v. t. + avv. + prep. 1** fare uscire, tirare fuori da; cavare, togliere da; portare fuori di: *I can't get you out of this muddle*, non posso tirarti fuori da questo pasticcio; **to get oneself out of a mess** [**out of trouble**], togliersi dai pasticci [dai guai] **2** esimere, esonerare da (*qc. di sgradito*): *I'll see if I can get you out of this unpleasant task*, vedrò se riesco a evitarti questo compito sgradevole **3** tirar fuori, cavare da (*fig.*); strappare (*una confessione, un segreto, ecc.*): *The police couldn't get a word out of him*, la polizia non riuscì a cavargli una parola (*di bocca*) **4** cavare, ricavare, guadagnare da; trovare un utile in (qc.): *I tried to read Finnegans Wake, but didn't get anything out of it*, ho provato a leggere *Finnegans Wake*, ma non ci ho cavato niente □ **to get a kick out of sb.** [**st.**], → **kick**①, *def. 4* □ **to get out of debt**, liberarsi dei debiti; sdebitarsi □ **Get out of here!**, vattene di qui!; esci!; fuori! □ (*fam.*) **Get out of it!**, ma va; va là!; ma piantala!; questa sì che è bella (*o* è grossa)!

■ **get over** **A** **v. i. + prep. 1** passare sopra a (*un ostacolo, ecc.*); scavalcare; superare (*una difficoltà, ecc.*); vincere (*un sentimento, una sensazione*); riaversi da (*una malattia, ecc.*); mandare giù (*fig.*); rassegnarsi a, riuscire ad accettare (qc.): *The children got over the fence*, i bambini scavalcarono lo steccato; *He hasn't got over the shock*, non ha ancora superato lo shock; non si è ancora ripreso dallo shock; *You should get over your shyness*, dovresti vincere la timidezza **2** riuscire ad accettare la perdita di (q.); riuscire a dimenticare, scordare (q.): *I shall never be able to get over her*, non riuscirò mai a dimenticarla **3** (di solito in frasi neg.) riuscire a capacitarsi (di qc.): *I couldn't get over his promotion*, stentavo a credere alla sua promozione; la sua promozione mi pareva una cosa assurda **4** andare oltre a (*un punto*); percorrere; coprire (*fig.*) **5** risolvere (*un problema, ecc.*) **B** **v. t. + avv. 1** far recepire, far comprendere; far entrare in testa: *We found it difficult to get all the information over to him*, avemmo difficoltà a fargli entrare in testa tutte le informazioni **2** farla finita con (qc.); finire; togliersi il pensiero di: *Let's get this job over!*, finiamo questo lavoro! **C** **v. t. + prep.** (riuscire a) fare attraversare (*o* superare) a (q. *o* qc.): *At last we got him over the Mexican border*, finalmente riuscimmo a fargli attraversare (*o* passare) il confine con il Messico **D** **v. i. + avv.** (*di un messaggio*) arrivare, andare a segno; essere recepito, ritenuto accettabile (*da q.*); entrare in testa (*a q.*) □ **to get over with**, farla finita con (qc.); finire (qc.); togliersi il pensiero di (qc.): *Let's get it over with!*, facciamola finita; non pensiamoci più!

■ **get round** **A** **v. i. + avv. 1** girare; andare in giro (*dopo una malattia, ecc.*): *I prefer to get round by bus*, preferisco girare in autobus **2** girare in tondo **3** girarsi di scatto; (*sport*: *di un giocatore*) avvitarsi **4** (*di notizie*) circolare; diffondersi **5** andare (*o* venire) a trovare: *I hope you'll soon get round to our house*, spero che presto verrete a trovarci a casa nostra **B** **v. i. + prep. 1** girare, andare in giro per: *Do you get round London by tube or by taxi?*, giri Londra in metropolitana o in taxi? **2** girare intorno a, fare il giro di **3** (*sport*) completare (*un percorso*) **4** (*mil. e sport*) aggirare, prendere alle spalle (*il nemico, ecc.*) **5** (*fig.*) aggirare (*un ostacolo*); risolvere (*un problema*); ovviare a (*una mancanza, ecc.*) **6** (*fig.*) schivare, eludere (*norme, leggi, ecc.*) **7** (*fig.*) circuire; girarla a (q.); prendere (q.) (*fam.*) **C** **v. t. + avv.** portare (q.) con sé, in visita □ (*fig.*) **to get round the table**, sedersi al tavolo delle trattative.

■ **get through** **A** **v. i. + avv. 1** passare (*anche fig.*); arrivare (*a destinazione, ecc.*); farcela; superare un esame; (*di una mozione, un disegno di legge*) essere approvato: *Our coach couldn't get through because of the landslide*, il nostro pullman non riuscì a passare a causa della frana; *The bill got through by a margin of ten votes*, il disegno di legge è passato (*o* è stato approvato) con un margine di dieci voti **2** (*spec. USA*) finire; terminare: *When we get through, let's take a walk*, quando finiamo, facciamo due passi **3** (*sport*) passare il turno: *He got through to the semi-final*, arrivò in semifinale **B** **v. i. + prep. 1** passare attraverso; attraversare; superare: *We had to get through the snow storms to rescue them*, dovemmo passare attraverso le tempeste di neve per salvarli; **to get through an exam**, superare un esame **2** finire; consumare; far fuori (*fam.*); sperperare: *He gets through three bottles of beer every night*, fa fuori (*o* si scola) tre bottiglie di birra tutte le sere **3** impiegare, far passare (*il tempo*) **C** **v. t. + prep. o avv. 1** far attraversare; far superare: *I succeeded in getting her through that difficult period*, riuscii a farle superare quel periodo difficile; **to get sb. through an exam**, far superare un esame a q. **2** far approvare (*una mozione, ecc.*) (da): *The government is trying to get the bill through* (*Parliament*), il Governo sta cercando di far approvare il disegno di legge (dal parlamento) □ **to get through to**, comunicare con (*anche fig.*); (riuscire a) mettersi in contatto (*o* a parlare) con (q.); (*telef.*) (riuscire ad) avere (la comunicazione con): *When she is so nervous, I can't get through to her*, quando è così nervosa, non riesco a comunicare con lei (*o* a farmi ascoltare da lei); *I rang him up several times, but couldn't get through to him*, l'ho chiamato (al telefono) parecchie volte, ma non sono riuscito a parlargli □ **to get st. through to sb.**, far arrivare (*o* pervenire) qc. a q.; (*fig.*) far capire qc. a q.; far entrare qc. nella testa a q.: *It took a lot to get it through to her*, ci volle del bello e del buono per fargliela capire □ (*fam. spec. USA*) **to get through with st.**, liberarsi (*o* sbarazzarsi) di qc.; finire, terminare qc.; sbrigare qc.

■ **get to** **v. i. + prep. 1** arrivare (*o* giungere) a; andare in: *How do you get to work?*, in che modo vai al lavoro?; *How do I get to Shepherd's Bush by bus?*, come posso arrivare in autobus a Shepherd's Bush? **2** mettersi a; cominciare a: *I must get to work at once*, devo mettermi al lavoro subito; *I've settled in now and I've got to like it here*, ora mi sono ambientato e ha cominciato a piacermi questo posto **3** (riuscire a) raggiungere (*o* a contattare); avvicinare: *We must find a new way to get to our prospective customers*, dobbiamo trovare un modo nuovo di avvicinare i nostri possibili clienti **4** (andare a) finire; cacciarsi: *Where's Kate got to?*, dov'è finita Kate? **5** farsi sentire:

My headache is getting to me now, adesso il mio mal di testa si fa sentire □ (*anche boxe*) **to get to one's feet**, rimettersi in piedi; rialzarsi.

■ **get together** ◭ v. i. + avv. **1** mettersi insieme; associarsi; adunarsi; radunarsi; riunirsi **2** incontrarsi; trovarsi (insieme): *When can we get together for a chat?*, quando possiamo trovarci per fare due chiacchiere? **3** (*fig.*) mettersi d'accordo; accordarsi ◮ v. t. + avv. mettere insieme; adunare; radunare: *The barons got an army together*, i grandi feudatari misero insieme un esercito □ (*fig.*) **to get it together**, raccogliere le idee; fare mente locale; organizzarsi.

■ **get under** ◭ v. i. + avv. (o prep.) **1** andare, mettersi, infilarsi sotto; trovare riparo sotto **2** passare di sotto: *The rats can get under the door*, i topi riescono a passare sotto la porta **3** (*nuoto*) andare sott'acqua **4** (*nei salti*) passare sotto l'asticella ◮ v. t. + avv. **1** far passare (q. o qc.) sotto **2** domare (*una rivolta, le fiamme, ecc.*).

■ **get up** ◭ v. i. + avv. **1** alzarsi; alzarsi in piedi; alzarsi da letto (*la mattina, dopo una malattia, ecc.*); (*del vento*) alzarsi; (*del mare*) rinforzare, ingrossarsi; (*delle fiamme*) alzarsi; (*di un incendio*) divampare: *I usually get up late on Sundays*, di solito la domenica mi alzo tardi; *What time are you getting up tomorrow?*, a che ora ti svegli domattina?; *Everybody got up when the boss came in*, tutti si alzarono quando entrò il capo **2** (*anche alpinismo*) salire; arrampicarsi: *The cat got up to a higher branch*, il gatto si arrampicò su un ramo più alto **3** salire, montare (*a cavallo, in motocicletta, ecc.*) **4** (*di prezzi, ecc.*) salire; aumentare; crescere **5** (*volg.*) drizzare (*volg.*); avere un'erezione ◮ v. i. + prep. salire (*o montare, arrampicarsi*) su: *The lorry couldn't get up the slope*, il camion non riusciva ad arrampicarsi su per la salita (*o a fare la salita*) ◰ v. t. + avv. **1** fare alzare; tirare giù dal letto; svegliare; rimettere in piedi (*un ammalato guarito*): *Sorry for ringing you at this unholy hour; did I get you up?*, scusa se ti chiamo a quest'ora indegna; ti ho tirato giù dal letto? **2** tirare su; alzare; sollevare: *Get your leg up!*, tira su la gamba! **3** mettere per (o a) ritto; mettere in piedi **4** preparare; organizzare; mettere su (*fig. fam.*); fare: *They got up a school play*, organizzarono una recita scolastica **5** vestire; abbigliare; travestire; mascherare: *We got the boys up as Vikings*, vestimmo i maschietti da vichinghi **6** agghindare; addobbare; parare a festa: *The whole town was got up for the visit of the Royal Family*, la cittadina intera era parata a festa per la visita dei Reali **7** (*arc.*) preparare; studiare; imparare **8** (*arc.*) fare fuori (*fam.*); provare, sentire (*dentro di sé*): *He cannot get up a bit of affection for her*, non riesce a provare un po' d'affetto per lei **9** (*fam.*) lavare e stirare; curare **10** (*naut.*) alzare, levare (*l'ancora*) ◲ v. t. + avv. + prep. portare, trasportare su per: *Can we get the wardrobe up the stairs?*, ce la facciamo a portare l'armadio su per le scale? □ **to get oneself up**, agghindarsi; mettersi in ghingheri; farsi bello □ (*a un cavallo*) **get up!**, hop!; forza!; corri! □ **to get up speed** → **speed** □ **to get up steam** → **steam**.

■ **get up to** v. i. + avv. + prep. **1** mettersi a fare (*qc. di male*): fare ricorso a; architettare; combinare; tramare: *What are the children getting up to?*, che cosa stanno combinando (*o architettando*) i bambini? **2** arrivare (o giungere) a; raggiungere: *What page have we got up to?*, a che pagina siamo arrivati?

■ **get within** v. i. + prep. **1** (*arc.*) entrare in **2** arrivare a (o in); giungere a (o in): *Finally we got within sight of the castle*, finalmente giungemmo in vista del castello.

get-at-able /gɛt'ætəbl/ a. (*fam.*) accessibile; raggiungibile; ottenibile.

getaway /'gɛtəweɪ/ n. **1** (*sport*) partenza (*in una gara, corsa, ecc.*) **2** fuga; evasione: **to make one's g.**, darsi alla fuga **3** (*mecc.*) avviamento; accelerazione **4** (*fam.*) breve vacanza ● **the g. car**, l'auto della (o per la) fuga.

get-off /'gɛtɔ:f/ n. **1** (*aeron.*) decollo **2** → **get-out**, def. 2.

get-out /'gɛtaʊt/ n. (*fam.*) **1** fuga; evasione **2** via d'uscita; scappatoia; espediente.

get-rich-quick /gɛtrɪtʃ'kwɪk/ a. (*fam.*) che promette facili guadagni: **get-rich-quick schemes**, sistemi per arricchirsi facilmente.

gettable /'gɛtəbl/ a. ottenibile; acquistabile; acquisibile.

getter /'gɛtə(r)/ n. **1** (*fam.*) chi ottiene, ecc. (→ **to get**) **2** (*chim., fis.*) getter; assorbente metallico (*di gas*) ● **g.-up**, organizzatore (*di una festa*); compilatore (*d'un libro*).

get-together /'gɛttəgeðə(r)/ n. (*fam.*) riunione familiare; festicciola; festa in famiglia; il ritrovarsi insieme; rimpatriata (*fam.*).

get-tough /'gɛttʌf/ a. (*fam.*) deciso; fermo; risoluto.

get-up /'gɛtʌp/ n. (*fam.*) **1** abbigliamento; modo di vestire; mise (*franc.*) **2** aspetto, composizione, veste (*d'un libro, ecc.*) **3** ◳ (*USA*, = **get-up-and-get**, **get-up-and-go**) energia; decisione; iniziativa; spinta (*fig.*).

gewgaw /'gju:gɔ:/ n. fronzolo; gingillo; ninnolo.

geyser (*def. 1* /'gi:zə(r), 'gaɪ-/, *def. 2* /'gi:zə(r), USA 'gaɪ-/) n. **1** (*geol.*) geyser **2** scaldabagno (*elettrico o a gas*).

GG sigla (**governor-general**) governatore generale.

Ghanaian /gɑ:'neɪən/ a. e n. ghanese.

ghastly /'gɑ:stlɪ/ ◭ a. **1** orribile; orrendo; spaventoso; squallido: **a g. crime**, un crimine orribile **2** pallido come un morto; spettrale: **a g. smile**, un sorriso spettrale **3** (*fam.*) pessimo; disgustoso: **a g. meal**, un pasto pessimo **4** (*fam.*) sgradevole: **a g. job**, un lavoro sgradevole ◮ avv. spaventosamente; in modo spettrale: **g. pale**, spaventosamente pallido ● **a g. mistake**, un grosso (*o tragico*) errore ‖ **ghastliness** n. ◳ **1** orrore; aspetto orrendo **2** pallore di morte; pallore spettrale.

ghat, **ghaut** /gɑ:t/ n. (*India*) **1** passo; valico **2** catena montuosa **3** scalinata che conduce a un approdo fluviale.

GHB sigla (*farm.* **gamma-hydroxybutyrate**), acido gamma-idrossibutirrico.

ghee /gi:/ n. ◳ (*India*) burro liquefatto, color giallo oro, ottenuto dal latte di bufala o mucca.

Ghent /gɛnt/ n. (*geogr.*) Gand.

gherkin /'gɜ:kɪn/ n. (*bot.*) cetriolo verde: **pickled g.**, cetriolino sottaceto.

ghetto /'gɛtəʊ/ n. (pl. **ghettos**, **ghettoes**) (*stor., urbanistica*) ghetto ● (*slang*) **g. blaster**, grosso e chiassoso stereo portatile.

to **ghetto** /'gɛtəʊ/ → **to ghettoize**.

to **ghettoize** /'gɛtəʊaɪz/ v. t. ghettizzare ‖ **ghettoization** n. ◳ ghettizzazione.

Ghibelline /'gɪbəlaɪn/ (*stor.*) n. e a. ghibellino ‖ **Ghibellinism** n. ◳ ghibellinismo.

ghibli /'gɪblɪ/ n. ◳ ghibli.

ghost /gəʊst/ n. **1** fantasma; spettro: **to raise [to lay] a g.**, evocare [far scomparire] un fantasma (*o uno spettro*) **2** spirito; anima **3** (*ottica, TV*) falsa immagine; immagine spuria **4** (*telef.*) circuito supercombinato **5** (= **ghost-writer**) ghost-writer; scrittore che redige testi per altri; negro (*fig. scherz.*) **6** (*fam., fisc.*) evasore del tutto ignoto al fisco ● (*zool.*) **g. crab** (*Ocypode albicans*), granchio fantasma □ (*elettron.*) **g. image**, immagine spuria ● (*ferr.*) **g. station**, stazione in disuso □ **g. story**, storia di spettri ● **g. town**, città fantasma; città morta (*nel Far West, ecc.*) □ **g. train**, galleria degli orrori (*alle fiere, ecc.*) □ (*ling.*) **g. word**, parola entrata nella lingua in seguito a errori di lettura, di stampa, ecc. □ **to give up the g.**, rendere l'anima (a Dio); morire; (*fig.*) fermarsi, piantare lì; guastarsi irrimediabilmente: *The engine of my old car has given up the ghost*, il motore della mia vecchia auto mi ha piantato □ (*relig.*) **the Holy G.**, lo Spirito Santo □ **not to have the g. of a chance**, non avere la benché minima probabilità (*di vittoria, di successo*) □ (*gergo teatr.*) **The g. walks**, è giorno di paga!; si pagano gli stipendi; oggi è San Paganino (*fam.*) □ **A g. has just walked over my grave**, la morte mi è passata vicino (*si dice quando si ha un brivido improvviso*).

to **ghost** /gəʊst/ v. t. e i. scrivere per conto d'altri: *He ghosted the autobiography of a famous actress*, scrisse (a pagamento) l'autobiografia di una famosa attrice.

ghostbuster /'gəʊstbʌstə(r)/ n. acchiappafantasmi; studioso di fenomeni paranormali ‖ **ghostbusting** ◳ caccia ai fantasmi (*fig.*); studio dei fenomeni paranormali.

ghostlike /'gəʊstlaɪk/ a. spettrale.

ghostly /'gəʊstlɪ/ a. **1** spettrale: **a g. light**, una luce spettrale; **to look g.**, avere un aspetto spettrale **2** (*raro*) spirituale; religioso: (*relig.*) **g. father** [**director**], padre [direttore] spirituale ● **g. comfort**, il conforto della religione □ (*relig.*) **our g. enemy**, il demonio ‖ **ghostliness** n. ◳ **1** l'esser spettrale **2** (*raro*) spiritualità; religiosità.

ghostwriter, **ghost-writer** /'gəʊstraɪtə(r)/ n. ghost-writer; negro (*fig. scherz.*); chi redige testi per altri ‖ **to ghostwrite**, to **ghost-write** v. t. (pass. **ghostwrote**, **ghost-wrote**, p. p. **ghostwritten**, **ghost-written**) → **to ghost**.

ghoul /gu:l/ n. **1** spirito maligno che dissotterra e divora i cadaveri **2** (*fig.*) individuo amante del macabro; individuo che si pasce di spettacoli di sangue ‖ **ghoulish** a. **1** demoniaco; orrendo; mostruoso **2** macabro; morboso.

GHQ sigla (**general headquarters**) quartier generale (QG).

ghyll /gɪl/ → **gill**②.

GHz abbr. (**gigahertz**) gigahertz.

GI /dʒi:'aɪ/ ◭ n. (acronimo di **Government Issue**) (*fam. USA*) **1** soldato; militare **2** ex combattente; reduce ◮ a. **1** per militari (*o reduci*): **GI education cheques**, buoni per l'iscrizione a un college, riservati ai reduci **2** dell'esercito USA **3** (*di un ufficiale*) troppo rigido; meticoloso; pignolo ● (*in GB*) **GI bride**, sposa di guerra (*donna che ha sposato un soldato americano*) □ **GI Jane**, ausiliaria (*dell'esercito USA*) □ **GI Joe**, soldato USA (*anche come giocattolo*) □ **GI shoes**, scarpe militari (*o da soldato*).

♦**giant** /'dʒaɪənt/ ◭ n. **1** (*anche fig.*) gigante **2** (*fam.*) grosso giacimento di petrolio o di gas ◮ a. attr. gigante; di (o da) gigante; gigantesco: **a g. cactus**, un cactus gigante; **g. strength**, forza gigantesca ● (*zool.*) **g. anteater** = **aardvark** □ (*fin.*) **a g. corporation**, una società di grandi dimensioni; un grande complesso finanziario □ **g. dipper**, montagne russe (*di luna park*) □ (*sport, fig.*) **a g. killer**, una squadra castigamatti (*o ammazzagrandi*) □ (*sport, fig.*) **g.-killing**, vittoria contro una squadra o un avversario più forte □ (*zool.*) **g. panda**, panda gigante □ (*sci*) **g. slalom**, slalom gigante □ (*sci*) **g.-slalom racer**, gigantista □ **g. wheel**, ruota panoramica.

giantess /'dʒaɪəntes/ n. gigantessa.

giantism /'dʒaɪəntɪzəm/ n. ⓤ (*med. e fig.*) gigantismo.

giaour /'dʒaʊə(r)/ n. giaurro; infedele (*termine usato dai musulmani*).

gib ① /gɪb/ n. **1** (*mecc.*) zeppa; cuneo; bietta **2** (*mecc.*) piastra di guida (*della slitta*) **3** (*ind. min.*) puntello provvisorio.

gib ② /gɪb/ n. gatto maschio (*di solito, castrato*).

Gib. abbr. (**Gibraltar**) Gibilterra.

gibber /'dʒɪbə(r)/ n. ⓤ barbugliamento; borbottio; parole confuse (*o inintelligibili*).

to **gibber** /'dʒɪbə(r)/ v. i. barbugliare; borbottare; cianciare; farfugliare; parlare in modo incomprensibile.

gibberish /'dʒɪbərɪʃ/ n. ⓤ barbugliamento; borbottio; ciancichio; parole inintelligibili; gergo incomprensibile.

gibbet /'dʒɪbɪt/ n. (*stor.*) **1** forca; patibolo **2** ⓤ (*fig.*) – **the g.**, la morte per impiccagione.

to **gibbet** /'dʒɪbɪt/ v. t. **1** condannare all'impiccagione; impiccare **2** esporre sulla forca **3** (*fig.*) mettere alla berlina (*o alla gogna*).

gibbon /'gɪbən/ n. (*zool.*, *Hylobates*) gibbone.

gibbous /'gɪbəʊs/ a. **1** gibboso; gobbo **2** (*astron.*) biconvesso; gibboso: **g. moon**, luna gibbosa ‖ **gibbosity** n. **1** ⓤ gibbosità **2** gobba.

gibe /dʒaɪb/ n. beffa; derisione; irrisione; scherno; frecciata (*fig.*).

to **gibe** /dʒaɪb/ v. i. e t. beffare, beffarsi; deridere; irridere; schernire: *Stop gibing at me!*, smettila di beffarti di me!

giber /'dʒaɪbə(r)/ n. beffatore, beffatrice; schernitore, schernitrice.

giblets /'dʒɪblɪts/ n. pl. frattaglie; rigaglie; interiora.

Gibraltar /dʒɪ'brɔːltə(r)/ n. (*geogr.*) Gibilterra.

gibus /'dʒaɪbəs/ n. gibus (*cappello a cilindro pieghevole*).

giddap /gɪ'dæp/ inter. (*equit.*, *ipp.*) giddap (*per incitare il cavallo*).

giddily /'gɪdɪlɪ/ avv. **1** da stordito; storditamente **2** in modo vertiginoso; vertiginosamente.

giddiness /'gɪdɪnəs/ n. ⓤ **1** capogiro; stordimento; vertigini **2** vorticosità **3** frivolezza; incostanza; storditaggine; storditezza (*raro*).

giddy /'gɪdɪ/ a. **1** che ha il capogiro (*o le vertigini*); stordito: **to be g. with success**, essere stordito dal successo **2** vertiginoso; che dà il capogiro (*o le vertigini*): **a g. height**, un'altezza vertiginosa **3** vorticoso: **a g. motion**, un moto vorticoso **4** frivolo; sventato; sbadato; scervellato: **a g. young girl**, una ragazzina scervellata ● **g. go- -round**, giostra □ **g. head**, persona scervellata □ **to feel g.**, avere il capogiro (*o le vertigini*) □ **to play the g. goat**, fare il buffone □ **You make me feel g.**, mi dai il capogiro; mi fai girare la testa.

to **giddy** /'gɪdɪ/ Ⓐ v. t. dare il capogiro, far venire le vertigini, far girare la testa a (q.) Ⓑ v. i. avere il capogiro (*o le vertigini*).

giddy-up /gɪdɪ'ʌp/ → **giddap**.

GIF /gɪf, dʒɪf/ sigla (*comput.*, **graphics interchange format**) formato d'interscambio grafico (*per immagini*).

♦**gift** /gɪft/ n. **1** dono; regalo; presente (*lett.*); strenna: *Christmas gifts*, doni natalizi; strenne di Natale **2** (*leg.*) donazione **3** (*fig.*) dono; dote; inclinazione; disposizione; talento: **to have a g. for poetry**, avere il dono della poesia; **natural gifts**, doti naturali; **to have a g. for languages**, avere disposizione per le lingue ● (*market.*) **g. basket**, cesto-regalo (*di fiori, frutta, ecc.*) □ **g.-book**, li-

bro (da) strenna □ (*USA*) **g. certificate** = **g. token** → *sotto* □ **g. coupon** = **g. stamp** → *sotto* □ **g. hamper** = **g. basket** → *sopra* □ **g.- -horse**, cavallo donato □ **g. shop**, negozio d'articoli da regalo □ **g. stamp**, buono premio; bollino □ (*fisc.*) **g. tax**, imposta sulle donazioni □ (*in GB*) **g. token**, buono da spendere nei negozi □ **g. voucher**, buono omaggio (*inserito in una confezione, una rivista, ecc.*) □ **g.-wrapped**, in confezione regalo □ **to have the g. of the gab**, avere il dono della chiacchiera; avere lo scilinguagnolo sciolto □ **I wouldn't have it as a g.**, (non lo prendo) neanche se me lo regalano! □ (*prov.*) **Never look a g.-horse in the mouth**, a caval donato non si guarda in bocca.

to **gift** /gɪft/ v. t. **1** donare; regalare **2** fare un dono a (q.).

GIFT sigla (*med.*, **gamete intrafallopian transfer**) trasferimento di gameti nelle tube di Falloppio (*tecnica di fecondazione artificiale*).

gifted /'gɪftɪd/ a. **1** dotato d'ingegno; di (*o che ha*) talento: **a g. musician**, un musicista di talento **2** (*di un giovane*) dotato (*anche fisicamente*): **g. athletes**, atleti dotati.

giftware /'gɪftweə(r)/ n. ⓤ articoli da regalo.

giftwrap, **gift-wrap** /'gɪftræp/ n. ⓤ = **giftwrapping** → **to giftwrap**.

to **giftwrap**, to **gift-wrap** /'gɪftræp/ v. t. incartare (*un oggetto*) in confezione regalo ‖ **giftwrapping**, **gift-wrapping** n. ⓤ (*carta da*) confezione regalo.

gig ① /gɪg/ n. **1** barroccino; calesse **2** (*naut.*) lancia; iole; barca a remi.

gig ② /gɪg/ n. arpione (*da pesca*); fiocina; rampone.

gig ③ /gɪg/ n. (*fam.*) **1** lavoro; lavoretto; servizio (*di un inviato di giornale*): **a crime gig**, un servizio di cronaca nera **2** (*mus.*, *teatr.*) ingaggio; scrittura (*per una serata*) **3** (*mus.*) concerto (*estemporaneo*); serata: **to play a gig**, dare una serata; *There were a few good gigs on at the Student Union*, ci sono stati un paio di concerti molto belli al circolo studentesco **4** (*USA*) lavoro (*spec. a ore*); incarico **5** (*USA*) attività che piace; pallino (*fig.*); passatempo preferito.

gig ④ /gɪg/ n. (*ind. tess.*) cilindro garzatore ● (*ind. tess.*) **gig mill**, garzatrice; stabilimento per la garzatura.

gig ⑤ /gɪg/ n. (*slang USA*) rapporto (*sfavorevole*); punizione.

gig ⑥ /gɪg/ abbr. (*comput.*, *fam.*, **gigabyte**) gigabyte.

to **gig** ① /gɪg/ v. i. andare in calesse.

to **gig** ② /gɪg/ v. t. **1** pescare con l'arpione (*o con la fiocina*); fiocinare **2** (*fig.*) punzecchiare; provocare.

to **gig** ③ /gɪg/ v. i. (*fam.*) **1** avere un lavoro; (*giorn.*) fare un servizio **2** (*mus.*, *teatr.*) avere una scrittura **3** (*mus.*) fare un concerto; suonare; dare una serata.

to **gig** ④ /gɪg/ v. t. (*ind. tess.*) garzare.

to **gig** ⑤ /gɪg/ v. t. (*slang USA*) fare rapporto a (q.); punire.

gigabyte /'gɪgəbaɪt/ n. (*comput.*) gigabyte.

gigaflop /'gɪgəflɒp, 'dʒɪ-/ n. (*comput.*) gigaflop (*equivale a 10^9 flop*).

gigahertz /'dʒɪgəhɜːts/ n. (*fis.*) gigahertz.

gigantesque /dʒaɪgæn'tɛsk/ a. gigantesco.

gigantic /dʒaɪ'gæntɪk/ a. gigantesco; enorme | **-ally** avv.

gigantism /'dʒaɪgəntɪzəm/ n. ⓤ (*med.*, *bot.*) gigantismo.

gigantomachy /dʒaɪgæn'tɒməkɪ/ n. (*mitol.*) gigantomachia.

giggle /'gɪgl/ n. **1** riso sciocco; risolino; ri-

satina **2** (*fam.*) (bello) scherzo; burla: **to do st. for a g.**, fare qc. per scherzo (*o per burla*) **3** (*fam.*) tipo buffo (*o da ridere*) ● (*fam.*) **to have the giggles**, avere la ridarella.

to **giggle** /'gɪgl/ v. i. ridere scioccamente; ridacchiare ‖ **giggler** n. chi fa risatine; chi ridacchia ‖ **giggling** Ⓐ a. che fa risatine; che ridacchia Ⓑ n. ⓤ scoppi di risatine; il ridacchiare.

gigglish /'gɪglɪʃ/ a. portato al riso; ridanciano.

giggly /'gɪglɪ/ a. che ha spesso la ridarella; ridanciano.

GIGO /'gaɪgəʊ/ sigla (*comput.*, **garbage in garbage out**) spazzatura dentro spazzatura fuori (*se inserisci dati errati, avrai risultati inattendibili*).

gigolo /'dʒɪgələʊ/ n. (pl. **gigolos**) **1** gigolò; mantenuto **2** ballerino a pagamento **3** accompagnatore (*di donne*) professionista.

gigot /'dʒɪgət/ n. gigotto; cosciotto d'agnello o capretto ● (*sartoria*) **g. sleeve**, manica a gigot (*con un grande rigonfio sopra il gomito*).

gigue /ʒiːg/ n. (*mus.*, *stor.*) giga.

gila /'hiːlə/ n. (*zool.*, *Heloderma suspectum*; = **G. monster**) eloderma (*grossa lucertola velenosa dell'Arizona*).

Gilbert /'gɪlbət/ n. Gilberto.

gild /gɪld/ n. → **guild**.

to **gild** /gɪld/ (pass. e p. p. **gilded**, *o* **gilt**), v. t. **1** dorare; laminare d'oro; indorare **2** (*fig.*) abbellire; indorare: **to g. the pill**, indorare la pillola; **to g. the lily**, esagerare in abbellimenti; strafare ‖ **gilder** n. doratore, doratrice; indoratore, indoratrice.

gilded /'gɪldɪd/ a. **1** dorato; laminato d'oro; indorato **2** color oro; dorato **3** (*fig.*) dorato; d'oro: **g. youth**, gioventù dorata; **a g. chance**, un'occasione d'oro.

gilding /'gɪldɪŋ/ n. ⓤ doratura; indoratura; indoramento (*anche fig.*).

gill ① /gɪl/ (n. di solito al pl.) **1** (*zool.*) branchia (*di pesce*) **2** (*zool.*) bargiglio; bargiglione **3** (pl.) (*scherz.*) pappagorgia; mento **4** (*bot.*) lamella (*di fungo*) (*fam.*) aletta ● (*zool.*) **g. cover**, opercolo branchiale □ (*pesca*) **g. net**, tramaglio □ (*fam.*) **to be blue** (*o* **green) about the gills**, essere verde per un malessere o per lo spavento □ (*USA*) essere sbronzo (*o ubriaco*) □ (*fam.*) **to get** (*o* **to go) green [white, blue] around the gills**, diventare verde [sbiancare] per la paura (*un malessere, ecc.*) □ (*fig.*: *di persona*) **rosy around the gills**, dall'aspetto sano; rubicondo.

gill ② /gɪl/ n. **1** forra; gola **2** torrentello.

gill ③ /dʒɪl/ n. **1** «gill» (*misura di capacità, pari a 0,142 litri*) **2** recipiente che contiene un «gill».

gill ④ /dʒɪl/ n. (abbr. di **Gillian**; *spreg.*) ragazza; giovane donna; fidanzata.

to **gill** /gɪl/ v. t. **1** sbuzzare, pulire (*il pesce*) **2** togliere le lamelle a (*funghi*) **3** (*anche* **to gill-net**) pescare col tramaglio.

Gillian /'dʒɪljən/ n. Giuliana.

gillie /'gɪlɪ/ n. **1** (*stor.*) seguace (*o servo*) d'un capoclan scozzese **2** ragazzo che accompagna e aiuta un cacciatore (*o un pescatore*).

gilliflower /'dʒɪlɪflaʊə(r)/ → **gillyflower**.

gilly /'gɪlɪ/ n. → **gillie**.

gillyflower /'dʒɪlɪflaʊə(r)/ n. (*bot.*) **1** (*Dianthus caryophyllus*) garofano **2** (*Cheiranthus cheiri*) violacciocca gialla **3** (*Matthiola incana*) violacciocca.

gilt ① /gɪlt/ Ⓐ pass. e p. p. di **to gild** Ⓑ a. **1** dorato: **a book with a g. top**, un libro con il margine superiore dorato **2** (*fig.*) appariscente; solo apparenza; tutto esteriorità Ⓒ n. ⓤ **1** doratura; indoratura **2** (*fig.*) attrattiva; fascino ● (*bot.*) **g.-cup**, ranuncolo; botton d'oro □ **a g.-edged book**, un libro dal ta-

glio (*o* dal bordo) dorato □ (*Borsa*) **the g.--edged market**, il mercato dei titoli di prim'ordine □ (*fin.*) **g.-edged securities**, titoli di prim'ordine, sicurissimi; titoli di stato a lungo termine □ **to take the g. off the gingerbread**, spogliare di ogni attrattiva; guastare.

gilt② /gɪlt/ n. (*zool.*) scrofa giovane.

gilthead /'gɪlthed/ n. (*zool.*, *Sparus aurata*) orata.

gilts /gɪlts/ n. pl. (*fam.*, *fin.*) titoli di prim'ordine (*o* sicurissimi); titoli di stato.

gimbal /'dʒɪmbl/ n. (*mecc.*) cardano; giunto cardanico ● **g. ring**, anello di sospensione cardanica.

gimbals /'dʒɪmblz/ n. pl. (col verbo al sing.) **1** (*mecc.*) sospensione cardanica **2** (*naut.*) bilancieri (*di bussola*).

gimcrack /'dʒɪmkræk/ Ⓐ n. fronzolo; gingillo; ninnolo; cianfrusaglia Ⓑ a. **1** appariscente; dozzinale; vistoso **2** scassato, sgangherato: **g. planes**, aerei scassati ‖ **gim-crackery** n. Ⓤ ciarpame; paccottiglia; cianfrusaglie.

gimlet /'gɪmlət/ Ⓐ n. (*falegn.*) succhiello Ⓑ a. attr. (*fig.*) acuto; penetrante ● **g.-eyed**, dalla vista acuta.

to **gimlet** /'gɪmlət/ v. t. (*falegn.*) succhiellare; forare con un succhiello.

gimme /'gɪmɪ/ (contraz. *slang USA di* **give me**) Ⓐ inter. dammi!; da' qua!; tira (*o* caccia) fuori! Ⓑ n. **1** cosa facile; gioco da bambini, passeggiata (*fig.*): *The first question was a g.*, la prima domanda è stata un gioco da bambini **2** (pl.) – **the gimmies**, la voglia sfrenata di regali; l'avidità Ⓒ a. attr. che pretende cose gratis; che vuole privilegi: **the g. attitude of people**, l'atteggiamento di coloro che pretendono di avere tutto gratis ● **g. letters**, lettere che sollecitano aiuti finanziari.

gimmick /'gɪmɪk/ n. (*fam.*) **1** espediente; marchingegno; idea (*o* trovata) ingegnosa (*o* pubblicitaria) **2** trucco; stratagemma **3** trucco di prestigiatore **4** arnese; aggeggio ● **advertising g.**, espediente (*o* trucco) pubblicitario; trovata pubblicitaria.

gimmickry /'gɪmɪkrɪ/ n. Ⓤ (*fam. spreg.*) **1** (*mecc.*) accessori (*o* dispositivi) sofisticati; ammennicoli vari **2** (*anche leg.*) cavilli; pretesti **3** uso di trucchi (*o* di stratagemmi).

gimmicky /'gɪmɪkɪ/ a. (*fam.*) **1** pieno di ammennicoli vari (*o* di aggeggi); tutto aggeggiato (*fam.*) **2** di (*o* da) espediente ● **g. idea**, trovata.

gimp① /gɪmp/ n. **1** cordoncino; passamano; spighetta (*di seta o cotone ritorti*) **2** (*sport*) lenza di seta (*rinforzata con filo metallico*).

gimp② /gɪmp/ n. (*fam.*) zoppo.

to **gimp** /gɪmp/ v. i. (*fam.*) zoppicare; andare zoppo.

gin① /dʒɪn/ n. gin ● **gin and it**, cocktail di gin e vermut italiano (**it** *sta per* **Italian**) □ **gin and tonic** (abbr.: **a g and t**), gin tonic; gin con acqua brillante □ **gin fizz**, gin fizz □ (*slang USA*) **gin mill** (*o* **gin dive**), spaccio d'alcolici; (*anche*) bar d'infimo ordine (*un tempo*) **gin palace**, bar arredato in modo pacchiano □ **gin sling**, bevanda fredda a base di gin aromatizzato e addolcito □ (*slang*) **gin trap**, (la) bocca; (il) becco (*fig. pop.*).

gin② /dʒɪn/ n. **1** (*ind. tess., di solito* **cotton gin**) ginnatrice, sgranatrice (*per cotone*) **2** (= **gin trap**) trappola (*per selvaggina o pesce*) **3** (*mecc.*) argano; paranco; capra ● (*naut.*) **gin block**, bozzello da discarica; puleggia di carico □ (*mecc.*) **gin tackle**, paranco della capra.

to **gin** /dʒɪn/ v. t. **1** (*ind. tess.*) ginnare, sgranare (*cotone*) **2** prendere in trappola; intrappolare; irretire.

ginger /'dʒɪndʒə(r)/ Ⓐ n. Ⓤ **1** (*bot.*, *Zingiber officinale*) zenzero **2** (*fam.*) pepe (*fig.*); animazione; brio; vivacità **3** (*fam.*) energia; spinta (*fig.*) **4** color zenzero; color fulvo; rossiccio; *Have you seen a little girl with g. hair?*, ha visto una bambina con i capelli rossi? **5** (*slang ingl., spreg.*) finocchio; frocio; checca Ⓑ a. attr. rossiccio; fulvo: **g. hair**, capelli fulvi; **a g. cat**, un gatto rosso ● **g. ale**, bibita gassata aromatizzata allo zenzero (*analcolica*); gingerino; ginger □ **g. beer**, bibita gassata aromatizzata allo zenzero (*leggermente alcolica*) □ **g. biscuit**, biscotto (*tondo e duro*) allo zenzero (*spolverato con zucchero*) □ (*polit.*) **g. group**, gruppo di punta, gruppo di pressione (*in un partito, ecc.*) □ **g. nut** = **g. biscuit** → *sopra* □ **g. oil**, essenza di zenzero □ **g. root**, radice di zenzero □ **g. snap** → **g. biscuit** □ **g. wine**, bevanda alcolica aromatizzata allo zenzero.

to **ginger** /'dʒɪndʒə(r)/ v. t. **1** aromatizzare allo zenzero **2** (*di solito* **to g. up**) animare; scuotere; ravvivare; tirare su (*fam.*): **to g. up a performance**, ravvivare uno spettacolo.

gingerbread /'dʒɪndʒəbred/ Ⓐ n. **1** Ⓤ pan di zenzero **2** (*fig.*) ornamento appariscente, vistoso Ⓑ a. appariscente; pretenzioso; pacchiano; vistoso: **g. Gothic**, stile gotico pretenzioso ● **g. man**, biscotto di pan di zenzero a forma di ometto.

gingerly /'dʒɪndʒəlɪ/ Ⓐ a. cauto; circospetto; guardingo Ⓑ avv. cautamente; con circospezione; pian piano.

gingery /'dʒɪndʒərɪ/ a. **1** che sa di zenzero; aromatizzato allo zenzero **2** rossiccio; fulvo (*di capelli*) **3** (*fam.*) brioso; vivace.

gingham /'gɪŋəm/ n. **1** Ⓤ (*ind. tess.*) percalle; gingan **2** (*fam.*) ombrello.

gingiva /dʒɪn'dʒaɪvə/ n. (pl. **gingivae**) (*anat.*) gengiva.

gingival /dʒɪn'dʒaɪvl/ a. **1** (*anat.*) gengivale **2** (*fam.*) alveolare.

gingivitis /dʒɪndʒɪ'vaɪtɪs/ n. Ⓤ (*med.*) gengivite.

ginglymus /'dʒɪŋglɪməs/ n. (pl. **ginglymi**) (*anat.*) ginglimo.

gink /gɪŋk/ n. (*slang*) individuo; tipo; tipo strano; tizio; persona.

ginkgo /'gɪŋkəʊ/ n. (*bot.*, *Ginkgo biloba*) ginkgo.

Ginnie Mae /dʒɪnɪ'meɪ/ loc. n. (*fam.*, *in USA*) → **GNMA**.

ginormous /dʒaɪ'nɔːməs/ a. (*fam. ingl.*, abbr. di **giant** e **enormous**) enorme; gigantesco; mega.

ginseng /'dʒɪnseŋ/ n. (*bot.*, *Panax ginseng*) ginseng (*anche la radice*).

ginzo /'gɪnzəʊ/ n. (*slang spreg. USA*) individuo di origine italiana; italiano.

gippy /'dʒɪpɪ/ a. e n. (*slang*) egiziano ● (*pop.*) **g. tummy**, diarrea del turista; mal di pancia.

gipsy /'dʒɪpsɪ/ n. e deriv. → **gypsy**, e deriv.

giraffe /dʒɪ'rɑːf/ n. (*zool.*, *Giraffa camelopardalis*) giraffa.

girandole /'dʒɪrəndəʊl/ n. **1** girandola (*fuoco d'artificio*) **2** candeliere a bracci **3** orecchino a pendente, con pietre incastonate **4** getto rotante (*di fontana*).

girasol, girasole /'dʒɪrəsəʊl/ n. Ⓤ (*miner.*) opale di fuoco.

to **gird**① /gɜːd/ (pass. e p. p. **girded** *o* **girt**), v. t. (*poet., retor.*) **1** cingere; cingere d'assedio; circondare; assicurare (*un abito*) con la cintura: **to g. on one's sword**, cingere la spada; **to g. a town with an army**, circondare una città con un esercito **2** indossare; vestire: **to g. one's armour**, indossare l'armatura ● (*fig.*) **to g. oneself for st.**, accingersi (*o* prepararsi) a fare qc. □ **to g. up**, rimboccarsi (*abiti e sim.*) □ (*fig.*) **to g. up one's loins**, accingersi con grande energia a un'impresa; rimboccarsi le maniche (*fig.*).

to **gird**② /gɜːd/ v. i. – **to g. at**, beffarsi di; schernire; canzonare.

girder /'gɜːdə(r)/ n. **1** (*ind. costr.*) trave; trave maestra: **steel girders**, travi d'acciaio **2** (*mecc.*) chiave; sbarra **3** (*naut.*) struttura longitudinale; paramezzale; corrente ● **g. lattice**, travatura a traliccio □ **g. rail**, rotaia a gola (*per tranvie*) □ **g.-tongs**, tenaglia di sospensione.

girdle① /'gɜːdl/ n. **1** (*anche anat.*) cintura; cintola; fascia: **shoulder g.**, cingolo (*o* cintura) scapolare **2** busto, guaina (*da donna*) **3** cintura (*di pietra preziosa tagliata a brillante*) **4** cingolo, cordiglio (*di frate, ecc.*) **5** incisione circolare (*intorno al tronco d'un albero*) **6** (*archit.*) collarino (*di colonna*) **7** (*fig.*) cerchio; cerchia: **a g. of islands**, un cerchio di isole; **a g. of walls**, una cerchia di mura.

to **girdle**① /'gɜːdl/ v. t. **1** cingere; circondare **2** fare un'incisione circolare intorno a (*un albero*) **3** girare intorno a; ruotare attorno a: *A new artificial satellite will g. Venus*, un nuovo satellite artificiale ruoterà attorno a Venere.

♦**girl** /gɜːl/ n. **1** bambina; ragazza; fanciulla; giovane donna: **a baby g.**, una neonata; una femminuccia; **a little g.**, una bambina; **a young girl**, una ragazzina; **to start going out with girls**, cominciare a uscire con le ragazze; *He never plays with girls*, non gioca mai con le bambine **2** figlia; bambina: *They have two girls*, hanno due figlie **3** (*fam.*, *talvolta sentito come offensivo*) donna **4** (*fam.*) fidanzata; ragazza (*fam.*); innamorata; morosa (*region.*) **5** (giovane) donna (*che fa un dato lavoro*): **career g.**, giovane in carriera; donna in carriera; **office g.**, impiegata; **shop g.**, commessa **6** (*teatr.* = **chorus g.**) ballerina di fila; girl **7** (*antiq.*) domestica; donna, ragazza (*fam.*) ● **g. Friday**, segretaria di fiducia; assistente personale □ **G. Guides** (*USA* **G. Scouts**), giovani esploratrici □ **an old g.**, un'ex alunna (*di scuola, università, ecc.*); (*fam.*) una vecchietta; una vecchia signora □ (*fam., antiq.*) **the old g.**, mia madre, la vecchia (*fam.*); mia moglie, la moglie (*fam.*): *Jane! How are you, old g.?*, Jane! Come stai, vecchia mia?

girldom /'gɜːldəm/ n. Ⓤ il mondo delle ragazze.

♦**girlfriend** /'gɜːlfrend/ n. ragazza; innamorata; amorosa (*antiq.*); morosa (*region.*).

girlhood /'gɜːlhʊd/ n. Ⓤ (*di ragazza*) adolescenza; giovinezza.

girlie /'gɜːlɪ/ (*fam.*) Ⓐ n. ragazza; ragazzina; bimba Ⓑ a. attr. **1** da donna; femminile **2** con donne nude: **g. magazine**, rivista con donne nude (*o* per soli uomini); **g. show**, spettacolo di nudo (*femminile*).

girlish /'gɜːlɪʃ/ a. (*di ragazza*) fanciullesco; di (*o* da) ragazza: **g. clothes**, abiti da ragazza ‖ **girlishness** n. Ⓤ carattere (*o* modi) di fanciulla.

girly /'gɜːlɪ/ n. **1** (*fam.*) → **girlie 2** (*slang USA*) cocaina.

Giro /'dʒaɪ(ə)rəʊ/ n. (*fam. per* **National Girobank**) «Girobanca» (*in GB*) ● **G. slip**, modulo d'accredito in giroconto.

giro /'dʒaɪ(ə)rəʊ/ n. (pl. **giros**) (*fin.*) **1** Ⓤ (*il sistema*) giroconto (*bancario o postale*); postagiro **2** (= **g. cheque**) assegno di conto corrente; (*anche*) assegno di disoccupazione (*o di malattia*) ● **g. account**, conto corrente postale □ **g. account holder**, correntista postale.

Girobank /'dʒaɪ(ə)rəʊbæŋk/ → **Giro**.

Girondist /dʒɪ'rɒndɪst/ n. e a. (*stor. franc.*) girondino.

girt① /gɜːt/ n. **1** circonferenza; contorno; giro **2** (*edil.*) arcareccio **3** (*edil.*) trave d'irrigidimento **4** (*ind. min.*) longherone.

girt② /gɜːt/ *pass. e p. p. di* **to gird①**.

to **girt** /gɜːt/ **A** v. t. **1** cingere; munire di cintura **2** misurare il contorno (*o* la circonferenza) di (qc.) **B** v. i. (*di un albero, ecc.*) essere di (*o* misurare in) circonferenza.

girth /gɜːθ/ n. **1** (*di cavallo da sella*) sottopancia **2** perimetro; contorno; circonferenza: **an oak three metres in g.**, una quercia di tre metri di circonferenza **3** (*fam.*) corpulenza; pancia (*pop.*).

to **girth** /gɜːθ/ **A** v. t. **1** cingere; circondare **2** affibbiare il sottopancia a (*un cavallo*) **B** v. i. (*di un albero, ecc.*) essere di (*o* misurare in) circonferenza.

GIS *sigla* (*comput.*, **geographical information system**) sistema informativo territoriale (SIT).

gist /dʒɪst/ n. ⓤ essenza; sostanza; succo (*fig.*); nocciolo (*fig.*): *That's the g. of the question*, ecco il nocciolo del problema.

git /gɪt/ n. (*slang, GB*) stupido; imbecille; stronzo.

gittern /'gɪtɜːn/ n. (*mus., stor.*) sorta di cetra medievale.

give /gɪv/ n. ⓤ **1** cedimento (*di stoffa, cuoio, ecc.*) **2** lentezza (*di una fune, uno spago, ecc.*) **3** cedevolezza; elasticità: *The g. of this material is excellent*, questo materiale ha un'ottima elasticità.

♦to **give** /gɪv/ (*pass.* **gave**, *p. p.* **given**) **A** v. t. **1** dare; donare; consegnare; fruttare; rendere; concedere; accordare; elargire; emettere; assegnare; attribuire: *They gave the singer some flowers*, diedero dei fiori alla cantante; *I gave it to him*, glielo diedi; (*telef.*) *G. me the Fire Brigade*, mi dia i pompieri!; **to g. (sb.) one's word**, dare la propria parola (a q.); **to g. the all-clear**, dare il segnale di via libera; **to g. a cry**, dare un grido; **to g. no sign of life**, non dare segno di vita; *They gave a concert*, diedero un concerto; **to g. a sigh**, emettere (*o* mandare) un sospiro **2** pagare: *How much did you g. (them) for that car?*, quanto hai pagato (loro) quell'automobile? **3** porgere; offrire; portare; trasmettere: *G. my regards to your mother*, porgi (*o* porta) i miei saluti a tua madre; (*comm.*) **to g. a discount**, offrire (*o* fare) uno sconto **4** (*di solito* **to g. in marriage**) dare in moglie (*o* in sposa) **5** fare: **to g. sb.'s name**, fare il nome di q.; menzionare q.; *The doctor gave the patient an injection*, il dottore ha fatto un'iniezione al paziente **6** dare; rappresentare; rendere (*artisticamente*): **to g. a play**, dare una commedia; rappresentare un dramma **7** dedicare: *He has given his life to this company*, ha dedicato la vita a questa ditta **8** (*mat.*) dare come risultato; fare: *Ten plus five gives fifteen*, dieci più cinque fa quindici **9** (*di un orologio, uno strumento*) segnare: *My watch doesn't g. the right time*, il mio orologio non segna l'ora giusta **10** (*med., fam.*) attaccare, trasmettere (*una malattia*): *The little girl has given me her cold*, la bambina mi ha attaccato il raffreddore **11** proporre un brindisi a (q.): *Gentlemen, I g. you the chairman*, signori, propongo di brindare al presidente **B** v. i. **1** dare (*o* fare) doni (*o* elargizioni): **to g. to charity**, dare in beneficenza **2** cedere; piegarsi; essere cedevole; essere elastico: *The floor gave under their weight*, il pavimento cedette sotto il loro peso **3** (*del tempo*) addolcirsi; farsi mite **4** (*del gelo, del ghiaccio*) sciogliersi **5** (*fam.*) accadere; succedere: *What gives?*, che succede? ● **to g. oneself airs**, darsi delle arie □ **to g. and take**, fare concessioni reciproche; fare un compromesso □ **to g. birth to**, dare alla luce, mettere al mondo (*anche fig.*); dare origine a, essere la patria di: *New Orleans gave birth to jazz*, New Orleans fu la patria del jazz □ (*pop.*) **to g. sb. a bit of one's mind**, dire a q. il fatto suo; dirne quattro a q. □ (*leg.*)

to g. the case (*o* **to g. it**) **for sb.**, pronunciarsi in favore di q. □ **to g. chase**, dare la caccia □ **to g. ear**, ascoltare; prestare orecchio □ **to g. an eye to**, dare un'occhiata a; badare a □ **to g. ground**, cedere terreno; ritirarsi; ripiegare; (*di prezzi, ecc.*) cedere, segnare una flessione □ **to g. sb. a hand**, dare una mano a q.; (*anche*) applaudire (q.) □ (*slang volg.*) **to g. sb. head**, fare un pompino a q. (*volg.*) □ **to g. heed to**, fare attenzione a (qc.); dare retta a (q.) □ (*fam., arc.*) **to g. it to sb.** (*spesso:* **to g. it to sb. hot**), dare una (bella) lavata di capo a q.; punire q. (*spec. un bambino*) □ **to g. one's name**, dare il (proprio) nome; declinare le generalità □ **to g. oneself**, darsi, dedicarsi (a qc.): *She gave herself to the study of palaeontology*, si diede allo studio della paleontologia □ **g. or take**, più o meno; all'incirca: *It will take two hours, g. or take a few minutes*, ci vorranno due ore, minuto più minuto meno (*telef.*) **to g. sb. a ring**, dare un colpo di telefono a q. □ **to g. rise to**, dare origine a; cagionare; causare □ (*fam.*) **to g. sb. the sack**, licenziare q.; mandar via q. □ (*slang*) **to g. sb. the slip**, sfuggire a q. (*una persona sgradita, ecc.*); seminare q. (*un inseguitore, ecc.*) □ **to g. the time of day**, (*fig.*) rivolgere la parola: *He wouldn't even g. me the time of day*, non volle neanche rivolgermi la parola □ **to g. thought to**, pensare a, riflettere su; curarsi di: *He gives no thought to his mother's feelings*, non si cura dei sentimenti di sua madre □ **to g. tongue to**, esprimere, manifestare □ **to g. vent to**, sfogare; dare sfogo a □ **to g. voice to**, esprimere (*opinioni, ecc.*) □ **to g. way**, cedere, rompersi, spezzarsi; cedere terreno, ritirarsi; ripiegare; abbandonarsi, lasciarsi andare (*a un sentimento*); cedere il passo (*a qc. di nuovo*); (*anche autom.*) dare la precedenza: *The bridge gave way*, il ponte si spezzò □ (*fam.*) **to g. sb. what for**, darle a q.; picchiare q.; sgridare q. □ **to g. weight to**, avvalorare (*un fatto, una previsione*); rafforzare (*una richiesta, ecc.*); integrare (*una domanda*).

■ **give away A** v. t. + avv. **1** dare via; dare; donare; consegnare; distribuire: *He gave away all his money to the needy*, diede tutto il suo denaro ai bisognosi **2** (*comm.*) vendere (*o dare*) per poco denaro; regalare (*fig.*): *At this price, we're practically giving these shoes away*, a questo prezzo, queste scarpe sono quasi regalate **3** giocarsi, sprecare, buttare via (*un'occasione, ecc.*) **4** rivelare, svelare, spifferare; tradire (*un segreto, ecc.*); denunciare: *Don't g. away his hiding place!*, non rivelare il suo nascondiglio!; *They gave him away to the police*, lo denunciarono alla polizia **5** accompagnare (*o portare*) all'altare: *The bride was given away by her uncle*, la sposa fu portata all'altare dallo zio **6** (*sport*) dare via, regalare (*una partita, ecc.*); perdere, farsi rubare (*la palla*); subire (*un gol, un canestro, ecc.*); sprecare, mancare (*un rigore*) **7** (*sport:* **lotta, boxe, ecc.**) rendere (*un kilo, ecc.: all'avversario*) **B** v. i. + avv. → **to give, B**, *def. 2* □ **to g. oneself away**, tradirsi; farsi scoprire □ **to g. the game** (*o* **the show**) **away**, scoprire il gioco (*fig.*); tradire un segreto.

■ **give back** v. t. + avv. **1** dare indietro (*fam.*); rendere; restituire; ridare: *G. me back my money!*, ridammi i miei soldi! **2** riflettere (*un'immagine*) **3** rimandare (*un suono*) □ (*fig.*) **to g. back tit for tat**, rendere pan per focaccia (*fig.*); ripagare q. della stessa moneta (*fig.*).

■ **give forth** v. t. + avv. (*arc. o form.*) **1** emettere (*fumo, un suono, ecc.*) **2** annunciare; rendere noto (*o* pubblicare).

■ **give in A** v. i. + avv. cedere; arrendersi; darsi per vinto; essere arrendevole: *I g. in*, mi arrendo; (*anche*) non so rispondere; *Never g. in!*, non darti mai per vinto **B** v. t.

+ avv. consegnare; presentare; dare: **to g. in the papers to the teacher**, consegnare gli elaborati all'insegnante; **to g. in one's resignation**, presentare le dimissioni.

■ **give off** v. t. + avv. **1** emettere; mandare (fuori); emanare: *The chimney stack was giving off smoke*, la ciminiera emetteva fumo; *These flowers g. off a mild scent*, questi fiori emanano un profumo delicato **2** (*di piante*) estendere, stendere (*i rami*).

■ **give on** (*o* **onto**) v. i. + prep. dare su; guardare su; affacciarsi su: *The French window gives onto the garden*, la portafinestra dà sul giardino.

■ **give out A** v. i. + avv. **1** venir meno; esaurirsi; finire: *My strength gave out*, mi vennero meno le forze; *Her patience never gives out*, la sua pazienza è inesauribile **2** (*della luce, di una candela, ecc.*) venir meno; spegnersi **3** (*fam.*) (*di un motore, ecc.*) guastarsi; andare in panne: *The engine has given out*, s'è guastato il motore **B** v. t. + avv. **1** consegnare, distribuire (*premi, ecc.*) **2** emettere (*luce, calore, ecc.*); dare; mandare: *The ship gave out distress signals*, la nave mandava segnali di soccorso **3** rendere noto; annunciare; proclamare: *It was given out on the radio that the peace talks had failed*, fu annunciato alla radio che le trattative di pace erano fallite **4** (*ind.*) dare, dare via (*lavoro*); subappaltare (*una commessa di lavoro*) **5** (*sport: dell'arbitro*) mandare fuori, espellere (*un giocatore*) **6** (*sport*) emettere (*un verdetto*); dichiarare, segnalare fuori (*o* fuori gioco, eliminato): *The linesman gave the ball out*, il guardalinee segnalò l'uscita della palla; (*cricket*) *The batsman was given out after making 80 runs*, il battitore fu dichiarato fuori gioco dopo aver fatto 80 'run'.

■ **give over A** v. i. + avv. (*fam.*) cessare; smettere: *Do g. over!*, smettila!; piantala! (*fam.*) **B** v. t. + avv. **1** consegnare; affidare; dare in consegna; dare **2** cedere; dare (*o* lasciare) in uso: *The sitting room was given over to the children for their party*, il soggiorno fu lasciato ai bambini per la loro festicciola **3** adibire: *The area was given over to a public park*, l'area è stata adibita a parco pubblico **4** dedicare: *She gave her life over to charity*, dedicò la vita a opere di bene; *The whole night was given over to dancing*, l'intera serata fu dedicata alle danze **5** (*arc.*) → **give up, B**, *def. 7* □ **to g. oneself over to**, darsi, dedicarsi a; darsi, abbandonarsi a: *She gave herself over to despair*, si abbandonò alla disperazione.

■ **give up A** v. i. + avv. **1** rinunciare (*a un tentativo*): *I gave up trying to swim across the river*, rinunciai ad attraversare il fiume a nuoto; (*fam.*) *I g. up!*, rinuncio (a indovinare); mi arrendo! **2** arrendersi; darsi per vinto; cedere: *At last the defenders gave up*, alla fine i difensori si arresero **3** smettere di lavorare; staccare (*fam.*) **B** v. t. + avv. **1** consegnare; cedere; abbandonare: *They gave up the town to the enemy*, cedettero (*o* abbandonarono) la città al nemico; **to g. up one's seat to an elderly person**, cedere il posto (*a sedere*) a un anziano **2** restituire (*fig.*): *The ocean never gives up its dead*, l'oceano non restituisce mai i suoi morti **3** rivelare; svelare; rendere noto **4** rinunciare a; smettere di: *You should g. up smoking*, dovresti rinunciare al fumo (*o* smettere di fumare) **5** abbandonare; lasciare; piantare (*fam.*): *Don't g. up your old friends!*, non abbandonare i vecchi amici!; **to g. up all hope**, lasciare ogni speranza **6** (*fam.*) lasciare perdere **7** dare (q.) per spacciato (morto, introvabile, bocciato, ecc.): **to g. sb. up for dead [for lost]**, dare q. per morto [per disperso]; *Where have you been? We'd given you up*, dove ti sei cacciato? pensavamo proprio che non ti avremmo visto (*o che*

non saresti venuto) **8** dedicare; impiegare: *The whole lesson was given up to poetry*, l'intera lezione fu dedicata alla poesia **9** → **give over**, **B**, *def. 2* e *3* □ **to g. oneself up**, consegnarsi; (*leg.*) costituirsi; darsi, dedicarsi; abbandonarsi: *He gave himself up to a life of debauchery*, si diede a una vita di dissolutezza.

■ **give upon** v. i. + prep. → **give on**.

❶ **NOTA:** *to give*

Con **to give** e numerosi altri verbi inglesi che reggono sia il complemento oggetto che il complemento di termine sono possibili tre costruzioni:

1) *They gave a new task to Ron*;
2) *They gave Ron a new task*;
3) *They gave to Ron a new task*.

Il significato delle tre frasi è identico, ma la 2) presenta una costruzione che non ha equivalente in italiano: il complemento di termine (Ron) è privo della preposizione **to** e precede il complemento oggetto (*a new task*). Mancando la preposizione è come se vi fossero due complementi oggetto, perciò in inglese i verbi di questo tipo sono detti **ditransitive** o **double-transitive verbs**.

La 2) è la costruzione più frequente in inglese e serve in genere a concentrare l'attenzione sul complemento oggetto anziché su quello di termine; perciò il suo equivalente italiano più vicino è *diedero a Ron un nuovo incarico*. La 3) è invece la struttura meno frequente.

La costruzione **ditransitive** è anche usata per i verbi transitivi che reggono il complemento di vantaggio (introdotto da **for**) anziché quello di termine:

He's bought a paper for me – He's bought me a paper, mi ha comperato un giornale.

I più comuni **ditransitive verbs** inglesi sono **to bring, to buy, to get, to give, to leave, to lend, to make, to offer, to owe, to pass, to pay, to play, to promise, to read, to send, to show, to sing, to take, to teach, to tell, to wish, to write**.

Ecco qualche ulteriore esempio: *She made us a delicious dinner*, ci preparò una cenetta deliziosa; *My father taught me some French*, mio padre mi insegnò un po' di francese; *Can you pass me the bottle?*, puoi passarmi la bottiglia?; *Sarah always reads her kids a story before they go to sleep*, Sarah legge sempre una storia ai figli prima che si addormentino.

Quando entrambi i complementi sono pronomi personali, il complemento oggetto precede in genere quello di termine, ma la costruzione **ditransitive** è comunque diffusa, soprattutto nel linguaggio colloquiale britannico: *Give it to me* (GB fam. anche *Give me it*), dàllo a me; dammelo; *I'll send it to him* (GB fam. anche *I'll send him it*), lo manderò a lui; glielo manderò.

La frase passiva corrispondente a *They gave Ron a new task* è sia *Ron was given a new task* (a Ron fu dato un nuovo incarico o a Ron diedero un nuovo incarico), in cui il soggetto è il complemento di termine della frase attiva (Ron). Al pari di quella attiva, si tratta di una costruzione molto comune: *We were told a lie*, ci fu detta (o ci dissero) una bugia; *My cousin's been offered a job abroad*, a mio cugino è stato offerto (o hanno offerto) un lavoro all'estero; *How much were you paid?*, quanto eri pagato?, quanto ti pagavano?; *Who was the letter sent to?*, a chi è stata mandata la lettera?

give-and-go /ˈgɪvənˈgəʊ/ n. ◌ (*basket*) 'dai e vai' (*finta*).

give-and-take /ˈgɪvənˈteɪk/ n. ◌ **1** concessioni reciproche; compromesso: **a give-and-take policy**, una politica di compromesso **2** scambio d'idee (o di battute).

giveaway /ˈgɪvəweɪ/ **A** n. **1** (*fam.*) cosa (o circostanza) che rivela (o che tradisce);

rivelazione involontaria **2** (*comm.*) (*articolo dato in*) omaggio **3** (*USA*) trasmissione a premi (*alla radio o alla TV*) **4** (*fam. USA*) indizio **5** regalo (*anche fig.*) **B** a. attr. **1** assai conveniente; poco costoso **2** in omaggio; gratuito; regalo (*attr.*): **a g. sample**, un campione gratuito ● (*comm.*) **g. price**, prezzo di liquidazione; prezzo stracciato (*fam.*) □ (*radio*, *TV*) **g. show**, trasmissione a premi.

give-back /ˈgɪvˈbæk/ n. **1** restituzione **2** (*fam. USA*) rinuncia volontaria a parte della retribuzione (*quando un'azienda è in difficoltà*).

♦**given** /ˈgɪvn/ **A** p. p. di **to give B** a. **1** dato; prestabilito; fissato: **at a g. time**, a una data ora **2** dato che; ammesso che; supposto che: *G. good weather, the ship will arrive tomorrow*, ammesso che il tempo sia buono, la nave arriverà domani **3** dedito; incline; propenso: '*A very honest woman, but something g. to lie*' W. SHAKESPEARE, 'una donna onestissima, ma un po' incline alla menzogna' **4** (*leg.*) reso esecutivo **C** n. fatto accettato; cosa scontata ● **to be g. to**, essere dato in sorte (o concesso: impers.); (*di una persona*) essere dedito (o portato) a, indulgere in; avere l'abitudine di (fare): *He's g. to drinking*, è dedito al bere; *She's g. to (taking) pleasant naps in the afternoon*, ha l'abitudine di fare dei bei pisolini il pomeriggio □ **to be g. over to**, essere dedito a, indulgere in: *He's g. over to gambling*, è dedito al gioco d'azzardo □ (*USA*) **g. name**, nome di battesimo □ (**if**) **g. the chance**, se me ne (te ne, gliene, ecc.) fosse data l'occasione □ **g. that**, dato che □ **in the g. period**, nel periodo preso in considerazione □ **in a g. time**, in un dato tempo □ (*leg.*) **G. under my hand and seal**, redatto, firmato e sigillato (*da me notaio, ecc.*).

giver /ˈgɪvə(r)/ n. **1** datore, datrice; donatore, donatrice; chi dà, chi dona **2** (*fin.*) venditore, venditrice **3** (*Borsa*) premista ● (*Borsa*) **g.-on**, riportato □ (*Borsa*, *market.*) **The market is all givers**, in borsa imperversano i premisti.

give-up /ˈgɪvʌp/ n. (*Borsa*) retrocessione.

giving /ˈgɪvɪŋ/ n. **1** ◌ il dare; dazione (*raro*); elargizione; donazione **2** dono; regalo ● (*Borsa*) **g. for the call**, acquisto a premio □ **g. for the put**, vendita a premio □ **g. out**, distribuzione (*di cibo, ecc.*); dichiarazione; annuncio.

gizmo /ˈgɪzməʊ/ n. (*slang USA*) **1** aggeggio; affare; coso **2** individuo; tizio; tipo.

gizzard /ˈgɪzəd/ n. **1** ventriglio; magone (*degli uccelli*) **2** (*fam. scherz.*) stomaco (d'uomo) ● **That sticks in my g.**, questa non la mando giù; questa mi sta sullo stomaco.

GLA sigla (*GB*, **Greater London Authority**) amministrazione della Grande Londra.

glabrate /ˈgleɪbreɪt/ a. (*biol.*) glabro; privo di peluria.

glabrous /ˈgleɪbrəs/ a. **1** (*biol.*) glabro **2** imberbe | **-ness** n. ◌.

glacé /ˈglæseɪ, USA glæˈseɪ/ (*franc.*) a. glacé (*di cuoio, ecc.*) liscio, lucido; (*di dolce*) glassato; (*di frutta*) candito: **g. kid gloves**, guanti glacés; **marrons glacés**, marroni canditi; marrons glacés.

glacial /ˈgleɪʃl/ a. (*geol.*, *chim. e fig.*) glaciale: **the g. era**, l'era glaciale; **a g. reception**, un'accoglienza glaciale ● (*geol.*) **g. boulder**, masso glaciale || **glacially** avv. glacialmente.

glaciated /ˈgleɪsɪeɪtɪd/ a. **1** (*geol.*) affetto da glaciazione; corroso dal ghiaccio **2** (*geogr.*) coperto di ghiaccio (o di ghiacciai).

glaciation /ˌgleɪsɪˈeɪʃn/ n. ◌ (*geol.*) **1** glaciazione **2** glacialismo.

glacier /ˈglæsɪə(r)/ n. (*geol.*) ghiacciaio ● **g. front**, fronte del ghiacciaio.

glaciology /ˌgleɪsɪˈɒlədʒɪ/ n. ◌ (*geol.*) gla-

ciologia.

glacis /ˈglæsɪs/ n. (pl. **glacis**, **glacises**) **1** pendio dolce **2** (*mil.*) spalto (*di fortificazione*).

♦**glad** ① /glæd/ a. contento; lieto; felice: *I am g. of it*, ne sono lieto; *I'm g. to see you*, sono contento di vederti; *I'll be g. to help them*, sarò felice di aiutarli; *«Will you give me a ride?» «Yes, I'd be g. to»*, «Mi dai un passaggio?» «Sì, volentieri» ● (*fam. USA*) **g.-hander**, cordiale; chi ama stringere molte mani in pubblico □ **g. news**, buone notizie □ (*fam.*) **g. rags**, abiti da festa; vestito della festa □ (*pop. arc.*) **to give sb. the g. eye**, fare l'occhio di triglia a q. □ **to give sb. the g. hand**, accogliere con ostentato calore q. □ (*iron.*) **I would be g. to know**, mi piacerebbe proprio saperlo.

glad ② /glæd/ n. (abbr. *fam. di* **gladiolus**) gladiolo.

to **gladden** /ˈglædn/ v. t. allietare; rallegrare; dilettare.

glade /gleɪd/ n. **1** radura **2** (*USA*, = **everglade**) palude ricoperta d'erbe; terreno paludoso.

to **glad-hand** /ˈglædhænd/ v. t. (*fam. USA*) stringere calorosamente la mano a (q.); accogliere con (apparente) cordialità.

gladiator /ˈglædɪeɪtə(r)/ n. **1** (*stor.*) gladiatore **2** (*fig.*) polemista || **gladiatorial** a. (*stor.*) gladiatorio; da gladiatore.

gladiolus /glædɪˈəʊləs/ n. (pl. **gladiolus**, **gladioli**, **gladioluses**) (*bot.*, *Gladiolus*) gladiolo.

gladly /ˈglædlɪ/ avv. con piacere; di buon grado; volentieri.

gladness /ˈglædnəs/ n. ◌ contentezza; gioia; letizia.

gladsome /ˈglædsəm/ a. (*lett.*) contento; lieto; gaio.

Gladstone /ˈglædstən/ n. (= G. bag) valigia di due scomparti incernierati.

Glagolitic /glægəˈlɪtɪk/ a. (*ling.*) glagolitico; geronimiano.

glair /gleə(r)/ n. **1** albume; bianco d'uovo; chiara (*pop.*) **2** colla (*per albuminare carta, stoffa, ecc.*) **3** sostanza vischiosa.

to **glair** /gleə(r)/ v. t. ricoprire (o spalmare) d'albume; albuminare.

glairy /ˈgleərɪ/ a. **1** albuminoso; coperto d'albume **2** viscido e trasparente.

glam /glæm/ **A** a. (abbr. di **glamorous**) **1** (*fam.*) affascinante; incantevole **2** (*mus.*) relativo al → **glam rock** (*sotto*) ● (*mus.*) **g. rock**, glam rock (*varietà di rock tipica degli anni Settanta i cui esecutori indossano costumi e trucco stravaganti e vistosi*) **B** n. **1** (abbr. *fam.* di **glamour**) fascino **2** (*mus.*) → **g. rock** (*sopra*).

Glam. abbr. (*stor.*, **Glamorganshire**) la Contea di Glamorgan.

to **glamorize** /ˈglæməraɪz/ v. t. **1** rendere affascinante **2** mettere in risalto il lato affascinante di (qc.); magnificare || **glamorization** n. ◌ **1** il rendere affascinante **2** esaltazione; magnificazione.

glamorous /ˈglæmərəs/ a. affascinante; attraente; incantevole.

glamour, (*USA*) **glamor** /ˈglæmə(r)/ n. **1** ◌ fascino; incanto; malia: *Working in television soon lost its g. for him*, ai suoi occhi il lavoro in televisione perse presto ogni fascino; **the g. of the South Seas**, la malia dei Mari del Sud **2** (*raro*) incantesimo ● (*fam.*) **g. girl**, ragazza affascinante; «bellezza» □ **to cast a g. over sb.**, fare un incantesimo a q.; stregare q.

to **glam up** /ˈglæmʌp/ (*fam.*) **A** v. t. + avv. abbellire; ritoccare **B** v. i. + avv. (*anche* **to glam oneself up**) farsi bello; mettersi in ghingheri.

♦**glance** ① /glɑːns/ n. **1** occhiata; rapido

sguardo; colpo d'occhio; occhiatina: **to take a g. at a pamphlet**, dare un'occhiata a un volantino; **to see st. at a g.**, capire qc. a colpo d'occhio; **a shifting g.**, uno sguardo sfuggente; **loving glances**, occhiatine amorose; sguardi dolci **2** balenio; lampo (*fig.*); bagliore **3** (*cricket*) battuta che fa deviare la palla alla sinistra del battitore destrimano (*o alla destra, se è mancino*) **4** (*arc.*) colpo deviato (*per es., di spada*) ● **at a g.**, al primo sguardo; a colpo d'occhio; subito.

glance② /ɡlɑːns/ n. [U] (*miner.*) minerale opaco lustro (*che contiene metallo*) ● **g. coal**, antracite.

♦**to glance** /ɡlɑːns/ **A** v. i. **1 – to g. at**, gettare uno sguardo (*o dare un'occhiata*) a (q., qc.): **to g. at a magazine**, dare un'occhiata a una rivista **2** (*lett.*) brillare; luccicare; splendere: *The knight's armour glanced in the sun*, l'armatura del cavaliere luccicava al sole **B** v. t. far deviare; deflettere.

■ **glance at** v. i. + prep. **1** dare un'occhiata a **2** (*fig.*) toccare appena, trattare superficialmente (*un argomento*).

■ **glance back** v. i. + avv. dare un'occhiata alle proprie spalle; voltarsi a guardare (*di sfuggita*).

■ **glance down A** v. i. + avv. abbassare lo sguardo (*o gli occhi*) **B** v. i. + prep. dare un'occhiata (*o una scorsa*) a (*un giornale, ecc.*).

■ **glance off** v. i. + avv. (o prep.) **1** rimbalzare, schizzare via, essere deviato da: (*hockey*) *The ball glanced off my stick*, la palla colpì il mio bastone e schizzò via **2** (*fig.*) non toccare, scivolare, non lasciar segno (su q.): *It's no use scolding him: your words seem to g. off him*, non serve a nulla sgridarlo: sembra che le parole gli scivolino via di dosso.

■ **glance over** v. i. + prep. dare un'occhiata (*o una scorsa*) a.

■ **glance round** v. i. + avv. (o prep.) dare un'occhiata in giro; guardarsi intorno.

■ **glance through** v. i. + prep. → **glance over**.

■ **glance up** v. i. + avv. alzare lo sguardo (*o gli occhi*).

glancing /ˈɡlɑːnsɪŋ/ **A** n. [U] deviazione **B** a. **1** fugace; casuale **2** naturale; spontaneo **3** (*anche sport*) obliquo; di traverso; di striscio ● (*calcio*) g. **header**, deviazione di testa.

glancingly /ˈɡlɑːnsɪŋlɪ/ avv. fugacemente; di sfuggita.

gland① /ɡlænd/ n. **1** (*anat.*) ghiandola, glandola: *Bartholin's glands*, ghiandole di Bartolino; **ductless glands**, ghiandole endocrine; **sweat glands**, ghiandole sudorifere **2** (*bot.*) ghianda.

gland② /ɡlænd/ n. (*mecc.*) (anello) premistoppa.

glanders /ˈɡlændəz/ (*vet.*) n. pl. (col verbo al sing.) morva; farcino (*del cavallo*).

glandular /ˈɡlændjʊlə(r)/ a. (*biol.*) ghiandolare; delle ghiandole ● **g. fever**, mononucleosi infettiva.

glandule /ˈɡlændjuːl/ n. (*anat.*) ghiandoletta.

glans /ɡlænz/ n. (pl. **glandes**) (*anat.*) glande.

glare /ɡleə(r)/ n. **1** [U] bagliore; barbaglio; luce abbagliante; splendore accecante; abbagliamento: **the g. of the sun**, la luce abbagliante del sole; (*fig.*) **in the (full) g. of publicity**, sotto i riflettori dei media **2** sguardo truce (*o irato, penetrante*) **3** [U] eleganza smaccata; vistosità; esibizione sfacciata **4** (*alpinismo, sci*) riflesso del sole (*negli occhi*) ● (*TV*) **g.-free**, non abbagliante (*di uno schermo*) □ **g. ice**, ghiaccio liscio □ (*autom.*) **g. shield**, visiera parasole.

to glare /ɡleə(r)/ **A** v. i. **1** sfolgorare; risplendere di luce abbagliante; abbagliare: *The ice field glared in the midday sunlight*,

la banchisa sfolgorava sotto il sole di mezzogiorno **2** (*fig.*: *di persona*) mettersi in mostra; dare nell'occhio **3 – to g. at** (*o upon*), guardar fisso (*o con ira*); guardare di traverso (*o con occhio torvo*): *He glared at me like a bull at a red rag*, mi guardava con occhio torvo, come un toro guarda un panno rosso **B** v. t. esprimere (*odio, sfida e sim.*) con lo sguardo.

glaring /ˈɡleərɪŋ/ a. **1** abbagliante; accecante; sfolgorante: **g. neon signs**, sfolgoranti insegne al neon **2** (*di colore, ecc.*) troppo vivo; sgargiante; vistoso **3** (*dell'occhio, di sguardo, ecc.*) fiero; irato; torvo **4** evidente; macroscopico; grosso; madornale: **a g. mistake**, un errore madornale: *Other people's faults seem more g. than our own*, i difetti degli altri sembrano più grossi dei nostri | **-ly** avv. | **-ness** n. [U].

glasnost /ˈɡlæsnɒst/ (*russo, stor.*) n. [U] glasnost; trasparenza.

♦**glass** /ɡlɑːs/ **A** n. **1** [U] vetro (*anche di finestra, finestrino, orologio, quadro, ecc.*); cristallo: *G. breaks easily*, il vetro si rompe facilmente; **plants grown under g.**, piante coltivate sotto vetro **2** oggetto di vetro **3** (= **drinking g.**) bicchiere: *I drank a g. of wine*, bevvi un bicchiere di vino **4** (= **looking g.**) specchio **5** (*fam.*) barometro; cannocchiale; microscopio: *The g. is falling*, il barometro scende **6** (= **hourglass**) clessidra **7** [U] (collett.) oggetti di vetro; vetrame; vetri; cristalli: **a sound of broken g.**, un rumore di vetri infranti; **a house with a good stock of g. and china**, una casa ben provvista di cristalli e porcellane **8** (pl.) occhiali; lenti: **to wear glasses**, portare gli occhiali; **reading glasses**, occhiali da lettura; occhiali per vedere da vicino **9** (pl.) **opera glasses**, binocolo da teatro **10** lente: **magnifying g.**, lente d'ingrandimento **B** a. **attr.** **1** di vetro: **g. bottles**, bottiglie di vetro; **a g. eye**, un occhio di vetro **2** (*edil.*) a vetri; a vetrate: **g. door**, porta a vetri ● **g. beveller**, molatore di vetri □ **g. bevelling**, molatura di vetri □ **g.-blower**, soffiatore (*di vetro*) □ **g.-blowing**, soffiatura del vetro □ **g. cabinet**, vetrina (*il mobile*) □ **g. case**, vetrinetta; teca □ **g. ceiling**, tetto di cristallo (*barriera non ufficiale che impedisce alle donne e o agli appartenenti a minoranze di salire ai vertici della carriera*) □ **g. curtain**, tendina a vetro; (*anche, edil.*) pannello di vetro (*per balconi, ecc.*) □ **g. cutter**, diamante (*tagliavetro*) □ **g. decorator**, vetraio (*artista*) □ **g. eye**, (*vet.*) cecità (*dei cavalli*) □ (*fig. fam. USA*) **to have developed a g. eye for the new road safety signs**, (*voler*) ignorare i nuovi segnali per la sicurezza stradale □ **g. fibre**, fibra di vetro □ (*sport*) **g.-fibre pole**, asta di fibra di vetro □ (*mus.*) **g. harmonica**, glass harmonica □ (*boxe*) **a g. jaw**, una mascella di vetro (*cioè, fragilissima*) □ (*chim.*) **g. of antimony**, vetro d'antimonio □ **g.-painting**, pittura vetraria; vetrocromia □ **g. paper**, carta vetrata □ **g. shade**, campana di vetro; globo di vetro □ **g. silvering**, argentatura di vetri (*miner.*) □ **g. soap**, piroluside □ (*autom.*) **g. sunroof**, tettuccio apribile di vetro □ **g. wool**, lana di vetro □ **g. worker**, vetraio (*operaio*) □ **to be fond of one's g.**, essere amante del bere □ **to have had a g. too much**, aver bevuto un bicchiere di troppo.

to glass /ɡlɑːs/ v. t. **1** munire (*o provvedere*) di vetri; proteggere con vetro **2** (*raro*) rendere vitreo (*l'occhio*) **3** conservare in un vaso di vetro; mettere sotto vetro **4** specchiare; riflettere ● **to g. in**, chiudere (*o coprire*) con vetri.

glasscutter, **glass cutter** /ˈɡlɑːskʌtə(r)/ n. **1** tagliatore di vetri; vetraio **2** intagliatore di vetro **3** tagliavetro; diamante (*utensile*).

glassful /ˈɡlɑːsfʊl/ n. (contenuto di un)

bicchiere; bicchierata.

glasshouse /ˈɡlɑːshaʊs/ n. **1** serra **2** (*USA*) vetreria **3** (*fig.*) casa di vetro (*fig.*) **4** (*slang*) carcere militare ● **People who live in glasshouses shouldn't throw stones**, chi è criticabile non critichi gli altri; chi è senza peccato scagli la prima pietra.

glassine /ɡlæˈsiːn/ n. [U] pergamena sottile e trasparente.

glassiness /ˈɡlɑːsɪnəs/ n. [U] l'esser vitreo; vetrosità; trasparenza.

glassmaking, **glass-making** /ˈɡlɑːsmeɪkɪŋ/ n. [U] **1** (*ind.*) fabbricazione del vetro; industria vetraria **2** (*arte*) arte vetraria ‖ **glassmaker**, **glass-maker** n. vetraio.

glassman /ˈɡlɑːsmən/ n. (pl. **glassmen**) **1** vetraio; commerciante di vetri **2** (*raro*) → **glazier**.

to glass-paper /ˈɡlɑːspeɪpə(r)/ v. t. cartavetrare.

glassware /ˈɡlɑːsweə(r)/ n. [U] **1** articoli di vetro; vetrerie: **scientific g.**, articoli di vetro per laboratori scientifici **2** cristalleria (*da tavola*); cristalli.

glasswork /ˈɡlɑːswɜːk/ n. **1** fabbricazione del vetro (*o di oggetti di vetro*) **2** → **glassware**.

glassworks /ˈɡlɑːswɜːks/ n. pl. (col verbo al sing.) vetreria.

glasswort /ˈɡlɑːswɜːt/ n. (*bot.*) **1** (*Salicornia europaea*) salicornia **2** (*Salsola kali*) erba cali; riscolo.

glassy /ˈɡlɑːsɪ/ a. **1** simile a vetro; vetroso; vitreo: **g. porcelain**, porcellana vetrosa **2** fisso; **g. stare**, uno sguardo vitreo (*o inespressivo*) **2** calmo; limpido; liscio; trasparente: **g. water**, acqua limpida; **a g. sea**, un mare liscio (come l'olio) ● **g.-eyed**, dallo sguardo vitreo □ **g. stillness**, quiete assoluta.

Glaswegian /ɡlæzˈwiːdʒən/ **A** a. di Glasgow **B** n. abitante (*o nativo*) di Glasgow.

glaucoma /ɡlɔːˈkəʊmə/ (*med.*) n. [U] glaucoma ‖ **glaucomatous** a. affetto da glaucoma.

glaucous /ˈɡlɔːkəs/ a. **1** glauco; verdazzurro **2** (*bot.*) pruinoso.

glaze /ɡleɪz/ n. **1** [U] smalto vitreo; vernice vetrosa **2** [U] (*ceramica*) vetrina **3** mano di vernice trasparente **4** gelatina (*sulla carne*) **5** (*meteor.*) vetrato; vetrglas **6** [U] glassa (*di dolce*) **7** velo, patina (*sugli occhi*).

to glaze /ɡleɪz/ **A** v. t. **1** (*anche to g. in*) fornire di vetri; invetriare; racchiudere con vetri: **to g. a window**, fornire di vetri una finestra; **a glazed-in verandah**, una veranda con vetrate **2** smaltare a vetrina, vetrinare, invetriare (*ceramiche*) **3** lustrare (*stoffa*); lucidare (*cuoio*) **4** (*cucina*) glassare (*dolci, ecc.*) **5** appannare, rendere vitreo (*l'occhio, lo sguardo*) **B** v. i. (*dell'occhio*) appannarsi; diventare vitreo.

■ **glaze over** v. i. + avv. (*di occhi*) appannarsi; diventare vitreo.

glazed /ɡleɪzd/ a. **1** (*ceramica*) vetrinato **2** provvisto di vetri; con una porta a vetri; **g. frontage**, facciata (*di edificio*) tutta a vetri **3** (*cucina*) glassato; con la glassa: **a g. cake**, una torta con la glassa **4** vitreo; vacuo; vuoto (*fig.*): **a g. stare**, uno sguardo vitreo (*o vuoto*); **a g. expression**, un'espressione vacua ● (*edil.*) **g. brick**, mattone greificato □ (*meteor.*) **g. frost**, vetrone; vetrato; verglas □ **g. fruit**, frutta con la glassa.

glazer /ˈɡleɪzə(r)/ n. **1** verniciatore a smalto; smaltatore **2** lucidatore (*di cuoio*).

glazier /ˈɡleɪzɪə(r)/ n. vetraio (*installatore*) ● **g.'s diamond**, punta di diamante; tagliavetro □ **g.'s point**, puntina da vetraio □ (*scherz. arc.*) **Is your father a g.?**, sei bello, ma non trasparente (*detto a chi impedisce la vista*).

glazing /ˈɡleɪzɪŋ/ n. [U] **1** lavoro di vetraio

2 lastra di vetro; vetrata **3** (*edil.*) messa in opera dei vetri **4** verniciatura a smalto; smaltatura **5** (*ceramica*) vetrinatura; invetriatura **6** (*fotogr.*) lucidatura; smaltatura **7** (*pitt.*) velatura ● g. **contractor**, vetraio (*l'impresa*) □ g. **service**, servizio di vetraio; messa in opera di vetri □ (*edil.*) **double g.**, doppi vetri.

glazy /'gleɪzɪ/ a. vetroso; vitreo.

GLB sigla (*mat.*, **Greater Lower Bound**) → **infimum.**

GLBT sigla (*spec. Austral. e USA*, **gay, lesbian, bisexual and transgender**) gay, lesbiche, bisessuali e transgender (GLBT).

gleam /gliːm/ n. barlume, sprazzo (*anche fig.*); bagliore; sprazzo di luce; luccicore riflesso: **the g. of the firelight**, il bagliore del fuoco acceso; *There isn't a g. of hope*, non c'è un barlume di speranza.

to **gleam** /gliːm/ v. i. **1** brillare di luce debole (*o incerta*); baluginare **2** luccicare; splendere; brillare; lucere (*lett.*): *My shoes gleamed after being shined*, le mie scarpe brillavano dopo essere state lucidate ● **Joy gleamed in her eyes**, le lucevano gli occhi per la gioia.

gleaming /'gliːmɪŋ/ a. luccicante; splendente.

gleamy /'gliːmɪ/ a. che balugina; che luccica debolmente.

to **glean** /gliːn/ v. t. e i. **1** spigolare (*anche fig.*); raccogliere qua e là; racimolare: **to g. wheat**, spigolare il grano; **to g. news**, spigolare notizie **2** (*fig.*) mettere nel carniere; ottenere; vincere: (*sport*) **to g. four golds**, mettere nel carniere quattro medaglie d'oro ● **to g. a field**, spigolare in un campo.

gleaner /'gliːnə(r)/ n. spigolatore, spigolatrice.

gleaning /'gliːnɪŋ/ n. ☑ (*anche fig.*) spigolatura.

gleanings /'gliːnɪŋz/ n. pl. **1** (*agric.*) spigolatura; grano spigolato **2** (*fig.*) spigolature; notizie racimolate.

glebe /gliːb/ n. **1** (*poet.*) gleba; terreno; terra **2** (= g. **land**) terreno (*o podere*) che fa parte d'un beneficio ecclesiastico.

glee /gliː/ n. ☑ esultanza; giubilo; gioia **2** (*mus.*) canone a più voci (*il solito maschili*); canzone a ripresa ● (*mus., USA*) **g. club**, società di canto corale.

gleeful /'gliːfl/ a. allegro; gaio; giulivo | **-ly** avv. | **-ness** n. ☑.

gleeman /'gliːmən/ n. (pl. **gleemen**) (*stor.*) menestrello.

gleesome /'gliːsəm/ a. (*arc.*) allegro; gaio; giulivo.

gleet /gliːt/ n. ☑ (*med.*) gonorrea cronica; scolo (*pop.*).

glen /glen/ n. (*scozz.*), valle stretta e lunga; burroncello; forra.

glengarry /glen'gærɪ/ n. (= G. **bonnet**) berretto scozzese senza tesa (*e con nastri che pendono dietro*).

glenoid /'gliːnɔɪd/ a. (*anat.*) glenoideo: g. **cavity**, cavità glenoidea; glene.

glia /'gliːə/ n. (*anat.*) neuroglia; nevroglia.

gliadin /'glaɪədɪn/ n. ☑ (*biochim.*) gliadina.

glib /glɪb/ a. **1** (*di persona*) loquace; volubile; dalla lingua sciolta: **a g. speaker**, una persona dalla lingua sciolta **2** (*di discorso, ecc.*) facile; scorrevole; sciolto: **a g. tongue**, una lingua (*troppo*) sciolta **3** (*raro: di movimento*) libero ● **a g. excuse**, una scusa pronta (*o facile*) □ (*spreg.*) **g. politicians**, politicanti parolai | **-ly** avv. | **-ness** n. ☑.

glide /glaɪd/ n. **1** scivolata; scivolamento **2** il fluire (*del tempo, ecc.*) **3** (*aeron.*) volo librato (*o planato*) **4** (*mus.*) legamento **5** passo strisciato (*nella danza*) **6** (*fon.*) suono transitorio; glide **7** (*nuoto*) scivolamento (*nell'acqua*) ● (*aeron.*) **g. path**, sentie-

ro di discesa □ (*org. az.*) **g. time**, orario flessibile.

to **glide** /glaɪd/ ⒜ v. i. **1** scivolare; sdrucciolare; passare silenziosamente (*o inosservato*): *The thief glided out of the shop*, il ladro scivolò fuori dal negozio **2** fluire; scorrere placido: *The river glides between two rows of trees*, il fiume scorre placido fra due file di alberi; *Time was gliding away*, il tempo scorreva via **3** (*aeron.*) librarsi; planare: *The aeroplane glided down to a safe landing place*, l'aereo planò fino a trovare un punto in cui atterrare con sicurezza **4** (*mus.*) eseguire un glissando **5** (*fig.*) muoversi lieve, in silenzio: *She glided across the hall*, attraversava leggera la sala **6** (*sport*) muoversi in scioltezza **7** (*sport*) fare il volo a vela; planare ⒝ v. t. **1** far scivolare; far scorrere; imprimere un moto uguale e silenzioso a: *A light breeze glided the ship on her course*, una lieve brezza spingeva la nave lungo la rotta **2** (*aeron.*) far planare (*un aliante*) ● **to g. into st.**, scomparire (*o sfumare*) a poco a poco in qc.

glider /'glaɪdə(r)/ n. **1** (*aeron.*) aliante **2** (*sport*) aliantista.

gliding /'glaɪdɪŋ/ ⒜ a. che scivola; scivolante ⒝ n. ☑ **1** (*sport*) volo a vela **2** (*aeron.*) planaggio; volo planato **3** (*mus.*) glissando ● (*biol.*) **g. bacteria**, batteri striscianti.

glim /glɪm/ n. (*pop.*) **1** luce; lampada; lanterna; candela **2** occhio.

glimmer /'glɪmə(r)/ n. barlume (*anche fig.*); luce debole (*o intermittente*); baluginamento; luccichio (*dell'acqua*): **a g. of hope**, un barlume di speranza ● **at the first g. of dawn**, alle prime luci dell'alba.

to **glimmer** /'glɪmə(r)/ v. i. baluginare; luccicare debolmente.

glimmering /'glɪmərɪŋ/ ⒜ a. baluginante; luccicante ⒝ n. → **glimmer.**

glimpse /glɪmps/ n. **1** occhiata di sfuggita; rapido sguardo **2** rapida apparizione; lieve traccia **3** barlume (*fig.*); vaga idea ● **to get** (*o* **to catch**) **a g. of sb.** [*st.*], intravedere, vedere di sfuggita q. [qc.].

to **glimpse** /glɪmps/ ⒜ v. t. vedere di sfuggita; scorgere ⒝ v. i. (*poet. o arc.*) apparire in forma incerta; far capolino; albeggiare ● **to g. at st.**, guardare qc. di sfuggita.

glint /glɪnt/ n. **1** bagliore; barlume; riflesso: **golden glints**, riflessi d'oro (*nei capelli, ecc.*) **2** (*fig.*) luccichio; scintillio **3** (*elettron.*) barbaglio.

to **glint** /glɪnt/ ⒜ v. i. baluginare; brillare di luce debole; luccicare; scintillare: *Her eyes glinted with emotion*, le luccicarono gli occhi dall'emozione ⒝ v. t. far brillare; riflettere (*una luce*).

glioma /glaɪ'əʊmə/ n. (pl. **gliomas, gliomata**) (*med.*) glioma.

glissade /glɪ'sɑːd, -'seɪd/ (*franc.*) n. **1** scivolata (*volontaria: di un alpinista*); discesa fatta scivolando sulla neve **2** (*danza*) passo strisciato; glissade.

to **glissade** /glɪ'sɑːd, -'seɪd/ (*franc.*) v. i. **1** (*sci*) scivolare su un pendio innevato; discendere scivolando **2** (*danza*) fare una glissade.

glissando /glɪ'sændəʊ/ ⒜ n. (pl. **glissandi, glissandos**) (*mus.*) glissando ⒝ a. e avv. (*eseguito*) con un glissando.

glisten /'glɪsn/ n. ☑⒞ brillio; luccichio; scintillio.

to **glisten** /'glɪsn/ v. i. brillare; luccicare; sfavillare; scintillare: **eyes glistening with happiness**, occhi sfavillanti di felicità.

glitch /glɪtʃ/ n. (*fam. USA*) **1** difetto di funzionamento (*in un computer, ecc.*); anomalia; impulso spurio **2** (*fig.*) pecca, difetto, fallo (*in un progetto, ecc.*).

glitter /'glɪtə(r)/ n. **1** ☑ brillio; luccichio;

scintillio; sfolgorio **2** ☑ splendore; lustro; sfarzo **3** (pl.) lustrini ● (*fam. USA*) **g. people** → **glitterati.**

to **glitter** /'glɪtə(r)/ v. i. brillare; luccicare; scintillare; sfolgorare: *Millions of stars were glittering in the cold winter night*, milioni di stelle brillavano nella fredda notte invernale ● (*prov.*) **All that glitters is not gold**, non è tutt'oro quel che riluce.

glitterati /glɪtə'rɑːtiː/ n. pl. (*fam. USA*) protagonisti delle cronache mondane; gente del bel mondo; bella gente.

glittering /'glɪtərɪŋ/ a. brillante; scintillante; splendente ● **g. jewels**, gioielli sfolgoranti □ **a g. occasion**, una brillante occasione □ **g. promises**, promesse seducenti || **glitteringly** avv. brillantemente; con grande luccichio.

glittery /'glɪtərɪ/ → **glittering.**

glitz /glɪts/ n. ☑ (*fam. USA*) eleganza; sfarzo.

glitzy /'glɪtsɪ/ a. (*fam. USA*) **1** elegante; sfarzoso **2** affascinante.

gloaming /'gləʊmɪŋ/ n. ☑ crepuscolo; l'imbrunire.

gloat /gləʊt/ n. **1** ☑ il covare con gli occhi **2** gongolamento maligno ● **to have a good g. over** (*o* **on**) **sb.'s misfortunes**, gongolare malignamente per le disgrazie di q.

to **gloat** /gləʊt/ v. i. - **to g. on** (*o* **over**), covare con gli occhi; esultare, gongolare, provare un piacere maligno per (qc.): *The burglar gloated over the jewels*, lo scassinatore covava con gli occhi i gioielli; *He gloats over the misfortunes of his enemy*, gongola per le sventure del suo nemico.

gloatingly /'gləʊtɪŋlɪ/ avv. **1** avidamente **2** con gioia maligna; gongolando.

glob /glɒb/ n. (*fam.*) **1** goccia (*di colla, d'inchiostro, ecc.*) **2** tocco (*di panna, ecc.*) **3** pezzo (*di fango, ecc.*).

♦**global** /'gləʊbl/ a. **1** globale: **g. radiation**, radiazione globale **2** del globo terrestre; della terra: (*ecol.*) **g. warming**, il riscaldamento del globo terrestre, il riscaldamento globale **3** mondiale; universale: **g. positioning system** (abbr. **GPS**), sistema di posizionamento globale; **g. warfare**, guerra mondiale **4** globale; complessivo: **the g. output of a factory**, la produzione complessiva di una fabbrica; **a g. allocation of £1,000,000**, uno stanziamento globale di un milione di sterline ● (*fin.*) **g. investment**, gli investimenti globali □ (*comput.*) **g. portal**, portale globale □ (*comput.*) **g. search**, ricerca globale ● **the g. village**, il villaggio globale || **globality** n. ☑ globalità.

globalism /'gləʊbəlɪzəm/ n. ☑ **1** globalità **2** (*psic.*) globalismo.

to **globalize** /'gləʊbəlaɪz/ v. t. globalizzare; mondializzare || **globalization** n. ☑ globalizzazione; mondializzazione: **the globalization of markets**, la globalizzazione dei mercati.

globe /gləʊb/ n. **1** globo; sfera; mappamondo; orbe: **terrestrial g.**, mappamondo **2** (= **lamp g.**) globo; paralume **3** boccia per i pesci rossi **4** (*anat.*) globo (*oculare*) ● (*bot.*) **g. artichoke** (*Cynara scolymus*), carciofo □ (*bot.*) **g.-flower** (*Trollius europaeus*), botton d'oro □ (*meteor.*) **g. lightning**, fulmine globulare □ (*mecc.*) **g. valve**, valvola a sfera.

to **globe** /gləʊb/ ⒜ v. t. (*di solito al passivo*) dare forma di globo a (qc.); conglobare ⒝ v. i. assumere forma di globo; conglobarsi.

globefish /'gləʊbfɪʃ/ n. (*zool.*) pesce palla.

to **globe-trot** /'gləʊbtrɒt/ v. i. (*fam.*) girare il mondo.

globetrotter /'gləʊbtrɒtə(r)/ n. (*fam.*) globe-trotter; giramondo.

globin /'gləubɪn/ n. (*biochim.*) globina.

globoid /'gləubɔɪd/ △ a. sferico; simile a un globo B n. 1 oggetto a forma di globo 2 (*bot.*) globoide.

globose /'gləubəus/ a. globoso; a forma di globo; sferico ‖ **globosity** n. ◫ globosità; l'esser globoso; sfericità.

globular /'glɒbjulə(r)/ a. 1 globoso; sferico 2 (*biol., astron., ecc.*) globulare ‖ **globularity** n. ◫ 1 sfericità 2 l'esser globulare.

globule /'glɒbjuːl/ n. 1 (*biol., astron.*) globulo 2 (*form.*) gocciolina.

globulin /'glɒbjulɪn/ n. ◪◫ (*biochim.*) globulina.

glocalization /gləukəlaɪ'zeɪʃn/ n. ◫ 1 (*econ.*) glocalizzazione; creazione di prodotti e servizi concepiti per il mercato globale, ma personalizzati per adattarsi alla cultura locale 2 (*comput.*) glocalizzazione; fornitura di servizi locali su base globale attraverso Internet.

glockenspiel /'glɒkənʃpiːl/ (*ted.*) n. (*mus.*) glockenspiel; campana (*o* triangolo) a percussione.

glomerate /'glɒmərət/ a. (*bot., anat.*) agglomerato.

glomerular /glɒ'mɛrulə(r)/ a. (*anat.*) glomerulare.

glomerule /'glɒməruːl/ n. (*bot., anat.*) glomerulo.

gloom /gluːm/ n. ◫ 1 (*lett.*) oscurità; buio; tenebre 2 (*fig.*) malinconia; tristezza; tetraggine: 'With the glimpse of the building, a sense of insufferable g. pervaded my spirit' E.A. POE, 'alla prima vista del fabbricato, un senso d'insopportabile tetraggine pervase il mio animo' 3 (*fig., econ.*) crisi; depressione 4 (*meteor.*) gloom ● (*fig.*) to cast (*o* to throw) a g. over, rattristare; gettare nella tristezza.

to **gloom** /gluːm/ △ v. i. 1 essere malinconico (*o* triste, tetro); essere scuro in volto 2 (*arc.*: del cielo, ecc.) oscurarsi; rabbuiarsi; essere cupo (*o* fosco) B v. t. 1 immalinconire; rattristare 2 (*arc.*) oscurare; rabbuiare ‖ **gloomily** avv. tristemente; tetramente; malinconicamente.

gloominess n. ◫ 1 oscurità; buio; tenebre 2 tristezza; tetraggine.

gloomy /'gluːmɪ/ a. 1 oscuro; buio; cupo; fosco: **g. weather**, tempo fosco; foschia 2 malinconico; triste; lugubre; deprimente: **a g. landscape**, un paesaggio tetro; **a g. young man**, un giovane malinconico; **a g. prediction**, una previsione deprimente 3 depresso; pessimista; sfiduciato ● (*fam. USA*) **g. Gus**, individuo depresso (*o, fam.,* con una faccia lunga così).

glop /glɒp/ n. (*slang USA*) 1 sbobba; bobba; brodaglia 2 (*fig.*) sdolcinatura; sentimentalismo.

Gloria /'glɔːrɪə/ n. (*relig.*) gloria.

glorification /glɔːrɪfɪ'keɪʃn/ n. ◫ 1 glorificazione; esaltazione 2 (*fam.*) celebrazione; festa; festeggiamenti.

glorified /'glɔːrɪfaɪd/ a. 1 glorificato 2 (*relig.*) glorioso: **g. body**, corpo glorioso ● **a g. cottage**, una casa di campagna che ci si sforza di far passare per una villa signorile.

glorifier /'glɔːrɪfaɪə(r)/ n. glorificatore; glorificatrice.

to **glorify** /'glɔːrɪfaɪ/ v. t. 1 glorificare; celebrare; esaltare 2 abbellire; fare apparire più bello (*o* migliore) del reale.

glorifying /'glɔːrɪfaɪɪŋ/ a. glorificante; glorificatore.

gloriole /'glɔːrɪəul/ n. aureola; alone.

glorious /'glɔːrɪəs/ a. 1 glorioso; illustre; preclaro (*lett.*): **a g. victory**, una gloriosa vittoria; **the g. reign of Alfred the Great**, il glorioso regno di Alfredo il Grande 2 magnifico; splendido; (*anche iron.*) bello: **What**

---

a g. day!, che magnifica giornata!; **g. weather**, tempo splendido; tempo magnifico; **a g. muddle**, un bel pasticcio (*fig.*) 3 (*fam.*) beato nell'ubriachezza; che ha la sbornia allegra ‖ **gloriously** avv. 1 gloriosamente 2 splendidamente ● **a gloriously sunny day**, una giornata di splendido sole ‖ **gloriousness** n. ◫ 1 l'essere glorioso 2 magnificenza; splendore.

glory /'glɔːrɪ/ △ n. ◪◫ 1 gloria; onore; fama; (motivo di) vanto; gloria del Cielo; beatitudine del paradiso: **the glories of ancient Greece**, le glorie della Grecia antica; **to live with the saints in g.**, essere con i Santi nella gloria del Cielo; «**G. to God in the highest**», «gloria a Dio nell'alto dei Cieli» 2 magnificenza; splendore: **springtime in all its g.**, la primavera in tutto il su... splendore 3 giubilo; grande contentezza: settimo cielo (*fig.*); prosperità; colmo del successo: *The actress was in her g.*, l'attrice era al settimo cielo 4 aureola; alone (*di santi, ecc.*) 5 (*ottica*) gloria B inter. (*fam.*, = g. be!) buon Dio!; perbacco! ● **g. hole**, (*fam. antiq.*) ripostiglio; cassetto in disordine; (*ind. vetro*) forno di riscaldo; (*ind. min.*) coltivazione a imbuti; (*naut.*) cambusa ☐ (*fam. antiq.*) **to go to g.**, andare al creatore.

to **glory** /'glɔːrɪ/ v. i. – **to g. in**, gloriarsi di; vantarsi di: *He glories in his country's victory*, si gloria della vittoria del suo paese.

Glos abbr. (**Gloucestershire**) la Contea di Gloucester.

gloss① /glɒs/ n. ◫ 1 lucentezza; (il) lucido; lustro: **the g. of satin**, la lucentezza del raso 2 (*fig.*) apparenza, parvenza; patina; vernice (*fig.*): **a g. of respectability**, una vernice di rispettabilità 3 (*ottica*) brillantezza.

gloss② /glɒs/ n. 1 glossa; chiosa; annotazione 2 glossario 3 commento; parafrasi; interpretazione (*anche errata*) delle parole altrui.

to **gloss**① /glɒs/ v. t. 1 lucidare; lustrare 2 (*spesso* to g. over) sorvolare su; dissimulare; mascherare: **to g. over one's failure**, dissimulare il proprio insuccesso; **to g. over one's errors**, mascherare i propri errori.

to **gloss**② /glɒs/ v. t. e i. 1 glossare; chiosare; annotare; commentare 2 (*spesso* to g. over) fraintendere; interpretare erroneamente.

glossal /'glɒsl/ a. (*anat.*) linguale; glossico.

glossary /'glɒsərɪ/ n. glossario ‖ **glossarial** a. pertinente (*o* simile) a glossario ‖ **glossarist** n. glossatore; glossatrice.

glossator /glɒ'seɪtə(r)/ n. glossatore (*spec.*, giurista medievale).

glossematics /glɒsɪ'mætɪks/ (*ling.*) n. pl. (col verbo al sing.) glossematica.

glosseme /'glɒsiːm/ n. (*ling.*) glossema.

glossitis /glɒ'saɪtɪs/ n. ◫ (*med.*) glossite.

glossographer /glɒ'sɒgrəfə(r)/ n. glossografo; glossatore ‖ **glossographical** a. glossografico.

glossy /'glɒsɪ/ △ a. 1 lucente; lucido; liscio 2 poco plausibile; specioso 3 (*ottica*) brillante B n. 1 (*fotogr.*) foto (su carta) lucida 2 (= g. **magazine**) rivista stampata su carta patinata ‖ **glossiness** n. ◫ lucentezza; lucidità; levigatezza.

glottal /'glɒtl/ a. 1 (*anat.*) della glottide; (*fon.*) glottale; linguale: **g. stop**, occlusiva glottale 3 (*fon.*) glottidale; faringeo.

glottis /'glɒtɪs/ n. (pl. *glottises, glottides*) (*anat.*) glottide ‖ **glottic** → **glottal**.

◆**glove** /glʌv/ n. 1 guanto 2 (= **boxing g.**) guanto da pugilato; guantone ● **g. box**, guantiera, scatola per guanti (*tecn.*) cella di guanti ☐ (*autom.*) **g. compartment**, vano portaoggetti; cassetto del cruscotto ☐ **g.**

---

maker, guantaio (*artigiano*) ☐ **g. manufacturer**, guantaio (*fabbricante*) ☐ **g. merchant**, guantaio (*venditore*) ☐ **g. puppet**, burattino ☐ **g. stretcher**, allargaguanti ☐ **to fit like a g.**, stare a pennello; calzare come un guanto ☐ **to be hand in g. with sb.**, essere in grande intimità con q. ☐ (*o st.*) **with kid gloves**, trattare q. (*o* qc.) con i guanti ☐ (*fam.*) **to put on the gloves**, mettere i guantoni; battersi (in un incontro di pugilato) ☐ **to take up the g.**, raccogliere il guanto; accettare la sfida ☐ **to throw down the g.**, gettare il guanto; lanciare la sfida ☐ **The gloves were off**, i due (contendenti, ecc.) erano sul punto di azzuffarsi (*o* di darsi battaglia).

to **glove** /glʌv/ v. t. inguantare; mettere i guanti a (q.).

gloveless /'glʌvləs/ a. senza guanti.

glover /'glʌvə(r)/ n. guantaio, guantaia.

glow /gləu/ n. 1 bagliore; luminescenza: **the g. of the neon lights**, il bagliore delle insegne al neon 2 fuoco (*di un sigaro, una sigaretta, ecc.*) 3 ◫ incandescenza: (*mecc.*) **g. plug**, candela a incandescenza 4 (*anche fig.*) ardore; calore; fuoco: **in a g. of enthusiasm**, nell'ardore dell'entusiasmo; **to feel a pleasant g. all over**, sentire un piacevole calore in tutto il corpo 5 ◫ (*fig.*) splendore; colore caldo e vivo: **the g. of her copper hair**, il colore caldo dei suoi capelli ramati ● (*elettron.*) **g. discharge**, scarica a bagliore ☐ **g. lamp**, lampada a luminescenza ☐ (*zool.*) **g.-worm** (*Lampyris noctiluca*), lucciola ☐ **the g. of health**, il colore della salute ☐ **to be in g.** (*o* all of a g.), essere incandescente; (*fig.*) essere (tutto) accaldato (*o* accalorato).

to **glow** /gləu/ v. i. 1 ardere; bruciare senza fiamma; essere incandescente: *Let's heat the metal until it glows*, riscaldiamo il metallo fino a renderlo incandescente 2 brillare; luccicare: *The harbour lights were glowing*, le luci del porto brillavano; **to g. in the dark**, essere fosforescente 3 (*fig.*) ardere; bruciare; infiammarsi: **to be glowing with rage**, bruciare di rabbia; **to g. with zeal**, ardere di zelo 4 (*fig.*) accendersi, fiammeggiare (*fig.*); rosseggiare: *In autumn the leaves of most trees g. red and yellow*, in autunno le foglie di quasi tutti gli alberi s'accendono di tinte rosse e gialle ● **to be glowing with health**, scoppiare di salute; avere una splendida cera ● **to be glowing with pride**, scoppiare d'orgoglio.

glower /'glauə(r)/ n. sguardo torvo (*o* in cagnesco).

to **glower** /'glauə(r)/ v. i. (*di solito* to g. at) guardare in cagnesco.

glowering /'glauərɪŋ/ a. bieco; torvo: **a g. look**, uno sguardo bieco (*o* in cagnesco) ‖ **gloweringly** avv. in cagnesco; torvamente.

glowing /'gləuɪŋ/ a. 1 ardente; brillante 2 acceso: **g. embers**, carboni accesi 3 (*fig.*) animato; caloroso; fervido: *He gave us a g. account of the accident*, ci fece un resoconto assai animato dell'incidente; *The boss spoke in g. terms of his work*, il capo ebbe parole di caloroso apprezzamento per il suo lavoro 4 eccellente; ottimo: **g. health**, salute ottima ● **g. cloud**, nube ardente (*di un vulcano*).

gloxinia /glɒk'sɪnɪə/ n. (*bot., Gloxinia*) gloxinia.

to **gloze** /gləuz/ v. t. e i. (*di solito* to g. over) coprire (*fig.*); mascherare; sminuire.

glucide /'gluːsaɪd/ (*chim.*) n. glucide ‖ **glucidic** a. glucidico.

glucocorticoid /gluːkəu'kɔːtɪkɔɪd/ n. (*biol.*) glucocorticoide.

gluconate /'gluːkəneɪt/ n. ◫ (*chim.*) gluconato.

glucose /'gluːkəuz/ (*chim.*) n. ◫ glucosio; glicosio.

glucoside /'gluːkəsaɪd/ (*biochim.*) n. ◫

g

glucoside; glicoside ‖ **glucosidic** a. glucosi-dico; glicosidico.

glucosinolate /gluːkəˈsɪnələt/ n. (*bio-chim.*) glucosinolato.

♦**glue** /gluː/ n. 🔲 colla: **vegetable g.**, colla vegetale ● (*med.*) **g. ear**, tappo di cerume in un orecchio □ **g. pot**, pentolino della colla □ **g.-sniffer**, chi sniffa colla (*per drogarsi*) □ **g.-sniffing**, inalazione di vapori di colla ‖ **gluey** a. **1** colloso; glutinoso **2** viscoso; appiccicoso ‖ **gluish** a. appiccicoso; viscoso.

to **glue** /gluː/ v. t. **1** incollare (*anche fig.*); attaccare con la colla; appiccicare: *The little boy always stayed glued to his mother*, il ragazzino stava sempre appiccicato (*o incollato*) alla mamma; *He spends hours glued to the telly*, passa delle ore incollato alla TV **2** (*slang USA*) arrestare ● (*slang USA*) **to be glued**, essere arrestato; essere sbronzo.

gluer /ˈgluːə(r)/ n. **1** incollatore, incollatrice **2** (*slang USA*) chi sniffa colla (*per drogarsi*).

glug /glʌg/ n. (*fam.*) sorso (*di liquore, ecc.*).

to **glug** /glʌg/ v. t. (*fam.*) bere a sorsi; sorseggiare.

glum /glʌm/ a. accigliato; cupo; depresso; squallido; triste; tetro ‖ **glumly** avv. cupamente; tetramente ‖ **glumness** n. 🔲 cupezza; squallore; tristezza; tetraggine.

glume /gluːm/ n. (*bot.*) n. gluma ‖ **glumaceous** a. glumaceo.

gluon /ˈgluːɒn/ n. (*fis.*) gluone.

glut ① /glʌt/ n. **1** 🔲 sazietà; eccesso (*di cibo, ecc.*); scorpacciata **2** quantità eccessiva; eccedenza; saturazione ● (*fin.*) **g. of money**, eccesso di moneta (*in circolazione*).

glut ② /glʌt/ n. **1** cuneo; zeppa **2** (*edil.*) pezzo di mattone (*per completare un corso*).

to **glut** /glʌt/ v. t. **1** saziare (*anche fig.*); satollare; rimpinzare ● **to g. one's appetite**, saziare l'appetito **2** intasare, ingombrare (*un passaggio, ecc.*) **3** riempire all'eccesso; saturare: (*econ.*) **to g. the market**, saturare il mercato ● **to g. oneself on** (*o* with), riempirsi, saziarsi, satollarsi; rimpinzarsi, fare una scorpacciata.

glutamate /ˈgluːtəmət/ n. (*chim.*) glutammato.

glutamic /gluːˈtæmɪk/ a. (*chim.*) glutammico: **g. acid**, acido glutammico.

glutamine /ˈgluːtəmiːn/ n. 🔲 (*chim.*) glutammina.

gluten /ˈgluːtn/ n. 🔲 glutine: *I have a g. intolerance*, ho un'intolleranza al glutine ● **g. bread**, pane glutinato.

gluteus /ˈgluːtɪəs/ n. (pl. *glutei*) (*anat.*) gluteo.

glutinous /ˈgluːtənəs/ a. **1** glutinoso **2** (*fig.*) appiccicoso; colloso.

glutton /ˈglʌtn/ n. **1** (*zool.*, *Gulo gulo*) ghiottone; volverina **2** (*zool.*, *Macronectes giganteus*; = **b. bird**) ossifraga **3** ghiottone; goloso ● **a g. of books**, un divoratore di libri; un lettore insaziabile □ (*fam.*) **a g. for punishment**, un masochista; uno che fa più del suo dovere □ **a g. for work**, uno che non si stanca mai di lavorare; uno stacanovista ‖ **gluttonous** a. ghiotto; goloso; ingordo.

gluttony /ˈglʌtənɪ/ n. 🔲 **1** ghiottoneria; golosità; ingordigia **2** (*relig.*) gola (*uno dei sette peccati capitali*).

glycemia, glycaemia /glaɪˈsiːmɪə/ (*med.*) n. 🔲 glicemia ‖ **glycemic, glycaemic** a. glicemico.

glyceric /glɪˈsɛrɪk/ a. (*chim.*) glicerico: **g. acids**, acidi gliceridi.

glyceride /ˈglɪsəraɪd/ n. (*chim.*) gliceride.

glycerin, (*USA*) **glycerine** /ˈglɪsəriːn/ n. (*chim.*) glicerina; glicerolo.

glycerol /ˈglɪsərɒl/ n. 🔲 (*chim.*) glicerolo; glicerina.

glycerophosphate /glɪsərəʊˈfɒsfeɪt/ n. (*chim.*) glicerofosfato.

glyceryl /ˈglɪsərɪl/ n. (*chim.*) glicerile.

glycine /ˈglaɪsiːn/ n. (*biochim.*) glicina; glicocolla.

glycocoll /ˈglaɪkəʊkɒl/ n. (*biochim.*) glicocolla; glicina.

glycogen /ˈglaɪkədʒən/ n. (*biol.*) glicogeno.

glycogenesis /glaɪkəʊˈdʒɛnəsɪs/ n. 🔲 (*med.*) glicogenesi.

glycogenosis /glaɪkəʊdʒəˈnəʊsɪs/ n. 🔲 (*med.*) glicogenosi.

glycol /ˈglaɪkɒl/ (*chim.*) n. glicol, glicole ‖ **glycolic, glycollic** a. glicolico.

glycolipid /glaɪkəˈlɪpɪd/ n. (*biochim.*) glicolipide.

glycolysis /glaɪˈkɒləsɪs/ n. 🔲 (*biochim.*) glicolisi.

glycoprotein /glaɪkəʊˈprəʊtiːn/ n. (*biochim.*) glicoproteina.

glycose /ˈglaɪkəʊs/ n. 🔲 (*antiq.*) → **glucose**.

glycoside /ˈglaɪkəʊsaɪd/ (*biochim.*) n. glicoside; glucoside ‖ **glycosidic** a. glicosidico; glucosidico.

glycosuria /glaɪkəˈsjʊərɪə/ (*med.*) n. 🔲 glicosuria.

glyph /glɪf/ n. **1** (*archit.*) glifo **2** (*archeol.*) geroglifico **3** (*spec. comput.*) pittogramma.

glyptics /ˈglɪptɪks/ (*arte*) n. pl. (col verbo al sing.) glittica ‖ **glyptic** a. glittico.

glyptodont /ˈglɪptədɒnt/ n. (*paleont.*) gliptodonte.

glyptography /glɪpˈtɒgrəfɪ/ n. 🔲 glittografia.

GM sigla **1** (**general manager**) direttore generale **2** (**genetically modified**) geneticamente modificato **3** (*GB*, **George Medal**) Medaglia di Re Giorgio (*al valor civile*) **4** (**grand master**) gran maestro (GM) **5** (**GM school**), (*scuola*, *GB*, **grant-maintained school**) scuola sovvenzionata dallo Stato.

G-man /ˈdʒiːmæn/ n. (pl. *G-men*) (*fam. USA*) agente investigativo federale (*del Federal Bureau of Investigation*: G sta per **Government**)

GML sigla (*comput.*, **Generalized Markup Language**) linguaggio di marcatura generale.

GMO sigla (*scient.* **genetically modified organism**) organismo geneticamente modificato (OGM).

GMT sigla (**Greenwich Mean Time**) ora di Greenwich (*cfr.* **UT**).

gn abbr. (*stor.*, **guinea**) ghinea (*moneta, fino al 1971*).

gnarl /nɑːl/ n. nodo (*di legno d'albero*); nocchio.

gnarled /nɑːld/, **gnarly** /ˈnɑːlɪ/ a. **1** (*d'albero*) nodoso; nocchioso; nocchieruto: **a g. old beech**, un vecchio faggio nodoso **2** (*fig.*: *di persona*) dall'aspetto ruvido, rozzo; dal viso grinzoso ● **a g. branch**, un ramo contorto □ **g. hands**, mani nodose.

gnash /næʃ/ n. digrignamento, arrotamento (*dei denti*).

to **gnash** /næʃ/ v. t. arrotare, digrignare: **to g. one's teeth**, arrotare i denti; (*fig.*) protestare violentemente.

gnashers /ˈnæʃəz/ n. pl. (*slang*) denti.

gnat /næt/ n. (*zool.*) **1** moscerino **2** (*Culex pipiens*) zanzara **3** (*USA*) (*Simulium*) simulio ● (*fig.*) **to strain at a g.**, fare il difficile per cose da nulla; dare importanza a un'inezia.

gnathic /ˈnæθɪk/ a. (*anat.*) gnatico; mascellare; della mascella.

to **gnaw** /nɔː/ (pass. **gnawed**, p. p. **gnawed**, **gnawn**), v. t. e i. **1** (*spesso* **to g. at**) mordere; rodere; corrodere; erodere; rosicchiare; rosicare: *The mouse was gnaw-*

ing (*at*) *the cheese*, il topo rosicchiava il formaggio; *Inflation is gnawing at our savings*, l'inflazione erode i nostri risparmi **2** rodere (*fig.*); attanagliare; tormentare; torturare: *The problem gnawed at me*, il problema mi tormentava ● **to g. one's fingernails**, mangiarsi le unghie □ **to g. st. in two**, spezzare qc. in due rodendola.

gnawer /ˈnɔːə(r)/ n. roditore.

gnawing ① /ˈnɔːɪŋ/ n. **1** rodimento; rosicchiamento **2** (*spesso al pl.*) morso (*fig.*); rimorso: **the gnawings of conscience**, i rimorsi della coscienza; **the gnawings of hunger**, i morsi della fame.

gnawing ② /ˈnɔːɪŋ/ a. **1** che rode; rosicante **2** (*fig.*) doloroso; tormentoso; che attanaglia: **g. anxiety**, dolorosa ansia; **g. grief**, tormentoso dolore; **g. hunger**, fame che attanaglia.

gnawn /nɔːn/ p. p. di **to gnaw**.

gneiss /naɪs/ n. 🔲 (*geol.*) gneiss.

GNMA sigla (*USA*, **Government National Mortgage Association**) Associazione nazionale governativa per le ipoteche.

gnocchi /ˈnjɒkɪ/ (*ital.*) n. (anche sing.) (*cucina*) gnocchi.

gnome ① /nəʊm/ n. **1** (*mitol.*) gnomo; nano **2** nanetto (*statuetta in un giardino, ecc.*) **3** (*fin.*) gnomo; banchiere; finanziere: **the Zurich gnomes**, gli gnomi di Zurigo ‖ **gnomish** a. di (*o* simile a) gnomo.

gnome ② /ˈnəʊm/ n. (*letter.*) gnome; aforisma; massima; sentenza.

gnomic /ˈnəʊmɪk/ a. (*letter.*) gnomico; sentenzioso; gnomico: **g. poetry**, poesia gnomica | **-ally** avv.

gnomon /ˈnəʊmɒn/ (*fis.*, *geom.*) n. gnomone ‖ **gnomonic** a. di gnomone; gnomonico ‖ **gnomonics** n. pl. (col verbo al sing.) gnomonica.

gnoseology /nəʊzɪˈɒlədʒɪ/ n. 🔲 gnoseologia ‖ **gnoseological** a. gnoseologico.

gnosis /ˈnəʊsɪs/ (*filos.*, *relig.*) n. (pl. *gnoses*) **1** gnosi **2** 🔲 gnosticismo ‖ **gnostic** a. e n. gnostico.

Gnosticism /ˈnɒstɪsɪzəm/ n. 🔲 (*relig.*) gnosticismo.

GNP sigla (**gross national product**) prodotto nazionale lordo (PNL).

gnu /nuː/ n. (pl. **gnu**, **gnus**) (*zool.*, *Connochaetes gnu*) gnu.

GNU sigla (*comput.*, **GNU's not Unix**) GNU (*ambiente di calcolo libero e open source*).

GNVQ sigla (*GB*, **General National Vocational Qualification**) qualifica rilasciata dagli istituti professionali.

♦**go** ① /gəʊ/ n. (pl. **goes**) **1** 🔲 l'andare; moto; movimento: **come-and-go**, andare e venire; andirivieni; trambusto **2** 🔲 (*fam.*) animazione; attività; brio; energia; entusiasmo; spirito; vigore: *He's full of go*, è pieno di brio (*o* d'energia, di vigore); **to be on the go**, essere attivo, indaffarato; essere in piena attività; *I've got a couple of books on the go*, ho un paio di libri in ballo **3** (*fam.*) turno: *Whose go is it?*, a chi tocca?; *It's my go next*, adesso è il mio turno; ora tocca a me **4** (*fam.*) prova; tentativo: **to have a go**, fare un tentativo; cercare di arrestare un criminale (*di fermare un ladro, ecc.*); *Let's have a go at it*, facciamo un tentativo!; proviamo!; *You should have a go*, dovresti provare **5** (*fam.*) moda; voga: **to be all the go**, essere in gran voga **6** (*fam.*) porzione (*di cibo*); quantità, razione (*di liquido, di bevanda*) **7** (*fam.*) attacco d'influenza; accesso (*di tosse*) **8** (*fam.*) colpo; volta: *I booked the flight and hotel at one go*, ho prenotato il volo e l'albergo tutto in una (sola) volta **9** (*fam.*) impresa riuscita; successo: *He made a go of it*, ebbe un gran successo **10** (*fam. Austral.*) situazione; stato di cose: *What's the go?*, co-

me vanno le cose?; *This is a bit of a rum go,* è una situazione strana, imbarazzante ● (*mecc.*) **go gauge,** calibro passa → **go-go** ☐ **go-go** (*lemma*) ☐ **go-it-alone,** il fare da sé; (*econ.*) politica autarchica ☐ (*fam.*) **to have a go at sb. for doing st.,** sgridare q. per aver fatto qc.; trovare a ridire su qc. che q. ha fatto: *The teacher had a right go at me in front of everyone,* l'insegnante mi ha dato una bella sgridata davanti a tutti ☐ (*fam.*) **to have a little go,** darsi un po' da fare; (*anche*) fare un piccolo tentativo di fuga ☐ (*fam.*) **to be no go,** non esserci niente da fare: *I tried hard to convince him, but it was no go,* feci di tutto per convincerlo, ma non ci fu niente da fare ☐ (*mecc.*) **go-no-go** ☐ (*fam.*) **No go,** impossibile; non c'è niente da fare; è inutile ☐ **It's all go in the office now,** ora l'ufficio è in piena attività ☐ **It was a near go,** ce la siamo cavata per un pelo (*o* per un soffio) ☐ (*fam.*) **Is it a go?,** allora siamo d'accordo?; l'affare è fatto? ☐ (*mecc.*) **All systems (are) go,** tutti in ordine!; (*aeron.*) pronti al decollo!; (*miss.*) pronti al lancio!

go② /ɡəʊ/ *inter.* (*equit.*: *per incitare il cavallo*) arri!; ih!; hop!

♦**to go** /ɡəʊ/ (*pass.* **went,** p. p. **gone**; 3ª pers. sing. indic. **goes**) Ⓐ *v. i.* **1** andare: *Shall we go by ship or by plane?,* andiamo in nave o in aereo?; *He has gone to Australia,* è andato in Australia; *All the money went to him,* tutti i soldi andarono a lui; *This road goes to Rome,* questa strada va a Roma; *The roots go deep,* le radici vanno al fondo; *I can't get the car to go,* non riesco a far andare l'automobile; *How did the election go?,* come sono andate le elezioni?; (*mil.*) *Who goes there?,* chi va là? **2** andarsene (*anche fig.*); partire; passare; cedere; spezzarsi; partire: *It's getting late; I must be going,* si fa tardi; devo andarmene; *Where are you going?,* dove vai?; *Go when the light turns green,* passa quando viene il verde!; *The pain has gone,* il dolore se n'è andato; *When does the bus go?,* quando parte l'autobus?; *I thought the branch would go any moment,* credevo che il ramo se ne andasse (*o* cedesse) da un momento all'altro; *Latin must go,* il latino (lo studio del latino) dev'essere abolito **3** stare a; tendere a: *That goes to prove that he is wrong,* ciò sta (*o* tende) a provare che ha torto **4** (*anche v. t.*) fare (*un verso, un rumore, ecc.*): *Cats go miaow,* il gatto fa miao; *The chorus goes like this,* il ritornello fa così **5** (*di campana, orologio, ecc.*) suonare: *The school bell has just gone,* è appena suonata la campanella della scuola **6** arrivare a; giungere al punto di: *I won't go so far as to say that he is dishonest, but...,* non arriverò a dire che sia disonesto, ma... **7** (*seguito da un agg.*) andare; farsi; diventare: **to go bald,** diventare calvo; **to go bankrupt,** andare in bancarotta; *He's gone blind,* è diventato cieco; *He went green with envy,* egli divenne (*o* si fece) di tutti i colori per l'invidia **8** (*seguito dalla forma in* **-ing**) andare a: **to go hunting [fishing, skiing],** andare a caccia [a pesca, a sciare] **9** fare; muovere: *Go like this with your right hand,* fai così con la mano destra!; muovi la destra così! **10** andare bene; essere accettabile: *I'm the boss; what I say goes,* il capo sono io: quello che dico io, va bene **11** (*comm.*) andare; vendersi; essere aggiudicato: *The cutlery went for 300 pounds,* la posateria fu aggiudicata per 300 sterline; *Everything must go,* dobbiamo vendere tutto **12** essere in vendita; costare: **to go cheap,** costare poco **13** dover andare: *They were going to Greece, but they changed their minds,* dovevano andare in Grecia, ma cambiarono idea **14** → **to be going** (seguito da inf. con **to**), stare per; essere sul punto di; accingersi a; intendere; avere l'intenzione di (*fare qc.*); volere (*anche*

idiom., equivale al futuro ital.): *I'm going to stop smoking,* smetterò (*o* voglio smettere) di fumare; *When are you going to leave?,* quando intendi partire? quando parti?; *Is our team going to win?,* (pensi che) la nostra squadra vincerà?; *It's going to rain,* sta per piovere **15** (*nella forma progressiva*) svenire; venir meno: *He felt himself going,* si sentì svenire **16** andare; essere collocato: *Where does the cartridge go?,* dove va la cartuccia? **17** (*talora*) venire: *I want to go as well,* voglio venire anch'io **18** (*slang eufem.*) andare al gabinetto; andare di corpo: *Does anybody want to go while I fill up?,* qualcuno vuole andare al bagno mentre faccio il pieno? **19** (*citando le parole di q.*) fare; dire: *Then she goes: «Don't tease me again», and he shrugs,* poi lei dice: «Non prendermi in giro di nuovo», e lui fa spallucce **20** (*slang ingl.*: *di una donna*) starci Ⓑ *v. t.* **1** scommettere: *I'll go ten dollars,* scommetto dieci dollari **2** (*a carte*) dichiarare: **to go two spades,** dichiarare due picche **3** (*USA*) pagare ● **to go,** (*sport*: *nelle corse*) da percorrere, (fino) al traguardo; (*calcio, ecc.*) al termine della partita (*o* dell'incontro); (*USA*: *di cibo*) da portare via; da asporto: **20 kms to go,** 20 kilometri al traguardo; (*autom.*) **3 laps to go,** ancora tre giri (di pista) da fare; mancano tre giri alla conclusione; **five minutes to go,** cinque minuti alla fine!; *One latte to go!,* un cappuccino da portare via! ☐ **to go abroad,** andare all'estero ☐ **to go all out,** mettercela tutta: *We went all out for a draw,* ce la mettemmo tutta per ottenere il pareggio ☐ **to go bad,** andare a male; guastarsi: *The eggs went bad,* le uova andarono a male ☐ **to go badly,** andare male; fare male (*in affari, agli esami, ecc.*) ☐ (*leg.*) **to go bail for sb.,** pagare la cauzione per q. (*per ottenergli la libertà provvisoria*) ☐ (*fam.*) **to go belly up,** andare a gambe all'aria; fallire ☐ **to go (one) better,** superare, far meglio (per un punto); (*comm.*: *a un'asta, ecc.*) offrire un prezzo più alto ☐ (*fam.*) **to go bust** = **to go belly up** → *sopra* ☐ **to go down as,** essere ricordato (*o* considerato) come ☐ **to go far,** andare lontano (*anche fig.*); fare strada, fare carriera; (*di cibo, provviste, ecc.*) durare; (*di denaro*) fare molto: *My income doesn't go far,* con il mio reddito non si fa molto; = **to go a long way towards** → *sotto* ☐ **to go free,** andare libero; (*fig.*) restare impunito; cavarsela (*fam.*) ☐ **to go from bad to worse,** andare di male in peggio ☐ **to go halves,** fare a mezzo; dividere le spese; fare alla romana (*fam.*) ☐ **to go home,** andare a casa; tornare a casa; tornare in patria; (*fam.*) morire; (*di una macchina*) guastarsi; (*di un'osservazione, ecc.*) andare a segno, colpire il bersaglio (*fig.*) ☐ **to go hot and cold,** avvampare per la febbre; arrossire per la vergogna; sudar freddo, impressionarsi ☐ **to go hungry,** patire la fame ☐ **to go it alone,** fare da sé (*o* da solo) ☐ **to go a long way,** andare lontano; (*fig.*) valere molto: *Fifty thousand pounds goes a long way,* con cinquantamila sterline si può far molto ☐ **to go a long way towards,** aiutare parecchio, contribuire in modo determinante (*a fare qc.*) ☐ **to go mad,** impazzire ☐ (*spreg. o scherz.*, *di straniero*) **to go native,** fare proprio lo stile di vita degli abitanti del luogo; diventare un indigeno (*mil.*) ☐ **to go sick,** darsi malato; marcar visita (*gergo mil.*) ☐ **to go slow,** andare piano; rallentare il lavoro, fare uno sciopero bianco ☐ (*del latte, ecc.*) **to go sour,** inacidire ☐ **to go too far,** andare troppo lontano; (*fig.*) esagerare: *That's going too far,* qui si esagera; questo è (un po') troppo! ☐ **to go unnoticed,** passare inosservato ☐ **to go unpunished,** restare impunito; cavarsela (*fam.*) ☐ **to go one's own way,** andare per la propria strada; andare per i fatti propri ☐ (*fig. fam.*) **to go west,** morire; tirare le cuoia; guastar-

si ☐ **to go white with fear,** sbiancare in volto per la paura ☐ (*fam.*) **to go (the) whole hog,** andare sino in fondo ☐ **to go worse,** peggiorare ☐ **to go wrong,** sbagliare strada; (*fig.*) andare storto; guastarsi; (*di una donna*) prendere una brutta strada (*fig.*): *Something went wrong with my plans,* qualcosa è andato storto nei miei progetti ☐ (*antiq.*) (*di due innamorati*) **to be going steady,** fare sul serio ☐ **to be going strong,** essere forte, vigoroso; essere in gamba, andare forte (*fig. fam.*); (*di un prodotto, ecc.*) vendersi bene, tirare: (*sport*) *Our team is going strong this year,* quest'anno i nostri vanno forte ☐ **as far as it goes,** fino a questo punto, fin qui; fino a un certo punto: *It is all very well, as (o so) far as it goes,* fin qui sta bene ☐ **as things go,** stando così le cose; visto l'andazzo generale ☐ (*fam.*) **to get going,** cominciare; mettersi in moto, partire ☐ (*fam.*) **I don't want to go there,** non fa per me; non ci sto; preferisco di no ☐ **Go easy!,** fa' piano!; prendila con calma!: *Go easy with the butter, or there will be none left!,* vacci piano col burro, se no rimaniamo senza! ☐ (*a un cane, tirando un sasso, ecc.*) **Go fetch!,** porta qui! ☐ (*fam. USA*) **Go figure!,** chissà perché; va' a sapere!; vallo a capire!; mistero! ☐ **Ready, (steady,) go!,** pronti, partenza, via! ☐ **Here goes!,** (*detto iniziando un'impresa difficile*) forza, ci siamo!; o la va o la spacca! ☐ **Going! going! gone!,** (*comm.*: *nelle vendite all'asta*) e uno, e due, e tre... aggiudicato! ☐ **Let go!,** lascia andare!; molla! ☐ **Let it go!,** lascia andare! (*anche fig.*); lascia perdere! (*fig.*) ☐ **to let oneself go,** lasciarsi andare ☐ **The story goes that...,** si dice (*o* si mormora, corre voce) che... ☐ **My voice has gone,** ho perso la voce ☐ (*fam.*) **You've gone and done it!,** l'hai fatta grossa! ☐ (*volg., antiq.*) **He may go hang!,** può andare a farsi fottere (*volg.*) (*o* a farsi impiccare)!

🛈 **NOTA:** *go to / go and*

to go and do st. è usato in contesti colloquiali al posto di **to go to do st.,** andare a fare qc.: *We went and saw the match,* andammo a vedere la partita.

Questa costruzione, che consiste nel sostituire la proposizione infinitiva con una proposizione coordinata introdotta da **and,** è possibile anche con **to come, to hurry (up), to run, to stay** e **to stop:** *Come and visit us!,* vieni a trovarci!; *Hugh stayed and helped me,* Hugh rimase ad aiutarmi; *She ran and told him to hide,* corse a dirgli di nascondersi; *Let's stop and have a drink,* fermiamoci a prendere qualcosa da bere; *Hurry and get dressed: it's late!,* fai in fretta a vestirti: è tardi!

Se **to go** *o* **to come** sono usati nella forma base senza desinenze, **and** talvolta è omesso: *Go sit next to Daddy,* vai a sederti vicino a papà.

Per la costruzione **to try and** → **to try.**

■ **go about** Ⓐ *v. i.* + *avv.* **1** andare in giro; muoversi; girare; spostarsi; viaggiare: *He's going about with a gang of youngsters,* va in giro con una banda di giovinastri; **to go about by bus,** spostarsi (*o* girare) in autobus **2** stare insieme; amoreggiare: *How long have they been going about together?,* quant'è che stanno insieme? **3** diffondersi; circolare; (*di una voce, ecc.*) correre: *Strange stories are going about,* circolano (*o* si sentono) strane storie; *A rumour was going about that...,* correva voce che... **4** esserci in giro: *There's a lot of flu going about just now,* adesso c'è in giro molta influenza **5** (*naut.*) virare di bordo; cambiare le mure Ⓑ *v. i.* + *prep.* **1** girare; spostarsi; viaggiare in: **to go about London by tube,** girare Londra con il metrò **2** mettersi a (fare qc.); occuparsi di; fare; intraprendere; mettere mano a; badare a: *I'll go about it at once,* me ne

occupo subito; **to go about one's work**, fare il (*o* badare al) proprio lavoro; *Go about your business!*, occupati dei (*o* bada ai) fatti tuoi! **3** fare a; prendere (*fig.*); affrontare: *How do you go about building a model aircraft?*, come si fa a costruire un aeromodello?; **to go about st. in the right way**, prendere una cosa per il verso giusto; saperci fare: *Daddy will give you a new bike, if you go about it in the right way*, il babbo ti regalerà la bicicletta nuova, se ci sai fare; **to go about st. in the wrong way**, affrontare qc. nel modo sbagliato **4** esserci in giro (*fam.*): *There's a lot of chicken pox going about*, c'è molta varicella in giro.

■ **go after** v. i. + prep. **1** dare la caccia a (*anche fig.*); cercare di prendere (*o* di ottenere); correre dietro a: **to go after an escaped prisoner**, dare la caccia a un evaso; **to go after a promotion**, correre dietro a una promozione **2** correre (*o* stare) dietro a (*una ragazza, un giovanotto*), corteggiare.

■ **go against** v. i. + prep. **1** andare contro a; opporsi a; mettersi contro (q.): **to go against sb.'s wishes**, opporsi ai desideri di q. **2** essere contrario a: *Cheating goes against my principles*, gl'imbrogli sono contrari ai miei princìpi **3** avere esito sfavorevole per (q.); andare male per (q.); volgere a sfavore di (q.): *Public opinion is going against the government*, l'opinione pubblica volge a sfavore del governo **4** danneggiare (*un'occasione, ecc.*) □ (*fig.*, impers.) **to go against the grain**, riuscire intollerabile (a q.) □ (*naut. e fig.*) **to go against the tide**, andare controcorrente □ (*naut.*) **to go against the wind**, rimontare il vento.

■ **go ahead** v. i. + avv. **1** andare avanti; precedere: *Go ahead, and I'll come later*, andate pure avanti; io vengo dopo **2** (*anche* **to go ahead with**) andare avanti; procedere: *The peace talks are going ahead in spite of the difficulties*, le trattative di pace vanno avanti a dispetto delle difficoltà; *At last I was allowed to go ahead with my plans*, finalmente mi fu concesso di procedere con i miei programmi **3** (*sport*) andare (*o* passare) in testa **4** progredire; fare progressi: *Work is going ahead*, il lavoro progredisce **5** (all'imper.) andare avanti; continuare a parlare: *Go ahead, I'm listening*, (va) avanti, ti ascolto; *Go ahead!*, avanti!; (*anche*) forza! coraggio! **6** (all'imper.) fare pure: «*D'you mind if I open the window?*» «*Go ahead!*», «Ti dispiace se apro la finestra?» «Fa pure!»; *Go ahead and do the work*, fa' pure il lavoro □ (*telef., fam.*) «*Go ahead!*», «parli pure!»; «parli!».

■ **go along** v. i. + avv. **1** andare avanti; procedere (*anche fig.*); avanzare: *As we went along, the road got worse and worse*, andando avanti, la strada si faceva sempre più brutta; *How is your work going along?*, come procede il tuo lavoro? **2** (*fam.*, all'imper.) andare via; andarsene □ (*fam.*) **Go along (with you)!**, va via!; vattene, andatevene!; (*anche*) ma va; va là; andiamo!; non ci credo!

■ **go along with** v. i. + avv. + prep. **1** andare (*o* venire) con; accompagnare (q.): *Can I go along with you?*, posso venire con te? **2** essere d'accordo, concordare con: *I can't go along with him on that point*, non posso concordare con lui su quel punto **3** adeguarsi a (*un suggerimento*); seguire (*un consiglio*) **4** accompagnarsi a; fare il paio con (*fig.*) **5** essere venduto insieme (*o* in blocco) con.

■ **go around** v. i. + avv. **1** → **go about 2** → **go round**.

■ **go at** v. i. + prep. (*fam.*) **1** attaccare, assalire; criticare aspramente; dare addosso a (*fig.*): *Our dog went at the milkman this morning*, il cane ha attaccato il lattaio stamane **2** buttarsi a (*fare qc.*); impegnarsi, immergersi (*nel lavoro, nello studio, ecc.*): **to**

go at it hammer and tongs, prenderla sul serio (*o* di petto); darci sotto (*fam.*).

■ **go away** v. i. + avv. andare via; andarsene; partire: *Go away!*, vattene; *Are you going away?*, hai intenzione di andare via? □ (*fam.*) **Go away!**, va là; non fare lo stupido!; niente schiocchezze!

■ **go back** v. i. + avv. **1** andare (*o* tornare) indietro; arretrare; indietreggiare; tirarsi indietro: *Go back!*, (tirati) indietro!; *The regiment gave in and had to go back*, il reggimento cedette e dovette indietreggiare **2** ritornare, tornare (*anche fig.*): *When are you going back to school?*, quando tornate a scuola?; *Go back to bed!*, torna a letto!; *Let's go back to what I was saying before*, torniamo a ciò che dicevo prima! **3** (*autom.*) fare marcia indietro; fare retromarcia **4** tornare con la mente; riandare **5** rimettersi a (*fare qc.*); riprendere (*un'abitudine, ecc.*) **6** risalire (*nel tempo*): *This church goes back 600 years* (*o* *to the fourteenth century*), questa chiesa ha 600 anni (*o* risale al quattordicesimo secolo) **7** (*di un terreno*) arrivare, estendersi: *How far back does your land go?*, fin dove arriva il tuo terreno? **8** tornare al lavoro (*dopo uno sciopero*) □ **to go back to sleep**, riaddormentarsi □ (*fig. fam.*) **to go back to square one**, tornare al punto di partenza; ripartire da zero □ **When do the clocks go back?**, quando finisce l'ora legale?

■ **go back on** v. i. + avv. + prep. **1** venir meno a; non mantenere: **to go back on one's word**, venir meno alla parola data; **to go back on a promise**, non mantenere una promessa **2** tradire; abbandonare; piantare in asso.

■ **go before** A v. i. + avv. venire prima, precedere (*nel tempo*) B v. i. + prep. **1** andare (*o* comparire) davanti a: **to go before a judge**, comparire davanti a un giudice **2** andare innanzi a; precedere **3** (*di un progetto, un parere, ecc.*) essere presentato a (*una commissione, ecc.*: per essere esaminato); andare in (*commissione, ecc.*).

■ **go behind** v. i. + prep. andare (*o* andare a finire, mettersi, nascondersi, ecc.) dietro (a): *The boy has gone behind the door*, il bambino s'è messo dietro la porta **2** (*fig.*) penetrare in (*fig.*); capire (*o* afferrare) il significato recondito di (qc.) □ (*fig.*) **to go behind sb.'s back**, agire dietro le spalle (*o* all'insaputa) di q.

■ **go between** v. i. + prep. **1** fare da intermediario, mettersi di mezzo tra (*due persone*) **2** (*trasp.*) fare la spola tra **3** (*in una lista, ecc.*) andare tra, essere da collocare tra.

■ **go beyond** v. i. + prep. **1** andare al di là di (*o* oltre); oltrepassare; valicare; (*fig.*) eccedere: *The ship went beyond the horizon*, la nave oltrepassò la linea dell'orizzonte (*o* scomparve all'orizzonte) **2** andare oltre; fare più di; superare (*le proprie aspettative, ecc.*): **to go beyond one's hopes**, superare le proprie speranze; **to go beyond the law**, violare la legge □ (*leg.*) **to go beyond one's powers**, commettere un abuso di potere □ (*fam.*) **I've gone beyond caring**, non me ne preoccupo più; non me ne importa più niente.

■ **go by** A v. i. + avv. **1** passare; passare vicino (*o* accanto): *The bus went by just now*, l'autobus è appena passato; *I watched the traffic go by*, guardavo passare il traffico **2** (*del tempo*) passare; trascorrere: *as the years go* (*o* *went*) *by*, con il passare degli anni **3** (*di un'occasione, ecc.*) perdersi; sfumare **4** (*di una mancanza, una colpa, ecc.*) passare inosservata B v. i. + prep. **1** passare accanto (*o* vicino) a; (*di un veicolo*) sorpassare, superare; oltrepassare: *An overcrowded bus went by the stop*, un autobus affollatissimo (*o* stracolmo) oltrepassò la fermata (senza arrestarsi) **2** andare in (*treno, au-*

to, ecc.); (*anche della posta*) viaggiare per: **to go by the main roads**, viaggiare per (*o* fare) le strade maestre **3** farsi guidare da; regolarsi con; basarsi su: *We had no map to go by*, non avevamo una cartina per regolarci (*o* con cui trovare la strada) **4** stare a; attenersi a; osservare; rispettare: *Our teacher always goes by the rules*, il nostro insegnante sta sempre alle regole **5** stare a; giudicare: **going by appearances**, a giudicare dalle apparenze; **going by what the radio says**, stando a quello che dice la radio □ **to go by the board**, (*naut.*) essere buttato a mare; (*fig.*) essere scartato □ (*fam.*) **to go by the book**, stare (*o* attenersi) alle regole □ **to go by the name of**, andare sotto il nome di; farsi passare per: *He went by the name of Jones*, si faceva passare per un certo Jones.

■ **go down** A v. i. + avv. **1** andare giù; scendere; abbassarsi: *The water level is going down*, il livello dell'acqua si sta abbassando; *This pill won't go down*, questa pillola non vuole andare giù; *Go down!*, va giù!; va di sotto! **2** venire giù; cadere; crollare: *The house went down with a crash*, la casa venne giù (*o* crollò) di schianto **3** calare (*di livello, d'intensità, di valore, ecc.*); diminuire; scendere; ribassare: *The price of gold has gone down*, il prezzo dell'oro è andato giù (*o* è ribassato); *My temperature has gone down*, mi è calata la febbre **4** (*fig.*) decadere; degradarsi; peggiorare: *The quality of her work has gone down*, il livello del suo lavoro è peggiorato **5** abbassarsi; sgonfiarsi **6** (*del sole, della luna*) andare giù; tramontare **7** (*del vento*) andare giù; calare; calmarsi **8** (*del mare*) calmarsi; placarsi **9** (*del fuoco*) spegnersi: *The fire is going down*, si sta spegnendo il fuoco **10** (*di una nave, ecc.*) affondare; colare a picco **11** (*di un discorso, ecc.*) venire annotato; essere trascritto (*o* registrato): *Everything he says will go down on record*, tutto quello che dice sarà messo a verbale **12** lasciare l'università (*alla fine di un trimestre, di un anno o degli studi*) **13** fare una certa impressione; essere accolto (*bene, male, ecc.*); andare giù (*fam.*): *How did the candidate's speech go down?*, come è stato accolto il discorso del candidato? **14** fallire, fare fiasco, cadere (*in un esame, ecc.*) **15** cadere; arrendersi; essere battuto (*o* sconfitto): *Liverpool went down at home*, il Liverpool fu sconfitto in casa **16** (*slang*) andare dentro (*o* in prigione) **17** **go down with**, mettersi a letto con, prendere (*una malattia*): *Unfortunately, I went down with a bad cold*, purtroppo, presi un brutto raffreddore B v. i. + prep. **1** andare giù per; scendere da (*o* per): *As the lift was out of order, I had to go down the stairs*, siccome l'ascensore era fuori servizio, dovetti scendere per (*o* fare) le scale **2** andare (*o* camminare) per: *An old man was going down the road*, un vecchio camminava per la strada □ **to go down the drain**, andare per il buco del lavandino; (*fig. fam.*) andare in malora (*o* in fumo, *o* a monte) □ **to go down in history**, passare alla storia □ **to go down in sb.'s opinion**, perdere la stima di q.; andare giù a q. (*fam.*): *He's gone down in my opinion*, mi è andato giù (del tutto) □ **to go down in the world**, perdere la propria posizione sociale; decadere; finire in miseria □ **to go down on all fours**, mettersi carponi □ **to go down on one's knees**, mettersi (*o* cadere) in ginocchio □ (*fam. volg.*) **to go down on sb.**, fare un pompino a q.

■ **go downhill** v. i. + avv. **1** (*della strada*) scendere **2** (*fig.*) peggiorare: **Business has really gone downhill since he left**, da quando è andato via, gli affari sono assai peggiorati.

■ **go down to** v. i. + avv. + prep. **1** scendere a (*o* fino a): *We went down to the lake*, scen-

a b c d e f **g** h i j k l m n o p q r s t u v w x y z

demmo al lago **2** calare (*o* diminuire) fino a; scendere a: *The price of consumables has gone down to an acceptable level*, il prezzo dei generi di consumo è sceso a un livello accettabile **3** andare a (*dalla città*): *I'd like to go down to the country to see my parents*, vorrei andare in campagna a trovare i miei genitori **4** (*spec. sport*) essere sconfitto (*o* battuto, abbattuto) da: *He went down to an unknown*, fu sconfitto da un giocatore sconosciuto.

▪ **go for** v. i. + prep. **1** andare a fare: **to go for a walk**, andare a fare una passeggiata; **to go for a drive**, andare a fare una gita in automobile **2** andare a prendere (*o* a cercare, a chiamare): *He went for a doctor at once*, andò subito a cercare un medico **3** proporsi (qc.) come obiettivo; mirare a; cercare d'ottenere; candidarsi (*o* concorrere) per (qc.): (*sport*) **to go for gold [silver]**, battersi per l'oro (*cioè, per il 1° posto*) [per l'argento] **4** approvare, appoggiare, sostenere; votare per (q.): *Let's hope his constituents will go for him*, speriamo che gli elettori del suo collegio lo votino (*o* votino per lui) **5** piacere (impers.): *I go for muscles*, a me piacciono i muscolosi **6** riferirsi a; valere per; riguardare: *That goes for all of us*, ciò vale per ciascuno di noi **7** prendere (*qc. da mangiare, da bere, ecc.*); servirsi di; scegliere: *I decided to go for question six*, decisi di scegliere la domanda numero sei **8** essere venduto per (*un buon prezzo*); andare a (*un dato prezzo*) **9** (*fam.*) attaccare; assalire (q.); criticare (q. *o* qc.) □ (*fam.*) **to go for broke**, rischiare il tutto per tutto □ (*fam.*) **to go for a burton**, essere ucciso (*in volo o in combattimento*); (*di un progetto, ecc.*) andare a monte (*o* in malora, ecc.) □ **to go for little** (*o* **for nothing**), essere tenuto in scarso (*o* in nessun) conto; non servire a nulla □ (*fam.: di un oggetto*) **to go for a song**, essere venduto per una cicca.

▪ **go forth** v. i. + avv. **1** (*arc., lett.*) partire; mettersi in viaggio **2** (*form.: di un decreto, ecc.*) essere emanato.

▪ **go forward** v. i. + avv. **1** andare avanti; avanzare **2** (*mil.*) andare in avanscoperta **3** (*del lavoro, ecc.*) progredire **4** (*di un nominativo, ecc.*) essere inoltrato (*a q.*) □ **When do the clocks go forward?**, quando inizia l'ora legale?

▪ **go in** Ⓐ v. i. + avv. **1** andare dentro; entrare: *This screw won't go in*, questa vite non vuole entrare **2** entrare (*fam.*); attaccare (*fam.*), cominciare a lavorare: *What time do you go in in the morning?*, a che ora attacchi la mattina? **3** (*mil.*) attaccare; andare all'attacco **4** (*del sole, della luna, ecc.*) andarsene; scomparire (*dietro una nuvola*): *In autumn, when the sun goes in, it's much colder*, d'autunno, quando se ne va il sole, fa molto più freddo **5** (*fam.*) entrare in testa: *No matter how hard I try to understand this theory, it doesn't seem to go in*, per quanto mi sforzi di capire questa teoria, sembra proprio che non mi entri in testa **6** (*sport*) entrare (*o* scendere) in campo **7** (*della palla*) entrare in rete; insaccarsi Ⓑ v. t. + prep. **1** entrare in (*o* da, per): *She was afraid to go in the house by herself*, aveva paura a entrare in quella casa da sola **2** entrarci (*o* starci) in: *The piano can't go in our sitting room*, il pianoforte non ci sta nel nostro soggiorno **3** (*di una somma di denaro, ecc.*) andarsene in; essere speso per □ (*fam.*) **It goes in one ear and out the other**, (gli) entra da un orecchio e (gli) esce dall'altro (*fig.*).

▪ **go in for** v. i. + avv. + prep. **1** iscriversi a (*una gara, ecc.*); presentarsi a (*un esame, ecc.*); candidarsi a (*un posto*); concorrere a (*un premio*) **2** interessarsi di; essere dedito a; avere la passione di; praticare (*uno sport*): *I don't go in for classical music*, la musica classica non mi piace **3** darsi a, intrapren-

dere (*una professione, una carriera, ecc.*): **to go in for politics**, darsi alla politica.

▪ **go into** v. i. + prep. **1** andare in; entrare in (*anche fig.*); addentrarsi, penetrare in: **to go into town [into the country]**, andare in città [in campagna]; **to go into business [into politics]**, entrare in affari [in politica] **2** andare a (*fare qc.*): *What time do you go into work in the afternoon?*, a che ora vai al lavoro il pomeriggio? **3** entrare, stare in (qc.): *No more books will go into this box*, non ce ne stanno più di libri in questa cassa **4** (*autom.*) andare a sbattere in (*o* contro): *My car went into the guardrail*, la mia macchina andò a sbattere contro il guardrail **5** indagare su; esaminare a fondo; approfondire (*un argomento, ecc.*) **6** frugare, rovistare in: *The burglar had gone into all my drawers*, lo scassinatore aveva frugato in tutti i miei cassetti **7** vestire a; vestirsi di; indossare, mettersi **8** (*mat.*) entrare, stare in: *Five goes into ten twice*, il cinque sta due volte nel dieci □ **to go into action**, entrare in azione (*anche mil.*) □ **to go into hiding**, nascondersi □ **to go into orbit**, (*miss.*) entrare in orbita; (*fig. fam.*) andare su di giri □ **to go into a temper**, arrabbiarsi.

▪ **go off** Ⓐ v. i. + avv. **1** andare via; andarsene; andare; scappare: *He went off to Australia*, se ne andò in Australia; *Off we go!*, andiamo! **2** (*fig.*) andare, riuscire (*bene, male, ecc.*): *Everything went off according to plan*, tutto andò secondo i piani **3** cessare; andare via; passare **4** andarsene (*fig.*); venire a mancare; (*della luce*) spegnersi: *The power went off during the storm*, durante il temporale se ne andò la luce; *All the lights have just gone off*, si sono appena spente tutte le luci **5** (*di un allarme, ecc.*) scattare; (*di una sveglia*) suonare: *A lot of car alarms went off during the storm*, durante il temporale scattarono (*o* si misero a suonare) gli antifurto di molte automobili **6** (*di una bomba, un petardo, ecc.*) esplodere; (*di un'arma da fuoco*) sparare (*un colpo*); scoppiare (*anche fig.*): *The car bomb went off with a terrible bang*, l'autobomba scoppiò con un fracasso tremendo **7** scadere (*in qualità*); peggiorare: *The play goes off after the end of Act one*, la commedia peggiora dopo la fine del primo atto **8** (*fam.*) andare a male; guastarsi: *All the eggs have gone off*, sono andate a male tutte le uova **9** (*fam.*) addormentarsi **10** (*fam.*) perdere i sensi **11** (*di un attore*) uscire (di scena); fare un'uscita **12** (*sport*) uscire dal campionato (*o* dal torneo); essere eliminato; (*di un giocatore*) uscire dal campo Ⓑ v. i. + prep. **1** abbandonare; lasciare; uscire da: *We went off the main road*, abbandonammo la strada maestra **2** rinunciare a; smettere (*di fare qc.*); non piacere più (impers.): *I've gone off detective stories*, ho smesso di leggere i gialli; *Luckily my daughter has gone off her boyfriend*, per fortuna mia figlia s'è scapricciata del suo ragazzo □ **to go off one's head** (*fam.*: **one's nut, one's rocker**), andare giù di testa □ **to go off the rails**, (*di un treno*) deragliare; (*fig. fam.*) sgarrare; farne una grossa (*fam.*).

▪ **go off with** v. i. + avv. + prep. **1** andarsene (*o* scappare) con: *The plumber has gone off with the doctor's daughter*, l'idraulico s'è scappato con la figlia del dottore **2** (*fam.*) prendersi; portare via; fregarsi (*pop.*): *He's gone off with my paper!*, mi ha portato via il giornale!

▪ **go on** Ⓐ v. i. + avv. **1** andare avanti; procedere; continuare; proseguire; andare in testa: *They went on in spite of the snow*, nonostante la neve, andarono avanti; *Go on talking* [*reading*], continua a parlare [a leggere] **2** andare; entrare (*a q.*): *This jacket won't go on*, questa giacca non mi entra **3** (*del tempo*) passare; (*di un avvenimento*) dura-

re: **as the day goes** (*o* went) **on**, con il passare delle ore; *How long has the strike been going on?*, quant'è che dura lo sciopero? **4** accadere; succedere; aver luogo; svolgersi: *What's going on here?*, che cosa succede qui?; *There's a ceremony going on at the town hall*, stanno facendo una cerimonia in municipio **5** (*della luce elettrica, del gas, ecc.*) accendersi: *The streetlights go on when it gets dark*, i lampioni si accendono quando si fa buio **6** andarci vicino (*fig.*); (*di una persona*) essere avanti (*con l'età*); avvicinarsi a (*una certa età*): *He's going on 60*, s'avvicina ai sessant'anni **7** tirare avanti; farcela: *They couldn't go on without their son's support*, non ce la farebbero senza l'aiuto del figlio **8** andare d'accordo **9** (*fam.*) agire; comportarsi (*spec. male, o in modo strano*): *I cannot put up with the way he goes on*, non riesco a sopportare il suo modo di comportarsi **10** (*spec. ingl. sett.*) andare (*bene, male, ecc.*): *How did you go on in your exam?*, come sei andato all'esame? **11** (*sport*) scendere (*o* entrare) in campo **12** (*teatr.*) entrare in scena Ⓑ v. i. + prep. **1** andare in, andare a fare (qc.); partecipare a: **to go on a trip**, andare a fare una gita; andare in gita **2** andare a (*cavallo, ecc.*); andare su (*una giostra, ecc.*); andare in (*barca, ecc.*) **3** andare su; essere da collocare su **4** cominciare a prendere (*una medicina*) **5** giudicare da; basarsi su; prestar fede a (*una notizia, ecc.*): *They want to convict him, but they don't have anything serious to go on*, vogliono incriminarlo, ma non hanno niente di serio su cui basarsi **6** entrare a far parte di; entrare in; essere iscritto a (*una lista*) **7** (*del tempo, del denaro e sim.*) andarsene in; essere speso per (*o* impiegato in): *Nearly half my income goes on bills*, quasi la metà del mio reddito se ne va in bollette **8** (*fam. USA*) piacere, garbare, andare a genio (impers.) □ **Go on!**, svelto, svelti!; suvvia!; forza!; coraggio!; (*anche* **Go on with you!**) ma va!; va là!; fammi il (santo) piacere!; non ci credo!

❶ Nota: *to go on*

a *to go on doing st.* significa continuare a fare qc.: *He went on singing*, continuò a cantare; *You can't go on behaving like this*, non puoi continuare a comportarti così.

b *to go on to do st.* indica invece che si inizia un'azione interrompendone una precedente: *She admitted her mistake and went on to apologize* equivale perciò a ammise il suo errore e chiese scusa o dopo aver ammesso il suo errore chiese scusa e non a ammise il suo errore e continuò a chiedere scusa; *My boss went on to talk about the new office* significa il mio capo passò a parlare del nuovo ufficio e non il mio capo continuò a parlare del nuovo ufficio.

▪ **go on at** v. i. + avv. + prep. (*fam.*) **1** dare addosso a; sgridare: *Don't go on at your students all the time*, non dare addosso di continuo ai tuoi allievi! **2** stare dietro a (*fig.*); importunare; assillare: *She's always going on at her husband to buy a new car*, assilla di continuo il marito perché compri un'auto nuova.

▪ **go on for** v. i. + avv. + prep. **1** (impers.: *dell'ora*) essere quasi: *It's going on for midday*, è quasi mezzogiorno **2** (*di una persona*) avvicinarsi a, avere quasi (*una certa età*): *Granny is going on for eighty*, la nonnina ha quasi ottant'anni.

▪ **go on to** v. i. + avv. + prep. **1** continuare il viaggio fino a; arrivare fino a: *I'll go on to the station*, arrivo fino alla stazione **2** passare a; mettersi a: *Let's go on to the next item on the agenda*, passiamo al punto successivo dell'ordine del giorno.

▪ **go on with** v. i. + avv. + prep. **1** continuare; continuare a fare (qc.): *Go on with your work!*, continua a fare il tuo lavoro! **2** farsi

bastare; tirare avanti con (qc.): *Here's few pounds to be going on with*, eccoti qualche sterlina per tirare avanti.

■ **go out** v. i. + avv. **1** andare fuori; uscire; uscire in pubblico: *Don't go out in the rain!*, non uscire sotto la pioggia!; *Would you like to go out tonight?*, hai voglia di uscire questa sera?; *I'm going out with Jenny*, esco con Jenny; *She went out shopping*, uscì per fare la spesa **2** andare (lontano); emigrare; trasferirsi: *He went out to Australia and made a fortune*, è andato (o è emigrato) in Australia e ha fatto fortuna **3** (*del fuoco, della luce, ecc.*) spegnersi: *The candle went out*, la candela si spense **4** passare di moda; tramontare (*fig.*) **5** (*di un periodo di tempo*) finire; passare **6** (*del governo, ecc.*) essere battuto (*alle elezioni*); (*sport*) essere eliminato: *Our team went out in the play-offs*, la nostra squadra fu eliminata nei play-off **7** addormentarsi di botto; avere un colpo di sonno; (*fam.*) perdere i sensi **8** uscire (*con una ragazza, ecc.*): *My two best friends are going out together*, i due miei miglior amici fanno coppia fissa **9** (*del mare*) ritirarsi (*dalla spiaggia*); (*della marea*) calare **10** (*di lavoratori*) scioperare **11** (*di una notizia, un fatto, ecc.*) essere pubblicato; (*di un invito, ecc.*) essere inviato **12** (*fam.*) andarsene (*fig.*); morire **13** (*un tempo*) andare a lavorare a domicilio (*di privati*); andare a servizio □ (*fam. USA*) **to go out with sb.**, uscire con q.

■ **go out of** v. i. + avv. + prep. **1** uscire da (o di): *The doorbell rang as I was going out of the bathroom*, suonarono alla porta mentre uscivo dal bagno **2** scomparire da; abbandonare: *All the colour went out of his face*, si scolorì in volto □ (*comm.*) **to go out of business**, cessare l'attività □ **to go out of date**, perdere attualità; diventare obsoleto □ **to go out of one's mind**, uscire di senno; impazzire □ (*sport*) (*della palla*) **to go out of play**, andare fuori □ **to go out of sight**, scomparire (alla vista) □ **to go out of one's way to do st.**, darsi pena (o prendersi il disturbo) di fare qc.

■ **go out to** v. i. + avv. + prep. **1** andare a (*uscendo*): *He's going out to the post office*, sta andando alla posta **2** (*form.*) andare a (*fig.*); rivolgersi con simpatia a: *My heart goes out to those who were killed in action*, il mio cuore va ai caduti (in combattimento).

■ **go over** v. i. + avv. **1** andare (*attraversando un fiume, un lago, il mare*); passare (*anche fig.*); passare di là (o sopra); (*sport*) fare un salto: *He's gone over to England*, è andato in Inghilterra; *He went over from the Conservatives to the Liberals*, passò dai conservatori ai liberali **2** avvicinarsi; accostarsi: *The traffic warden went over to the children to help them cross the road*, il vigile si avvicinò ai bambini per aiutarli ad attraversare la strada **3** andare a trovare; fare un salto (da): *Let's go over to our neighbours'!*, facciamo un salto dai vicini! **4** fare una o più giravolte; rovesciarsi: *The lorry went over twice before stopping against a tree*, il camion fece due giravolte prima di arrestarsi contro un albero; *Don't rock the boat, or it will go over!*, non scuotere la barca, se no si rovescia! **5** essere accolto (*di solito, bene*); piacere (impers.): *How did the chairman's speech go over?*, com'è stato accolto il discorso del presidente? **6** (*radio, TV, ecc.*) collegarsi: *And now let's go over to the scene of the accident!*, e adesso colleghiamoci con il luogo dell'incidente! **B** v. i. + prep. **1** andare (o passare) al di là (o al di sopra) di; valicare; superare; saltare: **to go over a mountain pass**, valicare un passo tra i monti; (*sport*) **to go over a hurdle**, superare un ostacolo **2** esaminare a fondo; controllare, ispezionare (accuratamente); perquisire; (*di un medico*) visitare: **to go over**

the ground, ispezionare bene il terreno; (*fig.*) esaminare tutte le circostanze; **to go over the company books**, controllare i libri contabili dell'azienda; *We really need to sit down and go over the figures for next year's budget*, abbiamo davvero bisogno di sederci a tavolino e controllare le cifre del budget per l'anno prossimo **3** rimettere in sesto (*un apparecchio*); (*autom.*) lavare e pulire (*un veicolo*); dare una ripassata a (*un motore*) **4** ripassare; ripetere; esercitarsi in; (*teatr.*) provare (*una scena*): **to go over one's lesson**, ripassare (o ripetere) la lezione **5** considerare attentamente; riflettere bene su: *We've gone over your proposal*, abbiamo riflettuto bene sulla vostra proposta **6** superare; eccedere: **to go over a limit**, superare un limite □ (*fam.*) **to go over the top**, farne una delle grosse.

■ **go round** **A** v. i. + avv. **1** girare (in tondo; *anche fig.*); (*di una ruota*) girare; (*di un astro, un pianeta*) ruotare: *Money makes the world go round*, sono i soldi che fan girare il mondo **2** andare in giro; muoversi; viaggiare; farsi vedere (*in pubblico*); uscire (*con una ragazza, ecc.*): *He goes round with a gang of young hooligans*, va in giro con una banda di teppistelli **3** andare (a trovare): *Let's go round and see your grandmother!*, andiamo a trovare la nonna! **4** (*di una notizia, ecc.*) andare in giro; diffondersi; (*dell'influenza, ecc.*) essere in giro; (*di un avviso, un invito, ecc.*) essere fatto circolare **5** (*di una cosa distribuenda qc.*) essercene per tutti: *There aren't enough cakes to go round*, le paste non bastano per tutti; *There's enough to go round!*, ce n'è per tutti! **6** (*trasp.*) fare una deviazione: **to go round the long way**, allungare la strada facendo una deviazione **7** (*fig.: di un'idea, un motivo musicale, ecc.*) girare (o frullare) per il capo **8** fare un giro (*in giostra e sim.*) □ **B** v. i. + prep. **1** girare intorno a; fare il giro di; girare; circondare; (*di un corpo celeste, ecc.*) ruotare intorno a: *The moon goes round the earth*, la luna ruota intorno alla terra; **to go round the corner**, girare l'angolo **2** girare in (o per); girare: **to go round London by tube**, girare Londra in metrò **3** (*di una notizia*) diffondersi in (*un luogo*); (*di una malattia*) essere in giro (*in un posto*) **4** (*di una cosa distribuita*) bastare per; essercene per **5** fare un giro di; visitare: *We went round the new factory*, visitammo la fabbrica nuova **6** (*di un avviso, ecc.*) essere fatto circolare fra (*diverse persone*) □ (*autom.*) **to go round a bend**, fare (o prendere) una curva □ (*fam.*) **to go round the bend**, diventare matto (*anche fig.*); ammattire; impazzire □ **to go round in circles**, andare in cerchio; (*fig. fam.*) non combinare nulla.

■ **go straight** v. i. + avv. (*fig.*) rigare diritto; comportarsi bene.

■ **go through** **A** v. i. + avv. **1** passare, penetrare: *This needle won't go through*, quest'ago non passa **2** andare in porto (*fig.*); andare a buon fine; concludersi felicemente: *The sale has gone through*, la vendita è andata in porto; *The transaction's not going through*, la transazione non è stata eseguita **3** (*leg.*) essere approvato (concesso, accordato, ecc.): *Their divorce went through at last*, finalmente ottennero il divorzio **4** (*di un recipiente, un capo di vestiario, ecc.*) bucarsi; forarsi: *My sweater has gone through at the elbows*, mi s'è fatto un buco al gomito del maglione **5** (*sport: tennis, ecc.*) passare il turno **6** (*sport: nelle corse, nello sci, ecc.*) fare (o portare a termine) il percorso **7** (*ciclismo, ecc.*) (*di un corridore*) passare; (*anche*) andare a tirare; dare il cambio **B** v. i. + prep. **1** passare (o penetrare) attraverso (o in mezzo a); entrare (o passare) in; sfondare: *The wardrobe won't go through the doorway*, l'armadio non passa dalla porta **2** passare

attraverso (*fig.*); subire; superare; sopportare; passare (*fam.*); fare (*una malattia*): **to go through a trial**, (*leg.*) subire un processo; (*anche*) superare una prova difficile; *You don't realize what we had to go through during the war*, non potete rendervi conto di quante ne abbiamo dovute passare durante la guerra **3** (*leg.*) essere approvato (o accordato) da; superare l'esame di: *The bill has not yet gone through Parliament*, il disegno di legge non è stato ancora approvato dal parlamento **4** esaminare (o discutere) a fondo; controllare; ispezionare; fare lo spoglio di; spulciare (*fam.*): **to go through a matter**, esaminare a fondo una faccenda; (*dog.*) **to go through sb.'s luggage carefully**, ispezionare attentamente il bagaglio di q.; **to go through one's mail**, fare lo spoglio della corrispondenza ricevuta **5** frugare (o rovistare) in; perquisire; passare al setaccio (*fig.*): **to go through sb.'s drawers [pockets]**, rovistare nei cassetti [frugare nelle tasche] di q. **6** fare fuori (*fam.*); consumare (*cibo, bevande*); spendere, sperperare, sprecare (*denaro*); logorare (*vestiti, scarpe*) **7** durare, resistere per (*un certo tempo*) **8** prendere parte a (*una cerimonia, e sim.*) **9** (*di un libro, ecc.*) essere pubblicato e venduto in (*un certo numero di copie*): *My novel went through ten thousand copies*, del mio romanzo furono vendute diecimila copie □ (*fam.*) **to go through fire and water for sb.**, buttarsi nel fuoco per q. (*fig.*) □ (*fig.*) **to go through sb.'s hands**, passare per le mani di q. □ **to go through it**, passarci (*fare un'esperienza*): *We too had to go through it*, dovemmo passarci anche noi □ (*fam.*) **to go through the mill**, fare della gavetta (*fam.*) **to go through the motions**, muovere solo le labbra; fare solo la mossa.

■ **go through with** v. i. + avv. + prep. **1** portare avanti (*un progetto*); portare a termine (*un lavoro*); completare **2** andare fino in fondo a (qc.); mantenere (*un impegno*): *You'll have to go through with it, however unpleasant it may be!*, ti toccherà di andare fino in fondo alla faccenda, per sgradevole che sia.

■ **go to** v. i. + prep. **1** andare, portare a; arrivare fino a: *Does this road go to the centre?*, questa strada porta in centro? **2** andare in; entrare in (*fig.*): **to go to war**, entrare in guerra; **to go to hospital**, andare (o essere ricoverato) in ospedale **3** andare (in eredità, ecc.) a; essere assegnato a: *The prize went to our team*, il premio fu assegnato alla nostra squadra **4** affrontare, sostenere, sobbarcarsi a (*una spesa, ecc.*); prendersi (*un fastidio, ecc.*); darsi (*pena*); fare (*uno sforzo*): *Why should we go to such expense?*, perché dovremmo sobbarcarci a una tale spesa? □ **to go to the bad**, prendere una cattiva strada (*fig.*) □ **to go to the bar**, darsi alla professione forense; diventare avvocato □ **to go to a better world**, passare a miglior vita □ **to go to bits** = **to go to pieces** → *sotto* □ (*polit.*) **to go to the country**, fare appello al paese; indire le elezioni □ (*leg.*) **to go to court**, adire il tribunale; andare in tribunale □ (*fam.*) **to go to the dogs**, andare in malora (o a rotoli) □ (*di un selvatico*) **to go to earth**, rintanarsi □ **to go to great lengths**, darsi grande pena; darsi (molto) da fare □ **to go to ground**, (*mil., polit.*) entrare in clandestinità; (*di un selvatico*) rintanarsi □ **to go to sb.'s head**, andare alla testa a q.: *Success went to his head*, il successo gli andò alla testa □ **to go to the heart of the matter**, andare al nocciolo di una questione □ (*fam.*) **Go to it!**, dacci sotto! forza!; coraggio! □ **to go to law**, adire le vie legali □ **to go to pieces**, andare in pezzi (*anche fig.*); crollare (*fig.*) □ (*polit.*) **to go to the polls**, andare alle urne □ (*fam.*) **to go to pot**, andare in malora (o a rotoli) □ **to go to press**, andare in

stampa □ **to go to (rack and) ruin**, andare in rovina; rovinarsi □ **to go to sea**, imbarcarsi (come marinaio); andare a fare il marinaio □ **to go to seed**, (bot.) far seme, sementire; (fig. fam.: di una persona) sciuparsi; rimminchionirsi (pop.) □ (fig. fam.) **to go to town**, fare fuoco e fiamme; fare spese pazzesche □ (fam.) **to go to the wall**, essere messo con le spalle al muro; essere ridotto a mal partito □ **to go to work on sb.**, esercitare forti pressioni su q. □ **to go to work (on st.)**, rimboccarsi le maniche (per fare qc.) (fig.).

■ **go together** v. i. + avv. **1** andare insieme **2** fare coppia fissa **3** (fig.) accompagnarsi, fare il paio (fig.): Conceit and ignorance often go together, spesso la presunzione si accompagna all'ignoranza **4** andare (o star) bene insieme; armonizzare; intonarsi: Brown and yellow go together (well), il giallo e il marrone s'intonano.

■ **go under** A v. i. + avv. **1** andare (o entrare, passare) di sotto: I'm too tall to go under, sono troppo alto per passarci sotto **2** andare sott'acqua; (di un sub, ecc.) immergersi; (di un'imbarcazione) colare a picco; affondare **3** (fig.) andare in rovina; fallire: Lots of shopkeepers went under to keen competition from supermarkets, molti bottegai fallirono per la forte concorrenza da parte dei supermercati **4** perdere coscienza (per l'anestesia) B v. i. + prep. **1** andare (o entrare, passare) sotto: The cat has gone under the table, il gatto è andato sotto la tavola **2** (in una lista) andare sotto (una voce, ecc.) □ (di un oggetto, un bene, ecc.) **to go under the hammer**, andare (o essere venduto) all'asta □ **to go under the name of**, andare sotto il nome di; farsi passare per.

■ **go up** A v. i. + avv. **1** andare su; salire; alzarsi: The rock climber started to go up, il rocciatore cominciò a salire; The temperature has gone up, la temperatura si è alzata **2** (di prezzi, ecc.) salire; aumentare; crescere; rincarare; lievitare (fig.): Food prices have gone up, i generi alimentari sono rincarati **3** essere distrutto (spec. dal fuoco); saltare in aria (per un'esplosione): The factory went up in flames, la fabbrica fu distrutta dalle fiamme **4** essere costruito; essere edificato: New houses are going up everywhere, si costruiscono case nuove dappertutto **5** (del sipario) alzarsi: What time does the curtain go up?, a che ora si alza il sipario (o comincia lo spettacolo)? **6** (teatr., ecc.: delle luci) alzarsi; accendersi **7** (ingl.) essere promosso (alla classe superiore); passare B v. i. + prep. **1** salire su (un albero, un monte, una scala, ecc.); arrampicarsi su: The car won't go up the slope, l'automobile non riesce a fare questa salita **2** (le scale) **to go up the stairs two steps at a time**, fare le scale due gradini alla volta □ (fig.) **to go up in smoke**, andare in fumo □ **to go up in the world**, farsi strada (fig.); avere successo □ (fig. fam.) **to go up the wall**, andare su tutte le furie.

■ **go upon** v. i. + prep. → **go on** B.

■ **go up to** v. i. + avv. + prep. **1** salire fino a; andare a (salendo): The children had already gone up to bed, i bambini erano già andati a letto **2** (di prezzi, della temperatura, ecc.) salire (fino) a; arrivare a: Oil prices have gone up to an impossible level, i prezzi del petrolio sono arrivati a un livello impossibile **3** andare a (un'università, una grande città, ecc.): I'll go up to London next week, la settimana prossima vado a Londra **4** andare a; avvicinarsi (o accostarsi) a: I went up to a policeman, andai da un poliziotto **5** (fig.) arrivare a (un certo punto, una certa data) **6** (ingl.) essere promosso a (o in): My son has gone up to the next class, mio figlio è stato promosso alla classe superiore.

■ **go with** v. i. + prep. **1** andare con (q.); ve-

nire con (q.); uscire con (fig.); fare l'amore con: Let me go with you!, fammi venire con te! **2** accompagnarsi a, fare il paio con (fig.): Malnutrition often goes with disease, spesso la denutrizione si accompagna alla malattia **3** andare d'accordo con (q.) **4** andare (o stare) bene con; armonizzare, intonarsi con: The tie goes with your suit, la cravatta sta bene col tuo vestito **5** (del comportamento, ecc.) confarsi a; essere coerente con (le proprie idee, ecc.) **6** essere venduto (o affittato, concesso, ecc.) in blocco con: The flat goes with the job, al dipendente è concesso l'appartamento gratis; c'è l'appartamento di servizio □ (fig. fam.) **to go with the crowd** (o the stream), fare quello che fanno i più; andare con la corrente □ (fig.) **to go with the tide** (o the times), andare con la corrente; adeguarsi ai tempi.

■ **go without** v. i. + prep. o avv. **1** fare senza (di); fare a meno (di): There's no milk left; we'll have to go without, non c'è più latte; dobbiamo fare senza **2** astenersi da; rinunciare a: **to go without wine**, astenersi dal vino; **to go without sleep**, rinunciare al sonno; fare a meno di dormire □ (fam.) It goes without saying!, manco a dirlo!: It goes without saying that I will help him, è chiaro che lo aiuterò.

goad /ɡəʊd/ n. pungolo, bastone appuntito; (fig.) incitamento, stimolo.

to **goad** /ɡəʊd/ v. t. pungolare; (fig.) incitare, stimolare, spronare: **to g. oxen**, pungolare i buoi; **to g. sb. into doing st.**, spronare (o stimolare) a fare qc. ● **to g. sb. on (to do st.)**, incitare q. (a fare qc.).

go-ahead /'ɡəʊəhɛd/ A a. (fam.) intraprendente; attivo; energico; fattivo; che ha spirito di iniziativa B n. ⓤ (il) via; (il) via libera; (il) permesso di agire; approvazione; benestare: We've been given the go-ahead, ci hanno dato il benestare.

♦ **goal** /ɡəʊl/ n. **1** obiettivo; scopo; fine; bersaglio, meta, traguardo (fig.): **to set oneself a g.**, fissarsi un obiettivo; **to reach one's g.**, raggiungere lo scopo (o la meta); **one's g. in life**, lo scopo della propria vita **2** (sport: calcio, ecc.) porta: **the opposing g.**, la porta avversaria **3** (calcio, ecc.) gol; goal; rete; marcatura; segnatura; conclusione: **to get** (o **to make, to kick, to score) a g.**, fare (o segnare) un gol (o una rete); Once they got their first g. there was only going to be one winner, una volta che hanno segnato il primo gol poteva esserci un solo vincitore **4** (basket) canestro, cesto (il punto) **5** (rugby) porta; porta realizzata (con un calcio); marcatura; segnatura **6** (hockey su ghiaccio; anche **g. cage**) porta **7** (baseball e rugby) porta (fatta ad H); acca (fam.) **8** (nelle corse) traguardo; punto d'arrivo **9** (stor. romana) colonna (di un circo) ● (calcio, ecc.) **g. area**, area di porta; area piccola; area (per antonomasia); porta (fig.); (netball) **g. attack**, attaccante a canestro □ (hockey su ghiaccio) **g. cage**, porta; gabbia □ (lacrosse, hockey) **g. crease**, area di porta □ (netball) **g. defence**, difensore di canestro □ (calcio, ecc.) **g. feast** (o **g. glut, g. spree**), goleada; scorpacciata di gol □ (calcio, ecc.) **g. kick**, calcio di rinvio; rimessa da fondocampo (del portiere: con i piedi) □ **g. line**, (calcio, ecc.) linea di fondo (o di fondocampo): **g. line clearance**, respinta sulla linea □ (calcio, ecc.) **g. tally**, conto dei gol fatti; il bottino (fam.) □ (sport) **g. throw**, rinvio (o rimessa) di mano (dal fondo); rilancio (del portiere) □ (calcio, ecc.) **to be in the g. area**, trovarsi in area (o sotto porta, sotto rete, sottomisura) □ (calcio, ecc.) **own g.**, autorete: **to score an own g.**, fare un'autorete □ (calcio, ecc.) **to be one g. down [up]**, essere sotto [sopra (o in vantaggio)] di un gol.

goaler /'ɡəʊlə(r)/ n. (sport) portiere (nell'hockey su ghiaccio).

goalie /'ɡəʊlɪ/ n. (fam.) portiere (nel gioco del calcio e sim.).

goalkeeper /'ɡəʊlkiːpə(r)/ (calcio, ecc.) n. portiere ‖ **goalkeeping** n. ⓤ il giocare in porta; ruolo di portiere ● **goalkeeping skill**, abilità in porta.

goalless /'ɡəʊləs/ a. (calcio, ecc.) senza gol; a reti inviolate; in bianco: **a g. draw**, pareggio zero a zero.

goalmouth /'ɡəʊlmaʊθ/ n. (sport) specchio (o luce) della porta ● **to close (in) on the g.**, portarsi sotto porta (o sottomisura).

goalpost /'ɡəʊlpəʊst/ n. **1** (calcio, ecc.) palo della porta; palo; montante: **to hit the g.**, colpire il palo **2** (netball) palo con canestro **3** (polo) colonnina (della porta).

goalscorer /'ɡəʊlskɔːrə(r)/ n. (calcio, ecc.) goleador; cannoniere (fig.); bomber; uomo gol; marcatore; realizzatore; finalizzatore.

goalscoring /'ɡəʊlskɔːrɪŋ/ A a. **1** (di un giocatore) che segna (molto) **2** (di una posizione in campo) (da) gol; (basket) (da) canestro: **g. area**, zona gol; zona canestro B n. ⓤ il segnare; la marcatura; l'andare a rete ● (calcio, ecc.) **g. opportunity**, palla gol.

goaltender /'ɡəʊltɛndə(r)/ n. (calcio, ecc.) portiere.

go-as-you-please /'ɡəʊəzjuːpliːz/ A a. (fam.) **1** libero; indisciplinato; sfrenato: **go-as-you-please liberty**, sfrenata libertà **2** tollerante; alla mano (fam.); che tira a campare B n. (ferr.) abbonamento settimanale (o mensile, o stagionale: della metropolitana di Londra) ● **Things are very go-as-you-please here**, qui le cose vanno a rilento; qui si tira a campare.

goat /ɡəʊt/ n. **1** capra **2** – (astron., astrol.) **the G.**, il Capricorno (costellazione e X segno dello zodiaco) **3** (fig.) persona libidinosa, licenziosa; satiro (fig.) **4** (slang) capro espiatorio ● (bot.) **g.'s beard**, (Spiraea ulmaria) regina dei prati; (Tragopogon pratensis) barba di becco □ (mitol.) **the g.-god**, il dio Pan □ **g.'s wool**, lana caprina; cosa inesistente, assurda □ (fam.) **to get sb.'s g.**, far perdere la pazienza a q.; far uscire dai gangheri q. □ **he-g.** (o **billy g.**), capro; caprone; becco □ **nanny g.**, capra (femmina) □ **to play** (o **to act) the (giddy) g.**, fare lo scemo (o lo stupido).

goatee /ɡəʊ'tiː/ n. (= **g. beard**) barbetta a punta; pizzo; pizzetto.

goatherd /'ɡəʊthɜːd/ n. capraio, capraia.

goatish /'ɡəʊtɪʃ/ a. **1** caprino; caprigno **2** (fig.) libidinoso; lascivo.

goatskin /'ɡəʊtskɪn/ n. **1** pelle di capra **2** capretto; marocchino **3** indumento (o otre, fiasca, ecc.) di pelle di capra.

goatsucker /'ɡəʊtsʌkə(r)/ n. (zool., Caprimulgus europaeus) caprimulgo; succiacapre.

goaty /'ɡəʊtɪ/ a. caprino; caprigno.

gob① /ɡɒb/ n. **1** sputo; scaracchio **2** (slang) bocca; becco (fig.).

gob② /ɡɒb/ n. (slang USA) marinaio.

to **gob** /ɡɒb/ v. i. (slang) sputare; scaracchiare.

gobbet /'ɡɒbɪt/ n. **1** (fam.) pezzo (spec. di carne); boccone **2** (gergo studentesco) breve brano (o passo) da commentare (o da tradurre).

gobble① /'ɡɒbl/ n. gloglottio (del tacchino); glo glo; glu glu.

gobble② /'ɡɒbl/ n. (golf) colpo rapido che manda la palla in buca.

gobble③ /'ɡɒbl/ n. (volg.) pompino, bocchino (volg.).

to **gobble**① /'ɡɒbl/ v. t. e i. **1** ingoiare; ingollare; ingurgitare; trangugiare; mangiare in fretta e avidamente **2** (fig.) mangiare, pappare, impadronirsi di (territori altrui, ecc.) **3** (volg.) spompinare.

■ **gobble up** v. t. + prep. **1** divorare; pappare; sbafare **2** (*fig.*) inglobare; impadronirsi di **3** (*fig.*) (*di denaro*) mangiare.

to **gobble** ② /'gɒbl/ v. i. **1** (*del tacchino*) gloglottare; fare glu glu **2** (*fig.*) emettere suoni strozzati (*per ira, ecc.*).

gobbledegook, gobbledygook /'gɒbldɪguːk/ n. ⍰ (*fam.*) gergo professionale astruso (*politico, scientifico, tecnico, ecc.*) politichese; burocratese; sociologhese, ecc.

gobbler ① /'gɒblə(r)/ n. ghiottone; mangione; trangugiatore.

gobbler ② /'gɒblə(r)/ n. (*USA*) tacchino (*il maschio*).

Gobelin /'gəʊbəlɪn/ Ⓐ a. (*di arazzi, tappeti*) gobelin (*fabbricati a Parigi, nella fabbrica Gobelin o a imitazione di questi*) Ⓑ n. **1** ⍰ gobelin (*il tessuto*) **2** arazzo gobelin.

go-between /'gəʊbɪtwiːn/ n. **1** intermediario; tramite **2** (*spreg.*) mezzano.

goblet /'gɒblət/ n. (*arc.*) calice; coppa.

goblin /'gɒblɪn/ n. (*mitol.*) spiritello maligno; folletto dispettoso.

gobo /'gəʊbəʊ/ n. (pl. **gobos, goboes**) (*cinem., TV*) **1** schermo paraluce **2** pannello antisonoro.

gobsmacked /'gɒbsmækt/ a. (*fam. ingl.*) sbalordito; di sasso: *She was g. when I told her*, quando glielo dissi lei rimase di sasso.

gobstopper /'gɒbstɒpə(r)/ n. (*ingl.*) grossa caramella rotonda (*da succhiare*).

goby /'gəʊbi/ n. (pl. **gobies, goby**) (*zool., Gobius*) ghiozzo.

go-by /'gəʊbaɪ/ n. (*slang*) l'evitare (q. *o* qc.); lo snobbare: **to give sb. the go-by**, evitare (*o* ignorare, fingere di non vedere, snobbare) q.; **to give st. the go-by**, evitare (*o* scansare, non tener conto di) qc.

go-cart /'gəʊkɑːt/ n. **1** (*USA*) girello; girellino (*per bambini*) **2** (*USA*) passeggino **3** carretto a mano; carrettino **4** (*sport*) → **go-kart 5** carretto rudimentale (*per giochi di bambini*).

◆ **god** /gɒd/ n. **1** dio (*anche fig.*); iddio; divinità pagana; idolo: **the god of wine**, il dio del vino; Bacco; *Wealth is their only god*, la ricchezza è il loro solo dio **2** ⍰ – (*relig.*) God, Dio; Iddio: *'God's in his heaven – All's right with the world'* R. BROWNING, 'Dio è in cielo – e il mondo è a posto'; **the Lord God**, il Signore Iddio; *Almighty God*, Dio Onnipotente; **God the Father**, Dio Padre; **to pray (to) God**, pregare Iddio; **God willing**, se Dio lo vuole; a Dio piacendo; **God (only) knows!**, Dio (solo) lo sa; lo sa Iddio! **3** (pl.) (*teatr.*) **the gods**, il loggione; (*anche*) gli spettatori del loggione; i loggionisti ▫ **a seat in the gods**, un posto in loggione ● (*arc.*) **God's acre**, il camposanto; il cimitero ▫ (*pop.*) **god-awful**, orrendo, orribile; bruttissimo ▫ **God's book**, la Bibbia ▫ (*slang USA*) **God-box**, chiesa; organo (*di chiesa*) ▫ **god-fearing**, timorato di Dio; devoto; pio ▫ **God forbid!**, Dio non voglia! ▫ **god-forsaken**, (*di persona*) malvagio, cattivo; (*di luogo*) abbandonato da Dio, desolato ▫ **God's truth**, l'assoluta verità ▫ **by God!**, per Dio!; perdio! ▫ **a feast for the gods**, un banchetto degno degli dèi ▫ **for God's sake**, per amor di Dio ▫ **to play God**, fare il padreterno ▫ **a sight for the gods**, uno spettacolo divino ▫ **thank God!**, grazie a Dio! ▫ **to be with God**, essere in paradiso ▫ (*fam. antiq.*) **ye gods (and little fishes)!**, buon Dio! ▫ (*leg.*) *formula asseverativa*) *I swear to tell the truth, so help me God!*, in nome di Dio, giuro di dire la verità!

godchild /'gɒdtʃaɪld/ n. (pl. **godchildren**) figlioccio, figlioccia.

goddam, goddamn /'gɒdæm/, **goddamned** /'gɒdæmd/ (*slang, spec. USA*) Ⓐ a. dannato; maledetto: *He's a g. bore*, è un maledetto scocciatore Ⓑ avv. dannatamente; maledettamente Ⓒ n. (un) accidente; nulla

Ⓓ inter. dannazione!; maledizione!

goddammit /gɒ'dæmɪt/ inter. (*slang*) maledizione! dannazione!

goddaughter /'gɒdɔːtə(r)/ n. figlioccia.

goddess /'gɒdɪs/ n. (*anche fig.*) dea: **the g. of love**, la dea dell'amore; Venere; **the g. of hell**, la dea dell'Ade; Proserpina.

go-devil /'gəʊdevl/ n. **1** (*agric.*) rastrello **2** (*agric.*) coltivatore a slitta **3** slitta per trasportare tronchi **4** (*ferr.*) carrello di servizio **5** (*mecc., ind. min.*) go-devil.

godfather /'gɒdfɑːðə(r)/ n. padrino (*di battesimo, o della mafia*).

Godfrey /'gɒdfri/ n. Goffredo.

godhead /'gɒdhed/ n. ⍰ **1** divinità; natura divina **2** divinità; Dio.

godless /'gɒdləs/ a. **1** senza Dio; ateo **2** empio; malvagio | **-ly** avv. | **-ness** n. ⍰.

godlike /'gɒdlaɪk/ a. **1** divino: **g. beauty**, divina bellezza **2** simile a un dio; deiforme.

godly /'gɒdli/ a. devoto; pio; religioso ‖ **godliness** n. ⍰ devozione; religiosità; pietas (*lat.*).

godmother /'gɒdmʌðə(r)/ n. madrina (*di battesimo*).

godown /'gəʊdaʊn/ n. (*India*), deposito; magazzino.

godparent /'gɒdpeərənt/ n. padrino; madrina.

godsend /'gɒdsend/ n. (contraz. di **God's send**) dono del cielo; fortuna insperata; (*fig.*) manna; mano di Dio.

godship /'gɒdʃɪp/ n. ⍰ divinità; natura divina.

godson /'gɒdsʌn/ n. figlioccio.

Godspeed /gɒd'spiːd/ n. e inter. (*arc.*; contraz. di **God speed you!**) buona fortuna; successo; buon viaggio: **to wish sb. g.**, augurare buon viaggio a q.

godwit /'gɒdwɪt/ n. (*zool., Limosa*) pittima; beccaccia d'acqua.

goer /'gəʊə(r)/ n. **1** persona che va; camminatore: **comers and goers**, persone che vanno e persone che vengono **2** (nei composti) frequentatore: **a theatre-g.**, un frequentatore di teatri **3** (*fam.*) persona attiva, energica; tipo intraprendente **4** (*volg.*) donna che ci sta; donna disinibita **5** (*Austral.*) cosa decisa (*o* che si farà); cosa che avrà successo.

gofer /'gəʊfə(r)/ n. (*pop. USA*) fattorino; messo; portaborsa.

goffer /'gəʊfə(r)/ n. **1** ferro per arricciare (*o* pieghettare, ecc.) **2** crespa; cannoncino; pieghettatura.

to **goffer** /'gəʊfə(r)/ v. t. arricciare; cannettare; increspare; pieghettare; goffrare (*carta, tessuti, ecc.*); stirare a cannoncini.

go-getter /'gəʊgetə(r)/ (*fam.*) n. tipo intraprendente; persona che si dà da fare; individuo ambizioso; tipo rampante ‖ **go-getting** a. che si dà da fare; intraprendente; rampante.

goggle ① /'gɒgl/ n. **1** ⍰ il roteare, lo strabuzzare; lo stralunare gli occhi **2** ⍰ protuberanza degli occhi **3** (pl., *slang*) occhialoni; occhiali di protezione (*da motociclista, ecc.*); occhiali di sicurezza (*sul lavoro*) **4** (pl.) (*slang*) tipo occhialuto; 'quattrocchi' (*soprannome*) **5** (*vet.*) ⍰ cenurosi; capogatto, capostorno (*slang spreg.*) **the g. box**, il televisore; la televisione.

goggle ② /'gɒgl/ a. **1** (*d'occhio*) protuberante; sporgente **2** (*dello sguardo*) stralunato ● **g.-eyed**, dagli occhi sporgenti; (*anche*) dagli occhi di fuori, stralunato.

to **goggle** /'gɒgl/ v. t. e i. **1** roteare, strabuzzare, stralunare (gli occhi) **2** guardare stralunato **3** (*degli occhi*) protrudere; essere sporgenti.

go-go /'gəʊgəʊ/ a. (*spec. USA*) **1** di (*o* da) discoteca (*o* night); che frequenta tali locali: **go-go dancer**, ballerina di night **2** (*fig.*) attivo; energico; intraprendente **3** **-go spirit**, spirito d'iniziativa **3** (*fig.*) d'avanguardia; alla moda; elegante; chic; moderno **4** (*fig.*) energico; vigoroso; rampante Ⓑ n. (pl. **go-gos**) **1** ballo di ragazze seminude (*al night*) **2** vita notturna ● (*fin.*) **go-go fund**, fondo d'investimento d'assalto (*assai rischioso*) ▫ **go-go years**, anni ruggenti.

Goidel /'gɔɪdəl/ (*ling.*) n. persona che parla una lingua del gruppo goidelico (*irlandese, gaelico scozzese e mannese*) ‖ **Goidelic** Ⓐ a. goidelico; gaelico Ⓑ n. ⍰ gruppo goidelico (*irlandese, gaelico scozzese e mannese*).

going /'gəʊɪŋ/ Ⓐ n. ⍰ **1** andata; partenza: *His g. was unexpected*, la sua partenza non era prevista **2** dipartita; morte **3** andatura; moto; velocità **4** l'andare; condizione, stato (*del terreno, d'una strada, ecc.*); percorso; (*sport*) terreno (*nelle corse*): *The g. is slow*, si procede a rilento; *Across the mountains we found the g. better*, di là dai monti ci accorgemmo che il terreno era più agevole; (*ipp.*) *The g. was too soft*, il terreno era troppo molle **5** (*sport*) andamento, svolgimento, sviluppi (*del gioco*); (*fig.*) gioco (*fig.*): *When the g. gets tough, the tough get going*, quando il gioco si fa duro, i duri scendono in campo Ⓑ a. **1** (*anche mecc.*) efficiente; che funziona **2** (*comm.*) bene avviato; in attivo; fiorente, sano (*fig.*): **a g. firm**, un'azienda bene avviata (*o* in attivo) **3** (*anche comm., fin.*) corrente; usuale; d'uso; solito: **the g. price** [value], il prezzo [il valore] corrente; **the g. salary**, lo stipendio usuale **4** di moda; in voga: **the g. thing**, la cosa di gran moda **5** esistente; al mondo; che ci sia: *He's the biggest liar g.*, è il più gran bugiardo che ci sia (al mondo) **6** disponibile; a disposizione; (*comm.*) in vendita, sul mercato: *This is the best TV set g.*, questo è il miglior televisore sul mercato; *Is there any beer g.?*, c'è della birra (a disposizione)?; si può avere della birra?; (*fam.*) *Is there any food g.?*, c'è niente da mangiare?; *If I hear of any jobs g., I'll let you know*, se sento di qualche lavoro disponibile ti faccio sapere ● (*mil. e sport*) **g. back**, arretramento; ripiegamento, retrocessione ▫ (*fin.*) **g.-concern value**, valore di avviamento ▫ **g.-down**, discesa, calata; (*fig.*) abbassamento (*di acque*); diminuzione (*di prezzi, ecc.*) ▫ **g.-in**, entrata; l'entrare; (*calcio, ecc.*) entrata, intervento (*su q.*) ▫ (*autom., ecc.*) **g. into a spin**, avvitamento ▫ **g. off the road**, uscita di strada ▫ (*autom.*) **g. off the track**, uscita di pista ▫ **goings-on**, avvenimenti, vicende; comportamento, condotta (*spec. se riprovevole*) ▫ **g.-out**, uscita; l'uscire ▫ (*fam.*) **g.-over**, esame accurato, ispezione; (*mecc.*) revisione, ripassata; (*fig.*) sgridata, lavata di capo; botte, pestaggio ▫ **g. rate**, (*fin.*) tasso corrente; (*di un servizio*) tariffa ordinaria ▫ **to find it hard** (*o* **heavy**) **g.**, avere grosse difficoltà (*nel procedere, o nel fare qc.*) ▫ (*fam.*) **to have a lot** (*o* **plenty**) **g. for it**, presentare grossi vantaggi ▫ (*fam.*) **to have nothing g. for it**, non presentare alcun vantaggio.

goiter (*USA*), **goitre** /'gɔɪtə(r)/ (*med.*) n. gozzo ‖ **goitred** a. gozzuto ‖ **goitrous** a. **1** simile a gozzo; di gozzo **2** affetto da gozzo; gozzuto **3** (*di una regione*) in cui il gozzo è endemico.

go-kart /'gəʊkɑːt/ (*sport*) n. go-kart (*automobilina da corsa*) ● **go-kart racer**, kartista ▫ **go-kart track**, kartodromo ‖ **go-karting** n. ⍰ kartismo.

Golconda /gɒl'kɒndə/ n. **1** Golconda (*città indiana, ora Hyderabad*) **2** (*fig.*) miniera d'oro; fonte di grande ricchezza.

◆ **gold** /gəʊld/ Ⓐ n. **1** ⍰ oro (*anche fig.*); denaro; ricchezza; colore dell'oro: **a g. ingot**,

un lingotto d'oro; **a heart of g.**, un cuor d'oro; *This boy is as good as g.*, questo è un ragazzo d'oro (*o* un ragazzo buono come il pane); **the age of g.**, l'età dell'oro **2** (*nel tiro con l'arco*) centro del bersaglio (*di solito, dorato*) **3** (*sport*) medaglia d'oro; l'oro (*fam.*): *He won the g. in the long jump*, vinse l'oro nel salto in lungo; *We got two golds*, vincemmo due ori **B** a. attr. **1** d'oro; aureo: **a g. coin** [**watch**], una moneta [un orologio] d'oro **2** dorato; color oro **3** (*econ., fin.*) aureo: **g. currency**, valuta aurea □ **g. parity**, parità aurea; **g. coverage**, copertura aurea ● (*geol.*) **g.-bearing sand**, sabbia aurifera □ (*tecn.*) **g.-beater**, battiloro □ **g.-beating**, battitura dell'oro □ **g. brick**, lingotto di metallo dorato; (*fig.*) cosa priva di valore, patacca; frode, inganno; (*fam. USA*) scansafatiche, lavativo □ (*metall.*) **g. bronze**, similoro □ **g. bullion**, oro in barre o verghe □ (*banca*) **g. card**, carta di credito d'oro (*privilegiata*) □ (*geogr., stor.*) **G. Coast**, la Costa d'Oro □ **g. deposit**, giacimento aurifero □ **g. digger**, cercatore d'oro □ (*fam. USA, ingl. antiq.*) donna che va in caccia di un marito (*o* di un amante) ricco □ (*fin.*) **g. drain**, depauperamento delle riserve auree □ **g. dust**, polvere d'oro; (*fig.*) mosca bianca (*fig.*); (una) rarità □ (*zool.*) **g. eagle** (*Aquila chrysaëtos*), aquila reale □ (*fin.*) **g.-exchange standard** = **g. standard** → *sotto* □ **g.-fever**, febbre dell'oro □ **g.-filled** → **g.-plated** → *sotto* □ **g. leaf**, foglia d'oro □ **g. medal**, medaglia d'oro □ **g.-medallist**, (vincitore di una) medaglia d'oro □ **g. mine**, (*anche fig.*) miniera d'oro □ **g. nugget**, pepita d'oro □ **g. plate**, (*metall.*) doratura elettrolitica; vasellame d'oro □ **g.-plated**, dorato □ **g.-plating**, doratura elettrolitica □ (*fin.*) **the g. pool**, il pool dell'oro □ (*fin.*) **g. premium**, aggio dell'oro □ (*fin.*) **g. reserve**, riserva aurea □ **the g. rush**, la corsa all'oro; la febbre dell'oro (*in California, nel 1848*) □ (*fin.*) **g. standard**, sistema (monometallico) aureo □ (*miner.*) **g. stone**, avventurina □ **g. washer**, cercatore d'oro che lava sabbie aurifere (*nei fiumi, ecc.*); piatto per vagliare le sabbie aurifere (*fin., stor.*) **to go off g.**, abbandonare la parità aurea.

to **gold-brick** /'ɡəʊldbrɪk/ v. i. (*fam. USA*) fare lo scansafatiche; fare il lavativo (*fam.*).

goldcrest /'ɡəʊldkrest/ n. (*zool., Regulus regulus*) regolo.

◆**golden** /'ɡəʊldən/ a. d'oro; dorato; aureo (*anche fig.*); eccellente; felice; fiorente; prezioso: **g. hair**, capelli d'oro; (*mitol., letter., arte*) **the g. age**, l'età dell'oro; **g. wedding**, nozze d'oro; **a g. remedy**, un rimedio eccellente; **a g. opportunity**, un'occasione d'oro; **a g. saying**, un aureo detto; (*geogr.*) **the G. Horn**, il Corno d'Oro (*nel Bosforo*) ● **g. balls**, «palle d'oro» (*insegna d'un monte di pegni*) (*fig. fam.*) **g. bowler**, buon posto nella burocrazia statale □ (*bot.*) **g. chain** → **laburnum** □ (*zool.*) **g.-eye** (*Bucephala clangula*), quattrocchi □ **the G. Fleece**, (*mitol.*) il vello d'oro; (*stor.*) il Toson d'Oro (*onorificenza*) □ (*calcio*) **g. goal**, golden gol; 'gol d'oro' (*che decide l'esito di una partita in uno dei due tempi supplementari: è il primo gol segnato*) □ (*fam., fin.*) **g. handshake**, grossa liquidazione (*ai dirigenti: al termine del rapporto di lavoro*) □ (*fig.*) **the g. key**, il denaro che «unge le ruote»; la chiave che apre ogni porta □ (*zool.*) **g. knop** (*Coccinella*), coccinella □ **the g. mean**, (*geom.*) la sezione aurea; (*fig.*) la giusta via di mezzo; l'aurea mediocritas (*lat.*) □ (*fam., mus.*) **g. oldie**, vecchia canzone di grande successo □ (*fam. USA*) **g. parachute**, accordo che garantisce stipendio e accessori (*ai dirigenti, quando c'è un cambio di proprietà di un'azienda*) □ (*USA*) **g. raisins**, uva sultanina □ **g.-rimmed**, orlato d'oro; dal bordo d'oro □ (*bot.*) **g. rod** (*Solidago virga-aurea*), verga d'oro □ (*fig.*) **the g. rule**, la regola aurea: *'The G. Rule is that there are no g. rules'* GB SHAW, 'la regola aurea è che non esistono regole auree' (*fin.*) **g. share**, quota maggioritaria (*spec. del governo britannico durante alcune privatizzazioni*) □ (*geom.*) **g. section**, sezione aurea □ **g. syrup**, melassa □ (*bot.*) **g. thistle** → **scolymus** □ (*bot.*) **g. willow**, salice dorato.

goldfield /'ɡəʊldfiːld/ n. bacino aurifero.

goldfinch /'ɡəʊldfɪntʃ/ n. (*zool.*) **1** (*Carduelis carduelis*) cardellino **2** (*Carduelis tristis*) lucherino **3** (*USA, Spinus tristis*) varietà di lucherino.

goldfish /'ɡəʊldfɪʃ/ n. (pl. **goldfish**, **goldfishes**) **1** (*zool., Carassius auratus*) ciprino (*o* carassio) dorato **2** (*fam.*) pesce rosso (*in genere*) ● **g. bowl**, boccia per i pesci rossi; (*fig.*) casa di vetro (*fig.*); luogo aperto alla vista di tutti, situazione di grande trasparenza.

goldilocks /'ɡəʊldɪlɒks/ n. **1** persona coi capelli biondi; (ragazza dalle) trecce d'oro **2** (*bot., Ranunculus auricomus*) ranuncolo **3** (*bot., Trollius europaeus*) luparia **4** (*nella favola*) Riccioli d'Oro (*ragazza*).

to **gold-plate** /'ɡəʊld'pleɪt/ v. t. placcare in oro; dorare (*elettroliticamente*).

goldsmith /'ɡəʊldsmɪθ/ n. orefice; orafo ● (*zool.*) **g. beetle** (*Cetonia aurata*), moscon d'oro; cetonia dorata □ **g.'s work**, oreficeria (*l'arte*).

◆**golf** /ɡɒlf/ **A** n. ⓤ **1** (*sport*) golf **2** (*radio, tel.*: **G.**) (la lettera) g **B** a. (*sport*) golfistico ● **g. bag**, sacca da golf □ **g. ball**, palla da golf; (*fam.*) testina rotante (*di macchina da scrivere elettrica*) □ **g. club**, bastone da golf; (*anche*) circolo di golf □ **g. course** (*o* **g. links**), campo di golf □ **g. trolley**, carrello da golf □ (*scherz.*) **g. widow**, moglie trascurata dal marito per giocare a golf.

to **golf** /ɡɒlf/ v. i. giocare a golf.

golfer /'ɡɒlfə(r)/ n. **1** giocatore (*o* giocatrice) di golf; golfista **2** golf; golfino; giacca di lana.

golfing /'ɡɒlfɪŋ/ **A** n. ⓤ il giocare a golf **B** a. golfistico; di golf: **g. events**, gare di golf; **the g. year**, l'annata golfistica ● **a g. holiday**, una vacanza passata giocando a golf.

goliard /'ɡəʊlɪəd/ (*stor.*) n. goliardo || **goliardic** a. goliardico.

Goliath /ɡə'laɪəθ/ n. Golia (*anche fig.*); gigante ● (*mecc.*) **G. crane**, gru gigante.

golliwog /'ɡɒlɪwɒɡ/ n. **1** bambolotto negro dai capelli ricci **2** (*fig.*) tipo grottesco **3** (*spreg.*): *rif. a gente di colore*) ricciolone; testa ricciuta.

golly ① /'ɡɒlɪ/ inter. (= **by g.!**) (*antiq.*) perbacco!; perdinci!

golly ② /'ɡɒlɪ/ n. (*fam. ingl.*) → **golliwog**.

golosh /ɡə'lɒʃ/ n. caloscia, galoscia, soprascarpa di gomma.

GOM sigla (**grand old man**) vecchio grande uomo (*persona anziana e rispettabile*).

Gomorrah, **Gomorrha** /ɡə'mɒrə/ n. (*Bibbia e fig.*) Gomorra.

gonad /'ɡəʊnæd/ n. (*biol.*) gonade || **gonadal** a. (*anat.*) genitale: **gonadal fold**, piega genitale **2** (*med.*) gonadico.

gonadectomy /ɡəʊnə'dektəmɪ/ n. ⓊⒸ (*chir.*) gonadectomia.

gonadotropic /ɡəʊnədə'trɒpɪk/ a. (*biochim.*) gonadotropo.

gonadotropin /ɡəʊnədə'trəʊpɪn/ n. (*biochim.*) gonadotropina.

gondola /'ɡɒndələ/ n. **1** gondola **2** (*di funivia*) cabina (*escluso il carrello*); telecabina **3** (*aeron.*) gondola, navicella (*di dirigibile*) **4** (*ferr.*, = **g. car**) carro merci munito di sponde; cassettone (*gergo*) **5** (*edil.*) ponte di corda, piattaforma sospesa (*per imbianchini, ecc.*).

gondolier /ɡɒndə'lɪə(r)/ n. gondoliere.

◆**gone** /ɡɒn/ **A** p. p. di **to go** **B** a. **1** andato; finito; spacciato; passato; perduto: **a g. man**, un uomo finito **2** esausto; sfinito; stanco **3** lontano; assente **4** (*slang USA*) partito (*fig.*); privo di sensi; fuori di sé; fuori del mondo; sbronzo **5** (*slang USA*) eccezionale; fantastico **6** (*sport*) fatto; compiuto; già percorso **C** prep. oltre: *It's g. one o' clock*, è l'una passata; *He's g. ninety*, ha passato i novanta (anni) □ **a g. case**, un caso disperato □ (*fam.*) **to be g. on sb.**, essere innamorato (*o* cotto) di q. □ **dead and g.**, morto e sepolto □ **to be far g.**, essere gravemente ammalato, essere in là che di qua; essere andato giù di testa; essere suonato (*pop.*); essere ormai compromesso (*o* coinvolto), non potersi più tirare indietro □ **to be six months g. with child**, essere (incinta) di sei mesi: *How far g. are you?*, a che mese sei? □ **He's far g.!**, è andato!; è spacciato! □ **The disease is far g.**, la malattia è ormai incurabile.

goner /'ɡɒnə(r)/ n. (*fam.*) **1** uomo finito; spacciato; caso disperato; perdente; disastro (*fig.*) **2** cosa inservibile (*o* da buttare).

gonfalon /'ɡɒnfələn/ n. (*stor.*) gonfalone || **gonfalonier** n. gonfaloniere.

gong /ɡɒŋ/ n. **1** gong **2** campana piatta **3** suoneria (*d'orologio*) **4** (*slang*) medaglia (*spec. al valor militare*); patacca (*fam.*).

to **gong** /ɡɒŋ/ **A** v. i. suonare il gong **B** v. t. (*della polizia stradale*) intimare a (*un automobilista*) di fermarsi (*suonando un gong, ecc.*).

Gongorism /'ɡɒŋɡərɪzəm/ n. ⓤ (*letter.*) gongorismo.

gonif, **goniff** /'ɡɒnɪf/ n. (*slang USA*) imbroglione; ladro; affarista.

goniometer /ɡəʊnɪ'ɒmɪtə(r)/ n. **1** (*topogr.*) goniometro **2** (*elettr.*) radiogoniometro || **goniometric**, **goniometrical** a. goniometrico || **goniometry** n. ⓤ goniometria.

gonk /ɡɒŋk/ n. (*slang ingl.*) deficiente; cretino; idiota.

gonna /'ɡɒnə/ vc. verb. (*slang*, abbr. di) **going to** (*nella formazione del futuro*): *What are we g. do now?*, e adesso che cosa facciamo?

gonococcus /ɡɒnə'kɒkəs/ n. (pl. **gonococci**) gonococco.

go no-go /'ɡəʊ'nəʊɡəʊ/ a. attr. **1** (*tecn.*) (*di un calibro, ecc.*) passa non passa: **go no-go test**, prova passa non passa **2** (*miss.*) di non ritorno: **go no-go point**, punto di non ritorno **3** (*pop. USA*) (*di una decisione e sim.*) da cui non si torna indietro; irrevocabile.

gonorrhoea, (*USA*) **gonorrhea** /ɡɒnə-'riːə/ n. (*med.*) **1** gonorrea; blenorragia || **gonorrhoeal**, (*USA*) **gonorrheal** a. gonorroico; blenorragico.

gonzo /'ɡɒnzəʊ/ a. (*slang USA*) pazzoide; svitato; scombinato; strano ● **g. journalism**, giornalismo gonzo (*che riporta impressioni soggettive anziché la descrizione oggettiva dei fatti*) ❶ **FALSI AMICI** ● gonzo non significa gonzo nel senso italiano di credulone e sciocco.

goo /ɡuː/ n. ⓤ (*slang*) **1** sostanza appiccicosa **2** (*fig.*) sdolcinatura; sentimentalismo; stucchevolezza **3** sviolinatura (*fig.*).

to **goo** /ɡuː/ v. i. (*slang*) dire parole sdolcinate; fare il sentimentale.

goober /'ɡuːbə(r)/ n. (*slang USA*) **1** nocciolina americana; arachide **2** brufolo; foruncolo **3** tipo; tizio ● **g.-grabber**, raccoglitore di nocciolina; (*fig.*) abitante (*o* nativo) della Georgia (*in USA*).

◆**good** ① /ɡʊd/ (compar. **better**, superl. relat. **best**), a. **1** buono; bello; bravo; dabbene; genuino; onesto; giusto; valido; in vigore: **g. health**, buona salute; **a g. fire**, un buon (*o* bel) fuoco; **g. eggs**, uova buone (*non andate a male*); **g. money**, denaro buono, genuino;

g. **eyesight**, vista buona; **to be of a g. family**, essere di buona famiglia; **a g. clerk**, un buon (o bravo) impiegato; **g. deeds**, opere buone; **to have a g. cry**, farsi un bel pianto; **to get a g. scolding**, ricevere una buona lavata di capo; **to fight for a g. cause**, battersi per una causa giusta; **to have g. reasons for doing st.**, avere validi motivi per fare qc.; *This ticket is g. for three days*, questo biglietto è valido per tre giorni; **my g. man** (o *sir*)!, buon uomo!; *G. to see you!*, che bello vederti!; *G. to meet you Martin, my name's John*, piacere di conoscerti Martin, mi chiamo John; **a g. swimmer**, un buon nuotatore; **g. manners**, belle maniere; buona educazione; *Life is g.!*, la vita è bella!; *Manchester is g. for bands*, Manchester è un buon posto per i gruppi musicali **2** felice; piacevole: *Life is g. here*, la vita è piacevole qui **3** attraente; bello: *That girl has a g. figure*, quella ragazza ha una bella figura (*fam.*: un bel fisico) **4** considerevole; notevole; ragguardevole: **a g. crowd**, una folla considerevole; **to go a g. way**, fare un bel pezzo di strada **5** (*di un arto*) sano; buono (*fam.*): *He leans on his g. leg*, si appoggia sulla gamba sana **6** ben fatto; ben tornito **7** (*fam.*) serio; bravo: **g. girls**, ragazze serie; *Girls, be g.!*, ragazze, fate le brave! **8 – a g.** (*enfat.*) o rafforzativo), ben; la bellezza di; bel: *We waited a g. twenty minutes*, aspettammo ben venti minuti; *I paid a g. 1,000 pounds for it*, l'ho pagato la bellezza di 1000 sterline; *It happened a g. while ago*, è successo un bel po' di tempo fa; *It's a g. mile to the station*, c'è più di un miglio per andare in stazione **9** (*fin.*) buono; sicuro; esigibile: **a g. investment**, un buon investimento; **g. bonds**, titoli sicuri; **g. debts**, crediti esigibili **10** (*arc.*) conveniente; opportuno: *'It is never g. / To bring bad news'* W. SHAKE-SPEARE, 'non è mai conveniente / Portare brutte notizie' **11** (*slang USA*) bene; in buona salute: 'How are you?' 'Oh, I'm g., real g.!', 'Come stai?' 'Oh, sto bene, benone!' ● (*relig.*) **the g.**, i buoni; gli eletti □ **to be g. and ready**, essere bell'e pronto (o già pronto) □ **g. appearance**, bella presenza □ **to be g. at Latin**, essere bravo in latino □ **to be g. at doing st.**, essere bravo (o abile) a fare qc. □ **g. breeding**, buona educazione; buone maniere □ **a g. buy**, un buon acquisto; un affarone □ **g. cheer**, buonumore; allegria; festa; (*anche*) buona cucina, buona tavola □ (*leg.*) **g. consideration**, prestazione lecita □ **a g. deal**, molto: *He's a g. deal better off now*, adesso se la passa molto meglio □ **g. day**, buongiorno! □ **a g. deal of**, una buona (o grande) quantità di □ (*fam. USA*) **g. egg** = **g. fellow** → *sotto* □ **g. enough**, soddisfacente; sufficiente; che va bene: **a g. enough reason**, un motivo sufficiente; *It's g. enough for me*, per me va bene □ **g. evening**, buonasera! □ (*anche leg.*) **g. faith**, buona fede □ **g. fellow**, brava persona; tipo perbene; persona cordiale (o gioviale, socievole) □ **g. fellowship**, cordialità; giovialità; socievolezza □ **a g. few**, molti, molte; parecchi, parecchie □ **a g.-for-nothing**, un buono a nulla; un inconcludente □ (*di persona*) **to be g. for st.**, essere capace (*fam.*, *dial.*: buono) di fare qc.; essere disposto a sborsare (*una data somma*): *His grandfather is always g. for a pound or two*, il nonno è sempre pronto ad allungargli un paio di sterline □ (*di cose*) **to be g. for sb.**, fare bene a q.: *Wine is not g. for you*, il vino non ti fa bene □ (*di cose*) **to be g. for doing st.**, essere utile, andare bene per fare qc.: *A stain remover is g. for removing ink*, uno smacchiatore va bene per eliminare le macchie d'inchiostro □ **to be g. for sb.'s health**, fare bene alla salute di q. □ **G. for...!**, buon per...!; bravo!; ben fatto! □ (*relig.*) **G. Friday**, Venerdì Santo □ **g.-hearted**, che ha buon cuore; di buon cuore □ **g. hearted-**

ness, bontà di cuore (o d'animo) □ **g. God!** (o **g. heavens!**, **g. gracious!**), buon Dio!; Dio buono! □ (*fam.*, *spec. USA*) **g. guy**, (il) buono (*in un film, ecc.*) □ **a g. hour**, un'ora buona: *We played for a g. hour*, giocammo per un'ora buona □ **g. humour**, buonumore; bonomia, amabilità, benignità □ **g.-humoured**, di buon cuore; bonario, amabile, benigno □ **a g. job**, un buon posto (*di lavoro*); (*fam.*) una cosa buona: *It's a g. job you kept the receipt*, meno male che hai conservato la ricevuta □ **g. life**, vita morigerata, virtuosa; (*anche*) vita comoda, piena di agi, agiata □ (*ass.*) **a g. life**, una persona sana, che promette di vivere a lungo – (*fam.*) **g.-looker**, persona di bell'aspetto; bell'uomo, bella donna □ **g.-looking**, bello, di bell'aspetto; (*anche*) buono, onesto all'aspetto □ **g. looks**, bellezza (*d'una persona*) □ **g. luck**, fortuna; buona sorte □ (*comm.*, *arc.*) **a g. man**, uomo solvibile, reputato solido □ (*spreg.*) **the g. man**, il buon uomo; il pover'uomo; il poveretto □ **a g. many**, molti, molte; moltissimi, moltissime □ **g. nature**, cortesia; gentilezza d'animo; benignità □ **g.-natured**, cortese, gentile; di buon cuore; benigno □ **g.-neighbourhood** (o **g.-neighbourliness**, **g. neighbourship**), cordialità, amichevolezza; amabilità □ **g. offices**, buoni uffici; interessamento □ (*slang*) **g. old boy**, un amicone □ **the g. old times**, i bei tempi passati; il buon tempo andato □ **G. on...!** → **G. for...!** □ (*nelle fiabe*) **the g. people**, le fate □ **g. sense**, buon senso: *With all this fog, you should have the g. sense to go by train*, con una simile nebbia, dovresti avere il buon senso di andare in treno □ **g.-sized**, ampio; vasto: **a g.-sized garden**, un ampio giardino □ (*econ.*) **g. standing**, alto tenore di vita □ **g. temper**, amabilità; pazienza □ **g.-tempered**, amabile; paziente □ **a g. thing**, una cosa buona; (*anche*) **g. things**, cose buone; cibi raffinati □ (*leg.*) **g. title**, titolo valido; diritto inoppugnabile □ **g. turn**, cortesia; favore; piacere: *He has done me several g. turns*, mi ha fatto parecchi favori □ **to be g. to sb.**, essere gentile con q. □ **to be g. with one's hands**, essere bravo con le mani, avere una buona manualità □ **as g. as**, praticamente; come se; quasi: *He is as g. as dead*, è come (se fosse) morto; *Our work is as g. as done*, il nostro lavoro è quasi finito □ **as g. as gold**, buonissimo: *This child is as g. as gold*, questo bimbo è un angelo! □ **as g. as new**, come nuovo: *My motorbike is as g. as new*, la mia moto è come nuova □ (*antiq.*) **g. as a play**, divertentissimo □ **to be as g. as one's promise** (o **one's word**), essere di parola; mantenere le promesse □ (*fam.*) **to come g.**, riprendersi (*fig.*): *After a bad start, the runner came g.*, dopo una brutta partenza, il corridore si riprese □ **to do sb. a g. turn** (o **a g. office**), fare un favore (o rendere un servizio) a q. □ **to have a g. appetite**, avere un bell'appetito □ **to have a g. mind to do st.**, avere una gran voglia di fare qc. □ **to have a g. night**, dormire bene □ **to have a g. time**, divertirsi; spassarsela □ (*fam. ingl.*) **to give as g. as one gets**, rendere pan per focaccia (*fig.*); rispondere per le rime □ **to have a g. year**, avere un'annata favorevole (*finanziariamente, ecc.*) □ **to be in g. spirits**, essere di buon umore; stare di buon animo □ **to lead** (o **to live**) **a g. life**, fare (o condurre) una vita intemerata, onesta □ **to make g.**, avere successo, fare fortuna: *He went out to Australia and made g. there*, emigrò in Australia e là fece fortuna □ **to make g.** (*st.*), mettere in atto, attuare (*una minaccia, ecc.*); mantenere (*una promessa, ecc.*); risarcire (*un danno, una spesa, ecc.*); (*edil., ecc.*) risanare, ripristinare, rimediare a (*un inconveniente, un danneggiamento, ecc.*); provare, dimostrare la fondatezza di (*un'accusa*); rafforzare (*una posizione*) □ (*form.*) **to**

be so g. as to do st., essere tanto gentile da fare qc.: *Be so g.* (o *g. enough*) *as to take me home*, abbia la bontà di accompagnarmi a casa □ **to say a g. word (for sb.)**, dire (o mettere) una buona parola (per q.) □ **too g. for words**, indicibile (bellezza, ecc.) □ **too g. to be true**, troppo bello per essere vero □ **very g.**, assai buono; ottimo: *He speaks very g. English*, parla un inglese ottimo □ (*anche iron.*) **My g. friend!**, mio buon amico!; amico mio!; bello mio! □ **G. luck to you!**, buona fortuna!; tanti auguri! □ **How g. of you!**, molto gentile da parte tua! □ *That would be g. of you*, sarebbe molto gentile da parte tua □ **That's a g. one!**, questa sì ch'è bella! □ **His word is as g. as his bond**, è un uomo di parola □ **All in g. time**, abbi pazienza, dai tempo al tempo!; a suo tempo!; al momento giusto! □ «*He's just won 10,000 pounds on the pools*» «**G. for him!**», «Ha vinto 10 000 sterline al totocalcio» «Meglio per lui!» (o «Beato lui!») □ (*prov.*) **One can have too much of a g. thing**, il troppo stroppia.

good ② /gʊd/ n. **1** Ⓤ bene; beneficio; profitto; utilità; vantaggio; (del) buono: **to separate g. from evil**, separare il bene dal male; *He does a lot of g. for his country*, fa molto a vantaggio del suo paese; *There's g. in him*, c'è del buono in lui **2** (*econ.*) bene: **a fungible g.**, un bene fungibile **3** (pl.) → **goods 4** (pl.) – **the g.**, i buoni (collett.) ● **to come to no g.**, (*di persona*) finir male; fare una brutta fine □ **to do g.**, fare del bene, compiere opere buone (o buone azioni) □ **It did no g.**, non è servito a niente □ **What will it do?**, a che servirà?; a che pro? □ **Will it do any g.?**, servirà a qualcosa? □ **to do sb. g.**, fare bene (*alla salute, ecc.*): *This medicine will do you g.*, questa medicina ti farà bene □ (*iron.*) **Much g. may it do you!**, buon pro ti faccia! □ **to do g. for sb.**, fare del bene a q. □ **for g. (and all)**, per sempre; definitivamente: **to leave for g.**, andarsene per sempre; *This skirt is ruined for g.*, questa gonna è rovinata senza rimedio; *He's back for g.*, è tornato per restare □ (*fam.*) **to be in g. with sb.**, essere nelle grazie (o in buoni rapporti con) q. □ **a power for g.**, una potenza che ha un effetto benefico; un influsso benefico □ **to the g.**, in vantaggio, in attivo: *After this sale, I'll be 2,000 pounds to the g.*, con questa vendita, avrò guadagnato 2000 sterline □ **It's all to the g.!**, tanto di guadagnato! □ **So much to the g.!**, tanto di guadagnato! □ **It's no g.**, non serve a nulla; è inutile □ (*iron.*) **And a lot of g. that does!**, per quel che serve!; bella roba!; magari pure so! □ **Is your new dentist any g.?**, vale qualcosa (o è bravo) il tuo nuovo dentista? □ **What's the g. of...?**, a che serve?; a che pro? □ **up to no g.**, che sta combinando qualcosa (o qualche guaio), che ne sta combinando una.

good ③ /gʊd/ inter. **1** bene!; bravo!; ben fatto! **2** d'accordo!

good ④ /gʊd/ avv. (*fam.*) bene: *You did g.*, hai fatto bene; sei stato bravo; *Cook it g.!*, cuocilo bene!

♦**goodbye** /gʊdˈbaɪ/ Ⓐ inter. (contraz. di **God be with you!**) addio! Ⓑ n. addio: *I must say g.*, devo dirti addio; devo proprio andarmene ● (*radio, TV, ecc.*) **G. for now!**, a tra poco! □ **g. for the present**, arrivederci □ **to kiss sb. g.**, dire addio a q. con un bacio □ (*fam.*) **to kiss st. g.**, dire addio a qc.: *Now you can kiss g. to your job* (o *kiss your job g.*), adesso puoi dire addio al tuo posto di lavoro.

❶ **NOTA:** *goodbye*

Quando ci si congeda da qualcuno la forma più neutra di saluto è **goodbye**, traducibile a seconda dei contesti con arrivederci, ciao, buongiorno (o buonasera), addio.

g

Le più diffuse formule di commiato colloquiali sono:
bye e, ancora più colloquiale, **bye-bye**, equivalenti a ciao;
see you e **see you around**, ci vediamo, arrivederci, ciao; **see you** può essere seguito da un avverbio o da un complemento di tempo o di luogo: **See you later**, ci vediamo dopo, a più tardi, arrivederci a dopo; *See you tomorrow morning*, ci vediamo domattina;
so long, ciao, arrivederci (detto soprattutto quando si prevede di non vedere la persona che si saluta);
take care: *Bye, take care!*, ciao, stammi bene!
(GB) **cheers** e **cheerio**, ciao.
Un commiato formale o antiquato è **farewell**, addio!
Infine, quando ci si congeda al termine di una serata o prima di andare a letto, si può dire (in tutti i registri, colloquiale, neutro e formale) **good night**, buona notte.

goodish /ˈgʊdɪʃ/ a. **1** abbastanza buono; discreto; passabile **2** abbastanza grande; considerevole; ragguardevole; discreto: **at a g. distance**, a una discreta distanza.

goodly /ˈgʊdlɪ/ a. **1** avvenente; di bell'aspetto: *'How many g. creatures are there here!'* W. SHAKESPEARE, 'quante belle creature vi sono qui!' **2** (*arc.*) buono; di buona qualità **3** considerevole; bello: **a g. inheritance**, una bella eredità.

♦**goodness** /ˈgʊdnəs/ n. ▣ **1** bontà; benevolenza; benignità; cortesia; gentilezza; onestà: **g. of heart**, bontà di cuore **2** (il) buono; (il) meglio; essenza; sostanza: *Vegetables lose all of their g. if you overcook them*, le verdure perdono tutto il meglio se le cuoci troppo ● **G. knows**, lo sa Iddio □ **G. me!** (*o* **G. gracious!**), buon Dio! (*o* Dio buono!) □ **for g.' sake!**, per amor di Dio! □ **I wish to g. he wouldn't come!**, vorrei proprio che non venisse! □ **Thank g.!**, sia lodato il cielo!

goodnight /gʊdˈnaɪt/ inter. buona notte!

♦**goods** /gʊdz/ n. pl. **1** (*econ.*) beni: **capital g.**, beni capitali (*o* strumentali); **consumer g.**, beni di consumo **2** (*econ., comm.*) prodotti: *Imports of g. for private consumption have increased*, le importazioni di prodotti destinati al consumo privato sono aumentate **3** (*market.*) merci, merce; articoli; generi: **to deliver the g.**, consegnare la merce; *The damaged g. will be sent back to the seller*, la merce deteriorata sarà restituita al venditore; **g. lying in customs**, merci in dogana (*o* da sdoganare); **g. in bond**, merce in deposito franco (*o* schiava di dazio); **leather g.**, articoli in cuoio; pelletteria; **frozen g.**, (generi) surgelati **4** (*rag.*) «conto merci» (*intestazione*) **5** (*trasp., spec. ingl.*) merce, merci (*cfr.* USA **freight**): **g. traffic**, movimento merci; (*ferr.*) **g. yard**, scalo merci; **g. rates**, tariffe per il trasporto delle merci **6** (*fam.*) – **the g.**, quello che si deve (*o* che si è promesso) di fare: **to deliver the g.**, mantenere la parola; essere di parola; stare ai patti **7** (*fam.*) – **the g.**, una cosa eccezionale; una cannonata (*fig.*) **8** (*slang* USA) – **the g.**, la droga (*pop.*) **9** (*slang* USA) – **the g.**, (tutte) le prove: *The police had the g. on the thief before he was brought to trial*, la polizia aveva già le prove in mano prima che il ladro fosse processato **10** (*slang* USA) – **the g.**, la roba rubata; la refurtiva □ (*rag.*) **g. account**, conto merci □ (*leg.*) **g. and chattels**, beni mobili □ (*fisc., in Canada e NZ*) **g. and services tax**, imposta sul valore aggiunto (abbr. IVA) □ **g. entrance**, ingresso merci □ (*comm. est.*) **g. for temporary admission**, merce in transito □ **g. for the house**, articoli per la casa □ (*ind.*) **g. in process**, (prodotti) semilavorati □ **g. in stock**, merce in magazzino □ (*trasp.*) **g. in transit**, merce in

transito □ **g. lift**, montacarichi □ **g. on sale or return**, merci in conto deposito; (*clausola*) vendita con riserva di gradimento □ (*leg.*) **g. privileged from execution**, merci impignorabili □ (*ferr.*) **g. train**, treno merci □ (*ferr.*) **g. wagon**, carro merci □ (*trasp., ferr.*) **by g. train**, a piccola velocità.

good-time Charlie /ˈgʊdtaɪmˈʃɑːlɪ/ loc. n. (*fam.* USA) ottimista; bonaccione; buontempone.

goodwill /gʊdˈwɪl/ n. ▣ **1** benevolenza; amicizia; cordialità; gentilezza; simpatia: **a feeling of g.**, un sentimento di cordialità **2** buona volontà; zelo: **a gesture of g.**, un gesto di buona volontà **3** (*comm.*) avviamento (*di un'azienda, negozio, ecc.*) ● (*polit.*) **g. mission**, missione (*all'estero*) per migliorare i rapporti (*con un paese*) □ (*comm.*) **g. money**, buonuscita (*a un negoziante, ecc.*) □ (*polit.*) **g. tour**, viaggio per il miglioramento dei rapporti internazionali.

goody① /ˈgʊdɪ/ n. (*arc.*) comare (*spesso usato davanti al cognome*).

goody② /ˈgʊdɪ/ n. **1** caramella; chicca (*fam.*) **2** cosa bella (*della vita*); cosa carina: **We bought a lot of goodies on our trip**, abbiamo comprato un sacco di cose carine durante il viaggio **3** (*fam.*) (il) buono (*in un film, ecc.*) ● (*fam.*) **g. bag**, confezione di campioncini omaggio □ (*fam.*) **g. two-shoes** → **goody-goody, B**.

goody③ /ˈgʊdɪ/ inter. (*spec. infant.*) bene!; che bello!; che bellezza!

goody④ /ˈgʊdɪ/ a. (*fam.*) → **goody-goody**.

goody-goody /ˈgʊdɪgʊdɪ/ Ⓐ a. (*fam.*) ostentatamente buono; ipocrita; che fa il santarello (*o* la santarella) Ⓑ n. santocchio, santocchia; santarello, santarella; santerello, santerella; (*in politica, ecc.*) buonista (*di una donna*) gattamorta, santarellina: *Don't be such a goody-goody*, non fare la santarellina!

gooey /ˈguːɪ/ a. → **gooy**.

goof /guːf/ n. (*slang*) **1** babbeo; sciocco; stolto; credulone **2** cantonata; granchio; gaffe.

to **goof** /guːf/ v. i. (*slang*) prendere una cantonata (*o* un granchio) ● **to g. around**, bighellonare; oziare; gingillarsi □ **to g. up**, abborracciare; pasticciare.

goofball /ˈguːfbɔːl/ n. **1** (*slang*) sigaretta (*o* pillola) di marijuana; barbiturico; tranquillante **2** (*fam.* USA) tipo strambo, mattacchione; buffone **3** (*fam.* USA) sempliciotto; babbeo.

goofer /ˈguːfə(r)/ n. (*slang* USA) sciocco; stupido; babbeo; credulone.

goof-off /ˈguːfɒf/ n. (*slang* USA) perdigiorno; lazzarone; studente svogliato.

goofy /ˈguːfɪ/ (*slang*) a. sciocco; stupido; stolto ‖ **goofiness** n. ▣ dabbenaggine; stupidità; stoltezza.

Goofy /ˈguːfɪ/ n. (*nei fumetti*) Pippo.

to **google** /guːgl/ v. t. (*comput., fam.*) cercare informazioni su (qc. o q.) in Internet (*spec. con il motore di ricerca Google®*).

googly /ˈguːglɪ/ n. (*cricket*) 'googly'; lancio con l'effetto (*che manda la palla alla sinistra del battitore destrimano*) ● (*fig., ingl.*) **to bowl a g.**, ingannare l'avversario.

googol /ˈguːgɒl/ n. (*mat.*) dieci elevato alla centesima potenza.

goo-goo eyes /ˈguːguːˈaɪz/ loc. n. (*fam.* USA) occhio di triglia (*fig.*): **to make goo-goo eyes at sb.**, fare l'occhio di triglia a qc.

gook /guːk/ n. **1** (*slang* USA) liquame; salsa appiccicosa **2** (*volg.* USA) puttana **3** (*spreg.*) nativo del sud-est asiatico; filippino; coreano; cinese; giapponese; muso giallo (*spreg.*).

gooky /ˈgʊkɪ/ a. (*slang* USA) appiccicoso; attaccaticcio; vischioso.

goombah /ˈgʊmbɑː/ n. (*slang* USA; *dall'ital. merid.* cumpà) amico; compagno.

goon /guːn/ n. **1** (*slang* ingl.) individuo goffo, stupido **2** (*slang* USA) sicario prezzolato; (*spec.*) gorilla (*fig.*); scagnozzo; picchiatore; agente provocatore ● **g. squad**, banda di picchiatori (*o* di teppisti).

goop /guːp/ (*slang* USA) n. **1** ▣ liquido appiccicoso; cibo schifoso; sbobba **2** individuo scemo; cretino; stupido **3** ▣ fesserie; balle; stupidaggini; smancerie ‖ **goopy** a. **1** appiccicoso; viscido **2** scemo; stupido.

goosander /guːˈsændə(r)/ n. (*zool., Mergus merganser*) smergo maggiore.

♦**goose** /guːs/ n. **1** (*zool.*: pl. **geese**) oca (*anche fig.*); babbeo; persona stupida **2** (pl. **gooses**) ferro da stiro per sartoria **3** (*teatr.*) fischio, fischi (*di disapprovazione*) **4** (*fam.* USA) toccata di sedere ● **g. bumps**, pelle d'oca (USA) **g. egg**, zero (*sport e scolastico*); (*fam.*) bernoccolo □ (*fig.*) **g.-flesh**, pelle d'oca □ (*bot.*) **g.-foot** → **goosefoot** □ (*bot.*) **g.-grass** → **goosegrass** ● **g. pimples** → **g.-flesh** □ **g.-pimply**, dalla pelle d'oca; accapponato □ **g. quill**, penna d'oca (*spec. per scrivere*) □ (*mil.*) **g. step**, passo dell'oca □ (*fam.*) **to cook sb.'s g.**, rompere le uova nel paniere a q. □ (*fam.*) **to cook one's g.**, darsi la zappa sui piedi; rovinarsi da solo □ **to kill the g. that lays the golden egg** (*o* **eggs**), uccidere la gallina dalle uova d'oro □ (*fig.*) **to be unable to say boo to a g.**, essere timidissimo □ (*prov.*) **All his geese are swans**, egli tende a esagerare le buone qualità delle cose e delle persone; vede il mondo con gli occhiali rosa.

to **goose** /guːs/ v. t. (*fam.* USA) **1** toccare il sedere a (q.) **2** (*fig.*) pungolare; stimolare.

gooseberry /ˈgʊzbərɪ/ n. (*bot.*) **1** (*Ribes grossularia*) uva spina: **g. bush**, arbusto d'uva spina **2** → **currant** ● (*cucina*) **g. fool**, dolce di uva spina (*passata al setaccio*) e panna □ **to play g. to sb.**, reggere il moccolo a q. (*fig.*); fare il terzo incomodo (*scherz., un tempo detto di un bambino*) **I found him** (*o* **her**) **under a g. bush**, l'ho trovato (*o* è nato) sotto un cavolo.

goosefoot /ˈguːsfʊt/ n. (*bot.*) (*Chenopodium urbicum*) piè d'oca.

goosegog /ˈgʊzgɒg/ n. (*fam.* ingl.) uva spina.

goosegrass /ˈguːsgrɑːs/ n. (*bot.*) (*Potentilla anserina*) piè di gallo; (*Galium aparine*) attaccamani; (*Bromus mollis*) spigolina.

gooseneck /ˈguːsnɛk/ n. **1** (*mecc.*) collo d'oca **2** (*naut.*) perno di rotazione del boma ● (*zool.*) **g. barnacle** (*Lepas*), lepade.

to **goose-step** /ˈguːsstɛp/ v. i. (*mil.*) fare il passo dell'oca; marciare al passo dell'oca.

goosey /ˈguːsɪ/ Ⓐ n. ochetta; ocarottolo (*fig.*); babbeo; persona stupida Ⓑ a. **1** sciocco; stupido **2** (*slang* USA) permaloso; suscettibile.

gooy /ˈguːɪ/ a. (*slang*) **1** appiccicoso; attaccaticcio **2** (*fig.*) sdolcinato; melenso; svenevole; stucchevole.

GOP sigla (USA, **Grand Old Party**) il partito repubblicano.

gopher① /ˈgəʊfə(r)/ → **goffer**.

gopher② /ˈgəʊfə(r)/ n. (*zool.*) **1** (*anche pocket g.*) (*Geomys*) geomide **2** (*Citellus*) citello; spermofilo **3** (*Gopherus polyphemus*) tartaruga gopher.

gopher③ /ˈgəʊfə(r)/ n. (*comput.*) gopher (*tecnologia per l'accesso dei contenuti su Internet*): **g. server**, server gopher.

goral /ˈgɔːrəl/ n. (pl. **gorals, goral**) (*zool., Naemorhedus goral*) goral; antilope indiana.

Gordian knot /ˈgɔːdɪənˈnɒt/ loc. n. (*anche fig.*) nodo gordiano ● **to cut the Gordian knot**, tagliare il nodo gordiano.

gore① /gɔː(r)/ n. ▣ **1** (*lett., poet.*) sangue

coagulato (*di ferita*) **2** (*fig.*) sangue; violenza.

gore ② /gɔː(r)/ n. **1** gherone, godet (*d'abito, di camicia*); spicchio (*d'ombrello, di paracadute*) **2** pezzo di terreno triangolare.

to **gore** ① /gɔː(r)/ v. t. **1** inserire un gherone (*o gheroni*) in (qc.) **2** tagliare a triangolo ● (*moda*) **gored skirt**, gonna a godet.

to **gore** ② /gɔː(r)/ v. t. incornare; trafiggere, ferire di corna (*o con le zanne*): *The bullfighter was gored to death in the middle of the ring*, il torero fu ucciso dalla cornata (*d'un toro*) in mezzo all'arena.

gorge /gɔːdʒ/ n. **1** gola (*fra monti*); burrone; orrido; forra **2** (*anat.*) stomaco **3** (*archit., mil.*) gola **4** (*fam.*) abbuffata; mangiata; scorpacciata **5** massa; blocco: **an ice g.**, un blocco di ghiaccio **6** (*naut.*) gola, scanalatura (*della puleggia*) **7** (*antiq.*) gola, gorgia ● **to cast the g. at**, respingere con disgusto □ **to make sb.'s g. rise**, far venire il voltastomaco a q.; dare la nausea a q. ● **My g. rises at the thought of it**, mi si rivolta lo stomaco solo a pensarci.

to **gorge** /gɔːdʒ/ v. t. e i. **1** ingozzare, ingozzarsi; rimpinzare, rimpinzarsi **2** (*fig.*) bloccare; intasare ● **to g. oneself on** (*o* **with**) ingozzarsi, rimpinzarsi: *He gorged himself on* (*o* **with**) *sweets*, si rimpinzò di dolci.

♦**gorgeous** /'gɔːdʒəs/ a. **1** sfarzoso; sgargiante; magnifico; fastoso; ricco; sontuoso: **a g. costume**, un costume sfarzoso; **a g. meal**, un pranzo sontuoso **2** (*fam.*) magnifico; eccellente; splendido: **g. weather**, tempo splendido ● **to have a g. time**, divertirsi un mondo; spassarsela da matti (*o da sballo*) □ *He* (*o* **she**) **is absolutely g.!**, è uno schianto! (*fig.*) | **-ly** avv. | **-ness** n. Ⓤ.

gorget ① /'gɔːdʒɪt/ n. **1** (*stor.*) gorgiera (*anche dell'armatura*); goletta **2** collare; collana **3** (*zool.*) collarino (*di un uccello*).

gorget ② /'gɔːdʒɪt/ n. (*med.*) sonda scanalata (*per litotomia*).

Gorgon /'gɔːgən/ n. **1** (*mitol.*) Gorgone **2** – (*fig.*) g., gorgone; donna orribile a vedersi.

gorgonia /gɔː'gəʊnɪə/ n. (pl. **gorgoniae**, **gorgonias**) (*zool.*, *Gorgonia*) gorgonia.

Gorgonian /gɔː'gəʊnɪən/ a. (*mitol.*) gorgoneo; di Gorgone.

Gorgonzola /gɔːgən'zəʊlə/ (*ital.*) n. Ⓤ (= **G. cheese**) (formaggio) gorgonzola.

gorilla /gə'rɪlə/ n. **1** (*zool.*, *Gorilla gorilla*) gorilla **2** (*fig.*) gorilla (*fig.*); guardia del corpo (*di un gangster, ecc.*).

gormandize /'gɔːməndaɪz/ → **gormandise**.

to **gormandize** /'gɔːməndaɪz/ v. i. rimpinzarsi; ingozzarsi; mangiare avidamente; fare una scorpacciata || **gormandizer** n. ghiottone, ghiottona; ingordo, ingorda.

gormless /'gɔːmləs/ a. (*fam.*) scervellato; sciocco; tonto.

gorse /gɔːs/ n. Ⓤ (*bot.*, *Ulex europaeus*) ginestrone; ginestra spinosa.

gory /'gɔːrɪ/ a. **1** insanguinato; imbrattato di sangue **2** sanguinoso; cruento: **a g. fight**, un combattimento sanguinoso **3** (*di film e sim.*) violento; pieno di violenza || **goriness** n. Ⓤ l'essere imbrattato di sangue **2** (*fig.*) sanguinosità (*di un delitto, ecc.*).

♦**gosh** /gɒʃ/ inter. (*fam.*, = **by g.!**) perbacco! perdinci!; accipicchia!

goshawk /'gɒshɔːk/ n. (*zool.*, *Accipiter gentilis*) astore (*usato anche in falconeria*).

gosling /'gɒzlɪŋ/ n. (*zool.*) papero, papera; paperino, paperina.

go-slow /'gəʊsləʊ/ n. rallentamento del lavoro (*in una fabbrica, ecc.*); sciopero bianco.

gospel /'gɒspl/ n. **1** Ⓤ vangelo (*anche*

fig.); complesso di principi; dottrina; verità assoluta (*o inconfutabile*): **the G. according to St Luke**, il Vangelo secondo San Luca; **to preach the G.**, predicare il Vangelo; (*econ.*) **the g. of «laissez faire»**, il vangelo del liberismo **2** Ⓤ (*mus.*, = **g. music**) gospel, musica gospel ● **G. book**, libro dei Vangeli letti alla Comunione □ **G. oath**, giuramento (fatto) sul Vangelo □ (*fam. USA*) **g. pusher**, predicatore □ (*fam.*) **g. shop**, cappella metodista □ (*mus.*) **g. singer**, cantante gospel □ **g. truth**, verità sacrosanta □ **to take st. as g.**, prender qc. per (verità di) vangelo.

gospeller /'gɒspələ(r)/ n. **1** lettore dei Vangeli (*nelle Chiese protestanti*) **2** predicatore: **a hot g.**, un predicatore appassionato.

gossamer /'gɒsəmə(r)/ n. **1** (filo di) sottile ragnatela; filo della Madonna (*pop.*) **2** Ⓤ garza (*o stoffa*) sottilissima **3** (*fig.*) cosa sottilissima; velo Ⓑ a. attr. sottilissimo; trasparente: **a g. veil**, un velo trasparente || **gossamery** a. sottilissimo; trasparente.

gossan /'gɒzn/ n. (*ind. min.*) brucione; cappellaccio.

gossip /'gɒsɪp/ n. **1** Ⓒ chiacchiera; chiacchiere; ciarle; pettegolezzo; diceria: *I hate g.*, detesto i pettegolezzi **2** chiacchierone, chiacchierona; pettegolo, pettegola: *She's the worst g. in the village*, è la donna più pettegola (*o la malalingua*) del paese **3** chiacchierata; conversazione amichevole, quattro chiacchiere (*fam.*): **to have a good g. with a friend**, farsi una bella chiacchierata con un amico ● (*nei giornali*) **g. column**, colonna degli avvenimenti mondani; rubrica di cronaca rosa □ **g. writer**, scrittore mondano, a volte maldicente.

to **gossip** /'gɒsɪp/ v. i. chiacchierare; ciarlare; pettegolare; fare della maldicenza ● **to g. about sb.**, sparlare di q.; spettegolare su q.

gossiper /'gɒsɪpə(r)/ n. chiacchierone, chiacchierona; pettegolo, pettegola.

gossiping /'gɒsɪpɪŋ/ Ⓐ a. pettegolo; maldicente Ⓑ n. Ⓤ chiacchiere; pettegolezzi; maldicenza.

gossipmonger /'gɒsɪpmʌŋgə(r)/ n. pettegolo, pettegola; malalingua.

gossipy /'gɒsɪpɪ/ a. chiacchierone; pettegolo; maldicente.

got /gɒt/ pass. e p. p. di **to get** ● **got-up**, travestito, mascherato; agghindato, in ghingheri; artificiale; tutto apparenza. ❶ NOTA: **to have** → **to have**.

gotcha /'gɒtʃə/ (*slang*; contraz. di **I've got you**) Ⓐ inter. **1** capisco!; ho capito! **2** (ti ho) preso!; beccato! Ⓑ n. (*slang USA*) arresto; cattura.

Goth /gɒθ/ n. **1** (*stor.*) goto **2** (*fig.*) barbaro; vandalo (*fig.*).

goth /gɒθ/ Ⓐ n. **1** Ⓤ dark; cultura dark **2** (*mus.*) musica dark; musica gothic **3** (*chi adotta lo stile dark*) dark Ⓑ a. attr. dark: **g. clothing**, abbigliamento dark.

Gotham (*def. 1* /'gəʊtəm/; *def. 2* /'gɒθəm/) n. **1** tipica città di sciocchi (*dal nome d'un paese presso Nottingham*) **2** (*fam. USA*) New York ● **a wise man of G.**, uno sciocco; uno stupido.

Gothamite (*def. 1* /'gəʊtəmaɪt/; *def. 2* /'gɒθəmaɪt/) n. **1** semplicione; stolto **2** (*fam. USA*) abitante di New York.

Gothic /'gɒθɪk/ Ⓐ a. **1** gotico (*in ogni senso*): (*archit.*) **a G. arch**, un arco gotico; (*tipogr.*) **G. type**, caratteri gotici; (*anche*) caratteri non graziati **2** (*fig.*) barbarico; rozzo; vandalico (*fig.*) Ⓑ n. **1** (*linguaggio*) gotico **2** (*archit., arte*) (stile) gotico; architettura (*o arte*) gotica **3** (*tipogr.*) gotico; carattere gotico; (*anche*) carattere non graziato ● (*tipogr.*) **G. lettering**, caratteri gotici □ (*letter.*) **G. novel**, romanzo gotico □ (*arte*) **the G. Revival**, il revival gotico.

Gothically /'gɒθɪklɪ/ avv. alla maniera gotica; in stile gotico.

Gothicism /'gɒθɪsɪzəm/ n. Ⓤ **1** (*arte, archit.*) goticismo **2** (*spreg.*) goticume **3** (*fig.*) rozzezza.

to **Gothicize** /'gɒθɪsaɪz/ v. t. rendere gotico; goticizzare.

go-to-meeting /'gəʊtə'miːtɪŋ/ a. attr. (*fam., arc.: di cappello, vestito, ecc.*) buono; della domenica; della festa.

gotta /'gɒtə/ vc. verb. (*slang*; contraz. di:) **1 got to** **have** (*o* **has**) **got to** (= **to have got to** → **to get**, C, *def. 3*) **3 got a**: *I g. horse*, ho un cavallo.

gotten /'gɒtn/ (*arc. o USA*) p. p. di **to get**.

gouache /gʊ'ɑːʃ/ (*franc.*) n. Ⓤ (*pitt.*) guazzo; pittura a guazzo.

Gouda /'gaʊdə/ n. Ⓤ (= **G. cheese**) formaggio olandese.

gouge /gaʊdʒ/ n. **1** (*falegn., med.*) sgorbia; scalpello concavo **2** (*fam.*) scanalatura, incavo (*fatti con la sgorbia*) **3** (*fam. USA*) fregatura; imbroglio **4** (*geol.*) detrito fino di faglia.

to **gouge** /gaʊdʒ/ v. t. **1** scanalare, scavare, perforare (*con la sgorbia o altro*): **to g. a channel**, scavare un canale **2** (*fam. USA*) defraudare; imbrogliare; ingannare; fregare **3** ficcare un dito in un occhio a (*un avversario*) ● **to g. out**, cavare (*un occhio con un dito, ecc.*).

goulash /'guːlæʃ/ n. Ⓒ **1** (*cucina*) gulasch **2** (*fig.*) benessere **3** (*polit., stor.*) **g. communism**, comunismo «al gulasch».

gourd /gʊəd/ n. **1** (*bot.*) pianta, frutto delle cucurbitacee (*zucca, cetriolo, cocomero, ecc.*); (*spec.*) zucca **2** zucca vuota (*usata come recipiente*).

gourmand /'gʊəmənd/ (*franc.*) Ⓐ a. ghiotto; goloso; ingordo Ⓑ n. **1** ghiottone, ghiottona **2** buongustaio, buongustaia || **gourmandism** n. Ⓤ ghiottoneria; golosità.

gourmandise /'gʊəməndaɪz/ n. Ⓤ ghiottoneria; golosità; ingordigia.

to **gourmandise** /'gʊəməndaɪz/ → to **gourmandize**.

gourmet /'gʊəmeɪ/ (*franc.*) n. buongustaio; intenditore di vini.

gout /gaʊt/ n. **1** Ⓤ (*med.*) gotta; podagra **2** Ⓤ (*agric.*) malattia del grano (*causata da un insetto detto* **g.-fly**) **3** goccia (*spec. di sangue*); macchia; schizzo.

gouty /'gaʊtɪ/ a. (*med.*) gottoso; affetto da gotta; podagroso.

♦to **govern** /'gʌvn/ v. t. e i. **1** governare; condurre; dirigere; guidare; amministrare; reggere: *A constitutional monarch reigns but does not g.*, un sovrano costituzionale regna ma non governa; *Man is governed by instinct rather than reason*, l'uomo si lascia guidare dall'istinto più che dalla ragione **2** tenere a freno; controllare **3** (*gramm.*) reggere: *Which case does this verb g.?*, che caso regge questo verbo? **4** (*mecc.*) regolare, registrare (*un motore, ecc.*) ● **to g. oneself**, governarsi; condursi; regolarsi; dominarsi.

governable /'gʌvənəbl/ a. **1** governabile **2** docile; controllabile; sottomesso || **governability** n. Ⓤ **1** governabilità **2** controllabilità.

governance /'gʌvənəns/ n. Ⓤ (*form.*) governo; direzione; dominio; reggimento (*lett.*): (*fin.*) **corporate g.**, governo (*o amministrazione*) di una grande impresa.

governess /'gʌvənəs/ n. governante; istitutrice.

governing /'gʌvənɪŋ/ Ⓐ a. **1** governante; dirigente; dominante **2** (*di un principio, ecc.*) basilare; fondamentale Ⓑ n. Ⓤ il governare; governo; direzione ● **g. body**, organo esecutivo; consiglio d'amministrazione (*d'o-*

spedale, scuola, ecc.) □ (*fin.*) **g. director**, amministratore unico (*di una società*) □ (*gramm.*) **g. word**, reggente.

♦**government** /ˈgʌvnmənt/ **A** n. **1** Ⓤ governo; amministrazione (pubblica): **to form a g.**, formare un governo (*o* un ministero); **democratic g.**, governo democratico; **the central g.**, l'amministrazione centrale; **the Federal g.**, il governo Federale (*in USA*) Ⓤ (*org. az.*) amministrazione; gestione (*di un'azienda, ecc.*) **3** Ⓤ (*gramm.*) reggenza **4** (pl.) (*fin.*) titoli di stato **B** a. attr. governativo; statale; pubblico: (*polit.*) **g. bill**, disegno di legge governativo; **g. offices**, uffici statali; (*in GB, un tempo*) **g. training centre**, centro governativo di addestramento al lavoro (*ora* **skill centre**) ● (*fin.*) **g. bank**, banca di stato □ (*fin.*) **g. bonds**, obbligazioni dello stato; titoli del debito pubblico □ (*fin.*) **g. borrowing**, indebitamento dello stato □ **g. control**, controllo governativo; (*econ.*) dirigismo □ **g. department**, ministero; dicastero □ **g. employee**, dipendente pubblico; statale □ (*fin.*) **g. expenditure**, la spesa pubblica (*leg.*) **g. health warning**, avviso sulla pericolosità del fumo (*sui pacchetti di sigarette*) □ (*stor.*) **g. house**, palazzo del governo; residenza ufficiale del governatore □ (*fin.*) **g. income**, entrate pubbliche (*o* dello stato) □ (*fin.*) **g. investment**, investimento pubblico □ (*fin.*) **g. loan**, prestito pubblico □ (*fin.*) **g. official**, funzionario statale □ (*fin.*) **g. paper**, titoli di stato □ **g. revenue** = **g. income** → *sopra* □ (*fin.*) **g. securities**, titoli di stato □ (*fin.*) **g. spending** = **g. expenditure** → *sopra* (*leg., USA*) **g. witness**, testimone d'accusa; collaboratore di giustizia; pentito (*fam.*).

governmental /ˌgʌvnˈmentl/ a. governativo; del governo □ **g. accounting**, contabilità di stato □ (*fin.*) **g. accounts**, i conti nazionali (*o* dello stato).

♦**governor** /ˈgʌvənə(r)/ n. **1** governatore (*in ogni senso*); amministratore: **the G. of California**, il Governatore della California; **the G. of the Bank of England**, il Governatore della Banca d'Inghilterra **2** (*fam.*) padrone; principale; capo; padre **3** (*leg.*) direttore (delle carceri) **4** (*mecc.*) regolatore: **speed-g.**, regolatore di giri (*d'un motore*) ● **g.-general**, governatore generale □ **g.-generalship**, governatorato generale ‖ **governorate** n. governatorato (*il territorio*) ‖ **governorship** n. governatorato (*la carica*).

govt abbr. (**government**) (il) governo.

gowan /ˈgaʊən/ n. (*scozz.; bot.*, *Bellis perennis*) margheritina.

gowk /gaʊk/ n. (*dial. o scozz.*) **1** (zool., *Cuculus canorus*) cuculo **2** sciocco; stupido; semplicione; merlo (*fig. fam.*).

gown /gaʊn/ n. **1** vestito lungo (*da donna*): **evening g.** (*o* **dinner g.**), abito da sera; **tea g.**, abito da pomeriggio **2** toga (*di giudice, professore universitario, avvocato o sindaco ingl.*) **3** (*stor. romana*) toga **4** (*med.*) camice (*di chirurgo, ecc.*) **5** (= **night g.**) camicia da notte **6** (= **dressing g.**) veste da camera; vestaglia.

to gown /gaʊn/ v. t. (usato soprattutto al p. p., **gowned**), togato) rivestire con la toga.

goy /gɔɪ/ n. (pl. **goys**, **goyim**) (*iron. o spreg.*) gentile; cristiano; non ebreo (*detto da un ebreo*).

GP sigla **1** (**general practitioner**) medico generico **2** (**Grand Prix**) Gran Premio (GP).

GPA sigla (*spec. USA*, **grade point average**) media dei voti, valutazione finale (*di uno studente*).

GPI sigla (*med.*, **general paralysis of the insane**) paralisi progressiva.

GPL sigla (*comput.*, **General Public License**) GPL; licenza pubblica generale (*della* → **GNU**).

GPO sigla **1** (**general post office**) posta

centrale **2** (*USA*, **Government Printing Office**) poligrafici di Stato.

GPRS sigla (*comput.*, **general packet radio service**) GPRS (*trasmissione dati via radio, in cui si paga solo l'effettivo volume di dati trasmessi*).

GPS sigla (**global positioning system**) sistema di posizionamento globale (*via satellite*).

gr. abbr. **1** (**grade**) categoria **2** (**great**) grande **3** (**gross**) lordo.

grab /græb/ n. **1** atto (*o* tentativo) d'afferrare; presa; stretta: **to make a g. at st.**, fare l'atto di afferrare qc. **2** (*mecc.*, = **bucket**) benna mordente; benna **3** rubamazzo (*gioco di carte per bambini*) **4** (*fig.*) l'arraffare; avidità; rapacità **5** (*fam.*) arresto; cattura **6** (*comput.*) (istantanea di una) schermata (*o* videata) ● (*slang USA*) **g.-ass**, pomiciate pesanti; petting spinto; giochi amorosi spinti □ (*fam. USA*) **g. bag**, pésca a sorpresa (*al luna park*); (*fig.*) calderone, accozzaglia □ **g. crane**, gru a benna □ **g. dredger**, draga a benna mordente □ **g. loading**, caricamento con benna □ **g. lorry**, camion con benna □ (*elettr.*) **g. wire switch**, interruttore a tirante □ (*slang*) **to have [to get] the g. on sb.**, avere [riuscire ad avere] un grosso vantaggio su q. □ (*fam.: di un posto, ecc.*) **to be up for grabs**, essere a disposizione di tutti: *The appointment is up for grabs*, la nomina è di chi la vuole (*o* basta chiederla).

♦**to grab** /græb/ **A** v. t. **1** afferrare; agguantare; ghermire; arraffare: *The beggar grabbed the loaf of bread*, il mendicante agguantò la pagnotta; *Don't g.!*, non arraffare!; **to g. a chance**, afferrare un'occasione, (*sport*) **to g. victory**, agguantare la vittoria **2** (*fam.*) acchiappare; catturare; arrestare **3** (*mecc.: di un pezzo*) ingranare con **4** (*fam.*) fare (un certo) effetto a (q.): *I'll a have look through the prospectus and see if another course grabs me*, darò un'occhiata al programma per vedere se c'è un altro corso che mi attira **5** afferrare (*o* prendere) con la benna **6** (*comput.*) catturare, acquisire (*immagini, ecc.*) **B** v. i. (*mecc.*) ingranare ● **to g. at st.**, fare l'atto d'afferrare qc. □ (*fig.*) **to g. one's audience**, conquistare pubblico □ (*fam.*) **to g. a bite**, mangiare un boccone.

grabber /ˈgræbə(r)/ n. **1** (*spreg.*) arraffone, arraffona; persona avida, rapace **2** (*comput.*) dispositivo per la cattura di dati; (*anche*) puntatore del mouse ● **money-g.**, chi pensa solo a far quattrini.

grabbing /ˈgræbɪŋ/ n. Ⓤ l'afferrare; stretta improvvisa ● (*mecc.*) **g. crane**, gru a benna.

to grabble /ˈgræbl/ v. i. **1** cercare a tastoni (*o* a tentoni) **2** procedere a tentoni **3** andare carponi.

grabby /ˈgræbɪ/ a. (*fam. USA*) che arraffa; avido; insaziabile.

graben /ˈgrɑːbən/ (*ted.*) n. (*geol.*) fossa tettonica.

grace /greɪs/ n. **1** Ⓤ grazia; garbo; leggiadria; buona grazia; benevolenza; cortesia; favore: *She walks with such g.!*, ella si muove con tale grazia!; **to have the g. to do** [to say] **st.**, avere la buona grazia di fare [di dire] qc. **2** Ⓤ (*relig.*) grazia divina: **to be in a state of g.**, essere in stato di grazia **3** Ⓤ Ⓒ breve preghiera di ringraziamento; grazie: **to say g. before a meal**, rendere grazie al Signore prima di un pasto **4** (*mus.*, = **g. note**) fioritura; abbellimento **5** Ⓤ (*comm.*) respiro; rispetto; tolleranza; dilazione: **days of g.**, giorni di tolleranza (*per fare un pagamento*); **to give a day's [a year's] g.**, concedere una dilazione di un giorno [d'un anno] **6** – (*mitol.*) **the Graces**, le Grazie **7** (*leg., stor.*) clemenza; grazia: **act of g.**, atto di clemenza (*di un sovrano, ecc.*); (*un tempo*) amni-

stia (*ora* **amnesty**) **8** Ⓤ – G., Grazia (*titolo onorifico di duchi e arcivescovi*): *Your G.!*, Vostra Grazia!; *His G. the Duke of York*, Sua Grazia il duca di York ● (*in GB*) **a g.-and-favour house**, una casa concessa in vitalizio dal sovrano □ **g. cup**, bicchiere della staffa; (bicchiere del) brindisi alla fine d'un banchetto □ **g. period**, (*ass.*) periodo di tolleranza; (*leg., anche* **period of g.**) proroga □ **by the g. of God**, per grazia di Dio □ **to fall from g.**, cadere in disgrazia; (*relig.*) perdere la grazia divina; cadere nel peccato; peccare □ **to be in sb.'s bad** [**good**] **graces**, essere malvisto da q. [essere nelle grazie di q.] □ **in the year of g. 1917**, nell'anno di grazia 1917 □ **with** (a) **bad g.**, di malagrazia; sgarbatamente; malvolentieri □ **with** (a) **good g.**, di buonagrazia; con garbo; amabilmente; di buon grado; volentieri.

to grace /greɪs/ v. t. **1** abbellire; ornare; ingentilire **2** onorare: **to g. sb. with a title**, onorare q. conferendogli un titolo **3** (*mus.*) abbellire; ornare **4** (*form.*) ricevere l'onore della presenza di (*un personaggio importante*) ● *The banquet was graced by the presence of the mayor*, il sindaco si è degnato di partecipare al banchetto.

Grace /greɪs/ n. Grazia.

graceful /ˈgreɪsfl/ a. aggraziato; elegante; bello; leggiadro: **a g. dancer**, una danzatrice aggraziata | **-ly** avv. | **-ness** n. Ⓤ.

❶ NOTA: graceful o gracious?
Graceful e *gracious*, e i loro avverbi *gracefully* e *graciously*, vengono a volte confusi dai madrelingua stessi, ma hanno significati diversi. *Graceful* significa "aggraziato" nella forma, nel movimento o nell'espressione; per esempio *a graceful gesture*, un gesto aggraziato; *she danced gracefully*, danzò con grazia. *Gracious* si usa, invece, per indicare qualcosa o qualcuno che dimostra gentilezza, cortesia o compassione: *a gracious act*, un atto clemente; oppure si usa in riferimento al buon gusto e all'eleganza: *gracious living*, uno stile di vita agiato e raffinato. Inoltre, *gracious* è legato a formule ed espressioni cerimoniose e formali, e può implicare una sfumatura paternalistica o condiscendente: *We were honoured by his gracious presence*, siamo stati onorati dalla sua cortese presenza; si usa anche in esclamazioni quali *Goodness gracious me!* e *Good gracious!*, accipicchia, perbacco!

graceless /ˈgreɪsləs/ a. **1** sgraziato; brutto: **a g. walk**, un'andatura sgraziata **2** sgarbato; indecoroso: **a g. remark**, un'osservazione sgarbata **3** (*relig.*) che ha perso la grazia divina | **-ly** avv. | **-ness** n. Ⓤ.

gracile /ˈgræsaɪl/ a. **1** gracile; esile **2** sottile e aggraziato; magro **3** (*di stile*) disadorno.

gracility /græˈsɪlətɪ/ n. Ⓤ **1** gracilità; esilità **2** sottigliezza aggraziata **3** (*dello stile*) semplicità disadorna.

gracious /ˈgreɪʃəs/ a. **1** benevolo; affabile; garbato; cortese: **a g. smile**, un sorriso benevolo **2** (*relig.*) clemente; misericordioso; compassionevole **3** elegante; agiato; raffinato: **g. living**, stile di vita agiato e raffinato **4** (*antiq.*) gradevole; piacevole; leggiadro (*lett.*) **5** (*arc. o form.*) benigno; grazioso: **our g. Queen**, la nostra graziosa Regina ● (*antiq.*) **Good g.!** (*o* **G. me!**), accipicchia!; perbacco!; perdinci! **❶ FALSI AMICI** ● *nell'inglese attuale* gracious *non significa* grazioso *nel senso di aggraziato* | **-ly** avv. | **-ness** n. Ⓤ **❶ NOTA:** *graceful o gracious?* → **graceful**.

grackle /ˈgrækl/ n. (zool., *Gracula*) gracola.

grad /græd/ n. (*fam. USA*, contraz. di **graduate**) **A** n. laureato **B** a. di (o per) laureati.

to gradate /grəˈdeɪt, *USA* ˈgreɪdeɪt/ **A** v. t. **1** graduare **2** (*pitt.*) sfumare (*colori*) **B** v. i.

1 disporsi per gradi **2** (*di colori*) sfumare; attenuarsi.

gradation /grəˈdeɪʃn/ n. **1** Ⓤ graduazione; gradazione; divisione in gradi; passaggio per via di gradi **2** (*di un colore*) sfumatura **3** Ⓤ (*ling.*) apofonia ‖ **gradational** a. graduale; di gradazione.

♦**grade** /greɪd/ n. **1** grado; divisione; gradino, passo (*fig.*): **an officer with the g. of lieutenant**, un ufficiale col grado di tenente **2** categoria; classe; qualità; varietà: **high-g. coal**, carbone di alta qualità **3** (*soprattutto USA*; *cfr. ingl.* **gradient**) pendenza; dislivello; discesa; salita: **average g.**, pendenza media (*di una strada, una pista, ecc.*); **a 12% g.**, una pendenza del 12%; **a steep g.**, una forte pendenza **4** (*USA*) anno di corso scolastico (*cfr. ingl.* **class**, **form**); classe: *My son is in g. 5*, mio figlio frequenta il quinto anno (*o fa la quinta*); **g. school**, la scuola elementare (*dal primo al quinto anno*); le elementari; **g. teacher**, maestro elementare; insegnante delle elementari **5** (*spec. USA*) voto (*scolastico*; *cfr.* **mark**): **to get good grades**, prendere bei voti **6** (*zootecnia*) animale con un progenitore di razza pura **7** (*zool.*) sottospecie **8** (*ling.*) grado apofonico **9** (*autom.*) numero di ottano **10** (*geom.*) grado **11** (*ind. costr.*) sede stradale; sede ferroviaria **12** (*ind. min.*) tenore (*del minerale*) ● (*fam. USA*) **g. creep**, avanzamento automatico in carriera □ (*ferr., USA*) **g. crossing**, passaggio a livello (*cfr. ingl.* **level crossing**, *sotto* **level**) □ (*topogr.*) **g. peg**, picchetto □ (*spec. USA*) **g. point average**, media dei voti, valutazione finale (*del lavoro di uno studente*) □ (*topogr.*) **g. stake**, palina □ **to make the g.**, arrivare in vetta (*alla salita o fig.*); (*fig. fam.*) farcela; raggiungere la meta □ (*comm.*) **up to g.**, di buona qualità media.

to **grade** /greɪd/ v. t. **1** classificare; selezionare; cernere (*lett.*): **to g. foodstuffs**, classificare le diverse qualità di generi alimentari **2** (*pitt.*) sfumare (*colori*) **3** livellare, spianare (*un terreno*); graduare la pendenza di (*una strada*); preparare la sede di (*una strada, ecc.*) **4** (*zootecnia*) incrociare (*un animale*) con un altro di razza pura **5** (*USA*) classificare, valutare (*a scuola*) ● **to g. up cattle**, selezionare con incroci il bestiame ❶ **FALSI AMICI** • to grade *non significa* gradire.

grader /ˈgreɪdə(r)/ n. **1** classificatore; cernitore; selezionatore **2** livellatrice stradale; terrazzatrice (*macchina per movimento terra*) **3** (*USA*) scolaro: **a fifth-g.**, uno scolaro della quinta classe (*elementare*)

gradient /ˈgreɪdɪənt/ Ⓐ n. **1** pendenza, dislivello (*d'una strada, ferrovia, ecc.*): **a steep g.**, una forte pendenza; **a g. of 1 in 4**, una pendenza del 25 per cento **2** declivio; discesa; salita **3** (*meteor.*) gradiente: **barometric g.**, gradiente barometrico **4** (*elettr.*) gradiente: **g. of potential**, gradiente di potenziale **5** (*geol., mat.*) gradiente Ⓑ a. in declivio uniforme.

gradin /ˈgreɪdɪn/, **gradine** /grəˈdiːn/ n. **1** gradino d'anfiteatro; fila di posti a sedere **2** mensola dietro l'altare (*per candelabri, ecc.*).

grading /ˈgreɪdɪŋ/ n. Ⓤ **1** classificazione; cernita; selezione **2** sfumatura (*del colore*) **3** livellamento (*del terreno*) **4** (*zootecnia*) selezione (*del bestiame*) mediante incroci.

♦**gradual** ① /ˈgrædʒʊəl/ a. **1** graduale; progressivo: **a g. improvement**, un graduale miglioramento **2** (*di pendio*) dolce; lieve ‖ **gradualness** n. Ⓤ gradualità.

gradual ② /ˈgrædʒʊəl/ n. (*relig.*) graduale.

gradualism /ˈgrædʒʊəlɪzəm/ n. Ⓤ gradualismo ‖ **gradualist** n. gradualista.

♦**gradually** /ˈgrædʒʊəlɪ/ avv. gradualmente; per gradi.

graduand /ˈgrædʒʊænd/ n. laureando, laureanda.

♦**graduate** /ˈgrædʒʊət/ Ⓐ n. **1** laureato, laureata: *Oxford graduates*, laureati dell'Università di Oxford **2** (*USA*) diplomato, diplomata: **a high-school g.**, un diplomato di scuola secondaria superiore **3** cilindro graduato (*di chimico o farmacista*) Ⓑ a. attr. **1** laureato **2** (*USA*) diplomato: **a g. nurse**, un'infermiera diplomata; un infermiere diplomato **3** che concede un titolo di specializzazione successivo alla laurea (un «M.A.», «M.S.», *o* «Ph.D.»): **g. school**, facoltà universitaria che concede tale titolo; **g. student**, studente che frequenta tale facoltà ● **g. course**, corso di perfezionamento (*o di specializzazione*) □ **g. recruitment**, assunzione di neolaureati ❶ **FALSI AMICI** • graduate *non significa* graduato.

to **graduate** /ˈgrædʒʊeɪt/ Ⓐ v. t. **1** laureare; conferire la laurea a: *The school of medicine graduated 500 students last year*, la facoltà di medicina conferì la laurea a 500 studenti l'anno scorso **2** (*USA*) diplomare; rilasciare un diploma a **3** (*USA*) promuovere (*da una classe a un'altra*) **4** graduare; dividere (*o distinguere*) in gradi: **to g. taxes**, graduare le imposte Ⓑ v. i. **1** laurearsi; conseguire la laurea: *He graduated at Cambridge* [*from Harvard*], si laureò a Cambridge [a Harvard] **2** (*USA*) diplomarsi **3** cambiare (*o trasformarsi*) per gradi **4** (*anche fig.*) essere promosso; passare di grado.

graduated /ˈgrædʒʊeɪtɪd/ a. **1** graduale; progressivo; differenziato **2** graduato; distinto (*o diviso*) in gradi ● **a g. beaker**, un bicchiere graduato □ (*sport*) **g. measuring rod**, saltometro; ritto □ (*fin., USA*) **g. payment mortgage**, mutuo ipotecario a rate di rimborso crescenti □ (*fin.*) **g. tax**, imposta progressiva.

graduation /grædʒʊˈeɪʃn/ n. **1** Ⓤ (*conseguimento della*) laurea: *What will you do after g.?*, che cosa farai dopo la laurea? **2** Ⓤ (*USA*) (*conseguimento del*) diploma (*di scuola secondaria*) **3** Ⓤ (*USA*) cerimonia del conferimento delle lauree: **g. gowns**, toghe indossate dagli studenti al conferimento delle lauree **4** graduazione; classificazione **5** scala graduata; grado; segno di divisione: **the graduations on a ruler**, i segni (*centimetri, pollici, ecc.*) su un regolo.

graduator /ˈgrædʒʊeɪtə(r)/ n. (*tecn.*) strumento per graduare.

gradus /ˈgreɪdəs/ n. (*un tempo*) prontuario di prosodia (*spec. classica*).

Graecism /ˈgriːsɪzəm/ n. **1** (*ling.*) grecismo **2** Ⓤ ellenismo; imitazione dello spirito (*o dello stile, ecc.*) della Grecia antica.

to **Graecize** /ˈgriːsaɪz/ Ⓐ v. t. **1** grecizzare; ellenizzare **2** tradurre in greco Ⓑ v. i. grecizzare; comportarsi alla greca; imitare i Greci.

Graeco-Roman /griːkəʊˈrəʊmən/ a. greco-romano (*sport*) **Graeco-Roman wrestling**, lotta greco-romana.

graffiti /grəˈfiːtɪ/ n. pl. *o* sing. (col verbo al sing. *o* al pl.); sing. *graffito*, raro, pl. *graffitis*, raro) graffiti; disegni murali; scritte su muri ● **g. artist** (*o* **writer**), graffitista; graffitaro • writer.

graffitism /græˈfiːtɪzəm/ n. Ⓤ (*arte*) graffitismo ‖ **graffitist** n. graffitista.

graffito /grəˈfiːtəʊ/ n. (pl. *graffiti*) **1** (*archeol.*) graffito **2** → **graffiti**.

graft /grɑːft/ n. **1** (*agric.*) innesto **2** (*agric.*) albero innestato; pianta innestata **3** (*med.*) innesto; trapianto; impianto **4** (*leg., spec. USA*) corruzione (*spec. polit.*); peculato; concussione **5** (*fam.*) bustarella **6** Ⓤ (*slang*) lavoro faticoso; lavoro pesante.

to **graft** /grɑːft/ Ⓐ v. t. (*agric.*) innestare **2** (*agric.*) produrre (*fiori, frutti*) per innesto **3** (*med.*) innestare; trapiantare; impiantare:

to g. skin, fare un trapianto di pelle **4** (*leg., spec. USA*) procurarsi (*denaro, ecc.*) con la corruzione (*o con mezzi illeciti*) Ⓑ v. i. **1** (*agric.*) fare innesti **2** (*leg., spec. USA*) rendersi colpevole di peculato **3** (*fam.*) prendere bustarelle ● (*fig.*) **to g. on**, aggiungere, inserire (*qc. in un testo*).

grafter /ˈgrɑːftə(r)/ n. **1** innestatore, innestatrice **2** (*leg., spec. USA*) concussionario; funzionario corrotto **3** (*fam.*) imbroglione; truffatore; bidonatore (*pop.*) **4** (*pop.*) stacanovista; sgobbone, sgobbona.

grafting /ˈgrɑːftɪŋ/ n. Ⓒ (*agric., med.*) innesto (*anche fig.*) ● **g. knife** (*o iron, o tool*), innestatoio.

grail /greɪl/ n. (*relig.*) gradale.

Grail /greɪl/ n. (*nelle leggende medievali*) Graal (*coppa che contenne il sangue di Gesù crocifisso*): **the Holy G.**, il Santo Graal.

♦**grain** /greɪn/ n. **1** Ⓤ grano; granaglie; cereali: **a cargo of g.**, un carico di granaglie; **g. exports**, esportazioni di cereali **2** grano; granello; chicco: **a g. of sand**, un granello di sabbia; **grains of rice**, chicchi di riso **3** grano (*la più piccola unità di peso ingl., pari a 0,0648 grammi*) **4** Ⓤ grana (*di metalli, marmi, ecc.*); filo, vena, venatura (*del legno*); acqua (*di pietre preziose*); verso (*di una stoffa*): **metals of coarse** [**fine**] **g.**, metalli a grana grossa [fine] **5** (pl.) residui di semi di malto (*nella fabbricazione della birra*) **6** Ⓤ (*fig.*) inclinazione naturale; natura; carattere: *It goes against the g. for me to tell lies*, è contro la mia natura dire bugie **7** (*fig.*) granello; briciolo; pizzico: *He didn't have a g. of sense*, non aveva un briciolo di buon senso **8** Ⓤ (*stor.*) grana; carminio di cocciniglia **9** Ⓤ (*poet.*) colore; tinta **10** (*geol.*) granulo ● (*chim.*) **g. alcohol**, alcol etilico; etanolo □ (*agric.*) **g. drill**, seminatrice per cereali □ **g. elevator**, silo per cereali □ **g. farmer**, cerealicoltore □ **g. farming**, (sost.) cerealicoltura; (agg.) cerealicolo □ **g. leather**, cuoio fiore (*conciato e voltato dalla parte del pelo, che è stato tolto*) □ **g. merchant**, commerciante di cereali □ (*bot.*) **grains of Paradise** (*o* **Guinea grains**), grani del paradiso □ (*geol.*) **g. size**, grandezza del grano; grana □ (*tecn.*) **g. size analysis**, analisi granulometrica; granulometria □ (*fig.*) **against the g.** (*o* **one's**) **g.**, contro la propria natura □ (*fig.*) **with a g. of salt**, cum grano salis (*lat.*).

to **grain** /greɪn/ Ⓐ v. t. **1** granire; ridurre in grani **2** granire; zigrinare **3** marmorizzare; marezzare; macchiare a finto legno **4** depilare, pelare, togliere il pelo a (*pelli conciate*) Ⓑ v. i. **1** (*bot.*) formare grani; granire **2** ridursi in grani; formare granuli.

grained /greɪnd/ a. **1** granulato; a struttura granulare **2** granito; zigrinato **3** marmorizzato; marezzato ● (*di metallo, sabbia, ecc.*) **coarse-g.** [**fine-g.**], a grana grossa [fine].

grainer /ˈgreɪnə(r)/ n. **1** granitore; incisore **2** marmorizzatore; marezzatore **3** granitoio.

grainless /ˈgreɪnləs/ a. **1** senza cereali **2** (*tecn.*) privo di grana.

grainy /ˈgreɪnɪ/ a. **1** (*di legno, ecc.*) che ha una grana (*o una vena*) ben definita **2** granuloso **3** ricco di grano.

gralloch /ˈgræləx/ n. Ⓤ interiora (*di cervo e sim.*).

to **gralloch** /ˈgræləx/ v. t. sventrare (*un cervo e sim.*).

♦**gram** ① /græm/ n. grammo ● (*chim.*) **g. atom** (*o* **g.-atomic weight**), grammoatomo □ (*chim.*) **g. molecule**, grammomolecola.

gram ② /græm/ n. (*bot., Cicer arietinum*) cece.

gram ③ /græm/ n. (*fam., in GB*) messaggio di auguri presentato da un apposito latore (*detto* **male g.** *se uomo,* **female g.** *se donna*;

→ **kissagram** e **strippergram**).

graminaceous /ˌgræmɪˈneɪʃəs/, **gramineous** /grəˈmɪnɪəs/ a. (*bot.*) graminaceo: **g. plants**, piante graminacee.

graminivorous /ˌgræmɪˈnɪvərəs/ a. (*zool.*) frugivoro; erbivoro.

grammalogue /ˈgræmələg/ n. logogramma; stenogramma; segno stenografico.

♦**grammar** /ˈgræmə(r)/ n. **1** Ⓤ grammatica: **a g. lesson**, una lezione di grammatica; **a g. of Old English**, una grammatica d'anglosassone; *His g. was poor*, la sua grammatica lasciava molto a desiderare **2** Ⓤ (*fig.*) elementi; cognizioni di base ● **g. book**, grammatica (*il libro*) □ **g. school**, (*in GB*) scuola secondaria ❶ Cultura • **grammar school**: *è una scuola statale a cui si accede dopo una selezione. Un tempo preparava all'università quegli studenti che avevano superato l'«eleven-plus examination»* (→ **eleven**) *Ormai esistono relativamente poche* **grammar schools** *statali, concentrate in alcune zone della Gran Bretagna, mentre il titolo permane nel nome di molte scuole private;* (*in USA*) scuola elementare □ *That is bad g.!*, questa espressione è scorretta!

grammarian /grəˈmeərɪən/ n. grammatico; filologo.

grammatical /grəˈmætɪkl/ (*ling.*) a. **1** grammaticale **2** corretto dal punto di vista grammaticale ‖ **grammaticality** n. Ⓤ correttezza grammaticale; grammaticalità ‖ **grammatically** avv. grammaticalmente ‖ **grammaticalness** n. Ⓤ grammaticalità.

to **grammaticalize** /grəˈmætɪkəlaɪz/ (*ling.*) v. t. grammaticalizzare ‖ **grammaticalization** n. Ⓤ grammaticalizzazione.

grammatist /ˈgræmətɪst/ n. (*spreg.*) grammatico.

gramme /græm/ → **gram**①.

Gram-negative /ˈgræmˈnegətɪv/ a. (*biol.*) gram-negativo.

gramophone /ˈgræməfəʊn/ n. (*raro*) grammofono (= **record player** → **record**).

Grampian Mountains /ˈgræmpɪənˈmaʊntɪnz/ o **Grampians** /ˈgræmpɪənz/ n. (*geogr.*) monti Grampiani.

Gram-positive /ˈgræmˈpɒzətɪv/ a. (*biol.*) gram-positivo.

grampus /ˈgræmpəs/ n. **1** (*zool.*, *Grampus griseus*) grampo grigio **2** (*zool.*, *Orcinus orca*) orca **3** (*zool.*, *Mastigoproctus giganteus*) telifonide (*grosso scorpione americano*).

gran /græn/ n. (*fam. ingl.*) nonna; nonnina.

granary /ˈgrænərɪ/ n. silo granario; granaio (*anche fig.*); regione ricca di grano ● **g. bread**, pane con chicchi di grano interi.

♦**grand**① /grænd/ a. **1** imponente; grandioso; splendido; grande: **a g. palace**, un palazzo imponente; **a g. spectacle**, uno spettacolo grandioso; **g. ladies**, dame importanti; **gran dame**; **in g. style**, in grande stile **2** (il) più importante; principale: **the g. staircase of a building**, la scala principale d'un edificio; lo scalone d'onore; **g. entrance**, ingresso principale **3** grande; grandioso; ambizioso: **a g. gesture**, un gesto grandioso; un gran gesto; **a g. plan**, un progetto ambizioso; **to have g. ideas**, avere idee grandiose **4** (*rag.*, *stat.*) complessivo; generale: **g. total**, totale generale **5** (*nei nomi di luoghi o edifici*) grande: **the G. Canal**, il Canal grande (a Venezia); **the G. Canyon**, il Gran Canyon; **G. Hotel**, Grand Hotel **6** (*fam.*) eccellente; magnifico; meraviglioso; splendido: **a g. idea**, un'ottima idea; **a g. party**, una festa meravigliosa; **g. weather**, tempo magnifico; **to have a g. time**, divertirsi un mondo; spassarsela ● (*in GB*) **g. committee**, commissione permanente della Camera dei Comuni □ **g.-ducal**, granducale □ **g. duchess**, granduchessa □ **g. duchy**, granducato □ **g.**

duke, granduca □ (*sport*) **g. final**, finalissima □ (*leg.*) **g. holidays**, ferie giudiziarie □ (*stor.*) **the G. Inquisitor**, il Grande inquisitore □ (*leg.*, *USA*) **g. jury**, gran giurì; giuria speciale (*che decide se qualcuno debba essere rinviato a giudizio*) □ (*leg. USA*) **g. larceny**, furto grave ● **g. master**, campione di scacchi; maestro degli scacchi □ **G. Master**, Gran Maestro (*d'un ordine cavalleresco o della massoneria*) □ (*ipp.*) **G. National**, «Grand National» ❶ Cultura • **Grand National**: *è la più famosa corsa siepi della Gran Bretagna e si tiene annualmente in primavera nel circuito di Aintree, presso Liverpool. Fu istituita nel 1839 e ricevette questo nome nel 1847. Il circuito è celebre per la sua difficoltà, tanto che agli ostacoli più pericolosi è stato addirittura attribuito un nome in ricordo dei cavalli caduti durante la prima edizione:* **Becher's Brook** (*fossato di Becher*) e **Valentine's Brook** (*fossato di Valentine*) □ **the G. Old Man of**, il Grande Vecchio di (*un'attività, una disciplina, ecc.*) □ (*polit.*, *USA*) **the G. Old Party**, il Partito Repubblicano □ (*mus.*) **g. opera**, opera lirica □ (*mus.*) **g. orchestra**, grande orchestra □ **g. piano**, pianoforte a coda □ (*sport e bridge*) **g. slam**, grande slam ● **g. tour**, (*stor.*) viaggio in Europa (*fatto dai nobili inglesi nell'Ottocento*) □ (*scherz.*) visita completa, giro completo □ (*stor.*) **G. Vizier**, Gran Visir ❶ Nota: **big, grand, great o large?** → **big**.

grand② /grænd/ n. **1** (*fam.*) pianoforte a coda **2** (*slang ingl.*; inv. al pl.) mille sterline; (*slang USA*; inv. al pl.) (biglietto da) mille dollari: **fifty g.**, cinquantamila dollari ● (*mus.*) **upright g.**, grande piano verticale.

♦**grandad**, /ˈgrændæd/, **grandaddy** /ˈgrændædɪ/ n. **1** (*fam.*) nonno; nonnino **2** (al vocat.) nonnetto (*a un vecchio*).

grandaunt /ˈgrændɑːnt/ n. prozia.

♦**grandchild** /ˈgræntʃaɪld/ n. (pl. **grandchildren**) nipote (*di nonni*).

granddad, /ˈgrændæd/, **granddaddy** /ˈgrændædɪ/ n. → **grandad**.

granddaughter /ˈgrændɔːtə(r)/ n. nipote (*femmina, di nonni*).

grandee /grænˈdiː/ n. **1** (*arc.*) grande di Spagna **2** (*fig.*) personaggio importante **3** (*fin.*) magnate.

grandeur /ˈgrændʒə(r)/ n. Ⓤ **1** grandiosità; bellezza; magnificenza; splendore: **the g. of the Rocky Mountains**, la grandiosità delle Montagne Rocciose **2** grandezza morale; elevatezza di sentimenti; nobiltà d'animo **3** grande potere; importanza.

♦**grandfather** /ˈgrænfɑːðə(r)/ n. **1** nonno **2** antenato; avo ● **g. clock**, pendola a colonna □ (*aeron.*) **g. rights**, grandfather rights; diritti acquisiti (*da una compagnia aerea riguardo le fasce orarie di atterraggio e decollo in un determinato aeroporto*) □ **great-g.**, bisnonno; bisavolo ‖ **grandfatherly a. 1** di (o da) nonno **2** (*fig.*) benevolo; indulgente.

grandiloquent /grænˈdɪləkwənt/ a. magniloquente; ampolloso ‖ **grandiloquence** n. Ⓤ magniloquenza; grandiloquenza; ampollosità.

grandiose /ˈgrændɪəʊs/ a. **1** grandioso **2** fastoso; pomposo ‖ **-ly** avv.

grandiosity /grændɪˈɒsɪtɪ/ n. Ⓤ **1** grandiosità **2** fasto; pompa.

grandkid /ˈgrændkɪd/ n. (*fam.*, *USA*) nipote (*di nonno*).

grandly /ˈgrændlɪ/ avv. grandiosamente; splendidamente.

♦**grandma** /ˈgrænmɑː/ n. **1** (*fam.*) nonna; nonnina **2** (*fam. USA*) donna anziana.

grand mal /grɑːnˈmæl/ (*franc.*) loc. n. (*med.*) gran male; epilessia generalizzata.

grandmamma, **grandmama** /ˈgrænməmɑː/ n. (*fam.*) nonna; nonnina.

♦**grandmother** /ˈgrænmʌðə(r)/ n. **1** non-

na **2** antenata; ava ● (*fig.*) **to teach one's g. to suck eggs**, voler insegnare a chi ne sa più di noi (*cfr. prov. ital.* «i paperi menano a bere le oche»‖ **grandmotherly a. 1** di (o da) nonna **2** (*fig.*) benevolo; indulgente **3** (*fig.*) premuroso; protettivo **4** (*fig.*) meticoloso; noioso; pignolo.

grandnephew /ˈgrænnevjuː/ n. pronipote (*maschio, di prozii*).

grandness /ˈgrændnəs/ n. Ⓤ grandezza; grandiosità; imponenza; maestosità.

grandniece /ˈgrænniːs/ n. pronipote (*femmina, di prozii*).

♦**grandpa** /ˈgrænpɑː/ n. **1** (*fam.*) nonno; nonnino **2** (*fam. USA*) uomo anziano.

grandpapa /ˈgrænpəpɑː/ n. (*fam.*) nonno; nonnino.

grandpappy /ˈgrænpæpɪ/ n. (*fam. USA*) nonnino.

grandparent /ˈgrænpeərənt/ n. nonno, nonna **2** (pl.) nonni.

Grand Prix /grɒnˈpriː/ (*franc.*) n. (pl. **Grand Prix**, **Grands Prix**, **Grand Prixes**) (*sport*) Gran Premio; (*autom.*) **the British Grand Prix**, il Gran Premio d'Inghilterra (*a Silverstone*).

grandson /ˈgrænsʌn/ n. nipote (*maschio, di nonni*).

grandstand /ˈgrænstænd/ n. (*sport*) tribuna (*centrale, o coperta*): **g. tickets**, biglietti di tribuna ● **g. finish**, finale travolgente □ **g. play**, gioco spettacolare.

to **grandstand** /ˈgrænstænd/ (*USA*) v. i. mettersi in (bella) mostra; esibirsi; pavoneggiarsi; voler fare colpo; fare la ruota (*fig.*) ‖ **grandstander** n. chi si mette in mostra; esibizionista.

grandstanding /ˈgrænstændɪŋ/ Ⓐ a. esibizionista; tronfio Ⓑ n. Ⓤ esibizionismo; pavoneggiamento.

granduncle /ˈgrændʌŋkl/ n. prozio.

grange /greɪndʒ/ n. **1** casa colonica; cascina **2** casa padronale; casa di campagna **3** (*USA*) fattoria **4** (*stor.*) grangia.

granger /ˈgreɪndʒə(r)/ n. (*USA*) **1** agricoltore **2** ferrovia per il trasporto di cereali.

to **grangerize** /ˈgreɪndʒəraɪz/ v. i. illustrare (*un libro*) applicando stampe, vignette, ecc. ritagliate da un altro volume.

graniferous /græˈnɪfərəs/ a. granifero.

graniform /ˈgrænɪfɔːm/ a. graniforme.

granite /ˈgrænɪt/ n. Ⓤ (*geol.*) granito ● (*geogr.*) **the G. City**, la città di granito (*Aberdeen*) □ (*USA*) **the G. State**, il New Hampshire ‖ **granitic a. 1** (*geol.*) granitico **2** (*fig.*) granitico ‖ **granitoid a.** (*geol.*) simile al granito; granitoide.

graniteware /ˈgrænɪtweə(r)/ n. Ⓤ **1** ceramiche (o terraglie) che imitano l'aspetto del granito **2** ferramenta smaltate.

granivorous /græˈnɪvərəs/ a. (*zool.*) granivoro; granaiolo.

grannie /ˈgrænɪ/ n. → **granny**.

grannom /ˈgrænəm/ n. **1** mosca (*anche artificiale*) usata per la pesca **2** (*zool.*, *Limnophilus*; *Phryganea*, *ecc.*) tricottero.

♦**granny** /ˈgrænɪ/ n. **1** (*fam.*) nonna; nonnina **2** vecchia **3** (= **g.'s knot**) nodo incrociato (*che si scioglie facilmente*) ● (*fin.*) **g. bonds**, certificati di risparmio (*indicizzati*) per anziani □ **g. flat**, appartamento «della nonna» (*ricavato in una casa per ospitare un anziano della famiglia*) □ **g. glasses**, occhialetti; lorgnette.

granny dumping /ˈgrænɪdʌmpɪŋ/ loc. n. Ⓤ (*fam.*) abbandono di un anziano.

to **granny-sit** /ˈgrænɪsɪt/ (pass. e p. p. **granny-sat**), v. t. prendersi cura di (*un anziano lasciato solo*).

granola /grəˈnəʊlə/ n. Ⓤ (*USA*) (*cucina*) cereali con frutta secca, zucchero di canna,

ecc.; muesli ● **g. bar**, biscotto di muesli.

granolithic /ˌgrænəˈlɪθɪk/ (*edil.*) a. di graniglia: **a g. floor**, un pavimento di graniglia.

granpa /ˈgrænpɑː/ n. 1 (*fam.*) nonno; nonnino 2 (*fam. USA*) uomo anziano.

♦**grant** /grɑːnt/ n. 1 concessione; assegnazione; dono: *The settlers received grants of land from the government*, i coloni ricevettero concessioni di terre dal governo 2 Ⓤ (*form.*) accoglimento; esaudimento: **the g. of a request**, l'accoglimento d'una richiesta 3 Ⓤ (*leg.*) cessione, trasferimento, attribuzione, conferimento (*di beni, ecc.*) 4 (*fin.*) sovvenzione: **grants amounting to 20% of the total investment**, sovvenzioni pari al 20% dell'investimento complessivo 5 (*USA*) borsa di studio ● **g.-in-aid**, (*in GB*) contributo statale (*a enti pubblici*); (*in USA*) sovvenzione del governo federale □ (*ind.*) **the g. of a patent**, il rilascio di un brevetto.

♦**to grant** /grɑːnt/ v. t. 1 accordare; concedere; assegnare; ammettere; riconoscere: **to g. sb. permission to do st.**, accordare a q. il permesso di fare qc.; **to g. a pardon**, concedere la grazia, il perdono; **to g. a patent**, concedere un brevetto; *I g. that you're right*, concedo (o ammetto, riconosco) che hai ragione; *I g. you that*, te lo concedo; lo ammetto 2 accogliere; esaudire; fare: **to g. a request**, accogliere una richiesta; **to g. a wish**, esaudire un desiderio; **to g. a favour**, fare un favore 3 (*leg.*) cedere, trasmettere, trasferire, conferire, attribuire (*beni, proprietà, diritti*): **to g. land to new settlers**, cedere terreni ai nuovi coloni ● (*leg.*) **to g. bail**, concedere la libertà su cauzione □ (*comm.*) **to g. (sb.) a discount**, concedere uno sconto a (a q.) □ (*sport: calcio*) **to g. a penalty**, concedere un rigore □ **to take st. for granted**, dare qc. per scontato; tenere qc. per certo.

grantable /ˈgrɑːntəbl/ a. 1 concedibile; ammissibile 2 esaudibile; che può essere accolto.

grantee /grɑːnˈtiː/ n. 1 (*leg.*) cessionario (*di beni, diritti, ecc.*); donatario; beneficiario 2 (*USA*) assegnatario di borsa di studio; borsista.

granter /ˈgrɑːntə(r)/ n. chi dà (o concede).

granting /ˈgrɑːntɪŋ/ cong. ammettendo, supponendo (*che*).

grantor /ˈgrɑːntə(r)/ n. (*leg.*) 1 concedente; cedente; donante 2 → **guarantor**.

granular /ˈgrænjʊlə(r)/ a. granulare; granuloso ‖ **granularity** n. Ⓒ granularità; granulosità.

to granulate /ˈgrænjʊleɪt/ Ⓐ v. t. 1 granulare; ridurre in granuli 2 (*ind.*) granulare; granigliare Ⓑ v. i. 1 granirsi; ridursi in granelli 2 (*med.: di ferita, ecc.*) fare il tessuto di granulazione; granularsi; cicatrizzarsi.

granulated /ˈgrænjʊleɪtɪd/ a. granulato; granulare ● **g. sugar**, zucchero semolato.

granulation /grænjʊˈleɪʃn/ n. Ⓤ 1 (*anche astron., med.*) granulazione 2 granitura; granigliatura 3 (*bot.*) granulomatosi (*degli agrumi*).

granule /ˈgrænjuːl/ n. granulo (*anche geol. e med.*); granello.

granulite /ˈgrænjʊlaɪt/ n. (*geol.*) granulite.

granuloma /grænjʊˈləʊmə/ n. (*med.*) n. (pl. *granulomas*, *granulomata*) granuloma ‖ **granulomatous** a. granulomatoso.

granulomatosis /ˌgrænjʊləʊməˈtəʊsɪs/ n. Ⓤ (*med.*) granulomatosi.

granulometry /grænjʊˈlɒmətrɪ/ n. Ⓤ granulometria ‖ **granulometric** a. granulometrico: **granulometric test**, esame granulometrico.

grape /greɪp/ n. 1 acino; chicco d'uva 2 (= **grapevine**) vite 3 (pl.) uva: **a bunch of grapes**, un grappolo d'uva 4 (pl.) (*vet.*) tubercolosi (*del cavallo o del bue*) ● **g. brandy**, brandy di vino □ **g.-gatherer**, vendemmiatore, vendemmiatrice □ **g.-gathering**, vendemmia □ **g.-grower**, viticoltore □ **g.-growing**, viticoltura □ **g. harvest**, vendemmia □ **g. house**, serra per viti □ **g. juice**, succo d'uva □ **g. picking**, vendemmia □ **g.-scissors**, cesoie da viti; forbici per l'uva □ **g. stake**, palo da vite □ **g. sugar**, zucchero d'uva; destrosio □ **g. tomato**, pomodoro a grappolo; (pomodoro) ciliegino □ (*bot.*) **g. tree**, vite.

grapefruit /ˈgreɪpfruːt/ n. 1 (*bot.*, *Citrus paradisi*; = **g. tree**) pompelmo 2 pompelmo (*il frutto*).

grapelike /ˈgreɪplaɪk/ a. simile all'uva; uvaceo.

grapery /ˈgreɪprɪ/ n. 1 vigneto; vigna 2 serra per viti.

grapeshot /ˈgreɪpʃɒt/ n. (*mil.*, *stor.*) mitraglia.

grapevine /ˈgreɪpvaɪn/ n. 1 (*bot.*) vite 2 (*fam.*) passaparola; tam-tam; (*mil.*) radiofante: *I heard it through the school g.*, l'ho appreso dal tam-tam della scuola.

graph /grɑːf/ n. 1 (*mat.*, *stat.*, *med.*) grafico; diagramma; tracciato: **to draw a temperature g.**, tracciare un grafico della temperatura 2 (*mat.*) grafo ● **g. paper**, carta millimetrata □ (*comput.*) **g. theory**, teoria dei grafi.

to graph /grɑːf/ v. t. rappresentare con un grafico (o graficamente); diagrammare.

grapheme /ˈgræfiːm/ (*ling.*) n. grafema ‖ **graphemic** a. grafematico ‖ **graphemics** n. pl. (col verbo al sing.) grafematica.

graphic① /ˈgræfɪk/ a. 1 (*arte*) grafico; relativo alla grafica: **g. arts**, arti grafiche; grafica; **g. design**, progettazione o realizzazione grafica; **g. designer**, grafico; **g. work**, opera grafica (*di un artista*) 2 (*comput.*) grafico; su grafico: **g. display**, presentazione grafica; display grafico; **g. information**, informazioni per mezzo di grafici; **g. symbol**, simbolo grafico 3 pittoresco; vivido, icastico: **a g. description**, una descrizione vivida ● **g. novel**, romanzo a fumetti.

graphic② /ˈgræfɪk/ n. (*comput.*) elemento grafico.

graphical /ˈgræfɪkl/ a. 1 relativo a un grafico: **g. presentation**, presentazione mediante grafici 2 (*comput.*) grafico: **g. resolution**, risoluzione grafica ● (*comput.*) **g. user interface**, interfaccia (utente) grafica.

graphically /ˈgræfɪklɪ/ avv. 1 graficamente 2 pittorescamente; vividamente; icasticamente 3 per mezzo di grafici.

graphics /ˈgræfɪks/ n. pl. 1 (*comput.*, *editoria*, *pubbl.*) grafica 2 dispositivi grafici di comunicazione 3 (con il verbo al sing.) informazione grafica 4 (con il verbo al sing.) prospettiva (*nel disegno*).

graphite /ˈgræfaɪt/ n. Ⓤ (*miner.*) grafite; piombaggine ● **g. grease**, grasso grafitato □ (*fis. nucl.*) **g.-moderated reactor**, reattore moderato a grafite □ (*tennis*) **g. racket**, racchetta di grafite.

to graphitize /ˈgræfɪtaɪz/ (*tecn.*) v. t. grafitare; grafitizzare ‖ **graphitization** n. Ⓤ grafitazione; grafitizzazione.

graphology /græˈfɒlədʒɪ/ n. Ⓤ grafologia ‖ **graphological** a. grafologico ‖ **graphologist** n. grafologo.

graphometer /græˈfɒmɪtə(r)/ n. (*topogr.*) grafometro.

grapnel /ˈgræpnəl/ n. 1 (*mecc.*) raffio; rampino 2 (*naut.*) grappino; ancorotto 3 (*mil.*, *stor.*) grappino d'arrembaggio.

grapple /ˈgræpl/ n. 1 (*naut.*) grappa; grappino; raffio; rampino 2 lotta corpo a corpo.

to grapple /ˈgræpl/ Ⓐ v. t. 1 abbrancare; afferrare; avvinghiare 2 (*naut.*) rampinare; grappinare Ⓑ v. i. 1 avvinghiarsi; afferrarsi 2 venire alle prese (o alle strette), lottare corpo a corpo ● **to g. with**, lottare con; (*fig.*) cimentarsi, essere alle prese con: **to g. with an enemy**, lottare con un nemico; **to g. with a problem**, essere alle prese con un problema.

grappling /ˈgræplɪŋ/ n. Ⓤ 1 presa; stretta 2 (*naut.*, *stor.*) arrembaggio ● (*naut.*) **g. iron**, grappino; rampino; ancorotto; (*stor.*) grappino di arrembaggio.

grapy /ˈgreɪpɪ/ a. 1 a grappoli; di uva; simile a uva 2 (*vet.*: *di animale*) affetto da grappa; tubercolotico.

grasp /grɑːsp/ n. 1 presa; stretta 2 padronanza; conoscenza profonda; controllo; portata di mano; (*fig.*) mani, pugno: *He has an excellent position within his g.*, ha un ottimo impiego a portata di mano; *We were in the g. of a tyrant*, eravamo nelle mani di (o in pugno a) un tiranno 3 comprensione; capacità di capire: *Abstract painting is beyond my g.*, la pittura astratta supera la mia capacità di comprensione 4 stretta di mano: **a powerful g.**, una forte stretta di mano 5 (*fisiol.*, *med.*) presa (*delle mani, ecc.*) 6 (*ginnastica*) presa (*di un attrezzo*) 7 (*naut.*) impugnatura (*di un remo*) ● **to snatch st. from sb.'s g.**, strappare qc. dalle mani di q. □ **to take a g. on oneself**, darsi una controllata (*fam.*).

to grasp /grɑːsp/ v. t. afferrare; agguantare; impugnare; stringere; tenere stretto; comprendere; capire: **to g. a rope [sb.'s hand]**, afferrare una corda [la mano di q.]; **to g. an argument**, afferrare un argomento; **to g. sb.'s meaning**, comprendere quello che q. vuol dire ● **to g. at**, aggrapparsi; cercare d'afferrare (o d'arraffare); (*fig.*) afferrare, cogliere al volo □ (*fig.*) **to g. at straws**, aggrapparsi a qualsiasi cosa ● (*fig.*) **to g. the nettle**, prendere il toro per le corna □ (*prov.*) **G. all, lose all**, chi troppo vuole, nulla stringe.

graspable /ˈgrɑːspəbl/ a. afferrabile; che si può capire; comprensibile.

grasping /ˈgrɑːspɪŋ/ a. 1 avido; cupido 2 tenace ‖ **graspingness** n. Ⓤ 1 avidità; cupidigia 2 tenacia.

♦**grass** /grɑːs/ n. 1 Ⓤ (collett.) erba: *I am the g. / Let me work* C. SANDBURG, 'Sono l'erba / Lasciate che cresca' 2 (pl. *grasses*) graminacea (*grano, canna, ecc.*) 3 (*slang*, = **sparrow g.**) asparago 4 Ⓤ pascolo: **to send the cattle to g.**, mandare il bestiame al pascolo 5 (*slang*) delatore; spia (*della polizia*) 6 Ⓤ (*slang*) erba (*gergo dei drogati*); marijuana 7 Ⓤ (*del radar*) fruscio; segnali parassiti 8 (*ipp.*) pista erbosa 9 (*tennis*) erba (*il campo*) ● (*agric.*) **g. clippings**, sfalci □ (*tennis*) **g. court**, campo in erba; campo erboso: **g.-court tennis**, tennis sull'erba □ (*agric.*) **g. crops**, colture erbacee □ **g. cutting**, taglio dell'erba □ **g.-green**, (color) verde prato □ **g. roots**, (*ind. min.*) terreno superficiale; (*fig.*) zona (o popolazione) rurale; (*fig.*) base, fondamento, fondo (*di un problema, ecc.*); (*polit.*) elettorato di base, la base; (agg.) rurale; (*polit.*) di base, della base: **at g.-roots level**, alla base; tra la gente; presso l'elettorato; (*ind. min.*) **g.-roots deposit**, giacimento affiorante; (*polit.*) **g.-roots organizer**, attivista di base; (*polit.*) **g.-roots opinion**, l'opinione della base; **a g.-roots movement**, un movimento di base □ (*sport*) **g. skiing**, sci sull'erba □ (*zool.*) **g. snake** (*Natrix natrix*), biscia dal collare □ **g. widow**, moglie separata (permanentemente o temporaneamente) dal marito; vedova bianca □ **g. widower**, marito separato (permanentemente o temporaneamente) dalla moglie □ **to be at g.**, (*di animali*) essere al pascolo; (*fig.*) essere a spasso, in vacanza □ (*fig.*) **to go to g.**, anda-

re a terra, essere atterrato; andare in malora, morire □ (*fig.*) **to hear the g. grow**, sentir crescere l'erba; avere l'udito finissimo □
(*fig.*) **not to let the g. grow under one's
feet**, non perdere tempo in sciocchezze;
non lasciarsi sfuggire le occasioni ● **to send
sb. to g.**, mandare q. a terra (*o* al tappeto);
atterrare q. □ **Keep off the g.!**, è vietato calpestare il prato.

to **grass** /grɑːs/ **A** v. t. **1** ricoprire d'erba
2 alimentare (*bestiame*) con erba **3** stendere (*tessuti*) sull'erba perché sbianchino al
sole **4** (*fam.*) atterrare, mettere al tappeto
(*un avversario*) **5** abbattere (*selvaggina*) con
una fucilata **6** tirare a riva (*un pesce*) **7** (*ind.
min.*) portare (*minerale*) alla superficie **B** v.
i. (*slang*) fare la spia; essere un delatore; fare una soffiata: **to g. on sb.**, fare una soffiata contro q.

grasshopper /'grɑːʃɒpə(r)/ n. **1** (*zool.*)
cavalletta **2** (*talora*) grillo **3** (*mil.*) cicogna;
piccolo aereo da ricognizione ● (*elettr.*) **g.
fuse**, fusibile segnalatore □ (*fam.*) **to be
knee-high to a g.**, essere alto come un soldo di cacio.

grassland /'grɑːslænd/ n. ⓤⓒ terreno coltivato a erba; prateria; pascolo ● (*agric.*) **g.
farming**, praticoltura.

grassy /'grɑːsɪ/ a. **1** erboso; ricco d'erba
2 simile all'erba; erbaceo ‖ **grassiness** n.
ⓤ l'essere erboso.

grate /greɪt/ n. **1** grata; inferriata; griglia
2 (*cucina*) gratella; graticola (*di focolare,
ecc.*) **3** focolare.

to **grate** ① /greɪt/ v. t. munire di grata (*o*
d'inferriata).

to **grate** ② /greɪt/ v. t. e i. **1** grattugiare;
grattare: **to g. cheese**, grattugiare il formaggio **2** digrignare; far stridere (*i denti,
ecc.*) **3** cigolare; stridere; far cigolare, fare
stridere: *These gears g.*, questi ingranaggi
stridono **4** (*mecc.: del cambio*) grattare **5** –
to g. on, irritare; seccare; infastidire; urtare: *His haughty manners g. on everyone*, il
suo modo di fare altezzoso urta tutti **6** – **to
g. on** (*o* **upon**), (*della voce*) straziare: *The
voice of that girl grates upon my ear*, la voce di quella ragazza mi strazia le orecchie ●
(*autom.*) **to g. a car into gear**, grattare inserendo la marcia ● **to g. on sb.'s nerves**, dare ai nervi a q. □ **grated breadcrumbs**, pangrattato.

♦**grateful** /'greɪtfl/ a. **1** grato; riconoscente: **a g. heart**, un cuore grato; *I'm g. to you
for your kindness*, ti sono grato per la tua
gentilezza **2** (*lett.*) gradevole; piacevole: **a
g. warmth**, un piacevole calore | **-ly avv.** |
-ness n. ⓤ.

grater /'greɪtə(r)/ n. **1** chi grattugia **2**
grattugia: **a cheese g.**, una grattugia per il
formaggio.

Gratiano /græʃɪ'ɑːnəʊ/ n. (*letter.*) Graziano.

graticule /'grætɪkjuːl/ n. **1** reticolo (*di
strumenti ottici*) **2** reticolato (*di carte geografiche*) **3** (*disegno*) graticola.

gratification /ˌgrætɪfɪ'keɪʃn/ n. □ **1** appagamento; piacere; soddisfacimento; il
soddisfare **2** (*psic.*) gratificazione **3** gratifica; ricompensa **4** regalia; mancia.

to **gratify** /'grætɪfaɪ/ v. t. **1** appagare; accontentare; compiacere; indulgere a; soddisfare: **to g. one's passions**, indulgere alle
proprie passioni **2** (*psic.*) gratificare **3** gratificare; dare un compenso (*o* un premio) a
(q.) ● **to g. sb.'s wish**, esaudire il desiderio
di q.

gratifying /'grætɪfaɪɪŋ/ a. gratificante;
gradito; piacevole; soddisfacente.

gratin /'grætæn/ (*franc.*) n. (*cucina*) gratin ●
au g., al gratin; gratinato.

grating ① /'greɪtɪŋ/ **A** a. **1** stridente; stridulo; aspro; irritante: **a g. voice**, una voce

stridula, aspra **2** seccante; urtante **B** n. **1**
ⓤⓒ grattugiata **2** cigolio; grattata **3** ⓤ irritazione; fastidio ● **g. sound**, stridore.

grating ② /'greɪtɪŋ/ n. **1** grata; inferriata;
griglia **2** griglia (*di fornace, ecc.*) **3** reticolo
(*di strumenti ottici*) **4** (*elettr.*) reticolo.

gratis /'grɑːtɪs/ **A** avv. gratuitamente; gratis **B** a. gratuito; libero.

gratitude /'grætɪtjuːd/, *USA* -tuːd/ n. ⓤ
gratitudine; riconoscenza.

gratuitous /grə'tjuːɪtəs, *USA* -'tuː-/ a.
gratuito; (*fig.*) ingiustificato: **g. violence**,
violenza gratuita; **a g. insult**, un insulto ingiustificato ● (*leg.*) **g. contract**, contratto a
titolo gratuito | **-ly avv.** | **-ness n.** ⓤ.

gratuity /grə'tjuːɪtɪ, *USA* -'tuː-/ n. **1** gratifica; mancia **2** (*econ., ingl.*) (indennità di)
buonuscita; liquidazione (*per lo più, corrisposta ai dipendenti pubblici; non è, come in Italia,
una forma differita di stipendio o salario*) **3**
(*mil.*) indennità di congedo ● **«No gratui-
ties»** (*cartello*), «non si accettano mance».

gratulatory /'grætʃʊlətrɪ/ a. gratulato-
rio; congratulatorio.

gravamen /grə'veɪmɛn/ n. (*leg.*) doglianza; fondamento di un'accusa.

♦**grave** ① /greɪv/ **A** n. **1** tomba (*anche fig.*);
fossa; sepolcro; sepoltura **2** (*fig.*) fine; morte: *The poor boy was brought to an early g.*,
il povero ragazzo fece una fine prematura
B a. attr. tombale: (*archeol.*) **g. goods**, reperti tombali ● **g. clothes**, vestiti con cui si
seppellisce il defunto □ **g. robber**, predatore
di tombe; sciacallo (*fig.*); tombarolo (*fam.*)
□ (*teatr.*) **g.-trap**, botola al centro del palcoscenico □ **to be as silent as a g.**, essere muto come una tomba □ (*fig.*) **to dig one's own
g.**, scavarsi la fossa con le proprie mani □
(*fig.*) **to have one foot in the g.**, avere un
piede nella fossa □ **to make sb. turn in his
g.**, far rivoltare q. nella tomba □ **Someone is
walking on my g.**, mi è passata vicino la
morte (*si dice quando si ha un brivido improvviso e inspiegabile*).

grave ② /greɪv/ a. **1** grave; preoccupante;
serio: **g. doubts**, gravi (*o* seri) dubbi; **a g.
responsibility**, una grave responsabilità; **a
g. threat**, una seria minaccia; **to be a matter of g. concern**, essere molto preoccupante **2** grave; serio; solenne: **a g. face**, una
faccia seria; un'espressione seria (*o* solenne); **g.-looking**, dall'aria seria; dall'aspetto
solenne ➊ **FALSI   AMICI** ● grave *non significa*
grave *nel senso di gravemente malato*.

grave ③ /grɑːv/ (*fon.*) **A** n. accento grave
B a. grave: **a g. accent**, un accento grave.

to **grave** /greɪv/ (pass. **graved**, p. p.
graved, **graven**), v. t. incidere; scolpire;
(*fig.*) fissare: **to g. st. in one's mind**, fissarsi (*o* scolpirsi) qc. nella mente.

gravedigger /'greɪvdɪgə(r)/ n. becchino;
affossatore.

gravel /'grævl/ n. ⓤ **1** ghiaia; sabbia grossa; (*ind. costr.*) ghiaietto **2** (*med.*) renella **3**
(*ind. min.*) sabbia aurifera ● **g. ballast**,
massicciata di ghiaia □ **g. pit**, cava di ghiaia
□ **g.-voiced**, dalla voce stridula □ (*ind. costr.*)
pebble g., ghiaia.

to **gravel** /'grævl/ v. t. **1** inghiaiare; coprire di ghiaia: **to g. a road**, inghiaiare una
strada **2** (*fig.*) confondere; imbarazzare;
sconcertare.

graveless /'greɪvləs/ a. senza tomba; insepolto.

gravelly /'grævəlɪ/ a. **1** ghiaiato; ghiaioso
2 (*med.*) che contiene renella; simile a renella **3** (*di voce, suono*) roco; arrocato; stridulo.

gravely /'greɪvlɪ/ avv. gravemente.

graven /'greɪvn/ p. p. di **to grave** ● **g. image**, idolo.

graveness n. ⓤ gravità; austerità; serietà;

importanza.

graver /'greɪvə(r)/ n. (*arte*) bulino; gradina.

graveside /'greɪvsaɪd/ n. zona attorno alla tomba.

gravestone /greɪv/ n. pietra tombale; lapide funeraria.

graveyard /'greɪvjɑːd/ n. **1** cimitero;
camposanto **2** (*fig.*) cimitero (*di auto, ecc.*)
● (*ind.*) **g. shift**, turno di notte.

gravid /'grævɪd/ (*med.*) a. gravido ‖ **gravi-
dic** a. gravidico ‖ **gravidity** n. ⓤ gravidanza.

gravimeter /grə'vɪmɪtə(r)/ (*fis.*) n. gravi-
metro ‖ **gravimetric**, **gravimetrical** a.
gravimetrico.

gravimetry n. ⓤ gravimetria.

graving /'greɪvɪŋ/ n. ⓤ **1** incisione; scultura **2** (*naut.*) raddobbo; carenaggio: **g.
dock**, bacino di carenaggio (*in muratura*).

gravitas /'grævɪtæs/ n. ⓤ (*form.*) gravità;
dignità; austerità.

to **gravitate** /'grævɪteɪt/ v. i. **1** gravitare
(*anche fig.*); propendere; tendere; essere attratto: *Industry gravitates towards the
North of Italy*, l'industria gravita sull'Italia
settentrionale **2** (*del fango, ecc.*) depositarsi;
precipitare.

gravitation /ˌgrævɪ'teɪʃn/ n. ⓤ **1** (*fis.*)
gravitazione **2** attrazione ‖ **gravitational**
a. (*fis.*) gravitazionale: **gravitational field**,
campo gravitazionale.

gravitative /'grævɪteɪtɪv/ = **gravitational** → **gravitation**.

graviton /'grævɪtɒn/ n. (*fis.*) gravitone.

gravity /'grævətɪ/ n. ⓤ gravità (*in ogni senso*); (*fig.*) austerità, serietà, solennità, importanza: (*fis.*) **centre of g.**, centro di gravità; **the g. of the situation**, la gravità della
situazione ● (*mecc.*) **g. feed**, alimentazione
(*di materiale*) a gravità □ (*econ.*) **g. model**,
modello gravitazionale □ (*tecn.*) **g. stamp**,
pestello a caduta □ (*tecn.*) **g. survey**, rilievo
gravimetrico □ (*di persona*) **to lose one's g.**,
perdere il contegno.

gravure /grə'vjʊə(r)/ n. ⓤ (contraz. di
photogravure) fotoincisione ● (*arti grafiche*) **g. printing**, rotocalco (*il processo*).

gravy /'greɪvɪ/ n. ⓤ **1** sugo (*di carne*) **2** salsa, intingolo (*a base di sugo di carne*) **3** (*fig.
fam.*) soldi facili; guadagni illeciti **4** (*fig.
fam.*) cuccagna; pacchia (*pop.*) ● (*macelleria*) **g. beef**, girello ● **g. boat**, salsiera □ **g.
job**, lavoro ben retribuito; greppia (*fig.*) □
(*fam.*) **g. train**, miniera d'oro (*fig.*); sinecura; pacchia (*pop.*): *The Wall Street g. train
is over*, è finita la pacchia della Borsa Valori di New York.

gray ① /greɪ/ e deriv. → (*USA*) **grey**, e deriv.

gray ② /greɪ/ n. (*fis.*) gray.

grayling /'greɪlɪŋ/ n. (*zool., Thymallus thymallus*) temolo.

graze /greɪz/ n. **1** abrasione; escoriazione;
graffio (*fam.*) **2** tocco (*o* colpo) di striscio **3**
(*mil.*) tiro radente.

to **graze** ① /greɪz/ v. i. e t. **1** pascolare;
brucare erba; far pascolare: *The cows were
grazing in the fields*, le vacche pascolavano
nei campi; **to g. cattle**, far pascolare il bestiame **2** tenere (*un terreno*) a pascolo ● **to
g. a meadow**, mettere bestiame al pascolo
su un prato.

to **graze** ② /greɪz/ v. t. e i. **1** abradere;
escoriare; graffiare; scalfire: *We just grazed
bumpers in the accident*, abbiamo graffiato
i paraurti durante l'incidente **2** rasentare;
rasentarsi; sfiorare, sfiorarsi; fare il pelo a:
The falling tree grazed my car, nella caduta
l'albero sfiorò la mia macchina; (*autom.*) **to
g. the guardrail**, rasentare il guardrail; *The
ball grazed the crossbar*, la palla fece il pelo
alla traversa ● **to g. one's knee**, scorticarsi

(*o* sbucciarsi) un ginocchio □ (*mil.*) **grazing fire**, tiro radente □ (*aeron.*) **grazing flight**, volo radente.

grazier /'greɪzɪə(r)/ n. allevatore di bestiame.

grazing /'greɪzɪŋ/ n. pascolo; pastura ● **g. land**, terreno da pascolo.

GRB sigla (*astron.*, **gamma ray burst**) lampo gamma; esplosione di raggi gamma.

grease /griːs/ n. Ⓤ **1** grasso; unto; olio denso; grasso lubrificante **2** grasso animale; sugna **3** (*fam.*) brillantina **4** (*ind. tess.*) lana sucida **5** (*vet.*) malandra, tarsite (*del cavallo*) **6** (*slang*) modo di fare (*o di parlare*) untuoso; adulazione; sviolinata **7** (*slang USA*) bustarella; pizzo; tangente ● (*ferr.*) **g. box**, scatola di lubrificazione □ (*mecc.*) **cup**, ingrassatore (*a tazza*) □ **g. gun**, (*mecc.*) pistola per ingrassaggio; ingrassatore ad aria compressa; (*slang USA*) pistola a tiro rapido; mitragliatore □ (*pop.*) **g. monkey**, meccanico □ (*slang USA*) **g. pusher**, truccatore (*a teatro, ecc.*) □ (*mecc.*) **g. seal**, guarnizione a tenuta di grasso □ (*di selvaggina*) **in g.** (*o* **in pride of g.**, **in prime of g.**), ben grasso □ **wool in the g.**, lana sucida.

to **grease** /griːs/ v. t. **1** lubrificare; ingrassare; ungere: (*cucina*) **to g. a tin**, ungere una teglia; **to g. a wheel**, ungere una ruota **2** (*fam.*) adulare; insaponare (*pop.*) ● (*fig.*) **to g. sb.'s hand** (*o* **palm**), ungere q.; corrompere q. □ (*fig.*) **to g. the wheels**, ungere le ruote; corrompere □ (*fam.*) **like greased lightning**, in un baleno.

greaseball /'griːsbɔːl/ n. (*spreg. USA*) **1** messicano **2** sudamericano **3** immigrato da un paese del Mediterraneo **4** individuo sgradevole; teppista **5** → **greaseburner 6** (*teatr.*) attore (*o* attrice) dal trucco pesante.

greasepaint /'griːspeɪnt/ n. Ⓤ (*teatr.*, *cinem.*) **1** cerone **2** trucco.

greaseproof /'griːspruːf/ a. oleato: **g. paper**, carta oleata (*o* paraffinata).

greaser /'griːsə(r)/ n. **1** lubrificatore; ingrassatore **2** (*slang USA*, *spreg.*) messicano; sudamericano **3** (*gergo naut.*) macchinista **4** (*fam. USA*) giovanotto elegante degli anni cinquanta, che aveva i capelli imbrillantinati **5** (*fam.: in GB*) capellone che fa parte di una banda di motociclisti **6** (*slang*) bullo; teppista **7** (*slang*) adulatore; leccapiedi (*pop.*).

greasing /'griːsɪŋ/ n. Ⓤ (*mecc.*) ingrassaggio.

greasy /'griːsɪ/ a. **1** grasso; oleoso; untuoso (*anche fig.*); sudicio: **g. food**, cibo grasso; **g. hands**, mani unte; **g. manners**, maniere untuose **2** scivoloso; sdruccioloso; viscido: **a g. road**, una strada viscida **3** imbrillantinato; unto: **g. hair**, capelli unti ● **g. pole**, albero della cuccagna □ (*pop.*) **g. spoon**, ristorante piccolo, antigienico e a buon mercato □ (*ind. tess.*) **g. wool**, lana sucida || **greasiness** n. Ⓤ **1** untuosità (*anche fig.*); oleosità; grassume; untume **2** grassezza (*della lana*).

♦**great** /greɪt/ Ⓐ a. **1** grande; grosso; grave; importante; nobile e generoso; forte; intenso: **a g. painter**, un grande pittore; **a g. (big) tree**, un grande albero; **a g. loss**, una grave perdita; **a g. friend of mine**, un mio grande amico; **a g. occasion**, un'occasione importante; (*sport*) **a g. save**, una grande parata **2** (*arc.*, *di lettera dell'alfabeto*) maiuscola **3** (*fam.*) divertente; eccellente; meraviglioso: *That's g.!*, (è) fantastico!; *Wouldn't it be g. if I could go abroad?*, non sarebbe meraviglioso se io potessi andare all'estero!; *It was g. to hear your voice again on the phone*, mi ha fatto un immenso piacere risentirti al telefono **4** eminente; famoso; insigne; (*con i nomi di re, papa, ecc.*) grande, magno ● **g. Victorians**, uomini famosi dell'età vittoriana; *Alexander the G.*, Alessandro Magno; *Peter the G.*, Pietro il Grande **5** (*fam.*) abile; bravo; bravissimo (*a fare qc.*): *She's g. at playing the piano*, è bravissima a suonare il pianoforte **6** (*fam.*) favorito; prediletto: **a g. joke of his**, una delle sue barzellette preferite **7** (*lett.: di donna*) incinta Ⓑ n. **1** (*spec. al pl.*) grande; personaggio illustre **2** (*pl.*) (*fam.*) – **the Greats**, gli esami finali per la laurea in discipline umanistiche (*a Oxford e Cambridge*) **3** (*pl.*) (*fam.*) – **the greats**, le grandi (*squadre di calcio*) Ⓒ avv. (*fam.*) alla grande; benissimo; al meglio: (*tennis, calcio, ecc.*) *He's not playing g. today*, oggi non sta giocando al meglio ● **g. and small**, grandi e piccoli; (*uomini*) importanti e di poco conto □ (*zool.*) **g. ape**, scimmia antropomorfa □ (*zool.*) **g. Assize** (*o* **the G. Day**, **the G. Inquest**), il Giudizio Universale □ (*zool.*) **g. auk** → **auk** □ **g.-aunt**, prozia □ (*astron.*) **the G. Bear**, l'Orsa Maggiore □ **the g. beyond**, l'aldilà □ **a g. big man**, un omone □ **a g. big plane**, un aereo grandissimo, enorme □ (*geogr.*) **G. Britain**, la Gran Bretagna ❶ CULTURA • **Great Britain**: *in senso geografico è l'isola che comprende la Scozia, il Galles, e l'Inghilterra, mentre nel contesto politico è sinonimo di Regno Unito* (*cfr.* **United Kingdom**, *sotto* **united**, *e* **British Isles**, *sotto* **British**) □ **g. circle**, (*geodesia*) gran circolo; (*geom.*) cerchio massimo (*di una sfera*) □ (*naut.*) **g.-circle**, ortodromico: **g.-circle track**, rotta ortodromica □ (*zool.*) **G. Dane**, alano; danese (*cane*) □ **a g. deal** (**of**), molto; un bel po' (*di*): *He has a g. deal of money*, ha molto denaro; *He's a g. deal better*, sta molto meglio □ **g. divide**, (*geogr.*) spartiacque continentale; (*fam. USA*) divorzio □ **a g. eater**, uno che mangia molto; un mangione □ (*stor.*) **the G. Fire of London**, il Grande Incendio di Londra ❶ CULTURA • **Great Fire of London**: *è il terribile incendio che nel 1666 distrusse gran parte della* → «*City of London*» (→ **city**, *def. 3*), *tra cui l'antica cattedrale di S. Paolo. Le vittime, fortunatamente, furono solo quattro. L'incendio si sprigionò in* **Pudding Lane**, *vicino al* **London Bridge**, *dove fu poi eretta, ed esiste tuttora, una colonna commemorativa chiamata* **The Monument** (*il monumento*) □ **G. God!**, Dio buono! □ **g.-grandchild**, pronipote (*di nonni*) □ **g.-granddaughter**, pronipote (*femmina*, *di nonni*) □ **g.-grandfather**, bisnonno, bisavolo □ **g.-grandmother**, bisnonna, bisavola □ **g.-grandparent**, bisnonno, bisnonna □ **g.-grandson**, pronipote (*maschio*, *di nonni*) □ **g.-g.-grandfather**, trisavolo □ **g.-g.-grandmother**, trisavola □ **g. gross**, dodici grosse (*cioè 12 volte 144 unità*) □ (*fam.*) **a g. guy**, un tipo eccezionale; un tipo in gamba □ **g.-hearted**, che ha un gran cuore; magnanimo; nobile e generoso □ **g.-heartedness**, magnanimità; generosità □ (*zool.*) **g.-horned owl** (*Bubo virginianus*), gufo della Virginia □ **g. house**, casa principale, più grande delle altre (*in un paese*) □ (*geogr.*) **the G. Lakes**, i Grandi Laghi (*tra gli USA e il Canada*) □ **a g. many**, moltissimi, moltissime □ (*bot.*) **g. mullein** = **Aaron's rod** → **Aaron** □ **g.-nephew**, pronipote (*maschio*, *di zii*) □ **g.-niece**, pronipote (*femmina*, *di zii*) □ (*fam.*) **to be g. on st.**, essere appassionato di qc.; avere il pallino di qc. □ **to be a g. one for**, avere la passione di: *He's a g. one for do-it-yourself*, ha la passione del fai da te □ (*mus.*) **g. organ**, grand'organo □ **G. Paul**, la campana della chiesa di San Paolo (*a Londra*) □ (*stor.*) **the G. Plague (of London)**, la Grande Peste (*di Londra*) (*1664-65*) □ (*tipogr.*) **g. primer**, corpo 18 □ **the G. Seal**, il sigillo ufficiale (*di uno stato*) □ **the g. staircase**, la scala principale □ **g. thoughts**, pensieri nobili, elevati □ (*zool.*) **g. tit** (*Parus major*), cinciallegra □ (*anat.*) **g. toe**, alluce; dito grosso del piede □ (*stor.*) **the G. Train Robbery**, la Grande Rapina del Treno (*1963*)

□ **g.-uncle**, prozio □ (*geogr.*) **the G. Wall of China**, la Grande Muraglia Cinese □ (*stor.*) **the G. War**, la Grande Guerra (*1914-18*) □ **a g. while**, molto (*o* un bel po' di) tempo □ (*zool.*, *Carcharodon carcharias*) **g. white** (**shark**), squalo bianco □ (*arc. o lett.*) **g. with child**, incinta □ **the g. world**, il gran mondo; la società elegante; l'aristocrazia □ (*astron.*) **g. year**, grande anno (*circa 25 800 anni*) □ (*bot.*) **greater celandine** (*Chelidonium majus*), celidonia; erba da porri □ **Greater London**, la Grande Londra; Londra e i sobborghi ❶ CULTURA • **Greater London**: *è la zona amministrativa che comprende la* → «*City of London*» (→ **city**, *def. 3*) *e 32 distretti detti* **boroughs**: *copre circa 1700 kilometri quadrati e ha oltre sette milioni di abitanti* □ (*mat.*) **greatest common divisor**, massimo comun divisore □ **to live to a g. age**, vivere fino a tarda età □ (*fam.*) **I don't feel too g. today**, oggi non mi sento in forma ❶ NOTA: *big*, *grand*, *great o large?* → **big**.

greatcoat /'greɪtkəʊt/ n. **1** (*raro*) pastrano; soprabito pesante **2** (*mil.*) cappotto.

♦**greatly** /'greɪtlɪ/ avv. **1** grandemente; assai; moltissimo; di gran lunga: *He was g. esteemed*, era assai stimato; *I should g. prefer…*, preferirei di gran lunga… **2** (*raro*) generosamente; nobilmente.

greatness /'greɪtnəs/ n. Ⓤ grandezza (*in molti sensi*; → **great**).

greaves① /griːvz/ n. pl. (*stor.*) gambiere (*d'armatura*); schinieri.

greaves② /griːvz/ n. pl. (*cucina*) ciccioli, siccioli.

grebe /griːb/ n. (*zool.*, *Podiceps*) svasso; tuffetto.

Grecian /'griːʃn/ Ⓐ a. (*stor.*) greco: **G. architecture**, architettura greca; **G. nose** [**profile**], naso [profilo] greco; **a G. urn**, un'urna greca Ⓑ n. **1** (*raro*) greco, greca **2** ellenista; grecista ● (*letter.*) **G. horse**, cavallo di Troia □ **G. knot**, pettinatura alla greca; coda di cavallo □ **G. slippers**, babbucce.

Grecism /'griːsɪzəm/ n. (*spec. USA*) **1** grecismo **2** ellenismo.

Greece /griːs/ n. (*geogr.*) Grecia.

greed /griːd/, **greediness** /'griːdɪnəs/ n. Ⓤ **1** avidità; bramosia; cupidigia **2** ghiottoneria; golosità; ingordigia **3** (*relig.*) avarizia (*uno dei sette peccati capitali*).

greedy /'griːdɪ/ a. **1** avido; bramoso; cupido: **to be g. for gold** [**fame**], essere avido d'oro [bramoso di fama] **2** ghiotto; goloso; ingordo ● (*fam.*) **g.-guts**, golosone, mangione □ (*di una pianta*) **to be g. for water**, avere sete || **greedily** avv. **1** avidamente **2** golosamente.

Greek /griːk/ Ⓐ a. greco: **the G. Church**, la Chiesa Greca (Ortodossa) Ⓑ n. **1** greco **2** Ⓤ greco (*la lingua*) **3** (*fig. arc.*) uomo astuto; imbroglione ● **on** (*o* **to**) **the G. Calends**, alle calende greche; mai □ (*archit.*) **G. cross**, croce greca □ (*relig.*) **the G. Fathers**, i Padri della Chiesa che scrissero in greco □ (*stor.*, *mil.*) **G. fire**, fuoco greco □ (*archit.*) **G. fret** (*o* **G. key**), greca □ (*fig.*) **G. gift**, dono che cela un'insidia □ (*zool.*) **G. partridge** (*Alectoris graeca*), coturnice □ (*fam.*) **It's all G. to me!**, per me è greco (*o* arabo, turco); non ci capisco un'acca!

greeking /'griːkɪŋ/ n. Ⓤ (*comput.*) testo riempitivo in prove di pagine Web (*costituito da simboli o da parole greche o latine spesso storpiate*).

♦**green** /griːn/ Ⓐ a. **1** verde; acerbo; immaturo; non secco: **a g. blouse**, una camicetta verde; **g. peaches**, pesche ancora verdi (*o* acerbe); **g. wood**, legna verde **2** (*fig.*) verde; giovane; fresco; nuovo; vigoroso; vivido: **in my g. years**, nei miei verdi anni; *Recollections of his youth were still g. in his mind*, i ricordi della gioventù erano anco-

ra freschi (*o* vividi) nella sua mente; (*edil.*) **g. mortar**, malta fresca; **a g. wound**, una ferita fresca (*o* ancora aperta) **3** (*fig.*) inesperto; ingenuo; di primo pelo; novellino; non specializzato: **a g. hand**, un lavorante inesperto; **g. labour**, manodopera non specializzata **4** (*di stagione, ecc.*) mite; senza neve: **a g. December**, un dicembre mite; **a g. Christmas**, un Natale senza neve **5** (*fam.*) verde (*d'invidia, ecc.*); pallido (*di carnagione*); geloso **6** (*di carne, cemento, ecc.*) fresco **7** (*polit.*) – G., verde: **the G. Party**, il partito dei verdi; **to vote g.**, votare per i verdi **8** (*fin.*) verde: **the g. pound**, la sterlina verde **B** n. **1** ⌐ (color) verde; (il) verde: **a girl dressed in g.**, una ragazza vestita di verde **2** prato; spiazzo erboso; verde pubblico; campo (*da gioco*): **a village g.**, lo spiazzo erboso al centro d'un villaggio; **bowling g.**, campo per il gioco delle bocce; **golf g.**, campo da golf **3** (pl.) ortaggi, erbe, verdura, fogliame, fronde, ramoscelli: *Christmas greens*, fronde e ramoscelli (*d'abete e d'agrifoglio*) per decorazioni natalizie **4** (*polit.*) – G., verde **5** (*sport*): **golf**, = **putting g.**) 'green'; piazzuola **6** ⌐ (*slang USA e irl.*) soldi; contanti ☐ (*fig. fam.*) **to be g. around the gills → gill** ① ☐ (*fam. USA*) **g. back → greenback** (*bot.*) **g. beans**, fagiolini verdi ☐ **g. belt**, (*urbanistica*) zona verde; verde (attrezzato) (*meteor.*) zona priva di gelate ☐ **the G. Berets**, i Berretti Verdi (*forze speciali dell'esercito USA e ingl.*) ☐ **g.-blue**, verdazzurro ☐ **g. card**, (*ass., autom.*) carta verde; (*in GB*) carta d'identità per portatori di handicap (*in attesa di occupazione*); (*USA*) permesso d'entrata in USA (*per lavoratori stranieri*) ☐ **g. cheese**, formaggio fresco; (*anche*) formaggio alle erbe ☐ **g. crop**, erba, foraggio verde ☐ (*in GB*) **the G. Cross Code**, il Codice di Educazione Stradale (*per i bambini che attraversano la strada*) ☐ (*zool.*) **g. drake** (*Ephemera vulgata*), effimera ☐ **g. earth**, terra verde; terra di Verona ☐ **g.-eyed**, dagli occhi verdi; (*fig.*) geloso, invidioso ☐ (*lett. o scherz.*) **the g.-eyed monster**, la gelosia; (*anche*) l'invidia ☐ (*fam.*) **g. fingers**, abilità nel giardinaggio; il pollice verde (*fig.*): **to have g. fingers**, avere il pollice verde ☐ (*sport, ecc.*) **g. flag**, bandierina verde ☐ **g. food**, ortaggi; erbe; verdura ☐ (*ciclismo*) **g. jersey**, maglia verde ☐ (*fam. GB*) **g.-ink letter**, lettera di un eccentrico (*scritta a un giornale, per lamentarsi di qc.*) ☐ **g. light**, (*autom.*) (luce) verde; (*fig. fam.*) via libera, autorizzazione: **when the light turns g.**, quando viene il verde; a semaforo verde ☐ (*trasp.*) **G. Line coach**, autobus della linea verde (*a Londra: nel raggio di 65 kilometri dal centro*) ☐ (*zool.*) **g. linnet** (*Chloris chloris*), verdone ☐ **g. lumber**, legname non stagionato ☐ (*agric.*) **g. manure**, sovescio ☐ (*fam. USA*) **g. money**, cartamoneta; banconote ☐ (*zool.*) **g. monkey → grivet** ☐ (*in USA*) **the G. Mountain State**, lo Stato del Vermont ☐ (*USA*) **g. onion**, cipolla fresca; cipollotto ☐ (*a Oxford*) **g. pages**, 'pagine verdi' (*pubblicazione periodica, e gratuita, dell'Università, con le cattedre e i posti di docente disponibili*) ☐ **g. paper**, (*polit.*) libro verde; fascicolo di proposte del governo inglese (canadese, ecc.) al parlamento; (*fam. USA*) banconote; soldi ☐ (*zool., dial.*) **g. peak** (*Picus viridis*), picchio verde ☐ **g. pepper**, peperone verde (*o* di Caienna) ☐ (*fam. USA*) **g. power**, il potere del denaro ☐ (*agric.*) **the g. revolution**, la rivoluzione verde ☐ (*surf*) **g. room**, tunnel d'acqua ☐ **g. salad**, insalata verde ☐ (*slang USA*) **g. slip**, lettera di licenziamento ☐ **g. stuff**, fogliame, vegetazione; ortaggi, erbe, verdura ☐ **g. table**, tavolo (*o* tappeto) verde; tavolo da gioco ☐ **g. tea**, tè verde ☐ (*USA*) **g. thumb** = **g. fingers → sopra** (*chim.*) **g. vitriol**, solfato ferroso; vetriolo verde ☐ **g. with envy [with jealousy]**, verde d'invidia [di gelosia] ☐ (*zool.*) **g. woodpeck-**

er (*Picus viridis*), picchio verde ☐ (*fig.*) **to be in the g.** (*o* **in the g. tree**), essere vegeto e robusto; essere fresco e vigoroso ☐ **to keep sb.'s memory g.**, tener vivo il ricordo di q. ☐ (*fam.*) **Do you see any g. in my eye?**, ti sembro proprio tanto ingenuo? ☐ **I'm not so g.**, non sono (mica) nato ieri.

to **green** /griːn/ **A** v. t. **1** rendere verde; inverdire **2** (*urbanistica*) piantare a verde (*una zona*) **3** (*fam. USA*) farsi beffe di; prendere (q.) in giro **B** v. i. diventar verde; verdeggiare.

greenback /ˈgriːnbæk/ n. (*fam. USA*) biglietto di banca; banconota; dollaro.

greenery /ˈgriːnəri/ n. **1** fogliame; fronde; vegetazione; verzura (*lett.*) **2** serra.

greenfield site /ˈgriːnfiːld saɪt/ loc. n. terreno agricolo o non costruito (*considerato edificabile*).

greenfinch /ˈgriːnfɪntʃ/ n. (*zool., Chloris chloris*) verdone.

greenfly /ˈgriːnflaɪ/ n. (*zool., Myzus persicae*) afide verde (*del pesco*); gorgoglione.

greengage /ˈgriːngeɪdʒ/ n. (*bot.*) susina regina Claudia.

greengrocer /ˈgriːnɡrəʊsə(r)/ n. (*ingl.*) n. fruttivendolo; erbivendolo ‖ **greengrocery** n. **1** ⌐ attività di fruttivendolo (*o* d'erbivendolo) **2** ⌐ erbe; ortaggi; verdura e frutta **3** negozio di frutta e verdura.

greenhorn /ˈgriːnhɔːn/ n. **1** sempliciotto; babbeo; imbranato (*pop.*) **2** novellino; principiante; pivello (*fam.*) **3** (*fam. USA*) persona immigrata di fresco.

greenhouse /ˈgriːnhaʊs/ n. **1** serra **2** (*gergo aeron.*) cabina di pilotaggio ● (*fis., ecol.*) **g. effect**, effetto serra ☐ (*ecol.*) **g. gas**, gas serra ☐ **g. tax**, tassa ecologica; ecotassa.

greening /ˈgriːnɪŋ/ n. **1** mela dalla buccia verde.

greenish /ˈgriːnɪʃ/ a. verdastro; verdognolo.

Greenland /ˈgriːnlənd/ n. (*geogr.*) Groenlandia ‖ **Greenlander** n. groenlandese.

Greenlandic /griːnˈlændɪk/ **A** a. groenlandese **B** n. ⌐ groenlandese (*la lingua*).

greenlet /ˈgriːnlət/ n. (*zool., Vireo*) vireo.

greenly /ˈgriːnli/ avv. **1** in verde; con tinte (*o* sfumature) di verde **2** (*arc.*) immaturamente; con poca esperienza; alla meglio.

greenmail /ˈgriːnmeɪl/ n. ⌐ (*fin.*) vantaggioso acquisto di azioni di un'altra società (*che le ricompra per timore di un'acquisizione di controllo*).

greenness /ˈgriːnnəs/ n. ⌐ **1** l'essere verde; verde: **the g. of the grass**, il verde dell'erba **2** (*fig.*) giovinezza; freschezza; vigore **3** (*fig.*) inesperienza; immaturità **4** (*fig.*) semplicioneria; credulità.

greenroom /ˈgriːnruːm/ n. (*teatr., TV*) sala di riposo o di ritrovo (*per gli attori*).

greensand /ˈgriːnsænd/ n. ⌐ **1** (*geol.*) sabbia glauconitica **2** sabbia formata a verde.

greenshank /ˈgriːnʃæŋk/ n. (*zool., Tringa nebularia*) pantana.

greensick /ˈgriːnsɪk/ a. (*med.*) malato di clorosi; clorotico.

greenstick /ˈgriːnstɪk/ n. (nella loc.) – (*med.*) **g. fracture**, frattura a legno verde.

greenstone /ˈgriːnstəʊn/ n. **1** (*geol.*) pietra verde (*roccia basaltica alterata di colore verde scuro*) **2** (*miner.*) giada di anfibolo; nefrite.

greenwash /ˈgriːnwɒʃ/ n. ambientalismo di facciata (*spec. da parte di aziende, organizzazioni, ecc.*); finto ambientalismo.

greenweed /ˈgriːnwiːd/ n. (*bot., Genista tinctoria*) ginestrella.

Greenwich /ˈgrenɪdʒ/ n. (*geogr.*) Greenwich (*presso Londra*): **G. (mean) time**,

ora (*o* tempo medio) di Greenwich.

greenwood /ˈgriːnwʊd/ n. (*poet.*) foresta frondosa; bosco fronzuto.

greeny /ˈgriːni/ a. (spec. nei composti) verde: **g.-yellow**, verde giallo.

to **greet** /griːt/ v. t. **1** salutare (*q., incontrandolo*); accogliere; dare il benvenuto a; riverire: *I greeted him by touching my hat*, lo salutai toccandomi il cappello; *Cheers greeted the close of the speech*, applausi salutarono la chiusa del discorso; *The aroma of coffee greeted us*, ci accolse l'aroma del caffè **2** (*di vista, spettacolo, ecc.*) offrirsi, presentarsi a (q.) ● (*fam.*) **to g. sb.'s eyes**, rallegrare la vista di q.

greeting /ˈgriːtɪŋ/ n. **1** saluto; accoglienza; benvenuto **2** (pl.) auguri: *Christmas greetings*, auguri natalizi **3** (*USA*) vocativo d'apertura (*di una lettera*; *cfr.* ingl. **salutation**) ● **greetings card**, biglietto (*o* cartoncino) d'auguri; biglietto di saluti.

gregale /ɡreɪˈɡɑːleɪ/ (*maltese*) n. (*meteor.*) grecale.

gregarious /ɡrɪˈɡeərɪəs/ a. **1** (*zool., bot.*) gregario **2** (*bot.*) che cresce a grappoli **3** (*di persona*) amante della compagnia; socievole ‖ **gregariously** avv. in gruppo; in compagnia; in branco ‖ **gregariousness** n. ⌐ **1** (*biol.*) gregarismo **2** socievolezza.

Gregorian /ɡrɪˈɡɔːriən/ a. gregoriano: **G. chant**, canto gregoriano; **G. calendar**, calendario gregoriano; **G. tones**, canti gregoriani.

Gregory /ˈɡreɡəri/ n. Gregorio.

gremial /ˈɡriːmɪəl/ n. (*relig.*) grembiale.

gremlin /ˈɡremlɪn/ n. (*fam.*) **1** spiritello maligno responsabile di guasti o problemi in un sistema meccanico o elettronico **2** guasto; problema.

grenade /ɡrəˈneɪd/ n. (*mil.*) **1** bomba a mano (*o* da fucile) **2** granata (*a gas, dirompente, ecc.*) ● **g. launcher**, lanciabombe ☐ **hand g.**, bomba a mano ☐ **tear-gas g.**, bomba lacrimogena.

grenadier /ɡrenəˈdɪə(r)/ n. **1** (*mil.*) granatiere **2** (*zool.; Ploceus oryx, Pyromelana*) pesce dei macruridi.

grenadine ① /ˈɡrenədiːn/ n. granatina (*bibita*).

grenadine ② /ˈɡrenədiːn/ n. ⌐ (*ind. tess.*) granatina.

grenadine ③ /ˈɡrenədiːn/ n. ⌐ (*cucina*) filetto di vitello (*o* di pollo) lardellato e glassato.

gressorial /ɡreˈsɔːrɪəl/ a. (*zool.*) atto alla locomozione.

grew /ɡruː/ pass. di **to grow**.

grey /ɡreɪ/ **A** a. **1** grigio; bigio; cenerognolo; (*fig.*) triste, tetro, malinconico: *The future looks g.*, il futuro si presenta grigio **2** (*fig.*) monotono; incolore; scialbo **3** (*fig.*) anziano; vecchio; esperto; maturo: (*polit.*) **the g. vote**, il voto degli anziani; **g. power**, il potere nelle mani degli anziani; la gerontocrazia **B** n. **1** ⌐ (color) grigio: **a woman dressed in g.**, una donna vestita di grigio **2** cavallo grigio **3** ⌐ (*ind. tess.*) filato (*o* tessuto) non tinto (*o* al naturale) ● **the Greys**, il secondo reggimento dei dragoni (*in GB*); (*stor. USA*) i confederati, i sudisti ☐ **g. area**, zona grigia (*in GB: che ha disoccupati, ma non tanti da ricevere speciali sussidi governativi*); (*fig.*) zona oscura (*di un fenomeno, ecc.*); zona d'ombra (*fig.*); situazione poco chiara; terreno inesplorato (*fig.*) ☐ (*fam.*) **g. cells**, materia grigia; cervello; intelligenza ☐ (*stor.*) **g.-coat**, fantaccino del Cumberland; (*USA*) soldato confederato ☐ (*zool.*) **g.-cock**, starna di montagna (*maschio*) ☐ (*USA*) **g.-collar**, di tecnico, di aggiustatore, di operaio qualificato ☐ (*zool.*) **g. crow** (*Corvus cornix*), cornacchia grigia ☐ (*zool.*) **g.-drake**, effimera (*la*

femma adulta) □ g. **economy**, economia sommersa □ g. **eminence**, eminenza grigia □ (zool.) g. **goose**, (Anser anser) oca selvatica; (Branta canadensis) oca canadese □ **g.-green**, grigioverde □ **g.-haired**, dai capelli grigi; brizzolato □ **g.-headed**, dal capo grigio; vecchio; esperto (in qc.) □ g. **market**, (econ.) mercato «grigio» (quasi «nero»); (Borsa) mercatino □ (anat. e fig.) g. **matter**, materia grigia (del cervello) □ (zool.) g. **mullet** (Mugil cephalus), muggine comune; cefalo □ (zool.) g. **partridge** (Perdix perdix), starna □ (relig.) a g. **sister**, una terziaria francescana □ (ecol.) g. **water**, acque grigie □ (zool.) g. **whale** (Eschrichtius Eschrichtidae), balena grigia □ **to go g.**, diventare grigio; ingrigire □ **to look g.**, avere la faccia terrea.

to **grey** /greɪ/ Ⓐ v. t. rendere grigio Ⓑ v. i. diventare grigio; ingrigire.

greybeard /'greɪbɪəd/ n. 1 (antiq.) uomo dalla barba grigia; vecchio 2 grosso recipiente di gres per liquori 3 (bot., Clematis vitalba) vitalba.

greybearded /'greɪbɪədɪd/ a. che ha la barba bianca.

greyhen /'greɪhɛn/ n. (zool.) femmina di fagiano di monte.

greyhound /'greɪhaʊnd/ n. levriero; cane da corsa • (sport) g. **race**, corsa di cani □ g. **racing**, corse dei cani □ g. **track**, cinodromo.

Greyhound® /'greɪhaʊnd/ n. (USA) Greyhound (autobus che collegano le maggiori città degli USA).

greyish /'greɪɪʃ/ a. grigiastro.

greylag /'greɪlæg/ n. (zool., Anser anser) oca selvatica.

greyness /'greɪnəs/ n. Ⓤ (color) grigio; tinta grigia; grigiore (anche fig.).

greynet /'greɪnɛt/ n. Ⓤ Ⓒ (comput.) greynet (applicazione installata dall'utente senza reale permesso dell'amministratore di rete).

greyscale /'greɪskeɪl/ n. (comput.) scala dei grigi.

greystone /'greɪstəʊn/ n. Ⓤ (miner.) roccia vulcanica grigia.

greywacke /'greɪwækə/ n. Ⓤ (geol.) grovacca.

greywater /'greɪwɔːtə(r)/ = **grey water** → **grey**.

grid /grɪd/ n. 1 grata; griglia; inferriata 2 (elettr., elettron.) griglia 3 reticolo, reticolato (di cartina topografica, ecc.) 4 G.B (di linee elettriche, del gas, idrica, ecc.): **the national g.**, la rete elettrica nazionale 5 (in GB) – **the G.** (= the National G. for Learning), il sistema che connette tutte le scuole a Internet 6 (fin.) griglia (delle parità dei cambi) 7 (autom.) portapacchi 8 (sport, autom.) griglia di partenza 9 (antiq., cucina) griglia; graticola • (elettron.) g. **drive**, eccitazione di griglia □ (stat.) g. **sampling**, campionamento a griglia □ (elettron.) g. **suppressor**, resistore di smorzamento di griglia □ g. **voltage**, tensione di griglia.

griddle /'grɪdl/ n. 1 piastra metallica (su cui cuocere focacce, ecc.); teglia da forno, con mezzo manico (anche elettrica) 2 (ind. min.) crivello, vaglio (col fondo di fil di ferro) • g. **cake**, focaccina; «scone».

to **griddle** /'grɪdl/ v. t. 1 cuocere sulla piastra 2 (ind. min.) vagliare; cernere.

gridiron /'grɪdaɪən/ n. 1 (cucina) griglia; graticola; gratella 2 (teatr.) impalcatura delle macchine per il cambiamento delle scene 3 (sport USA) campo di football americano; (fig.) football americano: g. **heroes**, grandi campioni di football americano 4 (naut.) impalcatura di bacino di carenaggio 5 (stor.) graticola (per supplizio).

gridlock /'grɪdlɒk/ n. Ⓤ 1 (autom.) grosso ingorgo di traffico (spec. a un incrocio) 2

(fig.) blocco; paralisi: **telephone g.**, blocco dei telefoni 3 (fig.) stallo; muro contro muro • **vocal g.**, intoppo nel parlare.

to **gridlock** /'grɪdlɒk/ n. (fam. USA) (del traffico) intasarsi.

grief /griːf/ n. Ⓤ 1 dolore, afflizione; cordoglio; pena; lutto: **overcome with g.**, sopraffatto dal dolore; **mad with g.**, folle di dolore; **to die of g.**, morire di dolore 2 (slang) seccature (pl.); scocciature (pl.) (fam.); torture (pl.) (pop.): **to give g.**, criticare; seccare; scocciare (fam.); rompere (pop.) • g. **counsellor**, assistente psicosociale (che aiuta chi ha subito un lutto) □ **g.-stricken**, addolorato; afflitto □ **to come to g.**, fallire, fare fiasco; andare in malora (o a rotoli); (anche) farsi male, avere un incidente □ **Good g.!**, buon Dio!; santo cielo!

grievance /'griːvns/ n. 1 Ⓤ danno; offesa; torto 2 Ⓒ Ⓤ doglianza (lett.); rimostranza; lagnanza; lamentela; reclamo: These are the grievances of the students, queste sono le lagnanze degli studenti 3 Ⓒ Ⓤ rancore; risentimento; ruggine (fig.): **to nurse a g. against sb.**, nutrire rancore verso q.; avercela con q. 4 vertenza sindacale • g. **committee**, commissione interna (per la discussione delle vertenze sindacali).

to **grieve** /griːv/ Ⓐ v. t. accorare; addolorare; affliggere; crucciare; rattristare Ⓑ v. i. accorarsi; addolorarsi; affliggersi; crucciarsi; rattristarsi: We all grieved at (o for, over) the death of our friend, tutti ci rattristammo per la morte del nostro amico.

grievous /'griːvəs/ a. 1 angoscioso; doloroso; penoso; triste: **a g. accident**, un penoso incidente 2 di dolore: **a g. cry**, un grido di dolore 3 grave; atroce; terribile: **a g. wound**, una ferita grave 4 gravoso; oneroso • (leg.) g. **bodily harm**, lesioni personali gravi | **-ly** avv.

griff /grɪf/ n. (slang ingl.) informazione sicura; dritta.

griffin① /'grɪfɪn/ n. (slang ingl.) dritta, informazione (spec. sulle corse dei cavalli).

griffin② /'grɪfɪn/, **griffon** /'grɪfn/ n. (mitol., arald.) grifone; grifo □ (zool.) **griffon-vulture** (Gyps fulvus), grifone.

grift /grɪft/ n. Ⓤ (slang USA) 1 attività criminale (o illecita) 2 denaro guadagnato illecitamente (barando o truffando).

to **grift** /grɪft/ v. i. (slang USA) barare; truffare.

grifter /'grɪftə(r)/ n. (slang USA) baro; truffatore.

grig /grɪg/ n. 1 (zool.) anguilla giovane 2 (dial.) grillo; cavalletta 3 (fig.) individuo minuto; minuzzolo (fam.) • **as merry [lively] as a g.**, allegro [vispo] come un passerotto.

grike /graɪk/ n. (geol.) fessura, fenditura (nel calcare).

grill① /grɪl/ n. 1 (cucina) griglia; grill; graticola; gratella 2 Ⓤ Ⓒ (cucina) carne alla griglia; grigliata (anche di pesce): **mixed g.**, grigliata mista; misto alla griglia 3 (= g. **room**) rosticceria; grill • (ferr., USA) g. **car**, carrozza ristoro □ **to cook [to put] st. under the g.**, cuocere [fare] qc. con il grill.

grill② /grɪl/ → **grille**.

to **grill** /grɪl/ Ⓐ v. t. 1 cuocere (o fare) ai ferri; arrostire sulla graticola 2 (fig.) arrostire (detto del caldo); tormentare; torturare: The tropical sun grilled us, il sole dei tropici ci arrostiva 3 (fam.) spremere, torchiare (fig.); sottoporre (q.) a un severo interrogatorio Ⓑ v. i. 1 cuocersi sulla griglia 2 (fig.) esporsi al calore; lasciarsi arrostire.

grillade /grɪ'lɑːd/ (franc.) n. Ⓤ Ⓒ (cucina) grigliata.

grillage /'grɪlɪdʒ/ n. (ind. costr.) intelaiatura (o graticcio) di fondazione.

grille /grɪl/ n. 1 grata; inferriata; griglia 2 sportello (di banca, ufficio postale, ecc.) 3 (autom.) griglia (del radiatore); mascherina 4 (radio) griglia 5 stampigliatura (su un francobollo).

grilled /grɪld/ a. 1 munito di grata; provvisto d'inferriata 2 (cucina) ai ferri; sulla graticola; alla griglia: What about the g. vegetables?, ti andrebbero le verdure grigliate? • (USA) g. **cheese**, panino al formaggio cotto in padella.

griller /'grɪlə(r)/ n. 1 chi cuoce ai ferri (o sulla graticola) 2 (fig.) chi tormenta; torturatore.

grilling /'grɪlɪŋ/ n. Ⓤ Ⓒ (fam.) torchiata (fig.); interrogatorio a fondo.

grillwork /'grɪlwɜːk/ n. Ⓤ Ⓒ (edil.) struttura a graticcio.

grilse /grɪls/ n. salmone di due anni circa (che torna al fiume dal mare per la prima volta).

grim /grɪm/ a. 1 arcigno; severo; torvo; truce: **a g. look**, uno sguardo severo 2 (lett.) deciso; feroce; risoluto; spietato: g. **courage**, risoluto coraggio; **a g. battle**, una battaglia feroce 3 orrendo; macabro; sinistro: **a g. joke**, uno scherzo macabro; g. **humour**, umorismo sinistro 4 odioso; repellente: **a g. task**, un compito odioso 5 (fam.) sgradevole; spiacevole 6 (fam.) assai brutto; orribile; pessimo • g. **news**, notizie deprimenti □ (fig.) **the G. Reaper**, la morte □ **like g. death**, fino alla morte (fig.); a oltranza: **to hold on like g. death**, stare attaccato con le unghie e con i denti.

grimace /grɪ'meɪs, 'grɪməs/ n. 1 boccaccia; smorfia 2 Ⓤ smorfie; affettazione.

to **grimace** /grɪ'meɪs, 'grɪməs/ v. i. fare smorfie (o boccacce); storcere la bocca.

grimacer /grɪ'meɪsə(r), 'grɪməsə(r)/ n. chi fa smorfie (o boccacce).

grimalkin /grɪ'mælkɪn/ n. 1 vecchia gatta; gattaccia 2 (fig.) vecchia dispettosa, cattiva; megera; strega.

grime /graɪm/ n. Ⓤ sporcizia; sudiciume; sporco: **the g. on your hands**, lo sporco che hai sulle mani; **the g. of an industrial town**, il sudiciume d'una città industriale.

to **grime** /graɪm/ v. t. sporcare; insudiciare; imbrattare; insozzare.

grimly /'grɪmlɪ/ avv. 1 arcignamente; torvamente 2 risolutamente; a oltranza: **to hang on g.**, resistere a oltranza 3 orrendamente 4 odiosamente.

grimness /'grɪmnəs/ n. Ⓤ 1 aria arcigna; severità; aspetto torvo 2 decisione; risolutezza; fermezza 3 aspetto sinistro (o macabro).

grimy /'graɪmɪ/ a. sporco; sudicio; fuligginoso; imbrattato: g. **hands**, mani sporche; g. **buildings**, edifici fuligginosi ‖ **griminess** n. Ⓤ sporcizia; sudiciume.

grin /grɪn/ n. ghigno; sogghigno; largo sorriso; smorfia.

to **grin** /grɪn/ Ⓐ v. i. ghignare; sogghignare; sorridere (mostrando i denti); fare una smorfia (spec. di dolore): He grinned at me, ghignò verso di me; mi fece un ghigno; The boy grinned from ear to ear, il ragazzo fece un sorriso che gli andava da un orecchio all'altro Ⓑ v. t. esprimere (o manifestare) con un ghigno (o con un largo sorriso): He grinned his delight, manifestò la sua gioia con un largo sorriso • **to g. and bear it**, fare buon viso a cattivo gioco □ **to g. like a Cheshire cat**, sorridere scioccamente (come un gatto del Cheshire).

grind /graɪnd/ n. Ⓤ 1 il macinare; il frantumare; lo stritolare; l'affilare, l'arrotare, ecc.; macinatura; frantumazione (→ **to grind**) Ⓤ (fam.) faticata; sfacchinata; sgobbata 3 (fam. USA) sgobbone 4 (fam.) rotazione del bacino (nello spogliarello) 5 (volg. ingl., an-

tiq.) chiavata, scopata (*volg.*).

to **grind** /graɪnd/ (pass. e p. p. ***ground***) **A** v. t. **1** macinare; frantumare; sgretolare; stritolare: **to g. wheat**, macinare grano; **to g. a bone [a stone]**, stritolare un osso [una pietra] **2** fare, produrre (*macinando*): **to g. flour**, fare la farina **3** fregare; sfregare; stropicciare **4** affilare; arrotare: **to g. a knife**, arrotare un coltello **5** levigare; molare: **to g. diamonds**, levigare le facce dei diamanti; **to g. a lens**, molare una lente **6** (*mecc.*) molare; rettificare; smerigliare: **to g. a flat surface**, rettificare una superficie piana; **to g. the valves of an engine**, smerigliare le valvole d'un motore **7** arrotare, digrignare (*i denti*): *I g. my teeth while I sleep*, mentre dormo digrigno i denti **8** azionare; girare la manovella di: **to g. a coffee mill**, girare la manovella di un macinino da caffè; **to g. a hand-organ**, azionare (*o suonare*) un organetto **9** (*fig. fam.*) inculcare; insegnare con grande impegno: **to g. grammar into a boy's head**, sudare sette camicie per insegnare la grammatica a un ragazzo **10** (*fig.*) schiacciare; opprimere; infierire su **B** v. i. **1** far girare le macine **2** frantumarsi; sgretolarsi **3** (*di un coltello, ecc.*) affilarsi (*bene, male, ecc.*) **4** (*fig. fam., spesso* **to g. away**) lavorar sodo; sgobbare **5** macinarsi: *Some wheats g. better than others*, certe varietà di grano si macinano meglio di altre **6** (*mecc.: del cambio*) grattare **7** (*fam.*) muovere (*o ruotare*) il bacino (*nello spogliarello*) • (*fig.*) **to g. the faces of the poor**, sfruttare i poveri; sfruttare i lavoratori □ **to g. small** (*o* **to pieces**), frantumare; fare a pezzi □ (*di un veicolo*) **to g. to a halt** (*o* **to a standstill**), (*mecc.*) fermarsi con grande stridore; (*fig.*) arrestarsi, fermarsi: *Public works have ground to a halt*, i lavori pubblici si sono fermati □ (*fig.*) **to have an axe to g.**, avere un interesse personale, egoistico.

■ **grind along** v. i. + avv. (*di un veicolo*) avanzare a fatica; (*di un treno*) sferragliare.

■ **grind away** **A** v. i. + avv. **1** (*di un mulino*) continuare a macinare; essere in funzione **2** (*fam.*) darci sotto; sfacchinare; sgobbare: **to g. away for an exam**, sgobbare per un esame; **to g. away at maths**, darci sotto in matematica **B** v. t. + avv. consumare, logorare (*gradini e sim., per l'attrito*).

■ **grind down** v. t. + avv. **1** tritare; triturare; fare (*macinando*): **to g. wheat down into flour**, fare la farina macinando il grano **2** affilare, arrotare (*coltelli, ecc.*) **3** (*fig.*) opprimere; infierire su, vessare: *The peasants were ground down by heavy taxation*, i contadini erano oppressi da gravose imposte.

■ **grind into** v. t. + prep. **1** piantare, schiacciare (*con un movimento rotatorio*): *He ground the cigar into the ashtray*, schiacciò il sigaro nel portacenere; **to g. one's knee into sb.'s belly**, piantare il ginocchio nella pancia a q. **2** (*fig.*) inculcare (*nozioni, regolamenti, ecc.*) in (q.) □ **to g. st. into powder**, ridurre qc. in polvere.

■ **grind on** v. i. + avv. **1** (*di un veicolo*) avanzare sferragliando: *Four tanks were grinding on*, quattro carri armati avanzavano inesorabilmente **2** (*del nemico, ecc.*) avanzare lentamente **3** (*di una conferenza, ecc.*) trascinarsi; (*di un oratore*) farla lunga in modo noioso.

■ **grind out** v. t. + avv. (*spreg.*) **1** produrre (*un suono rauco o monotono*); suonare (*un motivo, ecc.*); gracidare (*fig.*) **2** produrre (*merci di massa*); scrivere, scribacchiare: *He grinds out sloppy stories for popular magazines*, scrive racconti sdolcinati per riviste di largo consumo **3** (*fig.*) macinare, percorrere (*miglia, ecc.*).

■ **grind up** v. t. + avv. **1** ridurre in briciole; sbriciolare; sminuzzare; tritare **2** ridurre in polvere, polverizzare (*oggetti di vetro, ecc.*).

grindable /ˈgraɪndəbl/ a. macinabile; tritabile.

grindcore /ˈgraɪndkɔː(r)/ n. ▣ (*mus.*) grindcore (*forma estremizzata di heavy metal*).

grinder /ˈgraɪndə(r)/ n. **1** macinatore; molitore; affilatore **2** (= **knife g.**) arrotino; affilacoltelli **3** (= **organ g.**) suonatore d'organetto **4** (*anat.*) (*dente*) molare **5** (*cucina*, = **food g.**) tritatutto **6** (*cucina*, = **meat g.**) tritacarne **7** (= **coffee-g.**) macinino da caffè **8** (*mecc.*) affilatrice; molatrice; rettificatrice; smerigliatrice **9** (*mecc.*) mulino (*polverizzatore*): **ball g.**, mulino a palle **10** (*fam.*) insegnante privato; ripetitore **11** (*slang*) spogliarellista **12** (*slang USA*) macinino (*fig.*); vecchia auto scassata **13** (*slang USA*) grosso panino farcito.

grinding /ˈgraɪndɪŋ/ **A** a. **1** stridente; stridulo: **a g. sound**, un suono stridulo **2** lacerante; lancinante: **a g. pain**, un dolore lancinante **3** (*fig.*) opprimente: **g. tyranny**, tirannia opprimente **B** n. ▣ **1** macinazione; macinatura; molitura **2** affilatura; arrotatura **3** digrignamento (*dei denti*) **4** (*fig.*) oppressione **5** affilatura **6** (*anche elettron.*) levigazione; rettifica **7** (*mecc.*) molatura; rettifica; smerigliatura • **g. mill**, tornio per gemme; (*mecc.*) mulino macinatore □ (*mecc.*) **g. wheel**, mola.

grindstone /ˈgraɪndstəʊn/ n. **1** (*mecc.*) mola (*per affilare*) **2** macina (*di mulino*) • (*fig.*) **to have** (*o* **to keep**) **one's nose to the g.**, lavorar sodo; sgobbare senza pausa □ (*scherz.*) **Back to the g.!**, (torniamo, tornate, ecc.) al lavoro!

gringo /ˈgrɪŋgəʊ/ (*spagn.*) n. (pl. ***gringos***) (*spreg.*) gringo.

♦**grip** /grɪp/ n. **1** presa; stretta: *His hand lost its g.*, la sua mano lasciò la presa; **to let go one's g.**, abbandonare la presa **2** impugnatura; manico; (*sport*) grip (*della racchetta, ecc.*) **3** (*fig.*) controllo; dominio; padronanza; comprensione: **to lose one's g. on the rank and file**, perdere il controllo della base (*del partito, ecc.*); **to have a good g. on a problem**, avere una buona comprensione d'un problema **4** (*fig.*) contatto: **to have lost one's g. on reality**, aver perso il contatto con la realtà **5** (*med.*) dolore lancinante; fitta; spasmo; colica addominale **6** (*lotta*) presa **7** (*autom.*) presa (*di pneumatico*); grip; aderenza **8** (*mecc.*) chiusura; (*dispositivo d'*) arresto **9** (= **hair-g.**) forcina; molletta **10** (*cinem., TV*) macchinista **11** (*tennis, ecc.*) impugnatura (*della racchetta*): *Continental g.*, impugnatura continental; *Eastern g.*, impugnatura eastern • (*autom.*) **g.-brake**, freno a mano □ (*mil.*) **g. safety**, sicura d'impugnatura (*di rivoltella*) □ **to come to grips with**, venire alle prese con; affrontare: *Let's come to grips with the problem*, affrontiamo il problema! □ **to get into sb.'s g.**, cadere in balia di q. □ **to get to grips with** = **to come to grips with** → *sopra* □ (*fig.*) **to keep a firm g. on sb.**, tenere in pugno q. □ **to take a g. on st.**, afferrare qc. □ **Keep a g. on yourself**, controllati!; sii padrone di te.

to **grip** /grɪp/ v. t. e i. **1** afferrare; stringere; impugnare; far presa: *This brake doesn't g. properly*, questo freno non fa presa come dovrebbe **2** (*mecc.*) chiudere; stringere; serrare **3** (*fig.*) avvincere; tenere avvinto; colpire, impressionare: *The enthusiasm of the speaker gripped the audience*, l'entusiasmo dell'oratore avvinse l'uditorio • **to be gripped by panic**, essere preso dal panico.

gripe /graɪp/ n. **1** (pl.) (*fam.*) mal di ventre; colica addominale **2** impugnatura (*d'arnese o d'arma*) **3** (pl.) (*naut.*) rizze **4** (*fam.*) brontolio; lagnanza • **to be in the g. of sb.**, essere alla mercé di q.

to **gripe** /graɪp/ **A** v. t. **1** dare il mal di ventre, provocare coliche a (q.) **2** (*naut.*)

assicurare con le rizze, rizzare (*l'ancora*) **B** v. i. **1** (*med.*) avere coliche (*o il mal di ventre*) **2** (*naut.*) orzare **3** (*fam.*) brontolare; lagnarsi.

griping /ˈgraɪpɪŋ/ a. **1** che arraffa; avido; rapace **2** (*di dolore*) lancinante; acuto **3** che provoca coliche **4** (*naut.: di bastimento a vela*) orziero.

grippe /grɪp/ n. ▣ (*med.*) grippe; influenza.

gripper /ˈgrɪpə(r)/ n. **1** chi afferra, stringe, ecc. (→ **to grip**) **2** artiglio; grinfia; granfia **3** (*tipogr.*) pinza.

gripping /ˈgrɪpɪŋ/ a. avvincente, interessante: **a g. story**, un racconto avvincente.

griseous /ˈgrɪzɪəs/ a. grigio perla; azzurro grigio.

griskin /ˈgrɪskɪn/ n. (*cucina*) braciola di lombo di maiale magro.

grisly /ˈgrɪzlɪ/ a. **1** orribile; orrendo; spaventoso **2** macabro; raccapricciante | **-iness** n. ▣.

grist /grɪst/ n. **1** (*antiq.*) cereale (*grano, granturco, ecc.*) da macinare **2** frumento macinato **3** malto tritato (*per la fabbricazione della birra*) • (*fig.*) **to bring g. to the** (*o* **to one's**), tirare l'acqua al proprio mulino □ **All is g. that comes to his mill**, per lui tutto è buono (*o tutto fa brodo*).

gristle /ˈgrɪsl/ n. (*cucina*) tiglio; carne tigliosa; cartilagine • (*fig.*) **to be in the g.**, avere ancora il latte alla bocca; essere immaturo ‖ **gristly** a. (*di alimento*) tiglioso; cartilaginoso.

gristmill /ˈgrɪstmɪl/ n. mulino per cereali.

grit /grɪt/ n. ▣ **1** (*edil.*) sabbia grossa; tritume di pietra **2** (*geol.*, = **gritstone**) arenaria **3** grana, struttura (*della pietra*) **4** (*fig. fam.*) coraggio; fermezza; saldezza; fegato (*fig.*): *The miners showed they had g.*, i minatori dimostrarono d'aver fegato **5** (*tecn.*) graniglia (*di mola*); polvere di smeriglio • **a bit of g.**, un sassolino □ (*tecn.*) **g. blasting**, granigliatura.

to **grit** /grɪt/ **A** v. t. **1** arrotare, digrignare (*i denti*) **2** (*tecn.*) cospargere di graniglia **3** cospargere di sabbia grossa **B** v. i. stridere; raschiare • (*fig.*) **to g. one's teeth**, stringere i denti □ **gritting lorry → gritter**.

to **grit-blast** /ˈgrɪtblɑːst/ v. t. (*tecn.*) smerigliare; pulire (raschiare, ecc.) con graniglia; granigliare.

grits /grɪts/ n. pl. **1** farina d'avena macinata grossa **2** (*USA*) farina grossa di granturco; (*cucina*) polenta integrale (*piatto tipico negli Stati del Sud*).

gritstone /ˈgrɪtstəʊn/ n. ▣ (*geol.*) arenaria.

gritter /ˈgrɪtə(r)/ n. (autocarro con) spandisabbia (*o spandisale*).

gritty /ˈgrɪtɪ/ a. **1** arenoso; ghiaioso; renoso; sabbioso **2** (*fig.*) coraggioso ‖ **grittiness** n. ▣ **1** l'essere arenoso (*o ghiaioso, sabbioso*) **2** (*fig. fam.*) fegato (*fig.*); coraggio.

grivet /ˈgrɪvɪt/ n. (*Cercopithecus aethiops*) cercopiteco grigioverde.

to **grizzle** ① /ˈgrɪzl/ **A** v. i. diventare grigio (*o brizzolato*); ingrigire **B** v. t. far ingrigire.

to **grizzle** ② /ˈgrɪzl/ v. i. (*fam.*) **1** frignare; piagnucolare **2** brontolare; borbottare.

grizzled /ˈgrɪzld/ a. **1** (*di capello*) grigio **2** (*di persona*) dai capelli grigi; brizzolato.

grizzly /ˈgrɪzlɪ/ **A** a. **1** grigio; grigiastro **2** brizzolato **B** n. (*zool.*, *Ursus arctos horribilis*; = **g. bear**) orso grigio (*del Nord America*); grizzly • (*pesca*) **g. king** (*o* **g. queen**), mosca artificiale.

groan /grəʊn/ n. **1** gemito; lamento; profondo sospiro **2** lamentela; mormorio (*di disapprovazione, fastidio, ecc.*) **3** cigolio; scricchiolio • **to give a g.**, (*di una persona*) emettere un gemito, un lamento; (*di una cosa*) ci-

to groan /grəʊn/ **A** v. i. **1** gemere; lamentarsi; mandar gemiti: *The wind was groaning among the trees*, il vento gemeva tra gli alberi; **to g. under the weight of slavery**, gemere sotto il peso della schiavitù **2** scricchiolare; cigolare: *The plank groaned under my weight*, l'asse scricchiolò sotto il mio peso **B** v. t. (*spesso* **to g. out**) esprimere (*o* dire, raccontare) con voce lamentosa (*o* con un gemito): *He groaned out a short prayer*, recitò con voce lamentosa una breve preghiera ● **to g. sb. down**, zittire q. (*con mormorii di disapprovazione*) □ (*fig.*) **to g. for st.**, desiderare qc. ardentemente; bramare qc. □ (*fig.*) **to g. inwardly**, soffrire dentro; essere intimamente afflitto □ (*fig.*) **a groaning board**, una mensa stracarica di vivande; (*fig.*) un pasto abbondante.

groaningly /'grəʊnɪŋlɪ/ **avv.** con grandi gemiti; lamentosamente.

groat /grəʊt/ n. (*stor.*) moneta d'argento, del valore di quattro penny (*in uso dal 1351 al 1662*).

groats /grəʊts/ n. pl. cereali (*spec. avena o grano*) essiccati e frantumati; tritello d'avena.

grobag /'grəʊbæɡ/ n. sacchetto di terriccio per ortaggi.

grocer /'grəʊsə(r)/ n. droghiere ● **g.'s (shop)**, drogheria.

grocery /'grəʊsərɪ/ n. **1** (*anche* **g. shop**, *USA* **g. store**) drogheria **2** (pl.) generi di drogheria; (*per estens.*) la spesa (*fatta in drogheria o al supermercato*): **to get the groceries**, fare la spesa; *She was carrying two bags of groceries*, portava due sacchetti pieni di spesa **3** attività del droghiere.

grog /grɒɡ/ n. grog; specie di ponce ● **g.-shop**, bettola; spaccio di alcolici.

groggy /'grɒɡɪ/ a. **1** (*raro*) ebbro; brillo; ubriaco **2** barcollante; debole; intontito; malfermo; malsicuro: *Flu has left me rather g.*, l'influenza mi ha lasciato piuttosto debole **3** (*di tavolo, sedia*) traballante, vacillante **4** (*sport*) groggy; suonato (*fam.*) ● **to feel g.**, non reggersi in piedi (*o* sulle gambe); essere intontito | **-ily** avv. | **-iness** n.

grogram /'grɒɡrəm/ n. (*ind. tess.*) grossagrana, gros-grain (*tessuto*).

groin ① /grɔɪn/ n. **1** (*anat.*) inguine **2** (*archit.*) lunetta; unghia **3** (*archit.*) nervatura; ogiva; costolone.

groin ② /grɔɪn/ → **groyne**.

to groin /grɔɪn/ v. t. (*archit.*) munire di lunette (*o* di costoloni, ogive, ecc.) ● **a groined roof**, un tetto a costoloni □ **a groined vault**, una volta a ogive.

to grok /grɒk/ v. t. (*fam. USA*) **1** trovarsi in profonda sintonia con; sentire un feeling profondo per **2** capire intuitivamente; capire a fondo.

grommet /'grɒmɪt/ → **grummet**.

gromwell /'grɒmwəl/ n. (*bot.*, *Lithospermum officinale*) migliarino; miglio selvatico.

groom /gruːm/ n. **1** stalliere; mozzo di stalla; palafreniere **2** (abbr. di **bridegroom**) sposo **3** (*stor.*) gentiluomo di corte.

to groom /gruːm/ **A** v. t. **1** governare, strigliare (*cavalli*); fare la toilette a (*cani, gatti, ecc.*) **2** azzimare; lisciare; forbire: **a well-groomed young man**, un giovanotto tutto azzimato **3** avviare, istruire, preparare (*a una carriera, ecc.*): *He was groomed for political office*, fu avviato alla carriera politica **4** (*spec. Internet*) stabilire un rapporto di confidenza (*con un bambino*) per fini pedofili **B** v. i. (*etologia: di un animale*) fare la pulizia del mantello (*o* del pelo).

groomer /'gruːmə(r)/ n. **1** chi governa i cavalli **2** striglia meccanica (*per cavalli*) **3** (*spec. Internet*) chi stabilisce un rapporto di

confidenza con un bambino per fini pedofili.

grooming /'gruːmɪŋ/ n. **1** grooming; governatura, strigliatura (*di cavalli*); toelettatura (*di cani, gatti, ecc.*) **2** cura della propria persona **3** avvio; preparazione (*a una carriera, ecc.*) **4** (*etologia*) pulizia del mantello o del pelo (*di un animale*) **5** = **child g.**, → *sotto* ● (*spec. Internet*) **child g.**, stabilire un rapporto di amicizia e confidenza con un bambino per fini pedofili.

groomsman /'gruːmzmən/ n. (pl. **groomsmen**) testimone dello sposo; paggio.

groove /gruːv/ n. **1** scanalatura; incavo; incastro; solco (*per es., di grammofono*): *Sliding doors move in grooves*, le porte scorrevoli funzionano scorrendo su scanalature **2** (*nelle miniere*) galleria; pozzo **3** (*fig.*) abitudine inveterata; trantran; routine **4** (*mus.*) ritmo avvincente (*di canzone dance*) **5** (*fam.*) cosa assai gradevole; esperienza eccitante **6** (*geol.*) stria; solco **7** (*mil.*) riga (*di canna d'arma da fuoco*) **8** (*anat.*) solco **9** (*ling.*) vuoto ● (*fig.*) **to get into a g.**, diventare schiavo delle abitudini □ (*fam.*) **in the g.**, (*di cosa*) alla moda; (*di persona*) in splendida forma.

to groove /gruːv/ **A** v. t. **1** scanalare; incavare **2** (*fam.*) incidere (*su disco*) **3** (*fam.*) godere; apprezzare **4** (*fam.*) eccitare; mandare (q.) su di giri **B** v. i. (*fam.*) **1** godersela; andare su di giri **2** andare d'accordo; essere in armonia **3** (*mus.*) suonare bene.

groover /'gruːvə(r)/ n. (*slang antiq.*) tipo al passo coi tempi; tipo in gamba (*fam.*).

grooving /'gruːvɪŋ/ n. scanalatura ● (*tecn.*) **g. plane**, incorsatoio □ (*tecn.*) **g. saw**, sega per scanalare.

groovy /'gruːvɪ/ a. **1** scanalato; provvisto di solchi **2** (*fig.*) abitudinario **3** (*slang antiq.*) all'ultima moda; magnifico; splendido.

grope /grəʊp/ n. **1** brancolamento **2** (*slang*) palpata; palpeggiata; tastata; brancicamento.

to grope /grəʊp/ **A** v. i. brancolare; andar tentoni; andare a tastoni **B** v. t. **1** cercare a tastoni **2** (*slang*) palpare, palpeggiare, brancicare, tastare (*una donna*) ● **to g. for** (*o* **after**) **st.**, cercare qc. a tentoni (*o* a tastoni) □ **to g. for the right word**, cercare la parola giusta □ **to g. for truth**, cercare di scoprire la verità □ **to g. one's way**, cercare la strada a tastoni.

groper /'grəʊpə(r)/ → **grouper**.

gropingly /'grəʊpɪŋlɪ/ **avv.** a tentoni; a tastoni.

grosbeak /'grəʊsbiːk/ n. (*zool.*, *Coccothraustes coccothraustes*) frosone, frusone.

grosgrain /'grəʊsɡreɪn/ → **grogram**.

gros point /grəʊ'pɔɪnt/ loc. n. (*ricamo*) mezzo punto.

gross ① /grəʊs/ n. (inv. al pl.) (*comm.*, *un tempo*) grossa (*dodici dozzine*).

♦**gross** ② /grəʊs/ **A** a. **1** generale; non dettagliato; approssimato; grossolano: **g. calculation**, calcolo approssimato; **the g. outlines of a scheme**, le linee generali di un progetto **2** grossolano; rozzo; insultante; volgare: **g. language**, linguaggio volgare; **g. manners**, maniere rozze **3** grave; palese; macroscopico; grossolano: **a g. injustice**, una palese ingiustizia; **a g. mistake**, un errore macroscopico; (*leg.*) **g. negligence**, negligenza grave **4** grasso; gonfio; pesante **5** (*fam.*) disgustoso; schifoso: *This soup is g.!*, questa minestra fa proprio schifo **6** (*fam.*) indecente; osceno **7** (*comm.*, *econ.*, *fin.*) complessivo; lordo; totale; generale: **the g. amount**, l'ammontare complessivo; (*ass.*, *naut.*) **g. average**, avaria generale; (*fin.*, *rag.*) **g. earnings**, entrate lorde; utile lordo; **g. income**, reddito lordo; (*econ.*) **g. national product**, prodotto nazionale lordo; **g.**

pay, retribuzione lorda; (*ass.*) **g. premium**, premio di tariffario; (*rag.*) **g. profit(s)** [**revenue**], utile [fatturato] lordo; (*naut.*) **g. tonnage**, stazza lorda; (*fin.*) **g. yield**, rendimento lordo (*di un titolo, ecc.*); **g. weight**, peso lordo; (*banca*) **to pay interest g.**, pagare gli interessi al lordo d'imposta **8** (*di vegetazione*) lussureggiante; fittissimo ❶ FALSI AMICI ● gross *non significa* grosso *riferito alle pure dimensioni* **B** n. (il) complesso; (l') insieme: **in (the) g.**, nel complesso; in blocco; nell'insieme; (*comm.*) all'ingrosso.

to gross /grəʊs/ v. t. (*comm.*) incassare, avere un introito (*o* un ricavo) lordo di (*una certa somma*) ● (*fam. USA*) **to g. sb. out**, disgustare, offendere q. □ (*fin.*, *rag.*) **to g. up**, calcolare l'ammontare lordo di (qc.).

grossly /'grəʊslɪ/ **avv. 1** grossolanamente; rozzamente; volgarmente **2** gravemente **3** (*fam.*) in modo indecente, disgustoso **4** (*fig.*) all'incirca.

grossness /'grəʊsnəs/ n. **1** grossolanità; indecenza; rozzezza; volgarità **2** gravità; enormità; grossezza.

gross-out /'grəʊsaʊt/ (*fam. USA*) **A** n. persona (*o* cosa) volgare, oscena, disgustosa **B** a. disgustoso; osceno; repellente; schifoso; volgare.

grot /grɒt/ → **grotto**.

grotesque /grəʊ'tɛsk/ **A** a. grottesco; assurdo; bizzarro; fantastico: **a g. costume**, un costume grottesco; **g. situation**, situazione assurda **B** n. **1** (*arte*) grottesco **2** (*arte*) grottesca **3** (*fam. arc.*) tipo grottesco; oggetto grottesco | **-ly** avv. | **-ness** n.

grotto /'grɒtəʊ/ n. (pl. **grottoes**, **grottos**) **1** grotta naturale (*spec. di arenaria*) **2** grotta artificiale (*ornata di conchiglie*) **3** (*relig.*) nicchia.

grotty /'grɒtɪ/ a. (*slang*) **1** brutto; orrido; orrendo **2** dozzinale; scadente.

grouch /graʊtʃ/ n. (*fam.*) **1** brontolone, brontolona **2** brontolio; borbottio; lagnanza **3** malumore; musoneria; scontrosità.

to grouch /graʊtʃ/ v. i. (*fam.*) brontolare; lagnarsi; essere di cattivo umore.

grouchy /'graʊtʃɪ/ a. brontolone; scorbutico; scontroso | **-ily** avv. | **-iness** n.

ground ① /graʊnd/ **A** pass. e p. p. di **to grind** **B** a. **1** macinato; frantumato; tritato; in polvere: **g. coffee**, caffè macinato; **g. rice**, riso in polvere **2** affilato; arrotato **3** (*mecc.*) rettificato; molato; smerigliato: **g. glass**, vetro smerigliato; (*anche*) polvere di vetro ● (*cucina, spec. USA*) **g. beef**, carne di manzo tritata (*per fare hamburger, ecc.*).

♦**ground** ② /graʊnd/ **A** n. **1** terreno; (*spec. USA*) terra; suolo: **to till the g.**, coltivare la terra; **to sit on** [**to fall to**] **the g.**, sedere per [cadere a] terra **2** terreno; posizione; territorio: (*anche fig.*) **to gain g.**, guadagnar terreno, *These ideas are gaining g.*, queste idee guadagnano terreno; (*anche fig.*) **to lose** (*o* **to give**) **g.**, perdere terreno **3** terreno (*di gioco, ecc.*); campo: **a hunting g.**, un terreno di caccia; **a football g.**, un campo di calcio con annessi; uno stadio; **a parade g.**, un campo per le parate militari; **hospital grounds**, terreno alberato che circonda un ospedale **4** (*naut.*) fondo (*del mare o sim.*): (*di nave*) **to touch g.**, toccare il fondo; **good** [**bad**] **holding g.**, fondo buon [cattivo] tenitore (*dell'ancora*) **5** fondamento; causa; motivo; ragione: *He resigned on moral grounds*, si dimise per ragioni d'ordine morale; (*leg.*) **grounds for divorce**, motivi per concedere (*o* ottenere) il divorzio **6** campo; fondo; sfondo: **a design of red flowers on a blue g.**, un disegno di fiori rossi su campo azzurro **7** terreno; campo (*fig.*); posizione; argomento; punto: **common g.**, terreno comune; punto su cui ci si trova d'accordo; *Let's go over the g. again*, tor-

niamo sull'argomento!; **to stand one's g.**, tenere la propria posizione; tener duro; non deflettere; (*fig.*) **to be on one's own g.**, conoscere bene l'argomento; essere a proprio agio (*fig.*); giocare in casa (*fig. fam.*) **8** (*elettr.*) terra; massa **9** (pl.) fondi; feccia; deposito; sedimento: **coffee grounds**, fondi di caffè **10** ⓒ (*di vernice*) mano di fondo **11** (*pitt.*) mano di fondo; imprimitura **12** ⓤ (*geol.*) roccia; matrice rocciosa Ⓑ a. attr. **1** (*mil.*) terrestre; di terra: **g. forces**, forze di terra **2** (*elettr.*) di massa, di terra; a terra, a massa Ⓑ di fondo: (*elettr.*) **g. noise**, rumore di fondo ● **g.-air**, (*mil.*) aeroterrestre; (*miss.*) terra-aria □ **g. angling**, pesca di fondo (*con la lenza: senza galleggiante*) □ (*bot.*) **g. ash**, giovane frassino; bastoncino di frassino □ (*mil.*) **g. attack**, attacco da terra (o terrestre) □ (*mus.*) **g. bass**, basso ostinato □ (*ind. costr.*) **g. beam**, dormiente □ **g.-breaking**, che innova; innovatore; pionieristico □ (*elettr.*) **g. cable**, conduttore di terra □ (*USA*) **g. cloth** → **groundsheet** □ **g. colour**, prima mano di vernice; colore di fondo □ (*aeron.*) **g. control**, radioguida da terra □ (*aeron.*) **g. controller**, controllore di volo; controllore al suolo □ (*aeron.*) **g. cover**, tappeto vegetale; sottobosco □ (*aeron.*) **g. crew**, personale di terra (*in un aeroporto*) □ (*aeron.*) **g. effect**, effetto suolo □ **g.-effect machine**, veicolo a cuscino d'aria; veicolo a effetto suolo □ (*bot.*) **g. elder** (*Aegopodium podagraria*), podagraria □ (*ind. costr.*) **g. exploration**, esame geologico (*di un'area fabbricabile, ecc.*) □ **g. floor**, piano che vive sul fondo □ **g. floor**, pianterreno: (*fig.*) **to be [to get] in on the g. floor**, essere [entrare] in un'impresa (o un affare) fin dall'inizio □ **g. fog**, nebbia bassa □ (*meteor.*) **g. frost**, gelata (*a zero gradi C o sotto zero*) □ (*zool.*) **g. game**, selvaggina minuta (*esclusi i volatili*) □ **g.-gudgeon** (*Cobitis barbatula*), pesce barometro □ (*bot.*) **g. ivy** (*Nepeta hederacea*), edera terrestre □ (*zool.*) **g. hair**, (peli di) borra (*i più corti e morbidi della pelliccia dei mammiferi*) □ (*equit.*) **g. jury**, giuria di campo □ (*leg.*) **g. lessee**, titolare del diritto di superficie; superficiario □ (*leg.*) **g. lessor**, proprietario del suolo che cede il diritto di superficie □ (*naut.*) **g. log**, solcometro di fondo □ (*naut.*) **g. mine**, mina da fondo □ (*mus.*) **g. note**, nota dominante □ (*bot.*) **g. pine** (*Ajuga chamaepitys*) camepizio; (*Lycopodium clavatum*) licopodio, muschio clavato □ **g. plan**, pianta del piano terreno (*d'un edificio*); (*fig.*) schema di base; progetto di massima □ (*lotta*) **g. position**, posizione a terra □ (*med.*) **g. practice**, poliambulatorio □ (*leg.*) **g. rent**, canone pagato (*di solito, per 99 anni*) per un suolo ceduto in proprietà superficiaria □ (*fig.*) **g. rule**, regola di base; principio □ (*aeron.*) **g. speed**, velocità rispetto al suolo; velocità effettiva □ (*zool.*) **g. squirrel** (*Sciuridae*), sciuride (*spec.* marmotta) □ **g. staff**, (*aeron.*) personale di terra (*in un aeroporto*); (*sport*) personale addetto alla manutenzione del campo □ (*fis.*) **g. state**, stato fondamentale □ (*mil., aeron.*) **g. strafing**, attacco a volo radente □ (*tennis*) **g. stroke**, diritto, rovescio (*qualsiasi tiro effettuato dopo il rimbalzo della palla*) □ (*mil.*) **g.-to-air missile**, missile terra-aria □ (*mil.*) **g.-to-g. missile**, missile terra-terra □ (*mil.*) **g. war**, guerra terrestre □ (*geol.*) **g. water**, acqua freatica, acque sotterranee □ **g.-water level**, livello freatico □ **g.-water table**, falda freatica, falda idrica (*radio*) □ (*elettr.*) **g. wave**, onda di superficie □ **g. wire**, (*elettr.*) filo di messa a terra; (*edil.*) filo di guida □ (*fis. nucl., mil.*) **g. zero**, punto zero □ (*fig.*) **above g.**, ancora al mondo; vivo □ (*fig.*) **below g.**, sottoterra; morto e sepolto □ **to break g.**, (*agric.*) dissodare terreno vergine; (*ind. costr.*) iniziare i lavori di scavo; (*fig.*) preparare il terreno □ (*fig.*) **to break fresh (o new) g.** → **to break** □ **to cover much g.**, fare molta strada, percorre-

re una lunga distanza; (*fig.*) trattare molti argomenti □ (*fig.*) **to cut the g. from under sb.'s feet**, far mancare il terreno sotto i piedi a q. □ (*fig. fam.*) **down to the g.**, alla perfezione; a pennello: *That suits me down to the g.!*, questo mi va a pennello! □ (*fig.*) **to fall to the g.**, andare in fumo; andare a monte; fallire □ **fishing grounds**, zone di pesca □ **forbidden g.**, terreno proibito; (*fig.*) argomento da evitarsi □ (*anche fig.*) **to gain g.**, guadagnare terreno □ **high g.**, altura □ (*fig.*) **to hold (o to keep) one's g.**, restare sulle proprie posizioni; mantenere il proprio punto di vista; non deflettere; non cedere □ (*aeron.*) **on the g.**, a terra (*non in volo*) □ **on the grounds of**, a causa di; per motivi di □ (*fig.*) **to be on safe g.**, andare sul sicuro; trattare un argomento che si conosce bene □ (*fig.*) **to shift one's own g.**, mutare la propria posizione (*in una discussione, ecc.*); cambiare idea □ (*naut.*) **to strike g.**, arenarsi; incagliarsi sul fondo □ (*fig.*) **to touch g.**, venire al sodo.

to ground /graʊnd/ Ⓐ v. t. **1** (*naut.*) fare arenare; fare incagliare **2** (*aeron.*) tenere a terra; costringere a restare a terra; impedire il decollo a: *The airplane was grounded owing to thick fog*, l'aereo fu costretto a restare a terra per la fitta nebbia **3** basare; fondare; motivare: *G. your claims on fact*, motiva i tuoi reclami con elementi concreti **4** (*anche sport*) mettere a terra; posare per terra; mettere giù; mandare a terra, atterrare: **to g. the ball**, mettere a terra il pallone; (*calcio*) **to g. one's opponent**, atterrare l'avversario **5** dare le basi a (q.); istruire nei primi elementi: *I want to g. them in modern physics*, voglio istruirli nei primi elementi della fisica moderna **6** preparare il fondo di (*un ricamo, un disegno, ecc.*) **7** (*pitt.*) stendere un'imprimitura su (*una tela*); preparare il fondo per (*un quadro*) **8** (*elettr.*) mettere a terra; collegare a massa **9** (*aeron.*) ritirare il brevetto a (*un pilota*) **10** (*fam.*) costringere (q.) a restare in casa (*per punizione*) Ⓑ v. i. **1** (*di nave*) toccare il fondo; arenarsi; incagliarsi **2** cadere a terra **3** (*Borsa, market.*: *di un'azione, un prezzo, ecc.*) toccare il fondo ● (*mil.*) **G. arms!**, pied'arm!

groundage /ˈgraʊndɪdʒ/ n. ⓤ (*naut.*) diritto di porto (o portuale).

groundbait /ˈgraʊndbeɪt/ n. esca per la pesca di fondo.

grounded /ˈgraʊndɪd/ a. **1** (*aeron.*) (*di un aereo, un pilota*) tenuto a terra **2** (*elettr.*) collegato a massa; messo a terra **3** (*fam.*) costretto a restare in casa (*per punizione, ecc.*); bloccato (*senza l'auto, ecc.*) ● **ill-g.**, mal fondato; infondato □ **well-g.**, (*di un motivo, ecc.*) fondato; (*di persona*) ben preparato, ferrato.

grounder /ˈgraʊndə(r)/ n. (*baseball*) palla che rimbalza da terra; palla rasoterra.

groundhog /ˈgraʊndhɒg/ n. **1** (*zool.*, *Marmota monax*) marmotta americana **2** (*slang USA*) nero di Harlem ● (*fam. USA*) **G. Day**, il 2 di febbraio (*in cui si crede che la marmotta esca dal letargo invernale*).

grounding /ˈgraʊndɪŋ/ n. **1** (senza pl.) fondamenti; basi: **to have a good g. in mathematics**, avere buone basi in matematica **2** ⓤ (*naut.*) arenamento, incagliamento (*di nave*) **3** ⓤ (*aeron.*) l'esser costretto a restare a terra (o all'atterraggio) **4** fondo, prima mano (*di vernice*) **5** ⓒⓤ (*pitt.*) mano di fondo; imprimitura (*di quadro, ecc.*) **6** (*elettr.*) messa a terra; collegamento a massa **7** ⓤ (*sport*) messa a terra (*del pallone*); atterramento (*di un avversario*).

groundless /ˈgraʊndləs/ a. infondato; ingiustificato; immotivato: **a g. charge**, un'accusa infondata; **g. fears**, timori ingiustificati | **-ly** avv. | **-ness** n. ⓤ.

groundling /ˈgraʊndlɪŋ/ n. **1** (*zool.*) pesce che vive sul fondo **2** (*bot.*) pianta del

sottobosco; rampicante **3** (*stor.*) spettatore di platea (*nei teatri elisabettiani*) **4** (*fig.*) spettatore (o lettore) di gusti grossolani; persona incolta **5** (*aeron.*) membro del personale di terra.

groundmass /ˈgraʊndmæs/ n. ⓤ (*geol.*) massa di fondo; matrice.

groundnut /ˈgraʊndnʌt/ n. (*bot.*) **1** (*Apios tuberosa*) pera di terra **2** (*Arachis hypogaea*) arachide; nocciolina americana.

groundsel /ˈgraʊnsl/ n. (*bot.*, *Senecio vulgaris*) erba calderina; cineraria; senecio, senecione.

groundsheet /ˈgraʊndʃiːt/ n. telo impermeabile (*per campeggio: da stendere sotto la tenda*).

groundsman /ˈgraʊndzmən/ n. (pl. **groundsmen**) (*sport*) addetto alla manutenzione di un campo; custode di campo sportivo.

groundswell /ˈgraʊndswɛl/ n. **1** (*naut.*) onda (o flutto) di fondo; (*anche*) mare lungo **2** (*fig.*) ondata crescente (*di scontento, ecc.*).

groundwater /ˈgraʊndwɔːtə(r)/ n. ⓤ = **ground water** → **ground** ②.

groundwork /ˈgraʊndwɜːk/ n. ⓤ **1** (*edil.*) lavori di fondazione (o alle fondazioni) **2** (*fig.*) lavoro di base; preparazione **3** (*lotta*) lavoro a terra; lotta a terra.

◆group /gruːp/ n. **1** gruppo; crocchio: **a g. of people** [**of trees, of buildings**], un gruppo di persone [d'alberi, d'edifici]; **the Latin g. of languages**, il gruppo delle lingue neolatine **2** (*mat., comput., stat., ecc.*) gruppo **3** (*chim.*) gruppo; radicale **4** (*pitt., scult.*) gruppo; insieme **5** (*elettr.*) gruppo **6** (*mus.*) gruppo; complesso: **a pop g.**, un complesso pop **7** (*fin.*) gruppo finanziario; trust **8** (*sport: ciclismo, ecc.*) gruppo; plotone; (*anche*) gruppo, raggruppamento (*di squadre in un torneo*) ● (*aeron. mil.*, *in GB*) **G. Captain**, colonnello □ (*slang*) **g. grope**, ammucchiata □ **g. insurance**, assicurazione collettiva (o popolare) □ (*polit., econ.*) **G. of Eight**, G8; gli otto grandi (*i sette paesi più industrializzati e la Russia*) □ (*market.*) **a g. of products**, un settore merceologico □ (*slang*) **g. orgy**, ammucchiata □ (*med.*) **g. photograph**, foto di gruppo □ (*med.*) **g. practice**, poliambulatorio □ **g. sex**, amore di gruppo □ (*mat.*) **g. theory**, teoria dei gruppi □ (*psic.*) **g. therapy**, terapia di gruppo □ **g. work**, lavoro di gruppo.

to group /gruːp/ Ⓐ v. t. raggruppare; radunare: **G. the pupils together!**, raduna gli scolari! Ⓑ v. i. raggrupparsi; radunarsi: *The prisoners grouped round the officer*, i prigionieri si raggrupparono intorno all'ufficiale.

grouper /ˈgruːpə(r)/ n. **1** (*zool.*, *Epinephelus*: pl. **groupers**, **grouper**) cernia **2** (*USA*) chi pratica l'amore di gruppo.

groupie /ˈgruːpɪ/ n. **1** (*slang spreg.*) ragazza al seguito di un complesso o di un cantante rock o pop, disponibile sessualmente; (*sport*) tifosa al seguito di una squadra **2** (*fam. ingl.*) colonnello (*d'aviazione*).

grouping /ˈgruːpɪŋ/ n. ⓒ **1** raggruppamento **2** combinazione; insieme.

groupuscule /ˈgruːpəskjuːl/ n. (*polit., ecc.*) gruppuscolo ● **member of a g.**, membro di un gruppuscolo; gruppettaro (*romanesco*).

groupware /ˈgruːpwɛə(r)/ n. ⓤ (*comput.*) groupware (*software che favorisce il lavoro coordinato di più persone*).

grouse① /graʊs/ n. (pl. **grouses**, **grouse**) (*zool.*) **1** uccello dei tetraonidi **2** (*Tetrao urogallus*) gallo cedrone; urogallo ● **g. shooting**, caccia al gallo cedrone □ **black g.** (*Lyrurus tetrix*), fagiano di monte □ **red g.** (*Lagopus scoticus*), pernice rossa della Scozia.

grouse② /graʊs/ n. (*fam.*) brontolio; brontolamento; lamentela; lagnanza.

to **grouse** /graʊs/ v. i. (*fam.*) brontolare.

grout /graʊt/ n. ▣ (*ind. costr.*) **1** malta liquida; boiacca **2** malta: **non-shrink g.**, malta senza ritiro **3** pietrisco di cava.

to **grout** ① /graʊt/ v. t. (*ind. costr.*) rivestire (*o* cospargere) di malta liquida; imboiaccare.

to **grout** ② /graʊt/ v. t. e i. smuovere (la terra) col grifo; grufolare.

grouting /ˈgraʊtɪŋ/ n. ▣ (*ind. costr.*) imboiaccatura.

grove /graʊv/ n. **1** (*lett.*) boschetto; gruppo d'alberi **2** piantagione: **olive g.**, piantagione di olivi; oliveto ● (*lett. o scherz.*) **the groves of Academe**, il mondo universitario; l'ambiente accademico.

to **grovel** /ˈgrɒvl/ v. i. **1** giacere prono (*o* bocconi); strisciare per terra **2** (*di un cane, ecc.*) accucciarsi, accovacciarsi (*per una sgridata, ecc.*) **3** (*fig.*) strisciare; abbassarsi; umiliarsi: **to g. in the dust**, strisciare nella polvere ● **to g. in the dirt**, grufolarsi nel sudiciume □ (*fig.*) **to g. in scandals**, grufolarsi negli scandali ‖ **groveller**, (*USA*) **groveler** n. persona strisciante, abietta, servile ‖ **grovelling**, (*USA*) **groveling** a. strisciante; abietto; servile.

◆to **grow** /graʊ/ (pass. *grew*, p. p. *grown*) **A** v. i. **1** crescere; svilupparsi; diventare grande; venir su: *Rice grows in water*, il riso cresce nell'acqua; *How you've grown!*, come sei cresciuto!; come ti sei fatto grande!; **to let one's hair g.**, farsi crescere i capelli; **to g. wild**, (*di pianta*) crescere spontaneamente; rinselvatichire **2** aumentare; crescere; ingrandire: **to g. in numbers**, crescere di numero; **to g. in importance**, aumentare d'importanza; *The gap is growing*, il divario sta aumentando **3** (seguito da un agg.) diventare (*spec. per gradi*); divenire; farsi: **to g. dark**, farsi scuro; scurire; farsi buio; **to g. big**, diventare grande; ingrandirsi; **to g. cold**, diventare freddo; raffreddarsi; **to g. green again**, rinverdire; **to g. less**, calare; diminuire; scemare; **to g. old**, diventar vecchio; invecchiare; **to g. poor**, diventare povero; **to g. red**, diventare rosso; arrossire; **to g. rich**, diventare ricco; arricchire; **to g. tired**, stancarsi; **to g. young again**, ringiovanire **B** v. t. **1** coltivare; produrre: **to g. tulips**, coltivare tulipani; **to g. wheat**, coltivare (*o* produrre) grano; **to g. flowers from seed**, fare crescere (*o* ottenere) fiori dalla semenza **2** far crescere; sviluppare; mettere: **to g. roots**, mettere radici; attecchire; *A lizard can g. a new tail*, alle lucertole può ricrescere la coda; **to g. a beard**, farsi (*o* lasciarsi) crescere la barba **3** sviluppare; espandere; ampliare ● (*fam.*) **not to g. on trees**, non abbondare; (*di denaro*) non crescere sugli alberi □ NOTA: *to cultivate o to grow?* → to **cultivate**.

■ **grow apart** v. i. + avv. **1** crescere (*o* svilupparsi) in direzioni opposte **2** (*fig.: di persone*) allontanarsi, staccarsi, estraniarsi (*l'uno dall'altra*).

■ **grow away from** v. i. + avv. + prep. **1** crescere (*o* svilupparsi) distaccandosi da (qc.) **2** (*fig.: di persone*) staccarsi, estraniarsi da (*la propria famiglia, ecc.*).

■ **grow back** v. i. + avv. (*di capelli, piante, ecc.*) ricrescere; rispuntare.

■ **grow in** v. i. + avv. (*di unghia*) incarnirsi.

■ **grow into** v. i. + prep. **1** (*di pianta*) crescere dentro a; entrare dentro; penetrare in: *The roots have grown into the wall*, le radici sono entrate dentro al muro **2** diventare (*per gradi*); trasformarsi in: *My cold has grown into bronchitis*, il mio raffreddore s'è trasformato in bronchite **3** (*di bambino*) crescere tanto da poter indossare (*un indumento prima troppo grande*): *Wait till he grows into it*, aspetta che cresca, e vedrai che gli andrà bene! **4** abituarsi, fare l'osso a (*un lavoro e sim.*).

■ **grow on** v. i. + prep. **1** (*di attività*) diventare un'abitudine per; diventare normale per; (*di abitudine*) radicarsi **2** venire a piacere (*col tempo*); cominciare a piacere a: *I didn't like this CD at first, but it's beginning to g. on me*, questo cd prima non mi andava, ma ora comincia a piacermi.

■ **grow out** v. i. + avv. **1** (*di piante, capelli, ecc.*) crescere in fuori; spuntare: *He has hair growing out of his nose*, gli spuntano i peli dal naso **2** – **to g. out of**, svilupparsi da; nascere da: *The company grew out of a small family business*, la società si è sviluppata da una piccola azienda familiare; *My interest in soccer grew out of playing it as a child*, il mio interesse per il calcio è nato dall'averlo praticato da bambino **3** – **to g. out of**, (*di bambino, ragazzo*) non poter più indossare (*un indumento*) perché si è cresciuti: *My son has grown out of all last year's clothes*, mio figlio non sta più in nessuno dei vestiti dell'anno scorso; *I've grown out of my shoes*, le scarpe non mi entrano più **4** – **to g. out of**, abbandonare, perdere (*un'abitudine, un interesse, ecc., con il tempo o con l'età*): *She's grown out of dolls*, non gioca più con le bambole □ **to g. out of fashion**, passare di moda.

■ **grow over** **A** v. i. + prep. (*di piante, ecc.*) ricoprire (*un muro, ecc.*); infestare (*un terreno*) **B** v. t. + prep. far crescere su (*o* sopra); (al passivo) essere ricoperto (di): *He has grown a beard over his scar*, s'è fatto crescere la barba sopra la cicatrice (*per nasconderla*); *The land is grown over with bushes*, il terreno è ricoperto di arbusti.

■ **grow up** v. i. + avv. **1** crescere; farsi grande: *She's grown up a lot this year*, è cresciuta molto quest'anno **2** diventare adulto; crescere: *He wants to be a pilot when he grows up*, da grande vuol fare il pilota **3** svilupparsi; formarsi; diffondersi **4** – **to g. up into**, diventare (*crescendo*); farsi: *He's grown up into a handsome young man*, con gli anni s'è fatto un bel giovanotto □ (*fam.*) **G. up!**, non essere infantile!; (*anche*) apri gli occhi!, scantati!

■ **grow upon** → **grow on**.

growable /ˈgraʊəbl/ a. coltivabile; che si può far crescere.

growbag /ˈgraʊbæg/ → **grobag**.

grower /ˈgraʊə(r)/ n. **1** coltivatore: **a fruit-g.**, un coltivatore di frutta; un frutticoltore; **a cotton-g.**, un coltivatore di cotone **2** pianta che cresce (*piano, presto, bene, ecc.*): *That plant is a fast g.*, quella pianta cresce in fretta ● (*agric.*) **g.'s year**, anno agricolo (*in GB, da novembre a novembre*).

growing /ˈgraʊɪŋ/ **A** a. crescente; sempre maggiore; in aumento **B** n. ▣ **1** crescita; aumento **2** coltivazione; produzione □ (*econ.*) **g. crops**, frutti della coltivazione □ **g. pains**, dolori agli arti dei bambini (*attribuiti alla crescita*); (*fig.*) difficoltà iniziali □ (*agric.*) **g. season**, stagione di crescita ‖ **growingly** avv. in modo (*o* con ritmo) crescente.

growl /graʊl/ n. **1** ringhio **2** (*di una persona*) brontolio; borbottio rabbioso; grugnito **3** (*geol.*) scricchiolio **4** (*fig.*) brontolio (*del tuono*); rombo (*di un motore*).

to **growl** /graʊl/ **A** v. i. **1** ringhiare: *The watchdog growled at the stranger*, il cane da guardia ringhiò contro il forestiero **2** brontolare (*anche fig.*); borbottare rabbiosamente; grugnire **3** (*fig.*) rombare; rumoreggiare **B** v. t. (*anche* **to g. out**) esprimere brontolando; brontolare; grugnire: *He growled (out) a threat*, brontolò una minaccia.

growler /ˈgraʊlə(r)/ n. **1** chi brontola; brontolone **2** (*zool.*) animale che ringhia, che grugnisce **3** (*slang USA*) secchio per la birra (*un tempo*); (*ora*) barilotto di birra (1/8 di barile) **4** (*fam.*) carrozza da nolo (*o* di piazza) **5** frammento galleggiante di iceberg **6** (*elettr.*) dispositivo rivelatore di cortocircuiti **7** (*slang USA*) gabinetto; cesso.

growlingly /ˈgraʊlɪŋlɪ/ avv. ringhiando; brontolando.

grown /graʊn/ **A** p. p. di to **grow** **B** a. adulto; maturo: **a g. woman**, una donna matura ● **g.-up**, adulto; grande (*fam.*) □ **a g.-up son**, un figlio adulto.

◆**growth** /graʊθ/ n. **1** ▣ crescita (*anche biol.*); accrescimento; aumento; sviluppo; espansione: **a fast g.**, un rapido sviluppo; (*stat.*) **the g. of the urban population**, lo sviluppo demografico nelle città **2** ▣ coltivazione; produzione **3** ▣ vegetazione: **a thick g. of bushes**, una fitta vegetazione di cespugli **4** ▣ (*biol.*) proliferazione (*delle cellule*) **5** (*med.*) escrescenza **6** ▣ (*econ.*) crescita; espansione economica; sviluppo (*industriale*): *G. has slowed down in recent months*, negli ultimi mesi c'è stato un rallentamento della crescita; **g. industry**, industria in grande sviluppo; **g. targets**, traguardi di sviluppo **7** (*agric.*) annata (*di vino*); vendemmia **8** (*fam.*) barba (*non fatta*): *The stranger had a three-day g.*, lo sconosciuto aveva una barba di tre giorni ● (*econ.*) **g. area**, area di sviluppo □ (*biol.*) **g. factor**, fattore di crescita □ (*fin.*) **g. funds**, fondi comuni di sviluppo □ (*biol.*) **g. hormone**, ormone della crescita □ (*econ.*) **g. path**, sentiero di crescita □ (*demogr.*) **g. potential**, potenziale d'incremento □ (*econ.*) **g. rate**, tasso di sviluppo □ (*bot.*) **g. ring**, anello di crescita; cerchio annuale □ (*fin.*) **g. stocks**, titoli di sviluppo (*o* di un'azienda in espansione).

groyne /grɔɪn/ n. frangiflutti; (*di fiume*) pennello.

grub /grʌb/ n. **1** (*zool.*) larva di insetto; bruco; baco; bacherozzo **2** chi fa un lavoro ingrato; sgobbone **3** (*slang*) cibo; roba da mangiare: *G.'s up!*, (è) in tavola!; *What time's g.?*, a che ora si mangia? **4** (*slang ingl.*) ragazzo sporco; sudicione.

to **grub** /grʌb/ **A** v. i. **1** scavare; vangare; zappare **2** lavorar sodo; sgobbare **3** (*anche* **to g. about**) cercare qua e là; rovistare; grufolare: *The pigs are grubbing about under the oaks*, i maiali grufolano sotto le querce **4** (*slang USA*) mangiare **B** v. t. **1** (*spesso* **to g. up**) estirpare; sradicare; estrarre **2** liberare, ripulire (*un terreno*) dalle erbacce **3** (*slang USA*) cibare; dar da mangiare a; sfamare: *He has ten children to g.*, ha dieci figli da sfamare ● **to g. up**, estirpare (*radici*); dissotterrare; afferrare, tirare su (*insetti, ecc.*); (*fam.*) tirare fuori, trovare (q. o qc. di spregevole).

grubber /ˈgrʌbə(r)/ n. **1** chi scava; chi estirpa, ecc. (→ to **grub**) **2** (*agric.*) estirpatore; estirpatoio; sarchiello **3** grande lavoratore; sgobbone.

grubby /ˈgrʌbɪ/ a. **1** infestato da larve; bacato (*anche fig.*) **2** sporco; sudicio ‖ **grubbiness** n. ▣ **1** l'esser infestato da larve **2** sporcizia; sudiciume.

grubstake /ˈgrʌbsteɪk/ n. ▣ (*fam. USA*) **1** provviste (*viveri, ecc.*) necessarie a un prospettore o cercatore d'oro **2** (*fig.*) sovvenzione; denaro per finanziare un'impresa **3** soldi per mangiare.

to **grubstake** /ˈgrʌbsteɪk/ v. t. (*fam. USA*) **1** provvedere del necessario un prospettore (*o* cercatore d'oro) **2** (*fig.*) finanziare; sovvenzionare.

Grub Street /ˈgrʌbstriːt/ **A** loc. n. ▣ ambiente di scrittori da strapazzo (*dal nome di un'antica via di Londra dove essi abitavano*); la bohème delle lettere **B** a. (= **Grubstreet**, **grubstreet**) di (*o* pertinente a) scrittori da

strapazzo.

grudge /grʌdʒ/ n. **1** animosità; rancore; risentimento; malanimo; ruggine (*fig.*): *I bear him no g.* (*o I hold no g. against him*), non gli porto rancore; non ce l'ho con lui **2** causa (*o* motivo) di rancore (*o* di risentimento) ● **g. match**, resa dei conti (*caratterizzata da risentimento*) □ **to pay off an old g.**, saldare un vecchio conto (*fig.*).

to **grudge** /grʌdʒ/ v. t. **1** invidiare; aver invidia di: *He grudges her riches*, lui le invidia le sue ricchezze **2** dare di malavoglia; lesinare: *I don't g. him the praise he deserves*, non gli lesino le lodi che merita.

grudging /'grʌdʒɪŋ/ a. **1** invidioso **2** avaro; riluttante a dare (qc.) **3** stentato; a denti stretti: **a g. recognition of sb.'s merits**, un riconoscimento stentato dei meriti di q. || **grudgingly** avv. di malavoglia; a malincuore.

gruel /'gruːəl/ n. Ⓤ **1** farina d'avena (o d'orzo, ecc.) cotta nell'acqua (o nel latte); farinata **2** (*spreg.*) brodaglia; pappa ● (*fig. slang*) **to give sb. his g.**, punire q.; sconfiggere (o sgominare, stracciare) q. □ (*fig. slang*) **to have** (*o* to get) **one's g.**, essere punito (*o* sconfitto) duramente; avere quel che ci si merita.

gruelling /'gruːəlɪŋ/ Ⓐ a. duro; faticoso; snervante: **a g. race**, una corsa faticosa; **g. work**, lavoro snervante Ⓑ n. **1** Ⓤ fatica; faticata **2** (*slang*) batosta; dura sconfitta.

gruesome /'gruːsəm/ a. orrendo; orribile; raccapricciante | **-ly** avv. | **-ness** n. Ⓤ.

gruff /grʌf/ a. **1** arcigno; aspro; burbero; rude; scortese; sgarbato **2** (*di voce, suono, ecc.*) aspro; rauco; roco || **gruffly** avv. **1** arcignamente; burberamente; sgarbatamente **2** in tono aspro; con voce roca || **gruffness** n. **1** asprezza; rudezza; sgarbataggine; scortesia **2** (*della voce*) asprezza; l'essere roca.

grumble /'grʌmbl/ n. brontolio; borbottio; lagnanza; lamentela: **the g. of thunder**, il brontolio del tuono.

to **grumble** /'grʌmbl/ Ⓐ v. i. brontolare; borbottare; lagnarsi; lamentarsi: *Don't g. about* (*o* at, over) *everything!*, non lagnarti d'ogni cosa! Ⓑ v. t. (*anche* **to g. out**) dire brontolando; borbottare; brontolare: *He grumbled* (*out*) *an answer*, borbottò una risposta.

grumbler /'grʌmblə(r)/ n. brontolone; brontolona; borbottone, borbottona.

grumbling /'grʌmblɪŋ/ Ⓐ a. **1** che brontola; brontolone; lagnone **2** (*dell'intestino*) che brontola Ⓑ n. Ⓤ brontolio; lagnanze ● (*fam.*) **g. appendix**, appendice dolente || **grumblingly** avv. brontolando; lagnandosi; malvolentieri; di malavoglia.

grummet /'grʌmɪt/ n. **1** (*naut.*) canestrello; anello di cavo **2** (*mecc.*) occhiello metallico; rondella; rosetta **3** (*mecc.*) anello di tenuta (*di gomma*); guarnizione di stoppa.

grump /grʌmp/ n. (*fam.*) **1** persona scontrosa o bisbetica; brontolone; mugugnone; musone **2** malumore; muso; le pive: **to be in a g.**, essere di malumore; avere il muso (o le pive).

grumpily /'grʌmpəlɪ/ avv. scontrosamente.

grumpiness /'grʌmpɪnəs/ n. Ⓤ irritabilità; scontrosità.

grumpy /'grʌmpɪ/ a. burbero; irritabile; scontroso.

grunge /grʌndʒ/ (*slang USA*) Ⓐ n. **1** roba appiccicosa, schifosa; sudiciume **2** individuo odioso, ripugnante **3** lavoro odioso; (uno) schifo di lavoro **4** Ⓤ (*mus.*) grunge; rock aggressivo e nichilista **5** Ⓤ (*moda*) grunge Ⓑ a. attr. (*mus., moda*) grunge || **grungy** a. **1** scalcagnato; sgangherato; sciamannato; (*d'edificio*) cadente, in sfacelo

2 sporco e puzzolente; lercio; sozzo: **grungy clothes**, vestiti lerci.

grunt /grʌnt/ n. **1** grugnito; (*fig.*) borbottio, brontolio **2** (*zool.*) → **grunter**, def. 3 **3** (*slang USA*) soldato semplice (*spec. nella guerra del Vietnam*); fantaccino **4** (*slang USA*) persona che fa un lavoro noioso, di routine: **to do the g. work**, fare un lavoro noioso; occuparsi della routine.

to **grunt** /grʌnt/ Ⓐ v. i. grugnire; (*fig.*) borbottare, brontolare Ⓑ v. t. (*spesso* **to g. out**) esprimere grugnendo; borbottare: *He grunted his disapproval*, espresse la sua disapprovazione con un grugnito.

grunter /'grʌntə(r)/ n. **1** animale che grugnisce; (*spec.*) maiale **2** (*fig.*) brontolone, brontolona; borbottone, borbottona **3** (*zool.*) grugnitore (*pesce della famiglia dei Pomadasidae*).

gruntwork /'grʌntwɜːk/ n. = **grunt work** → **grunt**, def. 4.

Gruyère /'gruːjeə(r)/ (*franc.*) n. Ⓤ gruviera (*formaggio svizzero*).

gryke /graɪk/ n. → **grike**.

gryphon /'grɪfn/ n. (*mitol., arald.*) grifone.

GSM sigla (*tel.*, **global system for mobile communications**) sistema globale per comunicazioni mobili.

GST sigla (*Canada, Austral., NZ*, **goods and services tax**) tassa sui beni e servizi.

Gt Br., **Gt Brit.** abbr. (**Great Britain**) Gran Bretagna.

gtd abbr. (**guaranteed**) garantito.

guacharo /'gwɑːtʃərəʊ/ (*spagn.*) n. (pl. **guacharos**) (*zool.*, *Steatornis caripensis*) guaciaro.

guaiac /'gwaɪæk/ n. **1** (*bot.*, *Guajacum*) guaiaco **2** Ⓤ legno di guaiaco; legno santo **3** Ⓤ resina di guaiaco.

guaiacol /'gwaɪəkɒl/ n. Ⓤ (*farm.*) guaiacolo.

guaiacum /'gwaɪəkəm/ → **guaiac**.

guan /gwɑːn/ n. (*zool.*) uccello dei cracidi.

guana /'gwɑːnə/ n. (*zool.*, *Iguana*) iguana.

guanaco /gwə'nɑːkəʊ/ n. (pl. **guanacos**, **guanaco**) (*zool.*, *Lama guanicoe*) guanaco.

guanine /'gwɑːniːn/ n. Ⓤ (*biochim.*) guanina.

guano /'gwɑːnəʊ/ n. Ⓤ guano.

guarana /gwə'rɑːnə/ (*spagn.*) n. (*bot.*, *Paullinia cupana*) guarana.

♦to **guarantee** /gærən'tiː/ n. **1** garanzia; (*leg.*) mallevadoria, malleveria, fideiussione: *My car has a two-year g.*, la mia auto ha una garanzia di due anni **2** garante; (*leg.*) mallevadore, mallevadrice **3** (= **bill g.**) avallo (*di una cambiale*) **4** avallato (sost.) **5** (*fig.*) assicurazione; promessa: *The dark clouds were a g. of rain*, le scure nubi erano una promessa di pioggia ● (*econ.*) **a g. against rising prices**, una garanzia contro il rischio economico □ **g. bond**, cauzione □ (*banca*) **g. credit**, credito contro garanzia □ **g. deposit**, deposito cauzionale □ (*fin.*) **g. fund**, fondo comune di garanzia □ **g. society**, mutua di assicurazioni contro l'infedeltà dei dipendenti □ **to go g. for sb.**, rendersi garante per q. □ **under g.**, in garanzia.

♦to **guarantee** /gærən'tiː/ v. t. **1** garantire; (*leg.*) fare da mallevadore a (q.), farsi mallevadore di (qc.): *Our cars are guaranteed for two years*, le nostre automobili sono garantite per due anni; *I cannot g. your debts*, non posso farmi mallevadore (del pagamento) dei tuoi debiti **2** assicurare; promettere ● **to g. sb. against** (*o* from) **a risk**, assicurare q. contro un rischio □ **to g. a bill** [**an endorsement**], avallare una cambiale [una girata] □ (*leg.*) **to g. sb. in the possession of st.**, assicurare a q. il possesso di qc.

guaranteed /gærən'tiːd/ a. (*leg., fin.*) garantito: **g. annual wage**, salario annuo mi-

nimo garantito; (*fin.*) **g. bond**, obbligazione garantita; (*leg.*) **g. mortgage**, ipoteca garantita; (*fin.*) **g. stock**, azioni a dividendo garantito; titoli garantiti.

guarantor /'gærəntɔː(r)/ n. (*leg.*) garante; mallevadore; mallevadrice; fideiussore ● **the g. of a bill of exchange**, l'avallante d'una cambiale.

guaranty /'gærəntɪ/ n. (*leg.*) **1** malleveria; garanzia **2** avallante; mallevadore, mallevadrice ● (*leg.*) **g. bond**, contratto di fideiussione □ (*banca, leg., USA*) **g. fund**, fondo di garanzia.

♦**guard** /gɑːd/ n. **1** Ⓤ guardia; custodia; vigilanza; **g. of honour**, guardia d'onore; **to go on** [**come off**] **g.**, montare [smontare] di guardia **2** guardia; custode; guardiano: **the guards of a prison**, le guardie carcerarie; i guardiani d'una prigione **3** (*ferr.*) capotreno; conduttore **4** (*tecn.*) protezione; (*edil.*) parapetto (*della bicicletta*) copricatena, carter **5** (*della spada e della sciabola*) guardia **6** (= **fireguard**) parafuoco **7** Ⓤ (*sport*) guardia: **to be off g.**, non essere in guardia; **to catch sb. off g.**, cogliere q. giù di guardia (*fig.*): alla sprovvista, in contropiede); **to drop one's g.**, abbassare la guardia; **to keep one's g. up**, tenere la guardia alta; *On g.!*, in guardia! **8** (*basket*) guardia; difensore **9** (*scherma*) coccia (*del fioretto, ecc.*) **10** (pl.) (*mil.*) – **the Guards**, le Guardie Reali (*in GB*) ● (*elettron.*) **g. band**, banda di protezione; spazio libero fra due canali □ (*naut.*) **g. boat**, battello di ronda □ **g.-chain**, catena di sicurezza (*d'orologio, ecc.*) □ **g. dog**, cane da guardia (*zool.*) □ **g. hair**, (peli di) giarra (*i più lunghi della pelliccia dei mammiferi*) □ **g. ring**, (*elettr.*) anello di guardia; fermanello □ (*naut.*) **g. ship**, (nave) guardaporto; motovedetta □ (*ferr.*) **g.'s van**, vagone del personale viaggiante; bagagliaio □ (*fig.*) **to be caught off one's g.**, essere preso alla sprovvista (o in contropiede) □ (*mil.*) **to keep g.**, fare la guardia (*sport e fig.*) **to lower one's g.**, abbassare la guardia □ (*mil.*) **to mount g.**, montare di guardia □ (*fig.*) **the old g.**, la vecchia guardia □ (*mil.*) **to be on g.**, essere di guardia □ **to be on one's g. against sb.**, stare in guardia contro q. □ **to put sb. on** (**his**) **g. against a danger**, mettere q. in guardia contro un pericolo □ (*mil.*) **to relieve g.**, dare il cambio alla guardia □ **sword g.**, ponticello (*di una spada*) □ (*mil.*) **to stand g.**, essere di guardia □ (*mil.*) **under armed g.**, sotto scorta armata □ (*anche fig.*) **His g. was up** [**down**], aveva la guardia alzata [abbassata].

to **guard** /gɑːd/ Ⓐ v. t. **1** guardare (*lett.*); custodire; difendere; proteggere; salvaguardare; sorvegliare; fare la guardia a (q. o qc.): *The infantry had to g. the bridge*, la fanteria doveva guardare il ponte; **to g. a secret**, custodire un segreto; **to g. one's reputation**, difendere la propria reputazione; **to g. a camp** [**prisoners**], fare la guardia a un campo [a prigionieri]; **to g. one's life**, proteggere la propria vita; **to g. a door**, sorvegliare una porta **2** tenere a freno, sotto il proprio dominio (*i pensieri, ecc.*); misurare (*le parole*) **3** (*mecc.*) mettere una protezione a (*una macchina*) **4** (*sport*) difendere, coprire, proteggere (*una base, il wicket, ecc.*); presidiare (*il centrocampo, ecc.*); prendersi cura di, marcare (*un avversario*) **5** (*boxe*) parare: **to g. a blow**, parare un colpo Ⓑ v. i. guardarsi; stare in guardia; premunirsi; difendersi: **to g. against mistakes**, guardarsi dal commettere sbagli; **to g. against accidents**, premunirsi dagli incidenti ● **to g. oneself**, (*anche boxe*) coprirsi □ **to g. one's tongue**, tenere a freno la lingua.

guarded /'gɑːdɪd/ a. **1** guardingo; cauto; circospetto; misurato (*fig.*); prudente: **a g. answer**, una risposta guardinga; **a g.**

speech, un discorso cauto **2** guardato a vista; scortato: **a g. prisoner**, un prigioniero scortato **3** difeso; protetto ● (*sport*) **a heavily g. area**, una zona difesa molto bene | **-ly** avv. | **-ness** n. ⓤ.

guardhouse /'gɑːdhaʊs/ n. (*mil.*) **1** corpo di guardia **2** guardina; cella di detenzione.

guardian /'gɑːdɪən/ A n. **1** custode; difensore; protettore, protettrice **2** (*leg.*) tutore, tutrice; curatore, curatrice **3** (*relig.*) (padre) guardiano; superiore (*di frati francescani*) ◆ FALSI AMICI ● guardian *non significa* guardiano *di edificio o di animali* B a. attr. **1** custode: **g. angel**, (*relig.*) angelo custode; (*fig.*) gorilla (*fig.*) **2** (*leg.*) tutelare ● (*in GB e in USA*) **G. Angels**, vigilantes (*volontari anticrimine*).

guardianship /'gɑːdɪənʃɪp/ n. ⓤ **1** difesa; protezione: **to be under the g. of the laws**, essere sotto la protezione della legge **2** (*leg.*) tutela; autorità tutoria; curatela.

guardrail /'gɑːdreɪl/ n. **1** (*edil.*) corrimano **2** (*autom.*) guardrail; guardavia **3** (*ferr.*) controrotaia **4** (*naut.*) paragambe; battagliola.

guardroom /'gɑːdruːm/ → **guardhouse**.

guardsman /'gɑːdzmən/ n. (pl. **guardsmen**) **1** guardia **2** (*in GB*) soldato (*o ufficiale*) delle Guardie Reali **3** (*in USA*; = **National G.**) soldato (*o ufficiale*) della Guardia Nazionale **4** (*in USA* = **Coast G.**) marinaio (*o ufficiale*) della Guardia Costiera.

Guatemalan /gwɑːtəˈmɑːlən/ a. e n. guatemalteco.

guava /'gwɑːvə/ n. (pl. **guavas**, **guava**) (*bot.*, *Psidium guaiava*) pero delle Indie; psidio; guava.

gubbins /'gʌbɪnz/ n. (*slang ingl.*) **1** coso; aggeggio; affare **2** ⓤ cosi; aggeggi; cianfrusaglie; roba **3** ⓤ (*cucina*) contorno.

gubernatorial /guːbənəˈtɔːrɪəl/ a. governatoriale; di governatore; di governatorato: **a g. election**, l'elezione d'un governatore.

gudgeon① /'gʌdʒən/ n. **1** (*zool.*, *Gobio gobio*) gobione **2** (*zool.*, *Gobius*) ghiozzo **3** (*fig.*) credulone; gonzo; semplicione.

gudgeon② /'gʌdʒən/ n. **1** (*edil.*) chiavarda **2** (*mecc.*) perno **3** (*di motore*) spinotto **4** (*naut.*, *aeron.*) femminella ● (*mecc.*) **g.-pin**, perno dello stantuffo; spinotto ○ (*naut.*, *aeron.*) **rudder g.**, femminella del timone.

guelder-rose, **guelder rose** /ˈɡeldəˈrəʊz/ n. (*bot.*, *Viburnum opulus*) palla di neve; pallone di maggio.

Guelph, **Guelf** /gwelf/ (*stor.*) n. guelfo ‖ **Guelphic** a. guelfo.

guenon /ˈɡenɒn/ n. (*zool.*, *Cercopithecus*; *anche* **g. monkey**) cercopiteco.

guerdon /'gɜːdn/ n. (*poet.*) guiderdone; ricompensa.

to **guerdon** /'gɜːdn/ v. t. (*poet.*) ricompensare.

guerilla /gəˈrɪlə/ → **guerrilla**.

Guernsey /'gɜːnzɪ/ n. **1** (*geogr.*) Guernsey (*isola della Manica*) **2** (*zootecnia*) mucca di Guernsey.

guernsey /'gɜːnzɪ/ n. **1** pesante maglione di lana blu scuro (*un tempo usato dai pescatori*) **2** (*sport Austral.*) maglia da giocatore di football australiano ● (*Austral.*) **to get a g.**, (*sport*) essere scelto da una squadra di football australiano; (*fig.*) avere successo, venire apprezzato.

◆**guerrilla** /gəˈrɪlə/ A n. **1** (*generalm.* **g. warfare**) guerriglia; guerra partigiana **2** guerrigliero; partigiano B a. attr. di, da guerrigliero.

guess /ɡes/ n. **1** congettura; supposizione; tentativo d'indovinare: **Have** (*USA* **take**) **a g.!**, prova a indovinare! **2** cosa indovinata; soluzione di un indovinello **3** ipotesi: **a bad g.**, un'ipotesi errata ● **at a** (**rough**) **g.**, a occhio e croce; a lume di naso (*fam.*) □ **to make a good g.**, azzeccare giusto; cogliere nel segno □ **It's anybody's g.**, impossibile a dirsi; Dio solo lo sa □ **Your g. is as good as mine**, ne so quanto te; non ne ho la minima idea.

◆to **guess** /ɡes/ v. t. e i. **1** congetturare; calcolare (*a un dipresso*); tirare a indovinare; dire: *Can you g. the weight of this trunk?*, sai calcolare il peso di questo baule?; *I would g. she's about forty*, direi che ha circa quarant'anni **2** indovinare; azzeccare; risolvere: **to g. the meaning of a new word**, indovinare il senso di una parola nuova; **to g. a riddle**, risolvere un indovinello **3** (*fam. spec. USA*) credere; ritenere; supporre: *I g. you can make it*, credo che tu possa farcela; *I g. so*, penso (*o* credo) di sì ● **to g. wrong**, non indovinare; sbagliare (*facendo una congettura*) □ (*fam.*) **to get sb. guessing**, mettere una pulce nell'orecchio a q. □ **to keep sb. guessing**, tenere q. sulla corda (*o* sulle spine) □ **G. what?**, indovina un po'?; sai la novità? □ **I've guessed right**, ho indovinato.

guessable /ˈɡesəbl/ a. indovinabile.

guesser /ˈɡesə(r)/ n. **1** chi tira a indovinare; chi fa congetture **2** chi indovina.

guessing /ˈɡesɪŋ/ n. ⓤ il tirare a indovinare ● **g. game**, quiz; gioco d'indovinelli.

guesstimate /ˈɡestɪmət/ n. (*fam.*, contraz. di **guess** *e* **estimate**) stima approssimata; calcolo a occhio e croce.

to **guesstimate** /ˈɡestɪmət/ v. i. (*fam.*, contraz. di **guess** *e* **estimate**) calcolare a occhio e croce (*o* a spanne).

guesswork /ˈɡeswɜːk/ n. ⓤ congetture; ipotesi; lavoro di fantasia; supposizioni ● **by g.**, a lume di naso (*fam.*); a occhio e croce.

◆**guest** /ɡest/ n. **1** ospite; convitato; invitato: **a wedding g.**, un invitato a nozze **2** (*tur.*) cliente, ospite (*d'albergo*); pensionante **3** (*biol.*) inquilino **4** (pl.) (*sport*) (gli) ospiti; (la) squadra ospite ● (*radio*, *TV*) **g. artist**, ospite d'onore □ **g. book**, libro degli ospiti; (*tur.*) registro dei clienti; (*comput.*) → **guestbook** □ **g. editor**, curatore occasionale (*di un numero di rivista o di collana*) □ **g. house** → **guesthouse** □ **g. night**, serata a invito (*per i non soci di un club*) □ **g. of honour**, ospite d'onore □ **g. room**, camera degli ospiti; camera (*di albergo*) □ (*radio*, *TV*) **g. spot**, apparizione come ospite d'onore □ **g. star**, ospite d'onore □ (*cinem.*, *TV*, *mus.*) **g.-starring**, (*nei titoli*) con la partecipazione straordinaria di (*segue il nome*) □ **g. worker**, lavoratore stagionale; lavoratore straniero □ (*fam.*) **Be my g.!**, fai pure!; prego! serviti!

guestbook /ˈɡestbʊk/ (*comput.*) n. guestbook (*i siti su un sito web in cui gli utenti possono lasciare un commento*).

guesthouse /ˈɡesthaʊs/ n. **1** pensione; alberghetto **2** (*USA*) dépendance per ospiti.

Guevarism /gəˈvɑːrɪzəm/ n. ⓤ (*polit.*) guevarismo.

guff /ɡʌf/ n. (*fam.*) **1** balle; bubbole; fandonie; frottole **2** (*USA*) lamentele; lagnanze.

guffaw /ɡəˈfɔː/ n. risata sguaiata (*o* sghignazzata); sghignazzata.

to **guffaw** /ɡəˈfɔː/ v. i. ridere sguaiatamente; sghignazzare.

GUI sigla (*comput.*, **graphical user interface**) interfaccia (utente) grafica.

Guiana /gaɪˈænə/ n. (*geogr.*: *regione*) Guyana; Guayana; Guiana ‖ **Guianese** a. e n. (abitante, nativo) della Guyana.

guidable /ˈɡaɪdəbl/ a. guidabile; governabile; docile.

◆**guidance** /ˈɡaɪdns/ n. ⓤ **1** guida; condotta; direzione; governo **2** norma; principio; regola **3** assistenza; consulenza; orientamento: (*econ.*) **the g. section of the European Agricultural G. and Guarantee Fund**, la sezione orientamento del Fondo Agricolo Europeo di Orientamento e di Garanzia **4** (*aeron.*) guida: **g. system**, sistema di guida aerea.

◆**guide** /ɡaɪd/ n. **1** guida (*anche mil.*); cicerone; guida alpina; manuale, trattato; norma; principio; regola: *He works as a tour g.*, fa la guida (il cicerone) per i turisti ● **a g. to the National Gallery**, una guida (*libro*) della Galleria Nazionale; **a g. to English grammar**, guida allo studio della grammatica inglese; (*mecc.*) **inverted g.**, guida invertita **2** (= **girl g.**) guida; giovane esploratrice **3** (*autom.*, *ecc.*; = **guideboard**) cartello indicatore **4** (pl.) (*mil.*) esploratori **5** (pl.) (*mecc.*) guide **6** (pl.) – **the Guides**, le guide (*nello scoutismo*) **7** (pl.) (*stor.*) – **the Guides**, il reggimento delle Guide (*alla frontiera indiana*) ● (*mecc.*) **g. bearing**, guida □ **g.-book**, guida (turistica) (*libro*) □ **g. dog**, cane guida (*per un non vedente*) □ (*econ.*) **g. price**, prezzo d'orientamento □ **g-rail**, (*ferr.*) terza rotaia; (*edil.*) rotaia di guida □ **g. rope**, fune di sicurezza; (*aeron.*) cavo pilota □ (*tipogr.*) **g. word**, esponente; testatina □ (*mil.*) **right** [**left**] **g.**, guida a destra [a sinistra].

to **guide** /ɡaɪd/ v. t. guidare; condurre; dirigere; governare; regolare: *The usher guided us to our seats*, la maschera ci condusse ai nostri posti; *The Prime Minister is not guiding the country well*, il Primo Ministro non guida bene la nazione ● **to be guided by reason**, farsi guidare dalla ragione □ **guiding principle**, principio informatore □ (*arte*) **guiding stick**, appoggiamano.

guided /ˈɡaɪdɪd/ a. guidato: (*tur.*) **g. tour**, visita guidata ● (*miss.*, *mil.*) **g. missile**, missile teleguidato (*o* telecomandato).

guideless /ˈɡaɪdlɪs/ a. senza guida.

guideline /ˈɡaɪdlaɪn/ n. **1** fune di sicurezza **2** (*tipogr.*) segno di correzione **3** (*fig.*; di solito al pl.) linea guida; linea di condotta; direttiva generale; orientamento: **the guidelines of a programme**, gli orientamenti di un programma **4** (pl.) (*comput.*) linee guida.

guidepost /ˈɡaɪdpəʊst/ n. (*autom.*, *ecc.*) indicatore stradale; palo della segnaletica.

guideway /ˈɡaɪdweɪ/ n. (*mecc.*) guida di scorrimento; scanalatura.

guidon /ˈɡaɪdn/ n. (*anche* **g. flag**) guidone; piccolo stendardo.

guild /ɡɪld/ n. **1** (*stor.*) corporazione (d'arti e mestieri); gilda **2** associazione (*di mutua assistenza*, *ecc.*); consociazione; confraternita.

guilder /ˈɡɪldə(r)/ n. fiorino (*spec.* olandese).

guildhall /ˈɡɪldhɔːl/ n. **1** (*stor.*) palazzo delle corporazioni **2** municipio **3** – **the G.** (*a Londra*), il palazzo municipale della City.

guildsman /ˈɡɪldzmən/ n. (pl. **guildsmen**) (*stor.*) membro d'una corporazione.

guile /ɡaɪl/ n. **1** ⓤ astuzia; furberia; scaltrezza: **the proverbial g. of the fox**, l'astuzia proverbiale della volpe **2** artificio; inganno; stratagemma ‖ **guileful** a. astuto; furbo; scaltro ‖ **guilefulness** n. ⓤ astuzia; furberia; scaltrezza.

guileless /ˈɡaɪllɪs/ a. (*form.*) ingenuo; franco; schietto; semplice | **-ly** avv. | **-ness** n. ⓤ.

guillemot /ˈɡɪlɪmɒt/ n. (*zool.*, *Uria*) uria.

guillotine /ˈɡɪlətiːn/ n. **1** (*stor.*) ghigliottina **2** (*mecc.*, = **g. shears**) cesoia a ghigliottina **3** (*ind. cartaria*) trancia; tagliacarte a ghigliottina **4** (*legatoria*) taglierina **5** (*arti grafiche*) trancia **6** (*med.*) tonsillotomo **7** (*polit.*) passaggio alle votazioni (*su un disegno di legge*) entro un preciso limite di tempo.

a b c d e f g h i j k l m n o p q r s t u v w x y z

g

to **guillotine** /'gɪlətiːn/ (*franc.*) v. t. **1** ghigliottinare **2** (*fig.*) tagliare (*spese*, *ecc.*); eliminare (*sprechi*) **3** (*legatoria*) tagliare con una taglierina **4** (*polit.*) mettere ai voti (*un disegno di legge*; cfr. **guillotine**, *def. 7*).

guilt /gɪlt/ n. ▣ **1** (*anche leg.*) colpa; colpevolezza: *There is no evidence of his g.*, non vi sono prove della sua colpevolezza **2** senso di colpa; rimorso: **to have feelings of g.**, avere sensi di colpa; dare segni di rimorso ● **The g. lies with the politicians**, la colpa è degli uomini politici ‖ **guiltily** avv. colpevolmente; con aria colpevole.

guiltiness n. ▣ colpevolezza; reità.

guiltless /'gɪltləs/ a. **1** incolpevole; senza colpa; innocente **2** digiuno (*fig.*); ignaro; che non conosce | **-ly** avv. | **-ness** n. ▣.

◆**guilty** /'gɪltɪ/ a. **1** (*leg.*) colpevole; reo: **the g. party**, il colpevole; **g. of murder**, colpevole di omicidio; **to be found g.**, essere riconosciuto colpevole; essere condannato; **to plead g. [not g.]**, dichiararsi colpevole [innocente]; **plea of g. [not g.]**, ammissione di colpevolezza [di innocenza] **2** colpevole: **a g. look**, un'aria colpevole; **a g. secret**, un segreto colpevole; **to feel g. (about st.)**, sentirsi in colpa (per qc.); provare un senso di colpa (per qc.); **to have a g. conscience**, avere la coscienza sporca; provare un senso di colpa.

guin. abbr. di → **guinea**①.

guinea① /'gɪnɪ/ n. ghinea (*moneta di conto pari a 21 scellini, non più in corso, ma usata per onorari, ecc.*) ● (*fam.*, *un tempo*) **g. pig**, professionista pagato in ghinee.

guinea② /'gɪnɪ/ n. e a. (*spreg. USA*) italiano; oriundo italiano; guappo.

Guinea /'gɪnɪ/ n. (*geogr.*) Guinea ● (*zool.*) **g. fowl** (*o* **g. hen**) (*Numida meleagris*), faraona ● **g. pig** (*zool.*, *Cavia cobaya*), cavia, porcellino d'India; (*fig.*) cavia: **to be a g. pig**, fare da cavia □ (*zool.*) **g. worm** (*Dracunculus medinensis*), filaria di Medina.

Guinevere /'gwɪnɪvɪə(r)/ n. Ginevra (*nome proprio*).

guipure /giː'pjʊə(r)/ (*franc.*) n. ▣ guipure; merletto da refe.

guise /gaɪz/ n. ▣ **1** guisa; foggia; sembianza: **in the g. of a peasant**, in foggia di (*o* vestito da) contadino **2** apparenza; parvenza; finzione; maschera (*fig.*): **under the g. of goodness**, sotto la maschera della bontà ● **in a different g.**, in guisa diversa □ **in a new g.**, in un modo nuovo.

◆**guitar** /gɪ'tɑː(r)/ (*mus.*) n. chitarra: **electric g.**, chitarra elettrica ‖ **guitarist** n. chitarrista.

guitarfish /gɪ'tɑːfɪʃ/ n. (*zool.*) pesce chitarra.

gulch /gʌltʃ/ n. (*USA*) gola; burrone; forra.

gulden /'gʊldən/ n. (*pl.* **guldens**, **gulden**) fiorino olandese.

gules /gjuːlz/ n. ▣ e a. attr. (*arald.*) (*color*) rosso.

◆**gulf** /gʌlf/ n. **1** golfo: **the G. of Naples**, il Golfo di Napoli; **the G. Stream**, la corrente del Golfo **2** (*anche fig.*) abisso; baratro **3** gorgo; vortice ● (*geogr.*) **the G. States**, gli Stati (o i Paesi) del Golfo (Persico); (*in USA*) gli Stati sul Golfo (del Messico).

to **gulf** /gʌlf/ v. t. inghiottire; ingoiare.

gull① /gʌl/ n. (*zool.*, *Larus*) gabbiano ● (*autom.*: *di uno sportello*) **g.-wing**, che si apre verso l'alto; a farfalla; ala svergolata.

gull② /gʌl/ n. (*lett.*) babbeo; gonzo; semplicione; minchione (*pop.*).

to **gull** /gʌl/ v. t. (*lett.*) gabbare; imbrogliare; ingannare; fare (*o* fregare) fesso ● **to g. sb. in-to doing st.**, far fare qc. a q. con l'inganno ● **to g. sb. out of st.**, portare via qc. a q. con l'inganno; fregare qc. a q. (*pop.*).

gullet /'gʌlət/ n. **1** (*anat.*, *fam.*) gola; eso-

fago; gargarozzo; strozza **2** canale; condotto; fosso di scolo **3** (*zool.*) citofaringe ● (*fig.*) **It sticks in my g.**, mi sta sullo stomaco; non mi va giù (*fig.*).

gullible /'gʌləbl/ a. credulo; credulone; ingenuo; fesso (*fam.*) ● **a g. fellow**, un fesso (*fam.*); un minchione (*pop.*) ‖ **gullibility** n. ▣ credulità; dabbenaggine; minchioneria (*pop.*).

gully /'gʌlɪ/ n. **1** burrone; gola (*fra pareti ripide*); canalone **2** canale; fosso di scolo **3** (*cricket*) difensore (*posizionato tra gli* → *«slips»*, *def. 2*, *e il* → *«point»*, *def. 17*) ● **g.-drain**, fosso di scolo; cunetta □ **g.-hole**, buca di scarico (*dell'acqua piovana*); tombino □ **g. trap**, pozzetto.

to **gully** /'gʌlɪ/ v. t. **1** scavare canali in (*un terreno*) **2** (*dell'acqua*) scavare (*terreno*) per erosione.

gulp /gʌlp/ n. **1** boccata; boccone; sorso; fiato: **to swallow st. in one g.**, inghiottire qc. in un boccone; **to drink st. at a g.**, bere qc. in un sorso (*o* d'un fiato) **2** (*anche fig.*) l'inghiottire; inghiottimento ● **to speak in gulps**, parlare a singulti.

to **gulp** /gʌlp/ Ⓐ v. t. (*spesso* **to g. down**) **1** ingoiare; inghiottire; ingozzare; tracannare; trangugiare; bere con avidità: **to g. (down) a glass of water**, tracannare un bicchier d'acqua **2** trattenere; frenare; soffocare (*fig.*): **to g. down one's anger**, frenare l'ira Ⓑ v. i. **1** trattenere il fiato **2** restare senza fiato: **to g. with surprise**, restare senza fiato per la sorpresa ● (*di un sub*) **to g. air**, respirare; inspirare ● **to g. back one's tears**, inghiottire le lacrime (*o* il pianto).

gum① /gʌm/ n. (generalm. al pl., *anat.*) gengiva ● (*slang USA*) **to beat one's gums**, parlare di continuo (*o* a ruota libera).

gum② /gʌm/ n. **1** ▣ gomma; colla (*per manifesti, ecc.*) **2** ▣ secrezione (*dell'occhio, ecc.*); cispa **3** (= **gumdrop**) caramella gommosa: **a fruit gum**, una caramella alla frutta **4** (= **gum tree**) albero della gomma; eucalipto **5** ▣ (= **chewing gum**) gomma da masticare **6** (pl.) → **gumboots** ● **gum arabic**, gomma arabica □ (*conceria e farm.*) **gum dragon**, (gomma) adragante □ (*ind.*) **gum elastic**, gomma elastica (*caucciù*) □ **gum resin**, gommoresina □ **gum Senegal**, gomma arabica del Senegal □ (*fig. fam.*) **to be up a gum tree**, essere nei guai; trovarsi nei pasticci.

gum③ /gʌm/ n. (*slang antiq.*, *deformazione di* **God**, Dio, usato per es. in:) **by gum!**, perdio!, perbacco!

to **gum** /gʌm/ Ⓐ v. t. **1** ingommare; incollare: **to gum down the flap of an envelope**, ingommare l'orlo d'una busta **2** (*slang USA*) ingannare; truffare; fregare (*pop.*) **3** (*slang USA*) ingoiare; trangugiare Ⓑ v. i. **1** secernere gomma **2** diventare gommoso ● (*fam.*) **to gum up**, rovinare; incasinare (*pop.*): **to gum up the works**, incasinare tutto; fare un casino del diavolo.

gumbo /'gʌmbəʊ/ n. (*pl.* **gumbos**) (*USA*) **1** (*bot.*, *Hibiscus esculentus*) abelmosco **2** ▣ gombo (*l'insieme dei baccelli mucillaginosi dell'abelmosco*) **3** zuppa densa (*di carne o pesce: ispessita con i baccelli dell'abelmosco*).

gumboil /'gʌmbɔɪl/ n. (*med.*) ascesso alle gengive.

gumboots /'gʌmbuːts/ n. pl. stivali di gomma.

gumdrop /'gʌmdrɒp/ n. caramella gommosa.

gumma /'gʌmə/ (*med.*) n. (*pl.* **gummas**, **gummata**) gomma (*ulcera sifilitica*) ‖ **gummatous** a. gommoso: **gummatous abscess**, ascesso gommoso (*sifilitico*).

gummed /gʌmd/ a. gommato: **g. paper**, carta gommata.

gummosis /gʌ'məʊsɪs/ n. ▣ (*bot.*) gommosi.

gummy① /'gʌmɪ/ a. **1** gommoso; appiccicaticcio; viscido **2** (*di etichetta, ecc.*) gommato **3** (*delle caviglie, ecc.*) gonfio; grosso ‖ **gumminess** n. ▣ gommosità.

gummy② /'gʌmɪ/ a. **1** sdentato **2** che mostra le gengive.

gumption /'gʌmpʃn/ n. ▣ (*fam.*) **1** accortezza; buonsenso; senso pratico **2** spirito d'iniziativa; intraprendenza; grinta.

gumshield /'gʌmʃiːld/ n. (*boxe*) paradenti.

gumshoe /'gʌmʃuː/ n. **1** caloscia (*o* soprascarpa) di gomma **2** scarpa da tennis **3** (*slang USA*; = **gumshoer**) agente investigativo; detective; segugio (*fig.*) **4** (*slang USA*) azione furtiva; mossa segreta.

◆**gun** /gʌn/ n. **1** arma da fuoco; bocca da fuoco; pezzo (*d'artiglieria*); cannone; fucile; schioppo; carabina; moschetto: (*naut.*) **field** (*o* **landing**) **gun**, cannone da sbarco **2** revolver; pistola; rivoltella: **smoking gun**, pistola ancora fumante; (*fig.*) indizio di un delitto **3** colpo (*di cannone, ecc.*): **to fire a gun**, sparare un colpo; **a 21-gun salute**, una salva di 21 colpi **4** (= **air gun**) pistola (*o* fucile) ad aria compressa **5** (= **spray gun**) pistola a spruzzo (*per verniciatura, disinfestazione, ecc.*) **6** (= **grease gun**) ingrassatore a spruzzo; ingrassatore; pistola per ingrassaggio **7** (*fam. USA*) sicario; killer; assassino: **a gun for hire**, un assassino prezzolato **8** (*slang USA*) capo; capoccia **9** (*slang USA*) siringa (*per drogati*) ● (*fig.*) **guns and butter**, «burro e cannoni»; uguale peso alle spese militari e a quelle civili □ **gun barrel**, canna (*d'arma da fuoco*) □ (*mil.*) **gun breech**, culatta □ (*mil.*) **gun carriage**, affusto a ruote □ **gun case**, astuccio (*o* fonda) del fucile □ (*in USA*) **gun control**, controlli sulla vendita di armi da fuoco □ **gun-cotton**, cotone fulminante; fulmicotone □ (*naut.*) **gun's crew**, i serventi al pezzo □ (*naut.*) **gun deck**, ponte di batteria □ **gun dog**, cane da penna □ (*mil.*) **gun drill**, esercitazione ai pezzi □ (*fig. fam.*) **gun happy**, che ha la pistola (*o* il fucile) facile □ **gun harpoon**, fiocina scagliata da un cannoncino □ (*mil.*) **gun launcher**, cannone lanciamissili □ **the gun laws**, le leggi sulla detenzione delle armi da fuoco □ (*slang USA*) **gun moll**, ragazza (*o* donna) di un gangster □ (*mil.*) **gun mount**, affusto (*di cannone*) □ **gun pit**, trincea per bocca da fuoco □ **gun room**, (*naut.*) quadrato dei subalterni; (*in una casa*) sala delle armi da fuoco □ (*di un cane, ecc.*) **gun-shy**, che ha paura degli spari □ **gun siege**, presa di ostaggi in una casa privata (*o* in una banca, una scuola, ecc.) (*da parte di banditi che vi si rinserrano*) □ (*mil.*) **gun slide**, slitta di cannone □ **gun smuggler**, contrabbandiere d'armi □ **gun smuggling**, contrabbando d'armi □ (*mil.*) **gun turret**, torretta □ (*del vento*) **to blow great guns**, soffiare fortissimo □ (*fig. fam.*) **big gun**, pezzo grosso; persona importante; alto papavero □ (*fig.*) **to bring up one's big guns**, sparare tutte le proprie cartucce (*fig.*) □ (*fam.*) **to give it the gun**, andare forte; (*autom.*) dare gas; (*fig.*) mettercela tutta, sforzarsi □ (*fam.*) **to go great guns**, andare forte (*fig.*); avere un gran successo □ **to jump the gun**, (*atletica*) scattare prima del segnale (*di partenza*); (*fig.*) essere troppo precipitoso □ (*stor.*, *mil.*) **to spike a gun**, inchiodare un cannone; (*fig.*) **to spike sb.'s guns**, frustrare (*o* mandare all'aria, o a monte) i piani di q. □ (*fig.*) **to stand** (*o* **to stick**) **to one's guns**, tenere duro; non mollare; restare della propria idea; essere irremovibile □ (*USA*) **water gun**, pistola ad acqua.

to **gun** /gʌn/ Ⓐ v. i. **1** andare a caccia (*con il fucile*) **2** (*fam. USA*, *autom.*) andare forte; andare a tutto gas: *The robbers gunned round the bend*, i rapinatori presero la cur-

va a tutto gas **B** v. t. **1** provvedere (q.) di un'arma da fuoco (→ **gun**) **2** sparare su (q.) **3** (*mecc.*) dare gas a (*un'automobile, un motoscafo, ecc.*) ● **to gun down**, abbattere (*o* uccidere) a colpi d'arma da fuoco □ (*autom., ecc.*) **to gun off**, andarsene a tutto gas □ (*fam.*) **to be gunning for**, dare la caccia a (*un ladro, ecc.*); (*fig.*) dare addosso a (*un avversario, un concorrente, ecc.*) □ **to be gunning for a job**, farsi in quattro per ottenere un posto; dare la caccia a un impiego.

gunboat /'gʌnbəʊt/ n. (*mil., naut.*) cannoniera ● (*polit.*) **g. diplomacy**, diplomazia delle cannoniere (*o* del pugno di ferro).

gunfight /'gʌnfaɪt/ n. (*spec. USA*) scontro a fuoco; duello alla pistola ‖ **gunfighter** n. (*fam.*) pistolero ‖ **gunfighting** n. ▣ scontro a fuoco; sparatoria.

gunfire /'gʌnfaɪə(r)/ n. **1** fuoco; sparatoria **2** (*mil.*) cannoneggiamento **3** (*mil. e naut.*) sparo di un colpo di cannone (*come segnale, o al mattino e alla sera*).

gunge /gʌndʒ/ n. ▣ (*slang*) sostanza appiccicosa; roba sporca; porcheria (*pop.*).

gung-ho, **gung ho** /'gʌŋ'həʊ/ a. (*fam. spreg.*) entusiasta; favorevolissimo; tutto per (*fam.*): **to be gung-ho for government intervention**, essere favorevolissimo agli interventi governativi.

gunk /gʌŋk/ (*slang USA*) → **gunge**.

gunless /'gʌnləs/ a. senz'armi da fuoco; disarmato (→ **gun**).

gunlock /'gʌnlɒk/ n. percussore; meccanismo di scatto e percussione (*d'arma da fuoco*).

gunmaker /'gʌnmeɪkə(r)/ n. fabbricante d'armi (*o* di cannoni).

gunman /'gʌnmən/ n. (pl. *gunmen*) **1** bandito; gangster; killer **2** pistolero **3** buon tiratore **4** (*USA*) armaiolo.

gunmetal /'gʌnmetl/ n. ▣ **1** bronzo duro (*o* da cannone) **2** (color) grigio piombo.

gunned /gʌnd/ a. munito (*o* armato) di cannoni ● **a heavily-g. ship**, una nave armata di cannoni pesanti.

gunnel① /'gʌnl/ n. (*zool.*, *Pholis gunnellus*) gunnello; farfalla di mare.

gunnel② /'gʌnl/ → **gunwale**.

gunner /'gʌnə(r)/ n. **1** (*mil.*) artigliere **2** (*naut.*) capo cannoniere **3** (*aeron. mil.*) mitragliere (di bordo) **4** cacciatore **5** (pl.) – **the Gunners** (*calcio*), i giocatori dell'Arsenal (*in GB*) ● (*naut.*) **g.'s mate**, secondo capo cannoniere □ (*fig., stor.*) **to kiss** (*o* **to marry**) **the g.'s daughter**, essere legato al cannone e frustato.

gunnery /'gʌnərɪ/ n. ▣ (*mil.*) **1** artiglieria **2** balistica **3** fuoco d'artiglieria; cannoneggiamento **4** arte di fabbricare cannoni ● (*marina mil.*) **g. officer**, ufficiale (addetto) alle armi □ (*mil., in USA*) **g. sergeant**, sergente maggiore capo (*nell'US Marine Corps*).

gunning /'gʌnɪŋ/ n. ▣ **1** lo sparare; uso delle armi da fuoco **2** caccia (*con il fucile*).

gunny /'gʌnɪ/ n. (*spec. USA*) **1** ▣ tela di juta (*da sacchi*) **2** (= **g. sack**, **g. bag**) sacco (di tela) di juta.

gunplay /'gʌnpleɪ/ n. ▣ **1** scambio di colpi, sparatoria (*per es., fra polizia e banditi*) **2** (abilità nell') uso delle armi da fuoco.

gunpoint /'gʌnpɔɪnt/ n. ▣ bocca d'arma da fuoco (solo nella loc.) **at g.**, sotto tiro; sotto la minaccia di un'arma da fuoco.

gunpowder /'gʌnpaʊdə(r)/ n. ▣ **1** polvere da sparo; polvere pirica **2** tè pregiato in palline, di color verde ● (*stor.*) **the G. Plot**, la Congiura delle Polveri (*5 novembre 1605*).

gunrest /'gʌnrest/ n. piazzola di tiro.

gunrunner /'gʌnrʌnə(r)/ n. contrabbandiere d'armi ‖ **gunrunning** n. ▣ contrabbando d'armi.

gunship /'gʌnʃɪp/ n. **1** (*mil.*) grosso eli-

cottero da combattimento **2** (*slang ingl.*) auto civetta della polizia.

gunshot /'gʌnʃɒt/ n. **1** colpo d'arma da fuoco; sparo **2** portata, gittata (*d'arma da fuoco*): **to be within g.**, essere a portata di fucile; essere a tiro ● **a g. wound**, una ferita d'arma da fuoco □ **to be out of g.**, essere fuori tiro.

gunsight /'gʌnsaɪt/ n. (*mil.*) congegno di mira; (*di fucile*) alzo.

gunslinger /'gʌnslɪŋə(r)/ n. (*fam., spec. USA*) pistolero.

gunsmith /'gʌnsmɪθ/ n. armaiolo.

gunstock /'gʌnstɒk/ n. fusto del fucile.

gunwale /'gʌnl/ n. (*naut.*) **1** parapetto superiore; capodibanda, frisata **2** (*d'imbarcazione piccola*) falchetta.

guppy /'gʌpɪ/ n. (*zool.*, *Lebistes reticulatus*) guppy; pesciolino delle Barbados.

to gurgle /'gɜːgl/ **A** v. i. **1** gorgogliare **2** (*di bambini, ecc.*) borbottare; farfugliare **B** v. t. borbottare; farfugliare.

gurnard /'gɜːnəd/ n. (pl. *gurnard, gurnards*) (*zool.*, *Trigla*) (pesce) cappone; gallinella ● (*zool.*) **yellow g.** (*Trigla lucerna*), cappone imperiale.

gurnet /'gɜːnɪt/ n. (pl. *gurnet, gurnets*) → **gurnard**.

gurney /'gɜːnɪ/ n. (*USA*) barella con ruote (*per ambulanze, ecc.*).

guru /'gʊruː/ n. **1** guru; guida, consigliere spirituale (*fra gli Indù*) **2** guru; abito a casacca **3** (*fig.*) guru; grande esperto; (*polit.*) capo carismatico ● **a g. of economics**, un grande esperto dell'economia **4** (*slang USA*) consulente finanziario **5** (*slang USA*) psicoanalista.

gush /gʌʃ/ n. **1** fiotto; getto; zampillo **2** (*fig.*) effusione; scoppio; accesso; impeto: **a g. of anger**, uno scoppio d'ira **3** ▣ sentimentalismo; smanceria ● **a g. of thanks**, profusi ringraziamenti.

to gush /gʌʃ/ **A** v. i. **1** sgorgare; scaturire; zampillare: **Water was gushing from the hole**, l'acqua zampillava dal foro **2** (*fig.*) effondersi smodatamente; entusiasmarsi troppo **B** v. t. far sgorgare; emettere (*sangue, ecc.*) a fiotti ● (*fig.*) **to g. over**, esaltarsi, dare in smanie, smaniare per (q.).

gusher /'gʌʃə(r)/ n. **1** persona espansiva, che s'entusiasma troppo; tipo esuberante **2** (*ind. petrolifera*) pozzo di petrolio a eruzione spontanea.

gushing /'gʌʃɪŋ/ a. **1** sgorgante; zampillante **2** (*fig.*) espansivo; esuberante; entusiasta; smanceroso | **-ly** avv.

gushy /'gʌʃɪ/ a. espansivo; esuberante; che s'entusiasma facilmente; smanceroso.

gusset /'gʌsɪt/ n. **1** gherone; pezzo di stoffa triangolare (*per rinforzo*) **2** (*edil.*) fazzoletto d'unione (*d'intelaiatura metallica*) **3** (*ferr.*) raccordo a gomito **4** (*ind. min.*) apertura (*o* volata) a cuneo ● (*ind. costr.*) **g. plate**, piastra nodale di testa.

gussied up /'gʌsɪd'ʌp/ a. (*slang USA*) **1** vestito a festa **2** addobbato.

to gussy up /'gʌsɪ'ʌp/ v. t. (*slang USA*) **1** vestire a festa **2** addobbare.

gust① /gʌst/ n. **1** colpo, folata, raffica (di vento) **2** scroscio: **a g. of rain**, uno scroscio di pioggia **3** effusione di fumo; scoppio d'incendio; fiammata improvvisa **4** (*fig.*) accesso; scoppio; impeto: **gusts of rage**, scoppi di furore.

gust② /gʌst/ n. (*poet.*) **1** gusto; senso del gusto **2** aroma; sapore.

gustation /gʌs'teɪʃn/ n. ▣ **1** (*fisiol.*) gusto **2** (*raro*) degustazione.

gustative /'gʌstətɪv/, **gustatory** /'gʌstətrɪ/ a. gustativo.

gusto /'gʌstəʊ/ (*spagn.*) n. (pl. *gustoes*) **1** (*arc.*) gusto; sapore **2** slancio; fervore; entusiasmo **3** gusto; godimento; piacere.

gusty /'gʌstɪ/ a. **1** burrascoso; ventosissimo; tempestoso; che soffia a raffiche: **a g. day**, una giornata ventosissima **2** pieno di fervore (*o* di slancio); entusiasta.

gut /gʌt/ **A** n. **1** (spesso pl.) budella; intestino **2** (pl.) (*fig.*) sostanza, succo: *Let's get down to the guts of the matter*, veniamo al succo della faccenda!; **3** (pl.) ▣ (*fig.*) coraggio; determinazione; risolutezza; grinta; fegato (*fig.*): **to have the guts to do st.**, avere il fegato di fare qc.; sentirsela di fare qc. **4** ▣ (= **catgut**) budello; minugia; catgut **5** (*naut.*) gola; stretto **6** (pl.) (*fig.*) frattaglie (*fig.*); ingranaggi, parti meccaniche: **the guts of a car**, gli ingranaggi di un'automobile **7** budello (*fig.*); canale; strettoia **8** (*slang spreg.*) pancione **9** (*slang USA*) cosa facilissima **B** a. attr. (*fig.*) emotivo; istintivo; profondamente sentito; che viene dal di dentro ● **gut feeling**, sentimento istintivo □ **gut reaction**, reazione istintiva □ **gut-scraper**, strimpellatore di violino □ **gut-wrenching**, sconvolgente; angoscioso □ (*fam. USA*) **to bust a gut**, fare l'impossibile; fare i salti mortali (*fig.*); mettercela tutta □ (*fig.*) **to feel st. in one's guts**, sentirsi qc. nelle viscere □ (*slang*) **to hate sb.'s guts**, non poter soffrire q.; avere q. sullo stomaco (*fam.*) □ (*fam. USA*) **to spill one's guts**, vuotare il sacco (*fig.*); confessare; mettere tutto in piazza □ **to sweat** (*o* **to work**) **one's guts out**, lavorare come un mulo; darci dentro (*fam.*) □ (*fig. fam.*) **to turn sb.'s guts out**, far rivoltare lo stomaco a q.

to gut /gʌt/ v. t. **1** eviscerare; sbudellare; sventrare; pulire (*per cuocere*): **to gut a fowl**, sventrare un pollo; **to gut a fish**, pulire un pesce **2** distruggere; sventrare: **a house gutted by fire**, una casa sventrata dal fuoco **3** estrarre il succo (*o* l'essenza) di (*un libro*).

gutless /'gʌtləs/ a. (*fam.*) pauroso; vigliacco; senza fegato (*fig.*).

gutrot /'gʌtrɒt/ n. ▣ (*fam.*) mal di stomaco; mal di pancia.

guts /gʌts/ n. pl. → **gut**.

gutsy /'gʌtsɪ/ a. (*fam.*) **1** ghiotto; goloso **2** coraggioso; che ha fegato; grintoso: **a g. fighter**, un pugile grintoso **3** (*di un cantante, ecc.*) che parla al cuore del pubblico; che affascina.

gutta① /'gʌtə/ n. (pl. *guttas, guttae*) (*archit., farm.*) goccia.

gutta② /'gʌtə/ → **gutta-percha**.

gutta-percha /ˌgʌtə'pɜːtʃə/ n. ▣ (*chim.*) guttaperca.

guttate /'gʌteɪt/, **guttated** /'gʌteɪtɪd/ a. (*scient.*) a forma di goccia.

guttation /gʌ'teɪʃn/ n. ▣ (*bot.*) guttazione.

gutter /'gʌtə(r)/ n. **1** (*edil.*) grondaia; doccia **2** cunetta; fossetto di scolo; zanella **3** (*fig.*) fogna; fango; marciapiede (*fig.*): **language** [**manners**] **of the g.**, linguaggio [maniere] da marciapiede (*o* da trivio) **4** canaletta di scolo; rigagnolo **5** (*metall.*) gola di bavatura **6** (*ind. min.*) canaletto di drenaggio **7** (*tipogr.*) margine interno ● (*fam. spreg.*) **g. child**, ragazzo di strada; monello; scugnizzo □ **g. press**, stampa scandalistica, d'infimo ordine □ (*fig.*) **to rise from the g.**, venire dal nulla; essere di bassi natali.

to gutter /'gʌtə(r)/ **A** v. i. **1** (*d'una candela*) colare; sgocciolare **2** (*di luce*) brillare fiocamente **B** v. t. (*edil.*) provvedere (*una casa*) di grondaie (*o* di docce) **2** provvedere (*una strada*) di cunette.

guttering /'gʌtərɪŋ/ n. ▣ (*edil.*) **1** messa in opera delle grondaie **2** convogliamento delle acque piovane **3** (collett.) fognature; scarichi ● **g. services**, manutenzione degli

scarichi.

guttersnipe /'gʌtəsnaɪp/ n. (*fam. spreg. antiq.*) ragazzo di strada; monello; scugnizzo.

guttural /'gʌtərəl/ **A** a. (*anat.*, *fon.*) gutturale: **g. consonants**, consonanti gutturali **B** n. (*fon.*) suono gutturale ‖ **gutturalism** n. ▣ gutturalismo ‖ **gutturally** avv. gutturalmente ‖ **gutturalness** n. ▣ l'essere gutturale.

to **gutturalize** /'gʌtərəlaɪz/ v. t. **1** (*fon.*) rendere gutturale **2** pronunciare (*un suono*) con tono gutturale ‖ **gutturalization** n. ▣ (*fon.*) gutturalizzazione.

guv /gʌv/, **guvnor** /'gʌvnə(r)/ n. (*slang ingl.*) capo (anche al vocat.); padrone.

guy① /gaɪ/ n. (= **guy rope**) **1** cavo (o catena, tirante) di ritegno; vento **2** (*naut.*) bozza; cavo di ritenuta; strallo; tirante.

◆**guy**② /gaɪ/ n. **1** (*fam.*) uomo; individuo; tipo; tizio **2** (*GB*) fantoccio, pupazzo (*spec. di Guy Fawkes:* → **Guy**) **3** (al pl.) – (*fam.*) the guys, gli amici; i ragazzi: *The guys are waiting for me*, gli amici mi aspettano **4** (al pl.) (*fam.*) gente; ragazzi: *See you tonight, guys*, ci vediamo stasera, gente! ● **the bad guys**, i cattivi ● **the good guys**, i buoni ● **a regular guy**, un tipo in gamba; un bravo ragazzo.

to **guy**① /gaɪ/ v. t. (*naut.*) assicurare (o fissare) con tiranti; strallare.

to **guy**② /gaɪ/ v. t. **1** mostrare in effigie; caricaturare **2** canzonare; mettere in ridicolo; prendere in giro.

Guy /gaɪ/ n. Guido ● (*in GB*) **Guy Fawkes Night**, la Notte di Guy Fawkes ● **CULTURA** • **Guy Fawkes Night**: *è la festa detta anche* Bonfire Night *(Notte dei falò) che si celebra la sera del 5 novembre in ricordo del fallito tentativo di far saltare in aria il parlamento nel 1605 (il cosiddetto* → «Gunpowder Plot», → **gunpowder**). *Ci sono fuochi artificiali e si accende un falò sul quale viene bruciato un fantoccio di stracci, paglia e carta, il cosiddetto* guy, *che rappresenta Guy Fawkes, uno dei cospiratori, il cui arresto permise di sventare l'attentato; ma oggi, in realtà, il fantoccio può rappresentare anche un personaggio politico impopolare del momento.*

guyot /'giːəʊ/ n. (*geogr.*) guyot.

to **guzzle** /'gʌzl/ **A** v. i. darsi ai bagordi; gozzovigliare **B** v. t. **1** ingozzare; trangugiare **2** tracannare; trincare ● **to g. away one's money**, sperperare denaro in gozzoviglie ‖ **guzzler** n. **1** beone, beona; crapulone, crapulona **2** scialacquatore, scialacquatrice; sperperatore, sperperatrice.

Gwendolen, **Gwendolyn** /'ɡwɛndəlɪn/ n. Guendalina.

gwyniad /'ɡwɪnɪæd/ n. (*zool.*, *Coregonus pennantii*) coregone (*pesce simile al salmone*).

gybe /dʒaɪb/ n. (*naut.*) **1** mura **2** → **gybing**.

to **gybe** /dʒaɪb/ **A** v. i. (*naut.*) **1** (*di vela di taglio o d'asta di fiocco*) girare; fare la volta; strambare **2** (*di nave o equipaggio*) tomare; mutar rotta, facendo girare la vela di taglio **B** v. t. **1** far strambare (*la vela di taglio*) **2** far virare (*una nave*).

gybing /'dʒaɪbɪŋ/ n. (*naut.*) **1** il girare (*della vela di taglio*) **2** abbattuta; strambata.

gym /dʒɪm/ n. (*fam.*) **1** (abbr. di **gymnasium**) palestra **2** ▣ (abbr. di **gymnastics**) ginnastica ● **gym shoes**, scarpe da ginnastica.

gymkhana /dʒɪm'kɑːnə/ n. (*sport*) **1** (*autom.*, *ecc.*) gimcana **2** (*equit.*) gara di vari sport equestri.

gymnasium (*def. 1* /dʒɪm'neɪzɪəm/, *def. 2 e 3* /ɡɪm'nɑːzɪəm/) n. (pl. **gymnasiums**, **gymnasia**) **1** palestra **2** ginnasio (*in Europa continentale*) **3** (*stor. greca*) ginnasio ‖ **gymnasial** a. **1** ginnastico; ginnico **2** ginnasiale, liceale (*in Europa continentale*).

gymnast /'dʒɪmnæst/ n. ginnasta.

gymnastic /dʒɪm'næstɪk/ a. ginnastico; ginnico: **g. apparatus** (o **equipment**), attrezzi ginnici; **g. display**, saggio ginnico.

gymnastics /dʒɪm'næstɪks/ n. pl. **1** esercizi ginnici **2** (col verbo al sing., *anche fig.*) ginnastica ● **mental g.**, ginnastica mentale.

gymnosperm /'dʒɪmnəspɜːm/ (*bot.*) n. (*Gymnospermae*) gimnosperma ‖ **gymnospermous** a. delle gimnosperme.

gymnotus /dʒɪm'nəʊtəs/ n. (*zool.*, *Gymnotus*) gimnoto.

gymslip /'dʒɪmslɪp/ n. **1** (*un tempo*) tunica per la ginnastica (*per ragazze*) **2** (*ora*) grembiule senza maniche (*portato a scuola*).

gynaeceum /ɡaɪniː'sɪəm/ n. (pl. **gynaeceums**, **gynaecea**) (*stor.*, *bot.*) gineceo.

gynaecocracy, (*USA*) **gynecocracy** /ɡaɪnɪ'kɒkrəsɪ/ n. ▣ ginecocrazia; matriarcato.

gynaecology, (*USA*) **gynecology** /ɡaɪnɪ'kɒlədʒɪ/ (*med.*) n. ▣ ginecologia ‖ **gynaecological**, (*USA*) **gynecological**, **gynaecologic**, (*USA*) **gynecologic** a. ginecologico ‖ **gynaecologist**, (*USA*) **gynecologist** n. ginecologo, ginecologa.

gynecomastia, **gynaecomastia** /ɡaɪnəkə'mæstɪə/ n. ▣ (*med.*) ginecomastia.

gynoecium /ɡaɪni'iːsɪəm/ n. (pl. **gynoecia**) (*bot.*) gineceo.

gyp /dʒɪp/ n. **1** domestico di college (*a Cambridge e Durham*) **2** (*fam.*) imbroglio; truffa **3** (*fam. USA*) imbroglione; truffatore ● (*slang USA*) **gyp joint**, bottega (o azienda) che frega i clienti ● (*pop. ingl.*) **to give gyp**, far male: *My head is giving me gyp*, mi fa male la testa.

to **gyp** /dʒɪp/ v. t. (*fam.*) imbrogliare; truffare.

gypsum /'dʒɪpsəm/ (*miner.*) n. ▣ gesso (*solfato di calcio idrato*); pietra da gesso ● **g. quarry**, cava di gesso; gessaia ‖ **gypseous** a. gessoso; simile al gesso ‖ **gypsiferous** a. gessoso; contenente gesso.

gypsy① /'dʒɪpsɪ/ **A** n. **1** zingaro, zingara **2** ▣ zingaresco; zingarico; lingua degli zingari **3** (*fig.*) vagabondo **B** a. attr. zingaro; di (o da) zingaro; gitano: **a g. caravan**, una carovana (o un carrozzone) di zingari ● **g. bonnet**, cappello a larghe falde ● (*ind. min.*) **g. winch**, argano a mano ‖ **gypsyism** n. ▣ natura di (o qualità dell'esser) zingaro.

gypsy② /'dʒɪpsɪ/ n. **1** (*slang ingl.*) ballerina di fila **2** (*fam. USA*) camionista in proprio; padroncino (*fam.*) ● (*USA*) **g. cab**, taxi sprovvisto di regolare licenza; radiotaxi.

gyrate /'dʒaɪərət/ a. (*bot.*) circinato.

to **gyrate** /'dʒaɪə'rət/ v. i. girare; roteare; turbinare; volteggiare ‖ **gyration** n. ▣ movimento in tondo; rotazione; volteggiamento.

gyratory /'dʒaɪə'reɪtrɪ/ a. rotativo: (*mecc.*) **g. breaker** (o **g. crusher**), frantoio rotativo.

gyre /'dʒaɪə(r)/ n. **1** (*poet.*) giro; cerchio **2** = **gyration** → **to gyrate**.

gyrfalcon /'dʒaɪ'fɔːlkən/ → **gerfalcon**.

gyro /'dʒaɪ(ə)rəʊ/ n. (pl. **gyros**) (*fam.*) **1** (*aeron.*) autogiro **2** giroscopio **3** (*fis.*, *naut.*) bussola giroscopica; girobussola ● **g. wheel**, rotore del giroscopio.

gyrocompass /'dʒaɪ(ə)rəʊkʌmpəs/ n. (*fis.*, *naut.*) girobussola; bussola giroscopica.

gyrocopter /'dʒaɪ(ə)rəʊkɒptə(r)/ n. (*aeron.*) aereo (con elica convenzionale ma dotato d'ala rotante).

gyromagnetic /dʒaɪ(ə)rəʊmæɡ'nɛtɪk/ a. (*fis.*) giromagnetico: **g. ratio**, rapporto giromagnetico.

gyropilot /'dʒaɪ(ə)rəʊpaɪlət/ n. (*aeron.*, *naut.*) pilota automatico; giropilota.

gyroplane /'dʒaɪ(ə)rəʊpleɪn/ n. (*aeron.*) autogiro.

gyroscope /'dʒaɪ(ə)rəskəʊp/ n. giroscopio ‖ **gyroscopic** a. giroscopico.

gyrostabilizer /dʒaɪ(ə)rəʊ'steɪbəlaɪzə(r)/ n. (*aeron.*, *naut.*) girostabilizzatore.

h, H

H ①, **h** /eɪtʃ/ n. (pl. **H's**, **h's**; **Hs**, **hs**) H, h (*ottava lettera dell'alfabeto ingl.*): **to drop one's h's** (**aitches**), non pronunciare l'acca (*caratteristica della pronuncia «cockney» di Londra*) ● **h for Hotel**, h come hotel □ (*mil.*) **H-hour**, ora X □ (*edil.*) **H-iron** (*o* **H-beam**), (trave di) ferro a doppia T.

H ② sigla **1** (*fam.*, **heroin**) eroina **2** (**hospital**) ospedale **3** (**hot**) (*sui rubinetti*) caldo **4** (**hydrant**) idrante ● **H-bomb** (*mil.*, = **hydrogen bomb**), bomba H, bomba all'idrogeno.

h. abbr. **1** (**heat**) calore; caldo **2** (**height**) altezza **3** (**high**) alto **4** (**horse**) cavallo **5** (**hour**) ora (*sessanta minuti*) **6** (**hundred**) cento **7** (**husband**) marito **8** (**harbour**) porto.

ha ① /hɑː/ inter. (*di sorpresa, gioia, meraviglia, trionfo, ecc.*) ah!

ha ②, **to ha** /hɑː/ → **hum** ①, **to hum**.

haaf /hɑːf/ n. ⓤ (*geogr.*) zona di pesca in acque profonde (*al largo delle Shetland e delle Orkney*).

haar /hɑː(r)/ n. ⓤ (*GB, dial.*) nebbia marina fredda.

habeas corpus /ˈheɪbɪəsˈkɔːpəs/ loc. n. ⓤ (*leg.*) **1** (= **writ of habeas corpus**) mandato di comparizione (*dell'arrestato*) di fronte al magistrato (*che decide della legalità dell'arresto*) **2** (*per estens.*) diritto a fare istanza di tale mandato; habeas corpus ⓘ **CULTURA** • **habeas corpus**: *nella* **common law** *è una procedura che garantisce il cittadino dalla detenzione arbitraria imponendo all'autorità di giustificare l'arresto davanti al giudice. Significa alla lettera: «che tu abbia il corpo» (dell'arrestato davanti al giudice).*

haberdasher /ˈhæbədæʃə(r)/ n. **1** (*GB*) merciaio, merciaia **2** (*USA*) chi vende articoli di abbigliamento maschile; confezionista.

haberdashery /ˈhæbədæʃərɪ/ n. **1** (*GB*) merceria (*il negozio*) **2** ⓤ (*GB*) articoli di merceria; mercerie **3** (*USA*) negozio d'abbigliamento **4** ⓤ (*USA*) articoli di abbigliamento maschile (*cappelli, camicie, cravatte, guanti, ecc.*).

habergeon /ˈhæbədʒən/ n. (*stor.*) usbergo.

habiliment /həˈbɪlɪmənt/ n. **1** (*raro*) abbigliamento; vestiario **2** (pl.) abiti, vestiti (*spec. da cerimonia o da parata*).

♦**habit** /ˈhæbɪt/ n. **1** ⓒ abitudine; vezzo: *Smoking is a bad h.*, il fumo è una brutta abitudine; **eating habits**, abitudini alimentari; *He has an irritating h. of repeating every question*, ha il vezzo irritante di ripetere ogni domanda; **to be in the h.** (*o to have the h.*) **of**, avere l'abitudine di; essere abituato a; **to break the h. of doing st.**, smettere l'abitudine (*o rinunciare all'abitudine*) di fare qc.; **to do st. out of** (*o from*) **h.**, fare qc. per abitudine; **to get** (*o to fall*) **into the h. of**, prendere l'abitudine di; abituarsi a; *OK, you can leave at five, but don't make a h. of it*, d'accordo, puoi uscire alle cinque, ma che non diventi un'abitudine **2** ⓒ cattiva abitudine; assuefazione; vizio; (*fam.*) dipendenza (da droga): (*anche med.*) **h.-forming**, che dà assuefazione; **to have a cocaine h.**,

essere cocainomane; (*fam.*) **to kick the h.**, liberarsi dal vizio; smettere (*di fumare, bere ecc.*) **3** ⓤ (*scient.*) abito; habitus: (*miner.*) **crystal h.**, abito (*o habitus*) cristallino **4** (*raro*) costituzione (fisica e mentale); carattere; temperamento **5** (*relig.*) abito; saio; tonaca: **a monk's h.**, un abito da monaco **6** (= **riding h.**) costume da amazzone ● **h. of mind**, mentalità; modo di pensare; atteggiamento mentale □ **h. of thought** = **h. of mind** → *sopra* □ **to be a creature of h.**, essere un abitudinario □ (*prov.*) **H. is second nature**, l'abitudine è una seconda natura □ (*prov.*) **Old habits die hard**, le vecchie abitudini sono dure a morire.

to habit /ˈhæbɪt/ v. t. **1** (*raro*) abbigliare; vestire (*di solito, al passivo*) **2** (*arc.*) abitare.

habitable /ˈhæbɪtəbl/ a. abitabile ‖ **habitableness, habitability** n. ⓤ abitabilità.

habitant (*def. 1* /ˈhæbɪtənt/, *def. 2* /ˈhæbɪtɒ̃/) n. **1** (*arc.*) abitante **2** canadese d'origine francese.

habitat /ˈhæbɪtæt/ n. **1** (*zool., bot.*) habitat **2** (*fig.*) domicilio.

habitation /hæbɪˈteɪʃn/ n. **1** ⓤ (*form.*) l'abitare; abitazione: *These buildings are unfit for human h.*, questi edifici non sono adatti ad uso di abitazione **2** (*lett.*) abitazione; dimora.

habitual /həˈbɪtʃuəl/ a. **1** abituale; consueto; ordinario; solito: **to sit down in one's h. armchair**, sedersi sulla solita poltrona; **2** dedito (*a*), abituale; inveterato: **a h. coffee drinker**, uno dedito al caffè; un gran bevitore di caffè; **a h. drinker**, un bevitore abituale (*o impenitente*); (*leg.*) **h. criminal**, delinquente abituale; pregiudicato; recidivo | **-ly** avv. | **-ness** n. ⓤ.

to habituate /həˈbɪtʃueɪt/ v. t. abituare; assuefare (*anche med.*); avvezzare ● **to h. oneself**, abituarsi; assuefarsi □ **to be habituated (to)**, essere avvezzo (a); **to become habituated (to)**, avvezzarsi, abituarsi (a).

habituation /həbɪtʃuˈeɪʃn/ n. ⓤ l'abituarsi; assuefazione (*anche med.*).

habitude /ˈhæbɪtjuːd, USA -tuːd/ n. **1** abitudine; consuetudine; costumanza; usanza **2** (*raro*) costituzione (*fisica o mentale*); carattere; temperamento.

habitué /həˈbɪtʃueɪ/ (*franc.*) n. frequentatore abituale, cliente assiduo (*di un locale, ecc.*).

hachure /hæˈʃuə(r)/ → **hatching** ②.

hacienda /hæsɪˈendə/ (*spagn.*) n. **1** ranch; grande fattoria **2** casa principale di un ranch.

hack ① /hæk/ n. **1** (colpo di) taglio; fendente **2** (*sport*) calcio (*dato a un avversario*) **3** zappa; marra; piccone da minatore **4** (*fam., comput.*) impresa di pirateria informatica **5** (*fam., comput.*) modifica (*spec. abusiva*) al codice di un programma **6** (*fam.*) tentativo; prova: **to have a h. at st.**, provarsi a fare qc.; cimentarsi in qc. **7** (*arc.*) ferita da taglio **8** (*fam.*) tosse secca e stizzosa.

hack ② /hæk/ Ⓐ n. **1** (*spreg.*) scribacchino; pennaiolo; pennivendolo; giornalista prezzolato **2** (*giorn.*) giornalista; cronista; reporter (*che fa un lavoro di routine*) **3** (*fam.*) travet; (*polit.*) piccolo burocrate di partito **4**

cavallo da sella **5** vecchio ronzino; rozza **6** (*fam. USA*) taxi **7** (*fam. USA*) tassista **8** (*comput.*) incursione illegale (*in un sistema informatico*); atto di pirateria informatica Ⓑ **a.** (*fam.*) **1** (*di scrittore o giornalista*) che che non si cura della qualità; che lavora solo per i soldi; di serie B: **h. scriptwriter**, soggettista cinematografico di serie B **2** (*di giornalismo o attività di scrittore*) fatto come routine o per i soldi; poco originale; di serie B; di bassa lega; di bassa cucina (*giorn.*) ● (*fam.*) **a h. work**, un lavoro di bassa lega; un lavoro fatto con i piedi □ **h. work** → **hackwork**.

hack ③ /hæk/ n. **1** (*falconeria*) tavoletta su cui si mette la carne per il falco **2** rastrelliera (*per fieno, per seccare formaggio, pesce, ecc.*) **3** struttura per essiccare mattoni ● (*di un falco*) **to be kept at h.**, essere tenuto in semilibertà.

to hack ① /hæk/ Ⓐ v. t. **1** tagliare (*con colpi violenti*); menare fendenti a; fare a pezzi: **to h. to death**, uccidere a fendenti; massacrare; **to h. to pieces**, fare a pezzi (*fig.*) stroncare, demolire; **to h. one's way** (*o a path*) **through** (*o into*) **st.**, aprirsi un varco in qc. (*a colpi d'ascia, machete, ecc.*) **2** (*fig. fam.*) tagliare; eliminare **3** fare tacche su; intaccare **4** (*sport*) dare un potente calcio a; calciare con violenza **5** (*fam.*) riuscire a fare; cavarsela con: *I can't h. this job*, non ce la faccio a fare questo lavoro; **to h. it**, farcela; cavarsela; (*anche*) resistere, tirare avanti **6** (*fam., comput.*) inserirsi abusivamente in (*un sistema informatico*); penetrare in **7** (*fam., comput.*) modificare abusivamente (*un programma o parte di esso*); ottenere abusivamente (*dati*); piratare Ⓑ v. i. **1** menare fendenti; tagliare; aprire squarci (in qc.): **to h. into st.**, spaccare, squarciare qc. **2** (*fam., comput.*) smanettare con abilità **3** (*fam., comput.*) – **to h. into**, fare incursione in, forzare (*un sistema informatico*) in maniera illegale **4** – **to h. at**, menare colpi (*con un'ascia, ecc.*) a; menare fendenti a; tagliare, spaccare (*con una scure, ecc.*): **to h. (away) at**, menare colpi d'ascia a un albero.

■ **hack around** v. i. + avv. (*fam. USA*) bighellonare; ciondolare.

■ **hack away** Ⓐ v. t. + avv. tagliare, spaccare (*con una scure, ecc.*) Ⓑ v. i. + avv. **1** menare colpi (*di scure, ecc.*); menare fendenti **2** – **to h. away at** → **to hack**, B *def. 3* **3** – **to h. away at**, tagliare drasticamente (*spese, ecc.*).

■ **hack down** v. t. + avv. **1** abbattere (*a colpi di scure, ecc.*) **2** (*sport*) mettere a terra, atterrare.

■ **hack off** v. t. + avv. **1** tagliare, troncare (*un ramo, ecc.*); mozzare **2** (*slang*) dare ai nervi; fare imbestialire.

■ **hack out** v. t. + avv. **1** aprire, creare (*un varco, ecc.: con una scure, ecc.*) **2** (*fig. fam.*) escogitare; inventare; trovare (*con grande sforzo*).

■ **hack up** v. t. + avv. fare a pezzi, spaccare.

to hack ② /hæk/ v. i. **1** andare a cavallo (*per diletto o esercizio*) **2** (*fam. USA*) guidare un taxi; fare il tassista.

hackamore /ˈhækəmɔː(r)/ n. (*USA*) cavezza.

hackberry /ˈhækbərɪ/ n. **1** (*bot.*) qualsia-

si albero del genere Celtide **2** (*bot.*, *Celtis occidentalis*) olmo della Virginia **3** ⓤ legno (*o frutto*) dell'olmo della Virginia.

hacked off /ˈhækt'ɒf/, (*USA*) **hacked** /hækt/ a. (*fam.*) seccato; scocciato; irritato.

hacker /ˈhækə(r)/ n. hacker; pirata informatico.

hackette /hæˈkɛt/ n. (*fam.*, *spreg.*) giornalista (*donna*).

hackie /ˈhækɪ/ n. (*fam. USA*) **1** taxi **2** tassista.

hacking /ˈhækɪŋ/ n. ⓤ pirateria informatica.

hacking cough /ˈhækɪŋkɒf/ loc. n. tosse secca.

hacking jacket /ˈhækɪŋ 'dʒækɪt/ loc. n. giacca da equitazione (*con spacchi laterali o sul dorso*).

hackle /ˈhækl/ n. **1** (*ind. tess.*) pettine (*per canapa o lino*); scotola **2** piumaggio lungo del collo (*di gallo, piccione, ecc.*) **3** (al pl.) peli del collo, della schiena (*di persona, cane, gatto, ecc.*): (*fig. fam.*) **to make sb.'s hackles rise** (*o* **to raise sb.'s hackles**), fare arrabbiare q., far saltare la mosca al naso a q., far imbestialire q.; *As I read his letter, I felt my hackles rise*, mentre leggevo la sua lettera sentivo crescere in me la rabbia **4** (*pesca*, = **h. fly**) mosca artificiale, provvista di piume.

to **hackle** ① /ˈhækl/ v. t. **1** (*ind. tess.*) pettinare (*canapa, lino*) **2** (*pesca*) mettere le penne a (*una mosca artificiale*).

to **hackle** ② /ˈhækl/ v. t. (*raro*) tagliare; spaccare; fare a pezzi.

hackler /ˈhæklə(r)/ n. (*ind. tess.*) pettinatore; scotolatore.

hackling /ˈhæklɪŋ/ n. ⓤ (*ind. tess.*) pettinatura, scapecchiatura, scotolatura (*della canapa, del lino, ecc.*).

hackly /ˈhæklɪ/ a. tagliuzzato; seghettato; dentellato.

hackmatack /ˈhækmətæk/ n. (*bot.*, *Larix laricina*) larice americano.

hackney /ˈhæknɪ/ n. **1** cavallo da nolo; cavallo da tiro o da sella **2** (*fig.*) persona pagata per fare un lavoro ingrato, faticoso ● (*form.*) **h. cab**, taxi □ **h. carriage**, (*arc.*) vettura (a cavalli) da nolo; (*form.*) taxi.

to **hackney** /ˈhæknɪ/ v. t. **1** dare a nolo (*cavalli, ecc.*) **2** rendere comune, trito (*per eccesso d'uso*).

hackneyed /ˈhæknɪd/ a. comune; trito; vieto: **a h. phrase**, un'espressione trita (*o* una frase fatta).

hack'n'slash, **hack-and-slash** /ˈhækən-'slæʃ/ n. (*di film, videogioco, ecc.*) violento; pieno di azione violenta.

hacksaw /ˈhæksɔ:/ n. seghetto da ferro; sega per metalli.

hacktivism /ˈhæktɪvɪzəm/ (*Internet*) n. ⓤ pirateria informatica con scopi politici ‖ **hacktivist** n. hacker che agisce per scopi politici.

hackwork /ˈhækwɜ:k/ n. ⓤ **1** lavoro intellettuale fatto per routine o per i soldi **2** lavoro mototono, di scarsa soddisfazione.

♦**had** /hæd, həd/ pass. e p. p. di **to have** ● (*fam.*) **to be had**, farsi imbrogliare; farsi fregare: *I've been had!*, mi sono fatto fregare!

haddock /ˈhædək/ n. (pl. **haddock**, **haddocks**) (*zool.*, *Gadus aeglefinus*) eglefino ● (*cucina*) **h. chowder**, zuppa di eglefino.

Hades /ˈheɪdi:z/ n. (*mitol.*) Ade; Averno; Inferi.

hadith /hæˈdɪθ/ n. (*relig. islamica*) hadith.

♦**hadn't** /ˈhædnt/ -dn/ contraz. di **had not**.

Hadrian /ˈheɪdrɪən/ n. (*stor.*) Adriano ● (*stor.*) **H.'s Wall**, il vallo di Adriano.

hadron /ˈheɪdrɒn/ n. (*fis. nucl.*) adrone.

hadst /hædst, həds(t)/ (*arc.*) 2ª pers. sing. del pass. indic. di **to have**.

haecceity /hɛkˈsi:ətɪ/ n. ⓤ (*filos.*) individualità; ecceità.

haem, (*USA*) **heme** /hi:m/ n. ⓤ (*biol.*) eme.

haemal, (*USA*) **hemal** /ˈhi:ml/ a. (*anat.*) **1** emale; ematico **2** cardiovascolare.

haemarthrosis, (*USA*) **hemarthrosis** /hi:mɑ:'θrəʊsɪs/ n. ⓤⓒ (*med.*) emartro.

haematic, (*USA*) **hematic** /hɪˈmætɪk/ Ⓐ a. **1** (*biol.*, *med.*) ematico; del sangue **2** (*farm.*) antianemico Ⓑ n. (*farm.*) farmaco antianemico.

haematin, (*USA*) **hematin** /ˈhi:mətɪn/ (*biochim.*) n. ⓤ ematina ‖ **haematinic**, (*USA*) **hematinic** a. ematinico.

haematite, (*USA*) **hematite** /ˈhi:mətaɪt/ n. ⓤ (*miner.*) ematite.

haematocele, (*USA*) **hematocele** /ˈhi:mətəsi:l/ n. (*med.*) ematocele.

haematocrit, (*USA*) **hematocrit** /ˈhi:mətəkrɪt/ n. (*biol.*, *med.*) ematocrito.

haematogenous, (*USA*) **hematogenous** /hi:məˈtɒdʒənəs/ a. (*biol.*) ematogeno.

haematology, (*USA*) **hematology** /hi:məˈtɒlədʒɪ/ (*med.*) n. ⓤ ematologia ‖ **haematologic**, (*USA*) **hematologic** a. ematologico ‖ **haematologist**, (*USA*) **hematologist** n. ematologo.

haematoma, (*USA*) **hematoma** /hi:mə-ˈtəʊmə/ n. (pl. **haematomas**, **haematomata**) (*med.*) ematoma.

haematophagous, (*USA*) **hematophagous** /hi:məˈtɒfəgəs/ a. (*zool.*) ematofago.

haematopoiesis, (*USA*) **hematopoiesis** /hi:mətəpɔɪˈi:sɪs/ (*biol.*) n. ⓤ ematopoiesi ‖ **haematopoietic**, (*USA*) **hematopoietic** a. ematopoietico.

haematosis, (*USA*) **hematosis** /hi:mə-ˈtəʊsɪs/ n. ⓤ (*med.*) ematosi.

haematoxylin, (*USA*) **hematoxylin** /hi:məˈtɒksɪlɪn/ n. ⓤ (*chim.*) ematossilina.

haematuria, (*USA*) **hematuria** /hi:mə-ˈtjʊərɪə/ n. ⓤ (*med.*) ematuria.

haemochrome, (*USA*) **hemochrome** /ˈhi:məkrəʊm/ n. ⓤ (*biol.*) emocromo.

haemochromocytometric, (*USA*) **hemochromocytometric** /hi:məʊkrəməʊsaɪtəˈmɛtrɪk/ a. (*med.*) emocromocitometrico: **h. test**, test emocromocitometrico; emocromo (*fam.*).

haemocyanin, (*USA*) **hemocyanin** /hi:məˈsaɪənɪn/ n. (*biol.*) emocianina.

haemocytometer, (*USA*) **hemocytometer** /hi:məsaɪˈtɒmɪtə(r)/ n. (*med.*) emocitometro.

haemoderivative, (*USA*) **hemoderivative** /hi:məʊdəˈrɪvətɪv/ n. (*med.*) emoderivato.

haemodialysed, (*USA*) **hemodialyzed** /hi:məˈdaɪəlaɪzd/ a. (*med.*) emodializzato ● **a h. patient**, un emodializzato.

haemodialyser, (*USA*) **hemodialyzer** /hi:məˈdaɪəlaɪzə(r)/ n. (*med.*) emodializzatore.

haemodialysis, (*USA*) **hemodialysis** /hi:məˈdaɪˈæləsɪs/ n. ⓤⓒ (pl. **haemodialyses**) (*med.*) emodialisi.

haemodynamics, (*USA*) **hemodynamics** /hi:məˈdaɪˈnæmɪks/ n. pl. (col v. al sing.) (*med.*) emodinamica.

haemoglobin, (*USA*) **hemoglobin** /hi:mə'gləʊbɪn/ n. ⓤ (*chim.*, *med.*) emoglobina.

haemoglobinuria, (*USA*) **hemoglobinuria** /hi:məgləʊbɪ'njʊərɪə/ n. ⓤ (*med.*) emoglobinuria.

haemolymph, (*USA*) **hemolymph** /ˈhi:məlɪmf/ n. (*zool.*) emolinfa.

haemolysis, (*USA*) **hemolysis** /hi:'mɒlə-sɪs/ (*med.*) n. ⓤ (pl. **haemolyses**) emolisi ‖

haemolytic, (*USA*) **hemolytic** a. emolitico.

haemophilia, (*USA*) **hemophilia** /hi:mə-ˈfɪlɪə/ (*med.*) n. ⓤ emofilia ‖ **haemophiliac**, (*USA*) **hemophiliac**, **haemophilic**, (*USA*) **hemophilic** a. e n. emofiliaco; emofilico.

haemopoiesis, (*USA*) **hemopoiesis** /hi:məpɔɪˈi:sɪs/ (*biol.*) n. ⓤ emopoiesi ‖ **haemopoietic**, (*USA*) **hemopoietic** a. emopoietico.

haemoptysis, (*USA*) **hemoptysis** /hɪ-ˈmɒptəsɪs/ (*med.*) n. ⓤ emottisi ‖ **haemoptysical**, (*USA*) **hemoptysical** a. emottoico.

haemorrhage, (*USA*) **hemorrhage** /ˈhɛmərɪdʒ/ (*med.*) n. ⓤⓒ emorragia ‖ **haemorrhagic**, (*USA*) **hemorrhagic** a. emorragico.

to **haemorrhage** (*USA*) to **hemorrhage** /ˈhɛmərɪdʒ/ Ⓐ v. i. (*med.*, *di persona*) avere un'emorragia Ⓑ v. t. (*fig.*) perdere grandi quantità di (qualcosa di valore); subire un'emorragia di: *The party has been haemorrhaging support at an alarming rate*, il partito continua a perdere consensi a un ritmo allarmante; c'è una preoccupante emorragia di consensi nel partito.

haemorrhoids, (*USA*) **hemorrhoids** /ˈhɛmərɔɪdz/ n. pl. (*med.*) emorroidi.

haemostasis, (*USA*) **hemostasis** /hi:mə'steɪsɪs/ (*med.*) n. ⓤ emostasi ‖ **haemostat**, (*USA*) **hemostat** n. emostatico ‖ **haemostatic**, (*USA*) **hemostatic** a. e n. (*farm.*) emostatico.

hafnium /ˈhæfnɪəm/ n. (*chim.*) afnio.

haft /hɑ:ft/ n. **1** manico (*d'ascia, coltello, ecc.*) **2** impugnatura (*di pugnale, ecc.*); elsa (*di spada*).

to **haft** /hɑ:ft/ v. t. **1** mettere il manico a (*un coltello, ecc.*) **2** fornire d'elsa (*una spada, ecc.*).

hag ① /hæg/ n. **1** strega: *'You secret, black and midnight hags!'* W. SHAKESPEARE, 'voi nere streghe, che vivete occulte nella mezzanotte!' **2** vecchia brutta e maligna; megera; vecchiaccia **3** (*zool.*, = **hagfish**) missinoide (*pesce dell'ordine dei missinoidi*) ● **hag-ridden**, ossessionato, tormentato (*da incubi, ecc.*) ‖ **haggish** a. di (*o* da, simile a) strega; vecchio e brutto.

hag ② /hæg/ n. **1** terreno molle in una brughiera **2** terreno solido in una palude.

haggard /ˈhægəd/ Ⓐ a. **1** allampanato; macilento; smunto; sparuto; dall'aria smarrita; spaurito **2** (*di falco*) preso da adulto; non addomesticato; selvaggio Ⓑ n. (*falconeria*) falco preso da adulto, non addomesticato ● **a h. look**, un aspetto stanco; un'aria smarrita | **-ly** avv. | **-ness** n. ⓤ.

haggis /ˈhægɪs/ n. ⓤ (*scozz.*; *cucina*) frattaglie di pecora (*o* di vitello) bollite (*con strutto, farina d'avena e cipolle*) dentro un sacchetto di plastica (*in origine, dentro lo stomaco dell'animale*).

haggle /ˈhægl/ n. **1** disputa; litigio **2** (*spec.*) il tirare sul prezzo; mercanteggiamento.

to **haggle** /ˈhægl/ v. i. **1** disputare; discutere; cavillare **2** (*spec.*) contrattare; tirare sul prezzo; mercanteggiare.

haggler /ˈhæglə(r)/ n. chi mercanteggia; chi tira sul prezzo.

haggling /ˈhæglɪŋ/ n. ⓤ mercanteggiamento; contrattazione; il tirare sul prezzo.

Hagiographa /hægɪ'ɒgrəfə/ n. pl. (*Bibbia*) (gli) Agiografi.

hagiographer /hægɪ'ɒgrəfə(r)/ n. agiografo.

hagiography /hægɪ'ɒgrəfɪ/ n. ⓤⓒ agiografia ‖ **hagiographic**, **hagiographical** a. agiografico.

hagiolatry /hægɪ'ɒlətrɪ/ n. ⓤ culto dei santi.

hagiology /ˌhægɪˈɒlədʒɪ/ n. ⓤ agiologia ‖ **hagiologist** n. agiologo.

Hague (the) /heɪg/ n. (geogr.) L'Aja.

hah /hɑː/ → **ha** ①.

ha-ha ① /hɑːˈhɑː/ inter. (indicante ilarità) ah ah!

ha-ha ②, **haha** /ˈhɑːhɑː/ n. steccato (muro, ecc.) costruito entro un fossato di cinta (di parco o giardino).

haiku /ˈhaɪkuː/ n. haiku (componimento poetico giapponese).

hail ① /heɪl/ n. **1** ⓤ (meteor.) grandine **2** (fig.) grandine; gragnola; rovescio; scarica; diluvio: **a h. of stones [of blows]**, una gragnola di sassi [di colpi]; **a h. of bullets**, una scarica di pallottole ● (ass.) **h. insurance**, assicurazione contro la grandine □ **a h. of abuse**, una lunga sfilza d'insulti.

hail ② /heɪl/ inter. (spec. lett., poet.) salve!; ave!: **H. Mary**, Ave Maria.

hail ③ /heɪl/ n. saluto; grido di saluto; acclamazione ● **to be within h.**, essere a portata di voce.

to **hail** ① /heɪl/ Ⓐ v. i. (di solito, impers.) **1** grandinare: It hails [it is hailing], grandina [sta grandinando] **2** (fig., spesso **to h. down**) grandinare Ⓑ v. t. (fig.) lanciare; scagliare; rovesciare (insulti, ecc.); dare una scarica di (colpi, ecc.).

to **hail** ② /heɪl/ v. t. e i. **1** fare un cenno a; (poet.) salutare; chiamare (a gran voce): He hailed me and shook my hand, mi salutò e mi diede la mano; We hailed a taxi, fermammo un taxi con un cenno **2** acclamare; proclamare a gran voce; salutare (fig.): They hailed him their leader, lo acclamarono loro capo; **The novel was hailed as a masterpiece**, il romanzo fu salutato come un capolavoro ● (di nave e, form. o scherz., di persona) **to h. from**, venire da (porto d'origine o luogo di nascita o di residenza) □ (naut.) **to h. a passing ship**, dare la voce a una nave che passa □ (fam. USA) **h. Columbia**, (inter.) al diavolo!; (sost.) parolacce.

hail-fellow-well-met /ˈheɪlfeləwelˈmet/ a. (fam. antiq. o scherz.) cameratesco; (troppo) cordiale, espansivo.

hailstone /ˈheɪlstəʊn/ n. chicco di grandine.

hailstorm /ˈheɪlstɔːm/ n. grandinata.

♦**hair** /heə(r)/ n. **1** ⓤ capelli (pl.); capigliatura; chioma (lett.): **curly [white] h.**, capelli ricci [bianchi]; **to have long [red] hair**, avere i capelli lunghi [rossi]; **to brush one's h.**, spazzolarsi i capelli; **to comb one's h.**, pettinarsi; **to do one's h.**, acconciarsi i capelli; farsi la messa in piega; **to have one's h. cut**, farsi tagliare i capelli; **to have one's h. done**, farsi fare la messa in piega; Where did you get your h. done?, dove ti sei fatta fare i capelli?; Your h. looks nice, i tuoi capelli stanno bene; **to lose one's h.**, perdere i capelli **2** ⓤ peli (pl.); peluria (sul corpo); pelame, pelo (di animale, di pianta): **legs covered in h.**, gambe coperte di peli; **soft h.**, peluria; pelame morbido; **rabbit h.**, pelo di coniglio; **a good coat of h.**, un bel pelo (o pelame) **3** capello; pelo: There's a h. on your sleeve, hai un capello sulla manica **4** (mus.: di archetto) crine **5** – **a h.**, un nonnulla; un filo; un pelo: Don't change a h. of it!, non cambiarne un solo filo! **6** ⓤ (ind. tess.) crine: **a h. mattress**, un materasso di crine ● **hair-band → hairband** □ **hair-care → haircare** □ **h. clip**, molletta per capelli; forcina □ **h.-clipper**, tosatrice, macchinetta □ **h. conditioner**, balsamo per i capelli □ **h. consultant**, tricologo □ **h.-curlers**, bigodini □ **h.-curling = h.-raising → sotto** □ **h.-dye**, tintura per capelli □ **h. graft**, innesto (o trapianto) di capelli □ (bot.) **h. grass**, agrostide □ (fig. fam.) **a (o the) h. of the dog (that bit you)**, un bicchierino di alcol per curare i po-

stumi di una sbornia □ **h. oil**, unguento per capelli; brillantina □ **h. plugs**, impianti di capelli; ciocche impiantate □ **h. powder**, cipria per capelli □ (fam.) **h.-raising**, che fa rizzare i capelli; terrificante; spaventoso □ **h. remover**, depilatore □ **h. restorer**, rigeneratore per capelli □ **h. rollers**, bigodini □ **h.'s breadth**, un capello, un filo, un pelo (fig.); un millimetro; un niente: He missed me by a h.'s breadth, mi mancò per un pelo (o di un niente); He came within a h.'s breadth of winning, fu lì lì per vincere; non vinse per un pelo; **to a h.'s breadth**, al capello; al millimetro □ **h.'s-breadth**, (a. attr.) per un pelo (fig.); miracoloso: **a h.'s-breadth escape**, un salvataggio miracoloso; **to have a h.'s breadth escape**, salvarsi per un pelo (o per il rotto della cuffia) □ **h. setting**, messa in piega □ **h. shirt**, camicia di crine; cilicio □ (GB) **h. slide**, fermacapelli □ (tipogr.) **h. space**, spazio piccolissimo (spec. di mezzo punto o di un punto) □ **h.-splitter**, uno che spacca il capello in quattro; cavillatore; pignolo □ **h.-splitting**, (sost.) meticolosità, pedanteria, pignoleria; (agg.) meticoloso, pedante, pignolo □ **h.-spray → hairspray** □ **h.-stroke**, filetto (nella scrittura) □ (tipogr.) grazia □ **h. stylist → hairstylist** □ **h. trigger**, grilletto (d'arma da fuoco) assai sensibile □ **h.-trigger** (agg.), immediato; istantaneo; che scatta all'istante: **to have a h.-trigger temper**, scattare per un nonnulla □ **h.-wave**, messa in piega □ (zool.) **h.-worm**, nematomorfo □ **against the h.**, contropelo; (fig.) controvoglia, contro la propria inclinazione □ (fam.) **a bad h. day**, una giornata in cui va tutto storto; una giornata no □ **to dress sb.'s h.**, pettinare q. (spec. una donna) □ (fam.) **to be (o to get) in sb.'s h.**, dare fastidio a q.; essere tra i piedi di q.; rompere le scatole a q. (fam.) □ **not to harm a single h. of (o on) sb.'s head**, non torcere un capello a q. □ **not to have a h. out of place**, non avere un capello fuori posto; avere un aspetto impeccabile □ (fam.) **to have sb. by the short hairs**, tenere q. in pugno □ (fam. GB) **to keep one's h. on**, stare calmo; non scaldarsi □ **to let one's hair down**, sciogliersi i capelli; (fig.) lasciarsi andare, rilassarsi □ (fam.) **to make sb.'s h. curl**, far inorridire q.; orripilare q. □ **to make sb.'s h. stand on end**, far rizzare i capelli a q. (per lo spavento); terrorizzare q. □ **to pull one's h. out = to tear one's h. out → sotto** □ **to put one's h. up**, raccogliere i capelli in uno chignon; tirarsi su i capelli; (fig. antiq.: di una ragazza) diventare donna, entrare in società □ **to set one's h.**, farsi la messa in piega □ **to split hairs**, spaccare il capello in quattro; cercare il pelo nell'uovo □ **to tear one's h. out**, strapparsi i capelli; (fig.) essere disperato, mettersi le mani nei capelli, strapparsi i capelli □ **to a h.**, al capello, alla perfezione, esattamente: You've described him to a h., l'hai descritto alla perfezione □ **not to turn a h.**, non batter ciglio; restare impassibile.

hairball /ˈheəbɔːl/ n. bolo di pelo.

hairband /ˈheəbænd/ n. **1** fascia per capelli **2** cerchietto (per capelli).

hairbreadth /ˈheəbredθ/ = **hair's breadth, hair's-breadth → hair**.

hairbrush /ˈheəbrʌʃ/ n. spazzola per capelli.

haircare /ˈheəkeə(r)/ Ⓐ n. ⓤ cura dei capelli Ⓑ a. per i capelli; tricologico: **h. products**, prodotti per la cura dei capelli.

haircloth /ˈheəklɒθ/ n. **1** ⓤ (ind. tess.) tessuto di crine animale; crine **2** indumento di crine.

haircut /ˈheəkʌt/ n. **1** taglio dei capelli: **to have (o to get) a h.**, farsi (tagliare) i capelli; **H. and shave!**, barba e capelli! **2** taglio (lo stile); acconciatura; pettinatura.

haircutting /ˈheəkʌtɪŋ/ n. ⓤ taglio dei capelli (l'operazione).

hairdo /ˈheədu/ n. **1** acconciatura, pettinatura (di donna) **2** seduta dal parrucchiere (messa in piega, ecc.).

hairdresser /ˈheədresə(r)/ n. acconciatore; parrucchiere (spec. per signora); parrucchiera: **ladies' [men's] h.**, parrucchiere per signora [da uomo]; I went to my usual hairdresser's, sono andata dal mio solito parrucchiere.

hairdressing /ˈheədresɪŋ/ n. ⓤ **1** lavoro di parrucchiere **2** acconciatura dei capelli ● **h. salon**, salone di parrucchiere □ **h. school**, scuola per parrucchieri.

hairdryer, **hairdrier** /ˈheədraɪə(r)/ n. asciugacapelli; phon; fon.

haired /heəd/ a. (nei composti) dai capelli: **a red-h. girl**, una ragazza dai capelli rossi; **long-h.**, dai capelli lunghi.

hairgrip /ˈheəgrɪp/ n. molletta per capelli; forcina; forcella.

hairiness /ˈheərɪnəs/ n. ⓤ pelosità; aspetto irsuto; villosità.

hairless /ˈheələs/ a. **1** (di testa) senza capelli; calvo **2** (di parte del corpo) senza peli; glabro **3** (fam.) arrabbiato; incavolato (fam.).

hairline /ˈheəlaɪn/ Ⓐ n. **1** attaccatura dei capelli **2** corda (o lenza) di crine **3** filetto (nella scrittura) **4** (tipogr.) linea sottile; filo chiaro **5** ⓤ stoffa a righine Ⓑ a. attr. **1** finissimo; sottile **2** (fig.) esatto; preciso ● (med.) **h. fracture**, microfrattura □ **h. victory**, vittoria di stretta misura.

hairnet /ˈheənet/ n. reticella (o retina) per capelli.

hairpiece /ˈheəpiːs/ n. parrucchino; posticcio; toupet.

hairpin /ˈheəpɪn/ n. **1** forcina (per capelli) **2** = **hairpin bend → sotto** ● (GB) **h. bend** (USA **h. turn**, **h. curve**), curva a gomito; tornante.

hairspray /ˈheəspreɪ/ n. ⓤⓒ lacca; spray fissante per capelli.

hairspring /ˈheəsprɪŋ/ n. molla del bilanciere (nell'orologio).

hairstyle /ˈheəstaɪl/ n. acconciatura; pettinatura; taglio.

hairstylist /ˈheəstaɪlɪst/ n. (anche cinem., teatr.) acconciatore, acconciatrice; stilista in capelli; parrucchiere (o parrucchiera) alla moda.

hairy /ˈheərɪ/ a. **1** irsuto; peloso; villoso: **a h. ape**, una scimmia irsuta; **h. legs**, gambe pelose **2** ruvido: **a h. coat**, una giacca di stoffa ruvida **3** (di o simile a) pelo **4** (fam.) pauroso; preoccupante; assai difficile; pericoloso: **a h. situation**, una situazione pericolosa ● (volg.) **h.-arsed** (spec. USA **h.-assed**), rozzo; rude; maschio; virile □ (slang) **h.-heeled**, maleducato; rozzo; villano.

Haitian /ˈheɪʃn/ a. e n. (abitante) di Haiti; haitiano.

hake ① /heɪk/ n. (pl. **hakes**, **hake**) (zool., Merluccius merluccius) nasello.

hake ② /heɪk/ n. rastrelliera (per essiccare mattoni, ecc.).

Hal /hæl/ n. dim. di **Henry** o di **Harold**.

halal, **hallal** /hælˈæl/ a. **1** (nella cultura islamica, di carne di animale) halal; puro; macellato secondo la legge **2** (nella cultura islamica) corretto; che rispetta i precetti.

halation /həˈleɪʃn/ n. (elettron., fotogr.) alone.

halberd /ˈhælbɜːd/ (stor.) n. alabarda ‖ **halberdier** n. alabardiere.

halbert /ˈhælbɜːt/ → **halberd**.

halcyon /ˈhælsɪən/ Ⓐ n. **1** (mitol.) alcione **2** (poet.) → **kingfisher** Ⓑ a. attr. (lett.) al-

cionico; alcionio: **h. days**, giorni alcioni; (*fig.*) giorni felici; tempi beati.

hale /heɪl/ **a.** robusto; vigoroso; arzillo; vegeto ● (*spec. di persona anziana*) **h. and hearty**, in ottima forma; bello arzillo.

to **hale** /heɪl/ **v. t. 1** tirare; trascinare a forza **2** (*raro*) costringere.

♦**half** /hɑːf/ **A** n. (pl. *halves*) **1** metà; mezzo: (*The*) **h. of eight is four**, la metà di otto è quattro; *Two halves make a whole*, due mezzi fanno un intero; *He wants h.* (*of*) *the money* [*the profits*], vuole la metà del denaro [dei profitti]; **H. (of) the people I met**, la metà della gente che incontrai; *The film isn't h. as good as the original play*, il film non è bello neanche la metà (*o* vale molto meno) della commedia originale **2** (*calcio, rugby, ecc.*, = **halfback**) mediano; laterale; giocatore di fascia **3** (*fam.*, = **h.-pint**) mezza pinta: *A h. of bitter, please!*, mezza pinta di birra amara, per favore! **4** (*fino al 1985*, **halfpenny**) mezzo penny **5** semestre (*mezzo anno scolastico, finanziario, ecc.*) **6** (*sport*) tempo: **first** [**second**] **h.**, primo [secondo] tempo: *They played okay in the first h.*, hanno giocato bene nel primo tempo **7** (*sport*) metà campo: **to receive the ball in one's own h.**, ricevere un passaggio nella propria metà campo **8** (*sport*: *calcio, ecc.*) girone: **first h. of the football season**, girone di andata del campionato di calcio **9** (*trasp.*) biglietto a metà prezzo (*per bambini e cani*) **B** a. **1** mezzo; semi-; (la) metà (di): **a h. length**, una mezza lunghezza; **a h. share**, una mezza parte; una metà; **h. a pound**, mezza libbra; **h. an hour** [**a mile, a day**], mezz'ora [mezzo miglio, mezza giornata]; **a h.-hour** [**h.-mile, h.-day**], mezz'ora [mezzo miglio, mezza giornata]; *He wastes h. his time*, spreca metà del suo tempo; **h. lustre**, semilucido **2** incompleto; imperfetto; (fatto) a metà; mezzo: **a h. smile**, un mezzo sorriso **3** (*fam.*, *dicendo le ore*) e mezza: **h. eight** [**nine**], le otto [nove] e mezza **C** avv. **1** a mezzo; a metà; mezzo: *The chicken was only h. cooked*, il pollo era cotto soltanto a metà; **h. dead**, mezzo (*o* quasi) morto; stanco morto; **h. educated**, che ha poca istruzione; (*fam.*) *I was h. convinced*, ero mezzo convinto; **h. past two** [**three**], le due [le tre] e mezza **2** (*fam.*) fino a un certo punto; quasi: *I h. wish I had gone with them*, vorrei quasi essere andato con loro ● (*un tempo*) **h. a crown**, mezza corona (*1/8 di sterlina*) □ **h.-and-h.**, (agg.) mezz'e mezzo; (avv.) metà e metà; (sost.) (*arc.*) miscela di birra chiara e birra scura; (*USA*) miscela di latte e panna □ (*scherz.*) bisessuale □ **h.-and-h. policy**, politica delle mezze misure (*o* del compromesso) □ (*geom.*) **h.-angle**, semiangolo □ (*volg. ingl.*) **h.-arsed**, incompetente, inefficiente, mediocre; goffo, malfatto □ **h. as much**, la metà: *He ate h. as much as me*, mangiò la metà di me □ **h. as much again**, una volta e mezza; il 50% in più: *Our company produces h. as much again as our main rival*, la produzione della nostra azienda è una volta e mezza quella della nostra maggiore concorrente □ (*volg. USA*) **h.-assed** = **h.-arsed** → *sopra* □ **h.-baked**, cotto a metà, mezzo crudo; (*fig.*) incompleto; difettoso; immaturo; sciocco: **a h.-baked scheme**, un piano incompleto (*o* che non sta in piedi); **h.-baked ideas**, idee sciocche □ **h.-ball (stroke)**, (*biliardo*) colpo a mezza bilia; (*golf, ecc.*) colpo a mezza palla □ **h.-binding**, rilegatura in mezza pelle (*o* in mezza tela) □ **h.-blood**, parentela (*o* parente) per parte di un solo genitore; (*antiq. o offensivo*) meticcio, meticcia; (*di cavallo*) mezzosangue □ **h.-blooded**, parente per parte di un solo genitore; (*d'uomo, antiq. o offensivo*) di razza mista; (*d'animale*) ibrido, bastardo □ (*sport: a Oxford e Cambridge*) **h.-blue**, sostitu-

to, rimpiazzo □ (*tur.*) **h. board**, mezza pensione: **h.-board accommodation**, sistemazione a mezza pensione □ **h.-boot**, stivaletto; stivale al polpaccio □ (*di libro*) **h.-bound**, rilegato in mezza pelle (*o* in mezza tela) □ **h.-bred**, di sangue misto; meticcio, bastardo □ (*antiq. o offensivo*) **h.-breed**, persona di sangue misto; meticcio, meticcia □ **h.-brother**, fratellastro □ (*antiq. o offensivo*) **h.-caste**, (sost.) persona di sangue misto; meticcio, meticcia; (agg.) di sangue misto, meticcio □ (*fon.*) **h.-closed**, semichiuso □ (*mil.*) **h. cock**, mezzo cane, cane alzato per metà (*d'arma da fuoco*): **to go off at h. cock** (*o* **half-cocked**), sparare a mezzo cane; (*fig.*) scattare anzitempo, agire o parlare troppo presto (e fallire) □ **h.-cocked**, (*d'arma da fuoco*) a mezzo cane; (*fig.*) prematuro; avventato; male preparato; goffo; sciocco □ **h.-cooked**, mezzo cotto □ (*basket, tennis, ecc.*) **h.-court line**, linea di metà campo □ (*un tempo*) **h. crown** = **h. a crown** → *sopra* □ (*nelle corse*) **h. distance**, metà gara □ (*pallanuoto*) **h. distance line**, linea di metà campo □ **h. dollar**, (*USA*) mezzo dollaro □ **h. (a) dozen**, mezza dozzina; (*per indicare genericamente un numero esiguo anche*) cinque o sei □ **h.-duplex**, (*telef.*) semiduplex; (*comput.*) half-duplex (*comunicazione che avviene in un solo verso alla volta*) □ (*ferr., ecc.*) **h.-fare ticket**, biglietto a tariffa ridotta □ **h.-finished**, finito a metà □ (*ind.*) **h.-finished product**, (prodotto) semilavorato □ **h.-grown**, a metà dello sviluppo □ (*bot.*) **h.-hardy** → **hardy**① □ **h.-hearted**, fiacco; flebile; tiepido (*fig.*); poco convinto; svogliato: **a h.-hearted attempt**, un fiacco (*o* timido) tentativo; un tentativo poco convinto □ **h.-heartedly**, con scarso entusiasmo; svogliatamente; con scarsa convinzione □ **h.-heartedness**, mancanza di entusiasmo; fiacchezza; scarsa convinzione □ (*naut.*) **h.-hitch**, mezzo collo (*nodo*) □ **h.-holiday**, mezza festa □ **h.-hose**, calza corta; calzino □ **h.-hourly**, (agg.) di mezzora; che avviene (passa, ecc.) ogni mezzora; (avv.) ogni mezzora □ **h.-inch**, mezzo pollice (*misura inglese di lunghezza: cfr.* **inch**①, *def. 1*) □ **h.-length**, di metà lunghezza; (*di quadro*) a mezzo busto; (sost.) mezza figura, mezzobusto □ **h.-lie**, mezza bugia (*scient.*) □ **h.-life**, tempo di dimezzamento; emivita; semivita □ **h.-light**, mezza luce; semioscurità; penombra □ (*geom.*) **h.-line**, semiretta □ (*sport*) **h.-marathon**, mezza maratona □ **h. mast**, posizione di mezz'asta (*di una bandiera*): **at h.-mast**, a mezz'asta; (*GB scherz.*) (*di cravatta, ecc.*) penzolante □ (*di bandiera*) **h.-mast high**, a mezz'asta □ (*fam.*) **h.-masters**, calzoni a mezza gamba; calzoni che si sono fatti corti □ **h. measures**, mezze misure; compromessi □ **h. moon**, mezza luna; (*astron.*) semilunio; (*per estens.*) oggetto a mezzaluna □ **h.-moon**, (fatto) a mezzaluna □ **h. mourning**, mezzo lutto □ **h.-naked**, seminudo □ (*mus., USA*) **h.-note**, minima □ (*fam.*) **the h. of it**, metà della storia: *That is only the h. of it*, questa è solo metà della storia; *But you don't know the h. of it*, ma questa non è che una parte della storia; ma questo è solo l'inizio □ (*fon.*) **h.-open**, semiaperto □ (*ind., mil.*) **h. pay**, mezza paga □ **h. pint**, mezza pinta; (*fig. fam.*) tappo, mezza tacca, mezza cartuccia □ (*sport*) **h.-pipe** → **half pipe** □ (*geom.*) **h.-plane**, semipiano □ **h.-price**, a metà prezzo (*scult.*) **h.-relief**, mezzorilievo □ (*poesia*) **h.-rhyme**, rima imperfetta □ (*fam. antiq.*) **h.-seas-over**, brillo; mezzo ubriaco □ **h.-sibling**, fratellastro; sorellastra □ **h.-sister**, sorellastra □ **h.-size**, (di capo di vestiario) mezza taglia; (di scarpa) mezza misura □ **h.-slip**, sottogonna □ **h. sole**, soprassuola □ (*stor.*) **h.-sovereign**, mezza sovrana (*moneta d'oro ingl.*) □ (*naut.*) **h. speed ahead!**, avanti a mezza forza! □ (*USA*) **h.**

staff = **h. mast** → *sopra* □ (*mus., USA*) **h.-step**, semitono □ (*in GB*) **h. term** (= **h.-term holiday**), breve vacanza di metà quadrimestre (*a scuola*) □ (*archit.*) **h.-timbered**, in legno e muratura (*come una casa elisabettiana*) □ **h.-time**, orario ridotto (*di lavoro*); (*sport*) intervallo (*fra due tempi di una partita*), «metà partita»: **h.-time score**, punteggio alla fine del primo tempo □ **a h.-time job**, un lavoro (*part time*); un lavoro a mezza giornata □ **h.-timer**, chi lavora a mezza giornata; studente lavoratore □ (*tipogr.*) **h.-title**, occhiello □ **h.-tone** → **halftone** □ (*spec. mil.*) **h.-track**, semicingolato (sost.) □ (*spec. mil.*) **h.-tracked**, semicingolato (agg.) □ **h.-truth**, mezza verità □ (*sport*) **h. volley**, demi-volée; mezza volée □ **h.-wit**, stupido, idiota, imbecille; (*psic.*) frenastenico □ **h.-witted**, stupido, scemo; (*psic.*) frenastenico □ **h. year**, semestre □ (*fam.*) **and a h.**, non plus ultra: *That was a party and a h.*, questa sì che è stata una festa! □ **at h. strength**, (*mil. e sport*) a ranghi dimezzati; (*anche*) diluito al 50% □ (*scherz.*) **one's better h.**, la propria (dolce) metà (*la moglie o il marito*) □ **by h.**, a metà; della metà; (*fam., GB*) con disapprovazione) di gran lunga; davvero: *We are planning to reduce fees by h.*, progettiamo di ridurre le tariffe della metà (*o* di dimezzare le tariffe); *He's too talkative by h.*, è davvero troppo loquace □ **to cry halves**, reclamare la metà (di qc.) □ **to go halves** (*o* **half and half**), fare metà e metà; (*nel pagare il conto*) fare alla romana; *Let's go halves on the bill*, facciamo alla romana □ **in h.**, a metà: *She cut the apple in h.*, tagliò la mela a metà □ **more than h.**, una buona metà □ (*fam.*) **not h.**, affatto, del tutto, moltissimo; (*anche*) per niente: **not h. bad**, niente male (*fam.*); ottimo, eccellente; *It isn't h. windy*, altro che se tira vento!; «*Did you like the film?*» «*Not h.*», «T'è piaciuto il film?» «Eccome!» (*o* «Altro che!») □ **not to do anything** (*o* **things**) **by halves**, non lasciare le cose a metà; fare le cose perbene □ (*trasp.: negli orari*) **on the h. hour**, ogni mezzora; ai trenta (*all'1.30, 2.30, ecc.*) □ **one's other h.** = **one's better h.** → *sopra* □ (*prov.*) **H. a loaf is better than no bread**, bisogna prendere quello che passa il convento; qualcosa è meglio di niente □ (*prov.*) **Well begun is h. done**, chi ben comincia è alla metà dell'opera.

halfback /ˈhɑːfbæk/ n. (*sport*) **1** (*calcio, ecc.*) mediano; laterale; giocatore di fascia **2** (*rugby*) mediano (*d'apertura o di mischia*) **3** (*pallanuoto*) centrovasca (*giocatore*).

halfies /ˈhæfɪz/ n. pl. (*infant. USA*) a metà ● **to go h.**, fare metà a testa.

to **half-inch** /ˈhɑːfɪntʃ/ v. t. (*fam., GB*) rubare; sgraffignare (*fam.*); fregare (*fam.*).

to **half-mast** /hɑːfˈmɑːst/ v. t. mettere (*una bandiera*) a mezz'asta.

halfpenny /ˈheɪpnɪ/ n. **1** (pl. *halfpennies*) mezzo penny (*moneta metallica ritirata dalla circolazione nel 1985*) **2** (pl. *halfpence*) mezzo penny (il valore): **twopence h.**, due penny e mezzo; **three halfpence**, un penny e mezzo (*letteralm.: tre mezzi penny*) ● (*fig.*) **a few halfpence**, pochi spiccioli □ (*fig. fam.*) **not to have two halfpennies to rub together**, non avere neanche un soldo.

halfpennyworth /ˈheɪpnɪwɜːθ/ n. **1** valore di un mezzo penny **2** (*fig.*) somma esigua.

half pipe, **halfpipe** /ˈhɑːfpaɪp/ n. (*sport*) half pipe (*pista da skateboard, snowboard, ecc., a forma di U*).

halftone /ˈhɑːftəʊn/ **A** n. **1** (*fotogr., tipogr.*) (incisione a) mezzatinta; autoincisione; autotipia **2** (*mus., USA*) semitono **B** a. attr. a mezzatinta: **h. block**, cliché a mezzatinta ● **h. (contact) screen**, retino □ (*grafi-*

ca) **h. screening**, retinatura.

halfway /ˌhɑːfˈweɪ/ **A** avv. **1** a metà (*o* a mezza) strada: *I walked h. and then caught the bus*, feci metà strada a piedi e poi presi l'autobus **2** (*fig.*) a metà; a mezzo; a metà strada: *We are only h. to* (*meeting*) *our target*, siamo solo a metà strada nel conseguimento dell'obiettivo **3** più o meno; bene o male; grossomodo: **a h. normal life**, una vita più o meno normale; **h. decent**, decente, passabile **B** a. **1** situato a mezza strada; di mezzo; mediano; intermedio: **the h. point**, il punto di mezzo; **the h. stage**, lo stadio intermedio **2** (*fig.*) mezzo; di compromesso: **h. measures**, mezze misure; provvedimenti di compromesso ● **h. down the road**, a metà strada □ **h. down the stairs**, a metà scala (*scendendo*) □ **h. downhill**, a metà discesa □ **h. house**, punto intermedio (*in una successione*); (*anche*) via di mezzo, compromesso, cosa che non è né questo né quello, che non è né carne né pesce; (*anche*) struttura per l'inserimento di ex detenuti, malati di mente, ecc., nella società, casa-famiglia; (*stor.*) locanda a metà strada (*tra due paesi, ecc.*) **3** (*sport*) **h. through the match** [**the concert**], a metà partita [a metà concerto] □ **h. through the winter**, a metà inverno □ **h. up the stairs**, a metà scala (*salendo*) □ **h. uphill**, a metà salita □ **to meet sb. h.**, incontrare q. a mezza strada; (*fig.*) venire incontro a q., venire a un compromesso con q.

halibut /ˈhælɪbət/ n. (pl. **halibut, halibuts**) **1** (*zool.*, *Hippoglossus hippoglossus*) ippoglosso; halibut **2** (*cucina*) halibut.

halide /ˈhælaɪd/ n. (*chim.*) alogenuro.

halite /ˈhælaɪt/ n. ⓤ (*miner.*) alite; salgemma.

halitosis /ˌhælɪˈtəʊsɪs/ n. ⓤ (*med.*) alitosi.

♦**hall** /hɔːl/ n. **1** sala; salone; aula: **a banqueting h.**, una sala per banchetti; **a dance h.**, una sala da ballo; **the h. of a castle**, il salone d'un castello **2** palazzo; maniero; grande villa, casa di campagna (*di un nobile*): **the town** (*o* **city**) **H.**, il municipio; **the County H.**, il palazzo della Contea (*del «County Council»*); **the H. of Justice**, il Palazzo di Giustizia **3** atrio; ingresso; vestibolo; (*di hotel*) hall **4** ⓤ (*nelle università inglesi*, = **h. of residence**) casa dello studente; collegio universitario: *I've got a room in halls*, ho una stanza in uno studentato **5** (= **lecture h.**) aula (*universitaria, ecc.*): **the Great H.**, l'aula magna **6** ⓤ (*nelle università inglesi*) refettorio; mensa: **to dine in h.**, mangiare alla mensa **7** (*USA*) corridoio **8** (*fam.*) music hall; teatro di varietà ● (*USA*) **h. bedroom**, angolo letto □ **h. door**, ingresso principale □ (*spec. USA*) **H. of Fame**, palazzo (*o* sala) che racchiude memorie di personaggi famosi che vi sono stati di passaggio; (*fig.*) gruppo di personaggi illustri □ (*USA*) **h. porter**, portiere (*o* fattorino) d'albergo □ **h. stand**, attaccapanni a parete (*con cassoncino, specchio, ecc.*) □ (*spec. USA*) **h. tree**, attaccapanni (a stelo).

hallal /ˈhælˈæl/ a. → **halal**.

halleluiah, **hallelujah** /ˌhælɪˈluːjə/ n. e inter. alleluia.

halliard /ˈhæliəd/ → **halyard**.

hallmark /ˈhɔːlmɑːk/ n. **1** marchio di garanzia (*dei metalli preziosi*) **2** marchio di autenticità (*in genere*) **3** (*fig.*) ciò che distingue (qc.); caratteristica ● **to bear the h.** (*o* **the hallmarks**) **of st.**, presentare le caratteristiche di qc.: *The incident bears the hallmarks of a racial attack*, l'episodio presenta le caratteristiche di un attacco razziale.

to **hallmark** /ˈhɔːlmɑːk/ v. t. **1** marchiare; apporre un marchio a (*oro, gioielli, ecc.*) **2** (*fig.*) contraddistinguere; caratterizzare.

hallo /həˈləʊ/ inter. e n. (pl. **hallos**) (*ingl.*) → **hello**.

to **hallo** /həˈləʊ/ v. i. (*ingl.*) dire, gridare «ehi» (*o* «ohé», «olà»); lanciare un richiamo, un saluto.

halloo /həˈluː/ inter. e n. (pl. **halloos**) **1** hallalì; grido di caccia (*lanciato ai cani*) **2** ehi; ohé; olà.

to **halloo** /həˈluː/ **A** v. i. **1** gridare «hallalì»; incitare a gran voce **2** dire, gridare «ehi» (*o* «ohé», «olà»); lanciare un richiamo **B** v. t. aizzare, incitare (*spec. cani da caccia*).

to **hallow** /ˈhæləʊ/ v. t. **1** santificare; beatificare **2** consacrare **3** venerare; santificare; riverire: *Hallowed be Thy name*, sia santificato il nome Tuo.

hallowed /ˈhæləʊd/ a. **1** santo; benedetto **2** consacrato: **h. ground**, terreno consacrato **3** venerato; santificato; riverito.

Halloween, **Hallowe'en** /ˌhæləˈwiːn/ n. vigilia di Ognissanti (*il 31 ottobre*); Halloween ❶ CULTURA • **Halloween**: *il termine deriva dall'espressione anglosassone* All Hallow Even (*la vigilia di Ognissanti*), *ma si tratta in realtà di una festa che ha antichissime origini precristiane, associate alla festività celtica del* Samhain, *la notte in cui era possibile varcare il confine tra il mondo dei morti e il mondo dei vivi. Oggi, sotto l'influsso americano, è soprattutto una festa per i bambini, che si travestono e vanno di casa in casa chiedendo in regalo dolci con la formula:* «Trick or treat?» (*dolcetto o scherzetto?*)

Hallowmas /ˈhæləʊmæs/ n. (*arc.*) Ognissanti.

hallstand /ˈhɔːlstænd/ n. = **hall stand** → **hall**.

to **hallucinate** /həˈluːsɪneɪt/ **A** v. t. allucinare; dare allucinazioni a (q.) **B** v. i. avere allucinazioni.

hallucination /həˌluːsɪˈneɪʃn/ n. ⓤⓒ (*anche psic.*) allucinazione.

hallucinatory /həˈluːsɪnətrɪ/ a. **1** allucinatorio **2** illusorio.

hallucinogen /həˈluːsɪnədʒən/ n. allucinogeno ‖ **hallucinogenic** a. allucinogeno.

hallucinosis /həˌluːsɪˈnəʊsɪs/ n. ⓒⓤ (pl. **hallucinoses**) (*med., psic.*) allucinosi.

hallux /ˈhælʌks/ n. (pl. **halluces**) (*anat.*) alluce.

hallway /ˈhɔːlweɪ/ n. (*USA*) atrio; vestibolo; corridoio.

halm /hɑːm/ → **haulm**.

halo /ˈheɪləʊ/ n. (pl. **halos, haloes**) **1** (*astron., fis.*) alone **2** (*relig., pitt.*) aureola (*anche fig.*) ● (*psic.*) **h. effect**, effetto alone.

to **halo** /ˈheɪləʊ/ v. t. circondare d'un alone (*o* di un'aureola); aureolare (*lett.*).

halogen /ˈhælədʒən/ n. (*chim.*) alogeno ● **h. compound**, alogenato.

to **halogenate** /ˈhælədʒəneɪt/ v. t. (*chim.*) alogenare.

halogenated /ˈhælədʒəneɪtɪd/ a. (*chim.*) alogenato.

halogenation /ˌhælədʒəˈneɪʃn/ n. ⓤ (*chim.*) alogenazione.

halogenous /hæˈlɒdʒənəs/ a. (*chim.*) alogeno.

haloid /ˈhælɔɪd/ (*chim.*) **A** a. aloide; saliforme **B** n. alogenuro.

halophile /ˈhæləfaɪl/ (*ecol.*) n. organismo alofilo ‖ **halophilic** a. alofilo ● **halophilic plants**, alofite.

halophyte /ˈhæləfaɪt/ (*ecol.*) n. alofita ‖ **halophytic** a. alofita.

halt① /hɔːlt/ **A** n. **1** (*mil.*) alt; ordine di fermarsi **2** arresto; fermata; sosta **3** fermata (*d'autobus*) **4** (*ferr.*) piccola stazione isolata (*lontana dal paese*) **B** inter. alt! ● **to bring st. to a h.**, arrestare (*o* fermare) qc. □ **to call a h.**, (*mil.*) dare l'alt; fare una sosta, fare una pausa □ **to call a h. to st.**, arrestare (*o* fermare) qc.; dire a q. che smetta

di fare qc. □ **to come to a h.**, arrestarsi; fermarsi.

halt② /hɔːlt/ (*arc.*) **A** a. zoppo; storpio **B** n. zoppaggine (*raro*); andatura zoppicante ● (*collett.*) **the h.**, gli zoppi; gli storpi.

♦to **halt**① /hɔːlt/ **A** v. i. **1** (*mil.*) fare alt **2** arrestarsi; fermarsi **B** v. t. arrestare; fermare; dare l'alt a: *The captain halted the soldiers*, il capitano diede l'alt ai soldati; *The coach was halted by the snowstorm*, il pullman fu bloccato dalla tempesta di neve; **to h. a project**, fermare un progetto ● **Halt!**, alt!

to **halt**② /hɔːlt/ v. i. **1** (*arc.*) zoppicare; camminare zoppicando **2** (*fig.: di versi, ecc.*) zoppicare **3** (*fig.*) esitare; essere incerto; essere in dubbio ● **to be halting in one's speech**, esitare cercando le parole; parlare in maniera esitante.

halter /ˈhɔːltə(r)/ n. **1** cavezza **2** capestro; cappio (*al collo*) **3** ⓤ (*fig.*) morte per impiccagione **4** (= **h. top**) prendisole.

to **halter** /ˈhɔːltə(r)/ v. t. (*spesso* **to h. up**) mettere la cavezza a (*un cavallo*) **2** mettere il capestro al collo di (q.); impiccare **3** (*fig.*) imbrigliare, tenere a freno (q.).

halterneck /ˈhɔːltənek/ **A** a. (*moda: d'abito da donna*) accollato davanti, e che lascia scoperte spalle e schiena **B** n. (*moda*) top allacciato sul collo.

halting /ˈhɔːltɪŋ/ a. **1** (*spec. fig.*) zoppicante: **h. lines**, versi zoppicanti **2** (*fig.*) esitante.

to **halve** /hɑːv/ **A** v. t. **1** dimezzare; smezzare; ridurre della metà: *The new road will h. the time needed for the journey*, la nuova strada ridurrà della metà la durata del viaggio **2** dividere equamente (*o* in parti uguali); spartire; fare a metà di: *The boy halved the sandwich with his sister*, il ragazzo fece a metà del sandwich con la sorella **3** tagliare a metà **B** v. i. dimezzarsi; ridursi della metà ● (*golf*) **to h. a hole with sb.**, raggiungere una buca con lo stesso numero di colpi di q. □ (*golf*) **to h. a match**, pareggiare una partita.

halves /hɑːvz/ pl. di **half**.

halving /ˈhɑːvɪŋ/ n. ⓤ **1** dimezzamento; smezzamento **2** (*falegn.*) incastro a mezzo legno.

halyard /ˈhæljəd/ n. (*naut.*) drizza; sagola.

♦**ham**① /hæm/ n. **1** coscia (*del maiale*) **2** ⓤⓒ prosciutto: **a slice of ham**, una fetta di prosciutto **3** (pl.) (*spec. di animali*) coscia e natica **4** (pl.) (*slang*) gambe; cosce (*di una persona, spec. una donna*) ● **ham curer**, affumicatore (*o* salatore) di prosciutti; addetto alla conservazione dei prosciutti □ **ham factory**, prosciuttificio □ (*fam.*) **ham-fisted**, maldestro, impacciato □ (*fam.*) **ham-handed** = **ham-fisted** → *sopra* □ **ham salad**, insalata con fettine di prosciutto □ **ham sandwich**, sandwich (*o* panino) al prosciutto □ **boiled ham**, prosciutto cotto □ **Parma ham**, prosciutto crudo di Parma.

ham② /hæm/ n. (*fam.*) **1** (= **ham actor**) gigione; guitto; istrione; mattatore **2** radioamatore **3** (*USA*) persona che vuole strafare **4** (*USA*) dilettante **5** (*USA*) pugile mediocre.

to **ham** /hæm/ v. t. e i. **1** (*fam., teatr.; anche* **to ham it up**) recitare da gigione; gigioneggiare **2** (*fam. USA*) strafare; esagerare.

Ham /hæm/ n. (*Bibbia*) Cam.

hamadryad /ˌhæməˈdraɪəd/ n. **1** (*mitol.*) amadriade **2** (= **h. baboon**) (*zool., Papio hamadryas*) amadriade **3** (*zool., Naja hannah, Ophiophagus hannah*) cobra reale.

hamadryas /ˌhæməˈdraɪəs/ n. → **hamadryad**, *def. 2*.

Hamburg /ˈhæmbɜːg/ n. (*geogr.*) Amburgo ● **H. steak**, hamburger.

hamburger /ˈhæmbɜːgə(r)/ n. **1** ham-

burger; medaglione (di carne); svizzera **2** panino con hamburger **3** (*slang USA*) stupido; scemo; cretino.

Hamite /'hæmaɪt/ *n.* camita.

Hamitic /hə'mɪtɪk/ **A** *a.* camitico **B** *n.* ▯ camitico; lingua camitica.

hamlet /'hæmlət/ *n.* **1** (piccolo) villaggio **2** casale; borgata.

Hamlet /'hæmlət/ *n.* (*letter.*) Amleto ● (*fig.*). H. without the Prince, una rappresentazione priva (*o* un evento privo) del protagonista.

hammam /'hæmæm/ *n.* hammam; bagno turco (*lo stabilimento*).

hammer /'hæmə(r)/ *n.* **1** martello (*anche di banditore d'asta pubblica*); maglio; mazza: **ball-peen h.**, martello a penna tonda; **steam h.**, maglio a vapore **2** martelletto (*spec. di pianoforte*) **3** (*d'arma da fuoco*) cane **4** (*sport*) martello **5** (*anat.*) martello (*dell'orecchio medio*) **6** (*autom., slang USA*) acceleratore: **to put the h. down**, schiacciare l'acceleratore **7** (*volg. USA*) pene; batacchio, mazza (*fig.*); cazzo (*volg.*) ● (*polit.*) **h. and sickle**, falce e martello ▢ (*fig.*). **h. and tongs**, con foga; energicamente: **to go** (*o* **to be**) **at it h. and tongs**, attaccare senza esclusione di colpi; darci dentro senza pietà; litigare furiosamente ▢ (*edil.*). **h. beam**, trave a martello ▢ **h.-blow**, martellata; (*anche fig.*) mazzata ▢ (*mecc.*) **h. drill**, martello perforatore; trapano a percussione ▢ (*zool.*) **h.-fish** → **hammerhead**, *def. 2* ▢ (*metall.*) **h. forging**, fucinatura al maglio ▢ (*tecn.*) **h. mill**, mulino a martelli ▢ (*comm.*) **h. price**, prezzo d'asta ▢ **h. shotgun**, fucile da caccia a cani esterni ▢ (*sport*) **h. throw** (*o* **h. throwing**), lancio del martello ▢ (*sport*) **h.-thrower**, lanciatore di martello; martellista ▢ (*med.*) **h.-toe**, dito del piede a martello (*deformità*) ▢ (*comm.*) **to come** (*o* **to go**) **under the h.**, essere venduto all'asta.

to hammer /'hæmə(r)/ **A** *v. t.* **1** martellare; battere (*o* picchiare) con un martello (*legno, metalli, ecc.*) **2** (*fig.*) martellare (q.) di domande **3** (*fig.*) criticare aspramente; stroncare **4** (*fam.*) battere, sconfiggere; stracciare (*fig. fam.*) **5** (*econ.*) colpire duramente, schiacciare (*un'azienda, ecc.*); (*Borsa*) deprimere (*il mercato*); far crollare (*il prezzo di azioni, di titoli, ecc.*) **6** (*Borsa, ingl.*; *fino al 1970*) espellere (*un agente di cambio*) per indegnità professionale o per debiti insoluti **B** *v. i.* **1** martellare (*anche fig.*); battere **2** (*fig.*) martellare; pulsare; battere: *My heart was hammering with fear*, mi martellava il cuore per la paura.

■ **hammer at** *v. i.* + *prep.* **1** prendere a martellate; dare colpi di martello a: **to h. at a wooden box**, dare martellate a una cassetta di legno **2** battere con forza (*o* rumorosamente): **to h. at the door**, battere alla porta (*con i pugni*).

■ **hammer away at** *v. i.* + *avv.* + *prep.* **1** (*fam.*) darci sotto, darci dentro (*per fare o finire qc.*); darsi un gran da fare per: *He hammered away at his homework*, ci dava sotto per finire i compiti **2** (*fam.*) battere, insistere su: **to h. away at a point**, insistere su un punto; battere sempre sullo stesso tasto (*fig.*) **3** (*mil.*) martellare: *Guns hammered away at our positions*, i cannoni martellarono le nostre posizioni.

■ **hammer down** **A** *v. t.* + *avv.* **1** fissare (chiudere, spianare, ecc.) a martellate **2** inchiodare (*un coperchio, ecc.*) **3** (*Borsa*) far crollare il prezzo di (*un titolo*) con vendite allo scoperto **4** (*sport*) scaricare con forza; forzare **B** *v. i.* + *avv.* **1** (*della pioggia, ecc.*) battere, picchiare con forza (*sul tetto, ecc.*) **2** (*autom., fam. USA*) andare a tavoletta (*o a tutto gas*).

■ **hammer home** *v. t.* + *avv.* **1** far capire (qc.) a furia di insistere; far passare (*un mes-*

---

saggio) **2** (*sport*) insaccare la palla (in rete).

■ **hammer in** *v. t.* + *avv.* **1** conficcare, piantare (*un chiodo, un palo, ecc.*) con il martello **2** sfondare (*una porta, ecc.*) **3** (*fig. fam.*) ficcare in testa, inculcare (*nozioni, ecc.*); far capire (*un pericolo, un rischio, ecc.*).

■ **hammer into** *v. t.* + *prep.* **1** conficcare, piantare con il martello (qc.) in (*un muro, ecc.*) **2** (*fig. fam.*) inculcare a, far capire a (q.); far entrare (qc.) nella testa a (q.): *I tried in vain to h. it into him that he must be patient*, cercai invano di fargli capire che doveva portare pazienza ▢ **to h. st. into shape**, ridurre qc. nella forma voluta (*o* riparare qc.) a martellate ▢ **to h. iron into swords**, foggiare spade martellando il ferro.

■ **hammer on** **A** *v. t.* + *avv.* fissare (qc.) a colpi di martello **B** *v. t.* + *prep.* battere con forza (*o* rumorosamente) su (qc.); martellare: **to h. on the door**, martellare la (*o* alla) porta (*con i pugni*).

■ **hammer out** *v. t.* + *avv.* **1** spianare, raddrizzare (*una lamiera o una portiera d'auto ammaccata, ecc.*) a colpi di martello **2** fabbricare, fare (*oggetti*) martellando un metallo **3** (*fig.*) elaborare, produrre a fatica (*una soluzione, un'ipotesi di accordo, ecc.*) **4** (*fam.*) battere a macchina (*un racconto, ecc.*) **5** (*fam.*) strimpellare (*un motivo al pianoforte*) **6** (*fam.*) appianare (*una difficoltà, ecc.*) ▢ **to h. out an agreement**, raggiungere faticosamente un accordo.

hammered /'hæməd/ *a.* **1** (*di ferro*) martellato; battuto **2** (*fam.*) completamente sbronzo; sverso (*slang*).

hammerhead /'hæməhɛd/ *n.* **1** testa del martello **2** (*zool., Sphyrna*) pesce martello **3** (*slang USA*) zuccone; testone; testa di legno.

hammering /'hæmərɪŋ/ *n.* **1** ▯ martellamento (*anche fig.*); martellatura; martellio **2** ▯ lavorazione al maglio **3** (*fig.*) batosta; sconfitta; mazzata (*fig.*): **to take** (*o* **to be given**) **a h.**, subire una batosta; prendere una mazzata ● (*tecn.*) **h. out**, spianatura; raddrizzatura (*delle lamiere*).

hammerless /'hæməlɪs/ *a.* (*d'arma da fuoco*) a cane interno ● (*caccia*) **h. gun**, doppietta a cani interni; 'hammerless'.

hammock① /'hæmək/ *n.* amaca; (*naut.*) branda ● **h. chair**, sedia amaca.

hammock② /'hæmək/ → **hummock**, *def. 3*.

hammy /'hæmɪ/ *a.* **1** simile al prosciutto **2** (*teatr.*) gigionesco; istrionico; caricato; da mattatore.

hamper① /'hæmpə(r)/ *n.* (*naut.*) attrezzatura; sartiame ● **top h.**, ingombro di coperta.

hamper② /'hæmpə(r)/ *n.* **1** canestro; cesta; cesto; paniere: **picnic h.**, paniere da picnic **2** (*USA*) cesto della biancheria sporca.

to hamper /'hæmpə(r)/ *v. t.* impedire; inceppare; intralciare; ingombrare; ostacolare: **to be hampered by a heavy load**, essere impedito da un grave peso; *He has been hampered by poverty*, è stato ostacolato dalla povertà.

to hamshackle /'hæmʃækl/ *v. t.* impastoiare (*un cavallo, ecc.*).

hamster /'hæmstə(r)/ *n.* (*zool., Cricetus cricetus*) criceto; hamster.

hamstring /'hæmstrɪŋ/ *n.* **1** tendine del ginocchio (*nell'uomo*) **2** tendine del garretto (*nei quadrupedi*) ● (*anat.*) **h. muscles**, muscoli posteriori della coscia ▢ (*med.*) **pulled** (*o* **strained**) **h.**, stiramento del tendine del ginocchio.

to hamstring /'hæmstrɪŋ/ *v. t.* **1** azzoppare, rendere storpio (*tagliando il tendine del ginocchio o del garretto*); sgarrettare **2** (*fig.*) ostacolare; intralciare; frustrare; vanificare.

◆**hand** /hænd/ *n.* **1** mano: **to hold hands**, te-

---

nersi per mano; **to lead sb. by the h.**, condurre q. per mano; **to shake sb.'s h.** (*o* **to shake hands with sb.**), stringere (*o* dare) la mano a q.; (*antiq.*) **to ask for a woman's h.**, chiedere la mano d'una donna **2** aiuto; mano: **to lend** (*o* **to give**) **a h. to sb.**, dare una mano a q.: *Could you give me a h.?*, mi daresti una mano? **3** (*pl.*) proprietà; proprietario: *The house has changed hands*, la casa ha cambiato proprietario **4** potere; controllo; mano; mani: **to be in enemy hands**, essere in mano al nemico; *The firm is in his hands now*, l'azienda è ora nelle sue mani **5** mano d'autore; segno caratteristico; tocco: *The two paintings are by the same h.*, i due quadri sono della stessa mano; **with a light h.**, con mano leggera **6** grafia; calligrafia; scrittura: **a legible h.**, una calligrafia (*o* scrittura) leggibile **7** (*leg.*) firma **8** lavorante; operaio; bracciante: **factory h.**, operaio; **farm h.**, bracciante agricolo **9** (*naut.*) membro dell'equipaggio; marinaio; (al pl., collett.) equipaggio, uomini, ciurma: *All hands on deck!*, equipaggio in coperta!; (*fig. fam.*) tutti al lavoro! **10** ago (*di strumento*); lancetta (*di orologio*); indice (*di meridiana*): **the hour [minute] h.**, la lancetta delle ore [dei minuti] **11** (*alle carte*) mano (*di partita*): **to play a h. of poker**, fare una mano di poker; **to play a good h.**, giocar bene (*a carte*) **12** (*alle carte*) mano; carte: **a poor h.**, brutte carte in mano; **a winning h.**, mano vincente; carte vincenti; (*anche fig.*) **to show one's h.**, mostrare le carte; mettere le carte in tavola; (*fig., anche*) scoprire il proprio gioco **13** palmo, spanna (*per misurare l'altezza dei cavalli; pari a cm 10 circa*) **14** (*fam.*) battimani; applauso: *Let's give him a big h.!*, facciamogli un bell'applauso! **15** grappolo, casco (*di banane*) **16** mazzo (*di foglie di tabacco*) **17** (*pl.*) (*sport*) fallo di mano (*nel gioco del calcio*) ● **h.-barrow**, carretto a mano; barella ● **hand's breadth**, palmo (*misura di quattro 'pollici', pari a 10 cm circa*); spanna ● **h. canter**, andatura lenta (*spec. di cavallo*) ▢ **hands down**, (*boxe*) a mani basse; (*fig.*) facilmente, con estrema facilità: *We beat them hands down*, li battemmo facilmente ▢ (*mecc.*) **h. drill**, trapano a mano ▢ (*telef.*) **hands-free (set)**, auricolare ▢ **h. gallop**, piccolo galoppo ▢ (*mil.*) **h. grenade**, bomba a mano ▢ **h.-gun** → **handgun** ▢ **h.-held** → **handheld**, **A** ▢ (*tecn.*) **h.-hole**, portello (*di macchinario*) ▢ (*fig.*) **to be h. in glove (with sb.)**, essere in combutta, essere culo e camicia (con q.) (*fam.*) ▢ **h. in h.**, mano nella mano; tenendosi per mano; (*fig.*) di pari passo: **to walk h. in h.**, camminare tenendosi per mano; **to go h. in h. with st.**, andare di pari passo con qc.; accompagnarsi a qc. ▢ **h. job** → **handjob** ▢ (*di pullover, ecc.*) **h.-knit** (*o* **h.-knitted**), fatto a mano ● **h. lens**, lente d'ingrandimento ▢ **h.-loom**, telaio a mano ▢ (*aeron.*) **h. luggage**, bagaglio a mano ▢ **h.-mill**, macinino ▢ (*raro*) **h. money**, caparra ▢ **Hands off!**, giù le mani!; togli (*o* togliete) le mani!; giù le zampe! (*fam.*) ▢ (*di atteggiamento, ecc.*) **hands-off**, che lascia autonomia agli altri, che non si intromette; distaccato: **a hands-off policy**, una politica di non intervento ▢ (*fam.*) **hands-on**, manuale; pratico: **hands-on training**, addestramento pratico; pratica ▢ **h. organ**, organino (*fig.*) **h. over fist**, in fretta; in grande quantità: **to make money h. over fist**, guadagnare soldi a palate; **to lose money h. over fist**, perdere un mucchio di soldi; essere una macchina mangiasoldi ▢ **h. over h.**, portando alternativamente una mano sopra l'altra (*come nell'arrampicarsi su una fune*); (*fig.*) con progressione rapida e continua ▢ **h.-painted**, dipinto a mano ▢ **h. press**, (*mecc.*) pressa a mano; (*tipogr.*) torchio a mano ▢ (*tecn.*) **h. pump**, pompa a mano ▢ **h.-reading**, chiromanzia; lettura della ma-

no □ (*leg.*) **h. sale**, compravendita verbale □ (*tipogr.*) **h.-set**, composto a mano □ (*tipogr.*) **h.-setting**, composizione a mano □ (*di scarpa, stivale, ecc.*) **h.-sewn**, cucito (*o* fatto) a mano □ **h. signal**, segnale (*di svolta, ecc.*) fatto a mano (*da un ciclista, ecc.*) □ (*ginnastica*) **h. spring**, salto sulle mani; ribaltata □ (fig.) **to have one's hands tied**, avere le mani legate □ **a h.-to-h. fight**, un combattimento corpo a corpo □ **h.-to-mouth**, precario; alla giornata: **a h.-to-mouth existence**, esistenza precaria □ (*econ.*) **h.-to-mouth buying**, acquisto minimo (*del consumatore*); acquisti ridotti all'osso □ **h. tool**, utensile a mano, utensile manuale □ (*USA*) **h. truck**, carrello a mano □ **Hands up!**, mani in alto!; (*anche*) su le mani, chi è d'accordo alzi la mano □ **h. vote**, voto per alzata di mano □ (*tecn.*) **h.-wheel**, volantino □ **at h.**, a portata di mano; vicino, imminente: *My parents live close at h.*, i miei genitori abitano proprio qui vicino; *The end of the term is at h.*, la fine del trimestre è vicina (*o* imminente) □ **at the hands of**, per mano di; a opera di: *He suffered greatly at the hands of his daughters*, soffrì molto a opera delle figlie □ **at first [at second] h.**, di prima [di seconda] mano: **to hear st. (at) second h.**, apprendere qc. di seconda mano □ **at sb.'s right h.**, alla destra di q. □ **to be a bad h. at st.**, essere scarso in qc. □ (*anche fig.*) **to bind sb. h. and foot**, legare q. mani e piedi □ **by h.**, a mano: **fruit gathered by h.**, frutta raccolta a mano; *The letter was sent by h.*, la lettera fu inviata a mano □ **to come to h.**, capitare sotto mano; (*comm.*) pervenire: *Your letter has come to h.*, ci è pervenuta la vostra lettera □ (*fig.*) **to force sb.'s h.**, forzare la mano a q. □ **to get st. off one's hands**, liberarsi (*o* sbarazzarsi, disfarsi) di qc. □ **to get one's h. in (a job)**, fare la mano a (un lavoro); impratichirsi di (un lavoro) □ **to get one' hands on sb.**, mettere le mani su q., acchiappare q. □ **to be a good h. at st.**, aver mano a qc.; essere bravo in qc. □ (*fam.*) **not to do a h.'s turn**, non fare niente; non muovere un dito □ **to have a h. in st.**, giocare un ruolo in qc., mettere lo zampino in qc. (*fam.*) □ (*fig.*) **to have one's hands full**, essere occupatissimo □ (*fig.*) **in h.**, in serbo, di riserva; per le mani, in fase di esecuzione, in corso; sotto controllo; in pugno (*fig.*); (*sport*) ancora da giocare, da recuperare: **to keep some money in h.**, tenere in serbo un po' di denaro; *The work is still in h.*, il lavoro è ancora in corso; **to have the whole situation in h.**, tenere in pugno la situazione; avere tutto sotto controllo □ **to keep one's hands clean**, non immischiarsi; tenersi fuori da qc. □ **to keep** (*o* **to get**) **one's h. in**, non perdere la mano a (*fare qc.*); stare in esercizio in (qc.) □ **to lay hands on st.**, metter le mani sopra una cosa; impossessarsi di qc. □ **to lay hands on sb.**, metter le mani addosso a q.; (*relig.*) imporre le mani su q. □ (*detto di un'organizzazione*) **The left h. doesn't know what the right h. is doing**, non c'è coordinamento; ognuno fa di testa propria □ **to lift** (*o* **to raise**) **one's hands to** (*o* **against**) **sb.**, alzare le mani su q. □ **to live from h. to mouth**, vivere miseramente; vivere alla giornata □ (*fig.*) **not to lift a h. (to help sb.)**, non alzare (*o* non muovere) un dito (per aiutare q.) □ (*fig.*) **off one's hands** = **out of one's hands** → *sotto* □ **to be an old h. at a job**, essere pratico di un lavoro □ **on all hands**, da tutte le parti □ **on either h.**, da entrambe le parti; da ambo i lati □ **on every h.**, da tutte le parti □ **on h.**, a disposizione, disponibile: *We have many new items on h.*, abbiamo molti articoli nuovi (*in magazzino, ecc.*) a vostra disposizione □ (*di una persona*) **to be on h.**, essere (*o* rendersi) disponibile; prestarsi (*a fare qc.*) □ (*fig.*) **on sb.'s hands**, a carico di q.; (*anche*) a disposizione di q. □ (correl.) **on the one h..., on the other h...**, da un lato (*o* per un verso)..., dall'altro (*o* per l'altro) □ **on the other h.**, d'altra parte; d'altro canto; però □ **out of h.**, (avv.) subito, senza pensarci su; (agg.) che sfugge al controllo: *The situation soon got out of h.*, la situazione sfuggì presto al controllo (*o* di mano) □ (*fig.*) **out of one's hands**, non più nelle proprie mani; non più a carico; non più di propria competenza: *The matter is out of my hands*, la faccenda non è più nelle mie mani □ **to h.**, sotto mano, a portata di mano □ **to play for one's own h.**, fare il proprio interesse □ (*fig.*) **to play into sb.'s hands**, fare il gioco di q. □ **to put** (*o* **to set**) **one's h. to st.**, mettere (*o* porre) mano a qc. □ **The right h. doesn't know what the left one is doing** = **The left h. doesn't know...** → *sopra* □ **to rule with a heavy** (*o* **an iron**) **h.**, governare con il pugno di ferro □ (*fig.*) **to stay sb.'s h.**, fermare la mano di q., impedire a q. di agire □ **to take a h. in st.** = **to have a h. in st.** → *sopra* □ **to take sb. in** (*o* **into**) **h.**, prendersi cura di q.; controllare, tenere a freno, fare rigare diritto q. □ **to take st. in h.**, occuparsi di, prendere in mano qc. (*fig.*) □ (*fig., slang USA*) **to talk to the h.**, parlare al muro (*fam. fig.*); parlare a q. che non ascolta □ **to try one's h. at st.**, cimentarsi in qc. □ **to turn one's h. to st.**, intraprendere qc.; cimentarsi in qc. □ (*fig.*) **to wash one's hands of st.**, lavarsi le mani di qc. □ **a with high h.**, con arroganza; da prepotente □ **with a heavy h.**, con mano pesante; con il pugno di ferro, spietatamente □ (*prov.*) **Many hands make light work**, l'unione fa la forza □ (*prov.*) **One h. washes the other**, una mano lava l'altra □ (*prov.*) **The h. that rocks the cradle rules the world**, il potere è donna.

HAND sigla (*Internet, telef.*, **have a nice day**) buona giornata.

♦to **hand** /hænd/ v. t. **1** dare; porgere; consegnare; passare; rimettere: *Please h. me the salt*, per favore, passami il sale; *The papers were handed to me by the clerk*, i documenti mi furono consegnati dall'impiegato **2** aiutare; guidare, sorreggere (*con la mano*): *I handed the old lady out of* (*o down from*) *the coach*, aiutai l'anziana signora a scendere dal pullman **3** (*fam.*) ammettere, concedere (qc.): *You've got to h. it to him, he's a good player*, devi ammettere che gioca proprio bene **4** (*naut.*) serrare, ammainare (*le vele*) **5** (*slang USA*) raccontare frottole (*o* balle) a (q.); darla a bere a (q.) ● (*fig.*) **handed you on a plate**, servito su un piatto d'argento (per te).

■ **hand around** v. t. + avv. distribuire in giro; offrire (qc.) a tutti i presenti; dare a tutti.

■ **hand back** v. t. + avv. restituire; rendere; ridare.

■ **hand down** v. t. + avv. **1** dare, allungare, passare (*qc. a q. che è più in basso*); tirare giù (*fam.*): *Will you h. me down my suitcase, please?*, Le dispiace tirarmi giù la mia valigia? **2** lasciare in eredità (*o* in retaggio); tramandare (*ai posteri, ai discendenti, ecc.*) **3** passare (*abiti smessi, scarpe, ecc.: a un fratello minore, ecc.*) **4** dichiarare, annunciare (*una decisione, ecc.*); presentare (*un preventivo, ecc.*) **5** (*leg.*) emettere: *The judge handed down his decision*, il giudice emise la sentenza.

■ **hand in** v. t. + avv. **1** dare, presentare; consegnare (*lettere, documenti, ecc.*): *The coursework has got to be handed in a week next Tuesday*, il compito dev'essere consegnato martedì della settimana prossima **2** consegnare; restituire (*oggetti trovati, biglietti usati, armi, ecc.*): *Why don't you ring the supermarket and see if anyone's handed it in?*, perché non chiami il supermercato per vedere se qualcuno l'ha trovata? **3** rassegnare: **to h. in one's resignation** (*o* **one's notice**), rassegnare le dimissioni; dimettersi **4** aiutare (q.) a salire (*su un veicolo*).

■ **hand off** v. t. + avv. respingere; spingere (q.) da parte; scansare.

■ **hand on** v. t. + avv. **1** passare (*una carica, la responsabilità, ecc.: a q. altro*) **2** trasmettere (*informazioni, ecc.*) **3** tramandare (*usanze, ecc.*).

■ **hand out** v. t. + avv. **1** distribuire, dare, far circolare; dare via (*fam.*): **to h. out the exam papers**, distribuire i compiti per l'esame; **to h. out leaflets**, dare via volantini; **to h. out advice**, dare consigli (*spesso non richiesti*) **2** passare, allungare: *Get out of the car, and I'll h. the baggage out to you*, se scendi dalla macchina, ti allungo io il bagaglio **3** dispensare (*critiche, consigli, sentenze, ecc.*) **4** (*antiq.*) aiutare (q.) a scendere (*da un veicolo*).

■ **hand over** **A** v. t. + avv. **1** consegnare, dare, passare; cedere: **to h. a criminal over to the police**, consegnare un criminale alla polizia; *They've handed the matter over to their solicitor*, hanno passato la pratica al loro legale; **to h. over power**, cedere il potere **2** (*leg.*) consegnare; deferire: **to h. sb. over to justice**, consegnare q. alla giustizia; deferire q. in giudizio **B** v. i. + avv. **1** passare le consegne; cedere (un'attività, il potere, ecc.): *The old owner has handed over to his sons*, il vecchio padrone ha ceduto l'attività ai figli **2** arrendersi (*a q.*).

■ **hand round** → **hand around**.

■ **hand up** v. t. + avv. **1** dare, allungare, passare (*qc. a q. che è più in alto*) **2** passare, trasmettere, inoltrare (*documenti, una pratica, ecc.: a q. o a un ente più autorevole*) **3** aiutare (q.) a salire (*su un veicolo, ecc.*).

♦**handbag** /ˈhændbæg/ n. **1** sacca a mano; borsa da viaggio; valigetta **2** borsa da signora; borsetta **3** (al pl.) (*scherz., GB*) scaramuccia ● **h. manufacturer**, borsettiere, borsettaio □ **h. retailer**, venditore di borsette, borsettaio □ **h. snatcher**, scippatore.

handball /ˈhændbɔːl/ n. (*sport*) **1** ⓤ pallamuro; palla a muro **2** ⓤ pallamano; handball **3** (*nel calcio*) (fallo di) mano **4** palla per handball **5** palla per pallamuro.

handballer /ˈhændbɔːlə(r)/ n. (*sport*) giocatore di pallamano (*o* di pallamuro).

handbell /ˈhændbel/ n. (*mus.*) campanella.

handbill /ˈhændbɪl/ n. volantino; foglietto pubblicitario; pieghevole.

handbook /ˈhændbʊk/ n. manuale; prontuario; guida.

handbrake /ˈhændbreɪk/ n. (*autom.*) freno a mano; freno di stazionamento ● **h. turn**, sbandata controllata (*fatta tirando il freno a mano*).

handcar /ˈhændkɑː/ n. (*ferr., USA*) carrello di servizio.

handcart /ˈhændkɑːt/ n. carretto a mano; carrettino.

handclap /ˈhændklæp/ n. applauso; battimano, battimani ● **slow h.**, battimano scandito (*in segno di impazienza, disapprovazione o incitamento*).

handclasp /ˈhændklɑːsp/ n. (*USA*) stretta di mano.

to **handcraft** /ˈhændkrɑːft/ v. t. fare a mano; fare (qc.) artigianalmente.

handcrafted /hænˈkrɑːftɪd/ a. fatto a mano; di fattura artigianale.

handcream /ˈhændkriːm/ n. ⓤⓒ crema per le mani.

to **handcuff** /ˈhændkʌf/ v. t. ammanettare; mettere le manette a (q.).

handcuffed /ˈhændkʌft/ a. in manette; ammanettato.

handcuffs /ˈhændkʌfs/ n. pl. manette.

handed /ˈhændɪd/ a. (nei composti) dalla

mano...; che ha la mano...: **heavy-h.**, che ha la mano pesante; fatto con mano pesante; **left-handed**, mancino; **open-h.**, generoso; che ha le mani bucate.

handedness /'hændɪdnəs/ n. ⓤ **1** preferenza a usare una mano piuttosto che l'altra; lateralità manuale **2** (*chim.*, *fis.*) chiralità.

to **handfeed** /'hændfiːd/ (pass. e p. p. **handfed**), v. t. nutrire, alimentare (*animali*) a mano.

handful /'hændfʊl/ n. **1** manciata (*anche fig.*): **a h. of beans**, una manciata di fagioli; (*polit.*) **a h. of votes**, una manciata di voti **2** manipolo; pugno (*d'uomini*); gruppetto: **a h. of people**, un gruppetto di persone **3** (*fam.*) persona indisciplinata, irrequieta; birichino; diavoletto: *He's a right h.*, è una vera peste.

handglass /'hændglɑːs/ n. **1** lente d'ingrandimento (*con manico*) **2** specchio con il manico; specchietto.

handgrip /'hændgrɪp/ n. **1** stretta di mano **2** stretta; presa **3** impugnatura, manico; maniglia; manopola (*di manubrio*) **4** borsa da viaggio ● **to come to handgrips**, impegnarsi in un combattimento corpo a corpo.

handgun /'hændgʌn/ n. pistola, rivoltella.

handheld /'hændheld/ 🅰 a. (*di strumento o apparecchio*) manuale; a mano: **h. scanner**, scanner manuale 🅱 n. (*comput.*) (= **h. computer**) (computer) palmare.

handhold /'hændhəʊld/ n. **1** appiglio (*per la mano: nelle scalate, ecc.*) **2** stretta; presa **3** (*ipp.*) redini (*di trottatore*).

handicap /'hændɪkæp/ n. **1** (*med.*) handicap; menomazione (*del corpo o della mente*) **2** (*sport*) vantaggio, abbuono, svantaggio (*di distanza o di tempo, di peso*); handicap **3** (*fig.*) intralcio; ostacolo; svantaggio; handicap ● (*sport*) **h. race**, corsa handicap ❶ **NOTA D'USO** ● *Nel significato medico oggi si preferisce* **disability**.

to **handicap** /'hændɪkæp/ v. t. **1** (*sport*) assegnare a (*un concorrente*) un handicap (→ **handicap**) **2** (*fig.*) handicappare; mettere in condizione d'inferiorità (*o di svantaggio*).

handicapped /'hændɪkæpt/ a. **1** (*med.*) handicappato; disabile; minorato **2** (*sport*) che ha un handicap **3** (*fig.*) handicappato; svantaggiato ● (*med.*) **the mentally** [**physically**] **h.**, gli handicappati mentali [fisici] ❶ **NOTA D'USO** ● *Nel significato medico oggi si preferisce* **disabled**.

handicapper /'hændɪkæpə(r)/ n. (*sport*) periziatore; handicapper.

handicraft /'hændɪkrɑːft/ n. **1** ⓤ lavoro d'artigiano; mestiere; artigianato **2** ⓤ abilità manuale; capacità d'artigiano; maestria **3** (pl.) prodotti fatti a mano; oggetti di piccolo artigianato **4** (pl.) piccolo artigianato ● (*econ.*, *stor.*) **h. economy**, economia artigiana □ **h. workshops**, botteghe artigiane.

handicraftsman /'hændɪkrɑːftsmən/ n. (pl. **handicraftsmen**) artigiano.

handily /'hændɪlɪ/ avv. **1** abilmente **2** comodamente **3** facilmente: **to win h.**, vincere facilmente.

handiness /'hændɪnəs/ n. ⓤ **1** maneggevolezza; manovrabilità; praticità d'uso **2** l'esser a portata di mano; comodità **3** abilità; destrezza.

handing down /'hændɪŋ'daʊn/ n. ⓤ **1** il tramandare; trasmissione; passaggio (→ **hand down**) **2** (*leg.*) emissione (*di una sentenza*).

handiwork /'hændɪwɜːk/ n. ⓤ **1** lavoro fatto a mano; lavoro artigianale **2** (*fig.*) operato; opera: **to be the h. of sb.**, essere opera di q.

handjob /'hændʒɒb/ n. (*volg. slang*) (atto

di) masturbazione (*compiuta nei confronti di un maschio*); sega (*fig.*, *volg.*).

handkerchief /'hæŋkətʃiːf/ n. (pl. **handkerchiefs**, **handkerchieves**) **1** fazzoletto **2** (*raro*) → **neckerchief**.

handle /'hændl/ n. **1** manico; impugnatura; maniglia; manopola; ansa (*d'anfora, vaso, ecc.*): **the door h.**, la maniglia della porta; **the h. of a racket** [**of a knife**], il manico (*o* l'impugnatura) di una racchetta [di un coltello] **2** (= **turning h.**) manovella: (*autom.*, *stor.*) **starting h.**, manovella di avviamento **3** (*mecc.*) braccio (*della benna*) **4** (*fig.*) appiglio; occasione; pretesto: **It was the h. he needed**, fu l'occasione che gli serviva **5** approccio giusto; chiave (*per capire qc.*); maniera di affrontare qc. **6** effetto al tatto (*di una stoffa, ecc.*); consistenza **7** (*fam. USA*) totale delle scommesse **8** (*fam.*) nome (*di persona*) **9** (*fam. iron.*, spec. nella loc.:) – **a h. to one's name**, titolo (*onorifico o nobiliare*); attributo ● **to get a h. on st.**, farsi un'idea di qc., capire qc. □ **to have a h. on st.**, avere un'idea di qc., capire qc.

◆to **handle** /'hændl/ 🅰 v. t. **1** maneggiare; manipolare; toccare (*con le mani*); usare: **to h. a tool**, maneggiare un arnese; *Can you h. a gun?*, sai usare la pistola? **2** trattare; occuparsi di; affrontare; gestire: *to know how to h. children* [*dogs*], sapere come trattare (*o saperci fare con*) i bambini [i cani]; *This office handles claims for damages*, questo ufficio si occupa delle richieste di risarcimento; *How are you handling the course?*, come stai affrontando il corso?; *He can't handle the situation*, non sa gestire (*o padroneggiare*) la situazione **3** (*comm.*) trattare, commerciare in: *We don't h. this sort of item*, non trattiamo questo genere di articoli **4** trattare; discutere: **to h. a problem**, trattare un problema 🅱 v. i. (*mecc.*) rispondere ai comandi; essere (*più o meno*) maneggevole: *This car handles well* [*badly*], quest'automobile è molto maneggevole [poco maneggevole] ● (*sport*) **to h. the ball**, toccare la palla con le mani □ (*naut.*) **to h. a ship**, manovrare una nave □ **to h. sb. roughly**, trattar male q.; maltrattare q. □ (*su una cassa, ecc.*) **H. with care!**, attenzione – fragile!

handlebar /'hændlbɑː(r)/ n. **1** (spesso al pl.) manubrio (*di bicicletta*) **2** (= **h. moustache**) baffi a manubrio ● **h. control**, comando al manubrio (*di bicicletta o di moto*) □ (*ciclismo*) **h. grip**, impugnatura del manubrio.

handler /'hændlə(r)/ n. **1** chi maneggia (qc.); manipolatore **2** (*spec.*) addestratore (*di cani da difesa, ecc.*) **3** (*mil.*) accompagnatore (*di un cane: nella polizia, ecc.*) **4** (*cinem.*, *TV*) istruttore (*di un animale*) **5** (*sport: boxe, ecc.*) manager (*di un atleta*) **6** (*comp.*) gestore (*software di gestione ad es. di una periferica*) ● (*aeron.*) **baggage h.**, addetto ai bagagli (*in un aeroporto*).

handless /'hændləs/ a. **1** privo delle mani; senza le mani **2** (*fig. dial.*) maldestro; goffo.

handline /'hændlaɪn/ n. (*pesca*) lenza a mano (*senza la canna*).

handling /'hændlɪŋ/ n. ⓤ **1** maneggio; manipolazione; modo d'impiegare (qc.) **2** trattamento, gestione (*d'un problema, ecc.*) **3** modo di trattare (q.); trattamento **4** (*naut.*) manovra **5** (*sport: calcio*) mano (*il fallo*) **6** (*comm.*) trasporto interno **7** (*trasp.*) movimentazione (*delle merci*) **8** (*aeron.*) handling ● **h. costs**, costi di trasporto interno; (*anche*) costi di movimentazione □ **firm** [**weak**] **h.**, fermezza [debolezza] (*nel trattare con q. o nel gestire un problema*).

handmade /'hænd'meɪd/ a. fatto a mano; lavorato a mano.

handmaid /'hænd'meɪd/, **handmaiden** /'hændmeɪdn/ n. (*arc.*, *salvo al fig.*) serva;

ancella.

hand-me-down /'hændmɪdaʊn/ 🅰 a. **1** (*d'abito, ecc.*) smesso; usato **2** (*fig.*) convenzionale; stantio; trito 🅱 n. **1** abito smesso (e passato a un altro) **2** (*fig.*) cosa di scarto; cosa usata; (un) ex (*persona già fidanzata con un'altra, ecc.*).

handout /'hændaʊt/ n. **1** elemosina, carità (*fatta a un mendicante*) **2** (*fam.*) comunicato stampa **3** (*fam.*) foglietto pubblicitario; pieghevole; volantino; (*market.*) dépliant, opuscolo **4** (*econ.*) sovvenzione (*statale*); contributo (*a fondo perduto*) **5** (*market.*) campione gratuito.

handover /'hændəʊvə(r)/ n. ⓤ **1** consegna; passaggio (*delle consegne*): **the h. of a ransom**, la consegna (*o* il pagamento) di un riscatto **2** trasferimento (*di poteri, ecc.*) **3** scambio.

to **handpick** /'hændˈpɪk/ v. t. **1** cogliere (*o raccogliere*) a mano **2** (*fig.*) scegliere attentamente; selezionare con cura.

handpicked /'hændˈpɪkt/ a. **1** colto a mano **2** (*fig.*) scelto; selezionato.

handpiece /'hændpiːs/ n. **1** (*spec. Austral.*) tosatrice meccanica (*per pecore*) **2** (*telef.*) → **handset**.

handprint /'hændprɪnt/ n. impronta della mano; manata.

handrail /'hændreɪl/ n. corrimano; ringhiera.

handsaw /'hændsɔː/ n. (*mecc.*) sega a mano.

hand's breadth /'hændzbredθ/ → **hand**.

handsel /'hænsl/ n. **1** strenna portafortuna; dono augurale **2** (*comm.*) caparra **3** (*fig.*) assaggio (*fig.*); pregustazione.

to **handsel** /'hænsl/ v. t. **1** dare una strenna (*o una caparra*) a (q.) **2** inaugurare; essere il primo a usare (qc.).

handset /'hændset/ n. (*telef.*) cornetta con microfono; microtelefono.

handshake /'hændʃeɪk/ n. **1** stretta di mano **2** (*comput.*) handshake (*scambio di segnali per stabilire una connessione*) ● **golden h.** → **golden**.

handshaking /'hændʃeɪkɪŋ/ n. ⓤⓒ **1** lo stringersi la mano; le strette di mano **2** (*comput.*) handshake; scambio di segnali per stabilire una connessione: **h. procedure**, procedura di handshake.

handsome /'hænsəm/ a. **1** (*di uomo*) bello; di bell'aspetto; avvenente: **h. man**, un bell'uomo **2** (*di donna*) attraente, piacente (*non necessariamente molto bella in senso stretto*) **3** (*di cose o animali*) bello; ben fatto; notevole: **a h. colonnade**, un bel (*o* un elegante) colonnato **4** (*fig.*) considerevole; notevole; consistente; bello: **a h. sum**, una bella somma; una somma considerevole; **a h. majority**, una maggioranza consistente **5** gentile; cortese **6** (*fam. USA*) abile; bravo ● (*slang*) **to come down h.**, essere largo di mano; essere generoso □ (*prov.*) **H. is as h. does**, ciò che conta non è l'apparenza ma la sostanza **| -ly** avv. **| -ness** n. ⓤ.

❶ **NOTA:** *handsome, pretty, beautiful*
La parola *handsome* si usa quasi esclusivamente in riferimento agli uomini e descrive in genere un tipo di bellezza considerato tipicamente maschile. Se si usa per una donna, quindi, esprime un tipo di bellezza che non è considerato tipicamente femminile. Al contrario, *pretty* si usa quasi esclusivamente per descrivere una forma di bellezza convenzionalmente femminile, e perciò se attribuito a un uomo o a un ragazzo, può avere una sfumatura ironica o addirittura spregiativa. *Beautiful* significa "bello" o "molto bello" in senso generale ed è un termine più neutro rispetto a *pretty* o *handsome*; in riferimento alle persone, si usa soprattutto per descrivere le donne.

handspike /'hændspaɪk/ n. **1** (*anche naut.*) leva; palanchino **2** (*mil.*) maniglia (*di cannone, ecc.*).

handspring /'hændsprɪŋ/ n. salto mortale (*fatto appoggiando a terra le mani*).

handstand /'hændstænd/ n. (*ginnastica*) verticale sulle mani (*o ritta*) ● (*tuffi*) h. dive, tuffo a candela.

handwork /'hændwɜːk/ n. ⍻ lavoro fatto a mano.

handwriting /'hændraɪtɪŋ/ n. ⍻ scrittura; grafia; calligrafia ● h. analysis, analisi della scrittura; grafologia □ h. analyst (*o* consultant), grafologo □ h. expert, perito calligrafo □ h. test, esame grafologico.

handwritten /'hændrɪtn/ a. scritto a mano.

♦**handy** /'hændɪ/ a. **1** abile (*di mano*); destro **2** a portata di mano; sottomano; vicino: *Keep your screwdriver h.*, tieni il cacciavite a portata di mano!; *Have you got pen and paper h.?*, hai carta e penna a portata di mano? **3** comodo; utile: **a h. device**, un dispositivo comodo; un sistema utile; *That would be h.*, mi farebbe comodo **4** maneggevole; maneggiabile; manovrabile: *It's a h. little car*, è una macchinina assai manovrabile **5** (*di un luogo*) accessibile; facilmente raggiungibile; comodo: *The flat's near my parents' house and it's h. for getting to work*, l'appartamento è vicino a casa dei miei ed è comodo per andare al lavoro **6** (*naut.: di bastimento*) manovriero ● h.-dandy, indovina indovinello (*porgendo i pugni serrati, di cui uno contiene un oggetto, o ruotandoli*) □ to come in h., tornare (*o rivelarsi*) utile: *This old knife may come in h. one day*, questo vecchio coltello può tornare utile un giorno.

handyman /'hændɪmæn/ n. (pl. **handymen**) **1** uomo che sa fare di tutto; (uomo) tuttofare **2** (*ind.*) operaio che sa fare più lavori.

hang /hæŋ/ n. **1** ⍻ modo di pendere (*o di sporgere*); inclinazione (*del capo, ecc.*) **2** ⍻ aplomb (*franc.*); appiombo; modo di cadere (*di abiti, ecc.*) **3** (*ginnastica*) sospensione (*a un attrezzo*) ● h.-up → hangup □ (*fam.*) to get the h. of, impratichirsi; imparare a usare; fare la mano a □ (*fam.*) not to care (*o not to give*) a h. about, infischiarsene (*o fregarsene*) di: *I don't give a h. about what other people think*, me ne frego di quel che pensano gli altri.

♦**to hang** /hæŋ/ (pass. e p. p. **hung**, ma **hanged** *nel senso di impiccare*) A v. t. **1** appendere; sospendere; attaccare; stendere (*ad asciugare*): to h. a photo on the wall, appendere una foto al muro; *I'll h. the washing out in the terrace*, stenderò la biancheria nella terrazza; to h. wallpaper [the curtains], attaccare carta da parati [le tendine] **2** decorare di; ornare con: *The hall was hung with flags*, la sala era ornata (*o pavesata*) di bandiere **3** collocare, mettere, porre, montare (*su cardini e sim.*) **4** appendere (*carne, ecc.*) a essiccare; appendere (*selvaggina*) a frollare: **hung beef**, carne di manzo essiccata **5** impiccare: *The murderer was hanged*, l'assassino fu impiccato **6** (*arte*) esporre (*quadri e sim.*) **7** affibbiare, appioppare (*un soprannome, ecc.*) B v. i. **1** pendere; penzolare; essere appeso (*o attaccato*); stare sospeso: *The greyhound's tongue was hanging out*, il levriero aveva la lingua di fuori (*o penzoloni*); *The boy was hanging from a tree*, il ragazzo era attaccato a un albero **2** (*di un uscio, ecc.*) essere collocato, girare (*su cardini e sim.*) **3** (*di decisione, ecc.: spec.* to h. in the balance) essere in sospeso; pendere (*fig.*); essere incerto **4** (*fig.*) indugiare, trattenersi; permanere, persistere; rimanere sospeso: *The smell of soup hung in the room*, l'odore della zuppa persisteva

(*o ristagnava*) nella stanza; *The hawk hung in the air*, il falco restava sospeso (*o immobile*) nell'aria **5** (*USA*) → **hang out 6** (*di un quadro*) essere esposto **7** (*d'abito*) cadere (*bene, male, ecc.*): *This coat hangs well*, questo cappotto cade bene **8** (*comput.: di un computer che non risponde più agli input dell'utente*) piantarsi; arrestarsi improvvisamente **9** morire impiccato; finire sulla forca ● to h. fire, (*d'arma da fuoco*) sparare in ritardo, far cilecca; (*fig.*) indugiare, rimanere in sospeso; prendersi una pausa □ (*fam. USA*) to h. a left [right] turn, prendere (*o svoltare*) a sinistra [a destra] □ (*fam. USA*) to h. (one's) hat, andare a stare, andare ad abitare □ to h. one's head (in shame), abbassare la testa, stare a capo chino (*per la vergogna*) □ to h. heavy, gravare, aleggiare; (*del tempo*) trascorrere lentamente □ (*di stoffa, ecc.*) to h. in folds, ricadere in pieghe □ (*fam.*) to h. (on) in there, resistere; tenere duro; non mollare □ to h. oneself, impiccarsi □ (*fam. GB*) H. it (all)!, accidenti!; maledizione!; al diavolo! □ (*fam., spec. USA*) to h. loose!, rilassarsi! □ (*fam.*) H. loose!, rilassati!, non preoccuparti! □ (*fam. GB*) H. st.!, al diavolo!; chi se ne importa di qc.!: *Let's have another slice of cake and h. the diet!*, prendiamo un'altra fetta di torta e al diavolo la dieta! □ (fam. USA) to h. tough, essere irremovibile; tenere duro □ (*volg.*) Go h.!, impiccati!, va al diavolo! □ **I'll be hanged if...**, che il diavolo mi porti se...; che Dio mi fulmini se... □ (*prov.*) One might (*o* may) as well be hanged for a sheep as (for) a lamb, poiché la pena è la stessa, tanto vale commettere il peccato più grave.

❶ Nota: *hanged o hung?*
Hung è il simple past e il participio passato del verbo *to hang* quando significa "appendere": *The walls were hung with enormous oil paintings*, alle pareti erano appesi enormi dipinti a olio. *Hanged* è il simple past e il participio passato di *to hang* solo quando significa "impiccare": *They were hanged at first light the following day*, sono stati impiccati il giorno seguente all'alba, *He hanged himself the night before his court appearance*, si impiccò la notte prima del processo.

■ **hang about** v. i. + avv. (o prep.) **1** bighellonare; ciondolare; dondolarsi; gingillarsi **2** indugiare; stare in attesa (*di q.*) **3** stare intorno a (*q.*); attorniare; circondarsi di (*amici, ecc.*) **4** (*di un pericolo, ecc.*) incombere su; minacciare **5** (*di una malattia*) essere allo stato latente; covare (*fig.*) □ to h. about discos, bazzicare le discoteche □ H. about!, aspetta!; ferma!

■ **hang around** → **hang about**.

■ **hang back** v. i. + avv. **1** restare indietro; trattenersi indietro **2** trattenersi (*prima di rispondere*); esitare **3** tirarsi indietro (*per paura, ecc.*) □ to h. back from, rifuggire da, rifiutarsi (*di fare qc.*).

■ **hang behind** v. i. + avv. (*nelle corse, ecc.*) restare (*o trattenersi*) indietro; attardarsi.

■ **hang by** v. i. + prep. **1** essere appeso a: to h. by a hair (*o* a thread), essere appeso a un filo (*in senso proprio e fig.*) **2** restare appeso con (*le mani, le dita, ecc.*).

■ **hang off** → **hang back**.

■ **hang on** A v. i. + avv. **1** rimanere appeso; (*di uno scalatore*) restare in parete **2** (*di un raffreddore, ecc.*) durare **3** (*fam.*) continuare (*a fare qc.*); perseverare; tener duro (*fam.*): to h. on for (*o* like) grim death, aggrapparsi con tutte le proprie forze; (*fig.*) tener duro, non mollare; (*fam.*) on a little longer, tieni duro ancora un po'! **4** (*fam.*) aspettare; trattenersi: *H. on a minute!*, aspetta un attimo! **5** (*fam., telef.*) restare in linea: *H. on, please!*, resti in linea, la prego! B v. i. + prep. **1** stare attaccato, aggrapparsi a: to h.

on sb.'s arm, stare attaccato al braccio di q.; to h. on a cable, aggrapparsi a un cavo **2** tenere stretto: *Will you h. on to this end of the rope until I've fastened it?*, vuoi tenere stretto questo capo della fune finché non l'ho fissata? **3** pendere da (*fig.*): to h. on sb.'s lips (*o* words *o* every word), pendere dalle labbra di q.; ascoltare q. con grande attenzione **4** dipendere da: *The survival of the tribe hung on the maize crop*, la sopravvivenza della tribù dipendeva dal raccolto del granturco **5** (*fam.*) stare attaccato a (*o* alle sottane di) **6** (*fam. spec. USA*) attribuire, dare la colpa di (*qc.*) a (*q.*): *The police hung the murder on him*, la polizia gli diede la colpa dell'omicidio.

■ **hang onto, hang on to** v. i. + prep. **1** tenersi stretto (*o* aggrappato) a; aggrapparsi a: to h. onto sb.'s arm, tenersi stretto al braccio di q. **2** tenere stretto: *It was so windy that I had to h. onto my hat*, il vento tirava così forte che dovevo tenere stretto il cappello **3** (*fig. fam.*) stare attaccato (*o* appiccicato) a (*q.*) **4** aggrapparsi a (*fig.*); poter contare, fare affidamento su (*q. o qc.*): to h. onto old memories, aggrapparsi ai vecchi ricordi **5** (*fam.*) tenersi stretto; conservare (*una ricevuta, ecc.*), non cedere, non vendere: *I advise you to h. onto your flat*, ti consiglio di tenerti stretto il tuo appartamento.

■ **hang out** A v. i. + avv. **1** sporgersi: *Don't h. out of the window!*, non sporgerti dal finestrino! **2** (*fam.*) tener duro; resistere **3** (*fam.*) durare **4** (*fam.*) abitare; stare; trovarsi di solito; bazzicare: *Where does he h. out?*, dove bazzica di solito? B v. t. + avv. appendere (*un'insegna, ecc.*); mettere fuori; issare, esporre (*bandiere, ecc.*); stendere (*la biancheria*); *Can you hang the washing out?*, puoi stendere il bucato? C v. i. + prep. sporgere (*fuori*) □ (*slang*) to let it all h. out, lasciarsi andare; mollare i freni inibitori □ (*fig.*) to h. sb. out to dry, lasciare q. nei guai; mollare q.; (*anche*) farla pagare a (q.).

■ **hang over** A v. i. + avv. **1** sporgere **2** restare in sospeso; essere incompiuto **3** perdurare; sopravvivere B v. i. + prep. **1** appendere (qc.) su; attaccare (qc.) a **2** (*di un indumento, ecc.*) essere appeso a **3** (*dei capelli*) scendere su (*il collo, le spalle, ecc.*) **4** (*della nebbia, ecc.*) avvolgere; avviluppare: *A thick fog was hanging over the motorway*, una fitta nebbia avvolgeva l'autostrada **5** (*fig.*) incombere, pesare su: *The threat of war hangs over the world*, il pericolo della guerra incombe sul mondo.

■ **hang round** → **hang about**.

■ **hang together** v. i. + avv. **1** (*di quadri, ecc.*) essere appesi uno accanto all'altro **2** (*di criminali*) essere impiccati insieme **3** (*di persone*) restare uniti **4** (*di un oggetto*) restare compatto; stare insieme (*fam.*) **5** (*fig. fam.*) essere coerente (*o ben congegnato*); filare (*fig.*); stare in piedi (*fig.*): *The evidence he gave didn't h. together*, la sua testimonianza non stava in piedi; *The novel hangs together well*, il romanzo è ben congegnato.

■ **hang up** A v. t. + avv. **1** appendere; attaccare: *H. up your coat!*, appendi il cappotto! **2** (*fam.; di solito, al passivo*) rimandare; rinviare; sospendere: *The negotiations have been hung up*, i negoziati sono stati rinviati **3** (*fam. Austral.*) attaccare, legare (*il cavallo*) B v. i. + avv. (*telef.*) mettere giù (il ricevitore); riattaccare; riagganciare □ (*USA*) to h. it up, piantarla (*fam.*): ritirarsi, andare in pensione; rinunciare a fare qc.; lasciar perdere □ (*calcio*) to h. up one's boots, appendere le scarpe al chiodo □ (*fig. fam.*) to h. up one's hat, ritirarsi dall'attività; cessare l'attività □ to h. up on sb., sbattere giù il telefono a q.; riattaccare bruscamente □ to get hung up, subire un ritardo, essere ritardato: *Sorry, we got hung up in traffic*, scusate,

siamo stati ritardati dal traffico.
■ **hang upon** v. i. + prep. → **hang on**, B.
■ **hang with** v. i. + prep. (di solito, al passivo) ricoprire; ornare; decorare: *The walls of the drawing room were hung with paintings*, le pareti del salotto erano ricoperte di quadri.

hangar /'hæŋə(r)/ n. (*aeron.*) aviorimessa; hangar.

hangdog /'hæŋdɒg/ **A** a. attr. **1** avvilito; abbattuto **2** vergognoso; da colpevole; furtivo **B** n. individuo spregevole; verme, cane (*fig.*) ● **a h. look**, un'aria da cane bastonato.

hanger① /'hæŋə(r)/ n. **1** (nei composti) chi appende; chi attacca: **paper h.**, tappezziere (*che attacca carta da parati*) **2** gancio, uncino; catena (*del camino*) **3** (= **coat h.**), attaccapanni; ometto; gruccia **4** (*stor.*) spadino **5** anello (*di catena, ecc.*) con attaccato qc. **6** (*mecc.*) asta di sospensione **7** (*elettr., telef.*) pendino ● **h.-on**, seguace; (*spec.*) tirapiedi (*fig.*); portaborse.

hanger② /'hæŋə(r)/ n. bosco sul ripido pendio d'un monte.

hangfire /'hæŋfaɪə(r)/ n. (*tecn., mil.*) ritardo di accensione.

to **hang-glide** /'hæŋglaɪd/ (*sport*) v. i. volare con il deltaplano ‖ **hang-glider** n. **1** deltaplano **2** deltaplanista ‖ **hang-gliding** n. ⓤ il deltaplano (*lo sport*).

hanging① /'hæŋɪŋ/ n. **1** ⓤ l'appendere; l'attaccare **2** ⓤ impiccagione **3** (pl.) tendaggi; tende; arazzi: **wall hangings**, arazzi da parete **4** (*comm.*, collett.) tendaggi ● **a h. committee**, una commissione che decide la collocazione dei quadri in una mostra □ **a h. matter**, un crimine da forca; un delitto da punire con l'impiccagione; (*per estens.*) un grave crimine; una colpa grave □ **the h. tree**, l'albero degli impiccati.

hanging② /'hæŋɪŋ/ a. **1** sospeso; pendente; pensile: **a h. bridge**, un ponte sospeso; **a h. garden**, un giardino pensile **2** sporgente: **h. cliffs**, scogliere sporgenti **3** in sospeso: **a h. question**, una questione rimasta in sospeso **4** (*leg.*: di reato) passibile di morte per impiccagione ● **h. basket**, cestino pensile (*per piante, frutta, ecc.*) □ **h. cupboard**, pensile (*mobile*) □ (*geogr.*) **h. glacier**, ghiacciaio pensile □ (*edil.*) **h. gutter**, grondaia □ (*di problema, ecc.*) **h. in the air**, in sospeso; ancora irrisolto □ **a h. judge**, (*fig.*) un giudice assai duro; (*un tempo*) un giudice che condanna molta gente all'impiccagione □ **h. lamp**, lampada sospesa al soffitto □ (*ind. costr.*) **h. scaffold**, ponteggio sospeso; ponteggio mobile □ (*ind. min.*) **h. sheave**, puleggia di rinvio □ (*geogr.*) **h. valley**, valle sospesa □ (*geol., min.*) **h. wall**, tetto.

hangman /'hæŋmən/ n. (pl. **hangmen**) boia; carnefice.

hangnail /'hæŋneɪl/ n. (*med.*) pipita.

hangout /'hæŋaʊt/ n. **1** (*fam.*) (luogo di) ritrovo abituale; locale preferito: **a teenagers' h.**, un ritrovo di adolescenti **2** casa (*dove si abita*).

hangover /'hæŋəʊvə(r)/ n. (*fam.*) **1** mal di testa dopo una bevuta; postumi di una sbornia; doposbornia, doposbronza (*fam.*) **2** (*fig.*) strascico; retaggio: **a h. from the past**, uno strascico (*o un retaggio*) del passato **3** ⓤ (*TV*) persistenza; trascinamento ● **love h.**, postumi dell'innamoramento; delusione amorosa.

hangup, **hang-up** /'hæŋʌp/ n. **1** (*comput.*) sospensione; arresto improvviso **2** (*fam.*) problema (*sentimentale, psicologico, ecc.*); difficoltà; fobia; mania; fissazione; nevrosi **2** (*fam. USA*) seccatura; scocciatura; impiccio.

hank /hæŋk/ n. **1** matassa **2** (*ind. tess.*) matassa di lana (*di 560 iarde, pari a circa 512 metri*) **3** (*ind. tess.*) matassa di cotone (*di*

840 iarde, pari a circa 768 metri) **4** (*naut.*) canestrello (*di ferro o di legno*); moschettone.

to **hanker** /'hæŋkə(r)/ v. i. – **to h. after** (*o* **for**), agognare; bramare; desiderare ardentemente: **to h. after fame**, bramare la celebrità ● **to h. after friendship**, avere un gran bisogno di amicizia.

hankering /'hæŋkərɪŋ/ n. brama; bramosia; desiderio ardente; gran bisogno.

hankie, **hanky** /'hæŋkɪ/ n. (*fam.*) fazzoletto.

hanky-panky /'hæŋkɪ'pæŋkɪ/ n. ⓤ (*fam.*) **1** imbrogli; maneggi; manovre poco chiare; raggiri: **financial hanky-panky**, manovre finanziarie poco chiare **2** tresche; maneggi; intrighi; traffici (*di tipo erotico*).

Hannibal /'hænɪbl/ n. (*stor.*) Annibale.

Hanover /'hænəʊvə(r)/ n. (*geogr.*) Hannover (*provincia e città tedesche*) ● (*stor.*) **the House of H.**, la casa reale di Hannover (*da Giorgio I alla regina Vittoria*).

Hanoverian /hænə'vɪərɪən/ **A** a. **1** di Hannover **2** (*stor.*) della casa reale di Hannover; hannoveriano **B** n. (*stor.*) **1** membro della casa di Hannover **2** seguace della casa reale di Hannover.

Hansard /'hænsɑːd/ n. resoconto quotidiano degli atti del parlamento britannico (*dal nome del primo compilatore e tipografo*).

Hanse /hæns/ n. (*stor.*) Hansa; Lega anseatica.

Hanseatic /hænsɪ'ætɪk/ a. (*stor.*) anseatico: **the H. League**, la lega anseatica.

hansel, to **hansel** /'hænsl/ → **handsel, to handsel**.

hansom /'hænsəm/ n. (= **h. cab**) carrozzella a due ruote, con la serpa del cocchiere a tergo.

hantavirus /'hæntəvaɪrəs/ n. (*biol., med.*) hantavirus (*virus del genere virale isolato nella regione di Hantaan, Corea*).

Hants /hænts/ abbr. (**Hampshire**).

Hanukkah /'hænʊkə/ n. (*relig.*) Hanukkah (*festa ebraica delle luci*).

hapax /'hæpæks/ n. (*ling.*) hapax.

ha'penny /'heɪpnɪ/ → **halfpenny**.

haphazard /hæp'hæzəd/ **A** n. accidente; caso: **at h.**, per caso **B** a. **1** accidentale; casuale; fortuito **2** fatto a casaccio (*o alla carlona*).

haphazardly /hæp'hæzədlɪ/, **haphazard** /hæp'hæzəd/ avv. **1** accidentalmente; casualmente **2** a casaccio; alla carlona.

hapless /'hæpləs/ a. (*lett.*) sfortunato; sventurato; infelice | **-ly** avv. | **-ness** n. ⓤ.

haploid /'hæplɔɪd/ a. (*biol.*) aploide.

haplology /hæp'blɒdʒɪ/ n. (*ling.*) aplologia.

haplotype /'hæpləʊtaɪp/ n. (*biol.*) aplotipo.

haply /'hæplɪ/ avv. (*lett.*) **1** accidentalmente; per caso **2** forse: '*H. I may remember, / And h. I may forget*' C. ROSSETTI, 'forse ricorderò / e forse dimenticherò'.

ha'p'orth /'heɪpəθ/ n. → **halfpennyworth**.

◆to **happen** /'hæpən/ v. i. **1** accadere; avvenire; verificarsi; succedere: *The accident happened at nine p.m.*, l'incidente avvenne alle nove di sera; *What happened?*, che cos'è successo? **2** succedere; accadere; capitare: *If anything should h. to me...*, se mi dovesse succedere qualcosa...; *What happened to you?*, che cosa ti è successo?; *What (o Whatever) happened to that French friend of yours?*, che ne è del tuo amico francese? **3** (anche con costruz. pers.) capitare; darsi il caso; capitare di; trovarsi a: *I happened to see them yesterday*, mi è capitato di vederli ieri; *A man happened to pass there*, un uomo si trovava a passare di là (o

passava di là per caso); *If you h. to be in Rome, ring me up*, se capiti a Roma, telefonami; *Do you h. to know when he'll be back?*, sai per caso a che ora tornerà?; *It so happened that I had* (o *I happened to have*) *met him before*, si dava il caso che l'avessi già conosciuto; (*iron.*) *He happens to be the manager's son*, è (o si dà il caso che sia) il figlio del direttore ● (*fam. spec. USA*) **to h. by** (o **past**, **along**), passare per caso da (*un posto*) □ **to h. on** (o **upon**) **sb.** [**st.**], incontrare (o trovare, imbattersi in) q. [qc.] per caso □ **H. what may**, accada quel che accada; sia quel che sia □ **as it happens**, guarda caso; per combinazione: *As it happens, I've got an extra ticket*, guarda caso, ho un biglietto in più □ **These things h.**, sono cose che succedono.

◆**happening** /'hæpənɪŋ/ **A** n. **1** (di solito al pl.) avvenimento; evento **2** (*arte, teatr.*) happening (*rappresentazione improvvisata con partecipazione del pubblico*) **B** a. attr. (*slang, antiq.*) **1** vivace; brioso **2** elegante; alla moda.

happenstance /'hæpənstəns/ n. (*spec. USA*) **1** ⓤ sorte; fortuna **2** evento casuale.

happily /'hæpɪlɪ/ avv. **1** felicemente: **h. married**, felicemente sposato **2** lietamente: **to smile h.**, sorridere lietamente **3** per fortuna; fortunatamente.

happiness n. ⓤ felicità; contentezza; gioia; lietezza.

◆**happy** /'hæpɪ/ a. **1** felice; contento; lieto; fortunato: **a h. marriage**, un matrimonio felice (o fortunato); *I was h. to see her again*, fui lieto di rivederla; **a h. idea**, un'idea felice (o azzeccata); una buona idea; **a h. coincidence**, una coincidenza fortunata; una felice coincidenza **2** (*fam.*) brillo; alticcio; su di giri (*fam.*) **3** (nei composti) amante di; fanatico; patito; pronto a: **publicity-h.**, amante della pubblicità **4** (*arc.*) esperto; ferrato ● **to be h. about** = **to be h. with** → *sotto* □ **H. birthday!**, buon compleanno! □ (*iron., del rito evangelico*) **h.-clappy**, che (o chi) manifesta la propria fede cantando e battendo le mani □ (*fig. scherz.*) **h. dispatch**, harakiri □ **h. end** (o **h. ending**), lieto fine □ **h. event**, lieto evento (*la nascita di un bimbo*) □ **the h. few**, i privilegiati; i pochi fortunati □ **h.-go-lucky**, che prende il mondo come viene; spensierato ● (*fam.*) **h. hour**, periodo del giorno in cui le bevande (*al bar, ecc.*) costano meno; happy hour □ (o **the**) **h. medium**, il giusto mezzo □ **H. New Year!**, Buon anno!; Felice anno nuovo! □ **to be h. with**, essere soddisfatto (o contento) di □ **to be as h. as a dog with two tails**, essere arcicontento; gongolare □ **to be (as) h. as a king** (o **as a clam**, **as a lark**, **as a Larry**, **as a sandboy**, **as the day is long**), essere felice (o contento) come una Pasqua □ **to strike a** (o **the**) **h. medium**, trovare il giusto mezzo (o un giusto compromesso).

Hapsburg /'hæpsbɜːg/ n. (*stor.*) Asburgo.

hapten /'hæptən/ n. (*fisiol.*) aptene.

haptic /'hæptɪk/ a. (*fisiol., tecn.*) aptico; relativo al tatto: **h. interface**, interfaccia aptica ‖ **haptics** n. pl. (col verbo al sing.) aptica.

haptoglobin /'hæptəglɒbɪn/ n. ⓤ (*biochim.*) aptoglobina.

hara-kiri /hærə'kɪrɪ/ (*giapponese*) n. ⓤ harakiri; karakiri.

harangue /hə'ræŋ/ n. arringa; tirata; sproloquio; invettiva; filippica.

to **harangue** /hə'ræŋ/ **A** v. t. arringare (*la folla, ecc.*) **B** v. i. fare un'arringa.

haranguer /hə'ræŋə(r)/ n. arringatore, arringatrice.

to **harass** /'hærəs, hə'ræs/ v. t. **1** molestare; tormentare; assillare; vessare: **immigrants harassed by the police**, immigranti

vessati dalla polizia; **to be harassed by poverty**, essere tormentato dalla miseria **2** (*mil.*) tartassare (*il nemico*) con ripetuti attacchi; incalzare; braccare **3** molestare sessualmente; infastidire, importunare **4** (*sport*) bombardare (*fig.*); attaccare a fondo.

harassing /'hærəsɪŋ/ **a.** molesto; fastidioso; seccante ● (*mil.*) **h. fire**, fuoco di disturbo.

harassment /'hærəsmənt/ **n.** [U] **1** molestia; tormento; fastidio; vessazione; assillo **2** (*mil. e sport*) impegno continuo (*dell'avversario*); attacchi ripetuti ● (*leg.*) **sexual h.**, molestie sessuali.

harbinger /'hɑːbɪndʒə(r)/ **n.** **1** annunciatore; araldo; messaggero **2** (*un tempo*) precursore (*d'un sovrano*) **3** (*mil.*) foriero d'alloggiamento.

to **harbinger** /'hɑːbɪndʒə(r)/ **v. t.** annunciare l'arrivo di; preannunciare; esser foriero di.

◆**harbour**, (*USA*) **harbor** /'hɑːbə(r)/ **n.** [CU] **1** (*naut.*) porto: **a natural [artificial] h.**, un porto naturale [artificiale] **2** (*fig.*) porto; asilo; rifugio **3** (*di un selvatico*) tana ● **h. basin**, bacino del porto □ **h. channel**, canale portuale □ **h. dues**, diritti portuali □ **h. engineering**, ingegneria portuale □ **h. master**, capitano del porto □ **h. office**, capitaneria di porto □ **h. workers**, (lavoratori) portuali □ **h. works**, opere portuali.

to **harbour**, (*USA*) to **harbor** /'hɑːbə(r)/ [A] **v. t.** **1** albergare; alloggiare; ospitare **2** dar ricetto a; proteggere: **to h. a criminal**, dar ricetto a un criminale **3** (*fig.*) covare, nutrire (*fig.*): **to h. a grudge**, nutrire rancore; covare un risentimento [B] **v. i.** (*arc.*) **1** (*naut.*) entrare in porto; gettare l'ancora (in un porto) **2** (*fig.*) rifugiarsi; trovare asilo.

harbourage, (*USA*) **harborage** /'hɑːbərɪdʒ/ **n.** [U] **1** (*naut.*) ancoraggio; porto; rada **2** (*fig.*) porto; asilo; rifugio.

◆**hard** /hɑːd/ [A] **a.** **1** duro; solido; sodo: **as h. as steel**, duro come l'acciaio; **a h. bench**, una panca dura; **h. soil**, terreno duro (*o* solido) **2** arduo; difficile; ostico; duro (*lett.*): **h. questions [words]**, domande [parole] difficili; *There were a couple of really h. questions*, c'erano un paio di domande veramente difficili; **a h. task**, un compito arduo; un duro compito; **a h. case**, un caso difficile (*da trattare*) **3** duro; gravoso; faticoso: **a h. job**, un lavoro faticoso; **years of h. work**, anni di duro lavoro **4** forte; energico; violento: **a h. push**, una forte spinta; un violento spintone **5** forte; grande; accanito, ostinato, tenace: **a h. drinker**, un forte bevitore; **a h. worker**, un gran lavoratore; un lavoratore indefesso; **a h. smoker**, un fumatore accanito **6** duro; difficile; pieno di guai: **h. life**, vita dura; **h. times**, tempi difficili (*o* duri); (*di un prodotto*) **h. to sell**, difficile a vendersi **7** duro; rigido; grintoso; tosto (*fam.*); severo: **a h. father**, un padre severo **8** duro; aspro; brusco; sgarbato: **h. words**, parole dure (*o* aspre); **h. manners**, modi bruschi (*o* sgarbati) **9** duro; inclemente; rigido: **a very h. winter**, un inverno assai duro (*o* molto rigido) **10** duro; crudele; insensibile: **a man with a h. heart**, un uomo dal cuore duro **11** duro; rigido; sgraziato: **h. features**, lineamenti duri **12** duro; aspro; sgradevole; brutto: **a h. voice**, una voce dura (*o* aspra); **a h. story**, una storia sgradevole; una brutta storia; **h. light**, luce sgradevole **13** fermo; deciso; secco: **a h. denial**, un secco diniego **14** forte; resistente; robusto: **a h. breed**, una razza forte **15** concreto; effettivo; reale: (*leg. e fig.*) **h. evidence**, prove concrete (pl.); prova concreta **16** (*agric., chim., fon.*) duro: **h. wheat**, grano duro; **h. water**, acqua dura; *The letter «g» is h. in «go»*, la lettera «g» è dura in «go» **17** (*ind. tess.*) liscio; rasato **18** (*fin.*) alto; sostenuto: **h. prices**, prezzi sostenuti **19** (*fin.*) forte; pregiato; solido; sostenuto: **h. currency**, moneta (*o* valuta) forte; moneta (*o* valuta) pregiata; (*anche*) moneta metallica; **a h. pound**, una sterlina forte (*o* sostenuta) **20** (*di colore*) forte; vivace **21** (*di un nodo, ecc.*) stretto **22** (*di droga*) pesante **23** (*chim.*) persistente; non biodegradabile: **h. detergent**, detergente non biodegradabile **24** (*elettr.*) a vuoto spinto; ad alto vuoto: **h. tube**, tubo ad alto vuoto [B] **avv.** **1** energicamente; forte, violentemente: *It was raining h.*, pioveva forte (*o* a dirotto); *I hit him h.*, lo colpii violentemente (*o* duro) **2** accanitamente; molto; sodo; troppo: **to fight h.**, battersi accanitamente; **to study h.**, studiare molto; **to work h.**, lavorare sodo; **to drink h.**, bere troppo **3** attentamente; intensamente: **to listen h. (to sb.)**, ascoltare attentamente (q.); **to think h.**, pensare intensamente; riflettere profondamente **4** fissamente; fisso: **to look (*o* to gaze, to stare) h. at sb.**, guardare fisso q. **5** duramente; gravemente; seriamente: *I was h. hit by the slump*, fui duramente colpito dalla recessione **6** con difficoltà; a fatica: **to breathe h.**, respirare a fatica **7** da presso; da vicino: **to follow h. after (*o* behind) sb.**, seguire q. da presso (*o* da vicino) [C] **n.** **1** (*naut.*) approdo dal fondo solido **2** strada rialzata (*dal fondo solido*); sentiero solido (*attraverso una palude*) **3** [U] (*slang*) lavori forzati **4** (*volg., di solito*, **h.-on**) erezione (*del pene*) ● **h. alcohol**, alcol ad alta gradazione □ **h.-and-fast**, categorico, inderogabile, ferreo, rigido □ **h.-and-fast rules**, regole ferree □ (*naut.*) **H. aport!**, tutto a sinistra! □ (*fam. USA*) **a h.-ass**, persona troppa ligia alle regole; tipo inquadrato (*fig. fam.*) □ (*fam. USA*) **h.-assed**, troppo ligio alle regole; inquadrato (*fig. fam.*) □ **to be h. at it (*o* at work)**, darci sotto; lavorare sodo □ **h.-baked**, troppo cotto, duro (*per eccesso di cottura*); (*fig. fam.*) duro, insensibile □ (*naut.*) **h. beach**, spiaggia di alaggio □ (*fig.*) **h.-bitten**, agguerrito, temprato; duro, indurito, insensibile □ **h.-boiled**, (*d'uovo*) sodo; (*fig.*) duro, indurito, incallito, cinico; (*fam.*) concreto, pratico; (*di un film., ecc.*) giallo, con scene di violenza □ **h.-bought**, acquistato (*fig.*: conseguito, ottenuto) a caro prezzo □ **h. by**, proprio vicino; vicinissimo (a) □ (*fin.*) **h. cash**, denaro liquido; liquido (*fam.*); denaro contante; contanti: **to demand h. cash**, voler essere pagato in contanti □ **h. coal**, antracite □ (*comput.*) **h. copy**, copia cartacea; copia a stampa □ **h. core**, (pietrisco per) massicciata (*di strada*); (*fig.*) nucleo intransigente, nucleo di irriducibili (*di un gruppo*); (*polit.*) zoccolo duro (*fig.*); (*mus.*) hardcore □ **h.-core**, intransigente; irriducibile; duro; inflessibile; (*anche*) cronico, incurabile; (*mus.*) hardcore; (*di pornografia*) molto spinto, hard-core: **h.-core opposition**, opposizione irriducibile; (*econ.*) **h.-core unemployment**, disoccupazione cronica; **a h.-core film**, un film hard-core; un film pornografico spinto (*con scene di sesso non simulato*) □ (*tennis*) **h. court**, campo in terra battuta (*o* di cemento, ecc.) □ (*comput.*) **h. disk**, hard disk; disco rigido □ **to be h. done by**, essere trattato male (*o* in modo ingiusto) □ **h. drink**, bevanda forte; superalcolico □ **h. drinking**, eccesso nel bere; alcolismo □ **h. drug**, droga pesante □ **h.-earned**, guadagnato con grande fatica (*o* col sudore della fronte): **a h.-earned victory**, una vittoria sudata □ **h.-edged**, ben delineato; risoluto □ (*comp.*) **h. error**, errore hardware □ **the h. facts**, i fatti incontrovertibili; la realtà nuda e cruda (*fam.*) □ **h.-featured**, dai lineamenti duri; (*di un viso*) ruvido; grossolano (*fig.*) □ **h. feelings**, inimicizia; rancore: *No h. feelings!*, senza rancore!; amici come prima! □ **h.-fisted**, dalle mani forti; (*fig.*) duro, severo; (*anche*) avaro, spilorcio, tirchio □ **h.-fought**, combattuto, sofferto; tirato (*fam.*): **a h.-fought match**, un incontro tirato □ **h. freeze**, gelo duro □ **h. frost**, freddo intenso, rigido □ (*econ.*) **h. goods**, beni di consumo durevoli □ **h. going**, faticoso; pesante (*fig.*) □ **h.-handed**, dalle mani incallite; (*fig.*) che ha la mano pesante, duro □ **h. hat** (*o* **h.-hat**), elmetto da edile; casco di protezione; (*fam.*) operaio edile, muratore; (*fig. fam. USA*) ultraconservatore, reazionario □ **h.-head** → **hardhead** □ (*fig.*) **to have a h. head**, avere la testa dura; essere cocciuto □ **h.-headed**, pratico, realistico; accorto, avveduto; (*USA*) caparbio, ostinato, testardo □ **h.-hearted**, dal cuore duro; insensibile; crudele □ **h.-heartedness**, insensibilità; crudeltà □ (*anche fig.*) **h.-hit**, duramente colpito □ (*sport*) **a h.-hitter**, uno che colpisce duro □ (*di discorso, ecc.*) **h.-hitting**, energico, vigoroso, incisivo; (*anche*) che non usa giri di parole □ (*metall.*) **h. iron**, ferro magnetizzabile □ (*leg., stor.*) **h. labour**, lavori forzati (*aboliti in GB nel 1948*) □ (*di corda, ecc.*) **h.-laid**, strettamente intrecciato □ **h. landing**, (*aeron.*) atterraggio duro; (*econ. fig.*) atterraggio duro, brusca frenata □ (*metall.*) **h. lead**, piombo duro (*o* all'antimonio) □ (*polit.*) **the h. left**, l'estrema sinistra □ (*anche polit.*) **h. line**, linea dura: **to take a h. line**, seguire la linea dura; non fare concessioni □ **h.-line**, duro, inflessibile, rigido, intransigente: **a h.-line policy**, una politica intransigente □ **h. liner**, chi segue la linea dura; (un) intransigente, irriducibile, integralista □ (*fam.*) **h. lines** = **h. luck** → *sotto* □ **h. liquor** = **h. drink** → *sopra* □ **h. luck**, sfortuna, malasorte; disdetta, scalogna (*fam.*): *H. luck!*, che sfortuna!; che peccato! □ (*fam.*) **a h.-luck story**, una storia pietosa (*o* strappalacrime, *fam.*) □ **h. money** (*fin.*), moneta metallica; (*anche*) moneta forte; (*polit. USA*) contributo diretto alla campagna elettorale di un candidato □ **h.-mouthed**, (*di cavallo*) ribelle al morso; (*fig.*) indisciplinato, ribelle; testardo, ostinato □ (*fam.*) **h.-nosed**, concreto; pratico; realistico; duro □ (*fam. fig.*) **h. nut**, osso duro; brutto cliente □ (*fam. fig.*) **a h. nut to crack**, una bella gatta da pelare □ **h. of hearing**, duro d'orecchi; sordastro; che ci sente poco □ **h. on**, (avv.) = **h. upon** → *sotto* □ (*volg.*) **h.-on**, erezione (*del pene*); (*slang*) **to have a h.-on for st.**, fare una passione per qc.; avere la fregola di qc. (*fig.*) □ **to be h. on**, (*di persona*) essere duro (*o* scortese, sgarbato, severo) con (q.); (*di persona*) logorare in fretta, maltrattare (*abiti, scarpe, ecc.*); (*di cosa*) essere dannoso, fare male a: *Don't be too h. on your son*, non essere troppo duro (*o* severo) con tuo figlio!; *Sitting at a computer all day is h. on the eyes*, stare davanti al computer tutto il giorno fa male agli occhi □ **to be h. on sb.'s heels**, essere alle calcagna di q. □ (*sci*) **h.-packed snow**, neve compatta; neve dura □ (*anat.*) **h. palate**, palato duro □ (*nella ceramica*) **h. paste**, pasta dura, pasta compatta □ **h.-paste porcelain**, porcellana dura □ **h. porn**, pornografia spinta □ **h.-pressed**, inseguito da vicino, incalzato; (*fig.*) oberato, sovraccarico; in difficoltà, alle strette: **to be h.-pressed for money**, essere a corto di denaro □ **to be h. put (to it) to do st.**, trovarsi in imbarazzo (*o* in difficoltà) a fare qc. □ (*polit.*) **the h. right**, l'estrema destra □ (*ind.*) **h. rubber**, ebanite □ **h. science**, scienza «dura»; scienze «dure» (*fondate su metodi rigorosi e sperimentali*) □ **h. science-fiction**, fantascienza «dura» (*verosimile sul piano scientifico*) □ (*market.*) **(the) h.-sell**, vendita aggressiva □ (*market.*) **h. selling**, tecnica di vendita aggressiva □ **h.-set**, fermo, fisso, ben saldo; (*di cemento, ecc.*) indurito; (*fig.*: *di lineamenti*) duro, rigido; (*di persona*) caparbio, ostinato □ (*autom. GB*) **h. shoulder**, corsia d'emer-

genza (*d'autostrada*) □ (*mil.*, *miss.*) **h. site**, rampa di lancio protetta □ **h. sleep**, sonno duro (*o* profondo) □ (*metall.*) **h. solder**, lega per brasatura (*o* per saldatura forte) □ (*naut.*) **H. starboard!**, tutto a dritta! □ (*fam.*) **the h. stuff**, i superalcolici; (*anche*) la droga pesante □ **h. tack** → **hardtack** □ (*sport*) **a h. team to beat**, la squadra da battere; un osso duro (*fig.*) □ **h. to please**, difficile da contentare; esigente □ **h.-to-reach**, difficile da raggiungere; di difficile accesso □ **h. up**, a corto di quattrini; al verde; (*anche*) in fregola, eccitato; allupato (*fam.*) □ **h. up for**, a corto di, giù a (*fam.*): *I'm h. up for ideas*, sono a corto d'idee □ (*lett.*) **h. upon**, subito dopo; poco dopo □ **h. wear**, uso intenso (*d'abiti e sim.*) □ (*d'abito e sim.*) **h.-wearing**, robusto; resistente all'uso □ **h.-wired** → **hardwired** □ (*anche mil. e sport*) **h.-won**, contrastato; ottenuto a caro prezzo □ **h.-working**, laborioso, operoso □ (*fig.*) **to be (as) h. as nails**, essere forte, muscoloso; essere duro di cuore, insensibile □ (*fig.*) **h. cheese**, è essere dura: *It comes h. to say goodbye*, è dura dire addio □ **to die h.**, (*di un'abitudine e sim.*) essere duro a morire; (*di una persona*) vendere la pelle a caro prezzo □ **to do st. the h. way**, fare da sé, ma con fatica; imparare a fare qc. con la dura pratica □ **to find it h. to do st.**, fare qc. con grande difficoltà □ **to freeze h.**, diventare solido per il gelo; gelare □ **to get h.**, indurirsi; solidificarsi □ (*fam.*) **to give sb. a h. time**, rendere la vita difficile a q.; fare soffrire q.; farla trovare lunga a q. (*fam.*) □ **to go h. with sb.**, essere dura (*o* un duro colpo) per q. □ **to have a h. time**, passarsela male; essere nei guai □ **to have a h. time doing st.**, avere difficoltà a fare qc., trovare duro fare qc. (*fam.*) □ **to learn st. the h. way**, imparare qc. a proprie spese □ (*fam.*) **to play h.**, farsi desiderare; fare il prezioso (*fam.*) □ **to take st. h.**, prendere male qc., essere sconvolto da qc. □ (*pop. Austral. e NZ*) **to put the h. word on sb.**, chiedere soldi a q.; (*anche*) fare un'avance sessuale a q.; (*anche*) minacciare q. □ **to take a (long) h. look at st.**, esaminare qc. con calma; ponderare (su) qc. □ **too h. to take**, troppo forte; troppo scioccante; indigesto □ **to try h.**, fare ogni sforzo □ **to try one's hardest**, mettercela tutta.

hardback /ˈhɑːdbæk/ *n.* libro cartonato (*o* rilegato in tela *o* in pelle) ● (*di un libro*) **h. edition**, edizione con copertina rigida □ **available in h.**, disponibile con copertina rigida.

hardbake /ˈhɑːdbeɪk/ *n.* croccante; dolce di zucchero e mandorle.

hardball /ˈhɑːdbɔːl/ **A** *n.* **1** (*sport*) baseball professionistico **2** faccende gravi; cose serie **B** *a. attr.* aggressivo; violento; turbolento ● **to play h.**, giocare a baseball; (*fig.*) fare sul serio; fare il gioco duro.

to **hardball** /ˈhɑːdbɔːl/ *v. t.* (*fam. USA*) costringere; forzare.

hardboard /ˈhɑːdbɔːd/ *n.* (*ind.*) **1** [U] truciolato; faesite **2** foglio (*o* pannello) di truciolato.

hardbound /ˈhɑːdbaʊnd/ *a.* (*di un libro*) cartonato; con la copertina rigida.

hardcore /ˈhɑːdkɔː(r)/ *n.* [U] *e a.* = **hard core**, **hard-core** → **hard**.

hardcover /ˈhɑːdkʌvə(r)/ *a.* (*di un libro*) cartonato; rilegato (*in tela, ecc.*).

to **harden** /ˈhɑːdn/ **A** *v. t.* **1** indurire **2** (*fig.*) indurire; incallire; rendere insensibile; inasprire: *Sorrow has hardened him*, il dolore lo ha indurito (*o* inasprito) **3** (*fig.*) indurire; irrobustire; rafforzare: **to h. the body**, irrobustire il corpo **4** (*metall.*) temprare **B** *v. i.* **1** indurirsi: *The cement has hardened*, il cemento si è indurito **2** (*fig.*) indurirsi; incallirsi; diventare insensibile;

inasprirsi **3** (*fig.*) irrobustirsi; temprarsi **4** (*fig.*) consolidarsi; rafforzarsi; farsi più forte **5** (*econ., fin.*) (*di prezzi, azioni, ecc.*) rafforzarsi, consolidarsi ● **to h. one's heart**, diventare insensibile; costruirsi una corazza (*fig.*); inasprirsi □ **to h. a plant off**, abituare una pianta alle intemperie.

hardenability /ˈhɑːdnəˈbɪlətɪ/ *n.* [U] (*metall.*) temprabilità.

hardenable /ˈhɑːdnəbl/ *a.* (*metall.*) temprabile.

hardened /ˈhɑːdnd/ *a.* **1** indurito (*anche fig.*); incallito; inveterato: **a h. criminal**, un criminale incallito (*o* recidivo) **2** (*fig.*) temprato; assuefatto, rotto (*fig.*): **to be h. to misfortune**, essere assuefatto alla sventura **3** (*metall.*) temprato: **h. steel**, acciaio temprato ● (*mil.*) **a h. shelter**, un rifugio antiatomico (*o* corazzato, *o* in bunker) □ (*mil.*) **h. site**, sito protetto.

hardener /ˈhɑːdnə(r)/ *n.* **1** (*metall.*) indurente; lega (*o* elemento) indurente **2** (*chim.*) agente indurente.

hardening /ˈhɑːdnɪŋ/ *n.* [U] **1** indurimento: **h. of the arteries**, indurimento delle arterie; arteriosclerosi **2** (*metall.*) tempra: **h. furnace**, forno di tempra.

hardhat /ˈhɑːdhæt/ = **hard-hat** → **hat**.

hardhead /ˈhɑːdhed/ *n.* persona accorta, avveduta; tipo concreto, pratico.

hardihood /ˈhɑːdɪhʊd/ *n.* [U] **1** ardimento; audacia; coraggio **2** spavalderia **3** vigore.

hardily /ˈhɑːdɪlɪ/ *avv.* audacemente; intrepidamente.

hardiness /ˈhɑːdɪnəs/ *n.* [U] **1** resistenza; robustezza; vigore **2** ardimento; audacia; coraggio **3** spavalderia; baldanza.

hardish /ˈhɑːdɪʃ/ *a.* piuttosto duro; duretto.

◆**hardly** /ˈhɑːdlɪ/ *avv.* **1** appena; sì e no; quasi... non; poco: *I h. know her*, la conosco appena; **h. bigger than a walnut**, poco più grande di una noce; *We had h. started when...*, avevamo appena cominciato, quando... **2** a malapena; a stento; a fatica; con difficoltà; quasi... non: *I can h. walk*, riesco a malapena a camminare; *I could h. breathe*, non riuscivo quasi a respirare; respiravo a fatica **3** difficilmente: *He will h. turn up tonight*, difficilmente si farà vivo stasera **4** non; per niente; per nulla; (niente) affatto: *It's h. surprising* (*that*), non c'è (proprio) da stupirsi (che); *This is h. the time to go out*, questa non è certo l'ora di uscire **5** (*arc.*) duramente; severamente ● **h. any**, quasi nessuno; quasi niente: *You can see there's h. any toner left*, si vede che non c'è quasi più toner; *I have h. any money*, sono quasi senza soldi; *H. any of them were there*, non c'era quasi nessuno di loro □ **h. anyone**, quasi nessuno □ **h. anything**, quasi niente; quasi nulla; praticamente nulla: *You've eaten h. anything*, non hai mangiato quasi nulla; *They agree on h. anything*, non sono (mai) d'accordo su nulla □ **h. ever**, quasi mai □ (*slang*) **Not h.!**, niente da fare!; (manco) per niente!

❶ NOTA: *hardly*
Hardly ha come correlativo *when*: *She had hardly recovered from glandular fever when* (non: *o that*) *she developed laryngitis*, si era a malapena ripresa dalla mononucleosi quando le venne la laringite.

hardness /ˈhɑːdnəs/ *n.* [U] **1** durezza (*anche fig.*); compattezza; solidità **2** (*fig.*) fermezza; saldezza **3** (*fig.*) asprezza; rigidezza; severità **4** difficoltà **5** (*chim.*) durezza (*dell'acqua*) ● **h. test**, (*chim.*) saggio di durezza; (*tecn.*) prova di durezza □ **the h. of life**, le difficili condizioni di vita.

hardpan /ˈhɑːdpæn/ *n.* (*geol.*) crostone d'argilla.

hards /hɑːdz/ *n. pl.* (*ind. tess.*) lisca (*parte legnosa della canapa*).

hardscrabble /ˈhɑːdskræbl/ *a.* (*USA*) (*di vita, lavoro, ecc.*) faticoso; gramo.

hard-shell /ˈhɑːdʃel/ *a.* **1** (*zool.*) dalla conchiglia dura; dal guscio duro **2** (*fam. USA*) inflessibile; rigido; intransigente: **a hard-shell conservative**, un conservatore intransigente ● **Hard-shell Baptists**, Battisti inflessibili (*setta religiosa negli Stati Uniti*) □ **hard-shell helmet**, casco da ciclista.

hardship /ˈhɑːdʃɪp/ *n.* [C] fatica; pena; privazione; sofferenza; stento; sacrificio: **a life of h.**, una vita di stenti.

to **hard-solder** /ˈhɑːdsəʊldə(r)/ *v. t.* (*metall.*) saldare a forte; brasare.

hardstone /ˈhɑːdstəʊn/ *n.* [U] (*oreficeria*) pietra dura.

hardtop /ˈhɑːdtɒp/ *n.* (*autom.*) **1** hard top; tettuccio rigido **2** (= **h. convertible**) automobile con il tettuccio rigido **3** (*spec. USA*) coupé.

hardware /ˈhɑːdweə(r)/ *n.* [U] **1** ferramenta; articoli di ferro; attrezzi (*per giardino, ecc.*) **2** (*mil.*) armamenti pesanti **3** (*comput.*) hardware **4** (*slang USA*) superalcolici; droga pesante **5** (*slang USA*) arma da fuoco; pistola ● (*comput.*) **h. configuration**, configurazione hardware □ **h. shop** (*o* **store**), (negozio di) ferramenta.

hardwired /ˈhɑːdˈwaɪəd/ *a.* **1** (*comput.*: *di un dispositivo*) cablato a livello di hardware **2** (*fig.*) innato: *We still don't know whether grammar ability is h. in humans*, non sappiamo ancora se la competenza grammaticale sia innata nell'uomo.

hardwood /ˈhɑːdwʊd/ *n.* [U,C] legno duro (*quercia, mogano, noce, ecc.*) ● **h. floor**, un pavimento di legno duro ● **h. flooring**, parquet di legno duro □ **h. forest**, foresta di latifoglie.

hardy ① /ˈhɑːdɪ/ *a.* **1** ardito; audace; coraggioso; intrepido **2** baldo; spavaldo **3** resistente; forte; robusto **4** (*bot.*) resistente al freddo; rustico ● **h. annual**, pianta annua che cresce all'aperto (*o* allo stato selvatico); (*fig.*) questione (*o* tema) ricorrente □ **h. perennial**, pianta perenne che cresce all'aperto; (*fig.*) questione (*o* tema) ricorrente □ (*di pianta*) **half-h.**, che ha bisogno di riparo soltanto in inverno.

hardy ② /ˈhɑːdɪ/ *n.* (*tecn.*) tagliolo da incudine.

hare /heə(r)/ *n.* (pl. **hares**, **hare**) **1** (*zool.*, *Lepus*) lepre **2** (*sport*) lepre meccanica (*nei cinodromi*) ● **h. and hounds**, caccia alla lepre (*gioco di ragazzi*) □ **h.-brained** → **harebrained** □ **h. coursing**, caccia alla lepre (*con i cani*) □ (*bot.*) **h.'s foot** (*Trifolium arvense*), trifoglio dei campi; zampino di lepre □ (*bot.*) **h.'s tail** (*Lagurus ovatus*), coda di lepre □ **as mad as a March h.**, matto da legare □ (*fig., antiq.*) **to start a h.**, tirare in ballo un argomento □ (*fig.*) **to run with the h. and hunt with the hounds**, tenere il piede in due staffe; fare il doppio gioco.

to **hare** /heə(r)/ *v. i.* (*fam. GB*) correre a più non posso; precipitarsi; galoppare (*fig.*) ● **to h. after sb.**, rincorrere q. □ **to h. off**, scappare a gambe levate.

harebell /ˈheəbel/ *n.* (*bot.*, *Campanula rotundifolia*) campanula.

harebrained /ˈheəbreɪnd/ *a.* balzano; cervellotico; campato in aria; strampalato; stravagante: **a h. scheme**, un progetto campato in aria.

harelip /ˈheəlɪp/ *n.* (*med.*) labbro leporino.

harelipped /ˈheəlɪpt/ *a.* (*med.*) che ha il labbro leporino.

harem /ˈhɑːriːm/ *n.* harem.

haricot /ˈhærɪkəʊ/ (*franc.*) *n.* **1** stufato di montone (*o* d'agnello) con verdura **2** (= **h.**

bean) fagiolo bianco; cannellino.

to **hark** /hɑːk/ **A** v. i. (*lett.*) ascoltare: *H.!*, ascolta!; ascoltate! **B** v. t. **1** (*lett. o scherz.*) ascoltare, dar ascolto a (q.) **2** richiamare (*cani da caccia*) ● (*iron.*) **H. at him** (*o you, her, ecc.*)*!*, *senti senti!*, *senti un po' questa!* □ **to h. back**, (*di cani*) tornare al punto di partenza (*per ritrovare la traccia della selvaggina*); richiamare (*i cani*) □ (*fig.*) **to h. back to**, rifarsi a, riecheggiare (*un modello passato*); riandare a (*una cosa passata*); richiamare alla mente □ **H. forward!**, avanti (*ordine dato a un cane da caccia*).

to **harken** /'hɑːkən/ → **to hearken**.

harl, **harle** /hɑːl/ n. **1** barba (*di penna*) **2** (*ind. tess.*) fibra filamentosa (*spec. di canapa o lino*).

harlequin /'hɑːləkwɪn/ (*franc.*) **A** n. **1** arlecchino; (*fig.*) buffone, pagliaccio **2** (= **h. Great Dane**) alano arlecchino (*cane*) **B** a. attr. **1** arlecchinesco **2** multicolore; variopinto ● (*zool.*) **h. duck** (*Histrionicus histrionicus*), moretta arlecchino.

harlequinade /ˌhɑːləkwɪ'neɪd/ (*franc.*) n. arlecchinata.

Harley Street /'hɑːlɪstriːt/ loc. n. (*a Londra*) il quartiere centrale, pieno di ambulatori di medici di grido.

harlot /'hɑːlət/ (*arc. o lett.*) n. meretrice; prostituta || **harlotry** n. ⓤ meretricio; prostituzione.

♦**harm** /hɑːm/ n. ⓤ **1** danno; offesa; pregiudizio: *The heavy rain has done little h.*, la pioggia abbondante ha causato pochi danni **2** male: *He did me no h.*, non mi fece alcun male; *There's no h. in it*, non c'è niente di male in ciò; *to do more h. than good*, fare più male che bene; *It wouldn't do you any h. to go to bed a bit earlier*, non ti farebbe male andare a dormire un po' più presto ● **to come to no h.**, non subire danni; uscire indenne □ **to mean no h.**, non aver l'intenzione d'offendere; (*anche*) essere innocuo □ **to be out of h.'s way**, essere al sicuro □ **No h. done!**, niente di male! □ (*prov.*) **There's no h. in trying**, tentar non nuoce.

♦to **harm** /hɑːm/ v. t. **1** danneggiare; recar danno a; nuocere, far male a: *He didn't want to h. you*, non voleva farti del male **2** (*leg.*) ledere ● **He wouldn't h. a fly**, non farebbe male a una mosca.

harmful /'hɑːmfl/ a. dannoso; nocivo: *Smoking is h. to your heart and lungs*, fumare è dannoso per il cuore e i polmoni | **-ly** avv. | **-ness** n. ⓤ.

harmless /'hɑːmləs/ a. innocuo; inoffensivo: *Most spiders are h.* (*to humans*), la maggior parte dei ragni è innocua (per gli esseri umani) ● **a h. question** [**remark**], una domanda [un'osservazione] innocente | **-ly** avv. | **-ness** n. ⓤ.

harmonic /hɑː'mɒnɪk/ **A** a. (*mus., mat., ecc.*) armonico: **h. tones**, suoni armonici; **h. mean** [**series**], media [serie] armonica; **h. quantities**, quantità armoniche **B** n. **1** (*acustica, fis., mat.*) armonica **2** (*mus.*) suono armonico || **harmonically** avv. **1** (*mus., mat.*) armonicamente **2** (*lett.*) armoniosamente.

harmonica /hɑː'mɒnɪkə/ n. (*mus.*) **1** armonica **2** armonica a bocca.

harmonics /hɑː'mɒnɪks/ n. pl. (col verbo al sing.) (*mus.*) armonica (*arte musicale, scienza degli intervalli dei suoni*).

harmonious /hɑː'məʊnɪəs/ a. **1** (*mus.*) armonioso; melodioso **2** armonico; armonioso; ben proporzionato **3** che vive in buon'armonia; affiatato ● *We have a h. relationship*, siamo molto affiatati | **-ly** avv.

harmonist /'hɑːmənɪst/ n. (*mus.*) **1** armonista **2** (*letter.*) armonizzatore, armonizzatrice.

harmonium /hɑː'məʊnɪəm/ n. (*mus.*) armonium.

harmonization /ˌhɑːmənaɪ'zeɪʃn/, USA -nɪ'z-/ n. ⓤ (*mus. e fig.*) armonizzazione.

to **harmonize** /'hɑːmənaɪz/ **A** v. t. (*anche mus.*) armonizzare; mettere d'accordo; rendere privo di contrasti: **harmonized standards**, norme armonizzate **B** v. i. **1** essere in armonia; accordarsi: *These colours h. well*, questi colori armonizzano bene **2** (*mus.*) suonare in modo armonioso.

harmonizer /'hɑːmənaɪzə(r)/ n. armonizzatore, armonizzatrice.

harmony /'hɑːmənɪ/ n. ⓤⓒ (*mus.*) armonia; (*fig.*) accordo, buon'armonia ● **to be in h.** (**with**), essere in armonia (con) □ **to be out of h.**, non essere in armonia; essere in disaccordo.

harness /'hɑːnəs/ n. **1** ⓤⓒ finimenti; bardatura **2** (*stor.*) armatura (*del cavaliere o del cavallo*) **3** briglia (*per un bimbo piccolo*); dande **4** (*aeron.*) imbracatura (*di paracadute*) **5** (*miss.*) cintura di sicurezza **6** (*elettr.*) cablaggio **7** (*ind. tess.*) liccio; licciolo ● **h.-maker**, sellaio □ (*ipp.*) **h. racing**, le corse al trotto; il trotto □ **to be back in h.**, essere tornato al solito lavoro (*dopo una malattia, ecc.*) □ (*fig.*) **to die in h.**, morire sulla breccia □ (*fig.*) **to work in** (**double**) **h.**, lavorare in coppia (*o in tandem*).

to **harness** /'hɑːnəs/ v. t. **1** bardare; attaccare, mettere i finimenti a (*un cavallo*) **2** (*fig.*) imbrigliare: **to h. a river**, imbrigliare un fiume (*per ricavarne energia elettrica*) ● **to h. the atom**, sfruttare l'energia nucleare.

Harold /'hærəld/ n. Aroldo.

harp /hɑːp/ n. (*mus.*) **1** arpa: *Aeolian h.*, arpa eolia **2** (*fam.*) armonica a bocca **3** (= Jew's-h.) scacciapensieri.

to **harp** /hɑːp/ v. i. suonare l'arpa; arpeggiare ● **to h. on** (**about**), battere su (*un argomento*): *He's always harping on about his troubles*, non fa che parlare dei suoi guai □ (*fig.*) **to h. on the same string** (*o* **theme**), battere sempre sullo stesso tasto.

harper /'hɑːpə(r)/ n. arpista; chi suona un'arpa.

harpist /'hɑːpɪst/ n. arpista (*di mestiere*).

harpoon /hɑː'puːn/ n. arpione; fiocina; rampone ● (*pesca*) **h. gun**, lanciafiocina; cannone lanciarpioni.

to **harpoon** /hɑː'puːn/ v. t. arpionare; fiocinare; colpire con la fiocina (*o col rampone*).

harpooner /hɑː'puːnə(r)/ n. (*caccia alla balena, ecc.*) fiociniere; fiocinatore; ramponiere.

harpsichord /'hɑːpsɪkɔːd/ n. (*mus.*) clavicembalo.

harpy /'hɑːpɪ/ n. (*mitol.*) arpia (*anche fig.*) ● (*zool.*) **h. eagle** (*Harpya harpyja*), arpia.

harquebus /'hɑːkwɪbəs/ n. (*mil., stor.*) archibugio.

harridan /'hærɪdən/ n. vecchia bisbetica, maligna; vecchiaccia.

harrier① /'hærɪə(r)/ n. **1** (*arc.*) devastatore; saccheggiatore **2** (*zool.*, *Circus*) albanella (*rapace*).

harrier② /'hærɪə(r)/ n. **1** cane per la caccia alla lepre **2** (*sport*) corridore di campestre ● (*collett.*) **the harriers**, i cacciatori e la muta dei cani.

Harriet /'hærɪət/ n. Enrichetta.

Harrovian /hə'rəʊvɪən/ a. e n. **1** (*studente o ex alunno*) di Harrow (*famosa «public school»*) **2** (*abitante*) di Harrow (*presso Londra*).

harrow /'hærəʊ/ n. (*agric.*) erpice: **disk h.**, erpice a dischi.

to **harrow** /'hærəʊ/ v. t. **1** (*agric.*) erpicare **2** (*fig., lett.*) straziare; tormentare.

harrowing /'hærəʊɪŋ/ **A** a. straziante; tormentoso; atroce **B** n. ⓤ (*agric.*) erpicatu-

ra ● (*relig.*) **the H. of Hell**, la discesa di Cristo all'Inferno.

harrumph /hə'rʌmf/ n. **1** rumoroso schiarimento della gola **2** (*fig., espressione di perplessità o disapprovazione*) ehm ehm.

to **harrumph** /hə'rʌmf/ (*fam. USA*) v. i. **1** schiarirsi la voce (*o la gola*) rumorosamente **2** (*fig.*) manifestare il proprio dissenso (*o la propria perplessità*); disapprovare.

Harry /'hærɪ/ n. dim. di **Henry** ● (*fam.*) **Old H.**, il diavolo.

to **harry** /'hærɪ/ v. t. **1** devastare; saccheggiare; spogliare (*dei beni, ecc.*) **2** (*lett.*) infastidire; tormentare **3** (*mil., sport*) attaccare di continuo; impegnare (*il nemico*) a fondo.

harsh /hɑːʃ/ a. **1** aspro; ruvido (*al tatto*); insensibile; duro; severo; arcigno; (*di suono*) aspro, sgradevole; (*d'odore*) pungente, acre: **h. words**, parole aspre (*o dure*); **a h. voice**, una voce aspra; **a h. punishment**, una dura punizione; una punizione severa; (*sport*) **a h. defence**, una difesa arcigna; **a h. face**, una faccia dura (*o sgradevole*); **a h. taste**, un sapore aspro (*o acre*); **h. smoke**, fumo acre **2** (*del tempo, del clima*) rigido ● **a h. light**, una luce violenta || **harshly** avv. aspramente; duramente; severamente || **harshness** n. ⓤ **1** durezza, asprezza; ruvidezza; insensibilità; severità **2** (*del tempo*) rigore.

to **harshen** /'hɑːʃn/ **A** v. t. inasprire **B** v. i. inasprirsi.

harslet /'hɑːslət/ → **haslet**.

hart /hɑːt/ n. (pl. **harts**, **hart**) (*zool.*) cervo maschio (*spec. sopra i cinque anni d'età*) ● (*bot.*) **hart's-tongue** (*Phyllitis scolopendrium*), fillitide; lingua cervina.

hartebeest /'hɑːtɪbiːst/ n. (pl. **hartebeests**, **hartebeest**) (*zool.*, *Alcelaphus caama*) alcefalo; antilope sudafricana.

hartshorn /'hɑːtshɔːn/ n. **1** (*zool.*) corno di cervo **2** (*arc., chim.*: = **spirit of h.**) ammoniaca liquida ● (*chim.*) **h. salts**, sali d'ammoniaca (*da odorare*).

harum-scarum /ˌheərəm'skeərəm/ (*fam.*) **A** a. avventato; stordito; sventato **B** n. persona (*o azione*) avventata, sconsiderata **C** avv. in modo avventato, sconsiderato.

haruspex /hə'rʌspeks/ n. (pl. **haruspices**) aruspice; indovino.

harvest /'hɑːvɪst/ n. raccolto; messe; mietitura; (*fig.*) frutto: **the rice** [**hay**] **h.**, il raccolto del riso [del fieno]; **the h. season**, la stagione del raccolto ● **h. blue**, azzurro fiordaliso (*il colore*) □ (*zool.*) **h. bug**, tignola dei raccolti □ **h. festival**, festa religiosa di ringraziamento per il raccolto □ (*un tempo*) **h. home**, fine del raccolto; festa del raccolto (*con pranzo ai braccianti*); canto alla fine della mietitura □ **the h. moon**, il plenilunio più vicino all'equinozio d'autunno; luna settembrina □ (*zool.*) **h. mouse** (*Micromys minutus*), topolino delle risaie □ **h. thanksgiving** = **h. festival** → *sopra* □ **h. time**, tempo del raccolto □ (*agric.*) **to reap the h.**, mietere.

to **harvest** /'hɑːvɪst/ **A** v. t. fare il raccolto di; raccogliere, mietere (*anche fig.*): **to h. wheat**, fare il raccolto del grano **B** v. i. mietere; fare il raccolto ● **to h. grapes**, fare la vendemmia □ **to h. honey**, fare la smielatura; smielare.

harvester /'hɑːvɪstə(r)/ n. **1** mietitore, mietitrice **2** chi coglie (*frutta, ecc.*) **3** (*mecc.*) mietitrice **4** (*zool.*) tignola dei raccolti ● (*mecc.*) **h.-thresher**, mietitrebbia.

harvesting /'hɑːvɪstɪŋ/ n. ⓤ (*agric.*) raccolto delle messi.

♦**has** /hæs, həz/ 3ª pers. sing. del pres. indic. di **to have**.

has-been /'hæzbiːn/ n. (*fam.*) **1** vecchia gloria dimenticata; persona sorpassata; at-

tore (cantante, atleta, ecc.) dimenticato dal pubblico **2** (*di donna*) bellezza sfiorita **3** (*polit.*) fossile (*fig.*) **4** cosa sorpassata (*o* tramontata).

hash ① /hæʃ/ n. **1** ▢ piatto di carne tritata; pietanza rimediata (*con gli avanzi*) **2** ▢ (*fam.*) argomento trito; roba fritta e rifritta (*fig. fam.*) **3** (*fam.*) guazzabuglio; pasticcio; casino (*fam.*): *I've made a complete h. of my exam*, ho incasinato tutto l'esame **4** ▢ (*elettr.*) friggio ● (*cucina*) **h. browns**, patate lessate, tagliate a pezzettini e fritte (*spesso con aggiunta di cipolla*) □ (*slang USA*) **h. house**, ristorante economico; tavola calda □ (*slang USA, antiq.*) **h. slinger**, cameriere, cameriera; cuoco, cuoca (*di ristorante economico*).

hash ② /hæʃ/ n. (*fam.*) hascisc; ascisc; marijuana ● **h.-head**, fumatore di marijuana.

hash ③ /hæʃ/ n. (*anche* **hash sign**) (*GB*) (il) simbolo #; cancelletto.

to **hash** /hæʃ/ v. t. **1** (*anche* to **h. up**) triturare, tritare; sminuzzare **2** (*fig.*) pasticciare; fare un bel pasticcio (*o un guazzabuglio*) di (qc.). **3** (*cucina*) rielaborare, rimediare (*una pietanza*) ● (*fam.*) to **h. out**, discutere a fondo; appianare, sistemare (*una questione, ecc.*); risolvere (*una faccenda*) □ (*fam. USA*) to **h. over**, riesaminare, rivedere (*una questione*).

Hashemite /ˈhæʃɪmaɪt/ a. e n. hashimita; hascemita.

hashish, **hasheesh** /ˈhæʃiːʃ/ n. ▢ hashish; hascisc; ascisc.

hash-up /ˈhæʃʌp/ n. (*USA*) **1** pasto preparato alla meglio **2** (*fig.*) cosa raffazzonata; rimasticatura.

Hasid /ˈhæsiːd/ (*relig. ebraica*) n. (pl. *Hasidim*) cassidico || **Hasidic** a. cassidico || **Hasidism** n. ▢ cassidismo.

haslet /ˈheɪzlət/ n. (*cucina*) polpettone di frattaglie (*spec. di maiale*).

◆**hasn't** /ˈhæznt/ contraz. di **has not**.

hasp /hɑːsp/ n. patta incernierata di chiusura a occhiello (*con o senza lucchetto*).

to **hasp** /hɑːsp/ v. t. chiudere con una patta incernierata.

hassium /ˈhæsɪəm/ n. ▢ (*chim.*) hassio.

hassle /ˈhæsl/ n. (*fam.*) **1** disputa; controversia **2** alterco; battibecco; tira e molla (*fam.*) **3** cosa difficile; problema (*fig.*); seccatura; scocciatura: *Once it's over, you forget all about the h.*, quando sarà finito ti dimenticherai dei problemi.

to **hassle** /ˈhæsl/ v. t. (*fam.*) importunare; infastidire; seccare; scocciare; tormentare.

hassock /ˈhæsək/ n. **1** cuscino (*spec. se usato come inginocchiatoio*) **2** (*arredamento*) pouf **3** zolla erbosa **4** (*nel Kent*) arenaria.

hast /hæst, həst/ (*arc.*) 2ª pers. sing. del pres. indic. di **to have**.

hastate /ˈhæsteɪt/ a. (*bot.*) astato; lanceolato.

haste /heɪst/ n. ▢ fretta; premura; urgenza; fretta eccessiva; precipitazione: **in h.**, in fretta; di fretta; *My friend left in great h.*, il mio amico partì in gran fretta; *In my h. to leave, I forgot to lock the door*, nella fretta di partire mi dimenticai di chiudere a chiave la porta ● **in all h.**, in tutta fretta, in gran fretta □ **in hot h.**, in fretta e furia □ (*arc. o form.*) to **make h.**, affrettarsi; far presto; sbrigarsi □ (*prov.*) **More h., less speed!** (o **H. makes waste**), la gatta frettolosa fece i gattini ciechi; la fretta è cattiva consigliera.

to **haste** /heɪst/ v. i. (*raro o poet.*) affrettarsi.

to **hasten** /ˈheɪsn/ **A** v. t. **1** affrettare; accelerare **2** sollecitare, fare fretta a (q.) **B** v. i. affrettarsi; far presto; sbrigarsi; spicciarsi (*fam.*) ● to **h. away**, andar via in fretta □ to **h. home**, andare a casa in gran fretta ● **I h. to add**, voglio precisare; mi si permetta di

aggiungere: *The plan failed but, I h. to add, through no fault of our own*, il piano è fallito ma, voglio precisare, non per colpa nostra.

hasty /ˈheɪstɪ/ a. **1** frettoloso; affrettato; rapido: **a h. departure**, una partenza affrettata **2** avventato; sconsiderato: **a h. decision**, una decisione avventata **3** impaziente; irritabile; irascibile: **h. temper**, carattere irascibile ● **h. pudding**, budino di farina di grano (*cotta nell'acqua o nel latte*); (*USA*) polenta (*che si mangia con latte e zucchero*) || **hastily** avv. **1** frettolosamente; rapidamente; in fretta **2** avventatamente **3** con irritazione; in modo irascibile || **hastiness** n. ▢ **1** fretta; furia; precipitazione **2** avventatezza; sconsideratezza **3** impazienza; irritabilità; irascibilità.

◆**hat** /hæt/ n. cappello (*da uomo o da donna, di solito con tesa o ala*): *Take off your hat!*, togliti il cappello! ● **hat block**, forma per cappelli □ **hat brush**, spazzola per cappelli □ **hat in hand**, col cappello in mano; (*fig. USA*) umilmente, con deferenza □ **hat maker** (*o* **hat manufacturer**), fabbricante di cappelli, cappellaio □ (*naut., trasp.*) **hat money**, cappa; diritto di cappa □ (*anche fig.*) **Hats off!**, giù il cappello! □ (*fig.*) **Hats off to sb.**, tanto di cappello a q., complimenti a q. □ **hat-peg**, portacappelli □ **hat rack**, rastrelliera per cappelli □ **hat retailer**, venditore di cappelli, cappellaio □ **hat shop**, cappelleria □ **hat stand** → **hatstand** □ (*calcio, hockey*) **hat trick**, tripletta (*di gol*) □ (*fig.*) **a hat trick of election victories**, tre elezioni vinte di seguito □ (*fam. USA*) **all hat and no cattle**, tanto fumo e poco arrosto □ (*fig.*) **the black hat**, il 'cattivo' (*in una vicenda*) □ to **draw st. out of a hat** = to **pick st. out of a hat** → *sotto* □ (*fig. fam.*) to **keep st. under one's hat**, tenere segreto qc.: *Keep it under your hat!*, acqua in bocca! □ (*antiq.*) **My hat!**, caspita!, perdinci! □ to **pass the hat** (**around**), fare una colletta □ to **pick** (*o* to **pull**) **st. out of a** (*o* **the**) **hat**, estrarre qc. a sorte □ to **raise** (*o* to **lift**) **one's hat to sb.**, salutare q. togliendosi il cappello □ to **send round the hat** = to **pass the hat** (**around**) → *sopra* □ to **take one's hat off to sb.**, salutare q. togliendosi il cappello; (*fig.*) far tanto di cappello a q., rendere omaggio a q. □ (*fam.*) to **talk through one's hat**, ragionare coi piedi; dire un sacco di fesserie (*fam.*) □ to **throw** (*o* to **toss**) **one's hat in** (*o* **into**) **the ring**, entrare in lizza, scendere in campo □ (*fig.*) to **tip one's hat to sb.**, far tanto di cappello a q., rendere omaggio a q. □ (*fig.*) to **wear two [three, etc.] hats**, svolgere due [tre, ecc.] funzioni; avere due [tre, ecc.] attività diverse □ (*fam.*) **the white hat**, il 'buono' (*in una vicenda*).

hatable /ˈheɪtəbl/ a. odiabile; odioso.

hatband /ˈhætbænd/ n. nastro del (*o* da) cappello.

hatbox /ˈhætbɒks/ n. cappelliera.

hatch ① /hætʃ/ n. **1** portello; mezza porta (*la parte inferiore d'un uscio ecc., apribile*); porta a ribalta **2** (*naut.*) portello di boccaporto; (= **hatchway**) boccaporto **3** saracinesca, porta di chiusa (*che regola il passaggio dell'acqua*) **4** (*autom.*) portellone posteriore **5** (*aeron.*) portello **6** botola **7** (= **serving h.**) passavivande **8** (*miss.*) boccaporto; portello **9** (*slang USA*) bocca; becco (*fig.*) **10** (*autom., fam.*) → **hatchback** □ (*fig.*) **Down the h.!**, cin cin!; salute! □ **under hatches**, (*naut.*) sotto coperta; (*fig.*) fuori servizio; fuori vista, nascosto; in cella di rigore, agli arresti; spacciato, morto.

hatch ② /hætʃ/ n. ▢ nascita (*di pulcini o uccelli e fig.*); covata ● (*giorn., scherz.*) **hatches, matches, and dispatches**, (rubrica a pagamento che riporta) le nascite, i matrimoni e i decessi.

hatch ③ /hætʃ/ n. (*arte, disegno*) tratteggio; ombreggiatura.

to **hatch** ① /hætʃ/ **A** v. t. **1** far nascere; covare: to **h. chickens**, far nascere pulcini; to **h. eggs**, covare uova **2** (*fig.*) covare; ordire; tramare: to **h. (up) a plot**, tramare una congiura **B** v. i. **1** (*di pulcini, d'uccelli*) nascere; uscire dal guscio **2** (*di uova*) schiudersi **3** (*di gallina, ecc.*) covare ● to **h. out**, (*di pulcini*) uscire dal guscio; (*di uova*) schiudersi; mettere al mondo (*pulcini*).

to **hatch** ② /hætʃ/ v. t. (*arte, disegno*) tratteggiare; ombreggiare.

hatchback /ˈhætʃbæk/ **A** a. attr. (*autom.*) con portellone posteriore **B** n. **1** portellone (posteriore) **2** auto con portellone posteriore; treporte (*o* cinqueporte).

hatchery /ˈhætʃərɪ/ n. (*zootecnia*) **1** incubatoio industriale **2** vivaio (*di pesci*): **a trout h.**, un vivaio di trote.

hatchet /ˈhætʃɪt/ n. **1** accetta; ascia **2** ascia di guerra **3** ascia da pompiere ● **h.-faced**, dalla faccia affilata; dai lineamenti taglienti □ (*fam.*) **h. job**, attacco malevolo, aspra critica, stroncatura: *He did a h. job on the film.*, criticò aspramente (*o* stroncò) il film □ (*fam.*) **h. man**, (*in un'azienda*) persona incaricata di tagliare i costi; (*giorn., ecc.*) diffamatore, critico prezzolato; (*anche*) sicario, killer □ to **bury the h.**, sotterrare l'ascia di guerra; fare la pace □ to **dig up** (*o* to **take up**) **the h.**, dissotterrare l'ascia di guerra; iniziare (*o* riprendere) le ostilità.

hatching ① /ˈhætʃɪŋ/ n. ▢ **1** il covare (*uova*) **2** schiusa (*delle uova*) **3** (*fig.*) il tramare; trame, congiure (collett.).

hatching ② /ˈhætʃɪŋ/ n. ▢ (*arte, disegno*) tratteggio; ombreggiatura.

hatchling /ˈhætʃlɪŋ/ n. pulcino (appena uscito dall'uovo).

hatchment /ˈhætʃmənt/ n. (*arald.*) scudo, stemma (*spec. di defunto, appeso di traverso alla porta di casa o in chiesa*).

hatchway /ˈhætʃweɪ/ n. (*naut.*) boccaporto.

hate /heɪt/ n. ▢ odio; avversione ● **h. campaign**, campagna diffamatoria □ (*leg.*) **h. crime**, reato violento motivato dall'odio (*verso una categoria di persone: razziale, religioso, ecc.*) □ **h. mail**, lettere di insulti (*per lo più anonime*) □ (*Internet*) **h. site**, sito in cui si incita all'odio (*razziale, religioso, ecc.*).

◆to **hate** /heɪt/ v. t. **1** odiare; avere in odio: *Everybody hates him*, tutti lo odiano; è odiato da tutti; *I h. violence*, odio la violenza **2** (*fam.*) odiare; detestare; non poter soffrire; non piacere: *He hates work*, detesta il lavoro; *I h. having to get up early*, non mi piace dovermi alzare presto; *I h. it when you behave like that*, non ti posso soffrire quando fai così **3** dispiacere (impers.): *I h. to trouble you*, mi dispiace disturbarti; *I h. to say it*, mi dispiace doverlo dire; *I would h. you to think I did it on purpose*, non vorrei davvero che tu pensassi che l'ho fatto apposta ● (*fam.*) to **h. sb.'s guts**, odiare a morte q.

hateable /ˈheɪtəbl/ → **hatable**.

hateful /ˈheɪtfʊl/ a. **1** odioso; detestabile: **a h. crime**, un odioso delitto **2** (*raro*) carico d'odio: **h. glances**, sguardi carichi d'odio | **-ly** avv. | **-ness** n.

hater /ˈheɪtə(r)/ n. **1** odiatore, odiatrice **2** chi detesta (*o* non può soffrire) (qc.).

hatful /ˈhætfʊl/ n. **1** cappellata; quanto sta in un cappello **2** (*fig.*) mucchio, sacco (*di cose*).

hath /hæθ/ (*arc.*) 3ª pers. sing. del pres. indic. di **to have**.

hatless /ˈhætləs/ a. senza cappello.

hatpin /ˈhætpɪn/ n. spillone per cappellino.

hatred /ˈheɪtrɪd/ n. ▢ odio; astio; avver-

sione; ostilità: *to feel h. for sb.* [*st.*], provare odio per q. [qc.].

hatstand /'hætstænd/ n. appendiabiti a stelo; attaccapanni.

hatter /'hætə(r)/ n. cappellaio ● **to be as mad as a h.**, essere matto da legare.

hauberk /'hɔːbɜːk/ n. (*stor.*) usbergo; cotta di maglia.

haughty /'hɔːtɪ/ a. altezzoso; altero; arrogante; borioso; orgoglioso; superbo: **h. contempt**, altezzoso disprezzo || **haughtily** avv. altezzosamente; arrogantemente; con orgoglio; con superbia || **haughtiness** n. Ⓤ altezzosità; alterigia; arroganza; boria; orgoglio; superbia.

haul /hɔːl/ n. **1** il tirare; il trascinare; forte strappo; strattone **2** (*trasp.*) distanza percorsa (*da un carico*); tirata (*fam.*); quantità di merce trasportata: *It's a long h. from London to Leeds*, è una bella tirata da Londra a Leeds **3** retata (*di pesce e fig.*) **4** (*fig.*) acquisto, guadagno, profitto **5** (*fig.*) bottino: *The bank job produced a good h.*, il colpo in banca fruttò un grosso bottino ● **over** (*o* **in**) **the long h.**, a lungo andare; alla lunga.

to **haul** /hɔːl/ Ⓐ v. t. **1** tirare; (*naut.*) alare; rimorchiare; trainare; trascinare: **to h. at** (*o* **on**) **a rope**, tirare una cima; *These tractors can h. enormous tree-trunks*, questi trattori possono trascinare tronchi enormi **2** trasportare (*merci su strada*); fare trasporti di: **to h. coal to the steelworks**, trasportare carbone all'acciaieria **3** (*naut.*) imbrogliare, mettere al vento (*le vele*) **4** (*naut.*) far mutare rotta a (*una nave*) Ⓑ v. i. **1** (*del vento*) girare; mutare direzione **2** (*naut.*) stringere il vento **3** (*naut.*) accostare **4** (*naut.*) cambiare rotta ● (*volg. USA*) **to h. one's ass**, alzare il culo (*volg.*); muovere le chiappe (*fam.*) □ (*naut.*) **to h.** (**on, upon, to**) **the wind**, stringere il vento; orzare.

▪ **haul around** Ⓐ v. i. + avv. **1** (*del vento*) girare **2** (*fig.*) cambiare idea; mutar corso d'azione Ⓑ v. t. + avv. (*naut.*) bracciare (*i pennoni: per virare di bordo*).

▪ **haul ashore** v. t. + avv. (*naut.*) alare, tirare (*un'imbarcazione*) in secco.

▪ **haul away** v. t. + avv. (*naut.*) alare, virare (*manovre*).

▪ **haul down** v. t. + avv. (*naut.*) alare abbasso, ammainare (*vele, bandiere*) □ (*mil. e fig.*) **to h. down one's colours**, arrendersi.

▪ **haul in** v. t. + avv. (*naut.*) **1** alare a bordo **2** recuperare (*cavi*) □ **to h. in the nets**, ritirare le reti.

▪ **haul off** Ⓐ v. i. + avv. **1** (*naut.*) manovrare, orzare (*per scansare un ostacolo*) **2** (*slang USA*) muoversi; andarsene **3** (*slang USA*) prepararsi a colpire (*sollevando i pugni*): **to h. off and hit sb.**, attaccare (*o* colpire, picchiare) q. all'improvviso; saltare addosso a q. (*fig.*) Ⓑ v. t. + avv. (*naut.*) disincagliare (*una nave: alando o rimorchiandola*) **2** trascinare (con la forza): *They hauled him off to jail*, lo trascinarono in carcere.

▪ **haul offshore** v. i. + avv. (*naut.*) salpare; prendere il largo.

▪ **haul out** v. t. + avv. (*naut.*) **1** tirare in secco (*un'imbarcazione*) **2** fare uscire (*una nave*) dalla darsena (*rimorchiandola*) □ (*anche mil.*) **to h. out of line**, uscire dalla formazione.

▪ **haul over** v. t. + prep. – nella loc. **to h. sb. over the coals**, criticare aspramente q.; dare una gran lavata di capo a q.

▪ **haul up** Ⓐ v. t. + avv. **1** (*naut.*) imbrogliare (*una vela*) **2** tirare in secco (*una barca*) con un paranco **3** (*fam.*) trascinare (q.) in tribunale Ⓑ v. i. + avv. (*naut.*) mettere la prua al vento; mettersi in panna.

haulage /'hɔːlɪdʒ/ n. Ⓤ **1** (*trasp.*) trasporto (*di merci*): **coal h.**, trasporto del carbone **2** (*comm.*) costo (*o prezzo*) del trasporto **3** (*naut.*) alaggio **4** (*ind. min.*) carreggio ● **h. contractor**, vettore a contratto □ **h. firm**,

impresa di trasporto □ **road h.**, trasporto (*di merci*) su strada (*o su gomma*).

hauler /'hɔːlə(r)/ n. (*USA*) → **haulier**.

haulier /'hɔːlɪə(r)/ n. **1** vettore stradale; autotrasportatore **2** (*un tempo*) carrettiere.

hauling /'hɔːlɪŋ/ n. Ⓤ **1** trazione; il tirare **2** trasporto (*di merci*) ● **h. up**, il tirare in secco (*una barca*) □ (*naut.*) **h. the wind**, orzata.

haulm /hɔːm/ n. **1** (*bot.*) gambo; stelo (*di cereali, fagioli, ecc.*) **2** Ⓤ stoppia; paglia (*per ricoprire tetti, ecc.*).

haunch /hɔːntʃ/ n. **1** (*anat.*) anca **2** (*macelleria*) coscia; coscio; cosciotto **3** (*archit.*) fianco (*di arco*) ● (*fam., anat.*) **h. bone**, osso iliaco □ **on one's haunches**, accovacciato.

haunt /hɔːnt/ n. **1** luogo di ritrovo; rifugio, tana (*d'animali*); covo, ritrovo (*di criminali, ecc.*): **to go back to one's childhood haunts**, tornare ai luoghi della propria infanzia; *That house is a h. of thieves*, quella casa è un covo di ladri **2** (*fam. USA*) fantasma; spettro.

to **haunt** /hɔːnt/ v. t. **1** bazzicare; frequentare; praticare in (*un luogo*) **2** infastidire (*o* seccare) (q.) con visite importune **3** (*di fantasmi, spettri*) infestare; visitare: *The castle is said to be haunted by the ghost of a knight*, si dice che il castello sia infestato dal fantasma di un cavaliere **4** (*fig.*) ossessionare; perseguitare; tormentare: *Wartime memories haunted me*, i ricordi della guerra mi ossessionavano; *'Suspicion always haunts the guilty mind'* W. SHAKESPEARE, 'l'animo di chi è colpevole è sempre tormentato dal sospetto'.

haunted /'hɔːntɪd/ a. **1** infestato (dagli spettri): **a h. house**, una casa infestata dai fantasmi **2** (*fig.*) ossessionato; perseguitato; tormentato ● **a h. look**, un'aria spaurita.

haunter /'hɔːntə(r)/ n. frequentatore assiduo; frequentatrice assidua.

haunting /'hɔːntɪŋ/ Ⓐ a. **1** ossessionante; che perseguita: **a h. tune**, un motivo musicale ossessionante **2** ammaliatore; incantevole; indimenticabile: **the h. beauty of the landscape**, l'incantevole bellezza del paesaggio Ⓑ n. infestazione; frequentazione (*da parte di fantasmi*) || **hauntingly** avv. **1** in modo ossessionante **2** con grande malìa; in modo incantevole.

hausfrau /'hausfrau/ n. (pl. *hausfraus*, *hausfrauen*) casalinga; donna tutta casa e famiglia.

hautboy /'əʊbɔɪ/ n. (*arc., mus.*) oboe.

haute couture /əʊtkuːˈtʊə(r)/ (*franc.*) n. Ⓤ alta moda.

hauteur /əʊˈtɜː(r)/ n. Ⓤ (*lett.*) altezzosità; alterigia; superbia; boria.

haut-relief /əʊriˈliːf/ n. = **high relief** → **high**.

Havana /həˈvænə/ n. **1** (*geogr.*) Avana **2** (*sigaro*) avana.

have /hæv/ n. (*fam.*) **1** (*antiq. GB*) imbroglio; inganno; fregatura (*fam.*) **2** (*solo al pl.*) abbienti; benestanti; ricchi; nazioni ricche: **the haves and have-nots**, i ricchi e i poveri; chi ha e chi non ha.

◆to **have** /hæv, həv/ (pass. e p. p. **had**; 3ª pers. sing. indic. pres. **has**) v. t. **1** (ausiliare, nella voce attiva) avere; essere: «*Have you seen it?*» «*Yes, I have* [*No, I haven't*]», «l'hai visto?» «sì, l'ho visto [no, non l'ho visto]»; *He had come back*, era ritornato **2** avere; possedere; ottenere; ricevere: *The school has a large playing field*, la scuola ha un grande campo di gioco; *He has a moustache*, ha i baffi; *I've got* (*USA: I have*) *a cold*, ho il raffreddore; *We had fine weather all the time*, abbiamo sempre avuto tempo buono; *He hasn't* (*fam.: hasn't got; USA: doesn't h.*) *much time*, non ha molto tempo; *How much money h. you got?* (*USA: do you*

h.)*?*, quanto denaro (*fam.*: quanti soldi) hai?; *I had some work to do*, avevo un po' di lavoro da fare; *I've always wanted to h. a sports car*, ho sempre desiderato (avere) un'auto sportiva **3** prendere; possedere: *H. some more biscuits!*, prendi degli altri biscotti!; *H. a drink!*, prendi qualcosa da bere!; bevi qualcosa! **4** (in varie loc.) fare: **to h. a walk** [**a ride, a swim, a bath, a dance, a dream, a game**], fare una passeggiata [una cavalcata, una nuotata, un bagno, un ballo, un sogno, una partita]; *They're having a meeting*, stanno facendo una riunione **5** (causativo: seguito da un p. p.) fare (più un inf.): *I must h. my hair cut*, devo farmi tagliare i capelli; *I had my watch repaired*, feci riparare l'orologio **6** (causativo: seguito da un inf. o da una forma in **-ing**) fare (più un inf.): *I'll h. the plumber do it*, lo farò fare all'idraulico; *He had us all laughing at his story*, con la sua storiella ci fece ridere tutti **7** (seguito da un p. p.) subire (*l'azione specificata*): *Frank has had his leg broken*, Frank si è rotto la gamba (o ha subìto la rottura della gamba); *I had my car stolen yesterday*, ieri mi hanno rubato la macchina **8** (anche **to h. got**) avere da; dovere; toccare (impers.): *I h. to go to the dentist's*, devo andare dal dentista; *What time do you h. to be there?*, a che ora devi essere là?; *We only fight because we h. to*, ci battiamo solamente perché dobbiamo farlo (o perché è nostro dovere); *Do the children h. to pay?*, i bambini pagano il biglietto? **9** permettere; sopportare; tollerare: *I won't h. bad behaviour*, non permetto che ci si comporti male; *I won't h. it!*, non lo permetto!; non l'accetto! **10** farsi; subire: **to h. a kidney operation**, farsi operare (o subire un'operazione) ai reni **11** avere alla propria mercé; tenere in pugno (*fig.*); avere la meglio su (q.) **12** (*fam.*, di solito al passivo) fregare (*fam.*); imbrogliare; ingannare; farla a (q.): *I have been had!*, mi sono fatto fregare! (o me l'hanno fatta!) **13** (seguito da **it**) dire; scrivere; asserire; sostenere: *The newspapers h. it that the firm will go bankrupt*, i giornali scrivono che la ditta è sull'orlo del fallimento **14** (*form.*) conoscere; sapere; parlare: *He has little* [*no*] *English*, conosce poco [non sa (o non parla)] l'inglese **15** prendere; mangiare; bere; bevare: *I had a sandwich for lunch*, ho mangiato un panino a pranzo; *What are you having?*, che prendi?; *I'll h. a pint of cider*, prendo un bicchiere di sidro **16** (*fam.*) corrompere; comprare (*fam.*) **17** (idiom.; p. es., in:) *Let me h. a try* [*a look*]!, fammi provare [dare un'occhiata]!; *I offered it to him, but he wouldn't h. it*, glielo offrii, ma lo rifiutò; *H. your homework done in an hour!*, che i tuoi compiti siano finiti entro un'ora! ● (*leg.*) **to h. and to hold**, avere (o possedere) a pieno titolo (*di proprietà*) □ (*slang*) **to h. a ball**, divertirsi un sacco □ **to h. charge of st.**, avere la responsabilità (o essere responsabile) di q. □ **to h. charge of st.**, avere in custodia qc.; custodire qc. □ **to h. to do with**, avere (a) che fare (o a che vedere) con: *I don't want to h. anything to do with him*, non voglio aver nulla a che fare con lui □ **to h. done with**, cessare, smettere (*di fare qc.*); averla fatta finita con, non volerne più sapere di □ **to h. done with it**, finirla, farla finita; non pensarci più □ (*fam. GB*) **to h. a down on sb.**, avercela con q. □ **to h. a good time**, divertirsi, spassarsela: *H. a good time*, diverti; divertitevi □ (*fam.*) **to h. had it**, essere finito (o rovinato, spacciato); (*di persona o macchina*) non farcela più; (*di un indumento, ecc.*) essere logoro (o consumato, consunto) □ (*fam.*) **to h. had one too many**, avere alzato un po' il gomito (*fig.*); essere un po' brillo □ (*in una votazione*) **to h. it**, vincere, avere la maggioranza: *The*

a
b
c
d
e
f
g
h
i
j
k
l
m
n
o
p
q
r
s
t
u
v
w
x
y
z

h

ayes h. it, vincono i sì □ (*slang volg. GB*) **to h. it away with sb.** = **to h. it off with sb.** → **have off** □ **to h.** (**got**) **it coming**, tirarsi addosso un guaio; meritare (*una punizione, ecc.*); meritarsela, cercarsela (*fam.*): *He had it coming!*, se l'è meritata (*o cercata*)! □ **to h. it one's** (**own**) **way**, fare a modo proprio; averla vinta: *In the end she had it her way*, alla fine l'ebbe vinta lei □ (*fam.*) **H. it your** (**own**) **way!**, va bene, facciamo come vuoi tu!; hai vinto! □ **to h. sex with sb.**, fare sesso (*o andare a letto*) con q. □ **to h. st.** [**sb.**] (**all**) **to oneself**, avere qc. [q.] tutto per sé □ **to let sb. h. st.**, fare avere (*o dare*) qc. a q.: *Let me h. your lighter*, dammi il tuo accendino □ (*fam.*) **to let sb. h. it**, dire a q. il fatto suo; non mandargliela a dire; (*anche*) attaccare, dare addosso a q.: *Let him h. it!*, (dagli) addosso! □ (*fam.*) **I h. it!** (*o* **I've got it**), ci sono!; ho capito!; (*anche*) lo so!, so rispondere! □ (*fam. USA*) **to h. what it takes**, avere quel che ci vuole; avere le qualità necessarie (*per fare qc.*) □ **You have me** (*o* **you've got me**) **there!**, mi hai preso in castagna!; un punto a tuo favore!; (*anche*) non lo so (proprio)!; mi arrendo! (*fig.*) □ **to be not having any**, non accettare; non volerne sapere: **I tried to convince her, but she wasn't having any**, tentai di convincerla, ma lei non voleva nemmeno sentirne parlare □ **I** [**you**] **had better**, farei [faresti] meglio; sarebbe meglio che io [tu] (più inf. senza **to**): *You'd better go home at once*, faresti meglio ad andare subito a casa ● **NOTA:** *had better* → **better** □ (*slang USA*) **H. a good** (*o* **a nice**) **one!**, ciao!; stammi bene! □ (*fam. scherz.*) **H. a heart!**, abbi pietà!; sii buono!

● **NOTA:** *to have*
Quando indica il possesso di un oggetto, di una qualità, di un difetto, ecc, o la parentela, o una malattia da cui si è affetti, ecc., **to have** può essere usato, a seconda dei casi:
a come verbo normale, che forma perciò le negazioni e le domande con l'ausiliare **to do**: *He has a motorbike*, ha una moto; *He doesn't have a motorbike*, non ha una moto; *Does he have a motorbike?*, ha una moto?
b seguito da **got**: *He has got* (*o He's got*) *a motorbike*, *He hasn't got a motorbike*, *Has he got a motorbike?*
c senza ausiliare: *He has a motorbike*, *He hasn't a motorbike*, *Has he a motorbike?*
Le forme **a** sono quelle prevalenti in USA, ma sono comuni anche in GB.
Le forme **b** sono quelle più diffuse nel registro colloquiale britannico; in USA sono anche abbastanza comuni, tranne che nella forma interrogativa. Se ci si riferisce ad abitudini e situazioni ripetute nel tempo si preferisce comunque anche in GB la forma **a**: *I've got a headache*, ho mal di testa (circostanza temporanea); *I often have a headache*, ho spesso mal di testa (situazione ripetuta); *Do you often have a headache?*, hai spesso mal di testa?
In contesti molto colloquiali **have** viene frequentemente omesso: *I got two brothers and a sister*, ho due fratelli e una sorella.
Le costruzioni negative e interrogative di **c** sono invece piuttosto formali e vengono usate quasi esclusivamente in GB.
Al passato, le forme quasi sempre usate (sia in GB che in USA) sono quelle senza **got** e con l'ausiliare **to do**:
They had some problems, hanno avuto qualche problema; *They didn't have any problems*, non hanno avuto alcun problema; *Did they have any problems?*, hanno avuto qualche problema?
Inoltre, la costruzione con **got** non è generalmente usata al futuro e con le forme all'infinito o al participio: *We'll have all day to see the town*, avremo tutto il giorno per vedere la città; *I'd like to have a car like yours*,

vorrei avere un'auto come la tua; *She dreamed of having long, straight hair*, sognava di avere capelli lunghi e lisci.

■ **have at** v. i. + prep. (*arc.*) attaccare, dar addosso a (*q., spec. duellando o nella scherma*): *H. at you!*, toccato!

■ **have back** v. t. + avv. **1** avere indietro, riavere (qc.) **2** far ritornare, riprendere con sé (q.) □ **to h. one's own back**, rifarsi, farsi pari (*con q.*); vendicarsi (*di q.*) **3** invitare (q.) a propria volta.

■ **have down** v. t. + avv. **1** calare, tirare giù: *I'll h. the ball down from the roof in no time*, ci metto un attimo a tirarti giù la palla dal tetto **2** (*fam.*) invitare, far venire (q.: *dalla città*).

■ **have in** **A** v. t. + avv. **1** avere (qc.) in casa; avere (*provviste, ecc.*): *H. we got any wine in?*, del vino, ne abbiamo?; *We've had the builders in since Monday*, abbiamo i muratori in casa da lunedì **2** invitare, far venire (*ospiti*) **3** chiamare, far venire (*operai in casa, e sim.*): *We had the plumber in yesterday*, ieri abbiamo fatto venire (*o abbiamo avuto in casa*) l'idraulico **B** v. t. + prep. essere capace, in grado (*di fare qc.*): *I always knew you had it in you to succeed*, sapevo (*o ho sempre saputo*) che ce l'avresti fatta (*o che avevi la stoffa per farcela*) □ (*fam.*) **to h. it in for sb.**, avercela (su) con q.

■ **have off** v. t. + avv. **1** fare tagliare (*o togliere*) **2** (*arc.*) sapere a memoria (*una poesia, ecc.*) □ (*slang*) **to h. it off with sb.**, farsela con q.; farsi q.; andare a letto con q.

■ **have on** **A** v. t. + avv. **1** avere indosso; indossare; portare: *He had nothing on*, non aveva niente indosso; era nudo **2** avere in programma: *Have you got anything on* (*for*) *tonight?*, hai qualcosa in programma (per) stasera? **3** (*fam.*) prendere in giro (*fam.*: per i fondelli); fare fesso (*fam.*): *Don't listen to him! He's just having you on*, non dargli ascolto! ti sta prendendo in giro **4** avere (*o tenere*) acceso (*o attaccato*): **to h. all the lights on**, avere tutte le luci accese **B** v. t. + prep. **1** avere con (*sé*): *I h. no* (*o I don't h. any*) *money on me*, non ho soldi con me **2** avere (*prove, o qualcosa in mano*) contro (q.): *The police had nothing on him*, la polizia non aveva prove contro di lui □ (*fam.*) **to h. nothing on sb.**, non essere superiore a (q.); non essere da più di (q.).

■ **have out** v. t. + avv. **1** farsi togliere; farsi estrarre; farsi cavare: **to h. a tooth** [**one's appendix, one's tonsils**] **out**, farsi cavare un dente [togliere l'appendice, le tonsille] **2** invitare (q.) fuori (*a pranzo, a una festa, ecc.*) **3** decidere, risolvere (*dopo una discussione, una lite, ecc.*); mettere in chiaro: *Let's h. the whole thing out!*, mettiamo in chiaro l'intera faccenda! □ **to h. it out** (**with sb.**), chiarirsi (con q.); avere un faccia a faccia risolutivo (con q.).

■ **have over** **A** v. t. + avv. **1** invitare (q.) a casa propria, far venire (q. *come ospite*) **2** superare (*qc. di spiacevole*); non pensare più a (qc.) **B** v. t. + prep. avere (qc.) più di: **to h. it over sb.**, essere (*o sentirsi*) da più di q.

■ **have round** v. t. + avv. → **have over, A**, *def. 1*.

■ **have up** v. t. + avv. **1** alzare, tirare su (qc.) **2** (*fam.*) chiamare, convocare (q.) **3** (*fam.*) far venire, invitare (*in città*) **4** (*fam.*) portare in tribunale; denunciare; citare in giudizio: *He was had up for speeding*, fu denunciato per eccesso di velocità.

■ **have upon** v. t. + prep. → **have on, B**.

■ **have with** v. t. + prep. (in varie loc.; per es.:) **to h. an affair with sb.**, avere una relazione (*amorosa*) con q. □ **to h. a way with sb.**, saperci fare con q. □ (*fam.*) **to h. a word with sb.**, dire una parola a q.; parlare un momento con q.: *I'll h. a word with your dad when he gets in and see if he can go to the meeting*, parlo un attimo con papà quando

torna e vedo se può andare lui all'incontro □ (*fam.*) **to h. words with sb.**, venire a parole (*o avere un diverbio*) con q. □ **to h. had it with**, avere chiuso, averla fatta finita con.

haven /ˈheɪvn/ n. **1** (*naut.*) porto; porto di rifugio; ancoraggio; rada **2** (*fig., spesso* **h. of rest**) asilo; rifugio; riparo ● (*fin.*) **safe h. currency**, valuta (*o divisa*) rifugio.

◆**haven't** /ˈhævnt/ contraz. di **have not**.

haver /ˈheɪvə(r)/ n. ▣ (*scozz.*) chiacchiere; ciance; blatera.

to **haver** /ˈheɪvə(r)/ v. i. **1** (*ingl.*) esitare; titubare; tentennare **2** (*scozz.*) parlare a vanvera; cianciare.

havers /ˈheɪvəz/ n. pl. → **haver**.

haversack /ˈhævəsæk/ n. bisaccia; sacco (*per viveri, ecc.*); zaino; tascapane.

havoc /ˈhævək/ n. ▣ **1** devastazione; distruzione; rovina; scempio **2** caos; sconvolgimento; scompiglio ● **to cause h.**, creare il caos (*o lo scompiglio*); causare sconvolgimenti □ **to play h. with**, distruggere; rovinare; scompigliare; mandare a monte (*o a rotoli*); gettare nel caos □ **to wreak h.** (**among, on**), distruggere; devastare; fare scempio (di); sconvolgere; seminare lo scompiglio (tra).

haw① /hɔː/ n. **1** (*bot., Crataegus oxyacantha*) biancospino **2** bacca del biancospino.

haw② /hɔː/ n. (*zool.*) membrana nittitante (*del cavallo, del cane, ecc.*).

haw③ /hɔː/ **A** n. **1** esitazione (*nel parlare*) **2** sghignazzata **B** inter. ehm!

to **haw** /hɔː/ v. i. parlare esitando; fare ehm.

Hawaiian /həˈwaɪən/ a. e n. hawaiano; (abitante *o* nativo) delle Hawaii ● (*geogr.*) **the H. Islands**, le isole Hawaii.

hawfinch /ˈhɔːfɪntʃ/ n. (*zool., Coccothraustes coccothraustes*) frusone.

haw-haw /ˈhɔːhɔː/ **A** inter. ah! ah! **B** n. risata fragorosa; sghignazzata.

hawk① /hɔːk/ n. **1** (*zool., Falco*) falco; (*Accipiter*) sparviero **2** (*fig.*) avvoltoio; persona rapace **3** (*fig., polit.*) falco ● **h.-eyed**, dagli occhi di falco (*zool.*) **h. moth** → **hawk-moth** □ **h.-nosed**, dal naso aquilino □ **to have eyes like a h.**, avere l'occhio di falco; non farsi sfuggire niente □ **to watch sb. like a h.**, non perdere un attimo di vista q.

hawk② /hɔːk/ n. (*edil.*) nettatoia; sparviero; vassoio.

hawk③ /hɔːk/ n. raschio (*alla gola*).

to **hawk**① /hɔːk/ **A** v. i. **1** cacciare col falco **2** (*polit.*) essere un falco **B** v. t. cacciare; assalire (*la preda*) dall'alto ● **to h. at**, assalire dall'alto.

to **hawk**② /hɔːk/ **A** v. t. **1** vendere (*merce*) per la strada (*o porta a porta*) **2** (*fig.*) diffondere, divulgare, spargere (*notizie e sim.*) **B** v. i. fare il venditore ambulante.

to **hawk**③ /hɔːk/ **A** v. i. raschiarsi la gola; scatarrare **B** v. t. espettorare ● **to h. up phlegm**, espettorare; scatarrare.

hawkbill /ˈhɔːkbɪl/ → **hawksbill**.

hawker① /ˈhɔːkə(r)/ n. falconiere.

hawker② /ˈhɔːkə(r)/ n. venditore ambulante.

hawking① /ˈhɔːkɪŋ/ n. ▣ caccia col falco; falconeria.

hawking② /ˈhɔːkɪŋ/ n. ▣ ambulantato; lavoro di ambulante; vendita porta a porta.

hawkish /ˈhɔːkɪʃ/ a. **1** da falco; simile a falco **2** (*polit.*) di (*o da*) falco; aggressivo | **-ness** n. ▣.

hawklike /ˈhɔːklaɪk/ → **hawkish**.

hawkmoth /ˈhɔːkmɒθ/ n. (*zool., Sphinx*), atropo.

hawksbill /ˈhɔːksbɪl/ n. (*zool., Eretmochelis imbricata*; = **h. turtle**) tartaruga embricata.

hawse /hɔːz/ n. (*naut.*) **1** (= **hawsepipe**) cubia; tubo di cubia **2** (= **hawse-hole**) occhio di cubia **3** parte del mascone dove è alloggiata la cubia ● **h. flaps**, portelli di cubia.

hawser /'hɔːzə(r)/ n. (*naut.*) gomenetta; gherlino.

hawthorn /'hɔːθɔːn/ n. (*bot.*, *Crataegus oxyacantha*) biancospino comune.

hay ① /heɪ/ n. Ⓤ **1** fieno **2** (*slang USA*) erba; marijuana ● **hay baler**, pressaforaggi; imballatrice di foraggio □ **hay barn**, fienile □ (*med.*) **hay fever**, febbre da fieno □ **hay harvest**, fienagione □ **hay-loader**, caricafieno (*macchina*) □ **hay press**, pressaforaggi (*macchina*) □ (*fig.*) **to have a roll in the hay**, fare l'amore sul fieno (*o nei campi*), andare in camporella; (*per estens.*) dare una bottarella □ (*fam.*) **to hit the hay**, andare a letto □ **to make hay**, far fieno; falciare e rivoltare il fieno al sole □ (*fig.*) **to make hay of st.**, mettere qc. sottosopra, in disordine □ (*prov.*) **Make hay while the sun shines**, batti il ferro finché è caldo; chi ha tempo non aspetti tempo.

hay ② /heɪ/ n. antica danza campestre (*assai vivace*).

to **hay** /heɪ/ Ⓐ v. t. **1** mettere (*un terreno*) a fieno **2** far fieno di (*erba*) Ⓑ v. i. far fieno.

haybox /'heɪbɒks/ n. (*un tempo*) cassa imbottita di fieno (*per tener calde le vivande*).

haycock /'heɪkɒk/ n. mucchio di fieno (*nel campo, a forma di cono*).

hayfork /'heɪfɔːk/ n. forcone da fieno; forca fienaia.

hayloft /'heɪlɒft/ n. fienile.

haymaker /'heɪmeɪkə(r)/ n. **1** chi fa fieno; falciatore (*o falciatrice*) di fieno **2** (*agric.*) fienatrice; schiacciafieno, voltafieno (*macchina*) **3** (*fam.*, *sport*) pugno fortissimo e impreciso **4** (*fam. USA*) cosa stupenda (*o* favolosa, strepitosa, da sballo).

haymaking /'heɪmeɪkɪŋ/ n. Ⓤ fienagione.

hayrack /'heɪræk/ n. **1** rastrelliera per il fieno **2** carro da fieno.

hayrick /'heɪrɪk/ n. → **haystack**.

hayride /'heɪraɪd/ n. (*USA*) scampagnata su un carro da fieno.

hayseed /'heɪsiːd/ n. **1** semente da fieno **2** (*slang USA spreg.*) contadino; villano.

haystack /'heɪstæk/ n. cumulo di fieno; mucchio di fieno; pagliaio.

haywire /'heɪwaɪə(r)/ Ⓐ n. Ⓤ fil di ferro per legare balle di fieno Ⓑ a. (*fam.*) **1** confuso; disordinato **2** improvvisato; fatto alla carlona; messo su alla meglio **3** sgangherato **4** (*di persona*) matto; pazzo; giù di testa (*fam.*) ● **to go h.**, ammattire; impazzire; scombussolarsi; (*di uno strumento, ecc.*) guastarsi, impazzire.

hazard /'hæzəd/ n. **1** gioco d'azzardo con i dadi **2** azzardo; rischio; pericolo; repentaglio: **health hazards**, rischi per la salute; **to put to h.**, mettere a rischio (*o a repentaglio*) **3** caso; sorte; ventura **4** (*golf*) ostacolo naturale (*in un campo*) **5** (*biliardo*) punto; colpo vincente: **losing** [**winning**] **h.**, punto fatto mandando in buca la bilia battente [la bilia battuta] **6** (*USA*) **h. pay**, indennità di rischio (*per un lavoro pericoloso*) □ (*autom.*) **h. lights**, luci (intermittenti) di emergenza □ **h. warning flashers** (*o lights*) = **h. lights** → *sopra* □ **at all hazards**, a qualunque costo □ «**Drowning h.**» (*cartello*), «pericolo di annegamento».

to **hazard** /'hæzəd/ v. t. **1** rischiare; mettere a rischio (*o a repentaglio*): *Acrobats often h. their lives*, gli acrobati rischiano spesso la vita **2** arrischiare; azzardare: **to h. a guess**, azzardare un'ipotesi.

hazardous /'hæzədəs/ a. **1** azzardato; arrischiato; rischioso; pericoloso: **a h. move**, una mossa azzardata: *This chemical is h. to health*, questa sostanza chimica è pericolosa per la salute **2** casuale; fortuito; aleatorio | **-ly** avv. | **-ness** n. Ⓤ.

haze /heɪz/ n. ⒸⓊ **1** foschia; bruma; caligine; nebbia leggera: **heat h.**, foschia da caldo **2** (*fig.*) offuscamento; confusione mentale **3** (*fotogr.*) velo.

to **haze** ① /heɪz/ Ⓐ v. t. **1** annebbiare **2** offuscare Ⓑ v. i. (*spesso* **to h. over**) annebbiarsi; offuscarsi.

to **haze** ② /heɪz/ v. t. **1** (*naut.*) punire (*un marinaio*) condannandolo a lavori pesanti **2** (*USA*) angariare; vessare; tormentare **3** (*nelle università USA*) sottoporre (*studenti*) a procedure e prove estenuanti (*prima di ammetterli a un'associazione*) **4** (*USA*) sottoporre (*una recluta*) ad atti di nonnismo.

hazel /'heɪzl/ n. **1** (*bot.*, *Corylus avellana*) nocciòlo; avellano **2** (= **hazelnut**) nocciola; avellana **3** verga d'avellano **4** Ⓤ color nocciola ● **h.-eyed**, dagli occhi color nocciola.

hazelnut /'heɪzlnʌt/ n. nocciola; avellana.

hazing /'heɪzɪŋ/ n. Ⓤ (*USA*) **1** (*nell'esercito*) nonnismo **2** (*all'università*) angherie alle matricole (*da parte degli studenti più anziani*).

hazmat /'hæzmæt/ n. (abbr. di **hazardous material**) materiali pericolosi.

hazy /'heɪzɪ/ a. **1** nebbioso; caliginoso: **h. weather**, tempo nebbioso **2** (*fig.*) confuso; indistinto; incerto; vago: **a h. view**, una visione confusa; **a h. idea**, un'idea vaga; **to be h. about st.**, essere incerto su qc. **3** (*di colore*) tenue; pallido: **h. blue**, azzurro pallido **4** (*di uno specchio*) appannato ● **a h. day**, una giornata di foschia ‖ **hazily** avv. confusamente; indistintamente ‖ **haziness** n. Ⓤ **1** nebbiosità; foschia **2** (*fig.*) nebulosità; incertezza; confusione (*di idee, ecc.*).

HBM sigla (**His** (*o* **Her**) **Britannic Majesty**) Sua Maestà britannica.

H-bomb /'eɪtʃbɒm/ n. (*mil.*) bomba H.

HC sigla **1** (*relig.*, **Holy Communion**) santa Comunione **2** (*GB*, *Canada*, **House of Commons**) Camera dei comuni.

HCF sigla (*mat.*, **highest common factor**) massimo comun divisore (MCD).

HCFC sigla (*chim.*, **hydrochlorofluorocarbon**) idroclorofluorocarburo (HCFC).

HCG sigla (*biol.*, **human chorionic gonadotropin**) gonadotropina corionica umana.

HCI sigla (*comput.*, **human computer interaction**) interazione uomo-macchina (*branca dell'informatica*).

hcp abbr. (**handicap**) handicap.

H.D. sigla → **humpty-dumpty**.

hd abbr. **1** (**hand**) mano **2** (**head**) testa.

HDCP® sigla (*comput.*, **High-Bandwidth Digital Content Protection**) protezione del contenuto digitale per trasmissioni ad alta definizione.

HDD sigla (*comput.*, **hard disk drive**) disco fisso; disco rigido.

HDMI® sigla (*comput.*, *TV*, **High-Definition Multimedia Interface**) interfaccia multimediale ad alta definizione.

HDTV sigla (**high-definition television**) televisione ad alta definizione.

◆**he** ① /hiː; i:/ Ⓐ pron. pers. 3ª pers. sing. m. **1** egli (*spesso sottinteso in ital.*); lui (*fam.*, *rif. a persone o animali*): «*Where is your father?*» «*He's at home*», «Dov'è tuo padre?» «È a casa»; *She called him, but he didn't answer*, lo chiamò, ma lui non rispose; «*Who is it?*» «*It's he*» (*form.*; più com.: «*It's him*»), «Chi è» «È lui» (*form.*) *It's he who did it*, è stato lui a farlo; *Here he is!*, eccolo!; *He's a fine horse*, è un bel cavallo **2** (*lett.*) colui: *He who steals shall be punished*, colui che (*o* chi) ruba sarà punito Ⓑ n. maschio: maschietto; bambino; bimbo: *Is the baby a he or a she?*, è un maschietto o una femminuc-

cia?; è un bimbo o una bimba? Ⓒ a. attr. maschio (spesso idiom.): **a he-goat**, un capro (*o* caprone, becco) ● **a he-man**, un uomo forte, virile; un macho, un fusto (*fam.*) □ (*slang USA*) **he-she**, transessuale (femminile) □ **Anyone can do it if he or she** (*scrivendo*: **if he/she**) **tries hard**, chiunque può farlo, purché s'impegni a fondo.

he ② /hiː/ n. (*fam.*) chiapparello (*gioco infantile*).

HE sigla **1** (**high explosive**) alto esplosivo **2** (**His Eminence**) Sua Eminenza (S.Em.) **3** (**His Excellency**) Sua Eccellenza (SE).

◆**head** /hɛd/ Ⓐ n. **1** (*anat.*) testa; capo (*per estens.*) testa, cervello, mente: *He struck me on the h.*, mi colpì sulla testa; *Your brother is taller than you by a h.*, tuo fratello ti supera di tutta la testa; **to lower one's h.**, abbassare il capo; *He's a hot h.*, è una testa calda; *Use your h.!*, usa la testa (*o* il cervello)! **2** (*di un oggetto*) testa; capo; capocchia; cima; estremità; punta; (*di un letto*) capezzale, testata, testiera: **the h. of an arrow**, la punta d'una freccia; **the h. of a nail** [**of a hammer**], la testa d'un chiodo [d'un martello]; **the h. of a pier**, l'estremità d'un molo; (*naut.*) **the h. of a mast**, la cima di un albero; **the h. of a pin**, la capocchia d'uno spillo; **cylinder h.**, testa del cilindro; **at the h. of the page**, in capo (*o* in cima) alla pagina; **at the h. of a staircase**, in cima alle scale; **at the h. of the table**, a capotavola **3** (*geogr.*) capo; promontorio; fonte; inizio (*d'un lago*); sorgente, capo (*di un fiume*): *Beachy H.*, Capo Beachy; **at the h. of the lake**, all'inizio del lago; in cima al lago (*dove entra l'immissario*) **4** persona a capo, alla testa (*di qc.*); capo; dirigente: **to be at the h. of an army** [**of a business**], essere alla testa di un esercito [di un'azienda]; **h. of the family**, capofamiglia **5** (*ingl.*) direttore, direttrice (*di scuola*); preside (m. e f.) **6** bacino (per es., idroelettrico); canale adduttore (*dell'acqua a un mulino*) **7** (pl. inv.) capo, capi (*di bestiame*); testa (*contando persone*): **50 h. of cattle**, 50 capi di bovini; *We were given 5 dollars a h.*, ricevemmo 5 dollari a testa **8** (*bot.*) capolino; cesto; cespo; palla: **a clover h.**, un capolino di trifoglio; **a h. of lettuce**, un cespo di lattuga **9** cappello da panna; colletto di schiuma (*di birra, ecc.*) **10** fondo: **the h. of a barrel** [**of a cask**], il fondo d'un barile [d'una botte]; **the heads of a drum**, i fondi (*o* le pelli) d'un tamburo **11** lama; taglio: **the h. of an axe**, la lama di un'accetta; il taglio di un'ascia **12** capo; capitolo; paragrafo; punto; voce; intestazione, titolo (→ **heading**) **13** (*med.*) punta purulenta, testa (*d'un foruncolo, ecc.*) **14** (*fig.*) crisi decisiva (*o* finale); punto di massima tensione: *Matters are in danger of coming to a h.*, c'è il pericolo che la situazione precipiti (*o* che giunga alla crisi finale) **15** (*mecc. dei fluidi*, = **pressure h.**) altezza piezometrica; prevalenza, pressione di mandata (*dell'acqua o del vapore*) **16** (*fam.*) mal di testa (*spec. conseguente a una sbornia*): *Boy, do I have a h.!*, mamma mia, che mal di testa! **17** (*ind. min.*) galleria **18** (*mecc.*) testa, fungo (*di una valvola*) **19** (*di motore*) testa, testata **20** (*elettron.*, = **magnetic h.**) testina (*di registratore, ecc.*) **21** (*naut.*) prora, prua: *The ship was h. to the wind*, la nave aveva la prua controvento (*o* era alla cappa) **22** (*edil.*) traversa (*di porta o di finestra*) **23** (*mil.*) testata (*di missile*); ogiva **24** (*slang*; *spec. in combinazione*) drogato: **acid h.**, chi si droga con LSD **25** (*slang USA*) tifoso; fanatico; appassionato **26** (*gergo naut.*) latrina (*spec. a bordo*) **27** (*volg.*) pene eretto; orgasmo **28** (*volg.*) bocchino; pompino: **to give h.**, fare un pompino; fare sesso orale **29** (pl.) testa (*di una moneta*): **Heads or tails?**, testa o croce?; (*fig.*) *Heads I win, tails you lose*, co-

a b c d e f g **h** i j k l m n o p q r s t u v w x y z

munque vadano le cose, io ci guadagno e tu ci perdi **B** **a. attr.** **1** capo; principale; primo: **the h. waiter**, il capo cameriere; **our h. office**, il nostro ufficio principale; la nostra sede centrale; *She's visiting our h. office in Glasgow*, è in visita presso la nostra sede centrale di Glasgow **2** da testa; per la testa: **a h. scarf**, un foulard; un fazzoletto da testa **3** di testa; situato in testa **4** (*naut.*) di prua; contrario: **h. wind**, vento di prua; **h. tide**, corrente contraria **5** (*anat.*) cefalico: **h. fold**, plica cefalica • **h. and shoulders**, di tutta la testa e delle spalle; (*fig.*) di gran lunga: *She is h. and shoulders above her classmates*, è di gran lunga superiore ai suoi compagni di classe □ **h.-and-shoulder photograph**, fotografia formato tessera □ (*in GB*) **h. boy**, studente anziano che rappresenta la scuola (*in una scuola privata è il capo dei* → *«prefects», def. 2*); capitano della scuola □ **h. butt** → **headbutt** □ **h. case** → **headcase** □ **h. clerk**, capoufficio, capo ufficio □ **h. coach**, (*calcio*) commissario tecnico; (*pallavolo*) allenatore in prima □ **h. count** → **headcount** □ **h. first**, a testa avanti, a capo in giù, a capofitto; (*fig.*) a precipizio, avventatamente; (*di un feto*) dalla parte della testa: **to dive h. first**, tuffarsi di testa □ (*in GB*) **h. girl**, studentessa anziana che rappresenta la scuola (*in una scuola privata è il capo delle* → *«prefects», def. 2*); capitana della scuola □ (*sport*) **h. guard**, casco □ **h. job**, incarico direttivo; (*volg. USA*) sesso orale; bocchino, pompino (*volg.*) □ (*zool.*) **h. louse** (*Pediculus humanus capitis*), pidocchio dei capelli □ **h.-money**, taglia (*su un bandito*); → **h. tax** □ (*comput.*) **h. mounted display**, casco virtuale; casco visore □ **h. note**, nota in testa a un capitolo; (*mus.*) nota di testa □ (*med.*) **h. nurse**, caposala; infermiera capo □ (*fam.*) **h. of cauliflower**, palla di cavolo □ **a (nice) h. of hair**, una (bella) testa di capelli □ (*polit.*) **h. of state**, capo di Stato □ (*sport*) **h. of the race**, testa della corsa □ (*fam.*) **to... one's h. off**, fare qc. (*gridare, ridere, parlare, ecc.*) in modo sfrenato, a tutto spiano, come un matto: *The baby was screaming his h. off*, il bambino urlava a pieni polmoni; **to laugh one's h. off**, ridere come un matto □ **h.-on**, (avv.) a testa avanti; frontalmente; (*fig.*) a viso aperto, con determinazione; (agg.) frontale; (*fig.*) a viso aperto, duro: *The two cars collided h.-on*, le due auto si scontrarono frontalmente; *We must address the problem h.-on*, dobbiamo affrontare con determinazione il problema (*o* non dobbiamo girare intorno al problema); **a h.-on collision**, (*autom.*) una collisione (*o* uno scontro) frontale; **a h.-on confrontation**, un confronto a viso aperto □ **h. over heels**, capovolto, sulla testa, a gambe all'aria □ **h. over heels in love with sb.**, innamorato cotto di q. □ **h.-page**, prima pagina (*di un libro*) □ **h. porter**, portiere capo, primo portiere (*d'albergo, ecc.*) □ (*vela*) **h. reaching**, bolina stretta (*una delle andature*) □ (*naut.*) **h. sea**, mare di prua □ (*sport e fig.*) **h. start**, vantaggio iniziale □ **h. tax**, tassa pro capite; testatico □ **h. teacher**, preside (*di scuola*) □ **h.-to-h.**, (sost.) confronto (*o* duello) serrato; testa a testa; (agg. e avv.) testa contro testa; serrato, ai ferri corti: **a h.-to-h. battle**, uno scontro ai ferri corti □ **h. tube**, tubo del manubrio, tubo di sterzo (*di bicicletta*) □ (*slang*) **h. trip**, viaggio (*di drogato*), 'trip' □ **h.-turning**, notevole; degno di nota; che non passa inosservato □ (*aeron.*) **h.-up display** (abbr. **HUD**), visualizzatore 'head up' □ (*mus.*) **h. voice**, registro di testa □ (*idraul.*) **h. water**, acqua a monte □ (*fam.*) **Heads will roll**, rotolerà qualche testa!; qualcuno ci rimetterà il posto! □ **to be at the h. of the class**, essere il primo della classe □ (*fig.*) **to be banging** (*o* **beating, hitting**) **one's h. against a brick wall**, sbattere contro un muro □ (*fig.*) **to bury one's h. in the sand**, nascondere la testa nella sabbia; fare lo struzzo □ (*ipp.*) **by a h.**, di una testa □ **to come to a h.**, (*di crisi, ecc.*) raggiungere il culmine; precipitare; (*med.*: *di foruncolo, ecc.*) suppurare □ (*fam. GB*) **to do sb.'s h. in**, fare una testa così (*o* riempire la testa) a q. □ (*naut.*) **(down) by the h.**, appruato □ **from h. to foot** (*o* **to toe**), da capo a piedi; da cima a fondo □ (*fam.*) **to get one's h. down**, concentrarsi, metterci la testa dentro (*fam.*); (*GB anche*) dormire □ **to get one's h. round st.**, capire qc.; (*anche*) farsi una ragione di qc. □ **to give sb. sb.'s head**, dare carta bianca, dare mano libera a q.: *The boss finally gave us our h.*, alla fine il capo ci diede carta bianca □ (*fam.*) **to go off one's h.**, uscire di testa; andare fuori di testa □ **to go over sb.'s h.**, andare al di là delle capacità di comprensione di q., essere troppo difficile per q.; (*anche*) scavalcare q., agire all'insaputa di (*o* senza consultare) q.: *He went over my h. to complain to the boss*, mi scavalcò andando a reclamare dal capo □ **to go to sb.'s h.**, dare alla testa a q.: *Whisky* [*success*] *has gone to his h.*, il whisky [il successo] gli ha dato alla testa □ **to have a big h.**, avere la testa grossa; (*fig.*) essere presuntuoso □ (*fig.*) **to have a (good) h. on one's shoulders**, avere la testa sul collo □ **to have a good h. for**, essere portato per; avere il bernoccolo di: *My brother has a good h. for business*, mio fratello ha il bernoccolo degli affari □ **to keep one's h.**, non perdere la testa; mantenere la calma □ **to keep one's h. above water**, restare a galla (*fig.*) □ (*fig.*) **to keep one's h. down**, non dare nell'occhio; tenersi in disparte; rimanere defilato □ (*fam.*) **to knock st. on the h.**, mandare qc. all'aria (*un progetto, ecc.*) □ **to lose one's h.**, perdere la testa □ **to make h.**, far progressi; avanzare □ **to make h. against sb.**, tener testa a q.; opporre resistenza a q. □ (*fam.*) **to be off** (*o* **out of**) **one's h.**, essere fuori di testa; essere pazzo □ (*fam.*) **off the top of one's h.**, a braccio, improvvisando: *Not off the top of my h.*, non così su due piedi □ (*fig.*) **an old h. on young shoulders**, una persona saggia benché giovane □ **out of one's own h.**, di testa propria □ **to put an idea into sb.'s h.**, mettere un'idea in testa a q. □ **to put st. out of one's h.**, togliersi qc. dalla mente □ **to put one's heads together**, collaborare; unire le forze □ **to shake one's h.**, scuotere il capo (*in segno di diniego, di disapprovazione, o di meraviglia*) □ (*fig.*) **standing on one's h.**, a occhi chiusi, senza alcuna difficoltà □ **to take it into one's h. to do st.**, mettersi in testa di fare qc. □ **to talk over** (*o* **above**) **sb.'s h.**, parlare in modo troppo difficile per q.; parlare senza farsi capire □ **to turn sb.'s h.**, far girare la testa a q., attrarre, far innamorare q.; (*anche*) montare la testa a q.: *Success hadn't turned his h.*, il successo non gli aveva montato la testa (*o* non gli aveva dato alla testa) □ **to turn heads**, attirare l'attenzione; non passare inosservato □ **to be unable to make h. or tail of st.**, non riuscire a trovare il bandolo di qc.; non saperci trovare né capo né coda; non capirci un'acca: *I couldn't make h. nor tail of his speech*, non ho capito un'acca del suo intervento □ **to be weak in the h.**, avere poco sale in zucca; avere scarso comprendonio (*fam.*) □ (*prov.*) **Two heads are better than one**, due teste sono meglio di una.

♦to **head** /hɛd/ **A** **v. t.** **1** capeggiare; capitanare; guidare; mettersi (*o* essere) a capo di; essere in testa a: **to h. a revolt**, capeggiare una rivolta; **to h. an army**, capitanare un esercito; **to h. an expedition**, essere a capo di una spedizione; **to h. the government**, guidare il governo; fare il primo ministro **2** fornire di testa; fare la capocchia a (*uno spillo*) **3** intestare; intitolare: **to h. a letter**, intestare una lettera; **to h. a chapter**, intitolare un capitolo **4** (*sport*: *calcio*) colpire (*la palla*) di testa **5** cimare, potare (*alberi, piante*) **6** condurre; dirigere **7** tener testa, far fronte a (*un pericolo, ecc.*) **B** **v. i.** **1** dirigersi a: *The explorer headed eastward*, l'esploratore si diresse a oriente; **to h. for one's destination**, dirigersi alla propria meta **2** (*di piante, anche* **to h. out, to h. up**) fare cesto; accestire **3** (*di fiume*) aver capo; nascere **4** (*di un foruncolo, ecc.*) maturare • **to h. one's class**, essere il primo della classe □ **to h. home**, dirigersi verso casa.

■ **head after** **v. i. + prep.** mettersi all'inseguimento di (q.).

■ **head away** **v. i. + avv.** allontanarsi; andare nella direzione opposta.

■ **head back** **v. i. + avv.** fare dietrofront (*fig.*); mettersi sulla via del ritorno.

■ **head for** **v. i. + prep.** **1** dirigersi a (*o* verso) **2** (*naut.*) fare rotta per **3** (*fig.*) andare incontro a; essere avviato verso: *Our economy is heading for disaster*, la nostra economia sta andando incontro al disastro (*o* è su una brutta china); **to be heading for trouble**, essere su una brutta china; (*di persona, anche*) andare in cerca di guai.

■ **head into** **v. i. + prep.** **1** andare contro (*il vento*): (*aeron.*) **to take off heading into the wind**, decollare mettendosi controvento; (*naut.*) **to h. into the wind**, mettere la prua al vento **2** andare nella direzione di; avvicinarsi a: **to h. into a storm**, avvicinarsi a un temporale (*anche in auto, ecc.*) □ (*sport*: *calcio*) **to h. into the net**, spedire la palla di testa in rete; insaccare di testa.

■ **head off** **A** **v. t. + avv.** **1** far deviare (q.); richiamare; dirottare (*fig.*) **2** precedere (*tagliando la strada*); intercettare: **to h. sb. off at a crossroads**, intercettare q. a un incrocio **3** prevenire; stornare; evitare: **to h. off an accident**, prevenire un incidente; **to h. off a misunderstanding**, evitare un malinteso **B** **v. i. + avv.** (*naut.*) poggiare.

■ **head out** **v. i. + avv.** **1** (*bot.*: *di una pianta*) accestire; fare cesto; (*del grano*) fare la spiga **2** (*fig. fam. USA*: *di un dibattito, una trattativa, ecc.*) venire al dunque; giungere al momento risolutivo.

■ **head towards** **v. i. + prep.** → **head for**, *def. 1 e 2*.

■ **head up** **A** **v. t. + avv.** **1** → **to head**, **A**, *def. 1* **2** (*giorn.*) fare i titoli di (*una pagina, ecc.*) **3** (*naut.*) tenere (*una nave*) stretta al vento **B** **v. i. + avv.** **1** (*bot.*) → **head out**, **A**, *def. 1* **2** (*naut.*) stringere il vento; andare di bolina □ (*naut.*) **H. her up!**, stringi bene (il vento)!

♦**headache** /ˈhɛdeɪk/ **n.** **1** mal di testa; mal di capo; (*med.*) cefalea, emicrania: **to have a bad h.**, aver un gran mal di testa; *I've got a splitting h., sore eyes, and aching bones*, ho un mal di testa lancinante, gli occhi irritati e le ossa doloranti **2** (*fam.*) grattacapo; seccatura; impresa (*fig.*) **3** (*fam.*) seccatore, seccatrice; persona noiosa ‖ **headachy** **a.** che ha il mal di testa.

headband /ˈhɛdbænd/ **n.** **1** (*tennis, ecc.*) benda, fascia (*intorno al capo*); fermacapelli **2** (*legatoria*) capitello.

to **headbang** /ˈhɛdbæŋ/ **v. i.** (*mus.*) agitare ritmicamente la testa (*come la si sbattesse sul muro*: *al suono di musica 'heavy metal'*).

headbanger /ˈhɛdbæŋə(r)/ **n.** (*slang*) **1** (*mus.*) chi balla agitando la testa; (*per estens.*) fanatico di musica heavy metal, metallaro **2** (*fig.*) fanatico; estremista; pazzo scatenato; scriteriato.

headbanging /ˈhɛdbæŋɪŋ/ **n.** **U** **1** ballo sfrenato **2** (*fig.*) fanatismo.

headboard /ˈhɛdbɔːd/ **n.** testata del letto; testiera; spalliera.

headbutt /ˈhɛdbʌt/ **n.** colpo con la testa, testata, zuccata (*data a una persona*).

to **head-butt** /'hɛdbʌt/ v. t. dare una testata a.

headcase /'hɛdkeɪs/ n. (*fam.*) mattoide; caso clinico; caso da ricovero.

headcheese /'hɛdtʃiːz/ n. ⓤ (*cucina, USA*) soppressata; coppa di testa.

headcloth /'hɛdklɒθ/ n. copricapo; turbante; fazzoletto da testa.

headcount /'hɛdkaʊnt/ n. 1 conta (*o* conteggio) dei presenti 2 l'insieme dei presenti.

headdress /'hɛddrɛs/ n. 1 ornamento per il capo (*per es., la crestina di una cameriera*) 2 acconciatura elaborata (*dei capelli*).

headed /'hɛdɪd/ a. 1 (nei composti) dalla testa…: **hot-h.**, dalla testa calda; esaltato; collerico 2 intestato: **h. notepaper**, carta da lettere intestata 3 (*mecc.*) con testa 4 (*calcio*) di testa: **h. goal**, gol di testa; **h. clearance**, disimpegno di testa (*di un difensore*) ● **to be h. for**, essere diretto a □ **to be h. in the wrong direction**, andare nella direzione sbagliata (*anche fig.*) □ **two-h.**, che ha due teste; bicipite.

header /'hɛdə(r)/ n. 1 caduta a capofitto (*o* di testa) 2 tuffo di testa 3 (*edil.*) testata 4 (*tecn.*) collettore (*di tubi o tubazioni*) 5 (*edil.*) mattone messo per taglio (*o* di punta); «testa» 6 (*sport: calcio*) colpo di testa; incornata, inzuccata (*fam.*) 7 (*elettr.*) piastra (*per terminali*); basetta 8 (*mecc.*) ricalcatrice 9 (*comput.*) testata; intestazione; parte iniziale: **http h.**, intestazione http 10 (*ind. min.*) sperone di roccia ● (*edil.*) **h. bond**, assestamento di testa □ (*edil.*) **h. course**, ricorso di mattoni messi di punta.

headfirst /'hɛd'fɜːst/ = **head first** → **head**.

headframe /'hɛdfreɪm/ n. (*ind. min.*) castelletto di estrazione (*o* di testa di pozzo).

headgear /'hɛdgɪə(r)/ n. 1 copricapo 2 acconciatura del capo 3 testiera (*dei finimenti di un cavallo*) 4 (*sport*) casco 5 (*ind. min.*) castelletto di estrazione.

headhunter /'hɛdhʌntə(r)/ n. 1 cacciatore di teste 2 (*fig. fam.*) cacciatore di teste; chi cerca personale (*spec.* direttivo) per un'azienda 3 (*fam.*) chi ama mostrarsi (in pubblico) con personaggi influenti; presenzialista.

headhunting /'hɛdhʌntɪŋ/ n. ⓤ 1 il cacciare teste (umane) 2 (*fig. fam.*) ricerca di personale (*spec. di dirigenti aziendali di alto livello*).

headiness /'hɛdɪnəs/ n. ⓤ 1 impetuosità; avventatezza; precipitazione 2 (*del vino*) l'essere inebriante 3 l'essere eccitante, stimolante.

heading /'hɛdɪŋ/ n. 1 intestazione; titolo (*di un capitolo*); (*tipogr.*) titolo corrente, testatina 2 (*bot.*) accestimento 3 (*ind. min.*) galleria di avanzamento 4 (*aeron., naut.*) rotta (*o* prua, prora); (*anche*) avanzamento: **changes of h.**, cambiamenti di prora 5 ⓤ (*calcio*) gioco di testa ● (*bot.*) **h.-out** (*o* **h.-up**), accestimento.

headlamp /'hɛdlæmp/ n. (*autom.*) faro (anteriore); proiettore ● **h. wiper**, tergifaro.

headland /'hɛdlənd/ n. 1 (*geogr.*) capo; promontorio 2 (*agric.*) striscia di terreno non arata (*in un campo*).

headless /'hɛdləs/ a. 1 privo di testa; (*anche mecc.*) senza testa: **a h. body**, un cadavere privo della testa; **a h. bolt**, un bullone senza testa 2 senza capo; senza guida 3 (*fam.*) scervellato; senza testa; sventato.

headlight /'hɛdlaɪt/ n. 1 (*autom.*) faro; proiettore; (*anche*) fascio di luce dei fari 2 (*naut.*) luce di posizione anteriore 3 (pl.) (*slang USA*) occhi 4 (pl.) (*volg. USA, antiq.*) tette.

◆**headline** /'hɛdlaɪn/ Ⓐ n. 1 (*in un giornale,*

ecc.) titolo; titolo di testata 2 (*tipogr.*) titolo 3 (pl.) (*radio, TV*) sommario 4 (*naut.*) → **headrope** Ⓑ a. attr. da prima pagina; di grande importanza: **h. news**, una notizia di prima pagina ● (*econ.*) **h. inflation (rate)**, (tasso d')inflazione al consumo □ (*fam.*) **to make** (*o* **to hit**) **the headlines**, fare notizia; apparire in prima pagina.

to **headline** /'hɛdlaɪn/ v. t. 1 (*giorn.*) menzionare nei titoli; fare un titolo su (*un avvenimento*) 2 (*fig.*) evidenziare; mettere (qc.) in risalto 3 (*di un attore, un cantante, ecc.*) essere l'attrazione principale di (*uno spettacolo*).

headliner /'hɛdlaɪnə(r)/ n. cantante, artista, gruppo, ecc., protagonista (*di uno spettacolo*); headliner.

headlock /'hɛdlɒk/ n. (*lotta*) presa di testa; cravatta (*fam.*).

headlong /'hɛdlɒŋ/ Ⓐ avv. 1 a testa avanti; a capofitto 2 (*fig.*) precipitosamente; impetuosamente: **to rush h. into st.**, gettarsi (*o* lanciarsi) precipitosamente in qc. Ⓑ a. 1 precipite (*lett.*); a capofitto: **a h. fall**, una caduta a capofitto 2 (*fig.*) precipitoso; impetuoso; avventato 3 a perdifiato 4 (*tuffi*) di testa: **a h. dive**, un tuffo di testa ● **h. pursuit**, inseguimento a perdifiato; (*fig.*) ricerca a tutti i costi, ricerca incessante: *Her h. pursuit of success ruined her life*, la sua ricerca del successo a tutti i costi le rovinò la vita.

headman /'hɛdmæn/ n. (pl. **headmen**) 1 capo; capotribù 2 caposquadra di operai 3 (*ind. min.*) agganciatore, vagonista.

headmaster /hɛd'mɑːstə(r)/ n. direttore, preside (*di scuola*).

headmastership /hɛd'mɑːstəʃɪp/ n. ⓤ direzione, presidenza (*di una scuola*).

headmistress /'hɛd'mɪstrɪs/ n. direttrice, preside (*di scuola*).

headmost /'hɛdməʊst/ → **foremost**.

headphone /'hɛdfəʊn/ n. 1 auricolare 2 (pl.) cuffia auricolare: **to listen to music on (a pair of) headphones**, ascoltare la musica in cuffia.

headpiece /'hɛdpiːs/ n. 1 copricapo 2 (*stor., mil.*) elmo; elmetto 3 (*tipogr.*) capopagina; frontone; testata (*decorativa*) 4 testiera (*dei finimenti del cavallo*).

headpin /'hɛdpɪn/ n. (*bowling*) birillo centrale.

headquartered /hɛd'kɔːtəd/ a. pred. (solo nella loc.:) – **to be h. in**, (*mil.*) avere il proprio quartier generale a; (*comm.*) avere la propria sede centrale a.

◆**headquarters** /hɛd'kwɔːtəz/ n. pl. (spesso col verbo al sing.) 1 (*mil.*) quartier generale 2 (la) centrale (*della polizia*) 3 (*comm., fin.*) sede centrale; direzione 4 (*fig.*) sede; luogo di raduno; ritrovo.

headrace /'hɛdreɪs/ (*tecn.*) n. canale adduttore (*dell'acqua a un mulino, ecc.*).

headrest /'hɛdrɛst/ n. 1 poggiacapo (*di poltrona di barbiere, ecc.*) 2 (*autom.*) poggiatesta.

headroom /'hɛdruːm/ n. ⓤ 1 (*ind. costr.*) altezza massima (*di passaggio*) 2 (*ind. min.*) altezza (*di cantiere sotterraneo*); (*anche*) franco verticale.

headrope /'hɛdrəʊp/ n. 1 (*naut.*) gratile; ralinga 2 (*ind. min.*) fune di trazione (*o* d'estrazione).

headsail /'hɛdseɪl/ n. (*naut.*) qualsiasi vela a prua dell'albero di trinchetto.

headscarf /'hɛdskɑːf/ n. (pl. **headscarves**) 1 foulard 2 (*di donne musulmane*) velo.

headset /'hɛdsɛt/ n. 1 (*tel., comput.*) cuffia auricolare; cuffia telefonica 2 (*di bicicletta*) regolatore del gioco dello sterzo.

headshake /'hɛdʃeɪk/ n. scossa del capo

(*di dissenso, ecc.*).

headship /'hɛdʃɪp/ n. ⓤⓒ 1 comando; autorità suprema; guida 2 ufficio di direttore (*o* preside: *di una scuola*).

headshrinker /'hɛdʃrɪŋkə(r)/ n. 1 (*scherz.*) strizzacervelli; psichiatra 2 cacciatore di teste (*che essicca e riduce di dimensioni le teste recise*).

headsman /'hɛdzmən/ n. (pl. **headsmen**) (*stor.*) boia; carnefice.

headspace /'hɛdspeɪs/ n. ⓤⓒ (*fam.*) spazio mentale; mondo mentale: *Every time he takes to the stage, he invites the audience into his h.*, ogni volta che sale sul palco, invita il pubblico a entrare nel suo spazio mentale.

headspring /'hɛdsprɪŋ/ n. 1 fonte (*anche fig.*); sorgente; origine 2 (*ginnastica*) capriola in appoggio sul capo.

headsquare /'hɛdskweə(r)/ n. foulard.

headstall /'hɛdstɔːl/ n. testiera (*dei finimenti del cavallo*).

headstand /'hɛdstænd/ n. (*ginnastica*) verticale sulla fronte: **to do a h.**, fare la verticale sulla fronte.

headstock /'hɛdstɒk/ n. (*mecc.*) testa, tappo fisso (*di tornio, ecc.*).

headstone /'hɛdstəʊn/ n. 1 pietra tombale; lapide 2 (*edil.*) pietra angolare (*anche fig.*) 3 (*archit.*) chiave di volta (*anche fig.*).

headstream /'hɛdstriːm/ n. sorgente (*di un fiume*).

headstrong /'hɛdstrɒŋ/ a. caparbio; ostinato; testardo.

heads-up /'hɛdzʌp/ (*USA*) Ⓐ n. avvertimento; dritta (*fam.*): **to give sb. a heads-up**, mettere q. sull'avviso Ⓑ a. 1 energico; (*sport: di un incontro*) tirato 2 pieno di slancio; generoso Ⓒ inter. attenti!; occhio!

headwall /'hɛdwɔːl/ n. (*geol.*) testata di circo glaciale.

headwaters /'hɛdwɔːtəz/ n. pl. sorgenti: **the h. of the Nile**, le sorgenti del Nilo.

headway /'hɛdweɪ/ n. ⓤ 1 movimento in avanti; marcia avanti; (*fig.*) progresso 2 (*naut.*) abbrivio in avanti 3 (*ind. costr.*) altezza massima (*es.: d'un arco, di una galleria*) 4 (*trasp.*) intervallo (*di tempo o spazio: nelle corse di veicoli che percorrono la stessa linea*) ● (*fig.*) **to make h.**, far progressi.

headwind /'hɛdwɪnd/ n. vento contrario; (*naut.*) vento di prua.

headword /'hɛdwɜːd/ n. (*tipogr.*) 1 prima parola (*di capitolo, ecc.*) 2 (*di un dizionario*) lemma; esponente ● **to enter as a h.**, lemmatizzare.

headwork /'hɛdwɜːk/ n. ⓤ 1 lavoro mentale; lavoro di testa 2 (*sport*) gioco di testa.

headworks /'hɛdwɜːks/ n. pl. (*ind. costr.*) opere a monte.

heady /'hɛdɪ/ a. 1 impetuoso; irruente; avventato; precipitoso 2 (*di bevanda alcolica*) che dà alla testa; forte; inebriante (*anche fig.*) 3 caparbio; testardo 4 (*fig.*) eccitante; esaltante; entusiasmante 5 esaltato; inebriato: **h. with success**, inebriato dal successo

◆to **heal** /hiːl/ Ⓐ v. t. 1 (*anche fig.*) guarire; sanare; risanare: **to h. the sick**, guarire gli ammalati; **to h. a wound**, sanare una ferita 2 (*anche* **to h. over**, **up**) cicatrizzare (*una ferita, ecc.*) 3 (*fig.*) comporre; rimediare; appianare: *The UN Secretary is trying to h. the rift between China and the USA*, il Segretario dell'ONU sta cercando di comporre la spaccatura (*o* di appianare le divergenze) fra la Cina e gli USA Ⓑ v. i. 1 guarire; rimettersi in salute: *We can then see how the ankle is healing, and take it from there*, poi possiamo vedere come guarisce la caviglia e decidere di conseguenza 2 (*di ferita, anche* **to h. over**, **up**) cicatrizzarsi; rimarginarsi:

The wound healed in few days, la ferita si rimarginò in pochi giorni 3 (di lite, divergenza, ecc.) composi, appianarsi.

heal-all /'hiːlɔːl/ n. 1 rimedio universale; panacea; toccasana 2 (bot., Prunella vulgaris) brunella.

healer /'hiːlə(r)/ n. 1 guaritore, guaritrice 2 (fig.) rimedio.

healing /'hiːlɪŋ/ A a. 1 che sta guarendo 2 curativo; medicamentoso; salutare: h. ointments, unguenti medicamentosi B n. ⓤ 1 guarigione 2 cicatrizzazione.

◆**health** /hɛlθ/ n. ⓤ 1 salute; sanità: good [poor] h., buona [cattiva] salute; h. problems, problemi di salute; Ministry of H., Ministero della sanità 2 (fig.) prosperità • (in GB) (local) h. authority, autorità sanitaria locale (abbr. ASL) □ (med.) h. card (o book), libretto sanitario □ h. care, assistenza sanitaria □ (in GB) h. centre, centro sanitario (o di medicina preventiva); poliambulatorio □ h. certificate, certificato medico; certificato di sana costituzione □ h. clinic, consultorio; ambulatorio □ h. club, centro di benessere □ (spec. GB) h. farm = h. spa → sotto □ h. food, alimenti naturali; alimenti biologici □ h. freak, fanatico della salute; salutista □ h. inspection, controllo sanitario □ h. insurance, assicurazione sanitaria; assicurazione contro le malattie □ h. maintenance organization → HMO □ h. officer, ufficiale sanitario □ h. resort, luogo di cura; stazione climatica □ h. risk, rischio per la salute; rischio sanitario □ h. salts, sali lassativi □ h. spa, clinica della salute (per cure dimagranti, ecc.) □ h. tourism, turismo sanitario (viaggi all'estero per ottenere cure meno costose); (anche) turismo della salute (alle terme, ecc.) □ (in GB) h. visitor, assistente sanitario a domicilio □ bill of h. = bill of health → bill② □ to drink (to) sb.'s h., bere alla salute di q.; fare un brindisi a q. □ Your (good) h.!, alla tua (salute)!

healthful /'hɛlθfl/ a. 1 salubre; salutare; igienico 2 (raro) sano | -ly avv. | -ness n. ⓤ

◆**healthy** /'hɛlθɪ/ a. 1 sano; che gode buona salute: h. children, bambini sani 2 salubre; salutare; igienico: a h. climate, un clima salubre 3 (fam.) forte; vigoroso: a h. appetite, un forte appetito 4 (fig.) prospero; fiorente; sano (fig.): a h. economy, un'economia prospera (o sana) 5 (fam.) buono; soddisfacente; consistente: a h. profit, un profitto consistente 6 (fig.) salutare; sano: a h. respect for privacy, un sano rispetto della privacy • h.-minded, sano di mente || **healthily** avv. salubremente; salutarmente || **healthiness** n. ⓤ 1 sanità; (buona) salute 2 salubrità.

heap /hiːp/ n. 1 mucchio; cumulo; ammasso; catasta; pigna: a h. of rubbish, un mucchio d'immondizia 2 (anche pl.) (fig. fam.) mucchio; sacco; barca: a h. of money, un mucchio di soldi; heaps of time, un sacco (o un mucchio) di tempo; heaps of experience, una lunga esperienza; heaps of times, un mucchio di volte 3 (fam.) vecchia auto (o motocicletta); carcassa, macinino (fig.) • (fam.) to feel heaps better, stare molto meglio (di salute) □ (fig.) to be at the bottom [top] of the h., essere sul gradino più basso [più alto] □ to collapse (o to fall) in a h., afflosciarsi a terra; cadere come un corpo morto □ (fam.) to be struck all of a h., restare interdetto.

to **heap** /hiːp/ v. t. 1 ammucchiare; accatastare; ammonticchiare: to h. (up) sacks, ammucchiare sacchi 2 accumulare; ammassare: to h. up riches, accumulare ricchezze • (anche fig.) to h. st. on, dare qc. in gran quantità; profondere (o riversare) qc. su; coprire di qc.: to h. gifts on sb., profondere doni su q., coprire q. di doni; to h. insults [praise] on sb., coprire q. d'insulti [di

lodi] □ (anche fig.) to h. st. [sb.] with, caricare, colmare, ricoprire qc. [q.] di: Her desk was heaped with books, la sua scrivania era ricoperta di libri □ a heaped (USA: heaping) spoon, un cucchiaio colmo.

◆to **hear** /hɪə(r)/ (pass. e p. p. **heard**) A v. t. 1 udire; sentire (fam.); intendere: I can h. nothing, non sento nulla; We heard him call for help, l'udimmo chiedere aiuto ❶ NOTA: to see → to see 2 ascoltare; dare ascolto; esaudire: H. this piece of news, ascolta questa notizia!; The king heard my entreaties, il re diede ascolto alle (o esaudì le) mie suppliche 3 sentire; apprendere; imparare; ricevere (una notizia): Have you heard the latest?, hai sentito l'ultima?; I'm sorry to h. that, questa notizia mi rattrista; I've heard that one before, questa l'ho già sentita 4 (leg.) ascoltare (testimonianze); esaminare (prove); discutere, giudicare (una causa); escutere (testi): The case will be heard next week, la causa sarà giudicata la prossima settimana; The committee will h. dozens of witnesses, la commissione escuterà dozzine di testimoni B v. i. sentire; sentirci: Granny doesn't h. well, la nonna non ci sente bene (è un po' sorda) • H.! h.!, udite! udite!; bene!; bravo! (anche iron.): questa è bella! □ (fam.) to h. both cases, udire entrambe le parti in causa □ (fam.) to h. tell of st., sentir parlare di qc. □ (comm.) hoping to h. from you as soon as possible, nell'attesa di una Vostra gradita, sollecita risposta □ to make oneself heard, farsi sentire; (della folla) rumoreggiare □ to be hearing things, sentire le voci; avere allucinazioni uditive □ I can't h.!, non ci sento!; (telef.) non si sente (nulla)! □ (fam.: quando il frastuono non permette di capirsi) I can't [couldn't] h. myself think!, c'è [c'era] troppo rumore!; non sento [sentivo] nulla! □ (fam.: introducendo una barzelletta) Have you heard the one about...?, la sai quella su...?

❶ NOTA: *to hear*
Per tradurre in inglese frasi italiane come "non ti sento", "mi senti?" (nel senso di "riuscire a sentire") bisogna usare il verbo to hear insieme al verbo modale can: I can't hear you, non ti sento; Can you hear me?, mi senti?

■ **hear about** v. i. + prep. sentir parlare di; sentire; apprendere; avere notizia di: Did you h. about the dismissals?, hai sentito (o saputo) dei licenziamenti?; Have you heard about Jack being arrested?, hai sentito che hanno arrestato Jack?; How did you hear about this surgery?, com'è venuto a conoscenza di questo studio?

■ **hear from** v. i. + prep. 1 ricevere (o avere) notizie da: I haven't h. heard from them in a month, è un mese che non ho loro notizie 2 avere una comunicazione (ufficiale) da (un ente, ecc.) 3 sentire (fig.): You'll h. from the boss when he returns!, sentirai il capo quando rientra! □ You'll be hearing from my solicitor, Le scriverà il mio avvocato.

■ **hear of** v. i. + prep. 1 avere notizie di (q.) 2 sentir parlare di; avere notizia di (qc.); sapere di: How did you h. of their divorce?, in che modo avete saputo del loro divorzio?; I've never heard of him, non ne ho mai sentito parlare; non lo conosco neanche di nome; I won't h. of it, non voglio nemmeno sentirne parlare!; neanche a parlarne!; He went to Australia and was never heard of again, andò in Australia e non se ne seppe più nulla 3 sentire dire: I've never heard of anyone doing such a thing, non s'è mai sentito dire (o saputo) che qualcuno abbia fatto una cosa del genere.

■ **hear out** v. t. + avv. 1 ascoltare fino alla fine; ascoltare ancora un po': Please, h. me out!, per favore, ascoltami ancora un po' (o fammi finire di parlare)! 2 assistere a (un concerto, ecc.) fino alla fine.

■ **hear through** v. t. + avv. ascoltare (un disco, un concerto, ecc.) fino alla fine.

hearable /'hɪərəbl/ a. udibile.

heard /hɜːd/ pass. e p. p. di **to hear**.

hearer /'hɪərə(r)/ n. uditore, uditrice; ascoltatore, ascoltatrice.

◆**hearing** /'hɪərɪŋ/ n. 1 ⓤ udito: His h. is not very good, il suo udito non è molto buono (o non ci sente molto bene) 2 udienza; ascolto; indagine conoscitiva: to give sb. a h., dare udienza (o ascolto) a q. 3 (leg.) udienza: h. in chambers, udienza a porte chiuse • (med.) h. aid, apparecchio acustico (per sordità); protesi acustica □ h. dog, cane guida (per non udenti) □ h.-impaired, audioleso; non udente □ h. loss, perdita dell'udito □ h. room, sala delle udienze □ to gain (o to get) a h., riuscire a farsi ascoltare □ to give sb. a fair h., ascoltare q. imparzialmente; dar modo a q. di spiegarsi (o discolparsi, ecc.) □ in sb.'s h., in modo che q. possa sentire; in presenza di q.: Don't talk about it in his h., non parlarne in sua presenza □ out of h., troppo lontano per essere udito □ within h., a portata d'orecchio.

to **hearken** /'hɑːkən/ v. i. 1 – (lett.) to h. to, dare ascolto a, ascoltare attentamente (q.) 2 – to h. back → to hark.

hearsay /'hɪəseɪ/ n. sentito dire; diceria; pettegolezzo; voce: to know st. by h., saper qc. per sentito dire • (leg.) h. evidence, prova «per sentito dire»; testimonianza de auditu (fondata su dicerie).

hearse /hɜːs/ n. 1 carro funebre 2 (arc.) bara.

◆**heart** /hɑːt/ A n. 1 ⓒⓤ cuore (anche fig.); affetto; anima; animo; coraggio; centro; mezzo; grumolo: Smoking is bad for the h., il fumo fa male al cuore; a man with a good h., un uomo di buon cuore; He has a h. of steel, ha un cuore di pietra; He has no h., non ha cuore; I know in my h. that..., il cuore mi dice che...; the h. of the tree, il cuore del legno; the h. of a cabbage, il grumolo d'un cavolo; in the h. of the jungle, nel cuore della giungla 2 (fig.) parte principale; essenza; nocciolo (di un problema, ecc.): the h. of the matter, il nocciolo della questione 3 (vezzegg., al vocat.) cuoricino (mio); tesoro 4 (naut.) anima (di un albero) 5 (naut.) bigotta a mandorla 6 (alle carte) (carta di) cuori 7 (slang USA) compressa di amfetamina (o di benzedrina) B a. attr. cardiaco: h. attack, attacco cardiaco: He died of a h. attack, è morto per attacco cardiaco • hearts-and-flowers, sdolcinato; melenso: a hearts-and-flowers song, una canzone sdolcinata □ h. and soul, anima e corpo; con tutta l'anima: to throw oneself h. and soul into st., darsi (o dedicarsi) a qc. anima e corpo (fig.) □ h.'s-blood, sangue vitale; vita □ h.-breaking = heartbreaking □ (med.) h. complaint, disfunzione cardiaca □ h. condition, insufficienza cardiaca □ (med.) h. disease, malattia di cuore; cardiopatia □ h.'s-ease, tranquillità d'animo; (bot., Viola tricolor) viola del pensiero □ (med.) h. failure, infarto □ h.-free, che ha il cuore libero □ (med.) h.-lung machine, macchina cuore-polmone □ (fig.) to have a h. of gold, avere il cuore d'oro □ (fig.) heart of oak, persona coraggiosa □ (fig.) to have a h. of stone, avere il cuore di pietra □ (fisiol.) h. rate, frequenza cardiaca □ (med.) h. rate monitor (o meter), cardiofrequenzimetro □ h.-rending, straziante □ h.-searching, esame di coscienza (o dei propri sentimenti) □ h.-shaped, cuoriforme □ h.-stopping, emozionante; (anche) terrificante □ h.-stopper, cosa (o fatto) emozionante (o terrificante); cosa che lascia senza fiato □ (med.) h. surgery, cardiochirurgia □ h.-throb, battito cardiaco; (fig.) passione, amore; (fam.) fiamma, innamorato, innamorata; (fam.)

idolo delle donne, rubacuori □ **h.-to-h.**, (sost.) conversazione a cuore aperto, discussione schietta; (agg.) franco, sincero, schietto; (avv.) a cuore aperto, con franchezza, sinceramente: **a h.-to-h. talk**, un discorso (o un dialogo) a cuore aperto (o franco, schietto) □ (zool.) **h. urchin** (Spatangus), riccio di mare cuoriforme □ **h.-warming**, che scalda il cuore; generoso; commovente, toccante □ **after one's own h.**, (di persona) con cui ci si trova in sintonia; che condivide gli stessi gusti; che ha idee simili: Sally is really a woman after my own h., con Sally mi trovo in perfetta sintonia □ **at h.**, in cuor proprio; a cuore; nel cuore; in fondo (in fondo): **to be sad at h.**, avere la tristezza nel cuore; avere il cuore gonfio; **to be sick at h.**, avere la morte nel cuore; essere desolato, disperato; I have your (best) interests at h., ho a cuore i tuoi interessi; He's not a bad boy at h., in fondo, non è un cattivo ragazzo □ **to break sb.'s h.**, spezzare il cuore a q. □ **by h.**, a memoria: **to know st. by h.**, sapere qc. a memoria; **to learn st. by h.**, imparare qc. a memoria □ **to clasp sb. to one's h.**, stringersi al cuore (o al petto) q. □ **to be close (o dear, near) to sb.'s h.**, essere nel cuore di q., essere caro a q.; stare a cuore a q. □ **to cry one's h. out**, piangere tutte le proprie lacrime □ **to die of a broken h.**, morire di crepacuore □ **to feel sad (o sick) at h.** → **at h.** □ **to find one's way into sb.'s h.**, (riuscire ad) arrivare al cuore di q.; accattivarsi la simpatia di q. □ **from the h.**, di cuore; generoso □ **from the bottom of one's h.** (o from the h.), dal profondo del cuore □ **to get to the h. of the matter**, andare al nocciolo (o entrare nel vivo) della questione □ **to give one's h. to sb.**, dare (o donare) il cuore a q.; innamorarsi di q. □ **to have the h. to do st.**, avere il cuore (o il coraggio) di fare qc.: I didn't have the h. to tell him, mi mancò il cuore di dirglielo □ **to have one's h. in st.**, impegnarsi seriamente in qc.; fare qc. con entusiasmo □ (fam.) **to have one's h. in one's boots**, avere una grande paura; essersi perso d'animo □ (fam.) **to have one's h. in one's mouth**, avere il cuore in gola; avere paura □ **to have one's h. in the right place**, avere un cuore grande così (fam.); essere una persona di (buon) cuore □ **in one's h. of hearts**, nel profondo del cuore; nel proprio intimo □ **to keep a good h.**, stare di buon animo □ **to lay st. to h.**, prendersi a cuore qc. □ **to let one's h. rule one's head**, dare retta al cuore (e non alla ragione) □ **to lose h.**, perdersi d'animo; scoraggiarsi □ **to lose one's h. to sb.** = **to give one's h. to sb.** → sopra □ **to move sb.'s h.**, toccare il cuore di q.; commuovere q. □ **sb.'s h.'s desire**, il desiderio più grande di q.; ciò che q. desidera di più (al mondo): His h.'s desire is to live in the country, il suo desiderio più grande è vivere in campagna □ **to open one's h. to**, aprire il cuore a; confidarsi (o sfogarsi) con □ **out of h.**, scoraggiato; demoralizzato □ **to pluck up h.** = **to take h.** → sotto □ **to pour out one's h. to sb.** = **to open one's h. to sb.** → sopra □ **to put one's h. into st.**, fare qc. con il cuore (o con passione) □ **to see into sb.'s h.**, leggere nel cuore di q. □ **to set one's h. on st.**, desiderare ardentemente qc. □ **to take h.**, farsi cuore; farsi coraggio; rincuorarsi □ **to take h. from st.**, trarre incoraggiamento da qc. □ (fig.) **to take the h. out of sb.**, scoraggiare q. □ **to take st. to h.**, prendersi a cuore qc.; (anche) prendersela per qc.: You shouldn't take his criticism to h., non devi prendertela per le sue critiche □ **to one's h.'s content**, a piacere; a volontà □ **to touch sb.'s h.** = **to move sb.'s h.** → sopra □ **to wear one's h. on one's sleeve**, parlare con il cuore in mano □ **to win sb.'s h.**, conquistare q. □ **to win the hearts and minds of sb.**, conquistare le

menti e i cuori di q. □ **with all one's h.** (o **with one's whole h.**), di tutto cuore; di vero cuore □ **with half a h.**, con scarso entusiasmo; con scarsa convinzione; svogliatamente □ **with a heavy h.**, col cuore rattristato (o gonfio); a malincuore □ **with a kind h.**, di cuore: **a man with a kind h.**, un uomo di cuore (o dal cuore d'oro) □ **with a light h.**, a cuor leggero; serenamente; volentieri □ (prov.) **Kind hearts are more than coronets**, la gentilezza d'animo vale più di un titolo nobiliare.

heartache /ˈhɑːteɪk/ n. ⓤ accoramento; afflizione; angoscia; patema.

heartbeat /ˈhɑːtbiːt/ n. **1** battito cardiaco; pulsazione **2** (fig.) attimo; soffio (fig.) **3** (fig.) cuore pulsante; anima: In the 18th century Paris was the h. of European culture, nel Settecento Parigi era il cuore pulsante della cultura europea ● **a h. away from**, a un passo da; sul punto di □ **in a h.**, all'istante; in un battibaleno; in un amen.

heartbreak /ˈhɑːtbreɪk/ n. crepacuore.

heartbreaker /ˈhɑːtbreɪkə(r)/ n. (fig.) **1** persona che spezza molti cuori (seducendo e abbandonando di frequente) **2** cosa che spezza il cuore; grande dolore.

heartbreaking /ˈhɑːtbreɪkɪŋ/ a. **1** straziante **2** faticoso; estenuante; snervante | **-ly** avv.

heartbroken /ˈhɑːtbrəʊkən/ a. con il cuore infranto; straziato; disperato; distrutto.

heartburn /ˈhɑːtbɜːn/ n. ⓤ (med.) bruciore di stomaco; acidità di stomaco; pirosi.

heartburning /ˈhɑːtbɜːnɪŋ/ n. ⓤ amarezza; astio; rancore.

hearted /ˈhɑːtɪd/ a. (nei composti, per es.:) **cold-h.**, freddo (d'animo, negli affetti); indifferente; insensibile; arido; **half-h.**, apatico, indifferente, tiepido (fig.); esitante, incerto.

to **hearten** /ˈhɑːtn/ Ⓐ v. t. (spesso **to h. up**) rincuorare; incoraggiare: I was heartened by the news, fui rincuorato dalla notizia Ⓑ v. i. rincuorarsi; farsi coraggio; farsi animo.

heartening /ˈhɑːtnɪŋ/ a. incoraggiante; rincuorante; consolante | **-ly** avv.

heartfelt /ˈhɑːtfelt/ a. sentito; profondo (fig.); di cuore; sincero; vivo: **h. sympathy**, profonda (o viva) solidarietà; sentite condoglianze; **h. thanks**, sentiti ringraziamenti.

hearth /hɑːθ/ n. **1** focolare; (fig.) focolare domestico, casa **2** (metall.) letto di fusione; suola del forno **3** (naut.) cucina di bordo ● (metall.) **h. furnace**, forno Martin □ **h. rug**, tappeto davanti al focolare; (fig.) **h. and home**, focolare domestico; casa e famiglia: She left h. and home to work abroad, lasciò casa e famiglia per lavorare all'estero.

hearthstone /ˈhɑːθstəʊn/ n. **1** lastra di pietra del focolare **2** ⓤ pietra per pulire focolari; pomice **3** (fig.) focolare domestico; casa.

heartily /ˈhɑːtəlɪ/ avv. **1** caldamente; cordialmente; di cuore: I thank you h., ti ringrazio di cuore **2** con entusiasmo; con foga; di gusto: **to sing h.**, cantare con foga; **to laugh h.**, ridere di gusto (o di cuore); fare una bella risata **3** di buon appetito: I ate h., mangiai di buon appetito (o di gusto) **4** completamente; assai; molto: **h. glad**, molto felice, felicissimo; He h. approved her decision, approvò completamente la sua decisione ● **I am h. sick of it**, sono arcistufo di (tutto) ciò.

heartiness /ˈhɑːtɪnəs/ n. ⓤ **1** cordialità; sincerità; calore (fig.) **2** giovialità; cordialità; allegria **3** entusiasmo; passione **4** vigoria; robustezza; vigore.

heartland /ˈhɑːtlænd/ n. cuore, zona centrale (di un paese, di un continente, ecc.).

heartless /ˈhɑːtləs/ a. **1** senza cuore;

crudele; insensibile **2** (arc.) scoraggiato; privo d'entusiasmo | **-ly** avv. | **-ness** n. ⓤ.

heartrot /ˈhɑːtrɒt/ n. ⓤ (bot.) **1** marciume del durame **2** marciume del cuore della barbabietola **3** marcescenza centrale da protozoo.

heartsick /ˈhɑːtsɪk/ a. (lett.) afflitto; affranto; desolato; disperato.

heartsore /ˈhɑːtsɔː(r)/ Ⓐ a. accorato; addolorato Ⓑ n. ⓤ accoramento; affanno; angustia; pena.

heartstrings /ˈhɑːtstrɪŋz/ n. pl. le corde del cuore (fig.); gli affetti più profondi ● **to tug** (o **to pluck, to pull**) **at sb.'s h.**, toccare il cuore di q.; commuovere profondamente q.

heartwood /ˈhɑːtwʊd/ n. ⓤ (bot.) durame; cuore del legno.

hearty /ˈhɑːtɪ/ Ⓐ a. **1** cordiale; caloroso (fig.); sincero; vivo: **a h. welcome**, un'accoglienza calorosa; **h. sympathy**, viva partecipazione **2** profondo (fig.); forte: **a h. dislike**, una forte antipatia **3** sano; vigoroso; vegeto: My grandfather is still hale and h., mio nonno è ancora arzillo **4** abbondante; buono: **a h. meal**, un pasto abbondante; **a h. appetite**, un buon appetito **5** (fam.) esuberante; festoso; vivace **6** (di terreno) fertile **7** (fam.) sportivo Ⓑ n. **1** (nelle università inglesi) studente che fa dello sport; atleta; sportivone (fam.) **2** (fam.) compagno; marinaio ● **to be a h. eater**, mangiare di buon appetito; essere una buona forchetta (fig.) □ **a h. laugh**, una risata di cuore; una bella risata □ (naut. slang) **Me hearties!**, olà, marinai! □ (arc.) **My hearties!**, miei prodi!

◆**heat** /hiːt/ n. **1** ⓤ (anche fis., tecn.) calore: **the h. of the sun**, il calore del sole **2** calore; temperatura: **to adjust the h. of the oven**, regolare la temperatura del forno **3** caldo; calore: to suffer from the h., soffrire per il (gran) caldo; **sultry h.**, caldo afoso (o soffocante); **h. wave**, ondata di caldo **4** ⓤ (fam. spec. USA) riscaldamento: **to turn on the h.**, accendere il riscaldamento **5** ⓤ (fam.) fuoco (di fornello); fiamma; fornello: Remove the saucepan from the h., togliete la pentola dal fuoco **6** ⓤ (fig.) calore; ardore; fervore; eccitazione; foga; impeto: **in the h. of the discussion**, nella foga della discussione; **in the h. of the battle**, nel fervore della battaglia; nel mezzo della mischia, nel furore della mischia, **in the h. of the moment**, nell'eccitazione del momento; nella foga; a caldo **7** ⓤ sapore piccante **8** (sport) eliminatoria; batteria: **qualifying h.**, batteria di qualificazione; **h. winner**, vincitore di eliminatoria; testa di serie **9** (metall.) infornata; colata **10** ⓤ (zool.) calore; estro: **a bitch on h.** (USA: **in h.**), una cagna in calore; **to go into** (o **in**) **h.**, andare in calore **11** ⓤ (med.) stato febbrile **12** ⓤ (fig. fam.) pressione; difficoltà; critiche; attacchi: **to put the h. on sb.**, mettere q. sotto pressione; **to take the h. off** (sb.), allentare la pressione (su q.); liberare (q.) dalle accuse (o dai sospetti); **to take the h. out of st.**, disinnescare qc.; sdrammatizzare qc.; **to turn up the h.**, aumentare la pressione; The h. is on, la pressione è forte; si comincia a fare sul serio **13** (slang USA) pistola; sputafuoco (fam.) ● (aeron.) **h. barrier**, barriera termica; muro del calore □ (fis.) **h. conductivity**, conducibilità termica □ **h. convector**, termoconvettore □ (fis.) **h. death**, morte termica □ (fis.) **h. engine**, macchina termica; motore termico □ (tecn.) **h. exchanger**, scambiatore di calore □ (med.) **h. exhaustion**, collasso da calore □ **h. haze**, foschia da calore; miraggio inferiore □ **h. island**, area (spec., città) in cui la temperatura è sensibilmente più elevata che nel territorio circostante; isola di calore □ (elettr.) **h. lamp**, lampada a raggi infrarossi □ **h. lightning**, lampi estivi (per la calura);

h

fulmine muto □ **the h. of the day**, il (calore del) meriggio □ **h.-proof**, a prova di calore; atermico □ (*tecn.*) **h. pump**, pompa di calore □ (*med.*) **h. rash**, miliaria ■ **h.-resistant**, resistente al brodo; termoresistente; refrattario □ (*miss.*: *di un razzo*) **h.-seeking**, termico; autoguidato a infrarossi □ (*miss.*) **h. shield**, scudo termico □ **h. sink**, (*elettr.*) dissipatore di calore; (*tecn.*) pozzo di calore □ **h. treatment**, (*med.*) termoterapia; (*metall.*) trattamento termico □ (*fig.*) **If you can't stand the h., get out of the kitchen**, se non riesci a resistere alla pressione (*o* al peso delle responsabilità, agli attacchi), fatti da parte.

♦ to **heat** /hiːt/ ◪ v. t. scaldare; riscaldare; infiammare (*fig.*): **to h. (up) a room**, scaldare una stanza; **to h. up some broth**, riscaldare del brodo ◪ v. i. (*spesso* **to h. up**) **1** scaldarsi; riscaldarsi **2** (*fig.*) accalorarsi; infiammarsi **3** (*fig., di una situazione*) accendersi; infiammarsi; surriscaldarsi.

heated /ˈhiːtɪd/ a. **1** riscaldato **2** (*fig., di discussione, ecc.*) accalorato; acceso; animato; infiammato: **a h. debate**, un dibattito acceso **3** (*fig., di persona*) accalorato; infervorato ● (*autom.*) **h. rear window**, lunotto termico □ (*fig.*) **to become** (*o* to get) **h.**, (*di discussione, ecc.*) accendersi, infiammarsi; (*di persona*) scaldarsi; accalorarsi, infervorarsi | **-ly** avv.

heater /ˈhiːtə(r)/ n. **1** apparecchio di riscaldamento; riscaldatore; bollitore (*per l'acqua calda*) **2** stufetta elettrica: **fan h.**, termoventilatore; stufetta elettrica (a ventola) **3** (*autom.*) impianto di riscaldamento **4** (*slang USA*) pistola **5** (*slang USA*) sigaro.

heath /hiːθ/ n. **1** brughiera; landa **2** ⊍ (*bot., Erica*) erica **3** (*bot., Tamarix gallica*) cipressina; scopa marina **4** (*bot.*) *Aristida dichotoma* **5** (*bot.*) *Empetrum nigrum* ● (*bot.*) **h. bell**, (*Erica tetralyx*) macchiaiola; *Erica cinerea*; *Cassiope mertensiana* □ (*bot.*) **h.-berry**, bacca di mirtillo (*o di altra pianta di brughiera*) □ (*zool.*) **h. cock** (*Lyrurus tetrix*), maschio del fagiano di monte | **heathy** a. che ha il carattere della landa (*o della brughiera*).

heathen /ˈhiːðn/ ◪ n. **1** pagano, pagana; infedele **2** barbaro; selvaggio (*anche fig.*): *These boys behave like young heathens*, questi ragazzi si comportano da piccoli selvaggi ◪ a. **1** pagano **2** barbaro: **a h. land**, un paese barbaro ‖ **heathendom**, **heathenry** n. ⊍ **1** paganesimo **2** paganità; mondo pagano ‖ **heathenish** a. **1** pagano; paganeggiante **2** barbaro ‖ **heathenism**, **heathenry** n. ⊍ **1** paganesimo **2** barbarie.

to **heathenize** /ˈhiːðənaɪz/ ◪ v. t. **1** rendere pagano; paganizzare **2** imbarbarire ◪ v. i. **1** diventar pagano **2** imbarbarirsi.

heather /ˈhɛðə(r)/ n. (*bot.*) **1** (*Erica*) erica **2** (*Calluna vulgaris*) crecchia; brentolo; brugo **3** *Hudsonia tomentosa* **4** *Empetrum nigrum* ● (*bot.*) **h. bell**, (*Erica tetralix*) macchiaiola; *Erica cinerea* □ **h. mixture**, tessuto di lana di colori misti (*verde, porpora e marrone: somigliante al colore dell'erica*) □ (*scozz.*) **to take to the h.**, darsi alla macchia; diventare un bandito ‖ **heathery** a. **1** coperto d'erica **2** simile all'erica.

Heath Robinson /hiːθ ˈrɒbɪnsən/ a. (*di macchina*) complicatissima e poco pratica.

♦ **heating** /ˈhiːtɪŋ/ n. ⊍ riscaldamento: **central h.**, riscaldamento centrale; **to turn the h. on** [**down**], accendere [abbassare] il riscaldamento ● **h. appliances**, apparecchi per riscaldamento (*domestico*) □ **h. consultant**, tecnico d'impianti di riscaldamento □ **h. engineer**, installatore (*o* manutentore) di impianti di riscaldamento; caldaista □ **h. fuel**, combustibile per riscaldamento □ **h. oil**, olio combustibile per riscaldamento □ **h. plant**, impianto di riscaldamento; (*anche*) centrale termica.

heatproof /ˈhiːtpruːf/ = **heat-proof** → **heat** *def. 3.*

heatstroke /ˈhiːtstrəʊk/ n. (*med.*) colpo di calore.

heatwave /ˈhiːtweɪv/ n. = **heat wave** → **heat**.

heave /hiːv/ n. **1** sforzo, strappo (*per sollevare o lanciare qc.*); sollevamento **2** ⊍ il sollevarsi; il gonfiarsi; spinta: **the h. of the sea**, il gonfiarsi del mare (*che preme sulla nave*); la spinta del mare **3** lancio; tiro **4** conato di vomito **5** (*geol.*) rigetto orizzontale **6** (pl.) (*vet.*) bolsaggine (*del cavallo*).

to **heave** /hiːv/ (pass. e p. p. *heaved*, *hove*) ◪ v. t. **1** sollevare; alzare (*lentamente, con sforzo*); (*naut.*) alare, alzare, issare, levare: **to h. tree trunks**, sollevare tronchi d'albero; **to h. the anchor**, levare l'ancora **2** lanciare, scagliare (*un oggetto*); emettere; gettare: **to h. a sigh of relief**, emettere un sospiro di sollievo **3** (*naut., fam.*) gettare; lanciare: **to h. st. overboard**, gettare qc. a mare **4** (*geol.*) spostare (*uno strato*) per scorrimento ◪ v. i. **1** sollevarsi, alzarsi (*con moto ritmico*); (*del mare*) gonfiarsi **2** ansare; anelare; palpitare: **a heaving bosom**, un petto anelante **3** (*naut.: di nave*) sollevarsi sulle onde; beccheggiare **4** vomitare; avere conati di vomito ● (*naut.*) **to h. (the chain) short**, alzare l'ancora in posizione verticale (*pronti per salpare*) □ **to h. in sight** (*o* **into view**), (*di una nave*) apparire all'orizzonte; (*di una persona*) apparire, comparire.

■ **heave at** v. i. + prep. dare uno strattone a; tirare; (*naut.*) alare.

■ **heave down** v. t. + avv. (*naut.*) abbattere su un fianco, inclinare (*un'imbarcazione: per pulirla*).

■ **heave on** v. i. + prep. → **heave at**.

■ **heave to** v. i. + avv. (*naut.*) mettersi alla cappa (*o in panna*); fermarsi.

■ **heave up** ◪ v. t. + avv. **1** alzare, sollevare, tirare su: *They are trying to h. up the sunken galleon*, stanno tentando di tirare su il galeone affondato **2** (*fam.*) vomitare (*cibo, ecc.*) ◪ v. i. + avv. **1** alzarsi; sollevarsi: *The waves heaved up over the sea wall*, le onde si sollevarono fino a superare il bastione sul mare **2** (*fam., anche fig.*) avere conati di vomito; vomitare.

heave-ho /hiːvˈhəʊ/ ◪ inter. (*naut., antiq.*) issa, oh! ◪ n. ⊍ (*fam.*) licenziamento; benservito (*anche fig.*): **to get the (old) heave-ho**, essere licenziato; ricevere il benservito (*anche fig.*); **to give sb. the (old) heave-ho**, dare il benservito a q.

♦ **heaven** /ˈhɛvn/ n. **1** (*relig. e fig.*) ⊍ cielo; paradiso: **to be in h.**, essere in cielo (*o* in paradiso); *Tahiti is h. on earth*, Tahiti è il (*o* un) paradiso in terra **2** (pl.) **- the heavens**, (*lett.*) la volta celeste, il cielo ● **heavens above!**, santi numi! □ **h.-born**, d'origine divina; celeste; divino □ **H. forbid!**, Cielo non voglia! □ **H. knows...**, lo sa il Cielo se...: *H. knows I need your help!*, lo sa il Cielo se ho bisogno del tuo aiuto! □ **The heavens opened**, cominciò a piovere a dirotto; le cateratte del cielo si aprirono □ **h.-sent**, mandato da Dio; provvidenziale □ **by h.!**, in nome del Cielo! □ **For h.'s sake!**, per amor del Cielo! □ **good heavens!**, santo Cielo! □ **to be in (the)** seventh h. (*o* **in the h. of heavens**), essere al settimo cielo; (*fig.*) **to move h. and earth**, muovere mari e monti; fare l'impossibile ‖ **heavenward** (*lett.*) a. rivolto al cielo ‖ **heavenwards**, **heavenward** (*lett.*) avv. verso il cielo.

heavenly /ˈhɛvnlɪ/ a. **1** del Cielo; celeste; celestiale; divino; paradisiaco: **h. bliss**, beatitudine celeste; **h. body**, corpo celeste; **h. beauty**, bellezza celestiale **2** (*fam.*) eccellente; splendido; magnifico: **h. weather**, tempo splendido ● (*relig.*) **the H. City**, la Città Celeste □ **the h. host**, (*relig.*) le schiere ce-

lesti; gli angeli; (*poet.*) il sole, la luna, le stelle □ **h.-minded**, devoto; pio; santo □ **the H. Twins**, (*mitol.*) i Dioscuri; (*astron.*) i Gemelli ‖ **heavenliness** n. ⊍ l'essere celeste (*o* celestiale).

heaver /ˈhiːvə(r)/ n. **1** sollevatore **2** scaricatore (*di porto*); portuale.

♦ **heavily** /ˈhɛvɪlɪ/ avv. **1** pesantemente; gravemente; faticosamente **2** assai; abbondantemente; molto: *Her husband drinks h.*, suo marito beve molto; *It snowed quite h. on Tuesday*, ha nevicato molto forte martedì **3** gravemente; duramente; fortemente: **h. damaged**, gravemente danneggiato; **h. taxed**, fortemente tassato **4** densamente: **a h. populated country**, un paese densamente popolato.

heaviness /ˈhɛvɪnəs/ n. ⊍ **1** pesantezza; gravezza **2** (*fig.*) monotonia; malinconia **3** (*fig.*) avvilimento; tristezza (→ **heavy**).

heaving ① /ˈhiːvɪŋ/ n. ⊍ **1** l'alzare; sollevamento **2** (*naut.*) sollevamento.

heaving ② /ˈhiːvɪŋ/ a. (*fam. GB*) affollato; stipato; pieno zeppo (*fam.*) ● **h. with**, stipato (*o* pieno zeppo) di.

♦ **heavy** /ˈhɛvɪ/ ◪ a. **1** pesante (*anche fig.*); grave; gravoso; noioso; opprimente; indigesto; greve per il sonno; assonnato (*fis. nucl.*) **h. hydrogen**, idrogeno pesante; (*econ.*) **the h. industry**, l'industria pesante; (*trasp.*) **h. haulage**, trasporti pesanti; **a h. fall**, una grave (*o* brutta) caduta; **a h. responsibility**, una grave responsabilità; **h. news**, notizie gravi (*o* sgradevoli); **a h. task**, un compito gravoso; **h. food**, cibo pesante; **a h. style** [**meal**], uno stile [un pasto] pesante; *This novel is h. reading*, è un romanzo pesante (*o* di lettura faticosa); **h. eyelids**, palpebre grevi per il sonno, assonnate **2** grande; grosso; forte; violento; abbondante: **a h. crop**, un grande raccolto; un raccolto abbondante; **a h. blow**, un forte colpo; **a h. smell**, un forte odore; (*autom.*) **h. traffic**, traffico intenso; **h. rain**, forte pioggia; pioggia violenta; *There's a h. sea* (*running*), c'è il mare grosso; **a h. storm**, una violenta tempesta; (*autom., ecc., USA*) **a h. grade**, una forte salita; **h. expenses**, forti spese; **h. sorrow**, grave (*o* forte) dolore **3** grande; forte; accanito: **a h. drinker** [**eater**], un gran bevitore [mangiatore]; **a h. smoker**, un fumatore accanito **4** malinconico; triste; rattristato: **a h. fate**, una triste fato; **with a h. heart**, col cuore rattristato (*o* gonfio); a malincuore **5** (*di strada, ecc.*) fangoso; di difficile transito **6** (*del cielo*) coperto; nuvoloso; plumbeo **7** (*di persona*) lento, tardo (*nel parlare, pensare, ecc.*) **8** goffo; pesante; sgraziato; grossolano; massiccio; tozzo **9** (*slang USA*) importante; serio; pesante: **a very h. matter**, una faccenda molto seria **10** (*slang spec. USA*) violento; (*spec.*) spinto; di violenza **11** (*mil.*) pesante; di grosso calibro: **h. guns** (*o* **artillery**), cannoni di grosso calibro; artiglieria pesante **12** (*teatr.*) pomposo; solenne; (*di ruolo*) da cattivo **13** (*fin.*) pesante; grave; forte; ingente: **h. losses**, pesanti (*o* forti, *o* ingenti) perdite ◪ n. **1** (*slang*) pezzo grosso (*fig.*); alto papavero (*fig.*) **2** (*teatr.*) ruolo da cattivo **3** (*teatr.*) (il) cattivo **4** (*mil.*) pezzo d'artiglieria pesante **5** (*mil., naut.*) grossa nave da guerra; corazzata; portaerei **6** (*slang*) teppista; (*anche*) gorilla **7** (*sport*) peso massimo **8** (pl.) (*fam. ingl.*) i giornali seri (*o* noiosi) **9** (pl.) (*fam.*) droghe pesanti ● (*mil.*) **h.-armed**, munito d'armamento pesante □ (*fig. fam.*) **the h. artillery**, i pezzi grossi □ (*aeron.*) **h. bomber**, bombardiere pesante □ **h. breather**, chi dorme russando; (*anche*) chi telefona a una donna ansimando in modo osceno □ **h. breathing**, respiro affannoso (*o* faticoso) □ (*comm.*) **a h. buyer**, un grosso acquirente □ **a h. cake**, una torta densa (*o* poco lievita-

ta) □ (*mil.*) **h. calibre**, grosso calibro □ **a h. cold**, un forte raffreddore □ (*USA*) **h. cream**, panna grassa □ (*naut.*) **h. cruiser**, incrociatore pesante □ **h.-duty**, (*di materiale, oggetto*) robusto; resistente; da lavoro; (*fig. fam.*) serio, importante, notevole, grave: **h.-duty scissors**, forbici robuste; grosse forbici □ (*mil.*) **h. fire**, fuoco nutrito (*di fucileria, ecc.*) □ (*fam. USA*) **h. foot**, uno che ha il piede pesante (*sull'acceleratore*); uno che va a tavoletta □ (*fam., anche sport*) **h.-footed**, lento, appesantito, pesante □ **h.-going**, pesante; difficile □ **h. ground**, terreno pesante; (*ind. min.*) terreno instabile □ **h.-handed**, goffo, maldestro; oppressivo, tirannico; che ci va giù pesante (*fam.*) □ **h.-hearted**, malinconico; triste; depresso □ (*USA*) **h. hitter**, (*baseball*) bravo battitore; (*fig.*) pezzo grosso, pezzo da novanta □ **h.-laden**, che porta un grosso carico; (*fig.*) oppresso □ **h.-legged**, che si sente le gambe pesanti □ (*fig.*) **h. lifting**, il grosso di un lavoro; lavoro duro: **to do the h. lifting**, fare il grosso del lavoro □ **h. metal**, (*metall.*) metallo pesante; (*mus.*) heavy metal □ (*fam. GB*) **the h. mob**, gli sgherri (*uomini violenti agli ordini di qc.*) □ (*chim.*) **h. oil**, olio pesante □ **to be h. on sb.**, essere severo con q. □ (*mecc.*) **to be h. on**, consumare molto (*carburante, olio, ecc.*) □ **h. petting**, petting spinto □ **h.-pulling**, che tira forte (*o con grande forza*) □ **h.-set**, atticciato; tarchiato; tracagnotto □ **a h. sleeper** una persona dal sonno pesante □ (*chim.*) **h. spar**, barite, solfato di bario □ (*chim.*) **h. water**, acqua pesante □ (*fis. nucl.*) **h.-water reactor**, reattore ad acqua pesante □ (*aeron.*) **heavier-than-air**, più pesante dell'aria (*rif. ad aereo, aliante, elicottero e sim.*) □ **to become h.**, appesantirsi; ingrassare □ **to lie h. on**, pesare su (*fig.*), essere di peso a: *Treason lies h. on his conscience*, il tradimento gli pesa sulla coscienza □ (*fig.*) **to make h. weather of st.**, fare (apparire) qc. più difficile di quello che è; dipingere qc. più brutto di come è □ **Time hangs** (*o* **lies**) **h. on sb.'s hands**, il tempo passa lentamente; le ore si succedono monotone.

heavyset /hɛvɪ'sɛt/ *a.* = **heavy-set** → **heavy**.

heavyweight /'hɛvɪweɪt/ **A** *n.* **1** (*boxe, lotta*) peso massimo; massimo (*fam.*) **2** persona che è sovrappeso **3** (*fig. fam.*) persona che ha molto peso; pezzo grosso; peso massimo **B** *a. attr.* **1** (*sport*) dei massimi: **h. championship**, campionato dei massimi **2** (*di tessuto*) pesante **3** (*fig. fam.*) di un certo peso (*fig.*); importante.

hebdomad /'hæbdəmæd/ *n.* (*lett.*) ebdomada (*lett.*); settimana.

hebdomadal /hɛb'dɒmədl/ **A** *a.* (*lett.*) ebdomadario (*lett.*); settimanale **B** *n.* ebdomadario (*pubblicazione*).

hebdomadary /hɛb'dɒmədrɪ/ **A** *a.* (*lett.*) ebdomadario **B** *n.* (*relig. cattolica*) ebdomadario (*canonico*).

Hebe /'hiːbiː/ *n.* **1** (*mitol.*) Ebe **2** (*scherz.*) cameriera (*di bar*).

hebephrenia /hiːbɪ'friːnɪə/ (*psic.*) *n.* ebefrenia ‖ **hebephreniac** *n.* ebefrenico ‖ **hebephrenic** *a.* ebefrenico.

hebetude /'hɛbɪtjuːd, *USA* -tuːd/ *n.* Ⓤ (*med.*) ebetismo; stupidità.

Hebraic /hiː'breɪɪk/ *a.* ebraico, israelitico.

Hebraism /'hiːbreɪɪzəm/ *n.* Ⓤ ebraismo ‖ **Hebraist** *n.* ebraista ‖ **Hebraistic, Hebraistical** *a.* ebraico, israelitico.

to Hebraize /'hiːbreɪaɪz/ **A** *v. t.* ebraizzare; rendere ebreo **B** *v. i.* **1** diventare ebreo **2** usare ebraismi.

Hebrew /'hiːbruː/ **A** *a.* ebreo; ebraico; israelitico **B** *n.* **1** ebreo, ebrea; israelita **2** Ⓤ ebraico (*la lingua*).

Hebrides (**the**) /'hɛbrɪdiːz/ *n. pl.*

(*geogr.*) le Ebridi (*isole*).

Hecate /'hɛkətɪ/ *n.* (*mitol.*) Ecate.

hecatomb /'hɛkətəʊm/ *n.* (*anche fig.*) ecatombe.

heck① /hɛk/ *n.* (*dial. scozz. e ingl. sett.*) grata per ostruire il passaggio dei pesci (*in un fiume*).

heck② /hɛk/ **A** *n.* (*fam. per* **hell**) – **the h.** (*nelle domande, come rafforzativo*) diavolo; caspita; diamine: *Who the h. is he?*, chi diavolo (*o* caspita) è? **B** *inter.* diamine!; diavolo! ● **a h. of a**, un sacco di; una gran quantità di: *a h. of a lot of money*, un sacco di soldi; un bel mucchio di soldi □ (*just*) **for the h. of it**, così; per divertirsi un po'; per il gusto di farlo □ **What the h.!**, al diavolo!; chi se ne frega!

heckle /hɛkl/ *n.* (*ind. tess.*) scotola; scapecchiatoio; pettine da canapino.

to heckle /'hɛkl/ *v. t.* **1** (*ind. tess.*) pettinare, scapecchiare, scotolare (*lino, canapa, ecc.*) **2** (*fig.*) beccare (*fig.*), interrompere continuamente, rivolgere domande imbarazzanti a (*un oratore*) **3** (*fig.*) infastidire; importunare.

heckler /'hɛklə(r)/ *n.* **1** (*ind. tess.*) pettinatore; scotolatore; canapino **2** (*fig.*) interlocutore importuno; disturbatore (*di comizi, ecc.*).

heckling /'hɛklɪŋ/ *n.* **1** (*ind. tess.*) pettinatura; scotolatura **2** interruzioni continue (*di un oratore*); azione di disturbo.

hectare /'hɛktɛə(r)/ *n.* ettaro.

hectic /'hɛktɪk/ **A** *a.* **1** (*med., raro*) etico (*raro*); tisico; di consunzione: **h. fever**, febbre ricorrente; febbre di consunzione **2** (*raro*) febbrile; acceso **3** (*fam.*) agitato; convulso; febbrile; frenetico; intenso; movimentato; sfrenato; tumultuoso: **a h. day**, una giornata frenetica; **a h. life**, una vita movimentata **B** *n.* (*med.*) **1** febbre ricorrente **2** (*fig.*) fissazione; ossessione.

hectogram, hectogramme /'hɛktəgræm/ *n.* ettogrammo; etto (*fam.*).

hectograph /'hɛktəgrɑːf/ *n.* poligrafo; ciclostile.

to hectograph /'hɛktəgrɑːf/ *v. t.* poligrafare; ciclostilare.

hectographic /hɛktəʊ'græfɪk/ *a.* poligrafico.

hectolitre, (*USA***) hectoliter** /'hɛktəliːtə(r)/ *n.* ettolitro.

hectometre, (*USA***) hectometer** /'hɛktəʊmiːtə(r)/ *n.* ettometro.

hector /'hɛktə(r)/ *n.* gradasso; rodomonte; bravaccio; bullo; spaccone.

to hector /'hɛktə(r)/ **A** *v. t.* infastidire; insolentire; minacciare; intimidire **B** *v. i.* fare il gradasso (*o* lo spaccone).

Hector /'hɛktə(r)/ *n.* (*mitol.*) Ettore.

hectoring /'hɛktərɪŋ/ *a.* insolente; minaccioso; intimidatorio.

Hecuba /'hɛkjubə/ *n.* (*mitol.*) Ecuba.

he'd /hiːd, iːd/ contraz. **1** di **he had 2** di **he would**.

heddle /'hɛdl/ *n.* (*ind. tess.*) liccio ● **h. eye**, maglia del liccio.

hedge /hɛdʒ/ *n.* **1** siepe **2** (*fig.*) barriera; riparo; protezione: *Buying real property is a good h. against inflation*, l'acquisto d'immobili è un buon riparo dall'inflazione **3** (*in una scommessa*) copertura; scommessa pro e contro **4** (*Borsa, fin.*) copertura (*contro le fluttuazioni del mercato*) **5** risposta evasiva ● **h. cutter**, tosasiepi; tagliasiepe; decespugliatore □ (*fin.*) **h. fund**, hedge fund; fondo di investimento speculativo □ (*bot.*) **h.-hyssop** (*Gratiola officinalis*), graziola; tossicaria □ **h.-marriage**, matrimonio clandestino □ (*un tempo*) **h.-priest** (*o* **h.-parson**), scagnozzo; prete ambulante (*in genere povero e incolto*) □ (*zool.*) **h. sparrow** (*Prunella modularis*),

---

passera scopaiola □ **h. trimmer** = **h. cutter** → *sopra*.

to hedge /hɛdʒ/ **A** *v. t.* **1** circondare con una siepe: **to h. a garden**, circondare un giardino con una siepe **2** (*fig., di solito* **to h. in**) circondare; custodire, proteggere; impacciare, vincolare: *The team was hedged in by a crowd of supporters*, la squadra era circondata da una folla di tifosi **3** (*fin.*) coprirsi (*o* mettersi al riparo) da (*rischi di perdite*): **to h. creeping inflation**, mettersi al riparo dall'inflazione strisciante **4** (*fig., spesso* **to h. around** *o* **about**) vincolare; limitare; condizionare: *The offer is hedged around with very strict conditions*, l'offerta è vincolata a condizioni molto rigide **B** *v. i.* **1** fare (*o* piantare) siepi **2** inter. (*o* tagliare) siepi **3** (*fin.*) coprirsi dai rischi (*per es., nelle scommesse*); mettersi al riparo; proteggersi: **to h. against loss due to price fluctuations**, proteggersi dalle perdite derivanti da oscillazioni dei prezzi **4** essere evasivo; esitare; nicchiare ● **to h. a bet**, scommettere pro e contro □ (*fig.*) **to h. one's bets**, tenere il piede in due staffe; (*anche*) tenersi aperte più alternative.

hedgehog /'hɛdʒhɒg/ *n.* **1** (*zool., Erinaceus europaeus*) riccio **2** (*zool., USA*) (*Erethizon*) porcospino; (*Hystrix*) istrice **3** (*mil.*) posizione fortificata; cavallo di Frisia; ostacolo antisbarco **4** (*naut.*) istrice; porcospino **5** (*fig.*) istrice (*fig.*); individuo scorbutico.

to hedgehop /'hɛdʒhɒp/ *v. i.* **1** (*aeron.*) volare (a volo) radente **2** (*fig.*) divagare; saltare di palo in frasca.

hedger /'hɛdʒə(r)/ *n.* **1** chi pianta (*o* taglia) siepi **2** (*fin.*) chi si copre da rischi eccessivi (*nelle scommesse, ecc.*) **3** (*fig.*) persona evasiva; chi mena il can per l'aia (*fam.*).

hedgerow /'hɛdʒrəʊ/ *n.* siepe d'arbusti (*o* di cespugli).

hedging /'hɛdʒɪŋ/ *n.* ⓤⓒ **1** il piantar siepi **2** recinzione con siepi **3** manutenzione delle siepi **4** (*ipp.*) scommessa pro e contro **5** (*Borsa, fin.*) copertura (*di compravendita, contro le fluttuazioni, ecc.*).

hedonic /hɪ'dɒnɪk/ *a.* (*psic.*) edonico: **h. tone**, tono edonico **2** che dà piacere **3** euforico ● (*psic.*) **h. scale**, scala edonistica.

hedonism /'hiːdənɪzəm/ *n.* Ⓤ edonismo ‖ **hedonist** *n.* edonista ‖ **hedonistic** *a.* edonistico.

heebie-jeebies /hiːbɪ'dʒiːbɪz/ *n. pl.* (*slang*) **1** ansia; nervosismo; paura; fifa; strizza **2** avversione; fastidio; insofferenza.

heed /hiːd/ *n.* Ⓤ (*form.*) attenzione; cura; precauzione ● **to give h. (to)**, dare ascolto (a); **to pay h. (to)**, prestare ascolto (a) □ **to take h. of**, badare (a); prestare attenzione (a): *Take h. of what I say*, presta attenzione a quello che dico!

to heed /hiːd/ (*form.*) **A** *v. t.* badare a; dar retta a; tener conto di: **to h. a warning**, tener conto di un avvertimento **B** *v. i.* fare (*o* prestare) attenzione.

heedful /'hiːdfl/ *a.* (*form.*) attento; accorto; cauto; vigile | **-ly** avv. | **-ness** *n.* Ⓤ.

heedless /'hiːdləs/ *a.* (*form.*) disattento; incurante; sbadato; trascurato | **-ly** avv. | **-ness** *n.* Ⓤ.

hee-haw /'hiːhɔː/ *n.* **1** raglio **2** (*fig.*) risata rumorosa, sguaiata.

to hee-haw /'hiːhɔː/ *v. i.* **1** ragliare **2** (*fig.*) ridere rumorosamente, sguaiatamente.

heel① /hiːl/ *n.* **1** (*anat.*) calcagno (*anche di calza o calzino*); tallone: (*fig.*) *Achilles' h.*, il tallone di Achille; (*fig.*) **the iron h.**, il tallone di ferro **2** tacco (*di scarpa o d'arnese*); fondo: **spiked** (*o* **stiletto**) **heels**, tacchi a spillo **3** (*mil.*) poggiaguancia (*di fucile*) **4** (*zool.*) garretto (*di cavallo*) **5** (*zool.*) sperone (*di uccello*) **6** (*fam.*) piede: **to be hung by one's**

(colonna laterale alfabetica): a b c d e f g **h** i j k l m n o p q r s t u v w x y z

heels, essere appeso per i piedi **7** (*fam.*) cantuccio (*di pane*) **8** (*naut.*) calcagnolo; piede d'albero; rabazza **9** (*di ricevuta*) madre; matrice **10** (*agric.*) tallone (*dell'aratro*) **11** (*rugby*) tallonata; tallonaggio **12** (*slang*) zampa di dietro **13** (*slang, antiq.*) canaglia; mascalzone ● **h. bar**, chiosco (*o negozietto o banco*) per la riparazione immediata delle scarpe □ (*fam.*) **h. bone**, calcagno □ **h.-lift**, soprattacco (*di scarpa*) □ **h. plate**, salvatacco ·□ (*edil.*) **h. post**, stipite (*di porta*) □ **at sb.'s heels**, alle calcagna di q. □ **to bring sb. to h.**, ridurre q. all'obbedienza; mettere q. in riga; riportare q. all'ordine □ **to come to h.**, (*d'un cane*) correre dal padrone, obbedire al richiamo del padrone; (*fig.*) obbedire, mettersi in riga, rientrare nei ranghi: (*a un cane*) (*Come to*) *h.!*, al piede! □ (*anche fig.*) **to dig one's heels in**, puntare i piedi □ **down--at-h.**, (*di scarpa*) scalcagnata; (*fig.*) scalcagnato, male in arnese □ **to kick up one's heels**, (*fam.*) spassarsela, darsi alla pazza gioia □ (*fig.*) **to lay sb. by the heels**, imprigionare q.; incarcerare q. □ **on sb.'s heels**, alle calcagna di q. □ **to spin on one's h.** = **to turn on one's h.** → *sotto* □ **to take to one's heels** (*o* **to show a clean pair of heels**), darsela a gambe; scappare □ **to turn on one's h.**, girare i tacchi □ (*fig.*) **to be under the h. of sb.**, essere sotto il tallone (*o* il dominio) di q. □ (*di una donna*) **to wear (high) heels**, portare le scarpe coi tacchi (alti); portare i tacchi.

heel ② /hiːl/ *n.* (*naut.*) **1** (= **heeling**) sbandamento, ingavonamento **2** inclinazione laterale (*di nave sbandata*).

to **heel** ① /hiːl/ ⓐ *v. t.* **1** fare (*o* mettere, rifare) i tacchi **2** stare alle calcagna di; inseguire da presso; tallonare **3** (*sport*) colpire di tacco (*il pallone*) **4** (*rugby*) tallonare **5** armare di speroni (*galli da combattimento*) **6** (*slang USA*) fornire (*q. d'armi, denaro, ecc.*) ⓑ *v. i.* **1** (*di cane*) stare alle calcagna del padrone **2** ballare di tacco.

to **heel** ② /hiːl/ ⓐ *v. t.* (*naut.*) far sbandare, far ingavonare (*una nave*) ⓑ *v. i.* (*di nave; spesso* **to h. over**) sbandare; ingavonarsi.

heelball /ˈhiːlbɔːl/ *n.* ⓤ cera nera per lucidare le scarpe (*usata dai calzolai*).

heeled /hiːld/ *a.* **1** (nei composti) dai tacchi: **high-h. shoes**, scarpe con tacco alto **2** (*slang*) pieno, provvisto di: **well-h.**, pieno di soldi **3** (*slang USA*) armato (*di pistola, ecc.*) **4** (*slang USA*) sbronzo.

heeler /ˈhiːlə(r)/ *n.* ciabattino; calzolaio.

heeling /ˈhiːlɪŋ/ → **heel** ②, *def. 1*.

heelless /ˈhiːlləs/ *a.* **1** senza tallone **2** (*di scarpa*) senza tacco.

heelplate /ˈhiːlpleɪt/ *n.* (*sci da fondo*) talloniera.

heeltap /ˈhiːltæp/ *n.* **1** (*di scarpa*) soprattacco **2** vino (*o* altro) lasciato in fondo al bicchiere; fondo; residuo ● **No heeltaps!**, prendi il bicchiere pieno, lascia il bicchiere vuoto! (*brindando*).

heft /hɛft/ *n.* (*fam.*) **1** ⓤ peso; (*fig.*) importanza, autorità **2** (*USA*) parte principale (*di qc.*).

to **heft** /hɛft/ ⓐ *v. t.* (*fam.*) **1** alzare; sollevare **2** soppesare; cercare di calcolare il peso di (*un oggetto, sollevandolo*) ⓑ *v. i.* (*raro*) pesare.

hefty /ˈhɛftɪ/ *a.* (*fam.*) **1** pesante **2** forte; gagliardo; vigoroso: **a h. blow**, un forte colpo (*assestato a q.*) **3** (*di cosa*) ingombrante.

Hegelian /heɪˈgeɪlɪən/ (*filos.*) *a. e n.* hegeliano || **Hegelianism** *n.* ⓤ hegelismo.

hegemony /hɪˈgɛmənɪ, *USA* hɪˈdʒɛ-/ *n.* ⓤ egemonia || **hegemonic** *a.* egemonico.

Hegira /ˈhɛdʒɪrə/ *n.* (*stor.*) egira.

heifer /ˈhɛfə(r)/ *n.* giovenca; vitella.

heigh /heɪ/ *inter.* (*d'incoraggiamento o do-*

manda) ehi!; eh!

heigh-ho /ˈheɪˈhəʊ/ *inter.* (*di delusione, noia, stanchezza*) ahimè!; ohimè; uffa!

♦**height** /haɪt/ *n.* ⓤ **1** altezza: altezza sul livello del mare; altitudine; statura: *What's the h. of that building?*, qual è l'altezza di quell'edificio?; *What is your h.?*, qual è la tua statura?; quanto sei alto?; *He is six feet in h.*, è alto sei piedi (*m 1,83 circa*) **2** altura; collina **3** (*fig.*) apice; colmo; culmine; acme; massimo: **to be at the h. of one's success**, essere all'apice del successo; *The war was at its h. in June*, la guerra raggiunse il culmine in giugno; **the h. of passion**, il colmo (*o* l'acme) della passione; **the h. of stupidity**, il massimo della stupidità **4** (*aeron.*) quota: **to gain** [**to lose**] **h.**, guadagnare [perdere] quota ● (*geogr., USA*) **h. of land**, spartiacque □ **h.-sickness**, mal di montagna □ (*fig.*) **the dizzy heights**, le vette vertiginose; le vette esaltanti: *In few years she reached the dizzy heights of stardom*, in pochi anni raggiunse le vette esaltanti della celebrità □ **to be dressed in the h. of fashion**, vestire all'ultima moda □ **in the h. of summer**, in piena estate □ **to reach** (*o* **to rise to**) **new heights**, raggiungere livelli senza precedenti □ **to take st.** [**sb.**] **to new heights**, portare qc. [q.] a livelli mai raggiunti prima.

to **heighten** /ˈhaɪtn/ ⓐ *v. t.* **1** elevare; innalzare **2** (*fig.*) accrescere; aumentare; intensificare **3** (*pitt.*) lumeggiare; mettere in rilievo ⓑ *v. i.* **1** innalzarsi; elevarsi **2** crescere; aumentare; intensificarsi.

heinie /ˈhaɪnɪ/ *n.* (*fam. USA*) sedere; didietro (*fam.*); chiappe (pl., *fam.*).

heinous /ˈheɪnəs/ *a.* atroce; efferato; nefando; odioso: **a h. crime**, un crimine efferato | **-ly** *avv.* | **-ness** *n.* ⓤ.

heir /ɛə(r)/ *n.* **1** erede (*anche fig.*): **the h. to the throne**, l'erede al trono **2** (*leg.*) discendente diretto; legatario; erede legittimo (*ma la «common law» ingl. ignora la figura dell'erede in senso stretto*) **3** (*leg., in Scozia*) erede (*come in Italia*) ● (*leg.*) **heirs and assignees**, eredi ed aventi diritto (*formula usata nelle cessioni di beni*) □ **h. apparent**, erede legittimo (*o* in linea diretta; *l'opposto dell'ital.* «*erede apparente*») □ **h.-at-law**, erede legittimo □ **h. of the blood**, erede per diritto di sangue □ **h. presumptive**, erede presuntivo □ (*in GB*) **h. under the will**, erede testamentario || **heirdom** *n.* (*leg.*) **1** ⓤ condizione d'erede **2** eredità || **heirship** *n.* ⓤ (*leg.*) condizione d'erede; diritto all'eredità.

heiress /ˈɛərɪs/ *n.* **1** (*leg.*) erede (*donna*) (→ **heir**) **2** ereditiera.

heirless /ˈɛələs/ *a.* senza eredi; privo di eredi.

heirloom /ˈɛəluːm/ ⓐ *n.* **1** (*leg.*) bene mobile (*della famiglia*) spettante all'erede legittimo **2** cimelio di famiglia **3** (*fig.*) retaggio ⓑ *a.* (*bot., agric.*) (*di varietà botanica*) tradizionale.

heist /haɪst/ *n.* (*slang USA*) **1** furto **2** rapina.

to **heist** /haɪst/ *v. t.* (*slang USA*) **1** rubare **2** derubare; rapinare.

heister /ˈhaɪstə(r)/ *n.* (*slang USA*) **1** ladro **2** rapinatore **3** ubriacone.

Hejira /ˈhɛdʒɪrə/ *n.* (*stor.*) egira.

held /hɛld/ *pass. e p. p.* di **to hold**.

Helen /ˈhɛlən/, **Helena** /ˈhɛlənə/ *n.* Elena ● (*geogr.*) **St Helena**, Sant'Elena (*l'isola dove morì Napoleone*).

heliacal /hiːˈlaɪəkl/ *a.* (*astron.*) eliaco; eliatico.

helianthus /hiːlɪˈænθəs/ *n.* (*bot., Helianthus*) helianthus; elianto.

heliborne /ˈhɛlɪbɔːn/ *a.* (*aeron. mil.*) **1** mediante elicottero: **h. mobility**, mobilità

mediante elicotteri **2** elitrasportato.

helical /ˈhɛlɪkl/ *a.* (*mat., mecc.*) elicoidale; a spirale: **h. gear**, ingranaggio elicoidale ● (*mecc.*) **h. spring**, molla a elica.

helicity /hɛˈlɪsətɪ/ *n.* ⓤ (*mecc. quantistica*) elicità.

helicoid /ˈhɛlɪkɔɪd/ (*geom.*) *n.* elicoide || **helicoid, helicoidal** *a.* elicoidale.

Helicon /ˈhɛlɪkən/ (*geogr., mitol.*) *n.* Elicona || **Heliconian** *a.* eliconio; dell'Elicona.

helicon /ˈhɛlɪkɒn/ *n.* (*mus.*) elicone.

♦**helicopter** /ˈhɛlɪkɒptə(r)/ *n.* (*aeron.*) elicottero ● **h. ambulance**, eliambulanza (*mil.*) □ **h. borne** → **heliborne** □ **h. carrier**, portaelicotteri □ **h. gunship**, grosso elicottero con armamento pesante □ **h. pad** → **helipad** □ **h. pilot**, pilota di elicottero; elicotterista □ **h. rescue**, elisoccorso.

helio /ˈhiːlɪəʊ/ *abbr. fam.* (pl. **helios**) di **1 heliogram 2 heliograph**.

heliocentric /hiːlɪəʊˈsɛntrɪk/, **heliocentrical** /hiːlɪəʊˈsɛntrɪkl/ (*astron.*) *a.* eliocentrico.

heliogram /ˈhiːlɪəʊgræm/ *n.* eliogramma.

heliograph /ˈhiːlɪəʊɡrɑːf/ *n.* (*astron., tipogr., telegr.*) eliografo.

to **heliograph** /ˈhiːlɪəʊɡrɑːf/ *v. t.* (*telegr.*) trasmettere (*messaggi*) con l'eliografo.

heliographer /hiːlɪˈɒɡrəfə(r)/ *n.* (*tipogr.*) eliografista.

heliography /hiːlɪˈɒɡrəfɪ/ (*astron., tipogr.*) *n.* ⓤ eliografia || **heliographic** *a.* eliografico.

heliogravure /hiːlɪəʊɡrəˈvjʊə(r)/ *n.* **1** ⓤ (*fotogr.*) fotoincisione; eliotipia; fototipia **2** fotoincisione (*l'immagine che si ottiene*).

heliolatry /hiːlɪˈɒlətrɪ/ *n.* ⓤ (*relig.*) eliolatrismo.

heliometer /hiːlɪˈɒmɪtə(r)/ *n.* (*astron.*) eliometro.

heliophilous /hiːlɪˈɒfɪləs/ *a.* (*bot.*) eliofilo.

heliophobe /ˈhiːlɪəʊfəʊb/ (*med., psic., bot.*) *n.* eliofobo; fotofobo || **heliophobia** *n.* eliofobia; fotofobia.

heliophyte /ˈhiːlɪəʊfaɪt/ *n.* (*bot.*) eliofita.

helioscope /ˈhiːlɪəʊskəʊp/ *n.* (*astron.*) elioscopio.

heliosphere /ˈhiːlɪəʊsfɪə(r)/ *n.* (*astron.*) eliosfera.

heliostat /ˈhiːlɪəʊstæt/ *n.* (*astron.*) eliostato.

heliotherapy /hiːlɪəʊˈθɛrəpɪ/ (*med.*) *n.* ⓤ elioterapia.

heliotrope /ˈhiːlɪətrəʊp/ *n.* **1** (*bot., Heliotropium*) eliotropio **2** (*bot., Valeriana officinalis*) valeriana **3** ⓤ (*miner.*) eliotropio; eliotropia **4** (*color*) eliotropio; rosso violetto.

heliotropism /hiːlɪˈɒtrəpɪzəm/ (*bot.*) *n.* ⓤ eliotropismo || **heliotropic** *a.* eliotropico.

heliotype /ˈhiːlɪəʊtaɪp/ (*fotogr.*) *n.* eliotipia (*l'immagine*) || **heliotypy** *n.* eliotipia (*il processo*).

helipad /ˈhɛlɪpæd/ *n.* (*aeron.*) **1** piattaforma per elicotteri **2** eliporto di fortuna; eliapprodo.

heliport /ˈhɛlɪpɔːt/ *n.* (*aeron.*) eliporto.

to **heli-ski** /ˈhɛlɪskɪ/ *v. i.* (pass. e p. p. **heli--skied**) fare eliski || **heli-skier** *n.* chi pratica l'eliskì || **heli-skiing, heliskiing** *n.* ⓤ (*sport*) eliskì.

helistop /ˈhɛlɪstɒp/ → **heliport**.

helium /ˈhiːlɪəm/ *n.* ⓤ (*chim.*) elio.

helix /ˈhiːlɪks/ *n.* (pl. **helices, helixes**) **1** (*biol., geom., mecc.*) elica; spirale **2** (*anat.*) elice **3** (*archit.*) elice, voluta **4** (*zool., Helix*) elice (*mollusco*) **5** (*elettr.*) solenoide.

♦**hell** /hɛl/ *n.* **1** ⓤ (*relig.*) inferno: **to go to h.**, andare all'inferno **2** ⓤ (*mitol.*) averno; inferi **3** ⓤ (*fig.*) inferno: *School is h.*, la

scuola è un inferno **4** (*fam.*) pandemonio; putiferio; casino del diavolo (*fam.*): **to raise h.**, fare il diavolo a quattro; scatenare un putiferio; sollevare un pandemonio **5** □ (*fam.*) guaio, guai: **to go through h.**, passare dei bei guai; vederne (*o* passarne) di cotte e di crude; vedersela brutta **6** – **the h.** (*nelle domande, come rafforzativo*) diavolo; caspita; cavolo: *What the h. are you doing here?*, *che diavolo ci fai qui?*; *How the h. can they stand her?*, come cavolo fanno a sopportarla? **7** (= **gambling h.**) bisca Ⓑ **inter.** (*fam.*) accidenti!; maledizione!; diavolo!: *Oh, h.!*, accidenti!; *Bloody h.!*, maledizione! ● (*in origine, USA*) H.'s Angels, gli Angeli dell'Inferno (*teppisti in motocicletta*) □ (*fam.*) **H.'s bells!**, accidenti!; maledizione!; porca miseria! □ (*fam.*) **h.-bent**, caparbio, ostinato, testardo; incosciente, temerario: **to be h.-bent on doing st.**, essere deciso a fare qc. a tutti i costi □ (*tipogr.*; *un tempo*) **h.-box**, cassetta per i caratteri di scarto □ **h.-fire → hellfire** □ (*fam.*) **h. for leather**, a più non posso, a tutta birra: **to ride h. for leather**, andare a briglia sciolta (*o* a spron battuto) □ (*fam.*) **a h. of a**, un sacco di, una gran quantità di; (*in senso negativo*) infernale, orribile, pessimo, del diavolo; (*in senso positivo*) grande, eccellente, (*di persona*) in gamba, bravo: **a h. of a lot of people**, proprio un sacco di gente; **a h. of a day**, una giornata bestiale; una giornataccia; *You did a h. of a job*, hai fatto un gran (bel) lavoro; **a h. of a guy**, un tipo in gamba □ **to have a h. of a time (doing st.)**, impazzire (per riuscire a fare qc.); incontrare moltissima difficoltà (a fare qc.): *We had a h. of a time finding a substitute*, siamo impazziti per riuscire a trovare un sostituto □ (*fig.*) **h. on earth**, l'inferno in terra; un autentico inferno □ (*fam.*) **to be h. on sb.** [st.], essere un inferno (*o* un tormento, una rovina) per q. [qc.] □ (*slang GB*) **H.'s teeth!** = **H.'s bells!** → *sopra* □ (*slang*) **h. to pay**, un sacco di guai; un casino (*fam.*): *There'll be h. to pay when your boss finds out*, succederà un casino (*o* la pagherai cara) quando il tuo capo lo verrà a sapere □ **h.-raiser → hellraiser** □ (*bot.*) **h.-weed**, (*Cuscuta*) cuscuta; (*Convolvulus sepium*) vilucchione □ (*fam.*) **as h.**, tremendamente, terribilmente; del diavolo (*fam.*): *I felt guilty as h.*, mi sentivo terribilmente in colpa; *It's as cold as h.*, fa un freddo del diavolo □ (*fam. USA*) **to catch h.**, prendersi una bella sgridata □ (*fam.*) **come h. or high water**, costi quel che costi; a qualunque costo; qualunque cosa accada □ (*fam.*) **(just) for the h. of it**, così; per divertirsi un po'; tanto per farlo (*o* per fare qualcosa) □ (*fam.*) **from h.**, d'inferno, infernale; orribile; terribile; insopportabile: *neighbours from h.*, vicini insopportabili □ (*fam.*) **to get h.** = **to catch h.** → *sopra* □ **to give sb. h.**, rendere la vita difficile a q.; (*anche*) far passare un brutto quarto d'ora a q., strapazzare, strigliare q. □ (*fam. USA*) **to go to h. in a handbasket**, andare a rotoli, andare a ramengo (*region.*) □ **I wish** (*o* **I hope**) **to h.…**, vorrei proprio che…; quanto vorrei che…: *I wish to h. he'd go away!*, quanto vorrei che se ne andasse! □ **to laugh like h.**, ridere a crepapelle □ **like h.**, (*fam.*) moltissimo, a più non posso; (*slang*) neanche per sogno; un corno, col cavolo (*fam.*): **to work like h.**, lavorare a più non posso (*o* come un matto); *It hurts like h.*, fa un male cane; ; **to run like h.**, correre a rotta di collo (*o* a più non posso); *Like h. he helped me!*, col cavolo che mi ha aiutato! □ **a living h.**, un autentico inferno: *She's made my life a living h.*, mi ha reso la vita un vero inferno □ **not to have a hope in h. (of doing st.)**, non avere la benché minima possibilità (di fare qc.) □ **one h. of a** = **a h. of a** → *sopra* (*fam. GB*) **to play (merry) h. with st.**, mandare al-

l'aria, rovinare, sciupare qc. □ **to suffer h. on earth**, soffrire (*o* patire) le pene dell'inferno □ (*fam.*) **to h. and gone**, lontanissimo; a casa del diavolo, (*anche*) per sempre, per l'eternità □ (**You can**) **go to h.!**, va' all'inferno (*o* al diavolo)! □ **The h. I will!**, neanche per sogno!; col cavolo che lo faccio (*o* che ci vado, *ecc.*)! □ **To h. (with sb. o st.)!**, al diavolo, all'inferno (q. o qc.)!: *To h. with you and your money!*, al diavolo tu e i tuoi soldi! □ **Until h. freezes over**, per sempre; fino alla fine dei tempi □ (*slang*) **What the h.**, al diavolo (i dubbi, gli scrupoli, *ecc.*)!: *It's a risk, but what the h.*, è un rischio, ma al diavolo i dubbi! □ **What the h. → A**, *def. 6* □ **When h. freezes over**, mai; quando nevicherà rosso □ (*prov.*) **H. hath no fury like a woman scorned**, niente è più temibile di una donna respinta □ (*prov.*) **The road to h. is paved with good intentions**, la strada per l'inferno è lastricata di buone intenzioni.

he'll /hi:l, i:l/ contraz. **1** di **he will 2** di **he shall**.

hellacious /hə'leɪʃəs/ a. (*slang USA*) **1** orribile; terribile **2** bestiale (*fam.*); favoloso; eccellente: *It was a h. party!*, è stato un party bestiale!

Hellas /'hɛlæs/ n. (*stor., geogr.*) Ellade.

hellcat /'hɛlkæt/ n. arpia (*fig.*); strega (*fig.*).

hellebore /'hɛlɪbɔː(r)/ n. (*bot., Helleborus*) elleboro.

helleborine /'hɛlɪbərəɪn/ n. (*farm.*) elleborina.

Hellene /'hɛliːn/ n. (*stor., geogr.*) elleno || **Hellenic** a. ellenico.

Hellenism /'hɛlɪnɪzəm/ n. Ⓤⓒ ellenismo || **Hellenist** n. ellenista (*lett.*); grecista || **Hellenistic** a. ellenistico.

Hellenization /hɛlɪnaɪ'zeɪʃn/ n. Ⓤ ellenizzazione; grecizzazione.

to **Hellenize** /'hɛlɪnaɪz/ v. t. e i. ellenizzare; grecizzare.

heller /'hɛlə(r)/ → **hellion**.

hellfire /'hɛlfaɪə(r)/ n. Ⓤ **1** fiamme dell'inferno, fuoco infernale **2** (*fig.*) pene dell'inferno.

hellhole /'hɛlhəʊl/ n. postaccio; posto infernale; inferno.

hellion /'hɛljən/ n. (*fam. USA*) attaccabrighe; piantagrane (*spec. bambino*).

hellish /'hɛlɪʃ/ a. **1** infernale; diabolico; malvagio **2** (*fam.*) disgustoso; orribile; spiacevolissimo | **-ly** avv. | **-ness** n. Ⓤ.

♦**hello** /hel'əʊ/ inter. e n. (pl. *hellos*) **1** ciao **2** ehi; ohé; olà **3** (*al telefono*) pronto **4** (*di sorpresa*) ohibò ● (*fam.*) **h.-girl**, telefonista □ **to say h. to sb.**, dire ciao a q.; salutare q. □ *H. there!*, ehi, ciao!

❶ NOTA: *hello*

1 Quando si incontra qualcuno i principali saluti colloquiali sono **hello** e **hi**, che è ancora più colloquiale di **hello** e più comune nell'inglese americano: *Hello, Mark! How was school?*, ciao, Mark, come è andata la scuola?; *Hi Frank, I'm glad to see you here*, ciao, Frank sono contento di vederti qui.

I saluti più formali dipendono dal momento del giorno: **good morning** si usa fino a mezzogiorno; **good afternoon** da mezzogiorno fino a circa le sei del pomeriggio, **good evening** dopo le sei. **Good night** è usato soltanto come formula di congedo.

Good morning Mr Smith, how are you feeling today?, buongiorno signor Smith, come si sente oggi?; *Good afternoon, I was wondering if that book is still available*, buongiorno (*o* buonasera), mi chiedevo se quel libro è ancora disponibile; *Good evening, I have booked a table for two*, buonasera, ho prenotato un tavolo per due.

Nel linguaggio parlato informale **good** è omesso abbastanza sovente: *Morning, Sheila, are you going to attend the meeting?*, 'giorno Sheila, ci vai alla riunione?

Per le formule di saluto quando si fa la conoscenza di qualcuno → **introduction**

Per le formule di saluto → **goodbye**

2 Per chiedere a qualcuno di salutare da parte nostra una persona assente si usano in genere le espressioni colloquiali **say hello to**, **say hi to**, quella formale **remember me to** e le più affettuosi **give my love to**, **send my love to**: *Say hello to Amy [for me] when you see her*, salutami Amy [saluta Amy da parte mia] quando la vedi; *Please remember me to your husband*, mi saluti suo marito, saluti suo marito da parte mia; (*form.*) porga i miei ossequi a suo marito; *Give my love to your family*, salutami tanto la tua famiglia (*o* un abbraccio alla tua famiglia).

Queste strutture sono usate anche per portare i saluti di qualcuno: *I met Ben yesterday. He says hi!*, ieri ho visto Ben, che ti saluta (*o* che ti manda i suoi saluti); *By the way, mum sends her love to you all*, a proposito, la mamma vi saluta tutti (*o* manda un bacio a tutti voi). Nel caso di **to remember sb. to** la formula diventa (*form.*) **to beg to be remembered to**: *My mother begs to be remembered to you*, mia madre Le manda suoi saluti (*o* i suoi ossequi); mia madre mi ha chiesto di trasmetterle i suoi saluti.

→ **goodbye, introduction**.

to **hello** /hel'əʊ/ → **to hallo**.

hellraiser /'hɛlreɪzə(r)/ n. (*fam. USA*) piantagrane; attaccabrighe; chi pianta casini (*fam.*).

helluva /'hɛləvə/ a. (*fam.*) = **a hell of a →** **hell**.

helm /hɛlm/ n. **1** (*naut.*) timone; barra: (*di nave*) **to answer the h.**, ubbidire al timone **2** (*fig.*) comando; guida; timone ● (*anche fig.*) **to be at the h.**, essere al timone; avere il (*o* essere al) comando □ **Down (with) the h.!**, barra sottovento (*o* sotto)!; orza tutto! □ (*anche fig.*) **to take (over) the h.**, prendere il timone; assumere la guida (*o* il comando) □ **Up (with) the h.!**, barra al vento (*o* sopra)!; poggia!

to **helm** /hɛlm/ v. t. (*di solito fig.*) governare; dirigere; guidare.

helmet /'hɛlmɪt/ n. **1** elmo; elmetto (*antico, da trincea, di pompiere, ecc.*): **steel h.**, elmetto d'acciaio **2** casco (*per es., di pilota, di motociclista, ecc.*): **sun h.**, casco coloniale; **the Blue Helmets**, i Caschi Blu (*dell'ONU*) **3** (*sport*) maschera (*per la scherma*) **4** (*bot.*) galea **5** (*volg.*) cappella (*volg.*); glande ● (*alpinismo*) **h. lamp**, lampada frontale.

helmeted /'hɛlmɪtɪd/ a. munito d'elmo (*o* d'elmetto, di casco).

helminth /'hɛlmɪnθ/ (*zool.*) n. elminto || **helminthic** a. elmintico.

helminthiasis /ˌhɛlmɪn'θaɪəsɪs/ n. Ⓤ (*med.*) elmintiasi.

helminthology /ˌhɛlmɪn'θɒlədʒɪ/ (*med.*) n. Ⓤ elmintologia || **helminthological** a. elmintologico || **helminthologist** n. elmintologo.

helmsman /'hɛlmzmən/ n. (pl. **helmsmen**) (*naut. e fig.*) timoniere.

helot /'hɛlət/ n. **1** (*stor.*) ilota **2** (*fig.*) schiavo; oppresso || **helotism** n. Ⓤ **1** (*stor.*) ilotismo **2** (*fig.*) schiavitù || **helotry** n. Ⓤ **1** (*collett., stor.*) (gli) iloti **2** (*stor.*) ilotismo **3** (*fig.*) schiavitù.

♦**help** /hɛlp/ Ⓐ n. **1** Ⓤⓒ aiuto; assistenza; soccorso: *Can I be of any h.?*, posso essere d'aiuto?; *Do you need any h.?*, hai bisogno di aiuto?; *Thanks for your h.*, grazie per il suo aiuto **2** rimedio; via d'uscita; scampo: *There's no h. for it*, non c'è rimedio; ormai

a b c d e f g **h** i j k l m n o p q r s t u v w x y z

è fatta; non c'è scampo **3** persona di servizio; domestico, domestica; servo, serva; operaio giornaliero; (collett.) (i) domestici; (il) personale di servizio **4** dipendente; (*spec.*) bracciante, impiegato; (collett.) (gli) impiegati; (il) personale **5** (*comput.*) assistenza: **h. desk**, servizio di assistenza; help desk **B** inter. – *H.!*, aiuto! ● **to cry for h.**, gridare aiuto □ *past* (**all**) **h.**, perduto; irrecuperabile □ «**H. wanted**» (*cartello*), «cercasi personale».

♦to **help** /hɛlp/ **A** v. t. **1** aiutare; assistere; soccorrere: *Can you h. me* (*to*) *move this sofa?*, mi aiuti a spostare questo divano?; *I helped him with his homework*, lo aiutai a fare i compiti; *My parents helped me through college*, i miei genitori mi aiutarono (finanziariamente) quando ero all'università; *Can I h. you?*, posso aiutarti?; (*in un negozio, a un cliente*) in che posso servirLa?; desidera? ● **NOTA:** *aiutare → aiutare* **2** (con compl. di moto) aiutare q. (salire, scendere, entrare, proseguire, ecc.): *I helped her back to her bed*, l'aiutai a tornare a letto; *He helped me down the stairs*, mi aiutò a scendere le scale; *He helped her off* [*on*] *with her coat*, l'aiutai a togliersi [a mettersi] il cappotto; **to h. sb. to his feet**, aiutare q. ad alzarsi (in piedi) **3** favorire; promuovere; contribuire a; aiutare; essere utile a; giovare a: **to h. international cooperation**, promuovere (*o* favorire) la cooperazione internazionale; *The new measures should h. keep prices down*, le nuove misure dovrebbero contribuire a tenere bassi i prezzi **4** alleviare; dare sollievo a; migliorare: *This medicine will h. your cough*, questa medicina ti allevierà la tosse; *His remark didn't really help things*, il suo commento non migliorò certo le cose **5** – **to h. sb. to st.**, servire, dare, versare qc. a q. (*a tavola*): *Can I h. you to some more roast*, posso servirti (*o* darti) ancora un po' di arrosto? **6** (preceduto da **can**, **could** e generalm. in frase neg.) evitare; fare a meno di: *I cannot h. loving her*, non posso fare a meno d'amarla; *I cannot h. admiring him*, non posso non ammirarlo; *He couldn't h. laughing*, non poté evitare (*o* fare a meno) di ridere; *She could not h. but notice his embarrassment*, lei non poté non notare il suo imbarazzo; *I'm sorry, I couldn't h. myself*, mi dispiace, ma non sono riuscito a trattenermi (*o* non ho potuto farne a meno); *It's painful, but it can't be helped*, è doloroso, ma non si può evitare **B** v. i. **1** aiutare; essere d'aiuto; contribuire: *He may be able to h. with publicity*, forse lui può essere d'aiuto per la pubblicità; **to help with the costs of st.**, contribuire all'acquisto di qc.; contribuire alle spese per qc. **2** servire; essere utile; giovare; essere di giovamento: *Crying won't h.*, piangere non serve a nulla ● **to h. oneself**, aiutare sé stesso; fare un servizio a sé stesso; (*anche*) servirsi (*a tavola*), servirsi da solo, prendere: *You don't h. yourself by eating so much*, non ti fai un bel servizio a mangiare così tanto; *I helped myself to a piece of cake*, presi una fetta di torta; *Please h. yourself!*, prego, si serva!; *H. yourself to the wine*, prendi (*o* versati) il vino!; se vuoi del vino, serviti pure! □ (*GB*) **to help the police with their enquiries**, essere interrogato dalla polizia (*come sospettato*) □ **Every little** (**bit**) **helps**, tutto serve (*o* può servire) □ **God h. me** (**you**, *ecc.*), che Dio mi (ti, *ecc.*) assista □ **I can't h. it**, non posso farci niente, non è colpa mia, non so che farci; (*anche*) non posso farne a meno, è più forte di me!: *I can't h. it if there are no taxis*, non posso farci niente (*o* non è colpa mia) se non ci sono taxi □ **I can't h. that**, non posso farci nulla; non so che farci □ **It can't be helped**, non ci si può far niente; pazienza! □ **more than one can h.**, più dello stretto necessario; più al minimo in-

dispensabile: *I won't keep you longer than I can h.*, non ti tratterrò più dello stretto necessario □ **Not if I can h. it**, no, se posso evitarlo; no di certo □ (*fam.*) **So h. me** (**God**)!, lo giuro!; com'è vero Dio!; Dio mi è testimone! □ (*prov.*) **God helps those who h. themselves**, aiutati che Dio (*o* il ciel) t'aiuta.

❶ NOTA: *can't help*

Can't / *cannot help doing something* significa "non riuscire a fare a meno di fare qualcosa": *I couldn't h. feeling anxious*, non riuscivo a fare a meno di essere ansioso. La frase *can't help but do something*, "non poter far altro che", ha lo stesso significato: *I can't h. but admire your courage*, non posso che ammirare il tuo coraggio.

■ **help along**, **help forward** v. t. + avv. **1** aiutare (q.) a camminare **2** aiutare, favorire (*un progetto, ecc.*); promuovere (*un movimento politico, una soluzione, ecc.*).

■ **help on** v. t. + avv. aiutare a proseguire; favorire; incoraggiare.

■ **help out** v. t. e i. + avv. aiutare; dare un aiuto (a); dare una mano (a) □ **to h. sb. out with a loan**, aiutare q. con un prestito.

■ **help over** v. t. + prep. **1** aiutare (q.) a scavalcare (*un muro, uno steccato, ecc.*) **2** aiutare (q.) in (qc.) **3** (*di denaro, ecc.*) bastare per (*un certo tempo*).

helper /'hɛlpə(r)/ n. aiutante; assistente; aiuto.

♦**helpful** /'hɛlpfl/ a. **1** utile; giovevole; vantaggioso: **h. information**, informazioni utili **2** disponibile; servizievole; che si presta: *Our neighbours are very h. people*, i nostri vicini sono persone molto disponibili ● *You've been very h.*, sei stata di grande aiuto | **-ly** avv. | **-ness** n. ⓤ.

helping /'hɛlpɪŋ/ **A** n. **1** ⓤ l'aiutare; aiuto; assistenza **2** porzione (*di cibo*) **B** a. attr. che aiuta; che è d'aiuto; utile ● **to give** (*o* **to lend**) **sb. a h. hand**, dare una mano a q. (*fig.*); aiutare q.

helpless /'hɛlpləs/ a. **1** senz'aiuto; indifeso; inerme (*fig.*); derelitto: **a h. child**, un bimbo indifeso (*o* inerme) **2** incapace (*di fare qc.*); inetto; impotente: *Our government is h. in dealing with the economic crisis*, il governo è impotente a risolvere la crisi economica **3** inefficace; futile; vano: **h. efforts**, futili sforzi; sforzi vani **4** smarrito (*fig.*); perso (*fig.*): *I felt h. and alone*, mi sentivo smarrito e solo; **with a h. look**, con aria smarrita **5** incontrollabile; incontenibile: **h. laughter**, risate incontrollabili; **to be h. with rage**, essere in preda a una rabbia incontenibile ● **in a h. way**, in modo inefficace; (*anche*) con aria smarrita ‖ **helplessly** avv. **1** senza aiuto **2** impotentemente; senza poter fare niente **3** futilmente; invano; senza efficacia; senza riuscirci: *He helplessly tried to free himself*, tentò invano di liberarsi ‖ **helplessness** n. ⓤ **1** l'essere indifeso; debolezza; impotenza **2** incapacità; mancanza d'iniziativa; inettitudine.

helpline /'hɛlplaɪn/ n. (linea di) assistenza telefonica; helpline.

helpmate /'hɛlpmeɪt/, (*raro*) **helpmeet** /'hɛlpmiːt/ n. compagno, compagna (*spec. riferito a coniugi*); partner; consorte: **my h.**, la compagna della mia vita.

help-yourself /hɛlp jɔ'sɛlf/ a. attr. (*tur.*) self-service: **a help-yourself salad cart**, un carrello self-service dei contorni.

helter-skelter /ˌhɛltə'skɛltə(r)/ **A** avv. **1** in fretta e furia **2** alla rinfusa; con grande scompiglio **B** a. affrettato e confuso; disordinato; scompigliato **C** n. **1** fretta e furia **2** confusione; scompiglio **3** scivolo gigante (*a forma di spirale: al luna park*).

helve /hɛlv/ n. **1** manico (*di un arnese, spec. di un'ascia*) **2** impugnatura (*di un'arma*) ● (*metall.*) **h. hammer**, maglio a leva (*o* a testa

d'asino).

Helvetia /hɛl'viːʃə/ (*geogr., stor.*) n. Elvezia ‖ **Helvetian** a. e n. elvetico; svizzero ‖ **Helvetic** a. elvetico; svizzero.

hem ① /hɛm/ n. orlo (*spec. d'indumento*); margine; bordo, bordura: **the hem of a skirt**, l'orlo di una gonna; (*cucito*) **to take the hem up**, alzare l'orlo.

hem ② /hm/ **A** inter. (*di richiamo, dubbio, esitazione, ecc.*) ehm! **B** n. ehm.

to **hem** ① /hɛm/ v. t. orlare; fare l'orlo a; bordare ● **to hem in** (*o* **about, around, round**), cingere; circondare; attorniare; racchiudere.

to **hem** ② /hɛm/ v. i. **1** fare ehm; schiarirsi la voce; tossicchiare **2** (= **to hem and haw**) esitare nel parlare; titubare; nicchiare.

hemal /'hiːml/, **hematic** /hiː'mætɪk/, *ecc.* (*USA*) → **haemal**, **haematic**, *ecc.*

hematopoiesis /hiːmətəʊpɔɪ'iːsɪs/ n. ⓤ (*USA*) → **haematopoiesis**.

heme e deriv. (*USA*) → **haem** e deriv.

hemeralopia /ˌhɛmərə'ləʊpɪə/ (*med.*) n. ⓤ emeralopia ‖ **hemeralopic** a. emeralopo.

hemicellulose /ˌhɛmɪ'sɛljʊləʊz/ n. (*chim.*) emicellulosa.

hemicycle /'hɛmɪsaɪkl/ n. emiciclo.

hemidemisemiquaver /ˌhɛmɪdɛmɪ'sɛmɪkweɪvə(r)/ n. (*mus.*) semibiscroma.

hemihedral /ˌhɛmɪ'hiːdrəl/ a. (*miner.*) emiedrico.

hemionus /ˌhɛmɪ'əʊnəs/ n. (*zool., Equus hemionus*) emiono; emione.

hemiparasite /ˌhɛmɪ'pærəsaɪt/ n. (*ecol.*) emiparassita.

hemiparesis /ˌhɛmɪpə'riːsɪs/ n. ⓤ (*med.*) emiparesi.

hemiplegia /ˌhɛmɪ'pliːdʒə/ (*med.*) n. ⓤ emiplegia ‖ **hemiplegic** a. e n. emiplegico.

hemipteron /hɪ'mɪptərɒn/ n. (*zool.*) emittero.

hemisphere /'hɛmɪsfɪə(r)/ n. **1** (*anat., geogr.*) emisfero: **the Northern** [**Southern**] **H.**, l'emisfero boreale [australe] **2** (*geom.*) semisfera ● (*fis.*) **Magdeburg hemispheres**, gli emisferi di Magdeburgo ‖ **hemispheric**, **hemispherical** a. (*geom.*) emisferico.

hemistich /'hɛmɪstɪk/ n. (*poesia*) emistichio.

hemizygous /ˌhɛmɪ'zaɪɡəs/ a. (*biol.*) emizigote.

hemline /'hɛmlaɪn/ n. orlo (*d'abito o gonna*).

hemlock /'hɛmlɒk/ n. (*bot.*) **1** ⓒⓤ (*Conium maculatum*) cicuta (*la pianta e il veleno*) **2** (*Abies canadensis*; = **h. spruce**) abete canadese; tsuga.

hemmer /'hɛmə(r)/ n. (*anche mecc.*) orlatore; orlatrice.

hemoglobin /ˌhiːmə'ɡləʊbɪn/ (*USA*) → **haemoglobin**.

hemorrhage /'hɛmərɪdʒ/ (*USA*) → **haemorrhage**.

hemp /hɛmp/ n. ⓤ **1** (*bot., Cannabis sativa*) canapa (*anche ind. tess.*) **2** (= **Indian h.**; *bot., Cannabis indica*) canapa indiana **3** hascisc; marijuana **4** (*fig., scherz.*) corda per impiccare; capestro; forca ‖ **hempen** a. di canapa; simile a canapa; canapino.

hemstitch /'hɛmstɪtʃ/ n. ⓤ (*cucito*) orlo a giorno.

to **hemstitch** /'hɛmstɪtʃ/ v. t. fare l'orlo a giorno a (*una camicetta, ecc.*).

hen /hɛn/ n. **1** gallina; chioccia (*nei composti*) femmina (*di volatili e d'altri animali, per es.:*) **pea-hen**, femmina del pavone; pavona; pavonessa; **hen-crab**, granchio femmina **3** (= **hen pheasant**) fagiana; fagianotta **4** (*fam.*) vecchia pettegola; comare **5** (*slang*) donna ● (*zool.*) **hen bird**, uccello femmina □

hen-coop, stia; (*USA*) pollaio □ **hen-cote**, pollaio □ (*zool.*) **hen harrier** (*Circus cyaneus*), albanella reale □ **hen-hearted**, pusillanime; vile □ **hen-house**, pollaio □ (*fam. scherz.*) **hen night** (*o* **hen party**), festa per sole donne; addio al nubilato □ **hen-roost**, posatoio; pollaio □ **hen-sparrow**, passera.

henbane /ˈhɛnbeɪn/ n. Ⓤ (*bot.*, *Hyoscyamus niger*) giusquiamo.

◆**hence** /hɛns/ Ⓐ avv. (*form.*) **1** da adesso; da ora; di qui a: **a week h.**, di qui a una settimana; fra una settimana **2** indi (*lett.*); quindi; perciò; per cui: **h. it appears that...**, è quindi evidente che... **3** (*raro*) di qui; di qua Ⓑ inter. (*arc.*) via (di qui) !; va'! ● **H. with him**, portatelo via! □ (*fig.*) **departed h.**, passato a miglior vita □ **from h.**, da qui; (*anche*) d'ora in poi □ **to go h.**, andarsene (*fig.*); andare al creatore; morire.

henceforth /hɛnsˈfɔːθ/, **henceforward** /hɛnsˈfɔːwəd/ avv. (*form.*) d'ora innanzi; d'ora in poi; per il futuro.

henchman /ˈhɛntʃmən/ n. (pl. **henchmen**) **1** accolito; partigiano; seguace **2** (*stor.*) paggio; scudiero **3** (*spreg.*) scagnozzo; tirapiedi.

hendecagon /hɛnˈdɛkəgən/ n. (*geom.*) endecagono.

hendecasyllable /ˈhɛndɛkəsɪləbl/ (*poesia*) n. endecasillabo ‖ **hendecasyllabic** a. endecasillabo: **hendecasyllabic verse**, verso endecasillabo.

hendiadys /hɛnˈdaɪədɪs/ n. Ⓤ (*gramm.*) endiadi.

henna /ˈhɛnə/ n. Ⓤ **1** (*bot.*, *Lawsonia inermis*) henna; alcanna **2** tintura di henna; henné.

henny /ˈhɛnɪ/ Ⓐ a. da (*o* simile a) gallina Ⓑ n. (*raro*) gallo che ha l'aspetto d'una gallina.

to **henpeck** /ˈhɛnpɛk/ v. t. bistrattare, mettersi sotto i piedi (*il marito*).

henpecked /ˈhɛnpɛkt/ a. (*di un marito*) bistrattato dalla moglie; succube della moglie.

Henrietta /hɛnrɪˈɛtə/ n. Enrichetta.

Henry /ˈhɛnrɪ/ n. Enrico.

hep /hɛp/ a. (*slang USA*, *antiq.*) aggiornato; che ha stile; moderno; al passo con la moda ● (*slang USA*) **hep cat**, individuo vivace; tipo moderno; appassionato di jazz caldo; jazzista □ **to be hep to st.**, essere aggiornato su (*o* informato di) qc.

heparin /ˈhɛpərɪn/ n. Ⓤ (*biochim.*) eparina.

hepatic /hɪˈpætɪk/ Ⓐ a. (*anat.*, *med.*) epatico Ⓑ n. (*farm.*) farmaco epatico.

hepatica /hɪˈpætɪkə/ n. Ⓤ (*bot.*) **1** (*Hepatica triloba*) erba trinità (*Marchantia polymorpha*) marcanzia.

hepatite /ˈhɛpətaɪt/ n. Ⓤ (*miner.*) epatite.

hepatitis /hɛpəˈtaɪtɪs/ (*med.*) n. Ⓤ epatite: **viral h.**, epatite virale ‖ **hepatization** n. Ⓤ epatizzazione.

hepatobiliary /hɛpətəʊˈbɪlɪərɪ/ a. (*anat.*) epatobiliare.

hepatocyte /hɛˈpætəsaɪt/ n. (*anat.*) epatocita.

hepatologist /hɛpəˈtɒlədʒɪst/ n. (*med.*) epatologo.

hepatopathy /hɛpəˈtɒpəθɪ/ n. Ⓤ (*med.*) epatopatia.

hepatotoxic /hɛpətəʊˈtɒksɪk/ (*med.*) a. epatotossico ‖ **hepatotoxicity** n. Ⓤ epatotossicità ‖ **hepatotoxin** n. epatotossina.

heptachord /ˈhɛptəkɔːd/ n. (*mus.*) eptacordo.

heptad /ˈhɛptæd/ n. **1** gruppo (*o* serie) di sette (*giorni*, *ecc.*) **2** (*scient.*, *tecn.*) settetto.

heptagon /ˈhɛptəgən/ (*geom.*) n. ettagono ‖ **heptagonal** a. ettagonale; eptagonale.

heptahedron /hɛptəˈhiːdrən/ (*geom.*) n.

ettaedro, eptaedro ‖ **heptahedral** a. ettaedrico; eptaedrico.

heptameter /hɛpˈtæmɪtə(r)/ n. (*poesia*) ettametro.

heptane /ˈhɛpteɪn/ n. (*chim.*) eptano.

heptarchy /ˈhɛptəkɪ/ (*stor.*) n. eptarchia ‖ **heptarchic, heptarchical** a. di un'eptarchia.

heptasyllable /hɛptəˈsɪləbl/ (*poesia*) n. eptasillabo; settenario ‖ **heptasyllabic** a. eptasillabo; settenario.

Heptateuch /ˈhɛptətjuːk/ n. (*Bibbia*) Eptateuco.

heptathlon /hɛpˈtæθlən/ (*sport*) n. eptathlon ‖ **heptathlete** n. eptatleta.

heptavalent /hɛptəˈveɪlənt/ a. (*chim.*) eptavalente.

◆**her** /hɜː(r), hə(r)/ Ⓐ pron. pers. 3ª pers. sing. f. **1** (*compl.*) lei; la; a lei, le: *I saw her, not him*, vidi lei, e non lui; *I know her*, la conosco; *Tell her to come*, dille di venire **2** (*pred.*) lei: *That's her!*, è lei; eccola!; *Was that her?*, era lei? **3** (*quando è seguito dalla forma in* **-ing**, *è idiom.*, *per es.*:) *I can't prevent her spending her own money*, non posso impedire che spenda denaro che è suo Ⓑ a. poss. (*rif. a possessore femm.*) **1** suo, sua; suoi, sue; di lei: *Mary and her baby*, Maria e il suo bambino; *It's her bag, not mine!*, è la borsa di lei, non la mia! **2** (*colloquiale*; *in combinazione con la forma in* **-ing**, *è idiom.*, *per es.*:) *I don't mind her driving so fast*, non me ne importa che guidi così veloce ● **She took her bag with her**, prese con sé la borsetta □ **She looked about her**, si guardò intorno □ **It was very kind of her**, è stato molto gentile da parte sua.

Hera /ˈhiːrə/ n. (*mitol.*) Era.

Heracles /ˈhɛrəkliːz/ n. (*mitol.*) Eracle.

Heraclitean a. eracliteo.

Heracliteanism n. Ⓤ eracliteismo.

Heraclitus /hɛrəˈklaɪtəs/ (*stor.*, *filos.*) n. Eraclito.

herald /ˈhɛrəld/ n. **1** (*stor.*) araldo **2** nunzio; messaggero (*anche fig.*) **3** conservatore di stemmari **4** (*fig.*) precursore; foriero ● **the Heralds' College**, la Società Araldica (*in GB*).

to **herald** /ˈhɛrəld/ v. t. **1** annunciare; proclamare **2** (*fig.*) essere foriero di; preannunciare: **to h. a storm**, essere foriero di tempesta.

heraldry /ˈhɛrəldrɪ/ n. Ⓤ **1** araldica **2** (*collett.*) stemmi nobiliari **3** (*stor.*) ufficio d'araldo ‖ **heraldic** a. araldico ‖ **heraldist** n. araldista.

herb /hɜːb, ɜːb/ n. **1** (*bot.*) pianta erbacea; erba **2** erba medicinale; semplice **3** (*cucina*) erba aromatica; erbetta; (pl.) odori (*fam.*) ● (*bot.*) **h. bennet** (*Geum urbanum*), ambretta selvatica; garofanaia; erba cariofillata □ (*bot.*) **h. Christopher** (*Actaea spicata*), actea; barba di capra □ (*fam.*) **h. doctor**, chi cura con le erbe; erborista □ **h. garden**, orto di erbe officinali; giardino dei semplici □ (*bot.*) **h. Gerard** (*Aegopodium podagraria*), podagraria □ (*bot.*) **h. Paris** (*Paris quadrifolia*), uva di volpe □ (*bot.*) **h. patience** (*Rumex patientia*), erba pazienza □ (*bot.*) **h. Robert** (*Geranium robertianum*), erba roberta; erba cimicina □ **h. store**, (negozio di) erboristeria □ **h. tea**, infuso di erbe; tisana ❶ **FALSI AMICI** ● **herb** *significa erba solo nel senso di erba aromatica o medicinale. Per parlare dell'erba in senso lato si usa* **grass**.

herbaceous /hɜːˈbeɪʃəs/ a. (*bot.*) erbaceo ● (*nei giardini*) **h. border**, bordo d'aiuola di fiori perenni.

herbage /ˈhɜːbɪdʒ/ n. Ⓤ **1** (*collett.*) erba; erbe; vegetazione erbacea **2** (*leg.*) diritto di pascolo; erbatico.

herbal /ˈhɜːbl/ Ⓐ a. delle erbe (*aromatiche*

o medicinali); erboristico Ⓑ n. erbario (*libro sulle piante medicinali*) □ **h. medicine**, medicina erboristica □ **h. practitioner**, chi cura con le erbe; erborista.

herbalism /ˈhɜːbəlɪzəm/ n. Ⓤ erboristeria (*la scienza*) ‖ **herbalist** n. **1** erborista **2** (*raro*) chi cura con le erbe.

herbarium /hɜːˈbeərɪəm/ n. (pl. **herbaria**, **herbariums**) erbario (*raccolta di piante essiccate*).

herbed /hɜːbd/ a. (*cucina*) (aromatizzato) alle erbe; alle erbette.

Herbert /ˈhɜːbət/ n. Erberto.

herbicide /ˈhɜːbɪsaɪd/ (*agric.*, *chim.*, *mil.*) n. erbicida; diserbante ‖ **herbicidal** a. diserbante; erbicida.

herbivore /ˈhɜːbɪvɔː(r)/ (*zool.*) n. erbivoro ‖ **herbivorous** a. erbivoro.

herbology /hɜːˈbɒlədʒɪ/ n. Ⓤ erboristeria (*la scienza*).

herby /ˈhɜːbɪ/ a. **1** erboso; ricco d'erbe **2** delle erbe (*aromatiche o medicinali*) **3** aromatizzato alle erbe; che sa (*o che profuma*) di erbe aromatiche.

herculean /hɜːkjʊˈliːən/ a. **1** erculeo; fortissimo **2** faticosissimo; difficilissimo ● **a h. task**, un compito titanico.

Herculean /hɜːkjʊˈliːən/ a. (*mitol.*) erculeo; di Ercole.

Hercules /ˈhɜːkjʊliːz/ n. (*mitol.*, *astron.*) Ercole ● (*fig.*) **a H.**, un ercole; un uomo di forza erculea □ (*geogr.*, *stor.*) **the Pillars of H.**, le Colonne d'Ercole.

Hercynian /hɜːˈsɪnɪən/ a. (*geol.*) ercinico; erciniano.

herd /hɜːd/ n. **1** armento; mandria; branco; gregge: **a h. of cattle**, una mandria di buoi; **a h. of elephants**, un branco di elefanti **2** (*fig. spreg.*) – **the h.**, la plebe; la plebaglia; il volgo; il gregge ● **the h. instinct**, (*zool.*) l'istinto gregale; (*fig.*, *psic.*) l'istinto di gregge (*fig.*); il gregarismo □ **the common** (*o* **vulgar**) **h.**, il volgo; la plebaglia; gregge (*fig.*).

to **herd** /hɜːd/ Ⓐ v. i. **1** (*di animali*) imbrancarsi; mettersi in branco **2** far gregge (*anche fig.*); aggregarsi; raggrupparsi; intrupparsi Ⓑ v. t. **1** imbrancare, spingere in branco, radunare (*animali*) **2** raggruppare, radunare (*persone*).

herdboy /ˈhɜːdbɔɪ/ n. **1** ragazzo che bada a un gregge o a una mandria; aiuto mandriano **2** (*USA*) cowboy.

herder /ˈhɜːdə(r)/ n. (*USA*) → **herdsman**.

herdsman /ˈhɜːdzmən/ n. (pl. **herdsmen**) mandriano; pastore.

◆**here** /hɪə(r)/ Ⓐ avv. **1** qui; qua: *I like to stay h.*, mi piace stare qui; *Come h.!*, vieni qui (*o* qua); *H. it's spring now*, qua è primavera ora; *H. we agree*, qui siamo d'accordo; *He isn't from h.*, non è di qui; non è nativo di questo luogo; *I want this one h.*, voglio questo qui; *Press the catch h. to open up the top*, premi qui sul fermo per aprire la parte superiore; (*al telefono*) *It's Jerry h.*, sono Jerry **2** ecco (qui): *H. I am!*, eccomi!; *H. you are!*, ecco a lei!; eccoti!; *H. they are!*, eccoli (qui)!; *H. we are at last*, eccoci arrivati, finalmente; (*trovando qc. che si cercava*) *H. it is!*, eccolo!; *H. comes the snow!*, ecco che nevica; *H. comes your daughter*, ecco sua figlia **3** (*offrendo o dando qc.*): eccoti; eccovi; eccole: *H.'s your key!*, eccoti la chiave; *H. you are!*, eccoti, eccovi, ecco qui!; eccoti servito!; *Here's the menu*, eccole il menu Ⓑ inter. **1** su; suvvia; coraggio: *H.*, *that's enough!*, su, ora basta!; *H.*, *don't cry!*, coraggio, non piangere! **2** (*rispondendo a un appello*) presente! ● **h.** questo luogo: *My friends leave h. tonight*, i miei amici partono di qui stasera ● **h. and now**, al momento; adesso; in questo preciso istante □ (*fig.*)

the h. and now, il presente; il mondo reale; il qui e ora □ **h. and there**, qua e là □ **h. below**, quaggiù; in questo mondo □ **h., there, and everywhere**, (un po') dappertutto; un po' qua e un po' là □ **h. today, gone tomorrow**, che dura lo spazio di un giorno; effimero □ **down h.**, quaggiù □ **from h.**, di qui; di qua □ **in h.**, qui dentro; qua dentro □ **near h.**, qui vicino □ (*fam.*) **neither h. nor there**, (cosa) che non c'entra (o priva d'importanza) □ **up h.**, quassù □ **Look h.**, senti (o ascolta) un po'; senti qua □ (*in un brindisi*) **H.'s to...**, alla salute di...: *H.'s to you!*, alla tua (o alla vostra) salute! □ (*fam.*) **H. goes!**, pronti!; cominciamo!; si parte!; buttiamoci! □ **H. we go**, si va!; si comincia!; si parte! □ **H. we go again**, siamo alle solite; ci risiamo! □ (*fam., porgendo qc.*) **H. you go!**, tieni!; ecco qua!; eccoti (o eccovi)!

hereabouts, **hereabout** /ˈhɪərəbaʊt(s)/ avv. qui vicino; qui intorno; in giro.

hereafter /hɪərˈɑːftə(r)/ **A** avv. **1** in avvenire; in futuro **2** nell'aldilà; nell'altro mondo **3** (*comm.*, *leg.*) più oltre; più avanti; in seguito **B** the **h.** n. **1** il futuro; l'avvenire **2** l'aldilà; l'altro mondo.

hereby /hɪəˈbaɪ/ avv. **1** (*comm.*, *leg.*) per questo mezzo; con il presente (atto, ecc.); con la presente (lettera, ecc.) **2** (*lett.*) in tal modo; così.

hereditable /həˈredɪtəbl/ a. ereditabile ‖ **hereditability** n. Ⓤ ereditabilità.

hereditament /herɪˈdɪtəmənt/ n. (*leg.*) asse ereditario.

hereditarian /hərediˈteərɪən/ (*scient.*) **A** a. relativo alla teoria dell'ereditarietà **B** n. assertore della teoria dell'ereditarietà ‖ **hereditarianism** n. Ⓤ (il) sostenere la teoria dell'ereditarietà.

hereditary /həˈredɪtrɪ/ a. **1** ereditario: **a h. disease**, una malattia ereditaria **2** tramandato di generazione in generazione; tradizionale; secolare: **h. customs**, abitudini secolari **3** (*leg.*) ereditario: **h. succession**, successione ereditaria **4** (*leg.*) per diritto ereditario: **a h. ruler**, un sovrano per diritto ereditario (*polit.*) **h. peers**, pari (*d'Inghilterra*) per diritto ereditario (*in GB*) ‖ **hereditarily** avv. ereditariamente ‖ **hereditariness** n. Ⓤ ereditarietà.

heredity /həˈredətɪ/ n. Ⓤ (*biol.*) **1** ereditarietà **2** eredità; caratteri ereditari; patrimonio ereditario.

herein /hɪərˈɪn/ avv. (*comm.*, *leg.*) qui; in questo (libro, punto, documento, ecc.): **h. enclosed**, qui accluso.

hereinafter /hɪərɪnˈɑːftə(r)/ avv. (*comm.*, *leg.*) in seguito; sotto; più avanti.

hereinbefore /hɪərɪnbɪˈfɔː(r)/ avv. (*comm.*, *leg.*) in precedenza; sopra.

hereof /hɪərˈɒv/ avv. (*comm.*, *leg.*) di questo; di ciò; del presente atto (o scritto).

hereon /hɪərˈɒn/ → **hereupon**.

here's /hɪəz/ contraz. di **here is**.

heresiarch /həˈriːzɪɑːk/ n. eresiarca.

heresy /ˈherəsɪ/ n. Ⓤ Ⓒ (*anche fig.*) eresia: **to fall into h.**, cadere nell'eresia ● (*spec. relig.*) **h. hunter**, inquisitore ‖ **heretic** a. e n. eretico ‖ **heretical** a. eretico ‖ **heretically** avv. ereticamente.

hereto /hɪəˈtuː/ avv. **1** (*lett.*) finora; fin qui **2** (*comm.*, *leg.*) a questo; qui: **h. enclosed**, qui accluso.

heretofore /hɪətəˈfɔː(r)/ avv. **1** (*arc.*) prima d'ora; un tempo **2** (*comm.*, *leg.*) finora; fin qui.

hereunder /hɪərˈʌndə(r)/ avv. **1** (*comm.*, *leg.*) più avanti; qui sotto **2** (*leg.*) in virtù del presente atto (o scritto, ecc.).

hereupon /hɪərəˈpɒn/ avv. (*form.*) **1** al che; in conseguenza di ciò; subito dopo **2** su ciò; su questo argomento.

herewith /hɪəˈwɪð/ **A** avv. (*comm.*, *leg.*) per questo mezzo; insieme con questo; qui: **h. enclosed**, qui accluso **B** a. attr. (*di un documento, ecc.*) qui accluso; in allegato.

heritable /ˈherɪtəbl/ (*leg. e biol.*) a. **1** ereditabile **2** capace d'ereditare ● (*leg., in Scozia*) **h. bond**, garanzia con ipoteca immobiliare ‖ **heritability** n. Ⓤ ereditabilità.

heritage /ˈherɪtɪdʒ/ n. **1** (*leg.*) eredità immobiliare; asse ereditario **2** Ⓤ (*fig.*) retaggio; eredità; patrimonio **3** patrimonio (*storico, culturale, naturale ecc.*): *The town has a rich architectural h.*, la città possiede un ricco patrimonio architettonico **4** (*Bibbia*) (il) popolo eletto; gli Israeliti ● **h. centre**, museo di storia e tradizioni locali □ (*ecol.*) **h. coast**, costa protetta □ (*tur.*) **h. industry**, industria del turismo culturale.

herky-jerky /hɜːkɪˈdʒɜːkɪ/ a. (*slang USA*) (*di movimento*) a scatti; spasmodico.

herm /hɜːm/ n. (pl. *hermae*) (*stor.*) erma.

herma /ˈhɜːmə/ n. (pl. *hermae*, *hermai*) → **herm**.

hermaphrodite /hɜːˈmæfrədaɪt/ (*biol.*) n. e a. ermafrodito ‖ **hermaphroditic**, **hermaphroditical** a. ermafrodito ‖ **hermaphroditism** n. Ⓤ ermafroditismo; ermafrodismo (*raro*).

hermeneutic /hɜːməˈnjuːtɪk/, **hermeneutical** /hɜːməˈnjuːtɪkl/ a. ermeneutico.

hermeneutics /hɜːməˈnjuːtɪks/ n. pl. (col verbo al sing.) ermeneutica.

Hermes /ˈhɜːmiːz/ n. (*mitol.*) Ermes; Ermete.

hermetic /hɜːˈmetɪk/, **hermetical** /hɜːˈmetɪkl/ a. ermetico: **h. seal**, tenuta ermetica; **h. poetry**, poesia ermetica ● **h. art**, arte ermetica; alchimia ‖ **hermetically** avv. ermeticamente: **hermetically sealed**, chiuso ermeticamente ‖ **hermeticism** n. ermetismo.

hermetism /ˈhɜːmɪtɪzəm/ (*filos.*, *arte*, *letter.*) n. Ⓤ ermetismo ‖ **hermetist** n. ermetista.

hermit /ˈhɜːmɪt/ n. eremita (*anche fig.*); anacoreta; romito ● (*zool.*) **h. crab** (*Pagurus*), paguro; bernardo l'eremita ‖ **hermitic**, **hermitical** a. eremitico.

hermitage /ˈhɜːmɪtɪdʒ/ n. eremitaggio; eremo; romitaggio.

hern /hɜːn/ n. (*poet. o dial.*) airone.

hernia /ˈhɜːnɪə/ (*med.*) n. (pl. *hernias*, *herniae*) ernia: **inguinal [strangulated] h.**, ernia inguinale [strozzata] ‖ **hernial** a. erniario; dell'ernia.

herniated /ˈhɜːnieɪtɪd/ a. (*med.*) erniato ● **h. disc**, ernia discale (o del disco).

herniation /hɜːnɪˈeɪʃn/ n. Ⓤ (*med.*) erniazione.

herniotomy /hɜːnɪˈɒtəmɪ/ n. Ⓤ Ⓒ (*med.*) erniotomia.

♦ **hero** /ˈhɪərəʊ/ n. (pl. *heroes*) **1** eroe: **to die like a h.**, morire da eroe; **accidental h.**, eroe per caso; *The winners received* (*o were given*) **a h.'s welcome**, ai vincitori fu tributata un'accoglienza da eroi; i vincitori furono accolti come eroi **2** protagonista □ (*opera letteraria, film, gara, ecc.*) protagonista **3** (*fig.*) (una) celebrità **4** (*slang USA*) grosso panino imbottito ● **h. worship**, culto degli eroi; (*fig.*) ammirazione eccessiva; venerazione; idolatria.

Hero /ˈhɪərəʊ/ n. (*mitol.*, *letter.*) Ero.

Herod /ˈherəd/ (*stor.*) n. Erode.

Herodias /heˈrəʊdiæs/ n. Erodiade.

Herodotus /heˈrɒdətəs/ n. (*stor. letter.*) Erodoto.

heroic /hɪˈrəʊɪk/, **heroical** /hɪˈrəʊɪkl/ a. **1** eroico: **h. deeds**, atti eroici; **the h. age**, l'età eroica (*di Grecia e Roma antiche*); **h. poem**, poema eroico; (*farm.*) **h. remedies**, rimedi eroici **2** (*arte*) più grande del naturale: **a h. statue** (*o* **a statue of h. size**), una statua di dimensioni più grandi del naturale **3** (*fig.*) grandioso; imponente **4** (*fig.*) eccezionale; straordinario **5** (*fig.*: *di stile, ecc.*) ampolloso; retorico; melodrammatico ● (*poesia*) **h. couplet**, distico eroico (*di pentametri giambici a rima baciata*) □ **h. poetry**, poesia epica □ **h. stanza**, strofa di versi eroici □ **h. verse**, verso eroico ‖ **heroically** avv. eroicamente.

heroicomical /hɪrəʊɪˈkɒmɪkl/ a. eroicomico.

heroics /hɪˈrəʊɪks/ n. pl. **1** (*poesia*) verso eroico **2** (*fig.*) frasi altisonanti; linguaggio retorico (o reboante, ampolloso, pomposo).

heroin /ˈherəʊɪn/ n. Ⓤ (*chim.*) eroina ● **h. addict**, eroinomane □ **h. addiction**, eroinomania.

heroine /ˈherəʊɪn/ n. **1** (*letter.*, *teatr.*, *ecc.*) eroina; protagonista **2** donna eroica; eroina.

heroism /ˈherəʊɪzəm/ n. Ⓤ eroismo.

to **heroize** /ˈhɪərəʊaɪz/ **A** v. t. eroicizzare **B** v. i. far l'eroe.

heron /ˈherən/ n. (pl. *herons*, *heron*) (*zool.*, *Ardea*) airone.

heronry /ˈherənrɪ/ n. luogo dove gli aironi nidificano; colonia di aironi.

to **hero-worship** /ˈhɪərəʊwɜːʃɪp/ v. t. venerare (q.) come un eroe; idolatrare.

herpes /ˈhɜːpiːz/ (*med.*) n. Ⓤ herpes; erpete ● **h. simplex**, erpete semplice; herpes simplex □ **h. zoster**, herpes zoster; fuoco di Sant'Antonio ‖ **herpetic** a. erpetico ‖ **herpetism** n. Ⓤ erpetismo.

herpesvirus /ˈhɜːpiːzvaɪrəs/ n. (*med.*) herpesvirus; virus erpetico.

herpetology /hɜːpɪˈtɒlədʒɪ/ (*zool.*) n. Ⓤ erpetologia ‖ **herpetological** a. erpetologico ‖ **herpetologist** n. erpetologo.

herring /ˈherɪŋ/ n. (pl. *herrings*, *herring*) (*zool.*, *Clupea harengus*) aringa ● (*zool.*) **h. gull** (*Larus argentatus*), gabbiano reale □ (*cucina*) **h. roe**, uova di aringa □ **kippered h.**, aringa affumicata.

herringbone /ˈherɪŋbəʊn/ **A** n. **1** Ⓤ (*ind. tess.*, *edil.*, *ecc.*) disegno (o struttura) a spina di pesce **2** (*sport: sci*) passo a spina di pesce **B** a. attr. (*tecn.*) spinato; a spina di pesce; spigato: **h. pattern**, disegno a spina di pesce; (*elettron.*) diaframma a spina di pesce ● (*cucito*) **h. stitch**, punto a spina (di pesce); punto spiga □ **a h. suit**, un abito spigato; uno spigato □ (*ind. tess.*) **h. tweed**, tweed spinato; spigato (sost.) □ (*ind. tess.*) **h. weave**, armatura a spina.

♦ **hers** /hɜːz/ pron. poss. (*rif. a possessore femm.*) (il) suo, (la) sua; (i) suoi, (le) sue; di lei: *Is this book his or h.?*, questo libro è di lui o di lei?; *Have you seen Mary? I found a pen of h.*, hai visto Maria? Ho trovato una sua penna; *It's no business of h.*, non è cosa che la riguardi ⓘ **Nota**: *'s: apostrofo e caso possessivo* → **'s**①.

♦ **herself** /həˈself, ə-/ **A** pron. rifl. 3ª pers. f. sing. sé stessa; si: *Your daughter should be pleased with h.*, tua figlia dovrebbe essere soddisfatta di sé stessa; *My mother has hurt h.*, mia madre si è fatta male; *My sister has bought h. a new car*, mia sorella si è comprata la macchina (nuova) **B** pron. enfat. (ella) stessa; lei stessa; in persona; proprio; per l'appunto: *She h. went there*, ci andò lei stessa (in persona); *She said it h.*, lo disse lei stessa; *I talked to the headmistress h.*, parlai per l'appunto (o proprio) con la preside □ *After the long illness, she was h. again*, dopo la lunga malattia, era di nuovo lei (o quella di prima) ● (**all**) **by h.**, da sé; (da) sola: *She did it all by h.*, lo ha fatto da sé; *She was all by h.*, era tutta sola (o sola soletta).

Herts. abbr. (**Hertfordshire**) la Contea di Hertford.

hertz /hɜːts/ n. (inv. al pl.) (*fis.*) hertz; ciclo al secondo.

Hertzian /ˈhɜːtsɪən/ a. (*fis.*) hertziano: **H. waves**, onde hertziane.

he's /hiːz/ contraz. di **1 he is 2 he has**.

Hesiod /ˈhiːsɪɒd/ n. (*stor. letter.*) Esiodo.

hesitant /ˈhezɪtənt/ a. **1** esitante; indeciso; irresoluto; titubante **2** riluttante; restio || **hesitance, hesitancy** n. ⚑ **1** esitazione; indecisione; irresolutezza; titubanza **2** riluttanza; ritrosia.

to **hesitate** /ˈhezɪteɪt/ v. i. **1** esitare; essere indeciso; titubare **2** essere riluttante (*o* restio) **3** interrompersi (*parlando*); fare una pausa.

hesitater /ˈhezɪteɪtə(r)/ n. chi esita.

hesitatingly /ˈhezɪteɪtɪŋlɪ/ avv. con esitazione; irresolutamente.

hesitation /hezɪˈteɪʃn/ n. ⚑ **1** esitazione; indecisione; irresolutezza; titubanza **2** riluttanza **3** (*mus.*) hesitation; valzer all'inglese **4** lieve balbuzie.

Hesperia /heˈspɪərɪə/ n. (*geogr., stor.*) Esperia || **Hesperian** a. (*poet.*) esperio (*poet., raro*); occidentale.

Hesperides /heˈsperɪdiːz/ n. pl. (*mitol.*) Esperidi.

hesperidium /hespəˈrɪdɪəm/ n. (*bot.*) esperidio (*frutto degli agrumi*).

Hesperus /ˈhespərəs/ n. (*astron.*) Espero (*il pianeta Venere*).

Hesse /ˈhesɪ/ n. (*geogr.*) Assia.

hessian /ˈhesɪən/ n. ⚑ (*ind. tess.*) tela grezza di canapa o iuta; tela da sacchi.

Hessian /ˈhesɪən/ Ⓐ a. dell'Assia Ⓑ n. **1** abitante dell'Assia **2** (*fig. USA*) (soldato) mercenario **3** (*fam. USA*) rompiscatole ● **H. boots**, stivali al ginocchio; stivaloni.

Hester /ˈhestə(r)/ n. Ester.

hetaera /hɪˈtɪərə/ n. (pl. **hetaerae**, **hetaeras**) (*stor.*) etera.

hetero /ˈhetərəʊ/ a. e n. (abbr. di **heterosexual**) (*fam.*) eterosessuale.

hetero-atom /ˈhetərəʊætəm/ n. (*chim.*) eteroatomo.

heterochromia /hetərəʊˈkrəʊmɪə/ n. ⚑ (*med.*) eterocromia || **heterochromatic** n. **1** (*fis.*) eterocromatico **2** (*biol.*) eterocromo.

heteroclite /ˈhetərəʊklaɪt/ Ⓐ a. **1** (*ling., psic.*) eteroclito **2** (*fig.*) eteroclito (*lett.*); inusitato; anormale Ⓑ n. nome eteroclito.

hetero-cyclic /hetərəʊˈsaɪklɪk/ a. (*chim.*) eterociclico.

heterodont /ˈhetərədɒnt/ a. (*zool.*) eterodonte.

heterodox /ˈhetərədɒks/ a. eterodosso || **heterodoxy** n. ⚑ eterodossia.

heterodyne /ˈhetərədaɪn/ n. (*elettron., radio*) eterodina.

heteroecious /hetəˈriːʃəs/ a. (*bot., zool.*) eteroico.

heterogamy /hetəˈrɒgəmɪ/ (*biol.*) n. ⚑ eterogamia || **heterogamous** a. eterogamo.

heterogeneity /hetərədʒəˈniːɪtɪ/ n. ⚑ eterogeneità.

heterogeneous /hetərəʊˈdʒiːnɪəs/ a. eterogeneo | **-ly** avv. | **-ness** n. ⚑.

heterogenesis /hetərəʊˈdʒenɪsɪs/ (*biol.*) n. ⚑ eterogenesi || **heterogenetic** a. caratterizzato da eterogenesi.

heterogony /hetəˈrɒgənɪ/ n. ⚑ (*biol.*) eterogonia.

heterograft /ˈhetərəʊgrɑːft/ n. (*med.*) eteroinnesto; eterotrapianto.

heterologous /hetəˈrɒləgəs/ a. (*chim., biol.*) eterologo.

heteromorphism /hetərəʊˈmɔːfɪzəm/ (*biol.*) n. ⚑ eteromorfismo || **heteromor-**

-phic, heteromorphous a. eteromorfo.

heteronomy /hetəˈrɒnəmɪ/ (*filos.*) n. ⚑ eteronomia || **heteronomous** a. eteronomo.

heteronym /ˈhetərəʊnɪm/ (*ling.*) n. eteronimo || **heteronymous** a. eteronimo ● **heteronymous relationship**, eteronimia.

heterophony /hetəˈrɒfənɪ/ n. ⚑ (*mus., stor.*) eterofonia.

heterophoria /hetərəʊˈfɔːrɪə/ n. ⚑ (*med.*) eteroforia.

heterophylly /ˈhetərəʊfɪlɪ/ (*bot.*) n. ⚑ eterofillia || **heterophyllous** a. eterofillo.

heterophyte /ˈhetərəʊfaɪt/ n. (*bot.*) eterofita.

heteropolar /hetərəʊˈpəʊlə(r)/ a. (*chim.*) eteropolare.

heteroscedastic /hetərəʊskɪˈdæstɪk/ a. (*stat.*) eteroschedastico.

heterosex /ˈhetərəʊseks/ n. ⚑ (abbr. *fam.* di **heterosexuality**) eterosessualità.

heterosexism /hetərəʊˈseksɪzəm/ n. ⚑ eterosessismo (*discriminazione o pregiudizio nei confronti di chi non è eterosessuale*).

heterosexual /hetərəˈsekʃʊəl/ (*biol.*) a. e n. eterosessuale || **heterosexuality** n. ⚑ eterosessualità.

heterosis /hetəˈrəʊsɪs/ n. ⚑ (*biol.*) eterosi; vigore degli ibridi.

heterothermic /hetərəʊˈθɜːmik/ a. (*zool.*) eterotermo.

heterotic /hetəˈrɒtɪk/ a. (*biol., fis.*) eterotico: **h. superstring theory**, teoria eterotica delle superstringhe.

heterotopy /hetəˈrɒtəpɪ/ n. ⚑ (*med.*) eterotopia.

heterotransplant /hetərəʊˈtrænsplɑːnt/ n. (*med.*) eterotrapianto.

heterotroph /ˈhetərəʊtrəʊf/ (*biol.*) n. organismo eterotrofo || **heterotrophic** a. **1** eterotrofico **2** eterotrofo || **heterotrophy** n. ⚑ (*biol.*) eterotrofia.

heterozygote /hetərəʊˈzaɪgəʊt/ (*biol.*) n. eterozigote || **heterozygosity** n. ⚑ eterozigosi || **heterozygous** a. eterozigote.

het up /ˈhet ʌp/ a. (*slang*) **1** arrabbiato; adirato; in collera **2** eccitato; nervoso; teso ● **to get het up about st.**, scaldarsi per qc.; (*fig.*) fare una tragedia di qc.

heuristic /hjʊəˈrɪstɪk/ a. (*filos., mat.*) euristico | **-ally** avv.

heuristics /hjʊəˈrɪstɪks/ n. pl. (col verbo al sing.) euristica.

to **hew** /hjuː/ (pass. **hewed**, p. p. **hewed**, **hewn**) Ⓐ v. t. tagliare; spaccare, fendere (*con l'ascia, la spada, ecc.*): to hew wood, spaccare la legna Ⓑ v. i. dare colpi d'ascia; tirare fendenti ● **to hew down a tree**, abbattere un albero (con l'ascia) □ **to hew out**, scavare (*tagliando la roccia, ecc.*); (*scult.*) sbozzare, sgrossare (*una statua, ecc.*) □ **to be hewn out of** (*o* **from**), essere ricavato da: *The temple was hewn out of rock*, il tempio è stato ricavato dalla (*o* scavato nella) roccia □ **to hew a path through the undergrowth**, aprirsi un sentiero nel sottobosco (*tagliando arbusti, ecc.*) □ (*USA*) **to hew to**, conformarsi, adeguarsi a: **to hew to the line**, stare alle regole; rigar dritto □ **hewn stone**, pietra lavorata; concio □ **hewn timber**, legname squadrato rozzamente.

hewer /ˈhjuːə(r)/ n. **1** spaccalegna; taglialegna **2** (*ind. min.*) tagliatore (*del carbone*).

hewn /hjuːn/ p. p. di **to hew**.

hex① /heks/ n. (*fam. USA*) **1** incantesimo; fattura (*fam.*); malocchio: **to put a hex on sb.**, gettare il malocchio su q.; fare il malocchio a q. **2** stregone; affatturatore **3** fattucchiera.

hex② abbr. **1** (*comput.*, **hexadecimal**) esadecimale **2** (**hexagonal**) esagonale ●

(*mecc.*) **hex nut**, dado esagonale.

to **hex** /heks/ v. t. (*fam. USA*) fare una fattura a (q.); gettare il malocchio su (q. *o* qc.).

hexachord /ˈheksəkɔːd/ n. (*mus.*) esacordo.

hexadecimal /heksəˈdesɪml/ a. (*comput.*) esadecimale: **h. digit**, cifra esadecimale.

hexagon /ˈheksəgən/ (*geom.*) n. esagono || **hexagonal** a. esagonale.

hexagram /ˈheksəgræm/ n. stella a sei punte; stella di David.

hexahedron /heksəˈhiːdrən, -ˈhed-/ (*geom.*) n. (pl. **hexahedrons**, **hexahedra**) esaedro || **hexahedral** a. esaedrico.

hexameter /hekˈsæmɪtə(r)/ (*poesia*) n. esametro: **dactylic h.**, esametro dattilico || **hexametric** a. **1** di esametro **2** scritto in esametri.

hexane /ˈheksein/ n. (*chim.*) esano.

hexapod /ˈheksəpɒd/ (*zool.*) Ⓐ a. (*di insetto*) esapodo Ⓑ n. **1** insetto **2** (pl.) esapodi.

hexastyle /ˈheksəstaɪl/ (*archit.*) Ⓐ a. esastilo: **h. portico**, portico esastilo Ⓑ n. portico esastilo; facciata esastila.

hexavalent /heksəˈveɪlənt/ a. (*chim.*) esavalente.

hexose /ˈheksəʊz/ n. ⚑ (*chim.*) esosio.

hex wrench /ˈheks rentʃ/ n. (*tecn.*) brugola.

◆**hey** /heɪ/ inter. (*di richiamo, sorpresa, interrogazione*) ehi!; olà! ● (*fam. GB*) **hey presto**, op là!; voilà! (*franc.*); (come per) magia ● (*fam. ingl. sett.*) **Hey up!**, ehi!; (*anche*) ciao!, salve! □ (*fam. USA*) **What the hey!** = **What the hell!** → **hell**.

heyday /ˈheɪdeɪ/ n. pieno rigoglio; fiore, primavera (*fig.*); apice; apogeo: **in the h. of youth**, nel fiore degli anni; **the Elizabethan period in its h.**, l'età elisabettiana nel suo pieno rigoglio; *The photo shows her in her h.*, la foto la ritrae al massimo del suo splendore.

HF sigla (*fis.*, **high frequency**) alta frequenza (AF).

hf abbr. (**half**) mezzo; metà.

HG sigla (**His** *o* **Her**) **Grace** Sua Grazia (SG).

HGH sigla (*med.*, **human growth hormone**) ormone della crescita, somatotropina.

HGP sigla (*med.*, **Human Genome Project**) Progetto genoma umano.

HGV sigla (*GB*, **heavy goods vehicle**) autocarro.

HH sigla **1** (**His** *o* **Her**) **Highness** Sua Altezza **2** (*relig.*, **His Holiness**) Sua Santità (SS).

HHIS sigla (*Internet*, *telef.*, **head hanging in shame**) rosso di vergogna.

HHS sigla (*USA*, (**Department of**) **Health and Human Services**), Ministero della sanità.

◆**hi** /haɪ/ inter. **1** (*di richiamo*) ehi! **2** (*fam.*) ciao!; salve!: *Hi there!*, ehi, ciao! ❶ **NOTA**: *goodbye* → **goodbye** ❶ **NOTA**: *hello* → **hello** ❶ **NOTA**: *introductions* → **introduction**.

HI sigla (**Hawaii** (*o* **Hawaiian Islands**)) (Isole) Hawaii.

hiatus /haɪˈeɪtəs/ n. (pl. **hiatuses**, **hiatus**) **1** (*anat., geol., ecc.*) iato **2** (*fig.*) lacuna; vuoto.

to **hibernate** /ˈhaɪbəneɪt/ v. i. **1** (*zool.*) ibernare; svernare; passare l'inverno in letargo; essere ibernante **2** (*fig.*) oziare; poltrire.

hibernation /haɪbəˈneɪʃn/ n. ⚑ (*zool.*) ibernazione; letargo.

Hibernian /hɪˈbɜːnɪən/ a. e n. (*poet.*) irlandese.

Hibernicism /haɪˈbɜːnɪsɪzəm/ n. ⚑ espressione (*o* costume, ecc.) irlandese.

hibiscus /haɪˈbɪskəs/ n. ▢ (*bot.*, *Hibiscus*) ibisco.

hiccough, to **hiccough** /ˈhɪkʌp/ → **hiccup**, **to hiccup**.

hiccup /ˈhɪkʌp/ n. **1** singhiozzo, singulto (*nervoso*; *non di pianto*; *cfr.* **sob**) **2** – (the) **hiccups**, il singhiozzo: *I ate too quickly and got* (*the*) *hiccups*, ho mangiato troppo in fretta e mi è venuto il singhiozzo; **to have** (**the**) **hiccups**, avere il singhiozzo **3** (*fig.*) contrattempo; inconveniente; intoppo; disguido (*di poco conto*).

to **hiccup** /ˈhɪkʌp/ **A** v. i. singhiozzare; avere il singhiozzo; avere il singulto **B** v. t. – **to h. out**, dire singhiozzando.

hick /hɪk/ n. e a. (*fam. spreg. USA*) bifolco; contadino; campagnolo; provinciale; zoticone.

hickey /ˈhɪkɪ/ n. (*fam. USA*) **1** (segno di) succhiotto **2** foruncolo **3** aggeggio; coso.

hickory /ˈhɪkərɪ/ **A** n. **1** (*bot.*, *Carya*) hickory; noce americano **2** ▢ hickory (*il legno*) **3** (= **h. switch**) bacchetta di noce americano **B** a. attr. di noce americano.

hid /hɪd/ pass. e p. p. di **to hide**.

hidaeble /ˈhaɪdəbl/ a. celabile; nascondibile.

hidalgo /hɪˈdælgəʊ/ (*spagn.*) n. (pl. *hidalgos*) hidalgo; idalgo.

hidden /ˈhɪdn/ **A** p. p. di **to hide B** a. nascosto; ignoto; misterioso; riposto; segreto; occulto ● **a h. meaning**, un significato nascosto (*o riposto*) ● **h. agenda**, secondo fine; intenzioni segrete (*o rag.*) **h. assets**, attività occulte □ (*TV*) **h. camera**, telecamera nascosta □ (*leg.*) **h. defect**, vizio occulto □ (*comput.*) **h. file**, file nascosto □ (*econ.*) **h. economy**, economia sommersa ● **h. persuaders**, persuasori occulti (*fin.*) **h. reserves**, riserve occulte □ (*econ.*) **h. unemployment**, disoccupazione occulta | **-ly avv.** | **-ness n.** ▢.

hide ① /haɪd/ n. **1** nascondiglio (*da cui osservare animali selvatici*) **2** (*caccia*) posta; capanno; bótte.

hide ② /haɪd/ n. **1** ▢ pelle (*d'animale, conciata o no*); pellame; cuoio: **to tan hides**, conciare pelli **2** ▢ (*fam. scherz.*) pelle (*dell'uomo*): **to save one's h.**, salvare la pelle; cavarsela senza danno ● (*fam.*) **h. nor** (*o or*) **hair**, nessuna traccia; neanche l'ombra: *I haven't seen h. nor hair of her in years*, sono anni che di lei non vedo neanche l'ombra □ (*fam.*) **to have a thick h.**, avere la pelle dura □ (*fam., antiq.*) **to tan sb.'s h.**, frustare q.; (*anche*) conciare q. per le feste; dargliele, suonargliele (*fam.*).

◆to **hide** ① /haɪd/ (pass. *hid*, p. p. *hidden*, *hid*), **A** v. t. **1** nascondere; celare; occultare: *He hid the key under a flower-pot*, nascose la chiave sotto un vaso da fiori; **to h. one's face**, nascondere la faccia; coprirsi il volto; **to be hidden from view**, essere nascosto (alla vista) **2** tenere segreto; nascondere; celare; occultare: **to h. st. from sb.**, nascondere qc. a q.; **to h. one's feelings**, nascondere i propri sentimenti; dissimulare; **to h. one's disappointment**, celare il proprio disappunto; nascondere la propria delusione **B** v. i. nascondersi; celarsi: **to h. from sb.**, nascondersi da q. (*o per sfuggire a q.*) ● **to h.** (**oneself**) **away**, nascondersi; rifugiarsi; rimpiattarsi □ **to h. st. away**, nascondere (ben bene) qc. □ (*fig.*) **to h. behind st.** [**sb.**], trovare riparo dietro qc. [q.] □ **to h. one's head**, nascondersi la faccia (*per la vergogna*); (*fig.*) andare a nascondersi (*per la vergogna*) □ **to h. one's light under a bushel**, mettere la fiaccola sotto il moggio; tenere celate le proprie virtù □ **to h. oneself**, nascondersi; celarsi □ **to h. out** = **to h.** (**oneself**) **away** = *sopra*.

to **hide** ② /haɪd/ v. t. **1** spellare; scorticare; scuoiare **2** (*fam.*) frustare; picchiare; bastonare.

hide-and-seek /ˌhaɪdənˈsiːk/ n. nascondino; rimpiattino; nascondarella.

hideaway /ˈhaɪdəweɪ/ n. (*fam.*) nascondiglio; rifugio ● **h. bed**, letto a scomparsa; letto ribaltabile.

hidebound /ˈhaɪdbaʊnd/ a. **1** (*d'animale*) ridotto pelle e ossa; ossuto **2** (*fig.*) dalla mente ristretta; gretto; retrivo; reazionario.

hideous /ˈhɪdɪəs/ a. odioso; orrendo; orribile; ripugnante; repulsivo; rivoltante: **h. features**, fattezze ripugnanti; **a h. murder**, un orribile assassinio; **a h. noise**, un rumore orrendo | **-ly avv.** | **-ness n.** ▢.

hideout /ˈhaɪdaʊt/ n. nascondiglio; covo; tana (*di banditi, ecc.*).

hider /ˈhaɪdə(r)/ n. **1** chi si nasconde **2** dissimulatore, dissimulatrice.

hidey-hole, **hidy-hole** /ˈhaɪdɪhəʊl/ n. (*fam.*) rifugio; nascondiglio.

hiding ① /ˈhaɪdɪŋ/ n. **1** ▢ occultamento; il nascondere; l'esser nascosto **2** (= **h. place**) nascondiglio ● **to be in h.**, essere (*o tenersi*) nascosto □ **to go into h.**, nascondersi; darsi alla macchia.

hiding ② /ˈhaɪdɪŋ/ n. (*fam.*) bastonatura; legnate; botte; menata (*fam.*): **to give sb. a good h.**, dare a q. un sacco di legnate ● (*fam. GB*) **to be on a h. to nothing**, non avere speranze (di successo); (*anche*) avere tutto da perdere e niente da guadagnare.

to **hie** /haɪ/ v. i. (*poet. o scherz.*) affrettarsi; spicciarsi: *Hie thee*, affrettati!; spicciati!

hierarch /ˈhaɪərɑːk/ n. gerarca; (*spec.*) alto prelato.

to **hierarchize** /ˈhaɪərɑːkaɪz/ v. t. gerarchizzare.

hierarchy /ˈhaɪərɑːkɪ/ n. ▢ȼ gerarchia ● **hierarchical**, **hierarchic** a. gerarchico ● (*comput.*) **hierarchical database**, database gerarchico || **hierarchically** avv. gerarchicamente.

hieratic /ˌhaɪəˈrætɪk/, **hieratical** /ˌhaɪəˈrætɪkl/ a. ieratico; sacerdotale.

hierocracy /ˌhaɪəˈrɒkrəsɪ/ n. ▢ ierocrazia; gerocrazia; governo dei sacerdoti.

hieroglyph /ˈhaɪərəglɪf/ n. (*anche fig.*) geroglifico || **hieroglyphic A** a. **1** geroglifico **2** (*fig.*) illeggibile **B** n. pl. (col verbo al sing.) geroglifici || **hieroglyphical A** a. **1** geroglifico **2** (*fig.*) indecifrabile; illeggibile.

hierolatry /ˌhaɪəˈrɒlətrɪ/ n. ▢ culto dei Santi.

hierology /ˌhaɪəˈrɒlədʒɪ/ n. ▢ **1** ierologia **2** agiografia.

hieromancy /ˈhaɪərəmænsɪ/ n. ▢ ieromanzia.

Hieronymus /ˌhaɪəˈrɒnɪməs/ n. Gerolamo.

hierophant /ˈhaɪərəfænt/ (*stor. greca*) n. ierofante || **hierophantic** a. gerofantico.

hi-fi /ˈhaɪfaɪ/ a. e n. (pl. *hi-fis*) (*fam.*, *radio*, *mus.*) (ad) alta fedeltà; hi-fi ● **hi-fi** (**set**, *o* **system**), (impianto) hi-fi.

to **higgle** /ˈhɪgl/ v. i. mercanteggiare; tirare sul prezzo.

higgledy-piggledy /ˌhɪgldɪˈpɪgldɪ/ avv. e a. (messo) a catafascio; alla rinfusa; caotico.

◆**high** /haɪ/ **A** a. **1** alto; elevato; (*fig.*) grande; sommo, eminente, nobile; sublime: *The house is nine metres h.*, la casa è alta nove metri; (*fis.*, *radio*) **h. frequency**, alta frequenza; (*geogr.*) **h. latitudes**, alte latitudini; (*elettr.*) **h. tension**, alta tensione; **h. finance**, alta finanza; **at a h. speed**, a una velocità elevata; **a h. wall**, un muro alto; un'alta parete; **a h. mind**, un animo nobile; **a h. caste**, una casta alta (*per es.*, *in India*) **2** (*di suono*) acuto: **a h. tone**, un tono alto (*o acuto*) **3** (*di colore*) intenso, cupo; (*di luce*) forte **4** avanzato; inoltrato; pieno: **h. au-**

tumn, autunno inoltrato; *It was h. summer*, era piena estate **5** (*di carne*, *selvaggina*) frollo, stagionato; (*anche*) andato a male; passato; troppo frollo **6** (*fam.*) alticcio; brillo **7** (*fam.*) euforico; gasato; su di giri (*spec. per effetto della droga*); fatto, impasticcato (*fam.*): **to be h. on drugs**, essersi fatto **8** (*di un luogo*, *di un locale*, *e sim.*) ben frequentato; che ha una buona clientela **9** (*di un fiume*) in piena; gonfio **B** n. **1** altura; posizione elevata; livello alto **2** (*nei giochi di carte*) carta alta **3** (*meteor.*) area d'alta pressione; anticiclone **4** (*Borsa*, *fin.*) prezzo massimo; livello massimo; quotazione più alta; punta; picco: **highs and lows**, alti e bassi; massimi e minimi (*delle quotazioni*) **5** (*autom.*, *mecc.*) (la) marcia più alta: **to move into h.**, mettere (*o ingranare*) la quinta (*un tempo*: la quarta; *o comunque la marcia più alta*) **6** (*fam.*) euforia; alto: **highs and lows**, alti e bassi **7** (*slang*) sballo; eccitazione dovuta alla droga **8** = **the h. table** → *sotto* **C** avv. **1** in alto (*anche fig.*); in posizione elevata; in un grado alto; nella posizione più alta: **to aim h.**, avere grandi mire (*o aspirazioni*); puntare in alto **2** forte: **to play h.**, giocare forte; fare forti puntate **3** lussuosamente; nel lusso: **to live h.** (**on the hog**), vivere nel lusso; fare la bella vita (*fig.*) ● (*fam.*) **the H.** = **H. Street** (*spec. a Oxford*) → *sotto* □ **h. achiever**, (*a scuola*, *ecc.*) chi ottiene grandi risultati; campione; fuoriclasse □ **h. altar**, altar maggiore □ **h. and dry**, (*naut.*) arenato; incagliato; a secco; (*fig.*: *di persona*) nei guai, in difficoltà; in braghe di tela; abbandonato □ **h. and low**, (gente) di ogni condizione; ricchi e poveri; (avv.) dappertutto; per mari e per monti □ **h.-and-mighty**, arrogante; prepotente □ (*fam.*) **to be** (**as**) **h. as a kite**, essere ubriaco fradicio; essere completamente fatto (*di droga*); (*anche*) essere su di giri (*o eccitatissimo*) □ (*fam.*) **h.-backed chair**, sedia dallo schienale alto □ (*sport*) **h. ball**, palla alta □ (*ginnastica*) **h. bar**, sbarra □ (*autom. USA*) **h. beam**, fascio (di luce) di profondità □ (*autom.*) **h.-beams** (*o* **h.-beam headlights**), (fari) abbaglianti; luci di profondità □ (*fam. USA*) **h.-binder**, politico corrotto, faccendiere; (*anche*) sicario □ **h. born** (*o* **h.-born**) → **highborn** □ **h. bred** (*o* **h.-bred**) → **highbred** □ **h. chair**, seggiolone (*per bambini*) □ **H. Church**, «Chiesa Alta» (*la corrente più conservatrice e filocattolica della Chiesa anglicana*) □ **H. Churchman**, membro della «Chiesa Alta» □ **h.-class**, di prim'ordine, di prima qualità; d'alta classe: **h.-class goods**, merce di prim'ordine □ **a h. colour**, un colorito acceso □ **h.-coloured**, dai colori vivaci; dal colore acceso; (*di persona*) colorito, florido □ (*mil.*) **h. command**, comando supremo ● **a h. complexion**, una carnagione colorita □ (*arte*, *pitt.*) **h. contrast**, contrasto forte □ (*econ.*) **h. cost of living**, carovita □ **H. Court** (**of Justice**), Alta Corte di giustizia (*in Inghilterra e Galles: giudica spec. le cause civili più complesse*) □ (*in GB*, *form.*) **the H. Court of Parliament**, il Parlamento □ (*GB*) **h. day**, festività religiosa □ (*fam. GB*) **h. days and holidays**, occasioni speciali □ **h.-density**, ad alta densità □ (*biol.*) **h.-density lipoprotein**, (abbr. **HDL**) lipoproteina ad alta densità □ (*econ.*, *fin.*) **h. earners**, i percettori di redditi alti (*market.*) **h.-end**, di fascia (o di gamma) alta: **h.-end computers**, computer di fascia alta □ (*mil.*) **h. explosive**, esplosivo ad alto potenziale; **h.** explosivo □ **h. five**, il cinque (*segno di vittoria o di saluto*) □ **h. farming**, agricoltura intensiva □ (*radio*, *mus.*) **h. fidelity**, alta fedeltà ● (*di registratore*, *ecc.*) **h.-fidelity**, ad alta fedeltà; hi-fi □ (*fig.*) **h.-flier** (*o* **h.-flyer**), persona (dal grande potenziale) di successo; persona capace e ambiziosa; giovane in carriera (*di successo*; (*Borsa*) titolo che va forte □ **h. flying**, (*aeron.*) che vola in alto (*o ad alta*

highball | to highlight 587

quota); (*fig.*) capace e ambizioso, di successo □ **h.-flown**, (*di linguaggio, ecc.*) enfatico; ampolloso; altisonante □ (*elettron., radio*) **h.-frequency**, ad alta frequenza □ (*autom.*) **h. gear**, marcia alta; quinta (*un tempo*: quarta) velocità; presa diretta; (*fig.*) grande velocità □ (*ling.*) **H. German**, alto tedesco □ **h.-grade**, di qualità superiore; (*di esplosivo*) di elevata potenza □ **h. ground**, altura; (*fig.*, *in una discussione, ecc.*) posizione di vantaggio □ **h.-handed**, prepotente, autoritario; tirannico □ **h. hat**, cappello a cilindro □ **h.-hat**, (*fam. USA*) persona altezzosa, snob; (agg.) altezzoso, snobistico □ **h. heels**, tacchi alti; scarpe con tacco alto □ **h. hopes**, forti speranze □ **to be h. in office**, occupare una posizione di rilievo □ (*fam. antiq.*) **h. jinks**, allegria sfrenata; baldoria □ (*sport*) **h. jump**, salto in alto □ (*sport*) **h. jumper**, saltatore in alto □ (*sport*) **h. jumping**, salto in alto □ **h.-keyed**, (*mus.*) acuto; (*fig.*) eccitabile, nervoso □ **h.-level**, ad alto livello; (*di personale*) di grado elevato; (*di rifiuti radioattivi*) ad alta attività: (*comput.*) **h.-level language**, linguaggio ad alto livello; linguaggio avanzato □ **h. life**, bella vita (*fig.*), vita lussuosa; (*anche*) gran mondo; alta società □ **h. light** → **highlight** □ **h. living**, bella vita (*fig.*); vita lussuosa □ **h.-maintenance** (agg.), che richiede molta manutenzione; delicato; (*fig. fam.*: *di persona*) difficile, capriccioso □ (*relig.*) **H. Mass**, messa grande (*o* solenne) □ **h.-mettled**, (*di cavallo*) focoso; (*d'uomo*) coraggioso, intrepido □ **h.-minded**, magnanimo; di nobili sentimenti □ **h.-mindedness**, magnanimità; nobiltà d'animo □ (*di indumento*) **h.-necked**, accollato □ **h. noon**, mezzogiorno; (*fig.*) apice, culmine, vertice □ (*ind., chim.*) **h.-octane**, ad alto numero di ottani □ (*fam.*) **to have a h. old time**, divertirsi un mondo; spassarsela □ **to be h. on st.**, andare pazzo per qc.; essere entusiasta (*di fare qc.*) □ **to be h. on drugs**, essere sotto l'effetto della droga; essere completamente fatto □ **to be h. on whisky**, essere sbronzo di whisky □ (*fin.*: *di un investimento, ecc.*) **h.-paying**, altamente remunerativo □ **h.-pitched**, (*di suono*) acuto; (*di tetto*) aguzzo, con una forte pendenza □ **h. point**, punto alto; (*fig.*) momento culminante (*di uno spettacolo, ecc.*); clou (*franc.*) □ (*chim.*) **h. polymer**, polimero ad alto peso molecolare □ **h.-powered**, (*anche elettr.*) ad alta potenza; (*fig.*) potente, influente, dinamico, efficace; (*di mansione, ecc.*) di grande responsabilità □ (*autom., mecc.*) **a h.-powered engine**, un motore di grande potenza; **a h.-powered job**, un posto di grande responsabilità □ **h. pressure**, (*tecn., meteor.*) alta pressione; (*fig.*) forte pressione □ **h.-pressure**, (*tecn.*) ad alta pressione; (*mecc.*: *di un cilindro, ecc.*) che resiste alle alte pressioni; (*fig.*) che esercita una forte pressione, insistente, pressante; (*anche*) intenso, stressante □ (*market.*) **h.-priced**, dal prezzo elevato; costoso: (*Borsa*) **h.-priced shares**, titoli pesanti □ **h. priest**, gran sacerdote (*anche fig.*) □ **h. priestess**, gran sacerdotessa (*anche fig.*) □ **h.-principled**, di nobili (*o* di alti) princìpi □ **h. profile**, (*geogr.*) profilo alto (*di una costa, ecc.*); (*fig.*) alto profilo (*angl.*); alto livello; tono maggiore; grande rilievo (*o* rilevanza) □ (*fig.*) **h.-profile**, di alto profilo (*angl.*); di primo piano, di alto livello, in tono maggiore, di tutto rilievo; (fatto) alla grande (*fam.*): **a h.-profile campaign**, una campagna (*elettorale o pubblicitaria*) in tono maggiore; **a h.-profile position**, una posizione di tutto rilievo □ **h.-ranking**, di grado elevato: **the highest-ranking state officials**, le massime cariche istituzionali □ **h.-reaching**, che mira in alto; ambizioso □ (*arte*) **h. relief**, altorilievo □ (*comput.*) **h.-resolution display**, schermo ad alta risoluzione □ (*edil.*) **h.-rise**, (agg.) (*di un edificio*) alto, a molti piani; (sost.) edificio a molti piani; piccolo grattacielo □ **h.-rise handlebars**, manubrio alto (*di bici, ecc.*) □ **h.-risk**, ad alto rischio: **h.-risk patients**, pazienti ad alto rischio □ **h. road**, (*antiq.*) strada principale, strada maestra; (*fig.*) strada maestra, via (più diretta); **the h. road to success**, la strada maestra (*o* la via) per il successo □ **the (moral) h. road**, la strada (moralmente) più corretta: *The party took the moral h. road and disclosed the scandal*, il partito scelse la strada più corretta (*o* scelse la trasparenza) e rivelò lo scandalo □ (*fam. USA*) **h. roller**, forte giocatore (*o* scommettitore); (*anche*) spendaccione, chi sperpera soldi nei vizi □ **h. school**, (*in GB*) scuola secondaria (*inferiore o superiore*); (*in USA*) scuola secondaria superiore; (*balletto, equit., ecc.*) alta scuola □ (*naut.*) **the h. seas**, il mare aperto; gli oceani; le acque extraterritoriali □ (*tur.*) **h. season**, alta stagione □ **h. sheriff** → **sheriff** □ **h. society**, l'alta società; il gran mondo □ **h.-sounding**, sonoro; altisonante □ **h. speed**, alta velocità; (*mecc., autom.*) quarta (*o* quinta) velocità; presa diretta □ **h.-speed**, ad alta velocità; ad azione rapida: (*elettron.*) **h.-speed oscilloscope**, oscilloscopio ad alta velocità; **h.-speed relay**, relè ad azione rapida □ **H. Speed Train** (abbr. **HST**) **power car**, motrice di treno ad alta velocità □ **h.-spirited**, allegro, brioso, vivace; (*di cavallo*) focoso, ombroso □ **h. spirits**, buonumore; euforia: **to be in h. spirits**, essere di buonumore; essere euforico (*o* su di giri) □ **h. spot** = **h. point** → *sopra* □ (*nei giochi e fig.*) **h. stakes**, posta forte; posta in gioco alta □ (*ingl.*) **h. street**, corso, via principale; (*fig.*) il centro (*della città*); (*fig.*) il commercio □ (*ingl.*) **h.-street** (agg.), del centro, centrale; (*fig.*) commerciale; (*anche*) per la massa: **h.-street shops**, i negozi del centro; **h.-street products**, prodotti per la massa □ (*ingl.*) **h.-street bank**, banca di credito ordinario □ (*USA*) **h.-strung** = **highly-strung** → **highly** □ **the h. table**, la tavola dei professori (*nei refettori dei college*); il tavolo d'onore (*in un banchetto ufficiale*) □ (*in GB*) **h. tea**, pasto leggero nel tardo pomeriggio, che sostituisce la cena □ (*fam.*) **h.-tech** (abbr. di **h.-technology**), high-tech; ad alto contenuto tecnologico; a tecnologia avanzata: **h.-tech furniture**, mobili high-tech; (*fin.*) **h.-tech securities**, titoli tecnologici; titoli di imprese ad alto contenuto tecnologico; **h.-tech industries**, industrie a tecnologia avanzata □ (*ind.*) **h.-technology**, ad alto contenuto tecnologico; a tecnologia avanzata □ **h.-temperature material**, materiale resistente ad alte temperature □ (*elettr.*) **h.-tension line**, linea ad alta tensione □ **h. tide**, alta marea; (*fig.*) apice, culmine □ **h. time**, (l') ora (*di fare qc.*); il momento giusto: *It's h. time (that) we left*, è ora che ce ne andiamo! □ (*fig.*) **h.-toned**, elevato; nobile; (*fam. USA*) altolocato, snob □ (*di scarpe sportive*) **h.-top**, che coprono la caviglia □ **h.-tops**, scarpe sportive che coprono la caviglia; (*spec.*) scarpe da basket □ (*leg.*) **h. treason**, alto tradimento □ (*fam.*) **h.-ups** → **high-up** □ (*elettr.*) **h. voltage**, alta tensione □ (*econ.*) **h. wages**, salari elevati □ **h. water**, alta marea □ **h.-water mark**, livello di piena; livello dell'alta marea; (*fig.*) punto più alto, livello massimo, apice, culmine □ **a h. wind**, un forte vento □ **h. words**, parole grosse; accenti d'ira □ (*Borsa, fin.*) **h. yielders**, titoli ad alto rendimento □ (*antiq. o spreg. USA*) **h. yellow**, persona mulatta di carnagione quasi bianca □ **to fly h.**, volare in alto (*o* ad alta quota); (*fig.*) avere successo □ **from on h.**, dall'alto; dal cielo □ (*fam.*) **to get off [get on] one's h. horse** → **horse** □ (*di prezzi ecc.*) **to go h.**, andare su; salire □ **to be in h. favour (with sb.)**, essere molto stimato (da q.) □ **in h. places**, negli (*o* in) ambienti elevati, nelle alte sfere; (*di persona*) altolocato: **people in h. places**, (le) persone altolocate □ (*relig.*) **the Most H.**, l'Altissimo; Dio □ **on h.**, in alto; in cielo □ (*di sentimenti e sim.*) **to run h.**, essere al massimo (*o* alle stelle); divampare: *Discontent ran h.*, divampava lo scontento.

highball /ˈhaɪbɔːl/ **n.** (*fam. USA*) **1** highball; bevanda alcolica (*di solito, whisky*) allungata con seltz **2** (*ferr.*) segnale di via libera **3** (*ferr.*) treno espresso ● **h. glass**, bicchiere alto; highball.

to **highball** /ˈhaɪbɔːl/ **v. i.** (*slang USA*) andare forte (*o* a tutta birra); andare sparato.

highboard /ˈhaɪbɔːd/ **n.** (*sport*) trampolino rigido (*per i tuffi*).

highborn /ˈhaɪbɔːn/ **a.** d'alto lignaggio; di nobili natali.

highboy /ˈhaɪbɔɪ/ **n.** (*USA*) cassettone alto; canterano.

highbred /ˈhaɪbrɛd/ **a. 1** di nobili natali **2** bene educato; raffinato; fine **3** (*di animale*) di buona razza.

highbrow /ˈhaɪbraʊ/ (*spesso spreg.*) **A** **n.** intellettuale; intellettualoide (*spreg.*) **B** **a.** culturale; intellettuale; cerebrale ● **h. culture**, cultura 'alta'; cultura con la C maiuscola.

higher /ˈhaɪə(r)/ **A** **a.** (compar. di **high**) superiore; più elevato: (*zool.*) **the h. apes**, le scimmie superiori ● **h. degree**, laurea di secondo grado; dottorato di ricerca □ **h. education**, istruzione universitaria □ (*fam.*) **the h.-ups**, i superiori; i capi; quelli che contano (*o* che comandano) **B** **n.** (**Higher**) (*in Scozia*) esame di scuola secondaria superiore sostenuto all'età di 17 anni.

highest /ˈhaɪɪst/ **a.** (superl. relat. di **high**) massimo; (il) più elevato; (il) più alto ● (*comm.*) **the h. bidder**, il miglior offerente □ (*mat.*) **h. common factor**, massimo comun divisore.

highfalutin /haɪfəˈluːtɪn/, (*fam.*) **highfaluting** /haɪfəˈluːtɪŋ/ **A** **n.** [CU] discorso ampolloso; parole pompose **B** **a.** ampolloso; pomposo; pretenzioso.

high-flown, **highflown** /ˈhaɪfləʊn/ **a. 1** ampolloso; pomposo; enfatico; roboante; altisonante **2** stravagante; eccentrico.

to **high-hat** /ˈhaɪhæt/ **v. t.** (*fam. USA*) trattare dall'alto al basso; umiliare; snobbare.

highland /ˈhaɪlənd/ **A** **n.** (*geogr.*) **1** altopiano; regione montuosa **2** (al pl. = **the Highlands**) la regione degli altipiani scozzesi (*nella parte settentrionale del paese*); le Highlands della Scozia **B** **a. attr.** dell'altopiano; montano ● (*geogr.*) **H. Britain**, le regioni montuose della Gran Bretagna □ **H. cattle**, bestiame di razza Highland □ (*stor.*) **the H. Clearances**, l'allontanamento forzato della popolazione rurale di parte delle Highlands nei secoli XVIII e XIX (*da parte dei proprietari terrieri, per destinare la terra all'allevamento delle pecore*) □ (collett.; *moda, in GB*) **H. dress**, abbigliamento da scozzese delle Highlands (*kilt, ecc.*).

highlander /ˈhaɪləndə(r)/ **n.** montanaro (*spec. scozzese*).

Highlander /ˈhaɪləndə(r)/ **n. 1** (*geogr.*) abitante delle «Highlands» **2** (*mil.*) soldato (*o* ufficiale) di un reggimento scozzese di Highlanders.

♦**highlight** /ˈhaɪlaɪt/ **n. 1** (*fotogr., arte*) parte lumeggiata; lumeggiatura **2** (*fig.*, spesso al pl.) parte migliore; cosa (*o* avvenimento, personaggio) in vista; notizia di rilievo **3** (*fig.*) punto culminante; momento saliente; clou (*franc.*) **4** (pl.) (*sport*) sintesi (*in TV*) **5** (di solito al pl.) striature nei capelli; colpi di sole; mèches (*franc.*).

to **highlight** /ˈhaɪlaɪt/ **v. t. 1** lumeggiare (*anche fig.*); dar rilievo a; far risaltare; mettere in evidenza (*o* in luce); evidenziare **2** evidenziare (*con un evidenziatore o al compu-*

a b c d e f g h i j k l m n o p q r s t u v w x y z

ter): **highlighted text**, testo evidenziato **3** dare colpi di sole a (*capelli*) • **to h. one's hair**, farsi (fare) le mèches.

highlighter /'haɪlaɪtə(r)/ n. **1** evidenziatore; chi evidenzia **2** evidenziatore (*penna speciale per evidenziare parti d'un testo*) **3** cosmetico che serve a dare più luce al viso.

♦**highly** /'haɪlɪ/ avv. **1** altamente; estremamente; in sommo grado; assai, molto; bene: **h. interesting**, assai interessante; **a h. paid manager**, un dirigente ben retribuito **2** in alto (*fig.*); in una posizione elevata; con un grado: **to be h. placed**, avere un grado alto **3** nobilmente □ **h.-descended**, di nobili origini; d'alto lignaggio □ **h. regarded**, tenuto in grande considerazione (*o in grande stima*) □ (*fig., di una persona, spec. GB*) **h.-strung**, eccitabile; ipersensibile; con i nervi a fior di pelle □ **to commend sb. h.**, fare grandi elogi a q. □ **to speak h. of sb.**, parlare favorevolmente di q.; dire molto bene di q. □ **to think h. of sb.**, avere molta stima di q.; tenere q. in grande considerazione □ **to think h. of oneself**, avere un'alta opinione di sé.

highness /'haɪnəs/ n. altezza (*fig.*); elevatezza; nobiltà: **His Royal H.**, Sua Altezza Reale; (*a un principe, ecc.*) **Your H.**, Altezza!

highroad /'haɪrəʊd/ = **high road** → **high**.

to **hightail** /'haɪteɪl/ (*fam. USA*) **A** v. i. (*anche* **to h. it**) tagliare la corda; filarsela (alla svelta); battersela **B** v. t. (*autom.*) tallonare (*un altro veicolo*).

high-up /'haɪˈʌp/ (*USA*) **higher-up** /haɪərˈʌp/ n. (pl. **high-ups**, **higher-ups**) (*GB, fam.*) pezzo grosso (*fig.*); grosso calibro (*fig. fam.*); uno molto in alto: **the high-ups**, le alte sfere; i grossi calibri (*fig. fam.*).

high-vis /haɪˈvɪz/ (abbr. *per* **high visibility**) a. ad alta visibilità: **high-vis jacket**, giubbotto ad alta visibilità.

♦**highway** /'haɪweɪ/ n. **1** strada pubblica; strada maestra (*anche fig.*); via: **the h. to success**, la strada maestra (*o la via*) del successo **2** strada di grande comunicazione; strada principale **3** (*naut.*) rotta principale **4** (*USA*) autostrada □ (*autom.*) **the H. Code**, il codice della strada □ **h. police**, polizia della strada □ (*USA*) **h. robbery**, rapina sulla pubblica via; (*fig.*) furto: *That's h. robbery!*, è un furto!

highwayman /'haɪweɪmən/ n. (pl. **highwaymen**) (*stor.*) bandito; rapinatore; brigante.

HIH sigla (**His** (*o* **Her**) **Imperial Highness**) Sua Altezza Imperiale.

hijab /hɪˈdʒɑːb/ n. hijab; velo (*delle donne islamiche*).

hijack /'haɪdʒæk/ n. **1** atto di pirateria (*aerea o navale*); dirottamento **2** furto di merce (*durante il trasporto*); furto violento (*di automezzi*).

to **hijack** /'haɪdʒæk/ v. t. **1** dirottare (*un aereo, ecc.*) **2** (*fam.*) rubare con la forza (*merce di contrabbando, durante il trasporto, ecc.*) **3** depredare, derubare, rapinare (*contrabbandieri e sim.*).

hijacker /'haɪdʒækə(r)/ n. **1** dirottatore; pirata (*d'aerei*) **2** (*fam.*) chi depreda, deruba, rapina (→ **hijack**).

hijacking /'haɪdʒækɪŋ/ n. ⓤ dirottamento (*d'aerei, ecc.*); pirateria aerea.

Hijra /'hɪdʒrə/ → **Hegira**.

hike /haɪk/ n. (*fam.*) **1** escursione, gita a piedi (*in campagna, nei boschi, ecc.*) **2** (*fam., spec. USA*) aumento; (*fin., anche*) impennata: **a h. in production**, un aumento della produzione; **a price h.**, un'impennata dei prezzi; (*econ., fam.*) **wage h.**, aumento salariale • (*fam.*) **Go take a h.!**, vattene!; va' a quel paese!

to **hike** /haɪk/ (*fam.*) **A** v. i. andare in gita;

fare un'escursione a piedi **B** v. t. **1** percorrere (*una certa distanza*) a piedi **2** (*fam. spec. USA*) aumentare, alzare (*affitti, salari, ecc.*) • (*fam., spec. USA*) **to h. up**, alzare, sollevare, tirare su: **to h. up one's skirt**, tirarsi su la gonna.

hiker /'haɪkə(r)/ n. chi va in gita (*a piedi*); escursionista.

hiking /'haɪkɪŋ/ n. ⓤ escursionismo: *We're going h. in the Spanish Pyrenees with some friends*, andiamo a fare un'escursione sui Pirenei spagnoli con degli amici.

hilarious /hɪˈleərɪəs/ a. **1** ilare; giulivo; allegro **2** divertente; che fa ridere; spassoso | **-ly** avv. | **-ness** n. ⓤ.

hilarity /hɪˈlærɪtɪ/ n. ⓤ ilarità.

Hilary /'hɪlərɪ/ n. **1** Ilario o Ilaria • (*in GB*) **H. term**, trimestre dell'anno accademico che inizia a gennaio (*spec. a Oxford*).

♦**hill** /hɪl/ n. **1** collina; colle; altura; poggio **2** cumulo; mucchio; montagnola **3** pendio; china; salita **4** (*sci*) torre per trampolino **5** – (*fig. in USA*) **the H.** (= **Capitol H.**), il Campidoglio (*la sede del Congresso*) • (*in GB*) **h. figure**, figura incisa sul fianco di una collina (*spec. di gesso*) □ **h. fort**, altura fortificata preistorica □ (*fam. USA*) **a h. of beans**, un fico secco; una cicca: *This project isn't worth a h. of beans*, questo progetto non vale un fico secco □ (*stor., nell'India britannica*) **h. station**, località collinare di villeggiatura (*nella stagione calda*) □ **as old as the hills**, vecchissimo □ (*fig.*) **to be over the h.**, non essere più giovane; stare scendendo la china □ (*poet. o scherz.*) **up h. and down dale**, per monti e per valli.

hillbilly /'hɪlbɪlɪ/ n. **1** (*di solito, spreg.; antiq.*) montanaro rozzo (*del sud-est degli Stati Uniti*) **2** semplicciotto; babbeo **3** musica country e western.

hillcrest /'hɪlkrest/ n. cresta di una collina.

hilliness /'hɪlɪnəs/ n. ⓤ carattere collinoso (*del terreno*); montuosità.

hillock /'hɪlək/ n. **1** collinetta; monticello; poggio **2** montagnola; cumulo di terra.

hillside /'hɪlsaɪd/ n. pendio (*o fianco, costa*) di colle.

hilltop /'hɪltɒp/ n. cima (*o vetta, cocuzzolo*) di una collina.

hilly /'hɪlɪ/ a. collinoso; collinare: **a h. district**, una zona collinare.

hilt /hɪlt/ n. **1** elsa; impugnatura (*di spada, ecc.*) **2** manico (*di coltello*) • (**up**) **to the h.**, fino all'elsa; (*fig.*) fino in fondo, completamente.

to **hilt** /hɪlt/ v. t. fornire d'elsa; mettere l'impugnatura (*o il manico*) a (*qc.*).

hilum /'haɪləm/ n. (pl. **hila**) (*anat., bot.*) ilo.

♦**him** /hɪm, əm/ pron. pers. 3ª pers. sing. m. **1** (compl.) lui; lo; gli: *I met him yesterday*, l'ho incontrato ieri; *I saw him, not her*, vidi lui, non lei; *Tell him!*, diglielo! **2** (pred.) lui: *That's him!*, è lui!; eccolo!; *Was that him?*, era lui? **3** (colloquiale; seguito dalla forma in **-ing**, e idiom.; per es.:) *I object to him coming here*, non mi garba che venga qui; *They don't mind him leaving home*, a loro non importa che se ne vada da casa • **He took his son with him**, prese con sé il figlio □ **He looked about him**, si guardò intorno □ *It was very kind of him*, è stato molto gentile da parte sua.

HIM sigla (**His** (*o* **Her**) **Imperial Majesty**) Sua Maestà Imperiale.

Himalayan /hɪməˈleɪən/ a. himalayano.

♦**himself** /hɪmˈself, ɪm-/ **A** pron. rifl. 3ª pers. m. sing. sé stesso; si: *He hurt h.*, si fece male; *He should be pleased with h.*, dovrebbe esser soddisfatto di sé (stesso); *My brother has bought h. a new car*, mio fratel-

lo si è comprato la macchina (nuova) **B** pron. enfat. (egli) stesso; lui stesso; in persona; proprio; per l'appunto: *He did it h.*, l'ha fatto egli stesso; *I met the headmaster h.*, incontrai il preside in persona **C** n. sé stesso; lui; sé: *After the long illness, he is h. again*, dopo la lunga malattia, è di nuovo lui (*o quello di prima*) • (**all**) **by h.**, da sé; (da) solo: *He did it all by h.*, lo ha fatto da sé; *He was all by h.*, era tutto solo (*o solo soletto*).

hind① /haɪnd/ n. (*zool.*) cerva (*spec. di tre anni o più*).

hind② /haɪnd/ a. posteriore; di dietro: **the h. legs of an animal**, le zampe posteriori d'un animale • (*fam.*) **to talk the h. legs off a donkey**, straparlare; essere un gran chiacchierone.

hindbrain /'haɪndbreɪn/ n. ⓤ (*anat.*) rombencefalo; sezione caudale dell'encefalo.

hinder① /'haɪndə(r)/ a. posteriore; di dietro.

to **hinder**② /'haɪndə(r)/ v. t. **1** inceppare; intralciare; ostacolare; impacciare: *Don't h. his work*, non intralciare il suo lavoro! **2** impedire: *His worries h. him from sleeping*, le sue preoccupazioni gli impediscono di dormire.

hindermost /'haɪndəməʊst/ → **hindmost**.

Hindi /'hɪndɪ/ **A** a. e n. (pl. **Hindis**) hindi **B** n. ⓤ hindi (*la lingua*).

hindmost /'haɪndməʊst/ a. (superl. di **hind**) (il) più indietro; (l') ultimo • (*prov.*) (**Every man for himself**) **and the devil take the h.!**, ciascuno per sé e Dio per tutti!; gli altri si arrangino!

Hindoo /'hɪnduː/ e deriv. → **Hindu** e deriv.

hindquarters /'haɪndkwɔːtəz/, **hindquarter** /'haɪndkwɔːtə(r)/ n. **1** quarto posteriore (*di bestia macellata*) **2** (pl.) (il) posteriore (*spec. di un quadrupede*).

hindrance /'hɪndrəns/ n. ostacolo; impedimento; intralcio; impaccio: **a h. to commerce** [**navigation**], un intralcio al commercio [alla navigazione]; **to be more of a h. than a help**, essere più di intralcio che di aiuto; **without h.**, senza impedimento; senza intralcio.

hindsight /'haɪndsaɪt/ n. **1** (*mil.*) mirino posteriore (*di fucile, ecc.*); tacca di mira **2** ⓤ senno di poi: **with** (**the wisdom** *o* **the benefit of**) **h.**, col senno di poi.

Hindu /'hɪnˈduː, 'hɪnduː/ (*geogr., relig.*) **A** n. **1** indù **2** induista **B** a. **1** indù **2** (*per estens.*) indiano.

Hinduism /'hɪnduːɪzəm/ n. ⓤ (*relig.*) induismo.

Hindustan /hɪnduˈstɑːn/ n. (*geogr.*) Hindustan; Indostan.

Hindustani /hɪnduˈstɑːnɪ/ **A** a. e n. (pl. **Hindustanis**) indostano **B** n. ⓤ hindustani (*la lingua*).

hinge /hɪndʒ/ n. **1** cardine; perno (*anche fig.*); ganghero: **the hinges of a door**, i cardini d'una porta **2** (*mecc.*) cerniera **3** (*filatelia*) linguella **4** (*zool.*) cerniera (*di valva di mollusco*) **5** (*anat.*; = **h. joint**) ginglimo; articolazione a cardine **6** ⓤ (*tecn.*) incernieramento □ (*mecc.*) **h. pin**, perno di incernieramento □ (*fig.*) **to be off the hinges**, (*di una porta*) essere fuori dai gangheri.

to **hinge** /hɪndʒ/ **A** v. t. **1** munire di cardini; incardinare **2** incernierare (*una porta*); provvedere (*un coperchio, ecc.*) di cerniera **B** v. i. (*di porta, ecc.*) girare sui cardini • (*fig.*) **to h. around**, ruotare intorno a; imperniarsi su □ (*fig.*) **to h. on** (*o* **upon**), dipendere da; (*anche*) imperniarsi su: *Everything hinges on* (*o upon*) *what he decides*, tutto dipende dalla sua decisione.

hinged /hɪndʒd/ a. **1** provvisto di cardini (*o di gangheri*) **2** (*archit., mecc.*) incernierato; a compasso • (*mecc., falegn.*) **h. joint**,

giunto a cerniera.

hinging /'hɪndʒɪŋ/ n. ⓤ (*tecn.*) incernieramento.

Hinglish /'hɪŋglɪʃ/ n. ⓤ (*ling.*) hinglish; inglese pieno di termini e costruzioni hindi.

hinky /'hɪŋkɪ/ a. (*fam. USA*) **1** sospettoso; timoroso **2** sospetto; dubbio; strano.

hinny /'hɪnɪ/ n. (*zool.*) bardotto.

to **hinny** /'hɪnɪ/ v. i. (*raro*) nitrire.

♦**hint** /hɪnt/ n. **1** accenno; allusione velata; vago indizio; insinuazione: **to drop a h.**, lasciar cadere (*o* buttar là) un'allusione; **to give a broad** (*o* **strong** *o* **heavy**) **h. that…**, far chiaramente capire che…; **to take a** (*o* **the**) **h.**, capire l'antifona **2** consiglio pratico; suggerimento; dritta (*fam.*) **3** accenno; traccia; idea; ombra; goccia: **a h. of garlic**, un'idea d'aglio; **a h. of a smile**, un accenno di sorriso.

to **hint** /hɪnt/ v. t. e i. accennare (a); alludere (a); insinuare; suggerire: *He hinted that he might be back late*, accennò alla possibilità di far tardi ● **to h. at st.**, accennare (*o* fare allusione) a qc.; insinuare (*o* suggerire) qc.

hinterland /'hɪntəlænd/ (*ted.*) n. **1** (*geol., polit., econ.*) hinterland; entroterra; retroterra **2** territorio incolto, selvaggio; regione inesplorata (*anche fig.*).

♦**hip** ① /hɪp/ n. **1** (*anat.*) anca **2** (*per estens.*) fianco: **to stand with one's hands on one's hips**, stare con le mani sui fianchi **3** (*archit.*) spigolo del tetto; colmo: **hip roof**, tetto a spigolo ● **hip bath**, semicupio (*anat.*) **hip bone**, osso iliaco □ **hip boots**, stivali da pescatore □ (*med.*) **hip dislocation**, lussazione dell'anca *o* **hip flask**, fiaschetta da tasca (*per liquore*) □ **hip joint**, (*anat.*) articolazione coxofemorale (*o* dell'anca); (*edil.*) giunto di colmo □ **hip pocket**, tasca posteriore (*dei calzoni*) □ **hip replacement**, operazione di protesi all'anca □ **hip shooter**, chi spara con la pistola all'anca; (*fig. fam.*) tipo precipitoso □ **hip surgery** = **hip replacement** → *sopra* □ (*med.*) **dislocated hip**, lussazione dell'anca □ (*fig. fam., scherz.*) **to be joined at the hip**, (*di due persone*) essere inseparabili □ (*fig. arc.*) **to have sb. on the hip**, tenere q. alla propria mercé (*o* in pugno) □ **to sway one's hips**, ancheggiare.

hip ② /hɪp/ n. (*bot.*) cinorrodo, cinorrodio; frutto della rosa canina.

hip ③ /hɪp/ a. (*slang*) **1** aggiornato; alla moda; al corrente; al passo con i tempi; che ha stile; stiloso **2** relativo alla cultura beat *o* hippy (*degli anni '50 in USA*) **3** appassionato di jazz (*degli anni '50*) ● **to be hip to st.**, essere aggiornato su (*o* informato di) qc. □ **hip cat**, tipo alla moda; individuo ganzo □ **hip chick**, una tipa alla moda ‖ **hipness** n. ⓤ l'essere aggiornato, alla moda, ecc.

to **hip** /hɪp/ v. t. (*slang*) mettere (q.) al corrente sulle tendenze più recenti; aggiornare, informare (q.).

hipbone /'hɪpbəʊn/ n. = **hip bone** → **hip**.

hip, hip, hurrah! /'hɪphɪphʊ'rɑː/ inter. evviva!

hip-hop /'hɪphɒp/ n. e a. attr. (*mus.*) hip-hop.

hiphuggers /'hɪphʌɡəz/ n. pl. (*USA*) = **hipsters** → **hipster**, *def. 4*.

hiplength /'hɪplɛŋθ/ a. attr. (*di una giacca, ecc.*) che arriva all'anca (*o* ai fianchi).

hipparch /'hɪpɑːk/ n. (*stor. greca*) ipparco.

hipped ① /hɪpt/ a. (nei composti, per es.:) (*anat.*) **broad-h.**, dal bacino ampio; dai fianchi larghi.

hipped ② /hɪpt/ a. – nella loc. (*slang spec. USA*) **to be h. on**, essere fanatico *o* entusiasta) di; essere un patito di; essere fissato con.

hippety-hop /'hɪppɪtɪhɒp/ avv. (*fam.*) a balzelloni.

hippie /'hɪpɪ/ → **hippy**.

hippiedom /'hɪpɪdəm/ n. ⓤ gli hippy; il mondo degli hippy; la cultura hippy.

hippiness /'hɪpɪnəs/ n. ⓤ l'essere hippy; condizione di hippy.

hippo /'hɪpəʊ/ n. (pl. *hippos*) (*zool.*) (abbr. *fam. di* **hippopotamus**) ippopotamo.

hippocampus /hɪpəʊ'kæmpəs/ n. (pl. *hippocampi*) **1** (*mitol.*) ippocampo; animale mezzo cavallo e mezzo pesce **2** (*zool., Hippocampus*) ippocampo; cavalluccio marino **3** (*anat.*) ippocampo.

Hippocrates /hɪ'pɒkrətiːz/ n. (*stor., med.*) Ippocrate ‖ **Hippocratic** a. ippocratico: (*med.*) **Hippocratic oath**, giuramento ippocratico (*o* di Ippocrate).

Hippocrene /hɪpəʊ'kriːnɪ/ n. (*mitol.*) Ippocrene.

hippodrome /'hɪpədrəʊm/ n. **1** (*stor., archeol.*) ippodromo **2** arena; circo **3** (*raro*) teatro di varietà.

hippogriff, hippogryph /'hɪpəʊɡrɪf/ n. (*mitol.*) ippogrifo.

hippology /hɪ'pɒlədʒɪ/ n. ⓤ ippologia ‖ **hippologist** n. ippologo.

Hippolyta /hɪ'pɒlɪtə/ n. (*mitol.*) Ippolita.

Hippolytus /hɪ'pɒlɪtəs/ n. (*mitol.*) Ippolito.

hippopotamus /hɪpə'pɒtəməs/ n. (pl. *hippopotamuses*, *hippopotami*) (*zool., Hippopotamus amphibius*) ippopotamo.

hippotherapy /hɪpəʊ'θɛrəpɪ/ n. ⓤ (*med.*) ippoterapia.

hippuric /hɪ'pjʊərɪk/ a. (*biochim.*) ippurico: **h. acid**, acido ippurico.

hippy /'hɪpɪ/ Ⓐ n. hippy Ⓑ a. attr. di (*o* da) hippy; hippy ‖ **hippyism** n. ⓤ (adesione al) movimento hippy.

hipster /'hɪpstə(r)/ n. **1** appassionato di jazz (*degli anni '50*) **2** persona al passo coi tempi; tipo alla moda; tipo stiloso (*fam.*) **3** hippy **4** (pl.) (*moda*) pantaloni aderenti e con la vita molto bassa.

hiptop® /'hɪptɒp/ n. (*comput.*) hiptop (*un tipo di palmare*).

hirable /'haɪərəbl/ → **hireable**.

hircine /'hɜːsaɪn/ a. (*lett.*) ircino; caprino.

hire /'haɪə(r)/ n. ⓤ **1** noleggio; nolo: **car h.**, noleggio d'automobili; **h. car**, auto da noleggio; **boats for h.**, barche da noleggio **2** affitto (*per breve tempo*): **the h. of a hall**, l'affitto di una sala **3** salario; paga **4** (= *hiring*) assunzione; impiego **5** (*USA*) neoassunto ● **h. purchase**, acquisto a rate; **to buy st. on h. purchase**, acquistare qc. a rate □ (*leg.*) **h.-purchase agreement**, contratto di locazione-vendita; accordo di vendita con patto di riservato dominio □ (*leg., market.*) **h.-purchase sale**, vendita a rate (*o* rateale); vendita con patto di riservato dominio □ (*market.*) **h.-purchase system**, sistema (*o* vendita *o* di acquisto) rateale □ **for h.**, da nolo, da noleggio; (*di una persona*) che si può assumere, disponibile; (*di un taxi*) libero □ (*market.*) **for h. or reward**, per conto terzi □ **to be in the h. of a big company**, essere alle dipendenze di una grande azienda □ **on h.**, a nolo; in affitto □ **«on h.»** (*cartello*), «a nolo»; «noleggio»; «affittasi».

♦to **hire** /'haɪə(r)/ v. t. **1** noleggiare; prendere a nolo; prendere in affitto: **to h. a horse** [**a car**], noleggiare un cavallo [un'automobile]; **to h. a hall for one evening**, prendere in affitto una sala per una sera **2** (*anche leg.*) assumere; impiegare; reclutare; dare lavoro a: **to h. a private detective**, assumere (*o* assoldare) un investigatore privato; **the right to h. and fire**, il diritto di assumere e di licenziare ● **to h. out**, noleggiare; dare a nolo; affittare □ **to h. oneself out**, offrire i propri servizi; impiegarsi, trovare lavo-

ro (*spec. stagionale o temporaneo*).

hireable /'haɪərəbl/ a. **1** (*di un bene*) noleggiabile **2** (*di una persona*) assumibile; reclutabile.

hired /'haɪəd/ a. **1** noleggiato; affittato; preso (*o* dato) a nolo **2** assunto; preso al servizio; impiegato ● **h. assassin**, sicario, assassino prezzolato (*USA*) **h. gun**, killer; assassino prezzolato; (*anche*) guardia del corpo, guardaspalle; (*fig.*) consulente assoldato per risolvere questioni complesse (*legali, finanziari, ecc.*) □ (*in USA*) **h. hand** (*o* **man**), bracciante agricolo (*stagionale*) □ (*leg.*) **h. person**, prestatore d'opera □ **h. soldier**, (soldato) mercenario.

hireling /'haɪəlɪŋ/ n. e a. (*spreg.*) (individuo) mercenario, prezzolato, venale.

hirer /'haɪərə(r)/ n. **1** noleggiatore, noleggiatrice **2** chi assume; datore di lavoro.

hi-res /haɪ'rɛz/ abbr. (**high-resolution**) (ad) alta risoluzione.

hiring /'haɪərɪŋ/ n. ⓤ **1** noleggio; nolo **2** assunzione; impiego (*di dipendenti*).

hirsute /'hɜːsjuːt, *USA* -suːt/ a. (*spesso scherz.*) irsuto (*spec. biol.*); ispido; peloso; villoso ‖ **-ness** n.

hirsutism /'hɜːsuːtɪzəm/ n. (*med.*) irsutismo.

♦**his** /hɪz, ɪz/ a. e pron. poss. (*rif. a possessore masch.*) **1** (il) suo, (la) sua, (i) suoi, (le) sue; di lui: *We saw him and his wife*, vedemmo lui e sua moglie; *Is this suitcase his or hers?*, questa valigia è di lui o di lei?; *Are you a relative of his?*, sei un suo parente? **2** (quando è in combinazione con la forma in **-ing**, è idiom.; per es.:) *They insisted on his signing the contract at once*, insistettero perché firmasse subito il contratto; *I don't mind his going away*, non m'importa che se ne vada ● **his-and-hers**, unisex: **his-and-hers pyjamas**, pigiama unisex ❶ NOTA: **'s**: *apostrofo e caso possessivo* → **'s** ①.

Hispanic /hɪ'spænɪk/ Ⓐ a. ispanico; spagnolo Ⓑ n. (*USA*) (= H. American) cittadino d'origine ispanica (*messicana, portoricana, ecc.*) ● **H. studies**, ispanistica.

Hispanicism /hɪ'spænɪsɪzəm/ n. (*ling.*) ispanismo; spagnolismo.

to **Hispanicize** /hɪs'pænɪsaɪz/ v. t. ispanizzare.

Hispanist /'hɪspənɪst/ n. ispanista.

Hispanization /hɪspənaɪ'zeɪʃn/ n. ⓤ ispanizzazione.

to **Hispanize** /'hɪspənaɪz/ v. t. ispanizzare.

hispid /'hɪspɪd/ a. ispido; irto; setoloso.

hiss /hɪs/ n. **1** fischio (*di disapprovazione*); sibilo: **the h. of a snake**, il sibilo d'un serpente **2** (*radio*) sibilo; soffio **3** (*fon.*) sibilante.

to **hiss** /hɪs/ Ⓐ v. i. **1** fischiare (*in segno di disapprovazione*) **2** sibilare; emettere un sibilo Ⓑ v. t. **1** (*anche* **to h. off, to h. down**) fischiare (*un oratore, un artista*): **to h. an actor**, fischiare un attore; *He was hissed off the stage*, lo costrinsero a lasciare il palcoscenico a forza di fischi **2** (*di persona*) sibilare; dire sibilando.

hissing /'hɪsɪŋ/ Ⓐ a. che fischia; sibilante Ⓑ n. ⓤ **1** (il) fischiare **2** sibilo; sibilio.

hissy fit /'hɪsɪ fɪt/ loc. n. (*fam.*) attacco isterico (*spesso esagerato e infantile*): **to throw** (*o* **to have**) **a hissy fit**, dare in escandescenze.

hist /st, hɪst/ inter. (*antiq.*; *per imporre il silenzio, richiamare l'attenzione, ecc.*) sst!; zitto!, zitti!

hist. abbr. **1** (**historical**) storico (stor.) **2** (**history**) storia.

histamine /'hɪstəmiːn/ (*biochim.*) ⓤ istamina, istammina ‖ **histaminic** a. istaminico.

histidine /'hɪstɪdiːn/ n. ⓤ (*biochim.*) isti-

dina.

histiocyte /ˈhɪstɪəsaɪt/ n. (biol.) istiocita.

histochemistry /hɪstəʊˈkɛmɪstrɪ/ n. ▫ istochimica.

histocompatibility /hɪstəʊkəmpætə-ˈbɪlətɪ/ n. ▫ (biol.) istocompatibilità.

histogenesis /hɪstəˈdʒɛnəsɪs/, **hystogeny** /hɪˈstɒdʒənɪ/ n. ▫ (biol.) istogenesi.

histogram /ˈhɪstəgræm/ n. istogramma.

histology /hɪˈstɒlədʒɪ/ n. ▫ istologia ‖ **histologic** a. istologico ‖ **histological** a. istologico ‖ **histologist** n. istologo.

histone /ˈhɪstəʊn/ n. (biochim.) istone.

histopathology /hɪstəʊpəˈθɒlədʒɪ/ n. ▫ (med.) istopatologia; istologia patologica.

histoplasmosis /hɪstəʊplæzˈməʊsɪs/ n. ▫ (med.) istoplasmosi; malattia di Darling.

♦**historian** /hɪˈstɔːrɪən/ n. storico; storiografo.

♦**historiated** /hɪˈstɔːrɪeɪtɪd/ a. (arte) istoriato.

♦**historic** /hɪˈstɒrɪk/ a. storico (anche gramm.); famoso nella storia: **This is a h. day for everyone**, questa è una giornata storica (o di grande importanza) per tutti; **a h. place [fact]**, un luogo [un fatto] storico; **in h. times**, in tempi storici; (gramm.) **h. tenses**, tempi storici (in latino e greco); (gramm.) **h. present**, presente storico.

❶ **NOTA:** *historic o historical?*
L'aggettivo *historic* significa "storico" nel senso di "memorabile, importante, che ha importanza storica": *This is a historic moment: the birth of a new nation*, questo è un momento storico: la nascita di una nuova nazione; *to gain a historic victory in the World Cup*, ottenere una vittoria memorabile ai Mondiali. Non bisogna confondere *historic* con *historical*, che significa "storico" solo nel senso di "relativo alla storia o allo studio della storia": *jewels of historical interest*, gioielli di interesse storico, *historical events*, eventi storici.

♦**historical** /hɪˈstɒrɪkl/ a. storico; relativo alla storia; reale; vero: **h. characters**, personaggi storici; **a h. novel [film]**, un romanzo [un film] storico; *I'm reading a h. novel set during the First World War*, sto leggendo un romanzo storico ambientato durante la prima guerra mondiale; **h. studies**, studi storici; **h. events**, fatti veri; fatti accaduti; **h. linguistics**, linguistica storica; **h. evidence**, prove storiche; (filos.) **h. materialism**, materialismo storico ‖ **historically** avv. storicamente.

historicism /hɪˈstɒrɪsɪzəm/ (filos.) n. ▫ storicismo ‖ **historicist** Ⓐ n. storicista Ⓑ a. storicistico.

historicity /hɪstəˈrɪsətɪ/ n. ▫ storicità.

historiography /hɪstɔːrɪˈɒɡrəfɪ/ n. ▫ storiografia ‖ **historiographer** n. storiografo ‖ **historiographic**, **historiographical** a. storiografico.

♦**history** /ˈhɪstrɪ/ n. **1** storia: **the h. of England**, la storia d'Inghilterra; **a h. lesson**, una lezione di storia **2** (letter., teatr.) dramma storico **3** (med., = **medical h.**) anamnesi: *When you come in for your appointment, we'll need you to fill out a form with your personal details and dental h.*, quando viene per l'appuntamento dovrà riempire un modulo con i suoi dati personali e con la sua anamnesi dentale **4** (comput.) cronologia ● (fig., fam.) **to be h.**, appartenere al passato, essere sorpassato, essere un semplice ricordo (o una cosa del passato); (anche) essere morto, essere spacciato: *Some think that gas-fueled cars will soon be h.*, alcuni pensano che le auto a benzina saranno presto un semplice ricordo; *If you make a move, you're h.*, se fai una mossa, sei morto! ● **ancient h.**, storia antica; (fam.) una storia vec-

chia, un ricordo del passato □ **to become h.**, entrare nella storia; passare alla storia; (anche) essere sorpassato, diventare un semplice ricordo □ **to make h.**, fare storia; passare alla storia □ **one's life h.**, la storia di una vita □ (prov.) **H. repeats itself**, la storia ripete sé stessa.

❶ **NOTA:** *history o story?*
La parola *history* significa "storia" in riferimento agli eventi e alle persone del passato o al loro studio: *ancient history*, storia antica; *The First World War marks the start of contemporary European history*, la Prima guerra mondiale segna l'inizio della storia contemporanea europea; *He studied History of Art at university*, ha studiato la storia dell'arte all'università. *Story* si usa, invece, in riferimento ai fatti personali, e significa anche storia nel senso di "racconto": *It's the story of my life*, è la storia della mia vita; *a collection of children's stories*, una raccolta di racconti per ragazzi.

histrionic /hɪstrɪˈɒnɪk/ Ⓐ a. istrionico; di (o da) commediante; affettato; melodrammatico; teatrale Ⓑ n. pl. **1** (col verbo al sing.) (raro) arte drammatica **2** teatralità; istrionismo ‖ **histrionically** avv. istrionicamente ‖ **histrionism** n. ▫ (anche psic.) istrionismo; teatralità.

♦**hit** /hɪt/ Ⓐ n. **1** colpo; botta; percossa; urto: **a hit on the head**, una botta in testa; **a direct hit**, un colpo diretto **2** colpo messo a segno: **two hits out of three**, due colpi messi a segno su tre **3** (= **lucky hit**) colpo di fortuna **4** cosa azzeccata; successo; personaggio di grande successo; disco (o canzone) di successo: *The musical was a smash hit*, la commedia musicale fu un successo strepitoso **5** frecciata (fig.); osservazione sarcastica **6** (comput.) risultato (di una ricerca in Internet); documento trovato; hit **7** (comput.) singolo accesso a un sito Internet **8** (slang) tirata (di sigaretta); boccata **9** (slang) sorso, goccio (di liquore) **10** (slang USA) dose (o iniezione) di droga; buco (fam.) **11** (slang) colpo; furto con scasso; rapina **12** (slang) uccisione; assassinio **13** (baseball) battuta; colpo; mazzata **14** (boxe) colpo; pugno **15** (scherma) colpo; stoccata **16** (tiro) impatto (del proiettile) Ⓑ a. attr. (fam.) di successo: **a hit record**, un disco di successo □ **to be a hit with sb.**, incontrare il gradimento (o i gusti) di q. □ (fam.) **hit-and-miss**, a casaccio; improvvisato: *The trip was a bit hit-and-miss, to be honest*, il viaggio è stato un po' sconclusionato, a dire il vero □ **hit-and-run attack**, (mil.) attacco di sorpresa con sganciamento immediato; (fam.) attacco mordi-e-fuggi □ **hit-and-run driver**, pirata della strada □ **hit list**, lista di persone da eliminare; (anche) lista di aziende (o di enti) da sopprimere; lista nera □ (slang) **hit man**, assassino (su commissione); killer □ **hit-off**, abile imitazione, parodia □ (fam.) **hit-or-miss** = **hit-and-miss** → sopra □ **hit parade**, hit parade; rassegna di successi musicali □ (slang) **hit squad**, commando omicida; squadra di killer □ **to make a hit with sb.**, fare colpo su q. □ (slang) **to put a hit on sb.**, commissionare l'assassinio di q. □ (slang USA) **to take the hit for st. [sb.]**, beccarsi le critiche per qc. [al posto di q.].

♦**to hit** /hɪt/ (pass. e p. p. *hit*), v. t. e i. **1** battere; colpire; percuotere; picchiare; urtare contro: **to hit a nail**, battere un chiodo; **to hit the target**, colpire il bersaglio; *The car hit the tree*, l'automobile urtò contro l'albero; **to hit a button**, premere un pulsante **2** assestare, dare (un colpo): *He hit him a heavy blow on the head*, gli assestò un forte colpo sulla testa **3** (autom.) investire: *My dog was hit by a lorry*, il mio cane fu investito da un camion **4** (fig.) ferire, urtare (nei sentimenti); colpire; danneggiare: *He was hit*

hard by his friend's death, fu duramente colpito dalla morte del suo amico; *Flu hit severely last winter*, l'influenza ha colpito duro lo scorso inverno **5** colpire, cogliere; azzeccare; indovinare: **to hit the mark**, colpire nel segno (anche fig.) **6** (fam.) raggiungere, toccare: *Sales have hit an all-time high*, le vendite hanno toccato un livello mai raggiunto prima **7** arrivare a, in: **to hit town**, arrivare in città **8** (autom., mecc.: del motore) funzionare, andare **9** (sport) effettuare, fare (un tiro, ecc.): (calcio) **to hit a great shot**, fare un gran tiro; (tennis) **to hit a winning forehand**, effettuare un dritto vincente **10** (sport) fare; segnare: **to hit two goals**, segnare due gol; (basket) **to hit the basket**, fare un canestro; andare a canestro **11** (slang) svaligiare; rapinare **12** (slang) uccidere; assassinare ● **to hit sb. below the belt**, (boxe) colpire q. sotto la cintura; (fig.) tirare un colpo basso a q. □ (fig. fam.) **to hit the bottle**, darsi al bere; attaccarsi alla bottiglia □ (fig.) **to hit (rock) bottom**, toccare il fondo □ (fam. USA) **to hit the bricks**, scendere in sciopero □ (fig.) **to hit the ceiling**, andare su tutte le furie □ **to hit collapse**, crollare, collassare; fallire □ (fam.) **to hit the deck**, andare (o buttarsi) a terra; alzarsi (da letto) □ (fam. USA) **to hit sb. (up) for st.**, chiedere qc. a q.; cercare di scroccare (o spillare) qc. a q. □ (fig., fam. GB) **to hit sb. for six**, essere una brutta mazzata (o batosta) per q.: *Losing her job hit her for six*, la perdita del lavoro è stata una brutta mazzata per lei □ (fam.) **to hit gold**, trovare l'oro □ (fam.) **to hit the ground running**, partire con il piede giusto; partire in quarta □ **to hit hard**, colpire duro □ (fam.) **to hit the hay** (o **the sack**), andare a letto; andare a dormire □ **to hit the headlines**, fare notizia; apparire in prima pagina □ (fig.) **to hit it**, azzeccarci, indovinare □ (slang USA) battersela, darsela a gambe, andarsene: *He had to guess the answer and hit it right away*, doveva indovinare la risposta e ci azzeccò subito □ (fam. USA) **Hit it!**, attacca! (a suonare, ecc.) □ (fam.) **to hit (it) big**, sbancare, fare una grossa vincita; avere un grande successo, sfondare □ (fam.) **to hit the jackpot**, vincere un mucchio di soldi; (fig.) pescare il jolly, fare tombola, fare un colpo grosso; avere successo, sfondare □ **to hit a man when he's down**, colpire l'avversario quando è a terra; (fig.) uccidere un uomo morto, infierire (su una persona in difficoltà) □ (fam. USA) **Hit me (again)!**, (al barista) (dammene) un altro!; (giocando a carte: al mazziere) (dammi) una carta! □ (fam.) **to hit the road**, partire; mettersi in viaggio; mettersi in marcia □ (fig.) **to hit the roof**, andare su tutte le furie □ (fam. USA: della polizia, ecc.) **to hit the siren**, attaccare la sirena □ (fam.) **to hit the skids**, andare in rovina (o a rotoli) □ (fam.) **to hit the spot**, colpire nel segno; essere nel giusto; andare proprio bene; essere quello che ci vuole □ (anche fig.) **to hit sb. where it hurts (most)** (USA: **where he/she lives**), colpire q. nel suo punto debole; colpire q. nel punto più sensibile □ (fig.) **to hit the wrong note**, toccare il tasto sbagliato.

■ **hit at** v. i. + prep. **1** fare l'atto di colpire; cercare di colpire; tirare un pugno a (q.) **2** attaccare (fig.); criticare aspramente □ (boxe) **to hit at each other**, scambiarsi colpi; colpirsi a vicenda.

■ **hit back** Ⓐ v. t. + avv. **1** colpire (q.) di rimessa; rispondere ai colpi di (q.) **2** (sport: tennis, ecc.) battere (la palla) di rimando; ribattere; rinviare Ⓑ v. i. + avv. (boxe) boxare di rimessa; replicare ai colpi □ **to hit back at sb.**, contrattaccare q.; rimbeccare q.; rispondere agli attacchi di q. □ **to hit back at st.**, reagire a qc.; rimbeccare qc.

■ **hit home** v. i. + avv. **1** (di una medicina, ecc.) fare effetto **2** colpire nel segno; fare

centro; prenderci **3** (*sport*: *di un tiro*) andare a segno.

■ **hit in v. t. + avv. 1** (*sport*) colpire (*la palla*) mandandola in rete; mettere dentro; insaccare (*fam.*) **2** (*hockey*) rimettere (*la palla*) in gioco.

■ **hit off v. t. + avv. 1** (*sport*) allontanare, respingere (*la palla*) con un colpo **2** (*fam.*) imitare; rifare; parodiare; fare il verso a □ (*fam.*) **to hit it off**, andare d'accordo, affiatarsi: *Do you hit it off with your mother-in-law?*, vai d'accordo con tua suocera?

■ **hit on** A **v. t. + prep.** battere, picchiare, colpire (*q. o qc.*) su (*la testa, la capocchia, ecc.*) B **v. i. + prep. 1** imbattersi in; trovare (*per caso*); escogitare: **to hit on a better solution**, trovare una soluzione migliore **2** azzeccare; **to hit on the right answer**, azzeccare la risposta giusta **3** (*slang USA*) provarci con (*un ragazzo o una ragazza*) □ (*fig.*) **to hit the nail on the head**, colpire nel segno; indovinare; prenderci (*fam.*).

■ **hit out** A **v. i. + avv. 1** menare botte da orbi **2** (*fig.*) attaccare (*fig.*); fare critiche violente: **to hit out at sb.** [st.], attaccare violentemente q. [qc.]; sparare a zero contro q. [qc.] (*fig.*): *He hit out at the government's decision to impose more taxes*, sparò a zero contro la decisione del governo di aumentare le tasse B **v. t. + avv.** (*sport*) mandare (*o* mettere) fuori (*del campo*).

■ **hit up** A **v. t. + avv.** (*sport*) colpire (*la palla*) mandandola in alto; alzare (*la palla, il pallone*) B **v. i. + avv.** (*slang USA*) drogarsi; farsi; bucarsi.

■ **hit upon** → **hit on**.

hitch /hɪtʃ/ n. **1** colpo; strattone; balzo; sobbalzo: **to give one's trousers a h.**, dare uno strattone ai calzoni; tirarsi su i calzoni **2** (*spec. USA*) andatura zoppicante: **to walk with a h.**, zoppicare **3** (*mecc.*) attacco (*dell'aratro, ecc.*) **4** (*naut.*) nodo **5** (*fig.*) impedimento; intoppo; difficoltà; ostacolo: **a slight h.**, un piccolo intoppo; *The ceremony went off without a h.*, la cerimonia filò via liscia (*o* senza difficoltà) **6** (*slang USA*) imbroglio; trucco: *What's the h.?*, dove sta il trucco? **7** (*slang USA*) periodo di ferma (*fam.*: *di naia*); periodo di detenzione **8** (*slang USA*) (viaggio con l') autostop.

to **hitch** /hɪtʃ/ A **v. i. 1** muoversi a strattoni (*o a balzi; a sbalzi*); sobbalzare **2** attaccarsi; legarsi **3** restare impigliato; impigliarsi **4** (*slang*) chiedere un passaggio (*in auto, ecc.*); fare l'autostop: *to h. from coast to coast*, fare la traversata degli Stati Uniti con l'autostop; *We hitched to Rome*, siamo andati a Roma in autostop **5** (*slang*) sposarsi **6** (*slang USA*) arruolarsi B **v. t. 1** muovere, spostare (*qc.*) a strattoni **2** attaccare; agganciare; legare: **to h. a horse to a wagon**, attaccare un cavallo a un carro; (*ferr.*) **to h. a goods wagon**, agganciare un carro merci; **to h. a rope over a pole**, legare una fune a un palo **3** (*slang*) ottenere (*un passaggio*): **to h. a lift** (*o a ride*) **on a lorry**, farsi dare un passaggio su un camion ● (*fig.*) **to h. one's wagon to a star**, legarsi a una persona importante per fare carriera □ (*slang*) **to get hitched**, sposarsi; impiccarsi (*fig. fam.*).

■ **hitch along v. i. + avv.** (*fam.*) procedere a balzi.

■ **hitch on v. t. + avv. 1** attaccare, agganciare; legare **2** (*ferr.*) aggiungere (*una carrozza, un vagone*).

■ **hitch up** A **v. t. + avv. 1** attaccare (*cavalli, ecc.*) **2** tirarsi su: **to h. up one's trousers**, tirarsi su i calzoni (*aggiustandoseli*) B **v. i. + avv.** (*slang USA*) sposarsi.

hitcher /ˈhɪtʃə(r)/ n. **1** chi attacca, aggancia, ecc. (→ **to hitch**) **2** (*slang USA*) autostoppista.

to **hitchhike** /ˈhɪtʃhaɪk/ v. i. fare l'auto-

stop.

hitchhiker /ˈhɪtʃhaɪkə(r)/ n. autostoppista.

hitchhiking /ˈhɪtʃhaɪkɪŋ/ n. Ⓤ autostop.

hi-tech /ˌhaɪˈtɛk/ = high-tech → **high**.

hither /ˈhɪðə(r)/ avv. (*lett.*) (*di moto*) qui; qua; per di qua: *Come h.*, vieni qua! ● **h. and thither** (*o and yon*), qua e là; avanti e indietro.

hitherto /ˌhɪðəˈtuː/ avv. (*form.*) fin qui; finora.

hit-in /ˈhɪtɪn/ n. (*hockey*) rimessa in gioco (*della palla*).

Hitler /ˈhɪtlə(r)/ n. (*stor.*) Hitler: **h. moustache**, baffetti alla Hitler; **h. salute**, saluto hitleriano; saluto nazista.

Hitlerism /ˈhɪtlərɪzəm/ (*stor.*) n. Ⓤ hitlerismo || **Hitlerian** a. hitleriano || **Hitlerite** a. e n. hitleriano.

hitter /ˈhɪtə(r)/ n. **1** chi colpisce **2** (*boxe*) pugile che ha un buon pugno; picchiatore **3** (*slang USA*) sicario; killer **4** (*baseball*) battitore.

hitting /ˈhɪtɪŋ/ n. Ⓤ (*anche sport*) il colpire: **powerful h.**, tiri (*o* colpi) potenti.

Hittite /ˈhɪtaɪt/ A n. e a. (*stor.*) ittita B n. Ⓤ ittita; ittito (*la lingua*).

HIV sigla (*med.*, **human immunodeficiency virus**) virus dell'immunodeficienza umana: **HIV positive**, sieropositivo.

hive /haɪv/ n. **1** alveare; arnia **2** sciame (*d'api e fig.*); folla **3** (*fig.*) alveare; brulichio: **h. of activity**, luogo in cui l'attività ferve: *The church hall was a h. of activity yesterday*, nel salone della chiesa ieri l'attività ferveva ● **h. bee**, ape domestica □ **h.-off** → **hiving-off**.

to **hive** /haɪv/ A **v. t. 1** mettere (*api*) in un alveare **2** immagazzinare (*miele*) nell'arnia; ammassare (*miele e fig.*) B **v. i. 1** entrare (*o vivere*) in un alveare **2** (*fig.*) vivere come in un alveare; vivere in comunità.

■ **hive away v. t. + avv.** (*fam.*) mettere via, mettere da parte (*denaro, ecc.*) B **v. i. + avv.** (*fam.*) disperdersi; scomparire.

■ **hive off** A **v. i. + avv. 1** (*delle api*) sciamare **2** (*fig.*) sciamare; andarsene; sparire **3** (*fin.*) staccarsi; creare una nuova società B **v. t. + avv. 1** (*fig.*) scindere; separare **2** (*fin.*) scorporare (*un'azienda*); privatizzare (*un'azienda pubblica*) **3** (*econ.*) subappaltare (*lavoro o commesse*).

■ **hive up** → **hive away**.

hives /haɪvz/ n. pl. (col verbo al pl. o al sing.) (*med.*) orticaria.

hiving-off /ˈhaɪvɪŋɒf/ n. ⓊꜾ **1** (*delle api*) sciamatura **2** (*fin.*) scorporo aziendale; privatizzazione (*di un'azienda pubblica*) **3** (*econ.*) subappalto (*di lavoro o commesse*).

hiya /ˈhaɪə/ inter. (*fam.*) → **hi.**

HL sigla (*GB*, **House of Lords**) Camera dei Lord.

HM sigla (**His** *o* **Her**) **Majesty**) Sua Maestà (SM).

HMG sigla (*GB*, **His** (*o* **Her**) **Majesty's Government**) il governo di Sua Maestà.

HMO sigla (*USA*, **Health Maintenance Organization**), Compagnia di assicurazione sanitaria; mutua medico-assistenziale privata.

HMS sigla **1** (*GB*, **His** (*o* **Her**) **Majesty's Service**) al servizio di Sua Maestà **2** (*GB*, **His** (*o* **Her**) **Majesty's Ship**) nave di Sua Maestà.

HMSO sigla (*GB*, **His** (*o* **Her**) **Majesty's Stationery Office**) Istituto poligrafico dello Stato.

HMT sigla (*GB*, **Her Majesty's Treasury**) Ministero del tesoro.

ho① /həʊ/ inter. (*lett.*: *di sorpresa, ammirazione, trionfo; ecc.*) oh!; ohé!; olà!

ho② /həʊ/ n. (*slang, USA*) **1** prostituta; puttana **2** (*spreg.*) donna; femmina.

HO sigla (*GB*, **Home Office**), Ministero dell'interno.

hoagie, hoagy /ˈhəʊɡɪ/ n. (*USA*) panino farcito di salame, formaggio e verdura.

hoar /hɔː(r)/ (*arc.*) A a. **1** bianco (*per es., di brina*) **2** (*fig.*) canuto B n. (*lett.*) **1** bianchezza, biancore (*per es., di brina*) **2** canizie **3** → **hoarfrost** ● **h. crystal**, cristallo di brina □ **h. frost** → **hoarfrost**.

hoard /hɔːd/ n. **1** ammasso; mucchio (*anche di denaro*); cumulo (*anche di fatti*) **2** gruzzolo; tesoro **3** (*fig.*) miniera di fatti, di notizie **4** (*fig.*) scorta; provvista.

❶ NOTA: *hoard o horde?*
Il sostantivo *hoard* indica sostanzialmente una scorta, spesso nascosta, che viene attentamente conservata per il futuro, *a vast hoard of treasure*, un ricco gruzzolo, tesoro; come verbo *hoard* significa "ammassare, accumulare, ammucchiare": *People caught hoarding foodstuffs during the shortage will be fined*, coloro che saranno sorpresi a fare scorte di cibo durante il razionamento saranno multati. Non bisogna confondere *hoard* con il sostantivo *horde*, che si pronuncia allo stesso modo, ma significa "orda", ed è spesso usato in senso dispregiativo: *hordes of angry football supporters*, orde di tifosi arrabbiati.

to **hoard** /hɔːd/ v. t. e i. **1** (*anche to h. up*) ammassare; ammucchiare; accumulare; accaparrare; fare incetta di: **to h. riches**, ammassare ricchezze **2** (*econ.*) tesaurizzare: **to h. gold**, tesaurizzare l'oro ● **to h. everything**, conservare tutto; non gettare via nulla.

hoarder /ˈhɔːdə(r)/ n. **1** accaparratore, accaparratrice; incettatore, incettatrice: **food hoarders**, accaparratori di generi alimentari **2** (*econ.*) tesaurizzatore.

hoarding① /ˈhɔːdɪŋ/ n. Ⓤ **1** accumulazione; accaparramento; incetta: (*etologia*) **food h.**, accumulazione del cibo **2** Ⓤ (*econ.*) tesaurizzazione; tesoreggiamento **3** (pl.) beni accumulati; cose accumulate.

hoarding② /ˈhɔːdɪŋ/ n. **1** staccionata; steccato; palizzata **2** (*pubbl., polit.*) riquadro (*o* tabellone) per affissioni (*o per campagne elettorali*).

hoarfrost /ˈhɔːfrɒst/ n. brina; brinata; galaverna.

hoariness /ˈhɔːrɪnəs/ n. Ⓤ **1** bianchezza, biancore (*per es., di brina*) **2** canizie **3** vetustà.

hoarse /hɔːs/ a. rauco; roco; fioco: **a h. voice**, una voce rauca ● **to shout oneself h.**, diventare rauco a furia di gridare || **hoarsely** avv. raucamente || **hoarseness** n. Ⓤ raucedine.

hoary /ˈhɔːrɪ/ a. **1** (*bot.*) canescente; pruinoso **2** (*lett.*) bianco; canuto; incanutito: **h. hair**, capelli canuti; **a h. old man**, un vecchio canuto **3** (*fig.*) antico; vetusto; venerando **4** (*fig.*) trito; risaputo ● **h.-headed**, dal capo canuto.

hoax /həʊks/ n. **1** beffa; burla; canzonatura; scherzo di cattivo genere; tiro mancino **2** imbroglio; inganno; mistificazione **3** bufala (*fig.*); notizia priva di fondamento; falso allarme: **a bomb h.**, un falso allarme bomba ● **h. call**, falso allarme telefonico □ **h. caller**, chi al telefono lancia un falso allarme (*su una bomba inesistente, ecc.*) □ (*comput.*) **h. virus**, finto virus; bufala informatica (*fam.*).

to **hoax** /həʊks/ v. t. **1** beffare; burlare; canzonare; farsi beffe di; fare un tiro a (*q.*) **2** imbrogliare; ingannare.

hoaxer /ˈhəʊksə(r)/ n. **1** beffatore, beffatrice; burlone, burlona **2** imbroglione, im-

brogliona **3** falso allarmista.

hob /hɒb/ n. **1** (*cucina*) piastra; piano di cottura **2** (*un tempo*) piolo, birillo (*usato come bersaglio nel gioco dei cerchietti*) **3** pattino di slitta **4** (*mecc.*) fresa-vite; creatore.

hobble /'hɒbl/ n. **1** ☝ zoppicamento; andatura zoppicante **2** (*fig. dial.*) intralcio; impaccio **3** pastoia (*per legare una bestia*) ● (*un tempo*) **h. skirt**, gonna lunga e stretta (*in voga negli anni 1910-14*).

to **hobble** /'hɒbl/ **A** v. i. andar zoppo; zoppicare; camminare goffamente **B** v. t. **1** impastoiare (*un cavallo*) **2** (*fig. dial.*) impedire; inceppare; ostacolare ● **to h. along**, procedere zoppicando; trascinarsi a stento.

hobbledehoy /'hɒbldɪhɔɪ/ n. (*arc. o dial.*) adolescente goffo; giovanotto impacciato.

◆**hobby**① /'hɒbɪ/ n. **1** hobby; passatempo (*o svago*) preferito; passione **2** (*arc.*) cavallino; cavalluccio ● **h. horse** → **hobbyhorse** □ **h. shop**, negozio di articoli per il tempo libero ‖ **hobbyism** n. ☝ hobbismo ‖ **hobbyist** n. hobbista.

hobby② /'hɒbɪ/ n. (*zool.*, *Falco subbuteo*) falco lodolaio; falco barletta.

hobbyhorse /'hɒbɪhɔːs/ n. **1** cavalluccio di legno (*giocattolo, o di una giostra*) **2** cavalluccio di vimini (*legato alla vita di un danzatore di «morris dance»*) **3** (*fig.*) cavallo di battaglia (*fig.*); argomento preferito; chiodo, pallino (*fig.*); idea fissa: **to be** (*o* **to get**) **on one's h.**, mettersi a battere sul solito chiodo; attaccare la solita musica.

hobgoblin /'hɒbgɒblɪn/ n. **1** (*mitol.*) spiritello maligno; folletto burlone **2** babau; uomo nero; spauracchio.

hobnail /'hɒbneɪl/ n. **1** chiodo a capocchia grossa; chiodo da scarponi; bulletta (*per suole*) ● **h. boots**, scarponi chiodati ‖ **hobnailed** a. munito di chiodi; chiodato: **hobnailed boots**, scarponi chiodati.

to **hobnob** /'hɒbnɒb/ v. i. **1** bere insieme (*con q.*) **2** bazzicare, essere in confidenza (*o in grande amicizia*) (*con q.*); frequentare (*persone importanti*) **3** chiacchierare, conversare amichevolmente (*con q.*).

hobo /'həʊbəʊ/ n. (pl. **hobos, hoboes**) (*spec. USA*) **1** vagabondo **2** viaggiatore clandestino (*su treni merci*) **3** lavoratore stagionale (*spec. agricolo*).

Hobson's choice /'hɒbsnz tʃɔɪs/ loc. n. scelta forzata; «prendere o lasciare».

hock① /hɒk/ n. **1** garretto (*di cavallo, ecc.*) **2** (*macelleria*) zampa **3** (*slang USA*) piede.

hock② /hɒk/ n. **1** vino di Hochheim (*sul Meno, in Germania*) **2** vino bianco del Reno (*in genere*).

hock③ /hɒk/ n. (*slang USA*) pegno ● **in h.**, impegnato, pignorato; (*di persona*) indebitato.

to **hock**① /hɒk/ → **to hamstring**, def. 1.

to **hock**② /hɒk/ v. t. (*slang USA*) impegnare; pignorare.

hockey /'hɒkɪ/ **A** n. ☝ (*sport*) **1** (= **field h.**) hockey (*su prato*) **2** (*spec. USA*) hockey su ghiaccio **B** a. attr. di (*o da*) hockey; per hockey; hockeyistico: **h. skate**, pattino per hockey; **h. pitch**, campo di hockey; **h. stick**, bastone da hockey ● **h. player**, hockeista □ **ice h.**, hockey su ghiaccio.

hockshop /'hɒkʃɒp/ n. (*slang USA*) **1** monte dei pegni **2** prigione.

to **hocus** /'həʊkəs/ v. t. **1** imbrogliare; ingannare **2** drogare (*bevande*); stordire (*con droghe*) **3** adulterare; fatturare.

hocus-pocus /'həʊkəs'pəʊkəs/ n. **1** abracadabra; formula usata nei giochi di prestigio **2** ☝ gherminelle; imbrogli; raggiri; trucchi.

hod /hɒd/ n. **1** (*edil.*) cassetta di legno, col manico (*per trasportare malta o mattoni sulle impalcature*) **2** secchio per il carbone ● **hod**

carrier, manovale; garzone (*di muratore*).

Hodge /hɒdʒ/ n. (abbr. *fam. ingl. di* **Roger**) contadino; campagnolo.

hodgepodge /'hɒdʒpɒdʒ/ → **hotch-potch.**

hodiernal /həʊdɪ'ɜːnl/ a. (*lett.*) odierno.

hodman /'hɒdmən/ n. (pl. **hodmen**) manovale (*che aiuta un muratore*).

hodograph /'hɒdəɡræf/ n. (*fis., mecc.*) odografo.

hodometer /hɒ'dɒmɪtə(r)/ n. (*autom., USA*) odometro; contakilometri.

hodoscope /'hɒdəskəʊp/ n. (*fis. nucl.*) odoscopio.

hoe /həʊ/ n. zappa; marra ● (*mecc.*) **hoe shovel**, escavatore a cucchiaia rovescia.

to **hoe** /həʊ/ v. t. e i. zappare ● **to hoe up weeds**, sarchiare (*o estirpare*) le erbacce. ■ **hoe in** v. i. + avv. (*Austral., NZ*) abbuffarsi; rimpinzarsi; mangiare a quattro palmenti. ■ **hoe into** v. t. + prep. (*Austral., NZ*) **1** sbafare; divorare (*cibo*) **2** attaccare; criticare.

hoecake /'həʊkeɪk/ n. (*USA*) focaccia di granturco.

hoedown /'həʊdaʊn/ n. (*USA*) **1** (*mus.*) quadriglia rusticana **2** festa da ballo campestre **3** baruffa; rissa; zuffa.

hoeing /'həʊɪŋ/ n. ☝ zappatura; sarchiatura ● (*agric.*) **h.-machine**, sarchiatrice (*macchina*).

hoer /'həʊə(r)/ n. zappatore; zappatrice.

hog /hɒɡ/ n. **1** porco, maiale (*anche fig.*); individuo goloso, egoista o sporco **2** (*naut.*, = **hogging**) inarcamento **3** (*naut.*) frettazzo **4** (*slang USA*) grossa motocicletta **5** (*slang USA*) grassona racchia ● **hog's back**, schiena inarcata (*o* d'asino); (*geogr.*) → **hog-back**, def. 1 □ **hog-backed**, dalla schiena inarcata; a schiena d'asino □ **hog-like**, maialesco; da porci; porcino; sudicio □ **hog mane**, criniera di cavallo tagliata corta □ **hog's pudding**, pasticcio d'interiora di maiale □ **to go** (**the**) **whole hog**, andare fino in fondo, (*anche*) fare le cose in grande □ (*fam., iron.*) **in hog heaven**, in brodo di giuggiole; in estasi; al settimo cielo ● (*fam. USA*) **to live high on the hog**, vivere da gran signore; spendere e spandere.

to **hog** /hɒɡ/ **A** v. t. **1** inarcare (*la schiena*) come un maiale **2** tagliare corta (*la criniera d'un cavallo*) **3** (*naut.*) frettare; pulire con il frettazzo **4** (*fam.*) impossessarsi di; arraffare; prendere tutto per sé: **to hog the bathroom**, tenere occupato il bagno **5** (*slang, di solito* **to hog down**) divorare; trangugiare; papparsi **B** v. i. **1** inarcarsi **2** (*fam.*) comportarsi da pirata della strada ● **to hog the conversation**, monopolizzare la conversazione □ **to hog the limelight**, essere al centro della ribalta; occupare la ribalta □ (*autom.*) **to hog the road**, stare nel mezzo per non far passare gli altri.

hogback /'hɒɡbæk/ n. **1** (*geogr.*) stretta dorsale, con pareti scoscese e burroncelli **2** (*archeol.*) tomba a pareti inclinate.

hogfish /'hɒɡfɪʃ/ n. (*zool.*, *Scorpaena scrofa*) scorpena rossa, scorfano.

hogget /'hɒɡɪt/ n. pecora di un anno non ancora tosata.

hoggin /'hɒɡɪn/ n. ☝ miscela di ghiaia e argilla.

hogging /'hɒɡɪŋ/ n. (*naut.*) inarcamento.

hoggish /'hɒɡɪʃ/ a. porcino; maialesco; avido; ingordo; sporco | **-ly** avv.

Hogmanay /'hɒɡməneɪ/ n. ☝ (*scozz.*) **1** ultimo giorno dell'anno; notte di San Silvestro **2** dono richiesto (*o fatto*) l'ultimo giorno dell'anno ● **H. party**, festa della sera di San Silvestro.

hogshead /'hɒɡzhɛd/ n. **1** botte (*per birra, ecc.*) **2** misura per liquidi (*pari a 52,5 galloni per il vino, o 54 galloni per la birra, in GB: litri*

239 *o* 245 *circa; pari a 63 galloni in America: litri 238,5 circa*) **3** barilotto.

hogskin /'hɒɡskɪn/ **A** n. ☝ (pelle di) cinghiale **B** a. attr. di cinghiale: **h. gloves**, guanti di cinghiale.

to **hogtie**, to **hog-tie** /'hɒɡtaɪ/ v. t. (*USA*) **1** legare le quattro zampe di (*un animale*); incaprettare (*una persona*) **2** (*fig.*) impedire; intralciare; ostacolare.

hogwash /'hɒɡwɒʃ/ n. ☝ **1** broda per maiali; brodaglia **2** (*fig., fam.*) fesserie (*fam.*); insulsaggini; cavolate (*fam.*).

hogweed /'hɒɡwiːd/ n. (*bot.*) = **cow parsnip** → **cow.**

ho-ho /həʊ'həʊ/ inter. **1** (*per esprimere una risata*) ha ha; ah ah **2** (*escl. di sorpresa, spesso ironica*) oh oh.

ho-hum /'həʊ'hʌm/ **A** a. (*fam. USA*) **1** banale; scialbo **2** noioso; monotono; tedioso **B** inter. uffa!

to **hoick** /hɔɪk/ **A** v. t. **1** (*aeron.*) cabrare, far cabrare (*un aereo*) **2** (*fam. GB*) tirare su; issare; sollevare: *He hoicked the suitcase onto the train*, tirò su la valigia sul treno **B** v. i. **1** (*aeron.*) cabrare **2** (*fam.*) dare uno strattone **3** (*fam. ingl.*) scaracchiare; raschiarsi la gola e sputare.

hoicks /hɔɪks/, **hoick** /hɔɪk/ inter. (*per incitare cani alla caccia*) dai!; via!; prendi!

to **hoick** /hɔɪk/ → **to hoick.**

hoi polloi /'hɔɪpə'lɔɪ/ (*greco*) n. pl. (*lett.*) la plebe; il volgo.

hoist① /hɔɪst/ n. **1** ☝ sollevamento **2** argano di sollevamento; paranco **3** (*fam.*) spinta (*verso l'alto*): **to give sb. a h.**, dare una spinta a q. (*per aiutarlo a salire*); issare q. (*per es., su un autobus*) **4** (*naut.*) ghinda **5** (*naut.*) ghindata (*di pennone o di vela*) **6** (*slang*) furto; borseggio; taccheggio ● (*marina mil.*) **ammunition h.**, elevatore di munizioni.

hoist② /hɔɪst/ p. p. (del verbo *arc.* **to hoise**, «issare»: nella frase) (*fig.*) **to be h. with** (*o* **by**) **one's own petard**, cadere nella propria trappola; essere vittima delle proprie macchinazioni; darsi la zappa sui piedi (*fig.*).

to **hoist** /hɔɪst/ v. t. **1** innalzare; inalberare; sollevare **2** (*naut.*) issare, alare; ghindare (*un pennone, una vela*): **to h. a flag** [**a sail**], issare una bandiera [una vela]; **to h. cases aboard**, issare a bordo delle casse; **to h. up a boat**, issare una scialuppa **3** (*slang*) rubare; borseggiare.

hoisting /'hɔɪstɪŋ/ n. ☝ **1** sollevamento **2** (*naut.*) ghindaggio **3** (*slang*) furto; borseggio; taccheggio.

hoity-toity /'hɔɪtɪ'tɔɪtɪ/ a. (*fam., antiq.*) **1** altezzoso; borioso **2** avventato; sconsiderato; volubile **3** permaloso.

to **hoke** /həʊk/ (*anche* **to h. up**) v. t. (*di attore*) recitare (*una parte*) in maniera esagerata (*o melodrammatica*).

hokey /'həʊkɪ/ a. (*slang, spec. USA*) **1** finto; posticcio; fasullo **2** sentimentale; melodrammatico; innaturale.

hokey-cokey /'həʊkɪ'kəʊkɪ/ n. bans; canzone animata (*cantata e danzata in cerchio*).

hokey-pokey /'həʊkɪ'pəʊkɪ/ n. **1** ☝ → **hocus-pocus**, def. 2 **2** (*fam., antiq.*) gelato da passeggio; gelatino (*di quelli venduti dagli ambulanti*) **3** (*USA*) → **hokey-cokey.**

hokum /'həʊkəm/ n. ☝ (*fam., spec. USA*) **1** (*cinem., teatr., letter.*) sbrodolatura sentimentale; battute risapute; comicità a effetto **2** balle; fesserie; cavolate.

◆**hold**① /həʊld/ n. ☝ **1** presa: **to keep h. of st.**, mantenere la presa su qc. **2** stretta: *That man has got a strong h.*, quell'uomo ha una stretta (di mano) potente **3** appiglio; punto d'appoggio; sostegno **4** (*fig.*) presa (*fig.*); controllo; influenza; ascendente; autorità: *Oliver Cromwell had a great h. over*

his followers, Oliver Cromwell aveva un grande ascendente sui suoi seguaci; **to keep a h. of st.**, mantenere il controllo di qc. **5** (*fig.*) contatto: **to lose one's h. on reality**, perdere il contatto con la realtà **6** (*fig.*) possesso; padronanza; conoscenza **7** carcere; prigione; guardina **8** contenitore; vano; scomparto: **luggage h.**, vano dei bagagli; bagagliaio **9** rifugio; ricovero; tana **10** (*mus.*) corona **11** (*alpinismo*) appiglio **12** (*lotta, judo*) presa; immobilizzazione **13** (*boxe*) tenuta (*dell'avversario*) **14** (*calcio, ecc.*) presa (*del pallone*) • **to catch h. of st.**, afferrare (*o* prendere) qc. □ **to get h. of st.**, afferrare qc.; procurarsi qc.: *I must get h. of some more books on this subject*, devo procurarmi degli altri libri su questo argomento □ **to get h. of sb.**, (riuscire a) trovare q.; mettersi in contatto con q. □ (*fig.*) **to have a h. over sb.**, tenere in pugno q.; avere i mezzi per tenere q. sotto controllo □ **to lay h. of st.**, afferrare (*o* prendere) qc. □ **to lose h. of st.**, lasciarsi sfuggire (di mano) qc.: *The climber lost h. of the rope and fell*, al rocciatore sfuggì di mano la corda e cadde □ **on h.**, in lista d'attesa; (*telef.*) in attesa: **to be on h.**, essere in attesa (di parlare); **to put a project on h. for a year**, rinviare un progetto di un anno; **to put sb. on h.**, far restare in linea q. (*al telefono*); *I'll put you on h. while I check*, la faccio attendere in linea mentre controllo □ (*fig.*) **to take h.**, fare presa; affermarsi; avere effetto; attecchire □ **to take h. of**, afferrare (*o* prendere) qc.; impossessarsi di qc. □ **No holds barred**, (*lotta*) tutte le prese sono ammesse; (*fig.*) tutto è lecito; non vale nessuna regola.

hold② /həʊld/ n. (*naut., aeron.*) stiva • (*naut.*) **h. beam**, baglio di stiva □ (*aeron.*) **cargo h.**, bagagliaio.

♦to **hold** /həʊld/ (pass. e p. p. ***held***) **A** v. t. **1** tenere; tenere fermo; trattenere; avere; detenere; possedere: **to h. a baby in one's arms**, tenere in braccio un bambino; *They held the shoplifter until the police came*, trattennero il taccheggiatore fino all'arrivo della polizia; **to h. shares in a business**, avere (*o* detenere, possedere) azioni d'una società commerciale; **to h. a degree in economics**, avere una laurea in economia; (*sport*) **to h. a record**, detenere un primato; **to h. land**, possedere terreni; **to h. extreme views**, avere opinioni estremistiche **2** ritenere; considerare; reputare: **to h. sb. responsible for st.**, ritenere q. responsabile di qc.; attribuire a q. la responsabilità di qc.; *He's held to be an honest man*, è considerato (*o* reputato) un uomo onesto; *He holds himself responsible for the misunderstanding*, si ritiene responsabile del malinteso **3** tenere; mantenere; conservare; non dare: *A salad, please, but h. the dressing*, un'insalata, prego, ma non mi dia la salsa; **to h. a fort against the enemy**, tenere (*o* mantenere) un forte contro il nemico; (*polit.*) **to h. one's seat**, mantenere il seggio **4** contenere: *This flat cannot h. all my furniture*, questo appartamento non può contenere tutti i miei mobili **5** tenere; fare; svolgere: **to h. a meeting**, fare (*o* tenere) una riunione; **to h. a conversation [a discussion]**, fare una conversazione [un dibattito]; **to h. a general election**, tenere le elezioni (politiche); **to h. classes**, tenere (*o* fare) lezione; svolgere un corso **6** (*anche* **to h. up**) tener su; sostenere: *This pillar holds the platform*, questo pilastro sostiene la piattaforma **7** tener desto; tener vivo (*l'interesse, l'attenzione, ecc.*): *He hasn't learnt yet how to h. his pupils' interest*, non ha ancora imparato a tener desto l'interesse degli allievi **8** tenere avvinto; tener desta l'attenzione di: *The speaker held the audience*, l'oratore teneva avvinto l'uditorio **9** (*della polizia*) fermare; trattenere; tenere in carcere: *They held them for three days*, li tennero in carcere tre giorni **10** tenere (*o* avere) in serbo; riservare: *Life holds many surprises*, la vita riserva molte sorprese **11** obbligare; vincolare: **to h. sb. to his word**, obbligare q. a mantenere la parola **12** occupare, ricoprire (*una carica, ecc.*) **13** (*spec. leg.*) giudicare: *He was held guilty*, fu giudicato colpevole **14** (*trasp.*) tenere fermo, far aspettare (*un treno, un aereo, ecc. in partenza*) **15** (*mus.*) prolungare, filare, sostenere (*una nota*) **16** (*boxe*) trattenere (*l'avversario*) **17** (*calcio, ecc.*) chiudere (*un avversario: precludendone l'azione*) **18** (*calcio, ecc.*) parare **B** v. i. **1** tenere; reggere; resistere: *I don't think this rope will h.*, non credo che questa corda tenga **2** tenere; reggere; resistere nel tempo; durare: *The favourable wind held for two days*, il vento favorevole durò due giorni; *How long will oil prices h.?*, quanto tempo reggeranno i prezzi del petrolio? **3** mantenere la presa; stare (*o* restare) attaccato; fare presa; tenere: *This glue won't h.*, questa colla non tiene; *H. tight!*, tienti stretto! **4** (*tel.*) attendere in linea: *Could you h. please while I check?*, le dispiace attendere in linea mentre controllo? **5** (= **to h. good**) restare valido; rimanere: *Their offer will h. until tomorrow*, la loro offerta è valida fino a domani **6** tenersi; comportarsi: **to h. (oneself) aloof**, tenersi a distanza; comportarsi in modo distaccato; (*fig.*) essere altezzoso **7** (*naut.*: *dell'ancora, ecc.*) fare presa; agguantare **8** (*slang USA*) detenere droga • **to h. sb. [st.] at bay**, tenere a bada q. [qc.] □ **to h. one's breath**, tenere il fiato; trattenere il respiro; stare col fiato sospeso □ **not to h. a candle to**, non reggere il confronto con: *Their products cannot h. a candle to ours*, i loro prodotti non reggono il confronto con i nostri; fra i loro prodotti e i nostri non c'è paragone □ **to h. a course**, (*all'università, ecc.*) tenere un corso; (*naut., aeron.*) tenere una rotta □ **to h. court**, tener corte; (*fig.*) tener banco □ **to h. sb. [st.] dear**, tenere (*o* avere) caro q. [qc.] □ (*fam.*) **H. everything!**, fermi tutti!; un momento! □ **to h. fast**, bloccare; tenere fermo □ **to h. fast to**, tenersi stretto a, aggrapparsi a; (*fig.*) mantenersi fedele a; non rinnegare: *The candidate urged the party to h. fast to its traditions*, il candidato esortò il partito a non rinnegare le proprie tradizioni □ (*mil.*) **to h. fire**, smettere di sparare; cessare il fuoco □ **to h. firm**, tener duro; resistere □ (*fig.*) **to h. the fort**, avere temporaneamente il comando; mandare avanti la baracca (*subentrando temporaneamente ad altri*) □ (*nelle corse*) **to h. the gap**, mantenere il distacco □ (*anche leg.*) **to h. good**, essere valido □ **to h. one's ground**, tenere il campo, difendersi bene; tener duro, resistere; non cedere; restare della propria opinione □ **to h. one's hand**, indugiare; trattenersi (*dal punire q., ecc.*) □ (*anche fig.*) **to h. sb.'s hand**, tenere q. per mano □ **to h. hands with sb.**, tenersi per mano: *The two little girls were holding hands*, le due bambine si tenevano per mano □ (*fam.*) **H. hard!**, fermati!; aspetta! (*anche fig.*) □ **to h. one's head high**, andare a testa alta; tenere alta la testa □ **to h. sb. in suspense**, tenere q. in ansia, sulla corda (*fig.*), sulle spine (*fig.*) □ **H. it!**, ferma!; fermi!; un momento! □ **to h. the line**, tener duro, resistere, non cedere terreno (*fig.*); (*telef.*) restare in linea: *Can you h. the line please?*, può rimanere in linea per favore? □ (*sport*) **to h. a match**, disputare un incontro (*o* una partita) □ (*anche fig.*) **to h. one's nose**, tapparsi (*o* turarsi) il naso □ **to h. the office of chairman**, ricoprire la carica di presidente □ (*polit.*) **to h. office**, essere in carica; restare al potere: *The conservatives held office for six years*, i conservatori restarono al potere per sei anni □ **to h. oneself**, tenersi: *They held themselves in readiness for the fight*, si tenevano pronti al combattimento □ **to h. one's own (against)**, tener duro (nei confronti di); resistere, non cedere (a) □ (*polit.*) **to h. a Parliament**, convocare il parlamento □ **to h. one's peace** = **to hold one's peace** → **peace** □ (*tennis*) **to h. (one's) serve** (*o* **service**), tenere il servizio □ **to h. one's tongue** = **to hold one's tongue** → **tongue** □ **to h. one's sides with laughter**, tenersi la pancia dalle risa □ **to h. still**, stare fermo (*o* quieto): *H. still while I comb your hair*, sta' fermo mentre ti pettino! □ **to h. sb. still**, tener fermo, trattenere q. □ (*leg.*) **to h. sb. to bail**, vincolare q. con il versamento d'una cauzione □ **to h. sb. to his promise**, far mantenere la promessa (*o* la parola) a q. □ **to h. true**, essere valido; valere; essere corretto: *This principle holds true for* (*o of*) *any scientific investigation*, questo principio vale per ogni indagine scientifica □ **to h. the view (that)**, essere del parere (*o* d'avviso) (che) □ (*fig. fam.*) **to be left holding the baby** (*USA*: **the bag**), restare col cerino acceso in mano; prendersi la patata bollente □ (*fig.*) **not to h. water**, (*di una scusa, un ragionamento, ecc.*) non stare in piedi; fare acqua da tutte le parti □ (*fig., fam.*) **H. your horses!**, adagio!; piano!; pianino!

■ **hold against** v. t. + prep. far carico (*o* colpa) di (qc.) a (q.); imputare (qc.) a (q.): *Don't worry, I won't h. it against you*, sta' tranquillo, non te ne faccio una colpa.

■ **hold back** **A** v. t. + avv. **1** trattenere; tenere a bada (*o* indietro); tenere a freno; contenere: *What's holding you back?*, che cosa ti trattiene (*dal fare qc.*)?; **to h. the crowd back**, trattenere la folla; *We must try to h. back the invaders*, dobbiamo cercare di contenere l'invasore; *Part of his pay was held back*, gli fu trattenuta parte della paga; **to h. back one's anger**, tenere a freno l'ira **2** non rivelare; non rendere pubblica (*una notizia*); rifiutarsi di dare (*o* di dire); nascondere: **to h. back all information**, rifiutarsi di dare qualsiasi informazione; *Don't h. anything back!*, non nascondere niente! **3** (far) ritardare: *The storm held them back*, il temporale li fece ritardare **B** v. i. + avv. **1** ritrarsi; tirarsi indietro: *When I asked for a volunteer, they all held back*, quando chiesi se c'era un volontario, si tirarono indietro tutti **2** non voler parlare; rifiutarsi di dare informazioni **3** (*sport: di una squadra*) giocare al risparmio □ **to h. back from doing st.**, astenersi da (*o* evitare di, rinunciare a) fare qc.

■ **hold by** v. i. + prep. **1** attenersi a; rispettare; essere coerente con; tener fede a: **to h. by one's principles**, tener fede ai propri principî; **to h. by a decision**, rispettare una decisione **2** essere d'accordo con; approvare: *I don't h. by your reactionary ideas*, non sono d'accordo con le tue idee reazionarie.

■ **hold down** v. t. + avv. **1** tenere giù (*o* basso); tenere a terra; tenere fermo: *The lid is held down by screws*, il coperchio è tenuto fermo dalle viti; (*anche lotta, judo*) **to h. one's opponent down**, tenere a terra (*o* immobilizzare) l'avversario **2** tenere a freno, frenare; contenere (*prezzi, ecc.*); (*econ.*) deprimere: **to h. down inflation**, frenare l'inflazione; **to h. down consumption**, deprimere i consumi **3** (*fam.*) (riuscire a) tenersi; mantenere (*un impiego, un lavoro*).

■ **hold forth** **A** v. i. + avv. **1** fare uno sproloquio, pontificare (*su qc.*) **2** (*raro*) parlare in pubblico **B** v. t. + avv. **1** (*form.*) offrire (*promesse, speranze, ecc.*) **2** (*arc.*) porgere, stendere (*la mano, ecc.*).

■ **hold in** v. t. + avv. **1** tirare in dentro (*lo stomaco, ecc.*) **2** tenere a freno, trattenere (*un cavallo, sentimenti, emozioni, ecc.*) □ **to h. it in**, tenerla stretta; trattenersi: *'The wine went right to my bladder. I've been holding it in. Is it all right if I go the bathroom?'* M. PUZO,

'il vino mi è andato subito nella vescica. È un po' che la tengo stretta. Posso andare al bagno?'.

■ **hold off** **A** v. t. + avv. **1** tenere (q.) lontano (o a distanza); essere scostante con (q.): *His haughty manner holds me off*, trovo scostante la sua alterigia **2** respingere, rintuzzare (*un attacco, una proposta, ecc.*) **3** rimandare, rinviare (*una decisione, una riunione, ecc.*) **B** v. i. + avv. **1** stare (o girare) alla larga; tenersi in disparte (o a distanza) **2** aspettare; stare alla finestra (*fig.*): *Buyers are holding off in the hope of a fall in stock prices*, gli acquirenti stanno alla finestra sperando in un calo dei corsi azionari **3** (*della pioggia, della neve, ecc.*) cessare, smettere; non cadere: *The snow stopped, and it held off till morning*, la neve cessò, e non nevicò più fino al mattino □ **to h. off from doing st.**, astenersi dal (o evitare di, rinunciare a) fare qc.

■ **hold on** **A** v. i. + avv. **1** restare attaccato (o aggrappato); tenersi stretto; non mollare (*anche fig.*): *H. on!*, non mollare! **2** aspettare: *H. on a minute!*, aspetta un momento!; *Hold on, I'll just check*, aspetti, vada a controllare (*telef.*) restare in linea **4** (*anche* **to h. on one's way**) continuare a camminare (a viaggiare, ecc.); andare per la propria strada **5** (*fig. fam.*) tenere duro; resistere: *The survivors could only h. on for a few days*, i superstiti poterono resistere soltanto per pochi giorni; **to h. on like grim death**, aggrapparsi con tutte le proprie forze; (*fig.*) tener duro, non mollare **6** (*della pioggia, della neve*) continuare a cadere **7** (*di radici, ecc.*) attecchire **B** v. t. + avv. tenere stretto; tenere insieme (o a posto); bloccare: *This nut holds the bolt on*, questo dado blocca il bullone.

■ **hold onto** (o **on to**) v. i. + prep. (o + avv. + prep.) **1** tenere stretto; tenersi stretto (o stare aggrappato) a; reggersi a; non mollare: **to h. onto one's umbrella**, tenere stretto l'ombrello; **to h. onto sb.'s arm**, reggersi al braccio di q.; *The rider was fined for holding onto the team car*, il ciclista fu multato per essersi aggrappato all'auto ammiraglia; *The little girl held onto her mother's hand*, la bambina non mollava la mano della mamma **2** (*fig.*) stare attaccato a; non rinunciare a; tenersi stretto; non vendere: *They're holding onto their little scheme*, stanno attaccati al loro progettino; *You should h. onto the little you have*, devi tenerti stretto (o conservare) quel poco che hai **3** (*fig.*) contare, fare affidamento su; avere in mano: *The district attorney can only h. onto circumstantial evidence*, il procuratore distrettuale ha in mano soltanto delle prove indiziarie □ (*sport*) **to h. onto the ball**, mantenere il possesso del pallone (o il possesso palla) □ (*fam., fig.*) **H. onto your hat!**, tienti forte!; ne sentirai delle belle!

■ **hold out** **A** v. i. + avv. **1** tener duro; resistere: *We must h. out until help arrives*, dobbiamo resistere in attesa di aiuto **2** (*fig.*) fare il braccio di ferro (*fig.*); battersi strenuamente: *The workers were holding out for a five-day week*, i lavoratori si battevano strenuamente per ottenere la settimana corta **3** durare; reggere: *Let's hope this fine weather will h. out*, speriamo che il bel tempo regga **4** (*di provviste, ecc.*) durare; bastare **5** (*fam.*) tenerla (stretta): *Is there a toilet nearby? I can't h. out much longer*, c'è un bagno qui vicino? non la tengo più (o mi scappa)! **B** v. t. + avv. **1** porgere, stendere (*la mano, ecc.*); tendere (*le braccia*) **2** tirare fuori, puntare (*una pistola, ecc.*) **3** offrire (*prospettive, speranze, ecc.*) □ **to h. out for a higher price**, cercare di spuntare un prezzo più alto (*naut.*) **to h. it out**, tenersi alla cappa (o di traverso) □ **to h. out under torture**, resistere alla tortura □ **to h. oneself**

out as a doctor, farsi passare (o spacciarsi) per medico.

■ **hold out on** v. i. + avv. + prep. **1** (*fam.*) nascondere un segreto a (q.); tenere (q.) all'oscuro: *Are you holding out on me?*, mi stai nascondendo qc.? **2** (*fam.*) fare resistenza a (q.); rifiutarsi di risarcire (q.): *The insurance company is still holding out on him*, la compagnia d'assicurazioni continua a rifiutargli il risarcimento **3** bloccare, mettere il fermo su; rifiutarsi di pagare: *The bank is threatening to h. out on the interest of his account*, la banca minaccia di bloccare gli interessi del suo conto.

■ **hold over** **A** v. t. + avv. **1** tenere in serbo; conservare; mettere da parte **2** accantonare; rimandare; rinviare: **to h. over an important matter**, accantonare una questione importante; *The meeting was held over till the next week*, la riunione è stata rinviata alla prossima settimana **3** mantenere (q.) in servizio; prorogare (*bur.*) **4** (*cinem., teatr.*) tenere in cartellone; continuare a programmare **5** (*mus.*) filare, sostenere (*una nota*) **B** v. t. + prep. servirsi di (qc.) per minacciare (o ricattare) (q.): *He knows I have a police record and is holding it over me*, sa che ho la fedina sporca e se ne serve per minacciarmi □ **to be held over**, (*teatr., mus.: di un concerto, ecc.*) essere rinviato; (*cinem., teatr.: di un film, un dramma, un musical, ecc.*) tenere il cartellone, essere (ancora) programmato.

■ **hold to** **A** v. i. + prep. **1** condividere; aderire a; sottoscrivere: *I do not h. to their radical views*, non condivido le loro idee radicali **2** restare fedele a; mantenere; confermare: **to h. to one's ideals**, mantenere i propri ideali; **to h. to one's previous story**, confermare il proprio racconto **B** v. t. + prep. vincolare (q.: *a una promessa, a un contratto, ecc.*) □ (*naut.: di una nave*) **to h. to one's course**, mantenere la rotta.

■ **hold together** **A** v. i. + avv. **1** stare insieme (*fam.*); stare attaccato (unito, ecc.); stare in piedi (*fig.*): *We must h. together*, dobbiamo restare uniti; *My old car can hardly h. together*, la mia vecchia auto fa fatica a stare insieme; *This story doesn't h. together*, questa storia non sta proprio in piedi (*fig.: di un matrimonio, ecc.*) durare; resistere **B** v. t. + avv. **1** tenere (qc.) insieme (*fam.*); tenere attaccato (unito, ecc.) **2** (*fig.*) tenere in piedi (*fam.*); far durare (*un'unione, ecc.*): **to h. a marriage together**, tenere in piedi un matrimonio □ **to h. oneself together**, restare padrone di sé; non lasciarsi andare (*fig.*); mantenere la calma.

■ **hold under** v. t. + avv. **1** tenere (q.) sotto (o sott'acqua): *He held his head under the water as long as he could*, tenne la testa sott'acqua il più a lungo possibile **2** tenere (q.) sottomesso; opprimere.

■ **hold up** **A** v. t. + avv. **1** tenere su; sostenere; sorreggere: **to h. one's trousers up**, tenere su i calzoni; *Four pillars h. up the roof*, quattro pilastri sorreggono il tetto **2** alzare: *H. up your hands!*, alzate le mani! **3** bloccare; fermare; trattenere: *We were held up by a big traffic jam*, fummo trattenuti da un grosso ingorgo stradale; *They want to h. up the peace talks*, vogliono bloccare le trattative di pace; **to h. up goods at the customs**, trattenere merci in dogana **4** ostacolare; ritardare: *Road traffic was held up by the transport strike*, il traffico stradale fu ostacolato dallo sciopero dei mezzi pubblici; *The building of the new bridge has been held up by the torrential rains*, la costruzione del nuovo ponte è stata ritardata dalle piogge torrenziali **5** tirar fuori (qc.); mostrandolo; esibire, esporre, presentare (*qc. alla vista o all'ammirazione di q.*) **6** proporre, indicare (q. o qc.): **to h. sb.** [**st.**] **up as an example**, proporre q. [qc.] come

esempio **7** rapinare; assaltare a mano armata; svaligiare: *The bank was held up by five robbers*, la banca fu svaligiata da cinque rapinatori; (*di banditi*) **to h. up a train**, assaltare un treno **8** (*fig.*) aggredire violentemente **9** (*fam. USA*) derubare; far pagare troppo a (q.) **B** v. i. + avv. **1** durare; (*di provviste, ecc.*) bastare; reggere: *I hope my old car will h. up until I get the new one*, spero che la mia vecchia auto mi duri (o regga) finché non arriva la nuova **2** fermarsi; arrestarsi **3** reggere; resistere; tener duro; tener botta (*fam.*); (*del tempo*) reggere, durare; (*di un'accusa*) reggere, stare in piedi (*fig.*); (*econ., fin.*) tenere (*fig.*); (*di un film, una commedia, ecc.*) tenere (*fig.*), tenere il cartellone: *Will the fine weather h. up?*, reggerà il bel tempo?; *This charge won't h. up*, questa accusa non sta in piedi; *Light industry is holding up well in the general slump*, l'industria leggera tiene bene (o tira ancora) nella depressione generale; *Our shares are holding up quite well*, le nostre azioni tengono (o si comportano) bene (*sport*) **to h. up the game**, tenere fermo il gioco □ **to h. one's head up**, tenere la testa alta; (*fig.*) andare a testa alta □ **to h. sb.** [**st.**] **up to ridicule** [**to scorn**], ridicolizzare [dileggiare] q. [qc.] □ **to h. st. up to view**, mettere qc. in bella vista □ (*fam.*) **H. them up!**, mani in alto!

■ **hold up on** v. i. + avv. + prep. **1** → **hold out on**, def. 2 e 3 **2** rimandare, rinviare, accantonare (*progetti e sim.*).

■ **hold with** v. i. + prep. (di solito in frasi neg.) essere d'accordo con; approvare; condividere: *I don't h. with fundamentalism of any sort*, non approvo nessun genere di fondamentalismo.

holdall /ˈhəʊldɔːl/ n. (*GB*) grande valigia; borsone da viaggio.

holdback /ˈhəʊldbæk/ n. **1** intoppo; impedimento; ostacolo **2** (*mecc.*) arresto; fermo **3** (= **h. pay**) trattenuta (*sul salario e sim.*).

hold-down /ˈhəʊldaʊn/ n. (*lotta, judo*) immobilizzazione.

holden /ˈhəʊldn/ p. p. *arc.* di **to hold**.

♦ **holder** /ˈhəʊldə(r)/ n. **1** possessore; detentore **2** oggetto che sostiene (o con cui si tiene) qc.; (*spec.*) presa, presina (*da cucina*) **3** contenitore **4** portalampada **5** (*sport*) detentore (*di un titolo*); (*boxe, lotta, ecc.*, = **title h.**) detentore del titolo **6** (*università*) borsista **7** (*leg., fin.*) detentore; portatore; tenitore; intestatario; titolare: **the h. of a bill of exchange**, il portatore d'una cambiale; **account h.** (o **h. of an account**), titolare di un conto; correntista **8** (*zool.*) organo prensile **9** (*trasp.*) sostegno; maniglia ● (*leg.*) **h. in due course**, possessore legittimo (*di un titolo di credito*) □ **diploma h.**, chi ha un diploma; diplomato (*sost.*).

holdfast /ˈhəʊldfɑːst/ n. **1** presa; stretta **2** (*mecc.*) dispositivo di bloccaggio; gancio; morsetto; rampone; uncino **3** (*bot.*) uncino.

♦ **holding** /ˈhəʊldɪŋ/ n. **1** (*agric.*) tenuta; podere; appezzamento di terreno **2** (di solito al pl.) proprietà; beni immobili; patrimonio fondiario **3** (*fin.*) partecipazione: **h. of shares**, partecipazione azionaria **4** (pl.) (*fin.*) pacchetto azionario; azioni, titoli **5** (*mil.*) contenimento: **h. action**, azione di contenimento **6** (*sport*) (*boxe*) tenuta (*dell'avversario*); (*calcio, ecc.*) trattenuta, trattenute; tenuta (*fallo*) **7** (*leg., in USA*) decisione (giudiziale) **8** Ⓢ (*anche sport*) contenimento; interdizione ● (*fin.*) **h. company**, holding; (*società*) finanziaria; società madre; società capogruppo □ (*elettr.*) **h. current**, corrente di mantenimento □ (*naut.*) **h. ground**, fondale di ancoraggio □ (*calcio*) **h. midfielder**, mediano d'interdizione □ (*aeron.*) **h. pattern**, volo circolare d'attesa (*prima di poter*

atterrare) □ (*aeron.*) **h. point**, punto di attesa.

hold-music /'həʊld mjuːzɪk/ *n.* musichetta d'attesa (*al telefono*).

holdout /'həʊldaʊt/ *n.* **1** ⓤ resistenza, insistenza (*spec. in una trattativa*) **2** chi fa opposizione **3** (*USA*) chi rifiuta di fare il proprio dovere (*o quanto promesso*); renitente **4** (*USA*) chi rifiuta di pagare.

holdover /'həʊldəʊvə(r)/ *n.* **1** avanzo; resto **2** (*spec. USA*) funzionario prorogato; chi resta in carica (*da un governo all'altro, ecc.*) **3** (*USA: a scuola*) ripetente.

hold-up /'həʊldʌp/ *n.* **1** rapina: **an armed hold-up**, una rapina a mano armata **2** arresto, blocco, intoppo, ingorgo (*del traffico, ecc.*) **3** (*autom.*) guasto meccanico; panne **4** (*ind.*) arresto; interruzione; ritardo: **a production hold-up**, un ritardo nella produzione **5** (*chim.*) holdup; ritenzione **6** (*fam. USA*) furto; (*fig.*) conto (troppo salato) **7** (pl.) (*moda*) (calze) autoreggenti.

♦**hole** /həʊl/ *n.* **1** buco (*anche fig.*); foro; pertugio; apertura: **holes in one's socks**, buchi nei calzini; **a h. in the roof**, un foro nel tetto; **a h. in the ozone layer**, un buco nello strato di ozono **2** buca; fossa; cavità; pozza (*di fiume*): **a road full of holes**, una strada piena di buche; **swimming h.**, specchio d'acqua (*formato da un fiume, ecc.*) in cui nuotare **3** tana; cunicolo; buco: **a rabbit h.**, la tana d'un coniglio **4** (*golf, biliardo*) buca; punto ottenuto facendo una buca: **h. in one**, buca in un colpo **5** (*naut.*) falla; squarcio **6** ⓤ cella (d'isolamento) **7** (*fig. fam.*) buco (*fig.*); catapecchia; stamberga; brutto posto: *What a h.!*, che postaccio! **8** (*fam.*) difetto; punto debole; falla: *Your theory is full of holes*, la tua teoria ha molti punti deboli (*o fa acqua*); **to pick holes in st.**, trovare punti deboli in qc.; criticare qc.; fare le pulci a qc. **9** (*fam.*) situazione delicata; pasticcio; guaio: **to be in a h.**, essere in un guaio; **to put sb. in a h.**, mettere q. in una situazione delicata (*o nei pasticci*) **10** (*slang*) bocca **11** (*slang USA*) metropolitana **12** (*volg.*) buco del culo (*volg.*); vagina ● (*fam.*) **h.-and-corner**, segreto, nascosto, clandestino; illegale; illecito □ (*poker*) **h. card**, carta coperta (*nello «stud poker»*; → **stud**②) □ **a h. in a tooth**, una carie □ **h. in the wall**, (*fam. ingl.*) sportello Bancomat; (*fam. spreg. USA*) ristorantino; baretto; negozietto; botteguccia □ **h.-puncher**, perforatrice, punzonatore (*per ufficio*) □ **in holes**, (*di abito, ecc.*) pieno di buchi; a brandelli □ (*fig. fam. USA*) **in the h.**, in debito □ (*fam.*) **I need it like a h. in the head**, è l'ultima cosa di cui ho bisogno; non mi manca che questo □ **to make a h. in st.**, fare un grosso buco in (*un patrimonio*); intaccare considerevolmente (*risparmi*).

to **hole** /həʊl/ ⓐ *v. t.* **1** bucare; forare; perforare **2** (*naut.*) squarciare il fianco di (*una nave*) **3** praticare, fare (*un foro, ecc.*) **4** (*golf, anche* **to h. out**) mettere (*o mandare*) in buca (*la palla*) **5** (*ind. min.*) mettere (*due gallerie*) in comunicazione ⓑ *v. i.* **1** fare buchi **2** entrare in un buco **3** (*golf*) andare in buca; fare una buca.

▪ **hole in** *v. i. + avv.* (*fam. USA*) imbucarsi (*fam.*); trovare alloggio o rifugio □ (*golf*) **to h. in one [two, three, four]**, fare buca in un colpo [in due, tre, quattro colpi].

▪ **hole out** *v. i. + avv.* **1** (*golf*) andare in buca; fare buca **2** (*fam. USA*) rintanarsi; rifugiarsi; nascondersi **3** (*cricket*) uscire dalla direttamente al difensore (*senza che rimbalzi, con conseguente eliminazione del battitore*).

▪ **hole through** *v. i. + avv.* (*ind. min.*) abbattere la parete che divide due tronchi di galleria.

▪ **hole up** ⓐ *v. i. + avv.* (*fam.*) **1** rintanarsi; rifugiarsi; nascondersi; starsene rintanato **2** trovare alloggio; imbucarsi (*fam.*) **3** abi-

tare ⓑ *v. t. + avv.* (*fam.*) **1** dare rifugio a (q.) **2** tenere (q.) prigioniero **3** (*fig.*) bloccare, ostacolare, ritardare (qc.) **4** (*golf*) → **to hole, A,** *def.* 4.

holeproof /'həʊlpruːf/ *a.* **1** (*di calza, ecc.*) che non si buca **2** (*fig.: di prova, testimonianza, ecc.*) senza falle; ferreo.

♦**holiday** /'hɒlədeɪ/ ⓐ *n.* **1** festa; giorno festivo; vacanza: **a month's h.**, un mese di vacanza **2** (pl.) vacanze; ferie; villeggiatura: **the Christmas [Easter, summer] holidays**, le vacanze di Natale [di Pasqua, estive]; **paid holidays**, ferie pagate; vacanze retribuite; *«How many days' holidays do you get a year?» «I get 25 working days»*, «Quanti giorni di ferie hai all'anno?» «Ho 25 giorni lavorativi»; *I've got lots of holidays to take*, ho molte ferie da consumare ⓑ *a. attr.* festivo; di festa; della festa; di vacanza: **h. clothes**, vestiti della festa ● (*tur., GB*) **h. camp**, campo di vacanze; villaggio turistico □ **h. home**, casa per le vacanze; seconda casa □ **h. insurance**, assicurazione per le vacanze □ **h. resort**, luogo di villeggiatura □ (*USA*) **the h. season**, le feste (*il periodo compreso tra il giorno del Ringraziamento e Capodanno*) □ (*tur., GB*) **h. village**, villaggio turistico □ **to be (away) on h.**, essere in vacanza □ **to go on h.**, andare in vacanza □ **to take a h.**, prendersi una vacanza.

to **holiday** /'hɒlədeɪ/ *v. i.* passare le vacanze; essere in villeggiatura; villeggiare.

holidaymaker /'hɒlədeɪmeɪkə(r)/ *n.* vacanziere; villeggiante; turista.

holier-than-thou /'hɒliːðən'ðaʊ/ *a.* (*fam.*) santocchio; bacchettone; bigotto.

holiness /'həʊlɪnəs/ *n.* ⓤ santità ● (*relig. cattolica*) His H., Sua Santità; il Papa.

holism /'həʊlɪzəm/ (*filos., biol., med.*) *n.* ⓤ olismo ∥ **holist** n. fautore (*o seguace*) dell'olismo ∥ **holistic** a. olistico ● (*pubbl.*) **holistic test**, test olistico.

holla /'hɒlə/ → **hollo**.

holland /'hɒlənd/ *n.* ⓤ **1** (*ind. tess.*) tela d'Olanda; olanda **2** (pl.) gin fabbricato in Olanda ● **brown h.**, lino greggio.

Holland /'hɒlənd/ *n.* (*geogr.*) Olanda.

hollandaise sauce /'hɒləndeɪz sɔːs/ *loc. n.* (*cucina*) salsa olandese.

Hollander /'hɒləndə(r)/ *n.* **1** olandese **2** (*naut.*) nave olandese **3** – (*ind. cartaria*) h., olandese; pila olandese.

holler /'hɒlə(r)/ *n.* (*fam.*) grido; urlo: **to let out a h.**, lanciare un urlo; emettere un grido.

to **holler** /'hɒlə(r)/ *v. i. e t.* (*fam.*) gridare; urlare; vociare ● **to h. at sb.**, chiamare q. a gran voce.

hollo /'hɒləʊ/ ⓐ *inter.* (*di richiamo, stupore, ecc.*) olà!; ohilà!; chi è là? ⓑ *n.* (pl. *hollos*) grido; urlo.

to **hollo**, to **holloa** /'hɒləʊ/ ⓐ *v. i.* gridare; vociare ⓑ *v. t.* **1** chiamare (q.) con grida **2** incitare (*cani da caccia*).

hollow /'hɒləʊ/ ⓐ *a.* **1** cavo; incavato; scavato; vuoto: **a h. trunk**, un tronco cavo; **a h. nut**, una noce vuota **2** incavato; infossato: **h. cheeks**, guance incavate **3** (*di suono*) cupo; profondo; sordo: **a h. voice**, una voce cupa; **a h. groan**, un lamento sordo **4** (*fig.*) falso; ingannevole; vano; senza valore: **h. words**, parole false; **h. promises**, vane promesse; **h. pleasures**, piaceri vani; **a h. victory**, una vittoria che non vale niente; una vittoria di Pirro; **a h. excuse**, una misera scusa **5** (*del ventre*) vuoto; (*fam.*) affamato ⓑ *n.* **1** cavità; conca; cavo: **in the h. of one's hand**, nel cavo della mano **2** depressione (*del terreno*); valletta ● (*edil.*) **h. brick**, mattone forato; foratone (*fam.*) □ **h.-cheeked**, dalle guance scavate □ **a h. dish**, un piatto fondo; una fondina (*dial.*) □ (*ind. min.*) **h. drill**, fioretto forato □ **h.-eyed**, dagli occhi

infossati □ (*arc.*) **h.-hearted**, falso; insincero □ (*mecc.*) **h. mill**, fresa cava □ (*mecc.*) **h. punch**, fustella □ (*sport*) **a h. race**, una corsa senza interesse, scialba □ (*tecn.*) **h. space**, intercapedine □ (*edil.*) **h. wall**, muro a cassa vuota (*market.*) □ **h. ware**, vasellame; pentole; tegami, casseruole; (*anche*) barili, barilotti e cilindri metallici □ (*fam.*) **to beat sb. h.**, battere (*o sconfiggere*) q. irrimediabilmente; stracciare q. (*fam.*) ∥ **hollowness** n. ⓤ **1** l'esser cavo, vuoto **2** (*fig.*) vanità **3** (*fig.*) falsità; insincerità.

to **hollow** /'hɒləʊ/ *v. t.* (*anche* **to h. out**) scavare; incavare; rendere cavo (*o concavo*): *These rocks have been hollowed out by the river*, queste rocce sono state scavate dal fiume ● **to h. a canoe out of a tree trunk**, ricavare una canoa da un tronco d'albero, scavandolo.

holly /'hɒlɪ/ *n.* ⓤⒸ (*bot., Ilex aquifolium*) agrifoglio.

hollyhock /'hɒlihɒk/ *n.* ⓤ (*bot., Althaea rosea*) malvarosa; malvone.

Hollywood /'hɒlɪwʊd/ ⓐ *n.* ⓤ **1** Hollywood **2** (*fig.*) il cinema americano ⓑ *a. attr.* hollywoodiano (*anche fig.*) ∥ **Hollywoodian** a. e n. (*nativo o residente*) di Hollywood; hollywoodiano.

holm① , **holme** /həʊm/ *n.* **1** isoletta (*in un fiume o lago*) **2** golena; terreno golenale.

holm② /həʊm/ *n.* (*bot., Quercus ilex*; = **h.-oak**) leccio.

holmium /'həʊlmɪəm/ *n.* ⓤ (*chim.*) olmio.

holocaust /'hɒləkɔːst/ *n.* Ⓒⓤ **1** (*anche fig.*) olocausto **2** (*stor.*) – **the H.**, l'Olocausto; lo sterminio degli ebrei (*compiuto dai nazisti*); **H. denial**, negazione dell'Olocausto; negazionismo.

Holocene /'hɒləsiːn/ (*geol.*) ⓐ *n.* ⓤ oloocene ⓑ *a. attr.* oloocenico.

Holofernes /hɒlə'fɜːniːz/ *n.* Oloferne.

hologram /'hɒləgræm/ *n.* (*fis.*) ologramma.

holograph /'hɒləgrɑːf/ ⓐ *n.* (*anche leg.*) documento (*o testamento, ecc.*) olografo ⓑ *a.* (*anche leg.*) olografo.

holographic /hɒlə'græfɪk/ *a.* **1** (*leg.*) olografo: **h. will**, testamento olografo **2** (*tecn.*) olografico.

holography /hɒ'lɒgrəfi/ *n.* ⓤ (*fis.*) olografia.

holohedral /hɒləʊ'hiːdrəl/ *a.* (*miner.*) oloedrico.

holophrastic /hɒlə'fræstɪk/ *a.* (*ling.*) olofrastico.

holothurian /hɒləʊ'θʊərɪən, -'θjʊə-/ *n.* (*zool., Holothuria*) oloturia.

hols /hɒlz/ *n. pl.* (*GB*) (abbr. *fam. di* **holidays**) vacanze.

holster /'həʊlstə(r)/ *n.* (*mil.: di pistola*) fondina.

to **holster** /'həʊlstə(r)/ *v. t.* mettere (*o rimettere*) nella fondina.

holt① /həʊlt/ *n.* (*poet.*) **1** bosco; boschetto **2** colle boscoso.

holt② /həʊlt/ *n.* covo, tana (*spec. di lontra*).

holus-bolus, **holus bolus** /həʊləs-'bəʊləs/ *avv.* in blocco; pari pari; per intero; in toto.

♦**holy** /'həʊlɪ/ *a.* **1** santo; sacro; consacrato; benedetto; venerando: (*relig.*) **the H. Ghost** (*o* **Spirit**), lo Spirito Santo; (*relig.*) **the H. Scripture** (*o* **Scriptures**), le Sacre Scritture **2** santo; devoto, pio; religioso **3** (*fam.*) sacro; vero: *Her son is a h. terror*, suo figlio è una vera peste (*o* un bambino pestifero) ● (*stor.*) **the H. Alliance**, la Santa Alleanza □ (*fam., per esprimere sorpresa, paura, ecc.*) **h. cow** (*o* **smoke, mackerel**)!, (giusto o santo) cielo! □ **h. day**, festa religiosa □ (*relig.*) **H. Family**, Sacra Famiglia ● (*relig. cattolica*) **the H. Father**, il Santo Padre (*il Papa*) □ **H.**

Joe, (*fam.*) prete; (*anche*) bacchettone, bigotto; (*gergo mil.*) cappellano militare □ **the H. Land**, la Terra Santa □ **the h. of holies**, il sancta sanctorum (*anche fig.*) □ (*stor.*) **the H. Office**, il Sant'Uffizio □ (*relig.*) **the H. Rood**, la Santa Croce □ **the H. See**, la Santa Sede □ **h. war**, guerra santa; crociata □ (*relig.*) **h. water**, acqua santa □ (*relig.*) **H. Week**, la settimana santa □ **h. Willie**, bigotto; santocchio; ipocrita □ **H. Writ**, (*antiq.*) Bibbia, Sacre Scritture; (*fig.*) Vangelo: *You shouldn't take everything he says as Holy Writ*, non dovresti prendere per Vangelo (*o per oro colato*) tutto ciò che dice □ (*relig.*) **h. year**, anno santo □ **to live a h. life**, vivere santamente □ **to take h. orders**, ricevere gli ordini sacri; farsi prete ‖ **holily** avv. santamente, piamente.

holystone /ˈhəʊlɪstəʊn/ n. ⓤ (*naut.*) mattone inglese; pietra da coperta (*per lavare i ponti*).

homage /ˈhɒmɪdʒ/ n. ⓤ **1** omaggio; ossequio; tributo: **to pay** (*o to do*) **h. to sb.**, rendere omaggio a q. **2** (*stor.*) omaggio; atto di vassallaggio.

homburg /ˈhɒmbɜːɡ/ n. (*anche* **H. hat**) cappello di feltro (*da uomo*); lobbia.

◆**home** /həʊm/ Ⓐ n. **1** casa (*natale o dove si abita*); dimora; focolare domestico; famiglia; vita familiare: *He left h. and joined the army*, se ne andò di casa per arruolarsi; **the joys of h.**, le gioie della vita familiare **2** patria (*anche fig.*); terra natia: *I left my post abroad and went h.*, lasciai il mio posto all'estero e tornai in patria; *England is the h. of football*, l'Inghilterra è la patria del gioco del calcio **3** ambiente naturale; habitat: *The Arctic is the h. of the polar bear*, l'Artico è l'habitat dell'orso polare **4** alloggio; asilo; ricovero; casa: **homes for veterans**, alloggi per i reduci; **an old people's h.**, una casa per anziani; (*eufem.*) **h. for senior citizens**, casa di riposo (*per anziani*); **an orphans' h.**, una casa per orfani; un orfanotrofio **5** (*sport*) meta, traguardo; (*nel baseball*) casa base Ⓑ a. attr. **1** casalingo; domestico; familiare: **h. cooking**, cucina casalinga; **h. life**, vita familiare **2** interno; nazionale; nostrano; indigeno; domestico: **h. trade**, commercio interno; **h. products**, prodotti nazionali; **h. affairs**, affari interni; (*mil.*) **h. front**, fronte interno; **h. market**, mercato interno (*o nazionale*) **3** che va a segno; (*fig.*) che raggiunge lo scopo; efficace: **h. question**, una domanda che va a segno **4** (*sport*) in casa; di casa; casalingo; interno: **a h. match**, una partita in casa; *When's the next h. game?*, quando c'è la prossima partita in casa?; **the h. team** (*o side*), la squadra di casa (*o che gioca in casa*); la squadra ospitante; **a h. win**, una vittoria in casa; una vittoria interna Ⓒ avv. **1** a casa (*di luogo e di moto a luogo*): *She went h.*, andò a casa; *Is he h. from work?*, è tornato (*a casa*) dal lavoro?; *He'll be* (*o come*) *h. by 3 pm*, sarà a casa per le tre; *I brought a letter h. about the meeting the other day*, l'altro giorno ho portato a casa una lettera che parlava dell'incontro **2** al proprio paese; in patria; a casa: *Yankees go h.!*, americani, tornate a casa vostra! **3** (*fam.*) in casa (*stato in luogo*): *I've been h. since midday*, sono in casa da mezzogiorno **4** a fondo; a posto; nel posto giusto, voluto; (*mecc.*) in sede; (*fig.*) a segno: **to hit** (*o to strike*) **h.**, colpire (*o cogliere*) nel segno; **to drive a nail h.**, piantare a fondo un chiodo **5** (*fig.*) alla comprensione (*di q.*): **to bring st. h. to sb.**, fare comprendere (*o capire*) qc. a q. **6** (*fig.*) alla responsabilità (*di q.*): **to bring a crime h. to sb.**, addebitare un delitto alla responsabilità di q. **7** (*sport*) a segno; in rete: **to hit** (*o to drive*) **the ball h.**, mettere la palla in rete; segnare **8** (*sport*) in casa; sul proprio campo di gioco ● **h. address**, in-

dirizzo privato (*o di casa*) □ **h. alone** (agg. attr.), (*di bambino, ecc.*) che è lasciato solo in casa □ (*ass.*) **h. and contents insurance**, assicurazione della casa e del contenuto □ (*fam. GB*) **to be h. and dry**, avercela fatta: *When we scored the second goal I thought we were h. and dry*, quando abbiamo segnato il secondo gol ho pensato che ce l'avevamo fatta (*o che era fatta*) □ (*USA*) **h. away from h.** = **h. from h.** → *sotto* □ **h. banking**, telebanca; servizi bancari a domicilio; home banking □ **h. base**, (*baseball*) casa base, base di battuta; (*fig.*) base □ **h.-born** (*o h.- -bred*), nativo; indigeno nostrano □ **h. brew**, birra (*o altra bevanda alcolica*) fatta in casa □ (*di birra, ecc.*) **h.-brewed**, fatto in casa □ (*med.*) **h. call**, visita a domicilio □ **h. cinema**, home theater; home cinema (*sistema audio e video per la riproduzione domestica di immagini televisive su grande schermo*) □ (*geogr.*) **the H. Counties**, le contee intorno a Londra □ (*fin.*) **h. currency**, moneta (*o valuta*) nazionale □ (*comm.*) **h. delivery**, consegna a domicilio □ **h. development**, zona di sviluppo urbano; zona residenziale □ **h. economics**, economia domestica (*materia di studio*) □ **h.-felt**, profondamente sentito □ (*fam. USA*) **to be h. free** = **to be h. and dry** → *sopra* □ (*GB*) **h. from h.**, luogo in cui ci si sente a casa; seconda casa (*fig.*) □ (*USA*) **h. fries**, patatine fritte □ (*sport*) **h. gate**, incasso di una partita casalinga □ **h.-grown**, nazionale, nostrano; interno □ (*stor., in GB*) **the H. Guard**, la Milizia Territoriale (*durante la 2ª guerra mondiale*) □ **h. help**, (persona che dà un) aiuto domestico, assistente a domicilio (*per anziani, malati, ecc.*); (*anche*) domestica, domestico, colf □ **h. help services**, assistenza domestica; servizi domestici □ **h. improvement centre**, centro di vendita di articoli fai-da-te □ (*ass.*) **h. insurance**, assicurazione casa □ (*leg.*) **h. invader**, persona che commette violazione di domicilio □ (*leg.*) **h. invasion**, violazione di domicilio □ **h.-keeping**, casalingo; (*anche*) d'abitudini casalinghe □ (*mus.*) **h. key**, tonalità □ **h.-made**, fatto in casa: **h.-made ice cream**, gelato fatto in casa □ **h. movie**, film amatoriale □ **h. news**, notizie dall'interno; notizie di politica interna □ (*org. az.*) **h. office**, sede principale (*degli affari*); quartier generale □ (*in GB*) **the H. Office**, il Ministero dell'Interno □ (*comput.*) **h. page**, home page; pagina principale (*di un sito web*); pagina personale (*di un utente*) □ (*baseball*) **h. plate**, piatto della casa base; (*per estens.*) casa base, base di battuta □ (*naut.*) **h. port**, porto d'origine □ (*econ.*) **h.-produced goods**, prodotti nazionali □ (*econ.*) **h. producers**, i produttori nazionali □ (*econ.*) **h. products**, prodotti nazionali □ (*polit., stor.*) **H. Rule**, autogoverno, autonomia (*spec. dell'Irlanda*) □ **h. run**, (*baseball*) giro completo del campo (*fatto da un battitore*: *vale un punto*); (*anche*) battuta che consente un «home run»; fuoricampo; (*fig. USA*) risultato raggiunto; gran colpo; colpo eccezionale □ (*spec. USA*) **h.-schooling**, istruzione impartita dai genitori; 'scuola fatta in casa' □ (*baseball*) **H. Secretary**, Ministro dell'Interno (*in Inghilterra*) □ **h. shopping**, spesa fatta da casa (*per telefono, computer, ecc.*) □ (*ferr.*) **h. signal**, segnale di blocco □ **h. spa**, vasca idromassaggio □ (*spec. GB*) **h. straight** (*o spec. USA* **h. stretch**), (*sport*) dirittura d'arrivo; (*ipp.*) rettilineo delle tribune; (*fig.*) parte (*o fase*) finale, sprint (*o rush*) finale □ **h. teacher**, insegnante a domicilio (*per allievi malati o disabili*); (*anche*) insegnante privato, precettore □ (*USA*) **h. theater** = **h. cinema** → *sopra* □ **h. thrust**, stoccata a fondo, colpo messo a segno; (*fig.*) frecciata, allusione maligna □ **h. town** → **hometown** □ **h. truth**, una verità spiacevole ma di sé stesso (*che si apprende da altri*) □ (*sport*) **h. turn**, curva prima dell'arrivo; ultima curva □ **h. unit**,

unità abitativa □ (*anche med.*) **h. visit**, visita a domicilio □ **h. wrecker** → **homewrecker** □ **at h.**, a casa, in casa; in patria; (*sport*) in casa: **not to be at h. to anybody**, non essere in casa per nessuno; **at h. and abroad**, in patria e all'estero □ **an at-h.**, un ricevimento (*dato in casa*) □ **to be** [**to feel, to make oneself**] **at h.**, essere [sentirsi, mettersi] a proprio agio; essere [sentirsi, fare] come a casa propria: *Come in, make yourself at h.*, entra, fai come se fossi a casa tua □ **to see sb. h.**, accompagnare q. a casa □ (*scherz. GB*) **when he's** (*o she's, it's, ecc.*) **at h.**, di grazia; se è lecito (chiedere): *Who's Paul when he's at h.?*, di grazia, chi è Paul?; e chi sarebbe questo Paul?; *What's that when it's at h.?*, che cosa vuol dire (questa parola), se è lecito chiedere?; di grazia, che cosa significa (questa parola)? □ (*prov.*) **H. sweet h.**, casa, dolce casa □ **There's no place like h.**, il posto più bello del mondo è casa propria.

❶ **NOTA**: *home o house?*
Sia *home* sia *house* significano "casa", però con sfumature diverse. *Home* vuol dire "casa" in senso lato, ma oltre a riferirsi alla casa in senso fisico ha anche un valore affettivo o di appartenenza: *home sweet home*, casa dolce casa; *to go home*, andare a casa; *the home team*, la squadra di casa. Il sostantivo *house* è molto più legato all'idea di casa in senso fisico, cioè l'edificio stesso. In genere, si usa più frequentemente in riferimento alla tipica casa indipendente inglese, anziché a un condominio o un appartamento, chiamato *flat* (*GB*) o *apartment* (*USA*).

to home /həʊm/ Ⓐ v. i. **1** (*spec. di piccioni viaggiatori*) tornare a casa (*o alla base*) (*di partenza*) **2** abitare; stare di casa **3** (*mil., aeron., miss., spesso* **to h. in on**) puntare, dirigersi: *The missile homed in on the bomber*, il missile puntò sul bombardiere **4** (*naut.*) dirigere su un punto **5** (*elettr.*) tornare nella posizione di partenza Ⓑ v. t. **1** mandare a casa; rinviare alla base (*per es.*, *un piccione*) **2** (*raro*) provvedere (*q.*) di casa; dare una casa a (*q.*) **3** (*mil., aeron., miss.*) guidare, dirigere (*un missile su un bersaglio, ecc.*).

homebody /ˈhəʊmbɒdi/ n. (*fam.*) tipo casalingo; chi fa vita ritirata.

homebound /ˈhəʊmbaʊnd/ a. chiuso in casa; costretto a stare in casa.

homeboy /ˈhəʊmbɔɪ/ n. (*slang USA*) **1** ragazzo (*o membro di una banda giovanile*) dello stesso quartiere **2** cantante rap.

homecoming /ˈhəʊmkʌmɪŋ/ n. ⓤ **1** ritorno a casa **2** rientro in patria **3** (*in USA*) giornata (*nel trimestre autunnale*) in cui gli ex alunni sono invitati a fare visita alla vecchia scuola o università (*occasione spesso celebrata con una partita di football o un ballo*).

homecraft /ˈhəʊmkrɑːft/ n. ⓤ artigianato domestico.

homeland /ˈhəʊmlænd/ n. terra natia; madrepatria; patria (*anche d'adozione*) ● (*polit. USA*) **Department of H. Security**, Dipartimento per la sicurezza nazionale.

◆**homeless** /ˈhəʊmləs/ Ⓐ a. senza dimora; senza casa; senza tetto Ⓑ n. (collett.) – **the h.**, i senzatetto | **-ness** n. ⓤ.

homelike /ˈhəʊmlaɪk/ a. **1** familiare; amichevole; semplice; alla buona **2** accogliente; comodo; confortevole.

Homelink /ˈhəʊmlɪŋk/ n. (*fin., in GB*) servizi bancari a domicilio; telebanca.

homely /ˈhəʊmlɪ/ a. **1** semplice; senza pretese; alla buona; alla mano: **a h. dinner**, un pranzo semplice (*o alla buona*); **a h. welcome**, un'accoglienza senza pretese (*o alla buona*) **2** (*spec. USA*) bruttino; brutto: **a h. girl**, una ragazza bruttina **3** casalingo; domestico; familiare; di famiglia: **a h. atmosphere**, un'aria di famiglia ‖ **homeliness** n.

⚂ **1** inclinazione alla vita familiare **2** semplicità **3** (*spec. USA*) bruttezza.

homemaker /'həʊmmeɪkə(r)/ *n.* **1** chi è capace di creare un ambiente domestico (*o* familiare) **2** assistente sociale **3** (*spec. USA*: *di donna*) casalinga.

homeobox /'həʊmɪəʊbɒks/ *n.* (*biochim.*, *genetica*) dominio omeotico; homeobox.

homeomorphism /ˌhəʊmɪəˈmɔːfɪzəm/ (*mat.*) *n.* ⚂ omeomorfismo ‖ **homeomorphic** *a.* omeomorfico.

homeopath /'həʊmɪəpæθ/ *n.* (*med.*) omeopata; medico (*o* farmacista) omeopatico.

homeopathy /ˌhəʊmɪˈɒpəθɪ/ (*med.*) *n.* ⚂ omeopatia ‖ **homeopathic** *a.* (*anche fig.*) omeopatico ‖ **homeopathist** *n.* **1** omeopatista **2** → **homeopath**.

homeostasis /ˌhəʊmɪəˈsteɪsɪs/ (*biol.*) *n.* ⚂ omeostasi ‖ **homeostatic** *a.* omeostatico • **homeostatic organism**, omeostato.

homeotherm /hə'mɔɪəθɜːm/ (*zool.*, *fisiol.*) *n.* omeotermo ‖ **homeothermic** *a.* omeotermico ‖ **homeothermy** *n.* ⚂ omeotermia.

homeowner /'həʊməʊnə(r)/ *n.* proprietario di casa.

homepage /'həʊmpeɪdʒ/ *n.* = **home page** → **home**.

homer[1] /'həʊmə(r)/ *n.* **1** piccione viaggiatore **2** (*aeron.*) stazione radiogoniometrica di guida **3** (*mil.*, *miss.*) missile autoguidato (*o* provvisto di guida automatica).

homer[2] /'həʊmə(r)/ *n.* (*fam.*, *baseball*) = **home run** → **home**.

Homer /'həʊmə(r)/ *n.* (*stor. letter.*) Omero • (*prov.*) **H. sometimes nods**, anche Omero talvolta sonnecchia ‖ **Homeric** *a.* omerico: **Homeric laughter**, risata omerica.

homeroom /'həʊmruːm/ *n.* (*USA*: *a scuola*) aula di coordinamento (*nella quale gli studenti si radunano prima dell'inizio delle lezioni o tra una lezione e l'altra*).

homesick /'həʊmsɪk/ *a.* nostalgico, che soffre di nostalgia (*per la propria casa o patria*) ‖ **homesickness** *n.* ⚂ nostalgia (*per la propria casa o patria*).

homespun /'həʊmspʌn/ Ⓐ *a.* **1** (*di stoffa*) tessuto in casa; fatto con il telaio a mano **2** (*fig.*) casalingo; semplice; senza pretese: **h. virtues**, semplici virtù Ⓑ *n.* ⚂ stoffa tessuta in casa; stoffa fatta con il telaio a mano • **h. wisdom**, saggezza popolare.

homestay /'həʊmsteɪ/ *n.* soggiorno all'estero presso famiglia; sistemazione in famiglia.

homestead /'həʊmsted/ *n.* **1** casa colonica; fattoria; masseria; casa e podere **2** (*stor.*, *in USA*) appezzamento di terreno demaniale (*di 160 acri; assegnato a un colono perché lo coltivasse; in base all'***H. Act** *del 1862*) ‖ **homesteader** *n.* **1** agricoltore; colono; proprietario di fattoria **2** (*stor.*, *in USA*) assegnatario di un appezzamento di terreno demaniale.

homestyle /'həʊmstaɪl/ *a.* (*USA*, *spec. di cibo*) fatto in casa; casalingo; semplice.

hometown /'həʊmtaʊn/ *n.* (*spec. USA*) **1** città natale; città natia **2** città dell'infanzia **3** città di residenza • **h. girls**, ragazze di paese (*o* di provincia).

homeward /'həʊmwəd/ Ⓐ *avv.* verso casa; verso la patria: **to go h.**, dirigersi verso casa (*o* verso la patria); iniziare il viaggio di ritorno Ⓑ *a.* di ritorno; (*naut.*) **h. voyage**, viaggio di ritorno • **h. bound**, diretto verso casa; diretto in patria (*o* al paese di origine); sulla via del ritorno; (*naut.*) diretto al porto di origine.

homewards /'həʊmwədz/ *avv.* → **homeward, A.**

homeware /'həʊmweə(r)/ *n.* ⚂ articoli per la casa.

homewear /'həʊmweə(r)/ *n.* ⚂ (*market.*) (*articoli d'*) abbigliamento da casa.

♦**homework** /'həʊmwɜːk/ *n.* ⚂ **1** (*econ.*) lavoro a domicilio **2** compito (*o* compiti) per casa **3** (*slang USA*) pomiciata; rapporto sessuale.

homeworker /'həʊmwɜːkə(r)/ *n.* (*econ.*) lavorante a domicilio.

homewrecker, home wrecker /'həʊmrekə(r)/ *n.* rovinafamiglie.

homey[1] /'həʊmɪ/ *a.* (*fam.*) **1** casalingo; domestico; familiare; intimo **2** accogliente; confortevole; comodo; piacevole.

homey[2] /'həʊmɪ/ *n.* → **homeboy**.

homicidal /hɒmɪ'saɪdl/ *a.* **1** omicida: **h. tendencies**, tendenze omicide **2** che ha tendenze omicide • **a h. lunatic**, un pazzo criminale.

homicide /'hɒmɪsaɪd/ *n.* (*leg.*) **1** omicida **2** ⚃ omicidio • (*USA*, *eufem.*) **h. bomber**, kamikaze.

homie /'həʊmɪ/ *n.* → **homeboy**.

homiletic /hɒmɪ'letɪk/ *a.* di (*o* simile a) un'omelia; omiletico.

homiletics /hɒmɪ'letɪks/ *n. pl.* (*col verbo al sing.*) omiletica.

homily /'hɒməlɪ/ *n.* omelia; predica (*anche fig.*); sermone ‖ **homilist** *n.* **1** omileta; scrittore d'omelie **2** omelista; predicatore.

homing[1] /'həʊmɪŋ/ *a.* **1** diretto a casa; che torna in patria **2** (*aeron. mil.*: *di un missile*) provvisto di guida automatica; autoguidato • (*zool.*) **h. instinct**, istinto del ritorno al luogo d'origine □ **h. pigeon**, piccione (*o* colombo) viaggiatore.

homing[2] /'həʊmɪŋ/ *n.* **1** (*zool.*) homing; ritorno (abituale) in un posto (noto) **2** (*aeron.*, *mil.*: *di missile*, *siluro*, *ecc.*) homing; guida automatica; autoguida • **h. device**, (*elettron.*) radiobussola; (*mil.*) dispositivo di radioguida (*per missili telecomandati*) □ (*elettr.*) **h. relay**, relè con ritorno.

hominid /'hɒmɪnɪd/ *n.* (*antrop.*) ominide.

hominin /'hɒmɪnɪn/ (*antrop.*) Ⓐ *n.* ominine Ⓑ *a.* degli omini.

hominoid /'hɒmɪnɔɪd/ (*zool.*) Ⓐ *n.* ominoideo Ⓑ *a.* degli ominoidei.

hominy /'hɒmɪnɪ/ *n.* ⚂ granoturco spezzettato (*o* macinato); farina grossa di granturco; polenta (*cotta con acqua o latte*) • (*USA*) **h. grits**, polenta integrale.

homo /'həʊməʊ/ *n.* (*pl.* **homos**) (abbr. di **homosexual**) (*slang*, *spreg.*) checca; finocchio; frocio.

homocentric /ˌhəʊməˈsentrɪk, hɒ-/ *a.* (*fis.*) omocentrico.

homoerotic /ˌhəʊməʊɪˈrɒtɪk/ *a.* omoerotico.

homogamy /hə'mɒgəmɪ/ (*biol.*) *n.* ⚂ omogamia ‖ **homogamous** *a.* omogamo.

homogenate /hə'mɒdʒəneɪt/ *n.* (*biol.*) omogenato; omogeneizzato.

homogeneity /ˌhəʊmədʒə'niːɪtɪ, hɒ-/, **homogeneousness** /ˌhəʊmə'dʒiːnɪəsnəs, hɒ-/ *n.* ⚂ omogeneità ‖ **homogeneous** *a.* (*anche mat.*, *chim.*) omogeneo: **homogeneous function**, funzione omogenea ‖ **homogeneously** *avv.* omogeneamente.

homogenization /ˌhɒmədʒənaɪ'zeɪʃn, *USA* -nɪ'z-/ *n.* ⚂ omogeneizzazione.

to **homogenize** /hə'mɒdʒənaɪz/ *v. t.* omogeneizzare, omogenizzare.

homogenized /hə'mɒdʒənaɪzd/ *a.* omogeneizzato: **h. milk**, latte omogeneizzato.

homograft /'hɒməgrɑːft, 'hɒ-/ *n.* (*med.*) innesto autoplastico; omotrapianto.

homograph /'hɒməgrɑːf, 'hɒ-/ (*ling.*) *n.* omografo ‖ **homographic** *a.* omografo.

homoiotherm /hə'mɔɪəθɜːm/ *n.* e *deriv.* → **homeotherm**, e *deriv.*

to **homologate** /hə'mɒləgeɪt/ (*leg.*, *sport*) *v. t.* omologare ‖ **homologation** *n.* ⚂ omologazione.

homological /ˌhəʊmə'lɒdʒɪkl, hɒ-/ *a.* omologico.

to **homologize** /hə'mɒlədʒaɪz/ (*lett.*, *scient.*) Ⓐ *v. t.* rendere (*o* dimostrare) omologo; omologare Ⓑ *v. i.* essere omologo.

homologous /hə'mɒləgəs/ *a.* omologo.

homologue, (*USA*) **homolog** /'həʊməlɒg, 'hɒ-/ *n.* omologo.

homology /hə'mɒlədʒɪ/ *n.* ⚃ omologia.

homomorphism /ˌhəʊmə'mɔːfɪzəm, hɒ-/ (*biol.*, *mat.*) *n.* ⚂ omomorfismo ‖ **homomorphic, homomorphous** *a.* omomorfo.

homonym /'həʊmənɪm, 'hɒ-/ *n.* omonimo (*anche ling.*) ‖ **homonymic, homonymous** *a.* omonimo (*anche ling.*) ‖ **homonymy** *n.* ⚂ omonimia.

homophobe /'həʊməfəʊb/ *n.* omofobo.

homophobia /ˌhəʊməʊ'fəʊbɪə/ *n.* ⚂ omofobia.

homophobic /ˌhəʊməʊ'fəʊbɪk/ *a.* omofobico.

homophone /'həʊməfəʊn, 'hɒ-/ *n.* (*ling.*) omofono.

homophony /hə'mɒfənɪ/ (*ling.*, *mus.*) *n.* ⚂ omofonia ‖ **homophonic, homophonous** *a.* omofono; omofonico.

homopolar /ˌhəʊmə'pəʊlə(r), hɒ-/ *a.* (*elettr.*, *chim.*) omopolare.

homoscedastic /ˌhəʊməskɪ'dæstɪk, hɒ-/ *a.* (*stat.*) omoschedastico.

homosex /'həʊməseks, 'hɒ-/ *n.* ⚂ (abbr. *fam. di* **homosexuality**) omosessualità.

♦**homosexual** /ˌhəʊmə'sekʃʊəl, hɒ-/ *a.* e *n.* omosessuale • (*psic.*, *spec. USA*) **h. panic**, panico omosessuale; panico gay (*reazione spropositata che può insorgere in un eterosessuale che pensa di essere o è fatto oggetto di attenzioni da parte di un omosessuale*) ‖ **homosexuality** *n.* ⚂ omosessualità.

homotopy /hə'mɒtəpɪ/ (*mat.*) *n.* ⚂ omotopia ‖ **homotopic** *a.* omotopico.

homozygote /ˌhəʊmə'zaɪgəʊt, hɒ-/ (*biol.*) *n.* omozigote ‖ **homozygous** *a.* omozigote; omozigotico.

homunculus /həʊ'mʌŋkjʊləs/ *n.* (*pl.* **homunculi**) **1** omuncolo; nanerottolo **2** (*alchimia*) homunculus; omuncolo.

homy /'həʊmɪ/ → **homey**[1].

hon /hʌn/ *n.* abbr. *fam. di* → **honey** (*def.* 2).

Hon. abbr. **1** (*honorary*) onorario (agg.) **2** (*honourable*) onorevole (On.).

honcho /'hɒntʃəʊ/ *n.* (*slang USA*) capo (*dal giapponese*, «*caposquadra*»).

Honduran /hɒn'djʊərən, *USA* -'dʊə-/ *a.* e *n.* honduregno.

hone /həʊn/ *n.* **1** cote; pietra per affilare (*spec. rasoi*) **2** (*mecc.*) lapidello.

to **hone** /həʊn/ *v. t.* **1** affilare sulla cote **2** (*mecc.*) levigare; lapidare **3** (*fig.*) affinare; perfezionare; rifinire.

♦**honest** /'ɒnɪst/ Ⓐ *a.* **1** onesto; dabbene; leale; integro; probo; sincero; schietto: **an h. man**, un uomo onesto; un galantuomo; **h. profits**, onesti guadagni; **h. weight**, peso onesto (*o* giusto); **an h. piece of work**, un lavoro onesto (*o* coscienzioso); **an h. face**, una faccia onesta; **to give an h. opinion**, dare un parere schietto **2** genuino; puro; semplice: **h. food**, cibo semplice; **the h. truth**, la verità pura e semplice **3** (*arc.*: *di donna*) onesta; casta; virtuosa Ⓑ *inter.* (*fam.*) davvero!; sul serio!; parola! • **h. broker**, mediatore imparziale (*spec. nel caso di dispute tra Stati*) □ **h. to God!** (*o* **h. to goodness!**), parola mia!; (*anche*) ma insomma!, santo cielo! □ **h.-to-God!** (*o* **h.-to-goodness**), genuino; schietto; sincero; semplice □ **to be (quite**

h., a dire il vero; a essere sincero □ **to earn** (*o* **to turn**) **an h. penny**, guadagnarsi il pane (*o* la vita) onestamente □ **to make an h. living**, guadagnarsi la vita onestamente □ (*arc. o scherz.*) **to make an h. woman of sb.**, sposare una donna con nozze riparatrici □ (*slang*) **h. injun!**, parola d'onore!

♦**honestly** **A** avv. **1** onestamente; lealmente; sinceramente **2** davvero; sul serio: *I'll do it, h.!*, lo farò, davvero **B** inter. francamente!; ma insomma!; ma via!

honesty /'ɒnɪstɪ/ n. ⓤ **1** onestà; lealtà; integrità; probità; sincerità; schiettezza **2** (*arc.*: *di donna*) onestà; castità **3** (*bot.*, *Lunaria annua*) lunaria; medaglia; erba luna • **in all h.**, con tutta franchezza; (*prov.*) **H. is the best policy**, l'onestà è la miglior linea di condotta.

♦**honey** /'hʌnɪ/ **A** n. **1** ⓤ miele; (*fig.*) dolcezza: **h.-sweet**, dolce come il miele **2** (*fam.*, *solo al vocat.*) tesoro; amore; (*come appellativo semplicemente amichevole*) caro, cara **3** (*fam.*) gioiello (*fig.*); cosa eccellente (*o* favolosa): *This is a h. of a car*, questa macchina è un gioiello **4** (*slang USA*) bella ragazza; bell'uomo **B** a. attr. **1** (*zool.*) del miele; melario **2** che sa di miele; dolce **3** addolcito con miele; melato • **h. bag**, borsa melaria (*dell'ape*) □ (*zool.*) **h. bear** (*Helarctos malayanus*), orso labiato □ **h. bun** (*o* **h. bunch**) = **A**, *def. 2 → sopra* □ (*zool.*) **h. buzzard** (*Pernis apivorus*), falco pecchiaiolo □ (*zool.*) **h.-eater** (*Meliphaga*), melifaga (*uccello*) □ (*agric.*) **h. extractor**, smielatore; smelatore □ (*zool.*) **h. mouse** (*Tarsipes spenserae*), tarsipede (*marsupiale austr.*) □ **h.-mouthed**, mellifluo □ (*fam. USA*) **h. pie**, innamorata, innamorato; morosa, moroso (*fam.*) □ (*zool.*) **h. sac** = **h. bag** → *sopra* □ **h.-tongued**, mellifluo.

honeybee /'hʌnɪbiː/ n. (*zool.*, *Apis mellifera*) ape domestica; pecchia (*lett.*).

honeycomb /'hʌnɪkəʊm/ **A** n. **1** favo; nido d'api **2** struttura a nido d'ape **3** → **honeycombing B** a. (*tecn.*) a nido d'ape: (*elettr.*) **h. coil**, bobina a nido d'ape; (*autom.*, *mecc.*) **h. radiator**, radiatore a nido d'ape.

to **honeycomb** /'hʌnɪkəʊm/ v. t. **1** crivellare; perforare; bucherellare: *The subsoil of London is honeycombed with the tunnels of the Tube*, il sottosuolo di Londra è crivellato dalle gallerie della metropolitana **2** (*fig.*) permeare; pervadere **3** (*fig.*) sovvertire; minare.

honeycombing /'hʌnɪkəʊmɪŋ/ n. Ⓤ **1** fessurazione alveolare (*del legname*) **2** (*mecc.*) butteratura, corrosione, falla (*di metalli, specie nelle caldaie*).

honeydew /'hʌnɪdjuː, *USA* -duː/ n. ⓤ (*zool.*) melata; mielata • **h. melon**, varietà di melone assai dolce.

honeyed /'hʌnɪd/ a. melato; dolce; (*fig.*) mellifluo, sdolcinato: **h. words**, parole mellifue.

honeymoon /'hʌnɪmuːn/ n. (*anche fig.*) luna di miele; viaggio di nozze.

to **honeymoon** /'hʌnɪmuːn/ v. i. andare in luna di miele; passare la luna di miele.

honeymooner /'hʌnɪmuːnə(r)/ n. chi è in luna di miele.

honeynet /'hʌnɪnet/ n. (*comput.*) rete civetta (*rete di calcolatori predisposta per attirare e monitorare l'attività di potenziali hacker*).

honeypot /'hʌnɪpɒt/ n. **1** vasetto di miele **2** (*fig.*) attrazione; calamita • **like bees to** (*o* **round**) **a h.**, come api intorno al miele **3** (*comput.*) server civetta (*attira e monitora l'attività di potenziali hacker*).

honeysuckle /'hʌnɪsʌk(ə)l/ n. ⓤ (*bot.*, *Lonicera caprifolium*) caprifoglio; madreselva.

honeytrap /'hʌnɪtræp/ n. finto appuntamento galante, trappola galante (*a scopo di spionaggio, ricatto, rapimento, ecc.*).

honied /'hʌnɪd/ → **honeyed**.

honing /'həʊnɪŋ/ n. Ⓤ **1** affilatura (sulla cote) **2** (*mecc.*) levigatura; lisciatura; lapidatura • **h. machine**, levigatrice □ **h. tool**, utensile levigatore (*o* per lapidare).

honk /hɒŋk/ n. **1** richiamo (*o* grido) dell'oca selvatica **2** colpo di clacson.

to **honk** /hɒŋk/ v. i. **1** (*dell'oca selvatica*) gridare; schiamazzare **2** (*del clacson*) suonare **3** (*ciclismo*) pedalare stando sollevato sui pedali e ancheggiando.

honkie, **honky** /'hɒŋkɪ/ n. (*spreg. USA*) uomo (*o* donna) di pelle bianca; bianco, bianca (*detto da gente di colore*).

honky-tonk /'hɒŋkɪtɒŋk/ **A** n. **1** (*slang USA*) locale d'infimo ordine; balera; bettola; taverna **2** (*mus.*, *stor.*) honky-tonky **B** a. **1** (*slang USA*) scadente; squallido **2** (*mus.*) di honky-tonky.

honor /'ɒnə(r)/ *e deriv.* (*USA*) → **honour**, *e deriv.*

honorarium /ɒnə'reərɪəm/ n. (pl. *honoraria*, *honorariums*) onorario; compenso; emolumento; parcella.

honorary /'ɒnərɪ/ a. **1** onorario; onorifico: **an h. vice-president**, un vicepresidente onorario; **an h. office**, una carica onorifica **2** d'onore: **h. debts**, debiti d'onore • **an h. degree**, una laurea ad honorem (*o honoris causa*).

honorific /ɒnə'rɪfɪk/ **A** a. **1** onorifico: **an h. title**, un titolo onorifico **2** (*gramm.*) di cortesia **B** n. **1** titolo onorifico **2** (*gramm.*) appellativo di cortesia.

♦**honour**, (*USA*) **honor** /'ɒnə(r)/ n. ⓒⓤ **1** onore; onoranza; dignità; atto d'omaggio, d'ossequio: **to be an h. to one's country**, fare onore al proprio paese; **to win h. in battle**, farsi onore sul campo di battaglia; **military h.**, onor militare (*o* della bandiera) **(full) military honours**, onori (*o* onoranze) militari; **to do** (*o* **to give**, **to pay**) **h. to sb.**, fare onore (*o* atto d'omaggio, d'ossequio) a q.; **funeral** [**last**] **honours**, onoranze funebri [estremi onori] **2** onorificenza: **the honours list**, la lista delle onorificenze (*concesse dal sovrano*) **3** ⓤ considerazione; rispetto; stima: **to show h. to one's elders**, mostrare rispetto per le persone più anziane **4** (*arc.*) onore; virtù; castità **5** (pl.) (*nei giochi di carte, spec. nel bridge*) onori; le carte dal dieci all'asso (*degli atout*); gli assi (*d'altro seme*) • **to be** (*o* **to feel**) (**in**) **h.-bound**, essere (*o sentirsi*) moralmente obbligato □ (*antiq. o scherz.*) **h. bright!**, parola d'onore! □ **h. to whom h. is due**, onore al merito □ (*in GB*, *Australia*, *Sud Africa*, *ecc.*, *ma non in USA*) **honours course**, corso che si segue per ottenere un «honours degree» □ **honours degree**, (diploma di) laurea (*sempre di 1° grado: per es.*, *un B.A. o B.Sc.*) che si consegue scegliendo un piano di studi con un maggior numero di discipline (*si divide in lauree di 1ª*, *2ª e 3ª classe*; *cfr.* **pass degree**, *sotto* **pass**①): **first-class honours** (**degree**), laurea col massimo dei voti □ (*fam.*) **honours even**, pari (e patta) (*alle carte, ecc.*) □ (*mil.*) **the honours of war**, l'onore delle armi □ (*banca*, *comm.*, *nelle cambiali*) **for h.** (**supra protest**), per intervento □ **an honours student**, uno studente che si prepara per un «honours degree» □ (*comm.*, *nelle cambiali*) **for the h. of the drawer**, per salvare l'onore del traente □ **to be bound in h. to do st.**, essere tenuto a fare qc. (*per lealtà o per non venir meno al proprio onore*) □ **to do h. to sb.**, fare onore a q.; tornare a onore di q. □ **to do sb. the h.** (**of doing st.**), fare a q. l'onore di fare qc.) □ **to do the honours**, fare gli onori di casa; fare l'anfitrione □ **to hold sb. in great h.**, avere molta stima di q.; tenere q. in grande considerazione □ **on my h.**, sul mio onore; parola d'onore! □ **to be on one's h. to do st.**, avere dato la propria parola

d'onore di fare qc. • **upon my h.!**, parola d'onore! □ (*a scuola, all'università*) **with (high) honours**, con lode: *He graduated with honours from Cambridge*, si è laureato con lode a Cambridge □ (*leg.*) **Your H.**, Vostro Onore • (*prov.*) **There's h. among thieves**, anche i malviventi hanno un loro codice di comportamento.

to **honour**, (*USA*) **to honor** /'ɒnə(r)/ v. t. **1** onorare; far onore a; fare omaggio a; venerare: *Everybody honours him*, tutti l'onorano **2** conferire un'onorificenza a (q.) **3** tener fede a: **to h. a commitment**, tener fede a un impegno **4** (*comm.*) onorare; far onore a; accettare, pagare (*un titolo di credito*): **to h. a bill** [**a cheque**, **a draft**], onorare una cambiale [un assegno, una tratta]; **to h. one's signature**, fare onore alla propria firma • (*leg.*, *comm.*) **to h. a contract**, rispettare un contratto.

honourable, (*USA*) **honorable** /'ɒnrəbl/ a. **1** onorevole; d'onore; onorabile; onorato; onesto: *'For Brutus is an h. man'* W. SHAKESPEARE, 'poiché Bruto è un uomo d'onore'; *Her intentions are h.*, le sue intenzioni sono oneste; **an h. peace**, una pace onorevole **2** (*in GB*) **H.**, «Honourable» • ⓒ CULTURA • **Honourable**: *è il titolo che spetta a molti Pari d'Inghilterra*: *Most H.*, «Onorevolissimo», è il titolo dato a marchesi, a insigniti dell'«Order of Bath» e a membri del «Privy Council»; *Right Honourable*, «Molto Onorevole», è il titolo dato a nobili di grado inferiore a quello di marchese; *Honourable* è usato, inoltre, da un membro dei Comuni quando si riferisce a un collega • (*mil.*) **h. dismissal**, congedo 'onorevole' (*non esiste in Italia*) □ **h. mention**, menzione onorevole; citazione speciale (*concessa da una giuria, ecc.*) ‖ **honourableness**, (*USA*) **honorableness** n. ⓊⓊ onorabilità; onoratezza; onestà ‖ **honourably**, (*USA*) **honorably** avv. onorevolmente.

hoo /huː/ inter. **1** (*di stupore*) ohibò!; perdinci! **2** (*per chiamare q.*) ehi!

hooch /huːtʃ/ n. **1** (*slang USA*) liquore scadente (*o* distillato alla macchia) **2** (*cucina*) liquido di fermentazione **3** (*anche* **hoochie**) ragazza che si veste in maniera provocante.

hood① /hʊd/ n. **1** cappuccio (*di persona o di falco*) **2** (*nelle università*) cappuccio della toga (*di colore diverso per le varie facoltà*) **3** (*autom.*, *USA*, *cfr. ingl.* **bonnet**) cofano: **h. fastener**, fermacofano **4** (*autom.*) capote, cappotta, capotta (*d'automobile aperta*) **5** soffietto (*di carrozzina per bambini*) **6** (*di cucina, ecc.*) cappa **7** (*di carro*) telone **8** (*fotogr.*) schermo paraluce **9** (*tecn.*) cupola **10** (*alpinismo*) passamontagna.

hood② /hʊd/ n. (*slang USA*) → **hoodlum**.

hood③ /hʊd/ n. (abbr. di **neighborhood**) (*slang USA*) quartiere.

to **hood** /hʊd/ v. t. **1** incappucciare; coprire con un cappuccio **2** (*fig.*) nascondere **3** (*autom.*) mettere la capote a.

hooded /'hʊdɪd/ a. **1** incappucciato: **a h. monk**, un monaco incappucciato **2** a forma di cappuccio **3** (*moda: di un indumento*) con il cappuccio **4** (*zool.*) crestato **5** (*d'occhio*) socchiuso • (*zool.*) **h. cobra** (*Naja naja*), cobra dagli occhiali □ (*zool.*) **h. crow** (*Corvus cornix*), cornacchia grigia.

hoodie① /'hʊdɪ/ n. (*zool.*, *Corvus cornix*) cornacchia grigia.

hoodie② /'hʊdɪ/ n. felpa con cappuccio.

hoodlum /'huːdləm/ n. (*slang USA*) **1** teppista **2** gangster; bandito; malvivente; malavitoso.

hoodoo /'huːduː/ n. (pl. *hoodoos*) (*fam.*, *spec. USA*) **1** vudù; sfortuna; disdetta; scalogna; iella (*fam.*) **2** chi pratica il vudù **3** iettatore; menagramo.

to **hoodoo** /'huːduː/ v. t. (*fam.*, *spec. USA*) **1** dare la iella a (q.); portare sfortuna a (q.)

2 gettare il malocchio su (q.) **3** praticare il vudù.

to **hoodwink** /ˈhʊdwɪŋk/ v. t. **1** mettere il paraocchi a (*un cavallo*) **2** (*fig.*) imbrogliare; ingannare; raggirare.

hooey /ˈhuːɪ/ n. ⓤ e inter. (*fam.*) balle; sciocchezze; fesserie (*fam.*).

hoof /huːf/ n. (pl. *hoofs*, *hooves*) **1** zoccolo (*di animale ungulato*); unghia (*di cavallo, ecc.*) **2** (*scherz.* o *spreg.*) piede (*d'uomo*); zampa (*fam.*); cloven h., piede fesso (*o caprino*) • (*vet.*) h.-and-mouth disease, afta epizootica □ h. pad, tampone per gli zoccoli (*del cavallo*) □ h. print, impronta di zoccolo □ on the h., (*di bestiame*) vivo, non ancora macellato; (*fam. GB*) in modo sbrigativo.

to **hoof** /huːf/ Ⓐ v. t. **1** colpire con lo zoccolo; calpestare con gli zoccoli **2** (*slang*) prendere a calci Ⓑ v. i. **1** (*fam.*, *anche* to h. it) andare a piedi; camminare **2** (*slang*, *antiq.*) ballare • (*slang*) to h. sb. out, buttar fuori q. a calci.

hoofed /huːft/ a. (*zool.*) che ha zoccoli; ungulato.

hoofer /ˈhuːfə(r)/ n. (*slang USA*) ballerino, ballerina (*di professione*).

hoo-ha /ˈhuːhɑː/ n. ⓤ (*fam.*) **1** blablà; fesserie; cavolate **2** finimondo, tragedia (*fig.*).

♦**hook** /hʊk/ n. **1** gancio; uncino; gancetto; uncinello: a clothes [coat] h., un gancio per appendere panni [cappotti]; a picture h., un gancetto per appendere quadri; a h. and eye, un gancio con occhiello; un'allacciatura (*di abiti*) a gancio **2** (= fish h.) amo; graffio; rampino **3** (*fig.*) trappola; tranello **4** (*boxe*) hook; gancio; crochet; uncino **5** (*geogr.*) ansa, gomito (*di fiume, ecc.*); lingua di terra, a falce; promontorio ad arco **6** (*naut.*) gola; ghirlanda **7** (*naut.*) ancorotto **8** (*mus.*) uncino (*della nota*) **9** (*agric.*) falce (*per mietere*); falcetto; (= bill-hook) pennato, roncola **10** uncinetto; crochet (*lavoro femminile*) **11** (*sport*, *spec. golf*) hook (*tiro sbagliato che manda la palla troppo verso sinistra rispetto al battitore destrimano*) **12** (*cricket*) hook (*tiro violento effettuato con la mazza orizzontale*) **13** (*rugby*) tallonata; tallonaggio **14** (*telef.*) forcella **15** (*elettron.*) innesco **16** (*slang USA*) droga pesante; eroina **17** (*slang USA*) ladro; borseggiatore; borsaiolo **18** (*slang USA*) puttana **19** (*slang USA spreg.*; = h.-nose) ebreo **20** (pl.) (*slang USA*) mani • (*USA*) h.-and-ladder (truck), autoscala (*dei pompieri*) □ (*zool.*: *d'uccello*) h.-billed (o h.-beaked), dal becco adunco □ (*fig.*) h., line, and sinker, completamente; del tutto; tutto: to swallow a story h., line and sinker, mandare giù una storiella da cima a fondo; bersela tutta (*fig.*) □ h.-nosed, dal naso a becco (o aquilino) □ (*mecc.*) h. spanner (*USA*: h. wrench), chiave a gancio □ by h. or by crook, di riffa o di raffa; con le buone o con le cattive □ (*fam. USA*) to get the h., essere licenziato; essere cacciato □ (*fam.*) to get one's hooks into, mettere le mani su; impadronirsi di □ (*fig.*) to get off the h., tirarsi fuori dai guai □ (*fig.*) to get (o to let) sb. off the h., tirare q. fuori dai guai □ to leave the phone off the h., lasciare il telefono staccato □ (*fig.*) to be on the h., essere inguaiato; essere incastrato (o in trappola) □ (*fam. USA*) to be on the h. for st., avere in carico, essere responsabile di (*spec. una somma di denaro*) □ (*slang*) on one's own h., per conto proprio; da solo □ (*slang*) to take (o to sling) one's h., squagliarsi; svignarsela; tagliare la corda □ to take the phone off the h., staccare la cornetta.

to **hook** /hʊk/ Ⓐ v. t. **1** agganciare; attaccare (*con un gancio*, *a un gancio*): to h. st. on to a wall, agganciare qc. al muro; attaccare qc. al muro con un gancio **2** prendere all'amo (*un pesce*) **3** curvare (*o piegare*) a uncino (*una parte del corpo*): The man hooked his

thumbs in his belt, l'uomo si infilò i pollici nella cintura **4** (*naut.*) agganciare; incocciare **5** (*fig. fam.*, generalm. al passivo) conquistare; prendere; coinvolgere; catturare: I read the first page and I was hooked, ho letto la prima pagina e non sono più riuscito a smettere **6** (*fig. fam.*) accalappiare: to h. a rich husband, accalappiare un marito ricco **7** (*fig. fam.*) gabbare; imbrogliare; fregare (*fam.*) **8** (*sport*, *spec. golf*) fare → «hook» (*def. 11*) **9** (*rugby*) tallonare **10** (*boxe*) colpire con un gancio **11** (*hockey su ghiaccio*) agganciare: to h. an opponent with the stick, agganciare un avversario con il bastone **12** (*slang*) adescare **13** (*slang arc.*) rubare Ⓑ v. i. **1** agganciarsi; chiudersi con ganci: This skirt hooks at the back, questa gonna s'aggancia di dietro **2** curvarsi a mo' d'uncino **3** (*cricket*) effettuare un → «hook» (*def. 12*) **4** (*boxe*) sferrare (*o assestare*) un gancio • (*slang*) to h. it, tagliare la corda; darsela a gambe; svignarsela.

▪ **hook up** Ⓐ v. t. + avv. **1** agganciare; chiudere con ganci: Please, h. up my dress, per favore, agganciami il vestito **2** allacciare (*a un'apparecchiatura elettronica*); collegare: to h. up the speakers, collegare gli altoparlanti; to h. up by satellite, collegare via satellite; He's hooked up to an electrocardiograph, è collegato a un elettrocardiografo Ⓑ v. i. + avv. (*fam. USA*) **1** incontrarsi, trovarsi (*con q.*) (*per fare qualcosa insieme*): Let's h. up for dinner, vediamoci per una cena insieme; ceniamo insieme da qualche parte **2** mettersi insieme (*con q.*) (*per lavorare, collaborare*) **3** iniziare una relazione (*con q.*); mettersi insieme (*con q.*) (*fam.*).

hookah /ˈhʊkə/ n. narghilè; pipa turca.

hooked /hʊkt/ a. **1** a uncino; ricurvo; a becco; uncinato: a h. nose, un naso a becco (o aquilino); h. cross, croce uncinata **2** provvisto di ganci (o d'uncini) **3** (fatto) all'uncinetto: a h. rug, un tappeto all'uncinetto **4** (*fam.*) conquistato; preso; appassionato; fanatico: She's h. on skating, le è venuta la passione del pattinaggio **5** (*fam.*) sposato **6** (*slang*) drogato: to be h. on cocaine, essere cocainomane.

hooker① /ˈhʊkə(r)/ n. **1** chi aggancia, uncina, ecc. (→ to hook) **2** (*rugby*) tallonatore **3** (*ind.*) agganciatore; addetto all'agganciamento **4** (*slang*) ladro; borsaiolo **5** (*slang*) prostituta; battona (*fam.*).

hooker② /ˈhʊkə(r)/ n. (*naut.*) **1** palangaro; palamito **2** palangaro (*la barca*).

hookey /ˈhʊkɪ/ → **hooky**.

hooking /ˈhʊkɪŋ/ n. ⓤ **1** (*sport*) aggancio (*della palla, ecc.*) **2** (*rugby*) tallonaggio.

hook-up /ˈhʊkʌp/ n. **1** (*elettr.*, *radio*, *TV*) collegamento; gruppo (degli) allacciamenti e circuiti; schema di montaggio **2** (*autom.*) rimando (ai) freni **3** (*fig.*) aggancio; connessione • (*elettr.*) hook-up wire, cavo flessibile.

hookworm /ˈhʊkwɜːm/ n. (*zool.*, *Ancylostoma*) anchilostoma • (*med.*) h. disease, anchilostomiasi.

hooky /ˈhʊkɪ/ n. (*slang USA*) assenza ingiustificata (*da scuola*) • (*slang USA*) to play h., marinare la scuola; segare la scuola; fare sega.

hooligan /ˈhuːlɪɡən/ n. **1** hooligan; teppista; vandalo • football h., tifoso teppista; ultrà ‖ **hooliganism** n. ⓤ teppismo; vandalismo.

hoop① /huːp/ n. **1** cerchio; cerchione; anello metallico: a barrel h., un cerchio da barile **2** cerchio (*del telaio da ricamo*) **3** (*nel croquet*) archetto **4** (*moda*) guardinfante; crinolina **5** (*stor.*, = h. skirt) gonna a crinolina **6** (*stor.*, = h. petticoat) crinolina (*la sottoveste*) **7** (*ginnastica ritmica*) cerchio **8** (*basket*) cerchio, ferro (*del canestro*) **9** (*basket*) (*per estens.*) canestro **10** (pl.) (*slang USA*)

basket: to shoot some hoops, giocare a pallacanestro • (*mecc.*) h. iron, nastro di ferro; reggetta, moietta □ (*fig.*) to jump (o to go) through (the) hoops, fare (o passare per o sottoporsi a) una lunga trafila □ to be put through the h. (o the hoops), passarsela male.

hoop② /huːp/ n. **1** suono secco (*emesso nella pertosse*) **2** grido; urlo.

to **hoop**① /huːp/ v. t. **1** cerchiare (*una botte*) **2** (*fig.*) circondare (*con un cerchio o come in cerchio*); accerchiare.

to **hoop**② /huːp/ v. i. emettere un suono secco (*come nella pertosse*) • (*med.*) hooping cough, pertosse; tosse convulsa (o asinina).

hooper /ˈhuːpə(r)/ n. chi fabbrica (o applica) cerchi (*per le botti*); bottaio.

hoopla /ˈhuːplɑː/ n. **1** gioco del lancio degli anelli (*su oggetti che si vincono se vengono centrati*); pesca (*nelle fiere, ecc.*) **2** (*fam.*) andirivieni; confusione; eccitazione; trambusto **3** (*fam.*) pubblicità chiassosa; strombazzamento (*fig.*).

hoopoe /ˈhuːpuː/ n. (*zool.*, *Upupa epops*) upupa.

hooptie /ˈhuːptɪ/ (*slang*, *USA*) n. automobile vecchia e sgangherata; auto da battaglia; vecchia carretta; glorioso catorcio.

hooray /hʊˈreɪ/ → **hurrah**.

hoosegow /ˈhuːsɡaʊ/ n. (*slang USA*) **1** gattabuia (*fam.*); prigione **2** latrina pubblica; cesso.

hoot /huːt/ n. **1** grido (*spec. della civetta*); strido; urlo: hoots of rage [scorn], urli di rabbia [di dileggio] **2** (*autom.*) suono di tromba; colpo di clacson **3** (*di locomotiva, sirena, ecc.*) fischio **4** (*fam.*) persona o cosa divertente; spasso; sballo (*fam.*) • h. owl, civetta; gufo □ (*fam.*) I don't care (o give) a h., non me ne importa un fico (o un tubo) □ (*fam.*) It isn't worth two hoots, non vale un fico (secco).

to **hoot** /huːt/ v. t. e i. **1** (*della civetta*) chiurlare; stridere; squittire **2** (*autom.*) suonare (il clacson); strombazzare; strombettare **3** (*di locomotiva*) fischiare **4** (*di persona*) gridare (contro q.); subissare d'urla; schiamazzare; fischiare: to h. an actor, gridare contro (o fischiare) un attore (*fam.*) farsi delle (belle) risate; ridere sguaiatamente • to h. sb. down, subissare q. di urla; zittire q. (urlando) □ to h. an actor [a speaker] off (o away o out), far scappare un attore [un oratore] subissandolo di urla □ to h. with laughter, sganasciarsi dalle risate; ridere sguaiatamente.

hootch /huːtʃ/ → **hooch**.

hootchie-cootchie /ˈhuːtʃɪkuːtʃɪ/ n. (*slang USA*) **1** ⓤ attività erotica; sesso **2** danza con movenze erotiche.

hootenanny /ˈhuːtənænɪ/ n. (*fam. USA*) **1** concerto informale di musica folk **2** affare; coso; aggeggio.

hooter /ˈhuːtə(r)/ n. **1** (*autom.*) tromba; clacson **2** sirena (*di fabbrica, ecc.*) **3** (*slang ingl.*) naso **4** (pl.) (*slang USA*) poppe; tette.

Hoover® /ˈhuːvə(r)/ n. aspirapolvere; lucidatrice.

to **hoover** /ˈhuːvə(r)/ v. t. **1** pulire (*un tappeto, ecc.*) con l'aspirapolvere (→ **Hoover**); Can you do the hoovering?, puoi passare l'aspirapolvere? **2** (*fig.*) prendere su; raccogliere.

hooves /huːvz/ pl. di **hoof**.

hop① /hɒp/ n. **1** (*bot.*, *Humulus lupulus*) luppolo **2** (pl.) infiorescenze di luppolo **3** (*slang USA*) droga; oppio: hop joint, fumeria d'oppio • hop-bind (o hop-bine), stelo rampicante del luppolo □ hop field (o hop garden), campo di luppoli; luppoleto; luppolaia □ (*agric.*) hop growing, coltivazione del luppolo □ hop-picker, raccoglitore (o

raccoglitrice) di luppolo □ **hop-picking**, raccolta del luppolo □ **hop-picking machine**, raccoglitrice di luppoli □ **hop-pole**, pertica che sorregge il luppolo □ (*USA*) **hop vine** → **hop-bind**.

hop② /hɒp/ n. **1** salto (*su una gamba*); saltello; salterello **2** (*fam.*) quattro salti; ballo **3** (*fam.*) salto (*fig.*); tappa; volo (*in aereo*); balzo: **a weekend hop to Paris**, un salto a Parigi per il fine settimana; **to fly from London to Hong Kong in three hops**, volare da Londra a Hong Kong in tre balzi (*facendo tre scali*) **4** (*sport*) primo balzo (*nel salto triplo*) ● **hop, step** (*o* **skip**), **and jump**, (*sport, antiq.*) salto triplo; (*fig.*) breve distanza, tiro di schioppo (*fig.*) □ **to catch sb. on the hop**, prendere q. alla sprovvista (*o in contropiede*) □ (*fam.*) **to be on the hop**, essere indaffarato; darsi da fare □ (*fam.*) **to keep sb. on the hop**, dare un bel daffare a q.; tenere q. assai impegnato.

to **hop**① /hɒp/ **A** v. i. **1** raccogliere luppoli **2** coltivare il luppolo **B** v. t. **1** luppolizzare, aromatizzare (*birra, ecc.*) con luppoli **2** (*slang*) (*di solito* **to hop up**) eccitare, stimolare; drogare (*un atleta, un cavallo*); (*autom.*) truccare (*il motore*).

to **hop**② /hɒp/ v. i. e t. **1** saltare (*su una gamba*); saltellare; zoppicare: *A blackbird was hopping about*, un merlo saltellava (qua e là); **to hop a ditch**, saltare un fosso **2** (*fam.*) fare quattro salti; ballare **3** (*fam.*) fare un salto (*o un viaggetto*): **to hop across the Swiss border**, fare un salto di là dal confine con la Svizzera **4** (*fam. USA*) saltare, salire su (*un autobus, ecc.*); prendere (*un treno, un aereo, ecc.*) ● (*fam.*) **to hop in** (*o into*), saltare in: *The child hopped into bed*, il bimbo saltò nel letto □ (*fam. GB*) **to hop it**, andarsene: *Hop it!*, vattene!; fila!; smamma! (*fam.*) □ **to hop off**, (*fam.*) saltare giù, scendere (*da un autobus, ecc.*); andarsene, filare; (*gergo aeron.*) decollare □ (*fam. USA*) **to hop on sb.**, saltare addosso a q.; sgridare q. □ **to hop on st.**, saltare su qc., salire su qc. □ **to hop out of**, saltare fuori, uscire, scendere da (*un'auto, il letto, ecc.*) □ (*slang*) **to hop the twig**, andarsene improvvisamente; (*anche*) morire.

♦**hope** /həʊp/ n. ⓤ speranza; speme (*poet.*): *There is h. of a cure*, c'è speranza di una cura; *I have high* (*o great*) *hopes of being accepted* (*that I shall be accepted*), ho buone (*o forti*) speranze d'essere accettato (*che sarò accettato*); **in the h. of** [**that**], nella speranza di [che] ● **h. chest**, (*stor.*) cassa da (*o del*) corredo; (*fig. USA*) corredo da sposa (*di situazione, malato, ecc.*) **beyond h.**, senza alcuna speranza; senza più speranze □ **to hold out little h.** (*o* **not to hold out much h.**), avere ben poche speranze □ **in hope(s) of better days**, nella speranza di giorni migliori □ (*fam.*) **not a h.!**, nessuna speranza!; non c'è speranza! □ (*fam.*) **not to have a h. in hell** (**of**), non avere la ben che minima speranza (di) **h.** = **beyond h.** → *sopra* □ **to raise sb.'s hopes**, suscitare le speranze di q. □ (*iron. GB*) **Some h.!** (*o* **What a h.!**), hai voglia (di sperare)!; campa cavallo!; te lo sogni!; magari! □ (*prov.*) **H. springs eternal in the human breast**, la speranza è l'ultima a morire.

♦to **hope** /həʊp/ v. i. e t. sperare; auspicare; confidare; aver fiducia: *We h. to meet them again in Italy*, speriamo di rivederli in Italia; *I h.* (*that*) *you're okay*, spero che tu stia bene; *They're hoping to be ready by Thursday*, confidano (*o contano*) di essere pronti per giovedì; *Let's h. for the best*, speriamo (in) bene; che Dio ce la mandi buona!; *I was hoping you could tell me*, speravo che potesse dirmelo lei ● **to h. against hope**, sperare contro ogni speranza, nutrire un'assurda speranza □ **I h. not**, spero di no □ **I h.**

so, spero di sì □ **I should h. not**, lo spero bene (*che non sia così*); ci mancherebbe (altro) □ **I should h. so** (*o* **So I should h.**), lo spero bene (*che sia così*); ci mancherebbe (altro); vorrei ben vedere.

hoped-for /ˈhəʊptfɔː(r)/ a. sperato; desiderato; auspicato; auspicabile.

hopeful /ˈhəʊpfl/ **A** a. **1** pieno di speranza; speranzoso; fiducioso: *I am h. of victory*, sono pieno di speranza nella vittoria **2** che dà speranza; promettente; che promette bene; incoraggiante: *Our prospects don't seem very h.*, le nostre prospettive non appaiono molto promettenti; **a h. sign**, un segnale incoraggiante **B** n. **1** persona promettente; persona di belle speranze: **a young h.**, un (*o una*) giovane di belle speranze **2** aspirante; pretendente: (*USA*) **the presidential hopefuls**, gli aspiranti candidati alle presidenziali; i pretendenti alla candidatura per le presidenziali ‖ **hopefulness** n. ⓤ buona speranza; aspettativa; fiducia.

♦**hopefully** avv. **1** con (buone) speranze; fiduciosamente **2** (*fam.*) si spera; se tutto va bene; come è auspicabile: *H. we'll get there in time*, se tutto va bene, arriveremo in tempo.

♦**hopeless** /ˈhəʊpləs/ a. **1** disperato; senza speranza; irreparabile: **h. sorrow**, dolore disperato; **a h. situation**, una situazione disperata **2** incurabile; inguaribile: **a h. illness**, una malattia incurabile **3** (*fam.*) impossibile: **a h. task**, un compito impossibile **4** (*fam.*) pessimo; disastroso: **a h. actor**, un pessimo attore; *He's h. at maths*, in matematica è una frana ‖ **-ly** avv. ‖ **-ness** n. ⓤ.

hophead /ˈhɒphɛd/ (*slang USA*) n. drogato, tossicodipendente; tossico (*fam.*).

hoplite /ˈhɒplaɪt/ n. (*stor. greca*) oplite.

hopped up /ˈhɒptʌp/ a. (*slang USA*) **1** sotto l'effetto della droga **2** eccitato; emozionato **3** (*autom.: di un motore*) truccato.

hopper① /ˈhɒpə(r)/ n. (*agric.*) **1** raccoglitore di luppolo **2** macchina per la raccolta del luppolo.

hopper② /ˈhɒpə(r)/ n. **1** persona (*o animale*) che saltella; pulce; cavalletta; canguro (→ **hop**②) **2** (*tecn.*) tramoggia (*di mulino, ecc.*) **3** serbatoio; cassetta di caccia (*dell'acqua; in un bagno*) **4** (*naut.*) chiatta (*per scaricare fango*) ● (*ferr.*) **h. car**, carro a tramoggia.

hopping① /ˈhɒpɪŋ/ n. ⓤ **1** (*agric.*) raccolta del luppolo **2** (*tecn.*) luppolizzazione.

hopping② /ˈhɒpɪŋ/ n. **1** saltellamento (*su un piede*) **2** festa campestre con canti e danze.

hopping③ /ˈhɒpɪŋ/ a. indaffarato; che si dà da fare ● (*fam.*) **h. mad**, arrabbiatissimo; furibondo.

hopple /ˈhɒpl/ n. pastoia.

to **hopple** /ˈhɒpl/ v. t. impastoiare (*un cavallo, ecc.*).

hopsacking /ˈhɒpsækɪŋ/ n. ⓤ (*ind. tess.*) iuta; juta.

hopscotch /ˈhɒpskɒtʃ/ n. ⓤ gioco della campana (*o della settimana*): **to play h.**, giocare alla campana.

hor. abbr. (**horizontal**) orizzontale.

Horace /ˈhɒrəs/ n. Orazio ‖ **Horatian** a. oraziano; di Orazio (*il poeta romano*).

horde /hɔːd/ n. orda (*anche fig.*); torma; accozzaglia: **hordes of barbarians**, orde di barbari; **a h. of fans**, un'orda di tifosi ❶ No-ᴛᴀ: **hoard** *o* **horde?** → **hoard**.

horehound /ˈhɔːhaʊnd/ n. (*bot., Marrubium vulgare*) marrubio; mentastro.

horizon /həˈraɪzn/ n. ⓤ (*astron.*) orizzonte (*anche fig.*): **on the h.**, all'orizzonte; *The sun was high above the h.*, il sole era alto sull'orizzonte; **to broaden** (*o* **to expand**) **one's horizons**, ampliare i propri orizzonti ●

(*aeron.*) **h. lights**, luci di riferimento al suolo □ **apparent** (*o* **sensible, visible**) **h.**, orizzonte apparente (*o visibile, sensibile*) □ **celestial** (*o* **rational, true**) **h.**, orizzonte celeste.

horizontal /ˌhɒrɪˈzɒntl/ **A** a. **1** orizzontale; piano; disteso: **a h. line**, una linea orizzontale **2** (*slang USA*) ubriaco; steso; cotto (*fig.*) **B** n. linea (*o piano, ecc.*) orizzontale ● (*ing.*) **h. circle**, rilevatore goniometrico (*econ.*) **h. combination**, concentrazione orizzontale □ (*econ.*) **h. integration**, integrazione orizzontale □ (*mecc.*) **h. lathe**, tornio orizzontale (*o parallelo*) □ (*econ.*) **h. merger**, fusione orizzontale □ (*aeron.*) **h. rudder**, timone di profondità (*di quota*) ‖ **horizontality** n. ⓤ l'essere orizzontale; orizzontalità (*raro*) ‖ **horizontally** avv. orizzontalmente.

Horlicks /ˈhɔːlɪks/ n. (*fam. antiq., GB*) spec. nella loc.: – **to make a right H. of st.**, combinare un bel pasticcio.

hormesis /hɔːˈmiːsɪs/ n. ⓤ (*med., biol.*) ormesi.

hormone /ˈhɔːməʊn/ (*biol.*) n. ormone ● (*med.*) **h. replacement therapy**, terapia ormonale sostitutiva; ormonoterapia □ (*med.*) **h. treatment**, terapia ormonale ‖ **hormonal** a. ormonale ‖ **hormonic** a. ormonico.

horn /hɔːn/ **A** n. **1** corno (*in ogni senso*); (*geogr.*) picco; antenna (*d'insetto*): **the horns of a snail**, le corna d'una lumaca; **to blow the h.**, suonare il corno; (*mus.*) *French h.*, corno francese; (*mitol.*) **the h. of plenty**, il corno dell'abbondanza; la cornucopia **2** (*autom.*) tromba; clacson: **to sound** (*o* **to honk, to toot, to blow**) **one's h.**, suonare il clacson; strombettare **3** (*mus.*) tromba (*del fonografo*) **4** (*naut.*) urtante (*di mina*) **5** (*slang USA*) cornetta; telefono: **to get on the h. to sb.**, chiamare q. al telefono **6** (*slang USA*) naso **7** (*volg.*) erezione **8** (pl.) (*fig. arc.*) corna (*di chi è tradito dal partner*) **B** a. attr. di corno: **a h. handle**, un manico di corno ● (*geogr.*) **the H.**, Capo Horn □ (*ferr.*) **h.-bar**, asse (*di carro o carrozza*) □ (*geogr.*) **the H. of Africa**, il Corno d'Africa □ (*mus.*) **h. player**, suonatore di corno; cornista □ **h.-rimmed glasses**, occhiali con montatura di corno □ (*miner.*) **h. silver**, cerargirite □ (*di un animale*) **to cast** (*o* **to shed**) **one's horns**, perdere le corna □ (*fig.*) **to draw** (*o* **to pull**) **in one's horns**, ridurre le spese, tirare la cinghia (*fig.*); (*anche*) venire a più miti consigli, abbassare la cresta (*fig.*) □ **to be on the horns of a dilemma**, avere di fronte a sé due alternative ugualmente spiacevoli.

to **horn** /hɔːn/ v. t. **1** incornare; colpire (*o ferire*) con le corna; dare cornate a **2** spingere (*un'altra bestia*) a cornate **3** (*fig. arc.*) cornificare; fare le corna a (q.) **4** (*slang*) sniffare (*cocaina, ecc.*) ● (*fam.*) **to h. in** (**on**), intromettersi, immischiarsi (in).

hornbeam /ˈhɔːnbiːm/ n. (*bot., Carpinus betulus*) carpino bianco; carpine.

hornbill /ˈhɔːnbɪl/ n. (*zool., Buceros*) bucero.

hornblende /ˈhɔːnblend/ n. ⓤ (*miner.*) orneblenda.

hornbook /ˈhɔːnbʊk/ n. **1** (*un tempo*) abbecedario, tavola pitagorica (*su pergamena, protetta da una foglia d'osso trasparente*) **2** primo libro (*d'una materia*).

horned /hɔːnd/ a. (*zool.*) cornuto; provvisto di corna ● (*zool.*) **h. screamer** (*Anhima cornuta*), palamedea cornuta □ **h. toad** (*Phrynosoma*), frinosoma; lucertola cornuta □ **h. viper** (*Cerastes cornutus*), vipera cornuta (*o della sabbia*); ceraste □ **a one-h. animal**, un animale con un solo corno.

horner /ˈhɔːnə(r)/ n. **1** fabbricante d'articoli di corno (*cucchiai, pettini, ecc.*) **2** (*mus.*) suonatore di corno; cornista **3** (*slang USA*)

cocainomane; (*anche*) drogato.

hornet /'hɔːnɪt/ n. (*zool.*, *Vespa crabro*) calabrone ● (*fig.*) **to stir up a hornet's nest**, suscitare (*o* stuzzicare) un vespaio.

hornfels /'hɔːnfɛlz/ n. ▣ (*geol.*) hornfels; cornubianite.

horniness /'hɔːnɪnəs/ n. ▣ **1** l'esser di corno; natura cornea **2** callosità (*delle mani*) **3** (*slang*) l'essere eccitato (*o* arrapato: *fam.*).

hornless /'hɔːnləs/ a. senza corna; (*d'insetto*) senza antenne.

hornpipe /'hɔːnpaɪp/ n. (*un tempo*) **1** cornamusa (*o* piva) di corno **2** musica allegra, danza vivace (*spec. di marinaio*).

hornstone /'hɔːnstəʊn/ n. ▣ → **hornfels**.

to **hornswoggle** /'hɔːnswɒgl/ v. t. (*slang USA*) imbrogliare; truffare; fregare (*fam.*).

horny /'hɔːnɪ/ a. **1** corneo; di corno **2** che ha corna; cornuto **3** (*fig.*) calloso; incallito; indurito: **h. hands**, mani incallite **4** (*slang*) eccitato (sessualmente); arrapato **5** (*slang*) arrapante; eccitante (sessualmente); appetitoso (*fig.*) ● (*zool.*) **h. coral** (*Gorgonacea*), gorgonia.

horology /hɒˈrɒlədʒɪ/ n. ▣ orologeria.

horoscope /'hɒrəskəʊp/ n. oroscopo ● **to cast a h.**, fare un oroscopo; trarre l'oroscopo || **horoscopic, horoscopical** a. oroscopico; dell'oroscopo || **horoscopy** n. ▣ oroscopia.

horrendous /hɒˈrɛndəs/ a. orrendo; orribile; spaventoso; bruttissimo | **-ly** avv. | **-ness** n. ▣.

horrent /'hɒrənt/ a. (*poet.*) **1** (*di pelo, ecc.*) irto **2** inorridito; spaventato.

◆**horrible** /'hɒrəbl/ a. orribile; orrendo; spaventoso; tremendo; (*fam.*) pessimo; spiacevole: **h. noise [weather]**, frastuono [tempo] orribile; **a h. bore**, un tremendo seccatore | **-ness** n. ▣.

horribly /'hɒrəblɪ/ avv. **1** orribilmente; orrendamente **2** (*fam.*) tremendamente; terribilmente: *It was h. cold*, faceva un freddo terribile.

horrid /'hɒrɪd/ a. **1** orrido; orribile; orrendo **2** (*fam.*) disgustoso; sgradevole; antipatico: (*fam.*) *Don't be h.!*, non fare l'antipatico! ● (*fam.*) **He's been h. to you**, s'è comportato malissimo con te | **-ly** avv. | **-ness** n. ▣.

horrific /hɒˈrɪfɪk/ a. **1** orribile; orripilante; raccapricciante: **a h. scene**, una scena raccapricciante **2** esagerato; spropositato: **h. prices**, prezzi esagerati | **-ally** avv.

to **horrify** /'hɒrɪfaɪ/ v. t. **1** far inorridire; fare raccapricciare; atterrire **2** (*fam.*) impressionare; turbare; sconvolgere; scandalizzare: *I was horrified by* (*o* at) *the news*, la notizia mi sconvolse.

horrifying /'hɒrɪfaɪɪŋ/ a. orripilante; raccapricciante; agghiacciante.

horripilation /hɒrɪpɪˈleɪʃn/ n. ▣ (*fisiol.*) orripilazione; pelle d'oca (*fig.*).

◆**horror** /'hɒrə(r)/ n. **1** ▣ orrore; ribrezzo; raccapriccio: **the horrors of civil war**, gli orrori della guerra civile; *I have a h. of spiders*, provo ribrezzo per i ragni **2** (*fam.*) orrore; cosa orribile (*o* spaventosa): *That dress is a h.*, quel vestito è un orrore **3** (*fam.*) ragazzo (*o* ragazza) pestilenziale; Pierino; peste (*fig.*): *That boy is a little h.*, quel ragazzo è un vero Pierino (*o* una peste) ● (*slang*) **the horrors**, terrore incontrollabile (*da astinenza, ecc.*); forte depressione; scoramento (*lett.*) □ **h. comics**, fumetti dell'orrore □ **h. film**, film dell'orrore □ **h.-struck** (*o* **h.-stricken**), inorridito; atterrito; terrorizzato.

hors /ɔː(r)/ (*franc.*) avv. e prep. fuori: **h. de combat**, fuori combattimento □ **h. concours**, fuori concorso; (*lett.*) di classe superiore, senza rivali □ **h. d'oeuvre**, antipasto.

◆**horse** /hɔːs/ Ⓐ n. **1** (*zool.*, *Equus caballus*) cavallo: **to mount [to ride, to be on] a h.**, montare un [andare a, essere a] cavallo **2** cavalletto; sostegno; trespolo: **clothes-h.**, cavalletto (per stendervi panni); stenditoio; (*slang USA*) manichino (*persona molto ricercata nel vestire*) **3** (*geol.*) scaglia tettonica **4** (*geol.*) → **horseback**, A, *def. 2* **5** ▣ (*mil.*, collett.) cavalleria: **h. and foot**, cavalleria e fanteria; **light h.**, cavalleria leggera; cavalleggeri (collett.) **6** (*ginnastica*) cavallo **7** (*scacchi*) cavallo (*più com.* **knight**) **8** (*fam. USA*) bigino; traduttore **9** ▣ (*slang*) eroina (*droga*) **10** (pl.) (*fam. USA*) cavalli (vapore) Ⓑ a. attr. **1** equino; cavallino; degli equidi: (*zool.*) **the h. family**, la famiglia degli equidi; (*vet.*) **h.-pox**, vaiolo equino **2** di cavallo: (*med.*) **h. serum**, siero di cavallo **3** (*sport*) ippico: **h. show**, concorso ippico ● (*fam. USA*) **h.-and-buggy**, del tempo delle carrozze; (*fig.*) antiquato □ (*mil.*) **h. artillery**, artiglieria ippotrainata □ **h. blanket**, coperta da cavallo □ (*bot.*) **h. bean** (*Vicia faba equina*), fava cavallina □ **h. block**, montatoio (*per montare a cavallo*) □ **h. breaker**, domatore di cavalli; scozzone □ **h. breeder**, allevatore di cavalli □ **h.-breeding farm**, allevamento di cavalli (*la fattoria*) □ (*bot.*) **h. chestnut** (*Aesculus hippocastanum*), ippocastano; castagno (*o* castagna) d'India □ **h. cloth**, gualdrappa; groppiera □ (*fam.*) **h. doctor**, veterinario □ **h.-drawn**, (*di un carro, ecc.*) a cavalli; (*mil.*) ippotrainato □ **horses for courses**, (*di persone*) chi fa che cosa, chi è adatto a fare cosa; (*di cose*) che cosa è più adatto allo scopo: *There are no good or bad systems here: it is just a matter of horses for courses*, qui non si tratta di decidere se un sistema è buono o cattivo, ma se è più o meno adatto allo scopo □ (*mil.*) **the H. Guards**, le Guardie a Cavallo □ (*equit.*) **h. jumping**, corse a ostacoli □ **h. laugh**, risata fragorosa (*o* sguaiata); riso sganghierato □ (*zool.*) **h. mackerel**, (*Thunnus thunnus*) tonno; (*Trachurus trachurus*) scombro bastardo □ **h. marines**, personaggi inesistenti, pesci fuor d'acqua: *Tell it to the h. marines*, vallo a raccontare a qualcun altro (*fam.*: a tua nonna) □ **h.-mastership**, arte di cavallerizzo □ **h. meat**, carne equina □ (*fam.*) **h.'s neck**, bevanda di brandy e gassosa allo zenzero □ (*fig.*) **a h. of another** (*o* **of a different**) **colour**, un'altra cosa; tutt'altra faccenda; un altro paio di maniche □ (*slang USA*) **h. opera**, film (*o* commedia) western □ (*equit.*) **h. people**, coloro che amano (*o* praticano, ecc.*) i cavalli □ **h. pistol**, pistola da sella □ **h.-pond**, pozza per abbeverarvi cavalli □ (*sport*) **h. race**, corsa di cavalli; gara ippica □ **h. racing**, ippica; le corse dei cavalli □ **h. racing pools**, il Totip □ (*sport*) **h. riding**, equitazione □ (*fam.*) **h. sense**, buonsenso □ **h.-shoer**, maniscalco □ **h. show**, mostra equina; (*sport*) concorso ippico □ **h. slaughterer**, macellatore di cavalli □ **h. supplies**, articoli per cavalli; selle e finimenti □ **h. trade**, commercio di cavalli; (*fig.*) mercato delle vacche (*fig.*); trattativa con reciproche concessioni □ **h. trader**, commerciante di cavalli, cavallaio; (*fig.*) chi conduce trattative astute □ **h. trading** = **h. trade** → sopra □ (*autom. USA*) **h. trailer**, trailer; rimorchio per il trasporto di cavalli □ **h. trainer**, addestratore di cavalli da corsa □ (*stor.*) **h. tram**, tram a cavalli □ (*sport*) **h. trials**, gare di dressage, cross e salto a ostacoli; completo □ (*anche fig.*) **to back the wrong h.**, puntare sul cavallo perdente □ (*fig.*) **to change** (*o* **to switch**) **horses in mid-stream**, cambiare cavallo in corsa □ (*fam.*) **to come off one's high h.**, scendere dal piedistallo; smettere di darsi delle arie □ **to eat like a h.**, mangiare come un lupo □ (**straight**) **from the h.'s mouth**, direttamente dall'interessato; alla fonte: *I got the news from the h.'s mouth*, ho avuto la notizia direttamente dall'interessa-

to □ (*fam.*) **to get off one's high h.** = **to come off one's high h.** → sopra □ (*fam.*) **to get on one's high h.**, salire (*o* montare) in cattedra; far cadere le cose dall'alto □ (*fig.*) **to hold one's horses**, frenare la propria impazienza □ **to play the horses**, puntare sui cavalli; giocare alle corse □ (*fig.*) **to ride two horses**, tenere il piede in due staffe □ **to work like a h.**, lavorare come un mulo □ (*mil.*) **To h.!**, a cavallo! □ (*prov.*) **You can lead** (*o* **take**) **a h. to water, but you can't make him drink**, si può offrire un'opportunità a qualcuno, ma poi dipende da lui saperla cogliere

to **horse** /hɔːs/ Ⓐ v. t. **1** provvedere (q.) di cavallo **2** attaccare i cavalli a (*una carrozza*) **3** portare (q.) a cavalluccio **4** (*di uno stallone*) montare (*una cavalla*) Ⓑ v. i. andare (*o* montare) a cavallo; cavalcare ● (*fam.*) **to h. around** (*o* **about**), giocare in modo sfrenato (*o* pericoloso).

horseback /'hɔːsbæk/ Ⓐ n. **1** ▣ dorso del cavallo; groppa **2** (*geol.*) ammasso sterile (*di rocce*) Ⓑ avv. a cavallo ● **h. rider**, cavallerizzo (*sport*) **h. riding**, equitazione □ **on h.**, a (dorso di) cavallo □ **to get on h.**, montare a cavallo □ (*fig., polit.*) **a man on h.**, un «uomo forte»; un condottiero; un dittatore.

horsebane /'hɔːsbeɪn/ n. (*bot.*, *Oenanthe phellandrium*) finocchio acquatico.

horsebox /'hɔːsbɒks/ n. (*autom. GB*) van, furgone (*o* rimorchio) chiuso per il trasporto di cavalli.

horsecar /'hɔːskɑː/ n. → **horsebox**.

horseflesh /'hɔːsflɛʃ/ n. **1** carne di cavallo (*come cibo*) **2** (collett.) cavalli ● **to be a good judge of h.**, intendersene molto di cavalli.

horsefly /'hɔːsflaɪ/ n. (*zool.*) **1** (*Tabanus*) tafano **2** (*Hippobosca equina*) mosca cavallina.

horsehair /'hɔːsheə(r)/ Ⓐ n. ▣ crine (di cavallo) Ⓑ a. attr. di crine: **a h. mattress**, un materasso di crine.

horseleech /'hɔːsliːtʃ/ n. **1** (*zool.*, *Haemopis sanguisuga*) sanguisuga **2** (*antiq. o scherz.*) veterinario.

horseman /'hɔːsmən/ n. (pl. **horsemen**) **1** cavaliere; cavallerizzo **2** (*mil.*) soldato di cavalleria; cavalleggere; cavalleggero || **horsemanship** n. ▣ **1** equitazione **2** ippologia.

horseplay /'hɔːspleɪ/ n. ▣ (*antiq.*) **1** gioco scatenato; scherzi rozzi **2** comportamento violento.

horsepower /'hɔːspaʊə(r)/ n. ▣ (*fis.*) (abbr. **hp**) cavallo-vapore (abbr. CV); cavallo: **a 60-hp engine**, un motore da sessanta cavalli (o CV).

horseradish /'hɔːsrædɪʃ/ n. ▣ (*bot.*, *Armoracia rusticana*) barbaforte; rafano tedesco.

horseshit /'hɔːsʃɪt/ n. ▣ e inter. (*volg. USA*) sciocchezze; fesserie, cavolate (*fam.*); fregnacce, cazzate (*volg.*).

horseshoe /'hɔːsʃuː/ n. **1** ferro di cavallo **2** (pl.) gioco che consiste nel lanciare un ferro di cavallo verso un piolo piantato per terra ● (*zool.*) **h.-bat** (*Rhinolophus*), ferro di cavallo (pipistrello) □ (*zool.*) **h. crab** (*Limulus*), limulo; granchio reale □ **h. table**, tavola a ferro di cavallo.

horsetail /'hɔːsteɪl/ n. **1** coda di cavallo **2** ▣ (*bot.*, *Equisetum*) equiseto; coda di cavallo.

horsewhip /'hɔːswɪp/ n. frusta da cavallo; frustino; sferza; staffile.

to **horsewhip** /'hɔːswɪp/ v. t. frustare; sferzare; staffilare.

horsewoman /'hɔːswʊmən/ n. (pl. **horsewomen**) amazzone; cavallerizza.

horsey, horsy /'hɔːsɪ/ a. **1** di (*o* da) caval-

lo; cavallino; equino: (*spreg.*) **a h. face**, un viso cavallino **2** che ama i cavalli; che s'intende di cavalli **|| horsiness** n. ⓤ **1** aspetto cavallino **2** competenza in fatto di cavalli; passione per i cavalli.

hortative /ˈhɔːtətɪv/, **hortatory** /ˈhɔːtətrɪ/ a. esortativo.

horticulturalist /hɔːtɪˈkʌltʃərəlɪst/ n. → **horticulturist**.

horticulture /ˈhɔːtɪkʌltʃə(r)/ n. ⓤ orticoltura **|| horticultural** a. orticolo: **a horticultural show**, una mostra orticola **|| horticulturist** n. orticoltore.

hosanna /həʊˈzænə/ n. e inter. osanna.

hose /həʊz/ n. **1** ⓤ (*market.*) calzetteria; calze; calzette **2** ⓤⓒ (= **hosepipe**) tubo flessibile; tubo di gomma; manica, manichetta; (*mecc.*) manicotto: **a h. for watering the garden**, un tubo di gomma (*o* una canna) per annaffiare il giardino; **air h.**, manica d'aria; **fire h.**, manica antincendio; manichetta; (*autom.*) **radiator h.**, manicotto del radiatore **3** ⓤ (*stor.*) calzamaglia; calzabraca ● (*mecc.*) **h. clamp**, cravatta fermatubi; fascetta □ (*mecc.*) **h. fittings**, raccordi; raccorderia □ **h. rack**, avvolgitubo.

to **hose** /həʊz/ v. t. **1** (spesso **to h. down**) bagnare (*o* innaffiare) con un tubo flessibile (*di gomma o altro*) **2** spegnere (*un incendio, ecc.*) con getti d'acqua **3** (*slang USA*) imbrogliare; truffare; fregare (*fam.*) **4** (*volg. USA*) chiavare, scopare (*volg.*) ● **to h. down one's car**, lavare l'automobile (con un tubo di gomma) □ **to h. down the street**, lavare la strada con getti d'acqua.

hosepipe /ˈhəʊzpaɪp/ → **hose**, def. 2.

hoser /ˈhəʊzə(r)/ n. (*fam. USA*) **1** fesso; babbeo **2** ignorante; somaro.

hosier /ˈhəʊzɪə(r)/ n. (*antiq. o form.*) **1** calzettaio **2** negoziante di maglieria intima (*da uomo*) **|| hosiery** n. ⓤ **1** (*collett.*) calze e calzini; calzetteria **2** maglieria; indumenti di tessuto a maglia.

hosp. abbr. (**hospital**) ospedale.

hospice /ˈhɒspɪs/ n. **1** ospizio **2** (*med.*) hospice; ospedale (*o reparto*) per malati terminali.

hospitable /hɒˈspɪtəbl, USA ˈhɒs-/ a. **1** ospitale **2** (*del clima, ecc.*) gradevole; mite **| -bly** avv.

♦**hospital** /ˈhɒspɪtl/ n. **1** ospedale: (*di malato*) **to be in h.** (*USA*: **in the h.**), essere all'ospedale (*seguito da un nome proprio*) ospizio; casa di riposo ● **h. corners**, lenzuola rimboccate bene agli angoli del letto (*come si fa negli ospedali*) □ **h. nurse**, infermiere, infermiera □ **h. nursery**, reparto neonati □ (*naut.*) **h. ship**, nave ospedale □ **h. ward**, corsia (d'ospedale) □ **to be admitted to** (*USA*: **to the**) **h.**, essere ricoverato in ospedale.

hospitaler (*USA*) /ˈhɒspɪtlə(r)/ → **hospitaller**.

hospitalist /ˈhɒspɪtlɪst/ n. medico ospedaliero.

hospitality /hɒspɪˈtælətɪ/ n. ⓤ **1** ospitalità **2** (= **corporate h.**) hospitality; rinfresco; ricevimento (*per clienti importanti di un'azienda, soprattutto in un albergo o a un avvenimento sportivo*): **h. tent**, l'hospitality; tendone hospitality ● **h. room** (*o* **suite**), sala per rinfreschi; sala per ricevimenti; buvette (*franc.*).

hospitalization /hɒspɪtəlaɪˈzeɪʃn, USA -lɪˈz-/ n. ⓤ **1** ospedalizzazione; ricovero in ospedale **2** (*fam. USA*) assicurazione ospedaliera.

to **hospitalize** /ˈhɒspɪtəlaɪz/ v. t. ricoverare in ospedale; ospedalizzare.

hospitaller, (*USA*) **hospitaler** /ˈhɒspɪtlə(r)/ n. **1** frate ospedaliero (*o ospitaliere*) **2** cappellano d'ospedale.

♦**host**① /həʊst/ n. **1** ospite (*anche biol.*); anfitrione **2** (*tur.*) oste; albergatore; locandiere **3** (*TV, radio*) conduttore; presentatore **4** (pl.) – **the hosts**, (*sport*) i padroni di casa **5** (*comput.*, = **h. computer**) (computer) host (*che agisce come sorgente d'informazioni*); elaboratore centrale ● (*sport*) **the h. country**, la nazione ospitante (*dei Giochi Olimpici*) □ (*geol.*) **h. rock**, roccia ospite □ **to play h.**, essere il padrone di casa; fare gli onori di casa □ **to play host to sb.** [*st.*], ospitare q. [*qc.*] □ (*fig.*) **to reckon without one's h.**, fare i conti senza l'oste.

host② /həʊst/ n. **1** (*lett.*) oste; esercito **2** folla; moltitudine; schiera: **a h. of memories**, una moltitudine (*o* una folla) di ricordi; **hosts of fans**, schiere di tifosi ● **the hosts of heaven**, (*relig.*) le schiere celesti; gli angeli; (*poet.*) il sole, la luna, le stelle.

to **host** /həʊst/ v. t. **1** ospitare **2** (*fam., spec. sport*) ospitare (*una squadra, ecc.*) **3** (*TV, radio*) presentare; condurre (*un programma*) **4** (*comput.*) ospitare: **to h. a web site**, ospitare un sito web (*sulle macchine del provider*).

Host /həʊst/ n. (*relig.*) ostia (consacrata).

♦**hostage** /ˈhɒstɪdʒ/ n. ostaggio: **to hold sb. h.**, tenere q. in ostaggio ● **h.-taker**, rapitore, carceriere (*di persone tenute in ostaggio*) □ **a h. to fortune**, un impegno difficile da mantenere.

hostel /ˈhɒstl/ n. **1** ostello; pensionato; casa dello studente (*o per lavoratori*): **youth h.**, ostello della gioventù **2** (*spec. relig.*) pensionato **|| hosteller**, (*USA*) **hosteler** n. **1** gestore di un ostello **2** (*relig.*) direttore (*o direttrice*) di pensionato **3** ospite di un ostello **|| hostelling**, (*USA*) **hosteling** n. ⓤ soggiornare in ostelli della gioventù; «andar per ostelli».

hostelry n. (*arc. o scherz.*) ostello; locanda; osteria.

hostess /ˈhəʊstɪs/ n. **1** ospite (*donna*); padrona di casa **2** (*tur.*) albergatrice; locandiera; ostessa **3** (*tur.*) hostess; assistente turistica **4** (*aeron.*, = **air h.**) hostess; assistente di volo **5** (*tur.*) direttrice di sala (*in un ristorante*) **6** entraîneuse (*in un locale notturno*).

hostile /ˈhɒstaɪl/ ⒜ a. ostile; nemico; avverso; contrario: **a h. mob** [**reception**], una folla [un'accoglienza] ostile; **h. territory**, territorio nemico (*o* ostile) ⒝ n. persona ostile; nemico ● (*fin.*) **h. takeover bid**, offerta pubblica d'acquisto ostile; OPA ostile □ (*leg.*) **h. witness** (*spec. testimone.*) «teste ostile» (*spec. testimone a discarico che si rivela in realtà sfavorevole*) **| -ly** avv.

hostility /hɒˈstɪlətɪ/ n. **1** ⓤ ostilità; inimicizia; avversione: **a show of h.**, una dimostrazione d'ostilità **2** (pl.) (*mil.*) azioni di guerra; ostilità: **to suspend hostilities**, sospendere le ostilità.

hosting /ˈhəʊstɪŋ/ n. ⓤ (*comput.*) hosting (*servizio offerto dal provider per la pubblicazione dei siti web sui suoi server*).

hostler /ˈɒslə(r)/ n. stalliere; mozzo di stalla.

hostmaster /ˈhəʊstmɑːstə(r)/ n. (*comput.*) amministratore dell' → «host» (→ **host**①, def. 5).

hostname /ˈhəʊstneɪm/ n. (*comput.*) nome dell' → «host» (→ **host**①, def. 5).

♦**hot** /hɒt/ ⒜ a. **1** caldo (*anche fig.*); molto caldo; (*anche fig.*) bruciante, rovente, infuocato: *It's too hot near the fireplace*, fa troppo caldo vicino al caminetto; *I like my coffee hot*, il caffè mi piace caldo; *Can I have a hot tea, please?*, posso avere un tè caldo, per favore?; **a hot drink**, una bevanda calda; **a hot wind**, un vento caldo; **a hot iron**, un ferro rovente; **hot fever**, febbre bruciante; **hot words**, parole roventi **2** (*di cibo o bevanda*) che brucia in gola; piccante **3** (*di profumo*)

forte **4** (*di colore*) intenso **5** (*fig.*) ardente; caloroso; fervido; focoso; irruente; animato; vivace; veemente; violento: **a hot temper**, un temperamento ardente (*o* focoso); **a hot struggle**, una lotta violenta **6** ancora caldo; fresco; recente: **hot scent**, traccia fresca (*di selvaggina, ecc.*); **hot news**, notizie fresche, recenti **7** di successo; popolare; alla moda; che va molto: **the hottest nightclub in town**, il night più alla moda (*o* frequentato) della città **8** (*fam., di persona*) molto attraente e eccitante; arrapante (*fam.*) **9** (*fam.*) abile; esperto; bravo; ferrato (*fam.*): *I'm not so hot at* (*o* on) maths, non sono molto bravo (*o* sono scarso) in matematica **10** (*fam.*: *di un libro, uno spettacolo, ecc.*) piccante; spinto; scandaloso **11** (*fam.*: *di merce, ecc.*) che scotta, di dubbia provenienza; (*di una situazione, ecc.*) che scotta; pericoloso; difficile **12** (*fam.*: *di una persona*) ricercato dalla polizia **13** (*fam.*: *di un luogo, un rifugio, ecc.*) insicuro; pericoloso; che scotta **14** (*fam.*) arrabbiatissimo; furente **15** (*elettr.*) (*di un cavo*) attivo; sotto tensione **16** (*fis. nucl.*) caldo; altamente radioattivo **17** (*slang*) eccitato, arrapato **18** (*slang USA*) fortunato (*al gioco*); in vena; vincente **19** (*slang USA*) ricercato (*dalla polizia*) ⒝ n. pl. (*slang USA*) – **the hots**, grande voglia, forte desiderio (*spec. sessuale*); passione (*per q. o qc.*): **to have the hots for sb.**, avere una cotta per q.; sentirsi attratto da q. ⒞ avv. **1** (*tecn.*) ad alta temperatura **2** (*fig.*) focosamente; con violenza; con rabbia **3** (*fam.*) vicino; dappresso ● **to be hot**, (*di cibo, ecc.*) essere (troppo) caldo; (*del tempo*) fare caldo; (*di una persona, ecc.*) avere caldo □ (*fig. fam.*) **hot air**, aria fritta; parole vuote; chiacchiere □ **hot-air balloon**, mongolfiera □ **hot air heating**, termoventilazione □ (*fam.*) **hot and bothered**, agitatissimo; in fibrillazione □ (*fam. USA*) **hot-and-heavy**, (a.) intenso; (avv.) intensamente □ (*metall.*) **hot-blast stove**, preriscaldatore d'aria □ **hot-blooded**, (*di un cavallo*) purosangue; (*fig.*) dal sangue caldo; ardente, focoso □ (*fig.*) **hot-bloodedness**, focosità □ **hot-brained** = **hot-headed** → *sotto* □ (*fam. USA*) **hot bunk**, cuccetta usata a turno da più marinai (*spec. USA, giorn.*) **hot button**, punto controverso; tasto delicato □ (*spec. USA, giorn.*) **hot button issue**, questione scottante □ (*fam. USA*) **hot chair**, sedia elettrica; (*fig.*) graticola; posizione scomoda □ **hot cross bun**, panino dolce con una croce sopra (*si mangia il Venerdì Santo*) □ (*org. az.*) **hot desking**, hot desking; sistema di assegnazione temporanea o a rotazione delle postazioni di lavoro □ **hot dog**, panino con würstel; hot dog; (*sport*, = **hot-dogger**) sciatore (*o* surfista, ecc.) acrobatico □ (*sport*) **hot favourite**, concorrente favorito dai pronostici; concorrente dato per vincente □ **hot fire**, fuoco vivo (*con la fiamma*) □ **hot flush** (*USA*: **hot flash**), vampata di calore (*al viso*); caldana □ (*fam.*) **to be hot for sb.**, provare attrazione per q. □ (*fam.*) **to be hot for st.**, desiderare ardentemente qc.; non vedere l'ora di avere qc. □ (*del pane*) **hot from the oven**, appena sfornato; caldo caldo □ (*fam.*) **hot gospel**, evangelismo fervente; zelo missionario □ **hot-headed**, dalla testa calda; esaltato; collerico □ (*mus.*) **hot jazz**, jazz caldo □ **hot key** = **hotkey** (→ **hot line**, (*mil., polit.*) linea calda, filo rosso; (*radio, TV*) linea diretta; (*telef.*) linea calda □ **hot meals**, pasti caldi □ (*fin.*) **hot money**, capitali vaganti □ (*di un libro*) **hot off the press**, fresco di stampa; appena uscito □ **to be hot on st.**, essere bravo in qc.; essere ferrato in qc.; (*anche*) non transigere su qc. □ **to be hot on sb.**, provare attrazione per q. □ (*fig.*) **hot on sb.'s [sth.'s] heels**, subito dopo q. [qc.]; a ruota di q. [qc.]; alle calcagna di q. [qc.] □ (*fig.*) **hot on sb.'s [sth.'s] tracks** (*o* **trail**), sulle tracce di q. [qc.]; sul punto di scovare

q. [qc.] □ (*fam.*) **a hot one**, una barzelletta assai divertente (*o* piccante); una bella (*fam.*) □ **hot pants**, (*moda*) hot pants, pantaloncini cortissimi e aderenti (*da donna*); (*volg. USA*) voglia, desiderio sessuale □ **hot pepper**, peperoncino (rosso) □ **hot plate** → **hot-plate** □ (*fig. fam.*) **hot potato**, patata bollente (*fig.*); problema scottante; brutta rogna □ (*tecn.*) **hot pressing**, stampaggio a caldo □ **hot pursuit**, inseguimento incalzante; ricerca pressante: **to be in hot pursuit of**, incalzare; essere alla ricerca pressante di □ (*slang*) **hot rod**, vecchia auto con il motore truccato; macchina truccata □ (*fig.*) **hot seat**, poltrona che scotta; posto (*o* lavoro) scomodo; (*USA, anche*) sedia elettrica □ (*volg. USA*) **hot shit**, bomba (*fig.*); (*di persona anche*) fico, fica □ (*metall.*) **hot shortness**, fragilità a caldo □ **hot shot** → **hotshot** □ **hot spot**, (*geol., fis.*) punto caldo; (*per estens.*) locale pubblico assai animato; (*nei boschi*) zona soggetta a incendi; (*comput.*) punto attivo (*di un documento multimediale*); (*arti grafiche*) macchia di luce; (*fig.: mil. e polit.*) punto caldo (*o* pericoloso) □ **hot spring**, sorgente termale □ (*tecn.*) **hot stamping**, stampa a caldo □ **hot stone**, (*cucina*) piastra di pietra ollare; (*nelle medicine alternative*) pietra calda (*da applicare sul corpo*) □ (*fam.*) **hot stuff**, cosa sensazionale; spettacolo (*o* libro, ecc.) eccitante (*o* pornografico); persona affascinante (*o* eccezionale, eccitante, dotata di sex appeal); godimento sessuale; merce che scotta (*o* rubata, ecc.) □ **hot-tempered**, impulsivo; collerico; irascibile □ (*fam.*) **hot ticket**, persona o cosa che va per la maggiore: *Exotic destinations are the hot ticket this year*, quest'anno le mete esotiche vanno per la maggiore (*o* sono le più gettonate) □ (*slang*) **to be hot to trot**, essere sessualmente eccitato; essere arrapato (*fam.*); (*anche*) essere prontissimo, non vedere l'ora □ **hot tub**, vasca idromassaggio; (*anche*) vasca riscaldata □ (*fig. fam.*) **hot under the collar**, arrabbiatissimo, furente; (*anche*) a disagio, in imbarazzo □ **hot war**, guerra calda; conflitto armato □ **hot water**, acqua calda; (*fig.*) guai, pasticci, seccature: **hot-water bottle** (*USA anche* **bag**), borsa dell'acqua calda; **the hot-water tap** (*USA*: **faucet**), il rubinetto dell'acqua calda; (*fig.*) **to get into** (*o* **in**) **hot water**, cacciarsi nei guai □ (*tecn., mecc.*) **hot well**, pozzo caldo □ (*metall.*) **hot working**, lavorazione a caldo □ (*fig.*) **to blow hot and cold**, cambiar parere di continuo □ **to drop sb.** [st.] **like a hot potato**, disfarsi di q. [qc.] □ (*fig.*) **to feel hot**, (*di una persona*) sentire (*o* avere) caldo; (*di un oggetto*) essere caldo al tatto □ **to get hot** (*o* **to grow hot**), riscaldarsi; farsi caldo; cominciare ad avere caldo; (*fig.*) eccitarsi, infervorarsi, scaldarsi: *They get hot over soccer matches*, si scaldano per le partite di calcio □ **in hot haste**, in fretta e furia □ **in the hottest part of the battle**, nel fervore della battaglia; nel mezzo della mischia □ (*fig.*) **to make it hot for sb.**, rendere la vita difficile (*o* dare del filo da torcere) a q. □ **You're getting hot**, ci sei quasi; ci stai arrivando (*a indovinare, ecc.*); (*nei giochi, cercando qc.*) fuochino... fuoco... fuocone (*o* ti bruci)!

to **hot** /hɒt/ **A** v. t. (*di solito* **to hot up**) **1** riscaldare; scaldare **2** (*fig.*) rinfocolare (*malcontento, tumulti, ecc.*) **B** v. i. **1** (*di una pietanza, ecc.*) scaldarsi **2** (*fig.: di una crisi, ecc.*) rinfocolarsi; aggravarsi; riscaldarsi, farsi caldo: *The situation was hotting up*, la situazione si faceva (sempre) più calda.

hotbed /'hɒtbɛd/ n. **1** (*agric.*) letto caldo; concimaia **2** (*metall.*) piano di raffreddamento **3** (*fig.*) covo; focolaio: **a h. of intrigue**, un covo (*o* una fucina) di intrighi; **a h. of disease**, un focolaio di malattie.

hotchpotch /'hɒtʃpɒtʃ/, **hotchpot**

/'hɒtʃpɒt/ n. **1** ⓤ (*cucina*) spezzatino; stufato di castrato (*o* di manzo); carne in umido con legumi **2** (*fig.*) guazzabuglio; miscuglio **3** ⓤ (*leg.*) collazione.

to **hot-dog** /'hɒtdɒg/ v. i. **1** (*sport*) praticare lo sci (il surf, ecc.) acrobatico; fare acrobazie (*sciando, ecc.*) **2** (*USA*) esibirsi in un'impresa spettacolare; dare spettacolo.

to **hot-draw** /'hɒtdrɔː/ v. t. (*metall.*) trafilare a caldo.

♦ **hotel** /həʊ'tɛl/ n. **1** albergo **2** (*radio, tel.*: **H.**) (la lettera) h; Hotel ● **h. booking agents**, agenzie di prenotazioni alberghiere □ **the h. business**, l'attività alberghiera □ **h. equipment**, attrezzature alberghiere □ **h.-keeper**, albergatore, albergatrice □ **h. manager**, direttore d'albergo.

hotelier /həʊ'tɛlɪə(r)/ n. albergatore, albergatrice.

hotelling /həʊ'tɛlɪŋ/ n. ⓤ = **hot desking** → **hot**.

hotfoot /'hɒtfʊt/ avv. (*fam.*) in fretta e furia; a precipizio; di gran corsa.

to **hotfoot** /'hɒtfʊt/ v. i. – nella loc. fam. **to h. it**, affrettarsi; andare (*o* andarsene) di carriera (*o* di corsa).

hothead /'hɒthɛd/ n. testa calda (*fig.*); individuo impulsivo, irruente.

hothouse /'hɒthaʊs/ **A** n. **1** serra **2** (*fig.*) terreno di coltura, fucina (*fig.*); luogo dove ferve (*o* prospera) un'attività artistica o intellettuale **B** a. attr. di (*o* da) serra; delicato; da fiore di serra: *It would be too much for those delicate, h. feelings of yours* J. OSBORNE, 'sarebbe troppo per i tuoi delicati sentimenti da fiore di serra' ● **h. flowers**, fiori di serra □ **h. plant**, (*agric.*) pianta di serra; (*fig.*) creatura delicata.

to **hothouse** /'hɒthaʊs/ v. t. istruire (*un bambino*) intensivamente in età precoce.

hotkey /'hɒtkiː/ n. (*comput.*) hotkey; scorciatoia da tastiera.

hotlink /'hɒtlɪŋk/ n. (*comput.*) hotlink; collegamento ipertestuale.

hotlist /'hɒtlɪst/ n. (*comput.*) hotlist; lista personalizzata (*di contatti o indirizzi Internet dei siti preferiti*).

hotly /'hɒtlɪ/ avv. **1** caldamente; calorosamente; con calore **2** violentemente; impetuosamente **3** (*anche fig.*) rabbiosamente: **to pursue sb. h.**, inseguire rabbiosamente q.

hotness /'hɒtnəs/ n. ⓤ calore; (*fig.*) ardore, foga, veemenza (→ **hot**).

hot-plate, **hotplate** /'hɒtpleɪt/ n. (*cucina*) piastra (elettrica); fornello.

hotpot /'hɒtpɒt/ n. ⓒⓤ (*cucina*) spezzatino (*o stufato*) di carne (*manzo o castrato*) con fette di patate.

to **hot-rod** /'hɒtrɒd/ (*autom.*) v. i. guidare un'auto truccata ‖ **hot-rodder** n. pilota di auto truccata.

hotshot /'hɒtʃɒt/ (*fam. USA*) **A** n. **1** persona di successo (*o* importante); persona in gamba **2** individuo tronfio (*o* che si crede importante) **3** notizie dell'ultima ora **4** (*ferr.*) treno rapido; espresso **B** a. attr. **1** importante; in gamba **2** tronfio; vanitoso **3** (*slang: di treno*) che non fa fermate.

hotspot /'hɒtspɒt/ (*comput.*) n. **1** = **hot spot** → **hot** **2** punto di accesso (*a servizi di rete wireless per dispositivi mobili*).

hotspur /'hɒtspɜː(r)/ n. testa calda (*fig.*); persona focosa, impetuosa (*dal nome d'un personaggio del «Enrico IV» di Shakespeare*)

to **hot-swap** /hɒt'swɒp/ v. t. (*comput.*) riconfigurare (*l'hardware di un sistema senza spegnerlo e senza interruzione di servizio*)

hotsy-totsy /hɒtsɪ'tɒtsɪ/ a. (*fam. USA*) **1** grazioso; carino; delizioso **2** → **hoity-toity**.

Hottentot /'hɒtntɒt/ n. (*stor., ora offensivo*) **1** (pl. **Hottentots**, **Hottentot**) ottentot-

to **2** ⓤ ottentotto (*la lingua*) ❶ **NOTA D'USO** • *Per indicare questo popolo è preferito* **Khoikhoi** *o* **Nama**.

hottie, **hotty** /'hɒtɪ/ n. (*fam.*) persona sessualmente attraente; (bel) bocconcino (*fam.*).

to **hot-wire** /'hɒtwaɪə(r)/ v. t. (*slang*) mettere in moto (*un automezzo*) senza la chiave dell'accensione (*di solito, per rubarlo*).

hotword /'hɒtwɜːd/ n. (*comput.*) hotword; collegamento ipertestuale.

Houdini /huː'diːnɪ/ n. (*fam.*) persona brava a scappare (*o* a sfuggire); artista della fuga (*fig.*) ● **to do a H.**, fare una fuga astuta; (*anche*) fare una magia (*fig.*).

hough /hɒk/ n. garretto (*di quadrupede*).

to **hough** /hɒk/ v. t. tagliare i garretti a (*un animale*); sgarrettare.

hound /haʊnd/ n. **1** cane da caccia (*spec. alla volpe*); bracco; segugio: **a pack of hounds**, una muta di cani da caccia **2** (*fig.*) cane; individuo spregevole ● (*bot.*) **h.'s-tongue** (*Cynoglossum officinale*), cinoglossa; erba vellutina □ **h.'s-tooth** → **houndstooth** □ **to follow the hounds** (*o* **to ride to hounds**), cacciare a cavallo, con una muta di cani.

to **hound** /haʊnd/ v. t. **1** cacciare con i segugi **2** (*fig.*) inseguire; braccare; perseguitare: *Creditors h. him wherever he goes*, i creditori lo perseguitano dovunque vada ● **to h. down**, acciuffare; prendere; catturare □ **to h. on**, aizzare (*cani, ecc.*); (*fig.*) incitare, spronare □ **to h. sb. out**, indurre (*o* costringere) q. ad andar via; cacciar via; scacciare q.

houndstooth /'haʊndztuːθ/ n. ⓤ e a. (*di stoffa*) pied-de-poule ● **h. check**, disegno a pied-de-poule.

♦ **hour** /aʊə(r)/ n. **1** ora (*60 minuti; anche fig.*); momento: *The clock struck the h.*, l'orologio batté l'ora; *I'm paid 15 euros an h.*, sono pagato 15 euro all'ora; **80 miles per h.**, 80 miglia all'ora; **a two-h. delay**, un ritardo di due ore; *Our home is an h.'s drive* [*walk*] *from here*, casa nostra è a un'ora di macchina [di cammino] da qui; **in an evil h.**, in un brutto momento **2** (pl.) ore; orario: *Office hours are 8 a.m. to 2 p.m.*, l'orario d'ufficio è dalle 8 alle 14; *What hours do you work?*, qual è il tuo orario di lavoro? **3** (*fig.*) tempo; momento: *She's the woman of the h.*, è la donna del giorno; **one's h. of glory**, il proprio momento di gloria ● **h. after h.**, ore e ore □ **h. by h.**, d'ora in ora; (*astron.*) **h. circle**, circolo orario □ (*di un orologio*) **h. hand**, lancetta delle ore □ (*tecn.*) **h. meter**, contaore □ **at all hours**, a tutte le ore; a qualsiasi ora □ **banking hours**, orario di sportello □ **at an early h.**, di buon'ora; presto □ (*fig.*) **at the eleventh h.**, all'ultimo minuto (*o* momento) □ **by the h.**, di ora in ora, di momento in momento; (*di tariffa, stipendio, ecc.*) a ore: *The crisis is growing worse by the h.*, la crisi si aggrava di ora in ora; *Most waiters are paid by the h.*, la maggior parte dei camerieri è pagata a ore □ **every h. on the h.**, allo scadere di ogni ora (*alle 6, alle 7, alle 8, ecc.*) □ **to keep early** (*o* **good**) **hours**, andare a letto (*o* alzarsi) presto □ **to keep late** (*o* **bad**) **hours**, andare a letto (*o* smettere di lavorare, ecc.) tardi; far le ore piccole □ **to keep regular hours**, coricarsi e alzarsi a ore fisse; (*anche*) fare le cose a ore fisse, essere abitudinario □ **of the h.**, dell'ora; del momento: *'All books are divisible into two classes: the books of the h., and the books of all time'* J. RUSKIN, 'tutti i libri si dividono in due classi: i libri del momento, e i libri per sempre' □ **on the h.**, all'ora precisa; (*anche*) allo scadere di ogni ora (*alle 6, alle 7, alle 8, ecc.*) □ **one's h.**, la propria ora; l'ora della morte □ **The h. is 3.47**, sono le 3 e 47 (*esatte, di notte*) □ **within hours of st.**, po-

che ore dopo qc.; a poche ore di distanza da qc. □ **to work long hours**, fare gli straordinari; lavorare oltre l'orario normale.

hourglass /ˈaʊəglɑːs/ n. clessidra.

houri /ˈhʊərɪ/ n. (pl. *houris*) uri; (*fig.*) donna affascinante.

hourly /ˈaʊəlɪ/ **A** a. **1** orario; di ogni ora; ogni ora: (*econ.*) **the h. output**, la produzione oraria; **an h. bus service**, un servizio di autobus ogni ora **2** a ore; orario: h. **wages**, salario orario; *What's the h. rate of pay?*, qual è la paga oraria? **3** (*fig.*) frequente; continuo **B** avv. **1** ogni ora; d'ora in ora; da un momento all'altro: *The ship is expected h.*, la nave è attesa da un momento all'altro **2** frequentemente; continuamente **3** (*econ.*) a ore: **Fees are charged h.**, gli onorari sono calcolati a ore □ h. **rate [fee]**, paga [tariffa] oraria □ (*di lavoro*) h.**-rated**, retribuito a ore □ **on an h. basis**, ogni ora, una volta all'ora, di ora in ora; (*di tariffa, stipendio, ecc.*) su base oraria, a ore, un tanto all'ora: *Data are recorded on an h. basis*, i dati sono registrati ogni ora (o di ora in ora).

♦**house** /haʊs, pl. haʊzɪz/ **A** n. **1** casa; abitazione; edificio; dimora; domicilio; casato; famiglia; dinastia; casa commerciale; azienda; ditta: *The party is at our h.*, la festa è a casa nostra; **a h. for rent**, una casa d'affitto; **council h.** → **council**; **workers' houses**, case operaie; **at one's h.**, a casa propria; **an old trading h.**, una vecchia casa commerciale; (*comput.*) **software h.**, azienda che sviluppa software su commessa; software house; (*stor.*) **the H. of Tudor**, la Casa di Tudor; **an ancient h.**, un antico casato ❶ **NOTA**: *home o house?* → **home 2** (*fig.*) (la gente di) casa: *The whole h. was astir*, tutta la gente di casa era sveglia e in piedi **3** (*polit.*) camera; assemblea legislativa: (*in USA*) **the H. of Representatives**, la Camera dei Rappresentanti ❶ **CULTURA** • **House of Representatives**: *è una delle due camere del Congresso statunitense (l'altra è il* → *«Senate»). I* **Representatives** *(deputati) sono 435 e hanno un mandato di due anni. Vengono eletti nei vari Stati in numero proporzionale alla popolazione. Sono anche chiamati* **Congressmen** *e* **Congresswomen**; **to enter the H.**, andare (o essere eletto) alla Camera **4** locale; teatro; cinema; pubblico; spettatori (*a teatro*): **a full (o packed) h.**, un teatro pieno; un pienone (*fam.*); **a thin h.**, pochi spettatori; una platea semivuota; (*fig.*) **to bring the h. down**, far crollare il teatro per gli applausi; (*anche*) far sbellicare il pubblico (dalle risate) **5** (*GB*) rappresentazione (o spettacolo) teatrale (o cinematografico): **the first [the second] h.**, il primo [il secondo] spettacolo **6** (= **h. of God**) chiesa **7** albergo; pensione; locanda; (= **eating-h.**) ristorante, trattoria; (= **public h.**) bar; «casa»; locale: *It's on the h.!*, offre la casa!; (*tur., cucina*) **h. special**, specialità della casa **8** capannone; recinto; (*naut.*) casotto: **carriage h.**, capannone per veicoli; **hen h.**, pollaio **9** casa dello studente; convitto; convittori **10** (*astrologia*) casa **11** – (*polit., in GB*) **the H.** (= **the H. of Commons**), i Comuni (*la Camera dei rappresentanti in GB*) **12** (*fin.*) **the H.**, la Borsa Valori di Londra **13** (*mus., = H. music*) musica house (*degli anni '80; da Warehouse, il night di Chicago dove ebbe origine*) **14** (*eufem.*) casa di tolleranza; casino (*fam.*) **B** a. attr. **1** della casa; casalingo **2** per la casa; da casa: **a h. jacket**, una giacca da casa **3** (*d'animale*) domestico: **a h. cat**, un gatto domestico **4** delle case; degli immobili: *I bought a little flat just before the h. prices went up*, ho comprato un appartamentino prima che i prezzi degli immobili salissero **C** inter. (*bingo*) tombola! □ **h. agent**, agente immobiliare; mediatore di case □ **one's h. and home** (espress. enfatica per **home**), la propria casa;

i propri lari (*fig.*); i propri penati (*fig.*) □ (*leg.*) **h. arrest**, arresti domiciliari: **to be under h. arrest**, essere agli arresti domiciliari □ (*leg.*) **h. brand**, marchio commerciale □ **h.-broken = h.-trained** → *sotto* □ **h. builder**, imprenditore edile □ (*relig.*) **h. church**, chiesa carismatica; gruppo carismatico □ **h. clearance**, sgombero di mobili e oggetti vecchi □ (*nei circoli*) **h. dinner**, pranzo (o cena) sociale □ **h. dog**, cane da guardia □ (*naut.*) **h. flag**, bandiera della casa (*cioè, di una società mercantile*) □ (*fam.*) **h.--hunting**, ricerca della casa: **to go h.-hunting**, cercare casa □ (*teatr.*) **h. lights**, luci della (o di) sala □ (*zool.*) **h. martin** (*Delichon urbica*), balestruccio □ (*zool.*) **h. mouse** (*Mus musculus*), topo delle case □ **a h. of cards**, un castello di carte (*anche fig.*) □ (*in GB*) **the H. of Commons**, la Camera dei Comuni □ (*GB stor. o USA*) **h. of correction**, casa di correzione; correzionale □ (*relig., luogo di culto*) **h. of God**, casa di Dio; casa del Signore □ (*antiq.*) **h. of ill fame** (**o repute**), casa di malaffare; casa di tolleranza □ (*in GB*) **the H. of Lords**, la Camera dei Pari; la Camera Alta □ (*in GB*) **the Houses of Parliament**, le Camere, il Parlamento ❶ **CULTURA** • **Houses of Parliament**: *il parlamento inglese è formato dalla* **House of Commons** (*Camera dei Comuni*) *e dalla* **House of Lords** (*Camera dei Lord*). *La* **House of Commons** *è composta da 646 deputati* (**Members of Parliament** *o* **MPs**) *eletti a suffragio universale con sistema maggioritario di norma ogni cinque anni, ed è presieduta da uno* **Speaker**. *La* **House of Lords** *è costituita da membri non eletti che si dividono in* **Lords Spiritual** (*vescovi della Chiesa anglicana*) *e* **Lords Temporal** (*membri laici dell'aristocrazia*) *ed è presieduta dal* **Lord (High) Chancellor**. *Fino al 1999 i* **Lord** *erano 1200; oggi sono circa 600 e la struttura e la funzione stessa della* **House of Lords** *sono in corso di ridefinizione* □ **h. on wheels**, casa mobile; (*anche*) camper, roulotte □ **h. organ**, giornale aziendale □ **h. painter**, imbianchino □ **h. party**, riunione di ospiti in una casa di campagna (*spesso per l'intero weekend*) □ **h. phone**, telefono interno □ **h. physician**, medico interno (*in un ospedale*) □ **h. plant**, pianta da appartamento □ **h.--proud**, amante della casa; che ci tiene ad avere una bella casa; fanatico della pulizia in casa □ (*zool., Passer domesticus*) **h. sparrow**, passero domestico □ (*med.*) **h. surgeon**, chirurgo interno (*d'ospedale*) □ (*fisc.*) **h. tax**, imposta sulla casa □ **h.-to-h.**, di casa in casa; (*market.*) porta a porta; a domicilio: **h.-to-h. selling [service]**, vendita [servizio] a domicilio □ **h.-trained**, (*d'animale domestico*) abituato a vivere in casa; pulito; (*fig.*) addomesticato (*fig.*) □ **h. union**, sindacato d'impresa □ **h. wine**, vino della casa: *The h. wine isn't at all bad*, il vino della casa non è per niente male □ **h.-warming** → **housewarming** □ **to get on (o along) like a h. on fire**, fare amicizia in quattro e quattr'otto; andare subito d'accordo; avere un feeling immediato □ **to keep h.**, badare alla (o occuparsi della) casa; governare la casa; accudire alla (o la) casa: **to keep h. for sb.**, fare da governante a q. □ **to keep h. together**, dividere la casa (o l'appartamento; con q.) □ **to keep a good h.**, trattarsi bene; non farsi mancare nulla; (*anche*) governare bene la casa □ **to keep open h.**, essere molto ospitale; ricevere spesso □ (*lett.*) **to keep to the h.**, starsene in casa □ **like a h. on fire**, energicamente, con vigore; (*anche*) velocemente, come un fulmine; (*anche*) a gonfie vele (*fig.*) □ (*polit.*) **to make a h.**, assicurarsi il numero legale; raggiungere il quorum □ **to move h.**, traslocare □ (*fam.*) **to play h.**, (*di bambini*) giocare alla famiglia; (*anche*) andare a vivere (o mettersi) (*con q.*) □ **to put one's h. in order = to set one's h. in order** → *sotto* □ (*GB*) **(as) safe as houses**, sicuro come una

fortezza □ (*fig.*) **to set one's h. in order**, sistemare i propri affari; metter le cose a posto □ (*prov.*) **A h. divided cannot stand**, senza concordia non si tira avanti.

to house /haʊz/ v. t. **1** dare una casa a; albergare; alloggiare; ospitare: *We'll h. him for the weekend*, lo ospiteremo per il week-end **2** collocare; conservare; riporre; sistemare: *Some ancient manuscripts are housed here*, alcuni manoscritti antichi sono conservati qui **3** (*mecc., ecc.*) alloggiare; collocare; incassare **4** (*falegn.*) incastrare **5** (*naut.*) stivare (*merce*); riporre (*l'ancora*); alzare, drizzare (*un albero*).

houseboat /ˈhaʊsbəʊt/ n. casa galleggiante.

housebound /ˈhaʊsbaʊnd/ a. chiuso in casa; costretto a stare in casa.

houseboy /ˈhaʊsbɔɪ/ n. (*antiq. o spreg.*) cameriere; domestico.

housebreaker /ˈhaʊsbreɪkə(r)/ n. **1** scassinatore; ladro d'appartamento **2** demolitore di case vecchie.

housebreaking /ˈhaʊsbreɪkɪŋ/ n. ⚏ **1** (*leg.*) violazione di domicilio; furto con scasso **2** demolizione di case vecchie.

housebroken /ˈhaʊsbrəʊkən/ a. (*USA*) **1** (*d'animale domestico*) abituato a vivere in casa; pulito **2** (*fig.*) addomesticato (*fig.*); reso socievole.

housebuilding /ˈhaʊsbɪldɪŋ/ n. ⚏ costruzione di case; edilizia: **council h.**, edilizia popolare; **public h.**, edilizia sovvenzionata.

housecleaning /ˈhaʊskliːnɪŋ/ n. ⚏ **1** pulizie domestiche **2** (*fig.*) pulizia; epurazione.

housecoat /ˈhaʊskəʊt/ n. vestaglia da casa (*spec. da donna*).

housecraft /ˈhaʊskrɑːft/ n. ⚏ economia domestica (*materia di studio*).

housefather /ˈhaʊsfɑːðə(r)/ n. **1** pater familias; padre **2** (*spec.*) direttore (*di casa dello studente, ostello, ecc.*) **3** (*in un correzionale*) prefetto.

housefly /ˈhaʊsflaɪ/ n. (*zool., Musca domestica*) mosca comune (o domestica).

houseful /ˈhaʊsfʊl/ n. **1** numero massimo di persone (o di cose) che una casa può accogliere **2** casa piena (*di gente*) • **a h. of children**, una nidiata di bambini.

♦**household** /ˈhaʊshəʊld/ n. **1** casa; famiglia (*anche nel senso, quasi arc., di servitù*); familiari e domestici: **the (Royal) H.**, la Casa Reale **2** (*demogr.*) unità familiare; famiglia (*in senso statistico*): **h. group**, nucleo familiare □ **h. affairs**, affari domestici □ **h. appliances**, elettrodomestici (*cucine, lavatrici, ecc.*) □ **h. effects**, suppellettili □ **h. expenses**, spese sostenute per la casa □ (*anche fig.*) **h. gods**, lari; penati □ **h. goods**, (articoli) casalinghi □ **h. insurance**, assicurazione casa □ **h. linen**, biancheria da casa □ **h. management**, gestione domestica; (*materia di studio*) economia domestica □ **h. name**, nome familiare; nome ben noto (o ricorrente) □ (*econ.*) **h. saving**, risparmio delle famiglie □ **h. science**, economia domestica □ (*in GB*) **H. Troops**, truppe al servizio del sovrano □ **h. word**, parola familiare (o d'uso comune); parola ricorrente □ **householder** n. **1** padrone di casa; chi vive in una casa propria **2** locatario di casa **3** (*anche demogr.*) capofamiglia.

househusband /ˈhaʊshʌzbənd/ n. marito che si occupa delle faccende domestiche; casalingo.

housekeeper /ˈhaʊskiːpə(r)/ n. **1** donna di casa; massaia **2** governante (*che sovrintende alla casa*) **3** (*d'albergo*) guardarobiera.

housekeeping /ˈhaʊskiːpɪŋ/ n. ⚏ **1** andamento, gestione, governo della casa; eco-

nomia domestica **2** (= **h. money**) denaro destinato alla gestione della casa **3** (*comput.*) operazioni ausiliarie di routine ● **h. money**, denaro per le spese di casa.

houseleek /'haʊsliːk/ n. Ⓤ (*bot.*, *Sempervivum tectorum*) semprevivo; erba pignola.

housemaid /'haʊsmeɪd/ n. domestica; donna di servizio; cameriera; colf (abbr. di: collaboratrice familiare) ● **h.'s knee**, ginocchio della lavandaia (*infiammazione del ginocchio*).

houseman /'haʊsmən/ n. (pl. **housemen**) (*med.*) (medico) interno.

housemaster /'haʊsmɑːstə(r)/ n. direttore di convitto (maschile).

housemate /'haʊsmeɪt/ n. chi divide una casa con q.; compagno d'appartamento.

housemistress /'haʊsmɪstrɪs/ n. direttrice di convitto (femminile).

housemother /'haʊsmʌðə(r)/ n. **1** mater familias; madre **2** (*spec.*) direttrice (*di casa dello studente, ostello, ecc.*); vigilatrice.

houseroom /'haʊsruːm/ n. alloggio; posto (o spazio) disponibile in casa ● (*GB*) **not to give st. h.**, non volerne sapere di qc.; non essere minimamente interessato a qc.

to **house-sit** /'haʊssɪt/ (pass. e p. p. **house-sat**), v. i. (*fam. USA*) badare alla casa (in assenza dei padroni) abitandovi.

house-sitter /'haʊssɪtə(r)/ n. chi bada alla casa altrui, in assenza del padrone.

housetop /'haʊstɒp/ n. tetto (della casa) ● (*fam.*) **to cry** (o **to proclaim**) **st. from the housetops**, gridare qc. ai quattro venti; sbandierare qc.

to **house-train** /'haʊstreɪn/ v. t. abituare (*un animale*) a vivere in casa; addestrare alla pulizia.

housewares /'haʊswɛəz/ n. pl. articoli per la casa; casalinghi.

housewarming /'haʊswɔːmɪŋ/ n. (= **h. party**) festa per l'inaugurazione di una nuova residenza (*offerta dal padrone di casa*).

housewife (def. 1 /'haʊswaɪf/, def. 2 /'hʌzɪf/) n. (pl. **housewives**) **1** casalinga; donna di casa; massaia **2** astuccio da lavoro (*con aghi, filo, forbici, ecc.*) ‖ **housewifely** a. di (o da) massaia; casalingo; domestico ‖ **housewifery** n. Ⓤ governo della casa; amministrazione domestica; gestione della casa.

housework /'haʊswɜːk/ n. Ⓤ faccende domestiche; lavori di casa: *How do you arrange the h.?*, come vi organizzate per le faccende domestiche?

♦**housing** ① /'haʊzɪŋ/ n. **1** Ⓤ l'accogliere (o l'essere accolto) in casa **2** Ⓤ edilizia abitativa: **council h.**, edilizia popolare (*in GB*) **3** alloggio; casa; sistemazione in alloggi: **the h. problem**, il problema della casa **4** ricovero; rifugio; riparo **5** (*mecc.*) custodia; sede **6** (*autom.*) scatola (dello sterzo) **7** (*naut.*) parte sottocoperta **8** (*tecn.*) contenitore; alloggiamento; sede (*per un frigorifero, ecc.*); carcassa; gabbia; incastellatura: **plastic h.**, astuccio di plastica **9** (*comput.*) housing (*gestione di un server di un client presso i locali di un provider*) ● **h. association**, cooperativa edilizia □ (*in GB*) **h. benefit**, assegno integrativo per inquilini non abbienti; sussidio per la casa □ (*econ.*) **the h. boom**, il boom edilizio □ **h. developer**, urbanizzatore □ **h. development** = **h. estate** → *sotto* (*archit.*) □ **h. estate**, complesso urbano residenziale □ **h. improvement grants**, contributi (*statali*) per la ristrutturazione di case (*in GB*) □ **h. list**, lista d'attesa per l'assegnazione di case popolari □ **the h. market**, il mercato immobiliare □ (*USA*) **h. project** = **h. scheme** → *sotto* □ **h. scheme**, (quartiere di) case popolari □ (*econ.*) **the h. shortage** (o **squeeze**), la crisi degli alloggi □ **the h. situation**, la situazione abitativa □ **h. trust**, so-

cietà pubblica per il finanziamento dell'edilizia popolare □ **h. unit**, unità abitativa.

housing ② /'haʊzɪŋ/ n. **1** gualdrappa; groppiera **2** (pl.) finimenti.

hove /həʊv/ pass. e p. p. di **to heave**.

hovel /'hɒvl/ n. **1** bicocca; casupola; tugurio **2** baracca; tana **3** capannone; tettoia.

hover /'hɒvə(r)/ n. □ **1** il librarsi; l'esser sospeso (*anche fig.*) **2** (*fig.*) indecisione; pencolamento **3** (*aeron. e zool.*: *di elicottero, falco, ecc.*) volo a punto fisso; volo stazionario.

to **hover** /'hɒvə(r)/ v. i. **1** librarsi; librarsi a volo; volteggiare; incombere (*anche fig.*): *An eagle hovered over the rock*, un'aquila volteggiava sopra la rupe **2** (*fig.*) essere sospeso; essere indeciso; pencolare; essere in bilico: **to h. between life and death**, esser sospeso fra la vita e la morte **3** (*aeron. e zool.*: *di elicottero, falco, ecc.*) volare a punto fisso ● **to h. about** (o **around**), aggirarsi; gironzolare (intorno); attardarsi; indugiare ● **to h. about** (o **around**) **sb.**, ronzare (o aggirarsi) intorno a q. □ (*fig., con cifre*) **to h. around st.**, aggirarsi su (o fluttuare intorno a) qc.: *The inflation rate will h. around 2% this year*, quest'anno il tasso di inflazione si aggirerà sul 2%.

hovercraft /'hɒvəkrɑːft/ n. (*naut.*) hovercraft; veicolo a cuscino d'aria; aeroscivolante.

hovering /'hɒvərɪŋ/ Ⓐ a. **1** che si libra (*sulle ali, ecc.*) **2** (*fig.*) che è sospeso (*fra due cose, ecc.*) Ⓑ n. → **hover**.

hover mower /'hɒvəməʊə(r)/ loc. n. tosaerba a cuscino d'aria.

hoverport /'hɒvəpɔːt/ n. (*naut.*) porto degli hovercraft.

hovertrain /'hɒvətreɪn/ n. (*ferr.*) treno a cuscino d'aria.

♦**how** /haʊ/ Ⓐ avv. (in frasi interr. ed escl.) **1** come; in qual modo; in che modo: *How shall I do it?*, come devo farlo?; *Tell him how to do it*, digli in che modo si fa; *How did you get there?*, come hai fatto ad arrivarci?; *How are you getting to the interview?*, come pensi di arrivare al colloquio?; *How did your exam go?*, com'è andato l'esame?; *How is it that you don't know?*, com'è che non lo sai? **2** come; quanto; che: *How long is it?*, quant'è lungo?; *How long ago?*, quanto tempo fa?; *How long have you been seeing her?*, da quanto tempo vi frequentate?; *How long is the sale on for?*, per quanto tempo ci saranno i saldi?; *How kind he is!*, quant'è gentile!; *How lovely!*, com'è bello!; *How kind of you to call!*, che gentile da parte tua telefonarmi! ❶ Nota: *come* → **come** (*sezione italiana*) ● **How come**, come; in qualsiasi modo: *He can behave how he likes*, può comportarsi come vuole **2** (*lett.*) che Ⓒ n. (il) come; maniera; modo: *Tell me the how and why*, ditemi il come e il perché (*fam.*: il perché e il percome) ● **How about... ?**, (*per fare una proposta*) che ne dici (o diresti) di...?, che ne dite (o direste) di...?; (*anche*) e (per quanto riguarda...)?: *How about a glass of beer?*, che ne dici di un bicchiere di birra?; *How about going to the cinema?*, che ne direste di andare al cinema?; **I'm thirsty, how about you?**, io ho sete, e tu? □ **How about that?**, mica male (eh?) □ **How are you?**, come stai?; come sta (Lei)?; (*anche*) salve!, ciao! ❶ Nota: *introductions* → **introduction** □ **How are you feeling?**, come va la salute?; come stai (di salute)? □ (*fam.*) **How now?**, come mai?; come stai?; come si spiega?: *How did he fail the exam?*, come mai è stato bocciato? □ (*slang USA*) **How does that grab you?**, che te ne pare? □ **How do you do?** (formula di saluto o presentazione), piacere! ❶ Nota: *introductions* → **introduction** □ (*fam.*) **a how-do-you-do** (o **how-**

-d'ye-do, **how-de-do**), una situazione imbarazzante; un pasticcio; un guaio □ **How do you like it?**, ti piace?; (*anche*) che cosa ne dici? □ (*fam.*) **How do you mean?**, che cosa vuoi dire? □ (*fam.*) **How ever...?**, come mai...?; come...?: *How ever did you manage to come?*, come (mai) sei riuscito a venire? □ **how far** → **far** ① □ (*fam. USA*) **How goes it?**, come va? □ **how many**, quanti □ **how much**, quanto: *How much sugar do you want?*, quanto zucchero vuoi? ❶ Nota: *chi* → **chi** ① (*sezione italiana*) □ (*arc.*) **How now?**, che vuoi dire?; che cosa significa ciò?; e allora? □ **How often...?**, ogni quanto (tempo)...?; con che frequenza...?; quanto spesso...?: *How often do you go the cinema?*, quanto spesso (o con che frequenza) vai al cinema? □ (*fam.*) **How on earth** (o **How in the world**, **How the goodness**, **How the devil**, **How the deuce**)...?, come diavolo...?; come diamine...?; come mai...?: *How on earth can I get rid of him?*, come diamine faccio a sbarazzarmi di lui? □ **How so?**, come mai?; come in che senso? □ **How's that?**, come mai?; come si spiega?; (*anche*) che te ne pare?, che ne pensi?; (*anche*) come hai detto? □ **How's that for...?**, (*per sottolineare qc.*) se questo non è...!: *We finished the house one month in advance. How's that for efficiency?*, abbiamo finito la casa con un mese di anticipo. Se questa non è efficienza! □ (*fam.*) **And how!**, altroché!; eccome! □ (*in un brindisi*) **Here's how!**, alla salute!

howbeit /haʊ'biːɪt/ cong. (*arc. o lett.*) **1** ciononostante; nondimeno **2** benché; ancorché; quantunque; sebbene.

howdah /'haʊdə/ n. palanchino (*fissato sul dorso d'un elefante*).

howdy /'haʊdi/ inter. (*fam. USA*) salve!; come va?

♦**however** /haʊ'evə(r)/ Ⓐ avv. **1** comunque; in qualunque modo; per quanto: **h. that may be**, comunque stiano le cose; **h. hard you may try**, per quanto tu possa sforzarti; **h. rich you may be**, per quanto ricco tu sia **2** (*fam.*, in frasi interr.) come: *H. did you make such a mess?*, come hai fatto a combinare questo pasticcio? Ⓑ cong. **1** come; in qualsiasi modo: *He can behave h. he likes*, può comportarsi come vuole **2** comunque; nondimeno; però; eppure; tuttavia: *I don't know; h., we shall see*, non lo so; comunque, si vedrà; *A lot of my friends like that singer; I don't, h.*, a molti miei amici quel cantante piace; eppure, a me no; *On second thoughts, h., I accepted his offer*, ripensandoci, tuttavia, accettai la sua offerta.

❶ Nota: *how ever o however; what ever o whatever?*

A volte è un problema decidere se scrivere *however*, *whatever*, ecc., o *how ever*, *what ever*, ecc. Se *ever* viene usato con *how*, *what*, ecc. per esprimere sorpresa o incredulità, si possono trovare due parole separate: *How ever did you find out?* come mai lo hai scoperto? *What ever did she say?* che cosa può aver detto? Se il significato di *however*, *whatever*, ecc. è "non importa come, cosa, ecc.", si scrivono preferibilmente come una sola parola: *Whatever you decide to do, it will be difficult*, qualsiasi cosa ("non importa cosa") tu decida di fare, sarà difficile. *I'll follow you wherever you go*, ti seguirò ovunque ("non importa dove") andrai.

howitzer /'haʊɪtsə(r)/ n. (*mil.*) obice.

howl /haʊl/ n. **1** ululato; ululo; urlo lamentoso; lamento; gemito; mugolio: **the howls of a dog**, gli ululati d'un cane **2** grido; urlo; strillo; schiamazzo: **a h. of pain**, un urlo di dolore; **howls of derision**, grida di derisione **3** (*slang*) spasso; chi (o cosa che) fa sbellicare dalle risa; individuo ridicolo; cosa buffa.

to **howl** /haʊl/ A v. i. 1 ululare; urlare lamentosamente; (*di un bimbo, ecc.*) strillare; lamentarsi; mugghiare: *The wolves were howling*, i lupi ululavano; *The storm howled through the sails*, la tempesta mugghiava fra le vele; *He howled with* (o *in*) *pain*, urlava per il dolore 2 urlare; gridare; schiamazzare B v. t. dire (qc.) a gran voce; gridare; strillare: **to h. the latest news**, strillare le ultimissime ● **to h. defiance**, lanciare una sfida a gran voce □ **to h. down a speaker**, far tacere un oratore a forza di urla; subissare di urla un oratore □ (*fam.*) **to h. with laughter**, sbellicarsi dalle risa.

howler /'haʊlə(r)/ n. 1 urlatore, urlatrice 2 (*zool., Alouatta*) aluatta; scimmia urlatrice 3 (*nei funerali*) prefica 4 (*fam.*) castroneria; abbaglio; granchio (*fig.*); strafalcione; sfondone 5 (*telef., elettron.*) avvisatore acustico (*ora in disuso*).

howlet /'haʊlət/ n. (*arc. o poet.*) gufo.

howling /'haʊlɪŋ/ a. 1 urlante; urlatore, urlatrice: **h. monkey**, scimmia urlatrice 2 (*Bibbia*) terribile; tremendo; spaventoso: **h. wilderness**, deserto (o *solitudine*) terribile 3 (*fam.*) enorme; grande; strepitoso; madornale: **a h. success**, un successo strepitoso; **a h. error**, un errore madornale.

howsoever /haʊsəʊˈεvə(r)/ avv. (*arc. o lett.*) comunque; in qualunque modo.

howzat? /haʊˈzæt/ inter. (*cricket*, contraz. di **how's that?**) com'è? (*richiesta all'arbitro di pronunciarsi sull'eliminazione del battitore*).

howzit /'haʊzɪt/ inter. (*Sud Africa*) ciao!; come stai?

hoy ① /hɔɪ/ n. (*naut.*) 1 (*un tempo*) maona, specie di sloop 2 barcone; chiatta.

hoy ② /hɔɪ/ inter. ohi!; ehilà!; olà!

hoyden /'hɔɪdn/ n. ragazza chiassosa, sguaiata; «maschiaccio».

hoydenish /'hɔɪdənɪʃ/ a. chiassoso; vivace; sguaiato.

HP sigla 1 (*fis.*, **high pressure**) alta pressione (A.P.) 2 (*comm.*, **hire purchase**) (sistema degli) acquisti a rate 3 (**Houses of Parliament**) (il) Parlamento; (le) Camere.

HPV sigla (*med.*, **human papilloma virus**) HPV; papillomavirus umano; virus del papilloma umano.

HQ abbr. (*mil.*, **headquarters**) quartier generale (*anche di un'azienda*) (QG).

hr. abbr. (**hour**) ora (*sessanta minuti*).

HR sigla 1 (*USA*, **House of Representatives**) Camera dei rappresentanti 2 (**human resources**) risorse umane; personale.

HRH sigla (**His** (o **Her**) **Royal Highness**) Sua Altezza Reale (SAR).

HRT sigla (*med.*, **hormone replacement therapy**) terapia ormonale sostitutiva, ormonoterapia.

HSE sigla (*GB*, **Health and Safety Executive**) Ente per la sicurezza sul lavoro.

HSIK sigla (*Internet, telef.*, **how should I know?**) che ne so io?

HST sigla 1 (**high-speed train**) treno ad alta velocità 2 (**Hubble Space Telescope**) telescopio spaziale Hubble.

HT sigla (*fis.*, **high tension**) alta tensione (AT).

ht abbr. (**height**) altezza (alt.).

HTH sigla (*Internet, telef.*, **hope that helps**) spero di essere stato utile; spero che ti serva.

HTML sigla (*comput.*, **hypertext markup language**) linguaggio di codifica per ipertesti.

HTTP sigla (*comput.*, **hypertext transfer protocol**) protocollo di trasferimento per ipertesti.

HTTPS sigla (*comput.*, **hypertext trans-fer protocol secure**) protocollo di trasferimento per ipertesti sicuro.

hub /hʌb/ n. 1 (*mecc.*) mozzo (*di ruota, elica, ecc.*): **free-wheel hub**, mozzo a ruota libera 2 (*mecc.*) rocchetto (*di serratura di sicurezza*) 3 bocchettone (*di tubazioni*) 4 (*fig.*) fulcro; perno; centro: **the hub of the solar system**, il fulcro del sistema solare; **the hub of a railway network**, il centro di una rete ferroviaria; il nodo ferroviario 5 (*comput.*) hub (*dispositivo che unisce più linee di comunicazione*) 6 (*aeron.*) hub; nodo aeroportuale ● (*spec. aeron.*) **hub and spoke**, modello 'hub and spoke' (o «a stella» o «a raggiera») (*rete costituita da un nodo centrale collegato a più punti satellite*).

hubble-bubble /'hʌblbʌbl/ n. 1 narghilè; pipa turca 2 gorgoglio 3 chiasso; baccano; vocio.

hubbub /'hʌbʌb/ n. ⊍ 1 chiasso; baccano; frastuono; schiamazzo; strepito 2 baraonda; confusione; parapiglia.

hubby /'hʌbɪ/ n. (*fam.*) marito; maritino.

hubcap /'hʌbkæp/ n. (*autom.*) coprimozzo; copriruota; coppa (*per ruota*).

Hubert /'hjuːbət/ n. Uberto.

hubris /'hjuːbrɪs, 'huː-/ (*greco*) n. ⊍ (*form.*) tracotanza (*che spesso porta alla rovina*); boria; superbia; hybris (*lett.*).

hubristic /hjuːˈbrɪstɪk, huː-/ a. (*form.*) tracotante; borioso; superbo.

huckaback /'hʌkəbæk/ n. ⊍ tela operata (*per asciugamani, ecc.*).

huckle /'hʌkl/ n. (*anat., raro*) anca; fianco ● **h.-backed**, gobbo □ **h.-bone**, osso dell'anca.

huckleberry /'hʌklbərɪ/ n. (*bot.*) 1 (*Vaccinium myrtillus*) mirtillo 2 (*USA, Gaylussacia baccata*) mirtillo americano.

huckster /'hʌkstə(r)/ n. 1 venditore ambulante; rivendugliolo 2 (*fam., market.*) venditore di fumo; imbonitore 3 (*fig. spreg.*) individuo venale; intrigante; maneggione 4 (*USA; radio, TV*) pubblicitario.

to **huckster** /'hʌkstə(r)/ v. t. e i. 1 commerciare in (o *vendere*) merce di poco prezzo 2 mercanteggiare; tirare sul prezzo (*di qc.*).

HUD sigla (*aeron.*, **head-up display**) visualizzatore «head-up».

huddle /'hʌdl/ n. 1 mucchio; accozzaglia; calca; folla 2 ⊍ confusione; trambusto 3 (*sport e fam.*) consultazione (*dei giocatori riuniti, per decidere quale tattica seguire; dei giudici di una competizione, ecc.*) 4 (*fam. USA*) riunione, colloquio a quattr'occhi ● (*fam.*) **to go** (o *to get*) **into a h.**, riunirsi per una consultazione (*per es., di giocatori di football americano*).

to **huddle** /'hʌdl/ A v. i. 1 accalcarsi; affollarsi; stringersi insieme: *Animals h. together for warmth*, gli animali si stringono insieme per star caldi 2 (*sport e fam.*) tenere una consultazione, confabulare (*cfr.* **huddle**, def. 3) B v. t. 1 ammonticchiare; ammucchiare 2 calcare; pigiare; stipare: *I huddled the children into the car*, pigiai i ragazzi dentro l'automobile ● **to h. on one's clothes**, infagottarsi negli abiti □ (*antiq.*) **to h. over** (o *through*), affrettarsi, precipitarsi □ **to h. together**, stringersi l'un l'altro (o insieme) □ **to h. up**, raggomitolarsi; rannicchiarsi: *The little boy huddled close to his mother*, il bimbo si rannicchiò vicino alla mamma.

hue /hjuː/ n. 1 colore; tinta; sfumatura; tonalità (*di colore*) 2 (*di persona*) colorito 3 (*fig.*) colore; apparenza.

hue and cry /ˌhjuːənˈkraɪ/ loc. n. 1 (*stor.*) clamore, grida, frastuono di chi insegue un criminale, ecc.; (il) dagli, dagli! 2 (*stor.*) proclama per la cattura d'un crimi-nale 3 (*fig.*) caccia spietata 4 (*fig.*) accesa protesta; violenta contestazione ● (*fig.*) **to raise a hue and cry** (**against** *o* **over st.**), gridare allo scandalo, fare il diavolo a quattro (per qc.) □ (*fig.*) **to raise a hue and cry against sb.**, sollevare l'indignazione popolare contro q.; fare una campagna (*politica*) contro q.

hued /hjuːd/ a. (*poet.*, nei composti) di colore...; dalla tonalità...: **dark-h.**, di colore scuro; **light-h.**, dalla tonalità chiara.

huff /hʌf/ n. 1 risentimento; ira; sdegno; stizza 2 broncio; cattivo umore 3 (*a dama*) il buffare (o il soffiare) una pedina; soffiata ● **to get** (*o to go*) **into a h.** (*o to take h.*), offendersi; impermalirsi; adirarsi; stizzirsi □ **to be in a h.**, essere stizzito (o imbronciato).

to **huff** /hʌf/ A v. t. 1 fare il prepotente con; intimidire; offendere 2 sbuffare; dire sbuffando 3 (*a dama*) buffare, soffiare (*una pedina*) B v. i. offendersi; risentirsi; averse-ne a male ● **to h. and puff**, sbuffare, ansimare, soffiare; (*fig.*) sbuffare (*fig.*), irritarsi, stizzirsi

huffish /'hʌfɪʃ/ a. irascibile; permaloso; suscettibile.

huffy /'hʌfɪ/ a. 1 irascibile; permaloso; stizzoso 2 imbronciato; di cattivo umore ‖ **huffily** avv. stizzosamente; irascibilmente ‖ **huffiness** n. ⊍ irascibilità; permalosità; suscettibilità.

hug /hʌg/ n. 1 abbraccio; amplesso (*lett.*) 2 stretta ● **to give sb. a hug**, abbracciare q.

to **hug** /hʌg/ A v. t. 1 abbracciare; stringere fra le braccia 2 (*di un orso e sim.*) abbrancare 3 (*fig.*) essere attaccato a; tenersi stretto; custodire (*un sentimento, un'idea, ecc.*) 4 tenersi molto vicino a; rasentare; costeggiare: **to hug the shore** (*o the coast*), navigare molto vicino alla costa; tenersi sottocosta; *The plane hugged the ground*, l'aereo rasentò il terreno; *The path hugs the lake*, il sentiero costeggia il lago 5 stringere; serrare: (*naut.*) **to hug the wind**, stringere il vento 6 (*di vestiti*) modellare, fasciare (*il corpo o una sua parte*) 7 (*lotta*) cinturare (*l'avversario*) B v. i. (*di due o più persone*) abbracciarsi ● **to hug oneself with joy** (*o delight*), gioire; compiacersi; gongolare □ **to hug sb. goodnight**, dare la buonanotte a q. con un abbraccio.

♦**huge** /hjuːdʒ/ a. enorme; grandissimo; immenso; ingente; smisurato; vasto: **a h. animal**, un animale enorme; **a h. success**, un enorme successo ● (*market.*) **h. discounts**, fortissimi sconti ‖ **hugeness** n. ⊍ enormità; immensità; smisuratezza.

hugely /'hjuːdʒlɪ/ avv. enormemente; immensamente: **h. rich**, immensamente ricco ● **to be h. successful**, avere un enorme successo.

hugger-mugger /'hʌgəmʌgə(r)/ A n. ⊍ 1 confusione; disordine; pasticcio 2 segretezza B a. 1 confuso; disordinato; impasticciato 2 segreto C avv. 1 confusamente; negligentemente 2 segretamente; in segreto; di nascosto.

Hugh /hjuː/ n. Ugo.

Huguenot /'hjuːgənəʊ/ n. (*stor.*) ugonotto.

huh /hə/ inter. 1 (*d'incredulità, sorpresa, ecc.*) uh!; uhm! 2 (*per chiedere a q. di ripetere*) eh?

hula /'huːlə/, **hula-hula** /'huːləˈhuːlə/ n. «hula-hula» (*danza hawaiana*) ● **h. skirt**, gonnellino di paglia (*portato dalle danzatrici della «hula-hula»*).

hula hoop® /'huːləˈhuːp/ n. hula-hoop.

hulk /hʌlk/ n. 1 (*naut.*) carcassa; scafo (*smantellato*); pontone 2 (*di solito al pl.*) galera (*ricavata da una nave in disarmo*) 3 (*fig.*) uomo grosso e goffo; omaccione 4 (*fig.*) oggetto ingombrante.

hulking /'hʌlkɪŋ/ a. 1 (*di persona*) grosso e

goffo; corpulento e impacciato; massiccio **2** (*di oggetto*) ingombrante; enorme.

hull① /hʌl/ n. **1** (*bot.*) buccia; guscio; baccello **2** calicetto (*di fragole, lamponi, ecc.*) **3** mallo (*di noci*); loppa; pula (*di cereale*).

hull② /hʌl/ n. **1** (*naut.*) scafo; carena **2** (*mil.: di carro armato*) scafo **3** (*mil.*) fusoliera (*di missile e sim.*) ● (*ass., aeron. e naut.*) **h. insurance**, assicurazione sullo scafo; sicurtà corpi.

to **hull**① /hʌl/ v. t. **1** sgusciare; togliere il baccello (*o il mallo*) a: **to h. peas**, sgusciare piselli **2** spulare (*cereali*) ● **hulled peas**, piselli sgusciati □ (*agric.*) **hulling machine**, sgusciatrice.

to **hull**② /hʌl/ v. t. (*naut.*) colpire (*una nave*) allo scafo (*con una cannonata o un siluro*).

hullabaloo /ˌhʌləbə'luː/ n. (pl. ***hullabaloos***) clamore; chiasso; baccano; schiamazzo; strepito; fracasso.

to **hullo**, to **hulloa** /hʌ'ləʊ/ → **to hallo**.

hully-gully, **hully gully** /'hʌlɪ'gʌlɪ/ n. (*mus.*) hully-gully (*ballo*).

hum① /hʌm/ n. **1** ronzio; borbottio; rumore sordo e continuo: **the hum of insects**, il ronzio degli insetti; **the hum of machinery**, il rumore sommesso dei macchinari **2** (pl.) (*di solito* **hums and ha's** *o* **hums and haws**) grida, borbottii (*di sorpresa, imbarazzo, disapprovazione, ecc.*) **3** (*slang*) puzzo ● (*TV*) **hum bars**, barre orizzontali (*difetto*).

hum② /hʌm/ inter. (*d'esitazione, dissenso, ecc.*) ehm!; uhm!

to **hum** /hʌm/ **A** v. i. **1** ronzare **2** canterellare; canticchiare (*a bocca chiusa*): *My mother always hums to herself*, mia madre canticchia sempre tra sé **3** (*di solito GB*: **to hum and haw**) esitare; titubare; nicchiare; essere indeciso **4** (*fam.*) essere indaffarato; darsi da fare **5** (*slang*) puzzare **B** v. t. **1** borbottare; emettere (*un suono*) a bocca chiusa **2** canterellare, canticchiare (*una canzone*) a bocca chiusa ● (*fam.*) **to hum with activity**, fervere di attività □ **to make things hum**, far procedere le cose □ **The room hummed with voices**, nella stanza c'era un ronzio di voci.

◆**human** /'hjuːmən/ **A** a. umano: **h. nature**, la natura umana; **the h. race**, la razza umana; **a h. being**, un essere umano; *She is quite h.*, è molto umana (*o benevola, comprensiva*) **B** n. essere umano ● **the h. animal**, l'animale uomo (*econ.*) **h. capital**, capitale umano □ **h. ecology**, ecologia umana □ (*org. az.*) **h. engineering**, ingegneria umana; (*anche*) ergonomia □ **h. geography**, geografia umana □ (*giorn.*) **h. interest**, interesse umano; lato (*o risvolto*) umano: **h. interest story**, storia che punta sul lato umano; (*anche*) storia compassionevole, caso umano □ (*ind., psic.*) **h. relations**, relazioni umane □ (*org. az.*) **h. resources**, risorse umane; (*ufficio*) personale □ **h. rights**, diritti dell'uomo; diritti umani □ **h. shield**, scudo umano □ (*econ.*) **h. wants**, i bisogni umani □ **to put a h. face on st.**, mostrare il risvolto (*o il caso*) umano di qc.; (*anche*) rendere più umano (*o meno anonimo*) qc. □ **to be only h.**, –: *He missed a penalty kick, showing he's only human*, ha sbagliato un rigore, dimostrando che è umano anche lui □ **with a h. face**, dal volto umano; a dimensione umana: **capitalism with a h. face**, capitalismo dal volto umano □ **with a (o the) h. touch**, con un tocco umano (*o di umanità*) □ (*prov.*) **To err is h. (to forgive divine)**, errare è umano (perdonare divino).

ⓘ NOTA: *human o humane?*

L'aggettivo *human* significa "umano" nel senso di "relativo all'uomo": *human relationships*, relazioni umane; *human nature*, natura umana; *human rights*, diritti umani: oppure "umano" come "comprensivo" o "fallibi-

le": *You needn't be afraid of the boss: he's quite human really*, non devi avere paura del capo: è abbastanza umano in realtà; *I'm sorry – it was a mistake – after all I'm only human*, mi dispiace – è stato un errore – sono umano anch'io.

L'aggettivo *humane*, invece, significa "umano" quando ci si riferisce ad atteggiamenti compassionevoli, che vogliono causare la minor sofferenza possibile a uomini e animali: *humane techniques in the treatment of animals*, tecniche umane nel trattamento degli animali.

humane /hjuː'meɪn/ a. **1** benigno; comprensivo; cortese; compassionevole; mite; umano: **a h. boss**, un capo comprensivo **2** umanitario **3** (*form.*) umanistico: **h. studies**, studi umanistici ● **h. killer**, strumento per uccidere (*buoi, ecc.*) senza dolore ● **humanely** avv. benignamente; compassionevolmente; mitemente; umanamente ‖ **humaneness** n. ⓤ benignità; cortesia; comprensione; mitezza; umanità.

humanism /'hjuːmənɪzəm/ n. ⓤ **1** (*letter.*) umanesimo **2** (*filos.*) umanitarismo **3** studi umanistici **4** studio della natura umana ‖ **humanist** n. **1** umanista; studioso dei classici **2** (*filos.*) umanitario **3** studioso della natura umana ‖ **humanistic** a. **1** (*letter.*) umanistico **2** umanitario.

humanitarian /hjuːˌmænɪ'teərɪən/ **A** n. persona umanitaria; filantropo **B** a. (*in tutti i sensi*) umanitario: **h. aid**, aiuti umanitari (pl.): **h. crisis**, crisi umanitaria ‖ **humanitarianism** n. ⓤ umanitarismo; filantropia.

humanity /hjuː'mænətɪ/ n. **1** ⓤ umanità: **a crime against h.**, un delitto contro l'umanità; **an act of h.**, un atto di umanità **2** ⓤ la natura umana **3** (pl.) discipline classiche; studi umanistici.

humanization /ˌhjuːmənaɪ'zeɪʃn/, *USA* -nɪ'z-/ n. ⓤ umanizzazione; incivilimento.

to **humanize** /'hjuːmənaɪz/ **A** v. t. **1** umanizzare; rendere umano; incivilire **2** adattare (qc.) alla natura dell'uomo (*o ad uso umano*) **B** v. i. umanizzarsi; farsi umano; incivilirsi ● **humanized milk**, latte maternizzato (*o umanizzato*).

humankind /'hjuːmənkaɪnd/ n. ⓤ (*lett.*) genere umano; umanità.

humanly /'hjuːmənlɪ/ avv. umanamente: *It isn't h. possible to climb that mountain in winter*, non è umanamente possibile scalare quel monte d'inverno.

humanoid /'hjuːmənɔɪd/ a. e n. umanoide.

Humbert /'hʌmbɜːt/ n. Umberto.

humble /'hʌmbl/ a. umile; modesto; dimesso: **in a h. attitude**, in umile atteggiamento; **h. birth**, umili natali; **a h. life**, una vita modesta ● (*fig.*) **to eat h. pie**, fare ammenda; andare a Canossa □ (*form.*) **my h. self**, la mia modesta persona □ (*un tempo, in fine di lettera*) **Your h. servant**, Vostro servo umilissimo ‖ **humbleness** n. ⓤ umiltà.

to **humble** /'hʌmbl/ v. t. indurre umiltà in (q.); rendere umile ● **to h. oneself**, umiliarsi.

humblebee /'hʌmblbiː/ n. (*zool.*, *Bombus*) bombo; calabrone.

humbling /'hʌmblɪŋ/ a. che rende umile; che induce umiltà: **h. experience**, esperienza che induce umiltà.

humbly /'hʌmblɪ/ avv. umilmente; con umiltà ● **h. born**, di umili natali.

humbug /'hʌmbʌg/ **A** n. **1** imbroglio; inganno; raggiro; impostura; truffa **2** ⓤ ciarlataneria; falsità; ipocrisia **3** imbroglione; impostore; truffatore; gabbamondo; ciarlatano **4** fandonia; frottola **5** (*ingl.*) caramella alla menta **B** inter. fandonie!; sciocchezze!

to **humbug** /'hʌmbʌg/ v. t. (*arc.*) imbrogliare; ingannare; raggirare; truffare.

humbuggery /'hʌmbʌgərɪ/ n. ⓤ imbroglio; inganno; impostura.

humdinger /'hʌm'dɪŋə(r)/ n. (*fam.*) **1** tipo in gamba; drago (*fig.*) **2** cosa eccellente; cannonata (*fam.*).

humdrum /'hʌmdrʌm/ **A** a. monotono; noioso; banale; trito: **a h. life**, una vita monotona **B** n. **1** individuo noioso **2** ⓤ banalità; monotonia.

humectant /hjuː'mɛktənt/ n. (*chim.*) umettante.

humectation /ˌhjuːmɛk'teɪʃn/ n. ⓤ umettazione; umettamento.

humerus /'hjuːmərəs/ (*anat.*) n. (pl. ***humeri***) omero ‖ **humeral** a. omerale.

humic /'hjuːmɪk/ a. (*chim.*) umico: **h. acid**, acido umico.

humid /'hjuːmɪd/ a. umido; carico di vapore acqueo: **a h. day**, una giornata umida ‖ **humidly** avv. umidamente.

to **humidify** /hjuː'mɪdɪfaɪ/ v. t. umidificare ‖ **humidification** n. ⓤ umidificazione ‖ **humidifier** n. (*tecn.*) umidificatore.

humidity /hjuː'mɪdətɪ/ n. ⓤ umidità: **relative h.**, umidità relativa.

to **humiliate** /hjuː'mɪlɪeɪt/ v. t. umiliare; mortificare; avvilire.

humiliating /hjuː'mɪlɪeɪtɪŋ/ a. umiliante; avvilente: **a h. defeat**, una sconfitta umiliante.

humiliation /hjuːˌmɪlɪ'eɪʃn/ n. **1** ⓤ umiliazione; mortificazione **2** umiliazione; offesa; smacco.

humility /hjuː'mɪlətɪ/ n. ⓤ umiltà.

humming① /'hʌmɪŋ/ n. ⓤ ronzio; mormorio.

humming② /'hʌmɪŋ/ a. **1** che ronza; ronzante **2** (*fam.*) attivo; energico; indaffarato **3** (*fam.*) forte; violento ● **h. top**, trottola armonica.

hummingbird /'hʌmɪŋbɜːd/ n. (*zool.*) colibrì ● **h. hawkmoth** (*Macroglossa stellatarum*), macroglossa.

hummock /'hʌmək/ n. **1** collina; collinetta; poggio (*lett.*); poggio **2** cresta, gibbosità (*in un banco di ghiaccio*) **3** (*geogr., USA*) isolotto (*nelle paludi della Florida*) ‖ **hummocky** a. collinoso; ondulato.

humongous, **humungous** /hjuː'mʌŋgəs/ a. (*fam.*) enorme; gigantesco; colossale; galattico (*fam.*).

humor, to **humor** /'hjuːmə(r)/ (*USA*) → **humour**, **to humour**.

humoral /'hjuːmərəl/ a. (*fisiol.*) umorale; degli umori del corpo.

humorist /'hjuːmərɪst/ n. **1** umorista; scrittore umoristico **2** (*per estens.*) persona faceta, spiritosa ‖ **humoristic** a. umoristico; faceto; spiritoso.

humorous /'hjuːmərəs/ a. **1** umoristico; comico; buffo e divertente: **a h. passage**, un brano umoristico; **a h. question**, una domanda faceta **2** che ha humour; che ha senso dell'umorismo; spiritoso; faceto | **-ly** avv. | **-ness** n. ⓤ.

◆**humour**, (*USA*) **humor** /'hjuːmə(r)/ n. **1** ⓤ umorismo, comicità; vena comica; aspetto umoristico (*o comico*): *His short stories are full of h.*, i suoi racconti sono pieni d'umorismo; *He couldn't see the h. in the situation*, non riusciva a cogliere l'aspetto comico della situazione; **to have no sense [a good sense] of h.**, non avere [avere] il senso dell'umorismo **2** ⓤ umore; stato d'animo: **to be in a good [bad] h.**, essere di buon [cattivo] umore **3** (*arc.*) capriccio; voglia: **when the h. takes him**, quando ne ha voglia; quando gli viene il capriccio **4** (*med. antica*) umore: **the cardinal humours**, i quattro umori fondamentali ● **to be out of**

a b c d e f g **h** i j k l m n o p q r s t u v w x y z

h., essere di cattivo umore □ **to put sb. out of h.**, mettere q. di cattivo umore; indisporre q.

to **humour**, (USA) to **humor** /'hju:mə(r)/ v. t. **1** adattarsi agli umori di (q.); compiacere (q.); soddisfare; assecondare; darla vinta a (q.): *The nurse had to h. the patient*, l'infermiera dovette assecondare la paziente **2** trattare (q.) con grande tatto.

humoured, (USA) **humored** /'hju:məd/ a. (nei composti, per es. in:) **good-h.**, di buon umore; di carattere buono; bonario.

humourless, (USA) **humorless** /'hju:mələs/ a. privo di senso dell'umorismo.

hump /hʌmp/ n. **1** gobba; gibbosità; protuberanza **2** collina; collinetta; montagnola **3** (fig.) ostacolo; scoglio (fig.) **4** (ferr.) parigina; sella di smistamento a gravità **5** (autom.) dosso artificiale (per rallentare il traffico) **6** (GB fam.) – **the h.**, irritazione; nervoso; malumore: *He got (o took) the h.*, gli venne il nervoso; fu colto dal malumore; **to give sb. the h.**, far venire il nervoso a q. **7** (slang, volg.) rapporto sessuale; chiavata; scopata (volg.) **8** (volg. USA) coglione (fig.); testa di cazzo (econ.) **h. saving**, risparmio fluttuante (o saltuario) □ (slang USA) **to bust one's h.**, ammazzarsi di lavoro; farsi un culo così (volg.) □ (fig.) **to be over the h.**, avere superato lo scoglio maggiore.

to **hump** /hʌmp/ **A** v. t. **1** curvare; inarcare (la schiena, ecc.) **2** (fam.) portare a cavalluccio (o sulle spalle) **3** (GB fam.) far venire il nervoso; mettere di malumore **4** (volg.) scopare **B** v. i. **1** curvarsi; inarcarsi **2** (volg.) scopare.

humpback /'hʌmpbæk/ n. **1** gobba; gibbosità: **to have a h.**, avere la gobba; essere gobbo **2** gobbo, gobba **3** (zool.. = **h. whale**, Megaptera novaeangliae) megattera **(GB) h. bridge**, ponte a schiena d'asino ‖ **humpbacked** a. gobbo; gibboso • (GB) **humpbacked bridge**, ponte a schiena d'asino.

humped /hʌmpt/ a. **1** gobbo; gibboso **2** (slang) innervosito; di malumore.

humph /hʌmf/ inter. (di dubbio, insoddisfazione, incredulità, ecc.) puh!; bah!; uffa!

humpty-dumpty /'hʌmptɪ'dʌmptɪ/ n. **1** (fam.) individuo piccolo e tozzo; tappo; tappetto (fam.) **2** – **H.D.**, l'Uovo (protagonista di una canzoncina infantile; cfr. ital. Bombolo).

humpy ① /'hʌmpɪ/ a. **1** gobbo; gibboso **2** simile a una gobba **3** (slang ingl.) nervoso; di malumore **4** (slang USA) eccitante; arrapante.

humpy ② /'hʌmpɪ/ n. (Austral.) capanna.

humus /'hju:məs/ n. ⓤ (agric.) humus.

Hun /hʌn/ n. **1** (stor.) unno **2** (fig.) barbaro; vandalo **3** (spreg.) tedesco; crucco (spreg.) **4** (spreg.) soldato (o paracadutista) inglese (in Irlanda del Nord).

hunch /hʌntʃ/ n. **1** gobba; gibbosità **2** (grosso o bel) pezzo, (grossa o bella) fetta (di pane, ecc.) **3** (fam.) intuizione; impressione; sensazione; sospetto: *I have a h. that he's lying*, ho la sensazione che stia mentendo • (fam.) **to act on a h.**, agire in base a una (vaga) sensazione; seguire un'intuizione.

to **hunch** /hʌntʃ/ **A** v. t. curvare; arcuare; inarcare: **to h. one's shoulders**, curvare le spalle (o **ingobbirsi**) **B** v. i. **1** curvarsi; inarcarsi **2** acquattarsi • **Don't h.!**, non fare la gobba!

hunchback /'hʌntʃbæk/ n. **1** gobba; gibbosità **2** (antiq.) gobbo, gobba ‖ **hunchbacked** a. gobbo; gibboso.

◆**hundred** /'hʌndrəd/ n. e a. (pl. **hundreds**, **hundred**) cento; centinaio: **a** (o one) **h. men**, cento uomini; **a h. pounds**, cento sterline; **a h. and twelve**, centododici; **two [three, four] h.**, duecento [trecento, quat-

trocento]; **a few h. soldiers**, alcune centinaia di soldati; **hundreds of people**, centinaia di persone; **in hundreds**, a centinaia • **the h.-and-first**, il centunesimo; il centesimo primo □ (fam.) **a h. and one**, un'infinità; mille: *I have a h. and one things to do*, ho mille cose da fare □ (alim.) **hundreds and thousands**, granella di zucchero multicolore; confettini multicolori □ (sport) **the 100-metre sprint** (o **dash**), i cento (metri) piani □ (sport) **100-metre runner**, centometrista; centista □ **a** (o one) **h. per cent**, al cento per cento; completamente: *I'm not a h. per cent sure*, non sono sicuro al cento per cento □ (stor.) **the H. Years War**, la Guerra dei cent'anni.

hundredfold /'hʌndrədfəʊld/ **A** n. centuplo **B** a. centuplo; centuplice **C** avv. cento volte (tanto).

hundredth /'hʌndrətθ/ a. e n. centesimo; centesima (parte).

hundredweight /'hʌndrədweɪt/ n. (pl. **hundredweights**, **hundredweight**) «hundredweight» (abbr. **cwt.**; unità di peso del sistema avoirdupois) • **long h.**, «hundredweight» inglese (50,80 kg) o **short h.**, «hundredweight» americano (45,36 kg).

hung /hʌŋ/ **A** pass. e p. p. di **to hang B** a. **1** (di cibo) appeso a seccare (o a frollare) **2** (slang: di uomo) ben dotato • (leg.) **h. jury**, giuria che non riesce a raggiungere un verdetto unanime □ (fig.) **to be h. over**, essere ancora sotto l'effetto dell'alcol; soffrire per i postumi di una sbornia □ (polit.) **h. Parliament**, parlamento in cui nessun partito ha la maggioranza assoluta (in GB): *If there's a big swing to the Lib Dems there could be a h. parliament*, se ci fosse un grosso spostamento verso i liberal democratici potrebbe essere difficile raggiungere una maggioranza □ (fam.) **h. up**, ansioso, in difficoltà, pieno di pensieri; infatuato, (tutto) preso (fig.); ossessionato: **to be h. up on** (o **about**) **st.**, essere ossessionato da qc.; farsi una croce di qc.; **to be h. up on sb.**, essere infatuato di q.

Hungarian /hʌŋ'geərɪən/ **A** a. e n. ungherese **B** n. ⓤ ungherese (la lingua).

Hungary /'hʌŋgərɪ/ n. (geogr.) Ungheria.

hunger /'hʌŋgə(r)/ n. **1** fame; appetito; (fig.) brama, ardente desiderio: **to feel h.**, sentire fame; **to suffer from [to satisfy one's] h.**, soffrire [saziare] la fame; **to die of** (o **from**) **h.**, morire di fame; **a h. for knowledge**, un ardente desiderio di sapere; fame di sapere • **h. for money**, sete di denaro □ **h. march**, marcia della fame □ **h. marcher**, chi partecipa a una marcia della fame □ **h. pangs**, morsi (o crampi) della fame □ **h. strike**, sciopero della fame □ **h. striker**, chi fa lo sciopero della fame.

to **hunger** /'hʌŋgə(r)/ v. i. **1** aver fame; esser affamato; patire la fame **2** (fig.) agognare; bramare; avere un grande desiderio di: **to h. for** (o **after**) **friends [kindness]**, avere un grande desiderio di amicizia [di gentilezza] • **to h. for victory**, essere assetato di vittoria □ **to h. sb. into st.**, costringere q. a fare qc. per fame (o affamandolo).

◆**hungry** /'hʌŋgrɪ/ a. **1** affamato; famelico; che ha fame: **h. wolves**, lupi famelici; **a h. look**, un'aria affamata; *Are you hungry?*, hai fame? **2** (fig.) bramoso; desideroso; ingordo: *She was h. for love*, era desiderosa (o aveva bisogno) d'amore **3** che fa venir fame; che stimola l'appetito: *This is h. work*, questo è un lavoro che fa venir fame **4** (di terreno) povero; sterile **5** (nei composti) assetato di; affamato di: **power [money] h.**, assetato di potere [di denaro] • (stor.) **the H. Forties**, gli anni della fame (in Gran Bretagna: dal 1840 al 1849) □ **to be h.**, aver fame □ **to be as h. as a bear** (o **as a hunter**), avere una fame da lupo □ **to be h.**

for glory, essere assetato di gloria □ **to go h.**, fare (o patire) la fame □ **I'm so h. I could eat a horse**, ho una fame da lupo; ho una fame che mangerei un bue ‖ **hungrily** avv. **1** famelicamente; con grande appetito **2** (fig.) avidamente; ingordamente ‖ **hungriness** n. ⓤ fame (anche fig.).

hunk /hʌŋk/ n. (fam.) **1** (grosso o bel) pezzo; (grossa o bella) fetta: **a h. of bread**, una bella fetta di pane **2** (fam.) pezzo d'uomo; marcantonio, fusto (fam.): **a gorgeous h.**, un magnifico fusto.

to **hunker** /'hʌŋkə(r)/ v. i. (USA) (anche **to hunker down**) **1** accovacciarsi; accosciarsi; rannicchiarsi **2** (fig.) rimanere nell'ombra.

hunkers /'hʌŋkəz/ n. pl. (fam.) natiche; sedere • **on one's h.**, accosciato; accovacciato.

hunks /hʌŋks/ n. pl. (di solito col verbo al sing.) persona gretta, spilorcia; avaro; taccagno.

hunky ① /'hʌŋkɪ/ n. (slang spreg. USA) immigrato d'origine ungherese (o slava).

hunky ② /'hʌŋkɪ/ a. **1** (fam.) buono; in buone condizioni **2** (slang USA) di corporatura atletica; ben piantato; tarchiato.

hunky-dory /'hʌŋkɪ'dɔːrɪ/ a. (fam.) eccellente; ottimo.

Hunnish /'hʌnɪʃ/ a. **1** (stor.) unnico; degli unni **2** (spreg.) barbaro; vandalico.

hunt /hʌnt/ n. **1** caccia; inseguimento; partita di caccia; comitiva di cacciatori: **to have a good h.**, far buona caccia; **tiger h.**, caccia alla tigre; **the h. for the terrorists**, la caccia ai terroristi **2** (spec.) caccia alla volpe **3** (fig.) ricerca: *The h.'s on for a new candidate*, è già cominciata la ricerca di un nuovo candidato **4** terreno di caccia • **h. kennel**, allevamento di cani da caccia □ **h. saboteur**, animalista che ostacola la caccia □ (fig.) **to be on the h. for st.**, essere a caccia (o alla ricerca) di qc.

◆to **hunt** /hʌnt/ v. t. e i. **1** cacciare; andare a caccia di: **to h. deer**, cacciare i cervi; **to h. game**, cacciare selvaggina **2** dare la caccia a; inseguire **3** battere, esplorare, perlustrare (un luogo, in cerca di qc.) **4** (mecc.) pendolare • **to h. the hounds**, guidare una muta di cani nella caccia alla volpe.

- **hunt after** v. i. + prep. dare la caccia a (anche fig.); andare in cerca di (qc.).

- **hunt away** v. t. + avv. cacciare via; scacciare • **to h. sb. away from**, cacciare (o scacciare) q. da.

- **hunt down** v. t. + avv. **1** cacciare e uccidere (un animale selvatico) **2** (fig.) andare in cerca di (qc.) **3** (fig.) snidare, scovare: **to h. down a criminal**, scovare un criminale.

- **hunt for** v. i. + prep. **1** andare a caccia di (animali) **2** cacciare per procurarsi (qc.): **to h. for one's food**, cacciare per procurarsi il cibo **3** (fig.) cercare: **to h. for a hidden treasure**, cercare un tesoro nascosto.

- **hunt out** v. t. + avv. riuscire a trovare, scovare (documenti, lettere, ecc.).

- **hunt out of** v. t. + avv. + prep. cacciare (o scacciare) da: **to be hunted out of one's country**, essere scacciato dal proprio paese.

- **hunt over** v. t. + prep. andare a caccia (spec. della volpe) su (un territorio).

- **hunt through** v. t. + prep. rovistare in (cassetti, ecc.).

- **hunt up** v. t. + avv. dare la caccia a (fig.); cercare: **to h. up old papers**, dare la caccia a vecchi documenti.

◆**hunter** /'hʌntə(r)/ n. **1** (anche fig.) cacciatore: **a fortune h.**, un cacciatore di dote **2** cavallo da caccia **3** cane da caccia **4** orologio a doppia cassa; saponetta (fam.) • **h.-gatherer**, cacciatore-raccoglitore (all'interno di tribù, ecc.) □ **h.** (o **h.'s**) **green**, verde bosco (colore) □ (naut.) **h. killer**, sottomarino

antisommergibili □ (*naut.*) **h.-killer ship**, nave per la ricerca e la caccia di sommergibili □ **h.'s moon**, prima luna piena dopo la mietitura □ **half-h.**, orologio a doppia cassa, ma con un dischetto di vetro al centro (*per vedere l'ora*).

Hunter /'hʌntə(r)/ n. (*astron.*) Orione.

hunting /'hʌntɪŋ/ **A** n. Ⓤ **1** caccia: **fox-h.**, caccia alla volpe **2** ricerca: **job h.**, ricerca del lavoro (*o di un posto di lavoro*) **3** (*mecc.*) pendolamento **B** a. attr. di (*o da*) caccia; per la caccia: **h. ground**, terreno (*o territorio*) di caccia (*anche fig.*); **h. horn**, corno da caccia; **h. knife**, coltello da caccia; (*the*) **h. season**, la stagione della caccia ● (*GB*) **h. box = h. lodge** → *sotto* □ **h. crop** (*o whip*), frustino □ **h. dog**, cane da caccia; (*zool.*, *Lycaon pictus*) licaone □ **h. lodge**, casino di caccia; capanno da caccia □ **h. pink**, rosso (*della giacca indossata nella caccia alla volpe*).

Huntington's disease /'hʌntɪŋtənz dɪ'ziːz/, **Huntington's chorea** /'hʌntɪŋtənz kɒ'rɪə/ loc. n. Ⓤ (*med.*) corea di Huntington.

huntress /'hʌntrɪs/ n. cacciatrice.

Hunts /hʌntz/ abbr. (**Huntingdonshire**) la Contea di Huntingdon.

huntsman /'hʌntsmən/ n. (pl. ***huntsmen***) **1** cacciatore **2** capocaccia (*spec. nella caccia alla volpe*).

huntswoman /'hʌntswumən/ n. (pl. ***huntswomen***) cacciatrice.

hunt-the-thimble /'hʌntðə'θɪmbl/ loc. n. Ⓤ (*in GB*) caccia al ditale (*gioco infantile*).

hurdle /'hɜːdl/ n. **1** barriera mobile; transenna **2** (*sport*) ostacolo (*anche fig.*); difficoltà: **to jump a h.**, saltare un ostacolo **3** (pl.) (*sport*, = **h.-race**) (*atletica*) corsa a ostacoli; (*equit.*) corsa siepi, le siepi: (*atletica*) **the 400 metres hurdles**, i 400 ostacoli **4** (*stor.*) carretta (*o treggia*) su cui i condannati erano portati al patibolo.

to **hurdle** /'hɜːdl/ **A** v. t. (*sport*) saltare; superare (*anche fig.*): (*equit.*) **to h. the barrier**, superare la barriera **B** v. i. (*sport*) partecipare a una corsa ostacoli (*o a una corsa siepi*).

hurdler /'hɜːdlə(r)/ n. **1** (*sport*) ostacolista **2** (*equit.*) cavallo da corsa siepi.

hurdling /'hɜːdlɪŋ/ n. Ⓤ (*sport*) **1** (*atletica*) le corse a ostacoli **2** (*equit.*) le corse siepi; le siepi.

hurdy-gurdy /'hɜːdɪgɜːdɪ/ n. (*mus.*) **1** ghironda **2** (*fam.*) organetto di Barberia.

hurl /hɜːl/ n. lancio (*violento*); atto di scagliare.

to **hurl** /hɜːl/ v. t. lanciare; scagliare; vibrare: **to h. stones**, scagliare pietre; **to h. threats [insults, reproaches] at sb.**, lanciare minacce [insulti, rimbrotti] a q. ● **to h. oneself at** (*o upon*, **against**), avventarsi; lanciarsi; scagliarsi; precipitarsi: *They hurled themselves at* (*o upon, against*) *the invaders*, si avventarono sugli invasori.

hurler /'hɜːlə(r)/ n. **1** lanciatore, lanciatrice **2** (*sport*) giocatore di hockey irlandese **3** (*USA*) (*baseball*) lanciatore.

hurley /'hɜːlɪ/, **hurling** /'hɜːlɪŋ/ n. (*sport*) hockey irlandese.

hurly-burly /'hɜːlɪbɜːlɪ/ **A** a. chiassoso; scompigliato; tumultuoso; scomposto **B** n. Ⓤ baccano; rumore; confusione; trambusto: **the hurly-burly of big city life**, il trambusto della vita in una grande città.

hurrah /hʊ'rɑː/, **hurray** /hʊ'reɪ/ **A** inter. urrà; hurrà!; evviva!; viva!: *H. for peace!*, viva la pace! **B** n. urrà; evviva.

to **hurrah** /hʊ'rɑː/, to **hurray** /hʊ'reɪ/ **A** v. i. gridare evviva; applaudire **B** v. t. applaudire; salutare (*o*) con grida d'evviva.

hurricane /'hʌrɪkən, *USA* 'hɜːrɪkeɪn/ n. uragano (*anche fig.*); ciclone tropicale ●

(*zool.*) **h. bird** (*Fregata*), fregata □ (*naut.*) **h. deck**, ponte di manovra (*di nave da guerra*); ponte di passeggiata (*di nave passeggeri*) □ **h. lamp**, lanterna controvento □ **h. watch**, allarme uragano.

hurried /'hʌrɪd/ a. affrettato; frettoloso; precipitoso: **a h. visit**, una visita frettolosa; **a h. piece of work**, un lavoro affrettato ‖ **hurriedly** avv. in fretta; affrettatamente; frettolosamente ‖ **hurriedness** n. Ⓤ fretta; precipitazione.

hurry /'hʌrɪ/ n. Ⓤ fretta; fretta e furia; premura; precipitazione; urgenza: *There's no* (*great*) *h. to go to school*, non c'è (tutta questa) fretta d'andare a scuola; **to do st. in a big h.**, far qc. di gran fretta; *In our h. to leave, we forgot our tickets*, nella fretta di uscire abbiamo dimenticato i biglietti ● (*fam.*) **h.-scurry**, (avv.) in fretta e furia; (agg.) frettoloso; precipitoso; (sost.) fretta, precipitazione □ **in a h.**, in fretta, di fretta, in fretta e furia, frettolosamente; (con frasi neg. *anche*) (tanto) facilmente, tanto presto: *The article had been written in a h. and was full of mistakes*, l'articolo era stato scritto di fretta (*o in fretta e furia*) ed era pieno di errori; *I won't forget this trip in a h.*, non dimenticherò facilmente questa gita □ **to be in a h.**, aver fretta; essere impaziente: *Why are you in such a h.?*, perché hai tanta fretta?; *He is in a h. to leave*, è impaziente di partire □ **to be in no h.** (*o* **not to be in any h.**), non avere fretta; (*fam.*) non avere desiderio (*o voglia*: *di fare qc.*) □ (*fam.*) **sb. won't do** (*o* **be doing**) **st. again in a h.**, q. non ha nessuna intenzione di rifare qc.: *I won't be working for him again in a h.*, non ho nessuna intenzione di lavorare di nuovo per lui; se lo scorda che lavorerò di nuovo per lui (*fam.*) □ **What's your [the] h.?**, che fretta hai [c'è]? □ **Why the h.?**, che fretta c'è?; perché (tutta) questa fretta?

♦to **hurry** /'hʌrɪ/ **A** v. i. affrettarsi; sbrigarsi; far presto; spicciarsi; affannarsi: *Don't h.!*, non affannarti!; *If you h. you'll catch it*, se fai in fretta riesci a prenderlo ❶ NOTA: **go to** / **go and** → **to go** **B** v. t. fare (qc.) in fretta; affrettare; sbrigare; accelerare; precipitare; far fretta a (q.); sollecitare; incalzare: *He doesn't like to be hurried*, non ama essere sollecitato **2** mandare (*o spedire*) in tutta fretta: *More troops were hurried to the front*, altre truppe furono mandate al fronte in tutta fretta ● **to h. home**, andare subito a casa; affrettarsi a rincasare.

■ **hurry along A** v. i. + avv. andare in fretta; affrettarsi; spicciarsi **B** v. t. + avv. **1** far fretta (*o premura*) a (q.); dire a (q.) di andarsene in fretta; mandare via **2** affrettare, sollecitare (*una decisione, ecc.*) □ **to h. along the road**, camminare (*o viaggiare*) in fretta per la strada.

■ **hurry away A** v. i. + avv. andarsene di fretta **B** v. t. + avv. mandare via (q.) in tutta fretta.

■ **hurry back** v. i. + avv. tornare in fretta (*o di corsa*); fare presto a ritornare.

■ **hurry down** v. i. + avv. scendere in fretta; fare in fretta a scendere.

■ **hurry in** v. i. + avv. entrare in fretta; fare presto a entrare.

■ **hurry into A** v. i. + prep. **1** entrare in fretta in (*un luogo*) **2** affrettarsi a (*fare qc.*) **B** v. t. + prep. **1** far entrare (q.) in fretta in (*un luogo*) **2** sollecitare (*q. a fare. qc.*) □ **to h. sb. into a decision**, sollecitare q. a prendere una decisione.

■ **hurry off** → **hurry away**.

■ **hurry on** → **hurry along**.

■ **hurry out A** v. i. + avv. uscire in fretta; affrettarsi a uscire **B** v. t. + avv. fare uscire (q.) in fretta.

■ **hurry up A** v. i. + avv. affrettarsi; fare in fretta; spicciarsi: *H. up!*, spicciati!; sbrigati!

B v. t. + avv. **1** affrettare, accelerare (qc.) **2** fare fretta (*o premura*) a (q.); sollecitare (q.) □ **to h. up to sb.**, avvicinarsi a q. in tutta fretta.

to **hurry-scurry** /hʌrɪ'skʌrɪ/ v. i. (*fam.*) andare a precipizio (*o* in fretta e furia).

hurst /hɜːst/ n. **1** collina; collinetta **2** banco di sabbia **3** cima boscosa; bosco in vetta a un monte.

hurt /hɜːt/ **A** n. **1** lesione; ferita (*anche fig.*); danno; colpo (*fig.*): *It was a severe h. to our prestige*, fu una grave ferita (*o un grave colpo*) per il nostro prestigio **2** Ⓤ dolore; risentimento; senso di offesa: *I cannot describe the h. and anger I felt*, non so descrivere il dolore e la rabbia che provavo **B** a. **1** ferito **2** danneggiato; leso **3** (*fig.*) offeso; risentito: **h. expression**, un'espressione offesa **4** addolorato; dolente ● **to get h.**, farsi male; ferirsi.

♦to **hurt** /hɜːt/ (pass. e p. p. **hurt**) **A** v. t. far male a; ferire (*anche fig.*); addolorare; danneggiare; ledere; offendere; nuocere a: *I hurt my leg when I fell*, mi feci male a una gamba quando caddi; *He was badly hurt*, si fece molto male; *He was slightly hurt*, si ferì leggermente; *He was hurt by your words*, restò offeso dalle tue parole; *It hurts your eyes to read in dim light*, nuoce alla vista (*o fa male agli occhi*) leggere quando c'è poca luce **B** v. i. **1** far male; dolere: *Where does it h.?*, dove ti fa male?; *My leg hurts*, mi fa male la gamba; *It hurts too much to move my toes*, mi fa troppo male per muovere le dita del piede **2** soffrire; provare dolore ● (*fam.*) **to h. like hell**, fare un male cane (*o boia*) □ **to h. sb.'s feelings**, ferire (*o urtare*) i sentimenti di q. □ (*USA*) **to be hurting for**, essere a corto di; avere un gran bisogno di □ *He wouldn't h. a fly*, non farebbe male a una mosca □ **to h. oneself**, farsi male; ferirsi: *Did you h. yourself?*, ti sei fatto male? □ **it won't [wouldn't] h. to do st.**, non guasta [non guasterebbe] fare qc.: *It wouldn't h. to take some precautions*, non guasterebbe prendere qualche precauzione □ **it won't [wouldn't] h. sb. to do st.**, a q. non farà [non farebbe] male fare qc.: *It won't h. you to do the washing up for once*, per una volta non ti farà male lavare i piatti.

hurter /'hɜːtə(r)/ n. **1** chi ferisce; chi arreca dolore (*o danno*) **2** paracarro (*di un edificio*).

hurtful /'hɜːtfl/ a. che fa male; dannoso; nocivo; pernicioso ● **a h. remark**, un'osservazione che ferisce (*o che urta*) ‖ **-ly** avv. ‖ **-ness** n. Ⓤ.

to **hurtle** /'hɜːtl/ **A** v. i. **1** fracassarsi; schiantarsi: *The aeroplane hurtled* (*down*) *to the ground*, l'aereo si schiantò al suolo **2** fare uno schianto; rimbombare; strepitare **3** precipitarsi, sfrecciare; saettare: *He hurtled down the straight*, sfrecciò sul rettilineo **B** v. t. **1** lanciare; scagliare **2** spingere con violenza ● **to h. against st.**, sbattere violentemente contro qc. □ **to h. together**, urtarsi con violenza.

♦**husband** /'hʌzbənd/ n. **1** marito **2** (*arc.*) amministratore; economo **3** (*naut.*, = **ship's h.**) capitano d'armamento; raccomandatario.

to **husband** /'hʌzbənd/ v. t. **1** (*form.*) far economia di; risparmiare; economizzare; fare saggio uso di: *to h. one's energies* [*resources*], risparmiare le (*o fare buon uso delle*) proprie energie [risorse] **2** (*poet. o scherz.*) maritare, dar marito a (*una donna*).

husbandless /'hʌzbəndləs/ a. senza marito.

husbandman /'hʌzbəndmən/ n. (pl. ***husbandmen***) (*arc. o biblico*) agricoltore; colono; contadino.

husbandry /'hʌzbəndrɪ/ n. Ⓤ **1** agricoltu-

a b c d e f g h i j k l m n o p q r s t u v w x y z

ra; lavoro dei campi **2** gestione degli affari; governo (*della casa, ecc.*): **good h.**, amministrazione oculata **3** frugalità; economia; parsimonia ● **animal h.**, zootecnia.

hush /hʌʃ/ **A** n. ⓤ silenzio; calma; quiete: (*fam. GB*) *Can we have a bit of h.?*, si può avere un po' di silenzio?; **in the h. of the night**, nel silenzio della notte **B** inter. zitto!; zitti!; silenzio! ● **h. money**, prezzo del silenzio; denaro pagato a qualcuno perché taccia (non vada a testimoniare, ecc.) □ (*USA*) **h. puppy**, focaccina di farina di mais (*negli Stati del Sud*).

to **hush** /hʌʃ/ **A** v. t. **1** far tacere **2** calmare; sopire; placare **B** v. i. tacere; far silenzio; stare zitto: *H. (up)!*, taci! ● **to h. to sleep**, cullare; ninnare □ **to h. up**, mettere a tacere; nascondere; soffocare (*fig.*): **to h. up a scandal**, mettere a tacere uno scandalo.

hushaby /'hʌʃəbaɪ/ inter. ninna nanna!; fa' la nanna!

hushed /hʌʃt/ a. **1** (*di pubblico, aula, ecc.*) (fattosi) silenzioso **2** (*di tono, voce, conversazione, ecc.*) sommesso; ovattato; smorzato ● **in a h. voice**, sottovoce; con voce sommessa.

hush-hush /hʌʃ'hʌʃ/ a. segretissimo; strettamente riservato; del tutto confidenziale.

husk /hʌsk/ n. **1** (*bot.*) buccia, guscio, pellicola (*spec. di cereali*); cartoccio (*del granturco*); pula, lolla, loppa **2** (*fig.*) involucro, cartoccio **3** (*pl.*) scarti; roba senza valore **4** (*vet.*) tosse **5** (*med.*) raucedine ● **olive husks**, sansa di olive.

to **husk** /hʌsk/ **A** v. t. **1** sbucciare; mondare; scartocciare, spannocchiare (*granturco*); pilare (*cereali*) **2** dire con voce roca **B** v. i. **1** (*della voce*) arrochirsi; velarsi **2** (*vet.: di un animale*) tossire.

husking /'hʌskɪŋ/ n. ⓤⓒ sbucciatura, sgusciatura; pilatura (*di cereali*); scartocciatura, spannocchiatura (*del granturco*) ● (*in USA*) **h. bee**, festa della spannocchiatura.

husky /'hʌskɪ/ **A** a. **1** pieno di bucce (o di gusci); simile a pellicola (o a pula) **2** rauco; roco; secco; fioco: **a h. cough**, una tosse secca; **a h. voice**, una voce roca **3** (*fam.*) forte; robusto; grosso; virile **B** n. persona forte, robusta; fusto, marcantonio (*fam.*) ‖ **huskily** avv. con voce roca; fiocamente; flebilmente ‖ **huskiness** n. ⓤ **1** asprezza (*di voce, ecc.*); raucedine **2** (*fam.*) forza; robustezza; vigore fisico.

Husky /'hʌskɪ/ n. **1** (*fam., spreg.*) eschimese, esquimese (*anche la lingua*) **2** (*di solito h.*) cane eschimese (o esquimese, da slitta); husky.

huss /hʌs/ (*zool.*) → **dogfish**.

hussar /hʊ'zɑː(r)/ n. (*mil., stor.*) ussaro, ussero.

Hussite /'hʌsaɪt/ (*stor., relig.*) n. Ussita ‖ **Hussitism** n. ⓤ ussitismo.

hussy /'hʌsɪ/ n. (*arc. o scherz.*) **1** donna leggera; donnaccia; sgualdrina **2** ragazza impertinente, sfacciata.

hustings /'hʌstɪŋz/ n. pl. (di solito col verbo al sing.) **1** campagna (o propaganda) elettorale **2** tribuna (*degli oratori politici*) **3** (*stor.*) assemblea; tribunale **4** (*stor.*, *in GB*) piattaforma dalla quale venivano nominati i candidati al parlamento (*prima del 1872*).

hustle /'hʌsl/ n. ⓤ **1** spinta, spinte, spintoni; urti **2** (*fam.*) attività febbrile, incessante; scompiglio; andirivieni; trambusto: **the h. and bustle of life**, il trambusto della vita **3** (*fam. USA*) metodi illegali per fare soldi; traffici loschi.

to **hustle** /'hʌsl/ **A** v. t. **1** spingere; urtare; dare spintoni a; far fretta a; incalzare; sollecitare: *The kidnappers hustled their hostage into the car*, i rapitori spinsero l'ostaggio dentro l'automobile; *They hustled*

me into a rash move, incalzandomi mi fecero fare una mossa avventata **2** (*slang USA*) fregare; scroccare; spillare **3** (*slang USA*) fregare; rubare **4** (*slang USA*) trafficare; vendere illegalmente **B** v. i. **1** affrettarsi; sbrigarsi; spicciarsi: *H.!*, spicciati!; presto! **2** (*fam.*) spingere; fare a gomitate; sgomitare **3** (*fam.*) essere attivo, energico; darsi da fare **4** (*slang USA*) battere (il marciapiede).

hustler /'hʌslə(r)/ n. **1** chi spinge; chi sgomita **2** (*fig. fam.*) persona energica, attiva; chi usa tecniche di vendita aggressive **3** (*slang USA*) prostituta; passeggiatrice; battona (*fam.*); prostituto **4** (*slang USA*) chi frega, spilla, ecc.; scroccone, scroccona **5** (*slang USA*) ladro **6** (*slang USA*) giocatore (*d'azzardo*) di professione.

hut /hʌt/ n. **1** capanna; casupola; tugurio **2** (*mil.*) baracca **3** capanno, casotto (*per attrezzi*) **4** (*sport*, = **mountain hut**) rifugio (*alpino*) ● **hut-like**, simile a una capanna; a forma di (o fatto a) capanna.

to **hut** /hʌt/ **A** v. t. sistemare (o alloggiare) in capanne (o baracche) **B** v. i. vivere in capanne; abitare in baracche.

hutch /hʌtʃ/ n. **1** gabbia (*spec. per conigli*); conigliera; stia **2** capanna; casupola; tugurio **3** cassa, cesta (*per conservare grano, ecc.*) **4** (*ind. min.*) carrello per montacarichi **5** (*ind. min.*) scomparto di raccolta (*del crivello*) **6** (*un tempo*) madia (*per il pane, ecc.*) **7** (*USA*) credenza (*da cucina*).

hutment /'hʌtmənt/ n. (*mil.*) baraccamento.

huzza, to **huzza** /hə'zɑː/ (*arc.*) → **hurrah**, **to hurrah**.

hw abbr. (*comput.*, **hardware**), hardware.

HWM sigla (**high-water mark**) indicazione del punto raggiunto dalla più forte alta marea.

hwy abbr. (**highway**) strada di grande comunicazione; autostrada.

hyacinth /'haɪəsɪnθ/ n. **1** (*bot.*, *Hyacinthus orientalis*) giacinto **2** (*miner.*) giacinto (*varietà di zircone*) ‖ **hyacinthine** a. (*poet.*) color del giacinto; giacintino.

Hyades /'haɪədiːz/ n. pl. (*mitol.*, *astron.*) Iadi.

hyaena /haɪ'iːnə/ n. (*zool.*, *Hyaena*) iena.

hyalin /'haɪəlɪn/ n. (*biol.*) sostanza ialina.

hyaline /'haɪəlaɪn/ **A** a. **1** (*biol.*, *geol.*, *miner.*) ialino **2** (*fig.*) diafano; trasparente **B** n. ⓤ **1** (*biol.*) sostanza ialina **2** (*poet.*) mare calmo **3** (*poet.*) cielo sereno.

hyalite /'haɪəlaɪt/ n. ⓤ (*miner.*) ialite.

hyaloid /'haɪəlɔɪd/ **A** a. (*anat.*) ialoideo; ialoide: **h. membrane**, membrana ialoidea (*dell'occhio*) **B** n. (*anat.*) membrana ialoidea.

hyaluronic acid /haɪəljʊə'rɒnɪk 'æsɪd/ loc. n. ⓤ (*biochim.*) acido ialuronico.

hybrid /'haɪbrɪd/ (*biol.*, *ling.*, *ecc.*) **A** n. ibrido; animale ibrido; composto ibrido; cosa ibrida **B** a. **1** ibrido: *The hinny is a h. animal*, il bardotto è un (animale) ibrido **2** (*comput.*) ibrido; multipiattaforma ● (*aeron.*) **h. propulsion**, propulsione ibrida (*biol.*) **h. sterility**, sterilità degli ibridi ‖ **hybridism** n. ⓤ ibridismo.

to **hybridize** /'haɪbrɪdaɪz/ (*biol.*) **A** v. t. ibridare (*animali, piante*) **B** v. i. ibridarsi **2** produrre ibridi ‖ **hybridization** n. ⓤ ibridazione.

hybris /'haɪbrɪs/ n. ⓤ (*form.*) → **hubris**.

hydatid /'haɪdətɪd/ n. (*med.*) idatide.

Hydra /'haɪdrə/ n. (*astron.*) Idra femmina.

hydra /'haɪdrə/ n. (*mitol.*; *zool.*, *Hydra*) idra (*anche fig.*).

hydracid /haɪ'dræsɪd/ n. (*chim.*) idracido.

hydrangea /haɪ'dreɪndʒə/ n. **1** (*bot.*, *Hydrangea*) idrangea **2** (*bot.*, *Hydrangea hortensia*) ortensia.

hydrant /'haɪdrənt/ n. (= **fire h.**) idrante; bocca d'acqua.

hydrargyrum /haɪ'drɑːdʒɪrəm/ n. ⓤ (*chim.*) idrargirio (*arc.*); mercurio.

hydrarthrosis /haɪdrɑː'θrəʊsɪs/ (*med.*) n. ⓤ idrartrosi.

hydrastine /haɪ'dræstiːn/ n. ⓤ (*chim.*, *farm.*) idrastina.

hydrastis /haɪ'dræstɪs/ n. (*bot.*, *Hydrastis canadensis*) idraste.

hydratable /haɪ'dreɪtəbl/ a. idratabile.

hydrate /'haɪdreɪt/ (*chim.*) n. idrato ‖ to **hydrate** v. t. e i. idratare, idratarsi ‖ **hydrated** a. idrato; idratato ‖ **hydrating** a. idratante ‖ **hydration** n. ⓤ idratazione ‖ **hydrator** n. idratatore.

hydraulic /haɪ'drɒlɪk/ a. idraulico; oleodinamico: **h. engineer**, ingegnere (o tecnico) idraulico; **h. engineering**, ingegneria idraulica; **h. lift**, montacarichi idraulico; **h. press**, pressa idraulica ● (*autom.*) **h. brakes**, freni idraulici (o oleodinamici) □ (*ind. costr.*) **h. cement**, cemento idraulico □ (*mecc.*) **h. drill**, perforatrice idraulica □ (*mecc.*) **h. drive**, comando idraulico; trasmissione idraulica □ (*geotecnica*) **h. fracturing**, fratturazione idraulica □ (*mecc.*) **h. jack**, martinetto idraulico □ (*mecc.*) **h. ram**, ariete idraulico □ **h. pallet truck**, transpallet idraulico □ (*tecn.*) **h. shovel**, pala idraulica | -**ally** avv.

hydraulicity /haɪdrɒ'lɪsɪtɪ/ n. ⓤ (*edil.*) idraulicità.

hydraulics /haɪ'drɒlɪks/ n. pl. (col verbo al sing.) (*fis.*) idraulica.

hydrazine /'haɪdrəziːn/ n. ⓤ (*chim.*) idrazina.

hydria /'haɪdrɪə/ n. (pl. **hydriae**) (*archeol.*) idria.

hydric /'haɪdrɪk/ a. **1** (*chim.*) idrogenato; che contiene idrogeno **2** (*bot.*) igrofilo.

hydrid /'haɪdrɪd/, **hydride** /'haɪdraɪd/ n. (*chim.*) idruro.

hydriodic /haɪdrɪ'ɒdɪk/ a. (*chim.*) iodidrico: **h. acid**, acido iodidrico.

hydro /'haɪdrəʊ/ n. (pl. **hydros**) (*fam. GB*) centro idroterapico; stabilimento termale.

hydrobiology /haɪdrəbaɪ'ɒlədʒɪ/ (*scient.*) n. ⓤ idrobiologia ‖ **hydrobiological** a. idrobiologico.

hydrobromic /haɪdrə'brəʊmɪk/ a. (*chim.*) bromidrico.

hydrocarbon /haɪdrə'kɑːbən/ n. (*chim.*) idrocarburo.

hydrocele /'haɪdrəsiːl/ n. ⓒⓤ (*med.*) idrocele.

hydrocephalic, **hydrocephalous** a. idrocefalico.

hydrocephalus /haɪdrəʊ'sefələs/, **hydrocephaly** /haɪdrəʊ'sefəlɪ/ (*med.*) n. ⓤ idrocefalo; idrocefalia.

hydrochloric /haɪdrə'klɒrɪk/ (*chim.*) a. cloridrico: **h. acid**, acido cloridrico; acido muriatico ‖ **hydrochloride** n. ⓤ cloridrato.

hydrochlorofluorocarbon /haɪdrəʊklɔːrəʊˈfluərəʊkɑːbən/ n. (*chim.*) idroclorofluorocarburo (HCFC).

hydrocortisone /haɪdrəʊ'kɔːtɪsəʊn/ n. ⓤ (*chim.*) idrocortisone.

hydrocyanic /haɪdrəsaɪ'ænɪk/ a. (*chim.*) cianidrico: **h. acid**, acido cianidrico (o prussico).

hydrodynamic /haɪdrədaɪ'næmɪk/, **hydrodynamical** /haɪdrədaɪ'næmɪkl/ (*fis.*) a. idrodinamico ‖ **hydrodynamics** n. pl. (col verbo al sing.) idrodinamica.

hydroelectric /haɪdrəʊɪ'lektrɪk/ a. idroelettrico: **h. plant** (o **h. power station**), centrale idroelettrica ‖ **hydroelectricity** n. ⓤ energia idroelettrica.

hydrofluoric /haɪdrəflu:'ɒrɪk/ a. (*chim.*)

fluoridrico.

hydrofoil /'haɪdrəfɔɪl/ n. (naut.) **1** aletta idroplana; ala portante **2** piano idrodinamico **3** (= **h. boat**) aliscafo.

hydrogel /'haɪdrədʒel/ n. (chim.) idrogel.

hydrogen /'haɪdrədʒən/ (chim.) n. ⓤ idrogeno: **heavy h.**, idrogeno pesante ● **h. bomb**, bomba all'idrogeno □ **h. ion**, ione idrogeno; idrogenione □ **h. peroxide**, perossido d'idrogeno; acqua ossigenata □ **h. sulphide**, solfuro d'idrogeno; acido solfidrico ‖ **hydrogenous** a. idrogenico; di (o contenente) idrogeno.

hydrogenase /haɪ'drɒdʒəneɪz/ n. ⓤ (biochim.) idrogenasi.

to **hydrogenate** /haɪ'drɒdʒəneɪt/ (chim.) v. t. idrogenare ‖ **hydrogenation** n. ⓤ idrogenazione.

hydrogeology /'haɪdrədʒɪ'ɒlədʒɪ/ (scient.) n. ⓤ idrogeologia ‖ **hydrogeological**, **hydrogeologic** a. idrogeologico ‖ **hydrogeologist** n. idrogeologo.

hydrography /haɪ'drɒgrəfɪ/ n. ⓤ (geogr.) idrografia ‖ **hydrographer** n. idrografo ‖ **hydrographic**, **hydrographical** a. idrografico.

hydrology /haɪ'drɒlədʒɪ/ n. ⓤ idrologia ‖ **hydrologic**, **hydrological** a. idrologico ‖ **hydrologically** avv. idrologicamente ‖ **hydrologist** n. idrologo.

hydrolysis /haɪ'drɒləsɪs/ (chim.) n. ⓤ idrolisi ‖ **hydrolytic** a. idrolitico.

to **hydrolyze** /'haɪdrəlaɪz/ ⒜ v. t. (chim.) idrolizzare ⒝ v. i. (chim.) idrolizzarsi.

hydromancy /'haɪdrəmænsɪ/ n. ⓤ idromanzia.

hydromassage /haɪdrə'mæsɑːʒ/ n. (med.) idromassaggio.

hydromechanics /haɪdrəmɪ'kænɪks/ n. pl. (col verbo al sing.) (fis.) idromeccanica.

hydrometer /haɪ'drɒmɪtə(r)/ (fis.) n. idrometro; densimetro ‖ **hydrometric**, **hydrometrical** a. idrometrico ‖ **hydrometry** n. ⓤ idrometria.

hydropathy /haɪ'drɒpəθɪ/ (med.) n. ⓤ idroterapia; cure termali ‖ **hydropathic** ⒜ a. idroterapico; termale: **hydropathic establishment**, stabilimento idroterapico ⒝ n. stabilimento idroterapico.

hydrophile /'haɪdrəfɪl/ (chim.) n. sostanza idrofila ‖ **hydrophilic** a. idrofilo.

hydrophilous /haɪ'drɒfɪləs/ a. (bot.) idrofilo.

hydrophobia /haɪdrə'fəʊbɪə/ n. ⓤ **1** (med.) idrofobia **2** (psic.) idrofobia; paura morbosa dell'acqua ‖ **hydrophobic** a. **1** (med.) idrofobo; idrofobico **2** (chim.) idrofobo **3** (psic.) che ha una paura morbosa dell'acqua.

hydrophone /'haɪdrəfəʊn/ n. (fis., naut.) idrofono.

hydrophyte /'haɪdrəfaɪt/ n. (bot.) idrofita; pianta acquatica.

hydroplane /'haɪdrəpleɪn/ n. **1** (aeron.) idrovolante (più comune **seaplane**) **2** (naut.) idroplano; idroscivolante **3** (naut.) timone di profondità (di sottomarino).

to **hydroplane** /'haɪdrəpleɪn/ v. i. (autom.) subire l'effetto idroplano.

hydroplaning /'haɪdrəpleɪnɪŋ/ n. ⓤ (autom., spec. USA) aquaplaning, effetto idroplano (slittamento dovuto a un sottile strato d'acqua sotto le gomme).

hydropneumatic /haɪdrəʊnjuˈmætɪk/, USA -nʊ- a. (mecc.) idropneumatico.

hydroponic /haɪdrə'pɒnɪk/ (chim., agric.) a. idroponico ‖ **hydroponics** n. pl. (col verbo al sing.) idroponica; coltura idroponica.

hydroquinone /haɪdrəkwɪ'nəʊn/ n. (chim., fotogr., med.) idrochinone.

hydroscope /'haɪdrəskəʊp/ n. (ottica,

naut.) idroscopio.

hydrosphere /'haɪdrəsfɪə(r)/ n. (geogr.) idrosfera.

hydrostat /'haɪdrəstæt/ n. igrostato.

hydrostatic /haɪdrə'stætɪk/, **hydrostatical** /haɪdrə'stætɪkl/ a. (tecn., scient.) idrostatico.

hydrostatics /haɪdrə'stætɪks/ n. pl. (col verbo al sing.) (fis.) idrostatica.

hydrosulphide /haɪdrə'sʌlfaɪd/ n. (chim.) idrogenosolfuro.

hydrosulphite /haɪdrə'sʌlfaɪt/ n. (chim.) idrosolfito; iposolfito.

hydrotherapy /haɪdrə'θerəpɪ/ (med.) n. ⓤ idroterapia (la cura) ‖ **hydrotherapeutic** a. idroterapeutico, idroterapico ‖ **hydrotherapist** n. tecnico d'idroterapia.

hydrothermal /haɪdrə'θɜːml/ a. (geol.) idrotermale.

hydrothorax /haɪdrə'θɔːræks/ n. ⓤ (med.) idrotorace.

hydrotropism /haɪ'drɒtrəpɪzəm/ n. ⓤ (bot.) idrotropismo.

hydrous /'haɪdrəs/ a. (chim., miner.) idrato; idratato.

hydroxide /haɪ'drɒksaɪd/ n. (chim.) idrossido.

hydroxy /haɪ'drɒksɪ/ (chim.) a. ossidrilico; idrossilico (raro) ‖ **hydroxyl** n. ossidrile; idrossile (raro) ‖ **hydroxylic** a. ossidrilico.

hyena /haɪ'iːnə/ n. **1** (zool., Hyaena) iena: **striped h.** (Hyaena hyaena), iena striata **2** (fig.) iena; sciacallo.

hyetograph /'haɪətəʊɡrɑːf/ n. (meteor.) **1** ietografo; pluviografo **2** diagramma delle precipitazioni medie in un anno.

Hygeia /haɪ'dʒiːə/ n. (mitol.) Igea; (dea della) salute.

hygiene /'haɪdʒiːn/ n. ⓤ igiene ‖ **hygienic** a. igienico ‖ **hygienically** avv. igienicamente ‖ **hygienics** n. pl. (col verbo al sing.) igiene (la scienza) ‖ **hygienist** n. igienista.

hygrograph /'haɪɡrəɡrɑːf/ n. (meteor.) igrografo.

hygrometry /haɪ'ɡrɒmətrɪ/ (meteor.) n. ⓤ igrometria ‖ **hygrometer** n. igrometro ‖ **hygrometric** a. igrometrico.

hygroscopic /haɪɡrə'skɒpɪk/ a. (chim., bot.) igroscopico ‖ **-ally** avv.

hyla /'haɪlə/ n. (zool., Hyla) ila; raganella.

hylomorphism /haɪlə'mɔːfɪzəm/ n. ⓤ (filos.) ilomorfismo.

hylozoism /haɪlə'zəʊɪzəm/ (filos.) n. ⓤ ilozoismo ‖ **hylozoist** n. ilozoista.

hymen /'haɪmən/ (anat.) n. imene ‖ **hymenal** a. imenale.

Hymen /'haɪmən/ n. (mitol.) Imene.

hymeneal /haɪmə'niːəl/ a. delle nozze; nuziale; imeneo.

hymenopter /'haɪmənɒptə(r)/ (zool.) n. imenottero ‖ **hymenopteral** a. degli imenotteri ‖ **hymenopterans** n. pl. (Hymenoptera) imenotteri ‖ **hymenopteron** n. (pl. **hymenopterons**, **hymenoptera**) imenottero ‖ **hymenopterous** a. degli imenotteri.

hymn /hɪm/ n. inno; inno religioso; canto sacro; carme ● **h. book**, libro d'inni religiosi; innario.

to **hymn** /hɪm/ ⒜ v. t. inneggiare a, celebrare con lodi (Dio, ecc.) ⒝ v. i. inneggiare; cantare inni.

hymnal /'hɪmnəl/ ⒜ a. d'inno ⒝ n. libro d'inni religiosi; innario.

hymnary /'hɪmnərɪ/ n. (relig.) innario.

hymnic /'hɪmnɪk/ a. d'inno; innografico.

hymnist /'hɪmnɪst/ n. innografo; compositore d'inni sacri.

hymnody /'hɪmnədɪ/ n. **1** ⓤ innodia **2** raccolta di inni.

hymnography /hɪm'nɒɡrəfɪ/ n. ⓤ inno-

grafia ‖ **hymnographer** n. innografo.

hymnology /hɪm'nɒlədʒɪ/ n. ⓤ innologia.

hyoid /'haɪɔɪd/ ⒜ a. (anat.) ioide: **h. bone**, osso ioide ⒝ n. (osso) ioide.

hyoscyamine /haɪəʊ'saɪəmaɪn/ n. (chim.) iosciamina.

hypallage /haɪ'pælədʒi/ n. (ling., retor.) ipallage.

hype① /haɪp/ n. **1** pubblicità aggressiva (o stravagante) **2** grosso lancio pubblicitario; promozione in grande stile; strombazzamento **3** (fam.) gonfiatura, montatura giornalistica **4** (slang) imbroglio; inganno; fregatura (fam.) ● **media h.**, lancio pubblicitario (o promozione) sui media; grancassa mediatica.

hype② /haɪp/ n. (slang) **1** ago ipodermico **2** iniezione di droga; buco (fam.) **3** tossicomane; eroinomane **4** spacciatore di droga **5** donna che si prostituisce per drogarsi.

to **hype**① /haɪp/ v. t. **1** fare un grosso lancio pubblicitario (o una grossa promozione) a (un prodotto); reclamizzare a tutto spiano, strombazzare, spingere (fam.) **2** (fam.) gonfiare, montare (una notizia, ecc.) **3** (slang) imbrogliare; ingannare; fregare (fam.) **4** (di un negoziante) fregare (i clienti) sul resto ● to **h. up**, lanciare, strombazzare, spingere (un prodotto).

to **hype**② /haɪp/ ⒜ v. i. (slang, di solito, to **h. up**) **1** farsi, bucarsi **2** andare su di giri (con la droga, ecc.); eccitarsi ⒝ v. t. (slang, di solito to **h. up**) eccitare, mandare (q.) su di giri (con la droga, ecc.).

hyped-up① /'haɪpt'ʌp/ a. **1** troppo reclamizzato; strombazzato: **hyped-up films**, film troppo reclamizzati **2** gonfiato; artificiale; falso; montato (fig.).

hyped-up② /'haɪpt'ʌp/ a. (slang) **1** che si è fatto; drogato; sotto l'effetto della droga **2** eccitato, su di giri (per effetto dell'alcol, di stimolanti, ecc.); sballato (fam.) **3** agitatissimo; nervosissimo; irrequieto.

hyper① /'haɪpə(r)/ n. (fam. USA) = **hype artist** → **hype**①.

hyper② /'haɪpə(r)/ ⒜ n. (slang) **1** chi si fa; chi si buca; drogato **2** uno che ha un temperamento eretistico; chi si agita (o si eccita facilmente, ecc.); chi si dà un gran daffare ⒝ a. (slang) **1** sovreccitato; agitato **2** iperattivo; che si dà da fare.

hyperacidity /haɪpərə'sɪdɪtɪ/ (med.) n. ⓤ iperacidità.

hyperactive /haɪpər'æktɪv/ (psic.) a. iperattivo ‖ **hyperactivity** n. ⓤ iperattività.

hyperaemia, (USA) **hyperemia** /haɪpə'riːmɪə/ (med.) n. ⓤ iperemia ‖ **hyperaemic**, (USA) **hyperemic** a. iperemico.

hyperaesthesia, (USA) **hyperesthesia** /haɪpərɪs'θiːzɪə/ n. ⓤ (med.) iperestesia.

hyperbaric /haɪpə'bærɪk/ a. iperbarico: **h. chamber**, camera iperbarica (o di compressione).

hyperbaton /haɪ'pɜːbətən/ n. (pl. **hyperbatons**, **hyperbata**) (ling.) iperbato.

hyperbola /haɪ'pɜːbələ/ n. (pl. **hyperbolas**, **hyperbolae**) (geom.) iperbole.

hyperbole /haɪ'pɜːbəlɪ/ n. (ling., retor.) iperbole ‖ **hyperbolical** → **hyperbolic** ‖ **hyperbolically** avv. iperbolicamente ‖ **hyperbolism** n. ⓤ (retor.) uso d'iperboli; l'iperboleggiare.

hyperbolic /haɪpə'bɒlɪk/ a. **1** (geom., ecc.) iperbolico: **h. cotangent**, cotangente iperbolica **2** (ling.) iperbolico.

to **hyperbolize** /haɪ'pɜːbəlaɪz/ ⒜ v. t. esprimere con iperboli ⒝ v. i. iperboleggiare.

hyperboloid /haɪ'pɜːbəlɔɪd/ n. (geom.) iperboloide.

hyperborean /haɪpə'bɔːrɪən/ ⒜ a. iperboreo (lett.); dell'estremo settentrione ⒝ n.

1 (*mitol.*) uno degli Iperborei **2** abitante dell'estremo settentrione.

hyperchlorhydria /ˌhaɪpəklɔːˈhaɪdrɪə/ n. ⓤ (*med.*) ipercl000idria.

hypercorrect /ˌhaɪpəkəˈrɛkt/ (*ling.*) a. ipercorretto || **hypercorrection** n. **1** ipercorrezione **2** ⓤ ipercorrettismo.

hypercritical /ˌhaɪpəˈkrɪtɪk(l)/ a. ipercritico | -**ly** avv.

hypercriticism /ˌhaɪpəˈkrɪtɪsɪzəm/ n. **1** ipercritica **2** ⓤ ipercriticismo.

hyperdulia /ˌhaɪpəduˈlaɪə/ n. ⓤ (*relig.*) iperdulia.

hyperemia /ˌhaɪpəˈriːmɪə/ n. ⓤ e *deriv.* (*USA*) → **hyperaemia**, e *deriv.*

hyperemployment /ˌhaɪpəɪmˈplɔɪmənt/ n. ⓤ (*econ.*) iperoccupazione.

hyperesthesia /ˌhaɪpərɛsˈθiːzɪə/ n. ⓤ (*med.*) iperestesia.

hyperexcitable /ˌhaɪpərɪkˈsaɪtəbl/ a. ipereccitabile || **hyperexcitability** n. ⓤ ipereccitabilità.

hyperextension /ˌhaɪpərɛkˈstɛnʃn/ n. ⓤⓒ iperestensione (*di un arto o di una sua parte*).

hyperglycaemia, (*USA*) **hyperglycemia** /ˌhaɪpəglaɪˈsiːmɪə/ (*med.*) n. ⓤ iperglicemia || **hyperglycaemic**, (*USA*) **hyperglycemic** a. iperglicemico.

hyperhidrosis /ˌhaɪpəhɪˈdrəʊsɪs/ n. ⓤ (*med.*) iperidrosi.

hypericum /haɪˈpɛrɪkəm/ n. (*bot.*, *Hypericum*) iperico.

hyperinflation /ˌhaɪpərɪnˈfleɪʃn/ n. ⓤ (*econ.*) iperinflazione; inflazione incontrollabile.

Hyperion /haɪˈpɪərɪən/ n. (*mitol.*) Iperione.

hyperkinesia /ˌhaɪpəkɪˈniːzɪə/ (*med.*) n. ⓤ ipercinesi; ipercinesia || **hyperkinetic** a. ipercinetico.

hyperlink /ˈhaɪpəlɪŋk/ n. (*comput.*) collegamento ipertestuale; link (ipertestuale).

to **hyperlink** /ˈhaɪpəlɪŋk/ v. t. (*comput.*) linkare (*documenti attraverso collegamenti ipertestuali*).

hyperlipidemia /ˌhaɪpəlɪpɪˈdiːmɪə/ n. ⓤ (*med.*) iperlipidemia.

hypermarket /ˈhaɪpəmɑːkɪt/ n. (*market.*) ipermercato.

hypermedia /ˈhaɪpəmiːdɪə/ n. ⓤ (*comput.*) ipermedia (*multimedia ipertestuali*).

hypermeter /haɪˈpɜːmɪtə(r)/ (*poesia*) n. ipermetro || **hypermetric**, **hypermetrical** a. ipermetro.

hypermetrope /ˌhaɪpəˈmɛtrəʊp/ (*med.*) n. ipermetrope || **hypermetropia** n. ⓤ ipermetropia || **hypermetropic** a. ipermetrope.

hypernova /ˈhaɪpənəʊvə/ n. (*astron.*) ipernova.

hypernym /ˈhaɪpənɪm/ n. (*ling.*) iperonimo; superordinato.

hyperon /ˈhaɪpərɒn/ n. (*fis. nucl.*) iperone.

hyperplasia /ˌhaɪpəˈpleɪzɪə/ n. ⓤ (*med.*) iperplasia.

hyperpower /ˈhaɪpəpaʊə(r)/ n. (*polit.*) iperpotenza.

hyperreal /ˌhaɪpəˈrɪəl/ a. iperreale || **hyperrealism** (*arte*) n. ⓤ iperrealismo || **hyperrealist** n. iperrealista || **hyperrealistic** a. iperrealistico || **hyperreality** n. ⓤ iperrealtà.

hypersensitive /ˌhaɪpəˈsɛnsətɪv/ a. ipersensibile || **hypersensitiveness**, **hypersensitivity** n. ⓤ ipersensibilità.

hypersensitization /ˌhaɪpəsɛnsətaɪˈzeɪʃn, USA -tɪˈz-/ n. ⓤ (*med.*) ipersensibilizzazione.

hypersonic /ˌhaɪpəˈsɒnɪk/ a. (*fis.*) iperso-

nico ● (*aeron.*) **h. flight**, volo ipersonico □ **h. speed**, velocità ipersonica.

hyperspace /ˈhaɪpəspeɪs/ n. ⓤ (*mat.*) iperspazio.

hypertension /ˌhaɪpəˈtɛnʃn/ (*med.*) n. ⓤ ipertensione.

hypertensive /ˌhaɪpəˈtɛnsɪv/ Ⓐ a. **1** ipertensivo **2** iperteso Ⓑ n. **1** iperteso **2** (*farm.*) ipertensivo.

hypertext /ˈhaɪpətɛkst/ (*comput.*) n. ipertesto ● **h. link**, link ipertestuale; **H. Markup Language** → **HTML** □ **H. Transfer Protocol** → **HTTP** || **hypertextual** a. ipertestuale.

hyperthyroid /ˌhaɪpəˈθaɪrɔɪd/ (*med.*) a. e n. ipertiroideo || **hyperthyroidism** n. ⓤ ipertiroidismo.

hypertonia /ˌhaɪpəˈtəʊnɪə/ (*med.*) n. ⓤ ipertonia || **hypertonic** a. ipertonico || **hypertonicity** n. ⓤ ipertonia; l'essere ipertonico.

hypertrichosis /ˌhaɪpətrɪˈkəʊsɪs/ n. ⓤ (*med.*) ipertricosi.

hypertrophy /haɪˈpɜːtrəfɪ/ (*med.*) n. ⓤ ipertrofia || **hypertrophic**, **hypertrophied** a. ipertrofico.

to **hyperventilate** /ˌhaɪpəˈvɛntɪleɪt/ v. i. **1** (*med.*) andare in iperventilazione; essere in iperventilazione **2** respirare in fretta (*per l'emozione, l'agitazione, ecc.*); (*per estens.*) entrare in agitazione, essere agitato.

hyperventilated /ˌhaɪpəˈvɛntɪleɪtɪd/ a. **1** (*med.*) in iperventilazione **2** (*fig.*) enfatico; turgido; pretenzioso.

hyperventilation /ˌhaɪpəvɛntɪˈleɪʃn/ n. ⓤ (*med.*) iperventilazione.

hypervisor /ˈhaɪpəvaɪzə(r)/ n. (*comput.*) hypervisor (*sistema che permette e gestisce l'uso contemporaneo di più sistemi operativi sullo stesso computer*).

hypervitaminosis /ˌhaɪpəvɪtəmɪˈnəʊsɪs/ n. ⓤ (*med.*) ipervitaminosi.

hypha /ˈhaɪfə/ n. (pl. **hyphae**) (*bot.*) ifa.

♦**hyphen** /ˈhaɪfn/ n. **1** tratto d'unione; trattino (nelle parole composte) **2** (*tipogr.*) lineetta (*per andare a capo*).

to **hyphen** /ˈhaɪfn/, to **hyphenate** /ˈhaɪfəneɪt/ v. t. **1** unire (*una parola*) con una lineetta, con un trattino **2** scrivere, stampare (*una parola*) con una lineetta, con un trattino ● **hyphenated Americans**, americani naturalizzati (*per es.*, **German-Americans**) □ **hyphenated words**, parole composte, che si scrivono con un trattino.

hyphenation /ˌhaɪfəˈneɪʃn/ n. ⓤ unione (*di due parole*) mediante un trattino.

hypnagogic, **hypnogogic** /ˌhɪpnəˈɡɒdʒɪk/ a. (*psic.*) ipnagogico.

hypnology /hɪpˈnɒlədʒɪ/ n. ⓤ (*scient.*) ipnologia.

hypnopedia /ˌhɪpnəˈpiːdɪə/ n. ⓤ ipnopedia.

hypnosis /hɪpˈnəʊsɪs/ n. ⓤ (*psic.*) ipnosi.

hypnotherapy /ˌhɪpnəˈθɛrəpɪ/ (*med.*) n. ⓤ ipnoterapia || **hypnotherapist** n. ipnoterapista.

hypnotic /hɪpˈnɒtɪk/ Ⓐ a. ipnotico: **in a h. state**, in stato ipnotico Ⓑ n. **1** (*farm.*) ipnotico; sonnifero **2** persona ipnotizzata; soggetto facilmente ipnotizzabile | -**ally** avv.

hypnotism /ˈhɪpnətɪzəm/ (*psic.*) n. ⓤ ipnotismo || **hypnotist** n. ipnotizzatore, ipnotizzatrice.

hypnotization /ˌhɪpnətaɪˈzeɪʃn, USA -tɪˈz-/ n. ⓤ (*psic.*) ipnotizzazione.

to **hypnotize** /ˈhɪpnətaɪz/ v. t. (*anche fig.*) ipnotizzare.

hypnotizer /ˈhɪpnətaɪzə(r)/ n. ipnotizzatore, ipnotizzatrice.

hypo ① /ˈhaɪpəʊ/ n. ⓤ (abbr. di **sodium hyposulfite**) (*comm.*, *fotogr.*) iposolfito (*o tiosolfato*) di sodio.

hypo ② /ˈhaɪpəʊ/ n. (pl. **hypos**) (abbr. di **hypodermic**) (*fam.*, *med.*) iniezione (*o siringa*) ipodermica.

hypoallergenic /ˌhaɪpəʊæləˈdʒɛnɪk/ a. ipoallergenico.

hypoblast /ˈhaɪpəblɑːst/ n. (*biol.*) ipoblasto.

hypocaust /ˈhaɪpəkɔːst/ n. (*archeol.*) ipocausto.

hypocentre, (*USA*) **hypocenter** /ˈhaɪpəʊsɛntə(r)/ n. (*geol.*) ipocentro.

hypochlorhydria /ˌhaɪpəklɔːˈhaɪdrɪə/ n. ⓤ (*med.*) ipocloridria.

hypochlorite /ˌhaɪpəˈklɔːraɪt/ (*chim.*) n. ⓒⓤ ipoclorito || **hypochlorous** a. ipocloroso: **hypochlorous acid**, acido ipocloroso.

hypochondria /ˌhaɪpəˈkɒndrɪə/ (*psic.*) n. ⓤ ipocondria || **hypochondriac** a. e n. ipocondriaco || **hypochondriacal** a. ipocondriaco || **hypochondriasis** n. ⓤ ipocondria.

hypochondrium /ˌhaɪpəˈkɒndrɪəm/ n. (pl. **hypochondria**) (*anat.*) ipocondrio.

hypocrisy /hɪˈpɒkrəsɪ/ n. ⓤ ipocrisia.

hypocrite /ˈhɪpəkrɪt/ n. ⓒ ipocrita.

hypocritical /ˌhɪpəˈkrɪtɪkl/ a. ipocrita; falso | -**ly** avv.

hypocycloid /ˌhaɪpəˈsaɪklɔɪd/ n. (*mat.*) ipocicloide.

hypoderm /ˈhaɪpədɜːm/ n. → **hypoderma** e **hypodermis**.

hypoderma /ˌhaɪpəˈdɜːmə/ n. (pl. **hypodermas**, **hypodermata**) **1** (*zool.*) ipoderma **2** (*bot.*) ipodermide.

hypodermic /ˌhaɪpəˈdɜːmɪk/ Ⓐ a. (*med.*, *anat.*) ipodermico: **a h. injection**, un'iniezione ipodermica; **h. needle**, ago ipodermico; **h. syringe**, siringa ipodermica Ⓑ n. iniezione (*o siringa*) ipodermica.

hypodermis /ˌhaɪpəˈdɜːmɪs/ n. ⓤ (*bot.* e *zool.*) ipodermide.

hypodermoclysis /ˌhaɪpədəˈmɒkləsɪs/ n. (pl. **hypodermoclyses**) (*med.*) ipodermoclisi.

hypogastrium /ˌhaɪpəˈɡæstrɪəm/ (*anat.*) n. (pl. **hypogastria**) ipogastrio || **hypogastric** a. ipogastrico.

hypogeal /ˌhaɪpəˈdʒiːəl/, **hypogean** /ˌhaɪpəˈdʒiːən/, **hypogeous** /ˌhaɪpəˈdʒiːəs/ a. (*scient.*) ipogeo; sotterraneo: **h. fauna**, fauna ipogea.

hypogeum /ˌhaɪpəˈdʒiːəm/ n. (pl. **hypogea**) (*archeol.*) ipogeo.

hypoglossal /ˌhaɪpəˈɡlɒsl/ Ⓐ a. (*anat.*) ipoglosso: **h. nerve**, nervo ipoglosso Ⓑ n. (nervo) ipoglosso.

hypoglottis /ˌhaɪpəˈɡlɒtɪs/ n. (*anat.*) ipoglottide.

hypoglycaemia, (*USA*) **hypoglycemia** /ˌhaɪpəʊɡlaɪˈsiːmɪə/ (*med.*) n. ⓤ ipoglicemia || **hypoglycaemic**, (*USA*) **hypoglycemic** a. e n. ipoglicemico.

hypogyny /haɪˈpɒdʒənɪ/ (*bot.*) n. ⓤ ipoginia || **hypogynous** a. ipogino.

hypokalaemia, **hypokalemia** /ˌhaɪpəʊkəˈliːmɪə/ n. ⓤ (*med.*) ipokaliemia.

hyponym /ˈhaɪpənɪm/ (*ling.*) n. iponimo || **hyponymy** n. ⓤ iponimia.

hypophosphate /ˌhaɪpəˈfɒsfeɪt/ (*chim.*) n. ipofosfato.

hypophosphite /ˌhaɪpəˈfɒsfaɪt/ n. ipofosfito.

hypophysis /haɪˈpɒfəsɪs/ (*anat.*) n. (pl. **hypophyses**) ipofisi || **hypophyseal**, **hypophysial** a. ipofisario.

hypoplasia /ˌhaɪpəʊˈpleɪzɪə/ n. ⓤ (*med.*) ipoplasia.

hypostasis /haɪˈpɒstəsɪs/ (*med.*, *filos.*, *ling.*, *relig.*) n. (pl. **hypostases**) ipostasi || **hypostatic**, **hypostatical** a. ipostatico || **hypostatically** avv. ipostaticamente.

to hypostatize /haɪˈpɒstətaɪz/ (*filos.*, *relig.*) v. t. ipostatizzare || **hypostatization** n. ⓤ ipostatizzazione.

hypostyle /ˈhaɪpəstaɪl/ n. (*archit.*) ipostilo.

hyposulfite /haɪpəˈsʌlfaɪt/ (*USA*) → **hyposulphite**.

hyposulphite /haɪpəˈsʌlfaɪt/ n. ⓒⓤ **1** (*chim.*) iposolfito; idrosolfito **2** (*comm.*, *fotogr.*) iposolfito (*o* tiosolfato) di sodio.

hypotaxis /haɪpəˈtæksɪs/ (*ling.*) n. ⓤ ipotassi || **hypotactic** a. ipotattico.

hypotension /haɪpəʊˈtɛnʃn/ (*med.*) n. ⓤ ipotensione.

hypotensive /haɪpəʊˈtɛnsɪv/ **A** a. ipotensivo **B** a. e n. ipoteso **C** n. (*farm.*) ipotensivo.

hypotenuse /haɪˈpɒtənjuːz/, *USA* -nuːs/ n. (*geom.*) ipotenusa.

hypothalamus /haɪpəˈθæləməs/ n. (pl. **hypothalami**) (*anat.*) ipotalamo.

hypothec /haɪˈpɒθɪk/ (*leg.*) n. (*in Scozia, in Italia, ecc.*) (*cfr. ingl.* **mortgage**) ipoteca || **hypothecary** a. (*in Scozia, ecc.*) ipotecario.

to hypothecate /haɪˈpɒθəkeɪt/ v. t. (*in Scozia, ecc.*) ipotecare.

hypothecation /haɪpəˈθəˈkeɪʃn/ n. ⓤ (*in Scozia, ecc.*) iscrizione d'ipoteca.

hypothermia /haɪpəˈθɜːmɪə/ n. ⓤ **1** (*med.*) ipotermia **2** assideramento.

hypothesis /haɪˈpɒθəsɪs/ n. (pl. **hypotheses**) ipotesi.

to hypothesize /haɪˈpɒθəsaɪz/ v. i. e t.

fare ipotesi; ipotizzare.

hypothetical, **hypothetic** /haɪpəˈθɛtɪk(l)/ a. ipotetico | **-ly** avv.

hypothyroidism /haɪpəʊˈθaɪrɔɪdɪzəm/ (*med.*) n. ⓤ ipotiroidismo || **hypothyroid** a. e n. ipotiroideo.

hypotonia /haɪpəˈtəʊnɪə/ (*chim.*, *med.*) n. ⓤ ipotonia || **hypotonic** a. ipotonico.

hypotrophy /haɪˈpɒtrəfɪ/ n. ⓤ (*med.*) ipotrofia.

hypotyposis /haɪpəʊtaɪˈpəʊsɪs/ n. (pl. **hypotyposes**) (*retor.*) ipotiposi.

hypoventilation /haɪpəʊvɛntɪˈleɪʃn/ n. ⓤ (*med.*, *fisiol.*) ipoventilazione.

hypovitaminosis /haɪpəʊvɪtəmɪˈnəʊsɪs/ n. ⓤ (*med.*) ipovitaminosi.

hypoxia /haɪˈpɒksɪə/ n. ⓤ (*med.*) ipossia.

hypsography /hɪpˈsɒɡrəfɪ/ (*geogr.*) n. ⓤ ipsografia; scienza delle rilevazioni topografiche || **hypsographic** a. ipsografico: **hypsographic curves**, curve ipsografiche.

hypsometer /hɪpˈsɒmɪtə(r)/ (*geogr.*) n. ipsometro; misuratore di livello || **hypsometric**, **hypsometrical** a. ipsometrico || **hypsometry** n. ⓤ ipsometria.

hyrax /ˈhaɪəræks/ n. (pl. **hyraxes**, **hyraces**) (*zool.*, *Hyrax*) irace.

hyson /ˈhaɪsn/ n. ⓤ tè verde della Cina.

hy-spy /ˈhaɪspaɪ/ n. (*fam.*) nascondino; rimpiattino.

hyssop /ˈhɪsəp/ n. (*bot.*) **1** (*Hyssopus officinalis*) issopo **2** (*nella Bibbia*; *Capparis spinosa*)

cappero.

hysterectomy /hɪstəˈrɛktəmɪ/ n. (*chir.*) isterectomia.

hysteresis /hɪstəˈriːsɪs/ n. (pl. **hystereses**) (*elettron.*, *fis.*, *econ.*) isteresi.

hysteria /hɪˈstɪərɪə/ (*psic.*) n. ⓤ isterismo; isteria || **hysteric** **A** a. isterico **B** n. persona isterica || **hysterical** a. **1** (*psic.*) isterico: **hysterical laughter**, risata isterica **2** (*fam.*) che fa sbellicare dal ridere; spassosissimo || **hysterically** avv. **1** istericamente **2** (*fam.*, *rif. a risate*) irrefrenabilmente

hysterics /hɪˈstɛrɪks/ n. pl. (talora col verbo al sing.) (*fam.*) **1** attacco isterico; crisi isterica; crisi di nervi: **to go into** (*o* **to have**) **h.**, avere una crisi isterica **2** accesso di risa: **to be in h.**, sbellicarsi dalle risa; piegarsi in due dal ridere; *He had us in h.*, ci ha fatto morire dal ridere.

hysterography /hɪstəˈrɒɡrəfɪ/ n. ⓤ (*med.*) isterografia.

hysterology /hɪstəˈrɒlədʒɪ/ n. ⓤ (*med.*) isterologia.

hysteron proteron /ˈhɪstərɒnˈprɒtərɒn/ loc. n. (*greco*) (*ling.*) hysteron proteron; isterologia.

hysteroscope /ˈhɪstərəskəʊp/ (*med.*) n. isteroscopio || **hysteroscopy** n. ⓤⓒ isteroscopia.

hysterotomy /dummyfon/ (*med.*) n. ⓤⓒ isterotomia.

Hz abbr. (*fis.*, **hertz**) hertz.

a
b
c
d
e
f
g
h
i
j
k
l
m
n
o
p
q
r
s
t
u
v
w
x
y
z

i, I

I ① , i /aɪ/ n. (pl. *I's, i's; Is, is*) I, i (*nona lettera dell'alfabeto ingl.*) ● **i** for India, i come Imola □ (*edil.*) **I-bar** (o **I-beam**), trave a doppia T.

♦**I** ② /aɪ/ (*scritto sempre con l'iniziale maiuscola*) **A** pron. pers. 1ª pers. sing. **1** (sogg.) io: **you and I**, tu e io; io e te (*fam.*); *I am writing*, (io) sto scrivendo; (*lett.*) *It was I who did it*, sono stato io (*a farlo*)! **2** (*fam., improprio:* compl. ogg.) me: **between you and I**, fra te e me; detto tra noi **B** n. (*filos.*) io: **the I**, l'io ● **Here I am**, eccomi □ **He reads more books than I (do)**, legge più libri di me.

I ③ sigla **1** (**institute**) istituto **2** (**international**) internazionale **3** (**island** (o **isle**)) isola.

IA abbr. (*USA*, **Iowa**) Iowa.

IAAF sigla (**International Amateur Athletic Federation**) (*ora* **International Association of Athletics Federations**) Federazione internazionale di atletica leggera.

IAEA sigla (*ONU*, **International Atomic Energy Agency**) Agenzia internazionale per l'energia atomica (*Austria*).

iamb /'aɪæm(b)/ n. (*poesia*) giambo.

iambic /aɪ'æmbɪk/ (*poesia*) **A** a. giambico: **i. verse**, verso giambico **B** n. verso giambico.

iambus /aɪ'æmbəs/ n. (pl. *iambuses, iambi*) (*poesia*) giambo.

IANAL sigla (*Internet, telef.*, **I am not a lawyer**), non sono un avvocato.

IATA sigla (**International Air Transport Association**) Associazione internazionale del trasporto aereo.

iatrogenesis /aɪætrəʊ'dʒenəsɪs/ n. (*med.*) iatrogenesi.

iatrogenic /aɪætrəʊ'dʒenɪk/ (*med.*) a. iatrogeno ‖ **iatrogenicity** n. ⓤ iatrogenicità.

Iberian /aɪ'bɪərɪən/ a. e n. iberico.

ibex /'aɪbɛks/ n. (pl. *ibex, ibexes*) (*zool., Capra ibex*) stambecco; ibice (*raro*).

ibidem /'ɪbɪdɛm, ɪ'baɪ-/ (*lat.*) avv. (abbr. **ibid.**) ibidem; nello stesso luogo (*nelle citazioni*).

ibis /'aɪbɪs/ n. (pl. *ibis, ibises*) (*zool., Threskiornis*) ibis.

IBRD sigla (**International Bank for Reconstruction and Development**) Banca internazionale per la ricostruzione e lo sviluppo (BIRS).

IC sigla **1** (*elettron.*, **integrated circuit**) circuito integrato **2** (*GB, Irlanda*, **Information Commissioner**) Garante della libertà di informazione e della privacy.

i/c sigla (**in charge** (o **in command**)) responsabile; comandante.

ICANN sigla (*comput.*, **Internet Corporation for Assigned Names and Numbers**) ICANN (*corporazione non-profit addetta all'assegnazione di indirizzi IP, gestione di nomi di dominio, ecc.*).

ICAO sigla (**International Civil Aviation Organization**) Organizzazione internazionale per l'aviazione civile.

Icarus /'ɪkərəs/ n. (*mitol.*) Icaro ‖ **Icarian** a. icario (*lett.*); d'Icaro.

ICBM sigla (*mil.*, **intercontinental ballistic missile**) missile balistico intercontinen-

---

tale.

ICC sigla **1** (**International Chamber of Commerce**) Camera di commercio internazionale (CCI) **2** (**International Cricket Council**) Consiglio internazionale del cricket.

♦**ice** /aɪs/ **A** n. **1** ⓤ ghiaccio: **ice bucket**, secchiello per il ghiaccio; *My hands were like ice*, avevo le mani di ghiaccio **2** (= **ice cream**) gelato **3** (*anche* **water ice**) sorbetto **4** ⓤ (*fam. USA*) gioielli, diamanti (collett.) **5** (*pattinaggio artistico*) – **the ice**, la pista: **to take the ice**, scendere in pista **6** (*hockey su ghiaccio*) campo di gioco: **to leave the ice**, essere espulso **7** (*slang USA*) bustarella; pizzo; tangente **B** a. attr. **1** di ghiaccio **2** per (*o* da, del) ghiaccio: **ice bag**, borsa del ghiaccio **3** (*geogr.*) glaciale: (*geol.*) **ice age**, era glaciale ● (*alpinismo*) **ice axe**, piccozza (da ghiaccio) □ (*geogr.*) **the ice barrier**, la barriera dei ghiacci □ **ice beer**, birra che è stata congelata durante la fabbricazione (*per aumentarne il contenuto alcolico*) □ **ice-boat** → **iceboat** □ **ice-bound**, bloccato (o imprigionato) dai ghiacci; ostruito dal ghiaccio; (*di lago, ecc.*) completamente ghiacciato □ (*geogr.*) **ice cap**, calotta glaciale □ (*un tempo*) **ice-chest**, ghiacciaia (*il mobile*) □ **ice-cold**, ghiacciato, ghiaccio, gelato, freddissimo; (*fig.*) gelido, glaciale: **an ice-cold beer**, una birra ghiacciata; **ice-cold hands**, mani ghiacce □ **ice cream** → **ice-cream** □ **ice cube**, cubetto di ghiaccio □ (*sport*) **ice dancing**, danza sul ghiaccio (*con i pattini*) □ (*geogr.*) **ice-fall**, falda ghiacciata; vedretta □ (*geogr.*) **ice field**, campo di ghiaccio; (*anche*) banchisa □ **ice-fishing**, pesca attraverso un foro aperto nel ghiaccio □ (*naut.*) **ice floe**, blocco di ghiaccio galleggiante □ (*geogr.*) **ice foot**, «ice-foot»; piattaforma di ghiaccio □ **ice-free**, libero (o sgombro) da ghiaccio (*o dai ghiacci*) □ (*sport*) **ice hockey**, hockey su ghiaccio □ **ice house**, ghiacciaia (*costruita sottoterra*) □ (*alim.*) **ice lolly**, ghiacciolo □ **ice-machine**, macchina per fare il ghiaccio □ **ice needle**, ago di ghiaccio □ **ice-out**, disgelo (*di un fiume e sim.*) □ **ice pack**, borsa del ghiaccio; (*geogr.*) pack, banchisa □ **ice pail**, secchiello del ghiaccio □ **ice plant**, (*ind.*) fabbrica del ghiaccio; (*bot., Mesembryanthemum cristallinum*) erba cristallina; erba diacciola □ (*fis.*) **ice point**, temperatura del ghiaccio fondente □ (*sport*) **ice race**, corsa (*in motocicletta o in macchina*) sul ghiaccio □ (*sport*) **ice-rink**, pista di ghiaccio; pattinatoio □ **ice-run**, (*geogr.*) disgelo, deflusso glaciale; (*sport*) pista per toboga □ (*geogr.*) **ice sheet**, coltre glaciale □ **ice show**, rivista sul ghiaccio (*spettacolo artistico*) □ **ice skate**, pattino da ghiaccio □ (*sport*) **ice-skater**, pattinatore (su ghiaccio) □ (*sport*) **ice-skating**, pattinaggio su ghiaccio □ (*geogr.*) **ice stream**, corrente di ghiaccio □ **ice tongs**, mollette per il ghiaccio □ (*geogr.*) **ice tongue**, lingua glaciale □ **ice-wall**, parete di ghiaccio □ **ice water**, acqua ghiacciata (*da bere*) □ (*sport*) **ice yacht**, slitta a vela □ (*sport*) **ice-yachting**, sport della slitta a vela □ (*fig.*) **to break the ice**, rompere il ghiaccio □ (*fig.*) **to cut no ice with sb.**, lasciare q. indifferente; non fare nessun effet-

---

to su q.; non fare né caldo né freddo a q. □ **on ice**, in ghiaccio; sul ghiaccio; (*fig. fam.*) da parte, in sospeso; (*pop.*) al fresco, in gattabuia: *Keep the drinks on ice!*, tieni in ghiaccio le bibite!; *My plan was put on ice*, il mio progetto fu messo da parte (*o fu congelato*) □ (*fig.*) **to be (skating) on thin ice**, trovarsi in una situazione rischiosa; camminare sul filo del rasoio (*fig.*).

to ice /aɪs/ **A** v. t. **1** ghiacciare; congelare **2** coprire di ghiaccio; mettere in ghiaccio **3** (*cucina*) glassare: **to ice a cake**, glassare una torta **4** (*slang USA*) uccidere; freddare; far fuori (*pop.*) **5** (*slang USA*) (*spesso* **to ice out**) snobbare, ignorare (q.) **B** v. i. **1** (*spesso* **to ice up**, **to ice over**) ghiacciare; gelare: *The lake had iced over*, il lago si era gelato **2** ghiacciarsi; ricoprirsi di ghiaccio ● **to be icing**, (*di bevanda*) essere in ghiaccio (o in frigo); (*fig.*) essere in preparazione □ (*di una persona*) **to be iced in**, essere bloccato dal ghiaccio.

ICE sigla (*fam.*, **in case of emergency**) in caso di emergenza (*spec. accanto a una voce in rubrica*).

iceberg /'aɪsbɜːɡ/ n. **1** iceberg **2** (*fig. slang*) pezzo di ghiaccio; persona fredda, impassibile ● (*fig.*) **the tip of the i.**, la punta dell'iceberg.

iceblink /'aɪsblɪŋk/ n. **1** ⓤ riflesso (o riverbero) del ghiaccio (*all'orizzonte*) **2** parete di ghiaccio sulla costa.

iceboat /'aɪsbəʊt/ n. **1** slitta a vela **2** (*nave*) rompighiaccio.

icebox /'aɪsbɒks/ n. **1** (*un tempo*) ghiacciaia (*il mobile*) **2** (*fam. USA*) frigorifero **3** (*di frigorifero*) comparto per alimenti surgelati; freezer **4** (*slang USA*) gattabuia; prigione; cella d'isolamento **5** (*slang USA*) camera mortuaria.

icebreaker /'aɪsbreɪkə(r)/ n. (*naut.*) (*nave*) rompighiaccio.

♦**ice-cream**, **ice cream** /'aɪskriːm/ n. gelato: **vanilla ice-cream**, un gelato alla vaniglia ● (*USA*) **ice-cream bar**, mattonella di gelato ricoperta di cioccolato (*cfr. ingl.* **choc ice**, *sotto* **choc**) □ **ice-cream freezer**, gelatiera □ **ice-cream man** (o **vendor**), gelataio □ **ice-cream parlour** □ **ice-cream soda**, gelato con soda e sciroppo di frutta □ **ice-cream van**, camioncino dei gelati.

iced /aɪst/ a. **1** ghiacciato; coperto dal ghiaccio **2** ghiacciato; gelato; freddo (*di frigorifero*): **i. tea**, tè freddo **3** (*cucina: di dolce e sim.*) glassato **4** (*slang USA: di un affare, ecc.*) sistemato.

Iceland /'aɪslənd/ n. (*geogr.*) Islanda ● (*bot.*) **I. lichen** (o **I. moss**) (*Cetraria islandica*), lichene d'Islanda □ (*miner.*) **I. spar**, spato d'Islanda ‖ **Icelander** n. islandese.

Icelandic /aɪs'lændɪk/ **A** a. islandese **B** n. (lingua) islandese.

icemaker /'aɪsmeɪkə(r)/ n. reparto (*di frigorifero*) che fa i cubetti di ghiaccio.

iceman /'aɪsmæn/ n. (pl. *icemen*) **1** «uomo del ghiaccio»; chi fa (o vende, consegna) il ghiaccio **2** (*sport*) chi fa dell'alpinismo su ghiaccio **3** (*slang USA*) ladro di gioielli **4** (*slang USA*) assassino; sicario.

icepick /'aɪspɪk/ n. punteruolo da ghiac-

cio.

to **ice-skate** /ˈaɪ(s)skeɪt/ v. i. (*sport*) pattinare (sul ghiaccio).

ichneumon /ɪkˈnjuːmən, *USA* -nuː-/ n. (*zool.*, *Herpestes ichneumon*) mangusta icneumone ● (*zool.*) **i. fly** (*Ichneumon*), icneumonide (*imenottero*).

ichnography /ɪkˈnɒɡrəfɪ/ n. icnografia ‖ **ichnographic** a. icnografico.

ichor /ˈaɪkɔː(r)/ (*mitol.*, *med.*) n. icore ‖ **ichorous** a. icoroso.

ichthyology /ɪkθɪˈɒlədʒɪ/ n. ⓤ ittiologia ‖ **ichthyological**, **ichthyologic** a. ittiologico ‖ **ichthyologist** n. ittiologo.

ichthyosaur /ˈɪkθɪəsɔː(r)/, **ichthyosaurus** /ɪkθɪəˈsɔːrəs/ n. (*paleont.*) ittiosauro.

ichthyosis /ɪkθɪˈəʊsɪs/ (*med.*) n. ⓒⓤ ittiosi ‖ **ichthyotic** a. ittiotico.

icicle /ˈaɪsɪkl/ n. ghiacciolo: '*When icicles hang by the wall*' W. SHAKESPEARE, 'quando i ghiaccioli pendono dal muro' ‖ **icicled** a. coperto di ghiaccioli.

icily /ˈaɪsɪlɪ/ avv. gelidamente; con grande freddezza.

iciness /ˈaɪsɪnəs/ n. ⓤ **1** gelidità (*raro*); freddo glaciale **2** (*fig.*) gelidezza; freddezza.

icing /ˈaɪsɪŋ/ n. **1** (*cucina*) glassa **2** (*meteor.*) gelicidio; galaverna, calaverna **3** formazione (*o* incrostazione) di ghiaccio (*per es., sulle ali d'un aereo*) ● **i. sugar**, zucchero a velo □ **to put the i. on the cake**, mettere la glassa sulla torta; (*fig.*) dare il tocco finale □ (*fig.*) **It's the i. on the cake!**, è la ciliegina sulla torta!

ICJ sigla (*ONU*, **International Court of Justice**) Corte internazionale di giustizia (CIG).

icky /ˈɪkɪ/ a. (*fam. USA*) **1** sdolcinato; svenevole; stucchevole **2** appiccicoso **3** disgustoso; repellente ● **i.-poo**, disgustoso; schifoso.

ICO sigla (*GB, Irlanda*, **Information Commissioner's Office**) Ufficio del Garante della libertà di informazione e della privacy.

icon /ˈaɪkɒn/ n. **1** icona **2** (*fig.*) idolo; personaggio: **Eighties pop i.**, icona pop degli anni Ottanta **3** (*comput., pubbl.*) icona: *Click on the printer i. on the toolbar*, clicca sull'icona della stampante dalla barra degli strumenti ● (*comput.*) **i. menu**, menu a icone.

iconic /aɪˈkɒnɪk/ a. **1** iconico **2** (*fig.*) convenzionale; stereotipato.

iconoclasm /aɪˈkɒnəklæzəm/ n. ⓤ (*anche fig.*) iconoclastia.

iconoclast /aɪˈkɒnəklæst/ (*anche fig.*) n. iconoclasta ‖ **iconoclastic** a. iconoclastico.

iconography /aɪkəˈnɒɡrəfɪ/ n. ⓤ iconografia ‖ **iconographer** n. iconografo ‖ **iconographic**, **iconographical** a. iconografico.

iconolatry /aɪkəˈnɒlətrɪ/ n. ⓤ iconolatria.

iconology /aɪkəˈnɒlədʒɪ/ n. ⓤ iconologia.

iconoscope /aɪˈkɒnəskəʊp/ n. (*TV*) iconoscopio.

iconostasis /aɪkəˈnɒstəsɪs/ n. (pl. **iconostases**) (*archit., relig.*) iconostasi.

icosahedron /aɪkəʊsəˈhiːdrən/ (*geom.*) n. (pl. **icosahedrons**, **icosahedra**) icosaedro ‖ **icosahedral** a. icosaedrico.

ICT sigla (*comput.*, **information and communications technologies**) tecnologie dell'informazione e della comunicazione.

icterus /ˈɪktərəs/ (*med.*) n. ⓤ itterizia; ittero ‖ **icteric** a. itterico.

ictus /ˈɪktəs/ n. **1** (*poesia, mus.*) ictus **2** (*med.*) ictus; attacco.

ICU sigla (**intensive care unit**) unità di terapia intensiva (UTI).

icy /ˈaɪsɪ/ a. **1** ghiacciato; gelido; freddissimo: **icy roads**, strade ghiacciate **2**

(*fig.*) gelido; freddo: **an icy reception**, un'accoglienza gelida.

id /ɪd/ n. (*psic.*) id; Es.

ID sigla **1** (*USA*, **Idaho**) Idaho **2** (**identification**) identificazione **3** (*scient., relig.*, **intelligent design**) disegno intelligente.

id. abbr. (*lat.*: *idem*) (**the same**) lo stesso; idem (id.).

I'd /aɪd/ contraz. di: **1 I had 2 I would**.

I-D card /aɪˈdiːkɑːd/ loc. n. = **identity card** → **card**①, *def.* 10.

IDE sigla **1** (*comput.*, **integrated development environment**), IDE (*ambiente di sviluppo integrato per la programmazione*) **2** (*comput.*, **integrated drive electronics**) → **ATA**.

♦**idea** /aɪˈdɪə/ n. **1** idea; pensiero; opinione: *I have no i.* (*as to*) *what you mean*, non ho idea di quel che tu vogli dire; *I have no i.*, non ho idea; non saprei; **to form an i. of st.**, farsi un'idea di qc.; *Put the i. to the kids and see what they say*, proponi l'idea ai bambini e vedi cosa dicono; *That's a good i.!*, è una buona idea!; **to force one's ideas on sb.**, imporre le proprie opinioni a q. **2** concetto; nozione: **the i. of freedom**, il concetto di libertà **3** intenzione; proposito ● (*USA, spesso iron.*) **the big i.**, idea grandiosa; trovata; alzata d'ingegno □ **to get an i. of st.**, farsi un'idea di qc.; *You'd have to play the game to get the i.*, devi giocare per fartene un'idea □ **to get the i. that...**, farsi l'idea che... □ **to get ideas into one's head**, mettersi idee (*o* fantasie) in testa; farsi delle illusioni □ **to have an i.**, avere idea: *I have an i. that they will agree to our proposal*, ho idea che accoglieranno la nostra proposta □ **one's i.**, la propria idea; il modo ideale per q.: *Watching TV is not my i. of an enjoyable evening*, per me guardare la tivù non è il modo ideale di passare una bella serata; guardare la tivù non è esattamente ciò che intendo per passare una bella serata □ **to put ideas in sb.'s head**, mettere (delle) idee in testa a q. □ **the very i.**, il solo pensiero: *The very i. of flying makes me sick*, solo a pensare di volare mi sento male □ **The very i. of it!**, neanche per idea!; nemmeno per sogno! □ **That's the (big) i.!**, così va bene!; continua così! □ (*fam.*) **What's the (big) i.?**, cosa ti salta in mente?

♦**ideal** /aɪˈdɪəl/ a. e n. ideale: **an i. house**, una casa ideale; **to live up to one's ideals**, realizzare (*o* raggiungere) i propri ideali ● **i. characters**, personaggi immaginari □ (*fis.*) **i. gas**, gas perfetto (*o* ideale) □ (*mat.*) **i. line**, retta impropria (*o* all'infinito) □ **It's not the i. situation!**, c'è poco da stare allegri!

idealism /aɪˈdɪəlɪzəm/ (*anche arte, filos.*) n. ⓤ idealismo ‖ **idealist** n. idealista ‖ **idealistic** a. idealistico.

ideality /aɪdɪˈælətɪ/ n. ⓤ **1** idealità **2** facoltà d'ideare.

to **idealize** /aɪˈdɪəlaɪz/ Ⓐ v. t. idealizzare Ⓑ v. i. essere un idealista ‖ **idealization** n. ⓤ idealizzazione.

♦**ideally** /aɪˈdɪəlɪ/ avv. **1** perfettamente: **i. situated**, in una posizione ideale **2** – *I., we should use...*, l'ideale sarebbe di usare...

❶ FALSI AMICI ● **ideally** *non significa* idealmente.

to **ideate** /ˈaɪdɪeɪt/ v. t. e i. ideare; immaginare; concepire.

ideation /aɪdɪˈeɪʃn/ n. ⓤ ideazione (*anche psic.*); immaginazione ‖ **ideational** a. (*psic.*) ideatorio.

idée fixe /iːdeɪˈfiːks/ (*franc.*) loc. n. (pl. **idées fixes**) idea fissa; (*psic.*) monomania.

idem /ˈɪdem, ˈaɪ-/ (*lat.*) pron. e a. idem; lo stesso (*autore, opera*); la stessa (*cosa*).

identic /aɪˈdentɪk/ a. (*spec. in diplomazia*) identico: **i. note**, nota identica.

identical /aɪˈdentɪkl/ a. **1** identico (*anche mat.*): *The two brothers look i.*, i due fratelli sono identici; *This dress is i. with* (*o to*) *mine*, questo vestito è identico al mio **2** medesimo; stesso; proprio: *This is the i. spot where the accident happened*, questo è proprio il punto in cui accadde l'incidente ● (*biol.*) **i. twins**, gemelli monozigotici | **-ly** avv. | **-ness** n. ⓤ.

identifiable /aɪdentɪˈfaɪəbl/ a. identificabile.

identification /aɪdentɪfɪˈkeɪʃn/ n. ⓒⓤ (*anche psic., comput., ecc.*) identificazione ● **i. bracelet**, braccialetto con piastrina di riconoscimento □ **i. card**, tessera di riconoscimento; (*USA*) carta d'identità □ (*mil., un tempo*) **i. disc**, piastrina di riconoscimento □ **i. mark**, contrassegno □ **i. number**, (*comput.*) identificativo (*del cliente*); (*fisc.*) numero di codice fiscale □ (*autom.*) **i. numbers**, numero d'immatricolazione □ (*leg., comm.*) **i. of the goods**, specificazione della merce (*nella compravendita*) □ (*leg.*) **i. parade**, confronto all'americana □ (*leg.*) **i. tag**, (*di un bagaglio, ecc.*) etichetta, scontrino; (*mil., USA*) → **i. disc**.

identifier /aɪˈdentɪfaɪə(r)/ n. **1** identificatore, identificatrice **2** (*comput.*) identificatore; identificativo.

♦to **identify** /aɪˈdentɪfaɪ/ v. t. **1** identificare; giudicare identico; riconoscere: **to i. a criminal**, identificare un criminale; **to i. one's luggage**, riconoscere il proprio bagaglio; *Never i. dreams with reality*, non identificare i sogni con la realtà! **2** (*biol.*) classificare ● **to i. oneself to sb.**, farsi identificare (*o* riconoscere) da q. □ **to i. with**, identificarsi con (*un personaggio e sim.*) □ **to i. oneself with**, identificarsi con (*anche psic.*); (*fig.*) dare appoggio incondizionato a: *The minister refused to i. himself with such a policy*, il ministro non volle dare il suo appoggio a tale politica.

identikit /aɪˈdentɪkɪt/ n. (*anche fig.*) identikit.

♦**identity** /aɪˈdentɪtɪ/ n. ⓒⓤ (*anche mat.*) identità ● **i. card**, carta d'identità (*usata in USA; in GB, soltanto nel periodo bellico*); tessera di riconoscimento (*di associazioni, ecc.*) □ (*psic.*) **i. crisis**, crisi d'identità □ (*mil.*) **i. disc**, piastrina di riconoscimento □ (*mat.*) **i. matrix**, matrice identica □ (*leg.*) **i. parade**, confronto all'americana □ (*leg.*) **i. theft**, furto di identità □ **a case of mistaken i.**, un errore di persona.

ideogram /ˈɪdɪəɡræm/, **ideograph** /ˈɪdɪəɡraːf/ n. ideogramma.

ideography /ɪdɪˈɒɡræfɪ/ n. ⓤ ideografia ‖ **ideographic**, **ideographical** a. ideografico ‖ **ideographically** avv. ideograficamente.

ideologue /ˈaɪdɪəlɒɡ/ n. (*spreg.*) persona affetta da ideologismi; ideologista (*raro*).

♦**ideology** /aɪdɪˈɒlədʒɪ/ n. ⓒⓤ ideologia ‖ **ideological**, **ideologic** a. ideologico ‖ **ideologically** avv. ideologicamente ‖ **ideologist** n. ideologo.

ideomotor /aɪdɪəˈməʊtə(r)/ a. attr. (*med.*) ideomotorio; psicomotorio.

ides /aɪdz/ n. pl. (col verbo al sing.) (*stor. romana*) idi: *the i. of March*, le idi di marzo.

id est /ɪdˈest/ loc. lat. cioè (*quasi sempre abbreviato in* i. e.).

idiocy /ˈɪdɪəsɪ/ n. **1** ⓤ (*med.*) idiozia; idiotismo; cretinismo **2** idiozia; azione (*o* osservazione) da idiota.

idioglossia /ɪdɪəˈɡlɒsɪə/ n. ⓤ (*med.*) idioglossia.

idiolect /ˈɪdɪəlekt/ n. (*ling.*) idioletto.

idiom /ˈɪdɪəm/ n. **1** idioma; linguaggio: **the Spanish i.**, l'idioma spagnolo **2** (*ling.*) idiotismo; espressione idiomatica; locuzione particolare; modo di dire **3** stile; linguaggio: **the neoclassical i.**, lo stile neoclassico

idiomatic /ɪdɪə'mætɪk/, **idiomatical** /ɪdɪə'mætɪkl/ a. **1** idiomatico; fraseologico: **i. expressions**, espressioni idiomatiche **2** ricco d'idiotismi: **an i. language**, un linguaggio ricco d'idiotismi | **-ally avv.**

idiopathy /ɪdɪ'ɒpəθɪ/ (med.) n. ⓤ idiopatia || **idiopathic** a. idiopatico.

idiosyncrasy /ɪdɪə'sɪŋkrəsɪ/ n. (anche med.) idiosincrasia.

idiosyncratic /ɪdɪəsɪŋ'krætɪk/ a. **1** (med.) di (o da) idiosincrasia; soggetto a idiosincrasie **2** eccentrico; stravagante **3** caratteristico; tipico.

idiot /'ɪdɪət/ n. **1** (psic.) idiota **2** idiota; imbecille, stupido ● (TV) **i. board**, gobbo □ (pop.) **i. box** (o **i.'s lantern**), il televisore.

idiotic /ɪdɪ'ɒtɪk/ a. idiota; stupido; stolto | **-ally avv.**

idiotism /'ɪdɪətɪzəm/ n. **1** ⓤ (psic.) idiotismo; idiozia **2** idiozia; azione (o osservazione) da idiota.

idle /'aɪdl/ ◆ **A.** a. **1** ozioso; pigro; indolente; infingardo; neghittoso: **an i. student**, uno studente pigro **2** inattivo; fermo: **i. machines**, macchine ferme **3** (fig.) ozioso; inutile; futile; vano: **an i. question**, una domanda oziosa (o inutile); **i. tears**, lacrime vane; **an i. wish**, un desiderio vano **4** inattivo; disoccupato: **i. workmen**, operai disoccupati **5** (poet.) fermo; immobile: *'As i. as a painted ship / Upon a painted ocean'* S.T. COLERIDGE, 'immobile come una nave dipinta / su un mare dipinto' **B** n. (mecc.) minimo: (di un motore) **to run at i.**, girare al minimo ● (fin.) **i. balances**, saldi monetari infruttiferi □ (fin.) **i. capitals**, capitali inattivi □ **i. curiosity**, curiosità oziosa □ (fin.) **i. money**, moneta inattiva; risparmio amorfo □ **i. pulley**, puleggia folle □ **i. rumours**, voci infondate □ (autom., mecc.) **i. speed**, minimo □ (autom.) **i. speed cut-off**, interruzione del flusso del carburante in fase di rilascio □ (mecc.) **i. stroke**, corsa a vuoto □ **i. time**, (cronot.) tempo d'attesa (o d'ozio); (comput.) tempo d'inattività □ **i. wheel**, ruota di rinvio □ (autom., mecc.) **at i. speed**, al minimo; (anche) in fase di rilascio □ (fin.) **to lie i.**, essere infruttifero.

to **idle** /'aɪdl/ ◆ **A** v. i. **1** oziare; pigrire, impigrirsi **2** (mecc.: d'un motore) girare al minimo **3** (d'una macchina) girare a vuoto (o in folle) **B** v. t. **1** (USA) rendere inattivo: **to i. thousands of workers**, rendere inattivi migliaia di operai **2** (i. away), sciupare (o sprecare) nell'ozio: *Don't i. away the years of your youth*, non sprecare la gioventù nell'ozio **3** (autom., mecc.) far girare (o tenere) al minimo (un motore).

idleness /'aɪdlnəs/ n. ⓤ **1** ozio; pigrizia; inazione; indolenza; infingardaggine; neghittosità: **to live in i.**, vivere nell'ozio **2** (fig.) oziosità; futilità; inutilità; vanità **3** inattività; disoccupazione.

idler /'aɪdlə(r)/ n. **1** ozioso; pigro; fannullone; pigrone (fam.) **2** (mecc.) ingranaggio (o ruota) di rinvio **3** (mecc.) puleggia folle ● (autom.) **i. arm**, leva di rinvio □ (mecc.) **i. gear**, ruota folle (o intermedia) □ (mecc.) **i. pulley**, puleggia folle □ **i. wheel**, ruota di rinvio.

idling /'aɪdlɪŋ/ n. ⓤ **1** l'oziare; ozio **2** (mecc.) funzionamento a vuoto (o al minimo, in folle) ● (mecc.) **i. jet**, getto del minimo □ (di un motore) **i. speed**, minimo.

idly /'aɪdlɪ/ avv. **1** oziosamente; pigramente **2** (fig.) inutilmente.

idocrase /'aɪdəkreɪs/ n. (miner.) idocrasio; vesuvianite.

idol /'aɪdl/ n. (anche fig.) idolo: **teen i.**, idolo dei giovani ● (filos., di F. Bacone) **idols of the tribe** [cave], idola tribus [specus].

idolater /aɪ'dɒlətə(r)/ n. (anche fig.) idolatra (uomo).

idolatress /aɪ'dɒlətrɪs/ n. (anche fig.) idolatra (donna).

idolatrous /aɪ'dɒlətrəs/ a. **1** (relig.) idolatra **2** (anche fig.) idolatrico.

idolatry /aɪ'dɒlətrɪ/ n. ⓤ (anche fig.) idolatria || **idolatric** a. idolatrico; idolatra.

to **idolize** /'aɪdəlaɪz/ v. t. **1** idoleggiare; idolatrare || **idolization** n. ⓤ **1** l'idoleggiare; l'idolatrare **2** l'essere idolatrato || **idolizer** n. idolatra; chi idoleggia.

idyll, idyl /'ɪdl, 'aɪdl/ n. idillio; poesia semplice; poemetto pastorale || **idyllist** n. (letter.) scrittore d'idilli.

idyllic /ɪ'dɪlɪk, aɪ-/ a. idilliaco; idillico.

i.e. sigla (lat.: id est) **(that is)** cioè ● NOTA: *e.g. o i.e.?* → **e.g.**

IED sigla (mil., **improvised explosive device**), ordigno improvvisato.

IEEE /aɪtrɪpl'iː/ sigla (comput., **Institute of Electrical and Electronics Engineers**) Istituto di ingegneria elettrica ed elettronica.

IETF sigla (comput., **Internet Engineering Task Force**) IETF (organizzazione che definisce gli standard di Internet).

◆to **if** /ɪf, əf/ ◆ **A** cong. **1** se; nel caso che; posto che; quando: *If he comes, let me know*, se viene, avvisami; *I wouldn't go if I were you*, se fossi in te, non andrei; *If you freeze water, it expands*, l'acqua aumenta di volume se (o quando) la congeli **2** (al posto di **whether**: dubitativo) se: *I wonder if he is at home*, vorrei proprio sapere se è (o mi chiedo se sia) a casa **3** se; ammesso che: *If I am wrong, you are wrong too*, se ho torto io, (allora) hai torto anche tu **4** anche se; quand'anche: *I'll do it, (even) if I die in the attempt!*, lo farò, quand'anche dovessi morire nel tentativo **5** se; che: *I don't care if she's poor*, non me ne importa se è (o che sia) povera; *I'm sorry if he's angry*, mi dispiace che sia arrabbiato **B** n. se: *There are too many «ifs»*, ci sono troppi «se»; *If «ifs» and «ans» were pots and pans* (there'd be no trade for tinkers), con i «se» e i «casomai» non si risolve nulla ● **if anything**, se mai; semmai: *If anything, it's more difficult now*, semmai, ora è più difficile □ **if not**, se non, anche se non; (anche) se no, altrimenti, in caso contrario: *It was a nice lunch, if not the best I've ever had*, è stato un buon pranzo, se non il migliore che io abbia mai fatto; *I think I can come; if not, I'll get in touch with you*, penso di poter venire; altrimenti, mi metterò in contatto con te □ **if only**, se solo; se almeno: *If only he would help me!*, se almeno volesse aiutarmi!; *If only he could come!*, se (soltanto) potesse venire! □ **if so**, se è così; se le cose stanno così □ **if that**, se pure; al massimo: *He has done half his homework, if that*, avrà fatto al massimo la metà dei suoi compiti □ **if you like**, se vuoi; se vogliamo, se si vuole: *It's a defeat, if you like, more than a victory*, è una sconfitta, se vogliamo, più che una vittoria □ **as if**, come; quasi: *He walks as if he were drunk*, cammina come se fosse ubriaco; *As if you didn't know!*, come se tu non lo sapessi! □ **even if**, anche se: *Even if they insist, I won't accept their offer*, anche se insistono, non accetterò la loro offerta □ **it isn't as if**, non (è) che: *It isn't as if she weren't honest*, non che non sia onesta □ **He looks as if he hasn't slept in days**, ha l'aria di uno che non dorme da giorni □ **It looks as if he isn't coming**, sembra proprio che non venga □ **If he didn't do it!**, lo fece, eccome! ● NOTA: *if I were... o if I was...?* → **to be**.

IF sigla (fis., **intermediate frequency**) frequenza intermedia.

IFAD sigla (ONU, **International Fund for Agriculture Development**) Fondo internazionale per lo sviluppo dell'agricoltura.

iff sigla (mat., **if and only if**) se e solo se.

iffy /'ɪfɪ/ a. (fam.) in forse; aleatorio; pieno d'incertezze: **an i. project**, un progetto in forse; **an i. situation**, una situazione piena d'incertezze.

to **ig**, to **igg** /ɪg/ ◆ **A** v. t. (slang USA) ignorare **B** v. i. (slang USA) fare finta di nulla; fare l'indiano (pop.).

igloo /'ɪgluː/ n. (pl. **igloos**) igloo, iglù ● **i.-dweller**, abitatore d'iglù.

Ignatius /ɪg'neɪʃəs/ n. Ignazio.

igneous /'ɪgnɪəs/ a. igneo; (geol.) eruttivo: **i. rocks**, rocce ignee.

igniferous /ɪg'nɪfərəs/ a. ignifero (lett.).

ignis fatuus /'ɪgnɪs'fætʃuəs/ (lat.) loc. n. (pl. **ignes fatui**) (anche fig.) fuoco fatuo.

ignitable /ɪg'naɪtəbl/ a. accendibile; infiammabile || **ignitability** n. ⓤ infiammabilità.

to **ignite** /ɪg'naɪt/ ◆ **A** v. t. **1** accendere; incendiare; infiammare (anche fig.): **to i. fuel**, accendere il carburante; *His speech ignited the crowd*, il suo discorso infiammò la folla **2** (chim.) calcinare; incenerire **B** v. i. accendersi; prendere fuoco ● (mil.) **igniting fuse**, miccia d'accensione.

igniter /ɪg'naɪtə(r)/ n. (tecn.) accenditore.

ignitible /ɪg'naɪtəbl/ a. accendibile; infiammabile || **ignitibility** n. ⓤ infiammabilità.

ignition /ɪg'nɪʃn/ n. ⓤⓒ **1** (anche chim., mecc.) accensione; meccanismo d'accensione: *The i. is on*, l'accensione è inserita **2** (autom.) ignizione **3** (miss.) accensione: **3, 2, 1: i.!**, 3, 2, 1: accensione! ● (autom., elettr.) **i. coil**, bobina d'accensione □ (autom.) **i. key**, chiave dell'accensione □ (autom.) **i. plug**, candela □ (autom.) **i. switch**, blocchetto dell'accensione □ (autom., elettr.) **the i. system**, l'accensione (l'impianto).

ignitron /ɪg'naɪtrɒn/ n. (elettr.) ignitron.

ignobility /ɪgnəʊ'bɪlətɪ/ n. ⓤ ignobiltà.

ignoble /ɪg'nəʊbl/ a. ignobile; turpe; vile | **-ness** n. ⓤ | **-bly avv.**

ignominious /ɪgnə'mɪnɪəs/ a. ignominioso; infamante; vergognoso | **-ly avv.**

ignominy /'ɪgnəmɪnɪ/ n. **1** ⓤ ignominia; infamia; disonore **2** atto ignominioso; ignominia; infamia.

ignoramus /ɪgnə'reɪməs/ n. ignorantone, ignorantona.

ignorance /'ɪgnərəns/ n. ⓤ ignoranza: *I. of the law is no excuse*, non è ammessa l'ignoranza della legge; **from** (o **out of**, **through**) **i.**, per ignoranza ● **to be in i. of st.**, essere all'oscuro di qc.

ignorant /'ɪgnərənt/ a. **1** ignorante; rozzo: **an i. person**, una persona ignorante; **i. behaviour**, comportamento rozzo **2** ignaro: *He was quite i. of the fact*, era del tutto ignaro (o non sapeva nulla) del fatto ● **to be i. of Greek**, non sapere nulla di greco | **-ly avv.**

◆to **ignore** /ɪg'nɔː(r)/ v. t. **1** fingere (o far finta) di non conoscere (o di non vedere, di non sentire); non tener conto di; passare sotto silenzio; trascurare; ignorare: *Why are you ignoring me? perché mi ignori?*; *I ignored his insults*, feci finta di non udire i suoi insulti; (autom.) **to i. the speed limit**, non tener conto del limite di velocità; **to i. evidence**, non tener conto delle prove **2** (leg.) lasciar cadere (un'incriminazione) per mancanza di prove o falsità; dichiarare (un'accusa) irricevibile.

iguana /ɪ'gwɑːnə/ n. (zool., Iguana) iguana.

iguanodon /ɪ'gwɑːnədɒn/ n. (paleont.) iguanodonte.

IIRC abbr. (fam., Internet, **If I remember** (o **recall**) **correctly**), se ben ricordo.

ikebana /iːkeɪ'bɑːnə/ (giapponese) n. ⓤ ikebana.

IL abbr. (anche **Ill.**) (USA, **Illinois**) Illinois.

ileitis /ɪlɪˈaɪtɪs/ n. ⓤ (med.) ileite.

ileocaecal, ileocecal /ɪlɪəˈsiːkl/ a. (anat.) ileocecale.

ileocolitis /ɪlɪəkəˈlaɪtɪs/ n. ⓤ (med.) ileocolite.

ileostomy /ɪlɪˈɒstəmɪ/ n. ⓤⓒ (med.) ileostomia.

ileum /ˈɪlɪəm/ (anat.) n. (pl. **ilea**) ileo (parte dell'intestino) ‖ **ileal** a. ileale.

ileus /ˈɪlɪəs/ n. ⓤ (med.) ileo; occlusione intestinale.

ilex /ˈaɪlɛks/ n. (bot.) **1** (Quercus ilex) leccio; elce **2** (Ilex) agrifoglio ● **i. wood**, lecceto; elceto.

iliac /ˈɪlɪæk/ a. (anat.) iliaco: **i. artery**, arteria iliaca.

Iliad /ˈɪlɪəd/ n. (letter. greca) Iliade ● (fig.) **an I. of woes**, un'odissea di traversie.

ilium /ˈɪlɪəm/ n. (pl. **ilia**) (anat., antiq.) ilio.

Ilium /ˈɪlɪəm/ n. (stor., geogr.) Ilio.

ilk /ɪlk/ Ⓐ a. (spec. scozz.) ogni; ognuno Ⓑ n. (scozz.) famiglia, stirpe; (spreg. o scherz.) specie, razza, classe, categoria ● **of that ilk**, (spreg.) di quella classe, di quel tipo; (scherz.) di quel genere, dello stesso genere.

I'll /aɪl/ contraz. di: **1 I will 2 I shall.**

♦**ill** ① /ɪl/ Ⓐ a. (compar. **worse**, superl. relat. **worst**) **1** (di solito pred.) ammalato; malato; infermo; tormentato; infelice: My father is ill, mio padre è malato; He was ill with jealousy, era tormentato dalla gelosia **2** (sempre attr.) cattivo; dannoso; malefico; nocivo; sfavorevole: **ill health**, cattiva salute; **ill blood**, cattivo sangue; rancore; **ill temper** (o **ill nature**), cattivo carattere; **ill humour**, cattivo umore, malumore; **ill fame**, cattiva fama; **ill breeding**, cattiva educazione, maleducazione; **an ill omen**, un presagio sfavorevole; **to get ill news**, ricevere cattive notizie; **ill luck**, sorte avversa; malasorte **3** cattivo; errato; sbagliato; imperfetto: **ill management**, cattiva gestione, cattiva amministrazione (degli affari, ecc.); **ill success**, riuscita imperfetta **4** in cattive condizioni (di salute); messo male Ⓑ n. ⓒⓤ **1** (form.) male; cattiva azione: **to do ill**, fare del male; commettere cattive azioni **2** (pl.) mali; disgrazie; sventure: **social ills**, i mali della società ● **ill-being**, malessere □ **ill-considered**, sconsiderato; inappropriato □ **ill-defined**, mal delineato; vago □ **ill-doer**, malfattore □ **ill-doing**, malfatto; malefatta □ **ill feeling**, malumore, rancore, ostilità □ **ill-fitting**, (di vestiti) della misura sbagliata □ (fin.) **ill goodwill**, avviamento negativo □ **ill manners**, cattive maniere, maleducazione □ **ill-prepared**, impreparato □ **ill repute**, cattiva reputazione: **a place of ill repute**, un posto malfamato □ **ill treatment** (o **ill usage**), maltrattamento □ **ill will**, malevolenza; malanimo; astio; rancore; ostilità; inimicizia: **to bear sb. ill will**, avere del malanimo verso q.; avercela con q. □ **to do sb. an ill turn**, fare un brutto tiro a q.; rendere un cattivo servizio a q. □ **to fall** (o **to be taken**) **ill**, cadere ammalato; ammalarsi □ **to have ill luck**, essere sfortunato □ **house of ill fame**, casa di malaffare □ (prov.) **It's an ill wind that blows nobody any good**, non tutto il male vien per nuocere □ (prov.) **Ill weeds grow apace**, l'erba cattiva cresce in fretta.

ill ② /ɪl/ avv. (compar. **worse**, superl. relat. **worst**) **1** male; malamente; in malo modo; in mala parte; sfavorevolmente: **to speak ill of sb.**, dire male di q.; sparlare di q.; **to treat sb. ill**, trattar male q.; **to take st. ill**, prendere qc. in mala parte; aversene a male (o offendersi) per qc.; It will go ill with him, le cose andranno male per lui; se la passerà male a malapena; poco; scarsamente; non: **to be ill provided with st.**, es-

sere scarsamente provvisto di qc.; He can ill afford to refuse, non può permettersi di rifiutare **3** malevolmente; con malevolenza ● **ill-advised**, imprudente, malaccorto, sconsiderato □ **ill-affected**, maldisposto □ **ill-assorted**, mal assortito □ **to be ill at ease**, essere (o sentirsi) a disagio (o imbarazzato) □ **ill-behaved**, maleducato; sgarbato □ **ill-boding**, infausto, funesto □ **ill-bred**, maleducato; rozzo; sgarbato □ **ill-conditioned**, malevolo, maligno; in cattive condizioni di salute, malandato □ **ill-deserved**, immeritato □ **ill-disposed**, malevolo; maligno; maldisposto □ **ill-equipped**, (mil., ecc.) male equipaggiato; male attrezzato; (fig.) impreparato (a fare qc.) □ **ill-famed**, famigerato; tristemente famoso; malfamato □ **ill-fated**, infelice, sfortunato; che porta sfortuna, infausto □ **ill-favoured**, brutto, sgraziato; sgradito, sgradevole, offensivo □ **ill-fed**, malnutrito; denutrito □ **ill-fitted**, non adatto; inadatto □ (di un sospetto, ecc.) **ill-founded**, infondato □ **ill-geared**, (mecc.) mal collegato; (fig.) mal coordinato, scoordinato □ **ill-gotten**, male acquistato; disonesto: **ill-gotten gains**, guadagni disonesti □ **ill-grounded**, immotivato □ **ill-humoured**, di cattivo umore; bisbetico, stizzoso □ **ill-informed**, male informato □ **ill-intentioned**, malintenzionato □ **ill-judged**, imprudente; sconsiderato; malaccorto □ **ill-mannered**, maleducato; rozzo; sgarbato □ **ill-meaning**, malintenzionato □ **ill-natured**, di carattere cattivo; bisbetico, stizzoso □ **ill-omened**, malaugurato; nefasto; sfortunato □ **ill-starred**, nato sotto una cattiva stella; sfortunato □ **ill-suited**, non adatto; inadatto □ **ill-tempered**, bisbetico, irritabile; stizzoso □ **ill-timed**, intempestivo; inopportuno □ **ill-treated** (o **ill-used**), trattato male; maltrattato ● **ill usage**, maltrattamenti.

ill. abbr. **1** (**illustrated**) illustrato **2** (**illustration**) illustrazione.

illation /ɪˈleɪʃn/ n. ⓤⓒ illazione.

illative /ɪˈleɪtɪv/ a. e n. (ling.) illativo.

♦**illegal** /ɪˈliːgl/ a. **1** illegale; illecito: (leg.) **i. acts**, azioni illegali; (leg.) **i. consideration**, controprestazione illegale; **i. immigrants**, immigranti illegali (o clandestini); **i. strike**, sciopero illegale; **i. trade**, commercio illecito **2** (comput.) illegale; non ammesso: **i. operation**, operazione illegale ● (leg.) **i. housing**, abusivismo edilizio ‖ **illegality** n. ⓤⓒ illegalità ‖ **illegally** avv. illegalmente.

illegible /ɪˈlɛdʒəbl/ a. illeggibile; indecifrabile ‖ **illegibility** n. ⓤ illeggibilità ‖ **illegibly** avv. illeggibilmente.

illegitimacy /ɪlɪˈdʒɪtɪməsɪ/ n. ⓤ illegittimità.

illegitimate /ɪlɪˈdʒɪtɪmət/ Ⓐ a. **1** illegittimo; illecito; arbitrario **2** irragionevole; illogico; irregolare Ⓑ n. (figlio) illegittimo.

to illegitimate /ɪlɪˈdʒɪtɪmeɪt/ v. t. dichiarare illegittimo.

illiberal /ɪˈlɪbərəl/ a. illiberale; ingeneroso; gretto; meschino ‖ **illiberality** n. ⓤ illiberalità; grettezza; meschinità ‖ **illiberally** avv. illiberalmente; ingenerosamente.

illicit /ɪˈlɪsɪt/ a. illecito; illegale ● (leg.) **i. consideration**, controprestazione illecita | **-ly** avv. | **-ness** n. ⓤ ❶ NOTA: elicit o illicit? → **elicit**.

illimitable /ɪˈlɪmɪtəbl/ a. illimitato; sconfinato; enorme: **i. space**, spazio illimitato; **i. wealth**, enorme ricchezza ‖ **illimitability** n. ⓤ illimitatezza ‖ **illimitably** avv. illimitatamente.

illiquid /ɪˈlɪkwɪd/ a. (fin.) a. illiquido; non liquido: **i. assets**, attività non liquide ‖ **illiquidity** n. ⓤ illiquidità.

illiteracy /ɪˈlɪtərəsɪ/ n. ⓤ **1** analfabetismo **2** ignoranza; mancanza d'istruzione **3** errore nel parlare o nello scrivere).

illiterate /ɪˈlɪtərət/ Ⓐ a. **1** analfabeta; illetterato; che non sa né leggere né scrivere **2** ignorante (in un campo specifico); analfabeta: **musically i.**, che non conosce la musica; ignorante in fatto di musica; He is politically i., è un analfabeta in politica **3** incolto; illetterato; ignorante **4** da persona incolta; scorretto: **i. writings**, scritti scorretti Ⓑ n. **1** analfabeta **2** persona incolta; individuo ignorante ‖ **illiterateness** → **illiteracy**, def. 1 e 2.

♦**illness** /ˈɪlnəs/ n. malattia; indisposizione; infermità; malanno.

illocutionary /ɪləˈkjuːʃənrɪ/ a. (ling.) illocutorio.

illogical /ɪˈlɒdʒɪkl/ a. illogico; assurdo | **-ly** avv. | **-ness** n. ⓤ.

illogicality /ɪlɒdʒɪˈkælɪtɪ/ n. ⓤⓒ illogicità; assurdità.

to ill-treat /ˈɪlˈtriːt/ v. t. maltrattare.

to illume /ɪˈluːm/ v. t. (poet., anche fig.) illuminare.

illuminance /ɪˈluːmɪnəns/ n. ⓤ (ottica) illuminamento.

illuminant /ɪˈluːmɪnənt/ Ⓐ a. illuminante Ⓑ n. **1** materiale illuminante; mezzo d'illuminazione **2** (raro) sorgente luminosa.

to illuminate /ɪˈluːmɪneɪt/ v. t. **1** illuminare (anche fig.); rischiarare; delucidare; chiarire: The house was beautifully illuminated for the party, la casa era splendidamente illuminata per la festa; **to i. a mysterious case**, chiarire un caso misterioso **2** illuminare a festa **3** miniare (un manoscritto).

illuminated /ɪˈluːmɪneɪtɪd/ a. illuminato ● (pubbl.) **i. sign**, insegna luminosa.

illuminating /ɪˈluːmɪneɪtɪŋ/ a. illuminante; (fig.) che delucida (o chiarisce) ● (un tempo) **i. gas**, gas illuminante.

illumination /ɪluːmɪˈneɪʃn/ n. ⓤ illuminazione **2** ⓤⓒ (fig.) delucidazione; chiarimento **3** (pl.) luminaria **4** ⓤⓒ miniatura (di libri e sim.) **5** (ottica) → **illuminance**.

illuminative /ɪˈluːmɪnətɪv/ a. illuminativo (raro); che illumina.

illuminator /ɪˈluːmɪneɪtə(r)/ n. **1** illuminatore **2** (fig.) delucidatore; chi chiarisce **3** miniatore; miniaturista.

to illumine /ɪˈluːmɪn/ v. t. (lett.; anche fig.) illuminare.

illuminism /ɪˈluːmɪnɪzəm/ (stor. filos.) n. ⓤ illuminatismo ‖ **illuminist** n. Illuminato (seguace di una setta illuministica).

to ill-use /ˈɪlˈjuːz/ v. t. maltrattare.

illusion /ɪˈluːʒn/ n. **1** ⓤ illusione: **optical i.**, illusione ottica **2** illusione; inganno; chimera **3** ⓤ (ind. tess.) tulle finissimo **4** (psic.) illusione ● **to cherish the i. that...**, cullarsi nell'illusione che... □ **to have no illusions about st.**, non farsi (delle) illusioni su qc. □ **to be under an i.**, farsi (delle) illusioni; sbagliarsi.

❶ NOTA: illusion o delusion?
Delusion non significa "delusione", ma "illusione" nel senso di una convinzione sbagliata, infondata: She labours under the delusion that she is the Queen, si illude di essere la Regina. Anche illusion significa "illusione", ma propriamente si riferisce a una percezione sbagliata, basata sui sensi: an optical illusion, un'illusione ottica; lighting that gives the illusion of extra space, illuminazione che dà l'illusione di maggior spazio.

illusionism /ɪˈluːʒənɪzəm/ n. ⓤ illusionismo.

illusionist /ɪˈluːʒənɪst/ n. illusionista.

illusive /ɪˈluːsɪv/ a. illusorio; ingannevole | **-ly** avv. | **-ness** n. ⓤ.

illusory /ɪˈluːsərɪ/ a. illusorio; ingannevole ● (stat.) **i. correlation**, correlazione illusoria | **-ly** avv. | **-iness** n. ⓤ.

◆to **illustrate** /ˈɪləstreɪt/ v. t. **1** illustrare; chiarire; delucidare; spiegare **2** illustrare; fornire d'illustrazioni (*libri e sim.*).

illustrated /ˈɪləstreɪtɪd/ **A** a. illustrato: **an i. catalogue** [**book**], un catalogo [un libro] illustrato **B** n. **1** quotidiano illustrato **2** rivista illustrata.

◆**illustration** /ɪləˈstreɪʃn/ n. **1** ☐ illustrazione; chiarimento; delucidazione; spiegazione **2** illustrazione; figura; disegno: **a book with many illustrations**, un libro con molte illustrazioni **3** dimostrazione; esempio (pratico): **by way of i.**, a mo' d'esempio.

illustrative /ˈɪləstrətɪv/ a. illustrativo ‖ **illustratively** avv. come illustrazione; a mo' d'esempio.

illustrator /ˈɪləstreɪtə(r)/ n. **1** illustratore (*di libri, ecc.*) **2** chi chiarisce; chi spiega; delucidatore.

illustrious /ɪˈlʌstrɪəs/ a. illustre; celebre; famoso; insigne ‖ **-ly** avv. ‖ **-ness** n. ☐.

illuviation /ɪluːvɪˈeɪʃn/ (*geol.*) n. ☐ illuviazione ‖ **illuvial** a. illuviale.

Illyria /ɪˈlɪərɪə/ n. (*stor., geogr.*) Illiria.

Illyrian /ɪˈlɪərɪən/ (*stor.*) **A** a. illirico **B** n. **1** abitante (*o* nativo) dell'Illiria **2** ☐ illirico (*la lingua*) ● **the Illyrians**, gli illiri.

ilmenite /ˈɪlmənaɪt/ n. ☐ (*miner.*) ilmenite.

ILO sigla (*ONU*, **International Labour Organization**) Organizzazione internazionale del lavoro (OIL).

ILS sigla (*aeron.*, **instrument landing system**) sistema di atterraggio strumentale.

I'm /aɪm/ contraz. di **I am**.

◆**image** /ˈɪmɪdʒ/ n. **1** immagine (*anche comput., fis., fotogr., mat., psic.*); effigie; figura; ritratto (*anche fig.*): *According to the Bible*, *man was created in God's i.*, secondo la Bibbia l'uomo fu creato a immagine di Dio; *You are the very* (*o spitting*) *i. of your father*, sei proprio il ritratto di tuo padre; **to speak in poetical images**, esprimersi con immagini poetiche **2** (*fig.*) immagine; esempio tipico; incarnazione; simbolo; specchio (*fig.*): *He is the i. of laziness*, è l'incarnazione della pigrizia **3** (*polit., pubbl.*) immagine: **i. building** (*o development*), creazione (*o miglioramento*) dell'immagine **4** (*retor.*) figura retorica ● (*polit., fam. USA*) **i. spill**, perdita di credibilità ☐ (*elettron.*) **i. tube**, tubo convertitore d'immagine ☐ **i. worship**, iconolatria.

to **image** /ˈɪmɪdʒ/ v. t. **1** (*raro*) effigiare; raffigurare; rappresentare; ritrarre **2** riflettere; rispecchiare **3** rappresentare; simboleggiare **4** immaginare, immaginarsi ● **to i. st. to oneself**, immaginarsi qc.

imageable /ˈɪmɪdʒəbl/ a. effigiabile; rappresentabile.

imageless /ˈɪmɪdʒləs/ a. privo d'immagini.

imagemap /ˈɪmɪdʒmæp/ n. (*comput.*) immagine mappata; mappa.

imagery /ˈɪmɪdʒrɪ/ n. ☐ **1** immagini; linguaggio immaginoso; figure retoriche: *Her poetry is rich in i.*, la sua poesia è ricca d'immagini **2** (*raro, arte*) figure; statuaria.

imaginable /ɪˈmædʒɪnəbl/ a. immaginabile ‖ **-bly** avv.

imaginal /ɪˈmædʒɪnl/ a. (*zool.*) immaginale; d'insetto perfetto.

imaginary /ɪˈmædʒɪnrɪ/ **A** a. (*anche mat.*) immaginario: **i. axis** [**number**], asse [numero] immaginario **B** n. (*mat.*) numero immaginario.

❶ Nota: *imaginary o imaginative?*

L'aggettivo *imaginary* significa "immaginario" in riferimento a persone o cose che non sono reali ed esistono solo nella fantasia: *an imaginary danger*, un pericolo immaginario. *Imaginary* non deve essere confuso con *imaginative*, che descrive invece persone o

idee originali, fantasiose o creative: *an imaginative designer*, uno stilista fantasioso, *imaginative writing*, scrittura creativa, *an imaginative scheme for a new concert hall*, un progetto fantasioso per una nuova sala da concerti.

◆**imagination** /ɪmædʒɪˈneɪʃn/ n. ☐ **1** (*filos., psic., letter.*) immaginazione: *'I. is more important than knowledge'* A. EINSTEIN, 'l'immaginazione è più importante della conoscenza' **2** immaginativa; fantasia: **to capture sb.'s i.**, colpire la fantasia di q. **3** parto della fantasia; frutto dell'immaginazione ● **Your pains are pure i.**, sei un malato immaginario.

imaginative /ɪˈmædʒɪnətɪv/ a. **1** immaginativo; immaginoso; fantasioso: **i. writers**, scrittori immaginosi **2** di fantasia: **an i. interpretation**, un'interpretazione di fantasia ‖ **-ly** avv. ‖ **-ness** n. ☐ **❶ Nota:** *imaginary o imaginative?* → **imaginary**.

◆to **imagine** /ɪˈmædʒɪn/ **A** v. t. **1** immaginare, immaginarsi; figurarsi; supporre: *I cannot i. what he is doing*, non riesco a immaginare che cosa stia facendo; *I imagined her a lot younger*, me la immaginavo molto più giovane **2** farsi un'idea di (qc.) **B** v. i. fare congetture; fantasticare ● **to i. things**, immaginare cose inesistenti ☐ **Just i. (it)!**, immagina un po'; te l'immagini? ☐ **Can you i. me living abroad?**, mi ci vedi a vivere all'estero?

imagineer /ɪmædʒɪˈnɪə(r)/ n. imagineer, sviluppatore di parchi di divertimento (*ideatore di nuove attrazioni, spettacoli, ecc.*) ‖ **imagineering** n. ☐ scienza della ricerca e dello sviluppo nel campo del divertimento.

imaginer /ɪˈmædʒɪnə(r)/ n. immaginatore; chi immagina.

imaging /ˈɪmɪdʒɪŋ/ n. ☐ (*fis.*) formazione d'immagini ● (*tecn.*) **i. radar**, radar topografico.

imaginings /ɪˈmædʒɪnɪŋz/ n. pl. (*lett.*) frutti dell'immaginazione; fantasie.

Imaginism /ɪˈmædʒɪnɪzəm/ n. (*letter. russa*) imaginismo.

imagism /ˈɪmɪdʒɪzəm/ (*letter.*) n. ☐ imagismo ‖ **imagist** n. imagista; poeta del gruppo degli imagisti (*movimento letterario del primo Novecento*).

imago /ɪˈmeɪɡəʊ/ n. (pl. *imagoes*, *imagines*) **1** (*zool.*) immagine; insetto perfetto **2** (*psic.*) imago.

imam /ɪˈmɑːm/ (*relig.*) n. imam; imano; iman ‖ **imamate** n. imanato.

IMAP sigla (*comput.*, **internet mail access protocol**) IMAP (*protocollo per l'accesso remoto a una casella di posta elettronica*).

imbalance /ɪmˈbæləns/ n. ☐ **1** squilibrio (mentale) **2** (*econ.*) squilibrio; sbilancio (*fig.*) squilibrio; sperequazione.

imbalanced /ɪmˈbælənst/ a. (*anche fig.*) sbilanciato.

imbecile /ˈɪmbəsiːl/ a. e n. **1** imbecille; deficiente; ebete; scemo; stupido **2** (*psic.*) (persona) debole di mente; imbecille ‖ **imbecility** n. ☐ **1** imbecillità; imbecillaggine; ebetismo; scemenza; stupidità **2** (*psic.*) debolezza di mente; imbecillità.

to **imbed** /ɪmˈbed/ → **to embed**.

to **imbibe** /ɪmˈbaɪb/ **A** v. t. **1** imbevere (*raro*); permearsi di (qc.); assorbire **2** (*fig.*) imbeversi di; assimilare: **to i. new theories**, imbeversi di teorie nuove **3** (*fam.*) bere: **to i. wine**, bere vino **4** (*chim.*) imbibire **B** v. i. **1** imbeversi; impregnarsi **2** (*fam.*) bere **3** (*chim.*) imbibirsi.

imbiber /ɪmˈbaɪbə(r)/ n. **1** chi assorbe (*chim., fis.*) imbibente **3** (*fig.*) assimilatore.

imbibition /ɪmbɪˈbɪʃn/ n. ☐ **1** (*chim.*) imbibizione; assorbimento **2** (*fig.*) assimilazione (*d'idee, ecc.*).

imbricate /ˈɪmbrɪkət/, **imbricated** /ˈɪmbrɪkeɪtɪd/ a. **1** (*bot., zool., geol.*) imbricato **2** embricato, imbricato; sovrapposto (*a mo' di tegole*).

to **imbricate** /ˈɪmbrɪkeɪt/ **A** v. t. mettere (*embrici, tegole, ecc.*) l'uno sull'altro; embricare; (*fig.*) sovrapporre **B** v. i. embricarsi.

imbrication /ɪmbrɪˈkeɪʃn/ n. ☐ (*anche geol.*) embricatura.

imbroglio /ɪmˈbrəʊlɪəʊ/ (*ital.*) n. (pl. **imbroglios**) imbroglio; situazione (*politica, teatrale, ecc.*) confusa; pasticcio.

to **imbrue** /ɪmˈbruː/ v. t. (*raro*) **1** bagnare; inzuppare **2** macchiare; tingere: **to i. one's hand in blood**, macchiarsi le mani di sangue.

to **imbue** /ɪmˈbjuː/ v. t. **1** imbevere; impregnare; permeare; saturare: *He is imbued with a sense of honour*, è permeato di senso dell'onore **2** (*raro*) macchiare; tingere **3** (*fig.*) infondere; instillare.

IMEI sigla (*tel.*, **International Mobile Equipment Identity**) (codice) IMEI (*numero identificativo di un telefono cellulare*).

IMF sigla (*ONU*, **International Monetary Fund**) Fondo monetario internazionale (FMI).

IMHO sigla (*fam.*, **in my humble opinion**) secondo la mia modesta opinione.

imitable /ˈɪmɪtəbl/ a. imitabile ‖ **imitability** n. ☐ l'essere imitabile.

to **imitate** /ˈɪmɪteɪt/ v. t. imitare; contraffare; copiare; scimmiottare (*fam.*) ‖ **imitator** n. imitatore, imitatrice.

imitation /ɪmɪˈteɪʃn/ **A** n. ☐☐ **1** imitazione; contraffazione **2** (*biol.*) mimetismo **B** a. attr. contraffatto; artificiale; falso; finto: **i. leather**, finto cuoio; finta pelle; similpelle.

imitative /ˈɪmɪtətɪv/ a. **1** imitativo; che sa imitare (*o contraffare*): **i. arts**, arti imitative (*o figurative*) **2** contraffatto; artificiale; falso; finto **3** onomatopeico: **an i. word**, una parola onomatopeica **4** (*biol.*) mimetico ‖ **-ly** avv.

imitativeness /ˈɪmɪtətɪvnəs/ n. ☐ **1** facoltà imitativa; spirito d'imitazione **2** l'essere imitativo **3** artificialità; falsità.

immaculacy /ɪˈmækjʊləsɪ/ n. ☐ immacolatezza.

immaculate /ɪˈmækjʊlət/ a. **1** immacolato; incontaminato; puro: **an i. shirt**, una camicia immacolata **2** impeccabile; perfettamente corretto; senza errori **3** (*zool.*) di colore uniforme ● (*relig.*) **the I. Conception**, l'Immacolata Concezione ‖ **-ly** avv. ‖ **-ness** n. ☐.

immanent /ˈɪmənənt/ (*filos.*) a. immanente ‖ **immanence**, **immanency** n. ☐ immanenza ‖ **immanentism** n. ☐ immanentismo ‖ **immanentist** n. immanentista.

immaterial /ɪməˈtɪərɪəl/ a. **1** immateriale; incorporeo; spirituale **2** indifferente; irrilevante; senza importanza: *Whether he comes or not is i. to me*, venga o non venga, mi è indifferente ‖ **immateriality** n. ☐ **1** immaterialità; spiritualità **2** indifferenza; irrilevanza ‖ **immaterially** avv. immaterialmente.

immaterialism /ɪməˈtɪərɪəlɪzəm/ (*filos.*) n. ☐ immaterialismo ‖ **immaterialist** n. immaterialista.

to **immaterialize** /ɪməˈtɪərɪəlaɪz/ v. t. rendere immateriale.

immature /ɪməˈtʃʊə(r)/ a. (*anche fig.*) immaturo: **an i. boy**, un ragazzo immaturo ‖ **immaturely** avv. immaturamente ‖ **immaturity** n. ☐ immaturità.

immeasurable /ɪˈmeʒərəbl/ a. incommensurabile; immensurabile (*raro*) ‖ **immeasurability** n. ☐ incommensurabilità; immensurabilità (*raro*) ‖ **immeasurably** avv. incommensurabilmente; immensura-

bilmente (*raro*).

immediacy /ɪˈmiːdɪəsɪ/ *n.* ⓤ **1** immediatezza **2** prossimità; vicinanza.

♦**immediate** /ɪˈmiːdɪət/ *a.* **1** immediato; diretto; senza intervallo: **an i. reaction**, una reazione immediata; **i. cause [inference]**, causa [deduzione] immediata; **the i. heir to the throne**, l'erede diretto al trono **2** prossimo; stretto; vicino: **one's i. family**, i parenti stretti (*o* prossimi) ● (*fin.*) **i. annuity**, rendita immediata □ (*leg.*, *ass.*) **i. damage**, danno diretto □ **i. information**, informazione di prima mano □ **one's i. neighbour**, il vicino di casa ‖ **immediateness** *n.* → **immediacy**.

♦**immediately** /ɪˈmiːdɪətlɪ/ Ⓐ *avv.* immediatamente; direttamente; subito; all'istante; senza indugio Ⓑ *cong.* (*fam.*) (non) appena; subito dopo che: *I. his intentions are known, he will be allowed to leave the country*, appena si conosceranno le sue intenzioni, potrà lasciare il paese.

immedicable /ɪˈmɛdɪkəbl/ *a.* incurabile; senza rimedio.

immemorial /ɪməˈmɔːrɪəl/ *a.* immemorabile; antichissimo: **i. traditions**, tradizioni antichissime ● **from** (*o* **since**) **time i.**, da tempo immemorabile.

immense /ɪˈmɛns/ *a.* immenso; enorme ‖ **immensely** *avv.* immensamente; enormemente; estremamente ‖ **immensity** *n.* immensità; enormità.

to **immerge** /ɪˈmɜːdʒ/ *v. t.* (*raro*) immergere.

to **immerse** /ɪˈmɜːs/ *v. t.* **1** immergere (*anche fig.*); affondare; tuffare: **to i. one's hands in water**, immergere le mani nell'acqua; *I was immersed in my thoughts*, ero immerso (*o* assorto) nei miei pensieri **2** (*relig.*) battezzare per immersione ● **to i. oneself**, (*anche fig.*) immergersi: **to i. oneself in work**, immergersi nel lavoro.

immersion /ɪˈmɜːʃn/ *n.* ⓤ **1** (*anche astron.*) immersione **2** (*fig.*) l'essere immerso (*in meditazioni, ecc.*); astrazione **3** (*relig.*) battesimo per immersione ● **i. classrooms**, aule per lo studio a immersione totale □ (*tecn.*) **i. heater**, resistenza a immersione; (*anche*) scaldaacqua a immersione.

♦**immigrant** /ˈɪmɪɡrənt/ *a. e n.* immigrante ● (*fin.*) **i. remittances**, le rimesse degli immigranti.

to **immigrate** /ˈɪmɪɡreɪt/ Ⓐ *v. i.* immigrare Ⓑ *v. t.* far immigrare.

♦**immigration** /ɪmɪˈɡreɪʃn/ *n.* ⓤ immigrazione ● (*dog.*) **i. control**, controllo passaporti □ **i. quota**, quota d'immigrazione.

imminence /ˈɪmɪnəns/ *n.* ⓤ **1** imminenza **2** pericolo incombente.

imminent /ˈɪmɪnənt/ *a.* imminente; prossimo; sovrastante: *I'm afraid war is i.*, temo che la guerra sia imminente | **-ly avv.**

immiscible /ɪˈmɪsəbl/ (*chim.*, *fis.*) *a.* immiscibile ‖ **immiscibility** *n.* ⓤ immiscibilità.

immitigable /ɪˈmɪtɪɡəbl/ *a.* immitigabile (*raro*); implacabile; che non si può lenire.

immixture /ɪˈmɪkstʃə(r)/ *n.* ⓤ **1** mescolanza **2** (*fig.*) l'esser coinvolto; coinvolgimento.

immobile /ɪˈməʊbaɪl/ *a.* immobile ‖ **immobility** *n.* ⓤ immobilità: (*econ.*) **the immobility of labour**, l'immobilità della manodopera.

immobilism /ɪˈməʊbəlɪzəm/ *n.* ⓤ (*polit.*, *econ.*) immobilismo.

immobilization /ɪməʊbɪlaɪˈzeɪʃn, *USA* -lɪˈz-/ *n.* ⓤ **1** (*anche med.*) immobilizzazione **2** (*fin.*, *rag.*) immobilizzazione; immobilizzo.

to **immobilize** /ɪˈməʊbɪlaɪz/ *v. t.* **1** immobilizzare (*anche med.*); tener fermo **2**

(*econ.*) ritirare (*moneta metallica*) dalla circolazione **3** (*fin.*, *rag.*) immobilizzare (*capitali circolanti, ecc.*).

immobilizer /ɪˈməʊbɪlaɪzə(r)/ *n.* (*autom.*) immobilizzatore.

immoderate /ɪˈmɒdərət/ *a.* immoderato; smoderato; smodato; eccessivo: **i. spending**, spese eccessive | **-ly avv.**

immoderation /ɪmɒdəˈreɪʃn/ *n.* ⓤ smoderatezza; intemperanza; eccesso.

immodest /ɪˈmɒdɪst/ *a.* **1** immodesto; impudico; impudente; sfacciato; spudorato **2** (*d'abito, ecc.*) indecente; indecoroso ‖ **immodesty** *n.* ⓤ **1** immodestia; impudicizia; impudenza; sfacciataggine; spudoratezza **2** indecenza; indecorosità.

to **immolate** /ˈɪmələɪt/ *v. t.* immolare (*anche fig.*); sacrificare ● **to i. oneself**, immolarsi; sacrificarsi ‖ **immolation** *n.* ⓤ immolazione; sacrificio ‖ **immolator** *n.* immolatore (*raro*); chi immola.

immoral /ɪˈmɒrəl/ *a.* immorale; dissoluto; licenzioso ● (*leg.*) **i. behaviour**, malcostume □ (*leg.*) **living on** (*o* **off**) **i. earnings**, sfruttamento della prostituzione ‖ **immorality** *n.* ⓤ immoralità; dissolutezza; licenziosità ‖ **immorally** *avv.* immoralmente.

immortal /ɪˈmɔːtl/ Ⓐ *a.* immortale; eterno; perenne; perpetuo: **the i. gods**, gli dèi immortali; **an i. poem**, un poema immortale Ⓑ *n.* (un) immortale ‖ **immortality** *n.* ⓤ **1** immortalità; eternità **2** (*fig.*) immortalità; fama imperitura: *'Immortality is a question of character'* D.H. LAWRENCE, 'l'immortalità è una questione di carattere' ‖ **immortally** *avv.* **1** eternamente; perpetuamente **2** (*fam.*) infinitamente; moltissimo.

to **immortalize** /ɪˈmɔːtəlaɪz/ *v. t.* immortalare; rendere immortale ‖ **immortalization** *n.* ⓤ **1** l'immortalare **2** (*biol.*) immortalizzazione.

immortelle /ɪmɔːˈtɛl/ *n.* (*bot.*) pianta perenne.

immovability /ɪmuːvəˈbɪlətɪ/ *n.* ⓤ **1** immobilità; inamovibilità **2** irremovibilità **3** impassibilità.

immovable /ɪˈmuːvəbl/ *a.* **1** immobile; fermo; fisso; inamovibile **2** irremovibile: **an i. purpose**, un proposito irremovibile **3** (*leg.*) immobile; immobiliare: **i. property**, beni immobili **4** imperturbabile; impassibile ● (*leg.*) **immovables**, beni immobili ‖ **-ness** *n.* ⓤ | **-bly avv.**

♦**immune** /ɪˈmjuːn/ Ⓐ *a.* **1** (*med.*) immune; immunitario; immunizzante: **i. to measles**, immune al morbillo; **i. deficiency**, immunodeficienza; **i. reaction**, immunoreazione; **i. response**, risposta immunitaria; **i. serum**, siero immune; immunsiero; **i. system**, sistema immunitario **2** esente; immune: (*leg.*) **i. from prosecution**, immune da azioni penali **3** (*fig.*) insensibile; refrattario: **i. to criticism**, insensibile alle critiche Ⓑ *n.* persona immune.

immunity /ɪˈmjuːnətɪ/ *n.* ⓤ **1** (*med.*) immunità: **i. to disease**, immunità alle malattie; **active** [**passive**] **i.**, immunità attiva [passiva] **2** (*leg.*) immunità: **diplomatic i.**, immunità diplomatica; **i. from prosecution**, immunità dall'azione penale; **i. from distress**, impignorabilità; **i. from seizure**, insequestrabilità; **to lift i.**, sospendere l'immunità **3** esenzione: **i. from taxes**, esenzione da imposte **4** (*fig.*) insensibilità; refrattarietà: **i. to criticism**, insensibilità alle critiche.

to **immunize** /ˈɪmjʊnaɪz/ (*med. e fig.*) *v. t.* immunizzare; rendere immune ‖ **immunization** *n.* ⓤ immunizzazione.

immunizing /ˈɪmjʊnaɪzɪŋ/ *a.* (*med.*) immunizzante.

immunocompromised /ɪmjuːnəʊˈkɒmprəmaɪzd/ *a.* (*med.*, *di soggetto*) immu-

nocompromesso.

immunodeficiency /ɪmjuːnəʊdɪˈfɪʃnsɪ/ *n.* ⓤⓒ (*med.*) immunodeficienza.

immunogen /ɪˈmjuːnədʒən/ *n.* (*med.*) immunogeno.

immunoglobulin /ɪmjuːnəʊˈɡlɒbjʊlɪn/ *n.* (*biochim.*) immunoglobulina.

immunology /ɪmjuːˈnɒlədʒɪ/ (*med.*) *n.* ⓤ immunologia ‖ **immunologic, immunological** *a.* immunologico ‖ **immunologist** *n.* immunologo.

immunoprecipitation /ɪmjuːnəʊprəsɪpɪˈteɪʃn/ *n.* ⓤ (*biochim.*) immunoprecipitazione.

immunosuppressant /ɪmjuːnəʊsəˈprɛsənt/ *n.* (*farm.*) immunosoppressivo.

immunotherapy /ɪmjuːnəʊˈθɛrəpɪ/ (*med.*) *n.* ⓤ immunoterapia ‖ **immunotherapeutic** *a.* immunoterapeutico.

to **immure** /ɪˈmjʊə(r)/ *v. t.* **1** imprigionare **2** rinchiudere (fra quattro mura); murare **3** (*un tempo*) immurare (*come supplizio*) ● **to i. oneself**, rinchiudersi; fare vita ritirata; isolarsi; immergersi, sprofondarsi (*fig.*).

immured /ɪˈmjʊəd/ *a.* imprigionato; rinchiuso.

immurement /ɪˈmjʊəmənt/ *n.* ⓤ **1** imprigionamento **2** il murare **3** il rinchiudersi; isolamento **4** (*un tempo*) immurazione (*supplizio*).

immutable /ɪˈmjuːtəbl/ *a.* immutabile; invariabile ‖ **immutability** *n.* ⓤ immutabilità; invariabilità ‖ **immutably** *avv.* immutabilmente; invariabilmente.

IMO *sigla* **1** (*ONU*, **International Maritime Organization**) Organizzazione marittima mondiale **2** (*Internet*, *telef.*, **in my opinion**) secondo me, a mio parere.

i-mode® /ˈaɪməʊd/ *n.* ⓤ (*tel.*) i-mode (*servizio wireless che permette l'accesso a Internet e l'uso della posta elettronica dal telefono cellulare*).

Imogen /ˈɪməʊdʒən/ *n.* Imogene.

imp /ɪmp/ *n.* **1** diavoletto; folletto **2** (*fig.*) diavoletto; monello.

imp. *abbr.* **1** (**imperial**) imperiale **2** (**imported**) importato.

♦**impact** /ˈɪmpækt/ *n.* **1** collisione; cozzo; urto; impatto **2** forza d'urto; forte influsso, impatto: **the i. of war on the economy**, l'impatto della guerra sull'economia **3** (*mil.*) impatto: **to explode on i.**, esplodere all'impatto **4** (*psic.*) impatto; urto **5** (*fisc.*) incidenza (*della tassazione*) **6** (*pubbl.*) forza (*di un messaggio*) ● (*mil.*) **i. bomb**, bomba a percussione □ (*mecc.*) **i. breaker**, trituratore a urto □ (*tecn.*) **i. drill**, trapano a percussione □ **i. force**, forza d'impatto; (*anche*) resistenza agli urti □ (*aeron.*) **i. pressure**, pressione dinamica □ (*comput.*) **i. printer**, stampante a impatto □ **i. strength** → **i. force** □ (*astron.*) **i. supporter**, impattista.

to **impact** /ɪmˈpækt/ Ⓐ *v. i.* - **to i. on**, avere un impatto (o un effetto) su (qc.) Ⓑ *v. t.* **1** colpire; urtare; scontrarsi con **2** (*fig.*) incidere su; avere un forte impatto (o effetto) su.

impacted /ɪmˈpæktɪd/ *a.* **1** (*med.*: *di frattura*) composta, incuneata; (*di frammento osseo*) fatto collimare **2** (*med.*: *di un calcolo*) occludente; che occlude **3** (*med.*: *di un dente*) incluso **4** (*USA*) che è sotto l'impatto di.

impaction /ɪmˈpækʃn/ *n.* **1** compressione; pressione **2** (*med.*) collimazione (*di due ossa*) **3** (*med.*) occlusione; ristagno: **fecal i.**, ristagno delle feci; fecaloma **4** (*med.*: *di un dente*) inclusione.

to **impair** /ɪmˈpɛə(r)/ *v. t.* **1** indebolire **2** danneggiare; deteriorare; guastare; intaccare; menomare; peggiorare; pregiudicare: **to i. one's health**, danneggiare la propria salute.

impaired /ɪmˈpɛəd/ a. **1** indebolito **2** deteriorato; intaccato; menomato ● **to become i.**, guastarsi; deperire; indebolirsi □ **the hearing i.**, gli audiolesi; i non udenti.

impairment /ɪmˈpɛəmənt/ n. ⑪ **1** indebolimento **2** danneggiamento; deterioramento; menomazione; peggioramento.

impala /ɪmˈpɑːlə/ n. (pl. *impalas*, *impala*) (*zool.*, *Aepyceros melampus*) impala.

to **impale** /ɪmˈpeɪl/ v. t. **1** (*un tempo*) impalare (*come supplizio*) **2** infilzare; trafiggere **3** (*arald.*) bipartire (*uno stemma*).

impalement /ɪmˈpeɪlmənt/ n. ⑪ **1** (*un tempo*) impalamento; impalatura (*supplizio*) **2** (*arald.*) bipartizione.

impalpability /ɪmˌpælpəˈbɪlətɪ/ n. ⑪ **1** impalpabilità **2** (*fig.*) impercettibilità.

impalpable /ɪmˈpælpəbl/ a. **1** impalpabile **2** (*fig.*) inafferrabile; impercettibile | **-bly** avv.

to **impanel** /ɪmˈpænl/ → **to empanel**.

to **imparadise** /ɪmˈpærədaɪs/ v. t. (*lett.*) **1** imparadisare (*poet.*); mandare al settimo cielo **2** fare (*di un luogo*) un paradiso.

imparisyllabic /ɪmˌpærɪsɪˈlæbɪk/ a. e n. (*gramm.*, *poesia*) imparisillabo.

imparity /ɪmˈpærətɪ/ n. (*raro*) disparità; disuguaglianza.

to **impark** /ɪmˈpɑːk/ v. t. (*arc.*) **1** mettere (*bestie*) in un recinto **2** recingere (*terreni*) per farne parchi.

to **impart** /ɪmˈpɑːt/ v. t. **1** impartire (*nozioni*, *ecc.*); conferire; dare (*un gusto*, *un sapore*, *ecc.*): (*sport*) **to i. too much spin**, dare troppo effetto (*alla palla*, *alla bilia*) **2** comunicare; rivelare; svelare: **to i. news to sb.**, comunicare notizie a q.; **to i. a secret**, rivelare un segreto **3** spartire; distribuire; assegnare **4** (*fis.*) trasmettere (*una quantità di moto*, *ecc.*).

impartation /ɪmpɑːˈteɪʃn/ n. ⑪ **1** l'impartire **2** comunicazione.

impartial /ɪmˈpɑːʃl/ a. imparziale; giusto; equo; equanime | **-ly** avv.

impartiality /ɪmˌpɑːʃɪˈælətɪ/ n. ⑪ imparzialità; equità; equanimità.

impartible① /ɪmˈpɑːtəbl/ a. (*leg.*, *di un patrimonio*, *ecc.*) indivisibile.

impartible② /ɪmˈpɑːtəbl/ a. (*raro*) impartibile; comunicabile.

impartment /ɪmˈpɑːtmənt/ n. ⑪ → **impartation**.

impassable /ɪmˈpɑːsəbl/ a. impraticabile; intransitabile; invalicabile: **i. mountains**, monti invalicabili || **impassability** n. ⑪ impraticabilità; intransitabilità; invalicabilità.

impasse /æmˈpɑːs, ˈɪmpæs/ (*franc.*) n. **1** vicolo cieco, impasse (*anche fig.*); situazione senza via d'uscita (*o di scampo*); punto morto **2** (*bridge*) impasse **3** (*econ.*) fase di stanchezza; ristagno.

impassible /ɪmˈpæsəbl/ (*raro*) a. impassibile; imperturbabile; insensibile || **impassibility** n. ⑪ impassibilità; imperturbabilità; insensibilità.

to **impassion** /ɪmˈpæʃn/ v. t. appassionare; commuovere fortemente; infiammare (*fig.*).

impassioned /ɪmˈpæʃnd/ a. appassionato; commosso; caloroso; infiammato (*fig.*): **an i. speech**, un discorso appassionato.

impassive /ɪmˈpæsɪv/ a. impassibile; imperturbabile; insensibile | **-ly** avv.

impassiveness /ɪmˈpæsɪvnəs/, **impassivity** /ɪmpæˈsɪvətɪ/ n. ⑪ impassibilità; imperturbabilità; insensibilità.

impasto /ɪmˈpæstəʊ/ (*ital.*) n. ⑪ (*pitt.*) impasto.

impatient /ɪmˈpeɪʃnt/ a. impaziente; insofferente; intollerante ● **to be i. of st.**, non sopportare qc.: **to be i. of advice**, non tollerare i consigli □ **to become** (*o* **to get**, **to**

grow) **i.**, spazientirsi; perdere la pazienza || **impatience** n. ⑪ impazienza; insofferenza; intolleranza.

to **impeach** /ɪmˈpiːtʃ/ v. t. **1** (*leg.*) accusare; denunciare; incriminare; mettere in stato d'accusa: **to i. sb. of** (*o* **with**) **a crime**, accusare q. d'un delitto **2** mettere in dubbio; sollevare dubbi su; trovar da ridire su: **to i. sb.'s honour [loyalty]**, sollevare dubbi sull'onorabilità [sulla fedeltà] di q.; *I don't i. your motives*, non metto in dubbio l'onestà dei tuoi motivi **3** (*leg.*) impugnare; invalidare: **to i. a contract**, invalidare un contratto **4** (*leg.*) revocare (*una donazione*) ● **to i. a witness**, contestare la deposizione di un teste.

impeachable /ɪmˈpiːtʃəbl/ a. accusabile; denunciabile; incriminabile.

impeachment /ɪmˈpiːtʃmənt/ n. ⑪ᴄ **1** (*leg.*) accusa; denuncia; incriminazione; messa in stato d'accusa **2** biasimo; censura.

impeccable /ɪmˈpɛkəbl/ a. impeccabile; inappuntabile; irreprensibile || **impeccability** n. ⑪ impeccabilità; irreprensibilità; inappuntabilità || **impeccably** avv. impeccabilmente; inappuntabilmente; irreprensibilmente.

impecuniosity /ˌɪmpɪkjuːnɪˈɒsətɪ/ n. ⑪ (*form.*) mancanza di denaro; povertà.

impecunious /ɪmpɪˈkjuːnɪəs/ a. (*form.*) privo di denaro; povero | **-ness** n. ⑪.

impedance /ɪmˈpiːdəns/ n. ⑪ (*elettr.*) impedenza ● (*elettr.*) **i. coil**, reattore (bobina).

to **impede** /ɪmˈpiːd/ v. t. impedire; inceppare; intralciare; ostacolare.

impediment /ɪmˈpɛdɪmənt/ n. **1** impedimento (*anche leg.*); ostacolo **2** (= **speech i.**) impedimento nel parlare; balbuzie **3** (pl.) → **impedimenta** || **impedimental** a. che è d'impedimento; impediente (*lett.*); ostativo.

impedimenta /ɪmˌpɛdɪˈmɛntə/ (*lat.*) n. pl. (*mil.*, *lett.*) bagagli; carriaggi; salmerie.

to **impel** /ɪmˈpɛl/ v. t. **1** costringere; forzare; incitare **2** (*form.*) spingere; impellere (*lett.*).

impellent /ɪmˈpɛlənt/ Ⓐ a. impellente Ⓑ n. **1** causa (*o* motivo) impellente **2** incentivo; stimolo.

impeller /ɪmˈpɛlə(r)/ n. (*mecc.*) ventola; girante; rotore.

to **impend** /ɪmˈpɛnd/ v. i. incombere; essere imminente; sovrastare; minacciare.

impendence /ɪmˈpɛndəns/ n. ⑪ l'essere imminente; il sovrastare; imminenza.

impending /ɪmˈpɛndɪŋ/ a. incombente; imminente: **an i. danger**, un pericolo incombente.

impenetrability /ɪmˌpɛnətrəˈbɪlətɪ/ n. ⑪ impenetrabilità; (*fig.*) incomprensibilità.

impenetrable /ɪmˈpɛnətrəbl/ a. **1** impenetrabile; (*fig.*) incomprensibile: **an i. plot**, un intreccio incomprensibile **2** refrattario: **i. to all requests**, refrattario a ogni richiesta | **-bly** avv.

impenitent /ɪmˈpɛnɪtənt/ a. impenitente || **impenitence**, **impenitency** n. ⑪ impenitenza (*raro*); l'essere impenitente.

imperatival /ɪmpɛrəˈtaɪvl/ a. (*gramm.*) dell'imperativo; che ha valore d'imperativo.

imperative /ɪmˈpɛrətɪv/ Ⓐ a. **1** imperativo (*anche gramm.*); imperioso: (*gramm.*) **i. mood**, modo imperativo; **an i. manner**, un modo di fare imperioso (*o* autoritario) **2** essenziale; necessario; indispensabile: *It is i. that we* (*should*) *act at once*, è necessario che agiamo subito Ⓑ n. **1** (*gramm.*) (modo) imperativo **2** (*filos.*, *di I. Kant*) imperativo: **categorical i.**, imperativo categorico **3** comando **4** comandamento; obbligo: **social imperatives**, obblighi sociali **5** bisogno; necessità: **an economic i.**, una necessità

economica | **-ly** avv. **-ness** n. ⑪.

imperator /ɪmpəˈrɑːtɔː(r)/ (*lat.*), (*stor. romana*) n. imperatore || **imperatorial** a. imperatorio.

imperceptible /ɪmpəˈsɛptəbl/ a. impercettibile; inavvertibile || **imperceptibility** n. ⑪ impercettibilità || **imperceptibly** avv. impercettibilmente.

imperceptive /ɪmpəˈsɛptɪv/ a. che non percepisce; ottuso (*fig.*).

impercipient /ɪmpəˈsɪpɪənt/ a. → **imperceptive**.

imperfect /ɪmˈpɜːfɪkt/ Ⓐ a. imperfetto (*anche gramm.*); incompleto; difettoso; manchevole: (*gramm.*) **i. tense**, tempo imperfetto; (*econ.*) **i. competition**, concorrenza imperfetta Ⓑ n. (*gramm.*) (tempo) imperfetto || **imperfectly** avv. imperfettamente.

imperfection /ɪmpəˈfɛkʃn/ n. ᴄⱳ imperfezione; incompletezza; difetto; manchevolezza.

imperfective /ɪmpəˈfɛktɪv/ a. (*ling.*) imperfettivo.

imperforate /ɪmˈpɜːfərət/ a. (*spec. anat.*) non perforato; imperforato: **an i. stamp**, un francobollo non perforato.

imperial /ɪmˈpɪərɪəl/ Ⓐ a. imperiale; augusto; maestoso; magnifico; sovrano; dell'Impero Britannico: *His I. Majesty*, Sua Maestà Imperiale; (*stor.*) **i. trade**, commercio fra i paesi dell'Impero britannico Ⓑ n. **1** imperiale (*di carrozza*, *autobus*, *ecc.*) **2** pizzo, pizzetto (*secondo la moda dell'Imperatore Napoleone III*) **3** imperiale (*moneta d'oro della Russia zarista*) ● **i. gallon**, gallone imperiale (*o* britannico) □ (*leg.*) **i. obligations**, obblighi morali (*o* naturali) □ (*econ.*) **i. preference**, trattamento tariffario di favore (*fra i paesi del Commonwealth*).

imperialism /ɪmˈpɪərɪəlɪzəm/ n. ⑪ imperialismo || **imperialistic** a. imperialistico; imperialista.

imperialist /ɪmˈpɪərɪəlɪst/ n. imperialista.

to **imperil** /ɪmˈpɛrəl/ v. t. (*form.*) mettere in pericolo; arrischiare.

imperilled, (*USA*) **imperiled** /ɪmˈpɛrəld/ a. (*ass.*) in pericolo; a rischio.

imperious /ɪmˈpɪərɪəs/ a. **1** imperioso; autoritario; arrogante: **an i. tone of voice**, un tono di voce imperioso **2** (*raro*) impellente; necessario; urgente | **-ly** avv. **-ness** n. ⑪.

imperishable /ɪmˈpɛrɪʃəbl/ a. imperituro; indistruttibile || **imperishability**, **imperishableness** n. ⑪ l'essere imperituro; indistruttibilità.

imperium /ɪmˈpɪərɪəm/ (*lat.*) n. (pl. *imperiums*, *imperia*) (*form.*) imperio (*arc.*); impero; autorità piena; potere assoluto.

impermanent /ɪmˈpɜːmənənt/ a. instabile; precario; temporaneo; transitorio || **impermanence**, **impermanency** n. ⑪ instabilità; precarietà; temporaneità; transitorietà.

impermeable /ɪmˈpɜːmɪəbl/ a. impermeabile || **impermeability** n. ⑪ impermeabilità.

impermissible /ɪmpəˈmɪsəbl/ a. non permissibile; intollerabile.

impersonal /ɪmˈpɜːsənl/ a. (*anche gramm.*) impersonale: **i. verbs**, verbi impersonali; **an i. remark**, un'osservazione impersonale ● (*banca*) **i. account**, conto impersonale (*non intestato*) □ (*leg.*) **i. security**, garanzia non personale || **impersonality** n. ⑪ impersonalità || **impersonally** avv. impersonalmente.

to **impersonate** /ɪmˈpɜːsəneɪt/ v. t. **1** imitare (q.) **2** spacciarsi per (q.) **3** interpretare (*un ruolo*, *un personaggio*) **4** (*arc.*) impersonare; personificare ❶ Falsi Amici ● *nel-*

l'inglese attuale to impersonate *non significa* impersonare.

impersonation /ɪmpɜːsəˈneɪʃn/ n. **1** (*raro*) personificazione **2** ⸦U⸧ interpretazione (*d'una parte, a teatro*) **3** ⸦U⸧ lo spacciarsi per un altro; (*leg.*) sostituzione di persona **4** ⸦U⸧ imitazione (*d'un personaggio*).

impersonator /ɪmˈpɜːsəneɪtə(r)/ n. **1** (*raro*) chi impersona; chi personifica **2** (*teatr.*) interprete **3** chi si spaccia per un altro; (*leg.*) reo di sostituzione di persona **4** imitatore; attore che fa l'imitazione di personaggi noti.

impertinence /ɪmˈpɜːtɪnəns/ n. **1** ⸦U⸧ impertinenza; insolenza; sconvenienza **2** ⸦U⸧ mancanza di pertinenza; irrilevanza.

impertinent /ɪmˈpɜːtɪnənt/ a. **1** impertinente; insolente; sconveniente: **an i. question**, una domanda impertinente **2** non pertinente; irrilevante | **-ly** avv.

imperturbable /ɪmpəˈtɜːbəbl/ a. imperturbabile || **imperturbability, imperturbableness** n. ⸦U⸧ imperturbabilità || **imperturbably** avv. imperturbabilmente.

impervious /ɪmˈpɜːvɪəs/ a. **1** impervio; inaccessibile **2** impenetrabile: **the i. Amazon**, l'impenetrabile Amazzonia **3** (*fig.*) sordo (*fig.*); che non dà ascolto; che non dà importanza: **to be i. to arguments** [**criticism**], essere sordo a ogni ragione [critica] ⬩ **i. to bullets**, a prova di proiettile ▫ **i. to water**, impermeabile | **-ly** avv. | **-ness** n. ⸦U⸧.

impetiginous /ɪmpɪˈtɪdʒɪnəs/ a. (*med.*) impetiginoso.

impetigo /ɪmpɪˈtaɪɡəʊ/ n. ⸦U⸧ (*med.*) impetigine.

to **impetrate** /ˈɪmpɪtreɪt/ v. t. (*arc.*) impetrare; supplicare || **impetration** n. ⸦U⸧ impetrazione (*lett.*); supplica.

impetuosity /ɪmpetʃʊˈɒsətɪ/ n. **1** ⸦U⸧ impetuosità; impulsività; irruenza **2** azione impetuosa; osservazione precipitosa.

impetuous /ɪmˈpetʃʊəs/ a. impetuoso; irruente; precipitoso; impulsivo: **i. winds**, venti impetuosi; **an i. decision**, una decisione precipitosa | **-ly** avv. | **-ness** n. ⸦U⸧.

impetus /ˈɪmpɪtəs/ n. ⸦U⸧ **1** impeto; impulso; foga; slancio; spinta (*fig.*) **2** (*fig.*) impulso; incentivo: **to give i. to trade** [**the economy**], dare un impulso (*o* una spinta) al commercio [all'economia] **3** (*fis.*) impulso ⬩ **under one's own i.**, per forza d'inerzia (*fig.*).

impiety /ɪmˈpaɪətɪ/ n. **1** ⸦U⸧ empietà; irreligiosità; irriverenza **2** atto empio; empietà; scelleratezza.

to **impinge** /ɪmˈpɪndʒ/ v. i. **1 – to i. on** (*o* **upon, against**), urtare (*o* sbattere) contro; percuotere **2 – to i. on** (*o* **upon**), influire su; interferire con (*l'autorità di q.*); invadere; violare (*i diritti, la proprietà, il campo di competenza altrui, ecc.*).

impingement /ɪmˈpɪndʒmənt/ n. ⸦U⸧ **1** urto; colpo **2** interferenza; violazione **3** (*fig.*) influsso; influenza **4** (*tecn.*) separazione a urto.

impious /ˈɪmpɪəs/ a. **1** empio; sacrilego **2** irriverente | **-ly** avv.

impish /ˈɪmpɪʃ/ a. da diavoletto; birichino; malizioso; sbarazzino | **-ly** avv. | **-ness** n. ⸦U⸧.

implacable /ɪmˈplækəbl/ a. implacabile || **implacability** n. ⸦U⸧ implacabilità || **implacably** avv. implacabilmente.

implant /ˈɪmplɑːnt/ n. (*med.*) impianto; innesto; trapianto.

to **implant** /ɪmˈplɑːnt/ v. t. **1** piantare; fissare **2** (*fig.*) inculcare; imprimere; instillare **3** (*med.*) impiantare.

implantation /ɪmplɑːnˈteɪʃn/ n. ⸦U⸧ **1** il piantare; fissamento; fissaggio **2** (*fig.*) inculcamento (*raro*); instillazione **3** (*med.*)

impianto **4** (*biol.*) annidamento (*dell'uovo*).

implantology /ɪmplɑːnˈtɒlədʒɪ/ (*med.*) n. ⸦U⸧ implantologia || **implantologist** n. implantologo, implantologa.

implausible /ɪmˈplɔːzəbl/ a. non plausibile || **implausibility** n. ⸦U⸧ mancanza di plausibilità || **implausibly** avv. implausibilmente.

to **implead** /ɪmˈpliːd/ v. t. (*leg., raro*) citare in giudizio; perseguire; chiamare in causa.

implement /ˈɪmplɪmənt/ n. **1** attrezzo; arnese; strumento; utensile: **farm implements**, attrezzi agricoli **2** mezzo; strumento **3** (*leg.*) mezzo (*o* strumento) legale.

◆to **implement** /ˈɪmplɪmənt/ v. t. **1** adempiere; compiere; mettere in atto; attuare; effettuare: **to i. change**, effettuare cambiamenti **2** (*leg., comm.*) perfezionare: **to i. a contract**, perfezionare un contratto **3** (*tecn.*) implementare **4** (*comput.*) implementare; realizzare.

implementation /ɪmplɪmɛnˈteɪʃn/ n. ⸦U⸧ **1** adempimento; compimento; attuazione; effettuazione; esecuzione: (*econ.*) **the i. of common policies**, l'attuazione delle politiche comunitarie **2** (*leg., comm.*) perfezionamento (*d'un contratto*) **3** (*tecn.*) implementazione **4** (*comput.*) implementazione; realizzazione ⬩ **the i. of a treaty**, l'applicazione (*o* l'esecuzione) di un trattato.

to **implicate** /ˈɪmplɪkeɪt/ v. t. **1** implicare; compromettere; coinvolgere: *His confession implicated several accomplices*, la sua confessione coinvolse diversi complici **2** (*raro*) implicare; racchiudere; sottintendere || **implicative, implicatory** a. implicatorio (*raro*); implicante; che implica || **implicature** n. implicazione; implicatura (*il dare a intendere implicitamente*).

◆**implication** /ɪmplɪˈkeɪʃn/ n. ⸦U⸧ **1** implicazione; connessione; coinvolgimento: **social implications**, implicazioni d'ordine sociale **2** allusione; insinuazione; sottinteso **3** conseguenza: **the political implications of his move**, le conseguenze politiche della sua mossa **4** (*leg.*) presunzione ⬩ **by i.**, implicitamente; (*leg.*) tacitamente; ope legis (*lat.*) ▫ **with the i. that**, sottintendendo che.

implicit /ɪmˈplɪsɪt/ a. **1** implicito (*anche mat.*); tacito; sottinteso: **an i. promise**, una promessa implicita; (*mat.*) **i. function**, funzione implicita; **i. consent**, tacito consenso **2** assoluto; completo; incondizionato: **i. obedience**, obbedienza assoluta | **-ly** avv. | **-ness** n. ⸦U⸧.

implied /ɪmˈplaɪd/ a. **1** implicito; sottinteso: **an i. criticism**, una critica implicita; **an i. threat**, una minaccia sottintesa **2** (*leg.*) implicito; tacito; presunto (*con una finzione giuridica*): **i. admission**, tacito riconoscimento; **i. condition**, condizione implicita; **i. terms**, condizioni implicite; (*in USA*) **i. consent**, tacita rinuncia (*a taluni diritti*); **i. agency**, rappresentanza presunta (*attribuita tacitamente*); **i. warranty**, garanzia implicita; **i. waiver**, rinuncia implicita.

to **implode** /ɪmˈpləʊd/ v. i. (*tecn.*) implodere.

to **implore** /ɪmˈplɔː(r)/ v. t. implorare; impetrare; supplicare: **to i. sb.'s forgiveness**, implorare il perdono di q. || **imploration** n. ⸦U⸧ (*raro*) implorazione || **implorer** n. imploratore (*raro*); supplicante.

imploring /ɪmˈplɔːrɪŋ/ a. implorante; supplichevole | **-ly** avv.

implosion /ɪmˈpləʊʒn/ n. ⸦U⸧ (*chim., ling.*) implosione ⬩ (*mil.*) **i. weapon**, arma a implosione.

implosive /ɪmˈpləʊsɪv/ (*ling.*) Ⓐ a. implosivo Ⓑ n. implosiva; consonante implosiva.

impluvium /ɪmˈpluːvɪəm/ (*lat.*) n. (pl. *impluvia*) (*archit. romana*) impluvio.

◆to **imply** /ɪmˈplaɪ/ v. t. **1** implicare; avere in sé; racchiudere: *Drama implies conflict*, il dramma implica conflitto **2** accennare a (qc.); indicare; insinuare; significare; suggerire: *Are you implying that I am unfair?*, stai insinuando che sono ingiusto? **3** comportare; esigere; richiedere: *Democracy implies both rights and duties*, la democrazia comporta non solo diritti ma anche doveri.

impolicy /ɪmˈpɒləsɪ/ n. ⸦U⸧ **1** impoliticità; l'essere impolitico **2** imprudenza; inopportunità.

impolite /ɪmpəˈlaɪt/ a. scortese; sgarbato; maleducato; villano | **-ly** avv. | **-ness** n. ⸦U⸧.

impolitic /ɪmˈpɒlɪtɪk/ a. **1** impolitico **2** imprudente; inopportuno.

imponderable /ɪmˈpɒndərəbl/ Ⓐ a. imponderabile (*anche fig.*): **the i. human factor**, il fattore uomo, che è imponderabile Ⓑ n. (di solito al pl.) (causa, elemento, motivo) imponderabile || **imponderability** n. ⸦U⸧ imponderabilità.

◆**import** /ˈɪmpɔːt/ n. ⸦U⸧ (*econ.*) importazione; merce (*o* prodotto) d'importazione; import: **i. duty**, dazio d'importazione; (*fin.*) **i. of capitals**, importazione di capitali **2** (*ling.*) prestito; imprestito **3** ⸦U⸧ (*form.*) importanza; rilevanza; portata (*fig.*); valore: **a law of great i.**, un provvedimento legislativo di grande portata **4** ⸦U⸧ (*form.*) significato; senso: *What is the i. of his remarks?*, qual è il senso delle sue osservazioni? ⬩ **i. ban = i. prohibition** → *sotto* ▫ **i. broker**, intermediario d'importazioni ▫ **i. (commission) agent**, commissionario d'importazione ▫ (*dog.*) **i. entry**, bolletta d'importazione ▫ (*comm. est.*) **i.-export movements**, interscambio ▫ (*econ.*) **i. levy**, dazio compensativo ▫ **i. licence**, licenza d'importazione ▫ **i. merchant**, importatore in proprio ▫ **i. prohibition**, divieto d'importazione ▫ (*comm. est.*) **i. quotas**, contingenti d'importazione ▫ **i. restrictions**, restrizioni delle importazioni ▫ **i. surcharge**, sopraddazio d'importazione.

◆to **import** /ɪmˈpɔːt/ Ⓐ v. t. **1** (*econ. e fig.*) importare; introdurre (*merci, una nuova moda, ecc.*): *We i. natural gas from Algeria*, importiamo gas naturale dall'Algeria **2** (*form.*) implicare; comportare **3** (*form.*) significare; voler dire: *What does this piece of news i.?*, che cosa significa questa notizia? **4** (*comput.*) importare (*dati, file*) **5** (*arc.*) concernere, riguardare, interessare a; importare a (impers.) Ⓑ v. i. avere importanza.

importable /ɪmˈpɔːtəbl/ a. importabile.

◆**importance** /ɪmˈpɔːtns/ n. ⸦U⸧ **1** importanza; gravità: *Some raw materials are of great i. to industry*, certe materie prime hanno grande importanza (*o* sono molto importanti) per l'industria **2** (= **self-i.**) pompa; sussiego.

◆**important** /ɪmˈpɔːtnt/ a. **1** importante; rilevante; grave **2** (= **self-i.**) che si dà arie d'importanza; pomposo.

importation /ɪmpɔːˈteɪʃn/ n. (*econ.*) **1** ⸦U⸧ importazione **2** (*spec. USA*) prodotto (*o* merce) d'importazione **3** (*autom., dog.*) **the i. voucher of a triptyque**, il foglio di entrata in un trittico.

importer /ɪmˈpɔːtə(r)/ n. (*econ.*) **1** importatore, importatrice **2** ditta importatrice **3** paese importatore.

importing /ɪmˈpɔːtɪŋ/ Ⓐ a. (*econ.*) che importa; importante, importatrice: **i. countries**, i paesi importatori Ⓑ n. (*econ.*) importazione.

importunate /ɪmˈpɔːtʃʊnət/ a. **1** importuno; insistente; molesto: **an i. boy**, un ragazzo importuno **2** pressante; urgente: **an i. affair**, un affare urgente ⬩ **an i. person**, un seccatore | **-ly** avv.

importune /ɪmpəˈtjuːn, *USA* -ˈtuːn/ → **importunate**.

to **importune** /ɪmpəˈtjuːn, *USA* -ˈtuːn/ v. t. importunare; molestare; seccare.

importunity /ɪmpəˈtjuːnətɪ, *USA* -ˈtuː-/ n. ⓤ importunità; insistenza; molestia.

♦to **impose** /ɪmˈpəʊz/ **A** v. t. **1** imporre (*in ogni senso*): *The government has imposed new taxes*, il governo ha imposto nuove tasse; **to i. one's will**, imporre la propria volontà; (*relig.*) **to i. one's hands on sb.'s head**, imporre le mani sul capo di q. **2** infliggere; comminare; affibbiare: **to i. a fine on sb.**, affibbiare una multa a q. **3** spacciare (*qc. per vero, ecc.*); rifilare; far credere **4** (*tipogr.*) ordinare in sequenza (*materiale composto*) **5** (*leg.*) comminare, irrogare (*una pena, ecc.*) **B** v. i. **1** (*anche* **to i. on, upon**) disturbare; recare disturbo a (q.); fare un sopruso a (q.); imporre la propria presenza a (q.) **2** – **to i. on** (*o* **upon**), approfittare di, truffare, fregare: *She's easily imposed on*, è facile approfittarsi di lei ● **to i. oneself**, imporsi, farsi valere; (*anche*) approfittare dell'ospitalità di (q.); imporre la propria presenza (*o* compagnia) a (q.).

imposing /ɪmˈpəʊzɪŋ/ a. imponente; grandioso; maestoso; solenne.

imposition /ɪmpəˈzɪʃn/ n. **1** ⓤ imposizione **2** ⓤⓒ (*fisc.*) imposizione; tassazione; imposta; tributo: **the i. of new burdens on the people**, l'imposizione di nuovi gravami sul popolo **3** ⓤ (*relig.*) imposizione: **the i. of hands**, l'imposizione delle mani **4** sopruso; impostura; imbroglio; inganno **5** (*a scuola*) penso (*arc.*); compito assegnato per castigo **6** ⓤⓒ (*tipogr.*) messa in macchina **7** (*tipogr.*) menabò **8** ⓤ (*leg.*) comminazione, irrogazione (*di una pena*).

impossibility /ɪmpɒsəˈbɪlətɪ/ n. **1** ⓤ impossibilità **2** cosa impossibile.

♦**impossible** /ɪmˈpɒsəbl/ a. **1** impossibile: *It was i. for me to come*, mi è stato impossibile venire **2** assurdo; inverosimile; stravagante: *What an i. story!*, che storia inverosimile! **3** (*fam.*) impossibile; insopportabile; intrattabile: *You're i.!*, sei impossibile! **4** (*fam.*) impossibile; non accettabile; assurdo: **an i. hat**, un cappellino assurdo.

impossibly /ɪmˈpɒsəblɪ/ avv. **1** impossibilmente (*raro*); in modo impossibile **2** enormemente; assai; molto: **an i. difficult task**, un compito difficilissimo.

impost① /ˈɪmpəʊst/ n. **1** (*fisc.*) imposta; balzello; (*spec.*) dazio d'importazione **2** (*slang, ipp.*) handicap.

impost② /ˈɪmpəʊst/ n. (*archit.*) imposta.

to **impost** /ˈɪmpəʊst/ v. t. (*dog., spec. USA*) classificare (*la merce importata*) per stabilire il dazio (*da far pagare*).

impostor /ɪmˈpɒstə(r)/ n. impostore; frodatore; ingannatore.

imposture /ɪmˈpɒstʃə(r)/ n. ⓤⓒ impostura; frode; inganno.

impotence /ˈɪmpətəns/, **impotency** /ˈɪmpətənsɪ/ n. ⓤ impotenza (*anche med.*); debolezza; incapacità.

impotent /ˈɪmpətənt/ a. impotente (*anche med.*); debole; incapace ● **to be i. to help sb.**, non essere in grado d'aiutare q. | **-ly** avv.

impound /ɪmˈpaʊnd/ n. **1** bacino idrico; serbatoio di ritenuta **2** rimozione e custodia in deposito della polizia (*di automobili parcheggiate in divieto di sosta*) ● **i. area**, zona di rimozione (*di autoveicoli*).

to **impound** /ɪmˈpaʊnd/ v. t. **1** (*leg.*) confiscare; sequestrare **2** chiudere, rinchiudere (*spec. animali*): **to i. stray dogs**, rinchiudere i cani randagi **3** raccogliere (*acqua*) in serbatoi **4** rimuovere (*automobili in divieto di sosta*).

impounding /ɪmˈpaʊndɪŋ/ n. **1** (*leg.*) confisca; sequestro **2** cattura e reclusione (*di animali*) **3** raccolta (*dell'acqua*) in serbatoi

4 (*autom.*) rimozione e deposito ● **i. reservoir** → **impound**, *def. 1*.

to **impoverish** /ɪmˈpɒvərɪʃ/ v. t. impoverire; immiserire; depauperare ‖ **impoverishment** n. ⓤ impoverimento; immiserimento; depauperamento: (*agric.*) **the impoverishment of the soil**, l'impoverimento del terreno.

impracticability /ɪmpræktɪkəˈbɪlətɪ/ n. ⓤ **1** impraticabilità (*delle strade, ecc. e fig.*); inattuabilità; impossibilità: **the i. of a plan**, l'inattuabilità di un piano **2** mancanza di senso pratico.

impracticable /ɪmˈpræktɪkəbl/ a. **1** impraticabile; inattuabile; impossibile: **an i. road**, una strada impraticabile; **an i. plan**, un piano inattuabile **2** privo di senso pratico: **an i. man**, un uomo che non ha senso (*arc.*) impraticabile; intrattabile | **-bly** avv.

ⓘ Nota: *impracticable o impractical?*
Impracticable significa "impraticabile", cioè impossibile da realizzare: per esempio, un progetto è *impracticable* quando è inattuabile. Non bisogna confondere *impracticable* con *impractical*, che non ha precisamente lo stesso significato, ma indica qualcosa di "poco pratico"; cioè non impossibile da realizzare, ma scomodo e poco funzionale. Un suggerimento, per esempio, è *impractical* quando non vale la pena metterlo in pratica, perché richiederebbe troppo tempo o impegno.

impractical /ɪmˈpræktɪkl/ a. **1** (*di oggetto*) poco pratico; poco funzionale; scomodo **2** (*di idea, progetto*) poco realistico; difficilmente attuabile **3** (*di persona*) poco abile nei lavori manuali; privo di capacità manuali; incapace **4** (*USA*) impossibile; non fattibile; inattuabile ‖ **impracticality** n. **1** ⓤ scarsa praticità; scarsa funzionalità; scomodità **2** ⓤ l'essere irrealistico **3** aspetto poco pratico; scomodità; difficoltà **4** ⓤ mancanza di capacità manuali; l'essere incapace **5** ⓤ (*USA*) non fattibilità; inattuabilità **ⓘ Nota:** *impracticable o impractical?* → **impracticable**.

to **imprecate** /ˈɪmprɪkeɪt/ **A** v. t. (*arc.*) imprecare contro (q.); maledire **B** v. i. imprecare; bestemmiare.

imprecation /ɪmprɪˈkeɪʃn/ n. imprecazione; maledizione ‖ **imprecatory** a. imprecatorio (*raro*); imprecativo.

imprecise /ɪmprɪˈsaɪs/ a. impreciso ‖ **imprecisely** avv. imprecisamente ‖ **imprecision** n. ⓤ imprecisione.

impregnable① /ɪmˈprɛɡnəbl/ a. **1** imprendibile; inespugnabile: **an i. fortress**, una fortezza inespugnabile **2** (*fig.*) incrollabile; fermo; saldo: **an i. theory**, una teoria incrollabile ‖ **impregnability** n. ⓤ imprendibilità; inespugnabilità.

impregnable② /ɪmˈprɛɡnəbl/ a. (*biol.*) impregnabile.

impregnate /ɪmˈprɛɡnət/ a. **1** (*biol.*) pregno, gravido **2** (*fig.*) impregnato, saturo; intriso; pervaso.

to **impregnate** /ˈɪmprɛɡneɪt/ v. t. **1** (*biol.*) impregnare; ingravidare; fecondare **2** (*anche fig.*) impregnare; imbevere; saturare, pervadere **3** (*fig.*) instillare; infondere ● **to i. sb. with moral principles**, instillare a q. princìpi morali.

impregnated /ˈɪmprɛɡneɪtɪd/ → **impregnate**.

impregnation /ɪmprɛɡˈneɪʃn/ n. ⓤ (*biol.*) impregnazione (*anche fig.*); ingravidamento; fecondazione.

impresario /ɪmprəˈsɑːrɪəʊ/ n. (pl. **impresarios**) (*teatr.*) impresario.

imprescriptible /ɪmprɪˈskrɪptəbl/ a. imprescrittibile ‖ **imprescriptibility** n. ⓤ imprescrittibilità.

impress① /ˈɪmprɛs/ n. (*form.*) impronta (*anche fig.*); segno caratteristico; marchio.

impress② /ˈɪmprɛs/ n. (*arald.*) impresa; blasone; stemma.

impress③ /ˈɪmprɛs/ n. (*stor., mil.*) arruolamento forzato.

♦to **impress**① /ɪmˈprɛs/ v. t. **1** impressionare (*positivamente*); colpire; fare colpo su (q.): *How did the candidates i. you?*, che impressione ti hanno fatto i candidati?; *I'd like to know what impressed you most*, vorrei sapere che cosa ti ha colpito di più; *I was favourably impressed by his work*, il suo lavoro mi ha fatto una buona impressione **2** imprimere (*qc.*) nella mente (*di q.*); inculcare: *Her mother impressed on her the importance of self-respect*, sua madre le inculcò il senso dell'amor proprio **3** premere: **to i. a seal in wax**, premere un sigillo sulla ceralacca **4** imprimere; applicare; apporre (*premendo*): **to i. one's seal on a document**, apporre il proprio sigillo a un documento **5** (*elettr., elettron.*) applicare (*una certa tensione: a un circuito, ecc.*) **6** (*arc.*) imprimere; stampare **ⓘ Falsi Amici** • to impress *non significa* impressionare *nel senso di turbare profondamente*.

to **impress**② /ɪmˈprɛs/ v. t. **1** (*stor., mil.*) arruolare forzatamente (*nell'esercito e, spec., nella marina*) **2** (*leg.*) confiscare (*denaro, proprietà, ecc.*); requisire (*merci, per uso pubblico*).

impressed /ɪmˈprɛst/ a. **1** impresso: *Her ideas are i. on my mind*, le sue idee mi sono impresse nella mente **2** (*bene*) impressionato; colpito (*fig.*); che ha un'impressione: *We're favourably i. with this new product*, abbiamo una buona impressione di questo nuovo prodotto **3** (*elettr., elettron.*) applicato: **i. voltage**, tensione applicata.

impressible /ɪmˈprɛsəbl/ a. impressionabile; emotivo ‖ **impressibility** n. ⓤ impressionabilità; emotività.

♦**impression** /ɪmˈprɛʃn/ n. **1** impressione (*in ogni senso*); impronta: **the i. of a foot in the sand**, l'impronta d'un piede sulla sabbia; *He made a good i. on the boss*, fece una buona impressione al capo; *I was under the i. that he was at home*, avevo l'impressione ch'egli fosse a casa **2** (*tipogr.*) stampa; tiratura: **a second i.**, una seconda tiratura **3** (*geol., med., metall.*) impronta **4** imitazione; parodia; caricatura: **to do a funny i. of a politician**, fare un'imitazione divertente di un politico **5** (*comput.*) impression (*visualizzazione di un'immagine pubblicitaria su una pagina web*) ● (*di una persona*) **to make an i.**, fare bella figura.

impressionable /ɪmˈprɛʃnəbl/ a. impressionabile; influenzabile; emotivo ‖ **impressionability** n. ⓤ impressionabilità; l'essere influenzabile; emotività.

Impressionism /ɪmˈprɛʃnɪzəm/ n. ⓤ (*arte*) impressionismo.

impressionist /ɪmˈprɛʃənɪst/ n. **1** (*anche* I.) (*arte*) impressionista **2** (*spettacolo, TV, ecc.*) imitatore.

impressionistic /ɪmprɛʃəˈnɪstɪk/ a. **1** basato su impressioni personali; soggettivo **2** (*anche* I.) (*arte*) impressionistico; impressionista.

♦**impressive** /ɪmˈprɛsɪv/ a. notevole; imponente; che colpisce; che fa colpo; di grande effetto; impressionante: **an i. scene**, una scena di grande effetto; *He's got an i. CV and a fair bit of experience*, ha un ottimo curriculum e ha una discreta esperienza | **-ly** avv. **-ness** n. ⓤ **ⓘ Falsi Amici** • impressive *non significa* impressionante *nel senso di emozionante o conturbante*.

impressment /ɪmˈprɛsmənt/ n. ⓤ (*stor., mil.*) **1** arruolamento forzato **2** (*leg.*) confisca; requisizione.

imprest /ˈɪmprɛst/ n. ⓤ (*fin.*) anticipazione (*di denaro*); prestito (*spec., dello stato a un privato, per lavori di pubblica utilità*) ● (*rag.*) **i. system**, sistema delle anticipazioni; contabilità previsionale.

imprimatur /ɪmprɪˈmeɪtə(r)/ (*lat.*) n. **1** (*relig.*) imprimatur; licenza di dare alle stampe **2** (*fig.*) approvazione; sanzione.

imprint /ˈɪmprɪnt/ n. **1** impronta (*anche fig.*); impressione; traccia; segno: **the i. of a foot**, l'impronta d'un piede; **the i. of suffering on sb.'s face**, i segni della sofferenza sul viso di q. **2** (*editoria*, = **publisher's i.**) sigla editoriale; colophon **3** (*editoria*) marchio ● **i. stamp**, bollo a secco □ (*di un libro*) **no i.**, senza indicazione dell'editore.

to imprint /ɪmˈprɪnt/ v. t. **1** imprimere (*anche fig.*); stampare (*fig.*): *He imprinted the paper with his seal*, impresse il suo sigillo sul documento; *She imprinted a kiss on her child's forehead*, stampò un bacio in fronte al figlio **2** applicare; apporre: **to i. a postmark on a letter**, applicare un timbro postale a una lettera **3** (*tipogr.*) stampare.

imprinted /ɪmˈprɪntɪd/ a. **1** impresso; stampato (*fig.*): **scenes i. on one's memory**, scene impresse nella memoria **2** applicato; apposto **3** (*tipogr.*) stampato ● **i. form**, modulo a stampa.

imprinter /ɪmˈprɪntə(r)/ n. chi imprime, ecc. (→ **to imprint**).

imprinting /ɪmˈprɪntɪŋ/ n. ⓤ (*scient*) imprinting.

to imprison /ɪmˈprɪzn/ v. t. **1** imprigionare (*anche fig.*); racchiudere **2** (*fig.*) confinare; relegare; limitare; restringere.

imprisonment /ɪmˈprɪznmənt/ n. ⓤ **1** imprigionamento; incarcerazione **2** prigionia; reclusione ● (*leg.*, *in GB*) **i. for debt**, reclusione per debiti (*verso lo stato*; *quella per debiti verso privati fu abolita nel 1869*) □ (*leg.*) **i. on suspicion**, detenzione cautelare □ **life i.**, carcere a vita; ergastolo.

improbable /ɪmˈprɒbəbl/ a. improbabile; inverosimile: **an i. tale**, un racconto inverosimile ‖ **improbability** n. ⓤ improbabilità; inverosimiglianza ‖ **improbably** avv. improbabilmente; inverosimilmente.

improbity /ɪmˈprəʊbɪtɪ/ n. ⓤ improbità; disonestà; malvagità.

impromptu /ɪmˈprɒmptjuː, *USA* -tuː/ **A** a. estemporaneo; improvvisato: **i. speech**, un discorso improvvisato **B** avv. estemporaneamente; improvvisando; all'impronta: **to speak i.**, parlare improvvisando **C** n. **1** discorso (*o* spettacolo, ecc.) estemporaneo; improvvisazione **2** (*mus.*) improvviso; impromptu (*franc.*).

improper /ɪmˈprɒpə(r)/ a. **1** improprio; inadatto; erroneo; sbagliato: **an i. treatment**, una cura sbagliata (*d'una malattia*); (*mat.*) **i. fractions**, frazioni improprie **2** indecente; indelicato; sconveniente; scostumato: *It's i. to chew gum at table*, è sconveniente masticare gomma a tavola; **an i. suggestion**, una proposta sconveniente **3** (*anche leg.*) scorretto; illecito; irregolare: **i. delivery of goods**, consegna irregolare della merce | **-ly** avv.

to impropriate /ɪmˈprəʊprɪeɪt/ (*leg.*) v. t. appropriarsi di (*benefici ecclesiastici*); secolarizzare (*beni della Chiesa*) ‖ **impropriation** n. ⓤ cessione (*di beni ecclesiastici*) in proprietà a laici; secolarizzazione.

impropriety /ɪmprəˈpraɪətɪ/ n. ⓤⓒ **1** improprietà; indelicatezza; scorrettezza **2** indecenza; sconvenienza; scostumatezza.

improvability /ɪmpruːvəˈbɪlətɪ/ n. ⓤ l'essere migliorabile (*o* perfezionabile).

improvable /ɪmˈpruːvəbl/ a. **1** migliorabile; perfezionabile **2** (*di terreno*) bonificabile.

♦**to improve** /ɪmˈpruːv/ **A** v. t. **1** migliora-re; perfezionare; correggere: **to i. a method**, perfezionare un metodo; *You should i. your English*, dovresti migliorare il tuo inglese **2** fare migliorie a, valorizzare; bonificare (*un terreno, ecc.*); ingrandire e abbellire (*una casa*) **3** avvantaggiarsi di; profittare di; far buon uso di: **to i. the occasion** (*o* opportunity), approfittare dell'occasione **B** v. i. **1** migliorare; stare meglio: *The patient is improving*, il malato sta migliorando; *My health is improving*, sto meglio di salute **2** (*econ., fin.*) aumentare; essere in rialzo: *Alco shares improved yesterday*, le azioni Alco ieri erano in rialzo ● **to i. on st.**, migliorare qc.; far meglio una cosa (*già fatta*): *Your translation can hardly be improved on*, è difficile migliorare la traduzione che hai fatto.

♦**improvement** /ɪmˈpruːvmənt/ n. **1** ⓒⓤ miglioramento; perfezionamento; progresso: **an i. in living standards**, un miglioramento del tenore di vita **2** ⓤ valorizzazione (*d'un terreno*); ingrandimento e abbellimento (*d'una casa*) **3** miglioria; restauro ● **i. area**, zona di risanamento (urbano) □ (*fisc.*) **i. charge** (*o* **i. tax**), contributo per oneri di urbanizzazione □ **This novel is an i. on** (*o* over) **her last**, questo romanzo è migliore dell'ultimo che ha scritto.

improver /ɪmˈpruːvə(r)/ n. **1** chi migliora, perfeziona, corregge, ecc. (→ **to improve**) **2** (*alim.*) esaltatore (*del gusto*) **3** (*raro*) apprendista; chi si perfeziona in un mestiere.

improvidence /ɪmˈprɒvɪdəns/ n. ⓤ improvvidenza; sconsideratezza.

improvident /ɪmˈprɒvɪdənt/ a. improvvidente; improvvido (*lett.*); sconsiderato | **-ly** avv.

improving /ɪmˈpruːvɪŋ/ a. **1** che migliora; in miglioramento: **i. health**, salute in miglioramento **2** che fa migliorare; che perfeziona.

to improvise /ˈɪmprəvaɪz/ v. t. e i. improvvisare: *Actors sometimes i.*, gli attori a volte improvvisano; **to i. on the piano**, improvvisare al pianoforte; **to i. a bed [a meal]**, improvvisare un letto [un pasto] ‖ **improvisation** n. ⓤⓒ improvvisazione ‖ **improvisator** n. improvvisatore ‖ **improvisatorial, improvisatory** a. (*raro*) pertinente a improvvisazione; estemporaneo ‖ **improvised** a. improvvisato: **an improvised shelter**, un rifugio improvvisato ‖ **improviser** n. improvvisatore, improvvisatrice ❶ **NOTA**: *-ise o -ize? → -ise*.

imprudence /ɪmˈpruːdns/ n. ⓤ imprudenza.

imprudent /ɪmˈpruːdnt/ a. imprudente; incauto | **-ly** avv.

impudence /ˈɪmpjʊdəns/ n. ⓤ impudenza; insolenza; sfacciataggine.

impudent /ˈɪmpjʊdənt/ a. impudente; insolente; sfacciato | **-ly** avv.

impudicity /ɪmpjʊˈdɪsətɪ/ n. ⓤ impudicizia.

to impugn /ɪmˈpjuːn/ v. t. **1** contestare; mettere in dubbio; criticare; attaccare (*fig.*) **2** (*leg.*) impugnare (*una sentenza, una clausola, ecc.*) ‖ **impugnable** a. **1** oppugnabile; contestabile **2** (*leg.*) impugnabile ‖ **impugnation** n. impugnazione; impugnment n. (*leg.*) impugnazione; impugnativa.

impuissant /ɪmˈpjuːɪsnt/ (*raro*) a. impotente; debole ‖ **impuissance** n. ⓤ impotenza; debolezza.

impulse /ˈɪmpʌls/ n. ⓒⓤ impulso (*anche fis. e psic.*); impeto; spinta (*fig.*) eccitamento, stimolo: **an electrical i.**, un impulso elettrico; **to be guided by i. more than by reason**, lasciarsi guidare dall'impulso più che dalla ragione; *To give a new i. to scientific research*, dare nuovo impulso alla ricerca scientifica; **sexual i.**, stimolo sessuale ●

(*econ.*) **i. buyer**, chi acquista per impulso □ (*econ.*) **i. buying**, acquisti fatti per impulso (*non programmati*) □ (*naut., mil.*) **i. charge**, carica di lancio □ (*elettron.*) **i. generator**, generatore d'impulsi; impulsatore □ (*TV*) **i. separator**, separatore.

impulsion /ɪmˈpʌlʃn/ n. ⓤⓒ **1** impulsione (*raro*); il dare impulso **2** impulso; impeto **3** (*mecc.*) impulsione; propulsione; spinta **4** (*fig.*) eccitamento; stimolo **5** (*psic.*) compulsione; stimolo.

impulsive /ɪmˈpʌlsɪv/ a. **1** impulsivo **2** (*mecc.*) propulsore | **-ly** avv. | **-ness** n. ⓤ.

impunity /ɪmˈpjuːnətɪ/ n. ⓤ impunità ● **with i.**, impunemente.

impure /ɪmˈpjʊə(r)/ a. impuro; immondo; impudico; inverecondo: **i. water**, acqua impura; **i. thoughts**, pensieri impuri; **i. motives**, motivi disonesti | **-ly** avv.

impurity /ɪmˈpjʊərətɪ/ n. **1** ⓤ mancanza di purezza; impurezza; impurità **2** ⓤ impudicizia; inverecondia **3** impurità: *Tap water is full of impurities*, l'acqua del rubinetto è piena d'impurità.

imputable /ɪmˈpjuːtəbl/ a. imputabile; ascrivibile; attribuibile: (*rag.*) **cost i. to overheads**, costo imputabile alle spese generali ‖ **imputability** n. ⓤ (*leg., rag.*) imputabilità.

imputation /ɪmpjuːˈteɪʃn/ n. **1** ⓤ (*anche leg.*) imputazione; accusa; addebito **2** (*rag.*) imputazione; attribuzione; addebito **3** ⓤ insinuazione; diffamazione.

imputative /ɪmˈpjuːtətɪv/ a. che tende a imputare (*o* ad accusare).

to impute /ɪmˈpjuːt/ v. t. **1** (*anche leg.*) imputare; ascrivere; attribuire; addebitare (*fig.*): **to i. a crime to sb.**, imputare q. d'un delitto **2** (*rag.*) imputare.

imputed /ɪmˈpjuːtɪd/ a. **1** (*anche leg.*) imputato; attribuito **2** (*leg.*) presunto: **i. knowledge** (*o* notice), conoscenza presunta **3** (*rag., fin.*) di computo: **i. interest**, interesse di computo ● (*econ.*) **i. rent**, affitto figurativo.

♦**in** ① /ɪn, ən/ prep. **1** (compl. di stato in luogo, posizione, condizione, ecc.) in; a; su; in mezzo a; di: **in London**, a Londra; **in Italy**, in Italia; *I read it in the newspaper*, l'ho letto sul giornale; **in a crowd**, in mezzo a una folla; **in (the) hospital**, in ospedale; **in bed**, a letto; **in uniform**, in uniforme; **in the dark**, al buio; **to write in pen**, scrivere a penna; *He's in business [politics]*, è in affari [in politica]; *Are you still in computers?*, lavori ancora nel campo dell'informatica? **2** (compl. di tempo) in; entro; durante; in capo a; tra, fra; di: **in April**, in aprile; **in (the year) 2000**, nel 2000; **in three months**, in (*o* entro) tre mesi; **in an hour's time**, in un'ora; in capo a un'ora; **in the morning [afternoon, evening]**, di mattina [pomeriggio, sera]; **in the day**, di giorno; **in time**, in tempo; in tempo utile **3** (compl. di moto entro luogo; invece di **into**) in; dentro: *Put it in your pocket*, mettilo in tasca **4** (compl. di modo, condizione, ecc.) in; a; con; su; per: **in public**, in pubblico; **in rows**, in file; **in groups**, a gruppi; **in danger**, in pericolo; **in tears**, in lacrime; **in earnest**, sul serio; **in fun**, per scherzo **5** (compl. di limitazione, misura, ecc.) in; di; su: **to be weak in algebra**, essere debole in algebra; *There were four in number*, ce n'erano quattro di numero; **one in a hundred**, uno su cento **6** (compl. di causa) per; a causa di: *I cried in pain*, gridai per il dolore **7** (compl. di materia) di: **a floor in marble**, un pavimento in marmo **8** (seguito da gerundio) in (*o* idiom.): *In writing the letter you've made several mistakes*, nello scrivere (*o* scrivendo) la lettera, hai fatto parecchi errori; *I succeeded in passing my exam*, riuscii a superare l'esame **9** in fatto di;

quanto a: *This is the latest thing in language labs*, questa è l'ultima novità in fatto di laboratori linguistici **10** (*cinem.*, *teatr.*, *TV*: *di un attore*) nella parte di ● (*leg.*) **in absentia**, in contumacia □ **in all**, nell'insieme; nel complesso □ **to be in demand**, (*econ.*: *di un bene*) essere richiesto; (*fig.*: *di una persona*) essere ricercato, essere popolare □ **in fact**, in realtà; effettivamente; in effetti □ **in fashion**, alla moda; in voga □ (*leg.*) **in kind**, in natura □ **to be in love**, essere innamorato □ **in my opinion**, secondo me □ (*di un libro*) **in print**, stampato; in circolazione, disponibile □ (*di frutta*, *ecc.*) **in season**, di stagione □ **in so far as**, in quanto che; fino al punto che □ **in that**, in ciò; (*cong.*) poiché, dacché □ **in truth**, in verità; invero □ **in vain**, invano, inutilmente; vano, inutile.

♦**in** ② /ɪn/ *avv.* **1** dentro; entro (*raro*); in casa (in ufficio, ecc.): *Is anybody in?*, c'è nessuno (in casa, in ufficio, ecc.)?; *Don't worry, I'll be in all evening*, non preoccuparti, sarò in casa tutta la sera **2** (*di fuoco e sim.*) acceso **3** (*di treno, nave, ecc.*) arrivato: *Is your plane in yet?*, è arrivato il tuo aereo?; *Summer is in*, è arrivata l'estate **4** (*di frutta, ecc.*) di stagione; in arrivo (*fam.*) **5** (*di domande, documenti, ecc.*) pervenuto: *All applications must be in by November 1st*, tutte le domande devono pervenire entro il 1° di novembre **6** (*di un partito politico*) al potere; in carica; al governo: *The Labour Party was in*, il partito laburista era al potere **7** (*di un raccolto*) riposto; immagazzinato; insilato: *The maize crop must be in before the rainy season*, il raccolto del granturco dev'essere insilato prima della stagione delle piogge **8** di moda; in (gran) voga; «in»: *Miniskirts are in this year*, quest'anno le minigonne sono di moda **9** (*naut.*: *della marea*) al massimo: *We left when the tide was (o came) in*, partimmo con l'alta marea **10** (*sport*: *della palla*) in gioco: *The ball is in*, la palla è in gioco; la palla è buona **11** (*sport*: *di un giocatore*) in campo **12** (*sport*: *baseball*, *cricket*) alla battuta **13** (nei verbi frasali, è idiom.; per es.:) **to bring in**, far entrare; introdurre; fruttare, rendere; guadagnare; **to come in**, essere dentro; arrivare; venire in uso, diventare di moda (o «in»); **to give in**, cedere; arrendersi, ecc. (→ **to bring**, **to come**, **to give**, *ecc.*) ❶ NOTA: *into o in to?* → **into** ● **in and out**, dentro e fuori; su e giù; a fasi alterne □ (*fam.*) **to be in for**, andare incontro a, doversi aspettare: *We're in for a storm*, è in arrivo un temporale; arriva la tempesta □ **Now we're in for it!**, ora siamo proprio nei guai!; adesso sì balla!; ora viene il bello! □ **to be in on**, essere al corrente di (qc.); entrare in (o partecipare a) (qc.): *Are you in on it?*, ci sei dentro anche tu?; fai parte della comitiva?; (*anche*) sei al corrente? □ **to be (well) in with sb.**, esser in stretta amicizia con q.; essere nelle grazie (o nella manica) di q.; essere ammanigliato con q. (*fam.*): *He's in with all the big shots*, è ammanigliato con tutti i pezzi grossi □ (*comm.*) **all in**, tutto incluso; tutto compreso □ (*fam.*) **to be all in**, essere stanco morto; essere sfinito; essere a pezzi □ (*fam.*) **to have it in for sb.**, avercela con q.; non potere soffrire q.

in ③ /ɪn/ *a.* **1** interno; che è (o risiede) dentro: **an in-patient**, un paziente interno **2** in arrivo: **the in boat**, il battello in arrivo **3** (*polit.*) al potere; in carica: **the in group**, il gruppo politico che detiene il potere **4** (*sport*: *baseball*, *cricket*) che batte; che è alla battuta: **the in team**, la squadra che è alla battuta **5** (*fam.*) in attivo di: *He is in one thousand dollars*, è in attivo di (o ci ha guadagnato) mille dollari **6** (*fam.*) per pochi; da iniziati: **an in joke**, una barzelletta non alla portata di tutti **7** (*fam.*: *del fuoco*) acceso **8** (*fam.*) «in»; alla moda; in voga: **the in seaside resort**, la spiaggia alla moda; *It's*

---

the in thing, è «in» (o alla moda).

in ④ /ɪn/ *n.* **1** (di solito al pl.) **- the ins**, quelli che sono al potere (o in carica); quelli che sono dentro (*fig.*); quelli che appartengono a una data cerchia **2** (*cartello*) «entrata» ● **ins and outs**, (*autom.*) giravolte, curve a esse; (*fig.*) giravolte, retroscena (*fig.*); particolari, dettagli: *I know all the ins and outs of this affair*, conosco tutti i retroscena di questa faccenda.

IN *abbr.* (*USA*, **Indiana**) Indiana.

inability /ɪnə'bɪlətɪ/ *n.* ⓤ inabilità; incapacità; inettitudine ● (*leg.*) **i. to meet one's obligations**, incapacità di far fronte ai propri impegni □ **i. to work**, inabilità al lavoro.

inaccessible /ɪnæk'sɛsəbl/ *a.* **1** inaccessibile; irraggiungibile **2** (*di persona*) inavvicinabile; inaccessibile ‖ **inaccessibility** *n.* ⓤ inaccessibilità ‖ **inaccessibly** *avv.* inaccessibilmente.

inaccuracy /ɪn'ækjərəsɪ/ *n.* **1** ⓤ imprecisione; inesattezza **2** inesattezza; errore; sbaglio: *The article is full of inaccuracies*, l'articolo è pieno di inesattezze.

inaccurate /ɪn'ækjərət/ *a.* impreciso; inesatto ‖ **inaccurately** *avv.* in modo impreciso.

inaction /ɪn'ækʃn/ *n.* ⓤ inazione; inattività; inerzia.

to inactivate /ɪn'æktɪveɪt/ (*scient.*, *mil.*, *ecc.*) *v. t.* inattivare ‖ **inactivation** *n.* ⓤ inattivazione.

inactive /ɪn'æktɪv/ *a.* **1** inattivo; inoperoso; inutilizzato **2** fermo; fuori servizio: **i. machine**, una macchina ferma **3** (*chim.*) inattivo; inerte **4** (*mil.*) non in servizio attivo **5** (*fin.*) inattivo; inutilizzato: **i. money**, moneta inattiva ● (*leg.*) **an i. contract**, un contratto che non è in vigore □ (*Borsa*) **i. stocks**, titoli inattivi (o a scarso flottante) □ (*comput.*) **i. window**, finestra inattiva (*su cui non si sta operando*) ‖ **-ly** *avv.*

inactivity /ɪnæk'tɪvətɪ/ *n.* ⓤ **1** inattività; inoperosità; inerzia **2** (*sport*) staticità.

inadequacy /ɪn'ædɪkwəsɪ/ *n.* ⓤⓒ **1** inadeguatezza; insufficienza; manchevolezza; carenza: **i. of electric power**, carenza d'energia elettrica **2** inidoneità.

inadequate /ɪn'ædɪkwət/ *a.* **1** inadeguato; insufficiente; manchevole; carente: (*psic.*) **i. personality**, personalità inadeguata **2** inadatto; inidoneo ● **to be [to feel] i. to the occasion**, non essere [non sentirsi] all'altezza della situazione ‖ **-ly** *avv.*

inadmissible /ɪnəd'mɪsəbl/ *a.* **1** (*leg.*) inammissibile; improponibile; irricevibile: **i. evidence**, prova inammissibile **2** inammissibile; inaccettabile; intollerabile ‖ **inadmissibility** *n.* ⓤ **1** (*leg.*) inammissibilità; improponibilità; irricevibilità **2** inammissibilità; inaccettabilità.

inadvertence /ɪnəd'vɜːtəns/, **inadvertency** /ɪnəd'vɜːtənsɪ/ *n.* ⓤ inavvertenza; disattenzione; sbadataggine; svista.

inadvertent /ɪnəd'vɜːtənt/ *a.* **1** disattento; distratto; sbadato **2** involontario; non intenzionale ‖ **-ly** *avv.*

inadvisable /ɪnəd'vaɪzəbl/ *a.* sconsigliabile; sconsiderato.

inalienable /ɪn'eɪlɪənəbl/ (*leg.*) *a.* inalienabile: **i. rights**, diritti inalienabili ‖ **inalienability** *n.* ⓤ inalienabilità.

inalterable /ɪn'ɔːltərəbl/ *a.* inalterabile; immutabile ‖ **inalterability** *n.* ⓤ inalterabilità; immutabilità ‖ **inalterably** *avv.* inalterabilmente; immutabilmente.

inane /ɪ'neɪn/ *a.* vacuo; vuoto (*anche fig.*); insensato: **an i. person**, una persona vacua; **an i. remark**, un'osservazione insensata ‖ **inanity** *n.* ⓤⓒ inutilità; vacuità; insensatezza.

inanimate /ɪn'ænɪmət/ *a.* **1** inanimato;

---

esanime; senza vita (*anche fig.*): **i. objects**, oggetti inanimati; **i. acting**, recitazione senza vita **2** fiacco; bolso (*fig.*) ‖ **inanimation** *n.* ⓤ mancanza di vita; mancanza di vitalità.

inanition /ɪnə'nɪʃn/ *n.* ⓤ **1** (*med.*) inanizione **2** (*fig.*) esaurimento mentale; inerzia morale; letargo (*fig.*).

inappellable /ɪnə'pɛləbl/ (*leg.*) *a.* inappellabile.

inappetence /ɪn'æpɪtəns/ *n.* ⓤ (*med.*) inappetenza ‖ **inappetent** *a.* inappetente.

inapplicable /ɪnæ'plɪkəbl/ *a.* inapplicabile: *The rule is i. to this case*, la regola è inapplicabile a questo caso ‖ **inapplicability** *n.* ⓤ inapplicabilità ‖ **inapplicably** *avv.* inapplicabilmente.

inapposite /ɪn'æpəzɪt/ *a.* improprio; non appropriato; fuori luogo ‖ **-ly** *avv.* ‖ **-ness** *n.* ⓤ.

inappreciable /ɪnə'priːʃəbl/ *a.* **1** inapprezzabile; non valutabile **2** impercettibile; trascurabile: **an i. contribution**, un contributo trascurabile ‖ **-bly** *avv.*

inappreciative /ɪnə'priːʃɪətɪv/ *a.* che non apprezza ‖ **inappreciation** *n.* ⓤ mancanza d'apprezzamento; incapacità d'apprezzare.

inapproachable /ɪnə'prəʊtʃəbl/ *a.* inaccessibile; inaccostabile; inavvicinabile.

inappropriate /ɪnə'prəʊprɪət/ *a.* improprio; inadatto; fuori luogo ‖ **-ly** *avv.* ‖ **-ness** *n.* ⓤ.

inapt /ɪn'æpt/ *a.* **1** inadatto; disadatto; improprio; fuori luogo: **an i. comparison**, un confronto fuori luogo **2** inetto; maldestro; goffo: **an i. person**, una persona maldestra ‖ **inaptitude**, **inaptness** *n.* ⓤ **1** l'essere disadatto; improprietà **2** inettitudine: **inaptitude for a job**, inettitudine a (o incapacità di fare) un lavoro.

inarticulacy /ɪnɑː'tɪkjʊləsɪ/ *n.* ⓤ incapacità di esprimersi (*di parlare una lingua, ecc.*).

inarticulate /ɪnɑː'tɪkjʊlət/ *a.* **1** inarticolato (*anche zool.*); disarticolato; indistinto: **i. sounds**, suoni inarticolati **2** inespresso; tacito: **i. passion**, passione inespressa **3** (*di persona*) che s'esprime con difficoltà; che balbetta **4** (*di persona*) incapace d'esprimersi; muto ● *She was filled with i. anger*, non riusciva a esprimere la rabbia che aveva dentro ‖ **-ly** *avv.* ‖ **-ness** *n.* ⓤ.

inartificial /ɪnɑːtɪ'fɪʃl/ *a.* **1** non artificiale; naturale **2** semplice; spontaneo; naturale.

inartistic /ɪnɑː'tɪstɪk/ *a.* **1** non artistico **2** privo di senso artistico; senza gusto artistico.

inasmuch /ɪnəz'mʌtʃ/ *avv.* in quanto ● **as** (*cong.*), in quanto (che); poiché; dacché; giacché.

inattention /ɪnə'tenʃn/ *n.* ⓤ **1** disattenzione; sbadataggine **2** negligenza; trascuratezza.

inattentive /ɪnə'tentɪv/ *a.* **1** disattento; sbadato **2** negligente; trascurato ‖ **-ly** *avv.* ‖ **-ness** *n.* ⓤ.

inaudible /ɪn'ɔːdəbl/ *a.* impercettibile (*di suono, ecc.*) ‖ **inaudibility** *n.* ⓤ impercettibilità (*di suono, ecc.*).

inaugural /ɪ'nɔːgjʊrəl/ Ⓐ *a.* inaugurale Ⓑ *n.* discorso inaugurale (*spec. del Presidente degli USA*).

to inaugurate /ɪ'nɔːgjʊreɪt/ *v. t.* **1** insediare (*con pubblica cerimonia*): (*USA*) **to i. a President**, insediare un Presidente **2** inaugurare; aprire al pubblico: *The mayor inaugurated the new theatre*, il sindaco inaugurò il nuovo teatro **3** (*fig.*) avviare; cominciare; inaugurare; segnare l'inizio di: **to i. a new era**, segnare l'inizio di una nuova era.

inauguration /ɪnɔːgjʊ'reɪʃn/ *n.* ⓤ **1** insediamento: (*USA*) **the President's i.**, l'inse-

diamento del Presidente **2** inaugurazione ●
(*USA*) **I. Day**, il giorno dell'insediamento del
nuovo Presidente (*il 20 gennaio*).

inaugurator /ɪnˈɔːɡjʊreɪtə(r)/ n. inaugu-
ratore ‖ **inauguratory** a. inaugurale; inau-
gurativo (*raro*).

inauspicious /ɪnɔːˈspɪʃəs/ a. inauspicato
(*lett.*); infausto; malaugurato; funesto | **-ly**
avv. | **-ness** n. ⓤ.

in-between /ɪnbɪˈtwiːn/ A a. di mezzo;
intermedio: **an in-between position**, una
posizione intermedia B n. **1** posizione intermedia **2** chi si interpone; intermediario.

inboard /ˈɪnbɔːd/ (*naut.*) A avv. all'interno, verso il centro (della nave) B a. entrobordo: **i. motor**, (motore) entrobordo C n.
motore entrobordo ● **i. motorboat**, (motoscafo) entrobordo.

inborn /ˈɪnbɔːn/ a. innato; congenito; connaturato: **an i. talent for music**, una disposizione innata per la musica.

inbound /ˈɪnbaʊnd/ a. in arrivo; diretto in
patria; nel viaggio di ritorno: **i. ship**, una
nave diretta in patria; *When is your i.
flight?*, quando è il tuo volo di ritorno?

inbox /ˈɪnbɒks/ n. (*comput.*) cartella della
posta in arrivo.

to **inbreathe** /ɪnˈbriːð/ v. t. **1** inspirare **2**
(*fig.*) inalare; assorbire.

inbred /ɪnˈbred/ a. **1** innato; congenito;
connaturato **2** (*d'animale*) ottenuto mediante accoppiamento tra soggetti consanguinei.

to **inbreed** /ɪnˈbriːd/ (*pass. e p. p. inbred*)
A v. t. **1** (*zootecnia*) ottenere (*animali*) mediante l'inincrocio **2** fare sposare (*persone*)
che sono consanguinee B v. i. **1** (*zootecnia*)
praticare l'inincrocio **2** (*di persone*) unirsi
tra consanguinei.

inbreeding /ɪnˈbriːdɪŋ/ n. **1** (*d'animali*)
inincrocio; accoppiamento tra soggetti consanguinei **2** sistema dei matrimoni (*o delle*
unioni) tra consanguinei; endogamia **3**
(*fig.*) limitatezza di vedute; provincialismo:
intellectual i., provincialismo intellettuale.

inbuilt, **in-built** /ɪnˈbɪlt/ a. **1** innato;
spontaneo **2** (*tecn.*) incorporato; integrato.

Inc. /ɪŋk/ abbr. (*fin.*, *USA*, **incorporated**)
S.p.A.; (società) per azioni: *General Motors,
Inc.*, la General Motors S.p.A.

Inca /ˈɪŋkə/ (*stor.*) A n. (*pl.* **Incas**, **Inca**)
Inca B a. inca; incaico ‖ **Incaic** a. incaico.

incalculable /ɪnˈkælkjʊləbl/ a. **1** incalcolabile: **an i. distance**, una distanza incalcolabile **2** imprevedibile: **a person with an
i. temper**, una persona dal carattere imprevedibile ‖ **incalculability** n. ⓤ **1** incalcola-
bilità **2** imprevedibilità ‖ **incalculably** avv.
1 incalcolabilmente **2** imprevedibilmente.

to **incandesce** /ɪnkænˈdes/ A v. i. divenire incandescente B v. t. rendere incandescente.

incandescent /ɪnkænˈdesnt/ a. incandescente ● (*elettr.*) **i. lamp**, lampada a incandescenza ‖ **incandescence** n. ⓤ incandescenza.

incantation /ɪnkænˈteɪʃn/ n. ⓒⓤ **1** incanto; incantesimo; magia **2** formula magica.

incapability /ɪnkeɪpəˈbɪlətɪ/ n. ⓤ (*anche
leg.*) incapacità; inettitudine.

incapable /ɪnˈkeɪpəbl/ A a. (*anche leg.*)
incapace; inetto: **i. of change**, incapace di
cambiare; **to be i. of doing st.**, essere incapace di fare qc.; **an i. organizer**, un organizzatore inetto B n. (un) incapace (*spec.*, *leg.*:
d'intendere e di volere) | **-bly** avv.

incapacitant /ɪnkəˈpæsɪtənt/ n. (*chim.*,
mil.) n. agente (*o farmaco*) inabilitante (*o invalidante*) ‖ **incapacitating** a. inabilitante;
invalidante.

to **incapacitate** /ɪnkəˈpæsɪteɪt/ v. t. **1**
inabilitare; rendere inabile (*o incapace*):
His age incapacitated him for active serv-

ice, l'età lo rendeva inabile al servizio attivo
2 (*leg.*) inabilitare; dichiarare (q.) incapace;
interdire ‖ **incapacitation** n. ⓤ **1** inabilitazione; il rendere (*o l'essere reso*) inabile **2**
(*leg.*) inabilitazione; interdizione.

incapacity /ɪnkəˈpæsətɪ/ n. ⓤ incapacità
(*anche giuridica*); inabilità: **i. to work** (*o for
work*, **from working**), inabilità al lavoro.

to **incarcerate** /ɪnˈkɑːsəreɪt/ v. t. **1** incarcerare; imprigionare **2** (*fig.*) confinare;
relegare; rinchiudere ● (*med.*) **incarcer-
ated hernia**, ernia incarcerata.

incarceration /ɪnkɑːsəˈreɪʃn/ n. ⓤ **1** incarceramento; incarcerazione; carcerazione **2** (*med.*) incarceramento (*di un'ernia*).

incarcerator /ɪnˈkɑːsəreɪtə(r)/ n. incar-
ceratore; imprigionatore.

to **incardinate** /ɪnˈkɑːdɪneɪt/ (*relig.*) v. t.
incardinare ‖ **incardination** n. ⓤ incardi-
nazione.

incarnadine /ɪnˈkɑːnədaɪn/ a. (*poet.*) **1**
incarnato; rosa carne **2** carnicino; cremisi;
vermiglio.

to **incarnadine** /ɪnˈkɑːnədaɪn/ v. t.
(*poet.*) **1** rendere color rosa carne (*o incarnato*) **2** invermigliare (*lett.*); tingere di
rosso.

incarnate /ɪnˈkɑːnət/ a. incarnato; fatto
persona; personificato; impersonato: *He is
the devil i.*, è un diavolo incarnato ● (*relig.*)
the Word I., il Verbo Incarnato.

to **incarnate** /ɪnˈkɑːneɪt/ v. t. incarnare;
personificare; impersonare: **to i. an idea**,
incarnare un concetto.

incarnation /ɪnkɑːˈneɪʃn/ n. ⓒⓤ incarnazione; personificazione: *He is the i. of selflessness*, è l'incarnazione dell'altruismo ●
(*relig.*) **the I.**, l'Incarnazione.

incautious /ɪnˈkɔːʃəs/ a. incauto; impru-
dente; sconsiderato | **-ly** avv. | **-ness** n. ⓤ.

incendiary /ɪnˈsendɪərɪ/ A a. (*anche fig.*)
incendiario: **i. bomb**, bomba incendiaria;
an i. speech, un discorso incendiario B n.
1 incendiario; piromane **2** (*fig.*) agitatore;
sovversivo **3** (*mil.*) bomba incendiaria ‖ **in-
cendiarism** n. ⓤ **1** mania incendiaria; piromania **2** (*fig. arc.*) sobillazione; sovversi-
vismo.

incense /ˈɪnsens/ n. ⓤ **1** incenso **2** fumo
(*o odore*) incenso; profumo **3** (*fig.*) fragranza, odore
piacevole **3** (*fig.*) adulazione; incensamento ● (*relig.*) **i. boat**, navicella ▢ **i. burner**, incensiere; turibolo.

to **incense**① /ɪnˈsens/ v. t. spargere incenso su; incensare; profumare con incenso
❶ **FALSI AMICI** ● to incense *non significa* incensare *in senso figurato* ‖ **incensation** n. ⓤⓒ
censamento; incensatura.

to **incense**② /ɪnˈsens/ v. t. irritare; esasperare; rendere furibondo; infiammare
d'ira: **to be incensed by sb.** (*o at sb.'s remarks*), essere esasperato da q. [irritarsi
per le osservazioni di q.]; **to be incensed
against sb.**, essere furibondo contro q.
❶ **FALSI AMICI** ● to incense *non significa* incensare ‖ **incensement** n. ⓤ irritazione; esasperazione; furore ❶ **FALSI AMICI** ● incensement *non significa* incensamento.

incensory /ɪnˈsensərɪ/ n. incensiere; turibolo.

incenter (*USA*) → **incentre**.

♦**incentive** /ɪnˈsentɪv/ A a. incentivante;
incoraggiante; stimolante B n. incitamento;
incitamento; stimolo: **an i. to invest more
money**, un incentivo a investire altro denaro; **financial** [**promotional**, **tax**] **incentives**, incentivi finanziari [promozionali, fi-
scali] ● (*market.*) **i. discount**, sconto per incentivare le vendite ▢ **i. pay**, retribuzione a
incentivo ▢ **to provide incentives for**, incentivare.

to **incentivize** /ɪnˈsentɪvaɪz/ v. t. incenti-

vare ‖ **incentivization** n. ⓤ incentivazione.

incentre, (*USA*) **incenter** /ˈɪnsentə(r)/ n.
(*geom.*) incentro.

inception /ɪnˈsepʃn/ n. ⓤ (*form.*) inizio;
principio.

inceptive /ɪnˈseptɪv/ a. **1** iniziale; introduttivo **2** (*gramm.*) incoativo: **an i. verb**, un
verbo incoativo.

incertitude /ɪnˈsɜːtɪtjuːd, *USA* -tuːd/ n. ⓤ
1 incertezza; dubbiosità; indecisione **2**
mancanza di sicurezza; insicurezza.

incessancy /ɪnˈsesnsɪ/ n. ⓤ l'essere incessante; continuità.

incessant /ɪnˈsesnt/ a. incessante; continuo: **i. rain** [**chatter**], pioggia [chiacchie-
riccio] incessante | **-ly** avv. | **-ness** n. ⓤ.

incest /ˈɪnsest/ n. ⓤ incesto.

incestuous /ɪnˈsestjʊəs/ a. **1** incestuoso
2 (*fig.*: *di un rapporto*) troppo intimo; troppo
stretto | **-ly** avv. | **-ness** n. ⓤ.

♦**inch**① /ɪntʃ/ n. **1** pollice (*misura lineare ingl.
pari a cm 2,54*): **a square i.**, un pollice quadrato; *How many inches of rain fell last
year?*, quanti pollici di pioggia caddero l'anno scorso?; *He is five feet ten inches*, è alto
cinque piedi e dieci pollici (*pari a m 1,78 circa*) **2** (*pl.*) altezza; statura: **a man of your
inches**, un uomo della tua statura ● **i. by i.**,
a poco a poco, lentamente, gradatamente ▢
(*fig. raro*) **an i. of cold steel**, un colpo di
spada; una pugnalata ▢ (*sport*) **an i.-perfect
pass** [**shot**], un passaggio [un tiro] calibrato (*o millimetrico*) ▢ **by i. of candle** → **auction** ▢ **by inches**, a poco a poco, lentamente, gradatamente; (*anche*) di poco, per un
pelo, di un soffio: *The car missed the dog by
inches*, per un pelo la macchina non investì
il cane ▢ **every i.**, da capo a piedi; da cima a
fondo; completamente: *He is every i. a politician*, è un uomo politico da capo a piedi ▢
(*anche fig.*) **not to budge** (*o* **not to yield**) **an
i.**, non cedere d'un millimetro ▢ **within an i.
of**, a un pelo da: *I came within an i. of being
hit by the snowball*, per un pelo non fui colpito dalla palla di neve ▢ **within an i. of sb.'s
life**, fin quasi a uccidere q. ▢ **Give him an i.
and he'll take an ell** (*o* **a mile**, **a yard**), se
gli dai un dito, si prende un braccio.

inch② /ɪntʃ/ n. (*scozz.*, *irl.*) isola; isoletta.

to **inch** /ɪntʃ/ v. t. e i. muovere, muoversi,
gradatamente (*o lentamente*) ● **to i. forward**, spingere (*o spingersi*) avanti a poco a
poco ▢ **to i. one's way through the jungle**,
farsi strada a poco a poco attraverso la
giungla.

inched /ɪntʃt/ a. graduato in pollici: **an
i. scale**, una scala in pollici **2** (*nei composti*,
per es.:) che misura un certo numero di pollici: **a five-i. hook**, un gancio di cinque pollici.

incher /ˈɪntʃə(r)/ n. (*nei composti*, per es.:)
a six-incher, un oggetto (*o un animale*) della lunghezza (*o del diametro*, *ecc.*) di sei
pollici (→ **inch**①).

inchmeal /ˈɪntʃmiːl/ avv. a poco a poco;
per gradi.

inchoate /ˈɪnkəʊeɪt/ a. **1** incipiente; appena iniziato; iniziale **2** non ancora sviluppato; rudimentale.

to **inchoate** /ˈɪnkəʊeɪt/ (*leg.*, *raro*) v. t. cominciare; iniziare ‖ **inchoation** n. ⓤⓒ inizio; principio.

inchoative /ɪnˈkəʊətɪv/ A a. **1** (*raro*) incipiente; iniziale **2** (*gramm.*) incoativo B n.
(*gramm.*) verbo incoativo.

inchworm /ˈɪntʃwɜːm/ n. (*zool.*, *Geometri-
dae*) geometride; bruco misuratore.

incidence /ˈɪnsɪdəns/ n. ⓤ (*anche scient.*)
incidenza: **the i. of a disease** [**of a tax**],
l'incidenza di una malattia [di un'imposta];
(*fis.*) **angle of i.**, angolo d'incidenza.

♦**incident**① /ˈɪnsɪdənt/ n. **1** evento; avve-

nimento; episodio; fatto; caso: **a strange i.**, un fatto strano; **an i. of unsafe driving**, un caso di guida pericolosa **2** evento negativo; fatto spiacevole; incidente: **without further i.**, senza ulteriori incidenti; **a border i.**, incidente di frontiera; **a diplomatic i.**, un incidente diplomatico; **i. room**, centrale operativa (per far fronte a un'emergenza o a un incidente) **3** (leg.) diritto accessorio (o connesso) ❶ **FALSI AMICI** • incident non significa incidente nel senso di infortunio, disgrazia.

incident② /ˈɪnsɪdənt/ a. **1** inerente; insito; connesso: **the duties i. to leadership**, i doveri inerenti alla posizione di capo **2** che può accadere come conseguenza; conseguente (a) **3** (leg.) accessorio **4** (fis.) incidente: **i. rays**, raggi incidenti.

incidental /ɪnsɪˈdɛntl/ Ⓐ a. **1** inerente; insito; (inevitabilmente) connesso: **the dangers i. to free-climbing**, i pericoli inevitabilmente connessi con l'arrampicata libera **2** incidentale; accessorio; secondario: **i. details**, dettagli secondari **3** accidentale; occasionale; casuale; fortuito: **i. expenses**, spese occasionali (o impreviste) Ⓑ n. pl. **1** l'imponderabile **2** (comm.) spese occasionali; imprevisti • (cinem., teatr.) **i. music**, musica di fondo.

♦**incidentally** /ɪnsəˈdɛntəlɪ/ avv. **1** a proposito; tra l'altro: The church, i., dates back to the sixteenth century, la chiesa, tra l'altro, risale al XVI secolo **2** incidentalmente; casualmente; marginalmente: The letter mentioned your mother only i., la lettera parlava di tua madre solo marginalmente.

to **incinerate** /ɪnˈsɪnəreɪt/ v. t. **1** incenerire; ridurre in cenere **2** (USA) cremare ‖ **incineration** n. Ⓤ **1** incenerimento **2** (USA) cremazione ‖ **incinerator** n. **1** inceneritore **2** (USA) forno crematorio.

incipient /ɪnˈsɪpɪənt/ (anche med.) a. incipiente; allo stato iniziale: **i. social unrest**, incipienti disordini sociali ‖ **incipience**, **incipiency** n. Ⓒⓤ incipienza; condizione (o stato) iniziale; inizio; principio.

to **incircle**, **in-circle** /ɪnˈsɜːkl/ n. (geom.) circonferenza inscritta.

to **incise** /ɪnˈsaɪz/ v. t. **1** incidere (anche med.); tagliare **2** intagliare.

incision /ɪnˈsɪʒn/ n. **1** incisione (anche med.); taglio **2** intaglio **3** Ⓤ (anche sport) incisività: **to lack i.**, non avere incisività.

incisive /ɪnˈsaɪsɪv/ a. incisivo (anche fig.); acuto; penetrante; tagliente; icastico; caustico: **an i. style**, uno stile incisivo; **an i. mind**, una mente acuta; **i. remarks**, osservazioni taglienti • (sport) **an i. action**, un'azione incisiva (o ficcante) | **-ly** avv. | **-ness** n. Ⓤ.

incisor /ɪnˈsaɪzə(r)/ n. (anat.) (dente) incisivo.

incisure /ɪnˈsaɪʒə(r)/ n. (scient., tecn.) incisura; fessura; solco.

to **incite** /ɪnˈsaɪt/ v. t. **1** incitare; stimolare; spronare (fig.) **2** eccitare; suscitare: Injustice and inequality i. hatred and revolt, l'ingiustizia e la disuguaglianza suscitano l'odio e la ribellione ‖ **incitation** n. Ⓤⓒ incitazione; incitamento ‖ **inciter** n. incitatore, incitatrice; istigatore, istigatrice.

incitement /ɪnˈsaɪtmənt/ n. Ⓤ **1** incitamento; eccitazione; stimolazione **2** stimolo; incentivo **3** (leg.) istigazione; istigazione: **i. to** (**commit**) **crime**, istigazione a delinquere.

incivility /ɪnsɪˈvɪlətɪ/ n. Ⓤⓒ inciviltà; rozzezza; scortesia; villania.

incl. abbr. **1** (**included**) incluso **2** (**including**) compreso (prep.) **3** (**inclusive**) comprensivo; che include.

in-clearing /ɪnˈklɪərɪŋ/ n. Ⓤⓒ (fin., in GB) compensazione in entrata; insieme degli assegni, ecc., spiccati su una banca e da que-

sta presentati alla stanza di compensazione.

inclemency /ɪnˈklɛmənsɪ/ n. Ⓤ inclemenza; (del clima) rigidità.

inclement /ɪnˈklɛmənt/ a. inclemente; (del clima) rigido | **-ly** avv.

inclinable /ɪnˈklaɪnəbl/ a. **1** incline; proclive (lett.); propenso **2** inclinabile.

inclination /ɪnklɪˈneɪʃn/ n. **1** Ⓤⓒ inclinazione (in ogni senso); pendenza; disposizione; propensione; simpatia; tendenza: **to follow one's own inclinations**, seguire le proprie inclinazioni **2** flessione; piegamento: **an i. of the body**, una flessione del corpo (un inchino); **an i. of the head**, un piegamento della testa (un cenno del capo) **3** china; pendio; declivio **4** Ⓤ (astron., geom.) inclinazione • **to have no i. to be a teacher**, non essere portato all'insegnamento □ **to show no i. to do st.**, non mostrarsi incline (o disposto) a fare qc.

incline /ˈɪnklaɪn/ n. **1** pendenza; pendio; inclinazione: **a steep i.**, un pendio ripido; **an i. of ten per cent**, una pendenza del dieci per cento **2** (tecn.) rampa; scivolo • (ind. min.) **i. shaft**, pozzo inclinato.

to **incline** /ɪnˈklaɪn/ Ⓐ v. t. **1** inclinare; chinare; piegare: **to i. one's head**, chinare il capo **2** (fig.) disporre, indurre: His words i. me to believe him, le sue parole m'inducono a credergli **3** flettere in avanti Ⓑ v. i. **1** inclinarsi; chinarsi; piegarsi **2** (fig.) inclinare, propendere, tendere: I i. to think that..., inclino (o propendo) a credere che... **3** (di un colore) tendere (al rosso, al verde, ecc.) • (arc.) **to i. one's ear**, prestare orecchio.

♦**inclined** /ɪnˈklaɪnd/ a. **1** inclinato: **i. plane**, piano inclinato **2** incline; ben disposto; propenso: **to be i. to do st.**, essere incline (o propenso) a fare qc.; **to be i. towards sb.**, essere ben disposto verso q. • **to be musically i.**, essere portato per la musica.

inclinometer /ɪnklɪˈnɒmɪtə(r)/ n. (aeron., naut.) inclinometro.

to **inclose** /ɪnˈkləʊz/ e deriv. → **to enclose**, e deriv.

♦to **include** /ɪnˈkluːd/ v. t. **1** includere; annoverare; comprendere: His name has been included in the list, il suo nome è stato incluso nella lista; The price includes VAT, nel prezzo è compresa l'IVA **2** (raro) contenere; racchiudere.

♦**including** /ɪnˈkluːdɪŋ/ Ⓐ a. che include; comprendente; comprensivo di Ⓑ prep. compreso, incluso: Ten were killed, i. the officer, dieci furono uccisi, compreso l'ufficiale.

inclusion /ɪnˈkluːʒn/ n. **1** Ⓤ (anche mat.) inclusione **2** (geol.) incluso • (chim.) **i. complex**, composto d'inclusione.

inclusive /ɪnˈkluːsɪv/ a. **1** incluso; compreso: **from Monday to Saturday i.**, dal lunedì al sabato compreso; **a total of six persons, i. of the driver**, un totale di sei persone, compreso l'autista **2** inclusivo; comprensivo: The price is i. of shipping, il prezzo è comprensivo (o inclusivo) di spedizione **3** complessivo; totale: **the i. sum**, il totale; **i. charge**, spesa complessiva **4** (ling.) inclusivo • **i. of everything**, tutto compreso □ (comm.) **i. price**, (prezzo) tutto compreso □ (in un albergo) **i. terms**, tutto compreso □ (tur.) **i. tour**, inclusive tour | **-ly** avv. | **-ness** n. Ⓤ.

incoercible /ɪnkəʊˈɜːsəbl/ a. incoercibile; incomprimibile.

incog. → **incognito**.

incognito /ɪnkɒɡˈniːtəʊ/ Ⓐ a. e n. (pl. **incognitos**) incognito; (persona) che va in incognito: **a film star i.**, una stella del cinema in incognito Ⓑ avv. in incognito: The king travelled i., il re viaggiava in incognito.

incognizable /ɪnˈkɒɡnɪzəbl/ a. incono-

scibile.

incognizant /ɪnˈkɒɡnɪzənt/ a. inconsapevole; inconscio (di qc.) ‖ **incognizance** n. Ⓤ inconsapevolezza.

incoherence /ɪnkəʊˈhɪərəns/ Ⓤ, **incoherency** /ɪnkəʊˈhɪərənsɪ/ n. **1** mancanza di senso logico; incoerenza; illogicità **2** confusione mentale; incapacità di connettere; stato confusionale **3** discorsi sconnessi **4** (scient.) incoerenza.

incoherent /ɪnkəʊˈhɪərənt/ a. **1** sconclusionato; sconnesso; incoerente: **an i. sentence**, una frase sconclusionata; He mumbled some i. excuse, borbottò una scusa sconnessa **2** incapace di connettere; incapace di esprimersi in modo intelligibile; che vaneggia: **to become i. with fear**, non connettere più per la paura **3** illogico; incoerente **4** (scient.) incoerente | **-ly** avv.

incohesive /ɪnkəʊˈhiːsɪv/ a. che manca di coesione.

incombustible /ɪnkəmˈbʌstəbl/ a. incombustibile ‖ **incombustibility** n. Ⓤ incombustibilità.

♦**income** /ˈɪnkʌm/ n. Ⓒⓤ **1** (econ., fin.) entrata; entrate; reddito: **earned i.**, reddito da lavoro; **unearned i.**, reddito di capitale; rendita; **net i.**, entrate nette; **i. tax**, imposta sul reddito **2** (fin., rag.) profitto; utile; ricavo: **i. for the year**, utile d'esercizio • (rag.) **i. account**, conto profitti e perdite; conto economico □ (fisc.) **i. base**, base imponibile □ (fin.) **i. bracket**, fascia (o scaglione) di reddito □ **i. distribution**, distribuzione del reddito □ **i. from employment**, reddito di lavoro subordinato □ (fin.) **i. group** = **i. bracket** → sopra □ (econ.) **incomes policy**, politica dei redditi □ (fisc.) **i. range**, classe di reddito □ (rag.) **i. return**, denuncia dei redditi □ (rag.) **i. statement** = **i. account** = sopra □ (in GB) **i. support**, assegno integrativo (ai salari più bassi) □ (fin.) **i. surtax**, (imposta) complementare sul reddito □ **i. tax code**, codice fiscale □ **i. tax return**, dichiarazione dei redditi □ (econ.) **i. transfers**, trasferimenti □ (fin.) **i. yield**, rendimento (di un titolo) □ **to live above one's i.**, spendere più di quel che si guadagna; vivere al di sopra dei propri mezzi □ **to live on unearned i.**, vivere di rendita □ **to live within one's i.**, vivere secondo i propri mezzi □ (econ.) **low-i. families**, famiglie a basso reddito.

incomer /ˈɪnkʌmə(r)/ n. **1** chi entra; chi subentra **2** sopravvenuto; successore **3** immigrante **4** intruso.

incoming① /ˈɪnkʌmɪŋ/ a. **1** entrante; subentrante: **the i. tenant**, l'affittuario subentrante **2** sopravveniente; in entrata: **i. traffic**, traffico in entrata **3** in arrivo; nuovo: **the i. train**, il treno in arrivo; **i. letters**, corrispondenza in arrivo **4** (elettr.) entrante; in entrata **5** (naut.) montante: **i. tide**, la marea montante • (rag.) **i. profits**, profitti in via di maturazione.

incoming② /ˈɪnkʌmɪŋ/ n. Ⓒⓤ **1** entrata; arrivo **2** (della marea) flusso **3** (di solito al pl.) (fin.) entrate; ricavi • (sport) **i. runner**, frazionista ricevente (nella corsa a staffetta).

incommensurable /ɪnkəˈmɛnʃərəbl/ a. incommensurabile ‖ **incommensurability** n. Ⓤ incommensurabilità ‖ **incommensurably** avv. incommensurabilmente.

incommensurate /ɪnkəˈmɛnʃərət/ a. **1** inadeguato; insufficiente; sproporzionato: His means are i. with his needs, i suoi mezzi sono inadeguati ai suoi bisogni **2** → **incommensurable** | **-ness** n. Ⓤ.

to **incommode** /ɪnkəˈməʊd/ v. t. (form.) incomodare; scomodare; disturbare; recare disturbo a (q.).

incommodious /ɪnkəˈməʊdɪəs/ a. (form.) scomodo; disagevole | **-ness** n. Ⓤ.

incommunicable /ɪnkəˈmjuːnɪkəbl/ a.

incomunicabile: '[...] *that i. grief / Which is all mystery or nothing'* S. SPENDER, '[...] quel dolore incomunicabile / che è tutto mistero oppure nulla' || **incommunicability, incommunicableness**. Ⓤ incomunicabilità || **incommunicably** avv. incomunicabilmente.

incommunicado /ɪnkəmjuːnɪˈkɑːdəʊ/ Ⓐ a. senza possibilità (*o* permesso) di comunicare; segregato Ⓑ avv. in segregazione: *The prisoners were held i.*, i prigionieri furono tenuti in segregazione.

incommunicative /ɪnkəˈmjuːnɪkətɪv/ a. reticente; riservato | **-ly** avv. | **-ness** n. Ⓤ.

incommutable /ɪnkəˈmjuːtəbl/ a. incommutabile; immutabile || **incommutability** n. Ⓤ incommutabilità || **incommutably** avv. incommutabilmente.

incompact /ɪnkəmˈpækt/ a. **1** non compatto; disgregato **2** (*fig.*) discorde; diviso.

in-company /ˈɪnˌkʌmpənɪ/ a. (*fin.*) che avviene all'interno di una società; intra-aziendale; interno.

incomparable /ɪnˈkɒmpərəbl/ a. incomparabile; ineguagliabile || **incomparability, incomparableness** n. Ⓤ incomparabilità; l'essere incomparabile (*o* ineguagliabile) || **incomparably** avv. incomparabilmente; ineguagliabilmente.

incompatibility /ɪnkəmpætəˈbɪlɪtɪ/ n. Ⓤ©️ **i. of temper**, incompatibilità di carattere.

incompatible /ɪnkəmˈpætəbl/ Ⓐ a. **1** incompatibile; inconciliabile **2** (*chim., med., mat.*) incompatibile Ⓑ n. pl. **1** persone (*o* cose) incompatibili (*fra loro*) **2** (*farm.*) medicinale incompatibile | **-bly** avv.

incompetence /ɪnˈkɒmpɪtəns/, **incompetency** /ɪnˈkɒmpɪtənsɪ/ n. Ⓤ **1** incompetenza; incapacità **2** (*leg.*) incompetenza **3** (*leg.*) incapacità: **i. to contract**, incapacità contrattuale **4** (*med.*) insufficienza: **aortic i.**, insufficienza aortica.

incompetent /ɪnˈkɒmpɪtənt/ Ⓐ a. **1** incompetente; incapace **2** (*leg.*) incompetente **3** (*leg.*) incapace (*spec.*: di testimoniare) **4** (*med.*) insufficiente Ⓑ n. **1** incompetente **2** (*leg.*) incapace | **-ly** avv.

incomplete /ɪnkəmˈpliːt/ a. incompleto; incompiuto | **-ly** avv. | **-ness** n. Ⓤ.

incompliance /ɪnkəmˈplaɪəns/ n. → **non-compliance**.

incomprehensible /ɪnkɒmprɪˈhensəbl/ a. incomprensibile || **incomprehensibility, incomprehensibleness** n. Ⓤ incomprensibilità || **incomprehensibly** avv. incomprensibilmente.

incomprehension /ɪnkɒmprɪˈhenʃn/ n. Ⓤ incomprensione.

incomprehensive /ɪnkɒmprɪˈhensɪv/ a. **1** limitato; ristretto **2** poco comprensivo.

incompressible /ɪnkəmˈpresəbl/ a. incompressibile; incomprimibile (*anche mecc.*) || **incompressibility** n. Ⓤ incompressibilità; incomprimibilità.

incomputable /ɪnkəmˈpjuːtəbl/ a. incomputabile; incalcolabile.

inconceivable /ɪnkənˈsiːvəbl/ a. **1** inconcepibile **2** (*fig. fam.*) inconcepibile; incredibile; straordinario || **inconceivability** n. Ⓤ inconcepibilità || **inconceivably** avv. inconcepibilmente.

inconclusive /ɪnkənˈkluːsɪv/ a. **1** (*anche leg.*) non conclusivo; inutile: **i. evidence**, prove non conclusive (*o* che non provano nulla); **an i. action**, un'azione inutile **2** inconcludente | **-ly** avv. | **-ness** n. Ⓤ.

incondensable /ɪnkənˈdensəbl/ a. incondensabile (*raro*); che non si può condensare.

incondite /ɪnˈkɒndɪt/ a. incondito (*lett.*); disordinato; rozzo; sciatto.

inconformity /ɪnkənˈfɔːmɪtɪ/ n. Ⓤ **1** → **nonconformity 2** difformità; disuguaglianza.

incongruence /ɪnˈkɒŋgruəns/, **incongruity** /ɪnkɒnˈgruːɪtɪ/ n. Ⓤ incongruenza.

incongruous /ɪnˈkɒŋgruəs/ a. incongruo; incongruente; assurdo | **-ly** avv. | **-ness** n. Ⓤ.

inconsecutive /ɪnkənˈsekjʊtɪv/ a. non consecutivo; inconseguente | **-ness** n. Ⓤ.

inconsequent /ɪnˈkɒnsɪkwənt/ a. **1** inconseguente; sconclusionato **2** incoerente; illogico; incongruente: **an i. conclusion**, una conclusione illogica; **an i. person**, una persona incoerente **3** irrilevante; senza importanza; insignificante || **inconsequence** n. Ⓤ **1** inconseguenza **2** incoerenza; illogicità; incongruenza || **inconsequently** avv. inconseguentemente; illogicamente.

inconsequential /ɪnkɒnsɪˈkwenʃl/ a. **1** inconseguente; illogico; incoerente; incongruente **2** irrilevante; senza importanza; insignificante || **inconsequentiality** n. Ⓤ **1** inconseguenza; incoerenza; incongruenza **2** irrilevanza || **inconsequentially** avv. inconseguentemente; illogicamente.

inconsiderable /ɪnkənˈsɪdrəbl/ a. inconsiderabile; irrilevante; trascurabile; senza importanza.

inconsiderate /ɪnkənˈsɪd(ə)rət/ a. **1** inconsiderato; sconsiderato; avventato: **an i. boy**, un ragazzo avventato **2** irriverente; mancante di riguardo; privo di rispetto: **i. actions**, atti irriverenti | **-ly** avv. | **-ness** n. Ⓤ.

inconsideration /ɪnkənsɪdəˈreɪʃn/ n. Ⓤ **1** inconsideratezza; sconsideratezza; avventatezza **2** irriverenza; mancanza di riguardo.

inconsistency /ɪnkənˈsɪstənsɪ/, **inconsistence** /ɪnkənˈsɪstəns/ n. Ⓤ©️ **1** contraddittorietà; incompatibilità **2** incoerenza; incongruenza; contraddizione **3** controsenso; assurdità; notizia senza fondamento **4** (*sport*) discontinuità (*di un giocatore*); frammentarietà (*del gioco*) ❶FALSI AMICI • inconsistency *non significa* inconsistenza.

inconsistent /ɪnkənˈsɪstənt/ a. **1** contraddittorio: **an i. narrative**, una narrazione contraddittoria **2** incoerente; incongruente: **i. behaviour**, comportamento incoerente **3** contrario (a); incompatibile (con): *Your conduct is i. with what you preach*, la tua condotta è incompatibile con quel che predichi **4** incostante, discontinuo (*nel lavoro, nel rendimento, ecc.*) **5** (*sport: del gioco*) frammentario | **-ly** avv. ❶FALSI AMICI • inconsistent *non significa* inconsistente.

inconsolable /ɪnkənˈsəʊləbl/ a. inconsolabile | **-bly** avv.

inconsonant /ɪnˈkɒnsənənt/ a. discordante; discorde; contrario || **inconsonance** n. Ⓤ disaccordo; discordanza; disarmonia.

inconspicuous /ɪnkənˈspɪkjuəs/ a. **1** che si vede appena; quasi invisibile **2** che non dà nell'occhio; non appariscente: **an i. way of dressing**, un modo di vestire che non dà nell'occhio ● **to make oneself i.**, non mettersi in evidenza; farsi piccolo (*fig.*) || **inconspicuously** avv. senza (*o* non) dare nell'occhio: *She stood inconspicuously in a corner*, se ne stava in un angolo, senza dare nell'occhio ● **to be dressed inconspicuously**, essere vestito in modo sobrio || **inconspicuousness** n. Ⓤ il non dare nell'occhio; mancanza d'appariscenza; sobrietà (*nel vestire*).

inconstancy /ɪnˈkɒnstənsɪ/ n. incostanza; instabilità; mutevolezza; variabilità; volubilità: *There is nothing in this world constant, but i.* J. SWIFT, 'non c'è nulla di costante al mondo se non l'incostanza'.

inconstant /ɪnˈkɒnstənt/ a. incostante; instabile; mutevole; variabile; volubile | **-ly** avv.

inconsumable /ɪnkənˈsjuːməbl/ a. **1** inconsumabile **2** (*econ.: di un bene, ecc.*) non di consumo.

incontestable /ɪnkənˈtestəbl/ (*anche leg.*) a. incontestabile; inconfutabile (*leg.*) **i. evidence**, prove inconfutabili || **incontestability** n. Ⓤ incontestabilità; inconfutabilità: (*ass.*) **incontestability clause**, clausola dell'incontestabilità || **incontestably** avv. incontestabilmente; inconfutabilmente.

incontinence /ɪnˈkɒntɪnəns/ n. Ⓤ incontinenza (*anche med.*); intemperanza: **i. of urine**, incontinenza urinaria; enuresi ● **i. pad**, pannolone (*per anziani e malati*).

incontinent /ɪnˈkɒntɪnənt/ a. incontinente (*anche med.*); intemperante; smodato | **-ly** avv.

incontrollable /ɪnkənˈtrəʊləbl/ a. incontrollabile | **-bly** avv.

incontrovertible /ɪnkɒntrəˈvɜːtɪbl/ a. incontrovertibile || **incontrovertible** n. Ⓤ incontrovertibilità || **incontrovertibly** avv. incontrovertibilmente.

inconvenience /ɪnkənˈviːnɪəns/ n. **1** Ⓤ disturbo; disagio; fastidio; molestia; incomodo: **to put sb. to i.**, dare (*o* arrecare) disturbo a q.; **to cause great i. to sb.**, essere di grave incomodo a q. **2** inconveniente; seccatura; intoppo; intralcio: **the inconveniences of commuting**, gli inconvenienti d'essere un pendolare.

to **inconvenience** /ɪnkənˈviːnɪəns/ v. t. disturbare; importunare; infastidire; incomodare; recar disturbo a; seccare.

inconvenient /ɪnkənˈviːnɪənt/ a. **1** che reca disturbo; fastidioso; molesto; importuno; incomodo; scomodo; seccante: *If it's not i. for you, we could meet tomorrow*, se non Le è d'incomodo, potremmo vederci domani; **an i. time**, un'ora scomoda **2** (*arc.*) non conveniente; sconveniente | **-ly** avv. ❶FALSI AMICI • nell'inglese attuale inconvenient *non significa* inconveniente.

inconvertible /ɪnkənˈvɜːtəbl/ (*econ.*) a. inconvertibile ● **i. circulation**, corso forzoso □ **i. currency**, valuta non convertibile || **inconvertibility** n. Ⓤ inconvertibilità.

incoordinate /ɪnkəʊˈɔːdənət/ a. **1** scoordinato **2** (*med.*) scoordinato; atassico || **incoordination** n. Ⓤ **1** mancanza di coordinazione **2** (*med.*) scoordinazione; incoordinazione (motoria); atassia.

incorporate /ɪnˈkɔːpəreɪt/ a. **1** incorporato; che fa parte di una corporazione **2** (*leg.*) avente personalità giuridica **3** (*raro*) incarnato **4** (*arc.*) incorporeo.

◆to **incorporate** /ɪnˈkɔːpəreɪt/ Ⓐ v. t. **1** incorporare; includere; comprendere: **to i. a region into a state**, incorporare una regione in uno stato; **to i. sb.'s suggestions into one's plan**, includere le idee suggerite da q. nel proprio programma **2** (*leg.*) costituire (*un ente, un organo, una società commerciale*) come persona giuridica; «registrare» (*un'azienda*) **3** (*fin.*) incorporare; amalgamare, fondere (*società diverse*) **4** accettare (q.) come membro; associare (q.) **5** (*raro*) incarnare (*qualità, virtù, ecc.*) Ⓑ v. i. **1** incorporarsi **2** (*leg.: di una società, ecc.*) acquistare personalità giuridica; costituirsi in persona giuridica **3** (*fin.*) associarsi; amalgamarsi; fondersi: *The two firms will i. next year*, le due ditte si fonderanno l'anno prossimo.

incorporated /ɪnˈkɔːpəreɪtɪd/ a. **1** incorporato **2** unito in corporazione **3** (*leg.*) eretto in ente giuridico (morale, *o* pubblico); costituito in persona giuridica ● **i. association**, associazione dotata di personalità giu-

ridica □ (*fin.*) **i. company**, società anonima, società per azioni (*regolarmente «registrata»*).

incorporation /ɪnkɔːpəˈreɪʃn/ n. ⓤ **1** incorporazione **2** (*leg.*) erezione in ente pubblico (*o morale*); costituzione (*di una società*) in persona giuridica; «registrazione»: **the i. of a company**, la costituzione di una società di capitali **3** (*fin.*) fusione (*di varie società*).

incorporator /ɪnˈkɔːpəreɪtə(r)/ n. **1** incorporatore **2** chi erige (*un istituto*) in ente giuridico (*morale o pubblico*) **3** (*fin., leg.*) chi costituisce una società; socio fondatore.

incorporeal /ɪnkɔːˈpɔːrɪəl/ a. **1** incorporeo; immateriale **2** (*leg.*) immateriale: **i. chattels**, beni (*o diritti*) immateriali (*diritti d'autore, brevetti, ecc.*) | **-ly avv.**

incorporeality /ɪnkɔːpɔːrɪˈælətɪ/ n. ⓤ incorporeità.

incorporeity /ɪnkɔːpəˈriːɪtɪ/ n. incorporeità.

incorrect /ɪnkəˈrekt/ a. **1** scorretto; impreciso; inadatto; inesatto; sbagliato **2** scorretto; sconveniente | **-ly avv.** | **-ness n.** ⓤ.

incorrigible /ɪnˈkɒrɪdʒəbl/ a. incorreggibile: **an i. liar**, un bugiardo incorreggibile || **incorrigibility n.** ⓤ incorreggibilità || **incorrigibly avv.** incorreggibilmente.

incorrupt /ɪnkəˈrʌpt/ a. incorrotto.

incorruptible /ɪnkəˈrʌptəbl/ a. incorruttibile || **incorruptibility n.** ⓤ incorruttibilità || **incorruptibly avv.** incorruttibilmente.

incorruption /ɪnkəˈrʌpʃn/ n. incorruttibilità; onestà.

Incoterms /ˈɪŋkəʊtɜːmz/ n. pl. (*comm. est.*) Incoterms (*norme internazionali per l'interpretazione dei termini commerciali*).

in-country /ˈɪnkʌntrɪ/ (*polit.*) **A** a. che avviene all'interno di un paese; nazionale; domestico **B** avv. all'interno di un paese • **in-country war**, guerra civile.

incrassate /ɪnˈkræsət/ a. (*bot., zool.*) grosso; gonfio; rigonfio.

increasable /ɪnˈkriːsəbl/ a. aumentabile.

♦**increase** /ˈɪŋkriːs/ n. **1** aumento; accrescimento; crescita; crescenza; incremento; ingrandimento: **an i. in population**, un aumento della popolazione; **an i. in prices**, un aumento dei prezzi; (*fin.*) **an i. of capital**, un aumento del capitale **2** (*di prezzi; anche*) dilatazione; rialzo; lievitazione; dinamica **3** (*mat.*) incremento **4** scatto (*di salario, ecc.*) • (*econ.*) **the i. and decrease of economic activity**, le fluttuazioni della congiuntura □ (*ass.*) **i. of (the) risk**, aggravamento del rischio □ **i. (of wages) according to age**, scatto (di salario) per anzianità □ **to be on the i.**, essere in aumento.

♦**to increase** /ɪnˈkriːs/ v. t. e i. **1** aumentare; accrescere; crescere; elevare; ingrandire; ingrandirsi; moltiplicarsi: **to i. prices**, aumentare (*o alzare*) i prezzi; **to i. sb.'s salary**, aumentare lo stipendio di q.; *Raw materials are increasing in price*, le materie prime aumentano di prezzo; il prezzo delle materie prime è in aumento; **to i. one's power**, accrescere il proprio potere **2** (*di prezzi; anche*) dilatarsi; lievitare (*fig.*) **3** (*lavori a maglia*) crescere.

increaser /ɪnˈkriːsə(r)/ n. **1** chi aumenta; aumentatore **2** (*mecc.*) giunto conico (*per collegare tubi, ecc.*).

increasing /ɪnˈkriːsɪŋ/ a. in aumento; crescente: (*econ.*) **i. costs**, costi crescenti; (*mat.*) **i. function**, funzione crescente; (*econ.*) **i. returns**, rendimenti crescenti.

♦**increasingly** /ɪnˈkriːsɪŋlɪ/ avv. **1** in modo crescente; sempre più: **i. difficult [popular]**, sempre più difficile [di moda] **2** sempre più spesso: *People i. use the Internet at work*, la gente usa sempre più spesso Inter-

net al lavoro.

♦**incredible** /ɪnˈkredəbl/ a. **1** incredibile **2** (*fam.*) incredibile; incredibilmente bello; eccezionale; straordinario: **an i. match**, una partita incredibile || **incredibility n.** ⓤ incredibilità.

♦**incredibly** /ɪnˈkredəblɪ/ avv. incredibilmente: *The world has changed i. in recent times*, il mondo è incredibilmente cambiato negli ultimi tempi.

incredulity /ɪnkrəˈdjuːlɪtɪ, *USA* -ˈduː-/ n. ⓤ incredulità.

incredulous /ɪnˈkredjʊləs/ a. incredulo | **-ly avv.** | **-ness n.** ⓤ.

increment /ˈɪŋkrɪmənt/ n. incremento (*anche mat.*); accrescimento; aumento: *You'll get a monthly i. of 50 pounds*, avrai un aumento mensile di 50 sterline.

incremental /ɪŋkrɪˈmentl/ a. **1** incrementivo (*raro*); di (*o in*) aumento **2** (*mat., comput., ling.*) incrementale • (*comput.*) **i. backup**, backup incrementale □ (*econ.*) **i. cost**, costo marginale.

to incriminate /ɪnˈkrɪmɪneɪt/ v. t. **1** accusare; mettere sotto accusa; indicare come colpevole: *His testimony incriminates his partner*, la sua dichiarazione mette sotto accusa il socio **2** (*leg.*) accusare; incriminare || **incrimination n.** ⓤ messa sotto accusa; incriminazione || **incriminatory a.** incriminante; incriminatorio.

to incrust /ɪnˈkrʌst/ e *deriv.* → **to encrust**, e *deriv.*

to incubate /ˈɪŋkjʊbeɪt/ **A** v. t. **1** (*zootecnia*) covare **2** (*med.*) incubare **3** tenere in incubatrice **4** (*fig.*) progettare; tramare; macchinare **B** v. i. **1** covare **2** stare in incubatrice **3** (*fig.*) svilupparsi; essere in incubazione.

incubation /ɪŋkjʊˈbeɪʃn/ n. ⓤ **1** (*anche med.*) incubazione **2** (*zootecnia*) cova || **incubative a.** d'incubazione || **incubatory a.** d'incubazione • (*med.*) **incubatory carrier**, portatore di malattie in fase d'incubazione.

incubator /ˈɪŋkjʊbeɪtə(r)/ n. **1** incubatrice **2** stufa termostatica • (*fin.*) **i. company**, società incubatrice; incubatore.

incubus /ˈɪŋkjʊbəs/ n. (pl. **incubi, incubuses**) (*anche fig.*) incubo.

to inculcate /ˈɪŋkʌlkeɪt/ v. t. inculcare; imprimere; instillare || **inculcation n.** ⓤ l'inculcare; l'instillare || **inculcator n.** inculcatore (*raro*); chi inculca.

inculpable /ɪnˈkʌlpəbl/ a. senza colpa; incolpevole; innocente.

to inculpate /ˈɪnkʌlpeɪt/ v. t. incolpare; incriminare || **inculpation n.** ⓤ incolpamento (*raro*); imputazione di colpa; incriminazione || **inculpatory a.** che incolpa; accusatorio; incriminatorio; d'accusa: (*leg.*) **inculpatory witness**, testimone d'accusa.

inculturation /ɪnkʌltʃəˈreɪʃn/ n. ⓤ acculturazione.

incumbency /ɪnˈkʌmbənsɪ/ n. ⓒⓤ **1** (*relig.*) beneficio ecclesiastico; prebenda **2** titolarità; l'essere in carica; permanenza in carica **3** dovere; obbligo ❶ **FALSI AMICI** • incumbency *non significa* incombenza.

incumbent① /ɪnˈkʌmbənt/ n. **1** (*relig.*) titolare d'un beneficio ecclesiastico; prebendario **2** (*form.*) titolare d'una carica (*o* d'un ufficio).

incumbent② /ɪnˈkʌmbənt/ a. (*form.*) **1** in carica: **the i. President**, il Presidente in carica **2** – **i. on**, che spetta a; che incombe a: *It is i. on the school to hire qualified teachers*, spetta alla scuola assumere insegnanti qualificati **3** – **i. on**, che giace su; che poggia su ❶ **FALSI AMICI** • incumbent *non significa* incombente *nel senso di* imminente.

incunabulum /ɪnkjuːˈnæbjʊləm/ n. (pl. **incunabula**) **1** incunabolo **2** (pl.) fasi

iniziali (*di qc.*); inizi; principio || **incunabulist n.** incunabulista.

to incur /ɪnˈkɜː(r)/ v. t. **1** incorrere in; esporsi a; attirarsi: **to i. punishment**, incorrere in una punizione; **to i. danger**, esporsi al pericolo; **to i. sb.'s blame**, attirarsi il biasimo di q. **2** contrarre; fare; sostenere: **to i. large debts**, contrarre grossi debiti; **to i. heavy expenses**, sostenere grandi spese.

incurability /ɪnkjʊərəˈbɪlɪtɪ/ n. ⓤ (*med.*) incurabilità.

incurable /ɪnˈkjʊərəbl/ **A** a. **1** incurabile; inguaribile; insanabile **2** incorreggibile; irrimediabile: **an i. habit**, un'abitudine incorreggibile **B** n. (*med.*) malato incurabile; malato cronico | **-bly avv.**

incurably /ɪnˈkjʊərəblɪ/ avv. incurabilmente.

incurious /ɪnˈkjʊərɪəs/ a. non curioso; privo di curiosità; apatico; indifferente || **incuriosity n.** ⓤ mancanza di curiosità; indifferenza; apatia.

incursion /ɪnˈkɜːʃn/ (*anche sport*) n. incursione; irruzione; scorreria || **incursive a.** d'incursione; incursore.

to incurvate /ˈɪnkɜːveɪt/ v. t. e i. incurvare; incurvarsi || **incurvation n.** ⓒ incurvamento; incurvatura.

to incurve /ɪnˈkɜːv/ v. t. e i. incurvare; incurvarsi || **incurved a.** incurvato; ricurvo.

incus /ˈɪŋkəs/ (*lat.*) n. (pl. **incudes**) (*anat.*) incudine.

incuse /ɪnˈkjuːz/ **A** a. (*del disegno d'una moneta*) impresso; incuso (*raro*) **B** n. figura impressa; incuso (*raro*).

to incuse /ɪnˈkjuːz/ v. t. **1** imprimere (*una figura*) su una moneta **2** fregiare (*una moneta*) con una figura.

Ind. abbr. **1** (**independent**) indipendente **2** (**India**) India **3** (**Indian**) indiano.

ind. abbr. **1** (**index**) indice **2** (**indirect**) indiretto **3** (**indirectly**) indirettamente **4** (**industrial**) industriale **5** (**industry**) industria.

indebted /ɪnˈdetɪd/ a. indebitato (*anche fig.*); obbligato, grato: *I am greatly i. to you for your advice*, ti sono molto grato per i tuoi consigli • (*comm. e fig.*) **to be i. to sb.**, essere debitore verso q.

indebtedness /ɪnˈdetɪdnəs/ n. ⓤ **1** debito (*anche fig.*); obbligo (morale) **2** (*fin.*) indebitamento; situazione debitoria: **short-term i.**, indebitamento a breve termine **3** (*rag.*) passività.

indecency /ɪnˈdiːsnsɪ/ n. **1** ⓤ indecenza; immodestia; oscenità; sconvenienza **2** (*leg.*) atto di libidine.

indecent /ɪnˈdiːsnt/ a. indecente; immodesto; osceno; sconveniente: **i. behaviour**, comportamento indecente; (*leg.*) **atti osceni**; oltraggio al pudore; **i. books**, libri osceni; **i. haste**, fretta sconveniente • (*leg.*) **i. assault**, tentata violenza carnale □ (*leg.*) **i. exposure**, (atto di) esibizionismo degli organi sessuali □ (*fam.*) **i. wages**, salario troppo basso; salario indecente | **-ly avv.**

indecipherable /ɪndɪˈsaɪfrəbl/ a. indecifrabile || **indecipherability n.** ⓤ indecifrabilità.

indecision /ɪndɪˈsɪʒn/ n. ⓤ indecisione; esitazione; irresolutezza.

indecisive /ɪndɪˈsaɪsɪv/ a. **1** non decisivo: **an i. battle**, una battaglia non decisiva **2** indeciso; irresoluto; titubante | **-ly avv.** | **-ness n.** ⓤ.

indeclinable /ɪndɪˈklaɪnəbl/ a. (*gramm.*) indeclinabile.

indecomposable /ɪndiːkəmˈpəʊzəbl/ a. indecomponibile.

indecorous /ɪnˈdekərəs/ a. (*form.*) indecoroso; disdicevole; sconveniente | **-ly avv.** | **-ness n.** ⓤ.

♦**indeed** /ɪn'diːd/ **A** avv. **1** davvero; in verità; invero; certamente; certo; proprio: *You are i. very helpful*, sei davvero di grande aiuto; *There are i. exceptions*, in verità, ci sono delle eccezioni; *«Are you coming as well?» «Yes, i.!»*, «vieni anche tu?» «sì, certo (certamente)» **2** per meglio dire; anzi **B** inter. ma davvero!; ma va là!; guarda un po'!: *«He came in first» «Oh, i.!»*, «è arrivato primo» «ma davvero?».

indef. abbr. (**indefinite**) indefinito.

indefatigable /ɪndɪ'fætɪɡəbl/ a. infaticabile; indefesso; instancabile || **indefatigability** n. ⓤ infaticabilità || **indefatigably** avv. infaticabilmente.

indefeasible /ɪndɪ'fiːzəbl/ (*leg.*) a. inalienabile; imprescrittibile; inoppugnabile: **i. claims**, richieste inoppugnabili; **i. rights**, diritti inalienabili || **indefeasibility** n. ⓤ inalienabilità; imprescrittibilità; inoppugnabilità.

indefectible /ɪndɪ'fɛktəbl/ a. **1** indefettibile **2** senza difetti; perfetto; impeccabile.

indefensibility /ɪndɪfɛnsə'bɪlətɪ/ n. ⓤ **1** l'essere indifendibile **2** (*fig.*) insostenibilità.

indefensible /ɪndɪ'fɛnsəbl/ a. **1** indifendibile **2** (*fig.*) insostenibile **3** (*di un'azione*) imperdonabile.

indefinable /ɪndɪ'faɪnəbl/ a. indefinibile | -bly avv.

♦**indefinite** /ɪn'dɛfənət/ a. (*anche gramm. e mat.*) indefinito, indeterminato; impreciso; vago: **i. pronouns**, pronomi indefiniti; **i. integral**, integrale indefinito; **an i. reply**, una risposta vaga ● (*gramm.*) **i. article**, articolo indeterminativo □ (*leg., in GB*) **i. detention**, detenzione a tempo indeterminato □ (*mil.*) **i. leave**, congedo assoluto | -ly avv. | -ness n. ⓤ.

indehiscent /ɪndɪ'hɪsnt/ (*bot.*) a. indeiscente || **indehiscence** n. ⓤ indeiscenza.

indelible /ɪn'dɛləbl/ a. indelebile; incancellabile: **i. ink**, inchiostro indelebile; **i. dishonour**, un'onta incancellabile || **indelibility** n. ⓤ indelebilità || **indelibly** avv. indelebilmente.

indelicacy /ɪn'dɛlɪkəsɪ/ n. ⓤⓒ indelicatezza; mancanza di tatto; sconvenienza.

indelicate /ɪn'dɛlɪkət/ a. indelicato; grossolano; sconveniente | -ly avv.

indemnification /ɪndɛmnɪfɪ'keɪʃn/ n. ⓤ risarcimento; indennizzo.

to **indemnify** /ɪn'dɛmnɪfaɪ/ v. t. **1** indennizzare **2** assicurare, garantire (*contro perdite, danni, ecc.*): **to i. sb. from** (*o against*) **damage**, assicurare q. contro i danni ● **to i. oneself**, garantirsi, tutelarsi (*contro perdite, rischi, ecc.*).

indemnitor /ɪn'dɛmnɪtə(r)/ n. **1** (*ass.*) indennizzatore **2** chi è tenuto a indennizzare.

indemnity /ɪn'dɛmnətɪ/ n. **1** indennità; indennizzo; risarcimento **2** ⓤ garanzia (*contro perdite, danni, ecc.*) **3** ⓤ esenzione (*da penali, responsabilità, ecc.*) **4** (*Borsa, USA*) → **straddle**, def. 3 ● (*ass., naut.*) **i. club**, sezione avarie di **i. insurance**, assicurazione contro i danni □ **professional i. insurance**, assicurazione contro la responsabilità civile professionale.

indemonstrable /ɪndɪ'mɒnstrəbl/ a. indimostrabile.

indent① /'ɪndɛnt/ n. **1** dentellatura; tacca; intaccatura **2** (*stor.*) contratto di assunzione d'un apprendista **3** (*tipogr.*) rientranza; capoverso rientrato **4** (*comm.*) ordinativo (*o ordinazione*) di merci (*spec. dall'estero*) **5** (*leg.*) requisizione ufficiale (*di merci, ecc.*).

indent② /'ɪndɛnt/ n. incavo; solco; ammaccatura (*nella carrozzeria di un'automobile, ecc.*).

to **indent**① /ɪn'dɛnt/ **A** v. t. **1** dentellare;

intaccare; intagliare; fare incastri in (qc.) **2** frastagliare: *The coastline has been indented by erosion*, la costa è stata frastagliata dall'erosione **3** dividere in due (*un documento in duplice copia*) tracciando una linea dentellata **4** compilare, redigere (*un documento*) in duplice copia **5** (*tipogr.*) far rientrare (*l'inizio di una riga*) dal margine della pagina **6** (*comput.*) indentare; far rientrare (*una riga*) di un numero prestabilito di caratteri **7** (*comm.*) ordinare (*merci, spec. dall'estero*) **8** (*stor.*) vincolare (*un apprendista*) con contratto ● **B** v. i. **1** essere dentellato (*o intaccato*) **2** essere frastagliato **3** compilare documenti in duplice copia **4** (*comm.*) ordinare: **to i. on a firm for goods**, ordinare merci a una ditta **5** (*tipogr.*) fare un capoverso rientrato ● **to i. upon st.**, attingere (*o fare ricorso*) a qc.: (*fin.*) **to i. upon reserves**, attingere alle riserve.

to **indent**② /ɪn'dɛnt/ v. t. **1** fare un incavo (*o un solco*) in (qc.); ammaccare **2** imprimere, stampare (*un segno, ecc. su qc.*).

indentation /ɪndɛn'teɪʃn/ n. **1** dentellatura; intaccatura; tacca **2** frastagliatura; linea a zigzag; profonda insenatura **3** (*tipogr.*) rientranza; capoverso rientrato **4** (*comput.*) indentazione.

indented① /ɪn'dɛntɪd/ a. **1** dentellato; intaccato **2** frastagliato **3** (*tipogr.*) rientrato.

indented② /ɪn'dɛntɪd/ a. solcato; ammaccato.

indention /ɪn'dɛnʃn/ n. **1** (*tipogr.*) rientranza; capoverso rientrato **2** intaccatura; tacca.

indenture /ɪn'dɛntʃə(r)/ n. **1** (*leg.*) contratto bilaterale; accordo **2** accordo scritto; documento (*originariamente*) in duplice copia **3** certificato (*inventario, lista, ecc.*) ufficiale **4** dentellatura; intaccatura; tacca **5** (*spesso pl., stor.*) contratto d'apprendistato ● **to take up one's indentures**, finire l'apprendistato.

to **indenture** /ɪn'dɛntʃə(r)/ v. t. vincolare con contratto (*spec. un apprendista*); collocare (q.) come apprendista.

♦**independence** /ɪndɪ'pɛndəns/ n. ⓤ indipendenza: **to win one's i.**, conquistare l'indipendenza ● (*USA*) **I. Day**, festa dell'indipendenza (*4 luglio*) ● ● CULTURA • Independence Day: = Fourth of July → **fourth**.

independency /ɪndɪ'pɛndənsɪ/ n. **1** stato (*o nazione, territorio*) indipendente **2** (*relig.*) congregazionalismo.

♦**independent** /ɪndɪ'pɛndənt/ **A** a. **1** indipendente; libero; imparziale: **an i. woman**, una donna indipendente; **an i. observer**, un osservatore imparziale **2** in grado di (*o sufficiente per*) vivere senza lavorare **B** n. **1** (*spec. polit.*) indipendente **2** (*relig.*) congregazionalista ● (*gramm.*) **i. clause**, proposizione indipendente □ **i.-minded**, che ragiona con la propria testa □ **i. of**, senza considerare; senza tener conto di □ **to be i. of**, essere indipendente da; non dipendere da; non essere a carico di: *He's i. of his parents*, non è più a carico dei genitori □ (*in GB*) **i. school**, scuola privata □ (*comput.*) **i. software vendor**, azienda di software indipendente □ (*mat., stat., econ.*) **i. variable**, variabile indipendente □ **a man of i. means**, un uomo che vive del suo | -ly avv.

in-depth /ɪn'dɛpθ/ a. attr. in profondità; approfondito: **an in-depth study**, uno studio approfondito.

indescribable /ɪndɪ'skraɪbəbl/ a. indescrivibile || **indescribability** n. ⓤ l'essere indescrivibile || **indescribably** avv. indescrivibilmente.

indestructible /ɪndɪ'strʌktəbl/ a. indistruttibile || **indestructibility** n. ⓤ indistruttibilità || **indestructibly** avv. indistrut-

tibilmente.

indeterminable /ɪndɪ'tɜːmɪnəbl/ a. **1** indeterminabile **2** che non può essere deciso ● **an i. question**, una domanda senza risposta | -ness n. ⓤ.

indeterminacy /ɪndɪ'tɜːmɪnəsɪ/ n. **1** ⓤⓒ indeterminatezza **2** ⓤ (*fis.*) indeterminazione: **i. principle**, principio d'indeterminazione.

indeterminate /ɪndɪ'tɜːmɪnət/ a. **1** (*anche filos., scient.*) indeterminato; astratto; incerto; vago: **an i. result**, un risultato incerto **2** (*fon.*) indistinto: **i. vowel**, vocale indistinta ● (*leg.*) **i. sentence of imprisonment**, condanna al carcere per un numero variabile d'anni (*dipendente dalla condotta del carcerato*) (*non esiste in Italia*) | -ly avv. | -ness n. ⓤ.

indetermination /ɪndɪtɜːmɪ'neɪʃn/ n. ⓤ **1** indeterminazione; irresolutezza **2** = **indeterminateness** → **indeterminate**.

indeterminism /ɪndɪ'tɜːmɪnɪzəm/ (*filos.*) n. ⓤ indeterminismo || **indeterminist** n. seguace dell'indeterminismo || **indeterministic** a. indeterministico.

♦**index** /'ɪndɛks/ n. (pl. **indexes**, **indices**) **1** (*anat.*, = **i. finger**) (dito) indice **2** (*anche comput., stat., ecc.*) indice (*anche fig.*); ago, lancetta; indizio, segno: *Increased sales is an i. of prosperity*, l'aumento delle vendite è indice di prosperità; **the i. of retail prices**, l'indice dei prezzi al minuto; (*econ., fin.*) **cost-of-living i.**, indice del costo della vita; (*econ.*) **i. of productivity**, indice della produttività **3** indice alfabetico, analitico (*di un libro*) **4** catalogo; schedario: **a library i.**, lo schedario d'una biblioteca; **a card i.**, uno schedario **5** (*mat.*) indice; esponente **6** (*Borsa*) – **the I.**, l'indice delle trenta azioni principali (*sul «Financial Times»*) **7** (*relig., stor.*) – **the I.**, l'Indice (*dei libri proibiti*) ● (*naut.*) **i. arm**, alidada □ **i. card**, scheda □ (*econ., fin.*) **i.-linked**, indicizzato □ (*econ.*) **i.-linked wage**, salario indicizzato □ **annual i.-linked wage rises**, aumenti salariali annui indicizzati; la scala mobile □ (*econ., fin.*) **i.-linking**, indicizzazione □ (*tipogr.*) **i. mark**, manina □ (*stat.*) **i. number**, numero indice.

to **index** /'ɪndɛks/ v. t. **1** fornire (*un libro*) di indice analitico **2** includere (qc.) in un indice **3** (*relig., stor.*) mettere (*un libro*) all'Indice **4** (*econ., fin.*) indicizzare: **to i. incomes** [**interest**], indicizzare i redditi [gli interessi] **5** (*comput.*) indicizzare.

indexable /'ɪndɛksəbl/ a. (*econ., fin.*) indicizzabile.

indexation /ɪndɛk'seɪʃn/ n. ⓤ (*econ., fin.*) indicizzazione.

indexed /'ɪndɛkst/ a. (*econ., comput., fin.*) indicizzato: **i. bond**, obbligazione indicizzata; **i. pension**, pensione indicizzata.

indexer /'ɪndɛksə(r)/ n. **1** compilatore di indici e cataloghi **2** (*econ., fin.*) indicizzatore.

indexing /'ɪndɛksɪŋ/ n. ⓤ **1** (*comput.*) indicizzazione **2** → **indexation**.

to **index-link** /'ɪndɛks'lɪŋk/ v. t. (*econ., fin.*) indicizzare.

India /'ɪndɪə/ n. **1** (*geogr.*) India **2** (*radio, tel.*) (la lettera) i; India ● (*USA*) **I. ink**, inchiostro di china □ (*stor.*) **I. Office**, Dicastero per le relazioni con l'India □ **I. paper**, carta India; carta Bibbia □ **I. rubber**, caucciù; gomma (*per cancellare*).

Indiaman /'ɪndɪəmən/ n. (pl. **Indiamen**) (*stor., naut.*) grosso mercantile per il commercio con l'India.

Indian /'ɪndɪən/ **A** a. **1** indiano **2** indiano americano **B** n. **1** indiano **2** (= **American I.**) indiano americano **3** ⓤ lingua indiana americana **4** ⓤⓒ (*fam. ingl.*) cibo, pranzo indiano; ristorante indiano: *There's a nice I.*

just round the corner, c'è un buon ristorante indiano proprio dietro l'angolo ● **I. club**, clava (*per ginnastica*) □ (*zool.*) **I. cobra** (*Naja naja*), cobra dagli occhiali □ **I. corn**, granoturco □ (*bot.*) **I. fig** (*Opuntia ficus-indica*), fico d'India □ **I. file**, fila indiana □ **I. fire**, bengala □ (*pop. USA*) **I. giver**, chi rivuole indietro subito una cosa prestata □ (*bot.*) **I. hemp** (*Cannabis indica*), canapa indiana; (*o* **I. hay**, *slang USA*) marijuana □ **I. ink**, inchiostro di china □ (*USA*) **I. meal**, farina di granoturco □ (*bot.*) **I. millet** (*Sorghum vulgare*), saggina; sorgo; durra □ (*geogr.*) **the I. Ocean**, l'Oceano Indiano □ (*chim.*) **I. red**, rosso d'India (*ossido ferrico*) □ **I. rope-trick**, trucco indiano della corda (*su cui arrampicarsi, senza che sia assicurata in cima*) □ (*slang USA*) **I. sign**, malocchio □ **I. summer**, estate indiana (*equivalente all'estate di S. Martino*) ‖ **Indianism** n. Ⓤ indianismo ‖ **Indianist** n. indianista ‖ **Indianness** n. Ⓤ (*USA*) l'essere indiano; appartenenza a un'etnia indiana.

indican /'ɪndɪkən/ n. Ⓤ (*biochim.*) indicano.

♦to **indicate** /'ɪndɪkeɪt/ Ⓐ v. t. **1** indicare; additare; mostrare (a dito) **2** far capire, lasciar intendere: *He indicated that he would not run for re-election*, lasciò intendere che non si sarebbe ripresentato alle elezioni **3** denotare; rivelare; essere indizio di (qc.) **4** indicare, segnalare: *The data indicates an increase in inflation*, i dati indicano (o segnalano) un aumento dell'inflazione **5** suggerire; richiedere **B** v. i. (*autom.*) indicare (*una certa direzione*); fare segno (*di svolta*): **to i. right** [**left**], fare segno di svolta a destra [a sinistra] (*o indicare la svolta a destra* [*a sinistra*]) ● **to be indicated**, essere necessario (*o consigliabile, opportuno*): *Strict measures against corruption are indicated*, occorrono severi provvedimenti contro la corruzione □ (*mecc.*) **indicated horsepower**, potenza indicata (*d'un motore*).

♦**indication** /ɪndɪ'keɪʃn/ n. **1** Ⓤ atto dell'indicare; indicazione **2** cenno; segno; indizio: *She gave no i. that she had heard me*, non dava segno d'avermi sentito **3** (*med.*) prescrizione.

indicative /ɪn'dɪkətɪv/ Ⓐ a. (*anche gramm.*) indicativo: **i. mood**, modo indicativo; (*fin.*) **i. rate**, tasso (*o cambio*) indicativo **B** n. Ⓤ (*gramm.*) (*modo*) indicativo ● **to be i. of**, essere indice (*o segno*) di: *The strike may be i. of rising tensions in the factories*, lo sciopero può essere indice delle crescenti tensioni nelle fabbriche | **-ly** avv.

indicator /'ɪndɪkeɪtə(r)/ n. **1** indicatore (*persona o strumento*); lancetta (*di uno strumento*); spia luminosa: **speed i.**, tachimetro; (*naut.*) **i. flare**, fuoco indicatore (*di siluro*) **2** (*econ., stat.*) indice; indicatore; parametro: **i. of prosperity**, parametro di prosperità **3** (*autom.*: *un tempo*) freccia (direzionale); (*ora*) indicatore di direzione; lampeggiatore (*di direzione*) **4** indice; indizio: *Paleness may be an i. of illness*, il pallore può essere indice di malattia ● (*sport*) **i. board**, tabellone (*dei salti, dei tuffi, ecc.*) □ (*autom.*) **i. light** (*o* **i. lamp**), lampeggiatore, luce di direzione □ (*naut.*) **i. net**, sbarramento d'allarme □ (*autom.*) **i. switch**, levetta del cambio di direzione.

indicatory /ɪn'dɪkətəri/ a. indicativo; indicatore ● **to be i. of**, essere indicativo di; essere indice (*o segno*) di.

indices /'ɪndɪsiːz/ pl. di **index**.

to **indict** /ɪn'daɪt/ v. t. (*leg. e fig.*) accusare; mettere in stato d'accusa; incriminare: **to be indicted for arson**, essere accusato d'incendio doloso.

indictable /ɪn'daɪtəbl/ a. (*leg.*) **1** accusabile; incriminabile **2** perseguibile; passibile di pena: **an i. offence**, un'infrazione passibile di pena.

indictee /ɪndaɪ'tiː/ n. (*leg.*) accusato; imputato; incriminato.

indicter /ɪn'daɪtə(r)/ → **indictor**.

indiction /ɪn'dɪkʃn/ n. **1** (*stor.*) indizione **2** proclamazione.

indictment /ɪn'daɪtmənt/ n. (*leg.*) **1** accusa (*anche fig.*); accusa scritta **2** messa in stato d'accusa; incriminazione ● **bill of i.**, atto d'accusa; imputazione.

indictor /ɪn'daɪtə(r)/ n. (*leg.*) accusatore; chi incrimina.

indie /'ɪndɪ/ n. (*abbr. fam. di* **independent**) piccola casa cinematografica (*o discografica*) indipendente ● (*fam.*) **i. music**, musica 'indie'.

Indies /'ɪndɪz/ n. pl. (*geogr.*) Indie: **the East I.**, le Indie Orientali; **the West I.**, le Indie Occidentali.

indifference /ɪn'dɪfrəns/ n. Ⓤ **1** indifferenza; apatia; mancanza d'interesse: **to feign i.**, fingere indifferenza **2** irrilevanza; mancanza di valore (*o di importanza*): **a matter of i.**, una faccenda priva d'importanza **3** mediocrità; l'essere scadente **4** imparzialità; neutralità **5** (*econ., stat.*) indifferenza: **i. curve**, curva d'indifferenza.

indifferent /ɪn'dɪfrənt/ Ⓐ a. **1** indifferente; incurante; apatico; non interessato: *Your criticism leaves me i.*, le tue critiche mi lasciano indifferente **2** insensibile: *He was quite i. to my entreaties*, era del tutto insensibile alle mie suppliche **3** indifferente; irrilevante; privo d'importanza: *It's i. to me whether she marries him or not*, che lo sposi o no, per me è indifferente **4** mediocre; scadente: **an i. film**, un film mediocre (*o come tanti altri*) **5** di media grandezza; di medio valore (*o valore, ecc.*) **6** imparziale; neutrale: **to remain i.**, rimanere neutrale **7** (*chim., elettr.*) neutro **8** (*biol.*) indifferente; indifferenziato **B** n. persona che si disinteressa di religione o di politica; agnostico; neutrale ● **i. health**, salute cagionevole.

indifferentism /ɪn'dɪfrəntɪzəm/ n. Ⓤ indifferentismo; agnosticismo; mancanza d'interesse (*per la politica, la religione, ecc.*) ‖ **indifferentist** n. persona che si disinteressa di religione o di politica; agnostico; neutrale.

indifferently /ɪn'dɪfrəntlɪ/ avv. indifferentemente.

indigene /'ɪndɪdʒiːn/ n. **1** indigeno; aborigeno **2** (*zool.*) animale indigeno **3** (*bot.*) pianta indigena.

indigenous /ɪn'dɪdʒənəs/ a. **1** indigeno (*anche scient.*); nativo **2** innato; insito **3** degli indigeni.

indigent /'ɪndɪdʒənt/ a. indigente; poverissimo ‖ **indigence** n. Ⓤ indigenza; povertà estrema.

indigested /ɪndɪ'dʒestɪd/ a. (*arc.*) → **undigested**.

indigestible /ɪndɪ'dʒestəbl/ a. **1** indigeribile, indigesto (*anche fig.*) **2** (*fig.*) insopportabile; difficile da mandare giù (*fig.*) **3** (*fig.*) incomprensibile ‖ **indigestibility** n. Ⓤ **1** indigeribilità **2** (*fig.*) incomprensibilità.

indigestion /ɪndɪ'dʒestʃn/ n. Ⓤ **1** (*anche fig.*) indigestione **2** (*med.*) cattiva digestione; dispepsia: **to suffer from i.**, soffrire di cattiva digestione ‖ **indigestive** a. (*med.*) che soffre di cattiva digestione; dispeptico.

indign /ɪn'daɪn/ a. (*arc., poet.*) indegno.

indignant /ɪn'dɪgnənt/ a. indignato; sdegnato: **to be i. at st.**, essere sdegnato per qc. | **-ly** avv.

indignation /ɪndɪg'neɪʃn/ n. Ⓤ indignazione; sdegno ● (*polit.*) **i. meeting**, comizio di protesta.

indignity /ɪn'dɪgnətɪ/ n. **1** Ⓒ trattamento indegno; affronto; offesa; oltraggio; umilia-

zione **2** azione indegna, atto turpe.

indigo /'ɪndɪgəʊ/ n. Ⓤ **1** (*chim.*) indaco naturale **2** color indaco ● (*zool.*) **i. bird** (*o* **i. bunting**, *o* **i. finch**) (*Passerina cyanea*), beccogrosso azzurro □ **i. blue**, indaco (*il colore*) □ (*bot.*) **i. plant** (*Indigofera tinctoria*), indigofera.

indigotin /ɪn'dɪgətɪn/ n. Ⓤ (*chim.*) indigotina.

indirect /ɪndɪ'rekt/ a. **1** indiretto (*anche gramm.*); obliquo; traverso: **an i. reply**, una risposta indiretta; **an i. reference**, un riferimento indiretto (*un'allusione*); (*gramm.*) **i. discourse** (*o* **i. speech**), discorso indiretto; **i. roads**, vie traverse **2** (*fig.*) scorretto; sleale; subdolo ● (*econ.*) **i. costs**, costi indiretti (*o fissi*) □ **i. dealings**, trattative sottobanco □ (*fin.*) **i. exchange**, cambio indiretto □ (*rag.*) **i. expenses**, spese indirette □ (*sport*) **i. free kick**, calcio a due; calcio di seconda □ **i. incentive**, incentivo indiretto □ **i. lighting**, luce diffusa □ (*gramm.*) **i. object**, complemento indiretto □ (*fin.*) **i. parity**, parità indiretta (*dei cambi*) □ (*gramm.*) **i. passive**, «falso» passivo □ **an i. route**, un percorso non diretto (*o tortuoso*) □ (*fisc.*) **i. tax** [**taxation**], imposta [imposizione] indiretta.

indirection /ɪndɪ'rekʃn/ n. Ⓤ **1** vie indirette (*o traverse*) (*fig.*); raggiri **2** disonestà; inganno **3** mancanza di direzione; incertezza di movimenti (*o di mosse*) ● **by i.**, per mezzo di raggiri.

indirectly /ɪndɪ'rektlɪ/ avv. **1** indirettamente; per vie traverse **2** (*fig.*) disonestamente; con l'inganno.

indirectness /ɪndɪ'rektnəs/ n. Ⓤ l'essere indiretto; obliquità.

indiscernible /ɪndɪ'sɜːnəbl/ a. indiscernibile; impercettibile | **-bly** avv.

indiscipline /ɪn'dɪsəplɪn/ n. Ⓤ indisciplina.

indiscreet /ɪndɪ'skriːt/ a. **1** privo di discrezione; indelicato; privo di tatto **2** imprudente; irriflessivo; avventato; sconsiderato ❶**FALSI AMICI** ● **indiscreet** *non significa* indiscreto *nel senso di curioso o importuno* | **-ly** avv.

indiscrete /ɪndɪ'skriːt/ a. compatto; omogeneo; non separato ❶**FALSI AMICI** ● **indiscrete** *non significa* indiscreto.

indiscretion /ɪndɪ'skreʃn/ n. **1** Ⓤ Ⓒ mancanza di discrezione; indelicatezza; mancanza di tatto **2** imprudenza; avventatezza; sconsideratezza **3** (*eufem.*) errore; peccatuccio: **youthful indiscretions**, errori giovanili; **sexual i.**, peccatuccio sessuale ❶**FALSI AMICI** ● **indiscretion** *non significa* indiscrezione *nei sensi di curiosità e di notizia riservata*, pettegolezzo.

indiscriminate /ɪndɪ'skrɪmɪnət/ a. **1** indiscriminato; confuso; caotico: **i. praise**, elogi indiscriminati; **i. violence**, violenza indiscriminata **2** che non discrimina; che non distingue; che sceglie a caso; che non va (*o non guarda*) per il sottile: **to be i. in choosing one's friends**, non andare per il sottile nella scelta dei propri amici | **-ly** avv. | **-ness** n. Ⓤ.

indiscriminating /ɪndɪ'skrɪmɪneɪtɪŋ/ a. indiscriminato; privo di discernimento; che non discrimina; confusionario.

indiscrimination /ɪndɪskrɪmɪ'neɪʃn/ n. Ⓤ mancanza di discriminazione; incapacità di discernere.

indiscriminative /ɪndɪ'skrɪmɪnətɪv/ → **indiscriminating**.

indispensable, **indispensible** /ɪndɪ'spensəbl/ a. indispensabile; necessario; essenziale ‖ **indispensability**, **indispensibility**, **indispensableness**, **indispensibleness** n. Ⓤ indispensabilità (*raro*); l'essere indispensabile ‖ **indispensably**, **indis-**

pensibly avv. indispensabilmente.

to **indispose** /ɪndɪˈspəʊz/ v. t. **1** indisporre; indispettire; rendere maldisposto (*verso q.* o *qc.*); distogliere **2** rendere incapace (o inabile); inabilitare.

indisposed /ɪndɪˈspəʊzd/ a. **1** indisposto; lievemente malato **2** maldisposto; avverso; contrario; alieno; indisponibile; riluttante ● **i. to help**, indisponibile (*in assoluto*).

indisposition /ɪndɪspəˈzɪʃn/ n. ⓤⓒ **1** indisposizione; lieve malattia **2** cattiva disposizione d'animo; avversione; indisponibilità; riluttanza: **a certain i. to face unpleasant situations**, una certa riluttanza ad affrontare situazioni spiacevoli.

indisputable /ɪndɪˈspjuːtəbl/ a. indisputabile; incontestabile; indiscutibile ‖ **indisputability** n. ⓤ incontestabilità; indiscutibilità ‖ **indisputably** avv. incontestabilmente; indiscutibilmente.

indisputed /ɪndɪˈspjuːtɪd/ a. indiscusso; indisputato (*lett.*).

indissoluble /ɪndɪˈsɒljʊbl/ a. **1** indissolubile: **an i. bond**, un legame indissolubile **2** (*chim.*) insolubile ‖ **indissolubility** n. ⓤ indissolubilità ‖ **indissolubly** avv. indissolubilmente.

indistinct /ɪndɪˈstɪŋkt/ a. indistinto; confuso; vago: **i. words**, parole indistinte; **i. recollections**, ricordi vaghi ‖ **indistinctly** avv. indistintamente ‖ **indistinctness** n. ⓤ l'essere indistinto; confusione; mancanza di chiarezza.

indistinctive /ɪndɪˈstɪŋktɪv/ a. **1** che non si distingue; indistinto; confuso **2** incapace di distinguere | **-ly** avv.

indistinguishable /ɪndɪˈstɪŋgwɪʃəbl/ a. indistinguibile; impercettibile ‖ **indistinguishability** n. ⓤ indistinguibilità ‖ **indistinguishably** avv. indistinguibilmente.

to **indite** /ɪnˈdaɪt/ v. t. (*arc. o scherz.*) comporre; redigere; scrivere.

indium /ˈɪndɪəm/ n. ⓤ (*chim.*) indio.

indivertible /ɪndɪˈvɜːtəbl/ a. che non si può deviare.

♦**individual** /ɪndɪˈvɪdʒʊəl/ Ⓐ a. **1** individuale; caratteristico; personale; singolo: **i. liberty**, libertà individuale; **an i. style**, uno stile personale; **She gives i. attention to her students**, segue individualmente ogni suo studente; **the powers of the i. States**, i poteri dei singoli Stati (*in USA*) **2** (*sport*) individuale **3** (*fig.*) egoistico Ⓑ n. individuo: **the rights of the i.**, i diritti dell'individuo ● (*demogr.*) **i. aging**, senescenza □ (*nuoto*) **i. medley**, individuale «quattro stili» □ (*leg.*) **i. person**, persona fisica □ (*ass.*) **i. policy**, polizza individuale □ (*sport*) **i. sports**, sport individuali □ (*ciclismo*) **i. time trial**, (corsa a) cronometro individuale.

individualism /ɪndɪˈvɪdʒʊəlɪzəm/ n. ⓤ **1** indipendenza; fiducia in sé e nei propri mezzi **2** individualismo; egocentrismo **3** (*sociol., filos.*) individualismo ‖ **individualist** n. **1** persona indipendente e sicuro di sé **2** (*anche sociol., filos.*) individualista ‖ **individualistic** a. **1** indipendente **2** (*anche sociol., filos.*) individualistico.

individuality /ɪndɪvɪdʒʊˈælətɪ/ n. **1** ⓤ individualità **2** ⓤ personalità (*spec. se forte e spiccata*) **3** (pl.) gusti personali.

individualization /ɪndɪvɪdʒʊəlaɪˈzeɪʃn, *USA* -lɪˈz-/ n. ⓤ **1** individualizzazione; personalizzazione **2** individuazione.

to **individualize** /ɪndɪˈvɪdʒʊəlaɪz/ v. t. **1** individualizzare; adattare ai bisogni dell'individuo; personalizzare: *This is an individualized model*, questo è un modello personalizzato **2** individuare; far riconoscere (*come individuale, caratteristico*); caratterizzare **3** considerare individualmente; specificare.

individually /ɪndɪˈvɪdʒʊəlɪ/ avv. indivi-

dualmente; personalmente; singolarmente; uno alla volta: **to be i. responsible**, essere responsabile personalmente ● (*di una casa*) **i. designed**, costruita su disegno originale (*o per il committente*) □ **i. different**, diversi come individui.

to **individuate** /ɪndɪˈvɪdʒʊeɪt/ v. t. individuare ‖ **individuation** n. ⓤ individuazione.

indivisible /ɪndɪˈvɪzəbl/ Ⓐ a. indivisibile Ⓑ n. cosa (o particella) indivisibile ‖ **indivisibility** n. ⓤ indivisibilità ‖ **indivisibly** avv. indivisibilmente.

Indo-Aryan /ˌɪndəʊˈɛərɪən/ a. e n. indo--ariano.

Indo-China, **Indochina** /ˈɪndəʊˈtʃaɪnə/ n. (*geogr.*) Indocina ‖ **Indo-Chinese**, **Indochinese** a. e n. (inv. al pl.) indocinese.

indocile /ɪnˈdəʊsaɪl, *USA* -ˈdɒsl/ a. indocile ‖ **indocility** n. ⓤ indocilità.

to **indoctrinate** /ɪnˈdɒktrɪneɪt/ v. t. **1** dottrinare: **to i. sb. with st.**, indottrinare q. in qc. **2** (*raro*) addottrinare; istruire ‖ **indoctrination** n. ⓤ addottrinamento; indottrinamento.

Indo-European /ˌɪndəʊjʊərəˈpiːən/ a. e n. indoeuropeo.

Indo-Germanic /ˈɪndəʊdʒɜːˈmænɪk/ a. e n. indogermanico.

Indo-Iranian /ˈɪndəʊɪˈreɪnɪən/ a. e n. indoiranico; ario.

indolence /ˈɪndələns/ n. ⓤ indolenza; neghittosità.

indolent /ˈɪndələnt/ a. **1** indolente; neghittoso **2** che non duole; indolente: (*med.*) **i. tumour**, tumore indolente **3** (*med.*) torpido | **-ly** avv.

Indology /ɪnˈdɒlədʒɪ/ n. ⓤ indianistica ‖ **Indologist** n. indianista.

indomitable /ɪnˈdɒmɪtəbl/ a. indomabile (*anche fig.*); indomito: **i. courage**, coraggio indomito; **i. will**, volontà indomabile | **-bly** avv.

Indonesian /ɪndəʊˈniːʒən/ a. e n. indonesiano.

indoor /ˈɪndɔː(r)/ Ⓐ a. **1** interno (*in un edificio*); al coperto; (fatto) al chiuso: **i. sports**, sport praticati al chiuso o **i. sports 2** (*di persona*) casalingo; che fa vita ritirata **3** (*sport*) indoor: **i. events**, gare indoor Ⓑ n. (*sport*) incontro indoor ● **i. cats**, gatti che vivono (sempre) in casa (o al chiuso) □ **an i. dress**, un vestito da portare in casa □ **i. game**, gioco che si svolge al coperto; gioco di società □ **i. green**, campo di bocce coperto; bocciodromo □ **i. plants**, piante da appartamento □ (*stor.*) **i. relief**, assistenza ai ricoverati □ **an i. swimming pool**, una piscina coperta □ (*sport*) **i. tennis**, tennis su campo coperto.

indoors /ɪnˈdɔːz/ avv. in casa; al coperto; all'interno (*d'un edificio*); dentro: **to stay i.**, restare in casa; **to go i.**, andare dentro (o in casa); **to play i.**, giocare al coperto.

to **indorse** /ɪnˈdɔːs/ e deriv. → **to endorse**, e deriv.

indraught, (*USA*) **indraft** /ˈɪndrɑːft/ n. **1** ⓤ attrazione verso l'interno **2** corrente (*d'aria, acqua, ecc.*) dall'esterno verso l'interno.

indrawn /ɪnˈdrɔːn/ a. **1** (*di respiro*) inspirato **2** (*fig.*) introspettivo; introverso.

indri /ˈɪndrɪ/ n. (pl. **indris**) (*zool.*, Indri brevicaudatus) indri dalla coda corta.

indubitable /ɪnˈdjuːbɪtəbl, *USA* -duː-/ a. indubitabile; indubbio ‖ **indubitability**, **indubitableness** n. ⓤ indubitabilità ‖ **indubitably** avv. indubitabilmente.

to **induce** /ɪnˈdjuːs, *USA* -duːs/ v. t. **1** indurre; cagionare; produrre; incitare; persuadere; spingere: *Nothing shall i. me to do that*, niente m'indurrà a fare ciò; *This drug may i. drowsiness*, questo farmaco può indurre (o provocare) sonnolenza **2** (*leg.*) isti-

gare **3** (*elettr.*) indurre **4** (*med.*) indurre; provocare la nascita di (*un bimbo*), il parto di (*una donna*).

induced /ɪnˈdjuːst, *USA* -duː-/ a. indotto ● **i. abortion**, aborto procurato □ (*econ.*) **i. consumption**, consumo indotto □ (*elettr.*) **i. current**, corrente indotta □ (*mecc.*) **i. draft**, tiraggio indotto.

inducement /ɪnˈdjuːsmənt, *USA* -duː-/ n. **1** allettamento; incitamento; incentivo; lusinga; persuasione; stimolo **2** (*leg.*) istigazione **3** (*leg.*) parte introduttiva (*di atto legale*) ● (*econ., fin.*) **i. to invest**, incentivo all'investimento.

inducer /ɪnˈdjuːsə(r), *USA* -duː-/ n. **1** chi induce, incita, persuade, ecc. **2** (*leg.*) istigatore, istigatrice.

inducible /ɪnˈdjuːsəbl, *USA* -duː-/ a. che può essere indotto, persuaso, ecc.

to **induct** /ɪnˈdʌkt/ v. t. **1** insediare; installare; investire: **to i. sb. to a benefice**, investire q. di un beneficio ecclesiastico **2** introdurre; iniziare: **to i. sb. into a profession**, iniziare q. a una professione **3** (*elettr.*) indurre **4** (*mil., USA*) reclutare.

inductance /ɪnˈdʌktəns/ n. ⓤ (*elettr.*) induttanza.

inductee /ɪndʌkˈtiː/ n. (*mil., USA*) recluta.

inductile /ɪnˈdʌktaɪl/ a. (*metall.*) non duttile.

induction /ɪnˈdʌkʃn/ n. ⓤ **1** (*logica*) induzione **2** insediamento; installamento; investitura (*d'un beneficio ecclesiastico*) **3** introduzione (*di q. in un'azienda, ecc.*); investitura (*fig.*); iniziazione (*anche elettr., mat.*) induzione: **mathematical i.**, induzione matematica **5** (*mil., USA*) reclutamento **6** addestramento; tirocinio: **i. course**, corso d'addestramento **7** (*med.*) induzione (*d'un parto: con stimolanti*) ● (*elettr.*) **i. coil**, rocchetto di Ruhmkorff; bobina d'induzione □ (*elettr.*) **i. motor**, motore a induzione □ (*med.*) **i. of labour**, induzione di travaglio.

inductive /ɪnˈdʌktɪv/ (*anche elettr., ling.*) a. induttivo ‖ **inductively** avv. induttivamente ‖ **inductiveness**, **inductivity** n. ⓤ induttività.

inductivism /ɪnˈdʌktɪvɪst/ n. ⓤ (*filos.*) induttivismo.

inductor /ɪnˈdʌktə(r)/ n. **1** chi introduce un nuovo assunto; chi investe di un beneficio ecclesiastico, ecc. (→ **to induce**) **2** (*elettr.*) induttore.

to **indulge** /ɪnˈdʌldʒ/ Ⓐ v. t. **1** appagare; compiacere; lasciar libero corso a; soddisfare: **to i. one's desires**, appagare i propri desideri **2** assecondare; essere indulgente con (q.); compiacere; viziare: **to i. sb.'s every whim**, assecondare tutti i capricci di q.; *Don't i. your children*, non viziare i tuoi figli! **3** (*relig.*) concedere un'indulgenza a (q.) **4** (*arc.*) concedere, accordare (*un favore, una grazia, ecc.*) Ⓑ v. i. **1** indulgere (a); abbandonarsi (a); lasciarsi andare (a); concedersi il lusso (di): *He seldom indulges in a holiday*, raramente si concede il lusso d'una vacanza **2** (*fam. antiq.*) essere dedito al bere; indulgere ai liquori ● **to i. oneself**, indulgere (a); abbandonarsi (a); lasciarsi andare (a); concedersi il lusso (di): *He sometimes indulges himself in a glass of wine*, a volte si concede il lusso di un bicchiere di vino.

indulgence /ɪnˈdʌldʒəns/ n. **1** ⓤⓒ (*anche relig.*) indulgenza; condiscendenza; perdono; remissione **2** ⓤ (= **self-i.**) appagamento; compiacimento; soddisfazione dei propri desideri; l'indulgere (*a qc.*): *Excessive i. in smoking can be dangerous*, l'eccessivo indulgere al vizio del fumo può essere pericoloso **3** cosa cui s'indulge; piacere; piaceri; debolezza; vizio: *Sweets are his only i.*, i dolci sono il suo unico vizio **4** concessione; privilegio accordato **5** ⓤ (*comm.*) dilazione

(*di pagamento*).

indulgenced /ɪn'dʌldʒənst/ *a.* (*relig.: di preghiera, ecc.*) che fa ottenere un'indulgenza.

indulgent /ɪn'dʌldʒənt/ *a.* indulgente; condiscendente; troppo benevolo: **an i. grandmother**, una nonna indulgente | **-ly** avv.

indulger /ɪn'dʌldʒə(r)/ *n.* chi indulge ● **an i. in drink**, uno che indulge al vizio del bere.

indult /ɪn'dʌlt/ *n.* (*relig. cattolica*) indulto.

to **indurate** /'ɪndjʊəreɪt/ **A** *v. t.* indurire (*anche fig.*); rendere duro (*o* insensibile, ostinato) **B** *v. i.* indurirsi; incallirsi; ostinarsi || **induration** *n.* ⚇ indurimento; incallimento; ostinazione || **indurative** *a.* che fa indurire; che rende ostinato.

Indus /'ɪndəs/ *n.* (*geogr.*) Indo.

indusium /ɪn'djuːzɪəm, *USA* -duː-/ (*lat.*) *n.* (pl. ***indusia***) **1** (*bot.*) indusio **2** (*zool.*) involucro (*delle larve degli insetti*) **3** (*anat.*) indusio; rivestimento.

◆**industrial** /ɪn'dʌstrɪəl/ **A** *a.* **1** industriale: (*stor.*) **the I. Revolution**, la rivoluzione industriale; **an i. school**, una scuola industriale; **an i. power**, una potenza industriale **2** industrializzato **B** *n.* **1** lavoratore dell'industria **2** (*raro*) industriale (sost.) **3** (pl.) (*fin.*) azioni (*o* titoli) d'imprese industriali ● **i. accident = i. injury** → *sotto* □ **i. action**, agitazione (*o* azione) sindacale □ **i. alcohol**, alcol per uso industriale □ (*econ.*) **i. area**, regione (*o* zona) industriale □ (*Borsa*) **i. average**, indice delle azioni industriali □ (*econ.*) **i. combination**, concentrazione d'imprese □ (*leg., in GB*) **i. court**, tribunale per le controversie di lavoro □ (*agric.*) **i. crop**, coltura industriale □ **i. design**, industrial design □ **an i. disease**, una malattia professionale □ (*econ.*) **i. disputes**, conflitti del lavoro; vertenze sindacali □ (*ind.*) **i. emissions**, scarichi industriali □ **i. estate**, zona industriale □ (*econ.*) **i. goods**, beni strumentali □ **i. injury**, infortunio sul lavoro □ **i. injury legislation**, legislazione infortunistica □ **i. law**, diritto del lavoro □ (*USA*) **i. park = i. estate** → *sopra* □ (*leg.*) **i. property**, proprietà (*o* privativa) industriale □ **i. relations**, relazioni industriali □ (*polit.*) **i. relations act**, legislazione antisciopero □ **i. reorganization**, riconversione industriale □ **i. safety**, sicurezza sul lavoro □ **i. site**, zona industriale (*d'una città*) □ (*anche scherz.*) **i. strength**, di potenza industriale; potentissimo: **i. strength adhesive**, adesivo di potenza industriale □ **i. union**, sindacato di un'industria.

industrialism /ɪn'dʌstrɪəlɪzəm/ *n.* ⚇ industrialismo.

industrialist /ɪn'dʌstrɪəlɪst/ *n.* **1** industriale **2** industrialista.

to **industrialize** /ɪn'dʌstrɪəlaɪz/ *v. t. e i.* industrializzare, industrializzarsi || **industrialization** *n.* ⚇ industrializzazione.

industrially /ɪn'dʌstrɪəlɪ/ avv. industrialmente.

industrious /ɪn'dʌstrɪəs/ *a.* industrioso; industre (*lett.*); assiduo; attivo; solerte; laborioso; operoso; che si dà un gran daffare | **-ly** avv. | **-ness** *n.* ⚇.

◆**industry** /'ɪndəstrɪ/ *n.* **1** industria; manifattura: **the iron [wool, paper] i.**, l'industria siderurgica [laniera, della carta] **2** laboriosità; operosità; industriosità; attivismo; solerzia ● **i.-wide bargaining**, contrattazione a livello di tutti i settori di un'industria □ **the building i.**, l'industria delle costruzioni; l'edilizia.

to **indwell** /'ɪndwɛl/ (pass. e p. p. **indwelt**), *v. t. e i.* abitare, dimorare (*di solito, fig.*); essere insito; risiedere.

indwelling /'ɪndwɛlɪŋ/ *a.* **1** insito **2** (*med.: di un catetere, ecc.*) a permanenza.

---

fisso.

to **inearth** /ɪn'ɜːθ/ *v. t.* (*poet.*) interrare; inumare; seppellire.

inebriant /ɪ'niːbrɪənt/ **A** *a.* inebriante **B** *n.* sostanza inebriante.

inebriate /ɪ'niːbrɪət/ **A** *a.* **1** ubriaco; ebbro **2** (*fig.*) inebriato; ebbro **B** *n.* ubriacone; alcolizzato.

to **inebriate** /ɪ'niːbrɪeɪt/ *v. t.* **1** inebriare; ubriacare **2** (*fig.*) inebriare.

inebriated /ɪ'niːbrɪeɪtɪd/ *a.* (*form.*) ebbro; ubriaco.

inebriation /ɪniːbrɪ'eɪʃn/ *n.* ⚇ **1** inebriamento **2** ebbrezza; ubriachezza.

inebriety /ɪniː'braɪətɪ/ *n.* ⚇ ebbrezza; ubriachezza; ubriachezza abituale.

inedible /ɪn'ɛdəbl/ *a.* immangiabile; non commestibile || **inedibility** *n.* ⚇ immangiabilità; non commestibilità.

inedited /ɪn'ɛdɪtɪd/ *a.* **1** inedito **2** (*di un libro, ecc.*) pubblicato senza commenti o aggiunte.

ineducable /ɪn'ɛdʒʊkəbl/ *a.* ineducabile; che non si può educare || **ineducability** *n.* ⚇ ineducabilità.

ineffable /ɪn'ɛfəbl/ *a.* ineffabile: **i. joy**, gioia ineffabile || **ineffability** *n.* ⚇ ineffabilità || **ineffably** avv. ineffabilmente.

ineffaceable /ɪnɪ'feɪsəbl/ *a.* indelebile; incancellabile || **ineffaceability** *n.* ⚇ l'essere indelebile || **ineffaceably** avv. indelebilmente.

ineffective /ɪnɪ'fɛktɪv/ *a.* **1** inefficace; inutile; vano: **an i. effort**, uno sforzo vano **2** inefficiente; incapace: *I am i. in an emergency*, sono incapace (*o* di scarso aiuto) in caso d'emergenza **3** (*sport: di gioco, azione*) inefficace; improduttivo; inconcludente | **-ly** avv. | **-ness** *n.* ⚇.

ineffectual /ɪnɪ'fɛktʃʊəl/ *a.* **1** inefficace; inutile; vano **2** impotente; incapace **3** debole; fiacco (*fig.*) | **-ly** avv. | **-ness** *n.* ⚇.

inefficacious /ɪnɛfɪ'keɪʃəs/ *a.* inefficace; inutile; vano: **an i. remedy**, un rimedio inefficace | **-ly** avv. | **-ness** *n.* ⚇.

inefficacy /ɪn'ɛfɪkəsɪ/ *n.* ⚇ inefficacia; inutilità; vanità.

inefficiency /ɪnɪ'fɪʃnsɪ/ *n.* ⚄ inefficienza; incapacità.

inefficient /ɪnɪ'fɪʃnt/ *a.* inefficiente; poco efficiente; incapace | **-ly** avv.

inelastic /ɪnɪ'læstɪk/ *a.* anelastico; inelastico (*mecc. e fig.*); non elastico; senza elasticità; (*fig.*) inflessibile, rigido: (*econ.*) *Public expenditure is very i.*, la spesa pubblica è assai inelastica || **inelasticity** *n.* ⚇ anelasticità; inelasticità; mancanza d'elasticità; (*fig.*) inflessibilità, rigidità: (*econ.*) **the inelasticity of demand [of supply]**, la rigidità (*o* l'inelasticità) della domanda [dell'offerta].

inelegant /ɪn'ɛlɪgənt/ *a.* inelegante || **inelegance** *n.* ⚇ ineleganza || **inelegantly** avv. inelegantemente.

ineligible /ɪn'ɛlɪdʒəbl/ *a.* **1** ineleggibile **2** che non può essere scelto **3** inabile (*al servizio militare*) **4** inadatto; inopportuno ● **i. for promotion**, non promuovibile □ (*sport*) **i. for the team**, che non si può mettere in squadra □ **i. to vote**, che non ha diritto di voto || **ineligibility** *n.* ⚇ **1** ineleggibilità **2** il non poter essere scelto **3** inabilità (*al servizio militare*).

ineloquent /ɪn'ɛləkwənt/ *a.* infacondo; ineloquente (*raro*); privo di eloquenza || **ineloquence** *n.* ⚇ mancanza di eloquenza; infacondia.

ineluctable /ɪnɪ'lʌktəbl/ *a.* ineluttabile: **i. fate**, il fato ineluttabile || **ineluctability** *n.* ⚇ ineluttabilità || **ineluctably** avv. ineluttabilmente.

inept /ɪ'nɛpt/ *a.* **1** inetto; incapace; inabi-

---

le: **an i. professional**, un professionista inetto **2** fatuo; sciocco; stolto **3** inopportuno; sconveniente.

ineptitude /ɪ'nɛptɪtjuːd, *USA* -tuːd/, **ineptness** /ɪ'nɛptnəs/ *n.* ⚇ **1** inettitudine; incapacità: **defensive i.**, incapacità di difendersi **2** fatuità; stoltezza **3** inopportunità.

inequable /ɪn'ɛkwəbl/ *a.* non uniforme; mutevole.

inequality /ɪnɪ'kwɒlətɪ/ *n.* ⚄ **1** ineguaglianza (*anche astron.*); disuguaglianza; disparità; diversità; sperequazione: **lunar i.**, ineguaglianza lunare; **social i.**, disuguaglianza sociale; **a big i. of incomes**, una grande sperequazione dei redditi **2** irregolarità: **i. of the ground**, irregolarità del terreno **3** (*mat.*) disequazione ● **i. of taxation**, ingiustizia fiscale □ **inter-ethnic i.**, disparità interetnica □ **sexual i.**, disparità in base al sesso.

inequitable /ɪn'ɛkwɪtəbl/ *a.* iniquo; non equo; ingiusto | **-bly** avv.

inequity /ɪn'ɛkwətɪ/ *n.* ⚄ ingiustizia; iniquità.

ineradicable /ɪnɪ'rædɪkəbl/ *a.* inestirpabile.

inerrable /ɪn'ɛrəbl/ *a.* infallibile.

inerrant /ɪn'ɛrənt/ *a.* che non erra; infallibile || **inerrancy** *n.* ⚇ infallibilità.

inert /ɪ'nɜːt/ **A** *a.* **1** (*chim., fis.*) inerte: **i. matter**, materia inerte; **an i. gas**, un gas inerte **2** inerte; immobile **3** inerte; passivo; apatico; indolente **B** *n.* sostanza inerte | **-ly** avv.

inertia /ɪ'nɜːʃə/ *n.* ⚇ **1** (*fis.*) inerzia: **force of i.**, forza d'inerzia **2** inerzia; indolenza; apatia; passività: *I didn't move from sheer i.*, non mi mossi per pura indolenza ● (*mecc.*) **i. governor**, regolatore a inerzia □ (*autom.*) **i. reel**, attacco inerziale (*di cintura di sicurezza*) □ (*market.*) **i. selling**, vendita inerziale.

inertial /ɪ'nɜːʃl/ *a.* (*scient., tecn.*) inerziale.

inertness /ɪ'nɜːtnəs/ *n.* ⚇ **1** inerzia (*anche chim., fis.*) **2** indolenza; apatia; passività.

inescapable /ɪnɪ'skeɪpəbl/ *a.* inevitabile; cui non si può sfuggire.

inessential /ɪnɪ'sɛnʃl/ **A** *a.* non essenziale **B** *n.* cosa secondaria; oggetto superfluo.

inestimable /ɪn'ɛstɪməbl/ *a.* inestimabile | **-bly** avv.

◆**inevitable** /ɪn'ɛvɪtəbl/ *a.* **1** inevitabile; ineluttabile **2** (*fam.*) solito; immancabile: **an i. outcome**, un risultato immancabile || **inevitability, inevitableness** *n.* ⚇ inevitabilità; ineluttabilità.

◆**inevitably** /ɪn'ɛvɪtəblɪ/ avv. inevitabilmente; ineluttabilmente: *I., your proposal has run into difficulties*, inevitabilmente la tua proposta ha incontrato delle difficoltà.

inexact /ɪnɪg'zækt/ *a.* inesatto; scorretto || **inexactitude, inexactness** *n.* ⚄ inesattezza; imprecisione; errore || **inexactly** avv. inesattamente.

inexcusable /ɪnɪk'skjuːzəbl/ *a.* imperdonabile.

inexhaustible /ɪnɪg'zɔːstəbl/ *a.* **1** inesauribile **2** instancabile || **inexhaustibility** *n.* ⚇ **1** inesauribilità **2** instancabilità || **inexhaustibly** avv. **1** inesauribilmente **2** instancabilmente.

inexistent /ɪnɪg'zɪstənt/ *a.* **1** inesistente **2** (*arc., filos.*) immanente || **inexistence** *n.* ⚇ **1** inesistenza **2** (*arc., filos.*) immanenza.

inexorable /ɪn'ɛksərəbl/ *a.* inesorabile || **inexorability** *n.* ⚇ inesorabilità || **inexorably** avv. inesorabilmente.

inexpedient /ɪnɪk'spiːdɪənt/ *a.* **1** inopportuno; sconsigliabile; inutile **2** scomodo || **inexpedience, inexpediency** *n.* ⚇ **1** inopportunità; inutilità **2** scomodità.

inexpensive /ɪnɪk'spɛnsɪv/ *a.* poco co-

stoso; di poco prezzo; a buon mercato; economico | **-ly** avv.

inexperience /ɪnɪkˈspɪərɪəns/ n. ⓤ inesperienza; imperizia || **inexperienced** a. inesperto; senza esperienza; alle prime armi (*fig.*).

inexpert /ɪnˈɛkspɜːt/ a. inesperto; inabile; maldestro | **-ly** avv.

inexpiable /ɪnˈɛkspɪəbl/ a. **1** inespiabile **2** (*arc.*) implacabile | **-bly** avv.

inexplainable /ɪnɪkˈspleɪnəbl/ a. inspiegabile.

inexplicable /ɪnɪkˈsplɪkəbl/ a. inesplicabile; inspiegabile || **inexplicability** n. ⓤ inesplicabilità || **inexplicably** avv. inesplicabilmente; inspiegabilmente.

inexplicit /ɪnɪkˈsplɪsɪt/ a. non esplicito; oscuro; vago | **-ness** n. ⓤ.

inexpressible /ɪnɪkˈsprɛsəbl/ a. inesprimibile; indicibile | **-bly** avv.

inexpressive /ɪnɪkˈsprɛsɪv/ a. inespressivo; non espressivo; privo d'espressione | **-ly** avv. | **-ness** n. ⓤ.

inexpugnable /ɪnɪkˈspʌgnəbl/ a. inespugnabile; invincibile.

inextensible /ɪnɪkˈstɛnsəbl/ a. inestensibile; non estensibile.

inextinguishable /ɪnɪkˈstɪŋgwɪʃəbl/ a. (*anche fig.*) inestinguibile: **i. hatred**, odio inestinguibile.

in extremis /ɪnɪkˈstriːmɪs/ (*lat.*) loc. avv. in extremis: **to save oneself in extremis**, salvarsi in extremis (*fig. fam.*: in zona Cesarini).

inextricable /ɪnɪkˈstrɪkəbl/ a. **1** inestricabile: **i. difficulties**, difficoltà inestricabili **2** da cui non ci si può districare | **-bly** avv.

inf. abbr. **1** (*mil.*, **infantry**) fanteria **2** (**information**) informazione **3** (**inferior**) inferiore.

infallibilism /ɪnˈfæləbɪlɪzəm/ (*relig. cattolica*) n. ⓤ dogma dell'infallibilità del papa || **infallibilist** n. infallibilista.

infallibility /ɪnfæləˈbɪlətɪ/ n. ⓤ infallibilità.

infallible /ɪnˈfæləbl/ a. infallibile: **an i. remedy**, un rimedio infallibile || **infallibly** avv. **1** infallibilmente **2** (*fam.*) immancabilmente; senza fallo (*lett.*).

infamous /ˈɪnfəməs/ a. **1** infame; scellerato; ignominioso; turpe: **an i. crime**, un infame delitto; **i. conduct**, condotta vituperevole **2** (*stor.*: *di delitto*) infamante **3** (*leg., stor.*: *di crimine*) gravissimo; (*anche*) che comporta la perdita dei diritti civili **4** (*leg., stor.*: *di persona*) colpevole di un delitto gravissimo • (*stor.*) **i. crime against nature**, delitto contro natura; sodomia | **-ly** avv.

infamy /ˈɪnfəmɪ/ n. **1** infamia; scelleratezza; disonore; vituperio; ignominia **2** (*leg., stor.*) perdita dei diritti civili (*conseguente a condanna per grave delitto*).

infancy /ˈɪnfənsɪ/ n. ⓤ **1** infanzia (*anche fig.*); prima puerizia: **to be in one's i.**, essere allo stadio iniziale; muovere i primi passi: *This technology is still in its i.*, questa tecnologia è ancora allo stadio iniziale **2** (*leg.*) minorità; età minore **3** (*geol.*) stadio giovanile (*dell'erosione*).

♦to **infant** /ˈɪnfənt/ **A** n. **1** infante; neonato; bambino, bambina **2** (*leg.*) minorenne; minore **B** a. attr. **1** infantile; da (o per) bambini: **i. mortality**, mortalità infantile; **i. food**, cibo per bambini **2** (*fig.*) nascente; nuovo: **i. industries**, industrie nascenti • **i. king**, re bambino □ **i. prodigy**, bambino prodigio • **i. school**, (*in GB*) scuola per bambini dai 5 ai 7 anni.

infanta /ɪnˈfæntə/ n. (*stor.*) infanta.

infante /ɪnˈfæntɪ/ n. (*stor.*) infante (*principe reale di Spagna, non primogenito*).

infanticide /ɪnˈfæntɪsaɪd/ n. **1** ⓤ (*leg.*) in-

fanticidio **2** infanticida || **infanticidal** a. (*leg.*) relativo a un infanticidio.

infantile /ˈɪnfəntaɪl/ a. **1** infantile (*anche spreg.*); puerile; (*med., antiq.*) i. **paralysis**, paralisi infantile **2** (*med.*) affetto da infantilismo; immaturo.

infantilism /ɪnˈfæntəlɪzəm/ n. ⓤ (*med.*) infantilismo.

to **infantilize** /ɪnˈfæntɪlaɪz/ v. t. rendere infantile.

infantry /ˈɪnfəntrɪ/ n. ⓤ (*mil.*) fanteria.

infantryman /ˈɪnfəntrɪmən/ n. (pl. *infantrymen*) soldato di fanteria; fante; fantaccino.

infarct /ɪnˈfɑːkt/, **infarction** /ɪnˈfɑːkʃn/ n. (*med.*) infarto.

to **infatuate** /ɪnˈfætʃʊeɪt/ v. t. infatuare; invaghire; accendere (q.) di eccessivo ardore || **infatuated** a. infatuato; invaghito • **to become infatuated with sb.**, infatuarsi di q. || **infatuation** n. ⓤ infatuazione; invaghimento; folle passione.

infeasible /ɪnˈfiːzəbl/ a. infattibile; inattuabile; ineffettuabile; irrealizzabile || **infeasibility** n. ⓤ inattuabilità; ineffettuabilità.

♦to **infect** /ɪnˈfɛkt/ v. t. **1** infettare (*anche fig.*); appestare; contagiare; corrompere: *This virus does not i. humans*, questo virus non contagia l'uomo **2** (*fig.*) attaccare, comunicare, trasmettere a: *My friends infected me with their mirth*, gli amici mi attaccarono (o mi contagiarono con) la loro allegria **3** (*fon.*) alterare (*nelle lingue celtiche*).

infected /ɪnˈfɛktɪd/ a. infetto: **an i. wound**, una ferita infetta • **i. area**, zona contaminata □ **to become i.**, infettarsi.

♦**infection** /ɪnˈfɛkʃn/ n. ⓒⓤ **1** infezione; contagio (*anche fig.*); contaminazione; corruzione (*fig.*) **2** inquinamento, contaminazione (*dell'acqua, ecc.*) **3** (*fon.*) alterazione.

infectious /ɪnˈfɛkʃəs/ a. **1** infettivo; contagioso (*anche fig.*): **an i. disease**, una malattia infettiva; **an i. laugh**, una risata contagiosa **2** malsano; inquinato; pestilenziale **3** (*leg., nel diritto internazionale: di un contratto*) viziato • (*med.*) **i. hepatitis**, epatite virale; epatite A □ (*med.*) **expert in i. diseases**, infettivologo □ (*med.*) **study of i. diseases**, infettivologia | **-ly** avv. | **-ness** n. ⓤ.

infective /ɪnˈfɛktɪv/ a. (*med.*) infettivo; contagioso || **infectiveness, infectivity** n. ⓤ l'esser infettivo; contagiosità.

infector /ɪnˈfɛktə(r)/ n. infettatore; chi contagia; contaminatore; (*fig.*) corruttore.

infecund /ɪnˈfiːkənd/ a. infecondo; sterile || **infecundity** n. ⓤ infecondità; sterilità.

infelicitous /ɪnfəˈlɪsɪtəs/ a. infelice; sfortunato; inopportuno; stonato (*fig.*); fuori luogo: **an i. remark**, un'osservazione infelice (o fuori luogo).

infelicity /ɪnfəˈlɪsɪtɪ/ n. **1** ⓤ infelicità; inopportunità **2** espressione (frase, *ecc.*) infelice; gaffe.

to **infer** /ɪnˈfɜː(r)/ v. t. **1** inferire; dedurre; desumere; arguire; concludere: *I don't know what we can i. from that*, non so che cosa se ne possa dedurre **2** (*improprio*) implicare; presupporre **3** (*fam.*) insinuare.

inferable /ɪnˈfɜːrəbl/ a. deducibile; desumibile; arguibile.

inference /ˈɪnfərəns/ n. ⓒⓤ inferenza (*raro*); illazione; deduzione; conclusione • **by i.**, per illazione || **inferential** a. deduttivo: **inferential reasoning**, ragionamento deduttivo || **inferentially** avv. deduttivamente.

inferior /ɪnˈfɪərɪə(r)/ **A** a. **1** inferiore; sottoposto; subalterno: **i. officers**, ufficiali inferiori; **an i. court of law**, un tribunale (di grado) inferiore **2** mediocre; scadente:

goods of i. quality, merce di qualità scadente **3** (*tipogr.*) stampato un po' sotto la riga **B** n. **1** inferiore; subalterno; subordinato **2** (*tipogr., = i. character*) deponente • (*econ.*) **i. goods**, merci povere || **inferiorly** avv. inferiormente.

inferiority /ɪnfɪərɪˈɒrətɪ/ n. ⓤ inferiorità: (*psic.*) **i. complex**, complesso d'inferiorità.

infernal /ɪnˈfɜːnl/ a. infernale; diabolico (*anche fig.*): **an i. machine**, una macchina (o un ordigno) infernale; **i. wickedness**, cattiveria diabolica || **infernally** avv. **1** infernalmente **2** (*fam.*) terribilmente; tremendamente • **It's infernally hot**, fa un caldo infernale.

inferno /ɪnˈfɜːnəʊ/ (*ital.*) n. (pl. *infernos*) inferno (*anche fig.*): **the i. of war**, l'inferno della guerra.

infertile /ɪnˈfɜːtaɪl/ a. infertile (*raro*); infecondo; improduttivo || **infertility** n. ⓤ (*med.*) infertilità; infecondità.

to **infest** /ɪnˈfɛst/ v. t. infestare; invadere (*fig.*): **a house infested with rats**, una casa infestata dai topi || **infestation** n. ⓤⓒ infestamento; infestazione.

infeudation /ɪnfjuːˈdeɪʃn/ n. ⓤ **1** (*stor.*) infeudamento; infeudazione **2** (*relig., = i. of tithes*) concessione di decime a laici.

to **infibulate** /ɪnˈfɪbjəleɪt/ v. t. (*etnol.*) infibulare.

infibulation /ɪnfɪbjʊˈleɪʃn/ n. infibulazione.

infidel /ˈɪnfɪdl/ **A** n. **1** ateo; miscredente **2** (*stor.*) infedele **B** a. **1** ateo; miscredente **2** sacrilego; da miscredente.

infidelity /ɪnfɪˈdɛlətɪ/ n. ⓤ **1** incredulità; miscredenza **2** ⓤ infedeltà (*spec. coniugale*) **3** atto d'infedeltà; tradimento (*di un coniuge, ecc.*): *She couldn't tolerate her husband's infidelities*, non poté sopportare le infedeltà del marito.

infield /ˈɪnfiːld/ n. **1** (*agric.*) terreno attorno (o vicino) alla casa colonica; terreno coltivabile **2** (*cricket*) parte del campo di gioco più vicina al battitore; (*collett.*) i giocatori che vi stanno **3** (*baseball*) diamante; (*collett.*) gli interni (*1ª, 2ª, 3ª base e interbase*).

infielder /ˈɪnfiːldə(r)/ n. (*sport*) «infielder»; interno (→ **infield**, def. 2 e 3).

infighting /ˈɪnfaɪtɪŋ/ n. **1** (*boxe*) combattimento corpo a corpo **2** (*fig.*) lotte interne (o intestine); lotta senza quartiere: **fratricidal i.**, lotte fratricide || **infighter** n. **1** (*boxe*) pugile bravo nel corpo a corpo **2** (*fig.*) chi s'impegna in lotte fratricide.

infiltrate /ˈɪnfɪltreɪt/ n. (*med.*) infiltrato.

to **infiltrate** /ˈɪnfɪltreɪt/ **A** v. t. **1** fare entrare (*un liquido*) in; permeare **2** (*mil. e fig.*) infiltrarsi in: **to i. the enemy defenses**, infiltrarsi nelle linee difensive nemiche **3** (*mil. e fig.*) fare infiltrare (agenti, spie, *ecc.*) **B** v. i. infiltrarsi; insinuarsi (*anche fig.*); (*d'idee, ecc.*) entrare (o insinuarsi) nella mente.

infiltration /ɪnfɪlˈtreɪʃn/ n. ⓤⓒ infiltrazione (*anche med.*).

infiltrator /ˈɪnfɪltreɪtə(r)/ n. chi s'infiltra; (*polit.*) infiltrato; spia.

infimum /ˈɪnfɪməm/ n. (pl. *infima*) (*mat.*) estremo inferiore.

infinite /ˈɪnfɪnət/ **A** a. **1** infinito; illimitato; innumerevole; grandissimo: **i. space**, lo spazio infinito **2** (*gramm., mat.*) infinito: **i. series**, serie infinita **B** n. **1 – the i.**, l'infinito (*lo spazio*) **2** (*gramm.*) (modo) infinito • (*relig.*) **the I.**, Dio | **-ly** avv. | **-ness** n. ⓤ.

infinitesimal /ɪnfɪnɪˈtɛsɪml/ **A** a. infinitesimo; (*mat.*) infinitesimale: **i. calculus**, calcolo infinitesimale **B** n. infinitesimo.

♦**infinitive** /ɪnˈfɪnətɪv/ (*gramm.*) **A** n. (modo) infinito: **a verb in the i.**, un verbo all'infinito **B** a. infinitivo || **infinitival** a. infinitivale.

infinitude /ɪnˈfɪnɪtjuːd, *USA* -tuːd/ n. ⓤ infinità; quantità (*o* estensione) infinita; immensità.

infinity /ɪnˈfɪnɪtɪ/ n. ⓤ 1 infinità; quantità (*o* estensione) infinita; immensità 2 (*mat., fis.*) infinito: (*fotogr.*) **i. focusing**, messa a fuoco all'infinito ● **to i.**, senza fine; all'infinito.

infirm /ɪnˈfɜːm/ a. 1 malfermo; debole; infermo; fiacco 2 incerto; irresoluto 3 (*leg.*) poco sicuro; non valido: **an i. title to property**, un titolo di proprietà non valido ● **i. of purpose**, debole; irresoluto ‖ **infirmly** avv. in modo debole (*o* fiacco).

infirmary /ɪnˈfɜːmərɪ/ n. 1 infermeria 2 ospedale.

infirmity /ɪnˈfɜːmətɪ/ n. ⓤⓒ 1 debolezza (*anche d'animo*); fiacchezza; irresolutezza 2 infermità (*fisica o mentale*) ● **i. of purpose**, irresolutezza.

infix /ˈɪnfɪks/ n. (*ling.*) infisso.

to infix /ɪnˈfɪks/ v. t. 1 infiggere (*anche nella memoria*); conficcare; imprimere (*nella mente*) 2 (*ling.*) inserire un infisso in (*una parola*).

infixation /ɪnfɪkˈseɪʃn/ n. ⓤ (*ling.*) inserimento di un infisso.

to inflame /ɪnˈfleɪm/ 🅰 v. t. 1 infiammare (*anche fig.*); accendere; eccitare: *The speech inflamed the audience*, il discorso infiammò il pubblico 2 accendere (*fig.*); arrossare, tingere di rosso (*il cielo, ecc.*) 🅱 v. i. 1 infiammarsi, accendersi (*anche fig.*) 2 (*med.*) infiammarsi.

inflammable /ɪnˈflæməbl/ a. infiammabile (*anche fig.*); eccitabile ‖ **inflammability, inflammableness** n. ⓤ infiammabilità; eccitabilità.

inflammation /ɪnfləˈmeɪʃn/ n. 1 ⓤ l'infiammare; l'essere infiammato (*anche fig.*) 2 ⓒⓤ (*med.*) infiammazione; flogosi: **i. of the lungs**, infiammazione dei polmoni.

inflammatory /ɪnˈflæmətrɪ/ a. 1 (*med.*) infiammatorio; flogistico 2 (*fig.*) incendiario; che eccita; sedizioso: **i. speeches**, discorsi incendiari.

inflatable /ɪnˈfleɪtəbl/ 🅰 a. gonfiabile; (*di canotto, ecc.*) pneumatico 🅱 n. struttura gonfiabile.

to inflate /ɪnˈfleɪt/ v. t. e i. 1 gonfiare, gonfiarsi (*anche fig.*); enfiare; dilatare: **to i. the tyres of a car**, gonfiare le gomme di un'automobile 2 (*fig.*) inorgoglire; animare; imbaldanzire 3 (*comm.*) alzare artificiosamente, gonfiare (*i prezzi*) (*dei prezzi*) gonfiarsi, aumentare, salire 4 (*econ.*) inflazionare; far ricorso all'inflazione: **to i. a currency**, inflazionare una moneta.

inflated /ɪnˈfleɪtɪd/ a. 1 gonfiato; gonfio 2 (*fig.*) tronfio, turgido: **i. style**, stile tronfio; **to be i. with self-conceit**, esser gonfio di presunzione; essere tronfio 2 (*comm.: di un prezzo*) gonfiato, esagerato 3 (*econ.*) inflazionato: **i. currency**, moneta inflazionata.

inflater /ɪnˈfleɪtə(r)/ → **inflator**.

♦**inflation** /ɪnˈfleɪʃn/ n. 1 ⓤ gonfiamento; gonfiatura; enfiagione 2 (*di stile, ecc.*) turgidità; turgidezza; turgore (*lett.*) 3 (*econ.*) inflazione: **i. rate**, tasso d'inflazione (*astrofisica*) inflazione (*dell'universo*) 5 (*autom., ecc.*) gonfiaggio: **i. pressure**, pressione di gonfiaggio (*dei pneumatici*) ● (*econ.*) **i. policy**, politica inflazionistica ‖ **i.-proof**, (*econ.*) a prova d'inflazione; (*fin.*) indicizzato.

inflationary /ɪnˈfleɪʃnrɪ/ a. (*econ.*) inflazionistico: **i. pressure** [**spiral**], pressione [spirale] inflazionistica; **i. strains**, spinte inflazionistiche.

inflationism /ɪnˈfleɪʃənɪzəm/ n. ⓤ (*econ.*) inflazionismo ‖ **inflationist** 🅰 n. inflazionista 🅱 a. inflazionistico.

inflator /ɪnˈfleɪtə(r)/ n. 1 chi gonfia; gonfiatore 2 gonfiatoio (*strumento*); pompa (*da bicicletta, ecc.*).

to inflect /ɪnˈflekt/ 🅰 v. t. 1 flettere; curvare; piegare 2 modulare (*la voce*) 3 (*ling.*) flettere; declinare 🅱 v. i. (*ling.*) flettersi; declinarsi.

inflected /ɪnˈflektɪd/ a. 1 flesso 2 (*bot.*) inflesso 3 (*ling.*) flesso.

inflection /ɪnˈflekʃn/ n. 1 ⓤⓒ inflessione; l'inflettere, l'inflettersi; curva, piega; cadenza, modulazione (*della voce*) 2 ⓤ (*ling.*) flessione 3 (*ling.*) forma flessiva; desinenza; suffisso 4 (*mat.*) flesso.

inflectional /ɪnˈflekʃənl/ a. (*ling.*) flessionale; flessivo: **i. languages**, lingue flessive; **i. forms**, forme flessionali.

inflective /ɪnˈflektɪv/ a. (*ling.*) flessivo; della flessione.

inflexibility /ɪnfleksəˈbɪlətɪ/ n. ⓤ 1 inflessibilità; rigidità 2 irremovibilità; rigidezza 3 inderogabilità; immutabilità.

inflexible /ɪnˈfleksəbl/ a. 1 inflessibile; rigido 2 irremovibile; inflessibile: **an i. will**, una volontà irremovibile 3 inderogabile; immutabile: **an i. rule**, una regola inderogabile | **-bly** avv.

inflexion /ɪnˈflekʃn/ (*spec. USA*) → **inflection** ‖ **inflexional** → **inflectional**.

to inflict /ɪnˈflɪkt/ v. t. 1 infliggere; imporre: **to i. a punishment on sb.**, infliggere una punizione a q.; **to i. one's ideas on sb.**, imporre a q. le proprie idee 2 (*leg.*) comminare, irrogare (*una pena, ecc.*) 3 (*fam.*) appiccicare, appioppare (*un bambino a cui badare e sim.*) ● **to i. a blow on sb.**, assestare un colpo a q.

infliction /ɪnˈflɪkʃn/ n. 1 ⓤ inflizione; l'infliggere 2 pena; punizione; castigo 3 (*raro*) fastidio; seccatura: *What an i.!*, che fastidio! 4 ⓤ (*leg.*) comminazione, irrogazione (*di una pena, ecc.*).

in-flight /ɪnˈflaɪt/ a. attr. (*aeron., tur.*) 1 offerto durante il volo: **an in-flight meal**, un pasto offerto durante il volo 2 (*di un film*) proiettato durante il volo ● (*aeron.*) **in-flight refuelling**, rifornimento in volo □ **in-flight telephone**, telefono dall'aereo (*per i viaggiatori*).

inflorescence /ɪnfləˈresns/ n. 1 (*bot.*) infiorescenza 2 fioritura (*anche fig.*); rigoglio.

inflow /ˈɪnfləʊ/ n. ⓒⓤ 1 afflusso; l'affluire (*d'acqua e sim.*) 2 (*econ., fin.*) afflusso; apporto: **i. of capital**, afflusso di capitali 3 (*comm.*) entrata (*di merci*) ‖ **inflowing** 🅰 n. ⓤ afflusso (*d'acqua e sim.*) 🅱 a. che affluisce.

♦**influence** /ˈɪnfluəns/ n. 1 ⓤⓒ influenza, influsso (*anche astron.*); ascendente; autorità; credito: **to exercise one's i. over** (*o* **with**) **sb.**, far valere la propria autorità su q.; **to have a bad i. on sb.**, esercitare una cattiva influenza su q. 2 persona influente, autorevole; cosa che esercita un influsso: *Italy was a major i. during the Renaissance*, l'Italia esercitò un grande influsso durante il Rinascimento 3 (*anche med.*) effetto: *He's under the i. of the drug*, è sotto l'effetto della droga 4 (*fis.*) influsso ● **an i. for good**, un effetto benefico □ (*slang*) **to be under the i.**, essere sbronzo (*spec. USA*) **driving under the i.**, guida in stato di ubriachezza.

to influence /ˈɪnfluəns/ v. t. 1 influenzare; influire su; esercitare un influsso su: *Consumers are influenced by advertising*, i consumatori sono influenzati dalla pubblicità 2 determinare (*una scelta, ecc.*).

influenceable /ˈɪnfluənsəbl/ a. influenzabile.

influent /ˈɪnfluənt/ a. e n. (*geogr.*, = **i. stream**) immissario; affluente.

influential /ɪnfluˈenʃl/ a. 1 influente; autorevole; potente: **i. courtiers**, cortigiani influenti 2 che influisce (*su qc.*).

influenza /ɪnfluˈenzə/ (*med.*) n. ⓤ influenza ‖ **influenzal** a. influenzale.

influx /ˈɪnflʌks/ n. 1 afflusso; affluenza; concorso (*di gente*); flusso: **an i. of capital**, un afflusso di capitali 2 (*geogr.*) confluenza (*d'un fiume*); foce. ❶ **FALSI AMICI** ▪ influx *non significa* influsso.

info /ˈɪnfəʊ/ n. ⓤ (abbr. *fam. di* **information**) informazione; informazioni ● (*comm.*) **i. quote**, quotazione a titolo informativo.

to infold /ɪnˈfəʊld/ → **to enfold**.

infomercial /ɪnfəʊˈmɜːʃl/ n. (contraz. *fam. di* **information commercial**) (*radio, TV*) spot pubblicitario; asta televisiva.

♦**to inform** /ɪnˈfɔːm/ 🅰 v. t. 1 informare (*in ogni senso*); dar forma a; formare; dare notizie a; avvertire; ragguagliare: *He will i. you (as to) where Mr Smith lives*, t'informerà circa il luogo dove abita Mr Smith 2 permeare; pervadere 🅱 v. i. 1 dare informazioni (*alla polizia*); fare la spia 2 – **to i. against**, denunciare: **to i. against a thief**, denunciare un ladro (*alla polizia*) ● **to i. against** (*o* **on**) **one's accomplices**, denunciare i propri complici □ **to i. to the police**, fare l'informatore della polizia.

♦**informal** /ɪnˈfɔːml/ a. 1 non ufficiale; informale; senza cerimonie; senza formalità; alla buona: **i. economy**, economia informale; **an i. visit**, una visita senza formalità; **i. talks**, colloqui non ufficiali; **an i. talk**, un discorso alla buona 2 (*leg.*) informale; irregolare; non a norma di legge: **i. agreement**, accordo informale (*o* di massima) 3 (*arte*) informale 4 (*ling.*) familiare; colloquiale; dell'uso familiare ‖ **informality** n. ⓤ 1 mancanza di formalità; tono familiare 2 (*leg.*) irregolarità; vizio di forma ‖ **informally** avv. senza formalità; senza cerimonie.

informant /ɪnˈfɔːmənt/ n. 1 informatore, informatrice; confidente della polizia 2 (*ling.*) soggetto parlante.

informatics® /ɪnfəˈmætɪks/ n. pl. (col verbo al sing.) (*raro nell'uso comune*) informatica.

♦**information** /ɪnfəˈmeɪʃn/ 🅰 n. 1 ⓤ informazioni; notizie; ragguagli: *Could you give us some i. about your new machines?*, potreste darci delle informazioni sui vostri nuovi macchinari?; **a piece of i.**, un'informazione; **a source of i.**, una fonte d'informazioni; **for your i.**, a titolo d'informazione 2 ⓤ (*comput.*) informazione, informazioni 3 (*leg.*) denuncia; (*per approssimazione*) querela: **to file an i. against sb.**, sporgere querela contro q. 4 (*leg.*) atto d'accusa (*emesso da un pubblico accusatore*): **to file an i. against sb.**, mettere q. in stato di accusa 5 (*telef., USA*) (ufficio) informazioni 6 ⓤ (*arc.*) conoscenza; scienza; sapere 🅱 a. attr. 1 di (*o* della) informazione; delle informazioni; informativo: **i. desk**, banco (delle) informazioni; **i. science**, scienza delle informazioni; informatica; **i. system**, sistema informativo (*o* d'informazione) 2 (*comput.*) d'informatica; informatico: **i. centre**, centro d'informatica; centro meccanografico; **i. engineer**, ingegnere informatico ● **i. about applicant**, dati informativi sul richiedente (*o* sul candidato) □ **i. bureau**, ufficio informazioni □ (*comput.*) **i. centre** (*USA*: **center**), centro informativo □ (*GB, Irlanda*) **I. Commissioner's Office**, Ufficio del Garante della libertà di informazione e della privacy □ **i. industry**, industria informatica □ (*radio, TV*) **i. on the weather**, notizie sul tempo che farà; il meteo (*fam.*) □ **i. overload**, sovraccarico di informazioni □ (*comput.*) **i. processing**, elaborazione dell'informazione; elaborazione dati □ (*comput.*) **i. retrieval**, reperimento (*o* recupero) dell'informazione □ (*comput.*) **i. superhighway**, autostrada informatica □

(*comput.*) **i. system**, sistema informativo □ (*comput.*) **i. technology**, informatica □ (*ric. op.*, *stat.*) **i. theory**, teoria dell'informazione.

informational /ɪnfəˈmeɪʃənl/ *a.* informativo; dell'informazione.

informative /ɪnˈfɔːmətɪv/, **informatory** /ɪnˈfɔːmətrɪ/ *a.* **1** informativo: **i. advertising**, pubblicità informativa **2** istruttivo.

informed /ɪnˈfɔːmd/ *a.* **1** informato; al corrente: **well-i.**, ben informato; **ill-i.**, male informato; *Keep me i. of any developments*, tienimi al corrente di eventuali sviluppi **2** colto; educato; istruito ● (*leg.*, *USA*) **i. consent**, consenso consapevole □ **i. opinion**, opinione basata su dati concreti.

informer /ɪnˈfɔːmə(r)/ *n.* **1** (*leg.*) denunciante; querelante **2** informatore (*spec. della polizia*), informatrice; delatore, delatrice; confidente; spia: **to turn i.**, fare la spia.

infotainment /ˈɪnfəʊteɪnmənt/ *n.* (*TV*, *radio*, ecc.) acronimo di **information** ed **entertainment**) infotainment (*trasmissione che intende divertire e informare*).

info-terrorism /ɪnfəʊˈtɛrərɪzəm/ *n.* Ⓤ (*Borsa*, *fin.*) infoterrorismo, terrorismo informatico (*sui corsi azionari*).

to infract /ɪnˈfrækt/ *v. t.* (*leg.*) infrangere.

infraction /ɪnˈfrækʃn/ *n.* Ⓤ Ⓒ **1** infrazione, violazione (*d'una legge*, *d'un patto*); contravvenzione (*a una legge*); trasgressione **2** (*med.*) infrazione; incrinatura: **bone i.**, infrazione ossea.

infra dig /ˈɪnfrəˈdɪg/ (*abbr. del lat.* **infra dignitatem**) *loc. a. pred.* poco dignitoso; indecoroso; disdicevole; sconveniente.

infrangible /ɪnˈfrændʒəbl/ *a.* infrangibile ‖ **infrangibility** *n.* Ⓤ infrangibilità.

infrared /ɪnfrəˈrɛd/ Ⓐ *a.* (*fis.*) infrarosso: **i. rays**, raggi infrarossi Ⓑ *n.* infrarosso ● (*elettr.*) **i. lamp**, lampada a radiazione infrarossa.

infrasonic /ɪnfrəˈsɒnɪk/ *a.* (*fis.*) infrasonoro.

infrasound /ɪnfrəˈsaʊnd/ *n.* (*fis.*) infrasuono.

infrastructure /ˈɪnfrəstrʌktʃə(r)/ *n.* (*ind. costr.*, *econ.*, *mil.*, ecc.) infrastruttura ● (*econ.*) **i. costs**, costi infrastrutturali □ **i. works**, opere infrastrutturali ‖ **infrastructural** *a.* infrastrutturale.

infrequent /ɪnˈfriːkwənt/ *a.* infrequente; raro ‖ **infrequency**, **infrequence** *n.* Ⓤ infrequenza; rarità ‖ **infrequently** *avv.* infrequentemente; raramente.

to infringe /ɪnˈfrɪndʒ/ *v. t.* (*leg.*) infrangere; violare; contravvenire a; trasgredire: **to i. a law [an oath]**, infrangere una legge [un giuramento]; **to i. a rule**, contravvenire a una regola ● **to i. copyright**, violare la legge sul diritto d'autore □ **to i. upon**, violare; calpestare (*fig.*): **to i. upon sb.'s rights**, calpestare i diritti di q.

infringement /ɪnˈfrɪndʒmənt/ *n.* (*leg. e sport*) Ⓤ infrazione; contravvenzione; trasgressione; violazione: **i. of the law**, violazione della legge; (*leg.*) **i. of patent**, violazione (*o contraffazione*) di brevetto; (*sport*) **deliberate i.**, infrazione volontaria ● **trademark i.**, contraffazione dei marchi di fabbrica.

infringer /ɪnˈfrɪndʒə(r)/ *n.* (*leg.*) **1** contravventore; trasgressore; colui che viola il diritto altrui (*spec. su un brevetto*) **2** chi usa illegalmente l'altrui ragione sociale (*o* l'altrui marchio di fabbrica).

infructescence /ɪnfrəkˈtɛsns/ *n.* Ⓤ (*bot.*) infruttescenza.

infructuous /ɪnˈfrʌktʃʊəs/ *a.* infruttuoso (*anche fig.*); sterile.

infula /ˈɪnfjʊlə/ (*lat.*) *n.* (*pl.* **infulae**) (*stor.*, *relig.*) infula.

infundibulum /ɪnfʌnˈdɪbjʊləm/ (*lat.*), (*anat.*, *biol.*) *n.* (*pl.* **infundibula**) infundibolo ‖ **infundibular** *a.* infundibolare.

to infuriate /ɪnˈfjʊərɪeɪt/ *v. t.* far infuriare; rendere furibondo ‖ **infuriated** *a.* infuriato; furente; furibondo ‖ **infuriating** *a.* che rende furibondo; esasperante.

to infuse /ɪnˈfjuːz/ Ⓩ *v. t.* **1** fare un'infusione di; mettere in infusione; versare (*un liquido o sopra qc.*): **to i. tea [tea leaves]**, fare un'infusione di tè [di foglie di tè] **2** (*fig.*) infondere; instillare; suscitare: **to i. a feeling of security into sb.** (*o* **to i. sb. with a feeling of security**), infondere in q. un senso di sicurezza **3** permeare; pervadere Ⓑ *v. i.* essere (*o* stare) in infusione.

infuser /ɪnˈfjuːzə(r)/ *n.* **1** infonditore; chi infonde (*coraggio*, ecc.) **2** recipiente per infusione.

infusible /ɪnˈfjuːzəbl/ *a.* infusibile; che non può essere fuso ‖ **infusibility** *n.* Ⓤ infusibilità.

infusion /ɪnˈfjuːʒn/ *n.* **1** Ⓤ l'infondere; (*fig.*) l'instillare, il suscitare **2** infusione; infuso **3** apporto; immissione: (*econ.*, *fin.*) **the i. of fresh capital**, l'apporto di capitali freschi.

infusorial /ɪnfjuˈzɔːrɪəl/ *a.* (*zool.*, *geol.*) degli infusori ● **i. earth**, (terra di) tripoli; farina fossile.

infusorian /ɪnfjuˈzɔːrɪən/ *n.* (*zool.*) infusore.

to ingather /ˈɪngæðə(r)/ Ⓐ *v. t.* (*agric.*) raccogliere Ⓑ *v. i.* fare il raccolto.

ingathering /ˈɪngæðərɪŋ/ *n.* Ⓤ Ⓒ **1** (*agric.*) raccolto; raccolta **2** (*lett.*) raccolta; adunanza.

to ingeminate /ɪnˈdʒɛmɪneɪt/ *v. t.* (*raro*) ripetere; reiterare.

ingenious /ɪnˈdʒiːnɪəs/ *a.* ingegnoso: **an i. invention**, un'invenzione ingegnosa; **an i. gadget**, un aggeggio ingegnoso | **-ly** *avv.* | **-ness** *n.*

ingénue /ˈænʒənjuː/ (*franc.*) *n.* **1** ragazza ingenua **2** (*teatr.*, *cinem.*) ingenua.

ingenuity /ɪndʒɪˈnjuːɪtɪ/ *n.* Ⓤ ingegnosità; abilità; bravura ❶ FALSI AMICI ● ingenuity *non significa* ingenuità.

ingenuous /ɪnˈdʒɛnjʊəs/ *a.* ingenuo; senza malizia; aperto (*fig.*); franco; sincero; schietto | **-ly** *avv.* | **-ness** *n.* Ⓤ.

to ingest /ɪnˈdʒɛst/ *v. t.* ingerire; deglutire; mandar giù (*cibo*, *medicine*, ecc.) ‖ **ingestion** *n.* Ⓤ ingestione ‖ **ingestive** *a.* che serve a ingerire.

ingle /ˈɪŋgl/ *n.* (*arc.*) **1** fuoco che arde nel camino **2** focolare.

inglenook /ˈɪŋglnʊk/ *n.* cantuccio (*o* nicchia) presso il focolare.

inglorious /ɪnˈglɔːrɪəs/ *a.* **1** inglorioso; ignobile; ignominioso: **an i. defeat**, una sconfitta ingloriosa **2** poco noto; oscuro: **to live an i. life**, condurre una vita oscura | **-ly** *avv.* | **-ness** *n.* Ⓤ.

in-goal /ˈɪnˈgəʊl/ *n.* (*rugby*, = **in-goal area**) area di meta.

ingoing /ˈɪngəʊɪŋ/ Ⓐ *n.* **1** entrata **2** buonuscita (*somma pagata per subentrare*) **3** (*comm.*) (indennità d') avviamento Ⓑ *a.* (*anche sport*) **1** che entra; entrante; in entrata **2** subentrante: **i. tenant**, inquilino subentrante ● (*naut.*) **i. tide**, marea montante.

ingot /ˈɪŋgət/ *n.* lingotto; verga (*d'oro*, ecc.); pane (*di ghisa*, *piombo*) ● (*metall.*) **i. iron**, ferro fuso; acciaio omogeneo □ **i. mould**, lingottiera.

to ingraft /ɪnˈgrɑːft/ → **to engraft**.

ingrain /ˈɪngreɪn/ *a.* **1** tinto in filato, prima della tessitura **2** (*fig.*) → **ingrained**.

to ingrain /ɪnˈgreɪn/ *v. t.* **1** (*ind. tess.*) tingere allo stato grezzo **2** (*fig.*) inculcare; radicare.

ingrained /ɪnˈgreɪnd/ *a.* **1** inveterato; radicato: **i. principles**, princìpi ben radicati **2** incallito; inveterato: **an i. liar**, un mentitore inveterato ● **an i. stain**, una macchia che non va via.

to ingratiate /ɪnˈgreɪʃɪeɪt/ *v. t.* ingraziare, ingraziarsi; accattivarsi ● **to i. oneself with sb.**, ingraziarsi q.

ingratiating /ɪnˈgreɪʃɪeɪtɪŋ/ *a.* cattivante; suadente; insinuante.

ingratitude /ɪnˈgrætɪtjuːd/, *USA* -tuːd/ *n.* Ⓤ ingratitudine.

ingravescent /ɪngrəˈvɛsnt/ (*med.*) *a.* (*di una malattia*) che va aggravandosi.

♦**ingredient** /ɪnˈgriːdɪənt/ *n.* **1** ingrediente: **the ingredients for a pudding**, gli ingredienti di un budino **2** elemento; componente; ingrediente (*fig.*): **the ingredients of a brilliant career**, gli elementi che concorrono a costruire (*o* gli ingredienti di) una brillante carriera.

ingress /ˈɪngrɛs/ *n.* **1** (*raro*) ingresso; entrata **2** (*leg.*) diritto, permesso d'entrata **3** (*astron.*) ingresso, entrata (*di un astro*).

ingressive /ɪnˈgrɛsɪv/ *a.* (*ling.*) ingressivo.

in-group /ˈɪngruːp/ *n.* (*sociol.*) gruppo ristretto; gruppo a sé; (*spreg.*) cricca; camarilla.

ingrowing /ˈɪngrəʊɪŋ/ *a.* **1** che cresce verso l'interno **2** (*di pelo*) incarnito **3** (*d'unghia del piede*) che tende a incarnirsi.

ingrown /ˈɪngrəʊn/ *a.* **1** cresciuto verso l'interno **2** (*d'unghia o pelo*) incarnito **3** (*fig.*) congenito; innato **4** inculcato; radicato **5** introverso; chiuso (*fig.*).

ingrowth /ˈɪngrəʊθ/ *n.* **1** Ⓤ crescita verso l'interno **2** parte cresciuta internamente.

inguinal /ˈɪngwɪnəl/ *a.* (*anat.*) inguinale: (*med.*) **i. hernia**, ernia inguinale.

to ingurgitate /ɪnˈgɜːdʒɪteɪt/ *v. t.* **1** ingurgitare; ingollare **2** (*fig.*) inghiottire; ingoiare; ingozzare ‖ **ingurgitation** *n.* Ⓤ l'ingurgitare; ingozzata.

to inhabit /ɪnˈhæbɪt/ *v. t.* **1** abitare; abitare in; occupare (*una regione*, ecc.) **2** (*fig.*) essere situato in; appartenere a.

inhabitable /ɪnˈhæbɪtəbl/ *a.* abitabile: **i. areas**, zone abitabili ‖ **inhabitability** *n.* Ⓤ abitabilità.

inhabitancy /ɪnˈhæbɪtənsɪ/ *n.* Ⓤ l'abitare; domicilio; residenza.

inhabitant /ɪnˈhæbɪtənt/ *n.* **1** abitante **2** (*zool.*) animale stanziale.

inhabitation /ɪnhæbɪˈteɪʃn/ *n.* Ⓤ l'abitare; l'esser abitato.

inhabited /ɪnˈhæbɪtɪd/ *a.* abitato.

inhalant /ɪnˈheɪlənt/ Ⓐ *a.* **1** che inspira **2** (*med.*) per inalazioni Ⓑ *n.* (*med.*) farmaco per inalazioni.

inhalation /ɪnhəˈleɪʃn/ *n.* Ⓤ **1** (*fisiol.*) inalazione; inspirazione **2** (*med.*) inalazione **3** aspirazione (*del fumo*).

inhalator /ɪnˈheɪlətə(r)/ *n.* (*med.*) inalatore.

to inhale /ɪnˈheɪl/ *v. t. e i.* **1** (*med.*) inalare **2** inspirare, aspirare (*aria*, *fumo*, ecc.) ● **to i. when smoking**, aspirare il fumo (*della sigaretta*).

inhaler /ɪnˈheɪlə(r)/ *n.* **1** chi aspira; chi inala Ⓤ **2** (*med.*) inalatore.

inharmonic /ɪnhɑːˈmɒnɪk/ → **inharmonious**.

inharmonious /ɪnhɑːˈməʊnɪəs/ *a.* **1** disarmonico; non armonioso **2** che non è in armonia (*con qc.*); discordante ‖ **inharmoniously** *avv.* disarmonicamente ‖ **inharmoniousness** *n.* Ⓤ disarmonia.

to inhere /ɪnˈhɪə(r)/ *v. i.* inerire (*raro*) ● **to i. in**, essere inerente a; essere proprio di.

inherence /ɪnˈhɪərəns/ *n.* Ⓤ inerenza; l'es-

ser inerente.

inherent /ɪnˈhɪərənt/ a. **1** inerente: *These difficulties are i. in the system*, queste difficoltà sono inerenti al sistema **2** innato; insito: **an i. sense of justice**, un innato senso della giustizia ● (*leg.*) **i. vice**, vizio intrinseco | **-ly avv.**

to **inherit** /ɪnˈhɛrɪt/ v. t. e i. **1** ereditare: **to i. the whole estate**, ereditare l'intero patrimonio **2** (*fig.*) avere (ereditato): *You inherited your grandmother's eyes*, hai (ereditato) gli occhi della nonna.

inheritable /ɪnˈhɛrɪtəbl/ (*leg.*) a. ereditabile (*raro*); ereditario || **inheritability** n. ⓤ ereditabilità (*raro*); ereditarietà.

inheritance /ɪnˈhɛrɪtəns/ n. ⓒⓤ **1** (*leg.*) eredità; (*fig.*) retaggio, patrimonio: **to receive st. by i.**, ricevere qc. in eredità **2** (*biol.*) eredità; fattori ereditari **3** (*comput.*) ereditarietà ● (*fisc.*) **i. tax**, imposta di successione.

inheritor /ɪnˈhɛrɪtə(r)/ n. erede (*uomo*).

inheritress /ɪnˈhɛrɪtrɪs/, **inheritrix** /ɪnˈhɛrɪtrɪks/ n. erede (*donna*); ereditiera.

inhesion /ɪnˈhiːʒn/ n. ⓤ inerenza; l'essere inerente.

to **inhibit** /ɪnˈhɪbɪt/ v. t. **1** inibire (*anche psic.*); reprimere; tenere a freno; trattenere: **to i. bad impulses**, tenere a freno gli impulsi negativi **2** impedire; proibire; vietare: **to i. sb. from doing st.**, impedire a q. di fare qc. **3** (*relig.*) interdire, sospendere: **to i. a priest from performing church functions**, sospendere un sacerdote a divinis.

inhibited /ɪnˈhɪbɪtɪd/ a. (*anche psic.*) inibito: **an i. person**, una persona inibita; un inibito.

inhibition /ɪnhɪˈbɪʃn/ n. ⓒⓤ **1** inibizione (*anche psic.*) **2** proibizione; divieto **3** (*relig.*) sospensione a divinis ● **to free sb. from i.**, disinibire q.

inhibitor /ɪnˈhɪbɪtə(r)/ (*chim.*) n. inibitore || **inhibitory** a. inibitorio; inibitore.

in-home /ɪnˈhəʊm/ a. attr. a domicilio; domiciliare: **in-home care**, assistenza domiciliare.

inhospitable /ɪnhɒˈspɪtəbl, ɪnˈhɒs-/ a. inospitale; inospite (*lett.*) | **-ness** n. ⓤ | **-bly avv.**

in-house /ɪnˈhaʊs/ 🇦 a. attr. **1** fatto nell'ambito di un gruppo (di una società, *ecc.*) **2** (*org. az.*) intra-aziendale; interno; ristretto: **in-house meetings**, riunioni ristrette **3** (*tur.*) interno; nell'albergo: (*TV*) **in-house movie channel**, canale, riservato all'albergo, che trasmette film 🇧 avv. (*spec. org. az.*) internamente; in ditta: **to work in-house**, lavorare in ditta (*o* internamente).

inhuman /ɪnˈhjuːmən/ a. **1** inumano; disumano; crudele; brutale **2** disumano, che non ha nulla di umano **3** (*raro*) freddo; impersonale || **inhumanly** avv. disumanamente.

inhumane /ɪnhjuːˈmeɪn/ a. inumano; disumano; crudele.

inhumanity /ɪnhjuːˈmænɪtɪ/ n. **1** ⓤ inumanità; disumanità **2** disumanità; atto crudele.

inhumation /ɪnhjuːˈmeɪʃn/ n. ⓒⓤ inumazione; seppellimento.

to **inhume** /ɪnˈhjuːm/ v. t. inumare; seppellire; sotterrare.

inimical /ɪˈnɪmɪkl/ a. ostile; nemico; avverso; contrario: **acts i. to peace**, azioni contrarie alla pace | **-ly avv.**

inimitable /ɪˈnɪmɪtəbl/ a. inimitabile; impareggiabile || **inimitability** n. ⓤ inimitabilità; l'essere inimitabile || **inimitably** avv. inimitabilmente; impareggiabilmente.

iniquity /ɪˈnɪkwɪtɪ/ n. ⓒ **1** iniquità; malvagità; scelleratezza **2** ingiustizia; iniquità || **iniquitous** a. **1** iniquo; malvagio; scellera-

to **2** ingiusto; iniquo; **an iniquitous fine**, una multa ingiusta.

◆**initial** /ɪˈnɪʃl/ 🇦 a. iniziale; primo: **the i. chapter of a book**, il capitolo iniziale d'un libro; **the i. stage**, lo stadio iniziale; **i. expenses**, le prime spese 🇧 n. (generalm. al pl.) (lettera) iniziale; sigla ● (*fin.*) **i. capital**, capitale iniziale (*o* d'avviamento).

to **initial** /ɪˈnɪʃl/ v. t. apporre le (proprie) iniziali a; siglare: **to i. an alteration**, siglare una correzione.

initialism /ɪˈnɪʃəlɪzəm/ n. acronimo composto dalle lettere iniziali; sigla.

to **initialize** /ɪˈnɪʃəlaɪz/ (*comput.*) v. t. inizializzare || **initialization** n. ⓤ inizializzazione.

◆**initially** /ɪˈnɪʃlɪ/ avv. inizialmente.

initiate /ɪˈnɪʃɪət/ 🇦 a. iniziato; cominciato 🇧 n. iniziato, iniziata.

to **initiate** /ɪˈnɪʃɪeɪt/ v. t. iniziare (*in ogni senso*); avviare; introdurre: **to i. one's work**, iniziare il lavoro; **to i. an advertising campaign**, iniziare una campagna pubblicitaria; **to i. sb. into a science**, iniziare q. a una scienza; **to i. sb. into a secret society**, introdurre q. in (*o* iniziare q. a) una società segreta.

initiation /ɪnɪʃɪˈeɪʃn/ n. ⓤⓒ **1** (*anche relig.*) iniziazione: **i. rites**, riti d'iniziazione **2** inizio; principio; avvio **3** l'essere un iniziato.

◆**initiative** /ɪˈnɪʃɪətɪv/ 🇦 a. iniziale; introduttivo 🇧 n. ⓤⓒ **1** iniziativa; intraprendenza: **to take the i.**, prendere l'iniziativa; (*spec. mil.*, *sport*) **to have the i.**, avere l'iniziativa; *He has no i.*, è privo di iniziativa; non è affatto intraprendente **2** (*polit.*) iniziativa legislativa; potere d'iniziativa ● **on one's own i.**, di propria iniziativa, (*bur.*, *leg.*) d'ufficio.

initiator /ɪˈnɪʃɪeɪtə(r)/ n. iniziatore; chi inizia (→ **to initiate**).

initiatory /ɪˈnɪʃɪətrɪ/ a. **1** iniziativo (*lett.*); preliminare **2** d'iniziazione; iniziatico: **i. ceremonies**, cerimonie d'iniziazione.

to **inject** /ɪnˈdʒɛkt/ v. t. **1** iniettare (*in ogni senso*): **to i. a drug [a poison]**, iniettare una medicina [un veleno]; **to i. intravenously**, iniettare per endovena **2** (*fig.*) immettere; introdurre: **to i. a comical element into a situation**, introdurre un elemento di comicità in una situazione.

injectable /ɪnˈdʒɛktəbl/ 🇦 a. (*med.*) iniettabile 🇧 n. (*med.*) sostanza iniettabile.

◆**injection** /ɪnˈdʒɛkʃn/ n. ⓤⓒ **1** (*med.*) iniezione; puntura: **to give an i. of penicillin**, fare un'iniezione di penicillina; **to have an i.**, fare una puntura **2** (*miss.*) inserimento (*o* messa, *o* iniezione) in orbita **3** (*econ.*, *mecc.*, *elettron.*, *mat.*) iniezione: **an i. of capital into an economic sector**, un'iniezione di capitali in un settore dell'economia; **i. engine**, motore a iniezione **4** (*fig.*) immissione; introduzione.

injective /ɪnˈdʒɛktɪv/ a. **1** (*mat.*) iniettivo: **i. mapping**, applicazione iniettiva; iniezione **2** (*ling.*) iniettivo.

injector /ɪnˈdʒɛktə(r)/ n. (*anche mecc.*, *elettron.*) iniettore.

in-joke /ɪnˈdʒəʊk/ n. (*fam.*) battuta comprensibile solo a un gruppo ristretto; barzelletta non alla portata di tutti.

injudicious /ɪndʒuːˈdɪʃəs/ a. imprudente; sconsiderato; avventato; sventato | **-ly avv.** | **-ness** n. ⓤ.

Injun /ˈɪndʒən/ n. (*fam. o spreg. USA per* **Indian**) indiano (d'America); pellerossa ● **honest I.!**, parola d'onore!

injunction /ɪnˈdʒʌŋkʃn/ (*anche leg.*) n. ingiunzione; intimazione; comando; ordine; imposizione || **i.** sostanza iniettabile.

◆to **injure** /ˈɪndʒə(r)/ v. t. danneggiare; nuocere a; far male a; ferire; guastare; ledere;

menomare; pregiudicare; offendere: *The blow injured my leg*, il colpo mi ferì (*o* mi lese) la gamba; **to i. one's health**, guastarsi la salute; **to i. sb.'s reputation**, ledere la reputazione di q.; *Your words injured his pride*, le tue parole offesero (*o* ferirono) il suo orgoglio ❶ **FALSI AMICI** ● **to injure** *non significa* ingiuriare.

◆**injured** /ˈɪndʒəd/ a. **1** danneggiato; ferito; leso; menomato; offeso: **an i. limb**, un arto ferito (*o* menomato); *He was fatally i.*, era ferito mortalmente; (*leg.*) **the i. party**, la parte lesa **2** (*ass.*) sinistrato ● **in an i. voice**, in tono offeso.

injurious /ɪnˈdʒʊərɪəs/ a. **1** dannoso; lesivo; nocivo: **i. to one's health**, nocivo alla salute **2** ingiurioso; offensivo; oltraggioso: **i. words**, parole ingiuriose | **-ly avv.** | **-ness** n. ⓤ.

◆**injury** /ˈɪndʒərɪ/ n. ⓒⓤ **1** danno; lesione; nocumento (*lett.*); ferita; ingiustizia; male; offesa; torto: **to add insult to i.**, aggiungere l'offesa (*o* la beffa) al danno; **to suffer injuries to the head**, riportare ferite al capo; **an i. to sb.'s good name**, un'offesa alla reputazione di q. **2** (*leg.*) atto illecito; illecito **3** incidente; infortunio: **i. at work**, infortunio sul lavoro **4** (*arc.*) ingiuria ● **i. benefit**, assegno d'invalidità (*o* di malattia) (*sport*) **i. time**, recupero; minuti di recupero ❶ **FALSI AMICI** ● *nell'inglese attuale* injury *non significa* ingiuria.

injustice /ɪnˈdʒʌstɪs/ n. **1** ⓤ ingiustizia **2** ingiustizia; sopruso; torto: **to do sb. an i.**, far torto a q. (*anche, giudicandolo male*) **3** ⓤ (*leg.*) diniego di giustizia.

ink /ɪŋk/ n. ⓤⓒ **1** inchiostro (*d'ogni sorta; anche quello della seppia*): **to write a letter in ink**, scrivere una lettera con l'inchiostro **2** (*slang USA*) carta stampata; menzione sulla stampa **3** (*slang USA*) vino scadente **4** (*spreg. USA*) negro ● (*zool.*) **ink-bag**, tasca del nero (*d'una seppia, ecc.*) □ **ink-bottle**, bottiglietta d'inchiostro; calamaio □ **ink eraser**, gomma da inchiostro (*spec. di macchina da scrivere*) □ (*comput.*) **ink-jet printer** → **inkjet** □ (*arti grafiche*) **ink knife**, spatola □ **ink roller**, nastro inchiostratore □ **ink-sac** = **ink-bag** → *sopra* □ (*spreg. USA*) **ink slinger**, imbrattacarte; scrittorello; giornalista da strapazzo □ (*pitt.*) **ink wash**, sfumato a inchiostro.

to **ink** /ɪŋk/ v. t. **1** inchiostrare; coprire (*o* macchiare) d'inchiostro: **to ink one's hands**, inchiostrarsi le mani **2** segnare (*o* colorare) con l'inchiostro **3** (*tipogr.*) inchiostrare **4** (*fam. USA*) firmare (*un contratto, ecc.*) ● **to ink in a drawing**, ripassare a penna un disegno □ **to ink out**, cancellare a penna.

inkblot /ˈɪŋkblɒt/ n. macchia d'inchiostro ● (*psic.*) **i. test**, test delle macchie d'inchiostro.

inked /ɪŋkt/ a. inchiostrato ● **i. ribbon**, nastro dattilografico.

inker /ˈɪŋkə(r)/ n. (*tipogr.*) (rullo) inchiostratore.

inkjet /ˈɪŋkdʒɛt/ a. (*comput.*) a getto d'inchiostro: **i. printer**, stampante a getto d'inchiostro.

inkling /ˈɪŋklɪŋ/ n. vaga idea; sentore; sospetto: **to get an i. of what is happening**, aver sentore di quel che sta accadendo; **to give sb. an i. of st.**, dare a q. un'idea di qc.

inkpad /ˈɪŋkpæd/ n. tampone per timbri.

inkpot /ˈɪŋkpɒt/ n. calamaio.

inkstand /ˈɪŋkstænd/ n. (*un tempo*) portacalamaio; vaschetta per calamaio e penna (*da scrittoio*).

inkstick /ˈɪŋkstɪk/ n. (*fam. USA*) (penna) stilografica.

inkwell /ˈɪŋkwɛl/ n. (*un tempo*) calamaio (*inserito in un banco di scuola*).

inky /'ɪŋkɪ/ a. 1 sporco (o coperto) d'inchiostro; inchiostrato: i. fingers, dita inchiostrate 2 nero come l'inchiostro 3 scritto con l'inchiostro; a inchiostro ● i. darkness, oscurità assoluta ‖ inkiness n. Ⓤ 1 l'esser coperto d'inchiostro 2 nerezza (raro); nero d'inchiostro.

INLA sigla (stor., Irish National Liberation Army) Armata irlandese di liberazione nazionale.

inlaid /ɪn'leɪd/ Ⓐ pass. e p. p. di to inlay Ⓑ a. 1 inserito (in una decorazione); impresso 2 intarsiato ● (tecn.) i. veneer, tassello per intarsio □ (arte) i. work, intarsio.

inland ① /'ɪnlənd/ Ⓐ n. interno del paese; retroterra; entroterra Ⓑ a. 1 situato nel retroterra; dell'entroterra; racchiuso fra terre emerse; (dell') interno: an i. district, una regione dell'entroterra; an i. sea, un mare interno 2 (econ., comm.) interno: i. trade, commercio interno; i. consumption, consumo interno; (fisc.) i. duty, dazio interno; i. navigation, navigazione interna (fluviale o per idrovie) ● (fin.) i. bill, cambiale pagabile all'interno □ (fisc.) i. revenue, imposte e dazi interni; gettito fiscale; erario, fisco □ i.-revenue stamp, bollo fiscale □ i. waterways, canali navigabili; idrovie interne.

inland ② /ɪn'lænd/ avv. all'interno; verso l'interno; nell'entroterra: to go i., andare verso l'interno (d'un paese); to live i., abitare nell'entroterra.

inlander /'ɪnləndə(r)/ n. abitante dell'entroterra.

in-law /'ɪnlɔː/ n. (fam., di solito al pl.) parente acquisito; affine.

inlay /'ɪnleɪ/ n. ⒸⓊ 1 (arte) intarsio; lavoro a intarsio 2 (med.) intarsio, otturazione (di un dente) ● i. card, retro (di CD); inlay card.

to **inlay** /ɪn'leɪ/ (pass. e p. p. p. inlaid), v. t. 1 inserire (pezzetti di legno, oro, ecc.) in una superficie, per decorazione 2 (arte) intarsiare; lavorare a intarsio: to i. wood with ivory, intarsiare il legno con dell'avorio.

inlayer /'ɪnleɪə(r)/ n. intarsiatore, intarsiatrice.

inlaying /ɪn'leɪɪŋ/ n. Ⓤ intarsiatura.

inlet /'ɪnlet/ n. 1 (geogr.) braccio di mare; piccola baia; insenatura 2 (geogr.) immissario 3 (mecc.) ammissione; immissione; entrata: i. valve, valvola di ammissione 4 (autom., mecc.) aspirazione 5 (sartoria) aggiunta; pezzo inserito 6 (tecn.) sacca ● (d'un motore) i. stroke, fase di aspirazione.

in-line, inline /ɪn'laɪn/ a. attr. 1 allineato: in-line skates, pattini in linea 2 (mecc.) in linea: in-line engine, motore in linea 3 (comput.) interno: in-line coding, codice interno.

inlying /'ɪnlaɪɪŋ/ a. che è (o che giace) all'interno (o nell'entroterra).

inmate /'ɪnmeɪt/ n. 1 paziente (d'ospedale); ricoverato (in un ospizio) 2 carcerato; recluso; detenuto 3 (arc.) inquilino; coinquilino.

inmost /'ɪnməʊst/ a. intimo; (il) più interno; (il) più recondito; (il) più riposto; (il) più segreto: one's i. feelings, i sentimenti più intimi; one's i. thoughts, i pensieri più segreti ● in one's i. heart, nell'intimo del cuore.

inn /ɪn/ n. locanda; alberghetto; osteria: to put up at an inn, fermarsi in una locanda (per prendervi alloggio) ● Inns of Chancery, edifici londinesi, già occupati da studenti di giurisprudenza; associazioni che ora occupano tali edifici □ (leg.) Inns of Court, (edifici, a Londra, appartenenti a) quattro associazioni professionali inglesi che abilitano all'esercizio della professione forense (di → «barrister») □ inn sign, insegna di locanda.

innards /'ɪnədz/ n. pl. (fam.) 1 interno; parti interne (anche di una macchina) 2

(fam.) budella; visceri 3 (fam.) stomaco.

innate /ɪ'neɪt/ a. innato; congenito; insito; naturale: (filos.) i. ideas, idee innate; i. ability, abilità naturale | -ly avv. | -ness n. Ⓤ.

innatism /ɪ'neɪtɪzəm/ n. Ⓤ (filos.) innatismo.

innavigable /ɪ'nævɪgəbl/ a. innavigabile; non navigabile.

♦**inner** /'ɪnə(r)/ Ⓐ a. 1 interno; intimo; interiore; riposto; segreto: an i. room, una stanza interna; (geogr.) I. Mongolia, la Mongolia Interna; i. emotions, emozioni intime (o riposte); (naut.) i. harbour, parte interna del porto; porto interno; i. strength, forza interiore; forza intima 2 ristretto: (polit.) i. cabinet, consiglio (dei ministri) ristretto; i. circle, cerchia ristretta; entourage Ⓑ n. 1 (l') interno 2 (colpo che va a segno nel) primo cerchio del bersaglio (quello più vicino al centro) 3 (hockey) interno (giocatore) ● i. city, centro della città (spec. caratterizzato da degrado economico e sociale) □ i. court, cortile interno □ (anat.) i. ear, orecchio interno □ (naut.) i. keel, paramezzale □ the i. man [woman], l'intimo, lo spirito; (scherz.) l'appetito, lo stomaco □ i. meaning, significato recondito □ (astron.) i. planet, pianeta interno □ (rag.) i. reserve, riserva occulta □ (relig. e fig.) i. sanctum, sancta sanctorum □ (anat.) i. skin, derma □ i. speech, riflessione intima; monologo interiore □ (USA) i.-spring mattress, materasso a molle □ i. tube, camera d'aria (di un pneumatico).

innermost /'ɪnəməʊst/ a. intimo; (il) più interno; (il) più recondito.

to **innervate** /ɪ'nɜːveɪt/ v. t. 1 (anat.) innervare 2 (fig.) stimolare; rinvigorire ‖ innervation n. (anat.) innervazione.

inning /'ɪnɪŋ/ n. 1 (baseball) inning; ripresa 2 (biliardo) (USA) → break ①, def. 19.

innings /'ɪnɪŋz/ n. (pl. inv., o fam. innings) 1 (cricket) innings; periodo in cui una squadra è alla battuta; turno (del battitore) 2 (fig.) periodo di permanenza (d'un partito politico o di una persona) al potere; durata in carica; momento di successo (o di gloria, ecc.) ● (fam.) to have had a good i., avere vissuto una vita lunga e piena.

innit /'ɪnɪt/ inter. (contrazione fam. di isn't it) 1 (in fine frase) vero?; no?; eh?: Cracking shot, i.?, tiro fantastico, eh? 2 (escl. di assenso, apprezzamento, ecc-) eccome!; urca!

innkeeper /'ɪnkiːpə(r)/ n. locandiere, locandiera; albergatore, albergatrice.

innocence /'ɪnəsns/ n. Ⓤ 1 innocenza (in ogni senso); innocuità 2 semplicità; ingenuità.

♦**innocent** /'ɪnəsnt/ Ⓐ a. 1 innocente (in ogni senso); puro; innocuo: to be i. of a crime, essere innocente (o non essere colpevole) di un reato; an i. child, un bambino innocente; i. games, giochi innocenti 2 semplice; ingenuo; sciocco; sprovveduto: I am not so i. as to believe it, non sono così ingenuo da crederlo 3 (med.) benigno: an i. tumour, un tumore benigno 4 (fam.) mancante, privo (di); senza: a face i. of make-up, un viso senza trucco Ⓑ n. 1 (persona) innocente; bambino: the slaughter of the innocents, la strage degli innocenti 2 persona ingenua; sciocco; sprovveduto ● (leg.) i. party, parte in causa non responsabile | -ly avv.

innocuity /ɪnɒ'kjuːɪtɪ/ n. Ⓤ innocuità.

innocuous /ɪ'nɒkjʊəs/ a. innocuo; inoffensivo: an i. snake, una serpe innocua | -ly avv. | -ness n. Ⓤ.

innominate /ɪ'nɒmɪnət/ a. innominato; anonimo ● (anat.) i. bone, osso innominato; osso iliaco.

to **innovate** /'ɪnəveɪt/ Ⓐ v. t. inventare; introdurre (una novità) Ⓑ v. i. (spesso to i. in,

on o upon) innovare; fare innovazioni (in qc.); introdurre novità ‖ innovator n. innovatore ‖ innovatory a. che innova; innovatore.

♦**innovation** /ɪnə'veɪʃn/ n. ⒸⓊ 1 innovazione 2 novità.

innovative /'ɪnəvətɪv/ a. innovativo.

innuendo /ɪnjuː'endəʊ/ n. ⒸⓊ (pl. innuendos, innuendoes) 1 accenno; allusione: to make innuendoes about st., fare allusioni a qc. 2 insinuazione; malignità 3 (leg.) insinuazione diffamatoria.

innumerable /ɪ'njuːmərəbl, USA ɪ'nuː-/ a. innumerabile (lett.); innumerevole ‖ innumerability n. Ⓤ innumerabilità (lett., raro); l'essere innumerevole ‖ innumerably avv. innumerabilmente (raro); innumerevolmente.

innutrition /ɪnjuː'trɪʃn, USA ɪnuː-/ n. Ⓤ mancanza di nutrizione; denutrizione.

innutritious /ɪnjuː'trɪʃəs, USA ɪnuː-/ a. non nutriente.

inobservance /ɪnəb'zɜːvəns/ n. Ⓤ 1 (anche leg.) inosservanza 2 mancanza d'attenzione; disattenzione.

inoculable /ɪ'nɒkjʊləbl/ a. (med.) inoculabile.

to **inoculate** /ɪ'nɒkjʊleɪt/ v. t. 1 inoculare (med. e fig.); iniettare; instillare: to i. sb. with smallpox vaccine, inoculare il vaccino del vaiolo a q. 2 (med.) immunizzare (con inoculazione di vaccino, siero, ecc.); vaccinare: to i. children against polio, vaccinare i bambini contro la poliomielite.

inoculation /ɪnɒkjʊ'leɪʃn/ n. ⒸⓊ (med.) 1 inoculazione 2 immunizzazione; vaccinazione.

inoculative /ɪ'nɒkjʊlətɪv/ a. (med.) d'inoculazione; da inoculare.

inoculator /ɪ'nɒkjʊleɪtə(r)/ n. (med.) inoculatore; chi inocula; strumento per inoculare.

inodorous /ɪn'əʊdərəs/ a. inodoro, inodore.

inoffensive /ɪnə'fensɪv/ a. inoffensivo; innocuo | -ly avv. | -ness n. Ⓤ.

inofficious /ɪnə'fɪʃəs/ a. (leg.) inofficioso (raro); che viola un dovere morale.

inoperable /ɪn'ɒpərəbl/ a. 1 (med.) inoperabile; che non si può operare 2 (di un progetto, ecc.) inattuabile; impraticabile.

inoperative /ɪn'ɒpərətɪv/ a. 1 inattivo; inutilizzato 2 (di legge, ecc.) inefficace; non operante; non in vigore.

inopportune /ɪn'ɒpətjuːn, USA ɪnɒpə'tuːn/ a. inopportuno; intempestivo | -ly avv. | -ness n. Ⓤ.

inordinate /ɪn'ɔːdənət/ a. 1 immoderato; smoderato; eccessivo; sfrenato; sregolato: i. requests, richieste eccessive; an i. desire for wealth, una sfrenata brama di ricchezza 2 disordinato; irregolare | -ly avv.

inorganic /ɪnɔː'gænɪk/ a. 1 inorganico (chim. e fig.); non organico: i. chemistry, chimica inorganica 2 non organizzato; disorganico | -ally avv.

to **inosculate** /ɪn'ɒskjʊleɪt/ Ⓐ v. i. 1 (spec. anat.: d'arterie, ecc.) connettersi per anastomosi 2 (fig.) congiungersi; unirsi Ⓑ v. t. 1 (med.) anastomizzare 2 (fig.) congiungere; unire ‖ inosculation n. ⒸⓊ 1 (anat., med.) anastomosi 2 (fig.) congiungimento; unione.

inosine /'aɪnəsiːn/ (biochim.) n. Ⓤ inosina ‖ inosinic a. inosinico.

inositol /ɪn'əʊsɪtɒl/ n. (chim.) inositolo; inosite.

in-patient /'ɪnpeɪʃnt/ n. (med.) degente; paziente interno.

in-payment /'ɪnpeɪmənt/ n. (banca) versamento; incasso.

in-plant /ɪn'plɑːnt/ a. attr. (org. az.) nell'ambito di uno stabilimento; in fabbrica; aziendale: **in-plant courses**, corsi aziendali.

inpouring /'ɪnpɔːrɪŋ/ **A** a. che affluisce **B** n. ⓤⒸ versamento; afflusso.

♦**input** /'ɪnput/ n. ⓤⒸ **1** introduzione; immissione **2** (elettr.) alimentazione: **i. circuit**, circuito di alimentazione **3** (elettron.) input; entrata; ingresso: **i. block**, blocco d'entrata; **i. signal**, segnale d'ingresso **4** (comput.) input; ingresso: **i. data**, dati di input **5** contributo: *Thank you for your valuable i.*, grazie del contributo prezioso **6** (econ.) fattore produttivo; input ● (comput.) **i. box**, casella per l'input □ (comput.) **i. device**, dispositivo di input □ (comput.) **i./output**, input/output (flusso dei dati in ingresso/in uscita) □ (econ.) **i. / output analysis**, analisi delle interdipendenze settoriali □ (fisc.) **i. tax**, IVA a credito.

to **input** /'ɪnput/ (pass. e p. p. **input**), v. t. immettere; inserire; introdurre (dati, ecc.: in un elaboratore).

inquest /'ɪnkwest/ n. **1** (leg.) inchiesta: **coroner's i.**, inchiesta giudiziaria svolta dal coroner (nei casi di morte violenta o innaturale) **2** (fam.) indagine ● **grand i.**, giuria di un processo istruttorio (da 12 a 23 giurati).

inquietude /ɪn'kwaɪətjuːd, USA -tuːd/ n. ⓤ inquietudine; turbamento.

inquiline /'ɪnkwɪlaɪn/ (biol.) n. inquilino ‖ **inquilinism** n. ⓤ inquilinismo.

to **inquire** /ɪn'kwaɪə(r)/ **A** v. i. informarsi; indagare; fare indagini; investigare; fare ricerche **B** v. t. domandare; chiedere; informarsi di: *I inquired what he wanted*, (gli) chiesi che cosa volesse; **to i. the way**, informarsi della via (da prendere) ● **I. within** (cartello), per informazioni, favorite entrare.

❶ **NOTA:** *enquiry o inquiry; enquire o inquire?*

Nell'inglese britannico, l'uso di *enquire* o *inquire* è dettato da preferenze personali. Tuttavia si tende a usare *enquire* e *enquiry* per richieste di informazioni personali: *He enquired after her health*, chiese della sua salute; *to make discreet enquiries about a person's private life*, fare domande discrete sulla vita privata di una persona. *Inquire* e *inquiry* si usano soprattutto, invece, in riferimento a indagini e investigazioni formali: *A public inquiry will be held into the cause of the accident*, verrà aperta un'inchiesta pubblica sulle cause dell'incidente; *A commission was established to inquire into conditions in the prison*, fu creata una commissione per indagare sulle condizioni della prigione. Nell'inglese americano si preferisce sempre *inquiry* in entrambi i contesti.

■ **inquire about** v. i. + prep. informarsi su (qc.); chiedere notizie di (qc.).

■ **inquire after** v. i. + prep. **1** chiedere informazioni su (qc.) **2** informarsi della salute di (q.).

■ **inquire for** v. i. + prep. **1** chiedere di, cercare (q.; per parlargli) **2** cercare (un articolo in un negozio, ecc.).

■ **inquire into** v. i. + prep. indagare su, svolgere indagini su: *He inquired into the causes of her death*, svolse indagini sulle cause della sua morte.

■ **inquire of** v. i. + prep. chiedere a (q.); informarsi presso: *I'll i. of my sister where she bought her new dress*, chiederò a mia sorella dove ha comprato l'abito nuovo.

inquirer /ɪn'kwaɪrə(r)/ n. **1** chi chiede informazioni; chi s'informa **2** indagatore.

inquiring /ɪn'kwaɪrɪŋ/ a. indagatore; scrutatore: **an i. look**, uno sguardo indagatore ● **an i. mind**, una mente avida di sapere | **-ly** avv.

♦**inquiry** /ɪn'kwaɪrɪ/ n. **1** richiesta d'informazioni; indagine: **to make inquiries**, fare

indagini; assumere informazioni; **to learn st. by i.**, apprendere qc. attraverso indagini (o ricerche) fatte **2** (leg.) inchiesta: **to hold an i. into st.**, fare un'inchiesta su qc. **3** domanda; interrogazione ● **i. agent**, investigatore privato □ **i. office**, ufficio informazioni □ (telef.) **i. operator**, informazioni □ **on i.**, fatte le dovute ricerche.

inquisition /ɪnkwɪ'zɪʃn/ n. **1** (spesso spreg.) indagine; investigazione **2** (leg.) inchiesta ● (stor.) **the I.**, l'Inquisizione ‖ **inquisitional** a. inquisitorio.

inquisitive /ɪn'kwɪzɪtɪv/ a. **1** che indaga; curioso; avido di sapere **2** curioso; indiscreto; che ficca il naso nelle faccende altrui (fam.) | **-ly** avv. | **-ness** n. ⓤ ❶ **FALSI AMICI** ● inquisitive *non significa* inquisitivo.

inquisitor /ɪn'kwɪzɪtə(r)/ n. **1** (anche leg.) (magistrato) inquirente; indagatore **2** (stor.) inquisitore: *Grand I.*, Grande Inquisitore.

inquisitorial /ɪnkwɪzɪ'tɔːrɪəl/ a. **1** (anche stor.) inquisitorio; dell'Inquisizione (fig.) da inquisitore **2** curioso; indiscreto; che ama indagare (fam.: ficcanaso) **3** (leg.) inquisitorio ‖ **inquisitorially** avv. **1** = **inquisitively** → **inquisitive 2** (leg.) secondo il sistema inquisitorio.

inroad /'ɪnrəʊd/ n. **1** incursione; irruzione; scorreria **2** (fin.) prelievo: **inroads on funds**, prelievi di fondi **3** (sport) incursione; discesa; scorribanda ● (fig.) **to make inroads into** (o on), danneggiare; intaccare gravemente: *Hospital charges made inroads into my savings*, le spese ospedaliere intaccarono gravemente i miei risparmi.

inrun /'ɪnrʌn/ n. (sci) rincorsa (prima del salto dal trampolino) ● (sci) **i. distance** (o **i. length**) lunghezza della rincorsa.

inrush /'ɪnrʌʃ/ n. **1** il precipitarsi; irruzione **2** afflusso (d'aria, ecc.).

INS sigla (USA, **Immigration and Naturalization Service**) Servizio immigrazione e naturalizzazione.

to **insalivate** /ɪn'sælɪveɪt/ v. t. insalivare (il cibo, masticando); umettare con la saliva ‖ **insalivation** n. ⓤ insalivazione.

insalubrious /ɪnsə'luːbrɪəs/ a. insalubre; malsano ‖ **insalubrity** n. ⓤ insalubrità.

insane /ɪn'seɪn/ a. **1** insano; alienato; demente; folle; matto; pazzo: **i. jealousy**, insana gelosia; **an i. person**, un alienato; un demente **2** per alienati: **an i. asylum**, un ricovero per alienati; un manicomio **3** insano (lett.); dissennato; irragionevole; insensato: **an i. action**, un atto insano | **-ly** avv. | **-ness** n. ⓤ.

insanitary /ɪn'sænɪtrɪ/ a. malsano; insalubre; antigienico.

insanity /ɪn'sænɪtɪ/ n. ⓤ **1** alienazione mentale; infermità mentale; demenza; follia; pazzia **2** insania (lett.); dissennatezza; irragionevolezza; insensatezza.

insatiable /ɪn'seɪʃəbl/ a. (anche fig.) insaziabile ‖ **insatiability** n. ⓤ insaziabilità ‖ **insatiably** avv. insaziabilmente.

insatiate /ɪn'seɪʃɪət/ a. (lett.) insaziato (lett.); insaziabile.

inscape /'ɪnskeɪp/ n. (letter.) capacità di penetrare nella realtà interiore delle cose (parola coniata dal poeta G.M. Hopkins).

inscribable /ɪn'skraɪbəbl/ a. **1** che può essere iscritto **2** (geom.) inscrivibile; inscrittibile.

to **inscribe** /ɪn'skraɪb/ v. t. **1** iscrivere; incidere: *The plaque is inscribed with their names*, sulla targa sono incisi i loro nomi **2** (fig.) scrivere; incidere (nella memoria, ecc.); scolpire **3** scrivere (una frase, un motto, ecc.) **4** scrivere su (un libro, una fotografia, ecc.); scrivere una dedica su; firmare: **to i. a book to sb.**, scrivere su un libro una dedica a q.

5 iscrivere (in un elenco, un registro, ecc.) **6** (geom.) inscrivere ❶ **FALSI AMICI** ● to inscribe *non significa* iscrivere o iscriversi *a una scuola, un partito, ecc.* ‖ **inscribed** a. **1** iscritto; inciso **2** che reca un'iscrizione; che reca una scritta incisa: **an inscribed watch**, un orologio che reca una frase incisa **3** (di libro, fotografia) con dedica; autografato **4** (geom.) inscritto **5** (fin., ingl.) nominativo: **inscribed stock**, azioni nominative; titoli nominativi ❶ **FALSI AMICI** ● inscribed *non significa* iscritto *a una scuola, un partito, ecc.*

inscription /ɪn'skrɪpʃn/ n. **1** iscrizione (in ogni senso); epitaffio **2** (geom.) inscrizione **3** dedica autografa (d'un libro, ecc.) **4** leggenda (di una moneta, ecc.) **5** (leg., comm.) trascrizione; iscrizione nei registri immobiliari ‖ **inscriptional**, **inscriptive** a. di (o simile a) iscrizione.

inscrutable /ɪn'skruːtəbl/ a. inscrutabile (lett.); imperscrutabile ‖ **inscrutability**, **inscrutableness** n. ⓤ inscrutabilità (raro); imperscrutabilità ‖ **inscrutably** avv. inscrutabilmente (raro); imperscrutabilmente.

in-seam /'ɪnsiːm/ a. attr. (sartoria: di misura di calzoni) al cavallo.

in-season /'ɪnsiːzn/ a. attr. **1** (di frutta e verdura) di stagione **2** (tur.) stagionale: **in-season accommodation**, ricettività stagionale.

♦**insect** /'ɪnsekt/ n. insetto (in ogni senso: zool., pop. e fig.); persona spregevole ● **i. disposal system**, scaccia insetti (elettronico, ecc.) □ (agric.) **i. killer**, insetticida □ **i. powder**, polvere insetticida □ **i. repellent**, insettifugo □ **i. spray**, spray contro gli insetti; insetticida vaporizzato.

insectarium /ɪnsek'teərɪəm/ n. (pl. **insectaria**, **insectariums**) (scient.) insettario.

insecticide /ɪn'sektɪsaɪd/ n. insetticida; antiparassitario ‖ **insecticidal** a. insetticida; antiparassitario.

insectivore /ɪn'sektɪvɔː/ n. (zool., pl. Insectivora) insettivoro.

insectivorous /ɪnsek'tɪvərəs/ a. (zool.) insettivoro: (bot.) **i. plant**, pianta insettivora.

insecure /ɪnsɪ'kjʊə(r)/ a. insicuro; malsicuro; malfermo; instabile; infido; rischioso: **i. ice**, ghiaccio malfermo (o instabile); **i. seas**, mari infidi | **-ly** avv.

insecurity /ɪnsɪ'kjʊərətɪ/ n. ⓤⒸ insicurezza; mancanza di sicurezza; incertezza; instabilità; l'esser infido, rischioso: **financial i.**, insicurezza economica.

to **inseminate** /ɪn'semɪneɪt/ v. t. **1** gettare il seme di (qc.); instillare **2** (biol., med.) inseminare; fecondare (anche fig.) ‖ **insemination** n. ⓤ (biol., med.) inseminazione; fecondazione: **artificial insemination**, fecondazione artificiale.

inseminator /ɪn'semɪneɪtə(r)/ n. (biol., med.) fecondatore; donatore di seme.

insensate /ɪn'senseɪt/ a. **1** insensato; dissennato; stolto; stupido: **i. fury**, furia dissennata **2** insensibile; incapace di sentire; inanimato: **i. stone**, pietra inanimata | **-ly** avv.

insensibility /ɪnsensə'bɪlətɪ/ n. ⓤ **1** insensibilità; indifferenza; impassibilità **2** incoscienza; deliquio; svenimento ● **to be in a state of i.**, essere in deliquio; essere svenuto.

insensible /ɪn'sensəbl/ a. **1** insensibile (in ogni senso); indifferente; impassibile: **to be i. to cold**, essere insensibile al freddo **2** impercettibile: **an i. difference**, una differenza impercettibile **3** privo di sensi; inanimato; svenuto: *I fell down i.*, caddi privo di sensi **4** inconsapevole; inconscio; ignaro | **-bly** avv.

insensitive /ɪn'sensətɪv/ a. insensibile;

incapace di sentire; insensitivo (*raro*): **to be i. to beauty**, esser insensibile alla bellezza ● **an i. remark**, un'osservazione priva di tatto | **-ly avv.** | **-ness n.** ⓤ.

insensitivity /ɪnsensə'tɪvɪtɪ/ **n.** ⓤ insensibilità; insensitività (*raro*).

insentient /ɪn'senʃənt/ **a.** privo di sensi; inanimato; senza vita.

inseparable /ɪn'sepərəbl/ **A a.** inseparabile: **i. friends**, amici inseparabili **B n. pl.** cose inseparabili; persone inseparabili ‖ **inseparability n.** ⓤ inseparabilità ‖ **inseparably avv.** inseparabilmente.

insert /'ɪnsɜːt/ **n. 1** inserto; foglio, fascicolo (*inserito in un giornale*); supplemento **2** (*cinem.*) inserto **3** (*mecc.*) elemento riportato **4** (*metall.*) inserto; tassello.

to **insert** /ɪn'sɜːt/ **v. t.** inserire; introdurre; intercalare: **to i. a key in the lock**, inserire una chiave nella serratura; **to i. a coin in a slot machine**, introdurre una moneta in un distributore automatico; **to i. an ad in a paper**, inserire un annuncio in un giornale.

insertion /ɪn'sɜːʃn/ **n. 1** inserzione; l'inserire; avviso pubblicitario **2** aggiunta; applicazione **3** (*anat.*) punto (*o modo*) d'inserzione (*d'un muscolo*) **4** (*bot.*) innesto **5** (*mecc.*) riporto **6** (*sartoria*) entre-deux (*franc.*); tramezzo (*di pizzo o di ricamo*) **7** (*miss.*) inserimento in orbita.

in-service /ɪn'sɜːvɪs/ **a.** (*che avviene*) in servizio: **in-service training**, addestramento (*o formazione*) professionale mediante un servizio lavorativo effettivamente prestato.

inset① /'ɪnset/ **n. 1** inserto; riquadro (*per es., un ingrandimento parziale inserito in una mappa*) **2** foglio (*o fascicolo*) supplementare (*inserito in un giornale, in un libro*); supplemento **3** aggiunta; tramezzo; entre-deux (*franc.*): **a lace i.**, un entre-deux di pizzo (*in un abito*) ● **i. photo**, foto inserita nel testo.

inset② /'ɪnset/ **a. 1** inserto; preinstallato: **i. hob with extractor**, piano di cottura preinstallato, con cappa aspirante **2** ornato; tempestato: **a gold ring i. with diamonds**, un anello d'oro tempestato di diamanti.

to **inset** /'ɪnset/ (*pass. e p. p.* **inset, insetted**), **v. t. 1** inserire; introdurre; aggiungere **2** (*sartoria*) inserire un tramezzo in (*un abito, ecc.*) **3** (*tipogr.*) accavallare.

inshore /ɪn'ʃɔː(r)/ **A avv.** presso (*o verso*) la riva **B a. 1** vicino alla spiaggia; costiero: **i. fishing**, pesca costiera (*naut.*) **i. route**, rotta costiera **2** diretto a riva: **an i. current**, una corrente diretta a riva ● (*naut.*) **i. minesweeper**, dragamine litoraneo □ **i. of**, più vicino alla riva di: *Their boat was i. of ours*, la loro barca era più vicina alla riva della nostra.

♦**inside**① /'ɪnsaɪd/ **A n. 1** parte interna; (l') interno; (il) didentro: **the i. of a trunk**, l'interno di un baule; **the i. of a curve**, la parte interna d'una curva; (*calcio*) **with the i. of the instep**, con l'interno del collo del piede; **i. defender**, difensore interno **2** (*fam.*; anche pl.) (l') intestino; (il) ventre; (la) pancia (*pop.*): **to have a pain in one's i.**, avere mal di pancia **3** (*fam.*) ciò che è segreto: **to be on the i.**, essere addentro le segrete cose; essere fra gli addetti ai lavori **4** (*baseball, ecc.*) interno **B a. attr. 1** interno; interiore; situato all'interno: **the i. walls of a house**, le pareti interne d'una casa **2** intimo; riservato; segreto: **i. knowledge**, conoscenza intima; **i. information**, informazioni riservate; **the i. story**, la storia segreta (*di un avvenimento*) ● **and out = i. out** → *sotto* □ (*mecc.*) **i. caliper**, compasso per interni □ (*slang USA*) **i. dope**, informazioni riservate; retroscena □ (*calcio*) **i. forward**, interno; mezzala □ (*di libro*) **i.-front cover**, seconda di copertina □ (*rugby*) **i. half**

(*o i.* **halfback**), mediano di mischia □ **i. job**, reato (*o colpo*) compiuto con l'aiuto di un basista (*o di una talpa*) □ **i. lane**, (*autom.*) corsia esterna, corsia di destra (*nei paesi in cui il traffico tiene la destra*); (*sport*) corsia interna (*della pista*) □ (*calcio*) **i. left**, interno sinistro; centrosinistro (*slang*) **i. man**, basista; talpa (*fig.*) □ **i. out**, alla rovescia, rovesciato; rivoltato; sottosopra; a fondo: *You've put your socks on i. out*, ti sei messo i calzini alla rovescia; *I turned my flat i. out but couldn't find the earrings*, misi sottosopra l'appartamento ma non riuscii a trovare gli orecchini; *He knows his business i. out*, conosce a fondo (*o a menadito*) il suo lavoro □ (*calcio*) **i. right**, interno destro; centrodestro □ (*slang USA*) **i. stuff** = **i. dope** → *sopra* □ **i. track**, (*sport*) corsia interna; (*fig.*) posizione di vantaggio □ (*boxe*) **i. work**, lavoro per linee interne □ (*di manica, calzino, ecc.*) **turned i. out**, rovesciato; rivoltato.

♦**inside**② /'ɪnsaɪd/ **A avv. 1** dentro; entro (*raro*): *Go i.*, va' dentro!; *Is the dog i.?*, è dentro (*o è in casa*) il cane? **2** (*slang*) dentro; in prigione **3** (*boxe*, = *i.* **the distance**) prima del limite **B prep. 1** dentro; all'interno di: *Strangers are not allowed i. the building yard*, gli estranei non sono ammessi dentro il cantiere **2** (*di tempo*) dentro; entro: **i. an hour**, entro un'ora ● (*boxe*) **i. the limit**, prima del limite □ (*slang*) **i. of**, dentro (*prep.*) **2** (*fam.*) **i. of**, entro (*o in meno di*): *I'll do it i. of a week*, lo farò in meno d'una settimana.

insider /ɪn'saɪdə(r)/ **n. 1** chi sta dentro (*un luogo, un gruppo*); membro d'una società, di una cerchia ristretta **2** chi è addentro alle segrete cose; iniziato; adepto **3** persona che ha accesso a (*o che è in possesso di*) informazioni riservate ● (*Borsa*) **i. trading** (*o i.* **dealing**), insider trading (*compravendita di titoli utilizzando informazioni privilegiate*).

insidious /ɪn'sɪdɪəs/ **a.** insidioso: **an i. disease**, un male insidioso | **-ly avv.** | **-ness n.** ⓤ.

insight /'ɪnsaɪt/ **n. 1** ⓤ acume; discernimento; intuito; penetrazione; perspicacia: **a politician of i.**, un uomo politico dotato di buon intuito **2** ⓤ (*psic.*) introspezione **3** intuizione; idea; illuminazione: **to gain an i. into st.**, riuscire a capire qc.; **to provide valuable insights into st.**, accrescere la comprensione di qc.; contribuire a mettere meglio a fuoco qc. ● (*psic.*) **i. therapy**, terapia della presa di coscienza.

insightful /'ɪnsaɪtfəl/ **a.** penetrante; perspicace.

insignia /ɪn'sɪgnɪə/ **n.** (pl. **insignia**, **insignias**) **1** insegna (*cavalleresca, reale, onorifica*) **2** decorazione **3** (*mil.*) mostrina.

insignificant /ɪnsɪg'nɪfɪkənt/ **a. 1** insignificante; senza significato **2** esiguo; futile; inconcludente; di nessun conto; insignificante; banale: **i. wages**, salario insignificante (*o irrisorio*); **an i. dispute**, una lite futile ‖ **insignificance**, **insignificancy n.** ⓤ esiguità; futilità; banalità; scarsa importanza.

insincere /ɪnsɪn'sɪə(r)/ **a.** insincero; falso; finto | **-ly avv.**

insincerity /ɪnsɪn'serɪtɪ/ **n. 1** ⓤ insincerità; falsità; finzione **2** atto insincero; ipocrisia.

to **insinuate** /ɪn'sɪnjʊeɪt/ **v. t. 1** insinuare; (*spec. fig.*); far credere; dare a intendere: *I don't want to i. that he is a liar*, non voglio insinuare che sia un bugiardo **2** insinuare; introdurre di soppiatto ● **to i. oneself**, insinuarsi: **to i. oneself into sb.'s favour**, insinuarsi nelle grazie di q.

insinuating /ɪn'sɪnjʊeɪtɪŋ/ **a.** insinuante; lusinghevole; subdolo.

insinuation /ɪnsɪnjʊ'eɪʃn/ **n. 1** ⓤ insi-

nuazione; l'insinuare, l'insinuarsi **2** insinuazione; accusa (*o allusione*) maligna; parole subdole.

insinuative /ɪn'sɪnjʊətɪv/ **a.** insinuativo (*raro*); insinuante.

insinuator /ɪn'sɪnjʊeɪtə(r)/ **n.** insinuatore.

insipid /ɪn'sɪpɪd/ **a.** insipido (*anche fig.*); scipito; insulso; sciocco: **i. boiled fish**, pesce lesso insipido; **i. talks**, discorsi insulsi | **-ly avv.** | **-ness n.** ⓤ.

insipidity /ɪnsɪ'pɪdətɪ/ **n.** ⓤ insipidezza (*anche fig.*); insipidità; scipitaggine; insulsaggine; stoltezza.

insipient /ɪn'sɪpɪənt/ **a.** insipiente; stolto.

♦to **insist** /ɪn'sɪst/ **v. i. e t.** insistere; perseverare (*nel volere, nel fare, nel dire qc.*); sostenere: *I must i. on this point*, devo insistere su questo punto; *Well, ok, if you i.*, d'accordo, se proprio insisti; *We i. on you(r) being present* (*o that you (should) be present*), insistiamo perché tu sia presente; **to i. on the rights of the minorities**, sostenere i diritti delle minoranze.

insistence /ɪn'sɪstəns/, **insistency** /ɪn'sɪstənsɪ/ **n.** ⓤ insistenza.

insistent /ɪn'sɪstənt/ **a.** insistente; ostinato; persistente: **i. demands**, richieste (*o pretese*) insistenti; **i. rain**, pioggia insistente | **-ly avv.**

in situ /ɪn'sɪtjuː/ (*lat.*) **A avv.** in situ; in loco **B a. attr.** fatto (*o montato*) in loco: **in-situ floor tiles**, mattonelle montate in loco.

insobriety /ɪnsəʊ'braɪətɪ/ **n.** ⓤ intemperanza (*spec. nel bere*).

in so far, (*USA*) **insofar** /ɪnsə'fɑː(r)/ **loc. avv.** pertanto; così facendo ● **in so far that** (*o in so far as*), per quanto; in quanto; nella misura in cui: **in so far as I know**, per quanto so io; *You will succeed in so far that you stick together*, avrete successo nella misura in cui starete uniti.

to **insolate** /'ɪnsəʊleɪt/ **v. t.** soleggiare; esporre al sole ‖ **insolation n.** ⓤ (*anche med.*) insolazione.

insole /'ɪnsəʊl/ **n. 1** soletta **2** sottopiede (*di scarpa*).

insolence /'ɪnsələns/ **n.** ⓤ insolenza; arroganza; impertinenza.

insolent /'ɪnsələnt/ **a.** insolente; arrogante; impertinente | **-ly avv.**

insoluble /ɪn'sɒljʊbl/ **a.** insolubile; non solubile: (*chim.*) **i. substances**, sostanze insolubili; **an i. problem**, un problema insolubile ‖ **insolubility n.** ⓤ (*anche fig.*) insolubilità ‖ **insolubly avv.** insolubilmente.

insolvable /ɪn'sɒlvəbl/ **a.** (*USA*) insolubile; indissolubile; che non offre soluzione: **an i. problem**, un problema insolubile.

insolvent /ɪn'sɒlvənt/ (*leg., comm.*) **A a. 1** insolvente: **an i. debtor**, un debitore insolvente **2** (in) passivo; che non permette di pagare i debiti: **an i. inheritance**, un'eredità passiva **B n.** debitore insolvente ● **i. laws**, leggi sui debitori insolventi ‖ **insolvency** ⓤ insolvenza ● (*in GB*) **insolvency practitioner**, legale che si occupa del recupero di crediti (*nel caso di debitori insolventi*).

insomnia /ɪn'sɒmnɪə/ **n.** ⓤ (*med.*) insonnia ‖ **insomniac a. e n.** (*med.*) (persona) sofferente d'insonnia.

insomuch /ɪnsəʊ'mʌtʃ/ **avv.** a tal punto; talmente; tanto ● **i. as**, in quanto che; visto (e considerato) che □ **i. that**, a tal punto che; tanto che: *He walked very fast, i. that he was there in ten minutes*, camminò in gran fretta, tanto che arrivò in dieci minuti.

insouciance /ɪn'suːsɪəns/ (*franc.*) **n.** ⓤ spensieratezza; indifferenza; noncuranza ‖ **insouciant a.** spensierato; indifferente; noncurante.

insourcing /'ɪnsɔːsɪŋ/ **n.** ⓤ (*econ., fin.*) in-

ternalizzazione.

insp. abbr. **1** (**inspector**) ispettore **2** (**inspected**) esaminato.

♦to **inspect** /ɪnˈspɛkt/ v. t. **1** ispezionare; esaminare; visitare; verificare: *The supervisor will i. our school tomorrow*, il sovrintendente ispezionerà la nostra scuola domani **2** (*mecc.*) collaudare; controllare **3** (*mil.*) passare in rassegna ● (*leg.*, *rag.*) **to i. the books**, esaminare i libri contabili; fare una verifica contabile □ **to i. the luggage**, ispezionare il bagaglio.

♦**inspection** /ɪnˈspɛkʃn/ n. ⊆ᵤ **1** ispezione; esame; visita; verifica **2** (*mil.*) rassegna (*di truppe*) **3** (*mecc.*) collaudo; controllo ● (*dog.*) **i. order**, ordine d'ispezione (*dei bagagli*) □ **i. tour**, giro d'ispezioni.

♦**inspector** /ɪnˈspɛktə(r)/ n. **1** ispettore, ispettrice: **i. of prisons**, ispettore carcerario; **tax i.**, ispettore delle imposte; agente del fisco; **school i.**, ispettore scolastico; **i. general**, ispettore generale; **i.'s office**, ispettorato **2** (= **police i.**) ispettore (di polizia): **I. Miller**, l'ispettore Miller; **chief i.**, ispettore capo **3** (*su treni, bus, ingl.*) controllore **4** (*mecc.*) collaudatore; controllore ‖ **inspectorial**, **inspectoral** d'ispettore; ispettivo ‖ **inspectorship** n. ⊆ᵤ ispettorato (*mansione e durata in carica*).

inspectorate /ɪnˈspɛktərət/ n. ispettorato (*in ogni senso*).

inspirable /ɪnˈspaɪərəbl/ a. **1** (*d'aria*) respirabile **2** ispirabile (*lett.*); che può essere ispirato **3** (*med.*) inspirabile.

inspiration /ɪnspəˈreɪʃn/ n. **1** ⊎ (*anche relig.*) ispirazione: *This novelist draws (his) i. from history*, questo romanziere trae ispirazione dalla storia **2** illuminazione (*fig.*); idea brillante; ispirazione **3** influsso; stimolo; ispiratore, ispiratrice: *His wife was a constant i. to him*, sua moglie fu sempre la sua ispiratrice **4** ⊎ (*fisiol.*) inspirazione; respiro **5** ⊎ (*ling.*) inspirazione.

inspirational /ɪnspəˈreɪʃənl/ a. **1** che ispira; ispiratore **2** (*anche relig.*) dell'ispirazione **3** ispirato: **an i. orator**, un oratore ispirato.

inspirator /ˈɪnspəreɪtə(r)/ n. **1** ispiratore **2** (*raro, tecn.*) respiratore.

inspiratory /ɪnˈspaɪərətrɪ/ a. (*fisiol.*) inspiratorio ● (*anat.*) **i. muscle**, (muscolo) inspiratore.

to **inspire** /ɪnˈspaɪə(r)/ v. t. **1** (*fisiol.*) inspirare: **to i. and expire air**, inspirare ed espirare l'aria **2** ispirare; infondere; incutere; riempire (di): *God inspired the Scriptures*, Dio ispirò le Sacre Scritture; *Kindness inspires love*, la gentilezza ispira amore; **to i. sb. with hope** (*o* **to i. hope in sb.**), infondere speranza a q. **3** indurre; stimolare: *He inspired me to do my best*, mi stimolò a fare del mio meglio **4** suggerire: *That move was inspired by the secret service*, quella mossa fu suggerita dai servizi segreti.

inspired /ɪnˈspaɪəd/ a. **1** ispirato: **an i. poet**, un poeta ispirato **2** (*fisiol.*) inspirato ● **an i. guess**, un'intuizione □ **an i. idea**, un'idea brillante; un'ispirazione □ **in an i. moment**, in un momento d'ispirazione.

inspirer /ɪnˈspaɪərə(r)/ n. ispiratore, ispiratrice.

inspiring /ɪnˈspaɪərɪŋ/ a. che ispira; ispiratore: **i. music**, musica che ispira.

to **inspirit** /ɪnˈspɪrɪt/ v. t. **1** animare; far animo a; incoraggiare: **to i. sb. to an action [to do st.]**, incoraggiare q. a un'azione [a fare qc.] **2** far possedere (q.) d'uno spirito; indemoniare.

inspiriting /ɪnˈspɪrɪtɪŋ/ a. che anima; incoraggiante.

to **inspissate** /ɪnˈspɪseɪt/ Ⓐ v. t. ispessire, inspessire; condensare Ⓑ v. i. ispessirsi; addensarsi ‖ **inspissation** n. ⊆ᵤ ispessi-

---

mento; addensamento.

inst. abbr. **1** (**instant**, **of the present month**) corrente mese (c.m.) **2** (**institute** (*o* **institution**)) istituto, ente, associazione.

instability /ɪnstəˈbɪlətɪ/ n. ⊎ instabilità (*anche fig.*); incostanza: **economic i.**, instabilità economica.

instable /ɪnˈsteɪbl/ a. (*raro*) instabile (*più comune* **unstable**).

♦to **install** /ɪnˈstɔːl/ v. t. **1** installare, impiantare; insediare (*q. in una carica*); collocare; mettere: **to i. a fire alarm**, installare un allarme antincendio **2** (*comput.*) installare ● **to i. oneself**, insediarsi; stabilirsi; sistemarsi: *He installed himself in front of the fireplace*, si sistemò davanti al caminetto.

installation /ɪnstəˈleɪʃn/ n. **1** ⊎ l'installare; l'insediare; l'essere insediato; insediamento (*di q. in carica*) **2** (*tecn.*) installazione; messa in opera **3** impianto: **a heating i.**, un impianto di riscaldamento **4** (*comput.*, *arte*) installazione: (*comput.*) **i. procedure**, procedura d'installazione; (*arte*) **video i.**, installazione video **5** (pl.) installazioni militari.

installed /ɪnˈstɔːld/ a. installato: (*elettr.*) **i. capacity**, potenza installata ● (*mil.*) **i. base**, base installata.

instalment① , (*USA*) **installment** /ɪnˈstɔːlmənt/ n. **1** (*comm.*) rata: **to pay for a car in instalments**, pagare un'automobile a rate **2** puntata; dispensa: *The story was published in instalments*, il racconto fu pubblicato a puntate **3** parte; quota; lotto: **the first i. of a lot of goods**, il primo lotto di una partita di merce ● **i. buying**, acquisti a rate □ (*leg.*) **i. contract**, contratto a consegne ripartite □ (*fin.*, *USA*) **i. finance**, finanziamento con il credito rateale □ (*fin.*, *USA*) **the i. plan**, (il sistema di) vendita a rate (*o a pagamenti rateali*) (*cfr. ingl.* **hire purchase**, *sotto* **hire**) □ **i. sale**, vendita rateale □ **i. selling**, vendite rateali □ (*market.*) **on the i. plan**, a rate; rateale.

instalment② , (*USA*) **installment**② /ɪnˈstɔːlmənt/ n. ⊎ (*tecn.*) installazione; messa in opera.

♦**instance** /ˈɪnstəns/ n. **1** esempio; caso: **for i.**, per esempio; **in this i.**, in questo caso; *Give me a definite i.*, fammi un caso concreto **2** richiesta; istanza: **at the i. of**, su richiesta (*o* istanza) di; dietro richiesta (*o* istanza) di **3** (*leg.*) istanza; grado: **at first i.**, in prima istanza; **court of first i.** (*o, antiq.*, **i. court**), tribunale di prima istanza ● **in the first i.**, dapprima; in un primo tempo; in una prima fase □ **in the second i.**, in un secondo tempo; in una seconda fase.

to **instance** /ˈɪnstəns/ Ⓐ v. t. citare (*un fatto, ecc.*) a esempio; esemplificare Ⓑ v. i. fare esempi.

instancy /ˈɪnstənsɪ/ n. ⊎ **1** urgenza; insistenza **2** imminenza.

♦**instant**① /ˈɪnstənt/ a. **1** immediato; istantaneo; urgente: **i. relief**, sollievo immediato; (*ass.*) **i. cover**, copertura immediata; **an i. need**, un urgente bisogno **2** (*comm.*, *antiq.*) corrente; presente: **in reply to your letter of the 6th instant** (abbr. **inst.**), in risposta alla vostra lettera del 6 corrente **3** imminente; prossimo: **i. danger**, pericolo imminente **4** (*di cibo*) espresso; pronto; istantaneo: **i. coffee**, caffè istantaneo (*o* solubile) ● (*comput.*) **i. messaging**, messaggistica istantanea □ (*TV, USA*) **i. replay**, replay.

instant② /ˈɪnstənt/ n. istante; attimo; momento: *I'll be back in an i.*, torno fra un attimo (*o fra un istante*) ● **in an i.**, appena: *I told you the i. I knew*, te lo dissi appena lo seppi □ **the next i.**, dopo un attimo; subito dopo □ **on the i.**, immediatamente; subito □ **Come here this i.!**, vieni subito!

instantaneity /ɪnstæntəˈniːətɪ/ n. ⊎

---

istantaneità; immediatezza.

instantaneous /ɪnstənˈteɪnɪəs/ a. istantaneo; immediato: **an i. response**, una reazione immediata ● (*tecn.*) **i. fuse**, miccia detonante □ **i. photo**, istantanea | **-ly avv.** | **-ness** n. ⊎.

instanter /ɪnˈstæntə(r)/ avv. (*leg.*) immediatamente; subito.

instantly /ˈɪnstəntlɪ/ Ⓐ avv. all'istante; immediatamente; subito Ⓑ cong. (non) appena: *I went i. I knew of his arrival*, andai (non) appena seppi del suo arrivo.

to **instate** /ɪnˈsteɪt/ v. t. insediare; investire (*fig.*) ‖ **instatement** n. ⊎ insediamento; investitura (*fig.*).

instauration /ɪnstɔːˈreɪʃn/ (*raro*) n. ⊆ᵤ restauro; riparazione ‖ **instaurator** n. restauratore.

♦**instead** /ɪnˈstɛd/ avv. **1** al posto (di); invece; in vece: *Since my father was busy, I went i.*, siccome mio padre era occupato, ci andai io in vece (sua) **2** invece; piuttosto: *I'll go for a swim, i.*, invece, andrò a fare una nuotata ● **i. of**, invece di; in vece di; al posto (o in luogo di): *I'll have beer i. of wine*, berrò birra invece del vino; *You should be studying i. of playing*, dovresti studiare, invece di giocare.

instep /ˈɪnstɛp/ n. **1** (*anat.*) collo del piede **2** collo (*di calza o scarpa*) **3** (*zool.*) cannone; stinco di equino.

to **instigate** /ˈɪnstɪɡeɪt/ v. t. **1** istigare; incitare; stimolare: **to i. workers to go on strike**, istigare gli operai allo sciopero; (*leg.*) **to i. sb. to commit a crime**, istigare q. a commettere un reato **2** fomentare: **to i. a rebellion**, fomentare una rivolta ‖ **instigation** n. ⊎ **1** istigazione; istigamento; incitamento **2** fomentazione ● (*leg.*) **instigation to commit a crime**, istigazione a delinquere ‖ **instigator** n. **1** istigatore; incitatore **2** fomentatore.

to **instil**, to **instill** /ɪnˈstɪl/ v. t. **1** instillare, istillare; infondere; inculcare: **to i. good principles into sb.'s mind**, instillare sani princìpi nell'animo di q. **2** instillare; immettere (*un liquido*) a stille (o a gocce) ‖ **instillation**, **instilment** n. ⊎ **1** l'instillare; l'infondere (*sentimenti, ecc.*) **2** istillazione; immissione (*di un liquido*) a stille.

instinct① /ˈɪnstɪŋkt/ n. ⊆ᵤ **1** istinto; attitudine; propensione naturale: *Dogs know how to swim by i.*, i cani sanno nuotare per istinto **2** istinto; impulso: **to act on i.**, agire per istinto **3** (spesso pl.) istinto; sesto senso: **to trust one's instincts**, fidarsi del proprio istinto.

instinct② /ˈɪnstɪŋkt/ a. imbevuto; penetrato; pieno; pervaso.

instinctive /ɪnˈstɪŋktɪv/ a. **1** istintivo: **an i. love for animals**, un amore istintivo per gli animali; (*calcio, ecc.*) **an i. save**, una parata istintiva **2** fatto per istinto; impulsivo | **-ly avv.**

instinctual /ɪnˈstɪŋktʃuəl/ a. (*psic.*) istintuale.

♦**institute** /ˈɪnstɪtjuːt, *USA* -tuːt/ n. **1** istituto: **a scientific [banking] i.**, un istituto scientifico [bancario] **2** (pl.) (*leg.*) istituzioni: **institutes in law**, istituzioni di diritto ● (*leg.*, *stor.*) **the Institutes of Justinian**, il Codice di Giustiniano.

to **institute** /ˈɪnstɪtjuːt, *USA* -tuːt/ v. t. **1** istituire; fondare; avviare: **to i. a rule [an inquiry]**, istituire una regola [un'inchiesta] **2** nominare; insediare; installare: **to i. sb. into office**, insediare q. in una carica **3** dare inizio a; iniziare: **to i. a thorough search**, dare inizio ad accurate ricerche **4** (*leg.*) dare inizio a (*un'azione legale*); incriminare; intentare: **to i. (legal) proceedings against sb.**, intentare causa a q. ● (*leg.*) **to i. an inquiry**, procedere a un'inchiesta □

(*leg.*) **to i. sb. heir**, nominare q. erede □ **to i. sb. to a benefice**, conferire a q. un beneficio (ecclesiastico).

♦**institution** /ɪnstɪˈtjuːʃn, *USA* -tuː-/ *n.* ⓤ **1** istituzione; l'istituire; norma; ordinamento: **the i. of customs and laws**, l'istituzione di consuetudini e di leggi **2** istituto (*pubblico, assistenziale, ecc.*); associazione; organizzazione: **mental i.**, istituto (*o* ospedale) psichiatrico **3** istituzione; persona o cosa radicata nella società: *The sauna is a Finnish national i.*, la sauna è un'istituzione nazionale in Finlandia **4** (*relig.*) nomina; insediamento **5** (*eufem.*) casa di riposo; ricovero; riformatorio; manicomio **6** (*relig.*) conferimento di un beneficio.

institutional /ɪnstɪˈtjuːʃənl, *USA* -tuː-/ *a.* istituzionale ● (*Borsa*) **i. dealers**, operatori istituzionali □ (*fin.*) **i. investors**, investitori istituzionali ‖ **institutionally** *avv.* istituzionalmente; per istituto.

institutionalism /ɪnstɪˈtjuːʃnəlɪzəm, *USA* -tuː-/ (*econ.*) *n.* ⓤ istituzionalismo ‖ **institutionalist** *n.* istituzionalista.

to institutionalize /ɪnstɪˈtjuːʃnəlaɪz, *USA* -tuː-/ *v. t.* **1** istituzionalizzare **2** ricoverare (q.) in un istituto assistenziale (*cfr.* **institution**, *def.* 2 e 4) **3** condizionare (*ricoverati, prigionieri, ecc.*).

institutive /ˈɪnstɪtjuːtɪv, *USA* -tuː-/ *a.* **1** istitutivo **2** (*leg.*) istituito dalla legge (*o* dalla consuetudine) ● (*leg.*) **i. instrument**, atto costitutivo.

institutor /ˈɪnstɪtjuːtə(r), *USA* -tuː-/ *n.* **1** istitutore; fondatore **2** (*relig.*) vescovo (*o un suo delegato*) che insedia un ecclesiastico in un beneficio.

in-store /ˈɪnstɔː(r)/ *a. attr.* interno (*in un grande magazzino*): **in-store banking facilities**, sportelli bancari interni.

instr. *abbr.* **1** (**instructions**) istruzioni **2** (**instructor**) istruttore **3** (**instrument**) strumento.

to instruct /ɪnˈstrʌkt/ *v. t.* **1** istruire; ammaestrare; insegnare a (q.): **to i. a class in Latin**, insegnare il latino a una scolaresca **2** dare istruzioni (*o* ordini, informazioni, ecc.) a (q.); incaricare; ordinare a (q.): *The judge instructed the jury*, il giudice diede istruzioni alla giuria; *The captain instructed the sentry to shoot*, il capitano diede ordine alla sentinella di sparare; *Have you been instructed when to leave?*, hai ricevuto istruzioni sulla data della partenza?

♦**instruction** /ɪnˈstrʌkʃn/ *n.* **1** istruzione; ammaestramento; insegnamento **2** (pl.) istruzioni; avvertimenti; informazioni: **instructions for use**, istruzioni per l'uso **3** (pl.) istruzioni; ordini; disposizioni: **to give sb. instructions to do st.**, dare a q. istruzioni di fare qc. **4** (pl.) (*mil.*) consegne **5** (*comput.*) istruzione ● **i. set**, insieme di istruzioni ● (*org. az.*) **i. card**, foglio d'istruzioni □ **i. manual**, manuale d'istruzioni □ **to be still under i.**, essere ancora in addestramento.

instructional /ɪnˈstrʌkʃənl/ *a.* istruttivo; educativo: **an i. film**, un film istruttivo; **i. television**, televisione educativa.

❶ **Nota:** *instructional o instructive?*
Attenzione a non confondere *instructional* con *instructive*. *Instructional* è una parola piuttosto rara che significa "educativo" nel senso di "legato all'istruzione": *a series of instructional programmes on the art of ceramics*, una serie di programmi educativi sull'arte della ceramica. *Instructive* è, invece, una parola più comune, che significa "istruttivo" nel senso di "informativo": *I thought the article was most instructive*, ho pensato che l'articolo fosse molto informativo.

instructive /ɪnˈstrʌktɪv/ *a.* **1** istruttivo; educativo: **an i. book**, un libro istruttivo **2**

informativo; che serve a dare istruzioni | -**ly** *avv.* | -**ness** *n.* ⓤ ❶ **Nota:** *instructional o instructive?* → **instructional**.

instructor /ɪnˈstrʌktə(r)/ *n.* **1** istruttore, istruttrice; **driving i.**, istruttore di guida; **flying i.**, istruttore di volo; pilota istruttore **2** (*università, USA*) docente di grado inferiore all' → «assistant professor» (→ **assistant**).

instructress /ɪnˈstrʌktrɪs/ *n.* istruttrice; educatrice.

♦**instrument** /ˈɪnstrəmənt/ *n.* **1** strumento; apparecchio; arnese; congegno: **scientific instruments**, strumenti scientifici; (*mus.*) **stringed [wind] instruments**, strumenti a corda [a fiato] **2** (*fig.*) strumento; mezzo: **to be the i. of sb.'s revenge**, essere lo strumento della vendetta di q. **3** (*leg.*) documento formale; atto notarile (*o* pubblico); strumento: **to sign an i.**, firmare un atto notarile **4** (*comm.*) titolo: **negotiable i.**, titolo trasferibile ● **i. board**, quadro portastrumenti; (*autom., aeron.*) cruscotto, plancia portastrumenti □ **i. designer**, (tecnico) strumentista □ (*aeron.*) **i. flying**, volo strumentale; volo cieco □ (*aeron.*) **i. landing**, atterraggio guidato □ (*leg., fin.*) **i. of credit**, titolo di credito □ **to be the i. of sb.'s death**, essere la causa (*o* essere responsabile) della morte di q. □ (*fig.*) **the i. of fate**, la mano del destino □ (*leg.*) **i. of transfer**, atto di cessione □ (*autom., aeron.*) **i. panel**, plancia portastrumenti; cruscotto □ (*autom., ecc.*) **i. system**, strumentazione.

to instrument /ˈɪnstrəmənt/ *v. t.* **1** (*mus.*) strumentare; orchestrare **2** provvedere di strumenti.

instrumental /ɪnstrəˈmentl/ **A a. 1** determinante; di grande aiuto; fondamentale: **to play an i. role**, giocare un ruolo determinante (*o* fondamentale) **2** (*anche econ., ling., mus., stat.*) strumentale: **i. music**, musica strumentale; **i. errors**, errori strumentali; (*econ.*) **i. goods**, beni strumentali; (*ling.*) **i. case**, caso strumentale; (*stat.*) **i. variable**, variabile strumentale **B n. 1** (*mus.*) pezzo strumentale **2** (*ling.*) (caso) strumentale.

instrumentalism /ɪnstrəˈmentəlɪzəm/ *n.* ⓤ (*filos.*) strumentalismo.

instrumentalist /ɪnstrəˈmentəlɪst/ *n.* **1** (*mus.*) strumentista **2** (*filos.*) seguace dello strumentalismo.

instrumentality /ɪnstrəmənˈtælətɪ/ *n.* ⓤ mezzo; aiuto; intercessione; opera (*soprattutto, nell'espress.*): **by** (*o* **through**) **the i. of sb.**, per mezzo di q.; a opera di q.

instrumentation /ɪnstrəmenˈteɪʃn/ *n.* ⓤ **1** (*mus.*) strumentazione; orchestrazione **2** uso di strumenti; lavoro fatto con strumenti (scientifici o chirurgici) **3** (collett.) (gli) strumenti; strumentazione **4** → **instrumentality**.

insubordinate /ɪnsəˈbɔːdənət/ *a. e n.* insubordinato; indisciplinato | -**ly** *avv.*

insubordination /ɪnsəbɔːdɪˈneɪʃn/ *n.* ⓤ insubordinazione; indisciplina **2** insubordinazione; atto da insubordinato.

insubstantial /ɪnsəbˈstænʃl/ *a.* **1** incorporeo; irreale; immaginario **2** inconsistente; privo di solidità; debole **3** poco sostanzioso: **an i. meal**, un pasto poco sostanzioso ‖ **insubstantiality** *n.* ⓤ **1** incorporeità; irrealtà **2** inconsistenza; mancanza di solidità; debolezza.

insufferable /ɪnˈsʌfrəbl/ *a.* insopportabile; insoffribile; intollerabile: **i. pain**, dolore intollerabile; **an i. child**, un bambino insopportabile | -**bly** *avv.*

insufficience /ɪnsəˈfɪʃns/ *n.* ⓤ insufficienza; inadeguatezza; scarsità.

insufficiency /ɪnsəˈfɪʃnsɪ/ *n.* **1** ⓤ insufficienza; inadeguatezza; scarsità **2** (pl.) manchevolezza; difetti **3** (*med.*) insufficienza:

kidney i., insufficienza renale.

insufficient /ɪnsəˈfɪʃnt/ *a.* insufficiente; inadeguato; scarso | -**ly** *avv.*

to insufflate /ˈɪnsəfleɪt/ *v. t.* **1** insufflare (*lett.*); far penetrare dentro (*aria, gas*) soffiando **2** (*med.*) insufflare (*vapori, ecc.; spec. nei polmoni*); inalare.

insufflation /ɪnsəˈfleɪʃn/ *n.* ⓤ (*med.*) insufflazione; inalazione.

insufflator /ˈɪnsəfleɪtə(r)/ *n.* (*med.*) insufflatore; inalatore.

insular /ˈɪnsjʊlə(r)/ *a.* **1** insulare; isolano: **an i. climate**, un clima insulare **2** (*fig.*) limitato; ristretto; di corte vedute; di mentalità ristretta: **an i. outlook**, vedute ristrette **3** (*biol.*) insulare ‖ **insularity, insularism** *n.* ⓤ **1** insularità; posizione insulare **2** (*fig.*) limitatezza di vedute; ristrettezza mentale.

to insulate /ˈɪnsjʊleɪt/ *v. t.* **1** isolare (*in ogni senso*); separare: **to i. an electric wire**, isolare un filo elettrico **2** (*fig.*) isolare; proteggere.

insulated /ˈɪnsjʊleɪtɪd/ *a.* isolato: (*elettr.*) **i. conductor** (*o* **wire**), conduttore isolato; (*edil.*) **i. roof space**, sottotetto isolato.

insulating /ˈɪnsjʊleɪtɪŋ/ *a.* isolante: **i. tape**, nastro isolante ● (*edil.*) **i. board**, pannello isolante.

insulation /ɪnsjʊˈleɪʃn/ *n.* ⓤ **1** isolamento (*in ogni senso*): **heat i.**, isolamento termico (*di case, ecc.*); **thermal i.**, isolamento termico (*di tubi, ecc.*) **2** materiale isolante **3** (*fig.*) isolamento; protezione ● **i. contractor**, installatore di materiale isolante □ **i. installer**, tecnico d'impianti d'isolamento.

insulator /ˈɪnsjʊleɪtə(r)/ *n.* **1** (*elettr.*) isolatore **2** (*fis., tecn.*) isolante ● (*mecc.*) **i. cap**, cappellotto isolante.

insulin /ˈɪnsjʊlɪn/ *n.* ⓤ (*biochim.*) insulina ● **i. shock**, shock insulinico.

insult /ˈɪnsʌlt/ *n.* insulto (*anche med.*); affronto; ingiuria; offesa; oltraggio.

to insult /ɪnˈsʌlt/ *v. t.* insultare; ingiuriare; insolentire; oltraggiare.

insulter /ɪnˈsʌltə(r)/ *n.* insultatore, insultatrice.

insulting /ɪnˈsʌltɪŋ/ *a.* insultante; ingiurioso; insolente; oltraggioso.

insuperable /ɪnˈsuːprəbl, -sjuː-/ *a.* insuperabile; insormontabile; invalicabile: **i. difficulties**, difficoltà insormontabili; **i. mountains**, montagne invalicabili ‖ **insuperability** *n.* ⓤ insuperabilità ‖ **insuperably** *avv.* insuperabilmente.

insupportable /ɪnsəˈpɔːtəbl/ *a.* **1** insopportabile; intollerabile **2** insostenibile | -**bly** *avv.*

insuppressible /ɪnsəˈpresəbl/ *a.* insopprimibile.

insurable /ɪnˈʃʊərəbl/ *a.* (*ass.*) assicurabile: **i. value**, valore assicurabile.

♦**insurance** /ɪnˈʃʊərəns/ *n.* ⓤ **1** (*ass.*) assicurazione: **car** (*o* **motor**) **i.**, assicurazione dell'automobile; **third-party i.**, assicurazione di responsabilità civile (abbr.: R.C.) **2** assicurazione: *He works in i.*, lavora nelle assicurazioni **3** sicurezza: *This padlock is for additional i.*, questo lucchetto è per maggiore sicurezza ● **i. adjuster**, liquidatore (*perito*) d'assicurazioni □ **i. agency**, agenzia d'assicurazioni □ **i. agent**, agente d'assicurazioni □ **i. claim**, denuncia dei danni □ **i. company**, società d'assicurazioni □ **i. consultant**, consulente di assicurazioni □ **i. cover**, copertura assicurativa □ **i. policy**, polizza d'assicurazione □ **i. premium**, premio d'assicurazione □ **i. rates**, tariffe d'assicurazione □ **i. salesman**, produttore □ **i. stamp**, marca assicurativa; marchetta (*della mutua*) □ (*autom.*) **i. work**, lavori di carrozzeria coperti da assicurazione R.C.A. □ **non--life i.**, rami elementari (*di assicurazione*).

a
b
c
d
e
f
g
h
i
j
k
l
m
n
o
p
q
r
s
t
u
v
w
x
y
z

insurant /ɪnˈʃʊərənt/ n. (ass.) assicurato, assicurata.

to **insure** /ɪnˈʃʊə(r)/ v. t. 1 (ass.) assicurare: **to i. oneself** (o one's life) **for 100,000 pounds**, assicurarsi sulla vita per la somma di 100 000 sterline; **to i. oneself against a risk**, assicurarsi contro un rischio; *This company doesn't i. ships*, questa società non assicura le navi 2 (spec. USA) assicurare; garantire; assicurarsi di: *Your degree will i. you a job*, la tua laurea ti assicurerà un lavoro ● **to i. one's life**, assicurarsi sulla vita ❶ Nota: *to assure, to ensure o to insure?* → **to assure**.

insured /ɪnˈʃʊəd/ a. e n. (ass.) assicurato, assicurata: *Are you i. against theft?*, sei assicurato contro il furto? ● **i. capital**, capitale assicurato □ **i. property**, proprietà assicurata (beni, casa, ecc.) □ (di una ditta) «**fully i., so you can rest assured**», «con copertura assicurativa totale, per farvi sentire al sicuro».

insurer /ɪnˈʃʊərə(r)/ n. (ass.) assicuratore, assicuratrice.

insurgent /ɪnˈsɜːdʒənt/ **A** a. che insorge; ribelle; rivoltoso: **i. troops**, truppe in rivolta **B** n. (mil., polit.) insorto; ribelle ‖ **insurgency, insurgence** n. ⓤⒸ insurrezione; rivolta; sollevazione; sommossa.

insurmountable /ɪnsəˈmaʊntəbl/ a. insormontabile ‖ **insurmountability** n. ⓤ insormontabilità.

insurrection /ɪnsəˈrekʃn/ n. ⓤⒸ insurrezione; sollevazione; sommossa ‖ **insurrectional, insurrectionary** a. insurrezionale ‖ **insurrectionist** n. e a. insorto; ribelle.

insusceptible /ɪnsəˈseptəbl/ a. 1 non suscettibile 2 insensibile; refrattario: **i. to disease**, refrattario alle malattie ‖ **insusceptibility** n. ⓤ 1 mancanza di suscettibilità 2 insensibilità.

inswinger /ˈɪnswɪŋə(r)/ n. 1 (calcio) palla (parabola, tiro) a rientrare; tiro a spiovere verso centrocampo 2 (cricket) inswinger; palla lanciata che vola dalla destra alla sinistra (del battitore destrimano) ‖ **inswing** n. 1 (calcio, ecc.) effetto a rientrare (della palla) 2 (cricket) traiettoria curva (della palla lanciata) dalla destra alla sinistra (del battitore destrimano) ‖ **inswinging** a. attr. (calcio, ecc.) a rientrare: **inswinging free kick**, punizione a rientrare (o a spiovere).

int. abbr. 1 (**interest**) interesse 2 (**interim**) interim 3 (**interior**) interiore 4 (**internal**) interno 5 (**international**) internazionale 6 (**interpreter**) interprete.

intact /ɪnˈtækt/ a. intatto; integro; intero; immutato ‖ **-ness** n. ⓤ.

intagliated /ɪnˈtæljeɪtɪd/ a. (arte) intagliato.

intaglio /ɪnˈtɑːlɪəʊ/ n. (pl. ***intaglios***) (arte) intaglio; oggetto intagliato; gemma intagliata.

to **intaglio** /ɪnˈtɑːlɪəʊ/ v. t. (arte) intagliare.

intake /ˈɪnteɪk/ n. ⒸⓊ 1 (ind., mecc.) presa (d'acqua, d'aria, ecc.): **air i.**, presa d'aria (d'un motore, in una miniera, ecc.) 2 quantità di cibo assunto; (med.) apporto; quantità di liquido assorbito; capacità di assorbimento; (tecn.) energia assorbita: **admissible daily i.** (abbr. **ADI**), apporto giornaliero ammissibile; *The sewer i. is too small*, la capacità d'assorbimento della fogna è troppo piccola 3 strozzatura, restringimento (d'un tubo, d'una calza) 4 (mecc.) aspirazione (di una pompa, ecc.) 5 (ind. min.) galleria di ventilazione 6 (agric.) terreno bonificato 7 (econ., ind.) assunzione; (capacità d') assorbimento (di manodopera) 8 (mil.) gruppo (o scaglione) di reclute 9 numero di studenti ammessi (a una facoltà, ecc.) 10 (trasp.) quantità di merce caricata ● (mecc.) **i. manifold**, collet-

tore d'aspirazione (o di alimentazione) □ (mecc.) **i. stroke**, corsa d'aspirazione □ (mecc.) **i. valve**, valvola d'aspirazione □ **i. well**, pozzo (petrolifero) di sondaggio.

intangible /ɪnˈtændʒəbl/ **A** a. 1 intangibile; impalpabile; incorporeo 2 (fig.) inafferrabile; indefinibile; incomprensibile: **i. concepts**, concetti inafferrabili 3 (fin., rag.) immateriale; invisibile: **i. assets**, attività immateriali (o invisibili); immobilizzazioni immateriali **B** n. (generalm. al pl.) cosa immateriale; astratto ‖ **intangibility** n. ⓤ 1 intangibilità; impalpabilità; incorporeità 2 (fig.) inafferrabilità; indefinibilità; incomprensibilità.

intarsia /ɪnˈtɑːsɪə/ n. ⓤ (arte, grafica) intarsio.

integer /ˈɪntɪdʒə(r)/ n. 1 (mat.) numero intero 2 cosa completa in sé; (un) tutto unico ● **i. part**, parte intera (di un numero).

integrable /ˈɪntɪgrəbl/ (anche mat.) a. integrabile ‖ **integrability** n. ⓤ integrabilità.

integral /ˈɪntɪgrəl/ **A** a. 1 integrante; integrale; necessario: *Technology is now an i. part of our lives*, la tecnologia è ormai una parte integrante della nostra vita 2 intero; completo 3 (mat.) integrale: **i. calculus**, calcolo integrale **B** n. (mat.) integrale ● (di un oggetto) **i. to**, essenziale (o indispensabile) per (qc.) □ (di un meccanismo, ecc.) **i. with**, solidale con ‖ **-ly** avv.

integrality /ɪntɪˈgrælətɪ/ n. ⓤ integrità; completezza.

integrand /ˈɪntɪgrænd/ n. (mat.) funzione integranda.

integrant /ˈɪntɪgrənt/ **A** a. integrante; necessario: **an i. part**, una parte integrante **B** n. parte integrante.

integrate /ˈɪntɪgrət/ a. integro; intero; completo.

◆to **integrate** /ˈɪntɪgreɪt/ v. t. 1 integrare (anche mat., econ.); completare 2 mettere insieme; unificare 3 (anche mil.) incorporare 4 desegregare; abolire la segregazione razziale (o religiosa) (in una scuola, ecc.) ● **to i. oneself**, integrarsi □ **to i. sb. back into society**, reintegrare q. nella società.

integrated /ˈɪntɪgreɪtɪd/ a. integrato (in ogni senso): (elettron.) **an i. circuit**, un circuito integrato □ (stat.) **i. data**, dati complessivi □ **an i. school**, una scuola senza segregazione razziale □ **a badly-i. student**, uno studente che non si è integrato □ **a well-i. person**, una persona integrata (o bene inserita: nel sistema, ecc.).

◆**integration** /ɪntɪˈgreɪʃn/ n. ⓤ 1 (anche mat., econ.) integrazione: **vertical i.**, integrazione verticale 2 unificazione 3 (anche mil.) incorporamento 4 integrazione razziale (o religiosa).

integrationism /ɪntɪˈgreɪʃənɪzəm/ n. ⓤ integrazionismo ‖ **integrationist** **A** n. integrazionista **B** a. integrazionista; integrazionistico.

integrative /ˈɪntɪgrətɪv/ a. (anche ling.) integrativo.

integrator /ˈɪntɪgreɪtə(r)/ n. integratore.

integrity /ɪnˈtegrətɪ/ n. ⓤ 1 integrità; onestà 2 completezza; interezza: **the territorial i. of a country**, l'integrità territoriale di una nazione 3 (comput.) integrità: **referential [data] i.**, integrità referenziale [dei dati] ● **a man of i.**, un uomo integro.

integument /ɪnˈtegjʊmənt/ (anat., bot.) n. tegumento ‖ **integumentary** a. tegumentario.

intellect /ˈɪntəlekt/ n. ⓤⒸ intelletto; intelligenza; mente; intendimento: *She is one of the outstanding intellects of our age*, è una delle più belle menti della nostra età.

intellection /ɪntəˈlekʃn/ n. ⓤ 1 (filos.) intellezione 2 attività dell'intelletto; cono-

scenza ‖ **intellective** a. intellettivo.

◆**intellectual** /ɪntəˈlektʃʊəl/ **A** a. intellettuale: **the i. faculties**, le facoltà intellettuali **B** n. 1 intellettuale 2 (spreg.) intellettualoide ● (leg.) **i. property**, proprietà intellettuale ‖ **intellectuality** n. ⓤ intellettualità ‖ **intellectually** avv. intellettualmente.

intellectualism /ɪntəˈlektʃʊəlɪzəm/ (anche filos.) n. ⓤ intellettualismo ‖ **intellectualist** **A** n. intellettualista **B** a. intellettualistico.

to **intellectualize** /ɪntəˈlektʃʊəlaɪz/ **A** v. t. 1 intellettualizzare; rendere intellettuale 2 razionalizzare (un problema, ecc.) **B** v. i. pensare; ragionare ‖ **intellectualization** n. ⓤ l'intellettualizzare.

◆**intelligence** /ɪnˈtelɪdʒəns/ n. ⓤ 1 intelligenza; capacità intellettuale; perspicacia; sagacia: **to show great [very little] i.**, dimostrare grande [scarsissima] intelligenza; **i. test**, test d'intelligenza 2 (collett.) informazioni; notizie: **to maintain i. with the enemy**, fornire informazioni al nemico 3 (= **i. service**) servizio informazioni; servizi segreti: *He is (o works) in i.*, lavora nel servizio segreto □ (polit., mil.) **the I. Department** (o **I. Bureau**), il Servizio Segreto □ (psic.) **i. quotient** (abbr. **IQ**), quoziente d'intelligenza (abbr. **QI**) □ **i. report**, rapporto dei servizi segreti.

◆**intelligent** /ɪnˈtelɪdʒənt/ a. intelligente; perspicace; sagace ● (banca) **i. card**, carta di credito intelligente □ (scient., relig.) **i. design**, disegno intelligente ‖ **intelligently** avv. intelligentemente.

intelligential /ɪntelɪˈdʒenʃl/ a. 1 dell'intelligenza 2 d'informazione; informativo: **i. channels**, vie (o mezzi, canali) d'informazione.

intelligentsia /ɪntelɪˈdʒentsɪə/ n. (collett., di solito con l'art. determ.) intellighenzia; (la) classe colta (d'una nazione, una città, ecc.).

intelligible /ɪnˈtelɪdʒəbl/ a. intelligibile (anche filos.); comprensibile; chiaro: **i. words**, parole intelligibili ‖ **intelligibility** n. ⓤ intelligibilità; chiarezza ‖ **intelligibly** avv. intelligibilmente.

Intelpost /ˈɪntelpəʊst/ n. ⓤ servizio internazionale di trasmissione elettronica (di lettere o documenti) per fax, telex o microcomputer.

intelsat /ˈɪntelsæt/ n. (acronimo di **international telecommunications satellite**) 1 intelsat; organismo internazionale di comunicazioni via satellite 2 uno dei satelliti di tale organismo.

intemperance /ɪnˈtempərəns/ n. ⓤ 1 intemperanza; smoderatezza; sregolatezza; eccesso 2 intemperanza nel bere; alcolismo 3 rigore, inclemenza (del tempo).

intemperate /ɪnˈtempərət/ a. 1 intemperante; immoderato; sfrenato; smoderato; smodato; sregolato: **i. language**, linguaggio intemperante 2 intemperante nel bere; alcolizzato 3 (del tempo) inclemente; rigido ‖ **-ly** avv. ‖ **-ness** n. ⓤ.

◆to **intend** /ɪnˈtend/ v. t. 1 intendere; aver intenzione di (fare qc.); prefiggersi; proporsi; volere: *I intended to write you*, intendevo scriverti; *We intended no harm*, non intendevamo fare del male (o offendere); *We i. them to work harder*, intendiamo (o desideriamo) che lavorino di più 2 intendere; voler dire: *What does he i. by these words?*, che cosa intende dire con queste parole? 3 designare; destinare: *Their son is intended for the bar*, il loro figliolo è destinato alla carriera forense 4 destinare; rivolgere: *His remark was intended for me*, la sua osservazione era rivolta a me 5 (leg.) presumere ● **It was intended as a compliment**, voleva essere un complimento.

intendant /ɪnˈtɛndənt/ n. intendente; sovrintendente ‖ **intendancy** n. intendenza; sovrintendenza.

intended /ɪnˈtɛndɪd/ **A** a. **1** intenzionale; deliberato; premeditato: *Was this i.?*, è stata una cosa intenzionale? **2** designato; futuro: **his i. wife**, la sua futura sposa **3** inteso, tendente, volto a (*conseguire uno scopo*) **B** n. (*arc. o scherz.*) fidanzato, fidanzata.

intendment /ɪnˈtɛndmənt/ n. **1** (*leg.*) presunzione legale; spirito della legge **2** (*arc.*) intendimento; intenzione.

♦**intense** /ɪnˈtɛns/ a. **1** intenso; fortissimo; veemente; vivissimo: **i. cold**, freddo intenso; **i. light**, luce intensa **2** (*di sentimento, ecc.*) fervente; profondo; vivo: **i. thought**, fervente pensiero **3** animato; veemente: **an i. discussion**, una discussione animata **4** (*di persona*) che si lascia coinvolgere (*o prendere*); emotivo; sensibile; ipersensibile: **an i. person**, una persona di forti sentimenti; una persona emotiva ‖ **-ly** avv. ‖ **-ness** n. 🇬🇧.

intensifier /ɪnˈtɛnsɪfaɪə(r)/ n. **1** (*grafica*) intensificatore **2** (*ind. petrolifera*) additivo **3** (*ling.*) elemento rafforzativo.

to **intensify** /ɪnˈtɛnsɪfaɪ/ **A** v. t. **1** intensificare; rendere più intenso **2** (*fotogr.*) rinforzare **B** v. i. farsi (più) intenso; intensificarsi ‖ **intensification** n. 🇬🇧 **1** intensificazione **2** (*fotogr.*) rinforzo.

intension /ɪnˈtɛnʃn/ n. (*filos.*) intensione ‖ **intensional** a. intensionale.

intensitometer /ɪntɛnsəˈtɒmɪtə(r)/ n. (*med.*) intensimetro; intensitometro.

intensity /ɪnˈtɛnsətɪ/ n. 🇬🇧 **1** intensità (*anche fis., fotogr., ecc.*); forza; veemenza **2** fervore, profondità (*di sentimenti*) **3** aria di concentrazione; serietà (*del volto, ecc.*).

intensive /ɪnˈtɛnsɪv/ **A** a. **1** intensivo: **i. agriculture**, agricoltura intensiva **2** intenso: **i. study**, studio intenso **3** (*ling.*) intensivo **B** n. (*ling.*) elemento intensivo ● (*med.*) **i. care**, terapia intensiva □ (*med.*) **i.-care patient**, paziente in terapia intensiva □ (*med.*) **i.-care room**, camera di rianimazione □ (*med.*) **i.-care unit**, reparto di rianimazione ‖ **-ly** avv.

intent① /ɪnˈtɛnt/ n. 🇬🇧 **1** intenzione; (*anche leg.*) intento; scopo; proposito deliberato: *The criminal assaulted me with the i. to kill*, il criminale mi aggredì con l'intento di uccidere; **hostile i.**, intenzioni ostili; **with malicious i.**, con cattive intenzioni **2** (*leg., anche*) dolo: **specific i.**, dolo specifico **3** (*fin.*) intenti: **letter of i.**, lettera d'intenti; protocollo d'intesa **4** (*sport*) intenzionalità ● **to all intents and purposes**, a tutti gli effetti; effettivamente; sotto ogni aspetto.

intent② /ɪnˈtɛnt/ a. intento; assorto; dedito: *I was i. on my studies*, ero tutto intento ai miei studi **2** deciso; risoluto: **i. on doing one's best**, risoluto a fare del proprio meglio; *He was i. on going away*, era deciso ad andarsene **3** intenso; penetrante: **with an i. look**, con uno sguardo intenso.

♦**intention** /ɪnˈtɛnʃn/ n. **1** 🇬🇧 intenzione; proponimento; fine; scopo: *I had no [every] i. of coming*, non avevo alcuna intenzione [avevo tutte le intenzioni] di venire **2** 🇬🇧 (*filos.*) intenzione **3** (pl.) intenzioni; propositi: *He's full of good intentions*, è pieno di buoni propositi; (*raro o scherz.*) *I have honourable intentions*, le mie intenzioni sono oneste (*detto a una donna che si intende sposare*) **4** 🇬🇧 (*med.*) intenzione; modalità di guarigione **5** 🇬🇧 (*relig.*) intenzione ● (*med.*) **first [second] i.**, prima [seconda] intenzione (*d'una ferita che cicatrizza*) □ **without i.**, senza intenzione; involontariamente.

intentional /ɪnˈtɛnʃnl/ a. intenzionale; deliberato; premeditato: **i. wrong**, illecito intenzionale ● (*fam.*) **It wasn't i.**, non l'ho fatto

(*o detto, ecc.*) apposta ‖ **intentionally** avv. intenzionalmente; volontariamente; di proposito.

intentionalism /ɪnˈtɛnʃənəlɪzəm/ n. 🇬🇧 (*filos.*) intenzionalismo ‖ **intentionalist** n. e a. intenzionalista.

intentionality /ɪntɛnʃəˈnælətɪ/ n. 🇬🇧 intenzionalità.

intentioned /ɪnˈtɛnʃnd/ a. intenzionato (*nei composti*): **ill-i.**, malintenzionato; **well-i.**, benintenzionato.

intently /ɪnˈtɛntlɪ/ avv. **1** intentamente **2** intensamente.

intentness /ɪnˈtɛntnəs/ n. 🇬🇧 grande attenzione; dedizione; impegno.

to **inter** /ɪnˈtɜː(r)/ v. t. sotterrare; seppellire; inumare.

inter. abbr. (**intermediate**) intermedio.

interact /ˈɪntərækt/ n. (*teatr.*) intermezzo; interludio.

to **interact** /ɪntərˈækt/ v. i. **1** agire reciprocamente; interagire **2** (*comput.*) interagire, dialogare (*con q.*).

♦**interaction** /ɪntərˈækʃn/ n. 🇬🇧 (*anche fis.*) interazione; interagire: **strong [weak] i.**, interazione forte [debole].

interactive /ɪntərˈæktɪv/ a. interagente; interattivo: **an i. relationship**, un rapporto interattivo; **i. media [videogames]**, media [videogiochi] interattivi; (*comput.*) **i. session**, sessione interattiva.

interactivity /ɪntərækˈtɪvətɪ/ n. 🇬🇧 (*comput.*) interattività.

inter alia /ɪntərˈæliːə/ (*lat.*) loc. avv. tra le altre cose; tra l'altro.

interbank /ˈɪntəbæŋk/ a. (*fin.*) interbancario: **i. deposits**, depositi interbancari.

interbedded /ɪntəˈbɛdɪd/ a. (*geol.*) (*di uno strato*) intercalato.

interbedding /ɪntəˈbɛdɪŋ/ n. 🇬🇧 (*geol.*) intercalazione (*di strati*).

to **interblend** /ɪntəˈblɛnd/ **A** v. t. mescolare insieme; miscelare **B** v. i. mescolarsi.

to **interbreed** /ɪntəˈbriːd/ (pass. e p. p. **interbred**) **A** v. t. ibridare, incrociare (*animali e piante*) **B** v. i. **1** allevare ibridi; fare incroci **2** (*di animali, piante*) incrociarsi; generare ibridi **3** (*demogr.*) unirsi fra consanguinei (*o* all'interno di una popolazione chiusa).

interbreeding /ɪntəˈbriːdɪŋ/ n. 🇬🇧 ibridazione; incrocio.

intercalary /ɪnˈtɜːkəlrɪ/ a. **1** intercalare: **i. day**, giorno intercalare **2** (*d'anno*) bisestile **3** intercalato; interpolato; frapposto **4** (*bot.*) intercalare.

to **intercalate** /ɪnˈtɜːkəleɪt/ v. t. **1** intercalare; interporre; frapporre **2** interpolare; inserire ‖ **intercalation** n. 🇬🇧 **1** intercalazione **2** interpolazione.

intercalated /ɪnˈtɜːkəleɪtɪd/ a. **1** (*anche anat.*) intercalato **2** → **intercalary**, def. 1.

to **intercede** /ɪntəˈsiːd/ v. i. intercedere; farsi mediatore (*per q.*): **to i. with sb. for** (*o* **on behalf of**) **a friend**, intercedere presso q. per (*o* in favore di) un amico ‖ **interceder** n. intercessore.

intercellular /ɪntəˈsɛljʊlə(r)/ a. (*biol.*) intercellulare.

intercept /ˈɪntəsɛpt/ n. **1** intercettamento **2** messaggio intercettato **3** (*mat.*) intercetta; ordinata all'origine **4** (*sport: rugby, football americano*) intercetto.

to **intercept** /ɪntəˈsɛpt/ v. t. **1** (*anche geom. e sport*) intercettare: **to i. a message [the light]**, intercettare un messaggio [la luce]; *Our ships intercepted the enemy's convoy*, le nostre navi intercettarono il convoglio nemico **2** arrestare; fermare; impedire: *The police intercepted the thief at the airport*, la polizia fermò il ladro all'aero-

porto.

intercepter /ɪntəˈsɛptə(r)/ → **interceptor**.

interception /ɪntəˈsɛpʃn/ n. 🇬🇧 **1** (*anche sport*) intercettamento; intercettazione **2** (*mat.*) intercezione.

interceptive /ɪntəˈsɛptɪv/ a. che intercetta; intercettatore.

interceptor /ɪntəˈsɛptə(r)/ n. **1** chi intercetta; intercettatore **2** (*aeron.*) (caccia) intercettore.

intercession /ɪntəˈsɛʃn/ n. 🇬🇧 intercessione ‖ **intercessional** a. d'intercessione ‖ **intercessor** n. intercessore ‖ **intercessorial**, **intercessory** a. che intercede; intercedente.

interchange /ˈɪntətʃeɪndʒ/ n. **1** scambio; interscambio: **an i. of ideas**, un interscambio d'idee **2** alternazione; avvicendamento **3** (*autom.*) interscambio, accesso, punto di accesso, svincolo (*d'autostrada*); intersezione ● (*econ., fin.*) **the i. of currency between nations**, lo scambio di valuta fra nazioni □ **i. station**, stazione di collegamento (*fra treno e pullman, ecc.*) □ (*in GB*) **motorway i.**, entrata in (*o* uscita da) un'autostrada; svincolo; rampe d'accesso.

to **interchange** /ɪntəˈtʃeɪndʒ/ **A** v. t. **1** scambiare, scambiarsi: **to i. presents [opinions]**, scambiarsi doni [opinioni] **2** alternare; avvicendare: **to i. study with play**, alternare lo studio con lo svago **B** v. i. **1** scambiarsi; (*sport: di due giocatori*) fare lo scambio dei ruoli (*o* delle posizioni) **2** alternarsi; avvicendarsi **3** fare uno scambio.

interchangeability /ɪntətʃeɪndʒəˈbɪlətɪ/ n. 🇬🇧 (*spec. mecc.*) intercambiabilità (*di pezzi di macchine*).

interchangeable /ɪntəˈtʃeɪndʒəbl/ a. **1** (*spec. mecc.*) intercambiabile **2** (*econ.*) che può essere oggetto di scambio (*o* baratto).

intercity, **inter-city** /ɪntəˈsɪtɪ/ **A** a. interurbano: **intercity bus**, autobus interurbano **B** n. (*ferr.*) (treno) intercity.

interclass /ˈɪntəklɑːs/ a. (*polit., ecc.*) interclassista; interclassistico ● **i. movement**, interclassismo.

interclub, **inter-club** /ˈɪntəklʌb/ a. (*sport*) fra varie società: **an interclub tournament**, un torneo fra società diverse.

intercollegiate /ɪntəkəˈliːdʒət/ a. che si svolge fra college; interuniversitario; universitario: (*sport*) **i. games**, giochi universitari.

intercolumn /ɪntəˈkɒləm/ (*archit.*) n. intercolunnio ‖ **intercolumnar** a. intercolonnare; che è fra due colonne ‖ **intercolumniation** n. intercolunnio.

intercom /ˈɪntəkɒm/ n. (*fam.*) **1** citofono **2** interfono, interfonico ● **i. system**, impianto interfonico, citofono □ **i. video entry**, videocitofono.

intercommunicable /ɪntəkəˈmjuːnɪkəbl/ a. intercomunicabile.

to **intercommunicate** /ɪntəkəˈmjuːnɪkeɪt/ v. i. **1** (*di stanze, ecc.*) essere intercomunicanti **2** comunicare, avere rapporti (*con q.*).

intercommunication /ɪntəkəmjuːnɪˈkeɪʃn/ n. 🇬🇧 **1** (*di stanza, ecc.*) l'esser comunicante (*con un'altra*); comunicazione diretta **2** (*scient., tecnn.*) intercomunicazione.

intercommunion /ɪntəkəˈmjuːnɪən/ n. 🇬🇧 **1** intima unione; rapporti stretti **2** (*relig.*) comunione ecumenica.

intercommunity /ɪntəkəˈmjuːnətɪ/ **A** n. 🇬🇧 **1** l'essere comune; appartenenza contemporanea **2** comunanza; comunione **B** a. fra due (*o* più) comunità.

intercompany /ɪntəˈkʌmpənɪ/ a. (*econ.*) interaziendale: **i. (money) market**, mercato del credito interaziendale.

to **interconnect** /ɪntəkəˈnɛkt/ **A** v. t. interconnettere **B** v. i. interconnettersi.

interconnected /ɪntəkəˈnɛktɪd/ a. (*elettr.*, *comput.*, *telef.*) interconnesso ● (*di un operatore*) **to get i.**, interconnettersi.

interconnection /ɪntəkəˈnɛkʃn/ n. [U] (*elettr.*, *comput.*, *telef.*) interconnessione.

intercontinental /ɪntəkɒntɪˈnɛntl/ a. intercontinentale: **i. war** [**missile**], guerra [missile] intercontinentale.

intercooler /ɪntəˈkuːlə(r)/ n. (*autom.*, *mecc.*) intercooler.

intercorporate /ɪntəˈkɔːpərət/ a. (*econ.*) interaziendale.

intercostal /ɪntəˈkɒstl/ a. (*anat.*) intercostale.

intercounty, **inter-county** /ɪntəˈkaʊntɪ/ a. fra varie contee: (*sport*) **an intercounty match**, una partita (*o* un incontro) fra contee.

intercourse /ˈɪntəkɔːs/ n. [U] **1** (*form.*) rapporti; relazioni; contatti: **social i.**, rapporti sociali; **commercial** (*o* **trade**) **i.**, rapporti commerciali **2** (*relig.*) comunione (*con Dio*) **3** (= **sexual i.**) rapporti sessuali.

intercropping /ɪntəˈkrɒpɪŋ/ n. [U] (*agric.*) coltivazione intercalare.

intercross /ˈɪntəkrɒs/ n. (*zool.*, *bot.*) **1** [U] ibridazione; incrocio **2** ibrido.

to **intercross** /ɪntəˈkrɒs/ v. t. e i. incrociare, incrociarsi.

intercrural /ɪntəˈkruːərəl/ a. (*anat.*) intercrurale.

intercultural /ɪntəˈkʌltʃərəl/ a. interculturale ‖ **interculturalism** n. [U] interculturalismo.

intercurrent /ɪntəˈkʌrənt/ (*anche med.*) a. intercorrente: **an i. disease**, una malattia intercorrente.

interdenominational /ɪntədɪnɒmɪˈneɪʃənl/ a. (*relig.*) interconfessionale.

interdental /ɪntəˈdɛntl/ a. (*anat.*, *fon.*) interdentale.

interdepartmental /ɪntədiːpɑːtˈmɛntl/ a. **1** interministeriale: **i. order**, decreto interministeriale **2** interdipartimentale (*all'università*).

to **interdepend** /ɪntədɪˈpɛnd/ v. i. essere interdipendente; dipendere l'uno dall'altro.

interdependent /ɪntədɪˈpɛndənt/ a. interdipendente ‖ **interdependence** n. [U] interdipendenza ‖ **interdependency** n. [UC] interdipendenza.

interdict /ˈɪntədɪkt/ n. **1** interdizione (*anche leg.*); proibizione; divieto **2** (*leg.*, *relig.*) interdetto.

to **interdict** /ɪntəˈdɪkt/ v. t. **1** interdire; proibire; vietare.: *I i. you from speaking*, ti proibisco di parlare; (*relig.*) **to i. a parish** [**a parson**], interdire una parrocchia [un parroco] **2** (*mil.*) interdire.

interdiction /ɪntəˈdɪkʃn/ n. [UC] interdizione; proibizione; divieto ● (*mil.*) **i. fire**, fuoco d'interdizione.

interdictory /ɪntəˈdɪktərɪ/ a. interdittorio; che interdice.

interdigital /ɪntəˈdɪdʒɪtl/ a. (*anat.*) interdigitale.

interdisciplinary /ɪntəˈdɪsəplɪnrɪ/ a. interdisciplinare.

◆**interest** /ˈɪntrəst/ n. **1** [U] interesse; rilievo; importanza; attrattiva: *Opera doesn't hold much i. for me*, l'opera lirica non offre molto interesse per me; *He takes no i. in the game*, non prova interesse per il gioco; **to arouse sb.'s i.**, suscitare l'interesse di q.; **to lose i. in st.**, perdere interesse per qc.; *It's a question of great scientific i.*, è una questione di grande importanza scientifica **2** interesse; beneficio; vantaggio; tornaconto: *I did it in your own i.*, l'ho fatto nel tuo interesse; **to look after one's own interests**, badare ai propri interessi **3** interesse; attività preferita; hobby: *His main interests were soccer and pop music*, i suoi interessi principali erano il calcio e la musica pop **4** [U] interessamento **5** [U] (*fin.*) interesse, interessi: *I. accrues from January 1st*, gli interessi decorrono dal 1° gennaio; **compound i.**, interesse composto; **simple i.**, interesse semplice; (*banca*) **i. and commission**, interessi e commissioni; **to lend money at 9 per cent i.**, prestare denaro all'interesse del 9 per cento **6** (*fin.*) interesse; cointeressenza; partecipazione (*azionaria*); pacchetto azionario: *We have a minority i. in the company*, abbiamo un interesse di minoranza nell'azienda; **controlling i.**, partecipazione di maggioranza; *I sold my i. in the company*, ho venduto il mio pacchetto azionario **7** [U] (*leg.*) interesse (*giuridico*); diritto; bene (*la «common law» ignora la distinzione italiana tra diritto soggettivo e interesse legittimo*) **8** (pl.) (*econ.*) grandi aziende: **business interests**, le grandi aziende commerciali; **steel interests**, gli industriali dell'acciaio; **landed interests**, gli agrari **9** [U] (*arc.*) interesse usurario; usura ● **i. account**, conto interessi □ **i. accrued**, (rateo di) interessi maturati □ **i. accruing from a certain date**, interesse decorrente da una certa data □ (*banca*) **i. allowed**, interesse passivo □ (*banca*) **i. arbitrage**, arbitraggio di interessi □ **i. balance**, saldo degli interessi □ (*fin.*) **i.-bearing**, fruttifero □ (*banca*) **i.-bearing deposit**, deposito fruttifero □ (*banca*) **i. charged** (*o* **earned**), interesse attivo □ (*leg.*) **i. for years**, diritto immobiliare limitato a un certo numero d'anni (→ **lease** ①) □ **i. free**, senza interessi: **an i.-free loan**, un prestito (*o* mutuo) a interesse zero □ (*econ.*, *fin.*) **i. group**, gruppo d'interesse □ (*banca*) **i. paid**, interesse passivo □ **i. rate**, tasso d'interesse □ (*banca*) **«i. to run from October 1st»**, «valuta 1° ottobre» □ (*fin.*) **i. swap**, riporto in interesse → **i. tables**, tavole finanziarie; prontuario degli interessi □ (*banca*) **i. warrant**, mandato di pagamento di interessi □ (*spec. polit.*) **to declare an** (*o* **one's**) **i.**, dichiarare (*o* ammettere) di avere un interesse finanziario (*o* una cointeressenza) in un affare (*o* in un'azienda) □ (*fin.*) **to have an i. in a business**, essere cointeressato in un'azienda □ **to have an i. in politics**, interessarsi di politica □ **to take no further i. in st.**, disinteressarsi di qc. □ (*fig.*) **with i.**, con gli interessi: *He returned my insults with i.*, mi restituì gli insulti con gli interessi □ **That's of no i. to me**, non m'interessa per niente!

to **interest** /ˈɪntrəst/ v. t. interessare; fare partecipe (q.) d'un interesse; destare interesse in (q.): *That doesn't i. me*, questo non mi interessa; *Can I i. you in joining our club?*, ti può interessare aderire al nostro circolo? ● **to i. oneself in st.**, interessarsi di (*o* a) qc.

◆**interested** /ˈɪntrəstɪd/ a. **1** interessato; egoistico; avido: **i. motives**, motivi egoistici **2** (*fin.*) interessato; cointeressato ● **to be i. in**, essere interessato a (*un'offerta*, *ecc.*); interessarsi di: *He is i. in sport*, s'interessa di sport; *I'm very i. in the room*, la stanza mi interessa molto □ (*leg.*) **the i. parties**, le parti interessate; gli interessati; le parti in causa ‖ **interestedly** avv. interessatamente; per interesse.

◆**interesting** /ˈɪntrəstɪŋ/ a. interessante: **an i. film** [**woman**], un film [una donna] interessante ● (*fam. arc.*: *di donna*) **in an i. condition**, in stato interessante; incinta ‖ **interestingly** avv. in modo interessante ● **interestingly enough**, strano a dirsi; stranamente.

interethnic, **inter-ethnic** /ɪntəˈɛθnɪk/ a.

interetnico.

interface /ˈɪntəfeɪs/ n. **1** (*comput.*, *scient.*, *tecn.*) interfaccia: (*comput.*) **graphical user i.**, interfaccia (utente) grafica **2** (*fig.*) interfaccia; punto d'intersezione (*o* d'incontro); **the i. between humans and computers**, il punto d'incontro fra l'essere umano e i computer.

to **interface** /ˈɪntəfeɪs/ **A** v. t. **1** (*scient.*, *tecn.*) interfacciare **2** (*fig.*) interfacciare; fare da punto d'incontro (*o* da collegamento) per (*due cose*) **B** v. i. (*anche fig.*) avere un'interfaccia.

interfacial /ɪntəˈfeɪʃl/ a. (*comput.*, *scient.*, *tecn.*) interfacciale.

interfacing /ˈɪntəfeɪsɪŋ/ n. **1** [UC] (*scient.*, *tecn.*) interfacciamento **2** [U] rinforzo (*per colletti*).

interfaith /ɪntəˈfeɪθ/ a. (*relig.*) interconfessionale.

◆to **interfere** /ɪntəˈfɪə(r)/ v. i. **1** interferire; ingerirsi; inframmettersi; immischiarsi; impicciarsi; (*coll.*), non intrometterti!; *Don't i. in other people's affairs*, non ingerirti nelle faccende altrui! **2** intervenire; interloquire; interporsi; partecipare: *I didn't i. in the debate*, non interloquii (*o* intervenni) nella discussione **3** (*sport*) effettuare un intervento (*anche falloso*); entrare (*sull'avversario*); (andare a) chiudere **4** (*elettr.*, *fis.*) interferire ● **to i. with**, impedire, ostacolare; manomettere, buttare all'aria (*cose d'altri*); (*eufem.*) molestare sessualmente (*un bambino*, *una ragazza*, *ecc.*): *The heavy rain interfered with the harvest*, il raccolto fu ostacolato dalla forte pioggia; *Could anyone have interfered with your luggage?*, qualcuno può aver manomesso i suoi bagagli?

interference /ɪntəˈfɪərəns/ n. **1** [U] interferenza, interferenze; ingerenza, ingerenze; intromissione, intromissioni; inframmettenza: *I won't have any of his i. in my affairs*, non tollero la sua intromissione nei miei affari; **outside i.**, interferenza dall'esterno; *There has been undue i. between the powers of the State*, ingerenze tra i poteri dello Stato **2** (*fis.*, *radio*, *TV*) interferenza: **optical i.**, interferenza ottica; **electronic i.**, interferenza elettronica **3** (*biol.*) interferenza: **chromosomic i.**, interferenza cromosomica **4** (*mecc.*) interferenza (*tra due coppie dentate*) **5** (*ling.*) interferenza **6** (*sport*: *football americano*) intervento; entrata (*su un avversario*) (*sono ammessi*); (*calcio*, *hockey su ghiaccio*, *ecc.*) intervento falloso, ostruzionismo ● **to run i.**, (*football americano*) entrare a bloccare un avversario (*a vantaggio del portatore di palla*); (*fig. USA*) accorrere (*o* interloquire) in soccorso (*di q.*).

interferential /ɪntəfəˈrɛnʃl/ a. (*elettr.*, *fis.*) interferenziale.

interferer /ɪntəˈfɪərə(r)/ n. **1** chi interferisce; chi s'intromette **2** (*sport*) chi entra sull'avversario.

interfering /ɪntəˈfɪərɪŋ/ a. **1** inframmettente; che s'ingerisce **2** (*sport*) che entra sull'avversario; che chiude ● **i. old woman**, vecchia impicciona.

interferometer /ɪntəfəˈrɒmɪtə(r)/ (*fis.*) n. interferometro ‖ **interferometric** a. interferometrico: **interferometric test**, prova interferometrica ‖ **interferometry** n. [U] interferometria.

interferon /ɪntəˈfɪərɒn/ n. [U] (*biol.*) interferone.

interfertile /ɪntəˈfɜːtaɪl/ (*biol.*) a. interfertile ‖ **interfertility** n. [U] interfertilità.

inter-firm /ɪntəfˈɜːm/ a. (*econ.*) interaziendale.

interflow /ˈɪntəfləʊ/ n. (*scient.*) interflusso.

interfluent /ɪn'tɜːfluənt/ a. confluente.

to **interfuse** /ɪntə'fjuːz/ **A** v. t. **1** fondere; mescolare; mischiare **2** infondere; far passare (*una cosa dentro un'altra*) **3** permeare **B** v. i. fondersi; mescolarsi; mischiarsi ‖ **interfusion** n. ⓤ fusione (*di forze, ecc.*); mescolanza (*di popoli, ecc.*).

intergalactic /ɪntəgə'læktɪk/ a. (*astron.*) intergalattico.

intergenerational /ɪntədʒenə'reɪʃnəl/ a. intergenerazionale.

intergenic /ɪntə'dʒenɪk/ a. (*biol.*) intergenico.

interglacial /ɪntə'ɡleɪʃl/ (*geol.*) **A** a. interglaciale: **i. stage**, stadio interglaciale **B** n. periodo interglaciale.

intergovernmental /ɪntəɡʌvn'mentl/ a. (*polit.*) intergovernativo.

intergrade /'ɪntəɡreɪd/ n. (*biol.*) forma intermedia; stadio intermedio.

to **intergrade** /ɪntə'ɡreɪd/ (*biol.*) v. i. trasformarsi (*o cambiare forma*) passando per gradi ‖ **intergradation** n. ⓤ passaggio graduale da una forma a un'altra.

♦**interim** /'ɪntərɪm/ (*lat.*) **A** avv. (*raro*) frattanto; nel frattempo **B** n. **1** interim; intervallo (*di tempo*) **2** (*polit.*) interim; interinato **C** a. provvisorio; temporaneo (*fin.*) **i. dividend**, dividendo provvisorio (*in acconto*); (*leg.*) **i. receiver**, curatore fallimentare provvisorio (*in GB*); **i. report**, rapporto provvisorio **2** (*leg.*) interlocutorio: **i. award**, lodo interlocutorio; (*anche*) provvisionale (sost. f.); **i. judgment**, sentenza interlocutoria ● **i. results**, risultati provvisori; (*fin.*) preconsuntivo □ **in the i.**, nel frattempo.

inter-industry /ɪntər'ɪndəstrɪ/, **interindustrial** /ɪntərɪn'dʌstrɪəl/ a. (*econ.*) interindustriale.

♦**interior** /ɪn'tɪərɪə(r)/ **A** a. **1** interiore; interno; dell'interno; dell'entroterra: (*geom.*) **i. angle**, angolo interno; **an i. town**, una città dell'entroterra **2** interno; domestico; nazionale **3** interiore; intimo: (*letter.*) **i. monologue**, monologo interiore; **i. forces**, forze intime **B** n. **1** interno; parte (*o regione*) interna; entroterra: **the i. of a country**, l'entroterra d'un paese **2** (*cinem., teatr.*) interno **3** (pl.) arredamenti: *The interiors were supplied by an Italian firm*, gli arredamenti sono stati forniti da una ditta italiana ● **i. decoration**, arredamento d'interni □ **i. decorator**, arredatore d'interni; (*anche*) decoratore, pittore □ **i. design**, arredamento d'interni □ **i. designer**, arredatore d'interni □ **i. paint**, vernice per interni □ (*ingl.*) **i.-sprung mattress**, materasso a molle.

interiority /ɪntɪərɪ'ɒrətɪ/ n. ⓤ interiorità.

to **interiorize** /ɪn'tɪərɪəraɪz/ (*psic., sociol.*) v. t. interiorizzare ‖ **interiorization** n. ⓤ interiorizzazione: **interiorization of social values**, interiorizzazione di valori sociali.

interjacent /ɪntə'dʒeɪsnt/ a. infragiacente (*raro*); intermedio.

to **interject** /ɪntə'dʒekt/ v. t. intercalare; interloquire; esclamare; dire improvvisamente ● **to i. a question [a remark]**, fare improvvisamente una domanda [un'osservazione] (*interrompendo chi parla*).

interjection /ɪntə'dʒekʃn/ n. **1** (*gramm.*) interiezione; esclamazione **2** intromissione; intervento (*a parole*) **3** intromissione ‖ **interjectional** a. (*gramm.*) interiettivo.

to **interknit** /ɪntə'nɪt/ **A** v. t. allacciare; intrecciare **B** v. i. allacciarsi; intrecciarsi.

to **interlace** /ɪntə'leɪs/ **A** v. t. allacciare; avviluppare; intrecciare: **to i. one's fingers**, intrecciare le dita **2** mischiare; incrociare: **prose interlaced with verse**, prosa con versi frammisti **3** (*comput.*) interallacciare **B** v. i. allacciarsi; avvilupparsi; intrecciarsi: **interlacing boughs**, rami che s'in-

trecciano ● (*archit.*) **interlaced arches**, archi incrociati.

interlacement /ɪntə'leɪsmənt/ n. ⓤ allacciamento; intreccio (*di fibre tessili, ecc.*); incrocio; viluppo (*anche fig.*).

to **interlard** /ɪntə'lɑːd/ v. t. lardellare, infarcire, infiorettare (*fig.*): *The professor interlarded his lecture with Latin words*, il professore infarcì di parole latine la sua conferenza.

interlarding /ɪntə'lɑːdɪŋ/ n. ⓤ **1** lardellatura **2** (*fig.*) infiorettatura.

interlay /'ɪntəleɪ/ n. (*tipogr.*) alzo; supporto; tacco.

to **interlay** /ɪntə'leɪ/ (*tipogr.*) (pass. e p. p. **interlaid**), v. t. taccheggiare ‖ **interlaying** n. ⓤ taccheggio.

interleaf /'ɪntəliːf/ n. (pl. **interleaves**) **1** interfoglio, interfolio **2** (*imballaggio*) interfalda.

to **interleave** /ɪntə'liːv/ v. t. interfogliare, interfoliare; inserire qua e là: **an album interleaved with sheets of tissue paper**, un album con interposti fogli di carta velina.

interleaving /ɪntə'liːvɪŋ/ n. (*tipogr.*) interfogliatura, interfoliatura.

interleukin /ɪntə'luːkɪn/ n. ⓤ (*biol.*) interleuchina.

to **interline** /ɪntə'laɪn/ v. t. **1** interlineare; scrivere (*o stampare*) fra le righe di: **a textbook interlined with translations in pencil**, un libro di testo con la traduzione scritta a matita fra le righe **2** fare da controfodera a **3** mettere una controfodera a (*un abito*).

interlinear /ɪntə'lɪnɪə(r)/ a. interlineare: **i. translation**, traduzione interlineare.

interlineation /ɪntəlɪnɪ'eɪʃn/ n. ⓤ interlineazione (*raro*); interlineatura **2** interlinea; parole inserite (*fra le righe di un testo*).

interlingua /ɪntə'lɪŋɡwə/ n. (*ling.*) interlingua.

interlinguistic /ɪntəlɪŋ'ɡwɪstɪk/ a. (*ling.*) interlinguistico.

interlinguistics /ɪntəlɪŋ'ɡwɪstɪks/ n. pl. (col verbo al sing.) interlinguistica.

interlining /'ɪntəlaɪnɪŋ/ n. **1** controfodera **2** ⓤ stoffa per controfodere.

to **interlink** /ɪntə'lɪŋk/ **A** v. t. unire; concatenare; collegare **B** v. i. essere collegato.

interlock /'ɪntəlɒk/ n. **1** (*mecc.*) dispositivo di blocco **2** ⓒⓤ (*cinem.*) (dispositivo di) sincronizzazione **3** ⓤ (= **i. fabric**) (*ind. tess.*) stoffa a trama fitta.

to **interlock** /ɪntə'lɒk/ **A** v. t. **1** collegare; connettere; concatenare **2** (*tecn.*) asservire; rendere interdipendente (*segnali ferroviari, ecc.*) **3** (*elettr.*) interbloccare **B** v. i. **1** unirsi; essere collegato (*o connesso, concatenato*) **2** (*tecn.*) essere interdipendente (*o asservito*).

interlocking /ɪntə'lɒkɪŋ/ **A** a. **1** che collega, connette **2** che è collegato **3** (*tecn.*) interdipendente; asservito: (*ferr.*) **i. signals**, segnali interdipendenti **B** n. (*tecn.*) asservimento; collegamento interdipendente ● (*fin.*) **i. stock ownership**, partecipazione azionaria incrociata.

interlocution /ɪntələu'kjuːʃn/ n. ⓤⓒ conversazione; colloquio; dialogo.

interlocutor /ɪntə'lɒkjutə(r)/ n. interlocutore, interlocutrice.

interlocutory /ɪntə'lɒkjutrɪ/ a. **1** (*anche leg.*) interlocutorio: **an i. judgement**, una sentenza interlocutoria **2** dialogico; in forma di dialogo ● (*leg.*) **i. question**, pregiudiziale.

interlocutress /ɪntə'lɒkjutrɪs/, **interlocutrix** /ɪntə'lɒkjutrɪks/ n. (pl. **interlocutresses**, **interlocutrices**) interlocutrice.

to **interlope** /ɪntə'ləup/ v. i. inframmettersi, ingerirsi, interferire, intrufolarsi (*spec.*

per trarne profitto per sé).

interloper /'ɪntələupə(r)/ n. **1** persona che s'intrufola; intruso **2** (*stor.*) mercante dedito a traffici illeciti; contrabbandiere.

interlude /'ɪntəluːd/ n. **1** (*mus.*) interludio; intermezzo **2** intervallo; (*fig.*) parentesi: **an i. of comparative quiet**, una parentesi di relativa tranquillità **3** (*letter. ingl.*) «interlude»; intermezzo teatrale.

intermarriage /ɪntə'mærɪdʒ/ n. ⓤ **1** matrimonio fra membri di famiglie (*o caste, razze, tribù*) diverse **2** matrimonio fra consanguinei.

to **intermarry** /ɪntə'mærɪ/ v. i. **1** (*di famiglie, tribù, ecc.*) imparentarsi (*per mezzo di matrimoni*) **2** sposarsi fra consanguinei (*o per endogamia*) **3** contrarre un matrimonio misto (*o per esogamia*: *per es., tra un cristiano e un'ebrea*).

to **intermeddle** /ɪntə'medl/ v. i. inframmettersi; immischiarsi; ingerirsi; intromettersi nelle faccende altrui.

intermediacy /ɪntə'miːdɪəsɪ/ n. ⓤ posizione intermedia; l'essere intermedio.

intermediary /ɪntə'miːdɪərɪ/ **A** a. **1** che si mette fra due persone; che fa da mediatore **2** intermedio; intermediario **B** n. **1** intermediario; mediatore **2** mezzo; espediente; tramite **3** stadio intermedio; fase intermedia.

intermediate /ɪntə'miːdɪət/ **A** a. **1** intermedio; medio; di passaggio: **at an i. stage**, in uno stadio intermedio; (*aeron.*) **i. landing**, scalo intermedio; (*elettron.*) **i. frequency**, frequenza intermedia **2** (*di un corso, ecc.*) a livello intermedio **B** n. **1** cosa intermedia **2** intermediario; mediatore **3** (*USA*) automobile di media cilindrata **4** (*chim.*) (composto) intermedio **5** studente di livello intermedio ● (*ind.*) **i. cadres**, quadri intermedi □ (*nelle università inglesi*) **the i. examination**, l'esame catenaccio (*dopo il biennio*) □ (*mecc.*) **i. gear**, ingranaggio di rinvio □ (*econ.*) **i. goods**, beni intermedi □ (*naut.*) **i. port**, scalo intermedio □ (*USA*) **i. school**, scuola per studenti dai 12 ai 14 anni (= **junior high (school)** → **junior**); (*anche*) scuola per studenti dai 10 ai 12 anni □ (*mecc.*) **i. shaft**, albero di rinvio.

to **intermediate** /ɪntə'miːdɪeɪt/ v. i. fare da intermediario (*o da mediatore*); interporsi.

intermediately /ɪntə'miːdɪətlɪ/ avv. in posizione intermedia.

intermediation /ɪntəmiːdɪ'eɪʃn/ n. ⓤ (*banca, fin.*) intermediazione; mediazione.

intermediator /ɪntə'miːdɪeɪtə(r)/ n. (*form.*) intermediario; mediatore.

intermedium /ɪntə'miːdɪəm/ (*lat.*) n. (pl. **intermedia**, **intermediums**) **1** mezzo; strumento; tramite **2** (*mus., stor.*) intermedio **3** (*anat.*) osso intermedio.

interment /ɪn'tɜːmənt/ n. ⓤ inumazione; seppellimento; sepoltura; tumulazione.

intermezzo /ɪntə'metsəu/ (*ital.*) n. (pl. **intermezzi**, **intermezzos**) (*mus., teatr.*) intermezzo; interludio.

interminable /ɪn'tɜːmɪnəbl/ a. interminabile ‖ **-ness** n. ⓤ ‖ **-bly** avv.

to **intermingle** /ɪntə'mɪŋɡl/ **A** v. t. mescolare; mischiare; frammischiare **B** v. i. mescolarsi; mischiarsi; frammischiarsi.

intermission /ɪntə'mɪʃn/ n. **1** intermissione (*lett.*); interruzione; pausa; intervallo: **without i.**, senza intermissione; **an i. at the end of Act 2**, un intervallo alla fine del secondo atto **2** (*med.*) remissione temporanea; guarigione temporanea.

to **intermit** /ɪntə'mɪt/ **A** v. t. **1** interrompere; sospendere **2** rendere intermittente **B** v. i. **1** interrompersi; cessare **2** essere intermittente.

intermittent /ɪntəˈmɪtnt/ a. intermittente: (med.) **i. fever**, febbre intermittente (elettr.) **i. current**, corrente intermittente • (econ.) **i. strike**, sciopero a singhiozzo □ **i. use**, uso saltuario ‖ **intermittence, intermittency** n. ⓤ intermittenza.

to **intermix** /ɪntəˈmɪks/ Ⓐ v. t. mescolare; mischiare Ⓑ v. i. mescolarsi; mischiarsi ‖ **intermixture** n. ⓒⓤ mescolanza; miscela; miscuglio.

intermodal /ɪntəˈməʊdl/ a. (trasp.) intermodale.

intermodulation /ɪntəmɒdjuˈleɪʃn/ n. ⓤ (elettron.) intermodulazione.

intermolecular /ɪntəməˈlɛkjʊlə(r)/ a. (fis.) intermolecolare.

intern /ˈɪntɜːn/ n. (spec. USA) **1** medico interno; interno **2** stagista.

to **intern** /ɪnˈtɜːn/, nel sign. B /ˈɪntɜːn/ Ⓐ v. t. (polit.) internare; confinare; mandare al confino Ⓑ v. i. (med., spec. USA) fare l'internato; lavorare come interno; fare pratica.

♦**internal** /ɪnˈtɜːnl/ Ⓐ a. interno; interiore; intimo; intrinseco: (med.) **i. injuries**, lesioni interne; (anat.) **i. ear**, orecchio interno; (econ.) **i. demand**, domanda interna; **i. navigation**, navigazione interna; **i. security**, sicurezza interna; **i. medicine**, medicina interna; (filol.) **i. evidence**, prova interna; prove interne Ⓑ n. **1** (fam.) visita ginecologica **2** (pl.) caratteri intrinseci **3** (pl.) interiora; visceri • **i. auditing**, revisione contabile interna □ (org. az.) **i. auditor**, revisore contabile interno □ (mecc.) **i.-combustion engine**, motore a combustione interna; motore a scoppio □ **i. power struggle**, lotta intestina per il potere □ (fisc., USA) **the I. Revenue Service**, il Fisco □ (mecc.) **i. thread**, madrevite □ **i. wars**, guerre intestine; guerre civili.

internality /ɪntəˈnælətɪ/ n. ⓤ l'essere interno; interiorità.

to **internalize** /ɪnˈtɜːnəlaɪz/ v. t. **1** (psic.) interiorizzare; internalizzare **2** (econ.) internalizzare ‖ **internalization** n. ⓤ interiorizzazione; internalizzazione.

internally /ɪnˈtɜːnəlɪ/ avv. internamente.

♦**international** /ɪntəˈnæʃnəl/ Ⓐ a. internazionale: **an i. court**, un tribunale internazionale; **i. law [trade]**, diritto [commercio] internazionale Ⓑ n. **1** (sport) atleta che partecipa a gare internazionali; «nazionale» **2** (sport) competizione (o gara, incontro) internazionale **3** (polit.) membro di un'Internazionale • (polit.) **i. arbitration**, arbitrato internazionale □ (leg.) **i. award**, lodo arbitrale internazionale □ (fin.) **i. company**, (società) multinazionale □ (autom., tur.) **i. customs pass**, trittico doganale; trittico □ (fin.) **i. liquidity**, liquidità internazionale □ (sport) **i. match**, partita internazionale □ **the I. Monetary Fund**, il Fondo Monetario Internazionale □ (fin.) **i. money order**, vaglia internazionale □ (polit.) **i. relations**, relazioni internazionali □ (stor., polit.) **the First [Second, Third] I.**, la Prima [Seconda, Terza] Internazionale.

Internationale /ɪntənæʃəˈnɑːl/ (franc.) n. ⓤ (l') internazionale (l'inno del comunismo internazionale).

internationalism /ɪntəˈnæʃnəlɪzəm/ n. ⓤ internazionalismo ‖ **internationalist** n. internazionalista.

internationality /ɪntənæʃəˈnælətɪ/ n. ⓤ internazionalità.

to **internationalize** /ɪntəˈnæʃnəlaɪz/ (polit., econ.) v. t. internazionalizzare; rendere internazionale ‖ **internationalization** n. ⓤ internazionalizzazione.

internationally /ɪntəˈnæʃnəlɪ/ avv. internazionalmente; in campo internazionale.

interne /ˈɪntɜːn/ → **intern**.

internecine /ɪntəˈniːsaɪn/ a. **1** micidiale; mortale: **an i. war**, una guerra micidiale **2** senza vinti né vincitori **3** intestino: **i. conflict**, conflitto intestino.

internee /ɪntɜːˈniː/ n. (polit.) internato, internata.

♦**Internet, internet** /ˈɪntənɛt/ n. ⓤ (acronimo di **INTERconnected NETworks**) (comput.) Internet: **I. access provider**, fornitore di accesso a Internet; **I. café**, Internet café (o bar); Do you have i. access or wi-fi by any chance?, avete per caso accesso internet o wi-fi?; **i. neutrality** = **net neutrality** → **net**①; **I. protocol**, protocollo Internet; **I. service provider**, fornitore di servizi Internet; **I. traffic**, traffico Internet; **on the I.**, su Internet; in Internet.

internetting /ˈɪntənɛtɪŋ/ n. ⓤ (comput.) collegamento tra reti.

internist /ɪnˈtɜːnɪst/ n. (med.) internista.

internment /ɪnˈtɜːnmənt/ n. ⓤ (polit.) internamento: **i. camp**, campo d'internamento.

internode /ˈɪntənəʊd/ n. **1** (bot.) internodio, internodo **2** internodo; segmento internodale.

internship /ɪnˈtɜːnʃɪp/ n. ⓤⓒ (spec. USA) tirocinio; stage (franc.); internato (med.).

internuncial /ɪntəˈnʌnʃl/ a. (fisiol.) di connessione: **i. neuron**, neurone di connessione.

internuncio /ɪntəˈnʌnʃɪəʊ/ n. (pl. **internuncios**) (relig.) internunzio.

interoceanic /ɪntərəʊʃɪˈænɪk/ a. (geogr.) interoceanico.

interocular /ɪntərˈɒkjʊlə(r)/ a. (anat.) interoculare.

interoffice /ɪntərˈɒfɪs/ a. fra due o più uffici (di un'azienda, ecc.); interno: **i. memo**, promemoria interno.

interoperability /ɪntərɒpərəˈbɪlətɪ/ n. ⓤ (comput.) interoperabilità (tra diversi sistemi).

interosseous /ɪntərˈɒsɪəs/ a. (anat.) interosseo.

interparietal /ɪntəpəˈraɪətl/ a. (anat.) interparietale.

interparliamentary /ɪntəpɑːləˈmɛntrɪ/ a. (polit.) interparlamentare.

inter-party /ɪntəˈpɑːtɪ/ a. attr. (polit.) interpartitico: **an inter-party agreement**, un accordo interpartitico.

to **interpellate** /ɪnˈtɜːpəleɪt, USA -təˈpɛl-/ (polit.) v. t. interpellare; fare un'interpellanza a (un ministro) ‖ **interpellant** n. interpellante ‖ **interpellation** n. ⓒⓤ interpellanza ‖ **interpellator** n. interpellante.

to **interpenetrate** /ɪntəˈpɛnɪtreɪt/ Ⓐ v. t. compenetrare; permeare, pervadere Ⓑ v. i. compenetrarsi ‖ **interpenetration** n. ⓒⓤ compenetrazione ‖ **interpenetrative** a. che compenetra.

interpersonal /ɪntəˈpɜːsənl/ a. interpersonale: **i. relations**, rapporti interpersonali.

interphone /ˈɪntəfəʊn/ → **intercom**.

interplanetary /ɪntəˈplænətrɪ/ a. (astron.) interplanetario: (miss.) **i. probe**, sonda interplanetaria.

interplay /ˈɪntəpleɪ/ n. ⓤ azione reciproca; interazione: **the i. of politics and economics**, l'interazione tra la politica e l'economia • **i. of colours**, gioco di colori.

interpleader /ɪntəˈpliːdə(r)/ n. ⓒⓤ (leg.) azione (o procedimento) di estromissione dell'obbligato.

Interpol /ˈɪntəpɒl/ n. Interpol.

interpolable /ɪnˈtɜːpələbl/ a. interpolabile.

to **interpolate** /ɪnˈtɜːpəleɪt/ (anche mat.) v. t. interpolare; intercalare; inserire • (gramm.) **an interpolated clause**, un inciso ‖ **interpolation** n. ⓒⓤ interpolazione.

interpolator /ɪnˈtɜːpəleɪtə(r)/ n. interpolatore.

interposal /ɪntəˈpəʊzl/ n. ⓤ **1** interposizione; frapposizione **2** interferenza; intervento.

to **interpose** /ɪntəˈpəʊz/ Ⓐ v. t. **1** frapporre; interporre; mettere in mezzo; inserire: **to i. a barrier between two countries**, frapporre una barriera fra due nazioni **2** dire, esclamare (interrompendo chi parla): «You are wrong!», he interposed, «ti sbagli!», esclamò Ⓑ v. i. **1** interporsi; frapporsi; intervenire: **to i. in a dispute**, intervenire in una disputa **2** interrompere; fare interruzioni • **to i. an objection**, sollevare un'obiezione □ **to i. a remark**, fare improvvisamente un'osservazione □ **to i. one's veto**, porre il proprio veto.

interposition /ɪntɜːpəˈzɪʃn/ n. **1** ⓤ interposizione; frapposizione **2** ⓤ intervento; intromissione; interferenza; mediazione **3** cosa (o frase, ecc.) interposta.

♦to **interpret** /ɪnˈtɜːprɪt/ Ⓐ v. t. **1** interpretare (in ogni senso); chiarire; spiegare; intendere: **to i. an inscription [a dream]**, interpretare un'iscrizione [un sogno]; **to i. the role of Othello**, interpretare la parte di Otello; They interpreted my embarrassment as an admission of fault, interpretarono il mio imbarazzo come un'ammissione di colpa **2** (comput.) interpretare: **interpreted language**, linguaggio interpretato Ⓑ v. i. fare da interprete; tradurre.

interpretable /ɪnˈtɜːprɪtəbl/ a. interpretabile.

♦**interpretation** /ɪntɜːprɪˈteɪʃn/ n. ⓤⓒ interpretazione (anche teatr.); spiegazione: **the i. of a law**, l'interpretazione di una legge • (leg.) **i. clause**, clausola interpretativa ‖ **interpretational** a. interpretativo.

interpretative /ɪnˈtɜːprɪtətɪv/ a. interpretativo.

interpreter /ɪnˈtɜːprɪtə(r)/ n. **1** (anche mus. e teatr.) interprete (m. e f.) **2** (comput.) programma interprete.

interpretive /ɪnˈtɜːprɪtɪv/ a. → **interpretative**.

interprovincial /ɪntəprəˈvɪnʃl/ a. interprovinciale.

interpunction /ɪntəˈpʌŋkʃn/ n. interpunzione; punteggiatura.

interracial /ɪntəˈreɪʃl/ a. interrazziale.

interregnum /ɪntəˈrɛgnəm/ n. (pl. **interregna, interregnums**) **1** interregno **2** (fig.) intervallo.

to **interrelate** /ɪntərɪˈleɪt/ Ⓐ v. i. essere collegato (o in correlazione) Ⓑ v. t. correlare; mettere in correlazione; collegare.

interrelated /ɪntərɪˈleɪtɪd/ a. interrelato; correlato; collegato; in correlazione (con qc.).

interrelation /ɪntərɪˈleɪʃn/, **interrelationship** /ɪntərɪˈleɪʃnʃɪp/ n. interrelazione; rapporto reciproco; interdipendenza.

interrex /ˈɪntərɛks/ n. (pl. **interreges**) reggente (di un regno).

to **interrogate** /ɪnˈtɛrəgeɪt/ v. t. interrogare: **to i. a witness**, interrogare un testimone ‖ **interrogator** n. interrogatore (anche elettron.); chi interroga; interrogante.

interrogation /ɪntɛrəˈgeɪʃn/ n. **1** ⓤⓒ interrogazione **2** (leg., ecc.) interrogatorio (anche della polizia) • (leg.) **i. by the police**, interrogatorio di polizia □ **i. mark**, punto interrogativo □ **i. room**, stanza per gli interrogatori.

interrogative /ɪntəˈrɒgətɪv/ Ⓐ a. (anche gramm.) interrogativo; interrogatorio: **an i. sentence**, una frase interrogativa; **an i. pronoun**, un pronome interrogativo Ⓑ n. (gramm.) pronome interrogativo; particella interrogativa; punto interrogativo • **the i.,**

la forma interrogativa: **to put a statement into the i.**, trasformare una frase da affermativa in interrogativa | **-ly avv.**

interrogatory /ɪntəˈrɒɡətrɪ/ **A** a. interrogatorio; interrogativo **B** n. **1** interrogatorio **2** (pl.) (*leg.*) interrogatorio scritto (*nella fase del* **pre-trial**; *cfr.* **examination**).

interrupt /ɪntəˈrʌpt/ n. **1** interruzione (*anche comput.*): **i. signal**, segnale d'interruzione **2** distacco; frattura; separazione.

♦to **interrupt** /ɪntəˈrʌpt/ v. t. **1** interrompere; sospendere; troncare: **to i. a speaker** [**a conversation**], interrompere un oratore [una conversazione] **2** ostacolare; impedire: **to i. the view**, impedire la vista ● **to i. the silence**, rompere il silenzio.

interruptedly /ɪntəˈrʌptɪdlɪ/ avv. interrottamente; con interruzioni.

interrupter /ɪntəˈrʌptə(r)/ n. **1** chi interrompe; interruttore **2** (*elettr.*) interruttore ● (*elettr.*) **i. vibrator**, vibratore.

interruption /ɪntəˈrʌpʃn/ n. ᵁᶜ interruzione; sospensione ● (*leg.*) **i. of the period of limitation**, interruzione dei termini di prescrizione.

interruptive /ɪntəˈrʌptɪv/ a. che interrompe; che serve a interrompere.

interscapular /ɪntəˈskæpjʊlə(r)/ a. (*anat.*) interscapolare.

to **intersect** /ɪntəˈsɛkt/ **A** v. t. intersecare; incrociare; tagliare **B** v. i. intersecarsi; incrociarsi || **intersecting** a. (*anche geom.*) intersecante.

intersection /ɪntəˈsɛkʃn/ n. **1** ᵁ l'intersecarsi; intersecazione; intersecamento; intersezione **2** (*geom.*) intersezione (*di due rette*) **3** (*autom.*) intersezione; incrocio; crocevia **4** (*autom.*) punto di confluenza (*di autostrade*) || **intersectional** a. d'intersezione.

inter-service /ɪntəˈsɜːvɪs/ a. (*mil.*) interarmi; interarmi.

intersex /ˈɪntəsɛks/ n. (*biol.*, *zool.*) intersesso; individuo con caratteri del maschio e della femmina.

intersexual /ɪntəˈsɛkʃʊəl/ (*biol.*) a. intersessuale || **intersexuality** n. intersessualità.

interspace /ˈɪntəspeɪs/ n. **1** intervallo (*di spazio o di tempo*) **2** (*edil.*) intercapedine **3** (*naut.*: *di sottomarino*) intercapedine.

interspecific /ɪntəspəˈsɪfɪk/ a. (*biol.*) interspecifico.

to **intersperse** /ɪntəˈspɜːs/ v. t. **1** cospargere; spargere qua e là; disseminare; sparpagliare **2** frammischiare; frammezzare || **interspersion** n. ᵁᶜ cospargimento (*raro*); disseminazione; sparpagliamento.

interspinal /ɪntəˈspaɪnl/ a. (*anat.*) interspinale.

interstate /ɪntəˈsteɪt/ **A** a. (*USA*) interstatale: **i. commerce**, commercio interstatale (*fra Stati dell'Unione*) **B** n. (*USA*; = **i. highway**) strada interstatale.

interstellar /ɪntəˈstɛlə(r)/ a. (*astron.*) interstellare.

interstice /ɪnˈtɜːstɪs/ n. (di solito al pl.) interstizio.

interstitial /ɪntəˈstɪʃl/ a. (*spec. anat.*) interstiziale.

intertextuality /ɪntətɛkstjuˈælɪtɪ/ n. ᵁ intertestualità || **intertextual** a. intertestuale.

intertexture /ɪntəˈtɛkstʃə(r)/ n. ᵁᶜ (*ind. tess.*) intessitura.

intertidal /ɪntəˈtaɪdl/ a. (*geogr.*) intertidale; intercotidale.

intertribal /ɪntəˈtraɪbl/ a. intertribale: **i. marriages**, matrimoni intertribali.

intertropical /ɪntəˈtrɒpɪkl/ a. (*geogr.*) intertropicale.

to **intertwine** /ɪntəˈtwaɪn/ **A** v. t. attorcere (*lett.*); attorcigliare; intrecciare **B** v. i. intrecciarsi; attorcigliarsi; avvolgersi; avvilupparsi || **intertwinement** n. ᴄᵁ intreccio; viluppo; intrico.

to **intertwist** /ɪntəˈtwɪst/ v. t. intrecciare; attorcigliare.

inter-union /ɪntəˈjuːnjən/ a. intersindacale.

interurban /ɪntəˈɜːbən/ a. interurbano: **i. traffic**, traffico interurbano ● (*autom.*) **i. roads**, strade di collegamento fra due città.

♦**interval** /ˈɪntvl/ n. (*anche mus.*) intervallo (*in ogni senso*): **at five-minute intervals**, a intervalli di cinque minuti; **the i. between two acts of a play**, l'intervallo fra i due atti di un dramma; **at short intervals**, a brevi intervalli; a tratti □ (*stat.*) **i. estimate**, stima intervallare □ (*tecn.*) **i. timer**, temporizzatore □ (*alla TV*) **'all after the i.'**, '(tutto questo) dopo la pubblicità' || **intervallic** a. (*mus.*) d'intervallo.

to **intervene** /ɪntəˈviːn/ v. i. **1** intervenire (*anche polit.*, *econ.*, *fin.*); intromettersi; interporsi; frapporsi: **to i. in a dispute**, intervenire in una disputa; **to i. between two people who are quarrelling**, frapporsi fra due litiganti; **to i. surgically**, eseguire un intervento chirurgico; operare **2** sopraggiungere (*come ostacolo, ritardo*); accadere; intervenire: *If nothing intervenes, I'll be there on Monday*, se non sopraggiungono impedimenti, sarò là lunedì **3** interloquire; intervenire **4** (*leg.*) intervenire **5** intercorrere; trascorrere; passare: **the short periods of peace that intervened**, i brevi periodi di pace che intercorsero **6** essere situato; trovarsi (*tra due*).

intervener /ɪntəˈviːnə(r)/ n. **1** chi interviene; chi s'interpone **2** (*leg.*) interveniente (*in giudizio*).

intervenient /ɪntəˈviːnɪənt/ a. **1** interveniente **2** frapposto; intercorrente; intermedio.

intervening /ɪntəˈviːnɪŋ/ a. **1** che intercorre: **in the i. years**, negli anni che intercorsero; **in the i. time**, nel frattempo **2** che si interpone; che si frappone; che sta in mezzo; interposto **3** (*leg.*) interveniente: **i. party**, parte interveniente.

♦**intervention** /ɪntəˈvɛnʃn/ n. ᴄᵁ **1** intervento; interposizione; intromissione; ingerenza: **i. in a dispute**, intervento in una disputa; **military** [**state**] **i.**, intervento militare [statale]; **surgical i.**, intervento (chirurgico) **2** intermediazione **3** interposizione; frapposizione **4** (*leg.*) intervento: **i. in a suit**, intervento in una causa.

interventionist /ɪntəˈvɛnʃənɪst/ (*polit.*, *econ.*) **A** n. interventista **B** a. interventistico || **interventionism** n. ᵁ interventismo.

intervertebral /ɪntəˈvɜːtɪbrəl/ a. (*anat.*) intervertebrale.

♦**interview** /ˈɪntəvjuː/ n. ᴄᵁ intervista; abboccamento; colloquio: **an i. with a Minister**, un'intervista con un ministro; **to hold an i.**, fare un'intervista; *He seemed very good in the i.*, è sembrato molto bravo al colloquio ● **an i. for a job**, un colloquio di lavoro.

to **interview** /ˈɪntəvjuː/ v. t. intervistare; abboccarsi con (q.); avere un colloquio con (q.): **to i. job applicants**, intervistare (*o* sottoporre a colloquio) i candidati a un posto di lavoro.

interviewee /ɪntəvjuːˈiː/ n. **1** intervistato, intervistata **2** chi sostiene un colloquio di lavoro.

interviewer /ˈɪntəvjuːə(r)/ n. intervistatore, intervistatrice.

intervocalic /ɪntəvəˈkælɪk/ a. (*fon.*) intervocalico.

interwar, **inter-war** /ɪntəˈwɔː(r)/ a. attr.

fra (le) due guerre: **in the interwar years**, negli anni fra le due guerre.

to **interweave** /ɪntəˈwiːv/ (pass. **interwove**, p. p. **interwoven**) **A** v. t. **1** intessere; intrecciare **2** (*fig.*) collegare strettamente; mescolare; mischiare **B** v. i. **1** intrecciarsi **2** (*fig.*) mescolarsi; mischiarsi.

to **interwind** /ɪntəˈwaɪnd/ (pass. e p. p. **interwound**) **A** v. t. avvolgere insieme; avviluppare; intrecciare (*anche fig.*) **B** v. i. avvolgersi insieme; avvilupparsi; attorcigliarsi.

interwove /ɪntəˈwəʊv/ pass. di to **interweave**.

interwoven /ɪntəˈwəʊvən/ **A** p. p. di to **interweave B** a. intessuto; intrecciato ● (*fin.*) **i. holdings** (*o* **i. participations**), partecipazioni incrociate.

intestate /ɪnˈtɛsteɪt/ (*leg.*) **A** a. intestato; senza aver fatto testamento **B** n. persona che muore intestata; intestato ● **i. succession**, successione legittima || **intestacy** n. condizione di chi muore intestato; mancanza di testamento.

intestine ① /ɪnˈtɛstɪn/ n. (*anat.*; di solito al pl.) intestino, intestini ● **large** [**small**] **i.**, intestino crasso [tenue] || **intestinal** a. (*anat.*, *fisiol.*, *med.*) intestinale: **intestinal flora**, flora intestinale; **intestinal troubles**, disturbi intestinali.

intestine ② /ɪnˈtɛstɪn/ a. intestino (*lett.*); interno; civile; domestico: **i. wars**, guerre intestine (*o* civili).

in thing /ˈɪnθɪŋ/ loc. n. (*fam.*) cosa alla moda; oggetto di gran moda (*o* in voga).

intimacy /ˈɪntɪməsɪ/ n. **1** ᵁ intimità; dimestichezza; familiarità **2** (di solito al pl.) atto affettuoso (*bacio, carezza*) **3** (*eufem.*) rapporti intimi; relazione amorosa ● **to be on terms of i. with sb.**, essere in intimità con q.; essere intimo di q.

intimate /ˈɪntɪmət/ **A** a. **1** intimo; (il) più segreto; intrinseco: **i. apparel**, biancheria intima; **one's i. feelings**, i propri sentimenti intimi; **an i. friend**, un amico intimo; **i. relations**, rapporti intimi; **one's i. thoughts**, i pensieri più segreti; **an i. diary**, un diario segreto **2** approfondito; profondo: **an i. knowledge of astronomy**, una profonda conoscenza dell'astronomia **3** che ha rapporti intimi (*con q.*) **B** n. (amico) intimo; (amica) intima ● **to be on i. terms with sb.**, essere intimo di q.; essere in intimità con q. | **-ly avv.**

to **intimate** /ˈɪntɪmeɪt/ v. t. **1** annunciare formalmente; dichiarare; manifestare: **to i. one's reluctance to do st.**, manifestare la propria riluttanza (*o* dichiararsi riluttante) a fare qc. **2** lasciar capire (*o* intendere); far capire; suggerire; insinuare: *He has intimated his interest in buying*, ha lasciato capire di essere interessato all'acquisto ❶ **FALSI AMICI** ● to intimate *non significa* intimare.

intimation /ɪntɪˈmeɪʃn/ n. **1** annuncio formale; dichiarazione **2** cenno; accenno; segno; suggerimento; insinuazione: *She gave no i. of her intention to resign*, non diede alcun segno della propria intenzione di dare le dimissioni **3** presagio; segno premonitore; indizio: **intimations of spring**, i primi segni della primavera; presagi di primavera ❶ **FALSI AMICI** ● intimation *non significa* intimazione.

to **intimidate** /ɪnˈtɪmɪdeɪt/ v. t. intimidire; intimorire; incutere timore a (q.); minacciare: **to i. a witness**, minacciare un testimone ● **to i. sb. into doing st.**, costringere q. a fare qc., intimorendolo || **intimidated** a. intimidito; intimorito || **intimidating** a. che intimidisce; che intimorisce || **intimidation** n. ᵁ intimidazione; intimorimento || **intimidator** n. chi intimorisce; chi intimidisce || **intimidatory** a. intimidatorio.

intimism /ˈɪntɪmɪzəm/ (*pitt.*, *letter.*) n. ⓤ intimismo ‖ **intimist** A n. intimista B a. intimistico.

to **intitule** /ɪnˈtɪtjuːl, *USA* -tuːl/ v. t. (*in GB*) intitolare (*una legge parlamentare, ecc.*).

◆**into** /ˈɪntuː, ˈɪntə/ prep. **1** (*moto entro luogo, direzione, mutamento, trasformazione*) dentro; entro; in: *Come i. my room!*, vieni in camera mia!; *Put it i. the drawer*, mettilo nel cassetto; **to change from a caterpillar i. a butterfly**, trasformarsi da bruco in farfalla; **to change pounds i. dollars**, cambiare sterline in dollari; **to get i. trouble**, mettersi nei guai **2** (*moto a luogo fig.*) su: **an investigation i. a theft**, un'indagine su un furto; **to inquire i. a matter**, indagare su una faccenda; (*sport*) *He's much more i. the match now*, ora è molto più in partita di prima **3** (*mat.*) in: *Five i. ten goes twice* (*o Five i. ten is two*), il cinque nel dieci ci sta due volte ● (*fam.*) **to be i.**, interessarsi di, dilettarsi a (*fare qc.*); essere in debito con (q.): *He is i. making his own wine*, si diletta a fare il vino (in casa); *What kind of games are you i.?*, quali giochi ti interessano?; *He's i. us for a few hundred pounds*, ci deve qualche centinaio di sterline □ **to be i. one's fifties**, avere più di cinquant'anni □ **to change i. evening dress**, mettersi in abito da sera □ **far i. the night**, fino a tarda notte □ **to flog sb. i. submission**, sottomettere q. a suon di frustate □ **to fold st. i. a square**, piegare qc. in quattro □ **to go i. a career**, intraprendere una carriera □ **to look i. a matter**, esaminare una faccenda □ **to translate st. from French i. English**, tradurre qc. dal francese in inglese

🛈 **Nota:** *into o in to?*
Into e *in to* vengono spesso confusi. *In to* deve essere scritto con due parole quando *in* è un avverbio che fa parte del verbo frasale, mentre *to* è una preposizione che introduce un complemento, una subordinata o un'infinitiva: *I looked in to* (non *into*) *see him while I was passing*, gli diedi un'occhiata mentre passavo; *She turned him in to* (non *into*) *the authorities*, lo consegnò alle autorità. Si scrive *into* (tutto attaccato) quando è una preposizione, che indica in genere moto a luogo o una trasformazione: *Come into my room*, vieni nella mia stanza; *The witch turned him into a frog*, la strega lo trasformò in una rana.

intolerable /ɪnˈtɒlərəbl/ a. intollerabile; insopportabile: **i. arrogance**, arroganza intollerabile; **i. cold**, freddo insopportabile ‖ **intolerability** n. ⓤ intollerabilità ‖ **intolerably** avv. intollerabilmente.

intolerant /ɪnˈtɒlərənt/ a. intollerante: **to be i. of other people's opinions**, essere intollerante delle opinioni altrui ‖ **intolerance** n. ⓤ (*anche med.*) intolleranza: **religious intolerance**, intolleranza religiosa ‖ **intolerantly** avv. intollerantemente.

◆**intonation** /ɪntəˈneɪʃn/ n. ⓤⓒ (*mus.*, *fon.*, *ecc.*) intonazione; inflessione; modulazione (*della voce*): *He speaks Italian with a foreign i.*, parla l'italiano con inflessione straniera.

to **intone** /ɪnˈtəʊn/ A v. t. **1** (*mus.*) salmodiare **2** recitare con voce cantilenante; cantilenare **3** (*mus.*) intonare **4** dire (*con una data intonazione*); attaccare B v. i. **1** (*mus.*) salmodiare **2** parlare con voce cantilenante.

intoxicant /ɪnˈtɒksɪkənt/ A n. **1** (*form.*) bevanda alcolica **2** (*med.*) agente intossicante B a. **1** inebriante **2** (*med.*) intossicante.

to **intoxicate** /ɪnˈtɒksɪkeɪt/ v. t. **1** (*spec. al passivo*) ubriacare **2** (*fig.*) inebriare; eccitare; esaltare; ubriacare **3** (*med.*) intossicare.

intoxicated /ɪnˈtɒksɪkeɪtɪd/ a. **1** ubria-

co; ebbro **2** (*fig.*) inebriato; eccitato; esaltato; ebbro: **i. by success**, inebriato dal successo; ebbro di successo; **i. with a sense of omnipotence**, ebbro di onnipotenza **3** (*med.*) intossicato.

intoxicating /ɪnˈtɒksɪkeɪtɪŋ/ a. **1** inebriante; che ubriaca **2** (*fig.*) inebriante; eccitante; esaltante; che ubriaca.

intoxication /ɪntɒksɪˈkeɪʃn/ n. ⓤ **1** ebbrezza; ubriachezza: **in a state of i.**, in stato di ebbrezza (*o di ubriachezza*) **2** (*fig.*) inebriamento; eccitazione; esaltazione; ebbrezza **3** (*med.*) intossicazione.

intracardiac /ɪntrəˈkɑːdiæk/ a. (*anat.*) intracardiaco.

intracellular /ɪntrəˈseljʊlə(r)/ a. (*biol.*) intracellulare.

intracerebral /ɪntrəˈserə …əl/ a. (*anat.*) intracerebrale.

intracommunity, **intra-Community** /ɪntrəkəˈmjuːnəti/ a. (*econ.*, *comm.*) intracomunitario.

intracompany /ɪntrəˈkʌmpəni/ a. (*org. az.*) intra-aziendale.

intracranial /ɪntrəˈkreɪniəl/ a. (*anat.*) intracranico.

intractable /ɪnˈtræktəbl/ a. **1** intrattabile; scontroso; difficile **2** (*ind.*) intrattabile; difficile da lavorare ‖ **intractability**, **intractableness** n. ⓤ intrattabilità ‖ **intractably** avv. intrattabilmente.

intracutaneous /ɪntrəkjuːˈteɪniəs/ a. (*anat.*) intradermico.

intradermal /ɪntrəˈdɜːml/ a., **intradermic** /ɪntrəˈdɜːmɪk/ a. (*anat.*) intradermico; (*med.*) **i. reaction**, intradermoreazione.

intrados /ɪnˈtreɪdɒs/ n. (pl. *intradoses*, *intrados*) (*archit.*) intradosso; imbotte.

intragalactic /ɪntrəgəˈlæktɪk/ a. (*astron.*) intragalattico.

intragovernmental /ɪntrəgʌvən-ˈmentl/ a. (*polit.*) nell'ambito del governo; interministeriale.

intramolecular /ɪntrəməˈlekjʊlə(r)/ a. (*chim.*, *fis.*) intramolecolare.

intramural /ɪntrəˈmjʊərəl/ a. **1** che è (*o che si svolge*) entro le mura (*d'una città, d'un college*): **i. athletics**, gare d'atletica che si svolgono nell'ambito d'un college **2** (*anat.*, *med.*) intramurale.

intramuscular /ɪntrəˈmʌskjələ(r)/ a. (*med.*) intramuscolare; endomuscolare: **an i. injection**, un'iniezione intramuscolare.

Intranet /ˈɪntrənet/ n. ⓤ (*comput.*) Intranet (*rete interna aziendale*).

intransferable /ɪntrænzˈfɜːrəbl/ a. intrasferibile.

intransigent /ɪnˈtrænsɪdʒənt/ a. e n. intransigente ‖ **intransigence**, **intransigency** n. ⓤ intransigenza.

in-transit /ˈɪntrænsɪt/ a. attr. (*trasp.*) in transito: **in-transit goods**, merce in transito ● (*USA*) **in-transit freight rates**, tariffe per merci in transito.

◆**intransitive** /ɪnˈtrænsətɪv/ (*gramm.*, *mat.*) A a. intransitivo B n. verbo intransitivo ‖ **intransitively** avv. intransitivamente ‖ **intransitivity** n. ⓤ (*gramm.*, *mat.*) intransitività.

intraocular /ɪntrəˈɒkjʊlə(r)/ a. (*anat.*) intraoculare; endooculare: **i. fluid**, liquido endooculare.

intrapulmonary /ɪntrəˈpʌlmənri/ a. (*anat.*) intrapolmonare.

intraspecific /ɪntrəspəˈsɪfɪk/ a. (*biol.*) intraspecifico.

intrastate /ɪntrəˈsteɪt/ a. (*spec. USA*) all'interno d'uno Stato (*dell'Unione*).

intrathoracic /ɪntrəθɔːˈræsɪk/ a. (*anat.*) intratoracico.

intrauterine /ɪntrəˈjuːtəraɪn/ a. intraute-

rino: **i. device** (abbr. **IUD**), contraccettivo intrauterino; spirale.

intravascular /ɪntrəˈvæskjələ(r)/ a. (*anat.*) intravascolare.

intravenous /ɪntrəˈviːnəs/ (*med.*) A a. endovenoso; intravenoso B n. iniezione (*o trasfusione*) endovenosa; endovenosa ● **i. feeding**, alimentazione per fleboclisi □ **i. tension**, pressione venosa ‖ **intravenously** avv. per via endovenosa; intravena.

in-tray /ˈɪntreɪ/ n. (*comm.*) cassetta (*o vaschetta*) della corrispondenza in arrivo.

to **intrench** /ɪnˈtrentʃ/ → **to entrench**.

intrepid /ɪnˈtrepɪd/ a. intrepido; impavido ‖ **intrepidity** n. ⓤ intrepidità (*raro*); intrepidezza ‖ **intrepidly** avv. intrepidamente.

intricacy /ˈɪntrɪkəsi/ n. **1** ⓤ l'essere intricato; complessità; complicazione **2** complessità; difficoltà: **the intricacies of Latin grammar**, le difficoltà della grammatica latina **3** ⓤ intrico; groviglio; viluppo.

intricate /ˈɪntrɪkət/ a. intricato; complesso; complicato; difficile; imbrogliato; involuto: **an i. question**, una questione intricata (*o complicata*); **an i. path**, un sentiero difficile; **an i. organization**, un'organizzazione complessa; **an i. plot**, una trama complicata ‖ **-ly** avv.

intrigant /ˈɪntrɪgənt/ n. (*arc.*) intrigante (*uomo*).

intrigue /ˈɪntriːg, ɪnˈt-/ n. **1** ⓤⓒ intrigo; macchinazione; raggiro **2** relazione amorosa; tresca **3** (*letter.*, *teatr.*) intrigo; intreccio.

to **intrigue** /ɪnˈtriːg/ A v. i. **1** intrigare; fare intrighi; brigare **2** (*spesso* **to i. with**) avere una tresca; avere una relazione amorosa B v. t. **1** procurarsi (*o ottenere*) con intrighi **2** (*fam.*) incuriosire; interessare; stuzzicare la curiosità di: *The puzzle intrigued me*, l'enigma stuzzicò la mia curiosità **3** confondere; disorientare.

intriguer /ɪnˈtriːgə(r)/ n. intrigante.

intriguing /ɪnˈtriːgɪŋ/ a. affascinante; interessante; che suscita curiosità; stimolante; intrigante: **an i. piece of news**, una notizia interessante.

intrinsic /ɪnˈtrɪnsɪk/, **intrinsical** /ɪnˈtrɪnsɪkl/ a. intrinseco; essenziale; reale: (*econ.*, *fin.*) **the i. value of a coin**, il valore intrinseco d'una moneta ‖ **-ally** avv.

intro /ˈɪntrəʊ/ n. (pl. *intros*) (abbr. *fam.* di **introduction**) **1** presentazione **2** (*mus.*) introduzione.

◆to **introduce** /ɪntrəˈdjuːs, *USA* -duːs/ v. t. **1** introdurre; immettere; inserire: **to i. a wire into a tube**, introdurre un filo metallico in un tubo; **to i. an idea**, introdurre un'idea; *Tea was introduced into Europe from Asia*, il tè fu introdotto in Europa dall'Asia **2** presentare; far conoscere: **to i. two people**, presentare due persone (*l'una all'altra*); *Please i. me to your friend*, per favore, presentami al tuo amico; *I'd like to i. you all to Mr Maxwell from Omega Design*, vorrei presentare a tutti il signor Maxwell della Omega Design 🛈 **Nota:** *introductions → introduction* **3** (*polit.*) presentare; proporre: (*USA*) **to i. a bill into Congress**, presentare un progetto di legge al Congresso **4** cominciare; iniziare: *He introduced his speech with a joke*, cominciò il discorso con una battuta di spirito **5** (*pubbl.*) presentare (*un articolo*); dare inizio a (*una moda*) **6** (*leg.*) recepire (*una disposizione di legge, una norma, ecc.*) **7** (*sport*) immettere, mandare in campo (*un giocatore*) ● **to i. oneself**, presentarsi; farsi conoscere.

introducer /ɪntrəˈdjuːsə(r)/, *USA* -duː-/ n. **1** introduttore, introduttrice **2** chi presenta (q. *o* qc.).

◆**introduction** /ɪntrəˈdʌkʃn/ n. ⓤⓒ **1** introduzione (*in ogni senso*); immissione; prefa-

zione; esordio: **a few words of i.**, poche parole d'introduzione; **i. of steam**, immissione di vapore **2** presentazione: **letter of i.**, lettera di presentazione **3** (*polit.*) presentazione, proposta (*di un disegno di legge*) **4** (libro di) testo elementare (*o propedeutico*) **5** (*fig.*) primo contatto (*con qc.*) **6** (*sport*) immissione, messa in campo (*di un giocatore*) ● **i. agency**, agenzia matrimoniale (*o per l'incontro di persone sole di diverso sesso*).

❶ NOTA: *introductions*

1 Per presentare se stessi si usa il verbo **to be** e il proprio nome o titolo; in contesti non formali in genere si fa precedere **hello** o **hi**: *Hello, I'm Douglas Coolidge. I write for the "The New York Times"*, salve (o buongiorno), mi chiamo Douglas Coolidge; scrivo per il "New York Times"; *Hi, I'm Sally*, ciao, io sono Sally.

Spesso in contesti non colloquiali – ma solo quando la presentazione avviene fra singole persone anziché fra una persona e un gruppo (come una classe, una platea, ecc.) – si antepone o si pospone l'espressione **how do you do?** (per maggiori dettagli su questa formula si veda sotto, punto **3**): *How do you do? I am Gregory Watson*, Permette? Sono Gregory Watson.

In situazioni più formali si fa precedere una formula come **may I introduce myself?, let me introduce myself** o **allow me to introduce myself**: *May I introduce myself? I am Captain Smith*, permetta che mi presenti: sono il capitano Smith.

2 Per presentare altre persone l'espressione informale più usata è **this is ...**, seguita dal nome della persona: *Jenny, this is Harry. He comes from Scotland*, Jenny, ti presento (o questo è) Harry. Viene dalla Scozia; *George, this is my friend Liz*, George, questa è la mia amica Liz.

Formule neutre, né troppo informali né troppo formali e usate soprattutto in occasioni mondane o quando si è combinato appositamente un incontro, sono **meet ..., do you know ... ?, I want you to meet ..., you haven't met ... have you?, I don't think you've met ..., I don't think you know...** e (un po' più formale) **I'd like you to meet ... :** *Freddy, meet Peter*, Freddy, ti presento Peter; *Helen, do you know Lorna?*, Helen, conosci Lorna?; *Dad, I want you to meet my boyfriend Dominic*, papà, ti presento il mio fidanzato, Dominic; *«I don't think you know Doctor Gray» «No. I don't think we've met. How do you do?»*, «non credo che lei conosca il dott. Gray» «No, non mi pare (che ci siamo mai incontrati). Piacere»; *Mr Perry, I'd like you to meet Ms White*, signor Perry, le presento la signora White.

In contesti formali le espressioni più usate sono **may (o can) I introduce ..., let me introduce ..., allow me to introduce ..., I'd like to introduce ... :** *May I introduce my wife?*, posso presentarle mia moglie?; *Let me introduce you to Gary Johnson*, permette che le presenti Gary Johnson; *Jill, I'd like to introduce you to Professor Lacker*, Jill, vorrei presentarti il professor Lacker.

3 Per rispondere alle presentazioni, in situazioni informali l'espressione più comune è **hello** o **hi**. *«Jacob, this is Peter» «Hi Peter»*, «Jacob, ti presento Peter» «ciao (o piacere), Peter»; *«Mum, this is Jen, my new classmate» «Hello Jen, Sharon's told me all about you»*, «mamma, questa è Jen, la mia nuova compagna di classe» – «ciao, Jen, Sharon mi ha raccontato tutto di te».

In contesti più formali si risponde **how do you do?**; in USA è frequente anche **how are you?**. Un'altra possibile risposta è **pleased to meet you. How do you do?** e **how are you?** non sono pronunciate come fossero domande e la risposta normalmente consiste nella ripetizione della stessa formula da parte dell'interlocutore:

«How do you do, I am John Davies» «How do you do? My brother has told me a lot about your work», «Permette? sono John Davies» «piacere, mio fratello mi ha parlato molto del suo lavoro»; *«Hello, I'm Reverend Houston». «Pleased to meet you, Reverend»*, «Buongiorno. Sono il Reverendo Houston» «Molto lieto (o felicissimo), Reverendo»; *You must be Ann's father. How are you? I'm her English teacher*, Lei deve essere il padre di Ann. Permette? sono il suo insegnante d'inglese.

introductive /ɪntrə'dʌktɪv/ → **introductory**.

introductory /ɪntrə'dʌktərɪ/ *a.* introduttivo; preliminare: **an i. course in linguistics**, un corso introduttivo di linguistica; **i. remarks**, osservazioni preliminari ● (*ass.*, *in GB*) **i. discount**, sconto praticato ai nuovi assicurati □ (*market.*) **i. price**, prezzo di lancio (*di un prodotto*).

introflexed /'ɪntrəflɛkst/ *a.* introflesso.

introflexion /ɪntrə'flɛkʃn/ *n.* ⓊⒸ (*med.*) introflessione.

introit /'ɪntrɔɪt/ *n.* (*relig.*) introito.

introjection /ɪntrə'dʒɛkʃn/ *n.* ⓊⒸ introiezione || **to introject** *v. t.* introiettare.

intromission /ɪntrə'mɪʃn/ *n.* ⓊⒸ **1** introduzione **2** intromissione; ingerenza **3** (*med.*) inserimento.

intron /'ɪntrɒn/ *n.* (*biol.*) introne.

introrse /ɪn'trɔːs/ *a.* (*bot.*) introrso.

to introspect /ɪntrə'spɛkt/ *v. i.* (*psic.*) essere introspettivo; analizzare i propri sentimenti; autoesaminarsi.

introspection /ɪntrə'spɛkʃn/ *n.* ⓊⒸ introspezione; analisi dei propri sentimenti || **introspectionism** *n.* introspezionismo || **introspectionist** *n.* chi pratica l'introspezione.

introspective /ɪntrə'spɛktɪv/ *a.* introspettivo | **-ly** *avv.* | **-ness** *n.* Ⓤ.

introversion /ɪntrə'vɜːʃn/ *n.* Ⓤ (*spec. psic.*) introversione.

introversive /ɪntrə'vɜːsɪv/ *a.* (*spec. psic.*) introversivo.

introvert /'ɪntrəvɜːt/ *a. e n.* (*psic.*) introverso.

to introvert /ɪntrə'vɜːt/ *v. t.* **1** (*psic.*) introvertire **2** (*zool.*) introvertere; ritrarre.

introverted /ɪntrə'vɜːtɪd/ *a.* (*psic.*) introverso; introvertito.

introvertive /ɪntrə'vɜːtɪv/ *a.* (*spec. psic.*) introverso; d'introversione.

to intrude /ɪn'truːd/ Ⓐ *v. t.* **1** intrudere (*lett.*); cacciare dentro; intromettere **2** imporre: *I don't want to i. my views upon you*, non voglio importi le mie opinioni Ⓑ *v. i.* intrudersi (*lett.*); intromischiarsi; frapporsi; intromettersi ● **to i. upon sb.**, imporre la propria presenza a q. (*come ospite indesiderato*) □ **to i. upon sb.'s privacy**, intromettersi nella vita privata di q. □ **to i. upon sb.'s time**, portar via (*o far perdere*) tempo a q.

intruder /ɪn'truːdə(r)/ *n.* **1** intruso, intrusa; chi s'insinua in modo illecito **2** (*leg.*) chi viola il diritto di proprietà di altri.

intrusion /ɪn'truːʒn/ *n.* **1** ⒸⓊ intrusione; inframmettenza; intromissione; ingerenza: *I deeply resented his i. upon my privacy*, la sua intromissione nei miei affari privati m'infastidì assai **2** Ⓤ (*geol.*) intrusione **3** Ⓤ (*leg.*) violazione dei diritti di proprietà altrui (*per entrata abusiva o turbativa del possesso*); occupazione abusiva.

intrusive /ɪn'truːsɪv/ *a.* **1** importuno; inframmettente; invadente **2** (*geol.*) intrusivo: **i. rocks**, rocce intrusive **3** (*fon.*) epentetico: **i. phoneme**, fonema epentetico | **-ly** *avv.* | **-ness** *n.* Ⓤ.

to intrust /ɪn'trʌst/ → **to entrust**.

to intubate /'ɪntjubeɪt/ (*med.*) *v. t.* intubare || **intubation** *n.* ⓊⒸ intubazione.

to intuit /ɪn'tjuːɪt/, *USA* -tuː-/ *v. t.* (*form.*) intuire; capire a intuito || **intuitable** *a.* intuibile.

intuition /ɪntju'ɪʃn/, *USA* -tuː-/ *n.* **1** Ⓤ (*filos.*) intuizione **2** Ⓤ intuizione; intuito **3** intuizione; cosa intuita ● **to have great powers of i.**, avere un grande intuito □ **woman's i.**, intuito femminile || **intuitional** *a.* intuitivo: **intuitional power**, facoltà intuitiva.

intuitionalism /ɪntju'ɪʃənəlɪzəm/, *USA* -tuː-/ (*filos.*) *n.* Ⓤ intuizionismo || **intuitionalist** *n.* intuizionista.

intuitionism /ɪntju'ɪʃənɪzəm/, *USA* -tuː-/ *n.* Ⓤ → **intuitionalism**.

intuitionist /ɪntju'ɪʃənɪst/, *USA* -tuː-/ = **intuitionalist** → **intuitionalism**.

intuitionistic /ɪntjuːɪʃə'nɪstɪk/ *a.* (*filos.*) intuizionistico.

intuitive /ɪn'tjuːɪtɪv/, *USA* -tuː-/ *a.* **1** dotato d'intuito; intuitivo: *Some believe that women are more i. than men*, taluni credono che le donne abbiano maggior intuito degli uomini **2** intuitivo: **an i. truth**, una verità intuitiva | **-ly** *avv.* | **-ness** *n.* Ⓤ.

intuitivism /ɪn'tjuːɪtɪvɪzəm/, *USA* -tuː-/ (*filos.*) *n.* Ⓤ intuitivismo.

to intumesce /ɪntju'mes/, *USA* -tuː-/ *v. i.* intumidire; tumefarsi.

intumescence /ɪntju'mesns/, *USA* -tuː-/ *n.* Ⓤ (*anche med.*) intumescenza; tumefazione.

intumescent /ɪntju'mesnt/, *USA* -tuː-/ *a.* intumescente; tumido; tumefatto.

intussusception /ɪntəsə'sepʃn/ *n.* **1** (*arc.*) assimilazione (*del cibo, ecc.*); (*fig.*) assorbimento (*d'idee, ecc.*) **2** (*med.*) intussuscezione; invaginazione.

Inuit /'ɪnjʊɪt/ *n. e a.* inuit; eschimese del Canada, dell'Alaska e della Groenlandia.

inulase /'ɪnjʊleɪs/ *n.* Ⓤ (*chim.*) inulasi.

inulin /'ɪnjʊlɪn/ *n.* Ⓤ (*chim.*) inulina.

inunction /ɪn'ʌŋkʃn/ *n.* ⓊⒸ **1** (*med.*) unzione **2** Ⓤ frizione con un unguento **3** (*farm.*) unguento; pomata.

to inundate /'ɪnʌndeɪt/ *v. t.* inondare (*anche fig.*); allagare; sommergere: **to i. sb. with letters**, inondare q. di lettere || **inundation** *n.* ⓊⒸ inondazione (*anche fig.*); alluvione; allagamento.

to inure /ɪ'njʊə(r)/ Ⓐ *v. t.* abituare; assuefare; avvezzare: *We must i. ourselves to hard work*, dobbiamo assuefarci al lavoro duro Ⓑ *v. i.* (*spec. leg.*) avere effetto; entrare in vigore; cominciare: *Compensation benefits i. from the first day of disability*, i benefici d'indennizzo cominciano dal primo giorno d'invalidità.

inured /ɪ'njʊəd/ *a.* abituato; assuefatto; avvezzo: *We are i. to political instability*, siamo abituati all'instabilità politica.

inurement /ɪ'njʊəmənt/ *n.* Ⓤ abitudine; assuefazione.

to inurn /ɪn'ɜːn/ *v. t.* mettere (*ceneri*) nell'urna funeraria.

inutile /ɪn'juːtaɪl/ *a.* (*raro*) inutile || **inutility** *n.* Ⓤ (*form.*) inutilità.

inv. *abbr.* **1** (**invented**) inventato **2** (**inventor**) inventore **3** (*comm.*, **invoice**) fattura.

to invade /ɪn'veɪd/ *v. t.* **1** invadere (*anche fig.*); occupare; pervadere: *Crowds of holidaymakers invaded the seaside resorts*, folle di turisti invasero le spiagge; *Othello's*

mind was invaded by jealousy, la mente di Otello era pervasa dalla gelosia **2** calpestare, infrangere (*fig.*); violare: **to i. sb.'s rights**, calpestare i diritti di q. ● **to i. sb.'s privacy**, insinuarsi in casa di q.; intrudersi (*lett.*), fare l'intruso.

invader /ɪnˈveɪdə(r)/ n. **1** invasore **2** chi calpesta (*diritti altrui*); violatore, violatrice.

invading /ɪnˈveɪdɪŋ/ a. invasore: **the i. army**, l'esercito invasore.

to **invaginate** /ɪnˈvædʒɪneɪt/ **A** v. t. **1** ripiegare verso l'interno **2** rivoltare (*una guaina tubolare*) in dentro **B** v. i. (*med.*) invaginarsi.

invagination /ɪnvædʒɪˈneɪʃn/ n. ʊ̄ᴄ (*anche med.*) invaginazione.

invalid ① /ˈɪnvəlɪd/ n. infermo, inferma; invalido, invalida: *He lives with an i. mother*, vive con la madre inferma; **an i. chair**, una sedia a rotelle ❶ **FALSI AMICI •** invalid *non significa* invalido *nel senso di* inabile al lavoro.

invalid ② /ɪnˈvælɪd/ a. (*anche leg.*) invalido (*non comune*); non valido; nullo: **an i. will**, un testamento nullo ● **to declare i.**, dichiarare nullo; annullare: **to declare a marriage i.**, annullare un matrimonio.

to **invalid** /ˈɪnvəlɪd/ **A** v. t. **1** rendere invalido (*o* infermo); inabilitare **2** (*mil.*) dichiarare inabile; riformare: *My father was invalided home*, mio padre fu rimandato in patria come invalido **B** v. i. diventare invalido ● **to i. sb. out of the army**, congedare q. per invalidità.

to **invalidate** /ɪnˈvælɪdeɪt/ (*anche leg.*) v. t. invalidare; rendere nullo: **to i. a will**, invalidare un testamento ‖ **invalidation** n. ʊ̄ invalidazione.

invalidism /ˈɪnvəlɪdɪzəm/ n. ʊ̄ **1** (*med.*) invalidità permanente **2** (*stat.*) percentuale d'invalidi.

invalidity /ɪnvəˈlɪdətɪ/ n. ʊ̄ (*leg. e med.*) invalidità; mancanza di validità; nullità ● (*econ.*) **i. pension**, pensione di invalidità (*in GB, consegue al →* «sickness benefit», → **sickness**) ● (*fam.*) **to be on i.**, percepire la pensione d'invalidità.

invalidly /ɪnˈvælɪdlɪ/ avv. invalidamente.

invaluable /ɪnˈvæljʊəbl/ a. inestimabile; prezioso; inapprezzabile | **-ness n.** ʊ̄ | **-bly avv.**

Invar ® /ɪnˈvɑː(r)/ n. (*ind.*) invar (*lega d'acciaio e nickel*).

invariable /ɪnˈveərɪəbl/ a. (*anche mat.*) invariabile; costante; fisso ‖ **invariability, invariableness n.** ʊ̄ invariabilità ‖ **invariably avv.** invariabilmente.

invariant /ɪnˈveərɪənt/ (*fis., mat.*) a. e n. ʊ̄ invariante ‖ **invariance n.** invarianza.

♦**invasion** /ɪnˈveɪʒn/ n. ᴄᴜ **1** invasione (*anche fig.*); irruzione **2** intromissione; intrusione; violazione: *I don't like invasions of my privacy*, non mi piacciono le intrusioni nella mia vita privata **3** (*med.*) invasione, aggressione (*di virus*); attecchimento (*d'una malattia*).

invasive /ɪnˈveɪsɪv/ a. **1** di (*o* simile a) un'invasione **2** che s'intromette; invadente **3** (*biol., med.*) invasivo.

invective /ɪnˈvektɪv/ **A** a. che inveisce **B** n. ʊ̄ invettiva, invettive: **to scream i. at sb.**, gridare invettive a q.

to **inveigh** /ɪnˈveɪ/ v. i. inveire: *to i. against sb.*, inveire contro q.

to **inveigle** /ɪnˈveɪgl/ (*form.*) v. t. adescare; allettare; sedurre; tentare: **to i. sb. into doing st.**, allettare q. a fare qc. ‖ **inveiglement n.** ᴜᴄ allettamento; lusinga; seduzione.

♦to **invent** /ɪnˈvent/ v. t. inventare: *Morse invented the telegraph*, Morse inventò il telegrafo; *to i. an excuse*, inventare una scusa.

♦**invention** /ɪnˈvenʃn/ n. **1** ᴜᴄ invenzione (*in ogni senso*); storia inventata, falsa; frottola: **the i. of the steam engine**, l'invenzione della macchina a vapore; **an i. of yesterday**, un'invenzione recentissima **2** ᴜ inventiva; immaginativa ● (*prov.*) **Necessity is the mother of i.**, il bisogno aguzza l'ingegno.

inventive /ɪnˈventɪv/ a. inventivo; creativo; ricco di immaginazione; ricco di creatività ‖ **inventively avv.** con inventività; creativamente ‖ **inventiveness n.** ʊ̄ inventiva; immaginazione; creatività.

inventor /ɪnˈventə(r)/ n. inventore.

inventory /ˈɪnvəntrɪ/ n. **1** (*leg., rag.*) inventario **2** (*comm.*) giacenza; scorte; merci in magazzino; beni inventariati ● (*rag.*) **i. accounting**, contabilità di magazzino □ **i. adjustment**, adeguamento delle scorte □ **i. control**, controllo del magazzino □ **i. management**, gestione dei materiali (*o* delle scorte) □ (*rag.*) **i. pricing**, valutazione delle scorte □ (*rag.*) **i. taking**, ricognizione fisica delle scorte □ **i. turnover**, rotazione (*o* indice di rotazione) delle scorte; ricambio del magazzino.

to **inventory** /ˈɪnvəntrɪ/ v. t. (*leg., rag.*) inventariare; fare l'inventario di (*beni, ecc.*) ● (*rag.*) **to i. at**, avere un valore d'inventario pari a.

inventress /ɪnˈventrɪs/ n. (*raro*) inventrice.

inveracity /ɪnvəˈræsətɪ/ n. ʊ̄ (*form.*) mancanza di veracità; falsità.

inverness /ɪnvəˈnes/ n. (= **i. overcoat**) soprabito da uomo con mantellina staccabile.

inverse /ˈɪnvɜːs/ **A** a. inverso; contrario; opposto: *Love is the i. of hate*, l'amore è il contrario dell'odio; (*mat.*) **i. ratio [proportion]**, in ragione [proporzione] inversa **B** n. **1** (l') inverso; (l') opposto **2** (*mat.*) reciproco: **the i. of a complex number**, il reciproco di un numero complesso ● (*mecc.*) **i. cam**, camma inversa | **-ly avv.**

inversion /ɪnˈvɜːʃn/ n. ʊ̄ **1** (*anche gramm., mat., mus., ecc.*) inversione; capovolgimento; rovesciamento **2** (*fon.*) retroflessione **3** (*psic., antiq.*; = **sexual i.**) inversione (sessuale) ● (*meteor.*) **i. layer**, strato d'inversione ‖ **inversive** a. (*spec. ling.*) inversivo.

invert ① /ˈɪnvɜːt/ a. (*chim.*) invertito: **i. sugar**, zucchero invertito.

invert ② /ˈɪnvɜːt/ n. **1** (*ing. civile*) arco rovescio **2** (*psic., antiq.*) invertito.

to **invert** /ɪnˈvɜːt/ v. t. (*anche gramm., mus., ecc.*) invertire; capovolgere; rovesciare: **to i. an hourglass**, capovolgere una clessidra.

invertase /ɪnˈvɜːteɪz/ n. ʊ̄ (*chim.*) invertasi.

invertebrate /ɪnˈvɜːtɪbrət/ a. e n. **1** (*zool.*) invertebrato **2** (*fig.*) (individuo) senza spina dorsale; smidollato.

inverted /ɪnˈvɜːtɪd/ a. invertito; capovolto; rovesciato ● (*ing. civile*) **i. arch**, arco rovescio □ **i. commas**, virgolette (*di citazione*) □ (*sartoria*) **i. pleat**, piega rovesciata; cannone □ (*spreg.*) **i. snob**, chi snobba i ricchi; chi s'atteggia a popolano.

inverter /ɪnˈvɜːtə(r)/ n. **1** chi inverte **2** (*elettr.*) inverter; invertitore.

invertible /ɪnˈvɜːtəbl/ a. invertibile: (*mat.*) **i. matrix**, matrice invertibile ‖ **invertibility n.** ʊ̄ invertibilità.

♦to **invest** /ɪnˈvest/ **A** v. t. **1** (*anche fin.*) investire; collocare; impiegare (*denaro, in maniera fruttifera*): **to i. one's money in Treasury bonds**, investire il proprio denaro in buoni del Tesoro; *The President of the USA is invested with a wide range of powers*, il Presidente degli USA è investito di una vasta gamma di poteri **2** (*mil.*) assediare; assediare **3** (*raro, salvo al fig.*) vestire; rivestire; adornare: *His actions were inves-*

ted with mystery, le sue azioni erano rivestite di un'aura misteriosa **B** v. i. **1** (*fin.*) investire denaro; fare investimenti: **to i. in stocks and shares**, investire denaro in titoli e azioni **2** (*fam.*) spendere denaro: **to i. in trifles**, spendere denaro in sciocchezze ● **to i. one's hopes in st.**, riporre le proprie speranze in qc. □ (*fam.*) **to i. in**, comprare, acquistare.

investable /ɪnˈvestəbl/ a. (*fin.*) investibile.

invested /ɪnˈvestɪd/ a. (*fin.*) investito: **i. capital turnover**, indice di rotazione del capitale investito.

investible /ɪnˈvestəbl/ → **investable**.

investigable /ɪnˈvestɪgəbl/ a. investigabile.

♦to **investigate** /ɪnˈvestɪgeɪt/ v. t. e i. investigare; indagare; fare indagini su: **to i. the causes of an air crash**, investigare le cause d'un incidente aereo; **to i. a crime**, fare indagini su un delitto.

investigating /ɪnˈvestɪgeɪtɪŋ/ a. (*leg.*) inquirente ● **i. magistrate**, giudice delle inchieste preliminari □ **i. officer**, poliziotto incaricato delle indagini.

♦**investigation** /ɪnvestɪˈgeɪʃn/ n. ᴄᴜ investigazione; indagine; accertamento: **the i. of a crime**, le indagini su un delitto.

investigative /ɪnˈvestɪgətɪv/ a. **1** investigativo **2** che ama investigare; curioso.

investigator /ɪnˈvestɪgeɪtə(r)/ n. **1** investigatore; indagatore **2** investigatore privato **3** agente investigativo **4** (*ass.*) liquidatore; perito.

investigatory /ɪnˈvestɪgeɪtrɪ/ a. investigativo.

investing /ɪnˈvestɪŋ/ a. (*fin.*) che investe; investitore, investitrice: **the i. company**, la società investitrice.

investiture /ɪnˈvestɪtʃə(r)/ n. ʊ̄ (*anche stor.*) investitura; l'investire.

♦**investment** /ɪnˈvestmənt/ n. **1** (*fin.*) investimento; collocazione, impiego (*di denaro o di tempo*): **a profitable i.**, un investimento proficuo; **an i. of 10,000 pounds in a loan**, l'investimento di diecimila sterline in un prestito **2** (*mil.*) investimento; assedio **3** (*biol.*) rivestimento; tegumento **4** → **investiture** ● **i. adviser**, esperto (*o* consulente) finanziario □ (*fisc.*) **i. allowance**, detrazione per investimenti □ **i. bank**, investment bank (*finanziaria che colloca nuove azioni*) □ **i. fund**, fondo comune di investimento □ (*econ.*) **i. goods**, beni d'investimento □ (*econ.*) **i.-led boom**, boom alimentato dagli investimenti □ (*banca*) **i. management**, gestione patrimoniale □ **i. manager**, gestore di fondi d'investimento □ **i. policy**, politica degli investimenti □ **i. trust** = **i. fund** → *sopra*.

♦**investor** /ɪnˈvestə(r)/ n. (*fin.*) investitore, investitrice.

inveteracy /ɪnˈvetərəsɪ/ n. ᴜᴄ **1** (*med.*) l'esser inveterato; cronicità (*d'una malattia*) **2** ostinazione; pervicacia **3** odio (*o* pregiudizio) inveterato.

inveterate /ɪnˈvetərət/ a. **1** inveterato; radicato: **an i. habit**, un'abitudine radicata **2** ostinato; pervicace; impenitente: **an i. liar**, un bugiardo impenitente **3** (*med.*) cronico: **an i. disease**, una malattia cronica | **-ly avv.**

invidious /ɪnˈvɪdɪəs/ a. **1** odioso; spiacevole; antipatico; irritante; ingiusto; offensivo: **to make i. comparisons**, fare paragoni odiosi; **an i. task**, un compito antipatico **2** invidiato **3** (*arc.*) invidioso | **-ly avv.** | **-ness n.** ❶ **FALSI AMICI •** *nell'inglese attuale* invidious *non significa* invidioso.

to **invigilate** /ɪnˈvɪdʒəleɪt/ v. i. fare assistenza (*agli esami*); fare la vigilanza (*o* la sorveglianza) durante gli esami scritti ‖ **invig-**

a b c d e f g h **i** j k l m n o p q r s t u v w x y z

ilation n. ☐ assistenza (o vigilanza) agli esami (generalm. scritti) || **invigilator** n. insegnante incaricato della vigilanza agli esami; assistente.

to **invigorate** /ɪnˈvɪɡəreɪt/ v. t. invigorire; rinvigorire; corroborare; fortificare; rinforzare; tonificare || **invigorating** a. corroborante; che invigorisce; che fortifica; tonificante; energetico: **an invigorating climate**, un clima corroborante || **invigoration** n. ☐ invigorimento; rinvigorimento || **invigorative** a. corroborante; tonificante || **invigorator** n. **1** chi fortifica; chi rinvigorisce **2** cosa che rinvigorisce; corroborante.

invincible /ɪnˈvɪnsəbl/ a. **1** invincibile: **an i. team**, una squadra invincibile **2** irriducibile: **i. ignorance**, ignoranza irriducibile || **invincibility** n. ☐ invincibilità || **invincibly** avv. invincibilmente; irriducibilmente.

inviolable /ɪnˈvaɪələbl/ a. (anche fig.) inviolabile: **an i. oath**, un giuramento inviolabile; **the i. heavens**, i cieli inviolabili || **inviolability** n. ☐ inviolabilità || **inviolably** avv. inviolabilmente.

inviolate /ɪnˈvaɪələt/ a. inviolato; integro; intatto; puro ● **to keep a promise i.**, mantenere una promessa ☐ **to keep a rule i.**, non violare una regola; osservare una regola || **inviolacy** n. ☐ l'essere inviolato; integrità; purezza.

invisible /ɪnˈvɪzəbl/ **A** a. invisibile; impercettibile **B** n. – **the I.**, l'Invisibile; Dio ● (fin., rag.) **i. assets**, attività immateriali ☐ (econ.) **i. exports**, esportazioni invisibili ☐ **i. ink**, inchiostro invisibile (o simpatico) ☐ (econ.) **i. items**, partite invisibili (della bilancia dei pagamenti) ☐ (econ.) **i. trade**, scambi invisibili || **invisibility, invisibleness** n. ☐ invisibilità || **invisibly** avv. invisibilmente.

invisibles /ɪnˈvɪzəblz/ n. pl. (econ.) partite invisibili.

◆**invitation** /ɪnvɪˈteɪʃn/ n. ☐☐ invito; richiamo; allettamento; stimolo: **letter of i.**, lettera d'invito; **an i. to dinner**, un invito a cena; Dry laws were an i. to bootlegging, le leggi proibizioniste erano uno stimolo al contrabbando di liquori ● **i. card**, biglietto d'invito ☐ **to do st. at sb.'s i.**, fare qc. dietro (o su) invito di q. ☐ (fig.) **an open i.**, un invito a nozze (fig.).

invitatory /ɪnˈvaɪtətrɪ/ a. che serve da invito; invitatorio (raro) ● (relig.) **an i. prayer**, un invitatorio.

invite /ˈɪnvaɪt/ n. (fam.) invito.

◆to **invite** /ɪnˈvaɪt/ v. t. **1** invitare (anche fig.); allettare; attrarre; stimolare: **to i. sb. to dinner [to a party]**, invitare q. a cena [a una festa] **2** sollecitare; provocare; richiedere: (comm.) **to i. orders**, sollecitare ordinativi; The speaker invited questions, l'oratore sollecitò domande ● **to i. sb. in**, invitare q. a entrare (in casa propria, ecc.) ☐ **to i. sb.'s opinions**, invitare q. a dire le sue opinioni ☐ **to i. sb. over for a drink**, invitare q. (a casa propria) per bere qualcosa ☐ **to i. tenders**, bandire una gara d'appalto.

invitee /ɪnvaɪˈtiː/ n. invitato, invitata.

inviter /ɪnˈvaɪtə(r)/ n. invitatore, invitatrice.

inviting /ɪnˈvaɪtɪŋ/ a. invitante; allettante; attraente; seducente | **-ly** avv.

in vitro /ɪnˈviːtrəʊ/ (lat.) avv. e a. attr. (biol.) in vitro: **in vitro fertilization**, fecondazione in vitro.

in vivo /ɪnˈviːvəʊ/ avv. (biol.) in vivo.

invocation /ɪnvəˈkeɪʃn/ n. ☐☐ **1** invocazione; implorazione; supplica **2** evocazione || **invocatory** a. invocatorio; invocativo.

invoice /ˈɪnvɔɪs/ n. (comm.) **1** fattura: **pro-forma i.**, fattura proforma | **i. price**, prezzo di fattura (= i. form) modulo di fattura **3** (USA) bolletta di spedizione ● **i. book**, copiafatture ☐ **i. clerk**, fatturista ☐ **i.**

control, controllo della fatturazione.

to **invoice** /ˈɪnvɔɪs/ v. t. (comm.) **1** fatturare; mettere in fattura: These articles have been invoiced at cost, questi articoli sono stati fatturati al costo **2** intestare una fattura a (q.) **3** spedire una fattura a (q.).

invoicing /ˈɪnvɔɪsɪŋ/ n. ☐ (comm.) fatturazione ● **i. machine**, fatturatrice (macchina).

to **invoke** /ɪnˈvəʊk/ v. t. **1** invocare (in ogni senso); implorare; impetrare; fare appello, appellarsi a; chiedere: **to i. the gods**, invocare gli dei; (leg., in USA) **to i. the Fifth Amendment**, appellarsi al 5° Emendamento (della Costituzione) **to i. sanctions**, chiedere sanzioni; **to i. sb.'s forgiveness**, impetrare il perdono di q. **2** evocare: **to i. the devil**, evocare il demonio.

involucre /ˈɪnvəluːkə(r)/ n. (anat., bot.) involucro.

involuntary /ɪnˈvɒlntrɪ/ a. involontario: (econ.) **i. unemployment**, disoccupazione involontaria ● (econ.) **i. saving**, risparmio forzato | **-ily** avv. | **-iness** ☐.

involute /ˈɪnvəluːt/ **A** a. **1** (biol.) involuto: **i. leaves [shells]**, foglie [conchiglie] involute **2** (fig.) involuto; complicato; intricato **B** n. **1** (mat.) evolvente **2** (mecc.) evolvente ● (mecc.) **i. gear tooth**, dente (con profilo) a evolvente.

involuted /ˈɪnvəluːtɪd/ a. **1** (fisiol.) involuto: **i. uterus**, utero involuto (dopo il parto) **2** (fig.) involuto; complicato; intricato: **an i. speech**, un discorso involuto; **an i. person**, una persona complicata.

involution /ɪnvəˈluːʃn/ n. ☐☐ **1** (fisiol., biol., ecc.) involuzione **2** (fig.) involuzione; l'essere complicato (o intricato); complicatezza (raro) **3** (mat.) involuzione.

involutional /ɪnvəˈluːʃənl/ a. (psic.) involutivo: **i. psychosis**, psicosi involutiva.

◆to **involve** /ɪnˈvɒlv/ v. t. **1** coinvolgere; implicare; immischiare: The accident involved two trains, l'incidente coinvolse due treni **2** complicare; rendere intricato (o confuso, oscuro) **3** comportare, richiedere (come conseguenza); implicare: Business expansion involves an enormous expenditure, l'allargamento del giro d'affari richiede spese enormi **4** comprendere; contare: The procession involved thousands of people, il corteo contava migliaia di persone **5** coinvolgere emotivamente; appassionare; prendere (fig.): His latest novel involves the reader deeply, il suo ultimo romanzo ha una grande presa sul lettore **6** (sport) chiamare in causa (il portiere, ecc.) ● **to i. oneself**, compromettersi; (anche polit.) impegnarsi: He didn't want to i. himself with that woman, non voleva impegnarsi con quella donna; I was reluctant to i. myself in an argument with her, ero riluttante a impegnarmi in una discussione con lei.

◆**involved** /ɪnˈvɒlvd/ a. **1** involuto (fig.); complicato; intricato; oscuro: **an i. style**, uno stile involuto **2** coinvolto; implicato; immischiato: **a criminal i. in a robbery**, un criminale coinvolto in una rapina **3** (polit., ecc.) impegnato **4** in questione: **the measure i.**, il provvedimento in questione **5** coinvolto emotivamente; attratto; preso (fig.): I was deeply i. in the music, ero tutto preso dalla musica ● **to be i. in working out a solution to a problem**, essere immerso nella ricerca della soluzione d'un problema ☐ **to become (o to get) i.**, essere (o venire) coinvolto; immischiarsi, impicciarsi; (polit.) impegnarsi ☐ **to be deeply i. with sb.**, essere molto legato (sentimentalmente) a q.

◆**involvement** /ɪnˈvɒlvmənt/ n. ☐☐ **1** coinvolgimento; implicazione **2** complicatezza (raro); affare intricato; faccenda complicata **3** (comm.) imbarazzo pecuniario; dissesto **4** (polit., ecc.) impegno; partecipazione (nel

lavoro, ecc.) **5** relazione sentimentale; rapporto intimo.

invulnerability /ɪnvʌlnərəˈbɪlətɪ/ n. ☐ invulnerabilità.

invulnerable /ɪnˈvʌlnərəbl/ a. **1** invulnerabile **2** (fig.) inattaccabile: **an i. position**, una posizione inattaccabile **3** (fig.) inoppugnabile.

inward ① /ˈɪnwəd/ **A** a. **1** interno; interiore; intimo; spirituale: **the i. organs of the body**, gli organi interni del corpo; **i. peace**, pace interiore (o dello spirito); **one's i. thoughts**, gl'intimi pensieri **2** interno; (diretto) verso l'interno **3** (naut.) di ritorno **B** n. pl. – (fam.) **the inwards**, gli intestini, i visceri ● (geogr.) **I. Asia**, l'Asia interiore ☐ (naut.) **i. bound**, in viaggio di ritorno: **i.-bound vessel**, nave in viaggio di ritorno (fin.) **i. capital movements**, entrate di capitali ☐ (sport) **i. dive**, tuffo ritornato ☐ (comm.) **i. freight**, nolo d'entrata ☐ (econ.) **i. investment**, investimento endogeno; investimento dall'estero ☐ **i.-looking**, che guarda verso l'interno; (fig.) isolazionistico; (psic.) introverso.

inward ② /ˈɪnwəd/ avv. → **inwards**.

inwardly /ˈɪnwədlɪ/ avv. **1** all'interno; dentro **2** nell'intimo; dentro di sé; interiormente; intimamente: **to rejoice i.**, rallegrarsi nell'intimo; **to be i. resentful**, nutrire risentimento dentro di sé **3** fra sé (e sé); a bassa voce.

inwardness /ˈɪnwədnəs/ n. ☐ **1** essenza; intima natura; significato intimo: **the real i. of a text**, il vero intimo significato di un testo **2** interiorità; intimità; spiritualità.

inwards /ˈɪnwədz/ avv. **1** all'interno; dentro; verso l'interno **2** nell'intimo (dell'anima, del cuore); interiormente; intimamente.

to **inweave** /ɪnˈwiːv/ (pass. **inwove**, p. p. **inwoven**), v. t. (anche fig.) adornare (o inserire) intessendo (o intrecciando); trapuntare; trapungere (lett.); intessere.

inwrought /ɪnˈrɔːt/ a. **1** (di tessuto e fig.) adorno di ricami; figurato; ricamato; trapunto: **star-i.**, trapunto di stelle **2** (di figura, disegno, ecc.) intessuto; inserito **3** (fig.) amalgamato; strettamente connesso.

in-your-face /ɪnjɔːˈfeɪs/ a. → **face**.

I/O sigla (comput., **input/output**) ingresso/uscita (dei dati).

IOC sigla (**International Olympic Committee**) Comitato olimpico internazionale.

iodate /ˈaɪədeɪt/ n. (chim.) iodato.

iodated /ˈaɪədeɪtɪd/ a. (chim.) iodato.

iodic /aɪˈɒdɪk/ a. **1** (chim.) iodico: **i. acid**, acido iodico **2** (med.) (causato) da iodio: **i. poisoning**, avvelenamento da iodio.

iodide /ˈaɪədaɪd/ n. (chim.) ioduro.

to **iodinate** /ˈaɪədɪneɪt/ (chim.) v. t. iodurare || **iodination** n. ☐ iodurazione.

iodine /ˈaɪədiːn, USA -daɪn/, **iodin** /ˈaɪədɪn/ n. ☐ (chim.) **1** iodio **2** (fam., = **tincture of i.**) tintura di iodio.

iodism /ˈaɪədɪzəm/ n. ☐ (med.) iodismo.

to **iodize** /ˈaɪədaɪz/ v. t. **1** (chim.) iodare; trattare con iodio **2** (med., fotogr.) iodare; curare con tintura di iodio; trattare con ioduro.

iodized /ˈaɪədaɪzd/ a. (chim.) iodato.

iodoform /aɪˈɒdəfɔːm/ n. ☐ (chim., med.) iodoformio.

iodotherapy /aɪəʊdəˈθerəpɪ/ n. (med.) iodoterapia.

iolite /ˈaɪəlaɪt/ n. ☐ (miner.) iolite.

IOM sigla (anche **I of M**) (**Isle of Man**) Isola di Man.

ion /ˈaɪən/ n. (fis.) ione (fis., nucl.) **ion accelerator**, acceleratore di ioni ● **ion chamber**, camera di ionizzazione ☐ **ion exchange**, scambio ionico (o di ioni) ☐ (elet-

tron.) **ion trap**, trappola ionica.

Ionian /aɪˈəʊnɪən/ **A** a. (*geogr.*) ionio; ionico: **the I. Sea**, il Mar Ionio; **the I. Islands**, le Isole Ionie **B** n. (*stor.*) abitante della Ionia.

Ionic /aɪˈɒnɪk/ **A** a. (*stor., archit.*) ionico: **I. dialect** [**order**], dialetto [ordine] ionico **B** n. (*poesia*) ionico; verso ionico.

ionic /aɪˈɒnɪk/ a. (*fis.*) ionico: **i. charge**, carica ionica.

ionium /aɪˈəʊnɪəm/ n. ⓤ (*chim.*) ionio.

to **ionize** /ˈaɪənaɪz/ (*fis.*) **A** v. t. ionizzare **B** v. i. subire la ionizzazione; mutarsi in ioni || **ionization** n. ⓤ ionizzazione: **ionization chamber**, camera di ionizzazione.

ionizer /ˈaɪənaɪzə(r)/ n. ionizzatore; purificatore d'aria.

ionizing /ˈaɪənaɪzɪŋ/ a. (*chim., fis.*) ionizzante: **i. radiation**, radiazione ionizzante.

ionophoresis /aɪɒnəfəˈriːsɪs/ n. ⓤ (*med.*) ionoforesi.

ionosonde /aɪˈɒnəsɒnd/ n. (*astron.*) ionosonda.

ionosphere /aɪˈɒnəsfɪə(r)/ n. (*scient.*) ⓤ ionosfera || **ionospheric** a. ionosferico.

iota /aɪˈəʊtə/ n. **1** iota (*nona lettera dell'alfabeto greco*) **2** (*fig.*) ette, briciolo: *There's not an i. of truth in what he says*, non c'è un briciolo di verità in ciò che dice.

iotacism /aɪˈəʊtəsɪzəm/ n. ⓤ (*ling.*) iotacismo.

IOU /ˈaɪəʊˈjuː/ n. (abbr. di **I owe you**) (*comm.*) riconoscimento scritto di un debito.

IOW sigla (anche **I of W**) (**Isle of Wight**) Isola di Wight.

IP sigla **1** (*comput.*, **internet protocol**) protocollo internet **2** (**intellectual property**) proprietà intellettuale.

IPA sigla (**International Phonetic Alphabet**) alfabeto fonetico internazionale.

ipecacuanha /ɪpɪkækjuˈænə/ n. (*bot.*, *Cephaelis ipecacuanha*; *med.*) ipecacuana.

Iphigenia /ɪfɪdʒɪˈnaɪə, aɪ-/ n. (*mitol.*) Ifigenia.

IPO sigla (*comm.*, **initial public offering**) offerta iniziale al pubblico (*di titoli azionari*).

iPod ® /ˈaɪpɒd/ n. (*comput.*) iPod (*dispositivo per la fruizione di contenuti audio-video*).

ipomoea /ɪpəˈmɪə/ n. (*bot.*, *Ipomoea*) ipomea.

IPPF sigla (**International Planned Parenthood Federation**) Federazione mondiale per la pianificazione famigliare.

ipso facto /ˈɪpsəʊˈfæktəʊ/ (*lat.*) loc. avv. ipso facto; per il fatto stesso; di per sé.

IQ sigla (*psic.*, **intelligence quotient**) quoziente d'intelligenza (QI).

IR sigla (**infrared**) infrarosso.

Ir. abbr. **1** (**Ireland**) Irlanda **2** (**Irish**) irlandese.

IRA sigla **1** (*USA*, **individual retirement account**) conto previdenziale individuale **2** (**Irish Republican Army**) Esercito repubblicano irlandese.

Iranian /ɪˈreɪnɪən/ **A** a. iraniano; persiano **B** n. **1** iraniano; iranico; persiano **2** ⓤ iraniano, iranico (*la lingua*).

Iraq /ɪˈrɑːk, -æk/ n. (*geogr.*) Iraq; Irak.

Iraqi /ɪˈrɑːkɪ/ **A** a. iracheno **B** n. **1** ⓤ iracheno **2** ⓤ iracheno (*la lingua*).

irascible /ɪˈræsəbl/ a. irascibile; irritabile || **irascibility** n. ⓤ irascibilità; irritabilità || **irascibly** avv. irascibilmente.

irate /aɪˈreɪt/ a. **1** irato; adirato **2** furibondo; furente; furioso: **an i. customer**, un cliente furibondo | **-ly** avv.

IRBM sigla (*mil.*, **intermediate range ballistic missile**) missile balistico di media portata.

IRC sigla (*comput.*, **internet relay chat**) sistema di conversazione in tempo reale su

internet.

ire /ˈaɪə(r)/ (*poet.*) n. ⓤ ira; corruccio; collera || **ireful** a. irato; adirato; corrucciato.

Ireland /ˈaɪələnd/ n. (*geogr.*) Irlanda

❶ CULTURA • **Ireland**: *l'Irlanda (Eire in gaelico) si divide in quattro regioni storiche: Munster, Leinster, Connacht e Ulster. L'Irlanda del Nord fa parte del Regno Unito e consiste in sei delle nove contee dell'Ulster, mentre il resto dell'isola costituisce la Repubblica d'Irlanda, nata nel 1937, con l'uscita dal Commonwealth del giovane Stato dichiarato indipendente nel 1922. La Repubblica d'Irlanda è a forte maggioranza cattolica, mentre nel nord sono in lieve maggioranza i protestanti.*

irenic /aɪˈriːnɪk/, **irenical** /aɪˈriːnɪkl/ a. (*lett.*) pacifico; favorevole alla pace.

irenics /aɪˈriːnɪks/ n. pl. (col verbo al sing.) (*relig.*) irenismo.

iridaceous /ɪrɪˈdeɪʃəs/ a. (*bot.*) della famiglia delle iridacee.

iridectomy /ɪrɪˈdektəmɪ/ n. ⓤⓒ (*med.*) iridectomia.

iridescent /ɪrɪˈdesnt/ a. iridescente; cangiante || **iridescence** n. ⓤ iridescenza.

iridium /ɪˈrɪdɪəm, aɪ-/ n. (*chim.*) iridio.

iridocyclitis /ɪrɪdəʊsɪˈklaɪtɪs/ n. ⓤ (*med.*) iridociclite.

iridocyte /ˈɪrɪdəʊsaɪt/ n. (*biol.*) iridocito.

iridology /ɪrɪˈdɒlədʒɪ/ (*med.*) n. ⓤ iridologia || **iridologist** n. iridologo.

iris /ˈaɪərɪs/ n. (pl. **irises**, **irides**) **1** (*meteor.*) iride; arcobaleno **2** (*anat.*) iride (*dell'occhio*) **3** (*bot.*, *Iris*) iris; ireos; giaggiolo; iride (non comune) ● (*fotogr.*) **i. diaphragm**, diaframma a iride.

Iris /ˈaɪərɪs/ n. (*mitol.*) Iride.

IRIS /ˈaɪrɪs/ sigla (*comput.*, **Internet Routing In Space**) IRIS (*sistema che consente l'impiego di Internet nello spazio*).

Irish /ˈaɪərɪʃ/ **A** a. irlandese: (*polit.*) **the I. question**, la questione irlandese **B** n. **1** ⓤ (lingua) irlandese **2** – (pl. collett.) **the I.**, gli irlandesi ● (*fam. USA*) **I. buggy**, carriola a **I. coffee**, Irish coffee; caffè con panna, corretto con whisky □ (*fam.*) **I. confetti**, mattoni (o sassi) lanciati durante una rissa □ (*stor.*) **the I. Free State**, lo Stato Libero d'Irlanda □ (*bot.*) **I. moss** (*Chondrus crispus*), musco d'Irlanda; fuco caraceo □ (*polit.*) **the I. Republican Army**, l'I.R.A. □ (*geogr.*) **the I. Sea**, il Mar d'Irlanda ● **I. setter** (*cane*), setter irlandese □ (*cucina*) **I. stew**, stufato (*di castrato, ecc.*) con cipolle e patate □ (*fam. antiq.*) **to get one's I. up**, farsi saltare la mosca al naso; perdere le staffe.

Irishman /ˈaɪərɪʃmən/ n. (pl. **Irishmen**) irlandese (*uomo*).

Irishwoman /ˈaɪərɪʃwʊmən/ n. (pl. **Irishwomen**) irlandese (*donna*).

iritis /aɪˈraɪtɪs/ n. ⓤ (*med.*) irite.

to **irk** /ˈɜːk/ v. t. (*fam.*) indispettire; infastidire; seccare; scocciare (*fam.*): *It irks me to do it again*, mi secca rifarlo.

irksome /ˈɜːksəm/ a. fastidioso; increscioso; seccante; scocciante (*fam.*) | **-ly** avv. | **-ness** n. ⓤ.

♦ **iron** /ˈaɪən/ **A** n. **1** ⓤ (anche fig.) ferro: *I. is heavier than aluminium*, il ferro è più pesante dell'alluminio; **wrought i.**, ferro battuto; **as hard as i.**, duro come il ferro; **a man of i.**, un uomo di ferro (o inflessibile) **2** strumento di ferro; ferro da stiro: *Don't leave the i. on the table*, non lasciare il ferro (da stiro) sul tavolo! **3** (pl.) ferri; catene; ceppi: **to be put in irons**, esser messo ai ferri (o in catene) **4** (*golf*) ferro **5** ⓤ (*med.*) ricostituente a base di ferro **6** staffa (*per cavalcare*) **7** (pl.) (*med.*) stecche di metallo (*per un arto fratturato*) **8** (*slang USA*) pistola; rivoltella **9** (*slang USA*) automobile; motocicletta **10** (*slang USA*) → **hardware B** a. attr. **1** di ferro (*anche fig.*); ferreo; forte; du-

ro; tenace; spietato: **an i. ring**, un anello di ferro; **i. gates**, cancelli di ferro; **an i. crown**, una corona ferrea; **an i. constitution**, una salute di ferro **2** color ferro; ferrigno **3** ferruginoso **4** (*di suono*) metallico ● **the I. Age**, l'età del ferro □ **i.-and-steel industry**, industria siderurgica □ (*bot.*) **i.-bark**, tipo di eucalipto australiano che fornisce legname da costruzione □ **i.-bound**, cerchiato di ferro; (*di costa*) chiusa da scogli; (*fig.*) inflessibile, rigoroso, severo □ (*fig., stor.*) **the i. curtain**, la cortina di ferro □ (*fig.*) **the i. fist** (o **hand**) **in the velvet glove**, pugno di ferro in guanto di velluto □ **i. foundry**, fonderia di ghisa □ **i. grey**, (color) grigio ferro □ **i.-handed**, inflessibile; rigoroso; severo □ **i.-hearted**, crudele; spietato □ (*slang ingl., spreg.*) **i. hoof**, finocchio; frocio □ (*fig. fam. arc.*) **i. horse**, cavallo d'acciaio; bicicletta; locomotiva a vapore □ (*fam. USA*) **i. house**, carcere; prigione □ (*stor.*) **the I. Lady**, la Signora di Ferro (*Margaret Thatcher*) □ **i.-like**, simile al ferro □ (*med.*) **i. lung**, polmone d'acciaio □ (*stor.*) **i. maiden**, vergine di Norimberga (*strumento di tortura*) □ **i. man**, (*fam.*) tipo instancabile; automa, robot; (*slang USA*) dollaro (*spec. d'argento*) □ **i. metallurgy**, siderurgia □ **i. mould**, macchia di ruggine □ **i. ore**, minerale di ferro □ (*slang USA*) **i. pumper**, sollevatore di pesi; pesista □ (*mil.*: *un tempo*) **i. rations**, razioni d'emergenza; viveri di riserva □ (*ind. costr.*) **i. rod**, ferro tondo; tondino □ **i. will**, volontà di ferro □ **i. wire**, fil di ferro □ (*ind.*) **i. worker**, (operaio) siderurgico □ **i. working**, siderurgia □ (*fig.*) **to have too many** (o **several**) **irons in the fire**, avere troppa carne al fuoco (*fig.*) □ **to rule with a rod of i.**, governare con mano (o con pugno) di ferro □ (*prov.*) **to strike while the i. is hot**, battere il ferro finché è caldo.

to **iron** /ˈaɪən/ **A** v. t. **1** stirare: *to i. a shirt*, stirare una camicia **2** munire di ferro; rivestire di ferro **3** (*raro*) mettere (q.) ai ferri **B** v. i. (*di panni*) stirarsi (bene, male, ecc.) ● **to i. out**, togliere, eliminare col ferro (*da stiro*: *pieghe, ecc.*); (*fig.*) eliminare, appianare (*divergenze, ecc.*); (*slang USA*) stendere (*fig. fam.*), ammazzare (*con un'arma da fuoco*): **to i. out difficulties**, appianare (o eliminare) le difficoltà.

ironclad /ˈaɪənklæd/ **A** a. **1** rivestito di ferro; corazzato **2** (*fig.*) inflessibile; rigido **3** (*fig.*) sicuro; inoppugnabile **B** n. (*marina mil.*) corazzata.

ironer /ˈaɪənə(r)/ n. stiratore, stiratrice.

ironheaded /ˈaɪənˈhedɪd/ a. **1** con la testa (o la punta) di ferro **2** (*fig.*) deciso; risoluto; determinato.

ironic /aɪˈrɒnɪk/, **ironical** /aɪˈrɒnɪkl/ a. ironico; che fa dell'ironia: **an i. question**, una domanda ironica; **an i. teacher**, un insegnante che fa dell'ironia || **ironically** avv. **1** ironicamente; con ironia; con tono ironico **2** per ironia della sorte; la cosa ironica è che; ironia vuole che.

ironing /ˈaɪənɪŋ/ n. ⓤ **1** stiratura **2** panni stirati (o da stirare) ● **i. board**, asse da stiro □ **i. room**, stireria (*la stanza*) □ **i. shop**, stireria (*il locale*) □ **to do the i.**, stirare.

ironist /ˈaɪərənɪst/ n. ironista (*lett.*).

ironless /ˈaɪənləs/ a. privo di ferro; che non contiene ferro.

ironmaster /ˈaɪənmɑːstə(r)/ n. padrone di ferriera (o di fonderia).

ironmonger /ˈaɪənmʌŋɡə(r)/ n. commerciante di ferramenta ● **i.'s**, ferramenta (*il negozio*) || **ironmongery** n. ⓤⓒ (negozio di) ferramenta; ferraccia.

ironside /ˈaɪənsaɪd/ n. **1** (*arc.*) uomo assai coraggioso **2** (pl.) (col verbo al sing.) (*naut., raro*) corazzata ● (*stor.*) **the Ironsides**, i cavallieri di Oliver Cromwell.

ironstone /'aɪənstəʊn/ n. ⓤ **1** minerale di ferro **2** (= **i. china**) porcellana dura.

ironware /'aɪənwɛə(r)/ n. ⓤ ferramenta.

ironwood /'aɪənwʊd/ n. legno ferro.

ironwork /'aɪənwɜːk/ n. ⓤ **1** lavoro in ferro; ferro battuto **2** ferrame; oggetti di ferro.

ironworker /'aɪənwɜːkə(r)/ n. (operaio) siderurgico.

ironworks /'aɪənwɜːks/ n. pl. (anche col verbo al sing.) ferriera.

irony ① /'aɪərənɪ/ n. ironia: **an i. of life**, un'ironia della vita; (filos.) *Socratic i.*, ironia socratica.

irony ② /'aɪənɪ/ a. di ferro; simile a ferro; ferreo; ferrigno.

Iroquoian /ɪrə'kwɔɪən/ A a. irochese B n. **1** irochese **2** ⓤ irochese (la lingua).

Iroquois /'ɪrəkwɔɪ/ → **Iroquoian**.

irradiance /ɪ'reɪdɪəns/ n. ⓤ (fis.) irradiazione; irraggiamento.

irradiant /ɪ'reɪdɪənt/ a. radiante; raggiante; splendente.

to irradiate /ɪ'reɪdɪeɪt/ v. t. **1** (anche fis., med.) irradiare; irraggiare; sottoporre (o esporre) a radiazioni **2** irradiare; esser raggiante di: **to i. happiness**, esser raggiante di felicità **3** (fig.) illuminare; chiarire; far luce su (un argomento, ecc.).

irradiation /ɪreɪdɪ'eɪʃn/ n. ⓤⓒ **1** (anche fis., med.) irradiazione; irradiamento; irraggiamento **2** esposizione a radiazioni **3** (fig.) l'essere illuminato; illuminazione (fig.).

irradiative /ɪ'reɪdɪətɪv/ a. (fis., med.) irradiante.

irradiator /ɪ'reɪdɪeɪtə(r)/ n. irradiatore.

irrational /ɪ'ræʃənl/ a. irrazionale (anche mat.); irragionevole: **i. number**, numero irrazionale; **i. suspicions**, sospetti irragionevoli B n. (mat.) irrazionale || **i-rationality** n. ⓤ irrazionalità; irragionevolezza || **irrationally** avv. irrazionalmente.

irrationalism /ɪ'ræʃənəlɪzəm/ (filos.) n. ⓤ irrazionalismo || **irrationalist** A n. irrazionalista B a. irrazionalistico.

irrealizable /ɪ'rɪəlaɪzəbl/ a. irrealizzabile; inattuabile.

irreclaimable /ɪrɪ'kleɪməbl/ a. **1** irrimediabile; irrecuperabile; incorreggibile **2** (di terreno, ecc.) non bonificabile; non prosciugabile.

irrecognizable /ɪ'rekəgnaɪzəbl/ a. irriconoscibile.

irreconcilability /ɪrekənsaɪlə'bɪlətɪ/ n. ⓤ irreconciliabilità; inconciliabilità; incompatibilità.

irreconcilable /ɪrekən'saɪləbl/ A a. irreconciliabile; inconciliabile; incompatibile: **i. enemies**, nemici irreconciliabili (o implacabili); **i. ideas**, idee inconciliabili B n. (polit.) intransigente | **-bly** avv.

irrecoverability /ɪrɪkʌvərə'bɪlətɪ/ n. ⓤ **1** irrecuperabilità; irreparabilità **2** inesigibilità (di un credito).

irrecoverable /ɪrɪ'kʌvərəbl/ a. **1** irrecuperabile; irreparabile; irrimediabile: **i. losses**, perdite irreparabili **2** (di credito) inesigibile | **-ness** n. ⓤ | **-bly** avv.

irrecusable /ɪrɪ'kjuːzəbl/ a. irrecusabile.

irredeemability /ɪrɪdiːmə'bɪlətɪ/ n. ⓤ **1** (anche fin.) irredimibilità **2** irrecuperabilità; irrimediabilità.

irredeemable /ɪrɪ'diːməbl/ A a. **1** (anche fin.) irredimibile; (di cartamoneta) non convertibile: **i. debenture**, obbligazione irredimibile **2** incorreggibile: **an i. sinner**, un peccatore incorreggibile **3** irreparabile; irrimediabile: **an i. loss**, una perdita irreparabile B n. pl. (fin.) obbligazioni irredimibili ● **i. bond**, cartella di rendita | **-bly** avv.

irredentist /ɪrɪ'dentɪst/ (stor., polit.) A n.

irredentista B a. irredentistico || **irredentism** n. ⓤ irredentismo.

irreducible /ɪrɪ'djuːsəbl, USA -duː-/ (anche mat., med.) a. irriducibile || **irreducibility** n. ⓤ irriducibilità || **irreducibly** avv. irriducibilmente.

irrefragable /ɪ'refrəgəbl/ a. irrefragabile; inoppugnabile.

irrefrangible /ɪrɪ'frændʒəbl/ a. **1** infrangibile; inviolabile **2** (fis.) non rifrangibile.

irrefutable /ɪ'refjuːtəbl, ɪ'ref-/ a. irrefutabile ● (leg.) **i. evidence**, prova certa □ (leg.) **i. presumption**, presunzione assoluta || **irrefutability** n. ⓤ irrefutabilità || **irrefutably** avv. irrefutabilmente.

♦**irregular** /ɪ'regjʊlə(r)/ A a. **1** irregolare (anche gramm.); disuguale; inuguale; discontinuo: **an i. verb**, un verbo irregolare; **an i. surface**, una superficie irregolare (o inuguale); **i. payments**, pagamenti irregolari; **i. troops**, milizie irregolari **2** disordinato; sregolato; sconveniente; scorretto: **i. conduct**, condotta sregolata; **an i. practice**, una prassi scorretta **3** (leg.) irregolare: **i. procedure**, procedura irregolare **4** (anche sport) non regolamentare: **an i. bat**, una mazza non regolamentare B n. **1** cosa irregolare **2** persona sregolata **3** (pl.) milizie irregolari ● (demogr.) **i. fluctuation**, variazione erratica (market.) **i. goods**, merci fallate □ **to be i. in one's attendance at school**, frequentare la scuola in modo irregolare (o saltuario) □ **an i. worker**, un lavoratore saltuario.

irregularity /ɪregjʊ'lærətɪ/ n. **1** irregolarità; ineguaglianza; discontinuità: **the irregularities in business accounts**, le irregolarità dei conti aziendali **2** disordine; sregolatezza; sconvenienza: **irregularities in conduct**, sconvenienze di comportamento; condotta sregolata.

irregularly /ɪ'regjʊləlɪ/ avv. irregolarmente.

irrelative /ɪ'relətɪv/ a. **1** irrelato; non collegato; non connesso **2** (raro) → **irrelevant**, def. 1.

irrelevance /ɪ'reləvəns/ n. **1** ⓤ non pertinenza; estraneità; irrilevanza **2** domanda (osservazione, fatto, ecc.) non pertinente **3** ⓤ mancanza d'attualità; inattualità.

irrelevancy /ɪ'reləvənsɪ/ n. domanda (osservazione, fatto, ecc.) non pertinente; cosa di nessuna importanza.

irrelevant /ɪ'reləvənt/ a. **1** non pertinente; estraneo; irrilevante: **i. questions**, domande non pertinenti; *Your remarks are i. to the debate*, le tue osservazioni non sono pertinenti con (o sono estranee alla) discussione **2** di nessuna importanza (per q. o qc.); di nessun interesse **3** non attuale; inattuale ● (leg.) **i. evidence**, prova irrilevante (non è ammissibile) | **-ly** avv.

irreligion /ɪrɪ'lɪdʒn/ n. ⓤ irreligione.

irreligious /ɪrɪ'lɪdʒəs/ a. **1** irreligioso **2** antireligioso | **-ly** avv. | **-ness** n. ⓤ.

irremediable /ɪrɪ'miːdɪəbl/ a. irrimediabile; irreparabile | **-bly** avv.

irremissible /ɪrɪ'mɪsəbl/ a. **1** irremissibile; imperdonabile: **i. sin**, peccato irremissibile **2** obbligatorio; inderogabile.

irremovability /ɪrɪmuːvə'bɪlətɪ/ n. ⓤ **1** irremovibilità **2** inamovibilità.

irremovable /ɪrɪ'muːvəbl/ a. **1** irremovibile; che non si può rimuovere; che non si può eliminare **2** inamovibile | **-bly** avv.

irreparable /ɪ'repərəbl/ a. irreparabile; irrimediabile || **irreparability** n. ⓤ irreparabilità || **irreparably** avv. irreparabilmente.

irrepealable /ɪrɪ'piːləbl/ a. (leg., polit.) inabrogabile; irrevocabile.

irreplaceable /ɪrɪ'pleɪsəbl/ a. insostitui-

bile.

irrepressibility /ɪrɪpresə'bɪlətɪ/ n. ⓤ irreprimibilità; irrefrenabilità.

irrepressible /ɪrɪ'presəbl/ A a. **1** irrefrenabile; irreprimibile: **i. laughter**, una risata irrefrenabile **2** (rif. a persona) esuberante B n. (fam.) persona che non si può tenere a freno ● **an i. talker**, uno che non la smette mai di parlare | **-bly** avv.

irreproachable /ɪrɪ'prəʊtʃəbl/ a. irreprensibile; ineccepibile; inappuntabile || **irreproachability** n. ⓤ irreprensibilità; ineccepibilità || **irreproachably** avv. irreprensibilmente; ineccepibilmente.

irresistible /ɪrɪ'zɪstəbl/ a. irresistibile; irrefrenabile; incontenibile; (fig.) affascinante || **irresistibility** n. ⓤ irresistibilità || **irresistibly** avv. irresistibilmente.

irresoluble /ɪ'rezələbl/ a. **1** (di una sostanza) insolubile **2** (fig.: di un problema, ecc.) irresolubile; insolubile.

irresolute /ɪ'rezəluːt/ a. irresoluto: esitante; incerto; indeciso | **-ly** avv. | **-ness** n. ⓤ.

irresolution /ɪrezə'luːʃn/ n. ⓤ irresolutezza; irresoluzione; esitazione; incertezza; indecisione.

irresolvable /ɪrɪ'zɒlvəbl/ a. **1** irresolubile; insolubile **2** indissolubile; non separabile.

irrespective /ɪrɪ'spektɪv/ A a. (soltanto nella loc. avv.) – **i. of**, astraendo da; prescindendo da; senza curarsi di; a prescindere da; senza riguardo a: *We will hire the most qualified candidate, i. of age*, assumeremo il candidato più qualificato, a prescindere dall'età B a. (fam.) senza badare a nulla; senza curarsi di nessuno.

irrespectively /ɪrɪ'spektɪvlɪ/ avv. → **irrespective**, B.

irrespirable /ɪ'respɪrəbl/ a. irrespirabile.

irresponsible /ɪrɪ'spɒnsəbl/ a. irresponsabile; avventato; incosciente || **irresponsibility** n. ⓤ irresponsabilità; avventatezza; incoscienza || **irresponsibly** avv. irresponsabilmente; avventatamente; incoscientemente.

irresponsive /ɪrɪ'spɒnsɪv/ a. **1** che non risponde; che non reagisce; refrattario (fig.) **2** indifferente; insensibile | **-ness** n. ⓤ.

irretrievable /ɪrɪ'triːvəbl/ a. **1** irrecuperabile **2** irreparabile: **an i. loss**, una perdita irreparabile || **irretrievability** n. ⓤ **1** irrecuperabilità **2** irreparabilità || **irretrievably** avv. **1** irrecuperabilmente **2** irreparabilmente.

irreverence /ɪ'revərəns/ n. ⓤⓒ irriverenza; empietà; insolenza.

irreverent /ɪ'revərənt/ a. irriverente; empio; insolente | **-ly** avv.

irreverential /ɪrevə'renʃl/ a. irriverente.

irreversible /ɪrɪ'vɜːsəbl/ a. **1** inabrogabile; irrevocabile **2** (scient., tecn.) irreversibile || **irreversibility** n. **1** l'essere inabrogabile; irrevocabilità **2** (scient., tecn.) irreversibilità || **irreversibly** avv. **1** irrevocabilmente **2** (scient., tecn.) irreversibilmente.

irrevocable /ɪ'revəkəbl/ a. irrevocabile; immutabile: **an i. decision**, una decisione irrevocabile; (leg.) **i. offer**, offerta irrevocabile ● (fin.) **i. credit**, credito irrevocabile || **irrevocability** n. ⓤ irrevocabilità || **irrevocably** avv. irrevocabilmente.

irrigable /'ɪrɪgəbl/ a. irrigabile; irriguo.

to irrigate /'ɪrɪgeɪt/ v. t. **1** (agric., med.) irrigare: **to i. the fields [a wound]**, irrigare i campi [una ferita] **2** (fig.) bagnare; irrorare.

irrigation /ɪrɪ'geɪʃn/ A n. ⓤ (agric., med.) irrigazione; irrigamento B a. attr. **1** d'irri-

gazione: **i. canal**, canale d'irrigazione **2** (*agric.*) irriguo.

irrigator /'ɪrɪgeɪtə(r)/ n. (*agric.*, *med.*) irrigatore.

irrigatory /'ɪrɪgətərɪ/ a. irrigatorio; irrigatore (agg.).

irritable /'ɪrɪtəbl/ a. irritabile (*anche med.*); irascibile ‖ **irritability** n. ⊍ irritabilità; irascibilità ‖ **irritably** avv. irascibilmente.

irritant① /'ɪrɪtənt/ ☒ a. irritante; fastidioso ☒ n. (*med.*) sostanza irritante ‖ **irritancy**① n. ⊍ irritazione; irritamento; fastidio.

irritant② /'ɪrɪtənt/ (*leg.*) a. (*non in Inghilterra*) che rende irrito; invalidante: **i. clause**, clausola invalidante ‖ **irritancy**② n. ⊍ (*in Italia, Francia, Scozia, ecc.*) invalidazione; annullamento.

to **irritate**① /'ɪrɪteɪt/ v. t. irritare; eccitare; stuzzicare: *The smoke irritated my throat*, il fumo m'irritò la gola.

to **irritate**② /'ɪrɪteɪt/ v. t. (*leg.*) (*non in Inghilterra*) rendere irrito; invalidare.

irritating /'ɪrɪteɪtɪŋ/ a. irritante | **-ly** avv.

irritation /ɪrɪ'teɪʃn/ n. **1** ⊍ irritazione; eccitazione **2** cosa che irrita; fonte d'irritazione; fastidio; seccatura.

irritative /'ɪrɪteɪtɪv/ a. **1** (*med.*) irritativo **2** irritante.

irrotational /ɪrəʊ'teɪʃnəl/ a. (*scient.*) irrotazionale: (*geol.*) **i. strain**, deformazione irrotazionale; (*mecc. dei fluidi*) **i. flow**, corrente irrotazionale.

to **irrupt** /ɪ'rʌpt/ v. i. irrompere; fare irruzione ‖ **irruption** n. irruzione; incursione; scorreria.

IRS /aɪɑːr'ɛs/ n. (acronimo di **Internal Revenue Service**) (*fisc.*, *USA*) il fisco: **an IRS agent**, un funzionario del fisco; un agente delle imposte (*fam.*: delle tasse).

◆**is** /ɪz, z, s/ 3ª pers. sing. del pres. indic. di to **be**.

ISA sigla **1** (*GB*, **individual savings account**) conto di risparmio personale **2** (*comput.*, **industry standard architecture**) architettura standard di settore **3** (*autom.*, **Intelligent Speed Adaptation**) limitatore di velocità; ISA (*sistema di controllo intelligente della velocità*).

Isaac /'aɪzək/ n. Isacco.

Isabel /'ɪzəbɛl/, **Isabella** /ɪzə'bɛlə/ ☒ n. Isabella ☒ **i.** n. ⊍ e a. (color) isabella; giallo lionato ● **Isabella grapes**, uva americana; uva fragola.

Isabelline /ɪzə'bɛlaɪn/ a. isabellino; color isabella; giallo lionato.

isagoge /'aɪsəgəʊdʒɪ/ n. isagoge (*lett.*); introduzione ‖ **isagogic** a. isagogico (*lett.*); introduttivo ‖ **isagogics** n. pl. (col verbo al sing.) scritti (o studi) isagogici.

Isaiah /aɪ'zaɪə/ n. (*Bibbia*) Isaia.

isatin /'aɪsətɪn/ n. ⊍ (*chim.*) isatina.

ISBN sigla (**International Standard Book Number**) Codice standard internazionale per i libri.

Iscariot /ɪ'skærɪət/ n. (Giuda) Iscariota; (*fig.*) traditore.

ischaemia, (*USA*) **ischemia** /ɪ'skiːmɪə/ (*med.*) n. ⊍ ischemia ‖ **ischemic** a. ischemico.

ischemia /ɪ'skiːmɪə/ e deriv. (*USA*) → **ischaemia** e deriv.

ischialgia /ɪskɪ'ældʒə/ n. ⊍ (*med.*) ischialgia.

ischium /'ɪskɪəm/ (*anat.*) n. (pl. *ischia*) ischio ‖ **ischiatic** a. ischiatico ‖ **ischial** a. (*med.*) ischiatico; sciatico.

ISDN sigla (*telef.*, **integrated services digital network**) rete numerica integrata nei servizi.

Ise, **I'se** /aɪz/ contraz. *arc* o *dial.* di **I shall**.

-ise suff. -izzare.

🟡 NOTA: *-ise o -ize?*

I verbi che finiscono in *-ize* si possono quasi sempre scrivere anche con la desinenza *-ise*: *criticize/criticise*; *realize/realise*; *recognize/recognise*; *organize/organise*; ecc. Nell'inglese britannico si preferisce *-ise*, mentre nell'inglese americano e internazionale si usa quasi esclusivamente *-ize*. A prescindere dal modo in cui si scrivono questi verbi e i loro derivati (*-ization*, *-izable*, *-izing*), è essenziale essere coerenti e usare una sola grafia all'interno di uno scritto. Ci sono tuttavia delle eccezioni. *To capsize* è l'unico verbo, oltre a quelli monosillabici, che termina esclusivamente in *-ize*; cioè che non si può mai scrivere con *-ise*. Inoltre, ci sono diversi verbi in che non si possono scrivere in *-ize*; i più comuni sono *to advertise, to advise, to chastise, to circumcise, to comprise, to compromise, to despise, to devise, to enfranchise, to excise, to exercise, to franchise, to improvise, to merchandise, to supervise, to surmise, to surprise* e *to televise*.

isentropic /aɪsen'trɒpɪk/ a. (*fis.*, *meteor.*) isoentropico; isentropico.

Iseult /iː'zuːlt/ n. Isotta, Isolda.

ish /ɪʃ/ inter. (*slang*) (*in risposta a una domanda*) più o meno; grosso modo: «**Are you from round here?**» «**Ish**», «abiti qui vicino?» » «più o meno».

Ishmael /'ɪʃmeɪl/ n. (*Bibbia*) Ismaele; (*fig.*) reietto, paria ‖ **Ishmaelite** n. (*relig.*) ismaelita.

Isidore, **Isidor** /'ɪzɪdɔː(r)/ n. Isidoro.

isinglass /'aɪzɪŋglɑːs/ n. ⊍ **1** gelatina (o colla) di pesce; ittiocolla **2** (*miner.*) mica.

Isis /'aɪsɪs/ n. (*mitol.*) Iside.

◆**Islam** /'ɪzlɑːm, -'lɑːm/ n. Islam; islamismo; (il) mondo islamico ‖ **Islamism** n. ⊍ islamismo ‖ **Islamist** n. **1** islamista **2** islamita.

◆**Islamic** /ɪz'læmɪk/ a. islamico.

to **Islamicize** /ɪz'læmɪsaɪz/ v. t. e deriv. → to **Islamize**, e deriv.

to **Islamize** /'ɪzləmaɪz/ v. t. islamizzare ‖ **Islamization** n. ⊍ islamizzazione.

Islamofascism /ɪzlæmə'fæʃɪzm/ (*spreg.*) n. ⊍ islamofascismo ‖ **Islamofascist** a. n. islamofascista.

Islamophobia /ɪzlæmə'fəʊbɪə/ n. ⊍ islamofobia ‖ **Islamophobe** n. islamofobo ‖ **Islamophobic** a. islamofobo.

◆**island** /'aɪlənd/ n. **1** (*geogr.*, *naut.*, *anat.*; anche *fig.*) isola: **a floating i. of ice**, un'isola di ghiaccio fluttuante; (*anat.*) **islands of Langerhans**, isole di Langerhans (*nel pancreas*) **2** (*naut.*) ponte di comando (*di portaerei*); isola **3** (= **traffic i.**, *USA* **safety i.**) isola spartitraffico; salvagente (stradale) **4** (*ferr.*) marciapiede ● (*mil.*, *stor.*) **i.-hopping**, avanzata (*spec. nel Pacifico*) fatta occupando isole a una a una □ (*geogr.*, *polit.*) **i. state**, nazione insulare.

to **island** /'aɪlənd/ v. t. (*raro*) **1** trasformare in un'isola **2** (*fig.*) costellare; punteggiare **3** (*fig.*) isolare.

islander /'aɪləndə(r)/ n. isolano, isolana.

isle /aɪl/ n. (*poet.* o *nei toponimi*) isola; piccola isola: **the I. of Man**, l'isola di Man; **the Scilly Isles**, le isole Scilly.

islet /'aɪlɪt/ n. **1** isoletta; isolotto **2** (*anat.*) isola.

ism /'ɪzəm/ n. (*di solito*, *spreg.*) «ismo»; dottrina; sistema; teoria.

Ismaili /ɪsmɑː'iːlɪ/ n. (pl. *Ismailis*) (*relig.*) ismailita.

Ismailism /ɪzmɑː'iːlɪzəm/ n. ⊍ (*relig.*) ismailismo.

◆**isn't** /'ɪznt/ contraz. di **is not**.

ISO sigla (**International Organization for Standardization**) Organizzazione internazionale di normalizzazione.

isoamyl /aɪsəʊ'æmɪl/ n. ⊍ (*chim.*) isoamile ● **i. alcohol**, alcol isoamilico.

isobar /'aɪsəbɑː(r)/ n. **1** (*meteor.*) (linea) isobara **2** (*fis. nucl.*) (nuclide) isobaro.

isobaric /aɪsə'bærɪk/ a. **1** (*meteor.*) isobarico: **i. chart**, carta isobarica **2** isobaro: **i. lines**, linee isobare; **i. expansion**, espansione isobara **3** (*fis. nucl.*) isobaro: **i. isotope**, isotopo isobaro.

isobath /'aɪsəʊbæθ/ n. (*meteor.*) isobata.

isobutane /aɪsə'bjuːteɪn/ n. ⊍ (*chim.*) isobutano.

isobutyl /aɪsəʊ'bjuːt(ə)ɪl/ n. (*chim.*) isobutile.

isobutylene /aɪsə'bjuːtɪliːn/ n. (*chim.*) isobutene.

isocheim /'aɪsəkaɪm/ (*meteor.*) n. (linea) isochimena.

isochore /'aɪsəkɔː(r)/ n. (*scient.*) n. isocora ‖ **isochoric** a. isocorico.

isochromatic /aɪsəkrəʊ'mætɪk/ a. (*fis.*, *fotogr.*) isocromatico.

isochron /'aɪsəkrɒn/ n. (*geogr.*) isocrona.

isochronism /aɪ'sɒkrənɪzəm/ n. (*fis.*, *mecc.*) isocronismo.

isochronous /aɪ'sɒkrənəs/ a. (*geogr.*, *fis.*) isocrono.

isoclinal /aɪsə'klaɪnl/ ☒ a. (*geol.*) isoclino: **i. lines**, linee isocline ☒ n. (linea) isoclina.

isocline /'aɪsəklaɪn/ n. **1** (*fis.*) isoclina **2** (*geol.*) isoclinale ‖ **isoclinic** a. (*geol.*) isoclino ● **isoclinic line**, isoclina.

isocost /'aɪsəʊkɒst/ n. (*econ.*) isocosto: **i. curve**, curva d'isocosto.

isocracy /aɪ'sɒkrəsɪ/ n. (*polit.*) isocrazia; democrazia diretta.

Isocrates /aɪ'sɒkrətiːz/ n. (*stor.*) Isocrate.

isocratic /aɪsə'krætɪk/ a. (*polit.*) isocratico.

isocyanic /aɪsəsaɪ'ænɪk/ (*chim.*) a. isocianico ‖ **isocyanate** n. ⊍ isocianato ● **isocyanate resin**, resina poliuretanica.

isodynamic /aɪsədaɪ'næmɪk/ a. (*fis.*, *geogr.*) isodinamico ● **i. line**, isodinamica.

isoflavone /aɪsə'fleɪvəʊn/ n. (*biochim.*) isoflavone.

isogamy /aɪ'sɒgəmɪ/ (*biol.*) n. ⊍ isogamia ‖ **isogamete** n. isogamete.

isogeotherm /aɪsə'dʒiːəʊθɜːm/ n. (*geol.*) isogeoterma.

isogloss /'aɪsəʊglɒs/ n. (*ling.*) isoglossa.

isogony /aɪ'sɒgənɪ/ n. ⊍ **1** (*geogr.*) isogonia **2** (*biol.*) isogonia; isogonismo ‖ **isogonic** ☒ a. **1** (*geom.*) isogonale **2** (*geogr.*) isogono: **isogonal lines**, linee isogone ☒ n. (*geogr.*) (linea) isogona.

isohyet /'aɪsəhaɪət/ n. (*meteor.*) isoieta.

isolable /'aɪsələbl/ a. isolabile.

to **isolate** /'aɪsəleɪt/ v. t. (*chim.*, *fis.*, *med.*, *ecc.*) isolare; separare: *Many towns have been isolated by the flood*, molti paesi sono rimasti isolati per l'alluvione; **to i. a patient** [**a virus**], isolare un malato [un virus] ● (*elettr.*) **isolating switch**, sezionatore.

◆**isolated** /'aɪsəleɪtɪd/ a. isolato (*in ogni senso*) ● **on one i. occasion**, in una sola occasione.

isolation /aɪsə'leɪʃn/ n. ⊍ isolamento; completa solitudine ● (*med.*) **i. ward**, reparto di isolamento.

isolationism /aɪsə'leɪʃənɪzəm/ (*polit.*) n. ⊍ isolazionismo ‖ **isolationist** ☒ n. isolazionista ☒ a. isolazionista; isolazionistico.

isolator /'aɪsəleɪtə(r)/ n. **1** chi isola **2** (*fis.*) isolante **3** (*elettr.*, *elettron.*) isolatore **4** (*mecc.*) antivibrante.

isomer /'aɪsəmə(r)/ (*chim.*) n. isomero ‖

isomeric a. isomerico; isomero: **isomeric compound**, composto isomero ‖ **isomerism** n. Ⓤ isomeria ‖ **isomerization** n. Ⓤ isomerizzazione.

isomerase /aɪˈsɒmɜreɪz/ n. (biochim.) isomerasi.

isometric /aɪsəˈmɛtrɪk/, **isometrical** /aɪsəˈmɛtrɪkl/ (geogr., mat., stat., ecc.) a. isometrico: **isometric projection**, proiezione isometrica; **isometric chart**, diagramma isometrico ‖ **isometry** n. Ⓤ isometria.

isometrics /aɪsəˈmɛtrɪks/ n. pl. (col verbo al sing.) ginnastica isometrica.

isomorphic /aɪsəˈmɔːfɪk/ (scient.) a. isomorfico ‖ **isomorphism** n. Ⓤ isomorfismo ‖ **isomorphous** a. isomorfo.

isonomy /aɪˈsɒnəmɪ/ n. Ⓤ (stor. greca e leg.) isonomia.

isooctane /aɪsəˈɒkteɪn/ n. Ⓤ (chim.) isoottano.

isopleth /ˈaɪsəplɛθ/ n. (geogr.) isopleta.

isopods /ˈaɪsəpɒdz/ n. pl. (zool., Isopoda) isopodi.

isoprene /ˈaɪsəpriːn/ n. Ⓤ (chim.) isoprene.

isoquant /ˈaɪsəkwɒnt/ n. (econ.) isoquanto.

isosceles /aɪˈsɒsɪliːz/ a. (geom.) isoscele: **i. triangle**, triangolo isoscele.

isoseismal /aɪsəˈsaɪzml/ (geol.) Ⓐ a. isosismico: **i. lines**, linee isosismiche Ⓑ n. (linea) isosismica ‖ **isoseismic** a. isosismico.

isospin /ˈaɪsəspɪn/ n. (fis.) spin isotopico; isospin.

isostasy, isostacy /aɪˈsɒstəsɪ/ (geol.) n. Ⓤ isostasia, isostasi ‖ **isostatic** a. isostatico.

isotactic /aɪsəˈtæktɪk/ a. (chim.) isotattico.

isothere /ˈaɪsəθɪə(r)/ n. (geogr.) isotera.

isotherm /ˈaɪsəθɜːm/ n. (meteor.) (linea) isoterma ‖ **isothermal** Ⓐ a. **1** (meteor.) isotermico: **isothermal lines**, linee isoterme **2** (fis.) isotermico Ⓑ n. (meteor.) isoterma.

isothermic /aɪsəˈθɜːmɪk/ a. (fis.) isotermico.

isotone /ˈaɪsətəʊn/ n. (fis. nucl.) isotono.

isotonic /aɪsəˈtɒnɪk/ (fisiol.) a. isotonico ‖ **isotonicity** n. Ⓤ isotonia.

isotope /ˈaɪsətəʊp/ (chim., fis.) n. isotopo: **radioactive isotopes**, isotopi radioattivi ‖ **isotopic** a. isotopico: **isotopic tracer**, tracciante isotopico; marcatore radioattivo ‖ **isotopy** n. Ⓤ isotopia.

isotropic /aɪsəˈtrɒpɪk/ (fis.) a. isotropo ‖ **isotropy** n. Ⓤ isotropia.

isotype /ˈaɪsətaɪp/ (chim.) n. isotipo.

iso-utility /aɪsəuˈjuːtɪlətɪ/ n. Ⓤ (econ.) iso-utilità; indifferenza.

ISP sigla (comput., **internet service provider**) fornitore di servizi internet (anche di accesso).

I-spy /ˈaɪˈspaɪ/ n. indovina-indovinello (gioco infantile).

Israel /ˈɪzreɪl/ n. (stor., geogr.) Israele (il popolo e lo Stato).

Israeli /ɪzˈreɪlɪ/ a. e n. (pl. **Israelis**) (abitante o nativo) d'Israele; israeliano.

Israelite /ˈɪzrəlaɪt/ n. e a. israelita ‖ **Israelitish** a. israelitico.

ISSN sigla (**International Standard Serial Number**) Codice standard internazionale per i periodici.

issuable /ˈɪʃuːəbl/ a. **1** emissibile (anche fin.) **2** pubblicabile **3** promulgabile **4** (leg.) che può essere oggetto di disputa legale.

issuance /ˈɪʃuːəns/ n. Ⓤ **1** rilascio; emissione **2** pubblicazione **3** promulgazione **4** fuoriuscita (di gas, di liquidi).

♦**issue** /ˈɪʃuː/ n. **1** Ⓤ uscita; fuoriuscita;

sbocco; perdita: **the point of i. of the visitors**, il punto d'uscita dei visitatori; **the i. of water from a radiator**, la fuoriuscita (o la perdita) d'acqua da un radiatore **2** Ⓤ emissione (anche fin.); distribuzione; consegna; rilascio: **the i. of new stamps**, l'emissione di nuovi francobolli; **the i. of overcoats to soldiers**, la distribuzione di cappotti ai soldati; **an i. of shares [bonds]**, un'emissione azionaria [di titoli]; (ass.) **the i. of a policy**, l'emissione di una polizza **3** Ⓤ pubblicazione; stampa; tiratura **4** edizione; copia; numero (di un giornale): **to receive free issues**, ricevere copie in omaggio (di una rivista, ecc.); **the April i. [the latest i.] of a magazine**, il numero d'aprile [l'ultimo numero] d'una rivista **5** (anche leg.) questione; problema: **to raise a new i.**, sollevare una nuova questione; **to debate an i.**, discutere un problema; **to argue political issues**, discutere questioni politiche; **i. of fact**, questione di fatto; **i. of law**, questione di diritto **6** controversia; discussione: **to be at i. with sb.**, essere in lite con q.; This is the matter [the point] at i., questa è la cosa [questo è il punto] in discussione **7** esito; conclusione; fine; risultato; termine: **to bring a matter to a successful i.**, portare a buon fine un affare; **the final i.**, il risultato finale **8** Ⓤ (leg.) discendenza; figliolanza; prole; figli: **to die without i.**, morire senza discendenza **9** (med.) scolo purulento **10** (geogr.) foce (di fiume) **11** Ⓤ Ⓒ (mil., ecc.) dotazione; equipaggiamento; fornitura ● (fin.) **i. expressed in dollars**, emissione in dollari □ (fin.) **the i. market**, il mercato delle emissioni □ **to dodge the real i.**, eludere il problema di fondo □ **to force the i.**, spingere a una conclusione □ **in the i.**, in fin dei conti; in conclusione; alla fine □ (form.) **to join** (o **take**) **i. with**, essere in disaccordo con.

to **issue** /ˈɪʃuː/ Ⓐ v. i. **1** uscire; venir fuori; scaturire; sgorgare: A lot of blood issued from the wound, sgorgava molto sangue dalla ferita **2** derivare; discendere; originare; aver origine; provenire: His failure issued from lack of preparation, il suo fallimento derivò dalla mancanza di preparazione **3** – **to i. in**, finire in; aver come conseguenza (o risultato) **4** (di giornale, ecc.) uscire; essere pubblicato (o messo in circolazione) Ⓑ v. t. **1** (anche fin.) emettere; rilasciare; distribuire; consegnare; dare: **to i. bank notes [stamps, shares]**, emettere banconote [francobolli, azioni]; (ass.) **to i. a policy**, emettere una polizza; **to i. tickets [a passport]**, rilasciare biglietti [un passaporto]; **to i. food and clothing to the soldiers**, distribuire viveri e vestiario ai soldati; **to i. strict orders**, dare o impartire, emettere) ordini severi **2** estrarre; tirare fuori: The referee issued two yellow cards, l'arbitro tirò fuori due cartellini gialli **3** pubblicare; mettere in circolazione: **to i. a newspaper**, pubblicare un giornale **4** (leg.) emanare; spiccare: **to i. a decree**, emanare un decreto; **to i. a warrant of arrest**, spiccare un mandato di cattura **5** (mil., ecc.) provvedere, fornire: **to i. policemen with crash helmets**, fornire ai poliziotti elmetti di protezione **6** (banca) emettere; staccare: **to i. a cheque**, staccare un assegno; **to i. a bill of exchange**, emettere una cambiale; spiccare una tratta ● (mil.) **to i. soldiers with ammunition**, distribuire le munizioni ai soldati.

issued /ˈɪʃuːd/ a. (fin.) emesso: **i. capital**, capitale emesso.

issueless /ˈɪʃuːləs/ a. **1** inutile; vano **2** (leg.) senza prole; senza discendenti.

issuer /ˈɪʃuːə(r)/ n. **1** (fin.) emittente (di titoli, di lettera di credito) **2** chi pubblica (una rivista, ecc.).

issuing /ˈɪʃuːɪŋ/ n. Ⓤ Ⓒ uscita; emissione;

ecc. (→ **to issue**) ● (fin.) **i. bank**, banca emittente (di una lettera di credito) □ (fin.) **i. house**, società promotrice (finanziaria che si occupa del lancio di società per azioni).

isthmian /ˈɪsθmɪən/ Ⓐ a. istmico: (stor. greca) **i. games**, giochi istmici Ⓑ n. abitante di un istmo.

isthmus /ˈɪsməs/ n. (pl. **isthmuses**, **isthmi**) istmo: (geogr.) **the i. of Panama**, l'istmo di Panama; (anat.) **the i. of the thyroid**, l'istmo tiroideo.

istle /ˈɪstlɪ/ n. istle, ixtle (fibra ricavata da un'agave messicana).

Istrian /ˈɪstrɪən/ a. e n. (abitante) dell'Istria; istriano.

♦**it** ① /ɪt, ət/ Ⓐ pron. neutro 3ᵃ pers. sing. (sogg. e compl.) **1** esso, essa; lo, la (più spesso è idiom. e non ha equivalente in italiano): I don't want it, non lo voglio (un oggetto, un animale qualsiasi); I don't want to do it, non voglio farlo; Who is it?, chi è?; chi bussa?; It's me, sono io; It's John, è John; «Who's scratching the door?» «It's the dog», «chi è che gratta all'uscio?» «è il cane»; I like that picture; it is beautiful, indeed, mi piace quel quadro; è davvero bellissimo; It's all right, va benissimo; sta bene così; (anche) non importa, non fa nulla; I've had enough of it, ne ho avuto abbastanza **2** (sogg. di verbo impers., anche passivo): It's raining, sta piovendo; It is winter, è inverno; It is getting cold, si sta facendo freddo; It is Easter Sunday, è la domenica di Pasqua; It's five o'clock, sono le cinque; It is forty miles to London, ci sono quaranta miglia di qui a Londra; I would go if it weren't for the expense, andrei, se non fosse per la spesa; It is said that few people were hurt in the earthquake, si dice che pochi siano rimasti feriti nel terremoto **3** (prolettico: introduce una frase) It's clear that he wants to go away, è chiaro che vuole andarsene; It's incredible that he should refuse, è incredibile che rifiuti; It is absurd talking (o to talk) like that, è ridicolo parlare così; I take it (that) you've heard the news, credo (o suppongo) che tu abbia sentito la novità; It was you that started it, sei stato tu a cominciare; It was a watch that I lost, quello che ho perso era un orologio; What is it you want?, che cosa o che diamine volete?; It was I (fam.: me) who said that, sono stato io a dirlo **4** (in loc. idiom. particolari, per es.:) **to catch it**, prenderle, buscarle; prendersi una sgridata; **to lord it over sb.**, spadroneggiare su q.; comandare q. a bacchetta; **to make it**, riuscire (in qc.); farcela; **to have done it**, averla fatta bella (o grossa); **to face it out**, affrontare qc. con coraggio; accettare le conseguenze di qc.; **to keep at it**, non mollare qc.; continuare a fare qc.; **to run for it**, correre (per prendere il treno, per salvarsi, ecc.) Ⓑ n. **1** (fam.) il non plus ultra; persona (o cosa) insuperabile; cannonata, schianto (fam.): You're really it when it comes to telling lies, quanto a dire bugie, sei veramente insuperabile **2** (fam. raro) un certo non so che; sex appeal; fascino: She has got it, quella donna è affascinante **3** (nei giochi infantili) chi «sta sotto» **4** (slang, raro) **to be with it**, essere alla moda, chic, à la page; pronto, sveglio, dritto (fig.) □ Go it!, dacci sotto!; forza! □ That's it!, basta (così)!; (anche) proprio così; così va bene, così si fa; (alla fine di una riunione, ecc.) è tutto!

❶ **NOTA: it's o its?**

Its è un aggettivo possessivo che si usa in riferimento a una cosa, un animale o un luogo: I like Sydney for its metropolitan qualities, mi piace Sydney per il suo cosmopolitismo. A volte in italiano non si traduce: The cat has hurt its leg, il gatto si è fatto male alla gamba. It's, invece, è la forma contratta di it is e it has: For what it's worth, here's what I

a b c d e f g h i j k l m n o p q r s t u v w x y z

think, per quel che vale, ecco quel che penso; *It's been very interesting hearing your news again*, è stato molto interessante avere di nuovo sue notizie. ❶ NOTA: *'s: apostrofo e caso possessivo* → **s'** ①.

it ② /ɪt/ n. (abbr. di **Italian vermouth**) (*fam.*) vermut italiano: **gin and it**, gin e vermut italiano.

IT sigla (*comput.*, **information technology**) tecnologia dell'informazione; informatica; *You'll have to get one of the IT technicians to put it right*, dovrai chiedere a uno dei tecnici informatici di metterlo a posto.

Italian /ɪˈtæljən/ Ⓐ a. italiano **n. 1** italiano **2** Ⓤ italiano (*la lingua*) ● **I.-American**, italoamericano □ (*cucina*) **I. dressing**, condimento all'italiana (*dell'insalata*); olio, aceto e sale □ **I. garden**, giardino all'italiana □ (*slang USA*) **I. sandwich**, sandwich lungo, variamente imbottito □ **I. style**, stile italiano; Italian style □ **I. warehouse** [**I. warehouseman**], negozio [negoziante] di alimentari importati dall'Italia (*olio d'oliva, frutta, ecc.*).

Italianate /ɪˈtæljəneɪt/ a. che imita gli italiani; italianato.

Italianism /ɪˈtæljənɪzəm/ n. **1** italianismo **2** Ⓤ italianità.

Italianist /ɪˈtæljənɪst/ n. italianista.

to **Italianize** /ɪˈtæljənaɪz/ Ⓐ v. t. italianizzare; rendere italiano Ⓑ v. i. **1** italianizzarsi **2** italianeggiare ‖ **Italianization** n. Ⓤ italianizzazione.

italic /ɪˈtælɪk/ (*tipogr.*) Ⓐ a. corsivo: **i. type**, carattere corsivo Ⓑ n. pl. corsivo: **in italics**, in corsivo.

Italic /ɪˈtælɪk/ a. **1** (*stor.*) italico: **i. peoples**, popolazioni italiche **2** (*ling.*) italico: **i. languages**, lingue italiche.

to **italicize** /ɪˈtælɪsaɪz/ Ⓐ v. t. **1** (*tipogr.*) stampare in corsivo **2** sottolineare (*scrivendo a mano o a macchina*) Ⓑ v. i. usare il corsivo ‖ **italicization** n. Ⓤ uso prevalente del corsivo.

Italiot /ɪˈtæljət/ n. e a. (*stor.*) italiota.

Italy /ˈɪtəlɪ/ Ⓐ n. (*geogr.*) Italia Ⓑ a. attr. (*sport*) dell'Italia; della nazionale italiana; azzurro.

ITC sigla (*GB*, **Independent Television Commission**) Commissione di controllo sulle televisioni private.

itch /ɪtʃ/ n. **1** prurito (*anche fig.*); pizzicore: **to have an i.**, avere il prurito **2** (*fig.*) desiderio smodato; smania; voglia: **to have an i. for glory** [**to travel**], avere un desiderio smodato di gloria [di viaggiare] **3** (*med.*) rogna; scabbia ● (*zool.*) **i. mite** (*Sarcoptes scabiei*), acaro della scabbia □ (*fig.*) **the seven-year i.**, la crisi del settimo anno (*in un matrimonio*).

to **itch** /ɪtʃ/ Ⓐ v. i. **1** prudere; pizzicare: *My hands i.*, mi prudono le mani; ho un prurito alle mani **2** avere il prurito **3** (*fig.*) avere una gran voglia; avere un desiderio sfrenato; non veder l'ora: *The whole family was itching to go on holiday*, tutta la famiglia non vedeva l'ora d'andare in vacanza Ⓑ v. t. dare il prurito a; far prudere ● **to i. with impatience**, fremere d'impazienza □ I was itching to get off, mi scottava la terra sotto i piedi (*fig.*).

itching palm /ˈɪtʃɪŋˈpɑːm/ loc. n. Ⓤ (*fig. fam.*) avidità; cupidigia ● **to have an itching palm**, essere avido di denaro.

itchy /ˈɪtʃɪ/ a. **1** che prude; che pizzica;

pruriginoso **2** che ha il prurito **3** simile al prurito ● (*fig.*) **to have i. feet**, smaniare dalla voglia di partire □ (*fam.*) **to have i. fingers**, avere le mani lunghe (*fig.*); essere un ladro □ **to be i. for st.**, avere una voglia matta di qc. ‖ **itchiness** n. Ⓤ **1** prurito; pizzicore **2** (*fig.*) nervosismo.

it'd /ˈɪtəd/ contraz. di: **1** it would **2** it had.

♦**item** ① /ˈaɪtəm/ n. **1** (*anche comm.*) articolo; particolare; voce (*d'elenco, bilancio commerciale, fattura, ecc.*); capo (d'abbigliamento): *How many items are you taking in?*, quanti capi prende con sé?; **the items of a catalogue**, le voci di un catalogo **2** (*teatr.*) numero (*d'un programma*) **3** (= news i.) notizia; informazione **4** (*comput. e ling.*) item; elemento; articolo **5** (*fam.*) – **to be an i.**, fare coppia fissa ● (*rag.*) **the items of a balance sheet**, le poste di un bilancio □ **an i. of clothing**, un capo di vestiario □ (*comput.*) **i. of data**, dato □ (*rag.*) **items for collection**, partite all'incasso □ (*fin.*) **i. of expenditure**, capo (*o* capitolo) di spesa □ **items on the agenda**, questioni (*o* punti) all'ordine del giorno.

item ② /ˈaɪtəm/ avv. (*nelle elencazioni*) parimenti; altresì; anche.

to **itemize** /ˈaɪtəmaɪz/ v. t. particolareggiare; specificare; scrivere (qc.) dando particolari: **an itemized account**, un conto particolareggiato; **to i. all expenses**, specificare tutte le spese ● (*rag.*) **itemized billing**, addebito (scritto) voce per voce.

iterance /ˈɪtərəns/ n. Ⓤ (*raro*) iterazione; ripetizione.

iterant /ˈɪtərənt/ a. iterativo; che si ripete.

to **iterate** /ˈɪtəreɪt/ v. t. iterare; reiterare; ripetere.

iteration /ɪtəˈreɪʃn/ n. Ⓤ iterazione; ripetizione.

iterative /ˈɪtərətɪv/ a. **1** iterativo **2** (*ling.*) iterativo; frequentativo **3** (*comput.*) iterativo.

ithyphallic /ɪθɪˈfælɪk/ Ⓐ a. itifallico; (*fig.*) lascivo, licenzioso Ⓑ n. **1** itifallo (*inno bacchico*) **2** (*fig.*) poema licenzioso.

itinerant /aɪˈtɪnərənt, ɪ-/ Ⓐ a. **1** ambulante; girovago: **i. musicians**, suonatori ambulanti **2** (*un tempo: di magistrato, predicatore, ecc.*) che si sposta (*o* viaggia) di luogo in luogo; itinerante Ⓑ n. **1** girovago **2** itinerante ● (*teatr.*) **i. company** (*o* **i. theatrical troupe**, compagnia di giro ‖ **itineracy**, **itinerancy** n. Ⓤ **1** l'essere ambulante, girovago **2** lo spostarsi (*o* il viaggiare) di luogo in luogo (*spec. come magistrato o predicatore*).

itinerary /aɪˈtɪnrərɪ, ɪ-/ Ⓐ n. **1** itinerario **2** (*tur.*) piano di viaggio; guida turistica **3** diario di viaggio Ⓑ a. itinerario (*raro*) di strade; di viaggi.

to **itinerate** /ɪˈtɪnəreɪt/ v. i. spostarsi (*o* viaggiare) di luogo in luogo (*spec., un tempo, di giudice o predicatore*).

it'll /ˈɪtl/ contraz. di: **1** it will **2** it shall.

♦**its** /ɪts, əts/ a. poss. neutro **1** suo, sua; suoi, sue: *Nature and its mysteries*, la natura e i suoi misteri **2** (idiom.) **The horse broke its leg**, il cavallo si ruppe una gamba ❶ NOTA: *it's o its?* → **it** ①.

it's /ɪts, əts/ contraz. di: **1** it is **2** it has.

♦**itself** /ɪtˈsɛlf/ pron. neutro 3ª pers. sing. **1** (rifl.) esso stesso, essa stessa; sé stesso, sé stessa, si: *The dog was scratching i.*, il cane si grattava **2** (enfat.) stesso, stessa: *The*

frame i. is a work of art, la cornice stessa è un'opera d'arte ● **(all) by i.**, da solo, da sola; da sé; isolato; senz'aiuto: *This machine works by i.*, questa macchina funziona da sola; *The tower stands by i.*, la torre è isolata □ **in i.**, in sé; in sé e per sé □ **of i.**, da solo, da sola; indipendentemente: *The light went out of i.*, la luce si spense da sola □ **She is kindness i.**, ella è la gentilezza fatta persona □ **The cat is not i. today**, il gatto non sta bene oggi.

itsy-bitsy /ˈɪtsɪˈbɪtsɪ/ a. (*fam.*) **1** piccolissimo; piccino; piccino picciò **2** spezzettato; sbriciolato (*fig.*).

itty-bitty /ˈɪtɪˈbɪtɪ/ → **itsy-bitsy**.

ITU sigla (*ONU*, **International Telecommunication Union**) Unione internazionale per le telecomunicazioni.

ITV sigla **1** (*GB*, **independent television**) televisione indipendente **2** (*TV*, **interactive television**) televisione interattiva.

IU sigla (**international unit**) unità internazionale (*per le vitamine A, D, E*).

IUCN sigla (**International Union for the Conservation of Nature**) Unione internazionale per la conservazione della natura (UICN).

IUD sigla (*med.*, **intrauterine device**) dispositivo anticoncezionale intrauterino; contraccettivo intrauterino; spirale.

IUPAC sigla (**International Union of Pure and Applied Chemistry**) Unione internazionale di chimica pura e applicata.

IV abbr. (*med.*, **intravenous**) endovena.

Ivanhoe /ˈaɪvənhəʊ/ n. (*letter.*) Ivanhoe.

I've /aɪv/ contraz. di **I have**.

IVF sigla (*med.*, **in vitro fertilization**) fecondazione in vitro.

ivied /ˈaɪvɪd/ a. (*lett.*) coperto d'edera.

IVM sigla (*med.*, **in vitro maturation**) maturazione in vitro.

ivory /ˈaɪvərɪ/ Ⓐ n. **1** Ⓤ avorio (*anche dei denti*) **2** Ⓤ (color) avorio **3** (pl.) (*slang*) palle di biliardo, bilie **4** (pl.) (*slang*) tasti del pianoforte; tastiera **5** (pl.) (*slang*) denti **6** (pl.) (*slang USA*) dadi (*da gioco*) Ⓑ a. attr. d'avorio; eburneo; bianco come l'avorio: **i. piano keys**, tastiera (di pianoforte) d'avorio; **an i. forehead**, una fronte eburnea ● **i. black**, nero d'avorio □ (*slang USA*) **i.-dome**, stupido; testone; asino (*fig.*) □ (*bot.*) **i. nut**, avorio vegetale; corozo; noce d'America □ (*slang USA*) **i. thumper** (*o* **i. tickler**), pianista □ (*fig.*) **i. tower**, torre d'avorio (*fig.*) □ **i.-towered**, chiuso in una torre d'avorio; appartato □ **i.-white**, bianco avorio.

ivy /ˈaɪvɪ/ n. Ⓤ (*bot.*, *Hedera helix*) edera ● **ivy-clad**, coperto d'edera □ (*bot.*) **ivy geranium** (*Pelargonium peltatum*), geranio edera □ (*USA*) **the Ivy League**, l'Ivy League (gruppo di otto università di grande prestigio nel nord-est degli Stati Uniti) □ (*USA*) **Ivy Leaguer**, allievo o ex allievo di un'università dell'Ivy League.

Ivy /ˈaɪvɪ/ n. Edera (*nome di donna*).

ixia /ˈɪksɪə/ n. (*bot.*, *Ixia*) ixia; issia.

Ixion /ɪkˈsaɪən/ n. (*mitol. greca*) Issione ● **I.'s wheel**, la ruota d'Issione.

IYKWIM sigla (*Internet*, *telef.*, **if you know what I mean**) non so se mi spiego.

izard /ˈɪzəd/ n. (pl. **izard**, **izards**) (*zool.*) camoscio dei Pirenei.

-ize suff. izzare ❶ NOTA: *-ise o -ize?* → **-ise**.

izzard /ˈɪzəd/ n. (*arc. o USA*) zeta (*la lettera*).

j, J

J ① , **j** /dʒeɪ/ n. (pl. **J's, j's; Js, js**) **1** J, j (*decima lettera dell'alfabeto ingl.*) **2** oggetto a forma di j ● **j for Juliet**, j come jolly.

J ② sigla **1** (*carte*, **jack**) fante **2** (*fis.*) (**Joule**) joule **3** (**journal**) giornale **4** (**judge** *o* **justice**) giudice.

J.A., JA sigla (*leg.*, **Judge Advocate**) → **judge**.

J/A, JA sigla (*comm.*, **joint account**) conto congiunto.

jab /dʒæb/ n. **1** colpo secco (*con la punta di qc.*) **2** (*boxe*) diretto corto; jab **3** (*fam.*) iniezione (*ipodermica*); puntura; (*spec.*) vaccinazione: **to have a jab**, farsi fare un'iniezione; farsi vaccinare; **flu jab**, vaccinazione antinfluenzale **4** stilettata (*di dolore*); fitta: **a jab in the side**, una stilettata nel fianco.

to **jab** /dʒæb/ **A** v. t. **1** conficcare; infiggere; piantare; cacciare (*fam.*): *He jabbed the spear into the lion's neck*, conficcò la lancia nel collo del leone; *She jabbed a syringe into my arm*, mi piantò una siringa nel braccio **2** colpire (*con un oggetto appuntito*); punzonare; stilettare: *His elbow kept jabbing me in the back*, il suo gomito continuava a punzonarmi la schiena **3** colpire con pugno; (*boxe*) colpire con diretti corti **4** (*fam.*) fare un'iniezione a; vaccinare. **B** v. i. (*slang*) bucarsi.

■ **jab at** v. i. + prep. **1** → **jab A** def. 3 **2** colpire ripetutamente; battere forte su; pigiare ripetutamente: **to jab at the lift button**, pigiare più volte il pulsante dell'ascensore; *He jabbed at the word with his finger*, batté ripetutamente col dito sulla parola.

■ **jab out** v. t. + avv. **1** cavar fuori; far uscire a forza: **to jab out sb.'s eyes**, cavare gli occhi a q. **2** spingere avanti (*o* fuori) con forza: **to jab out a leg**, spingere avanti una gamba.

jabber /'dʒæbə(r)/ n. Ⓤ **1** parole (pl.) dette in fretta o incomprensibili **2** chiacchierio veloce; chiacchiericcio; cicaleccio **3** (*spreg.*) chiacchiere (pl.).

to **jabber** /'dʒæbə(r)/ **A** v. i. chiacchierare a ruota libera; ciarlare; cicalare **B** v. t. pronunciare (*parole*) in fretta o in modo indistinto.

jabberwocky /'dʒæbəwɒkɪ/ n. Ⓤ parole (pl.) inventate o senza senso; gergo incomprensibile ❶ **CULTURA ● Jabberwocky** *è il titolo di una poesia di Lewis Carroll, comparsa per la prima volta in «Through the Looking-Glass» (1871). Il componimento narra lo scontro tra un uomo e un mostro, un* **Jabberwock** *per l'appunto, e si basa sul* → **nonsense**. *Le parole, benché ricordino vagamente l'anglosassone, sono per lo più inventate, come si può constatare sin dai primi versi: «'Twas brillig, and the slithy toves / Did gyre and gimble in the wabe: / All mimsy were the borogoves, / And the mome raths outgrabe».*

jabbing /'dʒæbɪŋ/ n. (*boxe*) serie di jab.

jaborandi /dʒæbə'rændɪ/ n. (pl. *jaborandis*) (*bot.*, *Pilocarpus jaborandi*) iaborandi, jaborandi.

jabot /'ʒæbəʊ/ (*franc.*) n. (*moda*) jabot; davantino.

jacaranda /dʒækə'rændə/ n. (*bot.*, *Jacaranda copaia*) jacaranda.

jacinth /'dʒæsɪnθ/ n. (*miner.*) giacinto (*varietà rossa di zircone*).

jack ① /dʒæk/ n. **1** (*mecc.*) cric; martinetto; martinello: **car j.**, cric per automobile; **hydraulic j.**, martinetto idraulico **2** (*carte da gioco*) fante; jack **3** (*elettr.*, = **j. socket**) presa a (*o* per) jack **4** (*telef.*, *elettr.*) = **j. plug** → *sotto* **5** (*bocce*) boccino **6** (al pl.) gioco infantile simile al gioco dei cinque sassi; (al sing.) pezzo di gioco dei jacks (*si usano pezzetti di metallo o plastica a sei punte e una pallina*) **7** - J., uomo comune **8** (*al voc.*, *slang*) amico; compare **9** (*fam. USA*, = **lumberjack**) boscaiolo; tagligalegna **10** (*slang USA*) poliziotto; sbirro; investigatore; detective **11** (*naut.*) bandiera (*nazionale*, *issata a prua*); bandiera di bompresso **12** (*mus.*) salterello (*di clavicembalo*, *ecc.*) **13** Ⓤ (*slang USA*) soldi (pl.); grana **14** (= **roasting j.**) girarrosto **15** maschio (*di falco*, *asino*, *lepre*, *ecc.*) **16** (*zool.*) qualsiasi pesce della famiglia *Carangidae* **17** (*zool.*) → **jackfish 18** (*ind. tess.*) banco a fusi **19** (*tecn.*) stabilizzatore (*per veicoli pesanti*) **20** (*slang della droga*) buco; pera **21** (*slang della droga*, *GB*) pasticca (*di crack*, *ecc.*) **22** (*slang GB*) cesso; latrina **23** (*slang*) → **jackshit 24** (*slang GB*, *volg.*) (buco del) culo ● **J. and Jill**, ragazzo e ragazza (*dai personaggi di una poesiola infantile*) □ (*fam. USA*) **J.-and-Jill party**, festa in onore di una coppia di futuri sposi □ (*archit.*) **j. arch**, arco piatto □ (*slang*) **J. ashore**, marinaio in franchigia (*spec. chiassoso, ubriaco, ecc.*) □ **J. Frost**, il gelo (*personificato*) □ **j. hare**, leprotto □ **j.-in-the-box**, scatola a sorpresa □ (*fam.*) **J. the Lad**, damerino; galletto □ (*GB*) **j. in office**, burocrate borioso □ (*antiq.*) **J. Ketch**, il boia □ (*USA*) **j. light**, lampada per pescare; lampara □ (*naut.*) **j. ladder**, scala a tarozzi; biscaglina □ **j. of all trades**, factotum; uomo tuttofare □ **j. of all trades and master of none**, uno che fa un po' di tutto senza saper fare bene niente □ **j.-o'-lantern**, lanterna di Halloween (*fatta con una zucca scavata e con fori a mo' di occhi, naso e bocca*); (*antiq.*) fuoco fatuo □ (*bot.*) **j. pine**, *Pinus banksiana* (*del Nord America*) □ (*tecn.*) **j. plane**, pialla per lavori di sgrossatura; sbozzino □ (*elettr.*) **j. plug**, (spina a) jack □ (*zool.*) **j. rabbit** (*Lepus americanus*), lepre del Nord America □ (*edil.*) **j. rafter**, corrente; travetto per la struttura del tetto □ (*stor.*) **J. the Ripper**, Jack lo Squartatore □ **j. socket**, → **jack**, *def.* 3 □ **j. staff**, asta della bandiera di bompresso □ (*fam. GB*, *antiq.*) **J. Tar**, marinaio □ **j. towel**, bandinella; asciugamano girevole su un rullo □ (*edil.*) **j. truss**, capriata secondaria □ (*fam. USA*) **j.-up**, aumento □ (*tecn.*) **j.-up (rig)**, piattaforma autosollevante □ **before you can say J. Robinson**, in un batter d'occhio; in men che non si dica □ (*fam.*) **every man j. (of them)**, tutti quanti □ (*slang GB*) **on one's j.**, da solo; senza aiuto.

jack ② /dʒæk/ n. (*bot.*, *Artocarpus integrifolia*) artocarpo; albero del pane.

jack ③ /dʒæk/ n. (*stor.*) cotta d'arme.

jack ④ /dʒæk/ a. (*Austral.*, *NZ*) stanco; stufo.

to **jack** /dʒæk/ v. t. **1** → **jack up 2** (*pesca*) pescare con una lampara.

■ **jack around** **A** v. i. + avv. (*fam. USA*) **1** bighellonare; oziare **2** - **to j. around with**, divertirsi con; farsela con; intendersela con **3**

- **to j. around with**, interferire con; manipolare **B** v. t. + avv. (*fam. USA*) prendere in giro; prendere per i fondelli (*pop.*).

■ **jack in** v. t. + avv. **1** (*comput.*, *fam.*) entrare in (*un computer, una rete, ecc.*); connettersi a **2** (*fam. GB*) lasciare; piantare; dare un calcio a (*fig.*): **to j. in a job**, dare un calcio a un lavoro → **to j. it in**, piantarla; smetterla; andarsene via □ **to j. it all in**, piantare lì tutto; piantare baracca e burattini.

■ **jack off** v. i. + avv. (*volg. USA*) **1** masturbarsi; farsi una sega (*pop.*) **2** perdere tempo; menarsela, cazzeggiare (*pop.*).

■ **jack out** **A** v. t. + avv. (*fam. USA*) tirar fuori; estrarre **B** v. i. + avv. (*fam.*) tirarsi indietro; fare marcia indietro.

■ **jack up** v. t. + avv. **1** alzare, sollevare col cric (*o* col martinetto): **to j. up a lorry**, alzare un camion con il cric **2** alzare (*i prezzi*, *ecc.*); aumentare; far salire; gonfiare **3** (*fam.*) incoraggiare; risollevare; eccitare **4** (*fam. USA*) rimproverare; fare una ramanzina a **5** (*slang USA*) rapinare **6** (*slang USA*) drogarsi; farsi una pera (*pop.*).

Jack /dʒæk/ n. dim. di → **John**.

jackal /'dʒækɔːl/ n. **1** (*zool.*, *Canis aureus*) sciacallo **2** (*fig.*) sciacallo.

jackanapes /'dʒækəneɪps/ n. (pl. inv.) (*antiq.*) **1** persona impertinente, impudente, sfacciata; sfacciatello **2** damerino; bellimbusto.

jackaroo /dʒækə'ruː/ n. (pl. **jackaroos**) (*fam.*, *Austral.*) giovane apprendista (*in un allevamento di bestiame*).

to **jackaroo** /dʒækə'ruː/ v. i. (pass. e p. p. **jackarooed**) lavorare come, fare il → **jackaroo**.

jackass /'dʒækæs/ n. **1** (*zool.*, *Equus asinus*) asino; ciuco; somaro **2** (*fig. fam.*) somaro; asino; imbecille **3** (*zool.*, = **laughing j.**) → **kookaburra**.

jackboot /'dʒækbuːt/ n. **1** stivale alla scudiera; stivalone **2** grosso stivale militare **3** Ⓤ (*fig.*) oppressione; tirannia; intimidazione: **to feel the j. on one's neck**, essere oppresso; sentire il peso dell'oppressione; **j. tactics**, tattica intimidatrice.

jackdaw /'dʒækdɔː/ n. (*zool.*, *Corvus monedula*) taccola.

jacked up /'dʒækt ʌp/ a. (*slang USA*) **1** eccitato; su di giri; gasato **2** agitato; stressato **3** drogato; fatto.

jackeroo /dʒækə'ruː/ → **jackaroo**.

◆**jacket** /'dʒækɪt/ n. **1** giacca (*da uomo o da donna*); giacchetta: **sports j.**, giacca sportiva; **j. and skirt**, giacca e gonna; tailleur **2** (*tecn.*) camicia; guaina; involucro (*o* rivestimento) di protezione: **water j.**, camicia d'acqua (*intorno a un cilindro di motore*) **3** (*di libro*) sopraccoperta **4** (*di un disco*) copertina; custodia **5** (*di patata*) buccia: **potatoes baked in their jackets**, patate arrostite con la buccia **6** (*mil.*) manicotto di raffreddamento (*d'arma da fuoco*) **7** (*mil.*) incamiciatura (*di proiettile*) **8** (= **strait-jacket**) camicia di forza **9** (*scherma*) giubbotto **10** (*ipp.*) giubba **11** (*slang USA*) fascicolo, dossier (*di polizia*); (*estens.*) precedenti (pl.) penali; fedina penale ● (*med.*) **j. crown**, capsula, corona artificiale (*di un dente*) □ (*di un libro*) **j.**

flap, risvolto; bandella □ (*cucina*) **j. potato**, patata arrostita con la buccia □ (*fig. arc.*) **to dust sb.'s j.**, spolverare le spalle (*o il groppone*) a q.; bastonare q.

to **jacket** /ˈdʒækɪt/ v. t. **1** mettere una giacca a **2** coprire con un rivestimento protettivo (→ **jacket**); rivestire **3** (*tecn.*) incamiciare; inguainare **4** mettere la camicia di forza a.

jackfish /ˈdʒækfɪʃ/ n. (*zool.*, *fam.*) luccio.

jackhammer /ˈdʒækhæmə(r)/ n. (*spec. USA*) martello pneumatico.

to **jackhammer** /ˈdʒækhæmə(r)/ v. t. (*spec. USA*) martellare con forza.

jackknife /ˈdʒæknaɪf/ n. (pl. **jackknives**) **1** coltello a serramanico; coltello a scrocco; molletta (*gergo*) **2** (*sport: tuffi*) tuffo carpiato in avanti ● (*zool.*, *USA*) **j. clam** (*Solen*), cannello; cannolicchio; cappalunga □ (*zool.*) **j. fish** (*Equetus lanceolatus*), pesce lancere.

to **jackknife** /ˈdʒæknaɪf/ Ⓐ v. t. piegare in due (*come un coltello a serramanico*) Ⓑ v. i. **1** (*di persona*) piegarsi in due **2** (*trasp.*) (*di autoarticolato*) piegarsi in due (*come un coltello a serramanico: per incidente o manovra errata*) **3** (*sport: tuffi*) fare un tuffo carpiato.

jackleg /ˈdʒækleg/ a. attr. (*slang USA, spec. di avvocato o predicatore*) senza scrupoli; disonesto; incompetente.

jack-off /ˈdʒækɒf/ n. (*volg. USA*) coglione (*fig.*); mezza sega, testa di cazzo (*volg.*).

jackpot /ˈdʒækpɒt/ n. **1** (*TV, totocalcio, ecc.*) montepremi; posta in palio **2** grossa vincita; piatto ricco **3** (*fig.*) vittoria; successo strabiliante **4** poker con apertura fissa ai due jack o superiore ● (*fam.*) **to hit the j.**, vincere la posta in palio, portarsi a casa il montepremi; (*fig.*) fare un colpo grosso, vincere, avere successo, sfondare.

jackscrew /ˈdʒækskruː/ n. (*mecc.*) **1** vite di martinello **2** martinello a vite.

jackshaft /ˈdʒækʃɑːft/ n. (*mecc.*) albero secondario; contralbero.

jackshit /ˈdʒækʃɪt/ n. Ⓤ (*volg. USA*) un cazzo (di niente), una minchia: *We've come up with j.*, non abbiamo trovato un cazzo.

Jack snipe, **jacksnipe** /ˈdʒæksnaɪp/ n. (*zool.*) **1** (*Lymnocryptes minimus*) frullino **2** (*USA*) (*Erolia melanotus*) piro-piro pettorale.

jackstaff /ˈdʒækstɑːf/ n. (*naut.*) asta di bompresso.

jackstay /ˈdʒæksteɪ/ n. **1** fighiera **2** (*naut.*) controstraglio.

jackstone /ˈdʒækstəʊn/ → **jack**, def. 6.

jackstraw /ˈdʒækstrɔː/ n. **1** bastoncino da sciangai **2** (al pl.) sciangai (*gioco*) **3** (*antiq.*) nullità **4** (*antiq.*) niente; (*fam.*) fico.

Jacob /ˈdʒeɪkəb/ n. Giacobbe ● (*zool.*) **J. sheep**, pecora Jacob (*razza pezzata con quattro corna*) (*naut.*) **J.'s ladder**, scala a tarozzi; biscaglina □ **J.'s staff**, asta ferrata (*usata dai geometri, per misurazioni*); (*stor., naut.*) quadrante (di Giacobbe).

Jacobean /dʒækəˈbiːən/ (*stor.*) Ⓐ a. **1** del regno di Giacomo I d'Inghilterra (*1603-1625*) **2** (*archit., lett.*) giacobiano Ⓑ n. personaggio (*o scrittore*) del periodo di Giacomo I d'Inghilterra.

jacobin /ˈdʒækəbɪn/ n. **1** (*zool.*) piccione cappuccino **2** (*bot., Florisuga mellivora*) giacobina.

Jacobin /ˈdʒækəbɪn/ Ⓐ n. **1** (*stor., polit.*) giacobino **2** (*relig., stor.*) giacobino; domenicano Ⓑ a. (*stor.*) giacobino || **Jacobinic**, **Jacobinical** a. (*stor., polit.*) giacobino || **Jacobinism** n. Ⓤ (*stor., polit.*) giacobinismo.

Jacobite /ˈdʒækəbaɪt/ (*stor.*) Ⓐ n. giacobita; seguace di Giacomo II d'Inghilterra (*1685-1688*) e dei suoi discendenti Ⓑ a. di, dei giacobiti: **a J. plot**, una congiura di giacobiti || **Jacobitical** a. di giacobita; dei giacobiti || **Jacobitism** n. Ⓤ giacobitismo; lega-

litarismo dei giacobiti.

jaconet /ˈdʒækənɪt/ n. Ⓤ (*ind. tess.*) giaconetta.

jacquard /ˈdʒækɑːd/ n. Ⓤ Ⓒ (*ind. tess.*) **1** dispositivo jacquard **2** telaio jacquard **3** (tessuto) jacquard.

Jacqueline /ˈdʒækliːn/ n. Giacomina.

jactitation /dʒæktɪˈteɪʃn/ n. Ⓤ **1** iattanza; arroganza; millanteria; tracotanza **2** (*psic.*) iattazione **3** (*leg.*) - **j. of marriage**, falsa dichiarazione di aver contratto matrimonio (*con una data persona*).

Jacuzzi®, **jacuzzi** /dʒəˈkuːzɪ/ n. (pl. *Jacuzzis*, *jacuzzis*) vasca per idromassaggio; Jacuzzi.

jade① /dʒeɪd/ Ⓐ n. **1** Ⓤ (*miner.*) giada **2** (ornamento di) giada Ⓑ a. (= **j. green**) color verde giada.

jade② /dʒeɪd/ n. **1** ronzino; rozza **2** (*spreg. antiq.*) donna astiosa o immorale; femmina; donnaccia **3** (*scherz., antiq.*) ragazza sfacciata; sfacciatella.

jaded /ˈdʒeɪdɪd/ a. **1** affaticato; sfinito; spossato; stremato **2** sazio; stanco; annoiato: **a dish that whets even the most j. appetites**, un piatto che fa venire l'acquolina in bocca anche a chi è più che sazio | **-ness** n. Ⓤ.

jadeite /ˈdʒeɪdaɪt/ n. Ⓤ (*miner.*) giadeite.

Jaffa /ˈdʒæfə/ n. (= **J. orange**) (*GB*) arancia israeliana (*grossa e ovale*).

jag① /dʒæg/ n. **1** sporgenza; spuntone; punta; dente **2** (*fam. GB*) iniezione; puntura.

jag② /dʒæg/ n. (*fam.*) **1** sbornia; sbronza: **to have a jag on**, essere sbronzo; **on a jag**, sbronzo **2** (*fig.*) frenesia; orgia; crisi: **a crying jag**, una crisi di pianto.

Jag /dʒæg/ n. (abbr. *fam. di* **Jaguar**) (*autom.*) Jaguar.

JAG sigla (**Judge Advocate General**) → **judge**.

to **jag** /dʒæg/ v. t. frastagliare; dentellare; seghettare.

jäger /ˈjeɪgə(r)/ (*ted.*) n. (*stor., mil.*) cacciatore delle Alpi.

jagged /ˈdʒægɪd/ a. **1** frastagliato; dentellato; intaccato; seghettato; puntuto: **j. rocks**, rocce puntute **2** (*fig.*) irritato; logoro; scabro: **j. nerves**, nervi logori **3** (*fam.*) sbronzo; ubriaco | **-ly** avv. | **-ness** n. Ⓤ.

jagger /ˈdʒægə(r)/ n. rotellina dentata.

jaggery /ˈdʒægərɪ/ n. Ⓤ zucchero grezzo color marrone scuro (*spec. quello estratto dalla linfa di alcuni tipi di palma indiana*).

jagging /ˈdʒægɪŋ/ n. Ⓤ frastagliamento; dentellatura; seghettatura.

jaggy /ˈdʒægɪ/ a. frastagliato; dentellato; intaccato; seghettato.

Jago /ˈdʒeɪgəʊ/ n. Jago; Iago.

jaguar /ˈdʒægjʊə(r)/ n. (*zool.*, *Panthera onca*) giaguaro.

jaguarundi /dʒægjʊəˈrʊndɪ/ n. (*zool.*, *Felis yagouaroundi*) jaguarondi.

Jah /dʒɑː/ n. Dio (*spec. presso i Rastafariani*).

Jahve, **Jahveh** /ˈjɑːveɪ/ n. (*Bibbia*) Jahvè.

jai alai /haɪ əˈlaɪ/ n. Ⓤ (*sport*) pelota; palla basca.

♦**jail** /dʒeɪl/ n. prigione; carcere: **to send to j.**, mandare in prigione; **to release from j.**, scarcerare; **a three-year j. term**, una pena detentiva di tre anni; tre anni di carcere ● (*fam.*) **j.-bait**, minorenne provocante □ (*fam. antiq.*) **j.-bird**, avanzo di galera □ **j.-break**, evasione □ **j. sentence**, condanna alla prigione; condanna detentiva □ **j. population**, popolazione carceraria.

to **jail** /dʒeɪl/ v. t. incarcerare; imprigionare; mettere in prigione.

jailer, **jailor** /ˈdʒeɪlə(r)/ n. carceriere; secondino.

jailhouse /ˈdʒeɪlhaʊs/ n. (*USA*) prigione (*l'edificio*).

Jain /dʒaɪn/ n. e a. (*relig.*) giaina, jaina; giainista, jainista.

Jainism /ˈdʒaɪnɪzəm/ n. Ⓤ (*relig.*) giainismo, jainismo || **Jainist** a. → **Jain**.

Jakarta /dʒəˈkɑːtə/ n. (*geogr.*) Giacarta; Djakarta.

jake① /dʒeɪk/ n. (*spreg. USA*) sempliciotto; babbeo; zotico.

jake② /dʒeɪk/ (*slang USA*) a. perfetto; ottimo.

jakes /dʒeɪks/ n. (*slang*) cesso; latrina.

jalap /ˈdʒæləp/ n. **1** (*bot., Ipomoea purga*) gialappa; ipomea **2** (*med.*) gialappa.

jalopy, **jaloppy** /dʒəˈlɒpɪ/ n. (*fam.*) **1** automobile (*spec. un modello vecchio*) **2** (*spreg.*) macinino; trabiccolo; catorcio **3** vecchio aeroplano.

jalousie /ˈʒæluːzɪ/ (*franc.*) n. gelosia (*di finestra*); persiana.

♦**jam**① /dʒæm/ n. **1** calca, ressa, folla **2** (*autom.*, = **traffic jam**) ingorgo di traffico; traffico intasato; intasamento: *I'm stuck in a jam*, sono bloccata nel traffico **3** (*mecc.*) blocco; inceppamento: **paper jam**, inceppamento della carta **4** (*fam.*) guaio; pasticcio; difficoltà: *You're in a jam*, sei in un bel pasticcio **5** (*mus.*, = **jam session**) jam session; riunione di musicisti (*spec. di jazz*) per suonare improvvisando **6** (*slang USA, basket*) schiacciata (a canestro) ● (*mecc.*) **jam-nut**, controdado □ **jam-packed**, stracolmo; strapieno; zeppo.

♦**jam**② /dʒæm/ n. **1** Ⓤ Ⓒ marmellata; confettura: **to make jam**, fare la marmellata; **strawberry jam**, marmellata di fragola; **a pot of jam**, un vasetto di marmellata; **jam jar**, vasetto da marmellata **2** (*fig. fam.*) pacchia; rose e fiori (pl.): *The job wasn't all jam*, il lavoro non era tutto rose e fiori ● (*fig.*) **jam tomorrow**, belle promesse (pl.); belle parole (pl.) □ (*fam.*) **to want jam on it**, chiedere troppo; volere tutto e poi ancora; volerla troppo facile.

to **jam**① /dʒæm/ Ⓐ v. t. **1** infilare a forza; pigiare; stipare; ficcare; calcare: *They managed to jam all the people into the bus*, riuscirono a far salire tutti sull'autobus stipandoli; *We were jammed in the back*, eravamo pigiati sul sedile posteriore; *He jammed his hat on*, si calcò in testa il cappello **2** incuneare; incastrare; bloccare (incuneando): **to jam a door open with a foot**, bloccare una porta con un piede per tenerla aperta; **to jam the windows shut**, bloccare le finestre (*con assi, ecc.*) **3** schiacciare: **to get one's finger jammed in the door**, schiacciarsi il dito nella porta **4** bloccare; ostacolare; ostruire: *Traffic was completely jammed by the demonstrators*, il traffico fu del tutto bloccato dai dimostranti **5** (*mecc.*) bloccare; inceppare **6** (*radio*) disturbare con interferenze **7** (*slang USA, basket*) schiacciare (*la palla*) a canestro Ⓑ v. i. **1** accalcarsi; pigiarsi; stiparsi: *Thousands of fans tried to jam into the stadium*, migliaia di tifosi cercarono di accalcarsi nello stadio **2** (*mecc.*) bloccarsi; incastrarsi; incepparsi; gripparsi **3** (*mus., spec. nel jazz*) improvvisare ● (*autom.*) **to jam on the brakes**, pigiare sul freno; frenare di colpo □ (*fig.*) **to jam up the works**, mettere il bastone tra le ruote.

to **jam**② /dʒæm/ v. t. fare marmellata con.

Jamaica /dʒəˈmeɪkə/ n. (*geogr.*) Giamaica ● **J. pepper**, pepe della Giamaica; pimento || **Jamaican** a. e n. giamaicano.

jamb, **jambe** /dʒæm/ n. (*archit.*) **1** montante, stipite (*di porta o di finestra*) **2** (al pl.) fianchi verticali (*o spalle*) del focolare.

jamboree /dʒæmbəˈriː/ n. **1** raduno di giovani esploratori (*boyscout o guide*) **2** raduno o festa chiassosi; gran festa; baldoria.

James /dʒeɪmz/ n. Giacomo.

jammed /dʒæmd/ a. **1** (*mecc.*) bloccato; inceppato; grippato: **to have a j. starter**, avere lo starter bloccato **2** (*radio*) disturbato da interferenze **3** (*fam.*) affollato; stipato; pieno zeppo: *The nightclub was j. with people*, il night-club era pieno zeppo **4** (*di strada, traffico*) intasato **5** (*di cassetto, ecc.*) bloccato; incastrato.

jammer /'dʒæmə(r)/ n. **1** (*radio*) jammer; trasmittente usata per il disturbo di attrezzature elettroniche **2** (*mus.*) improvvisatore (*di jazz*).

jammies /'dʒæmiːz/ n. pl. (*fam.*) pigiama.

jamming /'dʒæmɪŋ/ n. ⓤ **1** (*mecc.*) blocco; inceppamento; grippaggio **2** (*radio*) jamming; disturbo intenzionale **3** (*mus.*) improvvisazione.

jammy /'dʒæmi/ a. **1** coperto (*o ripieno*) di marmellata **2** simile a marmellata **3** appiccicoso; attaccaticcio **4** (*slang GB*) facile; facilissimo: **a j. job**, un lavoro facilissimo **5** (*slang GB*) fortunato: *You j. bastard!*, che fortuna (che hai)!; che culo! (*volg.*).

Jan. abbr. (**January**) gennaio (Genn.).

Jane ① /dʒeɪn/ n. Giovanna.

Jane ② /dʒeɪn/ n. (*slang spec. USA*) ragazza; donna ● **J. Doe**, *versione femm. di* **John Doe** → **John** □ **plain J.**, ragazza bruttina; tipo insignificante.

Janet /'dʒænɪt/ n. dim. di → **Jane**.

jangle /'dʒæŋgl/ n. **1** suono metallico e stridulo: **the j. of the alarm clock**, il suono metallico della sveglia **2** tintinnio (*di chiavi, monete, ecc.*).

to **jangle** /'dʒæŋgl/ Ⓐ v. i. **1** (*di campanello, allarme, ecc.*) emettere un suono metallico e stridulo; scampanellare **2** (*di chiavi, monete, ecc.*) tintinnare: *The coins jangled in his pocket*, le monete gli tintinnavano in tasca **3** (*di nervi*) essere teso; essere a fior di pelle Ⓑ v. t. far risuonare (*qc. di metallico*); far tintinnare: **to j. a bell**, scampanellare; **to j. the keys**, far tintinnare le chiavi ● **to j. (on) sb.'s nerves**, dare ai nervi a q.

jangled /'dʒæŋgld/ a. **1** → **jangly 2** teso; irritato: **j. nerves**, nervi tesi; irritazione.

jangling /'dʒæŋglɪŋ/ Ⓐ a. **1** stridulo; aspro; stonato; chioccio **2** fastidioso; irritante Ⓑ n. ⓤ **1** suono aspro, stridulo **2** tintinnio (*di sonagli, ecc.*); squillare irritante (*di campanelli*).

jangly /'dʒæŋgli/ a. (*di suono*) metallico e stridente; aspro; irritante.

janissary /'dʒænɪsəri/ n. (*stor.*) giannizzero.

janitor /'dʒænɪtə(r)/ n. **1** (*spec. USA*) portiere, portiera; custode (m. e f.) **2** (*scozz.*) bidello (*di scuola*) ‖ **janitorial** a. di (*o da*) custode (*o portiere*).

janitress /'dʒænɪtrɪs/ n. **1** portiera; custode **2** (*scozz.*) bidella (*di scuola*).

janizary /'dʒænɪzəri/ → **janissary**.

jankers /'dʒæŋkəz/ n. ⓤ (*slang mil., GB*) punizione; (*per estens.*) cella di punizione: **to put on j.**, punire; sbattere in cella.

Jansenism /'dʒænsənɪzəm/ n. ⓤ giansenismo ‖ **Jansenist** n. giansenista ‖ **Jansenistic** a. giansenistico.

♦**January** /'dʒænjʊəri/ Ⓐ n. ⓤⓒ gennaio Ⓑ a. attr. di gennaio (*per gli esempi d'uso* → **April**).

Janus /'dʒeɪnəs/ n. (*mitol.*) Giano ● **J.-faced**, bifronte; falso; infido.

Jap ① /dʒæp/ n. e a. (abbr. di **Japanese**, *spesso spreg.*) giapponese; (muso) giallo (*spreg.*).

Jap ② /dʒæp/ n. (acronimo di **Jewish American princess**) ragazza ebrea americana ricca e viziata.

japan /dʒə'pæn/ n. ⓤ **1** lacca giapponese,

lacca nera **2** (collett., = **j. ware**) oggetti di lacca.

Japan /dʒə'pæn/ n. (*geogr.*) Giappone.

to **japan** /dʒə'pæn/ v. t. verniciare con lacca nera; laccare.

Japanese /dʒæpə'niːz/ Ⓐ a. giapponese Ⓑ n. **1** (inv. al pl.) giapponese **2** ⓤ giapponese (*la lingua*) □ (*bot.*) **J. anemone** (*Anemone hupehensis*), anemone giapponese; anemone d'autunno □ (*bot.*) **J. andromeda** (*Pieris japonica*), andromeda del Giappone □ (*bot.*) **J. cedar** (*Cryptomeria japonica*), criptomeria □ (*bot.*) **J. maple** (*Acer palmatum*), acero giapponese □ (*bot.*) **J. persimmon** (*Diospyros kaki*), cachi □ (*bot.*) **J. quince** → **japonica**.

Japanesque /dʒæpə'nɛsk/ a. alla giapponese; secondo la moda giapponese.

Japanimation /dʒæpænɪ'meɪʃn/ n. ⓤ animazione giapponese; cartoni (pl.) animati giapponesi.

jape /dʒeɪp/ n. (*arc. o lett.*) scherzo; burla; tiro.

to **jape** /dʒeɪp/ v. i. (*arc. o lett.*) **1** scherzare **2** fare uno scherzo (*o una burla*); giocare un tiro.

Japheth /'dʒeɪfɪθ/ n. (*Bibbia*) Iafet ‖ **Japhetic** a. di Iafet; iafetico; giafetico.

Japlish /'dʒæplɪʃ/ n. ⓤ misto di giapponese e d'inglese (*lingua franca in Giappone*).

japonica /dʒə'pɒnɪkə/ n. (*bot.*) **1** (*Chaenomeles japonica*) cotogno del Giappone; cotogno da fiore **2** (*Camellia japonica*) camelia.

jar ① /dʒɑː(r)/ n. **1** scossa; urto; sobbalzo; shock: *I felt a jar in my back*, sentii una scossa nella schiena **2** stridore; vibrazione aspra: **the jar of the brakes**, lo stridore dei freni **3** discordanza; stonatura; disarmonia; dissenso.

jar ② /dʒɑː(r)/ n. **1** vaso, barattolo (*di vetro o terracotta*): **a jar of honey**, un vaso di miele **2** giara; orcio **3** (= **jarful**) quanto contiene un vaso o un barattolo **4** (*fam. GB*) (bicchiere di) birra: *Let's have a jar*, beviamo (*o facciamoci*) una birra.

jar ③ /dʒɑː(r)/ n. - (*fam.*) **on the jar**, socchiuso: *The door is on the jar*, la porta è socchiusa.

to **jar** /dʒɑː(r)/ Ⓐ v. i. **1** urtare emettendo un suono stridente; stridere: *The brakes jarred as the car suddenly stopped*, i freni stridettero quando l'automobile si fermò di botto **2** dare ai nervi; urtare: *His haughty tone jarred on my nerves*, il suo tono altezzoso mi diede ai nervi; **to jar on the ears**, avere un suono sgradevole; urtare l'orecchio **3** essere in stridente contrasto (con); stridere; stonare; fare a pugni; cozzare: *Your tie jars with your shirt*, la tua cravatta fa a pugni con la camicia; *Their political ideas jar with mine*, le loro opinioni politiche sono in netto contrasto con le mie Ⓑ v. t. **1** urtare (*provocando una scossa*); far vibrare dolorosamente; scuotere; dare una scossa a: **to jar one's knee**, urtare dolorosamente il ginocchio **2** far risuonare (*o vibrare*) per un urto improvviso **3** (*fig.*) scuotere; scioccare: fui scosso dalla triste notizia.

jardinière /dʒɑːdɪ'njɛə(r)/ (*franc.*) n. **1** giardiniera; portavasi; fioriera **2** (*cucina*) giardiniera.

jarful /'dʒɑːfʊl/ → **jar** ②, def. 3.

jargon ① /'dʒɑːgən/ n. **1** (*spesso spreg.*) gergo; linguaggio specialistico; linguaggio in codice: **legal j.**, gergo legale; **computer j.**, gergo informatico; computerese **2** linguaggio (*o gergo*) incomprensibile ‖ **jargonistic** a. gergale.

jargon ② /'dʒɑːgən/ n. ⓤⓒ (*miner.*) giargone; diamante del Siam.

to **jargonize** /'dʒɑːgənaɪz/ Ⓐ v. i. parlare (*o scrivere*) in gergo Ⓑ v. t. esprimere (*o*

tradurre) in gergo.

jargoon /dʒɑː'guːn/ → **jargon** ②.

jarhead /'dʒɑːhɛd/ n. (*fam., USA*) marine.

jarl /jɑːl/ n. (*stor.*) jarl (*capo o nobile danese o scandinavo*).

jarring /'dʒɑːrɪŋ/ Ⓐ a. **1** stridente; stridulo; sgradevole all'orecchio **2** discordante; stonato; stridente; che stride: **a j. note**, una nota stonata (*fig.*); **j. colours**, colori che stridono **3** che scuote; che fa sobbalzare o sussultare **4** frastornante; scombussolante; doloroso Ⓑ n. ⓤ **1** stridore **2** scossa; scuotimento **3** contrasto; conflitto | **-ly** avv.

Jarvis /'dʒɑːvɪs/ n. Gervasio.

jasmine, jasmin /'dʒæsmɪn/ n. (*bot., Jasminum*) gelsomino ● **j. tea**, tè al gelsomino.

Jasmine /'dʒæsmɪn/ n. Gelsomina.

Jason /'dʒeɪsn/ n. (*mitol.*) Giasone.

jasper /'dʒæspə(r)/ n. ⓤ (*miner.*) diaspro.

Jasper /'dʒæspə(r)/ n. Gaspare.

JATO /'dʒeɪtəʊ/ n. (*aeron.*, abbr. di **jet-assisted takeoff**) **1** ⓤ decollo assistito da propulsore a reazione **2** (= **jato unit**) propulsore a reazione ausiliario.

jatropha /dʒə'trəʊfə/ n. (*bot.*) jatropha, jatropa.

jaundice /'dʒɔːndɪs/ n. ⓤ **1** (*med.*) ittero; itterizia **2** (*fig.*) astio; acrimonia; invidia; gelosia.

jaundiced /'dʒɔːndɪst/ a. **1** (*med.*) affetto da itterizia; itterico **2** di color giallo itterico **3** (*fig.*) astioso; acrimonioso; geloso; invidioso **4** (*fig.*) cinico; scettico; sospettoso; disincantato.

jaunt /dʒɔːnt/ n. gita; escursione; breve viaggio di piacere.

to **jaunt** /dʒɔːnt/ v. i. fare una gita (*o un breve viaggio di piacere*) ● (*stor. irl.*) **jaunting car**, calessino (*un tempo comune in Irlanda*).

jaunty /'dʒɔːnti/ a. **1** disinvolto; spigliato **2** allegro; brioso; gaio; vivace; sbarazzino: **a j. little hat**, un cappellino sbarazzino | **-ily** avv. | **-iness** n. ⓤ.

java /'dʒɑːvə/ n. (*slang USA*) caffè.

Java ① /'dʒɑːvə/ n. (*geogr.*) Giava ● (*paleont.*) **the J. man**, l'uomo di Giava □ **J. Sea**, Mare di Giava ‖ **Javan** a. e n. giavanese.

Java®② /'dʒɑːvə/ n. (*comput.*) Java (*linguaggio per applicazioni mobili e suo ambiente di esecuzione*).

Javanese /dʒɑːvə'niːz/ Ⓐ a. giavanese Ⓑ n. **1** (inv. al pl.) giavanese **2** ⓤ giavanese (*la lingua*).

javelin /'dʒævlɪn/ n. **1** (*stor. o sport*) giavellotto **2** ⓤ (*sport*) (lancio, gara del) giavellotto ● (*sport*) **j. throw**, lancio del giavellotto □ **j. thrower**, lanciatore di giavellotto; giavellottista □ **j. throwing**, il lancio del giavellotto; il giavellotto (*la specialità*).

jaw /dʒɔː/ n. **1** (*anat.*) mascella; mandibola; ganascia: **the upper [lower] jaw**, la mascella superiore [inferiore]; **a punch to the jaw**, un pugno alla mascella **2** (al pl.) fauci, bocca (*di animale*) **3** (al pl.) (*fig.*) grinfie; fauci; stretta mortale: **in the jaws of death**, nelle grinfie della morte; in pericolo di vita **4** (*mecc.*) ganascia (*d'incudine, ecc.*); ceppo (*di freno*); griffa **5** (al pl.) porte (*di canale marittimo, ecc.*) **6** (*geogr.*) gola (*fra monti*); imbocco, apertura (*di una valle*) **7** (*fam.*) chiacchierata; (*spreg.*) chiacchiere senza fine: **to have a jaw with sb.**, fare una chiacchierata con q. **8** (*fam.*) rimprovero; lavata di capo; tirata d'orecchi; predica **9** (*fam. antiq.*) impertinenza; lingua lunga: **Hold your jaw!**, tieni la lingua a posto; sta' zitto! ● **jaw-breaker**, (*fam.*) parola difficile a pronunciarsi; (*USA*) caramella dura; (*mecc.*, = **jaw-crusher**) frantoio a mascelle □ **jaw-dropping**, che fa rimanere a bocca aperta; stupefacente; sorprendente □ (*fam.*) **jaw-**

-**jaw**, lungo discorso; lunga chiacchierata (*o* discussione) □ **jaw tooth**, (dente) molare.

to **jaw** /dʒɔː/ (*fam.*) **A** v. i. **1** chiacchierare **2** sermoneggiare; far prediche (*fig.*) **B** v. t. fare una predica a; dare una lavata di capo a; rimproverare.

jawbone /'dʒɔːbəʊn/ n. **1** (*anat.*) osso mandibolare; mascella **2** (*slang USA*) prestito; credito.

to **jawbone** /'dʒɔːbəʊn/ (*polit. fam., USA*) **A** v. i. fare pressione per fare accettare qc. (*una misura economica, una linea politica, ecc.*) **B** v. t. fare pressione su; cercare in tutti i modi di convincere || **jawboning** n. □ pressioni (pl.); intimidazione.

jawing /'dʒɔːɪŋ/ n. (*fam.*) predica (*fig.*); lavata di capo; ramanzina; cicchetto.

jawline /'dʒɔːlaɪn/ n. (*anat.*) contorno inferiore del viso; profilo del mento e della mascella.

jay① /dʒeɪ/ n. **1** (*zool.*, *Garrulus glandarius*) ghiandaia **2** (*fam.*, *USA*) campagnolo; zoticone **3** (*fam.*, *USA*) fesso; babbeo; pollo **4** (*fam.*, *arc.*) chiacchierone; linguacciuto.

jay② /dʒeɪ/ n. lettera j.

to **jaywalk** /'dʒeɪwɔːk/ (*fam.*) v. i. attraversare la strada senza badare al traffico || **jaywalker** n. (*USA*) pedone distratto, che non si cura del traffico.

♦**jazz** /dʒæz/ **A** n. □ **1** (*mus.*, = **j. music**) jazz; musica jazz **2** (*fig. fam.*) vivacità; brio; animazione **3** (*slang*) chiacchiere (pl.) vuote; balle (pl.); fesserie (pl.) **4** (*volg.*) chiavata; scopata **B** a. attr. (*mus.*) jazzistico; jazz: **a j. band**, un'orchestra jazz; un complesso jazzistico; **j. singer**, cantante di jazz; jazzista ● **j. age**, l'età del jazz; gli anni Venti □ (*slang*) **and all that j.**, e roba del genere; e compagnia; e via andare.

to **jazz** /dʒæz/ **A** v. i. (*mus.*) **1** suonare (*o* ballare) il jazz **2** (*fig. fam.*) comportarsi con grande vivacità (*o* sfrenatezza) **3** (*volg.*) chiavare; scopare **B** v. t. **1** (*mus.*) suonare in stile jazz **2** (*slang USA*) mentire a; contarla su a **3** (*slang USA*) eccitare; far godere.

▪ **jazz up** v. t. + avv. **1** (*mus.*) arrangiare in stile jazz **2** (*fam.*) vivacizzare; animare; movimentare **3** (*fam.*) eccitare; caricare; gasare.

jazzer /'dʒæzə(r)/ n. (*mus.*) **1** jazzista **2** fanatico del jazz.

jazzman /'dʒæzmæn/ n. (pl. *jazzmen*) suonatore di jazz; jazzista.

jazzy /'dʒæzɪ/ a. **1** (*mus.*) jazzistico **2** vivace; sgargiante; chiassoso: **j. patterns**, disegni (*di stoffa*) a colori vivaci, sgargianti **3** (*slang USA*) stimolante; eccitante || **jazzily** avv. **1** (*mus.*) a tempo di jazz **2** (*fig.*) con animazione; con brio.

JCB ® sigla (*GB*) macchina per movimentazione di terra; scavatrice (*iniziali di J.C. Bamford, la ditta costruttrice*).

JCR sigla (*junior common room*) sala comune degli studenti (*nelle università inglesi*).

JCS sigla (*mil., USA*, **Joint Chiefs of Staff**) Capi di Stato Maggiore Riuniti.

♦**jealous** /'dʒeləs/ a. **1** invidioso: **j. of sb.'s success**, invidioso del successo di q.; **to be j. of sb.**, provare invidia per q. **2** geloso; possessivo: **a j. husband**, un marito geloso **3** geloso; attento; vigile: **j. of one's rights**, geloso dei propri diritti | **-ly** avv. | **-ness** n. □.

jealousy /'dʒeləsɪ/ n. □□ **1** invidia **2** gelosia.

♦**jean** /dʒiːn/ n. **1** □ (*ind. tess.*) tela ruvida; tela jeans **2** (al pl.) jeans; pantaloni jeans ● **jeans shop**, jeanseria.

Jean /dʒiːn/ n. Giovanna.

Jeddah /'dʒedə/ n. (*geogr.*) Jeddah, Gedda.

jeep ® /dʒiːp/ n. (*autom.*) jeep.

jeepers /'dʒiːpəz/ inter. (*fam. USA*, = **j. creepers**) cribbio!; accidenti!

jeer① /dʒɪə(r)/ n. (parola o gesto di) scherno; motteggio; dileggio; canzonatura.

jeer② /dʒɪə(r)/ n. (*naut.*, di solito al pl.) paranco per issare i bassi pennoni.

to **jeer** /dʒɪə(r)/ v. t. e i. deridere; irridere; dileggiare; schernire; canzonare.

jeering /'dʒɪərɪŋ/ **A** a. **1** beffardo; derisorio; canzonatorio **2** irridente; schernitore **B** n.→ **jeer**① | **-ly** avv.

Jeez, **Jees** /dʒiːz/ inter. (*fam.*) (abbr. di **Jesus**) accidenti!; cribbio!; cavolo!

Jeff /dʒef/ n. dim. di **Jeffrey**.

jeff /dʒef/ n. (*slang dei neri, USA*) **1** (uomo) bianco **2** individuo noioso, convenzionale.

Jeffrey /'dʒefrɪ/ n. Goffredo.

Jehoshaphat /dʒɪ'hɒʃəfæt/ n. (*Bibbia*) Giosafat.

Jehovah /dʒɪ'həʊvə/ n. (*relig.*) Geova; Iehova ● **J.'s Witness**, testimone di Geova.

jejunal /dʒɪ'dʒuːnəl/ a. (*anat.*) relativo all'intestino digiuno; del digiuno.

jejune /dʒɪ'dʒuːn/ a. (*form. o lett.*) **1** semplice; ingenuo; puerile; bambinesco **2** insignificante; scialbo; vacuo; sterile **3** (*antiq., di dieta, ecc.*) insufficiente, scarso, povero; (*di terreno*) arido, sterile | **-ly** avv. | **-ness** n. □.

jejunum /dʒɪ'dʒuːnəm/ n. (*anat.*) (intestino) digiuno.

Jekyll and Hyde /'dʒekəl ən'haɪd/ loc. n. individuo dalla doppia personalità; persona che ha una doppia vita (*dal romanzo di R.L. Stevenson*).

to **jell** /dʒel/ v. i. **1** gelatinizzarsi; gelificare; gelificarsi **2** (*fig., di idee, progetti, ecc.*) prendere forma; concretizzarsi **3** (*fig., di persone*) affiatarsi; entrare in sintonia.

jellied /'dʒelɪd/ a. (*di cibo*) in gelatina.

jellification /dʒelɪfɪ'keɪʃn/ n. gelatinizzazione.

to **jellify** /'dʒelɪfaɪ/ **A** v. t. gelatinizzare **B** v. i. gelatinizzarsi.

jello, **Jell-O** ® /'dʒeləʊ/ n. □ (*USA*) gelatina al gusto di frutta.

jelly /'dʒelɪ/ n. **1** □ gelatina (*di carne*) **2** □ (*GB*) gelatina di frutta (*dessert*) **3** (= **fruit j.**) caramella gelatinosa alla frutta; gelatina di frutta **4** □□ (*USA*) marmellata; confettura **5** □ sostanza gelatinosa; gelatina **6** (al pl. = **j. shoes**, **j. sandals**) (*fam.*) sandali di plastica trasparente colorata **7** □ (*slang*) nitrogelatina; gelignite ● **j. baby**, caramella gommosa di frutta (*a forma di pupazzetto*) □ (*cucina*) **j. bag**, sacchetto di garza per filtrare la gelatina □ (*USA*) **j. beans**, caramelle (*a forma di fagiolo*) con ripieno gelatinoso □ (*slang USA*) **j.-belly**, ciccione; trippone; grassone; panzone □ (*cucina*) **j. roll**, fagottino di pasta farcito di panna o marmellata □ **to turn to j.**, diventare molle: *My legs turned to j.*, le mie gambe diventarono molli.

to **jelly** /'dʒelɪ/ **A** v. t. **1** ridurre in gelatina; gelatinizzare **2** mettere gelatina su (*un cibo*) **B** v. i. gelatinizzarsi; diventare gelatinoso.

jellyfish /'dʒelɪfɪʃ/ n. **1** (*zool.*) medusa **2** (*fam.*) smidollato; pappa molle.

jemmy /'dʒemɪ/ n. **1** piede di porco **2** (*slang*) testa di pecora (*cotta al forno*).

to **jemmy** /'dʒemɪ/ v. t. forzare con un piede di porco; scassinare: **to j. a door open**, aprire una porta col piede di porco.

je ne sais quoi /ʒənəseɪ'kwɑː/ (*franc.*) loc. n. (un) non so che.

jennet /'dʒenɪt/ n. (*zool.*) ginnetto.

jenny /'dʒenɪ/ n. **1** (= **spinning j.**) filatoio multiplo (*per il cotone*); giannetta **2** (*tecn.*) gru mobile **3** (*zool.*, = **j. ass**) asina **4** (*zool.*, = **j. wren**) femmina dello scricciolo.

Jenny /'dʒenɪ/ n. dim. di → **Jane**.

to **jeopardize** /'dʒepədaɪz/ v. t. **1** arrischiare; mettere in pericolo (*o* a repentaglio): **to j. one's life**, arrischiare la vita **2** compromettere (*una buona occasione, ecc.*).

jeopardy /'dʒepədɪ/ n. □ **1** pericolo; rischio; repentaglio: **in j.**, in pericolo, a rischio; a repentaglio **2** (*leg.*) pericolo di condanna penale.

Jephthah /'dʒefθə/ n. (*Bibbia*) Jefta.

jerboa /dʒɜː'bəʊə/ n. (*zool.*, *Jaculus orientalis*) gerboa; topo delle piramidi.

jeremiad /dʒerɪ'maɪæd/ n. geremiade; lamentazione.

Jeremiah /dʒerɪ'maɪə/ n. (*Bibbia*) Geremia.

Jeremy /'dʒerəmɪ/ n. Geremia.

Jericho /'dʒerɪkəʊ/ n. (*Bibbia, geogr.*) Gerico.

jerk① /dʒɜːk/ n. **1** strattone; strappo **2** scossa; scatto; sobbalzo **3** spasmo muscolare; contrazione **4** (*sport*: *sollevamento pesi*) slancio **5** (*mecc.*) velocità d'accelerazione **6** (*slang USA*) scemo; stupido; fesso; idiota **7** (al pl.) (*slang USA*) delirium tremens ● (*fam., antiq.*) **physical jerks**, ginnastica (*a corpo libero*); esercizi.

jerk② /dʒɜːk/ n. □ **1** (*cucina*) carne di maiale o di pollo marinata e cotta alla griglia su un fuoco di legna **2** (*alim.*)→ **jerky**①.

to **jerk**① /dʒɜːk/ **A** v. t. **1** dare uno strappo (*o* uno strattone) a; strattonare: **to j. oneself free**, liberarsi con uno strattone **2** (*seguito da avv. o prep.*) muovere di scatto; scuotere: **to j. one's hand away**, ritirare la mano di scatto; **to j. up one's head**, alzare di scatto la testa; **to j. a cart out of the mud**, tirare un carro fuori dal fango; **to j. out one's words**, parlare a scatti; *He was jerked out of his torpor*, fu scosso dal suo torpore **3** (*sport*: *sollevamento pesi*) sollevare con slancio **B** v. i. sobbalzare; muoversi a scatti; muoversi a strappi; procedere a scosse (*o* a sobbalzi): **to j. into motion**, mettersi in moto sobbalzando; **to j. to a stop**, fermarsi con un sobbalzo.

▪ **jerk around A** v. t. + avv. (*fam. USA*) **1** menare per il naso; prendere in giro; prendere per i fondelli (*fam.*) **2** strapazzare; maltrattare; tormentare **B** v. i. + avv. (*fam. USA*) bighellonare; ciondolare; perder tempo.

▪ **jerk off** (*volg.*) **A** v. i. + avv. masturbarsi; farsi una sega (*volg.*) **B** v. t. + avv. masturbare.

to **jerk**② /dʒɜːk/ v. t. conservare (*carne, spec. di bue*) tagliandola a strisce ed essiccandola al sole.

jerkin /'dʒɜːkɪn/ n. **1** (*stor.*) farsetto; giustacuore **2** (*moda*) giacchetta senza maniche.

jerk-off /'dʒɜːkɒf/ n. (*volg. USA*) **1** masturbatore; pippaiolo; segaiolo (*pop.*) **2** mezza sega; coglione; pirla (*pop.*).

jerky① /'dʒɜːkɪ/ n. □ (*alim.*) carne tagliata a strisce essiccata al sole.

jerky② /'dʒɜːkɪ/ a. **1** a scatti; a scosse; a sobbalzi; spasmodico; convulso **2** (*slang spec. USA*) scemo; stupido; tonto || **jerkily** avv. a scosse; a balzelloni || **jerkiness** n. □ il muoversi a strappi, con scosse; andatura a balzelloni.

jeroboam /dʒerə'bəʊəm/ n. geroboamo (*bottiglione per vini pregiati*).

Jeroboam /dʒerə'bəʊəm/ n. (*Bibbia*) Geroboamo.

Jerome /dʒə'rəʊm/ n. Gerolamo; Geronimo.

jerry /'dʒerɪ/ n. **1** (*slang GB, antiq.*) vaso da notte **2** (= **j.-shop**) birreria d'infimo ordine ● (*spec. mil.*) **j. can**, tanica (*di benzina, ecc.*).

Jerry /'dʒɛrɪ/ n. **1** dim. di **Gerard** o **Jeremy 2** (*slang*) (soldato) tedesco; (*estens.*) i tedeschi.

jerry-built /'dʒɛrɪbɪlt/ a. (*di edificio*) costruito con materiale scadente ‖ **jerry- -builder** n. costruttore di case che usa materiale scadente; imprenditore edile disonesto.

jerrycan /'dʒɛrɪkæn/ n. tanica.

♦**jersey** /'dʒɜːzɪ/ n. **1** Ⓤ (*anche* j. **wool**) (*ind. tess.*) jersey **2** maglia attillata di lana; pullover **3** (*sport*) (*calcio, ciclismo, ecc.*) maglia; casacca.

Jersey /'dʒɜːzɪ/ n. **1** (*geogr.*) Jersey (*una delle Isole Normanne*) **2** (= **J. cow**) mucca di razza Jersey.

Jersey barrier /'dʒɜːzɪ 'bærɪə(r)/ n. (*autom.*) barriera New Jersey.

Jerusalem ● /dʒə'ruːsələm/ n. (*geogr.*) Gerusalemme ● (*bot.*) **J. artichoke** (*Helianthus tuberosus*), topinambur □ **J. cross**, croce di Gerusalemme.

jess /dʒɛs/ n. (*falconeria*) geto.

to **jess** /dʒɛs/ v. t. mettere il geto alla zampa di (*un falco*).

jessamine /'dʒɛsəmɪn/ n. → **jasmine**.

jest /dʒɛst/ n. **1** celia; canzonatura; motteggio; scherzo: **to say st. in j.**, dire qc. per scherzo **2** facezia; frizzo; motto **3** oggetto di derisione; zimbello ● (*prov.*) **Many a true word is spoken in j.**, spesso burlando si dice il vero ❶ **FALSI AMICI** · **jest** *non significa* gesto.

to **jest** /dʒɛst/ Ⓐ v. i. celiare; motteggiare; scherzare Ⓑ v. t. (*arc.*) motteggiare; prendersi gioco di (q.); prendere in giro.

jester /'dʒɛstə(r)/ n. **1** burlone, burlona **2** (*stor.*) buffone (*di corte*); giullare.

jesting /'dʒɛstɪŋ/ a. **1** faceto; che ama scherzare; burlone **2** scherzoso; faceto: **a j. answer**, una risposta scherzosa | **-ly** avv.

Jesuit /'dʒɛzjʊɪt/ n. (*relig., anche fig.*) gesuita.

Jesuitical /ˌdʒɛzjʊ'ɪtɪkl/, **Jesuitic** /ˌdʒɛzjʊ'ɪtɪk/ a. (*relig., anche fig.*) gesuitico | **-ly** avv.

Jesuitism /'dʒɛzjʊɪtɪzəm/ n. Ⓤ (*relig., anche fig.*) gesuitismo.

Jesuitry /'dʒɛzjʊɪtrɪ/ n. Ⓤ (*relig., anche fig.*) gesuitismo.

Jesus /'dʒiːzəs/ n. (*relig.*) Gesù: **J. Christ**, Gesù Cristo ● (*fam. spreg.*) **J. freak**, evangelico fanatico; invasato di Gesù.

♦**jet**① /dʒɛt/ n. **1** getto (*di liquido*); spruzzo; zampillo; fiotto: **water jets**, getti d'acqua; **jets of blood**, zampilli di sangue **2** getto (*di gas, vapore*): **a jet of steam**, un getto di vapore **3** (*tecn.*) ugello; becco; beccuccio: **gas jet**, ugello del gas **4** (*autom.*) getto; spruzzatore; polverizzatore; gigleur (*franc.*) **5** (*aeron.*, = **jet plane**) aviogetto; jet; aereo a reazione; reattore **6** (*zool.*; = **jet pipe**) sfiatatoio (*di cetaceo*) ● (*aeron.*) **jet airliner**, aereo di linea a reazione; aviogetto di linea □ (*aeron.*) **jet engine**, motore a reazione; reattore □ (*aeron. mil.*) **jet fighter**, caccia a reazione □ **jet fuel**, combustibile per aviogetti □ **jet lag**, jetlag; malessere (*di un viaggiatore in aereo*) dovuto al rapido spostamento attraverso vari fusi orari □ **jet lagged**, che soffre di jetlag; scombussolato dal rapido cambiamento di fuso orario: *I'm pretty jet-lagged after the trip*, soffro ancora il jet-lag causato dal viaggio □ (*aeron.*) **jet lift**, gettosostentazione □ (*aeron., miss.*) **jet nozzle**, ugello di scarico; effusore □ **jet pilot**, pilota d'aviogetto □ **jet pipe**① tubo di scarico; (*zool.*) sfiatatoio (*di cetaceo*) □ **jet-propelled**, (*aeron.*) con motore a getto; a reazione; (*fig.*) velocissimo, rapidissimo, frenetico □ (*aeron.*) **jet propulsion**, propulsione a reazione (*o a getto*); gettopropulsione □ **jet set**,

jet set □ **jet-setter**, uno dei jet set □ (*sport*) **jet ski**, acquascooter (*veicolo*); scooter acquatico □ **jet skier**, chi pratica l'acquascooter □ **jet skiing**, acquascooter (*sport*) □ **jet society**, jet society □ **jet stream**, (*aeron.*) getto; (*meteor.*) corrente a getto □ (*med.*) **jet syndrome**, sindrome da jet □ (*aeron.*) **jet turbine**, turbogetto.

jet② /dʒɛt/ Ⓐ n. Ⓤ **1** (*miner.*) giaietto; giavazzo; ambra nera **2** nero lucente Ⓑ a. **1** di giaietto **2** (*color*) nero lucente ● **jet-black**, nero come l'ebano; (*di capelli*) corvino.

to **jet** /dʒɛt/ Ⓐ v. i. **1** uscire a getti (*o a fiotti*); zampillare; scaturire; sgorgare **2** (*aeron.*) volare (*o viaggiare*) in aviogetto Ⓑ v. t. **1** emettere a getti (*o a zampilli*) **2** (*mecc.*) eiettare.

jetboat /'dʒɛtbəʊt/ n. (*naut.*) imbarcazione a gettopropulsione; barca a idrogetto.

jetfoil /'dʒɛtfɔɪl/ n. (*naut.*) aliscafo a idrogetto.

jetlag /'dʒɛtlæg/ n. Ⓤ = **jet lag** → **jet**.

jetliner /'dʒɛtlaɪnə(r)/ n. (*aeron.*) aereo di linea a reazione.

jetport /'dʒɛtpɔːt/ n. (*aeron.*) aeroporto per aviogetti.

jetsam /'dʒɛtsəm/ n. Ⓤ **1** (*naut.*) gettito; merci (pl.) gettate fuori bordo (*per alleggerire la nave*) **2** (*fig.*) relitti (pl.); ciarpame.

to **jet-ski** /'dʒɛtskiː/ v. i. (pass. e p. p. **jet- -skied**) (*sport*) praticare il jet ski (*o l'acquascooter*).

jettison /'dʒɛtɪsn/ n. **1** (*naut., leg.*) scarico in mare del carico (*o di parte di esso, per alleggerire la nave*); alleggio **2** (*aeron.*) scarico in volo **3** (*fig.*) abbandono.

to **jettison** /'dʒɛtɪsn/ v. t. **1** (*naut.*) gettare a mare (*il carico o parte di esso*); gettare fuori bordo **2** (*aeron.*) sganciare in volo; alleggerirsi di **3** (*fig.*) gettar via; buttare; disfarsi (*o liberarsi*) di; eliminare **4** (*fig.*) abbandonare; rinunciare a: **to j. a plan**, abbandonare (*o rinunciare a*) un piano.

jetton /'dʒɛtn/ n. gettone (*spec. della roulette*).

jetty① /'dʒɛtɪ/ n. gettata; molo; pontile.

jetty② /'dʒɛtɪ/ a. nero come il giaietto; nero come l'ebano; corvino.

jetway /'dʒɛtweɪ/ n. (*aeron.*) corridoio telescopico.

Jew /dʒuː/ n. **1** ebreo; giudeo; israelita **2** (*slang, spreg.*) avaro; taccagno; tirchio; rabbino ● **Jew-baiter**, persecutore d'ebrei □ **Jew-baiting**, persecuzione degli ebrei □ (*bot.*) **Jew's ear** (*Auricularia auricula-Judae*), orecchio di Giuda □ (*mus.*) **Jew's harp**, scacciapensieri.

jewel /'dʒuːəl/ n. **1** pietra preziosa; gemma: **studded with jewels**, tempestato di pietre preziose **2** (*spec.* al pl.) gioiello; gioia **3** (*fig.*) gioiello; tesoro; perla: **a j. of a town**, una città che è un gioiello; *You're a j.!*, sei un tesoro! **4** (*orologeria*) rubino: **a 17-j. wrist- watch**, un orologio da polso con 17 rubini **5** (*ferr.*, **j. bearing**) bronzina ● (*zool.*) **j.- -beetle**, buprestide □ **j. box** (*o* **j. case**), astuccio per gioielli; portagioie; (*anche*) contenitore di cd □ **the j. house**, la sede dei gioielli della Corona inglese (*nella Torre di Londra*) □ **the j. in the crown**, il fiore all'occhiello; motivo di vanto.

jewelfish /'dʒuːəlfɪʃ/ n. (pl. **jewelfish**, **jewelfishes**) (*zool., Hemichromis bimaculatus*) pesce gioiello; ciclide gioiello.

jewelled /dʒuːəld/ a. **1** ornato di pietre preziose; gemmato: **a j. box**, una scatola ornata di pietre preziose **2** (*orologeria*) con rubini.

jeweller, (*USA*) **jeweler** /'dʒuːələ(r)/ n. gioielliere; orefice ● **j.'s rouge**, ossido ferrico □ **j.'s shop**, gioielleria.

♦**jewellery**, (*USA*) **jewelry** /'dʒuːəlrɪ/ n. Ⓤ

(collett.) gioielli (pl.); gioie (pl.): **a piece of j.**, un gioiello.

Jewess /'dʒuːɛs/ n. (*antiq.*) ebrea; giudea.

jewfish /'dʒuːfɪʃ/ n. (pl. **jewfish**, **jewfishes**) (*zool.*) nome di vari pesci dell'ordine dei Perciformi, tra cui la cernia.

Jewish /'dʒuːɪʃ/ a. **1** ebraico; giudaico; ebreo; giudeo: **the J. calendar**, il calendario ebraico; **the J. people**, il popolo ebraico (*o ebreo*); **a J. writer**, uno scrittore ebreo **2** (*spreg.*) avaro; tirchio; da rabbino.

Jewishness /'dʒuːɪʃnəs/ n. Ⓤ ebraicità; appartenenza all'ebraismo.

Jewry /'dʒʊərɪ/ n. **1** Ⓤ gli ebrei (pl.); comunità ebraica: **American J.**, gli ebrei d'America **2** (*stor.*) ghetto; quartiere ebreo.

Jezebel /'dʒɛzəbl/ n. **1** (*Bibbia*) Jezabel; Gezabele **2** (*fig.*) donna spudorata; donna dissoluta; donna troppo truccata.

JFK sigla (**John Fitzgerald Kennedy**) (*35° presidente USA e l'aeroporto a lui dedicato a New York*).

jib① /dʒɪb/ n. **1** (*naut.*) fiocco **2** (*mecc.*) braccio (*di gru, d'argano*) ● (*naut.*) **jib boom**, asta di fiocco □ (*mecc.*) **jib crane**, gru a bandiera (*o a braccio*) □ (*fig. fam. antiq.*) **the cut of sb.'s jib**, l'aspetto esteriore di q.; i modi di q. □ (*naut.*) **flying jib**, controfiocco □ (*naut.*) **inner jib**, fiocco di dentro; gran fiocco □ (*naut.*) **outer jib**, fiocco di fuori; falso fiocco.

jib② /dʒɪb/ → **jibber**.

to **jib** /dʒɪb/ v. i. **1** (*di cavallo*) recalcitrare; impuntarsi; rifiutare d'andare avanti **2** (*fig.*) recalcitrare; rifiutare; opporsi: **to jib at st.**, opporre resistenza a qc.; recalcitrare davanti a qc.; **to jib at doing st.**, rifiutarsi di fare qc.

jibber /'dʒɪbə(r)/ n. cavallo recalcitrante, che s'impunta.

jib door /'dʒɪbdɔː(r)/ loc. n. porta dissimulata; uscíolo a muro.

jibe /dʒaɪb/ → **gibe**.

to **jibe**① /dʒaɪb/ → **to gibe**.

to **jibe**② /dʒaɪb/ → **to gybe**.

to **jibe**③ /dʒaɪb/ v. i. (*fam. USA*) **1** concordare; combaciare; corrispondere; collimare: *Your account of what happened jibes with his evidence*, la tua descrizione dei fatti concorda con la sua testimonianza **2** andare d'accordo; accordarsi.

jiffy /'dʒɪfɪ/, **jiff** /dʒɪf/ n. (*fam.*) attimo; istante; momento: **in a j.**, in un attimo; in un batter d'occhio.

Jiffy bag®, **jiffy bag** /'dʒɪfɪbæg/ loc. n. busta imbottita (*per spedire libri, ecc.*).

jig① /dʒɪg/ n. **1** (*mus.*) giga: **to dance a jig**, ballare una giga **2** (*mecc.*) maschera (*di montaggio*); attrezzatura di guida dell'utensile **3** (*ind. min.*) crivello oscillante **4** (*pesca*) cucchiaino ● (*mecc.*) **jig borer**, tracciatrice; alesatrice a coordinate □ (*slang USA*) **The jig is up**, la festa è finita!; il gioco è finito!; fine del divertimento!

jig② /dʒɪg/ → **jigaboo**.

to **jig** /dʒɪg/ Ⓐ v. i. **1** ballare la giga **2** saltellare; salterellare; ballare; ballonzolare **3** (*pesca*) pescare con il cucchiaino Ⓑ v. t. **1** far ballare a tempo di giga **2** far saltellare; far ballare; far andare su e giù **3** (*mecc.*) lavorare con maschere (*o con attrezzature munite di guide*) **4** (*ind. min.*) crivellare, vagliare (*un minerale*).

jigaboo /'dʒɪgəbuː/ n. (*slang spreg. USA*) negro.

jigger① /'dʒɪgə(r)/ n. **1** danzatore (*o danzatrice*) di giga **2** (*naut.*) paranco volante a coda **3** (*naut.*) mezzanella; vela di mezzana; piccola vela **4** (*naut.*, = **jiggermast**) mezzanella; albero di contromezzana (*in un quattro alberi*) **5** (*naut.*) iole a vela **6** (*slang*) appoggio per la stecca (*di biliardo*) **7** (*ind.*

min.) crivellatore **8** (*ind. min.*) canale a scosse; canale trasportatore oscillante **9** (*fam.*) misurino per liquori (*da circa un'oncia e mezzo = 45 ml*); (*estens.*) bicchierino, goccetto **10** (*slang USA*) aggeggio; affare; coso.

jigger ② /'dʒɪgə(r)/ n. (*zool., Tunga penetrans*) pulce penetrante.

to **jigger** /'dʒɪgə(r)/ v. t. (*fam. GB*) **1** rompere; scassare; rovinare **2** mandare all'aria (*progetti, ecc.*) **3** manipolare, truccare (*risultati, ecc.*); falsificare (*conti, ecc.*).

jiggered /'dʒɪgəd/ a. (*fam. GB*) **1** rotto; scassato; rovinato **2** stanco morto; distrutto ● *I'll be j.!*, che mi venga ...!

jiggery-pokery /'dʒɪgərɪ'pəʊkərɪ/ n. (*fam.*) imbrogli (pl.); raggiri (pl.); losche manovre (pl.).

jiggle /'dʒɪgl/ n. lieve scossa; tremolio.

to **jiggle** /'dʒɪgl/ A v. t. scuotere (*o scrollare*) levemente; muovere su e giù (*o a destra e a sinistra*); dare una scrollatina a: **to j. the door handle**, scuotere lievemente la maniglia della porta B v. i. muoversi su e giù; ballonzolare; scrollarsi.

jigsaw /'dʒɪgsɔː/ n. **1** seghetto alternativo; sega da traforo **2** (*anche* **j. puzzle**), puzzle (a incastri) **3** (*fig.*) rompicapo; puzzle.

jihad /dʒɪ'hɑːd/ n. ⓤ **1** gihad; guerra santa **2** (*fig.*) guerra; lotta; crociata ‖ **jihadi** A a. della jihad; relativo alla jihad; jihadista B n. (pl. **jihadis**) jihadista ‖ **jihadist** n. jihadista.

Jill n. dim. di **Gillian**.

jill /dʒɪl/ → **gill** ④.

jillion /'dʒɪljən/ n. (*slang USA*) quantità enorme; infinità; valanga.

jilt /dʒɪlt/ n. (*antiq.*) ragazza capricciosa e leggera; fraschetta.

to **jilt** /dʒɪlt/ v. t. (*antiq.*) abbandonare, lasciare (*il partner*): **a jilted lover**, un innamorato abbandonato.

Jim /dʒɪm/, **Jimmy** /'dʒɪmɪ/ n. dim. di **James**.

Jim Crow /'dʒɪm'krəʊ/ A n. **1** (*spreg. USA*) negro **2** ⓤ (*fam. USA*) discriminazione o segregazione razziale (*contro gli afroamericani*); segregazionismo **3** – (*ferr.*) jim crow, martinetto piegarotaie; cagna B a. attr. (*fam. USA*) per soli neri; segregazionista: **Jim Crow car**, carrozza ferroviaria (*o tranviaria, ecc.*) per soli neri; **Jim Crow Laws**, leggi segregazioniste; **Jim Crow school**, scuola per soli neri.

to **Jim-Crow**. to **jim-crow** /'dʒɪm'krəʊ/ v. t. (*USA*) **1** segregare (*afroamericani*) **2** discriminare.

jim-dandy /'dʒɪm'dændɪ/ (*fam. USA*) A n. cosa (*o persona*) eccezionale, fantastica B a. eccellente; fantastico; splendido.

Jiminy /'dʒɪmɪnɪ/ n. (solo nella loc.:) **by J.!**, cribbio!; urca!; caspiterina!

jim-jams /'dʒɪmdʒæmz/ n. pl. (*slang*) **1** (*fam.*) attacco di paura; fifa; tremarella **2** (*GB, infant.*) pigiama.

jimmy /'dʒɪmɪ/ n. (*USA*) → **jemmy**, *def 1*.

to **jimmy** /'dʒɪmɪ/ v. t. (*USA*) → to **jemmy**.

Jimmy /'dʒɪmɪ/ n. dim. di **James**.

jimsonweed /'dʒɪmsənwiːd/ n. (*bot., USA, Datura stramonium*) stramonio.

jingle /'dʒɪŋgl/ n. **1** tintinnio; scampanellio **2** campanello; campanellino; sonaglio **3** filastrocca; poesiola a motivetto; canzonetta; (*pubbl.*) jingle **5** ⓤ (*slang GB*) soldi (pl.); spiccioli (pl.); monetine (pl.) **6** (*slang USA*) colpo di telefono; squillo.

to **jingle** /'dʒɪŋgl/ A v. i. **1** tintinnare; scampanellare **2** (*con avv.*) muoversi tintinnando (*o scampanellando*): **to j. by**, passare scampanellando **3** (*di poesia, versi*) essere molto ritmato B v. t. far tintinnare: *He jingled the coins in his pocket*, fece tintinnare

le monetine che aveva in tasca.

jingle-jangle /'dʒɪŋgl'dʒæŋgl/ n. → **jingle**, *def. 1 e 5*.

jingo /'dʒɪŋgəʊ/ A n. (pl. *jingoes*) nazionalista fanatico; sciovinista B a. sciovinistico ● (*slang, antiq.*) **by j.!**, perbacco!; perdinci!

jingoism /'dʒɪŋgəʊɪzəm/ n. ⓤ nazionalismo esasperato; sciovinismo ‖ **jingoist** n. nazionalista fanatico; sciovinista ‖ **jingoistic** a. sciovinistico; sciovinista.

jink /dʒɪŋk/ n. scarto; scartata, brusca deviazione; (*autom.*) brusca sterzata ● (*fam. antiq.*) **high jinks**, allegria sfrenata; baldoria.

to **jink** /dʒɪŋk/ A v. i. **1** scansarsi; scartare; zigzagare **2** (*gergo aeron.*) volare a zigzag (*per sottrarsi al fuoco antiaereo*) B v. t. scartare, scansare, schivare (*un inseguitore, ecc.*) ● (*sport*) **to j. past an opponent**, scartare un avversario.

jinn /dʒɪn/, **jinnee** /'dʒɪnɪ/ n. (pl. *jinn*) (*mitol.*) genio; genietto.

jinx /dʒɪŋks/ n. (*fam.*) **1** persona (*o cosa*) che porta sfortuna (*o iella*); iettatore; menagramo: **to be a j.**, essere un iettatore; portare iella **2** iettatura; iella; malocchio; maledizione; sfiga (*volg.*): **to put a j. on sb.**, gettare il malocchio su q.; *There's a j. on it*, è ielato; ha il malocchio; ha una maledizione addosso.

to **jinx** /dʒɪŋks/ v. t. (*fam.*) **1** portare iella (*o scalogna*) a; iellare; iettare **2** gettare il malocchio su.

jinxed /dʒɪŋkst/ a. (*fam.*) iellato, iettato, scalognato (*fam.*); sfigato (*volg.*).

jism /'dʒɪzm/ n. ⓤ (*volg.*) **1** sperma; sborra (*pop.*) **2** energia; vivacità.

JIT sigla (*comm., just-in-time*) just-in-time (*tecnica di produzione e gestione aziendale*).

jitney /'dʒɪtnɪ/ n. (*slang USA*) **1** piccolo autobus; maxitaxi **2** (*arc.*) moneta da cinque centesimi (di dollaro).

jitter /'dʒɪtə(r)/ n. **1** ⓤ (*elettron.*) tremolio (*di un'immagine, ecc.*) **2** (al pl.) (*fam.*) nervosismo; inquietudine; agitazione; tremarella (*fam.*): **to have the jitters**, essere nervoso; avere la tremarella.

to **jitter** /'dʒɪtə(r)/ v. i. **1** (*elettron.: di immagine, ecc.*) tremolare **2** (*fam.*) essere nervoso; spaventarsi; avere la tremarella (*fam.*).

jitterbug /'dʒɪtəbʌg/ n. (*fam.*) **1** ⓤ ballo sfrenato, a ritmo di jazz (*degli anni '40*) **2** ballerino sfrenato di jazz; fanatico del jazz **3** (*slang*) individuo ansioso; tipo nervosissimo; isterico.

jittery /'dʒɪtərɪ/ a. (*fam.*) nervoso; agitato: **to grow j.**, innervosirsi ‖ **jitteriness** n. ⓤ nervosismo; agitazione.

jiujitsu /dʒuː'dʒɪtsuː/ → **jujitsu**.

jive /dʒaɪv/ A n. ⓤ **1** (*mus.*) varietà di jazz degli anni '40 e '50 **2** ballo veloce, a ritmo di jazz (*degli anni '40 e '50*) **3** (*USA, = j. talk*) gergo dei jazzisti (*usato negli anni '30 e '40*); (*estens.*) gergo nei neri (*spec.*) di Haarlem **4** (*slang USA*) parole (pl.) vuote; chiacchiere (pl.); storie (pl.); balle (pl.) B a. (*slang USA*) falso; fasullo ● (*volg. USA, spreg.*) **j.-ass** (*agg.*) fasullo, fesso, sciocco, ridicolo; (*sost.*) tonto, minchione, coglione, testa di cazzo (*volg.*).

to **jive** /dʒaɪv/ A v. i. (*fam.*) **1** ballare il → **jive**, (*def. 2*) **2** suonare il → **jive**, *def. 2* **3** (*USA*) parlare il gergo dei jazzisti B v. t. (*slang USA*) **1** riempire di chiacchiere; imbrogliare **2** sfottere.

jizz /dʒɪz/ n. (*fam.*) aspetto caratteristico (*di un animale o una pianta*).

JK sigla (*Internet, telef., just kidding*) scherzo; sto scherzando.

Jnr abbr. (**junior**) junior.

Joachim /'jəʊəkɪm/ n. Gioacchino.

Joan /dʒəʊn/, **Joanna** /dʒəʊ'ænə/ n. Giovanna.

♦**job** ① /dʒɒb/ n. **1** lavoro; compito; mansione; incombenza: **an easy job**, un lavoro facile; un compito facile; **to do a [good] job**, fare un [buon] lavoro; **to do a bad job**, lavorare male; *Is he up to the job?*, è in grado di svolgere questo lavoro?; *He's just the man for the job*, è l'uomo che ci vuole per questo lavoro **2** impiego; occupazione; posto di lavoro; lavoro: *She has a job as a typist*, ha un posto di (*o lavora come*) dattilografa; *I've just started a new job at a printing company not far from here*, ho appena cominciato un nuovo lavoro in una tipografia non lontano da qui; **to create more jobs**, creare nuovi posti di lavoro; **part-time job**, lavoro a metà tempo; **to get a job**, trovare un posto di lavoro; trovare lavoro; **to lose one's job**, perdere il posto; **to do odd jobs**, fare lavoretti vari; lavorare saltuariamente; **job application**, domanda di lavoro (*o di assunzione*); **job creation**, creazione di posti di lavoro **3** compito; funzione; responsabilità; dovere: *It's your job to make sure everything is running smoothly*, è compito tuo assicurarti che tutto funzioni regolarmente; *It isn't my job*, non è compito mio **4** (*fam.*) compito difficile; impresa; daffare: *It's a job raising children*, è un'impresa tirar su dei figli; *I had a job finishing it*, ho avuto un bel daffare per finirlo **5** affare; faccenda; situazione; storia; roba: (*iron.*) **a pretty job!**, bell'affare!; bella roba!; **put-up job**, faccenda combinata; macchinazione; manovra **6** (*org. az.*, = **job order**) commessa; lavoro su commessa: **to win a job**, ottenere una commessa; **to work on a job**, lavorare a una commessa **7** (*con agg.*) (*fam., rif. a cosa o persona*) affare; esemplare; tipo: *She was wearing a one of those frilly jobs*, indossava uno di quegli affari tutto pizzi; *He was driving a red sports job*, era al volante di un'auto sportiva rossa **8** (*fam.*) operazione di chirurgia estetica; plastica: *She's had a nose job*, s'è fatta fare la plastica al naso; s'è fatta rifare il naso; **to have a boob job**, rifarsi le tette **9** (*slang*) rapina; furto; colpo: **a bank job**, una rapina a una banca; **to pull a job**, fare un colpo (*o una rapina*) **10** (*comput.*) job **11** bisogno (*fisiologico*): **big job**, bisognone; popò; **little job**, bisognino; pipì ● (*USA*) **job action**, azione sindacale che esclude lo sciopero generale □ **job analysis**, analisi delle mansioni □ **job analyst**, esperto di analisi e valutazione del lavoro □ **job centre**, → **jobcentre** □ (*org. az.*) **job classification**, classificazione delle mansioni □ (*in GB*) **job club**, organizzazione che assiste i disoccupati nella ricerca del lavoro □ (*comput.*) **job control language**, linguaggio di comando □ **job cuts**, riduzione dei posti di lavoro □ **job description**, mansionario □ **job displacement**, soppressione di posti di lavoro □ **job estimate**, preventivo dei lavori (*da eseguire*) □ **job evaluation** (*o rating*), valutazione del lavoro (*o delle mansioni*) □ **job growth**, crescita dell'occupazione (*o dei posti di lavoro*) □ (*fam.*) **job-hopper**, chi cambia continuamente lavoro □ (*fam.*) **job hunting**, ricerca di un posto di lavoro □ **job in hand**, lavoro in corso (*o in svolgimento*); quello che uno sta facendo □ (*econ.*) **job insecurity**, precarietà nell'impiego □ **job loss**, perdita di posti di lavoro □ **job lot**, (*org. az.*) lotto (*di merce*); (*spreg.*) merce scadente, roba scadente □ (*econ.*) **job market**, mercato del lavoro (*o della manodopera*) □ **job of work**, lavoro; compito; opera: **a good job of work**, un lavoro ben fatto □ **job offer**, offerta di (*un posto di*) lavoro □ **job opportunities**, possibilità d'impiego □ (*econ.*) **job production**, produzione su commessa □ **job**

rating, (*org. az.*) valutazione del lavoro (*o delle mansioni*); (*fig.*) sondaggio sulla popolarità (*di un politico, ecc.*) □ (*econ.*) **job release scheme**, piano di prepensionamento □ **job rotation**, rotazione delle mansioni □ **job security**, sicurezza del posto di lavoro □ **job seeker**, chi cerca lavoro □ **job- -sharer**, lavoratore part-time che divide con un altro un lavoro a tempo pieno □ (*econ.*) **job sharing**, job sharing; condivisione del lavoro □ (*comput.*) **job step**, fase di un job; passo di lavoro □ **job ticket**, scheda di commessa □ **job work**, lavoro fatto a cottimo □ (*fam. GB*) **jobs for the boys**, posti creati per favoritismo o clientelismo; lottizzazione □ (*infant.*) **big jobs**, la popò; un bisognone □ **by the job**, a cottimo: **to be paid [to work] by the job**, essere pagato [lavorare] a cottimo □ (*comm.*) **to charge sb. on a job-by-job basis**, farsi pagare da q. in economia □ (*fam.*) **to do the job**, servire allo scopo; funzionare, essere quello che ci vuole □ (*slang*) **to do a job on sb.**, malmenare, conciare q. per le feste; fregare, imbrogliare, truffare q. □ (*slang*) **to do a job on st.**, fare a pezzi, massacrare, stroncare qc.: *The critics have done a job on the film*, la critica ha fatto a pezzi il film □ **to get on with the job**, continuare (*a fare quello che si stava facendo*); procedere □ (*fam.*) **to give up sb. [st.] as a bad job**, lasciar perdere q. [qc.] □ (*fam.*) **Good job!**, bravo!; ben fatto! □ (*fam.*) **... and a good job too!**, meno male!; era ora! □ (*fam.*) **It's a good job...**, per fortuna...; meno male che... □ (*fam. GB*) **just the job**, quello che ci vuole (*o che ci voleva*); l'ideale □ **to make the best of a bad job**, fare buon viso a cattiva sorte (*o a cattivo gioco*); fare di necessità virtù; prenderla con filosofia; prenderla sportivamente □ **to make a good job of it**, fare un buon lavoro; lavorare bene □ **on the job**, sul lavoro; nel posto di lavoro; in attività; (*slang GB*) durante un rapporto sessuale: *You cannot smoke on the job*, non si può fumare sul lavoro □ (*econ.*) **on-the-job training**, formazione sul lavoro □ (*fam.*) **out of a job**, disoccupato; senza lavoro.

job② /dʒɒb/ → **jab**.

to job① /dʒɒb/ Ⓐ v. i. **1** fare lavori disparati (*o saltuari*); lavorare a cottimo **2** (*comm.*) comprare (*o vendere*) come intermediario; trafficare **3** (*fin., stor.*) fare il → **jobber**, *def. 4* (*antiq.*) sfruttare il proprio potere per trarne vantaggi personali; prevaricare Ⓑ v. t. **1** (*comm.*) trafficare in **2** (*Borsa*) speculare in **3** subappaltare, dare in subappalto **4** (*antiq.*) approfittare illecitamente di; trattare (*affari pubblici*) in modo disonesto; (*con avv. o compl.*) fare (*qc.*) con mezzi illeciti: **to job sb. into a well-paid post**, procurare un posto ben remunerato a q. con mezzi illeciti **5** (*slang USA*) imbrogliare; tradire; fregare (*fam.*).

to job② /dʒɒb/ → **to jab**.

Job /dʒəʊb/ n. (*Bibbia*) Giobbe ● **Job's comforter**, chi tenta malamente di consolare; pessimo consolatore.

jobber /dʒɒbə(r)/ n. **1** (*comm., USA*) grossista; rivenditore **2** (*comm.*) affarista; trafficante **3** (*fin., stor., in GB*) operatore di borsa (*professionista*); jobber **4** (*econ.*) lavoratore a cottimo **5** prevaricatore; profittatore; lottizzatore; intrallazzatore ● (*Borsa, stor.*) **j.'s turn**, margine (*o profitto*) dell'operatore di borsa.

jobbery /dʒɒbəri/ n. Ⓤ affarismo; prevaricazione; intrallazzo; disonestà (*di politico o di pubblico funzionario*).

jobbing /dʒɒbɪŋ/ Ⓐ n. Ⓤ **1** (lavorazione a) cottimo □ (*econ., org. az.*) fabbricazione su commessa (*o per conto terzi*) **3** (*Borsa, stor.*) operazioni di borsa; intermediazione mobiliare **4** subappalto (*di lavori*) **5** (*antiq.*) intrallazzo; prevaricazione; affarismo; spe-

culazione Ⓑ a. attr. **1** (*di lavoratore*) saltuario; occasionale; a cottimo: **j. gardener**, chi fa lavori di giardinaggio per diversi clienti; **j. journalist**, giornalista «free lance» **2** (*antiq.*) intrallazzatore; corrotto ● **j. contract**, contratto di lavoro a cottimo □ (*econ.*) **j. production**, produzione su commessa □ (*fin., stor.*) **j. profits**, utili d'intermediazione mobiliare.

jobcentre /dʒɒbsɛntə(r)/ n. (*GB*) ufficio di collocamento; centro di orientamento.

jobholder /dʒɒbhəʊldə(r)/ n. **1** chi occupa un posto di lavoro; titolare **2** (*USA*) impiegato (*o funzionario*) statale.

to job-hop /dʒɒbhɒp/ v. i. cambiare lavoro (*o impiego*) di continuo ‖ **job-hopper**, chi cambia lavoro (*o impiego*) di continuo.

to job-hunt /dʒɒbhʌnt/ v. t. (*fam.*) cercare lavoro.

jobless /dʒɒbləs/ Ⓐ a. disoccupato Ⓑ n. (*collett.*) **– the j.**, i senzalavoro; i disoccupati ● (*ass., spec. USA*) **j. insurance**, assicurazione contro la disoccupazione □ (*stat.*) **j. rate**, tasso di disoccupazione | **-ness** n. Ⓤ.

jobseeker /dʒɒbsiːkə(r)/ n. = **job seeker** → **job**①.

to job-share /dʒɒbʃeə(r)/ v. i. (*di lavoratore part-time*) condividere un lavoro; fare il job-sharing.

jobsharing /dʒɒbʃeərɪŋ/ n. Ⓤ divisione di un lavoro a tempo pieno tra due persone che lavorano part time.

jobsworth /dʒɒbzwɜːθ/ n. (*fam. GB*) impiegato dalla mentalità ristretta, ligio al regolamento ❶CULTURA ● **jobsworth**: *questa parola nasce dallo stereotipo dell'impiegato o burocrate che si trincera dietro la frase 'It's more than my job's worth', 'non voglio rischiare il posto'.*

Jock /dʒɒk/ n. (*fam., spesso spreg.*) scozzese.

jock① /dʒɒk/ n. **1** (*sport, fam. USA*) sospensorio **2** (*fam. USA*) studente (*spec. universitario*) che eccelle solo nello sport; atleta fanatico.

jock② /dʒɒk/ n. (*fam.*) **1** (*mus.*) disc jockey; DJ **2** (*USA*) appassionato; fanatico.

jock③ /dʒɒk/ n. (*ipp., fam.*) fantino.

jockey /dʒɒkɪ/ n. **1** (*ipp.*) fantino; jockey **2** (*nei composti*) addetto (*a una mansione*): **pump j.**, benzinaio; **garage j.**, garagista **3** (*nei composti*) autista; conducente: **truck j.**, camionista **4** (= **disc j.**) disc jockey, DJ **5** (*slang USA*) cliente di prostituta □ **j. cap**, berretto da fantino □ (*ipp.*) **the J. Club**, l'organismo che regola e dirige le corse ippiche in GB □ **J. shorts**®, slip da uomo.

to jockey /dʒɒkɪ/ Ⓐ v. t. **1** (*sport*) montare (*un cavallo*) in una corsa **2** raggirare; manovrare; manipolare: **to j. sb. into doing st.**, convincere q. con raggiri a fare qc.; **to j. sb. out of st.**, ottenere q. da qc. con l'inganno; defraudare q. di qc. **3** (*fam. USA*) manovrare abilmente (*un veicolo, ecc.*) Ⓑ v. i. brigare; manovrare; intrallazzare; macchinare: **to j. for position**, manovrare abilmente per raggiungere una posizione vantaggiosa; farsi largo abilmente; brigare per far carriera; **to j. for power**, manovrare per conquistare il potere.

jockstrap /dʒɒkstræp/ n. (*sport*) sospensorio.

jocose /dʒəʊkəʊs/ a. giocoso; faceto; scherzoso | **-ly** avv. | **-ness** n. Ⓤ.

jocular /dʒɒkjʊlə(r)/ a. scherzoso; faceto; giocoso | **-ly** avv.

jocularity /dʒɒkjʊˈlærətɪ/ n. Ⓤ scherzosità; giocosità **2** facezia; piacevolezza.

jocund /dʒɒkənd/ a. giocondo; gaio; allegro; lieto | **-ly** avv.

jocundity /dʒəˈkʌndɪtɪ/ n. **1** Ⓤ giocondità; gaiezza; allegria; lietezza **2** battuta alle-

gra; piacevolezza.

jodhpurs /dʒɒdpəz/ n. pl. calzoni da equitazione; jodhpurs.

jods /dʒɒdz/ abbr. fam. di → **jodhpurs**.

joe /dʒəʊ/ n. (*slang USA*) caffè.

Joe /dʒəʊ/ n. **1** dim. di → **Joseph 2** (*anche* **joe**) (*slang USA*) uomo; individuo; (un) tale; tizio (*fam.*): **the average joe**, l'uomo qualunque ● (*GB*) **Joe Bloggs** (*o, USA*, **Joe Blow**, **Joe Doakes**), l'uomo qualunque; l'uomo della strada □ (*USA*) **Joe Citizen** il cittadino qualunque □ (*GB*) **Joe Public**, l'uomo della strada; il cittadino qualunque ● (*fam. USA*) **Joe Sixpack**, l'americano medio; l'uomo qualunque.

Joel /dʒəʊəl/ n. (*Bibbia*) Gioele.

joey /dʒəʊɪ/ n. (*Austr.*) **1** piccolo canguro; cangurino **2** piccolo (*di vari animali*) **3** (*fam.*) bambino.

jog① /dʒɒg/ n. **1** lieve scossa; piccola spinta; leggero urto **2** colpetto di gomito; lieve gomitata **3** corsa a piccole falcate; piccolo trotto: **to move at a jog**, andare al piccolo trotto; trotterellare **4** (*equit.*) → **jogtrot 5** (*mecc.*) movimento a intermittenza.

jog② /dʒɒg/ n. (*USA*) **1** (*edil.*) sporgenza; rientro; nicchia **2** cambio di direzione; svolta.

to jog /dʒɒg/ Ⓐ v. t. **1** dare un colpetto a; spingere (*o urtare*) lievemente; scuotere leggermente; far sobbalzare: **to jog the reins**, dare una tiratina di redini **2** dar di gomito a Ⓑ v. i. **1** ballonzolare; sobbalzare **2** (*con avv. o compl.*) procedere adagio e ballonzolando: *A van was jogging along the dirt road*, lungo la strada sterrata avanzava sobbalzando un furgone **3** correre a piccole falcate; (*sport*) fare jogging **4** (*di cavallo*) andare al piccolo trotto; trotterellare **●** (*fig.*) **to jog along** (*o on*), procedere (*come al solito*); seguire il solito tran tran; tirare avanti □ **to jog sb.'s memory**, sollecitare la memoria a q.

jogger /dʒɒgə(r)/ n. **1** persona che pratica il jogging **2** (*tecn.*) dispositivo d'avviamento a impulsi.

jogging /dʒɒgɪŋ/ n. Ⓤ **1** (*sport*) jogging **2** (*elettr.*) comando a impulsi.

joggle① /dʒɒgl/ n. lieve scossa; sobbalzo; piccola spinta; leggero urto.

joggle② /dʒɒgl/ n. **1** (*falegn., mecc.*) caletta; immorsatura; gorgia **2** (*edil.*) chiavarda **3** (*ind. min.*) incastellatura.

to joggle① /dʒɒgl/ Ⓐ v. t. **1** spingere (*o urtare*, scuotere) lievemente; far sobbalzare; sballottare **2** spostare a scatti Ⓑ v. i. **1** sobbalzare; oscillare **2** avanzare (*o muoversi*) lievemente.

to joggle② /dʒɒgl/ v. t. **1** (*falegn., mecc.*) calettare; immorsare **2** (*edil.*) sfalsare (*un mattone*) **●** (*edil.*) **j. post**, monaco.

jogtrot /dʒɒgtrɒt/ Ⓐ n. **1** (*equit.*) piccolo trotto; trotterello **2** (*fig.*) routine; tran tran Ⓑ a. attr. solito; di routine; monotono.

to jogtrot /dʒɒgtrɒt/ v. i. **1** (*equit.*) andare al piccolo trotto; trotterellare **2** (*fig.*) seguire il solito tran tran.

John /dʒɒn/ n. Giovanni **●** (*scherz.*) **J. Barleycorn**, l'orzo; il malto; (*estens.*) la birra □ **J. Bull**, l'inglese tipico; il popolo inglese; l'Inghilterra □ **John Citizen**, il cittadino qualunque □ (*USA*) **J. Doe**, (*leg.*) il signor Rossi (*persona fittizia o impropria, in un atto legale*); (*estens.*) ignoto, sconosciuto □ (*zool.*) **J. Dory** (*Zeus faber*), sampietro, pesce San Pietro □ (*slang USA*) **J. Hancock**, firma (*dal nome del primo firmatario della Dichiarazione d'Indipendenza*) □ (*USA*) **J. Q. Public**, l'uomo della strada; il cittadino qualunque □ (*geogr.*) **from J.-o'-Groats to Land's End**, dalla Scozia settentrionale alla punta della Cornovaglia; in tutta la Gran Bretagna.

john /dʒɒn/ n. (*slang USA*) **1** tipo; tizio; individuo **2** cliente di prostituta **3** gabinetto; cesso (*pop.*) **4** poliziotto; sbirro (*pop.*) **5** vittima (*di malviventi*) ● **long johns**, mutandoni lunghi.

Johnny, **Johnnie** /ˈdʒɒnɪ/ n. dim. di → **John** ● (*fam.*) **J.-come-lately**, ultimo venuto; ultimo arrivato; novellino □ (*fam. USA*) **J.-on-the spot**, l'uomo giusto al momento giusto.

johnny /ˈdʒɒnɪ/ n. **1** (*fam. GB*) individuo; tipo; tizio **2** (*slang USA*) gabinetto; cesso **3** (*slang GB*) preservativo; guanto (*pop.*) **4** (*fam. USA*) camicia da notte ospedaliera.

joie de vivre /ˌʒwɑːdəˈviːvrə/ (*franc.*) loc. n. gioia di vivere.

join /dʒɔɪn/ n. giuntura; punto di giunzione.

♦**to join** /dʒɔɪn/ **A** v. t. **1** congiungere; unire; collegare; connettere: **to j. one thing to another**, collegare una cosa con un'altra; **to j. forces**, unire le forze; *A wooden bridge joins the two halves of the village*, un ponte di legno collega le due metà del paese; **to j. a man and a woman in marriage**, unire un uomo e una donna in matrimonio **2** unirsi a; raggiungere: *Let's j. the others*, uniamoci agli altri; raggiungiamo gli altri; *Later we were joined by Tom*, più tardi ci raggiunse Tom; *Will you j. us for a drink?*, vieni a bere qualcosa con noi?; *Do you mind if I j. you?*, posso unirmi a voi?; vi dispiace se vengo anch'io?; *I'll j. you later*, ti raggiungerò più tardi; **to j. a demonstration**, unirsi a una dimostrazione di protesta; **to j. a queue**, mettersi in fila **3** entrare a far parte di; iscriversi a; aderire a; arruolarsi in: *He joined the firm in 2002*, è entrato nell'azienda (*o* è stato assunto) nel 2002; **to j. a company**, entrare a far parte di una società; **to j. a club [a party]**, iscriversi a un circolo [a un partito]; **to j. the army**, arruolarsi nell'esercito; **to j. a church**, diventare membro di una chiesa; aderire a una chiesa **4** (*di strada*) immettersi in; sboccare su: *The path eventually joins the main road*, il sentiero sbocca sulla strada principale **5** (*di fiume*) confluire in; sfociare in; gettarsi in: *The Cam River joins the Ouse*, il fiume Cam si getta nell'Ouse **6** unirsi a; associarsi a: *My colleagues j. me in thanking you*, i miei colleghi si associano a me nel ringraziarti **7** (*di luogo*) essere adiacente (*o* contiguo) a **8** (*sport*) trasferirsi a: *He joined Arsenal*, si trasferì all'Arsenal **B** v. i. **1** congiungersi; unirsi; riunirsi; confluire: *Where do these two streams j. (each other)?*, dove confluiscono questi due corsi d'acqua? **2** associarsi; consociarsi **3** essere attiguo; essere adiacente ● **to j. battle with the enemy**, attaccare battaglia □ (*fam.*) **J. the club!**, sei in compagnia!; non sei il solo!; anch'io! □ **to j. forces with sb.**, unire le proprie forze a quelle di q.; associarsi (*o* collaborare) con q. □ **to j. hands**, giungere le mani; prendersi per mano; (*fig.*) associarsi in un'impresa; collaborare (*con q.*) □ (*fam.*) **to j. the party**, unirsi agli altri; essere della partita □ **to j. the ranks of...**, andare a ingrossare le file di... □ **to j. sb.'s side**, passare dalla parte di q. □ (*fam. USA*) **to be joined at the hip**, (*di due persone*) essere inseparabili □ (*radio, TV: di presentatore a un ospite*) «**Thanks for joining us!»**, «grazie d'essere con noi».

■ **join in** v. i. + avv. (*o* prep.) **1** prendere parte; partecipare; unirsi: *Won't you j. in?*, non vuoi unirti a noi?; **to j. in a game**, partecipare a un gioco; **to j. in a conversation**, prendere parte a una conversazione; unirsi a una conversazione **2** mettersi insieme (*con q.: per sostenere una spesa*).

■ **join up** **A** v. t. + avv. **1** unire; congiungere; collegare: **to j. up the dots**, collegare i puntini **2** amalgamare; fondere (*aziende, ecc.*) **B** v. i. + avv. **1** unirsi; riunirsi: *They*

joined up with the rest of the group, si unirono al resto del gruppo **2** (*mil.*) arruolarsi **3** (*di aziende*) fondersi; amalgamarsi **4** – **join up into**, unirsi a formare (qc.); confluire in.

joinder /ˈdʒɔɪndə(r)/ n. (*leg.*) unione, riunione, cumulo (*di procedimenti*) ● **j. of defendants**, litisconsorzio passivo □ **j. of offences**, riunione di reati □ **j. of parties**, litisconsorzio.

joined-up /ˌdʒɔɪndˈʌp/ a. **1** unito; collegato **2** (*GB, di scrittura*) corsivo (*di contro allo stampatello o alla scrittura con le lettere staccate*): **to do joined-up writing**, scrivere in corsivo **3** (*fam.*) coerente; logico; coordinato; strutturato: **joined-up thinking**, ragionamento; uso della logica.

joiner /ˈdʒɔɪnə(r)/ n. **1** falegname **2** (*tecn.*) giuntatore **3** (*fam.*) chi ama far parte di circoli, ecc.; chi si unisce volentieri a gruppi di azione, campagne, ecc.

joinery /ˈdʒɔɪnərɪ/ n. **1** falegnameria; arte del falegname **2** lavori di falegnameria **3** parti (*d'una casa, ecc.*) in legno ● **j. manufacturer**, fabbricante di mobili; mobiliere.

joining /ˈdʒɔɪnɪŋ/ n. **1** congiunzione; unione; collegamento (→ **to join**) **2** giuntura; punto di giunzione; confluenza.

joint① /dʒɔɪnt/ n. **1** (*mecc., falegn.*) giuntura; giunzione; punto di giuntura; giunto; raccordo; snodatura; snodo: **hydraulic [universal] j.**, giunto idraulico [cardanico (*o* universale)]; (*mecc.*) **knuckle j.**, giunto a snodo **2** (*anat.*) giuntura; articolazione: **stiff joints**, articolazioni rigide **3** taglio di carne (*con l'osso*); pezzo di carne; arrosto: **a j. of beef**, un pezzo di carne di manzo; the **Sunday j.**, l'arrosto della domenica **4** (*bot.*) nodo (*di ramo, ecc.*) **5** (*geol.*) giunto; diaclasi **6** (*legatoria*) morso; spigolo **7** (*slang USA*) locale (*bar, ristorante, ecc., spesso alla buona*): **pizza j.**, pizzeria; **gambling j.**, casa da gioco; **pasta j.**, trattoria italiana **8** (*slang USA*) edificio; casa; appartamento **9** (*slang*) sigaretta alla marijuana; spinello; canna (*pop.*): **to roll a j.**, arrotolarsi uno spinello **10** (*slang USA*) galera; gattabuia (*pop.*) **11** (*volg. USA*) pene; uccello; cazzo (*volg.*) ● **out of j.**, (*d'osso*) slogato, lussato; (*fig.*) in uno stato di confusione, sottosopra, scombussolato; scoordinato, sfasato: **to put out of j.**, slogare; lussare; **to be thrown completely out of j.**, essere scombussolato; *The times are out of j.*, viviamo in tempi di grande confusione □ (*fam.*) **to put sb.'s nose out of j.**, indispettire; offendere; far rimanere male q.

♦**joint②** /dʒɔɪnt/ a. **1** unito; congiunto; comune; co-; con-: **our j. efforts**, i nostri sforzi congiunti; **j. declaration**, dichiarazione comune; **j. author**, coautore; **j. heir**, coerede; **j. manager**, condirettore **2** (*leg.*) collettivo; congiunto; solidale; in solido: **j. action**, azione (*in giudizio*) congiunta, collettiva; **j. defendants**, convenuti congiunti; **j. liability**, responsabilità solidale, collettiva **3** (*mil.*) combinato: **j. operations**, operazioni combinate **4** a pari merito; ex aequo: **to come j. first**, arrivare primi a pari merito; **j. winner**, vincitore ex aequo ● (*banca*) **j. account**, conto cointestato, a firme congiunte; conto comune; (*di un'azienda*) conto sociale (*o* in partecipazione) □ (*leg.*) **j. and several**, solidale; in solido □ (*leg.*) **j. cause**, concausa □ (*mil., in USA*) **J. Chiefs of Staff**, Comitato dei Capi di Stato Maggiore □ (*leg.*) **j. committee**, commissione mista (*lavoratori e datori di lavoro*) □ (*econ.*) **j. commodity**, bene complementare □ (*leg.*) **j. creditors**, cocreditori □ (*leg.*) **j. custody**, custodia congiunta (*dei figli*) □ (*leg.*) **j. debtors**, condebitori □ (*econ.*) **j. enterprise**, impresa in compartecipazione □ (*leg.*) **j. estate**, beni in regime di comunione □ (*fin.*) **j. floating**, fluttuazione comune (*del-*

le valute) □ (*leg.*) **j. owner**, comproprietario □ (*leg.*) **j. ownership**, comproprietà; proprietà indivisa □ **j. pension**, pensione reversibile □ (*polit., USA*) **J. resolution**, provvedimento legislativo approvato dai due rami d'un parlamento □ **j. signatures**, firme abbinate (*o* congiunte) □ (*fin.*) **j. stock**, capitale sociale; capitale azionario □ (*fin.*) **j.-stock company**, società per azioni; società anonima □ (*leg.*) **j. surety**, cogarante □ (*leg.*) **j. tenancy**, comproprietà (*con diritto di eredità alla morte di uno dei proprietari*) □ (*leg.*) **j. tenant**, comproprietario (*con diritto di eredità*) □ (*leg.*) **j. venture**, joint venture; associazione in partecipazione; impresa comune; impresa in partecipazione; società in compartecipazione; (*per appalti pubblici*) associazione temporanea di imprese □ (*leg., in GB*) **j. wills**, testamenti congiunti (*o* reciproci).

to joint /dʒɔɪnt/ v. t. **1** (*mecc., falegn., ecc.*) congiungere; commettere; connettere; collegare: **to j. boards**, commettere tavole di legno **2** (*edil.*) commettere (*mattoni, ecc.*) **3** tagliare, fare a pezzi (*un pollo, un coniglio, ecc.*) **4** (*mecc.*) rendere snodato; provvedere di snodo **5** raccordare (*tubazioni*).

jointed /ˈdʒɔɪntɪd/ a. **1** articolato; snodato; snodabile: **a j. doll**, una bambola snodabile **2** connesso; giuntato **3** (*cucina: di pollo, ecc.*) a pezzi e pronto per la cottura ● (*equit.*) **j. mouth**, filetto snodato (*del cavallo*).

jointer /ˈdʒɔɪntə(r)/ n. **1** (*tecn.*) giuntatore **2** (*falegn.*) pialla grande **3** (*agric.*) avanvomere; coltello (*di aratro*) **4** (*ind. costr.*) sbozzatore, riquadratore (*di pietre*) **5** (*mecc.*) lima per denti di sega.

jointing /ˈdʒɔɪntɪŋ/ n. **1** (*tecn.*) giunzione; giunto **2** (*edil.*) stuccatura dei giunti **3** (*geol.*) fratturazione con formazione di diaclasi (*edil.*) **j. rule**, squadra da muratore.

jointless /ˈdʒɔɪntləs/ a. senza giunture; rigido; in un pezzo solo.

jointly /ˈdʒɔɪntlɪ/ avv. **1** congiuntamente; in comune **2** (*leg., fin.; spesso* **j. and severally**) solidalmente; in solido: **j. liable**, solidalmente responsabili.

jointress /ˈdʒɔɪntrɪs/ n. (*leg.*) vedova dotata di appannaggio.

jointure /ˈdʒɔɪntʃə(r)/ n. (*leg.*) appannaggio vedovile (*assegnato all'atto del matrimonio*).

joist /dʒɔɪst/ n. (*edil.*) travetto; travicello ‖ **joisted** a. (*di soffitto, ecc.*) provvisto di travicelli; a travetti.

jojoba /həʊˈhəʊbə/ n. **1** (*bot., Simmondsia chinensis*) jojoba **2** (= **j. oil**) olio di jojoba.

♦**joke** /dʒəʊk/ n. **1** barzelletta; storiella; battuta; spiritosaggine: **to tell jokes**, raccontare barzellette; **to crack a j.**, fare una battuta; dire una spiritosaggine; **dirty j.**, barzelletta sconcia **2** scherzo; burla: **to play a j. on sb.**, fare uno scherzo a q.; *I was having a j. with you*, te l'ho detto (*o* fatto) per scherzo; *Is this some kind of j.?*, cos'è, uno scherzo?; **practical j.**, scherzo (*per far apparire ridicolo q.*); burla; tiro; **as a j.**, per scherzo; per burla; **no j.**, scherzo; sul serio **3** (*fam.*) persona ridicola; pagliaccio; zimbello **4** (*fam.*) cosa facilissima; scherzo **5** cosa ridicola o grottesca; buffonata; presa in giro; farsa: *The inspection was a j.*, l'ispezione fu una farsa ● **A j.'s a j.!**, basta scherzare!; adesso basta!; un bel gioco dura poco! □ **the best of the j.**, la cosa più divertente □ **to be (o to get) beyond a j.**, non fare più ridere; non essere più uno scherzo; essere diventata una cosa seria □ **to make a j. of st.**, prendere qc. in scherzo (*o* sul ridere); ridere di qc. □ **a standing j.**, un perenne argomento di battute □ **not to see the j.**, non capire la barzelletta; non capire che cosa ci sia da ridere □ **He can take a j.**, sa stare allo

scherzo; non se la prende □ (*fam.*) **It's no j.**, non è una cosa da ridere; non è uno scherzo □ **The j.'s on him!**, ha fatto la figura del cretino; si è fatto ridere dietro ❶ **FALSI AMICI** • joke *non significa* gioco.

to **joke** /dʒəʊk/ **Ⓐ** v. i. **1** scherzare; dire battute; fare una battuta **2** dire o fare per scherzo; scherzare: *Come on, I was only joking,* andiamo, stavo solo scherzando!; *You're joking!,* stai scherzando! **Ⓑ** v. t. (*USA*) prendere in giro; burlarsi di; canzonare • **joking apart** (o **aside**), scherzi a parte □ **You must be joking!**, vuoi scherzare?; scherzi? □ **She's got to be joking if she thinks that...**, si illude se pensa che... ❶ **FALSI AMICI** • to joke *non significa* giocare.

joker /'dʒəʊkə(r)/ n. **1** tipo ameno; tipo amante delle battute; mattacchione; burlone **2** (*fam.*) pagliaccio; buffone **3** (*nei giochi di carte*) matta **4** (*slang*) individuo; tipo; tizio **5** (*USA*) clausola tranello; cavillo; rampino legale (*fam.*) • **practical j.**, organizzatore di scherzi; burlone □ (*fig.*) **the j. in the pack**, elemento imprevedibile.

jokey /'dʒəʊkɪ/ a. incline allo scherzo; faceto.

joking /'dʒəʊkɪŋ/ a. faceto; scherzoso || **jokingly** avv. per scherzo; scherzosamente; per ridere.

joky /'dʒəʊkɪ/ a. → **jokey**.

to **jollify** /'dʒɒlɪfaɪ/ v. i. (*antiq. o scherz.*) far festa; far baldoria || **jollification** n. ⓊⒸ (*antiq. o scherz.*) festeggiamenti (pl.); celebrazione allegra; allegria; baldoria.

jolliness /'dʒɒlɪnəs/, **jollity** /'dʒɒlətɪ/ n. Ⓤ allegria; ilarità; baldoria.

jollity /'dʒɒlɪtɪ/ n. Ⓤ **1** allegria; gaiezza; gioia **2** festeggiamenti (pl.); allegria; baldoria.

jolly ① /'dʒɒlɪ/ **Ⓐ** a. **1** allegro; gaio; giocondo: **a fat, j. lady**, una signora grassa e allegra **2** (*fam. antiq.*) divertente; festoso: *We had a j. time*, ci siamo proprio divertiti; *How j.!*, che bello!; che piacere! **3** (*fam.*) alticcio; brillo; su di giri (*fam.*) **4** (*fam. iron.*) bello: *He is a j. fool to have done that*, è un bello stupido per aver fatto ciò **Ⓑ** avv. (*fam. antiq., GB*) molto; proprio; veramente: **j. good**, proprio buono; ottimo: **to have a j. good time**, divertirsi un mondo; spassarsela; *J. clever of you!*, sei stato proprio in gamba!; *J. boring*, noiosissimo; una gran noia **Ⓒ** inter. benissimo!; eccellente; magnifico; splendido! **Ⓓ** n. **1** (*fam.*) festa; bevuta; baldoria **2** (*fam.*) divertimento; botta di vita **3** (al pl.) divertimento (sing.); godimento (sing.); spasso (sing.): **to get one's jollies**, divertirsi; godere **4** (*slang GB*) soldato della fanteria da sbarco • **a j. good fellow**, un giovialone, un cordialone □ (*fam. scherz., GB, di donna*) **j. hockey-sticks**, sportiva ed entusiasta □ (*fam.*) **j. well**, benissimo; davanti a un verbo) eccome, altroché, sicuro: *I j. well told him!*, gliel'ho detto eccome!; *I should j. well hope so!*, lo spero bene!; *He can j. well wait!*, che aspetti pure! ❶ **FALSI AMICI** • jolly *non significa* jolly *nel senso italiano di matta, oppure chi è in grado di svolgere diverse funzioni.*

jolly ② /'dʒɒlɪ/ → **jolly boat**.

to **jolly** /'dʒɒlɪ/ v. t. (*fam.*) **1** (= **j. along**) rallegrare; divertire; tenere allegro **2** convincere con incoraggiamenti o blandizie: *I tried to j. him into some enthusiasm*, cercai di risvegliare in lui un po' di entusiasmo; **to j. sb. into doing st.**, convincere con belle parole q. a fare qc. • **to j. up**, rallegrare; ravvivare; vivacizzare; tirare su di morale; tirare su (*fam.*).

jolly boat /'dʒɒlɪbəʊt/ loc. n. (*naut.*) iole; lancia.

Jolly Roger /'dʒɒlɪ'rɒdʒə(r)/ n. (*stor.*) (la) bandiera dei pirati.

jolt /dʒəʊlt/ n. **1** scossa; sobbalzo **2** sussulto (*di sorpresa, ecc.*); soprassalto: **a j. of astonishment**, un sussulto di sorpresa; **to wake up with a j.**, svegliarsi di soprassalto **3** (*fig.*) colpo; scossa; shock: *The news gave us all a j.*, la notizia fu un grosso colpo per noi tutti; **a j. back to reality**, una scossa che riporta alla realtà; (*Borsa*) **a j. down**, uno scossone al ribasso, una caduta repentina.

to **jolt** /dʒəʊlt/ **Ⓐ** v. t. **1** sballottare; scuotere **2** (*fig.*) colpire; scuotere; sconvolgere: *Those words jolted him out of his apathy*, quelle parole lo strapparono dalla sua apatia **Ⓑ** v. i. (*di veicolo*) sobbalzare; muoversi a scosse (o a sobbalzi): **to j. into motion [into a halt]**, mettersi in moto [arrestarsi] con uno scossone: *The bus jolted along the rough road*, l'autobus procedeva sballottando sulla strada sconnessa; **to j. awake**, svegliarsi con un sobbalzo.

joltingly /'dʒəʊltɪŋlɪ/ avv. a scosse; a scossoni; sobbalzando.

jolty /'dʒəʊltɪ/ a. che procede a scosse (o a sobbalzi); traballante.

Jonah /'dʒəʊnə/ n. **1** (*Bibbia*) Giona **2** (*fig.*) iettatore; menagramo.

Jonathan /'dʒɒnəθən/ n. **1** (*Bibbia*) Gionata **2** (= **Brother J.**) americano tipico **3** (*USA*) varietà di mela rossa.

jones /dʒəʊnz/ n. (*slang USA*) **1** desiderio smodato; gran voglia; fregola: **to have the j. for**, morire dalla voglia di; essere in fregola per **2** bisogno di droga; scimmia (*gergale*).

jongleur /ʒɒŋ'glɜː(r)/, *USA* 'dʒɒŋɡlə(r)/ (*franc.*) n. (*stor.*) menestrello; giullare.

jonquil /'dʒɒŋkwɪl/ n. (*bot.*, *Narcissus jonquilla*) giunchiglia; tromboncino.

Jordan /'dʒɔːdn/ n. (*geogr.*) **1** Giordano **2** (*geogr.*) Giordania || **Jordanian** a. e n. giordano.

jorum /'dʒɔːrəm/ n. (*stor.*) grande coppa (o tazza).

Joseph /'dʒəʊzɪf/ n. Giuseppe.

Josephine /'dʒəʊzɪfiːn/ n. Giuseppina.

josh /dʒɒʃ/ n. (*fam. USA*) amichevole presa in giro; canzonatura; sfottò.

to **josh** /dʒɒʃ/ v. t. e i. (*fam. USA*) prendere in giro amichevolmente; canzonare; sfotticchiare.

josher /'dʒɒʃə(r)/ n. (*fam. USA*) burlone; burlona; buontempone.

Joshua /'dʒɒʃʊə/ n. (*Bibbia*) Giosuè.

joss /dʒɒs/ n. idolo cinese • **j.-house**, tempio cinese □ **j. stick**, bastoncino d'incenso; bastoncino profumato.

josser /'dʒɒsə(r)/ n. (*slang GB*) **1** semplicione; sciocco **2** individuo; tipo; tizio.

jostle /'dʒɒsl/ n. spinta; spintone; urto.

to **jostle** /'dʒɒsl/ **Ⓐ** v. i. **1** spingersi; urtarsi; spintonare; sgomitare; fare ressa: **to j. to get in**, spingere (o sgomitare) per entrare; **to j. for seats**, spintonare per conquistarsi un posto a sedere; **to j. round sb.**, fare ressa intorno a q. **2** gareggiare; fare a gara; competere; rivaleggiare: **to j. for attention**, fare a gara per farsi notare; **to j. for position**, rivaleggiare per (o contendersi) una posizione **Ⓑ** v. t. spingere; urtare; sballottare: *We were jostled and pushed*, fummo sballottati e spinti; **to j. sb. out of the way**, scostare q. con uno spintone.

jostling /'dʒɒslɪŋ/ n. Ⓤ lo spingere; spintoni (pl.); pigia pigia; ressa.

jot /dʒɒt/ n. nulla; briciola; acca: **not to matter one jot**, non avere neanche un briciolo di importanza; **not to make a jot of difference**, non fare la minima differenza; *I don't care a jot*, non me ne importa un'acca.

to **jot** /dʒɒt/ v. t. (*di solito* **to jot down**) annotare in fretta; buttar giù (*un appunto, ecc.*); scribacchiare.

jotter /'dʒɒtə(r)/ n. blocco di appunti; bloc-notes; taccuino.

jotting /'dʒɒtɪŋ/ n. (di solito al pl.) breve appunto; annotazione frettolosa.

joule /dʒuːl/ n. (*fis.*) joule (*unità di misura dell'energia o del lavoro*) • **J. effect**, effetto Joule.

to **jounce** /dʒaʊns/ **Ⓐ** v. t. scuotere; far sobbalzare; sballottare **Ⓑ** v. i. scuotere; sobbalzare.

◆**journal** /'dʒɜːnl/ n. **1** diario; giornale: **to keep a j.**, tenere un diario **2** (*rag.*) giornale; libro giornale: **j. entry**, registrazione a giornale **3** periodico; rivista: **quarterly j.**, rivista quadrimestrale; **medical j.**, rivista medica **4** (*naut.*) giornale di bordo **5** (*mecc.*) perno di banco **6** (al pl.: **the Journals**) (*polit.*, in GB) registrazione quotidiana degli atti parlamentari • (*mecc.*) **j. bearing**, cuscinetto portante □ (*mecc.*) **j. box**, boccola (a olio); supporto.

journalese /dʒɜːnə'liːz/ n. Ⓤ (*spreg.*) giornalese; gergo giornalistico.

journalism /'dʒɜːnəlɪzəm/ n. Ⓤ **1** giornalismo **2** articoli (pl.); pezzi (pl.) giornalistici: **a good piece of j.**, un buon pezzo.

◆**journalist** /'dʒɜːnəlɪst/ n. giornalista || **journalistic** a. giornalistico.

to **journalize** /'dʒɜːnəlaɪz/ **Ⓐ** v. t. **1** annotare (*in un diario*) **2** (*rag.*) registrare su giornale; mettere a giornale **Ⓑ** v. i. **1** tenere un diario **2** (*rag.*) fare registrazioni su giornale.

◆**journey** /'dʒɜːnɪ/ n. **1** viaggio (*spec. per via di terra*): **to make** (o **to take, to go on**) **a j.**, fare un viaggio; **the outward j.** (o **the j. out**), il viaggio d'andata; **the return j.**, il viaggio di ritorno; **j. by plane** (o **plane j.**), viaggio in aereo; *How was the j.?*, com'è andato il viaggio?; *Have a good j.!*, buon viaggio! **2** (*fig.*) viaggio; percorso: **our j. on earth**, il nostro viaggio sulla terra • (*comm.*) **j. order**, ordinativo passato (*da un dettagliante*) direttamente al rappresentante del produttore □ **to break one's j.**, spezzare il viaggio; fare tappa □ **to break off one's j.**, interrompere il viaggio (*definitivamente*) □ **a day's j.**, una giornata di viaggio □ **to set out on a j.**, mettersi in viaggio.

to **journey** /'dʒɜːnɪ/ v. i. viaggiare; andare: **to j. west**, viaggiare verso ovest; andare all'ovest.

journeyman /'dʒɜːnɪmən/ n. (pl. **journeymen**) **1** (*stor.*) operaio a giornata; giornaliero **2** operaio qualificato **3** (*fig.*) lavoratore competente e affidabile, ma non brillante.

journeywork /'dʒɜːnɪwɜːk/ n. Ⓤ **1** lavoro d'operaio **2** (*fig.*) lavoro monotono, noioso; lavoro di routine.

journo /'dʒɜːnəʊ/ n. (pl. **journos**) (*fam. Austral.*) giornalista.

joust /dʒaʊst/ n. (*stor.*) giostra; torneo.

to **joust** /dʒaʊst/ v. i. **1** (*stor.*) giostrare; correre la giostra; torneare **2** (*fig.*) gareggiare; competere.

Jove /dʒəʊv/ n. (*mitol.*, *astron.*) Giove • (*antiq.*) **by J.!**, per Giove!

jovial /'dʒəʊvɪəl/ a. gioviale; allegro || **joviality** n. Ⓤ giovialità; allegria || **jovially** avv. giovialmente; allegramente.

Jovian /'dʒəʊvɪən/ a. **1** (*mitol.*) di Giove; simile a Giove **2** (*astron.*) gioviano; del pianeta Giove.

jowl /dʒaʊl/ n. **1** mascella; mandibola (*spec. l'inferiore*) **2** guancia; (*anche*) pelle della gola, pappagorgia **3** (*di bovino*) giogaia **4** (*di uccello*) gozzo; bargiglio **5** (*di pesce*) testa **6** (al pl.) mento.

◆**joy** /dʒɔɪ/ n. **1** gioia; allegrezza; contentezza; letizia; felicità; gaudio (*lett.*): **the joys of country life**, le gioie della vita in campagna;

to jump for joy, saltare dalla gioia; fare i salti di gioia 'A thing of beauty is a joy for ever' J. KEATS, 'una cosa bella è una gioia senza fine' **2** (fonte di) piacere; gioia; diletto **3** (fam.) successo; riuscita; soddisfazione: I tried hard to get in touch with the boss, but I didn't have any joy, ho fatto ogni sforzo per mettermi in contatto con il capo, ma senza successo; Any joy?, hai avuto qualche risultato?; I got no joy out of it, non ne ricavai alcuna soddisfazione ● **joy-bells**, campane a festa □ (fam.) **full of the joys of spring**, allegro; frizzante; pimpante □ (fam. GB, iron.) **I wish you joy (of...)**, tanti auguri (per...); divertiti (con...).

to **joy** /dʒɔɪ/ **A** v. i. (poet.) gioire; allietarsi **B** v. t. allietare; rallegrare.

Joycean /ˈdʒɔɪsɪən/ (letter.) **A** a. joyciano **B** n. seguace o ammiratore di James Joyce.

joyful /ˈdʒɔɪfl/ a. gioioso; allegro; felice; lieto | **-ly** avv. | **-ness** n. Ⓤ.

joyless /ˈdʒɔɪləs/ a. senza gioia; mesto; triste | **-ly** avv. | **-ness** n. Ⓤ.

joyous /ˈdʒɔɪəs/ a. (letter.) gioioso; allegro; felice; lieto | **-ly** avv. | **-ness** n. Ⓤ.

joyride /ˈdʒɔɪraɪd/ n. **1** (fam.) scorribanda su un'auto rubata **2** gita di piacere in automobile.

to **joyride** /ˈdʒɔɪraɪd/ (pass. **joyrode**, p. p. **joyridden**), v. t. e i. (fam.) scorrazzare su un'auto rubata.

joyriding /ˈdʒɔɪraɪdɪŋ/ (fam.) n. Ⓤ il fare scorribande su auto rubate || **joyrider** n. chi fa scorribande su auto rubate.

joystick /ˈdʒɔɪstɪk/ n. **1** (aeron., fam.) barra (o leva) di comando; cloche **2** (comput.) joystick; leva di comando **3** (slang USA) pene; piffero, uccello, cazzo (volg.).

JP sigla (GB, **justice of the peace**) giudice di pace.

JPEG /ˈdʒeɪpeg/ sigla (comput., **Joint Photographic Experts Group**) Gruppo congiunto di esperti di fotografia (definisce un formato per file grafici).

Jr, jr abbr. (**junior**) junior.

jube /dʒuːb/ n. (fam.) caramella gommosa o gelatinosa.

jubilance /ˈdʒuːbɪləns/ n. Ⓤ giubilo; esultanza.

jubilant /ˈdʒuːbɪlənt/ a. giubilante; esultante | **-ly** avv.

to **jubilate** /ˈdʒuːbɪleɪt/ v. i. giubilare; esultare.

jubilation /dʒuːbɪˈleɪʃn/ n. Ⓤ giubilo; esultanza.

jubilee /ˈdʒuːbɪliː/ n. **1** (relig.) giubileo: **j. year**, anno giubilare (o del giubileo) **2** cinquantesimo anniversario (di un sovrano, ecc.) **3** (fig.) grande festa; giubilo; celebrazione solenne ● **diamond j.**, sessantesimo anniversario □ **silver j.**, venticinquesimo anniversario || **jubilean** a. giubilare; del giubileo.

Judaea /dʒuːˈdɪə/ (stor.) n. Giudea || **Judaean** a. e n. giudeo.

Judaic /dʒuːˈdeɪɪk/ a. giudaico; ebraico.

Judaism /ˈdʒuːdeɪɪzəm/ n. Ⓤ giudaismo; ebraismo || **Judaist** n. seguace del giudaismo.

judas /ˈdʒuːdəs/ n. (= j.-**hole**) spia, spioncino (in una porta).

Judas /ˈdʒuːdəs/ n. **1** (relig.) Giuda **2** (fig.) giuda; traditore ● (di barba, di pelo) **J.-coloured**, rosso □ **J. kiss**, bacio di Giuda; (fig.) tradimento □ (bot.) **J. tree** (Cercis siliquastrum), albero di Giuda.

judder /ˈdʒʌdə(r)/ n. forte vibrazione; sussulto.

to **judder** /ˈdʒʌdə(r)/ v. i. **1** sussultare violentemente **2** (di motore) vibrare forte.

Jude /dʒuːd/ n. Giuda (nome proprio).

Judea /dʒuːˈdiːə/ e deriv. → **Judaea**, e deriv.

♦**judge** /dʒʌdʒ/ n. **1** (leg.) giudice: **to appear before a j.**, comparire davanti al giudice; comparire in tribunale **2** giudice (di gara, concorso, ecc.): **panel of judges**, giudici; giuria **3** giudice; intenditore; esperto: He is a good j. of wines, in fatto di vini è buon giudice; **a good j. of soccer**, uno che se ne intende di calcio; I'm no j. of that, non me ne intendo; non sono in grado di giudicare; **Let me be the j. of that**, lascia che sia io a giudicare **4** (stor. ebraica) giudice ● (relig.) **Judges**, il libro dei Giudici (nel Vecchio Testamento) □ (mil.) **j. advocate**, magistrato di tribunale militare (anche) consigliere legale di un ufficiale superiore □ (in GB e in USA) **J. Advocate General**, presidente di tribunale militare (salvo che, in GB, nella marina militare) □ (canottaggio) **j. arbitre**, giudice arbitro □ (leg.) **j.-made law**, giurisprudenza (diritto creato dai giudici stessi, basato sul «precedente» giudiziario).

♦to **judge** /dʒʌdʒ/ **A** v. t. **1** giudicare; esprimere un giudizio (o giudizi) su; farsi un'opinione di: **to j. a character**, giudicare un carattere; It's not easy to j., non è facile esprimere un giudizio **2** giudicare; ritenere; considerare; reputare: Judging from her CV, I'd say she is fit for this job, a giudicare dal (o stando al) suo curriculum, direi che è idonea a questo lavoro; They j. it better to leave at once, reputano che sia meglio partire subito; The plan was judged impracticable, il progetto fu giudicato irrealizzabile; **as far as can be judged**, per quanto sia possibile giudicare **3** valutare; stimare; calcolare: **to j. the effects of st.**, valutare gli effetti di qc.; **to j. a distance**, calcolare una distanza; **to j. people on their merits**, valutare le persone in base ai loro meriti **4** (leg.) giudicare: **to j. a person [a case]**, giudicare una persona [una causa legale] **5** fare da giudice in (una gara, un concorso) **6** appianare (una vertenza); fare da arbitro in (una controversia) **B** v. i. **1** giudicare; emettere un giudizio; farsi un'opinione: I'm in no position to j., non sono in grado di giudicare **2** (leg.) giudicare; essere giudice ● (prov.) **You can't j. a book by its cover**, non si può giudicare dalle apparenze.

judgement /ˈdʒʌdʒmənt/ e deriv. → **judgment** e deriv.

judgeship /ˈdʒʌdʒʃɪp/ n. Ⓤ (leg.) carica (o ufficio) di giudice.

♦**judgment** /ˈdʒʌdʒmənt/ n. **1** Ⓤ giudizio; discernimento; senno: 'Oh j.! thou art fled to brutish beasts' W. SHAKESPEARE, 'Oh giudizio! sei fuggito verso le bestie brute'; **a person of good j.**, una persona di giudizio (o assennata); **to show excellent j.**, mostrare molto giudizio (o discernimento) **2** Ⓤ valutazione; giudizio (di merito): **an error of j.**, un errore di giudizio **3** giudizio; avviso; parere: **in my j.**, a mio giudizio; a mio avviso **4** Ⓒ (leg.) giudizio; decisione; deliberazione; verdetto; sentenza: **j. for the plaintiff**, sentenza a favore dell'attore; **j. in (o by) default**, sentenza contumaciale; **to give j. on sb.**, emettere una sentenza contro q.; **to appeal against a j.**, appellarsi contro una sentenza **5** castigo di Dio; punizione divina; giusta punizione ● (leg.) **j. creditor**, creditore giudiziario □ (leg.) **j. debtor**, debitore giudiziario □ (relig.) **J. Day**, il giorno del Giudizio □ (leg.) **j. seat**, banco del giudice □ (leg.) **j. with costs**, sentenza di condanna al pagamento delle spese processuali □ **against one's better j.**, pur sapendo di fare cosa poco saggia; contro il proprio buon senso □ (relig.) **the Last J.**, il Giudizio universale □ **to pass j. on sb.**, (leg.) emettere una sentenza contro q.; (fig.) criticare q. □ **to reserve**

j. about st., riservarsi di esprimere un giudizio su qc. □ **to sit in j. (over o on)**, (leg.) giudicare; (fig.) ergersi a giudice (su), emettere sentenze (su).

judgmental /dʒʌdʒˈmentl/ a. **1** (leg.) giudiziale: **j. error**, errore giudiziale **2** pronto a dare giudizi; censorio.

judicature /ˈdʒuːdɪkətʃə(r)/ (leg.) n. Ⓤ **1** magistratura; ordinamento giudiziario; amministrazione della giustizia **2** (collett.) giudici (pl.); magistratura **3** carica (o ufficio) di giudice **4** giurisdizione || **judicatory A** a. **1** giudiziario **2** giudiziale **B** n. (spec. in Scozia) corte di giustizia.

judicial /dʒuːˈdɪʃl/ a. **1** (leg.) giudiziale; giudiziario: **j. acts**, atti giudiziali; **j. decision**, decisione giudiziaria; **j. method**, metodo giudiziario; **j. power**, potere giudiziario **2** (fig.) equo; imparziale ● **j. activism**, attivismo giudiziario □ **j. assembly**, corte di giustizia □ **the j. bench**, il banco del giudice □ **j. controversy**, vertenza giudiziaria □ **j. enquiry (o inquiry)**, istruttoria; inchiesta giudiziaria □ **j. murder**, assassinio legale; condanna a morte di un innocente □ (in GB) **j. precedent**, precedente giudiziario □ **j. proceedings**, procedimento giudiziario; azione legale □ **j. record**, dispositivo della sentenza □ **j. review**, controllo giurisdizionale (o giudiziario); (in USA) controllo giurisdizionale (da parte della Corte Suprema) della costituzionalità delle leggi □ **j. sale**, vendita giudiziale (o giudiziaria) □ **j. separation**, separazione legale □ **j. system**, sistema giudiziario | **-ly** avv.

judiciary /dʒuːˈdɪʃɪərɪ/ **A** n. Ⓤ (col verbo sing. o pl.) (leg.) potere giudiziario; magistratura; (i) giudici (pl.) **B** a. giudiziario.

judicious /dʒuːˈdɪʃəs/ a. giudizioso; assennato; prudente | **-ly** avv. | **-ness** n. Ⓤ.

Judith /ˈdʒuːdɪθ/ n. Giuditta.

judo /ˈdʒuːdəʊ/ (sport) n. lotta giapponese; judo ● **j. mat**, stuoia per il judo □ **j. player**, judoista || **judoist** n. judoista.

judoka /dʒuːˈdəʊkɑː/ n. (sport: inv. al pl.) judoka.

judy /ˈdʒuːdɪ/ n. (slang antiq. GB) ragazza; donna.

Judy /ˈdʒuːdɪ/ n. dim. di **Judith**.

jug ① /dʒʌg/ n. **1** (GB) brocca; caraffa; bricco **2** (USA) giara; orcio **3** (slang) prigione; galera; gattabuia (pop.) **4** (slang) banca **5** (slang) cassaforte **6** (al pl.) (slang USA) tette ● (GB) **jug kettle**, bollitore elettrico (a forma di caraffa) □ (slang) **jug wine**, vino da pasto □ **to hit the jug**, mettersi a bere || **jugful** n. (quanto sta in una) brocca (o caraffa, ecc.).

jug ② /dʒʌg/ n. gorgheggio (dell'usignolo).

to **jug** ① /dʒʌg/ v. t. **1** (cucina) cuocere (lepre, coniglio) in salmì: **jugged hare**, lepre in salmì **2** (slang) mandare in galera; mettere in gattabuia (pop.).

to **jug** ② /dʒʌg/ v. i. (dell'usignolo) gorgheggiare.

Juggernaut /ˈdʒʌgənɔːt/ n. **1** (relig.) Jagannath (divinità indù) **2** (fig.) mostruosa e malefica potenza; macchina (fig.): **the j. of war**, la mostruosa e malefica potenza della guerra; la macchina bellica **3** (fam., autom.) bisonte della strada; grosso camion.

juggins /ˈdʒʌgɪnz/ n. (slang, antiq.) tontolone; scemo; stupido; sciocco.

juggle /ˈdʒʌgl/ n. **1** gioco di bussolotti (o di destrezza, di prestigio) **2** (fig.) imbroglio; inganno; manipolazione; raggiro; truffa.

to **juggle** /ˈdʒʌgl/ **A** v. i. **1** fare giochi di destrezza (o di prestigio); fare il giocoliere: **to j. with balls [knives]**, fare giochi di destrezza con palle [coltelli] **2** armeggiare; armeggiare con: He juggled with the controls, armeggiò con i comandi **B** v. t. **1** lan-

ciare in aria in sequenza e riprendere (*palle, ecc.*, *come gioco di destrezza*); fare giochi di destrezza con: *He was juggling some oranges*, giocava con delle arance lanciandole in aria **2** destreggiarsi con (*o* fra): *He juggles three jobs*, si destreggia fra tre lavori **3** aggiustare, manipolare abilmente: *We'll have to j. our schedule to fit it in*, dovremo aggiustare la nostra tabella di marcia per farcelo entrare **4** manipolare; truccare; travisare: **to j. the accounts**, manipolare i conti; truccare la contabilità; **to j. (with) the facts**, travisare i fatti; **to j. with words**, giocare con le parole; equivocare.

juggler /'dʒʌɡlə(r)/ n. **1** giocoliere; prestigiatore **2** (*fig.*) imbroglione; impostore; truffatore.

jugglery /'dʒʌɡləri/ n. ▣ **1** giochi (pl.) di destrezza, di prestigio; destrezza di mano **2** (*fig.*) imbrogli (pl.); raggiri (pl.).

juggling /'dʒʌɡlɪŋ/ Ⓐ a. **1** che fa giochi di destrezza (*o* di prestigio) **2** (*fig.*) che imbroglia Ⓑ n. ▣ → **jugglery** (*anche fig.*) **j. act**, numero di equilibrismo; acrobazia (*per fare più cose contemporaneamente*).

Jugoslav → Yugoslav.

Jugoslavia /juːɡəʊ'slɑːvɪə/ e *deriv.* → **Yugoslavia**, e *deriv.*

jugular /'dʒʌɡjʊlə(r)/ Ⓐ a. (*anat.*) giugulare, iugulare: **the j. veins**, le vene giugulari Ⓑ n. (*anat.*) (vena) giugulare ● **to go for the j.**, avventarsi alla gola; (*fig.*) attaccare ferocemente nel punto più debole.

to jugulate /'dʒʌɡjʊleɪt/ v. t. **1** scannare; strozzare **2** (*fig., med.*) stroncare (*una malattia*).

♦**juice** /dʒuːs/ n. **1** (*di frutta*) sugo; succo: **orange j.**, succo d'arancia; **fruit j.**, succo di frutta **2** (*di carne*) sugo: **the j. of the roast**, il sugo dell'arrosto **3** (*biol.*) succo: **gastric j.**, succo gastrico **4** (*fig.*) essenza; succo **5** (*fam.*) benzina **6** (*fam.*) corrente elettrica **7** (*slang USA*) superalcolico; alcol **8** (*slang*) droga **9** (*slang USA*) influenza; prestigio; potere **10** (*slang*) pettegolezzi (pl.) scandalosi (pl.) **11** (*slang USA*) interesse pagato a un usuraio ● **j. bar**, bar naturale (*specializzato in succhi di frutta, centrifugati, ecc.*) □ (*cucina*) **j. extractor**, spremifrutta □ (*slang USA*) **j. man**, strozzino; usuraio □ (*slang USA*) **j. racket**, strozzinaggio; usura □ (*fig.*) **to stew in one's own j.**, cuocere nel proprio brodo.

to juice /dʒuːs/ v. t. estrarre il succo da; spremere.

■ **juice up** v. i. + avv. (*fam. USA*) **1** animare; ravvivare; elettrizzare **2** fare il pieno a (*un'automobile*).

juiced /dʒuːst/ a. (*slang USA*) ubriaco; sbronzo (*pop.*) ● **to get j. up**, sbronzarsi.

juicehead /'dʒuːshed/ a. (*slang USA*) ubriacone; alcolizzato.

juiceless /'dʒuːsləs/ a. senza sugo (*anche fig.*).

juicer /'dʒuːsə(r)/ n. (*USA*) **1** spremifrutta; spremiagrumi **2** (*cinem., teatr., TV*) datore di luci; elettricista **3** (*slang*) beone; ubriacone; alcolista; alcolizzato.

juicy /'dʒuːsi/ a. **1** succoso; sugoso; succulento: **a j. peach**, una pesca sugosa; **a j. steak**, una bistecca succulenta **2** (*fam.*) interessante; succoso **3** (*fam.*) piccante; audace; osé: **a j. story**, una storia piccante **4** (*fam.*) redditizio; remunerativo; vantaggioso **5** (*slang*) (*di donna*) appetitosa | **-ily** avv. | **-iness** n. ▣.

jujitsu /dʒuː'dʒɪtsuː/ n. (*sport*) lotta giapponese; jujitsu.

ju-ju /'dʒuːdʒuː/ n. **1** feticcio africano **2** ▣ (*fig.*) potere magico; magia **3** (*slang USA*) spinello.

jujube /'dʒuːdʒuːb/ n. **1** (*bot., Zizyphus jujuba-sativa*) giuggiolo; giuggiola **2** giuggio-

la; caramella gommosa o gelatinosa.

juke /dʒuːk/ n. **1** → **jukebox 2** → **juke--joint**.

to juke /dʒuːk/ v. i. (*slang USA*) **1** ballare al suono del jukebox **2** fare il giro dei bar **3** divertirsi; spassarsela.

jukebox /'dʒuːkbɒks/ n. (*anche elab.*) jukebox.

juke-joint /'dʒuːkdʒɔɪnt/ n. **1** (*fam. USA*) locale con juke-box; bar **2** (*slang USA*) casino; bordello.

Jul. abbr. (**July**) luglio (Lug.).

julep /'dʒuːlɪp/ n. **1** (*farm.*) giulebbe **2** ▣ᴄ (*USA, =* **mint j.**) whisky (*o* brandy) con zucchero e menta.

Julia /'dʒuːlɪə/ n. Giulia.

Julian /'dʒuːlɪən/ Ⓐ n. Giuliano Ⓑ a. giuliano (*di Giulio Cesare*): **J. calendar**, calendario giuliano ● (*geogr.*) **the J. Alps**, le Alpi Giulie.

Juliana /dʒuːlɪ'ɑːnə/ n. Giuliana.

julienne /dʒuːlɪ'en/ Ⓐ n. (*cucina*) julienne Ⓑ a. alla julienne: **j. carrots**, carote alla julienne.

Juliet /'dʒuːlɪət/ n. **1** Giulietta **2** (*radio, tel.*) (la lettera) j; Juliet.

Julius /'dʒuːlɪəs/ n. Giulio ● (*stor.*) **J. Caesar**, Giulio Cesare.

♦**July** /dʒʊ'laɪ/ Ⓐ n. ▣ᴄ luglio Ⓑ a. attr. di luglio (*per gli esempi d'uso* → **April**).

jumble /'dʒʌmbl/ n. ▣ **1** confusione; mescolanza; miscuglio; scompiglio; mucchio; guazzabuglio **2** ▣ (*GB*) (insieme di) oggetti da vendere per beneficenza **3** = **j. sale** → *sotto* ● **j. sale**, vendita di beneficenza □ **j. shop**, bazar.

to jumble /'dʒʌmbl/ Ⓐ v. t. confondere; mischiare; scompigliare; ammucchiare; gettare alla rinfusa: *Our things were jumbled (up o together) in the trunk*, le nostre cose furono gettate alla rinfusa nel baule Ⓑ v. i. confondersi; mescolarsi; ammucchiarsi.

jumbled /dʒʌmbld/ a. mescolato insieme; accatastato; in disordine; alla rinfusa.

jumbly /'dʒʌmblɪ/ a. caotico; disordinato; alla rinfusa.

jumbo /'dʒʌmbəʊ/ Ⓐ n. (pl. *jumbos*) **1** persona (*o* animale, cosa) di dimensioni enormi; colosso; gigante; pachiderma **2** (*aeron., =* **j. jet**) jumbo Ⓑ a. attr. (= **j.-sized**) (formato) gigante; enorme; gigantesco; mastodontico; maxi- (pref.): **j. olives**, olive giganti; (*market.*) **j. package** (*o* **pack**), confezione gigante; **j. pad**, maxiblocco; maxiquaderno.

jumbuck /'dʒʌmbʌk/ n. (*fam. Austral.*) pecora.

jump /dʒʌmp/ n. **1** salto; balzo: **to take a j.**, fare (*o* spiccare) un salto **2** sobbalzo; soprassalto: **to wake with a j.**, svegliarsi con un sobbalzo (*o* di soprassalto); *My heart gave a j.*, il mio cuore ebbe un sobbalzo **3** (*fig.*) salto (*di grado, qualità, ecc.*); passo in avanti: *He's been made headmaster; quite a j.!*, è stato fatto preside; un bel salto!; **further jumps in surgery**, ulteriori passi in avanti della chirurgia **4** (*fig.*) aumento improvviso, impennata; sbalzo (*della temperatura*): **a j. in prices**, un balzo (*o un'impennata*) dei prezzi **5** (*fig.*) passo: **to stay** (*o to be*) **one j. ahead of sb.**, essere un passo più avanti di q.; essere in vantaggio su q. **6** (*fam.*) **– the j.**, vantaggio: **to have the j. on sb.**, essere in vantaggio su q.; **to get the j. on sb.**, ottenere (*o portarsi in*) vantaggio su q.; superare q. **7** (*sport: atletica, pattinaggio*) salto; (*calcio, basket, ecc.*) balzo, scatto, stacco, elevazione, sospensione: **long j.** (*USA:* **broad j.**), salto in lungo; **high j.**, salto in alto; **ski j.**, salto con gli sci; (*basket*) **j. shot**, tiro in sospensione **8** (*sport:*

equit.) ostacolo; barriera **9** (*aeron.*) lancio (*col paracadute*) **10** (*elettr.*) salto **11** (*slang USA*) rapina; colpo **12** (*slang*) rapporto sessuale; sbattuta, scopata (*volg.*) **13** (al pl.; *fam.*) **– the jumps**, agitazione, nervosismo; fifa, tremarella ● (*basket*) **j. ball**, (palla del) salto a due □ (*fig.*) **a j. into the unknown**, un salto nel buio □ (*aeron.*) **j. jet**, jet a decollo verticale □ (*autom., elettr., GB*) **j. lead**, cavo con morsetti (*per collegare due batterie*) □ **j.-off**, (*sport*) partenza; (*ipp.*) spareggio; (*fig.*) inizio □ (*USA*) **j. rope**, corda per saltare (*autom.*) □ **j. seat**, strapuntino □ **j. ski**, sci da salto □ (*atletica, ecc.*) **j. start**, partenza anticipata □ **j. suit**, tuta □ (*fam.*) **to be for the high j.**, stare per essere licenziato □ (*slang USA*) **from the j.**, fin dall'inizio.

♦**to jump** /dʒʌmp/ Ⓐ v. i. **1** saltare; balzare; fare un salto: **to j. back**, fare un salto indietro; arretrare con un balzo; **to j. down the stairs**, scendere a salti le scale; **to j. into the water**, saltare in acqua; **to j. out of a window**, saltare da una finestra; (*anche*) gettarsi da una finestra; **to j. over st.**, saltare al di là di qc.; scavalcare qc.; superare qc. con un salto; **to j. up** (*o* **to one's feet**), balzare (*o* scattare) in piedi **2** sobbalzare; fare un salto; sussultare; trasalire: *The noise made me j.*, il rumore mi fece sobbalzare; *My heart jumped when...*, il mio cuore ebbe un sobbalzo (*o il cuore mi balzò in gola*) quando...; **to j. with fright**, sobbalzare (*o fare un salto*) per la paura **3** (*fig.*) passare bruscamente; saltare: **to j. from one subject to another**, saltare da un argomento all'altro; **to j. to conclusions**, trarre conclusioni affrettate; saltare alle conclusioni **4** (*fig.: di prezzi, ecc.*) balzare; fare un balzo; aumentare improvvisamente; impennarsi: *The population of developing countries has jumped sharply*, c'è stato un grande balzo demografico nei paesi in via di sviluppo **5** (*a dama*) mangiare una pedina; mangiare **6** (*aeron.*) saltare, lanciarsi (*col paracadute*) **7** (*sport: atletica*) saltare; eseguire un salto; (*calcio, ecc.*) saltare, scattare, staccare; andare in elevazione; svettare **8** (*slang USA*) animarsi Ⓑ v. t. **1** saltare; scavalcare; superare di un balzo: **to j. an obstacle**, saltare un ostacolo **2** saltare; omettere; tralasciare; sorvolare su: **to j. a chapter in a book**, saltare un capitolo in un libro; **to j. a few lines**, omettere qualche riga **3** (*fam.*) saltare addosso a (q.); aggredire: *The woman was jumped on her way home*, la donna fu aggredita mentre stava andando a casa **4** (*autom., USA*) far partire (*un'automobile*) con i cavetti **5** (*a dama*) mangiare (*una pedina*) **6** (*sport: atletica, equit., sci, ecc.*) saltare: **to j. a hurdle**, saltare un ostacolo; **to j. eight metres** (*nel lungo*), saltare otto metri **7** (*equit.*) far saltare (*il cavallo*): *He jumped his horse safely over the last fence*, fece saltare al cavallo l'ultimo steccato senza danno **8** (*slang USA*) rapinare; fare una rapina a (q.) **9** (*slang USA*) lasciare; abbandonare; scappare da: **to j. town**, lasciare in fretta e furia la città **10** (*slang*) derubare; rapinare **11** (*volg.*) sbattere, fottere, scopare (*volg.*) ● (*leg.*) **to j. bail**, non comparire in giudizio dopo aver ottenuto la libertà provvisoria dietro cauzione □ (*fam.*) **to j. a claim**, impossessarsi di un terreno o di diritti minerari, scavalcando q. □ (*atletica, equit.*) **to j. clear**, superare l'ostacolo in bellezza; saltare bene □ (*fig.*) **to j. down sb.'s throat**, rispondere in modo aggressivo a q.; saltare addosso a q. □ (*anche fig.*) **to j. for joy**, saltare dalla gioia; fare i salti di gioia □ (*USA*) **to j. a freight = to j. a train** → *sotto* □ **to j. the gun**, (*sport*) scattare prima del segnale (di partenza); (*fig.*) essere troppo precipitoso □ (*autom.*) **to j. the lights**, bruciare il semaforo; passare col rosso □ (*fam. USA*) **to j. in line = to j. the queue** → *sotto* □ (*fig.*) **to j. out of the frying**

pan into the fire, cadere dalla padella nella brace □ **to j. out of one's skin**, fare un salto per lo spavento; spaventarsi a morte □ (*fam.*) **to j. the queue**, non fare (*o* non rispettare) la coda; passare davanti agli altri (*anche fig.*); scavalcare (*fig.*) □ **to j. the rails** (*o* **the track**), (*di treno*) deragliare; (*fig.*) uscire di carreggiata (*o* dai binari), fare cose strane □ (*USA*) **to j. rope**, saltare con la corda (*gioco*) □ (*naut.*) **to j. ship**, (*di marinaio*) lasciare la nave senza permesso; disertare; (*fig.*) tagliare la corda, squagliarsela □ (*fig.*) **to j. through the hoops**, fare i salti mortali (*per fare qc.*) □ (*mil.*) **to j. to attention**, scattare sull'attenti □ **to j. to sb.'s defence**, correre in difesa di q. □ **to j. to the eyes**, saltare all'occhio □ **J. to it!**, sbrigati!; forza!; muoviti!; scattare! □ (*fam.*) **to j. up and down**, essere furibondo, dare in escandescenze; (*anche*) fare i salti di gioia □ (*volg. USA*) **to j. sb.'s bones**, scopare q.; sbattere q. □ (*fam. USA*) **to j. a train**, viaggiare (*di nascosto*) su un treno merci □ (*fam.*) **Go (and) j. in the lake!**, togliti dai piedi!; levati di torno!; sparisci!

■ **jump at** v. i. + prep. **1** saltare su, addosso a (q.); attaccare, assalire (q.) **2** (*fam.*) affrettarsi ad accettare (*un'offerta*); cogliere al volo (*un'occasione*): *I would j. at the chance*, non ci penserei due volte.

■ **jump in** v. i. + avv. **1** saltare in acqua; buttarsi (in acqua) **2** (*fig.*) buttarsi (*in un'impresa, ecc.*), buttarcisi **3** (*fig.*) intervenire (*in una conversazione, ecc.*); intromettersi ● **to j. in at the deep end**, buttarsi subito (*a fare qc.*) □ **to j. in with both feet**, intervenire brutalmente.

■ **jump on** v. i. + prep. (*fam.*) **1** attaccare; aggredire **2** criticare duramente; attaccare; saltare addosso a **3** notare immediatamente (*un particolare, ecc.*).

■ **jump out** v. i. + avv. **1** essere evidentissimo; saltare all'occhio: *The difference jumps out at you*, la differenza salta all'occhio **2** farsi notare; imporsi all'attenzione.

jump-cut /'dʒʌmpkʌt/ n. (*cinema*) stacco (*che interrompe la continuità temporale*).

to jump-cut /dʒʌmp'kʌt/ v. i. (pass. e p. p. *jump-cut*) (*cinema*) fare uno stacco (su).

jumped-up /'dʒʌmptʌp/ a. (*fam.*) **1** (*spreg.*) arricchito **2** presuntuoso; che si crede chissà chi; spocchioso; montato.

jumper① /'dʒʌmpə(r)/ n. **1** chi salta; saltatore **2** (*zool.*) insetto saltatore **3** pesce slitta **4** (*elettr., telef.* = **j. wire**) ponte; ponticello **5** (*ind. min.*) punta (*d'acciaio, ecc.*) di perforatrice **6** (*atletica, equit., sci*) saltatore; (*atletica*) ostacolista **7** (*fam.*) controllore ● (*USA*) **j. cable** = **jump lead** → **jump**.

♦**jumper**② /'dʒʌmpə(r)/ n. **1** (*GB*) pullover; maglioncino chiuso **2** (*USA*) scamiciato **3** (*USA*) pagliaccetto senza maniche (*per bambini*) **4** (*stor.*) blusotto (*da marinaio*).

jumpiness /'dʒʌmpɪnəs/ n. ① eccitabilità; nervosismo.

jumping /'dʒʌmpɪŋ/ **A** a. (*spec. d'animali*) che salta; saltatore: **j. hare**, lepre saltatrice **B** n. ① (*sport*) **1** (*atletica*) i salti (pl.) **2** (*ipp.*) le corse (pl.) a ostacoli ● **j. board**, trampolino □ (*zool.*) **j.-deer** (*Odocoileus hemionus*), cervo mulo; coda nera □ **j. jack**, saltamartino, fantoccio a molla; (*anche*) tric-trac (*fuoco d'artificio*) □ (*zool.*) **j. mouse** (*Zapodidae*), zapo □ **j.-off place** (*o* **point**), punto di partenza (*anche fig.*) □ (*USA*) **j. rope**, salto alla corda; corda per saltare.

jump-off /'dʒʌmpɒf/ n. **1** (*slang, mil.*) inizio (*di un'operazione*); (il) via **2** (*equit.*) (manche di) spareggio.

jump-start /'dʒʌmpstɑːt/ n. **1** (*autom.*) avviamento (*del motore*) a spinta; avviamento collegando i morsetti con quelli di un'altra batteria **2** (*fig.*) spinta; impulso; messa

in moto.

to jump-start /'dʒʌmpstɑːt/ v. t. **1** (*autom.*) far partire (*l'auto*) a spinta; mettere in moto collegando i morsetti con quelli di un'altra batteria **2** (*fig.*) ridare impulso; far ripartire; rimettere in moto: **to jump-start the country's economy**, ridare impulso all'economia del paese.

jump-up /'dʒʌmpʌp/ n. **1** salto in alto **2** (*fam. Austral., edil.*) scarpata.

jumpy /'dʒʌmpɪ/ a. (*fam.*) **1** nervoso; agitato **2** discontinuo; irregolare.

Jun. abbr. **1** (**June**) giugno (Giu.) **2** (**junior**) junior.

junc. → **junction**, def. 6.

♦**junction** /'dʒʌŋkʃn/ n. **1** ① congiungimento; congiunzione; ricongiungimento **2** (*mecc., falegn.*) giuntura; giunzione **3** (*elettr.*) connessione; giunzione: **j. box**, scatola di derivazione (*o* di giunzione) **4** (*elettron.*) giunzione **5** (*costr. stradali*) incrocio; intersezione; nodo stradale; raccordo, svincolo (*di autostrada*) **6** (*ferr.*) nodo ferroviario; stazione (*di raccordo*); raccordo **7** ① (*ling.*) giunzione ● (*ottica*) **j. laser**, laser a giunzione □ (*elettr.*) **j. pole**, palo di diramazione.

junctive /'dʒʌŋktɪv/ a. (*ling.*) giuntivo.

juncture /'dʒʌŋktʃə(r)/ n. ① **1** (*anche mecc., falegn.*) congiuntura; connessione; giunzione **2** (*mecc.*) giuntura; punto di giunzione; giunto **3** (*anat.*) giuntura; articolazione **4** (*ling.*) giuntura **5** (*fig.*) frangente; (insieme di) circostanze; momento: **at this j.**, in questo frangente.

♦**June** /dʒuːn/ **A** n. ⓤⓒ giugno **B** a. attr. di giugno (*per gli esempi d'uso* → **April**) ● (*zool.*) **J. bug** (*Phyllopertha horticola*) carruga degli orti.

♦**jungle** /'dʒʌŋgl/ n. ⓒⓤ **1** (*geogr.*) giungla **2** (*fig.*) giungla; groviglio; labirinto: **a j. of regulations**, una giungla di regolamenti **3** (*fig., di ambiente*) giungla **4** (*mus.* = **j. music**) (musica) jungle ● (*slang spreg.*) **j. bunny**, negro □ (*zool.*) **j. cat** (*Felis chaus*), gatto della giungla □ (*med.*) **j. fever**, forte febbre malarica □ (*USA*) **j. gym**, castello (*di travetti o tubi metallici su cui i bambini possono arrampicarsi*) □ (*fam.*) **j. juice**, liquore forte distillato artigianalmente; torcibudella (*fam.*) □ (*fig. fam.*) **j. telegraph**, tam-tam; telegrafo della giungla □ **the law of the j.**, la legge della giungla.

jungled /'dʒʌŋgld/ a. coperto di giungle.

jungly /'dʒʌŋglɪ/ a. (*anche fig.*) di (*o* simile a) una giungla.

♦**junior** /'dʒuːnɪə(r)/ **A** a. **1** junior; (*fra padre e figlio, dello stesso nome*) il giovane; (*di fratelli*) minore, cadetto: **John Smith, j.**, John Smith, junior (*o* il giovane) **2** di grado inferiore; subordinato; subalterno; (più) giovane; junior: *He's j. to me*, mi è inferiore di grado; **j. clerk**, impiegato subalterno; **j. management**, dirigenti di primo livello; **j. partner**, socio di data più recente; socio di minore importanza; (*mil.*) **j. officers**, ufficiali subalterni **3** (*GB*) di, per scolari delle elementari; elementare: **j. school**, scuola elementare (*dai 7 agli 11 anni*) **4** (*GB*) di, per bambini **5** (*USA*) del terzo anno (*di scuola secondaria o università*); terzo: **her j. year at college**, il suo terzo anno di college **6** (*fin.: di titolo*) di secondo grado **B** n. **1** persona più giovane (*di un'altra*): *He is ten years my j.*, è più giovane di me di dieci anni; ha dieci anni meno di me; **my juniors**, quelli più giovani di me **2** (*anche mil.*) subalterno **3** (*GB*) alunno delle elementari **4** (*USA*) studente del terz'anno (*di scuola secondaria o università*) **5** (*sport*) atleta junior; appartenente alla categoria juniores **6** figlio (*che ha lo stesso nome del padre*): *Take J. with you!*, porta anche il ragazzo! ● (*in GB*)

j. barrister, avvocato patrocinante che non è ancora → **King's Counsel** (→ **counsel**) □ (*in USA*) **j. college**, istituto universitario con il solo biennio □ (*in GB*) **j. common room**, sala comune degli studenti (*nelle università*) □ (*in USA, Canada*) **j. high (school)**, scuola media inferiore (*dagli 11-12 ai 14-15 anni*) □ (*boxe*) **j. lightweight**, leggeri junior; superpiuma □ (*boxe*) **j. middleweight**, superwelter □ (*polit., in GB*) **j. minister**, sottosegretario □ (*marina mil., in GB*) **J. Seaman**, aspirante marinaio (*non ha equivalente in Italia*).

juniority /dʒuːnɪ'ɒrətɪ/ n. ① l'esser più giovane; l'essere inferiore di grado (→ **junior**).

juniper /'dʒuːnɪpə(r)/ n. (*bot., Juniperus communis*) ginepro: **oil of j.**, olio essenziale (*o* essenza) di ginepro.

junk① /dʒʌŋk/ n. **1** ① scarti (pl.); cascami (pl.); rottami (pl.) **2** ciarpame; cianfrusaglie (pl.); paccottiglia: **a room full of j.**, una stanza piena di cianfrusaglie **3** robaccia; scemenze (pl.); fesserie (pl.): *He writes j.*, scrive robaccia **4** = **junk food** → *sotto* **5** ① (*slang*) eroina **6** (*naut.*) cordame vecchio **7** (*naut., stor.*) carne sotto sale ● **j. art**, arte fatta con materiali di scarto □ **j. artist**, artista della «junk art» (*sopra*) □ (*fin.*) **j. bonds**, obbligazioni (*o* titoli) spazzatura □ (*USA*) **j. bottle**, bottiglia di vetro grosso (*verde o nera*) □ **j. dealer**, robivecchi; rigattiere □ (*biol.*) **j. DNA**, DNA spazzatura; junk DNA □ **j. food**, cibo spazzatura □ (*slang USA*) **j. heap** → **junker** □ **j. jewellery**, bigiotteria (*di scarso valore*) □ **j. mail**, stampe pubblicitarie o propagandistiche; posta spazzatura □ **j. shop**, negozio di rigattiere □ **j. yard**, deposito rottami.

junk② /dʒʌŋk/ n. (*naut.*) giunca.

to junk /dʒʌŋk/ v. t. (*fam.*) buttare via; gettar via.

junker /'dʒʌŋkə(r)/ n. (*slang USA*) vecchia auto scassata; catorcio; macinino.

junket /'dʒʌŋkɪt/ n. **1** (*cucina*) giuncata; cagliata **2** festa; gita; scampagnata **3** (*fam.*) viaggio, banchetto, ecc., (*di funzionari pubblici*) a spese del contribuente; (*estens.*) viaggio, vacanza pagati.

to junket /'dʒʌŋkɪt/ v. i. **1** far festa; divertirsi **2** (*fam.*) fare un viaggio a spese del contribuente; (*estens.*) fare un viaggio, una vacanza pagati.

junkie /'dʒʌŋkɪ/ n. (*slang*) **1** drogato; tossicomane; tossico (*pop.*) **2** (*estens.*) fanatico (*di qc.*); maniaco; drogato: **desk j.**, maniaco del lavoro; uno che è attaccato alla scrivania.

junky /'dʒʌŋkɪ/ a. (*fam.*) **1** di nessun valore; da buttare **2** → **junkie**.

Juno /'dʒuːnəʊ/ n. (*mitol., astron.*) Giunone.

Junoesque /dʒuːnəʊ'ɛsk/ a. giunonico.

junta /'dʒʌntə, *USA* 'huntə/ n. (*polit.*) **1** giunta militare **2** (*stor.*) giunta (*in Spagna o Portogallo*).

junto /'dʒʌntəʊ/ n. (pl. *juntos*) (*polit.*) **1** fazione politica (*spec., se tiene in suo potere un partito*) **2** (*spreg.*) cricca; combriccola.

Jupiter /'dʒuːpɪtə(r)/ n. (*mitol., astron.*) Giove.

jural /'dʒʊərəl/ a. legale; giuridico.

Jurassic /dʒʊ'ræsɪk/ (*geol.*) **A** a. giurassico **B** n. ① (il) giurassico.

jurat /'dʒʊəræt/ n. **1** funzionario (*in talune città inglesi*) **2** magistrato (*in certe città francesi e nelle Isole Normanne*).

juridical /dʒʊə'rɪdɪkl/, **juridic** /dʒʊə'rɪdɪk/ a. giuridico; legale ● **j. days**, giorni di udienza (*leg.*) □ **j. person**, persona giuridica □ **-ly** avv.

jurisconsult /'dʒʊərɪskənsʌlt/ n. giureconsulto (*di diritto civile o internazionale*).

jurisdiction /dʒʊərɪs'dɪkʃn/ n. ⓤ **1** (*leg.*) giurisdizione; potestà di giudicare: **to have j. over**, avere giurisdizione su; *The court has j. to determine these issues*, il tribunale ha giurisdizione su queste materie **2** autorità; competenza; sfera d'autorità; poteri (pl.): **to be within** [**outside**] **sb.'s j.**, rientrare [non rientrare] nelle competenze di q. ‖ **jurisdictional** a. giurisdizionale.

jurisprudence /dʒʊərɪ'spruːdns/ n. (*leg.*) **1** ⓤ giurisprudenza; dottrina (o teoria, studio) del diritto **2** ⓤ filosofia del diritto **3** sistema legale: **in American j.**, nel sistema legale americano **4** (repertorio di) sentenze; giurisprudenza: *There is a vast j. on the matter*, esiste un'ampia giurisprudenza in materia **5** (*USA*) branca del diritto: **medical j.**, medicina legale ‖ **jurisprudent Ⓐ** n. giureconsulto; giurista **Ⓑ** a. dotto in giurisprudenza; esperto in teoria del diritto ‖ **jurisprudential** a. giurisprudenziale.

jurist /'dʒʊərɪst/ n. **1** giurista **2** (*USA*) avvocato **3** (*USA*) magistrato ‖ **juristic**, **juristical** a. giuristico; giuridico; legale.

juror /'dʒʊərə(r)/ n. (*leg.*) giurato; membro di una giuria.

♦**jury**① /'dʒʊərɪ/ n. (*leg. e in un concorso, ecc.*) giuria; giurati (pl.): *The j. returned a verdict of not guilty*, la giuria emise un verdetto di non colpevolezza; **to be called for j. duty**, essere chiamati a far parte di una giuria; **to serve** (o **to sit**) **on a j.**, fare parte d'una giuria ● **j. box**, banco dei giurati □ **j. fixing**, corruzione dei giurati □ **j. list**, lista dei giurati □ **coroner's j.**, giuria del «coroner» (*che indaga nei casi di morte violenta o innaturale*) □ **foreman of the j.**, presidente della giuria □ **hung j.** → **hung** □ **The j. is still out**, la giuria non ha ancora deliberato; (*fig.*) la questione è ancora aperta, è ancora da vedere.

jury② /'dʒʊərɪ/ a. (*naut.*) di fortuna: **j. mast** [**rudder**], albero [timone] di fortuna; **j.-rigged**, con attrezzatura di fortuna; (*fig.*) improvvisato, provvisorio, di ripiego.

juryman /'dʒʊərɪmən/ n. (pl. **jurymen**) (*leg.*) giurato.

jurywoman /'dʒʊərɪwʊmən/ n. (pl. **jurywomen**) (*leg.*) giurata.

jussive /'dʒʌsɪv/ a. (*ling.*) iussivo.

♦**just** /dʒʌst/ **Ⓐ** a. **1** giusto; onesto; retto: **a j. cause**, una causa giusta; **a j. man**, un uomo giusto (o retto) **2** giusto; equo; imparziale: **j. price**, prezzo giusto; **a j. trial**, un processo equo; **to be j. to sb.**, essere giusto verso q. **3** giusto; giustificato; fondato; legittimo: **j. resentment**, risentimento giustificato; **j. suspicion**, sospetto fondato; (*leg.*) **j. title**, titolo legittimo (*di proprietà*) **4** giusto; adeguato; meritato: **a j. reward**, una giusta ricompensa; **a j. punishment**, una punizione meritata; un giusto castigo; **to get one's j. deserts**, avere quello che ci si merita **5** giusto; preciso; esatto; corretto: **j. proportions**, giuste proporzioni **Ⓑ** avv. **1** esattamente; precisamente; proprio; per l'appunto; giusto (*fam.*): *J. what I was looking for!*, proprio quel che cercavo!; *It was j. here*, era proprio qui; *She is j. like her mother*, è proprio come sua madre; *J. as I was going to answer, the phone rang*, proprio quando stavo per rispondere suonò il telefono; *J. as you wish*, come desideri; **j. then**, proprio allora; in quel momento; *I can j. hear her saying that*, me la immagino proprio mentre dice una cosa simile **2** appena; solo; soltanto: *It's j. four o'clock*, sono appena le quattro; *I have j. enough money*, ho appena denaro a sufficienza; *Take j. one!*, prendine soltanto uno! **3** solo; soltanto; semplicemente; unicamente: *I'm j. passing through*, sono solo di passaggio; **j. for a laugh**, solo per farsi due risate **4** appena; subito; (di)

poco: **j. after midnight**, subito dopo mezzanotte; **j. under 5 percent**, poco sotto il 5 per cento □ appena; or ora; poco fa: *I've j. seen him*, l'ho visto or ora; *She has j. left*, è appena partita **6** (= **only j.**) appena in tempo; a mala pena; per un soffio; per un pelo: *We j. made it to the station*, arrivammo appena in tempo alla stazione; *You've j. missed him*, l'hai mancato per un soffio; **j. in time**, appena in tempo; in tempo **7** (idiom., *spec. enfatico*, per es.:) *J. shut the door, will you?*, vuoi chiudere la porta, per favore?; *J. listen to me!*, stammi bene a sentire!; *J. help yourselves*, servitevi pure; *J. think!*, pensa!; pensa un po'!; *He j. won't listen*, non vuole proprio ascoltare; *It's j. beautiful*, è bellissimo!; **not j. yet**, non adesso; non ancora; *«Tom's been great»* *«Hasn't he j.?»*, «Tom è stato fantastico» «Davvero!» **8** (con verbo modale) forse; quasi quasi: *You might j. catch them*, forse riesci a raggiungerli ● (*fam.*) **j. about**, pressappoco; più o meno; quasi: *We're j. about ready*, siamo quasi pronti; **j. about enough**, quasi abbastanza; quanto basta o quasi; **j. about everything**, praticamente tutto; **j. about here**, qui intorno; da qualche parte; qui in giro; *«Have you got enough money with you?»* *«J. about»*, «I soldi che hai ti bastano?» «Più o meno»; *«Are you ready to go?»* *«Yes, just about»*, «Sei pronto per andare?» «Sì, quasi» □ **j. as**, (+ agg.), altrettanto; quanto: *You're j. as experienced as she is*, sei esperto quanto lei; hai altrettanta esperienza di lei □ **j. as well**, anche; alla stessa stregua: *It might j. as well have been him*, sarebbe potuto anche (o benissimo) essere stato lui; *You might j. as well tell her*, potresti anche dirglielo; tanto vale che tu glielo dica □ (**it's**) **j. as well**, meno male; per fortuna: *It's j. as well I brought my umbrella*, meno male che ho preso l'ombrello □ **j. in case**, nel caso che; caso mai: **j. in case it should rain**, caso mai dovesse piovere □ (*comm.*) **j.-in-time** (abbr. **JIT**), just-in-time (*tecnica di produzione e gestione aziendale*) □ **j. like that**, così, semplicemente; come se niente fosse; senza preavviso o spiegazione; pari pari □ **j. my luck!**, la (mia) solita sfortuna! □ **J. a moment, please**, un momento, prego □ **j. now**, ora, proprio adesso, in questo momento; (*anche*) poco fa, or ora, un minuto fa: *He's out j. now*, non c'è; *I met him j. now*, l'ho incontrato poco fa □ **j. on**, esattamente: **j. on ten kilos**, esattamente dieci chili; dieci chili esatti □ **j. the same**, proprio uguale, identico; (*anche*) ugualmente, lo stesso: *My watch is j. the same as yours*, il mio orologio è uguale al tuo; *I'll go j. the same*, ci andrò lo stesso □ **j. so**, perfettamente in ordine; al posto giusto: *Everything had to be j. so*, tutto doveva essere perfettamente in ordine □ **J. so!**, precisamente; esattamente; appunto □ **j. the thing** (o **the ticket**)!, proprio quello che ci vuole (o che ci voleva)!; proprio così! □ (*sport*.) **j. wide**, appena fuori □ **That's j. it**, appunto!; ecco!; precisamente! □ (*fam.*) **I should j. think so!**, vorrei vedere (*che non fosse così*)!; sarebbe bella!

♦**justice** /'dʒʌstɪs/ n. **1** ⓤ giustizia; equità; imparzialità: *J. has been done*, è stata fatta giustizia; **to do j.**, operare con giustizia; essere giusto **2** giustezza; fondatezza; legittimità: **the j. of his observations**, la giustezza delle sue osservazioni; **the j. of your claim**, la legittimità della tua rivendicazione **3** ⓤ (*leg.*) giustizia: **to administer j.**, amministrare la giustizia; **to bring sb. to j.**, assicurare q. alla giustizia; portare q. in giudizio; **the course of j.**, il corso della giustizia **4** (*leg.*) giudice (*di corte superiore*) **5** = **j. of the peace** → *sotto* ● (*in GB*) **justices' clerk** (o **clerk to the justices**), cancelliere (*di tribunale*) □ **j. court**, tribunale presieduto da un giudice di pace □ **j. of the peace**, giudice di

pace ❶ CULTURA • *Il justice of the peace, presente nell'ordinamento giudiziario di tutti i paesi di lingua inglese, sentenzia su reati minori ed in alcuni paesi, per es. in USA può contrarre matrimoni; non è necessariamente un avvocato e non è retribuito* □ **court of j.**, corte di giustizia; tribunale □ **to do j. to st.** (o **to do st. j.**), rendere giustizia a qc.: (*rif. a cibo*) far onore a qc.: *My description doesn't really do j. to the beauty of the place*, la mia descrizione in realtà non rende giustizia alla bellezza del posto □ **to do oneself j.**, farsi onore; fare bella figura □ **in j.**, a esser giusti; per giustizia □ **in all j.**, in tutta onestà; per essere onesto □ (*in USA*) **Chief J.** → *sotto* **chief** □ (*in GB*) **Lord Chief J.** → *sotto* **Lord** □ **with j.**, con giustizia; a buon diritto, a ragione.

justiceship /'dʒʌstɪsʃɪp/ n. ⓤ (*leg.*) ufficio (o durata in carica) di un giudice (*cfr.* **justice**, def. 3 e 4) ● **chief j.**, presidenza della Corte Suprema degli Stati Uniti d'America.

justiciable /dʒʌ'stɪʃəbl/ a. (*leg.*) passibile di giudizio; processabile.

justiciar /dʒʌ'stɪʃɪə(r)/ n. (*stor.*) **1** giudice supremo (*sotto i re normanni e i primi Plantageneti*) **2** altissimo magistrato.

justiciary /dʒʌ'stɪʃɪərɪ/ **Ⓐ** a. (*leg.*) giudiziario **Ⓑ** n. **1** (*leg., spec. in Scozia*) giudice supremo **2** (*leg., spec. in Scozia*) giurisdizione di giudice supremo **3** ⓤ amministrazione della giustizia **4** (*stor.*) → **justiciar**, *def. 1*.

justifiability /dʒʌstɪfaɪə'bɪlətɪ/ n. ⓤ **1** l'esser giustificabile **2** (*leg.*) legittimità (*di una difesa*).

justifiable /dʒʌstɪ'faɪəbl/ a. giustificabile; lecito; permesso; scusabile ● (*leg.*) **j. homicide**, omicidio per legittima difesa (o, *in genere*, commesso in stato di necessità) ‖ **-bly** avv. ‖ **-ness** n.

justification /dʒʌstɪfɪ'keɪʃn/ n. ⓒ ⓤ **1** giustificazione; scusa; discolpa **2** (*comput., tipogr.*) giustificazione; giustezza **3** (*leg.*) adduzione (*di un mezzo*) a difesa.

justificative /'dʒʌstɪfɪkeɪtɪv/ a. giustificativo.

justificatory /'dʒʌstɪfɪkeɪtrɪ/ a. giustificatorio; giustificativo.

justified /'dʒʌstɪfaɪd/ a. **1** giustificato; fondato: **j. absence**, assenza giustificata; **a j. doubt**, un dubbio fondato **2** (*leg.*) legittimato: **to feel j. in doing st.**, sentirsi legittimato a (o in diritto di) fare qc.: *He was fully j. in taking that decision*, la decisione che prese era pienamente giustificata **3** adeguato; congruo **4** (*comput., tipogr.*) giustificato.

justifier /'dʒʌstɪfaɪə(r)/ n. giustificatore, giustificatrice.

♦**to justify** /'dʒʌstɪfaɪ/ v. t. **1** giustificare; comprovare; dimostrare fondato: **to j. a statement**, comprovare una dichiarazione; *He has justified our trust*, ha dimostrato che la nostra fiducia in lui era fondata; **to j. a suspicion**, giustificare un sospetto **2** giustificare; motivare; legittimare: *We'll have to j. our choice*, dovremo giustificare la nostra scelta **3** giustificare; scagionare; discolpare **4** (*leg.*) addurre (*un mezzo*) a difesa **5** (*teol.*) giustificare **6** (*comput., tipogr.*) giustificare ● **to j. oneself**, giustificarsi; discolparsi □ (*prov.*) **The end justifies the means**, il fine giustifica i mezzi.

Justin /'dʒʌstɪn/ n. Giustino.

Justine /dʒʌ'stiːn/ n. Giustina.

Justinian /dʒʌ'stɪnɪən/ (*stor.*) n. Giustiniano ‖ **Justinianean**, **Justinianian** a. giustinianeo ● **the Justinianian** (o **Justinian**) **Code**, il codice giustinianeo.

to **justle** /'dʒʌsl/ → **to jostle**.

justly /'dʒʌstlɪ/ avv. **1** giustamente; a ra-

gione; fondatamente; con giustizia: **j. famous**, giustamente famoso **2** secondo giustizia; equamente; imparzialmente; in modo equanime (o imparziale): *We should always act j.*, dovremmo sempre agire secondo giustizia **3** giustamente; meritatamente: *The boy has been j. rewarded*, il ragazzo è stato giustamente premiato; **a j. deserved punishment**, una punizione ben meritata.

justness /'dʒʌstnəs/ n. ⓤ **1** giustezza; esattezza: **the j. of her conclusions**, la giustezza delle sue conclusioni **2** fondatezza: **the j. of his suspicions**, la fondatezza dei suoi sospetti.

jut /dʒʌt/ n. (anche mecc., ind. costr.) sporgenza; aggetto.

to jut /dʒʌt/ **A** v. i. (spesso **to jut out, to jut forth**) **1** sporgere; protendersi **2** (ind. costr.) aggettare **B** v. t. sporgere; spingere in fuori.

jute /dʒuːt/ n. **1** (bot., *Corchorus capsularis*) iuta **2** ⓤ (ind. tess.) iuta • **j. bag** (o **j. sack**), sacco di iuta □ **j. factory** (o **mill**), iutificio.

Jutes /dʒuːts/ (stor.) n. pl. Juti ‖ **Jutish** a. degli Juti.

jutting /'dʒʌtɪŋ/ a. **1** sporgente **2** (ind. costr.) in aggetto; aggettante.

Juvenal /'dʒuːvənl/ n. (stor. letter.) Giovenale.

juvenescence /dʒuːvə'nesns/ n. ⓤ adolescenza ‖ **juvenescent** a. adolescente.

juvenile /'dʒuːvənaɪl/ **A** a. **1** (form. o leg.) giovanile; minorile; minorenne: **j. crime**, criminalità minorile; **j. delinquency**, delinquenza minorile; **j. delinquent** (o **offender**), delinquente minorenne; minore delinquente; **j. employment**, occupazione minorile **2** giovane; da giovane; per giovani: (teatr.) **j. lead**, (parte per) attor giovane **3** per ragazzi; per la gioventù: **j. books**, libri per ragazzi **4** infantile; puerile; immatu-

ro **B** n. **1** (leg.) minore **2** (teatr.) attor giovane **3** (al pl.) libri per ragazzi • (leg., in GB) **j. court**, tribunale dei minorenni (in età da 10 a 16 anni) □ (leg., in USA) **j. detention center**, casa di rieducazione; riformatorio □ (med.) **j. diabetes**, diabete giovanile □ (biol.) **j. hormone**, ormone giovanile | **-ly** avv. | **-ness** n. ⓤ.

juvenilia /dʒuːvə'nɪlɪə/ (lat.) n. pl. (lett.) opere giovanili.

juvenility /dʒuːvə'nɪlətɪ/ n. ⓤ **1** giovinezza; gioventù **2** aspetto giovanile **3** infantilismo, immaturità **4** (spec. al pl.) azione (o modo di fare) da ragazzi; fanciullaggine.

juvey, juvie /'dʒuːvɪ/ n. (slang) **1** delinquente minorenne **2** giovane teppista **3** casa di correzione; riformatorio.

to juxtapose /dʒʌkstə'pəuz/ v. t. giustapporre; accostare ‖ **juxtaposition** n. ⓒ giustapposizione; accostamento.

k, K

K①, **k** /keɪ/ n. (pl. **K's, k's**; **Ks, ks**) K, k (*undicesima lettera dell'alfabeto ingl.*) ● **k for Kilo**, k come Kursaal.

K② sigla **1** (*comput.*, **kilobyte**) kilobyte; K **2** (*carte*; *scacchi*, **king**) re **3** (*lavoro a maglia*, **knit**) a diritto; lavorare a diritto **4** (*fam.*) mille: **a £30K salary**, uno stipendio di trentamila sterline **5** (*slang GB*) mille sterline **6** (*slang USA*) mille dollari ● (*mil. stor.*, *USA*) **K ration**, razione K □ (*geogr.*) **K2**, K2 (*monte dell'Himalaya*) □ (*USA*) **K-12**, relativo alla scuola, al sistema scolastico (*dal «Kindergarten», scuola per l'infanzia, al «grade 12», ultimo anno della scuola secondaria*): **K-12 teachers**, insegnanti scolastici; docenti della scuola.

Kabbalah, **Kabbala** /kə'bɑːlə/ n. (*relig.*) n. ⍟ cabala ‖ **Kabbalism** n. studio della cabala ‖ **Kabbalist** n. cabalista ‖ **Kabbalistic** a. cabalistico.

kaboom /kə'buːm/ inter. bum! (*suono di esplosione*).

Kabyle /kə'baɪl/ n. (pl. **Kabyles**, **Kabyle**) (*geogr.*) **1** cabila **2** cabilano (*berbero d'Algeria o di Tunisia*) **3** ⍟ dialetto berbero dei cabilani.

kadi /'kɑːdɪ/ n. → **cadì** (*magistrato musulmano*).

Kaffir /'kæfə(r)/ n. (pl. **Kaffirs**, **Kaffir**) **1** (*in Sud Africa, spreg.*) negro **2** (*antrop.*, *antiq.*) cafro **3** (*al pl.*) (*fin.*, *slang*) azioni minerarie del Sud Africa.

Kafir /'kæfə(r)/ n. **1** kafiro (*appartenente a una popolazione dell'Hindu Kush*) **2** → **Kaffir**.

kafir /'kæfɪə(r)/ n. non musulmano; infedele.

Kafkaesque /kæfkə'esk/ a. (*letter.*) kafkiano.

kaftan /'kæftæn/ n. caffettano; caftano.

kahuna /kə'huːnə/ n. (*slang USA*) capo; personaggio; pezzo grosso.

kail /keɪl/ → **kale**.

kailyard /'keɪljɑːd/ n. (*scozz.*) orto ● (*letter.*) **the K. School**, gruppo di scrittori di fine Ottocento che trattavano argomenti di vita scozzese, facendo largo uso del dialetto.

kainite /'kaɪnaɪt/ n. (*miner.*) kainite.

kaiser /'kaɪzə(r)/ n. **1** Kaiser **2** (*alim.*, *USA*, = **k. roll**) rosetta; michetta ● **the K.'s War**, la prima guerra mondiale.

kakapo /'kɑːkəpəʊ/ n. (*zool.*, *Strigos habroptilus*) kakapo; strigope (*della Nuova Zelanda*).

kaki /'kɑːkɪ/ n. (pl. **kakis**) (*bot.*, *Diospyros kaki*) cachi; kaki.

kale /keɪl/ n. **1** (*bot.*, *Brassica napus*) ravizzone; napo **2** (*bot.*, *Brassica oleracea acephala*) cavolo verde **3** (*scozz.*) zuppa di cavoli ● (*slang USA, antiq.*) grana; soldi.

kaleidoscope /kə'laɪdəskəʊp/ (*anche fig.*) n. caleidoscopio ‖ **kaleidoscopic**, **kaleidoscopical** a. caleidoscopico ‖ **kaleidoscopically** avv. caleidoscopicamente.

kalends /'kælendz/ n. pl. (*stor.*) calende.

kaleyard /'keɪljɑːd/ → **kailyard**.

kali /'kælɪ/ n. (*bot.*, *Salsola kali*) erba cali; riscolo; bacicci.

Kalmuck /'kælmʌk/ ⍟ a. calmucco ⍟ n. **1** calmucco **2** ⍟ lingua dei calmucchi.

kalsomine /'kɑːlsəmaɪn/ n. ⍟ tinta a calce per pareti.

kamikaze /kæmɪ'kɑːzɪ/ (*giapponese*) ⍟ n. kamikaze ⍟ a. attr. **1** di, da kamikaze **2** (*fig.*) suicida ❶ **FALSI AMICI** ● kamikaze *non significa* kamikaze *nel senso di attentatore suicida*.

Kampuchea /kæmpʊ'tʃiːə/ n. (*geogr.*, *stor.*) Cambogia ‖ **Kampuchean** a. e n. cambogiano.

Kanaka /'kænəkə/ n. **1** hawaiano **2** (*generalm. k.*) kanaka (*isolano dei Mari del Sud impiegato come bracciante in Australia, spec. nelle piantagioni del Queensland*).

kangaroo /kæŋgə'ruː/ n. (pl. **kangaroos**) **1** (*zool.*, *Setonyx, Dendrolagus, ecc.*) canguro **2** (*fam.*, *sport*) australiano **3** (*al pl.*) (*fin.*, *slang*) azioni minerarie australiane ● (*fam.*) **k. court**, tribunale illegale; tribunale irregolare ● **k. dog**, cane usato per la caccia al canguro □ (*fam.*) **k. justice**, attività, sentenza di tribunale irregolare □ (*zool.*) **k. rat** (*Dipodomys*), ratto canguro □ (*Austral.*) **to have kangaroos in the top paddock**, essere svitato (*o matto da legare*).

Kantian /'kæntɪən/ a. e n. (*filos.*) kantiano.

Kantianism /'kæntɪənɪzəm/, **Kantism** /'kæntɪzəm/ n. ⍟ (*filos.*) kantismo.

kaolin, **kaoline** /'keɪəlɪn/ n. (*miner.*) caolino.

kaolinite /'keɪəlɪnaɪt/ n. ⍟ (*miner.*) caolinite.

to **kaolinize** /'keɪəlɪnaɪz/ (*geol.*) v. t. caolinizzare.

kaon /'keɪɒn/ n. (*fis.*) kaone.

kapok /'keɪpɒk/ n. ⍟ (*ind. tess.*) kapok; cotone di Giava ● (*bot.*) **K. tree** (*Ceiba pentandra*), kapok (*l'albero*).

kappa /'kæpə/ n. cappa, kappa (*decima lettera dell'alfabeto greco*).

kaput /kæ'pʊt/ (*ted.*) a. (*slang*) rotto; finito; rovinato; spacciato; andato a monte (*o in malora*).

karabiner /kærə'biːnə(r)/ n. (*alpinismo*) moschettone.

karakul /'kærəkuːl/ n. ⍟ **1** (*zool.*) karakul, caracul **2** (*agnello*) persiano.

karaoke /kærɪ'əʊkɪ/ n. ⍟ karaoke.

karat /'kærət/ n. (*USA*) → **carat**.

karate /kə'rɑːtɪ/ n. (*sport*) karate: **k. chop**, colpo (*di taglio*) di karate.

to **karate-chop** /kə'rɑːtɪ tʃɒp/ v. t. assestare un colpo di karate a.

karateka /kə'rɑːtɪkə/ (*giapponese*) n. (*sport*) karateka; chi pratica il karate.

Karen /'kærən/ n. dim. di **Katharina**.

karma /'kɑːmə/ n. **1** (*relig.*) karma **2** (*fig.*) destino; fato; sorte **3** (*fam. USA*) atmosfera, aria (*fig.*): *There's bad k. here*, qui tira una brutta aria.

karoo, **karroo** /kə'ruː/ n. (pl. **karoos**, **karroos**) (*geogr., in Sud Africa*) karroo; altipiano argilloso.

karst /kɑːst/ n. (*geol.*) rilievo carsico; paesaggio carsico: **k. phenomena**, carsismo ‖ **karstic** a. carsico: **karstic river**, fiume carsico ‖ **karstification** n. carsismo.

kart /kɑːt/ (*sport*) n. kart; go-kart ‖ **karting** n. ⍟ kartismo.

karyogamy /kærɪ'ɒgəmɪ/ n. ⍟ (*biol.*) cariogamia.

karyogram /'kærɪəʊgræm/ n. ⍟ (*biol.*) cariogramma.

karyokinesis /kærɪəkaɪ'niːsɪs/ (*biol.*) n. ⍟ cariocinesi.

karyology /kærɪ'ɒlədʒɪ/ n. ⍟ (*biol.*) cariologia.

karyolysis /kærɪ'ɒlɪsɪs/ n. ⍟ (*biol.*) cariolisi.

karyoplasm /'kærɪəʊplæzəm/ n. (*biol.*) carioplasma.

karyopsis /kærɪ'ɒpsɪs/ n. (pl. **karyopsides**) (*bot.*) cariosside.

karyotype /'kærɪətaɪp/ n. (*biol.*) cariotipo ‖ **karyotyping** n. determinazione del cariotipo.

kasbah /'kæzbɑː/ n. kasba; casba.

Kashmir /kæʃ'mɪə(r)/, *USA* /'kæ-/ n. (*geogr.*) Kashmir ● (*zool.*) **K. goat**, capra del Kashmir.

Kashmiri /kæʃ'mɪərɪ/ ⍟ a. del Kashmir ⍟ n. (pl. **Kashmiris**, **Kashmiri**) **1** abitante (*o nativo*) del Kashmir **2** ⍟ lingua del Kashmir.

katabatic /kætə'bætɪk/ a. (*meteor.*) catabatico.

katabolism /kə'tæbəlɪzəm/ n. → **catabolism**.

Katanga /kə'tæŋgə/ n. (*geogr.*) Katanga (*ora Shaba*).

Katangese /kætæŋ'giːz/ a. e n. katanghese.

Kate /keɪt/ n. dim. di **Katharina**.

Katharina /kæθə'riːnə/, **Katharine** /'kæθərɪn/, **Katherine** /'kæθərɪn/ n. dim. di Caterina.

Kathleen /kæθliːn/ n. (*irl.*) → **Katharina**.

kathode /'kæθəʊd/ n. → **cathode**.

Katie /'keɪtɪ/ n. dim. di **Katherine**.

katydid /'keɪtɪdɪd/ n. (*zool.*) grossa cavalletta verde nordamericana (*famiglia delle Tettigoniidae*).

kauri /'kaʊrɪ/ n. (pl. **kauris**) **1** (*bot.*, *Agathis australis*) agathis; pino kauri **2** ⍟ kauri (*il legno*) ● **k. gum** (*o* **k. resin**), resina di dammar; resina kauri.

kay /keɪ/ n. cappa; lettera k.

Kay /keɪ/ n. dim. di **Katharina**.

kayak /'kaɪæk/ n. (*sport*) kayak ● **k. pairs** [**singles**], kayak biposto [monoposto].

to **kayak** /'kaɪæk/ v. i. andare in kayak.

kayaker /'kaɪækə(r)/ n. (*sport*) kayakista.

kayaking /'kaɪækɪŋ/ n. ⍟ il kayak (*lo sport*).

kayo /'keɪəʊ/ n. (*boxe*) K.O.; atterramento.

to **kayo** /'keɪəʊ/ v. t. (*boxe*) mettere (q.) K.O.; atterrare.

Kazakh /kə'zɑːk/ a. e n. kazako.

Kazakhstan /kæzæk'stɑːn/ n. (*geogr.*) Kazakistan.

kazillion /kə'zɪlɪən/ n. (pl. **kazillions**, **kazillion**) → **gazillion**.

kazoo /kə'zuː/ n. **1** (*mus.*) kazoo **2** (*slang USA*) culo (*volg.*) ● (*slang USA*) **up the k.**, a bizzeffe.

Kb abbr. (*comput.*, **kilobit**) kilobit.

KB sigla **1** (*comput.*, **kilobyte**) kilobyte **2** (*leg.*, *GB*, **King's Bench**) = **Queen's Bench** → **queen**.

KBE sigla (*titolo*, *GB*, **Knight Commander of the Order of the British Empire**) Cavaliere dell'ordine dell'Impero britannico.

KBO sigla (**knowledge-based organization**) → **knowledge**.

Kbps abbr. (*comput.*, **kilobits per second**) kilobit al secondo.

KBps sigla (*comput.*, **kilobytes per second**) kilobyte al secondo.

KC sigla (*leg.*, *GB*, **King's Counsel**) patrocinante per la Corona (*alto titolo onorifico concesso ad avvocati*).

KCB sigla (*titolo*, *GB*, **Knight Commander of the Order of the Bath**) Cavaliere dell'ordine del bagno.

KCMG sigla (*titolo*, *GB*, **Knight Commander of the Order of St Michael and St George**) Cavaliere dell'ordine di San Michele e San Giorgio.

KE sigla **1** (*fis.*, **kinetic energy**) energia cinetica **2** (*comput.*, **knowledge engineering**) ingegneria della conoscenza.

kea /ˈkeɪə/ n. (*zool.*, *Nestor notabilis*) nestore; notabile; kea.

kebab /kəˈbæb/, **kebob** /kəˈbɒb/ n. (*cucina*) kebab.

to **keck** /kɛk/ v. i. avere conati di vomito.

kedge /kɛdʒ/ n. (*naut.*, = **k.-anchor**) ancorotto; ancora di tonneggio ● **k. rope**, cavo da tonneggio; tonneggio.

to **kedge** /kɛdʒ/ (*naut.*) A v. t. tonneggiare B v. i. tonneggiarsi.

kedgeree /ˈkɛdʒəˈriː/ n. **1** (*cucina indiana*) riso con legumi, cipolla, uova e burro **2** (*cucina*) riso con pesce e uova sode.

kedging /ˈkɛdʒɪŋ/ n. [U] (*naut.*) tonneggio; tonneggiamento.

keek /kiːk/ n. (*scozz.*) sbirciata.

to **keek** /kiːk/ v. i. (*scozz.*) sbirciare; spiare.

keel [1] /kiːl/ n. **1** (*naut.*) chiglia **2** (*poet.*) nave **3** (*zool.*) carena **4** (*bot.*) carena; costola **5** (*archit.*) costola, costolone **6** (*aeron.*) chiglia (*di aerostato*) ● (*naut.*) **k.-block**, taccata □ **false k.**, falsachiglia □ **on an even k.**, (*naut.*) di pescaggio uniforme; (*fig.*) (in modo) regolare (*dopo un periodo di difficoltà*), (di nuovo) in sesto: **to get back on an even k.**, ritrovare l'equilibrio, rimettersi in sesto; riprendersi; ritornare alla normalità.

keel [2] /kiːl/ n. (*naut.*) chiatta; maona; barcone (*a fondo piatto*).

to **keel** /kiːl/ (*naut.*) A v. t. carenare, abbattere in carena (*un'imbarcazione*) B v. i. (*di nave*) capovolgersi; rovesciarsi ● **to k. over**, (*di nave*) capovolgersi, rovesciarsi; (*fig. fam.*) cadere, piegarsi su un fianco, crollare di lato, stramazzare.

keelboat /ˈkiːlbəʊt/ n. (*naut.*) **1** yacht con chiglia **2** grosso barcone a fondo piatto; chiatta.

keeled /kiːld/ a. **1** (*naut.*) fornito di chiglia **2** (*zool.*, *bot.*) carenato.

to **keelhaul** /ˈkiːlhɔːl/ v. t. **1** (*naut.*, *stor.*) punire con un giro di chiglia; dare la cala a **2** (*fig. fam.*) dare una grossa lavata di capo (*o una strigliata*) a.

keelson /ˈkɛlsn/ n. **1** (*naut.*) paramezzale **2** (*aeron.*) controchiglia (*di aerostato*).

♦**keen** [1] /kiːn/ a. **1** desideroso; voglioso; bramoso; impaziente: *He's very k. to start working*, è molto impaziente (*o ha una gran voglia*) di iniziare a lavorare **2** entusiasta; appassionato; accanito: **a k. golfer**, un appassionato giocatore di golf; **a k. worker**, un gran lavoratore; (*sport*) **a k. supporter**, un tifoso accanito **3** (*seguito da* on) amante (di qc.); appassionato (di qc.); entusiasta (di qc.); attratto (da q.): **k. on skiing**, appassionato dello sci; *I'm not very k. on white wine*, non sono molto amante del vino bianco; *He's very k. on Linda*, Linda gli piace molto; è decisamente attratto da Linda **4** forte; vivo; intenso; acuto: **a k. desire**, un vivo (*o intenso*) desiderio; **a k. sorrow**, un acuto dolore; **a k. appetite**, un forte appetito; **to take a k. interest in st.**, interessarsi molto a qc.; **to have a k. sense of humour**, avere un acuto senso dell'umorismo **5** forte; accanito: **k. competition**, forte concorrenza; concorrenza accanita **6** acuto; intelligente; perspicace; sveglio; pronto: **to have k. sight**, avere la vista acuta; **k. intelligence**, ingegno acuto; **a k. mind**, una mente pronta; **k. senses**, sensi acuti, svegli **7** affilato; tagliente: **a k. blade**, una lama affilata **8** penetrante; pungente; tagliente: **a k. wind**, un vento tagliente; **k. sarcasm**, sarcasmo pungente **9** (*di prezzo*, *GB*) concorrenziale; competitivo; basso **10** (*slang USA*, *antiq.*) fantastico; magnifico; stupendo: **a k. idea**, un'idea fantastica ● **k.-edged**, tagliente, affilato; (*fig.*) pungente, mordace □ **k.-eyed**, dalla vista acuta □ **k.-set** for, bramoso di □ **k.-witted**, acuto; sagace; scaltro □ (*fam. GB*) **as k. as mustard**, pieno d'entusiasmo (*o d'interesse*); entusiasta □ **to have a k. eye for st.**, avere occhio per qc., essere pronto a notare qc.

keen [2] /kiːn/ n. (*irl.*) lamento funebre.

to **keen** /kiːn/ (*irl.*) A v. i. **1** levare (*o cantare*) un lamento funebre; gemere **2** (*fig.*, *di vento*, *ecc.*) gemere; lamentarsi; ululare B v. t. piangere (*un morto*) levando un lamento funebre.

keenly /ˈkiːnlɪ/ avv. **1** intensamente; profondamente: **to stare k. at sb.**, fissare intensamente q.; **to be k. aware of st.**, essere profondamente consapevole di qc. **2** vivamente; fortemente; con passione: **to be k. interested in**, essere vivamente interessato a **3** con impazienza; ansiosamente **4** acutamente; con acume; con perspicacia **5** con forza; aspramente; fieramente: (*comm.*) **to compete k. with**, essere in forte concorrenza con.

keenness /ˈkiːnnəs/ n. [U] **1** acutezza: **k. of eye** (*o of sight*), acutezza visiva **2** acume; penetrazione; perspicacia **3** brama; vivo desiderio **4** intensità; vivezza **5** affilatezza **6** (*comm.*, *GB*) convenienza (*del prezzo*) **7** (*market.*) vivacità (*della concorrenza*).

keep /kiːp/ n. **1** (*stor.*) maschio, mastio; torrione; (*per estens.*) castello, fortezza **2** [U] mantenimento; sostentamento; vitto e alloggio: **to earn one's k.**, guadagnarsi da vivere **3** (*mecc.*) cappello ● (*fam.*) **for keeps**, per sempre; (*fig. fam.*) sul serio, seriamente: *It's yours for keeps*, è tuo; puoi tenertelo: *This is furniture for keeps*, questi sono mobili fatti per durare a lungo; **to play for keeps**, giocare per vincere tutto; (*fig.*) fare sul serio, non fermarsi davanti a niente.

♦to **keep** /kiːp/ (*pass. e p. p.* **kept**) A v. t. **1** tenere; trattenere: *K. the change!*, tenga il resto!; *She gave me one copy and kept the other*, mi diede una delle due copie e trattenne (*o si tenne*) l'altra; *He kept the gifts for himself*, tenne per sé i regali **2** tenere; mantenere; conservare; custodire; tenere in serbo; serbare: **to k. one's hands in one's pockets**, tenere le mani in tasca; **to k. a secret**, mantenere (*o serbare*) un segreto; (*sport*) **to k. one's title**, conservare il titolo; *I've kept all her letters*, ho tenuto (*o conservato*) tutte le sue lettere; *Where do you k. the flour?*, dove tieni la farina?; *K. this seat for me*, tienimi questo posto!; **to k. oneself in good form**, tenersi (*o mantenersi*) in forma **3** tenere; trattenere: **to k. sb. in prison**, tenere q. in prigione; **to k. st. under control**, tenere qc. sotto controllo; *I won't k. you long*, non ti tratterrò a lungo; *What's keeping him?*, che cosa lo trattiene? **4** (seguito da compl. ogg. e part. pres. o agg.) tenere; mantenere (*o idiom.*): **to k. the engine running**, tenere il motore acceso; **to k. sb. waiting**, far aspettare q.; **to k. one's business going**, mandare avanti la propria azienda; **to k. alive**, tenere (*o mantenere*) in vita; tenere vivo; **to k. awake**, tenere sveglio; **to k. warm**, tenere caldo; tenere al caldo; **to k. sb. interested**, mantener vivo l'interesse di q.; *Sorry to k. you waiting*, mi scusi se l'ho fatta attendere **5** tenere (presso di sé); avere: **to k. servants [boarders, a watchdog]**, tenere domestici [pensionanti, un cane da guardia] **6** (*comm.*) tenere (*in negozio*, *in magazzino*); avere: *We don't k. this item*, non teniamo questo articolo; **to k. st. in stock**, essere sempre rifornti di qc. **7** (*comm.*) essere proprietario e gestore di; gestire; avere: *He keeps a hotel*, gestisce (*o ha*) un albergo; fa l'albergatore **8** mantenere: *They have a family to k.*, hanno una famiglia da mantenere; *My daughter earns enough to k. herself*, mia figlia guadagna abbastanza da mantenersi da sola **9** tenere fede a; mantenere; rispettare; stare a: **to k. one's promise**, mantenere la promessa; **to k. one's word**, tener fede alla (*o mantenere la*) parola data **10** (*relig.*) osservare; rispettare; celebrare: **to k. the Sabbath**, osservare le feste comandate; **to k. Christmas**, celebrare il Natale **11** segnare; scrivere; registrare; tenere: **to k. note of st.**, tenere nota di qc.; annotarsi qc.; **to k. a diary**, tenere un diario; (*sport*) **to k. the score**, tenere il conto dei punti; segnare il punteggio; **to k. the accounts**, tenere la contabilità **12** (*mil.*, *sport e fig.*) difendere: (*calcio*) **to k. goal**, difendere la porta; giocare in porta; (*cricket*) **to k. wicket**, difendere il wicket; fare il ricevitore **13** (*lett.*) proteggere; custodire; guardare: *May the Lord k. you*, (che) Dio ti protegga; (che) Dio ti guardi! B v. i. **1** stare; restare; tenersi; mantenersi: *K. where you are!*, resta dove sei!; **to k. awake**, restare sveglio; **to k. quiet**, restare zitto; tacere; fare silenzio; stare tranquillo; **to k. calm**, restare calmo; mantenere la calma; **to k. fit**, mantenersi (*o tenersi*) in forma; **to k. on good terms with sb.**, mantenersi in buoni rapporti con q. **2** (seguito da part. pres.) continuare; seguitare: *It kept raining all day*, continuò a piovere per tutto il giorno; *I kept talking*, continuai a parlare **3** conservarsi; durare; mantenersi: *Meat doesn't k. long in hot weather*, col caldo la carne non si conserva a lungo **4** (di persona, solo alla forma progressiva) stare (*di salute*): *How are you keeping?*, come stai?; come va? **5** continuare (a percorrere); procedere: *K. straight on for two miles*, continuate diritto per due miglia; **to k. on one's way**, procedere senza fermarsi; **to k. left [right]**, tenersi a sinistra [a destra]; (*autom.*) **«K. left»** (*cartello*), «tenere la sinistra» ● (*Per le espressioni idiomatiche* → *anche sotto il sostantivo o l'avverbio*) (*rag.*) **to k. an account alive**, tenere acceso (*o aperto*) un conto □ (*USA*) **to k. sb. after school [class]**, trattenere q. (*uno studente*) dopo la scuola [la lezione] (*come punizione*) □ (*fig.*) **to k. the ball rolling**, mantener vivo l'interesse, la conversazione, ecc.; mandare avanti qc. □ **to k. st. by**, tenere qc. a portata di mano □ (*autom.*) **«K. clear»**, (*equivale al cartello «passo carraio»*) «lasciare libero (il passaggio)» □ (*anche fig.*) **to k. the fire burning**, alimentare il fuoco □ **to k. going**, continuare; andare avanti; (*fig.*) tirare avanti, tener duro □ **to k. sb. guessing**, tenere q. sulla corda (*o sulle spine*) □ (*di orologio*) **to k. good time**, andare bene; essere preciso □ **to k. one's head**, mantenere la calma; restar calmo; non perdere la testa □

to k. hold of, tenere stretto □ **to k. st. in mind**, tenere a mente qc. □ **to k. in sight**, mantenersi in vista; non allontanarsi troppo □ **to k. in touch with sb.**, tenersi (*o* restare) in contatto con q. □ (*fam.*) **K. in touch!**, ci sentiamo!; arrivederci!; fatti vivo! □ **to k. in training**, tenersi in esercizio □ (*econ.*) **to k. prices steady**, stabilizzare i prezzi □ (*naut.*) **to k. the sea**, tenere il mare □ **to k. silence**, mantenere il silenzio □ (*autom.*) **to k. within the speed limit**, non superare il limite di velocità □ **to k. within bounds**, (v. i.) restare entro i limiti; (v. i.) mantenere entro un certo limite, contenere □ (*autom.*) «**K. left!**» (*cartello*), «tenere la sinistra!» □ (*antiq.*) **God k. you!**, Dio ti guardi!

■ **keep after** v. i. + prep. **1** inseguire; stare dietro a **2** (*fig. fam.*) stare dietro a; stare addosso a; stare col fiato sul collo di (*fam.*).

■ **keep at** **A** v. i. + prep. **1** perseverare in; insistere in: **K. at it!**, persevera!; impegnati!; dacci sotto! (*fam.*) **2** → **keep after**, def. 2 **B** v. t. + prep. fare in modo che (q.) si impegni in (qc.): **to k. sb. at it**, far lavorare sodo q.; tenere sotto q. (*fam.*).

■ **keep away** **A** v. i. + avv. stare lontano (*o* alla larga); tenersi lontano; evitare; girare al largo: *K. away from the road!*, sta lontano dalla strada!; *Just make sure you k. away from him!*, bada di stare alla larga da lui! **B** v. t. + avv. **1** tenere lontano: *tips to k. away the flu*, suggerimenti per tenere lontana l'influenza **2** impedire, proibire a (*q., di andare in un luogo, di partecipare a qc.*): *We were kept away from the ceremony*, ci fu impedito di partecipare alla cerimonia; **to k. a child away from school**, non mandare a scuola un bambino □ **to k. away from the reach of**, tenere fuori della portata di □ (*prov.*) *An apple a day keeps the doctor away*, una mela al giorno, leva il medico di torno.

■ **keep back** **A** v. t. + avv. **1** tenere indietro; non lasciare avvicinare; trattenere: *The police kept back the crowd*, la polizia teneva a bada la folla **2** a freno; contenere; arginare: **to k. back the flood** [one's anger, one's tears], trattenere l'inondazione [la rabbia, le lacrime] **3** trattenere (*dal fare qc.*); impedire: *I kept him back from killing the toad*, gli impedii di uccidere il rospo **4** nascondere; non rivelare; tenere nascosto; celare: *Don't k. anything back (from me)*, non nascondermi nulla **5** mettere (*o* tenere) da parte; conservare; riservare: *K. back some cream to put on top of the dessert*, metti da parte un po' di panna per decorare il dolce **6** trattenere; non dare; non versare; non pagare: *They're going to: k. back part of my salary*, mi tratterranno parte dello stipendio; *£10 were kept back from his pay*, gli furono trattenute 10 sterline dalla paga **7** ritardare (qc.); far ritardare (q.); far restare (q.) indietro: *The brighter pupils are kept back by the less able*, gli allievi più intelligenti restano indietro per colpa di quelli meno bravi **8** (*sport: di allenatore*) tenere (*un giocatore*) in posizione arretrata **B** v. i. + avv. **1** stare (*o* tenersi) indietro; stare (*o* tenersi) lontano: *K. back from the fire!*, sta lontano dal fuoco!; non avvicinarti al fuoco! **2** (*sport*) giocare in posizione arretrata; essere arretrato.

■ **keep behind** **A** v. t. + avv. tenere (q.) indietro; trattenere: *I was kept behind at the office*, fui trattenuto in ufficio **B** v. i. + prep. (*nelle corse*) restare alle spalle di, tallonare (*un avversario*).

■ **keep down** **A** v. t. + avv. **1** tenere giù; tenere basso: *K. your head down!*, tieni giù la testa!; **to k. one's voice down**, tenere bassa la voce; parlare a voce bassa **2** contenere; tenere basso; a freno; controllare; frenare; limitare: **to k. down prices down**, tenere l'inflazione □ **to k. down**, tene-

re i prezzi bassi; *We try and keep the bills down to a minimum*, cerchiamo di ridurre al minimo le spese; **to k. one's weight down**, controllare il proprio peso; **to k. the mosquitos down**, ridurre il numero delle zanzare; **to k. one's anger down**, tenere a freno l'ira; *K. the noise down, I'm trying to watch this*, fate meno rumore, sto cercando di guardare questo programma **3** tenere assoggettato (*o* sottomesso); tenere in stato di soggezione; opprimere **4** tenere (*o* trattenere) nello stomaco: *He can't k. anything down*, non trattiene niente; rimette tutto **5** (*a scuola, GB*) fare ripetere una classe a (*uno studente*): *The boy was kept down a year*, il ragazzo dovette ripetere l'anno **B** v. i. + avv. **1** stare giù; stare nascosto **2** (*del vento, delle onde, ecc.*) restare calmo; non soffiare.

■ **keep forward** **A** v. t. + avv. (*sport: di allenatore*) tenere (*un giocatore*) in posizione avanzata **B** v. i. + avv. (*sport*) giocare in avanti; essere avanzato.

■ **keep from** **A** v. t. + prep. **1** nascondere (qc.) a; tenere (qc.) nascosto a; non rivelare (qc.) a: **to k. information from sb.**, nascondere informazioni a q.; *You know I don't k. anything from you*, sai che non ti nascondo nulla; sai che con te non ho segreti **2** tenere (qc.) fuori da; impedire (*la presenza di qc.*) in: *I couldn't k. irony from my voice*, non riuscii a impedire che nella mia voce ci fosse dell'ironia **3** (*seguito dalla forma in -ing*) impedire a (qc. *o* q.) di; trattenere (q.) dal (*fare qc.*): **to k. st. [sb.] from falling**, impedire a qc. [q.] di cadere **4** trattenere (q.) da; tenere (q.) lontano da; sottrarre (q.) a: *I don't want to k. you from your work*, non voglio sottrarti al tuo lavoro **5** → **to k. oneself from** → **to k. from**, **C** **B** v. i. + prep. trattenersi dal (*fare qc.*); evitare di; impedirsi di: *I couldn't k. from laughing*, non riuscii a trattenermi dal ridere; **to k. from screaming**, impedirsi di gridare.

■ **keep in** **A** v. t. + avv. **1** tenere; non eliminare; lasciare dov'è: *That's the best scene in the film; you must k. it in*, è la scena più bella del film; non devi eliminarla **2** trattenere (q.) in casa (*o* a scuola, in classe, in ospedale, ecc.*); tenere; far restare: *The bad weather kept us in*, il tempo brutto ci tenne in casa; *He was kept in for further tests*, fu trattenuto (in ospedale) per ulteriori accertamenti **3** mantenere (*il fuoco*) acceso **4** tenere in casa (*cibo, bevande, ecc.: come provvista, per un'emergenza, ecc.*) **5** (*fig., rif. a emozioni*) trattenere; frenare; tenere a freno; tenersi dentro: *I was unable to k. in my anger*, non riuscii a frenare l'ira; *Don't k. it all in*, non tenerti tutto dentro **6** (*sport*) tenere in gioco, tenere in campo (*la palla*) **B** v. i. + avv. **1** tenersi rasente al bordo della strada **2** restare in casa; non uscire **3** stare in fila **4** rimanere a scuola (*o* in classe) (*per punizione*) **5** (*del fuoco*) restare acceso; continuare a bruciare **6** (*fam.*) – **to k. in with**, mantenere buoni rapporti con; andare d'accordo con; (*anche*) tenersi buono con: *He manages to k. in with the boss*, riesce a tenersi buono il capo **C** v. t. + prep. (*fam.*) rifornire (q.) di; mantenere a: *The money he gives me is only enough to k. me in cigarettes*, i soldi che mi dà mi bastano solo a comprarmi le sigarette.

■ **keep off** **A** v. i. + avv. (o prep.) **1** stare lontano (da); girare al largo (da); stare alla larga (da): «**Danger, k. off**» (*cartello*), «Pericolo, stare lontani!»; «**K. off the grass**» (*cartello*), «vietato calpestare l'erba!» **2** evitare; astenersi da: **to k. off alcohol**, evitare gli alcolici; **to k. off a subject**, evitare un argomento; *Let's k. off politics!*, evitiamo di parlare di politica! **3** (*della pioggia, neve, ecc.*) non cadere: *Let's hope the rain keeps off*, speriamo che non piova! **B** v. t. + avv. **1** tenere lontano; allontanare; tenere a bada;

trattenere; ripararsi (*o* difendersi) da: *K. your hands off!*, tieni lontane le mani!; (tieni) giù le mani!; **to k. off danger**, allontanare il pericolo; **to k. off evil spirits**, tenere lontani gli spiriti maligni; **to k. the protesters off**, tenere a bada i dimostranti; **to k. off the sun [the draughts]**, ripararsi dal sole [dagli spifferi] **2** (*boxe*) parare **C** v. t. + prep. **1** tenere (q.) lontano da (qc.): **to k. one's children off the street**, tenere i propri figli lontano dalla strada; *K. your hands off these books!*, tieni le mani lontane da (*o* non toccare) questi libri!; **to k. sb. off alcohol**, tenere q. lontano dall'alcol; *His songs were kept off the air for years*, le sue canzoni non furono trasmesse alla radio per anni; *I'd better k. you off school today*, è meglio che non ti mandi a scuola (*o* che ti tenga a casa) oggi **2** distogliere (*la mente, lo sguardo, ecc.*) da; staccare da: *I put on some music to k. my mind off those thoughts*, misi su della musica per togliermi dalla mente quei pensieri; *He couldn't k. his eyes off her*, non riusciva a staccarle gli occhi di dosso.

■ **keep on** **A** v. t. + avv. **1** tenere addosso (*o* in testa); tenersi; non togliersi: **to k. one's coat on**, tenere (*o* non togliersi) il cappotto; **to k. one's hat on**, tenere il cappello in testa; non scoprirsi **2** mantenere in servizio (*un dipendente*); continuare a tenere (*un domestico, ecc.*) **3** tenere acceso (*un impianto elettrico, ecc.*): **to k. the lights on**, tenere accesa la luce **4** continuare a tenere (*un appartamento, un'auto, ecc.*) **B** v. t. + prep. (*di medico*) continuare a far prendere a (*un paziente una medicina*): *He's been kept on the same drug for years*, sono anni che gli fanno prendere la stessa medicina **C** v. i. + avv. **1** andare avanti; continuare; proseguire: *K. straight on to the bus stop and then turn right*, continua dritto fino alla fermata dell'autobus e poi svolta a destra **2** continuare (*a fare qc.*); seguitare: *I'm fed up with this work, but I must k. on*, sono stufo di questo lavoro, ma devo continuare; *That dog keeps on barking*, quel cane non fa che abbaiare; *The students kept on chatting during the lesson*, gli allievi continuarono a chiacchierare durante la lezione **3** (*fam.*) continuare a parlare (*di qc., in modo noioso*); andare avanti; farla lunga (*fam.*): *She kept on about her neighbour and his dogs*, andò avanti con la storia del vicino e dei suoi cani **4** (*fam.*) – **to k. on at**, dare addosso a; lamentarsi continuamente con; (*anche*) stare addosso a, assillare, assfissiare; non dare tregua a □ (*fam.*) **K. your hair** (*o* **your shirt**) **on!**, stai calmo!; non agitarti!; non prendertela!

■ **keep out** **A** v. t. + avv. tenere fuori; non far entrare; tenere alla larga: **to k. the dog out**, tenere fuori il cane; non far entrare il cane; **to k. out strangers**, tenere alla larga gli estranei; *Heavy curtains kept out the sun*, pesanti tendaggi non facevano entrare il sole **B** v. i. + avv. stare fuori; tenersi fuori; non entrare: «**K. out!**» (*cartello*), «vietato l'ingresso!»; **to k. out of danger**, tenersi fuori dai pericoli; *My advice is to k. out of it*, il mio consiglio è di starne fuori (*o* di non entrarci) □ **to k. out of debt**, non fare debiti; non indebitarsi □ **to k. sb. out of harm's way**, badare che q. non si faccia male (*o* che non combini guai) □ (*fam.*) **to k. one's nose out of st.**, non ficcare il naso in qc.; non impicciarsi di qc. □ **to k. out of sight**, tenersi lontano dalla vista; nascondersi □ **to k. out of trouble**, tenersi fuori dai guai; evitare i guai □ **to k. sb. out of trouble**, tenere q. fuori dai guai □ **to k. out of sb.'s way**, non stare tra i piedi a q.; stare alla larga da q.

■ **keep to** **A** v. i. + prep. **1** restare in (*un dato luogo*); tenersi da (*o* su): **to k. to one's room**, restare in camera; non uscire dalla propria camera; **to k. to one's bed**, restare

a letto; **to k. to one side**, tenersi da una parte; tenersi discosto; **to k. to the main road**, restare (*o* tenersi) sulla strada principale **2** (*del traffico, ecc.*) tenere: *Traffic keeps to the right in Italy*, il traffico tiene la destra in Italia **3** rispettare; osservare; attenersi a: **to k. to the rules**, rispettare le (*o* attenersi alle) regole; **to k. to sb.'s decisions**, attenersi alle decisioni di q.; **to k. to the facts**, attenersi ai fatti; **to k. to the point**, restare in argomento; non divagare; **to k. to a diet**, osservare una dieta **4** restare fedele a; mantenere: **to k. to one's beliefs**, restare fedele alle proprie convinzioni; **to k. to a promise**, mantenere una promessa **B** v. t. + prep. **1** mantenere (qc.) entro (*un dato limite*); limitare (qc.) a: *I'd rather k. the group to ten maximum*, preferirei mantenere il gruppo a non più di dieci; **to k. st. to a minimum**, mantenere qc. al minimo **2** tenere (q.) vincolato a (qc.); fare mantenere (qc.) a (q.): *You cannot k. me to this unfair agreement*, non potete tenermi vincolato a questo accordo iniquo; **to k. sb. to his promise**, fare mantenere una promessa a q. □ **to k. st. to oneself**, tenere qc. per sé; non divulgare qc. □ **to k. to oneself** (*o* **to k. oneself to one-self**), starsene per conto proprio; non socializzare; fare i fatti propri; fare vita ritirata.

■ **keep together A** v. t. + avv. tenere insieme; tenere unito: **to k. a family together**, tenere unita una famiglia **B** v. i. + avv. **1** stare insieme; restare uniti **2** (*mus.*) cantare all'unisono **3** (*sport*) restare in gruppo □ (*fam.*) **to k. body and soul together**, sbarcare il lunario.

■ **keep under A** v. t. + avv. **1** tenere sott'acqua; tenere sotto: *The current kept him under*, fu tenuto sotto (*o* sott'acqua) dalla corrente **2** (*fig.*) tenere sotto di sé (*o* soggiogato); dominare, opprimere (*un popolo, ecc.*) **3** (*fig.*) tenere sotto controllo (*un incendio, un sentimento, ecc.*); domare; tenere a freno, reprimere **4** (*med.*) tenere sotto sedativo; tenere in sedazione **B** v. i. + avv. **1** restare (*o* rimanere) sott'acqua (*o* sotto) **2** restare nascosto.

■ **keep up A** v. t. + avv. **1** tenere su; tenere alto; sostenere; reggere: *Four pillars k. up the roof*, quattro pilastri sostengono il tetto; **to k. up one's trousers with braces**, tenere su i pantaloni con le bretelle; *K. your head up!*, tieni su (*o* tieni alta) la testa! **2** impedire a (q.) di andare a letto; tenere alzato; tenere in piedi: *The hurricane kept us up all night*, l'uragano ci tenne alzati tutta la notte **3** tenere alto (*il morale, ecc.*); tenere su: *I often hum to k. my spirits up*, spesso canticchio per tenermi su il morale; *K. up your courage!*, fatevi animo! **4** tenere (*o* mantenere) alto (*un prezzo, ecc.*): **to k. the price of oil up**, tenere alto il prezzo del petrolio **5** mantenere; curare la manutenzione di; tenere bene: *This house is too expensive to k. up*, questa casa è troppo costosa da mantenere; **to k. up an army**, equipaggiare e mantenere un esercito **6** continuare; mantenere; proseguire; protrarre: **to k. up a regular supply of st.**, mantenere regolari rifornimenti di qc.; **to k. up a steady fire**, mantenere un ininterrotto fuoco di fucileria; *The attack was kept up all day*, l'attacco si protrasse per tutto il giorno **7** mantenere; mantenere vivo; continuare a praticare: *Old customs are still kept up here*, qui si praticano ancora le vecchie usanze; **to k. up a friendship with sb.**, mantenere viva l'amicizia con q.; **to k. up the pressure**, mantenere la pressione; **to k. up a family tradition**, mantenere viva una tradizione familiare; **to k. up the conversation**, tenere viva la conversazione **8** mantenere in esercizio; continuare a esercitare: **to k. up one's French**, tenersi in esercizio in francese **9** continuare a effettuare (*un pagamento ratea*-

le): mantenere in regola con **B** v. i. + avv. **1** stare su; stare in piedi: *How does that house of cards k. up?*, come fa a stare in piedi quel castello di carte? **2** restare (*o* mantenersi) alto: *Their morale kept up*, il loro morale si mantenne intatto **3** non andare a dormire; restare alzato; restare in piedi **4** (*spec. del tempo*) continuare; durare; reggere: *Do you think the fine weather will k. up?*, credi che durerà (*o* reggerà) il bel tempo?; *The rain kept up for three days*, continuò a piovere per tre giorni **5** stare al passo; andare di pari passo: *We stopped every now and then to allow him to k. up*, ci fermavamo ogni tanto per permettergli di stare al passo con noi; *I did my best to k. up with the other runners*, feci di tutto per non rimanere indietro rispetto agli altri corridori **6** (*fig.*) stare alla pari; tenere il passo; tenere dietro; seguire: *Do you think you can k. up?*, credi che ce la farai a tenere il passo?; **to k. up with the rest of the class**, tenere il passo degli altri studenti della classe; *Supplies can't k. up with demand*, i rifornimenti non riescono a tener dietro alla domanda; *Pensions are not keeping up with inflation*, le pensioni non tengono il passo dell'inflazione; *He speaks so fast I can't k. up with what he's saying*, parla così in fretta che non riesco a seguire quello che dice □ **to k. up appearances**, salvare le apparenze □ (*fam.*) **K. up the good work!**, ben fatto, continua così! □ (*fig.*) **to k. one's guard up**, tenere la guardia alta □ **to k. oneself up**, stare ritto; tenersi eretto; (*anche*) mantenersi (*o* stare) a galla.

■ **keep up on** v. i. + avv. + prep. → **keep up with**, def. 3.

■ **keep up with** v. i. + avv. + prep. **1** → **to keep up**, **B** def. 5 e 6 **2** stare (*o* tenersi) al passo con: **to k. up with the fashion**, stare al passo con la moda; **to k. up with the times**, tenersi al passo coi tempi; *They've moved to smaller premises and can't keep up with all their orders*, si sono trasferiti in locali più piccoli e non riescono a stare al passo con tutti gli ordini **3** tenersi al corrente dì; tenersi informato su: **to k. up with the latest news**, essere al corrente delle ultime notizie **4** essere in regola con (*un pagamento*); rispettare le scadenze di: **to k. up with the rent**, essere in regola con l'affitto; pagare regolarmente l'affitto **5** tenersi in contatto con (q.); mantenere i contatti con **6** non essere da meno di: **to k. up with one's neighbours**, non essere da meno dei vicini □ **to k. up with the Joneses**, non voler essere da meno dei vicini (*o* dei colleghi, dei compagni, ecc.*).

keepable /ˈkiːpəbl/ a. **1** da tenere; da conservare **2** (*alim.*) conservabile.

keeper /ˈkiːpə(r)/ n. **1** custode; guardiano; guardia; sorvegliante: **zoo k.**, guardiano di zoo; **the k. of a museum**, il curatore di un museo; *Am I my brother's k.?*, sono forse il custode di mio fratello? **2** gestore: **inn k.**, gestore di locanda; locandiere **3** (= **game-keeper**) guardacaccia, guardiacaccia **4** fermaglio; (*spec.*) fermanello **5** chiavistello; saliscendi **6** (*elettr.*) ancora; armatura di protezione **7** alimento (*o* bevanda) che si conserva bene **8** (*fam., calcio*; = **goalkeeper**) portiere **9** (*cricket*; = **wicketkeeper**) ricevitore **10** (*fam. USA*) cosa che vale la pena tenere; cosa da tenere ● (*GB*) **K. of the Great Seal**, guardasigilli (*titolo del* → **Lord Chancellor**) □ **k. of the peace**, custode (*o* mantenitore) della quiete pubblica.

keep-fit /ˈkiːpfɪt/ **A** n. esercizi (pl.) ginnici per mantenersi in forma **B** a. che serve a tenersi in forma; salutistico: **keep-fit centre**, centro benessere; **keep-fit regime**, regime alimentare salutistico.

keeping /ˈkiːpɪŋ/ n. ⓤ **1** custodia; cura; guardia: **in sb.'s k.**, affidato a q.; nelle mani di q.; **in safe k.**, al sicuro; ben custodito; in buone mani; *I'm leaving this in your k.*, te lo affido; lo lascio nelle tue mani **2** allevamento: **the k. of cattle**, l'allevamento del bestiame; **bee-k.**, apicoltura **3** mantenimento; conservazione: **peace k.**, il mantenimento della pace **4** conformità; armonia; accordo: **in k. with**, in armonia con; in carattere con; in accordo con; consono a; conforme a; *We need something in k. with the company image*, abbiamo bisogno di qualcosa in armonia con l'immagine dell'azienda; **out of k.**, in contrasto con; in contraddizione con; non conforme a **5** osservanza, rispetto (*di norme, ecc.*); adempimento (*di obblighi, promesse, ecc.*) ● **k. apples**, mele adatte alla conservazione □ (*arc. USA*) **k. room**, soggiorno.

keepnet /ˈkiːpnɛt/ n. (*pesca*) rete tubolare per tenere in acqua il pesce catturato.

keepsake /ˈkiːpseɪk/ n. ricordo (*oggetto*); pegno d'amicizia, d'affetto.

keg /kɛg/ n. **1** barilotto (*di legno o metallo, soprattutto per birra, contiene 11 galloni inglesi e 30 galloni americani*) **2** ⓤ (= **keg beer**) birra alla spina ● **keg party** → **kegger**.

kegger /ˈkɛgə(r)/ n. (*slang USA*) festa (*spec. studentesca*) in cui si beve birra alla spina.

keister /ˈkiːstə(r)/ n. (*slang USA*) **1** sedere; chiappe **2** (*antiq.*) borsa; cartella; valigetta.

kelim /kɪˈliːm/ n. ⓤⓒ → **kilim**.

keloid /ˈkiːlɔɪd/ n. (*med.*) cheloide.

kelp /kɛlp/ n. ⓤ **1** (*bot.*) fuco; fucacea; laminaria; alghe (pl.) **2** varech; varecchi.

kelpie, **kelpy** /ˈkɛlpɪ/ n. **1** (*mitol. scozz.*) spirito maligno delle acque (*appare in forma di cavallo*) **2** (*zool.*) razza di cane pastore australiano.

kelson /ˈkɛlsn/ → **keelson**.

kelt /kɛlt/ n. (*zool.*) salmone (*o* trota) che ha deposto le uova.

kelvin /ˈkɛlvɪn/ a. e n. (*fis.*) kelvin ● **K. scale**, scala Kelvin.

kemp /kɛmp/ (*ind. tess.*) n. fibra o pelo ruvido (*della lana*) ‖ **kempy a.** ispido; ruvido.

ken /kɛn/ n. (*arc., lett.*) **1** comprensione; conoscenza: **outside** (*o* **beyond**) **one's ken**, al di là della propria comprensione **2** vista: *'Then felt I like some watcher of the skies / When a new planet swims into his ken'* J. KEATS, 'allora io mi sentii come un astronomo / quando un nuovo pianeta appare pian piano alla sua vista'.

to **ken** /kɛn/ (pass. e p. p. **kenned** *o* **kent**), v. t. e i. (*scozz.*) **1** conoscere; sapere **2** riconoscere.

kennel ① /ˈkɛnl/ n. **1** canile; cuccia **2** (*fig.*) tugurio; covo, tana **3** muta di cani **4** (al pl., con verbo pl. *o* sing.) pensione per cani; canile; allevamento di cani: *We put Fido into kennels*, abbiamo messo Fido in un canile ● (*vet.*) **k. cough**, tosse da canile; tracheobronchite contagiosa (*dei cani*).

kennel ② /ˈkɛnl/ n. fossetta di scolo; rigagnolo; cunetta.

to **kennel** /ˈkɛnl/ **A** v. i. **1** stare in un canile **2** rifugiarsi (*o* andare) nel canile **B** v. t. **1** portare al canile **2** (*fig.*) chiudere; rinchiudere.

kenning /ˈkɛnɪŋ/ n. (*poet.*) metafora poetica (*tipica della poesia anglosassone; per es.*: **sea-steed**, destriero del mare, *per* **ship**, nave).

kent /kɛnt/ pass. e p. p. di **to ken**.

kentia /ˈkɛntɪə/ n., **kentia palm** /ˈkɛntɪə pɑːm/ n. (*bot., Howeia forsteriana*) kenzia.

Kentish /ˈkɛntɪʃ/ **A** a. (*geogr.*) del Kent **B** n. ⓤ (*stor.*) dialetto del Kent.

kentledge /ˈkɛntlɛdʒ/ n. (*naut.*) zavorra di pani di ghisa o di ferro; salmone.

Kentucky /kɛnˈtʌkɪ/ n. (*geogr.*) Kentucky

(*uno dei 50 Stati degli USA*).

Kenya /ˈkɛnjə, ˈkiːn-/ n. (*geogr.*) Kenya; Kenia ‖ **Kenyan a.** e n. keniano; keniota.

kepi /ˈkeɪpi/ n. (pl. *kepis*) (*stor.*) chepì; kepi; cheppì.

Keplerian /kɛˈplɪəriən/ a. (*astron.*) kepleriano.

kept /kɛpt/ pass. e p. p. di **to keep** ● (*arc. o scherz.*) **a k. woman**, una mantenuta.

keratectomy /kɛrəˈtɛktəmi/ n. ▣ (*chir.*) cheratectomia.

keratin /ˈkɛrətɪn/ n. ▣ (*biochim.*) cheratina.

keratinic /kɛrəˈtɪnɪk/ a. (*biol.*) cheratinico.

to **keratinize** /kəˈrætɪnaɪz/ (*biol.*) v. t. cheratinizzare ‖ **keratinization** n. ▣ cheratinizzazione.

keratitis /kɛrəˈtaɪtɪs/ n. ▣ (*med.*) cheratite.

keratoplasty /ˈkɛrətəplæsti/ n. ▣ (*med.*) cheratoplastica.

keratose /ˈkɛrətəʊs/ **A** a. (*biol.*) corneo **B** n. sostanza cheratinosa (*nelle spugne*).

keratosis /kɛrəˈtəʊsɪs/ n. (pl. *keratoses*) (*med.*) cheratosi.

keratotomy /kɛrəˈtɒtəmi/ n. ▣ (*med.*) cheratotomia.

kerb, (*USA*) **curb** /kɜːb/ n. **1** cordone di marciapiede; cordolo **2** (*per estens.*) marciapiede; bordo della strada: **to pull up to the k.**, accostarsi al marciapiede ● (*fam. GB*) **k. crawler**, automobilista che pratica il → **kerb-crawling** □ (*fam. GB*) **k.-crawling**, guida a passo d'uomo rasente il marciapiede in cerca di prostitute □ (*GB*) **k. drill**, serie di precauzioni (*spec. guardare a destra e a sinistra*) per attraversare una strada in sicurezza (*insegnate ai bambini*) □ (*Borsa, fin.*) **k. market**, terzo mercato; mercatino; dopoborsa □ (*autom.*) **k. weight**, peso a vuoto (*di auto*).

kerbing /ˈkɜːbɪŋ/ n. ▣ **1** pietre (pl.) che formano un cordone di marciapiede **2** (*autom.*) l'urtare il cordolo con i pneumatici.

kerbside /ˈkɜːbsaɪd/ n. (bordo del) marciapiede; lato del marciapiede: **at the k.**, accanto al marciapiede; sul bordo del marciapiede; **k. collection of recyclable waste**, raccolta domiciliare di rifiuti riciclabili (*depositati lungo il marciapiede*).

kerbstone /ˈkɜːbstəʊn/ n. pietra del cordone del marciapiede.

kerchief /ˈkɜːtʃɪf/ n. **1** fazzoletto da testa (o da collo) **2** (*poet., arc.*) fazzoletto.

kerf /kɜːf/ n. **1** taglio, intaccatura, tacca (*spec. di ascia o di sega*) **2** (*ind. min.*) intaglio; sottoscavo.

kerfuffle /kəˈfʌfl/ n. (*fam.*) agitazione; trambusto; bailamme.

kermes /ˈkɜːmɪz/ n. (inv. al pl.) **1** (*zool.*) femmina pregna di *Coccus ilicis* **2** (*tintoria*) chermes, kermes; cocciniglia ● (*bot.*) **k. oak** (*Quercus coccifera*), quercia spinosa.

kern, **kerne** /kɜːn/ n. **1** (*stor.*) fante irlandese (*con armatura leggera*) **2** contadino irlandese **3** (*fig., arc.*) zotico.

to **kern** /kɜːn/ v. t. (*tipogr.*) regolare la spaziatura dei caratteri; crenare.

kernel /ˈkɜːnl/ n. **1** nòcciolo; mandorla (*di albicocca, pesca, ecc.*); gheriglio (*di noce*) **2** (*bot.*) cariosside; chicco, seme (*del grano, granturco, ecc.*) **3** (*fig.*) nocciolo; nucleo; essenza; fondo: **the k. of the question**, il nocciolo della questione; *There's a k. of truth in his criticism*, c'è un fondo di verità nelle sue critiche **4** (*fis.*) nucleo **5** (*comput.*) kernel; nucleo (*del sistema operativo*) ● (*ling.*) **k. sentence**, frase nucleo.

kerning /ˈkɜːnɪŋ/ n. (*comput., tipogr.*) kerning; crenatura.

kernite /ˈkɜːnaɪt/ n. ▣ (*miner.*) kernite.

kerogen /ˈkɛrədʒən/ n. (*geol.*) cherogene.

kerosene, kerosine /ˈkɛrəsiːn/ n. (*chim.*) kerosene, cherosene: **k. stove**, stufa a cherosene ● **k. propellant**, cherosene per aviogetti.

kersey /ˈkɜːzɪ/ n. (*ind. tess.*) tessuto di lana a coste e a pelo corto.

kerseymere /ˈkɜːzɪmɪə(r)/ n. ▣ (*ind. tess.*) tessuto fine di lana in diagonale.

kestrel /ˈkɛstrəl/ n. (*zool.*, *Falco tinnunculus*) gheppio.

ketamine /ˈkiːtəmiːn/ n. ▣ (*chim.*) chetamina.

ketch /kɛtʃ/ n. (*naut.*) ketch.

ketchup /ˈkɛtʃəp/ n. (*cucina*) ketchup; salsa piccante (*a base di pomodoro, aceto, spezie*).

ketene /ˈkiːtiːn/ n. ▣ (*chim.*) chetene.

ketogenesis /kiːtəˈdʒɛnəsɪs/ (*biochim.*) n. ▣ chetogenesi ‖ **ketogenic a.** chetogenico; chetogenico.

ketone /ˈkiːtəʊn/ n. (*chim.*) chetone ● **k. bodies**, corpi chetonici ‖ **ketonic a.** chetonico.

ketonemia /kiːtəʊˈniːmɪə/ n. ▣ (*med.*) chetonemia; acetonemia.

ketonuria /kiːtəˈnjʊərɪə/ n. ▣ (*med.*) chetonuria.

ketosis /kiːˈtəʊsɪs/ n. (*med.*) chetosi; acidosi.

ketosteroid /kiːtəˈstɪərɔɪd/ n. (*biochim.*) chetosteroide.

kettle /ˈkɛtl/ n. **1** bollitore; pentolino; bricco (*da tè*); cuccuma: **to put the k. on**, metter su il bollitore; mettere a bollire l'acqua; **electric k.**, bollitore elettrico; *I'll just put the k. on*, accendo il bollitore **2** caldaietta **3** (*geol.*, = **k. hole**) marmitta: **giant's k.**, marmitta dei giganti ● (*mus.*) **k.-drum**, timpano □ (*mus.*) **k.-drummer**, timpanista □ (*cucina*) **k.-holder**, presina □ (*fig. fam.*) **a pretty** (*o* **fine**) **k. of fish**, un bel pasticcio; un bel guaio □ (*fam.*) **a different k. of fish**, tutt'altra cosa; un altro paio di maniche.

Kev /kɛv/ n. (*fam.*) → **Kevin**.

kevel /ˈkɛvl/ n. (*naut.*) **1** gancio di murata; cazzascotte; tesascotte **2** bittarella; tacchetto a cuore.

Kevin /ˈkɛvɪn/ n. Kevin.

kewpie® /ˈkjuːpi/, **kewpie doll®** /ˈkjuːpi dɒl/ n. tipo di bambola con gli occhi grandi, le guance grassocce e un ricciolo in cima alla testa.

◆**key①** /kiː/ **A** n. **1** (*anche fig.*) chiave: **to put the key in the lock**, infilare la chiave nella serratura; **car keys**, chiavi della macchina; (*relig.*) **St Peter's keys**, le chiavi di san Pietro; **the key to a problem** [**to success**], la chiave di un problema [del successo] **2** (*mecc.*) chiavetta; bietta **3** (*di orologio*) chiavetta **4** (*elettr.*) chiavetta; interruttore a leva **5** (*mus., telef., ecc.*) tasto: (al pl., *anche*) tastiera (sing.): **to hit a key**, battere su un tasto; **return key**, tasto di andata a capo **6** (*mus.*) tonalità; chiave: **the key of a piece**, la tonalità di un brano musicale; **in the key of C major**, in (chiave di) do maggiore **7** tono; chiave; stile: **to speak in a high key**, parlare in tono di voce alto; **in a low key**, a bassa voce; in tono dimesso; **all in the same key**, in tono monotono; (*fig.*) nello stesso stile **8** (*archit.*) chiave (*dell'arco, della volta*) **9** opuscolo con spiegazioni e soluzioni; soluzione, chiave (*di esercizi, ecc., in fondo a un libro*) **10** (*di mappa, ecc.*) leggenda **11** (*comput.*) chiave; chiave d'accesso; tasto; pulsante: **sort key**, chiave per l'ordinamento **12** (*bot.*) samara; frutto indeiscente (*del frassino e dell'olmo*) **13** (*edil.*) rinzaffo; stuccatura **B** a. attr. principale; vitale; essenziale; determinante; chiave (posposto al sost.): (*fin.*) **key currency**, valuta chiave (*per es.*,

l'euro); (*econ.*) **key industry**, industria chiave; **key position**, posizione chiave; posto chiave; **key factor**, fattore chiave; **key word**, parola chiave; **the key issues**, le questioni principali; *Nutrition is key to health*, l'alimentazione è determinante per la salute ● (*geol.*) **key bed**, strato guida □ **key box**, buchetta della chiave (*in un albergo e sim.*) □ (*mus.*) **key bugle**, cornetta a chiavi □ **key card**, chiave elettronica (*di albergo, ecc.*) □ **key case**, astuccio portachiavi □ **key-chain**, portachiavi a catenella □ (*mecc.*) **key chuck**, mandrino autocentrante □ **key cutting**, (il) fare repliche di chiavi; riproduzione di chiavi □ (*cinem.*) **key grip**, capomacchinista □ (*comput.*) **key field**, campo chiave □ (*org. az.*) **key holder**, persona a cui sono affidate le chiavi (*di un ufficio, una fabbrica, ecc.*) □ (*fotogr., cinema*) **key light**, luce chiave; illuminazione principale □ **key lock**, serratura a chiave □ **key money**, somma versata al proprietario di un appartamento al momento dell'ingresso (*come una tantum o come deposito*) □ (*di serratura*) **key plate**, bocchetta; borchia □ **key ring**, anello portachiavi □ (*mus.*) **key signature**, armatura di chiave: **two sharps in the key signature**, due diesis in chiave □ (*GB*) **key stage**, livello scolastico ❶ **CULTURA** • **key stage**: *nel sistema educativo del Regno Unito, indica ciascuno dei livelli in cui è diviso il sistema scolastico dai 5 ai 16 anni d'età* □ **key tool**, arnese fatto a chiave; grosso arnese per aprire □ **key worker**, operatore (*o* impiegato) chiave (*della pubblica amministrazione o del settore dei servizi*) □ (*fig.*) **the golden** (*o* silver) **key**, la chiave che apre tutte le porte; il denaro che unge le ruote □ **in key with**, in armonia con; in sintonia con □ (*fig.*) **to keep** (*o* **to handle**) **st. in a low-key way**, minimizzare qc. □ **out of key**, fuori tono; non intonato; disarmonico.

key② /kiː/ n. (*geogr.*) **1** isolotto (*spec. in Florida*) **2** banco corallino.

to **key** /kiː/ v. t. **1** (*mecc.*) inchiavettare; imbiettare **2** (*archit.*) mettere la chiave di volta a (*un arco*) **3** fornire (*un testo, ecc.*) di chiave, di spiegazioni **4** (*mus.*) accordare (*un pianoforte, ecc.*) **5** (*fig.*) collegare; calibrare **6** (*fig.*) accordare; armonizzare; finalizzare **7** (*comput.*) digitare (*su tastiera*) **8** (*edil.*) rinzaffare **9** (*slang*) graffiare (*un'auto*) con le chiavi (*per vandalismo*) **10** (*sport*) marcare.

■ **key down** v. t. + avv. ridurre; ridimensionare.

■ **key in** v. t. + avv. (*comput.*) immettere, inserire, introdurre, digitare (*dati, ecc.*): **to key in a password**, digitare un codice di accesso.

■ **key up** v. t. + avv. **1** (*mus.*) alzare il tono di (*uno strumento*) **2** (*fig.*) eccitare; mettere in tensione; agitare.

◆**keyboard** /ˈkiːbɔːd/ n. **1** (*comput.*) tastiera **2** (*mus.*) tastiera **3** (*mus.*) strumento a tastiera elettronica ● (*comput.*) **k.-controlled**, a tastiera □ **k. instrument**, strumento a tastiera □ (*comput.*) **k. layout**, layout di tastiera □ **k. operator**, tastierista □ (*comput.*) **k. shortcut**, tasto di scelta rapida □ (*mus.*) **pedal k.**, pedaliera (*di un organo*).

to **keyboard** /ˈkiːbɔːd/ **A** v. i. **1** fare il tastierista **2** battere su una tastiera **B** v. t. inserire (dati) con la tastiera.

keyboarder /ˈkiːbɔːdə(r)/ n. tastierista.

keyboardist /ˈkiːbɔːdɪst/ n. (*mus.*) tastierista.

keyed /kiːd/ a. **1** provvisto di chiave **2** (*mus.: di strumento*) a tastiera **3** (*mecc.*) inchiavettato **4** (*elettron.*) controllato **5** (*comput.*) con chiave **6** (*archit.: di arco*) munito di chiave di volta ● **k.-up**, eccitato; agitato; teso; (*slang USA*) intontito dall'alcol □ **to get k.-up**, eccitarsi; agitarsi.

keyhole /ˈkiːhəʊl/ n. **1** buco della serratu-

ra; toppa **2** (*mecc.*) incavo per chiavetta ● (*mecc.*) **k. saw**, gattuccio □ (*med.*) **k. surgery**, chirurgia mininvasiva; chirurgia laparoscopica.

keying /'kiːɪŋ/ n. ㉒ **1** (*mecc.*) inchiavettatura **2** (*mus.*) accordatura **3** (*comput.*) digitazione; battitura ● **k. error**, errore di digitazione; battuta errata; errore di battitura.

keyless /'kiːləs/ a. (*di orologio, ecc.*) senza chiave.

keylogger /'kiːlɒɡə(r)/ n. (*comput.*) keylogger (*software o dispositivo hardware che registra le pressioni dei tasti, spesso a fini malevoli*) ‖ **keylogging** n. ㉒ (*comput.*) azione del → **keylogger**.

Keynesian /'keɪnzɪən/ a. (*econ.*) keynesiano.

keynote /'kiːnəʊt/ n. **1** (*mus.*) nota di chiave; tonica **2** (*fig.*) nota dominante; tema dominante ● **k. speech**, intervento di apertura (*in un convegno, una cerimonia, ecc.*) che ne sottolinea i temi fondamentali ‖ **keynoter** n. chi tiene un discorso di apertura.

to **keynote** /'kiːnəʊt/ v. t. mettere in evidenza (*o in risalto*); evidenziare.

keypad /'kiːpæd/ n. **1** (*comput.*) tastierino numerico **2** (*di Bancomat*) tastiera; tastierino.

keyphone /'kiːfəʊn/ n. telefono a tastiera.

keypunch /'kiːpʌntʃ/ n. (*comput., stor.*) perforatrice di schede.

to **keypunch** /'kiːpʌntʃ/ v. i. (*comput., stor.*) perforare (*una scheda meccanografica*).

keystone /'kiːstəʊn/ n. **1** (*archit.*) chiave di volta (*dell'arco*) **2** (*fig.*) chiave di volta; fulcro; perno.

keystroke /'kiːstrəʊk/ n. (*amm., comput., ecc.*) battuta (*su un tasto, nelle misurazioni della velocità di digitazione*): **keystrokes per minute**, velocità di battuta ● (*comput.*) **k. logger** → **keylogger**.

keyway /'kiːweɪ/ n. **1** fessura per la chiave **2** (*mecc.*) sede per chiavetta **3** (*tecn.*) canale; scanalatura.

keyword /'kiːwɜːd/ n. (*anche comput.*) parola chiave.

kg sigla (**kilogram**) kilogrammo; kg.

KG sigla (*titolo, GB*, **Knight of the Order of the Garter**) Cavaliere dell'ordine della giarrettiera.

khaki /'kɑːkɪ/ Ⓐ a. cachi; kaki Ⓑ n. **1** ㉒ color cachi **2** ㉒ tela cachi **3** (*al pl.*) abito di stoffa cachi; (*mil.*) uniforme cachi.

khan ① /kɑːn/ (*stor., polit.*) n. khan, can ‖ **khanate** n. khanato, canato.

khan ② /kɑːn/ n. caravanserraglio.

Khedive /kɪˈdiːv/ n. (*stor., polit.*) kedivè; viceré dell'Egitto.

Khmer /kəˈmɛr/ a. e n. khmer ● (*stor.*) **the K. Rouge**, i khmer rossi.

kHz sigla (**kilohertz**) kHz.

kibble /'kɪbl/ n. (*agric.*) pellet alimentari (*per animali*).

to **kibble** /'kɪbl/ v. t. (*agric.*) macinare grossolanamente (*grano, fagioli, ecc.*).

kibbutz /kɪˈbʊts/ n. (pl. **kibbutzim**, **kibbutzes**) kibbutz.

kibe /kaɪb/ n. gelone ulcerato ● (*fig.*) **to tread on sb.'s kibes**, pestare i piedi a q.

to **kibitz** /'kɪbɪts/ (*fam. USA*) v. i. **1** dare consigli non richiesti (*detto spec. di spettatore a un gioco di carte*) **2** chiacchierare; ciarlare ‖ **kibitzer** n. **1** spettatore importuno (*a un gioco di carte*) **2** chi dà consigli non richiesti; impiccione.

kiblah /'kɪblə/ (*arabo*) n. (*relig. islamica*) qibla (*direzione della Mecca, verso cui si rivolge il fedele durante la preghiera*).

kibosh /'kaɪbɒʃ/ n. (*solo nell'espress.:*) **to put the k. on st.**, mettere fine a; mandare

all'aria; stoppare (*fam.*).

kick ① /kɪk/ n. **1** calcio; colpo di piede; pedata: **to give sb. a k.**, dare (*o tirare*) un calcio a q. **2** (*sport: calcio, rugby*) calcio: **free k.** (*calcio*) (calcio di) punizione; (*rugby*) tiro libero; **place k.**, calcio piazzato; (*calcio*) **penalty k.**, (calcio di) rigore; **to take a penalty k.**, calciare (*o battere, tirare*) un rigore **3** (*sport: nuoto*) battuta di gambe, colpo di gamba; (*atletica*) scatto, strappo, sprint **4** (*mil.: di arma da fuoco*) rinculo **5** contraccolpo **6** ㉒ (*fam.*) effetto stimolante; forza; vigore; mordente: *This liquor has quite a k. in it*, questo liquore è piuttosto potente **7** (*fam.*) eccitazione; forte piacere; godimento; spasso: **to get a k. out of st.**, divertirsi un mondo a fare qc.; godere nel fare qc.; **a game with no k. in it**, un gioco che non dà gusto **8** (preceduto da attrib.) (*fam.*) passione passeggera (*per qc.*); mania; fregola (*fam.*): *He's on the fishing k. at the moment*, in questo momento ha la fregola della pesca **9** (*slang*) – **the k.**, il licenziamento: **to get the k.**, essere licenziato **10** (*slang USA*) lamentela; protesta **11** (al pl.) (*slang*) pantaloni **12** (al pl.) (*slang*) scarpe ● (*fam.*) **a k. at the can**, un tentativo □ (*sport*) **k. boxing**, boxe thailandese, kick boxing □ (*sport*) **k. boxer**, chi pratica la boxe thailandese □ (*volg. USA*) **k. in the ass**, calcio in culo (*volg.*); (anche) calcio nei denti; strapazzata; (anche) spinta d'incoraggiamento □ (*fam. fig.*) **k. in the pants**, calcio nel sedere; buona spinta (*d'incoraggiamento*) □ (*fam.*) **k. in the teeth**, batosta; delusione □ **k.-start**, avviamento a pedale; pedale di avviamento (*di motocicletta*); (*fig.*) avvio energico, impulso, rimessa in moto □ **k.-starter**, pedale di avviamento (*di motocicletta*) □ **k. up the backside** = **k. in the pants** → *sopra* □ **k. wheel**, tornio a pedale (*da vasaio*) □ (*fam.*) **for kicks**, per divertimento; per divertirsi; per il gusto di farlo □ (*fig.*) **to get more kicks than halfpence**, ricevere più rimproveri che gentilezze; ricevere più calci che carezze □ (*fam.*) **to get the k.**, essere licenziato.

kick ② /kɪk/ n. fondo di bottiglia rientrante (*che ne riduce la capacità*).

♦to **kick** /kɪk/ Ⓐ v. t. **1** dare un calcio (*o calci*) a; prendere a calci (*o a pedate*): *Don't k. the dog*, non prendere a calci il cane!; **to be kicked**, ricevere un calcio; **to k. a door open** [**shut**], aprire [chiudere] una porta con un calcio **2** (*anche sport*) colpire col piede; dare un calcio a: **to k. a ball** [**a stone**], dare un calcio a una palla [a una pietra] **3** (seguito da avv. o compl. di luogo) mandare con un calcio (*o a calci*): **to k. in**, far entrare con un calcio; *He kicked the stone into the water*, con un calcio buttò in acqua il sasso; **to k. out**, buttar fuori con un calcio (*o a calci, a pedate*) (→ *i singoli verbi frasali*) **4** (*sport*) battere; tirare: (*rugby*) **to k. a penalty**, calciare (*o battere, tirare*) un rigore **5** (*sport*) segnare; fare: **to k. a goal**, fare gol (*o rete*); segnare **6** (*equit.*) pungolare (*il cavallo*) con il calcagno **7** (*fig. fam.*) liberarsi di, togliersi, smettere (*un vizio, un'abitudine, ecc.*): **to k. the habit**, liberarsi dal vizio (*di fumare, bere ecc.*) Ⓑ v. i. **1** scalciare; tirare calci: *That mule kicks*, quel mulo tira calci **2** (*mil.: di arma*) rinculare **3** (*fig. fam.*) recalcitrare; protestare; resistere; ribellarsi ● (*slang USA*) **to k. ass**, farsi obbedire; far scattare (*gli altri*); essere grintoso; essere figo, ganzo (*pop.*) □ (*slang*) **to k. sb.'s ass** (*o butt*), battere q.; suonarle a q. □ (*fam.*) **to k. the bucket**, morire; tirare le cuoia; crepare (*fam.*) □ (*fam.*) **to k. one's heels**, aspettare a lungo; fare anticamera □ (*fig.*) **to k. sb. in the teeth**, prendere a calci nei denti q.; prendere q. a pesci in faccia □ (*calcio*) **to k. into touch**, (*rugby, calcio*) calciare (*la palla*) in fallo laterale (*rugby, anche:* in touche); (*fig.*

fam. GB) respingere, rifiutare recisamente □ (*slang USA*) **to k. it**, smettere di drogarsi; (*anche*) crepare, morire; divertirsi, spassarsela □ (*fam.*) **to k. sb. upstairs**, promuovere q. a una posizione più prestigiosa ma che comporta minor potere; promuovere q. per toglierlo di mezzo □ **to k. sb. when** (*o while*) **they are down**, infierire su q. in difficoltà; fare il maramaldo □ (*fam.*) **I could k. myself**, mi prenderei a calci; mi morderei le mani.

■ **kick about** → **kick about**.

■ **kick against** v. i. + prep. (*fam.*) protestare con forza contro; opporsi a; ribellarsi contro: **to k. against paying new taxes**, protestare contro il pagamento di nuove tasse; **to k. against the system**, ribellarsi al sistema □ (*fig.*) **to k. against the pricks**, ribellarsi invano; opporsi all'inevitabile.

■ **kick around** Ⓐ v. t. + avv. (*fam.*) **1** (*di persona*) girare (*da un posto all'altro*); vagabondare **2** (nella forma progressiva: *di persona*) essere in giro; essere in circolazione; (*estens.*) essere ancora vivo **3** (nella forma progressiva: *di oggetto*) essere in giro (*da qualche parte*): *I still have a few old 45s kicking around*, ho ancora in giro da qualche parte qualche vecchio 45 giri **4** (nella forma progressiva: *di idea, teoria, ecc.*) essere in circolazione; circolare Ⓑ v. i. + prep. (*fam.*) girare per (*un paese, ecc.*); viaggiare in Ⓒ v. t. + avv. **1** prendere a calci; spostare a calci **2** strapazzare; maltrattare; trattare a calci **3** (*fam.*) comandare a bacchetta (*dipendenti, ecc.*) **4** (*fam.*) discutere, prendere in esame in modo informale: *We kicked around a few ideas at the meeting*, nella riunione discutemmo su alcune idee.

■ **kick at** v. i. + prep. **1** fare l'atto di dare un calcio a **2** (*sport*) cercare di colpire (*la palla*) di piede **3** (*fam.*) → **kick against**.

■ **kick back** Ⓐ v. t. + avv. **1** restituire un calcio a **2** restituire, rimandare (*una palla, ecc.*) con un calcio **3** (*fam.*) versare come tangente; allungare come mazzetta Ⓑ v. i. + avv. **1** restituire la palla (*a un compagno di squadra*) **2** (*mecc.*) dare un contraccolpo, rinculare **3** (*fam.*) reagire con forza; restituire il colpo **4** (*fam.: di malattia*) colpire di nuovo **5** (*slang USA*) rilassarsi **6** (*fam.*) – **to k. back in**, riprendere a funzionare.

■ **kick down** Ⓐ v. t. + avv. abbattere, gettare giù (qc.) a calci (*o con un calcio*); atterrare (q.) con un calcio: **to k. down a door**, abbattere una porta a calci Ⓑ v. i. + avv. scalare una marcia (*su un veicolo con trasmissione automatica*).

■ **kick in** v. t. + avv. **1** sfondare con un calcio (*o a calci*) **2** (*fam.*) entrare in azione; cominciare a funzionare; animarsi; (*di medicina, ecc.*) cominciare a fare effetto; cominciare: *The radio suddenly kicked in*, la radio si animò all'improvviso; *It'll take half an hour for the painkiller to k. in*, il calmante comincerà a fare effetto tra mezz'ora; *I want all of this over before Christmas kicks in*, voglio che tutto questo sia finito prima che cominci il bailamme di Natale **3** (*fam.*) contribuire con (*una somma di denaro*); dare un contributo.

■ **kick off** Ⓐ v. t. + avv. **1** (*fam.*) cominciare; dare l'avvio (*o il via*) a; dare inizio a; inaugurare **2** togliersi (*una scarpa, ecc.*) con un calcio Ⓑ v. i. + avv. **1** (*sport: calcio*) dare il calcio d'inizio (*o di rimessa in gioco*) (*da centrocampo*); (*di squadra*) cominciare a giocare; (*di partita*) cominciare: *In winter matches k. off at 2.30 pm*, d'inverno le partite cominciano (*o il calcio d'inizio è*) alle 14 e 30 **2** (*fam.*) cominciare; avere inizio; prendere il via; scattare: *He kicked off by telling a joke*, cominciò raccontando una barzelletta; *The party kicked off at nine*, la festa ebbe inizio alle nove **3** (*fam. USA*) andare via; andarsene **4** (*fam. USA*) morire;

crepare, tirare le cuoia (*fam.*).

■ **kick on** v. i. + avv. (*di motore, ecc.*) mettersi in moto, avviarsi (*all'improvviso*).

■ **kick out** Ⓐ v. t. + avv. **1** buttare fuori con un calcio (*o a calci, a pedate*): *The man was kicked out of the car*, l'uomo fu spinto giù dall'auto con un calcio **2** (*sport*: *calcio*) calciare fuori, mandare (*la palla*) in fallo laterale; (*di portiere*) respingere (*o rinviare*) di piede (*il pallone*) **3** (*fig., fam.*) espellere; licenziare; cacciare (via); sbattere fuori: *Some students got kicked out of school for fighting*, alcuni alunni furono espulsi perché si erano presi a pugni; **to k. sb. out of the house**, cacciare q. di casa **4** – **to k. out against** → **to kick against** Ⓑ v. i. + avv. **1** (*sport*: *calcio*) mettere fuori; calciare a lato; (*anche*) mandare la palla oltre la linea di fondo; salvarsi in angolo (*o in corner*): **to k. the ball out for a corner**, calciare (*o* deviare la palla, mettere, salvarsi) in angolo (*calcio*: *di portiere*) respingere di piede; effettuare la rimessa dal fondo (*con il piede*) **3** (*football americano*) tirare un calcio di punizione.

■ **kick over** Ⓐ v. t. + avv. **1** rovesciare con un calcio **2** buttare a terra, far cadere (q.) a calci Ⓑ v. i. + avv. (*di motore, ecc.*) avviarsi; cominciare a funzionare □ (*fig. fam.*) **to k. over the traces**, (*di cavallo*) liberarsi a calci delle tirelle; (*fig.*) ribellarsi, rifiutarsi di sottostare, scuotere il gioco; (*anche*) agire in modo indipendente.

■ **kick round** → **kick around**.

■ **kick up** v. t. + avv. **1** (far) alzare, sollevare (*camminando, scalciando*): *The horse galloped past, kicking up gravel*, il cavallo passò davanti al galoppo, sollevando la ghiaia; **to k. up one's legs in a dance**, ballare sollevando in aria le gambe **2** (*fig. fam.*) suscitare; sollevare; scatenare; piantare (*fam.*): **to k. up a fuss** (*o a dust, a row*; *fam.*, **a shindy, a stink**), sollevare un putiferio; piantare una grana; piantare un casino (*fam.*); fare una scenata; fare cagnara; fare fuoco e fiamme □ **to k. up one's heels**, (*di cavallo*) correre forte; (*fam.*: *di persona*) spassarsela, darsi alla pazza gioia.

kickable /'kɪkəbl/ a. **1** che si può prendere a calci **2** (*sport*: *del pallone*) che si può calciare **3** (*rugby*) che permette una trasformazione: **k. position**, posizione dalla quale si può trasformare la palla; **k. penalty**, piazzato trasformabile.

kickabout /'kɪkəbaʊt/ n. (*fam.*) **1** partitina di calcio; partitella; quattro calci al pallone **2** (*calcio*) palleggio pre-partita.

kick and rush /kɪkən'rʌʃ/ loc. n. ⓤ (*calcio*) palla avanti (*o* palla lunga) e pedalare.

kick-ass /kɪk'æs/ a. (*volg. USA*) **1** energico; aggressivo; forte; grintoso, tosto (*pop.*) **2** straordinario; ganzo, figo (*pop.*).

kickback /'kɪkbæk/ n. **1** (*autom., mecc.*) contraccolpo **2** (*fig.*) contraccolpo; reazione; ripercussione **3** (*fam.*) commissione sottobanco **4** (*slang*) tangente; bustarella; mazzetta.

kickball /'kɪkbɔːl/ n. ⓤ (*sport, USA*) kickball (*gioco che contiene elementi del baseball e del calcio*).

kickdown /'kɪkdaʊn/ n. (*autom., motociclismo*) **1** passaggio a una marcia inferiore **2** dispositivo per scalare le marce.

kickdrum /'kɪkdrʌm/ n. (*mus.*) grancassa a pedale.

kicker /'kɪkə(r)/ n. **1** animale che tira calci **2** (*sport*) chi effettua (*o ha effettuato*) un tiro **3** (*rugby*) chi effettua i calci piazzati **4** (*fam. USA*) clausola aggiuntiva *spec.* vessatoria (*in un contratto e sim.*); clausola nascosta; (*estens.*) tranello, inghippo **5** (*fam. USA*) sorpresa sgradevole; fregatura **6** (*fam. USA*) piccolo motore fuoribordo.

kicking /'kɪkɪŋ/ Ⓐ a. attr. **1** (*di animale*) che tira calci **2** (*sport*) che effettua il tiro: **the k. foot**, il piede che effettua il tiro **3** (*slang USA*) fantastico; grandioso; fortissimo Ⓑ n. ⓤ **1** il calciare **2** (*dose di*) calci: *What he needs is a good k.*, quello che ci vuole con lui è una buona dose di calci **3** (*sport*: *calcio, rugby, ecc.*) modo di calciare la palla: **accurate k.**, precisione nel calciare la palla; precisione di tiro **4** (*sport*: *nuoto*) battuta di gambe (*o di piedi*).

kickline /'kɪklaɪn/ n. fila di ballerine che alzano le gambe tutte insieme (*come nel cancan*).

kick-off, kickoff /'kɪkɒf/ n. **1** (*sport*) calcio da centrocampo; calcio d'inizio (*o di rimessa in gioco*); (*estens.*) inizio (*di una partita, ecc.*): *In the second half the other team got on top right from the kick-off*, nel secondo tempo l'altra squadra ha gestito la partita fin dal calcio di inizio **2** (*fig.*) inizio; inaugurazione.

kick-pleat /'kɪkpliːt/ n. (*sartoria*) fondopiega, sfondopiega.

kickshaw /'kɪkʃɔː/ n. **1** (*arc.*) ghiottoneria; leccornia; manicaretto **2** gingillo; ninnolo.

kickstand /'kɪkstænd/ n. cavalletto laterale (*di bicicletta o motocicletta*).

to **kick-start** /'kɪkstɑːt/ v. t. **1** mettere in moto (*una motocicletta*) con il pedale (*di avviamento*); avviare (*il motore*) a pedale **2** (*fig.*) dare il via a, far partire (*un progetto*); mettere in moto: *The new scheme was kick-started last May*, il nuovo piano è partito (*o* è scattato) in maggio **3** ridare impulso; rimettere in moto: **to kick-start the economy**, ridare impulso all'economia.

kick-up /'kɪkʌp/ n. (*slang*) **1** putiferio; baccano; (*gran*) casino (*pop.*) **2** (*USA*) festa; ballo.

kicky /'kɪkɪ/ a. (*slang*) **1** brioso; vivace; pieno di vita **2** ⓤ (*USA*) elegante; alla moda **3** (*USA*) eccitante; emozionante.

♦**kid**① /kɪd/ Ⓐ n. **1** capretto **2** ⓤ pelle di capretto **3** (*fam., anche* little kid) bambino, bambina: *when I was a kid*, quando ero piccolo; da bambino **4** (*fam.*) ragazzo, ragazza: **a typical America college kid**, un tipico liceale americano; *How did a nice kid like you end up here?*, com'è finita qui una brava ragazza come te? **5** (*fam.*) figlio; bambino; ragazzo: *How many kids have they got?*, quanti figli hanno? Ⓑ a. attr. **1** di capretto: **kid gloves**, guanti di capretto **2** (*fam.*, *di fratello o sorella*) minore; più giovane; più piccolo: *Tim is Jenny's kid brother*, Tim è il fratello minore di Jenny; **my kid sister**, la mia sorella minore; la mia sorellina **3** (*fam.*) per bambini; (*slang USA*) kid-vid, la TV per i (*o dei*) bambini ● **kid-glove**, delicato; garbato; pieno di tatto; diplomatico: **kid-glove methods**, sistemi diplomatici; diplomazia; tatto □ **to handle** (*o to treat*) **sb. with kid gloves**, trattare q. coi guanti.

kid② /kɪd/ n. (*fam.*, solo nell'espress.:) **no kid!**, senza scherzi!; senza imbroglio!; sul serio!

to **kid**① /kɪd/ v. t. e i. (*di capra*) partorire; figliare.

to **kid**② /kɪd/ (*fam.*) Ⓐ v. t. prendere in giro: *He's just kidding you*, ti sta solo prendendo in giro Ⓑ v. i. scherzare; fare per scherzo: *You're kidding, aren't you?*, stai scherzando, vero? ● **to kid oneself**, illudersi; sognare (*fam.*) □ **I kid you not!**, dico sul serio!; davvero!; te lo assicuro! □ **No kidding!**, sul serio!; davvero!; non scherzi mica?

kidder /'kɪdə(r)/ n. chi ama scherzare; chi fa (*o parla*) per scherzo; burlone, burlona.

kiddie /'kɪdɪ/ → **kiddy**.

kiddingly /'kɪdɪŋlɪ/ avv. per scherzo; scherzosamente; scherzando.

kiddo /'kɪdəʊ/ n. (*slang USA*) giovanotto: *Hello, k.!*, ehi, giovanotto!

kiddy /'kɪdɪ/ n. (*fam.*) bambino, bambina; bimbo, bimba ● **k. car**, automobilina (*giocattolo*) □ **k.** (*o* **kiddies**) **pool**, piscina per bambini (*poco profonda*) □ **k. porn**, materiale pornografico pedofilo □ **k. ride**, giostra (*o* montagne russe, ecc.) per bambini.

kidnap /'kɪdnæp/ n. sequestro di persona; rapimento.

to **kidnap** /'kɪdnæp/ v. t. rapire, sequestrare (*a scopo di estorsione*) ‖ **kidnapper**, (*USA*) **kidnaper** n. sequestratore (*di persona*); rapitore ‖ **kidnapping**, (*USA*) **kidnaping** n. sequestro di persona; rapimento.

♦**kidney** /'kɪdnɪ/ Ⓐ n. **1** (*anat.*) rene **2** ⓒ (*cucina*) rognone **3** (*fig. arc. o form.*) temperamento; tempra; sorta; tipo: **a man of that k.**, un uomo di quella sorta Ⓑ a. attr. (*anat., med.*) del rene; dei reni; renale: **k. block**, blocco renale; **k. failure**, insufficienza renale; **k. stone**, calcolo renale; **k. transplant**, trapianto di rene ● (*bot.*) **k. bean**, (*Phaseolus vulgaris*) fagiolo comune; (*Phaseolus multiflorus*) fagiolo di Spagna □ (*boxe*) **k. blow**, colpo ai reni □ **k. desk**, fagiolino (*mobile*) □ (*med.*) **k. dish**, bacinella reniforme □ (*med.*) **k. machine**, rene artificiale □ **k.-shaped**, a forma di rene; reniforme; a fagiolo □ (*bot.*) **k. vetch** (*Anthyllis vulneraria*), vulneraria.

kidology /kɪ'dɒlədʒɪ/ n. ⓤ (*scherz. GB*) arte di prendere in giro la gente; arte dello sfottere.

kidskin /'kɪdskɪn/ Ⓐ n. ⓤ pelle di capretto Ⓑ a. attr. di (*pelle di*) capretto.

kidult /'kɪdʌlt/ n. (*fam.*) adulto che ama divertimenti, libri, ecc., per bambini.

kidvid /'kɪdvɪd/ n. (*fam.*) **1** ⓤ programmi (pl.) televisivi per bambini; TV per bambini **2** programma televisivo, video per bambini.

kier /kɪə(r)/ n. (*ind. tess.*) autoclave; vasca ● (*ind. tess.*) **k. boiling**, sbozzima, sbozzimatura.

kieselguhr /'kiːzlgʊə(r)/ (*ted.*) n. (*miner.*) tripoli; farina fossile.

kike /kaɪk/ n. (*spreg. USA*) ebreo; ebrea.

kilderkin /'kɪldəkɪn/ n. barilotto (*per liquidi, pesce, ecc., della capacità di 16-18 galloni*).

kilim /kɪ'liːm/ n. ⓤ (*tess.*) kilim.

Kilimanjaro /kɪlɪmən'dʒaːrəʊ/ n. (*geogr.*) Kilimangiaro.

kill /kɪl/ n. **1** uccisione (*spec. di selvatici*): **poised for the k.**, pronto a colpire la preda **2** animale ucciso **3** (*anche fig.*) preda: *The tiger was devouring his k.*, la tigre stava divorando la preda; **an easy k.**, una facile preda **4** (*fam.*) assassinio; omicidio **5** (*mil.*) distruzione di un'unità nemica **6** (*fig.*) momento in cui agire, colpire, ecc.; momento cruciale (*o culminante*) **7** (*sport*: *calcio*) stoppata **8** (*tennis, pallavolo*) schiacciata, smash **9** (*tipogr.*) materiale soppresso ● (*mil.*) **k. ratio**, rapporto delle perdite umane su entrambi i fronti; (*nei videogiochi*) kill ratio (*rapporto dei nemici uccisi*) □ (*fig.*) **to be in at** (*o on*) **the k.**, essere presente, assistere (*alla conclusione, generalm. rovinosa, di qc.*): *They're going to arrest him tomorrow and I want to be in at the k.*, lo arrestano domani e voglio voglio esserci anch'io □ **to be on the k.**, (*di carnivoro*) essere a caccia della preda □ (*fig.*) **to move** (*o to close, to go*) **in for the k.**, prepararsi a colpire; apprestarsi a dare il colpo finale, a fare la mossa cruciale.

♦to **kill** /kɪl/ Ⓐ v. t. **1** uccidere; ammazzare; far morire; *He was killed in war*, fu ucciso in guerra; **to be killed in a car crash**, restare ucciso (*o morire*) in un incidente automobilistico; *Frost kills plants*, il gelo uccide (*o fa morire*) le piante; (*fam.*) *The boss is going to k. you!*, il capo ti ucciderà; **to k. oneself**, uccidersi; ammazzarsi; suicidarsi; *He tried*

to k. himself, cercò di uccidersi; tentò il suicidio; (*fam.*) *You didn't exactly k. yourself*, non ti sei certo ammazzato a farlo! **2** distruggere; rovinare; far fallire; guastare; porre fine a; stroncare: **to k. sb.'s hopes**, distruggere le speranze di q.; **to k. a joke**, rovinare una barzelletta **3** respingere; bocciare; affossare (*un provvedimento, ecc.*): **to k. a bill in Parliament**, respingere una proposta di legge in Parlamento; **to k. a proposal**, bocciare una proposta; **to k. a plan**, affossare un progetto **4** (solo alla forma progressiva, *fam.*, *di dolore, emozione, ecc.*) torturare; tormentare; fare un male da morire; far impazzire: **My shoes are killing me!**, queste scarpe sono una tortura!; *This toothache is killing me*, questo mal di denti mi fa impazzire **5** rendere smorto (*un oggetto, un colore, ecc.*); smorzare; non far risaltare **6** neutralizzare; smorzare; far passare: *These pills will k. your pain*, queste pillole ti faranno passare il dolore **7** far passare (*tempo*); ingannare; ammazzare: **to k. time**, ingannare (*o ammazzare*) il tempo; (*sport*) fare melina; *I had an hour to k. at the station*, avevo un'ora da far passare alla stazione **8** (*fam.*) far morire (dal ridere): *His cartoons just k. me*, le sue vignette mi fanno morire dal ridere **9** (al neg., *fam.*) logorare; far male a; ammazzare: *It won't k. you to do the washing up!*, non ti ammazzerà mica lavare i piatti! **10** (*fam.*) spegnere; fermare: **to k. an engine**, spegnere (*o fermare*) un motore; *K. the lights, please!*, spegni la luce, per favore! **11** (*fam., di cibo, bevanda*) mangiare tutto; bere tutto; finire; far fuori, spazzolare (*fam.*); scolare: **to k. a bottle**, bersi (*o scolarsi*) tutta una bottiglia **12** (*comput.*) interrompere (*una procedura*) **13** (*tipogr.*) eliminare (*parole*); scomporre (*un testo*) **14** (*giorn.*) non pubblicare; non passare **15** (*calcio*) stoppare, domare, arrestare al volo, addomesticare (*un pallone*) **16** (*tennis, pallavolo*) schiacciare (*una palla*) **17** (*metall.*) calmare (*l'acciaio*) **B** *v. i.* **1** uccidere; ammazzare: (*Bibbia*) *Thou shalt not k.*, non uccidere **2** (*fam.*) fare colpo; fare impressione: **dressed to k.**, vestito per fare colpo; in tiro (*fam.*) ● (*fam.*) **to k. oneself laughing** (*o* **with laughter**), morire (*o crepare*) dal ridere; ridere a crepapelle □ (*USA*) **to k. a postage stamp**, annullare un francobollo □ **to k. two birds with one stone**, prendere due piccioni con una fava □ **to k. the fatted calf**, uccidere il vitello grasso □ **to k. sb. with kindness**, colmare (*o* soffocare) q. di gentilezze; essere troppo indulgente con q. □ **to k. or cure**, guarire o uccidere; (*fig. fam.*) risolvere definitivamente o distruggere □ **if it kills me** [*o us, ecc.*], costi quel che costi; a qualsiasi costo.

■ **kill off** *v. t.* + *avv.* **1** uccidere; sterminare; distruggere; eliminare; estirpare: *The Black Death of 1348 killed off one quarter of the English population*, la Peste Nera del 1348 sterminò un quarto della popolazione inglese; *Pollution killed off all the fish in the river*, l'inquinamento uccise tutti i pesci del fiume **2** → **to kill**, *def. 2, 3* **3** (*fig.*) mettere fine a; segnare la fine di: (*sport*) *Liverpool's third goal killed off the match*, il terzo gol del Liverpool ha messo la parola fine alla partita **4** (*di romanziere*) far morire (*un personaggio*).

♦**killer** /'kɪlə(r)/ **A** *n.* **1** uccisore; omicida; assassino **2** sicario; killer **3** animale che uccide **4** cosa, malattia, ecc., che uccide; causa di morte: *Measles used to be a big k.*, il morbillo un tempo era spesso causa di morte **5** (*fam.*) cosa (*o esperienza, ecc.*) assai faticosa; faticata **6** (*fam.*) cosa o persona straordinaria; cannonata; schianto; fine del mondo; figata **7** (*fam.*) barzelletta, battuta, ecc., assai divertente: *This joke is really k.*, questa sì che è buona! **8** (*USA*) (tim-

bro di) annullo postale **9** (*pallavolo*) schiacciatore **10** (*Austral.*) bestia da macello **B** *a.* **attr. 1** che uccide; mortale; letale; assassino: **k. blow**, colpo mortale; colpo che uccide; **k. diseases**, malattie mortali; **k. smog**, smog assassino **2** (*slang, USA*) favoloso; mitico; fichissimo (*pop.*): *That was a k. party!*, è stata una festa favolosa ● (*comput.*) **k. application** (*o* **app**), applicazione killer (*applicazione vincente che decreta il successo commerciale della tecnologia sottostante*) □ (*biol.*) **k. cell**, cellula killer □ (*elettron.*) **k. circuit**, circuito soppressore □ (*zool.*) **k. bee**, ape 'assassina', ape africanizzata (*ibrido di ape domestica con ape africana*) □ **k. instinct**, istinto omicida; (*zool.*) istinto di uccidere; (*fig.*) grinta (*che permette che decreta il successo degli avversari, che porta al successo*) □ (*boxe*) **k. punch**, colpo del kappaò □ (*mil., miss.*) **k. satellite**, satellite antisatellite □ (*zool.*) **k. whale** (*Orcinus orca*), orca.

killick /'kɪlɪk/ *n.* (*naut.*) ancorotto; grappino; ferro.

♦**killing** /'kɪlɪŋ/ **A** *a.* **1** che uccide; mortale; fatale; distruttivo; micidiale **2** spossante; massacrante; logorante; estenuante: **a k. job**, un lavoro massacrante **3** (*fam.*) bellissimo; affascinante; irresistibile **4** (*fam. antiq.*) spassosissimo; che fa morire dal ridere **B** *n.* uccisione; omicidio; assassinio ● (*entomologia*) **k. bottle**, bottiglia contenente veleno (*in cui vengono uccisi gli insetti catturati*) □ **k. field**, luogo di sterminio o di genocidio □ **k. ground**, area di caccia (*in cui vengono uccisi un gran numero di animali*); anche → **k. zone** □ (*fam.*) **k. look**, sguardo assassino □ **k. spree**, serie di uccisioni, di omicidi □ (*mil.*) **k. zone**, area in cui il nemico subisce forti perdite □ **mercy k.**, eutanasia □ (*fam.*) **to make a k.**, avere un grosso successo finanziario; fare una grossa vincita; guadagnare un mucchio di soldi (*con una sola operazione*); fare un colpo grosso, un colpaccio: *to make a k. on the stock exchange*, fare un colpo grosso in borsa.

killingly /'kɪlɪŋlɪ/ *avv.* (*fam.*) estremamente; irresistibilmente.

killjoy /'kɪldʒɔɪ/ *n.* guastafeste.

kiln /kɪln/ *n.* **1** fornace: **brick k.**, fornace da mattoni **2** essiccatoio; camera d'essiccazione: **hop k.**, essiccatoio di luppoli ‖ **kilnful** *n.* fornaciata.

to **kiln-dry** /'kɪlndraɪ/ *v. t.* far essiccare in una fornace.

Kilner jar ® /'kɪlnə(r)/ *loc. n.* vasetto a chiusura ermetica (*per marmellata, ecc.*).

kilo /'ki:ləʊ/ *n.* (abbr.; pl. **kilos**) **1** kilo, chilo; kilogrammo, chilogrammo **2** kilometro **3** (*comput.*) kilo **4** (*radio, tel.*) (la lettera) k; Kilo.

kilobit /'kɪləbɪt/ *n.* (*comput.*) kilobit.

kilobyte /'kɪləbaɪt/ *n.* (*comput.*) kilobyte.

kilocalorie /'kɪləkælərɪ/ *n.* (*fis.*) kilocaloria (*1000 calorie*).

kilocycle /'kɪləsaɪkl/ *n.* (*fis.*) kilociclo (*1000 cicli*).

kilogram, **kilogramme** /'kɪləgræm/ *n.* kilogrammo, chilogrammo.

kilogram-metre, (*USA*) **kilogram-meter** /'kɪləgræm 'mi:tə(r)/ *n.* (*fis.*) kilogrammetro.

kilohertz /'kɪləhɜːts/ *n.* (*fis.*) kilohertz.

kilojoule /'kɪlədʒuːl/ *n.* (*fis.*) kilojoule.

kilolitre, (*USA*) **kiloliter** /'kɪləliːtə(r)/ *n.* kilolitro.

♦**kilometre**, (*USA*) **kilometer** /kɪˈlɒmɪtə(r)/ *n.* kilometro, chilometro ‖ **kilometric** *a.* kilometrico, chilometrico.

kiloton /'kɪlətʌn/ *n.* kiloton; kilotone.

kilovolt /'kɪləvəʊlt/ *n.* (*elettr.*) kilovolt.

kilowatt /'kɪləwɒt/ *n.* (*elettr.*) kilowatt.

kilowatt-hour /'kɪləwɒtaʊə(r)/ *n.*

(*elettr.*) kilowattora.

kilt /kɪlt/ *n.* kilt; gonnellino scozzese.

to **kilt** /kɪlt/ *v. t.* **1** pieghettare, plissettare (*una gonna*) **2** (*anche* **to k. up**) (*scozz.*) sollevare, tirare su (*la gonna*).

kilted /'kɪltɪd/ *a.* che indossa il kilt; in gonnellino scozzese: (*mil.*) **k. regiments**, reggimenti scozzesi col kilt.

kilter /'kɪltə(r)/ *n.* (*fam. spec. USA*) buone condizioni (pl.); buono stato: **in (good) k.**, in buone condizioni; funzionante; **out of k.**, in cattive condizioni; dissestato; fuori uso; guasto; **to throw out of k.**, sconvolgere; dissestare; rovinare; guastare; far fallire.

kiltie /'kɪltɪ/ *n.* **1** chi porta il kilt **2** (*mil., scherz.*) soldato scozzese.

kimono /kɪˈməʊnəʊ/ (*giapponese*) *n.* (pl. **kimonos**) kimono; chimono.

kin /kɪn/ **A** *n.* (pl. inv.) **1** (collett.) parentela; parenti; congiunti: *They are no kin of mine*, non sono miei parenti **2** (*arc.*) ceppo; famiglia; stirpe **3** (*fig.*) simili: **flatterers and their kin**, gli adulatori e simili **B** *a.* **pred.** parente; imparentato: *We are distant kin*, siamo lontani parenti; siamo imparentati alla lontana ● **kin group**, gruppo imparentato □ **next of kin**, parente prossimo; i parenti più stretti.

kinaesthesia, (*USA*) **kinesthesia** /kɪnɪsˈθiːzɪə/ *n.* (*med.*) cinestesia.

♦**kind** ① /kaɪnd/ *n.* **1** genere; sorta; specie; qualità; tipo; varietà: **pears of various kinds**, pere di diverse qualità; *What k. of animal is this?*, che specie di animale è questo?; *What k. of person is he?*, che tipo è? *She's not that k. of person*, non è un tipo del genere; non è fatta così; **people of this k.**, gente simile (*o siffatta*); gente di questa sorta; **a reaction of this k.**, una reazione di questo genere (*o simile*); **this** (*o* **these**) **k. of situations**, situazioni del genere; **all kinds of**, ogni sorta di, ogni genere di; **something of the k.**, qualcosa del genere (*o di simile*): *She's my k. of girl*, quella ragazza è il mio tipo; *What k. of scarf is it?*, che tipo di sciarpa è? **2** [lettera] carattere; qualità; natura: *They differ in k.*, sono di natura diversa **3** [lettera] (*arc.*) natura: **the law of k.**, la legge della natura ● (*fam.*) **k. of** (davanti ad agg.) alquanto, piuttosto, un po'; (davanti a verbo) quasi, in un certo qual modo, per così dire: *I'm k. of hungry*, ho un certo appetito; ho un po' fame; *I k. of expected it*, quasi me l'aspettavo; *I k. of like him*, mi è piuttosto simpatico □ **in k.**, in natura; (*fig.*) nello stesso modo, in modo analogo, con la stessa moneta: **payment in k.**, pagamento in natura; **to respond in k.**, reagire nello stesso modo; **to pay back** (*o* **to repay**) **in k.**, ripagare della stessa moneta; rendere pan per focaccia □ **in a k. of way**, in un certo qual modo □ **of a k.**, della stessa specie, uguale; (*anche*) una specie di, un [una] qualche: **two of a k.**, due cose (*o persone*) uguali; *That was a reaction of a k.*, è stata a suo modo una reazione □ (*USA*) **some k. of**, un bel, una bella; bellissimo, straordinario: (*iron.*) *You've got some k. of nerve!*, hai una bella faccia tosta!; *That was some k. of match!*, è stata una partita fantastica! □ **Nothing of the k.!**, niente di simile!; niente affatto!

♦**kind** ② /kaɪnd/ *a.* **1** gentile; buono; premuroso: *That would be very k. of you*, sarebbe molto gentile da parte sua; *That's very k. of you*, è molto gentile da parte vostra; **to be k. to sb.**, essere buono con q.; essere buono con q.; *Be k. to animals*, tratta bene gli animali!; **a k. word**, una buona parola; **a k. thought**, un pensiero premuroso; **k. eyes**, occhi buoni **2** gentile; cortese: *Would you be k. enough* (*o* **so k. as**) *to switch off the radio?*, può cortesemente (*o le dispiace*) spegnere la radio? **3** (*del tempo*) clemente; mite **4** (*di prodotto*) – **k. to**, delicato con: *deter-*

gents that are k. to the skin, detergenti delicati con la pelle ● **k.-hearted**, di cuore buono; gentile; tenero; generoso; umano; indulgente □ **k.-heartedness**, gentilezza; tenerezza; generosità; umanità; indulgenza □ **k. regards**, cordiali saluti; ossequi.

kinda /'kaɪndə/ *grafia fam.* di **kind of** → **kind**①.

kindergarten /'kɪndəɡɑːtn/ (*ted.*) n. giardino d'infanzia; asilo infantile; scuola materna.

to **kindle** /'kɪndl/ **A** v. t. **1** appiccare il fuoco a; dare fuoco a; accendere: *The match kindled the shavings*, il fiammifero appiccò il fuoco ai trucioli; to **k. a fire**, accendere un fuoco **2** (*fig.*) accendere attizzare; infiammare; destare; suscitare; far avvampare: to **k. sb.'s imagination**, accendere la fantasia di q.; to **k. sb.'s anger**, attizzare l'ira di q.; to **k. the interest of one's readers**, destare (o suscitare) l'interesse dei propri lettori **B** v. i. **1** prendere fuoco; accendersi; infiammarsi **2** (*fig.*) accendersi; infiammarsi: *Her eyes kindled with joy*, gli occhi di lei si accesero di gioia; *Suspicion kindled in his mind*, nella sua mente si accese un sospetto.

kindliness /'kaɪndlɪnəs/ n. gentilezza; benevolenza; amorevolezza; affabilità; bontà.

kindling /'kɪndlɪŋ/ n. **1** (*anche fig.*) accensione **2** sterpi (pl.), legna minuta (*per accendere il fuoco*).

kindly① /'kaɪndlɪ/ avv. **1** gentilmente: *Mrs Jones has k. agreed to be present*, Mrs Jones ha gentilmente accettato di essere presente **2** benevolmente; gentilmente; con bontà; con simpatia: to **treat sb. k.**, trattare q. con gentilezza; **k. disposed**, benevolmente disposto; to **look k. on**, guardare benevolmente (o con simpatia) a; vedere di buon occhio; to **feel k. towards**, essere ben disposto verso **3** per favore; per cortesia; cortesemente: *Will you k. shut the door?*, vuoi chiudere la porta, per favore? ● to **take st. k.**, accettare qc. di buon grado; prendere bene qc. □ to **take k. to**, gradire; vedere di buon occhio □ to **thank sb. k.**, ringraziare q. sentitamente □ to **think k. of**, avere una buona opinione di.

kindly② /'kaɪndlɪ/ a. **1** gentile; benevolo; buono: *He had a broad, k. face*, aveva una faccia larga e buona **2** dolce; mite: **a k. climate**, un clima mite; **a k. wind**, un venticello.

kindness /'kaɪndnəs/ n. **1** gentilezza; bontà; premura: *He said so out of k.*, lo disse per gentilezza (o per bontà); *I don't know how to repay your k.*, non so come ripagare la tua premura **2** gentilezza; cortesia **3** attenzione; premura: *We are grateful for your many kindnesses*, siamo grati delle molte attenzioni che ci avete dimostrato.

kindred /'kɪndrɪd/ **A** a. (*form.*) **1** congiunto; consanguineo; imparentato: **k. peoples**, popoli consanguinei; **k. families**, famiglie imparentate **2** affine; analogo; simile: **k. languages**, lingue affini; **k. phenomena**, fenomeni analoghi **B** n. **1** (col verbo al pl.) parentela; parenti; congiunti; famiglia (sing.) **2** (rapporto di) parentela: *He claims k. with me*, sostiene che c'è parentela fra me e lui ● **k. souls** (o **k. spirits**), anime gemelle.

kine /kaɪn/ n. (pl. arc. di **cow**) **1** vacche; mucche **2** bovini.

kinematics /kɪnɪ'mætɪks/ n. pl. (col verbo al sing.) cinematica ‖ **kinematic, kinematical** a. cinematico.

kinescope /'kɪnəskəʊp/ n. (*TV*) **1** cinescopio; tubo catodico **2** registrazione videomagnetica; Ampex®.

kinesics /kɪ'niːsɪks/ n. pl. (col verbo al sing.) cinesica.

kinesiology /kɪniːzɪ'ɒlədʒɪ/ n. (*fisiol.*) cinesiologia: (*med.*) **remedial k.**, cinesiologia correttiva.

kinesis /kɪ'niːsɪs/ n. (*med.*) cinesi.

kinesitherapy /kɪniːsɪ'θerəpɪ/ n. (*med.*) cinesiterapia.

kinesthesia (*USA*) → **kinaesthesia**.

kinetic /kɪ'netɪk/ a. **1** (*fis.*) cinetico: **k. energy**, energia cinetica **2** (*arte*) cinetico **3** (*fig.*) attivo; dinamico; energico.

kinetics /kɪ'netɪks/ n. pl. (col verbo al sing.) (*fis.*) cinetica.

kinfolk /'kɪnfəʊk/ (*USA*) → **kinsfolk**.

◆**king** /kɪŋ/ n. **1** re; monarca; sovrano: **the K. of England**, il re d'Inghilterra ❶ **CULTURA** ● **the King**: → **monarchy 2** (*fig.*) re; signore: *He is the k. of painters*, è il re dei pittori; **the k. of beasts**, il re degli animali; il leone; **the k. of birds**, il re degli uccelli; l'aquila **3** (*alle carte, negli scacchi*) re: **the k. of hearts**, il re di cuori; **k.'s bishop [knight, rook, pawn]**, alfiere [cavallo, torre, pedina] di re **4** (*a dama*) dama **5** (al pl.) (*relig.*) (il) Libro dei Re (*nella Bibbia*) ● (*leg., in GB*) **K.'s Bench Division = Queen's Bench Division → queen** □ (*zool.*) **k. cobra** (*Naja hannah, Ophiophagus hannah*), cobra reale □ (*leg.*) **K.'s Counsel → Counsel** □ (*zool.*) **k. crab** (*Limulus polyphemus*), limulo □ (*stor.*) **the K. Emperor**, il re d'Inghilterra e Imperatore d'India □ **K.'s English**, la lingua inglese corretta; l'inglese puro □ (*leg.*) **K.'s evidence = to turn King's evidence → evidence** □ (*med., stor.*) **the K.'s evil**, la scrofola □ (*relig., letter.*) **K. James Bible** (o **K. James Version**) = **Authorized Version → Authorized** □ (*leg.*) **K. Log**, re Travicello □ (*arald.*) **K.-of-arms**, re d'arme; primo araldo □ (*relig.*) **the K. of Kings**, il Re dei re □ (*zool.*) **k. of the herring** (*Regalecus glesne*), regaleco; re delle aringhe □ (*ciclismo*) **k. of the mountains competition**, gran premio della montagna □ (*leg., stor.*) **the K.'s peace**, la quiete pubblica; l'ordine pubblico □ (*zool.*) **k. penguin** (*Aptenotydes patagonica*), pinguino reale □ (*archit.*) **k. post**, monaco □ (*fam.*) **a k.'s ransom**, una somma enorme; un Perù □ **k.-size** (o **k.-sized**) (*comm.*) king-size; (*fam.*) grande, enorme: **k.-size bottle**, bottiglia king-size □ (*fig.*) **K. Stork**, un tiranno □ (*relig.*) **the Three Kings**, i Re Magi.

to **king** /kɪŋ/ **A** v. i. (nella loc. to **k. it**) far da padrone; spadroneggiare **B** v. t. (*arc.*) creare (q.) re.

kingbird /'kɪŋbɜːd/ n. (*zool.*, *Tyrannus*) tiranno.

kingbolt /'kɪŋbəʊlt/ n. **1** (*di carro, di carrozza*) perno di assale (*delle ruote anteriori*) **2** (*ferr.*) perno ralla **3** (*edil.*) monaco, puntone centrale (*di ferro: del tetto*).

kingcraft /'kɪŋkrɑːft/ n. arte del regnare.

kingcup /'kɪŋkʌp/ n. (*bot.*) **1** (*Ranunculus acer*) ranuncolo dei prati **2** (*Ranunculus bulbosus*) ranuncolo bulboso; ranuncolo selvatico; botton d'oro **3** (*Ranunculus repens*) ranuncolo dei fossi **4** (*Caltha palustris*) calta palustre.

◆**kingdom** /'kɪŋdəm/ n. **1** regno; reame: (*polit.*) **the United K.**, il Regno Unito **2** (*fig.*) regno; mondo; impero: **the k. of learning**, il mondo della cultura **3** (*relig.*) regno: «**Thy K. come**», «venga il Tuo Regno»; **the K. of Heaven**, il regno dei cieli **4** (*tassonomia*) regno: **the mineral k.**, il regno minerale ● (*fam.*) **k. come**, l'altro mondo; l'aldilà: *They sent him to k. come*, lo spedirono all'altro mondo □ to **come into one's k.**, raggiungere la preminenza.

kingfisher /'kɪŋfɪʃə(r)/ n. (*zool.*, *Alcedo hispida*) martin pescatore.

kingless /'kɪŋləs/ a. privo di re; senza re.

kinglet /'kɪŋlət/ n. **1** (*spreg.*) reuccio; pic-

colo re **2** (*zool., Regulus*) regolo.

kinglike /'kɪŋlaɪk/ a. regale; da re.

kingly /'kɪŋlɪ/ a. **1** regale; regio; di re; da re: **k. crown**, corona di re; **k. power**, potere regale **2** (*fig.*) maestoso; augusto ‖ **kingliness** n. **1** regalità **2** (*fig.*) maestosità.

kingmaker /'kɪŋmeɪkə(r)/ n. **1** (*stor.*) «colui che fa i re» ❶ **CULTURA** ● **kingmaker**: *soprannome con cui era noto, durante la Guerra delle Due Rose* (→ **rose**①), *Richard Neville, conte di Warwick (1428-1471), che mise sul trono Edoardo IV e poi lo fece deporre restaurando Enrico VI* **2** (*spec. polit.*) chi influenza (o controlla) l'attribuzione di incarichi di alta responsabilità.

kingpin /'kɪŋpɪn/ n. **1** (*mecc.*) perno di sterzaggio (*delle ruote anteriori*); perno del fuso a snodo **2** (*fig.*) perno; fulcro; cardine **3** persona chiave; figura centrale **4** (*bowling*) birillo centrale ● (*autom.*) **k. inclination**, angolo dei perni dei fusi.

kingpost /'kɪŋpəʊst/ n. **1** (*edil.*) monaco; ometto (*naut.*) colonna di bigo ● (*edil.*) **k. truss**, capriata semplice.

kingship /'kɪŋʃɪp/ n. **1** regalità; dignità regale; potere sovrano **2** (*antiq.*) governo monarchico **3** (*come titolo*) maestà: *His K.*, Sua Maestà.

kinin /'kaɪnɪn/ (*USA*) → **quinine**.

kink /kɪŋk/ n. **1** piega, gomito, torsione (*in una corda, un tubo, una strada, ecc.*) **2** (*fig.*) difetto; pecca; magagna; intoppo: to **iron out the kinks**, rimuovere le magagne (o gli intoppi) **3** (*USA*) dolore muscolare (*spec. al collo o nella schiena*) **4** (*fam.*) abitudine eccentrica; capriccio; ghiribizzo; grillo; ticchio **5** (*slang*) gusto o pratica sessuale bizzarra; feticcio **6** (*slang*) tipo eccentrico, strambo **7** (*slang*) persona dai gusti sessuali bizzarri.

to **kink** /kɪŋk/ v. i. (*di corda, tubo, ecc.*) piegarsi; fare una piega, un gomito; attorcigliarsi.

kinked /kɪŋkt/ a. attorcigliato; piegato; che fa gomito; arricciolato.

kinkiness /'kɪŋkɪnəs/ n. **1** eccentricità; stramberia **2** gusti (pl.) sessuali bizzarri; perversione.

kinky /'kɪŋkɪ/ a. **1** ingarbugliato; attorcigliato; arricciolato **2** (*di capello*) crespo; ricciuto **3** (*fam.*) eccentrico; bizzarro; stravagante **4** (*slang*) sessualmente bizzarro; pervertito; di (o da) pervertito **5** (*slang, di abbigliamento*) stuzzicante, sexy ‖ **-ily** avv.

kinsfolk /'kɪnsfəʊk/ n. pl. (*arc.*) (collett.) parentado; parenti; congiunti.

kinship /'kɪnʃɪp/ n. **1** parentela; consanguineità **2** (*fig.*) affinità; analogia; somiglianza ● (*antrop.*) **k. group**, gruppo parentale.

kinsman /'kɪnzmən/ n. (pl. **kinsmen**) (*form.* o *antrop.*) parente (m.); congiunto.

kinswoman /'kɪnzwʊmən/ n. (pl. **kinswomen**) (*form.* o *antrop.*) parente (f.); congiunta.

kiosk /kɪ'ɒsk/ n. **1** chiosco: **newspaper k.**, chiosco di giornalaio; edicola **2** rotonda della banda **3** (*GB* = **telephone k.**) cabina telefonica **4** (*arc.*) chiosco da giardino; gazebo.

kip① /kɪp/ n. **1** pelle non conciata di animale giovane o piccolo (*vitello, agnello, ecc.*) **2** mazzo di tali pelli (*di 50 o 30 unità*).

kip② /kɪp/ n. (*fam.*) **1** (*GB*) dormitina; sonnellino; pisolino: to **have a kip**, fare una dormitina; schiacciare un pisolino **2** letto **3** (*irl.*) pensione di infimo ordine; topaia.

to **kip** /kɪp/ v. i. (*fam. GB*) dormire ● to **kip down**, sistemarsi (o arrangiarsi) per la notte.

kipper /'kɪpə(r)/ n. **1** (*alim.*) aringa affumicata **2** salmone maschio (*all'epoca della riproduzione*) **3** (*slang*) ragazzino; moccioso **4**

(*spreg.*, *Austral.*) inglese ● **k. tie**, cravatta molto larga.

to **kipper** /'kɪpə(r)/ v. t. affumicare (*aringhe*, *salmoni*, *ecc.*) ‖ **kippered** a. affumicato ‖ **kippering** n. ⊡ affumicatura.

Kirby grip /'kɜːbɪ grɪp/ n. (pl. *Kirby grips*) (*GB*) molletta per capelli.

Kirghiz /'kɜːgɪz/ → **Kyrgyz**.

kirk /kɜːk/ n. (*scozz.*) chiesa ● (*fam.*) **the K. (of Scotland)**, la Chiesa scozzese; la Chiesa presbiteriana □ **k. session**, congregazione parrocchiale (*della Chiesa presbiteriana, composta da pastori e anziani*).

kirkman /'kɜːkmən/ n. (pl. *kirkmen*) ecclesiastico (*appartenente alla Chiesa presbiteriana*); uomo di chiesa.

kirsch /kɪəʃ/ (*ted.*) n. kirsch; acquavite di (ciliegie) marasche.

kirtle /'kɜːtl/ n. (*stor.*) **1** abito lungo, veste (*da donna*) **2** tunica (*da uomo*).

kismet /'kɪsmet/ n. destino; fato.

◆**kiss** /kɪs/ n. **1** bacio: **k. on the lips**, bacio sulla bocca; **deep k.** (*o* **French k.**), bacio in bocca (*con la lingua*) **2** (*fig.*) leggero tocco; sfioramento **3** (*biliardo*) leggero tocco (*di una palla contro un'altra*); friso **4** (*USA*) piccola meringa; spumiglia ● **k. curl**, tirabaci ● **k. of death**, bacio mortale (*o che dà la morte*); (*fig.*) evento, azione, disastroso (*o fatale*); colpo mortale, rovina □ **k. of life**, (*fam.*) respirazione bocca a bocca; (*fig.*) intervento provvidenziale, salvezza, boccata d'aria □ (*relig.*) **k. of peace**, bacio della pace □ **to blow a k.**, mandare un bacio (*sulle dita*)

KISS /kɪs/ sigla (*slang*, *comput.*, *org. az.*, *market.*, **keep it simple, stupid**) principio secondo cui ogni complessità superflua va evitata.

◆to **kiss** /kɪs/ Ⓐ v. t. **1** baciare; dare un bacio a: **to k. each other**, baciarsi; **to k. sb.'s hand**, baciare la mano a q.; fare il baciamano a q. **2** (*fig.*) sfiorare; lambire; carezzare; baciare **3** (*biliardo*) colpire di friso; frisare Ⓑ v. i. **1** baciarsi; scambiarsi baci **2** sfiorarsi; lambirsi **3** (*biliardo, di palla*) frisare un'altra palla ● (*di due innamorati*) **to k. and make up**, baciarsi e rappacificarsi; fare la pace con un bacio □ (*fam.*) **to k. and tell**, rivelare una storia amorosa avuta con q. □ (*volg.*) **to k. sb.'s arse** (*USA* ass), leccare il culo a q. □ (*volg.*) **K. my arse!**, vaffanculo!; fottiti! □ (*volg. USA*) **to k. ass**, essere un leccapiedi; leccare il culo □ (*infant.*) **to k. st. better**, far passare con un bacino (*un dolore, ecc.*) □ **to k. the Book**, baciare la Bibbia (*o il Vangelo, ecc., per giurare*) □ (*fig.*) **to k. the cup**, bere un sorso □ (*fig.*) **to k. the dust**, mordere la polvere; essere umiliato (*o ucciso*) □ **to k. st. goodbye**, dire addio a qc.; dare l'addio a qc. □ **to k. sb. goodnight**, dare a q. il bacio della buonanotte □ (*fig.*) **to k. the ground**, prostrarsi (*in atto di omaggio*); (*fig.*) essere sconfitto □ **to k. the hand** (*o* **to k. hands**), baciare la mano (*del sovrano o di un superiore, come ringraziamento o omaggio*) □ **to k. one's hand to sb.**, mandare un bacio a q. sulla punta delle dita □ (*fig. arc.*) **to k. the rod**, accettare umilmente una punizione □ (*volg.*) **k. my arse!**, fatti fottere! (*volg.*); va al diavolo!

▪ **kiss away** v. t. + avv. togliere (*o far passare*) con un bacio (*o con i baci*): **to k. away sb.'s tears**, asciugare le lacrime a q. con i baci; baciare e consolare.

▪ **kiss off** Ⓐ v. t. + avv. **1** → **kiss away 2** (*fam. USA*) dire addio a (*una speranza, un progetto*) **3** (*slang USA*) dare il benservito a; liberarsi di; mandare a spasso **4** (*slang USA*) ammazzare; far fuori Ⓑ v. i. + avv. (*slang USA*) **1** sparire; andare al diavolo **2** morire; crepare.

▪ **kiss up to** v. t. + avv. e prep. (*slang USA*) leccare i piedi a; arruffianarsi.

kissable /'kɪsəbl/ a. che attira i baci.

kissagram /'kɪsəgræm/ → **kissogram**.

kiss-and-tell /kɪsən'tel/ a. attr. che rivela una storia d'amore (*personale*): **a kiss-and-tell autobiography**, un'autobiografia piena di rivelazioni amorose.

kiss-ass /'kɪsæs/ n. (*volg. USA*) **1** leccaculo (*volg.*); leccapiedi; ruffiano **2** ⊡ leccapiedismo; ruffianeria.

kisser /'kɪsə(r)/ n. **1** chi bacia: *She's a good k.*, è una che sa baciare **2** (*slang*) bocca **3** (*slang*) faccia.

kissing /'kɪsɪŋ/ n. il baciare; baci (pl.) ● (*fam.*) **k. cousin** (*o* **kin**), parente stretto; intimo □ **k. disease**, malattia che si trasmette con i baci; (*spec.*) mononucleosi □ **k.-gate**, cancelletto a tornello □ **k. of hands**, baciamano.

kiss-off /'kɪsɒf/ n. (*slang USA*) **1** licenziamento; benservito **2** morte.

kissogram /'kɪsəgræm/ n. (*in GB*) servizio privato di invio di auguri (*il latore, retribuito, bacia il destinatario a nome del mittente*).

kissproof /'kɪspruːf/ a. (*di rossetto*) indelebile.

kissy /'kɪsɪ/ a. (*fam.*) affettuoso; sentimentale.

kit① /kɪt/ n. **1** ⊡ attrezzatura; occorrente; corredo; necessaire (*franc.*); kit; attrezzi (pl.) □ arnesi (pl.) da lavoro: **first-aid kit**, occorrente per (*o kit di*) pronto soccorso; **shaving kit**, occorrente per barba; **repair kit**, attrezzi per piccole riparazioni; **a plumber's kit**, gli attrezzi di un idraulico **2** ⊡ (*mil.*, *sport*) equipaggiamento; tenuta; uniforme: **combat kit**, tenuta da combattimento; **skiing kit**, equipaggiamento (*o tenuta*) da sci; (*mil.*) **kit inspection**, rivista (*o rassegna*) dell'equipaggiamento **3** parti (pl.) da montare; pacchetto; scatola di montaggio: **do-it-yourself kit**, scatola di montaggio; **in kit form**, sotto forma di parti da montare; **come kit 4** (*mus.*, = **drum kit**) batteria **5** (*biol.*, *med.*, *ecc.*) kit **6** ⊡ (*in GB*) vestiti (pl.): **to get off one's kit**, spogliarsi ● (*mil.*) **kit bag** → **kitbag** □ (*autom.*) **kit car**, automobile da assemblare; **kit car** □ (*slang*) **the whole kit and caboodle**, tutto quanto; tutta la baracca; baracca e burattini.

kit② /kɪt/ n. (abbr. di **kitten**) **1** gattino, gattina; micina, micino **2** cucciolo (*di alcuni animali piccoli, quali il castoro, il furetto, il visone, ecc.*).

kit③ /kɪt/ n. (*stor.*) piccolo violino.

kit④ /kɪt/ n. cesto; paniere.

to **kit** /kɪt/ v. t. (*spesso* **to kit up** *o* **to kit out**) equipaggiare; attrezzare.

kitbag /'kɪtbæg/ n. (*mil.*) sacca (*lunga e cilindrica*).

◆**kitchen** /'kɪtʃən/ n. **1** cucina (*il locale e i mobili*): **live-in k.**, cucina abitabile; **fully-fitted k.**, cucina all'americana **2** cucina; gastronomia: **French k.**, la cucina francese ● (*comm.*) **k. aids**, accessori per la cucina (*elettrodomestici, ecc.*) □ **k. boy**, sguattero □ **k. cabinet**, armadietto da cucina; (*polit. spesso spreg.*) gruppo non ufficiale di consiglieri di un personaggio politico importante □ **k.-cum-dining room** (*o* **k.-diner**), tinello □ **k. furniture**, mobili da cucina □ **k. garden**, orto □ **k.-maid**, sguattera □ **k. paper** (*o*, *GB*, **k. roll**), carta assorbente da cucina; rotolo da cucina □ **k. porter**, lavapiatti e uomo di fatica (*di albergo, ristorante*) □ **k. range**, cucina economica □ **k. scales**, bilancia da cucina □ **k. sink**, lavello; acquaio □ (*teatr.*, *in GB*, negli anni '50) **k.-sink drama**, genere teatrale che mostra aspetti della vita della classe operaia □ **k. unit**, modulo di cucina componibile □ (*fam.*) **everything but the k. sink** → **everything**.

kitchenette /kɪtʃə'net/ n. (*edil.*) cucinino; cucinotto.

kitchenware /'kɪtʃənweə(r)/ n. utensili (pl.) da cucina; stoviglie (pl.).

◆**kite** /kaɪt/ n. **1** (*zool.*, *Milvus*) nibbio **2** aquilone; cervo volante **3** (*slang fin.*) assegno a vuoto (*o senza copertura*); assegno falsificato; ricevuta falsa; cambiale di comodo (*o di favore*) **4** (*naut.*) spinnaker **5** (*fam.*, *antiq.*) aereo; aliante **6** (*slang USA*) messaggio introdotto di nascosto in un carcere **7** (*geom.*) aquilone **8** (*fig. arc.*) individuo avido e rapace; sparviero ● (*aeron.*) **k. balloon**, pallone frenato; pallone drago; aquilone □ **k. flier**, aquilonista □ **k. flying**, (sport di) far volare gli aquiloni; (*fig.*) il tastare il polso alla pubblica opinione; (*slang fin.*) il procurarsi denaro mediante emissione di cambiali di comodo; emissione di assegni a vuoto □ **k. mark** → **Kitemark** □ (*sport*) **k. surfing**, kite surf; kitesurf (*specie di surf in cui si viene trascinati da un particolare tipo di aquilone*) □ **to fly a k.**, far volare un aquilone; (*fig.*) tastare il polso alla pubblica opinione; lanciare un ballon d'essai; (*slang fin.*) procurarsi denaro mediante emissione di cambiali di comodo; emettere assegni a vuoto.

to **kite** /kaɪt/ Ⓐ v. i. **1** far volare un aquilone **2** volare; planare **3** (*fig. fam.*) precipitarsi; volare Ⓑ v. t. **1** far volare; far planare **2** (*fin.*) emettere (*una cambiale di comodo*); spiccare (*un assegno a vuoto*) **3** (*slang*) far entrare o uscire di nascosto (*un messaggio*) da un carcere.

Kitemark /'kaɪtmɑːk/ n. (*comm.*, *leg.*, *in GB*) marchio ufficiale di qualità (*sulle merci approvate dalla British Standards Institution, dalla forma del logo*); marchio dell'aquilone.

to **kitemark** /'kaɪtmɑːk/ v. t. (*comm.*, *leg.*, *in GB*) apporre il marchio ufficiale di qualità della British Standards Institution a (*un prodotto*).

kith /kɪθ/ n. (solo nella loc.:) **k. and kin**, amici e parenti.

kitsch /kɪtʃ/ (*ted.*) n. ⊡ kitsch ‖ **kitschy** a. kitsch; di cattivo gusto.

kitten /'kɪtn/ n. **1** gattino, micino, micetto **2** cucciolo (*di alcuni animali piccoli, quali il coniglio, il visone, ecc.*) ● (*moda*) **k. heel**, tacco a rocchetto □ (*fam.*) **to have kittens**, essere fuori di sé dall'agitazione.

to **kitten** /'kɪtn/ v. i. (*di gatta*) figliare.

kittenish /'kɪtənɪʃ/ a. **1** da gattino; giocoso; scherzoso **2** (*di donna*) che fa la gattina; affettuosa; civettuola.

kittiwake /'kɪtɪweɪk/ n. (*zool.*, *Rissa tridactyla*) gabbiano tridattilo.

kittle /'kɪtl/, **kittle-cattle** /'kɪtlkatl/ a. (*scozz.*) difficile; intrattabile; permaloso; suscettibile.

kitty① /'kɪtɪ/ n. (*infant.*) gattino; micino; micetto.

kitty② /'kɪtɪ/ n. **1** cassa comune; fondo comune: *We'll have a k. for the food*, faremo cassa comune per il mangiare **2** (*nel poker e altri giochi di carte*) posta; piatto **3** (*nelle bocce*) boccino; pallino.

Kitty /'kɪtɪ/ n. dim. di → **Katherine**.

kitty-cornered /kɪtɪ'kɔːnəd/, **kitty-corner** /kɪtɪ'kɔːnə(r)/ → **cater-cornered**.

kiwi /'kiːwiː/ n. (pl. *kiwis*) **1** (*zool.*, *Apteryx australis*) kiwi **2** (*fam.*) neozelandese (*spec. un soldato o un atleta*) **3** (= **k. fruit**, *bot.*, *Actinidia chinensis*) actinidia; kiwi (*pianta e frutto*).

kJ abbr. (*fis.*, **kilojoule**) kJ; kilojoule.

KKK sigla (**Ku Klux Klan**) Ku Klux Klan.

Klan /klæn/ (*USA*) → **Ku Klux Klan**.

Klansman /'klænzmən/ n. (pl. *Klansmen*) membro del Ku Klux Klan; incappucciato.

Klanswoman /'klænzwʊmən/ n. (pl. *Klanswomen*) donna membro del Ku Klux

Klan; incappucciata.

klatch /klætʃ/ n. (*fam. USA*) visita (*spec. per bere un caffè*); caffè.

klaxon® /'klæksn/, **klaxon horn** /'klæksn hɔːn/ n. clacson; tromba (*di automobile*); sirena (*dei pompieri, ecc.*).

Kleenex® /'kliːnɛks/ n. (pl. **Kleenexes**, **Kleenex**) kleenex; fazzoletto di carta.

Klein bottle /'klaɪn bɒtl/ n. (pl. **Klein bottles**) (*geom.*) bottiglia di Klein.

kleptocracy /klɛp'tɒkrəsɪ/ (*giorn.*) n. ⓤ cleptocrazia ‖ **kleptocratic** a. cleptocratico ‖ **kleptocrat** n. cleptocrate.

kleptomania /klɛptə'meɪnɪə/ (*psic.*) n. ⓤ cleptomania ‖ **kleptomaniac** a. e n. cleptomane.

klezmer /'klɛzmə(r)/ (*yiddish*) n. (*mus.*) **1** ⓤ (= k. music) musica klezmer **2** (pl. **klezmorim**) musicista klezmer.

klick /klɪk/ n. (*slang*) kilometro.

klipfish /'klɪpfɪʃ/ n. (pl. **klipfishes, klipfish**) (*zool.*) qualunque pesce della famiglia dei Clinidi.

klipspringer /'klɪpsprɪŋə(r)/ n. (*zool., Oreotragus oreotragus*) saltarupe, oreotrago (*del Sud Africa*).

kludge /klʌdʒ/ n. (*slang, comput.*) scappatoia inelegante e maldestra (*per la risoluzione di un problema*).

to **kludge** /klʌdʒ/ v. t. (*comput., fam.*) correggere alla bell'e meglio; sistemare in qualche modo; rabberciare: **to k. something together**, mettere insieme in qualche modo; rabberciare.

klutz /klʌts/ n. (*fam. USA*) persona maldestra e goffa; pasticcione; imbranato ‖ **klutziness** n. ⓤ goffaggine; imbranataggine ‖ **klutzy** a. maldestro; goffo; imbranato.

Kluxer /'klʌksə(r)/ n. membro del Ku Klux Klan.

klystron /'klaɪstrɒn/ n. (*elettron.*) klystron.

km abbr. (**kilometre**) km; kilometro.

knack /næk/ n. **1** abilità; dono; talento; bernoccolo (*fam.*): **to have a k. for** (*o* **of**) **st.**, avere il dono di qc. (*anche iron.*); essere tagliato per qc.: *It's very simple, once you get the k. of it*, è molto semplice, una volta che ci hai fatto la mano (*o* che sai come si fa) **2** mossa abile; trucco.

knacker① /'nækə(r)/ n. **1** acquirente e macellatore di cavalli vecchi **2** chi compra case, navi, ecc., vecchie, per utilizzarne il materiale; demolitore ● (*GB*) **k.'s yard**, mattatoio per cavalli □ (*GB, scherz.*) **ready for the k.'s yard**, da buttare, da rottamare.

knacker② /'nækə(r)/ n. (generalm. al pl.) (*volg.*) palla; marrone.

to **knacker** /'nækə(r)/ v. t. (*fam.*) **1** stancare; stremare **2** rovinare; scassare.

knackered /'nækəd/ a. (*fam. GB*) esausto; stanco morto; a pezzi; spompato (*pop.*).

knackery /'nækərɪ/ n. mattatoio per cavalli.

knag /næg/ n. **1** protuberanza (*di un tronco o di un ramo*); catorzo **2** nocchio; nodo (*del legno*) **3** piolo ‖ **knaggy** n. nocchieruto, nodoso.

knap /næp/ n. (*dial.*) cima di colle; altura.

to **knap** /næp/ v. t. **1** (*archeol., archit.*) spaccare (*pietre, per sagomarle*) **2** (*dial.*) battere; picchiare ‖ **knapper** n. spaccapietre.

knapsack /'næpsæk/ n. zaino; sacco da montagna ● **k. sprayer**, irroratore a zaino.

knapweed /'næpwiːd/ n. (*bot., Centaurea*) centaurea.

knave /neɪv/ n. **1** (*arc.*) briccone; canaglia; furfante; mariolo **2** (*nei giochi di carte*) fante: **the k. of spades**, il fante di picche ‖ **knavery** n. ⓤ (*arc.*) bricconeria; bricconata; furfanteria ‖ **knavish** a. (*arc.*) furfante-

sco; canagliesco ‖ **knavishly** avv. in modo furfantesco ‖ **knavishness** n. ⓤ → **knavery**.

to **knead** /niːd/ v. t. **1** impastare, manipolare, lavorare (*farina o argilla*): **to k. the dough**, lavorare la pasta; **to k. together**, amalgamare impastando **2** (*fig.*) modellare, formare **3** massaggiare a impasto; sottoporre a impastamento; impastare; manipolare.

kneader /'niːdə(r)/ n. **1** impastatore, impastatrice **2** (*tecn.*) impastatrice (*macchina*).

kneading /'niːdɪŋ/ n. ⓤⒸ **1** l'impastare; impastatura; impastamento **2** massaggio a impasto; impastamento ● **k. machine**, impastatrice (*macchina*) □ **k. trough**, madia; (*ind.*) gramolatrice.

♦**knee** /niː/ n. **1** (*anat.*) ginocchio: *My knees were trembling*, mi tremavano le ginocchia; **to go down on one's knees**, inginocchiarsi; mettersi ginocchioni; (*Down*) **on your knees!**, in ginocchio!; *He got down on one k.*, si è inginocchiato **2** (al pl.) ginocchia; grembo (sing.): **to sit on sb.'s knees**, sedere sulle ginocchia di q. (*o* in grembo a q.) **3** (*di pantaloni, ecc.*): *Your trousers bag at the knees*, i calzoni ti fanno le borse ai ginocchi **4** (*mecc., falegn., ecc.*) giunto a ginocchio; tubo a gomito; pezzo di legno a squadra; mensola (*di fresatrice*) **5** (*naut.*, = **k.-piece**) bracciolo **6** (*archit.*) gomito; curva ● **k. bend**, flessione; piegamento □ (*slang USA*) **k.-bender**, baciapile; bigotto □ (*anat.*) **k. bone**, rotula; patella □ **k. boots**, stivali al ginocchio □ (*stor.*) **k.-breeches**, brache; calzoni al ginocchio □ **k.-deep**, immerso fino al ginocchio; (che arriva, alto fino) al ginocchio; (*fig.*) (dentro) fino al collo: *We stood k.-deep in water*, eravamo nell'acqua fino al ginocchio; *The acqua ci arrivava alle ginocchia*; *The snow was k.-deep*, la neve arrivava al ginocchio; *He is k.-deep in debt*, è nei debiti fino al collo □ (*lotta libera*) **k. drop**, schiacciata (*dell'avversario*) sul proprio ginocchio □ **k.-high**, (che arriva, alto fino) al ginocchio: **k.-high boots**, stivali al ginocchio; **k.-high grass**, erba alta fino al ginocchio □ (*fam.*) **k.-high to a grasshopper**, alto come un soldo di cacio □ **k.-hole**, spazio per le gambe (*sotto una scrivania*) □ (*sost.*) **k.-jerk**, (*med.*) riflesso patellare □ (agg.) **k.-jerk**, fatto per reazione meccanica, istintivo; impulsivo; viscerale: **k.-jerk reaction**, reazione automatica (*o* istintiva); **k.-jerk opposition**, opposizione viscerale □ **k.-joint**, (*anat.*) articolazione del ginocchio □ (*mecc.*) giunto a ginocchio □ **k.-length**, (che arriva, lungo fino) al ginocchio □ **k.-length skirt**, gonna al ginocchio □ **k.-pad**, ginocchiera imbottita □ (*anat., antiq.*) **k.-pan**, rotula; patella □ (*stor.*) **k.-piece**, ginocchiera (*dell'armatura*) □ (*edil.*) **k.-roof**, tetto a mansarda □ **k.-room**, spazio per le gambe (*in auto, in aereo, ecc.*) □ (*fam. USA*) **k. rug**, plaid; coperta da viaggio □ (*fam. USA*) **k.-slapper**, barzelletta (*o* battuta) divertentissima □ (*sci*) **k. socks**, calzettoni; calzini lunghi □ **k. support**, ginocchiera □ (*mus.*) **k.-swell**, leva di organo (*azionata col ginocchio*) □ (*anche fig.*) **k. to k.**, fianco a fianco; (*anche*) seduti uno di fronte all'altro (*con le ginocchia che si toccano*) □ (*naut.*) **k. timber**, legname per braccioli □ (*volg.*) **k. trembler**, sveltina fatta in piedi □ (*fam. GB*) **knees-up**, festa rumorosa; party vivace; baldoria □ **k. warmer**, copriginocchi (*di un ciclista, una ballerina, ecc.*) □ **across sb.'s knees**, (di traverso) sulle ginocchia □ (*fig.*) **at one's mother's** (*o* **father's**) **k.**, nella prima infanzia; fin da bambino □ (*fig.*) **to bend** (*o* **to bow**) **the k.** (*o* **one's k.**) **to sb.**, piegare il ginocchio (*o* le ginocchia) davanti a q.; sottomettersi a q. □ **to bring sb. to their knees**, mettere q. in ginocchio; sottomettere q. □ **to fall** (*o* **to drop, to sink**) **to**

one's knees, cadere (*o* buttarsi) in ginocchio □ (*fig.*) **on one's knees**, in ginocchio; stremato; a pezzi: *Our economy is on its knees*, la nostra economia è in ginocchio □ (*fig.*) **on bended knees**, in ginocchio; in atteggiamento supplice □ **to go weak at the knees**, sentirsi cedere le ginocchia; sentirsi le gambe molli.

to **knee** /niː/ v. t. **1** colpire (q.) col ginocchio; dare una ginocchiata a (q.) **2** (*USA*) incitare (*il cavallo*) con le ginocchia **3** (*falegn.*) assicurare (*o* fissare) con pezzi di legno squadra.

kneecap /'niːkæp/ n. **1** (*anat.*) rotula; patella **2** ginocchiera **3** (*per cavallo*) ginocchiello.

to **kneecap** /'niːkæp/ v. t. gambizzare: *He was kneecapped by terrorists*, fu gambizzato dai terroristi ‖ **kneecapping** n. ⓤⒸ gambizzazione.

to **kneel** /niːl/ (pass. e p. p. **knelt** ❶ NOTA: *participle* → **participle**), v. i. **1** inginocchiarsi; mettersi in ginocchio; piegarsi sulle ginocchia: **to k. (down) in prayer**, inginocchiarsi per pregare; *He was kneeling beside her*, era in ginocchio accanto a lei **2** genuflettersi.

kneeler /'niːlə(r)/ n. **1** chi s'inginocchia (*spec. in preghiera*) **2** inginocchiatoio.

kneeling /'niːlɪŋ/ Ⓐ a. **1** inginocchiato; in ginocchio; genuflesso: **a group of k. people**, un gruppo di persone inginocchiate (*o* in ginocchio); **k. position**, posizione inginocchiata (*o* genuflessa); (*judo*) **k. bow**, saluto in ginocchio **2** per inginocchiarsi; da inginocchiatoio: **k. cushion**, cuscino da inginocchiatoio Ⓑ n. ⓤⒸ atto di inginocchiarsi; genuflessione.

knell /nɛl/ n. **1** rintocco funebre; campana a morto: **to toll the k.**, suonare (la campana) a morto **2** (*fig.*) presagio di morte, di rovina; campana a morto: **k. of doom**, presagio funesto; *That decision rang the death k. for all my hopes*, quella decisione segnò la fine di tutte le mie speranze.

to **knell** /nɛl/ Ⓐ v. i. **1** mandare rintocchi funebri; suonare a morto **2** risuonare lugubremente (*o* come presagio) Ⓑ v. t. **1** chiamare (*o* annunciare) con rintocchi funebri; suonare a morto per (q.) **2** (*fig.*) far presagire; esser presagio di; annunciare.

knelt /nɛlt/ pass. e p. p. di **to kneel**.

knew /njuː, *USA* nuː/ pass. di **to know**.

Knickerbocker /'nɪkəbɒkə(r)/ n. **1** discendente dei coloni olandesi, primi abitanti della città che divenne poi New York **2** abitante di New York; newyorkese (*da Diedrich Knickerbocker, autore immaginario della «Storia di New York» di W. Irving*) ● (*GB, alim.*) **K. Glory**, gelato con frutta, panna, ecc., servito in un bicchiere alto.

knickerbockers /'nɪkəbɒkəz/ n. pl. pantaloni alla zuava; knickerbocker.

knickers /'nɪkəz/ Ⓐ n. pl. **1** (*fam., GB*) mutandine (*da donna*) **2** (abbr. *fam. USA*) → **knickerbockers** Ⓑ inter. (*slang GB*) accidenti!; mannaggia!; al diavolo! ● (*fam. GB*) **to get one's k. in a twist**, agitarsi, andare nel pallone; (*anche*) arrabbiarsi, incavolarsi (*fam.*).

knick-knack /'nɪknæk/ n. gingillo; ninnolo; soprammobile ‖ **knick-knackery** n. ⓤ **1** ninnoli (pl.); soprammobili (pl.) **2** cianfrusaglie (pl.); chincaglierie (pl.); roba senza valore.

♦**knife** /naɪf/ n. (pl. **knives**) **1** coltello; (al pl., collett., *anche*) coltelleria, coltellame (sing.): **table k.**, coltello da tavola; **carving k.**, trinciante; coltello da scalco; **steak k.**, coltello per carne (*con lama seghettata*) **2** pugnale **3** (*med.*) bisturi; (i) ferri (pl.): *He died under the k.*, morì sotto i ferri (*del chirurgo*); **to have a horror of the k.**, avere una gran

paura di farsi operare **4** (*di macchina utensile*) coltello; lama: **k. file**, lima a coltello **5** (*elettr.*) coltello: **k. switch**, interruttore a coltello ● **k. blade**, lama di coltello (*o di pugnale*) □ **k. box**, coltelliera □ (*sost.*) **k.-edge**, filo del coltello (*o della lama*); (*mecc.*) coltello (*di leva di bilancia, di pendola, ecc.*); (*geogr.*) cresta; (*fig.*) fil di lama, filo del rasoio: **on a k. edge**, (*di persona*) in ansia, teso, preoccupato; (*di cosa*) nella massima incertezza, in bilico, sul filo del rasoio, sul fil di lana □ (agg.) **k.-edge**, (*di piega, ecc.*) molto sottile; (*di situazione, ecc.*) teso, sul fil di lana, in bilico: **a k.-edge finish**, un finale sul fil di lana □ **k. grinder**, (*persona*) arrotino; (*strumento*) affilacoltelli, affilatoio □ (*agric.*) **k. harrow**, erpice a coltelli; erpice coltivatore □ **k.--like**, simile a un coltello; che ha una lama affilata □ **k. pleat**, piega (*di gonna, pantalone*) sottile e netta; **k.-point**, → **knifepoint** □ **k. rest**, reggiposata □ **k. sharpener**, affilacoltelli, affilatoio □ **k. thrower**, lanciatore di coltelli □ **k. throwing**, lancio di coltelli □ **k. wound**, ferita di coltello; coltellata □ (*fam.*) **before you can** (*o* **could**) **say k.**, in men che non si dica; in un baleno; in un batter d'occhio □ **boning k.**, coltellina □ **fruit k.**, coltellino □ **that you could cut with a k.**, (*di atmosfera*) da tagliare col coltello; (*di accento*) molto marcato □ (*fig.*) **to get** (*o* **to stick**) **the k. into sb.**, attaccare (*o* criticare) ferocemente q. □ (*fam.*) **to go under the k.**, essere operato; andare sotto i ferri □ **like a k. through butter**, molto facilmente; senza incontrare resistenza □ (*fig.*) **to put the k. in**, assestare (*o* vibrare) il colpo mortale (*o* di grazia) □ (*fig.*) **to turn** (*o* **to twist**) **the k. in the wound**, rigirare il coltello nella piaga □ (*fam.*) **The knives are out for him**, è sotto attacco.

to **knife** /naɪf/ v. t. **1** accoltellare; dare una coltellata a **2** tagliare di netto **3** (*fam.*) colpire a tradimento; pugnalare alle spalle.

knifeman /'naɪfmən/ n. (pl. *knifemen*) uomo armato di coltello o pugnale; accoltellatore; pugnalatore.

knifepoint /'naɪfpɔɪnt/ n. ▣ (solo nella loc.:) **at k.**, sotto la minaccia di un coltello.

knifer /'naɪfə(r)/ n. accoltellatore.

knifing /'naɪfɪŋ/ n. accoltellamento.

knight /naɪt/ n. **1** (*stor.*) cavaliere **2** (*in GB, titolo onorifico*) cavaliere (*comporta il titolo di* → **Sir**): **K. of the (Order of the) Bath**, Cavaliere (dell'Ordine) del Bagno **3** (*a scacchi*) cavallo **4** (*fig.*) campione; difensore ● (*in GB*) **k. bachelor**, cavaliere che non appartiene a un ordine specifico (*è il titolo onorifico più basso*) □ **a k. errant**, (*stor.*) un cavaliere errante; (*fig.*) un cavaliere errante, un Don Chisciotte □ **k. errantry**, (*stor.*) cavalleria; (*fig.*) donchisciottismo □ (*fig.*) **k. in shining armour** (*o* **on a white charger**), soccorritore, salvatore (*spec. di una donna*); cavaliere senza macchia e senza paura □ (*stor.*) **k. of the post**, chi presta false testimonianze per professione; spergiuro □ (*fam.*) **k. of the road**, viaggiatore di commercio; camionista; vagabondo; (*stor.*) bandito, grassatore □ (*stor.*) **k. of the shire**, rappresentante di una contea in parlamento □ (*stor.*) **k.-service**, servizio prestato come cavaliere, con ricompensa di un feudo □ **Knights Hospitaller** (*o* **Hospitallers**), Cavalieri di Malta □ (*letter.*) **the Knights of the Round Table**, i Cavalieri della Tavola Rotonda □ (*stor.*) **Knights Templar** (*o* **Templars**), templari □ **to be made a k.**, essere nominato (*o* fatto) cavaliere; (*stor.*) essere creato cavaliere.

to **knight** /naɪt/ v. t. fare, nominare cavaliere; (*stor.*) creare cavaliere.

knightage /'naɪtɪdʒ/ n. ▣ **1** (la) classe dei cavalieri; i cavalieri **2** albo dei cavalieri.

knighthood /'naɪthʊd/ n. **1** cavalierato; titolo, rango di cavaliere: **to receive a k.**, es-

sere nominato cavaliere; essere insignito del cavalierato **2** nomina a cavaliere **3** ▣ (*stor.*) cavalleria; qualità (pl.) cavalleresche.

knightliness /'naɪtlɪnəs/ n. ▣ cavalleria; carattere cavalleresco; virtù (pl.) cavalleresche.

knightly /'naɪtlɪ/ ▲ a. cavalleresco; degno di un cavaliere ▣ avv. cavallerescamente.

knit① /nɪt/ n. **1** ▣ punto a maglia **2** ▣ (= **plain stitch**) (punto) diritto; maglia a diritto **3** (spec. al pl.) indumento a maglia: **a heavy k.**, un maglione pesante ● **the usual k. of his brows**, quella fronte, che tiene sempre accigliata.

knit② /nɪt/ ▲ a. p. p. di **to knit** ▣ a. **1** (*di un indumento*) a maglia; di maglia: **k. gloves**, guanti di maglia; guanti di lana **2** (*di un osso fratturato*) saldato **3** unito: **closely k.** (*o* **close-k.**) **family**, famiglia molto unita.

to **knit** /nɪt/ (pass. e p. p. *knitted*, *knit*) ▲ v. i. **1** lavorare a maglia; sferruzzare; fare la calza **2** (*spesso* **to k. together**) congiungersi; concatenarsi; unirsi; fondersi; (*di ossa*) saldarsi: *Check if the sentences k. together logically*, controlla se le frasi sono concatenate logicamente; *Broken bones eventually k. together*, le ossa rotte alla fine si saldano **3** aggrottarsi; corrugarsi: *Her brows knitted together*, la sua fronte si aggrottò ▣ v. t. **1** lavorare (*o* fare) a maglia; fare ai ferri: **to k. a sweater**, lavorare (*o* fare) un maglione ai ferri **2** lavorare a diritto: **k. two, purl two**, lavora due diritti e due rovesci **3** (*spesso* **to k. together**) attaccare; unire; tener uniti; saldare: *You need mortar to k. bricks and stones together*, ci vuole la malta per tener uniti i mattoni e le pietre; *All those groups were knitted together by a common cause*, una causa comune univa tutti quei gruppi **4** aggrottare; corrugare: **to k. one's brows**, aggrottare le ciglia; corrugare la fronte; accigliarsi.

■ **knit up** ▲ v. t. + avv. **1** riprendere (*maglie, lavorando a maglia*) **2** completare (*un lavoro a maglia*); lavorare (*fino alla fine*): *You can k. up this scarf in no time*, è una sciarpa che si lavora in fretta **3** (*fig.*) riannodare (*un'amicizia, ecc.*) ▣ v. i. + avv. **1** (*di filato*) dare un certo risultato (*nel lavoro a maglia*); lavorarsi: *This wool knits up well*, questa lana si lavora bene **2** (*di ossa rotte, ecc.*) saldarsi.

knitted /'nɪtɪd/ a. (*di indumento*) (lavorato, fatto) a maglia (*a mano o con macchina da maglieria*); (lavorato, fatto) ai ferri: **a k. jumper**, un golf ai ferri; **a k. dress**, un vestito fatto a maglia; **k. fabric**, tessuto a maglia; jersey ● **k. garments**, maglie; maglieria (sing.) □ **k. underwear**, maglieria intima □ **hand-k.**, lavorato (a maglia) a mano; lavorato ai ferri □ **machine-k.**, lavorato a macchina.

knitter /'nɪtə(r)/ n. **1** chi lavora a maglia **2** macchina per maglieria ● **professional k.**, magliaia.

knitting /'nɪtɪŋ/ n. ▣ **1** (il) lavorare a maglia; lavoro (*o* lavorazione) a maglia: *I enjoy k.*, mi piace lavorare a maglia **2** lavoro a maglia (*in corso di esecuzione*), lavori (pl.) a maglia: *Where did I put my k.?*, dove ho messo il mio lavoro a maglia?; *How to finish off a piece of k.*, come chiudere un lavoro a maglia ● **the k. industry**, l'industria della maglieria □ **k. machine**, macchina da maglieria □ **k. needle**, ferro da calza □ **k. wool**, lana per lavori a maglia □ (*econ.*, *fam.*) **to stick to (one's) k.**, non diversificarsi.

knitwear /'nɪtwɛə(r)/ n. ▣ indumenti (pl.) a maglia; maglieria ● **k. factory**, maglificio □ **k. manufacturer**, industriale della maglieria.

knives /naɪvz/ pl. di **knife**.

knob /nɒb/ n. **1** protuberanza; bozza; bitorzolo; nodo (*del legno*) **2** (*di porta, cassetto,*

ecc.) pomo; pomello; pomolo; maniglia **3** (*di radio, ecc.*) manopola **4** (*di bastone*) pomo; pomello **5** cubetto; pezzetto (*tondeggiante*): **a k. of coal**, un pezzo di carbone; **a k. of butter**, una noce di burro **6** (*USA*) altura tondeggiante; colle **7** (*slang*) testa; zucca **8** (*volg.*) pene; batacchio, manico (*volg.*) ● (*fam. GB*) **with** (**brass**) **knobs on**, coi fiocchi; un fior di...; (*nel ricambiare un insulto*) e poi ancora, e peggio: «*Bloody fool!*» «*The same to you, with knobs on!*», «Maledetto cretino!» «Cretino sarai tu, e poi ancora!».

to **knob** /nɒb/ v. t. (*volg.*) chiavare; scopare; fottere (*volg.*) ● **to k. off**, andare a fare in culo (*volg.*) □ (*volg.*) **K. it!**, porca puttana!; cazzo! (*volg.*).

knobbed /nɒbd/ a. **1** munito di pomello (*o* di pomo, o di maniglia): **a k. drawer**, un cassetto col pomello; **a k. stick**, un bastone col pomo **2** → **knobbly**.

knobble /'nɒbl/ n. (*GB*) piccola bozza o protuberanza (→ **knob**).

knobbly /'nɒblɪ/ a. nodoso; nocchieruto; bitorzoluto: **k. knees**, ginocchia bitorzolute.

knobby /'nɒbɪ/ (*USA*) → **knobbly**.

knock /nɒk/ n. **1** (rumore di) colpo alla porta; bussata; picchio: *I heard two knocks at the door*, sentii due colpi alla porta **2** colpo; urto; botta: *sturdy enough to withstand knocks*, robusto e resistente agli urti **3** ▣ (*autom.*, *mecc.*) battito in testa; detonazione: **k. intensity**, intensità di detonazione **4** (*fig.*) batosta; brutto colpo; botta; scossone; rovescio: **to take a k.**, ricevere una batosta; subire un rovescio finanziario **5** (*fam.*) critica; attacco; stroncatura **6** (*slang GB:* **the k.**) visita della polizia **7** (*cricket*) innings; turno (*di battitore*) ● **k.-back**, → **knock--back** □ **k.-down**, → **knock-down** □ (*med.*) **k.-knee**, ginocchio valgo □ **k.-kneed**, (*med.*) dal ginocchio valgo; che ha le gambe a ics (*pop.*) □ (*assicur.*, *GB*) **k.-for-k. agreement**, convenzione di indennizzo diretto □ **a k. on the head**, un colpo in testa che tramortisce (*o* che uccide) □ (*autom.*) **k. suppressor**, antidetonante □ (*fam. GB*) **on the k.**, a credito, a rate; (*anche*) porta a porta, a domicilio.

♦to **knock** /nɒk/ ▲ v. t. **1** bussare; picchiare; battere: **to k. on a door**, bussare a una porta; *Someone's knocking at the door*, qualcuno bussa alla porta **2** battere; sbattere; sbatacchiare; urtare; andare a sbattere: *Something was knocking against the window*, c'era qualcosa che sbatteva (*o* sbatacchiava) contro la finestra; *My heart was knocking with fear*, mi batteva forte il cuore per la paura **3** (*anche* **to k. together**) urtarsi; scontrarsi; sbattere insieme: *My knees were knocking (together)*, mi tremavano violentemente le ginocchia **4** (*mecc.:* di motore) detonare; battere in testa **5** (*di tubo*) fare rumore **6** (*slang USA*) parlare; discutere ▣ v. i. **1** battere; picchiare; urtare: *I knocked my knee on (o against) the knob*, ho battuto (*o* picchiato) il ginocchio contro il pomello; *She knocked the lamp and it crashed on the floor*, urtò la lampada che cadde a terra **2** picchiare; colpire: **to k. sb. on the head**, colpire q. sulla testa; tramortire q.; (*anche*, *eufem.*) uccidere q.; **to k. sb. unconscious**, colpire q. facendogli perdere i sensi a q. **3** sbatacchiare: *Don't k. those bottles!*, non sbatacchiare quelle bottiglie! **4** fare (*un buco, un'apertura, ecc.*, *con un colpo o a colpi*): *He knocked a hole in the screen*, con un pugno, fece un buco nel paravento; **to k. a hole in a wall for a new window**, creare un'apertura in un muro per una nuova finestra **5** (*seguito da avv. o compl.*, → *anche sotto i vari verbi frasali*) allontanare, far cadere, spingere con un colpo: **to k. st. away**, allontanare qc. con un colpo: *She knocked his hand away*, lei gli spinse via la mano con forza; *The blow*

knocked him off the chair, il colpo lo fece cadere dalla sedia; (fam.) I'll k. your teeth down your throat!, ti spedisco i denti in gola! **6** (fam.) criticare, attaccare; dare addosso a; parlare male di; stroncare (q. o qc.): (comm.) **to k. a product**, parlare male di un prodotto **7** (solo alla forma progressiva) (fam.) andare per (una data età): He's knocking seventy, va per i settanta ● **to k. sb. cold**, atterrare q. (con un colpo) facendogli perdere i sensi; mettere q. fuori combattimento; (fig.) sbalordire, lasciare esterrefatto q. □ (fam.) **to k. sb. dead** (o for six, sideways), sbalordire q.; lasciare di stucco (o di sasso) q.; lasciare secco q. (fam.) □ (fam.) **to k. st. for six**, mandare all'aria qc.; gettare nel caos qc. □ (fam.) **to k. sb. flat**, gettare a terra (o atterrare) q. (con un colpo); stendere q.; (fig.) sbalordire q., lasciare di stucco (o di sasso) q. □ **to k. head**, toccare il suolo con la fronte (saluto cinese) □ (fam.) **to be knocking one's head against a brick wall**, sbattere la testa contro il muro □ (fam.) **to k. people's heads together**, fare una ramanzina, dare una lavata di capo a q. (due o più persone) □ (fam.) **to k.** [sb., st.] **into a cocked hat**, essere infinitamente superiore a, dare dei punti a; battere alla grande, stracciare, suonarle q.; demolire (una teoria, ecc.); mandare all'aria (un progetto, ecc.) □ (fam.) **to k. st. into sb.'s head**, fare entrare qc. in testa a q.: inculcare qc. in q. □ (fam. GB) **to k. sb. into the middle of next week**, stendere q. con un pugno □ **to k. two rooms into one**, fare di due stanze una stanza sola abbattendo la parete divisoria □ (fam.) **to k. st. into shape**, rimettere a posto qc.; riorganizzare qc. □ **to knock st. off a list**, togliere qc. da un elenco □ (fam.) **to k. sb. off his pedestal**, tirare giù q. dal piedistallo □ (fam.) **to k. a few years off one's age**, togliersi qualche anno dall'età; denunciare qualche anno in meno □ (fam. GB) **to k. st. on the head**, mandare a monte, far fallire (un piano, ecc.) □ (USA) **to k. on wood**, toccare ferro (per scaramanzia) □ (fam.) **to k. some sense into sb.**, fare entrare in testa un po' di buon senso a q.; far ragionare q. □ (fam.) **to k. them in the aisles**, (di spettacolo comico) essere spassosissimo; far ridere a crepapelle; essere un gran successo.

■ **knock about** (o **around**) **A** v. i. + avv. **1** (fam.) viaggiare qua e là; girare il mondo **2** ciondolare; bighellonare; andare in giro; aggirarsi: **to k. around in a car**, andare in giro (o scorrazzare) in auto **3** essere in giro; trovarsi; essere in circolazione: There were too many people knocking about, c'era (in giro) troppa gente; This idea has been knocking around for some time, questa idea circola da un po' di tempo **4** (di oggetto) essere da qualche parte; essere in giro **5** (fam.: **to k. around** o **about with**) frequentare; andare in giro con; farsi vedere con; bazzicare: He's knocking around with some odd characters, lo si vede in giro con tipi strani **B** v. t. + avv. **1** spingere qua e là, a colpi; sballottare: **to k. a ball about**, dare quattro calci a un pallone (per gioco) **2** malmenare; picchiare; riempire di botte: She says her husband knocks her about, dice che il marito la picchia **3** maltrattare; strapazzare; conciare: My bike has been considerably knocked about, la mia bici è stata strapazzata non poco (o è alquanto malconcia) **4** discutere, esaminare (un'idea, ecc.) **C** v. t. + prep. **1** (fam.) viaggiare per; girare in lungo e in largo: **to k. around Asia**, girare l'Asia in lungo e in largo **2** (fam.) bazzicare: **to k. about a few night clubs**, bazzicare qualche locale notturno ● **to k. about at various odd jobs**, fare diversi lavoretti qua e là □ **to k. around together**, stare insieme; lavorare insieme; viaggiare insieme.

■ **knock back** v. t. + avv. **1** respingere (o allontanare, ecc.) a colpi **2** (fam. GB) respingere; bocciare **3** (fam.) bere in un sorso solo (spec. un alcolico); buttare giù; tracannare; scolarsi **4** (fam.) sbalordire; lasciare di stucco **5** (fam.) costare (un mucchio di soldi, ecc.) a: The dentist's fees knocked me back quite a bit, il dentista mi è costato un bel po' di soldi.

■ **knock down** v. t. + avv. **1** colpire e gettare a terra; atterrare; (boxe) mandare (o mettere) al tappeto: **to be knocked down**, essere gettato a terra; (boxe) andare al tappeto **2** investire (con un veicolo); travolgere **3** demolire; abbattere; buttare giù: The unsafe building was knocked down, l'edificio pericolante fu demolito; The enemy knocked down one of the town gates, i nemici abbatterono una delle porte della città; (atletica) **to k. a hurdle down**, buttare giù un ostacolo; (equit.) **to k. a fence down**, abbattere uno steccato **4** (fig.) demolire, smontare, stroncare (una tesi) **5** smontare (mobili, macchinari, ecc.: per trasferirli) **6** aggiudicare (un oggetto venduto all'asta); battere **7** (fam.) ridurre, abbassare (un prezzo, ecc.); tirare giù (fam.) **8** (fam.) farsi fare una riduzione (sul prezzo) da; far scendere: He was asking £100, but I knocked him down to £90, chiedeva 100 sterline, ma l'ho fatto scendere a 90 **9** (fam. USA) guadagnare (una data somma); fare, portarsi a casa (fam.) ● (fam.) **You could have knocked me down with a feather**, rimasi di stucco (o a bocca aperta); ero allibito.

■ **knock in** v. t. + avv. **1** conficcare (a colpi); piantare **2** sfondare (con un colpo) **3** (sport) segnare (una rete, un punto, ecc.); mettere (o mandare) (la palla) in rete; sbattere dentro; insaccare (fam.).

■ **knock into** v. i. + prep. **1** andare a sbattere contro; urtare: He ran and almost knocked into an old lady, corse fuori e andò quasi a sbattere contro una vecchietta **2** (fam.) imbattersi in.

■ **knock off A** v. t. + avv. **1** (urtare e) far cadere; buttare giù; rovesciare; far saltare via; togliere; scuotere via: **to k. off sb.'s hat**, far cadere (o far saltare via) il cappello a q.; **to k. off dust**, togliere (o scuotere via) la polvere **2** (fam.) togliere (da un totale); detrarre; fare lo sconto di; scontare: If you buy both, I'll k. off £10, se li compra entrambi, le faccio dieci sterline di sconto **3** (fam.) produrre (scrivere, dipingere, incidere, ecc.) velocemente; buttar giù; sfornare **4** (fam.) smettere; smettarla di; piantarla con; dare un taglio a (fam.): K. off the moaning!, smettila di lamentarti!; K. it off!, piantala!; dacci un taglio! **5** (fam.) finire; chiudere; sbrigare: **to k. off work**, smettere di lavorare; staccare; smontare **6** (fam.) mangiare; bere; far fuori **7** (fam.) ammazzare; accoppare; far fuori **8** (sport, USA) battere; stracciare **9** (fam. GB) rubare; fregare **10** (fam. USA) rapinare (una banca, ecc.); saccheggiare; ripulire **11** (slang USA) copiare illegalmente; contraffare; taroccare (fam.) **12** (volg.) andare a letto con; scopare con **B** v. i. + avv. (fam.) **1** smettere di lavorare; smontare; staccare (fam.): What time do you knock off for lunch?, a che ora stacchi per pranzo?; They've knocked off for lunch, hanno staccato per il pranzo **2** smettere di giocare; cessare di battersi **C** v. t. + prep. far cadere, buttare giù, togliere (con un colpo) da; rovesciare da: **to k. a glass off the table**, rovesciare un bicchiere dalla tavola; The door had been knocked off its hinges, il colpo aveva scardinato la porta; I knocked the dust off my sleeve, mi spolverai la manica □ (slang) **to k. sb.'s block off**, spaccare la faccia (o rompere il muso) a q. □ (fam.) **to k. sb.'s socks off**, lasciare stupefatto q.; lasciar secco q. (fam.); (anche) fare impazzire

(dal godimento) □ (fam. GB) **to k. spots off** (sb., st.), superare di gran lunga; surclassare; dare dei punti a.

■ **knock on A** v. i. + avv. (fam.) invecchiare; essere in là con gli anni: He's knocking on for 80, ha quasi ottant'anni **B** v. t. + avv. (rugby) spingere (la palla) avanti con le mani (è fallo).

■ **knock out** v. t. + avv. **1** far uscire, togliere, far saltare via (con un colpo): **to k. the ashes out of one's pipe**, scuotere la cenere dalla pipa (battendola contro qc.); The rock nearly knocked his tooth out, per poco la pietra non gli fece cadere un dente; I knocked the knife out of his hand, gli feci saltar via il coltello di mano **2** far perdere i sensi a; stordire; mettere a tappeto (fam.); anestetizzare **3** (boxe e fig.) mettere K.O. (o fuori combattimento); mandare al tappeto per il conteggio totale **4** (sport) eliminare (in una gara o torneo a eliminazione diretta) **5** mettere fuori uso; interrompere (comunicazioni, linee telefoniche, ecc.) **6** eliminare; distruggere; mettere fuori uso (o fuori combattimento); far fuori; (mil.) **to k. out the enemy sentries** [guns], eliminare le sentinelle [ridurre al silenzio i cannoni] del nemico **7** (fam.) stancare a morte; sfiancare; stremare: **to k. oneself out with work**, sfiancarsi (o ammazzarsi) di lavoro **8** (fam.) sbalordire; lasciare di stucco **9** (mus.) strimpellare **10** (fam.) fare, scrivere, ecc., alla svelta; buttare giù **11** (fam.) guadagnare □ (fam.) **to k. sb. out of st.**, far perdere (una qualità, un'abitudine, ecc.) a q. (con metodi duri); togliere qc.; far passare a q. la voglia di qc. □ (fam.) **to k. the bottom out of**, mandare in rovina; far crollare, rovinare (un'attività, il commercio, ecc.); demolire (una tesi); dimostrare l'inconsistenza di □ (fam.) **to k. the hell** (o the living daylights) **out of sb.**, dare un sacco di botte a q.; riempire di botte q.; pestare q. □ (baseball) **to k. the pitcher out of the box**, eliminare il lanciatore con la battuta.

■ **knock over** v. t. + avv. **1** (urtare e) rovesciare; far cadere: **to k. over a cup of coffee**, rovesciare una tazzina di caffè; (sport) **to k. over an obstacle**, abbattere un ostacolo **2** investire (con un veicolo); travolgere **3** (fam.) sbalordire; lasciare di stucco **4** (fam.) battere; sconfiggere; stracciare **5** (sport) respingere, rintuzzare (un attacco) **6** (fam. USA) rubare; fregare.

■ **knock through A** v. t. + avv. (edil.) abbattere (un muro divisorio) **B** v. i. + avv. (edil.) abbattere un divisorio (o un tramezzo).

■ **knock together** v. t. + avv. (fam.) fare (costruire, ecc.) alla meglio; mettere insieme; arrangiare; improvvisare: We knocked together a shelter, costruimmo alla meglio un riparo; **to k. together something to eat**, improvvisare un pasto; preparare qualcosa da mangiare con quello che c'è.

■ **knock up A** v. t. + avv. **1** (fam. GB) svegliare (bussando alla porta), dare la sveglia a **2** (fam. GB) mettere insieme alla meglio; arrangiare; improvvisare: **to k. up a meal**, improvvisare (o mettere insieme) un pasto **3** (fam. GB) accumulare; mettere insieme; fare (fam.): We knocked up £50,000 last year, l'anno scorso abbiamo fatto 50 000 sterline **4** (sport) realizzare, totalizzare (punti, ecc.) **5** (fam.) stremare; sfiancare; stancare a morte: **to k. oneself up**, stremarsi; sfiancarsi □ (slang USA) mettere incinta (una donna) **B** v. i. + avv. **1** (polit.) fare propaganda di casa in casa **2** (tennis) fare il palleggio pre-partita; scambiare qualche tiro di palleggio **3** – **to k. up against**, (andare a) sbattere contro **4** – (fam.) **to k. up against**, imbattersi in.

knockabout /ˈnɒkəbaʊt/ **A** a. **1** rude; violento **2** (teatr.) pieno di lazzi; farsesco:

k. humour, comicità farsesca; lazzi; **a k. comedian**, un comico di genere farsesco **3** (*di indumento*) da fatica; da strapazzo; resistente: **a k. suit**, un vestito da strapazzo **B** n. **1** (*teatr.*) spettacolo dalla comicità farsesca **2** (*Austral.*) bracciante di fattoria o allevamento **3** (*naut.*, *USA*) imbarcazione armata a cutter senza bompresso.

knockback, **knock-back** /ˈnɒkbæk/ n. (*fam.*) **1** rifiuto; risposta negativa **2** intoppo; battuta d'arresto.

knockdown, **knock-down** /ˈnɒkdaʊn/ **A** a. attr. **1** (*di colpo*) che abbatte; tremendo: **a k. blow**, un colpo tremendo; una mazzata **2** schiacciante; irresistibile: **a k. defeat**, una sconfitta schiacciante **3** inconfutabile; schiacciante: **k. proof**, prove inconfutabili **4** (*market.*: *di prezzo*) di liquidazione; di svendita; (ridotto) all'osso, stracciato (*fam.*) **5** (*fin.*) minimo: **a k. rate of interest**, un tasso minimo di interesse **6** (*del prezzo di un oggetto messo all'asta*) minimo; di riserva **7** (*USA*: *di mobile, macchina, ecc.*) smontabile; componibile; a elementi: **a k. table**, un tavolo smontabile **B** n. **1** (*boxe*) atterramento; messa a tappeto; knock-down **2** (*boxe*) colpo che manda al tappeto **3** duro colpo; batosta **4** (*market.*) abbattimento, calo, riduzione, ribasso (*dei prezzi*) **5** (*naut.*) ingavonamento per colpo di vento ● (*fam.*) **a k. drag-out fight**, rissa esclusione di colpi; lotta senza quartiere.

knocked down /ˈnɒktˈdaʊn/ a. **1** atterrato; abbattuto **2** demolito **3** (*di macchinario*) smontato **4** (*di oggetto venduto all'asta*) aggiudicato; battuto.

knocked-up /ˈnɒktˈʌp/ a. (*fam.*) incinta; col pancione.

knocker /ˈnɒkə(r)/ n. **1** chi batte, bussa, picchia, ecc. (→ **to knock**) **2** batacchio (*di porta*); picchiotto **3** venditore porta a porta; propagandista **4** (*fam.*) criticone, criticona **5** (al pl.) (*slang*) tette; poppe ● (*Austral.*) **on the k.**, in contanti; sull'unghia □ (*fam. GB*) **on the k.**, di casa in casa; porta a porta: **to go out on the k.**, girare porta a porta (*per vendere, comprare, pubblicizzare, ecc.*); **to work on the k.**, fare il venditore a domicilio □ (*slang, antiq.*) **up to the k.**, alla perfezione; in buone condizioni.

knocker-up /ˈnɒkəˈrʌp/ n. (pl. **knocker-ups**) (*stor.*) persona che gira di casa in casa dando la sveglia ai lavoratori.

knocking /ˈnɒkɪŋ/ n. ▣ **1** il battere, bussare, ecc.; colpi (pl.) alla porta (→ **to knock**): *We were woken by a loud k.*, fummo svegliati da forti colpi alla porta **2** (*mecc.*) detonazione; il battere in testa (*di motore a scoppio*) ● (*pubbl.*) **k. copy**, testo (*o messaggio*) che denigra i prodotti della concorrenza □ (*slang GB*) **k.-shop**, bordello; casino.

knocking-down /ˈnɒkɪŋˈdaʊn/ n. (pl. **knockings-down**) aggiudicazione (*nelle vendite all'asta*).

knockoff /ˈnɒkɒf/ **A** n. **1** (*mecc.*) (meccanismo di) disinnesto **2** (*ind.*) stacco; ora di smontare (*dal lavoro*) **3** (*market.*) riduzione, sconto **4** (*USA*) copia abusiva (*di prodotto firmato*); imitazione (*di oggetto famoso, programma, ecc.*); oggetto taroccato (*pop.*) **B** a. attr. imitato; copiato; taroccato (*pop.*).

knock-on /ˈnɒkˈɒn/ **A** n. (*rugby*) in avanti (*fallo*) **B** a. attr. (*GB*) a catena; a cascata; secondario; indiretto: **knock-on effect**, effetto a catena.

knockout /ˈnɒkaʊt/ **A** n. **1** (*boxe*) K.O.; kappaò (*fam.*); fuori combattimento; knock-out: **to win by a k.**, vincere per K.O. **2** colpo da K.O.; (*fig.*) colpo durissimo **3** (*sport*: *calcio, ecc.*) competizione (*o torneo*) a eliminazione diretta **4** (*fam.*) persona (*o cosa*) straordinaria; cannonata; schianto; bomba:

That woman is a real k., quella donna è uno schianto **B** a. pred. (*boxe* e *fig.*) che mette fuori combattimento; che mette a K.O.; (*fig., anche*) che stende, che fa addormentare: **k. blow**, colpo da K.O.; (*fig.*) colpo durissimo; **k. pills**, pillole di sonnifero **C** a. attr. **1** (*sport*) a eliminazione diretta: **k. competition**, gara (*o un torneo*) a eliminazione diretta **2** (*fam.*) straordinario; fantastico; da favola; da sogno; da sballo (*fam.*): **a k. dress**, un vestito da favola; **a k. idea**, un'idea fantastica; **a k. party**, un party da sballo **3** (*comm.*: *di prezzo*) all'osso; stracciato; di liquidazione ● **the k. punch**, (*boxe*) il pugno (*o il colpo*) del kappaò; (*fig.*) il colpo di grazia.

knock-up /ˈnɒkʌp/ n. **1** (*tennis*, *GB*) palleggio pre-partita; palleggio di riscaldamento **2** (*volg. USA*) chiavata, scopata (*volg.*).

knoll /nəʊl/ n. **1** (*geogr.*) collinetta; montagnola; poggio **2** (*geol.*) collina sottomarina.

knot① /nɒt/ n. **1** nodo: **to tie** (*o* **to make**) **a k.**, fare un nodo; **to undo a k.**, disfare un nodo; **overhand k.**, nodo semplice; nodo a 8; **running k.**, nodo scorsoio **2** nodo; groviglio; viluppo: **to comb out the knots in one's hair**, sbrogliare i nodi dei capelli col pettine **3** crocchia (*di capelli*) **4** (*fig.*) nodo; legame; vincolo: **the marriage k.** (*o* **the wedding k.**), il nodo coniugale **5** (*fig.*) nodo; intoppo; difficoltà: **to cut the k.**, eliminare le difficoltà **6** (*fig.*) groppo; nodo: **a k.** (**of tension**) **in the stomach**, un nodo allo stomaco **7** (*naut.*, *aeron*) nodo: **a ship that does** (*o* **makes**) **thirty knots**, una nave che fa trenta nodi **8** crocchio; capannello; assembramento **9** (*bot.*) nodo; nocchio **10** (*anat.*) nodulo **11** coccarda; rosetta ● **k. garden**, complesso di aiuole ornamentali; parterre (*franc.*) □ (*bot.*) **k.-grass** (*Polygonum aviculare*), centinodia; correggiola □ (*fam. GB*) **at a rate of knots**, a grande velocità; a tutta birra (*fam.*) □ (*iron., scherz.*) **to tie the k.**, sposarsi; convolare a giuste nozze □ (*fig.*) **to tie oneself** (**up**) **in knots**, confondersi; essere sconcertato (*o disorientato*)

knot② /nɒt/ n. (*zool.*, *Calidris canutus*) piovanello maggiore.

to knot /nɒt/ **A** v. t. **1** annodare; fare un nodo a; legare: **to k. a scarf round one's throat**, annodarsi al collo una sciarpa; **to k. one's necktie**, annodarsi la cravatta; fare il nodo alla cravatta; **to k. together**, annodare insieme; unire con un nodo; **to k. a bundle**, legare un fagotto **2** fare (*una frangia, un tappeto, ecc.*) annodando fili **3** tendere (*un muscolo*) **B** v. i. **1** formare un nodo; annodarsi: *This rope knots easily and holds the knots well*, questa corda si annoda facilmente e tiene bene i nodi **2** aggrovigliarsi; ingarbugliarsi; formare nodi **3** (*di muscolo*) tendersi **4** (*di stomaco*) contrarsi; stringersi: *The sound made my stomach k.*, a quel suono sentii una stretta allo stomaco.

knothead /ˈnɒthed/ n. (*slang USA*) deficiente; cretino; stupido; scemo.

knothole /ˈnɒthəʊl/ n. buco di un nocchio (*o di un nodo*: *nel legno*).

knotted /ˈnɒtɪd/ a. **1** annodato; che ha un nodo o nodi: **a k. rope**, una corda con nodi **2** annodato; fatto a nodi: **a k. fringe**, una frangia annodata **3** (*del legno*) nodoso; nocchieruto **4** (*di muscolo, stomaco*) teso; contratto **5** (*di fronte*) corrugato; aggrottato; (*ricamo*) **k. stitch**, punto annodato (*o a nodo*) □ (*slang*) **Get k.!**, va' al diavolo!; va' a quel paese!

knottiness /ˈnɒtɪnəs/ n. ▣ **1** nodosità **2** (*fig.*) difficoltà; complessità; spinosità.

knotting /ˈnɒtɪŋ/ n. ▣ **1** annodamento; annodatura; nodi (pl.) **2** lavoro a fili annodati; macramè **3** (*tecn.*) vernice alla gommalacca (*per coprire i nodi del legno*).

knotty /ˈnɒtɪ/ a. **1** (*di legno*) nodoso; nocchieruto **2** (*di dita*) nocchiuto **3** (*fig.*) difficile; intricato; spinoso: **a k. problem**, un problema difficile (*o spinoso*).

knotwork /ˈnɒtwɜːk/ n. ▣ (*archit.*, *grafica*) motivo (*o motivi*) a nodi.

know /nəʊ/ n. – (nella loc. *fam.*) **in the k.**, al corrente; bene informato; addentro nella faccenda.

♦**to know** /nəʊ/ (pass. **knew**, p. p. **known**) **A** v. t. **1** conoscere; sapere: **to k. languages**, conoscere (*o sapere*) le lingue; *Do you k. German?*, conosci (*o sai*) il tedesco?; **to k. the answer**, conoscere (*o sapere*) la risposta; **to k. a subject**, conoscere un argomento; **to k. one's job**, conoscere il proprio mestiere; **to k. the time**, sapere che ora è; conoscere l'ora; **to k. all the facts**, conoscere (*o essere a conoscenza di, sapere*) tutti i fatti; *Do you k. his address?*, conosci (*o sai*) il suo indirizzo?; *Everybody knows that*, lo sanno tutti; *How do you know?*, come lo sai?; come fai a saperlo?; *I'll let you k.*, te lo farò sapere; *I k. he is a good boy*, so che è un bravo ragazzo; *Do you k. how much it costs?*, sai quanto costa?; *I don't k. when she's arriving*, non so quando arriverà; *I k. what I'm doing*, so quello che faccio; *I know you won't disappoint me*, so che non mi deluderai; *I knew* (*that*) *he would say that*, sapevo che avrebbe detto così; *I know how it works*, so come funziona; *He is known to be in favour of it*, è noto (*o risaputo*) che lui è favorevole; *His dog has been known to attack strangers*, si sa che il suo cane ha assalito gente che non conosceva **2** conoscere: *Do you k. his wife* [*this book*]?, conosci sua moglie [questo libro]?; *the world as we k. it*, il mondo così come lo conosciamo; *We've known each other for years*, ci conosciamo da anni **3** riconoscere: *I'd k. him anywhere*, lo riconoscerei dovunque (*o fra mille*); *I k. a good athlete when I see one*, so riconoscere un buon atleta **4** capire; rendersi conto: *I knew at once something was wrong*, capii subito che c'era qualcosa che non andava **5** conoscere; sperimentare; fare esperienza di: *I have known better days*, ho conosciuto giorni migliori; *He has known poverty*, ha conosciuto la miseria **6** – **to k. how**, sapere; essere capace di: *Do you k. how to open this box?*, sai aprire (*o sei capace di aprire, sai come si apre*) questa scatola?; *I would do it if I knew how* (*o if I knew the way*), lo farei se sapessi come si fa (*o se ne fossi capace*) **7** (*saper*) distinguere: **to k. right from wrong**, distinguere tra il bene e il male (*o la ragione dal torto*) **8** (*arc.*) conoscere (*in senso biblico*) **B** v. i. sapere di; conoscere; essere informato di; essere a conoscenza di; avere notizia di; aver sentito parlare di: *I k. of a few cases like this one*, so di alcuni casi come questo; *I k. of her, but I've never met her*, ne ho sentito parlare, ma non l'ho mai incontrata; *Do you k. of any reason why he should have done it?*, hai qualche idea del perché l'abbia fatto?; *not that I k. of*, che io sappia no; non che io sappia; non mi risulta ● **to k. again**, riconoscere □ (*fam.*) **to k. all the answers**, sapere tutto; saperla lunga; essere un sapientone □ **to k. all there is to k. about st.**, sapere tutto su qc. □ **to k. apart**, saper distinguere (*tra due*) □ (*fam.*) **to k. st. backwards**, conoscere qc. alla perfezione (*o a menadito*) □ **to k. best**, sapere ciò che è meglio; essere il miglior giudice □ **to k. better**, sapere che le cose stanno altrimenti (*o che non è così*); (*anche*) avere più buon senso (*o criterio*), aver imparato la lezione: *If I didn't k. better, I'd say that...*, se non sapessi che le cose stanno altrimenti, direi che...; *You should have known better*, avresti dovuto usare un po' più di buon senso; *I'll k. better next time*, la

prossima volta saprò come comportarmi; la prossima volta me ne guarderò bene; **to k. better than that**, sapere che non è così; sapere che non si deve fare qc.; **to k. better than to do st.**, non essere così sciocco (*o* sprovveduto) da fare qc.; avere abbastanza criterio (*o* buon senso) da non fare qc.; sapere che non si deve fare qc.; **not to k. any better**, non avere buon senso; essere uno sprovveduto; non sapere quello che si fa (*per ignoranza, immaturità, ecc.*) □ **to k. one's business**, conoscere il proprio mestiere; sapere il fatto proprio □ **to k. st. by heart**, sapere qc. a memoria □ **to k. sb. by name [by sight]**, conoscere q. di nome [di vista] □ **to k. different**, sapere che non è così (*o* che le cose non stanno così); scoprire che non è così □ **not to k. the first thing about st.**, non sapere niente di qc.; non intendersene affatto di qc.; essere ignorantissimo di qc. □ **to k. sb. for**, conoscere qc. come: *I k. him for a very approachable man*, lo conosco come una persona molto disponibile □ **to k. for a fact that...**, sapere per certo (*o* con certezza) che... □ (*fam. USA*) **not to k. from st.**, non intendersene di qc.; non sapere niente di qc. □ (*fam. USA*) **not to k. from nothing (about)**, non sapere (*o* capire) niente (di); non intendersi minimamente (di) □ (*fam.*) **not to k. sb. from Adam**, non avere mai visto né conosciuto q.; non sapere che faccia ha □ (*fam. GB*) **to k. how many beans make five**, sapere il fatto proprio; essere sveglio □ **to k. st. inside out**, conoscere a fondo qc. □ **to k. st. like the back of one's hand**, conoscere qc. come le proprie tasche □ **to k. one's own mind**, sapere quel che si vuole □ **to k. no bounds**, non conoscere limiti □ **to k. oneself**, conoscere se stesso; conoscersi: *I k. myself*, io mi conosco; io so come son fatto; *K. thyself!*, conosci te stesso! □ (*fam.*) **to k. one's onions**, sapere il fatto proprio □ **to k. otherwise → to k. different** □ **to k. one's place**, saper stare al proprio posto □ **to k. the ropes**, essere pratico di qc.; sapere come funziona qc. □ (*fam.*) **to k. one's stuff**, sapere il fatto proprio □ (*fam.*) **to k. a thing or two**, saperne qualcosa; intendersene; saperla lunga (*su qc.*) □ **to k. one's way around**, conoscere la strada; sapersi orientare; (*fig.*) sapere come muoversi □ **to k. what it is like to...**, sapere per esperienza personale cosa significhi... □ (*fam.*) **to k. what's what**, sapere il fatto proprio □ (*volg.*) **You k. what you can do with it!**, sai cosa puoi farci? □ **not to k. what to do with oneself**, non sapere cosa fare; non sapere comportarsi □ (*fam.*) **not to k. what hit one**, avere una brutta sorpresa; restarci secco (*fam.*); (*anche*) morire senza nemmeno accorgersene □ (*fam. USA*) **to k. where it's at**, conoscere il mondo; saperla lunga □ (*fam. USA*) **to k. where sb. is coming from**, sapere come ragiona q. □ **not to k. where (o which way) to look**, non sapere dove guardare (*dall'imbarazzo*); non sapere dove andare a nascondersi (*fig.*) □ **not to k. which way to turn**, non sapere a che santo votarsi; non sapere dove sbattere la testa □ **to k. who's who**, conoscere tutti (*in un posto*); (*anche*) sapere vita, morte e miracoli di tutti □ **as far as I k.**, per quel che ne so; che io sappia □ **As if I didn't k. him!**, come se non lo conoscessi! □ **to be known as**, essere considerato; aver fama di essere; (*anche*) esser noto come, essere conosciuto col nome di: *He is known as a good pianist*, è considerato un bravo pianista; *He's known as The Captain*, è noto come 'il Capitano' □ (*fam.*) **before you k. where you are**, prima che tu possa dire 'beh'; in men che non si dica □ **to do all one knows**, fare tutto il possibile; fare del proprio meglio □ **Don't I k. it!**, se lo so!; a chi lo dici! □ **I don't k. that...**, non sono sicuro che... ; non so se... □ **for all I**

k., per quanto (*o* quel che) ne so □ **for reasons best known to himself**, per un motivo noto solo a lui (*o* che sa solo lui) □ **to get to k.**, imparare a conoscere; conoscere meglio (*o* più a fondo); venire a sapere □ **God (o Goodness, heaven) knows**, Dio sa; (*anche escl.*) lo sa Dio (*o* Iddio, il Cielo) □ **How should I k.?**, come faccio a saperlo?; che vuoi che ne sappia io? □ **How was I to k.?**, come potevo saperlo?; come potevo immaginare? □ **I'll have you k. that...**, sappi che...; per tua informazione...; *o* per tua norma e regola... □ **I knew it!**, lo sapevo!; me l'aspettavo! □ (*fam.*) **I k. what**, ho un'idea; so io che cosa fare □ **to let it be known**, far sapere; rendere noto □ **to make oneself known**, farsi un nome, farsi conoscere □ (*form.*) **to make oneself known to sb.**, presentarsi a q. □ **to make it known that...**, rendere noto che... □ **She's very pretty and doesn't k. it!**, è molto bella, e sa di esserlo □ **You don't k. how**, non sai (*o* non puoi immaginare) quanto □ (*fam.*) **not to want to k.**, disinteressarsi di qc.; ignorare qc.; infischiarsene □ (*fam.*) **What do you k. (about that)!**, senti senti!; ma pensa un po'! □ **Wouldn't you (just) k.?**, lo sapevo io!; ci mancava questa! □ **Wouldn't you like to k.?**, ti piacerebbe saperlo, eh! □ (*fam.*) **you k.** (*o, antiq.*, **don't you know**), sai (*come inter.*) □ (*fam.*) **You k. what** (*o* **something**)?, sai che ti dico?; sai una cosa? □ **You never k.**, non si sa mai □ **You never k. your luck!**, non si sa mai!; magari succede; può anche andare bene!

■ **know about** v. i. + prep. **1** sapere; essere al corrente (*o* a conoscenza) di; essere informato di: *What do you k. about her?*, cosa sai di lei?; *Little is known about them*, si sa poco di loro; *I knew about it long ago*, ne ero a conoscenza da tempo; è un pezzo che lo sapevo; *We k. about the agreement*, siamo al corrente dell'accordo; *I don't k. anything about it*, non ne so niente; *Let me k. about it*, fammelo sapere **2** intendersene di: *He knows about computers*, se ne intende di computer □ **I don't k. about that**, non lo so; non ne so nulla; (*anche*) quanto a quello non so, (ma...) □ **I don't k. about you, but I...**, non so tu, ma io...

knowable /ˈnəʊəbl/ **A** a. **1** conoscibile; riconoscibile **2** apprendibile **B** n. (il) conoscibile ‖ **knowability** n. ① **1** conoscibilità; riconoscibilità **2** l'essere apprendibile

know-all /ˈnəʊɔːl/ → **know-it-all**.

knowbot /ˈnəʊbɒt/ n. (*comput.*) knowbot; agente intelligente (*programma di ricerca di informazioni su Internet*)

knower /ˈnəʊə(r)/ n. conoscitore, conoscitrice; intenditore, intenditrice

♦**know-how** /ˈnəʊhaʊ/ n. ① abilità e competenza; complesso di cognizioni; know-how ● (*leg.*) **know-how contracts**, contratti di utilizzazione di know-how.

knowing /ˈnəʊɪŋ/ **A** a. **1** d'intesa; di chi la sa lunga: **a k. look [smile]**, uno sguardo [un sorriso] d'intesa **2** che sa il fatto suo; intelligente; perspicace **3** bene informato; addentro **4** furbo; astuto **5** deliberato; intenzionale **6** (*filos.*) conoscitivo **B** n. il sapere; l'essere informato: **There's no k. if...**, non c'è modo (*o* è impossibile) sapere se...

knowingly /ˈnəʊɪŋlɪ/ avv. **1** consapevolmente; scientemente; a bella posta; di proposito; intenzionalmente: *He admitted k. breaking the law*, ammise di aver infranto la legge consapevolmente **2** con aria d'intesa; con l'aria di chi la sa lunga: *She nodded k.*, annuì con aria d'intesa **3** con l'aria di intendersene; con la disinvoltura di chi se ne intende **4** accortamente; astutamente **5** per quanto uno ne sa: *We have never k. been undersold*, per quanto ne sappiamo, la

concorrenza non ci ha mai battuto in fatto di prezzi.

knowingness /ˈnəʊɪŋnəs/ n. ① **1** accortezza; intelligenza; perspicacia **2** furbizia; astuzia.

know-it-all /ˈnəʊɪtɔːl/ n. (*fam.*) sapientone, sapientona; saccente.

♦**knowledge** /ˈnɒlɪdʒ/ n. ① **1** conoscenza; sapere; conoscenze (pl.); cognizioni (pl.): *'K. is of two kinds: we know a subject ourselves, or we know where we can find information upon it'* S. JOHNSON, 'la conoscenza è di due tipi: o conosciamo un argomento per conto nostro, o sappiamo dove possiamo trovare informazioni su di esso'; **a thirst for k.**, la sete di conoscere (*o* di sapere); **a good k. of English**, una buona conoscenza dell'inglese; **a limited k. of a subject**, una conoscenza limitata di un argomento; **scientific k.**, sapere scientifico; conoscenze scientifiche; **to have some k. of st.**, conoscere un poco qc.; avere una certa pratica di qc.; **to have poor k. of st.**, conoscere poco qc.; **to lack any k. st.**, ignorare completamente qc.; **to have detailed k. of st.**, conoscere a fondo qc. **2** conoscenza; l'essere informato (*su qc.*): *his k. of the facts*, la sua conoscenza dei fatti; *I had no k. of it*, non ne sapevo nulla; **to come to sb.'s k.**, giungere a conoscenza di q.; **to deny all k. of st.**, negare di essere al corrente di qc.; dichiarare di essere all'oscuro di qc.; (*form.*) *It has been brought to our k. that...*, è giunto a nostra conoscenza che...; siamo stati informati del fatto che...; **without sb.'s k.**, senza che q. lo sappia; all'insaputa di q.; all'oscuro di q.; **without my k.**, a mia insaputa **3** consapevolezza; coscienza: *A baby has no k. of what he is doing*, i bambini piccoli non hanno coscienza di quello che fanno **4** sapere; dottrina; scienza; scibile; cultura: *He's a man of great k.*, è un uomo di grande dottrina; **every branch of k.**, ogni branca del sapere; **general k.**, cultura enciclopedica; cultura generale **5** notizia: *K. of the victory reached London in no time*, la notizia della vittoria giunse a Londra in un baleno **6** (*GB*) – **the k.**, la conoscenza delle vie di Londra (*materia d'esame per la patente di tassista*) **7** (*leg. o arc.*; = **carnal k.**) rapporti sessuali ● (*econ., org. az.*) **k.-based organization**, sistema organizzativo in cui la conoscenza svolge un ruolo centrale nella generazione del valore; organizzazione basata sulla conoscenza □ (*econ.*) **k. economy**, economia della conoscenza, economia del sapere (*economia fondata sulla gestione efficace della conoscenza*) □ (*comput.*) **k. engineering**, ingegneria della conoscenza □ (*econ., org. az.*) **k. management**, gestione della conoscenza □ (*econ.*) **k. sharing**, condivisione della conoscenza □ **k. worker**, knowledge worker; lavoratore di conoscenza (*ricercatori, accademici, programmatori, ecc.*) □ **human k.**, la conoscenza umana; (*anche*) lo scibile umano □ (*form.*) **to (the best of) my k.**, per quel che ne so io; a quanto mi consta □ **not to my k.**, non che io sappia □ **It's common k.**, è risaputo; lo sanno tutti; è di dominio pubblico □ **to be public k.**, essere di dominio pubblico □ (*prov.*) **K. is power**, sapere è potere.

knowledgeable /ˈnɒlɪdʒəbl/ a. (*fam.*) **1** bene informato; al corrente; aggiornato; che se ne intende (di qc.): *He's very k. about that topic*, conosce bene quell'argomento **2** intelligente; accorto; perspicace; sagace.

♦**known** /nəʊn/ **A** p. p. di **to know B** a. **1** noto; conosciuto: **a k. thief**, un noto ladro; **the k. world**, il mondo conosciuto; **a little k. region**, una regione poco conosciuta; **a generally k. fact**, un fatto noto a tutti; un fatto di dominio pubblico; **to make st. k.**, rendere noto qc. **2** riconosciuto: *He's a k. authority on the matter*, è un'autorità rico-

nosciuta in materia **3** provato; sperimenta-to; specchiato: **a man of k. honesty**, un uo-mo di specchiata onestà **4** (*mat.*) noto **C** n. (*filos.*) (il) conosciuto ● **k. quantity**, (*mat.*) valore noto; (*fig.*) persona (o cosa) ben co-nosciuta e prevedibile □ **to be k. to the po-lice**, essere un pregiudicato □ **otherwise k. as**, altrimenti noto come (o col nome di); alias.

know-nothing /ˈnəʊnʌθɪŋ/ n. **1** igno-rante; ignorantone, ignorantona **2** agno-stico.

Knt abbr. (**knight**) cavaliere (Cav.).

knuckle /ˈnʌkl/ n. **1** (*anat.*) nocca; artico-lazione (o giuntura) delle dita: **to crack one's knuckles**, far schioccare le giunture delle dita **2** (*zool.*) nocca; nodello **3** (*macel-leria*) zampetto; peduccio; piedino **4** (*mecc.*) articolazione; elemento di cerniera **5** (*naut.*) caposesto **6** → **knuckleduster** ● **k. bone** → **knucklebone** □ **k. joint**, (*anat.*) ar-ticolazione delle dita; (*mecc.*) giunto artico-lato, giunto a snodo (o a ginocchiera) □ (*mecc.*) **k. pin**, spinotto □ (*slang USA*) **k. sandwich**, pugno in bocca; cazzotto sui denti □ **brass knuckles**, pugno (sing.) di fer-ro □ (*fam. Austral.*) **to go the k.**, fare a pugni □ **near the k.**, spinto; scollacciato □ **to rap sb. over the knuckles**, picchiare q. sulle nocche; (*fig.*) sgridare (o criticare) aspra-mente q., bacchettare q.

to knuckle /ˈnʌkl/ v. t. **1** battere (o colpi-re, premere) con le nocche **2** (*slang*) pic-chiare; pestare (*fam.*); riempire di botte.

■ **knuckle down** v. i. + avv. mettersi al lavo-ro di buona lena; mettersi sotto (*fam.*).

■ **knuckle under** v. i. + avv. cedere; arren-dersi, sottomettersi: **to k. under to sb.'s de-mands**, cedere alle richieste di q.

knucklebone /ˈnʌklbəʊn/ n. **1** (*anat.*) falange **2** → **knuckle**, def. *3* **3** (al pl.) astra-gali; aliossi; (*anche*) gioco degli astragali.

knuckle-dragger /ˈnʌkldrægə(r)/ n. (*slang USA*) bestione, scimmione.

knuckleduster /ˈnʌkldʌstə(r)/ n. pugno di ferro; tirapugni.

knucklehead /ˈnʌklhɛd/ n. (*fam. USA*) cretino; idiota, stupido; testone.

knur /nɜ:(r)/ n. nodo (*del legno*); nocchio.

knurl /nɜ:l/ n. (*mecc.*) tacca di zigrinatura (o di godronatura).

to knurl /nɜ:l/ (*mecc.*) v. t. zigrinare con il godrone; godronare || **knurled** a. godrona-to || **knurler** n. godrone || **knurling** n. zi-grinatura con il godrone; godronatura.

KO /ˈkeɪəʊ/ n. (*pl.* **KO's**) **1** (acronimo *fam. di* **knockout**) (*boxe*) K.O.; ko; kappaò; fuori combattimento: **a KO punch**, un pugno da K.O. **2** (acronimo *fam. di* **kick-off**) (*sport*) (sport) calcio da centrocampo; calcio d'ini-zio (o di rimessa in gioco).

to KO /ˈkeɪˈəʊ/ v. t. (*boxe*) mettere K.O.; mettere fuori combattimento.

koala /kəʊˈɑːlə/ n. (*zool.*, *Phascolarctos cine-reus*; = **k. bear**) koala; coala; orso marsupia-le (o d'Australia).

kobold /ˈkɒbəʊld/ n. (*mitol. germanica*) co-boldo.

Kodiak /ˈkəʊdɪæk/ n. **1** (*geogr.*) Kodiak (*isola dell'Alaska*) **2** (*zool.*, *Ursus arctos midden-dorffi*; = **K. bear**) kodiak; orso dell'Alaska.

K of C sigla (*USA*, **Knights of Columbus**) Cavalieri di Colombo (*associazione cattolica di mutuo soccorso*).

kohl /kəʊl/ n. ⓤ (*cosmesi*) kohl; kajal.

kohlrabi /kəʊlˈrɑːbɪ/ n. ⓤ (*pl.* **kohlra-bies**) (*bot.*, *Brassica oleracea gongylodes*) ca-volo rapa.

koine /ˈkɔɪneɪ/ (*greco*) n. (*ling.*) **1** (*in Gre-cia*) koinè **2** lingua franca; koinè.

kola /ˈkəʊlə/ n. (*bot.*) cola ● **k. nut**, noce di cola.

kolinsky /kəˈlɪnskɪ/ n. (*zool.*, *Mustela sibiri-ca*) donnola siberiana.

kolkhoz /kɒlˈkɒz/ n. (*pl.* **kolkhozes, kol-khozy**) (*stor. russa*) kolchoz.

Komodo /kəˈməʊdəʊ/ n. (*geogr.*) Komodo (*isola dell'Indonesia*) ● (*zool.*) **K. dragon** (*Va-ranus komodoensis*), drago di Komodo, vara-no di Komodo (*grande varano*).

Konrad /ˈkɒnræd/ n. Corrado.

koodoo /ˈkuːduː/ n. → **kudu**.

kook /kuːk/ n. (*slang USA*) tipo eccentrico; tipo strambo; mattoide.

kookaburra /ˈkʊkəbʌrə/ n. (*zool.*, *Dacelo novaeguineae* = **laughing k.**) kookaburra.

kooky, kookie /ˈkuːkɪ/ a. (*slang USA*) ec-centrico; strambo; mattoide | **-iness** n.

koori /ˈkʊərɪ/ n. (*pl.* **koori**) (*Austral.*) abori-geno (*spec. del Sudest dell'Australia*).

kopeck, kopek /ˈkəʊpɛk/ n. copeco.

koppie, kopje /ˈkɒpɪ/ n. (*Sud Africa*) colli-netta; poggio.

Koran /kəˈrɑːn/ (*relig.*) n. Corano || **Koran-ic** a. del Corano; coranico.

Korea /kəˈriːə/ n. (*geogr.*) Corea.

Korean /kəˈriːən/ **A** a. coreano **B** n. **1** co-reano **2** ⓤ coreano (*la lingua*).

korfball /ˈkɔːfbɔːl/ n. ⓤ (*sport*) korfball (*gioco simile al basket*).

kosher /ˈkəʊʃə(r)/ **A** a. **1** (*relig. ebraica, di cibo*) kasher; ritualmente puro; (*di locale, ecc.*) che prepara (o serve) pietanze kasher **2** (*fig.*) corretto; lecito; ortodosso; ben fatto **B** n. ⓤ cibo kasher; cibo ritualmente puro.

Kosovar /ˈkɒsəvɑː(r)/ a. e n. kosovaro.

kowtow /kaʊˈtaʊ/ n. ⓤ il prostrarsi toc-cando il suolo con la fronte (*forma di saluto, di omaggio, in Cina*); inchino cinese.

to kowtow /kaʊˈtaʊ/ v. i. **1** toccare il suo-lo con la fronte (*secondo un antico saluto cine-se*) **2** (*fig.*) fare salamelecchi; prostrarsi; essere ossequioso; essere servile: *I don't in-tend to k. to him*, non intendo prostrarmi davanti a lui.

kph sigla (**kilometres per hour**) kilometri all'ora; km/h.

kraal /krɑːl/ n. (*nel Sud Africa*) **1** kraal; vil-laggio di capanne, circondato da steccato **2** recinto per bestiame.

to kraal /krɑːl/ v. t. (*Sud Africa*) **1** rinchiu-dere (o spingere) il bestiame in un recinto **2** (*fig.*) confinare; segregare.

kraft /krɑːft/ n. ⓤ carta kraft.

krait /kraɪt/ n. (*zool.*, *Bungarus*) krait (*ser-pente velenoso*).

kraken /ˈkrɑːkən/ n. (*mitol.*) kraken; gi-gantesco mostro marino (*presso le coste nor-vegesi*).

kraton /ˈkreɪtn/ n. → **craton**.

kraut /kraʊt/ n. **1** (*cucina*) crauti (pl.) **2** (*slang spreg.*) tedesco; crucco, tudero, man-giacrauti (*spreg.*).

Krebs cycle /ˈkrɛbz saɪkl/ n. (*biochim.*) ciclo di Krebs; ciclo degli acidi tricarbossili-ci; ciclo dell'acido citrico.

Kremlin /ˈkrɛmlɪn/ n. (*polit.*) Cremlino.

Kremlinology /krɛmlɪˈnɒlədʒɪ/ (*polit.*) n. ⓤ cremlinologia || **Kremlinologist** n. crem-linologo.

krill /krɪl/ n. (*zool.*) krill.

kris /kriːs/ n. kriss; pugnale malese.

Krishna /ˈkrɪʃnə/ n. (*relig.*) Krishna.

Krishnaism /ˈkrɪʃnaɪzəm/ n. ⓤ (*relig.*) adorazione di Krishna.

Kriss Kringle /ˈkrɪsˈkrɪŋgl/ loc. n. (*fam. USA*) Babbo Natale.

krona /ˈkrəʊnə/ n. **1** (*pl.* **kronor**) corona svedese (*moneta*) **2** (*pl.* **kronur**) corona

islandese.

krone /ˈkrəʊnə/ n. (*pl.* **kroner**) **1** corona (*moneta danese e norvegese*) **2** (*stor.*) corona tedesca **3** (*stor.*) corona austriaca.

Kronos /ˈkrəʊnɒs/ n. → **Cronus**.

krummhorn /ˈkrʌmhɔːn/ n. (*mus.*) cro-morno.

krypton /ˈkrɪptɒn/ n. ⓤ (*chim.*) cripto, cri-pton; kripto, kripton.

KS abbr. (*USA*, **Kansas**) Kansas.

Kt abbr. (**knight**) cavaliere (Cav.).

KT sigla **1** (*titolo*, **Knight of the Order of the Thistle**) Cavaliere dell'ordine del cardo **2** (**Knight Templar**) Cavaliere Templare.

kt sigla (**knot, knots**) nodo, nodi.

kudos /ˈkjuːdɒs, ˈkuː-, -əʊs/ n. ⓤ gloria; fama; prestigio; rinomanza.

kudu /ˈkuːduː, ˈkʊ-/ n. (*pl.* **kudu, kudus**) (*zool.*, *Tragelaphus*) cudù ● **greater k.** (*Trage-laphus strepsiceros*), cudù maggiore □ **lesser k.** (*Tragelaphus imberbis*), cudù minore.

Kufic /ˈkjuːfɪk/ **A** a. (*stor.*) cufico **B** n. ⓤ al-fabeto cufico; scrittura in caratteri cufici.

Ku Klux Klan /kuːklʌksˈklæn, kjuː-/ loc. n. (*USA*) (il) Ku Klux Klan.

kümmel /ˈkʊml, *USA* ˈkɪml/ (*ted.*) n. ⓤ kümmel.

kumquat /ˈkʌmkwɒt/ n. (*bot.*, *Fortunella*) kumquat (*pianta e frutto*).

kundalini /kʊndəˈliːnɪ/ n. ⓤ kundalini ● **k. yoga**, yoga kundalini; kundalini yoga.

kung fu /kʊŋˈfuː, kʌŋ-/ (*giapponese*) n. ⓤ kung fu.

Kurd /kɜːd, kʊəd/ n. curdo; abitante del Kurdistan.

Kurdish /ˈkɜːdɪʃ/ **A** a. curdo **B** n. ⓤ curdo (*la lingua*).

Kurdistan /kɜːdɪˈstæn, -ɑːn/ n. (*geogr.*) Kurdistan.

Kurile Islands, Kuril Islands /kʊˈriːl ˈaɪləndz/, **Kurils** /kʊˈriːlz/ n. pl. (*geogr.*) (Isole) Curili.

kurtosis /kəˈtəʊsɪs/ n. ⓤ (*stat.*) curtosi.

Kuwaiti /kuːˈweɪtɪ/ a. e n. kuwaitiano.

kvass /kvɑːs, -æs/ (*russo*) n. kvass (*bevanda fermentata leggermente alcolica*).

kvetch /kvɛtʃ/ n. (*fam. USA*) **1** brontolone, brontolona; mugugnone, mugugnona; pia-gnucolone, piagnucolona **2** mugugno; la-mentela; piagnucolio.

to kvetch /kvɛtʃ/ v. i. (*fam. USA*) brontola-re; mugugnare; lagnarsi; piagnucolare.

Kwanzaa /ˈkwɒnzə/ n. (*USA*) Kwanzaa ❶ CULTURA • **Kwanzaa**: *festività della comunità afro-americana della durata di una settimana, dal 26 dicembre al 1 gennaio*.

kwela /ˈkweɪlə/ n. (*mus.*) kwela (*musica dei neri in Sud Africa*).

KY abbr. (*anche* Ky.) (*USA*, **Kentucky**) Ken-tucky.

kyanite /ˈkaɪənaɪt/ n. ⓤ (*miner.*) cianite.

kybosh /ˈkaɪbɒʃ/ n. ⓤ → **kibosh**.

kyle /kaɪl/ n. (*scozz.*) stretto canale marino.

kylix /ˈkaɪlɪks/ n. (*pl.* **kylixes, kylikes**) (*stor. greca*) kylix.

kyloe /ˈkaɪləʊ/ n. ⓤ bovino di razza High-land (*originaria della Scozia*).

kymograph /ˈkaɪməgrɑːf, *USA* -æf/ (*med.*) n. chimografo || **kymography** n. ⓤ chimografia.

kyphosis /kaɪˈfəʊsɪs/ (*med.*) n. (*pl.* **ky-phoses**) cifosi || **kyphotic** a. cifotico.

Kyrgyz /ˈkɜːgɪz/ a. e n. (*pl.* **Kyrgyz, Kyr-gyzes**) kirghiso, chirghiso.

Kyrgyzstan /kɜːgɪˈstɑːn/ n. (*geogr.*) Kir-ghizistan.

Kyrie, Kyrie eleison /ˈkɪrɪɪˈleɪsɒn/ (*gre-co*) loc. verb. e n. (*relig.*) kyrie, kyrie eleison.

l, L

L①, **l** /ɛl/ n. (pl. **L's, l's; Ls, ls**) **1** L, l (*dodicesima lettera dell'alfabeto ingl.*) **2** oggetto a forma di L; (*spec.*) ala d'un edificio: **an L-iron**, un ferro a forma di L ● (*ind., metall.*) **L-beam**, angolare; profilato a L □ (*radio, tel.*) **l for Lima**, l come Livorno.

L② sigla **1** (*polit., **Labour***) laburista **2** (*misura d'abiti*, **large**) grande **3** (**left**) sinistra **4** (*polit.*, **Liberal**) liberale **5** (**low**) basso **6** (*ling.*, **language**) lingua: L2, lingua seconda ● **L-driver** (*autom.*, = **learner driver**), principiante □ **L-plate** (*autom.*, = **learner plate**), targa da principiante (*con una L rossa su fondo bianco*).

l. abbr. **1** (**lake**) lago **2** (**law**) legge **3** (**left**) sinistra **4** (**length**) lunghezza **5** (**line**) linea.

la /lɑː/ n. (*mus.*) la (*nota*).

LA sigla **1** (*anche* L.A.) (*USA*, **Los Angeles**) Los Angeles **2** (*anche* La.) (*USA*, **Louisiana**) Louisiana.

laager /ˈlɑːɡə(r)/ n. **1** (*spec. in Africa*) accampamento delimitato da carri disposti in cerchio **2** (*mil.*) accampamento delimitato da automezzi corazzati.

to laager /ˈlɑːɡə(r)/ Ⓐ v. t. **1** disporre (*veicoli*) in cerchio **2** far accampare Ⓑ v. i. accamparsi (→ **laager**).

lab /læb/ n. (abbr. *fam. di* **laboratory**) laboratorio.

Lab /læb/ (abbr. *fam.*) = **Labour Party** → **labour**.

labarum /ˈlæbərəm/ (*lat.*) n. (pl. *labarums, labara*) labaro.

labdanum /ˈlæbdənəm/ n. Ⓤ (*bot., chim.*) ladano.

labefaction /læbɪˈfækʃn/ n. Ⓤ indebolimento; deterioramento; infiacchimento.

◆**label** /ˈleɪbl/ n. **1** cartellino; etichetta: **to tie a l. to a suitcase**, attaccare un cartellino a una valigia; **the l. on a bottle**, l'etichetta su una bottiglia **2** (*fig.*) etichetta; definizione sommaria: *Oscar Wilde was given the l. of 'ultimate aesthete'*, Oscar Wilde ricevette l'etichetta di 'impareggiabile esteta' **3** (*ind.*) etichetta; marca; prodotto di marca; (= **designer** l.) griffe **4** azienda (*o* ditta) di prodotti griffati (*o* firmati); (= **record** l.) marca (*o* casa produttrice) di dischi; casa discografica **5** (*archit.*) gocciolatoio **6** (*arald.*) lambello **7** (*chim., fis.*) tracciante isotopico; marcatore radioattivo; sostanza marcata **8** (*comput.*) etichetta ● (*grafica*) **l. data type**, tipo di dato etichetta ● (*grafica*) **l. paper**, carta monolucida.

to label /ˈleɪbl/ v. t. **1** contrassegnare con un cartellino; mettere un'etichetta a; etichettare: **labelled boxes**, casse munite di cartellino **2** (*fig.*) etichettare; definire; qualificare **3** (*chim., fis.*) marcare (*con un tracciante isotopico*) ● (*chim.*) **labelled compound**, composto marcato.

labeller, (*USA*) **labeler** /ˈleɪbələ(r)/ n. etichettatore, etichettatrice.

labelling, (*USA*) **labeling** /ˈleɪbəlɪŋ/ n. Ⓤ **1** etichettatura **2** (*chim., fis.*) marcatura ● **l. machine**, etichettatrice (*macchina*) □ **l. maker**, chi fabbrica etichette; etichettificio.

labellum /ləˈbeləm/ n. (pl. *labella*) (*bot.*)

labello.

labial /ˈleɪbɪəl/ Ⓐ a. (*fon., anat.*) labiale: **l. consonants**, consonanti labiali Ⓑ n. (*fon.*) (consonante) labiale.

to labialize /ˈleɪbɪəlaɪz/ (*ling.*) v. t. labializzare ‖ **labialization** n. Ⓤ labializzazione.

labiate /ˈleɪbɪeɪt/ (*bot.*) Ⓐ a. labiato Ⓑ n. labiata.

labile /ˈleɪbɪl/ a. **1** instabile; mutevole; incostante **2** (*chim., fis., psic.*) labile ‖ **lability** n. Ⓤ (*psic.*) labilità.

labiodental /leɪbɪəʊˈdentl/ a. e n. (*fon.*) labiodentale.

labiovelar /leɪbɪəʊˈviːlə(r)/ a. e n. (*fon.*) labiovelare.

labium /ˈleɪbɪəm/ (*lat.*) n. (pl. *labia*) (*anat., bot.*) labbro.

labor /ˈleɪbə(r)/ e deriv. (*USA*) → **labour**, e deriv.

◆**laboratory** /ləˈbɒrətrɪ, *USA* ˈlæbrətɔːrɪ/ n. laboratorio: **l. test**, prova di laboratorio ● **l. equipment**, apparecchi (*o* attrezzature) per laboratorio.

laborious /ləˈbɔːrɪəs/ a. **1** impegnativo; laborioso; indefesso; faticoso: **a l. task**, un compito laborioso; **to take many l. hours**, richiedere molte ore di indefesso lavoro **2** (*di stile, ecc.*) faticoso; pesante **3** operoso; laborioso ‖ **laboriously** avv. faticosamente ‖ **laboriousness** n. Ⓤ **1** laboriosità; fatica **2** laboriosità; operosità **3** (*di stile, ecc.*) pesantezza.

◆**labour**, (*USA*) **labor** /ˈleɪbə(r)/ Ⓐ n. **1** Ⓒ lavoro; fatica; impresa: **manual l.**, lavoro manuale; **lost l.**, fatica sprecata; (*mitol.*) **the labours of Hercules**, le fatiche d'Ercole; **the fruits of one's labours**, il frutto delle proprie fatiche **2** Ⓤ (*econ.*) lavoro; manodopera; lavoratori: **l. and capital**, il lavoro e il capitale; **skilled l.**, manodopera specializzata; *If it's just the tuning it'll just cost you l*, se è solo una messa a punto ti costerà solo la manodopera **3** Ⓤ – (*polit.*) **L.**, il partito laburista; i laburisti (collett.): *L. won the 2001 election*, i laburisti vinsero le elezioni del 2001 **4** Ⓤ (*med.*) travaglio del parto; doglie: **a woman in l.**, una donna in travaglio **5** (*fam. ingl.*) – **the l.** = **l. exchange** → *sotto* Ⓑ a. attr. **1** – L. (*polit.*) laburista; dei laburisti; laburistico: **the L. Party**, il partito laburista **2** operaistico ● **l. camp**, campo di lavoro □ **l. costs**, costo del lavoro; oneri salariali □ **L. Day**, festa del lavoro (*o* dei lavoratori) ❶ **Cultura • Labor Day**: *in USA e in Canada si celebra il primo lunedì di settembre* □ **l. dispute**, controversia (*o* vertenza) sindacale □ (*stor.*) **l. exchange**, ufficio di collocamento □ **l. force**, forza lavoro; popolazione attiva □ (*econ.*) **l.-intensive**, ad alto impiego di manodopera: *The service sectors are l.-intensive*, il terziario impiega molta manodopera □ **l. law**, diritto del lavoro □ **l. laws**, legislazione del lavoro □ **a l. leader**, un dirigente sindacale, un sindacalista □ (*econ.*) **l. market**, mercato del lavoro □ **l. pains**, le doglie □ **the l. question**, la questione operaia □ **l. relations**, relazioni industriali; rapporti fra i sindacati e i datori di lavoro □ **l.-saving**, che fa risparmiare lavoro: **l.-saving machines**, macchine che fanno risparmiare

lavoro □ **l. shortage**, scarsità di manodopera □ **the l. situation**, il clima economico □ **l. strife**, conflittualità nelle aziende □ (*USA*) **labor union**, sindacato □ (*USA*) **labor unionism**, sindacalismo; movimento sindacale □ (*econ.*) **l. unrest**, vertenzialità; conflittualità.

to labour, (*USA*) **to labor** /ˈleɪbə(r)/ Ⓐ v. i. **1** lavorare; operare **2** affaticarsi; sforzarsi: **to l. to finish a job on time**, sforzarsi di finire un lavoro in tempo **3** avanzare faticosamente; arrancare: *The old car laboured up the slope*, la vecchia automobile arrancava su per la salita **4** (*di una donna*) avere le doglie **5** (*fig.*) battersi; lottare: **to l. for peace**, lottare per la pace □ (*naut.*) rollare pesantemente Ⓑ v. t. **1** elaborare; ribadire; tirare per le lunghe; insistere su: **to l. the point**, tirare per le lunghe un argomento; dilungarsi senza necessità su un punto; *I promise I will not l. the point*, prometto che non insisterò su questo punto **2** (*poet.*) lavorare, coltivare (*la terra*) ● **to l. under a delusion**, essere vittima di un'illusione; ingannarsi □ **to l. under a false impression**, avere un'impressione errata.

laboured, (*USA*) **labored** /ˈleɪbəd/ a. **1** faticoso; gravoso; penoso; pesante **2** affaticato; difficile: **l. breathing**, respiro difficile (*o* faticoso) **3** elaborato; affettato; studiato: **l. prose**, prosa elaborata.

labourer, (*USA*) **laborer** /ˈleɪbərə(r)/ n. lavoratore; operaio; manovale; bracciante: **agricultural l.**, bracciante agricolo ● **day-l.**, (lavoratore) giornaliero.

labouring, (*USA*) **laboring** /ˈleɪbərɪŋ/ a. di lavoro; lavorativo ● **the l. class**, la classe operaia; i lavoratori ‖ **l. man**, un lavoratore; un operaio □ (*lett.*) **her l. heart**, il suo cuore affaticato (*o* travagliato).

labourism, (*USA*) **laborism** /ˈleɪbərɪzəm/ n. Ⓤ **1** (*polit.*) laburismo **2** operaismo ‖ **labourist**, (*USA*) **laborist** n. e a. **1** laburista **2** operaista.

Labourite, (*USA*) **Laborite** /ˈleɪbəraɪt/ n. (*polit.*) membro del Partito laburista; sostenitore del Partito laburista.

Labrador /ˈlæbrədɔː(r)/ n. **1** (*geogr.*) Labrador **2** (= L. **retriever**) labrador (*cane*).

labradorite /læbrəˈdɔːraɪt/ n. Ⓤ (*miner.*) labradorite.

labret /ˈleɪbret/ n. (*etnol.*) piattello labiale.

laburnum /ləˈbɜːnəm/ n. (*bot.*, *Laburnum anagyroides*) laburno; maggiociondolo.

labyrinth /ˈlæbərɪnθ/ n. (*anche anat., mecc., fig.*) labirinto.

labyrinthine /læbəˈrɪnθaɪn/ a. labirintico; intricato; difficile.

labyrinthitis /læbərɪnˈθaɪtɪs/ n. Ⓤ (*med.*) labirintite.

lac /læk/ n. gommalacca; lacca.

laccolith /ˈlækəlɪθ/ n. (*geol.*) laccolite.

lace /leɪs/ n. **1** Ⓤ merletto; merletti; pizzo; trina; trine **1** **trimming**, guarnizione in pizzo; **a l. collar**, un colletto di trine **2** laccio; stringa; (= **shoelace**) laccio da scarpe **3** gallone; spighetta: **gold [silver] l.**, gallone d'oro [d'argento] **4** schizzo (*pop.: aggiunta di liquore a una bevanda*); correzione (*pop.*) ● **l.**

glass, bicchiere (*o* vetro) con disegno a filigrana □ **l. insertion**, tramezzo di pizzo; entre deux (*franc.*) □ **l.-maker**, merlettaia: **l.-making**, arte del merletto □ **l. pillow**, tombolo □ (*di una calza da donna*) **l.-top**, con il gambaletto di pizzo.

to **lace** /leɪs/ **A** v. t. **1** (*spesso* **to l. up**) allacciare; legare; stringere: **to l. (up) one's shoes**, allacciarsi le scarpe **2** ornare di trine (*o* merletti); merlettare; trinare; gallonare **3** (*di solito al passivo*) striare: *The sky is laced with crimson*, il cielo è striato di cremisi **4** aggiungere liquore a (*caffè, latte, birra, ecc.*); correggere (*una bevanda*): *coffee laced with brandy*, caffè corretto col brandy **5** (*fam., anche* **to l. into**) battere; bastonare; frustare; criticare aspramente; dare una strigliata a (q.) **B** v. i. **1** fare merletti (*o* trine) **2** (*d'abito*) allacciarsi: *This dress laces up at the back*, questo vestito s'allaccia dietro ● (*di donna, un tempo*) **to l. one's breast**, mettersi il busto □ **to l. a cord through st.**, far passare un cordoncino attraverso qc.

lacerate /ˈlæsərət/ a. **1** lacerato; lacero **2** (*fig.*) straziato **3** (*bot.*) frastagliato.

to **lacerate** /ˈlæsəreɪt/ v. t. **1** lacerare; strappare **2** (*fig.*) esulcerare; straziare ● **to l. sb.'s feelings**, ferire q. nei sentimenti.

laceration /læsəˈreɪʃn/ n. [UC] **1** lacerazione; strappo **2** (*med.*) lacerazione; ferita.

lacertian /ləˈsɜːʃn/, **lacertine** /ləˈsɜːtaɪn/ a. (*zool.*) di lucertola; simile a lucertola.

lace-ups /ˈleɪsʌps/ n. pl. (*fam.*) scarpe che s'allacciano.

lacework /ˈleɪswɜːk/ n. [U] merletto; pizzo; trina, trine.

laches /ˈleɪtʃɪz/ n. [U] (*leg.*) negligenza; morosità; ritardo (*nell'esercitare un diritto, ecc.*).

Lachesis /ˈlækɪsɪs/ n. (*mitol.*) Lachesi (*una delle Parche*).

lachrymal /ˈlækrɪml/ **A** a. **1** (*lett.*) relativo alle lacrime; lacrimoso **2** → **lacrimal B** n. **1** → lacrimal **2** → **lachrymatory**.

lachrymation /lækrɪˈmeɪʃn/ n. [UC] → **lacrimation**.

lachrymator /ˈlækrɪmeɪtə(r)/ n. → **lacrimator**.

lachrymatory /ˈlækrɪmeɪtrɪ/ **A** a. → **lacrimatory B** n. (*archeol.*) vaso lacrimale; lacrimatoio, lacrimatorio.

lachrymose /ˈlækrɪməʊs/ a. (*lett.*) **1** pieno di lacrime; lacrimoso **2** lacrimoso; dolente; triste **3** facile alle lacrime; facile al pianto.

lacing /ˈleɪsɪŋ/ n. **1** [U] allacciamento; l'allacciare **2** laccio; stringa **3** gallone; spighetta **4** [UC] correzione (*d'una bevanda*) **5** (*fam.*) bastonatura; fustigazione; strigliata **6** (*edil.*) ricorso di aggraffatura.

laciniate /ləˈsɪnɪət/, **laciniated** /ləˈsɪnɪeɪtɪd/ a. (*bot., zool.*) laciniato; sfrangiato.

♦**lack** /læk/ n. [U] mancanza; difetto; penuria; insufficienza; scarsità: **for l. of money**, per mancanza di denaro; *There's no l. of teachers*, non c'è scarsità d'insegnanti ● **l. of balance**, squilibrio □ **for l. of anything better**, in mancanza di meglio □ (*leg.*) **l. of evidence**, mancanza di prove □ (*leg.*) **l. of jurisdiction**, difetto di giurisdizione.

♦to **lack** /læk/ **A** v. t. difettare di; mancare di; scarseggiare di; essere privo di: **to l. experience**, essere privo di (*o* non avere) esperienza; *I l. the courage to do it*, mi manca il coraggio di farlo **B** v. i. (per lo più nelle forme in **-ing**) far difetto; mancare; scarseggiare: *Ammunition was lacking*, mancavano le munizioni ● (*polit.*) **to l. a majority in Parliament**, non avere la maggioranza in parlamento □ **to l. (the) words to express one's deepest sympathy** (*o* condolences), non aver parole per esprimere le proprie condoglianze □ **to be lacking in**, essere privo di; fare difetto (impers.): *He is lacking in perseverance*, gli fa difetto la tenacia.

lackadaisical /lækəˈdeɪzɪkl/ a. apatico; abulico; indifferente; fiacco; svogliato | **-ly** avv.

lackey /ˈlækɪ/ n. lacchè (*anche fig.*); valletto in livrea.

to **lackey** /ˈlækɪ/ **A** v. i. fare il lacchè; fare il leccapiedi **B** v. t. fare da lacchè a (q.); (*fig.*) comportarsi servilmente con (q.).

lackland /ˈlæklənd/ a. e n. (persona) che non possiede terre ● (*stor. ingl.*) **John L.**, Giovanni Senzaterra.

lackluster /ˈlæklʌstə(r)/ (*USA*) → **lacklustre**.

lacklustre /ˈlæklʌstə(r)/ a. **1** (*spec. dell'occhio*) smorto; spento **2** (*fig.*) debole; fiacco; poco brillante; insulso: **a l. performance**, un'esecuzione poco brillante ● (*sport*) **a l. contest**, una gara al cloroformio.

laconic /ləˈkɒnɪk/ a. laconico; di poche parole; conciso || **laconically** avv. laconicamente; concisamente || **laconicism, laconism** n. **1** laconicità; concisione; laconismo **2** detto (*o* motto) conciso.

lacquer /ˈlækə(r)/ n. [U] **1** lacca: *Japanese l.*, lacca giapponese **2** vernice alla cellulosa (*o* a spirito) **3** lacca (*per i capelli*) **4** lacca (*o* smalto) per le unghie.

to **lacquer** /ˈlækə(r)/ v. t. **1** laccare **2** verniciare alla cellulosa.

lacquerer /ˈlækərə(r)/ n. laccatore; verniciatore (*alla cellulosa*).

lacquering /ˈlækərɪŋ/ n. [U] **1** laccatura **2** verniciatura (*alla cellulosa*).

lacquerware /ˈlækəweə(r)/ n. [U] lacche; oggetti di legno laccati.

lacquey, to **lacquey** /ˈlækɪ/ → **lackey**, to **lackey**.

lacrimal /ˈlækrɪml/ **A** a. **1** (*anat.*) lacrimale: **l. glands**, ghiandole lacrimali **2** → **lachrymose B** n. (*anat.*, = **l. bone**) osso lacrimale.

lacrimation /lækrɪˈmeɪʃn/ n. [UC] lacrimazione.

lacrimator /ˈlækrɪmeɪtə(r)/ n. (*chim., mil.*) gas lacrimogeno.

lacrimatory /ˈlækrɪmətrɪ/ a. (*anat.*) lacrimatorio; lacrimale.

lacrosse /ləˈkrɒs/ n. (*sport*) lacrosse ● **l. stick**, bastone da lacrosse.

lactam /ˈlæktæm/ n. [CU] (*biochim.*) lattame.

lactase /ˈlækteɪs/ n. [U] (*biochim.*) lattasi.

lactate /lækˈteɪt/ n. (*chim.*) lattato.

lactation /lækˈteɪʃn/ n. [U] (*fisiol.*) **1** lattazione **2** periodo dell'allattamento.

lacteal /ˈlæktɪəl/ **A** a. **1** (*scient.*) latteo; lattiginoso **2** (*anat.*) chilifero **B** n. pl. (*anat.*) vasi chiliferi (*dell'intestino*).

lactescent /lækˈtesnt/ (*scient.*) a. lattescente || **lactescence** n. [U] lattescenza.

lactic /ˈlæktɪk/ a. lattico (*biochim.*) **l. acid**, acido lattico.

lactiferous /lækˈtɪfərəs/ a. **1** (*anat.*) lattifero **2** (*bot.*) lattiginoso; che dà latice.

lactobacillus /læktəʊbæˈsɪləs/ n. (pl. *lactobacilli*) (*biol.*) lattobacillo.

lactoflavin /læktəʊˈfleɪvɪn/ n. [U] (*chim.*) lattoflavina; riboflavina.

lactogenesis /læktəʊˈdʒenəsɪs/ n. [U] lattogenesi.

lactogenic /læktəˈdʒenɪk/ a. lattogenetico; lattogeno.

lactoprotein /læktəʊˈprəʊtiːn/ n. (*chim.*) proteina del latte.

lactose /ˈlæktəʊs/ n. [U] (*chim.*) lattosio.

lacuna /ləˈkjuːnə/ n. (pl. *lacunae, lacunas*) lacuna; cavità || **lacunal** → **lacunar②** || **lacunose** a. (*bot., zool.*) lacunoso.

lacunar① /ləˈkjuːnə(r)/ n. (*archit.*) lacunare; soffitto a cassettoni.

lacunar② /ləˈkjuːnə(r)/, **lacunary** /ləˈkjuːnərɪ/ a. **1** (*biol.*) di (*o* simile a) lacuna **2** lacunoso.

lacustrine /ləˈkʌstraɪn/ a. lacustre.

lacy /ˈleɪsɪ/ a. **1** di (*o* simile a) pizzo; merlettato **2** (*slang USA*) effeminato.

♦**lad** /læd/ n. **1** ragazzo; giovanotto; giovane **2** (pl., *ingl., fam.*) (gli) amici; (i) colleghi; (i) ragazzi; (la) combriccola: *He's having a drink with the lads*, è fuori a bere con gli amici **3** (pl., *sport*) (i) nostri: *The lads are playing Inter Milan next week*, i nostri giocano contro l'Inter la prossima settimana ● **lad mag** (*o* **lads' mag**), rivista maschile (*spec. di bassa qualità, popolare*) □ (*ingl.*) **a bit of a lad**, un donnaiolo; un sottaniere □ (*ingl.*) **a likely lad**, un ragazzo promettente □ (*fam.*) **one of the lads**, un tipo socievole (*che ama stare con gli amici*); uno della combriccola.

ladanum /ˈlædənəm/ n. [U] (*chim.*) ladano.

♦**ladder** /ˈlædə(r)/ n. **1** scala (*non in muratura*): **rung l.**, scala a pioli; **rope l.**, scala di corda; (*naut.*) biscaglina; (*fig.*) **the social l.**, la scala sociale **2** (*ginnastica*, = **window l.**) scala svedese **3** (*sport*) graduatoria **4** (*di calza*) smagliatura ● **l. ditcher**, escavatore (*di trincee*) a catena di tazze □ **l. dredge**, draga a tazze (*elettron.*) **l. network**, rete a scala □ **l. stitch**, punto a scala (*nel ricamo*) □ (*fig.*) **the l. to success**, il mezzo per conseguire il successo □ (*ferr.*) **l. track**, binario di smistamento □ **l. trencher** = **l. ditcher** → *sopra* □ **l. truck**, autoscala (*dei pompieri*) □ **to mend ladders in a stocking**, rimagliare una calza.

to **ladder** /ˈlædə(r)/ **A** v. t. smagliare (*una calza*) **B** v. i. (*di calze*) smagliarsi.

laddie /ˈlædɪ/ (*spec. scozz. e USA*) → **lad**.

laddish /ˈlædɪʃ/ (*spreg.*) a. da bullo; da macho || **laddishness** n. [U] bullismo; machismo.

to **lade** /leɪd/ (pass. *laded*, p. p. *laded, laden*), v. t. **1** (*spec. naut.*) caricare: **to l. a ship with wheat**, caricare una nave di grano **2** cavare (*o* versare) con un mestolo; travasare (*acqua, ecc.*).

laden /ˈleɪdn/ **A** p. p. di **to lade B** a. **1** carico; caricato: **a ship l. with timber**, una nave carica di legname; **a tree l. with fruit**, un albero carico di frutti **2** (*fig.*) gravato; oberato; oppresso: **l. with debt**, oberato di debiti ● (*di un veicolo*) **l. weight**, peso a pieno carico.

ladette /læˈdet/ n. (*fam.*) giovane donna single che ama divertirsi ostentando comportamenti considerati tipicamente maschili (*bere, fare chiasso, ecc.*); ragazza godereccia e chiassosa.

la-di-da, lah-di-dah /lɑːdɪˈdɑː/ a. e n. (*fam., antiq.*) snob; (individuo) affettato, lezioso, manieroso, pretenzioso, ricercato.

Ladin /læˈdiːn/ **A** a. ladino **B** n. **1** ladino **2** ladino (*la lingua*).

lading /ˈleɪdɪŋ/ n. (*spec. naut.*) carico; caricazione: **l. port**, porto di caricazione.

Ladino /ləˈdiːnəʊ/ n. e a. (*ling.*) ladino; giudeo-spagnolo.

ladino /ləˈdiːnəʊ/ n. (*bot., Trifolium repens: variante*) trifoglio bianco.

ladle /ˈleɪdl/ n. **1** mestolo; ramaiolo **2** (*metall.*) cucchiaione; secchia; siviera **3** (= **l. board**) pala (*di ruota idraulica*).

to **ladle** /ˈleɪdl/ v. t. cavare (*o* distribuire, versare) con un mestolo; scodellare (*la zuppa, ecc.*) ● (*fig.*) **to l. out**, distribuire a piene mani; profondere (*doni, ecc.*).

ladleful /ˈleɪdlfʊl/ n. mestolata; contenuto d'un mestolo; ramaiolata.

♦**lady** /ˈleɪdɪ/ n. **1** signora; dama; gentildonna; padrona: *There were four ladies*, c'era-

no quattro signore; **the l. of the castle**, la signora del castello; la castellana; **the l. of the house**, la padrona di casa; (*vocat.*) **Ladies and gentlemen!**, signore e signori! **2** – L., Lady (*titolo onorifico attribuito a nobildonne e a mogli di nobiluomini*): **L. Jane Grey**, Lady Jane Grey; **the L. Mayoress**, la moglie del sindaco (*di una grande città, eccetto Londra*) **3** (*arc. o fam.; anche* **the old l.**) moglie **4** (*usato come attr.*) donna; femmina: **l. doctor**, dottoressa; **l. president**, presidentessa **5** (*slang*) – **the l.**, la signora bianca; la cocaina **6** (*slang*, al vocat.) signora! **7** (pl.) (col verbo al sing.) toilette per signore: *Excuse me, where's the ladies?*, scusi, dov'è il bagno delle donne? ● (*relig.*) **L. Altar**, altare della Madonna □ **ladies' band**, vera (*o fede nuziale*) per donna □ (*iron.*) **L. Bountiful**, donna esageratamente generosa; fata benefica (*fig.*) □ (*sport*) **l. champion**, campionessa □ (*relig.*) **L. Chapel**, cappella dedicata alla Madonna □ (*relig.*) **L. Day**, festa dell'Annunciazione (*25 marzo*) □ (*sport*) **Ladies' Day**, la giornata dell'hockey femminile (*in GB*) □ (*ass.*) **l. driver**, automobilista donna (*di solito paga meno in GB*) □ **ladies' fashions**, articoli di moda femminile; modelli da donna □ (*bot.*) **l. fern** (*Athyrium filix-foemina*), felce femmina □ **l.'s finger**, savoiardo □ **l. friend**, amica; amante □ **Ladies' gallery**, galleria riservata alle signore (*nella Camera dei Comuni*) □ **l.-help**, domestica; colf □ **l.-in-waiting**, dama di compagnia □ **l.-killer**, conquistatore; rubacuori; dongiovanni □ **l. lingerie**, biancheria intima da donna □ (*arc.*) **l.-love**, amorosa; innamorata □ **L. Luck**, la Fortuna (*personificata*) □ **l.'s maid**, cameriera personale □ **a ladies' man**, un damerino; un conquistatore di donne □ (*antiq., scherz.*) **l. of the night**, prostituta; lucciola (*fig.*) □ (*sport*) **l. player**, giocatrice □ **ladies' room**, toilette per signore □ (*tennis*) **ladies' singles**, il singolo femminile □ (*bot.*) **l.'s slipper** (*o* **l.-slipper**) (*Cypripedium calceolus*), pianella della Madonna □ (*bot.*) **l. smock** (*Cardamine pratensis*), cardamine; viola dei pesci, billeri (*region.*) □ (*relig.*) **L. Superior**, Madre superiora □ (*bot.*) **l. tulip** (*Tulipa silvestris*), tulipano selvatico; lancetta □ **ladies' wear**, vestiti da donna □ **cleaning l.**, donna delle pulizie.

❶ NOTA: *lady o woman?*
Il sostantivo *lady*, signora, esprime un senso di nobiltà o cortesia ed è un titolo: ad esempio, *Lady Ponsonby, Lady Byron*. Da solo, *lady* si usa come forma di cortesia: *"Please, show this lady to her seat"*, "Per favore, mostri alla signora il suo posto"; *"Ladies and gentlemen..."*, "Signori e signore...". *Woman*, "donna", è un termine più neutro.

ladybird /ˈleɪdɪbɜːd/ n. (*zool., Coccinella*) coccinella.

ladybug /ˈleɪdɪbʌg/ n. (USA; *zool., Coccinella*) coccinella.

to **ladyfy** /ˈleɪdɪfaɪ/ v. t. **1** fare (*di una donna*) una «signora» **2** dare della signora a (*una donna*); chiamare 'Lady'.

ladylike /ˈleɪdɪlaɪk/ a. **1** (*rif. a donna*) da signora; educato; distinto; raffinato; signorile **2** (*d'uomo*) effeminato **3** (*spreg.*) donnesco **4** (*spreg.*: *di uomo*) effeminato.

ladyship /ˈleɪdɪʃɪp/ n. **1** U l'essere una signora; condizione (*o posizione, rango*) di gran dama **2** (*appellativo usato con donne cui compete il titolo di* **Lady**) signoria; vossignoria; eccellenza: *Your L.*, Vossignoria; *Her L.*, Sua Eccellenza.

Laertes /leɪˈɜːtiːz/ n. (*letter.*) Laerte.

Laetitia /lɪˈtɪʃɪə/ n. Letizia.

laevorotatory, (USA) **levorotatory** /ˌliːvəʊrəʊˈteɪtərɪ/ a. **1** (*chim.*) levogiro **2** (*fis.*) sinistrorso ‖ **laevorotation**, (USA) **levorotation** n. rotazione sinistrorsa.

laevulose /ˈlɛvjʊləʊs/ n. □ (*chim.*) levulo-

---

sio.

lag ① /læg/ n. **1** (*elettron., mecc., sport, ecc.*) ritardo: **with a time lag of one month**, con un mese di ritardo; **technological lag**, ritardo tecnologico **2** (*econ.*) sfasamento ● (*med.*) **lag phase**, fase di latenza.

lag ② /læg/ n. **1** assicella; doga **2** U (*materiale*) coibente; rivestimento isolante ● (*mecc.*) **lag screw**, vite a testa quadra per il legno.

lag ③ /læg/ n. (*slang, = old lag*) galeotto; ergastolano; forzato.

to **lag** ① /læg/ v. i. **1** (*spesso* **to lag behind**) attardarsi; restare indietro (*anche fig.*); trascinarsi: *Ben lagged behind the other children*, Ben restò indietro rispetto agli altri bambini **2** (*elettron., mecc.*) ritardare **3** (*fig., anche econ.*) ristagnare: *Business is lagging*, l'attività commerciale ristagna.

to **lag** ② /læg/ v. t. coibentare (*tecn.*); rivestire (*spec. con materiale isolante*); isolare: **to lag water pipes**, rivestire le tubazioni dell'acqua.

to **lag** ③ /læg/ v. t. (*slang*) condannare ai lavori forzati; deportare.

lagan /ˈlægən/ n. □ (*leg.*) merce gettata in mare (*spesso legata a una boa, che ne identifica il proprietario*).

lagena /ləˈdʒiːnə/ n. (pl. *lagenae*) (*archeol., zool.*) lagena.

◆**lager** /ˈlɑːgə(r)/ n. birra chiara (*in origine tedesca*).

laggard /ˈlægəd/ A n. **1** ritardatario **2** indolente; infingardo B a. (*raro*) lento; pigro; tardo.

lagging ① /ˈlægɪŋ/ a. lento; pigro; tardo ● (*elettr.*) **l. coil**, bobina di ritardo □ (*econ.*) **l. indicator**, indicatore ritardato.

lagging ② /ˈlægɪŋ/ n. **1** (*edil.*) centinatura; (*anche*) puntello **2** U coibentazione; isolamento termico **3** U materiale coibente; rivestimento isolante.

lagoon /ləˈguːn/ n. (*geogr.*) laguna ‖ **lagoonal** a. lagunare.

lah /lɑː/ n. (*mus.*) la (*sesta nota della scala di do*).

lah-di-dah /ˌlɑːdɪˈdɑː/ → **la-di-da**.

laic /ˈleɪɪk/ A a. laicale B n. (*raro*) laico ‖ **laical** a. laicale.

laicism /ˈleɪɪsɪzəm/ n. U laicismo.

laicity /leɪˈɪsətɪ/ n. □ **1** laicità **2** → **laity**.

laicization /ˌleɪɪsaɪˈzeɪʃn/ n. U laicizzazione.

to **laicize** /ˈleɪɪsaɪz/ v. t. laicizzare.

laid /leɪd/ A pass. e p. p. di **to lay** B a. (*slang USA*) **1** sbronzo **2** drogato; fatto (*pop.*) ● (*slang*) **l.-back**, disteso (*fig.*); rilassato; tranquillo □ (*ind. cartaria*) **l. line**, vergatura □ (*econ.*) **l.-off**, sospeso temporaneamente dal lavoro; lasciato a casa (*fam.*) □ (*slang USA*) **l.-out**, intontito (*dall'alcol o dalla droga*) □ **l. paper**, carta vergata □ **l.-up**, (*di nave*) in disarmo, disarmata; (*fam.*) infermo, incapace di muoversi, costretto a letto □ **l. wool**, lana sucida □ **l. work**, punto piatto (*nel ricamo*).

lain /leɪn/ p. p. di **to lie** ②.

lair /leə(r)/ n. **1** covo, tana (*spec. d'animale selvatico*) **2** (*fig.*) covo; nascondiglio; rifugio **3** recinto per il bestiame (*diretto al mercato*) **4** (*di animale domestico*) cuccia **5** (*poet.*) recesso.

to **lair** /leə(r)/ v. i. rintanarsi; rifugiarsi nel covo.

laird /leəd/ n. (*scozz.*) grosso proprietario terriero; possidente; latifondista.

laissez-faire /ˌleɪseɪˈfeə(r)/ (*franc.*) A n. **1** (*polit.*) non interferenza **2** (*econ.*) liberismo B a. **1** (*polit.*) di non interferenza **2** (*econ.*) liberistico: **a laissez-faire policy**, una politica liberistica.

---

laity /ˈleɪətɪ/ n. pl. (collett.) **1** (*relig.*) (i) laici; (il) laicato: *The l. are becoming more and more active*, il laicato sta diventando sempre più attivo **2** laici; profani; non addetti ai lavori (*fig.*).

◆**lake** ① /leɪk/ n. lago (*anche fig.*) ● **the L. Country** (*o* **the L. District, the Lakes**), la Regione dei grandi laghi (*Grasmere, Windermere, ecc. in GB*) □ **l. dweller**, palafitticolo □ **l. dwelling**, abitazione lacustre; palafitta □ **l. peat**, torba lacustre □ (*letter.*) **the L. poets**, i (poeti) laghisti □ (*geogr.*) **the Great Lakes**, i Grandi Laghi (*tra gli USA e il Canada*) ‖ **lakelet** n. laghetto.

lake ② /leɪk/ n. U **1** (*ind., chim.*) lacca pigmento; lacca colorante **2** (*pitt.*) lacca ● **l. red**, rosso lacca.

lakefront /ˈleɪkfrʌnt/ n. lungolago.

lakeland /ˈleɪklənd/ n. regione lacustre ● (*geogr.*) **L.**, (la) Regione dei laghi (*in GB*).

lakeside /ˈleɪksaɪd/ n. terreno intorno a un lago; riva (*o sponda*) del lago.

Lallans /ˈlælənz/ n. e a. (*ling.*) angloscozzese letterario.

lallation /ləˈleɪʃn/ n. (*ling., med.*) lallazione.

lam /læm/ n. (*slang USA*) fuga; latitanza ● **to go on the lam**, darsi alla fuga □ **to stay on the lam**, essere latitante.

to **lam** /læm/ v. t. e i. **1** (*slang; di solito*, **to lam into**) attaccare (*anche a parole*); battere; percuotere; picchiare **2** (*slang USA, anche* **to lam out**) scappare, sottrarsi all'arresto; (*anche*) scappare di prigione, evadere.

lama ① /ˈlɑːmə/ (*relig.*) n. lama (*monaco buddista*) ‖ **lamaic** a. lamaico; lamaistico.

lama ② /ˈlɑːmə/ → **llama**.

Lamaism /ˈlɑːməɪzəm/ (*relig.*) n. U lamaismo ‖ **Lamaist** n. e a. lamaista; (seguace) del lamaismo.

lamantin /ləˈmæntən/ n. (*zool., Trichechus manatus*) lamantino.

lamasery /ləˈmɑːsərɪ/ n. (*relig.*) monastero di lama; lamasseria.

◆**lamb** /læm/ n. **1** agnello **2** U (carne di) agnello: *I never eat l.*, non mangio mai l'agnello **3** (*fig.*) agnello; persona (o animale) docile **4** U (= lambskin) (pelliccia di) agnello **5** (*relig.*) – **the L.** (*o* **the L. of God**), l'Agnello di Dio; Gesù **6** (*vezzegg.*: al vocat.) tesoro, tesoruccio **7** (*slang USA*) gonzo; credulone; minchione (*pop.*) ● (*cucina*) **l. chop**, costoletta d'agnello □ (*bot.*) **l.'s-tails**, gattini (o amenti) di nocciolo □ **l.'s wool** → **lambswool** □ **to be like a l.**, essere docile (o mite, innocente) come un agnello □ (*fam.*) **to go to bed with the l.**, andare a letto con i polli.

to **lamb** /læm/ A v. i. (*di pecora*) figliare B v. t. assistere (*una pecora*) durante il parto.

lambada /læmˈbɑːdə/ n. (*mus.*) lambada (*ballo*).

to **lambast** /læmˈbæst/ v. t. → **to lambaste**.

to **lambaste** /læmˈbeɪst/ v. t. (*slang*) **1** battere; picchiare; percuotere **2** dare una strigliata a; rimproverare; redarguire; stroncare (*fig.*).

lambda /ˈlæmdə/ n. lambda (*undicesima lettera dell'alfabeto greco*).

lambdoid /ˈlæmdɔɪd/, **lambdoidal** /læmˈdɔɪdl/ a. (*anat., med.*) lambdoideo: **l. suture**, sutura lambdoidea; lambdoide.

lambent /ˈlæmbənt/ a. **1** (*di fiamma, luce*) che lambisce; guizzante; che sfiora (qc.) **2** (*di cielo, occhi, ecc.*) brillante; splendente **3** (*di spirito, umorismo*) vivace; brillante; scintillante ‖ **lambency** n. U **1** il lambire; lo sfiorare **2** luminosità; luce radente; fosforescenza **3** spirito (o umorismo) brillante.

Lambert /ˈlæmbɜːt/ n. Lamberto.

lambie /ˈlæmɪ/ n. (*fam. USA*, spec. al vocat.) amore; tesoro; tesoruccio; caro.

a b c d e f g h i j k l m n o p q r s t u v w x y z

lambing /'læmɪŋ/ n. ⬚ nascita degli agnelli.

lambkin /'læmkɪn/ n. **1** agnellino **2** (fig.) bimbo; piccino **3** (al vocat.) tesoruccio; caro; dolcezza.

lamblike /'læmlaɪk/ a. da agnello; docile; mite; innocente.

lambrequin /'læmbəkɪn/ n. **1** (USA) mantovana **2** (pl.) (anche arald.) lambrecchini.

lambskin /'læmskɪn/ n. **1** ⬚ pelle d'agnello (anche cuoio o pergamena) **2** pelliccia d'agnello; agnellino **3** cartapecora.

lambswool /'læmzwʊl/ n. ⬚ lambswool; lana d'agnello.

lame /leɪm/ a. **1** zoppo (anche fig.); difettoso; imperfetto, zoppicante, che non regge; inefficace: **l. in one leg**, zoppo da una gamba; **a l. argument** [**excuse**], un ragionamento [una scusa] che non regge **2** rigido e dolorante: **a l. back**, una schiena rigida e dolorante **3** (slang) goffo; imbranato; incapace; inetto; rozzo **4** (slang USA) fesso; idiota; stupido ● (collett.) **the l.**, gli zoppi □ (fig.) **l. duck**, cosa inservibile (o gravemente danneggiata) (per es., una nave senza timone); fiasco, fallimento; (fin.) operatore di borsa dichiarato insolvente; (econ.) industria improduttiva, azienda che traballa; (polit. USA) presidente (o senatore, governo ecc.) non rieletto ma ancora in carica, anatra zoppa (fig.) □ **a l. man**, uno zoppo □ (di cavallo, ecc.) **to go l.**, azzopparsi.

to **lame** /leɪm/ v. t. **1** azzoppare **2** storpiare **3** (fig.) frustrare; rendere inefficace, debole.

lamé /'lɑːmeɪ, 'læ-, USA -'meɪ/ (franc.) a. e n. (moda) lamé.

lamebrain /'leɪmbreɪn/, **lamebrained** /'leɪmbreɪnd/ a. (slang USA) stupido; scemo; imbranato (pop.).

lamella /ləˈmelə/ (scient.) n. (pl. **lamellae**, **lamellas**) lamella ‖ **lamellar**, **lamellate**, **lamellated** a. lamellare; lamellato ‖ **lamelliform** a. lamelliforme.

lamellibranch /ləˈmelɪˌbræŋk/ n. pl. (zool.) lamellibranchio (al pl., scient., **Lamellibranchia**).

lamely /'leɪmlɪ/ avv. **1** zoppicando; zoppiconi **2** (fig.) debolmente; malamente.

lameness /'leɪmnəs/ n. ⬚ **1** l'essere zoppo; zoppia; zoppaggine (raro) **2** (fig.) debolezza; difettosità; imperfezione.

lament /ləˈment/ n. lamento; pianto: **a funeral l.**, un lamento funebre.

to **lament** /ləˈment/ v. t. e i. lamentare; piangere; compiangere; deplorare; dolersi di: **to l. (over) the loss of a loved one** (o **to l. for a loved one**), piangere la perdita (o dolersi della morte) d'una persona amata.

lamentable /'læməntəbl, ləˈmen-/ a. **1** lacrimevole; doloroso; da rimpiangere: **l. fate**, lacrimevole sorte; **the l. loss of a friend**, la dolorosa perdita di un amico **2** deplorevole; deprecabile; mediocre; cattivo; pessimo: **a l. show**, un pessimo spettacolo ‖ **-bly** avv.

lamentation /læmənˈteɪʃn/ n. ⬚ lamentazione; lamento; querimonia; lagnanza.

lamented /ləˈmentɪd/ a. compianto; rimpianto: **our l. friend**, il nostro compianto amico ● **the late lamented Mr J. Brown**, il compianto Sig. J. Brown.

lamer /'leɪmə(r)/ n. (comput.) lamer (aspirante pirata informatico dalle conoscenze limitate).

lamia /'leɪmɪə/ n. (pl. **lamias**, **lamiae**) (mitol.) lamia **2** (per estens.) strega.

lamina /'læmɪnə/ n. (pl. **laminae**, **laminas**) (scient.) lamina.

laminar /'læmɪnə(r)/ a. (scient.) laminare; lamellare: **l. layer**, strato laminare.

laminate ① /'læmɪnət/ → **laminar**.

laminate ② /'læmɪnət/ n. (tecn.) laminato (spec. plastico o di legno).

to **laminate** /'læmɪneɪt/ v. t. **1** (spec. metall.) laminare **2** rivestire di lamine **3** ridurre in lamine (o lamelle).

laminated /'læmɪneɪtɪd/ a. laminato ● **l. boxboard**, cartoncino accoppiato □ **l. plastics**, laminati plastici □ **l. wood**, laminato di legno.

lamination /læmɪˈneɪʃn/ n. **1** ⬚ (anche metall.) laminazione; laminatura **2** ⬚ (geol.) laminazione **3** lamina; strato laminato.

laminboard /'læmɪnbɔːd/ n. ⬚ (tecn.) paniforte; pannello laminato.

laminectomy /læmɪˈnektəmɪ/ n. ⬚ (med.) laminectomia.

laminitis /læmɪˈnaɪtɪs/ n. ⬚ (vet.) podoflemmatite; laminite.

laminotomy /læmɪˈnɒtəmɪ/ n. (med.) laminotomia.

Lammas /'læməs/ n. (relig. cattolica) (il) primo d'agosto (un tempo, festa della mietitura anche in Inghil.).

lammergeier, **lammergeyer** /'læməgaɪə(r)/ n. (zool., Gypaetus barbatus) gipeto; avvoltoio degli agnelli.

lamming /'læmɪŋ/ n. ⬚ (slang) violento attacco (anche a parole); botte; percosse; sberle (pop.).

♦**lamp** /læmp/ n. **1** lampada; lampadina; lanterna; lucerna; lampione; fanale; (fig.) lume, lampa (poet.): **electric l.**, lampada elettrica; **spirit l.**, lampada a spirito; **street-l.**, lampione; fanale; **table l.**, lampada da tavolo; **oil l.**, lume a petrolio; **bicycle l.**, fanale da bicicletta; (un tempo) **gas l.**, lampione a gas; **arc l.**, lampada ad arco; **safety l.**, lampada di sicurezza (nelle miniere) **2** (autom.) faro; proiettore **3** (pl.) (slang USA) occhi ● **l.-holder**, portalampada □ **l. oil**, olio per lampade; petrolio; cherosene □ (ind. min.) **l. room**, lampisteria □ **l. standard**, palo della luce □ (fig.) **to pass** (o **to hand**) **on the l.**, portare innanzi e passare ad altrui la fiaccola del sapere; fare la propria parte in favore del progresso (o di una causa) □ (di stile) **to smell of the l.**, essere pedantesco (o libresco); sapere di lucerna.

to **lamp** /læmp/ **A** v. i. (poet.) splendere; risplendere **B** v. t. **1** (poet.) illuminare **2** (slang USA) guardare; squadrare **3** fornire di lampade (o di lampioni).

lampas ① /'læmpəz/ n. ⬚ (vet.) lampasco.

lampas ② /'læmpəs/ n. ⬚ (ind. tess.) lampasso.

lampblack /'læmpblæk/ n. ⬚ nerofumo (di lampada).

lampern /'læmpən/ n. (zool., Lampetra fluviatilis) lampreda di fiume.

lamplight /'læmplaɪt/ n. lume di lampada (o di lampione); luce artificiale.

lamplighter /'læmplaɪtə(r)/ n. (un tempo) lampionaio.

lampoon /læmˈpuːn/ n. libello satirico; satira; pasquinata.

to **lampoon** /læmˈpuːn/ v. t. satireggiare; scrivere satire contro (q.).

lampooner /læmˈpuːnə(r)/, **lampoonist** /læmˈpuːnɪst/ n. scrittore di libelli satirici; libellista.

lamppost /'læmppəʊst/ n. palo di lampione.

lamprey /'læmprɪ/ n. (zool., Petromyzon; = **l. eel**) lampreda.

lampshade /'læmpʃeɪd/ n. paralume.

lampstand /'læmpstænd/ n. base di lampada.

LAN /læn/ sigla (comput., **local area network**) rete locale ● **LAN party**, 'LAN party' (festa alla quale si gioca contro gli altri invitati a videogiochi).

Lancastrian /læŋˈkæstrɪən/ a. e n. **1** (stor.) lancastriano (della Casa di Lancaster) **2** (geogr.) (abitante o nativo) di Lancaster (o del Lancashire).

lance /lɑːns/ n. **1** (mil., stor.) lancia **2** (mil., stor.) lanciere **3** arpione (da pesca) **4** (med.) lancetta; bisturi **5** (= **oxygen l.**) lancia termica ● (mil.) **l. corporal**, (gergo **l.-jack**), appuntato; caporale onorario □ (zool.) **l.-fish** (Ammodytes), ammodite □ (mil.) **l. sergeant**, caporale che fa funzione di sergente □ (fig.) **to break a l. with sb.**, entrare in polemica con q.

to **lance** /lɑːns/ v. t. **1** trafiggere con una lancia **2** (med.) incidere con la lancetta **3** (poet.) lanciare; scagliare.

lancelet /'lɑːnslət/ n. (zool., Branchiostoma) anfiosso; lancetta.

Lancelot /'lɑːnslət/ n. (letter.) Lancillotto.

lanceolate /'lɑːnsɪələt/ a. (bot.) lanceolato.

lancer /'lɑːnsə(r)/ n. **1** (mil.) lanciere **2** (pl.) i lancieri (specie di quadriglia).

lancet /'lɑːnsɪt/ n. (med.) lancetta; bisturi ● (archit.) **l. arch**, arco gotico (o a sesto acuto) □ (archit.) **l. window**, finestra ogivale; ogiva ‖ **lanceted** a. (archit.) che ha archi (o finestre) ogivali.

lancinating /'lɑːnsɪneɪtɪŋ/ a. (med.) lancinante: **a l. pain**, un dolore lancinante.

Lancs /læŋks/ abbr. (**Lancashire**) la Contea di Lancaster.

♦**land** /lænd/ **A** n. **1** ⬚ terra; terraferma; terreno; paese; patria; suolo; contrada; regione: **to travel by l.**, viaggiare per via di terra; **to travel over l. and sea**, viaggiare per terra e per mare; **rich l.**, terreno ricco (o fertile); **to emigrate to a remote l.**, emigrare in un paese lontano; **one's native l.**, la terra natale; la patria; **the Promised L.** (o **the L. of Promise**), la Terra Promessa; **good wheat l.**, suolo adatto alla coltivazione del grano; **to work the l.**, lavorare la terra; **the l. of dreams**, il paese dei sogni **2** fondo; podere; tenuta **3** (pl.) terreni; proprietà terriera **4** ⬚ (elettron.) area (o anello) terminale **5** ⬚ (mecc.) pieno (della rigatura della canna d'un fucile, ecc.) **6** (di disco fonografico) intersolco **7** (mecc.) dorso (d'arnese da taglio) **B** a. attr. **1** terrestre; di terra: **l. animals**, animali terrestri **2** (econ.) agrario; fondiario; immobiliare: **l. rent**, rendita fondiaria **3** dei terreni: **l. prices**, i prezzi dei terreni ● **l. agency**, lavoro di fattore; mansione di mediatore di terreni; agenzia immobiliare □ **l. agent**, fattore (agricolo); mediatore di terreni; agente immobiliare □ (arte) **l. art**, arte ambientale; land art □ **l. bank**, banca di credito agricolo □ **l. breeze**, brezza di terra □ (geol.) **l. bridge**, ponte continentale □ **l. broker**, mediatore di terreni □ **l. carriage**, trasporto per via di terra □ **l. certificate**, certificato catastale □ **L. Charges Register**, Registro delle Ipoteche Immobiliari (banca) □ **l. credit**, credito fondiario □ (mil.) **l. forces**, forza di terra; esercito □ **l. hunger**, «fame» (o desiderio sfrenato) di terra □ **l. improvement**, miglioria fondiaria □ **l.-jobber**, speculatore di beni immobili □ **l. laws**, leggi terriere □ (geogr.) **l. mass**, terra emersa; continente □ (mil.) **l. mine**, mina terrestre □ **l. office**, ufficio del catasto □ (fam. USA) **l.-office business**, attività commerciale che va a gonfie vele; affari d'oro □ (agric.) **l. out of crop**, maggese □ **l. pollution**, inquinamento del suolo □ **l. rail** → **corncrake** □ **l. reclamation**, bonifica agraria □ **l. reform**, riforma agraria (o fondiaria) □ **L. Registrar** [**Registry**], Conservatore [Conservatoria] dei Registri Immobiliari □ (agric.) **l. re-parcelling**, ricomposi-

zione fondiaria □ (*trasp.*) **l. route**, via di terra □ **l. steward**, fattore agricolo □ **l. survey**, rilevamento del terreno □ **l. surveying**, agrimensura □ **l. surveyor**, agrimensore □ (*fisc.*) **l. tax**, imposta fondiaria □ (*ind. costr.*) **l. tie**, catena di ancoraggio (*per sostenere un muro*) □ (*mil.*) **l.-to-l.** terra-terra: **a l.-to-l. missile**, un missile terra-terra □ (*agric.*) **l. under crop**, terreno coltivato; coltivo □ (*naut.*) **to come to** (*o* **to reach, to make**) **l.**, toccare terra, approdare □ **to go back to the l.**, tornare alla terra (*o* a lavorare la terra) □ (*scherz.*) **to be in the l. of the living**, essere ancora in vita □ (*fig.*) **to see how the l. lies**, vedere come stanno le cose; studiare la situazione □ **to work** (**on**) **the l.**, lavorare la terra; fare il contadino.

♦**to land** /lænd/ **A** v. t. **1** (*naut., aeron.*) sbarcare; scaricare: **to l. passengers and goods**, sbarcare passeggeri e scaricare merci; (*mil.*) **to l. troops**, sbarcare truppe **2** portare (*a destinazione*): *This train will l. you in Rome*, questo treno ti porterà a Roma **3** gettare; far finire: *The fight landed them both in jail*, la rissa li fece finire tutti e due in carcere **4** (*aeron.*) portare a terra; far atterrare (*un aereo*); far ammarare (*un idrovolante*); (*naut.*) portare a riva, far approdare (*una barca, una nave*) **5** tirare a riva: *I couldn't l. the fish I had hooked*, non riuscii a tirare a riva il pesce che avevo preso all'amo **6** (*fam.*) acchiappare; prendere al laccio (*come marito, ecc.*); assicurarsi; riuscire a procurarsi: *He landed a good job*, riuscì ad assicurarsi un buon lavoro **7** (*fam.*) dare, assestare (*un colpo*); mettere a segno, piazzare (*un pugno*): **to l. a punch**, dare un pugno; **to l. shots**, piazzare colpi **8** (*fam.*) prendere, ottenere, vincere; (*sport*) **to l. the championship**, vincere il campionato **9** (*fam.*) affibbiare; sbolognare (*fam.*); scaricare (*fig.*): *She's been landed with the grandchildren*, le hanno sbolognato i nipotini **B** v. i. **1** (*naut.*) sbarcare; approdare; toccare terra: *We landed at Aden*, sbarcammo ad Aden **2** scendere (*da un veicolo*); arrivare (*a destinazione*) **3** (*aeron.*) atterrare; toccare terra; *I can get you on the 20.30 flight, but that lands at Heathrow*, posso metterla sul volo delle 20:30 ma questo atterra a Heathrow **4** (*aeron.: d'idrovolante*) ammarare **5** (*miss.: di veicolo spaziale*) allunare **6** (*di gocce, bombe, ecc.*) cadere **7** (*fig.*) cadere (*bene, male, ecc.*): **to l. on one's feet**, cadere in piedi **8** (*sport*) (*della palla*) toccare terra, cadere; (*di un saltatore, un pattinatore, un ginnasta*) atterrare; (*boxe, scherma: di un colpo*) arrivare, andare a segno; (*canottaggio*) attraccare ● (*fam. USA*) **to l. on sb.**, criticare, dare addosso a q. □ (*aeron.*) **to l. on water**, ammarare □ **to l. a plane on water**, fare ammarare un aereo □ (*fam.*) **to l. up**, (andare a) finire; capitare: *I landed up in a fishermen's village*, capitai in un villaggio di pescatori □ **to be landed in a real mess**, trovarsi nei guai fino al collo.

landau /'lændɔ:/ n. landau; landò.

landed /'lændɪd/ a. **1** terriero; agricolo; fondiario: **l. property** (*o* **estate**), proprietà fondiaria; beni fondiari; **a l. proprietor**, un proprietario terriero **2** (*naut.*) sbarcato: **newly l.**, appena sbarcato ● (*econ.*) **l. interests**, interessi agrari □ (*naut.*) **l. terms**, franco di spese allo sbarco.

lander /'lændə(r)/ n. **1** (*ind. min.*) addetto al carico e allo scarico **2** (*aeron., miss.*) veicolo per l'atterraggio (*soffice: sulla luna, ecc.*).

landfall /'lændfɔ:l/ n. **1** (*naut.*) (primo) approdo (*durante un viaggio*) **2** (*fig.*) avvistamento della terra; terra in vista **3** (*geol.*) frana; smottamento **4** insperata eredità immobiliare.

landfill /'lændfɪl/ n. **1** (*ind. costr.*) interramento **2** U scarico di rifiuti solidi **3** rifiuti solidi scaricati **4** discarica pubblica (*il luogo*).

landform /'lændfɔ:m/ n. (*geogr.*) morfologia terrestre; forma del suolo.

landgrave /'lændgreɪv/ (*stor.*) n. langravio ‖ **landgraviate** n. UC langraviato.

landgravine /'lændgrəvi:n/ n. (*stor.*) moglie di langravio.

landholder /'lændhəʊldə(r)/ n. **1** proprietario terriero; possidente **2** affittuario; fittavolo.

landing /'lændɪŋ/ n. **1** CU (*naut.*) sbarco; approdo **2** CU (*mil.*) sbarco **3** CU (*aeron.*) atterraggio (*d'aereo*); (*d'idrovolante*) ammaraggio: **l. field**, pista d'atterraggio; campo d'aviazione **4** (*edil.*) pianerottolo; ballatoio **5** (*salto con gli sci*) atterraggio: **l. hill**, pista d'atterraggio **6** (*lotta*) caduta (a terra) **7** (*miss., = moon* l.) atterraggio ● **l. area**, (*aeron., miss.*) zona di atterraggio; (*mil.*) zona di sbarco □ (*naut.*) **l. craft**, mezzo da sbarco; motozattera □ (*aeron.*) **l. flap**, ipersostentatore □ (*mil.*) **l. force**, truppe da sbarco □ (*aeron.*) **l. gear**, (*aeron.*) carrello (di atterraggio); (*trasp.*) zampa d'appoggio (*del rimorchio di un autoarticolato*) □ (*pesca*) **l. net**, bertovello; retino (*con manico*) □ (*dog.*) **l. officer**, funzionario di dogana □ (*mil.*) **l. party**, compagnia da sbarco □ **l. place**, (*naut.*) approdo; banchina, calata, molo; (*aeron.*) scalo □ (*aeron.*) **l. rope**, malloppo (*cavo d'ormeggio per dirigibili*) □ (*aeron.*) **l. run**, corsa d'atterraggio □ **l. stage**, pontile da sbarco; imbarcadero; sbarcatoio □ (*naut.*) **l. steps**, scalandrone; scala d'approdo □ (*aeron.*) **l. strip**, pista d'atterraggio □ (*aeron., miss.*) **l. vehicle** → **lander**, def. 2.

landlady /'lænleɪdɪ/ n. **1** padrona di casa; proprietaria (*d'appartamento, ecc., dato in affitto*); locatrice **2** padrona, proprietaria (*d'albergo, pensione, ecc.*); albergatrice; locandiera; affittacamere **3** proprietaria di terreni (*dati in affitto*).

landless /'lændləs/ a. privo di terra; senza beni immobili | **-ness** n. U.

landline /'lændlaɪn/ n. (*telef.*) connessione fissa: **l. phone**, telefono fisso.

landlocked /'lændlɒkt/ a. **1** (*geogr.*) (*di un mare*) chiuso (*o* circondato) da terre emerse **2** (*polit.*) (*di un paese*) senza sbocco al mare.

♦**landlord** /'lænlɔ:d/ n. **1** padrone di casa; proprietario (*d'appartamento, ecc., dato in affitto*); (*leg.*) locatore **2** padrone, proprietario (*di albergo, pensione, ecc.*); albergatore; locandiere **3** proprietario di terreni (*dati in affitto*); possidente terriero **4** gestore (*o* proprietario) di un pub ● (*leg.*) **l. and tenant**, diritto relativo alle locazioni immobiliari □ (*agric., leg.*) **code of l.-tenant relations**, codice dei rapporti concedente-affittuario (*in USA; cfr. ital. «patti agrari»*).

landlordism /'lændlɔ:dɪzəm/ n. U (*econ.*) la grande proprietà terriera; il (sistema del) latifondo.

landlubber /'lændlʌbə(r)/ n. (*gergo naut., spreg.*) chi non è avvezzo alla vita di mare; «marinaio d'acqua dolce»; «terraiolo».

landmark /'lændmɑ:k/ n. **1** pietra confinaria; segno di confine **2** (*fig.*) pietra miliare; evento epocale, che lascia un segno; svolta cruciale: **a l. in the history of aviation**, una pietra miliare nella storia dell'aviazione; **a l. treaty**, un trattato che rappresenta una pietra miliare **3** (*di elemento del paesaggio, edificio, ecc.*) punto di riferimento: *You can use the steeple as a l.*, come punto di riferimento puoi usare il campanile **4** (*naut.*) meda.

landmass /'lændmæs/ n. UC (*geogr.*) terra emersa; continente.

landowner /'lændəʊnə(r)/ n. proprietario terriero; possidente ‖ **landowning** **A** n. U possesso di terreni; proprietà terriera **B** a. che possiede terreni; terriero: **the landowning nobility**, la nobiltà terriera.

Landrover® /'lændrəʊvə(r)/ n. Land Rover; fuoristrada (*automobile*).

♦**landscape** /'lænskeɪp/ **A** n. **1** paesaggio; panorama: **conservation of the l.**, difesa del paesaggio **2** (*geogr.*) morfologia del terreno **3** (*arte*) paesaggio: **to paint a l.**, dipingere un paesaggio **4** (*fig.*) scenario; panorama: **the political l.**, lo scenario politico **5** (*comput.*) orientamento orizzontale (*del foglio di stampa*) **B** a. attr. paesaggistico ● **l. architect**, architetto di giardini; paesaggista □ **l. engineer**, tecnico del paesaggio □ **l. gardener = l. architect** → sopra □ **l. gardening**, architettura di giardini; paesaggistica □ **l. painter**, paesista; pittore di paesaggi; paesaggista □ (*pitt.*) **l. painting**, paesaggismo; paesaggistica.

to landscape /'lændskeɪp/ **A** v. t. **1** abbellire (*un'area*) con interventi di paesaggistica; trasformare in giardino o parco **2** inserire (*un edificio, ecc.*) in un contesto verde **B** v. i. essere un architetto del verde; svolgere attività di paesaggistica ‖ **landscaping** n. U architettura del verde; paesaggistica; progettazione di giardini.

landscapist /'lænskeɪpɪst/ n. (*arte*) paesista; paesaggista.

landside /'lændsaɪd/ n. **1** (*aeron.*) zona aeroportuale lontana dagli aerei **2** (*agric.*) tallone (*dell'aratro*).

landslide /'lændslaɪd/ n. **1** frana; smottamento **2** (*fig., polit.*) schiacciante vittoria elettorale; trionfo elettorale: **a Labour l.**, una schiacciante vittoria dei laburisti; **to win by a l.**, ottenere una vittoria schiacciante.

landslip /'lændslɪp/ n. piccola frana; smottamento.

landsman① /'lændzmən/ n. (pl. **landsmen**) **1** uomo della terraferma **2** marinaio inesperto; «marinaio d'acqua dolce».

landsman② /'lændzmən/ n. (pl. **landsmen**) (*fam. USA*) compaesano; compatriota (*dallo yiddish*).

landward /'lændwəd/ **A** a. verso terra; verso l'interno: **on the l. side**, sul lato verso terra; **to look l.**, guardare verso terra **B** avv. → **landwards**.

landwards /'lændwədz/ avv. verso terra; verso l'interno (*d'un paese*).

♦**lane** /leɪn/ n. **1** viottolo; viuzza; vicolo; stradetta; stradicciola **2** (*aeron., autom., sport*) corsia: (*autom.*) «*Get in l.!*» (*cartello*), «mettersi in corsia»; **a six-l. motorway**, un'autostrada a sei corsie; **landing l.**, corsia d'atterraggio; (*atletica*) *He's running in l. two*, corre in seconda corsia **3** (*naut., aeron.*) canale **4** (*canottaggio*) corsia, acqua: **l. one**, acqua uno ● **the L.**, (il teatro di) Drury Lane (*a Londra*) □ (*autom.*) **l. closures**, chiusure di corsie (*in autostrada*) □ **to be in the fast l.**, (*autom.*) essere nella corsia di sorpasso; (*fig.*) andare forte, darci sotto, darsi da fare □ **to make a l. for sb.**, fare ala al passaggio di q. □ (*prov.*) **It is a long l. that has no turning**, niente dura in eterno; l'ora buona arriva per chi sa aspettare.

langlauf /'lænlauf/ (*ted.*), (*sport*) n. sci di fondo.

lang syne, **langsyne** /læŋ'saɪn/ (*scozz.*) **A** avv. molto tempo fa; un tempo; una volta **B** n. i tempi antichi; il bel tempo andato.

♦**language** /'læŋgwɪdʒ/ n. **1** UC lingua; linguaggio; idioma: **foreign languages**, lingue straniere; **technical l.**, linguaggio tecnico; **the l. of poetry**, il linguaggio poetico; **dead languages**, lingue morte; *'Languages are the pedigree of nations'* S. JOHNSON, 'le lingue sono il pedigree delle nazioni'; *I'm no*

a b c d e f g h i j k l m n o p q r s t u v w x y z

good at languages, non sono portato per le lingue **2** Ⓤ favella; parola; capacità di parlare: *Animals do not possess l.*, gli animali non possiedono la favella **3** Ⓤ *(comput.)* linguaggio: **programming l.**, linguaggio di programmazione; **low level l.**, linguaggio di basso livello **4** formule (pl.); espressioni (pl.); formulazioni (pl.) ● **l. laboratory** (*o* **lab**), laboratorio linguistico □ **l. pedagogy**, glottodidattica □ **l. pollution**, imbastardimento della lingua □ **l. skills**, le facoltà della parola □ *(comput.)* **l. translator**, programma traduttore □ **bad l.**, linguaggio scorretto (*o* sboccato) □ **in anybody's l.**, per chiunque; sotto tutti i punti di vista □ *(fig.)* **to speak the same l.**, parlare lo stesso linguaggio □ **strong l.**, linguaggio violento (*o* volgare) □ **to use bad l.**, usare un linguaggio volgare (*o* da trivio).

langue /lɒŋg/ *(franc.)* n. *(ling.)* langue *(franc.)*; lingua.

languid /'læŋgwɪd/ a. **1** languido; languente; debole; fiacco; smorto; snervato; spossato **2** apatico; indifferente | **-ly** avv. | **-ness** n. Ⓤ.

to languish /'læŋgwɪʃ/ v. i. **1** languire; venir meno; infiacchirsi; struggersi: **to l. in poverty** [**prison**], languire nella miseria [in prigione]; **to l. for sb.** [**st.**], struggersi per q. [qc.] **2** assumere un'aria languida.

languishing /'læŋgwɪʃɪŋ/ a. **1** languente **2** languido; fiacco; sentimentale; svenevole: **l. eyes**, occhi languidi | **-ly** avv.

languor /'læŋgə(r)/ n. Ⓤ **1** languore; languidezza; fiacchezza; spossatezza **2** apatia; torpore; disinteresse; indifferenza **3** calma; immobilità *(dell'aria, ecc.)*.

languorous /'læŋgərəs/ a. **1** languido; svenevole **2** che dà languore | **-ly** avv.

langur /lʌŋ'gʊə(r)/ n. *(zool., Pithecus entellus)* entello.

laniary /'leɪnɪərɪ/ a. e n. *(anat.)* (dente) canino.

laniferous /leɪ'nɪfərəs/, **lanigerous** /leɪ-'nɪdʒərəs/ a. *(anche biol.)* lanoso; lanuto; lanigero *(lett.)*.

lank /læŋk/ a. **1** allampanato; macilento; scarno; smilzo; sparuto **2** *(d'erba)* alta e floscia **3** *(di capello)* liscio e floscio.

lanky /'læŋkɪ/ a. allampanato; smilzo; dinoccolato; segaligno: **a l. boy**, un ragazzo allampanato; **l. legs**, gambe smilze || **lankiness** n. Ⓤ **1** esilità; magrezza; l'essere smilzo *(di capelli)* l'essere liscio (*o* floscio).

lanner /'lænə(r)/, **lanneret** /'lænərət/ n. *(zool., Falco biarmicus feldeggi)* lanario.

lanolin /'lænəlɪn/ n. Ⓤ *(chim., farm.)* lanolina.

lansquenet /'lɑːnskənet/ n. **1** *(stor.)* lanzichenecco **2** Ⓤ zecchinetta *(gioco di carte)*.

lantern /'læntən/ n. lanterna *(in ogni senso)*; fanale; faro; *(archit.)* lucernaio: **dark l.**, lanterna cieca; **magic l.**, lanterna magica *(proiettore)* ● *(zool.)* **l. fish**, pesce lanterna □ *(zool.)* **l. fly** *(Fulgora)*, lanternaria; fulgora □ **l.-jawed**, macilento; scarno □ **l. jaws**, mascelle affilate; guance infossate.

lanthanide /'lænθənaɪd/ n. *(chim.)* lantanide.

lanthanum /'lænθənəm/ n. Ⓤ *(chim.)* lantanio.

lanugo /lə'njuːgəʊ/ n. (pl. **lanugos**) *(anat.)* lanugine.

lanyard /'lænjəd/ n. **1** *(naut.)* sagola; segoletta; corridoro **2** cordone, cordoncino *(portato al collo dai marinai, che vi appendono un fischietto o un coltello)* **3** *(mil. stor.)* cordino *(per cannone)*.

Laocoon /leɪ'ɒkəʊɒn/ n. *(mitol.)* Laocoonte.

Laotian /leɪ'əʊʃn/ Ⓐ a. laotiano Ⓑ n. **1** laotiano **2** Ⓤ laotiano *(la lingua)*.

●**lap** ① /læp/ n. **1** grembo: **to sit on sb.'s lap**, stare in grembo a q. **2** lembo; falda; risvolto: **the lap of a skirt**, il lembo d'una gonna **3** *(sport)* giro *(di pista)*; *(ciclismo)* tappa; frazione: **lap of honour**, giro d'onore **4** avvolgimento; giro *(di corda, ecc.)* **5** *(ind. tess.)* falda, tela *(d'ovatta, cotone, ecc.)* **6** *(edil., metall.)* sovrapposizione **7** *(tecn.)* abrasivo per lappatura **8** *(tecn.)* disco (*o* piattello) per lappare ● *(autom., USA)* **lap belt**, cintura (di sicurezza) addominale □ *(sport)* **lap counter**, *(nelle corse)* misuratore dei giri compiuti □ **lap dance**, lap dance *(tipo di danza erotica eseguita da ballerine seminude)* □ *(cinem., TV)* **lap dissolve**, dissolvenza incrociata □ *(mecc.)* **lap joint**, giunto a sovrapposizione □ *(ind. tess.)* **lap machine**, avvolgitore □ *(anat.)* **the lap of the ear**, il lobo dell'orecchio □ *(USA)* **lap robe**, plaid; coperta da viaggio □ *(ind. tess.)* **lap roll**, rullo avvolgitore □ **lap-top** → **laptop** □ *(mecc.)* **lap-welding**, saldatura a sovrapposizione ● **half lap** = **lap joint** → *sopra* □ **to be** (*o* **to sit**) **in Fortune's lap**, essere il beniamino della fortuna □ **to be in the lap of the gods**, essere in grembo a Giove; essere nelle mani di Dio □ *(fig.)* **to be in the lap of luxury**, vivere nel lusso *(o sport e fig.)* □ **to be on the last lap**, essere all'ultimo giro.

lap ② /læp/ n. **1** il lappare; leccata: *The cat drank the milk in a few laps*, il gatto bevve il latte in poche leccate **2** broda, pappa *(per cani o gatti)* **3** *(d'acqua)* sciabordio: **the lap of the waves**, lo sciabordio delle onde.

to lap ① /læp/ Ⓐ v. t. **1** *(lett.)* avvolgere; avviluppare; piegare; ripiegare **2** tenere in grembo; coccolare; vezzeggiare **3** sovrapporre (parzialmente); fare sporgere: *The second board must lap (over) the first*, parte della seconda asse deve essere sovrapposta alla prima (*o* sporgere rispetto alla prima) **4** *(tecn.)* lappare, lapidare *(gemme, vetri)* **5** *(sport)* doppiare: *He has just lapped two rivals*, ha appena doppiato due avversari Ⓑ v. i. **1** essere piegato; rientrare: *Rough edges must lap under*, i margini grezzi devono rientrare **2 – to lap over**, essere parzialmente sovrapposto a; coprire in parte; sporgere **3** estendersi, andare oltre un limite *(nello spazio e nel tempo)* **4** *(falegn., mecc.)* fare giunti a sovrapposizione **5** *(sport)* fare un giro di pista; girare: *She lapped in under two minutes*, ha girato in meno di due minuti ● **to lap one's arm in a bandage**, bendarsi un braccio □ *(fig.)* **to be lapped in luxury**, vivere nel lusso.

to lap ② /læp/ v. t. e i. **1** leccare *(per bere)*; lappare; bere (*o* mangiare) avidamente; papparsi; ingollare: *The dog lapped (up) the broth*, il cane lappò il brodo; **to lap up** (*o* **down**) **a plate of soup**, papparsi un piatto di zuppa **2** *(d'acqua)* lambire; sciabordare: *The waves were lapping at our feet*, le onde lambivano i nostri piedi ● **to lap up sb.'s praise**, bearsi degli elogi di q.

laparoscopy /læpə'rɒskəpɪ/ *(med.)* n. Ⓤ laparoscopia || **laparoscope** n. laparoscopio.

laparotomy /læpə'rɒtəmɪ/ n. ⓊⒸ *(med.)* laparatomia.

lapdog /'læpdɒg/ n. **1** cagnolino di lusso (*o* da salotto) **2** *(fig. spreg.)* tirapiedi; leccapiedi.

lapel /lə'pel/ *(di giacca, ecc.)* n. risvolto, mostra, revers || **lapelled** a. con risvolti.

lapful /'læpfʊl/ n. grembiulata; quanto sta in un grembiule ripiegato.

lapidary /'læpɪdərɪ/ Ⓐ a. **1** lapidario *(anche fig.)*; *(fig.)* nitido, preciso, incisivo: **l. style**, stile lapidario **2** relativo alle gemme Ⓑ n. **1** lapidario; faccettatore di gemme **2** Ⓤ lapidaria *(arte del faccettare gemme)*.

to lapidate /'læpɪdeɪt/ v. t. lapidare || **lapidation** n. Ⓤ Ⓒ lapidazione || **lapidator** n. la-

pidatore.

lapillus /lə'pɪləs/ *(lat.)* n. (pl. **lapilli**) *(geol.)* lapillo *(di un vulcano)*.

lapis lazuli /læpɪs'læzjʊli/ n. Ⓤ *(miner.)* lapislazzuli.

Lapland /'læplænd/ n. *(geogr.)* Lapponia || **Laplander** n. lappone.

Lapp /læp/ a. e n. lappone *(anche la lingua)* ● **NOTA D'USO** • *Per indicare questo popolo è spesso preferito* **Sami**.

lapper /'læpə(r)/ n. *(tecn.)* **1** lappatore; lapidatore **2** lappatrice, lapidatrice *(macchina)*.

lappet /'læpɪt/ n. **1** falda; lembo; risvolto **2** *(zool.)* lobo dell'orecchio; bargiglio *(di uccello)* **3** pappagorgia **4** copritoppa *(dischetto metallico)* **5** *(ind. tess.)* telaio da ricamo.

lapping /'læpɪŋ/ n. Ⓤ **1** *(tecn.)* lappatura; lapidatura; finitura a specchio **2** *(elettron.)* lappatura.

Lappish /'læpɪʃ/ Ⓐ a. lappone Ⓑ n. Ⓤ lappone *(la lingua)*.

lapse /læps/ n. **1** errore; sbaglio; vuoto; caduta *(fig.)*; dimenticanza; perdita; errore involontario (di penna, di lingua (cfr. ital. «lapsus calami», «lapsus linguae»): **a l. of memory** (*o* **a memory l.**), un vuoto di memoria; una dimenticanza; **a l. from dignity**, una perdita di dignità **2** Ⓤ decadenza; decadimento; abbandono **3** il trascorrere; decorso; intervallo; periodo; lasso: **a considerable l. of time**, un lungo periodo di tempo **4** Ⓤ *(leg.)* cessazione; estinzione; decadenza; prescrizione: **the l. of a right**, la decadenza di un diritto **5** Ⓤ *(ass.)* cessazione di copertura ● **l. of duty**, inosservanza dei propri doveri □ *(leg.)* **the l. of an offer**, la decadenza di un'offerta □ *(meteor.)* **l. rate**, gradiente termico.

to lapse /læps/ v. i. **1** cadere; scivolare; ricadere *(in un vizio, ecc.)*: **to l. into oblivion**, cadere nell'oblio **2** *(leg.)* passare: *The inheritance lapsed to a nephew*, l'eredità passò a un nipote **3** *(del tempo)* passare; trascorrere **4** *(leg.)* decadere; cadere in prescrizione: *Privileges and rights may l.*, i privilegi e i diritti possono cadere in prescrizione **5** *(ass.)* scadere; perdere validità **6** *(relig.)* cadere nell'apostasia; ripudiare la propria fede ● **to l. back into poverty**, ricadere nella povertà ● **to l. into unconsciousness**, perdere coscienza; perdere i sensi.

lapsed /læpst/ a. **1** caduto in disuso; obsoleto **2** *(leg.)* decaduto; caduto in prescrizione; prescritto **3** *(ass.)* scaduto **4** *(relig.)* non osservante; non praticante.

laptop /'læptɒp/ Ⓐ a. attr. *(di un computer, ecc.)* portatile Ⓑ n. computer portatile.

Laputan /lə'pjuːtn/ a. e n. (abitante) di Laputa *(isola immaginaria nei «Gulliver's Travels» di J. Swift)*.

to lap-weld /'læpweld/ v. t. *(tecn.)* saldare a sovrapposizione.

lapwing /'læpwɪŋ/ n. *(zool., Vanellus vanellus)* pavoncella.

lar /lɑː(r)/ n. (pl. **lares**) *(mitol.)* lare: **Lares and Penates**, i Lari e i Penati.

larboard /'lɑːbəd/ Ⓐ n. *(naut., arc.; ora* **port**) babordo; sinistra Ⓑ a. di (*o* a) babordo.

larceny /'lɑːsənɪ/ *(leg.)* n. Ⓤ **1** *(in USA)* furto *(di varia gravità)* **2** *(stor. in GB)* furto semplice *(fino al «Theft Act» del 1968 =* **plain theft** → **plain**) || **larcenist**, **larcener** n. colpevole di furto; ladro.

larch /lɑːtʃ/ n. **1** *(bot., Larix europaea)* larice **2** Ⓤ *(legno di)* larice.

lard /lɑːd/ n. Ⓤ **1** lardo; grasso di maiale; *(spec.)* strutto **2** *(fig.)* lardo, grasso *(di una persona corpulenta)* ● *(slang USA)* **l.-ass**, ciccione; culone; grassone.

to lard /lɑːd/ v. t. lardellare; *(fig.)* infiorare,

infarcire: **to l. a speech with Latin words**, infarcire un discorso di parole latine ● **larding needle** (*o* **larding pin**), lardatoio.

larder /'lɑːdə(r)/ *n.* (*un tempo*) dispensa; stanza (*o* armadio) per le vivande.

lardon /'lɑːdn/, **lardoon** /lɑː'duːn/ *n.* striscia di lardo; lardello.

lardy /'lɑːdɪ/ *a.* **1** simile a lardo; lardaceo **2** lardoso.

lares /'lɛərɪːz/ *pl.* di **lar**.

♦**large** /lɑːdʒ/ **A** *a.* **1** grande; ampio; grosso; esteso; spazioso; vasto; numeroso: **a l. office**, un ufficio spazioso; **a l. flat**, un appartamento grande; **a l. sum of money**, una grossa somma di denaro; **a l. manufacturer**, un grande industriale; **l. companies**, grosse aziende; **l. understanding**, ampia comprensione; **a l. family**, una famiglia numerosa **2** (*lett.*) largo (*fig.*); generoso; munifico; liberale: **l. views**, vedute larghe; **a l. heart**, un cuore generoso **3** (*naut.: del vento*) favorevole **4** (*slang USA*) divertente; entusiasmante; bestiale (*pop.*) **B** *n.* **1** (*mus., stor.*) massima **2** (*slang ingl.*) mille sterline ● **l.-breasted**, dall'ampio seno □ **l. expenditures**, spese ingenti; forti (*o* grandi) spese □ **l.-handed**, generoso; munifico □ **l.-hearted**, magnanimo; generoso □ **l.-heartedness**, magnanimità; generosità □ (*anat.*) **l. intestine**, intestino crasso □ **l.-minded**, di larghe vedute; di mente aperta □ **l.-mindedness**, larghezza di vedute; apertura mentale □ **a l.-print Bible**, una Bibbia a caratteri grandi □ (*stat.*) **l. sampling method**, metodo per grandi campioni □ **l.-scale**, (*di mappa*) in grande scala; (*fig.*) su vasta scala, in grande: (*econ.*) **l.-scale production**, produzione su grande scala □ (*USA*) **a l.-scale corporation**, una grande società per azioni □ **a l.-scale penetration into the market**, una massiccia penetrazione sul mercato □ **l. size**, formato grande; (*d'abito*) taglia forte □ **a l.-type book**, un libro a caratteri grandi □ **as l. as life**, (*pitt.*) a grandezza naturale; (*fig., scherz.*) in persona: *Here he is, as l. as life!*, eccolo in persona! □ **larger than life**, (*di statua, ecc.*) più grande del naturale; (*fig.: di persona, ecc.*) straripante, esuberante □ **at l.**, in libertà (*spec. di criminali*); (*USA: di un ambasciatore, ecc.*) a disposizione (*in attesa di assegnazione a una sede*); diffusamente, curando tutti i particolari; in generale, nell'insieme; a casaccio, a caso: **to be at l.**, essere in libertà; **to talk [to write] at l.**, parlare [scrivere] diffusamente; **people at l.**, la gente in generale □ **by and l.**, in complesso; nell'insieme □ **in l.**, su grande scala; ampiamente □ **on a l. scale**, su vasta scala.
🛈 NOTA: **big, grand, great** *o* **large?** → **big**.

♦**largely** /'lɑːdʒlɪ/ *avv.* **1** ampiamente; in larga misura; in gran parte; prevalentemente **2** largamente; con larghezza; generosamente ● **l. because**, soprattutto perché.

largeness /'lɑːdʒnəs/ *n.* ▢ **1** ampiezza; grandezza; estensione; grossezza **2** larghezza (*fig.*); liberalità; generosità ● **l. of views**, larghezza di vedute.

largesse, **largess** /lɑː'dʒes/ *n.* ▢ (*lett.*) **1** liberalità; generosità; munificenza **2** donazione; elargizione.

largish /'lɑːdʒɪʃ/ *a.* piuttosto grande (*o* grosso, ecc.) (→ **large**).

largo /'lɑːgəʊ/ (*mus.*) **A** *avv.* largo **B** *n.* (*pl.* **largos**) largo.

lariat /'lærɪət/ *n.* (*spec. USA*) **1** corda; pastoia **2** lasso, lazo (*per prendere cavalli*).

lark① /lɑːk/ *n.* **1** (*zool., Alauda arvensis*) allodola **2** (*fig.*) tipo mattiniero; persona che è più attiva al mattino ● (*bot.*) **l.-heel** → **larkspur** □ (*fig.*) **to rise with the l.**, alzarsi di buon'ora; levarsi al canto del gallo □ (*prov.*) **If the sky falls, we shall catch larks**, non tutto il male viene per nuocere.

lark② /lɑːk/ *n.* (*fam.*) **1** burla; gioco; scherzo; birichinata: *I only did it for a l.*, l'ho fatto solo per scherzo **2** spasso; divertimento: *What a l.!*, che spasso!

to **lark** /lɑːk/ **A** *v. i.* divertirsi; scherzare; fare scherzi (*o* birichinate); spassarsela **B** *v. t.* (*fam.*) prendere in giro; motteggiare; farsi beffe di ● **to l. about** (*o* **around**), divertirsi un sacco; fare scherzi da prete (*fam.*).

larkspur /'lɑːkspɜː(r)/ *n.* (*bot., Delphinium*) speronella ● (*bot.*) **common l.** (*Delphinium consolida*), spron di cavaliere.

larky /'lɑːkɪ/ *a.* **1** allegro; gaio **2** birichino; burlone; spensierato.

larrikin /'lærɪkɪn/ *n.* (*slang Austral.*) giovinastro; teppista.

to **larrup** /'lærəp/ *v. t.* (*fam.*) bastonare; percuotere; picchiare.

Larry /'lærɪ/ *n.* dim. di → **Lawrence** ● **as happy as L.**, felice come una Pasqua.

larva /'lɑːvə/ *n.* (*pl.* **larvae**, **larvas**) **1** (*zool.*) larva **2** (*arc.*) larva; fantasma ‖ **larval** *a.* (*zool.*) larvale.

larvicide /'lɑːvɪsaɪd/ *n.* ▢ larvicida ‖ **larvicidal** *a.* larvicida.

larvivorous /lɑː'vɪvərəs/ *a.* larvivoro.

laryngeal /læ'rɪndʒɪəl/, **laryngal** /lə'rɪŋl/ *a.* **1** (*anat.*) laringeo **2** (*fon.*) laringale.

laryngectomy /lærən'dʒektəmɪ/ *n.* ▢ⓒ (*med.*) laringectomia.

laryngitis /lærən'dʒaɪtɪs/ *n.* ▢ (*med.*) laringite.

laryngology /lærɪŋ'gɒlədʒɪ/ (*med.*) *n.* **1** ▢ laringologia **2** laringoiatria ‖ **laryngologist** *n.* laringologo, laringologa.

laryngopharyngitis /lərɪŋgəfærən'dʒaɪtɪs/ *n.* ▢ (*med.*) laringofaringite.

laryngoscope /lə'rɪŋgəskəʊp/ (*med.*) *n.* laringoscopio ‖ **laryngoscopy** *n.* ▢ laringoscopia.

laryngotomy /lærɪŋ'gɒtəmɪ/ *n.* ▢ⓒ (*med.*) laringotomia.

larynx /'lærɪŋks/ *n.* (*pl.* **larynges**, **larynxes**) (*anat.*) laringe.

lasagna /lə'zænjə/, **lasagne** /lə'zænjə/ (*ital.*) *n.* ▢ (*cucina*) lasagne.

lascivious /lə'sɪvɪəs/ *a.* lascivo; impudico; libidinoso | **-ly** *avv.* | **-ness** *n.* ▢.

laser /'leɪzə(r)/ *n.* (*fis., naut.*) laser ● (*ottica*) **l. beam**, raggio laser □ (*fam. USA*) **l.-eyed**, dall'occhio scrutatore; occhiuto; sospettoso □ (*fis. nucl.*) **l. fusion**, fusione laser □ **l. pen**, penna laser □ (*comput.*) **l. printer**, stampante laser □ (*med.*) **l. surgery**, chirurgia con il laser; laserchirurgia.

lash /læʃ/ *n.* **1** (= **whiplash**) sverzino; sferzino **2** frustata; scudisciata; sferzata (*anche fig.*): *The slave received ten lashes*, lo schiavo ricevette dieci frustate **3** (*naut., un tempo*) fustigazione **4** (*fig.*) flagello; furia; sferza: **the l. of the rain**, la sferza della pioggia **5** (*dell'occhio*) (= **eyelash**) ciglio **6** (*fig.*) sarcasmo **7** (*slang Austral.*) prova; tentativo: *Let's have a l. at it!*, proviamoci!

to **lash**① /læʃ/ **A** *v. t.* **1** frustare; scudisciare; sferzare (*anche fig.*); urtare contro: **to l. a horse**, frustare un cavallo; **to l. vices**, sferzare (*o* censurare aspramente) i vizi; *The waves lashed the cliffs*, le onde sferzavano le scogliere **2** aizzare; incitare; far montare (su tutte le furie): *The rebuke lashed him into a fury*, il rimprovero lo fece montare su tutte le furie **3** sferzare, agitare, scuotere (*la coda, ecc.*) **B** *v. i.* **1** agitarsi violentemente; sferzare l'aria: *The cat's tail was lashing about*, la coda del gatto sferzava l'aria **2** dare sferzate; menar frustate (*della pioggia*) ● **to l. down**, cadere a dirotto □ **to l. oneself into a fury**, montare su tutte le furie □ **to l. out**, menar colpi alla cieca (*di cavallo*) sferrare calci (*fam.*) sperperare (*de-*

lark② /lɑːk/ *n.* (*fam.*) ...
naro); fare spese folli; (*anche*) usare parole grosse □ **to l. out at sb.**, scagliarsi contro (*o* picchiare) q.; (*fig.*) inveire contro (*o* sgridare aspramente) q. □ **to l. out at the government**, criticare (*o* attaccare) aspramente il governo.

to **lash**② /læʃ/ *v. t.* (*di solito*, **to l. down**) **1** legare (*o* assicurare) con funi (*il carico, ecc.*) **2** (*naut.*) rizzare (*cose a bordo*); trincare (*vele*).

lasher /'læʃə(r)/ *n.* **1** frustatore; flagellatore; sferzatore **2** pescaia; diga di sbarramento (*d'un fiume*); chiusa **3** pozza d'acqua (*sotto la diga*).

lashing① /'læʃɪŋ/ *n.* **1** frustatura; fustigazione; busse; botte **2** (*fig.*) aspro rimprovero; sgridata **3** (*pl.*) (*fam.*) abbondanza; gran quantità; profusione; mucchio, palate (*fam.*): **lashings of sweets**, dolci a profusione; **lashings of money**, quattrini a palate.

lashing② /'læʃɪŋ/ *n.* **1** ▢ legatura **2** fune; corda **3** (*naut.*) rizza; trinca.

lass /læs/, **lassie** /'læsɪ/ *n.* (*scozz. o poet.*) **1** ragazza; giovane donna **2** innamorata; fidanzata **3** servetta.

lassitude /'læsɪtjuːd/, *USA* -tuːd/ *n.* ▢ (*form.*) stanchezza; apatia; accasciamento.

lasso /læ'suː/, 'læsəʊ/ *n.* (*pl.* **lassos**, **lassoes**) laccio (*per prendere cavalli e bovini*); lasso; lazo.

to **lasso** /læ'suː/, 'læsəʊ/ *v. t.* prendere al laccio (*o* lasso, lazo).

♦**last**① /lɑːst/ **A** *a.* **1** ultimo; estremo; conclusivo; definitivo; finale: **the l. page in a book**, l'ultima pagina d'un libro; **the l. news we received**, le ultime notizie che ricevemmo; **one's l. cent**, l'ultimo centesimo; **one's l. hope**, l'ultima speranza; *That's the l. thing I would do*, è l'ultima cosa che farei; **as I said in my last (letter)**, come dissi nella mia ultima (lettera); *I sold the l. copy this morning*, ho venduto l'ultima copia stamattina **2** scorso; trascorso; passato: **l. week**, la scorsa settimana; **l. Christmas**, lo scorso Natale; **l. year**, l'anno scorso; l'anno passato **3** precedente: *This play is much better than the l. one*, questa commedia è molto meglio di quella precedente **4** (*raro*) estremo; massimo: **a matter of the l. importance**, una cosa della massima importanza **B** *n.* **1** l'ultimo: **the l. of the Tudor House**, l'ultimo (sovrano) della dinastia Tudor; *This is the l. of the cakes*, questa è l'ultima delle torte **2** la fine ● (*leg.*) **l. born (child)**, ultimogenito □ **l. but five**, sestultimo □ **l. but four**, quintultimo □ **l. but not least**, ultimo ma non da meno (*degli altri; per es., in un elenco di nomi*): *L. but not least, Mr Zurlo*, da ultimo, ma non da meno, il Sig. Zurlo □ **l. but one**, penultimo □ **l. but three**, quartultimo □ **l. but two**, terzultimo □ (*fig.*) **the L. Day**, il giorno del giudizio universale □ **l.-ditch**, (*di combattimento*) accanito; (*di sforzo*) disperato □ (*sport*) **the l. eight**, (*le squadre dei*) quarti di finale □ (*sport*) **the l. four**, i quattro semifinalisti; (*anche*) la semifinale □ **the l. home**, l'ultima dimora; la tomba □ (*rag.*) **l. in, first out**, lifo; LIFO □ (*relig.*) **the L. Judgment**, il Giudizio universale □ (*telef.*) **the l. mile**, l'ultimo miglio □ (*turismo, di biglietto aereo, combinazione, ecc.*) **l.-minute**, acquistato con forte sconto poco prima della partenza; **last minute** □ (*calcio*) **a l.-minute goal**, un gol segnato in zona Cesarini □ (*calcio, ecc.*) **l.-minute save**, parata in extremis □ **l. name**, cognome □ **l. night**, ieri sera; la notte scorsa □ (*mil., in GB*) **l. post**, il silenzio (*segnale*) □ (*relig.*) **l. rites**, estrema unzione □ (*sport*) **the l. sixteen**, (*le squadre degli*) ottavi (di finale) ● **n. 16: 1st leg [2nd leg]**, ottavi di finale: andata [ritorno] □ (*fig.*) **the l. straw**, l'ultima goccia; la goccia che fa traboccare il vaso; il colmo □ (*relig.*) **the L. Supper**, l'Ultima Cena □ (*leg.*) **l. will**

a b c d e f g h i j k **l** m n o p q r s t u v w x y z

(and testament), ultime volontà; testamento □ **the l. word**, l'ultima parola; l'ultima novità, l'ultimo grido (*in fatto di moda, ecc.*) □ **at (long) l.**, alla fine; infine; finalmente: *He succeeded at l.*, finalmente ci riuscì □ **before l.**, prima dello scorso (*giorno, mese, ecc.*): **the night before l.**, ierlaltro sera; **the week before l.**, due settimane fa □ **to breathe one's l.**, esalare l'ultimo respiro □ **to hear the l. of st.**, sentir parlare di qc. per l'ultima volta: *I'm afraid we haven't heard the last of it*, temo che ne sentiremo ancora parlare □ **to hold on to the l.**, tener duro sino alla fine (*o* fino all'ultimo, fino alla morte) □ **to look one's l.**, lanciare l'ultimo sguardo □ (*fam.*) **to be on one's l. legs**, (*di persona*) essere stremato; essere in fin di vita; (*di cosa*) andare a pezzi, essere sfasciato □ **to see the l. of sb.**, vedere q. per l'ultima volta; liberarsi di q. □ **to speak one's l.**, pronunciare l'ultima parola.

♦**last**② /lɑːst/ *avv.* **1** per ultimo; ultimo: *Which speedboat came in l.?*, quale motoscafo è arrivato per ultimo? **2** l'ultima volta; ultimamente: *When did you see him l.?*, quando l'hai visto l'ultima volta?; *When was the car l. serviced?*, quand'è stata l'ultima volta in cui l'auto è stata riparata?; *When did you l. use your credit card?*, quand'è stata l'ultima volta che hai usato la carta di credito? **3** da ultimo; in ultimo; alla fine ● **l.-made**, fatto per ultimo □ **l.-mentioned** (*o* **l.-named**), nominato (*o* menzionato) da ultimo; l'ultimo (*di tre o più*; *cfr.* **latter**).

last③ /lɑːst/ *n.* ▣ (*raro*) (capacità di) resistenza.

last④ /lɑːst/ *n.* forma da scarpe ● (*fig.*) **to stick to one's l.**, fare ciò per cui si è tagliati; limitarsi a fare quel che si sa fare bene.

last⑤ /lɑːst/ *n.* (*comm.*) lasta (*misura di capacità o di peso, variabile di luogo in luogo; in genere 2000 kilogrammi circa*).

♦**to last** /lɑːst/ *v. i.* durare; andare per le lunghe; protrarsi; (*di cibo*) conservarsi, mantenersi: *These shoes have lasted me for years*, queste scarpe mi durano da anni; *How long will the lecture l.?*, quanto durerà la conferenza? ● (*sport*) **to l. the distance**, tenere la distanza; avere una buona tenuta □ **to l. out**, durare, resistere per (*un certo tempo*); superare: *We have enough firewood to l. out a long winter*, abbiamo legna a sufficienza per superare un lungo inverno □ (*di un malato grave*) **to l. out the night**, passare la notte □ **We have enough food to l. us (for) a month**, abbiamo viveri a sufficienza per un mese.

lasting /ˈlɑːstɪŋ/ **A** *a.* durevole; duraturo; permanente: **a l. peace**, una pace durevole **B** *n.* ▣ tessuto di cotone resistente | **-ly** *avv.* | **-ness** *n.* ▣.

lastly /ˈlɑːstlɪ/ *avv.* da ultimo; in ultimo; alla fine; infine; come ultima cosa.

lat. *abbr.* (*geogr.*, **latitude**) latitudine (lat.).

latch /lætʃ/ *n.* **1** saliscendi; chiavistello; nottolino: *The door is on the l.*, la porta è chiusa col chiavistello **2** serratura a scatto (*o a scrocco*) **3** (*alpinismo*) tenone (*di un moschettone*) **4** (*elettron.*) chiavistello elettronico ● (*mecc.*) **l. bolt**, chiavistello a scatto □ (*di un uscio*) **off the l.**, socchiuso.

to latch /lætʃ/ **A** *v. t.* chiudere (*una porta*) col saliscendi (*o* col chiavistello); mettere il nottolino a (*una porta*) **B** *v. i.* (*di porta*) chiudersi col saliscendi (*o* col chiavistello) ● (*fam.*) **to l. on**, afferrare, capire □ (*fam.*) **to l. on to**, capire, intendere (qc.); attaccarsi a (*una persona, un'idea, ecc.*); attaccare un bottone a (*fig.*).

latchkey /ˈlætʃkiː/ *n.* chiave di serratura a scatto; chiave di casa ● **l. child**, bambino che ha le chiavi di casa perché i genitori lavorano fino a tardi; bambino abbandonato

a sé stesso.

latchstring /ˈlætʃstrɪŋ/ *n.* corda del saliscendi.

♦**late** /leɪt/ **A** *a.* (compar. **later**, **latter**; superl. relat. **latest**, **last**) **1** (pred.) in ritardo; tardi: *It is too l. to go*, è troppo tardi per andare; *You're l.*, sei in ritardo; hai fatto tardi; *Don't be l.!*, non fare tardi!; non ritardare!; *Sorry I am l.*, scusate il ritardo; **to be l. for st.**, arrivare a qc. in ritardo; essere in ritardo per qc.; **to be l. with st.**, essere in ritardo con qc.; *The harvest is l. this year*, il raccolto è in ritardo quest'anno **2** (attr.) (fatto) tardi; in ritardo; a ora tarda; tardivo; di fine stagione: **l. start**, partenza in ritardo; **l. harvest**, raccolto tardivo; **to have a l. lunch**, pranzare tardi; **to take a l. holiday**, andare in vacanza a fine stagione **3** (attr.) tardo; avanzato; inoltrato: **l. afternoon**, pomeriggio inoltrato; pomeriggio tardi; **in l. spring**, nella tarda primavera; in primavera avanzata; **in the l. eighties**, verso la fine (*o* sul finire) degli anni Ottanta; *He's in his l. thirties*, è sulla tarda trentina; è vicino ai quaranta; **the l. Middle Ages**, il tardo (*o* basso) Medioevo; **L. Latin**, latino tardo; basso latino **4** (attr.) recente; ultimo: (*form.*) **of l. years**, negli ultimi anni; di recente **5** (attr.) defunto; compianto; fu; povero (*fam.*): **the l. king**, il defunto re; **the l. Paul Davies**, il fu Paul Davies; **my l. wife**, la mia povera moglie **6** (attr.) già; ex; passato; precedente: **my l. residence**, la mia precedente dimora **B** *avv.* (compar. **later**; superl. relat. **latest**, **last**) **1** tardi; in ritardo: *I arrived l.*, arrivai tardi (*o* in ritardo); *The flight is running l.*, il volo è in ritardo; **to start five days late**, cominciare con cinque giorni di ritardo **2** tardi; (fino) a tarda ora; fino a tardi: **to stay up l.**, restare alzato fino a tardi; *Thursday is a problem for me, I'm working l.*, giovedì ho un problema, lavoro fino a tardi **3** verso la fine di (*un periodo*); nell'ultima parte di: **l. in May**, verso la fine di maggio; a maggio inoltrato; **l. last month**, verso la fine del mese scorso; **l. in the season**, a stagione inoltrata; **l. into the night**, fino a notte fonda; **l. in life**, in età avanzata **4** di recente; recentemente; ultimamente ● **l.-blooming**, che fiorisce tardi; (*fig.*) che si sviluppa tardi, tardivo □ (*tur.*) **l. booking**, prenotazione fatta all'ultimo momento □ **l. developer**, bambino che si sviluppa tardi; bambino tardivo; (*anche*) persona che ci mette tempo a maturare (*professionalmente, ecc.*) □ **l. in the day**, sul finire della giornata; sul tardi; (*fig.*) (troppo) tardi; in ritardo; (*rif. a periodo, evento, ecc.*) verso la fine □ **l.-night**, (che avviene) di sera tardi; di tarda sera; a ora tarda: **l.-night** (*o* **l.**) **shopping**, apertura serale (*di negozi, ecc.*); **l.-night TV**, programmi televisivi di ultima serata □ **l. of...**, già residente a; già appartenente a: *Prof. Smith, l. of Hull University*, il prof. Smith, già docente all'università di Hull □ (*TV*) **l. show**, spettacolo di ultima serata □ **l. riser**, uno che si alza tardi; dormiglione □ (*bot.*) **l. wood**, legno estivo □ **as l. as**, fino a; non più tardi di: *The custom lasted as l. as the Tudor times*, l'usanza durò fino al tempo dei Tudor; **as l. as yesterday**, non più tardi di ieri □ **to have a l. night**, andare a letto tardi □ **to keep l. hours**, fare tardi; fare le ore piccole □ **to leave st. too l.**, aspettare troppo a fare qc. □ **of l.**, recentemente; di recente; ultimamente □ (*prov.*) *Better l. than never*, meglio tardi che mai.

latecomer /ˈleɪtkʌmə(r)/ *n.* **1** ritardatario **2** cliente che rientra tardi (*in albergo*).

lateen /ləˈtiːn/ *a.* (*naut.*) latino: **l. sail**, vela latina; **l. yard**, pennone latino ● (*di nave*) **l.-rigged**, a vela latina.

lately /ˈleɪtlɪ/ *avv.* **1** di recente; ultimamente; negli ultimi tempi: *I haven't seen*

him l., non l'ho visto ultimamente **2** (*form.*) già; fino a poco tempo fa: *Professor Jones, l. of Oxford*, il Professor Jones, già a Oxford.

lateness /ˈleɪtnəs/ *n.* ▣ **1** l'essere tardo **2** l'essere in ritardo; ritardo ● **the l. of the hour**, l'ora tarda (*o* avanzata) □ **the l. of their arrival**, il fatto che arrivarono così tardi.

latent /ˈleɪtnt/ (*anche med.*, *psic.*) *a.* latente; nascosto; potenziale: (*fis.*) **l. heat**, calore latente; (*med.*) **l. germs**, germi latenti; **l. qualities**, qualità nascoste (*o* potenziali) ● (*leg.*) **l. defect** (*o* **fault**), vizio occulto □ (*med.*, *psic.*) **l. period**, periodo di latenza ‖ **latency** *n.* ▣ latenza: **latency period**, periodo di latenza ‖ **latently** *avv.* latentemente.

♦**later** /ˈleɪtə(r)/ **A** *a.* (compar. di **late**) posteriore; più tardo; più avanzato; più recente; successivo: **at a l. date**, in data posteriore; **l. events**, avvenimenti successivi; **in l. life**, negli anni seguenti (*della vita*); in seguito; anni dopo; *Dickens's l. novels*, gli ultimi romanzi di Dickens; i romanzi del secondo Dickens **B** *avv.* più tardi; poi; dopo; in seguito: **ten years l.**, dieci anni dopo (*o* più tardi); *She l. admitted her part in the affair*, in seguito ammise la sua parte nella faccenda; *It wasn't until l. that...*, fu solo in seguito che... ● **l. on**, più avanti; in seguito □ **no l. than**, non più tardi di, entro (*una certa ora o data*) □ **sooner or l.**, prima o poi; presto o tardi; una volta o l'altra □ *See you l.*, ci vediamo dopo; a dopo!; arrivederci!

lateral /ˈlætərəl/ **A** *a.* laterale: (*bot.*) **l. buds**, germogli (*o* gemme) laterali; (*econ.*) **l. integration**, integrazione laterale; **the l. branch of a family**, il ramo laterale d'una famiglia **B** *n.* **1** oggetto (*o* parte) laterale (*ramo, germoglio, ecc.*) **2** (*football americano*) passaggio laterale **3** (*fon.*) consonante laterale **4** (*ind. min.*) traversa; (*anche*) discenderia laterale **5** (pl.) (*anat.*) (muscoli) dorsali: (*ginnastica*) **l. bar**, barra per i dorsali ● **l. thinking**, modo di risolvere i problemi con l'intuito e la fantasia più che con la logica | **-ly** *avv.*

laterality /lætəˈrælɪtɪ/ *n.* ▣ (*scient.*) lateralità.

lateralization /lætərəlaɪˈzeɪʃn/ *n.* ▣ (*scient.*) lateralizzazione.

Lateran /ˈlætərən/ **A** *n.* **1** – **the L.**, il Laterano **2** S. Giovanni in Laterano (*la chiesa*) **B** *a.* lateranense: **the L. Council**, il Concilio lateranense.

laterite /ˈlætəraɪt/ (*geol.*) *n.* ▣ laterite ‖ **lateritic** *a.* lateritico.

♦**latest** /ˈleɪtɪst/ **A** *a.* (superl. di **late**) ultimo; (il) più recente; recentissimo: **the l. news**, le ultime notizie; **the l. edition**, l'ultima edizione; l'edizione più recente; **the l. available data**, gli ultimi (*o* i più recenti) dati a disposizione; **the l. technology**, la tecnologia più recente; *It's the l. model*, è l'ultimo modello; **the l. in a series of**, l'ultimo di una serie di **B** *n.* **1** ultime notizie; ultimissime (*su un giornale*) **2** ultima novità; ultimo grido; ultima moda: **the l. in interior design**, l'ultima novità in fatto di arredamento **3** ultima: *Have you heard the l. about John?*, la sai l'ultima di John? **C** *avv.* – **at the (very) l.**, al più tardi.

latex /ˈleɪteks/ *n.* ▣ latice, lattice ● **l. cement**, adesivo a base di latice □ **l. rubber**, latice di gomma.

lath /lɑːθ/ *n.* (pl. **laths**, **lath**) (*edil.*) **1** assicella; arella; listello **2** (collett.) cannicciò **3** (*edil.*) graticcio: **plastered l.**, graticcio intonacato **4** (*di persiana*) stecca ● (*edil.*) **l. brick**, tavella.

to lath /lɑːθ/ *v. t.* (*edil.*) coprire di assicelle; incannicciare.

lathe① /leɪð/ *n.* (*mecc.*, *falegn.*; = **turning**

l.) tornio: **chuck l.**, tornio di testa; **engine l.**, tornio parallelo per filettare; **metal-turning l.**, tornio per metalli; **potter's l.**, tornio del vasaio; **turret l.**, tornio a revolver ● **l. bed**, slitta del tornio □ **l. carrier** (o **l. bearer**, **l. dog**), brida □ **l. centre**, punta da tornio.

lathe② /leɪð/ n. (geogr., stor.) «lathe» (uno dei distretti della contea di Kent).

to **lathe** /leɪð/ v. t. (mecc., falegn., ecc.) tornire.

lather /'lɑːðə(r)/ n. **1** schiuma di sapone (o di detergente); saponata: **a good l.**, una bella schiuma **2** (di cavallo) schiuma **3** (fig. fam.) agitazione; eccitazione; nervosismo ● **to be in a l.**, essere agitato (o nervoso) □ **to work oneself into a l.**, agitarsi, innervosirsi.

to **lather** /'lɑːðə(r)/ ▲ v. t. **1** insaponare: **to l. one's face**, insaponarsi la faccia **2** coprire di schiuma: The horses were profusely lathered, i cavalli erano tutti coperti di schiuma **3** (fam. USA) battere; bastonare; picchiare ▣ v. i. **1** fare (la) schiuma; schiumare: This soap doesn't l. well, questo sapone fa poca schiuma **2** (di un cavallo e sim.) schiumare.

lathering /'lɑːðərɪŋ/ n. ▣ **1** saponata **2** (fam. USA) bastonatura; percosse; botte.

lathery /'lɑːðərɪ/ a. **1** (di sapone) schiumoso; che fa schiuma **2** (di cavallo) coperto di schiuma.

lathing /'lɑːθɪŋ/ n. ▣ (edil.) **1** canniccio; incannicciata **2** incannicciatura.

lathy /'lɑːθɪ/ a. secco come un chiodo; magro come uno stecco.

latifundium /læti'fʌndɪəm/ (lat.) n. (pl. latifundia) (stor., econ.) latifondo.

Latin /'lætɪn/ ▲ a. **1** latino; (per estens.) neolatino, romanzo: **L. peoples**, popoli latini (o neolatini); **L. languages**, lingue neolatine (o romanze) **2** (USA) sudamericano ▣ n. ▣ (ling.) lingua latina: **old L.**, latino arcaico; **classical L.**, latino classico; **low L.**, basso latino **2** (USA) nativo del Sud America; sudamericano ● **L. America**, America latina □ **L. American**, dell'America latina; (sost., USA) latino-americano □ **the L. Church**, la Chiesa Romana (cattolica) □ **L. lover**, latin lover; amante latino □ **L. Quarter**, Quartiere Latino (a Parigi).

Latina /lə'tiːnə/ n. (pl. Latinas) (USA) americana di origine latino-americana.

Latinism /'lætɪnɪzəm/ n. ▣ latinismo.

Latinist /'lætɪnɪst/ n. latinista.

Latinity /lə'tɪnɪtɪ/ n. ▣ latinità.

to **Latinize** /'lætɪnaɪz/ ▲ v. t. latinizzare ▣ v. i. **1** latinizzarsi **2** latineggiare ‖ **Latinization** n. ▣ latinizzazione ‖ **Latinizer** n. latinizzatore, latinizzatrice.

Latino /læ'tiːnəʊ/ n. (pl. Latinos) (USA) **1** americano di origine latino-americana **2** abitante (o nativo) dell'America Latina.

latish /'leɪtɪʃ/ ▲ a. piuttosto tardo; un po' in ritardo ▣ avv. sul tardi; piuttosto tardi; un po' tardi.

latitude /'lætɪtjuːd, USA -tuːd/ n. **1** (geogr., astron.) latitudine: **forty degrees (of) l. north (of the equator)**, quaranta gradi di latitudine nord (boreale); **high [low] latitudes**, latitudini alte [basse]; **l. of a star**, latitudine di un astro **2** (geogr.; di solito al pl.) latitudine; regione: **cold latitudes**, regioni fredde **3** (fig.) larghezza di vedute; tolleranza; libertà di pensiero (o d'azione): **to allow great l. in religion**, concedere una grande libertà in fatto di religione **4** ▣ (arc.) latitudine (lett.); estensione; larghezza.

latitudinal /læti'tjuːdɪnl, USA -tuːdənl/ a. (geogr.) latitudinale.

latitudinarian /lætɪtjuːdɪ'neərɪən, USA -tuː-/ a. e n. **1** (relig.) latitudinario **2** (per estens.) (persona) liberale, tollerante ‖ lati-

tudinarianism n. ▣ **1** (relig.) latitudinarismo **2** (per estens.) liberalità; tolleranza.

Latium /'leɪʃɪəm/ n. (geogr.) Lazio.

latrine /lə'triːn/ n. latrina (spec. di caserma, di campo militare, ecc.) ● (mil., USA) **l. rumor**, voce di corridoio; diceria.

latte /'læteɪ/ n. latte macchiato con schiuma (di solito due parti di latte e una di caffè espresso).

latten /'lætn/ n. (metall.) lamierino: **brass l.**, lamierino d'ottone ● **white l.**, lamierino di ferro stagnato.

♦**latter** /'lætə(r)/ ▲ a. (compar. di late) **1** più avanzato; posteriore; più recente **2** secondo; ultimo: **in the l. half of the century**, nella seconda metà del secolo; **in these l. days**, negli ultimi tempi ▣ pron. – **the l.**, il secondo; l'ultimo nominato (di due); quest'ultimo (cfr. last-named, sotto last②): This book has been made into a film and a play; the l. is much better than the former, da questo libro sono stati tratti sia un film che una commedia; la seconda è molto meglio del primo ● (arc.) **l.-day**, dei giorni nostri; recente; moderno □ (relig.) **L.-Day Saints**, i mormoni □ (fig. arc.) **l. grass**, conseguenze; strascichi.

latterly /'lætəlɪ/ avv. (form.) recentemente; ultimamente; oggigiorno.

lattermost /'lætəməʊst/ a. ultimo; estremo.

lattice /'lætɪs/ n. **1** graticcio; traliccio: (ind. costr.) **a l. frame [girder, pylon]**, una struttura [una travatura, un pilone] a traliccio metallico; **a l. tower**, un pilone a traliccio (di linea elettrica) **2** → latticework **3** (miner., ottica, mat., stat.) reticolo: **l. cell**, cella del reticolo; **l. sampling**, campionatura a reticolo **4** (fis. nucl.) reticolo **5** = **l. window** → sotto ● (fis., chim.) **l. energy**, energia reticolare (elettron.) **l. filter**, filtro a traliccio □ **l. window**, finestra con vetrate all'antica (formate da piccoli vetri uniti da piombi).

to **lattice** /'lætɪs/ v. t. **1** ingraticciare; intrecciare **2** munire di graticcio (o di traliccio).

latticed /'lætɪst/ a. **1** a graticcio; a traliccio **2** munito di graticcio (o di traliccio).

latticework /'lætɪswɜːk/ n. ▣ struttura a traliccio metallico.

latticing /'lætɪsɪŋ/ n. **1** ▣ l'ingraticciare; ingraticciatura **2** graticcio; traliccio; graticolato.

Latvia /'lætvɪə/ n. (geogr.) Lettonia.

Latvian /'lætvɪən/ ▲ a. lettone ▣ n. **1** lettone **2** ▣ (ling.) lettone.

laud /lɔːd/ n. (lett.) **1** laude, lauda (lett.); lode **2** (pl.) (relig.) laudi.

to **laud** /lɔːd/ v. t. (lett.) lodare (arc. o scherz.); lodare (spec. Iddio).

laudable /'lɔːdəbl/ a. laudabile (arc. o poet.); lodabile; lodevole ‖ **laudability** n. ▣ lodabilità (raro); l'essere lodabile ‖ **laudably** avv. lodabilmente; lodevolmente.

laudanum /'lɔːdənəm/ n. ▣ (farm.) laudano.

laudation /lɔː'deɪʃn/ n. (raro) lode; elogio.

laudative /'lɔːdətɪv/ a. (anche ling.) laudativo.

laudatory /'lɔːdətrɪ/ a. laudatorio.

♦**laugh** /lɑːf/ n. **1** risata; riso; modo di ridere: **to have a good l.**, farsi una bella risata (o quattro risate) **2** divertimento; spasso: It's a great l. playing the game with your mates, è molto divertente giocare con i tuoi amici **3** (fam.) tipo divertente; persona buffa: She's a good l., è divertente **4** (fam.) cosa (o situazione) comica (o divertente, che fa ridere) ● (fam.) **l.-in**, situazione comica □ **l. line**, ruga all'angolo esterno dell'occhio; battuta umoristica, motto di spirito □ **a bit**

of a l., faccenda un po' ridicola □ **to break (o to burst) into a l.**, scoppiare in una risata (o a ridere) □ **to give a forced l.**, ridere forzatamente □ **to have (o to get) the l. on sb.**, ridere a spese di q. □ **to have the last l.**, ridere per ultimo (fig.) □ **to join in the l.**, ridere con gli altri; accettare un motteggio con spirito □ **to raise a l.**, suscitare il riso; destare ilarità □ (fam.) **He did it for a l.** (o **for laughs**), l'ha fatto per ridere □ **Now I had the l. on my side**, ora era il mio turno di ridere; potevo ben ridere io, ora.

♦to **laugh** /lɑːf/ ▲ v. i. **1** ridere (anche fig.); (di paesaggio, ecc.) essere ridente: I'm in no mood for laughing, ho poca voglia di ridere; There's nothing to l. at, non c'è niente da ridere **2** (fam., nella forma progressiva) essere a posto (o a cavallo): If I get the job, I'll be laughing, se mi danno il posto, sono a cavallo ▣ v. t. esprimere (o dire, pronunciare) ridendo: **to l. one's approval**, manifestare col riso la propria approvazione ● **to l. at**, ridere di; ridere per; beffarsi di, deridere; ridersela di, infischiarsene di: **to l. at a funny story**, ridere di una storiella buffa; **to l. at sb.**, deridere q.; **to l. at danger**, ridersi del pericolo; non temere il pericolo □ **to l. bravely**, ridere per non piangere □ **to l. one's consent**, acconsentire con una risatina □ **to l. heartily**, ridere di cuore (o di gusto) □ **to l. in sb.'s face**, ridere in faccia a q. □ (fam.) **to l. like a drain**, ridere a crepapelle □ **to l. oneself helpless** (o **sick**), non poterne più dal ridere □ **to l. on the wrong** (o **on the other**) **side of one's mouth** (o **face**), farsi passare la voglia di ridere □ **to l. over a letter**, ridere leggendo una lettera □ **to l. to oneself**, fare una risatina fra sé e sé □ **to l. to scorn**, deridere q.; additare q. all'altrui derisione □ (fig.) **to l. up one's sleeve**, ridere sotto i baffi □ **to make a cat l.**, far ridere i polli (o i sassi) □ (prov.) **He laughs best who laughs last**, ride bene chi ride ultimo.

■ **laugh away** ▲ v. i. + avv. continuare a ridere ▣ v. t. + avv. allontanare, far scomparire, dissipare con una risata: **to l. away sb.'s misgivings**, dissipare ridendo le apprensioni di q. □ **to l. away one's fear**, farsi passare la paura con una risata □ **to l. away time**, passare il tempo ridendo.

■ **laugh down** v. t. + avv. far tacere, zittire (q.) con una risata; mettere a tacere (qc.) ridendoci sopra.

■ **laugh into** v. i. + avv. ridursi (in un certo stato) a furia di ridere: I laughed myself into a state of helplessness, non ne potevo più dal gran ridere.

■ **laugh off** v. t. + avv. **1** sbarazzarsi di, vincere (qc.) con una risata: **to l. off one's worries**, sbarazzarsi dei propri guai ridendoci sopra **2** (fam.) buttare (o prendere) in ridere (qc.) □ (fam.) **to l. one's head off**, sbellicarsi dalle risa.

■ **laugh out of** v. t. + avv. + prep. **1** far passare (paure, preoccupazioni, ecc.) a (q.) ridendone; liberare (q.) da (qc.) buttandola in ridere: I was afraid but he laughed it out of me, avevo paura, ma me la fece passare buttandola in ridere **2** far uscire, buttare fuori (q.) da (un locale) a furia di risate □ (fam.) **to l. sb. [st.] out of court**, considerare ridicolo (o mettere in ridicolo, ridicolizzare) (q.) [qc.].

laughable /'lɑːfəbl/ a. risibile; ridicolo; comico: **l. results**, risultati risibili; **a l. situation**, una situazione ridicola ‖ **-bly** avv.

laugher /'lɑːfə(r)/ n. chi ride; persona ridanciana.

laughing /'lɑːfɪŋ/ ▲ a. **1** ridente; allegro; gioioso: **a l. face**, un viso ridente **2** da ridere; che fa ridere: There's no l. matter!, c'è poco da ridere! ▣ n. riso; risata: Too much l. here!, troppe risate!; si ride

troppo qui! ● (*chim.*) **l. gas**, gas esilarante □ (*zool.*) **l. jackass** → **kookaburra** □ **l. stock**, oggetto di derisione; zimbello □ **to make a l. stock of oneself**, rendersi ridicolo; far ridere i polli (*fam.*) | **-ly** avv.

♦**laughter** /ˈlɑːftə(r)/ n. ⓤ riso; risata: **Homeric l.**, risata omerica ● (*to*) **to burst**) **into l.**, scoppiare in una risata (o a ridere) □ **to burst with l.**, scoppiare dal ridere; ridere a crepapelle □ **to roar with l.**, ridere rumorosamente (o sguaiatamente) □ **to split one's sides with l.**, sbellicarsi dalle risa.

launce /lɑːns/ n. (*zool.*, *Ammodytes*) ammodite.

launch① /lɔːntʃ/ n. **1** (*naut.*) varo: **the l. of a new liner**, il varo di un nuovo transatlantico **2** (*miss.*) lancio: **l. window**, periodo favorevole a un lancio; «finestra» di lancio **3** (*market.*, *pubbl.*) lancio (*di un prodotto, di un libro, ecc.*) ● (*miss.*) **l. pad** = **launching pad** → **launching** □ (*miss.*) **l. vehicle**, vettore spaziale.

launch② /lɔːntʃ/ n. (*naut.*) **1** lancia; motolancia **2** (*stor.*) barcaccia (*sui velieri della flotta*).

♦**to launch** /lɔːntʃ/ v. t. **1** lanciare (*anche fig.*); scagliare; (*fig.*) avviare: **to l. a rocket**, lanciare un razzo; **to l. a threat**, lanciare una minaccia; **to l. an author** [**a new product on the market**], lanciare un autore [un nuovo prodotto sul mercato]; **to l. an arrow**, scagliare una freccia; (*miss.*) **to l. an artificial satellite**, lanciare un satellite artificiale **2** (*naut.*) mettere in acqua, calare in mare (*una barca, ecc.*) **3** (*naut. e fig.*) varare: **to l. a ship**, varare una nave; **to l. a new business**, varare una nuova impresa commerciale **4** sferrare; vibrare: **to l. an attack**, sferrare un attacco; **to l. a blow**, vibrare un colpo ● **to l. a counterattack**, (*mil.*) lanciare un contrattacco □ (*polit.*) **to l. one's manifesto**, lanciare (o rendere noto) il proprio programma.

■ **launch forth** v. i. + avv. lanciarsi (*spec. fig.*): **to l. forth into a long speech**, lanciarsi in una lunga tirata.

■ **launch into** v. i. + prep. **1** lanciarsi, buttarsi, gettarsi in (*acqua, mare, ecc.*) **2** (*naut.*) varare (*un battello*) in (*un fiume, lago, ecc.*) **3** (*fig.*) lanciarsi: **to l. into a long discussion**, lanciarsi in una lunga discussione **4** (*fig.*) impegnarsi: **to l. oneself into work**, impegnarsi nel proprio lavoro; gettarsi a capofitto nel lavoro.

■ **launch off** v. i. + avv. andarsene; partire.

■ **launch on** v. i. + prep. **1** lanciare a (o contro): **to l. an attack on the government**, lanciare un attacco al governo **2** mettersi a (*fare qc.*); intraprendere; mettere mano a (*fig.*).

■ **launch out** ⓐ v. i. + avv. **1** (*naut.*) imbarcarsi; mettersi in viaggio: **to l. out on a voyage of discovery**, imbarcarsi per un viaggio d'esplorazione **2** (*fig.*) imbarcarsi (*in un'impresa nuova*); mettersi a fare: **to l. out into business for oneself**, mettersi in affari per conto proprio **3** (*comm.*) lanciarsi; mettersi in affari ⓑ v. t. + avv. (*market.*, *pubbl.*) lanciare (*un prodotto, ecc.*).

■ **launch out on** v. i. + avv. + prep. **1** lanciarsi in, intraprendere (*un'attività nuova, ecc.*) **2** (*fam.*) spendere un mucchio di soldi per: *I cannot afford to l. out on a new car*, non posso permettermi di spendere un mucchio di soldi per una macchina nuova.

■ **launch upon** → **launch on**.

launcher /ˈlɔːntʃə(r)/ n. **1** chi lancia; lanciatore **2** (*mil.*, = **grenade l.**) lanciabombe (*da applicare al fucile*) **3** (*mil.*, = **missile l.**) lanciamissili **4** (*mil.*, = **rocket l.**) lanciarazzi.

launching /ˈlɔːntʃɪŋ/ n. **1** (*naut. e fig.*) varo: **the l. of a ship** [**of a new company**],

---

il varo di una nave [di una nuova società] **2** (*miss.*) lancio: **l. ramp**, rampa di lancio; **l. site**, poligono di lancio **3** (*market.*, *pubbl.*) lancio (*di un prodotto*); presentazione (*di un libro*) ● (*naut.*) **l. cradle**, invasatura di varo □ **l. pad**, (*miss.*) piattaforma (o rampa) di lancio; (*fig.*) trampolino di lancio (*fig.*).

launder /ˈlɔːndə(r)/ n. trogolo (*spec. per lavare minerali*).

to launder /ˈlɔːndə(r)/ ⓐ v. t. **1** lavare (*panni, ecc.*); lavare e stirare **2** (*fig. fam.*) rendere pulito, riciclare (*denaro sporco*) ⓑ v. i. **1** fare il bucato **2** lavarsi; prestarsi al lavaggio: *This fabric doesn't l. well*, questo tessuto non si lava bene ● **laundered money**, denaro riciclato □ (*di biancheria*) **freshly laundered**, di bucato.

launderer /ˈlɔːndərə(r)/ n. (titolare di) lavanderia.

launderette® /lɔːnˈdret/ n. lavanderia a gettoni.

laundering /ˈlɔːndərɪŋ/ n. **1** il fare il bucato **2** (*fig. fam.*) lavaggio, riciclaggio (*del denaro sporco*).

laundress /ˈlɔːndrɪs/ n. lavandaia.

Laundromat® /ˈlɔːndrəmæt/ n. (*USA*) lavanderia a gettoni.

laundry /ˈlɔːndrɪ/ n. **1** lavanderia **2** ⓤ biancheria da lavare; bucato: **to do the l.**, fare il bucato **3** ⓤ biancheria lavata (*in albergo, ecc.*) **4** (*fig. fam. USA*) luogo (*banca, ecc.*) di riciclaggio del denaro sporco ● **l. bag** [**basket**], sacchetto [cesto] della biancheria da lavare ● **l. blu**, turchinetto □ **l. list**, lista della lavandaia (o della biancheria); (*fig. USA*) lista lunga e dettagliata □ **l. service**, servizio guardaroba (*in un albergo*).

laundryman /ˈlɔːndrɪmən/ n. (pl. *laundrymen*) lavandaio; addetto a una lavanderia.

laundrywoman /ˈlɔːndrɪwʊmən/ n. (pl. *laundrywomen*) lavandaia; addetta a una lavanderia.

laureate /ˈlɒrɪət/ ⓐ a. coronato d'alloro ⓑ n. (= poet l.) poeta laureato; poeta cesareo ❶ Cultura • poet laureate: → poet □

laureateship n. ⓤ ufficio di poeta laureato (*cfr.* **laureate, B**).

laurel /ˈlɒrəl/ n. **1** ⓒⓤ (*bot.*, *Laurus nobilis*) lauro, alloro **2** ⓒⓤ (*bot.*, *Prunus laurocerasus*; = **cherry l.**) lauroceraso **3** (pl.) (*fig.*) allori; gloria, fama, vittoria: **to win** (o **to gain**) **laurels**, riportare l'alloro; conseguire la fama ● **to look to one's laurels**, difendere la propria posizione (*perché minacciata dai rivali*) □ **to reap laurels**, mietere allori □ **to rest on one's laurels**, riposare (o dormire) sugli allori.

to laurel /ˈlɒrəl/ v. t. coronare d'alloro (*anche fig.*) ‖ **laurelled**, (*USA*) **laureled** a. coronato d'alloro; onorato; venerato.

Laurence /ˈlɒrəns/ n. Lorenzo.

Laurentian① /lɔːˈrenʃən/ a. (*geol.*) laurenziano.

Laurentian② /lɔːˈrenʃn/ n. (*letter.*) seguace (o ammiratore) di D.H. Lawrence.

lauric /ˈlɔːrɪk/ a. (*chim.*) laurico: **l. acid**, acido laurico.

laurite /ˈlɔːraɪt/ n. ⓤ (*miner.*) laurite.

laurustinus /lɒrəˈstaɪnəs/ n. (*bot.*, *Viburnum tinus*) lentaggine; laurotino.

lav /læv/ (*fam.*) → **lavatory**.

lava /ˈlɑːvə/ ⓐ n. ⓤ (*geol.*) lava ⓑ a. attr. lavico: **l. bed**, strato lavico; **l. flow**, colata lavica (o di lava).

lavabo /ləˈvɑːbəʊ/ n. (pl. *lavabos*, *lavaboes*) **1** lavabo (*spec. di sacrestia o monastero*) **2** (*relig.*) lavacro rituale (*del celebrante*).

lavage /ˈlævɪdʒ/ n. (*med.*) lavaggio; lavanda (*spec. gastrica*).

lavation /ləˈveɪʃn/ n. ⓤ **1** (*raro*) lavatura; lavacro **2** (*med.*) abluzione.

---

lavatorial /lævəˈtɔːrɪəl/ a. da cesso; indecente; sconcio.

lavatory /ˈlævtrɪ/ n. **1** gabinetto (*di toilette*); ritirata; cesso (*pop.*) **2** (*raro*) lavabo (*lo stanzino*) **3** (*arc.*) bacinella; recipiente (*per lavarsi*) ● (*ingl.*) **l. paper**, carta igienica.

to lave /leɪv/ ⓐ v. t. (*poet.*) lavare; bagnare ⓑ v. i. (*d'acque*) fluire; scorrere.

lavender /ˈlævəndə(r)/ ⓐ n. ⓤ **1** (*bot.*, *Lavandula officinalis*) lavanda **2** (fiori di) lavanda **3** (colore) lavanda **4** = **l. water** → sotto ⓑ a. color lavanda ● **l. oil**, olio essenziale (o essenza) di lavanda ● **l. water**, acqua di lavanda □ **to lay up in l.**, riporre (*biancheria, ecc.*) con la lavanda; (*fig.*) mettere da parte per il futuro, conservare gelosamente.

laver① /ˈleɪvə(r)/ n. (*bot.*, *Porphyra*) alga rossa commestibile ● (*cucina*) **l. bread**, alga fritta che si mangia a colazione.

laver② /ˈleɪvə(r)/ n. **1** (*arc.*) lavabo; fonte (*spec. negli antichi templi ebraici*) **2** (*relig.*) fonte battesimale **3** (*fig.*) lavacro (*spirituale o battesimale*).

lavish /ˈlævɪʃ/ a. **1** prodigo; liberale; largo (*nel dare*); munifico: **to be l. in giving gifts**, essere largo nel distribuire doni; **to be l. of one's advice**, essere prodigo di consigli **2** abbondante; copioso; eccessivo; stravagante: **l. praise**, copiosi elogi; **l. expenses**, spese stravaganti **3** fastoso; sontuoso | **-ly** avv. | **-ness** n. ⓤ.

to lavish /ˈlævɪʃ/ v. t. prodigare; profondere: **to l. praise on sb.**, profondere lodi a q. ● **to l. favours on sb.**, colmare q. di favori.

♦**law①** /lɔː/ n. **1** ⓤⓒ legge; giurisprudenza; (*fig.*) regola: *All are equal before the law*, la legge è uguale per tutti; **to break the law**, violare la legge; **a law student**, uno studente di legge; **to study** (o **to read**) **law**, studiare legge (o giurisprudenza); (*fig.*) *His word is law*, la sua parola è legge; **to maintain law and order**, far rispettare le leggi e mantenere l'ordine; (*econ.*) **the law of supply and demand**, la legge della domanda e dell'offerta; **the laws of perspective**, le leggi della prospettiva; (*fis.*) *Newton's laws*, le leggi di Newton; **the laws of painting**, le regole della pittura **2** (*leg.*) diritto: **civil law**, diritto civile; **criminal law**, diritto penale; **commercial law**, diritto commerciale **3** ⓤ giustizia: **to resort to law**, fare ricorso alla giustizia **4** (*fam.*) forza pubblica; polizia: **to call** (o **to have**) **in the law on sb.**, chiamare la polizia contro q. **5** – (*relig.*) **the Law**, la legge mosaica **6** (pl.) (*sport*) regolamento: **the laws of cricket**, il regolamento del cricket ● **law-abiding**, ligio alle leggi; rispettoso della legge □ (*leg., in Scozia*) **law agent**, legale; avvocato □ **law and order**, l'ordine pubblico; la legalità □ (*polit.: di provvedimento, partito, ecc.*) **law-and-order**, a favore dell'ordine; per il mantenimento dell'ordine pubblico □ **law book**, trattato di giurisprudenza □ (*in GB*) **law centre**, ufficio di consulenza legale gratuita □ **law costs**, spese giudiziarie □ **law court**, corte di giustizia; tribunale □ **law day**, giorno di udienza (*in tribunale*) □ **law enforcement**, il far rispettare la legge □ (*USA*) **law enforcement agent**, agente di polizia; poliziotto □ (*in GB*) **law firm**, studio legale (*con più avvocati*) □ (*leg.*) **law in issue**, punto di diritto □ (*in GB*) **the Law Lords**, i nove Lord che, nella Camera dei Pari d'Inghilterra, costituiscono la Suprema Corte di Giustizia □ **law making** (sost.), legiferazione; potere normativo (*del giudice ingl.*) □ **law-making** (agg.), legislativo; legiferatore □ **law merchant**, diritto commerciale □ **the law of nations**, il diritto delle genti; il diritto internazionale □ **law of nature**, diritto naturale □ **the law of retaliation**, la legge del taglione □ **law of succession**, legge sulla successione; diritto successorio □ **law office**, ufficio legale □ **law offi-**

cer, magistrato (*spec.*, l'**Attorney General** *e il* **Solicitor General**); (*anche*) funzionario di polizia □ **the law of self-preservation**, l'istinto di conservazione □ **to be a law unto oneself**, non conoscer legge; fare a modo proprio □ **law term**, termine giuridico; espressione legale; (*anche*) sessione giudiziaria □ **to be at law**, essere in causa (legale) □ **by law**, per legge; a norma di legge □ **to give the law to sb.**, dettar legge a q.; imporre la propria volontà a q. □ **to go into law**, studiare da avvocato □ (*fam.*) **to go to law (against sb.)**, ricorrere alla giustizia (contro q.); intentare causa (a q.) □ **to keep the law**, rispettare la legge □ **to keep within the law**, rimanere nella legge □ **to lay down the law**, stabilire la legge; (*fig.*) dettar legge □ **to practise law**, fare pratica come avvocato □ **to take the law into one's own hands**, farsi giustizia da sé □ (*prov.*) **Necessity knows no law**, necessità fa legge.

law② /lɔː/ *inter.* (*di sorpresa, stupore; pop. arc.*) perbacco!; toh!

lawbreaker /ˈlɔːbreɪkə(r)/ *n.* violatore (*o* trasgressore) della legge ‖ **lawbreaking** *n.* 🔊 violazione della legge.

lawful /ˈlɔːfl/ *a.* **1** (*leg.*) legale; legittimo; lecito; permesso: **the l. sovereign**, il sovrano legittimo; **l. acts**, azioni lecite **2** rispettoso delle leggi; ligio alla legge: **a l. citizen**, un cittadino che rispetta la legge **3** (*sport*) ammesso; lecito; regolare ● **l. age**, età legale □ **a l. claim**, una giusta rivendicazione □ **l. debts**, crediti (*o* diritti) riconosciuti dalla legge □ (*leg.*) **l. holder**, detentore (*o* portatore) legittimo □ (*fin.*) **l. money**, moneta a corso legale □ **to reach l. age**, diventare maggiorenne | **-ly** *avv.* **-ness** *n.* 🔊.

lawgiver /ˈlɔːɡɪvə(r)/ *n.* legislatore ‖ **lawgiving** 🅐 *a.* legiferante; legislativo 🅑 *n.* 🔊 il legiferare; legislazione.

lawks /lɔːks/, **lawk** /lɔːk/ *inter.* (*di sorpresa, stupore; GB antiq.*) Gesù!; Signore!; toh!

lawless /ˈlɔːləs/ *a.* **1** senza legge; in preda all'anarchia: **a l. country**, un paese in preda all'anarchia **2** illegale; illecito; contrario alla legge: **l. acts**, azioni illegali **3** (*fig.*) disordinato; sfrenato; sregolato | **-ly** *avv.* **-ness** *n.* 🔊.

lawmaker /ˈlɔːmeɪkə(r)/ *n.* legislatore.

lawman /ˈlɔːmən/ *n.* (*pl.* **lawmen**) **1** uomo di legge; magistrato **2** (*USA*) poliziotto; sceriffo.

lawn① /lɔːn/ *n.* prato all'inglese; tappeto erboso ● (*agric.*) **l. aerator**, tagliazolle □ **l. mower**, tagliaerba; tosaerba □ (*USA*) **l. party**, garden party; trattenimento in giardino □ **l. sprinkler**, irrigatore per prati all'inglese □ (*sport*) **l. tennis**, tennis su prato (*su campo erboso*); tennis (*in genere*; *cfr.* **court tennis**, *sotto* **court**) ‖ **lawny**① *a.* a tappeto verde; erboso.

lawn② /lɔːn/ *n.* (*ind. tess.*) 🔊 rensa; linone; batista, battista ‖ **lawny**② *a.* di (*o* simile a) rensa.

Lawrence /ˈlɒrəns/ *n.* Lorenzo.

lawrencium /ləˈrensɪəm/ *n.* 🔊 (*chim.*) laurenzio.

lawsuit /ˈlɔːsuːt/ *n.* (*leg.*) **1** azione legale; causa civile; lite **2** processo.

◆**lawyer** /ˈlɔːjə(r)/ *n.* avvocato; legale; patrocinatore ❶ CULTURA ● **lawyer**: *è un termine generico per chi esercita l'avvocatura; cfr., per l'Inghilterra e il Galles,* **barrister** *e* **solicitor***, e per gli USA* **attorney**.

lax /læks/ *a.* **1** fiacco (*moralmente*); lassista; lasso; troppo permissivo; snervato: **lax conduct**, condotta negligente; **lax morals**, morale lassista **2** non teso; molle; lento: **a lax rope**, una corda lenta **3** (*raro*) non compatto; allentato; poroso **4** (*med.*: *detto dell'intestino*) affetto da diarrea **5** (*fon.*) rilassato | **-ly** *avv.*

laxative /ˈlæksətɪv/ *a.* e *n.* (*farm.*) lassativo.

laxity /ˈlæksətɪ/, **laxness** /ˈlæksnəs/ *n.* **1** lassismo; fiacchezza; eccessivo permissivismo; negligenza **2** (*fon.*, *med.*) lassità.

lay① /leɪ/ *n.* **1** 🔊 disposizione; posizione; configurazione: **the lay of the land**, la configurazione del terreno; (*fig.*) la situazione attuale **2** (*nella pesca, spec. alla balena*) interessenza; partecipazione agli utili **3** 🔊 (*tecn.*) commettitura (*dei trefoli d'una corda*) **4** (*fam.*) ramo d'affari; lavoro; attività **5** (*fam.*) prezzo **6** (*volg.*) scopata, chiavata (*volg.*) **7** (*volg.*) partner sessuale; (*spec., anche* **easy lay**) donna che ci sta, che la dà facilmente (*volg.*).

lay② /leɪ/ *n.* (*letter.*) lai; canzone; lamento.

lay③ /leɪ/ *a. attr.* **1** laico; secolare: (*relig.*) **a lay brother**, un «fratello» laico; un converso (*di monastero*) **2** incompetente; profano ● (*leg.*, *in Inghil.*) **lay judge**, giudice onorario (*non di carriera*); giudice di pace □ **lay reader**, (*relig.*) predicatore laico; (*fig.*) profano □ (*relig.*) **lay sister**, sorella laica; conversa ● **lay status**, laicato; condizione secolare.

lay④ /leɪ/ *pass.* di **to lie**②.

◆**lay** /leɪ/ (*pass. e p. p.* **laid**) 🅐 *v. t.* **1** posare; porre; mettere; mettere a posto; collocare; distendere; stendere; spalmare: *He laid the keys on the desk*, posò le chiavi sulla scrivania; **to lay bricks**, posare i mattoni l'uno sull'altro; **to lay the foundation of st.**, porre (*o* gettare) le fondamenta di qc.; **to lay a railway track**, posare un binario; **to lay the cloth**, stendere (*o* mettere) la tovaglia; **to lay a bomb**, mettere una bomba; **to lay paint [plaster]**, stendere la vernice [l'intonaco] **2** deporre, fare (*uova*); fare le uova: *Hens lay eggs*, le galline fanno le uova; *Reptiles lay eggs*, i rettili depongono le uova **3** calmare; smorzare; smorzare; fugare; placare: *The rain has laid the dust*, la pioggia ha smorzato la polvere; **to lay sb.'s doubts**, fugare ogni dubbio dalla mente di q. **4** preparare; progettare; elaborare; fare: **to lay a fire**, preparare (*o* disporre la legna, il carbone per*) il fuoco; **to lay one's plans carefully**, preparare accuratamente i propri piani **5** mettere innanzi; esporre; presentare; muovere (*accuse*): *The lawyer laid his case before the court*, l'avvocato presentò (*o* espose) il caso al tribunale **6** imporre; dare (*ordini, ecc.*): **to lay heavy taxes on st.**, imporre balzelli gravosi su qc.; **to lay strict injunctions on sb.**, dare severi ordini a q. **7** coprire; ricoprire; rivestire: **to lay a floor with wall-to-wall carpeting**, coprire un pavimento con la moquette **8** scommettere; fare (*una scommessa*); puntare: *We laid a wager on who would come in first*, facemmo una scommessa su chi sarebbe arrivato primo; *I'll lay ten pounds that she'll be late*, scommetto dieci sterline che arriverà in ritardo **9** appianare; spianare; lisciare **10** attribuire; ascrivere; imputare: *The murder was laid to a neighbour*, l'assassinio fu attribuito a un vicino di casa **11** (*mil.*) puntare (*per es., i cannoni*); posare (*mine*); (*aeron.*) sganciare (*bombe*) **12** (*tecn.*) commettere (*i trefoli d'una corda*) **13** (*volg.*) portarsi a letto (q.); scopare (*volg.*): **to get laid**: scopare; fare sesso 🅑 *v. i.* **1** fare le uova: *My hens are laying well now*, ora le mie galline fanno molte uova **2** (*naut.*) dirigersi; mettersi (*in una posizione*); fare prua (*su*) ● (*fig.*) **to lay st. at sb.'s door**, dare la colpa di qc. a q. □ (*fig.*) aprire: **to lay bare one's heart**, mettere a nudo il proprio cuore □ **to lay the blame for st. on sb.**, attribuire la colpa di qc. a q. □ (*fig.*) **to lay sb. by the heels**, imprigionare q.; incarcerare q. □ **to lay claim to**, avanzare una pretesa su; pretendere a: *The prince laid claim to the English throne*, il principe pretendeva al trono d'Inghilterra

□ (*leg.*) **to lay a claim to a right**, rivendicare un diritto □ **to lay a course**, (*naut.*) seguire una rotta; (*fig.*) seguire una linea di condotta □ (*leg.*, *ass.*) **to lay damages at a certain sum**, fissare una certa somma come risarcimento dei danni □ **to lay eyes on**, gettare l'occhio (*o* lo sguardo) su □ (*agric.*) **to lay fallow**, lasciare (*un terreno*) a maggese □ **to lay a finger on**, toccare (*con intenzioni ostili*): *Don't you dare lay a finger on him!*, non azzardarti a toccarlo neanche con un dito! □ **to lay sb. flat**, abbattere (*o* buttare a terra*) q.; stendere q. (*fam.*) □ **to lay great [little] store upon st.**, dare grande [scarsa] importanza a qc. □ **to lay hands on oneself**, uccidersi; suicidarsi □ **to lay hands on sb.**, mettere le mani addosso a q.; (*relig.*) imporre le mani su q. (*per consacrarlo, ordinarlo sacerdote*) □ **to lay hands on st.**, metter le mani su qc.; impadronirsi di qc. □ (*fig.*) **to lay heads together**, mettersi insieme a discutere (*o* a far progetti) □ **to lay a hedge**, mettere a dimora una siepe □ **to lay hold of** (*o* **on**), afferrare (*o* prendere); (*fig.*) approfittare di, trarre vantaggio da □ **to lay one's hopes on sb.**, riporre le proprie speranze in q. □ **to lay sb. low**, abbattere (*o* atterrare) q.; (*fig.*: *di malattia*) buttare giù q. □ **to lay oneself open to attack**, prestare il fianco agli attacchi □ **to lay open**, scoprire, esporre; svelare; tagliare, spaccare: **to lay open a wound**, scoprire una ferita; **to lay open a plot**, svelare una congiura; **to lay one's cheek [arm, leg] open**, prodursi uno squarcio in una guancia [un braccio, una gamba] □ (*stor.*) **to lay siege to a castle**, mettere l'assedio a un castello □ **to lay a snare [a trap, an ambush]**, tendere un laccio [una trappola, un'imboscata] □ (*slang autom.*, *USA*) **to lay some rubber**, sgommare; partire sgommando □ **to lay stress (o weight, emphasis) on st.**, dare un gran peso a qc. □ **to lay the table**, apparecchiare (la tavola): *Can you lay the table?*, puoi apparecchiare? □ **to lay st. to sb.'s charge**, dare la colpa di qc. a q. □ **to lay st. to heart**, prendersi a cuore qc. □ (*fig. eufem.*) **to lay sb. to rest (o to sleep)**, seppellire q. □ **to lay waste**, devastare, mettere a ferro e fuoco (*un paese, ecc.*).

❶ NOTA: *to lay / to lie*
Fra i parlanti di madrelingua inglese è abbastanza frequente l'uso erroneo delle forme di **to lay (lay, laying, laid)** al posto di quelle di **to lie**② **(lie, lying, lay, lain)** con il significato di giacere, essere disteso (*o* coricato, sdraiato): *You'd better lay* (corretto: *You'd better lie*) *on the bed*, faresti bene a stenderti sul letto; *He was laying* (corretto: *was lying*) *on the pavement*, era disteso sul marciapiede; *'I laid* (corretto: *I lay*) *on a dune / I looked at the sky / When the children were babies / And played on the beach'* BOB DYLAN, 'Ero sdraiato su una duna / guardavo il cielo / quando i bambini erano piccoli / e giocavano sulla spiaggia'.

■ **lay aback** *v. t.* + *avv.* (*naut.*) mettere a collo (*una vela*).

■ **lay aboard** *v. t.* + *avv.* (*naut.*, *stor.*) abbordare (*una nave*).

■ **lay about** *v. t.* + *prep.* **1** attaccare, colpire: *He laid about the thugs with a stick*, colpì i teppisti con un bastone **2** – **to lay about one** (*arc.*), menar colpi all'impazzata; dare botte da orbi.

■ **lay aft** *v. i.* + *avv.* (*naut.*) mettersi a poppavia (*di qc.*).

■ **lay aside** *v. t.* + *avv.* **1** mettere via; posare; mettere giù; deporre: *She laid aside her book*, mise su il libro **2** mettere da parte; risparmiare: *I lay aside a few pounds every week*, metto da parte qualche sterlina ogni settimana **3** tenere da parte; serbare (*un articolo per un cliente, ecc.*) **4** mettere da parte;

abbandonare; trascurare; accantonare: *We laid aside our plans*, abbandonammo (*o* accantonammo) i nostri progetti; **to lay aside differences**, trascurare le divergenze (*o* gli screzi).

■ **lay away** → **lay aside**.

■ **lay back** v. t. + avv. **1** (*di un cane, ecc.*) tenere (*le orecchie*) basse **2** (*calcio, ecc.*) rimettere; rilanciare: *He laid the ball back to the edge of the area*, rimise il pallone sulla soglia dell'area di rigore.

■ **lay before** v. t. + prep. **1** posare, deporre (qc.) davanti a (q.) **2** presentare, sottoporre (*un progetto, prove, ecc.*) a (q.).

■ **lay by** v. i. + avv. **1** → **lay aside**, def. 2 **2** (*naut.*) → **lay to**.

■ **lay close** (*to the wind*) v. i. + avv. (+ prep.) (*naut.*) stringere il vento.

■ **lay down** A v. t. + avv. **1** mettere giù; posare; deporre; adagiare: **to lay down one's arms**, deporre le armi; **to lay down one's tools**, posare gli attrezzi; (*dei lavoratori*) incrociare le braccia (*per protesta*); **to lay down a baby**, adagiare un bambino **2** porre (*fondamenta, condizioni, limiti, ecc.*) **3** fissare; indicare; stabilire (*norme, regole, ecc.*) **4** (*edil.*) porre le fondamenta di; posare (*un pavimento, ecc.*); cominciare a costruire: **to lay down a railway**, iniziare la costruzione di una ferrovia **5** (*naut.*) impostare, mettere in cantiere (*una nave*) **6** mettere (*vino, ecc.*) in cantina; fare una provvista di; mettere **7** mettere fuori (*fam.*), pagare, rischiare (*denaro*) **8** (*fam.*) scommettere (*denaro*) **9** (*boxe*) mettere a terra, stendere (*un avversario*) B v. i. + avv. coricarsi; sdraiarsi; stendersi □ **to lay down the law** → **law**① □ **to lay down one's life for sb.**, dare (*o* sacrificare) la vita per q. □ **to lay down a plan for one's holidays**, fare un progetto per le vacanze □ **to lay down one's powers**, perdere il proprio potere □ **to lay oneself down**, coricarsi; sdraiarsi; stendersi.

■ **lay down to** v. t. + avv. + prep. (*agric.*) mettere (*un terreno*) a (*grano, ecc.*) □ (*fam.*) **to lay oneself down to**, mettersi di buona lena a (*lavorare, studiare, ecc.*); mettersi sotto a (*fam.*).

■ **lay in** A v. t. + prep. **1** porre, posare (q. *o* qc.) in (*un luogo*) **2** collocare, ambientare in: *The scene is laid in France*, l'azione è ambientata in Francia B v. t. + avv. mettere in serbo; fare provvista di (qc.).

■ **lay into** v. i. + prep. (*fam.*) attaccare violentemente; criticare aspramente; colpire con forza.

■ **lay off** A v. t. + prep. **1** smettere di; rinunciare a: **to lay off smoking** [**wine**], smettere di fumare [rinunciare al vino] **2** sospendere (q.) dal lavoro; lasciare a casa (*fam.*); cassaintegrare (*in Italia*): *A lot of people were laid off work*, molte persone furono lasciate a casa (*fam.*) lasciare in pace, cessare di seccare, smettere di dar fastidio a (q.) B v. i. + avv. **1** smettere di (fare qc.); smetterla; piantarla; smettere di lavorare; prendersi un po' di riposo: *Lay off!*, piantala (*o* piantatela)! **2** (*naut.*) stare (*o* dirigersi) al largo **3** (*nella caccia*) spostare la mira C v. t. + avv. **1** lasciare a casa (*operai, ecc.*); mettere in cassa integrazione (*in Italia*) **2** (*sport*) lasciare (*un giocatore*) in panchina; escludere dalla formazione **3** (*naut.*) ancorare (*una nave*) al largo **4** (*USA*) mettere via, riporre (*abiti, ecc.*) **5** (*fam. USA*) prendere le misure di □ (*fam.*) **to lay one's fingers** (*o* **hands**) **off sb.** [**st.**], lasciare stare (*o* non toccare, togliere le zampe) da q. [qc.].

■ **lay on** v. t. + avv. **1** fornire; dare; attaccare (*fam.*): **to lay on water**, fornire l'acqua (*a una casa*); **to lay on electricity**, dare l'elettricità; attaccare la corrente **2** imporre (*tasse*) **3** (*fam.*) preparare (*un pranzo*); organizzare (*un ricevimento, una festa, ecc.*) **4** applicare (*intonaco, ecc.*); stendere, dare (*la vernice*) **5**

(*sport*) dare, offrire, passare (*la palla*): **to lay on a pass**, servire un compagno **6** (*calcio, ecc.*) preparare, propiziare (*un gol, ecc.*) **7** (*slang USA*) raccontare; illustrare; chiarire; spiegare □ (*fam.*) **to lay it on thick** (*o* **with a trowel**), esagerare; andare giù pesante; essere troppo prodigo (*spec. di lodi*).

■ **lay out** v. t. + avv. **1** distendere, stendere, spiegare: *The map was laid out on the table*, la cartina era stesa sul tavolo **2** (*market.*) esporre (*merce in vendita*) **3** disporre (*biancheria, ecc.*) in bell'ordine; mettere (*il pranzo, ecc.*) in tavola; sistemare (*un giardino, ecc.*) **4** (*sport*) disporre, spiegare, schierare (*i giocatori*) **5** (*sport*) impostare (*il gioco*) **6** (*fam.*) tirare fuori; spendere, investire (*denaro*): **to lay out a whole month's salary**, tirare fuori un mese di stipendio **7** stancare a morte (q.); stendere (*fam.*); fare fuori (*fam.*): *With one blow he laid out his opponent*, con un solo colpo stese l'avversario **8** (*mecc.*) tracciare **9** (*fam. USA*) sgridare; rimproverare □ **to lay oneself out**, darsi un gran daffare; farsi in quattro (*fig.*) □ **to lay out a body**, comporre (*o* preparare per il funerale) un morto □ **to lay out the pages of a book**, impaginare un libro □ **to lay out one's tools**, preparare gli arnesi (*del proprio lavoro*).

■ **lay over** A v. t. + avv. **1** rimandare; rinviare; posporre **2** abbellire; decorare; ornare B v. i. + avv. (*USA*) fare una fermata, una sosta; fare tappa per la notte (*spec. in un viaggio in aereo*).

■ **lay to** A v. i. + avv. (*naut.*) essere (*o* restare) alla cappa B v. t. + avv. (*naut.*) mettere (*una nave*) alla cappa.

■ **lay under** v. t. + prep. mettere (*o* porre) (qc.) sotto (qc. altro) □ (*form.*) **to lay sb. under contribution**, costringere q. a dare il suo contributo (*finanziario*) □ **to lay sb. under the necessity** (*o* **obligation**) **to do** (*o* **of doing**) **st.**, imporre a q. l'obbligo di fare qc.

■ **lay up** v. t. + avv. **1** fare provvista (*o* una scorta) di; accumulare: *Squirrels lay up hazelnuts for the winter*, gli scoiattoli fanno provvista di nocciole per l'inverno; **to lay up goods**, accumulare merci **2** riporre, mettere al riparo; mettere in rimessa (*un'automobile per riparazioni, ecc.*) **3** costringere (q.) a letto: *He was laid up with a bad cold*, fu costretto a letto da un brutto raffreddore **4** (*naut.*) mettere (*una nave*) in bacino di carenaggio (*o anche*: in disarmo); disarmare; fare il rimessaggio di (*un'imbarcazione*) □ **to lay up for oneself**, procurarsi, andare in cerca di (*guai, ecc.*).

layabout /ˈleɪəbaʊt/ n. (*fam.*) bighellone; sfaccendato; perdigiorno.

layaway /ˈleɪəweɪ/ n. (*USA*) acquisto a rate (*con consegna dell'articolo a pagamento completato*).

lay-by /ˈleɪbaɪ/ n. **1** (*autom. ingl.*) piazzuola di sosta **2** (*ferr.*) binario di raddoppio (*o* di scambio) **3** (*naut.*) banchina di attracco, bacino di sosta (*di un fiume, ecc.*) **4** (*Austral.*) sistema di acquisto a rate con consegna dell'articolo a pagamento completato; (*per estens.*) articolo prenotato o acquistato con tale sistema.

lay days /ˈleɪdeɪz/ n. pl. (*comm., naut.*) stallie; giorni di stallia.

laydee /ˈleɪdɪ/ n. grafia slang o fam. USA di **lady**.

lay-down /ˈleɪdaʊn/ n. **1** ▣ (*naut.*) impostazione, messa in cantiere (*di una nave*) **2** (*fam. USA*) cosa fatta; cosa sicura.

◆ **layer** /ˈleɪə(r)/ n. **1** (*anche geol.*) strato: **a l. of sandstone** [**of paint**], uno strato di arenaria [di vernice]; **ozone l.**, strato dell'ozono (*nell'atmosfera*) **2** (*agric.*) margotta; propaggine **3** allibratore **4** (*mil.*) puntatore (*di cannone*) **5** (*ferr.*) chi posa rotaie; posatore di binari **6** (*gallina*) ovaiola: *This hen is a*

good l., questa gallina fa molte uova ● **l. cake**, torta a strati □ **carpet l.**, tappezziere □ **l. structure**, struttura stratificata (*di rocce, ecc.*) □ (*geogr.*) **l. tinting**, tinta altimetrica.

to **layer** /ˈleɪə(r)/ A v. t. **1** stratificare; disporre a strati; fare a strati: (*cucina*) **to l. a cake**, fare una torta a strati **2** (*agric.*) margottare; propagginare (*piante*) **3** scalare; scalettare; (*del barbiere*) **to l. hair**, scalare i capelli B v. i. **1** formare strati **2** (*della nebbia*) formare banchi **3** (*bot.*) riprodursi (*o* diffondersi) per propaggine **4** (*agric.*: *del grano, ecc.*) sdraiarsi, allettarsi (*per la pioggia, ecc.*).

layered /ˈleɪəd/ a. **1** stratificato; a strati **2** (*dei capelli*) scalati **3** (*del grano, ecc.*) allettato; sdraiato.

layering /ˈleɪərɪŋ/ n. ▣ **1** disposizione in strati **2** (*geol.*) stratificazione **3** (*agric.*) il margottare (*piante*); propagginazione **4** (*geogr.*) tinta altimetrica (*di una mappa*) **5** l'indossare diversi strati di abbigliamento (*per poter regolare il calore corporeo*).

layette /leɪˈɛt/ (*franc.*) n. corredino (*per neonato*).

lay figure /ˈleɪfɪgə(r)/ loc. n. **1** (*arte*) manichino **2** (*fig.*) fantoccio; burattino (*fig.*) **3** (*letter.*) personaggio mal riuscito; aborto (*fig.*).

laying /ˈleɪɪŋ/ A n. ▣ **1** posa; posa in opera; installazione: **cable l.**, posa in opera di cavi **2** (*mil.*) puntamento (*d'un cannone*) **3** (*tecn.*) commettitura (*dei trefoli d'una corda*) B a. attr. (*di gallina*) ovaiola ● **egg-l.**, deposizione delle uova □ (*relig.*) **l. on of hands**, imposizione delle mani □ (*naut.*) **l.-up**, rimessaggio: **l.-up yard**, posti di rimessaggio (*per barche*).

layman /ˈleɪmən/ n. (pl. **laymen**) **1** (*relig.*) laico; secolare **2** profano; non addetto ai lavori (*fig.*) ● **NOTA D'USO** - *L'uso del termine al plurale per indicare entrambi i sessi non è accettato da tutti. Cfr.* **layperson**, **laywoman**.

lay-off /ˈleɪɒf/ n. ▣ **1** (*econ.*) sospensione (*del lavoro*) **2** (*econ.*) periodo di mancanza di lavoro; stagione morta **3** (*econ.*) messa in cassa integrazione; sospensione temporanea (*di operai*) dal lavoro: **lay-off pay**, salario ridotto (*di un cassintegrato*) **4** (*sport*) mancato utilizzo (*di un giocatore*); periodo di inattività; pausa; sosta; (*anche*) sospensione: *He's back following a three-month lay-off due to a slipped disc*, è di nuovo in campo dopo una sosta di tre mesi dovuta a un'ernia del disco; **disciplinary lay-off**, sospensione disciplinare **5** (pl.) procedure di ridimensionamento aziendale.

layout /ˈleɪaʊt/ n. ▣ **1** disposizione; posizione; configurazione: **the l. of the land**, la configurazione del paese (*o* del terreno) **2** pianta (*d'un edificio, d'un giardino, d'una fabbrica, ecc.*); tracciato (*d'una strada, ecc.*) **3** (*ind.*) layout; disegno; piano, schema (*di lavoro, ecc.*); progetto **4** (*tipogr.*) impaginazione; impaginatura; disposizione (*d'una pagina*) **5** (*ind.*) corredo (*d'attrezzi, ecc.*) **6** (*comput., pubbl.*) layout; disposizione della pagina **7** (*sport*) schieramento; assetto: **defensive l.**, assetto difensivo ● (*tipogr.*) **l. man**, impaginatore.

layover /ˈleɪəʊvə(r)/ n. (*spec. USA*) sosta, tappa (*durante un viaggio, spec. in aereo*).

layperson /ˈleɪpɜːsən/ n. **1** (*relig.*) laico, laica; secolare **2** profano, profana; non addetto, non addetta ai lavori (*fig.*).

lay-up /ˈleɪʌp/ n. **1** sosta (*di un veicolo da trasporto*) **2** (*naut.*) messa in bacino di carenaggio **3** (*naut.*) messa in disarmo **4** (*basket*) tiro da sotto canestro; tiro sul tabellone.

laywoman /ˈleɪwʊmən/ n. (pl. **laywomen**) **1** (*relig.*) laica; secolare **2** profana; non addetta ai lavori (*fig.*).

lazarette, **lazaret** /ˌlæzəˈrɛt/ → **laza-retto**.

lazaretto /ˌlæzəˈrɛtəʊ/ n. (pl. *lazarettos*) **1** lazzaretto **2** (*naut.*) interponte; deposito di poppa.

Lazarus /ˈlæzərəs/ n. **1** Lazzaro **2** (*fig.*) mendicante; lebbroso.

laze /leɪz/ n. ▢ (*fam.*) ozio; pigrizia.

to **laze** /leɪz/ v. i. (*fam., anche* to **l. about**) poltrire; oziare; ciondolare ● to **l. away one's time**, passare il tempo nell'ozio (*o* a poltrire).

lazily /ˈleɪzɪlɪ/ avv. pigramente.

laziness /ˈleɪzɪnəs/ n. ▢ pigrizia; poltrone-ria; indolenza; infingardaggine.

lazuli /ˈlæzjəlɪ/ n. (pl. *lazulis*) → **lapis lazuli**.

lazulite /ˈlæzjəlaɪt/ n. ▢ (*miner.*) lazulite.

lazurite /ˈlæzjʊraɪt/ n. ▢ (*miner.*) lazurite.

◆**lazy** /ˈleɪzɪ/ a. **1** pigro; poltrone; indolente; infingardo: **a l. girl**, una ragazza indolente (*o* pigra) **2** lento: **l. motion**, moto lento; **a l. river**, un fiume lento **3** (*del tempo, ecc.*) accidioso; che invita all'ozio **4** (*di un pretesto, ecc.*) non regge; che non sta in piedi; debole; assurdo ● (*slang*) **l. article**, pigrone; pelandrone ▢ (*med.*) **l.-eye blindness** (*o* **l. eyes**), ambliopia ▢ **l. Susan**, vassoio girevole a scomparti (*posto al centro della tavola*) ▢ (*mecc.*) **l. tongs**, pinze estensibili.

lazybones /ˈleɪzɪbəʊnz/ n. (inv.) (*fam.*) pigrone; poltrone; scansafatiche; sfaticato.

LBJ sigla (**Lyndon Baines Johnson**) (*36° presidente USA*).

LBO sigla (*comm.*, **leveraged buy-out**) rilevazione (di un'azienda) con capitale di prestito.

lbw sigla (*cricket*, **leg before wicket**) gamba (colpita) prima del wicket (*comporta l'eliminazione del battitore*).

l.c. sigla **1** (*anche* L/C) (*comm.*, **letter of credit**) lettera di credito **2** (*tipogr.*, **lower case**) minuscolo **3** (*lat.*: *loco citato*) (**in the place** (**already**) **cited**) luogo citato (loc. cit.).

LCD sigla **1** (*elettron.*, **liquid crystal display**) display a cristalli liquidi **2** (*mat.*, **lowest common denominator**) minimo comun denominatore (mcd).

lcm sigla (*mat.*, **least** (*o* **lowest**) **common multiple**) minimo comune multiplo (mcm).

L/Cpl abbr. (*mil.*, **lance corporal**) caporal maggiore (cap. magg.).

Ld abbr. (*titolo*, **lord**) lord.

LD sigla (*med.*, **lethal dose**) dose letale (DL).

L-driver /ˈɛldraɪvə(r)/ n. (*autom.*) princi-piante.

LDS sigla (*relig.*, **Latter-day Saints**) i Mor-moni.

lea① /liː/ ▲ n. (*poet.*) campo; prato; prate-ria ▣ a. attr. (*agric.*: *di un terreno*) a mag-gese.

lea② /liː/ n. matassa; filzuolo (*misura di solito pari a 80 iarde per la lana, a 120 per la seta e il cotone, e a 300 per filati di lino*).

leach /liːtʃ/ n. **1** ▢ acqua madre (*in una salina*) **2** lisciviatore (*l'apparecchio*).

to **leach** /liːtʃ/ ▲ v. t. **1** colare, filtrare (*un liquido*) **2** (*chim.*) lisciviare **3** (*chim.*) ricavare per lisciviazione **4** (*agric., geol.*) lisciviare; dissolvere ▣ v. i. **1** filtrare **2** sciogliersi ed essere asportato (*dal suolo, ecc.*) per lisciviazione: *Much of the mineral content of this soil has leached out*, gran parte del contenuto minerale di questo terreno s'è di-sciolto ed è stato asportato.

leacher /ˈliːtʃə(r)/ n. lisciviatore.

leaching /ˈliːtʃɪŋ/ n. **1** (*chim.*) lisciviazio-ne **2** (*agric., geol.*) lisciviazione ● (*edil.*) **l. cesspool**, fossa biologica a dispersione.

lead① /lɛd/ n. **1** ▢ (*chim.*) piombo: **l. ace-tate**, acetato di piombo; **l. arsenate**, arse-niato di piombo **2** (*naut.*) piombo; piombi-no; scandaglio: **sounding l.**, piombo per scandaglio **3** (= **blacklead**) grafite; mina (*di matita*) **4** (*tipogr.*) interlinea **5** ▢ (*fig.*) piombo; proiettili **6** lamine di piombo; (pl.) piombi (*listelli di vetrata antica; lastre per rico-prire un tetto*) ● (*slang*) **l. balloon**, fiasco (*fig.*); fallimento ▢ (*elettr.*) **l.-covered cable**, cavo sotto piombo ▢ (*fam. USA*) **l. foot** (*o* **l.--footed driver**), automobilista che ha il pie-de pesante (*sull'acceleratore*) ▢ (*chim., ecc.*) **l.--free**, senza piombo: **l.-free petrol**, benzina senza piombo; benzina verde ▢ (*miner.*) **l. glance**, galena ▢ **l. grey**, (color) plumbeo: *The sky turned a L grey*, il cielo si fece plumbeo ▢ (*naut.*) **l. line**, scandaglio a sago-la ▢ **l. paint**, minio ▢ (*med.*) **l. paralysis**, pa-ralisi saturnina ▢ **l. pencil**, matita (*di grafite*) ▢ (*slang USA*) **l.-pipe cinch**, fatto inevitabile; certezza assoluta ▢ **l. piping**, tubazione di piombo ▢ (*med.*) **l. poisoning**, avvelenamen-to da piombo; saturnismo ▢ **l. seal**, piombi-no (*per sigillare*) ▢ **l. shot**, pallini di piombo ▢ **l. wool**, lana di piombo (*per condutture del-l'acqua*) ▢ (*naut.*) **to cast** (*o* **to heave**) **the l.**, gettare lo scandaglio ▢ (*slang*) **to have l. in one's pencil**, esser pieno di vigore sessuale ▢ (*slang*) **to put l. in sb.'s pencil**, dare la ca-rica a q. ▢ (*fam. ingl.*) **to swing the l.**, ozia-re, battere la fiacca; darsi malato; marcare visita.

◆**lead**② /liːd/ n. **1** ▢ comando; guida; posi-zione di testa; primo posto; avanguardia: *We will follow your l.*, ci lasceremo guidare da te; ti verremo dietro; **to be in the l.**, es-sere all'avanguardia; (*in una gara o classifica*) essere in testa, essere al comando, condur-re; *Burns pulled out to an early l.*, Burns passò ben presto in testa; (*sport*) **to gain the l.**, portarsi in testa; prendere il comando; passare in vantaggio; **to take the l.**, prende-re l'iniziativa; prendere il comando; (*in una gara o classifica*) portarsi in testa; *Asia has taken the l. in car production*, l'Asia è di-ventata la prima produttrice al mondo di automobili; **to lose the l.**, perdere il coman-do, (*in una gara o classifica*) perdere il primo posto (*o* la prima posizione) **2** (*anche polit.*) vantaggio: *He has a good l. over the other candidates*, ha un buon vantaggio sugli altri candidati **3** suggerimento; indizio; pista; traccia: **to give sb. a l. in solving a prob-lem**, dare a q. un suggerimento per la solu-zione d'un problema; **to follow (up) vari-ous leads**, seguire varie piste **4** guinzaglio; laccio: *The dog was on the l.*, il cane era al guinzaglio **5** (*teatr., cinem.*) parte principa-le; primo attore, prima attrice: **to play the l.**, avere il ruolo principale: *I thought that George Harrington was perfect for the l. role*, penso che George Harrington fosse perfetto nel ruolo di protagonista **6** (*a carte*) mano: *Whose l. is it?*, chi è di mano?; *Your l.!*, tocca a te!; sta a te!; sei di mano tu! **7** canale artificiale (*spec., che porta acqua a un mulino*) **8** canale sgombro (*fra i ghiacci*) **9** (*elettr.*) conduttore isolato; cavo, cavetto; (*anche*) anticipo di fase **10** (*ind. min.*) filone (*di minerale*) **11** (*mecc.*) passo (*di vite*) **12** (*giorn.*) articolo di fondo (*o* di spalla); fondo **13** (*giorn.*) attacco (*di articolo*) **14** (*comm. est.*) anticipo (*di pagamento*) **15** (*econ.*) anti-cipo (*di una variabile*) **16** (*sport*) vantaggio; margine; distacco; scarto **17** (*boxe*) colpo d'assaggio **18** (pl.) (*autom., elettr.*) collega-menti; fili **19** (*mil., caccia*) anticipo ● **l-in**, introduzione; (*radio, TV*) filo dell'antenna, discesa d'antenna ▢ (*basket*) **l. official**, pri-mo arbitro (*equit.*) **l. rope**, longia, longina (*corda per guidare un cavallo a mano*) ▢ (*mecc.*) **l.-screw**, madrevite ▢ (*mus.*) **l. singer**, voce principale (*di un gruppo musicale*) ▢ **l. time**, intervallo tra la progettazione e la produzio-ne (*o* tra l'ordinazione e la consegna: *di un prodotto*) ▢ (*mus.*) **l. violin**, primo violino ▢ (*mus.*) **l. vocals**, voce solista; prima voce ▢ (*sport*) **to give sb. the l.**, mandare in van-taggio q. ▢ **to give sb. a l.**, fare strada a, in-stradare q. ▢ (*a carte*) **return l.**, rimessa (*di carta dello stesso seme*).

to **lead**① /lɛd/ ▲ v. t. **1** piombare; im-piombare; rivestire di piombo **2** impiomba-re; piombare; mettere il piombo (*o* i piombi) a **3** (*tipogr.*) interlineare ▣ v. i. (*della canna d'arma da fuoco*) incrostarsi di piombo.

◆to **lead**② /liːd/ (*pass. e p. p. **led***) ▲ v. t. **1** condurre, essere alla testa di; guidare (*an-che nella danza*): **to l. the demonstration**, essere alla testa dei dimostranti; **to l. a blind man**, guidare un cieco; *The captain led his team onto the field*, il capitano era alla testa della squadra quando entrarono in campo **2** dirigere; capeggiare; comanda-re; essere in testa (*a o capo di*); (*sport*) es-sere il capitano di **3** condurre, portare (*a*): *This road will l. you to the country house*, questa strada ti condurrà (*o* ti porterà) alla villa **4** condurre; fare; avere: **to l. a peace-ful existence**, condurre una vita tranquilla **5** far fare: **to l. sb. a dog's life**, far fare a q. una vita da cani **6** convincere; persuadere; indurre; portare (*fig.*): *His embarrassment led me to believe he was lying*, il suo imba-razzo mi indusse (*o* portò) a credere che mentisse **7** essere il primo di; essere in te-sta a: *Saudi Arabia leads the world in oil production*, l'Arabia Saudita è il primo pae-se del mondo per produzione del petrolio **8** far passare; immettere (*acqua in un canale*); passare (*una corda, attraverso qc.*) **9** (*mus.*) dirigere: **to l. an orchestra** [**a band, a cho-rus**], dirigere un'orchestra [una banda, un coro] **10** (*a carte*) giocare (*o* calare) come prima carta; aprire il gioco con: **to l. the ace of hearts**, calare l'asso di cuori (in apertura di gioco) **11** condurre a mano: **to l. a horse**, condurre a mano un cavallo **12** te-nere al guinzaglio **13** (*sport: nelle corse*) es-sere il capoclassifica di; essere il primo a **14** (*calcio, ecc.*) condurre, essere in vantag-gio su **15** (*sport*) passare in avanti, prolun-gare la palla (*o* il disco) per (*un compagno*); fare un suggerimento a **16** (*boxe*) aprire l'incontro con (*un certo colpo*); partire con ▣ v. i. **1** essere in testa; fare strada; essere in vantaggio; (*sport*) condurre: (*autom.*) *Which car is leading?*, quale macchina è in testa (*o* conduce)? **2** – **to l. to**, condurre a; portare a: *All roads l. to Rome*, tutte le strade porta-no a Roma; *This situation could l. to war*, questa situazione potrebbe portare alla guerra **3** (*boxe*) saggiare l'avversario; parti-re (*fig.*): *Never l. with your right*, non parti-re mai di destro! **4** (*a carte*) avere la mano; aprire **5** (*giorn.*) aprire: **to l. with a terrible piece of news**, aprire con una notizia terri-bile **6** (*elettr.*) essere in anticipo ● **to l. sb. by the hand**, condurre q. per mano ▢ **to l. sb. by the nose**, tenere q. al guinzaglio; te-nere il piede sul collo a q. ▢ **to l. sb. captive**, far prigioniero q. ▢ **to l. the dance**, aprire le danze ▢ **to l. a double life**, avere una dop-pia vita ▢ **to l. the fashion**, dettare la moda ▢ (*sport*) **to l. from the start**, prendere subi-to il comando (*della corsa*) ▢ (*fam.*) **to l. sb. a hard life**, rendere la vita difficile a q.; tor-mentare q. ▢ (*fig.*) **to l. sb. a merry** (*o* **a pretty**) **dance**, menare q. per il naso; porta-re a spasso q. (*fig.*) ▢ **to l. a parade**, aprire una sfilata ▢ (*sport*) **to l. the race**, condurre (la corsa); aprire la corsa; essere in testa ▢ **to l. the way**, fare strada; (*fig.*) prendere l'i-niziativa ▢ **to l. with one's chin**, (*boxe*) co-minciare l'incontro con il mento scoperto; (*fig.*) gettarsi (*in una discussione, ecc.*) a capo-fitto; esporsi; scoprirsi; essere avventato ▢ **led horse**, cavallo condotto a mano; cavallo di riserva ▢ (*prov.*) **One thing leads to an-

a b c d e f g h i j k l m n o p q r s t u v w x y z

other, da cosa nasce cosa.

■ **lead astray** v. t. + avv. **1** sviare, mettere (q.) fuori strada (*anche fig.*) **2** traviare: *He was led astray by bad company*, fu traviato dalle cattive compagnie.

■ **lead away** v. t. + avv. **1** portare via (q.); allontanare **2** distogliere; far allontanare (*q. dalla famiglia, ecc.*) **3** traviare **4** sviare, distogliere (*l'attenzione, ecc.*).

■ **lead back** v. t. + avv. ricondurre, riportare (*in un luogo, a un argomento, alla fede, ecc.*).

■ **lead from** v. i. + prep. (*nelle corse*) condurre, essere in vantaggio su.

■ **lead in** v. t. + avv. **1** introdurre, far entrare (*q. in un luogo*) **2** introdurre (*un argomento*); aprire (*un discorso*) **3** far passare, infilare (*un filo elettrico, ecc.*) **4** (*mus.*) introdurre.

■ **lead into** v. t. + prep. **1** introdurre, far entrare (q.) in (*un luogo*); avviare (*il traffico*) in entrata (*in città*) **2** entrare in (*un argomento, ecc.*) **3** indurre: *L. us not into temptation*, non indurci in tentazione (*preghiera*) □ **to l. sb. into trouble**, mettere q. nei guai.

■ **lead nowhere** v. t. + avv. **1** (*di una strada, ecc.*) non portare da nessuna parte **2** (*fig.*) non portare ad alcun risultato; non servire a nulla.

■ **lead off** Ⓐ v. t. + avv. (o prep.) **1** uscire alla testa di; condurre fuori: *The sergeant led the squad off the training ground*, il sergente uscì dal campo di esercitazione alla testa della squadra **2** (*anche v. i.*) cominciare; iniziare; esordire; dare il via (a): **to l. off the dance**, dare il via alle danze **3** (*boxe*) preparare (*un colpo*) Ⓑ v. i. + avv. **1** fare la prima mossa **2** (*sport*) dare inizio al gioco **3** (*boxe*) saggiare l'avversario; attaccare □ **to l. off with the first question**, fare la prima domanda.

■ **lead on** Ⓐ v. t. + avv. **1** guidare, fare strada a (q.) **2** (*fam.*) indurre, spingere (*q. a fare qc. di male*) **3** (*fam.*) indurre (*a credere qc.*); ingannare; circuire Ⓑ v. i. + avv. fare strada; andare avanti: *L. on!*, vai avanti!

■ **lead out** Ⓐ v. t. + avv. **1** fare uscire (q.); avviare (*il traffico*) in uscita (*dalla città*) **2** fare in modo che (q.) si apra (*fig.*); indurre (q.) a parlare Ⓑ v. i. + avv. fare strada in uscita.

■ **lead up** v. t. + avv. (o prep.) **1** condurre, guidare (q.) su: *The guide led us up the mountain*, la guida ci accompagnò nella scalata del monte **2** portare su (o in cima a): *This path leads you up the hill*, questo sentiero porta in cima al colle □ (*fam.*) **to l. sb. up the garden path**, menare q. per il naso; farsi gioco di q.

■ **lead up to** Ⓐ v. t. + avv. + prep. **1** condurre, guidare (q.) a (*un luogo in alto*) **2** accingersi a (*dire, fare, suggerire qc.*) **3** preparare la strada a (*fig.*); precedere, portare a (qc.): *The event led up to the Premier's resignation*, l'avvenimento portò alle dimissioni del primo ministro; *in the months leading up to the war*, nei mesi che precedettero la guerra Ⓑ v. i. + avv. + prep. (*di strada, scala, ecc.*) condurre (o portare) a (*un luogo in alto*) □ **I wonder what he's leading up to**, mi chiedo dove voglia arrivare (*fig.*).

leaded /'lɛdɪd/ a. **1** impiombato; piombato; coperto di piombo; a piombo: **l. glass window**, finestra con i vetri a piombo (*tipogr.*) interlineato ● (*autom.*) **l. petrol**, benzina con il piombo.

leaden /'lɛdn/ a. **1** di piombo; plumbeo: **a l. box**, una cassetta di piombo; **a l. sky**, un cielo plumbeo **2** grave; greve; pesante: **l. limbs**, membra pesanti; **a l. heart**, un cuore greve; **a l. silence**, un silenzio pesante (o profondo) **3** (*di cibo*) pesante; indigesto **4** depresso; triste; tetro ● **a l. rule**, una regola (*o una disciplina*) opprimente | **-ly** avv. | **-ness** n. Ⓤ.

◆**leader** /'liːdə(r)/ n. **1** leader; comandante;

capo; guida; capopartito; chi dirige, comanda, ecc.: (*polit.*) **the l. of the opposition**, il leader (*o il capo*) dell'opposizione; **the l. of the union**, il capo del sindacato; *He's a born l.*, è nato per comandare **2** (*sport*) leader; capolista; capoclassifica; capofila; chi è in testa (*alla classifica, o in una corsa*); (*ipp.*) cavallo di testa: *Arsenal are the current league leaders*, al momento l'Arsenal è in testa nel campionato di calcio **3** (*sport*, = **team l.**) capitano (*di una squadra*) **4** (*leg.*) avvocato principale (*in una causa*) **5** (*Borsa*) titolo guida **6** (*econ.*) = **leading indicator** → **leading** ② **7** (*fin.*) azienda (*o impresa*) leader **8** (*market.*, = **loss l.**) articolo civetta **9** (*giorn.*) articolo di fondo; fondo (*fam.*) editoriale **10** (*mus., ingl.*) primo violino **11** (*mus., USA*) direttore d'orchestra (*di un gruppo orchestrale piccolo*) **12** (*anat.*) tendine **13** (*bot.*) germoglio terminale **14** (*cinem., fotogr.*) coda, esca, linguetta iniziale (*di pellicola*) **15** (*di nastro magnetico*) avviatore **16** (*edil., USA*) pluviale **17** (*tecn.*) tubo adduttore (*d'acqua o aria calda*) **18** (*ind. min.*) vena secondaria (*parallela alla principale*) **19** (*tipogr.*) caratteri di guida e riempimento (*della pagina: file di lineette o puntini*) **20** (*mecc.*) ruota motrice (*di un ingranaggio*) **21** (*geofisica*) scarica pilota **22** (*pesca*) finale, setale (*di galleggiante*) **23** (*naut.*) bozzello di guida (*o di ritorno*) ● (*polit., in GB*) **the L. of the House**, il leader della maggioranza (*alla Camera dei Comuni*) □ (*polit., in GB*) **the Leader of the Opposition**, il leader dell'opposizione (*alla Camera dei Comuni*) □ (*zool.*) **l. of the pack**, capobranco □ (*giorn.*) **l. writer**, editorialista.

leaderless /'liːdələs/ a. senza capo; privo di guida.

◆**leadership** /'liːdəʃɪp/ n. Ⓤ **1** comando; direzione; guida; leadership: (*polit.*) **the l. race**, la corsa per la leadership **2** primo posto; preminenza; supremazia; leadership **3** capacità di dirigere; attitudine al comando ● (*polit., in GB*) **the l. contest**, il complesso sistema di votazioni con cui un partito sceglie un nuovo leader.

leading ① /'lɛdɪŋ/ n. Ⓤ **1** articoli di piombo **2** (*edil.*) impiombatura **3** piombaggio (*di merci*) **4** piombatura (*di vetri*) **5** (*tipogr.*) interlinea addizionale.

◆**leading** ② /'liːdɪŋ/ Ⓐ n. Ⓤ **1** comando; direzione; guida **2** (*fig.*) influenza; (*forza dell'*) esempio Ⓑ a. **1** che guida; che comanda; che dirige **2** (*anche sport*) che è in testa; che è all'avanguardia (*fig.*) **3** eminente; preminente; primo; primario; principale: **a l. company**, un'azienda primaria; **a l. scientist**, un eminente scienziato; (*geom.*) **l. diagonal**, diagonale principale ● (*aeron. mil., in GB*) **l. aircraftman**, aviere scelto □ **l. article**, (*giorn.*) → **leader**, def. 9 □ (*teatr.*) **l. business**, parti principali (*riservate al primo attore*) □ (*leg.*) **l. case**, caso che fa testo; sentenza che serve da precedente □ (*alpinismo*) **l. climber**, capocordata □ (*elettr.*) **l. current**, corrente in anticipo □ (*aeron.*) **l. edge**, bordo d'attacco, bordo d'entrata (*dell'ala*) □ (*econ.*) **l. indicator**, indicatore di tendenza; indice significativo □ (*cinem., teatr.*) **l. lady**, primadonna; (*attrice*) protagonista ● **l. light**, (*naut.*) fanale di allineamento; (*fig.: di persona*) luminare □ (*cinem., teatr.*) **l. man**, primo attore; (*attore*) protagonista □ (*naut.*) **l. mark**, meda; segnale □ (*mus.*) **l. motive**, motivo conduttore; tema melodico ricorrente □ (*mus.*) **l. note**, nota sensibile □ (*spec. leg.*) **l. question**, domanda tendenziosa; domanda posta in modo da suggerire una certa risposta (*e perciò non consentita e non ammessa*) □ **l. rein**, briglia; cavezza □ **l. reins** → **sotto** □ (*marina mil., in GB*) **l. seaman**, sottocapo □ (*econ.*) **the l. sectors**, i settori di punta □ (*Borsa*) **l. securities**, titoli

guida □ (*naut.*) **l. ship**, nave capofila □ **l. strings**, dande; guinzaglio per bambini piccoli □ **l. topics**, argomenti d'attualità □ (*mat., telef., ecc.*) **l. zero**, zero iniziale □ (*fig.: di adulto*) **to be in l. strings**, venir fatto rigare dritto; essere sotto stretto controllo.

lead-in insulator /'liːdɪnɪnsjəleɪtə(r)/ loc. n. (*elettr.*) isolatore passante.

leadless /'lɛdləs/ a. (*chim.*) senza piombo.

lead-off /'liːdɒf/ n. **1** mossa d'inizio; avvio **2** (*atletica, nuoto*) primo frazionista; primo staffettista.

leadsman /'lɛdzmən/ n. (pl. **leadsmen**) (*naut.*) scandagliere.

leady /'lɛdɪ/ a. simile al piombo; plumbeo.

◆**leaf** /liːf/ n. (pl. **leaves**) **1** (*bot. e fig.*) foglia; (*fam.*) petalo; (*collett.*) foglie: **green leaves**, foglie verdi; **a rose-l.**, un petalo di rosa; **a frame covered with gold l.**, una cornice coperta di foglia d'oro; una cornice dorata; (*di pianta*) **to be in l.**, avere le foglie; **choice tobacco l.**, foglie scelte di tabacco **2** (*di libro, ecc.*) foglio; pagina **3** (*di tavola allungabile*) prolunga; ribalta **4** (*di porta, d'imposta*) battente **5** (*mecc.*) lamina; (*anche*) = **l. spring** → **sotto 6** (*mecc.*) paletta (*di ruota a palette*) **7** (*slang*) marijuana; erba **8** (*slang USA*) cocaina ● (*bot.*) **l. blade**, lamina (*della foglia*) □ (*bot.*) **l. buds**, gemme fogliari □ (*bot.*) **l. curl**, bolla □ (*bot.*) **l. cushion**, cuscinetto fogliare □ **l. fall**, caduta delle foglie □ **l. green**, (*bot.*) clorofilla; (*color*) verde prato □ **l. mould**, terriccio formato da foglie in decomposizione; pacciame □ **l. sight**, alzo a foglia (*di arma da fuoco*) □ (*bot.*) **l. spot**, occhio di pavone (*malattia dovuta a un fungo*) □ (*mecc.*) **l. spring**, molla a balestra □ **l.-stalk**, picciolo □ **l. table**, tavolo con prolunga □ **l. tea**, tè in foglie; tè vero (*spec. se usato nei distributori automatici: non è un estratto di tè*) □ (*di piante*) **to come into l.**, mettere le foglie □ (*fig.*) **to take a l. out of sb.'s book**, seguire l'esempio di q.; imitare q. □ **to turn over** (*o* **to flip through**) **the leaves of a book**, sfogliare un libro □ (*fig.*) **to turn over a new l.**, voltar pagina; cambiar vita.

to **leaf** /liːf/ Ⓐ v. i. (*spesso* **to l. out**) mettere le foglie; fogliare; frondeggiare (*lett.*) Ⓑ v. t. (*spesso* **to l. through**) sfogliare (*un libro, ecc.*).

leafage /'liːfɪdʒ/ n. Ⓤ fogliame.

leafless /'liːfləs/ a. senza foglie; senza fronde; sfrondato; spoglio.

leaflet /'liːflət/ n. **1** (*bot.*) fogliolina **2** dépliant; volantino; manifestino.

to **leaflet** /'liːflət/ v. i. distribuire volantini; fare del volantinaggio || **leafleting**, **leafletting** n. volantinaggio.

leafstalk /'liːfstɔːk/ n. (*bot.*) = **leaf-stalk** → **leaf**.

leafy /'liːfɪ/ a. **1** ricco di foglie; frondoso; fronzuto **2** simile a una foglia || **leafiness** n. Ⓤ abbondanza di foglie; ricchezza di fogliame.

◆**league** ① /liːg/ n. **1** lega; alleanza; unione; società: **to be in l. with sb.**, essere alleato con q.; (*stor.*) **the L. of Nations**, la Lega (o la Società) delle Nazioni **2** (*fam.*) categoria; classe; livello (*fig.*): *The two boys are in the same l.*, i due ragazzi sono dello stesso livello **3** (*sport*) lega; federazione **4** (*sport*) campionato ● **l. table**, (*sport*) classifica (*spec. di un campionato*); (*nelle scuole, nelle aziende, negli ospedali, ecc.*) graduatoria □ (*spreg.*) **to be in l. with sb.**, essere in combutta con q.

league ② /liːg/ n. lega (*misura itineraria, ormai antiquata; pari a tre miglia o m 4828 circa; misura marina, pari a m 5560*).

to **league** /liːg/ Ⓐ v. t. unire in lega; alleare; confederare Ⓑ v. i. unirsi in lega; formare una lega; allearsi; confederarsi.

leaguer /'liːgə(r)/ n. **1** membro d'una le-

ga; leghista; alleato **2** (*baseball*, *USA*) giocatore di una federazione.

leak /liːk/ n. **1** crepa; fenditura; fessura: **a l. in the tank**, una crepa nel serbatoio **2** fuga; perdita (*di liquido*, *ecc.*): **a gas l.**, una fuga di gas; **to stop leaks**, eliminare le perdite **3** (*naut.*) falla; via d'acqua **4** (*elettr.*) dispersione **5** (*fig.*) fuga (*di notizie*); (*anche*) indiscrezione (*o notizia*) fatta trapelare a bella posta (*a giornalisti*, *ad amici*, *ecc.*) **6** (*slang*) pipì ● (*tecn.*) **l. detector**, rivelatore di perdite □ **to spring a l.**, aprire una falla □ (*slang*) **to take** (*o* **to have**) **a l.**, fare pipì; pisciare.

♦to **leak** /liːk/ **A** v. i. **1** perdere; colare: *The gas pipe leaks*, il tubo del gas perde **2** (*naut.*) imbarcare acqua: *The boat was leaking badly*, la barca imbarcava acqua da tutte le parti **3** (*spesso* **to l. out**) spandersi; filtrare, trapelare (*anche fig.*): *The news of the scandal has leaked out*, la notizia dello scandalo è trapelata **4** (*slang*) fare pipì; pisciare **B** v. t. **1** far trapelare: **to l. secret information**, far trapelare informazioni segrete **2** lasciare uscire, perdere (*un liquido*, *gas*, *ecc.*) ● **to l. in**, infiltrarsi; penetrare: *The rain leaked in through the roof*, la pioggia penetrò attraverso il tetto.

leakage /ˈliːkɪdʒ/ n. **1** perdita (*di liquido*); fuga (*di gas*); (*elettr.*) dispersione **2** infiltramento; infiltrazione **3** (*fig.*) fuga, indiscrezione; (*anche*) il trapelare (*di notizie*) **4** (*trasp.*) colaggio; calo (*di liquidi*); dispersione; sfrido (*comm.*) abbuono per colaggio ● **economic l.**, dispersione; impedimento alla formazione del reddito.

leaky /ˈliːkɪ/ a. **1** che perde; che non tiene: **l. tap**, rubinetto che perde **2** (*naut.*) che imbarca acqua **3** (*elettr.*) privo d'isolamento **4** (*fig.*) che non tiene un segreto; privo di riservatezza; (*di un servizio segreto*) inaffidabile | **leakiness** n. **1** il perdere da crepe (*o* da fessure) **2** (*naut.*) l'imbarcare acqua **3** (*fig.*) mancanza di riserbo; inaffidabilità (*di un servizio segreto*).

leal /liːl/ a. (*lett.*, *scozz.*) leale; onesto.

lean① /liːn/ **A** a. magro (*anche fig.*); scarno; smilzo; sparuto; scarso; povero: **a l. man**, un uomo magro (*o* sparuto); **a l. profit**, un magro profitto; **l. years**, anni magri; **a l. diet**, una dieta povera **B** n. magro; carne magra ● (*slang USA*) **l. and mean**, asciutto; grintoso; pronto a tutto ed energico □ (*autom.*) **l. mixture**, miscela povera.

lean② /liːn/ n. inclinazione; pendenza: **a steeple with a slight l.**, un campanile con una lieve inclinazione ● **on the l.**, inclinato.

♦to **lean** /liːn/ (*pass. e p. p.* **leaned**, **leant**
❶ NOTA: *participle → participle*) **A** v. i. **1** inclinarsi; pendere; piegarsi: *The willow leans over the pond*, il salice pende sopra lo stagno **2** appoggiarsi: *He leaned on his staff*, si appoggiava al bastone; *L. on my arm*, appoggiati al mio braccio!; (*boxe*) **to l. on the ropes**, appoggiarsi sulle corde **3** contare (su); fare affidamento (su): **to l. on one's connections**, contare sulle proprie conoscenze **4** propendere; essere propenso (*o* incline) a; tendere a: **to l. towards mysticism**, tendere al misticismo **5** (*autom.*: *di una vettura*) coricarsi (*in curva*) **B** v. t. **1** (*anche* **to l. over**) far inclinare; piegare **2** appoggiare; poggiare: **to l. a pole against the wall**, appoggiare un palo al muro; **to l. one's elbows on the table**, poggiare i gomiti sul tavolo ● **to l. forward** [**back**], pendere in avanti [all'indietro] □ **to l. in**, sporgersi verso l'interno; mettere dentro la testa (*a un finestrino d'auto*, *ecc.*) □ (*fig.*) **to l. on sb.**, fare pressioni su q.: *The government is leaning heavily on FIAT to produce cars that burn less fuel*, il governo esercita forti pressioni sulla FIAT perché produca automobili che consumino meno carburante □ **to**

l. out of a window, sporgersi da una finestra □ (*fig. fam.*) **to l. over backwards**, fare l'impossibile; fare i salti mortali; farsi in quattro □ **to l. over a hedge**, sporgersi sopra una siepe.

Leander /liːˈændə(r)/ n. (*letter.*) Leandro.

leaning /ˈliːnɪŋ/ **A** n. inclinazione (*anche fig.*); lieve propensione; tendenza: **to have a l. towards radicalism**, avere una tendenza al radicalismo **B** a. inclinato; pendente ● (*archit.*) **the L. Tower of Pisa**, la torre di Pisa.

leanness /ˈliːnnəs/ n. magrezza; sparutezza.

leant /lɛnt/ pass. e p. p. di **to lean**.

lean-to /ˈliːntuː/ a. e n. (*edil.*) (tetto, tettoia, capanna, ecc.) a una falda.

♦**leap** /liːp/ n. **1** salto; balzo **2** (*fig.*) sbalzo; aumento improvviso: **a l. in prices**, un aumento improvviso dei prezzi **3** (*fig.*) balzo; grande passo avanti; enorme progresso **4** salto d'acqua (*in un fiume*) **5** (*zootecnia*) monta (*d'animali*) **6** (*mus.*) intervallo ● **l. day**, giorno intercalare; il 29 di febbraio □ (*fig.*) **a l. in the dark**, un salto nel buio □ (*fig.*) **l. of faith**, atto di fede □ **l. year**, anno bisestile □ **l.-year day** = **l. day** → *sopra* □ **by** (*o* **in**) **leaps and bounds**, a passi da gigante.

to **leap** /liːp/ (*pass. e p. p.* **leapt**, **leaped**
❶ NOTA: *participle → participle*) **A** v. i. saltare; far salti; balzare; fare un balzo; lanciarsi: **to l. into the water**, saltare in acqua; **to l. for joy**, saltare dalla gioia; **to l. to one's feet**, balzare in piedi; **to l. on one's enemy**, lanciarsi sul nemico **B** v. t. (*spesso* **to l. over**) **1** saltare; superare d'un balzo: *I couldn't l.* (*over*) *the wall*, non riuscii a saltare il muretto **2** far saltare: **to l. a horse over an obstacle**, far saltare un ostacolo a un cavallo **3** (*di animali*) montare, coprire (*una femmina*) ● **to l. about**, saltellare qua e là □ **to l. at a chance**, afferrare (*o* prendere) al volo un'occasione □ **to l. from one subject to another**, saltare di palo in frasca □ (*di un'idea*, *ecc.*) **to l. into sb.'s mind**, venire in mente a q. □ (*fig.*) **to l. out at sb.**, balzare agli occhi di q. □ (*fam.*) **to l. out of one's skin**, fare un salto per lo spavento, prendersi uno spavento □ (*prov.*) **Look before you l.**, medita prima di agire!; non buttarti alla cieca!

leaper /ˈliːpə(r)/ n. saltatore, saltatrice.

leapfrog /ˈliːpfrɒg/ n. cavallina (*gioco infantile*).

to **leapfrog** /ˈliːpfrɒg/ **A** v. t. (*sport*) saltare (*un altro partecipante*) giocando alla cavallina **B** v. i. **1** giocare alla cavallina **2** (*fig.*) scavalcare; passare bruscamente: **to l. from consols to industrials**, passare dai titoli del consolidato agli investimenti in azioni industriali ● (*fig.*) **to l. each other**, superarsi a vicenda (*o* a turno).

leapfrogging /ˈliːpfrɒgɪŋ/ n. **1** (*econ.*) (*di prezzi e salari*) rincorsa **2** (*leg.*) presentazione di un appello direttamente alla Camera dei Lord (*saltando la Corte d'Appello*).

leapt /liːpt/ pass. e p. p. di **to leap**.

♦to **learn** /lɜːn/ (*pass. e p. p.* **learned**, **learnt**
❶ NOTA: *participle → participle*) **A** v. t. **1** imparare: *I'm trying to l. German*, sto cercando d'imparare il tedesco; **to l. st. by heart**, imparare qc. a memoria; **to l. to read and write**, imparare a leggere e a scrivere; **to l. to drive a lorry**, imparare a guidare il camion **2** imparare (a proprie spese); rendersi conto di: *You must l. that you cannot treat him like this*, devi renderti conto che non puoi trattarlo così **3** venire a sapere; apprendere; imparare (*region.*): *I've just learnt that he has been ill*, ho appena appreso che è stato ammalato **4** (*slang*) servire di lezione a (q.); insegnare a: *I'll l. you!*, te l'insegno io! (*che non si deve fare così*, *ecc.*);

te la do io una lezione! **B** v. i. **1** imparare: *The boy is learning quite well*, il ragazzo impara benissimo **2** studiare: *She's learning to be an opera singer*, studia per diventare cantante lirica ● **to l. a trade**, imparare un mestiere □ **I have yet to l. it**, questa mi riesce nuova.

■ **learn about** v. i. + prep. **1** imparare (qc.), apprendere nozioni su: **to l. about the life of insects**, apprendere nozioni sulla vita degli insetti **2** avere notizia di; apprendere; (venire a) sapere di; imparare (*region.*): *We learned about the accident on the news*, abbiamo saputo dell'incidente dal telegiornale.

■ **learn by** v. i. + prep. imparare da (*o* con): **to l. by one's mistakes**, imparare dai propri errori; **to l. by example**, imparare con l'esempio (degli altri) □ (*teatr.*) **to l. one's lines** (*o* **words**) **by heart**, imparare la parte a memoria.

■ **learn from** v. i. + prep. **1** imparare da (*un insegnante e sim.*) **2** imparare da (*o* per): **to l. from one's mistakes**, imparare dai propri errori; **to l. from life**, imparare dalla vita.

■ **learn of** → **learn about**, def. 2.

■ **learn off** v. t. + avv. imparare (qc.) a memoria (*o* alla perfezione).

■ **learn up** v. t. + avv. (*fam.*) imparare (qc.) a fondo.

learnable /ˈlɜːnəbl/ a. apprendibile; che si può imparare.

learned /ˈlɜːnɪd/ a. **1** dotto; colto; erudito; istruito; sapiente: **a l. man**, un uomo colto; un dotto; un erudito; **a l. word**, una parola dotta **2** (*di giornale*, *ecc.*) specialistico; per specialisti ● **a l. profession**, una professione liberale ● (*in parlamento*, *in tribunale*, *ecc.*) **my l. friend**, il mio dotto (*o* onorevole) collega (*in GB*) ● **a l. work**, un'opera d'erudizione | **-ly** avv. | **-ness** n.

learner /ˈlɜːnə(r)/ n. **1** discente; studente; scolaro **2** apprendista **3** (*autom.*, *ecc.*) principiante ● (*autom.*) **l. driver**, principiante (*autom.*, *USA*) **l.'s permit**, permesso provvisorio di guida (*cfr. ingl.* **provisional licence**, *sotto* **provisional**) □ **a slow l.**, uno che è lento ad apprendere.

♦**learning** /ˈlɜːnɪŋ/ n. **1** apprendimento: **l. curve**, curva di apprendimento; **l. difficulties**, difficoltà di apprendimento; **l. theory**, teoria dell'apprendimento **2** cultura; erudizione; dottrina; sapere ● (*org. az.*) **l. organization**, organizzazione intelligente; learning organization □ (*stor.*) **the New L.**, l'Umanesimo.

learnt /lɜːnt/ pass. e p. p. di **to learn**.

leasable /ˈliːsəbl/ a. affittabile; che si può affittare.

lease① /liːs/ n. **1** (*leg.*) «lease» (*istituto ignoto all'ordinamento ital.*); (cessione di) proprietà superficiaria; (*pressappoco*) concessione in uso; (contratto di) affitto, locazione, affittanza: *We bought our house on a 99-year l.*, comprammo la casa con un «lease» di 99 anni; **to take a two-year l. on a flat**, prendere «in affitto» un appartamento per due anni **2** (*leg.*) immobile dato in «lease» **3** (*fin.*) = **financial leasing** → **financial 4** (*arc.*) durata; termine: *'And summer's l. hath all too short a date'* W. SHAKESPEARE, 'e la durata dell'estate è di troppo breve data' ● **l. at will**, locazione a tempo indeterminato □ **l. for life**, locazione a vita □ **l. for a term of years**, locazione per un certo numero di anni □ **l.-purchase agreement**, contratto di leasing con riscatto □ (*fig.*) **a new l. of life** (*USA*: **on life**), nuove aperture (*o* prospettive) di vita; nuovi orizzonti (*fig.*).

lease② /liːs/ n. (*ind. tess.*) **1** punto d'incrocio; invergatura (*dei fili dell'ordito*) **2** liccio; maglia ● **l.-bar**, bacchetta d'inverga-

tura.

to **lease** /liːs/ **A** v. t. **1** (leg.) (anche to l. out) cedere la proprietà superficiaria di (un immobile); (pressappoco) affittare, dare in affitto, locare **2** (leg.) avere (o acquistare) la proprietà superficiaria di (un immobile); (pressappoco) affittare, prendere in affitto **3** (fin.) avere a noleggio (o noleggiare) con il leasing: We l. all our cars [machines, etc.], abbiamo tutte le nostre auto [macchinari, ecc.] in leasing **B** v. i. (di un immobile) vendersi con un «lease», affittarsi (bene, male, per un certo canone, ecc.) • (fig.) to l. back, locare (un immobile), noleggiare (un impianto: a chi l'ha venduto) con la possibilità di riscatto (alla fine del contratto).

leaseback /'liːsbæk/ n. ☑ (fin.) leasing immobiliare; vendita con patto di locazione; vendita d'impianti a una società di leasing (che li affitta al venditore con possibilità di riscatto).

leasehold /'liːshəʊld/ (leg.) **A** n. ☑ **1** (leg.) (diritto di) possesso immobiliare in base a un → «lease» (→ **lease**①, def. 1) **2** (leg. USA) possesso di beni mobili (macchinari, ecc.) in locazione-vendita **3** (leg.; per approssimazione) affittanza, conduzione, locazione **B** a. (di un immobile) posseduto in base a un → «lease» (→ **lease**①, def. 1); di cui si ha la proprietà superficiaria **C** avv. in proprietà superficiaria: to buy a house l., acquistare la proprietà superficiaria di una casa (a vita o per un certo numero di anni; cosa alquanto comune in GB nelle città grandi, come Londra, o nei centri storici) • (leg.) l. estate, immobile la cui titolarità si basa su un «lease».

leaseholder /'liːshəʊldə(r)/ n. (leg.) titolare di un «leasehold», **A**, def. 1) superficiario (per un periodo di tempo determinato, anche se lungo fino a 99 anni e oltre); (all'incirca) locatario, affittuario, conduttore (di un bene immobile).

leash /liːʃ/ n. **1** guinzaglio; laccio **2** (nella caccia) muta di tre cani **3** (un tempo) danda, briglia (per bambini) • to hold in l., tenere al guinzaglio; (fig.) tenere a freno • to let one's dogs off the l., sguinzagliare i cani □ to be straining at the l., (di un cane) tirare il guinzaglio; (fig.) mordere il freno; essere impaziente.

to **leash** /liːʃ/ v. t. mettere il guinzaglio a; tenere al guinzaglio.

leasing /'liːsɪŋ/ n. ☑ (fin.) locazione-vendita (di macchinari, locali, ecc.); locazione finanziaria; leasing • (leg.) l. agreement, accordo (o contratto) di locazione finanziaria □ (fin.) l. company, società di leasing.

♦**least** /liːst/ (superl. di **little**) **A** a. (il) più piccolo; minimo: (mat.) the l. common multiple, il minimo comune multiplo; There isn't the l. doubt about his guilt, non c'è il minimo dubbio sulla sua colpevolezza **B** n. – the l., il minimo: The l. you can do for him is not to interfere, il minimo che puoi fare per lui è di non interferire **C** avv. (il) meno; meno di tutti: the l. expensive, il meno costoso (più comune: the cheapest, il più economico); You studied the l. and got the highest mark, hai studiato meno di tutti e hai avuto il voto più alto • l. of all, meno di tutti; (anche) tanto meno: He deserves it l. of all, lo merita meno di tutti; Don't tell anybody, l. of all your wife, non dirlo a nessuno, e tanto meno a tua moglie! □ (stat.) l. squares method, metodo dei minimi quadrati □ at l., almeno, perlomeno; (= at the l.) perlomeno, a dir poco □ for the l. thing, a (o per) un nonnulla: These stockings ladder for the l. thing, queste calze si smagliano per un nonnulla (o solo a guardarle) □ not l. because..., anche perché... □ not in the l. (degree), per nulla; (niente) affatto: I am not in the l. tired, non sono affatto stanco □

to say the l. (of it), a dir poco □ (prov.) L. said, soonest mended, meno si parla, meglio è; il silenzio è d'oro □ I haven't the l. idea, non ne ho la più pallida idea.

leastways /'liːstweɪz/ avv. (fam.) almeno; perlomeno.

leastwise /'liːstwaɪz/ (USA) → **leastways**.

leat /liːt/ n. canale (spec. per portare acqua a un mulino); gora.

♦**leather** /'leðə(r)/ **A** n. **1** ☑ cuoio; pelle: imitation l., finta pelle; a l. jacket, una giacca di (o in) pelle **2** oggetto di cuoio; (= stirrup-l.) striscia di cuoio, cinghia **3** pelle di daino (per pulire) **4** (sport, fam.) palla da cricket; pallone (da gioco del calcio) **5** (pl.) calzoni di pelle; gambali di cuoio; scarpe di pelle **6** (slang) guantoni da pugile **7** (slang) portafoglio; borsa **B** a. attr. di pelle; di cuoio; in pelle: l. binding, legatura in pelle • l.-back, dorso (di libro) in cuoio; schienale in pelle □ l. bag, otre □ l.-bound, rilegato in pelle □ l. clothing, abbigliamento in pelle □ l. garments, capi di vestiario di cuoio □ l. goods, pelletteria (anche l'insegna di negozio) □ l.-goods dealer, pellettiere □ l. goods shop, pelletteria (il negozio) □ l. paper, carta marocchinata □ (pop.) to lose l., perdere un pezzetto di pelle; scorticarsi □ (sport, USA) to throw l., fare il pugile; boxare.

to **leather** /'leðə(r)/ v. t. **1** rivestire di pelle **2** rilegare in pelle **3** (fam.) picchiare con la cinghia; dare cinghiate a (q.).

leatherback /'leðəbæk/ n. (zool., Dermochelys coriacea) tartaruga di Luth.

leathercloth /'leðəklɒθ/ n. ☑ (ind. tess.) similpelle.

leatherette® /leðə'rɛt/ n. finta pelle; dermoide; similpelle.

leathering /'leðərɪŋ/ n. ☑ **1** rivestimento in pelle **2** rilegatura in pelle **3** (fam.) cinghiate; staffilate; un sacco di botte.

leatherjacket /'leðədʒækɪt/ n. **1** pesce dalla pelle dura (in genere) **2** (zool.) larva della tipula **3** (fam.) motociclettaro; rocchettaro **4** (fam.) macho vestito di cuoio; virilone.

leatherman /'leðəmən/ n. (pl. **leathermen**) uomo vestito di cuoio da capo a piedi.

leatherneck /'leðənɛk/ n. (slang USA) marine; soldato della fanteria da sbarco.

leatherware /'leðəweə(r)/ n. ☑ articoli di cuoio; pelletteria.

leathery /'leðərɪ/ a. coriaceo: l. meat, carne coriacea.

♦**leave** /liːv/ n. **1** permesso; licenza; autorizzazione: (form.) to beg l., chiedere il permesso; You have my l. to go out, Le do il permesso d'uscire; by your l., col vostro permesso **2** (= l. of absence) permesso; licenza; congedo; aspettativa: to ask for l., chiedere un permesso; to be on l., essere in congedo (o in permesso); (mil.) essere in licenza; a two weeks' l., due settimane di congedo; paid l. (o l. with pay), permesso (o congedo) retribuito **3** congedo; commiato; partenza **4** periodo di vacanza; ferie: annual l., ferie che spettano in un anno: He still had one week's annual l., aveva ancora una settimana di ferie (da godere) • l.-breaker, impiegato (o militare, ecc.) che non si ripresenta allo scadere del congedo □ (leg.) l. of the court, autorizzazione del giudice □ a l. on full [on half] salary (o wages), congedo con trattamento economico pieno [dimezzato] □ (form.) l.-taking, commiato; congedo □ extended l., congedo prolungato; aspettativa □ (mil.) short l., libera uscita □ sick l., congedo per motivi di salute; (mil.) licenza di convalescenza □ to take one's l., accomiatarsi; congedarsi □ to take l. of sb., accomiatarsi (o congedarsi) da q. □ (fig.) to take l. of one's senses, perdere il ben del-

l'intelletto; uscire di senno □ (fam., antiq.) without so much as a «with your l.» (o a «by your l.»), senza nemmeno chiedere il permesso.

♦to **leave** ① /liːv/ (pass. e p. p. **left**) **A** v. t. **1** lasciare; abbandonare; lasciare in eredità; dimenticare; lasciare da; affidare; consegnare; cedere: We left him alone, lo lasciammo solo; The film left me cold, il film mi lasciò indifferente; We left Rome yesterday, partimmo da Roma ieri; What time are you leaving the house tomorrow?, a che ora esci di casa domani?; I always l. home at 8 o'clock, esco sempre di casa alle 8; I was thinking of leaving work early on Friday, pensavo di uscire prima dal lavoro venerdì; I left my bag on the train, ho dimenticato (o lasciato) la borsa in treno; I'll l. the matter in your hands, affiderò a te la faccenda; The victim leaves a widow and three children, She left her husband, lasciò (o abbandonò) il marito; to l. nothing but debts, non lasciare che debiti; to l. one's job, abbandonare (o lasciare) il proprio lavoro; We left him quite well an hour ago, l'abbiamo lasciato un'ora fa e stava benissimo; L. it to me!, lasciar a me!; (anche) lascia fare a me!; L. him to me!, lascialo a me!; lo sistemo io! **2** (mat.) fare; restare: Ten minus two leaves eight, dieci meno due fa otto; togliendo due da dieci resta otto **3** (slang) lasciare; permettere: L. us go now, lasciaci andare, ora! **B** v. i. **1** partire; andarsene: They are leaving tomorrow, partono domani **2** (spec. USA) interrompersi; smettere • to l. alone, lasciar stare, non tirare in ballo: 'L. politics alone!' A. WESKER, 'lascia stare la politica!' □ to l. sb. alone, lasciar stare q.; lasciare in pace q. □ to l. the army for the Church, abbandonare la carriera militare per il sacerdozio □ to l. sb. be, lasciare stare q.; lasciare in pace q. □ (leg.) to l. by will, legare per testamento □ to l. one's card with sb., lasciare il proprio biglietto da visita a q. □ (fig.) to l. the chair, togliere la seduta; (anche) lasciare la presidenza □ (sport) to l. the court (o the field), uscire dal campo; (anche) essere espulso □ to l. sb. for dead, lasciare q. per morto □ to l. for a place, dirigersi verso (o partire per) un luogo □ (fam.) to l. go, lasciar andare; abbandonare la presa □ to l. hold of, lasciar andare; abbandonare la presa; non trattenere più □ to l. home, (anche) andarsene da casa; scappare da casa □ to l. sb. in charge of st. (o to l. st. in sb.'s charge), affidare (la custodia di) qc. a q. □ to l. sb. in the lurch, lasciare q. nei guai (o nelle peste); piantare in asso q. □ (fig.) to l. no stone unturned, non lasciar nulla d'intentato; fare tutto il possibile □ (naut.) to l. port, uscire dal porto; salpare □ (ferr.) to l. the rails (o the track), deragliare □ (autom.) to l. the road, uscire di strada □ to l. school, finire la scuola (o gli studi); (anche) non andare più a scuola, abbandonare gli studi □ (fam.) to l. sb. standing, lasciare q. a bocca aperta (fig.); (sport: nelle corse, ecc.) staccare, bruciare (un concorrente) □ to l. the table, alzarsi da tavola □ to l. st. to chance, affidare qc. alla sorte; lasciar decidere qc. al caso □ to l. sb. to himself (o to his own devices), lasciare che q. faccia a modo suo; lasciare q. in balia di sé stesso □ (fam.) to l. sb. to it, lasciar perdere q. □ (sport) to l. unmarked, lasciare smarcato (un avversario) □ to l. st. unsaid, trascurare di dire qc.; passare qc. sotto silenzio □ to l. well (USA: well enough) alone, non pretendere di far meglio; contentarsi (del risultato raggiunto): L. well alone!, non cercare di far meglio!; non voler strafare! (cfr. prov. ital. 'il meglio è nemico del bene') □ to l. word, lasciar detto: He has left word with my secretary that he'll come tomorrow, ha lasciato detto

alla mia segretaria che passerà domani □ (*fam.*) **Let's l. it at that**, lasciamo perdere!; non parliamone più □ **I l. it to you**, mi rimetto a te □ **I was left broke**, rimasi al verde □ **I have only one pound left**, mi resta (*o mi è rimasta*) solo una sterlina.

■ **leave about** v. t. + avv. lasciare (*indumenti, ecc.*) in giro.

■ **leave around** → **leave about**.

■ **leave aside** v. t. + avv. trascurare (*un fatto, ecc.*); non tener conto di.

■ **leave behind** v. t. + avv. **1** lasciare dietro di sé; lasciarsi dietro (*rovine, sventure, ecc.*); lasciare (*debiti, ecc.*): *Let's l. the past behind* (*us*), lasciamoci dietro il passato (*o lasciamoci il passato alle spalle*) **2** (anche v. t. + prep.) lasciare a casa; dimenticare (*di prendere qc.*): *I left the keys behind*, ho dimenticato le chiavi **3** (*sport*) lasciarsi alle spalle, staccare (*in classifica*); (*nelle corse*) distanziare; staccare; lasciare indietro (*un avversario*) □ (*sport*) **to be left behind**, farsi staccare.

■ **leave down** v. t. + avv. **1** lasciare abbassato (*un interruttore, una leva, ecc.*) **2** tenere (*la luce, la radio, ecc.*) bassa.

■ **leave in** v. t. + avv. **1** lasciare (*la chiave, ecc.*) dentro **2** lasciare (*q.*) in casa **3** lasciare (*il fuoco, ecc.*) acceso **4** lasciare (*qc.*) dov'è; non eliminare.

■ **leave off** Ⓐ v. t. + avv. **1** mettere via; smettere d'indossare (*un vestito pesante, ecc.*) **2** abbandonare, rinunciare a (*un'abitudine, ecc.*) **3** cessare, smettere (*di fare qc.*): *L. off complaining!*, smettila di lamentarti!; *We l. off work at 2 p.m.*, smettiamo di lavorare alle due Ⓑ v. i. + avv. **1** finire: *The sequel takes up where the first film left off*, il seguito riprende da dove finisce il primo film **2** cessare; smettere: *Has the storm left off?*, è cessato il temporale? □ **to l. off business**, ritirarsi (*dagli affari*) □ **Where did we l. off last time?**, dove siamo rimasti (*a leggere, ecc.*) l'ultima volta?

■ **leave on** v. t. + avv. **1** lasciare (*qc.*) su; non staccare (*qc.*) **2** tenersi addosso, non togliersi (*un indumento*) **3** lasciare acceso (*la luce, ecc.*) **4** (*cucina*) lasciare (*cibo, pentole, ecc.*) sul fuoco; lasciare cuocere (*bollire, ecc.*) □ **to l. one's hat on**, tenere il cappello in testa.

■ **leave out** v. t. + avv. **1** lasciare fuori (*o all'aperto*) **2** lasciare fuori (*sulla tavola, ecc.: cibo, ecc.*) **3** tralasciare; trascurare; dimenticare; omettere; escludere: *You've left out two words*, hai tralasciato due parole; *You've left out butter from your list*, nella lista hai dimenticato il burro; (*sport*) *He was left out of the team*, fu escluso dalla squadra; non lo misero in squadra □ (*fam.*) **L. it out!**, piantala!; smettila! □ (*fig.*) **L. me out of it!**, lasciami fuori (*dalla faccenda*)! □ **to l. st. out of the account**, non tener conto di qc. □ **to feel left out**, sentirsi escluso (*trascurato, ecc.*).

■ **leave over** v. t. + avv. lasciare in sospeso; rimandare; rinviare □ **to be left over**, rimanere, avanzare; (*mat.*) restare (*tutti impers.*): *There was a lot of food left over from the party*, avanzava tanto cibo dalla festa; *If you divide 18 by 4, you have 2 left over*, se dividi 18 per 4, resta 2.

■ **leave up** v. t. + avv. lasciare (*qc.*) su; lasciare appeso.

to **leave** ② /liːv/ → **to leaf**.

leaved /liːvd/ a. **1** (*di un albero*) frondoso; fronzuto **2** (*nei composti, per es.*): **red-l.**, dalle foglie rosse **3** (*di una porta*) a due ante ● **four-l. clover**, quadrifoglio □ **a one-l. table**, un tavolo allungabile con una sola ribalta.

leaven /ˈlɛvn/ n. **1** lievito (*anche fig.*); fermento (*nel senso concreto, più com.* **yeast**): **a l. of new ideas**, un fermento d'idee nuove.

to **leaven** /ˈlɛvn/ v. t. **1** far lievitare; far

fermentare **2** (*fig. raro*) far fermentare (*idee nuove, ecc.*); vivacizzare, ravvivare ‖ **leavening** n. ⓤ **1** lievito **2** (*fig.*) fermento; cosa che stimola, ravviva, vivacizza.

leaves /liːvz/ pl. di **leaf**.

leavings /ˈliːvɪŋz/ n. pl. avanzi; residui; rifiuti; rimasugli.

Lebanon /ˈlɛbənən/ n. (*geogr.*) Libano ‖ **Lebanese** a. e n. (inv. al pl.) libanese.

lech /lɛtʃ/ Ⓐ n. (*slang*) **1** lussuria; lascivia; concupiscenza **2** persona dissoluta Ⓑ a. attr. dissoluto; lussurioso.

to **lech** /lɛtʃ/ v. i. (*slang*) essere dissoluto; essere lussurioso.

lecher /ˈlɛtʃə(r)/ n. fornicatore; libertino; mandrillo, satiro (*fig.*); sporcaccione.

lecherous /ˈlɛtʃərəs/ a. lascivo; lussurioso; libertino; libidinoso; assatanato | **-ly** avv.

lechery /ˈlɛtʃərɪ/ n. ⓤ lascivia, lussuria; impudicizia; libertinaggio.

lecithin /ˈlɛsɪθɪn/ n. ⓤ (*chim., biol.*) lecitina.

lectern /ˈlɛktɜːn/ n. leggio (*per poggiarvi la Bibbia, ecc.*).

lection /ˈlɛkʃn/ n. **1** (*filol.*) lezione; variante **2** (*relig.*) lettura delle Sacre Scritture (*fatta in chiesa*); lectio.

lectionary /ˈlɛkʃənrɪ/ n. (*relig.*) lezionario.

lector /ˈlɛktɔː(r)/ n. (*in talune università del continente europeo e relig.*) lettore.

♦**lecture** /ˈlɛktʃə(r)/ n. **1** conferenza: **to give lectures**, fare conferenze; **a l. tour**, un giro di conferenze **2** lezione (*universitaria*): **to attend lectures**, frequentare le lezioni; **lectures on French literature**, lezioni di letteratura francese; *I've got twelve hours of lectures and four tutorials a week*, ho dodici ore di lezione e quattro seminari alla settimana **3** (*fig.*) predica; predicozzo; ramanzina; paternale: *He gave us a l. on punctuality*, ci fece un un predicozzo sulla puntualità ● **l. hall** (*o* **l. room**), sala per conferenze; aula universitaria □ **l. theatre**, auditorium ➊ FALSI AMICI ● **lecture** *non significa* **lettura**.

to **lecture** /ˈlɛktʃə(r)/ Ⓐ v. i. **1** fare conferenze; parlare in pubblico **2** (*all'università*) tenere lezioni; tenere un corso; insegnare: **to l. on post-war poetry**, tenere un corso sulla poesia del dopoguerra; *She lectures at Bath University*, insegna all'università di Bath Ⓑ v. t. **1** fare una conferenza a; parlare a: *He lectured us on food and dieting*, ci ha parlato dell'alimentazione e delle diete **2** fare lezione a (*una classe, ecc.*); insegnare **3** fare una predica, un predicozzo a; fare una ramanzina, una paternale a.

lecturer /ˈlɛktʃərə(r)/ n. **1** conferenziere; oratore **2** (*nell'università*) «lecturer» (*docente a contratto, non di cattedra*); docente: **senior l.**, «senior lecturer» (*docente non cattedratico di livello professorale*) **3** (*relig.*) predicatore (*della Chiesa Anglicana*).

lectureship /ˈlɛktʃəʃɪp/ n. **1** condizione (*o grado, ufficio*) di → «lecturer» (*def. 2*) **2** ciclo di conferenze (*o di lezioni universitarie*).

led /lɛd/ pass. e p. p. di **to lead**.

LED sigla (*elettron.*, **light emitting diode**) diodo a emissione luminosa.

ledge /lɛdʒ/ n. **1** sporgenza; aggetto; ripiano; mensola; (*falegn.*) listello **2** (*di finestra, = window l.*) bancale (*di davanzale*) **3** (*di montagna*) cornice; cengia; pianerottolo **4** (*naut.*) scogliera a fior d'acqua **5** (*ind. min.*) strato, vena (*del minerale*) **6** (*metall.*) attacco di colata.

ledged /lɛdʒd/ a. pieno di sporgenze, di rocce, di scogli.

ledger /ˈlɛdʒə(r)/ n. **1** (= **l. book**) (*rag.*) libro mastro; mastro; partitario **2** (*edil.*) tra-

versa **3** lapide; pietra tombale (*orizzontale*) ● (*rag.*) **l. account**, conto di mastro □ **l. board**, tavola di ponteggio; (*anche*) corrimano □ **l. line**, (*pesca*) lenza fissa; (*mus.*) lineetta supplementare, taglio □ **l. paper**, carta da registri □ (*pesca*) **l. tackle**, lenza a fondo.

lee /liː/ Ⓐ n. **1** riparo (*dal vento*); ridosso: **under the lee of a house**, a ridosso d'una casa **2** luogo protetto, riparato (*spec. dal vento*) **3** (*naut.*) sottovento; poggia Ⓑ a. attr. (*spec. naut.*) sottovento: **the lee side of a ship**, il lato sottovento d'una nave ● (*naut.*) **lee gauge**, posizione di sottovento (*rispetto a un'altra nave*) □ **a lee shore**, (*naut.*) una costa di sottovento (*rispetto a una nave*); (*fig.*) una grossa difficoltà, un serio pericolo □ **a lee tide**, una corrente di marea nella direzione del vento.

leeboard /ˈliːbɔːd/ n. (*naut.*) ala di deriva; pinna di scarroccio.

leech ① /liːtʃ/ n. **1** (*zool., Hirudo*) sanguisuga (*anche fig.*); mignatta: **to stick like a l.**, stare attaccato come una sanguisuga **2** (*arc. o scherz.*) cerusico; medico.

leech ② /liːtʃ/ n. (*naut.*) caduta di poppa (*di una vela*).

to **leech** /liːtʃ/ v. t. salassare (*anche fig.*).

leek /liːk/ n. (*bot., Allium porrum*) porro (*è il simbolo del Galles*).

leer /lɪə(r)/ n. sbirciata; occhiata furtiva; sguardo di traverso; sguardo maligno, malizioso o lascivo.

to **leer** /lɪə(r)/ v. i. sbirciare; guardare con la coda dell'occhio (*o di traverso*); dare occhiate maligne, maliziose o lascive ● **to l. at sb.**, sbirciare q.; guardare q. con malizia (*o con lascivia*).

leeringly /ˈlɪərɪŋlɪ/ avv. di sottecchi; sbirciando con malizia (*o con lascivia*).

leery /ˈlɪərɪ/ a. **1** (*arc.*) che la sa lunga; astuto **2** (*slang*) sospettoso; diffidente; restio ● **to be l. of sb.**, diffidare di q.

lees /liːz/ n. pl. feccia; sedimento; fondi ● (*fig.*) **to drink a cup to the l.**, bere l'amaro calice fino alla feccia.

leet speak /ˈliːtspiːk/, **leet** /liːt/ n. ⓤ (*slang, Internet*; abbr. di **elite speak**) leet (speak) (*scrittura che sostituisce alle lettere caratteri non alfabetici graficamente simili*).

leeward /ˈliːwəd/ (*naut.*) Ⓐ a. e avv. **1** sottovento **2** verso (*o a*) sottovento Ⓑ n. ⓤ poggia; sottovento; lato sottovento (*di nave*) ● **on the l.**, sottovento □ **to steer to l.**, mettere la barra sottovento ‖ **leewardly** a. (*di nave*) che scade sottovento; poggiera.

leeway /ˈliːweɪ/ n. ⓤ **1** (*naut., aeron.*) scarroccio; deriva **2** (*aeron.*) angolo di deriva **3** (*fig.*) flessibilità (*fig.*); libertà d'azione (*o di pensiero*); (*anche*) margine di sicurezza: **financial l.**, margine di sicurezza finanziaria **4** (*fig.*) ritardo; svantaggio: **to make up the l.**, recuperare il ritardo; colmare lo svantaggio ● **to have a lot of l. to make up**, essere molto indietro nel proprio lavoro; avere un grosso svantaggio da colmare □ (*naut., aeron.*) **to make l.**, scarrocciare; derivare.

♦**left** ① /left/ Ⓐ a. **1** sinistro; mancino: *Show me your l. hand*, mostrami la (mano) sinistra; **l. foot**, piede sinistro; sinistra (*sport*); **the l. flank of an army**, il fianco sinistro d'un esercito **2** a sinistra: «**No l. turn**» (*cartello*), «divieto di svolta a sinistra» **3** (*polit.*) a (*o di*) sinistra: *He's very l.*, è molto di sinistra Ⓑ n. ⓤ sinistra; lato sinistro: *He was sitting on my l.*, era seduto alla mia sinistra **2** ⓤ (*mano*) sinistra **3** (*boxe*) sinistro; **a straight l.**, un diretto sinistro **4** (*mil.*) ala sinistra, fianco sinistro: **to attack to the enemy's l.**, attaccare il fianco sinistro del nemico **5** (*polit.*) – **the L.**, la sinistra: **the extreme L.**, l'estrema sinistra Ⓒ avv. **1** a sinistra (*anche polit.*); a manca (*lett.*): **to turn**

[**to look**] **l.**, voltare [guardare] a sinistra; *Take the second l. after the sports centre and carry on for about 400 yards*, prendi la seconda a sinistra dopo il centro sportivo e continua per circa 400 metri; *The voters have moved l.*, l'elettorato s'è spostato a sinistra; (*mil.*) **L. turn!**, fronte a sinist'! **2** (*sport*) con la sinistra: **to bat l.**, battere con la sinistra ● (*calcio, ecc.*) **l. back**, terzino sinistro □ (*polit.*) **the L. Centre**, il centrosinistra: **L.-Centre government**, governo di centrosinistra □ (*rugby*) **l. centre**, trequarti centrosinistro □ (*fig.*) **l.-field**, anticonformista; non convenzionale; = **out in l. field**; = **out of l. field** → *sotto* □ (*baseball*) **l. fielder**, esterno sinistro □ (*calcio, ecc.*) **l.-footed**, di sinistro; (*di un giocatore*) mancino: **a l.-footed cross**, un cross di sinistro □ **l.-footer**, (*calcio, ecc.*) giocatore mancino; (*anche*) sinistro (*il tiro*); (*slang spreg. GB.*) cattolico (sost.) □ (*calcio, ecc.*) **l. half** (*o* **halfback**), mediano (*o* laterale) sinistro □ **l.-hand**, sinistro; a sinistra; di sinistra; di sinistro; sinistrorso (*tecn., scient.*): **the l.-hand side of the canal**, il lato sinistro del canale; **a l.-hand bend**, una curva a sinistra; **l.-hand pocket**, tasca di sinistra □ (*autom.*) **l.-hand drive** (*o* **steering**), guida a sinistra; (*sport*) **a l.-hand throw**, un lancio di sinistro; **l.-hand screw**, vite sinistrorsa; vite con la filettatura sinistra □ **l.-handed**, (*di persona*) mancino, che usa la sinistra; (*di azione, ecc., anche* avv.) con la sinistra, (*sport, anche*) di sinistro; (*tecn., scient.*) sinistrorso, in senso antiorario; (*di arnese, ecc.*) per mancini; (*fig.*) ambiguo, equivoco: **to write l.-handed**, scrivere con la sinistra; **l.-handed scissors**, forbici per mancini; **a l.-handed blow**, un colpo con la sinistra; (*boxe*) un sinistro; **a l.-handed compliment**, un complimento ambiguo; (*mat.*) **l.-handed system**, sistema di riferimento sinistrorso; **l.-handed rotation**, rotazione in senso antiorario □ (*leg., arc.*) **l.-hand marriage**, matrimonio morganatico □ **l.-handedly**, con la sinistra; di sinistro □ **l.-handedness**, l'essere mancino, mancinismo □ **l.-hander**, mancino; (*anche*) curva a sinistra; (*sport*) tiro di sinistro, (*boxe*) sinistro □ (*boxe*) **l. hook**, gancio sinistro □ (*polit.*) **l.-of-centre**, di sinistra □ **l. wing**, ala sinistra (*di un esercito, di un partito, ecc.*); (*sport: calcio, hockey, ecc.*) ala sinistra, fascia sinistra (*la posizione*); ala sinistra (*il giocatore*); (*rugby*) trequarti ala sinistra □ (*polit.*) **l.-wing**, di sinistra □ **l.-winger**, (*polit.*) persona di sinistra; (*sport*) ala sinistra (*il giocatore*) □ **l.-laid cable** [**rope**], cavo [fune] ad avvolgimento crociato sinistro □ (*calcio, ecc.*) **l. midfield**, settore sinistro del centrocampo □ (*calcio*) **l. midfielder**, centrocampista di sinistra □ (*fam. USA*) **out in l. field**, che si sbaglia di grosso; fuori strada; assurdo; sballato □ (*fam. USA*) **out of l. field**, inaspettatamente; di punto in bianco; di sorpresa: **to come out of l. field**, cogliere di sorpresa; sorprendere.

left② /lɛft/ **A** pass. e p. p. di **to leave** **B** a. lasciato; rimasto: *There are some potatoes l. and some cabbage as well*, sono rimaste delle patate e anche della verza ● (*sport: di un corridore*) **l. behind**, lasciato indietro; rimasto indietro; staccato □ (*ferr.*) **l.-luggage office**, deposito bagagli □ (*d'abito*) **l.-off**, smesso.

leftie /ˈlɛftɪ/ → **lefty**.

leftism /ˈlɛftɪzəm/ (*fam., polit.*) n. ⓤ l'essere di sinistra; sinistrismo; politica di sinistra ‖ **leftist** **A** a. di sinistra; (*spreg.*) sinistroide: **leftist ideas**, idee politiche di sinistra **B** n. uomo politico di sinistra; (*spreg.*) sinistroide.

leftover /ˈlɛftəʊvə(r)/ **A** n. **1** (*cucina*) piatto di avanzi **2** (*fig.*) rudere, residuo; reperto archeologico (*fig.*) **3** (pl.) avanzi; resti; rimasugli (*di roba da mangiare*) **B** a. avanzato; rimasto: **l. roast**, arrosto avanzato.

leftward /ˈlɛftwəd/ a. a (*o* verso) sinistra: **a l. turn**, una curva a sinistra ‖ **leftward**, **leftwards** avv. a (*o* verso) sinistra.

lefty /ˈlɛftɪ/ n. **1** (*spec. USA*) mancino (*spesso usato come nomignolo*) **2** (*polit. spreg. GB*) persona di sinistra; sinistroide.

♦**leg** /lɛg/ n. **1** gamba; (*d'animale*) zampa; (*di stivale*) gambale: *Quadrupeds have four legs*, i quadrupedi hanno quattro zampe; *I injured my leg*, mi feci male alla gamba; **the leg of a stocking**, la gamba d'una calza; *Do you have them in the same size but with a shorter leg?*, li ha nella stessa taglia ma con la gamba più corta?; **the legs of a chair** [**of a table**], le gambe d'una sedia [di un tavolo]; **a wooden leg**, una gamba di legno **2** (*d'animale macellato*) coscia; cosciotto: **a chicken leg**, una coscia di pollo **3** (*geom.*) lato (*di triangolo, esclusa la base*); cateto **4** (*fam.*) tappa (*di un viaggio*); tratta: **the first leg of our European tour**, la prima tappa del nostro giro dell'Europa **5** (*sport: calcio, ecc.*) giornata, partita, manche (*di un torneo, ecc.*); (*atletica*) frazione (*della corsa a staffetta*); (*ciclismo*) frazione, tappa; (*vela*) frazione; (*autom., ecc.*) manche: (*calcio*) **the first leg**, la partita di andata, l'andata; **the second leg**, la partita di ritorno, il ritorno **6** (*cricket*, = **leg side**) «leg»; sinistra del battitore destrimano; settore sinistro: *The batsman hit the ball to leg*, il battitore colpì la palla spedendola alla sua sinistra **7** (*naut.*) bordata; bordo **8** (*slang USA*) donna (*spec. se leggera*); fraschetta; sciacquetta **9** ⓤ (*slang USA*) avventure amorose; sesso ● (*nuoto*) **leg action**, azione delle gambe □ **legs astride**, (*ginnastica*) gambe divaricate; (*lotta*) divaricata delle gambe □ (*cricket*) **leg before wicket**, eliminazione del battitore colpito (*a una gamba o un gambale*) da una palla che, a giudizio dell'arbitro, altrimenti avrebbe colpito il wicket □ (*lotta libera*) **leg grappling** (*o* **grip**), presa di gamba □ (*baseball, hockey su ghiaccio, ecc.*) **leg guard**, parastinchi, schinieri □ **leg holster**, fondina al polpaccio (*di pistola*) □ (*lotta libera*) **leg lock**, chiave di gamba □ (*naut.*) **leg-of-mutton sail**, vela triangolare □ (*moda*) **leg-of-mutton sleeve**, manica a gigot (*o* a prosciutto) □ (*USA*) **leg pocket**, tasca dei pantaloni □ (*fam.*) **leg-pull**, presa in giro; canzonatura; sfottitura; sfottimento; sfottò (*fam.*) □ (*fam.*) **leg-puller**, canzonatore; sfottitore □ (*fam.*) **leg-pulling**, canzonatura; sfottitura □ **leg rest**, poggiagambe; poggiapiedi □ **leg room**, spazio per le gambe (*in automobile, ecc.*) □ **leg scissors**, (*judo*) sforbiciata; (*lotta libera*) forbice di gambe □ (*cricket*) **leg stump**, paletto (del wicket) alla sinistra del battitore □ (*lotta libera*) **leg trip**, sgambetto □ (*anche fig.*) **leg-up**, aiuto; spinta; spintarella: **to give sb. a leg-up**, aiutare q. ad arrampicarsi (*o* a montare in sella); (*fig.*) aiutare q. a far carriera; dare una mano a q.; dare una spintarella a q. □ **leg warmer**, scaldamuscoli (*per acrobati, ballerini e atleti*) □ (*equit.*) **leg yielding**, cessione della gamba (*del cavallo: nel dressage*) □ **to be all legs**, essere tutto gambe; essere alto e magro □ **to break one's leg**, rompersi una gamba □ (*teatr.: a chi entra in scena*) *Break a leg!*, in bocca al lupo! □ (*del cavallo*) **to change the leg**, cambiare andatura □ (*d'un bambino*) **to feel** (*o* **to find**) **one's legs**, muovere i primi passi; cominciare a camminare □ **to get** (**up**) **on one's** (**hind**) **legs**, (*d'animale*) alzarsi sulle zampe di dietro; (*fig.*) alzarsi a parlare, fare un intervento □ (*fig. fam.*) **to give leg-bail**, affidare la propria salvezza alle gambe; darsela a gambe; scomparire dalla circolazione □ (*di un prodotto, uno spettacolo, ecc.*) **to have legs**, reggere; avere i numeri per vendersi bene (per riuscire, ecc.) □ (*fig.*) **to have the legs of** (*o* **on**) **sb.**, essere più veloce di q.; staccare q. □ **to keep one's legs**, rimanere in piedi; non cadere □ (*fig.*) **not to have a** (*o* **to have no**) **leg to stand on**, non avere un motivo (*o* una ragione, una scusa) che stia in piedi (*o* che tenga) □ **to be on one's last legs**, (*di persona*) essere stremato; (*di cosa*) andare a pezzi, essere sfasciato □ (*fig.*) **to be on one's legs**, esser di nuovo in piedi (*o* in gamba) (*dopo una malattia*); alzarsi in piedi (*per fare un discorso*) □ (*fam.*) **to pull sb.'s leg**, prendere in giro (*o* sfottere) q. □ **to run sb. off his legs**, far correre q. avanti e indietro; stancare a morte q. □ **to set** (*o* **to get**) **sb. on his legs**, rimettere in piedi q. (*dopo una malattia*); aiutare q. a far carriera (*o* a impiantarsi) (*nel commercio, ecc.*) □ (*fam.*) **to shake a leg**, far quattro salti; ballare; (*anche*) sbrigarsi: *Shake a leg!*, datti una mossa!; sbrigati! □ **to stand on one leg**, stare ritto su un piede solo □ **to stand on one's own legs**, stare in piedi, reggersi da solo; (*fig.*) essere indipendente, reggersi con le proprie forze, fare coi propri mezzi □ **to stretch one's legs**, (*fig.*) sgranchirsi le gambe, fare quattro passi □ **to take to one's legs**, darsela a gambe □ **to walk sb. off his legs**, far venire il fiato corto a q. a forza di camminare.

to **leg** /lɛg/ v. i. (*fam.*: nella loc. **to leg it**) andare a piedi; camminare; correre; darsela a gambe: *We had to leg it back*, dovemmo ritornare a piedi.

leg. abbr. **1** (**legal**) legale (leg.) **2** (*leg.*, **legate**) legato (leg.).

legacy /ˈlɛgəsɪ/ **A** n. **1** (*leg.*) legato di beni mobili; lascito **2** (*fig.*) strascico; retaggio: **a l. of hatred**, uno strascico d'odio **B** a. attr. (*comput.*) legacy; utilizzato in precedenza; vecchio: **l. system**, sistema legacy ● (*fisc.*) **l. duty** (*USA*: **l. tax**), imposta di successione.

♦**legal** /ˈliːgl/ a. **1** legale; legittimo; giuridico: **l. acts**, atti legali; **to take l. steps**, adire le vie legali; **l. adviser**, consulente legale; **l. heir**, erede legittimo; **l. relationship**, rapporto giuridico **2** perseguibile a termini di legge: **a l. offence**, un reato perseguibile a termini di legge **3** giudiziario: **l. system**, ordinamento giudiziario **4** (*sport*) lecito; regolare; corretto: **a l. challenge**, un intervento regolare ● **l. abortion**, aborto legale □ **l. action**, azione legale □ **l. age**, età legale; maggiore età □ (*GB*) **l. aid**, patrocinio gratuito; assistenza legale □ **l. assets**, massa ereditaria □ **l. capacity**, capacità di agire in giudizio □ **l. consideration**, causa lecita (*in un contratto*) □ **l. costs** (*o* **l. expenses**), spese legali (*o* di giudizio) □ **l. department**, (ufficio del) contenzioso □ **l. entity** = **l. person** → *sotto* □ **l. fees and costs** = **l. costs** → *sopra* □ (*fin.*) **l. interest**, interesse legale □ **l. medicine**, medicina legale □ (*fin.*) **l. person**, persona giuridica □ **l. power of attorney**, procura legale □ **l. proceedings**, vie legali □ **l. representation**, rappresentanza legale; patrocinio □ **l. reserve**, (*fin.*) riserva legale; (*ass.*) riserva matematica □ **l. rights**, diritti riconosciuti dalla legge □ **l. separation**, separazione legale □ **l. status**, personalità giuridica □ (*econ., fin.*) **l. tender** (**currency**), moneta a corso legale □ **l. theory**, filosofia del diritto □ **l. transaction**, negozio giuridico □ **l. wrong**, illecito (sost.) □ **l. year**, anno giudiziario | **-ly** avv.

legalese /liːgəˈliːz/ n. ⓤ legalese; gergo giuridico.

legalism /ˈliːgəlɪzəm/ n. ⓤ stretta legalità; legalismo ‖ **legalist** n. legalista ‖ **legalistic** a. legalistico.

legality /liːˈgælətɪ/ n. legalità; legittimità.

to **legalize** /ˈliːgəlaɪz/ v. t. **1** legalizzare; legittimare; rendere legale **2** (*raro*) autenti-

care (*un documento*) ‖ **legalization** n. ▣ **1** legalizzazione; legittimazione: **the legalization of soft drugs**, la legalizzazione (*o* liberalizzazione) delle droghe leggere **2** (*raro*) autenticazione.

legate /ˈlɛgət/ n. **1** (*stor. romana*) legato **2** emissario; inviato **3** (*relig.*) legato pontificio ‖ **legateship** n. ▣ (*relig.*) legazione; carica (*o* ufficio) di legato ‖ **legatine** a. (*relig.*) di legato pontificio; legatizio.

legatee /lɛgəˈtiː/ n. (*leg.*) legatario, legataria.

legation /lɪˈgeɪʃn/ n. **1** legazione; ambasceria **2** (*polit.*) legazione: **the Italian l.**, la legazione italiana **3** (*relig.*) = **legateship** → **legate**.

legato /lɪˈgɑːtəʊ/ (*ital.*) a., avv. e n. (pl. *legatos*) (*mus.*) legato.

legator /lɪˈgeɪtə(r)/ n. (*leg.*) legante; chi lascia (qc.) per legato.

legend /ˈlɛdʒənd/ n. **1** ▣ leggenda (*in tutti i sensi*); mito: **the l. of Robin Hood**, la leggenda di Robin Hood **2** (*raro*) legenda, leggenda; didascalia: **the l. on a medal [on a map]**, la leggenda d'una medaglia [d'una carta geografica] **3** (*fig.*) figura leggendaria: *He was a l. in his own lifetime*, già da vivo, era una figura leggendaria.

legendary /ˈlɛdʒəndrɪ/ Ⓐ a. leggendario; mitico: **l. events**, avvenimenti leggendari Ⓑ n. (*relig.*) leggendario.

leger /ˈlɛdʒə(r)/ (*mus.*, = **l. line**) = **ledger line** → **ledger**.

legerdemain /lɛdʒədəˈmeɪn/ n. ▣ **1** destrezza di mano; gioco di prestigio; prestidigitazione **2** (*fig.*) imbroglio; inganno; gherminella; raggiro ● **legal l.**, cavilli giuridici.

legged /lɛgd, ˈlɛgɪd/ a. che ha gambe (di solito, nei composti; per es.:) **long-l.**, dalle gambe lunghe; **two-l.**, bipede; **four-l.**, quadrupede.

leggings /ˈlɛgɪŋz/ n. pl. **1** gambali di cuoio **2** ghette lunghe (*per es., per bambini*) **3** (*moda*) pantacalza; pantacollant **4** (*alpinismo*) ghette.

leggo /ˈlɛgəʊ/ vc. verb. (contraz. di **let go!**; *slang*) lascia (andare)!; molla!

leggy /ˈlɛgɪ/ a. **1** (*di bambino, puledro, ecc.*) dalle gambe lunghe **2** (*di donna*) dalle gambe belle ‖ **legginess** n. ▣ esagerata lunghezza delle gambe.

leghorn /lɛgˈhɔːn/ n. **1** paglia per cappelli **2** cappello di paglia di Firenze **3** gallina di razza livornese.

Leghorn /lɛgˈhɔːn/ n. (*geogr.*) Livorno.

legible /ˈlɛdʒəbl/ a. leggibile: **l. handwriting**, scrittura leggibile ‖ **legibility** n. ▣ leggibilità ‖ **legibly** avv. leggibilmente.

legion /ˈliːdʒən/ Ⓐ n. **1** (*stor. romana*) legione **2** (*mil.*) legione; (*fig.*) moltitudine, folta schiera: **to have a l. of admirers**, avere una folta schiera di ammiratori Ⓑ a. pred. innumerevole; numerosissimo: *Her fans are l.*, ha una moltitudine di fan; *The problems are l.*, i problemi sono innumerevoli ● **the L. of Honour**, la Legion d'onore □ (*in USA*) **the American L.**, Associazione dei Combattenti e Reduci □ (*in GB*) **the British L.**, Associazione dei Combattenti e Reduci □ (*mil.*) **the Foreign L.**, la Legione straniera.

legionary /ˈliːdʒənərɪ/ Ⓐ a. legionario Ⓑ n. (*stor. romana, mil.*) legionario.

legionella /liːdʒəˈnɛlə/ n. (*zool., Legionella pneumophila*) legionella.

Legionnaires' disease /liːdʒəˈnɛədɪziːz/ loc. n. (*med.*) malattia (*o* morbo) del legionario (*dal Convegno dell'American Legion del 1976*); legionellosi.

legis. abbr. **1** (**legislative**) legislativo **2** (**legislature**) legislatura.

to **legislate** /ˈlɛdʒɪsleɪt/ Ⓐ v. i. legiferare; promulgare leggi: **to l. against corruption**,

promulgare leggi contro la corruzione Ⓑ v. t. creare (*o* inculcare, instillare, ecc.) per legge: *It's impossible to l. morality*, è impossibile inculcare la moralità per legge ● **to l. for**, prevedere; provvedere a.

♦**legislation** /lɛdʒɪsˈleɪʃn/ n. ▣ legislazione.

legislative /ˈlɛdʒɪslətɪv/ a. legislativo: **the l. power**, il potere legislativo.

legislator /ˈlɛdʒɪsleɪtə(r)/ n. legislatore.

legislature /ˈlɛdʒɪsleɪtʃə(r)/ n. ▣ corpo legislativo; assemblea legislativa.

legist /ˈliːdʒɪst/ n. giurista.

legit /lɪˈdʒɪt/ Ⓐ a. → **legitimate** Ⓑ n. **1** figlio legittimo **2** (*teatr.*) attore impegnato **3** teatro di prosa; (la) prosa.

legitimacy /lɪˈdʒɪtɪməsɪ/ n. (*leg.*) legittimità (*anche di una nascita*).

legitimate /lɪˈdʒɪtɪmət/ a. **1** legittimo; lecito; giusto; valido: **a l. child [sovereign]**, un figlio [un sovrano] legittimo; **a l. motive**, un motivo valido **2** (*teatr.*) regolare: **the l. theatre**, il teatro regolare (*vero e proprio*); (la) prosa (*contrapposta al varietà*) **3** (*di un attore*) serio; impegnato.

to **legitimate** /lɪˈdʒɪtɪmeɪt/ v. t. **1** (*leg.*) legittimare **2** legittimare; giustificare; scusare ‖ **legitimation** n. ▣ legittimazione.

to **legitimatize** /lɪˈdʒɪtɪmətaɪz/ v. t. legittimare; rendere legale.

legitimism /lɪˈdʒɪtɪmɪzəm/ (*polit.*) n. ▣ legittimismo ‖ **legitimist** n. legittimista.

to **legitimize** /lɪˈdʒɪtɪmaɪz/ v. t. legittimare; rendere legale: **to l. a child**, legittimare un bambino ‖ **legitimization** n. ▣ legittimazione.

legless /ˈlɛgləs/ a. **1** senza gambe **2** (*fam.*) ubriaco fradicio; che non sta in piedi.

to **leg on** /ˈlɛgɒn/ v. t. + avv. (*equit.*) sospingere (*il cavallo*) con le gambe.

legume /ˈlɛgjuːm/ n. **1** legume **2** (*bot.*) leguminosa ● (*agric.*) **l. forage**, leguminosa da foraggio.

leguminous /lɪˈgjuːmɪnəs/ a. **1** a baccelli **2** (*bot.*) delle leguminose.

legwarmer /ˈlɛgwɔːmə(r)/ n. = **leg warmer** → **leg**.

legwork /ˈlɛgwɜːk/ n. ▣ lavoro di gambe; lo scarpinare ● **This job takes a lot of l.**, bisogna scarpinare parecchio in questo lavoro.

lei /leɪ/ n. «lei» (*ghirlanda di fiori hawaiana*).

Leics abbr. (**Leicestershire**) la Contea di Leicester.

Leiden /ˈlaɪdn/ n. (*geogr.*) Leida ● (*fis.*) **L. jar**, bottiglia di Leida.

leishmaniasis /leɪʃməˈnaɪəsɪs/, **leishmaniosis** /leɪʃmænɪˈəʊsɪs/ n. ▣ (*med.*) leishmaniosi.

leister /ˈliːstə(r)/ n. fiocina per salmoni (*di solito, a tre denti*).

to **leister** /ˈliːstə(r)/ v. t. fiocinare (*pesci*) (→ **leister**).

♦**leisure** /ˈlɛʒə(r), USA ˈliː-/ n. ▣ agio; comodi; riposo; tempo libero; svago; tranquillità: **to have l. to do st.**, aver agio di fare qc.; **to wait sb.'s l.**, aspettare i comodi di q. ● **l. centre**, centro di attività del tempo libero; centro sportivo □ **l. equipment**, giochi meccanici (*biliardini, ecc.*) □ **l. industries**, industrie del tempo libero □ **l. time**, tempo libero □ **l. wear** → **leisurewear** ● **at l.**, libero (*dal lavoro, ecc.*); senza fretta □ **to do st. at one's l.**, fare qc. con comodo (*o* tranquillamente, senza fretta).

leisured /ˈlɛʒəd, USA ˈliː-/ a. **1** (*che ha molto tempo libero; non occupato; non preso dal lavoro*) **2** fatto con comodo (*o* senza fretta, tranquillamente); lento; tranquillo ● (*econ.*) **the l. classes**, le classi agiate; i ricchi.

♦**leisurely** /ˈlɛʒəlɪ, USA ˈliː-/ Ⓐ a. comodo; fatto con comodo (*o* senza fretta, a proprio agio); tranquillo, lento: **a l. walk**, una passeggiata tranquilla Ⓑ avv. con comodo; senza fretta; tranquillamente; a proprio agio ‖ **leisureliness** n. ▣ comodità; tranquillità; mancanza di fretta; lentezza.

leisurewear /ˈlɛʒəweə(r), USA ˈliː-/ n. ▣ **1** (*market.*) articoli d'abbigliamento sportivo e informale **2** abiti da buon comando.

leitmotif, **leitmotiv** /ˈlaɪtməʊtiːf/ (*ted.*) n. (*mus. e fig.*) leitmotiv; motivo conduttore; tema dominante.

LEM sigla (*astronautica*, **lunar excursion module**) modulo per l'escursione lunare.

lemma ① /ˈlɛmə/ n. (pl. *lemmas*, *lemmata*) (*bot.*) lemma; glumetta inferiore.

lemma ② /ˈlɛmə/ n. (pl. *lemmas*, *lemmata*) **1** (*filos., mat.*) lemma **2** (*editoria*) lemma; esponente (*di un dizionario*) **3** (*tipogr.*) occhiello; sottotitolo.

to **lemmatize** /ˈlɛmətaɪz/ v. t. raggruppare le forme flesse o le varianti di (*una parola*) ‖ **lemmatization** n. raggruppamento delle forme flesse o delle varianti (*di una parola*).

lemme /ˈlɛmɪ/ vc. verb. (contraz. di **let me**; *slang*) lasciami; fammi: *L. see*, fammi vedere!; *L. go*, lasciami andare!

lemming /ˈlɛmɪŋ/ n. **1** (*zool., Lemmus lemmus*) lemming; lemmo **2** (*fig.*) pecora (*fig.*); individuo sottomesso, privo di volontà propria.

lemniscate /ˈlɛmnɪskət/ n. (*mat.*) lemniscata.

lemniscus /lɛmˈnɪskəs/ n. (pl. *lemnisci*) (*anat.*) lemnisco.

♦**lemon** /ˈlɛmən/ Ⓐ n. **1** (*anche* **l. tree**; *bot., Citrus limon*) limone (l'albero) **2** ▣ limone (*il frutto*) **3** ▣ succo di limone, limonata: *Would you like a glass of l.?*, vuoi una limonata? **4** ▣ giallo limone (*il colore; anche* **l. yellow**) **5** (*slang*) bidone; catorcio; fregatura: *My new car is a real l.*, la mia auto nuova è proprio un bidone **6** (*slang*) cetrullo; fesso; scemo; cretino; stupido: *He stood there like a l.*, stava lì come uno scemo **7** (*slang Austral.*) individuo imbronciato (*o* ingrugnato); tipo scorbutico **8** (*slang USA*) mulatto; mulatta; nero (*o* nera) dalla pelle chiara **9** (pl., *slang USA*) tettine; seni piccoli Ⓑ a. attr. **1** giallo limone **2** al limone: **l. tea**, tè al limone **3** di limone ● **l. cheese** (*o* **l. curd**), confettura di succo di limone, uova, burro e zucchero (*da spalmare sul pane*) □ **l. drop**, caramella al limone □ (*bot.*) **l. grass** (*Cymbopogon nardus*), citronella □ (*USA*) **l. lime**, gassosa □ **l. pudding**, budino aromatizzato con succo di limone □ (*USA*) **l. soda**, limonata (*a base di acido citrico*) □ (*zool.*) **l. sole** (*Solea lascaris*), sogliola dal porro (*assai pregiata*) □ **l.-scented**, al profumo di limone □ **l. squash**, limonata (*artificiale*) □ **l. squeezer**, spremilimoni □ (*bot.*) **l. tree**, limone (*l'albero*) □ (*bot.*) **l. verbena** (*Lippia citriodora*), cedrina; limoncina; erba luisa (*volg.*) **to squeeze the l.**, pisciare; (*anche*) masturbarsi (*dell'uomo*).

♦**lemonade** /lɛməˈneɪd/ n. **1** limonata (*a base d'acido citrico*) **2** (= **fizzy l.**) gassosa **3** (= **still l.**) limonata; spremuta di limone.

lemony /ˈlɛmənɪ/ a. (*slang Austral.*) ingrugnato; scorbutico ● **to go l.**, incavolarsi (*pop.*).

Lemuel /ˈlɛmjʊəl/ n. (*Bibbia, letter.*) Lemuele.

lemur /ˈliːmə(r)/ (*zool.*) n. (*Lemur*) lemure ‖ **lemurid** n. lemuride.

♦to **lend** /lɛnd/ (pass. e p. p. *lent*) Ⓐ v. t. **1** prestare; imprestare (*pop.*); dare a prestito; dare in mutuo: *I lent him a hundred pounds*, gli prestai cento sterline **2** (*fig.*) conferire; dare: *A fire lends cheer to a room*, il fuoco dà allegria a una stanza; *The latest findings l. credibility to his theory*, le

ultime scoperte conferiscono credibilità alla sua teoria **B** v. i. concedere prestiti: **to l. at the rate of 10%**, concedere un prestito al 10% ● **to l. attraction to a plan** [**an idea**], rendere attraente un progetto [un'idea] □ **to l. ear** (*o* **an ear, one's ear**), prestare orecchio; dare ascolto: *'Friends, Romans, countrymen, l. me your ears'* W. SHAKESPEARE, 'amici, romani, cittadini, prestatemi orecchio' □ **to l. sb. a** (**helping**) **hand**, dare una mano a q.; prestare manforte a q. □ **to l. out**, prestare (*soldi, libri, ecc.*) □ **to l. oneself**, prestarsi a; favorire: *Velvet lends itself to several uses*, il velluto si presta a diversi usi; *This music lends itself to meditation*, questa musica favorisce la meditazione □ (*Borsa*) **to l. stock**, dare titoli a riporto ● **NOTA:** *to borrow o to lend?* → **to borrow**.

lendable /'lɛndəbl/ a. prestabile; che si può prestare.

lender /'lɛndə(r)/ n. **1** prestatore, prestatrice; chi presta **2** (*fin.*) mutuante ● (*econ., fin.*) **the l. of last resort**, l'ultima fonte di credito (*la Banca d'Inghilterra*).

lending /'lɛndɪŋ/ **A** a. **1** che presta **2** (*fin.*) mutuante **B** n. □ **1** il prestare **2** (*fin.*) attività creditizia; concessione di prestiti e mutui **3** (*banca*) impieghi (collett.) ● **l. library**, biblioteca circolante □ (*banca*) **l. limit**, massimale sui prestiti; tetto degli impieghi □ (*banca*) **l. operations**, operazioni attive; impieghi □ **l. rate** (**of interest**), (*fin.*) tasso d'interesse ufficiale; (*banca*) tasso d'impiego □ (*fin.*) **l. short**, finanziamento a breve □ **l. transactions = l. operations** → *sopra*.

◆**length** /lɛŋθ/ n. ⓤⓒ **1** lunghezza (*in ogni senso*); (il) lungo: **the l. of a railway**, la lunghezza d'una ferrovia; **the l. of a vowel**, la lunghezza d'una vocale; **four feet in l. and three feet in width**, quattro piedi in (*o per il*) lungo e tre in largo; (*ipp.*) **to win by a l.**, vincere per una lunghezza **2** distanza; portata: **at arm's l.**, alla distanza d'un braccio; a portata di mano; *The two ships were a cable's l. apart*, le due navi erano alla distanza d'un cavo **3** (*di tempo*) durata: **a tour of some l.**, un giro turistico d'una certa durata **4** tratto; pezzo; spezzone: **a l. of piping**, un tratto di tubatura; **a l. of cable**, un pezzo di cavo **5** (*di stoffa*) taglio: **a l. of velvet**, un taglio di velluto **6** quantità (*di una sillaba*) **7** (*nuoto*) vasca (*in piscina*): **to swim five lengths**, fare cinque vasche **8** (*cricket*) distanza di rimbalzo (*del lancio dal battitore*) **9** (*volg. ingl.*) pene; (*anche*) scopata (*volg.*) ● **l. of service**, anzianità di servizio □ **l. of thread**, una gugliata □ **at l.**, per esteso, esaurientemente; alla fine, finalmente: **to discuss st. at l.**, discutere per esteso di qc. □ **at full l.**, lungo disteso; (= **at great l.**) per esteso, con tutti i particolari □ **to fall full l.**, cadere lungo disteso □ **a full-l. portrait**, un ritratto a figura intera (*o in piedi*) □ (*fig.*) **to go all lengths** (*o* **to any l., to any lengths**), fare ogni sforzo; fare qualunque cosa: *He would go to any l. to help me*, farebbe qualunque cosa per aiutarmi □ **to go to great lengths to do st.**, fare ogni sforzo per fare qc. □ **to go to the l. of saying that...**, arrivare al punto di dire che... □ (*fig.*) **to keep sb. at arm's l.**, tenere q. a debita distanza; trattare q. con distacco, con freddezza □ (*fam. ingl.*) **to measure one's l.**, cadere lungo disteso □ **to travel the l. and breadth of Scotland**, girare la Scozia in lungo e in largo.

to **lengthen** /'lɛŋθən/ v. t. e i. allungare, allungarsi; prolungare, prolungarsi ‖ **lengthening** n. ⓤ allungamento; prolungamento.

lengthways /'lɛŋθweɪz/ → **lengthwise**.

lengthwise /'lɛŋθwaɪz/ **A** avv. per il lungo; nel senso della lunghezza; longitudinalmente **B** a. messo per il lungo; longitudi-

nale.

lengthy /'lɛŋθɪ/ a. **1** lungo: **a l. trip**, un lungo viaggio **2** troppo lungo; prolisso: **a l. speech**, un discorso prolisso ‖ **lengthily** avv. in modo prolisso; dilungandosi ‖ **lengthiness** n. ⓤ **1** lunghezza eccessiva **2** lungaggine; prolissità.

lenience /'liːnɪəns/, **leniency** /'liːnɪənsɪ/ n. ⓤ clemenza; indulgenza; mitezza.

lenient /'liːnɪənt/ a. **1** clemente, indulgente; mite: **a l. judge**, un giudice clemente; **a l. punishment**, una punizione mite **2** accomodante; di manica larga (*fam.*) | **-ly** avv.

Leningrad /'lenɪŋɡræd/ n. (*geogr.*) Leningrado (*ora San Pietroburgo*).

Leninism /'lenɪnɪzəm/ (*polit.*) n. ⓤ leninismo ‖ **Leninist, Leninite** n. e a. leninista.

lenis /'liːnɪs/ a. (*ling.*) lene: **a l. consonant**, una consonante lene.

lenition /lɪ'nɪʃn/ n. ⓤⓒ (*ling.*) lenizione.

lenitive /'lenɪtɪv/ a. e n. (*farm.*) lenitivo; sedativo; calmante.

lenity /'lenɪtɪ/ n. ⓤ clemenza; indulgenza; mitezza.

leno /'liːnəʊ/ n. ⓤ (*ind. tess.*) linone.

◆**lens** /lɛnz/ n. **1** (*ottica*) lente: **concave** [**convex**] **l.**, lente concava [convessa]; **contact l.**, lente a contatto **2** (*ottica, fotogr.*) obiettivo **3** (*anat.*) cristallino ● **l.-holder**, portaobiettivo □ (*fotogr.*) **l. hood**, paraluce □ **l.-shutter**, otturatore (*d'obiettivo*) □ **l. tissue**, carta speciale per pulire le lenti □ (*di cinepresa*) **l. turret**, torretta portaobiettivi □ **l. wearer**, chi porta le lenti a contatto.

lent /lɛnt/ pass. e p. p. di **to lend**.

Lent /lɛnt/ n. **1** ⓤ (*relig.*) quaresima **2** (pl.) gare di canottaggio in primavera (*a Cambridge*) ● (*bot.*) **L. lily** (*Narcissus pseudo-narcissus*), trombone; giunchiglia grande □ **L. term**, secondo trimestre (*a Cambridge e in altre università inglesi*).

Lenten /'lɛntən/ a. (*relig.*) quaresimale; di (*o da*) quaresima: **L. services**, (prediche, ecc.) quaresimali; **L. fare**, vitto quaresimale ● (*fig.*) **a L. face**, un viso lungo come la quaresima.

lenticel /'lɛntɪsɛl/ n. (*bot.*) lenticella.

lenticular /lɛn'tɪkjʊlə(r)/ a. **1** (*anat.*) lentiforme; lenticolare: **l. apophysis**, apofisi lenticolare **2** (*anat.*) del cristallino.

lentigo /lɛn'taɪɡəʊ/ n. (pl. **lentigines**) (*med.*) lentiggine.

lentil /'lɛntl/ n. **1** (*bot., Lens esculenta*) lenticchia **2** (*geol.*) lente.

lentisk /'lɛntɪsk/ n. (*bot., Pistacia lentiscus*) lentisco.

lento /'lɛntəʊ/ (*ital.*) a., avv. e n. (pl. **lentos**) (*mus.*) lento.

lentoid /'lɛntɔɪd/ a. (*scient.*) lentiforme.

Leo /'liːəʊ/ **A** n. **1** ⓤ (*astron., astrol., stor.*) Leone (*costellazione, V segno dello zodiaco e nome proprio*): **Leo XIII**, Leone XIII (*papa*) **2** Leone, Leo (*nome proprio*) **3** (*astrol.*: pl. **Leos**) (un) leone; individuo nato sotto il segno del Leone **B** a. (*astrol.*) del Leone.

Leonard /'lenəd/ n. Leonardo.

Leonardesque /leɪənə'dɛsk/ a. leonardesco.

Leonidas /liː'ɒnɪdæs/ n. (*stor.*) Leonida.

leonine /'liːənaɪn/ a. leonino ● **the L. City**, la città leonina □ (*poesia*) **l. verse**, verso leonino.

leontiasis /liːən'taɪəsɪs/ n. ⓤ (*med.*) leontiasi.

leopard /'lɛpəd/ n. **1** (*zool., Felis pardus*) leopardo **2** (*arald.*) leopardo in maestà ● (*zool.*) **American l.** (*Panthera onca*), leopardo americano; giaguaro □ (*prov.*) **A l. cannot change his spots**, il lupo perde il pelo ma non il vizio.

leopardess /'lɛpədɪs/ n. femmina di leo-

pardo.

leopardskin /'lɛpədskɪn/ **A** n. pelle di leopardo **B** a. **1** di pelle di leopardo **2** leopardato.

Leopold /'liːəpəʊld/ n. Leopoldo.

leotard /'liːətɑːd/ n. **1** calzamaglia (*per acrobati, ecc.*) **2** (*moda*) body.

leper /'lɛpə(r)/ n. lebbroso, lebbrosa; (*fig.*) appestato, appestata ● **l. hospital**, lebbrosario.

lepidopteron /lɛpɪ'dɒptərɒn/ n. (pl. **lepidoptera**) (*zool.*) lepidottero ‖ **lepidopterous** (*zool.*) a. dei (*o relativo ai*) lepidotteri.

leporine /'lɛpəraɪn/ a. (*zool.*) leporino; di (*o simile a*) lepre.

leprechaun /'lɛprəkɔːn/ n. (*mitol. irl.*) gnomo; folletto.

leprosarium /lɛprə'sɛərɪəm/ (*lat.*) n. (pl. **leprosaria, leprosariums**) (*med.*) lebbrosario.

leprosy /'lɛprəsɪ/ n. ⓤ **1** (*med.*) lebbra **2** (*fig.*) corruzione morale, lebbra morale.

leprous /'lɛprəs/ a. **1** (*med.*) lebbroso **2** simile alla lebbra **3** (*biol.*) a squame; squamoso.

leptocephalus /lɛptəʊ'sɛfələs/ n. (pl. **leptocephali**) (*zool.*) leptocefalo.

leptomeninges /lɛptəmɛ'nɪndʒiːz/ n. pl. (*anat.*) leptomeningi.

leptomeninx /lɛptə'mɛnɪŋks/ n. (pl. **leptomeninges**) (*anat.*) leptomeninge.

lepton /'lɛptɒn/ n. (*fis. nucl.*) leptone.

leptospirosis /lɛptəspaɪə'rəʊsɪs/ n. ⓤ (*med., vet.*) leptospirosi.

leptotene /'lɛptəʊtiːn/ n. ⓤ (*biol.*) leptotene.

les /lɛz/ n. (*fam., spreg.*) lesbica.

Lesbian /'lɛzbɪən/ **A** a. **1** di Lesbo; lesbio (*lett.*) **2** – l., lesbico **B** n. – l., lesbica ‖ **lesbianism** n. ⓤ lesbismo; amore lesbico; saffismo.

lesbo /'lɛzbəʊ/ n. (*fam., spreg.*) lesbica.

Lesbos /'lɛzbɒs/ n. (*geogr.*) Lesbo.

lese-majesty /leɪz'mædʒəsteɪ/ n. ⓤ (*leg.*) lesa maestà; alto tradimento.

lesion /'liːʒn/ n. (*anche med.*) lesione.

◆**less** /lɛs/ (compar. di **little**) **A** a. meno; minore; più piccolo: *Four is l. than five*, quattro è meno di cinque; *L. noise, please!*, meno rumore, prego!; *It should take l. time*, dovrebbe volerci meno tempo ● **NOTA:** *meno* (**less** / **fewer**) → **meno B** n. meno; quantità (*o misura*) minore: *I cannot take l.*, non posso prendere (*o accettare*) di meno **C** avv. meno; di meno: *You should work l.*, dovresti lavorare di meno; *I earn much l. than you*, guadagno molto meno di te; *You are l. diligent than your sister*, sei meno diligente di tua sorella **D** prep. meno: **a month l. two days**, un mese meno due giorni ● **l. and l.**, sempre meno □ **l. frequently**, meno di frequente; più di rado □ **l.-than-average**, sotto la media □ (*boxe, ipp., ecc.*) **l.-than-average weight**, sottopeso (sost.) □ (in frasi neg.) **any the l.**, non meno; lo stesso: *I don't love her any the l.*, le voglio bene lo stesso □ **to get l.**, diminuire; scemare; prendere (*o ricevere, guadagnare*) meno (di) □ **to grow l.**, rimpicciolirsi; diminuire □ **in l. than no time**, in un batter d'occhio; in men che non si dica □ **more or l.**, più o meno; all'incirca: *I've got 40 pounds, more or l.*, ho circa 40 sterline □ **no l.** (**a person**) **than**, nientemeno che (*detto di una persona importante*) □ **no l. than**, non meno di; per lo meno: *It takes no l. than three hours to get there*, ci vogliono non meno di tre ore per arrivarci □ **none the l.**, nondimeno; ciononimeno; tuttavia □ **still l.**, tanto meno; meno che mai □ **The l. you work, the l. you earn**, meno lavori, meno guadagni.

❶ NOTA: *less o fewer?*

Less si usa con nomi non numerabili come *money, rice, mud*: *less money*, meno denaro; *less rice*, meno riso; *less mud*, meno fango. *Fewer* si usa, invece, con nomi numerabili, come *orange, visitor*: *fewer oranges*, meno arance; *fewer visitors*, meno visitatori.

lessee /le'si:/ *n.* (*leg.*) titolare di un → «lease» (→ **lease**①, *def.* 1); (*pressappoco*) affittuario; locatario; inquilino.

to **lessen** /'lɛsn/ *v. t. e i.* **1** diminuire; ridurre, ridursi; calare; scemare; attenuare, attenuarsi: **to l. one's speed**, ridurre la velocità; rallentare; *The tension lessened*, la tensione si allentò **2** sminuire: **to l. sb.'s merits**, sminuire i meriti di q.

lessening /'lɛsnɪŋ/ *n.* ☑ **1** diminuzione; riduzione **2** attenuazione ● (*fig.*) l. of **strain**, distensione.

lesser /'lɛsə(r)/ *a. attr.* (compar. di **little**) minore; più piccolo; inferiore; di minore importanza: (*astron.*) the **L. Bear**, l'Orsa Minore; **to choose the l. evil**, tra due mali, scegliere il minore ● **one of the l.-known writers**, uno degli scrittori meno noti.

♦**lesson** /'lɛsn/ *n.* **1** lezione: **a Latin l.**, una lezione di latino; *There are two one and a half hour lessons a week*, ci sono due lezioni da un'ora e mezza alla settimana; **to give** [**to take**] **lessons in painting**, dare [prendere] lezioni di pittura; *Let that be a l. to you!*, che ti serva di lezione! **2** (*relig.*) lezione: **first** [**second**] **l.**, lettura del Vecchio [del Nuovo] Testamento; prima [seconda] lettura ● (*fig.*) **to teach sb. a l.**, dare una lezione a q. (*fig.*).

to **lesson** /'lɛsn/ *v. t.* dare una lezione a (q.); rimproverare; redarguire; sgridare.

lessor /le'sɔ:(r)/ *n.* (*leg.*) concedente di un → «lease» (→ **lease**①, *def.* 1); (*pressappoco*) locatore; concedente.

lest /lɛst/ *cong.* **1** per tema che (*lett.*); per paura (*o* per timore) che; affinché non: *He hid in the wood l. we should catch him*, si nascose nel bosco per paura che lo prendessimo **2** (*dopo espressioni indicanti timore*) che: *I was afraid l. he should fall*, temevo che cadesse ● **l. we forget**, non dimentichiamo; per non dimenticare; a perpetua memoria.

let① /lɛt/ *n.* **1** affitto; locazione; contratto d'affitto: **a good let**, una locazione che rende molto **2** casa affittata (*o* da affittare).

let② /lɛt/ *n.* **1** (*arc. o leg.*) impedimento; ostacolo: **without let or hindrance**, senza alcun impedimento **2** (*tennis*) colpo nullo da ripetere (*nel servizio*); let; net: '**no let**', ripetizione del servizio non concessa (*dall'arbitro*).

♦to **let** /lɛt/ (*pass. e p. p. let*) **Ⓐ** *v. t.* **1** (*causativo*) lasciare; permettere; fare; farsi: *They wouldn't let me stay*, non mi hanno lasciato (*o* non mi hanno permesso di) restare; *Let me introduce you to some of the staff*, permettimi di presentarti a una parte dello staff; *Let me see your homework*, fammi vedere i tuoi compiti; *Let me think*, fammi pensare; *Let me know if you need me*, mi faccia sapere se ha bisogno di me; *They let the prisoner escape*, lasciarono (*o* si fecero) scappare il prigioniero; **to let sb. know**, far sapere a q.; informare q. **❶ NOTA:** *lasciare* → *lasciare* **2** (ausiliare nell'imper. per la 1ᵃ e 3ᵃ pers. sing. e pl., e in qualche altro caso; è idiom.; per es.): *Let us pray*, preghiamo!; *Let him try*, provi pure!; *Let's go*, andiamo; (*mat.*) *Let x equal y*, sia x uguale a y **3** affittare; dare in affitto; concedere; locare; appigionare: **to let a house**, dare in affitto una casa; «**To Let**» (*cartello*), «affittasi» **4** far uscire, emettere, scaricare (*aria, acqua, ecc.*): **to let air out of a tyre**, fare uscire l'aria da un pneumatico; sgonfiare una gomma **5**

(*geom.*) mandare (*una linea perpendicolare*) **6** noleggiare; dare a nolo (*cavalli, barche, ecc.*) **7** dare in appalto (*un lavoro*); assegnare (*un contratto d'appalto*) **Ⓑ** *v. i.* essere affittato (*o* appigionato); affittarsi; appigionarsi: *How much does this house let for?*, a quanto s'affitta (*o* qual è l'affitto di) questa casa? ● **to let sb. alone**, lasciare in pace q.; lasciar stare q. □ **let alone**, per non parlare di; tanto meno; figurarsi: *He can't change a bulb, let alone fix a leaking tap*, non sa cambiare una lampadina, figurarsi riparare un rubinetto che perde □ **to let be**, lasciar stare; lasciare in pace; lasciar in pace (*uno*); lasciolo stare!; *Let it be!*, e sia!; e va bene! □ (*med.*) **to let blood**, cavare sangue; salassare □ **to let drop**, lasciar cadere; lasciar andare; lasciar perdere; *Shall we let the matter drop?*, vuoi che lasciamo perdere la faccenda? □ **to let fly**, (*v. t.*) lanciare; scagliare (*anche fig.*); (*v. i.*) cominciare a sparare; attaccare, scagliare colpi; cominciare a inveire; *He let fly a torrent of abuse*, lanciò un torrente d'ingiurie; *He let fly at me for no reason*, mi attaccò (*o* cominciò a inveire contro di me) senza alcun motivo □ **to let go (of)**, allentare; lasciare; lasciar andare, mollare: *The pan was hot and she let go of it*, il tegame scottava e lei lo lasciò andare □ **to let oneself go**, lasciarsi andare; abbandonarsi; (*anche*) trascurare il proprio aspetto (vestiario, ecc.): *Let yourself go!*, lasciati andare! □ (*volg. ingl.*) **to let one go** → **let off**, **B** □ (*fam.*) **to let st. go hang**, lasciare che qc. vada per il suo verso □ **to let sb. have it**, dira q. il fatto suo; non mandargliela a dire; (*anche*) attaccare, dare addosso a q. □ **to let loose**, liberare, sciogliere, lasciare liberi (*animali, ecc.*); (*fig.*) dare mano libera (*o* carta bianca) a (q.) □ **to let st. pass**, lasciar correre qc.; lasciar perdere □ **to let st. slide**, lasciare andare qc. a rotoli; (*USA*) lasciar correre (*o* lasciar perdere) qc. □ **to let slip**, lasciarsi sfuggire (*una parola, una frase, ecc.*); lasciarsi scappare (*un'occasione, ecc.*); (*lett.*) sciogliere, liberare: **Let it rip!**, (*autom.*) accelera!; dacci sotto!; (*USA*) vada come vada!; fregatene! □ (*prov.*) **Let well** (*USA* **well enough**) **alone**, non cercare di far meglio!; non voler strafare! (*cfr. ital. il meglio è nemico del bene*).

❶ NOTA: *let's / let us*

La forma più comune dell'imperativo di prima persona plurale con **let** è **let's**; la forma non contratta, **let us**, è formale: *Let's stop here!*, fermiamoci qui!; *Let us submit to God's will*, affidiamoci alla volontà di Dio! La forma **let us** può anche significare lasciaci *o* lasciateci, cioè essere un normale imperativo di seconda persona singolare *o* plurale: *Please, let us do our job*, per favore, lasciateci fare il nostro lavoro!

La **question tag** dell'imperativo introdotto da **let** è **shall we?**: *Let's try, shall we?*, dài, proviamo!: «*Let's go dancing, shall we?*» «*Yes, let's*», «dài, andiamo a ballare!» «va bene, (andiamo)».

Le forme negative dell'imperativo introdotto da **let's** sono **let's not** e, nella lingua formale, **let us not**; specialmente nell'inglese britannico, sono diffuse anche le forme **don't let's** e, nel registro formale, **do not let us**: *Let's not give in*, non cediamo!; non diamoci per vinti!; *Do not let us be disheartened by this defeat*, non scoraggiamoci per questa sconfitta!

▪ **let by** *v. t. + avv.* **1** far passare: *We slowed down to let the ambulance by*, rallentammo per far passare l'ambulanza **2** (*fig.*) lasciar correre (*errori, osservazioni, ecc.*); lasciar perdere.

▪ **let down** **Ⓐ** *v. t. + avv.* **1** allungare; calare; far scendere: **to let down a rope (to sb.)**, calare una fune (*o* allungare una corda) (a

q.) **2** (*naut.*) ammainare (*le vele*) **3** allungare (*una gonna, ecc.*); calare (*un orlo*) **4** sciogliere, lasciar cadere (*i capelli: sulle spalle*) **5** (*autom., ecc.*) sgonfiare: **to let down one's tyres**, sgonfiare le gomme **6** abbassare, tirare giù (*serrande, ecc.*) **7** deludere; venir meno alle aspettative di (q.); tradire (*fig.*): *Don't let me down!*, non deludermi! (*aiutami, vieni alla festa, ecc.*); *Never let your friends down!*, non tradire mai gli amici! **8** (*aeron.*) far atterrare; portare giù (*fam.*: *un aereo*) **Ⓑ** *v. i. + avv.* **1** (*aeron.*: *di un aereo*) atterrare **2** (*fam. USA*) rallentare lo sforzo; arrendersi (*fig.*) □ (*fig. fam.*) **to let one's (back) hair down**, lasciarsi andare; rilassarsi □ (*fam.*) **to let sb. down gently**, andarci piano (*o* con delicatezza) con q.

▪ **let in** *v. t. + avv.* **1** fare (*o* lasciare) entrare; ammettere (*anche fig.*); fare (*o* lasciare) passare: *Let the dog in!*, fa' entrare il cane!; *Excuse me but I'm afraid we don't let kids in here*, mi scusi, purtroppo i bambini qui non sono ammessi; *We were let in at 7.30 p.m.*, fummo fatti entrare (*o* fummo ammessi) alle 19.30; *My old shoes let the rain in*, le mie vecchie scarpe non tengono l'acqua **2** introdurre **3** aggiungere (*un pezzo di stoffa, un tassello, ecc.*) **4** (*mecc.*) inserire: **to let in the clutch**, inserire (*o* innestare) la frizione **5** (*fig.*, = **to let oneself in for**), cacciarsi (*nei guai*); imbarcarsi (*in un'impresa difficile*); sobbarcarsi (*a una spesa, ecc.*) **6** (*calcio, ecc.*) farsi fare; subire: **to let in a goal**, farsi fare un gol.

▪ **let in on** *v. t. + avv. + prep.* (*fam.*) **1** far entrare, mettere dentro (q.) in (*un progetto, ecc.*); prendere (q.) come socio in (*un affaretto, ecc.*); fare (q.) partecipe di (q.) **2** mettere (q.) al corrente (*o* a parte di: *un segreto, ecc.*) □ (*fig. fam.*) **to let sb. in on the ground floor**, far cominciare q. dalla gavetta.

▪ **let into** *v. t. + prep.* **1** fare (*o* lasciare) entrare (q.) in (*un luogo*); ammettere (q.) in **2** fare (*o* lasciare) passare (*aria, acqua, ecc.*) in **3** inserire (*un tassello, ecc.*) in **4** fare un'aggiunta di (*stoffa, ecc.*) a (*un abito, ecc.*) **5** mettere (q.) al corrente di (*progetti, ecc.*); mettere (q.) a parte di (*un segreto*) **6** (*fam.*) attaccare; colpire; criticare □ **to let oneself into a house**, entrare (*o* introdursi) in una casa.

▪ **let off** **Ⓐ** *v. t. + avv.* (*o prep.*) **1** mettere giù (*da un'auto*); fare scendere, scaricare (*da un veicolo o da una nave*) **2** scaricare (*un'arma da fuoco*); far esplodere (*bombe, petardi, ecc.*); sparare un colpo di: **to let off a gun**, sparare un colpo di cannone (*o* di fucile, di pistola); **to let off fireworks**, fare i fuochi d'artificio (*pop.*: i botti) **3** (*fam.*) esonerare, esentare; dispensare (*q. dal fare qc.*); lasciare andare, lasciare libero; mandare assolto: **to let sb. off (doing) the heavy work** [**the washing up**], esentare q. dal lavoro pesante [dal lavare i piatti]; *The judge let him off because he was so young*, il giudice lo mandò assolto per la sua giovane età **4** emettere, lasciar uscire (*vapore, ecc.*) **5** dare in affitto (*un palazzo, ecc.*) frazionato in appartamenti **Ⓑ** *v. i. + avv.* (*volg.*) fare (*o* mollare) una scoreggia (*volg.*) □ (*fig. fam.*) **to let sb. off the hook**, lasciar andare (*o* perdonare, farla passare liscia) a (q.) □ **to be let off lightly**, cavarsela a buon mercato □ (*fig. fam.*) **to let off steam**, dare sfogo alla propria energia, sfogarsi.

▪ **let on** **Ⓐ** *v. t. + avv.* **1** fare salire (q.: *su un mezzo pubblico*) **2** (*fam.*) dire: *Don't let on that I told you!*, non dire che te l'ho detto! **Ⓑ** *v. i. + avv.* **1** (*fam.*) rivelare un segreto; dire (*o* spiattellare) tutto; parlare: *Don't let on about the party*, non parlare del party con nessuno! **2** (*fam.*) fare finta; fingere: *She's not so young as she lets on*, non è così giovane come finge d'essere.

▪ **let out** **Ⓐ** *v. t. + avv.* **1** fare (*o* lasciare)

uscire q. (*o* qc.); dimettere, liberare: **to be let out of hospital** [**prison**], essere dimesso dall'ospedale [dal carcere] **2** emettere (*un grido, un gemito, ecc.*) **3** sfogare (*un sentimento*) **4** lasciarsi sfuggire, svelare (*un segreto, ecc.*) **5** far uscire, scaricare (*acqua, vapore, ecc.*) **6** allargare (*un vestito, ecc.*) **7** (*mecc.*) disinserire, staccare: **to let out the clutch**, staccare la frizione **8** (*naut.*) mollare (*le vele*) **9** (*naut.*) filare (*un cavo*) **10** affittare, dare in affitto (*immobili*) **11** noleggiare, dare a nolo (*cavalli, barche, ecc.*) **12** (*fam.*) mollare (*fam.*); mandare (q.) libero, impunito **13** lasciare fuori, non coinvolgere **B** v. i. + avv. **1** (*fam.*) menar botte *(fam. USA: del lavoro, della scuola, ecc.*) finire (*a una certa ora*); cessare, smettere □ (*fig. fam.*) **to let the cat out of the bag**, lasciarsi sfuggire un segreto □ (*leg.*) **to let sb. out on bail**, mettere q. in libertà provvisoria dietro (*o* su) cauzione □ **to let out on contract**, appaltare; dare in appalto.

▪ **let past** → **let by**.

▪ **let through** v. t. + avv. (o prep.) **1** far passare (q., *l'aria, la luce, il caldo, il freddo, ecc.*); far entrare (*spettatori, la folla, ecc.*) (in) **2** far approvare (*un provvedimento, un rapporto, ecc.*) **3** promuovere (*uno studente*); promuovere (q.) in (*un esame*) **4** (*sport*) farsi fare, subire, incassare (*un certo numero di gol*).

▪ **let up A** v. t. + avv. far salire (*q.: al piano di sopra*) **B** v. i. + avv. **1** rallentare; diminuire; cessare a poco a poco: *When will the snow let up?*, quando rallenterà la nevicata?; *The pain didn't let up*, il dolore non diminuiva **2** rallentare il ritmo (*del lavoro, ecc.*); (*sport*) rallentare la pressione; mollare (*fam.*) **3** (*della tensione e sim.*) allentarsi.

let-down, **letdown** /'letdaʊn/ n. (*fam.*) **1** delusione; disappunto **2** (*aeron.*) discesa **3** Ⓤ (*di madre che allatta*) fuoriuscita del latte.

lethal /'li:θl/ a. letale; mortale; micidiale: **the l. bite of a snake**, il morso letale di un serpente; (*boxe*) **a l. blow**, un colpo micidiale ● **l. chamber**, camera della morte (*col gas*) | **-ly** avv.

lethargic /lɪ'θɑ:dʒɪk/ a. **1** letargico **2** apatico; indolente | **-ally** avv.

lethargy /'leθədʒɪ/ n. Ⓤ **1** letargo; letargia **2** apatia; indolenza.

Lethe /'li:θi:/ n. **1** (*mitol. classica*) Lete **2** (*fig.*) completo oblio ‖ **Lethean** a. **1** leteo; di Lete **2** (*fig.*) che dà l'oblio.

Leto /'li:təʊ/ n. (*mitol. greca*) Latona.

let-off /'letɒf/ n. (*fam.*) **1** (il) cavarsela a buon mercato; (il) passarla liscia (*o* quasi); scampo, lo scampare, l'averla scampata **2** il tirare il grilletto (*di un'arma*).

let-out /'letaʊt/ n. **1** via d'uscita (*fig.*); scappatoia **2** (*irl.*) banchetto; festino **B** n. attr. di (*o* che serve da) scappatoia ● (*leg.*) **let-out clause**, clausola liberatoria (*o* di recesso).

♦**let's** /lets/ contraz. di **let us**.

Lett /let/ → **Latvian**, **B**.

♦**letter** /'letə(r)/ n. **1** lettera; carattere (*di stampa*); epistola; missiva: **capital** [**small**] **letters**, lettere maiuscole [minuscole]; **a business l.**, una lettera commerciale; **love letters**, lettere d'amore; **a l. of introduction**, una lettera di presentazione **2** Ⓤ lettera; senso letterale: **the l. of the law**, la lettera della legge; **to carry out an order to the l.**, eseguire un ordine alla lettera **3** (*pl.*) lettere; belle lettere; letteratura: **a man of letters**, un uomo di lettere; **the profession of letters**, la professione delle lettere; **the commonwealth of letters**, la repubblica delle lettere ● **l. balance**, bilancia per lettere; pesalettere □ **l. basket**, cestello per la corrispondenza □ **l. bomb**, lettera esplosiva □ (*comm.*) **l. book**, copialettere □ **l.-bound**, troppo attaccato alla lettera □ **l. box**, casset-

ta per le lettere; (*anche*) buca delle lettere; (*telev.*) **l. box format**, schermo intero (*con le bande nere sopra e sotto, cfr.* **widescreen**) □ **l. card**, biglietto postale □ **l. heading** → **letterhead** □ **l.-lock**, serratura a combinazione □ (*banca*) **l. of advice**, lettera d'avviso □ **l. of application**, domanda d'assunzione; (*fin.*) richiesta di sottoscrizione di azioni □ (*leg.*) **l. of attorney**, procura; atto di procura □ (*polit.*) **letters of credence**, credenziali □ (*banca, fin.*) **l. of credit**, lettera di credito □ (*comm., fin.*) **l. of intent**, lettera d'intenti □ **l. of regret**, lettera di scuse □ **l. opener**, tagliacarte □ **l. paper**, carta da lettere □ **letters patent**, lettere patenti, decreti di un sovrano; (*leg.*) brevetto (*d'invenzione*) □ (*spec. USA*) **l.-perfect**, perfetto in ogni dettaglio; (*teatr.*) che sa la parte alla perfezione □ (*leg.: diritto internazionale*, lettera **rogatory**, rogatoria □ **l. scales** = **l. balance** → *sopra* □ **l. sheet**, biglietto postale □ (*tipogr.*) **l. spacing**, spaziatura fra le lettere □ **l. tray**, vaschetta per la corrispondenza.

to **letter** /'letə(r)/ v. t. **1** segnare (*o* classificare) con lettere **2** stampare il titolo su (*la copertina d'un libro*) **3** scrivere in stampatello **4** mettere una scritta su (*qc.*).

lettered /'letəd/ a. **1** letterato; che sa leggere **2** letterato; colto; dotto; istruito **3** scritto (in lettere): *The title on the cover was l. in gold*, il titolo sulla copertina era scritto a caratteri d'oro **4** marcato con lettere.

letterhead /'letəhed/ n. **1** intestazione di carta da lettere **2** Ⓤ carta intestata **3** foglio di carta intestata.

lettering /'letərɪŋ/ n. Ⓤ **1** caratteri a mano; scrittura **2** iscrizione; dicitura; titolo (*di un libro*) **3** segnatura (*che dà la collocazione d'un volume in una biblioteca*) **4** (*tipogr.*) lettering; progettazione grafica (*dei caratteri*) ● (*tipogr.*) **l.-guide**, normografo.

letterpress /'letəpres/ n. **1** materiale a stampa; testo (*di un libro; spec. in quanto distinto dalle illustrazioni*) **2** (*tipogr.*) stampa rilievografica; rilievografia **3** copialettere (*di tipo antiquato*).

letting /'letɪŋ/ n. **1** affitto; locazione **2** noleggio; nolo **3** (*pl.*) case (*o* appartamenti) da affittare ● (*aeron.*) **l.-down**, discesa □ (*fin.*) **l. value**, valore locativo.

Lettish /'letɪʃ/ → **Latvian**.

lettuce /'letɪs/ n. **1** Ⓤ (*bot., Lactuca sativa*) lattuga **2** (*slang USA*) grana; soldi ● **cabbage l.** (*Lactuca sativa capitata*) cappuccina.

let-up /'letʌp/ n. (*fam.*) cessazione; rallentamento; diminuzione; interruzione ● **with no let-up** (*o* **without any let-up**), incessantemente; ininterrottamente; senza posa.

leucine /'lju:si:n/ n. Ⓤ (*biochim.*) leucina.

leucite /'lju:saɪt/ n. Ⓤ (*miner.*) leucite.

leucocyte /'lju:kəsaɪt/ (*biol.*) n. leucocito; leucocita ‖ **leucocytic** a. leucocitario.

leucocytolysis /lu:kəʊsaɪˈtɒləsɪs/ n. Ⓤ (*med.*) leucocitolisi.

leucocytosis /lju:kəsaɪˈtəʊsɪs/ n. Ⓤ (*med.*) leucocitosi.

leucoma /lju:ˈkəʊmə/ n. (*med.*) leucoma.

leucoplakia /lu:kəʊˈpleɪkɪə/ n. Ⓤ (*med.*) leucoplachia; leucoplasia.

leucopoiesis /lu:kəʊpɔɪˈiːsɪs/ n. Ⓤ (*biol.*) leucopoiesi.

leucorrhoea, (*USA*) **leucorrhea** /lju:kəˈriːə/ (*med.*) n. Ⓤ leucorrea; perdite bianche (*fam.*) ‖ **leucorrhoeal** a. leucorroico.

leucosis /lju:ˈkəʊsɪs/ n. Ⓤ (*vet.*) leucosi.

leukaemia, (*USA*) **leukemia** /lju:ˈkiːmɪə/ (*med.*) n. Ⓤ leucemia ‖ **leukaemic**, (*USA*) **leukemic** a. leucemico.

leukocyte /'lju:kəsaɪt/ e *deriv.* n. → **leucocyte**, e *deriv.*

leukosis /lu:ˈkəʊsɪs/ n. Ⓤ → **leucosis**.

levade /ləˈvɑːd/ n. (*equit.*) levata (*nel dressage*).

Levant /ləˈvænt/ n. (*geogr., stor.*) (il) Levante; (il) Vicino Oriente.

to **levant** /ləˈvænt/ v. i. (*slang*) tagliar la corda (*fig.*), svignarsela (*spec., senza pagare i debiti di gioco*).

levanter ① /ləˈvæntə(r)/ n. vento di levante; levantara.

levanter ② /ləˈvæntə(r)/ n. (*slang*) chi taglia la corda, chi se la svigna (*senza pagare i debiti*).

Levanter /ləˈvæntə(r)/ n. (*geogr.*) levantino.

Levantine /'levəntaɪn, -tiːn/ a. e n. (*geogr.*) levantino.

levator /ləˈveɪtə(r)/ n. (pl. **levatores, levators**) **1** (*anat.*) (muscolo) elevatore **2** (*med.*) elevatore; leva chirurgica.

levee ① /'levɪ, -eɪ/ n. **1** (*stor.*) udienza concessa dal sovrano all'ora di levarsi dal letto **2** (*in GB*) ricevimento a corte (*solo per uomini, nel pomeriggio*) **3** (*fam. USA*) ricevimento elegante.

levee ② /'levɪ/ n. (*USA*) **1** (*geogr.*) argine naturale (*di fiume*) **2** argine artificiale (*di contenimento*) **3** pontile di sbarco (*su fiume*).

♦**level** /'levl/ **A** n. **1** (*anche fig.*) livello: **the l. of water** [**of oil**], il livello dell'acqua [dell'olio]; **to be on a l. with** (**st.**), essere a livello di (qc.); **five hundred feet above sea l.**, cinquecento piedi sul livello del mare; **the l. of prices**, il livello dei prezzi; *They're at the same l.*, sono allo stesso livello **2** livella: **spirit l.**, livella a bolla d'aria **3** piano; superficie piana; piano orizzontale **4** piana; spianata; terreno pianeggiante **5** (*fam.*) altitudine: *Water boils faster at this l.*, l'acqua bolle più rapidamente a questa altitudine **6** (*elettr., elettron.*) livello **7** (*fis.*; = **energy l.**) livello energetico **8** (*ind. costr.*) canaletto di scolo **B** a. **1** piano; orizzontale; piatto; spianato: **a l. surface**, una superficie piana **2** equo; equilibrato; imparziale: **a l. match**, una gara equilibrata **3** al posto giusto; a posto; assennato: **to have a l. head**, avere la testa a posto; essere equilibrato; **to keep a l. head**, tenere la testa a posto; restare calmo **4** raso: **a l. teaspoonful of sugar**, un cucchiaino raso di zucchero **5** costante; uniforme: **l. temperature**, temperatura costante **6** calmo; fermo; pacato: **a l. look**, uno sguardo fermo; **in a l. tone of voice**, in tono pacato **7** pari; in pareggio; alla pari: (*calcio*) *The scores are l.*, il punteggio è pari **C** avv. **1** a livello; allo stesso livello; alla pari: **to run l. with**, correre allo stesso livello di (qc.); essere alla pari di (q.) in una corsa; (*sport*) **to finish l.**, finire alla pari **2** alla stessa altezza di (*su un piano*) ● (*aeron., mil.*) **l. bombing**, bombardamento in quota □ (*autom., ferr.*) **l. crossing**, passaggio a livello □ **l. crossing with** [**without**] **barrier or gate**, passaggio a livello custodito [incustodito] □ (*ind. min.*) **l. drive**, galleria di livello □ (*aeron.*) **l. flight**, volo orizzontale □ **l.-headed**, che ha la testa a posto; equilibrato; dotato di buonsenso □ **l.-headedness**, l'avere la testa a posto; equilibrio; quadratura mentale □ (*econ.*) **the l. of living**, il livello (*o* tenore) di vita □ (*anche sport*) **to be l. on points**, avere lo stesso punteggio □ (*sport*) **l. pegging**, parità di punteggio □ (*ass.*) **l. premium**, premio costante □ (*fam.*) **to do one's l. best**, fare del proprio meglio □ **to find one's l.**, (*di liquido*) livellarsi; (*fig.*) raggiungere una posizione sociale adeguata □ **to give sb. a l. glance**, guardare q. diritto negli occhi (*o* in faccia) □ **to keep l. with sb.**, andare di pari passo con q. □ **on the l.**, (avv.) in piano, su terreno pianeggiante; (*fig. fam.*) onestamente, in buona fede; su giuste basi; (agg.) onesto, sincero; a posto: (*sport*) *Racing today on the l. at Newmarket*, oggi

corse piane a Newmarket; *His credentials are on the l.*, le sue credenziali sono a posto.

to level /'levl/ **A** v. t. **1** livellare (*anche fig.*); spianare; uguagliare; rendere uguale: **to l. a road**, spianare una strada **2** spianare; demolire; radere al suolo; abbattere, atterrare (*una persona*): *The earthquake levelled the whole town*, il terremoto rase al suolo l'intera città **3** spianare, puntare (*un fucile, una pistola*) **4** rivolgere, lanciare, scagliare (*un'accusa, ecc.*): **to l. severe criticism at sb.**, rivolgere severe critiche a q. **5** appiattire (*prezzi, salari, ecc.*) **6** (*topogr.*) livellare; fare la livellazione di (*un terreno*) **7** (*sport*) pareggiare: **to l. the score**, andare in pareggio **B** v. i. **1** livellarsi; farsi pianeggiante **2** (*di una tinta, ecc.*) distribuirsi equamente ● **to l. away social distinctions**, abolire le distinzioni sociali □ **to l. a blow at sb.**, assestare (*o vibrare*) un colpo a q. □ **to l. st. to the ground**, spianare qc.; radere al suolo qc.

▪ **level against** v. t. + prep. indirizzare, rivolgere contro (q.) □ (*leg.*) **to l. a charge against sb.**, formulare un'accusa contro q.

▪ **level at** v. t. + prep. **1** puntare (*un'arma da fuoco*) verso (q.): *He levelled a gun at my eyes*, mi puntò in faccia una pistola **2** indirizzare, rivolgere (*critiche, osservazioni, ecc.*) a (q.): *'Satire, being levelled at all, is never resented as an offence by any'* J. SWIFT, 'la satira, essendo rivolta a tutti, non provoca mai il risentimento di nessuno che se ne offenda'.

▪ **level down** v. t. + avv. **1** (*econ.*) livellare al basso (*prezzi, salari, ecc.*); appiattire **2** livellare; pareggiare; spianare.

▪ **level off** **A** v. t. + avv. **1** livellare, spianare (*un terreno, ecc.*) **2** pareggiare; mettere (qc.) in piano (*con una livella, ecc.*) **3** (*econ.*) livellare, stabilizzare (*prezzi, salari, ecc.*) **4** (*aeron.*) mettere (*un aereo*) in assetto orizzontale (*per es., per l'atterraggio*) **B** v. i. + avv. **1** (*econ.*) livellarsi; stabilizzarsi: *The euro has levelled off*, l'euro si è stabilizzato **2** (*aeron.*: *di un aereo*) mettersi in assetto orizzontale **3** (*di condizioni di vita, ecc.*) appiattirsi.

▪ **level out** v. t. + avv. appianare; ridurre: **to l. out social differences**, appianare (*o ridurre*) le differenze sociali **B** v. i. + avv. → **level off, B**.

▪ **level up** v. t. + avv. (*econ.*) livellare verso l'alto (*prezzi, salari, ecc.*); elevare (*il livello di vita, ecc.*) □ (*sport: calcio, ecc.*) **to l. up the score**, raggiungere il pareggio.

▪ **level with** v. i. + prep. (*fam.*) dire le cose come stanno, dire la verità a (q.); mettere le cose in chiaro con (q.).

leveller, (*USA*) **leveler** /'levələ(r)/ n. **1** livellatore, livellatrice **2** (*spec.*) chi vuole abolire le differenze sociali; egualitario ● (*fig.*) **the great l.**, la grande livella; la morte.

levelling, (*USA*) **leveling** /'levəlɪŋ/ n. ⑨ **1** livellamento; appiattimento; spianamento **2** (*topogr.*) livellazione **3** puntamento (*d'arma da fuoco*) □ **l.-down** (*o l.-out*), appiattimento (*di prezzi, salari, ecc.*) □ **l. rod** (*o l. staff*), stadia □ (*mecc.*) **l. screw**, vite di livello; vite calante.

levelly /'levəlɪ/ avv. con calma; pacatamente, serenamente; tranquillamente.

lever /'liːvə(r)/ n. **1** (*fis., mecc.*) leva (*anche fig.*): **l. of first [second, third] order**, leva di primo [secondo, terzo] genere; (*autom.*) **gear-l.**, leva del cambio di velocità; **the levers of economic power**, le leve del potere economico **2** (*fig.*) mezzo (*o strumento*) di pressione **3** leva di comando; levetta; manetta: **gear l.**, leva del cambio; **throttle l.**, manetta del gas (*di una motocicletta*) ● **l. arm**, braccio di leva ● **l. corkscrew**, cavatappi a leva □ **l. escapement**, scappamento a leve (*o ad ancora*) □ (*elettr.*) **l. switch**, in-

terruttore a leva □ **l. watch**, orologio ad ancora.

to lever /'liːvə(r)/ **A** v. t. **1** spostare (*o sollevare*) con una leva **2** far leva con (qc.); usare come leva **B** v. i. **1** fare da leva **2** usare una leva; usare leve ● **to l. out**, togliere (qc.) facendo leva; (*fig.*) esautorare (q.) con un trucco □ **to l. up**, sollevare (qc.) facendo leva □ **to l. oneself up**, sollevarsi a fatica.

leverage /'liːvərɪdʒ/ n. ⑨ **1** (*fis., mecc.*) forza esercitata mediante una leva; azione di una leva; potenza di una leva: **to use l.**, usare una leva; *We haven't got enough l. to lift it*, la leva non è abbastanza potente da sollevarlo **2** (*fis., mecc.*) leveraggio; sistema di leve **3** (*fig.*) influenza; influsso; potere; autorità: **political l.**, influenza politica; *You should use your l. with the trade union*, devi usare la tua influenza sul sindacato **4** (*econ.*) moltiplicatore **5** (*fin. USA*) indice di patrimonializzazione; rapporto di indebitamento; rapporto capitale/prestiti **6** (*fin.*) rapporto reddito-prezzo (*di un titolo*).

leveraged buyout /'liːvərɪdʒd 'baɪaʊt/ loc. n. (*fin.*) rilevazione (*di una società*) con capitale di prestito.

leveraged takeover /'liːvərɪdʒdteɪkəʊvə(r)/ loc. n. (*fin.*) acquisizione (*o acquisto: di una società*) con capitale di prestito.

leveret /'levərət/ n. leprotto (*spec. sotto l'anno d'età*).

leviable /'leviəbl/ a. (*di tassa, ecc.*) imponibile **2** (*di persona*) soggetto a imposta; tassabile **3** (*di un bene*) pignorabile.

leviathan /lɪ'vaɪəθn/ n. **1** (*Bibbia*) leviatano; mostro marino **2** (*fig.*) cosa enorme; colosso (*dell'industria, ecc.*) **3** persona straordinaria (*per abilità, ricchezza, ecc.*); mostro (*fig. fam.*) **4** (*polit.*) leviatano (*fig.*); stato assolutista e oppressivo.

to levigate /'levɪgeɪt/ v. t. **1** (*chim.*) elutriare **2** polverizzare **3** (*arc.*) levigare ‖ **levigation** n. ⑨ **1** (*chim.*) elutriazione **2** polverizzazione **3** (*arc.*) levigazione.

levirate /'levɪrət/ n. (*stor. ebraica*) levirato.

Levi's® /'liːvaɪz/ n. pl. (*moda*) Levi's; blue-jeans.

to levitate /'levɪteɪt/ (*parapsicologia*) **A** v. i. levitare **B** v. t. far levitare ‖ **levitation** n. ⑨ levitazione.

Levite /'liːvaɪt/ n. (*Bibbia*) levita.

Levitical /lɪ'vɪtɪkl/ a. (*Bibbia*) levitico.

Leviticus /lɪ'vɪtɪkəs/ n. (*relig.*) (il) Levitico.

levity /'levətɪ/ n. ⑨ **1** leggerezza (*fig.*); frivolezza; incostanza; spensieratezza **2** (*raro*) leggerezza (*di peso*).

levorotation /liːvərəʊ'teɪʃn/, **levorotatory** /liːvərəʊ'teɪtərɪ/ → **laevorotation, laevorotatory**.

levulose /'levjʊləʊs/ (*USA*) → **laevulose**.

levy /'levɪ/ n. **1** (*fisc.*) imposizione, esazione (*di imposte*); prelievo; imposta, tassa (*come gettito*): **levies on imports**, imposte sulle importazioni **2** (*leg.*) pignoramento; esecuzione forzata **3** (*mil.*) leva; coscrizione; (*collett.*) soldati di leva, coscritti: **l. in mass**, coscrizione generale ● **the l. system**, il regime dei prelievi fiscali.

to levy /'levɪ/ v. t. **1** imporre, esigere, riscuotere (*tasse, tributi, ecc.*) **2** (*leg.*) agire esecutivamente contro (q.) **3** (*mil.*) coscrivere, arruolare (*truppe*) ● **to l. blackmail**, estorcere denaro col ricatto □ **to l. execution on a defaulting debtor**, escutere un debitore moroso □ (*leg.*) **to l. on sb.'s property**, agire esecutivamente sui beni di q. (*per pagare i creditori*) □ **to l. taxes on imports**, stabilire imposizioni all'importazione □ **to l. war upon** (*o against*) **sb.**, fare guerra a q.

lewd /ljuːd, luːd/ a. **1** dissoluto; lascivo; libidinoso **2** impudico; indecente; sconcio; sporco: **a l. joke**, una barzelletta sporca | **-ly** avv. | **-ness** n. ⑨.

lewis /'luːɪs/ n. (*ind. costr.*) ulivella (*per sollevare pietre*).

Lewis /'luːɪs/ n. Luigi.

lewisite /'luːɪsaɪt/ n. ⑨ (*chim., miner.*) lewisite.

lexeme /'leksiːm/ (*ling.*) n. lessema ‖ **lexemic** a. lessemico; di lesseme.

lexia /'leksɪə/ n. (*ling.*) lessia.

lexical /'leksɪkl/ a. lessicale.

to lexicalize /'leksɪkəlaɪz/ (*ling.*) v. t. lessicalizzare ‖ **lexicalization** n. ⑨ lessicalizzazione.

lexicographer /leksɪ'kɒgrəfə(r)/ n. lessicografo: *'L.: a writer of dictionaries, a harmless drudge'* S. JOHNSON, 'lessicografo: uno che scrive dizionari, un innocuo sgobbone'.

lexicography /leksɪ'kɒgrəfɪ/ n. ⑨ lessicografia ‖ **lexicographic, lexicographical** a. lessicografico.

lexicology /leksɪ'kɒlədʒɪ/ n. ⑨ lessicologia ‖ **lexicological** a. lessicologico ‖ **lexicologist** n. lessicologo.

lexicon /'leksɪkən/ n. (pl. **lexicons, lexica**) **1** lessico **2** vocabolario; dizionario.

lexicostatistics /leksɪkəʊstə'tɪstɪks/ n. pl. (col verbo al sing.) (*ling.*) lessicostatistica.

lexis /'leksɪs/ n. ⑨ (*ling.*) lessico; vocabolario; patrimonio lessicale.

ley /liː/ n. terreno erboso (*tenuto a prato per un anno*).

Leyden /'laɪdn/ → **Leiden**.

ley line /'leɪ laɪn 'liː laɪn/ n. (*GB*) linea di energia; linea di forza (*linea ideale che unisce una serie di elementi del paesaggio ed è ritenuta il tracciato di un sentiero preistorico*).

lez /lez/, **lezzy** /'lezɪ/ n. (*fam., spreg.*) lesbica.

LF sigla (*fis.*, **low frequency**) bassa frequenza (b.f.).

LGB sigla (*spec. Austr. e USA*, **lesbians, gays and bisexuals**) lesbiche, gay e bisessuali (LGB).

LGBT sigla (*spec. Austr. e USA*, **lesbians, gays, bisexuals and transgenders**) → **GLBT**.

LH sigla (anche **l.h.**) (**left hand**) mano sinistra.

LHD sigla (anche **l.h.d.**) (*autom.*, **left hand drive**) guida a sinistra.

L.I. sigla (**Long Island**) Long Island (*a New York*).

◆**liability** /laɪə'bɪlətɪ/ n. **1** ⑨ responsabilità (*anche leg., ass.*); l'essere soggetto (a); obbligo; obbligazione: (*comm.*) **the l. of the carrier**, la responsabilità del vettore; **l. for military service**, l'esser soggetto a obblighi militari **2** ⑨ l'essere soggetto; predisposizione: **the l. to (catch) colds**, la predisposizione al raffreddore **3** (*fin., rag.*): di solito al pl.) passivo; passività; debiti; impegni: **assets and liabilities**, attivo e passivo; attività e passività; **to meet one's liabilities**, far fronte ai propri impegni **4** (*fig., fam.*) ostacolo; svantaggio; inconveniente; handicap ● (*leg.*) **l. in contract**, responsabilità contrattuale □ **l. insurance**, assicurazione contro i rischi di responsabilità civile □ (*ass.*) **l. limit**, massimale.

liable /'laɪəbl/ a. **1** (*leg.*) responsabile (di); obbligato (a); tenuto (a): *I am not l. for your debts*, non sono responsabile dei (*o tenuto a pagare i*) tuoi debiti **2** soggetto (a); esposto (a): *He is l. to heart attacks*, va soggetto ad attacchi di cuore **3** (*leg.*) passibile; punibile: **to be l. to a term in jail**, essere passibile d'una pena detentiva **4** possibile; probabile: *The bomb is l. to explode any minute*, è

possibile che la bomba esploda (*o* la bomba può scoppiare) da un momento all'altro ● (*fin.*) **l. to audit**, soggetto a revisione contabile, verificabile □ (*leg.*) **l. to deferment**, prorogabile □ (*sport*) **l. to disqualification**, passibile di squalifica □ **l. to a fine**, passibile di multa.

to **liaise** /lɪˈeɪz/ *v. i.* 1 – **to l. with sb.**, fare da collegamento (*o* tenere i rapporti) con q.: **to l. with foreign customers**, tenere i rapporti con la clientela estera 2 (*mil.*) fare l'ufficiale di collegamento.

liaison /lɪˈeɪzn, *USA* ˈliːəzɑːn/ *n.* 1 relazione (*spec. amorosa*); legame 2 (*comm.*, *mil.*) collegamento: **l. office [officer]**, ufficio [ufficiale] di collegamento 3 (*fon.*) liaison; legamento 4 (*cucina*) legante.

liana /lɪˈɑːnə/, **liane** /lɪˈɑːn/ *n.* (*bot.*) liana.

liar /ˈlaɪə(r)/ *n.* bugiardo, bugiarda; mentitore, mentitrice.

lias /ˈlaɪəs/ (*geol.*) *n.* ⨁ lias; liassico ‖ **liassic** a. liassico.

lib /lɪb/ *n.* (*fam.*, = **lib movement**) movimento di liberazione: **women's lib**, movimento di liberazione della donna.

Lib /lɪb/ *n.* (*fam.*) = **Liberal Party** → **liberal**, *def. 2* ● (*polit.*, *in GB*) **Lib Dem**, liberaldemocratico □ **Lib-Lab**, (di) coalizione fra liberali e laburisti; liberal-socialista.

to **libate** /laɪˈbeɪt/ *v. t. e i.* (*lett.*) libare.

libation /laɪˈbeɪʃn/ *n.* (*form.*) libagione; libazione (*raro*).

libatory /laɪˈbeɪtrɪ/ Ⓐ a. libatorio Ⓑ n. (*archeol.*) vaso libatorio.

libber /ˈlɪbə(r)/ *n.* (*fam.*) 1 aderente a un movimento di liberazione 2 (= **women's l.**) fautore della liberazione della donna; femminista.

Lib Dem /lɪbˈdɛm/ *abbr.* (*polit.*, *GB*, **Liberal Democrats**) Liberal democratici.

libel /ˈlaɪbl/ *n.* 1 (*leg.*) dichiarazione scritta diffamatoria; scritto diffamatorio 2 ⨁ (*leg.*) diffamazione (*a mezzo stampa*); reato di stampa: **to sue for l.**, querelare per diffamazione (a mezzo stampa); **l. action**, causa per diffamazione 3 dichiarazione calunniosa; calunnia: **a l. upon my good name**, una calunnia contro il mio buon nome 4 (*fig.*) offesa; oltraggio; torto 5 (*diritto ecclesiastico*) accusa; querela ❶ **Nota:** *slander o libel?* → **slander**.

to **libel** /ˈlaɪbl/ *v. t.* 1 diffamare (*a mezzo stampa*) 2 (*fig.*) calunniare; diffondere calunnie su 3 (*leg.*: *diritto ecclesiastico*) intentare causa a q.

libeller, (*USA*) **libeler** /ˈlaɪbələ(r)/ *n.* diffamatore; calunniatore.

libellous, (*USA*) **libelous** /ˈlaɪbələs/ a. 1 diffamatorio; calunnioso: **l. rumours**, voci calunniose 2 che diffama.

♦**liberal** /ˈlɪbərəl/ Ⓐ a. 1 liberale; generoso; munifico; prodigo; abbondante; copioso: **l. education**, educazione liberale; **a l. donor**, un munifico donatore 2 (*polit.*) liberale: **the L. Party**, il partito liberale 3 (*fig.*) di larghe vedute; di mente aperta; tollerante 4 (*polit.*, *spec. in USA*) progressista Ⓑ n. (*polit.*) 1 liberale 2 democratico di sinistra; liberal; progressista **l. arts**, materie umanistiche □ (*leg.*) **a l. construction**, un'interpretazione libera (*o* lata) □ (*polit.*, *in GB*) **L. Democrat**, liberaldemocratico □ **a l. table**, una tavola ben fornita □ **on l. terms**, a condizioni vantaggiose; con liberalità □ **to be l. with one's advice**, essere prodigo di consigli | -**ly** *avv.* | -**ness** *n.* ●

liberalism /ˈlɪbərəlɪzəm/ *n.* ⨁ 1 (*polit.*) liberalismo 2 (*fig.*) larghezza di vedute; tolleranza 3 (*polit.*) progressismo 4 (*econ.*) liberismo.

liberalist /ˈlɪbərəlɪst/ *n.* 1 (*polit.*) liberalista 2 (*econ.*) liberista ‖ **liberalistic** a. 1

(*polit.*) liberale; liberalistico 2 (*econ.*) liberista; liberistico.

liberality /lɪbəˈrælɪtɪ/ *n.* ⨁ 1 liberalità; generosità; munificenza 2 larghezza di vedute.

to **liberalize** /ˈlɪbərəlaɪz/ Ⓐ v. t. rendere liberale; liberalizzare: **to l. foreign trade**, liberalizzare il commercio estero Ⓑ v. i. (*raro*) liberalizzarsi ‖ **liberalization** n. ⨁ liberalizzazione: **the liberalization of trade**, la liberalizzazione degli scambi commerciali.

♦to **liberate** /ˈlɪbəreɪt/ *v. t.* 1 (*anche chim.*) liberare: **to l. prisoners**, liberare prigionieri; **to l. gas**, liberare gas 2 (*slang USA*) rubare; sgraffignare (*pop.*) ‖ **liberated** a. 1 libero 2 emancipato ‖ **liberation** n. ⨁ (*anche chim.*) liberazione ‖ **liberator** n. liberatore.

Liberian /laɪˈbɪərɪən/ a. e n. liberiano.

libero /ˈliːbərəʊ/ (*ital.*) n. (*sport*: *calcio*) libero.

libertarian /lɪbəˈteərɪən/ Ⓐ n. 1 (*relig.*) seguace della dottrina del libero arbitrio 2 (*polit.*) libertario; fautore delle piene libertà civili 3 – (*polit. USA*) **L.**, seguace del «Libertarian Party» (*piccolo partito di estrema destra*) Ⓑ a. libertario.

libertarianism /lɪbəˈteərɪənɪzəm/ *n.* 1 (*relig.*) dottrina del libero arbitrio 2 (*polit.*) libertarismo.

libertine /ˈlɪbətiːn/ Ⓐ n. 1 libertino 2 (*stor.*) liberto 3 (*arc.*) libero pensatore Ⓑ a. libertino; dissoluto; vizioso ‖ **libertinage** n. ⨁ libertinaggio ‖ **libertinism** n. ⨁ 1 libertinaggio 2 (*stor.*) libertinismo 3 (*arc.*) libero pensiero.

♦**liberty** /ˈlɪbətɪ/ *n.* 1 ⨂ libertà: **l. of conscience**, libertà di coscienza; **civil l.**, libertà civile; **l. of the press**, libertà di stampa; **l. of speech**, libertà di parola; **to take the l. to do** (*o* **of doing**) **st.**, prendersi la libertà di fare qc.; **to take liberties with sb.**, prendersi delle libertà con q. 2 (*arte*) liberty; stile floreale 3 (pl.) diritti, privilegi (*di una città, ecc.*) ● (*stor.*) **l. cap**, berretto frigio ● (*econ.*) **l. of contract**, libertà contrattuale □ **to be at l.**, essere in libertà; essere libero (*anche dal lavoro*); (*fam. USA*) essere disoccupato: *You are at l. to do what you like*, sei libero di fare quel che vuoi □ **to set sb. at l.**, mettere q. in libertà; liberare q.

libidinous /lɪˈbɪdɪnəs/ a. libidinoso; lascivo; lussurioso | -**ly** *avv.*

libido /lɪˈbiːdəʊ/ (*psic.*) n. ⨂ (pl. **libidos**) libido ‖ **libidinal** a. libidico.

LIBOR /ˈlaɪbɔː(r)/ *sigla* (*comm.*, **London Interbank Offered Rate**) tasso interbancario attivo londinese.

libra /ˈlaɪbrə/ n. (pl. **librae**) (*stor. romana*) libbra.

Libra /ˈliːbrə/ Ⓐ n. 1 (*astron.*, *astrol.*) Bilancia, Libra (*costellazione e VII segno dello zodiaco*) 2 (*astrol.*) (una) bilancia; individuo nato sotto il segno della Bilancia Ⓑ a. (*astrol.*) della Bilancia ‖ **Libran** (*astrol.*) Ⓐ n. persona nata sotto il segno della Bilancia Ⓑ a. della Bilancia.

librarian /laɪˈbreərɪən/ n. bibliotecario, bibliotecaria ❶ **Falsi amici** • **librarian** *non significa* libraio ‖ **librarianship** n. ⨁ 1 lavoro (*o* ufficio) di bibliotecario 2 biblioteconomia.

♦**library** /ˈlaɪbrərɪ/ n. 1 biblioteca: **lending l.**, biblioteca circolante; **public l.**, biblioteca pubblica; **my personal l.**, la mia biblioteca; i miei libri 2 raccolta (*di film, dischi, ecc.*): -teca: **film l.**, cineteca; **newspaper l.**, emeroteca; **record l.**, discoteca 3 (*comput.*, = **software l.**) libreria ● **l. card**, tessera di abbonato a una biblioteca (*in biblioteca*); scheda bibliografica; (*anche*) tessera di abbonato a una biblioteca circolante □ **l. edition**, edizione di lusso □ (*TV*) **l. pictures**, immagini di repertorio □ **l. science**, biblioteconomia □ **l. school**, facoltà

(*o* dipartimento) di biblioteconomia □ **l. van**, autolibro; bibliobus □ **wine l.**, enoteca ❶ **Falsi amici** • **library** *non significa* libreria *nel senso di negozio o di mobile*.

libration /laɪˈbreɪʃn/ n. ⨂ librazione (*anche fis.*); oscillazione; ondeggiamento: (*astron.*) **l. of the moon**, librazione della luna ‖ to **librate** v. i. 1 librarsi; tenersi sospeso (*o* in equilibrio) 2 oscillare; ondeggiare.

libretto /lɪˈbretəʊ/ (*mus.*) n. (pl. **librettos**, **libretti**) libretto ‖ **librettist** n. librettista.

Libya /ˈlɪbɪə/ n. (*geogr.*) Libia ‖ **Libyan** a. e n. libico.

lice /laɪs/ pl. di **louse**.

♦**licence**, (*USA*) **license** /ˈlaɪsns/ n. 1 licenza; permesso; autorizzazione (*anche leg.*); concessione governativa; patente: **marriage l.**, licenza di matrimonio; **driving l.**, patente di guida; **to do st. under l.**, fare qc. con la necessaria autorizzazione 2 ⨁ licenza; arbitrio: **poetic l.**, licenza poetica 3 ⨁ licenza; licenziosità; sfrenatezza 4 (*leg.*) concessione del diritto di utilizzazione (*di un brevetto, un diritto d'autore, ecc.*) 5 (*leg.*) licenza premio (*a un detenuto*) 6 (*autom.*, = **driving l.**) patente 7 (*aeron.*) brevetto (*da pilota*) ● (*fisc.*) **l. fee**, tassa sulle concessioni governative; (*radio, TV*) abbonato □ (*autom.*) **l. holder**, concessionario di una licenza; (*radio, TV*) abbonato □ (*autom.*) **l. tag**, targa □ **l. tax** = **l. fee** → *sopra*.

❶ **Nota:** *licence o license?*
Nell'inglese britannico, il sostantivo che significa "licenza" o "patente" è *licence* e si usa in riferimento a documenti che esprimono il permesso delle autorità a fare qualcosa: *driving licence*, patente di guida, *import licence*, licenza per l'importazione. In inglese americano si scrive *license*, con -*se* finale. Il verbo è sempre *to license*, che finisce in -*se*, e significa "concedere una licenza": *to license a gun*, concedere il porto d'armi.

to **licence** /ˈlaɪsns/ → **to license**.

license /ˈlaɪsns/ n. (*USA*) 1 → **licence** 2 (*naut.*; = **master's l.**) brevetto (*di capitano*); *cfr. ingl.* **certificate** ● (*autom.*) **l. plate**, targa (*cfr. ingl.* **numberplate**).

to **license** /ˈlaɪsns/ *v. t.* 1 dar licenza a (q.); permettere; autorizzare: *This shop has been licensed to sell spirits*, questo esercizio è stato autorizzato alla vendita degli alcolici 2 (*leg.*) concedere una licenza (*d'esercizio, ecc.*), il diritto di utilizzazione (*di opere dell'ingegno*) a (q.) ● **licensing hours**, orario di vendita degli alcolici (*in GB*) ❶ **Falsi amici** • to **license** *non significa* licenziare.

licensed /ˈlaɪsnst/ a. (*di bar, ristorante, ecc.*) che ha licenza di servire bevande alcoliche ❶ **Falsi amici** • **licensed** *non significa* licenziato.

licensee /laɪsnˈsiː/ n. (*anche comm.*) concessionario di licenza; chi ha acquistato un brevetto (*o* una patente, un diritto di utilizzazione); (*leg.*) licenziatario.

licenser /ˈlaɪsnsə(r)/ n. 1 chi concede una licenze (*o* permessi, ecc.) 2 (= **l. of the press**, **l. of plays**) censore (*di libri o di drammi*).

licensor /ˈlaɪsnsə(r)/ n. (*leg.*) chi concede un brevetto (*o* una licenza di utilizzazione, ecc.).

licensure /ˈlaɪsnʃə(r)/ n. ⨁ (*USA*) abilitazione (*all'esercizio di una professione*).

licentiate /laɪˈsenʃɪət/ n. 1 persona abilitata (*all'esercizio d'una professione, ecc.*) 2 (*in talune università*) licenziato, diplomato; (*anche*) (certificato di) abilitazione 3 (*relig.*) predicatore (*spec. presbiteriano, non ancora «pastore»*).

licentious /laɪˈsenʃəs/ a. (*form.*) licenzioso; dissoluto; lascivo; scostumato | -**ly** *avv.* | -**ness** *n.*

lichen /ˈlaɪkən/ n. (*bot.*) lichene ‖ **lichened**, **licheny** a. coperto di licheni ‖ **li-**

chenous a. (*bot.*) lichenoso.

lichenology /laɪkə'nɒlədʒɪ/ n. ⓤ (*bot.*) lichenologia ‖ **lichenologist** n. lichenologo.

lichgate /'lɪtʃgeɪt/ n. → **lychgate**.

licit /'lɪsɪt/ a. (*raro*) lecito; legittimo | **-ness** n. ⓤ.

lick /lɪk/ n. **1** leccata **2** piccola quantità; pizzico; briciolo; leggero strato: **a l. of paint**, un leggero strato di vernice **3** (= **salt-l.**) terreno salato (*che gli animali selvatici vanno a leccare*) **4** (*fam.*) forte colpo; botta **5** prova; sforzo **6** (*fam.*) passo veloce: **at full l.** (*o* **at a great l.**), a tutta velocità; di gran corsa **7** (pl.) (*mus.*) assolo, improvvisazione solista (*di jazz o rock*) ● (*fam.*) **a l. and a promise**, una lavatina (*o* una pulitina) superficiale; pulizia sommaria □ (*vet.*) **l. block**, blocchetto salino □ (*fam.*) **a l. in the face**, un manrovescio □ (*fam.*) **to give it big licks**, mettercela tutta; fare ogni sforzo.

♦**to lick** /lɪk/ **A** v. t. **1** leccare: *The little girl was licking her fingers*, la ragazzina si leccava le dita **2** lambire; sfiorare: *The flames are licking the log*, le fiamme lambiscono il ceppo **3** (*fam. antiq.*) bastonare; percuotere; picchiare **4** (*fam.*) battere; superare; sconfiggere; stracciare: (*sport*) **to l. one's opponents**, stracciare gli avversari **B** v. i. (*fam.*) affrettarsi; correre: **as hard as one can l.**, correndo a più non posso ● **to l. sb.'s boots** = **to l. sb.'s shoes** → *sotto* □ **to l. clean**, pulire leccando: *The child licked his plate clean*, il bambino pulì il piatto leccandolo □ (*fig.*) **to l. the dust**, mordere la polvere □ (*fam.*) **to l. into shape**, rifinire; rendere presentabile; mettere a punto, preparare a dovere: *Our coach has licked the team into shape*, il nostro allenatore ha messo a punto la squadra □ (*fig.*) **to l. one's lips**, avere l'acquolina in bocca; leccarsi i baffi (*o* le dita) □ **to l. sb.'s shoes**, leccare i piedi a q. (*fig.*) □ (*fig.*) **to l. one's wounds**, leccarsi le ferite □ **to l. up** (*o* **off**), togliere (*o* pulire) leccando □ (*fam.*) **to get a problem licked**, riuscire a risolvere un problema.

licker /'lɪkə(r)/ n. chi lecca; leccatore, leccatrice (*raro*).

lickerish /'lɪkərɪʃ/ a. **1** ghiotto; goloso **2** lascivo; lussurioso; libidinoso **3** saporito; gradevole; appetitoso; dolce.

lickety-split /'lɪkətɪ'splɪt/ avv. (*fam. USA*) a tutta birra; a tutto spiano; (*autom.*) a tutto gas.

licking /'lɪkɪŋ/ n. **1** ⓤ leccatura; leccata; leccatina **2** (*fam.*) bastonatura; botte; busse **3** (*fam.*) sconfitta; batosta (*fam.*).

lickspittle /'lɪkspɪtl/ n. (*spreg.*) leccapiedi; adulatore servile.

licorice /'lɪkərɪs/ n. ⓤ (*USA*) → **liquorice**.

lictor /'lɪktə(r)/ n. (*stor. romana*) littore.

lid /lɪd/ n. **1** coperchio **2** (= **eyelid**) palpebra **3** (*bot., zool.*) opercolo **4** (*fig. fam.*) controllo; freno **5** (*slang*) cappello **6** (*slang*) casco ● **to blow** (*o* **to lift**, **to take**) **the lid off st.**, rivelare (*o* svelare) qc. □ (*fam.*) **to flip one's lid**, esplodere, andare su tutte le furie; dare i numeri (*fig.*); dare in smanie □ **to keep the lid on st.**, tenere nascosto (*o* mettere a tacere) qc.; tenere sotto controllo (*o* frenare, mettere un freno a) qc. □ (*fig.*) **to put the lid** (*o* **a lid**) **on st.**, mettere la parola 'fine' a qc.; mettere un freno a qc. □ (*fig.*) **with the lid off**, allo scoperto, apertamente □ (*fam.*) **That puts the (tin) lid on it!**, è il colmo della sfortuna!; ci mancava questa!; piove sul bagnato!

lidar /'laɪdɑ:(r)/ n. (*tecn.*) lidar, radar ottico (*laserlocalizzatore*).

lidded /'lɪdɪd/ a. munito di coperchio ● **heavy-l. eyes**, occhi dalle palpebre pesanti.

lidless /'lɪdləs/ a. privo di coperchio; scoperchiato.

lido /'li:dəʊ/ n. (pl. **lidos**) **1** stabilimento balneare **2** (*antiq.*) piscina pubblica scoperta.

♦**lie**① /laɪ/ n. **1** bugia; menzogna; frottola; fandonia: **to tell lies**, dire bugie; **a pack of lies**, un mucchio (*o* un sacco) di bugie **2** falsità; menzogna **3** idea fallace; falsa credenza; impostura; menzogna ● **lie detector**, macchina della verità □ **to act a lie**, agire slealmente □ **to give sb. the lie**, smentire q.; sbugiardare q. (*fam.*) □ **to give the lie to a supposition**, smentire una supposizione □ **a white lie**, una bugia innocente (*o* pietosa).

lie② /laɪ/ n. **1** disposizione; posizione; situazione; configurazione: **the lie of the land**, la configurazione del terreno; (*fig.*) lo stato delle cose; la situazione (*degli affari, ecc.*) **2** (*d'animale*) covo; tana; rifugio **3** (*golf*) posizione della palla (*sul terreno*).

♦**to lie**① /laɪ/ (*part. pres.* **lying**, *pass. e p. p.* **lied**), v. i. **1** mentire; dire bugie **2** (*di cose*) ingannare: *The mirror doesn't lie*, lo specchio non inganna (*o* dice la verità) ● **to lie oneself into office**, conseguire un impiego (*o* un posto) a forza di menzogne □ **to lie oneself out of trouble**, trarsi d'impaccio (*o* cavarsi dai guai) con una bugia □ (*arc. o scherz.*) **to lie in one's throat** (*o* **in**, **through one's teeth**), mentire per la gola.

♦**to lie**② /laɪ/ (*part. pres.* **lying**, *pass.* **lay**, *p. p.* **lain**), v. i. **1** giacere; stare disteso (*o* sdraiato): *His mortal remains lie in Westminster Abbey*, le sue spoglie mortali giacciono nell'abbazia di Westminster; *Don't lie on the floor*, non stare disteso per terra! ❶ NOTA: *to lay* / *to lie* → **to lay 2** essere, stare (*in una certa posizione, situazione, ecc.*); restare, rimanere: *The newspaper lay open on the table*, il giornale stava aperto sul tavolo; **to lie awake**, essere a letto sveglio; **to lie idle** [**in prison**], essere in ozio [in prigione]; *The land lay barren*, la terra rimaneva incolta; *His motives lie hidden*, i suoi motivi restano nascosti **3** stendersi; spiegarsi: *The great plain lay at our feet*, la grande pianura si stendeva ai nostri piedi **4** essere situato; trovarsi: *Ireland lies to the west of England*, l'Irlanda si trova (*o* è situata) a ovest dell'Inghilterra **5** (*leg.*) essere fondato; essere ammissibile **6** (*mil.*: *di truppe*) essere accampato **7** (*naut.*: *di nave*) essere alla fonda **8** (*arc.*) alloggiare; dimorare ● (*naut.*) **to lie at anchor**, essere all'ancora (*o* alla fonda) □ **to lie at the mercy of sb.**, essere alla mercé di q. □ **to lie at death's door**, avere un piede nella tomba □ (*di colpa, ecc.*) **to lie at sb.'s door**, essere da attribuire a q. □ **to lie fallow** (*di un terreno*) essere a maggese; (*fig.*) restare inutilizzato □ **to lie heavy on sb.'s conscience [stomach]**, pesare sulla coscienza di q. [restare sullo stomaco (*o* appesantire lo stomaco) di q.] □ **to lie low**, (*di un paesino, ecc.*) essere adagiato (*tra i monti, ecc.*); (*di persona o animale*) stare rintanato, stare nascosto □ (*fig.*) **to lie on the bed one has made**, avere quel che ci si merita □ **to lie open to attack**, essere esposto agli attacchi □ (*fig.*) **to find out how the land lies**, scoprire come stanno le cose □ **I'll do as far as in me lies**, farò quanto sta in me; farò del mio meglio □ **the way one is lying**, la posizione (*di un corpo*) a terra □ (*prov.*) **Let sleeping dogs lie**, non svegliare il can che dorme.

■ **lie about A** v. i. + avv. **1** oziare; bighellonare; poltrire; stare con le mani in mano **2** (*di oggetti*) essere in disordine (*o* buttato là); essere sparsi qua e là **B** v. t. + prep. (*di monti, ecc.*) circondare (*un luogo*).

■ **lie ahead** v. i. + avv. **1** essere situato (*o* trovarsi) davanti **2** essere in vista (*nel futuro*): *A big slump lies ahead*, ci attende una grossa depressione economica.

■ **lie along** v. i. + prep. **1** estendersi lungo (*un fiume, ecc.*) **2** ricadere su: '*Her hair that lay along her back* / *Was yellow like ripe corn*' D.G. ROSSETTI, 'i capelli, che le ricadevano sul dorso, erano gialli come il grano maturo' **B** v. i. + avv. (*naut.*) → **lie over**, *def. 2*.

■ **lie around** → **lie about**.

■ **lie back** v. i. + avv. reclinare il capo (*sul cuscino, su uno schienale, ecc.*); adagiarsi; sdraiarsi.

■ **lie behind A** v. i. + avv. essere (ormai) alle spalle; essere cosa del passato **B** v. i. + prep. **1** essere alle spalle di (*nel tempo*) **2** (*fig.*) esserci dietro a (qc.): *Something must lie behind his proposal*, dev'esserci qualcosa dietro la sua proposta.

■ **lie by A** v. i. + avv. **1** fermarsi; fare una sosta **2** (*naut.*: *di navi*) restare vicino (*o* accanto) **B** v. i. + prep. (*anche* **lie beside**) stare vicino (*o* accanto) a.

■ **lie doggo** v. i. + avv. (*fam.*) stare fermo, immobile (*in un nascondiglio*).

■ **lie down** v. i. + avv. **1** stare giù (*o* a terra); stare disteso; (*di un pugile, ecc.*) restare a terra **2** coricarsi; stendersi; fare un riposino □ (*fam.*) **to lie down on the job**, lavorare a ritmo ridotto; battere la fiacca □ (*fam.*) **to take st. lying down**, accettare (*o* sopportare) qc. senza reagire.

■ **lie down under** v. i. + avv. + prep. (*fam.*) accettare (qc.), ricevere (*un insulto*), rassegnarsi a (*una sconfitta*) senza reagire.

■ **lie in A** v. i. + avv. **1** restare a letto (*fino a tardi*) **2** (*arc.*) essere a letto in attesa di partorire **B** v. i. + prep. **1** restare: **to lie in bed**, restare a letto **2** giacere in; essere sepolto in **3** (*di denaro*) essere depositato in (*banca, ecc.*) **4** (*fig.*) essere; trovarsi: *The defect lies in the design*, il difetto è nella progettazione **5** (*di speranza, ecc.*) essere riposto in (q. *o* qc.) □ **to lie in ambush** (*o* **in wait**) **for sb.**, stare in agguato per assalire q. □ **to lie in state**, essere esposto solennemente nella camera ardente (*ai funerali di stato*).

■ **lie off** v. i. + avv. **1** smettere di lavorare (*per un poco*) **2** (*anche* v. t.) (*naut.*) stare al largo (di); essere alla fonda lontano (da: *un molo, ecc.*).

■ **lie out** v. i. + avv. **1** essere sdraiato (*al sole, ecc.*) **2** (*di un luogo*) essere situato (*o* trovarsi) lontano **3** (*di denaro*) essere impiegato (*o* investito).

■ **lie over** v. i. + avv. **1** (*di una decisione, di un debito, ecc.*) rimanere in sospeso **2** (*naut.*) essere alla banda; sbandare.

■ **lie to** v. i. + avv. (*naut.*) essere alla cappa (*o* in panna).

■ **lie up** v. i. + avv. **1** restare a letto (*per malattia o convalescenza*) **2** restare nascosto; essere uccel di bosco (*fig.*) **3** (*naut.*: *di nave*) rimanere in porto (*o* in bacino di raddobbo); (*di barca*) restare in porto (*d'inverno, ecc.*) **4** (*di un'automobile, ecc.*) essere fuori uso; non essere usato.

■ **lie with** v. i. + prep. **1** (*di un compito, ecc.*) toccare a; spettare a: *It lies with the prosecutor to prove that he is guilty*, spetta al pubblico ministero provare la sua colpevolezza **2** (*arc.*) giacersi con (*una donna, ecc.*).

■ **lie within** v. i. + prep. **1** essere situato (*o* trovarsi) dentro (*un luogo*) **2** (*fig.*) essere, rientrare: *It lies within his power to take the final decision*, rientra nei suoi poteri prendere la decisione finale □ **to lie within sb.'s control**, essere sotto il controllo di q.

lie-down /'laɪdaʊn/ n. **1** dormitina; sonnellino; pisolino; pennichella **2** → **lie-in**, *def. 2*.

lief /li:f/ **A** a. (*arc.*) caro; amato **B** avv. (*antiq. o lett.*) volentieri: *I would as l. go now as later*, per me è uguale andare adesso o più tardi.

liege /li:dʒ/ **A** a. (*diritto feudale*) **1** che ha diritto alla fedeltà dei vassalli; feudale: **a l. lord**, un signore feudale; un feudatario **2** ligio: **l. subjects**, vassalli ligi **3** (*fig.*) ligio; fe-

dele **B** n. **1** signore (feudale); feudatario **2** uomo ligio; vassallo **3** (*fig.*) fido sostenitore.

liegeman /'liːdʒmən/ n. (pl. *liegemen*) **1** (*diritto feudale*) uomo ligio; vassallo **2** (*fig.*) seguace fedele; sostenitore fidato.

lie-in /'laɪɪn/ n. **1** (*fam.*) lo starsene a letto più del solito (*per es., la domenica mattina*): **to have a lie-in**, stare a letto fino a tardi **2** protesta fatta sdraiandosi per terra (*o sui binari, ecc.*).

lien /'liːən/ n. (*leg.*) privilegio; diritto di prelazione; diritto di riservato dominio; (diritto di) pegno ● **l. creditor**, creditore garantito □ (*naut.*) **l. on freight**, privilegio sul nolo □ (*fin.*) **l. on shares**, diritto di pegno sulle azioni.

lieu /ljuː, luː/ n. luogo (nella loc.:) **in l. of**, in luogo di; invece di.

Lieut. abbr. (*mil.*, **lieutenant**) tenente (Ten.).

lieutenancy /lɛf'tɛnənsɪ, *USA* luː-/ n. Ⓤ (*mil.*) luogotenenza; tenenza (→ **lieutenant**).

lieutenant /lɛf'tɛnənt, *USA* luː-/ n. **1** (*mil., in GB*) tenente **2** (*marina mil., in GB e in USA*) tenente di vascello **3** (*in genere*) luogotenente; vice ● **l. colonel**, (*mil., in GB e in USA*) tenente colonnello; (*aeron. mil., in USA*) tenente colonnello (*cfr.* ingl. **wing commander**, sotto **wing**) □ (*marina mil., in GB e in USA*) **l. commander**, capitano di corvetta □ **L. General**, (*mil., in GB e in USA*) Tenente Generale (*un tempo*, Generale di Corpo d'Armata); (*aeron. mil., in USA*) Generale di Squadra Aerea (*cfr.* ingl. **Air Marshal**, sotto **air**) □ **l. governor**, vicegovernatore □ **l. governorship**, vicegovernatorato □ (*marina mil., in USA*) **l. junior grade**, sottotenente di vascello (*cfr.* ingl. **sublieutenant**) □ (*in GB*) **L. of the Tower of London**, Luogotenente della Torre di Londra.

♦**life** /laɪf/ n. (pl. *lives*) **1** ⓊⒸ vita (*quasi in ogni senso*); esistenza; (*di cose*) durata: *'Degenerate sons and daughters, /L. is too strong for you – It takes l. to love l.'* E. LEE MASTERS, 'figli e figlie degeneri, / la vita è troppo forte per voi: ci vuole vita per amare la vita'; *How's l.?*, come va la vita?; *He lost his l. in a road accident*, perse la vita in un incidente stradale; *There is no l. on Venus*, non c'è vita su Venere; **the struggle for l.**, la lotta per l'esistenza; **this l.**, questa vita; la vita terrena; **the eternal l.**, la vita eterna; **to spend one's l. in idleness**, passare la vita nell'ozio; *She was the l. of her family*, ella era la vita (o l'anima) della famiglia; **military l.**, la vita militare; **country [city] l.**, la vita di campagna [di città]; **high l.**, la vita elegante (*o* dell'alta società); **low l.**, vita mediocre (*o* misera); **to lead a happy l.**, condurre un'esistenza serena; *You must put more l. in your acting*, devi mettere più vita (*o* vitalità) nel tuo modo di recitare; *Most fashions have a very short l.*, per lo più le mode hanno vita brevissima; **the l. of a government**, la durata (*o* la vita) d'un governo; **the l. of an ocean liner**, la durata (*o* la vita) d'un transatlantico; **the l. of a loan**, la durata di un mutuo **2** Ⓤ (*arte*) (il) naturale; (il) vero; (il) vivo: **to draw from l.**, disegnare dal vero; **l. drawing**, disegno dal vero; **a class in l.**, un corso di disegno dal vero **3** (*baseball*) occasione; opportunità (*data al battitore*) **4** (*fig.*) occasione di ricominciare da capo, di rifarsi una vita **5** vita; biografia: **a l. of Einstein**, una biografia di Einstein; *Plutarch's «Lives»*, le «Vite» di Plutarco **6** condanna a vita (*o* all'ergastolo); ergastolo (= **l. imprisonment** e **l. sentence** → *sotto*): *The terrorist got l.*, il terrorista fu condannato all'ergastolo; un ergastolano **7** (*slang*

USA) – **the l.**, la vita; il mestiere di prostituta ● **l. annuity**, (assegno) vitalizio □ **l. assurance** = **l. insurance** → *sotto* □ **l. blood**, (*poet.*) sangue, linfa vitale; (*fig.*) influsso vivificante; anima, vita (*fig.*): *Competition is the l. blood of commerce*, la concorrenza è l'anima del commercio □ (*biol.*) **l. cycle**, ciclo vitale □ (*leg.*) **l. estate**, usufrutto a vita □ **l. expectancy**, (*ass., stat.*) aspettativa (*o* speranza) di vita; (*di cosa*) durata prevista □ **l.-giving**, vivificante; che rianima; che rinvigorisce □ (*mil., in GB*) **the L. Guards**, le Guardie del Corpo del Sovrano (*reggimento di cavalleria*) □ **L. Guardsman**, soldato della Guardia del Corpo □ (*biol.*) **l. history**, storia biologica □ (*di un bene*) **l.-hold**, tenuto in usufrutto □ (*leg., in GB e USA*) **l. imprisonment**, carcere per la durata di vari anni (*in pratica, di rado supera i 10 anni*); (*stor.*) carcere a vita, ergastolo (= **l. sentence** → *sotto*) □ **l. instinct**, pulsione di vita □ (*ass.*) **l. insurance**, assicurazione sulla vita □ (*leg.*) **l. interest**, usufrutto a vita □ (*naut.*) **l. jacket**, giubbotto di salvataggio □ (*med.*) **l. machine**, respiratore artificiale □ **l. member**, socio a vita □ **l.-net**, telo di salvataggio □ (*slang USA*) **the l. of Riley**, la bella vita; la vita comoda (*o* di Michelaccio) □ (*ass.*) **l. office**, agenzia di assicurazioni sulla vita □ **a l.-or-death battle**, un combattimento all'ultimo sangue □ **a l.-or-death matter**, una questione di vita o di morte □ (*polit.*) **L. Peer**, Pari (d'Inghilterra) nominato a vita (*il titolo non è ereditario*) □ (*ass.*) **l. policy**, polizza di assicurazione sulla vita □ **l. preserver**, bastone animato; tirapugni; (*USA, naut.*) salvagente □ (*naut., aeron.*) **l. raft**, gommone di salvataggio □ **l.-saver** = **lifesaver** (*elettr.*) **l. saving appliance**, salvavita □ **l.-saving drug**, farmaco salvavita □ **l. sciences**, scienze naturali □ **l. scientist**, naturalista □ (*leg., in GB, in USA, ecc.*) **l. sentence**, condanna a diversi anni di carcere (*spesso il giudice fissa un periodo minimo; questo, in Canada, non supera mai i 25 anni*); (*stor.*) condanna all'ergastolo (*che non esiste più nell'ordinamento inglese né in quello nordamericano*) □ (*arte: di quadro, statua, ecc.*) **l.-size** (*o* **l.-sized**), in grandezza naturale; al naturale □ **l. span**, arco (*o* durata) della vita; vita naturale (*di un animale*); durata (*di un oggetto*) □ **l. spring**, fonte di vita □ **l. story**, storia di una vita; biografia □ (*tecn.*) **l.-support**, che assicura la sopravvivenza □ (*med.*) **l.-support machine** (*o* **l.-support system**), autorespiratore □ (*ass., stat.*) **l. tables**, tavole di mortalità □ (*leg.*) **l. tenancy**, usufrutto a vita □ (*leg.*) **l. tenant**, usufruttuario a vita □ (*ind.*) **l. test**, prova di durata □ (*USA*) **l. vest**, giubbotto salvagente □ **to be l.-weary**, essere stanco della vita □ **l. work**, il lavoro di tutta una vita; l'opera più importante (*di q.*) □ (*ecol.*) **l. zone**, zona biotica □ **to bring to l.**, rianimare, far tornare in vita; animare, vivificare □ **to come to l.**, rinvenire, riprendere conoscenza; (*fig.*) dimostrare interesse, interessarsi □ **to come back to l.**, tornare in sé; riaversi; rinvenire □ **for l.**, per tutta la vita; fino alla morte □ (*in frasi neg.*) **for the l. of me**, per nulla al mondo; mai e poi mai □ **for dear l.**, tenacemente; con tutte le proprie forze □ **the good l.**, la bella vita; la vita comoda □ (*ass.*) **a good [a bad] l.**, uno che ha molte [che ha scarse] probabilità di vivere sino all'età media presunta □ (*fam.*) **to have the time of one's l.**, divertirsi un mondo; spassarsela □ **to lay down one's l. for**, dare (*o* sacrificare) la vita per □ **to marry early in l.**, sposarsi giovane □ **Not on your l.!**, certo che no!; mai e poi mai! □ **nothing in l.**, nulla di nulla; assolutamente nulla □ **the other l.** (*o* future, everlasting l.), l'altra vita (*o* la vita futura, eterna) □ **to risk one's l.**, rischiare la vita □ **to run for one's l.** (*o for dear l.*), darsi alla fuga; darsela a gambe □ **to be safe in l. and limb**,

essere sano e salvo □ **to save sb.'s life**, salvare la vita a q. □ (*in frasi neg.*) **to save one's l.**, per nulla al mondo; mai e poi mai □ **to take sb.'s l.**, togliere la vita a q.; uccidere q. □ **to take one's own l.**, togliersi la vita; suicidarsi □ (*fam.*) **to take one's l. in one's (own) hands**, mettere a repentaglio la vita □ **to the l.**, somigliantissimo; tale e quale: (*di un ritratto*) *It's him to the l.!*, è lui nato e sputato!; **to imitate sb. to the l.**, imitare qualcuno a pennello □ **true to l.**, realistico; basato sui fatti; che riproduce fedelmente la realtà □ **upon my l.**, in fede mia; parola mia □ **with all the pleasure in l.**, col massimo piacere; con grande gioia □ *A cat has nine lives*, i gatti hanno sette vite □ (*fam.*) **This is the l.!**, questa sì che è vita! □ **I want to see l.**, voglio vivere anch'io!; voglio vedere il mondo □ (*prov.*) **While there's l. there's hope**, finché c'è vita c'è speranza.

lifebelt /'laɪfbɛlt/ n. (*naut.*) cintura di salvataggio.

lifeboat /'laɪfbəʊt/ n. (*naut.*) **1** battello di salvataggio **2** lancia di salvataggio ● **l. station**, posto di salvataggio.

lifebuoy /'laɪfbɔɪ/ n. (*naut.*) salvagente (*spec. ad anello*).

lifeguard /'laɪfɡɑːd/ n. bagnino (*di salvataggio*).

lifeless /'laɪfləs/ a. **1** senza vita; esanime; inanimato **2** (*fig.*) senza vita; freddo; inerte; scialbo | **-ly** avv. | **-ness** n. Ⓤ.

lifelike /'laɪflaɪk/ a. **1** realistico; vivo; vivido: **a l. picture**, una descrizione realistica **2** (*di ritratto, ecc.*) fedele; somigliante; parlante (*fig.*).

lifeline /'laɪflaɪn/ n. **1** (*naut.*) sagola di salvataggio **2** (*chiromanzia*) linea della vita **3** cavo di recupero (*di un sommozzatore*) **4** (*fig., econ.*) linea di comunicazione (*o* di rifornimento) d'importanza vitale **5** (*fig.*) ancora di salvezza.

lifelong /'laɪflɒŋ/ a. che dura tutta la vita ● **a l. friend**, un amico di una vita □ **l. education**, istruzione permanente.

lifemanship /'laɪfmənʃɪp/ n. Ⓤ abilità nel farsi largo nella vita (*anche a spese degli altri*).

lifer /'laɪfə(r)/ n. **1** (*slang*) condannato (*o* condanna) ai lavori forzati a vita; ergastolano; ergastolo **2** (*slang USA*) ufficiale (*o* sottufficiale) di carriera; firmaiolo (*pop.*) ● (*fam.*) **a simple l.**, uno che fa vita semplice.

lifesaver /'laɪfseɪvə(r)/ n. **1** bagnino (*per i salvataggi*) **2** (*naut.*) salvagente **3** (*fig.*) chi (*o* cosa che) salva la vita.

lifestyle /'laɪfstaɪl/ n. stile di vita; modo di vivere: (*farm.*) **l. drug**, farmaco che migliora la qualità di vita del paziente (*anziché la salute*).

lifetime /'laɪftaɪm/ n. (durata della) vita ● **a l. job**, un lavoro fisso, che dura tutta la vita □ (*leg., market.*) **l. warranty**, garanzia a vita □ **It's the chance of a l.**, è un'occasione unica.

♦**lift** /lɪft/ n. **1** sollevamento; spinta: *One more l.!*, un'altra spinta! **2** Ⓤ abolizione; soppressione; **the l. of a ban**, l'abolizione di un divieto **3** ascensore; montacarichi; montavivande (*cfr.* USA **elevator**) **4** soprattacco (*in una scarpa*) **5** (*autom.*) passaggio; strappo (*pop.*): **to give sb. a l.**, dare un passaggio a q.; *I wanted to ask you if you could give me a l. to the airport*, volevo chiederti se puoi darmi un passaggio all'aeroporto; *Want a l.?*, vuoi un passaggio? **6** (*fis.*) sostentamento; (*aeron.*, = **aerodynamic l.**) portanza, spinta aerostatica: (*aeron.*) **jet l.**, sostentazione a getto; gettosostentazione **7** (*aeron.*, = **airlift**) ponte aereo **8** (*fig.*) sollievo; conforto: *Hearing from him gave me a real l.*, fu per me un grande sollievo avere sue notizie **9** (*econ., fin.*) aumento, rialzo (*di costi, prezzi, ecc.*) **10** (*autom., mecc.*) pon-

te elevatore; ponte (*fam.*) **11** (*naut.*) amantiglio, mantiglio **12** (*sport*: *atletica*) sollevamento, alzata (*di pesi*) **13** (*calcio, ecc.*) elevazione (*di un giocatore*): **to gain l.**, guadagnare in elevazione **14** (*canottaggio, vela*) spinta dell'acqua **15** (*lotta*) sollevamento (*dell'avversario*) **16** (*pattinaggio artistico*) sollevamento, alzata (*della partner*) **17** (*rugby*) 'ascensore': **to miss a l.**, sbagliare un ascensore **18** (*tuffi*) volo in aria (*di un tuffatore*) **19** (*fam.*) cosa copiata; plagio **20** (pl., *USA*) scarpe (*da uomo*) con il rialzo ● (*tecn.*) **l. arm**, braccio di sollevamento (*di una pala meccanica, ecc.*) □ **l. bridge**, ponte sollevabile □ **l. engineer**, installatore di ascensori □ (*aeron.*) **l. fan**, ventola di sostentamento (*per decollo verticale*) □ **l. shaft**, pozzo dell'ascensore □ (*mecc.*) **l. truck**, carrello elevatore □ (*trasp.*) **l. van**, contenitore; container.

♦to **lift** /lɪft/ **A** v. t. **1** alzare; sollevare; levare in alto; elevare; portare in alto: *I cannot l. this box*, non riesco a sollevare questo scatolone; **to l. one's feet**, alzare i piedi; **to l. sb.'s spirits**, sollevare il morale a q.; *The church lifts its spire*, la chiesa leva in alto la sua guglia **2** cavare; scavare: **to l. potatoes**, cavar patate (*dal terreno*) **3** (*fig.*) plagiare; prendere di sana pianta (*un passo da un autore, ecc.*) **4** (*sport*: *atletica, lotta, ecc.*) sollevare (*un peso, un avversario, ecc.*) **5** abolire, revocare, sopprimere, togliere (*un divieto, ecc.*): **to l. an embargo** [**a siege**], togliere un embargo [un assedio]; **to l. a strike**, revocare uno sciopero **6** (*leg.*) estinguere (*un'obbligazione, ecc.*) **7** (*econ., market.*) aumentare (*i prezzi*) **8** (*aeron.*) trasportare **9** (*fis.*) sostentare (*un natante, un aeromobile, ecc.*) **10** (*med.*) sottoporre (q.) a un lifting **11** (*slang*) rubare; grattare, sgraffignare (*pop.*) **B** v. i. **1** alzarsi; levarsi; sollevarsi: *The lid of the trapdoor won't l.*, il coperchio della botola non vuole sollevarsi; *The fog began to l.*, la nebbia cominciava ad alzarsi **2** ergersi; elevarsi; innalzarsi **3** (*del pavimento*) alzarsi; essere rigonfio ● **to l. the hand**, alzare la mano (*per giurare*) □ (*fam.*) **to l. one's hand against sb.**, alzare le mani su q. □ **to l. one's hat**, scappellarsi □ **to l. one's hand in prayer**, levare (*o* giungere) le mani in preghiera □ (*USA*) **to l. a mortgage**, togliere un'ipoteca □ (*calcio*) **to l. a shot over the bar**, calciare sopra la traversa □ **to l. the tents**, levare le tende □ **not to l. a hand** (*o* **a finger**) **to help sb.**, non muovere un dito per aiutare q.

■ **lift down** v. t. + avv. **1** tirare giù (*una valigia, ecc.*): *He lifted the cat down from the tree*, tirò giù il gatto dall'albero **2** portare giù.

■ **lift off** **A** v. t. + avv. sollevare; alzare; togliere: **to l. off one's hat**, sollevare il cappello; **to l. off a lid**, togliere un coperchio **B** v. i. + avv. **1** (*di un aereo*) alzarsi in volo; decollare **2** (*miss.*: *di un razzo, ecc.*) partire.

■ **lift up** v. t. + avv. **1** alzare; sollevare (*anche fig.*): **to l. up one's eyes**, sollevare gli occhi (*o* lo sguardo); **to l. up one's head**, alzare la testa; **to l. up one's voice**, alzare la voce; farsi sentire (*fig.*) **2** (*fig.*) tirare su: **to l. up sb.'s spirits**, tirare su il morale a q. □ (*leg.*) **to l. up the hand**, alzare la mano per giurare.

liftback /'lɪftbæk/ a. attr. e n. (*autom.*) (vettura) con portellone posteriore.

lifter /'lɪftə(r)/ n. **1** chi alza; chi solleva; sollevatore **2** (*mecc.*) camma; eccentrico **3** (*atletica*) sollevatore di pesi; pesista **4** (*slang*) ladro ● (*autom.*) **l. rod**, asta di punteria.

liftgate /'lɪftgeɪt/ n. (*autom.*) portellone posteriore.

lifting /'lɪftɪŋ/ n. **1** sollevamento **2** (*fis.*) spinta (*dell'acqua o aerostatica*) **3** abolizione; soppressione: **a temporary l. of quotas on imports**, l'abolizione temporanea delle quote d'importazione **4** (*atletica, lotta, ecc.*) sollevamento **5** (*slang*) furto ● (*mecc.*) **l. dog**, estrattore □ **l. gear**, meccanismo di sollevamento □ **l. jack**, binda; cric; martinetto □ **l. power**, portata massima (*per es., d'una gru*) □ **l. truck**, carrello elevatore ❶ FALSI AMICI • lifting *non significa* lifting *nel senso italiano di eliminazione chirurgica delle rughe.*

liftman /'lɪftmən/ n. (pl. *liftmen*) ascensorista; ragazzo dell'ascensore.

lift-off, **liftoff** /'lɪftɒf/ n. **1** decollo (*di un aereo*) **2** (*miss.*) partenza (*di un razzo*).

lig /lɪg/ n. (*fam., GB*) ricevimento (*offerto gratis, spec. da un discografico*).

to **lig** /lɪg/ v. i. **1** essere invitato a un 'lig' **2** (*per estens.*) sbafare; scroccare (*fam.*).

ligament /'lɪgəmənt/ (*anat.*) n. legamento ‖ **ligamental**, **ligamentary**, **ligamentous** a. legamentoso.

ligand /'lɪgənd/ n. (*chim. e biol.*) legante.

to **ligate** /'laɪgeɪt/ (*med.*) v. t. legare (*arterie, ecc.*) ‖ **ligation** n. legatura.

ligature /'lɪgətʃə(r)/ n. **1** (*mus., tipogr.*) legatura **2** (*med.*) laccio; filo per legature; filo metallico (*per dentisti*) **3** (*fig.*) legame.

ligger /'lɪgə(r)/ n. (*fam., GB*) **1** invitato a un → «lig» **2** (*per estens.*) scroccone.

♦**light**① /laɪt/ n. **1** [U.C] luce; lume; lampada; fanale; chiarore; splendore; (*fig.*) aspetto, punto di vista: **the l. of the sun** [**of an electric bulb**], la luce del sole [di una lampadina elettrica]; *Switch on the l., will you?*, accendi la luce, per favore; *I saw a distant l.*, vidi un lume in lontananza; *There was a strange l. in the girl's eyes*, c'era una strana luce negli occhi della ragazza; **to put sb.** [**st.**] **in a bad l.**, mettere q. [qc.] in cattiva luce; **to bring new facts to l.**, portare alla luce fatti nuovi; **a five-l. chandelier**, un lampadario a cinque luci (*o* lampade) **2** fiammifero; fuoco: **to strike a l.**, accendere un fiammifero; **to give sb. a l.**, dare del fuoco (*o* da accendere) a q.; *Excuse me, have you got a l. please?*, mi scusi, ha da accendere? **3** (*fig.*) luminare: *He was one of the leading lights of the century*, fu uno dei luminari del secolo **4** [U] (*poet.*) luce degli occhi; vista **5** (pl.) (*slang*) (gli) occhi; (le) luci (*poet.*) **6** (*edil.*) luce; lastra di vetro; apertura in un muro (*per finestra, ecc.*); lucernario **7** (*autom.*, = **indicator l.**) spia: **main-beam l.**, spia degli abbaglianti **8** (= **traffic l.**) luce di semaforo (*stradale*); (pl.) semaforo: **to wait for the green l.**, aspettare il verde; (pl.) semaforo: *When you get to the* (*traffic*) *lights, turn right*, quando arrivi al semaforo, volta a destra **9** (pl.) (*teatr.*) luci della ribalta ● **to be l.**, fare giorno; farsi luce □ (*pitt.*) **the lights and darks of a painting**, le zone di luce e ombra di un quadro □ (*arte*) **l. and shade**, luce e ombra; zone in luce e zone in ombra □ **l. bar**, barra luminosa (*sul tettuccio di un'automobile, ecc.*) □ **l. beam**, raggio di luce □ **l-box**, tavolo luminoso; visore (*per negativi, diapositive, ecc.*); (*anche*) lampada a cubo □ (*elettr.*) **l. bulb**, lampadina □ (*naut.*) **l. buoy**, boa luminosa □ (*naut.*) **l. list**, elenco dei fari e fanali □ (*tecn.*) **l. meter**, fotometro portatile; esposimetro □ (*elettron.*) **l.-negative**, fotoresistente □ (*di una persona*) **to be the l. of sb.'s life**, essere la luce degli occhi di q. □ **lights-out**, ora di spegnere le luci (*in collegio, ecc.*); (*mil.*) ordine di spegnere le luci (*in caserma*); (il) silenzio □ **l.-pen**, penna luminosa; penna ottica □ (*edil.*) **l. point**, punto luce □ **l. range**, portata luminosa □ (*ottica*) **l. ray**, raggio di luce; raggio luminoso □ (*elettron.*) **l.-sensitive**, fotosensibile □ (*naut.*) **l. station**, stazione semaforica □ **l.-tight**, a tenuta di luce □ (*naut.*) **l. vessel**, faro galleggiante; nave faro □ (*archit.*) **l. well**, pozzo di luce; lucernario □ (*astron.*) **a l. year**, un anno luce; (*fig.*) secoli, un'eternità □ **according to one's lights**, secondo i propri lumi; a proprio giudizio □ **to bring st. to l.**, portare qc. alla luce; mettere qc. in luce; rivelare qc. □ **by the l. of a candle**, a lume di candela □ **by the l. of the moon**, al chiaro di luna □ **to cast** (*o* **to throw**) **l. on st.**, far luce su (*o* chiarire) qc. □ **to come to l.**, venire alla luce; manifestarsi □ (*autom.*) **to cut the lights**, bruciare il semaforo; passare col rosso □ **to go out like a l.**, addormentarsi di colpo □ (*fig.*) **green l.**, via libera, autorizzazione □ (*Bibbia*) **to hide one's l. under a bushel**, mettere la fiaccola sotto il moggio; tenere celate le proprie virtù □ (*arte*) **the high lights**, i chiari; la zona d'un quadro in piena luce □ **in the l. of** (*USA* **in l. of**), alla luce di: **in the l. of what he told me later**, alla luce di quello che mi disse in seguito □ (*autom., ingl.*) **to jump the lights**, bruciare il semaforo; passare col rosso □ **to put out sb.'s lights**, tramortire q. □ **to see the l.**, vedere la luce, nascere; venire al mondo; (*anche*) cominciare a capire, accettare un'idea; ricevere l'illuminazione, convertirsi (*a una religione*) □ **to set l. to st.**, dare fuoco a qc. □ **to shed** (*o* **to throw**) **l. on st.**, gettare (*o* fare) luce su qc. □ **to stand in one's own l.**, togliersi la luce, farsi ombra; (*fig.*) nuocere a sé stesso □ **to stand in sb.'s l.**, togliere la luce (*o* fare ombra) a q.; (*fig.*) danneggiare (*o* ostacolare) q.

♦**light**② /laɪt/ a. **1** chiaro; luminoso; rischiarato: **on a l. summer day**, in una luminosa giornata d'estate **2** (*di colore*) chiaro: **l. green**, verde chiaro **3** (*di capelli*) biondi **4** (*di carnagione*) pallido: **a l. complexion**, una carnagione pallida **5** (= **l.-coloured**) chiaro: **a light-coloured dress**, un vestito chiaro **6** (*tipogr.*; *di un carattere*) chiaro: **l. face**, chiaro; carattere chiaro ● **l. blue**, azzurro □ **the L. Blues** → **blue**② □ **l.-skinned**, dalla pelle chiara.

♦**light**③ /laɪt/ a. **1** leggero (*in ogni senso*); lieve; agile; (*fig.*) incostante, frivolo, spensierato, allegro: **a l. box**, una scatola leggera; **l. clothing**, abiti leggeri; (*mil., naut.*) **a l. cruiser**, un incrociatore leggero; (*mil.*) **l. weapons**, armi leggere; **a l. blow**, un lieve colpo; **a l. wind**, un lieve vento; un venticello; **l. wine**, vino leggero; **a l. rain**, una lieve pioggia; una pioggerella; **with l. steps**, a passi leggeri; **a l. meal**, un pasto leggero; **l. sleep** [**work**], sonno [lavoro] leggero; **l. behaviour**, comportamento leggero (*o* frivolo, incostante); **l. comedy**, commedia leggera; **a l. sentence**, una condanna lieve [*o* mite]; **with a l. expense**, con lieve spesa; **a l. heart**, un animo spensierato; un cuor contento; *I did it with a l. heart*, lo feci a cuor leggero **2** troppo leggero; scarso (*di peso*): **to give l. weight**, dare il peso scarso; rubare sul peso; **a l. coin**, una moneta di peso scarso **3** friabile; soffice: **l. soil**, terreno friabile; **l. bread**, pane soffice **4** (*fon.*: *di sillaba*) non accentata ● (*aeron.*) **l. aircraft**, aereo da turismo □ **l. ale**, birra a bassa gradazione alcolica □ (*mil.*) **l.-armed**, con armamento leggero □ **l. cream**, panna light; panna da caffè; mezza panna □ (*naut.*) **l. displacement**, dislocamento a vuoto □ **a l. drink**, una bevanda poco alcolica, un drink leggero □ **l.-fingered**, dalle dita agili (*o* veloci); (*fig.*) lesto di mano, bravo a rubare □ (*sport*) **l. fly weight**, minimosca; peso minimosca □ **l.-footed**, agile; lesto; svelto □ **l.-footedness**, agilità, sveltezza □ **l.-handed**, dalla mano leggera, dal guanto di velluto □ **l.-handedness**, l'avere la mano leggera; (*fig.*) tatto □ **l.-headed**, stordito, che ha le vertigini; sbadato, sventato, frivolo; (*anche*) brillo □ **l.-headedness**, giramento di capo; sbadataggine; sventatezza, frivolezza □ **l.-hearted**, gaio; allegro; spensierato □ **l.-heartedness**, gaiezza; allegria; spensiera-

tezza □ (*sport*) **l. heavyweight**, mediomassimo, peso mediomassimo □ (*mil.*) **l. horse**, cavalleria leggera □ **l. in the head**, che ha il capogiro; sempliciotto, stolto, stupido □ (*econ.*) **l. industry**, industria leggera □ (*mil.*) **l. infantry**, fanteria con armamento leggero □ (*mil.*) **l. machine gun**, mitragliatrice leggera; fucile mitragliatore □ (*metall.*) **l. metal**, metallo leggero; lega leggera □ (*sport*) **l. middleweight**, medioleggero; peso medioleggero □ **l.-minded**, frivolo, leggero □ **l.-mindedness**, frivolezza; leggerezza □ **l. of foot** (*o* **l. on one's feet**), agile di gambe; svelto □ (*mus.*) **l. opera**, operetta □ **l. railway**, una ferrovia secondaria (*per traffico leggero*) □ **l. reading**, letture amene □ **l. remarks**, osservazioni frivole □ **l. sleeper**, uno che ha il sonno leggero □ **a l. smoker**, uno che non fuma molto □ (*mil.*) **a l. tank**, un carro (armato) leggero □ (*trasp.*) **l. truck**, autocarro leggero □ (*polit.*) **a l. vote**, un numero scarso di votanti □ (*fis. nucl.*) **l. water**, acqua leggera □ (*fis. nucl.*) **l.-water reactor**, reattore ad acqua leggera □ (*sport*) **l. welterweight**, superleggero; peso superleggero; welter junior □ (*fam.*) **to get off l.**, cavarsela a buon mercato □ **to have l. fingers**, avere dita agili; (*fig.*) essere svelto di mano (*o* bravo a rubare) □ **to have a l. hand** (*o* **touch**), avere la mano leggera; essere abile (*o* bravo) (*nel far dolci, ecc.*); (*fig.*) essere pieno di tatto □ **to make l. of st.**, non dar peso a qc.; prender qc. alla leggera □ (*aeron.*: *di un aeromobile*) **lighter-than-air**, aerostatico.

to **light**① /laɪt/ (*pass. e p. p.* **lighted**, **lit**) **A** v. t. **1** accendere; dar fuoco a: **to l. a candle** [**a fire**], accendere una candela [un fuoco] **2** illuminare; rischiarare: *Lamps l. the streets*, le lampade (*o* i fanali) illuminano le strade; *A shining smile lit (up) her face*, un sorriso luminoso le rischiarò il viso **3** far luce a: *The moon lit my way*, mi fece luce la luna **B** v. i. (*spesso* **to l. up**) **1** accendersi; prendere fuoco: *The bonfire lit up at once*, il falò si accese subito **2** illuminarsi; rischiararsi.
■ **light up A** v. t. + *avv.* **1** accendere (*una sigaretta, la pipa, ecc.*) **2** illuminare (*anche fig.*): **to l. up a room**, illuminare una stanza **3** (*del fuoco, ecc.*) rischiarare (*una stanza, ecc.*) **B** v. i. + *avv.* **1** accendere; mettersi a fumare: *Have you lit up?*, hai acceso? **2** accendere le luci (*nella città*); accendere le luci (*o* i fari; *in automobile*) **3** accendersi, illuminarsi (*anche fig.*): *Her face lit up with pleasure*, il volto le si accese per il piacere.
■ **light into** v. i. + *prep.* (*fam. USA*) **1** attaccare; assalire; colpire **2** attaccare; criticare aspramente.
■ **light on** v. i. + *prep.* **1** (*di uccelli, ecc.*) posarsi su **2** (*dello sguardo, dell'occhio*) posarsi su **3** (*anche fig.*) cadere su: *Their choice lighted on him*, la loro scelta cadde su di lui **4** (*lett.*) imbattersi in (qc.); trovare per caso.
■ **light out** v. i. + *avv.* (*fam. USA*) andarsene in fretta; scappare.
■ **light to** v. i. + *avv.* (*naut.*) allascare; filare in bando.
■ **light upon** → **light on**.
lighted /ˈlaɪtɪd/ a. *attr.* **1** illuminato: **a l. room**, una stanza illuminata **2** acceso: **a l. match**, un fiammifero acceso ● (*naut.*) **lighted buoy**, boa fanale.
to **lighten**① /ˈlaɪtn/ **A** v. t. **1** illuminare (*anche fig.*); rischiarare: *A single chandelier lightened the great hall*, un solo lampadario rischiarava la grande sala **2** emettere un

lampo; lampeggiare (*poet.*) **B** v. i. **1** illuminarsi; rischiararsi (*anche fig.*): *Her face lightened with joy*, le si illuminò il viso per la gioia **2** lampeggiare; balenare: *It thundered and lightened*, tuonava e lampeggiava.
to **lighten**② /ˈlaɪtn/ **A** v. t. **1** alleggerire: **to l. a load**, alleggerire un carico **2** (*naut.*) alleggiare; allibare (*una nave*) **3** (*fig.*) alleggerire; alleviare; mitigare: **to l. taxation**, alleggerire il carico fiscale; **to l. a punishment**, mitigare una punizione **B** v. i. **1** alleggerirsi **2** (*fig.*) alleviarsi; mitigarsi ● (*fam.*) **to l. up**, rilassarsi; prendere le cose più alla leggera: *Stop worrying and l. up*, smettila di preoccuparti e rilassati.
lightening /ˈlaɪtnɪŋ/ n. **1** alleggerimento; alleviamento **2** (*naut.*) alleggio, aleggio; allibo.
lighter① /ˈlaɪtə(r)/ n. **1** chi accende; chi illumina **2** accenditore automatico **3** (= **cigar-l.**, **cigarette-l.**) accendisigaro; accendino (*fam.*) ● (*autom.*) **l. socket**, presa per l'accendisigaro.
lighter② /ˈlaɪtə(r)/ n. (*naut.*) bettolina; chiatta; maona; pontone ‖ **lighterman** n. (*pl.* **lightermen**) chiattaiolo.
to **lighter** /ˈlaɪtə(r)/ v. t. (*naut.*) scaricare, trasportare (*merci*) con chiatte.
lighterage /ˈlaɪtərɪdʒ/ n. ◻ (*comm.*, *naut.*) **1** zatteraggio; trasporto su chiatte **2** spese di alleggio (*o* di allibo); costo di zatteraggio.
lightfast /ˈlaɪtfɑːst/ a. (*di colore*) solido; che non sbiadisce alla luce.
lightfoot /ˈlaɪtfʊt/ a. (*poet.*) agile; veloce; pieveloce (*lett.*).
lighthouse /ˈlaɪthaʊs/ n. (*naut.*) faro: **floating l.**, faro galleggiante ● **l. keeper**, guardiano del faro.
♦**lighting** /ˈlaɪtɪŋ/ n. ◻ **1** illuminazione: **street l.**, illuminazione stradale **2** accensione (*delle luci, del fuoco, ecc.*) **3** (*arte*) uso delle zone di luce ● (*cinem.*, *TV*) **l. board**, pannello delle luci □ (*cinem.*, *teatr.*, *TV*) **l. engineer** (*o* **technician**), tecnico delle luci; datore di luci □ **l. equipment** (*o* **l. fittings**, **l. goods**), lampade e lampadari □ **l. installer**, installatore d'impianti d'illuminazione; elettricista □ (*edil.*) **l. point**, punto luce □ **l.-up time**, l'ora di accendere le luci (*nelle strade*); l'ora di accendere i fari (*degli automezzi*).
lightish① /ˈlaɪtɪʃ/ a. (*di colore, ecc.*) piuttosto chiaro.
lightish② /ˈlaɪtɪʃ/ a. piuttosto leggero.
lightkeeper /ˈlaɪtkiːpə(r)/ n. (*naut.*) **1** guardiano di faro □ faro fanalista.
lightless /ˈlaɪtləs/ a. privo di luce; oscuro; buio.
lightly /ˈlaɪtlɪ/ avv. **1** leggermente; lievemente; agilmente **2** poco: **l. cooked**, poco cotto **3** frivolmente; spensieratamente **4** alla leggera; con leggerezza: **to take st. l.**, prendere qc. alla leggera **5** a buon mercato: **to come off** (*o* **to get off**) **l.**, cavarsela a buon mercato ● **to sleep l.**, avere il sonno leggero.
lightness① /ˈlaɪtnəs/ n. ◻ **1** luminosità; splendore □ pallore; biancore.
lightness② /ˈlaɪtnəs/ n. ◻ **1** leggerezza; lievità: **l. of touch**, leggerezza di tocco **2** agilità; sveltezza **3** frivolezza; incostanza; spensieratezza.
♦**lightning** /ˈlaɪtnɪŋ/ n. ◻ **1** fulmine, fulmini; saetta, saette; baleno, baleni; folgore, folgori: **to be struck by l.**, essere colpito da un fulmine; **a flash of l.**, un fulmine; un baleno; una saetta; **ball l.**, fulmine globulare; **thunder and l.**, tuoni e fulmini **2** (*slang USA*) crack (*droga*) **3** (*slang USA*; *anche* **white l.**) superalcolico scadente; robaccia; (*anche*) compresse di LSD ● **l. conductor**

(*USA*: **l. rod**), parafulmine □ **l. strike**, sciopero senza preavviso; sciopero a sorpresa □ **a l. visit**, una visita lampo □ (*slang USA*) **greased l.**, liquore forte; veicolo assai veloce: **like greased l.**, come un fulmine; in un baleno □ **like l.**, in un lampo; in un baleno; in un battibaleno □ **summer** (*o* **heat**) **l.**, lampi d'estate (*senza tuono*) □ **with l. speed**, con velocità fulminea; in un baleno: *He ran away with l. speed*, fuggì via in un baleno (*o* come un lampo).
lightning bug /ˈlaɪtnɪŋbʌɡ/ loc. n. (*USA*) → **firefly**.
lightproof /ˈlaɪtpruːf/ a. (*tecn.*) a prova di luce; che resiste alla luce.
lights /laɪts/ n. pl. (*arc.*) frattaglie (*spec.* polmoni) d'animali macellati (*date in cibo a cani, gatti, ecc.*).
lightship /ˈlaɪtʃɪp/ n. (*naut.*) nave faro; faro galleggiante.
lightsome① /ˈlaɪtsəm/ a. **1** agile; grazioso; vivace **2** allegro; gaio; spensierato **3** frivolo; incostante; leggero.
lightsome② /ˈlaɪtsəm/ a. (*raro*) **1** luminoso **2** bene illuminato.
lightweight /ˈlaɪtweɪt/ **A** a. **1** (*d'abito, ecc.*) leggero **2** (*fig. fam.*) dappoco; poco serio; di scarsa importanza; insignificante **3** (*sport*) dei pesi leggeri: **the l. champion**, il campione dei pesi leggeri; **l. class**, categoria dei leggeri **B** n. **1** persona (*o* cosa) di peso inferiore alla media **2** (*fig. fam.*) persona di scarsa importanza; tipo insignificante **3** indumento leggero **4** (*sport*) peso leggero.
ligneous /ˈlɪɡnɪəs/ a. (*bot.*) ligneo; legnoso.
to **lignify** /ˈlɪɡnɪfaɪ/ (*bot.*) **A** v. t. lignificare **B** v. i. lignificarsi ‖ **lignification** n. ◻ lignificazione.
lignin /ˈlɪɡnɪn/ n. ◻ (*biochim.*) lignina.
lignite /ˈlɪɡnaɪt/ n. ◻ (*geol.*) lignite.
lignum vitae /ˈlɪɡnəm ˈvaɪtiː/ loc. n. (*pl.* **lignum vitaes**) (*bot.*, *Guaiacum officinale*) guaiaco.
ligula /ˈlɪɡjʊlə/ n. (*pl.* **ligulae**, **ligulas**) **1** (*zool.*) ligula **2** (*bot.*) → **ligule**.
ligulate /ˈlɪɡjʊleɪt/ a. **1** (*bot.*) ligulato **2** (*zool.*) provvisto di ligula.
ligule /ˈlɪɡjuːl/ n. (*bot.*) ligula.
Ligurian /lɪˈɡjʊərɪən/ a. e n. (*geogr.*) ligure; **the L. Sea**, il Mar Ligure.
likable /ˈlaɪkəbl/ a. attraente; piacente; simpatico ‖ **-ness** n. ◻.
♦**like**① /laɪk/ **A** a. simile; somigliante; similare; uguale; pari; medesimo; stesso: *The two signatures are very l.*, le due firme sono molto simili; *They are as l. as two peas* (*in a pod*), si somigliano come due gocce d'acqua; (*mat.*) **l. quantities**, quantità uguali; (*mat.*) **l. signs**, segni uguali; **a cup of sugar and a l. amount of flour**, una tazzina di zucchero e la stessa quantità di farina; in **a l. manner**, in modo simile **B** prep. **1** come; nello stesso modo di; alla maniera di; da: *She sings l. a bird*, canta come un uccello; *They are behaving l. children*, si comportano da bambini **2** caratteristico, tipico di; proprio da; in carattere: *It's not l. you to swear*, non è da te imprecare; *It was l. him to think of himself last*, è stato tipico di lui pensare a sé per ultimo **C** n. **1** (l') uguale; (il) pari; (il) simile: *When shall we see his l. again?*, quando rivedremo il suo pari (*o* un uomo come lui)? **2** cosa simile (*o* uguale); cosa del genere: *I've never heard* (*o* *seen*) *the l.!*, non s'è mai sentita (*o* vista) una cosa del genere! **D** avv. **1** (*slang*) per così dire; (*come intercalare*) come dire: *His face is all swollen, l.*, ha la faccia gonfia come un pallone, per così dire; *He's, l., so cute!*, è, come dire, così carino! **2** (*dial.*) alquanto; piuttosto **E** cong. **1** (*fam.*; *invece di* **as**) co-

me: *It was just l. you said*, era proprio come dicevi tu **2** (*dial.; invece di* **as if**) come se: *They treated me l. I was a king*, mi trattarono come se fossi un re ● **l. anything** (*o* **l. blazes**), a più non posso; in fretta e furia: *He ran away l. anything*, corse via a più non posso (*o* a gambe levate) □ **l. crazy**, come un pazzo; all'impazzata; a velocità (*o* con energia) pazzesca: *He works l. crazy*, lavora come un matto □ (*fam.*) **l. enough**, probabilmente; quasi di sicuro □ (*fam.*) **l. hell**, moltissimo, a più non posso, a rotta di collo: *It hurts l. hell*, fa un male del diavolo! □ (*slang*) **L. hell!**, col cavolo!; un corno! neanche per sogno! □ **l. mad = l. crazy** → *sopra* □ **l.-minded**, che ha le stesse idee, gli stessi gusti (*di q.*); che la pensa allo stesso modo □ **l.-mindedness**, il pensarla allo stesso modo; affinità; stessa mentalità □ (*fam.*) **the likes of me**, i pari miei; quelli come me □ (*fam.*) **the likes of you**, i pari tuoi; quelli come te □ (*fig.*) **l. a shot**, in un lampo; in un battibaleno □ **l. so**, in questo modo; così: *You pull the lever l. so*, la leva si tira così □ **l. that**, così, in questo modo; fatto così, siffatto: *Don't speak to me l. that*, non parlarmi in questo modo!; *I admire people l. that*, ammiro quel tipo di persone □ **l. this**, in questo modo; così: *Do it l. this*, fallo così □ **and the l.**, e simili; e così via; ecc.: *He studies biology, zoology and the l.*, studia biologia, zoologia, e simili □ **anything l. it**, qualcosa di simile: *I'd never seen anything l. it*, non avevo mai visto niente di simile □ (*fam.*) **as l. as not**, probabilmente; quasi di sicuro □ **to drink l. a fish**, bere come una spugna □ **more l.**, piuttosto; meglio; vorrai dire: *«It will take an hour» «More l. two!»*, «Ci vorrà un'ora» «Vorrai dire due!» □ **nothing l.**, non... affatto; per nulla; che non somiglia nemmeno di lontano (*a qc.*): *It's nothing l. as expensive as I thought*, non è per nulla caro come credevo □ **There is nothing l. a good sleep**, non c'è niente di meglio d'una buona dormita □ **to smoke l. a chimney**, fumare come un turco □ **something l.**, qualcosa come; circa; a un dipresso: *It cost me something l. 300 euro*, m'è costato circa 300 euro □ *What's it l.?*, com'è? □ **What is your boyfriend l.?**, com'è (*o* che aspetto ha, che tipo è) il tuo ragazzo? □ *«What's your boss l.?» «She's quite easy-going»*, «Che tipo è il tuo capo?» «È molto tranquilla» □ **What was the film l.?**, com'era il film? □ (*prov.*) **L. father, l. son** (*o* **l. master, l. man**), tale il padre, tale il figlio □ (*prov.*) **L. attracts l.**, chi s'assomiglia si piglia.

like ② /laɪk/ *n.* – nella loc.: **likes and dislikes**, simpatie e antipatie ● (*market.*) **the likes and dislikes of the public**, i gusti del pubblico.

◆**like** ③ /laɪk/ **A** *v. t.* **1** piacere (impers.); gradire; amare; desiderare; preferire; trovare attraente; aver simpatia per (q.): *I don't l. you* (*o your*) *staying out late*, non mi piace che tu stia fuori fino a tardi; *How would you l. it if he yelled at you instead of me?*, come ti sentiresti se sgridasse te invece di me?; *'How I l. to be liked, and what I do to be liked!'* C. LAMB, 'come mi piace riuscire simpatico, e quante cose sono disposto a fare per esserlo!'; *Do you l. your job?*, ti piace il tuo lavoro?; *I l. to see them now and then*, mi piace vederli di quando in quando; *I l. swimming* (*USA: I l. to swim*) *in a pool*, mi piace nuotare in piscina; *I l. you to be within call*, desidero che tu resti a portata di voce; *I l. poetry*, amo la poesia, *How do you l. your coffee, with or without sugar?*, come ti piace il caffè, con lo zucchero o senza?; *How do you l. my new dress?*, ti piace il mio vestito nuovo?; *I l. him better than his brother*, mi è più simpatico lui di suo fratello; *I don't l. him at all*, mi è proprio antipatico; *I really l. her*, lei mi piace davvero **2** (*spec. al*

condiz.*) volere; piacere (impers.): *I'd l. a glass of wine*, vorrei un bicchiere di vino; *I'd l. my steak rare*, (vorrei) la bistecca al sangue, per piacere; *I shouldn't l. him to meet you*, non vorrei (*o* mi dispiacerebbe) che ti incontrasse; *I'd l. it mended for tomorrow*, vorrei che fosse riparato entro domani; favorisca ripararlo per domani; *Would you l. a cup of tea?*, vorresti una tazza di tè? **3** (*in frasi neg.*) dispiacere (impers.); non volere: *I don't l. to disturb you, but I can't help it*, mi dispiace (*o* non vorrei) disturbarti, ma non posso evitarlo; *I didn't l. to interrupt him*, mi dispiaceva (*o* non volli) interromperlo **B** *v. i.* volere; desiderare: *Do as you l.*, fa' (un po') come vuoi; **if you l.**, se lo desideri; *You may go whenever you l.*, puoi andartene quando vuoi (*o* quando ti pare e piace) ● **to l. better**, preferire (*tra due*) □ **to l. best**, preferire (*tra più di due*) □ **if you l.**, (*anche*) se vuoi; se si vuole: *She's naive, if you l., but not stupid*, è ingenua, se vuoi, ma non stupida □ **whether you like** (**he likes, etc.**) **it or not**, volente o nolente □ **I l. his cheek!**, che faccia tosta!; che sfacciato! □ **Well! I l. that!**, questa è bella!; questa è grossa! □ (*fam.; irritati*) **How do you l. that!**, ma ti pare?; ma di un po' su!; ma che roba! □ (*fam.*) **I l. onions but they don't l. me**, le cipolle mi piacciono, ma mi fanno male □ (*slang*) **L. it or lump it!**, volente o nolente!; che ti piaccia o no!

likeable /'laɪkəbl/ → **likable**.

likelihood /'laɪklɪhʊd/ *n.* **1** probabilità; verosimiglianza: **in all l.**, con ogni probabilità **2** (*mat.*) verosimiglianza: **l. function**, funzione di verosimiglianza.

◆**likely** /'laɪklɪ/ **A** *a.* **1** probabile: *It's l. to rain*, è probabile che piova; *They are likely to agree*, è probabile che accettino; *It is not l. that he will come* (*o He is not likely to come*), non è probabile (*o* è improbabile) ch'egli venga; *Has she told you what questions are l. to come up?*, ti ha detto quali domande è probabile che escano? **2** verosimile; attendibile; credibile: **a l. account of the riots**, un resoconto verosimile dei tumulti **3** adatto; che dà affidamento: **a l. place to find her**, un posto dove è facile trovare cervi; *She seems a l. candidate for the job*, sembra un candidato adatto a questo lavoro **4** (*fam.*) promettente; che promette bene: **a l. lad**, un ragazzo promettente **5** che ha probabilità di riuscire; accettabile: **a l. plan**, un piano accettabile **B** *avv.* (*di solito* **very l., most l.**) probabilmente: *He will very l. go there*, probabilmente, ci andrà ● **as l. as not**, molto probabilmente, con tutta probabilità: *He will pass the exam as l. as not*, molto probabilmente supererà l'esame □ **That's a l. story!**, ma va là!; questa è grossa! □ (*fam.*) **Not l.!**, nemmeno per sogno!; mai e poi mai! □ (*volg.*) **Not bloody l.!**, col cazzo! (*volg.*); col cavolo! (*pop.*).

to liken /'laɪkən/ *v. t.* **1** (*form.*) comparare; paragonare **2** (*raro*) rendere simile.

likeness /'laɪknəs/ *n.* ⓤⓒ **1** somiglianza; rassomiglianza **2** aspetto; sembianza; veste (*fig.*): *Jupiter appeared in the l. of a swan*, Giove apparve in sembianza di cigno.

likewise /'laɪkwaɪz/ *avv.* **1** similmente; nello stesso modo; altrettanto: *If I advance, you must do l.*, se io avanzo, voi dovete fare altrettanto **2** altrettanto: (*a una presentazione*) *«Glad to meet you»* «L.», «piacere» «altrettanto» **3** parimenti; così pure; lo stesso ● **to do l.**, fare lo stesso (*o* la stessa cosa).

liking /'laɪkɪŋ/ *n.* ⓤ **1** simpatia; inclinazione; predilezione: *I have a great l. for cigars*, ho una spiccata predilezione per i sigari **2** gradimento; gusto: *Is it to your l.?*, è di tuo gusto?; ti va a genio? ● **to take a l. to**, prender gusto a (qc.); prendere in simpatia (q.).

lilac /'laɪlək/ **A** *n.* (*bot., Syringa vulgaris*) serenella; lillà: **a bunch of l.** (sing.), un mazzo di lillà **B** *n.* ⓤ *e a.* (color) lilla: **a l. silk blouse**, una camicetta di seta lilla.

liliaceous /lɪl'eɪʃəs/ *a.* (*bot.*) gigliaceo; liliaceo (*lett.*).

Lilian, Lillian /'lɪlɪən/ *n.* Liliana.

Lilliput /'lɪlɪpʌt/ *n.* (*letter.*) «Lilliput».

lilliputian /lɪl'pjuːʃən/ *a. e n.* (*anche fig.*) lillipuziano.

Lilly, Lily /'lɪlɪ/ *n.* dim. di → **Lilian**.

lilo ® /'laɪləʊ/ *n.* (pl. **lilos**) materassino (*da spiaggia: gonfiabile*).

lilt /lɪlt/ *n.* **1** cadenza; inflessione: **to speak with a Welsh l.**, parlare con la cadenza gallese **2** canzone allegra; (*mus.*) ritmo vivace **3** moto ritmico; molleggiamento.

to lilt /lɪlt/ *v. t. e i.* **1** cantare melodiosamente **2** parlare con una cadenza (*o* in modo ritmico) **3** muoversi con vivacità (*o* con moto ritmico) ‖ **lilting** *a.* ritmato; vivace; allegro.

lily /'lɪlɪ/ *n.* **1** (*bot., Lilium; anche fig.*) giglio **2** (*arc. o fam. USA*) uomo effeminato; omosessuale; frocetto ● (*fam.*) **l.-livered**, codardo; vile; fifone (*fam.*) (*poet.*) **l. maid**, fanciulla bianca come un giglio □ (*bot.*) **l. of the valley** (*Convallaria majalis*), mughetto; giglio delle convalli; = def. 2 → *sopra* □ **l.-white**, bianco (*o* candido) come un giglio; (*fig.*) casto, immacolato, puro; (*fam. USA: di quartiere*) abitato da soli bianchi; (*di persona*) razzista, che discrimina i neri □ **Easter l.**, giglio bianco (*o* di S. Antonio).

Lima /'liːmə/ *n.* **1** (*geogr.*) Lima **2** (*radio, tel.*) (la lettera) l; Lima.

lima bean /'liːməbiːn, *USA* 'laɪ-/ *loc. n.* (*bot., Phaseolus limensis*) fagiolo di Lima.

limb ① /lɪm/ *n.* **1** membro; arto: **upper [lower] limbs**, membra (*o* arti) superiori [inferiori] **2** (*fig.*) rappresentante; membro: *A policeman is a l. of the law*, il poliziotto è un rappresentante della legge **3** (*d'albero*) grosso ramo **4** (*della croce*) braccio **5** (*di un arco*) flettente ● **to escape with life and l.**, uscirne sano e salvo □ (*fam.*) **out on a l.**, in una posizione difficile; in pericolo; (*anche*) isolato (*spec. dall'opinione pubblica*) □ **to tear sb. l. from l.**, fare a pezzi q.; smembrare q.; sbranare q.

limb ② /lɪm/ *n.* **1** (*astron.*) lembo; margine; bordo: **the lower l. of the moon**, il margine inferiore della luna **2** (*fis.*) lembo, settore graduato (*di sestante, teodolite, ecc.*) **3** (*mecc.*) asta graduata **4** (*bot.*) lembo.

to limb /lɪm/ *v. t.* squartare (*anche fig.*); fare a pezzi; squartare; sbranare.

limbed /lɪmd/ *a.* (nei composti, per es.:) **crooked-l.**, dalle membra storte; **strong-l.**, tarchiato, nerboruto.

limber ① /'lɪmbə(r)/ *n.* (*mil.*) avantreno (*di cannone*).

limber ② /'lɪmbə(r)/ *a.* **1** agile; sciolto; dinoccolato **2** flessibile; pieghevole **3** (*fig.*) sveglio; svelto; pronto; intelligente | **-ness** *n.* ⓤ.

limber ③ /'lɪmbə(r)/ *n.* (*naut.*) ombrinale ● **l. board**, pagliolo; serretta □ **l. hole**, foro d'ombrinale (*o di biscia*).

to limber ① /'lɪmbə(r)/ **A** *v. t.* (*mil., spesso* **to l. up**) attaccare (*un cannone*) all'avantreno **B** *v. i.* attaccare il cannone all'avantreno.

to limber ② /'lɪmbə(r)/ **A** *v. t.* (*di solito* **to l. up**) (*sport*) scaldare i muscoli **B** *v. i.* (*dei muscoli*) scaldarsi.

limbic /'lɪmbɪk/ *a.* (*med.*) – **l. system**, sistema limbico.

limbo ① /'lɪmbəʊ/ *n.* **1** ⓤ – (*relig.*) L., limbo **2** ⓤ (*fig.*) limbo; condizione (*o* stato) d'incertezza **3** ⓤ (*fig.*) dimenticatoio; oblio **4** (*slang, fig.*) carcere; prigione; gattabuia;

galera.

limbo② /'lɪmbəʊ/ n. (pl. *limbos*) (*mus.*) limbo (*danza delle Indie Occidentali*).

limbus /'lɪmbəs/ n. (pl. *limbi*) (*anat.*) margine; bordo; limbo.

lime① /laɪm/ n. ▣ **1** calce; calcina: **caustic** (*o burnt*) **l.**, calce viva; **slaked l.**, calce spenta **2** (*di solito birdlime*) pania; vischio ● **l. burner**, fornaciaio che fa la calce □ **l.-cast**, intonaco di calce □ **l. glass**, vetro calcareo □ **l. pit**, buca della calce (*per calcinare pelli*) □ (*edil.*) **l. putty**, grassello □ **l. twig**, ramoscello impaniato (*per l'uccellagione*) □ **l. water**, acqua di calce □ **quick l.**, calce viva.

lime② /laɪm/ n. **1** (*bot.*, *Tilia europaea*; *spesso* **l. tree**) tiglio **2** ▣ (*legno di*) tiglio.

lime③ /laɪm/ n. **1** (*bot.*, *Citrus aurantifolia*) limetta; limetta acida **2** (*il frutto*) ● **l. juice**, succo di limetta □ *slang USA* **l.-juicer**, nave inglese; marinaio inglese.

to lime /laɪm/ v. t. **1** cementare **2** calcinare (*pelli*) **3** (*agric.*) calcinare; correggere (*terreni*) con calce **4** impaniare; spalmare di pania (*o di vischio*); prendere alla pania (*uccelli*, *e fig.*).

limeade /'laɪmeɪd/ n. **1** spremuta di limetta **2** bibita gassosa a base di succo di limetta.

limekiln /'laɪmkɪln/ n. fornace da calce; calcara.

limelight /'laɪmlaɪt/ n. **1** (*stor.*) luce bianca (*prodotta dall'ossidazione di calce; usata un tempo nei teatri*) **2** (*teatr.*) riflettore lenticolare **3** (*teatr.*) ribalta (*anche fig.*) **4** (pl.) (*teatr.*) luci della ribalta **5** (*fig.*) pubblicità; notorietà ● (*fig.*) **to be in the l.**, essere alla ribalta (*fig.*); essere molto in vista.

limen /'laɪmen/ n. (pl. *limens*, *limina*) (*psic.*) «limen»; soglia.

limerick /'lɪmərɪk/ n. (*letter.*) limerick (*poesiola scherzosa, di cinque versi*).

limestone /'laɪmstəʊn/ n. ▣ (*geol.*) calcare.

limewash /'laɪmwɒʃ/ n. ▣ bianco di calce; latte di calce.

to limewash /'laɪmwɒʃ/ v. t. (*edil.*) imbiancare (*pareti*).

Limey /'laɪmɪ/ (*slang USA e Austral.*) **A** n. **1** inglese; britannico **2** marinaio inglese **3** nave inglese **B** a. inglese; britannico.

liming /'laɪmɪŋ/ n. ▣ **1** (*agric.*) calcinazione **2** depilazione (*di pelli*) con calce.

◆**limit** /'lɪmɪt/ n. **1** limite, confine; termine: **speed l.**, limite di velocità; **the lower l. of st.**, il limite inferiore di qc.; *You don't know your limits*, non conosci i tuoi limiti; *His ambition knew no l.* (*o no limits*), la sua ambizione non conosceva limiti **2** numero massimo; quantità consentita: (*autom.*) **to be over the l.**, superare il limite consentito di alcol nel sangue; *We soon caught the l. for one day of salmon fishing*, in breve avevamo già preso il massimo di salmoni consentito in un giorno di pesca **3** (*mat.*) estremo: **l. of integration**, estremo d'integrazione ● (*sport*) **l. man**, concorrente che riceve il massimo vantaggio (*in una corsa a handicap*) □ (*ass.*) **l. of liability**, massimale (*di rischio*) □ **off limits**, (*mil.*) divieto d'accesso; (*fig.*) vietato: *That subject is off limits*, di quell'argomento non si parla □ **within limits**, entro un certo limite; fino a un certo punto □ **without l.**, senza limiti; illimitatamente □ (*fam.*) *That's the l.!*, questo è il colmo! (*o fam.*) *You're the l.!*, sei insopportabile!; sei una peste!

◆**to limit** /'lɪmɪt/ v. t. limitare; porre un limite a; ridurre; restringere: *We must l. the output of consumer goods*, dobbiamo limitare la produzione dei beni di consumo; **to l. one's ambitions**, ridurre le proprie ambizioni ● **to l. oneself**, limitarsi.

limitable /'lɪmɪtəbl/ a. limitabile.

limitary /'lɪmɪtrɪ/ a. **1** soggetto a limite; limitato; ristretto **2** limitativo; restrittivo.

◆**limitation** /lɪmɪ'teɪʃn/ n. **1** ▣ limitazione; restrizione; limite **2** (*leg.*) periodo utile (*prima che un diritto cada in prescrizione*); termine di prescrizione **3** ▣ (*ass.*) limitazione della copertura (*di un rischio*).

limitative /'lɪmɪtətɪv/ a. limitativo; restrittivo.

◆**limited** /'lɪmɪtɪd/ a. limitato; esiguo; scarso; ristretto: *My powers are l.*, i miei poteri sono limitati; *His funds are l.*, i suoi fondi sono esigui ● (*fin.*) **l. company**, società di capitali a responsabilità limitata dalle azioni; società per azioni □ (*tipogr.*) **l. edition**, edizione numerata; tiratura limitata □ (*autom.*) **l. interchange**, accesso limitato (*alla carreggiata nord o sud di un'autostrada*) □ (*leg.*) **l. liability**, responsabilità limitata □ (*polit.*) **a l. monarchy**, una monarchia costituzionale □ (*fin.*) **l. partner**, socio accomandante □ (*fin.*) **l. partnership**, società in accomandita semplice □ (*autom.*) **L. catering facilities** (*cartello autostradale in GB*), posto di ristoro (*senza ristorante, ecc.*) | **-ly avv.**

limiter /'lɪmɪtə(r)/ n. **1** limitatore (*anche l'apparecchio*); limitatrice **2** (*elettron.*) limitatore d'ampiezza.

limiting /'lɪmɪtɪŋ/ a. limitativo; restrittivo.

limitless /'lɪmɪtləs/ a. illimitato; sconfinato; immenso: **l. pride**, orgoglio sconfinato; **the l. sea**, l'immenso mare.

limitrophe /'lɪmɪtrəʊf/ a. limitrofo; finitimo.

to limn /lɪm/ v. t. **1** (*raro*) descrivere **2** (*arc.*) disegnare; miniare.

limnetic /lɪm'nɛtɪk/ a. (*scient.*) limnetico.

limnology /lɪm'nɒlədʒɪ/ (*scient.*) n. ▣ limnologia || **limnological** a. limnologico || **limnologist** n. limnologo.

limo /'lɪməʊ/ (abbr. *fam.*) → **limousine**.

limonite /'laɪmənaɪt/ n. ▣ (*miner.*) limonite.

limousine /'lɪməzi:n, -'zi:n/ n. (*autom.*) **1** limousine; berlina **2** automobile di rappresentanza **3** (*USA*) navetta che collega una città a un aeroporto ● (*polit.*, *USA*) **l. liberal**, progressista assai ricco (*e perciò poco credibile*); liberal chic.

limp① /lɪmp/ n. zoppicamento; andatura zoppicante ● **to have a bad l.**, zoppicare molto (*o to walk with a l.*, andare zoppo.

limp② /lɪmp/ a. **1** floscio; flaccido; molle; moscio: **a l. hat**, un cappello floscio **2** (*fig.*) fiacco; cascante; debole; senza energia **3** (*slang USA*) sbronzo **4** (*di rilegatura*) flessibile (*non cartonata*) ● (*slang USA*) **l. dick**, pene moscio (*volg.*); (*fig.*) mollaccione, tipo senza spina dorsale; (*anche*) impotente □ (*slang USA*) **l. dishrag**, mollaccione □ (*slang USA*) **l. wristed**, effeminato.

to limp /lɪmp/ v. i. **1** zoppicare; claudicare; andare zoppo **2** (*d'aereo, nave, ecc.*) procedere con difficoltà **3** (*fig.*: *di un ragionamento, ecc.*) zoppicare ● **to l. off**, allontanarsi zoppicando.

limpet /'lɪmpɪt/ n. **1** (*zool.*, *Patella*) patella **2** (*fig.*) mignatta (*fig.*); chi sta appiccicato ad altri (*o attaccato all'impiego, ecc.*) ● (*mil.*) **l. bomb** (*o l. mine*), mina attaccata al fondo di una nave; mignatta ● **to cling** (*o to hold on*) **like a l.**, stare attaccato come una mignatta.

limpid /'lɪmpɪd/ a. limpido; chiaro; terso (*anche fig.*) || **limpidity** n. ▣ limpidità (*raro*); limpidezza (*anche fig.*) || **limpidly avv.** limpidamente.

limpness /'lɪmpnəs/ n. ▣ l'essere floscio (*o moscio, flaccido*); (*fig.*) fiacchezza, debolezza.

limy /'laɪmɪ/ a. **1** vischioso, viscoso; appic-

cicoso **2** calcareo: **l. soil**, terreno calcareo **3** coperto di vischio; impaniato.

linac /'laɪnæk/ n. (acronimo di **linear accelerator**) (*fis. nucl.*) acceleratore lineare.

linage /'laɪnɪdʒ/ n. **1** numero di righe (*di testo a stampa*); rigaggio **2** ▣ retribuzione a un tanto la riga; tariffa per riga.

linchpin /'lɪntʃpɪn/ n. **1** (*mecc.*) acciarino (*della ruota*); bietta del mozzo **2** (*fig.*) fulcro, perno, pernio (*fig.*).

Lincs abbr. (**Lincolnshire**) la Contea di Lincoln.

linctus /'lɪŋktəs/ n. (*farm.*) sciroppo per la tosse.

linden /'lɪndən/ n. (*bot.*, *Tilia europaea*) tiglio.

◆**line** /laɪn/ n. **1** linea; tratto, segno (*grafico*); riga; fila; riga (*di parole*); (*mus.*) rigo: (*geom.*) **a straight l.**, una linea retta; **l. of demarcation**, linea di demarcazione; **a l. of trees [of cars]**, una fila d'alberi [di auto]; *The soldiers stepped into l.*, i soldati si misero in riga; **to stand in l.**, fare la fila; **communication lines**, linee di comunicazione; **the first l. on page 87**, la prima riga a pagina 87 **2** (*trasp.*) linea: bus l., linea d'autobus; **railway l.**, linea ferroviaria; *You need to take a Circle l. train*, devi prendere un treno della Circle line; (*naut.*) **shipping l.**, linea (o compagnia) di navigazione **3** corda; fune; filo; (*naut.*) cima, gomena, sagola (= **clothes-l.**); corda per stendere i panni: *to hang the clothes on the l.*, stendere i panni (sulla corda); **a plumb l.**, un filo a piombo **4** ruga: *His face was covered with deep lines*, aveva il viso solcato da profonde rughe **5** linea di confine; confine: **the lines of one's estate**, i confini dei propri possedimenti **6** – (*geogr.*) **the L.**, l'equatore: **to cross** (*o to pass*) **the L.**, attraversare l'equatore **7** linea di condotta (*o d'azione*); metodo: *He refuses to follow the party l.*, non vuole seguire la linea del suo partito **8** linea (*di parentela*); discendenza; stirpe; famiglia; (*per estens.*) serie: **to descend from a noble l.**, essere di famiglia nobile; **the Stuart line**, la stirpe degli Stuart; **a l. of Democratic presidents**, una serie di presidenti democratici **9** (*poesia*) verso: *We have fifty lines to learn by heart*, abbiamo cinquanta versi da imparare a memoria **10** (*USA*) coda (*di persone in attesa*; *cfr. ingl.* **queue**) **11** (*mil.*) fila di tende; campo: **to inspect the lines**, fare un'ispezione al campo **12** (*mil.*, = **front l.**) prima linea; fronte: **to be in the l.**, essere in prima linea; **to go into the l.**, andare al fronte **13** (= **phone l.**) linea (del telefono): *We've lost the l.!*, è caduta la linea! (*telefonando*) **14** area di attività (*o d'interesse*); settore (*o ramo*) d'affari; occupazione: *What is his l.* (*of business*)?, qual è il suo genere d'affari?; *His l. is leather goods*, il suo ramo d'affari sono gli articoli di cuoio; *That's completely out of my l.*, non è per nulla il mio genere d'affari; (*fig.*) non è cosa di cui io mi interessi (*o m'intenda*) **15** (*market.*) classe di merci; linea di prodotti; gamma; serie; articoli: **a new l. of accessories**, una nuova gamma (*o linea*) di accessori **16** ▣ (*org. az.*) linea gerarchica; line: rapporto di gerarchia operativa **17** (*comput.*) riga: **command l.**, riga di comando **18** (*fam.*) informazioni; notizie: *I couldn't get a l. on him*, non sono riuscito ad avere informazioni sul suo conto **19** (= **assembly l.**) linea (*o catena*) di montaggio **20** (*sport*) linea: **goal l.**, linea di porta; (*anche*) linea di fondo; (*rugby*) linea di meta; = **sideline, touchline**) linea laterale: *If the ball goes over the l., it's out of play*, se il pallone supera la linea di fondo, è fuori gioco **21** (= **finishing l.**) (*nelle corse*) traguardo; arrivo: *He was the first to cross the l.*, tagliò il traguardo per primo; fu il primo all'arrivo; *My*

horse was third over the l., il mio cavallo è arrivato terzo (al traguardo) **22** (pl.) (*equit.*) briglie; redini **23** (*pesca*; = **fishing l.**) lenza **24** (*slang*) balla; storia, storiella; fandonia: *I've heard that l. before*, questa storiella l'ho già sentita **25** (pl.) (*teatr.*) battute, parte (*d'un attore*): *The young actress had forgotten her lines*, la giovane attrice aveva dimenticato la parte **26** (pl.) linea; foggia; stile: *This car has beautiful lines*, quest'auto ha una bella linea **27** (pl.) (*costr. navali*) piano di costruzione; disegno; progetto **28** (pl.) (*mecc.*) tubi; tubazioni (*della lubrificazione, ecc.*) ● **l. cliché**, cliché al tratto □ **l. counter**, contarighe (*di macchina da scrivere*) □ (*grafica*) **l. cut**, incisione al tratto □ **l. dancing**, line dance (*ballo country di gruppo che si esegue in file*) □ **l. drawing**, disegno al tratto; tratteggio □ (*comput.*) **l. driver**, driver adattatore di linea □ (*org. az.*) **l. employee**, impiegato d'ordine □ (*arte*) **l. engraving**, incisione al tratto □ (*org. az.*) **l. extension**, ampliamento della gamma dei propri prodotti □ (*mil.*) **l. firing**, fuoco di fila □ **l. fishing**, pesca con la lenza □ (*comput.*) **l. feed**, avanzamento di riga; carattere di controllo per l'avanzamento di riga □ (*stat.*) **l. graph**, grafico lineare □ (*polit.*, *fig.*) **l. in the sand**, linea di demarcazione: **to draw a l. in the sand**, decidere le condizioni definitive e inappellabili (*di un accordo, ecc.*) □ (*tennis*) **l. judge**, giudice di linea □ (*org. az.*) **l. management**, 'line management' □ (*org. az.*) **l. manager**, dirigente che si occupa del prodotto principale dell'azienda; (*anche*) superiore diretto □ **l. of action**, linea d'azione; (*mecc.*) linea dei contatti (*di un ingranaggio*) □ (*mil.*) **l. of battle**, linea (*o* ordine, schieramento) di battaglia □ (*naut.*, *mil.*) **l.-of-battle ship**, nave da battaglia (*o* di linea) □ **l. of business**, genere d'affari, settore d'attività □ (*banca*) **l. of credit**, castelletto, plafond □ (*mil.*) **l. of defences**, linea fortificata □ **l. of fire**, (*mil.*) linea del fuoco; (*anche*) linea di mira (*dal mirino al bersaglio*): **to be in sb.'s l. of fire**, essere nel mirino di q. (*o* sotto tiro) □ (*aeron.*) **l. of flight**, linea di volo □ (*anche fig.*) **the l. of least resistance**, la linea di minor resistenza □ (*chiromanzia*) **the l. of life** [**of fortune**], la linea della vita [della fortuna] □ (*mat.*) **l. of symmetry**, asse di simmetria □ (*comput.*) **l. printer**, stampante di linea □ (*mil.*) **l. regiment**, reggimento di linea □ (*mecc.*) **l. shafting**, trasmissione ad alberi □ **l. space**, interlinea (*di macchina da scrivere*) □ **l. spacer**, leva dell'interlinea □ **l. spacing**, spaziatura tra le righe □ (*comput.*) **l. speed**, velocità di trasmissione dei segnali su una linea □ (*elettr.*) **l. trap**, filtro della rete □ (*rag.*, *fin.*) **above-the-l.**, corrente, ordinario: **above-the-l. expenditure**, spese correnti; **above-the-l. surplus**, residuo attivo delle partite correnti □ **to bring sb. into l.**, mettere in riga q. (*fig.*) □ **to bring** (**st.**) **into l. with**, rendere conforme (*o* adeguare) (*la propria condotta, le azioni, ecc.*) a (*una linea politica, gli accordi presi, ecc.*) □ **to come** (*o* **to fall**) **into l. with sb.** [**st.**], allinearsi sulle posizioni di q. [allinearsi su (*una posizione*); prendere la stessa posizione su qc.] □ **down the l.**, (*sport*) lungolinea; (*fig.*) in linea gerarchica, giù giù; in futuro, in seguito; fino in fondo: *He slipped a pass down the l. to a teammate*, effettuò un passaggio a un compagno lungolinea (*o* lungo la linea laterale); *I'll support him down the l.*, lo appoggerò fino in fondo □ (*fig.*) **to draw the l.**, segnare (*o* porre) un limite □ **to drop sb. a l.**, scrivere due righe a q. □ **to fall back into l.**, rimettersi in riga (*anche fig.*) □ **to fall out of l.**, rompere le righe □ (*mil.*) **to form a l.**, mettersi in riga □ **to go as straight as a l.**, andare in linea retta; andare sempre diritto □ (*di donna*) **to go on the l.**, mettersi a battere; mettersi a fare la vita □ **to hold the l.**, (*telef.*) restare in linea; (*mil.*) tenere la posizione; (*fig.*) restare invariato □ (*mecc.*: *di motore, ecc.*) **in l.**, in linea; in fila; allineato: (*autom.*) **four cylinders in l.**, quattro cilindri in linea □ (*fig.*) **to be in l. for st.**, essere in predicato per qc.; essere sulla buona strada per ottenere qc. □ (*fig.*) **to be in l. with**, essere in linea (*o* in armonia, d'accordo) con □ **to keep in l.**, restare allineati; (*fig.*) restare in linea (*con una direttiva politica, ecc.*) □ **to keep sb. in l.**, tenere (*bambini, soldati, ecc.*) allineati; (*fig.*) tenere a freno q. □ (*fig.*) **to lay it on the l.**, dirlo chiaro e tondo □ (*fig.*) **to lay** (*o* **to put**) **on the l.**, mettere a repentaglio, rischiare (*la carriera, ecc.*) □ (*comput.*) **on l.** → **online** □ (*fig.*) **on the l.**, al limite; né di qua né di là □ **on the right lines**, sulla buona strada (*fig.*): *You haven't guessed yet, but you're on the right lines*, non hai indovinato, ma sei sulla buona strada □ (*fig.*) **on the same l.**, seguendo la stessa linea di condotta; nello stesso modo □ **out of l.**, (*mecc., ecc.*) fuori asse, disassato; (*di una cosa, una frase, ecc.*) fuori luogo, inaccettabile; (*di una persona*) che si comporta male, che non sa stare al suo posto (*fig.*) □ **to pay st. on the l.**, pagare qc. sull'unghia □ (*fig.*) **to read between the lines**, leggere fra le righe □ (*slang*) **to shoot a l.**, raccontare una balla (*o* una frottola) □ (*fig.*) **to take up a l. of one's own**, seguire una linea di condotta personale; fare a modo proprio □ (*polit.*) **to take a tough** (*o* **a strong**) **l. with sb.**, seguire una linea dura con q. □ (*mil.*) **to wheel into l.**, mettersi in riga □ (*telef.*) **L. engaged** (*USA* **L. busy**), la linea è occupata! □ **Debating was right in his l.**, i dibattiti erano proprio il suo cavallo di battaglia □ **Rugby is not my l.**, il rugby non fa per me.

to **line** ① /laɪn/ v. t. **1** segnare con linee (*o* con righe); rigare **2** segnare, solcare (*di rughe*): *His face was lined with pain*, il suo viso era segnato (*o* solcato) dal dolore **3** fiancheggiare: *Great cypresses l. the road*, grandi cipressi fiancheggiano la strada **4** disporsi (in fila) lungo (qc.); fare ala a: *The crowds lined the streets of the town*, la folla era disposta lungo le strade della città **5** (spec. al passivo) solcare di rughe; rendere rugoso.

■ **line out** **A** v. t. + avv. **1** allineare **2** tracciare (*un disegno*); disegnare (*un progetto*) **B** v. i. + avv. **1** allinearsi **2** (*rugby*) allinearsi (*per la rimessa laterale*).

■ **line up** **A** v. t. + avv. **1** allineare; mettere in fila (*o* in riga): *The sergeant lined up his soldiers*, il sergente allineò i soldati **2** schierare (*anche sport*): *The trade unions are lined up against the government*, i sindacati sono schierati contro il governo **3** riuscire a ottenere, procurarsi (*appoggi, sostegni, ecc.*) **4** organizzare, preparare (*uno spettacolo, ecc.*); prenotare (*un oratore, ecc.*) **5** (*tipogr.*) allineare **6** far collimare; traguardare **B** v. i. + avv. **1** allinearsi; mettersi in fila **2** fare la fila **3** (*fig.*) schierarsi, prendere posizione (*a favore di qc.*) **4** (*polit.*) allearsi □ **to have sb.** [**st.**] **lined up in one's sights**, avere q. [qc.] nel mirino.

to **line** ② /laɪn/ v. t. **1** foderare: **to l. a dress**, foderare un abito **2** rivestire: **to l. a wall with tiles**, rivestire una parete di mattonelle **3** (*costr. navali*) mettere il fasciame interno a (*una nave*) ● (*fig.*) **to l. one's belly**, riempirsi la pancia □ (*fig.*) **to l. one's pocket** (*o* **purse**), riempirsi le tasche; arricchirsi (*spec. in modo disonesto*).

to **line** ③ /laɪn/ v. t. coprire, montare (*una cagna*).

lineage ① /ˈlɪnɪɪdʒ/ n. **U C** **1** lignaggio; discendenza; stirpe; schiatta **2** (*genetica*) pedigree.

lineage ② /ˈlaɪnɪdʒ/ → **linage**.

lineal /ˈlɪnɪəl/ a. in linea diretta: **a l. descendant**, un discendente in linea diretta ● (*leg.*) **a l. heir**, un erede diretto ‖ **lineally** avv. (*di discendenza*) in linea diretta.

lineament /ˈlɪnɪəmənt/ n. (generalm. al pl.) **1** lineamento; fattezza; tratto (*del viso*) **2** caratteristica; aspetto essenziale; elemento tipico.

linear /ˈlɪnɪə(r)/ a. lineare: **l. measures**, misure lineari; (*mat.*) **l. equation**, equazione lineare ● **a l. design**, un disegno al tratto □ (*elettr.*) **l. motor**, motore lineare ‖ **linearity** n. **U** (*fis., mat., ecc.*) linearità ‖ **linearly** avv. linearmente.

lineate /ˈlɪnɪət/ a. rigato; a strisce; striato.

lineation /lɪnɪˈeɪʃn/ n. **U C** **1** rigatura **2** divisione in linee **3** sistema di linee **4** (*poesia*) divisione in versi **5** (*di carta*) vergatura.

linebacker /ˈlaɪnbækə(r)/ n. (*football americano*) linebacker.

lined ① /laɪnd/ a. **1** a linee; rigato: **l. paper**, carta a righe **2** grinzoso; rugoso; pieno di rughe.

lined ② /laɪnd/ a. foderato: **l. with fur**, foderato di pelliccia ● (*fig.*) **to have one's purse well-l.**, avere il portafogli pieno.

lineman /ˈlaɪnmən/ n. (pl. ***linemen***) **1** (*USA*) guardafili (*di linea telefonica, ecc.*) **2** (*ferr.*) guardalinee **3** (*sport*) → **linesman** **4** (*football americano*) uomo di prima linea (*ve ne sono sette in una squadra*).

linen /ˈlɪnɪn/ n. **1** **U** (= **l. cloth**) lino; tela di lino **2** **U** biancheria; panni: **bed l.**, biancheria da letto; **table l.**, biancheria da tavola; **a change of l.**, un cambio di biancheria **3** indumento (*o* tovaglia, ecc.) di lino **4** (*ind. cartaria*, = **l. paper**) carta di lino (*o* da stracci) ● **l. closet** (*o* **l. cupboard**), armadio della biancheria □ **l. thread**, filo di lino □ (*fig.*) **to wash one's dirty l. in public**, lavare i panni sporchi in pubblico; mettere in piazza i propri affari privati.

line-out, **lineout** /ˈlaɪnaʊt/ n. (*rugby*) touche: **line-out ball**, palla in touche.

liner ① /ˈlaɪnə(r)/ n. **1** (*naut.*) nave di linea; transatlantico **2** (*aeron.*, = **airliner**) aereo di linea **3** (= **eye-liner**) eye-liner; matita (*o* liquido) per il trucco degli occhi ● (*comm.*) **l. freighting**, noleggio a collettame.

liner ② /ˈlaɪnə(r)/ n. **1** chi fa (*o* chi attacca) fodere **2** fodera; rivestimento (*di una piscina, ecc.*); calotta interna (*di un casco*) **3** (*mecc.*) canna; camicia (*per es., di cilindro*) **4** (*mil.*) tubo dell'anima (*di cannone*) **5** (*ind.*) rivestitore **6** (*metall.*) (cilindro) contenitore; (*anche*) incamiciatura **7** (= **bin l.**) sacchetto della spazzatura.

linesman /ˈlaɪnzmən/ n. (pl. ***linesmen***) **1** guardafili (*di linea telefonica ecc.*) **2** (*ferr.*) guardalinee **3** (*mil.*) soldato di reggimento di linea **4** (*sport*: *calcio, hockey, ecc.*) segnalinee; guardalinee; (*pallavolo, tennis*) giudice di linea.

line-up /ˈlaɪnʌp/ n. **1** (*mil., sport*) allineamento; schieramento: (*ipp.*) *There are eight horses in the line-up*, otto cavalli sono allineati alla partenza **2** (*sport*) assetto; formazione; modulo (*di gioco*): *This is their strongest line-up*, questa è la loro formazione più forte **3** (*spec. USA*) fila, coda (*di persone*) **4** (*stat.*) coda di attesa **5** (*leg., USA*) confronto all'americana (*di indiziati*).

ling ① /lɪŋ/ n. (*zool.*) **1** (*Molva molva*) molva **2** (*USA, Lota lota*) bottatrice.

ling ② /lɪŋ/ n. (*bot., Calluna vulgaris*) brentolo; brugo.

to **linger** /ˈlɪŋgə(r)/ **A** v. i. **1** attardarsi; esitare; indugiare; fermarsi; soffermarsi: *He lingered before the fire*, si soffermò davanti al fuoco; *I lingered around for a while*, mi attardai ancora un poco **2** (*anche* **l. on**) (*fig.*) essere lento a scomparire; perdurare; permanere; resistere: *Old customs still l.* (*on*) *in the country*, le vecchie costumanze

resistono ancora in campagna; *The memory of her late husband lingered on*, il ricordo del suo defunto marito fu lento a scomparire **B** v. t. passare (*il tempo*) lentamente ● **to l. away one's time**, perdere tempo (in indugi) □ **to l. behind**, restare indietro □ **to l. homewards**, avviarsi pian piano verso casa □ **to l. over a subject**, dilungarsi su un argomento □ **to l. over one's work**, procedere a rilento nel proprio lavoro.

lingerer /ˈlɪŋɡərə(r)/ n. chi indugia; chi s'attarda; ritardatario.

lingerie /ˈlænʒəriː/ (*franc.*) n. ☐ biancheria intima (*da donna*).

lingering /ˈlɪŋɡərɪŋ/ **A** a. **1** lungo; prolungato: **a l. disease**, una lunga malattia **2** lento; tardo: **a l. twilight**, un lento crepuscolo **3** duraturo; persistente; tenace: **l. hopes**, speranze tenaci **B** n. ☐ **1** indugio; ritardo **2** lentezza; lungaggine ● **a l. look**, uno sguardo che s'attarda su q. (*o* qc.) da cui non ci si vorrebbe staccare; un'occhiata nostalgica | **-ly** avv.

lingo /ˈlɪŋɡəʊ/ n. (pl. **lingoes**, **lingos**) **1** (*fam.*) lingua straniera **2** lingua convenzionale; gergo; linguaggio tecnico: **medical l.**, il gergo dei medici.

lingua franca /ˈlɪŋɡwəˈfræŋkə/ loc. n. (pl. **lingua francas**, **linguae francae**) (*ling. e fig.*) lingua franca.

lingual /ˈlɪŋɡwəl/ **A** a. (*anat.*, *scient.*, *fon.*) linguale **B** n. (*fon.*) consonante linguale.

linguiform /ˈlɪŋɡwɪfɔːm/ a. (*scient.*) linguiforme.

linguine /lɪŋˈɡwiːneɪ/ n. ☐ (*cucina*) linguine.

linguist /ˈlɪŋɡwɪst/ n. **1** linguista; glottologo **2** poliglotta **3** studente di lingue.

◆**linguistic** /lɪŋˈɡwɪstɪk/ a. linguistico; glottologico: **l. atlas**, atlante linguistico | **-ally** avv.

linguistics /lɪŋˈɡwɪstɪks/ n. pl. (col verbo al sing.) linguistica || **linguistician** n. (*USA*) linguista.

lingulate /ˈlɪŋɡjʊleɪt/ a. (*scient.*) linguiforme.

liniment /ˈlɪnɪmənt/ n. ☐☐ (*farm.*) linimento; unguento.

lining ① /ˈlaɪnɪŋ/ n. **1** rigatura **2** (*tipogr.*) allineamento ● **l. up**, allineamento.

lining ② /ˈlaɪnɪŋ/ n. ☐☐ **1** fodera; foderame: **the l. of a jacket**, la fodera d'una giacca **2** rivestimento (*interno o isolante*); materiale di rivestimento **3** guarnizione (*di cappello*) **4** (*mecc.*) spessore (*di freno*); pastiglia; ferodo **5** (*naut.*) fasciame ● (*mecc.*) **l. bar**, palanchino □ (*prov.*) **Every cloud has a silver l.**, non tutto il male viene per nuocere.

◆**link** ① /lɪŋk/ n. **1** anello (*d'una catena*; *anche fig.*); maglia (*della catena della bicicletta, ecc.*): **a weak l. in a theory**, un anello (*o* un punto) debole in una teoria; **the weakest l.**, l'anello più debole (*antrop.*) **the missing l.**, l'anello mancante (*nella catena della derivazione dell'uomo dalla scimmia*) **2** «link» (*misura lineare, pari a otto «pollici» e cioè a cm 20 circa*) **3** collegamento; legame; vincolo: *That was the last l. with my past*, quello era l'ultimo legame col mio passato **4** (*anche mecc.*) articolazione; connessione articolata; giunto **5** (*chim.*) legame **6** (*comput.*) link; collegamento (*ipertestuale*) **7** (*elettr.*) elemento fusibile **8** gemello del polsino **9** (*sport*) giocatore di raccordo **10** (*calcio*) tornante; ala tornante; mezzala di regia.

link ② /lɪŋk/ n. (*un tempo*) fiaccola; torcia.

◆**to link** /lɪŋk/ **A** v. t. **1** (*spesso* **to l. up**) collegare; connettere; congiungere; unire **2** giungere, congiungere (*le mani*) **B** v. i. (*spesso* **to l. up**) collegarsi; congiungersi; legarsi; unirsi; (*miss.*) agganciarsi: *Each clue links up with the next*, ogni indizio si collega col

successivo ● **to l. arms**, tenersi (*o* prendersi, *o* stare) sottobraccio.

linkage /ˈlɪŋkɪdʒ/ n. **1** ☐☐ collegamento; connessione; rapporto; nesso **2** (*mecc.*) collegamento articolato; sistema di trasmissione meccanica; biellismo **3** ☐☐ (*genetica*) linkage; associazione (*di geni*: nel *cromosoma*) **4** (*comput.*) linkaggio; concatenamento; collegamento.

linkboy /ˈlɪŋkbɔɪ/ n. (*stor.*) portatore di fiaccola (*per illuminare il cammino*); tedoforo.

linking /ˈlɪŋkɪŋ/ n. ☐☐ **1** (*sport*) collegamento; raccordo **2** (*ling.*) concatenamento; liaison (*franc.*).

linkman /ˈlɪŋkmən/ n. (pl. **linkmen**) **1** (*sport*) uomo di collegamento (*o* di raccordo); (*calcio*) → **link** ①, def. 10 **2** (*radio*, *TV*) conduttore; presentatore; moderatore **3** intermediario **4** → **linkboy**.

links /lɪŋks/ n. pl. **1** (*scozz.*) dune erbose (*spec. sulla costa*) **2** (sing.; inv. al pl.; *sport*) campo da golf.

linkup /ˈlɪŋkʌp/ n. **1** (*anche radio*, *TV*) collegamento **2** unione; (*miss.*) aggancio (*di navicelle spaziali, ecc.*) ● (*autom.*) **l. motorway**, bretella (autostradale).

linkwoman /ˈlɪŋkwʊmən/ n. (pl. **linkwomen**) (*radio*, *TV*) conduttrice; presentatrice; moderatrice.

Linnaean, **Linnean** /lɪˈniːən/ a. (*scient.*) linneano.

linnet /ˈlɪnɪt/ n. (*zool.*, *Carduelis cannabina*) fanello; montanello.

lino /ˈlaɪnəʊ/ n. (pl. **linos**) abbr. di **1** linoleum **2** Linotype.

linocut /ˈlaɪnəʊkʌt/ n. (*arte*) (stampa ottenuta con una) incisione in linoleum.

linoleic /lɪnəˈliːɪk/ a. (*chim.*) linoleico.

linoleum /lɪˈnəʊliəm/ n. ☐☐ (*ind.*) linoleum.

Linotype® /ˈlaɪnəʊtaɪp/ n. (*tipogr.*) linotype; macchina linotipica ● **L. operator**, linotipista □ **L. printing**, linotipia.

linseed /ˈlɪnsiːd/ n. ☐☐ linseme; seme di lino ● **l. cake**, panello di lino □ **l. oil**, olio di lino □ **l. poultice**, cataplasma (*o* impiastro) di semi di lino.

linsey-woolsey /ˈlɪnzɪˈwʊlzɪ/ n. ☐☐ **1** (*ind. tess.*) mezzalana **2** (*fig.*) guazzabuglio; miscuglio; confusione.

lint /lɪnt/ n. ☐☐ **1** (*ind. tess.*) filaccia **2** (*med.*) garza (*usata per medicazioni*); filaccia di lino **3** lanugine; laniccio.

lintel /ˈlɪntl/ n. (*archit.*) architrave; piattabanda.

liny /ˈlaɪnɪ/ a. **1** simile a una linea; sottile **2** segnato da linee **3** rugoso **4** (*arte*) che fa un uso eccessivo del tratto.

◆**lion** /ˈlaɪən/ n. **1** (*zool.*, *Felis leo*) leone; (*fig.*) persona coraggiosa: *They fought like lions*, si batterono da leoni **2** (*fig.*) persona celebre; celebrità (*la cui presenza è ricercata nelle riunioni mondane*): *He's the l. of the day*, è la celebrità del giorno **3** – (*astron.*, *astrol.*) **the L.**, il Leone (*costellazione e V segno dello zodiaco*) **4** (pl.) (*arc.*) bellezze naturali, curiosità (*di un luogo*) ● **l.-hearted**, che ha un cuore di leone; coraggioso; temerario □ **l.-hunter**, cacciatore di leoni (*fig.*) anfitrione che cerca sulla presenza di celebrità ai suoi ricevimenti □ (*fig.*) **a l. in the way** (*o* **in the path**), un ostacolo, un pericolo (*spec. immaginario*) □ (*fig.*) **the l.'s share**, la parte del leone □ **l.'s skin**, pelle del leone; (*fig.*) (ostentazione di) finto coraggio □ (*fig.*) **to be in the l.'s mouth**, essere in una posizione molto pericolosa □ (*fig.*) **to beard a l. in his den**, affrontare una persona influente (*spec. per chiedere un favore*).

Lionel /ˈlaɪənl/ n. Lionello.

lioness /ˈlaɪənes/ n. leonessa.

lionfish /ˈlaɪənfɪʃ/ n. (pl. **lionfish**, **lionfishes**) (*zool.*, *Pterois volitans*) pesce farfalla.

to **lionize** /ˈlaɪənaɪz/ **A** v. t. **1** rendere celebre; trattare (q.) come una celebrità; idoleggiare; ricercare: *The playwright was lionized by all the highbrows*, il commediografo era idoleggiato da tutti gli intellettuali **2** (*arc.*) visitare le bellezze naturali o artistiche (*di un luogo*) **3** (*arc.*) mostrare le bellezze d'un luogo a (*un visitatore*) **B** v. i. (*arc.*) visitare le bellezze d'un luogo || **lionization** n. ☐☐ **1** il rendere celebre; idoleggiamento (*di q.*) **2** (*arc.*) visita alle bellezze naturali o artistiche (*di un luogo*).

lion-like, **lionlike** /ˈlaɪənlaɪk/ a. leonino; da leone.

◆**lip** /lɪp/ n. **1** (*anat.*) labbro; (*fig.*) orlo, margine: *He kissed me on the lips*, mi baciò sulle labbra; *Read my lips*, ascolta bene quello che ti dico; **the lip of a cup**, l'orlo d'una tazza; **the lip of a volcano**, il bordo di un vulcano; **the lips of a wound**, i labbri d'una ferita **2** (*della punta a sgorbia*) tagliente **3** sporgenza; lama (*fig.*): **a narrow lip of rock on a rock face**, una stretta lama di roccia (*o* cengia) sulla parete di un monte **4** becco, beccuccio (*di recipiente*) **5** ☐☐ (*mus.*) imboccatura; modo d'imboccare uno strumento a fiato **6** ☐☐ (*fam.*) impertinenza; impudenza; sfacciataggine; insolenza: *None of your lip!*, basta con la tua insolenza **7** (*golf*) orlo (*della buca*) **8** (*slang USA*, *antiq.*) avvocato ● (*USA*) **lip balm** = **lip salve** → sotto □ (*fon.*) **lip consonant**, consonante labiale □ **lip-deep**, falso; insincero; superficiale; a parole □ (*cosmesi*) **lip gloss**, lucidalabbra □ **lip-homage**, omaggio insincero (*o* a parole) □ **lip-language**, linguaggio delle labbra (*o* dei sordomuti) □ **lip-reading**, labiolettura □ **lip religion**, religiosità superficiale □ **lip salve**, burro di cacao; (*fig.*) (parole di) adulazione □ **lip server**, chi pratica il → «lip service» (*sotto*) □ **lip service**, devozione finta; rispetto puramente verbale; adesione meramente formale: **to pay lip service to the ideals of democracy**, dare un'adesione puramente formale agli ideali della democrazia □ (*fam.*) **lip-smacking**, da leccarsi i baffi; ottimo; eccellente □ (*radio*, *TV*) **lip synchronization**, sincronizzazione delle labbra (*per trasmissioni in playback*) □ (*relig.*) **lip worship**, devozione insincera □ (*fig.*) **to bite one's lip**, mordersi le labbra □ (*slang*) **to button (up) one's lip**, cucirsi la bocca (*fig.*) □ **to curl one's lips**, arricciare le labbra (*fig.*) □ **to hang on sb.'s lips**, pendere dalle labbra di q.; ascoltare q. con grande attenzione □ (*fam.*) **to keep a stiff upper lip**, restare impassibile; stare saldo; tener duro; stringere i denti □ (*fig.*) **to lick** (*o* **to smack**) **one's lips**, avere l'acquolina in bocca; leccarsi i baffi (*o* le dita) □ (*fig.*) **to refuse to open one's lips**, non voler aprir bocca; rifiutarsi di parlare □ (*slang USA*) **to watch one's lip**, stare attento a come si parla; evitare di dire parolacce.

to **lip** /lɪp/ **A** v. t. **1** toccare con le labbra; baciare **2** (*d'acqua*) lambire; sfiorare **3** (*golf*) lanciare la palla fino all'orlo di (*una buca*) **4** (*golf*: *della palla*) arrivare all'orlo di (*una buca*) **B** v. i. **1** (*mus.*) imboccare uno strumento (a fiato) **2** (*slang USA*) baciarsi **3** (*slang USA*; *anche* **to lip off**) rispondere in modo insolente.

lipaemia, (*USA*) **lipemia** /lɪˈpiːmɪə/ (*med.*) n. ☐☐ lipemia || **lipaemic**, (*USA*) **lipemic** a. lipemico.

lipase /ˈlaɪpeɪs/ n. (*chim.*) lipasi.

lipid /ˈlɪpɪd, ˈlaɪ-/ (*chim.*, *biol.*) n. lipide || **lipidic** a. lipidico.

lipogram /ˈlɪpəʊɡræm/ n. lipogramma || **lipogrammatic** a. lipogrammatico || **lipogrammatism** n. ☐☐ lipogrammatismo || **lipogrammatist** n. autore di lipogrammi.

lipoid /ˈlɪpɔɪd, ˈlaɪ-/ **A** a. (*chim.*, *biol.*) lipoideo **B** n. lipoide.

lipolysis /lɪˈpɒləsɪs, laɪ-/ (*fisiol.*) n. ▣ lipolisi ‖ **lipolytic** a. lipolitico.

lipoma /lɪˈpəʊmə/ n. (pl. **lipomas, lipomata**) (*med.*) lipoma.

lipomatosis /lɪpəʊməˈtəʊsɪs/ n. ▣ (*med.*) lipomatosi.

lipoprotein /lɪpəˈprəʊtiːn/ n. (*biochim.*) lipoproteina.

liposarcoma /lɪpəʊsɑːˈkəʊmə/ n. (pl. **liposarcomas, liposarcomata**) (*med.*) liposarcoma.

liposome /ˈlɪpəʊsəʊm/ n. (*biol., med.*) liposoma.

liposuction /ˈlɪpəsʌkʃn/ n. (*chir. estetica*) liposuzione.

lipotropic /lɪpəʊˈtrɒpɪk/ a. (*farm.*) lipotropo.

lipped /lɪpt/ a. **1** (*bot.*) labiato **2** (nei composti, per es.:) **thick-l.**, dalle labbra grosse; labbruto; **tight-l.**, che tiene le labbra strette; che tiene la bocca chiusa, che non vuol parlare.

Lippizaner /lɪpɪtˈsɑːnə(r)/ a. e n. (*zool.*) lipizzano: **L. horse**, cavallo lipizzano.

lippy /ˈlɪpɪ/ (*fam., GB*) **A** a. sfacciato; impudente; sfrontato **B** n. (abbr. di **lipstick**) rossetto.

to **lip-read** /ˈlɪpriːd/ (pass. e p. p. **lip-read** /ˈlɪpred/), v. t. e i. (*dei sordomuti*) leggere (*le parole*) sulle labbra (*dell'interlocutore*).

lipstick /ˈlɪpstɪk/ n. rossetto (*per le labbra*).

lip-synch /ˈlɪpsɪŋk/ n. ▣ (*radio, TV*) sincronizzazione delle labbra (*per il playback*).

to **lip-synch** /ˈlɪpsɪŋk/ v. i. (*radio, TV*) cantare (*o recitare*) in playback.

liq. abbr. (**liquid**) liquido.

to **liquate** /ˈlaɪkweɪt/ (*metall.*) v. t. sottoporre (*metalli*) a liquazione ‖ **liquation** n. liquazione.

liquefied /ˈlɪkwɪfaɪd/ a. liquefatto ● **l. petroleum gas**, gas liquido (abbr. G.P.L.).

liquefier /ˈlɪkwɪfaɪə(r)/ n. **1** (*tecn.*) liquefattore; apparecchio per liquefazione (*di gas, ecc.*) **2** (*chim.*) sostanza liquefacente.

to **liquefy** /ˈlɪkwɪfaɪ/ (*fis.*) v. t. e i. liquefare, liquefarsi ‖ **liquefacient** a. che liquefà: liquefacente ‖ **liquefaction** n. ▣ liquefazione ‖ **liquefiable** a. liquefacibile; che si può liquefare.

liquescent /lɪˈkwesnt/ (*fis.*) a. liquescente.

liqueur /lɪˈkjʊə(r)/ (*franc.*) n. liquore dolce; liquore digestivo ● **l. frame** (*o* **l. stand**), armadietto dei liquori □ **l. glass**, bicchierino da liquore.

♦**liquid** /ˈlɪkwɪd/ **A** n. **1** [CU] liquido: *Water is a l.*, l'acqua è un liquido **2** (*fon.*) (*consonante*) liquida **B** a. **1** liquido (*anche fin. e fon.*); acquoso; diluito; fluido: **l. food**, cibo liquido; *This mortar is too l.*, questa malta è troppo liquida; (*fin.*) **l. assets**, attività liquide **2** chiaro; limpido; lucente; trasparente: **l. air**, aria limpida; **a l. sky**, un cielo limpido; **l. eyes**, occhi lucenti **3** (*di suono*) chiaro; puro; melodioso; scorrevole: **in her l. Italian**, nel suo melodioso italiano; **l. verse**, versi scorrevoli **4** incostante; instabile; mutevole: *He has very l. convictions*, le sue convinzioni sono assai mutevoli ● (*fis.*) **l. air**, aria liquida □ (*tecn.*) **l. cooling**, raffreddamento a liquido □ (*chim.*) **l. filter**, filtro per liquido □ (*mil.*) **l. fire**, miscela infiammabile per lanciafiamme □ (*cosmesi*) **l. foundation**, fondotinta liquido □ **l. measure**, misura per liquidi □ **L. Paper® (white out)** (*USA*), bianchetto □ (*chim.*) **l. paraffin**, olio minerale □ (*fin.*) **l. ratio**, rapporto di liquidità □ (*elettron.*) **l. rheostat**, reostato liquido □ (*slang USA*) **to go l.**, perdere i sensi | **-ly** avv. | **-ness** n. ▣.

to **liquidate** /ˈlɪkwɪdeɪt/ **A** v. t. **1** liquidare; liberarsi, sbarazzarsi di (q.); uccidere: *to*

l. one's opponents, liquidare i propri avversari **2** liquidare; estinguere (*un debito*) **3** (*fin.*) liquidare; mettere in liquidazione (*una società*) **4** (*ass.*) liquidare (*un danno*) **5** (*fin., rag.*) convertire in liquidità; realizzare **B** v. i. (*fin.: di una società*) andare in liquidazione ● (*Borsa*) **to l. a position**, pareggiare.

liquidation /lɪkwɪˈdeɪʃn/ n. ▣ **1** liquidazione; eliminazione; uccisione **2** (*fin.*) liquidazione: *The company has been put into l.*, la società è stata messa in liquidazione **3** (*fin., rag.*) conversione in liquidità **4** estinzione (*di un debito*).

liquidator /ˈlɪkwɪdeɪtə(r)/ n. (*ass., fin.*) liquidatore.

liquidity /lɪˈkwɪdətɪ/ n. ▣ **1** (*anche fis.*) liquidità; scorrevolezza **2** limpidezza; trasparenza **3** (*fin., rag.*) liquidità: **l. ratio**, rapporto di liquidità.

to **liquidize** /ˈlɪkwɪdaɪz/ v. t. **1** rendere liquido **2** (*cucina*) agitare col frullatore, frullare (*uova, frutta o verdura*).

liquidizer /ˈlɪkwɪdaɪzə(r)/ n. (*cucina*) frullatore.

liquor /ˈlɪkə(r)/ n. ▣ **1** liquido; sostanza liquida **2** liquore, liquori; bevanda (*o bevande*) alcolica: **hard l.**, superalcolici **3** (*chim.*) soluzione; soluzione acquosa: **l. ammoniae**, soluzione d'ammoniaca **4** (*ind.*) sugo verde (*di canna da zucchero*) **5** (*cucina, raro*) sugo, brodo di cottura (*della carne*) **6** (*ind. della birra*) acqua ● **to be in l.** (*o* **to be the worse for l.**), essere ubriaco □ (*tecn.*) **spirituous liquors**, bevande alcoliche.

to **liquor** /ˈlɪkə(r)/ **A** v. t. **1** (*ind. della birra*) mettere a bagno (*il malto*) **2** (*slang, anche* **to l. up**) procurare liquori a (q.) **3** (*arc.*) ingrassare (*pelle, scarpe, ecc.*) **B** v. i. (*slang, anche* **to l. up**) bere liquori; ubriacarsi.

liquorice /ˈlɪkərɪs/ n. **1** (*bot.*, *Glycyrrhiza glabra*) liquirizia **2** ▣ liquirizia (*la sostanza*) **3** (caramella, pasticca alla) liquirizia ● **l. all sorts**, pasticche multicolori alla liquirizia.

liquorish /ˈlɪkərɪʃ/ a. **1** amante dei liquori **2** → **lickerish**.

lira /ˈlɪərə/ n. (pl. **liras, lire**) lira (*moneta*).

Lisbon /ˈlɪzbən/ n. (*geogr.*) Lisbona.

lisle /laɪl/ n. ▣ filo di Scozia.

lisp /lɪsp/ n. **1** pronuncia blesa; blesità; lisca (*pop.*) **2** mormorio (*d'acqua*); fruscio (*di fronde*) ● **to have** (*o* **to speak with**) **a l.**, pronunciare la 's' blesa; essere bleso.

to **lisp** /lɪsp/ **A** v. i. essere bleso; avere la lisca (*pop.*) **B** v. t. **1** pronunciare (*una parola*) con la 's' blesa **2** (*spec. di bambino, anche* **to l. out**) biascicare; balbettare; farfugliare: *He lisped out an excuse*, balbettò una scusa.

lisping /ˈlɪspɪŋ/ **A** a. bleso; che ha la lisca (*pop.*) **B** n. ▣ (*med., ling.*) blesità.

lissom, lissome /ˈlɪsəm/ a. **1** flessuoso; pieghevole **2** agile; aggraziato; snello; svelto.

♦**list①** /lɪst/ n. **1** lista; elenco; graduatoria: *His name is first on the l.*, il suo nome è il primo della lista; **waiting l.**, lista d'attesa; **shopping l.**, lista della spesa **2** (*comm.*) distinta; nota; specifica: **l. of bills for discount**, distinta degli effetti allo sconto; (*banca*) borderò di sconto **3** (*Borsa, fin., market.*) listino: **price l.**, listino prezzi **4** (*market.*, = **mailing l.**) indirizzario commerciale **5** (*fisc.*, = **l. of tax payers**) ruolo d'imposta **6** (*anche leg.*) ruolo: **the l. of cases**, il ruolo delle udienze; (*naut., aeron.*) **the crew l.**, il ruolo dell'equipaggio **7** (*comput.*) lista: **distribution l.**, lista di distribuzione; elenco di destinatari di una mailing list di posta elettronica **8** (*fam.*, = **l. price**) prezzo di listino ● (*comput.*) **l. box**, casella di riepilogo; casella con una lista di oggetti selezionabili □ **l. broker**, fornitore d'indirizzari commerciali □ **l. of questions**, questionario □ **l. of rates**, tariffario.

list② /lɪst/ n. **1** lista; listello; striscia (*anche di colore*) **2** cimosa; vivagno **3** (*archit.*) listello **4** (pl.) (*stor.*) lizza; (*fig.*) arena, campo di combattimento: **to enter the lists**, entrare in lizza; (*fig.*) scendere in campo **5** (*agric.*) porca (*tra due solchi: in un campo arato*).

list③ /lɪst/ n. **1** (*naut.*) sbandamento; sbandata: **to take a l. to starboard**, prendere una sbandata a dritta **2** (*di un edificio, ecc.*) inclinazione; pendenza.

to **list①** /lɪst/ v. t. **1** mettere in lista; includere in un elenco: *No such name is listed here*, questo nome non è nella lista **2** elencare; catalogare; fare una lista di: **to l. all one's books**, fare una lista di tutti i propri libri **3** (*market.*) mettere in listino: **to l. the latest models**, mettere nel listino prezzi gli ultimi modelli **4** (*Borsa, fin.*) ammettere (*titoli*) al listino ufficiale; quotare **5** (*fisc.*) mettere (*beni, contribuenti*) a ruolo ● (*market.: d'un prodotto*) **to l. at**, essere in catalogo al prezzo di; avere un prezzo di listino di.

to **list②** /lɪst/ v. t. **1** listare **2** tagliare a strisce (*o a listelli*) **3** (*agric.*) arare (*un campo*) a porche.

to **list③** /lɪst/ v. i. (*spec. naut.*) sbandare; inclinarsi: *The yacht listed to port*, il panfilo sbandava a sinistra.

listed /ˈlɪstɪd/ a. **1** messo in lista; elencato; catalogato **2** (*Borsa*) quotato in borsa: **l. company**, società quotata in borsa; **l. securities**, titoli quotati in borsa ● (*urbanistica*) **l. building**, edificio dichiarato d'interesse architettonico o storico □ **l. monument**, monumento nazionale.

listen /ˈlɪsn/ n. (*fam.*) l'ascoltare; ascolto ● **Have a l. to this song!**, ascolta questa canzone!

♦to **listen** /ˈlɪsn/ v. i. ascoltare; dare ascolto; prestare orecchio: *I listened to the music* (*the conversation, etc.*), ascoltai la musica (la conversazione, ecc.); *Don't l. to his promises*, non dare ascolto alle sue promesse! ● **to l. to temptation**, cedere alla tentazione □ **L. to me!**, dammi retta! □ (*fam.*) **to l. with half an ear**, ascoltare distrattamente □ (*mil.*) **listening post**, posto d'ascolto □ (*radar, radio*) **listening station**, stazione d'ascolto □ (*alla radio, in fine di trasmissione*) **'Thank you for listening'**, 'grazie dell'ascolto!'.

■ **listen for** v. i. + prep. stare in ascolto per sentire (*o sentire annunciare qc.*): *I was listening for the sound of the doorbell*, stavo in ascolto per sentire il campanello (della porta).

■ **listen in** v. i. + avv. **1** (*radio*) essere (*o stare*) in ascolto; ascoltare la radio **2** ascoltare (*o stare in ascolto*) di nascosto; origliare.

■ **listen in on** v. i. + avv. + prep. ascoltare di nascosto (*una conversazione, ecc.*).

■ **listen in to** v. i. + avv. + prep. ascoltare (*un programma, ecc.*) alla radio: **to l. in to the news**, ascoltare il giornale radio.

■ **listen out** v. i. + avv. (*nelle radiocomunicazioni*) passare: *Listening out now*, passo e chiudo.

■ **listen out for** v. i. + avv. + prep. stare in ascolto per sentire; stare attento a: *L. out for the doorbell!*, sta attento al campanello!

■ **listen up** v. i. + avv. (*slang USA*) aprire le orecchie; ascoltare attentamente; stare in orecchio; *Listen up a minute will you!*, state a sentire, per favore!

listenable /ˈlɪsnəbl/ a. (*fam.*) che si può ascoltare; gradevole.

listener /ˈlɪsnə(r)/ n. ascoltatore ● **l.-in**, radioascoltatore; (*anche*) uno che origlia □ **a good l.**, uno che sa ascoltare pazientemente gli altri.

listen-in /ˈlɪsnɪn/ n. (*radio*) ascolto.

lister /'lɪstə(r)/ n. (agric., = **l. plough**) aratro assolcatore.

listing ① /'lɪstɪŋ/ n. **1** ⓤ elencazione; (anche) preparazione di liste **2** elenco; voce (di una lista) **3** (Borsa, fin.) quotazione in borsa: **the l. of securities**, la quotazione di titoli **4** (comput.) listato; lista **5** (pl.) (rubrica degli spettacoli (nei giornali): There's a cinema listings site in the favourites, c'è un sito con la programmazione degli spettacoli del cinema tra i preferiti ● (Borsa) **l. admission**, ammissione alla quotazione □ (telef.) **to find a l. for sb. in the directory**, trovare il nome di q. sull'elenco telefonico.

listing ② /'lɪstɪŋ/ n. (ind. tess.) **1** ⓤ tessuto per cimose **2** cimosa; vivagno.

listing ③ /'lɪstɪŋ/ n. (naut.) sbandamento.

listless /'lɪstləs/ a. **1** disattento; incurante; indifferente; apatico **2** fiacco; indolente; svogliato | **-ly** avv. | **-ness** n. ⓤ.

listric /'lɪstrɪk/ a. (geol.) listrico.

lit /lɪt/ Ⓐ pass. e p. p. di **to light** Ⓑ a. pred. **1** illuminato: The room was lit with candles, la stanza era illuminata da candele **2** acceso: The cigarette is lit, la sigaretta è accesa ● (slang) **lit-up**, ubriaco fradicio, sbronzo; sotto l'effetto della droga.

lit. abbr. 1 (**literal**) letterale **2** (**literally**) letteralmente **3** (anche **lit fam.**, **literature**) letteratura (come materia di studio): **lit crit**, critica letteraria.

litany /'lɪtənɪ/ n. (relig.) litania (anche fig.).

LitB, **LittB** abbr. (lat.: Litterarum Baccalaureus) (**Bachelor of Letters** (o of **Literature**)) dottore in lettere (laurea di 1° grado).

litchi /laɪ'tʃiː/ n. (pl. **litchis**) (bot., Litchi chinensis) litchi (albero e frutto) ● **l. nut**, frutto del litchi seccato.

LitD, **LittD** abbr. (lat.: Litterarum Doctor) (**Doctor of Letters** (o of **Literature**)) dottore in lettere.

lite /laɪt/ a. (USA) grafia fam. di → **light**.

liter /'liːtə(r)/ (USA) → **litre**.

literacy /'lɪtrəsɪ/ n. ⓤ **1** il saper leggere e scrivere; alfabetismo **2** alfabetizzazione: **a l. campaign**, una campagna di alfabetizzazione **3** (per estens.) padronanza dei concetti di base; competenza funzionale; alfabetizzazione: **computer l.**, alfabetizzazione informatica; **reading l.**, competenza alfabetica funzionale.

literal /'lɪtərəl/ Ⓐ a. **1** espresso in lettere: (USA) **a l. grade**, un voto (scolastico, d'esame, ecc.) espresso in lettere (A, B, C, ecc.) **2** letterale; alla lettera; testuale: **a l. translation**, una traduzione letterale; **l. meaning**, senso letterale **3** che prende le cose alla lettera; prosaico; pratico; pedantesco: **a l. education**, un'educazione pedantesca **4** esatto; preciso; puro: **the l. truth**, la pura verità; **a l. description**, una descrizione precisa Ⓑ n. errore di stampa; refuso ● (fam.) **a l. decimation**, una decimazione vera e propria □ **a l. error**, un errore di grafia (o di stampa); un refuso □ **l.-minded**, prosaico; privo di fantasia | **-ness** n. ⓤ.

literalism /'lɪtrəlɪzəm/ n. ⓤ **1** stretta aderenza alla lettera; interpretazione letterale **2** (spreg.) prosaicità; pedanteria **3** (arte, letter.) realismo || **literalist** n. **1** chi si attiene alla lettera **2** (spreg.) persona prosaica; pedante.

literality /lɪtə'rælɪtɪ/ n. ⓤ **1** l'essere letterale **2** il prendere le cose alla lettera **3** (spreg.) prosaicità; pedanteria.

to literalize /'lɪtrəlaɪz/ v. t. rappresentare (o interpretare) alla lettera.

◆**literally** /'lɪtrəlɪ/ avv. letteralmente; verbatim; alla lettera (in ogni senso).

◆**literary** /'lɪtrərɪ/ a. letterario; di (o delle) lettere; della letteratura: **l. critic**, critico letterario; **l. criticism**, critica letteraria; **a l.**

man, un uomo di lettere; un letterato; (anche) una persona con interessi letterari; **l. works**, opere letterarie ● **l. agent**, agente letterario □ **l. editor**, redattore letterario □ **l. essay**, elzeviro □ **l. page**, pagina culturale, terza pagina (di giornale) □ (leg.) **l. piracy**, plagio □ (leg.) **l. property**, proprietà letteraria || **literarily** avv. letterariamente || **literariness** n. ⓤ letterarietà; qualità letteraria.

literate /'lɪtərət/ Ⓐ a. **1** che sa leggere e scrivere; alfabeta **2** che ha le conoscenze di base (di una materia): **to be computer-l.**, sapere usare il computer **3** colto; dotto; erudito Ⓑ n. **1** chi sa leggere e scrivere; alfabeta **2** persona colta; dotto; letterato.

literati /lɪtə'rɑːtɪ/ (lat.) n. pl. (collett.) letterati; (la) classe colta.

◆**literature** /'lɪtrətʃə(r)/ n. ⓤ **1** letteratura: American l., la letteratura americana **2** letteratura; stampati illustrativi o pubblicitari; materiale bibliografico; opuscoli a stampa: **medical l.**, letteratura medica; **sales l.**, opuscoli pubblicitari; **mathematical l.**, pubblicazioni di matematica; **I've read all the l. on the subject**, ho letto tutto il materiale sull'argomento.

litharge /'lɪθɑːdʒ/ n. ⓤ (chim.) litargirio.

lithe /laɪð/ a. flessibile; flessuoso; agile; snello | **-ly** avv. | **-ness** n. ⓤ.

lithesome /'laɪðsəm/ a. flessibile; agile; snello.

lithia /'lɪθɪə/ n. ⓤ (chim.) ossido di litio ● **l. water**, acqua litiosa.

lithiasis /lɪ'θaɪəsɪs/ n. ⓤ (med.) litiasi; calcolosi.

lithic ① /'lɪθɪk/ a. (geol.) litico; di pietra: **l. artifacts**, manufatti litici.

lithic ② /'lɪθɪk/ a. (chim., med.) litico.

lithification /lɪθɪfɪ'keɪʃn/ n. ⓤ (geol.) litificazione.

lithium /'lɪθɪəm/ n. ⓤ (chim.) litio.

litho /'lɪθəʊ/ n. (abbrev. di) **1 litograph 2 lithography** ● **l. print**, litografia □ **l. printer**, litografo.

lithograph /'lɪθəɡrɑːf/ n. litografia; riproduzione litografica.

to lithograph /'lɪθəɡrɑːf/ Ⓐ v. t. litografare Ⓑ v. i. fare litografie.

lithographic /lɪθə'ɡræfɪk/, **lithographical** /lɪθə'ɡræfɪkl/ a. litografico: **l. plate**, lastra litografica | **-ally** avv.

lithography /lɪ'θɒɡrəfɪ/ n. ⓤ litografia; procedimento litografico || **lithographer** n. litografo.

lithology /lɪ'θɒlədʒɪ/ n. ⓤ (geol.) **1** litologia **2** petrografia || **lithological** a. (geol.) litologico; petrografico || **lithologically** avv. litologicamente.

lithophane /'lɪθəfeɪn/ (arte) n. litofania (la decorazione) || **lithophany** n. ⓤ litofania (il procedimento).

lithophile /'lɪθəfaɪl/ a. (chim.) litofilo.

lithopone /'lɪθəpəʊn/ n. (chim.) litopone.

lithosphere /'lɪθəsfɪə(r)/ n. ⓤ (geol.) litosfera.

lithostratigraphy /lɪθəstrə'tɪɡrəfɪ/ (geol.) n. ⓤ litostratigrafia.

lithotomy /lɪ'θɒtəmɪ/ (med.) n. ⓤⓒ litotomia.

lithotripsy /'lɪθətrɪpsɪ/ (med.) n. ⓤ litotripsia; litotrissia || **lithotripter**, **lithotriptor** n. litotritore a ultrasuoni (strumento).

Lithuania /lɪθjuː'eɪnɪə/ n. (geogr.) Lituania.

Lithuanian /lɪθjuː'eɪnɪən/ Ⓐ a. lituano Ⓑ n. **1** lituano **2** ⓤ lituano (la lingua).

litigant /'lɪtɪɡənt/ Ⓐ a. (leg.) litigante; contendente Ⓑ n. parte in causa.

to litigate /'lɪtɪɡeɪt/ Ⓐ v. i. (leg.) essere in lite (o in causa) Ⓑ v. t. **1** muovere causa, fa-

re causa a (q.) **2** contestare in giudizio (la validità di qc.) || **litigation** n. ⓤ (leg.) **1** controversia; causa; processo; vertenza **2** (il) contenzioso (di un'azienda, ecc.).

litigious /lɪ'tɪdʒəs/ a. (leg.) **1** litigioso; pronto a intentare liti (o cause) **2** che è in contestazione davanti a un tribunale | **-ly** avv. | **-ness** n. ⓤ.

litmus /'lɪtməs/ n. (chim.) tornasole: **l. paper**, cartina al tornasole ● **l. test**, prova della cartina al tornasole; (fig.) prova decisiva (o del nove).

litotes /'laɪtəʊtiːz/ n. ⓤ (retor.) litote.

◆**litre**, (USA) **liter** /'liːtə(r)/ n. litro (misura di capacità).

litter ① /'lɪtə(r)/ n. **1** lettiga; barella; portantina ● **l.-bearer**, barelliere, portantino; (mil.) portaferiti.

litter ② /'lɪtə(r)/ n. **1** ⓤ lettiera; strame (nella stalla); lettime, sabbia, sabbietta (per gatti domestici, ecc.) **2** figliata (di animali): **a l. of kittens**, una figliata di gattini **3** ⓤ rifiuti; cartaccia: The street was full of l., la strada era piena di rifiuti **4** (fig.) confusione; disordine; scompiglio **5** lettiga; barella; portantina ● **l. bag**, sacco (di plastica, ecc.) per l'immondizia □ **l. lout**, chi butta per terra cartacce (o rifiuti, ecc.) □ **l. patrol**, pattuglia di vigilanza sulla pulizia nelle strade □ «**Leave no l.**» (cartello), «divieto di gettare rifiuti».

to litter /'lɪtə(r)/ Ⓐ v. t. **1** (di solito **to l. down**) fare la lettiera, un letto di strame a (un cavallo, ecc.); preparare la lettiera in (una stalla); spargere strame su **2** (spesso **to l. up**) imbrattare, ingombrare; mettere in disordine: **to l. the streets with rubbish**, imbrattare le strade di rifiuti; **to l. a room with newspapers**, ingombrare una stanza con i giornali; **to l. up one's bedroom**, mettere in disordine la camera da letto **3** spargere; sparpagliare: He littered peanut shells over the floor, sparpagliò gusci di nocciolina sul pavimento **4** (arc.) generare; partorire: 'We are two lions litter'd in one day' W. SHAKESPEARE, 'noi siamo due leoni generati nello stesso giorno' Ⓑ v. i. **1** (d'animali, spec. di cagne e scrofe) figliare **2** buttare rifiuti (nelle strade, ecc.) ● (di uno scritto) **to be littered with mistakes**, essere pieno zeppo di errori.

litterbin /'lɪtəbɪn/ n. recipiente (cestino, ecc.) per rifiuti.

litterbug /'lɪtəbʌɡ/ n. (USA) chi butta per terra cartacce, rifiuti, ecc.

littery /'lɪtərɪ/ a. imbrattato; sporco; ingombro (di cartacce, di rifiuti).

◆**little** ① /'lɪtl/ a. (compar. **less**, superl. relat. **least**) **1** piccolo (di statura, d'età, ecc.); poco; piccino (anche di mente); corto; basso; breve; lieve; esiguo; scarso; gretto; meschino: **big and l., alike**, grandi (o potenti, ricchi) e piccoli; grossi e piccini; tutti quanti; **a l. man**, un uomo piccolo; un omino; un ometto; **a l. man with a l. mind**, un uomo piccino di mente; un uomo gretto (o meschino); We have l. bread [money, time], abbiamo poco pane [denaro, tempo]; My folks gave me l. help, i miei mi hanno dato ben poco aiuto **2** piccolo; poco importante; comune: Why do you come to me with every l. difficulty?, perché vieni da me per ogni piccola difficoltà (o per ogni piccolezza, inezia)?; **the rights of the l. man**, i diritti dell'uomo comune **3** (idiom., equivalente dei dim. ital.; per es.:) **a l. bear**, un orsacchiotto; **a l. lamb**, un agnellino; **a l. ring**, un anellino; **a l. bird**, un uccellino; **a l. boy**, un bambino; **a l. girl**, una bambina; **my l. girl**, la mia bambina (mia figlia) **4** – **a l.**, un po' di: Give me a l. butter, dammi un po' di burro; **a l. care**, un po' d'attenzione; **a l. help**, un po' di aiuto ● **the l.**, i piccoli; le persone comuni (o di poca im-

little | to live 721

portanza) □ (*astron.*) **the L. Bear**, l'Orsa Minore □ (*fam.*) **a l. bit**, un po'; un pochino: *All you need is a l. bit of courage*, non ti ci vuole che un po' di coraggio □ **l. brother**, fratello minore; fratellino □ (*polit.*, *stor.*) **L.-Englander**, fautore di un'Inghilterra «piccola»; anti-imperialista; anticolonialista □ (*anat.*) **l. finger**, (dito) mignolo □ (*bot.*) **l. leaf**, foglia nana; nanismo fogliare □ (*baseball*, *USA*) **the L. League**, il Campionato juniores □ (*fam.*) **l. Mary**, il pancino □ **the l. ones**, i piccoli; i piccini; i bambini □ **the l. people**, le fate; i folletti; gli gnomi □ **l. sister**, sorella minore; sorellina □ (*a bridge*) **l. slam**, piccolo slam □ **l. thing**, cosa da poco, inezia, bazzecola; (*di bambino*) carino: *She always worries about l. things*, lei se la prende sempre per delle inezie □ (*anat.*) **the l. toe**, il dito piccolo (*del piede*) □ **a l. way**, un piccolo tratto; per un po' (*di strada*): *Shall I go a l. way with you?*, vuoi che t'accompagni per un po'? □ **a l. while**, un po' di tempo; un poco: *Please stay a l. while with me*, per favore, resta un po' con me! □ **very l.**, piccolissimo; pochissimo: *There is very l. milk*, c'è pochissimo latte

♦**little**② /'lɪtl/ **pron. indef.** e **n.** **1** poco; po'; pochino: *He remembers very l. of what happened*, ricorda ben poco di quel che è successo; *We must keep what l. we have*, dobbiamo serbare quel po' che abbiamo; *What l. of the book I have read is very good*, quel po' del libro che ho letto è ottimo **2** – **a l.**, un po'; un poco: *I want to taste a l. of everything*, voglio assaggiare un po' di tutto; *Stay a l. longer!*, resta ancora un poco!; *Give me a l.*, dammene un po'! ● **l. by l.**, a poco a poco, piano piano, per gradi: *L. by l. he began to understand*, a poco a poco cominciò a capire □ **l. or nothing**, poco o nulla; quasi niente □ **after a l.**, dopo un po' (*di tempo*); di lì a poco □ **to make l. of**, capirci poco in (*una spiegazione*, *ecc.*); dar poca importanza (*o* non dare peso) a: *She made l. of her health problems*, diede poca importanza ai suoi problemi di salute □ **to think l. of**, non pensarci su due volte; metterci poco a: *He thinks l. of killing a man*, non ci pensa su due volte a uccidere un uomo □ **to think l. of sb.**, avere poca stima di q.; disistimare q. □ **as l. as possible**, il meno possibile □ **too l.**, troppo poco □ **A l. makes them happy**, basta poco a farli felici □ **Every l. (bit) helps**, tutto serve; tutto fa brodo (*pop.*) □ (*prov.*) **A l. is better than none**, meglio poco che niente.

♦**little**③ /'lɪtl/ **avv.** (**compar.** ***less***, **superl. relat.** ***least***) **1** (*di solito*, **very l.**) poco: *I sleep very l.*, dormo pochissimo **2** – **a l.**, un po'; alquanto; piuttosto: *I'm a l. better today*, sto un po' meglio oggi; *These shoes are a l. too tight*, queste scarpe sono un po' troppo strette; *I'd rather have something a l. drier if possible*, preferirei qualcosa di un po' più secco **3** non… affatto; niente… affatto; per niente; neanche lontanamente: *L. does he know that we are on his tracks*, non sa affatto che lo stiamo seguendo; *She l. cares*, non gliene importa nulla **4** di rado; poco: *I go there very l.*, ci vado pochissimo (*o* assai di rado) ● **a l.-known author**, un autore poco noto.

littleness /'lɪtlnəs/ **n.** U piccolezza; pochezza; scarsezza; grettezza; meschinità.

littoral /'lɪtərəl/ **A** **a.** litorale; litoraneo **B** **n.** litorale ● (*naut.*) **l. current**, corrente litorale □ (*geogr.*) **l. zone**, zona litoranea (*o* litorale).

liturgical, **liturgic** /lɪ'tɜːdʒɪk(l)/ (*relig.*) **a.** liturgico || **liturgically avv.** liturgicamente || **liturgist n.** liturgista.

liturgics /lɪ'tɜːdʒɪks/ **n. pl.** (col verbo al sing.) (*relig.*) studio della liturgia.

liturgy /'lɪtədʒɪ/ **n.** UC (*relig.*) liturgia.

livable, **liveable** /'lɪvəbl/ **a.** **1** (*della vita*) degna d'esser vissuta; sopportabile **2** (*di una casa*, *ecc.*) abitabile; vivibile **3** (*di persona*, = **l. with**) con cui si può vivere; socievole **4** (*di dolore*) sopportabile ● **l. with**, (*di persona*) con cui si può vivere; (*di comportamento e sim.*) accettabile, passabile || **livability**, **liveability n.** U **1** (*di una casa*, *ecc.*) abitabilità; (*anche*) l'essere vivibile **2** (*zootecnia*) capacità di sopravvivenza **3** (*della vita*, *ecc.*) sopportabilità.

♦**live** /laɪv/ **A** **a. attr.** **1** vivo; vivente; vitale; energico; ardente; acceso: **a l. lobster**, un'aragosta viva; (*pesca*) **l. bait**, esca viva; **a l. colour**, un colore vivo (*o* acceso); **to make the question a l. issue**, tener viva la questione; **l. fire**, fuoco vivo; **l. coals**, carboni ardenti; **a l. cigarette**, una sigaretta accesa; **l. air**, aria viva (*fresca e pura*) **2** (*mil.*) carico; inesploso: **a l. shell**, un proiettile inesploso; **a l. gun**, un fucile (*o* un revolver) carico **3** non utilizzato; ancora buono: **a l. match**, un fiammifero non utilizzato **4** (*elettr.*) sotto tensione **5** (*mecc.*: *di motore*, *asse*, *ruote*, *ecc.*) che sviluppa (*o* trasmette) energia **6** (*radio*, *TV*) in collegamento diretto; in diretta; dal vivo: **l. TV coverage**, servizio in diretta; **a l. concert**, un concerto dal vivo **7** (*sport*: *della palla*) in gioco **8** (*scherz.*, = **real l.**) vivo e parlante; in carne e ossa; vero e proprio: **a real l. martian**, un marziano in carne e ossa; **a real l. steam engine**, una macchina a vapore vera (*non un giocattolo*) **9** (*fis. nucl.*) attivo **B** **avv.** (*radio*, *TV*) dal vivo; in diretta ● (*naut.*, *mil.*) **l. ammunition**, munizionamento da guerra □ (*radio*, *TV*) **l. audience**, pubblico di una trasmissione in diretta □ (*autom.*, *mecc.*) **l. axle**, asse motore; motoassale; ponte (posteriore) rigido □ **l.-born**, nato vivo □ **a l.-born child**, un nato vivo □ **a l. cartridge**, una cartuccia piena □ (*mecc.*) **l. centre**, contropunta girevole (*di tornio*, *ecc.*) □ **l. food**, animali vivi usati come cibo per altri animali (*per serpenti*, *ecc.*) □ **l. load**, (*edil.*) carico accidentale, carico di traffico; (*trasp.*) carico utile (*d'un autobus*, *ecc.*) □ (*bot.*) **l. oak** (*Quercus virginiana*), quercia della Virginia □ **a l. question**, un problema di attualità □ (*ferr.*) **l. rail**, terza rotaia □ (*mecc.*) **l. wheels**, ruote motrici □ **l. wire**, (*elettr.*) filo sotto tensione, filo caldo; (*fig.*) persona attiva (*o* energica, vigorosa) □ **l. yoghurt**, yoghurt che contiene fermenti vivi.

♦**to live** /lɪv/ **A** **v. i.** **1** vivere; essere in vita; essere vivo; campare; esistere: **to l. to be a hundred**, vivere (*o* campare) fino a cent'anni; *They found him still living*, lo trovarono ancora in vita; **to l. in fear**, vivere nella paura **2** vivere; sopravvivere: *The doctors don't think that the patient will l.*, i dottori non credono che il malato vivrà **3** vivere; abitare; stare: **to l. apart**, vivere separati; **to l. at home**, vivere con i genitori; **to l. by oneself** (*o* **on one's own**), vivere da solo; **to l. by the sea**, abitare vicino al mare; *They l. in Rome*, abitano (*o* stanno) a Roma; **to l. in the country**, vivere (*o* abitare) in campagna; *They l. above the shop*, abitano sopra il negozio; *Where are you living?*, dove vivi? **4** vivere una vita piena; godersi la vita; divertirsi: *It's high time I started living*, è ora che io cominci a godermi la vita **5** (*fig.*, *di un ricordo*, *ecc.*) essere vivido; essere vivo; perdurare: *The episode still lives in my memory*, l'episodio è ancora vivo nella mia memoria **6** (*fig.*, *di una cosa*) durare; resistere; salvarsi (*dalla distruzione*) **7** (*scherz.*, *di un oggetto*) essere; stare: *Where does the screwdriver l.?*, dove sta il cacciavite?; dove tieni il cacciavite? **B** **v. t.** vivere, fare (*una vita*): **to l. a peaceful life**, vivere una vita tranquilla; **to l. a life of ease**, far vita comoda ● (*fam.*) **to l. and breathe st.**, vivere solo per qc. □ **to l. one day at a time**, vivere giorno per giorno (*o* alla giornata) □ **to l. a double life**, avere una doppia vita □ **to l. a lie**, vivere nella menzogna □ **to l. above** (*o* **beyond**) **one's means**, vivere al di sopra dei propri mezzi □ **to l. for the day when…**, non vedere l'ora che… □ **to l. from day to day**, vivere alla giornata (*senza un futuro*) □ **to l. from hand to mouth**, vivere miseramente; vivere alla giornata □ **to l. high, wide and handsome**, vivere da gran signore; spendere e spandere □ (*fam.*) **to l. in a fool's paradise**, vivere in un paradiso artificiale (*o* nel mondo della luna); chiudere gli occhi alla realtà □ **to l. in a goldfish bowl**, vivere in una casa di vetro (*fig.*); non avere una vita privata □ **to l. in hope**, continuare a sperare; mantener viva la speranza □ (*fam.*) **to l. it up**, darsi alla bella vita; divertirsi spendendo e spandendo □ **to l. like fighting cocks**, fare vita da pascià (*o* da nababbo) □ **to l. like a lord**, vivere da gran signore (*o* da nababbo, da pascià) □ **to l. like a saint**, vivere santamente □ (*antiq. o scherz.*) **to l. in sin**, vivere nel peccato; (*fam.*) convivere; vivere more uxorio □ **to l. to fight another day**, sopravvivere; scamparla □ **to l. to oneself**, vivere per conto proprio; far vita a sé; fare vita ritirata □ **to l. to tell the tale**, uscirne vivo; scamparla; poterla raccontare □ (*nelle fiabe*) **and they lived happily ever-after**, e vissero felici e contenti □ (*prov.*) **L. and let l.!**, vivi e lascia vivere! □ **Now we're really living!**, questa sì che è vita! □ (*fam. USA*) **I should l. so long!**, magari!; fosse vero! □ (*fam. USA*) **where one lives**, nel punto vitale; nel punto debole □ **You l. and learn!**, non si finisce mai di imparare!

■ **live again** **A** **v. i.** + **avv.** rivivere; tornare in vita **B** **v. t.** + **avv.** rivivere (*un'esperienza*, *ecc.*).

■ **live by** **v. i.** + **prep.** **1** vivere, campare di (*o* facendo qc.): *I l. by my work*, vivo del mio lavoro; *Andrew lives by selling cars*, Andrew si guadagna da vivere vendendo automobili; **to l. by one's wits**, vivere di espedienti **2** vivere secondo: **to l. by one's principles**, vivere secondo i propri principi.

■ **live down** **v. t.** + **avv.** far dimenticare, farsi perdonare (con il tempo): **to l. down a little mistake**, far dimenticare, con il tempo, un piccolo errore; *If your wife should learn you were unfaithful to her, you'll never l. it down*, se tua moglie dovesse venire a sapere che le sei stato infedele, non ti perdonerà più per tutta la vita.

■ **live in** **v. i.** + **avv.** **1** (*di domestico*; *un tempo*) essere a tutto servizio; essere fisso **2** (*di studente*) essere interno (*in un collegio*, *ecc.*) **3** (*di un custode*, *ecc.*) avere l'alloggio di servizio.

■ **live off** **v. t.** + **prep.** **1** vivere, cibarsi, nutrirsi di (qc.) **2** vivere alle spese (*o* alle spalle) di (q.): *The invaders lived off the land*, gli invasori vivevano delle risorse del paese; *He still lives off his parents*, vive ancora alle spalle dei genitori **3** vivere di; guadagnarsi da vivere con □ (*fam.*) **to l. off the fat of the land**, avere ogni ben di Dio □ (*fam. USA*) **to l. high off the hog**, fare vita da pascià; passarsela bene.

■ **live on** **A** **v. i.** + **avv.** **1** continuare a vivere; rimanere in vita **2** (*di un'usanza*, *un ricordo*, *ecc.*) durare ancora; perdurare; sopravvivere; essere ancora vivo. **B** **v. i.** + **prep.** **1** vivere, cibarsi, nutrirsi di; alimentarsi con; (→ **to l. off**): *Bats l. on insects*, i pipistrelli si cibano d'insetti; **to l. on fruit and vegetables**, nutrirsi (*o* vivere) di frutta e verdura; (prov.) *One cannot l. on bread alone*, non si vive di solo pane **2** vivere di, guadagnarsi la vita con: **to l. on one's wages**, vivere del proprio salario **3** → **to live off**, *def.* **2** □ **to l. on air**, campare d'aria □ **to be living on borrowed time**, avere i giorni contati □ **to l. on one's name** (*o* **reputation**), vivere di rendita (*fig.*).

a b c d e f g h i j k l m n o p q r s t u v w x y z

■ **live out** A v. i. + avv. **1** vivere fuori; abitare lontano (*dal posto di lavoro*); (*di domestico: un tempo*) essere a mezzo servizio **2** (*di studente*) essere esterno B v. t. + avv. **1** passare; finire: *I'm afraid the patient won't l. out the week*, temo che il malato non passerà la settimana; **to l. out one's days in peace**, finire in pace i propri giorni, trascorrere in pace il resto della vita **2** superare (*una malattia*) **3** condurre, fare (*un certo tipo di vita*) □ **to l. out one's life**, passare la vita intera.

■ **live out of** v. i. + avv. + prep. **1** abitare fuori di; vivere lontano da **2** vivere di: **to l. out of tins**, vivere di scatolame □ (*fam.*) **to l. out of a suitcase**, vivere con la valigia in mano; essere sempre in viaggio.

■ **live over** v. i. + avv. **1** rivivere: **to l. one's life over (again)**, rivivere la propria vita **2** riandare con la memoria a; rivivere nella mente.

■ **live through** v. i. + prep. sopravvivere, scampare a; superare: *We have lived through two world wars*, siamo scampati a due guerre mondiali; *The patient won't l. through the night*, il malato non supererà la notte.

■ **live together** v. i. + avv. **1** vivere insieme **2** (*anche polit.*) convivere **3** (*leg.*) convivere; vivere «more uxorio».

■ **live up to** v. i. + avv. + prep. essere (*o vivere*) all'altezza di (*q. o qc.*); essere degno di; rispondere a: **to l. up to one's name [reputation]**, essere all'altezza del proprio nome [della propria reputazione]; **to l. up to sb.'s expectations**, rispondere alle aspettative di q.; non deludere q.

■ **live well** v. i. + avv. **1** vivere nell'agiatezza; vivere bene **2** vivere onestamente (*o rettamente*); fare una vita intemerata (*o virtuosa*).

■ **live with** v. i. + prep. **1** vivere (*o convivere*) con (q.) **2** convivere con (*un malanno, ecc.*); adattarsi, rassegnarsi a; sopportare: *Of course, I don't enjoy it, but I have to l. with it*, la cosa certo non mi diverte, ma mi ci devo adattare □ (*fam. USA*) **I can l. with it**, mi va bene; ci sto.

■ **live within** v. i. + prep. **1** vivere dentro: **to l. within the town walls**, vivere dentro le mura; vivere nel centro storico **2** vivere stando entro i limiti di (*un reddito, i propri mezzi, ecc.*).

liveable /'lɪvəbl/ → **livable**.

lived /lɪvd/ a. (nei composti, per es.:) **short-l.**, che ha vita breve; (*fig.*) (*di cosa, esperienza, moda, ecc.*) che dura poco, caduco, passeggero ● **l.-in**, (*di un ambiente*) accogliente, confortevole; (*di un viso*) da persona vissuta.

♦**live-in** /'lɪvɪn/ A a. **1** che abita (*o risiede*) nel posto di lavoro (nella città, ecc.); (*di domestico*) a tutto servizio; fisso; (*di studente*) interno **2** (*di lavoro*) che comporta l'obbligo di residenza **3** che vive (*o convive*) con q.: *John and his live-in girl-friend*, John e la ragazza che vive con lui **4** (*di custode, ecc.*) che ha l'alloggio di servizio B n. (*fam.*) convivente ● **live-in lover**, convivente.

livelihood /'laɪvlɪhʊd/ n. Ⓤ mezzi di sussistenza; sostentamento; vita: **to get one's l. from fishing**, ricavare il proprio sostentamento dalla pesca; **to earn an easy l.**, guadagnarsi la vita facilmente: *It's my l.*, lo faccio per vivere; è il mio mestiere.

liveliness /'laɪvlɪnəs/ n. Ⓤ vivacità; brio; animazione; esuberanza.

livelong /'lɪvlɒŋ/ a. (*lett.*) lungo; intero; eterno (*fig.*) ● **all the l. day**, tutto il santo giorno.

♦**lively** /'laɪvlɪ/ a. **1** vivace; vivo; vivido; brioso; animato; movimentato; energico; attivo; acceso: **a l. little girl**, una ragazzina vivace; **l. colours**, vivídi colori; **a l. imagina-**

tion, una fantasia vivace; **a l. discussion**, una discussione animata; **a l. party**, una festa movimentata **2** realistico **3** forte: **a l. breeze**, un forte vento ● **a l. boat**, una barca svelta e leggera □ **a l. mind**, un ingegno vivo; un'intelligenza acuta □ (*econ.*) **l. trade**, commercio attivo; interscambio animato □ (*fam.*) **to have a l. time**, avere un gran daffare; (*anche*) trovarsi in difficoltà □ (*fam.*) **look l.!**, muoviti!; sbrigati! □ (*fam.*) **to make it l. for sb.**, rendere la vita difficile a q.; dare del filo da torcere a q.

to liven /'laɪvn/ (*di solito* **to l. up**) A v. t. ravvivare; animare: **to l. up a party**, animare una festa B v. i. ravvivarsi; animarsi.

live-out /'laɪvaʊt/ a. **1** che non risiede nel luogo in cui lavora; che dorme fuori: **a live-out home help**, una domestica che dorme a casa sua; una domestica a mezzo servizio **2** (*di studente*) esterno **3** (*di custode, ecc.*) che non ha l'alloggio di servizio.

liver① /'lɪvə(r)/ n. **1** (*anat.*) fegato **2** (*cucina*) fegato **3** (*fam.*) mal di fegato **4** (= **l.--colour**) color marrone rossiccio ● **l.-coloured**, di color marrone rossiccio; rossastro □ (*med.*) **l. complaint**, mal di fegato, epatopatia □ (*farm.*) **l. extract**, estratto epatico □ (*med.*) **l. failure**, insufficienza epatica □ **l. sausage**, salsiccia di fegato □ (*fam. USA*) **not to be chopped l.**, non essere noccioline; essere una bella somma (di denaro).

liver ② /'lɪvə(r)/ n. chi vive in un certo modo: **an evil l.**, chi conduce una vita malvagia; **a loose l.**, chi conduce una vita dissoluta; un libertino.

liveried /'lɪvərɪd/ a. in livrea: **a l. servant**, un domestico in livrea.

liverish /'lɪvərɪʃ/ a. **1** (*fam.*) fegatoso; bilioso; astioso; rabbioso **2** (*med.*) fegatoso; epatico | **-ness** n. Ⓤ.

Liverpudlian /lɪvə'pʌdlɪən/ a. e n. (abitante *o* nativo) di Liverpool.

liverwort /'lɪvəwɜːt/ n. (*bot.*) **1** (*Marchantia polimorpha*) marcanzia **2** (*Anemone hepatica*) epatica; erba trinità; fegatella.

liverwurst /'lɪvəwɜːst/ n. (*cucina, USA*) salsiccia di fegato.

livery① /'lɪvərɪ/ n. **1** livrea: **a waiter in l.**, un cameriere in livrea **2** Ⓤ (*fig. o poet.*) veste, aspetto, aria; (*d'alberi*) fogliame; (*d'uccelli*) piumaggio **3** livrea, costume (*di una corporazione cittadina*) **4** Ⓤ stallaggio; stallatico; noleggio (*di cavalli*): **l. horse**, cavallo da noleggio **5** (*sport: ipp., autom., motociclismo*) scuderia ● **l. company**, (*stor.*) corporazione (*d'arti e mestieri*); (*ora*) associazione professionale (*ve ne sono 83, a Londra*) □ (*stor.*) **l. fine**, tassa d'iscrizione a una corporazione □ **l. servant**, domestico in livrea □ (*di cavallo*) **at l.**, tenuto nello stallaggio □ (*di domestico*) **out of l.**, in abito borghese □ (*stor.*) **to take up one's l.**, entrare a far parte d'una corporazione.

livery ② /'lɪvərɪ/ a. **1** che ha la consistenza (*o il colore*) del fegato; marrone rossiccio **2** fegatoso; bilioso; irritabile **3** (*di terreno*) tenace; duro.

liveryman /'lɪvərɪmən/ n. (pl. **liverymen**) (*stor.*) **1** membro d'una corporazione (*di Londra*) **2** membro di un'associazione professionale (*di Londra*) **3** stalliere; padrone di stallaggio.

lives /laɪvz/ pl. di **life**.

livestock /'laɪvstɒk/ n. Ⓤ **1** (*zootecnia*) bestiame; scorte vive **2** (*slang, scherz.*) pidocchi; pulci; cimici ● **l. breeder**, allevatore di bestiame □ (*econ.*) **l. products**, prodotti zootecnici.

liveware /'laɪvweə(r)/ n. Ⓤ (*comput., fam.*) il personale addetto a (*o gli operatori di*) un sistema informatico.

livid /'lɪvɪd/ a. **1** livido; bluastro: **to have l. marks on one's back**, aver segni bluastri (*o*

lividi) sulla schiena; **l. lips**, labbra livide **2** (*del cielo, ecc.*) livido; plumbeo **3** (*fam. ingl.*) livido di rabbia; furibondo; infuriato; arrabiatissimo: **to be l. with oneself**, essere infuriato con sé stesso ● **a l. bruise**, un livido; una lividura | **-ly** avv.

lividity /lɪ'vɪdətɪ/ n. Ⓤ lividezza; lividore.

living① /'lɪvɪŋ/ a. **1** vivo (*anche fig.*); vivente; contemporaneo: (*fisiol., med.*) **l. tissue**, tessuto vivo; **l. languages**, lingue vive; *He is the l. image of his mother*, è il ritratto vivente di sua madre; **a l. reality**, una viva realtà; **the greatest l. painter**, il maggior pittore contemporaneo **2** vivo; ancora in uso **3** (*di corso d'acqua*) perenne ● (*collett.*) **the l.**, i vivi ● **a l. being**, un essere vivente □ **l. coals**, carboni accesi, ardenti □ (*fam.*) **the l. daylights**, la vita: **to knock the l. daylights out of sb.**, riempire q. di botte; dare un fracco di botte a q.; **to scare the l. daylights out of sb.**, spaventare q. a morte □ **l. death**, morte apparente; (*fig.*) vita miserrima, vita dura, vitaccia □ **l. fossil**, (*zool., bot.*) fossile vivente; (*fig. fam.*) fossile (*arte*) **l. picture**, quadro vivente □ (*geol.*) **l. rocks**, rocce vive □ (*teatr.*) **l. theatre**, living theatre □ **l. water**, acqua perenne □ **in** (*o* **within**) **l. memory**, a memoria d'uomo □ **to be a l. skeleton**, essere pelle e ossa.

♦**living** ② /'lɪvɪŋ/ A n. **1** Ⓤ (il) vivere; mezzi di sussistenza (*o di sostentamento*); vita; modo di vivere: **to make** (*o* **to earn**) **one's l. as a broker**, guadagnarsi da vivere (*o la vita*) facendo il mediatore; **plain l.**, vita modesta (*o alla buona*); **standard of l.**, tenore di vita; **good l.**, vita agiata; il vivere nell'abbondanza; **right l.**, vita intemerata (*o virtuosa*) **2** (*relig.*) beneficio; prebenda B a. attr. di vita: **l. conditions**, condizioni di vita ● **l. arrangements**, soluzione abitativa; sistemazione □ (*edil.*) **l. quarters**, zona giorno (*di una casa*) □ **l. room**, (stanza di) soggiorno; tinello □ (*edil.*) **l. space**, (*polit.*) spazio vitale; (*edil.*) spazio abitabile (*o utile*) □ (*edil.*) zona giorno □ (*econ.*) **l. standard**, tenore di vita □ (*edil.*) **l. unit**, alloggio unifamiliare □ **a l. wage**, un salario sufficiente per vivere □ (*scherz.*) **It's a l.!**, bisogna pur vivere! □ **That's really l.!**, questa sì che è vita! □ **What do you do for a l.?**, che mestiere fai?

Livy /'lɪvɪ/ n. (*stor., letter.*) Livio (*Tito Livio*).

to lixiviate /lɪk'sɪvɪeɪt/ (*chim.*) v. t. lisciviare || **lixiviation** n. Ⓤ lisciviazione.

Liza /'laɪzə/ n. dim. di **Elizabeth**.

lizard /'lɪzəd/ n. **1** (*zool., Lacerta*) lucertola **2** (*volg.*) uccello (*volg.*); pene: **to drain the l.**, fare pipì; scrollarlo; farlo sgrondare.

Lizzie /'lɪzɪ/ n. **1** dim. di **Elizabeth 2** (*slang*, = **tin L.**) (*autom.*) vecchio modello della Ford; modello T; vetturetta.

LJ sigla (*leg., GB*, **Lord Justice**) Giudice della Corte d'Appello.

'll /l, əl/ contraz. di **shall** o di **will** in **I'll, you'll, he'll**, ecc.

llama /'lɑːmə/ n. (pl. **llamas, llama**) **1** (*zool., Lama glama*) lama **2** Ⓤ (*tessuto di*) pelo di lama.

LLB abbr. (*lat.*: Legum Baccalaureus) (**Bachelor of Laws**) dottore in legge (*laurea di 1° grado*).

LLD abbr. (*lat.*: Legum Doctor) (**Doctor of Laws**) dottore in legge.

Lloyd's /'lɔɪdz/ n. (*ass., naut.*) Compagnia del Lloyd (*di Londra*) ● **Lloyd's list**, bollettino (*o giornale*) del Lloyd □ **Lloyd's Register of Shipping**, registro di classificazione (*delle navi*) del Lloyd.

LNG sigla (**liquefied natural gas**) gas naturale liquefatto (GNL).

lo /ləʊ/ inter. (*arc.*) guarda!; ecco! ● (*fam.*) **lo and behold!**, quand'ecco che...

loach /ləʊtʃ/ n. (*zool.*) **1** (*Cobitis barbatula*) pesce barometro **2** (*Cobitis*) cobite (*in gene-*

re).

◆load /ləʊd/ *n.* **1** carico, peso (*anche fig.*); fardello; soma: **a l. of wood**, un carico di legna; **a lorry with a full l.**, un camion a pieno carico; **to hike a l. on one's shoulders**, caricarsi un peso sulle spalle; **to take a great l. off sb.'s mind**, togliere a q. un grosso peso dall'animo **2** (*elettr., elettron., mecc.*) carico: **l. voltage**, tensione di carico; **l. factor**, fattore di carico **3** carica (*d'un fucile, ecc.*) **4** (*comput.*) caricamento, carico; (*anche*) istruzione di caricamento **5** (*fin., market.*) ricarico; maggiorazione di prezzo **6** (*fin.*, = **front l.**) carico, sovrapprezzo (*di quota di fondo d'investimento*) **7** (*di lavatrice*) carico (*di biancheria*) **8** (*d'arma da fuoco*) carica **9** (pl.) (*fam.*) (un) sacco; (un) mucchio: **to have loads of money**, avere un sacco di quattrini; *They're selling off loads of old films*, stanno svendendo un sacco di vecchi film **10** (*slang USA*) dose di droga; buco; dera **11** (*slang USA*) sperma eiaculato **12** (*slang Austral.*) malattia venerea ● (*comput.*) **l. balancing**, bilanciamento del carico □ (*edil.*) **l.-bearing wall**, muro portante □ (*elettr.*) **l. cell**, cella di carico □ (*elettron.*) **l. circuit**, circuito di carico □ (*naut.*) **l. displacement**, dislocamento a pieno carico □ (*naut.*) **l. draught**, pescaggio a carico normale □ (*naut.*) **l. line**, linea di galleggiamento a pieno carico; marca di bordo libero □ (*elettr.*) **l. loss**, perdita a carico □ (*aeron.*) **l. master**, addetto al carico □ **l. shedding**, (*trasp.*) perdita del carico (*da un veicolo*); (*econ.*) ripartizione del carico (*con interruzioni dell'erogazione dell'energia elettrica*) □ (*slang*) **to get a l.**, fare il pieno (*bevendo alcolici*) □ (*slang*) **to get a l. of**, guardare un po'; sentire un po': *Get a l. of that car*, guarda un po' (o beccati un po') che auto! □ (*fam.*) **to get a l. off one's chest**, togliersi un peso dal cuore.

to load /ləʊd/ Ⓐ *v. t.* **1** caricare (*anche fig.*); colmare; gravare, opprimere: **to l. a cart**, caricare un carro; **to l. a ship with goods and passengers**, caricare una nave di merci e passeggeri; **to l. sb. with gifts**, colmare q. di doni; **to l. a gun**, caricare un cannone (*o una pistola*) **2** appesantire; zavorrare: **to l. with lead shot**, zavorrare qc. con pallini di piombo **3** adulterare; alterare; sofisticare: **to l. wine**, adulterare il vino **4** (*comput.*) caricare (*dati, ecc.*): **to l. a program**, caricare un programma **5** (*fin., market.*) caricare, ricaricare (*un prezzo*) **6** (*comm.: d'assicurazione sulla vita*) aggiungere un'addizionale a, maggiorare (*un premio*) **7** (*baseball*) occupare (*una base*) Ⓑ *v. i.* **1** (*anche* **to l. up**) caricare; fare un carico; essere sotto carico: *Trucks were loading*, i camion erano sotto carico **2** caricare un'arma da fuoco **3** (*d'arma*) caricarsi: *Mortars l. at the muzzle*, i mortai si caricano dalla bocca ● **to l. a camera**, caricare una macchina fotografica □ **to l. the dice**, truccare i dadi (*appesantendoli con piombo*) □ (*fig.*) **to l. the dice against [in favour of] sb.**, svantaggiare [avvantaggiare] scorrettamente q. □ **to l. down**, appesantire, sovraccaricare; zavorrare □ **to l. film into a camera**, inserire la pellicola nella macchina fotografica □ **to l. one's pipe**, caricare la pipa □ **to l. one's questions (with insinuations)**, fare domande tendenziose □ **to l. up**, caricare (*un veicolo*); caricare all'eccesso, appesantire; (*fam. USA*) imbottire (*di chiacchiere, informazioni, ecc.*); (*slang USA*) drogarsi, farsi.

loaded /ˈləʊdɪd/ *a.* **1** caricato; carico (*anche fig.*): **a cart l. with fruit**, un carretto carico di frutta: *He's l. with worries*, è carico (o pieno) di preoccupazioni **2** (*di fucile, ecc.*) carico **3** (*di un dado*) truccato **4** (*fig.*) fazioso; di parte, parziale; prevenuto: **a l. argument**, un argomento fazioso; **a l. decision**,

una decisione di parte **5** (*di una domanda, ecc.*) tendenzioso; insidioso; capzioso **6** (*di vino*) adulterato **7** (*slang*) ricco sfondato **8** (*fam. USA: di una persona*) pronto a esplodere, ad arrabbiarsi; (*di una situazione, ecc.*) esplosivo **9** (*slang USA*) sbronzo; (*anche*) drogato, sotto l'effetto della droga **10** (*slang USA: di un veicolo*) accessoriato **11** (*slang ingl.: di un giovane*) arrapato ● **l. cane** (*o* **stick**), bastone animato □ **a l. cigar**, un sigaro esplosivo (*come arma*) □ **l. price**, prezzo sovraccaricato □ (*trasp.*) **l. weight**, peso a pieno carico □ (*pop.*) **to get l. on whisky**, sbronzarsi di whisky □ **to be l. down with debts**, essere carico di debiti □ **to be l. down with work**, essere stracarico di lavoro.

loader /ˈləʊdə(r)/ *n.* **1** caricatore (*facchino o operaio*) **2** (*mil.*) calcatoio (*arnese*); (*anche*) caricatore (*addetto al caricamento del cannone*) **3** chi carica il fucile per un cacciatore (*nella caccia grossa*) **4** (*tecn.*) pala caricatrice, pala meccanica (*di una macchina per movimento terra*).

loading /ˈləʊdɪŋ/ *n.* Ⓒ **1** carico; caricamento: **l. operations**, operazioni di carico; (*trasp.*) **l. gauge**, sagoma massima ammessa per il carico **2** (*mil.*) caricamento (*di un'arma da fuoco*): **l. chamber**, camera di caricamento **3** (*chim., metall., fis. nucl.*) caricamento **4** (*comput.*) caricamento **5** (*elettr.*) carico **6** (*ind. tess., ind. cartaria*) carica **7** (*fin., market.*) ricarico; sovrapprezzo **8** (*ass.*) addizionale (*di premio*) **9** (*naut.*) carico; caricazione: **l. and unloading charges**, spese di caricazione e di discarica; **l. port**, porto di caricazione ● (*naut.*) **l. aboard**, messa (*o caricazione*) a bordo □ (*trasp.*) **l. bay**, piattaforma di carico □ (*naut.*) **l. broker**, mediatore di carichi □ (*elettr.*) **l. coil**, bobina di carico □ (*naut.*) **l. deck**, ponte d'imbarco □ (*ferr.*) **l. platform**, piano caricatore (*o di carico*) □ (*naut.*) **l. rack**, ponte di caricazione □ **l. ramp**, rampa di carico □ (*tecn.*) **l. shovel**, pala caricatrice, pala meccanica □ (*mil.*) **l. strip**, nastro, caricatore a nastro (*di mitragliatrice*) □ **l. tray**, vassoio di carico, cassetta dosatrice (*di uno stampo*); cucchiaia di caricamento (*di un cannone*).

loadstar /ˈləʊdstɑː(r)/ → **lodestar**.

loadstone /ˈləʊdstəʊn/ → **lodestone**.

loaf① /ləʊf/ *n.* (pl. **loaves**) **1** pagnotta: **a brown l.**, una pagnotta di pane scuro (*o integrale*); *I'll take this l. and two pints of milk*, prendo questa pagnotta e due pinte di latte **2** (*pane*); panetto; pane in cassetta: **sliced l.**, pane a fette **3** (*bot.*) cespo, cesto (*di lattuga, ecc.*) **4** (*slang*) testa; zucca; cervello: *Use your l.*, usa il cervello! ● **l. sugar**, zucchero in pani □ **a meat l.**, un polpettone □ **sugar l.**, pan di zucchero □ (*prov.*) **Half a l. is better than no bread**, meglio poco che niente.

loaf② /ləʊf/ *n.* Ⓤ (*fam.*) lo stare in ozio ● **to be on the l.**, essere in ozio.

to loaf /ləʊf/ Ⓐ *v. i.* (*fam.*) bighellonare; oziare; andare a zonzo; perdere tempo: **to l. at the office**, perdere tempo in ufficio Ⓑ *v. t.* (*anche* **to l. away**) sciupare, passare nell'ozio: *Don't l. your days away!*, non sciupare le tue giornate nell'ozio.

loafer /ˈləʊfə(r)/ *n.* **1** (*fam.*) bighellone; fannullone; ozioso; perdigiorno **2** (*USA*) specie di mocassino.

loam /ləʊm/ *n.* Ⓤ **1** (*agric.*) terreno franco; loam; terra grassa **2** terra grassa, argilla (*per mattoni, o da formatore*) **3** terriccio.

to loam /ləʊm/ *v. t.* **1** rivestire di argilla **2** (*agric.*) concimare (*o coprire*) con terra franca.

loaming /ˈləʊmɪŋ/ *n.* Ⓤ **1** (*ind. costr.*) rivestimento di argilla **2** (*agric.*) concimazione con terra franca.

loamy /ˈləʊmɪ/ *a.* ricco; franco; franco-ar-

gilloso: **a l. soil**, un terreno franco.

◆loan① /ləʊn/ *n.* **1** prestito; imprestito: *Can I have the l. of your motorbike for an hour?*, puoi darmi in prestito (*o prestarmi*) la tua moto per un'ora? **2** (*fin.*) prestito; mutuo; finanziamento: **long-term l.**, finanziamento a lungo termine; **to take out a l.**, fare un mutuo **3** (*ling.*) → **loanword** ● (*banca*) **l. account** = **l. on overdraft** → *sotto* □ (*banca*) **l. at call**, prestito rimborsabile a richiesta □ (*banca*) **l. business**, la concessione di mutui □ (*fin.*) **l. capital**, capitale obbligazionario (*di una società*); capitale di prestito (*arte*) □ **l. collection**, collezione (*di quadri, ecc.*) data in prestito per una mostra □ **l. company**, società di finanziamento; finanziaria □ (*leg.*) **l. for use**, (*pressappoco*) comodato □ (*fin.*) **l. holder**, detentore di obbligazioni □ **l. loss**, perdita su crediti concessi □ (*fin.*) **the l. market**, il mercato dei prestiti □ **l. on mortgage**, prestito (*o mutuo*) ipotecario □ (*banca*) **l. on overdraft**, apertura di credito mediante scoperto di conto corrente □ **l. on one's salary**, prestito sullo stipendio; cessione del quinto (*in Italia*) □ (*banca*) **l. on stock**, prestito su garanzia di titoli □ (*banca*) **l. operations**, operazioni attive □ **l. selling**, cessione di crediti □ (*fam.*) **l. shark**, usuraio; strozzino □ (*fam.*) **l. sharking**, racket dell'usura; strozzinaggio □ (*fam.*) **l. society**, associazione di credito operaio; società di mutuo soccorso (*senza fini di lucro*) □ (*sport*) **l. spell**, periodo in cui un giocatore è in prestito a una società □ (*fin.*) **l. stock**, capitale obbligazionario (*di una società*) □ (*banca*) **l. transaction**, accensione di un mutuo □ (*ling.*) **l. translation**, calco □ (*ass.*) **l. value**, valore redimibile (*o di riscatto: di una polizza*) □ (*fin.*) **to issue** (*o* **to raise**) **a l.**, emettere un prestito □ **on l.**, (*fin.*) a (*o in*) prestito; (*di un dipendente*) comandato; assegnato temporaneamente (*a un ufficio, ecc.*): (*calcio, ecc.*) **on-l. player**, giocatore in prestito.

loan② /ləʊn/ *n.* (*scozz.*) **1** viottolo **2** cortile per la mungitura.

to loan /ləʊn/ *v. t.* **1** (*spec. USA*) prestare; dare in prestito **2** (*fin.*) prestare; dare a mutuo; mutuare.

loanable /ˈləʊnəbl/ *a.* che può essere dato in prestito; (*fin.*) mutuabile.

loaner /ˈləʊnə(r)/ *n.* (*fin., spec. USA*) mutuante.

loanword /ˈləʊnwɜːd/ *n.* (*ling.*) prestito.

loath /ləʊθ/ *a.* pred. contrario; poco incline; restio; riluttante; sfavorevole: *They were l. to depart*, erano restii ad andarsene ● (*lett.*) **nothing l.**, volentieri | **-ly** avv.

to loathe /ləʊð/ *v. t.* **1** aborrire; detestare; avere a nausea; provare disgusto per; sentire ripugnanza per: *I l. having to work at the weekend*, detesto dover lavorare il fine settimana **2** (*fam.*) non poter soffrire (*una persona*): *I l. that arrogant woman*, non posso soffrire quella donna arrogante.

loathing /ˈləʊðɪŋ/ *n.* Ⓤ **1** aborrimento; disgusto; ripugnanza; ribrezzo **2** avversione, profonda antipatia (*per q.*); detestazione ‖ **loathingly** avv. con disgusto; con ripugnanza.

loathsome /ˈləʊðsəm/ *a.* **1** disgustoso;

ripugnante; ributtante; schifoso: **a l. smell**, un odore disgustoso **2** detestabile; odioso | **-ly** avv. | **-ness** n. Ⓤ.

loaves /ləʊvz/ pl. di **loaf**①.

lob /lɒb/ n. (*sport*) pallonetto; lob; palombella; parabola alta.

to **lob** /lɒb/ Ⓐ v. i. **1** (*spesso* **to lob along**) muoversi a stento; trascinarsi **2** (*sport*) fare pallonetti (*o un pallonetto*) Ⓑ v. t. **1** (*sport*) lanciare (*una palla*) in alto, a parabola **2** (*per estens.*) lanciare (*bombe a mano, ecc.*).

lobar /ˈləʊbɑː(r)/ a. (*anat.*) lobare: (*med.*) **l. pneumonia**, polmonite lobare.

lobate /ˈləʊbeɪt/ (*bot., zool.*) a. lobato ‖ **lobation** n. Ⓤ **1** formazione di lobi **2** configurazione a lobi.

♦**lobby** /ˈlɒbɪ/ n. **1** atrio; ingresso; vestibolo **2** (*polit.*) corridoio (*a Westminster ve ne sono due, per le votazioni per divisione*) (*anche*) sala per incontri con il pubblico (*alla Camera dei Comuni*) **3** (*polit.*) lobby; gruppo d'interesse; gruppo di pressione **4** (*per estens.*) campagna di pressione **5** (*di teatro*) ridotto **6** (*zootecnia*) piccolo recinto ● (*polit.*) **division l.**, corridoio per votazioni per divisione.

to **lobby** /ˈlɒbɪ/ Ⓐ v. t. **1** fare pressioni su (q.); influenzare **2** (*spesso* **to l. through**) far approvare (*una legge, ecc.*) esercitando forti pressioni Ⓑ v. i. esercitare pressioni politiche; sollecitare voti (*in favore d'una legge*): **to l. on behalf of big business interests**, esercitare pressioni per ottenere leggi favorevoli agli interessi dei grandi industriali e commercianti.

lobbying /ˈlɒbɪɪŋ/, **lobbyism** /ˈlɒbɪɪzəm/ n. Ⓤ (*polit.*) lobbismo; pressioni politiche (*in favore d'un gruppo o d'interessi particolari*).

lobbyist /ˈlɒbɪɪst/ n. (*polit.*) lobbista; faccendiere (*politico*); maneggione; intrallazzatore.

lobe /ləʊb/ n. **1** (*anat., bot.*) lobo: **ear lobe**, lobo dell'orecchio; **a brain l.**, un lobo cerebrale **2** (*elettr., mecc.*) lobo ‖ **lobed** a. **1** (*spec. bot.*) lobato **2** (*anat.*) lobare.

lobectomy /ləʊˈbektəmɪ/ n. Ⓒⓤ (*med.*) lobectomia.

lobelia /ləˈbiːlɪə/ n. (*bot., Lobelia*) lobelia.

to **lobotomize** /ləʊˈbɒtəmaɪz/ v. t. (*med.*) lobotomizzare ‖ **lobotomized** a. **1** (*med.*) lobotomizzato **2** (*fig.*) lento; tardo; stupido; tonto.

lobotomy /ləʊˈbɒtəmɪ/ n. (*med., psic.*) Ⓒⓤ lobotomia.

lobster /ˈlɒbstə(r)/ n. (pl. **lobsters**; *anche* **lobster**, def. 1 e 2) **1** (*zool., Palinurus vulgaris*; = **spiny l.**) aragosta **2** (*zool., Homarus vulgaris*) omaro; astice; gambero marino; lupicante **3** (*spreg., stor.*) soldato inglese ● (*cucina*) **l. bisque**, zuppa d'aragosta □ **l.-eyed**, che ha occhi sporgenti □ **l. pot**, nassa per aragoste □ **as red as a l.**, rosso come un gambero □ (*fam. USA, spec. giorn.*) **l. shift**, turno di notte.

lobule /ˈlɒbjuːl/ n. (*anat., biol.*) lobulo ‖ **lobular** a. lobulare; (*a forma*) di lobulo.

lobworm /ˈlɒbwɜːm/ n. **1** (*zool., Arenicola*) arenicola **2** (*pesca*) lombrico (*usato come esca*).

♦**local** /ˈləʊkl/ Ⓐ a. **1** locale; del luogo; del posto; del quartiere: **l. customs**, consuetudini (*o usi*) locali; **l. government**, amministrazione locale; **l. the doctor**, il dottore del luogo; **a l. train**, un treno locale; **l. line**, linea (*d'autobus, ecc.*) locale; **l. rates**, imposte locali **2** d'interesse locale: **l. news**, notizie d'interesse locale (*o di cronaca cittadina*) **3** tipico; caratteristico: (*cucina*) **a l. dish**, un piatto tipico **4** campanilistico; limitato; ristretto: **l. outlook**, vedute ristrette **5** (*gramm.*) di luogo; locativo: **a l. adverb**, un avverbio di luogo **6** (*med.*) localizzato; locale: **l. anaesthesia**, anestesia locale Ⓑ n. **1**

treno (*o autobus*) locale **2** notizia d'interesse locale (*o di cronaca cittadina*) **3** dottore (*o avvocato, ecc.*) del luogo **4** predicatore del luogo **5** (*fam.*) pub della zona; locale pubblico che uno frequenta **6** (*spesso* pl.) persona del luogo: **one of the locals**, uno del luogo **7** (*USA*) sezione locale di un sindacato **8** (*med.*) anestetico locale ❶ **FALSI AMICI** • local *non indica un generico* locale *pubblico* ● (*scritto sulla busta d'una lettera*) «**local**», «città» □ (*in GB*) **l. authority**, ente locale (*consiglio comunale, di contea, ecc.*) □ (*telef.*) **l. call**, chiamata (*o telefonata*) urbana □ (*elettr.*) **l. cell**, cella galvanica □ **l. colour**, colore locale □ (*sport: calcio*) **the l. derby**, il derby cittadino; il derby □ **l. elections**, elezioni amministrative □ **l. council elections**, elezioni comunali □ (*sport*) **the l. favourite**, il favorito di casa □ (*in GB*) **l. loan**, mutuo di ente locale □ **l. newspaper**, giornale locale □ (*autom.*) **l. service area**, area di servizio □ (*comm.*) **l. terms**, condizioni della piazza □ **l. time**, ora locale.

locale /ləʊˈkɑːl/ n. **1** luogo; località **2** (*noto, o d'interesse*) **2** ambientazione; scena (*fig.*): *Rome is the l. of the play*, Roma è la scena del dramma; il dramma è ambientato a Roma.

localism /ˈləʊkəlɪzəm/ n. **1** Ⓤ attaccamento alla propria regione o luogo di provenienza; campanilismo **2** (*spreg.*) campanilismo; provincialismo **3** (*ling.*) idiotismo (*di una regione*); regionalismo.

locality /ləʊˈkælətɪ/ n. località; luogo; posto; zona ● **to have a good sense of l.**, avere una buona memoria locale; avere uno spiccato senso dell'orientamento.

localizable /ˈləʊkəlaɪzəbl/ a. localizzabile; identificabile; circoscrivibile.

localization /ləʊkəlaɪˈzeɪʃn, USA -lɪˈz-/ n. Ⓤ (*anche psic., comput.*) localizzazione.

to **localize** /ˈləʊkəlaɪz/ Ⓐ v. t. **1** (*form.*) localizzare; circoscrivere; limitare **2** (*tecn.*) localizzare: (*med.*) **localized peritonitis**, peritonite localizzata **3** (*comput.*) localizzare **4** (*raro*) dare un colore locale a (qc.) Ⓑ v. i. (*med., tecn.*) localizzarsi.

localizer /ˈləʊkəlaɪzə(r)/ n. **1** (*med.*) localizzatore **2** (*aeron.*) radiolocalizzatore (*di pista d'atterraggio*).

♦**locally** /ˈləʊkəlɪ/ avv. **1** localmente **2** nelle vicinanze; in zona: *They live l.*, abitano nelle vicinanze; *There are no pubs l.*, non ci sono pub nella zona.

locatable /ləʊˈkeɪtəbl/ a. localizzabile; individuabile.

♦to **locate** /ləʊˈkeɪt, USA ˈləʊkeɪt/ Ⓐ v. t. **1** individuare (*la posizione, il luogo di*); localizzare; riconoscere la posizione di; trovare: **to l. a fault**, localizzare un guasto; *They soon located the camp*, riuscirono presto a individuare l'accampamento; **to l. a river on a map**, trovare un fiume su una cartina geografica **2** ubicare; collocare; fissare; situare; stabilire: *Where shall we l. our new office?*, dove stabiliremo il nostro nuovo ufficio? **3** (*ind. min.*) picchettare (*una concessione*) Ⓑ v. i. (*USA*) stabilirsi (*in un luogo*) ● **to be located**, essere situato (*o ubicato*); trovarsi: *His offices are located on the fifth floor*, i suoi uffici si trovano al quinto piano.

located /ləʊˈkeɪtɪd/ a. ubicato; sito; situato.

♦**location** /ləʊˈkeɪʃn/ n. **1** posizione; posto; sito (*lett.*): **a suitable l. for a supermarket**, un posto adatto per costruirvi un supermercato **2** ubicazione; localizzazione; (*econ.*) **the l. of industry**, la localizzazione dell'industria **3** (*form.*) sede: *Our competitors have moved to a new l.*, i nostri concorrenti si sono trasferiti in una sede nuova **4** Ⓤ (*anche mil.*) localizzazione (*del nemico, ecc.*) **5** (*comput.*) posizione (*o indirizzo*) di memo-

ria **6** Ⓤ (*cinem.*) set all'aperto, esterni: (*di un film*) **shot on l. in Spain**, girato in esterni in Spagna **7** (*in Sud Africa, stor.*) quartiere urbano per soli neri **8** (*leg.*) (*in Scozia, in Italia, ecc.*) locazione **9** luogo di conservazione (*di documenti, titoli, ecc.*) **10** (pl.) (*spec. USA*) località (pl.); luoghi, posti (*da visitare, ecc.*) ❶ **FALSI AMICI** • location *non significa* locazione.

locative /ˈlɒkətɪv/ a. e n. (*gramm.*) (caso) locativo.

locator /ləʊˈkeɪtə(r)/ n. **1** (*econ.*) localizzatore **2** (*leg.*) (*in Scozia, in Italia, ecc.*) locatore.

loc. cit. abbr. (*lat.: loco citato*) (**in the place** (**already**) **cited**) nel passo citato (*di un testo*) (loc. cit.).

loch /lɒk/ n. (*scozz.*) **1** lago **2** stretto braccio di mare; fiordo.

lock① /lɒk/ n. **1** ricciolo; riccio; ciocca (*di capelli*) **2** fiocco, bioccolo (*di lana, ecc.*).

♦**lock**② /lɒk/ n. **1** serratura (*di porta, cassetto, ecc.*): **double l.**, serratura a doppia mandata **2** (= **breechblock**; *d'arma da fuoco*) otturatore **3** (*di fiume, canale, ecc.*) chiusa; diga; (*di canale navigabile*) conca **4** (*mecc.*) blocco; bloccaggio; fermo; sicura **5** (*mecc.*) blocco; arresto; grippaggio; inceppamento **6** (*autom.*) angolo di sterzata **7** (*sport: lotta*) chiave; immobilizzazione **8** (*rugby* = **lock forward**) seconda linea (*il giocatore*) **9** (*slang USA*) persona o cosa sicura; (una) certezza ● (*fin.*) **l.-away**, titolo di cassetta (*da tenere a lungo*) □ **l. chain**, catena per bloccare le ruote d'un veicolo □ **l. cutting**, riproduzione (*o il fare repliche*) di serrature □ (*rugby*) **l. forward** = def. 8 → *sopra* □ **l. gate**, serranda di chiusa; cateratta □ **l.-in**, protesta con asserragliamento dei posti di lavoro (*o nelle celle*: *da parte di carcerati che si rifiutano di uscire*); (*elettron.*) agganciamento □ **l.-keeper** → **locksman** □ **l. manufacturer**, fabbricante di serrature e lucchetti □ **l.-picking** → **lockpicking** (*elettron.*) **l.-on** → **l.-in** □ (*cucito*) **l. stitch**, punto a filo doppio (*di macchina da cucire*) □ (*fig.*) **l., stock, and barrel**, in blocco; completamente □ **l.-up**, ora di chiusura; (*fam.*) guardina, camera di sicurezza; (*comput.*) blocco; (*fin.*) immobilizzazione, immobilizzo, investimento (*di denaro*) □ (*edil.*) **l.-up garage**, garage individuale; box □ (*fin.*) **l.-up investment**, investimento di cassetta □ **a l.-up shop**, un negozio che viene chiuso dal di fuori la sera (*il padrone abita altrove*) □ (*mecc.*) **l. washer**, rosetta (*o rondella*) di bloccaggio □ (*mecc.: di macchina*) **in the l. position**, in posizione di arresto □ **under l. and key**, (*di un oggetto*) sotto chiave; (*fig.*) al sicuro; (*anche*) in prigione, in gattabuia: **life under l. and key**, la vita in carcere; la vita del carcerato.

♦to **lock** /lɒk/ Ⓐ v. t. **1** chiudere (*una porta, un baule, ecc.*) a chiave; serrare; sprangare: *L. the door!*, spranga la porta! **2** chiudere (*anche fig.*); rinchiudere; racchiudere; circondare: *He was locked in his bedroom*, era chiuso (a chiave) in camera; *The fields were locked by steep hills*, i campi erano circondati da colline scoscese **3** allacciare; collegare; congiungere **4** (*mecc.*) bloccare; (*aeron.*) **to l. the controls**, bloccare i comandi di **5** abbracciare; abbrancare; avvinghiare; stringere; (*lotta*) **to l. one's opponent**, avvinghiare l'avversario **6** provvedere (*un canale, ecc.*) di chiuse (*o di conche*) **7** (*comput.*) bloccare (*un sistema, un computer*) Ⓑ v. i. **1** avere la serratura; chiudersi (a chiave): *Does this door l.?*, si chiude (a chiave) questa porta? **2** serrarsi; stringersi: *His arms locked round the giant's neck*, le sue braccia si serrarono intorno al collo del gigante **3** (*mecc.: per es., d'ingranaggi*) bloccarsi; incepparsi; grippare **4** allacciarsi; congiungersi **5** (*autom.*) avere un certo angolo di

sterzata **6** (*mil.*) marciare a ridosso (*della prima fila*) ● **to l. horns**, (*di animali*) dar di cozzo l'un l'altro, fare a cornate; (*fig.*) scornarsi, scontrarsi (*con q.*) □ (*modo prov.*) **to l. the stable door after the horse has bolted** (*o* **has been stolen**), chiudere la stalla dopo che i buoi sono scappati.

■ **lock away** v. t. + avv. **1** chiudere (qc.) in cassaforte; mettere (*preziosi, denaro, ecc.*) sotto chiave **2** rinchiudere (q.) in prigione (*o in manicomio*): *He's crazy; he ought to be locked away*, è proprio matto; è da rinchiudere! **3** serbare, tenere per sé (*un ricordo, ecc.*).

■ **lock down** A v. t. + avv. chiudere (qc.) tirando giù B v. i. + avv. chiudersi, restare chiuso e abbassato: *The steel bollard locks down flush with the pavement*, il pilastrino d'acciaio, quando è chiuso, resta a livello del marciapiede.

■ **lock in** v. t. + avv. chiudere a chiave; rinchiudere: *The cat has been locked in for hours*, il gatto è rimasto chiuso in casa per ore □ **to l. oneself in**, chiudersi dentro (*per sbaglio*); rimanere chiuso dentro □ **to be locked in**, (*di un paese*) non avere accesso al mare; (*di denaro*) essere immobilizzato (*o* vincolato).

■ **lock into** v. i. + prep. (*mecc.*) ingranare con.

■ **lock on** A v. t. + avv. (*ferr.*) agganciare (*vagoni*) B v. t. + prep. (*ferr.*) agganciare a (*un locomotore, ecc.*) C v. i. + avv. (*ferr.*) (*di vagoni*) agganciarsi.

■ **lock on to** A v. i. + avv. + prep. **1** (*ferr., miss.*) agganciarsi con (*il locomotore, una stazione orbitale, ecc.*) **2** (*del radar*) localizzare **3** (*mil.*: *di un missile*) localizzare e inseguire (*un bersaglio mobile: per distruggerlo*); inquadrare: *We deployed countermeasures and so the missile failed to l. on to us*, lanciammo le nostre contromisure e così il missile non riuscì a inquadrarci **4** (*fig.*) abbrancare (q.); tenere agganciato (q.): *My mother-in-law locked onto me for over an hour*, mia suocera mi ha tenuto agganciato per un'ora buona B v. t. + prep. (*ferr., miss.*) agganciare (*vagoni, un'astronave*) a □ (*mil.*: *di un missile, un radar*) **to fail to l. on to a moving target**, perdere (*o farsi sfuggire*) un bersaglio mobile.

■ **lock out** v. t. + avv. **1** chiudere (q.) fuori; non fare entrare (q.) **2** (*econ.*) attuare una serrata contro (*operai, ecc.*) □ **to l. oneself out**, chiudersi fuori; restare fuori casa.

■ **lock together** A v. t. + avv. incastrare insieme: *Four cars were locked together in the accident*, nell'incidente quattro macchine rimasero incastrate l'una nell'altra B v. i. + avv. (*dei denti, ecc.*) serrarsi: *My teeth locked together in pain*, strinsi i denti per il dolore □ **to be locked together**, (*di lottatori*) essere avvinghiati; (*di innamorati*) essere allacciati (*o strettamente abbracciati*).

■ **lock up** A v. t. + avv. **1** mettere (*o tenere*) sotto chiave; mettere (*o tenere*) in cassaforte; chiudere (*o tenere chiuso*) (q. *o* qc.) a chiave **2** → **lock away**, *def. 2* **3** → **lock away**, *def. 3* **4** racchiudere: *An enormous amount of energy is locked up in atoms*, negli atomi è racchiusa una quantità enorme di energia **5** (*fin.*) immobilizzare, impegnare, investire (*capitali, ecc.*): *Most of my money is locked up in gilts*, la maggior parte del mio denaro è investita in titoli di stato **6** (*del ghiaccio*) bloccare (*un porto*) B v. i. + avv. chiudere bene; chiudere casa per bene □ **to l. oneself up**, chiudersi a chiave (*deliberatamente*); (*fig.*) isolarsi (dal mondo) □ **to l. up and throw away the key**, rinchiudere q. e buttare via la chiave.

lockable /ˈlɒkəbl/ a. che si può chiudere a chiave.

lockage /ˈlɒkɪdʒ/ n. ⓤ **1** passaggio d'una chiusa (*o* d'una conca) **2** sistema di chiuse

(*o* di conche: *in un canale*) **3** (*naut.*) diritti di passaggio d'una chiusa (*o* di una conca).

locker /ˈlɒkə(r)/ n. **1** chi chiude a chiave, ecc. (→ **to lock**) **2** armadietto metallico (*con serratura*) **3** (*naut.*) bauletto; cassone **4** (*USA*) scomparto per alimenti surgelati ● (*USA*) **l. room**, spogliatoio (*di palestra, ecc.*).

locket /ˈlɒkɪt/ n. medaglione (*che si porta appeso al collo*).

lockfast /ˈlɒkfɑːst/ a. chiuso a chiave.

locking /ˈlɒkɪŋ/ n. ⓤ **1** (*mecc.*) bloccaggio **2** (*radar*) localizzazione **3** (*autom.*) chiusura: **central l.**, chiusura centralizzata ● (*mecc.*) **l. fastener**, elemento di bloccaggio □ (*fin.*) **l.-up**, immobilizzazione, immobilizzo (*di capitali*)

lockjaw /ˈlɒkdʒɔː/ n. (*med., fam.*) **1** trisma **2** tetano.

locknut /ˈlɒknʌt/ n. (*mecc.*) **1** controdado **2** dado autobloccante.

lockout /ˈlɒkaʊt/ n. **1** (*econ.*) serrata **2** (*tecn.*) chiusura, esclusione (*di contatti elettrici, ecc.*).

lockpicking /ˈlɒkpɪkɪŋ/ n. ⓤ infrazione (della serratura); scasso.

locksman /ˈlɒksmən/ n. (pl. **locksmen**) guardiano di chiusa; addetto a una conca.

locksmith /ˈlɒksmɪθ/ n. magnano; chiavaio; fabbro per serrature.

locksmithing /ˈlɒksmɪðɪŋ/ n. ⓤ (*arte della*) fabbricazione di serrature e relative chiavi.

lockup /ˈlɒkʌp/ n. = **lock-up** → **lock**②.

loco① /ˈləʊkəʊ/ n. (pl. **locos**) (abbr. *fam.* di **locomotive**) locomotiva.

loco② /ˈləʊkəʊ/ n. (pl. **locoes, locos**) **1** (*bot., Astragalus*; = **locoweed**) astragalo **2** ⓤ (*vet.*, = **l. disease**) avvelenamento da astragalo.

loco③ /ˈləʊkəʊ/ (*spagn.*) a. e n. (*slang USA*) pazzo; matto ● **to drive sb. l.**, far impazzire q.

locomobile /ˈləʊkəməbiːl/ A a. semovente B n. (veicolo) semovente.

locomotion /ˌləʊkəˈməʊʃn/ n. ⓤ locomozione.

locomotive /ˌləʊkəˈməʊtɪv/ A n. **1** (*ferr.*) locomotiva; locomotore **2** (*biol.*) animale capace di locomozione B a. **1** (*tecn.*) locomotivo; semovente **2** (*scient.*) locomotore; locomotorio: **l. faculty**, facoltà locomotoria ● (*ferr.*) **l. crane**, gru (ferroviaria) semovente □ **l. engine**, una locomotiva □ (*ferr.*) **l. gradient**, pendenza massima superabile □ (*fisiol., zool.*) **the l. organs**, l'apparato locomotore □ (*ferr.*) **diesel-electric l.**, motrice diesel.

locomotor /ˌləʊkəˈməʊtə(r)/ A a. locomotore, locomotorio: (*zool.*) **l. system**, sistema locomotore; (*med.*) **l. ataxy**, atassia locomotoria B n. cosa (*o* persona) capace di locomozione.

locoweed /ˈləʊkəʊwiːd/ n. **1** (*bot.*) → **loco**②, *def. 1* **2** ⓤ (*slang USA*) erba; marijuana.

loculus /ˈlɒkjʊləs/ n. (pl. **loculi**) **1** loculo (*di catacomba*) **2** (*bot., zool.*) alveolo ‖ **locular** a. (*bot., zool.*) alveolare.

locum /ˈləʊkəm/ n. (*fam.*) → **locum tenens**.

locum tenens /ˌləʊkəmˈtɛnɛnz/ (*lat.*) loc. n. (pl. **locum tenentes**) facente funzione; sostituto; (*medico*) interino ● **to act as locum tenens for sb.**, sostituire q.; rimpiazzare q.

locus /ˈləʊkəs/ n. (pl. **loci**) **1** località **2** (*geom.*) luogo geometrico **3** (*letter.*) passo **4** (*genetica*) locus ● (*lett.*) **l. classicus**, citazione classica; passo arcinoto.

locust /ˈləʊkəst/ n. **1** (*zool., Locusta, Pachytylus*) locusta; cavalletta **2** (*bot., Ceratonia siliqua*; = **l. tree**) carrubo **3** (*bot., Robinia pseudo-acacia*; = **l. tree**) robinia **4** (*bot., Gle-*

ditsia triacanthos; = **l. tree**) spino di Giuda **5** (*zool., USA*) → **cicada** ● **l. bean**, carruba □ (*fig.*) **l. years**, anni di privazioni (*o* di stenti); anni magri.

locution /ləˈkjuːʃn/ n. ⓤ (*raro*) elocuzione; eloquio **2** locuzione; modo di dire ‖ **locutionary** a. (*ling.*) locutorio.

locutory /ˈlɒkjʊtərɪ/ n. **1** parlatorio (*spec. di monastero*) **2** grata (*o* inferriata) di parlatorio.

lode /ləʊd/ n. **1** (*geol.*) fessura mineralizzata **2** (*ind. min.*) filone a vene parallele **3** (*fig.*) filone.

loden /ˈləʊdən/ (*ted.*) n. ⓤ (*ind. tess.*) loden **2** (= **l. coat**) loden (*il cappotto*).

lodestar /ˈləʊdstɑː(r)/ n. **1** (*astron.*) stella che segna il cammino; stella polare **2** (*fig.*) principio informatore; principio guida; modello.

lodestone /ˈləʊdstəʊn/ n. **1** ⓤ (*miner.*) magnetite **2** magnete naturale **3** (*fig.*) calamita; potente attrazione; persona affascinante.

lodge /lɒdʒ/ n. **1** casetta; casotto; casino; chalet: **the caretaker's l.**, la casetta del custode (*d'una villa con parco*); **a hunting l.**, un casino (*o* padiglione) di caccia **2** (= **porter's l.**) portineria (*di collegio, condominio, ecc.*) **3** loggia (*massonica*): **the grand l.**, la grande loggia **4** tana (*di castoro, lontra, ecc.*) **5** (*USA*) tenda (*o* capanna) di pellirosse; (*fig.*) famiglia (di indiani) **6** (*USA*) villetta **7** (*USA*) edificio dei servizi (*di un campeggio*).

to lodge /lɒdʒ/ A v. t. **1** alloggiare; ospitare; sistemare: *The refugees were lodged in camps*, i profughi furono sistemati in campi d'accoglienza **2** prendere (q.) a pensione, come pensionante: **to l. students**, prendere studenti a pensione **3** (*di casa*) dare alloggio a; ospitare **4** piantare (*una freccia, una pallottola*): **to l. a bullet into the wall**, piantare un proiettile nel muro **5** (*fin.*) collocare; mettere; depositare: **to l. money in a bank**, depositare il proprio denaro in banca **6** affidare; depositare: **to l. a document with sb.**, affidare un documento a q. **7** (*leg.*) presentare: **to l. a complaint [an accusation]**, presentare un reclamo [un'accusa] **8** (*del vento, della pioggia*) allettare (*il grano, ecc.*) B v. i. **1** alloggiare; abitare; stare: **to l. with friends**, stare in casa di amici **2** essere (*o* stare) a pensione: *You can l. with your uncle*, puoi stare a pensione dallo zio **3** conficcarsi; piantarsi: *The bullet lodged in his arm*, la pallottola gli si piantò nel braccio **4** (*sport: della palla*) finire; insaccarsi ● (*leg.*) **to l. an appeal**, interporre appello; presentare ricorso □ **to l. a petition**, presentare un'istanza (*o* una petizione) □ (*form.*: *di un potere, un diritto, ecc.*) **to be lodged in**, essere riposto in; essere pertinenza di.

lodgement /ˈlɒdʒmənt/ n. **1** (*raro*) alloggio; alloggiamento **2** ⓤ (*leg.*) presentazione: **the l. of a complaint**, la presentazione d'un reclamo **3** accumulo; deposito; ingorgo; intasamento **4** ⓤ⒞ (*fin.*) deposito; versamento (*in banca*) **5** (*mil.*) posizione saldamente tenuta.

lodger /ˈlɒdʒə(r)/ n. pensionante; pigionante; inquilino ● **to take in lodgers**, fare l'affittacamere.

lodging /ˈlɒdʒɪŋ/ n. **1** ⓤⒸ alloggio; sistemazione; ospitalità: **l. for the night**, trovare alloggio per la notte **2** (*bot.*) allettamento (*di piante*) **3** (pl.) appartamento, camera d'affitto (*ammobiliati*) ● **l. house**, casa con camere d'affitto; pensione □ **l. house keeper**, affittacamere.

loess /ˈləʊɛs/ n. ⓤ (*miner.*) loess (*terriccio marnoso molto fertile*).

lofar /ˈləʊfɑː(r)/ n. (acronimo di **low-frequency acquisition and ranging**) (*naut., mil.*) lofar (*dispositivo antisommergibile*).

lo-fi /'ləʊfaɪ/ → **low-fi**.

loft /lɒft/ n. **1** soffitta; solaio; sottotetto: **l. ladder**, scala (retrattile, ecc.) per sottotetto **2** (agric.) fienile **3** piccionaia **4** (archit.) balconata, galleria (in chiese, ecc.): **choir l.**, galleria del coro; cantoria **5** (ind.) area di lavoro **6** (USA) magazzino **7** (USA) loft; magazzino o altro locale trasformato in appartamento **8** (sport) elevazione ● (edil.) **l. conversion**, trasformazione di una soffitta in attico.

to **loft** /lɒft/ v. t. **1** mettere in soffitta (o in solaio) **2** tenere (piccioni) in piccionaia **3** (miss.) lanciare (razzi, satelliti, ecc.) **4** (sport) alzare (la palla) a parabola (o a campanile) ● **lofted pass**, passaggio a parabola; parabola corta.

lofter /'lɒftə(r)/ n. (sport) **1** (pallavolo) alzatore **2** (golf) «lofter» (ferro dalla testa piatta e incavata).

lofty /'lɒftɪ/ a. **1** (lett.) alto; elevato; eccelso; superbo: **l. buildings**, alti edifici; **l. peaks**, vette eccelse **2** nobile; alto; elevato; sublime: **l. ideals**, alti ideali; **l. thoughts**, pensieri elevati **3** altezzoso; dall'aria superiore: **a l. smile**, un sorriso altezzoso || **loftily** avv. **1** con imponenza; superbamente **2** nobilmente; in modo sublime **3** altezzosamente; con aria di superiorità || **loftiness** n. □ **1** altezza; elevatezza; imponenza **2** grandezza; nobiltà; sublimità **3** (fig.) altezzosità; superiorità.

♦**log**① /lɒg/ ◢ n. **1** tronco (d'albero, grezzo o squadrato); ceppo; ciocco: **log chute**, scivolo per tronchi d'albero **2** (naut.) solcometro; misuratore della velocità: **to heave** (o **to stream, to throw**) **the log**, gettare (o filare) il solcometro **3** (naut., aeron.; = **logbook**) giornale di bordo **4** (per estens.) libretto, registro (d'immatricolazione, ecc.) **5** (comput.) log (file su cui si registrano gli eventi): **log file**, file di log **6** (geol.) carotaggio geofisico ◣ a. attr. di tronchi: **a log cabin**, una capanna di tronchi d'albero ● (USA) **log jam** → **logjam** □ (naut.) **log line**, sagola del solcometro □ **log rolling** → **logrolling** □ **to fall like a log**, cadere pesantemente □ **to float** [**to lie**] **like a log**, galleggiare [star lì] come un pezzo di legno □ (nelle favole) **King Log**, il re Travicello □ **to sleep like a log**, dormire come un ghiro (o un sasso) □ (prov.) **Roll my log and I'll roll yours**, una mano lava l'altra; do ut des.

log② /lɒg/ n. (mat., abbr. di **logarithm**) logaritmo.

to **log** /lɒg/ ◢ v. t. **1** abbattere, tagliare (alberi per ricavarne legname) **2** (naut., aeron.) annotare, registrare (fatti) nel giornale di bordo **3** (naut., aeron.) fare, totalizzare, coprire (una distanza); fare, filare (un certo numero di nodi); viaggiare alla velocità di: The new pilot hasn't logged many hours of flying time, il nuovo pilota non ha totalizzato molte ore di volo **4** tagliare gli alberi in (un bosco, una zona, ecc.) **5** (comput.) registrare (gli eventi) in ordine cronologico **6** (geol.) fare il carotaggio geofisico di (una zona) ◣ v. i. fare legname; tagliare e trasportare tronchi.

■ **log in** v. i. + avv. (comput.) accedere a; connettersi; collegarsi; registrarsi.

■ **log into** v. i. + prep. (comput.) entrare in: **to log into a computer**, entrare nella memoria di un computer.

■ **log off** v. i. + avv. (comput.) disconnettersi; chiudere una sessione.

■ **log on** v. i. + avv. (comput.) → **log in**.

■ **log out** v. i. + avv. **1** (tur.) registrare la propria partenza (da un albergo, ecc.) **2** (comput.) → **log off**.

■ **log up** v. i. + avv. **1** (naut., aeron.) compiere, fare, totalizzare (un certo numero di miglia, di viaggi o di ore di volo) **2** (fam., spec. sport) ottenere, realizzare (un certo numero di vittorie); fare (un certo numero di gol).

loganberry /'lɔːgənbrɪ/ n. (bot., Rubus ursinus loganobaccus) «loganberry» (la pianta e il frutto edule).

logarithm /'lɒgərɪðəm/ n. (mat.) logaritmo.

logarithmic /lɒgə'rɪθmɪk/ a. (mat.) logaritmico: **l. spiral**, spirale logaritmica ● **l. function**, funzione logaritmica.

logbook /'lɒgbʊk/ → **log**①, ◢, def. 3 e 4.

logger /'lɒgə(r)/ n. boscaiolo; taglialegna.

loggerhead /'lɒgəhɛd/ n. **1** mestolo usato per sciogliere catrame, pece, ecc. **2** (zool., Caretta caretta) caretta; (Macrochelys temmincki) testuggine alligatore; (Chelydra serpentina) testuggine azzannatrice ● **to be at loggerheads with sb.**, essere in disaccordo (o in lite, ai ferri corti) con q.

loggia /'lɒʊdʒə/ n. (pl. **loggias, loggie**) (archit.) **1** loggia **2** galleria; balconata.

logging /'lɒgɪŋ/ n. □ **1** abbattimento di alberi (per ricavarne legname); taglio e trasporto di tronchi d'albero **2** (comput.) registrazione cronologica (di eventi) ● **a l. camp**, un accampamento di boscaioli.

loghead /'lɒghɛd/ (fam.) n. testa di legno; testone; zuccone || **logheaded** a. stupido; tonto; cretino.

logic /'lɒdʒɪk/ ◢ n. □ **1** (filos.) logica (anche fig.): **the l. of facts**, la logica dei fatti **2** (mat.) operazioni logiche; logica: **computer l.**, le operazioni logiche di un elaboratore; logica di macchina **3** (fam.) senso (comune): There's no l. in smoking, non ha senso fumare ◣ a. attr. logico: **a l. element**, un elemento logico (comput.) **l. bomb**, bomba logica □ (comput.) **l. file**, file logico □ (comput.) **l. gate**, porta logica □ (di un argomento, ecc.) **to defy l.**, essere del tutto illogico; fare a pugni con la logica.

♦**logical** /'lɒdʒɪkl/ a. **1** (filos.) logico: **a l. inference**, una deduzione logica **2** logico; razionale; ragionevole: **a l. outcome**, una conseguenza logica ● (comput.) **l. error**, errore logico □ **to have a l. mind**, saper ragionare; avere raziocinio || **logicality** n. □ logicità || **logically** avv. **1** (filos.) logicamente **2** logicamente; a fil (o a rigor) di logica.

logician /lə'dʒɪʃn/ n. **1** (filos.) logico; esperto di logica **2** buon ragionatore.

logicism /'lɒdʒɪsɪzəm/ (filos.) n. □ logicismo || **logicist** n. logicista.

logie /'lɒʊgɪ/ n. (teatr.) gioiello di scena.

login /'lɒgɪn/ n. (comput.) login; registrazione per l'accesso; connessione.

logistic, logistical /lə'dʒɪstɪk(l)/ a. (anche mil.) logistico | **-ally** avv.

logistics /lə'dʒɪstɪks/ n. pl. (col verbo al sing.) (mil., ind.) logistica.

logjam /'lɒgdʒæm/ n. **1** ingorgo (o intasamento) di tronchi (fatti scendere lungo un fiume) **2** (fig. spec. USA) impasse; intoppo; ostacolo; punto morto.

logo /'lɒʊgəʊ/ n. (pl. **logos**) (abbr. di **logotype**) (comm.) logo, logotipo || **logoed** a. provvisto di un logo.

logoff /'lɒgɒf/ n. (comput.) disconnessione; chiusura di una sessione; uscita.

logogram /'lɒgəʊgræm/ n. **1** (ling., stenografia) logogramma **2** → **logograph**.

logograph /'lɒgəʊgrɑːf/ → **logogram**.

logography /lə'gɒgrəfɪ/ (letter. greca) n. □ logografia || **logographer** n. logografo; mitografo.

logomachy /lə'gɒməkɪ/ n. □ (lett.) logomachia.

logon /'lɒgɒn/ n. (comput.) → **login**.

logopathia /lɒgə'pæθɪə/ (med.) n. logopatia || **logopathic** a. logopatico.

logopedics /lɒgə'piːdɪks/ n. pl. (col verbo al sing.) (med.) logopedia.

logorrhoea, (USA) logorrhea /lɒgə'riːə/

(psic. e fig.) n. □ logorrea || **logorrhoeic, (USA) logorrheic** a. logorroico.

logos /'lɒgɒs/ n. (pl. **logoi**) (filos.) logos.

Logos /'lɒgɒs/ n. (relig.) Logos; il Verbo.

logotype /'lɒgəʊtaɪp/ n. **1** (tipogr.) logotipo **2** (comm.) logotipo; logo; marchio; acrostico, sigla (di un'azienda o società).

logout /'lɒgaʊt/ n. (comput.) → **logoff**.

to **logroll** /'lɒgrəʊl/ v. i. **1** (dei taglialegna) far rotolare tronchi galleggianti standovi sopra in piedi; (anche) stare sopra in equilibrio, per gioco **2** (polit., USA) scambiarsi favori; praticare il do ut des; accordarsi nelle votazioni ● (USA) **to l. through**, fare approvare (una legge) con accordi di scambio di voti tra partiti o parlamentari diversi.

logrolling /'lɒgrəʊlɪŋ/ n. **1** trasporto dei tronchi tagliati **2** (sport) rotolamento di tronchi galleggianti (→ **to logroll**) **3** (fam.) scambio di favori; do ut des **4** (polit., USA) accordi (più o meno leciti) nelle votazioni.

logwood /'lɒgwʊd/ n. **1** (bot., Haematoxylon campechianum) campeggio **2** □ legno di campeggio.

logy /'lɒʊgɪ/ a. (fam. USA) **1** fiacco; debole; lento a muoversi; pesante **2** assonnato; intontito.

loid /lɔɪd/ n. (slang) pezzetto di plastica rigida (per forzare serrature).

to **loid** /lɔɪd/ v. t. (slang) forzare (serrature) con un pezzetto di plastica.

loin /lɔɪn/ n. **1** (anat.; di solito al pl.) lombo **2** □ (d'animale macellato) lombata; lombo; lonza ● (fig., lett.) **fruit of** (o **sprung from**) **one's loins**, frutto dei (o disceso dai) propri lombi □ (fig.) **to gird up one's loins**, accingersi con grande energia a un'impresa; rimboccarsi le maniche.

loincloth /'lɔɪnklɒθ/ n. perizoma.

to **loiter** /'lɔɪtə(r)/ v. i. **1** bighellonare; ciondolare; gironzolare; oziare **2** attardarsi; indugiare: **to l. on the way**, attardarsi strada facendo ● (leg. ingl.) **to l. with intent**, aggirarsi con fare sospetto || **loiterer** n. bighellone, bighellona; fannullone, fannullona; perditempo || **loitering** n. □ (leg.) vagabondaggio.

■ **loiter away** v. t. + avv. sciupare (il tempo) nell'ozio.

LOL sigla **1** (lots of love) (in fondo a una lettera) con affetto; baci **2** (Internet, laughing out loud) molto spassoso; divertentissimo.

to **loll** /lɒl/ ◢ v. i. **1** pendere; penzolare; pencolare; ciondolare; stare a penzoloni: The dogs lay down, with lolling tongues, i cani stavano accucciati, con la lingua penzoloni; The old man's head lolled forward in his sleep, la testa del vecchio addormentato pencolava **2** stare rilassato (o in panciolle); sedere in modo scomposto; stare sdraiato ◣ v. t. lasciar penzolare (la lingua); far pencolare, ciondolare (la testa).

Lollard /'lɒləd/ n. (stor. relig.) lollardo (eretico seguace di John Wycliffe).

lollipop /'lɒlɪpɒp/ n. **1** (dolce) lecca lecca **2** (= **ice lolly**) ghiacciolo (da succhiare) **3** (autom.) paletta (tonda, con il manico lungo: per regolare il traffico) ● (fam.) **l. lady** [**l. man**], donna [uomo] che ferma il traffico per far passare scolari (o anziani, ecc.).

to **lollop** /'lɒləp/ v. i. (fam.) **1** bighellonare; attardarsi **2** camminare a balzelloni; ballonzolare.

lolly /'lɒlɪ/ n. **1** (fam.) → **lollipop 2** (slang) quattrini; denaro; grana (pop.).

Lollywood /'lɒlɪwʊd/ n. □ (contraz. di Lahore e Hollywood) l'industria cinematografica pakistana (in lingua urdu).

Lombard /'lɒmbəd/ a. e n. **1** lombardo **2** (stor.) longobardo **3** (fig., fin.) finanziatore; banchiere ● (fin.) **L. rate**, tasso (di sconto) Lombard □ **L. Street**, strada di Londra in

cui hanno sede molte banche (*un tempo, dei banchieri italiani*); (*fig.*) il mercato finanziario; il mondo della finanza ‖ **Lombardic** a. **1** lombardo **2** (*stor.*) longobardo **3** (*archit.*) lombardesco.

Lombardy /ˈlɒmbədɪ/ n. (*geogr.*) Lombardia.

loment /ˈləʊmənt/ n. (*bot.*) lomento.

London /ˈlʌndən/ **A** n. (*geogr.*) Londra **B** a. attr. londinese; di Londra: **L. theatres**, i teatri londinesi; **L. Airport**, l'aeroporto di Londra (*Heathrow*); **L. zoo**, lo zoo di Londra; **the L. Underground**, la metropolitana di Londra ● (*bot.*) **L. plane**, platano di Londra (*è un ibrido*) ▫ (*bot.*) **L. pride**, (*Saxifraga umbrosa*) sassifraga ombrosa, disperazione dei pittori; (*Dianthus barbatus*) garofano a mazzetti, garofano dei poeti; (*Lychnis chalcedonica*) croce di Malta, saponaria di Levante ▫ **L. smoke**, color fumo di Londra ‖ **Londoner** n. Londinese.

lone /ləʊn/ a. attr. (*poet.*, *lett.*) **1** solo; solitario; abbandonato; isolato **2** (*raro, di donna*) nubile; vedova ● **l. parent**, genitore che cresce un figlio da solo ▫ **l. wolf**, lupo solitario; (*fig.*) tipo solitario, gufo (*fig.*) ▫ **to play a l. hand**, giocare (a carte) da solo, contro due o più giocatori; (*fig.*) fare da solo, senza l'appoggio di nessuno.

loneliness /ˈləʊnlɪnəs/ n. ⓤ **1** solitudine; isolamento **2** desolazione; squallore: **the l. of mass civilization**, la desolazione della civiltà di massa **3** malinconia; tristezza.

♦**lonely** /ˈləʊnlɪ/ a. **1** solitario; isolato; abbandonato; deserto; fuori mano: **a l. shepherd**, un pastore solitario; **a l. path**, un sentiero solitario; **a l. inn**, una locanda isolata; **a l. spot**, un posto fuori mano **2** (che si sente) solo; malinconico; triste: **to feel l.**, sentirsi solo ● **l. hearts club**, club dei cuori solitari.

loner /ˈləʊnə(r)/ n. (*fam.*) tipo solitario.

lonesome /ˈləʊnsəm/ a. **1** solitario; fuori mano; isolato; desolato **2** (che si sente) solo; malinconico; triste | **-ness** n. ⓤ.

♦**long** ① /lɒŋ/ a. **1** lungo; esteso; prolungato: **a l. journey**, un lungo viaggio; *This room is twenty feet l.*, questa stanza è lunga venti piedi (*6 metri circa*); **a l. day**, una giornata lunga; (*fon.*) **a l. vowel**, una vocale lunga; **to have a l. memory**, avere la memoria lunga; **to have got l. sight**, avere la vista lunga; **a l. speech**, un discorso lungo; (*fig.*) **to have a l. tongue**, avere la lingua lunga; (*radio*) **l. waves**, onde lunghe **2** di lunghezza; lineare: **l. measures**, misure di lunghezza (*o* lineari) **3** (*ind. tess.*) a fibre lunghe: **l. flax**, lino a fibre lunghe **4** (*fam.*) lungo; alto di statura **5** (*fin.*) a lunga scadenza: **a l. bill** (*o* **draft**), un effetto (*o* una cambiale) a lunga scadenza **6** (*cricket*: *di un giocatore*) arretrato; vicino alla linea di demarcazione ● **to be l. about doing st.**, essere lento a fare qc.; metterci molto tempo a fare qc.: *I won't be l.*, torno subito ▫ **to be l. about it**, prendersela comoda ▫ **l. ago**, (agg.) del passato remoto; (sost.) (il) lontano passato: **l. ago battles**, battaglie del passato ▫ (*fig.*) **the l. arm of the law**, il lungo braccio della giustizia (*o* della legge) ▫ (*calcio*) **l. ball**, palla lunga; lancio lungo; passaggio in profondità: **l.-ball game**, gioco di palle lunghe (*o* di lanci in profondità) ▫ (*un tempo*) **l. clothes**, vesti lunghe (*per neonato*) ▫ **a l. custom**, un'antica usanza ▫ **a l. date**, una data lontana ▫ (*fin.*) **l.-dated bill**, cambiale a lunga scadenza ▫ **l. distance**, distanza lunga; (*atletica, sci*) il fondo ▫ **l.-distance**, (*di un autista, ecc.*) che copre una lunga distanza; (*di un volo, ecc.*) a lunga percorrenza; (*telef.*) interurbano; (*sport*) di fondo: **l.-distance call**, chiamata interurbana; (*telef.*) **l.-distance line**, linea interurbana; (*sport*) **l.-distance race**, corsa (*o* gara) di fondo ▫ (*sci*) **l.-distance racer**, fondista ▫ (*ciclismo*) **l.-distance rider**, passista ▫ (*sport*) **l.-distance runner**, fondista ▫ **l.-distance running**, le corse di fondo; il fondo (*in atletica*) ▫ (*TV*) **l.-distance shot**, ripresa in campo lungo ▫ (*nuoto*) **l.-distance swimmer**, fondista ▫ (*mat.*) **l. division**, divisione estesa ▫ **to be l. doing st.**, metterci molto tempo a fare qc.: *He was l. finding it out*, ci ha messo molto tempo a scoprirlo ▫ **l. dozen**, tredici ▫ **l.-drawn** (*o* **l.-drawn-out**), tirato per le lunghe; protratto ▫ **l. drink**, long drink; bevanda alcolica diluita (*con succhi di frutta, ecc.*) ▫ (*USA*) **l.-drop (toilet)**, latrina da campo ▫ **l.-eared**, dalle orecchie lunghe, orecchiuto; (*fig.*) ignorante, stupido, stolto ▫ (*zool.*) **l.-eared owl** (*Asio otus*), gufo comune ▫ **a l. face**, il viso lungo; (*fig.*) il muso lungo: *He had a l. face*, aveva il muso lungo (*o* tanto di muso); **to pull a l. face**, fare il muso (lungo) ▫ (*fig.*) **l.-faced**, immusonito ▫ **the l. finger**, il dito medio ▫ **l.-forgotten**, dimenticato da tempo ▫ **l. glass**, specchio per l'intera persona ▫ (*slang USA*) **l. green**, quattrini, soldi, grana, biglietttoni ▫ **a l. haul**, (*trasp.*) un lungo viaggio; (*fig.*) un lavoro lungo ▫ (*aeron.*) **l.-haul**, a lunga percorrenza ▫ **l.-headed**, (*scient.*) dolicocefalo; (*fig.*) che la sa lunga, accorto, avveduto ▫ (*fig.*) **l.-headedness**, accortezza; avvedutezza ▫ **l.-horned cattle**, bovini dalle corna lunghe ▫ (*ginnastica*) **l. horse**, cavallo per volteggio ▫ **l. hundredweight**, «hundredweight» inglese (*pari a kg 50,80*) ▫ (*fam.*) **to be l. in the tooth**, essere avanti negli anni ▫ (*un tempo; fam.*) **l. johns**, mutandoni (*da uomo*) ▫ (*sport*) **l. jump**, salto in lungo ▫ **l. jumper**, lunghista ▫ **l. jumping**, i salti in lungo, il salto in lungo (*la specialità*) ▫ **l.-legged**, dalle gambe lunghe, gambuto ▫ (*cinem.*) **l. lens**, obiettivo a focale lunga; teleobiettivo ▫ (*di generi alimentari*) **l.-life**, a lunga conservazione; (*di una pila, ecc.*) di lunga durata ▫ (*anat.*) **l.-limbed type**, longitipo ▫ **l.-lived**, di lunga vita, longevo; (*di cosa*) durevole, duraturo ▫ (*poesia*) **l. metre**, strofe di quattro ottonari ▫ **l. odds**, scommessa fortemente ineguale (*per es., 10 a 1*); (*ipp.*) quota alta; (*fig.*) scarse probabilità, grave svantaggio ▫ (*fam.*) **to be l. on**, essere ben fornito (*o* pieno) di: *He's l. on good ideas*, è pieno di buone idee ▫ (*sport*) **l. pass**, passaggio lungo ▫ **l. pig**, carne umana (*per i cannibali*) ▫ **l.-player** (*o* **l.-playing record**), (disco) microsolco; long playing ▫ **a l. price**, un prezzo alto ▫ (*tipogr.*) **l. primer**, (carattere) corpo dieci ▫ **l.-promised**, promesso da tempo: *'We are waiting for the l.-promised invasion. So are the fishes'* W. Churchill, 'stiamo aspettando quell'invasione promessaci da tanto tempo. Anche i pesci sono in attesa' ▫ **a l. purse**, un portafoglio imbottito di soldi ▫ **l.-range**, da lunga distanza; a lungo termine, a lungo raggio; (*mil.*) a lunga gittata: (*calcio, ecc.*) **a l.-range goal**, un gol da lontano; (*stat., econ.*) **l.-range forecasts**, previsioni a lungo termine; (*mil.*) **l.-range guns**, cannoni a lunga gittata ▫ **l. run**, (*econ.*) lungo periodo; (*giorn.*) forte tiratura: **l.-run trend**, tendenza di lungo termine ▫ (*naut.*) **l. sea**, mare lungo ▫ **l. service**, anzianità di servizio: **l.-service allowance**, indennità di anzianità (*a un dipendente*) ▫ **l. shot**, (*mil.*) tiro lungo; (*sport*) tiro a distanza, lancio lungo; (*ipp.*) cavallo non favorito, brocco; scommessa azzardata; (*fig.*) impresa difficile; (*cinem., TV*) campo lungo ▫ **l.-sighted**, che ha la vista lunga; (*med.*) ipermetrope, presbite; (*fig.*) accorto, lungimirante, previdente ▫ **l.-sightedness**, (*med.*) ipermetropia, presbiopia; (*fig.*) lungimiranza, previdenza ▫ **l. standing**, lunga data: **a firm of l. standing**, una ditta che esiste da molto tempo; **a friend of l. standing**, un amico di vecchia data ▫ **l.-standing**, di lunga data, vecchio: **l.-standing rivalry**, rivalità di vecchia data ▫ **l.-suffering**, (sost.) longanimità, pazienza, sopportazione; (agg.) longanime, paziente ▫ (*al gioco*) **a l. suit**, molte carte dello stesso seme ▫ (*fig. fam.*) **one's l. suit**, il (pezzo) forte, il (proprio) cavallo di battaglia ▫ **l.-term**, a lungo termine, a lunga scadenza: (*fin.*) **l.-term credit**, credito a lungo termine; **l.-term loans**, mutui a lunga scadenza ▫ (*med.*) **l.-term care**, trattamento dei lungodegenti ▫ (*fin.*) **l.-term investor**, cassettista ▫ (*econ.*) **the l.-term unemployed**, i disoccupati cronici ▫ (*sport*) **l. throw**, lancio lungo ▫ (*med.*) **l.-time patient**, lungodegente ▫ **l. ton**, tonnellata inglese (*pari a kg 1016 circa*) ▫ **l.-tongued**, linguacciuto; pettegolo ▫ **l. vacation**, vacanze estive ▫ **l. waist**, vita lunga (*o* bassa) (*in un vestito*) ▫ (*radio*) **l. wave**, onda lunga ▫ **a l. way off**, molto lontano; lontanissimo: *Japan is a l. way off*, il Giappone è molto lontano ▫ **l.-winded**, che ha molto fiato; (*fig.*) verboso, prolisso ▫ **l.-windedness**, l'avere molto fiato; (*fig.*) verbosità, tediosità ▫ (*ind. tess.*) **l. wool**, lana a fibra lunga ▫ **l. words**, parole lunghe, polisillabi; (*fig.*) paroloni, parole difficili ▫ **at l. last**, finalmente ▫ **by a l. way** (*fam.*: **by a l. chalk**), di gran lunga: **not by a l. way** (*o* **chalk**), nient'affatto, neppure lontanamente ▫ **to have a face as l. as a fiddle**, avere una faccia da funerale ▫ **to have a l. wind**, avere molto fiato (da spendere) ▫ **in the l. run**, a lungo andare; (*econ.*) nel lungo periodo ▫ **in the l. term**, a lungo termine; (*econ.*) nel lungo periodo ▫ **to make a l. arm**, stendere il braccio (*o* allungare la mano) (*per prendere qc.*) ▫ (*fam.*) **not by a long chalk** (*o* **shot**), neanche di lontano; nemmeno per sogno ▫ (*telef.*) **to phone l.-distance**, fare un'interurbana ▫ **to take the l. view of an action**, valutare gli effetti futuri di un'azione; guardare oltre (*fig.*) ▫ **It will be a l. day before he wins**, ce ne vorrà prima che vinca ▫ (*fam.*) **It is as broad as it is l.**, fa lo stesso; è la stessa cosa.

♦**long** ② /lɒŋ/ avv. **1** molto; molto tempo: *Will you be l.?*, starai via molto?; *I haven't been back l.*, non è molto che sono tornato **2** a lungo; (per) molto tempo; lungamente; un pezzo (*fam.*): **l. after**, molto tempo dopo; **l. since**, da molto tempo; **l. before**, molto tempo prima; *I'm not going to wait much longer for him*, non l'aspetterò per molto tempo ancora; *Have you known l.?*, è un pezzo che lo sai? ● **to be l.**, (*anche*) metterci (*tempo*) ▫ **l. ago**, molto tempo fa ▫ **l.-awaited**, sospirato; (a lungo) atteso; desiderato ▫ **l.-lasting**, di lunga durata; persistente ▫ (*di persona*) **l.-lost**, perso di vista ▫ **l.-running**, di vecchia data ▫ **all day l.**, tutto il santo giorno ▫ **all his life l.**, per tutta la (sua) vita ▫ **any** (*o* **no**) **longer**, (non) più; (non) oltre: *I can't stay any longer*, non posso trattenermi più (*o* oltre); *He's no longer in charge of the head office*, non è più a capo della sede centrale ▫ **as l. as**, finché; per tutto il tempo che; (*anche*) purché, a condizione che, basta che: *I kept quiet for as l. as I could*, tacqui finché potei; **for as l. as you wish**, per tutto il tempo che vuoi; *You can borrow it, as l. as you give it back*, prendilo pure, basta (*o* a patto) che me lo ridia ▫ **at (the) longest**, alla più lunga; al massimo: *It will take me two hours at (the) longest*, ci metterò due ore al massimo ▫ **not to be l. for this world**, avere pochi anni (*o* mesi, giorni, ecc.) di vita davanti a sé ▫ **so l. as**, purché; a condizione che; a patto che ▫ **So l.!**, ciao; arrivederci; a fra poco! ▫ **How l. will it take?**, quanto tempo ci vorrà?: *How l. do you think it will take to get to the airport at that time of day?*, quanto tempo pensi che impiegheremo per arrivare in aeroporto a quell'ora?

♦**long** ③ /lɒŋ/ n. **1** molto tempo: *Do you think the crossing of the Channel will take l.?*, credi che la traversata della Manica ri-

chiederà molto tempo? **2** (*fon.*, *poesia*) (vocale *o* sillaba) lunga **3** (*di un abito, ecc.*) misura lunga **4** linea (*dell'alfabeto Morse*) **5** (pl.) (*fam.*) calzoni lunghi **6** (pl.) (*fin.*) titoli poliennali (*o a lunga scadenza; di solito, oltre 15 anni*) ● **before l.**, presto; fra breve; di qui (*o di lì*) a poco □ **for l.**, a lungo; per molto tempo □ **to know the l. and short of it**, sapere per filo e per segno come stanno le cose □ **The l. and short of it is, I was failed**, per farla corta, sono stato bocciato.

to long /lɒŋ/ v. i. bramare; desiderare ardentemente; non veder l'ora di: *We are longing to go home* (*o for home*), desideriamo ardentemente di tornare a casa (*o in patria*) ● **longed-for**, bramato; desiderato ardentemente.

long. abbr. (**longitude**) longitudine (long.).

longanimity /ˌlɒŋgəˈnɪmɪtɪ/ n. Ⓤ longanimità.

longboat /ˈlɒŋbəʊt/ n. **1** (*naut.*) barcaccia (*di veliero*) **2** → **longship**.

longbow /ˈlɒŋbəʊ/ n. (*mil.*, *stor.*) arco lungo ● (*fig. fam.*) **to draw the l.**, sballarle (*o spararle*) grosse.

long cloth /ˈlɒŋklɒθ/ n. (*ind. tess.*) mussolina fine.

longe /lʌndʒ/ n. (*equit.*) longia; longina.

longeron /ˈlɒndʒərən/ n. (*aeron.*) longherone.

longevity /lɒnˈdʒevətɪ/ n. Ⓤ longevità ● **l. in office**, lunga permanenza in carica □ **l. pay**, indennità d'anzianità ‖ **longeval** a. longevo ‖ **longevous** a. longevo.

longhair /ˈlɒŋheə(r)/ n. (*fam.*) **1** artista (*o musicista, ecc.*) zazzeruto; intellettualoide (*spreg.*) **2** (*spreg.*) capellone ‖ **longhaired** a. **1** dai capelli lunghi; dal pelo lungo **2** (*fam. spreg.*) che affetta gusti artistici; intellettualoide.

longhand /ˈlɒŋhænd/ n. scrittura normale, a mano (*non steno o dattilografia*).

longhorn /ˈlɒŋhɔːn/ n. **1** (*agric.*) bue (*o vacca*) dalle corna lunghe **2** bovino di razza Longhorn **3** (*slang USA*) abitante del Texas; texano.

longing /ˈlɒŋɪŋ/ Ⓐ n. Ⓤ brama; desiderio intenso; voglia Ⓑ a. bramoso; desideroso; di desiderio ● **a l. look**, uno sguardo di desiderio ● **to feel a l. for home**, sentire nostalgia di casa ‖ **longingly** avv. con vivo desiderio; ardentemente ● **to look longingly at sb.**, mangiarsi q. con gli occhi.

longish /ˈlɒŋɪʃ/ a. piuttosto lungo; lunghetto.

longitude /ˈlɒndʒɪtjuːd/, USA -tuːd/ n. Ⓒ Ⓤ **1** (*geogr.*) longitudine **2** (*arc.*) lunghezza.

longitudinal /ˌlɒndʒɪˈtjuːdɪnl/, USA -ˈtuː-/ a. (*scient.*, *tecn.*) longitudinale (*geol.*) **l. fault**, faglia longitudinale ● **l. section**, sezione longitudinale ● (*elettr.*) **l. circuit**, circuito unipolare | **-ly** avv.

Longobard /ˈlɒŋgəʊbɑːd/ n. (*stor.*) n. longobardo.

longship /ˈlɒŋʃɪp/ n. (*stor.*) nave lunga vichinga.

longshore /ˈlɒŋʃɔː(r)/ a. attr. (*naut.*) che si trova sottocosta; costiero; litorale: **l. current**, corrente litorale.

longshoreman /ˈlɒŋʃɔːmən/ n. (pl. *longshoremen*) scaricatore (*di porto*); portuale.

longways /ˈlɒŋweɪz/, **longwise** /ˈlɒŋwaɪz/ avv. per il lungo; nel senso della lunghezza.

loo ① /luː/ n. (pl. *loos*) gioco di carte, simile a «bestia».

loo ② /luː/ n. (pl. *loos*) (*fam. ingl.*) gabinetto ● *I'll go and find the loo while you're filling up*, vado a cercare il gabinetto mentre fai benzina ● **loo paper**, carta igienica □ **loo**

roll, rotolo di carta igienica.

looby /ˈluːbɪ/ n. zoticone; babbeo; tonto.

loofah /ˈluːfə/ n. **1** (*bot.*, *Luffa*) luffa **2** spugna vegetale (*da bagno*).

◆**look** ① /lʊk/ n. **1** occhiata; sguardo: *I've had a good l. at the car*, ho dato una bella occhiata alla macchina; *I'll have a l.*, vado a dare uno sguardo; **a kind l.**, uno sguardo gentile **2** aspetto; apparenza; aria; cera (*fig.*); sembianza; espressione: *The old tower had a sinister l.*, la vecchia torre aveva un aspetto sinistro; **to judge by looks**, giudicare dalle apparenze **3** (*moda*) look; stile **4** (pl.) bellezza: *She hasn't lost her looks*, non ha perso la sua bellezza; *She has looks but no brain*, è bella, ma non ha cervello ● (*radio*, *TV*) **a l. at today's papers**, cosa scrivono i giornali, un'occhiata ai giornali; rassegna (della) stampa (*rubrica*) □ **by the l. of it**, a quanto pare □ **to cast a l. at sb.**, lanciare un'occhiata a q. □ **good looks**, bell'aspetto; bella presenza; bellezza (*di una persona*) □ **to have a good l. at st.**, esaminare qc. attentamente □ **to wear an ugly l. on one's face**, avere una brutta cera (*o faccia*) □ **I don't like the l. of it**, non mi piace l'aria che tira! (*fig.*) □ **I don't like the l. of that crack in the wall**, quella crepa nel muro mi piace poco.

look ② /lʊk/ inter. (= **l. here!**) ehi!; guarda!; senti (un po')!

◆**to look** /lʊk/ Ⓐ v. i. **1** guardare; dare un'occhiata a; considerare; esaminare; osservare: *I looked carefully but found nothing*, guardai attentamente ma non trovai nulla; *He looked at his watch*, guardò l'orologio; *L.* (*up*) *at the stars!*, guarda le stelle!; **to l. down the street**, guardare lungo la strada; *Lois looked into the room*, Lois diede un'occhiata alla stanza (*o mise la testa nella stanza*); **to l. round the corner**, guardare dietro l'angolo; *When one looks deeper*, se si esamina no le cose più a fondo; *No, thanks, I'm just looking*, no, grazie, sto solo dando un'occhiata **2** badare; stare attento: *L. where you're putting your feet!*, bada dove metti i piedi! **3** dare su; essere esposto a; guardare a: *The windows l. onto the garden*, le finestre danno sul giardino; *The bedroom looks east*, la camera da letto guarda a levante (*o è esposta a oriente*) **4** apparire; parere; sembrare; aver l'aria di; essere (all'aspetto): *You l. pale*, sei pallido; *He looks depressed*, ha un'aria depressa; *You l. a bit fed up*, hai l'aria un po' scocciata; *She looked ill*, aveva una brutta cera; aveva l'aria di star male; *This rain doesn't l. like it's going to stop*, questa pioggia sembra non voler smettere; *He looks like an honest man*, ha l'aria d'essere un uomo onesto; *What does she l. like?*, che aspetto ha?; *He looks about forty*, dimostra una quarantina d'anni; *This looks good*, sembra ottimo Ⓑ v. t. **1** guardare: *He couldn't l. us in the face*, non osava guardarci in faccia; **to l. death in the face**, guardare in faccia la morte **2** dimostrare, rivelare (*all'aspetto*): *My mother doesn't l. her age* (*o her years*), mia madre non dimostra gli anni che ha ● **to l. alike**, assomigliarsi; essere simili □ **L. alive!**, **L. alive!**, moviti!; sbrigati! □ **to l. bad**, avere un brutto aspetto; fare una cattiva impressione; non stare bene; (*di situazione*) avere l'aria di mettersi male, non promettere niente di buono □ **to l. daggers at sb.**, fare gli occhiacci a q.; guardare in cagnesco q. □ **to l. like**, assomigliare a; somigliare a; (*anche*) sembrare; parere, aver l'aria di, aver l'aspetto di: *You l. like your mother*, somigli a tua madre; *The room looks like a bomb has hit it*, sembra che ci sia stato il terremoto nella stanza; *What does she l. like?*, che aspetto ha?; che tipo è?; *It looks like rain*, sembra voglia (*o*

stia per) piovere; il tempo minaccia pioggia; *It looks like it*, è probabile □ **to l. like a drowned rat**, essere bagnato come un pulcino □ **to l. like hell**, essere un orrore; stare da cani □ **to l. on the bright side** (**of things**), vedere il lato positivo (*di una situazione*) □ **to l. oneself**, essere quello di sempre; avere il solito aspetto: *You don't l. yourself today*, oggi non sembri (più) tu; **to l. oneself again**, essere quello di prima; star bene di nuovo □ **to l. sharp**, stare all'erta, tenere gli occhi aperti (*fig.*); affrettarsi, sbrigarsi, fare in fretta □ (*fig.*) **to l. small**, sembrare insignificante; avere un'aria dimessa: **to make sb. l. small**, sminuire l'importanza di q. □ **to l. snappy** = **to l. sharp** → *sopra* □ **to l. twice**, dare due occhiate; (*fig.*) pensarci (su) due volte □ **to l. sb. up and down**, guardare q. da capo a piedi; squadrare q. □ **to l. well**, avere un bell'aspetto (*o* una buona cera); (*di un abito, ecc.*) star bene, fare (bella) figura, figurare □ **L. here!**, guarda!; senti!; senti un po'!; ehi, dico! □ **It looks as if it is about to rain**, sembra che stia per piovere □ **L. who's talking!**, senti chi parla!; da che pulpito viene la predica! □ (*prov.*) **L. after the pence and the pounds will l. after themselves**, il risparmio comincia dal poco □ (*prov.*) **L. before you leap!**, medita prima di agire!; non buttarti alla cieca! □ (*prov.*) **Never l. a gift horse in the mouth**, a caval donato non si guarda in bocca.

■ **look about** Ⓐ v. i. + avv. **1** guardare in giro; guardarsi intorno (*o attorno*) □ **to l. about before buying st.**, guardare in giro prima di comprare qc. **2** – **to look about for**, cercare: **to l. about for a new job**, cercare un nuovo lavoro Ⓑ v. i. + prep. guardare in giro per (*la casa, la città, ecc.: in cerca di q. o qc.*) □ **to l. about one**, guardarsi attorno.

■ **look after** v. i. + prep. badare a; avere (*o* prendersi*) cura di; occuparsi di: *I can l. after myself*, so badare a me stesso; *L. after yourself!*, abbi cura di te!; riguardati!; *His sister will l. after his children*, dei suoi figli si occuperà sua sorella; **to l. after one's interests**, badare ai propri interessi; **to l. after the preparations**, occuparsi dei preparativi; *They looked after us very well and were very hospitable*, si sono presi cura di noi e ci sono stati molto ospitali □ (*fam.*) **to l. after number one**, badare solo ai propri interessi; pensare solo a se stesso.

■ **look ahead** v. i. + avv. guardare avanti (*anche fig.*); guardare (*o pensare*) al futuro □ **L. ahead!**, attenzione!

■ **look around** → **look about** e **look round**.

■ **look at** v. i. + prep. **1** guardare; guardare in faccia: *She looked at him in surprise*, lo guardò sorpresa; *Well, l. at you!*, guarda come stai bene!, ti trovo bene! **2** dare un'occhiata a; esaminare; vedere; visitare: *You'd better have the engine looked at*, faresti bene a far dare un'occhiata al motore; *You should have your shoulder looked at* (*by a doctor*), dovresti fare vedere la spalla (da un dottore) **3** guardare dietro: *She gets looked at wherever she goes*, dovunque vada, la gente si volta a guardarla **4** prendere in considerazione (*una proposta, un'offerta, un accordo, ecc.*) □ **to l. at**, da guardare, a guardarsi; all'aspetto; a vedersi: *My car isn't much to l. at, but it's reliable*, la mia macchina non è gran che (*come aspetto*), ma è molto affidabile; *To l. at her, you wouldn't say she's an actress*, a guardarla, non si direbbe che sia un'attrice □ (*fam.*) (**as) soon as l. at you**, senza pensarci due volte □ **way of looking at things**, modo di vedere; modo di considerare le cose (la situazione, ecc.).

■ **look away** v. i. + avv. distogliere lo sguardo, guardare da un'altra parte.

■ **look back** v. i. + avv. **1** guardare indietro; volgere lo sguardo; volgersi indietro **2** rian-

dare col pensiero, pensare; ricordare: **to l. back at the past**, pensare al passato; **to l. back on the good old days**, ricordare i giorni felici □ **I've never looked back**, non ho mai avuto rimpianti; ho guardato sempre avanti.

■ **look beyond** v. i. + prep. guardare oltre (o al di là di); superare; non limitarsi a; non accontentarsi di.

■ **look down** v. i. + avv. **1** guardare (in) giù; guardare in basso; abbassare gli occhi (o lo sguardo): *I looked down at my shoes*, mi guardai le scarpe; *He looked down in shame*, abbassò lo sguardo per la vergogna **2** – **to look down on** (o **upon**), guardare dall'alto in basso; disprezzare; arricciare il naso davanti a **3** – **to look down on**, (di edificio, ecc.) dominare su; sovrastare **4** (*market.*: di merce) essere in ribasso; tendere al ribasso.

■ **look for** v. i. + prep. **1** cercare: **to l. for support**, cercare aiuto; *I'm looking for work*, sono in cerca di lavoro; *It's not what I'm looking for*, non è quello che sto cercando **2** aspettarsi □ **to be looking for a fight**, voler fare a pugni □ **to be looking for trouble**, andare in cerca di guai □ (*sport*) **to l. for a medal**, cercare di prendere (o vincere) una medaglia □ (*sport*) **to l. for points**, cercare di fare punti.

■ **look forward** v. i. + avv. **1** guardare avanti; pensare al futuro **2** – **to look forward to**, attendere con ansia (o con impazienza); non veder l'ora di: *We all are looking forward to the holidays*, non vediamo l'ora di andare in vacanza; *I'm not looking forward to meeting him*, la prospettiva di incontrarlo non mi entusiasma (o non è molto allettante); (*in una lettera*) *Looking forward to seeing you soon*, spero di vederti presto; (*in una lettera form.*) *We look forward to receiving your reply as soon as possible*, restiamo in attesa di una sua sollecita risposta; *I l. forward to hearing from you*, spero di avere presto tue notizie.

❶ NOTA: *to look forward to*

to look forward to, quando è seguito da un verbo, non regge l'infinito con il **to** ma la forma in -**ing**: si dice perciò *She's looking forward to going to New York*, non vede l'ora di andare a New York e non ~~She's looking forward to go to New York~~.

■ **look in** v. i. + avv. **1** fare un salto; fare una capatina; passare: *I'll l. in again tomorrow*, ripasso domani **2** – **to look in on**, passare a vedere; fare un salto da; fare una visitina; fare un saluto a: *We looked in on our neighbours on the way*, lungo la strada ci fermammo un attimo dai vicini **3** (*TV*) essere davanti alla TV (e guardarla); guardare un programma.

■ **look into** v. i. + prep. esaminare a fondo; studiare; indagare; informarsi su: *We'll have to l. into the matter*, dovremo esaminare a fondo la faccenda; *The police are looking into the man's disappearance*, la polizia sta indagando sulla scomparsa dell'uomo; *I can look into changing course at the end of the year*, posso valutare di cambiare il corso alla fine dell'anno.

■ **look on** Ⓐ v. i. + avv. guardare; stare a guardare Ⓑ v. i. + prep. (*anche* **look upon**) considerare; reputare: *I l. on him as a good friend*, lo considero un buon amico; *L. on it as a favour I'm doing to you*, consideralo un favore che ti faccio.

■ **look onto** v. i. + prep. (di camera, finestra, ecc.) guardare (o dare) su (un giardino, una piazza, la vallata, ecc.).

■ **look out** Ⓐ v. i. + avv. **1** guardare fuori (della finestra, del finestrino, ecc.) **2** (di locale, finestra, ecc.) essere rivolto (verso); dare (su): *My room looks out on the beach*, la mia stanza dà sulla spiaggia **3** (generalm.

all'imper.) fare attenzione; stare attento; badare: *L. out! The bus is coming*, attento! arriva l'autobus **4** – **to look out for**, cercare (con lo sguardo): **to l. out for a friend at the station**, cercare un amico in stazione **5** – **to look out for**, essere in cerca di; cercare: **to l. out for a better job**, essere in cerca di un posto di lavoro migliore **6** – **to look out for**, fare attenzione; stare attento a; badare a: *L. out for pot-holes*, fa' attenzione alle buche nella strada **7** – **to look out on** → **to look onto** Ⓑ v. t. + avv. (*GB.*) (cercare e) trovare; scovare: *I'll l. it out for you later*, te lo trovo più tardi.

■ **look over** v. i. + prep. **1** esaminare; studiare: *He looked over the names on the list*, studiò i nomi nell'elenco **2** visitare, ispezionare (una casa, una fabbrica, ecc.).

■ **look round** v. i. + avv. **1** voltarsi a guardare **2** guardare in giro; guardarsi intorno; dare un'occhiata in giro: **to l. round for st.**, guardarsi in giro alla ricerca di qc.; essere alla ricerca di qc.

■ **look through** v. i. + prep. **1** esaminare; passare in rassegna: **to l. through the contents of a drawer**, esaminare il contenuto di un cassetto **2** dare un'occhiata a; scorrere **3** guardare (qc.) senza vederlo; fingere di non vedere: *He looked straight through me*, fece finta di non vedermi.

■ **look to** v. i. + prep. **1** guardare (o pensare) a; badare a; aver cura di: *I have to l. to the future*, devo pensare al futuro; *L. to it that you don't miss your plane!*, non perdere l'aereo! **2** contare su; fare affidamento su: *We l. to him for assistance*, contiamo sul suo aiuto **3** considerare: *The Romans looked to him as their leader*, i Romani lo consideravano il loro capo (□ *fig.*) **to l. to one's laurels**, difendere la propria posizione (*perché minacciata dai rivali*).

■ **look up** Ⓐ v. i. + avv. **1** guardare (in) su; guardare in alto; alzare gli occhi (o lo sguardo): *He looked up in great surprise*, alzò gli occhi assai sorpreso **2** – **to look up at**, guardare (alzando la testa o gli occhi): *I looked up at the clouds*, guardai le nuvole **3** – **to look up to**, guardare con ammirazione; ammirare; rispettare: *The little boy looks up to his elder brother*, il ragazzino ammira il fratello maggiore **4** (*fam.*) migliorare, andare meglio: *Things are looking up at last*, finalmente la situazione sta migliorando; *Business is looking up*, gli affari vanno meglio Ⓑ v. t. + avv. **1** cercare (in un libro): **to l. up a phone number in the directory**, cercare un numero telefonico nella guida; **to l. up a train in the timetable**, cercare un treno sull'orario ferroviario **2** andare (o venire) a trovare (q.); fare un salto da (q.): *I promised I would l. him up next time I was in Boston*, promisi di andare a trovarlo alla mia prossima visita a Boston.

■ **look upon** → **look on**, Ⓑ.

look-alike /'lʊkəlaɪk/ n. (*fam.*) sosia; copia identica; q. nato e sputato (*fam.*): *He's a Bill Clinton look-alike*, è Bill Clinton nato e sputato.

looker /'lʊkə(r)/ n. **1** chi guarda; chi sta a guardare; spettatore; astante **2** (*fam. spec. USA*; = **good l.**) persona di bell'aspetto, avvenente; (*spec.*) bella donna, bellezza: *That girl is a real l.*, quella ragazza è uno schianto ● **l.-on**, spettatore; osservatore; astante.

look-in /'lʊkɪn/ n. (*fam.*) **1** occhiatina; scorsa **2** capatina; scappata; salto; visitina **3** (*anche* **sport**) possibilità di successo **4** chance; opportunità; occasione (di fare buoni acquisti, ecc.).

looking /'lʊkɪŋ/ Ⓐ a. (nei composti, per es.:) **good-l.**, di bell'aspetto, di bella presenza; avvenente; bello; **wretched-l.**, brutto; sgraziato Ⓑ n. (nei composti, per es.:) **l.-back**, il riandare al passato; sguardo retro-

spettivo; **l.-down**, alterigia; disprezzo; **l.-over**, riesame; riguardata; riveduta.

looking glass /'lʊkɪŋglɑːs/ loc. n. specchio.

lookout /'lʊkaʊt/ n. **1** guardia; vigilanza **2** osservatorio **3** (*mil.*) posto d'osservazione **4** guardia; sentinella; vedetta **5** situazione prevedibile; prospettiva; futuro: *It's a bad l. for him*, è una brutta prospettiva per lui **6** affare; faccenda: *That his l.*, è affar suo; sono fatti suoi **7** veduta; vista; panorama **8** (*naut.*) coffa; gabbia **9** (*naut.*, = **l. man**) marinaio di vedetta **10** (*edil.*) frontone ● **to be on the l.**, stare in guardia (o all'erta) □ **to be on the l. for sb.**, fare la posta a q. □ **to keep a sharp l.**, fare buona guardia.

look-over /'lʊkəʊvə(r)/ n. (*fam.*) scorsa veloce; riguardata; riveduta; occhiatina (*fig.*).

look-see /'lʊksiː/ n. (*fam.*) rapida occhiata; occhiatina; scorsa.

look-up /'lʊkʌp/ n. ricerca.

loom① /luːm/ n. (*ind. tess.*) telaio: **hand l.**, telaio a mano; **power l.**, telaio meccanico.

loom② /luːm/ n. primo apparire; apparizione lontana; il profilarsi (di terra all'orizzonte); lo stagliarsi (d'una nave nella nebbia, ecc.); miraggio (sul mare o sul ghiaccio).

loom③ /luːm/ n. (*zool.*) → **loon**①.

to **loom** /luːm/ v. i. **1** apparire in lontananza; profilarsi (anche *fig.*) **2** (*fig.*) incombere; essere imminente: *War is looming* (up), la guerra è imminente **3** (*fig.*) apparire; sembrare: *He looms as a possible president*, sembra che possa essere eletto presidente ● **to l. ahead**, (di nave, ecc.) apparire a prua all'improvviso; (*fig.*) profilarsi minacciosamente, essere imminente □ **to l. large**, profilarsi grave; incombere; essere minaccioso; essere in primo piano (o in vista) (*fig.*): *The dangers of the international situation l. large in our minds*, abbiamo nella mente ben presenti i pericoli della situazione internazionale □ **to l. up**, profilarsi (o stagliarsi) all'improvviso: *The peak loomed up before us*, la vetta si stagliò all'improvviso davanti a noi.

loomer /'luːmə(r)/ n. **1** (*ind. tess.*) rimettitore **2** (se donna) rimettina.

looming① /'luːmɪŋ/ a. **1** che si profila; che si staglia **2** incombente; imminente.

looming② /'luːmɪŋ/ n. Ⓤ (*ind. tess.*) rimettaggio.

loon① /luːn/ n. (*zool.*, *USA*) **1** (*Gavia*) gavia; strolaga: **common l.** (*Gavia immer*), strolaga maggiore **2** (*Columbus*) svasso; tuffetto.

loon② /luːn/ n. **1** babbeo; stolto; scemo **2** fannullone.

loonie /'luːnɪ/ n. (in Canada, *fam.*) moneta da un dollaro.

loony /'luːnɪ/ a. e n. (*fam.*, abbr. di **lunatic**) **1** matto; pazzo; mentecatto **2** mattoide; svitato; scentrato ● (*fam.*) **l. bin**, manicomio.

loop /luːp/ n. **1** cappio; laccio ad anello; nodo scorsoio **2** curva; sinuosità **3** (*anche mil.*) alamaro **4** (*cucito*) passante; maglietta; asola volante **5** (lavori a maglia) maglia, maglietta: **to slip a needle through a l. of wool**, far passare un ferro (da calza) attraverso una maglietta (di lana) **6** (*tipogr.*) occhiello (di lettera) **7** anello di metallo (cui attaccare un gancio); passanastro **8** (*aeron.*) gran volta; cerchio della morte; looping: **inside l.**, gran volta diritta; **outside l.**, gran volta inversa **9** (giochi da fiera) giro della morte; cerchio della morte **10** (*ferr.*, = **l.-line**) linea di raccordo **11** (*telef.*) linea locale; linea in utente **12** (*cinem.*: di pellicola) riccio **13** (*elettr.*) circuito completo; anello; loop **14** (*fis.*) ciclo **15** (*comput.*) ciclo; iterazione: **endless l.**, ciclo infinito **16** (*med.*)

spirale (intrauterina) **17** (*geogr.*) ansa (*d'un fiume*) **18** (*pattinaggio artistico*) loop; otto; figura di otto **19** (*calcio, ecc.*) parabola alta **20** (*ciclismo*) anello stradale ● (*elettr.*) **l. antenna**, antenna a telaio □ **l. knot**, nodo scorsoio □ (*cucito*) **l. stitch**, punto catenella; punto occhiello □ (*elettr.*) **l. test**, prova a circuito chiuso □ (*tecn.*) **l. tunnel**, galleria elicoidale □ (*aeron.*) **to loop the l.**, eseguire la gran volta; fare il cerchio della morte □ **l.-the-l.**, (*slang*) minestra; (*volg.*) sessantanove (*volg.*) □ (*fam.*) **in the l.**, che fa parte (*di un gruppo decisionale*); che fa parte degli addetti ai lavori; al corrente; informato □ (*fam.*) **out of the l.**, che non fa parte (*di un gruppo decisionale*); fuori dal giro; che non partecipa (*a decisioni, scelte, ecc.*).

to **loop** /luːp/ **A** v. t. **1** far un cappio a (qc.); allacciare: **to l. a string**, fare un cappio a un laccetto **2** avvolgere: *L. the wire around that post*, avvolgi il filo (metallico) attorno a quel palo! **3** agganciare: *She looped back the curtains*, agganciò le tende **4** munire (*un abito da donna*) di magliette (*o* di asole volanti) **5** (*elettr., di solito* **to l. in**) collegare in circuito **6** (*aeron.*) far fare il looping a (*un aereo, ecc.*) **B** v. i. **1** fare un'ansa (*o* una curva) **2** avanzare a mo' d'un bruco misuratore (→ **looper**) **3** (*aeron.*) fare il looping; eseguire la gran volta **4** (*calcio, ecc.*: *della palla*) fare una parabola alta: *The ball looped over the opponents' keeper*, il pallone scavalcò il portiere avversario con una parabola alta ● (*aeron.*) **to l. the loop** → **loop** □ **to l. up**, legare con un cappio; allacciare.

looped /luːpt/ a. **1** avvolto a cappio **2** fermato con un cappio **3** (*slang USA*) sbronzo; ubriaco; intontito (*di droga*); fatto (*pop.*).

looper /ˈluːpə(r)/ n. **1** (*zool.*) geometride; bruco misuratore **2** accessorio (*di macchina da cucire*) per fare magliette (*o* asole volanti).

loophole /ˈluːphəʊl/ n. **1** (*anche mil.*) feritoia **2** (*fig.*) scappatoia; espediente; sotterfugio; via d'uscita (*fig.*): **a l. in the tax laws**, una scappatoia per eludere le norme fiscali.

to **loophole** /ˈluːphəʊl/ v. t. munire (*un muro, ecc.*) di feritoie.

looping /ˈluːpɪŋ/ n. ⓤ (*comput.*) looping; iterazione ● (*aeron.*) **l. the loop**, looping; gran volta; cerchio della morte.

loopy /ˈluːpɪ/ a. **1** sinuoso; tutto curve (*o* anse) **2** (*slang*) eccentrico; pazzo; matto; bislacco; strampalato ● **to go l. over sb.**, innamorarsi pazzamente di q.

♦**loose**① /luːs/ a. **1** sciolto; slegato, in libertà; (*anche chim.*) libero: *A panther was l. in the country*, una pantera si aggirava libera nelle campagne; **l. hair**, capelli sciolti **2** allentato; disgiunto; quasi staccato; (troppo) largo; slegato; sconnesso; non fermato: **a l. screw**, una vite allentata; **a l. button**, un bottone quasi staccato; **a l. collar**, un colletto (troppo) largo; **l. planks**, assi sconnesse; **a l. shutter**, un'imposta non fermata (*che sbatte*) **3** sciolto; slegato, non legato; non confezionato; sfuso: **l. sheets**, fogli sciolti (*o* mobili); **l. sweets**, caramelle sfuse **4** approssimativo; inesatto; impreciso; trasandato; vago: **a l. translation**, una traduzione approssimativa; **a l. style**, uno stile trasandato **5** (*arc. o USA*) dissoluto; licenzioso: **to lead a l. life**, fare una vita dissoluta (*o* licenziosa) **6** non compatto; smosso; rado: **l. soil**, terreno smosso; **cloth with a l. texture**, stoffa a trama rada **7** (*di un capo di vestiario*) ampio; largo; comodo; abbondante **8** non teso; lento; flaccido, floscio: **l. reins**, briglie lente; **a l. knot**, un nodo lento; **l. skin**, pelle flaccida **9** rilassato, disinibito, libero; (*di un muscolo, ecc.*) rilassato; rilasciato: (*fam. USA*) **as l. as a goose**, libero come l'aria, del tutto rilassato; (*anche*) promiscuo (*sessualmente*) **10** (*elettr., mecc., naut.*) lasco **11** (*fam. USA*) rilassato; a proprio agio **12** (*sport*: *del pallone*) inattivo; alla deriva; (*di un tiro*) impreciso; fuori misura ● (*cucina*) **l.-based flan tin**, stampo per flan con il fondo mobile □ **l. bowels**, dissenteria; diarrea □ **l. box**, box aperto (*per cavalli*) □ (*slang USA*) **l. cannon**, individuo potenzialmente pericoloso; mina vagante (*fig.*) □ **l. cash** (*o* **change**), denaro a portata di mano; spiccioli □ **l. cough**, tosse catarrosa (*o* grassa) □ **l. cover**, fodera amovibile (*per poltrone, divani, ecc.*) □ **l. end**, capo libero (*di un cavo, d'una fune, ecc.*): (*fig.*) **l. ends**, faccenduole rimaste in sospeso □ (*d'abito*) **l.-fitting**, troppo largo (*o* abbondante) □ (*d'abito*) **l.-flowing**, non attillato; (*anche*) discinto □ (*fin.*) **l. funds**, fondi liberi (*o* privi di destinazione) □ **l. handwriting**, scrittura disordinata □ (*slang*) **l. in the upper storey** (*o* **upstairs**), senza una rotella; svitato (*fig.*) □ **l.-jointed**, dinoccolato; agile, svelto □ **l.-leaf binder** (*o* **book**), raccoglitore (*per ufficio*) □ **l.-leaf binding**, rilegatura a fogli mobili □ **a l.-leaf ledger**, un mastro a fogli mobili □ **l.-limbed**, dalle membra agili; flessuoso □ (*mecc.*) **l. pulley**, puleggia folle □ **«L. rocks»** (*cartello*), «massi pericolanti» □ **l. talk**, discorsi a vanvera □ **l.-tongued**, dalla lingua lunga; che parla troppo □ **a l. tooth**, un dente che tentenna (*o* che balla, che dondola) □ (*di stoffa*) **l.-weave**, a trama (*o* a maglia) larga (*o* rada) □ (*fig.*) **to be at a l. end** (*USA*: **at l. ends**), non sapere che pesci prendere, non sapere come fare; (*anche*) non avere niente da fare, essere libero □ **to break l.**, slegarsi, sciogliersi (*dai lacci, ecc.*); scappare; (*fig.*: *della violenza, ecc.*) scatenarsi, esplodere □ **to come** (*o* **to get**, **to work**) **l.**, allentarsi, slegarsi; stare per staccarsi: *A screw has come l.*, s'è allentata una vite □ **to cut l.**, liberare, sciogliere (*q. o qc., tagliando una fune o anche con la fiamma ossidrica*); liberarsi a fatica (*di q., di una responsabilità, ecc.*); (*fam.*) scatenarsi: **to cut l. from one's family**, tagliare i ponti con la famiglia □ (*fig.*) **to have a screw l.** (*USA*: **a l. tile**), mancare di una rotella, essere svitato (*fam.*) □ (*fig.*) **to have a l. tongue**, non saper tenere un segreto; spifferare tutto (*fam.*) □ (*mil.*) **in l. order**, in ordine sparso □ **to let** (*o* **to set**, **to turn**) **l.**, liberare, sciogliere, lasciare liberi (*animali, ecc.*) □ **to let sb. l. on st.**, dare mano libera (*o* carta bianca) a q. in qc. □ **to pack up goods l.**, imballare merci alla rinfusa □ (*fam. USA*) **to stay l.**, rimanere calmo (*o* tranquillo) □ **with a l. rein**, (*di cavallo*) con le redini lente; (*fig.*) con indulgenza.

> **❶ NOTA:** *loose o lose?*
> L'aggettivo *loose* significa prevalentemente "sciolto, libero, non confinato o trattenuto": *a loose belt*, una cintura sciolta; *loose floorboards*, assi sconnesse; *a loose tooth*, un dente che balla; *loose clothes*, vestiti larghi; *loose soil*, terreno smosso. Allo stesso modo, il verbo *to loose* vuol dire "sciogliere, liberare": *to loose the tiger from its cage*, liberare la tigre dalla sua gabbia. *Loose* non deve essere confuso con *to lose*, che invece ha il significato principale di "perdere, smarrire": *to lose one's keys*, perdere le chiavi, *to lose a fight*, perdere un combattimento, *to lose weight*, perdere peso, *to lose one's balance*, perdere l'equilibrio.

loose② /luːs/ n. ⓤ **1** libero sfogo; libera espressione: **to give l. to one's feelings**, dare libero sfogo ai propri sentimenti **2** (*rugby*) fase di gioco aperto (*o* di mischie spontanee) ● **to be left on the l.**, (*di un animale*) essere lasciato libero □ **to be on the l.**, essere in fuga; essere latitante.

to **loose** /luːs/ **A** v. t. **1** allentare; slacciare; slegare; disfare; sciogliere (*anche fig.*): **to l. a rope**, allentare una fune; **to l. one's shoe laces**, slacciarsi le scarpe; **to l. a knot**, sciogliere un nodo; *Gin loosed his tongue*, il gin gli sciolse la lingua **2** lasciare andare; liberare: *They loosed the prisoner*, liberarono il prigioniero **3** (*naut.*) mollare (*gli ormeggi*); allascare, allentare (*manovre*) **4** (*aeron. mil.*) sganciare (*bombe*) **5** lanciare; scagliare; scatenare; scoccare: *He loosed the arrow into the air*, lanciò (in aria) la freccia **6** sparare: **to l. off a round**, sparare una raffica **B** v. i. **1** (*mil., di solito* **to l. off**) fare fuoco; sparare una raffica **2** (*naut.*) mollare gli ormeggi; salpare ● **to l. off at sb.**, sparare (*col fucile, ecc.*) a q. □ **to l. one's hold**, allentare la presa.

loosebox /ˈluːsbɒks/ n. posta (*per un cavallo: nella stalla*).

loosely /ˈluːslɪ/ avv. **1** con (grande) scioltezza; liberamente (*anche fig.*): **l. translated**, tradotto liberamente **2** in modo impreciso; vagamente **3** in modo licenzioso; dissolutamente **4** in modo approssimativo; alla meglio: **l. fixed**, fissato alla meglio ● **l.-built**, dalle giunture scollegate; snodato: *Snakes have l.-built jaws*, le ossa mascellari dei serpenti non sono saldate tra loro □ (*di un vestito, ecc.*) **to hang l.**, essere largo (*o* ampio, abbondante, comodo) □ **to play l. with the truth**, non rispettare la verità dei fatti.

to **loosen** /ˈluːsn/ **A** v. t. **1** allentare; slacciare; slegare; snodare; sciogliere; liberare: *We loosened the nut*, allentammo il bullone; **to l. sb.'s tongue**, sciogliere (*o* snodare) la lingua a q. **2** allentare (*la presa, la disciplina, ecc.*) **3** liberare, sgombrare (*l'intestino*) **4** (*med.*) alleviare, ammorbidire, fluidificare (*la tosse secca*) **5** (*naut.*) allascare; lascare **6** (*sport*) allargare le maglie di (*una formazione*) **B** v. i. **1** allentarsi; slacciarsi; slegarsi; sciogliersi; liberarsi: *The bolt has loosened*, la chiavarda s'è allentata **2** (*fig.*: *della disciplina, ecc.*) allentarsi **3** (*della pelle*) farsi flaccida **4** (*dei muscoli*) rilassarsi ● **to l. up**, rilassarsi, calmarsi; (*med., sport*) sciogliere i muscoli; (*fam. USA*) cominciare a parlare, aprire bocca; sganciare soldi: *We were loosening up before the race*, stavamo sciogliendo i muscoli prima della corsa □ **a medicine that loosens the bowels**, una medicina che fa andare di corpo.

looseness /ˈluːsnəs/ n. ⓤ **1** scioltezza; mollezza **2** ampiezza, abbondanza (*di un capo di vestiario*) **3** (*mecc.*) gioco: **the l. of a bolt**, il gioco che ha un bullone **4** inesattezza; imprecisione (*della lingua, dello stile*) **5** (*fig.*) rilassamento **6** dissolutezza; licenziosità ● (*med.*) **l. of the bowels**, dissenteria; diarrea.

loosestrife /ˈluːsstraɪf/ n. (*bot.*, *Lysimachia vulgaris*) lisimachia; mazza d'oro.

loot /luːt/ n. **1** bottino; preda; spoglie (*di guerra*) **2** (*fam.*) bottino; malloppo **3** (*slang*) quattrini; soldi; grana (*pop.*).

to **loot** /luːt/ **A** v. t. **1** saccheggiare; depredare (*città, ecc.*) **2** portar via (*denaro o beni*) come bottino **B** v. i. darsi al saccheggio (*o* allo sciacallaggio).

looter /ˈluːtə(r)/ n. predatore; saccheggiatore; predone; sciacallo (*fig.*).

looting /ˈluːtɪŋ/ n. ⓤ saccheggio; sciacallaggio.

lop① /lɒp/ n. potatura; rami potati ● **lop and top** (*o* **lop and crop**), ramoscelli potati.

lop② /lɒp/ n. **1** coniglio dalle orecchie pendenti **2** (*slang*) pulce ● **lop-eared**, dalle orecchie pendenti □ **lop-sided**, inclinato su un fianco, sbilenco, storto, asimmetrico; (*fig.*: *di ragionamento*) zoppicante, che non sta in piedi □ (*aeron.*) **lop-sided landing**, atterraggio su una ruota sola.

lop③ /lɒp/ n. (*naut.*) mare corto; maretta.

to **lop**① /lɒp/ v. t. **1** potare, rimondare (*alberi*) **2** cimare, svettare (*alberi*) **3** (*di solito*

to lop off) mozzare, tagliare (*la testa, un braccio, ecc.*) **4** (*spesso* **to lop off** *o* **away**) tagliar via, recidere, sfrondare (*anche fig.*) ● **to lop at**, assestar colpi (di taglio) a.

to lop② /lɒp/ **A** v. i. **1** pender giù; ciondolare; penzolare **2** – **to lop about**, bighellonare; oziare **B** v. t. far pendere, tener penzoloni (*orecchie, ecc.*).

to lop③ /lɒp/ v. i. (*dell'acqua*) rompersi in piccole onde.

lope /ləʊp/ n. falcata; passo lungo.

to lope /ləʊp/ v. i. procedere a falcate; muoversi a lunghi passi.

lophotrichous /ləʊ'fɒtrɪkəs/ a. (*biol.*) lofotrico.

lopping /'lɒpɪŋ/ n. **1** potatura; rimondatura **2** cimatura (*d'alberi*) ● (*anche fig.*) **l.--off**, sfrondatura, potatura ▫ **l. shears**, forbici per potare.

loppings /'lɒpɪŋz/ n. pl. potatura; rami potati.

loppy /'lɒpɪ/ a. penzolante; cadente; pendente.

loquacious /lə'kweɪʃəs/ a. **1** loquace; ciarliero **2** (*d'uccello*) garrulo ‖ **loquaciously** avv. **1** loquacemente **2** garrulamente ‖ **loquaciousness, loquacity** n. Ⓤ **1** loquacità **2** garrulità.

loquat /'ləʊkwæt/ n. **1** (*bot.*, *Eriobotrya japonica*) nespolo del Giappone **2** nespola del Giappone.

lor, lor' /lɔ:(r)/ n. inter. (*dial.*) perdio!; perdinci!; diamine!

loran /'lɒræn/ n. (acronimo di **long-range navigation**) (*aeron.*, *naut.*) loran (*sistema di radionavigazione*).

◆**lord** /lɔ:d/ n. **1** signore (*anche fig.*); padrone; capo; sovrano: **the l. of the manor**, il signore del castello; **the l. of creation**, il signore del creato; l'uomo; «**our Sovereign L. the King**», «il re nostro sovrano»; **the drug lords**, i signori della droga **2** Lord (*titolo ingl.*); Pari d'Inghilterra: **the Lords**, i Lord; la Camera dei Lord **3** (*relig.*) – L., Signore; Dio; Iddio: **Our L.**, Nostro Signore; Gesù Cristo; **the L. of Hosts**, il Dio degli eserciti **4** (*arc. o scherz.*; = **l. and master**) marito; padrone di casa **5** (*astrol.*) signore; pianeta dominante **6** (*fig.*) magnate: **the oil lords**, i magnati del petrolio **7** (*cricket*) – L.'s, Lord's (*campo storico del cricket inglese a Londra*) ● **the L. Chamberlain**, il Lord Ciambellano (*alla Corte inglese*) ▫ (*in GB*) **the L. Chancellor**, il Lord Cancelliere, il Presidente della Camera dei Lord (*il magistrato di più alto grado*) ▫ (*in GB*) **the L. Chief Justice**, il Presidente della → «Queen's Bench Division» (→ **queen**) dell'Alta Corte di Giustizia (*il secondo grado della magistratura*) ▫ **the L.'s day**, il giorno del Signore; la domenica ▫ (*stor.*) **l. in waiting**, gentiluomo di corte ▫ **L. Mayor**, sindaco (*di una grande città, eccetto Londra*) ▫ **the L. Mayor of London**, Lord Mayor della City londinese (*figura non politica che rappresenta gli interessi della City*) ▫ (*relig.*) **the L.'s prayer**, il paternostro ▫ (*stor.*, *in GB*) **the L. Privy Seal**, il Decano del Consiglio dei Ministri (*fino al 1884, custodiva il* → «*Privy Seal*», → **privy**) ▫ (*relig.*) **the L.'s supper**, l'eucaristia ▫ (*relig.*) **the L.'s table**, l'altare eucaristico ▫ (*bot.*) **lords-and-ladies** (*Arum maculatum*), gigaro ▫ (*polit.*) **the Lords Spiritual**, i vescovi (*o arcivescovi*) che siedono alla Camera dei Lord ▫ (*polit.*) **the Lords Temporal**, i Lord laici (*della Camera dei Lord*) ▫ **to act the l.**, darsi arie da gran signore ▫ **in the year of Our L. 1980**, nell'anno del Signore (*o* nell'anno di grazia) 1980 ▫ **to live like a l.**, vivere da gran signore (*o* da nababbo, da pascià) ▫ (*vocat.*) **my L.**, signore; milord ▫ **to swear like a l.**, bestemmiare come un turco ▫ **to treat sb. like a l.**, trattare q. da gran signore ▫ L. (*o* **Good**

L.)!, mio Dio!; buon Dio! ▫ **L. (only) knows who [how]**, Dio sa chi [come] ▫ **L. have mercy!**, Signore Iddio, pietà!

to lord /lɔ:d/ **A** v. i. – **to l. it**, farla da padrone; spadroneggiare **B** v. t. (*raro*) fare, nominare (q.) lord ● **to l. it over sb.**, spadroneggiare su q.; comandare q. a bacchetta.

lordling /'lɔ:dlɪŋ/ n. (*spreg.*) nobilastro; signorotto; tirannello.

lordly /'lɔ:dlɪ/ a. **1** fastoso; magnifico; sfarzoso **2** altero; altezzoso; arrogante; gioglioso; superbo **3** di un lord; da lord ‖ **lordliness** n. Ⓤ **1** fasto; magnificenza; sfarzo **2** alterigia; arroganza; orgoglio; superbia.

lordosis /lɔ:'dəʊsɪs/ n. Ⓤ (*med.*) lordosi.

lordship /'lɔ:dʃɪp/ n. **1** Ⓤ signoria; autorità (*o* dignità, grado) di un lord **2** Ⓤ dominio; potere **3** proprietà terriera; feudo; possedimento **4** (*titolo in riferimento a un Lord o a un alto magistrato*) Vostra (*o* Sua) Eccellenza (*o* Signoria): *His L. will see you in a moment*, Sua Signoria La riceverà tra poco; *Has Your L. called me?*, Vostra Eccellenza mi ha chiamato?

lore① /lɔ:(r)/ n. Ⓤ **1** (*arc.*) erudizione; dottrina; sapere **2** tradizioni, conoscenze e leggende (*di un popolo, di una comunità, ecc.*); folklore.

lore② /lɔ:(r)/ n. (*zool.*) setto membranoso (*sotto l'occhio degli uccelli e dei rettili*).

lorem ipsum /'lɔːrəm 'ɪpsəm/ n. Ⓤ (*tipogr.*, *comput.*) testo riempitivo in bozzetti e prove grafiche (*costituito da parole latine spesso storpiate*).

lorgnette /lɔ:n'jet/ n. **1** occhialetto (*o* occhialino) col manico; lorgnette **2** binocolo da teatro (*col manico*).

lorica /lə'raɪkə/ n. (pl. *loricae*) (*stor. romana e zool.*) lorica.

loricate /'lɒrɪkeɪt/ a. (*zool.*) loricato.

lorikeet /'lɒrɪki:t/ n. (*zool.*, *Lorius domicella*) lorichetto.

loris /'lɔ:rɪs/ n. (*zool.*) **1** (*Loris*) lori **2** (*Loris gracilis*; *anche* **slender l.**) lori gracile.

lorn /lɔ:n/ a. (*poet.*) **1** abbandonato; derelitto **2** deserto; desolato; solitario.

◆**lorry** /'lɒrɪ/ n. **1** carro (*senza sponde*): **coal l.**, carro per il trasporto del carbone **2** autocarro; camion (*cfr.* USA **truck**①, *def. 5*) ● **l. bombing**, attentato terroristico compiuto lanciando un autocarro pieno d'esplosivo (*e spesso guidato da un conducente suicida*) ▫ **l. driver**, camionista ▫ **l. park**, parcheggio per autocarri ▫ (*iron.*: *di un oggetto rubato o sottratto*) *It fell off the back of a l., didn't it?*, cosa vorresti far credere, d'averlo trovato per strada?

lory /'lɔ:rɪ/ n. (*zool.*, *Trichoglossus*) lori.

losable /'lu:zəbl/ a. che si può perdere.

◆**to lose** /lu:z/ (pass. e p. p. **lost**) **A** v. t. **1** perdere (*anche fig.*); smarrire: *'I had lost my name, my position, my happiness, my freedom, my wealth'* O. WILDE, 'avevo perduto il mio buon nome, la mia posizione, la mia felicità, la mia libertà, e la mia ricchezza'; **to l. one's keys**, perdere le chiavi; *He lost his right arm in the war*, perse il braccio destro in guerra; **to l. one's mother**, perdere la madre; **to l. one's life**, perdere la vita; **not to l. a word**, non perdere una parola; **to l. one's time**, perdere tempo; **to l. one's temper**, perdere la pazienza; **to have nothing to l.**, non avere niente da perdere **2** sciupare; sprecare: *My remarks were not lost on her*, le mie osservazioni non andarono sprecate con lei **3** liberarsi di; sbarazzarsi di: *They managed to l. the car that was following them*, riuscirono a liberarsi della macchina che li seguiva **4** far perdere; costare: *His negligence lost him his job*, la sua negligenza gli fece perdere l'impiego **5** (*sport*)

perdere: **to l. the ball**, perdere il pallone; **to l. a race [a match, a round]**, perdere una corsa [un incontro, una ripresa] **6** (*sport*) staccare, distanziare, seminare (*gli avversari, in una corsa*) **7** (*d'orologi*) restare indietro di; ritardare di: *The old clock loses three minutes a day*, il vecchio orologio resta indietro di tre minuti al giorno **B** v. i. **1** (*anche sport*) perdere: *Wales lost to Scotland*, il Galles perse con la Scozia **2** perderci; rimetterci: *The poem loses a lot in translation*, la poesia ci perde molto nella traduzione **3** (*di un orologio*) rimanere indietro ● **to l. one's balance**, sbilanciarsi ▫ (*fam.*) **to l. one's berth**, perdere l'impiego ▫ **to l. by**, rimetterci a: *You can't l. anything by trying*, a provare non ci rimetti nulla ▫ **to l. (one's) concentration**, perdere la concentrazione ▫ **to l. customers**, perdere clienti ▫ **to l. ground**, perdere (*o* cedere) terreno ▫ **to l. heart**, scoraggiarsi ▫ **to l. heavily**, (*fin.*) subire gravi perdite; (*mil. e sport*) subire una grave sconfitta ▫ (*aeron.*) **to l. height**, perdere quota ▫ **to l. inches**, perdere dei centimetri; dimagrire in vita ▫ (*slang USA*) **to l. it**, perdere la ragione, dare i numeri (*fig.*); perdere il controllo, diventare isterico; vomitare ▫ (*polit.*) **to l. a motion**, non riuscire a far approvare una mozione ▫ **to l. on**, perdere su (*o* in): **to l. a lot of money on a horse**, perdere un mucchio di soldi su un cavallo; **to l. on a contract**, perderci in un appalto ▫ **to l. oneself**, perdersi, smarrirsi; confondersi; immergersi (*in un pensiero, ecc.*) ▫ (*d'un medico*) **to l. a patient**, perdere un paziente; non riuscire a salvare un malato ▫ **to l. one's place**, perdere il segno (*in un libro, ecc.*) ▫ **to l. one's reason** (*o* **senses**), perdere la ragione (*o* la bussola, la tramontana) ▫ **to l. one's reputation**, perdere la reputazione; screditarsi ▫ **to l. sight of sb.** [**st.**], perdere di vista (*o* d'occhio). [qc.] ▫ **to l. track of**, perdere le tracce di (*automat., ecc.*: *di una ruota*) **to l. traction**, perdere aderenza sul terreno ▫ **to l. one's way**, smarrirsi; smarrire la strada ▫ (*fam.*) **You're losing me**, non ti seguo più; non riesco a capirti ❶ NOTA: *loose* o *lose*? → **loose**.

■ **lose off** v. i. + avv. perdere; perdere male; (*fin.*) perderci, rimetterci.

■ **lose out on** v. i. + avv. + prep. perderci, rimetterci in (*un affare, ecc.*): *I lost out on that deal*, in quell'affare ci ho rimesso.

■ **lose out to** v. i. + avv. + prep. **1** (*sport*) perdere contro (*o* con, da); essere sconfitto da **2** (*fig.*) perdere terreno a favore di: *Retailers are losing out to department stores*, i dettaglianti stanno perdendo terreno a favore dei grandi magazzini.

loser /'lu:zə(r)/ n. **1** perdente; chi perde; sconfitto: **to back a l.**, puntare su un perdente; *The l. must pay*, chi perde paga **2** uno che ci rimette (*o* ci scapita): *You won't be a l. by it*, non ci rimetterai niente **3** (*fig.*) perdente; sfigato (*pop.*): *He's a born l.*, è nato perdente; è uno sfigato ● (*Borsa*) **big losers**, titoli in grave ribasso ▫ **to be a good [a bad] l.**, saper [non saper] perdere.

losing /'lu:zɪŋ/ a. **1** che perde; perdente; che ha perso: (*sport*) **the l. side**, la squadra che ha perso **2** già perso: *He's fighting a l. battle*, si batte per una causa persa ● **l. cards**, carte (da gioco) pessime; (*fig.*) sfortuna, svantaggio, scarse possibilità di riuscita ▫ (*sport*) **l. finalist**, (*tennis, ecc.*) finalista perdente, perdente della finale; (*calcio, ecc.*) squadra che ha perso la finale ▫ **l. streak**, serie sfortunata; serie negativa ▫ (*leg. e fig.*) **l. suit**, causa persa in partenza.

◆**loss** /lɒs/ n. **1** perdita; smarrimento; sciupio; spreco; scapito; svantaggio: **l. of sight**, perdita della vista; **l. of time**, perdita di tempo; **the l. of a match**, la perdita d'una partita; **the l. of one's purse**, lo smarrimen-

to del borsellino **2** (*fin.*) perdita; perdita netta **3** (*ass.*) perdita; danno: **to make good losses**, risarcire i danni **4** (*sport*) sconfitta **5** (*tecn.*) perdita; dispersione **6** (pl.) (*mil.*) perdite ● (*ass.*) **l. adjuster**, perito liquidatore □ (*rag.*) **l.-and-gain account**, conto profitti e perdite □ (*lotta*) **l. by fall**, sconfitta per schienata □ (*boxe*) **l. by K.O.**, sconfitta per kappaò □ (*elettr.*) **l. factor**, fattore di perdita □ **l. in temperature**, calo della temperatura □ (*comm.*) **l. in weight**, calo di peso □ (*market.*) **l. leader**, articolo civetta □ **l. of appetite**, inappetenza □ the **l. of a battle**, l'aver perso una battaglia; la sconfitta □ **l. of control**, perdita del controllo □ (*leg.*) **l. of earnings**, mancati utili; lucro cessante □ (*fin.*) **l. on exchange**, perdita dovuta a oscillazioni del cambio □ (*boxe*) **l. on points**, sconfitta ai punti □ (*ass.*) **l. ratio**, rapporto premi/sinistri □ (*comm.*) **at a l.**, in perdita: **to sell st. at a l.**, vendere qc. in perdita □ **to be at a l.**, essere perplesso □ **to be at a l. for**, non riuscire a trovare: *I was at a l. for words*, non riuscivo a trovar le parole (o a esprimermi) □ **to be at a l. (to know)** what to do [where to go], non avere idea di cosa fare [di dove andare] □ (*fam.*) **to be a dead l.**, non essere buono a niente; essere un inetto, un incapace, un imbranato; (*di un oggetto*) non servire a nulla, essere del tutto inutile.

lossless /'lɒsləs/ *a.* (*comput.*) senza perdita ● **l. compression**, compressione di dati senza perdita di informazione.

loss-maker, loss maker /'lɒsmeɪkə(r)/ *n.* (*econ.*) **1** attività (industria, ecc.) in perdita **2** azienda (impresa, ecc.) decotta.

loss-making, loss making, lossmaking /'lɒsmeɪkɪŋ/ *a.* (*econ.*) in perdita; in passivo; decotto.

lossy /'lɒsɪ/ *a.* (*comput.*) con perdita ● **l. compression**, compressione di dati con perdita di informazione.

♦**lost** /lɒst/ Ⓐ *pass.* e p. p. di **to lose** Ⓑ *a.* **1** perduto; perso; andato perso; smarrito: **a l. cat**, un gatto smarrito; **a l. art**, un'arte che s'è perduta; *I was well and truly l.*, mi ero perso senza rimedio; *The letter was l. in the post*, la lettera è andata smarrita; **to get l.**, perdersi, smarrirsi; andare smarrito: *Children get l. here everyday*, qui i bambini si perdono ogni giorno **2** perso; perduto; sprecato; mancato: **a l. cause**, una causa persa; **a l. opportunity**, un'occasione mancata **3** (*fig.*) perduto; confuso; smarrito; disorientato; spaesato: *I'd be l. without her*, senza di lei sono perso; non so che farei senza di lei; **to look l.**, avere un'aria smarrita; sembrare spaesato ● **l. property**, oggetti (pl.) smarriti □ **L. Property Office** (*USA*, **L. and Found Office**), Ufficio oggetti smarriti □ (*arte*) **l.-wax process**, cera persa □ **All is not l.**, non tutto è perduto □ **to be l. at sea**, morire in un naufragio; scomparire in mare □ **to be l. for words**, restare senza parole □ **to be l. in st.**, essere immerso in qc.; essere tutto preso da qc.: *He was l. in thought*, era immerso (o assorto) nei suoi pensieri □ **to be l. on** (o **upon**) **sb.**, non sortire effetto su; essere sprecato con: *My warnings were completely l. on him*, i miei avvertimenti furono del tutto sprecati con lui □ **to be l. to the world**, essere estraniato da tutto quello che sta intorno □ (*slang*) **Get l.!**, fila!; scompari!; squagliati!; smamma! (*pop.*) □ (*fam.*) **to get l. in the shuffle**, andare smarrito nella confusione; essere ignorato nella confusione generale □ **to give sb. [st.] up for l.**, perdere la speranza di ritrovare q. [qc.].

♦**lot** /lɒt/ Ⓐ *n.* **1** destino; fato; sorte; ventura: **to be content with one's lot**, contentarsi della propria sorte; *The lot fell on corporal Brown*, il caporale Brown fu designato dalla sorte **2** Ⓤ il tirare a sorte; sorteggio: **to choose a person by lot**, scegliere una persona tirando a sorte (o per sorteggio) **3** (*spec. USA*) lotto, appezzamento (*di terreno*) **4** (*comm.*) lotto, assortimento, partita (*di merce*): **a lot of hats**, una partita di cappelli **5** parte, porzione (*avuta per sorteggio*): **to have no part or lot in st.**, non ricevere parte alcuna di qc.; non aver niente a che fare con qc. **6** Ⓤ (*fam.*, = **lots**) gran quantità; gran numero; mucchio, sacco (*fam.*); molto: *He has a lot of money*, ha un sacco di soldi; *Lots of people came*, venne una quantità di gente; *I want a lot more*, ne voglio molto (o molti) di più; *He gave us lots to eat*, ci ha dato un sacco di cose da mangiare **7** (*fam.*) individuo; tipo; soggetto: *He's a bad lot*, è un brutto tipo; è un poco di buono **8** (*fin.*) pacchetto (*di titoli: unità minima di contrattazione*) **9** – **the lot**, tutto quanto; ogni cosa: *Is that the lot?*, è tutto?; *This phone's got the lot: e-mail, video camera, and a three-megapixel camera*, questo telefono ha tutto: e-mail, videocamera e una fotocamera da tre megapixel **10** – **the lot**, (*cinem.*) lo studio e gli annessi **11** (*autom.*; = **parking lot**) (area di) parcheggio Ⓑ *avv.* – **a lot**, assai; molto: *She's a lot happier*, è molto più felice; *He works a lot at home*, lavora molto a casa ⓘ **NOTA**: *molto* → **molto** ● **the (whole) lot**, tutto; tutto quanto, tutti quanti □ (*fam.*) **lots and lots**, una gran quantità; moltissimi; tanti e poi tanti □ (*di terreno*) **lot line**, confine di proprietà □ **to draw** (o **to cast**) **lots**, tirare a sorte □ (*fig.*) **to have a lot on one's plate**, avere molta carne al fuoco (*fig.*) □ **to leave a lot to be desired**, lasciar molto a desiderare □ (*fin.*) **odd lot**, spezzatura (*di titoli*) □ **to throw** (o **to cast**) **in one's lot with sb.**, condividere la sorte di q.; legare la propria sorte a quella di q. □ **The lot falls to me** (o **it falls to my lot**), tocca a me (in sorte); è compito mio □ **That's your lot!**, questo è tutto; tutto qui; non c'è altro; (*anche*) ecco fatto; è tutto! □ **Thanks a lot!**, tante grazie! □ (*iron.*) **A (fat) lot she cares!**, non gliene importa niente; gliene frega assai! (*pop.*) □ (*iron.*) **A fat lot of good it does!**, bell'aiuto!; non serve a un tubo!

to **lot** /lɒt/ *v. t.* **1** dividere (*terreni*) in lotti; lottizzare **2** (*comm.*) dividere (*merce*) in partite **3** (*fin.*) dividere (*titoli*) in pacchetti **4** (*raro*) tirare a sorte; assegnare ● **to lot out**, (*edil.*) lottizzare; (*comm.*) dividere in partite.

loth /ləʊθ/ → **loath**.

Lotharingian /ˌləʊθəˈrɪndʒɪən/ *a.* e *n.* (*stor.*) lotaringio.

Lothario /ləʊˈθɑːrɪəʊ/ *n.* **1** Lotario **2** (*fig.*: pl. **Lotharios**) dongiovanni; libertino; seduttore (*da un personaggio di «The Fair Penitent» di N. Rowe*).

lotion /'ləʊʃn/ *n.* (*med.*) lozione; unguento.

♦**lottery** /'lɒtərɪ/ *n.* lotteria; (gioco del) lotto: (*fig.*) *Life is a l.*, la vita è un terno al lotto ● **l. ticket**, biglietto di lotteria □ **l. wheel**, ruota del lotto.

lotting /'lɒtɪŋ/ *n.* Ⓤ **1** (*edil.*) lottizzazione **2** (*comm.*, = **l. out**) divisione (*di merce*) in partite.

lotto /'lɒtəʊ/ *n.* Ⓤ **1** tombola (*il gioco*) **2** lotto (*in Italia*) ● **l. card**, cartella della tombola.

lotus /'ləʊtəs/ *n.* **1** (*bot.*, *Lotus*) loto **2** (frutto del) loto **3** (*archit.*) fregio a foglie di loto ● **l.-eater**, (*mitol.*) lotofago; (*fig.*) chi sogna a occhi aperti; sognatore, sognatrice □ **l.-eating**, (agg.) lotofago; (sost.) lotofagia □ (*yoga*) **l. position**, posizione del loto.

louche /luːʃ/ *a.* ambiguo; equivoco; sinistro; di dubbia fama; dal fascino equivoco.

♦**loud** /laʊd/ Ⓐ *a.* **1** (*di suono, rumore, ecc.*) forte; alto: **in a l. voice**, a voce alta; **a l. noise** [**cry**], un forte rumore [grido]; *The radio is too l.*, la radio è troppo alta **2** sonoro; rumoroso; (*di un applauso*) fragoroso: **a l. laugh**, una risata sonora (o rumorosa); **a l. bell**, una campana sonora **3** clamoroso; insistente; enfatico: **l. denials**, insistenti dinieghi **4** (*di persona*) chiassoso; rumoroso **5** (*di colore, ecc.*) sgargiante; vistoso: **a l. pattern**, un disegno vistoso (*di un vestito, una cravatta*) **6** grossolano; rozzo; volgare: **l. manners**, modi grossolani Ⓑ *avv.* a voce alta; forte; rumorosamente: *Don't speak so l.*, non parlare così forte! | **-ly** *avv.*

to **louden** /'laʊdn/ Ⓐ *v. t.* alzare (*la voce*) Ⓑ *v. i.* **1** (*della voce*) alzarsi **2** (*di suono*) diventare più alto; crescere di tono.

loudhailer /laʊd'heɪlə(r)/ *n.* (*spec. GB*) megafono.

loudish /'laʊdɪʃ/ *a.* piuttosto alto; alquanto rumoroso; alquanto forte.

loudmouth /'laʊdmaʊθ/ (*fam.*) *n.* **1** chiacchierone; blaterone; parolaio **2** millantatore; fanfarone; spaccone; vantone (*fam.*) ‖ **loudmouthed** *a.* **1** che parla troppo; che blatera **2** che si vanta; da spaccone **3** che sbraita.

loudness /'laʊdnəs/ *n.* Ⓤ **1** livello sonoro; sonorità; forza (*d'un suono*); altezza (*della voce*); rumorosità **2** (*acustica*) sensazione sonora **3** (*fig.*) chiassosità (*di colori, ecc.*); vistosità **4** (*fig.*) grossolanità; volgarità.

loudspeaker /laʊd'spiːkə(r)/ *n.* altoparlante.

lough /lɒk/ (*irl.*) *n.* **1** lago **2** stretto braccio di mare.

louis /'luːɪ/ *n.* (inv. al pl.) (*stor.*, = **l.-d'or**) luigi (*moneta francese*).

Louis /'luːɪ/ *n.* Luigi.

Louisa /luːˈiːzə/, **Louise** /luːˈiːz/ *n.* Luisa.

lounge /laʊndʒ/ *n.* **1** ozio; momento d'ozio; periodo di riposo: **to have a l.**, prendersi un po' di riposo **2** ridotto (*di teatro*) **3** sala di ritrovo; salone (*di un albergo*) **4** salotto, soggiorno (*di casa privata*) **5** sala d'aspetto (*di un aeroporto*) **6** agrippina (*tipo di sofà a un solo bracciolo*) **7** = **l. bar** → *sotto* **8** = **l. chair** → *sotto* **9** (*mus.*) lounge; musica lounge (*musica dai toni moderati e rilassanti*) ● **l. bar**, sala interna, bar elegante (*in un albergo, pub o ristorante*) □ (*ferr.*) **l. car**, carrozza salone □ **l. chair**, poltrona □ (*slang*) **l. lizard**, donnaiolo, cascamorto □ **l. suit**, abito (*da uomo*) da giorno; abito intero.

to **lounge** /laʊndʒ/ *v. i.* **1** (*spec.* **to l. about** o **around**) stare disteso (o sdraiato): **to l. on a deckchair**, stare disteso su una sdraio **2** bighellonare; gironzolare **3** oziare; poltrire ● **to l. away**, sciupare; sprecare; passare nell'ozio □ **to l. away one's time**, sciupare (o sprecare) il tempo.

lounger /'laʊndʒə(r)/ *n.* bighellone; fannullone; perdigiorno.

loupe /luːp/ *n.* (*gioielleria*) lente monoculare d'ingrandimento ● (*di diamante*) **l. clean**, puro al cento per cento (*1° grado della scala di purezza*).

lour /'laʊə(r)/ *n.* Ⓤ **1** aspetto accigliato; cipiglio **2** l'oscurarsi, il rabbuiarsi (*del cielo*); l'essere minaccioso (*del tempo, ecc.*).

to **lour** /'laʊə(r)/ *v. i.* **1** accigliarsi; aggrottare le ciglia (o la fronte) **2** (*del cielo*) oscurarsi, rabbuiarsi **3** (*del tempo, delle nubi, ecc.*) essere minaccioso, minacciare tempesta ● **to l. at** (o **on, upon**) **sb.**, fare il cipiglio a q.; guardare in cagnesco (o di traverso) q.

louring /'laʊrɪŋ/ *a.* **1** accigliato; aggrondato; cupo; tetro **2** (*del cielo, ecc.*) minaccioso; scuro; torvo.

loury /'laʊərɪ/ *a.* **1** accigliato; imbronciato **2** (*del tempo*) minaccioso.

louse /laʊs/ *n.* **1** (*zool.*, *Pediculus*: pl. **lice**) pidocchio **2** (*slang*: pl. **louses**) individuo spregevole; verme, pidocchio (*fig.*) ● (*med.*) **l.-borne typhus**, tifo petecchiale □ (*slang*) **l.**

trap, pettine □ **crab l.**, piattola.

to **louse** /laʊs/ v. t. spidocchiare ● (*slang*) to **l. up**, rovinare; sciupare; incasinare (*pop.*).

lousy /ˈlaʊzɪ/ a. 1 pidocchioso; sporco 2 (*fam.*) pessimo; schifoso: *We had a l. time*, non ci siamo divertiti per niente ● (*slang USA*) **l. with**, pieno di, coperto di: **l. with money**, pieno di quattrini; *'I watched her take off her gloves. Boy, was she l. with rocks!'* J.D. SALINGER, 'la guardai togliersi i guanti. Caspita, aveva le mani che formicolavano di brillanti!' || **lousily** avv. malissimo: disgustosamente; schifosamente || **lousiness** n. ⃞ 1 l'essere pidocchioso; sporcizia 2 (*fam.*) l'essere pessimo, disgustoso; qualità scadente.

lout /laʊt/ n. villano; zoticone; tanghero; burino; villanzone; cafone.

loutish /ˈlaʊtɪʃ/ a. grossolano; rozzo; maleducato; cafone; sguaiato; villano; zotico | **-ness** n. ⃞.

louvre, (*USA*) **louver** /ˈluːvə(r)/ n. 1 (*archit. medievale*) torretta, lucernaio (*sul tetto d'un edificio*) 2 (*edil.*) persiana di ventilazione 3 (= **l. board**) stecca di persiana 4 (*autom.*) feritoia di ventilazione (*sul cofano*) ● **l. blind**, avvolgibile a stecche verticali (*tendina*).

lovable /ˈlʌvəbl/ a. amabile; che ispira amore; caro; simpatico || **lovability**, **lovableness** n. ⃞ amabilità || **lovably** avv. amabilmente.

lovage /ˈlʌvɪdʒ/ n. (*bot.*, *Levisticum officinale*) levistico; sedano di monte.

♦**love** /lʌv/ n. 1 ⃞ amore; affetto; affezione: **l. of one's fellow creatures**, l'amore del prossimo; **l. of the sea**, amore per il mare; **for the l. of your mother**, per amor di tua madre 2 ⃞ passione; interesse appassionato: *Poetry is my only l.*, la poesia è la mia unica passione 3 amore; persona amata 4 (al vocat.) cara, caro; tesoro; amore; (*ingl.*, *come appellativo semplicemente amichevole*) caro, cara 5 (*sport*, *spec. tennis*) zero (punti): **l.-all**, zero pari; **l.-forty**, zero quaranta; **a l. game**, un game in cui il perdente è stato lasciato a zero punti; **l. match**, incontro vinto in due (*o in tre*) set, tutti per 6 a 0 6 (*mitol.*) – L., Amore; Amorino; Cupido ● **l. affair**, relazione amorosa (*o sentimentale*) □ **l. at first sight**, amore a prima vista □ (*di figlio*) **l.-begotten**, illegittimo □ (*fam.*) **l. bite**, morso d'amore; succhiotto □ (*volg. USA*) **l. button**, clitoride □ **l. child**, figlio dell'amore; figlio illegittimo □ (*fam.*) **l. handles**, maniglie dell'amore □ (*fig.*) **the l. doves**, le (due) colombelle □ (*relig.*) **l. feast**, agape □ **l.-in**, riunione di hippy (*figli dei fiori, ecc.*) □ (*fig.*) **l. in a cottage**, due cuori e una capanna; matrimonio senza quattrini □ (*bot.*) **l.-in-idleness** (*Viola tricolor*), viola del pensiero □ (*bot.*) **l.-in-a-mist** (*Nigella damascena*), nigella; fanciullaccia □ **l. knot**, nodo (*o nastro*) d'amore □ **l. letter**, lettera d'amore □ **l. life**, vita sentimentale □ **l.-making**, il fare l'amore; (*antiq.*) corteggiamento □ **l. match**, matrimonio d'amore □ (*fig.*) **l. nest**, nido d'amore □ **l. of (one's) country**, patriottismo; amor di patria □ **l. philtre** (*o l. potion*), filtro d'amore □ **l. seat**, amorino; divano a esse □ (*tennis*) **l. serve** (*o service*), servizio vinto lasciando l'avversario a zero punti □ **l. shaft**, dardo di Cupido □ **l. song**, canzone d'amore □ **l. story**, storia d'amore □ **l.-struck**, innamorato cotto; che ha avuto il colpo di fulmine (*fig.*) □ (*slang USA*) **l. tips**, tette (*pop.*); capezzoli □ **l. token**, pegno d'amore □ **to fall in l. with sb.**, innamorarsi di q. □ **for l.**, per amore; per diletto ● (*fam.*) **Oh, for the l. of God!**, (*escl. irritata*) oh, santo cielo!; sant'iddio! □ **to give** (*o to send*) **one's l. to sb.**, mandare affettuosi saluti a q.: *Give my l. to your sister*, saluta (affettuo-

samente) tua sorella da parte mia □ **to be in l. with sb.**, essere innamorato di q. □ **to make l. to sb.**, fare l'amore con q.; (*antiq.*) corteggiare q. □ **not for l. or** (*o nor*) **money**, a nessun costo; in nessun modo: *I can't get this book for l. or money*, questo libro non c'è proprio modo d'averlo □ **to play for l.**, giocare per passione (*non per soldi*) □ **There's no l. lost between them**, non si possono soffrire; si detestano; si odiano cordialmente.

♦to **love** /lʌv/ v. t. 1 amare; aver caro; voler bene a: **to l. one's children**, amare i figli; *I l. you*, ti voglio bene 2 piacere molto (impers.); desiderare; adorare; divertirsi a; provar diletto in: *I simply l. skiing*, adoro sciare; *He loves playing tennis*, gli piace molto giocare a tennis; (*fam.*) *I'd l. to go to England next summer*, mi piacerebbe molto andare in Inghilterra l'estate prossima; *I'd l. a cup of tea*, mi andrebbe proprio una tazza di tè; *He simply loves to find other people's mistakes*, si diverte molto a scoprire gli errori degli altri 3 fare l'amore (*o all'amore*) con (q.) ● (*arc.*) **Lord l. you!**, Dio ti benedica!; povero me!; che cos'hai combinato! □ (*sfogliando un fiore*) **Loves me, loves me not**, mi ama, non mi ama □ (*prov.*) **L. me, l. my dog**, o prendermi o lasciarmi; devi prendermi così come sono.

loveable /ˈlʌvəbl/ a. → **lovable**.

lovebird /ˈlʌvbɜːd/ n. 1 (*zool.*, *Agapornis*) inseparabile (*pappagallino*) 2 (*zool.*, *Loriculus*) parrocchetto 3 (*zool.*, *Psittacula*) psittacula 4 (pl.) (*fig.*) piccioncini; innamorati.

lovebite /ˈlʌvbaɪt/ n. succhiotto.

loved /lʌvd/ a. amato; diletto; prediletto ● **the l. one**, il caro estinto; la buonanima □ **my l. ones**, i miei cari; i figli; la famiglia.

Lovelace /ˈlʌvleɪs/ n. dongiovanni; libertino; seduttore (*da un personaggio di «Clarissa Harlowe», di S. Richardson*).

loveless /ˈlʌvləs/ a. senz'amore; che non ama; che non è amato: **a l. marriage**, un matrimonio senz'amore | **-ly** avv. | **-ness** n. ⃞.

loveliness /ˈlʌvlɪnəs/ n. ⃞ bellezza; grazia; incanto; leggiadria.

lovelock /ˈlʌvlɒk/ n. tirabaci.

lovelorn /ˈlʌvlɔːn/ a. (*lett.*) che si strugge d'amore; disperato per amore; infelice.

♦**lovely** /ˈlʌvlɪ/ **A** a. 1 bello; attraente; grazioso; incantevole; leggiadro; piacevole; soave; vezzoso: **a l. sight**, una vista incantevole; **a l. girl**, una bella ragazza; **l. eyes**, begli occhi; **l. weather**, tempo bello 2 (*fam.*) delizioso; divertente: *That was a l. meal, thanks for that*, è stata una cena deliziosa, grazie; **a l. story**, una storiella divertente; **a l. party**, una festa divertente (*o riuscita*) 3 attraente; simpatico; delizioso; squisito: **a l. person**, una persona squisita; **a l. lunch**, un pranzo squisito **B** n. (*fam.*) bella (donna); bellezza ● **to have a l. time**, divertirsi un mondo; spassarsela.

♦**lover** /ˈlʌvə(r)/ n. 1 innamorato, innamorata; amoroso, amorosa; pretendente; fidanzato; **the two lovers**, i due innamorati 2 amante (*spec. uomo*) 3 amatore, amatrice; amante, appassionato (di qc.): *He is a l. of painting*, è un appassionato di pittura; **a nature l.**, un amante della natura 4 uno (*o una*) che sa fare l'amore: *'Anyhow he seemed to be a good l.'* D.H. LAWRENCE, 'comunque, pareva che in amore ci sapesse fare' 5 (*slang USA*) magnaccia (*pop.*); protettore ● **l.'s knot**, nodo (*o nastro*) d'amore.

lovesick /ˈlʌvsɪk/ a. 1 malato d'amore; che soffre le pene d'amore 2 (*di poesia, ecc.*) che canta le pene d'amore || **lovesickness** n. ⃞ mal d'amore; pene d'amore.

lovey /ˈlʌvɪ/ n. (*fam.*, al vocat.) amore; tesoro.

lovey-dovey /ˈlʌvɪˈdʌvɪ/ a. (*fam.*) affettuoso; amorevole; tenero; sdolcinato; svenevole: **to act very lovey-dovey**, comportarsi in modo assai tenero; **lovey-dovey letters**, lettere sdolcinate.

to **lovey-dovey** /ˈlʌvɪˈdʌvɪ/ v. i. (*fam.*) fare i (due) piccioncini; tubare.

loving /ˈlʌvɪŋ/ a. amoroso; amorevole; affettuoso; tenero; affezionato; devoto: **l. care**, cure amorevoli; **a l. friend**, un amico devoto; **l. parents**, genitori amorosi ● **l. cup**, coppa dell'amicizia (*passata in giro, un tempo, nei banchetti*) □ **l. kindness**, bontà; affettuosità; tenerezza □ **peace-l.**, amante della pace | **-ly** avv. | **-ness** n. ⃞.

♦**low** ① /ləʊ/ a. 1 basso: **a low fence**, uno steccato basso; **low hills**, colline basse; **low prices**, prezzi bassi; (*autom.*) **low speed**, marcia bassa; **a low figure**, una cifra bassa; una piccola cifra; **to have a low forehead**, avere la fronte bassa; **low pay**, retribuzione bassa; **low temperature**, temperatura bassa; **to speak in a low voice**, parlare a bassa voce; *The sun was low*, il sole era basso all'orizzonte 2 basso; di bassa condizione; abietto; volgare; triviale; umile; meschino; brutto: **low conduct**, comportamento abietto; **low conversation**, conversazione triviale; **low tastes**, gusti volgari; **a low fellow**, un uomo volgare; **a person of low birth**, una persona di umili natali; **low humour**, umorismo volgare; **a low trick**, un brutto scherzo; un tiro mancino 3 profondo; basso: **a low bow**, un profondo inchino; **a low neckline**, una scollatura profonda 4 lieve; leggero: **a low fever**, una lieve febbre; una febbriciattola; **a low diet**, una dieta leggera 5 scarso; inadeguato; insufficiente; scadente: **a person of low intelligence**, una persona di scarsa intelligenza; **a low salary**, uno stipendio inadeguato; **low-quality goods**, merci di qualità scadente 6 negativo; cattivo; brutto; poco buono: *He is in a low state of mind*, è in un brutto stato d'animo; *I have a low opinion of his abilities*, ho un'opinione poco buona delle sue capacità 7 depresso; giù di corda (*fam.*): *I'm feeling low today*, oggi sono giù di corda 8 (*med.*) debole; fiacco; **low pulse**, polso debole 9 (*mus.*) basso; grave; **low note**, nota bassa 10 (*comm.*) assai scarso; quasi esaurito: *Our stocks are low*, le nostre scorte sono quasi esaurite 11 (*di un fiume*) in secca 12 (*elettr.*: *di una batteria*) scarica; a terra: *The battery must be low*, la batteria deve essere scarica 13 (*di luce*) basso; debole; fioco: **low lighting**, illuminazione bassa 14 (*sport*) basso; radente; rasoterra; a mezza altezza: **a low cross**, un cross rasoterra; (*boxe, lotta*) **low guard**, guardia bassa 15 (*boxe*: *di colpo*) basso; sotto la cintura 16 (*nei composti*) a basso contenuto (*o tenore*) di: **low-tar cigarettes**, sigarette a basso contenuto di catrame (*o di condensato*) ● (*aeron., mil.*) **low-altitude bombing**, bombardamento a bassa quota □ (*autom.*) **low beam**, luce anabbagliante □ (*autom.*) **low-beam headlights**, (fari) anabbaglianti; luci d'incrocio; mezze luci (*fam.*) □ **low-bred**, maleducato; volgare; rozzo □ (*spec. cinem.*) **low-budget**, low-budget; a budget ridotto □ **low-cal**, a basso contenuto calorico □ (*relig.*) **low celebration**, messa bassa □ **Low Church**, «Chiesa Bassa» (*la corrente più rigorosamente protestante della Chiesa anglicana*) □ (*comm.*) **low-class goods**, merce di qualità inferiore □ **low comedy**, commedia popolare; farsa □ (*fin.*) **low-cost money**, denaro a buon mercato □ **the Low Countries**, (*geogr.*) il Belgio, l'Olanda e il Lussemburgo; (*stor.*) i Paesi Bassi □ (*di abito*) **low-cut**, scollato □ (*fam.*) **low-down**, abietto; disonesto;

meschino; vile □ (*slang*) **the low-down**, le informazioni segrete; la verità; i fatti come stanno □ **a low dress**, un vestito molto scollato □ (*fin.*) **low-duty articles**, articoli tassati moderatamente (*in dogana, ecc.*) □ **low--end**, dozzinale; scadente; che costa poco □ (*di alimento*) **low-fat**, a basso contenuto lipidico, povero di grassi □ **low flying**, che vola a bassa quota □ (*elettr., elettron., ecc.*) **low--frequency**, a bassa frequenza □ (*elettr.*) **low-frequency antenna**, antenna per bassa frequenza □ (*autom., mecc.*) **low gear**, marcia bassa; prima (*o seconda*) velocità; (*fig.*) velocità ridotta: (*USA*) «**Trucks use low gear**» (*cartello*), «autocarri in seconda» (*o* «a passo d'uomo»)□ (*ling.*) **Low German**, basso tedesco □ **low-grade**, a basso tenore; di qualità inferiore: **low-grade coal**, carbone di qualità inferiore □ (*spec. econ.*) **low--hanging fruit**, obiettivo facile da raggiungere □ (*cucina*) **low heat**, fiamma bassa (*di un fornello, ecc.*) □ (*slang Austral.*) **low-heel**, battona; passeggiatrice; peripatetica □ **low heels**, tacchi bassi □ **low-impact**, a basso impatto (*spec. ambientale*): **low-impact access**, accesso a basso impatto ambientale □ (*fam. USA*) **low jinks**, scherzi di cattivo gusto; giochi da villani □ **low-key** (*fotogr.*) senza contrasto, scuro; (*fig., = low-keyed*), attenuato, pacato, sommesso; misurato □ **low-level**, basso, situato in basso; a basso livello; di grado (*o* tipo) inferiore; (*aeron.*) a bassa quota: (*edil.*) **a low-level W.C.**, una coppa del water basso □ **low life**, vita dei bassifondi; (*slang USA*) tipo abietto (*o* vile, spregevole); individuo manesco □ **low-lying**, basso: **low-lying clouds**, nuvole basse □ **low-maintenance**, che non richiede molta manutenzione; (*fig.*) facile da gestire, che non crea problemi□ (*relig.*) **Low Mass**, messa bassa □ **low-minded**, d'animo basso; meschino; volgare □ **low-mindedness**, bassezza; volgarità; meschinità□(*moda*) **low neck**, vestito scollato □ (*di vestito*) **low-necked**, scollato □ (*calcio, ecc.*) **low pass**, passaggio basso, rasoterra (*o* a mezza altezza) □ (*calcio, ecc.*) **low-passing game**, gioco rasoterra; gioco corto □ (*econ.*) **low-paid workers**, operai mal pagati □ **low-pitched**, (*di voce, ecc.*) dal tono basso, profondo; (*di tetto*) poco aguzzo, a padiglione □ **low poker**, poker alla rovescia (*vince la mano chi ha il punto più basso; giocato in California*) □ (*tecn., scient.*) **low-pressure**, a bassa pressione; (*fig.*) non aggressivo; (*di un lavoro*) tranquillo, non stressante □ (*fig.*) **low profile**, (sost.) atteggiamento di moderazione, posizione cauta, il defilarsi; (agg.) che si defila, cauto, moderato; di basso profilo (**angl.**), in tono minore: **a low-profile campaign**, una campagna (*elettorale o pubblicitaria*) in tono minore; (*mil.*) **low-profile tactics**, tattica di basso profilo □ (*chim.*) **low-proof**, a basso contenuto alcolico □ **low relief**, bassorilievo □ **low-rent**, ad affitto basso (*o* economico); (*fam. USA*) scadente, mediocre □ (*di un edificio*) **low-rise**, di pochi piani, basso □ **a low--rise**, un edificio basso (*non un grattacielo*) □ (*calcio, ecc.*) **low save**, parata bassa; presa a terra (*del portiere*) □ (*tur.*) (**the**) **low season**, (la) bassa stagione: (*trasp.*) **low-season fare**, tariffa di bassa stagione □ (*calcio, ecc.*) **low shot**, (tiro) rasoterra □ **low-spirited**, abbattuto; depresso □ **low-spiritedness**, abbattimento; depressione □ (*relig.*) **Low Sunday**, domenica in albis □ (*ind.*) **low--tech**, a tecnologia poco avanzata □ (*tecn., scient.*) **low-temperature**, a bassa temperatura □ (*elettr.*) **low-tension** (*o* **low-voltage**), a bassa tensione □ **low tide**, bassa marea; (*fig.*) stato di depressione (*morale, economica, ecc.*) □ (*econ.*) **low wages**, salari bassi □ **low water**, bassa (*in un estuario, ecc.*) □ (*fig.*) situazione difficile; punto più basso, fondo (*fig.*) □ **low--water mark**, segno (*o* limite) della bassa marea; (*fig.*) punto più basso, fondo (*fig.*)□ **to get low**, calare, abbassarsi; (*di un livello*) scendere; (*di prezzi, scorte*) diminuire; (*mus.*) scendere a un tono basso□ **to be in low spirits**, essere abbattuto (*o* depresso); esser giù di morale □ (*fig.*) **to be in low water**, essere in crisi; essere a corto di quattrini.

low② /ləʊ/ *avv.* **1** basso; in basso (*anche fig.*); (*aeron.*) a bassa quota: **to aim low**, mirare basso; (*boxe*) **to hit low**, colpire basso; **to fly low**, volare a bassa quota; *He was brought low by his love for gambling*, fu trascinato in basso dalla sua passione per il gioco d'azzardo **2** profondamente: **to bow low to sb.**, inchinarsi profondamente davanti a q. **3** a bassa voce; sottovoce; piano: **to speak low**, parlare a bassa voce **4** a buon mercato; a basso prezzo: **to buy st. low**, comprare qc. a buon mercato **5** a basso volume: *The TV set was on low*, il televisore era acceso a basso volume **6** a bassa temperatura; al minimo: *He turned the central heating on low*, mise il riscaldamento al minimo ● **to bring low**, tenere q. soggetto; umiliare q. □ **to lay sb. low**, abbattere (*o* atterrare) q.; (*fig.: di malattia*) buttare giù q. □ **to lie low =** *to lie* ② □ **to play low**, giocare una carta bassa □ **to run low**, scarseggiare: *Funds are running low*, i fondi scarseggiano □ (*di un abito*) **cut low**, scollato □ (*fig.*) **The sands are running low**, il tempo è quasi trascorso; la vita volge al termine.

low③ /ləʊ/ *n.* **1** (*meteor.*) bassa; zona di bassa pressione; depressione **2** (*mecc., autom.*) marcia bassa; prima (*o seconda*) velocità **3** (*fig.*) basso; punto basso; livello basso: *Business was at an all-time low*, l'attività economica era ai livello più basso che mai; *Output is at a record low*, la produzione ha fatto segnare un minimo storico **4** (*market.*) prezzo minimo (*o* ultimo) **5** (*Borsa*) quotazione minima **6** (*a carte*) carta più bassa; punto più basso.

low④ /ləʊ/ *n.* muggito; mugghio.

to **low** /ləʊ/ Ⓐ *v. i.* muggire; mugghiare Ⓑ *v. t.* (*anche* **to low forth**) manifestare (*dissenso, proteste, ecc.*) con un muggito.

lowball /ˈləʊbɔːl/ *n.* ⓤ (*USA*) prezzo (*o* preventivo) troppo basso; offerta di vendita troppo bassa (*fatta per ingannare*).

lowborn /ˈləʊˈbɔːn/ *a.* di umili natali; di origini modeste.

lowboy /ˈləʊbɔɪ/ *n.* (*USA*) **1** console con cassetti **2** rimorchio basso per carichi molto alti o pesanti.

lowbrow /ˈləʊbraʊ/ Ⓐ *n.* (*fam.*) persona di media (*o* scarsa) cultura; chi non è (*o* non si atteggia a*) intellettuale; persona di gusti facili Ⓑ *a.* facile; popolare; poco esigente: **l. tastes**, gusti facili; **l. amusements**, divertimenti popolari.

lower① /ˈləʊə(r)/ (*compar. di low*) Ⓐ *a.* **1** inferiore; più basso **2** a valle: **the l. ski**, lo sci a valle Ⓑ *avv.* più basso; più in basso ● (*tipogr.*) **l. case**, (sost.) carattere minuscolo; (agg.) minuscolo □ **l. class**, ceto basso, classe operaia □ **l.-class**, del ceto basso, operaio □ (*naut.*) **l. deck**, sottocoperta; (*fam.*) l'equipaggio □ (*stor.*) **the L. Empire**, il Basso Impero □ (*polit.*) **the L. House**, la Camera Bassa □ (*calcio*) **the l. league**, la serie cadetta; i cadetti (collett.) □ (*naut.*) **l. mast**, tronco di mezzana □ **the l. middle class**, la piccola borghesia □ **l. middle-class**, piccolo borghese □ **the l. regions**, gli inferi □ (*naut.*) **l. sails**, vele maggiori □ **l. school**, corso inferiore (*di una scuola secondaria*) □ (*naut.*) **l. studding sail**, scopamare; coltellaccio di basso parrocchetto □ **the l. world**, la terra; (*anche*) gli inferi □ (*naut.*) **l. yard**, pennone basso; pennone maggiore.

lower② /ˈlaʊə(r)/ → **lour**.

♦to **lower**① /ˈləʊə(r)/ Ⓐ *v. t.* **1** abbassare; ammainare; calare; diminuire; ridurre: **to l. a wall**, abbassare un muro; **to l. the flag**, ammainare la bandiera; **to l. one's voice**, abbassare la voce; **to l. a load**, calare un carico; **to l. expenses**, diminuire le spese; (*naut.*) **to l. a lifeboat**, calare una lancia di salvataggio; **to l. prices [customs duties]**, ridurre i prezzi [i dazi doganali] **2** debilitare; indebolire: **to l. sb.'s resistance**, indebolire la resistenza di q. **3** avvilire; deprimere; umiliare: **to l. sb.'s pride**, umiliare l'orgoglio di q. **4** (*naut.*) ammainare (*vele, pennoni, ecc.*); filare (*cavi, ecc.*) Ⓑ *v. i.* **1** abbassarsi; calare; diminuire; ridursi: *Our debentures are lowering in value*, le nostre obbligazioni diminuiscono di valore; *His voice lowered to an imperceptible murmur*, la voce gli s'abbassò in un mormorio impercettibile **2** (*anche* **to l. oneself**) abbassarsi; umiliarsi **3** (*naut.*) ammainare una vela (*o* le vele) **4** (*naut.*) calare un'imbarcazione ● (*boxe*) **to l. one's guard**, abbassare la guardia □ (*sport*) **to l. a record**, abbassare un record; battere un primato □ (*fam.*) **to l. a sandwich**, buttar giù (*o* mangiare) un panino imbottito.

to **lower**② /ˈlaʊə(r)/ → **to lour**.

lowering /ˈləʊərɪŋ/ Ⓐ *a.* **1** che abbassa **2** che cala; che diminuisce **3** (*med.*) debilitante: **a l. diet**, una dieta debilitante **4** avvilente; deprimente Ⓑ *n.* ⓤⓒ abbassamento; calo; diminuzione, riduzione: **l. of prices**, riduzione dei prezzi.

lowermost /ˈləʊəməʊst/ *a.* (*form.*) → **lowest**.

lowest /ˈləʊɪst/ *a.* (superl. relat. di *low*) infimo; (il) più basso (→ **low**①) ● (*mat.*) **l. common multiple**, minimo comune multiplo □ **l. terms**, minimi termini □ **at (the) l.**, a dir poco; a far poco; almeno, per lo meno.

low-fi /ˈləʊfaɪ/ Ⓐ *a.* (*di disco, registrazione, ecc.*) di qualità inferiore (*alla hi-fi*) Ⓑ *n.* registrazione (attrezzatura, ecc.) di qualità mediocre.

lowland /ˈləʊlənd/ Ⓐ *n.* bassopiano; pianura Ⓑ *a. attr.* pianigiano; di pianura; della pianura ● (*geogr.*) **the Lowlands**, le pianure della Scozia ‖ **lowlander** *n.* **1** abitante della pianura; pianigiano **2** – (*in GB*) Lowlander, abitante delle pianure della Scozia meridionale.

lowly /ˈləʊlɪ/ Ⓐ *a.* **1** modesto; umile **2** di bassi natali; di umili origini **3** di scarsa importanza; basso; modesto; oscuro: **a l. clerk**, un modesto impiegato Ⓑ *avv.* poco; male: **l. paid**, mal retribuito ‖ **lowliness** *n.* ⓤ modestia; umiltà.

lowness /ˈləʊnəs/ *n.* ⓤ **1** bassezza; pochezza; bassezza d'animo; miseria; volgarità **2** profondità, gravità (*di un suono*) **3** debolezza (*d'un rumore*) **4** avvilimento; depressione (*d'animo*); tristezza **5** modicità (*di un prezzo*).

lowrider, **low rider** /ˈləʊˈraɪdə(r)/ *n.* (*spec. USA*) vettura con sospensioni abbassate e modificata esteticamente; low rider.

lox① /lɒks/ *n.* ⓤ (*USA*) (*cucina*) salmone affumicato.

lox② /lɒks/ *abbr.* (**liquid oxygen**) ossigeno liquido.

loxodrome /ˈlɒksədrəʊm/ (*geogr., naut.*) *n.* lossodromia ‖ **loxodromic** *a.* lossodromico: **loxodromic course**, rotta lossodromica.

loxodromics /lɒksəˈdrɒmɪks/ *n. pl.* (col verbo al sing.) (*naut.*) navigazione lossodromica.

loyal /ˈlɔɪəl/ Ⓐ *a.* fedele; fido; ligio; leale; devoto: **a l. husband**, un marito fedele; **l. subjects to the King**, sudditi ligi al Sovrano; **a l. supporter**, un leale sostenitore ‖ Ⓑ *n.* **1** suddito leale **2** fido seguace ● **l. toast**,

brindisi al sovrano | **-ly** avv.

loyalist /'lɔɪəlɪst/ (*polit.*) n. e a. attr. lealista ● (*polit.*) **the Loyalists**, i lealisti (*i protestanti che, nell'Irlanda del Nord, vogliono restare uniti alla Gran Bretagna*) ‖ **loyalism** n. ⓤ lealismo.

loyalty /'lɔɪəltɪ/ n. **1** ⓤ fedeltà; lealtà; devozione **2** (vincolo di) fedeltà: **divided loyalties**, fedeltà in conflitto ● **l. card**, tessera punti; tessera fedeltà (*nei supermercati, ecc.*): *Have you got a l. card?*, ha la carta fedeltà?

lozenge /'lɒzəndʒ/ n. **1** (*geom., archit., arald.*) losanga; rombo **2** pasticca; pastiglia: **cough lozenges**, pasticche per la tosse **3** (*archit.*) vetro a losanga, a rombo (*nelle vetrate all'antica*).

LP ① /ɛl'piː/ n. (acronimo di **long playing**) ellepì; long playing; microsolco.

LP ② sigla **1** (*polit.*, **Labour Party**) partito laburista **2** (*fis.*, **low pressure**) bassa pressione (BP).

LPG sigla (**liquefied petroleum gas**) gas di petrolio liquefatto (GPL).

LPGA sigla (*USA*, **Ladies Professional Golf Association**) LPGA (*associazione golfiste professioniste*).

LPO sigla (**London Philharmonic Orchestra**) Orchestra filarmonica di Londra.

LSD /ɛlɛs'diː/ n. (acronimo di **lysergic acid diethylamide**) acido lisergico, LSD (*droga*); acido (*pop.*).

LSE sigla (**London School of Economics (and Political Science)**) Scuola di economia di Londra.

LSLO sigla (*GB*, **Legal Secretariat to the Law Officers**) Segreteria legale degli avvocati della Corona.

'lt /lt, əlt/ contraz. di **wilt** (*in* **thou'lt** *per* **thou wilt**).

Lt abbr. (*mil.*, **lieutenant**) tenente (Ten.).

LTA sigla (*GB*, **Lawn Tennis Association**) Federazione del tennis inglese.

Ltd. /'lɪmɪtɪd/ abbr. (*comm., GB,* **limited**) a responsabilità limitata (*di una società*) (*cfr.* **USA Inc.**).

LTTE sigla (**Liberation Tigers of Tamil Eelam**) LTTE; Tigri per la liberazione del Tamil Eelam.

lubber /'lʌbə(r)/ n. **1** (*antiq.*) villano; zoticone; bestione; zuccone (*fig.*) **2** marinaio inesperto; marinaio d'acqua dolce ● (*naut.*) **l.'s line** (*o* **point**), linea di fede (*della bussola*) ‖ **lubberlike** a. goffo; maldestro; villano; zotico.

lubberly /'lʌbəlɪ/ **Ⓐ** a. (*antiq.*) goffo; maldestro; villano; zotico **Ⓑ** avv. goffamente; maldestramente; pesantemente (*fig.*).

lube /luːb/ n. ⓤⓒ (abbr. di **lubricating oil**) (*mecc.*, = **l. oil**) lubrificante; olio lubrificante.

to lube /luːb/ v. t. **1** lubrificare **2** (*fig. fam.*) ungere le ruote a (q.); oliare; ungere.

lubricant /'luːbrɪkənt/ n. ⓤⓒ (*mecc.*) lubrificante.

to lubricate /'luːbrɪkeɪt/ v. t. e i. **1** (*mecc.*) lubrificare; ingrassare (*fam.*) **2** (*fig.*) agevolare, facilitare, rendere scorrevole (*la conversazione, ecc.*) **3** (*fig. fam.*) ungere le ruote a (q.); oliare, ungere (q.) **4** (*slang*) fare sbronzare (q.) ● **lubricating grease**, (grasso) lubrificante □ **lubricating oil**, olio lubrificante.

lubrication /luːbrɪ'keɪʃn/ n. ⓤ (*mecc.*) lubrificazione **2** ingrassaggio (*fam.*) ● (*autom., mecc.*) **the l. system**, la lubrificazione.

lubricative /'luːbrɪkətɪv/ a. lubrificativo; lubrificante.

lubricator /'luːbrɪkeɪtə(r)/ n. **1** lubrificatore; ingrassatore (*fam.*) **2** (*mecc.*) oliatore; ingrassatore.

lubricious /luː'brɪʃəs/ → **lubricous**.

lubricity /luː'brɪsətɪ/ n. ⓤ **1** (*raro*) lubricità; viscosità **2** (*lett.*) scurrilità; oscenità **3** (*lett.*) lasciva; libidine; lussuria **4** (*mecc.*) proprietà lubrificante.

lubricous /'luːbrɪkəs/ a. **1** (*raro*) lubrico; sdrucciolevole (*lett.*) **2** scurrile; osceno **3** (*lett.*) lascivo; libidinoso; lussurioso **4** (*lett.*) elusivo; evasivo; sfuggente.

Lucan ① /'luːkən/ n. (*stor. letter.*) Lucano.

Lucan ② /'luːkən/ a. (*relig.*) di San Luca.

Lucas /'luːkəs/ n. Luca.

luce /luːs, lj-/ n. (*zool.*) luccio adulto.

lucent /'luːsnt/ a. **1** lucente; rilucente **2** traslucido; trasparente.

lucerne, lucern /luː'sɜːn/ n. (*bot., Medicago sativa*) erba medica.

Lucerne /luː'sɜːn/ n. (*geogr.*) Lucerna.

Lucian /'luːsɪən/ n. (*stor. letter.*) Luciano.

lucid /'luːsɪd/ a. **1** espresso con chiarezza; lucido; chiaro; terso: **a l. account**, una chiara esposizione dei fatti; **l. style**, stile terso; **a l. mind**, una mente lucida; **l. intervals**, intervalli di lucidità **2** (*poet.*) limpido; terso; chiaro: **l. air**, aria tersa ❶ **FALSI AMICI** - *nell'inglese attuale* lucid *non significa* lucido *riferito a una superficie che riflette la luce* ‖ **lucidity** n. ⓤ **1** lucidità; chiarezza **2** lucidità mentale **3** (*poet.*) limpidezza ‖ **lucidly** avv. lucidamente.

Lucifer /'luːsɪfə(r)/ (*astron., relig.*) n. Lucifero ‖ **Luciferian** a. luciferino.

Lucius /'luːsɪəs/ n. Lucio.

♦**luck** /lʌk/ n. ⓤ **1** fortuna; sorte; ventura; caso: **by good l.**, per buona sorte; per fortuna; **bad l.**, mala sorte; sfortuna; sfiga (*pop.*); *Good l.!*, buona fortuna! **2** fortuna; buona sorte: **a stroke of l.**, un colpo di fortuna ● **the l. of the devil** (*o* **of the Irish**), una fortuna sfacciata □ **to bring good l.**, portar fortuna □ (*fam.*) **to be down on one's l.**, avere un periodo di sfortuna; essere scalognato (*fam.*); essere sfigato (*pop.*) □ **for l.**, come portafortuna; per scaramanzia: *She gave me this ring for l.*, mi diede questo anello come portafortuna □ (**good**) **l. charm**, portafortuna □ **to have good** [**bad**] **l. in one's affairs**, avere [non avere] fortuna negli affari □ **to be in l.**, essere fortunato (*in un caso specifico*) □ **My l. was in**, avevo la fortuna dalla mia □ **My l. was out**, ero sfortunato (*in quella occasione*) □ (*fam.*) **no such l.**, no, purtroppo □ **to be out of l.**, essere sfortunato □ **plain bad l.**, nient'altro che sfortuna □ (*fam.*) **to push one's l.**, forzare la mano alla fortuna □ **to try one's l.**, tentare la sorte □ **worse l.**, (loc. avv.) disgraziatamente; peggio ancora; purtroppo □ **as l. would have it**, come volle la sorte □ **Bad** (*o* **hard**) **l.!**, che sfortuna!; che peccato! □ **Better l. next time!**, andrà meglio la prossima volta □ **Good l. to you!**, buona fortuna a te! □ **Just my l.!**, la mia solita sfortuna! □ **What l. I've met you!**, fortuna che ti ho incontrato!

♦**luckily** /'lʌkəlɪ/ avv. fortunatamente; per fortuna.

luckiness /'lʌkɪnəs/ n. ⓤ l'aver fortuna; fortuna; buona sorte.

to luck into /'lʌkɪntuː/ v. i. + prep. (*USA*) ottenere (*o* trovare) con un colpo di fortuna.

luckless /'lʌkləs/ a. sfortunato; disgraziato; infausto; infelice; sventurato: **a l. period**, un periodo infausto; **a l. journey**, un viaggio sfortunato (*o* infelice); **a l. boy**, un ragazzo sventurato | **-ly** avv. | **-ness** n. ⓤ.

to luck out /'lʌk'aʊt/ v. i. + avv. (*fam. USA*) avere un colpo di fortuna; farcela, riuscire (con un po' di fortuna).

♦**lucky** /'lʌkɪ/ a. **1** fortunato; fausto; felice; propizio: **a l. fellow**, un uomo fortunato; **a l. day**, un fausto giorno; **a l. venture**, un'impresa fortunata; **a l. change**, un felice mutamento **2** che porta fortuna; portafortuna:

a l. coin, una moneta che porta fortuna ● **to be l. at cards**, avere fortuna al gioco □ (*fam.*) **l. dip**, scatola in cui si cercano oggettini da regalo sotto la segatura; (*nei luna park*) pesca; (*fig.*) lotteria (*fig.*), cosa che dipende dalla fortuna □ **l. charm**, un ciondolo portafortuna; un amuleto □ **a l. guess**, un tentativo d'indovinare azzeccato: *That was a l. guess!*, l'ho (o l'hai, ecc.) azzeccata! □ **a l. strike**, un colpo di fortuna; una speculazione riuscita □ **to be born l.**, essere nato con la camicia □ **to have a l. escape**, cavarsela a buon mercato □ **L. you!**, fortunato te!; beato te! □ (*fam.*) **l. beggar** (*o* **l. bargee**)!, fortunato te!; beato te! □ **How l.!**, che fortuna! □ (*fam.*) **You are a l. dog!**, hai avuto una bella fortuna!; beato te! (*frase di congratulazione*) □ **You'll be l.!** (*o* **You should be so l.!**), stai fresco!; campa cavallo che l'erba cresce!

lucrative /'luːkrətɪv/ a. lucroso; lucrativo; proficuo; remunerativo; redditizio: **a l. investment**, un investimento remunerativo; **a l. job**, un'occupazione redditizia; un lavoro proficuo | **-ly** avv. | **-ness** n. ⓤ.

lucre /'luːkə(r)/ n. ⓤ (*form.*) lucro; guadagno ● (*spreg. o scherz.*) **filthy l.**, il vile denaro.

Lucrece /luː'kriːs/, **Lucretia** /luː'kriːʃə/ n. Lucrezia.

Lucretius /luː'kriːʃəs/ n. (*stor., letter.*) Lucrezio.

to lucubrate /'luːkjʊbreɪt/ v. i. **1** (*lett.*) elucubrare; fare (*o* scrivere) elucubrazioni **2** studiare (*o* lavorare) di notte.

lucubration /luːkjʊ'breɪʃn/ n. ⓤⓒ (*lett.*) elucubrazione.

lucubrator /'luːkjʊbreɪtə(r)/ n. (*lett.*) elucubratore.

Lucullan /luː'kʌlən/ a. luculliano.

Lucullus /luː'kʌləs/ n. (*stor. romana*) Lucullo.

Lucy /'luːsɪ/ n. Lucia.

Luddite /'lʌdaɪt/ n. (*stor.*) luddista ‖ **Luddism** n. ⓤ luddismo.

ludicrous /'luːdɪkrəs/ a. risibile; ridicolo; comico; assurdo | **-ly** avv. | **-ness** n. ⓤ.

ludo /'luːdəʊ/ n. gioco (*infantile*) con tabellone, dadi e gettoni.

lues /'luːiːz/ (*lat.*), (*med.*) n. ⓤ lue ‖ **luetic** a. e n. luetico.

luff /lʌf/ n. (*naut.*) **1** inferitura (*di vela di taglio*) **2** orza; lato di sopravvento: **to keep one's l.**, stare all'orza → **luffing** ● (*naut.*) **l. rope**, orza; cavo d'inferitura □ **l. tackle**, paranco semplice.

to luff /lʌf/ **Ⓐ** v. t. **1** (*naut.*) mettere (*la prua, la nave*) all'orza; orzare **2** (*tecn.*) spostare il braccio di (*una gru*) **Ⓑ** v. i. (*naut.*: *di una vela*) sbattere; fileggiare ● **to l. in** (*o* **off**, **up**), andare all'orza; orzare □ (*naut.*) **L.!**, orza!; barra all'orza!

luffa /'lʌfə/ n. (*bot.*) luffa; spugna vegetale.

luffing /'lʌfɪŋ/ n. (*naut.*) (*anche* **l. up**) orzata.

lug ① /lʌg/ n. strattone; strappata; stratta; tirata.

lug ② /lʌg/ n. **1** ansa; orecchietta; prominenza **2** manico (*di brocca*) **3** (*mecc.*) aggetto; aletta **4** (*mecc.*) pipa (*di telaio di bicicletta, ecc.*): **head lug**, pipa anteriore del telaio **5** (*elettr.*) capocorda **6** paraorecchie (*di berretto*) **7** (*slang*) lobo dell'orecchio; orecchio **8** (*slang*, = **lughead**) stupido; tonto; zuccone **9** (*slang USA*) bestione, scimmione (*fig.*) **10** (*slang USA*) tangente; pizzo ● (*mecc.*) **lug bolt**, chiavarda a becco; bullone a staffa □ (*edil.*) **lug brick**, pignatta; nasello.

lug ③ /lʌg/ → **lugsail**.

lug ④ /lʌg/ → **lugworm**.

to lug /lʌg/ v. t. **1** tirare; strattonare; trascinare (a forza); strascinare: **to lug a heavy**

trunk, trascinare un pesante baule; **to lug sb. along**, trascinare a forza q. **2** introdurre a sproposito (*un argomento*); tirare in ballo **3** (*slang USA*) avere (qc.) in mano; portare addosso ● **to lug at st.**, tirare forte (*o dare strattoni a*) qc.

luge /luːʒ/ n. slittino (*l'attrezzo e lo sport*).

luggage /ˈlʌɡɪdʒ/ n. Ⓤ bagaglio; bagagli: *Can I take your l.?*, posso prendere i vostri bagagli?; *You have got a lot of l.!*, hai un sacco di bagagli!; *How many items of l. are you checking in?*, quante valigie vuole imbarcare? ● (*aeron.*) **l. allowance**, bagaglio in franchigia □ **l. carrier**, portabagagli □ (*aeron.*) **l. carousel**, nastro trasportatore (*per i bagagli*) □ **l. cart**, carrello portavaligia □ **l. label**, etichetta da valigia □ **l. rack**, portabagagli; (*ferr.*) reticella per i bagagli □ (*trasp.*) **l. ticket**, scontrino del bagaglio □ (*ferr.*) **l. van**, bagagliaio (*vagone*) □ (*aeron.*) **hand l.**, bagaglio a mano: *The rucksack is going on as hand l.*, lo zaino va come bagaglio a mano ● **left-l. service**, (servizio di) deposito bagagli (*in albergo, ecc.*).

lugger /ˈlʌɡə(r)/ n. (*naut.*) lugger; trabaccolo.

lughole /ˈlʌɡəʊl/ n. (*slang*) orecchio.

lugsail /ˈlʌɡseɪl/ n. (*naut.*) vela al quarto (*o al terzo*).

lugubrious /ləˈɡuːbrɪəs/ a. lugubre; cupo; tetro; triste | **-ly** avv. | **-ness** n. Ⓤ.

lugworm /ˈlʌɡwɜːm/ n. (*zool.*, Arenicola) arenicola.

Luke /luːk/ n. **1** Luca **2** (*relig.*) il Vangelo di San Luca.

lukewarm /ˌluːkˈwɔːm/ a. **1** tiepido **2** (*fig.*) tiepido; fiacco; poco entusiasta ‖ **lukewarmly** avv. tiepidamente; fiaccamente ‖ **lukewarmness** n. Ⓤ **1** tiepidezza **2** (*fig.*) tiepidezza; scarso entusiasmo.

lull /lʌl/ n. **1** momento di calma; bonaccia; quiete: **the l. before the storm**, la quiete prima della tempesta (*anche fig.*) **2** (*fig.*) sosta; tregua **3** (*fig.*) ristagno, stasi (*dell'attività, degli affari, ecc.*).

to **lull** /lʌl/ Ⓐ v. t. **1** cullare; ninnare; cantare la ninnananna a (*un bambino*) **2** acquietare; calmare; lenire; mitigare; placare; sopire: **to l. sb.'s misgivings**, placare i timori di q.; **to l. a pain**, lenire un dolore Ⓑ v. i. acquietarsi; calmarsi; placarsi ● **to l. sb. to sleep**, per addormentare q. ninnandolo □ **to be lulled**, (*anche*) calmarsi; placarsi: *The storm was lulled*, la tempesta si placò.

lullaby /ˈlʌləbaɪ/ n. ninnananna.

to **lullaby** /ˈlʌləbaɪ/ v. t. cullare; ninnare.

lulu /ˈluːluː/ n. (*slang USA*) cosa o persona eccezionale (*nel bene o nel male*); cosa coi fiocchi; tipo straordinario; cosa mai vista.

lumbago /lʌmˈbeɪɡəʊ/ n. Ⓤ (*med.*) lombaggine.

lumbar /ˈlʌmbə(r)/ a. (*anat.*) lombare: (*med.*) **l. puncture**, puntura lombare ● (*sport*) **l. pad**, paracoccige.

lumber /ˈlʌmbə(r)/ n. **1** (*spec. USA e Canada*) legname; legname da costruzione **2** (*ingl.*) mobili vecchi (*non più usati*); cianfrusaglie; roba vecchia; ciarpame ● (*naut.*) **l. carrier**, nave addetta al trasporto del legname □ **l. jacket**, giubbone (*da boscaiolo*) □ **l. mill**, segheria □ **l. room**, ripostiglio; stanza di sgombero □ **l. scaler**, misuratore di legname da costruzione.

to **lumber** ① /ˈlʌmbə(r)/ Ⓐ v. t. **1** ingombrare; riempire alla rinfusa **2** ammonticchiare; accatastare **3** (*spec. USA e Canada*) abbattere (*alberi*); tagliare (*legname*) **4** (*fig.*) affibbiare, addossare, buttare addosso a (*q.: un lavoro, ecc.*) **5** (*fig.*) appioppare, sbolognare (*merce, ecc.*) Ⓑ v. i. (*spec. USA e Canada*) abbattere alberi; fare legname.

to **lumber** ② /ˈlʌmbə(r)/ v. i. muoversi pe-

santemente, rumorosamente ● **to l. along** (*o past, by*), passare con grande fracasso (*o frastuono*): *The big lorries lumbered along*, i grossi camion passarono con gran fracasso.

lumberer /ˈlʌmbərə(r)/ n. (*spec. USA*) **1** tagliaboschi; taglialegna; boscaiolo **2** commerciante di legname.

lumbering ① /ˈlʌmbərɪŋ/ a. **1** pesante; ingombrante; voluminoso **2** rumoroso; fragoroso **3** goffo; sgraziato.

lumbering ② /ˈlʌmbərɪŋ/ n. Ⓤ (*spec. USA*) **1** abbattimento di alberi; taglio del legname **2** commercio del legname.

lumberjack /ˈlʌmbədʒæk/ → **lumberman**, def. 1.

lumberman /ˈlʌmbəmən/ n. (pl. **lumbermen**) **1** tagliaboschi; taglialegna; boscaiolo; legnaiolo **2** (*USA*) commerciante di legname.

lumberyard /ˈlʌmbəjɑːd/ n. (*USA*) deposito di legname (*all'aperto*).

lumbo-sacral /ˌlʌmbəʊˈseɪkrəl/ a. (*anat.*) lombosacrale.

lumbrical /ˈlʌmbrɪkl/ a. e n. (*anat.*) (muscolo) lombricale.

lumen /ˈluːmɪn/ (*lat.*) n. (pl. **lumens**, **lumina**) **1** (*ottica*) lumen (*unità di misura*) **2** (*anat.*) lumen **3** (*tecn., scient.*) luce (*di un tubo, ecc.*) ● (*ottica*) **l.-hour**, lumenora.

luminance /ˈluːmɪnəns/ n. Ⓤ (*ottica*) luminanza; brillanza.

luminary /ˈluːmɪnərɪ/ n. **1** (*lett. o arc.*) astro; corpo luminoso **2** (*fig.*) luminare: **a l. in the field of science**, un luminare nel campo della scienza.

to **luminesce** /ˌluːmɪˈnɛs/ v. i. essere luminescente.

luminescence /ˌluːmɪˈnɛsns/ (*fis.*) n. Ⓤ luminescenza ‖ **luminescent** a. luminescente.

luminism /ˈluːmɪnɪzəm/ (*pitt.*) n. luminismo ‖ **luminist** a. luminista.

luminosity /ˌluːmɪˈnɒsɪtɪ/ n. Ⓤ (*anche ottica, astron.*) luminosità.

luminous /ˈluːmɪnəs/ a. **1** luminoso: (*fis.*) **l. flux**, flusso luminoso; **l. road signs**, segnali stradali luminosi **2** (*fig.*) luminoso; fulgido; smagliante: **a l. smile**, un sorriso smagliante **3** (*fig.*) chiaro, brillante, lampante: **a l. mind**, una mente chiara; **a l. orator**, un brillante oratore ● **l. paint**, pittura luminosa | **-ly** avv. | **-ness** n. Ⓤ.

lummox /ˈlʌməks/ n. (*slang USA o scozz.*) individuo grezzo; tipo sgraziato; zoticone; bietolone; stupido; imbranato (*pop.*).

◆**lump** ① /lʌmp/ n. **1** piccola massa; mucchietto; blocco; grumo; pezzo: **a l. of coal**, un pezzo di carbone **2** zolla; zolletta: **a l. of earth**, una zolla di terra; **a l. of sugar**, una zolletta di zucchero **3** gonfiore; protuberanza; bernoccolo; bozzo: **a l. on one's head**, un bernoccolo sulla testa **4** boccone (*di cibo*) **5** (*ind. tess.*) bioccolo **6** (*med.*) nodulo; tumoretto **7** (*metall.*) massello **8** (*slang*) bietolone; babbeo; tonto; salame (*fig.*) **9** (*fam.*) – **the l.**, (lavoratori) edili stagionali; manovalanza pagata in nero **10** (pl., *slang*) tette (*pop.*) ● **l. coal**, carbone in pezzatura grossa □ **a l. in the** (*o one's*) **throat**, un groppo (*o un nodo*) alla gola; il magone (*fig.*) □ **l. sugar**, zucchero in zollette □ **a l. sum**, una somma pagata tutta in una volta; una somma forfettaria; un forfait □ **a l.-sum bonus**, un premio forfettario □ **l.--sum contract**, appalto a forfait (*naut.*) □ **l.--sum freight**, nolo a corpo; nolo a massa □ **a l.-sum payment**, un pagamento in soluzione unica □ (*fisc.*) **l. tax**, una tantum □ **l. work**, lavoro a cottimo □ (*spec. USA*) **in the l.**, in blocco; in massa; nell'insieme; (*comm.*) all'ingrosso □ **on a l.-sum basis**, su base for-

fettaria; a forfait □ (*slang USA*) **to take one's lumps**, accettare un rimprovero senza protestare; avere ciò che si merita.

lump ② /lʌmp/ n. (*zool.*, Cyclopterus lumpus; = **lumpfish**) lompo; lumpo.

to **lump** ① /lʌmp/ Ⓐ v. t. **1** (*anche* **to l. together**) ammassare; ammucchiare; mettere in un mucchio; accozzare **2** prendere all'ingrosso; trattare senza distinzione; fare tutto un mucchio di (*cose diverse*); fare un solo conto di (*spese, ecc.*) **3** (*slang USA*) colpire (q.) sulla testa Ⓑ v. i. **1** ammassarsi; ammucchiarsi **2** fare un bernoccolo; gonfiarsi **3** raggrumarsi **4** fare lo scaricatore (*o il portuale*) ● **to l. along**, procedere faticosamente; camminare pesantemente □ **to l. down**, buttarsi giù; sedersi di schianto □ (*fig.*) **to l. everything together**, fare d'ogni erba un fascio.

to **lump** ② /lʌmp/ v. t. (*fam.*) rassegnarsi di malavoglia a: *Even if you don't like it, you'll have to l. it*, anche se non ti piace, ti ci dovrai rassegnare (*o dovrai mandarla giù, inghiottire il rospo, ecc.*) (*cfr. ital.* «O mangiar questa minestra o saltar dalla finestra») ● **L. it!**, piantala; smamma! □ **Like it or l. it**, volente o nolente; che ti piaccia o no □ **You can just l. it!**, scordatelo!; neanche a pensarci!

lumpectomy /lʌmˈpɛktəmɪ/ n. Ⓤ (*med.*) nodulectomia; mastectomia parziale.

lumpenproletariat /ˌlʌmpənprəʊlɪˈtɛərɪət/ (*ted.*) n. Ⓤ sottoproletariato ‖ **lumpenproletarian** a. e n. sottoproletario.

lumper /ˈlʌmpə(r)/ n. **1** scaricatore di porto; portuale **2** (*slang*) piccolo appaltatore che lavora a cottimo **3** (*fig.*) chi fa d'ogni erba un fascio.

lumpfish /ˈlʌmpfɪʃ/ → **lump** ②.

lumpish /ˈlʌmpɪʃ/ a. **1** grande e grosso; corpulento **2** (*fig.*) pesante; goffo; impacciato **3** (*fig.*) ottuso; tonto **4** (*di suono*) cupo; profondo.

lumpsucker /ˈlʌmpsʌkə(r)/ n. (Cyclopterus) ciclottero (*pesce*).

lumpy /ˈlʌmpɪ/ a. **1** pieno di protuberanze; bitorzoluto; bozzoloso; grumoso: **a l. mattress**, un materasso bitorzoluto; **l. custard**, crema pasticciera raggrumata **2** (*di superficie d'acqua*) increspato; a piccole onde; (*del mare*) corto, rotto **3** ottuso; tonto ‖ **lumpiness** n. Ⓤ l'esser pieno di protuberanze (*o di grumi*).

lunacy /ˈluːnəsɪ/ n. Ⓤ demenza; follia; pazzia.

lunar /ˈluːnə(r)/ a. **1** (*astron., ecc.*) lunare: **a l. month**, un mese lunare; **l. distance**, distanza lunare; (*miss.*) **l. module**, modulo lunare; **a l. rainbow**, un arcobaleno lunare **2** (*fig.*) debole; fioco; pallido **3** lunato; falcato ● **l. caustic**, nitrato d'argento fuso in bacchette; pietra infernale □ (*astron.*) **l. eclipse**, eclissi di luna □ (*miss.*) **l. flight**, volo lunare □ (*miss.*) **l. orbit**, orbita lunare □ (*miss.*) **l. probe**, sonda lunare □ (*miss.*) **l. rover** (*o* **l. roving vehicle**), veicolo lunare.

Lunarian /luːˈnɛərɪən/ n. selenita; abitante della luna.

lunarscape /ˈluːnəskeɪp/ n. (*miss.*) paesaggio lunare.

lunate /ˈluːneɪt/ a. (*bot., zool.*) lunato; falcato; a forma di mezzaluna.

lunatic /ˈluːnətɪk/ Ⓐ a. **1** alienato; folle; pazzo; matto **2** folle; pazzesco; stravagante Ⓑ n. alienato, alienata; pazzo, pazza: **raving l.**, pazzo scatenato ● **l. asylum**, manicomio □ (*polit.*) **l. fringe**, frangia estremista (*d'un partito, ecc.*); gruppo di fanatici ❶ **FALSI AMICI** ● lunatic *non significa* lunatico.

lunation /luːˈneɪʃn/ n. (*astron.*) lunazione.

◆**lunch** /lʌntʃ/ n. **1** seconda colazione; pasto del mezzogiorno; pranzo (*e allora la cena di-*

cesi **dinner**): *What's for l.?*, cosa c'è per colazione?; *What are you doing for l.?*, che fai a pranzo?; *Why don't we have l. together?*, perché non pranziamo insieme? **2** pasto leggero; spuntino **3** pranzo ufficiale ● **l. bag**, cestino da viaggio □ **l. box**, portavivande, pietanziera; (*di scolari*) panierino □ (*org. az.*) **l. break**, pausa mensa: *I take an hour's l. break at 12.30*, faccio un'ora di pausa pranzo dalle 12:30 □ **l. hour**, (sost.) intervallo di mezzogiorno □ **l.-hour**, (agg.) (che avviene) durante l'intervallo del pranzo □ **l.-late restaurant**, ristorante per cene dopo il teatro (*aperto dopo mezzanotte*) □ (*USA*) **l. pail**, cestino del pranzo (*che ci si porta da casa al lavoro*) □ **l. room**, buffet □ **l. voucher**, buono pasto □ (*volg.*) **box l.**, sesso orale □ (*slang USA*) **out to l.**, giù di testa; svitato (*fig.*) □ **packed l.**, cestino da viaggio; colazione al sacco; cestino pranzo □ (*prov.*) **There's no such thing as a free l.**, niente nella vita è gratis; nessuno dà niente per niente.

to **lunch** /lʌntʃ/ **A** v. i. fare la seconda colazione; pranzare **B** v. t. portare (q.) a colazione ● **to l. in** [**out**], fare colazione a casa [fuori] □ **to l. on**, mangiare per seconda colazione; pranzare con: *We lunched on fish and chips*, a pranzo mangiammo pesce fritto e patatine.

luncheon /ˈlʌntʃən/ n. (*form.*) **1** seconda colazione **2** colazione formale; pranzo ufficiale ● **l. meat**, misto di carne (*di maiale*) e cereali pressato (*di solito in scatola*) □ **l. voucher**, buono pasto.

luncheonette /ˌlʌntʃəˈnɛt/ n. (*USA*) tavola calda; ristorante che serve pasti rapidi o spuntini.

◆**lunchtime** /ˈlʌntʃtaɪm/ n. ora della seconda colazione; ora di pranzo.

lune /luːn/ n. (*geom.*) lunula.

lunette /luːˈnɛt/ n. **1** (*archit.*, *mil.*) lunetta **2** vetrino piatto (*d'orologio*) **3** (pl.) occhiali da subacqueo.

lung /lʌŋ/ n. **1** (*anat.*) polmone **2** (pl.) (*fig.*) polmoni: **the lungs of a metropolis**, i polmoni (verdi) di una metropoli (*cioè, i suoi parchi*) ● (*zool.*) **l.-fish**, dipnoo; pesce polmonato □ **l. power**, (potenza della) voce □ **to cry at the top of one's lungs**, gridare con quanto fiato si ha in corpo □ **to have good lungs**, avere buoni polmoni (*o una voce potente*) □ (*med.*) **iron l.**, polmone d'acciaio.

lunge① /lʌndʒ/ n. **1** (*scherma*) affondo; allungo **2** (*boxe*) affondo **3** (*calcio*) allungo (*del portiere*) **4** (*calcio, ecc.*) affondo; attacco; proiezione offensiva; percussione **5** balzo in avanti, balzo improvviso (*per afferrare qc.*).

lunge② /lʌndʒ/ n. **1** lunghina; lunga corda per allenare cavalli **2** pista circolare, tondino (*per cavalli da allenare*).

to **lunge**① /lʌndʒ/ **A** v. i. **1** (*scherma*) fare un affondo (*o un allungo*) **2** (*boxe*) affondare i colpi **3** (*calcio, ecc.*: *del portiere*) allungarsi **4** balzare, fare un balzo (*in una direzione*); lanciarsi **B** v. t. lanciare, scagliare (*un'arma, ecc.*) ● **to l. at sb.**, fare un affondo verso q.; scagliarsi contro q. □ **to l. out**, balzar fuori.

to **lunge**② /lʌndʒ/ v. t. **1** allenare (*cavalli*) con la lunghina **2** far correre (*cavalli*) con la lunghina ● **lungeing ring** → **lunge**②, def. 2.

lungfish /ˈlʌŋfɪʃ/ n. (*zool.*) dipnoo.

lungless /ˈlʌŋləs/ a. (*zool.*) senza polmoni.

lungwort /ˈlʌŋwɜːt/ n. (*bot.*, *Pulmonaria officinalis*) polmonaria.

lunisolar /ˌluːnɪˈsəʊlə(r)/ a. (*astron.*, *ecc.*) lunisolare: **l. tides**, maree lunisolari.

lunk /lʌŋk/, **lunkhead** /ˈlʌŋkhɛd/ n. (*fam.*) stupido; scemo; tonto; testone; zuccone.

lunula /ˈluːnjʊlə/ n. (pl. **lunulae**) (*anat.*,

bot.) lunula.

lunule /ˈluːnjuːl/ → **lunula**.

Lupercalia /ˌluːpəˈkeɪlɪə/ n. pl. feste lupercali; lupercali ‖ **Lupercalian** a. lupercale; dei lupercali.

lupin, **lupine**① /ˈluːpɪn/ n. (*bot.*, *Lupinus*) lupino.

lupine② /ˈluːpaɪn/ a. lupesco; lupino; di lupo.

lupulin /ˈluːpjʊlɪn/ n. (*bot.*) luppolino; luppolina.

lupus /ˈluːpəs/ (*med.*) n. ⓤ lupus; lupoma ‖ **lupoid**, **lupous** a. di (*o simile a*) lupus; lupoide.

lurch① /lɜːtʃ/ n. **1** scarto improvviso; sobbalzo; vacillamento **2** (*naut.*) rollio (*o beccheggio*) improvviso; sbandata.

lurch② /lɜːtʃ/ n. ⓤ – (nella loc. *fam.*) **to leave sb. in the l.**, lasciar q. nei guai (*o nelle peste*); piantare in asso q.

to **lurch** /lɜːtʃ/ v. i. **1** barcollare; trabaltare; vacillare **2** andare traballando (*o barcollando*): *'She was reading a book, then she slapped it down and lurched to the window'* V. NABOKOV, 'stava leggendo un libro, poi lo sbatté giù e barcollando si avvicinò alla finestra' **3** (*naut.*) rollare (*o beccheggiare*) all'improvviso ● **to l. along**, procedere barcollando.

lurcher /ˈlɜːtʃə(r)/ n. **1** cane da caccia dei bracconieri (*è un incrocio fra un cane pastore e un levriero*) **2** (*arc.*) ladro; spia.

lure /lʊə(r)/ n. **1** (*nella falconeria*) logoro (*richiamo per falcone*) **2** (*nella caccia*) richiamo, zimbello (*per uccelli*) **3** esca (*per pesci*) **4** (*fig.*) allettamento; esca; blandizia; lusinga: **the l. of adventure**, il richiamo dell'avventura **5** (*fig.*) miraggio: **the l. of large profits**, il miraggio di grossi guadagni **6** ⓤ (*leg.*) adescamento.

to **lure** /lʊə(r)/ v. t. **1** richiamare (*un falcone*) col logoro **2** (*fig.*) adescare; allettare; attrarre; blandire; lusingare: *He was lured on by false hopes*, fu allettato da fallaci speranze **3** (*di prostituta*) adescare ● **to l. sb. away from st.**, allettare q. ad abbandonare qc. □ **to l. sb. into doing st.**, convincere (con allettamenti *o* lusinghe) q. a fare qc.

lurgy /ˈlɜːgɪ/ n. ⓤ (*fam. scherz.*) lieve malessere; indisposizione; influenza.

lurid /ˈlʊərɪd/ a. **1** fosco; livido (*fig.*); spettrale, sinistro: **a l. light**, una luce livida; **a l. sunset**, un tramonto livido **2** orrendo; spaventoso; sensazionale; scandaloso; terribile: **a l. crime**, un delitto sensazionale (*o spaventoso*); **a l. career**, una carriera scandalosa **3** (*di fuoco, ecc.*) giallastro; rosseggiante: **l. flames**, fiamme rosseggianti **4** (*raro*) livido; di un pallore mortale ● (*fig.*) **to throw a l. light on st.**, gettare una luce sinistra su qc. | **-ly** avv. | **-ness** n. ⓤ ❶ FALSI AMICI ● lurid *non significa* lurido.

to **lurk** /lɜːk/ v. i. **1** appostarsi; stare in agguato; celarsi; nascondersi: *Someone is lurking outside*, c'è qualcuno appostato qui fuori **2** (*fig.*) annidarsi; celarsi; essere latente; aleggiare: *A danger lurks in that peaceful-looking spot*, in quel luogo dall'aria tranquilla si annida un pericolo; *Doubts lurked in my mind*, nella mia mente aleggiavano dubbi **3** (*Internet*) leggere i messaggi (*di un newsgroup, di una mailing list, ecc.*) senza partecipare attivamente ‖ **lurker** n. **1** chi tende un agguato; chi sta in agguato; chi è appostato **2** (*Internet*) chi legge i messaggi (*di un newsgroup, di una mailing list, ecc.*) senza partecipare attivamente ‖ **lurking** a. **1** appostato; in agguato **2** latente; occulto; nascosto ● **lurking place**, nascondiglio.

luscious /ˈlʌʃəs/ a. **1** dolcissimo; delizioso; ghiotto; saporoso; succulento; voluttuoso; aromatico: **a l. smell**, un profumo delizioso; **a l. pear**, una pera succulenta; **l. mu-**

sic, musica deliziosa (*o dolcissima*); **l. curves**, curve voluttuose (*di una donna*) **2** (*di stile, linguaggio*) troppo melodioso; sdolcinato; troppo ornato; stucchevole; svenevole **3** lussuoso; sfarzoso **4** (*di donna*) bella; appetitosa (*fam.*) | **-ly** avv. | **-ness** n. ⓤ.

lush① /lʌʃ/ a. **1** lussureggiante; rigoglioso; ricco di vegetazione: **l. vegetation**, vegetazione lussureggiante; **l. fields**, campi ricchi di vegetazione **2** (*di un frutto*) succoso **3** (*fam.*) ridondante; stucchevole: **l. writing**, modo di scrivere ridondante **4** (*fam.*) agiato; opulento; lussuoso; confortevole; comodo: **a l. restaurant**, un ristorante di lusso **5** (*di un posto di lavoro*) ottimo; ben retribuito **6** (*di colore*) caldo; intenso | **-ly** avv. | **-ness** n. ⓤ.

lush② /lʌʃ/ n. (*slang USA*) **1** liquore; bevanda alcolica **2** beone; ubriacone.

to **lush** /lʌʃ/ **A** v. t. (*slang USA*) dar da bere (*liquori*) a (q.) **B** v. i. bere smodatamente; essere un ubriacone.

Lusitanian /ˌluːsɪˈteɪnɪən/ a. e n. lusitano; portoghese.

lust /lʌst/ n. ⓤ **1** concupiscenza; libidine; lussuria; lascivia **2** ⓤ avidità; brama; cupidigia; desiderio smodato; voglia: **l. for life**, voglia di godere la vita; **l. for glory**, avidità (*o sete*) di gloria; **l. for wealth**, desiderio smodato di ricchezza **3** ⓤ (*relig.*) lussuria (*uno dei sette peccati mortali*) ● **with l.**, avidamente.

to **lust** /lʌst/ v. i. – **to l. after** (*o* **for**), agognare; bramare; concupire; desiderare ardentemente (*o* carnalmente).

luster /ˈlʌstə(r)/ e *deriv.* (*USA*) → **lustre**①, e *deriv.*

lustful /ˈlʌstfl/ a. **1** libidinoso; lussurioso; lascivo avido; bramoso; cupido | **-ly** avv. | **-ness** n. ⓤ.

lustiness /ˈlʌstɪnəs/ n. ⓤ **1** forza; gagliardia; robustezza; vigore **2** cordialità; calore (*fig.*).

lustral /ˈlʌstrəl/ a. **1** lustrale: **l. water**, acqua lustrale **2** (*arc.*) lustrale (*lett.*).

to **lustrate** /ˈlʌstreɪt/ (*relig.*) v. t. purificare con la lustrazione; lustrare (*lett.*) ‖ **lustration** n. lustrazione.

lustre①, (*USA*) **luster** /ˈlʌstə(r)/ n. **1** lustro (*anche fig.*); lucentezza; splendore; gloria; distinzione; fama: **the l. of silk**, la lucentezza della seta; **to throw new l. on a dynasty**, dar nuovo lustro a una dinastia **2** pendaglio di vetro; goccia (*di lampadario*) **3** lampadario a gocce (*ind. tess.*) lustrino **5** ⓤ (*ind.*) finitura (*per ceramica*) che dà riflessi vitrei; smalto con lustri.

lustre② /ˈlʌstə(r)/ → **lustrum**.

to **lustre**, (*USA*) to **luster** /ˈlʌstə(r)/ v. t. lustrare; rendere lucente; lucidare.

lustreless /ˈlʌstrələs/ a. senza lustro; opaco; appannato: **l. paint**, pittura opaca.

lustreware /ˈlʌstrəwɛə(r)/ n. ⓤ (*ind.*) ceramica con riflessi vitrei.

lustrous /ˈlʌstrəs/ a. (*lett.*) lustro; lucente; brillante; splendente: **l. silk**, seta lucente; **l. jewels**, gioielli splendenti.

lustrum /ˈlʌstrəm/ n. (pl. **lustra**, **lustrums**) lustro; quinquennio.

lusty /ˈlʌstɪ/ a. **1** forte; gagliardo; robusto; vigoroso; vivace: **a l. appetite**, un vivace appetito **2** cordiale; caloroso.

lutanist /ˈluːtənɪst/ n. → **lutenist**.

lute① /luːt/ n. (*mus.*) liuto ● **l. maker**, liutaio □ **l. string**, corda per liuto.

lute② /luːt/ n. luto (*cemento per vasai*); stucco.

to **lute** /luːt/ v. t. (*tecn.*) lutare; stuccare con luto.

luteal /ˈluːtɪəl/ a. (*anat.*) luteo; luteinico ● (*biol.*) **l. hormone**, ormone luteinico; progesterone.

lutein /'luːtɪɪn/ n. ⓤ (*chim.*) luteina.

to **luteinize** /'luːtɪənaɪz/ (*fisiol.*) v. t. luteinizzare ‖ **luteinization** n. ⓤ luteinizzazione.

lutenist /'luːtənɪst/ n. (*mus.*) liutista.

luteolin /'ljuːtɪəlɪn/ n. ⓤ (*chim.*) luteolina.

luteous /'ljuːtɪəs/ a. luteo (*lett.*); giallo-uovo.

lutestring /'luːtstrɪŋ/ n. ⓤ (*ind. tess.*) brillantino.

lutetium /luː'tiːʃəm/ n. ⓤ (*chim.*) lutezio.

Luth. → Lutheran.

Luther /'luːθə(r)/ n. (*stor.*) Lutero.

Lutheran /'luːθərən/ (*relig.*) a. e n. lutera-no ‖ **Lutheranism** n. ⓤ luteranesimo; luteranismo.

luthern /'luːθɜːn/ n. (*edil.*) finestra d'abbaino.

luting /'luːtɪŋ/ n. ⓊⒸ 1 (*tecn.*) lutatura 2 luto (*cemento per vasai*).

lutist /'luːtɪst/ n. (*mus.*) 1 suonatore di liuto; liutista 2 liutaio.

luv /lʌv/ n. (*dial. o scherz.*) caro, cara; tesoro (*fig.*); bello mio, bella mia (*ma si usa anche, nei negozi, ecc., con estranei*).

luvvie, luvvy /'lʌvɪ/ n. (*scherz.*, *GB*) attore, attrice (*spec. affettato*).

lux /lʌks/ n. (pl. *luxes, lux*) (*fis.*) lux • **lux meter**, luxmetro.

to **luxate** /'lʌkseɪt/ (*med.*) v. t. lussare; slogare ‖ **luxation** n. ⓊⒸ lussazione; lussatura; slogatura.

Luxembourg /'lʌksəmbɜːɡ/ n. (*geogr.*) Lussemburgo ‖ **Luxembourger** n. lussemburghese.

luxuriance /lʌɡ'ʒʊərɪəns/ n. ⓤ 1 rigogliosità; rigoglio 2 (*fig.*) esuberanza; sovrabbondanza; abbondanza 3 eccessiva ornatezza, ridondanza (*dello stile, ecc.*).

luxuriant /lʌɡ'ʒʊərɪənt/ a. 1 lussureggiante; rigoglioso: **l. vegetation**, vegetazione lussureggiante 2 eccessivo; esuberante; fecondo; sovrabbondante: **l. imagery**, immagini esuberanti 3 (*di stile, ecc.*) lussureggiante; sovraccarico; troppo ornato 4 fecondo; prolifico (*fig.*) • **l. hair**, una folta chioma | **-ly** avv.

to **luxuriate** /lʌɡ'ʒʊərɪeɪt/ v. i. 1 (*di vegetazione o capelli*) lussureggiare; essere rigoglioso; abbondare 2 (*fig.*) godere; abbandonarsi (a); deliziarsi (di); crogiolarsi (in): **to l. in a cigar**, godersi un sigaro; **to l. in the sun**, crogiolarsi al sole; **to l. in self-admiration**, crogiolarsi nell'ammirazione di sé stesso 3 (*fig.*) far vita comoda; vivere nel lusso.

luxurious /lʌɡ'ʒʊərɪəs/ a. 1 lussuoso; fastoso; sfarzoso; sontuoso: **a l. restaurant**, un ristorante di lusso; **a l. villa**, una villa sfarzosa 2 eccellente; magnifico; ottimo: **l. accommodation**, sistemazione (*in albergo, ecc.*) eccellente 3 amante del lusso; dedito al lusso • **to have l. tastes**, aver gusti lussuosi; essere abituato al lusso □ **to lead a l. life**, vivere nel lusso | **-ly** avv. | **-ness** n. ⓤ ❶ Falsi Amici • luxurious *non significa* lussurioso.

♦**luxury** /'lʌkʃərɪ/ Ⓐ n. 1 ⓊⒸ lusso (*anche fig.*); fasto; sfarzo; sontuosità: **to live in l.**, vivere nel lusso; *I can enjoy few luxuries*, posso concedermi pochi lussi 2 oggetto di lusso; prodotto raffinato, squisito 3 (pl.) (*econ.*) beni voluttuari Ⓑ a. attr. di lusso; lussuoso: **l. articles**, articoli di lusso; **a l. shop**, un negozio di lusso • (*naut.*) **l. cabin**, cabina di lusso □ **l. goods**, articoli (*o generi*) di lusso; beni voluttuari □ (*fisc.*) **l. tax**, imposta sui beni di lusso ❶ Falsi Amici • luxury

non significa lussuria.

lycanthrope /'laɪkənθrəʊp/ n. (*psic.*) licantropo; lupo mannaro (*pop.*).

lycanthropy /laɪ'kænθrəpɪ/ n. ⓤ (*psic.*) licantropia.

Lycaon /laɪ'keɪɒn/ n. (*mitol.*) Licaone.

lycaon /laɪ'keɪɒn/ n. (*zool.*, *Lycaon*) licaone (*il genere*).

lycée /'liːseɪ, *USA* liː'seɪ/ (*franc.*) n. liceo (*di tipo francese, italiano, ecc.*).

Lyceum /laɪ'siːəm/ n. 1 (*stor.*, *filos.*) Liceo 2 – l., sala per conferenze 3 – (*USA*) l., associazione culturale.

lychee /laɪ'tʃiː/ → litchi.

lychgate /'lɪtʃɡeɪt/ n. portico all'ingresso di un camposanto.

lychnis /'lɪknɪs/ n. (*bot.*, *Lychnis*) fior di cuculo.

Lycia /'lɪsɪə/ n. (*stor.*, *geogr. e nome proprio*) Licia ‖ **Lycian** a. e n. (*stor.*) licio.

Lycidas /'lɪsɪdæs/ n. (*letter.*) Licida.

lycopod /'laɪkəʊpɒd/, **lycopodium** /laɪkə'pəʊdɪəm/ n. (*bot.*, *Lycopodium*) licopodio.

Lycurgus /laɪ'kɜːɡəs/ n. (*stor. greca*) Licurgo.

lyddite /'lɪdaɪt/ n. ⓤ (*chim.*) liddite (*esplosivo*).

Lydia /'lɪdɪə/ n. (*stor.*, *geogr. e nome proprio*) Lidia.

Lydian /'lɪdɪən/ Ⓐ a. (*stor.*, *mus.*) lidio Ⓑ n. (*stor.*) lidio; abitante della Lidia • (*miner.*) **L. stone**, lidite.

lye /laɪ/ n. ⓤ 1 lisciva; ranno 2 (*ind. chim.*) soluzione alcalina 3 (*USA*) soda caustica.

to **lye** /laɪ/ (pass. e p. p. *lyed*), v. t. lisciviare.

lying ① /'laɪɪŋ/ Ⓐ part. pres. di to lie① Ⓑ a. bugiardo; falso; menzognero Ⓒ n. ⓤ il dir bugie; menzogna, menzogne.

lying ② /'laɪɪŋ/ Ⓐ part. pres. di to lie② Ⓑ n. (*antiq.*) puerperio: **l.-in**, degenza in clinica (*di una partoriente*); **l.-in hospital**, maternità; clinica per partorienti □ (*comm.*: *di merce*) **l. in the customs**, indoganata □ **l. on one's back**, disteso sulla schiena; supino □ **l. on one's face**, disteso sulla faccia; bocconi □ (*naut.*: *di nave*) **l.-to**, in panna □ **low-l. land**, terreno basso (*o pianeggiante*).

lying ③ /'laɪɪŋ/ n. ⓤ lisciviazione.

lyke-wake /'laɪkweɪk/ n. (*ingl.*) veglia funebre.

lyme grass /'laɪmɡrɑːs/ loc. n. (*bot.*, *Elymus arenarius*) miglio delle dune; loietto marino.

lymph /lɪmf/ n. 1 (*fisiol.*) linfa 2 (*poet.*) acqua; linfa (*arc.*) • (*anat.*) **l. channel**, vaso linfatico □ **l. drainage**, linfodrenaggio □ (*anat.*) **l. node** (o **l. gland**), linfonodo; ghiandola linfatica □ (*anat.*) **l. vessel**, vaso linfatico.

lymphadenitis /lɪmfædɪ'naɪtɪs/ n. ⓤ (*med.*) linfadenite.

lymphangitis /lɪmfæn'dʒaɪtɪs/ n. ⓤ (*med.*) linfangite.

lymphatic /lɪm'fætɪk/ Ⓐ a. 1 (*anat.*) linfatico: **l. glands**, ghiandole linfatiche; **l. vessels**, vasi linfatici 2 (*arc.*) fiacco: **l. temperament**, temperamento fiacco Ⓑ n. (*anat.*) vaso linfatico • **l. drainage**, linfodrenaggio.

lymphoblast /'lɪmfəʊblæst/ n. (*med.*) linfoblasto.

lymphocyte /'lɪmfəsaɪt/ n. (*anat.*) linfocita, linfocito.

lymphoedema, (*USA*) **lymphedema** /lɪmfəˈdiːmə/ n. (*med.*) linfedema.

lymphogranuloma /lɪmfəʊɡrænjʊ'ləʊmə/ n. (pl. **lymphogranulomas**, **lymphogranulomata**) (*med.*) linfogranuloma.

lymphoma /lɪm'fəʊmə/ (*med.*) n. (pl. **lymphomas**, **lymphomata**) linfoma ‖ **lymphomatous** a. linfomatoso.

lymphopenia /lɪmfə'piːnɪə/ n. ⓤ (*med.*) 1 linfopenia 2 linfocitopenia.

lymphopoiesis /lɪmfəpɔɪ'iːsɪs/ n. ⓤ (*biol.*) 1 linfopoiesi 2 linfocitopoiesi.

lymphosarcoma /lɪmfəʊsɑː'kəʊmə/ n. (pl. **lymphosarcomas**, **lymphosarcomata**) (*med.*) linfosarcoma.

lyncean /lɪn'siːən/ a. linceo; di lince; dagli occhi di lince.

to **lynch** /lɪntʃ/ v. t. linciare (*anche fig.*) ‖ **lyncher** n. linciatore ‖ **lynching** n. ⓊⒸ (*anche fig.*) linciaggio.

lynch mob /'lɪntʃ mɒb/ loc. n. (folla di) linciatori; folla pronta al linciaggio.

lynx /lɪŋks/ n. 1 (pl. *lynxes, lynx*) (*zool.*, *Lynx*) lince 2 ⓤ lince (*la pelliccia*) • **l.-eyed**, dagli occhi di lince.

Lyons /'liːɒn, 'laɪənz/ n. (*geogr.*) Lione.

to **lyophilize** /laɪ'ɒfɪləz/ (*chim.*, *ind.*) v. t. liofilizzare ‖ **lyophilization** n. ⓤ liofilizzazione ‖ **lyophilized** a. liofilizzato ‖ **lyophilizer** n. liofilizzatore.

lyophobic /laɪə'fəʊbɪk/ a. (*chim.*) liofobo.

Lyra /'laɪərə/ n. (*astron.*) Lira (*costellazione*).

lyrate /'laɪərət/ a. lirato; a forma di lira.

lyre /'laɪə(r)/ n. (*stor. mus.*) lira.

lyrebird /'laɪəbɜːd/ n. (*zool.*, *Menura novaehollandiae*) uccello lira.

lyric /'lɪrɪk/ Ⓐ a. lirico: **l. poetry**, la poesia lirica; la lirica; **a l. tenor**, un tenore lirico; **the l. stage**, il teatro lirico; l'opera Ⓑ n. 1 lirica; componimento lirico 2 (pl.) versi 3 (pl.) parole, testi (*di canzoni*).

lyrical /'lɪrɪkl/ a. 1 lirico: **a l. poet**, un poeta lirico 2 (*fig.*) estasiato, in estasi; estatico; in preda a slancio lirico • **to become l.**, entusiasmarsi; scaldarsi (*fig.*) □ **to become** (*o* **to wax**) **l. about st.**, descrivere qc. in toni lirici; magnificare qc. | **-ly** avv.

lyricism /'lɪrɪsɪzəm/ n. 1 ⓤ lirismo; liricità 2 slancio lirico; lirismo (*fig.*); tono esaltato (*o ispirato*).

lyricist /'lɪrɪsɪst/ n. 1 poeta lirico; (un) lirico 2 (*mus.*) paroliere.

lyrist (*def. 1* /'lɪrɪst/, *def. 2* /'laɪrɪst/) n. 1 suonatore di lira 2 poeta lirico.

lysate /'laɪseɪt/ n. (*biol.*) lisato.

to **lyse** /laɪs/ Ⓐ v. t. (*scient.*) lisare; sottoporre a lisi Ⓑ v. i. (*scient.*) subire la lisi.

lysergic /laɪ'sɜːdʒɪk/ a. (*chim.*) lisergico: **l. acid**, acido lisergico; **l. acid diethylamide**, dietilammide dell'acido lisergico, LSD.

Lysimachus /laɪ'sɪməkəs/ n. (*stor.*) Lisimaco.

lysin /'laɪsɪn/ n. (*biol.*, *med.*) lisina (*anticorpo*).

lysine /'laɪsiːn/ n. (*biochim.*) lisina (*amminoacido basico*).

Lysippus /laɪ'sɪpəs/ n. (*stor.*) Lisippo.

lysis /'laɪsɪs/ n. (pl. *lyses*) (*chim.*, *med.*) lisi.

lysogeny /laɪ'sɒdʒənɪ/ (*biol.*) n. ⓤ lisogenia ‖ **lysogenic** a. lisogeno ‖ **lysogenicity** n. ⓤ lisogenia.

lysol /'laɪsɒl/ n. ⓤ (*ind.*, *chim.*) lisolo (*disinfettante*).

lysosome /'laɪsəsəʊm/ n. (*biol.*) lisosoma.

lysozyme /'laɪsəzaɪm/ n. (*biol.*) lisozima.

lyssa /'lɪsə/ n. ⓤ (*med.*) lissa; idrofobia.

lytic /'lɪtɪk/ a. (*scient.*) litico.

m, M

M ①, m /ɛm/ n. (pl. **M's**, **m's**; **Ms**, **ms**) M, m (*tredicesima lettera dell'alfabeto ingl.*) ● **m for Mike**, m come Milano.

M ② sigla **1** (**Majesty**) Maestà **2** (**male**) maschio **3** (**Marquis**) marchese **4** (*misura d'abiti*, **medium**) medio **5** (**member**) membro, socio **6** (**Monday**) lunedì **7** (**motorway**) autostrada: *The M20 runs from Dover to London*, la M20 va da Dover a Londra **8** (**mountain**) monte.

m. abbr. **1** (**married**) sposato **2** (**meridian**) meridiano **3** (**minute**) minuto (*sessanta secondi*) **4** (**month**) mese **5** (**moon**) luna.

ma /mɑː/ n. (abbr. *fam.*) mamma ● (*USA*) **ma-and-pa store**, negozio a conduzione familiare.

MA ① abbr. (*USA*, **Massachusetts**) Massachusetts.

MA ② /ɛm'eɪ/ n. (acronimo di **Master of Arts**) **1** (*GB*) laurea di secondo grado ❶ CULTURA • *la laurea di secondo grado è chiamata* **master's degree** (**MA, Master of Arts**, *o* **MSc, Master of Science**) *solitamente richiede 1-2 anni di studio successivi e l'elaborazione di una tesi. Un MA è una laurea conseguita di solito in discipline umanistiche; le università di Oxford e Cambridge la concedono ai propri* → **«BA»** (*def. 1*) *dopo un certo tempo dalla laurea, dietro semplice richiesta. Cfr. anche* **PhD 2** (*in Scozia*) laurea di primo grado.

ma'am /mæm, mɑːm/ n. (al vocat., *fam.*) signora.

mac /mæk/ n. (abbr. *fam. di* **mackintosh**) impermeabile.

Mac /mæk/ n. **1** scozzese **2** (*slang USA*) individuo; tipo; tizio; tu (al vocat.).

macabre /məˈkɑːbrə/ a. macabro; orrido ● (*franc., pitt.*) **danse m.**, danza macabra.

macaco /məˈkeɪkəʊ/ → **macaque**.

macadam /məˈkædəm/ n. (*costr. stradali*) **1** macadam **2** strada di macadam.

macadamia /mækəˈdeɪmɪə/ n. (*bot., Macadamia ternifolia*) macadamia ● **m. nut**, noce di macadamia.

to **macadamize** /məˈkædəmaɪz/ v. t. macadamizzare || **macadamization** n. ꭒ macadamizzazione.

macaque /məˈkɑːk/ n. (*zool., Macaca*) macaco.

macaroni /mækəˈrəʊnɪ/ n. (pl. **macaronis**, **macaronies**) **1** (*cucina*) maccheroni (pl.) **2** (*stor.*) bellimbusto, damerino (*del '700*) **3** (*spreg., antiq.*) italiano ● **m. cheese**, maccheroni (*o pasta*) al forno; pasticcio di maccheroni.

macaronic /mækəˈrɒnɪk/ ▲ a. maccheronico: **m. verse**, versi maccheronici ᗷ n. pl. versi maccheronici.

macaroon /mækəˈruːn/ n. specie di amaretto.

macaw /məˈkɔː/ n. (*zool., Ara*) ara; macao.

Maccabees /ˈmækəbiːz/ (*stor.*) n. pl. Maccabei || **Maccabean** a. maccabeo; dei Maccabei.

maccaroni /mækəˈrəʊnɪ/ n. ꭒ → **macaroni**.

mace ① /meɪs/ n. **1** (*stor.*) mazza ferrata (*da guerra*) **2** mazza (*da cerimonia*) ● **m.-bearer**, mazziere.

mace ② /meɪs/ n. ꭒ (*bot.*) macis (*involucro della noce moscata*).

to **mace** /meɪs/ v. t. (*USA*) attaccare con il → «Mace».

Mace ® /meɪs/ n. (*USA*) aerosol lacrimogeno (*contro dimostranti, per difesa personale, ecc.*).

macédoine /mæsəˈdwɑːn/ (*franc.*) n. **1** insalata mista **2** macedonia di frutta (*spesso in gelatina*) **3** (*fig.*) miscuglio; insalata (*fig.*).

Macedon /ˈmæsɪdn/ n. (*stor.*) Macedonia.

Macedonian /mæsɪˈdəʊnɪən/ ▲ a. (*stor., geogr.*) macedone ᗷ n. **1** macedone **2** ꭒ macedone (*l'antica lingua*).

to **macerate** /ˈmæsəreɪt/ v. t. e i. macerare; macerarsi (*anche fig.*) || **maceration** n. ꭒ (*anche fig.*) macerazione.

macerator /ˈmæsəreɪtə(r)/ n. **1** maceratore **2** (*ind. cartaria*) macero.

Mach /mɑːk/ n. (*di solito* **M. number**) (*aeron.*) Mach; numero di Mach.

machete /məˈʃetɪ/ (*spagn.*) n. machete.

Machiavellian /mækɪəˈvelɪən/ ▲ a. machiavelliano; machiavellico (*anche spreg.*) ᗷ n. (*anche* **Machiavellist**) machiavellista; machiavello || **Machiavellianism**, **Machiavellism** n. ꭒ machiavellismo.

to **machicolate** /məˈtʃɪkəleɪt/ v. t. (*archit.*) munire (*un parapetto*) di piombatoi.

machicolation /mətʃɪkəˈleɪʃn/ n. (*archit.*) piombatoio; caditoia.

machinable /məˈʃiːnəbl/ (*ind., metall.*) a. lavorabile alla macchina utensile || **machinability** n. ꭒ lavorabilità alla macchina utensile.

to **machinate** /ˈmækɪneɪt/ v. t. e i. macchinare; ordire; tramare || **machination** n. ꭒ macchinazione; trama; complotto.

♦**machine** /məˈʃiːn/ n. **1** macchina (*che produce lavoro; cfr.* **engine**, *macchina che produce energia; anche fig.*); calcolatore: **sewing m.**, macchina da cucire; **printing m.**, macchina tipografica; stampatrice; (*mecc.*) **simple m.**, macchina semplice; (*fig.*) *Routine has turned him into a m.*, la routine lo ha trasformato in una macchina (*o in un robot*) **2** (*polit.*) apparato: **the Democratic m.**, l'apparato del Partito Democratico (*in USA*) **3** distributore automatico (*di bevande, sigarette, ecc.*); *Where's the ticket m.?*, dov'è il parchimetro? **4** (*fam.*) macchina (da scrivere) **5** (*fam.*) lavatrice; lavabiancheria **6** (*fam.*) lavastoviglie **7** (*fam.*) segreteria telefonica **8** (*fam.*) automobile; macchina (*anche da corsa*); motocicletta, moto; bicicletta, bici ● **m. accounting**, contabilità meccanizzata ▫ (*mecc.*) **m. bolt**, bullone ▫ (*comput.*) **m. code**, codice macchina ▫ (*mecc.*) **m. drill**, perforatrice meccanica ▫ (*mil.*) **m. gun**, mitragliatrice ▫ (*mil.*) **m.-gunner**, mitragliere ▫ (*mil.*) **m.-gunning**, mitragliamento ▫ (*cronot.*) **m.-hours**, ore (di) macchina ▫ (*comput.*) **m. language**, linguaggio macchina ▫ **m.-made**, fatto (*o lavorato*) a macchina ▫ (*polit.*) **m. man**, uomo dell'apparato (*comput.*) **m. readable**, in linguaggio macchina ▫ **m. shop**, officina meccanica; (*ind.*) reparto macchine ▫ **m. tool**, macchina utensile ▫ (*di un capo di vestiario*) **m. washable**, lavabile in lavatrice ▫ **m. work**, lavorazione a macchina.

to **machine** /məˈʃiːn/ v. t. **1** fare (*o eseguire*) a macchina **2** cucire a macchina **3** (*tipogr.*) mandare (*un giornale*) in macchina; stampare **4** (*ind., metall.*) lavorare alla macchina utensile.

to **machine-gun** /məˈʃiːngʌn/ v. t. mitragliare.

♦**machinery** /məˈʃiːnrɪ/ n. ꭒ **1** (*ind.*) macchinario; macchine **2** (*mecc.*) meccanismo; congegni; ingranaggi **3** (*fig.*) macchina: **the m. of government**, la macchina dello Stato **4** (*d'opera letteraria*) macchinosità ● (*ind.*) **m.-seating**, installazione del macchinario.

machining /məˈʃiːnɪŋ/ n. ꭒ **1** (*ind.*) lavorazione (a macchina): **m. time**, tempo di lavorazione **2** (*tipogr.*) stampa a macchina.

machinist /məˈʃiːnɪst/ n. **1** (*ind.*) operatore di macchina utensile **2** (*ind.*) meccanico **3** chi lavora (*spec.* chi cuce) a macchina.

machismo /məˈtʃɪzməʊ/ (*spagn.*) n. ꭒ machismo; ostentata virilità; maschilismo.

Machmeter /ˈmækmiːtə(r)/ n. (*aeron.*) machmetro; indicatore del numero di Mach.

macho /ˈmætʃəʊ/ (*spagn.*) ▲ a. ostentatamente virile; macho ᗷ n. (pl. **machos**) macho.

mack ① /mæk/ n. (abbr. di **mackintosh**) (*fam.*) impermeabile.

mack ② /mæk/ n. (*slang*) magnaccia, pappone (*pop.*); protettore (*di prostitute*).

mackerel /ˈmækrəl/ n. (pl. **mackerel**, **mackerels**) (*zool., Scomber scombrus*) scombro; maccarello ● **m. breeze** (*o* **m. gale**), vento fresco (*favorevole alla pesca dello scombro*) ▫ (*zool.*) **m. shark** (*Lamna nasus*), smeriglio, squalo nasuto ▫ **m. sky**, cielo a pecorelle.

mackinaw /ˈmækɪnɔː/ n. (*USA*) **1** (*moda*) giaccone a doppio petto **2** pesante stoffa di lana (*spec. a pelo lungo*).

mackintosh /ˈmækɪntɒʃ/ n. **1** impermeabile **2** ꭒ tessuto impermeabilizzato.

mackle /ˈmækl/ n. (*tipogr.*) caratteri di stampa annebbiati.

macle /ˈmækl/ n. (*miner.*) **1** cristallo geminato **2** chiastolite.

macramé /məˈkrɑːmeɪ, USA ˈmækrəmeɪ/ n. ꭒ macramè.

macro /ˈmækrəʊ/ n. (*comput.*) macro; macroistruzione (*serie di istruzioni da eseguire con un unico comando*).

macrobiotic /mækrəbaɪˈɒtɪk/ ▲ a. macrobiotico ᗷ n. sostenitore della macrobiotica.

macrobiotics /mækrəbaɪˈɒtɪks/ n. pl. (col verbo al sing.) macrobiotica.

macrocephalic /mækrəsəˈfælɪk/, **macrocephalous** /mækrəˈsefələs/ (*antrop., med.*) a. macrocefalo || **macrocephaly** n. ꭒ macrocefalia.

macroclimate /ˈmækrəklaɪmət/ n. (*scient.*) macroclima.

macrocosm /ˈmækrəkɒzəm/ n. macrocosmo.

macrocrystalline /mækrəʊˈkrɪstəlaɪn/ a. (*miner.*) macrocristallino.

macrocytosis /mækrəsaɪˈtəʊsɪs/ n. ⓤ (*med.*) macrocitosi.

macrodistribution /mækrəʊdɪstrɪˈbjuːʃn/ n. ⓤ (*econ.*) macrodistribuzione.

macroeconomics /mækrəʊiːkəˈnɒmɪks/ (*econ.*) n. pl. (col verbo al sing.) macroeconomia ‖ **macroeconomic** a. macroeconomico.

macroevolution /mækrəʊiːvəˈluːʃn/ n. ⓤ (*biol.*) macroevoluzione.

macroglossia /mækrəˈɡlɒsɪə/ n. ⓤ (*med.*) macroglossia.

macromolecule /mækrəˈmɒlɪkjuːl/ (*chim.*) n. macromolecola ‖ **macromolecular** a. macromolecolare.

macron /ˈmækrɒn/ n. (*ling.*) segno di (vocale) lunga.

macronucleus /mækrəʊˈnjuːklɪəs/ n. (pl. **macronuclei**, **macronucleuses**) (*biol.*) macronucleo.

macronutrient /mækrəʊˈnjuːtrɪənt/ n. (*biol.*) macronutriente.

macrophage /ˈmækrəfeɪdʒ/ (*biol.*) n. macrofago.

macrophotography /mækrəfəˈtɒɡrəfɪ/ n. ⓤ macrofotografia.

macropodid /maˈkrɒpədɪd/ n. (*zool.*) macropodide (pl. *scient. Macropodidae: il canguro, ecc.*).

macropsia /maˈkrɒpsɪə/ n. ⓤ (*med.*) macropsia.

macropterous /maˈkrɒptərəs/ a. (*zool.*) macrottero.

macroscopic /mækrəˈskɒpɪk/ a. macroscopico.

macroseism /ˈmækrəʊsaɪzəm/ (*geol.*) n. macrosisma ‖ **macroseismic** a. macrosismico.

macrosociology /mækrəʊsəʊʃɪˈɒlədʒɪ/ n. ⓤ macrosociologia ‖ **macrosociological** a. macrosociologico.

macrosomia /mækrəˈsəʊmɪə/ (*med.*) n. ⓤ macrosomia ‖ **macrosomatic** a. macrosomico.

macrostructure /ˈmækrəʊstrʌktʃə(r)/ n. ⓤⒸ (*metall.*) macrostruttura.

macrosystem /ˈmækrəʊsɪstəm/ n. (*comput.*) macrosistema.

macula /ˈmækjʊlə/ n. (pl. **maculae**, **maculas**) (*scient.*) macula; macchia (*spec. del sole, della pelle*).

macular /ˈmækjʊlə(r)/ a. (*scient.*) maculare.

maculate /ˈmækjʊlət/ a. (*lett.*) maculato; macchiato.

to **maculate** /ˈmækjʊleɪt/ v. t. (*lett.*) maculare; macchiare ‖ **maculation** n. ⓤⒸ (*scient.*) macchia; maculatura.

♦**mad** /mæd/ a. **1** matto, pazzo (*anche fig.*); folle; forsennato; insano; insensato; mentecatto: *He's quite mad*, è proprio matto; **mad with pain [fear]**, pazzo di dolore [paura] **2** (*fam.*) arrabbiato; adirato; infuriato; furibondo: *He was mad about* (*o at*) *missing the bus*, era infuriato per aver perso l'autobus; *He is mad at me*, è arrabbiato (*o infuriato*) con me **3** (*di cane*) arrabbiato; idrofobo **4** (*fig.*) entusiasta; appassionato; fanatico: *He's mad about rock music*, è un fanatico di musica rock ● (*vet., fam.*) **mad cow disease**, (*morbo della*) mucca pazza □ **to be mad about sb.**, andare pazzo per q.: *I'm mad about you*, sono pazzo di te □ **to be mad about st.**, essere furibondo (*o infuriato, incavolato*) per qc.; andare pazzo per qc. □ **to be mad at sb.**, essere infuriato con q. □ (*fam.*) **to be mad keen to do st.**, morire dalla voglia di fare qc. □ **(as) mad as a hatter** (*o* **as a March hare**), matto da legare □ **to be as mad as hell** (*o* **as a hornet**), essere infu-

riato (*o incavolato, imbufalito*) □ **to drive** (*o* **to send**) **sb. mad**, fare ammattire (*o impazzire*) q.: *The kids drive me mad sometimes when they play up*, i ragazzi mi fanno impazzire a volte quando fanno i capricci □ **to go mad**, ammattire; impazzire □ (*fam.*) **gone mad**, portato agli estremi; spinto all'esasperazione □ **to have a mad time**, divertirsi un mondo (*o in modo sfrenato*) □ **like mad**, come un matto, all'impazzata; a tutto spiano; a rotta di collo; a vista d'occhio: *He was running like mad*, correva come un matto; *The weeds are growing like mad*, le erbacce crescono a vista d'occhio □ **raving mad**, pazzo furioso.

to **mad** /mæd/ (*raro*) → **to madden**.

Madagascan /mædəˈɡæskən/ n. e a. (*geogr.*) malgascio.

♦**madam** /ˈmædəm/ n. **1** (pl. **mesdames**) signora (al vocat.) **2** (pl. **madams**) madama; tenutaria (*di casa di tolleranza*) **3** (pl. **madams**) (*ingl.*) ragazzina capricciosa e prepotente; madamigella.

madame /ˈmædəm/ (*franc.*) n. (pl. **madames**, **mesdames**) signora (*seguito dal cognome; usato per signore straniere e talora per nubili anziane; cfr.* **Mrs**).

madarosis /mædəˈrəʊsɪs/ n. ⓤ (*med.*) madarosi.

madcap /ˈmædkæp/ Ⓐ n. testa matta; testa calda; scervellato; spericolato Ⓑ a. scervellato; avventato; scriteriato.

to **madden** /ˈmædn/ Ⓐ v. t. **1** far ammattire; far impazzire: '[…] *horror of the grave maddens the mind*' R. GRAVES, '[…]' l'orrore della morte fa impazzire la mente' **2** far infuriare; rendere furibondo; far disperare; esasperare Ⓑ v. i. **1** ammattire; impazzire **2** infuriarsi; arrabbiarsi; adirarsi.

maddening /ˈmædnɪŋ/ a. **1** da far impazzire (*anche fig.*): **a m. noise**, un rumore da far impazzire **2** (*fam.*) fastidioso; seccante; esasperante | **-ly** avv.

madder /ˈmædə(r)/ n. ⓤ **1** (*bot., Rubia tinctorum*) robbia **2** carminio di robbia.

madding /ˈmædɪŋ/ a. (*arc.*) pazzo; frenetico: **far from the m. crowd**, lontano dalla folla frenetica.

made /meɪd/ Ⓐ pass. e p. p. di **to make** Ⓑ a. fatto; fabbricato; prodotto; costruito; confezionato; eseguito: (*fig.*) *They're m. for each other*, sono fatti l'uno per l'altro ● **a m. dish**, una pietanza elaborata (*o complessa*) □ **m. gravy**, sugo artificiale (*non di carne*) □ (*market.*) **the «m. in Italy» label**, l'etichetta del «made in Italy» □ **m. in Japan**, fabbricato in Giappone □ (*fig.*) **a m. man**, un uomo arrivato (*che ha una posizione sicura, solida*) □ (*fam.*) **m. of money**, ricco sfondato □ (*raro*) **m. on order = m. to order** → *sotto* □ **m.-to-measure**, fatto su misura: **m.-to-measure furniture**, mobili su misura □ **m. to order**, fatto su ordinazione □ **a m. word**, una parola inventata (*o coniata*) □ (*slang*) **to have (got) it m.**, essere arrivato (*fig.*); avere sfondato; essere a cavallo (*fig.*) □ **ready-m.**, confezionato; bell'e fatto □ **a self-m. man**, un uomo che s'è fatto da sé.

Madeira /məˈdɪərə/ n. **1** (*geogr.*) Madera **2** – m., madera (*vino*).

madeleine /ˈmædəlɪn/ n. (*cucina*) maddalena; madeleine (*dolce*).

mademoiselle /mædm(w)əˈzɛl/ (*franc.*) n. (pl. **mademoiselles**, **mesdemoiselles**) signorina.

♦**made-up** /ˈmeɪdʌp/ a. **1** confezionato; bell'e fatto; bell'e pronto **2** inventato; falso; artificiale; truccato **3** (*di donna*) truccata; che ha il trucco ● **a made-up story**, una frottola; una balla (*fam.*).

madhouse /ˈmædhaʊs/ n. **1** (*un tempo*) manicomio **2** (*fig.*) babilonia; baraonda; gabbia di matti; manicomio.

madison /ˈmædɪsən/ n. (*ciclismo*) americana (*a squadre di due, su pista*).

madly /ˈmædlɪ/ avv. **1** pazzamente; follemente **2** (*fig. fam.*) pazzamente; alla follia; perdutamente: *She's m. in love with you*, è perdutamente innamorata di te.

madman /ˈmædmən/ n. (pl. **madmen**) matto; pazzo; folle.

madness /ˈmædnəs/ n. ⓤ **1** pazzia; demenza; follia (*anche fig.*) **2** rabbia; furia; furore **3** entusiasmo; furore (*fig.*) **4** (*vet. e med.*) rabbia; idrofobia.

Madonna /məˈdɒnə/ n. (*relig., pitt.*) Madonna ● (*bot.*) **M. lily** (*Lilium candidum*), giglio bianco.

madras /məˈdræs/ n. ⓤ (*ind. tess.*) madras.

madrepore /ˈmædrəpɔː(r)/ (*zool.*) n. (*Madrepora*) madrepora ‖ **madreporic** a. madreporico.

madreporite /mædrəˈpɔːraɪt/ n. ⓒ madreporite.

madrigal /ˈmædrɪɡl/ (*mus., letter.*) n. madrigale ‖ **madrigalian** a. madrigalesco; di madrigale ‖ **madrigalist** n. madrigalista.

Madrilenian /mædrəˈliːnɪən/ a. e n. madrileno.

madwoman /ˈmædwʊmən/ n. (pl. **madwomen**) matta; pazza; folle.

Maecenas /miːˈsiːnæs/ n. **1** (*stor. romana*) Mecenate **2** – (*fig.*) m., mecenate.

maelstrom /ˈmeɪlstrəm/ n. **1** – (*geogr.*) M., Malström **2** (*naut.*) gorgo; vortice, turbine (*anche fig.*): **the m. of city life**, il vortice della vita di città; la turbinosa vita cittadina; *He was caught in the m. of war*, fu afferrato dal vortice della guerra.

maenad /ˈmiːnæd/ n. (*mitol.*) menade.

maestro /ˈmaɪstrəʊ/ (*ital.*) n. (pl. **maestri**, **maestros**) (*mus., arte*) maestro.

Mae West /meɪˈwɛst/ n. (*aeron.*) giubbotto salvagente (*gonfiabile*).

MAFF /mæf/ sigla (*stor., GB, Ministry of Agriculture, Fisheries, and Food*) Ministero dell'agricoltura, pesca e alimentazione (*cfr.* **DEFRA**).

to **maffick** /ˈmæfɪk/ v. i. (*arc.*) esultare; far grande festa.

Mafia, Maffia /ˈmæfɪə/ (*ital.*) n. (*anche fig.*) mafia.

mafioso /mæfɪˈəʊsəʊ/ (*ital.*) n. (pl. **mafiosos**, **mafiosi**) mafioso.

mag① /mæɡ/ n. (*abbr. fam. di* **magazine**) rivista; periodico.

mag② /mæɡ/ n. abbr. di **magneto**.

♦**magazine** /mæɡəˈziːn, USA ˈmæɡəziːn/ n. **1** rivista; periodico; rotocalco: **glossy m.**, rivista patinata; **women's m.**, rivista femminile **2** (*radio, TV, = m. programme*) contenitore **3** (*fotogr., cinem.*) magazzino **4** (*d'arma da fuoco*) caricatore; serbatoio: **m. filler**, riempicaricatori; **m. extender**, caricatore maggiorato; prolunga del serbatoio **5** (*mil.*) magazzino militare; deposito d'armi, viveri, ecc **6** (*naut., mil.*) santabarbara; deposito munizioni ❶ **Falsi amici** ● magazine *non significa* magazzino *per merci.*

Magdalen /ˈmæɡdəlɪn/, **Magdalene** /mæɡdəˈliːniː/ n. **1** (*Bibbia*) Maddalena **2** – (*fig. arc.*) m., maddalena; peccatrice pentita.

magenta /məˈdʒɛntə/ Ⓐ a. magenta Ⓑ n. ⓤ **1** color magenta **2** (*chim.*) → **fuchsin**.

Maggie /ˈmæɡɪ/ n. dim. di → **Margaret**.

maggot /ˈmæɡət/ n. **1** (*zool.*) larva (di dittero); baco (*spec. del formaggio*); verme (*fam.*) **2** (*fig. raro*) capriccio; grillo; ubbia **3** (*slang USA*) sigaretta; cicca (*pop.*) ‖ **maggoty** a. **1** bacato; verminoso **2** (*fig. raro*) capriccioso.

maghemite /mæɡˈhɛmaɪt/ n. ⓤ (*miner.*) maghemite.

Magi /'meɪdʒaɪ/ n. pl. (*relig.*) (i) Re Magi.

♦**magic** /'mædʒɪk/ A n. ⓤ **1** magia (*anche fig.*); arte magica; stregoneria: **black m.**, magia nera; **white** (*o* **natural**) **m.**, magia bianca (*o* naturale) **2** (*fig.*) incanto; fascino: **the m. of Shelley's poetry**, l'incanto della poesia di Shelley B a. **1** magico: **m. wand**, bacchetta magica; **m. arts** [**words**], arti [parole] magiche **2** (*fig.*) magico; magnifico; favoloso; incantevole; stupendo: **m. beauty**, magica bellezza; **m. moments**, momenti incantevoli **3** (*mat. e tecn.*) magico: **m. numbers**, numeri magici; **m. square**, quadrato magico; **m. lantern**, lanterna magica (*proiettore*) (*fam.*) **m. eye**, occhio magico (*di TV*); cellula fotoelettrica ● (*med., fam., fig.*) **m. bullet**, pillola magica; farmaco prodigioso; (*per estens.*) cura miracolosa □ **m. carpet**, tappeto volante ● **m. mushroom**, fungo allucinogeno □ **m. spell**, incantesimo; malia □ **m. trick**, trucco di (*o* da) illusionista □ (*fam.*) **as if by m.** (*o* **like m.**), come per magia (*o* per incanto); tutto a un tratto; in un baleno.

magical /'mædʒɪkl/ a. **1** magico; di (*o* della) magia: **m. powers**, poteri magici; **m. ritual**, rituale magico **2** (*fig.*) incantevole; affascinante; stupendo; magico: *What a m. sunset!*, che magico tramonto!; **a m. evening**, una sera incantevole.

magically /'mædʒɪkli/ avv. magicamente; per incanto; (come) per magia.

to **magic away** /'mædʒɪkəweɪ/ v. t. + avv. far sparire (q. *o* qc.) come per magia.

magician /mə'dʒɪʃn/ n. **1** mago; stregone **2** illusionista; prestigiatore.

to **magic up** /'mædʒɪkʌp/ v. t. + avv. far comparire (q. *o* qc.) come per magia.

magisterial /mædʒɪ'stɪərɪəl/ a. **1** (*leg.*) di (*o* da) magistrato: **m. rank**, qualifica (*o* grado) di un magistrato **2** magistrale; autorevole; autoritario; cattedratico: **a m. demonstration**, una dimostrazione magistrale; **a m. manner**, un modo di fare cattedratico | -ly avv.

magistracy /'mædʒɪstrəsi/ n. (*leg.*) magistratura; i magistrati (collett.).

magistral /mə'dʒɪstrəl, USA 'mædʒɪ-/ a. **1** magistrale; di maestro; autorevole; autoritario; cattedratico **2** (*farm.*) galenico: **a m. prescription**, una prescrizione galenica ● **the m. staff**, il corpo insegnante.

magistrate /'mædʒɪstreɪt/ (*leg.*) n. **1** magistrato (*in genere*) **2** (*in Inghil.*) giudice onorario, non retribuito (= **justice of the peace** → **justice**) ● (*GB*) **magistrates' court**, tribunale competente in materia civile e per reati minori (*composto da un magistrato di carriera e due giudici di pace; giudica in assenza di giuria*) ‖ **magistrature** /ˈⓤ magistratura.

maglev /'mæglɛv/ n. (abbr. di **magnetic levitation train**) (*ferr.*) treno a levitazione magnetica.

magma /'mægmə/ (*geol.*) n. (pl. **magmas**, **magmata**) magma ‖ **magmatic** a. magmatico.

magmatism /'mægmətɪzəm/ n. ⓤ (*geol.*) magmatismo.

Magna Carta /ˌmægnə'kɑːtə/, **Magna Charta** /ˌmægnə'tʃɑːtə/ n. (*stor., GB*), Magna Carta, Magna Charta ❶ CULTURA • **Magna Carta**: *è la carta concessa da re Giovanni nel 1215, sotto la minaccia della guerra civile, nella quale si stabilivano i limiti dei poteri del sovrano, riconoscendo i diritti dei nobili, del clero e dei cittadini. È tradizionalmente considerato il primo documento che afferma le libertà personali.*

magnalium /mæg'neɪlɪəm/ n. ⓤ (*metall.*) magnalio.

magnanimous /mæg'nænɪməs/ a. magnanimo ‖ **magnanimity** n. magnanimità ‖ **magnanimously** avv. magnanima-

mente.

magnate /'mægneɪt/ n. magnate (*anche fin.*); maggiorente; notabile; capitano d'industria.

magnesia /mæg'niːʃə/ n. ⓤ (*chim.*) magnesia ● (*farm.*) **milk of m.**, latte di magnesia.

magnesian /mæg'niːʃn/ a. (*geol., miner.*) magnesifero.

magnesite /'mægnɪsaɪt/ n. ⓤ (*miner.*) magnesite.

magnesium /mæg'niːzɪəm/ n. ⓤ (*chim.*) magnesio ● (*mil.*) **m. bomb**, bomba incendiaria al magnesio.

magnet /'mægnɪt/ n. (*fis.*) **1** magnete; calamita (*anche fig.*): **a horse-shoe m.**, una calamita a ferro di cavallo **2** → **electromagnet**.

magnetic /mæg'nɛtɪk/ a. **1** (*fis.*) magnetico: **m. needle**, ago magnetico; **m. equator**, equatore magnetico **2** magnetizzato: **m. strips**, strisce magnetizzate (*per es., sulle carte di credito*) **3** (*fig.*) attraente; affascinante; magnetico: **a m. smile**, un sorriso affascinante; **a m. look**, uno sguardo magnetico ● (*naut.*) **m. bearing**, rilevamento magnetico □ (*naut.*) **m. compass**, bussola magnetica □ (*elettr., elettron.*) **m. core**, nucleo magnetico □ (*mil.*) **m. mine**, mina magnetica □ (*elettron.*) **m. recorder**, registratore magnetico; magnetofono □ (*med.*) **m. resonance imaging unit**, macchina per la risonanza magnetica □ **m. tape**, nastro magnetico □ (*naut.*) **m. track**, rotta magnetica □ (*mecc.*) **m. valve**, valvola elettromagnetica □ (*geofisica, naut.*) **m. variation**, declinazione magnetica | -ally avv.

magnetics /mæg'nɛtɪks/ n. pl. (col verbo al sing.) (scienza del) magnetismo.

magnetism /'mægnɪtɪzəm/ n. ⓤ **1** (*fis., anche fig.*) magnetismo **2** (*fig.*) attrazione; fascino ● **animal m.**, magnetismo animale.

magnetist /'mægnɪtɪst/ n. magnetista.

magnetite /'mægnɪtaɪt/ n. ⓤ (*miner.*) magnetite.

to **magnetize** /'mægnɪtaɪz/ v. t. **1** (*fis., anche fig.*) magnetizzare **2** (*fig.*) attrarre; affascinare ‖ **magnetizable** a. (*fis.*) magnetizzabile ‖ **magnetization** n. ⓤ (*fis.*) magnetizzazione ‖ **magnetizer** n. (*fis.*) magnetizzatore.

magneto /mæg'niːtəʊ/ n. (pl. **magnetos**) (*elettr.*) magnete (d'accensione) ● (*autom., elettr.*) **m.-points**, puntine platinate.

magneto-electric /mæg'niːtəʊɪˈlɛktrɪk/, **magneto-electrical** /mæg'niːtəʊɪˈlɛktrɪkl/ (*fis.*) a. magnetoelettrico ‖ **magneto-electricity** n. ⓤ magnetoelettricità.

magnetograph /mæg'niːtəʊɡrɑːf/ n. (*elettr.*) magnetografo.

magnetohydrodynamics /mægniːtəʊhaɪdrəʊdaɪ'næmɪks/ n. pl. (col verbo al sing.) magnetoidrodinamica ‖ **magnetohydrodynamic** a. magnetoidrodinamico.

magnetomechanic /mægniːtəʊmɪˈkænɪk/ a. magnetomeccanico.

magnetometer /mægnɪ'tɒmɪtə(r)/ (*elettr.*) n. magnetometro ‖ **magnetometry** n. ⓤ magnetometria.

magnetomotive /mægniːtəʊ'məʊtɪv/ a. (*fis.*) magnetomotore.

magneton /'mægnɪtɒn/ n. (*fis.*) magnetone.

magneto-optics /mægniːtəʊ'ɒptɪks/ n. pl. (col verbo al sing.) magnetoottica ‖ **magneto-optical** a. magnetoottico.

magnetopause /mæg'niːtəʊpɔːz/ n. (*astron.*) magnetopausa.

Magnetophon ® /mæg'niːtəʊfɒn/ n. magnetofono.

magnetoresistance /mægnɪtəʊriˈzɪstəns/ n. ⓤ (*fis.*) magnetoresistenza.

magnetosheath /mæg'niːtəʊʃiːθ/ n. ⓤ (*astron.*) strato di protezione magnetica.

magnetosphere /mæg'niːtəʊsfɪə(r)/ n. (*scient.*) magnetosfera.

magnetostatics /mægniːtəʊ'stætɪks/ n. pl. (col verbo al sing.) magnetostatica.

magnetostriction /mægniːtəʊ'strɪkʃn/ (*fis.*) n. ⓤ magnetostrizione ‖ **magnetostrictive** a. magnetostrittivo.

magnetotherapy /mægniːtəʊ'θɛrəpi/ (*med.*) n. ⓤ magnetoterapia ‖ **magnetotherapeutic** a. magnetoterapico.

magnetron /'mægnɪtrɒn/ n. (*elettron.*) magnetron.

Magnificat /mæg'nɪfɪkæt/ n. (*relig.*) Magnificat.

magnification /mægnɪfɪ'keɪʃn/ n. ⓤ **1** (*ottica*) ingrandimento o esagerazione **3** (*lett.*) esaltazione; magnificazione.

magnificence /mæg'nɪfɪsns/ n. ⓤ magnificenza; sfarzo; splendore; sontuosità.

magnificent /mæg'nɪfɪsnt/ a. **1** splendido; ottimo: **m. performance**, esecuzione (*concerto, spettacolo, ecc.*) splendida **2** magnifico; imponente; maestoso: **m. view**, panorama magnifico **3** (*antiq.*) magnifico; sontuoso; sfarzoso | -ly avv.

to **magnify** /'mægnɪfaɪ/ v. t. **1** (*ottica*) ingrandire (*anche fig.*) **2** (*fig.*) esagerare: *He magnified his sufferings*, esagerò le sue sofferenze **3** (*arc.*) magnificare; esaltare ● **magnifying glass**, lente d'ingrandimento ‖ **magnifier** n. **1** (*ottica*) lente d'ingrandimento **2** chi esagera **3** (*arc.*) chi esalta; magnificatore.

magniloquent /mæg'nɪləkwənt/ a. magniloquente; ampolloso ‖ **magniloquence** n. ⓤ magniloquenza; ampollosità ‖ **magniloquently** avv. magniloquentemente; ampollosamente.

magnitude /'mægnɪtjuːd, USA -tuːd/ n. **1** dimensione; grandezza (*anche astron., mat.*); ampiezza; vastità: **a star of the first m.**, una stella di prima grandezza; **the m. of a problem**, la vastità di un problema **2** (*geol.*) magnitudo (*di un terremoto*) **3** (*fig.*) importanza: **of the first m.**, di capitale importanza.

magnolia /mæg'nəʊlɪə/ n. (*bot., Magnolia*) magnolia.

magnum /'mægnəm/ n. magnum, bottiglione (*da circa un litro e mezzo; usato soprattutto per lo champagne*).

magot /mɑː'ɡəʊ/ n. **1** (*zool.*) (*Macaca sylvana*), bertuccia **2** statuetta di stile orientale che raffigura un personaggio grottesco accovacciato.

magpie /'mægpaɪ/ n. **1** (*zool., Pica pica*) gazza **2** (*fig.*) donna ciarliera; chiacchierona; ciarlona; gazza (*pop.*) **3** (*fig.*) collezionista; arraffone di cose inutili.

magus /'meɪɡəs/ n. (pl. **magi**) **1** magio **2** – **M.**, uno dei Re Magi **3** mago; stregone; astrologo ● (*stor.*) **Simon M.**, Simon Mago.

Magyar /'mægjɑː(r)/ A a. magiaro B n. **1** magiaro **2** ⓤ magiaro (*la lingua*).

maharaja, **maharajah** /mɑːhə'rɑːdʒə/ n. maragià.

maharanee /mɑːhə'rɑːnɪ/ → **maharani**.

maharani /mɑːhə'rɑːnɪ/ n. (pl. **maharanis**) maharani (*moglie di maragià*).

Mahdi /'mɑːdɪ/ (*relig., polit.*) n. Mahdi ‖ **Mahdism** n. ⓤ mahdismo, madismo.

mah-jong ®, **mah-jongg** /mɑː'dʒɒŋ/ n. mah-jong (*gioco cinese con tessere*).

mahlstick /'mɔːlstɪk/ n. (*pitt.*) appoggiamano; stecca.

mahogany /mə'hɒɡəni/ n. **1** (*bot., Swietenia mahogani*) mogano (*l'albero*) **2** ⓤ (legno

del) mogano **3** 🄤 color mogano.

Mahomet /məˈhɒmɪt/ (*raro, relig.*) n. Maometto ‖ **Mahometan** a. e n. maomettano ❶ **NOTA D'USO** • *Per indicare i musulmani è preferito* **Muslim**.

mahout /məˈhaʊt/ n. mahout; conduttore di elefanti (*in India*).

Mahratta /məˈrɑːtə/ a. e n. (*geogr.*) maratto.

maid /meɪd/ n. **1** (*soprattutto lett.*) fanciulla; donzella; giovanetta; pulzella; vergine; zitella **2** domestica; cameriera; donna di servizio; fantesca • (*stor.*) **the M.**, la Pulzella (*d'Orleans*) □ **m. of honour**, damigella d'onore; (*cucina*) tartina alle mandorle □ **m.-of--all-work**, donna tuttofare □ (*fam.*) **old m.**, (vecchia) zitella.

maiden /ˈmeɪdn/ 🄐 n. **1** (*soprattutto lett.*) fanciulla; donzella; pulzella; vergine; zitella **2** (*ipp.*, = **m. horse**) un cavallo che non ha mai vinto una corsa; un 'maiden' **3** (*stor.*) ghigliottina usata in Scozia **4** (*cricket*, = **m. over**) 'over' nel quale il lanciatore non concede punti 🄑 a. attr. **1** nubile: **a m. aunt**, una zia nubile **2** di (*o* da) fanciulla; puro; verginale **3** primo (*di viaggio, ecc.*); non usato; non provato • (*leg.*) **m. assize**, sessione (d'assise) senza cause da discutere □ (*aeron.*) **m. flight**, volo inaugurale □ **m. name**, nome da nubile (*o* da signorina) □ (*ipp.*) **m. race** (*o* **m. stakes**), corsa per 'maiden' (*cfr. sopra*, **m. horse**) □ **m. soldier**, soldato che non ha avuto il battesimo del fuoco □ **m. speech**, discorso inaugurale (*spec. di un nuovo eletto in parlamento*) □ **a ship's m. voyage**, il viaggio inaugurale di una nave.

maidenhair /ˈmeɪdnheə(r)/ n. (*bot.*, *Adiantum capillus Veneris*; = **m. fern**) capelvenere; adianto.

maidenhead /ˈmeɪdnhed/ n. **1** 🄤 verginità **2** (*anat.*) imene.

maidenhood /ˈmeɪdnhʊd/ n. 🄤 fanciullezza; giovinezza (*di ragazza*); verginità.

maidenly /ˈmeɪdnlɪ/ a. (*lett.*) di (*o* da) fanciulla; verginale; puro.

maidservant /ˈmeɪdsɜːvnt/ n. (*antiq.*) cameriera; domestica; donna di servizio.

maieutic /meɪˈjuːtɪk/, **maieutical** /meɪˈjuːtɪkl/ (*filos.*) a. maieutico: **m. method**, metodo maieutico (*di Socrate*) ‖ **maieutics** n. pl. (col verbo al sing.) maieutica.

maigre /ˈmeɪgrə(r)/ n. (*zool.*) **1** pesce degli Scienidi (*in genere*) **2** (*Sciaena aquila*) sciena aquila; bocca d'oro.

mail ① /meɪl/ n. (*stor.*) maglia (*metallica, per armature*).

◆**mail** ② /meɪl/ n. **1** 🄤 posta; corrispondenza; lettere; pacchi; corriere (*o* servizio) postale ‖ **We had little m. yesterday**, abbiamo ricevuto poca corrispondenza ieri **2** (*trasp.*) treno (nave, *o* aereo) postale; il postale **3** (*comput.*) → **e-mail** • **m. advertising**, pubblicità per corrispondenza □ **m. bomb** → **mailbomb** □ (*ferr., USA*) **m. car**, vagone postale □ (*USA*) **m. carrier**, portalettere □ **m. coach**, (*un tempo*) corriera, diligenza, postale; (*ora*) vagone postale □ (*comm.*) **m. order**, ordine (*o* ordinativo) per corrispondenza; vendita (*o* acquisto) per corrispondenza □ **a m.-order firm** (*o* **house**), un'azienda (*o* ditta) di vendita per corrispondenza □ (*USA*) **m. run**, spionaggio postale □ (*comput.*) **m. server**, server di posta elettronica; mail server □ (*naut.*) **m. steamer**, (nave) postale □ (*ferr.*) **m. train**, (treno) postale □ **m. van**, furgone postale; (*ferr.*) vagone postale □ **by m.**, per posta □ **by air m.**, per posta aerea □ **incoming m.**, posta in arrivo □ **outgoing m.**, posta in partenza.

to **mail** ① /meɪl/ v. t. (*stor.*) rivestire di maglia metallica: **a mailed glove**, un guantone di maglia metallica.

to **mail** ② /meɪl/ 🄐 v. t. **1** mandare (*o* spedire, inoltrare) per posta **2** impostare; imbucare 🄑 v. i. (*comput.*) scrivere via posta elettronica: *Thanks for mailing*, grazie di avermi scritto.

mailable /ˈmeɪləbl/ a. spedibile per posta.

mailbag /ˈmeɪlbæg/ n. **1** sacco postale **2** (*USA*) borsa del portalettere.

mailboat /ˈmeɪlbəʊt/ n. (*naut.*) (nave) postale.

mailbomb /ˈmeɪlbɒm/ n. **1** pacco bomba **2** (*comput.*) bombardamento di posta elettronica (*di un sito, di un utente, ecc.*).

to **mailbomb** /ˈmeɪlbɒm/ v. t. **1** spedire un pacco bomba **2** (*comput.*) effettuare un bombardamento di posta elettronica ‖ **mailbomber** n. **1** chi spedisce un pacco bomba **2** chi effettua un bombardamento di posta elettronica.

mailbox /ˈmeɪlbɒks/ n. **1** (*USA*) cassetta della posta **2** (*comput.*) casella di posta elettronica.

maildrop /ˈmeɪldrɒp/ n. (*slang USA*) posto in cui si lascia posta clandestina.

mailing /ˈmeɪlɪŋ/ n. 🄤 **1** impostazione **2** materiale postale **3** (*market.*) mailing; vendita per corrispondenza • **m. list**, lista di spedizione; elenco d'indirizzi; indirizzario; (*comput.*) lista d'indirizzi di posta elettronica, mailing list.

maillot /mæˈjəʊ/ (*franc.*) n. **1** calzamaglia **2** costume da bagno intero (*da donna*) **3** maglietta (*da donna*).

mailman /ˈmeɪlmən/ n. (pl. **mailmen**) (*USA*) portalettere; postino.

to **mail merge** /ˈmeɪlmɜːdʒ/ v. i. (*comput.*) eseguire un mail merge (*generare lettere automaticamente a partire da una sorgente di dati e un modello*); effettuare una stampa unione.

mailshot /ˈmeɪlʃɒt/ n. **1** opuscolo pubblicitario (*lettera, ecc.*) inviato per posta **2** (pl.) materiale pubblicitario per posta.

to **maim** /meɪm/ v. t. mutilare; storpiare (*anche fig.*) ‖ **maiming** n. 🄤 mutilazione; storpiamento.

main ① /meɪn/ n. **1** conduttura (*o* tubatura) principale (*dell'acqua, del gas*): *One of the mains has broken*, s'è rotta una delle tubature principali **2** (pl.) condutture, tubature; rete di distribuzione (*dell'elettricità*); rete: *Charge the battery by plugging your mobile into the mains*, caricate la batteria inserendo il cellulare nella (presa di) rete; *The cottage is on the mains*, il cottage è collegato alla rete di distribuzione **3** (pl.) punto di collegamento (*dell'impianto domestico*) alla rete: **to turn the water off at the mains**, togliere l'acqua chiudendo la saracinesca principale; **to switch off the electricity at the mains**, togliere la corrente agendo sull'interruttore generale **4** (*arc.*) mare aperto; alto mare: **the Spanish M.**, il Mare dei Caraibi **5** (*soltanto nella loc.*) – **with might and m.**, con tutte le proprie forze; mettendocela tutta • **in the m.**, nel complesso; nell'insieme; per lo più.

◆**main** ② /meɪn/ a. principale; primario; più importante; essenziale: **m. entrance**, entrata principale; **the m. street of a town**, la via principale d'una città; **the m. point**, il punto essenziale (*d'un argomento, d'una discussione*) • **the m. body of an army**, il grosso d'un esercito □ **the m. chance**, la grande occasione □ (*gramm.*) **m. clause**, proposizione principale □ (*naut.*) **m. deck**, ponte principale; ponte di coperta (*o* di manovra) □ (*slang USA*) **the m. drag**, il luogo dello struscio (*fam.*); il corso □ **m. entry**, lemma principale □ (*ferr.*) **m. line**, linea principale □ **m. road**, strada maestra □ (*naut.*) **m. royal**, controvelaccio □ (*naut.*) **m. royal yard**, pennone di controvelaccio □ (*comput.*) **m. storage**, memoria centrale □ (*USA*) **M. Street**, il

corso; (*fig.*) gli abitanti tipici (*d'una cittadina*) □ (*USA*) **m.-street**, provinciale; piccolo borghese □ (*naut.*) **m. topgallant sail**, gran velaccio □ (*naut.*) **m. topgallant yard**, pennone di velaccio □ (*naut.*) **m. topmast studding sail**, coltellaccio di gabbia □ (*naut.*) **m. topsail yard**, pennone della gabbia di maestra □ (*naut.*) **m. yard**, pennone di maestra □ **by m. force**, a viva forza □ **to have an eye to the m. chance**, non perdere di vista il proprio interesse.

main ③ /meɪn/ n. (*arc.*) **1** numero chiamato da un giocatore di dadi (*prima del lancio*) **2** lancio, partita, posta (*nel gioco ai dadi*) **3** combattimento di galli.

mainboard /ˈmeɪnbɔːd/ n. → **motherboard**.

mainbrace /ˈmeɪnbreɪs/ n. (*naut.*) braccio del pennone di maestra.

mainframe /ˈmeɪnfreɪm/ n. (*comput.*) elaboratore (*o* unità) centrale; mainframe.

mainland /ˈmeɪnlənd/ 🄐 n. (*geogr.*) territorio continentale (*di contro alle isole vicine*); continente; (*in un arcipelago*) isola maggiore 🄑 a. attr. continentale: **m. Greece**, la Grecia continentale.

to **mainline** /ˈmeɪnlaɪn/ (*slang USA*) 🄐 v. t. iniettarsi (*eroina, ecc.*) in vena 🄑 v. i. farsi; bucarsi ‖ **mainliner** n. tossicomane che s'inietta droga in vena.

◆**mainly** /ˈmeɪnlɪ/ avv. **1** soprattutto; principalmente **2** nel complesso; in genere.

mainmast /ˈmeɪnmɑːst/ n. (*naut.*) albero maestro (*o* di maestra).

mains /meɪnz/ a. attr. collegato alla rete (d'alimentazione): **m. electricity**, energia (elettrica) di rete • (*elettr.*) **m. lead**, cavo d'alimentazione.

mainsail /ˈmeɪnseɪl/ n. (*naut.*) vela di maestra; randa.

mainspring /ˈmeɪnsprɪŋ/ n. **1** (*mecc.*) molla principale; spirale (*d'un orologio*) **2** (*fig.*) molla; movente principale; causa prima: *Profit is the m. of business*, il guadagno è la molla degli affari.

mainstay /ˈmeɪnsteɪ/ n. **1** (*naut.*) strallo (*o* straglio) di maestra **2** (*fig.*) appoggio (*o* sostegno) principale; puntello **3** (*sport*) pedina importante, pilastro (*di una squadra*).

mainstream /ˈmeɪnstriːm/ 🄐 n. **1** modo di pensare più diffuso; visione tradizionale o convenzionale **2** (*mus.*, = **m. jazz**) stile jazzistico ispirato allo swing; mainstream 🄑 a. attr. tradizionale; comunemente accettato; accettato dalla maggioranza; convenzionale; conformista.

to **mainstream** /ˈmeɪnstriːm/ v. t. (*USA*) inserire (*un bambino con problemi fisici o mentali*) in una classe di normodotati.

◆to **maintain** /meɪnˈteɪn/ v. t. **1** mantenere; conservare; avere (*o* curare) la manutenzione di (*una strada, ecc.*): **to m. friendly relations with sb.**, mantenere relazioni amichevoli con q.; **to m. a family**, mantenere una famiglia; **to m. one's reputation**, conservare il proprio buon nome **2** sostenere; appoggiare: **to m. a party [a cause]**, sostenere un partito [una causa] **3** sostenere; affermare; asserire: *He maintains that George is not to be trusted*, afferma che non ci si deve fidare di George; **to m. one's innocence**, sostenere la propria innocenza • **to m. control**, tenere in pugno la situazione; mantenere il controllo □ (*mil.*) **to m. one's positions**, tenere le posizioni □ **to m. oneself**, mantenersi □ (*fam.*) **I m. my ground**, resto della mia idea.

maintainable /meɪnˈteɪnəbl/ a. **1** mantenibile; conservabile **2** sostenibile; che si può affermare.

maintainer /meɪnˈteɪnə(r)/ n. (*comput.*), manutentore; gestore di sistema informatico.

◆**maintenance** /'meɪntənəns/ n. Ⓤ **1** mantenimento; conservazione; sostentamento **2** manutenzione: **m. charges**, spese di manutenzione; *You'll have to excuse me but we're having some m. done on the lifts today*, deve scusarmi ma abbiamo dei lavori di manutenzione agli ascensori oggi **3** mezzi di sostentamento; alimenti **4** (*leg.*) aiuto illecito (*a una parte in causa*) **5** (*leg.*; *anche* **separate m.**) mantenimento (*del coniuge*); alimenti ● **m. contract**, contratto di manutenzione □ **m. handbook**, libretto di manutenzione □ **m. man**, manutentore □ (*leg.*) **m. order**, ingiunzione di pagamento degli alimenti □ **m. personnel** (*o* **staff**), addetti alla manutenzione □ (*autom.*) **m. vehicle**, carro attrezzi □ **m. worker** → **m. man**.

maintop /'meɪntɒp/ n. (*naut.*) coffa di maestra.

maisonette, **maisonnette** /meɪzə'net/ n. appartamento indipendente (*spesso su due piani*); villino.

maître d' /meɪtrə'diː/, **maître d'hotel** /meɪtrədəʊ'tel/ loc. n. (*fam.*) maître d'hotel.

maize /meɪz/ Ⓐ n. Ⓤ **1** (*bot., Zea mays*) granturco; mais; frumentone **2** (color) giallo chiaro Ⓑ a. color del granturco; giallo chiaro.

Maj. abbr. (*mil.*, **major**) maggiore (Magg.).

majestic /mə'dʒestɪk/, **majestical** /mə'dʒestɪkl/ a. maestoso | **-ally** avv.

majesty /'mædʒəstɪ/ n. **1** Ⓤ maestà; maestosità; imponenza **2** Ⓤ potere sovrano; stato regale: **the m. of the law**, la maestà della legge **3** maestà: **Your M.**, Vostra Maestà; **His** (*o* **Her**) **M.**, Sua Maestà; **Their Majesties**, le loro Maestà; i sovrani.

majolica /mə'dʒɒlɪkə/ Ⓐ n. Ⓤ **1** maiolica **2** vasellame di maiolica Ⓑ a. attr. di maiolica.

major① /'meɪdʒə(r)/ n. **1** (*mil.*, *in GB e in USA*) maggiore **2** (*aeron. mil.*, *in USA*) maggiore (*cfr. ingl.* **squadron leader**, *sotto* **squadron**) ● **M. General**, (*mil.*, *in GB e in USA*) Maggior Generale, (*un tempo*) Generale di Divisione; (*aeron. mil.*, *in USA*) Generale di Divisione Aerea (*cfr. ingl.* **Air Vice Marshal**, *sotto* **air**).

◆**major**② /'meɪdʒə(r)/ Ⓐ a. **1** maggiore; più grande; più importante; di primaria importanza; di maggior peso (*o* rilievo): **Milton's m. works**, le opere maggiori di Milton; **the m. share of the profits**, la maggior parte degli utili; *Obviously, if there's any m. dental work to do that will cost more*, naturalmente se fosse necessario un lavoro dentistico più consistente costerà di più **2** (*geom.*) maggiore: **m. axis**, asse maggiore **3** (*leg.*) maggiorenne **4** (*mus.*) maggiore: **m. key** [**interval, scale**], chiave [intervallo, scala] maggiore; **concert in G m.**, concerto in sol maggiore **5** (*un tempo, nelle scuole inglesi; posposto al cognome*) il maggiore (*di due studenti con lo stesso cognome, fratelli o no*): *Smith m.*, il maggiore dei due Smith **6** (*filos.*) maggiore: **m. premise**, premessa maggiore **7** (*slang USA*) grandioso; favoloso; magnifico; eccezionale; splendido Ⓑ n. **1** (*leg.*) maggiorenne **2** (*econ., fin.*) major; grande complesso; azienda di enorme importanza **3** (*filos.*) (la) maggiore; premessa maggiore **4** (*all'università: in USA, Canada, Australia e NZ*) disciplina scelta come prima materia (*in un corso di laurea*); (*anche*) studente che si specializza in (*una disciplina*): **a nuclear physics m.**, uno studente di (*o* che si specializza in) fisica nucleare **5** (*mus.*) chiave (*o* intervallo, scala) maggiore **6** (*baseball, football americano*) (pl.) **– the majors**, le squadre maggiori ● (*fin.*) **m. shareholder**, azionista di maggioranza □ **a m. disaster**, un disastro gravissimo; **a m. problem**, un problema grave (*stor. o scherz.*) **m.-domo**, maggiordomo □ (*mil., mus.*) **m. drum**,

tamburo maggiore □ **m. road**, arteria principale; strada maestra □ (*nelle università USA, ecc.*) **m. subject**, materia di specializzazione □ (*nel bridge*) **m. suit**, seme di cuori (*o di quadri*) □ (*med.*) **m. surgery**, alta chirurgia.

majorette /meɪdʒə'ret/ n. (*spec. USA*; = **drum m.**) majorette.

to major in /'meɪdʒə(r)ɪn/ v. i. + prep. (*in USA, Canada, Australia e NZ*) fare, studiare, avere scelto (*una disciplina universitaria*) come prima materia (*in un corso di laurea*): **to major in biology**, fare biologia come prima materia.

majoritarian /mədʒɒrɪ'teərɪən/ Ⓐ a. (*polit.*) maggioritario Ⓑ n. (*polit.*) chi crede nel sistema maggioritario.

◆**majority** /mə'dʒɒrətɪ/ Ⓐ n. **1** maggioranza; (la) maggior parte: *He was elected by a m. of 55 votes*, fu eletto con una maggioranza di 55 voti; **the m. of people**, la maggior parte delle persone; i più; **to be in the** (*o in* **a**) **m.**, essere in maggioranza **2** Ⓤ (*leg.*) maggiore età: **to attain** (*o* **to reach**) **one's m.**, raggiungere la maggiore età; diventare maggiorenne **3** (*mil.*) grado (*o* funzioni) di maggiore Ⓑ a. attr. di maggioranza; maggioritario: **a m. vote**, un voto di maggioranza; **a m. decision**, una decisione maggioritaria ● (*fin.*) **m. draw**, verdetto di parità con due voti pari e il terzo a favore di uno dei due pugili □ (*fin.*) **m. interest**, partecipazione di maggioranza □ (*fin.*) **m.--owned**, di cui si possiede il pacchetto di maggioranza □ (*fin.*) **m. shareholder**, azionista di maggioranza □ (*fin.*) **m. parcel**, pacchetto di maggioranza □ (*leg.*) **a m. verdict**, un verdetto emesso a maggioranza (*dei giurati*) □ (*fig.*) **to join the m.**, passare nel numero dei più; morire □ **the silent m.**, la maggioranza silenziosa.

majuscule /'mædʒəskjuːl/ Ⓐ a. (*paleografia*) maiuscolo Ⓑ n. (lettera) maiuscola || **majuscular**. a. **1** di maiuscola **2** scritto a lettere maiuscole.

makable /'meɪkəbl/ a. **1** fattibile; possibile **2** (*sport*) realizzabile.

make /meɪk/ n. **1** Ⓤ fabbricazione; produzione; fattura; confezione **2** marca; tipo; (*d'abito*) forma, taglio: **spare parts for all makes of car**, pezzi di ricambio per auto di tutte le marche **3** Ⓤ costituzione fisica (*o* morale); carattere; temperamento: **a man of this m.**, un uomo di siffatto temperamento **4** (*elettr.*) chiusura d'un circuito: **at m.**, nel momento in cui si chiude il circuito (*o* avviene il contatto) **5** (*slang USA*) donna: *She's an easy m.*, è una che ci sta **6** (*slang USA*) informazioni su un criminale ● (*elettr.*) **m. contact**, contatto in chiusura; contatto normalmente aperto □ (*econ.*) **m.-work activities**, attività creatrici di (posti di) lavoro □ (*slang*) **to be on the m.**, essere intento a far quattrini (*o* a far carriera); essere in cerca di sesso □ (*slang USA*) **to put the m. on sb.**, tentare un approccio con q.; provarci con q.

◆**to make** /meɪk/ (*pass. e p. p.* **made**) Ⓐ v. t. **1** fare; creare; costruire; comporre; formare; confezionare; fabbricare; produrre; causare; rendere; nominare: **to m. tea** [**bread, wine**], fare il tè [il pane, il vino]; *I'll make some sandwiches*, faccio dei panini; *What time do you m. it?*, che ora fai?; **to m. roads** [**bridges**], costruire strade [ponti]; *What is it made of?*, di che cosa è fatto?; *di che cosa è?*; *Two and two m. four*, due più due fa quattro; **to m. a noise**, far rumore; **to m. a mistake**, fare un errore (*o* uno sbaglio); *They made him president*, lo fecero (*o* nominarono) presidente **2** (*causativo*) fare; costringere; obbligare; indurre: *Don't m. me laugh!*, non farmi ridere!; *He made her cry*, la fece piangere; *This photograph makes you look older*, questa fotografia ti fa (appa-

rire) più vecchio; *They made her resign* (*o She was made to resign*), la costrinsero a dimettersi **3** valutare; supporre; ritenere; credere: *I m. the distance about ten miles*, suppongo che la distanza sia di circa dieci miglia **4** (*spec. naut.*) arrivare a, raggiungere; toccare: *We made land at sunrise*, toccammo terra (*o* approdammo) all'alba **5** diventare; dimostrarsi; essere per (q.): *I think he will m. a good teacher*, credo che diventerà un buon insegnante **6** avere, sentire, farsi (*un dubbio, uno scrupolo, ecc.*) **7** fare la fortuna di: *Fleet Street can m. or break a politician*, i giornali inglesi possono fare la fortuna o provocare la rovina di un uomo politico **8** guadagnare: **to m. money**, fare soldi, guadagnare soldi; *She makes €50,000 a year*, guadagna €50 000 all'anno **9** fare (*fig.*); completare; rendere perfetto: *It's the furniture that really makes a house*, è il mobilio che fa una casa **10** farcela ad arrivare a: *We made the airport in ten minutes*, in dieci minuti fummo all'aeroporto **11** (*slang USA*) capire: *'Chinamen are hard to m.'* W. BURROUGHS, 'i cinesi sono difficili da capire' **12** (*slang USA*) identificare; riconoscere **13** (*volg.*) farsi (*una donna*; *volg.*); avere rapporti sessuali con (q.) Ⓑ v. i. **1** (*lett. o arc.*) fare per; stare per; fare la mossa di: **to m. as if**, far mostra di; fingere di; *He made as if he were going to strike me*, fece come per colpirmi **2** dirigersi; muoversi; (*del traffico, ecc.*) andare: *We made for the door*, ci dirigemmo verso la porta ● **to m. an appointment with sb.**, prendere un appuntamento con q. □ **to m. approaches to sb.**, cercare di avvicinare q. □ **to m. st. available to sb.**, mettere qc. a disposizione di q. □ **to m. believe**, fare finta, fingere □ **to m. the best of st.**, sfruttare al meglio qc. □ **to m. the best of a bad job** (*o of a bad bargain*), fare buon viso a cattiva sorte □ **to m. bold**, diventare audace; osare: *I m. bold to say that...*, oso (*o* mi permetto di) dire che... □ **to m. or break** = **to m. or mar** → *sotto* □ **a m. or break case**, un caso di o la va o la spacca □ **a m. or break plan**, un piano disperato; un progetto audacissimo □ **to m. a call**, fare una (breve) visita; (*telef.*) fare una telefonata; (*naut.*) fare scalo □ **to m. the cards** (*o the pack*), fare le carte; mescolare e dare le carte □ **to m. certain**, assicurarsi; accertarsi: *M. certain that the door is locked*, assicurati che la porta sia chiusa a chiave! □ (*elettr.*) **to m. a circuit**, chiudere un circuito □ **to m. it clear that...**, mettere in chiaro (*o* chiarire) che... □ (*elettr.*) **to m. a contact**, stabilire (*o* chiudere) un contatto □ **to m. a decision**, prendere una decisione; decidere □ **to m. st. do** (*o* **to m. do with st.**), far bastare qc.; arrangiarsi con qc. □ **to m. do and mend**, tirare avanti con quello che si ha (*con un abito vecchio, ecc.*) □ (*naut.*) **to m. fast**, ormeggiarsi; dar volta a (*un cavo*) □ **to m. st. fast**, assicurare (*o* legare) qc. □ **to m. a fool of oneself**, rendersi ridicolo; fare una figuraccia □ **to m. friends with sb.**, fare amicizia con q. □ **to m. fun of sb.**, prendere in giro q. □ **to m. good**, aver successo; fare fortuna; (*anche*) tornare sulla retta via □ **to m. st. good**, risarcire (*una perdita*); recuperare (*il tempo perduto*); mantenere (*una promessa*); mettere in atto (*una minaccia*); dimostrare la validità di (*un argomento, ecc.*): **to m. good a promise**, tener fede a una promessa □ **to m. good time**, andare in fretta; (*autom., aeron., naut.*) viaggiare bene (*o* in orario) □ **to m. a habit of st.**, prendere l'abitudine di fare qc. □ **to m. headway**, (*naut.*) fare abbrivio in avanti; (*fig.*) far progressi □ (*fam.*) **to m. it**, farcela; riuscire; fare in tempo; arrivare in tempo; avere successo, sfondare (*fig.*): *Can you m. it?*, ce la fai?; *Unfortunately I can't m. it to Florence*, purtroppo non ce la faccio a venire a Firenze □ (*fam.*) **to m. it big**, ave-

re un grande successo; sfondare davvero (*fig.*) □ (*fam.*) **to m. sb.'s day**, fare di un giorno una data memorabile per q. □ **to m. it difficult for sb.**, rendere la vita difficile a q. □ (*fam.*) **to m. it** (*o things*) **hot for sb.**, rendere la vita difficile a q. □ (*fam. USA*) **to m. like st.** (*o* **sb.**), imitare qc. (*o* q.); fare finta di essere qc. (*o* q.) □ **to m. little of**, tenere in scarsa considerazione; trarre scarso vantaggio da □ **to m. sb. lose his balance**, sbilanciare q. □ **to m. love → love** □ (*arc.*) **to m. merry**, far festa; far baldoria □ (*fig. fam.*) **to m. mincemeat of sb.**, fare a pezzi (*o* distruggere) q. □ **to m. the most of st.**, trarre il massimo vantaggio da qc.; sfruttare al massimo qc.: *He makes the most of the little he has*, sfrutta al massimo quel poco che possiede; *We'll just have to m. the most of it now we're here*, dobbiamo godercelo il più possibile dal momento che siamo qui □ **to m. much of**, tenere in gran conto; trarre grande vantaggio da □ **to m. no bones about doing st.**, non esitare (*fam.*: non fare una piega) a fare qc. □ **to m. no difference**, non fare differenza, essere indifferente □ **to m. oneself** (seguito da aggettivo, causativo) farsi; rendersi: **to m. oneself understood**, farsi capire; *M. yourself useful*, renditi utile! □ **to m. oneself**, fare per sé; farsi (*anche*) mettersi; considerarsi: **to m. oneself a cup of tea**, farsi una tazza di tè; *M. yourself at home!*, mettiti comodo!; fa come se fossi a casa tua! □ **to m. ready**, preparare; approntare; prepararsi □ **to m. room** (*o* **place**) **for sb.**, far posto a q. □ (*naut.*) **to m. sail**, far vela, salpare; (*anche*) aumentare la velatura a (*comm.*) **to m. a sale**, fare una vendita □ **to m. sense**, avere senso: *These words don't m. sense*, queste parole non hanno senso; **to m. sense of st.**, capire q., cavare un significato da q.; *Can you m. sense of this article?*, ci capisci qualcosa in questo articolo? □ **to m. sure**, accertarsi, assicurarsi; fare in modo (di) □ (*a bridge*) **to m. a trick**, fare una presa □ **to m. one's way**, dirigersi, andare: **to m. one's way home**, prendere la strada di casa □ **to m. way for sb.**, far largo a q. □ **to m. one's way in the world**, farsi strada nel mondo; fare carriera □ (*boxe*) **to m. the weight**, fare il peso □ (*prov.*) **M. hay while the sun shines**, batti il ferro finché è caldo!

❶ NOTA: to make
Nella costruzione causativa il verbo all'infinito che segue **to make** non è preceduto da **to**: si dice *That made me think*, ciò mi fece riflettere e non ~~That made me to think~~; *The medicine made me feel better*, la medicina mi fece sentire meglio; *They made him resign*, lo costrinsero a dimettersi, lo fecero dimettere. Nella corrispondente forma passiva l'infinito deve invece essere preceduto da **to**: *She must be made to come back*, bisogna farla tornare, la si deve far tornare; *I was made to wait for hours*, mi fecero aspettare per ore.

■ **make after** v. i. + prep. inseguire, rincorrere (q. *o* qc.): *I made after the pickpocket*, inseguii il borsaiolo.
■ **make at** v. i. + prep. **1** assalire, attaccare, lanciarsi contro (q.) **2** riuscire a fare, guadagnare con (*un lavoro, ecc.*) □ (*fam., arc.*) **to m. a dead set at**, fare ogni sforzo per (*vincere, conquistare, ecc.*) □ (*fam.*) **to m. eyes at sb.**, fare gli occhi dolci (*o* l'occhio di triglia) a q. □ **to m. faces at sb.**, fare le boccacce a q. □ (*fam.*) **to m. a pass at sb.**, fare delle avances a q.
■ **make away** v. i. + avv. andarsene in fretta; scappare; svignarsela.
■ **make away with** v. i. + avv. + prep. **1** svignarsela, scappare con (*refurtiva, ecc.*) **2** fare fuori (*fam.*); sperperare, scialacquare (*un patrimonio, ecc.*); divorare, papparsi **3** uccidere; fare fuori (*fam.*) □ (*antiq.*) **to m. away**

with oneself, suicidarsi.
■ **make down** v. t. + avv. accorciare, scorciare (*un abito*).
■ **make for** v. i. + prep. **1** dirigersi (*o* muoversi) velocemente verso (*un luogo*); (*naut.*) fare rotta per: **to m. for the open sea**, fare rotta per il mare aperto **2** assalire; aggredire; attaccare; lanciarsi contro (q.) **3** portare a; consentire; rendere possibile (*o* agevole, ecc.): *Double spacing makes for easier reading*, la doppia spaziatura rende più agevole la lettura □ **to m. allowance for**, tener conto di □ **to m. provision for**, provvedere a; (*anche*) tenere in debito conto.
■ **make into** v. t. + prep. fare; far diventare; trasformare: *They made him into a singer*, riuscirono a fare di lui un cantante.
■ **make of** v. t. + prep. **1** fare (qc.) con **2** fare (qc.) di (q.): *We'll m. an actor of you*, faremo di te un attore **3** capire; intendere; comprendere: *Can you m. anything of this document?*, ci capisci qualcosa in questo documento?; *I don't know what to m. of his behaviour*, non comprendo affatto il suo comportamento.
■ **make off** (*with*) → **make away with**.
■ **make on** v. t. + prep. **1** farci da; guadagnare (*o* da): *How much did you m. on your old car?*, quanto ci hai fatto dalla vecchia macchina? **2** (*arc.*) fare di: '*We are such stuff / As dreams are made on*' W. SHAKESPEARE, 'noi siamo della stessa materia / di cui son fatti i sogni'.
■ **make out A** v. t. + avv. **1** compilare; completare; riempire; fare: **to m. out one's tax return**, compilare la dichiarazione dei redditi; **to m. out a cheque**, riempire (*o* staccare) un assegno **2** vedere chiaramente; scorgere: *I couldn't m. out who it was*, non riuscivo a vedere chi fosse **3** decifrare: *I cannot m. out his handwriting*, non riesco a decifrare la sua scrittura **4** capire (qc. *o* q.): *I cannot m. out what he's trying to say*, non riesco a capire quello che cerca di dire **5** trovare una spiegazione per (qc.): *How do you m. that out?*, e tu, come lo spieghi? **6** pretendere (*d'essere*); far passare (q.) per; far apparire: *She makes herself out to be younger than she is*, pretende d'essere più giovane di quanto non sia **7** dichiarare; affermare: *He made out that he had been robbed*, affermava d'essere stato derubato **B** v. i. + avv. **1** cavarsela; farcela **2** passarsela, spassarsela (*con* q.) **3** (*fam. USA*) pomiciare; amoreggiare (*con* q.).
■ **make over** v. t. + avv. **1** (*anche leg.*) cedere; trasferire; passare: *He's going to m. over his business to his son*, intende cedere l'azienda al figlio **2** convertire; trasformare; rammodernare (*un abito*): *The attic has been made over into a loft*, la soffitta è stata trasformata in mansarda **3** (*spec. USA*) mutare, cambiare (*il carattere, la natura di q., ecc.*) **B** v. t. + prep. (*USA*) coccolare; vezzeggiare.
■ **make towards** → **make for**, *def. 1*.
■ **make up A** v. t. + avv. **1** recuperare (*il tempo perduto, ecc.*) **2** compensare, reintegrare (*perdite di denaro, di soldati, ecc.*): **to m. up a difference in price**, compensare una differenza di prezzo **3** pavimentare, asfaltare (*una strada, ecc.*) **4** fabbricare, escogitare; inventare (*storie, storielle, scuse, ecc.*) **5** compilare; redigere: **to m. up a balance sheet**, redigere un bilancio **6** confezionare; fare: **to m. up a parcel**, confezionare un pacchetto **7** completare; integrare **8** costituire; comporre; formare: *The committee is made up of experienced teachers*, la commissione è composta da insegnanti esperti **9** (*tipogr.*) impaginare; mettere (*un testo*) in colonna **10** preparare; fare: **to m. up a bed in the sitting room**, preparare un letto nel soggiorno **11** aggiungere combustibile (*al fuoco*); caricare di nuovo (*una stufa, ecc.*) **12**

truccare; rifarsi: **to m. up an actress**, truccare un'attrice **13** comporre (*una lite*); fare la pace: *Why don't you m. it up with her?*, perché non fai la pace con lei? **14** (*comm.*) evadere (*ordinativi di clienti*) **15** (*farm.*) preparare, spedire (*ricette*) **16** (*USA*) ripetere (*un esame*) **B** v. i. + avv. **1** truccarsi (*fare la pace*: *Just kiss and m. up, will you?*, suvvia, datevi un bacio e fate la pace! **3** (*di una pezza di stoffa*) dare (*un certo numero di vestiti*) □ (*fig.*) **to m. up leeway**, recuperare il tempo perduto □ **to m. up one's mind**, decidersi; prendere una decisione; *I haven't made up my mind yet*, non ho ancora preso una decisione.
■ **make up for** v. i. + avv. + prep. **1** compensare, rimediare a: *This beautiful spring makes up for the severe cold of last winter*, questa bella primavera compensa il freddo intenso dello scorso inverno; *We'd like offer you a drink on the house to make up for your inconvenience*, la casa vorrebbe offrirle da bere per rimediare al disturbo **2** recuperare: *We must m. up for lost time*, dobbiamo recuperare il tempo perduto.
■ **make up on** v. i. + avv. + prep. recuperare (*o* riguadagnare) su (*un altro concorrente, ecc.*).
■ **make up to** v. i. + avv. + prep. **1** (*fam.*) fare in modo che q. si rifaccia (*di* qc.); rimediare a (qc.): *We'll m. it up to you next time*, faremo in modo che tu ti rifaccia la prossima volta **2** ingraziarsi, lisciare, tenersi buono.
■ **make with** v. t. + prep. **1** fare (qc.) con **2** (*slang USA*) fare; dare; tirar fuori: *M. with the cash!*, tira fuori i soldi!

make-believe /ˈmeɪkbɪliːv/ **A** n. ⓤ finzione; finta: *It's all make-believe*, è tutta una finzione **B** a. attr. finto; simulato; irreale; dell'immaginazione ● **a world of make-believe**, un mondo immaginario (*o* irreale).

make-do /ˈmeɪkduː/ **A** n. (pl. *make-dos*) espediente; ripiego; rimedio provvisorio **B** a. → **makeshift**.

makeover /ˈmeɪkəʊvə(r)/ n. conversione; cambiamento; trasformazione.

♦**maker** /ˈmeɪkə(r)/ n. **1** fattore; creatore; artefice **2** fabbricante; produttore (spec. nei composti): **shoemaker**, fabbricante di scarpe; calzolaio **3** (*comm.*) emittente (*di un pagherò*) **4** (*bridge*) dichiarante **5** (*autom., ecc.*) costruttore: **makers championship**, campionato costruttori **6** – (*relig.*) **the M.**, il Creatore; Dio ● **m.-up**, impaccatore; (*tipogr.*) impaginatore; (*market.*) confezionista, fabbricante di capi d'abbigliamento □ (*fig.*) **to meet one's M.**, andare al Creatore; morire.

make-ready, **makeready** /ˈmeɪkredɪ/ n. **1** (*mecc.*) messa a punto **2** (*grafica*) taccheggio.

makeshift /ˈmeɪkʃɪft/ **A** n. espediente; ripiego; rimedio provvisorio **B** a. attr. improvvisato; di fortuna; provvisorio; temporaneo: **a m. bed**, un letto di fortuna; **a m. table**, un tavolo di fortuna.

♦**make-up** /ˈmeɪkʌp/ n. **1** composizione; costituzione; formazione: **the make-up of a team**, la formazione d'una squadra **2** ⓤ cosmetici; trucco, maquillage, belletto; (*teatr.*) truccatura: *You use too much make-up*, usi troppo trucco (*o* ti trucchi troppo) **3** (*tipogr.*) impaginazione **4** (*fig.*) carattere; temperamento: **a man of a nervous make-up**, un uomo di carattere nervoso **5** ⓤ (*mecc.*) compensazione **6** ⓤ (*Borsa*) compenso: **make-up price**, prezzo di compenso; corso di riporto **7** (*fam. USA*) ripetizione di un esame □ (*cinem., TV*) **make-up artist**, truccatore, truccatrice.; (*nei titoli*) trucco (di) (*segue il nome*) □ **make-up man**, (*cinem., teatr.*) truccatore; (*tipogr.*) impaginatore □ **make-up removal**, struccatura, strucco

(*di una donna*) **to put on** (**some**) **make-up**, truccarsi □ **to take off one's make-up**, struccarsi □ (*di una donna*) **to use make-up**, truccarsi (*di solito*).

makeweight /'meɪkweɪt/ n. **1** giunta; quantità aggiunta (*per fare il peso*) **2** (*fig.*) riempitivo; tappabuchi.

making /'meɪkɪŋ/ n. **1** ⓤⒸ fattura; composizione; creazione; fabbricazione; ecc. (→ **to make**) **2** (con l'art. determ.) causa (o chiave) del successo, della maturazione (di q.): *That experience was the m. of him*, quell'esperienza fu la chiave del suo successo **3** (pl.) guadagni; profitti; ricavi **4** (pl.) qualità necessarie; stoffa (*fig.*): *He has the makings of a pianist*, ha la stoffa del pianista **5** (pl.) (*fam. USA*) carta e tabacco (*per farsi le sigarette a mano*) ● (*leg.*) **the m. of laws**, l'emanazione di leggi; la legiferazione □ (*Borsa*) **m.-up day**, giorno dei riporti □ (*Borsa*) **m.-up price**, corso di riporto □ **to be in the m.**, essere in formazione (o in fieri); essere in costruzione (o in fabbricazione).

malabsorption /mæləb'sɔːpʃn/ n. ⓤ (*med.*) malassorbimento.

Malacca cane /mə'lækə'keɪn/ loc. n. malacca; canna di Malacca; bastone da passeggio.

Malachi /'mæləkaɪ/ n. (*Bibbia*) Malachia.

malachite /'mæləkaɪt/ n. ⓤ (*miner.*) malachite.

malacia /mə'leɪʃɪə/ n. ⓤ (*med.*) malacia; rammollimento dei tessuti.

malacology /mælə'kɒlədʒɪ/ (*scient.*) n. ⓤ malacologia ‖ **malacologist** n. malacologo.

maladjusted /mælə'dʒʌstɪd/ Ⓐ a. **1** (*psic.*) incapace d'adattarsi (*spec. all'ambiente sociale*); disadattato **2** (*mecc.*) regolato male Ⓑ n. (*psic.*) disadattato ‖ **maladjustment** n. ⓤ **1** (*psic.*) incapacità d'adattarsi (*all'ambiente sociale*); disadattamento **2** (*mecc.*) regolazione difettosa.

to **maladminister** /mæləd'mɪnɪstə(r)/ v. t. amministrare male ‖ **maladministration** n. ⓤ cattiva amministrazione; (*spec.*) malgoverno.

maladroit /mælə'drɔɪt/ a. malaccorto; maldestro; goffo | **-ly** avv. | **-ness** n. ⓤ.

malady /'mælədɪ/ n. (*form.*, spesso *fig.*) malattia: **a fatal m.**, una malattia letale; **social maladies**, le malattie della società.

mala fide /'meɪlə'faɪdɪ/ (*lat*) Ⓐ loc. avv. in mala fede Ⓑ a. **1** che è in mala fede **2** fatto in mala fede.

mala fides /mælə'faɪdɪz/ loc. n. ⓤ (*leg.*) malafede.

Malaga /'mæləgə/ n. **1** (*geogr.*) Malaga **2** ⓤⒸ (anche **M. wine**) malaga; vino di Malaga.

Malagasy /mælə'gæsɪ/ Ⓐ a. malgascio Ⓑ n. **1** (pl. *Malagasy*, *Malagasies*) malgascio; abitante (o nativo) del Madagascar **2** ⓤ malgascio (*la lingua*).

malaise /mæ'leɪz/ n. (generalm. al sing. con l'art. indef.) **1** malessere (*fisico*); senso di malessere **2** (*fig.*) male; malessere: **social m.**, il malessere sociale.

malamute /'mæləmjuːt/ n. (*zool.*) cane esquimese; «malamute».

malanders /'mæləndəz/ n. pl. (col verbo al sing.) (*vet.*) malandra.

malaprop /'mæləprɒp/ (*USA*) → **malapropism**.

malapropism /'mæləprɒpɪzm/ n. ⓤⒸ malapropismo; confusione tra parole difficili di suono simile (*generalm. con esiti comici*).

malapropos /mælæprə'pəʊ/ Ⓐ avv. a sproposito; inopportunamente Ⓑ a. inopportuno Ⓒ n. cosa fatta (o detta) a sproposito.

malar /'meɪlə(r)/ Ⓐ a. (*anat.*) malare; zigomatico; della guancia Ⓑ n. zigomo.

malaria /mə'lɛərɪə/ (*med.*) n. malaria ● **m. fever**, febbre malarica ‖ **malarial**, **malarian**, **malarious** a. malarico: **a malarial district**, una zona malarica ● **malarial patients**, i malarici.

malariology /mælɛərɪ'ɒlədʒɪ/ (*med.*) n. ⓤ malariologia ‖ **malariologist** n. malariologo.

Malay /mə'leɪ/ Ⓐ a. malese Ⓑ n. **1** malese; abitante (o nativo) della Malesia **2** ⓤ malese (*la lingua*).

Malaya /mə'leɪə/ n. (*geogr.*, *stor.*) Malesia.

Malayan /mə'leɪən/ a. e n. malese.

Malaysian /mə'leɪzɪən/ Ⓐ a. malaysiano; della Malaysia Ⓑ n. **1** malaysiano **2** ⓤ lingua malaysiana.

malcontent /'mælkəntɛnt/ a. e n. malcontento; scontento.

maldistribution /mældɪstrɪ'bjuːʃn/ n. ⓤ cattiva distribuzione: (*econ.*) **the m. of wealth**, la cattiva distribuzione della ricchezza.

♦**male** /meɪl/ Ⓐ n. maschio Ⓑ a. maschio; maschile; virile: (*biol.*) **m. gametes**, gameti maschili; (*bot.*) **m. fern** (*Dryopteris filix-mas*), felce maschio (*usata in medicina*); **a m. choir**, un coro maschile; (*mecc.*) **a m. screw**, una vite maschio; **a m. voice**, una voce maschile ● **m. chauvinism**, maschilismo □ **m. chauvinist** (*fam. spreg.*: **m. chauvinist pig**), maschilista (sost.) □ **m. chauvinistic**, maschilista (agg.) □ **m. contraceptive pill**, pillola anticoncezionale per l'uomo; (il) pillola (*fam.*) □ **m. nurse**, infermiere □ **an all-m. club**, un circolo per soli uomini □ **in the m. line**, in linea (genealogica) maschile.

ⓘ **NOTA: male o masculine?**

L'aggettivo **male** vuol dire "maschio, maschile": *a billy goat is a male goat*, un caprone è il maschio della capra. Anche l'aggettivo *masculine* significa "maschile" ma nel senso di "mascolino"; cioè indica ciò che è (o si ritiene che sia) tipico o relativo agli uomini: *She spoke in a deep, masculine voice*, parlò con una voce profonda e mascolina. Si usa *masculine* anche per indicare il genere maschile dei sostantivi: *«Der Tisch» is a masculine noun in German*, «der Tisch» è un sostantivo maschile in tedesco.

malediction /mælɪ'dɪkʃn/ n. maledizione ‖ **maledictory** a. di maledizione.

malefactor /'mælɪfæktə(r)/ n. malfattore; criminale ‖ **malefaction** n. ⓤⒸ misfatto; crimine.

malefic /mə'lɛfɪk/ a. malefico; malvagio: **m. arts**, arti malefiche ‖ **maleficence** n. ⓤ (*form.*) l'esser malefico; cattiveria; malvagità ‖ **maleficent** a. malefico; malvagio ● (*di una sostanza*) **maleficent to**, dannoso a.

maleic /mə'leɪɪk/ a. (*chim.*) maleico: **m. acid**, acido maleico.

malemute /'mæləmjuːt/ → **malamute**.

malevolent /mə'lɛvələnt/ a. malevolo; cattivo; maligno ‖ **malevolence** n. ⓤ malevolenza; cattiveria; malignità ‖ **malevolently** avv. malevolmente; malignamente.

malfeasance /mæl'fiːzns/ (*leg.*) n. ⓤ **1** condotta (o azione) disonesta, illecita **2** prevaricazione ‖ **malfeasant** Ⓐ a. disonesto Ⓑ n. **1** persona disonesta **2** prevaricatore, prevaricatrice.

malformation /mælfɔː'meɪʃn/ n. ⓤⒸ malformazione; deformità ‖ **malformed** a. malformato; deforme.

malfunction /mæl'fʌŋkʃn/, **malfunctioning** /mæl'fʌŋkʃənɪŋ/ n. ⓤⒸ cattivo funzionamento; malfunzionamento (*tecn.*).

to **malfunction** /mæl'fʌŋkʃn/ v. i. (*form. o med.*) funzionare male.

Malian /'mɑːlɪən/ Ⓐ a. maliano Ⓑ n. maliano; abitante (o nativo) del Mali.

malic /'mælɪk/ a. (*chim.*) malico: **m. acid**, acido malico.

malice /'mælɪs/ n. ⓤ **1** malevolenza; malanimo; rancore; astio; cattiveria; malignità: *I bear you no m.*, non ho malanimo verso di te **2** (*leg.*) intenzione criminosa; dolo ● (*leg.*) **m. aforethought** (o **prepense**), premeditazione ❶ **FALSI AMICI** • malice *non significa* **malizia**.

malicious /mə'lɪʃəs/ a. **1** malevolo; cattivo; maligno: **a m. person**, un malevolo; **a m. remark**, un'osservazione cattiva (o maligna) **2** (*leg.*) doloso; intenzionale; premeditato ❶ **FALSI AMICI** • malicious *non significa* **malizioso** | **-ly** avv.

malign /mə'laɪn/ a. dannoso; pernicioso; maligno; malefico: **a m. disease**, una malattia perniciosa | **-ly** avv.

to **malign** /mə'laɪn/ v. t. malignare su; dir male di; calunniare; diffamare: **to be maligned by the press**, essere diffamato (o calunniato) dalla stampa.

malignancy /mə'lɪgnənsɪ/, **malignance** /mə'lɪgnəns/, n. **1** ⓤ malignità; malevolenza; malvagità **2** ⓤ (*di malattia*) perniciosità; carattere maligno **3** (*med.*) tumore maligno.

malignant /mə'lɪgnənt/ a. maligno; malevolo; malvagio; pernicioso: **a m. tumour**, un tumore maligno; **m. glances**, sguardi malevoli | **-ly** avv.

maligner /mə'laɪnə(r)/ n. diffamatore, diffamatrice.

malignity /mə'lɪgnətɪ/ n. ⓤ **1** malignità; malvagità **2** (*med.*) carattere maligno; virulenza.

to **malinger** /mə'lɪŋgə(r)/ v. i. simulare una malattia; darsi malato; (*gergo mil.*) marcar visita ‖ **malingerer** n. chi si dà malato; (*gergo mil.*) chi marca visita; lavativo (*pop.*).

mall /mɔːl, mæl/ n. **1** viale; passeggiata pubblica **2** (*stor.*) maglio; pallamaglio; pista di gioco per pallamaglio **3** (*USA*, anche **shopping m.**) isola pedonale ricca di negozi; centro commerciale **4** (*autom.*, *USA*) aiuola spartitraffico ● **the M.**, grande strada che separa il Green Park dal Parco di St. James (*a Londra*).

mallanders /'mæləndəz/ → **malanders**.

mallard /'mælɑːd/ n. (pl. *mallards*, *mallard*) (*zool.*, *Anas platyrhynchos*) germano reale; anatra selvatica.

malleable /'mælɪəbl/ a. malleabile (anche *fig.*) ‖ **malleability** n. ⓤ malleabilità.

mallemuck /'mælɪmʌk/ n. (*zool.*) uccello marino (*albatros, fulmaro, procellaria, ecc.*).

mallenders /'mæləndəz/ n. → **malanders**.

malleolus /mə'liːələs/ (*anat.*) n. (pl. *malleoli*) malleolo ‖ **malleolar** a. malleolare.

mallet /'mælət/ n. (anche *sport*) maglio; mazzuolo; mazza.

malleus /'mælɪəs/ (*lat.*) n. (pl. *mallei*) (*anat.*) martello.

mallow /'mæləʊ/ n. (*bot.*, *Malva sylvestris*) malva.

mallrat /'mɔːlræt/ n. (*slang*) adolescente o giovane che passa il tempo libero nei centri commerciali.

marl /mɑːm/ n. **1** ⓤ (*geol.*) marna friabile **2** ⓤ (*geol.*) marna calcarea **3** ⓒⓤ (*edil.*) (mattone fatto con un) impasto d'argilla e gesso ● (*edil.*) **m. brick**, mattone di gesso.

malmsey /'mɑːmzɪ/ n. malvasia.

malnourished /mæl'nʌrɪʃt/ a. malnutrito, denutrito.

malnutrition /mælnjuː'trɪʃn, *USA* -nuː-/ n. ⓤ malnutrizione; denutrizione.

malocclusion /mælə'kluːʒn/ n. (*odontoiatria*) malocclusione.

malodorous /mæl'əʊdərəs/ a. **1** maleo-

dorante; puzzolente **2** (*fig.*) sconveniente; disdicevole.

malonic /məˈlɒnɪk/ (*chim.*) a. malonico: **m. acid**, acido malonico ‖ **malonate** n. Ⓤ malonato.

Malpighian /mɑːlˈpiːɡɪən/ a. (*anat.*) malpighiano.

malpractice /mælˈpræktɪs/ n. Ⓤ **1** malcostume **2** (*leg.*) illecito civile **3** (*leg.*) disonestà, negligenza, imperizia (*nell'esercizio professionale*) **4** (*med.*) terapia sbagliata.

malt /mɔːlt/ n. malto: **extract of m.**, estratto di malto ● **m. house**, germinatoio di malto; malteria □ **m. liquor**, liquore ottenuto dal malto □ **m. whisky**, whisky di malto.

to **malt** /mɔːlt/ Ⓐ v. t. trasformare (*orzo, ecc.*) in malto Ⓑ v. i. (*d'orzo, ecc.*) germinare; tallire.

Malta /ˈmɔːltə/ n. (*geogr.*) Malta ● **M. fever**, febbre maltese.

maltase /ˈmɔːlteɪz/ n. Ⓤ (*biochim.*) maltasi.

malted milk /ˈmɔːltɪdˈmɪlk/ loc. n. latte in polvere con aggiunta di malto.

Maltese /mɔːlˈtiːz/ Ⓐ a. maltese: **M. cat**, gatto maltese; **M. dog**, cane maltese; maltese Ⓑ n. **1** (inv. al pl.) maltese: **the M.**, i maltesi **2** (*geogr.*) maltese, malti (*la lingua*) **3** maltese (*il cane*) ● **M. cross**, croce maltese; croce di Malta.

maltha /ˈmælθə/ n. Ⓤ sostanza bituminosa; catrame minerale.

Malthusian /mælˈθjuːzɪən/ (*econ.*) a. e n. maltusiano; di Malthus ‖ **Malthusianism** n. Ⓤ maltusianismo.

malting /ˈmɔːltɪŋ/ n. Ⓤ (*ind.*) maltaggio; maltazione ● (*anche econ.*) **the m. industry**, l'industria del malto (*in GB*).

maltose /ˈmɔːltəʊs/ n. Ⓤ (*chim.*) maltosio.

to **maltreat** /mælˈtriːt/ v. t. maltrattare; bistrattare ‖ **maltreatment** n. Ⓤ maltrattamento; bistrattamento.

maltster /ˈmɔːltstə(r)/ n. **1** maltatore **2** fabbricante di malto.

malvaceous /mælˈveɪʃəs/ a. (*bot.*) malvaceo.

malversation /mælvɜːˈseɪʃn/ n. Ⓤᴄ (*leg.*) malversazione; peculato.

malware /ˈmælweə(r)/ n. Ⓤ (*comput.*, contraz. di **malicious software**) malware (*software contenente virus o worm*).

mam /mæm/ n. (*GB*) → **mum** ③.

mama /məˈmɑː, USA ˈmɑːmə/ n. **1** (*quasi arc.*) mammà (*region.*); mamma **2** (*slang USA*) donna; moglie; amante; donna sexy ● **m.'s boy**, cocco di mamma.

mamba /ˈmæmbə/ n. (*zool.*, *Dendraspis*) mamba; dendraspide.

mambo /ˈmɑːmbəʊ/ n. (pl. *mambos*) (*mus.*) mambo.

mamelon /ˈmæmələn/ n. **1** (*geogr.*) mammellone **2** (*biol.*) mammellone.

Mameluke /ˈmæmluːk/ n. **1** (*stor.*) mammalucco **2** – m., schiavo (*nei paesi musulmani*).

mamilla /mæˈmɪlə/ n. (pl. *mamillae*) (*anat.*) capezzolo.

mamillary /ˈmæmɪlrɪ/ a. (*anat.*) mamillare, mammillare.

mamillated /ˈmæmɪleɪtɪd/ a. **1** (*geol.*) mammellonato **2** (*anat.*) fornito di capezzoli (*o di mammelle*).

mamma ① /məˈmɑː, ˈmɑːmə/ n. (*fam.*, anche al vocat.; *spec. USA*) mamma; mammina.

mamma ② /ˈmæmə/ n. (pl. *mammae*) (*anat.*) mammella.

mammal /ˈmæml/ (*zool.*) n. mammifero ● (*fam.*) **m. baby**, piccolo di mammifero ‖ **mammalian** a. e n. mammifero.

mammalogy /məˈmælədʒɪ/ n. Ⓤ mammalogia ‖ **mammalogist** n. mammalogo.

mammary /ˈmæmərɪ/ a. (*anat.*) mammario: **m. gland**, ghiandola mammaria.

mammee /mæˈmiː/ n. **1** (*bot.*, *Mammea americana*) mammea **2** (pl., *anche* **tropical apricots**) albicocche di Santo Domingo.

mammilla /mæˈmɪlə/ e *deriv.* → **mamilla**, e *deriv.*

mammogram /ˈmæməɡræm/, **mammograph** /ˈmæməɡrɑːf/ n. (*med.*) mammografia (*la lastra impressionata*).

mammography /mæˈmɒɡrəfɪ/ (*med.*) n. Ⓤ mammografia (*il procedimento*); mastografia ‖ **mammographic** a. mammografico.

Mammon /ˈmæmən/ n. mammona; il denaro; le ricchezze ‖ **Mammonism** n. Ⓤ avidità di ricchezze; culto del denaro; mammonismo ‖ **Mammonist**, **Mammonite** n. chi serve mammona; persona avida, schiava del denaro.

mammoplasty /ˈmæməplæstɪ/ n. Ⓤ (*med.*) mammoplastica.

mammoth /ˈmæməθ/ Ⓐ n. (*paleont.*) mammut Ⓑ a. attr. enorme; gigantesco; mastodontico: **a m. enterprise**, un'impresa gigantesca.

mammy /ˈmæmɪ/ n. **1** (*spec. USA*) mammina **2** (*un tempo, in USA*) bambinaia negra.

♦**man** /mæn/ Ⓐ n. (pl. *men*) **1** uomo: *Man has free will*, l'uomo è dotato di libero arbitrio; **the rights of man**, i diritti dell'uomo; **a man of letters**, un uomo di lettere; un letterato **2** dipendente; lavorante; operaio; domestico; servitore: **masters and men**, padroni e operai **3** militare di truppa; soldato; marinaio: **officers and men**, ufficiali e soldati **4** marito: **to live as man and wife**, vivere come marito e moglie **5** (*a scacchi*) pezzo **6** (*a dama*) pedina **7** (*sport*) uomo; giocatore: **to mark one's man**, marcare l'uomo; (*cricket*) **twelfth man**, (giocatore di) riserva **8** (al vocat.) caro mio; caro Lei; ehi, tu: *Nonsense, man!*, sciocchezze, caro mio!; *Hurry up, man!*, ehi, tu, fa' presto (*o sveglia*)! **9** (*slang USA*) capo; boss **10** (*slang USA*) – **the Man**, la polizia; la madama (*pop.*); il potere bianco; il governo; il sistema **11** laureato: **an Oxford man**, un laureato di Oxford; un oxoniano Ⓑ inter. (*fam.*) accidenti!; ohibò!; perbacco!; benissimo! ● **a man about town**, un uomo di mondo; uno che fa la vita di società □ **man and boy**, fin da ragazzo: *He has lived with us, man and boy, for twenty years*, sono vent'anni che vive con noi, fin da quando era ragazzo □ (*stor.*) **men-at-arms**, uomini d'arme; armigeri □ (*autom.*) **men at work** (*USA*: **men working**), lavori in corso (*cartello*) □ (*ind. min.*) **man cage**, gabbia per i minatori □ **man child**, bambino ragazzino □ (*econ.*) **man-day**, giorno-uomo □ **man-eater** → **maneater** □ **man-eating**, antropofago (agg.) □ (*calcio, basket, ecc.*) **man-for-man defence**, difesa a uomo □ **man Friday**, impiegato tuttofare; uomo di fiducia; factotum □ (*sport*) **a man's game**, un gioco da uomini; un gioco rude (*o virile*) □ (*econ.*) **man-hour**, ora di manodopera; ora-uomo (*d'un operaio, ecc.*) □ (*spec. USA*) **men in blue**, poliziotti □ **the man in** (*USA*: on) **the street**, l'uomo della strada; l'uomo qualunque □ (*polit., ecc.*) **the man inside**, chi è addentro alle segrete cose; l'infiltrato; la talpa (*fig.*) □ **man-made**, fatto (*o creato*) dall'uomo; opera dell'uomo; (*di fibra, tessuto*) sintetico, artificiale □ (*sport*) **man-marking**, marcatura a uomo □ **one's man of business**, il proprio agente d'affari; il proprio procuratore □ **a man of few words**, un uomo di poche parole □ **the man of the moment**, l'uomo del momento □ **man of property**, possidente □ (*fig.*) **man of straw**, uomo di paglia; prestanome □ (*ecol.*) **the Men of the Trees**, gli Amici degli Alberi □ (*naut.*) **man-of-war**, nave da guerra □ **to be a man of one's word**, essere un uomo di parola □

a man of the world, un uomo di mondo □ (*naut.*) **man overboard!**, uomo in mare! □ (*sport, USA*) **man-on-man**, uomo a uomo: **man-on-man defense**, difesa uomo a uomo □ **man-size** (*o* **man-sized**), adatto a un uomo adulto; da uomo; (*fam.*) grande, grosso; (*di porzione di cibo*) abbondante □ **a man-to-man talk**, un discorso da uomo a uomo □ **any man**, chiunque: *Any man could do that*, chiunque sarebbe capace di farlo □ **as one man**, come un sol uomo; all'unanimità □ (*inter.*) **good man!**, bravo! □ **little man**, ometto; omino, omettino (*anche, scherz., a un bambino*) □ (*scherz.*) **little green men**, extraterrestri □ **no man**, nessuno □ **Old man!**, vecchio mio! □ **our man in Rome**, il nostro agente a Roma □ **to be one's own man**, essere padrone di sé; poter fare quel che si vuole (*o a modo proprio*) □ **to be sb.'s man**, fare al caso di q.: *He's your man*, è l'uomo che fa per te □ **to a man** (*o* **to the last man**), unanimemente; tutti quanti; nessuno escluso □ **trigger man**, gangster; killer □ **What can a man do in such a case?**, che cosa si può fare in un caso simile? □ **I'm your man!**, d'accordo!; accetto!; ci sto! □ (*prov.*) **Man proposes, God disposes**, l'uomo propone e Dio dispone.

to **man** /mæn/ v. t. **1** (*mil.*) fornire d'uomini; equipaggiare; armare: **to man a ship**, armare una nave **2** far funzionare; azionare: *The Fire Brigade manned the fire hydrants*, i pompieri azionarono le bocche antincendio **3** (*spec. mil.*) prendere posto a: *Man the guns!*, prendete posto ai cannoni! ● (*mil.*) **to man a fort**, mettere una guarnigione in un forte □ **to man a post**, coprire un posto □ **to man a town**, presidiare una città.

MAN sigla (*comput.*, **metropolitan area network**) rete digitale metropolitana.

to **manacle** /ˈmænəkl/ v. t. **1** ammanettare; mettere le manette a (q.) **2** (*fig.*) frenare; ostacolare; intralciare.

manacles /ˈmænəklz/ n. pl. **1** (*anche fig.*) manette **2** (*fig.*) restrizione; freno; ostacolo; intoppo.

♦to **manage** /ˈmænɪdʒ/ Ⓐ v. t. **1** maneggiare; manovrare; condurre; guidare: **to m. a sailing boat**, manovrare (*o governare*) una barca a vela **2** amministrare; avere la direzione di; dirigere; governare; reggere; gestire: **to m. a firm**, amministrare un'azienda; **to m. a household**, avere la direzione d'una casa; **to m. the state**, governare (*o reggere*) lo Stato; **to m. a restaurant**, gestire un ristorante **3** tener sottomesso (*o a freno*); domare; trattare; prendere: **to m. a horse**, domare un cavallo; *I know how to m. her when she's angry*, so come prenderla quando è arrabbiata **4** (preceduto da **can**, **could**, **be able**) mettere a posto (*o sistemare*); (*fam.*) mangiare: *Can you m. it?*, puoi sistemare la faccenda; puoi farcela?; *Can you m. another ice cream?*, ce la fai (*o ci stai a*) mangiare un altro gelato? Ⓑ v. i. **1** riuscire; farcela (*fam.*): *We managed to cross the river*, riuscimmo ad attraversare il fiume; *I don't know how we'll m.*, non so come potremo farcela; *Can you m. to walk?*, ce la fai a camminare? **2** (*nelle corse*) arrivare, piazzarsi: *The champion could only m. third*, il campione riuscì a piazzarsi soltanto al terzo posto ● **to m. on**, farcela con (*poco denaro, ecc.*) □ **to m. with**, arrangiarsi con □ **to m. without st.**, fare a meno di qc.; far senza qc. ● **We managed fairly well**, ce la cavammo piuttosto bene □ **She couldn't m. a smile**, non riuscì a sorridere.

manageability /ˌmænɪdʒəˈbɪlətɪ/ n. Ⓤ **1** maneggevolezza; arrendevolezza; docilità; trattabilità **2** l'esser fattibile.

manageable /ˈmænɪdʒəbl/ a. **1** maneggevole; arrendevole; docile; trattabile **2** che si può fare; fattibile ‖ **-bly** avv. ‖ **-ness** n. Ⓤ.

managed /'mænɪdʒd/ a. **1** amministrato; diretto; gestito **2** (*econ.*) manovrato; governato: (*fin.*) **m. currency**, moneta manovrata; valuta controllata; **a m. economy**, un'economia governata; (*fin.*) **m. exchanged rates**, tassi di cambio amministrati; (*fin.*) **m. float**, fluttuazione amministrata, manovrata (*o* controllata).

♦**management** /'mænɪdʒmənt/ n. **1** Ⓤ amministrazione; conduzione; direzione (*di un'azienda*); controllo; gestione; management: **bad m.**, cattiva amministrazione; **new m.**, nuova gestione **2** (collett.) dirigenza; direzione; dirigenti **3** Ⓤ governo, cura (*spec. di cavalli*) **4** Ⓤ (*spreg.*) maneggio; manovra; manipolazione; intrigo ● (*rag.*) **m. accountancy**, contabilità gestionale (*o* analitica) □ (*Borsa, fin.*) **m. buyout**, acquisizione di controllo (*dell'intero pacchetto azionario di una società*) *da parte del suo gruppo direzionale* □ (*fin.*) **m. company**, società di gestione □ **m. consultant**, consulente di organizzazione aziendale □ (*econ., org. az.*) **m. control**, controllo di gestione □ **m. functions**, funzioni manageriali (*o* direttive); mansioni dirigenziali □ (*ind.*) **m. game**, gestione simulata □ **m. science**, scienza dell'amministrazione □ **m. techniques**, tecniche di direzione aziendale □ **«under new m.»** (*cartello*), «nuova gestione».

♦**manager** /'mænɪdʒə(r)/ n. **1** amministratore, amministratrice; direttore, direttrice (*d'azienda*); dirigente; gestore, gestrice; gerente; manager: **bank m.**, direttore di banca; (*org. az.*) **production m.**, direttore di produzione **2** (*teatr.*) impresario, impresaria **3** (*sport*) direttore sportivo; commissario tecnico; mister (*fam.*); (*baseball*) allenatore **4** (*leg.*) curatore fallimentare **5** (*fig.*) massaio, massaia **6** manager (*chi cura gli interessi di un attore, un atleta, ecc.*).

manageress /mænɪdʒə'rɛs, *USA* 'mænɪdʒrɪs/ n. amministratrice; direttrice (*d'azienda*); dirigente; gerente; gestrice (*spec. d'albergo o ristorante*); manager donna.

managerial /mænɪ'dʒɪərɪəl/ a. di direttore (*d'azienda*); della direzione (*d'affari*); direttivo; dirigenziale; gestionale; manageriale: **m. responsibility**, responsabilità di direttore (*o* della direzione); **m. qualities**, capacità direttive (*o* manageriali); managerialità; **m. innovations**, innovazioni gestionali; (*econ.*) **the m. revolution**, la rivoluzione manageriale ● **the m. class**, la classe dei manager.

managerialism /mænɪ'dʒɪərɪəlɪzəm/ (*econ.*) n. Ⓤ managerialismo ‖ **managerialist** n. managerialista.

managership /'mænɪdʒəʃɪp/ n. Ⓤ direzione (*d'azienda*); autorità (*o* posizione, doveri) di direttore.

managing /'mænɪdʒɪŋ/ a. che amministra; dirigente; direttivo; gerente: **m. committee**, comitato direttivo ● **m. agent**, gestore □ (*fin.*) **m. director**, amministratore (*o* consigliere) delegato □ **m. editor**, direttore editoriale (*o* amministrativo) (*di un giornale o una rivista*) □ (*fin.*) **m. partner**, socio gerente □ (*anche sport*) **m. staff**, staff dirigenziale.

manakin /'mænəkɪn/ n. **1** (*zool., Pipra*) pipra **2** → **manikin**.

manatee /mænə'tiː/ n. (*zool., Trichechus manatus*) lamantino; manicella.

man-boobs /'mænbuːbz/ loc. n. pl. (*fam., scherz.*) seno maschile; tette maschili (*fam.*).

Manchester /'mæntʃɛstə(r)/ n. Ⓤ (= **Manchester goods**) (*Austral., NZ*) telerie di cotone; biancheria per la casa.

manchineel /mæntʃɪ'niːl/ n. (*bot., Hippomane mancinella*) mancinella.

Manchu /mæn'tʃuː/ Ⓐ n. **1** (pl. *Manchu, Manchus*) (*etnografia*) manciù, mancese **2**

manciù (*la lingua*) Ⓑ a. mancese; manciù.

Manchuria /mæn'tʃʊərɪə/ n. (*geogr.*) Manciuria.

Manchurian /mæn'tʃʊərɪən/ Ⓐ n. **1** mancese; abitante (*o* nativo) della Manciuria **2** Ⓤ mancese (*la lingua*) Ⓑ a. manciuriano; mancese.

manciple /'mænsɪpl/ n. economo (*di collegio, convento e sim.*).

Mancunian /mæn'kjuːnɪən/ a. e n. (abitante *o* nativo) di Manchester.

M&A sigla (*econ., org. az., **mergers and acquisitions**) fusioni e acquisizioni.

mandamus /mæn'deɪməs/ n. (*leg.*) ordinanza (*del giudice a un pubblico ufficiale*); ingiunzione (*dell'Alta Corte a un organo pubblico*).

mandarin① /'mændərɪn/ n. **1** (*stor.*) mandarino (*alto dignitario cinese*) **2** (*spreg.*) mandarino; alto funzionario; superburocrate **3** Ⓤ – **M.**, il mandarino, la lingua mandarina (*il cinese letterario*) **4** (*zool., anche **m. duck**; *Aix galericulata*) anatra mandarina; mandarina ‖ **mandarinate** Ⓒ Ⓤ (*stor.*) mandarinato (*la durata in carica e l'ufficio*) ‖ **mandarinism** n. mandarinismo ‖ **mandarinship** n. (*stor.*) mandarinato (*l'ufficio, le funzioni*).

mandarin②, **mandarine** /'mændərɪn/ n. **1** (*bot., Citrus nobilis*) mandarino (*l'albero*) **2** (= **m. orange**) mandarino (*il frutto*) **3** Ⓤ color mandarino **4** (*anche **m.-flavoured liqueur**) mandarinetto (*liquore*).

mandatary /'mændətrɪ/ n. **1** (*leg.: in Scozia, Italia, Francia, ecc.*) mandatario (*cfr. ingl. **agent**) **2** (*stor., polit.*) potenza mandataria; mandatario.

mandate /'mændeɪt/ n. **1** (*polit.*) mandato: **electoral [Parliamentary] m.**, mandato elettorale [parlamentare] **2** (*stor., polit.*) mandato (internazionale); (= **mandated territory**) territorio sotto mandato **3** mandato, incarico (*di fare qc.*) **4** (*leg.: in Scozia, Italia, Francia, ecc.*) mandato (*cfr. ingl. **agency**) **5** (*leg.*) ordine.

to mandate /'mændeɪt/ v. t. (*stor., polit.*) affidare (*una colonia, un territorio*) al mandato di (*un'altra nazione*); porre sotto mandato ● **mandated territory**, territorio sotto mandato.

mandator /mæn'deɪtə(r)/ → **mandant**.

mandatory /'mændətrɪ/ a. **1** (*leg.*) obbligatorio; vincolante; imperativo: **m. provision**, norma imperativa **2** (*stor., polit.*) mandatario: **m. state**, potenza mandataria ● **m. advice**, parere vincolante □ (*fin.*) **m. redemption**, rimborso obbligatorio □ (*leg.*) **m. rule**, regola inderogabile.

Mande /'mɑːndeɪ/ a. e n. (*ling.*) mande.

mandible /'mændɪbl/ n. (*anat.*) n. mandibola ‖ **mandibular** a. mandibolare ‖ **mandibulate** a. fornito di mandibola.

Mandingo /mæn'dɪŋɡəʊ/ (*etnol.*) a. e n. mandingo.

mandola /mæn'dəʊlə/ n. (*mus., stor.*) mandola.

mandolin, **mandoline** /mændə'lɪn/ (*mus.*) n. mandolino ● **bass m.**, mandolone ‖ **mandolinist** n. mandolinista.

mandragora /mæn'dræɡərə/ n. (*lett.*) → **mandrake**.

mandrake /'mændreɪk/ n. (*bot., Mandragora officinarum*) mandragora.

mandrel /'mændrəl/, **mandril** /'mændrɪl/ n. **1** (*tecn.*) mandrino **2** (*metall.*) mandrino; spina ● (*tecn.*) **m. press**, pressa a calcatoio.

mandrill /'mændrɪl/ n. (*zool., Mandrillus sphinx*) mandrillo.

manducation /mændjʊ'keɪʃn/ n. masticazione; manducazione (*arc.*).

manducatory /'mændjʊkeɪtərɪ/ a.

(*zool.*) masticatorio.

mane /meɪn/ n. **1** criniera; (*del leone e del cavallo, anche*) giubba **2** (*fig.*) capigliatura folta; zazzera ‖ **maned** a. (nei composti, per es.:) **long-maned**, dalla lunga criniera.

maneater /'mæniːtə(r)/ n. **1** antropofago, cannibale **2** animale (*tigre, pescecane, ecc.*) che divora uomini **3** (*zool., Carcharodon carcharias*) squalo bianco **4** (*di donna*) mangiauomini; divoratrice di uomini.

manège /mæ'neɪʒ/ n. **1** maneggio; scuola d'equitazione **2** equitazione.

Manes /'mɑːneɪz/ n. pl. (*relig., stor. romana*) Mani.

maneuver /mə'nuːvə(r)/ e deriv. (*USA*) → **manoeuvre**, e deriv.

manful /'mænfl/ a. virile; ardito; coraggioso; risoluto | **-ly** avv. | **-ness** n. Ⓤ.

manga /'mæŋɡə/ (*giapponese*) n. Ⓤ **1** (*fumetti, anche **m. comic**) manga **2** (*genere*) anime.

manganate /'mæŋɡəneɪt/ n. (*chim.*) manganato.

manganese /'mæŋɡəniːz/ n. Ⓤ (*chim.*) manganese ● **m. steel**, acciaio al manganese; acciaio austenitico Hadfield.

manganic /mæŋ'ɡænɪk/ a. (*chim.*) manganico.

manganiferous /mæŋɡə'nɪfərəs/ a. manganesifero.

Manganin® /'mæŋɡənɪn/ n. Ⓤ (*metall.*) manganina.

manganite /'mæŋɡənaɪt/ n. (*miner.*) manganite.

manganous /'mæŋɡənəs/ a. (*chim.*) manganoso.

mange /meɪndʒ/ n. Ⓤ **1** (*vet.*) rogna **2** (*med.*) scabbia.

mangel /'mæŋɡl/, **mangel-wurzel** /'mæŋɡlwɜːzl/ (*ted.*) n. (*bot.*) barbabietola da foraggio.

manger /'meɪndʒə(r)/ n. **1** mangiatoia; greppia **2** (*relig.*) presepe; presepio ● (*fig.*) **a dog in the m.** → **dog**.

mangetout /mɑːnʒ'tuː/ n. varietà di piselli di cui si mangia anche il baccello; taccola (*region.*).

mangle /'mæŋɡl/ n. mangano (*grossa macchina per stirare*).

to mangle① /'mæŋɡl/ v. t. manganare; passare (*panni*) al mangano ‖ **mangler**① n. manganatore ‖ **mangling**① n. Ⓤ manganatura.

to mangle② /'mæŋɡl/ v. t. far scempio di (*anche fig.*); lacerare; maciullare; mutilare; straziare; (*fig.*) storpiare, sciupare: *The bodies were mangled beyond recognition*, i corpi erano tanto straziati da non potersi riconoscere; *The text was mangled*, il testo era sciupato (*o* mutilo) ‖ **mangler**② n. laceratore; mutilatore; chi fa scempio (*di qc.*) ‖ **mangling**② n. Ⓤ lacerazione; maciullamento; scempio; strazio.

mango /'mæŋɡəʊ/ n. (pl. *mangoes, mangos*) (*bot., Mangifera indica*) mango ● **m. chutney**, mango (acerbo) sott'aceto (*o* in salamoia).

mangold /'mæŋɡəʊld/ → **mangel**.

mangonel /'mæŋɡənl/ n. (*stor., mil.*) manganella; mangano.

mangosteen /'mæŋɡəstiːn/ n. (*bot., Garcinia mangostana*) mangostano.

mangrove /'mæŋɡrəʊv/ n. (*bot., Rhizophora mangle*) mangrovia.

mangy /'meɪndʒɪ/ a. **1** (*vet.*) rognoso: **a m. dog**, un cane rognoso **2** (*med.*) scabbioso **3** sciatto; sporco; sordido; squallido **4** scarso; striminzito | **-iness** n. Ⓤ.

to manhandle /'mænhændl/ v. t. **1** azionare (*o* manovrare) a mano **2** (*fam.*) maltrattare; bistrattare; strapazzare.

manhattan /'mæn'hætn/ n. cocktail di vermouth e whisky.

manhole /'mænhəʊl/ n. **1** botola (o pozzetto) stradale **2** passo d'uomo (in una caldaia, un serbatoio, ecc.) **3** (naut.) boccaportello ● **m. cover**, chiusino, tombino (stradale); portello (di caldaia, ecc.).

manhood /'mænhʊd/ n. Ⓤ **1** virilità; età virile: **to reach m.**, raggiungere l'età virile **2** coraggio; risolutezza **3** potenza virile; virilità **4** (collett.) (gli) uomini (di un paese).

manhunt /'mænhʌnt/ n. caccia all'uomo; caccia a un bandito (a un evaso, ecc.).

mania /'meɪnɪə/ n. Ⓒ Ⓤ **1** (psic.) mania **2** (fig.) mania; smania; fissazione: **to have a m. for dancing**, avere la mania del ballo.

maniac /'meɪnɪæk/ a. e n. (psic. e fig.) maniaco; folle.

maniacal /mə'naɪəkl/ a. (psic.) maniaco; maniacale: **m. crisis**, crisi maniacale; **m. fury**, furore maniaco | -ly avv.

manic /'mænɪk/ a. (psic.) maniaco ● **m.-depressive**, maniaco-depressivo.

Manichaean, Manichean /mænɪ'kiːən/ (stor., relig.) a. e n. manicheo.

Manichaeism, Manicheism /mænɪ'kiːɪzm/ n. Ⓤ (stor., relig.) manicheismo.

Manichee /'mænɪkiː/ n. (stor., relig.) manicheo.

manicure /'mænɪkjʊə(r)/ n. manicure (il trattamento): **to have a m.**, farsi fare la manicure.

to **manicure** /'mænɪkjʊə(r)/ v. t. curare (le mani, le unghie); fare la manicure a ● **m. one's nails**, farsi le unghie.

manicured /'mænɪkjʊəd/ a. **1** (di mano, piede, ecc.) ben curato; sottoposto a manicure **2** (di prato, spiaggia, ecc.) ben curato.

manicurist /'mænɪkjʊərɪst/ n. manicure (la persona che cura le mani e le unghie); manicurista (raro).

manifest① /'mænɪfest/ n. **1** (naut., aeron.) manifesto (di carico); nota di carico **2** (ferr., USA) treno merci veloce (per bestiame, merce deperibile, ecc.).

manifest② /'mænɪfest/ a. manifesto; evidente; ovvio; palese | -ly avv.

to **manifest** /'mænɪfest/ v. t. **1** manifestare; dichiarare; mostrare; palesare; rivelare: He didn't m. much desire to go abroad, non manifestò un gran desiderio di andare all'estero **2** (naut.) registrare (qc.) sul manifesto di carico ● **to m. itself**, (di un fantasma, una malattia, ecc.) manifestarsi; apparire; comparire.

manifestation /mænɪfe'steɪʃn/ n. Ⓤ Ⓒ **1** (anche polit.) manifestazione; dimostrazione **2** apparizione (di uno spettro).

manifesto /mænɪ'festəʊ/ n. (pl. **manifestos, manifestoes**) manifesto (politico, ideologico, artistico, ecc.); documento programmatico; programma: **to launch** (o **to unveil**) **one's m.**, lanciare (o rendere noto) il proprio programma.

manifold /'mænɪfəʊld/ Ⓐ a. molteplice; numeroso; multiforme; diverso; vario: **m. duties**, molteplici doveri; **m. vexations**, diverse vessazioni Ⓑ n. **1** (mecc., ecc.; = **m. pipe**) collettore: **exhaust m.**, collettore di scarico **2** Ⓤ (= **m. paper**) vergatina; carta per copie multiple **3** (mat.) varietà (autom., mecc.) **m. pressure**, pressione d'alimentazione | -ly avv. | -ness n. Ⓤ.

to **manifold** /'mænɪfəʊld/ v. t. **1** moltiplicare; rendere molteplice **2** (spec.) poligrafare; duplicare; fare copie di (una lettera, ecc.) col poligrafo.

manikin /'mænɪkɪn/ n. **1** (spreg., antiq.) omiciattolo; omuncolo; nano **2** (arte, ecc.) manichino **3** (med.) manichino; modello anatomico (del corpo umano).

Manila, Manilla /mə'nɪlə/ n. **1** (geogr.)

Manila **2** (= **M. hemp**) manila; canapa di Manila; abaca **3** (= **M. cigar**) manila (sigaro) **4** (= **M. paper**) carta da pacchi; carta di manilla.

manilla /mə'nɪlə/ n. braccialetto metallico.

manioc /'mænɪɒk/ n. (bot., Manihot utilissima) manioca; cassava.

maniple /'mænɪpl/ n. (stor., relig.) manipolo.

to **manipulate** /mə'nɪpjʊleɪt/ v. t. **1** maneggiare; manipolare; azionare: **to m. the controls of an airplane**, azionare i comandi d'un aereo **2** (fig.) manipolare; manovrare (fig.); abbindolare; raggirare; (polit.) **to m. one's constituents**, manovrare (o abbindolare) i propri elettori; (fin.) **to m. figures** [**accounts**], manipolare le cifre [i conti]; (fin.) **to m. the Bank rate**, manovrare il tasso di sconto **3** (fisioterapia) manipolare **4** (comput.) manipolare.

manipulation /mənɪpjʊ'leɪʃn/ n. Ⓒ Ⓤ **1** manipolazione; il maneggiare; manovra (fig.); azionamento **2** manipolazione; abbindolamento; raggiro **3** (fisioterapia) manipolazione **4** (comput.) manipolazione ● (Borsa) **m. of the market**, manipolazione del mercato; aggiotaggio □ (Borsa) **share price m.**, manovre sul prezzo dei titoli azionari; aggiotaggio.

manipulative /mə'nɪpjʊlətɪv/ a. **1** di manipolazione, ecc. (→ **manipulation**) **2** che serve per manipolare; di manovra (fig.) **3** (di una persona) che interferisce; invadente; impiccione (fam.).

manipulator /mə'nɪpjʊleɪtə(r)/ n. **1** manipolatore (spec. strumento) **2** abbindolatore **3** (Borsa, = **m. of the market**) aggiotatore.

manipulatory /mə'nɪpjʊlətrɪ/ → **manipulative**.

manism /'mɑːnɪzəm/ n. Ⓤ (relig.) manismo.

manitou, manitu /'mænɪtuː/ n. (etnol.) manitù; essere sovrannaturale (degli Indiani d'America).

mankey /'mæŋkɪ/ a. (fam. ingl.) **1** scassato; scalcinato; malandato **2** sporco; schifoso.

mankind (def. 1 /mæn'kaɪnd/, def. 2 /'mænkaɪnd/) n. Ⓤ **1** il genere umano; l'umanità **2** il sesso maschile; gli uomini.

manky /'mæŋkɪ/ → **mankey**.

manlike /'mænlaɪk/ a. **1** virile; maschile; da uomo **2** antropomorfo.

manly /'mænlɪ/ a. **1** virile; coraggioso; forte; risoluto **2** maschile; di (o da) uomo: **m. sports**, sport da uomini | -iness n. Ⓤ.

to **man-mark** /'mæn'mɑːk/ v. t. (sport) marcare a uomo; marcare (un avversario).

manna /'mænə/ n. (Bibbia) manna (anche fig. e farm.) ● (bot.) **m. ash** (Fraxinus ornus), orniello □ (chim.) **m. sugar**, mannite.

manned /mænd/ a. fornito d'uomini; con equipaggio (a bordo) ● (miss.) **a m. module**, un modulo con equipaggio umano □ (telef.) **m. services**, servizi con risposta di un centralinista (non automatizzati).

mannequin /'mænɪkɪn/ n. **1** indossatrice; modella **2** manichino.

◆**manner** /'mænə(r)/ n. **1** maniera; modo; tono: She prepared the meal in the Chinese m., preparò il pasto alla maniera cinese; He said it in an offensive m., lo disse in tono offensivo; to do st. in a haphazard m., fare qc. in modo approssimativo; (gramm.) **adverb of m.**, avverbio di modo **2** modo di fare; contegno; atteggiamento; comportamento; condotta: I like his modest m., mi piace il suo contegno modesto; **a cold m.**, un atteggiamento freddo; **an odd m.**, un comportamento strano **3** (pl.) maniere; educazione; (spec.) buone maniere, buona educazione: **good manners**, buone maniere; buona edu-

cazione; **bad manners**, cattive maniere; maleducazione **4** (pl.) consuetudini; usanze; costume: **the manners of the time**, le usanze del tempo; **a comedy of manners**, una commedia di costume **5** (form.) specie; sorta; genere: What m. of woman is she?, che sorta di donna è?; **all m. of things**, ogni sorta di cose; oggetti d'ogni specie **6** (arte, letter.) maniera; stile: **a picture in the m. of Rubens**, un quadro alla maniera di Rubens ● **after the Italian m.**, all'italiana □ **by no m. of means**, per nessuna ragione; in nessun modo □ **in the grand m.**, in grande stile, in pompa magna □ **in a m.**, in un certo modo; fino a un certo punto □ **in a m. of speaking**, per così dire; per modo di dire □ **in like m.**, in modo simile; parimenti □ **no m. of right**, proprio nessun (fam.: nessunissimo) diritto □ **to the m. born**, nato per (un certo compito, lavoro): **a diplomat to the m. born**, un diplomatico nato □ **Where are your manners?**, che maniere!; che modi sono questi?; chi ti ha insegnato l'educazione?

mannered /'mænəd/ a. lezioso; manieroso; manierato; affettato: **a m. writer**, uno scrittore manierato ● **bad-m.** (o **ill-m.**), maleducato □ **rough-m.**, rozzo; rude □ **well-m.**, educato; bene educato.

mannerism /'mænərɪzəm/ n. **1** Ⓤ (arte) **M.**, manierismo **2** Ⓤ manierismo; affettazione; ricercatezza eccessiva; leziosaggine **3** (fam.) vezzo; mania; atteggiamento peculiare; singolarità || **mannerist** n. (arte) manierista || **manneristic** a. **1** (arte) di maniera; manieristico **2** manieristico; affettato; eccessivamente ricercato.

mannerless /'mænələs/ a. maleducato; screanzato.

mannerly /'mænəlɪ/ a. (raro) educato; cortese; gentile; urbano | -iness n. Ⓤ.

mannikin /'mænɪkɪn/ → **manikin**.

manning /'mænɪŋ/ n. Ⓤ **1** equipaggiamento; (naut.) armamento **2** (org. az.) dotazione di personale ● (ind.) **m. agreement**, accordo sull'organico □ **m. level**, consistenza dell'organico.

mannish /'mænɪʃ/ a. **1** (di donna) che ha caratteri mascolini **2** di (o da) uomo; poco femminile: **a m. hairdo**, una pettinatura da uomo (o alla maschietta) | -ly avv. | -ness n. Ⓤ.

mannite /'mænaɪt/, **mannitol** /'mænɪtɒl/ n. Ⓤ (chim.) mannite; mannitolo.

mannose /'mænəʊs/ n. (chim.) mannosio, mannoso.

manoeuvrable /mə'nuːvrəbl/ a. manovrabile (anche fig.); maneggevole || **manoeuvrability** n. Ⓤ manovrabilità; maneggevolezza.

manoeuvre /mə'nuːvə(r)/ n. **1** manovra (anche fig.); evoluzione (d'aerei) **2** (fig.) maneggio; raggiro; stratagemma **3** (vela) manovra ● (mil.) **to be on manoeuvres**, fare le manovre □ **There isn't room for m.**, non c'è spazio di manovra.

to **manoeuvre** /mə'nuːvə(r)/ Ⓐ v. t. **1** manovrare: **to m. one's ship**, manovrare la propria nave **2** (fig.) abbindolare; raggirare: **to m. sb. out of st.**, raggirare q. così da togliergli qc.; defraudare q. di qc. Ⓑ v. i. **1** far manovre; far manovra (per es., con un'automobile): The fleet is manoeuvring off the coast, la flotta sta facendo manovre al largo della costa **2** (fig.) usare maneggi (o raggiri, stratagemmi) ● **to m. one's car out of a traffic jam**, manovrare la propria automobile in modo da uscire da un ingorgo stradale □ **to m. oneself**, destreggiarsi: I manoeuvred myself out of the embarrassing position, mi destreggiai così da togliermi d'impaccio; She manoeuvred herself into being asked to stay, fece in modo che le chiedessero di restare □ **to m. one's way into sb.'s**

confidence, carpire la fiducia di q. con maneggi (o raggiri) □ **to m. one's way to victory**, ottenere la vittoria con uno stratagemma.

manoeuvrer /məˈnuːvərə(r)/ n. **1** stratega **2** (*fig. fam.*) maneggione; intrigante.

manoeuvring /məˈnuːvərɪŋ/ n. **1** ⓤ il manovrare; (le) manovre (collett.) **2** ⓤⓤ maneggio; macchinazione; raggiri; stratagemmi.

manometer /məˈnɒmɪtə(r)/ (*fis.*) n. manometro ‖ **manometric** a. di manometro; fatto con un manometro.

manor /ˈmænə(r)/ n. **1** (*stor.*) feudo **2** grande proprietà terriera; tenuta con villa annessa **3** (= **m. house**) (*stor.*) maniero; residenza del signore **4** (= **m. house**) casa padronale (*in una tenuta*); villa signorile **5** (*slang ingl.*) distretto di polizia **6** (*slang ingl.*) (il proprio) quartiere, territorio ‖ **manorial** a. di (o relativo a) maniero; feudale: (*leg.*) **manorial rights**, diritti feudali.

manpower /ˈmænpaʊə(r)/ n. ⓤ **1** (*econ., stat.*) forza lavoro; manodopera **2** potenziale umano; uomini (*e non macchine*) **3** (*tecn.*) forza espressa dall'uomo; 1/10 di cavallo vapore ● (*econ.*) **m. cost**, costo del lavoro.

manqué /ˈmɒŋkeɪ/ (*franc.*) a. mancato; fallito: *He's an artist m.*, è un artista mancato.

manrope /ˈmænrəʊp/ n. (*naut.*) guardamano; corrimano; mancorrente.

mansard /ˈmænsɑːd/ n. **1** (= **m. roof**) tetto a mansarda **2** mansarda; stanza (o soffitta) sotto un tetto a mansarda.

manse /mæns/ n. casa parrocchiale; presbiterio (*spec. di pastore presbiteriano scozzese*).

manservant /ˈmænsɜːvnt/ n. (*un tempo*) domestico; servitore.

mansion /ˈmænʃn/ n. **1** magione (*raro*); casa signorile; palazzo **2** (pl.) (*preceduto da nomi propri*) residenza; edificio suddiviso in appartamenti (*cfr.* USA **apartment house**, *sotto* **apartment**) ● **m. house**, casa padronale; villa signorile in campagna □ **the M. House**, la residenza ufficiale del sindaco della City londinese ❶ FALSI AMICI • mansion *non significa* mansione.

manslaughter /ˈmænslɔːtə(r)/ n. (*leg.*) omicidio (*spec.* colposo, preterintenzionale) ● (*leg.* USA) **m. two**, omicidio di secondo grado (o preterintenzionale) □ (*leg.*) **voluntary m.**, omicidio volontario ma con attenuanti.

mansuetude /ˈmænswɪtjuːd, USA -tuːd/ n. ⓤ (*raro*) mansuetudine; docilità.

manta /ˈmæntə/ n. (*zool., Manta birostris*; = **m. ray**) manta; diavolo di mare; razza cornuta.

mantel /ˈmæntl/ n. **1** → **mantelpiece 2** → **mantelshelf 3** → **manteltree** ● **m. clock**, orologio da mensola.

mantelet /ˈmæntlət/ n. **1** mantellina **2** (*stor., mil.*) mantelletto.

mantelpiece /ˈmæntlpiːs/ n. (*edil.*) **1** struttura portante (o base) di caminetto **2** → **mantelshelf**.

mantelshelf /ˈmæntlʃelf/ n. (pl. *mantelshelves*) (*edil.*) mensola di caminetto; caminiera.

manteltree /ˈmæntltriː/ n. (*edil.*) trave di sostegno (o arco di sostegno) della struttura di un caminetto.

mantic /ˈmæntɪk/ Ⓐ n. mantica Ⓑ a. mantico; divinatorio; profetico.

mantilla /mænˈtɪlə/ n. (*moda*) mantiglia.

mantis /ˈmæntɪs/ n. (pl. *mantises*, *mantes*) (*zool., Mantis*) mantide ● **m. prawn** (*Squilla mantis*), canocchia; cicala di mare; squilla ● **praying m.** (*Mantis religiosa*), man-

tide religiosa.

mantissa /mænˈtɪsə/ n. (*mat.*) mantissa.

mantle /ˈmæntl/ n. **1** manto (*anche fig.*); mantello; mantella; cappa: *The fields are under a m. of snow*, i campi sono sotto un manto di neve **2** (*di lampada a gas*) reticella metallica **3** (*scient.*) mantello **4** (*edil.*) manto **5** (*geol.*) mantello terrestre ● (*fig.*) **to inherit the m. of**, raccogliere l'eredità di; essere l'erede di.

to mantle /ˈmæntl/ Ⓐ v. t. ammantare; (*fig.*) coprire, nascondere, velare Ⓑ v. i. **1** (*di liquidi*) coprirsi di schiuma; velarsi **2** coprirsi, soffondersi di rossore: *Her face mantled with emotion*, il viso le si soffuse di rossore per l'emozione **3** avvampare, accendersi, infiammarsi (*di rossore*).

mantlet /ˈmæntlət/ n. (*stor., mil.*) mantelletto.

mantra /ˈmæntrə/ n. **1** (*relig. vedica*) mantra **2** (*fig.*) slogan; parola d'ordine (*fig.*); tormentone ‖ **mantric** a. **1** (*relig. vedica*) mantrico **2** (*fig.*) ripetuto a mo' di slogan.

mantrap /ˈmæntræp/ n. **1** trappola per uomo **2** porta antirapina **3** (*fig.*) trappola (*fig.*); trabocchetto **4** (*fig.*) seduttrice; mangiauomini.

mantua /ˈmæntjuə/ n. (*stor.*) veste femminile in uso nel '600 e nel '700.

Mantua /ˈmæntjuə/ n. (*geogr.*) Mantova ‖ **Mantuan** a. e n. mantovano.

manual /ˈmænjuəl/ Ⓐ a. **1** manuale: **m. labour**, lavoro manuale; **m. dexterity**, abilità manuale; manualità **2** (*autom., mecc.*) manuale; a mano Ⓑ n. **1** manuale; prontuario; trattato **2** (*mus.*) tastiera (*d'organo*) **3** (*mil.*, = **m. exercise**) maneggio delle armi **4** (*autom., mecc.*) cambio a mano **5** (*autom.*) automobile col cambio a mano **6** (*autom.*, = **car m.**) manuale d'istruzioni ● **m. alphabet**, alfabeto manuale; alfabeto dei sordomuti (*fatto di segni con le mani*) □ **a m. worker**, persona che fa un lavoro manuale.

manufactory /mænjʊˈfæktəri/ n. (*antiq.*) manifattura; fabbrica; opificio.

manufacture /mænjʊˈfæktʃə(r)/ n. **1** manifattura; fabbricazione: **of English m.**, di fabbricazione inglese **2** ⓤ lavorazione; industria: **woollen m.**, l'industria della lana **3** (pl.) manufatti; prodotti manufatti **4** ⓤ (*fig. spreg.*) produzione in serie (*d'opere letterarie, ecc.*).

to manufacture /mænjʊˈfæktʃə(r)/ v. t. **1** fabbricare; produrre; confezionare; costruire: **to m. shoes**, fabbricare scarpe; **to m. shirts**, confezionare camicie **2** lavorare (*metalli, lana, ecc.*) **3** (*fig. spreg.*) fare (o produrre) in serie, abborracciare (*opere letterarie, ecc.*) **4** (*fig.*) fabbricare, inventare (*storie, scuse, ecc.*).

◆**manufacturer** /mænjʊˈfæktʃərə(r)/ n. fabbricante; produttore; industriale: **m.'s recommended price**, prezzo raccomandato dal produttore ● (*comm.*) **m.'s certificate**, certificato di garanzia □ (*di un prodotto*) **under m.'s warranty**, in garanzia.

◆**manufacturing** /mænjʊˈfæktʃərɪŋ/ Ⓐ a. manifatturiero; industriale: **a m. town**, una città industriale; **m. industry**, industria manifatturiera Ⓑ n. ⓤ attività industriale; fabbricazione; produzione ● **m. cost**, costo industriale (o di lavorazione) □ (*cronot.*) **m. cycle**, ciclo di lavorazione □ **m. overheads**, spese generali di fabbricazione □ **m. process**, processo produttivo (o di fabbricazione).

to manumit /mænjʊˈmɪt/ (*stor.*) v. t. manomettere, emancipare, affrancare (*uno schiavo*) ‖ **manumission** n. ⓤ manomissione; emancipazione.

manure /məˈnjʊə(r)/ n. ⓤ concime naturale; stabbio; stallatico; letame ● (*agric.*) **m. spreader**, concimatrice; spandiletame □

green m., sovescio ‖ **manurial** a. concimante.

to manure /məˈnjʊə(r)/ v. t. concimare ‖ **manuring** n. ⓤ concimazione; stabbiatura.

manuscript /ˈmænjʊskrɪpt/ a. e n. manoscritto ● (*leg.*) **m. will**, testamento olografo.

Manx /mæŋks/ Ⓐ a. (*geogr.*) dell'isola di Man: **M. cat**, gatto di Man (*senza coda*) Ⓑ n. ⓤ lingua dell'isola di Man; mannese ● (*collett.*) **the M.**, gli abitanti di Man ‖ **Manxman** n. (pl. *Manxmen*) mannese; abitante (o nativo) dell'isola di Man (*nel Mare d'Irlanda*).

◆**many** /ˈmeni/ a. e pron. (pl. di **much**, compar. ***more***, superl. ***most***) molti; numerosi; parecchi: **M.** (o **m. people**) **died in the accident**, molti morirono nell'incidente; **m. times**, molte volte; **m. of us** [**you, them**], molti di noi [di voi, di loro] ● **the m.**, i più; la (stragrande) maggioranza; la massa □ **m.-coloured**, multicolore; variopinto □ (*lett.*) **m. a man**, più di un uomo □ **m.-sided**, che ha molti lati; poliedrico (*fig.*); multiforme, complesso: **a m.-sided problem**, un problema complesso □ **m.-sidedness**, poliedricità (*fig.*); multiformità, complessità □ (*poet., retor.*) **m. a time** (**and oft**), molte volte; spesso; più d'una volta: **M.'s the time I have seen him do it**, gliel'ho visto fare molte volte □ **as m.**, altrettanti: *He wrote five tales in as m. days*, scrisse cinque racconti in altrettanti (o in cinque) giorni □ **as m. again**, altrettanti: *I have four but I'll need as m. again*, ne ho quattro ma me ne occorreranno altrettanti □ **as** (o so) **m. as**, tanti quanti: *Take as m. as you like*, prendine (tanti) quanti ne vuoi □ **ever so m. times**, non so quante volte; moltissime volte □ **a good m.**, molti; parecchi □ **a great m.**, moltissimi □ **how m.?**, quanti? □ (*fig.*) **in so m. words**, esattamente; esplicitamente; in modo chiaro □ **one too m.**, uno di troppo: *I'm one too m. here*, sono (o la mia presenza è) di troppo qui; (*fam.*) **He's had one too m.**, ne ha bevuto uno di troppo □ **too m.**, troppi □ **too m. people**, troppa gente ● **He was one too m. for you**, è stato più abile (o più bravo) di te; te l'ha fatta (in barba).

manyplies /ˈmenɪplaɪz/ n. → **omasum**.

Maoism /ˈmaʊɪzəm/ (*polit.*) n. ⓤ maoismo ‖ **Maoist** a. e n. maoista.

Maori /ˈmaʊri/ Ⓐ a. maori Ⓑ n. **1** (pl. *Maori*, *Maoris*) maori **2** ⓤ maori (*la lingua*).

◆**map** /mæp/ n. **1** carta geografica; carta topografica; mappa; piantina **2** carta astronomica; carta celeste **3** (*comput.*) mappa **4** (*mat.*) funzione **5** (*fig.*) quadro (*fig.*): **the political map of France**, il quadro politico della Francia **6** (*slang*) faccia; viso ● **map-maker**, mappatore, cartografo □ **map-making**, mappatura, cartografia □ **map-reader**, chi sa leggere una mappa □ **map scale**, scala cartografica □ (*fam.*) **off the map**, senz'importanza; (*di un luogo*) inaccessibile, lontanissimo; (*di una cosa*) sorpassata □ **to put st. on the map**, mettere in evidenza qc.; rendere famoso qc. □ (*fam.*) **to wipe off the map**, distruggere; cancellare dalla faccia della terra.

to map /mæp/ Ⓐ v. t. **1** (*geogr.*) riprodurre su una mappa; fare una mappa di; rilevare **2** (*scient.*) mappare; associare; collegare; (*mat.*) applicare Ⓑ v. i. (*scient.*) essere associato (a).

■ **map out** v. t. + avv. tracciare; progettare; mettere a punto: **to map out a route**, tracciare un percorso.

maple /ˈmeɪpl/ n. **1** (*bot., Acer*) acero **2** ⓤ (legno di acero) ● **m. leaf**, foglia d'acero (*emblema del Canada*) □ **m. sugar**, zucchero d'acero □ (*cucina*) **m. syrup**, sciroppo d'acero □ (*bot.*) **great m.**, (*Acer pseudoplatanus*),

a b c d e f g h i j k l **m** n o p q r s t u v w x y z

acero di monte.

mapping /'mæpɪŋ/ n. ▣ **1** rilevamento; rilievo **2** mappatura; cartografia **3** (*mat.*) applicazione **4** (*comput.*) mappatura ● **m.-out**, progettazione; pianificazione □ (*comput.*) **MIP-m.**, mappatura MIP (*tecnica usata per ottenere effetti realistici*).

maquillage /mækɪˈɑːʒ/ (*franc.*) n. ▣ maquillage; trucco.

maquis /mæˈkiː/ (*franc.*) n. ᵤᴄ (*inv. al pl.*) **1** (*geogr., ecol.*) macchia mediterranea **2** (*polit., stor.*) maquis.

to **mar** /mɑː(r)/ v. t. guastare; rovinare; sciupare; sfigurare; deturpare: **to mar the landscape**, deturpare il paesaggio.

mar. abbr. **1** (**maritime**) marittimo **2** (**married**) sposato; coniugato.

Mar. abbr. (**March**) marzo (Mar.).

marabou /'mærəbuː/ n. **1** (*zool., Leptoptilos crumeniferus*) marabù **2** (*zool., Leptoptilos dubius*) marabù indiano **3** (*moda*) marabù.

marabout /'mærəbuː/ n. **1** marabutto **2** tomba di marabutto.

maraca /məˈrækə/ n. (*mus.*) maraca.

marasca /məˈræskə/ n. **1** (*bot., Prunus cerasus marasca*) marasco; amarasco **2** (= **m. cherry**) (ciliegia) marasca.

maraschino /mærəˈskiːnəʊ/ n. (pl. **maraschinos**) **1** maraschino **2** (= **m. cherry**) ciliegia sotto spirito (*spec. al maraschino; usata su un dolce, ecc.*).

marasmus /məˈræzməs/ (*med.*) n. ▣ marasma ‖ **marasmic** a. di marasma; marantico.

Maratha /məˈrɑːθə/ a. e n. (*geogr.*) maratto.

Marathi /məˈrɑːtɪ/ a. e n. ▣ (*ling.*) maratto.

Marathon /'mærəθn/ n. (*geogr., stor.*) Maratona.

marathon /'mærəθn/ n. **1** (*sport*) maratona; (*per estens.*) gara lunga **2** maratona; gara di resistenza: **a dancing m.**, una maratona di ballo; (*sport*) **m. runner**, maratoneta ● **a m. speech**, un discorso chilometrico; un discorso fiume □ (*sport*) **m. walk**, marcialonga ‖ **marathoner** n. (*sport*) maratoneta.

to **maraud** /məˈrɔːd/ v. i. e t. predare; saccheggiare; mettere (*una città, ecc.*) a sacco ‖ **marauder** n. predatore; predone; saccheggiatore ‖ **marauding** a. da predone; predatorio.

marble /'mɑːbl/ n. **1** ▣ marmo **2** bilia; biglia; pallina: **to play marbles**, giocare a biglie **3** (pl.) (*arte*) marmi: **the Elgin marbles**, i marmi di Elgin (*del Partenone: ora al British Museum*) **4** (*slang*) testicoli; palle (*pop.*) ● **a m. breast**, un cuore duro come il marmo (*o crudele*) □ **a m. brow**, una fronte di marmo (*o bianchissima*) □ (*slang USA*) **m. city** (*o* **m. orchard**), cimitero □ **m. cutter**, marmista □ **m. paper**, carta marmorizzata □ **a m. quarry**, una cava di marmo □ **m. specialist**, marmista □ **a m. statue**, una statua di marmo □ **m. worker**, marmista □ (*slang*) **to lose one's marbles**, andare giù di testa; ammattire.

to **marble** /'mɑːbl/ v. t. marmorizzare, marezzare (*carta, ecc.*) ‖ **marbled** a. marmorizzato; marezzato ‖ **marbler** n. marmorizzatore; marezzatore ‖ **marbling** n. ▣ marmorizzazione; marezzatura.

marbly /'mɑːblɪ/ a. marmoreo; di marmo; freddo (*o duro*) come il marmo.

marc /mɑːk/ n. **1** residuo, scoria (*di frutta spremuta*); vinaccia (*d'uva*); sansa (*di olive*) **2** (= **m. brandy**) acquavite di vinacce; grappa.

marcasite /'mɑːkəsaɪt/ n. ▣ (*miner.*) marcasite, marcassite.

Marcel /mɑːˈsel/, **Marcellus** /mɑːˈseləs/ n. Marcello.

marcescent /mɑːˈsesnt/ a. (*bot.*) marcescente.

march ① /mɑːtʃ/ n. **1** (*mil., mus.*) marcia: *The fort was a day's m. away*, il forte si trovava a una giornata di marcia; **a forced m.**, una marcia forzata; **a dead** (*o funeral*) **m.**, una marcia funebre **2** corteo, marcia (*di protesta ecc.*): **peace m.**, marcia per la pace **3** (al sing. con l'art. determ.) (*fig.*) corso; cammino; il passare: **the m. of events**, il corso degli avvenimenti; **the m. of time**, il passare del tempo; **the m. of progress**, il cammino del progresso ● (*mil.*) **a m.-past**, una sfilata □ **the enemy's line of m.**, la linea (*o la direzione*) di marcia del nemico □ (*anche fig.*) **to be on the m.**, essere in marcia.

march ② /mɑːtʃ/ n. (generalm. al pl.) terra di confine; marca ● **the Marches**, le «Marche»; le terre di confine (*fra l'Inghilterra e la Scozia o fra l'Inghilterra e il Galles*).

to **march** ① /mɑːtʃ/ Ⓐ v. i. **1** marciare; fare una marcia: *The soldiers marched twenty miles*, i soldati marciarono per venti miglia **2** camminare, incedere, avanzare (*con passo più o meno militaresco*) **3** fare un corteo, sfilare in corteo, marciare (*per protesta ecc.*) **4** progredire; far progressi Ⓑ v. t. far marciare (*soldati*) ● **to m. into a town**, entrare in (*o occupare militarmente*) una città □ **to m. off**, mettersi in marcia; allontanarsi a passo di marcia; allontanarsi; marciare (*scherz.*) □ **to m. out**, uscire a passo di marcia □ (*mil.*) **to m. past**, sfilare □ (*mil.*) **to m. past sb.**, sfilare davanti a q. □ **marching orders**, (*mil.*) ordini per la partenza; (*fam.*) ruolino di marcia □ (*fam.*) **to give sb. his marching orders**, licenziare q.; (*sport*) espellere q. □ **in marching order**, in ordine di marcia □ (*fam.*) **to receive one's marching orders**, essere licenziato (*o espulso*).

to **march** ② /mɑːtʃ/ v. i. – **to m. with**, confinare con: *Lombardy marches with Switzerland on the north*, la Lombardia confina a nord con la Svizzera.

♦**March** /mɑːtʃ/ Ⓐ n. ᵤᴄ marzo (*per gli esempi d'uso →* **April**) Ⓑ a. attr. di marzo; marzolino: **M. snow**, neve marzolina.

March. abbr. (**marchioness**) marchesa (M.sa).

marcher ① /'mɑːtʃə(r)/ n. marciatore (*in genere; cfr.* **walker**, *def. 2*).

marcher ② /'mɑːtʃə(r)/ n. **1** abitante di una terra di confine **2** (*stor.*) governatore d'una marca.

marchioness /mɑːʃəˈnes/ n. marchesa.

marchland /'mɑːtʃlænd/ n. marca; territorio di confine.

marchpane /'mɑːtʃpeɪn/ n. (*arc.*) marzapane.

Marcus /'mɑːkəs/ n. Marco.

Mardi Gras /mɑːdɪˈɡrɑː/ (*franc.*) n. martedì grasso.

mare ① /meə(r)/ n. **1** cavalla; giumenta **2** asina ● (*fig.*) **a m.'s-nest**, una scoperta deludente; una fandonia □ **m.'s-tail**, (*meteor.*) cirro; (*bot., Hippuris vulgaris*), coda di cavallo acquatica □ (*fig.*) **The grey m. is the better horse**, (in quella casa) è la moglie che porta i calzoni.

mare ② /'mɑːreɪ/ n. (pl. *maria*) (*astron.*) mare.

Margaret /'mɑːɡərət/ n. Margherita.

margarine /mɑːdʒəˈriːn/ n. ▣ (*chim., cucina*) margarina ● **m. oil**, oleomargarina.

margarite /'mɑːɡəraɪt/ n. ▣ (*miner.*) margarite.

margay /'mɑːɡeɪ/ n. (*zool., Felis tigrina*) marguai; maracaia.

marge ① /mɑːdʒ/ n. (*poet.*) margine; orlo.

marge ② /mɑːdʒ/ n. ▣ (*fam.*; abbr. di **margarine**) margarina.

Margery /'mɑːdʒərɪ/ n. Margherita.

♦**margin** /'mɑːdʒɪn/ n. **1** margine; orlo; ciglio; lembo: **the m. of a page**, il margine d'una pagina; **on the m. of the road**, sul ciglio della strada **2** (*Borsa, fin.*) copertura (*o deposito*) a garanzia (*di titoli, ecc.*) **3** (*econ., fin.*) margine (lordo); differenza; scarto: **by a wide** [**narrow**] **m.**, con un largo margine [con un margine ristretto *o* di stretta misura] ● (*Borsa, USA*) **m. buying**, acquisto (*di titoli*) con deposito di garanzia □ (*Borsa*) **m. call**, richiesta di copertura □ **m.-release**, liberamargine □ **m. stop**, marginatore (*di macchina da scrivere*) □ (*Borsa*) **m. trading**, operazioni a margine (*o allo scoperto*) □ (*edil.*) **m. trowel**, cazzuola quadra, per spianare i margini dell'intonaco.

to **margin** /'mɑːdʒɪn/ v. t. **1** provvedere d'un margine; fare da margine a, delimitare **2** fare annotazioni sul margine di (*una pagina, ecc.*) **3** (*Borsa, fin.*) coprire (*titoli, azioni*) con un deposito a garanzia (*presso un agente di cambio*).

marginal /'mɑːdʒɪnl/ Ⓐ a. **1** marginale; a margine: **m. notes**, note a margine; postille; **a m. question**, una questione marginale **2** (*econ.*) marginale: **m. buyer** [**seller**], compratore [venditore] marginale; **m. cost**, costo marginale; **m. farmers**, coltivatori marginali; **m. income**, reddito marginale; **m. land**, terreno marginale; **m. productivity**, produttività marginale; **m. utility**, utilità marginale; **m. value**, valore marginale **3** (*polit. GB: di un seggio*) ottenuto con uno scarto minimo di voti; (*di un collegio elettorale*) incerto: *I live in a m. Tory seat*, abito in una circoscrizione che ha eletto un conservatore con una maggioranza risicata **4** (*stat.*) marginale: **m. probability**, probabilità marginale Ⓑ n. (*polit. GB = m. constituency*) collegio ottenuto con uno scarto minimo di voti; collegio incerto ● (*econ.*) **m. benefits**, benefici aggiuntivi (*o accessori: della retribuzione*) □ **a m. case**, un caso limite □ (*fisc.*) **m. rate**, aliquota marginale □ **m. stop**, marginatore (*di macchina da scrivere*) □ **m. tribes**, tribù in via di estinzione □ (*econ., stor.*) **m. utility school**, scuola marginalista ‖ **-ly** avv.

marginalia /mɑːdʒɪˈneɪlɪə/ (*lat.*) n. pl. annotazioni in margine.

marginalism /'mɑːdʒɪnlɪzəm/ (*econ., stor.*) n. ▣ marginalismo ‖ **marginalist** a. e n. marginalista.

marginality /mɑːdʒɪˈnælətɪ/ n. ▣ marginalità.

to **marginalize** /'mɑːdʒɪnəlaɪz/ v. t. emarginare ‖ **marginalization** n. ▣ marginalizzazione; emarginazione ‖ **marginalized** a. emarginato: **marginalized fringes**, frange emarginate.

to **marginate** /'mɑːdʒɪneɪt/ (*tipogr.*) v. t. marginare; dotare di margini ‖ **marginate**, **marginated** a. (*bot.*) marginato ‖ **margination** n. ▣ marginatura.

margining /'mɑːdʒɪnɪŋ/ n. ▣ (*tipogr., ecc.*) marginatura.

Margo, **Margot** /'mɑːɡəʊ/ n. dim. di **Margaret**.

margrave /'mɑːɡreɪv/ (*stor.*) n. margravio.

margravine /'mɑːɡrəviːn/ n. (*stor.*) margravia (*moglie di un margravio*).

marguerite /mɑːɡəˈriːt/ n. (*bot.*) **1** (*Chrysanthemum leucanthemum*) margherita **2** (*Bellis perennis*) margheritina; pratolina.

Marguerite /mɑːɡəˈriːt/ n. Margherita.

Marian ① /'meərɪən/ Ⓐ a. **1** (*relig.*) mariano; di Maria Vergine **2** (*stor.*) di Maria la Cattolica **3** (*stor.*) di Maria Stuarda Ⓑ n. (*stor.*) sostenitore di Maria la Cattolica (*o di Maria Stuarda*).

Marian ② /'meərɪən/ n. Marianna.

Mariana Islands /mærɪˈɑːnəˈaɪləndz/, **the Marianas** /mærɪˈɑːnəz/ n. pl. (*geogr.*)

Isole Marianne.

mariculture /'mærɪkʌltʃə(r)/ n. ⓤ maricoltura.

marigold /'mærɪɡəʊld/ n. (bot.) **1** (Tagetes) tagete **2** – **pot m.** (Calendula officinalis), calendola, calendula; fiorrancio.

marijuana, marihuana /mærɪ'wɑːnə/ n. ⓤ marijuana.

marimba /mə'rɪmbə/ n. (mus.) marimba.

marina /mə'riːnə/ n. (tur.) porticciolo turistico (per imbarcazioni da diporto).

marinade /mærɪ'neɪd/ n. (cucina) **1** marinata **2** vivanda marinata.

to **marinade** /mærɪ'neɪd/, to **marinate** /'mærɪneɪt/ v. t. (cucina) marinare (pesce, carne).

marinara /mærɪ'nɑːrə/ (ital.) a. (cucina) alla marinara.

♦**marine** /mə'riːn/ Ⓐ a. **1** marino: **m. plants**, piante marine; **m. mammals**, mammiferi marini **2** marittimo; nautico; navale: **m. insurance**, assicurazione marittima; **m. engine**, motore navale Ⓑ n. **1** (solo sing.) marina: **merchant** (o **mercantile**) **m.**, marina mercantile **2** (mil.) marine; fante di marina: **the marines**, la fanteria da sbarco; (mil., in GB) **the Royal Marines**, i marine britannici; (mil.) **the U.S. Marine Corps**, il Corpo dei marine americani **3** (pitt.) marina ● (naut.) **m. carrier**, vettore marittimo □ (mil.) **m. corps**, corpo dei marine □ **m. engineer**, ingegnere navale; (naut.) ufficiale di macchina □ **m. engineering**, ingegneria navale; navalmeccanica □ **m. fish**, pesce di mare □ **m. instruments**, strumenti nautici □ (ass., naut.) **m. interest**, interesse su cambio marittimo □ (leg.) **m. law**, diritto della navigazione □ (ecol.) **m. marsh**, acquitrino salmastro □ **m. perils** (o **risks**), rischi di mare (o della navigazione) □ **m. store**, negozio di forniture navali □ **m. stores**, provviste di bordo □ **m. underwriter**, assicuratore marittimo □ (fam.) **Tell it to the marines**, raccontalo a tua nonna!

mariner /'mærɪnə(r)/ n. (poet. o nel linguaggio ufficiale) marinaio (cfr. **sailor**) ● (naut.) **master m.**, capitano d'un mercantile.

Mariolatry /mɛərɪ'ɒlətrɪ/ n. ⓤ (relig.) mariolatria.

Mariology /mɛərɪ'ɒlədʒɪ/ (relig.) n. ⓤ mariologia ‖ **Mariological** a. mariologico; della Madonna ‖ **Mariologist** n. mariologo.

marionette /mærɪə'net/ n. marionetta.

marish /'mærɪʃ/ (poet.) Ⓐ n. palude Ⓑ a. attr. paludoso.

marital /'mærɪtl/ a. **1** maritale: **m. rights**, diritti maritali **2** coniugale; matrimoniale: **m. relations** (o **relationships**), rapporti coniugali ● **m. aid**, giocattolo erotico; aiuto erotico □ **m. bed**, letto matrimoniale □ **m. status**, stato civile ‖ **-ly avv.**

maritime /'mærɪtaɪm/ a. marittimo: **m. law**, diritto marittimo (o della navigazione) ● **m. business**, trasporti marittimi □ **m. flag**, bandiera della nave (cioè, la nazionalità) □ **a m. people**, un popolo di navigatori.

marjoram /'mɑːdʒərəm/ n. (bot.) **1** – **wild m.** (Origanum vulgare), origano **2** – **sweet m.** (Origanum majorana), maggiorana.

Marjorie, Marjory /'mɑːdʒərɪ/ → **Margery**.

♦**mark①** /mɑːk/ n. **1** segno; indizio; impronta; orma; traccia; macchia; voglia (fam.); bersaglio: **punctuation marks**, segni d'interpunzione (o di punteggiatura); **a m. of intelligence**, un segno (o un indizio) d'intelligenza; **dirty marks on the wall**, macchie sul muro; (fig.) **to leave a m. on sb.**, lasciare un'impronta su q.; **a cat with a white m. on its breast**, un gatto con una macchia bianca sul petto; **a birth-m.**, una

voglia (sulla pelle); **a port-wine m.**, una voglia di vino; **The shot was wide of the m.**, il colpo non colse nel segno (o fallì il bersaglio) **2** punto, voto (scolastico): **He got the highest marks in the whole school**, aveva i voti più alti di tutta la scuola; **I want to get a good m.**, voglio prendere un buon voto **3** punto di riferimento: **The tower was a m. for fliers**, la torre serviva da punto di riferimento per gli aviatori **4** (market.) contrassegno (del prezzo); segnaprezzo; cartellino **5** (market.) marchio di fabbrica; marca; etichetta **6** segno d'interpunzione; punto: **question m.**, punto interrogativo **7** ⓤ (fig.) fama; distinzione; importanza; successo; vaglia; valore: **a fellow of no m.**, un individuo privo di distinzione (o d'importanza) **8** ⓤ punto (o livello) medio (o soddisfacente): **This novel is below** (o **doesn't come up to**) **the m.**, questo romanzo è al disotto della media (o è men che mediocre) **9** (segno di) croce (fatto da un analfabeta) **10** (sport) linea di partenza: **to be off the m.**, essere partito; **to have speed off the m.**, fare una partenza veloce **11** ⓤ (rif. a veicoli, seguito da un numero) modello; tipo: **a m. II tank**, un carro armato modello II **12** (comput.) contrassegno; marcatura **13** (naut.) marca; segnale di riferimento **14** (Borsa) registrazione (di uno scambio); (per estens.) corso **15** (stor.) marca **16** (slang) vittima designata (di furfanti); gonzo; pollo (fig.) **17** (rugby) mark; presa al volo; (anche) linea dei tiri liberi e dei calci di punizione: **to call m.**, chiedere un mark **18** (boxe) **the m.**, la bocca dello stomaco **19** (bocce) boccino; pallino **20** (pl.) posti di partenza: **'On your marks, get set, go!'**, 'ai vostri posti, pronti, via!' ● (di cavallo) **m. of mouth**, incavo dei denti (da cui si deduce l'età) □ **m. of origin**, marchio ufficiale (su argenteria e sim.) □ (fig.) **to be beside** (o **wide of**) **the m.**, non cogliere nel segno □ (cricket: di un nuovo battitore) **to get off the m.**, segnare il primo 'run' □ (anche fig.) **to give sb. full marks**, approvare q. a pieni voti (o incondizionatamente) □ **to hit the m.**, colpire nel segno (anche fig.) □ (fig.) **to make one's m.**, avere successo; sfondare □ **to make one's m. on st.**, lasciare il segno su qc. □ **to miss the m.**, mancare il bersaglio (o il colpo); (fig.) non riuscire; non andare a segno; fallire □ (di persona) **not to feel quite up to the m.**, star poco bene; non sentirsi in forma (fam.) □ **to be up to the m.**, essere all'altezza (di un compito) □ **That's beside the m.**, questo non c'entra.

mark② /mɑːk/ n. marco (moneta tedesca prima dell'introduzione dell'euro).

♦to **mark** /mɑːk/ Ⓐ v. t. **1** segnare; contrassegnare (con un marchio, una marca); marcare; indicare: **to m. one's place in a book**, segnare il punto in un libro a cui si è arrivati; (nei giochi e nello sport) **to m. the points**, segnare i punti; **Three students were marked absent**, tre studenti furono segnati assenti; **to m. prices on goods**, segnare i prezzi sulla merce; **to m. linen**, marcare la biancheria; **A cross marks the place of the accident**, una croce indica il luogo dell'incidente **2** contraddistinguere; caratterizzare: **Great scientific discoveries marked the 19th century**, grandi scoperte scientifiche caratterizzarono il XIX secolo **3** esprimere; manifestare; rivelare: **to m. approval with a nod**, esprimere approvazione con un cenno del capo **4** fare attenzione a; notare: **M. my words**, ascoltami bene **5** correggere e dare il voto a (compiti di scuola); classificare **6** mettere il cartellino del prezzo a (oggetti in vendita): **to m. an article at ten pounds**, prezzare un articolo a dieci sterline **7** (sport) marcare: **to m. an opponent closely**, marcare stretto un avversario Ⓑ v. i. **1** (di una superficie) segnarsi (con facilità, ecc.) **2** (slang USA) fare la

spia; cantare (fig.) ● (Borsa) **to m. a price**, registrare un corso □ (mil. e ginnastica) **to m. time**, segnare il passo (anche fig.); restar fermo, non fare progressi □ **to be marked for success**, essere destinato al successo.

■ **mark down** v. t. + avv. **1** annotare; prendere nota di (qc.); segnare: **I marked down his phone number**, mi segnai il suo numero di telefono **2** identificare; credere di riconoscere: **The police had marked him down as the thief, but he was innocent**, la polizia aveva creduto che fosse lui il ladro, ma era innocente **3** (market.) abbassare (o ridurre, ribassare) il prezzo di (articoli, ecc.) **4** abbassare il voto a (uno studente): **If anyone hands their piece in late they'll get marked down 10%**, a chi consegna il lavoro in ritardo viene tolto un 10% dal voto □ (Borsa: di un titolo, ecc.) **to be marked down**, far segnare un ribasso.

■ **mark in** v. t. + avv. segnare, evidenziare (su una mappa, ecc.).

■ **mark off** v. t. + avv. **1** delimitare, separare (tracciando segni o righe); segnare: **to m. off boundaries**, segnare i confini **2** (su un elenco) spuntare; cancellare; evidenziare (con un simbolo o altro) **3** contraddistinguere (q.).

■ **mark out** v. t. + avv. **1** → **mark off 2** designare, trascegliere (raro) (q., spec. per una promozione e sim.).

■ **mark up** v. t. + avv. **1** segnare (punti su un tabellone, ecc.) **2** lasciare segnacci su (un pavimento, ecc.) **3** mettere (qc.) in conto a (q.) **4** (market.) alzare (o aumentare) il prezzo di (articoli, ecc.) **5** (fin., market.) ricaricare: **to m. up one's goods unfairly**, ricaricare troppo la propria merce **6** (comput.) inserire i tag in (qc.) **7** (editoria) preparare, rivedere (un testo) per la stampa **8** alzare il voto a (uno studente) □ (Borsa: di un titolo, ecc.) **to be marked up**, far segnare un rialzo.

Mark /mɑːk/ n. Marco.

markdown /'mɑːkdaʊn/ n. **1** (market.) riduzione di prezzo; ribasso **2** (rag.) svalutazione contabile (di un'attività).

♦**marked** /mɑːkt/ a. **1** segnato; contrassegnato; marcato: **m. cards**, carte segnate (o truccate); **m. notes**, banconote segnate (dalla polizia) **2** sorvegliato (da un nemico); tenuto sotto tiro (o nel mirino) (fig.): **a m. man**, un uomo tenuto sotto tiro **3** (sport: di un giocatore) marcato **4** considerevole; grande; notevole; marcato; forte; spiccato: **a m. change**, un notevole cambiamento; **a m. difference**, una differenza marcata ● (banca) **m. cheques**, assegni vistati (o a copertura garantita) □ (sport) **m. course**, tracciato (di una gara) □ (fin.) **m. shares**, azioni stampigliate ‖ **-ly avv.** ‖ **-ness n.** ⓤ.

marker /'mɑːkə(r)/ n. **1** marcatore (di prodotti, ecc.); etichettatore **2** correttore (di elaborati); chi dà voti **3** (nei giochi; nel tiro al bersaglio) segnapunti (la persona e lo strumento) **4** (ind.) tracciatore (congegno) **5** (sport) marcatore (chi marca un avversario): **to drop one's m.**, sganciarsi dal proprio marcatore; smarcarsi **6** evidenziatore (pennarello); marker **7** (chim., biol., med.) marker; marcatore; tracciante **8** (ling.) marker; indicatore **9** (= **bookmark**) segnalibro **10** (USA) cippo; lapide commemorativa **11** (comm., USA) pagherò cambiario; cambiale diretta **12** (pl.) (autom.) segnaletica orizzontale ● **m. beacon**, radiofaro □ (naut.) **m. buoy**, boa da segnale.

♦**market** /'mɑːkɪt/ Ⓐ n. **1** mercato: **the cattle [fish] m.**, il mercato del bestiame [del pesce]; **the m. square**, la piazza del mercato; il mercato; **to go to m.**, andare al mercato **2** (econ., market.) mercato; piazza; vendita, smercio; domanda, richiesta: **an active** (o **brisk**) **m.**, un mercato vivace; **a dull** (o **slack**) **m.**, un mercato fiacco; **the**

London m., la piazza di Londra; *There's no m. for our products in Germany*, non c'è mercato per i nostri prodotti in Germania **3** (*econ.*) mercato; sbocco commerciale: *We are looking for new markets in Eastern Europe*, siamo alla ricerca di nuovi mercati (*o* sbocchi commerciali) nell'Europa orientale **4** (*Borsa, fin.*) mercato azionario (*o* mobiliare); operazioni di borsa; borsa valori: **to play the m.**, speculare (*o* giocare) in borsa; **to stand in the m.**, essere in borsa per comprare; **bull m.**, mercato al rialzo; **bear m.**, mercato al ribasso; **bond m.**, mercato obbligazionario **B a. attr. 1** di mercato; del mercato: **m. analysis**, analisi di mercato; **m. analyst**, analista di mercato **2** (*Borsa, fin.*) della borsa; borsistico: **the m. outlook**, le prospettive borsistiche ● **m. basket**, paniere, cesta, cestello; (*econ., stat.*) paniere (*su cui si calcola il costo della vita*) □ (*fin.*) **m. crash**, crollo del mercato; crack della borsa □ **m. day**, giorno di mercato □ (*econ.*) **m. demand**, domanda del mercato □ (*econ.*) **m. economy**, economia di mercato □ (*econ.*) **m. fluctuations**, fluttuazioni del mercato ● **m. garden**, orto, frutteto; azienda ortofrutticola □ **m. gardener**, ortofrutticoltore; ortolano □ **m. gardening**, ortofrutticoltura □ (*econ.*) **m. leader**, azienda leader ● **m. list**, mercuriale □ (*Borsa: in GB, dal 1986*) **m.-maker**, operatore di Borsa; market maker (*o* jobber-broker) che offre prezzi sia di vendita sia di acquisto (*prezzi fermi esposti sul video*) □ (*fin.*) **m.-makers**, (principali) operatori di mercato; market maker □ **m. news**, notiziario di borsa □ **M. News**, Borse e Mercati (*titoli di rubriche giornalistiche*) □ (*Borsa*) **m. order**, ordine (*d'acquisto o di vendita*) al meglio □ (*econ.*) **m. outlets**, sbocchi di mercato □ **m. price**, prezzo di mercato; prezzo corrente (*o* di mercato) □ **m. quotation**, quotazione di mercato □ (*banca*) **m. rate of interest**, tasso d'interesse corrente □ **m. report**, rassegna di mercato □ (*econ., market.*) **m. research**, ricerca di mercato □ (*Borsa*) **m. rigger**, aggiotatore □ **m. rigging**, aggiotaggio □ (*econ.*) **m. share**, quota del mercato □ (*econ.*) **m. supply**, offerta del mercato □ (*econ.*) **m. support**, intervento sul mercato □ **m. town**, città dove si tiene il mercato (*spec. del bestiame*) □ **m. trend**, tendenza del mercato; andamento della piazza □ **m. value**, valore di mercato □ (*fig.*) **to bring one's eggs (o hogs) to a bad m.** (*o* **to the wrong m.**), far fiasco; bussare alla porta sbagliata □ (*di merce*) **to find a m.**, essere facilmente smerciabile □ (*di un bene*) **to be in the m.**, essere in vendita □ (*di una persona*) **to be in the m. for**, essere interessato a comprare: **Are you in the m. for a used car?**, ti interessa una macchina usata? □ (*fig.*) **to make a m. of st.**, far commercio di qc. □ **to be on the m.**, essere in vendita □ (*comm.*) **to put an article on the m.**, lanciare un articolo sul mercato; mettere un articolo in vendita □ (*Borsa*) **to sell at the m.**, vendere al meglio □ (*econ.*) **The m. rose [fell]**, il volume degli affari aumentò [diminuì].

to **market** /'mɑːkɪt/ **A** v. t. **1** portare (*o* spedire) (*merce*) al mercato **2** mettere in vendita; smerciare; vendere; porre in commercio; commercializzare **B** v. i. **1** fare acquisti (*o* vendite); operare su un mercato **2** (*fam. USA*) andare a fare la spesa: **to go marketing**, andare a far compere; fare la spesa.

marketable /'mɑːkɪtəbl/ a. vendibile; commerciabile; smerciabile; negoziabile ● (*fin.*) **m. securities**, titoli negoziabili (*o* trasferibili) ‖ **marketability** n. ☉ commerciabilità; negoziabilità.

marketeer /mɑːkɪ'tɪə(r)/ n. (*econ.*) fautore di un certo tipo di mercato: *He's a free m.*, è per il mercato di libera concorrenza; è

un liberoscambista.

marketer /'mɑːkɪtə(r)/ n. (*comm.*) chi vende (*merce*) sul mercato; venditore.

♦**marketing** /'mɑːkɪtɪŋ/ n. ☉ (*comm.*) **1** commercializzazione; marketing; compravendita; smercio **2** marketing; tecnica delle ricerche di mercato; studio e analisi dei mercati ● **m. research**, indagine di mercato; ricerca di marketing.

marketplace /'mɑːkɪtpleɪs/ n. **1** (piazza del) mercato **2** (*econ., market.*) mercato; piazza (*fig.*).

marketwise /'mɑːkɪtwaɪz/ avv. (*Borsa, fin.*) dal punto di vista borsistico.

marking /'mɑːkɪŋ/ n. **1** ☉ il segnare; il contrassegnare; marcatura **2** ☉ (*anche sport*) assegnazione del punteggio; valutazione (*di elaborati, compiti, ecc.*); revisione **3** (*sport*) punteggio attribuito (*per es., ai tuffi effettuati*) **4** (*sport*) marcatura (*di un avversario*) **5** (*sport*) segnatura, tracciatura (*del terreno di gioco*) **6** (pl.) (*autom.*) segnaletica (*orizzontale*): **to redo the road markings**, rifare la segnaletica orizzontale **7** (*zool.*) mantello; colore del pelo (*o* delle penne) (*d'un animale*) **8** (*Borsa*) annotazione (*di uno scambio*) **9** (pl.) (*Borsa*) scambi avvenuti (*in un dato giorno*) **10** (pl.) (*equit.*) contrassegni (*dei cavalli*) ● **m. ink**, inchiostro indelebile □ (*al biliardo*) **m. stand**, tabellone (del punteggio) □ (*tuffi*) **m. table**, tavolo dei giudici di gara □ (*fin., Borsa*) **m. to market**, valutazione ai prezzi di mercato.

marksman /'mɑːksmən/ n. (pl. *marksmen*) **1** (buon) tiratore; chi spara bene: **an accomplished m.**, un tiratore provetto **2** (*mil.*) tiratore scelto **3** (*calcio*) buon marcatore (*a rete*); cannoniere (*fig.*) ‖ **marksmanship** n. ☉ **1** (*mil., caccia*) abilità nel tiro **2** (*calcio*) bravura nei tiri a rete.

markup, mark-up /'mɑːkʌp/ n. **1** (*Borsa, fin.*) rialzo (*di prezzi, quotazioni, ecc.*) **2** (*econ., market.*) onere d'attrito (*d'un prodotto*) **3** (*fin., market.*) ricarico; aumento di prezzo; rincaro (*di prezzi*) **4** (*fin., market.*) margine lordo di profitto; mark-up; margine di utile lordo ● (*comput.*) **m. language**, linguaggio di 'markup' (*o* di codifica).

marl /mɑːl/ n. ☉ marna ● **m. pit**, marniera ‖ **marly** a. marnoso.

to **marl** /mɑːl/ (*agric.*) v. t. marnare (*un terreno*) ‖ **marling** n. ☉ marnatura.

marlin /'mɑːlɪn/ n. (*zool., pesce della famiglia degli Istiophoridae*) marlin.

marline /'mɑːlɪn/ n. (*naut.*) merlino, lezzino (*funicella*) ● **m.-spike**, punteruolo per funi; caviglia per impiombare.

marlite /'mɑːlaɪt/, **marlstone** /'mɑːlstəʊn/ n. ☉ (*geol.*) roccia marnosa.

marmalade /'mɑːməleɪd/ n. ☉ marmellata d'arance (*o* di limoni) ● (*ingl.*) **m. cat**, gatto tigrato a strisce arancione.

marmoreal /mɑː'mɔːrɪəl/ a. (*poet.*) marmoreo.

marmoset /'mɑːməzet/ n. (*zool., Callithrix*) uistitì; callitricide.

marmot /'mɑːmət/ n. (*zool., Marmota*) marmotta.

marocain /'mærəkeɪn/ **A** n. ☉ (*ind. tess.*) crêpe (*o* crespo) del Marocco **B** a. marocain.

Maronite /'mærənaɪt/ n. (*relig.*) maronita.

maroon① /mə'ruːn/ n. e a. (di) color rosso cupo (*o* porpora) ❶ **Falsi Amici** ● maroon *non significa* marrone.

maroon② /mə'ruːn/ n. castagnola; mortaretto; petardo.

maroon③ /mə'ruːn/ n. **1** (*nelle Indie Occidentali; un tempo*) schiavo negro fuggiasco; discendente di tali schiavi **2** individuo (*marinaio, ecc.*) abbandonato, per punizione, su un'isola deserta.

to **maroon** /mə'ruːn/ v. t. **1** abbandonare (q.), per punizione, su un'isola deserta (*o* su una costa disabitata) **2** (al passivo) essere abbandonato; essere lasciato solo **3** (al passivo) restare isolato; essere bloccato: **to be marooned by a blizzard**, restare isolati in seguito a una tempesta di neve.

Marq. abbr. (**marquis**) marchese (M.se).

marque /mɑːk/ n. marca (*spec. di un autoveicolo*).

marquee /mɑː'kiː/ n. **1** grande tenda; padiglione, tendone (*per feste, matrimoni, ecc.*) **2** (*cinem., teatr.; USA*) pensilina con insegna del titolo del film (*o* del dramma, *o* della commedia: *sopra l'ingresso*).

marquess /'mɑːkwɪs/ n. marchese.

marqueterie, marquetry /'mɑːkɪtrɪ/ n. ☉ (lavoro d') intarsio, tarsia (*spec. di mobili*) ● **m. cutter**, intarsiatore.

marquis /'mɑːkwɪs/ n. marchese.

marquisate /'mɑːkwɪzət/ n. ☉ marchesato.

marquise /mɑː'kiːz/ n. **1** marchesa (*titolo non ingl.*) **2** (*gioielleria*) marquise; castone allungato (*d'anello*).

♦**marriage** /'mærɪdʒ/ n. ☉ matrimonio; stato coniugale; (*anche fig.*) connubio, unione: **m. of convenience**, matrimonio di convenienza (*o* d'interesse) ● **m. ads**, annunci matrimoniali □ (*leg.*) **m. articles**, clausole di un contratto di matrimonio □ **m. bed**, letto matrimoniale; (*fig.*) rapporti coniugali □ **m. bureau**, agenzia matrimoniale □ **m. guidance**, consulenza matrimoniale □ **m. guidance centre**, centro di consulenza matrimoniale □ **m. leave**, congedo per matrimonio □ **m. licence**, licenza di matrimonio □ **m. lines**, certificato di matrimonio □ **m. service**, cerimonia nuziale □ (*leg.*) **m. settlement**, contratto di matrimonio □ **m. tie**, vincolo coniugale □ (*form.*) **m. vows**, promesse matrimoniali □ **to give in m.**, dare in matrimonio □ **to take in m.**, prendere per marito; prendere in moglie.

marriageable /'mærɪdʒəbl/ a. **1** adatto al matrimonio; matrimoniabile (*scherz.*) **2** in età da marito, in età da prendere moglie.

♦**married** /'mærɪd/ a. **1** sposato, sposata; ammogliato; maritata: *She is m. to a writer*, è sposata con uno scrittore **2** matrimoniale; coniugale: **m. life**, vita matrimoniale ● (*fisc.*) **m. allowance**, detrazione per il coniuge a carico □ **a m. couple**, una coppia di sposi; due coniugi: *'One fool at least in every m. couple'* H. FIELDING, 'almeno uno stupido in ogni coppia di sposi' □ **to get m.**, sposarsi: *When are they getting m.?*, quando si sposano?

marrieds /'mærɪdz/ n. pl. (*fam.*) sposi: **young m.**, sposi giovani; sposini.

marrow① /'mærəʊ/ n. **1** (*anat.*) midollo: **the spinal m.**, il midollo spinale **2** ☉ (*fig.*) essenza; nòcciolo; succo **3** (*bot., Cucurbita pepo*; = **vegetable m.**) zucca ● (*USA*) **m. squash**, zucchino □ **baby m.**, zucchino □ **to be frozen to the m.**, essere gelato sino al midollo ‖ **marrowless** a. senza midollo ‖ **marrowy** a. midolloso (*raro*); ricco di midollo.

marrow② /'mærəʊ/ n. (*dial.*) **1** compagno (*spec. di lavoro*) **2** coniuge; marito; moglie.

marrowbone /'mærəʊbəʊn/ n. **1** ☉ osso con midollo **2** ☉☉ (*cucina*) ossobuco.

marrowfat /'mærəʊfæt/ n. (= **m. pea**) pisello gigante primaticcio.

marrubium /mə'ruːbɪəm/ n. (*bot., Marrubium vulgare*) marrubio.

marry /'mærɪ/ inter. (*arc.*) madonna!; madosca! (*pop.*); accidenti!

♦to **marry** /'mærɪ/ **A** v. t. **1** sposare; prendere per marito (*o* in moglie): *She married*

a diplomat, sposò un diplomatico **2** dare in matrimonio; ammogliare; maritare; unire in matrimonio **3** (*fig.*) congiungere; unire strettamente **B** v. i. sposarsi; accasarsi; ammogliarsi; maritarsi ● **to m. again**, risposarsi □ **to m. beneath oneself**, sposare una persona di condizione sociale inferiore □ **to m. into a good family**, accasarsi bene □ (*fam.*) **to m. (into) money**, fare un matrimonio d'interesse □ **to m. off**, sposare; accasare □ **A priest married them**, si sposarono in chiesa.

Mars /mɑːz/ n. (*mitol.*, *astron.*) Marte ● (*miss.*) **M. landing**, ammartaggio.

Marseillaise /ˌmɑːseɪˈjeɪz/ (*franc.*) n. ⓤ (la) Marsigliese (*inno*).

Marseilles /mɑːˈseɪ/ n. **1** (*geogr.*) Marsiglia **2** ⓤ (*ind. tess.*) tessuto forte di cotone a righe; picchè ● (*edil.*) **M. tile**, tegola marsigliese.

marsh /mɑːʃ/ n. ⓒⓤ palude; acquitrino; terreno paludoso ● **m. fever**, malaria □ **m. gas**, gas di palude; metano □ **m. mallow** → **marshmallow** □ (*bot.*) **m. marigold** (*Caltha palustris*), calta palustre □ (*bot.*) **m. thistle** (*Cirsium palustre*), cardo palustre □ (*zool.*) **m. tit** (*Parus palustris*), cincia bigia □ (*zool.*) **m. treader** (*Hydrometra stagnorum*), idrometra ‖ **marshy** a. **1** paludoso; acquitrinoso **2** palustre.

marshal, (*USA*) **marshall** /ˈmɑːʃl/ n. **1** (*mil.*) maresciallo (*grado superiore a quello di generale*) **2** cerimoniere **3** (*leg.*) ufficiale giudiziario **4** (*USA*) sceriffo; capo di un dipartimento di polizia; comandante dei vigili del fuoco ● (*aeron. mil.*, *in GB*) **M. of the Royal Air Force**, Maresciallo dell'Aeronautica britannica (*è il grado più alto; non ha equivalente in Italia*) □ **Air Chief M.**, **Air M.**, **Air Vice M.** → **air** □ **Field M.** → **field**.

to **marshal** /ˈmɑːʃl/ v. t. **1** mettere in ordine; ordinare; schierare □ **to m. troops**, schierare le truppe; **to m. facts**, ordinare i fatti **2** accompagnare, condurre (*cerimoniosamente*) □ *He was marshalled before the king*, fu condotto al cospetto del sovrano **3** (*arald.*) disporre, sistemare (*un'insegna gentilizia*) su uno stemma **4** (*rag.*) disporre (*attività o passività*) in ordine di priorità **5** preparare (*veicoli*) **6** (*ferr.*) smistare (*vagoni*).

marshalling, (*USA*) **marshaling** /ˈmɑːʃlɪŋ/ n. ⓤ **1** ordinamento; schieramento **2** (*rag.*) disposizione (di attività o passività) in ordine prioritario **3** (*ferr.*) smistamento ● (*ferr.*) **m. yard**, scalo di smistamento; piazzale di manovra.

marshalship /ˈmɑːʃlʃɪp/ n. ⓤ (*mil.*) marescialleto.

marshland /ˈmɑːʃlænd/ n. ⓤ terreno paludoso; palude.

marshmallow /mɑːʃˈmæləʊ/ n. **1** (*bot.*, *Althaea officinalis*) altea; bismalva; malvaccione **2** ⓤ pasta soffice (*fatta con zucchero, albume e gelatina*) **3** dolce rotondo, di pasta soffice.

marshwort /ˈmɑːʃwɜːt/ n. (*bot.*, *Apium nodiflorum*) sedano d'acqua.

marsupial /mɑːˈsuːpɪəl/ (*zool.*) **A** a. (*o simile a*) marsupio **B** n. **1** marsupiale **2** (pl. *scient.* Marsupialia) marsupiali.

marsupialization /mɑːsuːpɪəlaɪˈzeɪʃn/ n. ⓤ (*chir.*) marsupializzazione.

marsupium /mɑːˈsuːpɪəm/ n. (pl. *marsupia*) (*zool.*) marsupio.

mart /mɑːt/ n. mercato; emporio; centro commerciale.

martagon /ˈmɑːtəgən/ n. (*bot.*, *Lilium martagon*; = **m. lily**) (*giglio*) martagone.

martello /mɑːˈteləʊ/ n. (pl. *martellos*) (*stor.*, = **m. tower**) torre a guardia d'una costa.

marten /ˈmɑːtɪn/ n. (pl. *martens*, *mart-* *en*) (*zool.*, *Martes*) martora; mustelide (*in genere*).

martensite /ˈmɑːtɪnzaɪt/ n. ⓤ (*metall.*) martensite ● **m. steel**, acciaio martensitico.

Martha /ˈmɑːθə/ n. Marta.

martial /ˈmɑːʃl/ a. **1** marziale; bellicoso; guerresco: **m. music**, musica marziale; (*leg.*) **m. law**, legge marziale; **court m.**, corte marziale; **m. spirit**, spirito bellicoso **2** (*mitol.*, *astron.*) M., di Marte ● **m. artist**, chi pratica le arti marziali □ (*sport*) **m. arts**, arti marziali (*judo*, *ecc.*) | **-ly** avv.

Martial /ˈmɑːʃl/ n. (*stor.*, *letter.*) Marziale.

Martian /ˈmɑːʃn/ a. e n. marziano.

martin /ˈmɑːtɪn/ n. (*zool.*, *Delichon urbica*; = **house m.**) balestruccio.

Martin /ˈmɑːtɪn/ n. Martino ● **St M.'s day**, il giorno di San Martino (*11 novembre*).

martinet ① /mɑːtɪˈnet/ n. **1** uomo (*spec. ufficiale*) molto severo, rigido, esigente **2** (*fig.*) cerbero, caporale.

martinet ② /mɑːtɪˈnet/ n. (*mil.*, *stor.*) balista.

martingale /ˈmɑːtɪŋgeɪl/ n. **1** martingala (*correggia del cavallo*) **2** (*nei giochi d'azzardo*) martingala **3** (*scherma*) martingala **4** (*naut.*) pennaccino; briglia di asta.

Martini ® /mɑːˈtiːnɪ/ (*ital.*) n. (pl. *martinis*) Martini® (*aperitivo*).

Martinmas /ˈmɑːtɪnməs/ n. ⓤ festa di San Martino (*11 novembre*).

martlet /ˈmɑːtlət/ n. **1** (*zool.*) → **martin 2** (*arald.*) merlotto.

martyr /ˈmɑːtə(r)/ n. martire (*anche fig.*); vittima: **the early Christian martyrs**, i primi martiri cristiani; *He is a m. to gout*, è una vittima della gotta ● **to make a m. of oneself**, sacrificarsi; fare la vittima; atteggiarsi a martire.

to **martyr** /ˈmɑːtə(r)/ v. t. martirizzare; condannare al martirio.

martyrdom /ˈmɑːtədəm/ n. ⓤ (*anche fig.*) martirio.

to **martyrize** /ˈmɑːtəraɪz/ v. t. martirizzare; martoriare ‖ **martyrization** n. ⓤ martirizzamento.

martyrology /mɑːtəˈrɒlədʒɪ/ n. ⓤ martirologio ‖ **martyrological** a. **1** di martire **2** di martirologio.

martyry /ˈmɑːtərɪ/ n. (*relig.*) cappella dedicata a un santo martire; sacrario.

marvel /ˈmɑːvl/ n. **1** meraviglia; cosa meravigliosa: **the marvels of science**, le meraviglie della scienza **2** (*fig.*) miracolo; prodigio: **to work marvels**, fare miracoli ● (*bot.*) **m. of Peru** = **four o' clock** → **four**.

to **marvel** /ˈmɑːvl/ **A** v. i. **1** meravigliarsi; stupirsi; essere sorpreso: *He marvelled at my patience*, si meravigliò della mia pazienza **2** (*lett.*) chiedersi; domandarsi **B** v. t. (*di solito* **to m. that**) meravigliarsi, stupirsi (che): *I m. that he came out alive*, mi meraviglio che ne sia uscito vivo.

♦ **marvellous** /ˈmɑːvləs/ a. **1** meraviglioso; mirabile; straordinario **2** (*fam.*) stupendo; fantastico | **-ly** avv. | **-ness** n. ⓤ.

Marxian /ˈmɑːksɪən/ a. e n. (*stor.*) marxiano.

Marxism /ˈmɑːksɪzəm/ (*polit.*) n. ⓤ marxismo ● **M.-Leninism**, marxismo-leninismo ‖ **Marxist** a. e n. marxista ● **Marxist-Leninist**, marxista-leninista.

Mary /ˈmeərɪ/ n. Maria ● (*slang USA*) **M. Jane**, marijuana.

marzipan /ˈmɑːzɪpæn/ n. marzapane ● **Sicilian m.**, pasta reale.

mascara /məˈskɑːrə/ n. mascara, rimmel® (*cosmetico per le ciglia*).

mascle /ˈmæskl/ n. (*arald.*) losanga traforata.

mascot /ˈmæskət/ n. mascotte; portafor- tuna.

masculine /ˈmæskjʊlɪn/ **A** a. **1** maschile (*anche gramm.*); maschio; virile; mascolino: **m. voice**, voce mascolina **2** (*di donna*) poco femminile; che ha caratteri maschili **B** n. (*gramm.*) genere (*o nome*) maschile ● (*poesia*) **m. ending**, terminazione d'un verso in parola tronca ● **m. rhyme**, rima fra parole tronche □ **to become m.**, mascolinizzarsi ‖ **masculinely** avv. mascolinamente; virilmente ‖ **masculinity** n. mascolinità; virilità ❶ NOTA: *male o masculine?* → **male**.

to **masculinize** /ˈmæskjʊlɪnaɪz/ v. t. mascolinizzare ‖ **masculinization** n. ⓤ mascolinizzazione.

maser /ˈmeɪzə(r)/ n. (*fis.*, *elettron.*) maser.

mash /mæʃ/ n. **1** infuso di malto (*in acqua calda*) **2** mescolanza; miscela; miscuglio **3** ⓤ beverone, pastone (*per animali*) **4** ⓤ (*fam.*, *cucina*) passato; purè: **bangers and m.**, salsicce con purè di patate ● **m. tub**, recipiente in cui macerare il malto; bigoncia.

to **mash** /mæʃ/ v. t. **1** macerare (*il malto*) nell'acqua calda **2** pestare, schiacciare, passare (*verdura*, *ecc.*) **3** (*slang USA*) picchiare; pestare; riempire (q.) di bòtte ● **to m. tea**, mettere il tè in infusione; fare il tè □ **mashed potatoes**, purè di patate.

masher /ˈmæʃə(r)/ n. **1** (*cucina*) utensile per schiacciare; passaverdura: **potato-m.**, schiacciapatate **2** (*slang USA*) molestatore (*di donne*); pappagallo.

mashie /ˈmæʃɪ/ n. (*sport*: *golf*) mashie; ferro 5 (*per i tiri alti*).

mashup /ˈmæʃʌp/ n. **1** (*mus.*) mashup (*brano generato dalla combinazione di due o più canzoni*) **2** (*comput.*) mashup (*sito web che integra informazioni provenienti da siti diversi*).

♦ **mask** /mɑːsk/ n. **1** maschera (*anche fig. e sport*): **an actor's m.**, la maschera d'un attore; **beauty m.** (*o* **face m.**), maschera di bellezza; **a gas-m.**, una maschera antigas; **a death-m.**, una maschera mortuaria; (*fig.*) **to throw off the m.**, gettare (*o levarsi*) la maschera **2** → **masker 3** → **masque 4** (*mil.*) mascheramento **5** muso (*di volpe*, *cane*, *ecc.*) **6** mascherino (*di macchina fotografica*) **7** (*archit.*) mascherone.

to **mask** /mɑːsk/ **A** v. t. mascherare (*anche fig.*); celare; dissimulare; mimetizzare; nascondere: **to m. one's hatred**, mascherare il proprio odio **B** v. i. mascherarsi; vestirsi in maschera ● **to m. one's face**, mascherarsi □ **a masked ball**, un ballo in maschera □ (*mil.*) **masked guns**, cannoni mascherati (*o mimetizzati*) □ **a masked man**, un uomo mascherato.

masker /ˈmɑːskə(r)/ n. persona mascherata; maschera.

masking /ˈmɑːskɪŋ/ n. ⓤ (*anche scient.*, *tecn.*) mascheramento; mascheratura ● **m. tape**, nastro adesivo protettivo (*copre le parti di una superficie che non devono essere dipinte*).

masochism /ˈmæsəkɪzəm/ (*psic.*) n. ⓤ masochismo ‖ **masochist** n. masochista ‖ **masochistic** a. masochistico ‖ **masochistically** avv. masochisticamente.

mason /ˈmeɪsn/ n. **1** muratore; scalpellino **2** – M., massone; frammassone; franco muratore ● **master m.**, capomastro; maestro muratore □ **stone-m.**, scalpellino.

to **mason** /ˈmeɪsn/ v. t. costruire in muratura.

Masonic /məˈsɒnɪk/ a. massonico.

masonite ® /ˈmeɪsənaɪt/ n. ⓤ (*edil.*) masonite.

masonry /ˈmeɪsnrɪ/ n. ⓤ **1** arte muraria; lavoro da muratore **2** muratura; opere murarie: **brick m.**, muratura in mattoni **3** massoneria; frammassoneria ● (*mecc.*) **m. drill**, trapano per calcestruzzo.

masque /mɑːsk/ n. (*letter.*) **1** «masque» (*rappresentazione allegorica soprattutto coreografica e musicale, recitata da patrizi a corte e nei loro castelli, nei secoli XVI e XVII*) **2** intermezzo drammatico (*di solito in versi, per tale rappresentazione*) **3** → **masquerade**, def. 1 || **masquer** → **masker**.

masquerade /mɑːskəˈreɪd/ n. **1** mascherata; ballo in maschera **2** (*fig.*) finzione; messa in scena; mascherata (*fig.*).

to **masquerade** /mɑːskəˈreɪd/ v. i. (*anche fig.*) mascherarsi; travestirsi; camuffarsi; spacciarsi (*per q.*): *The robber masqueraded as a security guard*, il rapinatore si travestì da guardia giurata.

masquerader /mɑːskəˈreɪdə(r)/ n. chi partecipa a una mascherata.

♦**mass**① /mæs/ **A** n. **1** massa; ammasso; grande quantità; moltitudine; folla: **a m. of mineral**, un ammasso di minerale; (*pitt.*) **a m. of light**, una massa di luce; **the masses**, la massa del popolo; le masse **2** (*fis., chim.*) massa **3** (pl.) (*fam.*) un mucchio; un sacco: *Why hurry? You've got masses of time*, perché affrettarsi? Hai un sacco di tempo! **B** a. attr. **1** di massa; in massa: **m. demonstration**, dimostrazione di massa; **m. advertising**, pubblicità di massa **2** in serie: (*econ.*) **m. production**, produzione in serie **3** integrale; totale: **m. destruction**, distruzione totale **4** (*mil., sport*) massiccio: **m. interference**, intervento massiccio (o in forze) ● **m.--circulation press**, stampa a grande tiratura □ **m. colour**, colore base □ (*org. az.*) **m. customization**, personalizzazione 'di massa' (*produzione di un articolo, ordinato da un cliente, da parte di uno stesso gruppo di operai, da cima a fondo*) □ (*ind. costr.*) **m. concrete**, calcestruzzo □ **m. grave**, grande fossa comune □ **m. magazine**, rivista a grande tiratura □ **m. man**, uomo medio □ **m. media**, mezzi di diffusione (o di comunicazione) di massa; mass media □ **a m. meeting**, un raduno popolare ● **m. murder**, strage; eccidio □ **m. murderer**, pluriomicida □ (*gramm. ingl.*) **m. noun**, sostantivo non numerabile, che però ammette il plurale per indicare i vari tipi, o le marche, ecc., di una sostanza ● **NOTA:** *uncountable* / *countable* → **uncountable** □ (*fis. nucl.*) **m. number**, numero di massa □ **m. observation**, studio dei fenomeni di massa □ (*polit.*) **m. party**, partito di massa □ **m. production**, produzione in serie; produzione di massa ● **m. round-up**, retata in grande stile (*della polizia, ecc.*) □ (*fis.*) **m. spectrograph**, spettrografo di massa □ (*comput.*) **m. storage**, memoria di massa □ **the (great) m. of**, la maggior parte di □ **in the m.**, nella massa; nel complesso.

♦**mass**②, **Mass** /mæs/ n. □ (*relig.*) messa ● **m.-book**, messale □ **to attend** (o **to go to**) **M.**, andare a messa □ **to hear M.**, sentir messa; ascoltare la messa □ **to say M.**, dir messa.

to **mass** /mæs/ **A** v. t. ammassare; ammucchiare; raggruppare; radunare; concentrare (*truppe*) **B** v. i. ammassarsi; ammucchiarsi; raggrupparsi; radunarsi: *The crowd massed round the entrance*, la folla si ammassava davanti all'ingresso.

massacre /ˈmæsəkə(r)/ n. □ massacro (*anche fig.*); carneficina; macello; strage.

to **massacre** /ˈmæsəkə(r)/ v. t. **1** massacrare; far strage di; trucidare **2** (*fig. fam.*) battere; sconfiggere; stracciare (*fig. fam.*).

massage /ˈmæsɑːʒ, USA məˈsɑːʒ/ n. massaggio; **to give sb. a m.**, fare un massaggio a q.; **to have a m.**, farsi fare un massaggio; (*med.*) **m. therapy**, massoterapia; cura mediante massaggi ● **m. parlour**, centro massaggi; (*eufem.*) bordello.

to **massage** /ˈmæsɑːʒ, USA məˈsɑːʒ/ v. t. **1** massaggiare **2** (*fig. fam.*) manipolare (*cifre, conti, ecc.*); addomesticare; alterare;

truccare.

massager /ˈmæsəʒə(r)/ n. massaggiatore; massaggiatrice.

massed /mæst/ a. **1** ammassato **2** di massa: **a m. protest**, una protesta di massa ● (*nelle corse*) **m. crash** (o **m. fall**), caduta in gruppo □ (*calcio, ecc.*) **m. defence**, difesa a ranghi serrati; catenaccio.

masseter /məˈsiːtə(r)/ n. (*anat.*) massetere.

masseur /mæˈsɜː(r)/ (*franc.*) n. massaggiatore.

masseuse /mæˈsɜːz/ (*franc.*) n. massaggiatrice.

massif /mæˈsiːf/ n. (*geol., geogr.*) massiccio.

♦**massive** /ˈmæsɪv/ **A** a. **1** massiccio; solido; pesante: **m. gold**, oro massiccio; **m. walls**, mura massicce **2** grandissimo; enorme; massiccio; potente; fortissimo; gravissimo: **m. crowds**, folle enormi; **m. efforts**, sforzi enormi; **m. damage**, danni gravissimi; **a m. discount**, uno sconto fortissimo **3** (*med.*) massivo: **m. haemorrhage**, emorragia massiva **B** n. (*slang GB*) gruppo di ragazzi (*con interessi in comune*): **the Brixton m.**, i ragazzi di Brixton ● (*med.*) **m. dose**, dose urto □ (*med.*) **m. dose therapy**, urtoterapia | **-ly** avv. | **-ness** n. □.

massless /ˈmæsləs/ a. (*fis.*) privo di massa; senza massa.

massotherapy /mæsəʊˈθerəpɪ/ (*med.*) n. □ massoterapia || **massotherapist** n. massoterapista.

to **mass-produce** /mæsprəˈdjuːs, USA -duː-/ v. t. produrre (o costruire) in serie; standardizzare.

mass-production /mæsprəˈdʌkʃn/ n. □ produzione in serie (o di massa); standardizzazione.

massy /ˈmæsɪ/ a. massiccio; compatto; solido; pesante.

mast① /mɑːst/ n. **1** (*naut.*) albero; (al pl. collett.) alberatura **2** (supporto di) antenna radio (o televisiva) **3** asta (*di bandiera*) **4** (*mecc.*) montante (*di gru, ecc.*) **5** (*ind. min.*) antenna di perforazione; mast ● (*naut.*) **m. clamp**, collare di piè d'albero □ (*naut.*) **m. partner**, mastra d'albero □ (*naut.*) **m. step**, scassa d'albero □ (*naut. stor.*) **before the m.**, nel castello di prua; a prora; (*estens.*) come semplice marinaio, tra i marinai.

mast② /mɑːst/ n. □ ghiande; faggiole; faggine (*mangime per maiali, ecc.*).

to **mast** /mɑːst/ v. t. (*naut.*) alberare; fornire (*una nave*) d'alberi.

mastalgia /mæˈstældʒə/ n. □ (*med.*) mastalgia.

mast cell /ˈmɑːstsɛl/ loc. n. (*biol.*) mastcellula; mastocito ● (*med., vet.*) **mast cell tumour**, mastocitoma.

mastectomy /mæˈstɛktəmɪ/ n. □c (*med.*) mastectomia.

masted /ˈmɑːstɪd/ a. (*naut.*, nei composti, per es.:) **a three-m. ship**, un veliero a tre alberi.

♦**master** /ˈmɑːstə(r)/ **A** n. **1** padrone; signore; proprietario; (*anche leg.*) datore di lavoro: *I'm not even m. in my own house*, non sono neanche padrone in casa mia; **masters and men**, padroni e operai; datori di lavoro e prestatori d'opera **2** maestro (*anche fig.*); mastro; insegnante; professore (*non universitario*): **the French m.**, l'insegnante di francese; **a m. carpenter**, un mastro carpentiere; **a dancing m.**, un maestro di ballo; *That writer is a m. of irony*, quello scrittore è un maestro dell'ironia; (*pitt.*) **the old masters**, gli antichi maestri **3** (*come appellativo, un tempo usato dai domestici*) signorino: **M. Teddy**, il signorino Teddy **4** (*relig.*) – **the M.**, il Maestro; Gesù **5** (*naut.*) capita-

no (*di mercantile*): **the m. and the crew**, il capitano e l'equipaggio **6** (*in GB*) laureato con laurea di 2° grado; dottore ❶ **CULTURA** · → **MA**: M. of Arts, laureato in una disciplina umanistica; dottore in lettere; **M. of Science**, laureato (o dottore) in scienze **7** (*in GB*) direttore di un college (*a Cambridge*) **8** (copia) originale; matrice; (*di un disco*) master; (*cinem.*) prima copia **B** a. attr. **1** padrone: **m. race**, razza padrona **2** principale; (il più) grande: **the m. bedroom**, la camera da letto principale; **the m. bathroom**, il bagno grande **3** generale: **m. catalogue**, catalogo generale; (*ass.*) **m. policy**, polizza generale (*nelle assicurazioni di gruppo*) **4** fondamentale: (*stat.*) **m. sample**, campione fondamentale ● (*fam.*) **m.'s**, laurea (*di 2° grado*) □ (*naut., mil.*) **m.-at-arms**, aiutante □ (*rag.*) **m. budget**, budget generale □ (*edil.*) **m. builder**, capomastro □ **m. card**, carta più alta (*al gioco*); (*fig.*) asso nella manica □ (*naut.*) **m.'s certificate**, brevetto di capitano □ (*marina mil., in USA*) **m. chief petty officer**, sottufficiale di marina (*non ha equivalente in Italia*) □ (*mil., in Canada*) **m. corporal**, caporal maggiore □ (*mecc.*) **m. gauge**, calibro campione □ (*mil., in GB*) **m. gunner**, sottufficiale di artiglieria □ **a m. hand**, una mano maestra; un'ottima mano □ (*leg.*) **m. in chancery**, assistente di un giudice □ **m. key**, passe-partout (*franc.*); comunella (*chiave*) □ (*naut.*) **m. mariner**, capitano (*di mercantile*); capitano di lungo corso ● **m. of ceremonies**, maestro delle (o di) cerimonie, maestro di cerimonia; cerimoniere; (*radio, TV, boxe, lotta*) presentatore □ **to be m. of one's fate**, essere padrone del proprio destino □ (*sport*) **m. of foxhounds** (o **of hounds**), capocaccia, che si occupa della muta dei cani (*nella caccia alla volpe*) □ (*leg., in Inghil.*) **the M. of the Rolls**, il Presidente della Suprema Corte d'Appello (*è il magistrato civile di grado più elevato; in tutta la gerarchia giudiziaria, è il terzo dopo il «Lord Chancellor»*, → **lord**, *e il «Lord Chief Justice»*, → **lord**) □ **m. plan**, piano (strategico o d'azione) generale □ **m. sergeant**, (*mil., in USA*) maresciallo; (*aeron. mil., in USA*) maresciallo di 3ª □ (*comput.*) **m./slave system**, sistema master/slave (*un dispositivo, il master, ne controlla un altro, lo slave*) □ **m. stroke**, colpo da maestro □ (*elettr.*) **m. switch**, interruttore generale □ (*mecc.*) **m. wheel**, ruota di comando □ **to be one's own m.**, essere indipendente (o autonomo); non dipendere da nessuno □ **to remain m. of the field**, rimanere padrone del campo (*anche fig.*).

to **master** /ˈmɑːstə(r)/ v. t. **1** dominare; controllare; essere padrone di; padroneggiare; tenere a freno; conoscere a fondo: **to m. one's temper**, dominare i propri impulsi; **to m. the English language**, conoscere a fondo la lingua inglese ● **I couldn't m. myself**, non riuscii a controllarmi **2** creare un master di (*un disco, un film, ecc.*); masterizzare.

masterclass /ˈmɑːstəklɑːs/ n. (*spec. mus.*) lezione straordinaria tenuta da un esperto, spesso in pubblico.

masterdom /ˈmɑːstədəm/ n. □ **1** dominio; comando; padronanza.

masterful /ˈmɑːstəfl/ a. **1** autoritario: *He has a m. way that makes him a controversial figure*, i suoi metodi autoritari fanno di lui una figura controversa; *He spoke with a m. tone*, ha parlato con un tono di virile autorevolezza **2** da maestro; magistrale: *It was a m. performance that left the audience in tears*, era un'esecuzione da grande maestro che ha lasciato il pubblico in lacrime | **-ly** avv. ❶ **NOTA:** *masterly o masterful?* → **masterly**.

masterfulness /ˈmɑːstəflnəs/ n. □ **1** imperiosità **2** maestria; bravura.

masterhood /'mɑːstəhʊd/ n. ⓤ → **masterdom**.

masterless /'mɑːstələs/ a. **1** senza (o privo di) padrone **2** incontrollato.

masterly /'mɑːstəlɪ/ a. da maestro; magistrale; eccellente; ottimo: **a m. job**, un lavoro eccellente ‖ **masterliness** n. ⓤ maestria; eccellenza; perfezione.

❶ NOTA: *masterly o masterful?*
L'aggettivo *masterly* significa "magistrale, fatto con grande maestria": *to exhibit a masterly display of tact*, dare una magistrale dimostrazione di tatto. L'aggettivo *masterful* può avere questo significato, ma ne ha anche altri, come "autoritario, imperioso": *the manager has a confident, masterful approach with his staff*, il manager ha un atteggiamento sicuro e autoritario del confronti del suo staff.

mastermind /'mɑːstəmaɪnd/ n. **1** grande intelletto; persona intelligentissima **2** ideatore; cervello (*fig.*): *He is the m. of (o behind) the project*, è il cervello del progetto.

to **mastermind** /'mɑːstəmaɪnd/ v. t. essere il cervello, la mente direttiva di (*un piano, ecc.*).

masterpiece /'mɑːstəpiːs/ n. capolavoro.

masterplan /'mɑːstəplæn/ n. = **master plan** → **master**.

mastership /'mɑːstəʃɪp/ n. ⓤ **1** magistero; condizione (o professione, ufficio) di maestro **2** dominio; padronanza **3** maestria.

masterstroke /'mɑːstəstrəʊk/ n. (*sport e fig.*) colpo da maestro.

masterwork /'mɑːstəwɜːk/ n. capolavoro.

masterwort /'mɑːstəwɜːt/ n. (*bot., Astrantia*) astranzia.

mastery /'mɑːstərɪ/ n. ⓤ **1** dominio; controllo: **to gain m. over one's fear**, raggiungere il controllo della propria paura (o riuscire a dominare la propria paura) **2** supremazia; sopravvento: *to struggle for m.*, lottare per la supremazia **3** maestria; bravura; abilità: **his m. of chess**, la sua abilità nel gioco degli scacchi **4** padronanza (*fig.*); conoscenza approfondita (*di una materia, di un argomento*).

masthead /'mɑːsthed/ n. **1** (*naut.*) testa d'albero; colombiere **2** testata (*di giornale*) ● (*mil.*) **m. bombing**, bombardamento (*di navi*) a bassissima quota.

mastic /'mæstɪk/ n. **1** ⓤ mastice; resina mastice **2** ⓤ (*costr. stradali*) mastice d'asfalto **3** (*bot., Pistacia lentiscus*; = **m. tree**) lentisco.

to **masticate** /'mæstɪkeɪt/ v. t. **1** masticare **2** (*tecn.*) masticare, plastificare (*la gomma*) ‖ **mastication** n. ⓤ masticazione ‖ **masticator** n. **1** masticatore; chi mastica **2** (*tecn.*) masticatore; macchina masticatrice (*per la gomma*) ‖ **masticatory** a. e n. masticatorio.

mastiff /'mæstɪf/ n. (*zool.*) mastino.

mastitis /mæ'staɪtɪs/ n. ⓤ (*med.*) mastite.

mastodon /'mæstədɒn/ n. (*paleont.*) mastodonte ‖ **mastodontic** a. mastodontico.

mastoid /'mæstɔɪd/ Ⓐ a. (*anat.*) mastoideo Ⓑ n. **1** (*anat.*: = **m. bone**) mastoide **2** (*fam.*) mastoidite.

mastoidectomy /mæstɔɪ'dektəmɪ/ n. ⓤⓒ (*med.*) mastoidectomia.

mastoiditis /mæstɔɪ'daɪtɪs/ n. ⓤ (*med.*) mastoidite.

mastopathy /mæ'stɒpəθɪ/ n. ⓤ (*med.*) mastopatia.

to **masturbate** /'mæstəbeɪt/ Ⓐ v. i. masturbarsi Ⓑ v. t. masturbare ‖ **masturba-**

tion n. ⓤ masturbazione ‖ **masturbator** n. masturbatore ‖ **masturbatory** a. masturbatorio.

◆**mat** ① /mæt/ n. **1** stuoia; stuoino; tappetino; zerbino: **bath mat**, tappetino da bagno **2** sottopiatto; sottocoppa; sottovaso **3** intreccio; viluppo; groviglio; nodo (*di capelli, di peli*): **a mat of hair**, un viluppo di capelli (o di peli) **4** (*edil.*) platea di fondazione; (*anche*) armatura a rete **5** (*naut.*) paglietto **6** (*sport: lotta e atletica*) tappeto **7** → **doormat**
● **to hit the mat**, (*lotta*) andare al tappeto; (*fig. USA*) buttarsi a terra □ (*fig. fam.*) **to be on the mat**, essere nei guai (o nei pasticci); essere rimproverato aspramente.

mat ② /mæt/ Ⓐ a. opaco; appannato; sbiadito; smorto: **a mat surface**, una superficie opaca; **mat colours**, colori sbiaditi; **mat walnut**, noce opaco Ⓑ n. **1** ⓤ superficie opaca; finitura opaca **2** (*grafica*) passe-partout **3** filetto d'oro opaco (*in una cornice*).

to **mat** ① /mæt/ Ⓐ v. t. **1** coprire con stuoie; provvedere di stuoino **2** intrecciare; avviluppare; arruffare; ingarbugliare; infeltrire Ⓑ v. i. intrecciarsi; avvilupparsi; ingarbugliarsi.

to **mat** ② /mæt/ v. t. **1** rendere opaco; opacizzare; dare una finitura opaca a (*un metallo*) **2** rendere opaco (*un vetro*) **3** (*grafica*) provvedere (*una foto, ecc.*) di un passe-partout.

matador /'mætədɔː(r)/ (*spagn.*) n. matador; torero; espada.

◆**match** ① /mætʃ/ n. **1** fiammifero; cerino: **safety m.**, fiammifero di sicurezza (o svedese); **to strike a m.**, accendere un fiammifero **2** accenditore, miccia (*per esplosivi*).

◆**match** ② /mætʃ/ n. **1** (*sport*) gara, incontro, partita (*tra non più di due competitori o squadre*): **a wrestling m.**, un incontro di lotta; **a cricket m.**, una partita di cricket; *Did you see the m. last night?*, hai visto la partita ieri sera? **2** (*degno*) avversario; eguale; pari; simile: *He's found his m.*, ha trovato un avversario alla sua altezza; *We shall never see his m.*, non vedremo mai l'eguale (o uno pari a lui) **3** accoppiamento (*di persone, colori, oggetti, ecc.*): *Make sure the right matches are made*, assicurati che siano fatti gli accoppiamenti giusti! **4** matrimonio: *She has made a good m.*, ha fatto un buon matrimonio; **to make a m. of it**, contrarre matrimonio; sposarsi **5** partito (*matrimoniale*): *That young man is a good m.*, quel giovanotto è un buon partito **6** paio; coppia (*di persone o di oggetti*) ● (*sport*) **m. bonus**, premio partita □ **to be a m. for sb.**, non essere da meno di q.; tenere testa a q. □ (*golf*) **m. play**, gara a buche □ (*nei giochi, nelle gare*) **m. point**, ultimo punto che decide l'esito di un incontro; (*tennis, ecc.*) palla match □ (*sport*) **m.-winner**, uomo partita □ (*sport*) **m.-winning goal**, gol della partita □ **to be more than a m. for sb.**, dare del filo da torcere a q. (*fig.*) □ **to find (o meet) one's m.**, incontrare un avversario temibile; trovare pane per i propri denti (*fig.*) □ (*sport*) **postponed m.**, partita rinviata □ *Her purse and shoes were a good m.*, la sua borsa si intonava bene con le scarpe.

◆to **match** /mætʃ/ Ⓐ v. t. **1** accoppiare; unire in matrimonio **2** opporre (a); misurare (con); far gareggiare: *I'm ready to m. my strength against yours*, sono pronto a misurare la mia forza con la tua **3** essere pari (o uguale) a; stare alla pari di; pareggiare; eguagliare; tener testa a: *No one can m. him in fencing*, nessuno può tenergli testa nella scherma **4** armonizzare; accompagnare: *I want to m. this cloth*, voglio accompagnare questa stoffa **5** confrontare; paragonare **6** essere all'altezza di (*fig.*): *His latest novel doesn't m. his previous ones*, il suo ultimo romanzo non è all'altezza dei precedenti **7**

(*tecn.*) collegare; far combaciare **8** (*rag., stat.*) accoppiare; abbinare **9** (*comput.*) fare corrispondere: **to m. case**, fare corrispondere le maiuscole e le minuscole **10** (*sport: boxe, ecc.*) far competere; far combattere; far incontrare **11** (*golf, tennis*) appaiare (*due giocatori*) Ⓑ v. i. **1** competere; misurarsi; gareggiare **2** armonizzare; accompagnarsi; intonarsi; andar bene insieme: *The curtains and the wallpaper m. well*, le tendine e la carta da parati s'accompagnano bene; *These gloves don't m. with your coat*, questi guanti non s'intonano col tuo soprabito **3** combaciare; corrispondere: *The signatures don't m.*, le firme non corrispondono **4** (*raro: di animali*) accoppiarsi ● **to m. up to**, essere all'altezza di (*fig.*); corrispondere a (*aspettative, ecc.*) □ **a well-matched couple**, una coppia bene assortita.

matchboard /'mætʃbɔːd/ (*edil.*) n. asse gemella; perlina ‖ **matchboarding** n. ⓤⓒ perlinato.

matchbook /'mætʃbʊk/ n. bustina di fiammiferi.

matchbox /'mætʃbɒks/ n. **1** scatola di fiammiferi **2** (*fig.*) casa piccolissima.

matchet /'mætʃɪt/ n. (*arc.*) machete.

matchgoer /'mætʃɡəʊə(r)/ n. (*calcio, ecc.*) chi va spesso alla partita; frequentatore dello stadio.

matching /'mætʃɪŋ/ Ⓐ a. **1** ben assortito; intonato; (*di un capo di vestiario*) in tinta: **m. colours**, colori ben assortiti **2** (*comm. est.: di dazio*) compensativo Ⓑ n. ⓤ **1** (*anche tecn., stat.*) accoppiamento (*di colori, oggetti, ecc.*); abbinamento **2** l'eguagliare, il pareggiare, ecc. (→ **to match**) **3** (*elettr.*) adattamento: **m. impedance**, impedenza di adattamento **4** (*naut., aeron.*) collimazione **5** (*metall.*) centratura (*degli stampi*) **6** (*rag.*) confronto (*dei costi e dei ricavi*) per competenza economica ● (*polit., USA*) **m. funds**, finanziamenti pubblici (*ai candidati presidenziali*) a parziale conguaglio delle offerte in denaro fatte dai privati.

matchless /'mætʃləs/ a. senza pari; ineguagliabile; impareggiabile.

matchlock /'mætʃlɒk/ n. (*stor.*) fucile a miccia; archibugio.

matchmaker ① /'mætʃmeɪkə(r)/ n. **1** chi combina (o cerca di combinare) matrimoni; pronubo; paraninfo **2** (*sport*) organizzatore d'incontri (o di gare sportive) ‖ **matchmaking** n. **1** il combinare matrimoni **2** (*sport*) organizzazione d'incontri (o di gare) ● **a matchmaking agency**, agenzia matrimoniale.

matchmaker ② /'mætʃmeɪkə(r)/ n. fabbricante di fiammiferi.

matchstick /'mætʃstɪk/ n. fiammifero (spento) ● **a m. man**, un uomo disegnato in maniera stilizzata □ **a m. model**, un modellino fatto con i fiammiferi.

matchwinner /'mætʃwɪnə(r)/ n. = **match-winner** → **match**.

matchwood /'mætʃwʊd/ n. ⓤ **1** legno per far fiammiferi **2** legna minuta (*da ardere*) ● (*fig.*) **smashed to m.**, fatto a pezzi; fracassato.

◆**mate** ① /meɪt/ n. **1** compagno; compagno di lavoro; camerata: **room-m.**, compagno di stanza; **team-m.**, compagno di squadra **2** (*fam.*; al vocat.) amico, «capo» **3** (*d'animali appaiati, spec. d'uccelli*) compagno, compagna **4** (*demogr., leg.*) compagno, compagna (*in una libera unione*) **5** (*fam.*) marito, moglie; coniuge **6** (*naut.*) comandante in seconda (*di mercantile*); secondo (*di bordo*); primo ufficiale **7** aiutante; assistente; aiuto: **the cook's m.**, l'aiutante del cuoco **8** (*sport*) compagno di squadra **9** chi è (o viene, o stato, ecc.) appaiato con q.; (*nel medioevo*) difensore (*in un torneo*): *'Who shall be the*

maiden's m.?' W. SCOTT, 'chi fra i cavalieri assumerà la difesa della fanciulla?' ● (*naut.*) **m.'s receipt**, ricevuta provvisoria d'imbarco □ **builder's m.**, manovale.

mate② /meɪt/ n. scacco matto.

to **mate**① /meɪt/ **A** v. t. **1** accoppiare, appaiare (*animali*) **2** (*fam.*) unire in matrimonio; sposare **3** (*tecn.*) far combaciare **B** v. i. **1** (*di animali*) accoppiarsi, appaiarsi **2** (*fam.*) sposarsi **3** (*tecn.*) combaciare **4** (*mecc.*) (*d'ingranaggi*) accoppiarsi.

to **mate**② /meɪt/ v. t. dare scacco matto a (q.); mattare.

mateless /'meɪtləs/ a. senza compagno (→ **mate**①).

mater /'meɪtə(r)/ n. **1** (*gergo studentesco, arc. o scherz.*) madre; mamma **2** (*anat.*) madre: **pia m.**, pia madre; **dura m.**, dura madre.

◆**material** /mə'tɪərɪəl/ **A** a. **1** materiale; corporeo; fisico; grossolano; rozzo: **m. well-being**, benessere materiale; **m. needs**, bisogni materiali; **m. pleasures**, piaceri materiali; **the m. universe**, l'universo fisico **2** importante; essenziale: *This point is m. to his arguments*, questo punto è essenziale alla sua argomentazione **3** grande; sostanziale; rilevante: **of m. benefit to the homeless**, di grande vantaggio per i senzatetto **4** (*leg.*) pertinente: **m. evidence** (*o* **evidence that is m. to the case**), prove pertinenti al merito della controversia **B** n. **uc 1** materiale; materia; sostanza: **building m.**, materiale da costruzione; **raw materials**, materie prime; **m. for thought**, materia (*o* oggetto) di meditazione **2** (= **dress m.**) stoffa; panno; tessuto **3** materiale; argomenti; notizie; appunti: **m. for a book**, materiale per un libro **4** (*fig.*) stoffa (*fig.*); attitudine: *He's good salesman m.*, ha la stoffa per diventare un buon venditore ● (*org. az.*) **materials buyer**, direttore dell'ufficio acquisti □ (*org. az.*) **m. handling**, movimentazione dei materiali **m. nouns**, nomi di materia (*leg.*) **a m. witness**, un testimone chiave □ **the m. world**, il mondo fisico (*o* della materia) □ **from a m. point of view**, da un punto di vista concreto.

materialism /mə'tɪərɪəlɪzəm/ (*filos.*) n. **u** materialismo || **materialist** n. materialista || **materialistic** a. materialistico.

materiality /mətɪərɪ'ælɪtɪ/ n. **u 1** materialità **2** importanza; rilevanza **3** (*leg.*) pertinenza.

to **materialize** /mə'tɪərɪəlaɪz/ **A** v. t. **1** (*anche parapsicologia*) materializzare; rendere corporeo **2** rendere materialistico **B** v. i. **1** materializzarsi; diventare concreto; concretizzarsi; attuarsi; avverarsi; realizzarsi: *Our hopes never materialized*, le nostre speranze non si realizzarono mai **2** diventare corporeo; prendere corpo **3** (*fam.*) farsi vedere (*a un appuntamento, ecc.*) || **materialization** n. **u** materializzazione.

materially /mə'tɪərɪəlɪ/ avv. **1** materialmente **2** essenzialmente; sostanzialmente.

materiel /mətɪərɪ'el/ (*franc.*) n. (*mil.*) materiale bellico; equipaggiamento.

maternal /mə'tɜːnl/ a. materno: **m. care**, cure materne; **m. uncle**, zio materno ● (*leg.*) **m. welfare**, tutela della maternità | -ly avv.

maternity /mə'tɜːnɪtɪ/ n. **1 u** maternità **2** (*med.*) (reparto) maternità ● **m. allowance** (*o* **benefit**), assegno di maternità (*in GB, per le madri che non lavorano fuori casa*) □ **m. centre**, consultorio per gestanti □ **a m. dress** [**robe**, **skirt**], un abito [una veste, una gonna] per gestanti (*o* pré-maman) □ **a m. hospital**, una (clinica per la) maternità □ **m. leave**, congedo per maternità □ **m. pay**, retribuzione corrisposta a una dipendente in gestazione (*o* che ha partorito da poco) □

(*med.*) **m. ward**, reparto maternità □ **m. wear**, vestiti per gestanti; pré-maman □ **to be [to go] on m. leave**, essere [mettersi] in maternità (*fam.*).

mateship /'meɪtʃɪp/ n. **u** (*Austral.*) cameratismo.

matey /'meɪtɪ/ **A** a. (*fam.*) cordiale; caloroso; socievole **B** n. (*fam.*) compagno; amico ● **to be m. with sb.**, essere amicone di q.

◆**math** /mæθ/ n. **u** (*amer. USA*) → **maths**.

mathematic /mæθə'mætɪk/, **mathematical** /mæθə'mætɪkl/ a. matematico; (*fig.*) esatto, preciso: **m. economist**, economista matematico | **-ally** avv.

mathematician /mæθəmə'tɪʃn/ n. matematico.

to **mathematicize** /mæθə'mætəsaɪz/ v. t. matematizzare.

◆**mathematics** /mæθə'mætɪks/ n. pl. (col verbo al sing.) matematica: **pure m.**, matematica pura; **applied m.**, matematica applicata.

to **mathematize** /'mæθəmætaɪz/ v. t. matematizzare.

◆**maths** /mæθs/ n. **u** (abbr. *fam. di* **mathematics**) matematica.

Matilda, **Mathilda** /mə'tɪldə/ n. Matilde; Matilda.

matinée /'mætɪneɪ, *USA* -'neɪ/ (*franc.*) n. (*teatr.*) matinée; spettacolo pomeridiano ● **m. idol**, attore idoleggiato dalle donne.

mating /'meɪtɪŋ/ n. **u** accoppiamento ● (*zool.*) **the m. season**, la stagione degli amori.

matins /'mætɪnz/ n. pl. **1** (*relig.*) mattutino **2** (*poet.*) canto (*degli uccelli*) all'alba.

matrass /'mætrəs/ n. (*chim.*) matraccio.

matriarch /'meɪtrɪɑːk/ n. matriarca (*anche fig.*) || **matriarchal** a. matriarcale || **matriarchate**, **matriarchy** n. **uc** matriarcato (*anche fig.*).

matric /mə'trɪk/ n. **u** (*fam.*) abbr. di **matriculation**.

matricide /'meɪtrɪsaɪd/ n. **1 u** matricidio **2** matricida || **matricidal** a. di (*o* da) matricida; di matricidio.

to **matriculate** /mə'trɪkjʊleɪt/ **A** v. t. immatricolare; iscrivere (q.) all'università **B** v. i. immatricolarsi; iscriversi all'università.

matriculation /mətrɪkjʊ'leɪʃn/ n. **u** immatricolazione ● **m. exam**, esame d'ammissione all'università.

matrilineage /mætrɪ'lɪnɪɪdʒ/ (*etnol.*) n. **u** matrilinearità || **matrilineal** a. matrilineare.

matrilocal /mætrə'ləʊkl/ (*etnol.*) a. matrilocale || **matrilocality** n. **u** matrilocalità.

matrimonial /mætrɪ'məʊnɪəl/ a. matrimoniale; coniugale ● (*leg.*) **m. work**, le cause matrimoniali | **-ly** avv.

matrimony /'mætrɪmənɪ/ n. (*form.*) matrimonio (*sacramento e stato coniugale*).

matrix /'meɪtrɪks/ **A** n. (pl. **matrices**, **matrixes**) **1** (*biol., geol., ling., mat., stat., comput., tipogr.*) matrice **2** (*anat.*) utero; matrice (*lett.*) **3** (*metall., mecc.*) matrice; stampo **4** (*fig.*) matrice; contesto; fonte: **the m. of western civilization**, la matrice della civiltà occidentale **B** a. attr. (*mat., stat., comput.*) matriciale: **m. computation**, calcolo matriciale ● (*mat., comput., fis.*) **m. element**, elemento di matrice □ (*comput.*) **m. printer**, stampante a matrice □ (*org. az.*) **m. structure**, struttura per matrici.

matron /'meɪtrən/ n. **1** signora matura (*di solito: con figli*); vedova; matrona **2** governante (*di collegio, ecc.*); direttrice dei servizi d'infermeria (*in una casa di riposo o in una scuola*) **3** direttrice dei servizi d'infermeria (*d'ospedale*) **4** (*USA*) donna di custodia, guardiana (*di carcere femminile o di manicomio*).

matronage /'meɪtrənɪdʒ/ n. **u 1** (collett.) gruppo di matrone (*o* di vedove, ecc.) **2** condizione (*o* lavoro) di → «**matron**».

matronhood /'meɪtrənhʊd/ n. **u** condizione (*o* qualità) di → «**matron**».

matronly /'meɪtrənlɪ/ a. **1** matronale; austero; dignitoso; imponente: **a m. expression**, un'aria matronale **2** da governante, da direttrice, ecc. (→ **matron**); direttivo: **m. tasks**, compiti direttivi.

matronym /'mætrənɪm/ n. (nome) matronimico || **matronymic** a. e n. matronimico.

matt, **matte**① /mæt/ → **mat**②.

matte② /mæt/ n. (*metall.*) metallina.

matted /'mætɪd/ a. **1** coperto di stuoie **2** fatto a stuoia **3** aggrovigliato; arruffato; ingarbugliato: **m. hair**, capelli arruffati **4** infeltrito: **m. wool**, lana infeltrita.

◆**matter** /'mætə(r)/ n. **1 u** materia; sostanza; argomento; soggetto; oggetto; contenuto; motivo: **colouring m.**, materia colorante; **the m. under discussion**, l'argomento in discussione; *There is no m. for regret*, non c'è motivo di rammaricarsi **2** affare; faccenda; questione; problema; cosa: **a m. of opinion**, una questione opinabile; **a m. of principle**, una questione di principio; **a m. of life and death**, una questione di vita o di morte; **money matters**, affari finanziari; questioni di denaro; *It's a m. of a few days*, è questione di pochi giorni; *It is no laughing m.*, non è cosa da riderci sopra; *It's quite an urgent m.*, è una questione piuttosto urgente **3** importanza: *It is (o makes) no m.*, non ha importanza **4 u** (*med.*) sostanza purulenta; materia; pus **5 u** (*tipogr.*) materiale a stampa: **printed m.**, stampati; stampe ● **a m. of course**, una cosa naturale (*o* logica); una conseguenza inevitabile □ **in-of-course**, (*di una cosa*) inevitabile; (*di un atteggiamento*) di rassegnazione □ **m.-of-fact**, prosaico; pratico, concreto; realistico □ **m.-of-factness**, prosaicità; praticità, concretezza; realismo □ **a m. of priority**, una questione di priorità; (*anche*) un problema prioritario □ **as a m. of course**, automaticamente; (*leg.*) d'ufficio □ **as a m. of fact**, in realtà; in verità □ **as if nothing were the m.**, come se niente fosse □ **for that m.**, in quanto a ciò □ (*anat. e fig.*) **grey m.**, materia grigia (*del cervello*) □ **in the m. of**, quanto a; per ciò che concerne (*o* riguarda) □ **to let the m. drop** (*o* **rest**), lasciar perdere □ **to make matters worse**, peggiorare la situazione □ **No m.!**, non importa!; non preoccuparti! □ **no m. how**, comunque □ **no m. what**, qualunque cosa: *Don't believe him, no m. what he says*, non credergli, qualunque cosa dica □ **no m. where**, dovunque □ **to take matters easy**, prender le cose alla leggera □ **What is the m.?**, che cosa c'è (che non va)?; di che si tratta? □ **What's the m. with you?**, cos'hai (che non va)?; non ti senti bene? □ (*fam.*) **What's the m. with this?**, che cosa c'è che non va?; va bene, no?

◆to **matter** /'mætə(r)/ v. i. **1** (soprattutto nelle frasi interr., neg. e condiz.) importare; avere importanza; interessare: *That doesn't m. at all*, non ha nessuna importanza; *What does it m.?*, che importa? **2** (*di ferita, ecc.*) suppurare.

Matthew /'mæθjuː/ n. Matteo.

matting① /'mætɪŋ/ n. **u 1** materiale (*canapa, paglia, fibra, ecc.*) per stuoie **2** stuoie; stuoiame ● **coconut m.**, fibra di cocco.

matting② /'mætɪŋ/ n. **1 u** finitura opaca (*d'un metallo, ecc.*) **2 uc** velo opaco **3** (*grafica*) passe-partout.

mattins /'mætɪnz/ → **matins**.

mattock /'mætək/ n. **1** (*agric.*) zappa lunga (*a forma di piccozza, a lama da un lato e a punta dall'altro*) **2** (*mecc.*) gravina; piccone

cutter-m., zappa da taglio.

mattrass /'mætrəs/ → **matrass**.

mattress /'mætrɪs/ n. materasso ● **m. cover**, fodera per materasso □ **m.-maker**, materassaio, materassaia □ **foam-rubber m.**, materasso di gommapiuma □ **spring m.**, materasso a molle.

to **maturate** /'mætʃʊreɪt/ v. i. e t. **1** (*raro*) maturare **2** (*med.*) (far) suppurare.

maturation /mætʃʊ'reɪʃn/ n. ◫ **1** maturazione **2** (*med.*) suppurazione ‖ **maturative a.** (*med.*) suppurativo.

mature /mə'tʃʊə(r)/, USA -'tʊ-/ a. **1** (*anche fig.*) maturo: **a m. person**, una persona matura; **m. wine**, vino maturo; **m. plans of action**, progetti maturi; **m. age**, età matura **2** (*comm.: di cambiale, ecc.*) in scadenza; esigibile **3** (*econ.*) maturo: **m. products**, prodotti maturi ● (*ass., eufem.*) **m. driver**, automobilista (assai) anziano □ **m. student**, studente adulto (*spec. universitario*) □ **to behave in a m. way**, comportarsi da persona matura (*o* da adulto) ‖ **maturely avv. 1** in modo equilibrato; prudentemente **2** dopo attenta riflessione; a ragion veduta ‖ **matureness** n. ◫ → **maturity**.

to **mature** /mə'tʃʊə(r)/, USA -'tʊ-/ **A** v. t. **1** (far) maturare; portare a maturità; (*fig.*) maturare (*un proposito, un piano, ecc.*); rendere maturo **2** fare stagionare **B** v. i. **1** maturare; maturarsi; farsi maturo (*anche fig.*): *Wine and wisdom m. with age*, il vino e la saggezza maturano con gli anni **2** (*comm.*) scadere; giungere a scadenza: *When does this bill m.?*, quando scade questa cambiale?

maturing /mə'tʃʊərɪŋ/ a. **1** che matura: **m. fruits**, frutti che maturano **2** che fa maturare: *'Close bosom-friend of the m. sun'* J. KEATS, 'amico prediletto del sole che matura i frutti' **3** (*fin.: di un debito, ecc.*) in scadenza.

maturity /mə'tʃʊərətɪ, USA -'tʊ-/ n. ◫ **1** maturità: **m. of judgment**, maturità di giudizio; **the years of m.**, gli anni della maturità; **l'età matura 2** (*comm.*) scadenza: **m. date**, data di scadenza; *The bill was not paid at m.*, la cambiale non fu pagata alla scadenza ● (*fin.: di un titolo*) **m. yield**, rendimento alla scadenza.

matutinal /mæt'ju:'taɪnl/ a. mattutino.

maud /mɔːd/ n. coperta grigia a strisce (*dei pastori scozzesi o da viaggio*).

Maud, **Maude** /mɔːd/ n. dim. di **Magdalen** e di **Matilda**.

maudlin /'mɔːdlɪn/ a. **1** sdolcinato; sentimentale; svenevole; stucchevole **2** (*di un ubriaco, ecc.*) querulo; piagnucoloso.

maul /mɔːl/ n. mazza; maglio; mazzapicchio.

to **maul** /mɔːl/ v. t. **1** battere **2** malmenare; maltrattare; ridurre a malpartito; stracciare (*pop.*) **3** (*di bestie feroci*) straziare **4** (*fig.*) criticare aspramente; stroncare.

mauler /'mɔːlə(r)/ n. **1** (*slang USA*) tirapugni **2** (pl.) (*slang ingl.*) mani.

mauling /'mɔːlɪŋ/ n. ◫ **1** bistrattamento; stracciata (*pop.*); batosta **2** stroncatura.

maulstick /'mɔːlstɪk/ → **mahlstick**.

to **maunder** /'mɔːndə(r)/ v. i. **1** oziare; girovagare; vagabondare **2** parlare a vanvera; farneticare; farfugliare.

Maundy /'mɔːndɪ/ n. (*relig.*) lavanda dei piedi ai poveri (*il giovedì santo*) ● (*GB*) **M. money**, ❶ CULTURA • **Maundy money**: *sono monete d'argento appositamente coniate per essere donate dal sovrano ad anziani che abbiano dato un particolare contributo alla comunità, durante una cerimonia detta* **Royal Maundy**, *il Giovedì Santo. Il numero di beneficiari corrisponde all'età del sovrano. Un tempo il sovrano lavava i piedi dei poveri ma questa tradizione non*

viene più rispettata dall'epoca di Giacomo II (1685-88). La parola **maundy** *infatti deriva dal latino 'mandatum', incipit del verso 13, 34 del Vangelo di San Giovanni nel capitolo che raconta la lavanda dei piedi da parte di Gesù* □ (*relig.*) **M. Thursday**, Giovedì Santo.

Maurice /'mɒrɪs/ n. Maurizio.

Mauritanian /mɒrɪ'teɪnɪən/ a. e n. mauritano.

Mauritian /mə'rɪʃən/ a. e n. mauriziano.

mausoleum /mɔːsə'li:əm/ (*lat.*) n. (pl. *mausoleums*, *mausolea*) mausoleo.

mauve /məʊv/ n. ◫ e a. (color) malva; lilla tendente al rosa.

maven /'meɪvn/ n. (*fam. USA*) esperto; intenditore; buon conoscitore.

maverick /'mævərɪk/ n. **1** (*fam. USA*) vitello (*o* torello) senza marchio **2** (*fig. fam.*) individualista; indipendente; chi non appartiene a partiti (*o* a fazioni); cane sciolto (*fig.*).

to **maverick** /'mævərɪk/ v. i. (*fam. USA*) vagare; vagabondare.

mavis /'meɪvɪs/ n. (*fam., zool.*) **1** = **song thrush** ● **song 2** = **missel thrush**.

mavourneen /mə'vʊəni:n/ n. (*irl.*; al vocat.) mio caro; mia cara; tesoro (*fig.*).

maw /mɔː/ n. **1** stomaco (*d'animale e, scherz., dell'uomo*) **2** (*degli uccelli*) gozzo **3** (*d'animali voraci e fig.*) fauci **4** (*di ruminante*) abomaso.

mawkish /'mɔːkɪʃ/ a. **1** disgustoso; nauseabondo; nauseante **2** sdolcinato; sentimentale; stucchevole; svenevole: **a m. love story**, una sdolcinata storia d'amore | **-ly avv.** | **-ness** n. ◫.

mawseed /'mɔːsiːd/ n. ◫ seme del papavero da oppio.

max /mæks/ n. → **maximum**.

Max /mæks/ n. dim. di **Maximilian**.

maxi /'mæksɪ/ (*moda*) **A** n. (pl. *maxis*) indumento maxi; maxigonna **B** a. maxi-.

maxilla /mæk'sɪlə/ n. (pl. *maxillae*, *maxillas*) (*anat.*) mascella (*di solito, superiore*).

maxillary /mæk'sɪlərɪ/ a. e n. (*anat.*) mascellare.

maxillofacial /mæksɪləʊ'feɪʃl/ a. (*med.*) maxillofacciale: **m. surgery**, chirurgia maxillofacciale.

maxim /'mæksɪm/ n. massima; precetto; sentenza; motto; norma.

Maxim /'mæksɪm/ n. (*stor.*, = **M. gun**) mitragliatrice Maxim.

maximal /'mæksɪml/ a. massimale.

maximalist /'mæksɪməlɪst/ (*polit.*) n. massimalista ‖ **maximalism** n. ◫ massimalismo.

Maximilian /mæksɪ'mɪljən/ n. Massimiliano.

to **maximize** /'mæksɪmaɪz/ **A** v. t. **1** aumentare (*o* ingrandire, portare) (qc.) al massimo **2** portare (*una teoria*) alle estreme conseguenze **3** (*mat., ric. op., stat.*) massimizzare (*una funzione, ecc.*) **B** v. i. (*comput.*) ingrandire al massimo una finestra ‖ **maximization** n. ◫ **1** aumento (*o* ingrandimento) spinto al massimo **2** (*mat., ric. op., stat.*) massimizzazione.

maximize button n. /'mæksɪmaɪzbʌtən/ loc. n. (*comput.*) pulsante di ingrandimento.

♦**maximum** /'mæksɪməm/ **A** n. (pl. *maxima*, *maximums*) **1** (il) massimo: *He got the m. number of points for his essay*, ebbe il massimo dei punti per il suo tema **2** (*mat.*) valore massimo (*d'una funzione, ecc.*) **B** a. attr. massimo: **m. price**, prezzo massimo; (*mecc.*) **m. torque**, coppia massima (*di un motore*) ● (*fisiol.*) **m. breathing**, massima capacità respiratoria **2** (*autom.*) **m. carrying capacity**, portata utile □ (*ass.*) **m. coverage**, copertura massima (*del ri-*

schio); massimale □ (*aeron., naut.*) **m. duration**, autonomia □ (*banca*) **m. overdraft**, massimo scoperto □ (*banca*) **m. rate**, massimale: **m. rate of interest**, massimale d'interesse □ (*leg.*) **m. sentence**, massimo della pena □ (*autom., leg.*) **m. speed**, velocità massima (*consentita*) □ (*autom.*) **m. speed limit**, limite di velocità □ (*scienza costr.*) **m. stress**, carico di rottura.

Maximus /'mæksɪməs/ n. Massimo.

to **max out** /mæks'aʊt/ (*USA*) **A** v. t. + avv. **1** (*fam.*) spingere al massimo; saturare **2** (*fam.*) stancare, sfinire **B** v. i. + avv. **1** (*fam.*) spingersi al massimo; saturarsi **2** (*fam.*) stancarsi; sfinirsi **3** (*slang*) ubriacarsi; sbronzarsi ‖ **maxed out a.** (*slang USA*) spinto al massimo; al completo; saturo **2** stanco morto; sfinito **3** ubriaco; sbronzo.

♦**may**① /meɪ/ v. modale

may, come tutti i verbi modali, ha caratteristiche particolari:

● non ha forme flesse (*-s* alla 3ª persona sing., *-ing*, *-ed*), non è mai usato con ausiliari e non ha quindi tempi composti; la forma del passato, solo per alcuni significati, è **might**;

● forma le domande mediante la semplice posposizione del soggetto;

● la forma negativa è **may not**;

● l'infinito che segue non ha la particella *to*;

● viene usato nelle *question tags*

1 (*esprime eventualità, possibilità, probabilità*) – *It may rain*, può piovere; *It may be true*, può essere vero; può darsi che sia vero; *He may come or he may not*, può darsi che venga, ma può anche non venire; potrebbe venire come potrebbe non venire; *Tom may not be there*, può darsi che Tom non ci sia; *There may be people who do not like this programme*, possono esserci persone a cui questa trasmissione non piace **2** (*esprime possibilità, opportunità*) – *This coat may be worn with or without a belt*, questo cappotto può essere portato con o senza cintura **3** (*dopo verbi di speranza o timore*) – *We hope we may be able to help us*, speriamo che possa aiutarci; *I fear it may be too late*, temo che sia troppo tardi; *I fear he may have already left*, temo che possa essersene già andato **4** (*form.*) (*dopo* so that *o* that, *esprime fine o scopo*) – *Let's wait for John, so that he may help us decide*, aspettiamo John perché ci aiuti a decidere; *'The cricketer doesn't play that he may win, but that his side may'* T. HUGHES, 'il giocatore di cricket non gioca per vincere, ma perché vinca la sua squadra' **5** (*form.*) (*esprime permesso concesso o richiesto*) – *People under 16 may not marry without parental consent*, i minori di 16 anni non possono sposarsi senza il consenso dei genitori; *May I go out?*, posso uscire?; *I may leave now, mayn't I?*, posso andare ora, vero?; *If I may go back to the first point I discussed*, col vostro permesso, vorrei tornare al primo punto trattato **6** (*form.*) (*esprime richiesta cortese, suggerimento, ecc.*) – *May I take this chair?*, posso prendere questa sedia?; *May we have some tea?*, possiamo avere del tè?; *May I offer you a drink?*, posso offrirvi qualcosa da bere?; *May I suggest we leave this matter aside for the moment?*, posso suggerire di accantonare questa faccenda per il momento? **7** (*esprime una concessione*) – *I may be old, but I'm not daft!*, posso essere (*o* sarò) vecchio ma non sono scemo!; *It may be a longer route, but the scenery is superb*, forse è un percorso più lungo, ma il panorama è stupendo; *You may think I'm exaggerating, but...*, tu penserai che io esagero, ma... **8** (*form.*) (*nelle esclamazioni, esprime augurio, speranza,*) – *May you be happy!*, che tu sia felice; sii felice!; *May God protect you!*, (che) Dio ti protegga!; *May the best man win!*, vinca il migliore!;

a
b
c
d
e
f
g
h
i
j
k
l
m
n
o
p
q
r
s
t
u
v
w
x
y
z

Long may he live!, possa egli vivere a lungo! ● **may as well** → **well** ② □ **He may well refuse**, potrebbe benissimo rifiutare □ **You may well be asked to make a speech**, è più che possibile che ti chiedano di fare un discorso □ **That may well be, but...**, certo, è possibile, ma... □ **Well may you ask!**, hai ben ragione di chiederlo!; domanda più che legittima! □ (*iron. o scherz.*) **And who may you be?**, e tu, chi saresti? □ **Be that as it may**, sia come sia; comunque sia □ **Come what may**, accada quel che accada; qualunque cosa accada □ **That is as may be**, può darsi (*ma la cosa non è importante*) ❶ **NOTA:** *can o may?* → **can**①, ❶ **NOTA:** *might o may?* → **might**.

❶ **NOTA:** *may not*

may not, a meno che indichi un divieto (come ad esempio nella frase *Students may not use cellphones in class*, gli studenti non possono usare i cellulari in classe), significa è possibile che non, può darsi che non. *George may not like the idea* vuole dire pertanto è possibile che George non gradisca l'idea (o può darsi che George non gradisca l'idea; George potrebbe non gradire l'idea) e non George non può gradire l'idea; *Without extra financial support, the company may not survive* significa senza ulteriori aiuti finanziari, è possibile che l'azienda non sopravviva (o l'azienda potrebbe non sopravvivere) e non senza ulteriori aiuti finanziari, l'azienda non può sopravvivere. Lo stesso vale per il passato **may not have +** participio passato: *He may not have seen us*, può darsi che non ci abbia visto (non non può averci visto).

may ② /meɪ/ n. (*bot.*) **1** (*raro*, = **may tree**) biancospino **2** ⓤ (= **may blossom**) fiori di biancospino.

may ③ /meɪ/ n. (*arc. o poet.*) fanciulla; pulzella (*poet.*).

♦**May** /meɪ/ **A** n. ⓊⒸ **1** (*anche fig.*) maggio (*per gli esempi d'uso* → **April**) **2** (*fig.*) fiore degli anni; giovinezza **3** (pl.) – **the Mays**, gli esami di maggio (*a Cambridge*); (*sport*) le gare di canottaggio (*dopo gli esami; ma ora si tengono a giugno*) **B** a. attr. di maggio ● (*bot.*) **May apple** (*Podophyllum peltatum*), podofillo □ (*zool.*) **May beetle** (*o* **bug**) (*Melolontha melolontha*), maggiolino ● **May day**, primo di maggio; calendimaggio (*poet.*) ❶ **CULTURA** ● **May Day**: *in Gran Bretagna la giornata dei lavoratori si celebra il primo lunedì di maggio ed è festività legale*, = **bank holiday** → **bank**① □ **May Queen**, reginetta di calendimaggio.

Maya /maɪə/ **A** n. **1** (pl. **Maya** o **Mayas**) maya **2** ⓤ lingua dei Maya; (lingua) maya **B** a. maya.

maya /maɪə/ n. ⓤ (*filos. induista*) maya.

Mayan /maɪən/ **A** n. (*ling.*) il gruppo delle lingue maya **B** a. **1** (*ling.*) relativo al gruppo delle lingue maya **2** maya; dei Maya.

♦**maybe** /meɪbiː/ avv. forse; probabilmente; può darsi.

maybush /meɪbʊʃ/ n. (*bot.*, *Crataegus oxyacantha*) biancospino.

Mayday /meɪdeɪ/ n. (*trascrizione fonetica del franc. «m'aidez!», «aiutatemi!»*) mayday; S.O.S. radiotelefonico.

mayest /meɪɪst/ → **mayst**.

mayflower /meɪflaʊə(r)/ n. (*bot.*) **1** fiore di maggio (*in genere*) **2** biancospino **3** (*Caltha palustris*) calta palustre.

mayfly /meɪflaɪ/ n. (*zool.*, *Ephemera vulgata*) efemera; effimera.

mayhem /meɪhɛm/ n. ⓤ **1** (*stor., leg.*) grave mutilazione (*inferta deliberatamente a q.*) **2** (*fig. fam.*) offesa immotivata (o gratuita) **3** (*fig. fam.*) confusione; disordine; baraonda; caos.

Maying /meɪɪŋ/ n. ⓤ (*un tempo*) festa di calendimaggio.

may lily /meɪlɪlɪ/ loc. n. (*bot.*, *Convallaria maialis*) mughetto; giglio delle convalli.

mayn't /meɪnt, 'meɪənt/ contraz. di **may not**.

mayo /meɪəʊ/ n. ⓤ (abbr. *fam. di* **mayonnaise**) maionese.

mayonnaise /meɪəˈneɪz, USA 'meɪəneɪz/ n. ⓤ (*cucina*) maionese ● **chicken [salmon]** m., pollo [salmone] con maionese.

♦**mayor** /mɛə(r)/ n. sindaco, sindaca (*di città, ecc.*) ● (*in GB, Irlanda, Australia*) **Lord M.**, sindaco (*di una città importante*) □ **the Lord M. of the City of London**, il Lord Mayor della City londinese (*figura non politica che rappresenta gli interessi della City*) ‖ **mayoral** a. di sindaco; sindacale ‖ **mayoralty** n. ⓊⒸ carica (o ufficio, durata in carica) di sindaco.

mayoress /mɛərɪs/ n. **1** moglie di sindaco **2** sindaco donna; sindaca; sindachessa (*scherz.*).

maypole /meɪpəʊl/ n. «albero di maggio» (*palo adorno di fiori attorno al quale si danzava durante la festa di calendimaggio, detta* **Maying**).

mayst /meɪst/ vc. verb. (*arc.*) 2ª pers. sing. di **may**.

maze /meɪz/ n. **1** labirinto; dedalo; intrico (*di viuzze, ecc.*) **2** (*fig.*) confusione; disorientamento; perplessità ● **to be in a m.**, essere confuso (o perplesso).

mazed /meɪzd/ a. (*raro, antiq.*) confuso; perplesso.

mazer /meɪzə(r)/ n. (*arc.*) boccale (*un tempo di legno*); coppa.

mazuma /məˈzuːmə/ n. (*slang USA*) soldi; grana (*pop.*).

mazurka /məˈzɜːkə/ n. mazurka.

mazy /meɪzɪ/ a. **1** aggrovigliato; intricato **2** (*fig.*) confuso; sconcertante.

MB sigla **1** (*lat.*: *Medicinae Baccalaureus*) (**Bachelor of Medicine**) diplomato in medicina **2** (*Canada*, **Manitoba**) Manitoba **3** (*comput.*, **megabyte**) megabyte.

Mb abbr. (*comput.*, **megabit**) megabit.

MBA sigla (**Master in Business Administration**) Dottore in scienze commerciali.

MBE sigla (*GB*, **Member of the Order of the British Empire**) membro dell'ordine dell'Impero britannico.

MC sigla **1** (**master of ceremonies**) cerimoniere; maestro di cerimonie **2** (*USA*, **Member of Congress**) membro del Congresso **3** (**Military Cross**) Croce di guerra.

McCarthyism /məˈkɑːθɪɪzm/ (*stor., polit.*) n. ⓤ maccartismo ‖ **McCarthyist**, **McCarthyite** n. maccartista.

McCoy /məˈkɔɪ/ n. (*fam.*) solo nella loc. **the real McCoy**, cosa vera, genuina, autentica; quello vero.

MCh abbr. (*lat.*: *Magister Chirurgiae*) (**Master of Surgery**) dottore in chirurgia.

McJob /mək'dʒɒb/ n. lavoro umile senza possibilità di avanzamento della carriera.

m-commerce /ɛmˈkɒmɜːs/ n. ⓤ (*comput.*) (acronimo di **mobile commerce**) m-commerce (*commercio elettronico relativo a servizi e contenuti offerti su dispositivi mobili*).

MCP sigla (*fam., spreg.*, **male chauvinist pig**) maschio porco sciovinista.

MCS sigla (*med.*, **minimally conscious state**) stato di minima coscienza.

MD sigla **1** (**managing director**) consigliere delegato **2** (*anche* **Md.**) (*USA*, **Maryland**) Maryland **3** (*lat.*: *Medicinae Doctor*) (**Doctor of Medicine**) dottore in medicina **4** (*med.*, **mentally deficient**) minorato psichico.

MDMA abbr. (**methylenedioxymetamphetamine**) ecstasy (*droga*).

MDT sigla (**Mountain Daylight-Savings Time**) ora legale del fuso orario delle Montagne Rocciose (*GMT-6*).

♦**me** /miː/ pron. pers. 1ª pers. sing. **1** (compl.) me; mi; a me: *He knows me well*, mi conosce bene; *Give me a book*, dammi un libro!; *Come with me*, vieni con me! **2** (pred.) io: «*Who is it?*» «*It's me*», «Chi è?» «Sono io»; *That's me on the right of the picture*, quello a destra (nella foto) sono io **3** (colloquiale; unito alla forma in **-ing**; è idiom.) **She doesn't like me getting up so late**, non le va (a genio) che mi alzi così tardi; **Do you mind me smoking in here?**, ti dispiace se fumo qua dentro? ● **the me generation**, la generazione degli egocentrici (*in GB, negli anni '80*) ● **Me too!**, anch'io! □ (*spreg.*) **me-too** → **me-too** □ **dear me!**, povero me! □ **I looked about me**, mi guardai attorno □ **The woman said it was very kind of me**, la signora disse che era assai gentile da parte mia.

ME abbr. **1** (*anche* **Me.**) (*USA*, **Maine**) Maine **2** (**Middle East**) Medio Oriente **3** (*med.*, **myalgic encephalomyelitis**) encefalomielite mialgica.

mead ① /miːd/ n. ⓤ idromele.

mead ② /miːd/ n. (*poet.*) prato.

meadow /mɛdəʊ/ n. prato; (= **m. ground**) terreno prativo ● (*zool.*, *USA*) **m. bird** → **bobolink** □ (*zool.*, *USA*) **m. chicken** (*Porzana carolina*), voltolino americano □ (*bot.*) **m. mushroom** (*Agaricus campestris*), fungo prataiolo □ (*zool.*) **m. pipit** (*Anthus pratensis*), pispola □ (*bot.*) **m. saffron** (*Colchicum autumnale*), colchico ● **water m.**, marcita ‖ **meadowy** a. pratense; prativo.

meadowland /mɛdəʊlænd/ n. ⓤⒸ terreno prativo; prateria.

meadowlark /mɛdəʊlɑːk/ n. (*zool.*, *Sturnella*) uccello nordamericano degli Itteridi.

meadowsweet /mɛdəʊswiːt/ n. (*bot.*) **1** (*Filipendula ulmaria*) ulmaria; regina dei prati **2** (*Spiraea alba*) spirea (*rosacea del Nord America*).

meager /ˈmiːgə(r)/ e deriv. (*USA*) → **meagre**①, e deriv.

meagre ①, (*USA*) **meager** /ˈmiːgə(r)/ a. **1** magro; scarno; smunto: **m. looks**, un aspetto smunto **2** scarso; magro; insufficiente; povero; misero: **a m. meal**, un magro desinare; **m. resources**, scarse risorse; **a m. salary**, uno stipendio insufficiente | **-ly** avv. | **-ness** n. ⓤ.

meagre ② /ˈmiːgə(r)/ → **maigre**.

meal ① /miːl/ n. ⓤ **1** farina (*di cereale, ma non di grano; cfr.* **flour**) **2** (*spec. USA*) farina di granturco **3** (*scozz.*) farina d'avena ● (*zool.*) **m. moth** (*Pyralis farinalis*), asopia; tignola della farina □ **bone m.**, farina d'ossa □ **corn m.**, farina di granturco.

♦**meal** ② /miːl/ n. **1** pasto **2** (*dial.*) quantità di latte data da una mucca in una mungitura ● (*tur.*) **meals in apartments**, pasti serviti in camera □ (*in GB*) **meals on wheels**, pasti caldi a domicilio (*per anziani, invalidi, ecc.*) □ **m. substitutes**, sostituti del pasto; prodotti dietetici □ (*USA*) **m. ticket**, buono pasto; (*fam.*) principale sostegno (o mezzo di guadagno); (*fam.*) mangiatoia (*fig.*) □ **to make a m. of st.**, cibarsi di qc.; (*fig.*) esagerare; complicare le cose; gonfiare qc. (*fig.*) □ **Enjoy your m.!**, buon appetito!

mealies /ˈmiːlɪz/ (*sudafricano*) n. pl. (col verbo al sing.) granturco.

mealtime /ˈmiːltaɪm/ n. ora del pasto (o dei pasti).

mealworm /ˈmiːlwɜːm/ n. (*zool.*, *Tenebrio molitor*) tenebrione; verme della farina (*fam.*).

mealy /ˈmiːlɪ/ a. **1** farinoso **2** infarinato **3** (*di carnagione*) pallido **4** (*di cavallo*) pezzato ‖ **mealiness** n. ⓤ farinosità.

mealy-mouthed /'mi:lɪmaʊ̃d/ a. mellifluo; che si esprime con mezzi termini; insincero; ipocrita; untuoso.

♦**mean** ① /mi:n/ a. **1** meschino; gretto; piccino; dappoco; basso; umile; mediocre; insignificante; misero; povero; avaro; spilorcio; taccagno; ignobile; squallido; vile: **a m. part of town**, un quartiere squallido; **a man of m. birth**, un uomo di bassi natali (o d'umili origini); **a m. present**, un dono meschino; **m. hospitality**, ospitalità gretta; **a m. proposal**, una proposta ignobile; *Though he is made of money, he's very m.*, anche se è ricco sfondato, è avarissimo **2** cattivo; maligno; scortese; sgarbato; fatto con cattiveria: **a m. remark**, un'osservazione maligna (o scortese); *Don't be so m. to your sister*, non essere così cattivo con tua sorella! **3** (*fam.*) umiliato; pieno di vergogna **4** (*fam. USA*) indisposto; malato: *He was m. with a cold*, stava male per il raffreddore **5** (*slang*) bravissimo; eccellente; buono; fantastico; splendido; formidabile; favoloso: *He's a mean marksman*, è un tiratore bravissimo; **to play a m. piano**, suonare il pianoforte in modo splendido ● **m. streets**, strade malfamate (*di una città*) □ (*stor. USA*) **m. white**, nullatenente di razza bianca (*negli Stati del Sud*) □ **to feel m.**, sentirsi meschino; essere umiliato; vergognarsi; (*fam. USA*) essere indisposto, star poco bene □ **to get m.**, incattivirsi; arrabbiarsi □ **She's no m. actress**, come attrice se la cava bene □ **No m. feat!**, impresa non da poco!; e dici poco! (*iron.*) □ **What a m. thing to do** (o **to say**), che sgarbo!; che villania!

mean ② /mi:n/ a. (*spec. mat.*) medio; intermedio: **a m. quantity**, una quantità media; (*astron.*) **m. distance**, distanza media; **m. annual temperature**, temperatura media annuale; **m. sea level**, livello medio del mare ● (*demogr.*) **m. age**, età media □ (*stat.*) **m. density**, densità media □ (*stat.*) **m. deviation**, scarto (o scostamento) semplice medio □ (*ass.*, *stat.*) **m. life**, vita media □ (*mat.*) **m. line**, bisettrice □ (*demogr.*) **m. population**, popolazione media ● **m. price**, (*market.*) prezzo medio; (*Borsa*) prezzo (o corso) medio □ (*stat.*) **m. square deviation**, scarto quadratico medio.

mean ③ /mi:n/ n. **1** mezzo; giusto mezzo; via di mezzo: **the golden** (o **happy**) **m.**, il giusto mezzo; l'aurea mediocrità **2** (*mat.*, *stat.*) media: **arithmetic m.**, media aritmetica; **geometric m.**, media geometrica; **proportional m.**, media proporzionale.

♦to **mean** /mi:n/ (pass. e p. p. *meant*), v. t. e i. **1** significare; voler dire: *What does this word m.?*, che cosa significa questa parola?; *What do you m. by that?*, che vuoi dire con ciò?; **Being a fireman means having to work in dangerous conditions**, fare il pompiere vuol dire dover lavorare in condizioni pericolose **2** intendere; avere intenzione (di); avere in animo (di): *He means to go*, intende andarsene; *I don't m. you to go there*, non intendo che tu ci vada; *Do you m. me or my sister?*, intendi (parlare di) me o mia sorella?; *I'm sorry if I hurt you; I didn't m. to*, mi dispiace se t'ho offeso; non ne avevo l'intenzione; *I've been meaning to speak to you*, è da tempo che volevo parlarti **3** designare; destinare; fare: *He wasn't meant for a political career*, non era destinato a una carriera politica; *You are meant for each other*, siete fatti l'uno per l'altra ● **to m. business**, fare sul serio; non scherzare □ **to m. harm**, avere cattive intenzioni □ **to m. no harm**, non avere cattive intenzioni; essere innocuo: *I m. you no harm*, non ho cattive intenzioni verso di te; non intendo farti del male □ **to m. what one says**, dire (o fare) sul serio □ **to m. well**, avere buone intenzioni; essere bene intenzionato □ **to m. well by**

sb., avere intenzioni amichevoli (o essere ben intenzionato) verso q. □ **He means mischief**, sta tramando qualcosa di brutto; è male intenzionato □ **Do you m. this painting for me?**, è per me questo quadro? □ **Money means little to me**, il denaro conta poco per me □ **You m. a lot to me**, sei molto importante per me.

meander /mɪˈændə(r)/ n. **1** (per lo più al pl.) meandro; serpeggiamento **2** greca (*disegno ornamentale*).

to **meander** /mɪˈændə(r)/ v. i. **1** (*di fiume*) far meandri; serpeggiare **2** (*di persona*) girovagare; vagabondare **3** (*fig.*) divagare.

meandering /mɪˈændərɪŋ/ a. **1** che serpeggia; sinuoso; tortuoso; a zigzag **2** (*di un discorso*) che divaga; sconclusionato; senza capo né coda.

meanderings /mɪˈændərɪŋz/ n. pl. meandri; serpeggiamenti: **the m. of a river**, i meandri d'un fiume.

meanie /ˈmi:nɪ/ n. (*fam.*) **1** individuo meschino; persona gretta **2** avaro; spilorcio; taccagno **3** (*USA*) (un) poco di buono; (un) cattivaccio; (un) cattivone.

♦**meaning** /ˈmi:nɪŋ/ **A** n. **1** significato; senso; accezione: **the m. of a word**, il significato d'una parola **2** intenzione; proposito; pensiero; idea **3** fine; scopo; senso: **the m. of life**, il senso che ha la vita **B** a. significativo; espressivo; eloquente: **a m. look**, uno sguardo significativo; **a m. smile**, un sorriso eloquente ● **to look at sb. with m.**, guardare q. con intenzione (o in modo significativo) || **meaningly** avv. in modo significativo (o eloquente).

meaningful /ˈmi:nɪŋfl/ a. significativo; eloquente; pieno di significato; importante: **a m. question**, una domanda importante; **a m. relationship**, un rapporto importante (o serio) | **-ly** avv. | **-ness** n.

meaningless /ˈmi:nɪŋləs/ a. insignificante; senza senso.

meanly /ˈmi:nlɪ/ avv. **1** grettamente; meschinamente **2** avaramente; da spilorcio **3** poveramente; miseramente **4** in modo villano; sgarbatamente.

meanness /ˈmi:nnəs/ n. grettezza; piccineria; bassezza; mediocrità; povertà; avarizia; squallore; villania; sgarbataggine.

♦**means** /mi:nz/ n. pl. **1** mezzo; espediente; modo; modalità; maniera: *The end doesn't always justify the means*, il fine non sempre giustifica i mezzi; *Ideas are expressed by means of words*, le idee si esprimono per mezzo delle parole **2** mezzi (di sussistenza); risorse; averi; denari; proprietà; sostanze: *He has no means*, non ha mezzi (di sussistenza) ● **m. of communication**, mezzi di comunicazione □ (*fin.*) **m. of payment**, mezzi di pagamento □ (*in GB*) **m. test**, accertamento delle condizioni economiche (di una persona: per concedere o no sussidi); 'prova della povertà' (*cfr.* **needs test**, *sotto* **need**) □ **m. of transport** (o **of transportation**), mezzi di trasporto □ **by m. of**, per mezzo di; mediante □ **by all m.**, senz'altro; certamente □ **by fair m. or foul**, per diritto o per traverso; di riffa o di raffa □ **by no m.**, in nessun modo; non... affatto; per nulla: *This is by no m. an easy task*, questo non è affatto un compito facile □ **by some m.** (**or other**), in qualche modo; in un modo o nell'altro □ **to live above one's m.**, vivere al di sopra dei propri mezzi.

to **means-test** /ˈmi:nztest/ v. t. accertare le condizioni economiche di (*un disoccupato, un invalido: per concedere o no sussidi*).

meant /ment/ pass. e p. p. di **to mean** ● (*di persona*) **to be m. to do st.**, essere tenuto a (o dovere) fare qc.

meantime /ˈmi:ntaɪm/ avv. → **mean-**

while.

♦**meanwhile** /ˈmi:nwaɪl/ avv. nel frattempo; in quel mentre; frattanto; intanto ● **in the m.**, nel frattempo; in quel mentre; in quel mezzo (*lett.*).

meany /ˈmi:nɪ/ → **meanie**.

measles /ˈmi:zlz/ n. pl. (col verbo al sing.) **1** (*med.*) morbillo **2** (*vet.*) panicatura; cisticercosi; tenia dei suini ● (*med.*) **German m.**, rosolia.

measly /ˈmi:zlɪ/ a. **1** (*med.*) affetto da morbillo **2** (*vet.*) panicato **3** (*fam.*) meschino; misero; miserabile: *I won't do it for a m. ten pounds*, per dieci miserabili sterline, non lo faccio!

measurable /ˈmeʒərəbl/ a. misurabile ● **to come within m. distance of st.**, giungere a poca distanza da qc. || **measurability** n. misurabilità.

♦**measure** /ˈmeʒə(r)/ n. **1** misura; metro; giusta misura; limite: **a linear m.** (o **m. of length**), una misura lineare (o una misura di lunghezza); **a liquid m.**, una misura per liquidi; **clothes made to m.**, abiti fatti su misura **2** misurino; dosatore; dose: **a glass m.**, un misurino di vetro; **a generous m. of whisky**, una generosa dose di whisky **3** misura; provvedimento; precauzione: **safety measures**, misure di sicurezza; misure antinfortunistiche; **to take strong measures (against sb.)**, prendere severi provvedimenti (contro q.) **4** (*mat.*) divisore: **greatest common m.**, massimo comun divisore **5** (pl.) (*geol.*) strato; giacimento (*di minerale*) **6** (*poesia*) metro; ritmo **7** (*mus.*) battuta; tempo **8** (*tipogr.*) giustezza **9** (*boxe*, *scherma*) misura ● **beyond m.**, (agg. pred.) smisurato; (avv.) oltremisura, oltremodo; *He was grieved beyond m.*, era addolorato oltremisura (o oltremodo addolorato) □ **for good m.**, per essere sicuro □ **to get sb.'s m.** = **to take sb.'s m.** → *sotto* □ **to give full [short] m.**, dare la misura giusta [scarsa] □ **in some m.**, in certa misura; fino a un certo punto □ **to take legal measures**, adire le vie legali □ (*fig.*) **to take sb.'s m.**, prendere le misure a q.; giudicare le capacità (o il carattere) di q. □ **to a great** (o **a large**) **m.**, in larga misura; abbondantemente.

♦to **measure** /ˈmeʒə(r)/ v. t. e i. **1** misurare; dosare; (*fig.*) giudicare, stimare, valutare: **to m. a piece of cloth**, misurare una pezza di stoffa; *A clock measures time*, gli orologi misurano il tempo; *Each side of the building measures ninety feet*, ogni lato dell'edificio misura novanta piedi (*30 metri circa*); **to m. one's strength against st.**, misurare le proprie forze con qc.; misurarsi con qc. **2** prendere la misura a: *The dressmaker measured me for a new dress*, la sarta mi prese le misure per un vestito nuovo **3** (*form.*) moderare; adattare **4** (*lett.*) percorrere, coprire (*una distanza*) ● (*fig.*) **to m. one's length**, cadere lungo disteso □ (*fig.*) **to m. swords with sb.**, misurarsi (o cimentarsi) con q. □ **to m. sb. with one's eye**, squadrare q. da capo a piedi □ **to m. st. with one's eye**, misurare qc. a occhio □ (*fig.*) **to m. one's words**, misurare le parole.

■ **measure off** v. t. + avv. tagliare (*stoffa da una pezza, ecc.*). □ **to m. off enough cloth for a suit**, tagliare la stoffa che serve per fare un vestito.

■ **measure out** v. t. + avv. **1** misurare; dosare (*una medicina, ecc.*) **2** (*fig.*) distribuire (*favori, ricompense, ecc.*) **3** delimitare, circoscrivere (*una zona, ecc.*).

■ **measure up** v. t. + avv. **1** misurare (qc.); prendere le misure a (q.) **2** (*fig.*) valutare, soppesare, giudicare (*prospettive, possibilità, ecc.*) **B** v. i. + avv. dare una prova di sé; mostrare di valere.

■ **measure up to** v. i. + avv. + prep. **1** cor-

rispondere, essere conforme a (*una descrizione, un'aspettativa, ecc.*): **to m. up to official standards**, essere conforme ai requisiti richiesti dalle autorità **2** essere (*o* dimostrarsi) all'altezza di (*fig.*): *I'm afraid he won't m. up to the task*, temo che non si dimostri all'altezza del compito.

measured /'mɛʒəd/ *a.* **1** misurato; moderato; controllato; equilibrato: **m. words**, parole misurate **2** regolare; ritmico; cadenzato: **m. steps**, passi cadenzati **3** calcolato; voluto: **with m. insolence**, con calcolata insolenza **4** (*sport*) calibrato: **a m. pass [shot]**, un passaggio [un tiro] calibrato ● (*archit.*) **m. drawing**, disegno quotato □ **m. mile**, miglio esatto □ **in no m. terms**, in termini poco misurati (*o* eccessivi, intemperanti).

measureless /'mɛʒələs/ *a.* smisurato; sterminato; immenso.

♦**measurement** /'mɛʒəmənt/ *n.* **1** ⓤⒸ misurazione; misura **2** (generalm. al pl.) misure; dimensioni; (*per estens.*) dati precisi: **the measurements of a room [of a person]**, le misure d'una stanza [d'una persona] **3** ⓤⒸ (*naut.*) stazzatura ● (*sport*) **m. rod**, asta di misurazione (*per i salti in alto*) □ **to take sb.'s measurements**, prendere le misure a q. □ (*di una persona*) **waist m.**, (circonferenza della) vita.

measurer /'mɛʒərə(r)/ *n.* misuratore (*anche strumento*).

measuring /'mɛʒərɪŋ/ *n.* ⓤⒸ **1** misurazione **2** dosatura, dosaggio (*di liquidi*) ● **m. cup**, tazza graduata; misurino □ **m. cylinder** (*o* **glass**), cilindro (*o* vetro) graduato (*da laboratorio*) □ **m. jug**, brocca graduata □ **m. spoon**, misurino (*a forma di cucchiaio*) □ **m. stick**, asta di misurazione □ **m. tape**, metro a nastro □ (*zool.*) **m. worm**, bruco misuratore; larva di geometride.

♦**meat** /miːt/ *n.* **1** carne (*di bestia macellata*): *I rarely eat m.*, mangio carne di rado; **tinned** (*o* **canned**) **m.**, carne in scatola; **frozen m.**, carne congelata; *This m. doesn't smell too good*, questa carne non ha un ottimo odore **2** ⓤ (*fig.*) parte commestibile; polpa: **the m. of a nut**, il gheriglio di una noce **3** (*fig.*) succo, sostanza, nocciolo: **the m. of the story**, il succo del racconto; **the m. of the problem**, il nocciolo del problema **4** (*slang USA*) persona (*o* cosa) che fa al proprio caso; cosa (*o* persona) preferita; passione (*fig.*): *Sunbathing is my m.*, prendere il sole è la mia passione **5** (*volg. USA*) genitali; vagina; pene; (= **piece of m.**) oggetto sessuale **6** (*slang USA*) = **cold m.** → *sotto* ● (*fig.*) **m. and drink**, cosa da andarci a nozze; motivo di gran piacere: *This was m. and drink to him*, fu per lui un grande piacere (*o* una grande soddisfazione); ci andò a nozze □ (*fig. USA*) **m. and potatoes**, aspetti fondamentali; la sostanza; il sodo □ **m.-and-potatoes**, fondamentale; di base; concreto □ (*market.*) **m. centre**, centro (delle) carni □ (*cucina*) **m. chopper**, tritacarne □ **m. course**, secondo (*a tavola*) □ (*relig.*) **m. day**, giorno di grasso □ (*slang USA*) **m. eater**, sfruttatore; poliziotto corrotto □ **m. farm**, allevamento di bestie da macello □ (*slang*) **m.-flasher**, esibizionista □ (*zool.*) **m. fly** (*Sarcophaga carnaria*), mosca carnaria □ (*cucina*) **m. grinder**, tritacarne □ (*slang*) **m. house**, bordello; casa di tolleranza □ **m.-loaf**, (*cucina*) polpettone di carne □ **m. market**, mercato della carne; (*slang USA*) luogo (*bar, locale notturno, ecc.*) dove cercare un partner sessuale; locale per single □ (*cucina, GB*) **m. pie**, pasticcio di carne □ **m.-producing countries**, paesi esportatori di carni □ (*market.*) **m. products**, carni □ **m. safe**, moscaiola □ (*cucina*) **m. sauce**, ragù; sugo di carne (*fam.*) □ (*slang USA*) **m. shot**, primo piano di genitali □ (*slang USA*) **m. show**, spogliarello □ **m. type**

poultry, polli da carne □ (*slang USA*) **m. wagon**, ambulanza; carro funebre; (*anche*) furgone cellulare □ (*volg.*) **to beat the m.**, masturbarsi; farsi una sega (*volg.*) □ **cold m.**, carne fredda; (*slang USA*) cadavere □ (*cucina*) **cold meats**, piatto freddo (*di varie carni*); salumi misti □ (*cucina*) **roast m.**, arrosto.

meat axe, **meataxe** /'miːtæks/ *n.* mannaia (*da macellaio*).

meatball /'miːtbɔːl/ *n.* **1** (*cucina*) polpetta **2** (*slang USA*) individuo tutto muscoli (*e niente cervello*); bestione; bisteccone.

meathead /'miːthɛd/ (*fam. USA*) *n.* stupido; fesso; coglione, pirla (*volg.*) ‖ **meat-headed** *a.* stupido; fesso; sciocco.

meathooks /'miːthʊks/ *n. pl.* (*slang USA*) mani; zampe (*fig. fam.*).

meatless /'miːtləs/ *a.* **1** senza carne **2** (*relig.*) di magro: **a m. day**, un giorno di magro.

meatus /mɪ'eɪtəs/ *n.* (pl. *meatus*, *meatuses*) (*anat.*) meato.

meaty /'miːtɪ/ *a.* **1** carnoso, polposo: **m. arms**, braccia carnose **2** in carne; grassottello; paffuto **3** (*di un pasto*) a base di carne **4** (*fig.*) sostanzioso; corposo; succoso: **a m. essay**, un saggio sostanzioso ‖ **meatiness** *n.* ⓤ **1** carnosità **2** (*fig.*) sostanziosità.

Mecca /'mɛkə/ *n.* (*geogr.*, *anche fig.*) Mecca.

Meccano® /mɪ'kɑːnəʊ/ *n.* meccano.

mechanic /mɪ'kænɪk/ Ⓐ *n.* **1** meccanico: **motor** (*o* **car**) **m.**, meccanico d'automobile; autoriparatore **2** (*slang ingl.*) sicario; killer **3** (*slang USA*) baro **4** (*arc.*) meccanico (*arc.*): lavoratore manuale Ⓑ *a.* → **mechanical** ● **a dental m.**, un odontotecnico.

mechanical /mɪ'kænɪkl/ *a.* **1** meccanico: **m. energy**, energia meccanica; **m. movements**, movimenti meccanici; **m. engineering**, ingegneria meccanica; **m. failure**, guasto (*o* incidente) meccanico; **m. trouble**, guai meccanici **2** (*fig.*) meccanico; macchinale; automatico **3** (*filos.*) meccanicistico ● **m. drawing**, disegno tecnico □ (*elettron.*) **m. filter**, filtro meccanico □ (*metall.*) **m. plating**, placcatura meccanica □ **the m. powers**, le macchine semplici (*la leva, il cuneo, ecc.*) □ **m. refrigerator**, frigorifero con compressore □ (*mecc.*) **m. shovel**, pala meccanica, pala caricatrice □ **m. stage**, piatto traslatore (*di un microscopio*) □ **He's got a m. mind**, è portato per la meccanica | **-ly** *avv.* | **-ness** *n.* ⓤ.

mechanicalism /mɪ'kænɪklɪzəm/ *n.* ⓤ **1** meccanicità **2** (*filos.*) meccanicismo ‖ **mechanicalist** *n.* meccanicista.

mechanician /mɛkə'nɪʃn/ *n.* **1** meccanico **2** disegnatore industriale; progettista.

mechanics /mɪ'kænɪks/ *n. pl.* (col verbo al sing.) **1** (*fis.*) meccanica **2** meccanismo (*anche fig.*) **3** (*fig.*) funzionamento: **the m. of the lathe**, il funzionamento del tornio.

♦**mechanism** /'mɛkənɪzəm/ *n.* **1** meccanismo (*anche fig.*); congegno: **the m. of national government**, il meccanismo amministrativo statale; (*psic.*) **m. of defence**, meccanismo di difesa **2** (*filos.*) meccanicismo **3** ⓤ (*arte*) tecnica; meccanica **4** meccanismo di sparo (*di un fucile da caccia*).

mechanist /'mɛkənɪst/ *n.* **1** studioso di meccanica **2** (*filos.*) meccanicista.

mechanistic /mɛkə'nɪstɪk/ *a.* (*filos.*) meccanicistico.

to **mechanize** /'mɛkənaɪz/ *v. t.* **1** meccanizzare **2** (*mil.*) motorizzare ‖ **mechanization** *n.* ⓤ **1** meccanizzazione **2** (*mil.*) motorizzazione ‖ **mechanized** *a.* **1** meccanizzato **2** (*mil.*) motorizzato ● (*mil.*) **mechanized gun**, cannone semovente.

mechanoreceptor /mɛkənəʊrɪ'sɛptə(r)/ *n.* (*fisiol.*) meccanorecettore.

mechanotherapy /mɛkənəʊ'θɛrəpɪ/ *n.* ⓤ (*med.*) meccanoterapia.

mechatronics /mɛkə'trɒnɪks/ (*elettr.*) *n. pl.* (col verbo al sing.) meccatronica; metronica ‖ **mechatronic** *a.* meccatronico.

meconium /mɪ'kəʊnɪəm/ *n.* **1** meconio; oppio **2** (*fisiol.*) meconio.

Med /mɛd/ *n.* (*fam.* GB) – **the Med**, il Mediterraneo.

med /mɛd/ *n.* (*slang USA*) studente di medicina.

MEd /ɛm'ɛd/ *abbr.* (**Master of Education**) laureato in pedagogia.

♦**medal** /'mɛdl/ *n.* medaglia ● **m. collection**, medagliere □ (*golf*) **m. play**, gara a colpi (o a punti) □ **m. table**, medagliere (*alle Olimpiadi, ecc.*) □ **m. tally**, medagliere ‖ **medallic** *a.* **1** di (*o* simile a) medaglia **2** raffigurato su medaglia.

to **medal** /'mɛdl/ *v. t.* decorare (q.) con una medaglia ‖ **medalled**, (*USA*) **medaled** *a.* decorato di medaglia (*o* di medaglie); che ha vinto una medaglia.

medalist (*USA*) → **medallist**.

medallion /mə'dælɪən/ *n.* **1** (*anche arte*) medaglione **2** (*arc. USA*) licenza di tassista (*a forma di medaglione*) ● (*spreg. ingl.*) **m. man**, bullo che porta un vistoso medaglione al collo.

medallist, (*USA*) **medalist** /'mɛdəlɪst/ *n.* **1** medaglista **2** persona decorata di medaglia **3** (*sport*) medaglia (*l'uomo*): *He was the silver m. in the high jump*, fu medaglia d'argento nel salto in alto ● **gold m.**, (persona decorata di) medaglia d'oro.

to **meddle** /'mɛdl/ *v. i.* **1** (*di solito* **to m. in**) ingerirsi; immischiarsi; intromettersi **2** – **to m. with**, mettere le mani in; toccare: *I don't want him to m. with my papers*, non voglio che metta le mani tra le mie carte.

meddler /'mɛdlə(r)/ *n.* intrigante; impiccione; impicciona; ficcanaso.

meddlesome /'mɛdlsəm/ *a.* intrigante; inframmettente | **-ness** *n.* ⓤ.

meddling /'mɛdlɪŋ/ Ⓐ *a.* → **meddlesome** Ⓑ *n.* ⓤ intromissione; ingerenza; inframmettenza.

Medes /miːdz/ *n. pl.* (*stor.*) Medi.

MedEvac *abbr.* (*mil.*, **medical evacuation**) sgombero dei feriti.

♦**media** /'miːdɪə/ Ⓐ *n. pl.* (col verbo al sing.) **1** media; mezzi d'informazione; mezzi di comunicazione (*di massa*) **2** (*pubbl.*) veicoli pubblicitari Ⓑ *a. attr.* dei media; sui mass media; della comunicazione; mediale; mediatico: **m. coverage**, copertura da parte dei media; **m. empire**, impero mediatico; **m. hype**, grancassa mediatica ● **m. blitz**, grande campagna mediatica □ **m. buyer**, media buyer; chi acquista spazio pubblicitario sui giornali o tempo alla radio o alla televisione □ **m. man**, operatore della comunicazione □ **m. seller**, venditore di spazio (*o* tempo) pubblicitario □ **m. studies**, scienze della comunicazione.

mediaeval /mɛdɪ'iːvl/ *e deriv.* → **medieval**, *e deriv.*

mediagenic /miːdɪə'dʒɛnɪk/ *a.* (*spec. USA*) che fa bella figura quando appare nei mass media (*telegenico, ecc.*).

medial /'miːdɪəl/ *a.* **1** medio, mediano (*anche fon.*): **a m. consonant**, una consonante media **2** (*anat.*) mediale.

median /'miːdɪən/ Ⓐ *a.* mediano; di mezzo Ⓑ *n.* **1** (*mat.*, *stat.*) mediana **2** (*anat.*) arteria (*o* vena) mediana **3** (*anat.*) nervo mediano ● (*geogr.*) **m. moraine**, morena mediana □ (*autom.*, *USA*) **m. strip**, aiuola spartitraffico.

Median /'miːdɪən/ *a. e n.* (*stor.*) medo; (abitante o nativo) della Media.

mediant /'miːdɪənt/ *n.* (*mus.*) mediante.

mediastinum /ˌmiːdɪə'staɪnəm/ (anat.) n. (pl. **mediastina**) mediastino ‖ **mediastinal a.** mediastinico.

mediate /'miːdɪeɪt/ a. **1** mediato; indiretto **2** (raro) intermedio; interposto; frapposto ● (leg.) **m. testimony**, testimonianza indiretta ‖ **-ly** avv.

to **mediate** /'miːdɪeɪt/ **A** v. i. **1** (raro) essere in posizione intermedia **2** fare da mediatore (o da intermediario); interporsi: **to m. between two litigants**, fare da mediatore fra due litiganti (di lite giudiziaria) **B** v. t. **1** mediare: **to m. peace**, mediare la pace **2** ottenere con la propria mediazione: **to m. a settlement**, ottenere (o raggiungere) un accomodamento (un accordo) esercitando la mediazione ● **to m. an industrial dispute**, appianare una vertenza sindacale.

mediation /ˌmiːdɪ'eɪʃn/ n. Ⓤ mediazione; intervento amichevole; buoni uffici.

to **mediatize** /'miːdɪətaɪz/ (stor.) v. t. **1** annettere (un principato, uno stato) **2** ridurre in vassallaggio (un principe) ‖ **mediatization** n. Ⓤ annessione (spec. di un principato tedesco al Sacro Romano Impero).

mediator /'miːdɪeɪtə(r)/ n. (anche leg.) mediatore, mediatrice; negoziatore, negoziatrice; paciere, paciera ‖ **mediatorial**, **mediatory a.** di mediatore; di mediazione; intercessorio.

mediatrix /'miːdɪetrɪks/ n. (pl. **mediatrices**, **mediatrixes**) (anche leg.) mediatrice.

medic① /'medɪk/ n. (fam.) **1** medico **2** studente in medicina **3** (mil., USA) soldato della Sanità **4** (USA) infermiere; paramedico.

medic② /'medɪk/ n. (USA; bot., Medicago sativa) erba medica.

medicable /'medɪkəbl/ a. medicabile; curabile; guaribile.

Medicaid /'medɪkeɪd/ n. (in USA) servizio sanitario statale (spec. per i non abbienti).

♦**medical** /'medɪkl/ **A** a. medico; di medicina; dei medici: **the m. profession**, la professione medica; **a m. student**, uno studente di medicina; **m. opinion**, opinione dei medici (o del medico) **B** n. (fam.) **1** visita medica: **to have a m.**, farsi fare una visita medica; **to pass one's army m.**, passare la visita medica (militare) **2** studente di medicina ● **m. adviser**, consulente sanitario □ **m. appliances**, attrezzature mediche □ **m. check-up**, controllo medico □ **m. care**, cure mediche; assistenza medica □ (mil.) **m. corps**, la sanità □ (leg.) **m. evidence**, risultati dell'autopsia □ (leg., spec. USA) **m. examiner**, medico legale □ (med.) **m. history**, storia medica; anamnesi □ **m. imaging**, diagnostica per immagini □ **m. instruments**, strumenti medicali □ **m. jurisprudence**, medicina legale □ (leg.) **m. malpractice**, errore del medico (dovuto a imperizia o negligenza) □ (fam.) **m. man**, medico generico □ **m. officer**, (leg.) ufficiale sanitario; (mil.) ufficiale medico □ **m. practitioner**, medico generico ● **m. record**, cartella clinica □ **m. register**, albo dell'ordine dei medici □ **m. report**, referto medico □ **m. room**, sala di medicazione □ **m. ward**, reparto di medicina (generale) □ **m. waste disposal**, smaltimento dei rifiuti sanitari □ **on m. grounds**, per motivi di salute □ **to seek m. advice**, consultare un medico.

medically /'medɪklɪ/ avv. dal punto di vista medico: *There's nothing wrong with him m.*, non ha nessun problema dal punto di vista medico; **m. fit**, in buone condizioni di salute.

medicament /mə'dɪkəmənt/ n. medicamento; farmaco; medicina; medicinale.

Medicare /'medɪkeə(r)/ n. (in USA) servizio sanitario statale (spec. per gli anziani).

to **medicate** /'medɪkeɪt/ v. t. **1** medicare; curare **2** disinfettare; impregnare (garza, ecc.) di sostanze medicamentose ‖ **medicative a.** medicamentoso; medicinale; curativo.

medicated /'medɪkeɪtɪd/ a. (med.) medicato: **m. bougie**, candeletta medicata ● **m. soap**, sapone medicinale.

medication /ˌmedɪ'keɪʃn/ n. **1** Ⓤ medicazione; cure mediche **2** medicamento; medicina.

Medicean /ˌmedɪ'tʃiːən/ a. (stor.) mediceo.

medicinal /mə'dɪsənl/ a. medicinale; medicamentoso; curativo; terapeutico ‖ **medicinally** avv. con medicine; mediante cure mediche.

♦**medicine** /'medsn/ n. **1** Ⓤ medicina (scienza, professione medica): **Doctor of M.** (abbr. **MD**), dottore in medicina **2** medicina; farmaco; medicamento; medicinale ● **m. ball**, palla medica □ **m. bottle**, boccetta per medicinali; flacone □ **m. cabinet** (o **m. chest**, **m. closet**), armadietto dei medicinali □ **m. dropper**, contagocce □ **m. man**, stregone □ (fam.) **to give sb. a dose** (o **a taste**) **of his own m.**, ripagare q. della stessa moneta; restituirgli la dose □ (fig.) **to swallow** (o **to take**) **one's m.**, mandar giù (o ingoiare) la pillola; mandar giù un rospo (fig.); far buon viso a cattivo gioco.

medick /'medɪk/ → **medic**②.

medico /'medɪkəʊ/ n. (pl. **medicos**) (fam., scherz.) **1** dottore; medico **2** studente in medicina.

♦**medieval** /ˌmedɪ'iːvl/ a. **1** (stor.) medievale **2** (fig.) medievale; reazionario ● **m. studies**, medievalistica ‖ **medievalism** n. Ⓤ **1** medievalismo **2** medievalistica ‖ **medievalist** n. medievalista.

mediocre /ˌmiːdɪ'əʊkə(r)/ a. mediocre.

mediocrity /ˌmiːdɪ'ɒkrətɪ/ n. **1** Ⓤ mediocrità **2** individuo mediocre; (una) mediocrità.

to **meditate** /'medɪteɪt/ v. t. e i. meditare; considerare; riflettere: **to m. revenge**, meditare la vendetta; *We need time to m. on the matter*, abbiamo bisogno di tempo per meditare sulla faccenda.

meditation /ˌmedɪ'teɪʃn/ n. Ⓤ **1** meditazione; riflessione **2** raccoglimento ● (all'ONU) **m. room**, sala per il raccoglimento.

meditative /'medɪtətɪv/ a. meditativo; cogitabondo; pensieroso ‖ **meditatively** avv. pensosamente ‖ **meditativeness** n. Ⓤ pensosità.

meditator /'medɪteɪtə(r)/ n. chi medita.

mediterranean /ˌmedɪtə'reɪnɪən/ **A** a. **1** posto fra terre; interno; mediterraneo: **a m. land**, un territorio interno; **m. sea**, mare mediterraneo **2** - (di popolo, clima, ecc.) M., mediterraneo **B** n. - (geogr.) **the M.**, il Mediterraneo ● (med.) **M. anaemia**, anemia mediterranea; talassemia maggiore □ **M. diet**, dieta mediterranea □ (med.) **M. fever**, brucellosi □ **the M. Sea**, il Mediterraneo.

♦**medium** /'miːdɪəm/ **A** a. **1** medio: **m. size**, misura (o taglia) media; (radio) **m. waves**, onde medie; **a woman of m. height**, una donna di media statura; **m. speed**, velocità media; (fis.) **m. frequency**, frequenza media **2** (cucina) poco cotto; non troppo cotto: *I like my steak m.*, la bistecca mi piace non troppo cotta **B** n. (pl. **mediums**, **media**) **1** mezzo; strumento; veicolo; tramite: **a m. of communication**, un mezzo di comunicazione; **a m. of instruction**, un mezzo didattico; **advertising m.**, mezzo pubblicitario; *The Internet is a wonderful m.*, Internet è uno strumento straordinario; **through the m. of**, per mezzo di; per tramite di: **through the m. of the press**, a mezzo stampa **2** mezzo d'informazione (→ **media**) **3** punto medio; mezzo: **the happy m.**, il giusto mezzo **4** (scient.) mezzo (di trasmissione); ambiente, elemento (naturale):

Air is the m. that conveys sound, l'aria è il mezzo di trasmissione del suono; *Water is the natural m. of fish*, l'acqua è l'elemento naturale dei pesci **5** (arte, letter.) mezzo d'espressione: *Poetry was Shelley's m.*, il mezzo espressivo di Shelley era la poesia **6** (pl. **mediums**) (parapsicologia) medium **7** (biol., = **culture m.**) brodo (o mezzo, terreno) di coltura **8** (pitt.) solvente **9** (teatr.) filtro colorato (di un proiettore) **10** (cinem., TV) = **m. shot** → sotto **11** (pl.) (Borsa, fin.) = **m.-dated securities** → sotto ● (mil.) **m. artillery**, artiglieria di medio calibro □ (fin.) **m. bond**, titolo a medio termine □ (Borsa, fin.) **m.-dated securities**, titoli a media scadenza (in GB, da 5 a 15 anni) □ (di vino) **m.-dry**, demi-sec; semisecco □ (econ.) **m. of exchange**, mezzo di scambio (per es., il denaro) □ (cucina) **m. rare**, (di carne) poco cotta, rosata all'interno (ma non al sangue) □ (cinem., TV) **m. shot**, campo medio □ **m.-sized**, di misura media, medio; (di animale) di mezza taglia: (fin.) **m.-sized companies**, società di medie dimensioni; (fin.) **m.-sized enterprises**, medie imprese ● **m.-term.**, a medio termine; a medio; nel medio periodo: **m.-term economic policy**, politica economica a medio termine; **m.-term credit**, credito a medio; mediocredito □ (econ.) **a m.-term plan**, un piano poliennale □ (radio) **m.-wave**, a (o sulle) onde medie.

mediumism /'miːdɪəmɪzəm/ n. Ⓤ medianismo.

mediumistic /ˌmiːdɪə'mɪstɪk/ a. (parapsicologia) medianico.

mediumship /'miːdɪəmʃɪp/ n. Ⓤ (parapsicologia) medianità.

medlar /'medlə(r)/ n. (bot.) **1** nespola **2** (= **m. tree**, Mespilus germanica) nespolo.

medley /'medlɪ/ n. **1** mescolanza; miscuglio; guazzabuglio: **a m. of nationalities**, un miscuglio di nazionalità diverse; **a m. of feelings**, un guazzabuglio di sentimenti **2** (letter.) miscellanea; zibaldone **3** (mus.) medley; pot-pourri **4** (sport) stile misto ● (nuoto) **m. relay**, staffetta stile misto □ **m. swimmer**, nuotatore stile misto; mistista □ **m. swimming**, stile misto (nel nuoto).

medulla /me'dʌlə/ (lat.) (anat., bot.) n. Ⓤ midollo ‖ **medullary a.** midollare ● **medullary membrane**, endostio □ **medullary sheath**, guaina mielinica.

medusa /mɪ'djuːzə, USA -'duːsə/ n. **1** - (mitol. greca) M., Medusa **2** (zool., pl. **medusae**, **medusas**) medusa.

medusan /mɪ'djuːzn, USA -'duːsn/ a. (zool.) di medusa; meduseo.

medusoid /mɪ'djuːzɔɪd, USA -'duːs-/ a. (zool.) medusoide.

meed /miːd/ n. (poet.) ricompensa; guiderdone (poet.).

meek /miːk/ a. mite (anche fig.); mansueto; sottomesso; umile: **as m. as a lamb**, mite come un agnello; *'The morns are meeker than they were / The nuts are getting brown'* E. DICKINSON, 'le mattine sono più miti di prima / le nocciole diventano color marrone' ● (Bibbia) **blessed are the m.**, beati i mansueti ‖ **-ly** avv. ‖ **-ness** n. Ⓤ.

meerschaum /'mɪəʃəm/ (ted.) n. **1** (miner.) schiuma di mare; sepiolite **2** (= **m. pipe**) pipa di schiuma.

meet① /miːt/ n. **1** raduno di partecipanti (per la caccia alla volpe) **2** (USA) riunione (sportiva); meeting: **track m.**, meeting d'atletica **3** (slang USA) appuntamento; incontro (spec. furtivo o illegale).

meet② /miːt/ a. (arc.) conveniente; opportuno; appropriato; adatto.

♦to **meet** /miːt/ (pass. e p. p. **met**) **A** v. t. **1** incontrare; andare (o venire) incontro a; andare all'arrivo di; imbattersi in: **to m. sb. by appointment**, incontrare q. su appunta-

mento; *I'll m. you at the station*, ti verrò incontro (*o a prendere*) alla stazione; *I met my old boyfriend in the street*, m'imbattei nel mio ex fidanzato per la strada; *Why don't I m. you by the coffee machine in five minutes?*, perché non ci vediamo al distributore di caffè tra cinque minuti? **2** conoscere; fare la conoscenza di; essere presentato a: *I met him in Rome*, lo conobbi a Roma; *I knew him by sight but I'd never met him before*, lo conoscevo di vista ma non gli ero mai stato presentato fino ad allora; *Pleased to m. you*, lieto di fare la Sua conoscenza; «piacere!» ❶ NOTA: *introductions → introduction* **3** affrontare; far fronte a; fronteggiare; rispondere a; controbattere: **to m. the enemy**, affrontare il nemico; *I met her criticism with a laugh*, risposi con una risata alle sue critiche **4** venire incontro a (*fig.*); conformarsi a; soddisfare: **to m. sb.'s wishes**, venire incontro ai desideri di q.; **to m. a requirement [a demand]**, soddisfare un requisito [una richiesta] **5** (*fig.*) far fronte a; saldare (*fig.*): **to m. one's commitments** (*o* **engagements**), far fronte ai propri impegni; **to m. the gap between home production and domestic demand**, colmare il divario fra la produzione e la domanda interne **6** (*comm.*) far onore a; onorare; pagare: **to m. a bill at maturity**, pagare (*o* onorare) una cambiale alla scadenza **7** (*sport: boxe, ecc.*) incontrare, battersi con (*un avversario*); (*calcio, ecc.*) incontrare, disputare un incontro con **8** (*calcio, ecc.*) portarsi su (*un pallone*); ricevere (*un passaggio*): **to m. the ball**, andare incontro al pallone **B** v. i. **1** incontrarsi; trovarsi; vedersi: *We met (each other) unexpectedly*, c'incontrammo per caso; *When shall we m. again?*, quando ci rivedremo? **2** far conoscenza; conoscersi: *We met last summer*, ci siamo conosciuti l'estate scorsa; *They'd met before*, si conoscevano già **3** (*anche* **to m. together**) adunarsi; riunirsi; raccogliersi: *The demonstrators met in the square*, i manifestanti si adunarono nella piazza **4** (*d'eserciti, ecc.*) affrontarsi (*in campo*); scontrarsi **5** (*sport: calcio, boxe, ecc.*) disputare un incontro; battersi; sfidarsi; giocare: **to m. in the final**, disputare la finale; **to m. in the playoffs**, giocare una partita di spareggio ● (*comm.*) **to m. competition**, sostenere la concorrenza □ (*econ.*) **to m. the demand**, far fronte alla domanda □ **to m. an expense**, sostenere una spesa □ **to m. the eye**, saltare all'occhio □ **to m. sb.'s eye**, incontrare lo sguardo di q.; sostenere lo sguardo di q. □ **to m. sb. halfway**, incontrare q. a mezza strada; (*fig.*) venire incontro a q., venire a un compromesso con q. □ (*sport*) **to m. the leaders**, incontrare i primi in classifica, giocare contro la capolista □ (*anche sport*) **to m. one's match**, incontrare un avversario temibile; trovare pane per i propri denti (*fig.*) □ (*di un proiettile, ecc.*) **to m. the target**, colpire il bersaglio □ (*fig.*) **to make (both) ends m.**, sbarcare il lunario; far quadrare il bilancio familiare □ (*USA*) **M. Mr Jones!**, Le presento il signor Jones.

■ **meet up** v. i. + avv. (*fam.*) **1** incontrarsi, trovarsi; imbattersi: *Let's m. up after lunch*, troviamoci dopo pranzo; *I met up with an old friend at the station*, in stazione mi sono imbattuto in un vecchio amico **2** (*di due strade, ecc.*) incontrarsi; incrociarsi.

■ **meet with** v. i. + prep. (*lett. o USA*) incontrare, imbattersi in (q.) **2** incontrare, trovare, avere, passare, subire (qc.): **to m. with appreciation**, trovare apprezzamento; essere apprezzato; **to m. with sb.'s approval**, incontrare l'approvazione di q.; *He met with an accident*, ebbe (*o* subì) un incidente; *You'll m. with a lot of troubles*, passerai un sacco di guai; **to m. with success**, avere successo **3** incontrarsi, avere un in-

---

contro (ufficiale) con: *Our foreign minister will m. with his French opposite number*, il nostro ministro degli esteri s'incontrerà con il suo omologo francese □ **to m. with failure**, fare fiasco; fallire □ **to m. with a refusal**, ricevere un rifiuto □ **to m. with a violent death**, morire di morte violenta; fare una brutta fine.

meet and greet, **meet 'n' greet** /ˈmiːtənˈɡriːt/ loc. n. (pl. *meet and greets*, *meet'n'greets*) **1** 'meet and greet' (*incontro con attori, cantanti, ecc., organizzato per appassionati o giornalisti*) **2** (*tur.*) 'meet and greet' (*servizio di accoglienza per turisti*)

♦**meeting** /ˈmiːtɪŋ/ n. **1** incontro; riunione (*anche sportiva*); meeting: **to be in a m.**, essere in riunione; *I'm afraid he's in a m. at the moment*, purtroppo è in riunione in questo momento; *Did you go to the meeting in Rome?*, sei andato all'incontro a Roma?; *Everyone is already in the m. room*, sono già tutti in sala riunione **2** (*leg.*) assemblea; adunanza; seduta **3** (*polit.*) riunione; convegno; comizio **4** congiunzione; confluenza; incontro: **the m. of two rivers**, la confluenza di due fiumi; (*econ.*) **the m. of supply and demand**, l'incontro della domanda e dell'offerta **5** (*scient.*) incontro; convegno; seminario ● (*relig.*) **m. house**, luogo di culto (*spec. dei quaccheri*) □ (*leg.*) **m. of creditors**, assemblea dei creditori □ (*fin.*) **the shareholders' m.**, l'assemblea degli azionisti □ **m. place**, luogo d'incontro (*o* di raduno); ritrovo □ (*geom.*) **m. point**, punto d'intersezione □ **to address the m.**, rivolgere la parola (*o* parlare) all'assemblea □ **to call a m.**, convocare un'adunanza □ (*polit.*) **to put a resolution to the m.**, portare una mozione in assemblea □ **sports m.**, riunione sportiva; meeting.

Meg /mɛɡ/ n. dim. di **Margaret**.

mega /ˈmɛɡə/ (*fam.*) **A** a. **1** enorme; megagalattico, mega (*fam.*): **a m. deal**, un megacontratto **2** fantastico; megagalattico (*fam.*): **a m. party**, una festa fantastica **B** avv. moltissimo; enormemente: **m. angry**, incavolatissimo, incavolato nero; **m. rich**, ricco sfondato; straricco.

megabar /ˈmɛɡəbɑː(r)/ n. (*fis.*) megabar.

megabit /ˈmɛɡəbɪt/ n. (*comput.*) megabit.

megabuck /ˈmɛɡəbʌk/ n. (*slang USA*) **1** (un) milione di dollari **2** (pl.) somme enormi; cifre astronomiche.

megabyte /ˈmɛɡəbaɪt/ n. (*comput.*) megabyte.

megacycle /ˈmɛɡəsaɪkl/ n. (*fis.*) megaciclo.

megadeath /ˈmɛɡədɛθ/ n. (un) milione di morti (*rif. a un'ipotetica guerra atomica*).

megadose /ˈmɛɡədəʊs/ n. (*med.*) megadose.

megahertz /ˈmɛɡəhɜːts/ n. (pl. inv.) (*fis.*) megahertz.

megalith /ˈmɛɡəlɪθ/ (*archeol.*) n. megalite; megalito || **megalithic** a. megalitico.

megaloblast /ˈmɛɡələblæst/ (*med.*) n. megaloblasto || **megaloblastic** a. megaloblastico.

megalomania /ˌmɛɡələˈmeɪnɪə/ n. Ⓤ (*psic.*) megalomania.

megalomaniac /ˌmɛɡələˈmeɪnɪæk/ (*psic.*) a. e n. megalomane || **megalomaniacal** a. megalomane.

megalopolis /ˌmɛɡəˈlɒpəlɪs/ n. (pl. *megalopoles*) megalopoli.

megalosaur /ˈmɛɡələsɔː(r)/, **megalosaurus** /ˌmɛɡələˈsɔːrəs/ n. (*paleont.*) megalosauro.

megamerger /ˈmɛɡəmɜːdʒə(r)/ n. (*econ., fin.*) megafusione (*di aziende*).

megaphone /ˈmɛɡəfəʊn/ n. megafono.

to **megaphone** /ˈmɛɡəfəʊn/ v. t. **1** rivol-

---

gersi col megafono a (q.) **2** annunciare (qc.) col megafono **3** (*fig.*) dare ampia pubblicità a (qc.).

megapixel /ˈmɛɡəpɪksəl/ n. (*fotogr., comput.*) megapixel (*un milione di pixel*).

megapod /ˈmɛɡəpɒd/, **megapode** /ˈmɛɡəpəʊd/ n. (*zool.*) megapode.

megaproject /ˈmɛɡəprɒdʒɛkt/ n. grande progetto (*spec. grande opera pubblica compiuta in un paese in via di sviluppo per motivi di prestigio nazionale*); megaprogetto.

megaron /ˈmɛɡərɒn/ n. (*archeol.*) megaron.

megaspore /ˈmɛɡəspɔː(r)/ n. (*bot.*) megaspora.

megastore /ˈmɛɡəstɔː(r)/ n. supermercato (*generalm. specializzato in un dato genere di articoli*); megastore.

megatherium /ˌmɛɡəˈθɪərɪəm/ n. (*paleont.*) megaterio.

megathrust /ˈmɛɡəθrʌst/ n. (*geol.*) megathrust (*faglia inversa a basso angolo con rigetti nell'ordine di centinaia di chilometri*).

megaton /ˈmɛɡətʌn/ n. (*fis. nucl., mil.*) megaton.

megavolt /ˈmɛɡəvəʊlt/ n. (*elettr.*) megavolt.

megawatt /ˈmɛɡəwɒt/ n. (*elettr.*) megawatt.

Megger® /ˈmɛɡə(r)/ n. (*elettr.*) megaohmmetro; Megger.

megillah /məˈɡɪlə/ n. (*slang USA*) spiegazione lunga e noiosa; lagna; tiritera.

megilp /məˈɡɪlp/ n. Ⓤ (*pitt.*) solvente per colori a olio.

megohm /ˈmɛɡəʊm/ n. (*elettr.*) megaohm.

megohmmeter /ˈmɛɡəʊmmiːtə(r)/ n. (*elettr.*) megaohmmetro.

megrim① /ˈmiːɡrɪm/ n. (*zool.*) **1** (*Lepidorhombus whiffiagonis*) rombo candido (*o* giallo) **2** (*Arnoglossus laterna*) suacia.

megrim② /ˈmiːɡrɪm/ n. **1** (*arc.*) emicrania **2** (pl.) (*arc.*) malinconia; malumore; tristezza **3** (pl.) (*vet.*) capostorno, capogatto (*dei cavalli o dei buoi*).

mehari /məˈhɑːrɪ/ n. (*zool.*) mehari (*dromedario da sella*) || **meharist** n. (*mil.*) meharista.

meiosis /maɪˈəʊsɪs/ n. (pl. *meioses*) **1** (*gramm.*) litote **2** (*biol.*) meiosi || **meiotic** a. (*biol.*) meiotico.

Mekka /ˈmɛkə/ → **Mecca**.

melancholia /ˌmɛlənˈkəʊlɪə/ n. Ⓤ (*psic.*) malinconia; depressione.

melancholic /ˌmɛlənˈkɒlɪk/ a. **1** (*psic.*) affetto da malinconia; depresso **2** malinconico; mesto; triste | **-ally** avv.

melancholy /ˈmɛlənkəlɪ/ **A** n. Ⓤ malinconia; mestizia; tristezza **B** a. malinconico; mesto; triste ● **to grow m.**, immalinconirsi □ **to make sb. m.**, immalinconire q.

Melanesian /ˌmɛləˈniːzɪən/ a. e n. melanesiano.

mélange /meɪˈlɑːnʒ/ (*franc.*) n. mélange; mescolanza; miscuglio.

melanin /ˈmɛlənɪn/ n. Ⓤ (*biochim.*) melanina.

melanism /ˈmɛlənɪzəm/ (*zool.*) n. melanismo || **melanic** a. melanico.

melanite /ˈmɛlənaɪt/ n. Ⓤ (*miner.*) melanite.

melanocyte /ˈmɛlənəsaɪt/ n. (*biol.*) melanocita.

melanoma /ˌmɛləˈnəʊmə/ n. (pl. *melanomas*, *melanomata*) (*med.*) melanoma.

melanophore /ˈmɛlənəfəʊ(r)/ n. (*biol.*) melanofora.

melanosis /ˌmɛləˈnəʊsɪs/ (*med.*) n. Ⓤ melanosi || **melanotic** a. melanotico.

melatonin /mɛlə'təʊnɪn/ n. ⊍ (*biol.*) melatonina.

Melba /'mɛlbə/ n. – nelle loc.: (*cucina*) **M. sauce**, salsa di lamponi; **M. toast**, Melba toast (*sottile e croccante*).

Melchior /'mɛlkɪɔː(r)/ n. Melchiorre.

Melchite /'mɛlkaɪt/ n. (*relig.*) melchita.

to **meld** ① /mɛld/ **A** v. t. fondere; mescolare; unire **B** v. i. fondersi; mescolarsi; unirsi.

to **meld** ② /mɛld/ **A** v. t. (*a carte*) scoprire; calare; mettere giù; dichiarare **B** v. i. (*a carte*) fare una dichiarazione.

melee, **mêlée** /'mɛleɪ, *USA* meɪ'leɪ/ (*franc.*) n. **1** mischia: (*sport*) **a goalmouth m.**, una mischia sotto porta **2** (*fig.*) confusione di gente; folla.

melena, **melaena** /mə'liːnə/ n. ⊍ (*med.*) melena.

melic /'mɛlɪk/ a. melico: **m. poetry**, poesia melica; melica.

melilite /'mɛlɪlaɪt/ n. ⊍ (*miner.*) melilite.

melilot /'mɛlɪlɒt/ n. (*bot.*, *Melilotus officinalis*) meliloto; soffiola; tribolo.

melinite /'mɛlɪnaɪt/ n. ⊍ melinite (*esplosivo*).

to **meliorate** /'miːlɪəreɪt/ v. t. e i. migliorare || **melioration** n. ⊍🄲 (*raro*) miglioramento.

meliorism /'miːlɪərɪzəm/ (*filos.*) n. ⊍ migliorismo || **meliorist** n. e a. migliorista.

melisma /mɪ'lɪzmə/ (*mus.*) n. (pl. *melismas*, *melismata*) melismo, melisma || **melismatic** a. melismatico.

melliferous /mə'lɪfərəs/ a. mellifero.

mellifluent /mə'lɪflʊənt/, **mellifluous** /mə'lɪflʊəs/ a. mellifluo; melato || **mellifluently** avv. mellifluamente || **mellifluence** n. ⊍ mellifluità.

mellow /'mɛləʊ/ a. **1** (*di frutto*) dolce; polposo; succoso; maturo: *'Season of mists and m. fruitfulness'* J. KEATS, 'stagione delle nebbie e dei frutti maturi' **2** (*di vino*) generoso; maturo; pastoso **3** (*di terreno*) fertile; ubertoso **4** (*di colore, luce, suono, voce*) caldo; pastoso; pieno; suasivo **5** (*di persona, del carattere*) maturato dall'esperienza; comprensivo; dolce; mite; giudizioso; posato **6** (*fam.*) tranquillo; rilassato; di buon umore **7** (*slang*) brillo; alticcio | **-ness** n. ⊍.

to **mellow** /'mɛləʊ/ **A** v. t. **1** addolcire; ammorbidire; maturare; ingentilire; rendere tenero **2** maturare, invecchiare (*il vino, ecc.*) **B** v. i. **1** addolcirsi; ammorbidirsi; maturarsi; ingentilirsi: **to m. with age**, addolcirsi (o ingentilirsi) con l'età **2** (*del vino, ecc.*) maturare; invecchiare ● (*fam.*) **to m. out**, rilassarsi; calmarsi; distendersi; lasciarsi andare.

melodeon, **melodion** /mə'ləʊdɪən/ n. (*mus.*) **1** tipo di armonium **2** tipo di fisarmonica.

melodic /mə'lɒdɪk/ a. melodico.

melodious /mə'ləʊdɪəs/ a. melodioso | **-ly** avv. | **-ness** n. ⊍.

melodist /'mɛlədɪst/ n. (*mus.*) melodista.

to **melodize** /'mɛlədaɪz/ **A** v. t. **1** rendere melodioso **2** mettere in musica; musicare **B** v. i. comporre melodie.

melodrama /'mɛlədrɑːmə/ n. ⊍🄲 (*teatr. e fig.*) melodramma || **melodramatist** n. autore di melodrammi.

melodramatic /mɛlədrə'mætɪk/ a. melodrammatico | **-ally** avv.

to **melodramatize** /mɛlə'dræmətaɪz/ v. t. **1** rendere melodrammatico **2** fare un melodramma da (*un'opera narrativa*).

melody /'mɛlədɪ/ n. **1** melodia (*in ogni senso*) **2** canto; aria.

melomania /mɛlə'meɪnɪə/ n. ⊍ melomania || **melomaniac** a. e n. melomane.

melon /'mɛlən/ n. **1** (*bot.*, *Cucumis melo*) melone; popone **2** (*bot.*, *Citrullus vulgaris*; = **watermelon**) melone d'acqua; cocomero; anguria **3** (*slang USA*) grosso profitto; torta (*fig.*): **to cut the m.**, spartire i profitti ● (*fig. slang*) **m.-cutting**, spartizione dei profitti; divisione della torta.

melt /mɛlt/ n. ⊍ (*metall.*) **1** fusione; colata **2** metallo (*o vetro, ecc.*) in fusione **3** quantità (*di metallo, vetro, ecc.*) fusa in una volta ● **to be on the m.**, essere in fusione.

●to **melt** /mɛlt/ (pass. *melted*, p. p. *melted*, e talvolta come agg. *molten*) **A** v. t. **1** fondere (*anche metall.*); liquefare; sciogliere: **to m. a metal**, fondere un metallo; *The sun has melted the ice*, il sole ha sciolto il ghiaccio **2** (*fig.*) far struggere; intenerire; commuovere: *Her grief melted my heart*, il suo dolore mi commosse **B** v. i. **1** fondere; fondersi; liquefarsi; sciogliersi: *Butter melts when heated*, il burro si liquefà quando lo si scalda; *This cake melts in your mouth*, questa torta si scioglie in bocca **2** (*fig.*) struggersi; intenerirsi: *She melted when the child began to cry*, s'intenerì quando il bambino si mise a piangere.

■ **melt away** v. i. + avv. **1** sciogliersi del tutto: *The snow had melted away*, s'era sciolta tutta la neve **2** (*fig.*) sciogliersi; dileguare; dileguarsi; disperdersi; scomparire poco a poco: *The crowd melted away*, l'assembramento si sciolse (o la folla si disperse); *My savings have melted away*, i miei risparmi sono scomparsi poco a poco.

■ **melt down** v. t. + avv. fondere (*oggetti d'oro o d'argento*).

■ **melt into** v. i. + prep. **1** fondersi in (*anche fig.*); sciogliersi in: *The sea melted into the sky*, il mare si fondeva col cielo; (*delle nubi*) **to m. into rain**, sciogliersi in pioggia **2** (*di un colore*) sfumare in (*un altro*) **3** (*di un suono*) svanire in (*un altro*) **4** (*fam.*) dileguarsi, sparire in (*o tra*): *He melted into the crowd*, si dileguò tra la folla **5** (*fig.*) struggersi: **to m. into tears**, struggersi in lacrime (*o in pianto*) ● **to m. into liquid**, liquefarsi.

meltable /'mɛltəbl/ a. (*metall.*) fondibile.

meltdown /'mɛltdaʊn/ n. **1** (*fis. nucl.*) meltdown; fusione accidentale del nòcciolo (*di un reattore*) **2** (*fig. USA*) collasso; disastro; guasto grave; tracollo finanziario.

melted /'mɛltɪd/ a. fuso: **m. butter**, burro fuso.

melter /'mɛltə(r)/ n. **1** fonditore **2** (*metall.*) camera (*o vasca*) di fusione.

melting /'mɛltɪŋ/ **A** n. ⊍ **1** scioglimento: **the m. of the snow**, lo scioglimento della neve **2** (*metall.*) fusione: **m. point**, punto di fusione **B** a. **1** che fonde; in fusione **2** (*fig.*) struggente; commovente **3** (*fig.*) commosso; tenero: **to speak in a m. voice**, parlare in modo tenero **4** (*di cibo*) che si scioglie in bocca; come il burro ● **m. pot**, crogiolo (*anche fig.*): **a m. pot of races**, un crogiolo di etnie □ (*fig.*) **to go into the m. pot**, essere messo sottosopra; essere sconvolto □ (*fig.*: *di un progetto, ecc.*) **in the m. pot**, in sospeso; in fieri □ (*fig.*) **to be in the m. mood**, avere una gran voglia di piangere.

melton /'mɛltn/ n. ⊍ melton; tessuto liscio di lana inglese (*per soprabiti*).

meltwater /'mɛltwɔːtə(r)/ n. (*geogr.*) acqua di disgelo.

●**member** /'mɛmbə(r)/ n. **1** membro; parte (*del corpo, d'un tutto*); associato, socio; iscritto (*di società, partito, ecc.*): **the members of a union** (*o* **union members**), gli iscritti a un sindacato; (*fin.*) **m. of a company**, socio di una società di capitali **2** (*mecc.*) parte; elemento **3** (*mat., ling.*) membro **4** (*ind. costr.*) elemento **5** (= **male m.**) membro virile; membro **6** (*slang USA*) fratello nero; sorella nera ● (*polit., in USA*) **M. of Congress**, membro del Congresso; deputato o senatore □ (*polit.*) **M. of Parliament** (abbr. **MP**), membro del Parlamento; deputato (*ai Comuni*) □ **the members of the family**, i membri della famiglia; i familiari □ (*moda*) **members only leather jacket**, giubbotto di cuoio di tipo militare □ (*autom.*) **m. services**, (servizi d') assistenza per i soci (*dell'AA, in GB*).

●**membership** /'mɛmbəʃɪp/ n. ⊍ **1** condizione di membro (*o di socio*); appartenenza (*a una società, a un partito, ecc.*) **2** (*collett.*) membri; soci **3** numero di soci (*o d'iscritti*) ● **m. card**, tessera (*d'iscrizione*).

membrane /'mɛmbreɪn/ n. **1** 🄲 (*anat.*) membrana **2** lembo di rotolo di pergamena || **membranaceous** a. (*biol.*) membranaceo; membranoso || **membraneous**, **membranous** a. membranoso.

membranophone /mɛm'breɪnəfəʊn/ n. (*mus.*) membranofono.

meme /miːm/ (*biol., etnol.*) n. meme || **memetic** a. memetico || **memetics** n. pl. (col verbo al sing.) memetica.

memento /mə'mɛntəʊ/ n. (pl. *mementoes*, *mementos*) **1** memento (*anche relig.*); avvertimento; promemoria **2** (oggetto tenuto per) ricordo; ricordino; souvenir.

●**memo** /'mɛməʊ/ n. (pl. *memos*) (abbr. *fam. di* **memorandum**) **1** promemoria; appunto; nota **2** (*org. az.*) comunicazione di servizio ● **m. pad**, blocchetto per appunti □ **m. paper**, carta per appunti.

memoir /'mɛmwɑː(r)/ n. **1** nota biografica; monografia; saggio **2** (pl.) memorie; ricordanze (*poet.*); autobiografia || **memoirist** n. memorialista.

memorabilia /mɛmərə'bɪlɪə/ n. pl. **1** cimeli; reperti **2** detti (*o* cose) memorabili.

memorable /'mɛmərəbl/ a. memorabile || **memorability** n. ⊍ memorabilità (*raro*) || **memorably** avv. memorabilmente.

memorandum /mɛmə'rændəm/ n. (pl. *memoranda*, *memorandums*) **1** memorandum; promemoria; appunto; nota **2** (*org. az.*) comunicazione (*generalm. non firmata*); comunicazione di servizio **3** (*naut.*) duplicato di polizza di carico ● **m. book**, memorandum; agenda; taccuino □ (*fin.*) **m. of association**, atto costitutivo d'una società di capitali □ (*leg.*) **m. of undertaking**, protocollo d'intesa.

memorial /mə'mɔːrɪəl/ **A** a. attr. commemorativo; in memoria: **a m. stamp**, (un) francobollo commemorativo; **a m. service**, una funzione religiosa in memoria di q. **B** n. **1** (di solito al pl.) memoriale; cronaca; testimonianza **2** commemorazione; festa celebrativa **3** monumento (*o* edificio) commemorativo **4** (*leg.*) memoria; istanza; nota; petizione **5** (*leg.*) estratto ● (*USA*) **M. Day**, giorno commemorativo dei Caduti in guerra ❶ CULTURA • **Memorial Day**: *è una festa nazionale* (**national holiday**) *e cade di solito l'ultimo lunedì di maggio, il fine settimana esteso viene detto* **Memorial Day Weekend** □ (*USA*) **m. park**, cimitero □ **m. plaque**, targa funebre ❶ FALSI AMICI • **memorial** *non significa* memoriale.

memorialist /mə'mɔːrɪəlɪst/ n. **1** memorialista; scrittore di memorie **2** (*leg.*) chi fa una petizione; presentatore di una memoria.

to **memorialize** /mə'mɔːrɪəlaɪz/ v. t. **1** commemorare **2** (*leg.*) presentare una memoria (*o* una petizione) a (q.).

to **memorize** /'mɛməraɪz/ v. t. **1** memorizzare; imparare a memoria **2** affidare alla memoria || **memorization** n. ⊍ memorizzazione.

●**memory** /'mɛmrɪ/ n. ⊍🄲 **1** memoria; rimembranza (*lett.*); ricordo: **artificial m.**, memoria artificiale; (*biol.*) **genetic m.**, memoria genetica; *It escapes my m.*, mi è uscito di memoria; **to have a good m.**, avere buona memoria; **to have happy memories**

of st., serbare un buon ricordo di qc. **2** (*comput.*) memoria: **m. allocation**, allocazione della memoria; **m. cell**, cella di memoria ● **m. book**, album (*di ritagli di stampa, fotografie, ecc.*) □ (*fam.*) **m. hole**, dimenticatoio: **to throw st. into the m. hole**, mettere qc. nel dimenticatoio □ **beyond the m. of man**, da tempo immemorabile □ **to commit st. to m.**, mandare qc. a memoria □ **from m.**, a memoria: **to paint [to play, to quote] from m.**, dipingere [suonare, citare] a memoria □ **to have a m. for faces**, essere fisionomista □ **in m. of**, in memoria di (*di un defunto, spec. d'alto lignaggio*) **of blessed [happy] m.**, di buona [felice] memoria □ **speaking from m.**, citando a memoria □ **to the best of my m.**, per quanto ne ricordo io □ **within living m.**, a memoria d'uomo □ **within one's m.**, a propria memoria; per quello che uno ricorda.

MEMS sigla (*scient.*, **microelectromechanical systems**) sistemi microelettromeccanici (MEMS).

memsahib /'mɛmsɑːɪb/ n. (*in India e Pakistan, un tempo*) signora (*usato dai domestici d'una famiglia europea*).

♦**men** /mɛn/ **A** pl. di **man** **B** a. attr. (*spec. sport*) maschile; uomini: **men's foil**, il fioretto maschile ● **men's band**, fede (o vera) per uomo □ (*tennis, ecc.*) **men's doubles**, doppio maschile □ (*USA*) **men's room**, gabinetto per uomini □ (*nuoto*) **men's team event**, gara maschile a squadre.

menace /'mɛnəs/ n. **1** minaccia: *Pollution is a m. to people's health*, l'inquinamento è una minaccia per la salute **2** (*fam.*) pericolo pubblico; peste: *That boy's a m.*, quel ragazzo è una peste.

to **menace** /'mɛnəs/ v. t. minacciare.

menacing /'mɛnəsɪŋ/ a. minaccioso | **-ly** avv.

ménage /meɪ'nɑːʒ, mɛ-/ (*franc.*) n. ménage.

menagerie /mə'nædʒərɪ/ n. serraglio (*di bestie feroci*) ● **private m.**, zoo privato.

Menander /mə'nændə(r)/ n. (*stor., letter.*) Menandro.

menarche /mɛn'ɑːkɪ/ n. ⃞ (*fisiol.*) menarca.

mend /mɛnd/ n. rammendo; rattoppo ● **to be on the m.**, (*di malato*) essere in via di guarigione; (*di affari e sim.*) essere in ripresa: *The economy is on the m.*, l'economia è in ripresa.

to **mend** /mɛnd/ **A** v. t. **1** accomodare; aggiustare; riparare; rammendare; rattoppare; riattare: **to m. a broken toy**, aggiustare un giocattolo rotto; **to have one's car mended**, far riparare l'automobile; **to m. a dress**, rammendare un vestito; **to m. a road**, riattare una strada **2** emendare; correggere: *M. your manners*, correggi i tuoi modi!; sii più educato! **B** v. i. **1** emendarsi; correggersi: *I'm afraid he'll never m.*, temo che non si correggerà mai **2** migliorare (*spec. di salute*): *The patient is mending quickly*, l'ammalato sta migliorando rapidamente **3** (*di cose, situazioni*) rimediarsi; aggiustarsi ● (*fig., spec. polit.*) **to m. (one's) fences (with sb.)**, fare pace (con q.); riallacciare i rapporti (con q.) □ **to m. the fire**, ravvivare il fuoco □ **to m. or end st.**, migliorare o porre termine a qc. □ **to m. one's pace**, affrettarsi; affrettare il passo □ **to m. one's ways**, ravvedersi; cambiar vita □ (*prov.*) **It's never too late to m.**, non è mai troppo tardi per emendarsi.

mendable /'mɛndəbl/ a. **1** aggiustabile; rammendabile; riparabile **2** emendabile; correggibile.

mendacious /mɛn'deɪʃəs/ a. mendace; menzognero | **-ly** avv.

mendacity /mɛn'dæsətɪ/ n. ⃞ **1** menda-

cia; mendacità **2** menzogna; falsità; bugia; mendacio (*lett.*).

mendelevium /mɛndə'liːvɪəm/ n. ⃞ (*chim.*) mendelevio.

Mendelian /mɛn'diːlɪən/ a. e n. (*scient.*) mendeliano.

Mendelism /'mɛndəlɪzəm/ n. ⃞ (*scient.*) mendelismo.

mender /'mɛndə(r)/ n. riparatore; rammendatore ● **road-m.**, operaio addetto alle riparazioni stradali; stradino.

mendicant /'mɛndɪkənt/ **A** a. mendicante; questuante: (*relig.*) **m. friars**, frati mendicanti **B** n. **1** mendicante; accattone **2** frate questuante || **mendicancy** n. ⃞→ **mendicity**.

mendicity /mɛn'dɪsətɪ/ n. ⃞ mendicità; accattonaggio.

mending /'mɛndɪŋ/ n. ⃞ **1** aggiustatura; riparazione; rammendo **2** panni da rammendare ● **m. cotton**, cotone da rammendo □ **m. outfit**, astuccio da rammendo □ **road m.**, lavori stradali.

menfolk /'mɛnfəʊk/ n. ⃞ (*fam.*) uomini (*spec. d'una stessa famiglia*).

menhir /'mɛnhɪə(r)/ n. (*archeol.*) menhir.

menial /'miːnɪəl/ **A** a. da servo; servile; umile: *Scrubbing the floor is a m. task*, sfregare il pavimento (o la pulizia dei pavimenti) è un lavoro umile **B** n. (*spreg.*) servo; domestico ● **the m. staff**, la servitù; i domestici | **-ly** avv.

meningeal /mə'nɪndʒɪəl/ a. (*anat., med.*) meningeo.

meningism /'mɛnɪndʒɪzəm/ n. ⃞ (*med.*) meningismo.

meningitis /mɛnɪn'dʒaɪtɪs/ n. ⃞ (*med.*) meningite.

meningocele /mə'nɪŋɡəsiːl/ n. ⃞ (*med.*) meningocele.

meningococcus /məˌnɪŋɡə'kɒkəs/ n. (pl. **meningococci**) (*med.*) meningococco.

meningoencephalitis /məˌnɪŋɡəʊɛnsɛfə'laɪtɪs/ (*med.*) n. ⃞ meningoencefalite.

meninx /'miːnɪŋks/ n. (pl. **meninges**) (*anat.*) meninge.

meniscus /mə'nɪskəs/ n. (pl. **menisci**, **meniscuses**) (*fis., mat., anat.*) menisco ● (*ottica*) **m. lens**, menisco.

menology /mə'nɒlədʒɪ/ n. (*relig.*) menologio.

menopause /'mɛnəpɔːz/ (*fisiol.*) n. ⃞ menopausa || **menopausal** a. della menopausa.

Menorah /mə'nɔːrə/ n. (*relig. ebraica*) menorah; candelabro a sette bracci.

menorrhagia /mɛnə'reɪdʒə/ n. ⃞ (*med.*) menorragia.

menorrhoea /mɛnə'riːə/ n. ⃞ (*med.*) menorrea.

mensch /mɛnʃ/ (*ted.*) n. (*USA*) persona onesta, integra; tipo ammirevole.

menses /'mɛnsiːz/ (*lat.*) n. pl. (*fisiol.*) mestruazioni.

Menshevik /'mɛnʃəvɪk/ (*stor.*) n. menscevico.

Menshevism n. ⃞ menscevismo.

menstrual /'mɛnstrʊəl/ a. **1** (*fisiol.*) mestruale: **m. cycle**, ciclo mestruale **2** (*astron.*) mensile ● **m. periods**, mestruazioni.

to **menstruate** /'mɛnstrʊeɪt/ v. i. (*fisiol.*) mestruare.

menstruation /mɛnstrʊ'eɪʃn/ n. ⃞ (*fisiol.*) mestruazione.

menstruous /'mɛnstrʊəs/ a. (*fisiol.*) mestruato; mestruale.

mensurable /'mɛnʃərəbl/ a. **1** misurabile **2** (*mus.*) mensurabile; che ha un ritmo fisso || **mensurability** n. ⃞ misurabilità.

mensural /'mɛnʃərəl/ a. **1** di (o pertinente a) misura **2** (*mus.*) mensurale: **m. notation**, notazione mensurale.

mensuration /mɛnʃə'reɪʃn/ n. ⃞ (*form.*) misurazione.

menswear /'mɛnzwɛə(r)/ n. ⃞ **1** abbigliamento maschile ● **2** (= **m. department**) reparto uomo ● **m. shop**, negozio d'abbigliamento per uomo.

♦**mental**① /'mɛntl/ **A** a. **1** mentale; intellettuale; di (o della) mente: **m. block**, blocco mentale; **m. faculties**, facoltà mentali; **m. health**, igiene mentale; **m. activities**, attività intellettuali **2** (*antiq., talvolta sentito come offensivo*) relativo alle malattie mentali: **m. home** (o **m. hospital**, **m. institution**), casa di cura per malattie mentali; manicomio; **a m. patient**, un malato di mente; **a m. specialist**, uno specialista di malattie mentali **3** (*slang*) matto; pazzo: **to go m.**, impazzire; diventare pazzo **B** n. (*slang*) malato di mente; mentecatto; matto; alienato ● (*psic.*) **m. age**, età mentale □ **m. arithmetic**, calcoli mentali (o fatti a mente) □ (*leg.*) **m. capacity** (o **m. competence**), capacità d'intendere e di volere □ **m. cruelty**, crudeltà mentale □ (*psic. antiq.*) **m. defective**, minorato psichico □ (*psic. antiq.*) **m. deficiency**, minorazione psichica □ **m. fog**, confusione nella testa □ (*leg.*) **m. incapacity** (o **m. incompetence**), incapacità d'intendere e di volere □ **m. reservation**, riserva mentale □ **m. test**, prova delle facoltà mentali (o dell'intelligenza) □ **to make a m. note of st.**, fissare qc. nella (propria) memoria.

mental② /'mɛntl/ a. (*anat.*) mentale; mentoniero; del mento.

mentalism /'mɛntlɪzəm/ n. ⃞ (*filos.*) mentalismo.

mentalist /'mɛntəlɪst/ n. (*fam., GB*) persona eccentrica; matto.

mentality /mɛn'tælətɪ/ n. **1** mentalità: **the Western m.**, la mentalità occidentale **2** ⃞ capacità mentali; grado d'acume della mente: **a man of low m.**, un uomo di scarse capacità mentali.

mentally /'mɛntəlɪ/ avv. mentalmente ● (*psic., antiq.*) **m. handicapped**, minorato mentale.

mentation /mɛn'teɪʃn/ n. ⃞ **1** funzione (o attività) mentale **2** condizione (o stato) della mente.

menthol /'mɛnθɒl/ n. ⃞ (*chim.*) mentolo.

mentholated /'mɛnθəleɪtɪd/ a. (*chim.*) mentolato; al mentolo.

mention /'mɛnʃn/ n. ⃞ menzione; accenno; cenno; citazione: **honourable m.**, menzione onorevole.

♦to **mention** /'mɛnʃn/ v. t. menzionare; far menzione di; accennare a; citare ● **above-mentioned**, predetto; suddetto; sopraccitato □ **not to m.** (o **without mentioning**), per non parlare di; tralasciando: *There were many artists, not to m. our greatest living sculptor*, c'erano molti artisti, per non parlare del nostro maggiore scultore vivente □ **Don't m. it**, non c'è di che; prego.

mentionable /'mɛnʃənəbl/ a. menzionabile.

mentor /'mɛntɔː(r)/ n. mentore; guida.

to **mentor** /'mɛntə(r)/ v. t. fare da mentore (o da guida) a: *Graduate students often m. newcomers*, gli studenti laureati fanno spesso da guida ai nuovi arrivati || **mentoring** n. ⃞ **1** il fare da mentore (o da guida) **2** (*org. az.*) mentoring.

menu /'mɛnjuː/ n. **1** menu; lista (delle vivande): *I'll bring you the m.*, le porto il menu **2** (*comput.*) menu: **m. bar**, barra dei menu; **m. item**, voce di menu.

meow /mɪ'aʊ/ → **miaow**.

MEP sigla (**Member of European Parlia-**

ment) membro del Parlamento europeo.

Mephistopheles /ˌmefɪˈstɒfəliːz/ n. **1** (*relig.*) Mefistofele **2** (*fig.*) individuo mefistofelico ‖ **Mephistophelean, Mephistophelian** a. mefistofelico.

mephitic /mɪˈfɪtɪk/ a. mefitico.

mephitis /mɪˈfaɪtɪs/ n. ⑩ (*scient.*) mefite (*lett.*); aria malsana; miasma.

mercantile /ˈmɜːkəntaɪl/ a. mercantile; commerciale: **m. marine**, marina mercantile ● **m. agency**, (*leg.*) rappresentanza (*o* agenzia) di commercio; agenzia d'informazioni commerciali □ (*leg.*) **m. agent**, (*leg.*) agente di commercio, commissionario; titolare di un'agenzia d'informazioni commerciali □ (*fin., USA*) **the M. Exchange**, la Borsa Merci □ (*leg.*) **m. law**, diritto commerciale □ (*banca, fin.*) **m. paper**, carta commerciale; (collett.) effetti commerciali □ (*econ.*) **m. system**, mercantilismo □ (*econ.*) **m. theory**, teoria mercantilistica.

mercantilism /ˈmɜːkəntɪlɪzəm/ (*econ., stor.*) n. ⑩ mercantilismo ‖ **mercantilist** Ⓐ n. mercantilista; fautore del mercantilismo Ⓑ a. mercantilista; mercantilistico ‖ **mercantilistic** a. mercantilistico; mercantilista.

mercaptan /mɜːˈkæptæn/ n. (*chim.*) mercaptano.

mercenary /ˈmɜːsɪnərɪ/ Ⓐ a. mercenario; prezzolato; venale: **m. actions**, azioni venali Ⓑ n. mercenario ‖ **mercenariness** n. ⑩ mercenarismo; l'essere mercenario; venalità.

mercer /ˈmɜːsə(r)/ n. commerciante di tessuti di pregio ‖ **mercery** n. (negozio di) tessuti di pregio.

to mercerize /ˈmɜːsəraɪz/ (*ind. tess.*) v. t. mercerizzare: **mercerized cotton**, cotone mercerizzato ‖ **mercerization** n. ⑩ mercerizzazione.

♦**merchandise** /ˈmɜːtʃəndaɪz/ n. ⑩ merce, merci; mercanzia ● **m. broker**, mediatore d'affari; sensale □ (*leg.*) **m. mark**, marchio di fabbrica (*o* di origine) □ (*trasp.*) **m. traffic**, movimento (delle) merci □ (*ferr.*) **m. train**, treno merci □ (*org. az., rag.*) **m. turnover**, indice di rotazione delle scorte.

to merchandise /ˈmɜːtʃəndaɪz/ (*comm.*) v. t. **1** commerciare in (*un articolo, ecc.*); trattare, occuparsi di (*un ramo d'affari, ecc.*) **2** commercializzare, promuovere le vendite di (*un prodotto*) ‖ **merchandiser** n. merchandiser; chi si occupa di merchandising
Ⓝ NOTA: *-ise o -ize? →* **-ise**

merchandising /ˈmɜːtʃəndaɪzɪŋ/ n. ⑩ (*comm.*) **1** merchandising; attività promozionali (*di vendita*) **2** merchandising; gadget promozionali; materiale promozionali.

♦**merchant** /ˈmɜːtʃənt/ Ⓐ n. **1** mercante, commerciante **2** (*USA*) negoziante; bottegaio **3** (*naut.*) mercantile (*nave*) Ⓑ a. attr. mercantile; commerciale: **the m. navy** (*o* **marine**), la marina mercantile; **a m. ship**, una nave mercantile; un mercantile; **the m. class**, il ceto commerciale ● (*fin.*) **m. bank**, merchant bank (*in GB*); banca d'affari, istituto d'intermediazione finanziaria (*come la Mediobanca in Italia*) □ (*fin.*) **m. banker**, merchant banker (*in GB*); banchiere d'affari (*fin.*) **m. banking**, merchant banking; intermediazione finanziaria □ (*naut.*) **m. flag**, bandiera dei mercantili □ (*naut.*) **m. fleet**, flotta mercantile □ (*fam.*) **m. prince**, ricco commerciante □ (*in GB*) **m. shipper**, esportatore □ (*naut.*) **m. shipping**, marina mercantile; (*anche*) trasporto di merci via mare □ (*stor., econ.*) **M. Venturers**, mercanti medievali che trafficavano con paesi lontani.

to merchant /ˈmɜːtʃənt/ (*raro*) → **to merchandise**, def. 1.

merchantable /ˈmɜːtʃəntəbl/ a. commerciabile; vendibile ● (*leg., market.*) **m.**

quality, qualità commerciabile; qualità buona e mercantile ‖ **merchantability** n. ⑩ commerciabilità (*di un prodotto*).

merchantman /ˈmɜːtʃəntmən/ n. (pl. **merchantmen**) (*naut.*) mercantile; nave mercantile.

merciful /ˈmɜːsɪfl/ a. **1** misericordioso; clemente **2** (*di evento, ecc.*) che reca sollievo; che è una liberazione: **to come to a m. end**, arrivare alla fine per grazia di Dio ‖ **mercifully** avv. **1** misericordiosamente; con clemenza **2** per fortuna; per grazia di Dio; grazie a Dio ‖ **mercifulness** n. ⑩ misericordiosità; clemenza.

merciless /ˈmɜːsɪləs/ a. spietato; crudele; inesorabile ‖ **-ly** avv. ‖ **-ness** n. ⑩.

mercurial /mɜːˈkjʊərɪəl/ Ⓐ a. **1** (*farm., med.*) mercuriale; (a base) di mercurio: **m. preparations**, galenici a base di mercurio **2** (*fig.*) incostante; mutevole; volubile: **a m. artist**, un artista incostante **3** (*fig.*) vivace; attivo; brioso; brillante: **a m. temperament**, un carattere vivace **4** – (*astron., mitol.*) M., mercuriano, di Mercurio Ⓑ n. (*farm.*) medicamento mercuriale ● (*med.*) **m. poisoning**, avvelenamento da mercurio; mercurialismo; idrargirismo ‖ **-ly** avv.

mercurialism /mɜːˈkjʊərɪəlɪzəm/ n. ⑩ (*med.*) avvelenamento da mercurio; mercurialismo; idrargirismo.

mercuric /mɜːˈkjʊərɪk/ a. (*chim.*) mercurico; idrargirico ● (*chim.*) **m. chloride**, bicloruro di mercurio; sublimato corrosivo.

Mercurochrome® /mɜːˈkjʊərəkrəʊm/ n. ⑩ (*farm.*) mercurocromo.

mercurous /mɜːˈkjʊərəs/ a. (*chim.*) mercuroso; idrargiroso.

mercury /ˈmɜːkjʊrɪ/ n. **1** ⑩ (*chim.*) mercurio **2** ⑩ (*fig. arc.*) vivacità; spirito **3** (*bot., Mercurialis perennis*) mercorella bastarda ● (*chim.*) **m. chloride**, bicloruro di mercurio; sublimato corrosivo □ (*tecn.*) **m. trough**, vaschetta del mercurio □ **The m. is rising**, il barometro sale, volge al bello; (*fig.*) la situazione migliora.

Mercury /ˈmɜːkjʊrɪ/ n. **1** (*mitol., astron.*) Mercurio **2** (*fig. scherz.*) messaggero ● (*mitol.*) **M.'s wand**, il caduceo.

Mercutio /mɜːˈkjuːʃɪəʊ/ n. (*letter.*) Mercuzio.

mercy /ˈmɜːsɪ/ n. **1** ⑩ misericordia; pietà; compassione; clemenza; mercé; grazia (*anche leg.*): **to be at the m. of sb.** (*o* at sb.'s m.), essere alla mercé di q.; **to have m. on** (*o* to show m. to) sb., aver pietà di q.; usare misericordia a q.; **to beg** (*o* to plead) **for m.**, chiedere misericordia, implorare pietà; **to throw oneself on sb.'s m.**, affidarsi alla clemenza di q. **2** dono del cielo; grazia; fortuna: *It was a m. he was still alive*, fu un dono del cielo se poté salvare la vita ● **M.!** (*o* **M. on us!**), misericordia! □ **m. flight**, trasporto di un malato grave in aereo □ **m. killing**, eutanasia □ **m. mission**, missione umanitaria □ (*stor., relig.*) **m. seat**, trono propiziatorio dell'arca sacra degli ebrei □ **m. slaying**, uccisione indolore (*d'animali*) □ **m. stroke**, colpo di grazia.

mere① /mɪə(r)/ n. lago (*spec. nei toponimi*); laghetto.

♦**mere**② /mɪə(r)/ a. mero; solo; puro o semplice; non... che; niente altro che: *I missed the train by a m. two minutes*, ho perso il treno per due minuti soli; *He's a m. boy*, è solo un ragazzo; non è che un ragazzo ● (*leg.*) **m. right**, (diritto di) nuda proprietà □ **a m. trifle**, un'inezia; una nonnulla □ **the merest little thing**, un nonnulla.

Merels /ˈmɛrəlz/ n. filetto (*gioco da tavolo*; = **Nine Men's Morris** → **nine**).

♦**merely** /ˈmɪəlɪ/ avv. solamente; soltanto; appena: *He went to the party m. to see her*, andò alla festa soltanto per vedere lei ●

She's m. a girl, non è che una ragazzina.

mereology /mɪːrɪˈɒlədʒɪ/ n. ⑩ (*filos.*) mereologia.

meretricious /ˌmerəˈtrɪʃəs/ a. **1** meretricio (*raro*): **m. love**, amore meretricio **2** appariscente; vistoso; artefatto; falso: **a m. play**, un dramma artefatto ‖ **-ly** avv.

meretriciousness /ˌmerəˈtrɪʃəsnəs/ n. ⑩ l'essere appariscente (*o* artefatto); vistosità.

merganser /mɜːˈɡænsə(r)/ n. (pl. **mergansers**, **merganser**) (*zool., Mergus*) smergo.

to merge /mɜːdʒ/ Ⓐ v. t. **1** mescolare, fondere (*colori, ecc.*) **2** (*fin.*) fondere; concentrare; incorporare: *The two firms were merged into a big company*, le due ditte vennero fuse in una grande azienda **3** (*leg.*) confondere (*interessi, redditi, ecc.*) **4** (*comput.*) unire in un unico elenco Ⓑ v. i. **1** mescolarsi; fondersi; amalgamarsi **2** (*fin.*) fondersi; concentrarsi; incorporarsi: *The two banks merged to form a bigger institution*, le due banche si fusero formando un istituto di maggiori dimensioni **3** (*leg.: di interessi, ecc.*) confondersi ● **to m. into**, essere assorbito da; sfumare in, svanire in; (*fin.*) fondersi per formare (*un'azienda maggiore*): *The sunset merged into darkness*, il tramonto sfumò nell'oscurità □ **to m. together**, fondersi; mescolarsi; confondersi.

merged /mɜːdʒd/ a. (*fin.*) assorbito, incorporato.

mergence /ˈmɜːdʒəns/ n. ⑩ fusione; unione.

♦**merger** /ˈmɜːdʒə(r)/ n. ⑩ **1** fusione; concentrazione: **a m. deal**, un'operazione di fusione **2** (*fin.*) (fusione per) incorporazione; assorbimento (*di un'azienda e sim.*) **3** (*leg.*) confusione (*d'interessi, redditi, ecc.*) ● (*econ., org. az.*) (al pl.) **mergers and acquisitions** (abbr. **M&A**), fusioni e acquisizioni □ (*econ.*) **m. policy**, politica delle concentrazioni.

merging /ˈmɜːdʒɪŋ/ n. ⑩ **1** mescolamento **2** (*anche fin.*) fusione; il fondersi **3** (*comput.*) fusione.

meridian /məˈrɪdɪən/ Ⓐ n. **1** (*geogr., astron.*) meridiano: **celestial m.**, meridiano celeste **2** (*fig.*) apice; apogeo; culmine Ⓑ a. **1** meridiano; di mezzogiorno: **m. light**, luce meridiana **2** (*fig.*) eccelso; culminante; che è all'apogeo ● **m. of Greenwich** (*o* **Greenwich m.**), meridiano fondamentale (*di Greenwich*) □ (*naut.*) **m. sailing**, navigazione per meridiano.

meridional /məˈrɪdɪənl/ Ⓐ a. **1** meridionale; dell'Europa meridionale **2** di meridiano Ⓑ n. meridionale; (*spec.*) nativo (*o* abitante) del sud della Francia ● **m. distance**, distanza in longitudine.

meringue /məˈræŋ/ n. (*cucina*) **1** ⑩ meringa (*zucchero e chiara d'uovo*) **2** meringa (*il dolce*) ● **m. cake**, meringata.

merino /məˈriːnəʊ/ n. **1** (pl. **merinos**) (*zool.*, = **m. sheep**) merino; pecora merino **2** ⑩ (*ind. tess.*) merino; tessuto di lana merino ● **m. wool**, lana merino.

meristem /ˈmerɪstəm/ (*bot.*) n. meristema ‖ **meristematic** a. meristematico.

merit /ˈmerɪt/ n. **1** ⑩ merito; pregio; valore: **a man of m.**, un uomo di meriti (*o* di valore) **2** (pl.) (*spec. leg.*) merito: **the merits of a case**, il merito di una causa ● **m. bonus**, gratifica (per merito) □ (*econ.*) **m. pay**, retribuzione a incentivo □ **m. rating**, valutazione di merito del personale □ (*USA*) **m. system**, criterio meritocratico, sistema di promozioni in base al solo merito □ **to go into the m. of st.**, entrare nel merito di qc. □ **to judge a proposal on its merits**, giudicare una proposta valutandone il pro e il contro □ **to make a m. of st.**, farsi un merito di qc.

to **merit** /'mɛrɪt/ v. t. meritare, meritarsi: **to m. a reward**, meritare una ricompensa; **to m. a punishment**, meritarsi una punizione.

meritocracy /mɛrɪ'tɒkrəsɪ/ n. ⓤ meritocrazia ‖ **meritocratic** a. meritocratico.

meritorious /mɛrɪ'tɔːrɪəs/ a. meritorio; meritevole; lodevole; encomiabile | **-ly** avv.

meritoriousness /mɛrɪ'tɔːrɪəsnəs/ n. ⓤ l'essere meritorio.

merlin /'mɜːlɪn/ n. (zool., Falco columbarius) smeriglio.

Merlin /'mɜːlɪn/ n. Merlino (mago).

merlon /'mɜːlən/ n. (archit.) merlone; merlo.

mermaid /'mɜːmeɪd/ n. (mitol.) sirena.

merman /'mɜːmæn/ n. (pl. **mermen**) (mitol.) tritone.

meroblastic /mɛrəʊ'blæstɪk/ a. (biol.) meroblastico.

merocrine /'mɛrəkraɪn/ a. (fisiol.) merocrino.

Merovingian /mɛrə'vɪndʒɪən/ a. e n. (stor.) merovingico.

Merrils /'mɛrəlz/ → **Merels**.

merrily /'mɛrəlɪ/ avv. **1** allegramente; gaiamente; lietamente **2** (fam.) distrattamente; incoscientemente.

merriment /'mɛrɪmənt/ n. ⓤ (form.) allegria; gaiezza; festa; baldoria.

merry /'mɛrɪ/ a. **1** allegro; gaio; giocondo; lieto; festoso: **a m. laugh**, un'allegra risata **2** (arc.) bello; dolce; ameno **3** (fam.) brillo; alticcio ● **m.-andrew**, buffone; pagliaccio □ (stor.) **M. England**, l'Inghilterra Felice (della regina Elisabetta I) ● **m.-go-round**, giostra; carosello; (fig.) attività frenetica ● **m.-making**, festa; baldoria; divertimento □ (stor.) **the M. Monarch**, il Re Libertino (Carlo II: 1649-85) □ **M. Christmas!**, buon Natale!; felice Natale! □ **to make m.**, far festa; far baldoria.

merry men /'mɛrɪmɛn/ n. pl. (anche scherz.) fedeli, seguaci (di Robin Hood, ecc.).

merrythought /'mɛrɪθɔːt/ n. (fam. ingl.) clavicole saldate di pollo; forcella (pop.).

mesa /'meɪsə/ (spagn.) n. (geogr., USA) mesa; montagna a sommità piatta.

mescal /'mɛskæl/ n. **1** (bot., Lophophora williamsii) lofofora (cactacea del Messico) **2** ⓤ mescal (liquore messicano ricavato da agavi).

mescaline, **mescalin** /'mɛskəlɪn/ n. ⓤ (chim.) mescalina.

mesdames /meɪ'dæm(z)/ n. pl. **1** (franc., pl. di **madame**) signore **2** (pl. di **Mrs**) signore (spec. al vocat.; anche, comm., nel caso di un'azienda o ditta di donne).

mesencephalon /mɛsɛn'sɛfəlɒn/ (anat.) n. mesencefalo ‖ **mesencephalic** a. mesencefalico.

mesenchyme /'mɛsɛŋkaɪm/ (biol.) n. mesenchima ‖ **mesenchymal** a. mesenchimale.

mesenteritis /mɛsɛntə'raɪtɪs/ n. (med.) mesenterite.

mesentery /'mɛsəntrɪ/ (anat.) n. mesenterio; mesentere ‖ **mesenteric** a. mesenterico.

mesh /mɛʃ/ n. ⓤ **1** rete; reticella: **wire m.**, rete metallica (per recinzione o protezione) **2** maglia (nodo, vuoto fra nodo e nodo, di rete): **the meshes of a net** [**of a sieve**], le maglie di una rete [di un setaccio]; **a sixty-m. screen**, un vaglio a sessanta maglie per pollice lineare **3** filo **4** (pl.) (fig.) rete; trappola: **a m. of narrow streets** [**canals**], una rete (o un intreccio) di viuzze [di canali] **5** (pl.) (anat.) reticolato; reticolo **6** ⓤ (mecc.) presa; ingranaggio **7** (elettr.) maglia ● (archit.) **m. ceiling**, soffitto a rete □ **a m. handbag**, una borsa di rete □ (mecc.: di ruo-

ta dentata) **in m.**, inserito; ingranato □ (mecc.) **out of m.**, disinserito; in folle.

to **mesh** /mɛʃ/ **A** v. t. **1** prendere nella rete; (fig.) irretire, intrappolare **2** (mecc.) ingranare; innestare **B** v. i. **1** (mecc.) ingranare; (di una marcia) entrare (fam.) **2** (fig.) andare d'accordo; essere compatibile; adattarsi: **His lifestyle doesn't m. with mine**, il suo stile di vita non va d'accordo con il mio ● (mecc.) **meshing gear**, ingranaggio accoppiato.

meshuga, **meshugga** /mə'ʃʊgə/ n. (slang USA) matto; pazzo.

meshugaas /mɪ'ʃʊgɑːs/ n. ⓤ (slang USA) idee stupide; comportamento stupido; stupidaggini; fesserie (fam.).

meshwork /'mɛʃwɜːk/ n. ⓤ struttura retiforme; reticolo.

meshy /'mɛʃɪ/ a. a rete; a maglia.

mesial /'miːzɪəl/ a. (anat.) medio; mediano.

mesmeric /mɛz'mɛrɪk/ a. **1** (psic.) mesmerico **2** (fig.) magnetico; affascinante.

mesmerism /'mɛzmərɪzəm/ n. ⓤ **1** (psic.) mesmerismo; biomagnetismo **2** (per estens.) ipnotismo **3** (fig.) fascino; incanto ‖ **mesmerist** n. **1** chi pratica il mesmerismo **2** (per estens.) ipnotizzatore.

to **mesmerize** /'mɛzməraɪz/ v. t. **1** mesmerizzare **2** (fig.) affascinare; incantare ‖ **mesmerization** n. ⓤ mesmerizzazione.

mesne /miːn/ a. (leg.) intermedio ● (stor.) **m. lord**, valvassore.

mesoblast /'mɛsəʊblæst/ n. (biol.) mesoblasto.

mesocarp /'mɛsəʊkɑːp/ n. (bot.) mesocarpo.

mesocolon /'mɛsəʊkəʊlɒn/ n. (anat.) mesocolon.

mesoderm /'mɛsəʊdɜːm/ (anat.) n. mesoderma ‖ **mesodermal**, **mesodermic** a. mesodermico.

mesolite /'mɛsəʊlaɪt/ n. ⓤ (miner.) mesolite.

Mesolithic /mɛsəʊ'lɪθɪk/ n. ⓤ e a. (preistoria) mesolitico.

mesomerism /mə'sɒmərɪzəm/ (chim.) n. mesomeria ‖ **mesomeric** a. mesomero.

mesomorph /'mɛsəʊmɔːf/ (scient.) n. mesomorfo; individuo mesomorfo ‖ **mesomorphic** a. mesomorfico; mesomorfo.

meson /'miːzɒn/ (fis. nucl.) n. mesone ‖ **mesonic** a. mesonico.

mesopause /'mɛsəʊpɔːz/ n. ⓤ (meteor.) mesopausa.

mesophase /'mɛsəʊfeɪz/ n. (chim.) mesofase.

mesophyll /'mɛsəʊfɪl/ n. (bot.) mesofillo.

mesophyte /'mɛsəʊfaɪt/ n. (bot.) mesofita.

Mesopotamian /mɛsəpə'teɪmɪən/ a. (geogr.) mesopotamico.

mesosphere /'mɛsəʊsfɪə(r)/ n. ⓤ (meteor.) mesosfera.

mesothelium /mɛsəʊ'θiːlɪəm/ (anat.) n. (pl. **mesothelia**, **mesotheliums**) mesotelio ‖ **mesothelial** a. mesoteliale.

mesotherapy /mɛsəʊ'θɛrəpɪ/ n. ⓤ mesoterapia.

mesotherm /'mɛsəʊθɜːm/ (bot.) n. pianta mesoterma ‖ **mesothermal** a. mesotermo: **mesothermal plant**, pianta mesoterma.

mesothorax /mɛsəʊ'θɔːræks/ n. (pl. **mesothoraxes**, **mesothoraces**) (zool.) mesotorace.

mesotron /'miːsətrɒn/ n. (fis. nucl.) mesotrone (antico nome del mesone).

Mesozoic /mɛsəʊ'zəʊɪk/ a. e n. (geol.) mesozoico.

◆**mess** /mɛs/ n. **1** (con l'art. indef.) confusio-

ne; disordine; casino (fam.): **The room is in a m.**, la stanza è in disordine (o sottosopra, all'aria); **What a m.!**, che casino! **2** (con l'art. indef.) imbroglio; impiccio; guaio; pasticcio **3** (fam.) sporcizia; sudiciume **4** (fam. USA) persona trasandata; sciattone, sciattona; pasticciona, pasticcione; casinista (fam.) **5** (eufem.) cacca, escrementi (spec. di animali domestici) **6** mensa (spec. mil.); pasto comune; rancio; (per estens.) compagni di mensa: **It's time to go to m.**, è ora d'andare alla mensa; è l'ora del pasto ● (naut.) **m. deck**, ponte alloggi equipaggio □ (USA) **m. hall**, mensa (il locale); refettorio □ (mil.) **m. jacket**, giubba di gala □ **m. kit**, posate da viaggio (o da campeggio) □ (Bibbia, fig.) **a m. of pottage**, un piatto di lenticchie □ (fam.) **a m. of trouble**, guai grossi □ (mil.) **m. tin**, gavetta; gamella □ **to get into a m.**, cacciarsi nei guai, mettersi nei pasticci □ **to look a m.**, essere malmesso, essere in disordine □ **to make a m. of a job**, rovinare il lavoro intrapreso; sciupare (pop.: incasinare) tutto □ **to make a m. of st.**, mettere sottosopra, buttare all'aria, incasinare, scombinare qc.; mandare a monte, sciupare, rovinare qc. □ **You've made a m. of it**, hai combinato un bel pasticcio; hai incasinato tutto (pop.).

to **mess** /mɛs/ **A** v. i. **1** (spec. mil.) mangiare alla mensa **2** (fam.) bighellonare; oziare; ciondolare; gingillarsi; non combinare niente: **Stop messing!**, smettila di gingillarti! **B** v. t. → **mess up**.

■ **mess about** (o **around**) **A** v. i. + avv. (fam.) **1** → **to m.**, **A**, def. 2 **2** fare (o dire) fesserie; dire cavolate (fam.) **B** v. t. + avv. (fam.) **1** buttare all'aria, mettere in disordine (documenti, ecc.) **2** trattare (q.) male, senza riguardi.

■ **mess about** (o **around**) **with** v. i. + avv. + prep. (fam.) **1** armeggiare, trafficare, baloccarsi con (un oggetto) **2** buttare all'aria; mettere in disordine; incasinare (pop.) **3** ciurlare nel manico, fare il furbo con (q.); fare lo gnorri con (q.): **Don't m. about with me!**, non fare il furbo con me! **4** andare in giro con; darsi da fare con; farsela con; amoreggiare con (q.): **He's messing about with his boss's wife**, se la fa con la moglie del suo capo **5** molestare, maltrattare (spec. una donna).

■ **mess together** v. i. + avv. (spec. mil.) fare mensa comune; mangiare insieme.

■ **mess up** v. t. + avv. **1** mettere in disordine (un abito, ecc.); (del vento) scompigliare (i capelli) **2** insudiciare; sporcare **3** (fam.) mandare all'aria, a monte (un progetto, ecc.); rovinare, sciupare (una vacanza, ecc.); fare male in (un esame); incasinare (pop.): **to m. up a bargain**, mandare a monte un affare.

■ **mess with** v. i. + prep. **1** (mil.) fare mensa comune con (q.) **2** (fam. USA) → **mess about with**.

◆**message** /'mɛsɪdʒ/ n. **1** messaggio (anche fig.); comunicazione; segnalazione: **a film with a m.**, un film con un messaggio; **Send me a m. if you need picking up when you come back**, mandami un messaggio se hai bisogno che ti venga a prendere quando torni; (al telefono) **Can I take a m.?**, vuole lasciare un messaggio? **2** messaggio pubblicitario; slogan; stacco pubblicitario (televisivo, ecc.) **3** ambasciata; commissione: **to go on a m.**, andar a fare un'ambasciata (o una commissione) **4** (comput.) messaggio: **m. box**, finestra di messaggio; **m. thread**, sequenza di messaggi (di posta elettronica) ● (telef.) **m. unit**, unità; scatto □ (fam.) **to get the m.**, capire l'antifona; afferrare al volo (fig.): **O.K., I get the m.!**, va bene, ho capito! □ **to get the m. through to sb.**, far capire qc. a q.

to **message** /'mɛsɪdʒ/ v. t. comunicare;

segnalare; trasmettere un messaggio a (q.).

messaging /'mɛsədʒɪŋ/ (*comput.*) **A** a. per la spedizione di messaggi **B** n. ⓤ messaggistica: **instant m.**, messaggistica istantanea.

messed up /'mɛstʌp/ a. (*slang USA*) **1** incasinato; confuso; pieno di problemi **2** ubriaco; sbronzo **3** drogato; fatto.

messenger /'mɛsndʒə(r)/ n. **1** messaggero; messo; corriere **2** (= **m. boy**) fattorino **3** (*spreg.*) galoppino ● (*prov.*) **Don't shoot the m.!**, ambasciator non porta pena.

messiah /mə'saɪə/ n. **1** – **the M.** (*relig.*) il Messia **2** (*fig.*) messia, salvatore ‖ **messiahship** n. messianicità.

messianic /mɛsɪ'ænɪk/ (*relig.*) a. messianico: **m. character**, aspetto messianico; messianicità ‖ **messianism** n. ⓤ messianismo.

messmate /'mɛsmeɪt/ n. (*spec. mil.*) commensale; compagno di mensa.

Messrs /'mɛsəz/ n. pl. (pl. di **Mr**; *spec. comm.*) **1** (*nella ragione sociale*) signori, ditta (*seguito da più cognomi*) **2** (al vocat., *nell'intestazione della corrispondenza*) egregi signori; spettabile ditta.

messuage /'mɛswɪdʒ/ n. (*leg.*) casa padronale con annessi e terreno circostante.

mess-up /'mɛsʌp/ n. (*fam.*) pasticcio; imbroglio; casino (*pop.*).

♦**messy** /'mɛsɪ/ a. **1** disordinato; in disordine: **a m. room**, una stanza in disordine **2** sudicio; sporco: **a m. floor**, un pavimento sporco **3** (*fig.*) spinoso; intricato; ingarbugliato: **a m. affair**, una questione ingarbugliata (*o spinosa*) ● **a m. job**, un lavoro che fa sporcar le mani ‖ **messily** avv. disordinatamente; in modo caotico ‖ **messiness** n. ⓤ confusione; disordine; caos (*fig.*).

mestizo /mɛ'stiːzəʊ/ n. (pl. **mestizos**, **mestizoes**) meticcio (*dell'America Latina*).

met① /mɛt/ pass. e p. p. di **to meet**.

met② /mɛt/ a. (abbr. di **meteorological**) meteorologico; meteo (*fam.*): **met report**, bollettino meteorologico ● **the Met Office**, l'Ufficio Previsioni Meteorologiche.

Met① /mɛt/ n. → **metropolitan 1** (*in GB*) the Metropolitan Police **2** (*in USA*) the Metropolitan Opera House.

Met② /mɛt/ abbr. – **the Met** (*USA*, **The (New York) Metropolitan Museum of Art**) Il museo d'arte di New York.

metabasis /mə'tæbəsɪs/ n. (pl. **metabases**) (*filos.*, *retor.*) metabasi.

metabiosis /mɛtəbaɪ'əʊsɪs/ n. ⓤ (*biol.*) metabiosi.

metabolism /mə'tæbəlɪzəm/ (*fisiol.*) n. metabolismo: **basal** (*o* **resting**) **m.**, metabolismo basale ‖ **metabolic** a. metabolico.

metabolite /mə'tæbəlaɪt/ n. (*fisiol.*) metabolita, metabolito.

to **metabolize** /mə'tæbəlaɪz/ (*fisiol.*) **A** v. t. metabolizzare **B** v. i. essere metabolizzato: *Glucose metabolizes easily*, il glucosio viene metabolizzato bene dall'organismo ‖ **metabolizer** n. metabolizzante.

metabolomics /mɛtəbə'lɒmɪks/ n. pl. (col verbo al sing.) (*biol.*) metabolomica.

metacarpus /mɛtə'kɑːpəs/ (*anat.*) n. (pl. **metacarpi**) metacarpo ‖ **metacarpal** a. metacarpale.

metacentre, (*USA*) **metacenter** /'mɛtəsɛntə(r)/ (*fis.*) n. metacentro ‖ **metacentric** a. metacentrico.

metachromasia /mɛtəkrəʊ'meɪzɪə/ (*biol.*) n. ⓤ metacromasia ‖ **metachromatic** a. metacromatico ‖ **metachromatism** n. ⓤ metacromatismo.

metachronism /mɛ'tækrənɪzəm/ (*biol.*) n. ⓤ metacronismo ‖ **metachronal** a. metacronico.

metacriticism /'mɛtəkrɪtɪsɪzəm/ n. ⓤ (*filos.*) metacritica.

metadata /'mɛtədeɪtə/ n. pl. (spesso col verbo al sing.) (*comput.*) metadati.

metadyne /'mɛtədiːn/ n. (*elettr.*) metadinamo.

meta-ethics /'mɛtəɛθɪks/ (*filos.*) n. pl. (col verbo al sing.) metaetica ‖ **meta-ethical** a. metaetico.

metafile /'mɛtəfaɪl/ n. (*comput.*), file di metadati.

metagalaxy /'mɛtəgæləksɪ/ (*astron.*) n. metagalassia ‖ **metagalactic** a. metagalattico.

metage /'miːtɪdʒ/ n. **1** pesatura d'un carico (*di grano, carbone, ecc.*, *alla pesa pubblica*) **2** somma pagata per la pesatura.

metagenesis /mɛtə'dʒɛnəsɪs/ (*biol.*) n. ⓤ metagenesi ‖ **metagenetic** a. metagenetico.

metakey /'mɛtəkiː/ n. (*comput.*) tasto meta, alt (*uno dei tasti modificatori di funzione*).

♦**metal** /'mɛtl/ n. **1** ⓒ metallo **2** (= **road m.**) breccia; brecciame; pietrisco **3** ⓤ (*tecn.*, *raro*) vetro allo stato fuso **4** ⓤ (*mil.*) mezzi corazzati; carri armati; autoblinde **5** (pl.) (*ferr.*, *in GB*) binari; rotaie: **to leave** (*o* **to jump**) **the metals**, uscire dai binari; deragliare **6** ⓤ (*tipogr.*; = **type m.**) piombo: **alterations made in the m.**, correzioni fatte sul piombo **7** ⓤ (*mus.*) metal: **heavy m.**, heavy metal ● (*tecn.*) **m.-arc welding**, saldatura per arco metallico □ (*tecn.*) **m. coating**, rivestimento metallico □ (*tecn.*) **m. detector**, metal detector; cercametalli □ (*tecn.*) **m. fatigue**, fatica (*o* usura) del metallo □ (*metall.*) **m. forming**, lavorazione plastica □ (*metall.*) **m. hardening**, tempra dei metalli □ **m. plate**, targhetta (di metallo) □ (*tecn.*) **m. plating**, rivestimento metallico ● **m. polisher**, lucidatore di metalli □ (*metall.*) **m. pressing**, pressatura di metalli □ (*metall.*) **m. rolling**, laminazione dei metalli □ (*metall.*) **m. spinning**, imbutitura su tornio; repussaggio □ (*tecn.*) **m. spraying**, metallizzazione □ **m. treatment**, trattamento dei metalli □ **m. worker** = **metalworker** → **metalwork**.

to **metal** /'mɛtl/ v. t. **1** dare un rivestimento metallico a (qc.) **2** massicciare, macadamizzare (*una strada*) ● **a metalled road**, una strada massicciata.

metalanguage /'mɛtəlæŋgwɪdʒ/ (*ling.*) n. metalingua, metalinguaggio.

metaldehyde /mə'tældəhaɪd/ n. ⓤ (*chim.*) metaldeide.

metalepsis /mɛtə'lɛpsɪs/ n. (*ling.*) metalepsi.

metalhead /'mɛtlhɛd/ n. (*fam. USA*) metallaro.

metalinguistics /mɛtəlɪŋ'gwɪstɪks/ (*ling.*) n. pl. (col verbo al sing.) metalinguistica ‖ **metalinguist** n. studioso di metalinguistica ‖ **metalinguistic** a. metalinguistico.

metallic /mɪ'tælɪk/ a. metallico: (*chim.*) **m. bond**, legame metallico; (*econ.*) **m. currency** (*o* **m. money**), valuta (*o* moneta) metallica; **a m. sound**, un suono metallico; (*banca*) **m. reserve**, riserva metallica; **a m. voice**, una voce metallica.

metalliferous /mɛtə'lɪfərəs/ a. (*miner.*) metallifero.

metalline /'mɛtəlaɪn/ a. **1** (*chim.*) metallico **2** metallizzato **3** metallifero.

metalling, (*USA*) **metaling** /'mɛtəlɪŋ/ n. ⓤ (*costr. stradali*) brecciame; pietrisco.

metallist /'mɛtəlɪst/ n. (*stor. econ.*) metallista.

to **metallize** /'mɛtəlaɪz/ v. t. **1** (*tecn.*) metallizzare **2** vulcanizzare (*la gomma*) ‖ **metallization** n. ⓤ **1** metallizzazione **2** vulca-

nizzazione (*della gomma*) ‖ **metallized** a. **1** metallizzato **2** vulcanizzato.

metallogenesis /mɛtæləʊ'dʒɛnəsɪs/ n. ⓤ metallogenesi.

metallography /mɛtə'lɒgrəfɪ/ (*scient.*) n. ⓤ metallografia ‖ **metallographic** a. metallografico.

metalloid /'mɛtəlɔɪd/ (*chim.*) n. e a. metalloide ‖ **metalloidal** a. metalloidico.

metallo-organic /mɛtæləʊːˈgænɪk/ a. metallorganico.

metallophone /mɛ'tælefəʊn/ n. (*mus.*) metallofono.

metallurgy /mɪ'tælədʒɪ/ n. ⓤ metallurgia ● **iron m.**, siderurgia ‖ **metallurgic**, **metallurgical** a. metallurgico ‖ **metallurgically** avv. metallurgicamente ‖ **metallurgist** n. metallurgista; esperto in metallurgia.

metalogical /mɛtə'lɒdʒɪkl/ a. metalogico.

metalware /'mɛtlwɛə(r)/ n. ⓤ articoli in metallo.

metalwork /'mɛtlwɜːk/ n. ⓤ **1** (fabbricazione di) oggetti metallici **2** (*a scuola*) officina (*materia di studio*) ‖ **metalworker** n. **1** chi lavora i metalli; (operaio) metallurgico; metalmeccanico **2** fabbro **3** zincatore ‖ **metalworking** n. ⓤ lavorazione dei metalli; metallurgia.

metamaterial /'mɛtəmətɪərɪəl/ n. ⓤⓒ (*scient.*) metamateriale.

metamathematics /mɛtəmæθə'mætɪks/ n. pl. (col verbo al sing.) metamatematica ‖ **metamathematical** a. metamatematico.

metamere /'mɛtəmɪə(r)/ n. (*zool.*) metamero.

metameric /mɛtə'mɛrɪk/ a. (*chim.*, *zool.*) metamerico ‖ **metamer** n. (*chim.*) metamero ‖ **metamerism** n. ⓤ **1** (*zool.*) metameria **2** (*chim.*) metameria; metamerismo.

metamorphic /mɛtə'mɔːfɪk/ a. (*biol.*, *geol.*) metamorfico.

metamorphism /mɛtə'mɔːfɪzəm/ n. ⓤ (*geol.*) metamorfismo.

to **metamorphose** /mɛtə'mɔːfəʊz/ **A** v. t. **1** (*scient.*) metamorfosare **2** (*fig.*) trasformare: *Circe metamorphosed men into swine*, Circe trasformava gli uomini in maiali **B** v. i. (*scient.*) metamorfosarsi; trasformarsi.

metamorphosis /mɛtə'mɔːfəsɪs/ n. ⓒⓤ (pl. **metamorphoses**) (*biol. e mitol.*) metamorfosi; (*fig.*) trasformazione.

metanoia /mɛtə'nɔɪə/ n. ⓤ (*relig.*) metanoia.

metaphase /'mɛtəfeɪz/ n. (*biol.*) metafase.

metaphor /'mɛtəfə(r)/ (*retor.*) n. metafora ‖ **metaphorical**, **metaphoric** a. metaforico ‖ **metaphorically** avv. metaforicamente.

to **metaphorize** /'mɛtəfəraɪz/ v. t. metaforizzare.

metaphosphate /mɛtə'fɒsfeɪt/ n. (*chim.*) metafosfato.

metaphrase /'mɛtəfreɪz/ n. ⓤⓒ metafrasi; traduzione letterale ‖ **metaphrastic** a. metafrastico.

to **metaphrase** /'mɛtəfreɪz/ v. t. **1** tradurre alla lettera **2** dire, esprimere (qc.) con altre parole.

metaphysical /mɛtə'fɪzɪkl/ a. **1** (*filos.*, *letter.*) metafisico **2** (*fig. slang*) astruso; troppo sottile **3** incorporeo; soprannaturale; trascendentale ‖ **-ly** avv.

metaphysics /mɛtə'fɪzɪks/ n. pl. (col verbo al sing.) **1** (*filos.*) metafisica **2** (*fig. slang*) astruseria; sottigliezza ‖ **metaphysician** n. (*filos.*) metafisico.

a b c d e f g h i j k l **m** n o p q r s t u v w x y z

metaplasia /mɛtə'pleɪzɪə/ (*med.*) n. ⓤ metaplasia || **metaplastic** a. metaplastico.

metaplasm /'mɛtəplæzəm/ n. **1** (*biol.*) metaplasma **2** (*ling.*) metaplasmo.

metastable /mɛtə'steɪbl/ a. (*fis.*) metastabile.

metastasis /mə'tæstəsɪs/ n. (pl. *metastases*) **1** (*med.*) metastasi **2** (*ling.*) metastasi || **metastatic** a. (*med.*) metastatico: **metastatic abscess**, ascesso metastatico.

to **metastasize** /mə'tæstəsaɪz/ v. i. (*med.*) metastatizzare.

metatarsus /mɛtə'tɑːsəs/ (*anat.*) n. (pl. *metatarsi*) metatarso || **metatarsal** a. metatarsale.

metathesis /mɛ'tæθəsɪs/ (*ling.*, *chim.*) n. (pl. *metatheses*) metatesi || **metathetic** a. metatetico.

metathorax /mɛtə'θɔːræks/ n. (pl. *metathoraxes*, *metathoraces*) (*anat.*) metatorace.

metaverse /'mɛtəvɜːs/ n. ⓤ (*astron.*, *comput.*) metaverso.

métayage /'meɪtəjɑːʒ/ (*franc.*) n. mezzadria || **métayer** (*franc.*) n. mezzadro.

metazoan /mɛtə'zəʊən/ (*zool.*) A n. metazoo B a. dei metazoi.

mete /miːt/ n. (*raro*) confine; limite ● (*leg.*) **metes and bounds**, confini e limiti (*d'una proprietà*).

to **mete** /miːt/ v. t. (*arc.*) misurare ● (*lett.*) **to m. out**, assegnare; distribuire; ripartire: **to m. out rewards**, distribuire ricompense □ **to m. out cruel punishment to sb.**, punire q. in modo crudele.

metempirical /mɛtɛm'pɪrɪkl/ a. metempirico.

metempsychosis /mɛtɛmpsɪ'kəʊsɪs/ n. ⓤⒸ (pl. *metempsychoses*) (*filos.*, *relig.*) metempsicosi.

metencephalon /mɛtɛn'sɛfələn/ (*anat.*) n. metencefalo || **metencephalic** a. metencefalico.

meteor /'miːtɪɔː(r)/ n. **1** (*astron.*) meteora (*anche fig.*); bolide; stella cadente **2** (*meteor.*) fenomeno atmosferico; meteora ● **m. shower**, pioggia meteorica.

meteoric /miːtɪ'ɒrɪk/ a. **1** (*astron.*) meteorico **2** (*fig.*) brillante; rapidissimo; fulmineo ● **a m. career**, una carriera rapidissima **3** (*raro*) meteorologico ● **m. water**, acqua meteorica.

meteorism /'miːtɪərɪzəm/ n. ⓤ (*med.*) meteorismo; timpanismo.

meteorite /'miːtɪəraɪt/ n. (*scient.*) meteorite ● **stony m.**, meteorite litoide; aerolito || **meteoritic**, **meteoritical** a. meteoritico.

meteorogram /miːtɪ'ɒrəgræm/ n. (*scient.*) meteorogramma.

meteoroid /'miːtɪərɔɪd/ n. (*astron.*) meteoroide.

meteorology /miːtɪə'rɒlədʒɪ/ n. ⓤ meteorologia || **meteorological**, **meteorologic** a. meteorologico; meteo (*fam.*): **meteorological balloon**, pallone meteorologico; **meteorological satellite**, satellite meteorologico || **meteorologically** avv. meteorologicamente || **meteorologist** n. meteorologo.

meteosat /'miːtɪəsæt/ n. (acronimo di **meteorological satellite**) satellite meteorologico; Meteosat.

meter ① /'miːtə(r)/ n. **1** strumento misuratore **2** contatore: **a gas m.**, contatore del gas; **slot m.**, contatore a gettoni (*o* a monete) **3** (*macchina*) affrancatrice **4** (*autom.*, abbr. di *parking m.*) parchimetro **5** (*fam.*) tassametro ● **m. cancellation**, annullamento dell'affrancatura (*postale*) □ **m. inspector**, letturista (*del gas*, *ecc.*) □ (*fam.*) **m. maid**, vigilessa addetta ai parchimetri □ (*fam.*) **m. man** = **m. inspector** → *sopra* □

(*USA*) **m. reader**, letturista.

meter ② /'miːtə(r)/ (*USA*) → **metre** ① e (**2**).

to **meter** /'miːtə(r)/ v. t. **1** misurare **2** affrancare (*lettere*, *ecc.*) con un'affrancatrice: **metered mail**, corrispondenza affrancata con l'affrancatrice.

meth /mɛθ/ n. (*fam.*) metamfetamina ● **crystal m.**, metamfetamina in cristalli; cristallo di metamfetamina.

Meth. abbr. (*relig.*, **Methodist**) metodista.

methacrylic /mɛθə'krɪlɪk/ (*chim.*) a. metacrilico: **m. acid**, acido metacrilico || **methacrylate** n. metacrilato.

methadone /'mɛθədəʊn/ n. ⓤ (*chim.*, *farm.*) metadone.

methane /'miːθeɪn/ n. ⓤ (*chim.*) metano ● **m. pipeline**, metanodotto.

methanol /'mɛθənɒl/ n. ⓤ (*chim.*) metanolo.

methedrine /'mɛθədriːn/ n. ⓤ (*farm.*) metedrina.

methicillin /mɛθə'sɪlɪn/ n. (*farm.*) meticillina.

methinks /mɪ'θɪŋks/ (pass. **methought**), vc. verb. impers. (*arc.*) mi sembra; mi pare; penso (che)...

methionine /mɛ'θaɪəniːn/, -aɪn/ n. (*biochim.*) metionina.

◆**method** /'mɛθəd/ n. **1** metodo; maniera; modo; modalità: (*mat.*, *stat.*) **m. of least squares**, metodo dei minimi quadrati; **a man of m.**, un uomo metodico (*o* ordinato) **2** ordine; regolarità; logica ● (*cronot.*) **methods engineer**, analista tempi e metodi □ (*cronot.*) **methods engineering**, analisi tempi e metodi □ (*judo*) **m. of falling**, tecnica di caduta □ (*fam.*) **There's m. in his madness**, il suo comportamento è strano ma in realtà ha una sua logica.

methodical, **methodic** /mə'θɒdɪk(l)/ a. metodico; ordinato; sistematico | **-ly** avv. | **-ness** n. ⓤ.

Methodist /'mɛθədɪst/ (*relig.*) n. e a. metodista || **Methodism** n. ⓤ metodismo || **Methodistic**, **Methodistical** a. metodistico.

to **methodize** /'mɛθədaɪz/ v. t. metodizzare; rendere metodico.

methodology /mɛθə'dɒlədʒɪ/ n. metodologia; metodica || **methodological** a. metodologico.

methought /mɪ'θɔːt/ pass. di **methinks**.

meths /mɛθs/ n. pl. (abbr. *fam.* di **methylated spirits**) alcol denaturato.

Methuselah /mə'θjuːzələ/ n. **1** (*Bibbia*) Matusalemme **2** (*fig.*) matusalemme; matusa (*scherz.*); uomo vecchissimo.

methyl /'miːθaɪl/ n. (*chim.*) metile ● **m. alcohol**, alcol metilico; metanolo □ **m. orange**, metilarancio.

methylamine /mɛ'θaɪləmiːn/ n. (*chim.*) metilammina.

methylate /'mɛθəleɪt/ n. (*chim.*) metilato.

to **methylate** /'mɛθəleɪt/ (*chim.*) v. t. metilare; denaturare (*alcol etilico*) con l'aggiunta di alcol metilico ● **methylated spirit** (*o* **spirits**), alcol denaturato || **methylation** n. ⓤ metilazione.

methylcellulose /mɛθl'sɛljələʊs/ n. ⓤ (*chim.*, *med.*) metilcellulosa.

methylene /'mɛθəliːn/ n. (*chim.*) metilene ● **m. blue**, blu di metilene.

methylic /mə'θɪlɪk/ a. (*chim.*) metilico.

metic /'mɛtɪk/ n. (*stor. greca*) meteco.

meticulous /mə'tɪkjʊləs/ a. meticoloso | **-ly** avv. | **-ness** n. ⓤ.

metis /mɛ'tiːs/ n. meticcio.

metonym /'mɛtənɪm/ n. (*ling.*) metonimo.

metonymy /mɪ'tɒnəmɪ/ n. (*ling.*, *retor.*) metonimia || **metonymic**, **metonymical**

a. metonimico || **metonymically** avv. metonimicamente.

me-too /'miːtuː/ a. attr. (*spreg.*) d'imitazione; imitativo; fatto per spirito d'imitazione; copiato: (*econ.*) **me-too products**, prodotti d'imitazione; **a car with a me-too design**, un'automobile dal design copiato ● (*polit.*) **a me-too campaign**, una campagna elettorale che imita quella di un avversario (*stesse promesse*, *ecc.*).

to **me-too** /miː'tuː/ v. t. (*spreg.*) dichiararsi d'accordo, per opportunismo, con (q.); imitare.

metooism /miː'tuːɪzəm/ n. ⓤ (*spreg.*) opportunistica accettazione delle idee e delle scelte di un altro; servile spirito d'imitazione.

metope /'mɛtəʊp/ n. (*archit.*) metopa, metope.

◆**metre** ①, (*USA*) **meter** /'miːtə(r)/ n. metro (*100 cm*).

metre ②, (*USA*) **meter** /'miːtə(r)/ n. (*poesia*) metro; ritmo.

metric ① /'mɛtrɪk/ A a. **1** metrico **2** (*mat.*) metrico (*relativo a uno spazio metrico*) B n. **1** (*mat.*) metrica (*spazio metrico*) **2** (il) sistema metrico **3** (*tecn.*) standard di misurazione ● (*comm.*) **m. pack**, confezione (*o* pacchetto) col peso indicato in grammi o kilogrammi □ **the m. system of measurement**, il sistema metrico decimale □ **m. ton**, tonnellata (metrica) (*di 1000 kg*) □ **to go m.**, adottare il sistema metrico decimale.

metric ② /'mɛtrɪk/ a. (*poesia*) metrico.

metrical /'mɛtrɪkl/ a. **1** metrico; della metrica: **m. accent**, accento metrico; **m. poetry**, poesia metrica **2** metrico; della misurazione: *Science is m. by nature*, la scienza non può fare a meno della misurazione | **-ly** avv.

to **metricate** /'mɛtrɪkeɪt/ A v. t. convertire al sistema metrico decimale; decimalizzare B v. i. usare il sistema metrico || **metrication** n. ⓤ conversione al sistema metrico decimale; decimalizzazione ● (*stor.*, *in GB*) **Metrication Board**, Commissione per l'adozione del sistema metrico decimale.

metrician /mɛ'trɪʃn/ n. esperto di metrica; metricista.

to **metricize** /'mɛtrɪsaɪz/ v. t. convertire al sistema metrico decimale; decimalizzare.

metrics /'mɛtrɪks/ n. pl. (col verbo al sing.) metrica; prosodia.

metritis /mɪ'traɪtɪs/ n. ⓤ (*med.*) metrite.

Metro /'mɛtrəʊ/ n. **1** (*trasp.*) Metropolitana (*ferrovia elettrica di Parigi*, *della zona di Newcastle*, *ecc.*) **2** (*Canada*) area metropolitana (*di una grande città*).

Metroland /'mɛtrəʊlænd/ n. (*in GB*) l'area residenziale che circonda Londra; (*per estens.*) i suoi abitanti.

metrology /mɪ'trɒlədʒɪ/ n. ⓤ **1** (*fis.*) metrologia **2** sistema (*di pesi e misure*) || **metrological** a. (*fis.*) metrologico.

metronome /'mɛtrənəʊm/ n. (*mus.*) metronomo.

metronym /'mɛtrənɪm/ n. (nome) metronimico || **metronymic** a. e n. metronimico.

metropolis /mə'trɒpəlɪs/ n. metropoli ● (*per gli inglesi*) **the M.**, Londra.

metropolitan /mɛtrə'pɒlɪtən/ A a. metropolitano B n. **1** (*relig.*) metropolita **2** abitante d'una metropoli ● **m. area**, grande agglomerato urbano; metropoli □ (*in USA*) **The M. Opera (House)**, il Metropolitan (*a New York*) □ (*in GB*) **the M. Police**, la Polizia di Londra (*della* → *«Greater London»*, → **great**: *la City ha la sua polizia*).

metropolite /mə'trɒpəlaɪt/ n. (*relig.*) metropolita.

metrorrhagia /mɛtrə'reɪdʒə/ n. ⓤ (*med.*) metrorragia.

metrosexual /mɛtrə'sɛksjuəl/ n. eterosessuale (m.) che cura molto la propria immagine; metrosessuale.

mettle /'mɛtl/ n. valore; coraggio; animo; tempra; fegato (*fig.*) ● (*di una persona*) **to be in a fine m.**, essere in forma □ **to be on one's m.**, essersi impegnato a fondo □ **to put sb. on his m.**, mettere alla prova il coraggio di q. □ **to show one's m.**, mostrare la propria fibra; far vedere di che cosa si è capaci ‖ **mettlesome a.** focoso; animoso; coraggioso; ardito.

mew ① /mju:/ n. (*zool.*) **1** (*Larus canus*; = **sea mew**) gavina **2** gabbiano (*in genere*).

mew ② /mju:/ n. gabbia per falchi (*spec. durante la muda*); muda.

mew ③ /mju:/ (*spec. USA*) **A** n. miagolio; miao **B** inter. miao!

to **mew** ① /mju:/ v. t. **1** mettere (*un falco*) in gabbia (*o nella muda*) **2** (*fig., spesso* **to mew up**) rinchiudere; imprigionare; segregare.

to **mew** ② /mju:/ **A** v. t. (*di falco*) mutare (*le penne*) **B** v. i. fare la muda; mutare le penne.

to **mew** ③ /mju:/ v. i. **1** (*spec. USA*) miagolare; fare miao **2** (*di un gabbiano*) stridere.

mewing /'mju:ɪŋ/ n. **1** (*spec. USA*) miagolio; miagolata **2** stridio (*di un gabbiano*).

to **mewl** /mju:l/ v. i. **1** lamentarsi; miagolare (*fig.*) **2** piagnucolare; frignare.

mews /mju:z/ n. (in origine pl.; ora sing., inv. al pl.) **1** scuderie, stalle (*intorno a un cortile*) **2** (*spec. a Londra*) casa (*o quartiere: spesso elegante*), ricavato da antiche scuderie **3** (*toponomastica*) stradina (*o viuzza, vicoletto*) con dette case.

Mex /mɛks/ a. e n. (*fam. USA*) messicano.

Mexican /'mɛksɪkən/ a. e n. messicano ● (*in USA*) **M.-American**, americano di origine messicana □ (*fam. USA*) **M. breakfast**, un caffè e una sigaretta □ (*fam. USA*) **M. stand-off**, punto morto, situazione di stallo □ (*sport*) **M. wave**, ola (*spagn.*); ondeggiamento degli spettatori (*che si alzano e si siedono una fila dopo l'altra sugli spalti dello stadio*).

Mexico /'mɛksɪkəʊ/ n. (*geogr.*) **1** Messico **2** (= **M. City**) Città del Messico.

mezzanine /'mɛzəni:n/ n. **1** (*archit.*, = **m. floor**) mezzanino; ammezzato **2** (*anche metallico*) soppalco **3** (*teatr., USA*) prima balconata.

mezzo /'mɛtsəʊ/ n. → **mezzo-soprano**.

mezzo-rilievo /mɛdzəʊrɪ'ljeɪvəʊ/ (*ital.*) n. (pl. **mezzo-rilievos, mezzo-rilievi**) (*arte*) mezzorilievo.

mezzo-soprano /'mɛdzəʊsə'prɑːnəʊ/ (*ital.*) n. (*mus.*) **1** (pl. **mezzo-sopranos**) mezzosoprano **2** ⓤ mezzosoprano (*la voce*) ● **mezzo-soprano clef**, chiave di mezzosoprano.

mezzotint /'mɛtsəʊtɪnt/ n. (*arte, tipogr.*) mezzatinta, mezzotinto.

to **mezzotint** /'mɛtsəʊtɪnt/ v. t. (*arte*) incidere a mezzatinta.

MF sigla (*fis.*, **medium frequency**) media frequenza (MF).

M/F sigla (**male or female**) maschio o femmina; ambosessi.

mfd abbr. (**manufactured**) fabbricato, prodotto (agg.).

MFH abbr. (*sport*, **master of foxhounds**) maestro della caccia alla volpe (*GB*).

MFLOPS sigla (*comput.*, **mega floating-point operations per second**) MFLOPS (→ **FLOP**).

MG sigla (*mil.*, **machine gun**) mitragliatrice.

Mgr abbr. **1** (**manager**) direttore **2** (*relig.*, **Monseigneur**) Monsignore **3** (*relig.*, **Monsignor**) Monsignor (Mons.).

mi /mi:/ n. (*mus.*) mi (*la nota*).

MI abbr. (*USA*, **Michigan**) Michigan.

MI 5 /ɛmaɪ'faɪv/ n. (acronimo di **Military Intelligence 5**) servizio di sicurezza interna (*o di controspionaggio; in GB*).

MI 6 /ɛmaɪ'sɪks/ n. (*acronimo di* **Military Intelligence 6**) servizio di sicurezza internazionale (*o di spionaggio; in GB*).

MIA sigla (**mil., missing in action**) disperso (in combattimento).

miaow /mɪ'aʊ/ **A** n. miagolio; miao **B** inter. miao!

to **miaow** /mɪ'aʊ/ v. i. miagolare; fare miao.

miasma /mɪ'æzmə/ n. ⓒⓤ (pl. *miasmata*, *miasmas*) miasma ‖ **miasmal, miasmatic a.** miasmatico.

to **miaul** /mɪ'aʊl/ v. i. miagolare; fare miao.

mic /maɪk/ abbr. (**microphone**) microfono.

mica /'maɪkə/ (*miner.*) n. ⓤ mica ● **m. schist**, micascisto ‖ **micaceous a.** micaceo.

Micawber /mɪ'kɔːbə(r)/ n. (*fig.*) inguaribile e improvvido ottimista (*dal personaggio del romanzo «David Copperfield» di C. Dickens*).

mice /maɪs/ pl. di **mouse**.

micelle /mɪ'sɛl/ n. (*chim., fis.*) micella.

Michael /'maɪkl/ n. Michele.

Michaelmas /'mɪklməs/ n. festa di San Michele (*29 settembre*) ❶ **CULTURA** • **Michaelmas**: è uno dei quattro → «quarter days» (→ **quarter**) *in cui per consuetudine scadono i pagamenti trimestrali; segna anche l'inizio del trimestre autunnale* (**Michaelmas term**) *in alcune università, spec. a Oxford, a Cambridge e nelle* → «Inns of Court» (→ **inn**) ● (*bot.*) **M. daisy** (*Aster tripolium*), aster.

Mick /mɪk/ n. **1** dim. di **Michael 2** (*pop. spreg.*) irlandese.

Mickey /'mɪkɪ/ n. **1** dim. di **Michael 2** (*slang spreg.*) irlandese **3** → **Mickey Finn** ● (*slang*) **m.-take**, presa in giro; sfottitura □ (*slang*) **to take the m. out of sb.**, prendere in giro q.; sfottere q. (*pop.*).

Mickey Finn /'mɪkɪ'fɪn/ n. (*slang*) bevanda alcolica drogata con un sedativo.

Mickey Mouse /'mɪkɪ'maʊs/ **A** n. Topolino **B** a. attr. **1** scadente; da due soldi **2** inutile; insensato.

mickle /'mɪkl/ a. e n. (*arc. o scozz.*) molto; assai; una gran quantità: (*prov.*) **Many a little makes a m.**, molti pochi fanno assai.

micro /'maɪkrəʊ/ n. (*fam.*) **1** forno a microonde **2** (*comput.*) microelaboratore; microcomputer **3** (*moda*) microgonna.

microammeter /'maɪkrəʊæmiːtə(r)/ n. (*elettr.*) microamperometro.

microampere /'maɪkrəʊ'æmpɛə(r)/ n. (*elettr.*) microampere.

microanalysis /maɪkrəʊə'nælɪsɪs/ (*scient.*) n. (pl. *microanalyses*) microanalisi ‖ **microanalytical, microanalytic a.** microanalitico.

microarray /'maɪkrəʊəreɪ/ n. (*med.*) microarray (*tecnica usata per l'analisi del DNA*).

microbalance /'maɪkrəʊbæləns/ n. microbilancia.

microbe /'maɪkrəʊb/ n. microbio, microbo ‖ **microbial, microbic a.** microbico.

microbicide /maɪ'krəʊbɪsaɪd/ (*scient.*) n. microbicida ‖ **microbicidal a.** microbicida.

microbiology /maɪkrəʊbaɪ'ɒlədʒɪ/ (*biol.*) n. ⓤ microbiologia ‖ **microbiological, microbiologic a.** microbiologico ‖ **microbiologically** avv. microbiologicamente ‖ **microbiologist** n. microbiologo.

microbrew /'maɪkrəʊbruː/ n. birra (*prodotta in piccole quantità secondo metodi artigianali*).

microbrewery /'maɪkrəʊbruːuərɪ/ n. piccola birreria che segue metodi tradizionali.

microbrowser /'maɪkrəʊbraʊzə(r)/ n.

(*comput.*) microbrowser (*browser con funzionalità minimali adatto a palmari e cellulari*).

microcalorie /'maɪkrəʊkælərɪ/ n. microcaloria.

microcapsule /maɪkrəʊ'kæpsjuːl/ n. (*farm.*) microcapsula.

microcard /'maɪkrəʊkɑːd/ n. microscheda; microfiche.

microcassette /'maɪkrəʊkəsɛt/ n. microcassetta.

microcephalus /maɪkrəʊ'sɛfələs/ (*med.*) n. (pl. *microcephali*) microcefalo ‖ **microcephalic a.** e n. microcefalo ‖ **microcephalous a.** microcefalo ‖ **microcephaly n.** microcefalia.

microchip /'maɪkrəʊtʃɪp/ n. (*comput.*) microchip.

microcircuit /'maɪkrəʊsɜːkɪt/ (*comput.*) n. microcircuito ‖ **microcircuitry n.** microcircuiteria; circuiteria miniaturizzata; insieme di microcircuiti.

microclimate /'maɪkrəʊklaɪmət/ n. microclima.

microclimatology /maɪkrəʊklaɪmɪ-'tɒlədʒɪ/ n. ⓤ microclimatologia.

microcline /'maɪkrəʊklaɪn/ n. (*miner.*) microclino.

micrococcus /maɪkrəʊ'kɒkəs/ n. (pl. *micrococci*) (*biol., med.*) micrococco.

microcode /'maɪkrəʊkəʊd/ n. (*comput.*) microcodice.

microcomponent /maɪkrəʊkəm'pəʊnənt/ n. (*elettr.*) microcomponente.

microcomputer /'maɪkrəʊkəm'pjuːtə(r)/ n. (*comput.*) microcomputer.

microcontext /'maɪkrəʊkɒntɛkst/ n. microcontesto.

to **microcook** /'maɪkrəʊkʊk/ v. t. cuocere nel forno a microonde.

microcosm /'maɪkrəʊkɒzəm/ n. microcosmo ‖ **microcosmic, microcosmical a.** microcosmico.

microcrystalline /maɪkrəʊ'krɪstəlaɪn/ a. (*miner.*) microcristallino.

microculture /'maɪkrəʊkʌltʃə(r)/ n. (*biol.*) microcoltura.

microcurie /'maɪkrəʊkjʊərɪ/ n. microcurie.

microcyte /'maɪkrəʊsaɪt/ n. (*med.*) microcita; microcito.

microcytosis /maɪkrəʊsaɪ'təʊsɪs/ n. ⓤ (*med.*) microcitosi.

microdermabrasion /maɪkrəʊdʒːmə-'breɪʃn/ n. ⓤ (*chir.*) microdermoabrasione.

microdot /'maɪkrəʊdɒt/ n. fotografia (*di una pagina, un documento, ecc.*) ridotta alle dimensioni di un puntino (*per motivi di segretezza o economia*).

microecology /maɪkrəʊɪ'kɒlədʒɪ/ n. ⓤ (*ecol.*) microecologia.

microeconomics /maɪkrəʊiːkə'nɒmɪks/ (*econ.*) n. pl. (col verbo al sing.) microeconomia ‖ **microeconomic a.** microeconomico.

microelectromechanical /maɪkrəʊɪ-lɛktrəmɪ'kænɪkl/ a. (*scient.*) microelettromeccanico.

microelectronics /maɪkrəʊɪlɛk-'trɒnɪks/ (*elettron.*) n. pl. (col verbo al sing.) microelettronica ‖ **microelectronic a.** microelettronico.

microelement /maɪkrəʊ'ɛlɪmənt/ n. (*elettron.*) microelemento; circuito miniaturizzato.

microengineering /maɪkrəʊɛndʒɪ'nɪərɪŋ/ n. ⓤ (*tecn.*) microingegneria.

microevolution /maɪkrəʊiːvə'luːʃn/ n. ⓤ microevoluzione.

microfarad /'maɪkrəʊfærəd/ n. (*elettr.*) microfarad.

microfauna /'maɪkrəʊfɔːnə/ n. ⓒⓤ (pl.

a b c d e f g h i j k l m n o p q r s t u v w x y z

microfaunae) (*zool.*) microfauna.

microfibre /'maɪkrəʊfaɪbə(r)/ n. (*chim.*) microfibra.

microfiche /'maɪkrəʊfiːʃ/ (*franc.*) n. microfiche; microscheda.

microfilament /'maɪkrəʊfɪləmənt/ n. (*biol.*) microfilamento.

microfilm /'maɪkrəʊfɪlm/ n. (*fotogr.*) microfilm ● **m. reader**, microlettore.

to **microfilm** /'maɪkrəʊfɪlm/ v. t. (*fotogr.*) microfilmare; fotografare su microfilm.

microgram, **microgramme** /'maɪkrəʊgræm/ n. (*fis.*) microgrammo.

micrography /maɪ'krɒgrəfɪ/ (*scient.*) n. Ⓤ micrografia || **micrographic** a. micrografico.

microgravity /'maɪkrəʊgrævətɪ/ n. Ⓤ (*fis.*) microgravità.

microgroove /'maɪkrəʊgruːv/ n. (*mus.*) microsolco.

microhabitat /maɪkrəʊ'hæbɪtæt/ n. (*biol.*) microambiente.

microhistory /'maɪkrəʊhɪstrɪ/ n. Ⓤ|Ⓒ microstoria.

microinstruction /maɪkrəʊɪn'strʌkʃn/ n. (*comput.*) microistruzione.

microlight /'maɪkrəʊlaɪt/ n. (*aeron.*, *sport*) superleggero (*aereo per due persone*); (*anche*) deltaplano a motore.

microlite /'maɪkrəʊlaɪt/ n. Ⓤ (*miner.*) microlite.

microliter (*USA*) → **microlitre.**

microlith /'maɪkrəʊlɪθ/ n. **1** (*med.*) microlito, microcalcolo (*renale, ecc.*) **2** (*archeol.*) microlito, piccola selce (*del Paleolitico*) **3** (*miner.*) microlite.

microlitre, (*USA*) **microliter** /'maɪkrəʊliːtə(r)/ n. microlitro.

micromania /maɪkrəʊ'meɪnɪə/ n. Ⓤ (*psic.*) micromania.

micromelia /maɪkrəʊ'miːlɪə/ n. Ⓤ (*med.*) micromelia.

micromesh /'maɪkrəʊmeʃ/ n. micromaglia (*per calze finissime*).

micrometeorology /maɪkrəʊmiːtɪə'rɒlədʒɪ/ n. Ⓤ micrometeorologia.

micrometer /maɪ'krɒmɪtə(r)/ n. **1** (*USA*) micrometro; micron **2** (= **m. caliper**) micrometro; calibro micrometrico.

micrometre, (*USA*) **micrometer** /'maɪkrəʊmiːtə(r)/ n. micrometro (*unità di lunghezza*); micron.

micrometry /maɪ'krɒmɪtrɪ/ (*fis., ind.*) n. Ⓤ micrometria || **micrometrical** a. micrometrico.

microminiature /maɪkrəʊ'mɪnɪtʃə(r)/ a. attr. **1** microminiaturizzato **2** per microminiaturizzazione.

to **microminiaturize** /maɪkrəʊ'mɪnɪtʃəraɪz/ v. t. microminiaturizzare (*circuiti elettronici, ecc.*) || **microminiaturization** n. Ⓤ microminiaturizzazione (*di circuiti elettronici, ecc.*).

micron /'maɪkrɒn/ n. micron; micrometro (*milionesima parte del metro*).

Micronesian /maɪkrəʊ'niːzɪən/ a. e n. (*geogr.*) micronesiano.

to **micronize** /'maɪkrənaɪz/ (*tecn.*) v. t. micronizzare || **micronization** n. Ⓤ micronizzazione || **micronized** a. micronizzato.

micronutrient /maɪkrəʊ'njuːtrɪənt/ n. (*biol.*) micronutriente.

micro-organism /maɪkrəʊ'ɔːgənɪzəm/ n. (*biol.*) microrganismo.

micropaleontology /maɪkrəʊpælɪɒn'tɒlədʒɪ/ n. Ⓤ micropaleontologia.

microphone /'maɪkrəfəʊn/ n. (*acustica*) microfono ● **m. technician**, microfonista || **microphonic** a. microfonico || **microphonicity** n. Ⓤ microfonicità.

microphotograph /maɪkrəʊ'fəʊtəgrɑːf/ n. microfotografia (*il risultato*) || **microphotographic** a. microfotografico || **microphotography** n. microfotografia (*la tecnica*).

to **microphotograph** /maɪkrəʊ'fəʊtəgrɑːf/ v. t. microfotografare.

microphyll /'maɪkrəʊfɪl/ n. (*bot.*) microfillo.

microphyte /'maɪkrəʊfaɪt/ n. (*bot.*) microfita.

micropipette /maɪkrəʊpɪ'pɛt/ n. (*med.*) microinfusore.

microporosity /maɪkrəʊpɔː'rɒsɪtɪ/ n. Ⓤ microporosità || **microporous** a. microporoso.

microprism /'maɪkrəʊprɪzəm/ n. (*fotogr.*) microprisma.

microprobe /'maɪkrəʊprəʊb/ n. (*tecn.*) microsonda ● **m. spectrography**, elettromicroanalisi; analisi con microsonda elettronica.

microprocessor /'maɪkrəʊprəʊsesə(r)/ n. (*comput.*) microprocessore: **dual core m.**, microprocessore a doppio nucleo (*che ingloba in un singolo circuito integrato due unità di calcolo*).

microprogram /'maɪkrəʊprəʊgræm/ (*comput.*) n. microprogramma.

microprojection /maɪkrəʊprəʊ'dʒekʃn/ n. Ⓤ|Ⓒ microproiezione || **microprojector** n. microproiettore.

micropsia /maɪ'krɒpsɪə/, **micropsy** /'maɪkrɒpsɪ/ n. (*med.*) micropsia.

micropyle /'maɪkrəʊpaɪl/ n. (*bot., zool.*) micropilo.

microsatellite /'maɪkrəsætəlaɪt/ n. (*genetica, miss.*) microsatellite.

microscope /'maɪkrəskəʊp/ n. (*ottica*) microscopio: **compound m.**, microscopio composto ● **to observe st. under a m.**, osservare qc. al microscopio.

microscopic /maɪkrə'skɒpɪk/, **microscopical** /maɪkrə'skɒpɪkl/ a. microscopico | **-ally** avv.

microscopy /maɪ'krɒskəpɪ/ n. Ⓤ microscopia || **microscopist** n. microscopista.

microsecond /'maɪkrəsekənd/ n. (*anche comput.*) microsecondo.

microseism /'maɪkrəʊsaɪzəm/ (*scient.*) n. microsismo, microsisma || **microseismic** a. microsismico.

microshrinkage /'maɪkrəʊʃrɪŋkɪdʒ/ n. Ⓤ (*metall.*) microritiro.

microsite /'maɪkrəʊsaɪt/ n. (*Internet, comput.*) minisito; microsito.

microsociology /maɪkrəʊsəʊsɪ'ɒlədʒɪ/ n. Ⓤ microsociologia.

microsporangium /maɪkrəʊspə'rændʒɪəm/ n. (pl. **microsporangia**) (*bot.*) microsporangio.

microspore /'maɪkrəʊspɔː/ n. (*bot.*) microspora.

microsporophyll /maɪkrəʊ'spɔːrəfɪl/ n. (*bot.*) microsporofillo.

microstructure /'maɪkrəʊstrʌktʃə(r)/ n. (*tecn., scient.*) microstruttura.

microsurgery /'maɪkrəʊsɜːdʒərɪ/ (*med.*) n. Ⓤ microchirurgia || **microsurgical** a. microchirurgico.

microswitch /'maɪkrəʊswɪtʃ/ n. (*elettr.*) microinterruttore.

microtechnology /maɪkrəʊtek'nɒlədʒɪ/ n. Ⓤ microtecnologia.

microtherm /'maɪkrəʊθɜːm/ n. (*bot.*) pianta microterma || **microthermal** a. microtermo: **microthermal plant**, pianta microterma.

microtome /'maɪkrətəʊm/ n. (*scient.*) microtomo.

microvillus /maɪkrəʊ'vɪləs/ n. (pl. **microvilli**) (*biol.*) microvillo.

microvolt /'maɪkrəʊvəʊlt/ n. (*elettr.*) microvolt.

♦**microwave** /'maɪkrəweɪv/ n. **1** (*elettr., radio*) microonda: **m. fading**, affievolimento delle microonde **2** (*fam.*, = **m. oven**) forno a microonde ● (*cucina*) **m.-proof dish**, teglia per forno a microonde.

to **micro-wave** /'maɪkrəweɪv/ (*cucina*) v. t. cuocere (qc.) nel forno a microonde || **microwaveable, microwavable** a. (*di cibo*) che si può cuocere in un forno a microonde.

to **micturate** /'mɪktʃəreɪt/ (*fisiol.*) v. i. mingere || **micturition** n. Ⓤ minzione.

mid ① /mɪd/ a. **1** medio; di mezzo; mezzo: **in mid air**, a mezz'aria; aereo: **mid-air collision**, scontro aereo; (*relig.*) **Mid Lent**, mezza quaresima **2** (*cricket, di un ricevitore*) posizionato tra il battitore e il limite del campo: **mid-off**, posizione (*o giocatore*) alla sinistra del lanciatore; **mid-on**, posizione (*o giocatore*) alla destra del lanciatore ● (*geogr.*) **mid-African**, centroafricano □ **mid-Atlantic**, (*geogr.*) mediatlantico; (*fig.*) angloamericano, metà inglese e metà americano: **a mid-Atlantic accent**, un accento angloamericano □ **mid-August holidays**, le vacanze di ferragosto (*in Italia*) □ **mid-century**, della (*o verso la*) metà del secolo □ (*geogr.*) **mid-European**, medioeuropeo; mitteleuropeo □ **mid-life crisis**, crisi della mezza età (*anche mil.*) **mid-range**, a media portata (*o gittata*) □ (*sport*) **mid table**, centroclassifica □ **mid-term** → **midterm** □ (*stor., letter.*) **mid-Victorian**, (personaggio, scrittore) del periodo di mezzo dell'età vittoriana (*della Regina Vittoria: 1837-1901*) □ (*naut., sport*) **mid-water** (agg. e avv.), (situato) a mezz'acqua □ **from mid-April**, da metà aprile □ **in mid career**, nel bel mezzo della carriera □ **in the mid 80's**, verso la metà degli anni '80 □ **to be in one's mid forties**, avere quarantacinque anni circa.

mid ② /mɪd/, '**mid** /mɪd/ prep. (*poet.*) in mezzo a; fra, tra.

midair, mid-air /mɪd'eə(r)/ Ⓐ n. mezz'aria; mezza altezza: **in m.**, a mezz'aria; in volo: *The jet blew up in m.*, il jet esplose in volo Ⓑ a. attr. a mezz'aria; in volo: **m. collision**, collisione in volo; (*sport*) scontro a mezz'aria.

Midas /'maɪdəs/ n. (*mitol.*) Mida.

midbrain /'mɪdbreɪn/ n. (*anat.*) mesencefalo.

midcourse /'mɪdkɔːs/ a. attr. (*miss.*) a (*o di*) metà rotta (*di astronave o veicolo spaziale*).

midcourt /'mɪdkɔːt/ n. (*basket, tennis, pallavolo*) centrocampo.

♦**midday** /'mɪddeɪ/ Ⓐ n. Ⓤ mezzogiorno; mezzodì Ⓑ a. attr. di mezzogiorno; di mezzodì: **the m. meal**, il pasto di mezzogiorno.

midden /'mɪdn/ n. **1** (*arc. o dial.*) mucchio di letame; letamaio **2** (*archeol.*, di solito **kitchen m.**) cumulo preistorico d'ossa, conchiglie, ecc.

♦**middle** /'mɪdl/ Ⓐ a. attr. **1** medio; intermedio; di livello medio; mezzano; di mezzo: **the m. finger**, il dito medio; il medio; **the m. drawer**, il cassetto centrale (*o di mezzo*); (*anat.*) **the m. ear**, l'orecchio medio; (*org. az.*) **the m. management**, i quadri intermedi (*di un'azienda*) **2** (*gramm., ling.*) medio: **M. English**, inglese medio (*quello di G. Chaucer*); **a m. verb**, un verbo medio Ⓑ n. **1** (al sing. con l'art. determ.) mezzo; metà; punto medio; centro: **in the m. of the stage**, nel mezzo del palcoscenico; *We were in the m. of the lesson when the headmistress came in*, eravamo a metà della lezione quando entrò la preside; *I'd expect the funeral to be in the m. of next week sometime*, suppongo che il funerale sia verso la metà della settimana

prossima; (*sport*) **the m. of the track**, il centro della pista **2** (*fam.*) vita; cintura; cintola: *I was in water up to my m.*, ero nell'acqua fino alla cintola **3** (*gramm. greca*) verbo medio **4** (*polit.*) centro; centrismo **5** (*filos.*, = **m. term**) termine medio (*d'un sillogismo*) ● **m. age**, mezza età □ (*scherz.*) **m.-age spread**, la pancetta (*della mezza età*) □ **a m.--aged man**, un uomo di mezza età □ (*stor.*) **the M. Ages**, il medioevo □ (*geogr.*) **M. America**, l'America Centrale; il Midwest degli Stati Uniti; (*fig., USA*) l'americano medio (*portatore di valori tradizionali e tendenzialmente conservatore*) □ (*pallavolo*) **m. back**, difensore di centro (*pallavolo*) **m. blocker**, uomo a muro centrale; centrale (sost.) □ **m. class**, ceto medio; borghesia: **the lower m. class**, la piccola borghesia □ **m.-class**, del ceto medio; borghese: **a m.-class family**, una famiglia borghese □ **m. deck**, (*naut.*) ponte intermedio; (*marina mil.*) batteria □ **m. distance**, (*pitt., fotogr.*) secondo piano; (*sport*) media distanza, mezzofondo: **m.--distance race**, gara di mezzofondo □ (*atletica*) **m.-distance runner**, mezzofondista □ (*nuoto*) **m.-distance swimmer**, mezzofondista □ (*geogr.*) **the M. East**, il Medio Oriente □ **M. Eastern**, mediorientale □ (*GB, fam.*) **M. England**, l'inglese medio (*spec. chi vive fuori Londra, è portatore di valori tradizionali ed è tendenzialmente conservatore*) □ (*pallavolo*) **m. front**, attaccante al centro; centrale (sost.) □ (*fisc.*) **m.-income bracket**, scaglione medio di aliquote □ **m. initial**, iniziale del secondo nome □ **m. name**, secondo nome (*di una persona*); (*fig.*) caratteristica tipica (*di una persona*): **Jealousy is my m. name**, gelosia è il mio secondo nome □ **the m. of the road**, il centro della strada □ **m.-of-the road**, di centro, moderato (*anche polit.*); ordinario, comune □ (*stor.*) **m. passage**, viaggio fra l'Africa e le Indie Occidentali (*per il traffico degli schiavi*) □ (*comm., leg.*) **the m. people**, gli intermediari □ **m. school**, (*in GB*) scuola media (*tra i 9 e i 14 anni d'età*); (*anche*) ultimo biennio della scuola dell'obbligo (*15 e 16 anni*) □ **m.-sized**, di misura (*o taglia*) media; di media statura □ **m.-way economy**, economia mista (*di Stato e privata*) □ **M. West → Midwest** □ (*fam.*) **to live in the m. of nowhere**, abitare a casa del diavolo □ (*sport*) **to play in the m.**, giocare al centro; essere un centrocampista □ (*fig.*) **to take a m. course**, prendere una via di mezzo.

to **middle** /'mɪdl/ **A** v. t. **1** (*tecn.*) collocare nel centro (*o nel mezzo*) **2** (*sport*) collocare (*il pallone*) a centrocampo **3** (*sport*) dare (*la palla*) al centro: **to m. the ball**, crossare al centro; centrare **4** (*cricket*) colpire (*la palla*) con la parte centrale della mazza; colpire bene **B** v. i. (*sport*) effettuare una rimessa a centrocampo.

middlebrow /'mɪdlbraʊ/ **A** a. mediamente colto **B** n. persona di cultura media.

middleman /'mɪdlmæn/ n. (pl. **middlemen**) **1** intermediario; mediatore **2** (*comm.*) intermediario; distributore.

middlemost /'mɪdlməʊst/ (*raro*) → **midmost**.

middleware /'mɪdlwɛə(r)/ n. ⓤ (*comput.*) middleware (*software per interfacciare due applicazioni o sistemi separati*).

middleweight /'mɪdlweɪt/ n. (*boxe, lotta, pesistica*) peso medio; medio ● **the m. championship**, il campionato dei medi.

middling /'mɪdlɪŋ/ **A** a. **1** di media (*o di seconda*) qualità; mediocre; ordinario; corrente: **m. goods**, merce di seconda qualità **2** medio; di mezzo; di media grandezza: **a town of m. size**, una città di media grandezza **B** n. **1** (*ind. min.*) misto; prodotto intermedio **2** (pl.) merce di seconda qualità (*o ordinaria*) **3** (pl.) farina grossa mescolata a crusca, semola **C** avv. (*fam.*) **1** abbastanza;

discretamente; passabilmente: **m. good**, abbastanza buono; discreto **2** (*di salute*) benino; discretamente; così così.

middy /'mɪdɪ/ (abbr. *fam.*) → **midshipman** ● **m. blouse**, camicetta con colletto alla marinara.

Mideast /'mɪdiːst/ n. (*spec. USA*) (*geogr.*) (il) Medio Oriente.

midfield /'mɪdfiːld/ (*sport*) **A** n. **1** ⓒⓤ centrocampo; centro; metà campo **2 – the m.**, il centrocampo; i centrocampisti; il reparto centrale **B** a. di centrocampo; centrale **C** avv. a centrocampo; al centro.

midfielder /'mɪdfiːldə(r)/ n. (*sport*) **1** centrocampista **2** (pl.) **– the midfielders**, il centrocampo (*i giocatori*).

midge /mɪdʒ/ n. (*zool., anche fig.*) moscerino.

midget /'mɪdʒɪt/ **A** n. **1** persona piccolissima di statura; nano (*proporzionato*) **2** cosa piccolissima; oggetto microscopico **B** a. attr. **1** piccolissimo; minuscolo; in miniatura; mini-; tascabile: **m. car**, miniauto; utilitaria; (*naut.*) **m. submarine**, sommergibile tascabile **2** (*sport, Canada*) per ragazzi tra i 16 e i 17 anni.

midgut /'mɪdɡʌt/ n. (*anat., zool.*) mesenteron.

midi /'mɪdɪ/ (*moda*) **A** n. (pl. **midis**) indumento midi **B** a. midi.

MIDI /'mɪdɪ/ sigla (*comput., mus.*, **musical instrument digital interface**) interfaccia digitale per strumenti musicali.

midinette /mɪdɪ'net/ (*franc.*) n. midinette.

midland /'mɪdlənd/ (*geogr.*) **A** n. interno (*d'un paese, d'una regione*) **B** a. interiore; interno ● (*geogr.*) **the Midlands**, le contee centrali dell'Inghilterra; l'Inghilterra centrale.

midmost /'mɪdməʊst/ **A** a. (il) più centrale; centralissimo **B** avv. proprio nel centro **C** prep. nel bel mezzo di.

♦**midnight** /'mɪdnaɪt/ **A** n. ⓤ mezzanotte **B** a. attr. di mezzanotte: **the m. sun**, il sole di mezzanotte ● **m. blue**, blu notte (*slang USA*) **m. cowboy**, omosessuale maschio □ **the m. hours**, le ore nel cuore della notte □ (*fig.*) **to burn the m. oil**, lavorare (*o studiare, ecc.*) fino a tarda notte.

midpoint /'mɪdpɔɪnt/ n. (*anche geom.*) punto medio (*o di mezzo*).

midrib /'mɪdrɪb/ n. (*bot.*) nervatura centrale (*d'una foglia*).

midriff /'mɪdrɪf/ n. **1** (*anat.*) diaframma **2** (*fam.*) cintola; vita.

midship /'mɪdʃɪp/ (*naut.*) **A** n. parte centrale della nave **B** avv. (*più comune* **midships**) a mezzanave; al centro della nave.

midshipman /'mɪdʃɪpmən/ n. (pl. **midshipmen**) (*marina mil., in GB*) guardiamarina.

midst /mɪdst/ **A** n. ⓤ (*lett.*) mezzo; punto medio; centro: **in the m. of**, in mezzo a; nel mezzo di; in the **m. of** **our [your, their]**..., in mezzo a noi [voi, loro]; fra noi [voi, loro] **B** prep. (*poet.*) in mezzo a; fra, tra.

midstream /'mɪdstriːm/ n. ⓤ centro (*o filo*) della corrente (*d'un fiume*) ● **in m.**, nel mezzo della corrente; (*fig.*) nel bel mezzo di (*un discorso, ecc.*); a metà frase.

midsummer /'mɪdsʌmə(r)/ n. ⓤ **1** mezza estate; cuore dell'estate **2** (*slang*) solstizio d'estate ● **M. Day**, il giorno di San Giovanni Battista (*24 giugno in GB*); la festa di mezza estate □ (*fam.*) **m. madness**, pura follia; pazzia sfrenata.

midterm /'mɪdtɜːm/ n. ⓤ punto medio di un periodo (*di un trimestre, di un quadriennio, ecc.*) ● (*med.*) **m. checkup**, controllo a metà gestazione □ (*polit., USA*) **m. elections**, elezioni «di medio termine» (*a metà del manda-*

to del Presidente) □ **m. exam**, esame di metà corso.

midtown /'mɪdtaʊn/ (*spec. USA*) **A** avv. verso il (*o nel*) centro (*della città*) **B** a. del centro: **m. restaurants**, ristoranti del centro **C** n. **1** il centro (*di una città*) **2** (*spec.*) – **M.** (*o* **M. New York**), la parte di Manhattan a sud di Central Park.

midway① /'mɪdweɪ/ **A** avv. a mezza strada; a metà strada; a mezzo del cammino (*lett.*) **B** a. posto a mezza strada ● (*geogr., stor.*) **M. Islands**, isole Midway □ **m. through**, a metà di; nel bel mezzo di: **m. through the game**, a metà partita.

midway② /'mɪdweɪ/ n. (*USA*) viale centrale (*di una fiera, ecc.*).

midweek /'mɪdwiːk/ **A** n. (il) mezzo della settimana **B** a. di metà settimana; infrasettimanale: **a m. holiday**, una vacanza a metà settimana **C** avv. a metà settimana; al centro della settimana.

Midwest /'mɪdwest/ (*USA*) n. (*geogr.*) (gli) Stati centro-occidentali (*delle praterie*) ‖ **Midwestern** a. del Midwest ‖ **Midwesterner** n. abitante (*o nativo*) del Midwest.

midwife /'mɪdwaɪf/ n. (pl. **midwives**) levatrice; ostetrica ● (*zool.*) **m. toad** (*Alytes obstetricans*), alite (*o rospo*) ostetrico ‖ **midwifery** n. ⓤ ostetricia.

midwinter /'mɪdwɪntə(r)/ n. ⓤ **1** il cuore dell'inverno; pieno inverno **2** solstizio d'inverno ● **a m. day**, una giornata di pieno inverno.

midyear, **mid-year** /'mɪdjɪə(r)/ n. e a. **1** ⓤ il mezzo dell'anno **2** (*fam. USA*) esame fatto a metà anno ● **a m. exam**, un esame in corso d'anno.

mien /miːn/ n. ⓤ (*lett.*) **1** aspetto; aria; cera (*fig.*): **a man of pleasing m.**, un uomo di bell'aspetto **2** maniere; modo di fare: **the roughness of his m.**, la durezza delle sue maniere.

miff /mɪf/ n. (*fam.*) **1** bisticcio; baruffa; battibecco **2** broncio; malumore; stizza.

to **miff** /mɪf/ **A** v. t. (*fam.*) urtare; irritare; far stizzire **B** v. i. (*fam.*) offendersi; stizzirsi; seccarsi; arrabbiarsi; scocciarsi (*fam.*).

miffed /mɪft/ a. (*fam.*) arrabbiato; offeso; seccato, stizzito, scocciato (*fam.*).

miffy /'mɪfɪ/ a. (*fam.*) suscettibile; permaloso; irascibile; irritabile.

♦**might**① /maɪt/ v. modale

might, come tutti i verbi modali, ha caratteristiche particolari:
- ha significato di condizionale;
- non ha forme flesse (-*s* alla 3ª pers. sing. pres., -*ing*, -*ed*), non è mai usato con ausiliari e non ha quindi tempi composti;
- forma le domande mediante la semplice posposizione del soggetto;
- la forma negativa è **might not**, spesso abbreviato in **mightn't**;
- l'infinito che segue non ha la particella *to*;
- viene usato nelle *question tags*

❶ **Nota**: *could have* → **could** **1** (*esprime eventualità, probabilità*) – *You m. be right*, potresti aver ragione; *It m. prove difficult*, la cosa potrebbe dimostrarsi difficile; *He m. not agree*, potrebbe non essere d'accordo; *You m. have underestimated her*, potresti averla sottovalutata **2** (*nel discorso indiretto*) – *He said he m. be late*, (*rif. al futuro*) ha detto che potrebbe tardare; (*rif. al pass.*) disse che avrebbe potuto tardare; *We thought you m. have already left*, pensavamo che tu potessi essertene già andata **3** (*dopo i verbi di timore, speranza, ecc., al passato*) – *I was afraid he m. hurt himself*, temevo che si facesse (*o che si sarebbe fatto*) male; *I hoped he m. succeed*, speravo che riuscisse; *I feared she m. have been arrested*, temevo che potessero averla arrestata **4** (*esprime*

possibilità non realizzata) – *I* m. *have been killed*, avrei potuto essere ucciso; *If we hadn't given the alarm, there* m. *have been casualties*, se non avessimo dato l'allarme, ci sarebbero potute essere (*o forse ci sarebbero state*) delle vittime **5** (*esprime un suggerimento*) – *We* m. *go to the cinema*, potremmo andare al cinema; *You* m. *like to have a look at this*, forse ti interessa dare un'occhiata a questo **6** (*antiq. o form.*) (*esprime richiesta cortese*) – *M. I ask you your name?*, posso chiederle come si chiama?; *M. I make a suggestion?*, potrei suggerire una cosa?; *M. I ask you what you're doing here?*, potrei sapere che cosa ci fate qui?; che cosa fate qui, se è lecito? **7** (*esprime una concessione*) – *She* m. *be clever, but...*, sarà intelligente, ma...; *He* m. *have lots of money, but his manners are atrocious*, sarà anche pieno di soldi, ma ha maniere pessime **8** (*esprime rammarico o rimprovero per qc. di non avvenuto*) – *He* m. *at least apologize*, potrebbe almeno chiedere scusa; *You* m. *have told me*, avresti potuto dirmelo ● m. **as well** → **well** □ **They** m. **well change their minds**, potrebbero benissimo cambiare idea □ **as you** m. **expect**, come ci si potrebbe aspettare □ **as you** m. **imagine**, come puoi immaginare □ **as well he** [**she, etc.**] m. (**be**), a buon diritto; comprensibilmente ● **I** m. **have guessed** (*o* **I** m. **have known**)!, avrei dovuto immaginarlo!; me lo sarei dovuto aspettare!

🔴 **NOTA:** *might o may?*

Might o may si usano in genere in contesti molti simili, però tra loro ci sono alcune differenze importanti da notare. Entrambi possono essere usati per esprimere la possibilità che qualcosa sia vero o che accada in futuro: *The painting might* (*o may*) *be a fake*, il dipinto potrebbe essere un falso; però *might* rispetto a *may* si usa per descrivere qualcosa che è meno probabile: *He may come early – he often does*, potrebbe arrivare presto – lo fa spesso; *He might come early, but I don't think he will*, potrebbe arrivare presto, ma non credo lo farà. Sia *might* che *may* sono usati per fare richieste, per chiedere e dare un permesso, però *might* è molto più formale di *may*: *May we sit down?* possiamo sederci? O con maggior cautela: *Might we sit down? May* (ma non *might*) si usa anche in espressioni beneauguranti formali: *May the married couple be very happy!* possano gli sposi essere felici!

might② /maɪt/ n. forza; potenza; potere; vigore: *He fought with all his m.*, lottò con tutte le sue forze ● (*prov.*) **M. is right**, la ragione è del più forte; contro la forza la ragion non vale.

might-have-been /'maɪtəvbiːn/ n. (pl. *might-have-beens*) **1** possibilità passata (*o remota*); quel che sarebbe potuto accadere; opportunità sprecata **2** persona che si supponeva potesse fare grandi cose (*per estens.*) (un) fallito.

mightily /'maɪtəlɪ/ avv. **1** potentemente; vigorosamente **2** (*fam.*) molto; estremamente.

mightiness /'maɪtɪnəs/ n. ⑩ grande forza; potenza; potere.

mightn't /'maɪtnt/ contraz. di **might not**.

mighty /'maɪtɪ/ Ⓐ a. **1** forte; possente; potente; poderoso; vigoroso: *'Death be not proud, though some have called thee* / *M. and dreadful, for thou art not so'* J. DONNE, 'Morte, non menar vanto, anche se ti hanno chiamata possente e terribile, poiché tu non lo sei' **2** (*fam.*) ampio; enorme; vasto: **the** m. **ocean**, il vasto oceano **3** (*fam.*) grande: **to have a** m. **appetite**, avere un grande appetito **4** (collett.) – **the** m., i potenti Ⓑ avv. (*fam.*) molto; estremamente: *He thinks himself m. wise*, si crede molto saggio ● **a** m. **wind**, un forte vento; un ventaccio □ (*fam.*)

That's m. **easy**, è facilissimo; potrebbe farlo un bambino!

migma /'mɪgmə/ n. ⑩ (*geol.*) migma.

migmatite /'mɪgmətaɪt/ n. ⑩ (*miner.*) migmatite.

mignonette /mɪnjə'nɛt/ n. **1** (*bot.*, *Reseda odorata*) amorino; reseda **2** ⑩ (= m. **lace**) «mignonette» (*varietà di merletto fine*).

migraine /'miːgreɪn, 'maɪ-/ n. ⑪Ⓒ (*med.*) emicrania.

migrant /'maɪgrənt/ Ⓐ a. (*spec. zool.*) migrante; migratorio Ⓑ n. **1** (*zool.*) migratore **2** emigrante; emigrato **3** migratore interno; lavoratore stagionale ● **migrants' remittances**, le rimesse degli emigrati □ m. **workers**, lavoratori migratori.

to **migrate** /maɪ'greɪt, USA 'maɪgreɪt/ Ⓐ v. i. **1** (*zool.*) migrare **2** (*di persone*) migrare (*al nord, ecc.*) **3** (*di persone*) emigrare (*all'estero*) **4** (*comput.*) passare da una tecnologia a un'altra Ⓑ v. t. (*comput.*) trasferire (*hardware o software*) da una tecnologia a un'altra ● **to** m. **to** [**from**] **a place**, immigrare in [emigrare da] un luogo.

◆**migration** /maɪ'greɪʃn/ n. ⑪Ⓒ **1** (*zool.*) migrazione; passo **2** migrazione interna; esodo (*fig.*) **3** emigrazione **4** (*fis.*) migrazione: m. **of ions**, migrazione degli ioni **5** (*comput.*) trasferimento (*di hardware o software*) da una tecnologia a un'altra ● (*demogr.*) m. **balance**, saldo migratorio □ (*stat.*) m. **statistics**, le statistiche delle migrazioni.

migrator /maɪ'greɪtə(r)/ n. **1** (*zool.*) (uccello, ecc.) migratore **2** migratore; emigrante.

migratory /'maɪgrətərɪ/ a. **1** (*anche zool.*) migratore: m. **birds**, uccelli migratori (*o* migranti, *o* di passo) **2** (*econ., demogr.*) migratorio: m. **movements**, flussi migratori (*stor.*) m. **peoples**, popoli migratori.

mikado /mɪ'kɑːdəʊ/ n. (pl. *mikados*) mikado (*l'imperatore del Giappone*).

mike① /maɪk/ n. (abbr. *fam.* di **microphone**] microfono.

mike② /maɪk/ n. (*slang*) microgrammo (*spec. di droga*).

mike③ /maɪk/ n. (*slang*) ozio ● **to do a** m., sottrarsi a un lavoro.

to **mike** /maɪk/ v. i. **1** (*slang*) bighellonare; oziare; fare flanella (*pop.*) **2** → **to mike up**, def. 2.

Mike /maɪk/ n. **1** dim. di **Michael 2** (*radio, tel.*) (la lettera) m; Mike.

to **mike up** /'maɪk ʌp/ v. t. + avv. (*fam. USA*) **1** dare il microfono a (q.); far cantare (q.) **2** piazzare microfoni in (*una stanza o su un oggetto o una persona*).

mil /mɪl/ n. **1** (*mecc.*) millesimo di «pollice» (*pari a mm 0,0254*) **2** (*mat.*) millesimo di radiante.

milady /mɪ'leɪdɪ/ n. (anche al vocat.) milady.

milage /'maɪlɪdʒ/ → **mileage**.

Milan /mɪ'læn/ n. (*geogr.*) Milano ● (*calcio*) AC M., il Milan (*la squadra*) ‖ **Milanese** a. e n. (inv. al pl.) milanese ● **the Milanese**, i milanesi □ (*stor.*) **the Milanese**, il Milanese; il territorio del ducato di Milano.

milch /mɪltʃ/ a. attr. (*zootecnia*) da latte; lattifero: **a** m. **cow**, una mucca da latte; (*fig. spreg.*) una buona vacca da mungere.

◆**mild** /maɪld/ Ⓐ a. **1** mite; gentile; mansueto: **a** m. **nature**, un carattere mite (*o* mansueto); **a** m. **climate**, un clima mite; *It's been a very m. winter this year*, l'inverno è stato molto mite quest'anno; **a** m. **remark**, un'osservazione gentile **2** blando; non forte; dolce; delicato; leggero: m. **cheese**, formaggio dolce; m. **tobacco**, tabacco dolce; m. **beer**, birra leggera; **a** m. **cigarette**, una sigaretta leggera; **a** m. **electric shock**, una

---

scossa elettrica leggera **3** lieve; non grave: **a** m. **punishment**, una lieve punizione **4** (*di medicamento*) blando; leggero Ⓑ n. ⑩ (*fam. ingl.*) birra leggera, alla spina ● m.**-mannered**, mite, gentile, urbano □ m. **soap**, sapone per pelli delicate □ (*metall.*) m. **steel**, acciaio dolce.

mildew /'mɪldjuː/ n. **1** (*patologia vegetale*) muffa; (*dei cereali*) ruggine; (*della vite*) oidio **2** muffa (*in genere*) ‖ **mildewy** a. coperto di muffa; ammuffito.

to **mildew** /'mɪldjuː/ Ⓐ v. t. coprire di muffa; far ammuffire Ⓑ v. i. coprirsi di muffa; ammuffire.

mildly /'maɪldlɪ/ avv. **1** mitemente; gentilmente; dolcemente **2** un poco; fino a un certo punto: *He was m. intoxicated*, era un po' brillo ● **to put it m.**, a dir poco; senza voler esagerare.

mildness /'maɪldnəs/ n. ⑩ **1** mitezza; dolcezza; gentilezza **2** delicatezza; leggerezza **3** levità (*di una punizione, ecc.*).

◆**mile** /maɪl/ n. **1** miglio (*misura di lunghezza pari a km 1,609*) **2** (*sport* = m. **run**) miglio; corsa di un miglio ● (*fig.*) **to be miles away**, avere la testa altrove □ **to live miles away** (*o* **from anywhere**), abitare a casa del diavolo (*fam.*) □ (*fig.*) **to be miles out**, essere lontano le mille miglia (*dall'indovinare, ecc.*) □ (*autom.*) **to burn up** (*o* **to eat up**) **the miles**, divorare la strada □ (*fig.*) **by a** m., di gran lunga □ **It's miles better than...**, vale infinitamente più di... □ (*fam.*) **It's miles easier**, è di gran lunga più facile □ (*fam.*) **It's not a hundred miles from here**, è qui vicino; è qui accanto □ (*fam. fig.*) **You can see** (*o* **tell**) **a** m. **away** (*o* **off**), è lampante; si vede lontano un miglio.

mileage /'maɪlɪdʒ/ n. **1** ⑭ distanza (percorsa) in miglia (*cfr. ital. kilometraggio*) **2** ⑩ (= m. **allowance**) indennità di viaggio (*a un tanto al miglio*) **3** ⑭ (*autom.*) consumo (di benzina); miglia percorse con un gallone di benzina **4** ⑩ (*nei trasp.*) costo (o tariffa) per miglio **5** ⑩ (*fam. USA*) beneficio; profitto; vantaggio ● (*autom.*) m. **chart**, carta delle distanze in miglia □ (*autom.*) m. **counter**, «contamiglia».

mileometer /maɪ'lɒmɪtə(r)/ n. (*autom.*) «contamiglia» ● **trip** m., contamiglia parziale.

milepost /'maɪlpəʊst/ n. (*spec. USA*) pietra miliare (*anche fig.*).

miler /'maɪlə(r)/ n. (*sport*) atleta (*o* cavallo) allenato a correre sulla distanza del miglio; (*ipp.*) miler.

milestone /'maɪlstəʊn/ n. (*anche fig.*) pietra miliare.

Miletus /mɪ'liːtəs/ n. (*stor., geogr.*) Mileto.

milfoil /'mɪlfɔɪl/ n. (*bot., Achillea millefolium*) achillea; millefoglie.

miliary /'mɪlɪərɪ/ a. (*med.*) miliare: m. **tubercule**, tubercolo miliare; m. **fever**, febbre miliare.

milieu /'miːljɜː, USA mi:'ljɜː/ (*franc.*) n. (pl. *milieus, milieux*) ambiente (sociale).

◆**militant** /'mɪlɪtənt/ Ⓐ a. **1** militante: **the Church** m., la Chiesa militante **2** combattivo; pugnace (*lett.*) Ⓑ n. **1** militante; attivista **2** miliziano ‖ **militancy** n. ⑩ **1** militanza; attivismo **2** combattività; l'esser pugnace (*lett.*).

militarily /'mɪlɪtrəlɪ/ avv. militarmente.

militarism /'mɪlɪtərɪzəm/ n. ⑩ militarismo ‖ **militarist** n. militarista ‖ **militaristic** a. militaristico.

to **militarize** /'mɪlɪtəraɪz/ v. t. militarizzare: **to** m. **labour**, militarizzare la manodopera ‖ **militarization** n. ⑩ militarizzazione.

◆**military** /'mɪlɪtrɪ/ Ⓐ a. militare; maresciallesco; marziale: m. **band**, banda militare; m.

discipline, disciplina militaresca; **m. bearing**, portamento marziale; **m. police**, polizia militare **B** n. – **the m.**, i militari; l'esercito ● **M. Cross**, croce di guerra (*decorazione*) □ **m. family**, famiglia di militari □ (*med.*) **m. fever**, febbre tifoide □ **m. law**, diritto militare □ **m. officer**, ufficiale (*dell'esercito, ecc.*; *per distinguerlo da «officer», «funzionario»*) □ **m. personnel**, i membri delle forze armate □ **m. policeman**, soldato della polizia militare □ **the m. profession**, il mestiere di soldato □ (*miss.*) **m. satellite**, satellite militare ● **m. science**, arte militare; cultura militare □ **m. station**, base militare; guarnigione □ **m. testament**, testamento fatto a voce da un soldato.

to **militate** /ˈmɪlɪteɪt/ v. i. militare (*di solito fig.*) ● (*fig.*) **to m. against**, essere d'ostacolo a; ostacolare: *His inexperience militates against him*, la sua inesperienza gli è d'ostacolo.

militia /mɪˈlɪʃə/ n. **1** milizia territoriale; (*collett.*) (i) territoriali; (*in USA*) (la) guardia nazionale **2** (*stor.*) milizia.

militiaman /mɪˈlɪʃəmən/ n. (pl. *militiamen*) **1** soldato territoriale; (*in USA*) soldato della guardia nazionale **2** (*stor.*) milite; soldato della milizia; miliziano.

◆**milk** /mɪlk/ **A** n. **1** latte: **full-cream m.**, latte intero; **semi-skimmed m.**, latte parzialmente scremato; **dried** (*o* **powdered**) **m.**, latte in polvere; **almond m.**, latte di mandorle **2** (*slang*) latice, lattice (*di alcune piante*) ● (*fig.*) **m. and honey**, grande possibilità di divertimenti (*o di divertirsi*) □ **m.-and-water**, insipido, sciocco; melenso; blando; all'acqua di rose (*fig.*) □ **m. bar**, bar bianco; latteria; gelateria □ **m. chocolate**, cioccolato al latte □ (*med.*) **m. crust**, crosta lattea; lattime □ **m. diet**, dieta lattea □ (*med.*) **m. fever**, febbre da latte □ **m. float**, furgoncino (*a motore elettrico*) del lattaio (*per consegne in città*) □ **m. fund**, fondo abbinato per l'infanzia bisognosa (*spec. di paesi stranieri*) □ (*zool.*) **m. gland**, ghiandola mammaria □ **m. glass**, vetro opalino □ **m. jug**, lattiera (*per servire il latte a tavola*) □ (*med.*) **m. leg**, flemmasia □ **m. loaf**, pane (bianco) al latte □ (*fig.*) **the m. of human kindness**, gentilezza (*o generosità*) connaturata all'uomo □ (*chim.*) **m. of magnesia**, latte di magnesia □ **m. powder**, latte in polvere □ **m. pudding**, budino (*di riso*) al latte □ **m. punch**, bevanda di latte misto a liquore □ (*sport*) **the M. Race**, il Giro ciclistico dell'Inghilterra (*per professionisti e dilettanti, insieme*) □ **m. round**, giro del lattaio (*per le consegne*); (*fig. fam.*) giro di visite (*di dirigenti per assumere neolaureati per le loro aziende*) □ **m. run**, (*ferr.*) corsa con molte fermate; (*aeron.*) volo con molti scali; (*aeron., mil.*) missione di routine □ **m. shake**, frullato; frappè □ (*med.*) **m. sickness**, malattia da latte □ (*chim.*) **m. sugar**, lattosio □ **m. tooth**, dente di latte □ (*fam.*) **m. train**, treno locale del primo mattino □ **m. van**, furgone del lattaio (*per consegne fuori città*) □ (*bot.*) **m. vetch** (*Astragalus*), astragalo □ **m.-white**, bianco come il latte □ (*prov.*) **It's no use crying over spilt m.**, è inutile piangere sul latte versato.

to **milk** /mɪlk/ **A** v. t. **1** mungere: **to m. a cow**, mungere una mucca **2** (*fig.*) spillare denaro a; mungere: *Colonies were milked by the Romans*, le colonie venivano munte dai romani **3** (*fig.*) sfruttare (*una situazione, ecc.*); spremere: *He is determined to m. the story for every last drop of horror*, è deciso a sfruttare la storia in tutto il suo orrore ● (*fig.*) riuscire a ottenere da (*q. una reazione favorevole*); accattivarsi; lavorarsi: **to m. sb. for sympathy**, riuscire a ottenere la solidarietà di q. **5** estrarre il succo da (*una pianta*) **6** cavare il veleno a (*un serpente*) **7** (*arc.*) succhiare il latte di: *I have given suck, and*

know / *How tender 'tis to love the babe that milks me*' W. SHAKESPEARE, 'ho già allattato, e conosco quanto sia tenero l'amore per il bambino che sugge il mio latte' **B** v. i. dar latte; produrre latte: *Our cows are milking very well*, le nostre vacche danno molto latte ● (*fig.*) **to m. the bull** (*o* **the ram**), cavar sangue da una rapa.

milker /ˈmɪlkə(r)/ n. **1** animale da latte: **to be a good [a bad] m.**, dare molto [poco] latte **2** mungitore, mungitrice.

milkie /ˈmɪlkɪ/ n. (*slang*) lattaio.

milkiness /ˈmɪlkɪnəs/ n. **1** lattiginosità **2** rammollimento.

milking /ˈmɪlkɪŋ/ n. **1** mungitura **2** quantità di latte munto ● **m. machine**, mungitrice meccanica □ (*USA*) **m. parlor**, locale (*per la*) mungitura.

milkmaid /ˈmɪlkmeɪd/ n. **1** mungitrice **2** lattaia.

milkman /ˈmɪlkmən/ n. (pl. *milkmen*) lattaio.

milko /ˈmɪlkəʊ/ n. (*slang Austral.*) lattaio.

milksop /ˈmɪlksɒp/ n. (*antiq., spreg.*) rammollito; smidollato; pappamolle.

milkweed /ˈmɪlkwiːd/ n. (*bot.*) **1** (*Gentiana asclepiadea*) asclepiade **2** (*Euphorbia*) euforbia (*in genere*).

milkwoman /ˈmɪlkwʊmən/ n. (pl. *milkwomen*) lattaia.

milkwort /ˈmɪlkwɜːt/ n. (*bot., Polygala vulgaris*) poligala; bozzolina.

milky /ˈmɪlkɪ/ **A** a. **1** latteo: (*astron.*) **the M. Way**, la Via Lattea **2** (*di pianta, di liquido*) lattiginoso **3** lattescente; opalescente **4** (*fig.*) smidollato; rammollito **B** n. (*slang*) lattaio ● **m. cleanser**, latte detergente (*cosmetico*).

◆**mill** ① /mɪl/ n. **1** mulino **2** fabbrica; opificio; stabilimento: **a textile m.**, uno stabilimento tessile; **cotton m.**, cotonificio; **steel m.**, acciaieria **3** macinino: **a coffee m.**, un macinino da caffè **4** spremifrutta; passaverdura **5** (*ind., mecc.*) treno di laminazione; laminatoio; fresa: **continuous m.**, treno di laminazione continuo; **finishing m.**, laminatoio finitore; **rod m.**, laminatoio per barre; **two-lip end m.**, fresa a due tagli **6** (*ind. della gomma*) mescolatore **7** (*ind. tess.*) follatrice **8** (*slang*) motore (*di un automezzo, un aereo, ecc.*) **9** (*slang USA, antiq.*) macchina da scrivere **10** (*slang antiq.*) prigione; galera; gattabuia **11** (*slang antiq.*) scazzottata; incontro di boxe ● **m. cleaners**, imprese di pulizia di fabbriche □ **m. dam**, chiusa (*o diga*) di mulino □ (*stor.*) **m. hand**, operaio, operaia (*di fabbrica*) □ **m. wheel**, ruota di mulino □ (*fig.*) **to bring grist to the** (*o to* **one's**) **m.**, portare acqua al proprio mulino □ (*fig.*) **to go through the m.**, passarne di tutti i colori □ (*fig.*) **to put sb. through the m.**, far passare q. per una trafila; sottoporre q. a dure prove □ (*fig.*) **to have been through the m.**, averne passate di tutti i colori; esserci già passato; essersi fatto le ossa (*fig.*) □ **water m.**, mulino ad acqua □ (*fig.*) **All is grist that comes to his m.**, per lui, tutto è buono (*fam.*: tutto fa brodo) □ (*prov.*) **The mills of God grind slowly, yet they grind exceeding small**, Dio non paga il sabato.

mill ② /mɪl/ n. (*USA*) millesimo di dollaro (*unità monetaria usata nei calcoli*).

to **mill** /mɪl/ **A** v. t. **1** macinare (*cereali o altro*); tritare; polverizzare: **to m. iron ore**, macinare minerale ferroso **2** follare, feltrare (*panni*) **3** (*ind., mecc.*) laminare in barre (*acciaio, ecc.*); fresare **4** zigrinare (*una moneta*): **the milled edge of a coin**, l'orlo zigrinato d'una moneta **5** (*cucina*) battere, frullare, montare a schiuma (*panna, ecc.*) **B** v. i. **1** (*slang antiq.*) fare a pugni; boxare **2** (*spesso* **to m. around**; *di bestiame, della folla*) girare

in tondo; muoversi in massa torno torno.

millboard /ˈmɪlbɔːd/ n. cartone pressato (*usato per pannelli e in legatoria*).

milldam /ˈmɪldæm/ n. chiusa (*o diga*) di mulino = **mill dam** → **mill** ①.

millefeuille /miːlˈfɜːɪ/ (*franc.*) n. millefoglie (*dolce*).

millefiore /mɪlɪˈfjɔːrɪ/ (*ital.*) n. ▣ (*anche* **m. glass**) millefiori (*vetro*).

millenarian /mɪləˈnɛərɪən/ **A** a. **1** millenario **2** (*relig.*) millenaristico **B** n. (*relig.*) millenarista; chiliasta.

millenarianism /mɪləˈnɛərɪənɪzəm/ (*relig.*) n. ▣ millenarismo ‖ **millenarianist** n. millenarista.

millenary /mɪˈlɛnərɪ, *USA* ˈmɪlɪnɛrɪ/ **A** a. **1** millenario; millenne **2** (*relig.*) millenaristico **B** n. **1** millennio **2** millenario (*millesimo anniversario*) **3** (*relig.*) millenarista; chiliasta.

millennium /mɪˈlɛnɪəm/ n. (pl. *millennia, millenniums*) **1** millennio **2** (*relig.*) (il) millennio (*futuro regno di Cristo per mille anni sulla terra*) **3** (*fig.*) età felice; periodo di pace e prosperità ● (*comput.*) **the m. bug**, il baco del millennio □ (*a Londra*) **M. Dome**, la Cupola del Millennio □ (*a Londra*) **M. Wheel**, la Ruota del Millennio ‖ **millennial** a. **1** millenne; millenario **2** (*relig.*) del millennio.

miller /ˈmɪlə(r)/ n. **1** mugnaio **2** (*mecc.*) fresatrice; fresa **3** (*slang antiq.*) pugile ● (*zool.*) **m.'s thumb**, (*Cottus gobio*) magnarone; (*Gadus luscus*) gado barbato; (*Gobius niger*) ghiozzo comune □ **m.'s wife**, mugnaia.

millesimal /mɪˈlɛsɪml/ a. e n. (*mat.*) millesimo.

millet /ˈmɪlət/ n. ▣ (*bot., Panicum miliaceum*) miglio.

milliard /ˈmɪljɑːd/ n. (*raro; in GB*) bilione, miliardo (*ormai più com.* **billion**).

millibar /ˈmɪlɪbɑː(r)/ n. (*fis., meteor.*) millibar.

milligram, milligramme /ˈmɪlɪɡræm/ n. milligrammo.

millilitre, (*USA*) **milliliter** /ˈmɪlɪliːtə(r)/ n. millilitro.

◆**millimetre**, (*USA*) **millimeter** /ˈmɪlɪmiːtə(r)/ n. millimetro ‖ **millimetric** a. millimetrico.

milliner /ˈmɪlɪnə(r)/ n. modista ● **m.'s shop**, modisteria.

millinery /ˈmɪlɪnərɪ/ n. ▣ **1** articoli (*o lavori*) di modista; cappellini, nastri, ecc. **2** lavoro di modista; modisteria.

milling /ˈmɪlɪŋ/ **A** n. **1** macinatura; molitura (*di cereali*); macinazione (*di minerali, ecc.*) **2** follatura, feltratura (*di panni*) **3** (*mecc.*) fresatura **4** (*di monete*) zigrinatura **B** a. molitorio: **the m. industry**, l'industria molitoria ● (*mecc.*) **m. cutter**, fresa □ (*mecc.*) **m. machine**, fresatrice □ (*mecc.*) **m. planer**, piallatrice rotativa.

◆**million** /ˈmɪljən/ n. e a. (pl. *millions, million*) (*mat.*) milione: **one** (*o* **a**) **m. dollars**, un milione di dollari; **millions of stars**, milioni di stelle; **two m. dollars**, due milioni di dollari ● (*fig.*) **the m.**, il popolo; la massa □ (*fig.*) **I've got millions of things to do**, ho un milione di cose da fare □ *Thanks a m.!*, grazie mille! ‖ **millionfold** a. e avv. (di) un milione di volte ‖ **millionth** a. e n. (*mat.*) milionesimo.

millionaire /mɪljəˈnɛə(r)/ n. milionario.

millionairess /mɪljəˈnɛərɪs/ n. milionaria.

milliped /ˈmɪlɪpiːd/ n. → **millepede**.

millipede, millepede /ˈmɪlɪpiːd/ n. (*zool.*) millepiedi.

millisecond /ˈmɪlɪsɛkənd/ n. millisecondo.

millivolt /ˈmɪlɪvəʊlt/ n. (*elettr.*) millivolt.

millpond /'mɪlpɒnd/ n. bottaccio; bacino di raccolta; gora di mulino ● (*del mare, ecc.*) **to be like a m.** (*o* **as calm as a m.**), essere liscio come l'olio.

millrace /'mɪlreɪs/ n. condotta forzata (*o* canale) di mulino; gora di mulino.

millrun /'mɪlrʌn/ n. → **millrace 2** (*ind. min.*) carica di minerale per la prova di arricchimento.

millstone /'mɪlstəʊn/ n. **1** macina; mola **2** (*fig.*) pesante fardello; grave peso; palla al piede (*fig.*): *His past is a m. round his neck*, il suo passato è per lui una palla al piede ● (*fig.*) **to be between the upper and the nether m.**, essere fra l'incudine e il martello.

millstream /'mɪlstriːm/ n. gora di mulino.

millwright /'mɪlraɪt/ n. **1** costruttore di mulini o di macchine per mulini **2** costruttore d'impianti **3** montatore (*o* addetto alla manutenzione) di macchinari e d'impianti.

milometer /maɪ'lɒmɪtə(r)/ → **mileometer**.

milord /mɪ'lɔːd/ n. (anche al vocat.) milord.

milquetoast /'mɪlktəʊst/ n. (*fam. USA*) individuo timido, smidollato; coniglio, mollusco (*fig.*).

milt /mɪlt/ n. **1** (*macelleria*) milza **2** (*slang*) latte (*o* sperma) di pesce.

to **milt** /mɪlt/ v. t. (*di pesce maschio*) fecondare (*uova*).

milter /'mɪltə(r)/ n. pesce maschio (*nel periodo della fecondazione*).

Miltonian /mɪl'təʊnɪən/, **Miltonic** /mɪl'tɒnɪk/ a. (*letter.*) miltoniano; di Milton.

mime /maɪm/ n. (*teatr.*) **1** (*attore*) mimo **2** mimo; pantomima **3** Ⓤ mimica: **in m.**, a gesti ● **m. artist**, mimo, attore mimico.

MIME sigla (*comput.*, **multipurpose internet mail extensions**) MIME (*formato standard per la codifica e trasmissione mediante e-mail di qualsiasi contenuto digitale*).

to **mime** /maɪm/ v. i. e t. **1** mimare; imitare **2** (*mus.*) cantare (*o* suonare) in playback.

mimeograph /'mɪmɪəɡrɑːf/ n. **1** mimeografo **2** copia mimeografata.

to **mimeograph** /'mɪmɪəɡrɑːf/ v. t. mimeografare.

mimesis /mɪ'miːsɪs/ n. Ⓤ **1** (*arte, letter.*) mimesi **2** (*zool.*) mimesi.

mimetic /mɪ'metɪk/ a. mimetico: **m. coloration**, colorazione mimetica (*d'insetti, ecc.*) | **-ally** avv.

mimetism /'mɪmətɪzəm/ n. Ⓤ (*anche zool.*) mimetismo.

mimic /'mɪmɪk/ Ⓐ a. **1** mimico; imitativo **2** (*zool.*) mimetico **3** finto: **m. battles**, finte battaglie Ⓑ n. **1** mimo; imitatore **2** (*zool.*) animale che si mimetizza ❶ FALSI AMICI ● **mimic** *non significa* mimica.

to **mimic** /'mɪmɪk/ (*pass. e p. p.* **mimicked**), v. t. **1** imitare; contraffare; parodiare; scimmiottare: *She loves to m. her teachers*, si diverte a scimmiottare i suoi insegnanti **2** (*zool.*) mimetizzarsi con: *Some insects m. leaves*, taluni insetti si mimetizzano con le foglie **3** (*fig.*) imitare: **wallpaper painted to m. marble**, carta da parati dipinta a imitazione del marmo.

mimicry /'mɪmɪkrɪ/ n. **1** mimica; arte mimica; imitazione; parodia **2** (*zool.*) mimicry; mimetismo: **protective m.**, mimetismo protettivo.

mimosa /mɪ'məʊzə/ n. (*bot.*, *Mimosa*) mimosa.

mimulus /'mɪmjʊləs/ n. (*bot.*, *Mimulus*) mimulo.

Min. abbr. (**minister**) ministro (Min.).

min. abbr. **1** (**minimum**) minimo (min.) **2** (**minute**) minuto.

mina /'maɪnə/ n. (pl. **minas**, **minae**) (*stor.*) mina (*peso e moneta greci*).

minable /'maɪnəbl/ a. (*ind. min.*) coltivabile; estraibile.

minacious /mɪ'neɪʃəs/ a. minaccioso | **-ly** avv.

minaret /mɪnə'ret/ n. minareto.

minatory /'mɪnətərɪ/ a. minatorio.

mince /mɪns/ n. Ⓤ **1** carne tritata (*o* macinata); macinato; tritato **2** andatura (*o* parlata) affettata ● **m. pie** (abbr. di **mincemeat pie**), tortina ripiena di mele, frutta secca e aromi (*si mangia a Natale*).

to **mince** /mɪns/ Ⓐ v. t. tritare; triturare; tagliuzzare; sminuzzare Ⓑ v. i. **1** parlare con affettazione; fare smancerie **2** camminare a passettini, in modo affettato ● **not to m. matters** (*o* **one's words**), dire le cose come stanno; non usare mezzi termini; parlar chiaro (*o* fuori dai denti).

mincemeat /'mɪnsmiːt/ n. **1** impasto per fare le «mince pies» (→ **mince**) **2** carne tritata ● **to make m. of**, fare a pezzi (*anche fig.*); stracciare (*un'argomentazione, ecc.*); fare polpette di (q.) (*fig.*).

mincer /'mɪnsə(r)/ n. **1** tritacarne **2** tritaverdura.

mincing /'mɪnsɪŋ/ a. affettato; lezioso; manierato; smanceroso ● **m. machine** → **mincer** | **-ly** avv.

◆to **mind** /maɪnd/ n. Ⓤ Ⓒ **1** mente; intelligenza; cervello; testa (*fig.*); senno; pensiero: *I wonder what he has in m.*, mi chiedo cosa abbia in mente; *She's one of the world's best minds*, è una delle più belle menti che ci siano al mondo; **to be in one's right m.**, essere sano di mente (*o* con la testa a posto); *It never crossed my m.*, non mi è mai passato per la mente (*o* per la testa) **2** animo; spirito: **frame** (*o* **state**) **of m.**, stato d'animo; **peace of m.**, pace dell'animo; serenità; **presence of m.**, presenza di spirito **3** mente; memoria: **to bear** (*o* **to keep**) **st. in m.**, tenere a mente (*o* ricordare) qc.; **to bring** (*o* **to call**) **st. to m.**, farsi venire in mente qc.; richiamare qc. alla mente (*o* alla memoria); **to bring** (*o* **to recall**) **st. to sb.'s m.**, far venire in mente (*o* ricordare) qc. a q.: *That has gone out of* (*o* *has slipped*) *my m.*, mi è uscito (*o* passato *o* sfuggito) di mente **4** idea; intenzione; proposito; voglia: *I have half a m. to tell her everything*, ho una mezza idea di dirle tutto; *I've got a good m. to take legal steps*, ho proprio intenzione di adire le vie legali **5** idea; parere; opinione; avviso; modo di pensare: *I've changed my m. about him*, ho cambiato idea sul suo conto; **to be of the same m.** (*o* **of one m.**), essere della stessa opinione (*o* dello stesso avviso); **to speak one's m. plainly**, dire chiaro e tondo come la pensa **6** (*filos.*) spirito: **m. and matter**, lo spirito e la materia **7** (*relig.*) messa di suffragio (*per un defunto*) ● (*farm., di sostanza*) **m.-altering**, che altera l'umore; psicotonico □ (*fam.*) **m.-bender**, allucinogeno (sost.); (*fig.*) rompicapo ● (*slang*) **m.-bending**, allucinogeno (agg.); (*fig.*) difficile da risolvere (*o* da capire); preoccupante, inverosimile, incredibile □ (*fam.*) **m.-blower**, allucinogeno (sost.) □ (*fam.*) **m.-blowing**, allucinogeno (agg.); (*fig.*) allucinante, eccitante, travolgente; shoccante: **a m.-blowing experience**, un'esperienza shoccante □ (*fam.*) **m.-boggling**, sbalorditivo; strabiliante; stupefacente; inverosimile □ (*fam.*) **m.-expander**, psichedelico (sost.) □ **m.-expanding**, psichedelico (agg.) □ **the m.'s eye**, l'occhio della mente; la fantasia □ (*volg. USA*) **m.-fucking**, sconvolgente, da sballo (sost.) lavaggio del cervello □ (*fam.*) **m.-numbing**, che intorpidisce la mente; che inebetisce; che istupidisce; (*anche*) noiosissimo □ **m.-reader**, chi legge (*o* pretende di leggere) il pensiero □ **m.-reading**, lettura

del pensiero □ **to boggle sb.'s m.**, lasciare q. allibito (*o* incredulo); stupefare q. □ **to give one's m. to**, fare attenzione a; porre mente a □ **to give sb. a piece** (*o* **a bit**) **of one's m.**, dirne quattro a q.; dire a q. il fatto suo □ **to go out of** (*o* **to lose**) **one's m.**, andare fuori di testa; uscire di senno; impazzire □ (*scherz.*) **Great minds think alike**, le grandi menti pensano allo stesso modo (*usato per complimentarsi a vicenda quando due persone dicono la stessa cosa*) □ **to have st. on one's m.**, aver sempre in mente qc.; essere preoccupato per qc. □ **to be in** (*o* **of**) **two minds**, essere incerto (*o* diviso, in forse); esitare; titubare □ **to keep one's m. on**, concentrare la propria attenzione su □ **to keep an open m.**, rimanere neutrale; non prendere partito □ **to make up one's m.**, decidersi; prendere una decisione □ **to make up one's m. to st.**, accettare qc.; prendere atto di qc. □ **not to know one's own m.**, non saper bene quel che si vuole; essere incerto (*o* perplesso, in forse) □ **to be of the same m. as before**, pensarla allo stesso modo di prima; non aver mutato parere □ **to be out of one's m.**, aver perso la ragione; essere fuori di testa □ **out of one's m.**, oltremodo; a morte (*fig.*): *He was bored out of his m.*, era annoiato a morte □ **to put sb. in m. of**, rammentare a q.: *He puts me in m. of my father*, mi rammenta mio padre □ **to send sb. out of his m.**, fare uscire q. di senno □ **to set one's m. on (doing) st.**, mettersi in testa (*o* cacciarsi in mente) di fare qc. □ **to take one's m. off st.**, distogliere la propria attenzione da qc.; levarsi dalla mente qc. □ **to tell sb. one's m.**, dire a q. quel che si pensa; parlar chiaro a q.; dirglielo chiaro e tondo □ **to my m.**, a mio avviso, a mio parere, secondo me.

◆to **mind** /maɪnd/ v. t. e i. **1** badare (a); fare attenzione a; curarsi di; attendere a; occuparsi di; custodire; stare in guardia: *His daughter has to m. the shop now*, sua figlia deve ora badare al (*o* occuparsi del) negozio; *M. the step* [*the dog*], sta' attento al gradino [al cane]!; *M. you don't fall*, bada di non cadere!; *M. your fingers when you do that*, sta' attento alle dita quando fai così; *M. your own business*, bada ai fatti tuoi! **2** dar retta; obbedire a: *The dog minds his master*, il cane dà retta al suo padrone **3** importare (impers.); darsi pensiero; preoccuparsi: *He doesn't m. what people say about him*, non gliene importa di quel che la gente dice sul suo conto **4** dispiacere, spiacere, dare fastidio, rincrescere (impers.); avere qc. in contrario: *I don't m. the rain at all*, la pioggia non mi spiace affatto (non mi dà alcun fastidio); *Do you m. if I open the window?*, ti dispiace se apro il finestrino?; *Would you m. closing the door?*, ti dispiacerebbe chiudere la porta? (*o* potresti chiudere la porta, per favore?); «*Do you m. making dinner tonight?*» «*I don't m.*, *I like cooking*», «Ti dispiacerebbe preparare la cena stasera?» «Non c'è problema, mi piace cucinare»; *I wouldn't m. a glass of wine*, non mi spiacerebbe un bicchiere di vino; **If you don't m.**, se non hai nulla in contrario ● (*fam.*) **to m. one's P's and Q's**, star bene attento a quel che si dice (*o* che si fa) □ **I don't m. having a go**, se si tratta di provare, ci sto □ (*fam.*) **I don't m. if I do**, (accettando qc.) altroché; eccome □ (*inter.*) **M. you!**, bada bene!; intendiamoci!; sia ben chiaro!: *M. you, I wouldn't do it if it were illegal!*, intendiamoci, non lo farei se fosse illecito □ (*pop.*) **M. your eye!**, sta' in guardia; bada a quello che fai! □ **M. (out)!**, bada!; attento! □ **Do you m.?**, ti dispiace?; posso? □ **Do you m.!** (*con irritazione*), ehi!, ma ti pare?; vuoi scherzare?; ma va! □ **Never m.!**, non importa!; pazienza!; non prendertela!; non farci caso!; lascia perdere!; lascia stare!; lasciamo stare!: *Never m. what peo-*

ple say!, non preoccuparti di quel che dice la gente!; **'What did she say?' 'Never m.!'**, 'che ha detto?' 'lascia perdere!'; *I don't have the money to buy a motorbike, never m. a Ferrari* □ **Never you m.**, non è affar tuo; non ti riguarda; = **Never m.!** → *sopra*.

❶ **NOTA:** *to mind*
Se ha il soggetto uguale a quello della reggente, la proposizione oggettiva retta da **to mind** presenta il verbo con la forma in **-ing:** *I don't mind walking*, non mi dispiace camminare, non mi pesa camminare (il soggetto di *I don't mind* e di *walking* è sempre *I*); *I don't mind admitting I was frightened*, non ho problemi ad ammettere (o confesso) che ero spaventato

Quando ha il soggetto diverso da quello della reggente, l'oggettiva può presentare in alternativa:

1 la forma in **-ing**, con il soggetto espresso a) come aggettivo possessivo (*Do you mind my coming later?*, ti secca se vengo più tardi?; *She didn't mind our being late*, non si irritò per nostro ritardo) oppure, nello stile colloquiale, b) come pronome personale oggetto (*Do you mind me coming later?*; *She didn't mind us being late*);

2 la costruzione esplicita: *Do you mind if I come later? She didn't mind that we were late.*

minded /'maɪndɪd/ *a.* **1** disposto (a); incline (a); che ha intenzione (o voglia) (di): *They seem to be m. to get married soon*, sembra intendano sposarsi presto **2** (nei composti, per es.:) **high-m.**, magnanimo; di nobili sentimenti; **small-m.**, gretto, meschino; **statistically m.**, dotato di una mente (o di una mentalità) statistica.

mindedness /'maɪndɪdnəs/ *n.* Ⓤ (nei composti; per es.:) **absent-m.**, distrazione; svagatezza; **narrow-m.**, ristrettezza di mente (o di vedute); grettezza; meschinità; **right-m.**, rettitudine; onestà; buon senso.

minder /'maɪndə(r)/ *n.* **1** chi bada (a *qc.*); sorvegliante, addetto (*spec. a macchinari*) **2** (*fam.*) bambinaia **3** (*slang*) portaborse (*di un politico*) **4** (*slang*) guardia del corpo, gorilla (*di un attore, un politico, un gangster*).

to **mind-fuck** /'maɪndfʌk/ *v. t.* **1** fare il lavaggio del cervello a (q.) **2** sconvolgere; disorientare.

mindful /'maɪndfl/ *a.* **1** attento (a); conscio, consapevole (di); memore (di): *I am m. of the danger*, sono conscio del pericolo **2** sollecito (di); che si preoccupa (di *qc.*): **to be m. of one's reputation**, essere sollecito della propria reputazione | **-ly** *avv.* | **-ness** *n.* Ⓤ.

mindless /'maɪndləs/ *a.* **1** insensato; irragionevole; sciocco; stupido **2** incurante, noncurante, dimentico (di): **to be m. of one's duties**, essere incurante dei propri doveri **3** che non richiede intelligenza; noioso; di routine: **a m. job**, un lavoro di routine **4** privo di intelligenza ● **m. violence**, violenza insensata □ **the m. forces of nature**, le forze brute della natura ● **to be m. of danger**, non far caso al (o essere incurante del) pericolo | **-ly** *avv.* | **-ness** *n.* Ⓤ.

mindset /'maɪndset/ *n.* forma mentis (*lat.*); abito mentale; mentalità.

♦**mine**① /maɪn/ Ⓐ *pron. poss.* (il) mio, (la) mia; (i) miei, (le) mie: *Is it m. or yours?*, è mio o tuo?; *I don't want your book; I want m.*, non voglio il tuo libro; voglio il mio Ⓑ *a. poss.* (*poet.*; *davanti a parola che incomincia con suono vocalico*) mio, mia; miei, mie: **before m. eyes**, davanti ai miei occhi ● (*fam.*) **me and yours**, io e i miei (parenti) □ **He is a friend of m.**, è un mio amico.

♦**mine**② /maɪn/ *n.* **1** miniera (*anche fig.*): **a coal m.**, una miniera di carbone; *That book is a m. of information*, quel libro è una miniera di notizie **2** (*mil., naut.*) mina; torpedine: **floating m.**, mina galleggiante; **to spring** (o **to set off**) **a m.**, far brillare una mina ● **m. clearer**, sminatore □ **m. clearing**, sminamento □ **m. detector**, rilevatore di mine; cercamine □ (*mil.*) **m. disposal**, disinnesco delle mine □ (*mil.*) **m. field**, campo minato □ **m. inspector**, ispettore minerario □ **m. shaft**, pozzo di miniera.

to **mine** /maɪn/ Ⓐ *v. t.* **1** scavare per estrarre (*minerali*): **to m. a rich vein of gold**, scavare una ricca vena per estrarre l'oro **2** estrarre; scavare: **to m. silver**, estrarre argento **3** (*mil.*) minare (*anche fig.*); insidiare, rovinare: *The fields had been mined*, i campi erano stati minati **4** (*mil.*) far saltare in aria (*con la dinamite*) **5** (*mil.*) scavare gallerie sotto (*mura, trincee, ecc.*) Ⓑ *v. i.* **1** estrarre minerali; estrarre carbone: **to m. for gold**, estrarre l'oro **2** fare il minatore **3** (*mil.*) scavare gallerie (*per collocare mine sotto trincee e sim.*) ● **to m. out**, sfruttare a fondo, esaurire (*un giacimento*, e *fig.*).

mineable /'maɪnəbl/ *a.* **1** (*di minerale*) estraibile **2** (*di giacimento*) sfruttabile.

minefield /'maɪnfiːld/ *n.* (*mil.*) campo minato (*anche fig.*).

minelayer /'maɪnleɪə(r)/ (*mil.*) *n.* **1** (*naut.*) (nave) posamine **2** (*aeron.*) aereo posamine ‖ **minelaying** *n.* Ⓤ posa di mine ● **minelaying ship**, nave posamine.

♦**miner** /'maɪnə(r)/ *n.* **1** minatore **2** (*mil.*) guastatore ● (*mecc.*) **continuous m.**, macchina per cantieri sotterranei.

♦**mineral** /'mɪnərəl/ Ⓐ *a.* minerale: **m. oil**, olio minerale; **m. water**, acqua minerale (*naturale o gassata*) Ⓑ *n.* **1** (*geol.*) minerale **2** (pl.) (*fam.*) acque minerali; bevande gassate ● **m. jelly**, gelatina minerale □ **m. pitch**, asfalto □ **m. spring**, sorgente d'acqua minerale □ **m. wax**, ozocerite □ **m. wool**, lana minerale.

to **mineralize** /'mɪnərəlaɪz/ (*geol.*) Ⓐ *v. t.* mineralizzare Ⓑ *v. i.* facilitare la formazione di minerali ‖ **mineralization** *n.* Ⓤ mineralizzazione ‖ **mineralogical, mineralogic** *a.* mineralogico.

mineralogist *n.* mineralogista.

mineralogy /mɪnə'rælədʒɪ/ *n.* Ⓤ mineralogia.

minestrone /mɪnə'strəʊnɪ/ (*ital.*) *n.* (*cucina*) minestrone.

minesweeper /'maɪnswiːpə(r)/ (*mil.*) *n.* **1** (*marina*) dragamine **2** rullo sminatore (*per carro armato*) ‖ **minesweeping** *n.* Ⓤ (*naut.*) dragaggio (*di mine*); sminamento.

minge /mɪndʒ/ *n.* (*volg. ingl.*) passera, topa (*volg.*); genitali femminili.

minging /'mɪnɪŋ/ *a.* (*fam. GB*) schifoso; disgustoso.

to **mingle** /'mɪŋgl/ Ⓐ *v. t.* mescolare; mischiare; unire Ⓑ *v. i.* **1** mescolarsi; mischiarsi; confondersi: *We mingled with* (o *in*) *the crowd*, ci mescolammo alla (o ci confondemmo tra la) folla **2** socializzare.

mingy /'mɪndʒɪ/ *a.* **1** (*fam.*) avaro; gretto; meschino; spilorcio; taccagno **2** (*del salario, ecc.*) misero; scarso; striminzito ‖ **mingily** *avv.* avaramente; con grettezza; con spirito tirchio.

mini /'mɪnɪ/ Ⓐ *n.* (pl. *minis*) **1** (*moda*) indumento mini; minigonna; miniabito **2** minicomputer; minicalcolatore; minielaboratore Ⓑ *a. attr.* mini.

miniature /'mɪnɪtʃə(r)/ Ⓐ *n.* **1** miniatura: **portrait in m.**, ritratto in miniatura **2** (= **m. model**) modello in scala ridotta Ⓑ *a. attr.* **1** in miniatura; in scala ridotta: **m. railway**, una ferrovia in miniatura **2** nano: **m. poodle**, barbone nano (*cane*) ● **m. cam-**

era, microcamera □ **m. golf**, minigolf □ **in m.**, in miniatura.

to **miniature** /'mɪnɪtʃə(r)/ *v. t.* miniaturizzare; rappresentare in miniatura (o in scala ridotta).

miniaturist /'mɪnɪtʃərɪst/ *n.* miniaturista; miniatore.

to **miniaturize** /'mɪnɪtʃəraɪz/ (*tecn.*) *v. t.* miniaturizzare (*circuiti elettronici, ecc.*) ‖ **miniaturization** *n.* Ⓤ miniaturizzazione.

minibar /'mɪnɪbɑː(r)/ *n.* minibar; frigobar.

minibike /'mɪnɪbaɪk/ *n.* minimoto.

miniboom /'mɪnɪbuːm/ *n.* (*econ.*) miniboom.

mini-budget /mɪnɪ'bʌdʒɪt/ *n.* (*fin., in GB*) bilancio autunnale (*dello Stato*).

minibus /'mɪnɪbʌs/ *n.* (*autom.*) minibus; monovolume.

minicab /'mɪnɪkæb/ *n.* piccolo taxi.

minicoach /'mɪnɪkəʊtʃ/ *n.* pulmino.

minicomputer /mɪnɪkəm'pjuːtə(r)/ *n.* (*comput.*) minicomputer; minicalcolatore; minielaboratore.

minidisc® /'mɪnɪdɪsk/ *n.* (*mus., tecn.*) minidisc.

minidress /'mɪnɪdrɛs/ *n.* (*moda*) miniabito.

to **minify** /'mɪnɪfaɪ/ *v. t.* (*raro*) **1** impicciolire; rimpicciolire **2** ridurre al minimo l'importanza di (*qc.*); minimizzare.

minigolf /'mɪnɪgɒlf/ *n.* minigolf.

minim /'mɪnɪm/ Ⓐ *n.* **1** (*mus.*) minima **2** (*calligrafia*) tratto discendente **3** (*raro*) persona (o cosa) minuscola **4** (*farm.*) goccia (*1/60 di dramma fluida; pari a 0,06 ml*) Ⓑ *a.* (*raro*) minimo; piccolissimo.

minimal /'mɪnɪml/ *a.* **1** minimo; minuscolo; trascurabile **2** ridotto al minimo: *Her clothing was m.*, i suoi indumenti erano ridotti al minimo.

minimalism /'mɪnɪməlɪzəm/ *n.* Ⓤ (*polit., letter., arte*) minimalismo.

minimalist /'mɪnɪməlɪst/ Ⓐ *n.* (*polit., letter., arte*) minimalista Ⓑ *a.* minimalista; minimalistico.

minimax /'mɪnɪmæks/ *n.* (*mat., stat.*) minimax; minimassimo; minimomassimo.

to **minimize** /'mɪnɪmaɪz/ *v. t.* **1** ridurre al minimo; minimizzare: **to m. expenses**, ridurre al minimo le spese; **to m. the dangers**, minimizzare i pericoli **2** (*comput.*) iconizzare (*una finestra*) ‖ **minimization** *n.* Ⓤ riduzione al minimo; minimizzazione.

minimize button /'mɪnɪmaɪzbʌtən/ *loc. n.* (*comput.*) pulsante per iconizzare.

♦**minimum** /'mɪnɪməm/ Ⓐ *n.* (pl. *minima, minimums*) (il) minimo Ⓑ *a. attr.* minimo: **m. wage**, salario minimo; minimo salariale; **m. dose**, dose minima Ⓒ *avv.* (*fam.*) come minimo; almeno ● (*fin., stor.*) **m. lending rate**, tasso minimo di sconto ● (*leg.*) **the m. penalty**, il minimo della pena □ **m. temperature**, temperatura minima.

minimus /'mɪnɪməs/ Ⓐ *a.* (*nelle scuole*) il più giovane (*di più di due fratelli*): *Jones m.*, il più giovane dei Jones Ⓑ *n.* (*lett.*) microbo (*fig.*); individuo insignificante.

mining /'maɪnɪŋ/ Ⓐ *n.* Ⓤ **1** estrazione (*di minerali*); lavori di scavo; industria mineraria: **gold m.**, l'estrazione dell'oro; **coal m.**, l'industria (mineraria) del carbone **2** (*mil.*) posa di mine Ⓑ *a.* minerario: **a m. engineer**, un ingegnere minerario; **m. engineering**, ingegneria mineraria ● **m. claim**, concessione mineraria ● **a m. company**, una società mineraria □ **m. methods**, sistemi d'estrazione □ **a m. town**, una città mineraria.

minion /'mɪnɪən/ *n.* **1** (*lett.*) favorito **2** (*spreg. o scherz.*) servo; adulatore; tirapiedi **3** (*tipogr.*) corpo 7 ● (*fig.*) **m. of the law**,

poliziotto; carceriere.

minipill /ˈmɪnɪpɪl/ n. (*farm.*) minipillola (*anticoncezionale*).

minirecession /ˌmɪnɪrɪˈseʃn/ n. (*econ.*) minirecessione.

miniseries /ˈmɪnɪsɪəriːz/ n. (*TV*) miniserie.

minisite /ˈmɪnɪsaɪt/ n. → **microsite**.

miniski /ˈmɪnɪskiː/ n. (*sport*) minisci.

miniskirt /ˈmɪnɪskɜːt/ n. minigonna; mini.

♦**minister** /ˈmɪnɪstə(r)/ n. **1** ministro; ministro plenipotenziario: **the Prime M.**, il primo ministro; **foreign m.**, ministro degli esteri **2** (*relig.*) ministro del culto; pastore protestante: *'There were no ministers out there where he had been, he explained; just priests and Catholics'* W. FAULKNER, 'non c'erano pastori laggiù dov'era stato, spiegò; soltanto preti e cattolici' **3** (*fig.*) propagatore; strumento: **m. of evil**, propagatore del male; strumento di corruzione ● (*relig.*) **m. general**, generale superiore (*d'un ordine religioso*) □ (*in GB*) **M. of the Crown**, membro del → «Cabinet» (*def. 2*) □ **m. of religion**, ministro del culto.

to **minister** /ˈmɪnɪstə(r)/ v. t. e i. **1** (*relig.*) amministrare, somministrare (*i sacramenti*); officiare **2** – **to m. to**, soccorrere, prestar soccorso a (q.); servire (*una causa*); contribuire a (*un risultato*); provvedere a: **to minister to the sick**, prestare soccorso ai malati.

ministerial /ˌmɪnɪˈstɪəriəl/ a. **1** ministeriale; di (un) ministro: **a m. position**, un posto di ministro; **a m. paper**, un rapporto ministeriale **2** (*relig.*) del culto; pastorale; sacerdotale ● (*in GB, ai Comuni*) **the m. benches**, i banchi del governo | **-ly** avv.

ministering angel /ˈmɪnɪstrɪŋ ˈeɪndʒəl/ loc. n. (*lett., anche scherz.*) angelo tutelare (*fig.*); angelo buono; soccorritore, soccorritrice.

ministration /ˌmɪnɪˈstreɪʃn/ n. ☐ **1** (*relig.*) ministero del sacerdozio; cura di anime; l'officiare; il celebrare **2** (*form.*) aiuto; assistenza (*anche religiosa*); soccorso ‖ **ministrant** (*relig.*) ◩ a. che officia ◪ n. celebrante; officiante.

♦**ministry** /ˈmɪnɪstri/ n. **1** (*spec. polit.*) ministero; dicastero: (*stor.*) **the Air M.**, il ministero dell'aviazione; **the M. of Defence**, il Ministero della Difesa; **the M. of Transport**, il ministero dei Trasporti **2** ☐ (*relig.*) sacerdozio; ministero pastorale; (collett.) clero ● **to join the m.**, farsi prete.

minisub /ˈmɪnɪsʌb/ n. (*naut.*) minisottomarino; sommergibile tascabile.

minium /ˈmɪniəm/ n. ☐ (*chim.*) minio.

minivan /ˈmɪnɪvæn/ n. (*USA, autom.*) monovolume.

miniver /ˈmɪnɪvə(r)/ n. (*un tempo*) vaio; pelliccia di vaio.

mink /mɪŋk/ n. (pl. *minks*, *mink*) **1** (*zool., Mustela vison*) visone **2** (*zool., Mustela lutreola*) lutreola **3** (*zool.*) mustelide (*in genere*) **4** ☐ (pelle di) visone **5** (*moda*) pelliccia di visone; visone **6** (*slang USA*) ragazza formosa (*o appetitosa*); donna, ragazza, moglie.

Minnie /ˈmɪni/ n. dim. di → **Wilhelmina** e di → **Mary**.

minnow /ˈmɪnəʊ/ n. (pl. *minnows*, *minnow*) **1** (*zool.*) ciprinide; pesciolino (*d'acqua dolce*) **2** (*fig.*) pigmeo, moscerino (*fig.*) ● (*fig.*) **a Triton among minnows**, un gigante fra i pigmei (*detto di chi sembra grande perché gli altri sono piccoli*).

Minoan /mɪˈnəʊən/ a. (*archeol.*) minoico.

♦**minor** /ˈmaɪnə(r)/ **A** a. **1** minore; più piccolo; di second'ordine; meno importante; non grave; leggero; lieve: (*astron.*) **the m. planets**, i pianeti minori; **a m. poet**, un poe-

ta minore; (*med.*) **a m. operation**, un'operazione non grave; un piccolo intervento; **a m. problem**, un piccolo problema; un problemino; **a m. illness**, una malattia lieve; **m. damage**, danno lieve **2** (*geom.*) minore: **m. axis**, asse minore **3** (*leg.*) minorenne **4** (*mus.*) minore: **m. key [interval, scale]**, chiave [intervallo, scala] minore; **prelude in C m.**, preludio in do minore **5** (*un tempo, nelle scuole ingl.*; posposto al cognome) il minore (*di due studenti con lo stesso cognome, fratelli o no*): *Brown m.*, il minore dei due Brown **6** (*filos.*) minore: **m. premise**, premessa minore **7** (*mecc.*) interno: **m. diameter**, diametro interno (*di un cilindro*) ◪ n. **1** (*leg.*) minorenne; minore **2** (*relig.*) frate minore; minorita **3** (*filos.*) (la) minore; premessa minore **4** (*all'università: in USA, Canada, Australia e NZ*) disciplina scelta come seconda materia (*in un corso di laurea*) **5** (*mus.*) chiave (*o intervallo, scala*) minore **6** (*baseball, football americano*) (pl.) – **the minors**, le squadre minori ● (*relig. anglicana*) **m. canon**, canonico che non fa parte del capitolo □ (*leg.*) **m. offence**, reato minore □ (*fig.*) **in a m. key**, in tono minore.

to **minor** /ˈmaɪnə(r)/n/ v. i. + prep. (*in USA, Canada, Australia e NZ*) fare, studiare, aver scelto (*una disciplina universitaria*) come seconda materia (*in un corso di laurea*): **to minor in French**, fare francese come seconda materia.

Minorite /ˈmaɪnəraɪt/ n. (*relig.*) minorita; frate minore.

♦**minority** /maɪˈnɒrəti/ **A** n. ☐ **1** minoranza: **to be in the** (*o* **in a**) **m.**, essere in minoranza; **ethnic minorities**, minoranze etniche **2** ☐ (*leg.*) minorità; età minore ◪ a. attr. di minoranza; (*polit.*) **m. government**, governo di minoranza ● (*Borsa, fin.*) **m. interest**, partecipazione di minoranza □ (*leg.*) **m. opinion**, opinione minoritaria □ **m. rights**, i diritti delle minoranze.

Minotaur /ˈmaɪnətɔː(r)/ n. (*mitol.*) Minotauro.

minster /ˈmɪnstə(r)/ n. **1** chiesa (*annessa a un monastero*) **2** cattedrale; duomo: *York M.*, la cattedrale di York.

minstrel /ˈmɪnstrəl/ **A** n. **1** (*stor.*) menestrello; giullare **2** «minstrel»; cantante, ballerino, macchiettista (*travestito da negro*) **B** a. attr. giullaresco ● **m. show**, spettacolo di varietà presentato da «minstrels».

minstrelsy /ˈmɪnstrəlsi/ n. ☐ (*stor.*) **1** arte (*o poesia*) dei menestrelli; canzoni giullaresche **2** (collett.) menestrelli; giullari.

mint① /mɪnt/ **A** n. **1** (*fin.*) zecca **2** (*fig.*) miniera; fonte inesauribile: **a m. of ideas**, una fonte inesauribile di idee **3** (*fam.*, con l'art. indef.) un mucchio (*o un sacco*) di soldi; un occhio della testa (*fig.*): **to make a m. in showbiz**, fare un sacco di soldi nel mondo dello spettacolo **B** a. attr. **1** nuovo di zecca; nuovo fiammante **2** (*di francobollo*) nuovo ● **m. coin**, moneta fior di conio **3** (*fig.*) **m. mark**, marchio di zecca □ **m. master**, direttore della zecca □ (*fin.*) **m. par of exchange**, parità monetaria legale intrinseca □ **to be in m. condition**, (*di moneta o medaglia*) essere fior di conio; (*fig.*) essere nuovo di conio, essere come nuovo.

mint② /mɪnt/ n. **1** (*bot., Mentha*) menta **2** ☐ menta **3** mentina; caramella alla menta ● (*cucina*) **m. sauce**, salsa alla menta ‖ **minty** a. che odora (*o che sa*) di menta.

to **mint** /mɪnt/ v. t. coniare (*anche fig.*); battere (*moneta*): **to m. a new word**, coniare una parola nuova ● **minting die**, conio, punzone.

mintage /ˈmɪntɪdʒ/ n. ☐ **1** coniatura; conio; monetazione **2** monete coniate in una zecca **3** costo (*o* spese) di coniazione **4** (*fisc., stor.*) monetaggio.

minuend /ˈmɪnjʊend/ n. (*mat.*) minuendo.

minuet /ˌmɪnjʊˈet/ n. (*mus.*) minuetto.

minus /ˈmaɪnəs/ **A** prep. **1** (*mat.*) meno: *Ten m. four is six*, dieci meno quattro fa sei **2** (*fam.*) senza: *He came back from the war m. one arm*, tornò dalla guerra senza un braccio **B** a. (*mat.*) negativo: **a m. quantity**, una quantità negativa (*per es.*, *–3*) **C** n. (*mat.*) **1** (un) meno **2** quantità negativa ● **m. sign**, segno meno; (un) meno.

minuscule /ˈmɪnəskjuːl/ **A** a. (anche tipogr.) minuscolo **B** n. (*tipogr.*) **1** minuscola (*lettera*) **2** carattere minuscolo.

♦**minute**① /ˈmɪnɪt/ n. **1** minuto (*d'ora, di tempo*); minuto primo; primo; (*fig.*) istante, momento: *It is ten minutes to four*, sono le quattro meno dieci (minuti); **to count the minutes**, contare i minuti; **every m.**, ogni minuto; **I'll be back in a m.**, sarò di ritorno in un momento; *Have you got a m.?*, hai un minuto? **2** (*geom., geogr.*) minuto (*60ª parte di un grado*) **3** minuta; bozza; nota; promemoria **4** (pl.) (*leg.*) verbale, verbali; processo verbale; resoconto sommario: **the minutes of a meeting**, il verbale di una riunione ● **the m.** (**that**), appena: *I'll tell him the m. I see him*, glielo dirò appena lo vedo □ (*mil.*) **m. gun**, cannone che spara a salve a intervalli d'un minuto □ **m. hand**, lancetta dei minuti □ (*cucina*) **m. steak**, fettina (*di carne*); paillard □ (*franc.*) **m. any m.**, di minuto in minuto: *I'm expecting them any m.*, li aspetto di minuto in minuto □ **this m.**, subito; immediatamente □ **in a m.**, in punto: *The airplane took off at four o'clock to the m.*, l'aereo decollò alle quattro in punto □ **up-to-the-m.**, aggiornatissimo; all'ultima moda; modernissimo □ **up-to-the-m. news**, ultimissime notizie.

minute② /maɪˈnjuːt/, USA -ˈnuːt/ a. **1** minuto; minuscolo: **m. particles of dust**, minuscole particelle di polvere **2** minuzioso; esatto; preciso; particolareggiato: **a m. examination**, un esame minuzioso ‖ **minuteness** n. **1** minutezza; esiguità **2** minuziosità; meticolosità; precisione.

to **minute** /ˈmɪnɪt/ v. t. **1** calcolare al minuto; cronometrare **2** stendere la minuta di (qc.) **3** (*leg.*) verbalizzare; mettere a verbale ● **to m. down**, prender nota di; annotare.

minutely① /maɪˈnjuːtli/, USA -ˈnuː-/ avv. minutamente; minuziosamente; accuratamente; in dettaglio.

minutely② /ˈmɪnɪtli/ **A** a. **1** (che accade) a intervalli d'un minuto **2** continuo; incessante **B** avv. **1** ogni minuto **2** incessantemente.

Minuteman /ˈmɪnɪtmæn/ n. (pl. *Minutemen*) **1** (*stor., USA*) volontario durante la guerra d'indipendenza (*1775-1783*), pronto a partire all'istante **2** (*mil., miss.*) Minuteman (*missile intercontinentale*).

minuter /ˈmɪnɪtə(r)/ n. minutante; verbalizzante.

minutia /maɪˈnjuːʃiə/, USA -ˈnuː-/ (*lat.*) n. (pl. *minutiae*) minuzia; minimo dettaglio.

minx /mɪŋks/ n. (*fam.*) (ragazza) sfacciata; sfacciatella; civetta (*fig.*).

Miocene /ˈmaɪəsiːn/ (*geol.*) **A** n. (il) miocene **B** a. miocenico.

MIPS sigla (*comput.*, **million instructions per second**) milioni d'istruzioni al secondo.

miracle /ˈmɪrəkl/ n. **1** miracolo; (*fig.*) meraviglia: **to work a m.**, fare un miracolo **2** = **m. play** → *sotto* ● (*stor., letter.*) **m. play**, miracolo; rappresentazione sacra □ (*fig.*) **m. worker**, chi compie miracoli; l'uomo (*o la donna*) dei miracoli □ **by a m.**, per miracolo □ **to a m.**, in modo meraviglioso; meravigliosamente bene □ *He is a m. of learning*, la sua erudizione è straordinaria.

miraculous /mɪˈrækjʊləs/ a. miracoloso; (*fig.*) sorprendente, straordinario, prodigioso | **-ly** avv. | **-ness** n. ⓤ.

mirage /ˈmɪraːʒ, *USA* mɪˈraːʒ/ n. **1** (*anche fig.*) miraggio **2** (*fig.*) illusione.

mire /ˈmaɪə(r)/ n. **1** melma; mota; fanghiglia; fango (*anche fig.*): **to drag sb. through the m.**, trascinare q. nel fango **2** acquitrino; pantano • (*fig.*) **to be [to get stuck] in the m.**, essere [trovarsi] in difficoltà (*o* nei guai).

to **mire** /ˈmaɪə(r)/ Ⓐ v. t. **1** far impantanare: **to m. a horse**, far impantanare un cavallo **2** infangare; inzaccherare **3** (*fig.*) mettere (q.) in difficoltà (*o* nei guai) Ⓑ v. i. (*raro*) affondare nel fango; impantanarsi.

♦**mirror** /ˈmɪrə(r)/ n. **1** (*anche fig.*) specchio: **the bathroom m.**, lo specchio del bagno; *This novel is a true m. of our times*, questo romanzo è uno specchio verace del nostro tempo **2** (*radar*) riflettore • **m. image** (*o* **m. opposite**, immagine speculare.

to **mirror** /ˈmɪrə(r)/ v. t. **1** (*lett. o fig.*) rispecchiare; riflettere **2** (*comput.*) duplicare (*dati, ecc.*) su server diversi.

mirroring /ˈmɪrərɪŋ/ n. (*comput.*) mirroring (*copiatura di dati da un sito a un altro per ottenerne una copia esatta*).

mirror site /ˈmɪrəsaɪt/ loc. n. (*comput.*) sito mirror (*sito che è la copia di un altro*).

mirth /mɜːθ/ n. ⓤ allegria; gaiezza; gioia.

mirthful /ˈmɜːθfl/ a. allegro; gaio; gioioso | **-ly** avv. | **-ness** n. ⓤ.

mirthless /ˈmɜːθləs/ a. senza gioia; malinconico; triste; mesto | **-ly** avv. | **-ness** n. ⓤ.

MIRV sigla (*mil.*, **multiple independently targeted re-entry vehicle**) (missile balistico) a testate multiple indirizzate su bersagli diversi.

miry /ˈmaɪərɪ/ a. **1** melmoso; fangoso; paludoso **2** infangato; inzaccherato.

to **misaddress** /mɪsəˈdres/ v. t. indirizzare erroneamente (*corrispondenza, ecc.*).

misadventure /mɪsədˈventʃə(r)/ n. **1** ⓒⓤ disavventura; disgrazia **2** ⓤ (*leg.*) infortunio; accidente • (*leg.*) **death by m.**, morte accidentale □ (*leg., in USA*) **homicide by m.**, omicidio involontario.

misalliance /mɪsəˈlaɪəns/ n. matrimonio male assortito; unione sfortunata.

misallocation /mɪsælə'keɪʃn/ n. ⓤⓒ (*econ.*) errata allocazione.

misandry /mɪˈsændrɪ/ n. ⓤ (*psic.*) misandria.

misanthrope /ˈmɪsnθrəʊp/ n. misantropo ‖ **misanthropic, misanthropical** a. misantropico ‖ **misanthropically** avv. misantropicamente.

misanthropist /mɪˈsænθrəpɪst/ n. misantropo.

misanthropy /mɪˈsænθrəpɪ/ n. ⓤ misantropia.

to **misapply** /mɪsəˈplaɪ/ v. t. **1** usare malamente; fare un uso errato di (qc.) **2** usare abusivamente; distrarre (*denaro altrui*) ‖ **misapplication** n. ⓤⓒ **1** impiego sbagliato; uso erroneo **2** (*leg.*) uso abusivo, distrazione (*di denaro altrui*).

to **misapprehend** /mɪsæprɪˈhend/ v. t. fraintendere; capire male.

misapprehension /mɪsæprɪˈhenʃn/ n. ⓤ fraintendimento; equivoco; malinteso ‖ **misapprehensive** a. incline a fraintendere (*o* a equivocare).

to **misappropriate** /mɪsəˈprəʊprɪeɪt/ (*leg.*) v. t. appropriarsi indebitamente di (*denaro altrui*) ‖ **misappropriation** n. ⓤ appropriazione indebita • **misappropriation of public funds**, peculato.

misbegotten /mɪsbɪˈgɒtn/ a. **1** (*form.*) illegittimo; bastardo **2** (*fam.*) mal concepi-

to; mal fatto; bislacco; strampalato.

to **misbehave** /mɪsbɪˈheɪv/ v. i. comportarsi male • **to m. oneself**, comportarsi male ‖ **misbehaved** a. maleducato ‖ **misbehaviour**, (*USA*) **misbehavior** n. ⓤ cattiva condotta (*anche leg.*); comportamento scorretto; indisciplina.

misbelief /mɪsbɪˈliːf/ n. **1** falsa credenza; opinione errata **2** (*relig.*) eresia ‖ **misbeliever** n. miscredente ‖ **misbelieving** a. miscredente.

misc. abbr. (**miscellaneous**) vario.

to **miscalculate** /mɪsˈkælkjʊleɪt/ Ⓐ v. t. calcolare male Ⓑ v. i. far male i propri calcoli ‖ **miscalculation** n. ⓒⓤ calcolo sbagliato; errore di calcolo.

to **miscall** /mɪsˈkɔːl/ v. t. chiamare impropriamente; dare un nome sbagliato a (q.).

miscarriage /mɪsˈkærɪdʒ/ n. **1** fallimento; insuccesso **2** ⓤ disguido (*d'una lettera*); smarrimento (*d'un pacco, di una merce*) **3** (*med.*) aborto spontaneo (*spec. fra il quarto e il quinto mese*) • (*leg.*) **a m. of justice**, un errore giudiziario.

to **miscarry** /mɪsˈkærɪ/ v. i. **1** (*di progetto, ecc.*) fallire; fare fiasco; mancare allo scopo **2** (*di lettera, pacco, ecc.*) andare smarrito; smarrirsi **3** (*di donna*) abortire (→ **miscarriage**).

to **miscast** /mɪsˈkɑːst/ (*pass. e p. p.* **miscast**), v. t. (*teatr., cinem.*) **1** assegnare a (un attore) un ruolo non adatto **2** fare (un film), mettere in scena (un dramma) con un cast sbagliato ‖ **miscasting** n. ⓤ errata distribuzione delle parti.

miscegenation /mɪsɪdʒəˈneɪʃn/ n. ⓤ incrocio di razze diverse (*spec. fra bianchi e neri*).

miscellanea /mɪsəˈleɪnɪə/ n. pl. miscellanea (sing.).

miscellaneous /mɪsəˈleɪnɪəs/ a. **1** miscellaneo; eterogeneo; assortito; misto: **m. items**, articoli assortiti **2** (*di persona*) multiforme; versatile; eclettico ‖ **miscellaneousness** n. ⓤ **1** eterogeneità, varietà **2** multiformità; versatilità; eclettismo.

miscellany /mɪˈselənɪ, *USA* ˈmɪsəleɪnɪ/ n. **1** miscellanea; zibaldone **2** mescolanza; mistura.

mischance /mɪsˈtʃɑːns/ n. ⓤ disavventura; infortunio; disgrazia; sfortuna • **by m.**, per disgrazia; sfortunatamente.

mischief /ˈmɪstʃɪf/ n. **1** ⓤ (*leg.*) danno; male; offesa; torto **2** ⓤ malanimo; discordia: **to make m. between two people**, mettere la discordia fra due persone **3** ⓤ malizia: **a look full of m.**, un'occhiata piena di malizia **4** ⓤ malanno; malestro; guaio (*anche fig.*); birbonata; birichinata: *The children are up to some m.*, i ragazzi stanno combinando qualche malestro **5** (*fam. antiq.*) birichino; birba; birbone; monello • **m.-maker**, seminatore di discordia (*o* di zizzania); mettimale □ **m.-making**, il seminar discordia (*o* zizzania); malignità; perfidia □ **to keep sb. out of m.**, tenere q. fuori dai guai: *We can go to the Science Museum, that'll keep the children out of m.*, possiamo andare al museo delle scienze, terrà i bambini fuori dei guai □ **to work great m.**, produrre gran danno; creare guai seri.

mischievous /ˈmɪstʃɪvəs/ a. **1** dannoso; nocivo; compromettente: **a m. rumour**, una diceria dannosa; **a m. document**, un documento compromettente **2** malefico; maligno: **a m. person**, una persona maligna; un maligno **3** birichino; malizioso; furbo: **m. eyes**, occhi birichini; **a m. smile**, un sorriso malizioso **4** (*di bambino*) birbante; birichino; cattivello; dispettoso | **-ly** avv. | **-ness** n. ⓤ.

miscible /ˈmɪsɪbl/ (*fis., chim., ecc.*) a. mescolabile; miscibile ‖ **miscibility** n. ⓤ misci-

bilità.

to **misconceive** /mɪskənˈsiːv/ v. t. **1** giudicar male **2** fraintendere.

misconceived /mɪskənˈsiːvd/ a. mal concepito; errato; sbagliato.

misconception /mɪskənˈsepʃn/ n. **1** giudizio erroneo; idea sbagliata: *There is widespread m. about it*, ci sono molte idee sbagliate in proposito **2** equivoco; malinteso.

misconduct /mɪsˈkɒndʌkt/ n. ⓤ **1** cattiva condotta; comportamento indegno: (*mil.*) **m. on the field**, comportamento indegno sul campo di battaglia **2** (*leg.*) malgoverno; cattiva gestione (*di un'azienda, ecc.*); negligenza professionale **3** ⓤ (*sport*) scorrettezza • (*naut.*) **m. of the master or crew**, dolo *o* colpa del comandante o dell'equipaggio □ **sexual m.**, tentativo di reato sessuale.

to **misconduct** /mɪskənˈdʌkt/ v. t. condurre, amministrare, gestire male: **to m. one's business affairs**, condurre male i propri affari • **to m. oneself**, comportarsi male (*spec. con una persona dell'altro sesso*); commettere adulterio.

to **misconfigure** /mɪskənˈfɪgə(r)/ v. t. (*comput.*) malconfigurare; configurare in modo errato.

misconstruction /mɪskənˈstrʌkʃn/ n. ⓒⓤ **1** (*anche leg.*) interpretazione erronea; incomprensione **2** equivoco; malinteso **3** (*gramm.*) costruzione sbagliata (*di una frase*) • **open to m.**, che dà adito a fraintendimento; ambiguo; equivoco.

to **misconstrue** /mɪskənˈstruː/ v. t. **1** fraintendere; interpretare male **2** (*gramm.*) costruire male (*una frase*).

miscount /mɪsˈkaʊnt/ n. conto sbagliato; conteggio erroneo (*spec. di voti elettorali*).

to **miscount** /mɪsˈkaʊnt/ Ⓐ v. t. contar male Ⓑ v. i. sbagliare il conto; fare un conto sbagliato (*spec. di voti elettorali*).

miscreant /ˈmɪskrɪənt/ a. e n. **1** briccone; canaglia; furfante; malvagio; scellerato **2** (*arc.*) miscredente; eretico.

miscue /mɪsˈkjuː/ n. **1** (*al biliardo e sport*) colpo sbagliato; stecca, steccaccia **2** (*fam.*) sbaglio; errore **3** (*sport: calcio, ecc.*) buco, liscio, stecca (*fig.*).

to **miscue** /mɪsˈkjuː/ v. i. **1** (*al biliardo*) sbagliare un colpo; steccare **2** (*fam.*) sbagliare; commettere un errore **3** (*teatr.*) sbagliare la battuta **4** (*sport*) steccare; fare un buco; bucare; fare un liscio.

to **misdate** /mɪsˈdeɪt/ v. t. **1** mettere una data sbagliata a (*una lettera, un assegno, ecc.*) **2** sbagliare la data di (*un avvenimento*).

misdeal /mɪsˈdiːl/ n. sbaglio nel dare le carte; errata distribuzione delle carte (*da gioco*).

to **misdeal** /mɪsˈdiːl/ (*pass. e p. p.* **misdealt**) Ⓐ v. i. sbagliare a fare (*o* a dare) le carte Ⓑ v. t. distribuire male (*le carte*).

misdeed /mɪsˈdiːd/ n. (*leg.*) misfatto; crimine; azione scellerata.

to **misdeliver** /mɪsdɪˈlɪvə(r)/ v. t. consegnare (*corrispondenza, ecc.*) per errore.

misdelivery /mɪsdɪˈlɪvərɪ/ n. ⓤⓒ consegna errata (*di corrispondenza, pacchi, ecc.*).

misdemeanant /mɪsdɪˈmiːnənt/ n. **1** (*spec. leg.*) colpevole; reo; trasgressore **2** chi si comporta male.

misdemeanour, (*USA*) **misdemeanor** /mɪsdɪˈmiːnə(r)/ n. **1** (*leg.*) infrazione; trasgressione; illecito; violazione di legge (*di minore gravità*) **2** ⓤ cattiva condotta.

misdescription /mɪsdɪˈskrɪpʃn/ n. (*leg.*) descrizione falsa (*o* inesatta: *spec. dell'oggetto di un contratto*).

to **misdirect** /mɪsdɪˈrekt/ v. t. **1** sbagliare l'indirizzo di (*una lettera*) **2** rivolgere nella direzione sbagliata; indirizzare male; far

cattivo uso di: **to m. one's energies**, rivolgere le proprie energie nella direzione sbagliata; **to m. one's abilities**, far cattivo uso delle proprie capacità **3** dare istruzioni erronee a (q.): *The judge misdirected the jury*, il giudice diede istruzioni erronee alla giuria **4** far sbagliar strada a (*una persona*) ● **to m. a blow**, sbagliare (*o* non mettere a segno) un colpo (*o* una botta).

misdirection /ˌmɪsdɪˈrɛkʃn/ n. Ⓤ **1** indicazione sbagliata; istruzione erronea **2** indirizzo sbagliato (→ **to misdirect**).

misdoing /mɪsˈduːɪŋ/ n. (di solito al pl.) malefatta; misfatto.

mise-en-scène /ˈmiːzɒnˈseɪn/ (*franc.*) n. **1** (*teatr.*) messinscena; messa in scena **2** (*fig.*) sfondo; scenario.

miser /ˈmaɪzə(r)/ n. **1** avaro, avara; taccagno, taccagna; persona spilorcia **2** (*ind. petrolifera*) cucchiaia a rotazione.

miserabilism /ˈmɪzrəbəlɪzəm/ n. Ⓤ miserabilismo.

miserable /ˈmɪzrəbl/ a. **1** misero; miserando; infelice; sventurato: **m. living conditions**, condizioni di vita miserande; **m. fate**, destino infelice; sventurata sorte **2** fastidioso; insopportabile; deprimente; orribile: **m. weather**, tempo orribile (*o* da cani) **3** miserabile; meschino; povero: **a m. hovel**, un miserabile tugurio; **a m. meal**, un pasto misero ● **a m. day**, una gran brutta giornata: *What a m. day!*, che giornataccia! □ **a m. face**, un viso dolente (*o* sofferente) □ **a m. failure**, un fiasco avvilente; un insuccesso clamoroso □ **a m. salary**, uno stipendio da fame □ **to feel m.**, sentirsi depresso (*o* triste); sentirsi giù di corda (*fam.*) | **-bly** avv. | **-ness** n. Ⓤ.

miserere /ˌmɪzəˈrɪəri/ (*lat.*) n. **1** (*relig.*) miserere **2** → **misericord**, def. 3.

misericord /mɪˈzɛrɪkɔːd/ n. **1** (*relig.*) refettorio di monastero per frati non soggetti al digiuno *o* a mangiar di magro **2** (*stor.*) misericordia; pugnale per dare il colpo di grazia **3** (*relig.*) misericordia (*nel coro: asticella d'appoggio sotto il sedile ribaltabile degli stalli*).

miserly /ˈmaɪzəli/ a. avaro; spilorcio; taccagno; tirchio || **miserliness** n. Ⓤ avarizia; spilorceria; taccagneria; tirchieria.

◆**misery** /ˈmɪzəri/ n. **1** Ⓤ infelicità; sofferenza **2** (generalm. al pl.) sofferenza; tribolazione; pena **3** Ⓤ stato miserando; squallore (*dovuto a indigenza*): *The refugees lived in conditions of great m.*, i profughi vivevano in condizioni di grave indigenza **4** (*fam. ingl.*) persona depressa; lagna, strazio (*fam.*) ● **to make sb.'s life a m.**, rendere la vita di q. un inferno □ **to put an animal out of its m.**, dare il colpo di grazia a un animale che soffre □ **to put sb. out of his m.**, non far penare q. (e dirgli quello che vuole sapere); togliere q. dai carboni ardenti.

misfeasance /mɪsˈfiːzns/ n. Ⓤ (*leg.*) **1** esercizio arbitrario di un diritto **2** inesatto adempimento di un atto dovuto **3** (*leg., comm.*) inesatta esecuzione delle istruzioni ricevute (*da un rappresentante*).

misfire /mɪsˈfaɪə(r)/ n. **1** (*di fucile, ecc.*) colpo andato a vuoto; cilecca **2** (*di motore*) mancata accensione; accensione irregolare **3** (*fam.*) fallimento; fiasco.

to **misfire** /mɪsˈfaɪə(r)/ v. i. **1** (*d'arma da fuoco*) mancare il colpo; incepparsi; fare cilecca **2** (*di motore*) perdere colpi **3** (*fam.: di piano, scherzo, ecc.*) fallire; non riuscire; far cilecca.

misfiring /mɪsˈfaɪərɪŋ/ n. Ⓤ (*autom.*) mancata accensione.

misfit /ˈmɪsfɪt/ n. **1** indumento che non calza bene **2** (*fig.*) chi non è integrato (*in un ambiente*); disadattato; spostato (*fam.*).

misfortune /mɪsˈfɔːtʃuːn/ n. Ⓤ Ⓒ sfortuna;

sventura; disgrazia ● (*prov.*) **Misfortunes never come singly**, le disgrazie non vengono mai sole.

to **misgive** /mɪsˈɡɪv/ (pass. **misgave**, p. p. **misgiven**) Ⓐ v. t. far sorgere un dubbio (*o* un presentimento, un timore) a (q.) Ⓑ v. i. essere apprensivo (*o* sospettoso) ● *His heart misgave him*, il suo cuore era pieno di tristi presagi.

misgiving /mɪsˈɡɪvɪŋ/ n. Ⓤ apprensione; dubbio; brutto presentimento; timore.

to **misgovern** /mɪsˈɡʌvn/ v. t. governare male; amministrare male || **misgovernment** n. Ⓤ malgoverno; cattiva amministrazione (*della cosa pubblica, ecc.*).

to **misguide** /mɪsˈɡaɪd/ v. t. **1** fuorviare; indurre in errore; sviare **2** consigliare (q.) male.

misguided /mɪsˈɡaɪdɪd/ a. **1** fuorviato; sviato **2** malaccorto; maldestro; incauto; malconsigliato: **a m. attempt**, un tentativo maldestro; **m. kindness**, incauta gentilezza ● **in a m. moment**, in un momento di debolezza.

to **mishandle** /mɪsˈhændl/ v. t. **1** trattar male; maltrattare; bistrattare; malmenare **2** manovrare (*o* usare) male; strapazzare **3** gestire male: **to m. a situation**, gestire male una situazione || **mishandling** n. Ⓤ **1** maltrattamento; bistrattamento **2** cattivo uso; impiego errato.

mishap /ˈmɪshæp/ n. Ⓒ disavventura; disgrazia; infortunio; contrattempo; incidente.

to **mishear** /mɪsˈhɪə(r)/ (pass. e p. p. **misheard**), v. t. e i. udire male; intendere male; fraintendere.

mishit /ˈmɪshɪt/ n. (*spec. sport*) colpo (*o* tiro) sbagliato; buco, liscio, stecca (*fig.*).

to **mishit** /mɪsˈhɪt/ (pass. e p. p. **mishit**) Ⓐ v. t. colpire male, mancare, bucare (*una palla*) Ⓑ v. i. colpire male la palla; fare un buco (*o* un liscio); bucare; steccare.

mishmash /ˈmɪʃmæʃ/ n. (*fam.*) accozzaglia; miscuglio; confusione; guazzabuglio.

to **misinform** /ˌmɪsɪnˈfɔːm/ v. t. informare male; dare informazioni sbagliate a (q.); fuorviare || **misinformed** a. informato male; disinformato.

misinformation /ˌmɪsɪnfəˈmeɪʃn/ n. Ⓤ disinformazione; informazioni sbagliate.

to **misinterpret** /ˌmɪsɪnˈtɜːprɪt/ v. t. interpretare male; dare un'interpretazione errata a (qc.); fraintendere; travisare || **misinterpretation** n. Ⓤ Ⓒ interpretazione errata; travisamento.

misjoinder /mɪsˈdʒɔɪndə(r)/ n. Ⓤ Ⓒ (*leg.*) **1** riunione erronea (*di procedimenti diversi*) **2** convocazione erronea (*di più parti in giudizio*).

to **misjudge** /mɪsˈdʒʌdʒ/ Ⓐ v. t. giudicare male; farsi un'idea sbagliata di (q.) Ⓑ v. i. essere ingiusto (*nel giudicare*) || **misjudgement, misjudgment** n. Ⓤ Ⓒ giudizio erroneo; giudizio errato; opinione sbagliata.

miskick /ˈmɪskɪk/ n. (*calcio, ecc.*) buco; liscio; stecca.

to **miskick** /mɪsˈkɪk/ Ⓐ v. t. (*calcio, ecc.*) colpire male, mancare, bucare (*la palla*) Ⓑ v. i. (*calcio, ecc.*) bucare; lisciare; steccare; fare un buco (*o* un liscio).

to **mislay** /mɪsˈleɪ/ (pass. e p. p. **mislaid**), v. t. mettere (qc.) in un posto insolito e dimenticarsene; smarrire (qc.): *I seem to have mislaid my umbrella*, credo di aver lasciato il mio ombrello da qualche parte.

to **mislead** /mɪsˈliːd/ (pass. e p. p. **misled**), v. t. **1** far sbagliar strada a (q.); mettere (q.) fuori strada; fuorviare; traviare; sviare **2** ingannare; trarre in inganno: *I was misled by his words*, fui tratto in inganno dalle sue parole.

misleading /mɪsˈliːdɪŋ/ a. che induce in errore; fuorviante; ingannevole: **m. instructions**, istruzioni fuorvianti; **m. information**, informazioni che inducono in errore ● **m. light**, luce falsa.

to **mismanage** /mɪsˈmænɪdʒ/ v. t. amministrare male; gestire male (*un'azienda, ecc*); condurre in modo disonesto || **mismanagement** n. Ⓤ amministrazione (*o* gestione) cattiva (*o* disonesta); errata conduzione (*degli affari, ecc.*).

mismatch /ˈmɪsmætʃ/ n. **1** matrimonio sbagliato **2** (*sport*) incontro impari; partita squilibrata; (*anche*) accoppiamento sbagliato (*di due giocatori*); coppia che non funziona **3** (*metall.*) centratura imperfetta **4** (*fin., rag.*) sfasamento.

to **mismatch** /mɪsˈmætʃ/ v. t. **1** assortire male (*anche nel matrimonio*) **2** abbinare male (*colori, ecc.*) **3** (*fin., rag.*) sfasare (*scadenze, ecc.*) **4** (*metall.*) centrare male **5** (*sport: boxe, ecc.*) fare incontrare pugili (*giocatori, squadre, ecc.*) di livelli molto diversi.

to **misname** /mɪsˈneɪm/ v. t. chiamare (qc.) con un nome sbagliato; dare un nome erroneo a (qc.); denominare erroneamente.

misnomer /mɪsˈnəʊmə(r)/ n. **1** nome sbagliato; designazione erronea; termine improprio **2** (*leg.*) erronea (*o* inesatta) indicazione del nome (*di una parte nel processo*).

misogamy /mɪˈsɒɡəmi/ n. Ⓤ misogamia || **misogamist** n. misogamo.

misogynist /mɪˈsɒdʒənɪst/ (*psic.*) n. misogino || **misogynistic** a. misogino.

misogyny /mɪˈsɒdʒəni/ (*psic.*) n. Ⓤ misoginia || **misogynous** a. misogino.

misoneism /maɪsəʊˈniːɪzəm/ (*psic.*) n. Ⓤ misoneismo || **misoneist** n. misoneista || **misoneistic** a. misoneistico.

mispickel /ˈmɪspɪkl/ n. (*miner.*) arsenopirite; mispickel.

to **misplace** /mɪsˈpleɪs/ v. t. **1** mettere fuori posto (*o* in un posto sbagliato) **2** (*fig.*) riporre male: **misplaced affections**, affetti mal riposti || **misplacement** n. Ⓤ **1** collocazione errata **2** il riporre male (*un affetto, ecc.*).

misplay /mɪsˈpleɪ/ n. (*sport, ecc.*) mossa sbagliata; passaggio erroneo; errore; sbaglio.

to **misplay** /mɪsˈpleɪ/ v. t. (*sport, ecc.*) giocare male (*la palla, ecc.*).

misprint /ˈmɪsprɪnt/ n. errore di stampa; refuso.

to **misprint** /mɪsˈprɪnt/ v. t. stampare (qc.) male (*o* con refusi).

misprision /mɪsˈprɪʒn/ n. Ⓤ (*leg.*) mancata denuncia (*di un crimine*) **2** (*USA*) negligenza; omissione; svista ● (*stor.*) **m. of felony**, occultamento di reato.

to **mispronounce** /ˌmɪsprəˈnaʊns/ v. t. pronunciare male (*o* scorrettamente); storpiare (*nomi, ecc.*) || **mispronunciation** n. **1** Ⓤ pronuncia sbagliata (*o* scorretta) **2** errore di pronuncia.

to **misquote** /mɪsˈkwəʊt/ v. t. citare erroneamente; citare a sproposito || **misquotation** n. Ⓤ citazione sbagliata.

to **misread** /mɪsˈriːd/ (pass. e p. p. **misread** /mɪsˈrɛd/), v. t. **1** leggere male **2** fraintendere; interpretare male; travisare: **to m. the opponent's intentions**, fraintendere le intenzioni dell'avversario.

misreport /mɪsrɪˈpɔːt/ n. falso rapporto; relazione inesatta.

to **misreport** /mɪsrɪˈpɔːt/ v. t. riferire (*o* relazionare) male (*o* falsamente).

to **misrepresent** /ˌmɪsreprɪˈzɛnt/ Ⓐ v. t. **1** svisare; travisare; mettere in falsa luce; snaturare; distorcere (*fig.*): *The witness has misrepresented the facts*, il testimone ha travisato i fatti **2** (*leg.*) dichiarare (qc.)

erroneamente (*o* falsamente) **B** v. i. (*leg.*) fare una dichiarazione erronea (*o* falsa) • (*fisc.*) **to m. one's income**, fare una dichiarazione dei redditi inesatta ‖ **misrepresentation** n. 1 ⓤ travisamento (*dei fatti, ecc.*) 2 ⓤⒸ (*leg.*) dichiarazione inesatta (*o* falsa).

misrule /mɪsˈruːl/ n. ⓤ 1 malgoverno 2 disordine; caos; anarchia.

to **misrule** /mɪsˈruːl/ v. t. governar male.

♦**miss** ① /mɪs/ n. 1 signorina (*seguito da nome e cognome o dal solo cognome*): **M. Ann Jones**, la signorina Ann Jones ❶ CULTURA • *nell'Ottocento in una famiglia con più sorelle,* **Miss** *veniva seguito dal cognome solo quando si parlava della primogenita, mentre per le altre figlie veniva seguito dal nome: quindi, ad es.,* **Miss Brown** *per indicare la maggiore delle sorelle Brown* 2 (*scherz., spreg.*) ragazza; studentessa 3 (*al vocat.: usato da domestici, commessi, ecc.*) signorina: **Good morning, m.**, buon giorno, signorina! 4 reginetta di concorso di bellezza; miss: **M. Europe**, miss Europa • **the Misses White**, le signorine White.

miss ② /mɪs/ n. 1 colpo mancato; colpo a vuoto; cilecca: **nine hits and one m.**, nove colpi (andati) a segno e uno mancato 2 (*fam.*) insuccesso; fiasco (*anche* 3 (*autom.: del motore*) perdita di colpi 4 (*fam.*) aborto 5 (*calcio, ecc.*) buco; liscio; stecca • **to give st. a m.**, saltare qc.; fare a meno di qc.; rinunciare a qc.: *I'll give dessert a m.*, salterò il (*o* rinuncerò al) dolce • (*sport*) **What a m.!**, che occasione mancata!; che errore clamoroso! □ **It was a lucky m.**, me la cavai (te la cavasti, ecc.) per un pelo (*o* per il rotto della cuffia) □ (*prov.*) **A m. is as good as a mile**, un colpo mancato, anche se per poco, è pur sempre un colpo mancato; per un punto Martin perse la cappa.

♦to **miss** /mɪs/ **A** v. t. 1 fallire; sbagliare; non colpire; non riuscire (*a fare qc.*): **to m. the target**, fallire (*o* mancare) il bersaglio; (*calcio*) **to m. a penalty kick**, sbagliare un rigore; **to m. one's aim**, sbagliare la mira; *He tried to catch the ball but missed it*, tentò d'afferrare la palla ma la mancò (*o* non ci riuscì) 2 perdere; far tardi a; mancare a: **to m. an appointment**, perdere (*o* mancare a) un appuntamento; **to m. a train**, perdere un treno; *You've just missed a 28*, hai appena perso il 28; **to m. a chance**, perdere un'occasione; *You don't know what you are missing*, non sai quello che perdi 3 non afferrare; non capire: *I missed what you said*, non ho afferrato (*o* capito) quello che hai detto 4 evitare; scansare; sfuggire (a): **to m. having an accident**, sfuggire a un incidente 5 sentire la mancanza (*o* la perdita) di; rimpiangere: *I m. my friends*, sento la mancanza dei miei amici; *Nobody will m. him*, nessuno lo rimpiangerà 6 accorgersi della mancanza di; non trovar più: *When did you m. your keys?*, quando ti sei accorto d'aver perso le chiavi 7 non prendere; saltare: (*al ristorante*) *I'll m. the first course*, non prendo il primo **B** v. i. 1 fallire; mancare il colpo; fare cilecca; far fiasco; non andare a segno: *That's the second time you've missed*, questa è la seconda volta che manchi il colpo 2 (*autom.: del motore*) perdere colpi 3 (*boxe: di un colpo*) andare a vuoto 4 (*calcio, ecc.*) sbagliare; bucare; steccare: **to m. from the penalty spot**, sbagliare dal dischetto • **to m. the boat [the bus]**, perdere il battello [l'autobus]; (*fig.*) lasciarsi sfuggire un'occasione; perdere il treno (*fig.*) □ **to m. the mark**, mancare il bersaglio (*o* il colpo); (*fig.*) non riuscire; non andare a segno, fallire □ (*fig.*) **to m. the point**, non afferrare l'idea; non capire la cosa più importante □ (*autom.*) **to m. the turning**, andare diritto invece di svoltare (*per distrazione*) □ (*fam.*) *He doesn't m. a trick*, non gliene scappa

una; sta sempre all'erta (*o* a occhi aperti) □ *I've missed my period*, non mi sono venute le mestruazioni.

■ **miss out** v. t. + avv. 1 perdere (*un affare, un'occasione, ecc.*); lasciarsi sfuggire: **to m. out on a good chance**, perdere una buona occasione; **to m. out on a special offer**, lasciarsi sfuggire un'offerta speciale 2 omettere; tralasciare; saltare (*fam.*): **to m. out a few lines**, saltare alcune righe; **to m. out one's phone number**, omettere il proprio numero telefonico 3 non ricevere, giocarsi (*fam.: un premio, un dono, ecc.*) 4 trascurare (*una persona*); mettere (*o* tenere) in disparte □ **to m. out on the good things in life**, dover rinunciare alle cose belle della vita.

missal /ˈmɪsl/ n. (*relig.*) messale.

missel thrush /ˈmɪzlθrʌʃ/ loc. n. (*zool.*, *Turdus viscivorus*) tordela, tordella.

misshapen /mɪsˈʃeɪpən/ a. 1 deforme; malformato 2 (*di un oggetto*) sformato.

♦**missile** /ˈmɪsaɪl/ **A** n. 1 (*mil.*) missile: **a composite m.**, un missile pluristadio; **a guided m.**, un missile teleguidato (*o* telecomandato) 2 (*fig.*) proiettile; oggetto: *The hooligans threw empty bottles and other missiles onto the pitch*, i teppisti lanciarono bottiglie vuote e altri oggetti in campo 3 (*sport*) attrezzo da lancio **B** a. attr. (*mil.*) missile; missilistico: **a m. weapon**, un'arma missile; **m. bases** (*o* **sites**), basi missilistiche • (*mil.*) **m. launcher**, lanciamissili □ (*mil.*) **m. range**, poligono missilistico.

missilery, **missilry** /ˈmɪsaɪlrɪ/ n. (*mil.*) 1 ⓤ missilistica 2 arsenale missilistico.

♦**missing** /ˈmɪsɪŋ/ **A** a. 1 perso; smarrito 2 scomparso; disperso (*in guerra, in un disastro*): **a m. person**, una persona scomparsa; **m. persons bureau**, ufficio persone scomparse; **to be reported as m.**, essere dato per disperso; *The little girl is m.*, la bambina è scomparsa (*o* non si trova più); (*mil.*) **m. in action**, disperso (in combattimento); **m. (and) presumed dead**, disperso e probabilmente morto 3 mancante; non incluso: **to supply the m. data**, fornire i dati mancanti **B** n. pl. – **the m.**, i dispersi • **the m. link**, (*biol.*) l'anello mancante (*nella catena dell'evoluzione animale*); (*fig.*) elemento che manca per completare una serie; (*scherz.*) tizio dall'aspetto scimmiesco, scimmione □ **to be m.**, mancare: *There is a page m.* (*o* *A page is m.*) *from this book*, manca una pagina a questo libro □ **to go m.**, andare smarrito; andare perso; non trovarsi più; scomparire □ **to report sb. m.**, denunciare la scomparsa di q.

♦**mission** /ˈmɪʃn/ n. missione (*quasi in ogni senso*); compito; dovere; mandato; vocazione; delegazione: (*relig.*) **a m. in Togo**, una missione nel Togo; **a trade m. to India**, una missione commerciale per l'India; **to complete** (*o* **to fulfil**) **one's m.**, portare a termine la propria missione; **space m.**, missione nello spazio • (*mil. e fig.*) **m. accomplished**, missione compiuta □ (*miss.*) **m. control**, sala di controllo □ (*gergo mil.*) **m. creep**, allargamento graduale di una campagna militare al di là degli obiettivi iniziali □ (*fin., org. az.*) **m. statement**, dichiarazione scritta degli obiettivi a lungo termine (*di un'azienda, ecc.*) □ **m. station**, missione (*l'edificio*) □ (*aeron.*) **to fly a m.**, compiere una missione di volo.

missionary /ˈmɪʃənrɪ/ a. e n. (*relig.*) missionario, missionaria • **m. box**, cassetta per la raccolta di offerte per le missioni □ **m. position**, posizione del missionario.

missioner /ˈmɪʃnə(r)/ n. (*relig.*) missionario.

missis /ˈmɪsɪz/ → **missus**.

missive /ˈmɪsɪv/ n. (*arc. o scherz.*) missiva.

(to) **miss-kick** /mɪsˈkɪk/ → (to) **miskick**.

to **misspell** /mɪsˈspel/ (pass. e p. p. **misspelled**, **misspelt**), v. t. sbagliare l'ortografia di (*una parola*) ‖ **misspelling** n. 1 ⓤ grafia scorretta 2 errore d'ortografia.

to **misspend** /mɪsˈspend/ (pass. e p. p. **misspent**), v. t. spendere male; sciupare; sprecare (*tempo, denaro, ecc.*).

to **misstate** /mɪsˈsteɪt/ v. t. esporre (*o* dichiarare) erroneamente; falsare; svisare; travisare ‖ **misstatement** n. ⒸⓊ affermazione (*o* dichiarazione) errata (*o* inesatta).

missus /ˈmɪsɪz/ n. (*fam.*) moglie: *How is your m.?*, come sta la tua signora?

missy /ˈmɪsɪ/ n. (*fam., scherz. o spreg.*) signorina; signorinella.

mist /mɪst/ n. 1 ⒸⓊ bruma; nebbia (*anche fig.*); foschia: **lost in the mists of the past**, perduto nelle nebbie del passato 2 ⓤ velo di vapore, condensa (*per appannamento*) 3 ⓤ (*fig.*) velo: *She smiled in a m. of tears*, sorrise tra un velo di lacrime.

to **mist** /mɪst/ **A** v. i. 1 (*del tempo*) annebbiarsi: *It's misting*, cala la nebbia; il tempo si annebbia 2 (*anche* **to m. over**) annebbiarsi; appannarsi: *Her eyes misted over as she recalled her youth*, gli occhi le si annebbiarono al ricordo della sua giovinezza **B** v. t. (*anche* **to m. up**) coprire di nebbia; annebbiare; appannare.

mistakable /mɪˈsteɪkəbl/ a. che si può sbagliare; confondibile; scambiabile (*per q. o qc. altro*).

♦**mistake** /mɪˈsteɪk/ n. sbaglio; errore; fallo: **to make a m.**, fare uno sbaglio; **spelling mistakes**, errori di ortografia • (*fam.*) **and no m.**, senza dubbio: *He's the man I saw, and no m.!*, senza dubbio, è lui l'uomo che ho visto! □ **by m.**, per sbaglio; per errore □ **in m. for**, al posto di (*per errore*): *You've given me a ten-rand note in m. for a five*, mi hai dato un biglietto da dieci euro al posto di uno da cinque □ **Make no m. (about it)!**, stanne certo!

to **mistake** /mɪˈsteɪk/ (pass. **mistook**, p. p. **mistaken**) **A** v. t. 1 sbagliare: *You have mistaken the road*, hai sbagliato strada 2 intendere male; fraintendere; ingannarsi su (qc.): *You've mistaken my words*, hai frainteso le mie parole 3 prendere (*per q. altro, per qc. altro*); scambiare: *He mistook me for my brother*, mi scambiò per mio fratello; **to m. B for D**, prendere una B per una D **B** v. i. sbagliarsi; fare uno sbaglio • **There's no mistaking**, non c'è da sbagliare □ **There's no mistaking his voice**, la sua voce è inconfondibile.

mistaken /mɪˈsteɪkən/ **A** p. p. di **to mistake B** a. sbagliato; errato; erroneo; falso: **a m. impression**, una falsa impressione • **to be m.**, sbagliarsi; aver torto; essere in errore: *You are m.*, ti sbagli • **m. identity**, errore di persona □ **m. trust**, fiducia mal riposta □ **in the m. belief that...**, credendo erroneamente che.. ‖ **mistakenly** avv. erroneamente; per errore ‖ **mistakenness** n. ⓤ 1 l'essere in errore 2 l'essere errato (*o* erroneo).

mister /ˈmɪstə(r)/ n. 1 (abbr. in **Mr**; *prima del cognome o del nome e cognome*) signore: **Mr (John) Brown**, il signor (John) Brown 2 (al vocat., *per esteso; slang*) signore: *What time is it, m.?*, che ore sono, signore? 3 vincitore di un concorso di bellezza; mister • (*slang USA*) **Mr Big**, gigante (*fig.*); grande capo (*di gangster*) □ **Mr Chairman**, signor Presidente (*di un'assemblea, ecc.*) □ (*slang USA*) **Mr Clean**, galantuomo; politico incorruttibile □ (*slang USA*) **Mr Fix-it**, il Signor «ghe pensi mi» (*region.*); il Signor Aggiustatutto □ (*fam. ingl.*) **Mr Nice**, il Signor Dabbene □ (*slang USA*) **Mr Nice Guy**, bravo ragazzo □ (*slang USA*) **Mr Right**, l'uomo giusto (*da sposare*); il principe azzurro: *Bridget is still*

waiting for Mr Right to come along, Bridget aspetta ancora il suo principe azzurro □ **Mr Secretary**, signor Segretario □ **Mr Speaker**, signor Presidente (*della Camera dei Comuni*) □ (*USA*, *spreg.*) **Mr Tom**, negro 'bianco' (*integrato nel sistema*) ❶ **FALSI AMICI** • mister *non significa* mister *nel senso calcistico*.

to **mister** /'mɪstə(r)/ v. t. (*fam.*) chiamare (q.) «signore»: *Don't m. me*, non chiamatemi (*o* non datemi del) «signore».

to **mistime** /mɪs'taɪm/ v. t. (spec. al p. p.) **1** fare (*o* dire) (qc.) fuori luogo; non scegliere il momento giusto per (qc.); calcolare male **2** (*sport*) colpire (*la palla*) fuori tempo.

mistiming /mɪs'taɪmɪŋ/ n. ⓤ calcolo errato del tempo; intempestività.

mistiness /'mɪstɪnəs/ n. ⓤ **1** nebbiosità; foschia **2** appannamento (*degli occhiali, dei vetri, ecc.*) **3** (*fig.*) nebulosità; vaghezza; oscurità.

mistle thrush /'mɪslθrʌʃ/ → **missel thrush**.

mistletoe /'mɪsltəʊ/ n. (*bot.*, *Viscum album*) vischio.

mistook /mɪ'stʊk/ pass. di **to mistake**.

mistral /'mɪstrəl/ n. mistral (*maestrale della Francia meridionale*).

to **mistranslate** /mɪstræns'leɪt/ v. t. tradurre male (*o* scorrettamente) ‖ **mistranslation** n. **1** ⓤ traduzione errata (*o* scorretta) **2** errore di traduzione.

to **mistreat** /mɪs'triːt/ v. t. maltrattare; trattare male ‖ **mistreatment** n. ⓤ maltrattamento; maltrattamenti.

mistress /'mɪstrɪs/ n. **1** padrona (*anche fig.*); signora; padrona di casa **2** (*come titolo è arc.*; *sostituito ora da* **Mrs** /'mɪsɪz/) signora: **Mrs Jones**, la signora Jones **3** insegnante (*donna*); maestra; professoressa: **our new maths m.**, la nuova professoressa di matematica **4** (*poet.*) donna amata; innamorata **5** amante; mantenuta • (*radio, TV*) **m. of ceremonies**, presentatrice ■ **m. of the house**, padrona di casa □ (*in GB*) **M. of the Robes**, dama che ha il titolo onorifico di guardarobiera della regina ■ (*naut.*, *polit.*) **m. of the seas**, signora dei mari □ (*di donna*) **to be m. of the situation**, dominare la situazione □ **to be one's own m.**, esser padrona di sé; (*di donna*) essere autonoma (*o* autosufficiente, indipendente, libera).

mistrial /mɪs'traɪəl/ n. (*leg.*) **1** processo nullo per vizio di sostanza o di forma **2** (*in USA*, *anche*) processo che non giunge a conclusione (*spec. perché i giurati non riescono a raggiungere l'unanimità*).

mistrust /mɪs'trʌst/ n. ⓤⓒ diffidenza; sfiducia; sospetto: **to have a m. of sb.**, provare diffidenza verso q.

to **mistrust** /mɪs'trʌst/ v. t. diffidare di; non aver fiducia in; sospettare di (q.): **to m. one's own judgment**, non fidarsi della propria capacità di giudicare ■ **to m. oneself**, non aver fiducia in se stesso.

mistrustful /mɪs'trʌstfl/ a. diffidente; sospettoso | **-ly** avv. | **-ness** n. ⓤ.

misty /'mɪstɪ/ a. **1** nebbioso; brumoso: **m. weather**, tempo nebbioso; *It was a bit m. earlier on*, c'era un po' di foschia prima **2** (*fig.*) confuso indistinto; vago: **a m. idea**, una vaga idea **3** (*di un vetro*) appannato **4** (*di un occhio*) velato dalle lacrime ● **m.-eyed**, con le lacrime agli occhi (*per es., per la felicità o la nostalgia*); con gli occhi lucidi □ **m. mountain tops**, cime di monti che s'intravedono attraverso la foschia.

to **misunderstand** /mɪsʌndə'stænd/ (pass. e p. p. **misunderstood**), v. t. **1** capire male; fraintendere; equivocare, ingannarsi su **2** non capire (q.): *My parents m. me*, i miei genitori non mi capiscono.

misunderstanding /mɪsʌndə'stændɪŋ/

n. **1** ⓤ incomprensione **2** equivoco; malinteso: **to give rise to misunderstandings**, far nascere malintesi **3** piccolo screzio; disaccordo; dissapore.

misunderstood /mɪsʌndə'stʊd/ **A** pass. e p. p. di **to misunderstand** **B** a. **1** inteso male; frainteso **2** (*di una persona*) incompreso.

misusage /mɪs'juːsɪdʒ/ n. ⓤ **1** cattivo uso; uso scorretto (*d'una parola, ecc.*) **2** maltrattamento.

misuse /mɪs'juːs/ n. ⓤⓒ cattivo uso; uso scorretto ● (*leg.*) **m. of power**, abuso di potere □ (*leg.*) **m. of public funds**, peculato ❶ **NOTA:** *abuse o misuse?* → **abuse**.

to **misuse** /mɪs'juːz/ v. t. **1** far cattivo uso di; adoperare male **2** maltrattare.

MIT sigla (*USA*, **Massachusetts Institute of Technology**) Istituto universitario di tecnologia del Massachusetts.

mite① /maɪt/ n. **1** (*stor.*) soldino; monetina; (*fig.*) obolo; piccola offerta; modesto contributo **2** oggetto minuscolo **3** piccino, piccina; bambinetto ● (*relig.*) **m. box**, cassettina per la raccolta delle elemosine □ (*fam.*) **not a m.**, niente affatto; per niente □ **the widow's m.**, l'obolo della vedova; (*fig.*) un'offerta piccola, ma fatta col cuore.

mite② /maɪt/ n. (*zool.*, *Acarus*) acaro ● **cheese m.** (*Acarus siro*), acaro del formaggio.

miter /'maɪtə(r)/ (*USA*) → **mitre**.

Mithra /'mɪθrə/, **Mithras** /'mɪθræs/ n. Mitra (*divinità persiana*).

Mithraism /'mɪθreɪɪzəm/ (*relig.*, *stor.*) n. ⓤ mitraismo ‖ **Mithraic**, **Mithraistic** a. mitraico.

mithridate /'mɪθrɪdeɪt/ (*med.*) n. antidoto ‖ **mithridatic** a. mitridatico ‖ **mithridatism** n. ⓤ mitridatismo.

Mithridates /mɪθrɪ'deɪtiːz/ n. (*stor.*) Mitridate.

to **mithridatize** /'mɪθrɪdeɪtaɪz/ v. t. mitridatizzare ‖ **mithridatization** n. ⓤ mitridatizzazione.

mitigable /'mɪtɪgəbl/ a. mitigabile.

to **mitigate** /'mɪtɪgeɪt/ v. t. mitigare; alleviare; attenuare; lenire.

mitigating /'mɪtɪgeɪtɪŋ/ a. che mitiga; che attenua; che allevia ● (*leg.*) **m. circumstances**, (circostanze) attenuanti.

mitigation /mɪtɪ'geɪʃn/ n. ⓤ mitigazione; alleviamento; attenuazione ● (*leg.*) **m. of damages**, minimizzazione dei danni subìti; (*anche*) riduzione del risarcimento (*nell'assicurazione*) □ (*leg.*) **m. of penalty**, riduzione della pena.

mitigative /'mɪtɪgeɪtɪv/ a. che mitiga; calmante; lenitivo; sedativo.

mitigator /'mɪtɪgeɪtə(r)/ n. mitigatore.

mitigatory /'mɪtɪgeɪtərɪ/ a. **1** → **mitigative 2** (*leg.*) che attenua, riduce (*la responsabilità*) ● (*leg.*) **m. defence**, difesa che tende a ridurre la responsabilità dell'imputato.

mitochondrion /maɪtə'kɒndrɪən/ (*biol.*) n. (pl. **mitochondria**) mitocondrio ‖ **mitochondrial** a. mitocondriale.

mitogen /'maɪtədʒen/ (*biol.*) n. mitogeno ‖ **mitogenic** a. mitogenetico.

mitosis /maɪ'təʊsɪs/ (*biol.*) n. (pl. **mitoses**) ⓤ mitosi; cariocinesi ‖ **mitotic** a. mitotico.

mitral /'maɪtrəl/ a. **1** (*anat.*) mitrale: **m. valve**, valvola mitrale **2** (*med.*) mitralico: **m. murmur**, soffio mitralico.

mitre, (*USA*) **miter** /'maɪtə(r)/ n. **1** (*relig.*) mitra; (*fig.*) dignità di vescovo **2** (*tecn.*) taglio obliquo del giunto ad angolo retto; augnatura **3** (*tecn.*, = **m. joint**) giunto ad angolo retto ● **m. block** (*o* **m. board**, **m. box**), cassetta per augnature □ (*mecc.*) **m. saw**, sega circolare ● **m. square**, squadra zoppa (*a 45 gradi*) □ (*mecc.*) **m. wheels** (*o* **m. gears**),

ingranaggi conici con assi ortogonali.

to **mitre**, (*USA*) to **miter** /'maɪtə(r)/ v. t. **1** (*relig.*) mitrare; insignire (q.) della mitra **2** (*tecn.*) tagliare ad augnatura; augnare.

mitred /'maɪtəd/ a. (*relig.*) mitrato: **a m. abbot**, un abate mitrato.

mitt /mɪt/ n. **1** mezzoguanto **2** manopola; muffola **3** (*sport*) guantone da baseball; guanto da sciatore **4** (*fam.*) guantone da pugile **5** (*slang scherz.*) mano; zampa (*scherz.*) **6** (pl.) (*slang USA*) manette.

to **mitt** /mɪt/ (*slang USA*) **A** v. t. **1** dare la mano a (q.) **2** ammanettare **B** v. i. (*boxe*) stringersi le mani sopra la testa (*in segno di vittoria*).

mitten /'mɪtn/ n. **1** mezzoguanto **2** manopola; muffola **3** (*fam.*) guantone da pugile ● (*fam.*) **to get the m.**, essere piantato (in asso: *dalla fidanzata, ecc.*) (*fam.*); essere licenziato □ (*fam.*) **to give the m.**, piantare (in asso); abbandonare; licenziare (*dal lavoro*) ‖ **mittened** a. coperto da un mezzo guanto.

mittimus /'mɪtɪməs/ n. **1** (*leg.*) mandato d'arresto (*o* di cattura) **2** (*fam.*) licenziamento; avviso di licenziamento.

mix /mɪks/ n. ⓤ **1** mescolanza; commistione **2** miscela: **an instant pudding mix**, una miscela istantanea per budini **3** (*econ.*, *fin.*, *ecc.*) mix (*della produzione di un'azienda, ecc.*) **4** (*cinem.*, *TV*, *mus.*) missaggio; mixage ● (*fam.*) **to be in a mix**, essere confuso (*o* frastornato).

♦to **mix** /mɪks/ **A** v. t. **1** mescolare; mischiare; (*tecn.*) miscelare; mettere insieme; unire: *Mix the ingredients with a wooden spoon*, mescolate gli ingredienti con un cucchiaio di legno **2** impastare; fare (*un dolce, ecc.*) **3** incrociare (*animali*) **4** (*cinem.*, *TV*) missare; mixare **B** v. i. **1** mescolarsi; mischiarsi: *Oil will not mix with water*, l'olio non si mescola con l'acqua **2** essere (*poco, molto*) socievole; avere rapporti sociali; andare d'accordo; familiarizzare: *That boy doesn't mix well*, quel ragazzo non è molto socievole **3** essere coinvolto (in); occuparsi (di): *Judges should never mix in party politics*, i magistrati non dovrebbero mai occuparsi di politica a livello di partito ● **to mix in**, incorporare (*burro, uova, ecc.*); aggiungere (*farina, ecc.*) mescolando; (*fig.*: *di una persona*) affiatarsi, familiarizzare (*bene, male, ecc.*) □ (*fam.*) **to mix it**, fare una mischia; azzuffarsi; fare a botte □ **to mix the salad**, condire l'insalata □ **to mix up**, mescolar bene; confondere, scambiare; coinvolgere, immischiare, impegolare; scombinare, mettere in disordine: *I always mix him up with his brother*, lo confondo sempre con suo fratello; *He mixed up my papers*, ha messo in disordine le mie carte; *You're mixing me up with all this information*, mi confondi con tutte queste informazioni □ **to get mixed up in** (*o* **with**), immischiarsi in, occuparsi di; farsi coinvolgere, impegolarsi in □ **to mix with actors**, frequentare attori.

mix-and-match /mɪksənd'mætʃ/ a. (*moda*: *di un capo di vestiario*) coordinabile.

mixed /mɪkst/ a. **1** mescolato; misto: **m. biscuits**, biscotti misti; **a m. school**, una scuola mista; (*tennis, ecc.*) **m. doubles**, doppio misto; **m. marriages**, matrimoni misti **2** confuso; incerto: **m. feelings**, sentimenti confusi (*per es., di gioia e dolore insieme*) **3** eterogeneo; promiscuo: **m. company**, compagnia eterogenea (*o* promiscua) ● **m. bag**, (*market.*) assortimento; (*fig.*) miscuglio; (un) misto □ **a m. blessing**, una cosa in parte buona e in parte cattiva; una cosa che ha i suoi pro e i suoi contro □ **m. economy**, economia mista □ **m. grill**, grigliata mista di carne □ **a m. metaphor**, una metafora balorda (*o* sballata) □ (*mat.*) **m. number**, numero misto □ **m.-race**, di sangue misto □

m.-up, coinvolto, implicato; confuso, disorientato, perplesso; impegolato | **-ness** n. Ⓤ.

mixed-ability /ˌmɪkstəˈbɪlətɪ/ a. di diverso livello: **a mixed-ability classroom**, una classe che comprende studenti di diverso livello.

mixer /ˈmɪksə(r)/ n. **1** mescolatore; miscelatore; impastatore; impastatrice (anche la macchina): **a bread m.**, un'impastatrice per pane **2** (cucina) frullatore; sbattitore **3** (elettron., TV) miscelatore (di segnali o di frequenze) **4** (cinem., TV) mixer; tecnico del missaggio **5** succo di frutta (ginger ale, ecc.) per fare cocktail **6** (= **cement mixer**) betoniera; impastatrice di cemento **7** (fam.) riunione (ballo, party, ecc.) per fare incontrare le persone ● **m. tap**, rubinetto miscelatore □ **a bad m.**, una persona poco socievole; un orso (fig.) □ **a good m.**, una persona molto socievole; uno che lega con tutti: I'm not a good m., non riesco a legare facilmente con le persone.

mixing /ˈmɪksɪŋ/ n. Ⓤ **1** mescolamento; miscelazione (anche chim., elettron.) **2** (l') impastare; impastamento (del pane, ecc.) **3** (ind. tess.) mischia **4** (cinem., TV, mus.) missaggio ● **m. bowl**, terrina (per impastare) □ (edil.) **m. machine**, molazza □ (cucina) **m. spoon**, mestolo □ **m. up**, rimescolamento (il mescolare bene); (fam.) coinvolgimento.

mixologist /mɪkˈsɒlədʒɪst/ n. (spec. USA) barista (specializzato in cocktail); barman; barmaid.

♦**mixture** /ˈmɪkstʃə(r)/ n. Ⓤ⨍ **1** mistura; mescolanza; miscela: **smoking m.**, miscela di tabacco **2** (scient., tecn.) miscela; miscuglio; mistura; (autom.) **lean m.**, miscela povera (d'aria e benzina) **3** (farm.) mistura; sciroppo: **a cough m.**, uno sciroppo per la tosse ● (iron. ingl.) **the m. as before**, è la solita minestra riscaldata.

mix-up /ˈmɪksʌp/ n. (fam.) **1** confusione; pasticcio; casino (fam.); scambio (di cose o persone) **2** guazzabuglio; miscuglio **3** baruffa; pestaggio; rissa **4** (anche sport) incomprensione; frainteso; malinteso.

mizzen, mizen /ˈmɪzn/ (naut.) Ⓐ n. **1** (= **mizzenmast**) albero di mezzana **2** (= **m. sail**) vela di mezzana Ⓑ a. attr. di mezzana: **m. yard**, pennone di mezzana ● (naut.) **m. royal**, alberetto di controbelvedere □ (naut.) **m. topgallant sail**, belvedere.

mizzle /ˈmɪzl/ n. (con l'art. indef.) pioggerella; acquerugiola || **mizzly** a. piovigginoso.

to **mizzle**① /ˈmɪzl/ v. i. (fam.) piovigginare.

to **mizzle**② /ˈmɪzl/ v. i. (slang) andarsene; svignarsela; tagliare la corda (fig.).

Mk abbr. (**mark**) modello (mod.).

mks sigla (fis., **metre-kilogram-second** (**unit**)) (unità) metro-kilogrammo massa-secondo.

Mkt abbr. (**market**) mercato.

M'lud /məˈlʌd/ n. (leg.) Milord (grafia che riproduce la pronuncia del vocat. «My Lord» usato rivolgendosi ai giudici delle più alte corti).

M2M sigla (tel., **machine to machine**), macchina a macchina.

MMOG sigla (comput., **Massively Multiplayer Online Game**) gioco online di massa.

MMORPG sigla (comput., **massively multiplayer online role-playing game**) gioco di ruolo online di massa.

MMR sigla (**measles, mumps and rubella**) vaccinazione contro morbillo, orecchioni e rosolia; (vaccinazione) trivalente.

MMS sigla (tel., **multimedia messaging service**) MMS, messaggio multimediale.

MN sigla **1** (GB, **Merchant Navy**) Marina

mercantile **2** (USA, **Minnesota**) Minnesota.

MND sigla (med., **motor neurone disease**), malattia del motoneurone.

mnemic /ˈniːmɪk/ a. (psic.) mnesico; mnestico.

mnemonic /nɪˈmɒnɪk/ Ⓐ a. mnemonico Ⓑ n. espediente mnemonico | **-ally** avv.

mnemonics /nɪˈmɒnɪks/, **mnemotechnics** /niːməˈtɛknɪks/ n. pl. (col verbo al sing.) mnemonica; mnemotecnica.

mnestic /ˈnɛstɪk/ a. (psic.) mnestico; mnesico.

mo /məʊ/ n. (pl. **mos**) (abbr. fam. di **moment**) momento; minuto; attimo ● **half a mo**, un (mezzo) minuto; un miniunto; un attimo: Wait a mo, aspetta un attimo!

MO sigla **1** (mil., **medical officer**) ufficiale medico **2** (anche **Mo.**) (USA, **Missouri**) Missouri **3** (**modus operandi**) modus operandi; tecnica.

mo. abbr. (**month**) mese.

moa /ˈməʊə/ n. (zool., Dinornis; Anomalopterix, ecc.) moa (animale estinto)

Moabite /ˈməʊəbaɪt/ (Bibbia) Ⓐ n. moabita Ⓑ a. moabitico.

moan /məʊn/ n. lamento; gemito (anche fig.): **the m. of the wind**, i gemiti del vento ● **to make a great m.**, lamentarsi ad alta voce.

to **moan** /məʊn/ Ⓐ v. i. **1** lamentarsi; gemere: The wind was moaning in the wood, il vento gemeva nel bosco **2** lagnarsi, brontolare; lamentarsi: They moaned about the bad weather, si lamentavano del brutto tempo Ⓑ v. t. **1** lamentare; piangere: **to a dead person**, piangere un morto **2** dire (parole) in tono lamentoso.

moaner /ˈməʊnə(r)/ n. (fam.) piagnone, piagnona; chi si piange addosso (fam.).

moanful /ˈməʊnfl/ a. lamentoso; dolente.

moat /məʊt/ n. **1** fossato (di difesa); fosso (di castello, ecc.) **2** (geol.) fossa anulare; (anche) trincea glaciale.

to **moat** /məʊt/ v. t. circondare (un castello, ecc.) con un fossato.

mob /mɒb/ n. **1** folla tumultuante; calca; ressa **2** (spreg.) plebe; plebaglia; gentaglia; marmaglia **3** (slang) banda di criminali o di teppisti **4** cosca; famiglia; organizzazione criminale; (la) mala **5** (fam. USA) – **the Mob**, la Mafia **6** (slang) gente: There was the usual mob, c'erano i soliti ● **mob hysteria**, isteria collettiva □ **mob government**, governo della plebe □ **mob law**, legge della plebaglia (o imposta dalla piazza) □ **mob leader**, capobanda (di teppisti) □ **mob orator**, comiziante □ **mob psychology**, psicologia delle masse □ **mob rule**, illegalità al governo □ **to form a mob**, affollarsi; accalcarsi.

to **mob** /mɒb/ Ⓐ v. t. **1** assalire (q.) tumultuando (in massa) **2** affollarsi (o fare ressa) intorno a (q.) **3** (spec. sociol.) sottoporre (un dipendente) a vessazioni psicologiche **4** (zool.) assalire in gruppo (un predatore) Ⓑ v. i. affollarsi; accalcarsi; assembrarsi.

mobbed /mɒbd/ a. **1** affollato; gremito di gente **2** (aziendale) mobbizzato; mobbato; nevrotizzato.

mobbed up /ˈmɒbd ʌp/ a. (slang USA) **1** affiliato al sindacato del crimine; mafioso **2** controllato dal sindacato del crimine; in preda alla Mafia.

mobber /ˈmɒbə(r)/ n. (aziendale) mobbizzatore; chi tiranneggia.

mobbing /ˈmɒbɪŋ/ n. Ⓤ **1** (zool.) mobbing **2** (spec. sociol.) mobbing; vessazioni e violenze psicologiche sul posto di lavoro.

mobcap /ˈmɒbkæp/ n. (moda, stor.) cuffia con pizzi e volant.

mobe /məʊb/ n. (abbr. fam. di **mobile phone**) telefonino.

♦**mobile** /ˈməʊbaɪl, USA -bl/ Ⓐ a. **1** (tecn.) mobile: (mil.) **a m. unit**, un'unità mobile (o di pronto intervento) **2** (fig.) mutevole; incostante; instabile **3** che si muove bene: Now that I have a moped I'm much more m., con il motorino mi muovo molto meglio **4** vivace; espressivo: **a m. face**, un viso espressivo Ⓑ n. **1** scultura mobile; mobile (franc.); (come giochino per neonati) giostrina **2** (ind.) unità mobile (di tecnici, riparatori, ecc.) **3** (telef. = **m. telephone**) cellulare; telefonino (fam.): I'll keep my m. turned on, terrò il cellulare acceso ● (ipp.) **m. barrier**, autostarter □ (sociol.) **a m. group**, un gruppo dotato di mobilità sociale □ (USA) **m. home**, casa mobile; roulotte usata come abitazione permanente □ **m. library**, bibliobus; autolibro □ **m. phone** = **m. telephone** → sotto □ (market.) **m. shop**, punto di vendita mobile (camioncino attrezzato per la vendita al dettaglio) □ **m. telephone**, (telefono) cellulare □ **an upwardly m. class**, una classe sociale in ascesa.

mobility /məʊˈbɪlətɪ/ n. Ⓤ mobilità; mutevolezza; incostanza; instabilità: (econ.) **the m. of labour**, la mobilità della manodopera ● (in GB) **m. allowance**, indennità d'accompagnamento; accompagnamento (fam.: agli invalidi) □ (sociol.) **upward m.**, mobilità verticale.

to **mobilize** /ˈməʊbəlaɪz/ v. t. **1** (mil. e fig.) mobilitare **2** (fin., econ.) mobilizzare: **to m. mortgages**, mobilitare le ipoteche; **to m. resources**, mobilizzare le risorse || **mobilization** n. Ⓤ **1** (mil. e fig.) mobilitazione **2** (fin., econ.) mobilizzazione: **the mobilization of capital**, la mobilizzazione del capitale.

moblog /ˈməʊblɒg, ˈmɒ-/ n. (comput.) moblog (blog aggiornabile in tempo reale tramite telefono cellulare).

Mobo /ˈməʊbəʊ/ n. **1** (comput., abbr. di **motherboard**) scheda madre **2** (mus., ingl., abbr. di **Music of Black Origin Award**) premio Mobo (per brani di musica di origine nera).

mobocracy /mɒbˈɒkrəsɪ/ n. Ⓤ⨍ (polit.) governo della plebe; governo della piazza.

mobster /ˈmɒbstə(r)/ n. (slang USA) criminale; gangster; malavitoso.

moccasin /ˈmɒkəsɪn/ n. **1** mocassino **2** (zool., Agkistrodon piscivorus; = **water m.**) mocassino acquatico.

mocha /ˈmɒkə, USA ˈməʊkə/ n. Ⓤ (= **m. coffee**) (caffè) moka.

mock /mɒk/ Ⓐ a. imitato; finto; simulato: **a m. battle**, una battaglia simulata; **a m. Georgian façade**, una facciata finto-georgiana; **m. leather**, finta pelle; **m. pocket**, tasca finta; **m. trial**, processo simulato (a scopi didattici); **with m. solemnity**, con finta solennità Ⓑ n. **1** (fam. in GB = **m. examination**) esame simulato (come esercitazione); simulazione di esame: I did surprisingly well in my mocks and Leeds gave me an unconditional offer, sono andato molto meglio del previsto alle simulazioni d'esame e l'università di Leeds mi ha fatto un'offerta senza condizioni **2** oggetto di derisione; zimbello ● (letter.) **m.-heroic**, (agg.) eroicomico; (sost.) poema eroicomico □ (astron.) **m. moon**, paraselene □ (astron.) **m. sun**, parelio □ (cucina) **m. turtle soup**, brodo di testina di vitello □ **m.-up**, (tecn.) simulacro, modello dimostrativo (a grandezza naturale); (tipogr.) menabò; (mil.) manichino, sagoma □ **to make (a) m. of**, canzonare; deridere; farsi beffe di; ridicolizzare; mettere in burletta.

to **mock** /mɒk/ v. t. **1** beffare; burlare; canzonare; deridere; dileggiare; irridere; farsi beffe, farsi gioco di; prendere in giro; schernire: The boy was mocking the poor old man, il ragazzo burlava il povero vecchio **2** (lett.) sfidare (fig.); tener testa a: to

m. social conventions, sfidare le convenzioni sociali **3** deludere; ingannare: **to be mocked by false hopes**, esser ingannato da false speranze **4** imitare; fare il verso a (q.); scimmiottare ● **to m. at**, burlarsi di; farsi beffe di: *I was mocked at by my classmates*, i miei compagni di classe si burlavano di me.

mocker /'mɒkə(r)/ *n*. beffatore, beffatrice; canzonatore, canzonatrice; schernitore, schernitrice.

mockery /'mɒkərɪ/ *n*. **1** ⓤ derisione; dileggio; irrisione; scherno **2** ⓤ imitazione; il fare il verso (*a q.*); scimmiottatura **3** zimbello; ludibrio **4** beffa (*anche fig.*); presa in giro **5** fallimento; fiasco ● **to hold sb.** [**st.**] **up to m.**, esporre q. al ridicolo [gettare il ridicolo su qc.] □ **to make a m. of st.**, mettere qc. in burla; svuotare qc. d'ogni valore (*o significato*).

mocking /'mɒkɪŋ/ *a*. beffardo; derisorio: **a m. laugh**, una risata beffarda | **-ly** *avv*.

mockingbird /'mɒkɪŋbɜːd/ *n*. (*zool.*, *Mimus polyglottus*) mimo; tordo beffeggiatore.

mockumentary /ˌmɒkjʊ'mentərɪ/ *n*. (contraz. di **mock** e **documentary**) finto documentario (*con intenti generalmente comici o satirici*); pseudodocumentario.

mod /mɒd/ (*pop.*) Ⓐ *a*. mod: **a mod hairstyle**, una pettinatura mod Ⓑ *n*. **1** → **mods 2** (*spec. Internet*, abbr. di **moderator**) moderatore.

MOD sigla (*GB*, **Ministry of Defence**) Ministero della difesa.

♦**modal** /'məʊdl/ Ⓐ *a*. (*ling.*, *mus.*, *filos.*) modale Ⓑ *n*. (*gramm.*, = **m. auxiliary**) (ausiliario) modale ● (*leg.*) **m. legacy**, legato modale.

modalism /'məʊdlɪzəm/ *n*. ⓤ (*relig.*) modalismo.

modality /mə'dælətɪ/ *n*. ⓤⒸ (*anche ling.*) modalità.

modchip /'mɒdtʃɪp/ *n*. (*comput.*) modchip; (chip di) modifica (*per console per videogiochi*).

mod cons /'mɒd'kɒnz/ *n. pl*. (abbr. di **modern conveniences**) comodità moderne (*nella pubblicità di un immobile*) «**All mod cons**», «tutti i comfort».

modding /'mɒdɪŋ/ *n*. ⓤⒸ (*comput.*) modding; personalizzazione del PC.

♦**mode** /məʊd/ *n*. **1** (*anche mus.*, *fis.*, *elettr.*) modo: (*mus.*) **the Dorian m.**, il modo dorico **2** modo; maniera; metodo: **m. of life**, modo di vivere **3** (*più comune* **fashion**) moda **4** (*comput.*) modalità: **in automatic m.**, in modalità automatica **5** (*cronot.*) modulo **6** (*mat.*, *stat.*) moda ● **à la m.** (*franc.*), di moda; (*di carne*) con verdure; (*USA*) con gelato □ **to be all the m.**, essere di gran moda.

♦**model** /'mɒdl/ Ⓐ *n*. **1** modello: **economic m.**, modello economico; **statistical m.**, modello statistico; **the m. of a steamer**, il modello d'un piroscafo; **a clay m.**, un modello di creta; (*autom.*) **a sports m.**, un modello sportivo **2** modello (*di casa di mode*): **the latest Paris models**, gli ultimi modelli di Parigi **3** (*moda*) modella; indossatrice: **m. agency**, agenzia di modelle **4** (*pitt.*) modella **5** (*fam.*) immagine; copia; ritratto Ⓑ *a. attr.* modello; esemplare; perfetto: **a m. husband**, un marito perfetto (*o modello*); **a m. farm**, una fattoria modello; **m. behaviour**, condotta esemplare ● **m. aircraft**, aeromodello □ (*leg.*) **m. contract**, contratto tipo □ **m. hare**, lepre meccanica (*nelle corse dei cani*) □ **m. shop**, negozio di modellini □ **a m. train**, un trenino (*giocattolo*) □ **male model**, modello; indossatore □ **to serve as a m.**, servire da modello.

to **model** /'mɒdl/ Ⓐ *v. t.* **1** modellare (*anche fig.*); formare; plasmare; conformare: **to m. sb.'s head in clay**, modellare la testa di

q. con la creta **2** (*di modella*) indossare (*un abito*); presentare (*un abito*) **3** fabbricare (costruire, ecc.) secondo un modello **4** (*moda*) esibire (*modelli*) al pubblico Ⓑ *v. i.* far da modello (*o da modella*) ● **to m. oneself after** (*o on*), modellarsi; prendere a modello; imitare: *They m. themselves after* (*o on*) *the French*, si modellano sui francesi.

modeller, (*USA*) **modeler** /'mɒdələ(r)/ *n*. **1** modellatore, modellatrice **2** modellista.

modelling, (*USA*) **modeling** /'mɒdəlɪŋ/ *n*. ⓤ **1** modellatura; modellazione **2** costruzione di modelli; modellistica; modellismo **3** (*moda*) professione di modella (*o di modello*) ● **m. clay**, creta per modellare.

modelmaker, **model-maker** /'mɒdlmeɪkə(r)/ *n*. modellista.

modelmaking, **model-making** /'mɒdlmeɪkɪŋ/ *n*. ⓤ (*tecn.*) costruzione di modelli; modellistica; modellismo.

modem /'məʊdəm/ *n*. (contraz. di **modulator-demodulator**) (*elettron.*, *comput.*, *telef.*) modem.

modena /'mɒdənə/ *n*. ⓤ rosso porpora cupo (*da Modena, la città*).

♦**moderate** /'mɒdərət/ Ⓐ *a*. **1** moderato; temperato; mite; modesto; modico; mediocre; discreto: **m. prices**, prezzi modici (*o ragionevoli*); **m. weather**, tempo mite; **a man of m. skill**, un uomo di modesta (*o mediocre*) abilità; **a m. success**, un successo modesto; **m. appetite**, discreto appetito **2** (*del mare*) moderato; mosso Ⓑ *n*. (*polit.*) moderato | **-ly** *avv*. | **-ness** *n*. ⓤ.

to **moderate** /'mɒdəreɪt/ Ⓐ *v. t.* **1** moderare; frenare; calmare; mitigare; placare; temperare **2** (*di solito*, **to m. over**) presiedere, fare da moderatore in (*una riunione*) **3** (*fis. nucl.*) moderare Ⓑ *v. i.* **1** moderarsi; frenarsi; calmarsi; mitigarsi; placarsi **2** fare il moderatore.

moderation /ˌmɒdə'reɪʃn/ *n*. **1** ⓤ moderazione; moderatezza; temperanza; misura (*fig.*) **2** (pl., generalm. abbreviato in **mods**) primo esame per un «**BA**» (*laurea di primo grado in discipline umanistiche*) a Oxford ● **m. in temperature**, calo della temperatura □ **in m.**, con moderazione; senza eccessi □ **without m.**, smoderatamente; smodatamente.

moderatism /'mɒdərətɪzəm/ *n*. ⓤ (*polit.*) moderatismo.

moderator /'mɒdəreɪtə(r)/ *n*. **1** (*relig.*) presidente (*di un'assemblea della chiesa presbiteriana*) **2** arbitro; mediatore **3** presidente di assemblea; moderatore **4** (*a Oxford*) esaminatore (*per l'esame detto* **moderations** → **moderation**) **5** (*fis. nucl.*) moderatore **6** (*comput.*) moderatore (*di un forum*) || **moderatorship** *n*. ⓤⒸ ufficio (*o posizione*) di moderatore.

♦**modern** /'mɒdən/ Ⓐ *a*. moderno: **m. history**, storia moderna; **m. languages**, lingue moderne; **m. times**, tempi moderni Ⓑ *n*. moderno; persona moderna ● **m.-day**, di oggi; moderno; odierno | **-ly** *avv*. | **-ness** *n*. ⓤ.

modernism /'mɒdənɪzəm/ *n*. ⓤ **1** (*anche arte*, *letter.*) modernismo **2** modernità (*di gusti, ecc.*) **3** – (*relig.*) **M.**, modernismo.

modernist /'mɒdənɪst/ *n*. **1** persona d'idee (*vedute, ecc.*) moderne; amante delle novità **2** (*arte*, *letter.*, *relig.*) modernista || **modernistic** *a.* **1** modernistico; d'avanguardia **2** troppo moderno; troppo avanzato **3** (*relig.*) modernistico.

modernity /mə'dɜːnətɪ/ *n*. ⓤⒸ modernità.

to **modernize** /'mɒdənaɪz/ Ⓐ *v. t.* rimodernare; ammodernare; render moderno; modernizzare; ristrutturare Ⓑ *v. i.* farsi moderno; modernizzarsi || **modernization** *n*. ⓤ ammodernamento; rimodernamento; modernizzazione; ristrutturazione || **modernizer** *n*. ammodernatore, ammoderna-

trice; chi modernizza (*o ristruttura qc.*).

♦**modest** /'mɒdɪst/ *a*. modesto; decoroso; pudico; castigato; semplice; moderato, modico; umile: **a m. house**, una casa modesta; **a m. wage**, un modesto salario; **a m. dress**, un vestito castigato; **m. demands**, richieste moderate; **a m. job**, un lavoro umile; **to be m. in one's tastes**, avere gusti semplici | **-ly** *avv*.

modesty /'mɒdɪstɪ/ *n*. ⓤ modestia; decoro; moderazione; pudore; riserbo; ritegno; umiltà ● **in all m.**, modestia a parte.

modicum /'mɒdɪkəm/ *n*. (solo al sing. con l'art. indef.) briciolo (*fig.*); (un) po': *There is not even a m. of truth in what you say*, non c'è un briciolo di verità in quel che dici.

modifiable /'mɒdɪfaɪəbl/ *a*. modificabile || **modifiability** *n*. modificabilità.

modification /ˌmɒdɪfɪ'keɪʃn/ *n*. ⓤⒸ **1** modificazione; modifica **2** (*ling.*) modificazione **3** (*fon.*) metafonia.

modifier /'mɒdɪfaɪə(r)/ *n*. **1** modificatore, modificatrice **2** (*ind.*, *chim.*) agente modificatore **3** (*ling.*) modificatore.

to **modify** /'mɒdɪfaɪ/ *v. t.* **1** modificare; alterare; cambiare; mutare: **to m. the terms of a contract**, modificare le condizioni contrattuali; *You'd better m. your views*, faresti meglio a mutare il tuo punto di vista **2** (*ling.*) modificare: *Adjectives can m. nouns*, gli aggettivi possono modificare i sostantivi **3** (*fon.*) modificare per metafonia.

modillion /mə'dɪljən/ *n*. (*archit.*) modiglione.

modiolus /məʊ'daɪələs/ *n*. (pl. **modioli**) (*anat.*) modiolo.

modish /'məʊdɪʃ/ *a*. **1** alla moda; elegante: **a m. novelist**, un romanziere alla moda **2** (*d'abito, ecc.*) moderno; eccentrico; stravagante: **a m. hat**, un cappellino stravagante | **-ly** *avv*. | **-ness** *n*. ⓤ.

modiste /məʊ'diːst/ *n*. modista; sarta alla moda.

mods /mɒdz/ *n. pl*. **1** (*fam.*) → **moderation**, *def. 2* **2** «mods» (*gruppo di giovani degli anni '60, motorizzati e vestiti alla moda*).

modular /'mɒdjʊlə(r)/ (*ind.*, *scient.*, *tecn.*) *a*. modulare; componibile: (*elettron.*) **m. circuit**, circuito modulare; **m. furniture**, mobili modulari (*o componibili*) || **modularity** *n*. ⓤ modularità.

to **modulate** /'mɒdjʊleɪt/ Ⓐ *v. t.* **1** (*anche elettron.*, *radio*) modulare **2** adattare; conformare; adeguare Ⓑ *v. i.* (*mus.*) modulare; passare da una tonalità a un'altra || **modulation** *n*. ⓤ (*mus.*, *elettron.*, *radio*) modulazione: **frequency modulation**, modulazione di frequenza ● **modulation meter**, modulometro || **modulator** *n*. (*anche elettron.*) modulatore ● **modulator valve**, valvola modulatrice.

♦**module** /'mɒdjuːl/ *n*. **1** modulo; unità; componente; sezione: (*scuola e università*) **teaching m.**, modulo di insegnamento; **school m.**, modulo scolastico **2** (*archit.*) modulo **3** (*miss.*) modulo: **lunar m.**, modulo lunare; **service m.**, modulo di servizio **4** (*tecn.*, *comput.*) modulo; unità: **m. hardware**, hardware del modulo ❶ **FALSI AMICI** ● module *non significa* modulo *da compilare*.

modulus /'mɒdjʊləs/ *n*. (pl. **moduli**) (*fis.*, *mat.*, *mecc.*, *stat.*) modulo: **m. of elasticity**, modulo di elasticità; **m. of precision**, modulo di precisione.

modus vivendi /ˌməʊdəsvɪ'vendi/ (*lat.*) loc. n. modus vivendi.

mofette /mə'fet/ (*franc.*) *n*. (*geol.*) mofeta.

mog /mɒg/, **moggy** /'mɒgɪ/ *n*. (*fam. scherz. ingl.*) gatto; micio.

mogul /'məʊgl/ *n*. (*sci*) gobba (*sulla pista*).

Mogul /'məʊgl/ *n*. **1** (*stor.*) mogol; conquistatore mongolo dell'India: **the Great** (*o the*

Grand) M., il Gran Mogol 2 – (*fig.*) **m.**, pezzo grosso; magnate ● **movie moguls**, i grandi produttori cinematografici.

mohair /ˈməʊhɛə(r)/ n. ☒ (*ind. tess.*) 1 mohair 2 filato (o tessuto) di mohair.

Mohammed /məʊˈhæmɪd/ n. (*stor.*) Maometto.

Mohammedan /məʊˈhæmɪdən/ e *deriv.* → **Muhammadan** e *deriv.*

Mohican /məʊˈhiːkən/ Ⓐ a. moicano Ⓑ n. (pl. *Mohicans, Mohican*) 1 moicano, mohicano 2 (= **M. cut**) taglio (dei capelli) alla moicana.

moiety /ˈmɔɪətɪ/ n. 1 (*leg.*) metà 2 (*per estens.*) parte; porzione.

to **moil** /mɔɪl/ v. i. – (nella loc.) **to toil and m.**, sgobbare come un mulo.

moire /mwɑː(r)/ n. ☒ (*ind. tess.*) amoerro (*antiq.*); moire; stoffa (*spec.* seta) marezzata.

moiré /ˈmwɑːreɪ, USA mwɑːˈreɪ/ (*franc.*) Ⓐ a. (*di tessuto*) marezzato Ⓑ n. ☒ 1 marezzatura 2 → **moire** ● (*ottica*) **m. effect**, effetto moiré.

moist /mɔɪst/ a. 1 umido: **m. soil**, terra umida; **m. winds**, venti umidi; **m. with sweat**, bagnato di sudore; **to grow m.**, inumidirsi; **slightly m.**, umidiccio 2 bagnato di lacrime; lacrimoso: *m. eyes*, occhi bagnati di lacrime (o lucidi) 3 (*di tempo*) umido; piovoso 4 (*med.*) essudante; essudativo || **moistly** avv. 1 con umidità 2 tra le lacrime || **moistness** n. ☒ umidità.

to **moisten** /ˈmɔɪsn/ Ⓐ v. t. inumidire; umettare: **to m. one's lips**, inumidirsi le labbra Ⓑ v. i. inumidirsi; diventare umido.

moistener /ˈmɔɪsnə(r)/ n. spugna; spugnetta.

moisture /ˈmɔɪstʃə(r)/ n. ☒ umidità; umido; umidezza; umidore (*lett.*) ● (*tecn.*) **m. meter**, misuratore dell'umidità □ (*tecn.*) **m. tester** → **m. meter**.

to **moisturize** /ˈmɔɪstʃəraɪz/ v. t. 1 umidificare 2 (*cosmesi*) idratare || **moisturization** n. ☒ 1 umidificazione 2 idratazione.

moisturizer /ˈmɔɪstʃəraɪzə(r)/ n. (*cosmesi*) idratante.

moisturizing /ˈmɔɪstʃəraɪzɪŋ/ a. (*cosmesi*) idratante: **m. cream**, crema idratante.

mojo /ˈməʊdʒəʊ/ n. (*slang USA*) 1 amuleto; sacchetto d'erbe contro il malocchio 2 droga; (*spec.*) morfina 3 drogato.

moke /məʊk/ n. (*slang, scherz.*) asino; ciuco; somaro.

molal /ˈməʊləl/ (*chim., fis.*) a. molale || **molality** n. ☒ molalità.

molar① /ˈməʊlə(r)/ (*anat.*) Ⓐ a. molare: **m. tooth**, (dente) molare Ⓑ n. molare.

molar② /ˈməʊlə(r)/ (*chim., fis.*) a. molare: **m. solution**, soluzione molare || **molarity** n. ☒ molarità.

molasse /məˈlæs/ n. (*geol.*) molassa.

molasses /məˈlæsɪz/ n. pl. (col verbo al sing.) melassa.

mold /məʊld/ e *deriv.* (*USA*) → **mould**①, (2) e (3).

Moldavian /mɒlˈdeɪvɪən/ a. e n. moldavo.

to **molder** /ˈməʊldə(r)/ v. t. (*USA*) → **to moulder**.

Moldovan /mɒlˈdəʊvən/ (*geogr.*) Ⓐ n. 1 moldavo 2 ☒ (*la lingua*) moldavo Ⓑ a. moldavo.

moldy /ˈməʊldɪ/ a. (*USA*) → **mouldy** ● (*slang*) **m. fig**, individuo antiquato; matusa (*pop.*).

mole① /məʊl/ n. neo; (*med.*) nevo pigmentoso.

mole② /məʊl/ n. 1 (*zool., Talpa*) talpa 2 (*fig.*) talpa: *There must be a m. in the Ministry*, ci dev'essere una talpa nel Ministero 3 (*tecn.*) macchina per scavo di gallerie; tal-

pa (*fam.*) ● (*zool.*) **m. cricket** (*Gryllotalpa gryllotalpa*), grillotalpa □ **as blind as a m.**, cieco come una talpa.

mole③ /məʊl/ n. molo foraneo; frangiflutti.

mole④ /məʊl/ n. (*chim.*) mole; grammomolecola.

molecular /məˈlɛkjʊlə(r)/ (*chim., fis.*) a. molecolare: **m. structure**, struttura molecolare; **m. weight**, peso molecolare ● **m. biology**, biologia molecolare || **molecularity** n. ☒ molecolarità.

molecule /ˈmɒlɪkjuːl/ n. 1 (*fis., chim.*) molecola 2 (*fig.*) molecola; particella minima.

molehill /ˈməʊlhɪl/ n. rialzo di terra sopra una galleria di talpa ● **to make a mountain out of a m.**, fare d'una mosca un elefante.

moleskin /ˈməʊlskɪn/ n. 1 ☒ pelle di talpa (*usata come pelliccia*) 2 ☒ (*ind. tess.*) fustagno che imita il pelo di talpa; «can barbone» 3 (pl.) calzoni di fustagno.

to **molest** /məˈlɛst/ v. t. 1 molestare; disturbare; infastidire; seccare 2 sottoporre a molestie sessuali; aggredire (sessualmente) || **molestation** n. ☒☒ molestia; azione molesta || **molester** n. molestatore, molestatrice ● **child molester**, molestatore di bambini; pedofilo.

Molinism /ˈmɒlɪnɪzəm/ (*stor., relig.*) n. ☒ molinismo || **Molinist** n. molinista.

moll /mɒl/ n. (*slang*) 1 amante d'un gangster 2 prostituta; battona (*pop.*) 3 donna, ragazza (*in genere*).

Moll /mɒl/ n. dim. di → **Mary**.

mollifier /ˈmɒlɪfaɪə(r)/ n. 1 chi rabbonisce; chi mette pace 2 (*farm.*) emolliente; calmante.

to **mollify** /ˈmɒlɪfaɪ/ v. t. 1 ammollire; ammorbidire 2 addolcire; calmare; lenire; placare; mitigare: **to m. sb.'s anger**, placare l'ira di q. 3 rabbonire || **mollification** n. ☒☒ 1 ammollimento 2 addolcimento; lenimento; mitigazione 3 rabbonimento.

mollusc, (*USA*) **mollusk** /ˈmɒləsk/ (*zool.*) n. mollusco ● **m. farmer**, molluschicoltore □ **m. farming**, molluschicoltura || **molluscan** Ⓐ a. dei molluschi Ⓑ n. mollusco || **molluscous** a. dei molluschi.

molly /ˈmɒlɪ/ n. (= **mollycoddle**) 1 persona debole, smidollata 2 (*fam.*) cocco di mamma.

Molly /ˈmɒlɪ/ → **Moll**.

mollycoddle /ˈmɒlɪkɒdl/ → **molly**.

to **mollycoddle** /ˈmɒlɪkɒdl/ v. t. coccolare; vezzeggiare; viziare.

Moloch /ˈməʊlɒk/ n. 1 (*mitol.*) Moloc (*feroce divinità fenicia, anche fig.*) 2 (*zool., Moloch horridus*) moloc; diavolo spinoso.

Molossian (**dog**) /məˈlɒʃən(dɒg)/ n. molosso (*cane*).

Molotov cocktail /mɒlətɒfˈkɒkteɪl/ loc. n. bottiglia molotov; molotov.

molt /məʊlt/ (*USA*) → **moult**.

molten /ˈməʊltən/ a. 1 fuso: **m. steel**, acciaio fuso 2 di metallo fuso: **a m. statue**, una statua di metallo fuso ● (*geol.*) **m. rocks**, rocce fuse.

molto /ˈmɒltəʊ/ (*ital.*) avv. (*mus.*) molto.

Moluccas (**the**) /məˈlʌkəz/, **Molucca Islands** /məˈlʌkəz ˈaɪləndz/ n. pl. (*geogr.*) le Molucche.

moly /ˈməʊlɪ/ n. 1 (*mitol.*) moli (*pianta*) 2 (*bot., Allium moly*) aglio dai fiori gialli.

molybdate /məˈlɪbdeɪt/ n. ☒ (*chim.*) molibdato.

molybdenite /məˈlɪbdɪnaɪt/ n. ☒ (*miner.*) molibdenite.

molybdenum /məˈlɪbdɪnəm/ n. ☒ (*chim.*) molibdeno.

● **mom** /mɒm/ n. (*fam. USA*) mamma; mammina ● (*di un negozio*) **mom-and-pop**, a con-

duzione familiare.

MOMA /ˈmɒmə/ sigla (*USA*, **The Museum of Modern Art, New York**) Il museo di arte moderna di NY.

● **moment** /ˈməʊmənt/ n. 1 momento; attimo; istante: *Please wait a m.*, aspetta un momento!; *Just a m.!*, un momento!; *I don't think it's the right m. to tell him*, non credo sia il momento giusto per parlargliene 2 (*anche sport*) momento, episodio (*del gioco, ecc.*) 3 ☒ (*lett.*) importanza; peso (*fig.*): **a matter of great m.**, una faccenda di grande importanza 4 (*fis., mecc., stat.*) momento: **m. of inertia**, momento d'inerzia; **bending m.**, momento flettente ● (*fig.*) **the m. of truth**, il momento della verità □ **the (very) m. (that)**, appena, non appena: *I came the very m. I heard the news*, venni appena seppi la notizia □ (**at**) **any m.**, in qualsiasi momento; da un momento all'altro □ **at the m.**, al momento; ora; adesso □ **at odd moments**, nei ritagli di tempo □ **at this m.**, in questo momento; per il momento □ **for the m.**, momentaneamente; per il momento □ **in a m.**, in un momento; in un attimo; a momenti; fra breve: *I'll bring you the menu in just a m.*, vi porto subito il menu □ **not for a m.!**, giammai!; mai e poi mai! □ **to the m.**, con esattezza, con precisione; con puntualità assoluta □ **Come this m.**, vieni subito! □ **Wait half a m.**, aspetta un attimo!

momentarily /ˈməʊməntrəlɪ, USA məʊmənˈtɛrəlɪ/ avv. 1 al momento; momentaneamente; per un po' 2 (*USA*) a momenti; fra breve; tra un po'.

momentary /ˈməʊməntrɪ/ a. 1 momentaneo; passeggero; transitorio 2 (*raro*) istantaneo; immediato || **momentariness** n. ☒ l'esser momentaneo; transitorietà.

❶ NOTA: *momentary o momentous?*
L'aggettivo *momentary* significa "momentaneo": *a momentary lapse in concentration*, un calo momentaneo della concentrazione; *a momentary loss of consciousness*, una temporanea perdita di conoscenza. L'aggettivo *momentous* invece non vuol dire "momentaneo"; ma "significativo, importante": *a momentous time*, un momento importante; *a momentous occasion*, un'occasione importante.

momentous /məˈmɛntəs/ a. di grande importanza; grave; importantissimo: **a m. decision**, una grave decisione; **m. news**, notizie importantissime | **-ly** avv. | **-ness** n. ☒
❶ NOTA: *momentary o momentous?* → **momentary**.

momentum /məˈmɛntəm/ n. ☒ 1 (*fis., mecc.*) quantità di moto; momento cinematico 2 (*fig.*) velocità 3 (*fig.*) impeto; slancio: *After 1848 the struggle for independence gained m.*, dopo il 1848 la lotta per l'indipendenza acquistò slancio.

momism /ˈmɒmɪzəm/ n. ☒ (*fam., USA*) mammismo.

momma /ˈmɒmə/ n. 1 (*fam. USA*) mamma; mammina 2 (*slang*) donna.

● **mommy** /ˈmɒmɪ/ n. (*fam. USA*) mamma; mammina.

mon. abbr. (**monetary**) monetario.

Mon. abbr. (**Monday**) lunedì (Lun.).

Monacan /ˈmɒnəkən/ a. e n. monegasco.

monachism /ˈmɒnəkɪzəm/ n. ☒ (*stor., relig.*) monachesimo; monachismo.

monad /ˈmɒnæd/ (*filos., biol., chim.*) n. monade || **monadic, monadical** a. monadico || **monadism** n. ☒ monadismo.

monadelphous /mɒnəˈdɛlfəs/ a. (*bot.*) monadelfo.

monadist /ˈmɒnədɪst/ n. (*filos.*) monadista.

monadology /mɒnæˈdɒlədʒɪ/ n. ☒ (*filos.*)

monadologia.

monandrous /mə'nændrəs/ a. (*bot.*) monandro.

monandry /mə'nændrɪ/ n. Ⓤ (*bot.*) monandria.

monarch /'mɒnək/ n. **1** monarca; sovrano; re, regina (*anche fig.*): **the m. of the forest**, la regina della foresta; la quercia **2** (*zool.*, *Danaus plexippus*) monarca ‖ **monarchal** a. di (o da) monarca; regale ‖ **monarchic**, **monarchical** a. monarchico ‖ **monarchically** avv. monarchicamente.

monarchism /'mɒnəkɪzəm/ n. Ⓤ monarchismo ‖ **monarchist** a. e n. monarchico.

monarchy /'mɒnəkɪ/ n. **constitutional** (o **limited**) **m.**, monarchia costituzionale ❶ Cultura • **monarchy**: *la regina Elisabetta II è il capo di Stato del Regno Unito di Gran Bretagna e Irlanda del Nord e di alcuni paesi del Commonwealth, tra cui il Canada, l'Australia e la Nuova Zelanda; è inoltre capo delle forze armate britanniche, capo della Chiesa anglicana* (**Church of England**) *e capo del Commonwealth. I suoi poteri, le cosiddette* **royal prerogatives**, *sono in gran parte formali: firma le leggi votate dal parlamento, rendendole ufficialmente* **Acts of Parliament**, *ma non può respingerle; nomina il primo ministro, che però è sempre il capo del partito vincitore delle elezioni, e su consiglio di questi i ministri, i giudici e i diplomatici; scioglie il parlamento, ratifica i trattati internazionali e concede la grazia, ma sempre su consiglio del primo ministro o del ministro competente.*

monastery /'mɒnəstrɪ/ n. convento, monastero (*spec. di frati*).

monastic /mə'næstɪk/ Ⓐ a. (*anche fig.*) monastico: **m. vows**, voti monastici Ⓑ n. monaco ‖ **monastically** avv. monasticamente ‖ **monasticism** n. Ⓤ **1** monacato; vita monastica **2** → **monachism**.

monatomic /mɒnə'tɒmɪk/ a. (*chim.*, *fis.*) monoatomico.

monaural /mə'nɔːrəl/ a. (*di disco fonografico, ecc.*) monoaurale; monofonico; mono.

monazite /'mɒnəzaɪt/ n. Ⓤ (*miner.*) monazite.

♦**Monday** /'mʌndeɪ, -dɪ/ n. ⓊⒸ lunedì (*per gli esempi d'uso → **Tuesday***) • **Easter M.**, il lunedì dell'Angelo; Pasquetta (*fam.*).

Monegasque /mɒnɪ'gæsk/ a. e n. Ⓤ monegasco.

moneme /'məʊniːm/ n. (*ling.*) monema.

monetarism /'mʌnɪtərɪzəm/ (*econ.*) n. Ⓤ monetarismo ‖ **monetarist** Ⓐ n. monetarista Ⓑ a. monetaristico: **the Monetarist School**, la Scuola monetarista.

♦**monetary** /'mʌnɪtrɪ/ a. (*econ.*, *fin.*) monetario; valutario: **m. agreement**, accordo monetario; **m. base**, base monetaria; **m. deflation**, deflazione monetaria; **m. management** (o **m. policy**), politica monetaria; **m. reserves**, riserve valutarie; (*stor.*) **m. snake**, serpente monetario; **m. tempest**, bufera monetaria; **m. unit**, unità monetaria (*di un paese*); **m. upheaval**, terremoto monetario • (*leg.*) **m. consideration**, corrispettivo in denaro □ (*fin.*) **m. liquidity**, liquidità finanziaria □ (*leg.*) **m. penalty**, pena pecuniaria □ (*econ.*) **m. squeeze**, stretta creditizia.

to **monetize** /'mʌnɪtaɪz/ (*fin.*) v. t. **1** monetizzare **2** monetare ‖ **monetization** n. Ⓤ **1** monetizzazione **2** monetazione.

♦**money** /'mʌnɪ/ n. (pl. *moneys*, *monies*) **1** Ⓤ moneta; denaro; valuta; quattrini; soldi (*fam.*): *I'm short of m.*, sono a corto di soldi; **to make m.**, fare soldi, fare quattrini; **paper m.**, moneta cartacea; cartamoneta; banconote; **hard m.**, moneta metallica; (*anche*) moneta forte; **big m.**, somme enormi; soldi a palate; un sacco di soldi; **good m.**, soldi sudati; buon stipendio; **ready m.**, denaro

contante; contanti; **silver m.**, valuta in argento; (*fin.*) **hot m.**, moneta calda (*capitali che si spostano rapidamente alla ricerca di rendimenti di breve periodo*) **2** Ⓤ (*fin.*) fondi; ricchezza: **public m.**, fondi pubblici **3** stipendio; paga: *What's the m. like?*, quanto si guadagna?; *The m. is much better*, guadagno molto di più **4** (*ipp.*) premio in denaro **5** (pl.) (*leg.* o *arc.*) somme di denaro; importi • (*fin.*) **m. at call** (o **at short notice**), denaro a vista (o a breve preavviso) □ (*market.*) **m.-back guarantee**, garanzia di rimborso (*all'acquirente*); garanzia 'soddisfatti o rimborsati' (*fam.*) □ (*fin.*) **m. bag**, borsa (*per il denaro*) □ (*fin.*) **m. balances**, saldi monetari □ **m. belt**, cintura per (portare addosso) denaro (*nascosto*) □ (*polit.*) **m. bill**, legge finanziaria □ (*fin.*) **m.-broker**, intermediario creditizio; intermediario finanziario; (*USA*) cambiavalute □ (*fig.*) **m. cow**, vacca da mungere, miniera d'oro (*fig.*) □ (*fam.*) **m. for jam**, soldi facili • **m.-grubber**, persona avida di denaro; arraffone, arraffona □ **m.-grubbing**, cupidigia (o avidità) di denaro □ **m. laundering**, lavaggio (o riciclaggio) di denaro sporco □ **m. launderer**, chi ricicla denaro sporco □ (*econ.*) **m.-loser**, azienda in passivo (o in perdita) □ (*econ.*) **m.-losing**, che perde soldi; che è in passivo □ (*prov.*) **M. makes the world go round**, i soldi fanno girare il mondo □ (*banca*, *fam.*) **m. managing**, gestione patrimoniale □ (*fin.*) **m. market**, mercato monetario □ (*nelle domande d'impiego e sim.*) **m. no question**, miti pretese □ (*econ.*) **m. of account**, moneta (o valuta) di conto □ **m. of exchange**, moneta di cambio □ (*market.*) **m.-off voucher**, buono sconto □ **m. order**, mandato (o ordine di pagamento); vaglia postale □ (*spec. USA*) **m. politics**, la politica condizionata dal denaro □ (*market.*) **m. refund**, ristorno □ (*fin.*, *in GB*) **m. shop**, agenzia finanziaria □ **m. spider**, ragno portafortuna □ (*fig.*: *d'azienda*, *ecc.*) **m.-spinner**, miniera d'oro (*econ.*) □ **m. squeeze**, stretta creditizia □ (*econ.*) **m. supply**, offerta di moneta □ **m. transfer**, bonifico bancario; bancogiro □ (*fam.*) **any m.**, quel che vuoi (o l'osso del collo, o la testa): *I'll bet you any m. that...*, scommetto la testa che... □ **black m.**, denaro sporco; (*fisc.*) compensi (o ricavi) in nero □ **to coin m.**, batter moneta (*fig.*) □ **to be coining m.**, far denaro a palate □ **for m.**, a pagamento, in cambio di soldi, per denaro □ **to get one's m.'s worth**, spender bene il proprio denaro □ (*fam.*) **to be made of m.**, essere ricco sfondato □ **to marry (into) m.**, fare un matrimonio d'interesse □ **to mint m.**, battere moneta: (*fig.*) **to be minting m.**, fare soldi a palate □ **to pay m. down**, pagare in contanti (o a pronta cassa) □ **to put m. into**, investire denaro in □ **to put m. on**, scommettere su □ **to put m. to interest**, impiegar denaro; mettere denaro a frutto □ (*fam.*) **to be rolling in m.**, essere ricco sfondato; nuotare nell'oro □ (*fig.*) **to have m. to burn**, avere denaro da buttar via; poter spendere e spandere □ **to take the m. and run**, prendere i soldi e chi s'è visto s'è visto □ (*fig.*) **to throw good m. after bad**, buttare altro denaro per tentare di recuperare quello già perduto; buttare soldi al vento □ (*di una persona*) **to be worth a lot of m.**, essere ricchissimo □ (*pop.*) **He's in the m.**, è pieno di soldi □ **There is** [was] **m. in it**, c'è [c'era] del denaro da guadagnare (nell'affare); c'è [c'era] da fare dei soldi (*fam.*) □ **Your m. or your life!**, o la borsa o la vita!

moneybags /'mʌnɪbægz/ n. (*fam.* *spreg.*) riccone; (uno) ricco sfondato.

moneybox /'mʌnɪbɒks/ n. cassetta salvadanaio.

money changer /'mʌnɪtʃeɪndʒə(r)/ n. **1** (*fin.*) cambiavalute **2** (*spec. USA*) macchina cambiamonete (*che dà spiccioli*).

moneyed /'mʌnɪd/ a. **1** danaroso; ricco: **a m. tourist**, un turista danaroso **2** in denaro; finanziario: **m. assistance**, aiuti in denaro; **m. resources**, risorse finanziarie • **the m. classes**, le classi abbienti □ (*econ.*, *stor.*) **the m. interest**, la classe capitalistica.

moneylender /'mʌnɪlendə(r)/ (*fin.*) n. **1** prestatore di denaro; finanziatore **2** (*in GB*) mutuante **3** (*in USA*) prestatore su pegno (*cfr.* **pawnbroker**) **4** (*spreg.*) usuraio; strozzino ‖ **moneylending** n. Ⓤ il prestare denaro; (attività di) finanziamento.

moneyless /'mʌnɪləs/ a. senza denaro; povero; squattrinato, senza un soldo (*pop.*).

moneymaker /'mʌnɪmeɪkə(r)/ n. **1** chi è intento a far soldi **2** cosa che rende bene; lavoro (o investimento) redditizio ‖ **moneymaking** Ⓐ n. Ⓤ accumulo di ricchezze (o di capitali); il fare soldi Ⓑ a. redditizio; proficuo.

moneywort /'mʌnɪwɜːt/ n. (*bot.*, *Lysimachia nummularia*) nummularia, nummularia; erba quattrina; erba soldina.

monger /'mʌŋgə(r)/ n. **1** mercante; commerciante; negoziante; venditore (soprattutto nei composti; *per es.*: **fishmonger**, pescivendolo) **2** (*spreg.*, *nei composti*) chi traffica (*in qc.*; *per es.* **warmonger**, guerrafondaio).

Mongol /'mɒŋgl/ a. e n. mongolo.

mongol /'mɒŋgl/ n. (*med. antiq.* o *offensivo*) persona affetta da sindrome di Down; mongoloide (*arc.*).

Mongolian /mɒŋ'gəʊlɪən/ Ⓐ a. mongolico Ⓑ n. **1** mongolo **2** → **Mongolic**.

Mongolic /mɒŋ'gɒlɪk/ Ⓐ a. mongolico Ⓑ n. Ⓤ mongolo (*la lingua*).

mongolism /'mɒŋgəlɪzəm/ n. Ⓤ (*med. antiq.*) sindrome di Down; mongolismo (*antiq.*).

Mongoloid /'mɒŋgəlɔɪd/ a. e n. (*antrop. antiq.*) mongoloide.

mongoloid /'mɒŋgəlɔɪd/ a. e n. (*med. antiq.* o *offensivo*) (persona) affetta da sindrome di Down; mongoloide (*antiq.*).

mongoose /'mɒŋguːs/ n. (pl. *mongooses*) (*zool.*) **1** (*Herpestes nyula*) mangusta **2** (*Lemur mongoz*) maki mongoz; mongoz.

mongrel /'mʌŋgrəl/ Ⓐ n. **1** cane bastardo; meticcio **2** (*zool.*) bastardo; ibrido; incrocio Ⓑ a. attr. di razza mista; ibrido ‖ **mongrelism** n. Ⓤ (*bot.*, *zool.*) l'essere bastardo; ibridismo.

to **mongrelize** /'mʌŋgrəlaɪz/ v. t. imbastardire ‖ **mongrelization** n. Ⓤ imbastardimento.

'**mongst** /mʌŋst/ (*poet.*) → **amongst**.

monies /'mʌnɪz/ n. pl. (*fin.*) somme di denaro; fondi: **public m.**, fondi pubblici.

moniker /'mɒnɪkə(r)/ n. (*fam.*) nome; soprannome.

moniliform /mə'nɪlɪfɔːm/ a. (*spec. bot.* e *zool.*) moniliforme.

monism /'mɒnɪzəm/ (*filos.*) n. Ⓤ monismo ‖ **monist** n. monista ‖ **monistic**, **monistical** a. monistico.

monition /məʊ'nɪʃn/ n. **1** ammonizione (*anche relig.*) **2** premonizione, preavviso (*d'un pericolo*) **3** (*leg.*, *stor.*) ingiunzione; citazione.

monitor /'mɒnɪtə(r)/ n. **1** (*nelle scuole*) capoclasse; monitore **2** (*marina mil.*, *stor.*) monitore **3** (*zool.*, *Varanus*) varano **4** (*elettron.*, *radio*, *TV*, *med.*) monitor; avvisatore; dispositivo di controllo **5** (*tecn.*) addetto al monitor **6** (*mil.*, *polit.*) addetto all'ascolto delle radiotrasmissioni straniere • (*TV*) **m. screen**, monitor.

♦to **monitor** /'mɒnɪtə(r)/ v. t. **1** (*in genere*) controllare; sorvegliare **2** (*radio*, *TV*) monitorare, controllare (*una emittente*), ricevere (*una trasmissione*) col «monitor» (*def. 4*) **3** (*fis.*) determinare, provare, scoprire (*la ra-*

dioattività, ecc.) **4** (*comput., TV*) monitorare, monitorizzare; controllare (*un programma*) in esecuzione.

monitoring /ˈmɒnɪtrɪŋ/ n. ⓤ (*tecn. e fig.*) monitoraggio ● **m. service**, servizio di ascolto delle radiotrasmissioni straniere.

monitory /ˈmɒnɪtrɪ/ Ⓐ a. monitorio; che vale ad ammonire Ⓑ n. (*relig.*) monitorio; lettera monitoria (*per es., d'un vescovo*).

monk /mʌŋk/ n. **1** monaco; frate **2** (*slang USA*) americano di origine asiatica; cinese ● (*bot.*) **m.'s-hood** (*Aconitum napellus*), aconito □ (*zool., Monachus monachus*) **m. seal**, foca monaca.

monkery /ˈmʌŋkərɪ/ n. (*spreg.*) **1** ⓤ monacato; vita monastica **2** monastero; convento **3** (*collett.*) monaci, frati; (*spreg.*) fratume.

monkey /ˈmʌŋkɪ/ n. **1** (*zool.*) scimmia (*non antropomorfa; cfr.* **ape**) **2** (*mecc.*) mazza battente; battipalo **3** (*fig. scherz.*) bambino discolo; briccconcello; birbante **4** (*slang*) cinquecento sterline (*in GB*); cinquecento dollari (*in USA*) **5** (*slang*) tossicodipendenza; scimmia (*fig.*) **6** (*slang*) (un) kilo di droga **7** (*ind. min.*) galleria di ventilazione ● **m. bars**, castello (*di travetti o tubi metallici su cui i bambini possono arrampicarsi*) □ (*bot.*) **m. bread** (*Adansonia digitata*), baobab (*l'albero e il frutto*) □ (*slang*) **m. business** (*o* **m. tricks**), tiro mancino; birbonate; (*anche*) imbrogli, affari loschi □ **m.-house**, gabbia (*o recinto*) delle scimmie □ **m. jacket**, giubba corta e attillata (*portata dai marinai*) □ **m.-nut**, nocciolina americana; arachide □ (*bot.*) **m. puzzle** (*Araucaria araucana*), araucaria del Cile □ (*USA*) **m. spanner** = **m. wrench** □ (*slang USA*) **m. suit**, abito da sera (*da uomo*); uniforme □ (*mecc.*) **m. winch**, argano a mano □ (*mecc.*) **m. wrench**, chiave inglese (a rullino) □ (*slang*) **to get the m. off one's back**, liberarsi dalla scimmia (*o dalla schiavitù della droga*) □ (*slang*) **to get one's m. up**, farsi saltare la mosca al naso; andare in bestia □ (*fig. slang*) **to have a m. on one's back**, avere la scimmia sulla spalla, essere tossicodipendente □ (*fam.*) **to make a m. (out) of sb.**, far fare a q. la figura dello stupido □ (*slang*) **not to give a m.'s**, fregarsene; sbattersene (*pop.*) □ (*slang*) **to put sb.'s m. up**, far saltare la mosca al naso a q.; mandare in bestia q.

to **monkey** /ˈmʌŋkɪ/ Ⓐ v. i. **1** giocare tiri mancini; combinar guai **2** armeggiare; trafficare; trastullarsi: *Stop monkeying (about) with the controls*, smettila di armeggiare con i comandi Ⓑ v. t. (*raro*) scimmiottare; imitare ● **to m. about** (*o* **around**), fare il buffone, fare il pagliaccio (*o lo scemo*).

monkeyboard /ˈmʌŋkɪbɔːd/ n. (*ind. petrolifera*) piattaforma di pontista.

monkeyish /ˈmʌŋkɪɪʃ/ a. scimmiesco; da scimmia.

monkeypox /ˈmʌŋkɪpɒks/ n. ⓤ (*med.*) vaiolo delle scimmie.

monkeyshines /ˈmʌŋkɪʃaɪnz/ n. pl. (*slang USA*) buffonate; pagliacciate.

monkfish /ˈmʌŋkfɪʃ/ n. (pl. **monkfish** *o* **monkfishes**) (*zool., Lophius piscatorius*) rana pescatrice; coda di rospo.

monkhood /ˈmʌŋkhʊd/ n. ⓤ monacato; vita monastica.

monkish /ˈmʌŋkɪʃ/ a. (*spesso spreg.*) di (*o da*) monaco; monacale; fratesco (*spreg.*).

monkism /ˈmʌŋkɪzəm/ n. ⓤ monachesimo; stato monastico.

mono /ˈmɒnəʊ/ a. (abbr. di **monaural**) (*di disco, ecc.*) mono; monoaurale, monofonico.

monoacid /mɒnəʊˈæsɪd/ a. (*chim.*) monoacido.

monoatomic /mɒnəʊəˈtɒmɪk/ → **monatomic**.

monobasic /mɒnəˈbeɪsɪk/ a. (*chim.*) monobasico.

monoblast /ˈmɒnəʊblɑːst/ n. (*biol.*) monoblasto.

monobloc /ˈmɒnəblɒk/ n. (*mecc.*) monoblocco.

monocable /ˈmɒnəʊkeɪbl/ a. attr. monofune.

monocarboxylic /mɒnəʊkɑːˈbɒkˈsɪlɪk/ a. (*chim.*) monocarbossilico.

monocarpic /mɒnəˈkɑːpɪk/, **monocarpous** /mɒnəˈkɑːpəs/ a. (*bot.*) monocarpico.

monocentric /mɒnəˈsɛntrɪk/ a. monocentrico.

monochasium /mɒnəʊˈkeɪzɪəm/ n. (pl. *monochasia*) (*bot.*) monocasio.

monochord /ˈmɒnəkɔːd/ n. (*mus.*) monocordo.

monochromatic /mɒnəkrəʊˈmætɪk/ a. (*fis., arte*) monocromatico.

monochromatism /mɒnəˈkrəʊmətɪzəm/ n. ⓤ (*med.*) monocromatismo.

to **monochromatize** /mɒnəʊˈkrəʊmətaɪz/ (*tecn.*) v. t. monocromatizzare ‖ **monochromatization** n. ⓤ monocromatizzazione.

monochromator /mɒnəˈkrəʊmeɪtə(r)/ n. (*fis.*) monocromatore.

monochrome /ˈmɒnəkrəʊm/ Ⓐ n. (*arte*) monocromia Ⓑ a. **1** (*ottica*) monocromo; monocolore **2** (*elettron., TV*) monocromatico: **m. signal**, segnale monocromatico (o di luminanza) ‖ **monochromic** a. (*fis., arte*) monocromatico.

monocle /ˈmɒnəkl/ n. monocolo; caramella (*fam.*).

monocline /ˈmɒnəklaɪn/ (*geol.*) n. (piega) monoclinale ‖ **monoclinal** a. monoclinale.

monoclinic /mɒnəˈklɪnɪk/ a. (*miner.*) monoclino.

monoclonal /mɒnəʊˈkləʊnl/ a. (*biol.*) monoclonale.

monocoque /ˈmɒnəkɒk/ Ⓐ n. **1** (*autom.*) monoscocca **2** (*aeron.*) monoguscio Ⓑ a. attr. **1** (*autom.*) monoscocca; a carrozzeria portante: **a m. car**, un'automobile monoscocca **2** (*aeron.*) monoguscio; a struttura integrale.

monocotyledon /mɒnəkɒtɪˈliːdn/ n. monocotiledone ‖ **monocotyledonous** a. monocotiledone.

monocracy /məˈnɒkrəsɪ/ (*polit.*) n. ⓤ monocrazia ‖ **monocratic** a. monocratico.

monocrystal /ˈmɒnəʊkrɪstəl/ (*miner.*) n. monocristallo ‖ **monocrystalline** a. monocristallino.

monocular /məˈnɒkjʊlə(r)/ a. **1** monocolo; che ha un occhio solo **2** monoculare; da usarsi con un occhio solo **3** (*med.: della visione*) monoculare.

monoculture /ˈmɒnəkʌltʃə(r)/ n. ⓤ (*agric.*) monocoltura.

monocyte /ˈmɒnəsaɪt/ n. (*biol.*) monocito; monocita.

monodrama /ˈmɒnədrɑːmə/ n. (*teatr.*) monodramma.

monody /ˈmɒnədɪ/ (*mus.*) n. monodia ‖ **monodic** a. monodico ‖ **monodist** n. autore (*o esecutore*) di monodie.

monoecious /məˈniːʃəs/ a. **1** (*bot.*) monoico **2** (*zool.*) monoico; ermafrodita ‖ **monoecism, monoecy** n. ⓤ **1** (*bot.*) monoicismo **2** (*zool.*) monoicismo; ermafroditismo.

monogamic /mɒnəˈɡæmɪk/ a. monogamico.

monogamy /məˈnɒɡəmɪ/ n. ⓤ monogamia ‖ **monogamist** n. monogamo ‖ **monogamous** a. monogamo.

monogenesis /mɒnəˈdʒɛnəsɪs/ (*scient.*)

n. monogenesi ‖ **monogenetic** a. monogenetico.

monogeny /məˈnɒdʒənɪ/ (*scient.*) n. ⓤ monogenesi ‖ **monogenism** n. ⓤ monogenismo.

monogony /məˈnɒɡənɪ/ n. ⓤ (*biol.*) monogonia.

monogram /ˈmɒnəɡræm/ n. monogramma ‖ **monogrammatic, monogrammatical** a. monogrammatico.

to **monogram** /ˈmɒnəɡræm/ v. t. mettere il monogramma su (qc.) ‖ **monogrammed** a. con il monogramma; con le cifre: **monogrammed linen**, biancheria con le cifre.

monograph /ˈmɒnəɡrɑːf/ n. monografia ‖ **monographic, monographical** a. monografico.

to **monograph** /ˈmɒnəɡrɑːf/ v. t. scrivere una monografia su (*un autore, un personaggio, un argomento, ecc.*) ‖ **monographer** n. monografista.

monographist /məˈnɒɡrəfɪst/ n. monografista.

monogyny /məˈnɒdʒɪnɪ/ n. ⓤ (*zool.*) monoginia ‖ **monogynous** a. (*bot., zool.*) monogino; monogeno.

monohull /ˈmɒnəhʌl/ a. attr. (*naut.*) monoscafo.

monohydrate /mɒnəˈhaɪdreɪt/ n. (*chim.*) monoidrato.

monokini /mɒnəˈkiːnɪ/ n. (*moda*) monokini.

monolatry /mɒˈnɒlətrɪ/ n. ⓤ monolatria.

monolingual /mɒnəʊˈlɪŋɡwəl/ (*ling.*) a. monolingue; monoglottico ‖ **monolingualism** n. ⓤ monolinguismo.

monolith /ˈmɒnəlɪθ/ n. **1** monolito **2** (*costr.*) blocco monolitico.

monolithic /mɒnəˈlɪθɪk/ a. monolitico.

monologue /ˈmɒnəlɒɡ/ n. monologo; soliloquio ‖ **monological** a. **1** di monologo **2** (*di persona*) che ama monologare ‖ **monologist** n. chi monologa; chi recita monologhi; monologhista ‖ to **monologize** v. i. monologare.

monomania /mɒnəˈmeɪnɪə/ (*psic.*) n. ⓤ monomania ‖ **monomaniac** a. e n. monomane ‖ **monomaniacal** a. monomaniacale; monomaniaco.

monomer /ˈmɒnəmə(r)/ n. (*chim.*) monomero.

monometallic /mɒnəmɪˈtælɪk/ (*econ.*) a. monometallico ‖ **monometallism** n. ⓤ monometallismo.

monometer /mɒˈnɒmɪtə(r)/ n. (*poesia*) monometro ‖ **monometric** a. (*anche miner.*) monometrico.

monomial /məˈnəʊmɪəl/ Ⓐ n. (*mat.*) monomio Ⓑ a. (*mat.*) di monomio; monomiale.

monomolecular /mɒnəməˈlɛkjʊlə(r)/ a. (*chim.*) monomolecolare.

monomorphic /mɒnəˈmɔːfɪk/, **monomorphous** /mɒnəˈmɔːfəs/ (*scient.*) a. monomorfo ‖ **monomorphism** n. ⓤ monomorfismo.

mononuclear /mɒnəˈnjuːklɪə(r), USA -ˈnuː-/ a. (*biol.*) mononucleare; mononucleato.

mononucleosis /mɒnənjuːklɪˈəʊsɪs, USA -nuː-/ n. ⓤ (*med.*) mononucleosi; malattia del bacio (*fam.*).

monopetalous /mɒnəˈpɛtələs/ a. (*bot.*) monopetalo.

monophagous /məˈnɒfəɡəs/ (*zool.*) a. monofago: **m. insects**, insetti monofagi.

monophonic /mɒnəˈfɒnɪk/ a. (*di disco, ecc.*) monofonico; monoaurale.

monophthong /ˈmɒnəfθɒŋ/ n. (*ling.*) monottongo.

to **monophthongize** /ˈmɒnəfθɒŋɡaɪz/ (*ling.*) Ⓐ v. t. monottongare Ⓑ v. i. monot-

a
b
c
d
e
f
g
h
i
j
k
l
m
n
o
p
q
r
s
t
u
v
w
x
y
z

tongarsi || **monophthongization** n. ⓊＭ monottongazione.

monophyllous /mɒnəʊˈfɪləs/ a. (*bot.*) monofillo.

monophyodont /mɒnəʊˈfaɪədɒnt/ n. (*zool.*) monofiodonte.

Monophysite /məˈnɒfɪsaɪt/ (*relig.*) n. (*stor.*) monofisita || **Monophysitism** n. Ⓤ monofisismo.

monoplane /ˈmɒnəpleɪn/ n. (*aeron.*) monoplano.

monoplegia /mɒnəʊˈpliːdʒɪə/ n. Ⓤ (*med.*) monoplegia.

monopodial /mɒnəˈpəʊdɪəl/ a. (*bot.*) monopodiale.

monopolist /məˈnɒpəlɪst/ n. **1** (*econ.*) monopolista; (*anche*) fautore dei monopoli **2** (*spreg.*) accaparratore; incettatore || **monopolistic** a. (*econ.*) monopolistico.

to **monopolize** /məˈnɒpəlaɪz/ (*econ.*, *anche fig.*) v. t. monopolizzare: **to m. the oil market**, monopolizzare il mercato del petrolio; **to m. sb.'s attention**, monopolizzare l'attenzione di q. || **monopolization** n. Ⓤ monopolizzazione || **monopolizer** n. monopolizzatore.

monopoly /məˈnɒpəlɪ/ n. ⒸⓊ **1** (*econ.*) monopolio **2** (*fig.*) monopolio; esclusiva: *Nobody has a m. on truth*, nessuno ha il monopolio della verità ● (*econ.*) **m. price**, prezzo monopolistico (*o* di monopolio) ● (*econ.*) **m. profit** (*o* **surplus**), rendita monopolistica ▫ **under a m. system**, in regime di monopolio.

Monopoly® /məˈnɒpəlɪ/ n. monopoli (*gioco*).

monopropellant /mɒnəʊprəˈpelənt/ a. e n. (*chim.*) monopropellente.

monopsony /məˈnɒpsənɪ/ (*econ.*) n. ⒸⓊ monopsonio || **monopsonist** a. e n. monopsonista || **monopsonistic** a. monopsonistico.

monorail /ˈmɒnəreɪl/ n. (*tecn.*) **1** monorotaia **2** ferrovia soprelevata a monorotaia.

monorchid /mɒnˈɔːkɪd/ (*med.*) a. e n. monorchide || **monorchidism** n. Ⓤ monorchia; monorchidismo.

monorhyme /ˈmɒnəʊraɪm/ (*poesia*) Ａ a. monorimo Ｂ n. componimento monorimo.

monorhythmic /mɒnəʊˈrɪðmɪk/ a. (*letter.*) monoritmico.

monosaccharide /mɒnəˈsækəraɪd/ n. (*chim.*) monosaccaride.

monoscope /ˈmɒnəskəʊp/ n. (*TV*) monoscopio (*il tubo*) ● **m. signal**, monoscopio (*l'immagine*).

monosemy /ˈmɒnəsiːmɪ/ (*ling.*) n. Ⓤ monosemia || **monosemous** a. monosemico.

monosexual /mɒnəˈsekʃʊəl/ a. (*biol.*) monosessuale.

monoski /ˈmɒnəʊskɪ/ (*sport*) n. monoscì (*l'attrezzo*) || **monoskier** n. chi pratica il monoscì || **monoskiing** n. Ⓤ (il) monoscì.

monosodium glutamate /mɒnəʊˈsəʊdɪəm ˈgluːtəmeɪt/ loc. n. Ⓤ (*alim.*, *chim.*) glutammato di sodio.

monosomy /ˈmɒnəsəʊmɪ/ n. Ⓤ (*biol.*) monosomia.

monospermy /ˈmɒnəʊspɜːmɪ/ n. (*biol.*) monospermia || **monospermous** a. monospermo.

monostable /mɒnəˈsteɪbl/ a. (*elettron.*) monostabile.

monosyllabic /mɒnəsɪˈlæbɪk/, **monosyllabical** /mɒnəsɪˈlæbɪkl/ a. monosillabico; monosillabo.

monosyllable /ˈmɒnəsɪləbl/ n. monosillabo.

monotheism /ˈmɒnəθiːɪzəm/ (*relig.*) n. Ⓤ monoteismo || **monotheist** n. monoteista || **monotheistic** a. monoteista; monotei-

stico.

Monothelite /məˈnɒθəlaɪt/ (*stor. relig.*) n. monotelita || **Monothelism** n. Ⓤ monotelismo.

monothematic /mɒnəʊθiːˈmætɪk/ a. monotematico.

monotint /ˈmɒnətɪnt/ n. (*arte*) monocromia.

monotone /ˈmɒnətəʊn/ Ａ n. monotonia; tono uniforme: **to read in a m.**, leggere con monotonia Ｂ a. (*anche mus.*) monotono.

monotonic /mɒnəˈtɒnɪk/ a. **1** (*mus.*) monocorde **2** (*mat.*) monotòno: **m. function**, funzione monotòna.

monotonous /məˈnɒtənəs/ a. monotono; uniforme; noioso: **a m. voice**, una voce monotona | **-ly** avv. | **-ness** n. Ⓤ.

monotony /məˈnɒtənɪ/ n. Ⓤ monotonia.

monotreme /ˈmɒnətriːm/ n. (*zool.*, pl. **monotremes**, pl. *scient.* **Monotremata**) monotremo.

monotrophic /mɒnəʊˈtrɒfɪk/ (*biol.*) a. monotrofico || **monotrophism** n. Ⓤ monotrofismo.

monotype /ˈmɒnətaɪp/ n. **1** (*biol.*) monotipo **2** (*arte*, *grafica*) monotipo.

Monotype® /ˈmɒnətaɪp/ n. (*tipogr.*) monotype ● **M. operator**, monotipista.

monotypic /mɒnəˈtɪpɪk/ a. (*biol.*) monotipico.

monovalent /ˈmɒnəveɪlənt/ a. (*chim.*, *med.*) monovalente || **monovalence** n. Ⓤ (*raro*) monovalenza.

monovular /mɒnˈɒvjələ(r)/ a. (*biol.*) monovulare.

monoxide /məˈnɒksaɪd/ n. ⓊⒸ (*chim.*) monossido ● **carbon m.**, ossido di carbonio.

monozygotic /mɒnəzaɪˈgɒtɪk/ a. (*biol.*) monozigotico ● **m. twins**, gemelli monozigotici; monozigoti.

Monsieur /məˈsjɜː(r)/ (*franc.*) n. (pl. **Messieurs**) Monsieur, Signore (al vocat.).

Monsignor /mɒnˈsiːnɪə(r)/ (*ital.*) n. (pl. **Monsignors**, **Monsignori**) (*relig.*) Monsignore; Monsignor.

monsoon /mɒnˈsuːn/ n. **1** monsone **2** (*fig.*) diluvio; pioggia torrenziale ● **m. climate**, clima monsonica ▫ **m. forest**, foresta monsonica ▫ **m. low**, bassa monsonica || **monsoonal** a. monsonico.

♦**monster** /ˈmɒnstə(r)/ Ａ n. (*anche fig.*) mostro Ｂ a. attr. mostruoso; enorme; gigantesco: **a m. whale**, una balena enorme.

monstrance /ˈmɒnstrəns/ n. (*relig.*) ostensorio.

monstrosity /mɒnˈstrɒsətɪ/ n. **1** Ⓤ mostruosità **2** mostruosità; cosa mostruosa.

monstrous /ˈmɒnstrəs/ a. **1** mostruoso; deforme; orrendo; enorme; atroce: **a m. crime**, un delitto mostruoso; **m. waves**, onde enormi **2** (*fam.*) assurdo; incredibile: **a m. theory**, una teoria assurda | **-ly** avv. | **-ness** n. Ⓤ.

mons veneris /ˌmɒnzˈvenərɪs/ (*lat.*) loc. n. (pl. **montes veneris**) (*anat.*) monte di Venere.

montage /mɒnˈtɑːʒ, *USA* mɒnˈtɑːʒ/ n. **1** (*cinem.*) montaggio **2** (*arte*, *grafica*, *ecc.*) fotomontaggio.

Montagues /ˈmɒntəgjuːz/ n. pl. (*letter.*) Montecchi.

montane /ˈmɒnteɪn/ a. montano: **m. flora**, flora montana.

Montanism /ˈmɒntənɪzəm/ (*stor. relig.*) n. Ⓤ montanismo || **Montanist** n. montanista || **Montanistic** a. montanistico.

Mont Blanc /mɒnˈblɒŋ, -ɑːŋ/ loc. n. (*geogr.*) Monte Bianco.

Monte Carlo /ˈmɒntɪkɑːləʊ/ n. (*geogr.*) Montecarlo.

Montenegrin /mɒntɪˈniːgrɪn/ n. e a.

montenegrino.

Montessorian /mɒntesˈɔːrɪən/ Ａ a. montessoriano Ｂ n. seguace del metodo Montessori || **Montessorianism** n. Ⓤ metodo Montessori (*o* montessoriano).

Montezuma /mɒntɪˈzuːmə/ n. (*stor.*) Montezuma ● (*fam.*, *scherz.*) **M.'s revenge**, la diarrea.

♦**month** /mʌnθ/ n. mese: **calendar m.**, mese civile (*o* solare); **lunar m.**, mese lunare; *Has this month's Angling Times arrived yet?*, è arrivato il numero di Angling Times di questo mese? ● **m. in, m. out**, ogni mese ▫ (*relig.*) **m.'s mind**, messa di trigesima ▫ (*scherz.*) **a m. of Sundays**, un'eternità; l'anno del mai: *You won't finish it in a m. of Sundays*, non lo finirai mai e poi mai ▫ **m.'s pay**, retribuzione (*o* paga) mensile ▫ **this day m.**, oggi a un mese; tra un mese ▫ **this day a m. ago**, un mese fa; è (*o* fa) un mese oggi.

♦**monthly** /ˈmʌnθlɪ/ Ａ a. mensile: **a m. magazine**, una rivista mensile Ｂ n. **1** mensile; pubblicazione (*o* periodico) mensile **2** abbonamento mensile (*al treno*, *ecc.*) **3** (pl.) (*fam.*) mestruazioni Ｃ avv. mensilmente; ogni mese; al mese ● **m. allowance**, mesata; mensile ▫ **m. pay**, paga mensile; mensile ▫ **m. season ticket**, abbonamento mensile (*del treno*, *di un bus*, *ecc.*).

monticule /ˈmɒntɪkjuːl/ n. **1** monticello; collinetta **2** (*geol.*) cono secondario (*d'un vulcano*).

monty /ˈmɒntɪ/ n. Ⓤ – nella loc. **full m.** → **full**.

monument /ˈmɒnjumənt/ n. **1** (*spec. archit.*) monumento: **ancient monuments**, monumenti antichi; (*fig.*) **a m. of learning**, un monumento di dottrina **2** (*raro*) monumento funebre; pietra tombale; lapide **3** (*USA*) cippo di confine ● (*GB*) **the M.**, colonna commemorativa dell'incendio del 1666 Ⓞ **CULTURA ● = The Great Fire of London** → **great**.

monumental /mɒnjuˈmentl/ a. **1** (*anche fig.*) monumentale: **a m. volume**, un volume monumentale **2** colossale; enorme; abissale: **m. ignorance**, ignoranza abissale ● **m. mason**, lapidario; marmista; imprenditore che costruisce cappelle e monumenti funebri | **-ly** avv.

monumentality /mɒnjumənˈtælətɪ/ n. Ⓤ monumentalità.

moo /muː/ n. (pl. **moos**) **1** muggito; mugghio **2** (*slang spreg.*) oca (*fig.*); donnetta; donnicciola.

to **moo** /muː/ v. i. muggire; mugghiare.

mooch /muːtʃ/ n. – nella loc. *slang USA*: **to be on the m.**, fare lo scroccone.

to **mooch** /muːtʃ/ Ａ v. t. (*slang*) **1** rubare; sgraffignare **2** (*USA*) scroccare: **to m. cigarettes off sb.**, scroccare sigarette a q. Ｂ v. i. **1** (*slang USA*) elemosinare; chiedere soldi (*per comprare droga*) **2** – **to m. about**, bighellonare; oziare; gironzolare.

moocher /ˈmuːtʃə(r)/ n. (*slang USA*) **1** scroccone **2** accattone; mendicante **3** drogato.

mooching /ˈmuːtʃɪŋ/ n. Ⓤ (*slang*) accattonaggio.

moo-cow /ˈmuːkaʊ/ n. mucca (*parola infantile*).

♦**mood**① /muːd/ n. **1** stato d'animo; umore; disposizione; inclinazione: *Our national m. changed after the war*, lo stato d'animo del nostro popolo mutò dopo la guerra; **the m. of the stock exchange**, l'umore della borsa valori; **to be in a happy m.**, essere d'umore allegro (*o* di buonumore); **to be in a bad m.**, essere di cattivo umore; avere la luna (di traverso) **2** cattivo umore; malumore: **to be in a m.**, essere di cattivo umore; *Do not hint at the issue when dad is in one of his*

moods, non accennare all'argomento quando papà ha uno dei suoi accessi di malumore ● **to be in the m. to do** (*o* **for doing**) **st.**, essere in vena di (*o* essere disposto a) fare qc.: *I'm not in the m.*, non mi va □ **to be in no m. to do st.**, non essere in vena di (*o* non essere disposto a) fare qc. □ **to be in no m. for joking**, non essere in vena di scherzi □ **to put sb. in a good m.**, mettere q. di buon umore.

mood ② /muːd/ n. (*gramm.*) modo: **subjunctive m.**, modo congiuntivo.

moody /'muːdɪ/ a. **1** imbronciato; di malumore; di cattivo umore; depresso **2** volubile; capriccioso; lunatico ‖ **moodily** avv. con l'aria imbronciata; di malumore ‖ **moodiness** n. ⓤ umore variabile **2** malumore; cattivo umore.

moolah /'muːlə/ n. ⓤ (*slang*, *USA*) soldi; denaro; grana (*fam.*).

◆**moon** /muːn/ n. **1** luna: **waning m.**, luna calante; *There's a full m.*, c'è la luna piena **2** (*astron.*) luna, satellite (*di Giove, di Saturno*) **3** (*poet.*) mese **4** (*fig.*) globo; sfera **5** (*slang*) sedere; culo (*volg.*) **6** (*slang*) mese di galera ● (*miss.*) **m. buggy** (*o* **m. car, m. crawler**), veicolo lunare □ (*astron.*) **m. dog**, paraselene ● **m.-faced**, che ha la faccia di luna piena □ (*miss.*) **m. landing**, allunaggio □ (*miss.*) **m. rover**, veicolo lunare ● **m.-shaped**, a forma di luna □ (*miss.*) **m. shot**, lancio sulla luna □ **by the light of the m.**, al chiaro di luna □ **a crescent m.**, una falce di luna (*crescente o calante*) □ **to cry** (*o* **to go**) **for the m.**, volere (*o* cercare) la luna □ **new m.** →**new** ① □ (*fam.*) **once in a blue m.**, a ogni morte di papa; assai di rado □ (*fig.*) **to be over the moon**, essere al settimo cielo □ **to promise the m.**, promettere la luna (*o* mari e monti) □ (*slang USA*) **to shoot the m.** →**to moon, A, def. 3** □ **to want the m.**, volere la luna nel pozzo.

to **moon** /muːn/ ⒜ v. i. **1** guardare con aria trasognata **2** (*miss.: di un veicolo lunare*) allunare **3** (*slang*) mostrare il sedere nudo (*per scherno, sfida o scherzo*) ⒝ v. t. (*slang*) schernire (*i nemici, ecc.*) volgendo le spalle e mostrando loro il sedere nudo.

■ **moon about** (*o* **around**) v. i. + avv. (*o* prep.) (*fam.*) girare, ciondolare col muso lungo; avere un'aria svogliata e delusa: **to m. about the house**, ciondolare per casa.

■ **moon away** v. t. + avv. (*fam.*) passare (*il tempo, ecc.*) immerso in pensieri tristi (*spec. per pene d'amore*).

■ **moon over** v. i. + prep. (*fam.*) pensare di continuo a (*una ragazza, ecc.*) fantasticando; essere infatuato di (*un attore, ecc.*): *Jack is mooning over Sheila like a schoolboy*, Jack è infatuato di Sheila e pensa sempre a lei come uno scolaretto.

moonbat /'muːnbæt/ n. (= **barking moonbat**, *spreg.*, *USA*., *spec. di un avversario politico*) fuori di testa (*fam.*); pazzo; scemo.

moonbeam /'muːnbiːm/ n. raggio di luna; raggio lunare.

mooncalf /'muːnkɑːf/ n. (pl. **mooncalves**) **1** sciocco; imbecille **2** fannullone, fannullona **3** (*arc.*) mostro.

moonfish /'muːnfɪʃ/ n. (pl. **moonfish, moonfishes**) (*zool.*) **1** pesce dei Molidi (*in genere*) **2** (*Mola mola*) pesce luna; tamburo; mola **3** (*Lampris regius*) pesce re.

moonflower /'muːnflaʊə(r)/ n. (*bot.*) **1** (*Chrysanthemum leucanthemum*) margherita **2** (*Calonyction aculeatum*) convolvolo notturno; ipomea alba.

mooning /'muːnɪŋ/ n. ⓤ (*slang*) il mostrare il sedere nudo (*per dileggio*).

moonish /'muːnɪʃ/ a. **1** sotto l'influsso della luna **2** (*fig.*) lunatico; bizzarro; capriccioso.

moonless /'muːnləs/ a. **1** senza luna; illune (*lett.*) **2** (*astron.*) senza lune; senza satelliti.

moonlight /'muːnlaɪt/ n. ⓤ **1** chiaro di luna: **in the m.**, al chiaro di luna **2** (*fam. USA*) →**moonshine, def. 3** ● (*slang*) **m. flit**, fuga di notte, trasloco fatto di notte (*per non pagare l'affitto arretrato o per non saldare un debito*): **to do a m. flit**, bruciare il paglione (*fig.*) □ **a m. walk**, una passeggiata al chiaro di luna.

to **moonlight** /'muːnlaɪt/ v. i. **1** (*fam.*) avere (*o* fare) un secondo lavoro **2** (*fam. USA*) →**to moonshine**.

moonlighter /'muːnlaɪtə(r)/ n. **1** chi agisce furtivamente di notte; incursore notturno **2** (*fam.*) bioccupato; chi ha (*o* chi fa) un secondo lavoro.

moonlighting /'muːnlaɪtɪŋ/ n. ⓤ (*fam.*) doppia attività lavorativa.

moonlit /'muːnlɪt/ a. illuminato (*o* rischiarato) dalla luna ● **on a m. night**, in una notte di luna.

moon-man /'muːnmən/ n. (pl. **moon-men**) (*fantascienza*) selenita; abitante della luna.

moonraker /'muːnreɪkə(r)/ n. (*naut.*) uccellina (*vela*).

moonrise /'muːnraɪz/ n. ⓤ il sorgere della luna.

moonrock /'muːnrɒk/ n. ⓤ (*astron.*) roccia lunare.

moonscape /'muːnskeɪp/ n. paesaggio lunare (*o* della luna).

moonset /'muːnsɛt/ n. tramonto della luna.

moonshine /'muːnʃaɪn/ n. ⓤ **1** chiaro di luna **2** (*fig.*) idee balzane; progetti strampalati; fesserie; fantasie: *It's all m.*, sono tutte fantasie **3** (*fam. USA*) liquore di contrabbando (*whisky, ecc.*; *spec. distillato alla macchia*).

to **moonshine** /'muːnʃaɪn/ (*fam. USA*) v. i. distillare liquore alla macchia ‖ **moonshiner** n. distillatore clandestino (*o* contrabbandiere) di liquore.

moonship /'muːnʃɪp/ n. (*miss.*) astronave (*per esplorazioni lunari*).

moonshot /'muːnʃɒt/ n. (*miss.*) lancio verso la luna.

moonstone /'muːnstəʊn/ n. ⓤ (*miner.*) pietra di luna; lunaria; selenite.

moonstruck /'muːnstrʌk/ a. matto; pazzo; tocco; lunatico; stravagante.

moonwalk /'muːnwɔːk/ (*miss.*) n. passeggiata lunare ‖ **moonwalker** n. esploratore lunare.

moonwort /'muːnwɜːt/ n. (*bot.*) **1** (*Botrychium lunaria*) botrichio **2** (*Lunaria annua, Lunaria biennis*) lunaria; medaglia; erba lunaria; argentina.

moony /'muːnɪ/ a. **1** lunare; della luna **2** lunato; a forma di luna **3** (*fam.*) svagato; trasognato; che sta nel mondo della luna **4** (*slang*) sognante; trasognato; svagato: **m. eyes**, occhi sognanti.

moor /mɔː(r), *USA* mʊr/ n. **1** brughiera; landa **2** riserva di caccia (in brughiera) ● (*zool.*) **m. game** (*Lagopus scoticus*), pernice bianca di Scozia ‖ **moorish** a. di (*o* simile a) brughiera ‖ **moory** a. di (*o* simile a) brughiera.

Moor /mɔː(r), *USA* mʊr/ n. moro; saraceno ‖ **Moorish** a. moro; moresco: (*archit.*) **a Moorish arch**, un arco moresco.

to **moor** /mɔː(r), *USA* mʊr/ ⒜ v. t. (*naut.*) ormeggiare; attraccare ⒝ v. i. ormeggiarsi; attraccare: **to m. along the quay**, attraccare alla banchina ● (*mil.*) **moored mine**, mina ancorata.

moorage /'mɔːrɪdʒ/ n. (*naut.*) **1** ⓤ ormeggio; attracco **2** ⓤ diritti d'ormeggio.

moorcock /'mɔːrkɒk/ n. (*zool.*) maschio della pernice bianca di Scozia.

moorfowl /'mɔːfaʊl/ n. (arc.) = **moor game** →**moor**.

moorhen /'mɔːhɛn/ n. (*zool.*) **1** femmina della pernice bianca di Scozia **2** (*Gallinula chloropus*) sciabica, gallinella d'acqua (*dal piumaggio nero*).

mooring /'mɔːrɪŋ/ n. (*naut.*) **1** ⓤ ormeggio; attracco; posto di ormeggio **2** (pl.) ormeggi; cavi di ormeggio ● **m. buoy**, boa d'ormeggio □ **m. dues**, diritti di ormeggio □ **m. line**, cima di ormeggio □ (*aeron.*) **m. mast** (*o* **m. tower**), pilone d'ormeggio □ (*naut.*) **m. post**, colonna d'ormeggio □ **m. rope**, cavo d'ormeggio □ (*naut.*) **to break one's moorings**, rompere gli ormeggi □ (*fig.*) **to lose one's moorings**, andare alla deriva (*fig.*).

moorland /'mɔːlənd/ n. ⓤⓒ brughiera; landa.

moose /muːs/ n. (generalm. inv. al pl.) (*zool.*) **1** (*Alces americanus*) alce nordamericano **2** (*Alces alces*) alce.

moot /muːt/ ⒜ n. **1** (*stor.*) assemblea, consiglio (*generalm. popolare*) **2** discussione, dibattito (*spec. su un caso legale teorico*) ⒝ a. **1** da discutere; incerto; discutibile; opinabile: *This is a m. point* (*o* *question*) *requiring further discussion*, si tratta di una questione che richiede ulteriori discussioni **2** cui non vale la pena discutere; irrilevante ● **m. court**, tribunale fittizio (*in cui studenti di giurisprudenza discutono casi legali teorici*) □ (*stor.*) **m. hall**, palazzo del consiglio del popolo.

to **moot** /muːt/ v. t. **1** mettere in discussione; discutere; dibattere **2** avanzare (*una proposta*) ● **to m. a question**, sollevare una questione.

mop ① /mɒp/ n. **1** scopa con frangia di cotone (*o* spugna) per lavaggio dei pavimenti; straccio; mocio® **2** (= **dish mop**) scopetta per i piatti **3** (*naut.*) redazza, radazza **4** (= **mophead**) massa incolta di capelli; zazzera **5** (*mecc.*) disco per pulitrici ● (*fam.*) **mop top**, persona zazzeruta; capellone □ (*fam.*) **mop-up**, asciugata (*o* lavata) con uno straccio; ultimo tocco; colpo finale; colpetto (*fam.*).

mop ② /mɒp/ n. – (nella loc.) **mops and mows**, smorfie, boccacce.

to **mop** ① /mɒp/ v. t. **1** lavare, pulire con lo straccio, spazzare (*i pavimenti, ecc.*): *Can you mop the kitchen floor when you've finished the dishes?*, puoi passare lo straccio in cucina quando hai finito i piatti? **2** pulire (*i piatti, ecc.*) con una scopetta di pannospugna **3** (*naut.*) radazzare **4** asciugare; tergere: **to mop one's brow**, asciugarsi la fronte ● (*fam.*) **to mop the floor with sb.**, dare una grossa batosta a q. □ **to mop up**, asciugare, prosciugare, raccogliere; (*fam.*) mangiare, bere avidamente; papparsi, scolarsi; finire, sbrigare; (*fin.*) ritirare (*redditi, risorse finanziarie*) dalla circolazione; (*mil.*) rastrellare: *Mop up the spilt wine*, asciuga il vino versato!; (*fin.*) **to mop up the funds**, prosciugare i fondi □ (*fam.*) **to mop up all the profits**, assorbire (*o* prendersi) tutti gli utili □ **to mop up the sauce with a piece of bread**, fare la scarpetta (*fam.*).

to **mop** ② /mɒp/ v. i. – **to mop and mow**, fare smorfie; far boccacce.

mopboard /'mɒpbɔːd/ n. (*USA*) battiscopa.

mope /məʊp/ n. **1** individuo abbattuto, depresso, imbronciato, triste; musone **2** (pl.) abbattimento; depressione di spirito: **to have the mopes**, essere depresso.

to **mope** /məʊp/ ⒜ v. i. essere abbattuto, depresso, imbronciato, triste; metter su il muso, fare il broncio (*o* il muso) ⒝ v. t. (*arc.*) deprimere; rattristare.

■ **mope about** (*o* **around**) v. i. + avv. (*fam.*)

girellare senza scopo (*per noia o tristezza*); ciondolare con l'aria annoiata o depressa.

moped ① /'məupt/ a. abbattuto; depresso; imbronciato; triste.

moped ② /'məupɛd/ n. ciclomotore; motorino (*fam.*).

mophead /'mɒphed/ n. **1** massa incolta di capelli; zazzera **2** persona zazzeruta; capellone ‖ **mop-headed** a. **1** capelluto; zazzeruto **2** arruffato; scarmigliato.

mopish /'məupɪʃ/ a. **1** depresso; malinconico; triste **2** deprimente; triste | **-ly avv.** | **-ness** n. ⓤ.

moppet /'mɒpɪt/ n. (*fam.*) **1** bambina; piccina; pupetta **2** bambino; piccino; pupo.

mopping up /'mɒpɪŋ'ʌp/ n. **1** prosciugamento, l'asciugare (*con uno straccio, ecc.*) **2** (*fin.*) prosciugamento (*di fondi, ecc.*); ritiro dalla circolazione (*di redditi, risorse finanziarie*) **3** (*mil.*) rastrellamento: **mopping up operations**, operazioni di rastrellamento.

mopy /'məupɪ/ → **moped** ①.

moquette /mɒ'kɛt/ n. ⓤ (*ind. tess.*) tessuto vellutato; moquette; mochetta (*raro*).

MOR sigla (*mus.*, **middle-of-the road**) musica leggera.

moraine /mɒ'reɪn/ (*geol.*) n. morena ‖ **morainal, morainic** a. morenico.

♦**moral** /'mɒrəl/ Ⓐ a. **1** morale; etico; onesto; serio; virtuoso: **m. law**, legge morale; **m. sense**, senso morale; **a m. man**, un uomo virtuoso; **to be under a m. obligation to do st.**, avere l'obbligo morale di fare qc. **2** che ha una morale; edificante: **a m. tale**, un racconto edificante Ⓑ n. **1** (la) morale; insegnamento morale: **to draw the m. from a story**, trarre la morale da un racconto **2** (pl.) moralità; costumi; principi morali: **loose morals**, costumi dissoluti; *He has no morals*, non ha principi morali ● **a m. certainty**, una certezza morale (*o quasi assoluta*) □ (*leg.*) **m. damages**, risarcimento dei danni morali □ (*USA, polit.*) **m. majority**, la maggioranza (*presunta*) conservatrice; (*USA, polit.*) **M. Majority**, Moral Majority (*organizzazione per la difesa dei valori cristiani e conservatori*) □ **m. support**, aiuto morale ● **m. victory**, vittoria morale □ **to point a m.**, illustrare un principio morale.

morale /mɒ'rɑːl/ n. ⓤ (il) morale: *The m. of the army was excellent*, il morale dell'esercito era altissimo; **to keep up one's m.**, tenere alto il morale ● **m.-boosting**, che risolleva il morale; entusiasmante.

moralism /'mɒrəlɪzəm/ n. ⓤ (*anche filos.*) moralismo.

moralist /'mɒrəlɪst/ n. **1** (*anche filos.*) moralista **2** persona virtuosa (*o retta*) **3** professore di morale ‖ **moralistic** a. moralistico ‖ **moralistically** avv. moralisticamente.

morality /mɒ'rælɪtɪ/ n. **1** ⓤ moralità **2** sistema morale; etica; scienza morale; morale **3** (*stor., letter.*; = **m. play**) moralità (*dramma allegorico*).

to moralize /'mɒrəlaɪz/ Ⓐ v. i. moraleggiare Ⓑ v. t. **1** moralizzare; rendere morale **2** trarre una morale da (qc.); dare un'interpretazione morale a (qc.) ‖ **moralization** n. **1** ⓤ moralizzazione **2** interpretazione morale ‖ **moralizer** n. **1** chi moraleggia **2** moralizzatore.

morally /'mɒrəlɪ/ avv. **1** moralmente: **to be m. responsible**, essere responsabile moralmente **2** virtualmente: **m. certain**, virtualmente sicuro; assai probabile.

morass /mɒ'ræs/ n. (*lett.*) acquitrino; palude; pantano (*anche fig.*) ● **to be caught in the m. of red tape**, impantanarsi nella burocrazia.

moratorium /mɒrə'tɔːrɪəm/ (*lat.*), (*leg., comm.*) n. (pl. *moratoria, moratoriums*) moratoria; sospensiva.

Moravian /mə'reɪvɪən/ a. e n. moravo; (abitante o nativo) della Moravia.

moray /'mɒreɪ, 'mɔː-/ n. (*zool., Muraena*; = **m. eel**) murena.

morbid /'mɔːbɪd/ a. **1** morboso; malsano; malato (*fig.*): **m. curiosity**, curiosità morbosa; **m. details**, particolari morbosi; **m. imagination**, fantasia malata **2** (*med.*) morboso; patologico; morbido: **a m. growth**, una crescita patologica; **m. anatomy**, anatomia patologica; (*psic.*) **a m. fear**, una paura morbosa; una fobia ❶ Falsi amici ● morbid *non significa* morbido *nel senso di soffice* ‖ **morbidity** n. ⓤ **1** morbosità; interesse morboso **2** (*med.*) morbosità; stato patologico **3** morbilità; percentuale dei malati (*in una data regione*) ‖ **morbidly** avv. morbosamente ‖ **morbidness** n. ⓤ morbosità.

morbific /mɔː'bɪfɪk/ a. (*med.*) morbifero; morbigeno; patogeno.

morbilli /mɔː'bɪlaɪ/ (*med.*) n. morbillo.

mordacious /mɔː'deɪʃəs/ a. mordace (*fig.*); caustico; corrosivo.

mordant /'mɔːdnt/ Ⓐ a. mordace (*fig.*); caustico; corrosivo: **m. satire**, satira mordace Ⓑ n. (*ind. tess.*) mordente ● **m. dye**, colorante a mordente; colorante additivo.

to mordant /'mɔːdnt/ (*ind. tess.*) v. t. mordenzare ‖ **mordanting** n. ⓤ mordenzatura.

mordent /'mɔːdnt/ n. (*mus.*) mordente.

♦**more** /mɔː(r)/ (compar. di **much, many**) Ⓐ a. e pron. indef. più; di più; altro; dell'altro; ancora; in aggiunta; ulteriore: *I have m. money than you*, ho più denaro di te; **many m.**, molti di più; *Bring me some m. water*, portami dell'altra acqua (*o ancora acqua*)!; *I want m. books*, voglio più libri (*o ancora dei libri, altri libri*); *There is m. food in the refrigerator*, c'è dell'altro cibo nel frigorifero; *That is m. than enough*, (ciò) è più che sufficiente; ce n'è d'avanzo; *I don't want any m.*, non ne voglio più; *I don't smoke any m.*, non fumo più; *Stay a little m.*, rimani ancora un po'! Ⓑ avv. (compar. di **much**) più; di più; maggiormente: *He is m. intelligent than his brother*, è più intelligente di suo fratello; *We found it m. easily than I thought*, lo trovammo più facilmente di quanto credessi ❶ Nota: *comparative →* **comparative** ● **m. and m.**, sempre più: *He's getting m. and m. forgetful*, diventa sempre più distratto □ **the m. the merrier**, più siamo, meglio è □ **the m. … the m.**, più … più: *The m. he has, the m. he wants*, più ha, più vorrebbe avere □ **m. often than not**, abbastanza spesso; il più delle volte □ **m. or less**, più o meno; press'a poco; quasi: *I've more or less finished the final draft*, ho più o meno finito l'ultima stesura □ **and m. than this**, e quel che più conta □ **and what is m.**, e quel che più conta; e per di più; inoltre □ **m. than meets the eye**, dell'altro; qualcosa di più; qualcosa sotto (*fig.*): *There's m. in his proposal than meets the eye*, c'è dell'altro nella sua proposta □ **neither m. nor less than**, né più né meno che; semplicemente: *That's neither m. nor less than absurd!*, è semplicemente assurdo (*o ridicolo*)! □ **nothing m.**, nient'altro □ **no m.**, non… più; mai più; neanche; neppure: *I can do no m.*, non posso fare di più; *I have no m.*, non ne ho più; *I saw him no m.*, non lo vidi mai più □ **once m.**, ancora una volta; di nuovo □ **I hope to see m. of you**, spero di vederti più spesso □ **He is no m.**, non è più; è morto □ **All the m. reason for you to refuse**, a maggior ragione dovresti rifiutare (*o avresti fatto bene a rifiutare*) □ (*offendo qc.*) **Say m. for any m.?**, c'è qualcuno che ne vuole ancora?

moreish /'mɔːrɪʃ/ → **morish**.

morel ① /mɒ'rɛl/ n. (*bot.*, *Solanum nigrum*) erba morella.

morel ② /mɒ'rɛl/ n. (*bot.*, *Morchella esculenta*) spugnola gialla.

morello /mə'rɛləu/ n. (pl. **morellos**) (*bot.*, = **m. cherry**) marasca, amarasca ● **m. tree** (*Prunus cerasus*) marasco, amarasco.

♦**moreover** /mɔːr'əuvə(r)/ avv. inoltre; oltre a ciò; per di più; per giunta.

mores /'mɔːreɪz/ (*lat.*) n. pl. (*lett.*) costumi; consuetudini; usanze.

Moresque /mə'rɛsk/ a. (*archit.*) moresco.

morganatic /mɔːgə'nætɪk/ a. (*leg., stor.*) morganatico: **m. marriage**, matrimonio morganatico; **m. wife**, moglie morganatica | **-ally** avv.

morganite /'mɔːgənaɪt/ n. ⓤ (*miner.*) morganite.

morgue /mɔːg/ (*franc.*) n. **1** obitorio **2** (*gergo giorn.*) archivio (*d'informazioni varie*) **3** (*fig.*) mortorio; cimitero (*fig.*).

moribund /'mɒrɪbʌnd/ a. e n. moribondo; morente (*anche fig.*).

morion ① /'mɒrɪən/ n. (*stor.*) morione.

morion ② /'mɒrɪən/ n. (*miner.*) morione; quarzo nero (*o affumicato*).

Morisco /mə'rɪskəu/ Ⓐ a. (*archit.*) moresco Ⓑ n. (pl. *Moriscos, Moriscoes*) **1** (*stor.*) moro di Spagna; saraceno **2** danza moresca; moresca (*antico ballo rurale*).

morish /'mɒrɪʃ/ a. (*fam.*) appetitoso; delizioso; ghiotto; che si mangia bene.

Mormon /'mɔːmən/ (*relig.*) Ⓐ n. mormone Ⓑ a. mormonico ‖ **Mormonism** n. ⓤ mormonismo.

morn /mɔːn/ n. (*poet.*) mattino; mattina: *'It was the lark, the herald of the m.'* W. Shakespeare, 'è stata l'allodola, araldo del mattino'.

♦**morning** /'mɔːnɪŋ/ Ⓐ n. ⓒ mattina; mattinata; mattino; (*poet., fig.*) alba, aurora: **in the m.**, la mattina; di mattina; al mattino: *I usually go shopping in the m.*, di solito faccio la spesa la (o di) mattina; *I can't do it this m.*, non riesco a farlo stamattina; **early in the m.**, di prima mattina; di buon mattino; **the m. of life**, l'alba della vita; *Good m.!*, Buongiorno!; *Good m. everyone*, buongiorno a tutti; *M.!*, giorno! Ⓑ a. della mattina; del mattino: **the m. papers**, i giornali del mattino ● **the m. after**, i postumi d'una sbornia □ **m.-after pill**, pillola del giorno dopo (*anticoncezionale*) □ **m. coat**, giacca a coda di rondine; giacca da tight □ **m. dress**, abito a coda di rondine; tight □ (*bot.*) **m. glory** (*Ipomoea purpurea*), vilucchio; campanella dei giardini □ **m. gown**, vestaglia (*da uomo o da donna*) □ (*USA*) **m. loan**, prestito alla giornata □ **m., noon and night**, giorno e notte □ (*teatr.*) **m. performance**, matinée; spettacolo pomeridiano □ (*relig.*) **m. prayer**, mattutino □ **m. room**, salottino; soggiorno □ (*med.*) **m. sickness**, nausea mattutina (*nei primi mesi di gravidanza*) □ **the m. star**, l'astro del mattino; la stella mattutina (*Venere o altro pianeta*) □ **m. suit** = **m. dress** → *sopra* □ (*naut.*) **the m. watch**, il turno di guardia del mattino (*dalle 4 alle 8*) □ **this m.**, stamattina; stamane.

mornings /'mɔːnɪŋz/ avv. (*fam.*) **1** di mattina; la mattina **2** tutte le mattine; ogni mattina.

Morocco /mə'rɒkəu/ n. **1** (*geogr.*) Marocco **2** – m. (= **m. leather**), marocchino (*cuoio*) ‖ **Moroccan** a. e n. marocchino; (abitante o nativo) del Marocco.

moron /'mɔːrɒn/ n. **1** (*psic.*) debole di mente; ritardato mentale **2** (*slang*) idiota; scemo; stupido ‖ **moronic** a. **1** (*psic.*) dalla mente debole **2** (*slang*) stupido; scemo; deficiente ‖ **moronically** avv. stupidamente.

moronism /'mɔːrɒnɪzəm/, **moronity**

/məˈrɒnətɪ/ n. ⓤ (*med.*) debolezza mentale.

morose /məˈrəʊs/ a. cupo; imbronciato; immusonito (*fam.*); scontroso | **-ly avv.** | **-ness** n. ⓤ ❶ **FALSI AMICI** • morose *non significa* moroso.

morph /mɔːf/ n. (*comput.*) morph (*risultato del* → *«morphing»*).

to **morph** /mɔːf/ v. t. (*comput.*) trasformare gradatamente (*un'immagine*) come in una metamorfosi.

morpheme /ˈmɔːfiːm/ (*ling.*) n. morfema || **morphemic** a. morfematico; morfemico.

morphemics /mɔːˈfiːmɪks/ n. pl. (col verbo al sing.) (*ling.*) morfologia.

Morpheus /ˈmɔːfɪəs/ n. (*mitol.*) Morfeo • (*fig.*) **in the arms of M.**, in braccio a Morfeo; addormentato.

morphine /ˈmɔːfiːn/, **morphia** /ˈmɔːfɪə/ n. (*chim.*, *farm.*) morfina • **m. addict**, morfinomane.

morphing /ˈmɔːfɪŋ/ n. ⓤ (*comput.*) morphing (*tecnica di animazione che trasforma gradualmente un'immagine in un'altra*).

morphinism /ˈmɔːfɪnɪzəm/ n. ⓤ (*med.*) morfinismo.

morphism /ˈmɔːfɪzəm/ n. (*mat.*) morfismo.

morphogenesis /mɔːfəˈdʒenəsɪs/ (*biol.*) n. ⓤ morfogenesi || **morphogenetic** a. morfogenetico.

morphology /mɔːˈfɒlədʒɪ/ (*scient.*) n. ⓤ morfologia || **morphological** a. morfologico || **morphologically** avv. morfologicamente.

morphophoneme /mɔːfəˈfəʊniːm/ n. (*ling.*) morfofonema; morfonema.

morphophonemics /mɔːfəfəʊˈniːmɪks/ n. pl. (col verbo al sing.) (*ling.*) morfofonematica; morfonematica.

morphosis /mɔːˈfəʊsɪs/ n. ⓒⓤ (pl. **morphoses**) (*biol.*) morfosi.

morphosyntactic /mɔːfəʊsɪnˈtæktɪk/ (*ling.*) a. morfosintattico || **morphosyntax** n. ⓤ morfosintassi.

morris /ˈmɒrɪs/ n. (= **m. dancing**) danza moresca; moresca (*antico ballo folcloristico inglese*): **m. dancer**, ballerino di moresca.

Morris /ˈmɒrɪs/ n. Maurizio.

morrow /ˈmɒrəʊ/ n. (*lett.*) **1** (il) domani; (il) giorno dopo; (il) giorno seguente **2** (il) futuro • **on the m. of the long war**, (subito) dopo la lunga guerra ◻ (*arc.*) **Good m.!**, buon giorno!

morse ① /mɔːs/ n. (*zool.*, *Odobenus rosmarus*) tricheco; cavallo marino.

morse ② /mɔːs/ n. (*relig.*) fermaglio del piviale.

Morse /mɔːs/ n. (= **M. code**) alfabeto Morse.

morsel /ˈmɔːsl/ n. **1** boccone; pezzetto (*di cibo*); tozzo (*di pane*) **2** (*fig.*) briciolo; pizzico.

mort ① /mɔːt/ n. (*caccia*) **1** uccisione del cervo **2** suono di corno per la morte della preda.

mort ② /mɔːt/ n. (*zool.*) salmone di tre anni.

mortal /ˈmɔːtl/ Ⓐ a. **1** mortale; fatale; letale; all'ultimo sangue; a oltranza: **a m. wound**, una ferita mortale; **m. remains**, spoglie mortali; **in m. combat**, in un duello mortale; **a m. enemy**, un nemico mortale; **m. hatred**, odio mortale; *Man is m.*, l'uomo è mortale **2** (*fam.*) enorme; estremo; terribile: **to be in a m. hurry**, avere una fretta terribile; *I waited for two m. hours*, attesi per due ore interminabili Ⓑ n. mortale; uomo; creatura umana • **m. agony**, agonia ◻ (*relig.*) **m. sin**, peccato mortale ◻ **by no m. means**, in nessun modo; neanche per sogno ◻ (*fam.*)

It's no m. good to anyone, non serve proprio a nessuno!; a che pro? | **-ly** avv. ❶ **NOTA:** *fatal, fateful o mortal?* → **fatal**

mortality /mɔːˈtælɪtɪ/ n. ⓤ **1** mortalità; l'esser mortale; caducità: (*demogr.*) **m. rate**, tasso (*o* quoziente) di mortalità; (*stat.*, *demogr.*) **m. tables**, tavole di mortalità **2** (collett.) i mortali; l'umanità.

mortar /ˈmɔːtə(r)/ n. **1** mortaio (*recipiente*) **2** (*mil.*) mortaio **3** (*edil.*): malta: **lime m.**, malta di calce; calcina; **m. of cement**, malta di cemento • **m. board** → **mortarboard**.

to **mortar** /ˈmɔːtə(r)/ v. t. **1** (*edil.*) commettere (*mattoni, ecc.*); cementare con la malta **2** (*mil.*) attaccare (*o* bombardare) coi mortai.

mortarboard /ˈmɔːtəbɔːd/ n. **1** (*edil.*) vassoio; sparviere; nettatoia **2** (*fam.*) tocco (*copricapo di un accademico*).

♦**mortgage** /ˈmɔːgɪdʒ/ Ⓐ n. (*leg.*, *anche fig.*) ipoteca; (*per estens.*) mutuo (ipotecario): **cheap mortgages**, ipoteche convenienti Ⓑ a. attr. (*leg.*) ipotecario: **m. bond**, obbligazione ipotecaria; **m. creditor**, creditore ipotecario • **m. loan**, prestito (*o* mutuo) ipotecario ◻ **m. lending**, concessione di mutui ipotecari ◻ (*fin.*) **m. market**, mercato delle ipoteche ◻ **m. rate**, tasso di interesse ipotecario ◻ **m. register**, registro delle ipoteche ◻ **m. registry**, conservatoria delle ipoteche ◻ **to borrow money on m.**, prendere a prestito denaro su garanzia ipotecaria ◻ **to pay off a m.**, levare (*o* estinguere) un'ipoteca ◻ **to raise** (*o* **to take out**) **a m.**, accendere un'ipoteca ◻ **registrar of mortgages**, conservatore delle ipoteche.

to **mortgage** /ˈmɔːgɪdʒ/ v. t. **1** (*leg.*) ipotecare (*anche fig.*); gravare (qc.) d'ipoteca: **to m. one's house**, ipotecare la propria casa **2** (*fig.*, spec. al passivo) dedicare; impegnare.

mortgageable /ˈmɔːgɪdʒəbl/ a. (*leg.*) ipotecabile.

mortgagee /mɔːgɪˈdʒiː/ n. (*leg.*) creditore ipotecario.

mortgager /ˈmɔːgɪdʒə(r)/, **mortgagor** /mɔːgɪˈdʒɔː(r)/ n. (*leg.*) debitore ipotecario.

mortice /ˈmɔːtɪs/ → **mortise**.

to **mortice** /ˈmɔːtɪs/ → **to mortise**.

mortician /mɔːˈtɪʃn/ n. (*USA*) impresario di pompe funebri; necroforo.

mortification /mɔːtɪfɪˈkeɪʃn/ n. **1** ⓤⓒ mortificazione; umiliazione: (*relig.*) **the m. of the body**, la mortificazione della carne **2** ⓤ (*med.*) cancrena; necrosi.

mortified /ˈmɔːtɪfaɪd/ a. **1** mortificato; umiliato **2** (*med.*) mortificato; necrotizzato.

to **mortify** /ˈmɔːtɪfaɪ/ Ⓐ v. t. **1** mortificare; umiliare: **to m. the flesh**, mortificare la carne **2** (*med.*) far andare in cancrena; necrotizzare Ⓑ v. i. **1** mortificarsi **2** (*med.*) andare in cancrena; incancrenire.

mortifying /ˈmɔːtɪfaɪɪŋ/ a. mortificante; umiliante | **-ly** avv.

mortise /ˈmɔːtɪs/ n. (*falegn.*) mortasa; mortisa (*raro*) • **m. chisel**, punta da mortasa ◻ **m. joint**, giunto a tenone e mortasa ◻ **m. lock**, serratura da incasso.

to **mortise** /ˈmɔːtɪs/ v. t. (*falegn.*) **1** congiungere a mortasa **2** mortasare • (*mecc.*) **mortising machine**, mortasatrice da legno.

mortlake /ˈmɔːtleɪk/ n. (*geogr.*) mortizza; lanca; meandro morto (*di un fiume*).

mortmain /ˈmɔːtmeɪn/ n. ⓤ (*leg.*, *stor.*) manomorta.

mortuary /ˈmɔːtʃərɪ/ Ⓐ n. camera mortuaria; obitorio: **the m. slab**, il tavolo dell'obitorio Ⓑ a. mortuario; funebre: **m. rites**, riti funebri.

mosaic /məʊˈzeɪɪk/ Ⓐ n. **1** (*arte*) mosaico: *Roman mosaics*, mosaici romani **2** (*scient.*, *tecn.*) mosaico **3** (*fig.*) mosaico; mescolan-

za **4** (= **m. disease**) (*bot.*) mosaico (*malattia del tabacco*) Ⓑ a. di (*o* per) mosaico; a mosaico; musivo: **a m. floor**, un pavimento a mosaico; **a m. tile**, una tessera (*o* piastrella) (*o* per) mosaico; **m. art**, arte musiva; **m. gold**, oro musivo; disolfuro di stagno • (*scient.*) **m. structure**, struttura a mosaico.

to **mosaic** /məʊˈzeɪɪk/ (pass. e p. p. **mosaicked**), v. t. **1** decorare con mosaici **2** comporre a mosaico.

Mosaic /məʊˈzeɪɪk/ a. (*relig.*) mosaico: **the M. law**, la legge mosaica.

mosaicist /məʊˈzeɪɪsɪst/ n. **1** (*arte*) mosaicista **2** venditore di mosaici.

moschatel /mɒskəˈtel/ n. (*bot.*, *Adoxa moschatellina*) moscadellina; ranuncolino muschiato.

Moscow /ˈmɒskəʊ/ n. (*geogr.*) Mosca.

Moselle /məʊˈzel/ n. **1** (*geogr.*) Mosella **2** – **m.**, vino bianco della Mosella.

Moses /ˈməʊzɪz/ n. (*Bibbia*) Mosè.

to **mosey** /ˈməʊzɪ/ v. i. (*fam.*, spec. **to m. along**) girellare; gironzolare; bighellonare.

to **mosh** /mɒʃ/ v. i. (*slang mus.*) pogare (*pop.*).

Moslem /ˈmɒzləm/ → **Muslim**.

mosque /mɒsk/ n. (*relig.*) moschea.

mosquito /məˈskiːtəʊ/ n. (pl. **mosquitoes**, **mosquitos**) (*zool.*, *Culex*, *Anopheles*, ecc.) zanzara • **m. bite**, puntura di zanzara ◻ (*marina mil.*) **m. boat**, motosilurante ◻ **m. coil**, spirale antizanzare ◻ **m. net**, zanzariera ◻ **m. squatter**, scacciazanzare.

moss /mɒs/ n. (*bot.*) muschio, musco • **m.-grown**, muscoso; muschioso; coperto di muschio; (*fig. USA*) antiquato ◻ **m. hag**, vecchia torbiera ◻ (*bot.*) **m. rose** (*Rosa centifolia muscosa*), rosa muscosa; rosa borracina ◻ (*nei lavori a maglia*) **m. stitch**, punto riso.

to **moss** /mɒs/ v. t. coprire (*o* rivestire) di muschio.

mossback /ˈmɒsbæk/ n. (*slang USA*) reazionario; retrogrado; parruccone (*fig.*).

mosstrooper /ˈmɒstruːpə(r)/ n. (*stor.*) predone delle paludi (*di frontiera; nel '600; tra la Scozia e l'Inghilterra*).

mossy /ˈmɒsɪ/ a. **1** coperto di muschio; muscoso **2** simile a muschio **3** (*slang USA*) conservatore; reazionario; retrogrado • **m. green**, verde muschio; verde sottobosco || **mossiness** n. ⓤ l'essere muscoso.

♦**most** /məʊst/ (superl. di **much**, **many**) Ⓐ a. e pron. indef. più; di più; il maggior numero (di); la maggior parte (di); il (massimo: *He took m. of the credit*, ebbe (o si prese) la maggior parte del merito; *You've made* (the) *m. mistakes*, hai fatto più errori di tutti; *M. of us are going away*, la maggior parte di noi se ne va; *That's the m. I can do for you*, questo è il massimo che posso fare per te Ⓑ avv. ❶ **NOTA:** *comparative* → **comparative** **1** (per formare il superl. relat.) più: *He is the m. diligent pupil in the class*, è lo scolaro più diligente della classe; *She worked* (the) *m. quickly*, lavorò più in fretta di tutti **2** di più; più di tutto, di tutti: *Those who work* (the) *m. often get paid* (the) *least*, quelli che lavorano di più sono spesso pagati di meno; *That's what m. annoys me*, questo è quel che mi irrita di più **3** (per formare il superl. assol.) molto; moltissimo; estremamente: *This is a m. interesting novel*, questo è un romanzo molto interessante (*o* interessantissimo); *It was most kind of you*, è stato molto gentile da parte tua **4** (*fam. USA*) quasi: **m. every day**, quasi ogni giorno • **m. certainly**, certissimamente ◻ (*comm. est.*) **m.-favoured-nation clause**, clausola della nazione più favorita • **M. Honourable** → **honourable** ◻ **m. likely**, molto probabilmente; quasi certamente ◻ **m. of all**, soprat-

tutto □ **the m. part**, la maggior parte □ **m. people**, la maggior parte delle persone; i più: *M. people would react like you*, i più reagirebbero come te □ **at (the) m.**, al massimo; a far molto; a dir molto: *They told me it would take three weeks at the m.*, mi hanno detto che ci vorranno tre settimane al massimo □ **for the m. part**, per lo più; per la maggior parte □ **to make the m. of oneself**, farsi valere □ **to make the m. of st.**, trarre il massimo vantaggio da qc.; sfruttare al massimo qc.

❶ Nota: *most*

Poiché *most* seguito da aggettivo o da avverbio può anche significare molto, estremamente (→ **B**, *def.* **3**) e poiché, quando forma il superlativo relativo , in determinati casi può non essere preceduto da **the**, esistono frasi in cui il suo significato risulta ambiguo, ad esempio: *I find Sarah's argument most persuasive* può voler dire a) il ragionamento di Sarah mi sembra il più convincente di tutti, oppure b) il ragionamento di Sarah mi sembra molto convincente; *Ted Turner contributed most generously* può significare a) Ted Turner ha dato il contributo più generoso, oppure b) Ted Turner ha dato un contributo estremamente generoso.

♦**mostly** /ˈməʊstlɪ/ avv. **1** per lo più; principalmente; soprattutto **2** generalmente; di solito; quasi sempre.

MOT /ɛməʊˈtiː/ n. **1** (acronimo di **Ministry of Transport**; *un tempo in GB*; *ora* **Department of Transport**) **2** (*autom.* = MOT certificate) certificato di collaudo superato • (*autom.*) **MOT test**, collaudo (*o* revisione) annuale di automobili con più di tre anni di vita (*da farsi per legge*).

mote /məʊt/ n. **1** particella di polvere; atomo di pulviscolo **2** bruscolo; pagliuzza; fuscello (*anche fig.*): **to see the m. in sb.'s eye**, vedere il fuscello nell'occhio altrui (e non la trave nel proprio).

motel /məʊˈtɛl/ n. motel.

motet /məʊˈtɛt/ n. (*mus.*) mottetto.

moth /mɒθ/ n. (*zool.*) **1** farfalla notturna (*o* crepuscolare); falena **2** (*Tinea*, *ecc.*; = **clothes m.**) tignola; tarma **3** (*slang*) lucciola (*fig.*); prostituta • **m.-eaten**, tarmato; (*fig.*) logoro, vecchio, antiquato, trito □ **m. repellent** → **mothproof**.

mothball /ˈmɒθbɔːl/ n. pallina di naftalina • (*fig.*) **to put st. in mothballs**, mettere qc. in naftalina; accantonare qc.

to **mothball** /ˈmɒθbɔːl/ v. t. **1** mettere in naftalina (*anche fig.*); accantonare **2** (*ind.*) tenere (*un impianto*, *ecc.*) in disuso **3** (*mil.*) mettere (*una nave*, *ecc.*) in disarmo.

♦**mother** ① /ˈmʌðə(r)/ n. **1** madre; mamma (*fam.*): **to become a m.**, diventare madre **2** (*relig.*) – M., Madre: **the M. Superior**, la Madre Superiora **3** (*slang USA*) cosa bella; oggetto eccezionale **4** (*naut.*) = **m. ship** → *sotto* **5** (*volg.*) → **motherfucker** • (*fam. spreg.*) **m.'s boy**, cocco di mamma □ (*zool.*) **M. Carey's chicken** (*Hydrobates pelagicus*), uccello delle tempeste; procellaria □ (*relig.*) **M. Church**, Santa Madre Chiesa □ (*psic.*) **m. complex**, complesso di Edipo (*o* della madre) □ **m. country**, patria; madrepatria □ **m.-craft**, puericultura □ **M.'s Day**, la Festa della Mamma (*in GB la quarta domenica di quaresima, in USA la seconda di maggio*) □ **m. earth**, (*lett.*) la madre terra; (*scherz.*) la terraferma □ (*psic.*) **m. figure**, figura materna □ **m.'s help**, collaboratrice domestica; colf □ **M. Hubbard**, Mamma Hubbard (*personaggio di poesie infantili*); camicione della nonna □ **m.-in-law**, suocera □ (*geol.*) **m. lode**, filone principale; (*fig.*) miniera (*o* fonte) inesauribile □ **m. love**, amor di madre; amore materno □ **m.-naked**, nudo nato; come mamma l'ha (*o* ti ha, *ecc.*) fatto □ **M. Nature**, ma-

dre natura □ (*relig.*) **M. of God**, madre di Dio, Madonna □ **m.-of-pearl**, (*sost.*) madreperla; (*agg.*) di madreperla □ (*bot.*) **m. of thousands** (*o* **m. of millions**), (*Cymbalaria muralis*) cimbalaria; (*Bellis perennis*) margheritina; pratolina □ (*naut.*) **m. ship**, nave appoggio; nave ausiliaria □ **a m.-to-be**, una futura madre; una donna incinta □ (*ling.*) **m. tongue**, lingua madre; madrelingua □ **m. wit**, buonsenso naturale □ **every m.'s son**, ogni figlio di mamma; ognuno.

mother ② /ˈmʌðə(r)/ n. (= **m. of vinegar**) madre dell'aceto.

to **mother** /ˈmʌðə(r)/ v. t. **1** dar vita a (*di solito fig.*); dare origine a **2** far da madre a; aver cure materne per (q.); (*anche di animali*) allevare (*come un figlio proprio*) **3** (*fig.*) coccolare, viziare **4** (*di donna*) riconoscere la maternità di (*un bambino*).

motherboard /ˈmʌðəbɔːd/ n. (*comput.*) scheda madre.

motherfucker /ˈmʌðəfʌkə(r)/ (*volg. spec. USA*) n. **1** rompipalle, coglione **2** (*al vocat.*, *tra uomini*) figlio di puttana; figlio di buona donna ‖ **motherfucking** a. fottutissimo; del cazzo.

motherhood /ˈmʌðəhʊd/ n. Ⓤ maternità.

Mothering Sunday /ˈmʌðərɪŋsʌndeɪ/ loc. n. (*sing.*) la quarta domenica di quaresima (*sostituita ora dalla Festa della Mamma*).

motherland /ˈmʌðəlænd/ n. madrepatria; patria.

motherless /ˈmʌðələs/ a. senza madre; orfano (*di madre*).

motherly /ˈmʌðəlɪ/ a. materno; di (*o* da) madre • **in a m. way**, maternamente ‖ **motherliness** n. Ⓤ senso materno; qualità materne.

mothproof /ˈmɒθpruːf/ a. antitarmico; inattaccabile dalle tarme.

to **mothproof** /ˈmɒθpruːf/ v. t. rendere (qc.) inattaccabile dalle tarme; fare il trattamento antitarmico a (qc.) ‖ **mothproofer** n. prodotto antitarmico; antitarmico ‖ **mothproofing** n. Ⓤ trattamento antitarmico.

mothy /ˈmɒθɪ/ a. **1** pieno di tarme **2** (*di tessuto*) tarmato.

motif /məʊˈtiːf/ n. **1** (*mus.*, *arte*, *letter.*) motivo; tema; idea dominante **2** (*in ceramica*, *in sartoria*, *ecc.*) motivo (decorativo); decoro; disegno **3** (*autom.*) emblema (*del costruttore*).

motile /ˈməʊtaɪl, *USA* -tl/ **A** a. (*biol.*) mobile **B** n. (*psic.*) soggetto motorio ‖ **motility** n. Ⓤ (*biol.*) motricità; motilità; capacità di locomozione.

♦**motion** /ˈməʊʃn/ n. **1** Ⓤ moto; movimento; movenza; gesto: **graceful motions**, movenze aggraziate; *The engine was put in m.*, il motore fu messo in moto (*o* fu avviato) **2** Ⓤ (*fis.*) moto: **perpetual m.**, moto perpetuo **3** (*leg.*, *polit.*) mozione; proposta; istanza: **to present a m.**, presentare una mozione; **to vote on a m.**, votare una mozione; **a m. of censure**, una mozione di censura □ **a m. to adjourn**, una proposta di rinvio; **m. for a new trial**, istanza di rinnovo del processo **4** (*form.*; = **m. of the bowels**) evacuazione dell'intestino; andata di corpo; (*anche*) feci • (*cronot.*) **m. analysis**, analisi dei movimenti □ (*cinema*) **m. capture**, motion capture, cattura del movimento (*animazione di un personaggio digitale sulla base dei movimenti di un attore reale*) □ (*cronot.*) **m. economy**, economia dei movimenti □ (*polit.*) **m. of no-confidence**, mozione di sfiducia □ (*USA*) **m. picture**, film; pellicola; spettacolo cinematografico □ (*USA*) **m.-picture camera**, cinepresa □ (*USA*) **m.-picture projector**, cineproiettore □ (*USA*) **m. picture theatre**, cinema; cinematografo; sala di proiezione □ (*med.*) **m. sickness**, chinetosi, cinetosi □ at

one's own m., di propria iniziativa; (*leg.*) d'ufficio □ (*fam.*) **to go through the motions of doing st.**, fare qc. in modo meccanico (*senza entusiasmo o convinzione*); fare finta di fare qc. □ (*cinema*, *ecc.*) **in slow m.**, al rallentatore □ (*leg.*) **on m. of the plaintiff's lawyer**, su istanza del legale dell'attore.

to **motion** /ˈməʊʃn/ **A** v. t. fare cenno a; fare segno a: *I motioned him to go out*, gli feci cenno d'uscire **B** v. i. far cenni; fare gesti • **to m. sb. aside**, scostare q. a gesti □ **to m. sb. away**, far cenno a q. d'andarsene □ **to m. sb. in**, far cenno a q. d'entrare □ **to m. sb. to a seat**, far cenno a q. di sedersi.

motional /ˈməʊʃnl/ a. (*scient.*) mozionale; cinetico: (*elettron.*) **m. impedance**, impedenza cinetica.

motionless /ˈməʊʃnləs/ a. immobile; immoto; fermo ‖ **-ly** avv. ‖ **-ness** n. Ⓤ.

♦to **motivate** /ˈməʊtɪveɪt/ v. t. **1** motivare (*anche psic.*); dare motivo a; causare **2** incitare; stimolare; spingere, spronare (*fig.*).

motivated /ˈməʊtɪveɪtɪd/ a. motivato.

motivation /məʊtɪˈveɪʃn/ n. Ⓤ **1** (*psic.*) motivazione **2** incitamento; stimolo; spinta, sprone (*fig.*) ‖ **motivational** a. **1** relativo ai motivi (*o* alle cause) **2** (*psic.*, *market.*) motivazionale: **motivational research**, ricerca (*o* indagine) motivazionale.

motivator /ˈməʊtɪveɪtə(r)/ n. cosa che motiva (q.); incentivo; stimolo; sprone (*fig.*).

motive /ˈməʊtɪv/ **A** n. **1** motivo; causa; ragione; stimolo **2** (*leg.*) movente: **m. for the crime**, il movente del delitto **3** → **motif B** a. attr. (*mecc.*) motore: **m. power**, forza motrice • **to question sb.'s motives**, capire i veri motivi di q.

motiveless /ˈməʊtɪvləs/ a. senza motivo; immotivato; ingiustificato ‖ **-ly** avv. ‖ **-ness** n. Ⓤ.

motivity /məʊˈtɪvətɪ/ n. Ⓤ energia cinetica.

motley /ˈmɒtlɪ/ **A** a. **1** multicolore; variegato; variopinto; screziato: **a m. coat**, un abito multicolore (*portato un tempo dai buffoni*) **2** diverso; misto; vario; eterogeneo: **a m. crew**, una ciurma eterogenea **B** n. **1** (*stor.*) abito multicolore (*indossato da un buffone*) **2** miscuglio; accozzaglia; congerie • (*stor.*) **a m. fool**, un buffone □ (*fig.*) **to wear the m.**, fare il buffone.

motocross /ˈməʊtəkrɒs/ n. (*sport*) motocross • **m. bike**, moto da motocross □ **m. race**, gara di motocross □ **m. racer**, motocrossista, crossista □ **m. track**, pista da motocross, crossdromo.

motoneuron /məʊtəˈnjʊərɒn/ n. (*anat.*) motoneurone.

♦**motor** /ˈməʊtə(r)/ **A** n. **1** motore (*spec. elettrico*): **electric m.**, motore elettrico; **hydraulic m.**, motore idraulico **2** motore a scoppio **3** (*fam. ingl.*) automobile; auto, macchina (*fam.*) **4** (*anat.*) muscolo motore **B** a. attr. **1** del motore; a motore: **m. vehicles**, veicoli a motore; autoveicoli **2** motoristico; automobilistico: **m. sports**, sport motoristici; **the m. industry**, l'industria automobilistica **3** (*scient.*) motore, motorio: (*fisiol.*) **m. cell**, cellula motrice; neurone motorio; (*anat.*) **m. endplate**, placca motrice; (*fisiol.*) **m. nerve**, nervo motorio; (*med.*) **m. paralysis**, paralisi motoria; (*med.*) **m. ataxy**, atassia motoria • **a m. accident**, un incidente d'auto □ **m. caravan**, motorcaravan, autocaravan □ (*fam.*) **m. cop**, poliziotto motociclista □ (*USA*) **m. court**, motel □ (*di un veicolo*) **m.-driven**, a motore □ **m.-driven pump**, elettropompa □ **m. engineer**, meccanico d'auto □ **m. factor**, venditore di ricambi e accessori per automobili □ (*USA*) **m. home**, 'motor home', autocaravan, camper □ **m. inn**, motel □ (*ass.*) **m. insurance**, assi-

curazione auto □ (*USA*) **m. lodge**, motel □ **m.-lorry**, autocarro, camion □ (*anat.*) **m. neuron**, motoneurone □ (*med.*) **m. neurone disease**, malattia del motoneurone □ (*mil., naut.*) **m. patrol vessel**, motovedetta □ (*sport*) **m. race**, corsa automobilistica (*o* motociclistica) □ (*sport*) **m. racing**, automobilismo e motociclismo □ (*sport*) **m.-racing circuit**, circuito per corse di auto (*o* di motori) □ **m.-racing driver**, pilota da corsa □ **m.-rally**, rally motociclistico □ (*naut.*) **m. sailer**, motoveliero ● **m. saw**, motosega □ **m. scooter**, motorscooter, scooter, motoretta □ **the M. Show**, il Salone dell'Automobile □ **m. spares**, pezzi di ricambio per automobili; ricambi □ (*mil., naut.*) **m. torpedo boat**, motosilurante □ (*naut.*) **m. trawler**, motopeschereccio □ (*autom., mecc.*) **m. tune-up**, messa a punto del motore ● **m. van**, motofurgone, motocarro □ (*fisc. USA*) **m.-vehicle tax**, tassa sul possesso di un autoveicolo; tassa di circolazione (*fam.*) □ (*naut.*) **m. vessel**, motonave □ (*slang USA*) **to get sb.'s m. running**, mandare q. su di giri; eccitare q.

to **motor** /ˈməʊtə(r)/ **A** v. i. andare in automobile: *We motored from Rome to Milan*, andammo in automobile da Roma a Milano **B** v. t. portare in automobile.

Motorail /ˈməʊtəreɪl/ n. (*trasp., ferr.*) servizio Treno + Auto.

♦**motorbike** /ˈməʊtəbaɪk/ n. motocicletta, moto ● **m. engineer**, meccanico di motociclette □ (*sport*) **m. race**, corsa motociclistica □ (*sport*) **m. racing**, motociclismo (*agonistico*).

motorboat /ˈməʊtəbəʊt/ n. (*naut.*) **1** barca a motore; motobarca **2** motoscafo.

motorbus /ˈməʊtəbʌs/ n. autobus.

motorcade /ˈməʊtəkeɪd/ n. corteo d'automobili.

motorcar /ˈməʊtəkɑː(r)/ n. **1** automobile; autovettura; auto, macchina (*fam.*) **2** (*ferr.*) elettromotrice ● (*sport*) **m. race**, corsa automobilistica □ (*sport*) **m. racing**, automobilismo (*agonistico*).

motorcoach /ˈməʊtəkəʊtʃ/ n. pullman; torpedone.

motorcycle /ˈməʊtəsaɪkl/ n. motocicletta; moto ● **m. engineer**, meccanico di motociclette.

to **motorcycle** /ˈməʊtəsaɪkl/ v. i. andare in motocicletta; viaggiare in moto.

motorcycling /ˈməʊtəsaɪklɪŋ/ **A** n. ⓤ motociclismo **B** a. motociclistico.

motorcyclist /ˈməʊtəsaɪklɪst/ n. motociclista.

motordom /ˈməʊtədəm/ n. ⓤ il mondo dell'auto (*o* dei motori).

motordrome /ˈməʊtədrəʊm/ n. **1** motodromo **2** autodromo.

motored /ˈməʊtəd/ a. (nei composti, per es.:) **bimotored**, a due motori.

motorhead /ˈməʊtəhed/ n. fanatico di auto e moto; patito dei motori.

motoring /ˈməʊtərɪŋ/ **A** n. ⓤ automobilismo; turismo in automobile **B** a. automobilistico ● **m. association** (*o* **m. club**), associazione dell'automobile □ (*sport*) **m. competition**, corsa automobilistica □ (*telef.*) **m. information**, informazioni sulla percorribilità delle strade e sul traffico (*in GB*) □ **m. map**, carta automobilistica (*o* stradale) □ (*leg.*) **m. offence**, violazione delle norme sulla circolazione (*o* del codice della strada) □ **m. school**, scuola guida.

motorist /ˈməʊtərɪst/ n. automobilista ⓘ **FALSI AMICI** ● *motorist* **non significa** motorista.

to **motorize** /ˈməʊtəraɪz/ v. t. motorizzare ● **to become motorized**, motorizzarsi ‖ **motorization** n. ⓤ motorizzazione ‖ **motorized** a. (*anche mil.*) motorizzato.

motorman /ˈməʊtəmən/ n. (pl. ***motormen***) **1** conducente, guidatore, conduttore (*di tram*) **2** macchinista (*di elettromotrice o di metropolitana*) **3** (*mecc.*) motorista.

motormouth /ˈməʊtəmaʊθ/ n. (*slang*) blaterone; chiacchierone; ciancione.

motorsailer /ˈməʊtəseɪlə(r)/ n. (*naut.*) motoveliero.

motorship /ˈməʊtəʃɪp/ n. (*naut.*) motonave.

♦**motorway** /ˈməʊtəweɪ/ n. (*autom.*) autostrada ● (*autom.*) **m. cruising speed**, velocità di crociera in autostrada □ **m. driving**, la guida in autostrada □ **m. café** (*o* **restaurant**), autogrill.

mottle /ˈmɒtl/ n. **1** disegno a chiazze (*o* a macchie, a venature) **2** chiazza; macchia; venatura **3** ⓤ (*ind. tess.*) mélange; filato di lana multicolore.

to **mottle** /ˈmɒtl/ v. t. **1** chiazzare; screziare; variegare **2** (*ind.*) marezzare.

mottled /ˈmɒtld/ a. **1** chiazzato; screziato; macchiettato; moschettato; variegato; a venature: **m. skin**, pelle chiazzata **2** (*ind.*) marezzato **3** (*sport*: *di un campo di gioco*) a chiazze irregolari ● (*metall.*) **m. iron**, ghisa trotata.

mottling /ˈmɒtlɪŋ/ n. ⓤ screziatura; moschettatura.

motto /ˈmɒtəʊ/ n. (pl. ***mottos, mottoes***) **1** motto; detto; massima; sentenza: **'Seize the day' is my m.**, Il mio motto è 'cogli l'attimo' **2** epigrafe (*di libro*) **3** (*arald.*) divisa; motto.

MOU sigla (**memorandum of understanding**) accordo preliminare; trattato preliminare.

mouflon, moufflon /ˈmuːflɒn/ n. (*zool., Ovis musimon*) muflone.

mould①, (*USA*) **mold**① /məʊld/ n. ⓤ **1** (*agric.*) terriccio **2** (*poet.*) terra; polvere.

mould②, (*USA*) **mold**② /məʊld/ n. **1** (*metall., mecc., ecc.*) forma; matrice; modello; stampo: **a plaster m.**, una forma per calchi in gesso **2** (*tecn.*) forma, sagoma (*stampata*) (*forma esemplare*): **the m. of a car**, la goma di un'automobile **3** (*cucina*) stampo, stampino; (*anche*) sformato; budino **4** (*archit.*) modanatura **5** (*fig.*) carattere; stampo; tempra: **to be of a soft m.**, essere di carattere mite **6** (*ind. costr.*) cassaforma (*per cemento armato*) **7** (*geol.*) modello; (*anche*) impronta (*di un fossile*) ● **m. and tool makers**, fabbricanti di stampi e di utensili □ **m. candle**, candela fatta con lo stampo □ (*tecn.*) **m.-made paper**, carta tamburata □ (*fig.*) **to be made in sb.'s m.**, essere dello stesso stampo di q. □ **to break the m.**, rompere gli schemi □ (*fonderia*) **metal m.**, conchiglia □ **They are cast in the same m.**, sembrano ricavati dallo stesso stampo; sono perfettamente identici.

mould③, (*USA*) **mold**③ /məʊld/ n. ⓤ muffa ● **iron m.**, macchia di ruggine.

to **mould**①, (*USA*) to **mold**① /məʊld/ v. t. **1** (*anche fig.*) foggiare; modellare; formare, plasmare: **to m. a clay statuette**, modellare una statuetta di creta; **to m. sb.'s character**, plasmare il carattere di q. **2** (*archit.*) modanare **3** (*metall.*) formare; costruire la forma di **4** (*grafica*) stampare ● **to m. bread**, dare forma ai pani; ridurre l'impasto in pagnotte □ (*metall.*) **to m. iron**, fondere il ferro; formare la ghisa (*mediante staffe*).

to **mould**②, (*USA*) to **mold**② /məʊld/ **A** v. i. ammuffire; muffire: *Bread moulds in damp weather*, Il pane ammuffisce con l'umidità **B** v. t. far ammuffire.

mouldable, (*USA*) **moldable** /ˈməʊldəbl/ a. **1** modellabile **2** (*tecn.*) formabile; plasmabile ‖ **mouldability**, (*USA*) **moldability** n. **1** modellabilità **2** (*tecn.*) formabilità; plasmabilità.

mouldboard, (*USA*) **moldboard** /ˈməʊldbɔːd/ n. (*agric.*) versoio, orecchio (*dell'aratro*).

moulded, (*USA*) **molded** /ˈməʊldɪd/ a. **1** foggiato; modellato; formato; plasmato **2** (*archit.*) modanato **3** (*metall.*) formato ● (*naut.*) **m. breadth**, larghezza massima fuori ossatura (*della nave*) □ **m. coal**, carbone pressato □ (*naut.*) **m. depth**, altezza di costruzione (*o* del puntale) □ **m. glass**, vetro stampato a rilievo.

moulder, (*USA*) **molder** /ˈməʊldə(r)/ n. (*metall.*) **1** formatore; modellatore: **m. bench**, banco da formatore **2** formatrice (*macchina*): **bench m.**, formatrice da banco.

to **moulder**, (*USA*) to **molder** /ˈməʊldə(r)/ v. i. (*spesso* **to m. away**) **1** andare in rovina; ridursi in polvere; polverizzarsi; sgretolarsi **2** (*fig.*: *di un progetto, ecc.*) essere abbandonato (*o* trascurato); essere lasciato a marcire.

mouldering, (*USA*) **moldering** /ˈməʊldərɪŋ/ a. che va in rovina; cadente; sgretolato: **the m. ruins of the palace**, le rovine cadenti del palazzo.

moulding, (*USA*) **molding** /ˈməʊldɪŋ/ n. **1** ⓤ (*metall.*) formatura; modellatura; getto: **m. shrinkage**, ritiro del getto **2** ⓤ (*tecn.*) stampaggio **3** (*archit.*) modanatura; listello; cornice **4** (*falegn.*) modanatura (*di un mobile*) ● **m. board**, asse per impastare il pane; (*metall.*) piano per formare, cassaforma (*metall.*) **m. box**, staffa □ (*metall.*) **m. machine**, formatrice □ (*metall.*) **m. press**, pressa (per formare).

mouldy, (*USA*) **moldy** /ˈməʊldɪ/ a. **1** ammuffito; muffito: **m. cheese**, formaggio ammuffito **2** (*fig.*) stantio; antiquato; vecchio; fuori moda **3** (*slang*) pessimo; schifoso **4** (*slang*) insufficiente; misero; squallido; pidocchioso (*pop.*) ● **m. smell**, odore di muffa □ **It smells m.**, sa di muffa (*all'olfatto*) □ **It tastes m.**, sa di stantio (*al gusto*) ‖ **mouldiness**, (*USA*) **moldiness** n. ⓤ muffosità (*raro*); l'essere ammuffito; (*fig.*) l'essere stantio.

moult, (*USA*) **molt** /məʊlt/ n. ⓤ muta delle penne (del pelo, ecc.); muda (*degli uccelli*) (*d'animale*) **to be in m.**, fare la muta; mutare il pelo (le penne, ecc.).

to **moult**, (*USA*) to **molt** /məʊlt/ **A** v. i. mutare le penne (il pelo, ecc.); far la muta (o la muda) **B** v. t. mutare (*le penne, il pelo*).

mound① /maʊnd/ n. **1** (*anche archeol.*) tumulo; rialzo (*del terreno*) **2** montagnola; monticello; collinetta **3** (*baseball*) monte di lancio; pedana del lanciatore **4** (*mil.*) terrapieno **5** (*fig.*) mucchio; monte (*fig.*): *I have a m. of letters on my desk*, ho un monte di lettere sulla scrivania.

mound② /maʊnd/ n. (*arald.*) mondo; globo.

to **mound** /maʊnd/ v. t. **1** (*mil.*) cingere (o fortificare) con un terrapieno **2** ammonticchiare; ammassare.

mount① /maʊnt/ n. **1** monte, montagna (*lett. oppure nei toponimi*; abbr.: **Mt**; *cfr.* **mountain**): **Mt Ararat**, il Monte Ararat **2** (*chiromanzia*) monte.

mount② /maʊnt/ n. **1** montatura (*di lenti, ecc.*); cornice, cartone (*di fotogr.*); incastonatura (*di gemme*) **2** (*equit.*) monta; il montare a cavallo; (*anche*) cavalcatura; cavallo: **a quiet m.**, un cavallo facile da montare **3** (*scherz.*) bicicletta; motocicletta **4** (*mil.*) affusto (*di cannone*) **5** (*mecc.*) montaggio; supporto; attacco; incastellatura di sostegno: (*autom.*) **rubber mounts**, attacchi elastici (*del ponte posteriore, ecc.*) **6** (*scient.*) vetrino (*per microscopio*) **7** (*zootecnia*) monta **8** (*ginnastica*) attacco, entrata (*sull'attrezzo*) ● **His m. was a camel**, viaggiava a dorso di cam-

mello.

♦to **mount** /maʊnt/ **A** v. t. **1** (*form.*) montare a (*o* su); salire (a, su); ascendere; scalare: **to m. a horse**, montare a cavallo; **to m. a hill**, scalare un colle; **to m. a ladder**, salire su una scala a pioli; **to m. the throne**, salire (*o* ascendere) al trono; *I mounted the stairs*, salii le scale; (*boxe*) **to m. the ring**, salire sul ring **2** mettere (q.) a cavallo; provvedere (*q.*) di cavallo **3** (*anche mecc.*) montare; fissare; mettere in postazione; piazzare; preparare; incastonare: **to m. a gun**, mettere un cannone in postazione; **to m. pictures**, montare fotografie; **to m. gems**, incastonare gemme; **to m. specimens**, preparare esemplari (*fissandoli su vetrini, per esaminarli al microscopio*) **4** (*mil.*) montare; essere armato di: *The fort* [*the ship*] *mounts forty guns*, il forte è armato di [la nave monta] quaranta cannoni **5** (*teatr.*) mettere in scena (*un dramma*) **6** (*zootecnia*) montare; coprire **7** (*volg.*) montare; chiavare (*volg.*) **B** v. i. **1** (*spesso* **to m. up**) salire: *Prices are mounting up*, i prezzi salgono; *Tension is mounting up in the stadium*, nello stadio sale la tensione **2** montare (*a cavallo, su un cammello, ecc.*); montare in sella: *Do you m.?*, Lei monta?; Lei va a cavallo? ● (*mil.*) **to m. an attack** [**an offensive**], lanciare un attacco [un'offensiva] □ **to m. a bicycle**, montare in bicicletta (*ciclismo*) **to m. a chase**, organizzare un inseguimento □ (*mil.*) **to m. guard over**, montare la guardia a □ **to m. insects**, fissare insetti (*con spilli, ecc. per conservarli*) □ **to m. a statue on its pedestal**, collocare una statua sul piedistallo □ **to m. sustained pressure**, (*mil.*) esercitare una forte pressione; (*sport*) fare un pressing sostenuto □ (*d'aereo*) **to m. up**, impennarsi.

♦**mountain** /ˈmaʊntɪn/ **A** n. montagna; monte; (*fig.*) grande quantità; mucchio: **to climb a m.**, scalare una montagna; **a m. of troubles**, un monte di guai **B** a. attr. di montagna; montuoso; montano; montanaro: **m. artillery**, artiglieria di montagna; **m. sickness**, mal di montagna; **a m. chain** (*o* **range**), una catena montuosa; **m. plants**, piante montane; **a m. stream**, un torrente montano ● (*stor. franc.*) **the M.**, la Montagna □ (*bot.*) **m. ash** (*Sorbus aucuparia*), sorbo degli uccellatori □ **m. bike**, mountain bike □ (*geol.*) **m. building**, orogenesi □ (*zool.*) **m. cat**, (*Lynx rufus*) lince rossa; = **m. lion** → *sotto* □ **m. climber**, scalatore; arrampicatore □ **m. climbing**, alpinismo □ (*fam.*) **m. dew**, whisky distillato alla macchia □ **m.-high**, alto come una montagna □ (*zool.*) **m. lion** (*Felis concolor*), puma □ (*fig.*) **a m. of flesh**, un grassone, un ciccione (*pop.*) □ **a m. of a man**, un uomo altissimo e massiccio; un gigante □ **m. rescue**, soccorso alpino □ **m. slope**, pendio di una montagna; versante □ (*miner.*) **m. soap**, saponite □ (*ciclismo*) **m. stage**, tappa di montagna □ (*meteor.*) **m. wave**, onda orografica.

mountaineer /ˌmaʊntɪˈnɪə(r)/ n. **1** montanaro, montanara **2** (*sport*) alpinista.

to **mountaineer** /ˌmaʊntɪˈnɪə(r)/ v. i. fare dell'alpinismo.

mountaineering /ˌmaʊntɪˈnɪərɪŋ/ n. ॻ (*sport*) alpinismo.

mountainous /ˈmaʊntɪnəs/ a. **1** montuoso; montagnoso; alpestre: **a m. country**, un paese montuoso **2** (*fig.*) grande come una montagna; enorme; colossale.

mountainside /ˈmaʊntɪnsaɪd/ n. fianco, versante (di un monte).

mountaintop /ˈmaʊntɪntɒp/ n. cima; vetta.

mountebank /ˈmaʊntəbæŋk/ n. **1** saltimbanco **2** (*fig.*) ciarlatano; imbonitore ● **mountebankery** n. ॻॻ ciarlataneria; ciarlatanismo.

mounted /ˈmaʊntɪd/ a. **1** a cavallo: **m. police**, polizia a cavallo **2** (*tecn.*) montato; installato; incastonato **3** (*mil.*: *di un cannone, ecc.*) messo in postazione; piazzato.

mounter /ˈmaʊntə(r)/ n. **1** (*tecn.*) montatore; incastonatore; chi mette in opera (qc.) **2** (*tipogr.*) montaggista.

Mountie /ˈmaʊntɪ/ n. poliziotto a cavallo (*nel Canada*).

mounting /ˈmaʊntɪŋ/ **A** n. ॻ **1** salita; ascensione **2** il montare; (*ind.*) montaggio (*cfr.* **to mount**, **A**, *def.* 3): **m. plate**, piastra di montaggio (*di bicicletta, ecc.*); **m. technique**, tecnica del montaggio **3** montatura; incastonatura **4** (*mecc.*) montaggio; supporto; attacco; incastellatura di sostegno **5** (*equit.*) lo stare (*o* il salire) in sella **6** (*scherma*) guardia (*parte del fioretto*) **7** (*teatr.*) messa in scena; allestimento **B** a. che sale; che cresce; in aumento: **m. rage**, rabbia crescente; **m. taxation**, tassazione in aumento ● (*equit.*) **m.-block**, montatoio.

to **mourn** /mɔːn/ **A** v. i. **1** portare il lutto **2** – **to m. for**, addolorarsi per; lamentare; piangere; rimpiangere: **to m. for a dead son**, piangere un figlio morto **B** v. t. lamentare; piangere; addolorarsi per; lamentarsi di: **to m. the loss of one's father**, piangere la perdita del padre; **to m. one's misfortune**, lamentarsi della propria sfortuna **2** (*fig.*) rimpiangere (qc.).

mourner /ˈmɔːnə(r)/ n. **1** chi è in lutto; chi piange o lamenta (qc. *o* q.) **2** (*spec.*) chi segue un funerale **3** (= **hired m.**) prefica.

mournful /ˈmɔːnfl/ a. **1** dolente; afflitto; addolorato; triste **2** doloroso; luttuoso; triste | **-ly** avv. | **-ness** n. ॻ.

mourning /ˈmɔːnɪŋ/ n. ॻ **1** lutto; abiti da lutto; gramaglie; periodo di lutto: **as a sign of m.**, in segno di lutto; **deep m.**, lutto stretto; **half m.**, mezzo lutto; **to be in m.**, essere in lutto; portare il lutto; **to be dressed in m.**, essere vestito a lutto; essere in gramaglie; **to go into m.**, prendere il lutto; **to go out of m.**, togliersi (*o* smettere) il lutto **2** cordoglio; pianto (*per un defunto*) **B** a. **1** addolorato; afflitto; triste **2** doloroso; luttuoso ● **m. band**, nastro (*o* fascia) da lutto □ **m. coach**, carro funebre □ **m. paper**, carta (*da lettere*) listata a lutto □ **m. ring**, anello portato in memoria d'un defunto.

♦**mouse** /maʊs/ n. (pl. **mice**; *anche* **mouses** *nella def. 3*) **1** (*zool.*, *Mus*) topo; sorcio **2** (*fig.*) pulcino bagnato; coniglio (*fig.*); persona timida, ritrosa **3** (*comput.*) mouse: **m. ball**, pallina del mouse; **m. pad**, tappetino del mouse **4** (*falegn.*, *edil.*) contrappeso (*di finestra a ghigliottina*) **5** (*naut.*) → **mousing**② **6** (*slang USA*) occhio pesto ● **m. colour**, color grigio topo □ **m.-coloured**, del colore del topo; sorcigno; sorcino □ (*bot.*) **m.-ear**, (*Hieracium pilosella*) orecchio di topo, pelosella (*Cerastum vulgatum*) peverina fontana; → **myosote** □ **m.-hole**, tana di topo; (*fig.*) buco, topaia □ (*bot.*) **m.-tail** (*Myosurus minimus*), coda di topo, erba codina.

to **mouse** /maʊs/ v. i. **1** acchiappare topi; dar la caccia ai topi **2** (*fig.*) muoversi come un gatto; andare quatto quatto ● **to m. about** (*o* **around**), andare in giro (*in cerca di qc.*); cercare □ **to m. out**, scoprire; scovare.

mouselike /ˈmaʊslaɪk/ a. sorcino; sorcigno; topesco.

mouseover /ˈmaʊsəʊvə(r)/ n. (*comput.*) mouseover (*effetto grafico prodotto al passaggio del mouse su determinati elementi grafici*).

mouser /ˈmaʊsə(r)/ n. cacciatore di topi: *My cat is a very good m.*, il mio gatto è un ottimo cacciatore di topi.

mousetrap /ˈmaʊstræp/ n. **1** trappola per topi; (*fig.*) trappola **2** locale (teatro, ecc.) d'infimo ordine ● (*scherz.*) **m. cheese**, formaggio di cattiva qualità.

mousey /ˈmaʊsɪ/ → **mousy**.

mousing① /ˈmaʊzɪŋ/ n. ॻ caccia ai topi; il prender topi.

mousing② /ˈmaʊzɪŋ/ n. (*naut.*) legatura di gancio; pigna (*alla punta di un cavo*).

moussaka /muːˈsɑːkə/ (*greco*) n. (*cucina*) pietanza di carne macinata e melanzane (*spesso ricoperta di formaggio*).

mousse /muːs/ (*franc.*) n. ॻॻ **1** (*cucina*) mousse **2** (*per capelli*) mousse; balsamo.

mousseline /ˈmuːsliːn/ n. (*ind. tess.*) mussolina; mussola.

♦**moustache** /məˈstɑːʃ, USA ˈmʌstæʃ/ n. baffi; mustacchi (*scherz.*) || **moustached** a. con i baffi; baffuto.

moustachioed /məˈstæʃɪəʊd/ a. → **mustachioed**.

mousy /ˈmaʊsɪ/ a. **1** simile a un topo; topesco; topigno **2** di color grigio o marrone chiaro **3** (*di un luogo*) pieno di topi.

♦**mouth** /maʊθ/ n. **1** bocca (*anche fig.*); bocca di fiume; foce; imboccatura; apertura; orifizio: **to keep one's m. shut**, tenere la bocca chiusa (*anche fig.*); *He has a lot of mouths to feed*, ha molte bocche da sfamare; **the m. of a bag** [**of a bottle**], la bocca d'un sacco [di una bottiglia]; **the m. of a river**, la foce d'un fiume; **the m. of a cave**, l'imboccatura d'una caverna **2** (*tecn.*) bocca; entrata **3** (*ind. min.*) bocca; imbocco **4** (*slang*) insolenza; strafottenza; (*anche*) sbruffonaggine **5** (*slang USA*) bocca amara (*dopo una sbornia*) **6** (*slang USA*) → **mouthpiece**, *def.* 7 ● **7** (*slang USA*) **m.-breather**, boccalone; credulone □ (*fig.*) **m.-filling**, enfatico, reboante, retorico; che riempie la bocca (*fam.*) □ (*slang USA*) **a m. full of South**, un accento meridionale (*anche*) (*boxe*) **m. guard**, paradenti □ (*med.*) **m.-opener**, apribocca □ (*mus.*) **m. organ**, armonica a bocca; organetto (*fam.*) □ (*med.*) **m.-to-m. breathing** (*o* **m.-to-m. resuscitation**), respirazione bocca a bocca □ (*di cibo e fig.*) **m.-watering**, che fa venire l'acquolina in bocca □ (*fam.*) **to be all m.** (**and trousers**), essere uno sbruffone □ (*fam.*) **to blow one's m. off**, sparare le grosse, sproloquiare □ (*fam.*) **to be down in the m.**, esser depresso (*o* abbattuto, scoraggiato); esser giù di morale □ (*di un cane*) **to give m.**, abbaiare □ (*fig.*) **to give m. to st.**, esprimere (*o* manifestare) qc. □ (*slang*) **to have a big m.**, essere un chiacchierone; non saper tenere la lingua a posto □ (*di cavallo*) **to have a good** [**a bad, a hard**] **m.**, esser docile [ribelle, refrattario] al morso □ (*fam.*) **to have st. straight from the horse's m.**, sapere qc. direttamente dalla fonte □ (*fam. ingl.*) **to make a poor m.**, piangere miseria □ **to make sb.'s m. water**, far venire l'acquolina in bocca a q. □ (*antiq.*) **to make a wry m.**, fare una smorfia; storcere la bocca □ **to put one's money where one's m. is**, far seguire alle parole i fatti □ **to put words into sb.'s m.**, mettere parole in bocca a q. □ (*fam. USA*) **to run one's m.**, parlare a ruota libera; scoprire gli altarini □ **to shoot one's m. off** = **to blow one's m. off** → *sopra* □ **to take the words out of sb.'s m.**, rubare le parole di bocca a q. □ (*fam. USA*) **to talk poor m.**, piangere miseria □ (*fam.*) **to watch one's m.**, badare a come si parla.

to **mouth** /maʊð/ **A** v. t. **1** dire (*o* pronunciare) con enfasi, declamare (*spec. senza sincerità*); buttar fuori, sparare (*fig.*) **2** dire (qc.) muovendo le labbra, ma senza emettere suoni **3** prendere (qc.) con la bocca **4** mettere (*cibo, ecc.*) in bocca **5** sbaciucchiare **6** avvezzare (*un cavallo*) al morso **B** v. i. **1** parlare in modo enfatico, declamare (*spec. senza sincerità*) **2** far boccacce; fare smorfie **3** (*di un fiume*) sfociare; sboccare ● **to m. curses**, imprecare; bestemmiare.

mouthed /maʊðd/ a. (nei composti, per

es.:) clean-m., che ha la bocca pulita; (*fig.*) che parla pulito; (*fig.*) **foul-m.**, che parla sporco; scurrile; **full-m.**, dalle labbra grosse; (*fig.*) sonoro; (*di suono*) forte; **open-m.**, (che sta) a bocca aperta.

mouthful /'maʊfʊl/ *n.* **1** boccone; boccata: **at a m.**, in un boccone **2** pezzetto; piccola quantità **3** (*fam.*) parola (*o* frase) difficile da pronunciare; scioglilingua **4** (*slang USA*) parola giusta; osservazione centrata; verità sacrosanta: *You've said a m.!*, l'hai detta giusta!

mouthless /'maʊθləs/ *a.* senza bocca; senza apertura.

mouthpiece /'maʊθpiːs/ *n.* **1** imboccatura, bocchino (*di strumento musicale, ecc.*) **2** bocchino (*di pipa, sigaro*) **3** portavoce (*anche fig.*) **4** microfono (*del telefono, ecc.*) **5** boccaglio (*di respiratore per sub, ecc.*) **6** (*boxe, sci*) paradenti **7** (*slang USA*) avvocato penalista; avvocato difensore.

mouthwash /'maʊθwɒʃ/ *n.* **1** [UC] (*farm.*) collutorio **2** [U] (*fig.*) chiacchiere; fesserie; balle; sciocchezze **3** (*scherz.*) bicchierino di liquore.

mouthy /'maʊðɪ/ *a.* **1** ciarliero; loquace **2** ampolloso; pomposo; reboante.

movability /muːvə'bɪlɪtɪ/ *n.* [U] mobilità.

movable /'muːvəbl/ [A] *a.* **1** movibile; mobile; scorrevole; rimovibile: *Whitsun is a m. holiday*, la Pentecoste è una festa mobile **2** (*leg.*) mobile; mobiliare: **m. property**, beni mobili **3** (*fin.*) mobile: **m. band**, banda mobile (*delle monete*) [B] *n. pl.* (*dir.*) beni mobili; beni personali ● (*ind. costr.*) **m. bridge**, ponte mobile □ (*elettr.*) **m. contact**, contatto mobile □ **m. feast**, (*relig.*) festa mobile; (*scherz.*) pasto fuori orario | **-bly** *avv.*

◆**move** /muːv/ *n.* **1** movimento; mossa: **to make an abrupt m.**, fare un movimento brusco; *If you make a m., I'll kill her*, se fai una mossa, la uccido **2** (*nei giochi*) mossa: *I've learnt all the moves in chess*, ho imparato tutte le mosse degli scacchi; *It's your m.!*, a te la mossa! **3** trasloco; sgombero; trasferimento (*a un nuovo ufficio, di un calciatore, ecc.*) **4** (*fig.*) mossa; iniziativa; manovra; azione: **a bad** (*o* **false**) **m.**, una mossa falsa; **a good** [**a clever**] **m.**, una mossa buona [abile]; **to make the first m.**, fare la prima mossa; **a m. to cut down unemployment**, una manovra per ridurre la disoccupazione **5** (*demogr.*) movimento migratorio **6** (*leg.*) richiesta; istanza **7** (*sport*) azione; puntata offensiva: **a sweeping m.**, un'azione a largo raggio ● (*fam.*) **to get a m. on**, darsi una mossa (*fam.*); spicciarsi: *Come on, kids, get a m. on!*, forza, bambini, datevi una mossa! □ (*fig. USA*) **to know a m. or two**, sapere il fatto proprio; non essere nato ieri □ (*fam.*) **to make a m.**, cominciare ad andarsene □ **to be on the m.**, essere in movimento; (*fam.*) essere in giro (*o* in viaggio); (*del traffico*) essere scorrevole: *Enemy forces were on the m.*, truppe nemiche erano in movimento □ (*fam.*) **What's the next m.?**, e ora, che si fa?

◆**to move** /muːv/ [A] *v. t.* **1** muovere; smettere in moto; spostare; trasportare: *M. your chair closer to the table*, sposta la tua sedia verso la tavola (*o* avvicina la tua sedia alla tavola); **to m. one's car**, spostare la macchina; **to m. troops**, spostare (*o* trasportare) truppe; *The wind moved the treetops*, il vento muoveva le cime degli alberi **2** indurre; stimolare; muovere; spingere (*fig.*): **to m. sb. to tears** [**to laughter**], muovere q. alle lacrime [al riso]; *Nothing could m. him to help me*, niente poté indurlo ad aiutarmi **3** commuovere: *The tale of their misfortunes moved me deeply*, il racconto dei loro sventure mi commosse profondamente **4** (*anche polit.*) proporre; suggerire; fare istanza; presentare: **to m. a motion**, pro-

porre una mozione; **to m. an amendment**, presentare un emendamento; *Mr Chairman, I m. that the meeting be adjourned*, signor Presidente, propongo che la seduta sia rinviata **5** trasferire, traslocare (*dipendenti, giocatori, ecc.*); *He's moving down from Newcastle just to come and work here*, si trasferisce da Newcastle proprio per venire a lavorare qui **6** (*fam.*) vendere, piazzare (*merce*) [B] *v. i.* **1** muoversi; essere in moto; spostarsi; circolare (*fam.*): *Keep moving!*, continua a muoverti!; non fermarti!; *I pushed hard, but the door wouldn't m.*, spinsi forte, ma la porta non si mosse **2** (*a scacchi, a dama*) muovere; fare una mossa: *The rook moves in a straight line*, la torre muove in linea retta; *It's your turn to m.*, tocca a te muovere **3** sgombrare; cambiar casa; trasferirsi; traslocare: *We decided to m. into town*, decidemmo di trasferirci in città; (*sport*) *He moved from Juventus to Chelsea*, si trasferì dalla Juventus al Chelsea **4** muoversi (*fig.*); prendere l'iniziativa; evolvere; far progressi: *Things are moving rapidly*, la situazione evolve rapidamente **5** (*fin.*) oscillare: *Our shares moved between 60 and 63 dollars*, le nostre azioni hanno oscillato tra i 60 e i 63 dollari **6** (*dell'intestino*) sgombrarsi **7** (*fam.*) muoversi; incamminarsi; andarsene: *Let's be moving on*, incamminiamoci! **8** (*comm.: di merce*) vendersi: *Our line of goods is moving quickly*, i nostri articoli si vendono alla svelta **9** (*naut.*) tonneggiare **10** (*mecc.*) avere gioco; essere lento **11** passare (*in classifica*): *Our team has moved from 20th to tenth place*, la nostra squadra è passata dal 20° al decimo posto **12** (*fam.: autom., ecc.*) correre; filare; andare forte: *Now the runners are really moving!*, adesso i corridori vanno davvero forte! ● (*fig.*) **to m. the goal posts**, cambiare le regole del gioco durante la partita; cambiare le carte in tavola □ (*fig.*) **to m. heaven and earth**, muovere mari e monti; fare l'impossibile □ **to m. home** (*o* **to m. house**), cambiare casa; traslocare □ **to m. in good society**, frequentare l'alta società □ **to m. oneself**, muoversi; spostarsi □ **to m. with the times**, tenersi al passo coi tempi □ **not to m. a step**, non muovere un passo (*anche fig.*) □ **Time moves on**, il tempo passa.

■ **move about** [A] *v. i. + avv.* **1** muoversi (qua e là): *I can hear a mouse moving about in the attic*, sento un topo che si muove in soffitta **2** muoversi, spostarsi; viaggiare molto [B] *v. t. + avv.* **1** muovere; spostare (*mobili, ecc.*): *'We're moved about like chessmen by circumstances over which we have no control'* T. DREISER, 'veniamo spostati qua e là come pezzi degli scacchi da circostanze che non possiamo in nessun modo controllare' **2** spostare, trasferire (*q.: da una sede di lavoro a un'altra*).

■ **move abroad** *v. i. + avv.* trasferirsi all'estero.

■ **move across** [A] *v. i. + avv.* spostarsi (*o* mettersi) di traverso [B] *v. i. + prep.* spostarsi (*o* muoversi) attraverso (*qc.*).

■ **move ahead** *v. i. + avv.* **1** (*anche avanti*) andare avanti; procedere; avanzare **2** (*fig.*) fare carriera; progredire **3** (*di azienda, prodotto*) conquistare posizioni **4** (*sport*) andare al comando; andare in testa; prendere la testa della corsa.

■ **move along** [A] *v. i. + avv.* muoversi; spostarsi; circolare: *M. along!*, circolare! [B] *v. t. + avv.* far circolare.

■ **move around** [A] *v. i. + avv.* → **move about** [B] *v. t. + prep.* → **move round**.

■ **move away** *v. i. + avv.* **1** andare via; andarsene **2** cambiare casa; traslocare; trasferirsi **3** (*sport*) andarsene; andare in fuga; staccarsi.

■ **move back** [A] *v. i. + avv.* **1** andare (*o* spostarsi) indietro; farsi indietro **2** trasferirsi

di nuovo; tornare ad abitare (*in un luogo*) [B] *v. t. + avv.* rimettere (*mobili, ecc.*) a posto.

■ **move backwards** *v. i. + avv.* **1** spostarsi all'indietro; indietreggiare **2** (*boxe, scherma*) indietreggiare; fare un passo indietro.

■ **move down** [A] *v. i. + avv.* **1** spostarsi in giù; scendere (*anche fig.*) **2** (*in un autobus, ecc.*) andare avanti: *M. down inside, please!*, avanti c'è posto! [B] *v. t. + avv.* spostare (q.) a un gradino (*o* a una classe, ecc.) inferiore; declassare [C] *v. i. + prep.* scendere: **to m. down the stairs**, scendere le scale.

■ **move downwards** *v. i. + avv.* (*econ., fin.*) diminuire; calare; scendere.

■ **move for** *v. i. + prep.* (*leg. e polit.*) fare istanza, fare una richiesta di; chiedere: **to m. for a new trial**, chiedere un nuovo processo; **to m. for acceptance of a bill**, chiedere che sia approvato un disegno di legge.

■ **move forward** [A] *v. i. + avv.* **1** (*anche mil.*) avanzare **2** (*fig.*) fare progressi; progredire **3** (*boxe, scherma*) avanzare; fare un passo avanti [B] *v. t. + avv.* **1** (*anche mil.*) mandare avanti; far avanzare **2** (*sport*) spostare (*un giocatore*) all'attacco.

■ **move in** [A] *v. i. + avv.* **1** entrare; andare a stare in una (nuova) casa; trasferirsi in ufficio (nuovo): *We hope to m. in next month*, speriamo di entrare nella nuova casa il prossimo mese **2** (*mil., sport*) attaccare; serrare; farsi sotto **3** (*econ., fin.*) subentrare (*nella direzione, ecc.*); occupare una posizione (*nel mercato, ecc.*) [B] *v. t. + avv.* **1** (*anche mil. e sport*) mandare (*truppe, giocatori*) all'attacco **2** mettere (*una famiglia, ecc.*) in alloggio (*libero o nuovo*).

■ **move in on** *v. i. + avv. + prep.* **1** andare a stare da (q.); sfruttare l'ospitalità di (q.) **2** (*anche mil.*) accerchiare; circondare **3** (*fam., anche econ.*) mettere le mani su (*fig.*); impadronirsi di (qc.) **4** (*fam.*) provarci, fare avances con (q.).

■ **move in with** *v. i. + avv. + prep.* andare a stare (*o* a convivere) con (q.).

■ **move off** *v. i. + avv.* muoversi; partire: *The train moved off*, il treno si mosse.

■ **move on** [A] *v. i. + avv.* **1** andare avanti (*anche fig.*); spostarsi; circolare: *M. on!*, circolare! **2** continuare a muoversi **3** passare oltre (*fig.*); passare (*a un argomento nuovo*) [B] *v. t. + avv.* **1** mettere avanti (*le frecce dell'orologio*) **2** far circolare (q.); fare spostare (q.).

■ **move out** [A] *v. i. + avv.* **1** muoversi; partire **2** andarsene (*di casa*); traslocare; sloggiare; sgombrare il campo: *I spoke to Jenny and she told me she's moving out*, ho parlato con Jenny e mi ha detto che sta traslocando [B] *v. t. + avv.* sgombrare; sloggiare (*un inquilino, ecc.*) □ **to m. out one's furniture**, portare via i mobili □ **to m. out of the way**, togliersi di mezzo.

■ **move over** [A] *v. i. + avv.* **1** spostarsi (*anche fig.*); lasciare il posto **2** (*su un mezzo pubblico*) stringersi (*per far posto*) [B] *v. t. + avv.* **1** spostare (q.) **2** fare stringere (q.).

■ **move round** [A] *v. i. + avv.* → **move about** [B] *v. i. + prep.* **1** girare intorno a: *The earth moves round the sun*, la terra gira intorno al sole **2** (*mil., sport*) aggirare (*l'avversario*).

■ **move sideways** *v. i. + avv.* spostarsi a lato.

■ **move up** [A] *v. i. + avv.* **1** muoversi (*andando avanti*): *The queue moved up a little*, la coda (*di gente*) si mosse un po' **2** (*su un veicolo pubblico*) andare avanti **3** fare posto, stringersi (*su un sedile, una panchina, ecc.*) **4** salire di grado; fare carriera; essere promosso; passare a **5** (*econ., fin.: di una moneta*) salire, aumentare di valore **6** (*mil.*) andare al fronte **7** (*sport*) salire; progredire [B] *v. t. + avv.* **1** mandare avanti (*anche fig.*) promuovere; far salire (q.) di grado **2** (*mil.*) mandare al fronte □ (*sport, ecc.*) **to m. up the table**, salire in classifica.

■ **move upwards** v. i. + avv. (*econ.*, *fin.*) aumentare; salire, crescere: *Output will m. upwards next year*, la produzione aumenterà l'anno prossimo.

moveable /'muːvəbl/ → **movable**.

♦**movement** /'muːvmənt/ n. [C] **1** movimento; moto; mossa; gesto; cenno: **a political m.**, un movimento politico; **the first m. of a symphony**, il primo movimento d'una sinfonia; **a m. of anger**, un moto d'ira; (*mecc.*) **relative m.**, moto relativo **2** (*mecc.*) meccanismo; movimento: **the m. of a watch**, il meccanismo d'un orologio **3** (pl.) (*fin.*) oscillazione, variazione (*di quotazioni, ecc.*) **4** (*comm.*, *econ.*) movimento (*di capitali*); variazione (*di prezzi, ecc.*): *There's been an upward m. in the price of raw materials*, c'è stato un aumento nei prezzi delle materie prime **5** (*fisiol.*) evacuazione **6** (*fisiol.*) materia evacuata; feci (pl.).

mover /'muːvə(r)/ n. **1** chi si muove (*in un certo modo*): **a graceful m.**, persona che si muove con grazia **2** chi cambia (*residenza, attività, ecc.*): **house m.**, chi cambia casa; **job m.**, chi cambia lavoro **3** promotore; fautore; animatore; organizzatore **4** (*leg.*) proponente (*di una mozione*) **5** (*nei giochi*) colui cui spetta la mossa **6** (*USA*) lavoratore in un'impresa di traslochi; (al pl.) impresa di traslochi **7** (*fam.*, *comm.*) articolo che si vende in un certo modo: **a fast m.**, un articolo che si vende bene **8** (*fam.*) persona (*o* idea) che ha successo ● **the movers and shakers**, le persone potenti; le persone che contano.

♦**movie** /'muːvɪ/ n. (*fam. spec. USA*) **1** film **2** (pl.) cinema; cinematografo: *Let's go to the movies*, andiamo al cinema! **3** (pl.) (l') cinema; (l') industria cinematografica ● **m. camera**, cinepresa □ **m. star**, stella del cinema □ **m. theater**, cinema; sala cinematografica.

moviegoer /'muːvɪɡəʊə(r)/ n. (*USA*) frequentatore di cinema.

moviehouse /'muːvɪhaʊs/ n. (*USA*) cinema; sala cinematografica.

moving /'muːvɪŋ/ **A** a. **1** commovente; patetico; toccante: **a m. sight**, una vista commovente **2** mobile: **a m. staircase** (*o* **stairway**), una scala mobile **3** in moto; in movimento: **a m. train**, un treno in moto; **the m. parts of a machine**, le parti (*o* gli organi) in movimento di una macchina; (*sport*) **a m. ball**, un pallone in movimento **4** che anima; che dà impulso; animatore: *He's the m. spirit behind the plan*, è l'anima del progetto **B** n. **1** [U] spostamento; trasferimento **2** (*di solito* **m. home**) trasloco; sgombero ● (*stat.*) **m. average**, media mobile □ (*astron.*) **m. cluster**, ammasso stellare in moto □ (*elettr.*) **m. coil**, a bobina mobile □ **m. day**, giorno di trasloco (*o* in cui scade l'affitto) □ **m. forward**, spostamento in avanti ● **m. in**, occupazione della casa nuova; l'entrare in un'abitazione nuova □ (*mecc.*) **m. load**, carico mobile □ **m. pavement**, tapis roulant (*franc.*) □ (*USA*) **m. picture**, film □ (*USA*) **m.-picture theater**, cinema; cinematografo; sala di proiezione □ **m. pictures**, cinema; cinematografo □ (*basket*) **m. screen**, velo mobile □ (*USA*) **m. van**, furgone per traslochi □ (*fam.*) **Get m.!**, sbrigati!; muoviti!

movingly /'muːvɪŋlɪ/ avv. in modo commovente; pateticamente.

moviola® /'muːvɪˈəʊlə/ n. (*cinem.*) moviola.

mow① /məʊ/ n. **1** mucchio di fieno (*o* di paglia) **2** cumulo di covoni (*di grano, ecc.*) **3** fienile **4** granaio.

mow② /məʊ/ n. (*arc.*) boccaccia; smorfia.

to **mow**① /məʊ/ (pass. **mowed**, p. p. **mown**, **mowed**) **A** v. t. falciare; mietere

(*grano, un campo*) **B** v. i. falciare l'erba; fare la mietitura ● **to mow down**, falciare (*fig.*); abbattere: *The patrol was mown down by machine-gun fire*, la pattuglia fu falciata dal fuoco delle mitragliatrici.

to **mow**② /məʊ/ v. i. (*arc.*) far boccacce; fare smorfie.

mower /'məʊə(r)/ n. **1** falciatore, falciatrice; mietitore, mietitrice **2** falciatrice, mietitrice (*macchina*) ● **lawn m.**, tosatrice; tosaerba □ (*mecc.*) **power m.**, motofalciatrice.

mowing /'məʊɪŋ/ n. [U] (*agric.*) falciatura; mietitura ● **m.-grass**, erba da taglio □ (*mecc.*) **m. machine**, motofalciatrice.

mown /məʊn/ p. p. di to **mow**① ● **new-m. hay**, fieno falciato di fresco.

moxibustion /ˌmɒksɪˈbʌstʃən/ n. [U] (*med.*) moxibustione; ignipuntura.

moxie /'mɒksɪ/ n. (*slang USA e Canada*) grinta; coraggio; sangue freddo.

Mozambique /ˌməʊzæmˈbiːk/ n. (*geogr.*) Mozambico ‖ **Mozambican** a. e n. mozambicano.

Mozarabic /məˈzærəbɪk/ (*stor.*) a. mozarabico; dei mozarabi ‖ **Mozarab** n. mozarabo.

MP /ɛmˈpiː/ n. **1** (acronimo di **member of parliament**) (*in GB*) deputato; onorevole: **an MP**, un deputato; **Mr John Wood, MP**, l'On. John Wood **2** (abbr. di **military policeman**) soldato della polizia militare.

MP3 sigla (*comput.*, *mus.*, **Motion Picture Expert Group Layer 3**) Gruppo di esperti di immagini in movimento, terzo livello ● **MP3 player**, lettore (di) MP3.

MPEG /'ɛmpɛɡ/ sigla (*comput.*, **Moving Picture Experts Group**) Gruppo di esperti di immagini in movimento (*definisce una serie di formati per audio e video*).

mpg sigla (*autom.*, **miles per gallon**), miglia al gallone.

mph sigla (*autom.*, **miles per hour**), miglia all'ora.

MPV sigla (*autom.*, **multi-purpose vehicle**) veicolo multifunzionale.

♦**Mr** /'mɪstə(r)/ n. (pl. **Messrs**, in origine abbr. di **mister**) **1** signor (*seguito da nome e cognome o dal solo cognome*) **2** (*con taluni titoli*) signore: **Mr Chairman**, signor Presidente (*di un'assemblea, ecc.*) **3** (*nei concorsi di bellezza*) Mister: **Mr America**, Mister America.

MRC sigla (*GB*, **Medical Research Council**) Consiglio per le ricerche nel campo della medicina.

MRCP sigla (**Member of the Royal College of Physicians**) Membro del reale collegio dei medici.

MRI sigla (*med.*, **magnetic resonance imaging**) (immagini da) risonanza magnetica nucleare.

mRNA sigla (*biol.*, **messenger RNA**) RNA messaggero.

♦**Mrs** /'mɪsɪz/ n. (pl. **Mrs** o, al vocat., **Mesdames**; in origine abbr. di **mistress**) **1** signora (*seguito da nome e cognome o dal solo cognome*) **2** (*con taluni titoli*) Signora: **Mrs 2006**, la Signora «2006» (*in un concorso*).

MRSA sigla (*med.*, **methicillin resistant staphylococcus aureus**) staphylococcus aureus meticillino-resistente.

Ms /mɪz, məz/ n. titolo femminile (*seguito dal cognome, usato per non fare distinzioni di stato civile o quando lo stato civile non è noto*) ● **CULTURA** • **Ms**: *l'uso di questo titolo, creato per evitare la differenziazione* **Miss/Mrs** *ritenuta discriminante rispetto all'unica forma maschile* **Mr**, *cominciò a diffondersi negli USA negli anni '60 e si è poi esteso a tutto il mondo anglofono, soprattutto in ambito formale e di lavoro, anche se non è accettato da tutti. Spesso i formulari, accanto allo spazio del nome, recano tutte e tre le forme.*

MS abbr. **1** (**manuscript**) manoscritto **2** (**Master of Science**) dottore in scienze (*laurea di 2° grado*; *spec. USA*) **3** (**Master of Surgery**) dottore in chirurgia **4** (*USA*, **Mississippi**) Mississippi **5** (*anche* **M/S**) (*naut.*, **motor ship**) motonave (M/N) **6** (*med.*, **multiple sclerosis**) sclerosi multipla.

MSc, (*USA*) **MS** sigla (**Master of Science**) **1** laurea di secondo grado in materie scientifiche **❶ CULTURA** • **MA 2** dottore in scienze: *Ann Jones, MSc*, Ann Jones, dottore (*o* dottoressa) in scienze.

MSG sigla (*alim.*, *chim.*, **monosodium glutamate**), glutammato di sodio.

msg sigla (*fam.* **message**), messaggio.

msl sigla (**mean sea level**) livello medio del mare.

MSP sigla (*polit.*, *GB*, **Member of the Scottish Parliament**) deputato del parlamento scozzese.

MSS abbr. (**manuscripts**) manoscritti.

MST sigla (**Mountain Standard Time**) fuso orario delle Montagne Rocciose (*GMT-7*).

Mt abbr. (**mount**) monte (M.).

MT abbr. (*USA*, **Montana**) Montana.

MTB sigla **1** (*naut.*, **motor torpedo boat**) motosilurante; motoscafo antisommergibili (MAS) **2** (*sport*, **mountain bike**) mountain bike.

MTBF sigla (**mean time between failures**) tempo medio tra i guasti.

mu /mjuː/ n. mi (*dodicesima lettera dell'alfabeto greco*).

♦**much** /mʌtʃ/ **A** a. e n. (compar. **more**, superl. relat. **most**; pl. **many**) molto: **m. noise**, molto rumore; *There isn't m. wine left*, non c'è rimasto molto vino; *There isn't m. to look at*, non c'è molto (*o* gran che) da guardare; *I have stood m.*, ho sopportato molto (*o* molte cose) **❶ NOTA**: *molto* → **molto** **B** avv. **1** molto; assai; di molto; di gran lunga: *He doesn't eat m.*, non mangia molto; *Do you read much?*, leggi molto?; *I wasn't m. surprised*, non fui molto sorpreso; *You must walk m. faster*, devi camminare assai più in fretta; *I feel m. better today*, sto molto meglio oggi; *This letter is m. the best*, questa lettera è di gran lunga la migliore **2** a lungo; molto; per lungo tempo: *He hasn't lived here m.*, non ci abita molto qua **3** spesso: *Do you see him m.* (*o* *m. of him*)?, lo vedi spesso? **4** quasi; circa; pressappoco; più o meno: *It was* (*very*) *m. what I expected*, era pressappoco quello che mi aspettavo ● (*di un prodotto*) **m.-heralded**, decantato, pubblicizzato, strombazzato con grande anticipo □ **m.-maligned**, tanto biasimato □ **m. of a height**, quasi della stessa altezza □ **m. of a size**, quasi delle stesse dimensioni; quasi della stessa grandezza □ **m. the same**, quasi alla pari; simile: *The two students are m. the same in Latin*, i due studenti sono quasi alla pari (*o* più o meno si equivalgono) in latino □ **m. to...**, con (mio, tuo, ecc.) grande...: **m. to my surprise**, con mia grande sorpresa □ **as m. again**, altrettanto; il doppio (*nel complesso*): *I want as m. again*, ne voglio altrettanto; voglio il doppio di quel che ho avuto □ **as m. as**, (tanto)... quanto: *Take as m. as you like*, prendine (tanto) quanto ne vuoi □ **how m.**, quanto: *How m. are eggs today?*, quanto costano (*o* a quanto stanno) le uova oggi? □ **to make** (*o* **to think**) **m. of**, dare grande importanza a; tenere in grande considerazione □ **nothing m.**, niente d'importante □ **so m. as**, (tanto)... quanto: *I don't have so m. money as people think*, non ho tanto denaro quanto crede la gente □ **so m. the better**, tanto meglio □ **so m. more that...**, tanto più che... □ **so m. the worse**, tanto peggio □ **to think m. of oneself**, essere pieno di sé □ **this** (*o* **that**) **m.**, tanto (così); questo (*o* quel) tanto: *I only want this m.*, ne

voglio solo tanto così; *He has only done that m. so far*, ha fatto soltanto questo finora; è arrivato solo fino a questo punto □ **too m.**, troppo: *Don't give him too m. money*, non dargli troppo denaro □ **He isn't m. of a skier**, come sciatore, non è gran che □ **I thought as m.!**, me l'aspettavo! □ **So m. for that!**, basta così!; chiudiamo l'argomento!

muchness /'mʌtʃnəs/ n. – (nella loc.) **much of a m.**, di valore, interesse ecc. sostanzialmente uguale: *They are much of a m.*, sono quasi uguali; l'uno vale l'altro ● (*modo prov.*) **It's much of a m.**, se non è zuppa è pan bagnato.

muciferous /mjuːˈsɪfərəs/ a. muciparo.

mucigen /'mjuːsɪdʒɛn/ (*biol.*) n. ⊡ mucigeno ‖ **mucigenous** a. muciparo.

mucilage /'mjuːsɪlɪdʒ/ n. ⊡ mucillagine ‖ **mucilaginous** a. mucillaginoso.

mucin /'mjuːsɪn/ n. (*biochim.*) mucina.

muck /mʌk/ n. ⊡ **1** concime animale; letame; sterco **2** sudiciume; sporcizia **3** (*fam.*) robaccia; schifezza; porcheria **4** (*fam.*) confusione; pasticcio; casino (*fam.*) **5** polvere di carbon fossile **6** (*fig.*) sporco dell'industria ● **m.-heap**, mucchio di letame; letamaio; concimaia □ **m.-rake**, rastrello per il letame □ (*agric.*) **m. spreader**, spandiletame □ (*agric.*) **m. spreading**, spargimento del letame; concimazione (con letame) □ **to make a m. of**, insudiciare, sporcare; sciupare, guastare □ (*prov.*) **Where there's m., there's money (o brass)**, dove c'è sporco (dell'industria), c'è denaro (cioè, dove ci sono fabbriche, c'è benessere).

to **muck** /mʌk/ v. t. **1** concimare (*un terreno*) col letame **2** insudiciare; sporcare.

▪ **muck about** Ⓐ v. i. + avv. (*fam.*) bighellonare; gingillarsi; non combinare niente; fare l'imbecille (*o* lo scemo) Ⓑ v. t. + avv. **1** ciurlare nel manico con (q.); fare il furbo con (q.) **2** mettere (qc.) sottosopra; manomettere (*arnesi, documenti, ecc.*).

▪ **muck about with** v. i. + avv. + prep. (*fam.*) mettere sottosopra; manomettere.

▪ **muck around → muck about**.

▪ **muck in** v. i. + avv. **1** collaborare, stare (lavorare, studiare, ecc.) insieme; fare comunella **2** vivere (*con q.*); dividere la camera (*o* la casa: *con q.*) □ **to m. in together**, mettersi insieme; unire i propri sforzi.

▪ **muck out** v. t. + avv. (*fam.*) **1** pulire, ripulire (*stalle*) **2** pulire, governare (*animali*).

▪ **muck up** v. t. + avv. (*fam.*) **1** insudiciare; sporcare; imbrattare **2** guastare; rovinare; sciupare; mandare a monte (*o* all'aria): **to m. up sb.'s plans**, mandare all'aria i piani di q. **3** fare un pasticcio di; incasinare (*fam.*) □ **to m. up an exam**, cannare un esame (*fam.*); fallire un esame.

muckamuck /'mʌkəmʌk/ n. **1** (*slang USA*) pezzo grosso; alto papavero **2** (*slang Canada*) roba da mangiare; cibo.

mucker① /'mʌkə(r)/ n. (*slang*) capitombolo; ruzzolone: **to come (o to get) a m.**, fare un capitombolo (*fig.*); fallire, far fiasco.

mucker② /'mʌkə(r)/ n. (*slang*) **1** giocatore sleale **2** zoticone; bifolco **3** (*USA*) fanatico; scapestrato.

mucker③ /'mʌkə(r)/ n. (*agric.*) spandiletame.

muckiness /'mʌkɪnəs/ n. ⊡ sporcizia; sudiciume; porcheria.

muckle /'mʌkl/ n. (*scozz.*) (un) mucchio; grande quantità.

to **muckrake** /'mʌkreɪk/ v. i. mettere in luce (*o* divulgare) scandali; indagare su scandali; pescare nel torbido (*fig.*) ‖ **muck-raker** n. chi denuncia casi di corruzione; giornalista scandalistico ‖ **muckraking** n. ⊡ (*spreg.*) scandalismo.

muck-up /'mʌkʌp/ n. (*fam.*) pasticcio; pastrocchio; casino (*fam.*).

mucky /'mʌkɪ/ a. **1** sporco; sudicio; lurido **2** (*fig.*) licenzioso; osceno.

mucolytic /mjuːkəʊˈlɪtɪk/ a. e n. (*farm.*) mucolitico.

mucopolysaccharide /mjuːkəʊpɒlɪˈsækəraɪd/ n. ⊡ (*biochim.*) mucopolisaccaride.

mucosa /mjuːˈkəʊsə/ n. (pl. *mucosae*) (*anat.*) mucosa.

mucous /'mjuːkəs/ a. mucoso: **m. membrane**, membrana mucosa; mucosa ‖ **mucosity** n. ⊡ mucosità.

mucoviscidosis /mjuːkəʊvɪsɪˈdəʊsɪs/ n. ⊡ (*med.*) mucoviscidosi.

mucro /'mjuːkrəʊ/ n. (pl. *mucrones*, *mucros*) (*biol.*, *zool.*) mucrone.

mucronate /'mjuːkrənət/ a. (*biol.*) mucronato: **m. leaf**, foglia mucronata.

mucus /'mjuːkəs/ n. ⊡ **1** muco **2** sostanza viscida (*in genere*).

◆ **mud** /mʌd/ n. ⊡ fango (*anche fig.*); melma; mota; limo: **to sling mud at sb.**, gettar fango su q. ● **mud bath**, fango termale; fangatura □ (*geogr.*) **mud flat**, area litorale paludosa; velma □ **mud hut**, capanna di fango □ **mud pie**, tortina di fango (*fatta da bambini con uno stampino, per gioco*) □ (*ind. min.*) **mud pump**, pompa di circolazione del fango □ (*geol.*) **mud volcano**, vulcano di fango □ (*fam.*) **Mud in your eye!**, cin-cin!; salute!

to **mud** /mʌd/ v. t. infangare.

muddily /'mʌdɪlɪ/ avv. **1** torbidamente **2** confusamente.

muddiness /'mʌdɪnəs/ n. ⊡ **1** fangosità **2** torbidità **3** (*fig.*) confusione (→ **muddy**).

muddle /'mʌdl/ n. (al sing., con l'art. indef.) confusione; disordine; imbroglio; pasticcio (*fig.*) ● **m.-headed**, confusionario; che ha idee confuse; frastornato: **to get** (*o* **to become**) **m.-headed**, perdere la lucidità mentale; andare in tilt □ **m.-headedness**, confusione mentale; mancanza di lucidità □ **to get into a m. over st.**, confondersi su qc.; incasinarsi su qc. (*fam.*) □ **to make a m. of**, abborracciare; acciarpare; pasticciare; fare un pasticcio di.

to **muddle** /'mʌdl/ v. t. **1** confondere (le idee a); frastornare; intontire; inebriare; far girare la testa a: *All his questions muddled me*, tutte le sue domande mi confusero le idee **2** (*anche* to m. up) abborracciare; pasticciare: *You've muddled your job completely*, hai proprio abborracciato il lavoro; hai combinato un bel pasticcio **3** intorbidire **4** mischiare (*a casaccio*).

▪ **muddle about** Ⓐ v. i. + avv. (*fam.*) agire (*o* comportarsi) in modo confuso; essere disorientato Ⓑ v. t. + avv. confondere, disorientare (q.).

▪ **muddle along** v. i. + avv. (*fam.*) procedere in modo confuso; arrabattarsi; tirare avanti in modo sconclusionato: *The speaker was just muddling along*, l'oratore tirava avanti in modo sconclusionato.

▪ **muddle around → muddle about**.

▪ **muddle away** v. t. + avv. (*fam.*) guastare; rovinare; sciupare.

▪ **muddle on → muddle along**.

▪ **muddle through** v. i. + avv. (*fam.*) cavarsela in qualche modo; farcela alla meno peggio; trarsi d'impaccio alla meglio.

▪ **muddle up** v. t. + avv. (*fam.*) **1** mettere in disordine, mettere sottosopra (qc.) **2** confondere (*nomi, ecc.*); prendere (q.) l'uno per l'altro; sbagliare; incasinare (*fam.*) □ **to be muddled up**, essere confuso (*o* disorientato).

muddler /'mʌdlə(r)/ n. confusionario; pasticcione; casinista (*fam.*).

muddling /'mʌdlɪŋ/ a. che confonde; che frastorna; frastornante.

muddy /'mʌdɪ/ a. **1** fangoso; infangato; inzaccherato: **a m. road**, una strada fango-

sa; **m. shoes**, scarpe infangate **2** torbido: **m. water**, acqua torbida; **m. coffee**, caffè torbido **3** smorto; opaco; scuro: **a m. complexion**, una carnagione smorta **4** (*fig.*) confuso; oscuro; vago: **m. ideas**, idee confuse (*o* vaghe) ● **a m. thinker**, uno che ha le idee confuse □ **m. thinking**, confusione mentale.

to **muddy** /'mʌdɪ/ v. t. **1** rendere fangoso; infangare; intorbidare **2** (*fig.*) confondere (*le idee, ecc.*).

mudflap /'mʌdflæp/ n. (*autom.*, *ecc.*) aletta parafango; paraspruzzi.

mudflinging /'mʌdflɪŋɪŋ/ e deriv. → **mud-slinging**, e deriv.

mudflow /'mʌdfləʊ/ n. (*geol.*) colata di fango.

mudguard /'mʌdgɑːd/ n. (*autom.*, *ecc.*) parafango (*anche di bicicletta*).

mudlark /'mʌdlɑːk/ n. (*arc.*) ragazzo di strada; monello.

mudpack /'mʌdpæk/ n. (*cosmesi*) maschera di fango.

mudslide /'mʌdslaɪd/ n. (*geol.*) colata (*o* frana) di fango.

mud-slinging /'mʌdslɪŋɪŋ/ n. ⊡ denigrazione; diffamazione ‖ **mud-slinger** n. denigratore, denigratrice; diffamatore, diffamatrice.

mudstone /'mʌdstəʊn/ n. (*geol.*) fango indurito.

mudwort /'mʌdwɜːt/ n. (*bot.*, *Limosella aquatica*) limosella.

muesli /'mjuːslɪ/ (*ted.*) n. müsli; cereali con frutta secca (*per la prima colazione*).

muezzin /muːˈɛzɪn/ n. (*relig.*) muezzin; muezzino.

muff① /mʌf/ n. (*anche mecc.*) manicotto.

muff② /mʌf/ n. **1** individuo goffo, maldestro (*in origine, in uno sport*); schiappa, sbercia, sbercione (*pop. spreg.*) **2** babbeo; imbranato (*fam.*) **3** (*spec. sport*) colpo mancato; presa fallita; cilecca, liscio, buco (*fig. fam.*); palla 'sporca' **4** (*volg.*) peli del pube femminile.

to **muff** /mʌf/ v. t. **1** (*sport*) sbagliare (*un tiro*); mancare, 'sporcare' (*un pallone*): **to m. a ball**, sbagliare (*o* non prendere) una palla **2** abborracciare; pasticciare: **to m. a job** [**a task**], abborracciare un lavoro [pasticciare un compito] ● **to m. an opportunity**, giocarsi un'occasione.

muffin /'mʌfɪn/ n. **1** (*GB*, *USA*: **English m.**) focaccia soffice (*da mangiarsi calda e spalmata di burro*) **2** (*spec. USA*) dolcetto soffice con pezzetti di frutta o cioccolato **3** (*volg. USA*) vagina; passera; topa (*volg.*).

muffle① /'mʌfl/ n. **1** smorzatore (*di rumori, di suoni*) **2** (*ind.*) muffola ● **m. furnace**, forno a muffola.

muffle② /'mʌfl/ n. (*zool.*) musello, specchio (*dei ruminanti*).

to **muffle** /'mʌfl/ v. t. **1** avviluppare; avvolgere; imbaccuccare; infagottare; proteggere, riparare (*dal freddo*): **to m. one's neck**, ripararsi la gola (*con una sciarpa, ecc.*) **2** coprire (*con un panno, per smorzare il suono*); attutire, attenuare, smorzare (*un rumore, un suono*): **to m. drums**, smorzare il rullio dei tamburi; velare i tamburi ● (*fig.*) **to m. one's feelings**, nascondere i propri sentimenti □ (*fig. fam.*) **to m. the press**, imbavagliare la stampa.

muffled /'mʌfld/ a. **1** (*di suono*) attutito; attenuato; smorzato; indistinto; velato: '*The roosters crowed, and their voices were m.*' J. Steinbeck, 'i galli cantavano, e la loro voce era velata' **2** imbaccuccato; infagottato **3** (*fig.*) imbavagliato.

muffler /'mʌflə(r)/ n. **1** sciarpa grossa; scialle **2** guanto grosso; guanto da pugile; guantone **3** (*mus.*) feltro (*nel pianoforte*) **4**

(*autom.*, *mecc. USA*) silenziatore; marmitta (*di scarico*).

mufti /'mʌftɪ/ n. (pl. **muftis**) **1** muftì **2** ▢ abiti civili; abito borghese • **in m.**, in borghese.

♦**mug** ① /mʌg/ n. **1** boccale; gotto (*da birra, ecc.*); tazza alta (*per latte, caffè, ecc.*) **2** (*slang*) faccia; ceffo; grugno; muso **3** (*slang USA*, = **mug shot**) foto segnaletica: **mug book**, archivio di foto segnaletiche.

mug ② /mʌg/ n. (*fam.*) babbeo; gonzo; semplicione; sciocco • **a mug's game**, un lavoro da fessi; fatica sprecata.

mug ③ /mʌg/ n. (*slang*) **1** sgobbone **2** esame difficile.

to **mug** ① /mʌg/ 🅰 v. i. (*slang*) sgobbare; studiare molto 🅱 v. t. (*anche* **to mug up**) studiare in fretta; imparare alla svelta.

to **mug** ② /mʌg/ 🅰 v. t. **1** aggredire e derubare; pestare; rapinare **2** (*fam. USA*) fare la fotografia a (*un criminale*) 🅱 v. i. **1** fare un'aggressione **2** (*slang*) fare facce buffe; fare smorfie **3** (*teatr.*) recitare con una mimica facciale esagerata.

mugger ① /'mʌgə(r)/ n. **1** rapinatore (*spec. di anziani*); teppista **2** (*slang USA*) attore che recita con una mimica facciale esagerata.

mugger ② /'mʌgə(r)/ n. (*zool.*, *Crocodylus palustris*) coccodrillo palustre.

mugging ① /'mʌgɪŋ/ n. ▢🄲 (*slang*) lo sgobbare; sgobbo; sgobbata.

mugging ② /'mʌgɪŋ/ n. ▢🄲 aggressione con rapina (*spec. a passanti anziani*); pestaggio.

muggins /'mʌgɪnz/ n. **1** (*slang*) babbeo; gonzo; semplicione; sciocco **2** variante del gioco del domino.

muggy /'mʌgɪ/ a. (*di tempo, ecc.*) afoso; caldo e umido: **a m. day**, una giornata afosa • **m. weather**, afa ‖ **mugginess** n. ▢ afa; calura; umidità opprimente; oppressione.

mugwort /'mʌgwɜːt/ n. (*bot.*, *Artemisia vulgaris*) artemisia; genepì.

mugwump /'mʌgwʌmp/ n. **1** (*stor.*) grande capo indiano **2** (*polit.*) individuo indipendente (*o* equidistante); neutrale; disimpegnato ‖ **mugwumpish** a. (*polit.*) equidistante; neutrale; disimpegnato ‖ **mugwumpism** n. ▢ (*polit.*) equidistanza; neutralità; disimpegno.

Muhammad /mə'hæmɪd/ n. (*stor.*) Maometto.

Muhammadan /mə'hæmɪdən/ (*relig. arc.*) a. e n. maomettano ‖ **Muhammadanism** n. islamismo ❶ **Nota d'uso** • *Per indicare i musulmani è preferito* **Muslim**.

mulatto /mjʊ'lætəʊ, *USA* mʊ-/ 🅰 n. (pl. **mulattos**, **mulattoes**) (*spesso offensivo*) mulatto, mulatta 🅱 a. **1** mulatto **2** color mulatto.

mulberry /'mʌlbrɪ/ 🅰 n. (*bot.*) **1** (*Morus*; = **m. tree**) gelso; moro **2** mora (*di gelso*) 🅱 a. morato; del colore delle more.

mulch /mʌltʃ/ n. (*agric.*) concime naturale organico; pacciame, foglie secche, terriccio, ecc. (*con cui coprire le radici delle piante*).

to **mulch** /mʌltʃ/ (*agric.*) v. t. pacciamare ‖ **mulching** n. ▢🄲 pacciamatura.

mulcher /'mʌltʃə(r)/ n. arnese per tritare rifiuti e farne concime organico.

mulct /mʌlkt/ n. (*form.*) multa; penalità.

to **mulct** /mʌlkt/ v. t. **1** (*form.*) multare **2** truffare (q.) (*di denaro, ecc.*).

mule ① /mjuːl/ n. **1** (*zool.*) mulo (*anche fig.*); mula **2** (*biol.*) ibrido (*in genere*) **3** (*ind. tess.*, *stor.*, = **m.-jenny**) filatoio intermittente **4** (*ind. min.*) carrello; vagonetto **5** (*slang USA*) ladro di automobili **6** (*slang USA*) corriere della droga; spallone (*fam.*) • (*zool.*) **m. canary**, canarino ibrido • **m. driver**, conducente di muli; mulattiere □ **m. track**, mu-

lattiera.

mule ② /mjuːl/ n. ciabatta; pianella aperta sul retro.

muleteer /mjuːlɪ'tɪə(r)/ n. mulattiere.

muliebrity /mjuːlɪ'ɛbrɪtɪ/ n. ▢ **1** femminilità **2** effeminatezza.

mulish /'mjuːlɪʃ/ a. di (*o* da) mulo; (*fig.*) caparbio; cocciuto; ostinato, testardo | **-ly** avv. | **-ness** n. ▢.

mull ① /mʌl/ n. ▢ (*ind. tess.*) mussolina sottile.

mull ② /mʌl/ n. confusione; guazzabuglio; pasticcio (*fig.*).

mull ③ /mʌl/ n. (*scozz.*) promontorio; capo (*nei toponimi*).

to **mull** ① /mʌl/ v. t. scaldare e aromatizzare (*vino, birra, ecc.*) • **mulled wine**, vino cotto; brûlé.

to **mull** ② /mʌl/ v. t. **1** abborracciare; pasticciare **2** (*tecn.*) molazzare; macinare; polverizzare • **to m. over**, meditare su (qc.); rimuginare: **to m. over an idea**, rimuginare un'idea.

mullein /'mʌlɪn/ n. (*bot.*, *Verbascum thapsum*) tassobarbasso; barbasso.

muller /'mʌlə(r)/ n. **1** pestello (*del mortaio*) **2** (*ind.*) (mescolatore a) molazza **3** (*ind.*) molazzatore; addetto alla molazza.

mullet ① /'mʌlɪt/ n. (pl. **mullet**, **mullets**) (*zool.*) **1** (*Mullus*) triglia **2** (*Mugil*) muggine • **grey m.** (*Mugil cephalus*), cefalo □ **red m.** (*Mullus surmuletus*), triglia di scoglio.

mullet ② /'mʌlɪt/ n. taglio di capelli corti in cima e ai lati e lunghi dietro.

mulligan /'mʌlɪgən/ n. ▢🄲 (*USA e Canada*; = **m. stew**) stufato fatto con gli avanzi.

mulligatawny /mʌlɪgə'tɔːnɪ/ n. (= **m. soup**) minestra indiana a base di carne e curry • **m. paste**, curry in pasta (*per detta minestra*).

mullion /'mʌlɪən/ n. **1** (*archit.*) colonnina (*di finestra bifora, trifora, ecc.*) **2** (*falegn.*) regolo verticale, montante (*di finestra*).

mullioned /'mʌlɪənd/ a. (*di finestra*) a colonnine • **m. window with four lights**, quadrifora □ **m. window with three lights**, trifora □ **m. window with two lights**, bifora.

mullite /'mʌlaɪt/ n. ▢ (*miner.*) mullite.

multangular /mʌl'tæŋɡjʊlə(r)/ a. (*geom.*) pluriangolare; poligonale.

multiaccess /'mʌltɪækses/ a. (*comput.*) ad accesso multiplo: **m. computer**, computer ad accesso multiplo.

multiaxial /mʌltɪ'aksɪəl/ n. (*bot.*) multicaule.

multibillionaire /mʌltɪbɪlɪə'neə(r)/ n. multimiliardario.

multicast /'mʌltɪkɑːst/ (*comput.*) 🅰 n. multicast (*trasmissione a un gruppo selezionato, per es. una mailing-list, via cavo, satellite, ecc.*) 🅱 a. attr. multicast (*relativo alla trasmissione tramite un multicast*).

to **multicast** /'mʌltɪkɑːst/ (pass. e p. p. **multicast**) v. t. e i. (*comput.*) trasmettere (*a un gruppo selezionato di utenti*).

multicellular /mʌltɪ'seljʊlə(r)/ a. (*biol.*) multicellulare; pluricellulare.

multicentric /mʌltɪ'sentrɪk/ a. (*scient.*) multicentrico; policentrico.

multichannel /'mʌltɪtʃænəl/ a. attr. (*elettron.*, *TV*) multicanale.

multicoloured, (*USA*) **multicolored** /mʌltɪ'kʌləd/ a. multicolore; policromo.

multicrystalline /mʌltɪ'krɪstəlaɪn/ (*scient.*) a. multicristallino: **m. silicon**, silicio multicristallino.

multicultural /mʌltɪ'kʌltʃərəl/ a. multiculturale; pluriculturale ‖ **multiculturalism** n. ▢ (*anche polit.*) multiculturalismo.

multidisciplinary /mʌltɪ'dɪsɪplɪnrɪ/ a. multidisciplinare • **m. character** (*o* **m. na-**

ture), multidisciplinarità.

multiethnic /mʌltɪ'ɛθnɪk/ a. multietnico.

multi-ethnicity, **multiethnicity** /mʌltɪeθ'nɪsɪtɪ/ n. ▢ multietnicità.

multifaceted /mʌltɪ'fæsɪtɪd/ a. (*di un gioiello e fig.*) sfaccettato.

multifactorial /mʌltɪfæk'tɔːrɪəl/ a. (*spec. in genetica*) multifattoriale.

multifarious /mʌltɪ'feərɪəs/ a. multiforme; molteplice; svariato; vario: **m. duties**, molteplici doveri; svariate mansioni | **-ness** n. ▢.

multifid /'mʌltɪfɪd/ a. (*bot.*) multifido.

multiflash /'mʌltɪflæʃ/ a. (*fotogr.*) multiflash.

multiform /'mʌltɪfɔːm/ a. multiforme; vario ‖ **multiformity** n. ▢ multiformità; varietà.

multifuel /'mʌltɪfjuːəl/ a. attr. (*tecn.*) che può usare vari combustibili; ad alimentazione mista: **a m. burner**, un bruciatore ad alimentazione mista.

multifunction /'mʌltɪfʌŋkʃn/, **multifunctional** /mʌltɪ'fʌŋkʃənl/ a. multifunzione; multifunzionale ‖ **multifunctionality** n. ▢ multifunzionalità.

multigrade /'mʌltɪgreɪd/ a. attr. (*di olio lubrificante per autoveicoli*) multigrade.

multigym, **multi gym** /'mʌltɪdʒɪm/ n. (*ginnastica*) attrezzo multifunzionale; panca multiposizione.

multihull /'mʌltɪhʌl/ a. e n. (*naut.*) multiscafo.

multilateral /mʌltɪ'lætərəl/ a. (*geom. e fig.*) multilaterale: (*polit.*) **a m. treaty**, un trattato multilaterale (*con più di due potenze firmatarie*) ‖ **multilateralism** n. ▢ multilateralismo.

multilayer /'mʌltɪleɪə(r)/ a. attr. (*tecn.*) multistrato.

multilingual /mʌltɪ'lɪŋɡwəl/ (*ling.*) 🅰 a. plurilingue; multilingue 🅱 n. poliglotta ‖ **multilingualism** n. ▢ multilinguismo; plurilinguismo.

multilobate /mʌltɪ'ləʊbeɪt/, **multilobe** /'mʌltɪləʊb/ a. (*bot.*) multilobato; multilobo.

multimedia /mʌltɪ'miːdɪə/ 🅰 n. ▢ multimedia 🅱 a. attr. multimediale; multimedia: (*comput.*) **m. computer**, computer multimediale ‖ **multimedial** a. multimedia, multimediale: **multimedial lecture room**, aula multimediale ‖ **multimediality** n. ▢ (*comput.*) multimedialità.

multimeter /'mʌltɪmiːtə(r)/ n. (*elettr.*) multimetro.

multimillionaire /mʌltɪmɪljə'neə(r)/ n. multimilionario; miliardario.

multinational /mʌltɪ'næʃənl/ 🅰 a. multinazionale: **m. companies**, società multinazionali 🅱 n. (*fin.*) multinazionale.

multinomial /mʌltɪ'nəʊmɪəl/ 🅰 a. (*mat.*) polinomiale 🅱 n. (*mat.*) polinomio.

multipack /'mʌltɪpæk/ n. (*market.*) confezione multipla.

multipara /mʌl'tɪpərə/ n. (pl. **multiparae**) (*di donna*) multipara.

multiparity /mʌltɪ'pærɪtɪ/ (*biol.*) n. ▢ multiparità ‖ **multiparous** a. multiparo.

multi-party /mʌltɪ'pɑːtɪ/ (*polit.*) a. attr. pluripartitico ‖ **multi-partyism** n. ▢ pluripartitismo.

multipath /'mʌltɪpɑːθ/ n. ▢ (*elettron.*, *comput.*) percorso multiplo.

multiphase /'mʌltɪfeɪz/ a. attr. (*tecn.*) multifase; plurifase.

multiplane /'mʌltɪpleɪn/ a. e n. (*aeron.*) multiplano; pluriplano.

multiplatform /mʌltɪ'plætfɔːm/ a. (*comput.*) multipiattaforma.

multiple /'mʌltɪpl/ 🅰 a. **1** (*scient.*, *tecn.*) multiplo: (*astron.*) **m. star**, stella multipla;

(*bot.*) **m. fruit**, frutto multiplo; (*genetica*) **m. factors**, fattori multipli; (*psic.*) **m. personality**, personalità multipla; (*med.*) **m. sclerosis**, sclerosi multipla; (*elettr.*) **m. line**, linea multipla **2** (*ling.*) plurivoco **3** molteplice: **to have m. interests**, avere molteplici interessi Ⓑ n. **1** (*mat.*) multiplo: **the least** (*o* **lowest) common m.**, il minimo comune multiplo **2** (*elettr.*, *telef.*) circuito multiplo **3** (*market.*) = **m. store**→*sotto* ● (*demogr.*) **m. births**, parto multiplo □ **m.-choice** (**test**), test a scelta (*o* a risposta) multipla □ (*fin.*) **m.-currency system**, sistema delle valute multiple □ (*med.*) **m. injuries**, ferite multiple □ (*polit.*) **m.-party system**, sistema pluralistico; pluralismo □ (*market.*) **m. store** (*o* **m. shop**), negozio appartenente a una catena; grande magazzino.

to **multiple** /'mʌltɪpl/ v. t. (*elettr.*) collegare in parallelo.

multiplet /'mʌltɪplət/ n. (*fis.*) multipletto.

multiplex /'mʌltɪpleks/ Ⓐ a. **1** molteplice; complesso **2** (*comput.*) multiplex **3** (*di cinema*) multisala Ⓑ n. **1** (*telef.*) multiplex **2** (*cinema*) multisala ● **m. system**, sistema multifunzioni ‖ **multiplexer** n. (*comput.*, *telef.*) multiplexer ‖ **multiplexor** n. (*comput.*) multiplexor.

multipliable /'mʌltɪplaɪəbl/, **multiplicable** /'mʌltɪplɪkəbl/ a. (*mat.*) moltiplicabile.

multiplicand /ˌmʌltɪplɪˈkænd/ n. (*mat.*) moltiplicando.

multiplication /ˌmʌltɪplɪˈkeɪʃn/ n. ⓊⒸ (*mat.*) moltiplicazione: **m. sign**, segno di moltiplicazione ● **m. table**, tavola pitagorica.

multiplicative /ˈmʌltɪˈplɪkətɪv/, *USA* 'mʌltɪplɪ-/ a. (*mat.*) moltiplicativo.

multiplicity /ˌmʌltɪˈplɪsətɪ/ n. Ⓤ molteplicità (*anche mat.*); varietà.

multiplier /ˈmʌltɪplaɪə(r)/ n. (*mat.*, *econ.*, *elettr.*, *elettron.*) moltiplicatore ● (*econ.*) **m. effect**, effetto moltiplicatore.

to **multiply** /ˈmʌltɪplaɪ/ Ⓐ v. t. moltiplicare: **to m. six by eight**, moltiplicare sei per otto; **to m. expenses**, moltiplicare le spese Ⓑ v. i. moltiplicarsi; crescere; riprodursi.

multiplying /ˈmʌltɪplaɪɪŋ/ n. Ⓤ (*telef.*) multiplazione.

multipoint /ˈmʌltɪpɔɪnt/ a. (*comput.*, *di connessione uno a molti o molti a molti*) multipunto.

multipolar /ˌmʌltɪˈpəʊlə(r)/ (*elettr. e fig.*) a. multipolare ‖ **multipolarity** n. Ⓤ multipolarità.

multiprocessing /ˌmʌltɪˈprəʊsɛsɪŋ/ n. (*comput.*) multielaborazione.

multiprocessor /ˌmʌltɪˈprəʊsɛsə(r)/ n. (*comput.*) multiprocessore.

multi-product /ˌmʌltɪˈprɒdʌkt/ a. attr. (*econ.*: *di un'azienda*) a produzione plurima.

multiprogramming /ˌmʌltɪˈprəʊɡræm-ɪŋ/ n. Ⓤ (*comput.*) multiprogrammazione.

multipurpose /ˌmʌltɪˈpɜːpəs/ a. **1** pluriuso; multiuso; multifunzione; multifunzionale: **m. furniture**, mobili pluriuso **2** (*mil.*) plurimpiego; multiruolo: **a m. aircraft**, un velivolo multiruolo ● (*autom.*) **m. vehicle** (abbr. **MPV**), monovolume.

multiracial /ˌmʌltɪˈreɪʃl/ a. multirazziale.

multiscreen /ˌmʌltɪˈskriːn/ a. attr. (*cinem.*) multisala: **a m. cinema**, un (cinema) multisala.

multispan /ˈmʌltɪspæn/ a. (*di un ponte*) a più campate.

multispeed, **multi-speed** /ˈmʌltɪspiːd/ a. (*tecn.*, *comput.*, *ecc.*) a velocità variabile.

multistage /ˈmʌltɪsteɪdʒ/ a. **1** (*anche* **multi-stage**) a più stadi; pluristadio; multistadio: **m. rocket**, razzo multistadio **2** (*sport*) a tappe: (*ciclismo*) **a m. race**, una

---

corsa a tappe.

multistorey /ˌmʌltɪˈstɔːrɪ/ a. (*edil.*) a più piani: **a m. car park**, un autoparcheggio multipiano (*o* a più piani).

multisystem /ˌmʌltɪˈsɪstəm/ a. (*med.*) multisistemico.

multitasking /ˈmʌltɪtɑːskɪŋ/ a. (*comput.*) multitasking (*in grado di eseguire più applicazioni contemporaneamente*): **m. operating system**, sistema operativo multitasking.

multitude /ˈmʌltɪtjuːd/, *USA* -tuːd/ n. Ⓒ moltitudine; gran numero ● **the m.**, la massa; i più; il popolo.

multitudinous /ˌmʌltɪˈtjuːdɪnəs/, *USA* -ˈtuː-/ a. **1** numerosissimo; innumerevole **2** molteplice; svariato ‖ **-ness** n. Ⓤ.

multi-use /ˌmʌltɪˈjuːs/ a. multiuso; pluriuso: **multi-use knife**, coltello multiuso.

multi-user /ˌmʌltɪˈjuːzə(r)/ a. (*di un elaboratore*) multiutente; a multiutenza; a utenza plurima.

multivalent /ˌmʌltɪˈveɪlənt/ (*chim.*) a. plurivalente; polivalente ‖ **multivalence** n. Ⓤ polivalenza.

multivariate /ˌmʌltɪˈveərɪət/ a. (*stat.*) multivariato; a più variabili.

multiverse /ˈmʌltɪvɜːs/ n. (*astron.*, *fis.*) multiverso.

multiversity /ˌmʌltɪˈvɜːsətɪ/ n. (*USA*) grande università (*assai differenziata come numero di facoltà*).

multivibrator /ˌmʌltɪvaɪˈbreɪtə(r)/ n. (*elettron.*) multivibratore.

multi-warhead /ˌmʌltɪˈwɔːhɛd/ a. (*mil.*) a testata multipla: **multi-warhead missile**, missile a testata multipla.

mum ① /mʌm/ Ⓐ a. zitto; muto (*fig.*) Ⓑ inter. zitto!; zitti! ● **to be mum**, essere muto (come un pesce); non aprir bocca □ (*fam.*) **to keep mum**, cucirsi la bocca (*fig.*) □ (*fam.*) **Mum's the word!**, acqua in bocca!

mum ② /mʌm/ n. (*un tempo*) tipo di birra forte.

◆**mum** ③ /mʌm/ n. (*fam.*) mamma, mammina (*parola infantile*) ● (*fam. ingl.*) **Queen Mum**, la Regina Madre.

mum ④ /mʌm/ n. (*fam. USA*) crisantemo.

to **mum** /mʌm/ v. i. fare il mimo; partecipare a una pantomima (*spec. in occasione delle feste natalizie*) ● **to go mumming**, andare di casa in casa a recitare pantomime natalizie.

mumble /ˈmʌmbl/ n. borbottio; ciangottio; mormorio: *His only answer was a m.*, un borbottio fu tutta la sua risposta.

to **mumble** /ˈmʌmbl/ v. t. e i. borbottare; cianciare; ciangottare; mormorare; biascicare: **to m. something**, borbottare qualcosa; **to m. one's words**, biascicare (*fam.*: mangiarsi) le parole ‖ **mumbler** n. borbottone, borbottona (*fig.*) ‖ **mumblingly** avv. borbottando; indistintamente.

mumbo-jumbo /ˌmʌmbəʊˈdʒʌmbəʊ/ n. (pl. **mumbo-jumbos**) **1** – (*in Africa*) **Mumbo-Jumbo**, Mumbo Jumbo (*feticcio di talune tribù*) **2** (*anche fig.*) idolo; feticcio **3** gergo incomprensibile **4** cerimoniale astruso; cerimonia ridicola; cosa incomprensibile.

mummer /ˈmʌmə(r)/ n. **1** (*stor.*) mimo; attore di pantomima **2** (*spreg. o scherz.*) attore da strapazzo; guitto (*spreg.*).

mummery /ˈmʌmərɪ/ n. **1** pantomima **2** cerimonia ridicola; mascherata; pagliacciata (*fig.*) **3** Ⓤ cerimoniale oscuro e ridicolo.

to **mummify** /ˈmʌmɪfaɪ/ v. t. mummificare ‖ **mummification** n. Ⓤ mummificazione.

mummy ① /ˈmʌmɪ/ n. (*anche fig.*) mummia ● **m. case**, sarcofago.

◆**mummy** ② /ˈmʌmɪ/ n. (*fam.*) mamma, mammina (*parola infantile*) ● (*spreg.*) **m.'s boy**, cocco di mamma.

---

mumps /mʌmps/ n. pl. (col verbo al sing. e l'art. determ.) **1** (*med.*) orecchioni; parotite epidemica **2** (*fam. antiq.*) broncio; muso ● **to have the m.**, avere gli orecchioni; (*fig. fam.*) avere le lune; avere la luna (di traverso).

mumsie /ˈmʌmzɪ/ → **mumsy, A**.

mumsy /ˈmʌmzɪ/ Ⓐ n. (*infant. o iron.*) mammetta; mammina Ⓑ a. **1** materno; dall'aria materna **2** casalingo; casareccio; da casalinga **3** (*d'abito*) antiquato; démodé (*franc.*).

to **munch** /mʌntʃ/ v. t. e i. masticare rumorosamente; sgranocchiare; biascicare: **to m. an apple**, sgranocchiare una mela.

munchies /ˈmʌntʃiːz/ n. pl. (*slang USA*) cose da sgranocchiare; merendine; spuntini.

munchkin /ˈmʌntʃkɪn/ n. (*slang USA*) **1** bimbetto; bambolotto **2** nanetto; tappo (*fig.*); mezza cartuccia (*fig.*); omiciattolo ● **low-level m.**, impiegatuccio; travet.

mundane /mʌnˈdeɪn/ a. **1** banale; ordinario; prosaico; poco eccitante: **m. task**, compito ordinario **2** (*teol.*, *filos.*) mondano; terreno ⓘ **FALSI AMICI** • **mundane** *non significa* mondano *nel senso di gaudente, elegante, di società* ‖ **-ly** avv. ‖ **-ness** n. Ⓤ.

mundanity /mʌnˈdænətɪ/ n. **1** Ⓤ mondanità **2** mondanità; cosa (*o* tendenza) futile e frivola.

mung ① /mʌŋ/ → **mung bean**.

mung ② /mʌŋ/ (*slang USA*) n. pappa appiccicaticcia; poltiglia collosa ‖ **mungy** a. appiccicaticcio; colloso.

to **mung** /mʌŋ/ (*slang USA, comput.*) v. t. manipolare fino a rendere inutilizzabile (*un oggetto, per es. file*) ● (*slang USA*) **to m. up**, guastare, rovinare; incasinare (*pop.*); insudiciare, insozzare; sporcare.

mung bean /ˈmʌŋbiːn/ loc. n. (*bot.*, *Phaseolus aureans*) fagiolo mungo.

mungo /ˈmʌŋɡəʊ/ n. Ⓤ (*ind. tess.*) lana rigenerata; lana di Prato (*in Italia*).

Munich /ˈmjuːnɪk/ n. (*geogr.*) Monaco (*di Baviera*).

municipal /mjuːˈnɪsɪpl/ a. **1** municipale; municipalizzato; comunale; di un ente locale: **m. undertakings**, aziende municipalizzate (*del gas, tranviaria, ecc.*) (*fin.*, *USA*) **m. stocks**, azioni di enti locali; **m. rates office**, esattoria comunale **2** pertinente agli affari interni (*d'una nazione*); nazionale; interno ● **m. customs**, ufficio daziario; dazio □ **m. customs rate**, tariffa daziaria □ **m. water**, acqua del rubinetto (*o* del sindaco).

municipalism /mjuːˈnɪsɪpəlɪzəm/ n. Ⓤ **1** sistema municipalistico **2** municipalismo; campanilismo.

municipality /mjuːˌnɪsɪˈpælɪtɪ/ n. **1** municipio; comune (*o* distretto) autonomo **2** (collett.) amministrazione comunale; municipalità.

to **municipalize** /mjuːˈnɪsɪpəlaɪz/ v. t. municipalizzare ‖ **municipalization** n. Ⓤ municipalizzazione.

munificence /mjuːˈnɪfɪsns/ n. Ⓤ munificenza; generosità; liberalità.

munificent /mjuːˈnɪfɪsnt/ a. munifico; generoso; liberale: **a m. reward**, un generoso compenso ‖ **-ly** avv.

muniment /ˈmjuːnɪmənt/ n. (di solito al pl.) (*leg.*) documento probatorio.

munition /mjuːˈnɪʃn/ n. (di solito al pl.) (*mil.*) munizione; munizioni; materiale bellico; rifornimenti militari ● **m. (o munitions) of war**, munizioni da guerra □ **a m. factory**, una fabbrica di munizioni □ (*stor.*) **Ministry of Munitions**, Ministero dei Rifornimenti.

to **munition** /mjuːˈnɪʃn/ v. t. (*mil.*) rifornire di munizioni; munizionare (*raro*) ‖ **mu-**

nitioning n. ⓤ (*mil.*) munizionamento.

munitioner /mjuːˈnɪʃənə(r)/ n. **1** fabbricante di munizioni **2** operaio d'una fabbrica di munizioni.

muon /ˈmjuːɒn/ n. (*fis. nucl.*) muone; mesone mu.

muppet /ˈmʌpɪt/ n. (*fam.*, *GB*) bamboccio; stupidotto.

murage /ˈmjʊərɪdʒ/ n. ⓤ (*stor.*) imposta per la costruzione (*o* la riparazione) delle mura cittadine.

mural /ˈmjʊərəl/ Ⓐ a. murale: **m. paintings**, pitture murali Ⓑ n. pittura (*o* dipinto) murale; murale.

♦**murder** /ˈmɜːdə(r)/ n. **1** assassinio (*anche fig.*); (= **wilful m.**, **m. in the first degree**) omicidio premeditato; (*fig.*) delitto atroce, atrocità: **m. for hire**, assassinio su commissione **2** (*slang*) strage; macello (*pop.*): *The exam was sheer m.*, l'esame è stato un vero macello **3** (*slang*) lavoraccio; lavoro improbo, faticoso; fatica del diavolo; cosa tremenda; disastro ● (*fam.*) **the M. Squad**, la squadra omicidi □ **a m. story on TV**, un giallo in televisione □ (*fam.*) **to cry** (*o* **to scream**) **blue** (*o* **bloody**) **m.**, urlare come un ossesso; gridare (*o* protestare) a squarciagola □ (*fig.*) **The m. is out**, il segreto è scoperto; il gatto è uscito dal sacco □ (*fam.*) **He can get away with m.**, qualunque cosa combini, se la cava sempre □ (*prov.*) **M. will out**, i crimini non restano mai impuniti; prima o poi le malefatte vengono a galla.

♦to **murder** /ˈmɜːdə(r)/ v. t. **1** assassinare **2** (*fig.*) uccidere; ammazzare: *Your father will m. you when he hears you've failed your exam*, quando viene a sapere che sei stato bocciato, tuo padre ti ammazza **3** (*fig.*) assassinare; massacrare; fare scempio di; storpiare: **to m. a song**, fare scempio d'una canzone **4** (*sport*) fare fuori, stracciare, massacrare (*gli avversari*) **5** (*slang USA*) far morire dal ridere; far scompisciare (*un uditorio*, ecc.).

murderer /ˈmɜːdərə(r)/ n. assassino; omicida.

murderess /ˈmɜːdərɪs/ n. assassina.

murderous /ˈmɜːdərəs/ a. **1** criminale; omicida; assassino: **a m. act**, un'azione criminale; **m. fury**, furia omicida; **a m. look** uno sguardo assassino **2** massacrante; micidiale: **m. fire [heat]**, fuoco [caldo] micidiale; **m. exams**, esami massacranti ● (*mil.*) **a m. attack**, un attacco mortale □ **a m. road**, una strada assai pericolosa □ (*autom.*) **m. traffic**, traffico infernale ‖ **murderously** avv. **1** con intenzioni omicide **2** (*fig.*) ferocemente; rabbiosamente **3** (*fig.*) crudelmente ‖ **murderousness** n. ⓤ **1** tendenze assassine; istinto omicida **2** (*fig.*) ferocia; crudeltà.

to **mure** /mjʊə(r)/ v. t. (*anche* to **m. up**) murare.

murex /ˈmjʊərəks/ n. (pl. **murexes**, **murices**) (*zool.*, *Murex*) murice.

muriatic /mjʊərɪˈætɪk/ (*chim.*) a. muriatico: **m. acid**, acido muriatico ‖ **muriate** n. muriato; cloruro (*spec.* di potassio).

murk /mɜːk/ n. ⓤ oscurità; tenebre; buio.

murky /ˈmɜːkɪ/ a. **1** oscuro (*anche fig.*); tenebroso; buio; nero: **a m. night**, una notte tenebrosa; **m. language**, linguaggio oscuro **2** torbido: **m. water**, acqua torbida ● **m. darkness**, densa tenebra; buio fitto; buio pesto □ **to have a m. past**, avere un passato poco chiaro (*o* poco pulito) ‖ **murkily** avv. oscuramente; tenebrosamente; torbidamente ‖ **murkiness** n. ⓤ oscurità; tenebrosità (*raro*); tenebre.

murmur /ˈmɜːmə(r)/ n. **1** mormorio **2** sussurro; parola mormorata **3** mormorazione; lagnanza; protesta **4** (*med.*) murmure; soffio: **heart m.**, soffio al cuore; soffio

cardiaco ● **He paid the fine without a m.**, pagò la multa senza fiatare.

to **murmur** /ˈmɜːmə(r)/ v. t. e i. **1** mormorare; sussurrare: **to m. a prayer**, mormorare una preghiera **2** brontolare; borbottare; protestare: **to m. at** (*o* **against**) **st.**, brontolare contro qc.

murmurer /ˈmɜːmərə(r)/ n. **1** chi mormora; chi sussurra **2** mormoratore; critico.

murmuring /ˈmɜːmərɪŋ/ Ⓐ a. mormorante; che sussurra; borbottante Ⓑ n. **1** mormorio; bisbiglio **2** (generalm. al pl.) mormorii (*di protesta*, *di approvazione*, ecc.) ‖ **-ly** avv.

murmurous /ˈmɜːmərəs/ a. **1** (*raro*) pieno di mormorii **2** (*poet.*, *di un ruscello*) garrulo.

murphy /ˈmɜːfɪ/ n. **1** (*slang*) patata (*da Murphy, tipico cognome irlandese*) **2** (*slang USA*) stangata (*fig.*); truffa all'americana **3** (pl.) (*volg. USA*) tette.

Murphy bed /ˈmɜːfɪbɛd/ loc. n. (*USA e Canada*) armadio-letto; letto a scomparsa.

Murphy's law /ˈmɜːfɪzˈlɔː/ loc. n. (*USA*) la legge per cui se è possibile che qualcosa vada storto, andrà sicuramente storto; la legge di Murphy.

murrain /ˈmʌrɪn, USA ˈmɜː-/ n. ⓤ **1** (*vet.*) piroplasmosi; (*anche*, *gener.*) moria del bestiame **2** (*arc. o scherz.*) peste; canchero.

mus. abbr. **1** (**museum**) museo **2** (**music**) musica (mus.) **3** (**musical**) musicale (mus.).

muscadel /ˈmʌskədɛl/ → **muscat**.

muscadine /ˈmʌskədaɪn/ n. moscatello (uva).

muscat /ˈmʌskət/, **muscatel** /mʌskəˈtɛl/ n. **1** moscato (*vino*) **2** (= **m. grapes**) moscatello (uva).

♦**muscle** /ˈmʌsl/ n. (*anat.*) muscolo **2** ⓤ muscolatura; (collett.) muscoli: *That athlete is all m.*, quell'atleta è tutto muscoli **3** ⓤ (*fig.*) forza muscolare; forza fisica; vigoria **4** ⓤ (*fam. USA*) potere; influenza; potenza: **political m.**, influenza politica; **financial m.**, potere finanziario; **military m.**, potenza militare **5** (*slang USA*) → **muscleman**, *def. 2* ● **m.-bound**, ipermuscoloso □ **m. stiffness**, irrigidimento dei muscoli □ (*med.*) **m. strain**, strappo muscolare □ **to flex one's muscles**, flettere i muscoli; (*sport*) scaldarsi; (*fig.*) far mostra della propria forza (*per intimidire*); mostrare i muscoli □ **a man of m.**, un uomo muscoloso (*o* robusto) □ **not to move a m.**, non muover muscolo; restare immobile.

to **muscle** /ˈmʌsl/ v. t. **1** conquistare (aprirsi, ecc.) a forza di muscoli (*o* a gomitate): **to m. one's way through a crowd**, farsi largo a gomitate tra la folla **2** (*USA*) intimidire, fare forti pressioni su (q.) ● (*slang*) **to m. in**, farsi largo a forza (*o* a spintoni); imporsi con la forza (*sul mercato*, ecc.) □ **to m. in on the conversation**, intromettersi di prepotenza nella conversazione □ (*slang USA*) **to m. sb. out**, estromettere (*o* cacciare, buttar fuori) q. con la forza.

muscled /ˈmʌsld/ a. (nei composti) che ha muscoli: **strong-m.**, che ha muscoli forti; muscoloso; nerboruto; forzuto.

musclehead /ˈmʌslhɛd/ n. (*slang USA*) uomo tutto muscoli e niente cervello; gigante scemo.

muscleman /ˈmʌslmæn/ n. (pl. **musclemen**) **1** uomo tutto muscoli; fusto; culturista **2** guardia del corpo (*di un gangster*); gorilla (*fig.*); scagnozzo; sicario; tirapiedi.

muscovado /mʌskəˈvɑːdəʊ/ n. ⓤ (pl. **muscovados**) mascavato (*antiq.*); zucchero grezzo ricavato dalla canna da zucchero.

Muscovite /ˈmʌskəvaɪt/ a. e n. **1** moscovita **2** (*stor.*) russo.

muscovite /ˈmʌskəvaɪt/ n. ⓤ (*miner.*) muscovite.

Muscovy /ˈmʌskəvɪ/ n. (*stor.*, *geogr.*) Moscovia ● (*zool.*) **M. duck** (*Cairina moschata*), anatra muta (*o* muschiata).

muscular /ˈmʌskjʊlə/ a. **1** (*anat.*) muscolare: **m. strength**, forza muscolare **2** muscoloso; nerboruto ● (*stor.*) **m. Christianity**, cristianesimo vigoroso (*basato sulle opere*) ‖ **muscularity** n. ⓤ muscolosità; robustezza.

musculature /ˈmʌskjʊlətʃə(r)/ n. ⓤ (*anat.*) muscolatura; sistema muscolare.

musculocutaneous /mʌskjʊləʊkjuːˈteɪnɪəs/ a. muscolocutaneo.

Muse /mjuːz/ n. **1** (*mitol.*) Musa: **the nine Muses**, le nove Muse **2** – **the m.**, la musa; l'ispirazione poetica; la fonte d'ispirazione.

to **muse** /mjuːz/ Ⓐ v. i. meditare; cogitare (*lett.*); riflettere: **to m. upon the meaning of life**, meditare sul significato della vita Ⓑ v. t. dire (qc.) fra sé e sé ● **to m. upon the peaceful scenery of the country**, contemplare il tranquillo panorama della campagna.

museography /mjuːzɪˈɒɡrəfɪ/ n. ⓤ museografia ‖ **museographer** n. museografo ‖ **museographical** a. museografico.

museology /mjuːzɪˈɒlədʒɪ/ n. ⓤ museologia ‖ **museological** a. museologico ‖ **museologist** n. museologo.

musette /mjuːˈzɛt/ n. (*mus.*) musette (*lo strumento e il ballo*).

♦**museum** /mjuːˈzɪəm/ n. museo (*anche fig.*) **m. piece**, pezzo da museo; *Why don't we take the kids to the m.?*, perché non portiamo i bambini al museo? ● **m. attendant**, custode del museo.

mush ① /mʌʃ/ n. **1** ⓤ poltiglia; pappa **2** ⓤ (*USA*) polenta di granturco; farinata **3** ⓤ (*fam.*) sentimentalismo; sdilinquimento; smanceria; svenevolezza; sdolcinatezza **4** ⓤ (*fam. USA*) balle, fesserie; idiozie **5** (*slang*) faccia; muso; ceffo **6** (*ingl.*; al vocat.) amico; compare; tipo; tizio.

mush ② /mʌʃ/ n. **1** (abbr. *fam.* di **mushroom**) fungo **2** (*slang antiq.*) ombrello.

mush ③ /mʌʃ/ n. (*Canada*) viaggio in slitta (*trainata da cani*).

to **mush** /mʌʃ/ v. i. (*Canada*) **1** viaggiare in (*o* guidare) una slitta (*trainata da cani*) **2** camminare con le scarpe da neve.

musher /ˈmʌʃə(r)/ n. (*Canada*) conducente di una slitta (*trainata da cani*).

mushroom /ˈmʌʃrʊm/ Ⓐ n. **1** fungo mangereccio (*cfr.* **toadstool**) **2** (*fam. antiq.*) cappellino di paglia (*dall'ampia tesa ricurva*) **3** fungo atomico Ⓑ a. attr. rapido; che cresce come un fungo: (*fig.*) **m. growth**, rapido sviluppo ● (*naut.*) **m. anchor**, ancora a (cappello di) fungo; ancora sferica □ (*bot.*) **m. cap**, cappello del fungo □ **m. cloud**, fungo atomico □ **m. grower**, coltivatore di funghi □ (*mecc.*) **m. head**, testa a fungo.

to **mushroom** /ˈmʌʃrʊm/ v. i. **1** raccogliere funghi **2** crescere come un fungo; svilupparsi (*o* crescere, aumentare) rapidamente: *This town has mushroomed in recent years*, questa città s'è sviluppata rapidamente negli ultimi anni **3** (*di fumo, fuoco*, ecc.) diffondersi a fungo; dilagare **4** (*di proiettile*, ecc.) schiacciarsi ● **to go mushrooming**, andare a funghi.

mushy /ˈmʌʃɪ/ a. **1** ridotto in poltiglia; spappolato; molle **2** (*fam.*) sentimentale; romantico; sdolcinato; svenevole: **a m. film**, un film sdolcinato ‖ **mushiness** n. ⓤ → **mush**①, *def. 3*.

♦**music** /ˈmjuːzɪk/ n. ⓤ musica ● (*USA*) **m. box**, scatola armonica; carillon □ **m. card**, 'carta musicale' (*sostituisce dischi e nastri*) □ **m. cassette**, musicassetta □ **m. centre**, im-

pianto stereo □ **m. hall**, music-hall, teatro di varietà; (*USA*) sala per concerti, auditorium □ **m. holder**, leggio (per spartiti di musica) □ **m. paper**, carta da musica □ **m. rest** = **m. holder** → *sopra* □ **m. shop**, negozio di musica □ **m. stand** = **m. holder** → *sopra* □ **m. stool**, sgabello per pianoforte □ **m. teacher**, insegnante di musica □ (*med.*) **m. therapy**, musicoterapia □ (*fig. fam.*) **to be m. to one's ears**, essere musica per le proprie orecchie □ (*fig. fam.*) **to face the m.**, affrontare le critiche (*o* i rimproveri) □ **to play without m.**, suonare a memoria □ **to set to m.**, mettere in musica; musicare (*un testo letterario ecc.*).

♦**musical** /'mjuːzɪkl/ **A** a. **1** musicale; (*fig.*) melodioso; armonioso: **m. instruments**, strumenti musicali; **a m. voice**, una voce armoniosa; **a m. film**, un film musicale **2** (*di persona*) amante della musica **3** (*di persona*) che sente la musica; che ha orecchio (per la musica); portato per la musica **B** n. (*fam.*) **1** commedia (*o* film) musicale; musical **2** serata musicale ● **m. box**, scatola armonica; carillon □ **m. chairs**, gioco delle sedie (*gioco infantile*); (*fig., spreg.*) cambio di poltrone, balletto (*di ministri, manager, ecc.*) □ **m. comedy**, commedia (*o* film) musicale; musical □ **m. glasses**, armonica □ **m. instrument**, strumento musicale □ **m. play**, operetta □ (*mil.*) **m. ride**, esercizio eseguito da cavalleggeri a suon di musica □ **m. score**, partitura | **-ly** avv.

musicale /mjuːˈzɪkɑːl/ n. (*USA*) serata musicale.

musicality /mjuːzɪˈkælɪtɪ/ n. ▣ musicalità.

♦**musician** /mjuːˈzɪʃn/ n. **1** musicista **2** amante (*o* esperto) di musica ● **street m.**, suonatore ambulante, musicista di strada || **musicianship** n. ▣ **1** abilità di musicista **2** sensibilità per la musica.

musicographer /mjuːzɪˈkɒɡrəfə(r)/ n. musicografo.

musicology /mjuːzɪˈkɒlədʒɪ/ n. ▣ musicologia || **musicological** a. musicologico || **musicologist** n. musicologo.

musico-mania /mjuːzɪkəʊˈmeɪnɪə/ n. ▣ musicomania || **musico-maniac** a. e n. musicomane.

musicophile /'mjuːzɪkəʊfaɪl/ n. musicofilo || **musicophilia** n. ▣ musicofilia.

musicotherapy /mjuːzɪkəʊˈθerəpɪ/ n. ▣ (*med.*) musicoterapia.

musing /'mjuːzɪŋ/ **A** a. meditabondo; pensoso; assorto **B** n. ▣ meditazione; riflessione | **-ly** avv.

musk /mʌsk/ n. ▣ (*profumeria*) muschio (*sostanza fortemente odorosa, prodotta dal mosco, o artificiale*) ● (*zool.*) **m. cat** → **civet**, def. 1 □ (*zool.*) **m. deer** (*Moschus moschiferus*), mosco □ (*zool.*) **m. duck** (*Cairina moschata*), anatra muta (*o* muschiata) □ (*zool.*) **m. ox** (*Ovibos moschatus*), bue muschiato □ (*bot.*) **m. rose** (*Rosa moschata*), rosa muschiata.

musket /'mʌskɪt/ n. (*stor.*) moschetto ● **m. shot**, moschettata.

musketeer /mʌskəˈtɪə(r)/ n. (*stor.*) moschettiere.

musketry /'mʌskɪtrɪ/ n. ▣ **1** (*stor.*) moschetteria **2** (*mil.*) esercitazioni di tiro.

muskmelon /'mʌskmelən/ n. (*bot.*, *Cucumis melon*) melone; popone.

muskrat /'mʌskræt/ n. (*zool.*) → **musquash**.

musky /'mʌskɪ/ a. muschiato; che odora di muschio || **muskiness** n. ▣ odore di muschio.

♦**Muslim** /'mʊzlɪm/ (*relig.*) a. e n. musulmano.

muslin /'mʌzlɪn/ n. **1** (*ind. tess.*) mussola **2** (*moda*) abito (*o* gonna) di mussola ● **m.- -de-laine**, mussola di lana.

MUSM sigla (*Internet*, *telef.*, **miss you so much**), mi manchi tanto.

musquash /'mʌskwɒʃ/ n. **1** (*zool.*, *Ondatra zibethica*) topo muschiato **2** ▣□ (*moda*) pelliccia di topo muschiato; rat musqué (*franc.*).

muss /mʌs/ n. (*fam. USA*) **1** confusione; disordine; pasticcio **2** baruffa; lite; rissa.

to **muss** /mʌs/ v. t. (*fam. USA*) (*spesso* **to m. up**) **1** mettere in disordine; metter sottosopra; buttare all'aria **2** arruffare, scompigliare (*i capelli*) **3** sgualcire (*un abito*).

mussel /'mʌsl/ n. (*zool.*, *Mytilus edulis*) mitilo; cozza; muscolo.

Mussulman /'mʌslmən/ n. e a. (*arc.*) musulmano; maomettano.

mussy /'mʌsɪ/ a. (*fam. USA*) **1** disordinato; in disordine; sottosopra **2** (*di capello*) arruffato **3** (*d'abito*) sgualcito.

must① /mʌst/ n. ▣ mosto; vino nuovo (*fam.*).

must② /mʌst/ n. ▣ **1** muffa **2** sentore di muffa; muffosità.

must③ /mʌst/ **A** n. (*d'elefante, cammello*) frenesia; furia; stato d'eccitazione sessuale **B** a. (*d'elefante, ecc.*) infuriato; eccitato.

♦**must**④ /mʌst, məst/ v. modale

must, come tutti i verbi modali, ha caratteristiche particolari:
• è usato solo come presente (tranne che nel discorso indiretto, *V.* def. 3);
• non ha forme flesse (*-s* alla 3ª persona sing., *-ing*, *-ed*), non è mai usato con ausiliari e non ha quindi tempi composti; in sostituzione si usano, a seconda del significato, *to have to*, *to be obliged*, *to be likely*, ecc.;
• forma le domande mediante la semplice posposizione del soggetto;
• la forma negativa è **must not**, spesso abbreviato in **mustn't**;
• l'infinito che segue non ha la particella *to*;
• viene usato nelle *question tags*

1 (*esprime dovere dettato da regola, legge, necessità, esigenza, forte opportunità, ecc.*) – *Rules m. be obeyed*, si deve obbedire alle regole; *Dogs m. be kept on a lead*, i cani devono essere tenuti al guinzaglio; *A solution m. be found*, bisogna (*o* si deve) trovare una soluzione; *You mustn't say that*, non devi dire così; *I m. leave in five minutes*, devo andar via tra cinque minuti; *I really m. ring him up*, devo proprio telefonargli; *I m. insist*, devo insistere **2** (*esprime forte probabilità, certezza*) – *It m. be dark outside*, dev'essere buio fuori; *You m. be Jack's brother*, tu devi essere il fratello di Jack; *It m. have rained*, dev'essere piovuto; *Hours m. have passed*, dovevano essere passate delle ore; *You m. have heard me when I called you*, non puoi non avermi sentito quando ti ho chiamato **3** (*dopo verbi di pensiero, opinione, ecc., al passato*) – *He decided that he m. see her again*, decise che doveva rivederla; *I knew that I m. act quickly*, sapevo che dovevo agire immediatamente **4** (*esprime suggerimento o invito pressante*) – *You m. see a doctor*, devi farti vedere da un dottore; *You mustn't worry*, non devi preoccuparti; *You m. come and see us*, dovete venire a trovarci; *You simply m. see that film*, devi assolutamente vedere quel film **5** (*esprime simpatia, sorpresa, incredulità*) – *She m. have been worried sick!*, deve essere stata terribilmente in pensiero!; *He m. be mad*, dev'essere matto; *You m. be joking!*, tu scherzi! **6** (*esprime irritazione*) – *OK, do it, if you m.*, e va bene, fallo, se proprio lo devi; *He has already paid me, if you m. know*, mi ha già pagato, se proprio vuoi saperlo; *M. you keep the volume so loud?*, devi proprio tenere il volume così alto? ● **You m. know that...**, devi sapere che... □ *I m. say*, devo di-

re; effettivamente; davvero: *I m. say I was impressed*, devo dire che sono rimasto colpito; *Very odd, I m. say*, davvero molto strano □ **It m. be said that...**, bisogna dire che...; va detto che...

must⑤ /mʌst/ n. (*fam.*) (una) cosa che si deve fare (*o* conoscere, leggere, vedere, ecc.); (una) cosa di cui non si può fare a meno: *This film is a m.*, è un film da vedere; **Sunscreen is a m. on a sailboat**, non si può fare a meno della crema solare (*o* la crema solare è indispensabile) in barca a vela ● (*fam.*) **m.-buy**, cosa da comprare a tutti i costi □ (*fam.*) **m.-have**, cosa che bisogna avere □ **a m.-see**, una cosa che bisogna vedere.

mustache /məˈstɑːʃ, *USA* 'mʌstæʃ/ (*USA*) → **moustache**.

mustachio /məˈstɑːʃɪəʊ/ n. (*antiq. o scherz.*) (pl. **mustachios**) mustacchio; baffo a manubrio; baffone (*fam.*) || **mustachioed** a. che ha i baffoni; baffuto; con i baffi a manubrio.

mustang /'mʌstæŋ/ n. (*zool.*) mustang.

mustard /'mʌstəd/ **A** n. **1** (*bot.*, *Sinapis*) senape **2** ▣ (*cucina*) senape; mostarda **3** ▣ color senape **4** (*slang*) brio; vigore; pepe (*fig.*) **B** a. (color) senape □ (*chim., mil.*) **m. gas**, iprite ● **m. plaster**, senapismo □ **m. pot**, mostardiera; senapiera □ **m. poultice**, cataplasma di senape, fomento senapato □ **as keen as m.**, pieno d'entusiasmo (*o* d'interesse) □ (*slang USA*) **to cut the m.**, essere all'altezza; riuscire; farcela: *He's too old to cut the m.*, è troppo vecchio per farcela.

mustelid /'mʌstəlɪd/ n. (*zool.*) mustelide.

muster /'mʌstə(r)/ n. **1** (*spec. mil.*) adunata; rassegna; rivista; ispezione: **to take m. of a regiment**, passare in rivista un reggimento **2** assembramento; raccolta; riunione **3** branco di pavoni ● (*mil., naut.*) **m. book** (*o* **m. roll**), ruolino d'appello (*o* di bordo); ruolo dell'equipaggio □ (*fam.*) **m. parade**, ispezione □ (*fig.*) **to pass m.**, superare l'esame; essere riconosciuto adatto (*o* soddisfacente); essere accettabile (*o* presentabile); andar bene; (*di merce*) essere approvata (*dall'acquirente*) □ **to turn out in full m.**, intervenire al gran completo.

to **muster** /'mʌstə(r)/ **A** v. t. **1** chiamare (*spec. soldati*) a raccolta; adunare; radunare; riunire: *to m. all the women and children together*, radunare tutte le donne e i bambini **2** (*mil.*) passare in rassegna, in rivista (*truppe*) **3** (*fig., spesso* **to m. up**) raccogliere (*le forze, ecc.*); mobilitare (*risorse, ecc.*); fare appello a: *I had to m. up all my courage*, dovetti fare appello a tutto il mio coraggio **B** v. i. (*spec. di soldati*) adunarsi; radunarsi ● (*naut.*) **to m. the crew**, fare l'appello dell'equipaggio □ (*fig.*) **to m. a few dollars**, mettere insieme un po' di dollari □ (*mil.*) **to m. in**, arruolare; reclutare.

♦**mustn't** /'mʌsnt/ contraz. di **must not**.

musty /'mʌstɪ/ a. **1** ammuffito; coperto di muffa; stantio; che sa di muffa (*o* di chiuso): **m. books**, libri coperti di muffa **2** (*fig.*) antiquato; superato; vieto; stantio: **m. scholarship**, erudizione stantia; **m. laws**, leggi antiquate **3** (*fig.*) avvizzito; vecchio: **a m. clerk**, un vecchio impiegato ● **m. wine**, vino che sa di muffa (*o* di stantio) || **mustiness** n. ▣ **1** muffa, muffosità **2** odore di stantio **3** (*fig.*) l'esser antiquato (*o* superato).

mutable /'mjuːtəbl/ a. mutabile; variabile; mutevole || **mutability**, **mutableness** n. ▣ mutabilità; mutevolezza.

mutagen /'mjuːtədʒən/ (*biol.*) n. mutageno || **mutagenesis** n. ▣ mutagenesi || **mutagenic** a. mutageno; mutagenico; che induce mutazioni genetiche.

mutant /'mjuːtənt/ **A** a. **1** (*genetica*) mutante **2** (*ling.*) metafonetico **B** n. **1** (*geneti-*

ca) mutante **2** (*fantascienza*) mutante **3** (*slang*) imbranato; sfigato.

to **mutate** /mjuːˈteɪt/ v. i. **1** mutare; subire una mutazione (*spec. genetica*) **2** (*fig.*) trasformarsi.

mutation /mjuːˈteɪʃn/ n. **1** mutamento; cambiamento **2** [U] (*genetica*) mutazione **3** (*ling.*) metafonesi **4** (*mus.*) mutazione ● (*mus.*) **m. stop**, registro di organo per note di tonalità diversa || **mutational** a. (*spec. genetica*) mutazionale || **mutationism** n. (*genetica*) mutazionismo || **mutationist** [A] n. mutazionista [B] a. mutazionistico.

mute /mjuːt/ [A] a. **1** silenzioso; muto: *She sat m. and dejected*, sedeva muta e abbattuta; **m. adoration**, muta adorazione **2** (*med. antiq.*) muto **3** (*fon.*) muto: **m. consonant**, consonante muta; *The 'b' in 'dumb' is m.*, la 'b' in 'dumb' è muta [B] n. **1** (*med. antiq.*) muto, muta **2** (*stor.*) servo muto **3** (*teatr.*) attore di pantomima; mimo **4** (*mus.*) sordina **5** (*fon.*) consonante muta ● (*telef.*) **m. button**, pulsante di attesa (*zool., Cygnus olor*) **m. swan**, cigno reale □ (*leg.*) **to stand m. of malice**, rifiutare deliberatamente di rispondere al giudice | **-ly** avv. | **-ness** n. [U].

to **mute** ① /mjuːt/ v. t. **1** (*mus.*) mettere la sordina a (*uno strumento*) **2** attenuare, attutire, smorzare (*una luce, un colore, un suono, ecc.*).

to **mute** ② /mjuːt/ v. i. (*d'uccelli*) defecare.

muted /ˈmjuːtɪd/ a. **1** (*di suono*) smorzato; attutito **2** (*di colore*) tenue; delicato **3** (*fig.*) smorzato; debole.

to **mutilate** /ˈmjuːtɪleɪt/ v. t. **1** (*anche fig.*) mutilare: *The censors mutilated his speech*, i censori mutilarono il suo discorso **2** (*fig.*) danneggiare; sciupare; deteriorare.

mutilated /ˈmjuːtɪleɪtɪd/ a. **1** mutilato **2** (*di codice, ecc.*) mutilo ● **m. banknotes**, banconote danneggiate □ **a m. cheque**, un assegno lacerato.

mutilation /mjuːtɪˈleɪʃn/ n. [U,C] mutilazione.

mutilator /ˈmjuːtɪleɪtə(r)/ n. mutilatore.

mutineer /mjuːtɪˈnɪə(r)/ n. **1** ammutinato **2** ribelle; rivoltoso.

muting /ˈmjuːtɪŋ/ n. [U] (*tecn.*) muting (*d'amplificatore o sintonizzatore*).

mutinous /ˈmjuːtɪnəs/ a. **1** ammutinato: **a m. crew**, una ciurma ammutinata **2** ribelle; sedizioso: **a m. act**, un atto di ribellione **3** (*fig.*) tumultuoso; turbolento: ʼ[*The snow was*] *softly falling into the dark, m. Shannon waves*ʼ J. JOYCE, ʼ[la neve] cadeva soffice sulle scure, ribollenti acque del fiume Shannonʼ.

mutiny /ˈmjuːtənɪ/ n. [C,U] ammutinamento; ribellione; sedizione.

to **mutiny** /ˈmjuːtənɪ/ v. i. ammutinarsi; ribellarsi.

mutism /ˈmjuːtɪzəm/ n. [U] **1** mutismo; ostinato silenzio **2** (*med.*) mutismo; mutacismo.

mutt /mʌt/ n. (*slang*) **1** stupido; ignorante; testa di legno (*fig. fam.*) **2** (*USA*) cane bastardo; cane meticcio.

mutter /ˈmʌtə(r)/ n. mormorio; borbottio; brontolio.

to **mutter** /ˈmʌtə(r)/ v. i. e t. mormorare; borbottare; brontolare (*anche fig.*); parlare fra i denti: **to m. an answer**, borbottare una risposta ● **to m. to oneself**, mormorare fra sé e sé || **mutterer** n. chi mormora; chi borbotta; borbottone; brontolone.

muttering /ˈmʌtərɪŋ/ [A] a. **1** che borbotta; che brontola; che mormora **2** (*poet.*): *di un ruscello, ecc.*) garrulo [B] n. borbottio; brontolio; mormorio.

mutton /ˈmʌtn/ n. [U] carne di montone (*o di pecora*); castrato ● **m. chop**, costoletta di castrato □ **m.-chop whiskers** → **mutton-**

chops □ (*fam.*) **m. dressed as lamb**, vecchia (*o tardona*) vestita da ragazzina □ (*fam.*) **m.-head**, idiota; stupido; scemo; testa di legno (*fig. fam.*) □ **as dead as m.**, morto stecchito □ (*fam.*) **to eat one's m. with sb.**, pranzare con q. □ (*slang*) **(Let's return) to our muttons!**, torniamo a bomba! || **muttony** a. che ha l'odore (*o il sapore*) del castrato.

muttonchops /ˈmʌtntʃɒps/ n. pl. favoriti; basettoni; scopettoni.

◆**mutual** /ˈmjuːtʃʊəl/ a. **1** mutuo; reciproco; scambievole: **m. affection**, mutuo affetto; **m. hatred**, odio reciproco **2** comune: **our m. friend**, il nostro comune amico; **m. efforts**, sforzi comuni ● **m. admiration society**, gruppo di persone che s'incensano a vicenda □ **m. aid association**, società di mutuo soccorso; mutua □ (*leg.*) **m. assent** (*o* **consent**), mutuo consenso □ (*leg.*) **m. company**, società mutua; cooperativa □ **m. enemies**, nemici l'uno dell'altro (*o tra di loro*) □ (*fin., USA*) **m. fund**, fondo comune d'investimento □ (*comm.*) **m. insurance company**, compagnia d'assicurazione mutua □ (*ling.*) **m. intelligibility**, intercomprensione □ (*leg.*) **m. mistake**, errore bilaterale (*in un contratto*) □ (*fin.*) **m. shareholding**, partecipazione reciproca (*o incrociata*) □ **m. well--wishers**, persone che desiderano l'una il bene dell'altra □ (*comm.*) **on m. terms**, su basi di reciprocità | **-ly** avv.

mutualism /ˈmjuːtʃʊəlɪzəm/ n. [U] **1** mutualismo; mutualità **2** (*biol.*) mutualismo; simbiosi mutualistica || **mutualist** n. (*biol.*) mutualista || **mutualistic** a. (*anche biol.*) mutualistico.

mutuality /mjuːtʃʊˈælətɪ/ n. [U] mutualità; reciprocità.

mutule /ˈmjuːtʃuːl/ n. (*archit.*) mutulo (*d'una colonna dorica*).

Muzak® /ˈmjuːzæk/ n. musica di sottofondo (*diffusa in locali pubblici*).

muzhik /muˈʒɪk/ n. mugic; contadino russo.

muzzle /ˈmʌzl/ n. **1** muso (*di cane, cavallo, ecc.*) **2** museruola **3** bocca (*d'arma da fuoco*) **4** (*di cannone*) volata ● **m.-loader**, arma da fuoco ad avancarica □ **m.-loading gun**, cannone ad avancarica; mortaio □ **m. velocity**, velocità iniziale (*d'un proiettile*)

to **muzzle** /ˈmʌzl/ v. t. **1** mettere la museruola a (*anche fig.*); imbavagliare (*fig.*); far tacere; costringere (q.) al silenzio: **to m. the newspapers**, imbavagliare la stampa **2** (*naut.*) strangolare (*una vela*).

muzzy /ˈmʌzɪ/ (*fam.*) a. **1** intontito; istupidito; inebetito; brillo **2** confuso; indistinto; sfuocato || **muzziness** n. [U] intontimento; istupidimento.

MV sigla **1** (*naut.*, **motor vessel**) motonave **2** (**muzzle velocity**) velocità di uscita (*di un proiettile dalla canna*).

MW sigla (*radio*, **medium wave**) onde medie (OM).

MWA sigla (*polit.*, **Member of the Welsh Assembly**), membro del parlamento gallese.

◆**my** /maɪ, mɪ/ [A] a. poss. **1** (il) mio, (la) mia; (i) miei, (le) mie: *Here is my sister!*, ecco mia sorella!; *Where is my hat?*, dov'è il mio cappello? **2** (quando è unito alla forma in **-ing**, è idiom.; per es.:) *He resented my being appointed headmaster*, si risentì perché ero stato nominato preside; *Do you mind my coming later?*, ti secca se vengo più tardi? [B] inter. – **Oh, my!**, perbacco!; santo cielo! ● **my and her father**, nostro padre (*mio e di mia sorella*) □ **my dear** (*o* **my darling**), mio caro; mia cara □ (*fam.*) **My eye!**, un corno!; accidenti!; col cavolo! □ (*slang*) **My foot!**, ma va (là)!; sì, domani!; col cavolo! □ **my love**, amor mio □ **my own**, mio

(*proprio*): *This book is my own; I bought it*, questo libro è mio; l'ho comprato io □ **My dear fellow**, caro mio! □ **My goodness!**, buon Dio!; perbacco!

MY sigla (*naut.*, **motor yacht**) yacht a motore.

myalgia /maɪˈældʒə/ (*med.*) n. [U] mialgia; dolore muscolare || **myalgic** a. mialgico.

myall /ˈmaɪəl/ n. (*bot.*, *Acacia pendula*) acacia australiana.

myasthenia /maɪəsˈθiːnɪə/ (*med.*) n. [U] miastenia || **myasthenic** a. miastenico.

mycelium /maɪˈsiːlɪəm/ (*bot.*) n. (pl. **mycelia**) micelio || **mycelial**, **mycelian** a. del micelio.

Mycenaean /maɪsɪˈniːən/ a. e n. (*stor.*, *archeol.*) miceneo.

mycobacterium /maɪkəʊbækˈtɪərɪəm/ n. (pl. **mycobacteria**) micobatterio.

mycology /maɪˈkɒlədʒɪ/ (*scient.*) n. [U] micologia; micetologia || **mycological** a. micologico || **mycologist** n. micologo.

mycoplasma /ˈmaɪkəʊplæzmə/ n. (pl. **mycoplasmas**, **mycoplasmata**) (*biol.*) micoplasma.

mycorrhiza, **mycorhiza** /maɪkəˈraɪzə/ n. (*bot.*) micorriza.

mycosis /maɪˈkəʊsɪs/ (*med.*) n. [U] micosi ● (*lat.*) **m. cutis**, dermatomicosi □ (*lat.*) **m. intestinalis**, carbonchio intestinale; antrace || **mycotic** a. micotico.

mycotoxin /maɪkəʊˈtɒksɪn/ n. (*med.*) micotossina.

mydriasis /maɪˈdraɪəsɪs/ (*med.*) n. [U] midriasi || **mydriatic** a. midriatico.

myelin /ˈmaɪəlɪn/ (*anat.*) n. mielina.

myelitis /maɪəˈlaɪtɪs/ n. (*med.*) mielite.

myeloblast /ˈmaɪələblæst/ n. (*biol.*) mieloblasto.

myelocyte /ˈmaɪələsaɪt/ n. (*biol.*) mielocito; mielocita.

myelography /maɪəˈlɒɡrəfɪ/ n. [U,C] (*med.*) mielografia.

myeloma /maɪəˈləʊmə/ n. (pl. **myelomas**, **myelomata**) (*med.*) mieloma.

myelopathy /maɪəˈlɒpəθɪ/ n. [U] (*med.*) mielopatia.

myelosclerosis /maɪələʊskləˈrəʊsɪs/ n. [U] (*med.*) mielosclerosi.

myelosis /maɪəˈləʊsɪs/ n. (*med.*) mielosi.

mylodon /ˈmaɪlədɒn/ n. (*paleont.*) milodonte.

mylonite /ˈmaɪlənaɪt/ n. [U] (*geol.*) milonite.

mynah, **myna** /ˈmaɪnə/ n. (*zool.*, *Acridotheres tristis*) storno triste.

MYOB sigla (*fam.*, **mind your own business**) bada ai fatti tuoi.

myocardia /maɪəʊˈkɑːdɪə/ n. [U] (*med.*) miocardia.

myocardiopathy /maɪəkɑːdɪˈɒpəθɪ/ n. [U] (*med.*) miocardiopatia.

myocarditis /maɪəʊkɑːˈdaɪtɪs/ n. [U] (*med.*) miocardite.

myocardium /maɪəʊˈkɑːdɪəm/ n. (*anat.*) n. (pl. **myocardia**) miocardio || **myocardial**, **myocardic** a. miocardico: **myocardial insufficiency**, insufficienza miocardica.

myocyte /ˈmaɪəʊsaɪt/ n. (*biol.*) miocita; cellula muscolare.

myogen /ˈmaɪəʊdʒɛn/ (*biol.*) n. [U] miogeno || **myogenic** a. miogenico.

myoglobin /maɪəʊˈɡləʊbɪn/ n. (*biol.*) mioglobina.

myograph /ˈmaɪəʊɡrɑːf/ (*med.*) n. miografo (*strumento*) || **myography** n. [U,C] miografia.

myoid /ˈmaɪɔɪd/ n. (*anat.*) mioide.

myology /maɪˈɒlədʒɪ/ (*anat.*) n. [U] miolo-

gia ‖ **myologic** a. miologico.

myoma /maɪˈəʊmə/ n. (pl. **myomas**, **myomata**) (*med.*) mioma.

myometrium /maɪəˈmiːtrɪəm/ n. (*anat.*, *zool.*) miometrio.

myopathy /maɪˈɒpəθɪ/ (*med.*) n. Ⓤⓒ miopatia ‖ **myopathic** a. miopatico.

myope /ˈmaɪəʊp/ n. (*med.*) miope.

myopia /maɪˈəʊpɪə/ (*med. e fig.*) n. Ⓤ miopia ‖ **myopic** a. miope; miopico.

myorelaxant /maɪəʊrɪˈlæksənt/ (*farm.*) n. miorilassante ‖ **myorelaxing** a. miorilassante.

myosin /ˈmaɪəʊsɪn/ n. (*biochim.*) miosina.

myosis /maɪˈəʊsɪs/ n. Ⓤ (*med.*) miosi.

myositis /maɪəˈsaɪtɪs/ n. Ⓤ (*med.*) miosite.

myosote /ˈmaɪəsəʊt/, **myosotis** /maɪəˈsəʊtɪs/ n. (*bot.*, *Myosotis scorpioides*) miosotide; nontiscordardimé.

myotome /ˈmaɪətəʊm/ n. (*anat.*) miotomo.

myotonia /maɪəˈtəʊnɪə/ n. Ⓤ (*med.*) miotonia.

myriad /ˈmɪrɪəd/ Ⓐ n. **1** miriade; dieci migliaia **2** (*fig.*) miriade; numero grandissimo Ⓑ a. attr. (*lett.*) a miriadi; innumerevole.

myriagram /ˈmɪrɪəgræm/ n. miriagrammo.

myriapod /ˈmɪrɪəpɒd/ (*zool.*) Ⓐ a. dei miriapodi Ⓑ n. miriapode.

myrmecology /mɜːmɪˈkɒlədʒɪ/ (*scient.*) n. Ⓤ mirmecologia ‖ **myrmecologist** n. mirmecologo.

myrmecophily /mɜːmɪˈkɒfəlɪ/ n. Ⓤ (*biol.*) mirmecofilia ‖ **myrmecophilous** a. mirmecofilo.

Myrmidon /ˈmɜːmɪdən/ n. **1** (*mitol.*, *stor.*) mirmidone **2** – **m.**, seguace (*o* servitore) fedele **3** – **m.**, seguace fanatico; scherano (*lett.*); sgherro.

myrobalan /maɪˈrɒbələn/ n. **1** (*bot.*, *Prunus cerasifera mirabalana*) mirobolano **2** Ⓤ (*farm.*, *conceria*) mirobolano.

myrrh ① /mɜː(r)/ n. **1** Ⓤ (*profumeria*) mirra **2** (*bot.*) *Commiphora*; pianta da cui si estrae la mirra ‖ **myrrhic**, **myrrhy** a. di mirra.

myrrh ② /mɜː(r)/ n. (*bot.*, *Myrrhis odorata*) mirride; finocchiella.

myrtaceous /mɜːˈteɪʃəs/ a. (*bot.*) mirtaceo.

myrtle /ˈmɜːtl/ n. (*bot.*, *Myrtus communis*) mirto; mortella ● **m. oil**, essenza di mirto.

◆**myself** /maɪˈsɛlf/ Ⓐ pron. rifl. me stesso;

mi; me: *I have sacrificed m. for my people*, mi sono sacrificato per il mio popolo; *I was speaking to m.*, parlavo fra me e me Ⓑ pron. enfat. io stesso; io in persona; proprio io: *I saw it m.*, l'ho visto io stesso (*o* con questi occhi); *I am doing it only for m.*, lo faccio solo per me (stesso) ● **by m.**, da me; da solo; solo: *I can do it by m.*, so farlo da me; *I was all by m.*, ero tutto solo ▢ **I m. am afraid**, ho paura anch'io ▢ **I am not m. when I get so enraged**, quando m'infurio così, sono proprio fuori di me (*o* non sono più io) ▢ **I'm quite m. again**, mi sono rimesso del tutto; ora sto proprio bene ▢ **Soon after the accident I came to m. again**, mi riebbi (*o* mi ripresi) poco dopo l'incidente.

mystagogue /ˈmɪstəɡɒɡ/ (*relig.*) n. mistagogo ‖ **mystagogic**, **mystagogical** a. mistagogico ‖ **mystagogy** n. Ⓤ mistagogia.

mysterious /mɪˈstɪərɪəs/ a. misterioso; arcano; oscuro: **a m. event**, un avvenimento misterioso ● **m.-looking**, dall'aspetto misterioso: **a m.-looking stranger**, un forestiero dall'aspetto misterioso | -**ly** avv. | -**ness** n. Ⓤ.

◆**mystery** /ˈmɪstərɪ/ n. ⒸⓊ **1** mistero: **the m. of life**, il mistero della vita; **the Eleusinian mysteries**, i misteri eleusini; **an air of m.**, un'aria di mistero; **wrapt in m.**, avvolto nel mistero; **to make a m. of st.**, far mistero di qc.; tenere qc. celato (*o* segreto) **2** (*relig.*) sacro mistero; sacramento; (*spec.*) eucaristia **3** (*letter.*, *teatr.*, *stor.*, = **m. play**) mistero, miracolo (*rappresentazione sacra*) **4** (*letter.*, = **m. story**) romanzo giallo (*o* poliziesco) ● (*pop. USA*) **m. meat**, carne sospetta (*o* di incerta provenienza) ▢ **m. religion**, culto misterico ▢ (*stor.*, *mil.*) **m. ship**, nave da guerra camuffata da mercantile (*per dar la caccia ai sommergibili*); nave civetta ▢ (*tur.*) **m. tour**, gita (*in pullman*) con itinerario a sorpresa (*noto solo agli organizzatori*).

mystic /ˈmɪstɪk/ Ⓐ a. **1** (*relig.*) mistico **2** esoterico; occulto: **m. rites**, riti esoterici; **m. powers**, potenze occulte **3** misterioso; enigmatico; oscuro Ⓑ n. mistico ● **m. practice**, ascesi ▢ (*leg.*) **m. testament**, testamento segreto.

mystical /ˈmɪstɪkl/ a. mistico; allegorico: **the m. rose**, la rosa mistica | -**ly** avv.

mysticism /ˈmɪstɪsɪzəm/ n. Ⓤ **1** (*relig.*) misticismo **2** (*spreg.*) misticume.

mystification /mɪstɪfɪˈkeɪʃn/ n. Ⓤ **1** mistificazione; inganno **2** il confondere le idee; il rendere disorientato (*o* stordito).

mystifier /ˈmɪstɪfaɪə(r)/ n. mistificatore,

mistificatrice.

to **mystify** /ˈmɪstɪfaɪ/ v. t. **1** mistificare; ingannare **2** confondere le idee a (q.); disorientare; stordire **3** avvolgere nel mistero; rendere oscuro.

mystique /mɪˈstiːk/ n. Ⓤ aureola misteriosa; aria di mistero; misteriosità; fascino.

◆**myth** /mɪθ/ n. **1** mito **2** figura mitica **3** Ⓤ miti; mitologia; leggenda ● **m.-maker**, creatore di miti.

mythical, **mythic** /ˈmɪθɪk(l)/ a. **1** mitico; del mito; dei miti **2** mitico; leggendario; favoloso; favoleggiato **3** immaginario; inventato; di fantasia | -**ly** avv.

to **mythicize** /ˈmɪθɪsaɪz/ v. t. **1** miticizzare; mitizzare **2** interpretare mitologicamente ‖ **mythicism** n. Ⓤ **1** studio dei miti; mitologia **2** tendenza a creare miti (*o* a spiegare tutto con miti) ‖ **mythicist** n. mitologo.

mythographer /mɪˈθɒɡrəfə(r)/ n. mitografo.

mythography /mɪˈθɒɡrəfɪ/ n. Ⓤ mitografia.

mythologem /mɪˈθɒlədʒəm/ n. mitologema.

to **mythologize** /mɪˈθɒlədʒaɪz/ Ⓐ v. t. → to **mythicize** Ⓑ v. i. fare il mitologo; interpretare (*o* studiare) miti.

mythology /mɪˈθɒlədʒɪ/ n. Ⓤⓒ mitologia ‖ **mythologer** n. mitologo ‖ **mythological**, **mythologic** a. mitologico ‖ **mythologically** avv. mitologicamente ‖ **mythologist** n. mitologo.

mythomania /mɪθəˈmeɪnɪə/ (*psic.*) n. Ⓤ mitomania ‖ **mythomaniac** a. e n. mitomane.

mythopoeia /mɪθəʊˈpiːə/ (*letter.*) n. Ⓤ mitopoiesi ‖ **mythopoeic** a. mitopoietico.

mythopoesis /mɪθəpɔɪˈiːsɪs/ n. (*letter.*) mitopoiesi.

mythos /ˈmɪθɒs, ˈmaɪ-/ (*greco*) n. (pl. **mythoi**) (*sociol. e letter.*) mito.

mythus /ˈmaɪθəs/ (*lat.*) n. (pl. **mythi**) mito.

myxoedema /mɪksɪˈdiːmə/ n. Ⓤ (*med.*) mixedema.

myxoma /mɪkˈsəʊmə/ n. (pl. **myxomas**, **myxomata**) (*med.*) mixoma.

myxomatosis /mɪksəʊməˈtəʊsɪs/ n. Ⓤ (*vet.*) mixomatosi.

myxomycetes /mɪksəʊmaɪˈsiːtiːz/ n. pl. (*biol.*) mixomiceti.

myxovirus /ˈmɪksəʊvaɪərəs/ n. (*biol.*, *med.*) mixovirus (*dell'influenza, ecc.*).

a
b
c
d
e
f
g
h
i
j
k
l
m
n
o
p
q
r
s
t
u
v
w
x
y
z

n, N

N ①, n /ɛn/ n. (pl. **N's, n's; Ns, ns**) **1** N, n (quattordicesima lettera dell'alfabeto ingl.) **2** (mat.) n (simbolo di numero o potenza indefinita): **to the nth power**, all'ennesima potenza (anche in senso fig.) ● **n for November**, n come Napoli.

N ② sigla **1** (scacchi, **knight**) cavallo **2** (autom., **neutral**) folle (marcia del cambio automatico) **3** (**north**) nord (N) **4** (**northern**) settentrionale.

n. abbr. **1** (**name**) nome (n.) **2** (**new**) nuovo **3** (**noon**) meriggio **4** (**note**) nota (n.) **5** (**number**) numero.

'n' abbr. fam. di **and**.

n/a sigla **1** (**not applicable**) non applicabile **2** (**not available**) non disponibile.

NAACP sigla (**National Association for the Advancement of Colored People**) Associazione nazionale per il progresso della gente di colore (USA).

NAAFI /ˈnæfɪ/ sigla (GB, **Navy, Army, and Air Force Institutes**) Organizzazione di spacci militari e lo spaccio stesso (cfr. **USA PX**).

naan /nɑːn/ n. (alim.) nan, naan (tipo di pane indiano).

nab /næb/ n. (slang USA) poliziotto; sbirro (pop.).

to **nab** /næb/ v. t. (slang) **1** acchiappare; agguantare; afferrare **2** arraffare; prendere **3** rubare **4** arrestare.

nabe /ˈneɪb/ n. (slang USA) **1** vicinato; quartiere **2** cinema (o teatro) di quartiere.

nabob /ˈneɪbɒb/ n. nababbo (anche fig.); riccone.

nacelle /nəˈsɛl/ n. (aeron.) **1** cesta, navicella (di dirigibile) **2** gondola (che racchiude il motore d'un aereo) **3** (antiq.) carlinga.

nacre /ˈneɪkə(r)/ n. madreperla ‖ **nacreous** a. madreperlaceo.

nacré velvet /nəˈkreɪvɛlvɪt/ loc. n. Ⓤ (ind. tess.) velluto con effetto perlato.

nadir /ˈneɪdɪə(r)/ n. **1** (astron.) nadir **2** (fig.) punto più basso.

naevus /ˈniːvəs/ n. (med.) nevo.

naff /næf/ a. (slang GB) senza stile; poco elegante; pacchiano; cafonesco; di cattivo gusto.

to **naff off** /ˈnæfɒf/ v. i. + avv. (slang ingl.) andarsene; smammare (pop.): Naff off!, smamma!; vattene!

NAFTA /ˈnæftə/ sigla **1** (**New Zealand-Australia Free Trade Agreement**) Accordo di libero scambio fra l'Australia e la Nuova Zelanda **2** (**North American Free Trade Agreement**) Accordo nordamericano di libero scambio.

nag ① /næg/ n. **1** cavallino; puledro; pony **2** (spreg.) ronzino.

nag ② /næg/ n. (fam.) persona (spec. donna) bisbetica (o fastidiosa, seccante).

to **nag** /næg/ Ⓐ v. t. **1** rimproverare; sgridare **2** infastidire; punzecchiare; tormentare: He seems to get a big kick out of nagging his wife, pare che ci provi un gran gusto a punzecchiare la moglie; A doubt nagged him, un dubbio lo tormentava Ⓑ v. i. brontolare continuamente ● **to nag at sb.**, sgridare (o infastidire) q. continuamente □ **to**

nag sb. into doing st., far fare qc. a q. a forza di rimproveri e punzecchiature.

nagger /ˈnægə(r)/ n. brontolone, brontolona; persona bisbetica.

nagging ① /ˈnægɪŋ/ n. Ⓤ fastidio; brontolamenti; continui rimproveri.

nagging ② /ˈnægɪŋ/, **naggy** /ˈnægi/ a. che brontola sempre; bisbetico; petulante; fastidioso; irritante; seccante: **a n. wife**, una moglie bisbetica; **a n. sensation**, una sensazione fastidiosa.

naiad /ˈnaɪæd/ n. (pl. **naiads, naiades**) (mitol.) naiade.

♦**nail** /neɪl/ n. **1** (anat.) unghia **2** (d'animale) artiglio **3** chiodo; punta **4** (med.) chiodo ● **n.-biter**, chi si morde le unghie; (fam.) cosa (libro, film, ecc.) al cardiopalmo □ (fig. fam.) **n.-biting**, emozionante; da brivido: **a n.-biting finish**, un finale da brivido □ **n. bomb**, bomba artigianale imbottita di chiodi □ **n. claw**, graffio (di martello) □ **n. cleaner**, pulisciunghie □ **n. file**, lima per le unghie □ **n.-head**, capocchia di chiodo; testa di punta; borchia ornamentale □ (fig.) **a n. in sb.'s coffin**, un'azione o cosa dannosa (che accelera la fine di q. o qc.); duro colpo: **the final n. in sb.'s coffin**, il colpo di grazia per q. □ **n. maker**, chiodaiolo; chiodaio □ **n. polish = n. varnish** → sotto □ **n. puller**, cavachiodi □ **n. scissors**, forbici per le unghie □ (mecc.) **n. set**, punzone □ **n. varnish**, smalto per unghie □ **as hard as nails**, (del corpo) sano come un pesce, in ottima salute, forte, robusto; (d'animo) duro, crudele, spietato □ **to bite one's nails**, mangiarsi le unghie □ **to drive in a n.**, conficcare (o piantare) un chiodo □ (fig.) **to drive the n. home**, giungere alla conclusione □ (fig.) **to fight tooth and n.**, battersi con le unghie e coi denti □ (fig.) **to hit the n. on the head**, colpire nel segno □ (fam.) **on the n.**, immediatamente; in contanti; a tamburo battente □ **to paint one's nails**, dipingersi (o farsi) le unghie □ **to pay on the n.**, pagare sull'unghia; pagare a tamburo battente, in contanti.

to **nail** /neɪl/ v. t. **1** (anche fig.) inchiodare: He nailed the canvas to the ground with a spike, inchiodò a terra il telo da tenda con una punta **2** munire di chiodi; chiodare (raro) **3** (fam.) acchiappare; afferrare; prendere al volo; accalappiare (un marito, ecc.): N. him before he leaves, prendilo (al volo) prima che se ne vada **4** (slang) colpire (con l'arco, il fucile, ecc.); centrare, beccare, fare secco (pop.) **5** (slang) inchiodare (q.) con un'accusa; arrestare; catturare **6** (slang) identificare **7** (volg. USA) chiavare, scopare (volg.) ● **to n. a bargain**, assicurarsi un affare; non lasciarselo scappare □ (fig.) **to n. one's colours to the mast**, non darsi per vinto; (anche) fare una professione di fede incrollabile; prendere una posizione inequivocabile □ **to n. one's eyes (o attention) on an object**, tener gli occhi fissi (inchiodati) su un oggetto □ **to n. a lie to the counter** (o **to the barn door**), smascherare una menzogna □ (pop.) **You are nailed**, sei in arresto.

■ **nail back** v. t. + avv. inchiodare; tenere (qc.) a posto, con chiodi: **to n. back a door**, inchiodare uno sportello in modo che stia

aperto.

■ **nail down** v. t. + avv. **1** inchiodare; tenere (qc.) giù con chiodi: N. down the lid!, inchioda il coperchio! **2** (fig.) inchiodare (q.); tenere (q.) fermo (fig.): **to n. sb. down to a statement**, inchiodare q. alle sue parole; **to n. sb. down to a promise**, costringere q. a mantenere una promessa **3** (fig.) definire bene; precisare; specificare: **to n. down the precise meaning of a word**, definire bene l'esatto significato di una parola **4** concludere (un accordo).

■ **nail on** v. t. + avv. attaccare (qc.) con i chiodi; inchiodare.

■ **nail onto** v. t. + prep. inchiodare (una cosa) a (un'altra).

■ **nail up** v. t. + avv. **1** inchiodare (qc.) in alto; attaccare (con i chiodi): **to n. up a notice on a door**, inchiodare un avviso su una porta; **to n. up a picture**, attaccare un quadro **2** inchiodare; fissare (qc.) con chiodi (perché stia chiuso): **to n. up doors and windows**, inchiodare porte e finestre.

nailbrush /ˈneɪlbrʌʃ/ n. spazzolino da unghie.

nailed /neɪld/ a. **1** provvisto di unghie **2** inchiodato; chiodato: **n. boot**, scarpone chiodato **3** (slang) preso al volo **4** (slang) arrestato **5** (slang) identificato.

nailer /ˈneɪlə(r)/ n. **1** (raro) fabbricante di chiodi; chiodaiolo; chiodaio **2** (slang) fenomeno (fig.); campione: **to be a n. at st.**, essere un fenomeno nel fare qc.; essere un campione in (uno sport) **3** (slang) poliziotto; sbirro.

naive, naïve /naɪˈiːv/ a. **1** ingenuo; credulo: You shouldn't be so naive!, non dovresti essere così ingenuo! **2** semplice; schietto **3** semplicistico: **n. argument**, ragionamento semplicistico, senza profondità | **-ly** avv.

naiveté, naivety, naïvety /naɪˈiːvtɪ/ n. **1** Ⓤ ingenuità; candore, innocenza (fig.); semplicità; schiettezza **2** ingenuità; azione (parola, ecc.) ingenua.

♦**naked** /ˈneɪkɪd/ a. **1** nudo, ignudo (anche fig.); spogliato; spoglio; (fig.) disadorno, puro e semplice, schietto: **n. savages**, selvaggi ignudi; **n. rock**, nuda roccia; **a n. sword**, un nudo ferro; una spada sguainata; **the n. truth**, la nuda verità; la verità nuda e cruda; **n. walls**, pareti nude; **the n. facts**, i fatti puri e semplici; **n. trees**, alberi spogli; **n. faith**, fede schietta, sincera **2** scoperto; palese; evidente; manifesto; messo a nudo: **in its n. absurdity**, nella sua palese assurdità; **his n. heart**, il suo cuore messo a nudo **3** scoperto; non protetto; sguarnito; indifeso: **a n. light**, una luce scoperta (non protetta da paralume); (min., in miniera) una lampada a fiamma libera **4** brullo: **a n. hillside**, il fianco brullo di un colle **5** (fam.) inerme; disarmato **6** (fam.) senza un soldo; squattrinato; pulito **7** (fin.) allo scoperto: **n. position**, posizione allo scoperto (in Borsa) ● **as n. as his mother bore him**, nudo come l'ha fatto mamma (o scherz.) **the n. ape**, l'uomo (fam.) □ (bot.) **n. boys** (Colchicum autumnale), colchico □ (leg.) **a n. contract**, un contratto non vincolante; nudum pactum (lat.) □ (bot.) **n. ladies = n. boys** → sopra □ **to see st. with the n. eye**, vedere qc. a occhio nu-

do □ **stark n.**, nudo come il palmo della mano; tutto nudo □ **to strip sb. n.**, denudare q. | **-ly** avv.

nakedness /ˈneɪkɪdnəs/ n. Ⓤ **1** nudità **2** (*fig.*) semplicità; schiettezza **3** (*fig.*) evidenza **4** (*fig.*) l'essere scoperto, indifeso ● (*fig.*) **the n. of the land**, la sterilità della terra; la povertà del paese; (*anche*) la mancanza di difesa della nazione.

Nam /nɑːm, næm/ n. (*slang USA*) Vietnam.

namable /ˈneɪməbl/ → **nameable**.

namby-pamby /ˈnæmbɪˈpæmbɪ/ Ⓐ a. **1** lezioso; melenso; sentimentale; sdolcinato; stucchevole **2** (*di persona*) infantile; debole Ⓑ n. **1** discorso (*o* scritto) sentimentale, sdolcinato **2** persona debole, senza spina dorsale; pappamolla (*fam.*) **3** persona sentimentale, sdolcinata; sentimentalista.

♦**name** /neɪm/ Ⓐ n. **1** nome; denominazione; appellativo: **to mention sb. by n.**, fare il nome di q.; **John by n.** (*o* **by n. John**), di nome John; *What's your n.?*, come ti chiami?; *My name's Peter Maxwell*, mi chiamo Peter Maxwell; *I know him by n.*, lo conosco di nome **2** fama; reputazione; nome; rinomanza; nomea (*spreg.*): **to win a (good) n. for oneself**, farsi un nome; diventare famoso **3** (*fam.*) grosso nome; personaggio famoso **4** (*al pl.*) insulti; ingiurie: **to call sb. names**, insultare q.; (*di bambino*) dire parolacce a q. Ⓑ a. attr. (*market.*; = **n. brand**) di (buona) qualità; di marca; pregiato: **n. merchandise**, merce di qualità ● **n. and address**, nome e indirizzo; le generalità (*di q.*) □ **n.-child**, bambino che porta il nome di q. (*del nonno, ecc.*) □ **a n. to conjure with**, un nome importante; un nome grosso □ **n. day**, onomastico; (*Borsa*) giorno di spunta □ (*fin.*) **the n. of a firm**, la ragione sociale di una ditta □ (*fam.*) **the n. of the game**, la cosa essenziale; l'elemento chiave; quel che ci vuole; quello che conta: *Quality is the n. of the game*, quello che conta è la qualità □ **n. tape**, cartellino col nome (*su una valigia, ecc.*) □ (*Borsa*) **n. ticket**, foglio (*con gli estremi di un'operazione*) □ **to bequeath a great n.**, lasciare un nome famoso (*ai propri discendenti*) □ **to carry on business in one's own n.**, stare in affari per conto proprio □ **to have a n. for st.**, essere noto, rinomato per qc.: *That solicitor has a n. for honesty*, quell'avvocato è noto per la sua onestà □ **to have a good n.**, godere (*o* avere) buon nome □ **to have an ill n.**, avere una brutta nomea □ **in sb.'s n.**, a nome di q.: *We have a booking in the n. of Taylor*, abbiamo una prenotazione a nome Taylor □ **In the n. of God!**, in nome di Dio! □ **in n. only**, solo di nome □ **in the n. of the law**, in nome della legge □ **in all but n.**, di fatto (ma non di nome) □ **one's good n.**, il proprio buon nome; la propria onorabilità □ **to put one's n. down for st.**, fare domanda (*o* presentarsi candidato) per qc.; mettersi in lista per qc. □ **to speak in one's own n.**, parlare a nome proprio (*o* a titolo personale) □ **to take God's n. in vain**, nominare il nome di Dio invano □ (*fam.*) **Give it a n.**, dimmi quello che vuoi (*dono, bibita, ecc.*).

♦**to name** /neɪm/ v. t. **1** metter nome a; chiamare: *They named the child Andrew*, chiamarono il bambino Andrew; **to be named**, avere nome; chiamarsi; *a dog named Rover*, un cane di nome (*o* chiamato) Rover **2** nominare; fare il nome di; dire il nome di; menzionare: *Can you n. all the flowers in the greenhouse?*, sai dirmi il nome di tutti i fiori della serra? **3** fissare; stabilire: *N. your price*, fissa il prezzo!; di' tu la cifra!; *She has named the day*, ha fissato la data (*spec., del matrimonio*) **4** designare; indicare; istituire; eleggere; nominare: *He was named to succeed his father*, fu designato a succedere al padre; **to be named sb.'s heir**, essere nominato erede di q. **5**

(*sport*: dell'allenatore) annunciare (*una formazione*) **6** (*leg.*) citare come correo (*in una causa di divorzio*) ● **to n. but one**, per non fare che un nome; per citare un solo esempio □ (*GB, polit.*: *del presidente della Camera dei Comuni*) **to n. a member**, richiamare all'ordine un deputato □ (*fam.*) **you n. it**, e chi più ne ha più ne metta; e così via □ **to n. names**, fare i nomi (*alla polizia, ecc.*) □ **to be named after**, essere chiamato col nome di; prendere il nome da; (*di strada, ecc.*) essere intitolato a: *He was named after* (*o from*) *his grandfather*, gli fu messo il nome del nonno; *America was named after Amerigo Vespucci*, l'America prese il nome da Amerigo Vespucci □ (*slang*) **N. your poison!**, dimmi cosa bevi (*o* cosa prendi da bere).

nameable /ˈneɪməbl/ nominabile; menzionabile; degno d'esser menzionato ‖ **nameability** n. Ⓤ l'essere nominabile (*o* menzionabile).

name-calling /ˈneɪmkɔːlɪŋ/ n. Ⓤ l'affibbiare epiteti ingiuriosi; il dire nomacci (*a q.*).

namecheck /ˈneɪmtʃek/ n. citazione di un nome (*in un articolo, ecc.*).

to namecheck /ˈneɪmtʃek/ v. t. nominare; citare il nome di (*in un'articolo, ecc.*).

named /neɪmd/ a. **1** che ha un nome (proprio); chiamato per nome; di cui viene fatto il nome; nominato: **n. person**, persona di cui viene fatto il nome; *The n. child was the victim of abuse*, il bambino, di cui è stato fatto il nome, è stato vittima di violenze **2** di nome; noto: **articles made by n. firms**, articoli prodotti da aziende di nome **3** intestato: **n. policy**, polizza intestata.

name-dropping, **namedropping** /ˈneɪmdrɒpɪŋ/ (*fam.*) n. Ⓤ sfoggio di grossi nomi ‖ **name-drop**, **to namedrop** v. i. buttare là grossi nomi; fare sfoggio di amici altolocati (*o di conoscenze fasulle*) ‖ **name-dropper**, **namedropper** n. chi fa sfoggio (*o* cita a sproposito) grossi nomi.

nameless /ˈneɪmləs/ a. **1** senza nome; anonimo; (*fig.*) oscuro, ignoto: **a n. grave**, una tomba senza nome, anonima; **to remain n.**, mantenere l'anonimato **2** innominato; sconosciuto: **a rogue who shall be n.**, un furfante che resterà innominato (*o di cui non voglio fare il nome*) **3** innominabile; abominevole: **n. vices**, vizi innominabili **4** indescrivibile; inesprimibile; indicibile: **a n. horror**, un indicibile orrore | **-ly** avv. | **-ness** n.

namely /ˈneɪmlɪ/ avv. vale a dire; cioè.

nameplate /ˈneɪmpleɪt/ n. targa, targhetta (*sulla porta di casa, ecc.*).

namesake /ˈneɪmseɪk/ n. omonimo: *I have several namesakes in this town*, ho parecchi omonimi in questa città ● **My grandson is my n.**, mio nipote porta il mio stesso nome (*o* si chiama come me).

namespace /ˈneɪmspeɪs/ n. (*comput.*) spazio di nomi, dominio di nomi.

Namibian /nəˈmɪbɪən/ a. e n. namibiano.

nan /næn/ n. (*fam.*) nonna; nonnina.

nana① /ˈnænə/ n. (*fam. GB*) nonna.

nana② /ˈnænə/ a. (*fam. GB*) scemo; idiota.

nancy /ˈnænsɪ/ n. (*slang antiq.*) **1** uomo (*o* ragazzo) effeminato **2** omosessuale.

Nancy /ˈnænsɪ/ n. dim. di → **Ann**.

nandrolone /ˈnændrələʊn/ n. Ⓤ (*farm.*) nandrolone.

nanism /ˈneɪnɪzəm/ n. Ⓤ (*med.*) nanismo.

Nanjing /næˈdʒɪŋ/ n. (*geogr.*) Nanchino.

nankeen /næŋˈkiːn/ n. **1** Ⓤ (*ind. tess.*) anchina; nanchino **2** Ⓤ color giallo chiaro **3** (*pl.*) calzoni d'anchina.

Nanking /næŋˈkɪŋ/ → **Nanjing**.

nanny /ˈnænɪ/ n. **1** (*fam.*) bambinaia; tata (*parola infantile*) **2** nonna; nonnina **3** (= **n.**

goat) capra; capretta ● (*polit.*, *GB*) **n. state**, stato-balia.

nanocomputer /ˈnænəkəmpjuːtə(r)/ n. (*comput.*) nanocomputer (*computer di dimensioni microscopiche*).

nanocrystalline /nænəʊˈkrɪstəlaɪn/ (*scient.*) a. nanocristallino: **n. structure**, struttura nanocristallina.

nanocurie /ˈnænəʊkjʊərɪ/ n. (*fis.*) nanocurie.

nanoelectromechanical /nænəʊɪlektrəʊmɪˈkænɪkl/ a. (*scient.*) nanoelettromeccanico.

nanofabrication /nænəʊfæbrɪˈkeɪʃn/ n. Ⓤ (*scient.*) tecniche (pl.) di nanocostruzione.

nanometre, (*USA*) **nanometer** /ˈnænəʊmiːtə(r)/ n. (*fis.*) nanometro.

nanoparticle /ˈnænəʊpɑːtɪkl/ n. (*fis.*) nanoparticella.

nanorobot /ˈnænəʊrəʊbɒt/ n. (*tecn.*, *comput.*) nanorobot.

nanoscale /ˈnænəʊskeɪl/ n. (*fis.*) nanoscala.

nanosecond /ˈnænəʊsekənd/ n. (*fis.*) nanosecondo.

nanostructure /ˈnænəʊstrʌktʃə(r)/ n. (*scient.*) nanostruttura.

nanotech /ˈnænəʊtek/ n. Ⓤ abbr. di **nanotechnology**.

nanotechnology /nænəʊtekˈnɒlədʒɪ/ (*scient.*) n. Ⓤ nanotecnologia ‖ **nanotechnologist** n. nanotecnologo.

nanotube /ˈnænəʊtjuːb, *USA* -tuːb/ n. (*scient.*, *tecn.*) nanotubo.

Naomi /ˈneɪəmɪ/ n. Noemi.

naos /ˈneɪɒs/ n. (*archit.*) **1** naos **2** (*per estens.*) tempio.

nap① /næp/ n. dormitina; sonnellino; pisolino: **to have** (*o to take*) **a nap**, fare una dormitina; schiacciare un pisolino.

nap② /næp/ n. **1** Ⓤ pelo (*di tessuto*) **2** Ⓤ peluria, lanugine (*di piante*) **3** (*slang USA*) negro **4** (*pl.*) (*slang USA*) capelli crespi.

nap③ /næp/ n. **1** napoleone (*gioco di carte e solitario*) **2** il puntare tutto il denaro in una scommessa ● (*fig.*) **to go nap**, rischiare il tutto per tutto.

to nap① /næp/ v. i. sonnecchiare; fare una dormitina; schiacciare un pisolino ● (*fig.*) **to catch sb. napping**, prendere q. alla sprovvista.

to nap② /næp/ v. t. spazzolare contropelo (*un tessuto*).

to nap③ /næp/ v. t. consigliare, dare (*un cavallo come vincente*).

napalm /ˈneɪpɑːm/ n. (*mil.*) napalm: **a n. bomb**, una bomba al napalm.

nape /neɪp/ n. nuca; collottola (*fam.*).

napery /ˈneɪpərɪ/ n. Ⓤ biancheria di casa (*spec. da tavola*); tovagliato.

naphtha /ˈnæfθə/ n. Ⓤ (*chim.*, *ind.*) nafta (*benzina pesante e solvente*) ● **n. pollution**, inquinamento da nafta.

naphthalene /ˈnæfθəliːn/ n. Ⓤ (*chim.*) naftalene, naftalina.

naphthenate /ˈnæfθəneɪt/ n. (*chim.*) naftenato.

naphthene /ˈnæfθiːn/ (*chim.*) n. naftene ‖ **naphthenic** a. naftenico.

naphthol /ˈnæfθɒl/ n. (*chim.*) naftolo.

naphthylamine /næfˈθɪləmiːn/ n. Ⓤ (*chim.*) naftilammina.

napkin /ˈnæpkɪn/ n. **1** (= **table n.**) tovagliolo; salvietta **2** pannolino (*per bimbi piccoli*; *cfr. USA* **diaper**) **3** (*scozz.*) fazzoletto ● **n. ring**, portatovagliolo □ (*USA*) **sanitary n.**, assorbente igienico.

Naples /ˈneɪplz/ n. (*geogr.*) Napoli.

napless /ˈnæpləs/ a. (*di stoffa, tessuto*) **1** senza pelo; rasato **2** logoro; liso.

napoleon /nə'pəʊlɪən/ n. **1** (*stor.*) napoleone (*moneta d'oro francese, da 20 franchi; gioco di carte e solitario*) **2** stivale alto **3** (*cucina, USA*) millefoglie.

Napoleon /nə'pəʊlɪən/ (*stor.*) n. Napoleone || **Napoleonic** n. napoleonico.

nappe /næp/ n. (*geol.*) falda.

♦**nappy** ① /'næpɪ/ n. (*fam.*) pannolino (*per bimbi piccoli*): **n. rash**, dermatite da pannolino.

nappy ② /'næpɪ/ a. **1** peloso; coperto di peluria **2** (*di birra, ecc.*) che spuma; (*anche*) forte.

nappy ③ /'næpɪ/ (*slang USA*) Ⓐ a. crespo; dai capelli crespi Ⓑ n. negro.

narc /nɑːk/ n. (*slang USA*) agente dell'antidroga; uno della narcotici ● (*collett.*) **the narcs**, la narcotici.

narceine /'nɑːsɪɪn/ n. ⓤ (*chim., farm.*) narceina.

narcissism /'nɑːsɪsɪzəm/ (*psic.*) n. ⓤ narcisismo || **narcissist** n. narcisista || **narcissistic** a. narcisistico.

Narcissus /nɑː'sɪsəs/ n. **1** (*mitol.*) Narciso **2** – n. (pl. **narcissus**, **narcissuses**, **narcissi**) (*bot., Narcissus poeticus*) narciso **3** (*fig.*) narciso; narcisista.

narco /'nɑːkəʊ/ n. (*slang USA*) **1** narcotrafficante **2** agente della narcotici.

narcodollar /'nɑːkəʊdɒlə(r)/ n. narcodollaro.

narcolepsy /'nɑːkəlepsɪ/ n. ⓤ (*med.*) narcolessia.

narcosis /nɑː'kəʊsɪs/ n. ⓤ (*med.*) narcosi.

narcosynthesis /nɑːkəʊ'sɪnθɪsɪs/ n. ⓤ (*psic.*) narcosintesi.

narco-terrorism, **narcoterrorism** /nɑːkəʊ'terərɪzəm/ n. ⓤ narcoterrorismo || **narco-terrorist**, **narcoterrorist** n. narcoterrorista.

narcotherapy /nɑːkəʊ'θerəpɪ/ n. ⓤ narcoterapia.

narcotic /nɑː'kɒtɪk/ a. e n. (*chim. e fig.*) narcotico: *This book is a n.!*, questo libro è un narcotico! ● **narcotics addict**, tossicomane; tossicodipendente □ **narcotics addiction**, tossicomania; tossicodipendenza □ **a n. drug**, un narcotico || **narcotism** n. ⓤ (*med.*) narcotismo.

to **narcotize** /'nɑːkətaɪz/ (*med.*) v. t. narcotizzare || **narcotization** n. ⓤ narcotizzazione.

narco-trafficking /nɑːkəʊ'træfɪkɪŋ/ n. ⓤ narcotraffico.

nard /nɑːd/ n. **1** (*bot., Nardostachys jatamansi*) nardo indiano **2** ⓤ (*stor.*) unguento di nardo.

narghile, **narghileh** /'nɑːgɪlɪ/ n. narghilè.

nark /nɑːk/ n. **1** (*slang ingl.*; = **copper's n.**) informatore della polizia; delatore; spia **2** (*slang ingl.*) brontolone; scocciatore; rompiscatole **3** (*slang Austral.*) rottura (*di scatole*); scocciatura **4** (*slang USA*) → **narc**.

to **nark** /nɑːk/ (*slang ingl.*) Ⓐ v. i. **1** fare l'informatore della polizia; fare il delatore (*o* la spia); spifferare; cantare (*fig.*) **2** brontolare; mugugnare; criticare Ⓑ v. t. infastidire; seccare; scocciare ● **to n. at each other**, criticarsi a vicenda; battibeccare □ (*slang*) **N. it!**, piantala!; dacci un taglio!; chiudi il becco! □ **to n. on sb.**, fare la spia a q.

narked /nɑːkt/ a. (*slang ingl.*) irritato; seccato; scocciato ● **to get n.**, seccarsi; scocciarsi; stizzirsi.

narky /'nɑːkɪ/ a. (*slang ingl.*) **1** irascibile; stizzoso; scorbutico **2** arrabbiato; stizzito; scocciato ● **to get n.**, seccarsi; scocciarsi; stizzirsi.

narratage /'nærətɪdʒ/ n. ⓤ (*cinem., TV*) narratage (*franc.*).

to **narrate** /nə'reɪt, *USA* 'næreɪt/ v. t. **1** narrare; raccontare **2** (*cinem., TV*) leggere (*o dire*) il commento di (*un film, ecc.*) || **narratable** a. narrabile; raccontabile || **narration** n. **1** ⓤ narrazione **2** narrazione; racconto; storia.

narrative /'nærətɪv/ Ⓐ a. attr. narrativo: **a n. poem**, un poema narrativo Ⓑ n. **1** ⓤ (*letter.*) narrazione; parte narrativa (*di un romanzo*) **2** resoconto ● **n. literature**, la narrativa | **-ly** avv.

narratology /nærə'tɒlədʒɪ/ (*letter.*) n. ⓤ narratologia || **narratological** a. narratologico.

narrator /nə'reɪtə(r), *USA* 'næreɪ-/ n. **1** narratore **2** (*cinem., TV*) chi legge un commento; commentatore || **narratorial** a. narratorio.

♦**narrow** /'nærəʊ/ Ⓐ a. **1** stretto; ristretto; angusto; limitato; meschino; gretto; esiguo; scarso: **a long, n. passage**, un corridoio lungo e stretto; **n. circumstances**, mezzi ristretti (*scarsità di mezzi, gravi ristrettezze*); **n. resources**, risorse limitate; **n. views**, vedute ristrette (*o grette, meschine*); **a n. majority**, un'esigua maggioranza **2** accurato; preciso; meticoloso: **a n. inspection**, un esame accurato; **after a n. scrutiny**, dopo un esame meticoloso **3** (*Borsa: di un titolo*) a scarso flottante Ⓑ n. **1** stretta; gola montana; punto in cui la strada si restringe **2** (pl.) (*naut.*) stretto: (*geogr.*) **the Narrows**, lo Stretto dei Dardanelli; (*anche*) lo Stretto fra Staten Island e Long Island (*a New York*) ● (*naut., GB*) **n. boat**, barca lunga e stretta (*usata nei canali*); chiatta □ **n. cloth**, stoffa «bassa» (*cioè, stretta*) □ (*ferr.*) **a n.-gauge railway**, una ferrovia a scartamento ridotto □ **n. goods**, nastri; nastrini; passamaneria □ (*comm.*) **n. market**, mercato fiacco □ **n.-minded**, di mente ristretta; gretto; meschino □ **n.-mindedness**, ristrettezza di mente, di vedute; grettezza; meschinità □ (*geogr.*) **the N. Seas**, la Manica e il Mar d'Irlanda □ (*fam.*) **a n. squeak** (*o* **n. squeeze**), un pericolo evitato per un pelo; un brutto rischio; l'essersi salvato a stento □ **a n. victory**, una vittoria di stretta misura □ (*fig.*) **the n. way**, la via della virtù □ **to have a n. escape**, salvarsi per il rotto della cuffia, per un pelo □ **to win by a n. margin**, vincere di stretta misura.

to **narrow** /'nærəʊ/ Ⓐ v. t. restringere; ridurre; delimitare; circoscrivere: *The speaker narrowed the argument*, l'oratore ristrinse la questione (*o circoscrisse l'argomento*) Ⓑ v. i. stringersi; restringersi ● **to n. down**, ridurre; ridursi; restringere; restringersi (*fig.*) □ **to n. the field**, (*fotogr.*) restringere il campo; (*fig.*) ridurre le possibilità □ «**Road narrows**» (*cartello stradale*), «strettoia».

narrowband, **narrow-band** /nærəʊ'bænd/ a. (*comput.*) a banda stretta (*o* ristretta).

narrowcast /'nærəʊkɑːst/ n. ⓤⓒ (*radio, TV*) trasmissione locale; programma trasmesso via cavo.

to **narrowcast** /'nærəʊkɑːst/ (*pass. e p. p.* **narrowcast** e **narrowcasted**) (*radio, TV, comput.*) Ⓐ v. t. trasmettere via cavo Ⓑ v. i. trasmettere ad un gruppo specifico di persone.

narrowing /'nærəʊɪŋ/ n. ⓤⓒ restringimento (*per es., d'una strada*).

narrowish /'nærəʊɪʃ/ a. piuttosto stretto.

narrowly /'nærəʊlɪ/ avv. **1** attentamente; da vicino: *The police searched the area n.*, la polizia setacciò attentamente la zona **2** a mala pena; per un pelo (*fam.*); di stretta misura: *I n. escaped*, mi salvai per un pelo; *The Government won n.*, il governo vinse di stretta misura **3** minuziosamente; con pi-

gnoleria; meticolosamente ● (*sport: di un tiro, una palla*) **n. wide**, appena fuori; fuori di poco □ **to question sb. n.**, sottoporre q. a uno stringente interrogatorio.

narrowness /'nærəʊnəs/ n. ⓤ **1** strettezza; ristrettezza; angustia **2** limitatezza; grettezza; meschinità.

narthex /'nɑːθeks/ n. (*archit.*) nartece.

narwhal /'nɑːwəl/ n. (*zool., Monodon monoceros*) narvalo.

nary /'neərɪ/ a. (*fam. o dial.*) nessuno; neanche: **n. a word**, neanche una parola.

NASA /'næsə/ sigla (*USA*, **National Aeronautics and Space Administration**) Ente nazionale aeronautico e spaziale.

nasal /'neɪzl/ Ⓐ a. nasale: **a n. sound**, un suono nasale ● **a n. voice**, una voce nasale; (*med.*) **n. catarrh**, catarro nasale Ⓑ n. **1** (*fon.*) nasale; lettera (*o suono*) nasale **2** (*anat.*) osso (*o cartilagine*) nasale **3** (*mil., stor.*) (la) nasale (*di un elmo*) ● (*anat.*) **n. cavity**, cavità nasale □ (*med.*) **n. tampon**, tampone nasale □ (*med.*) **n. tamponade**, tamponamento nasale || **nasality** n. ⓤ nasalità (*d'un suono, d'una voce, ecc.*).

to **nasalize** /'neɪzəlaɪz/ Ⓐ v. t. nasalizzare; rendere (*un suono*) nasale Ⓑ v. i. parlare col naso (*o con voce nasale*) || **nasalization** n. ⓤ (*fon.*) nasalizzazione || **nasalized** a. (*fon.*) nasalizzato.

nascent /'næsnt/ a. nascente (*anche chim.*); alle origini: **a n. civilization**, una civiltà nascente; **n. hydrogen**, idrogeno nascente || **nascency** n. ⓤⓒ nascita; origine.

NASDAQ /'næzdæk/ abbr. (*Borsa, USA*, **National Association of Securities Dealers Automated Quotations System**) Sistema di quotazioni automatizzate della associazione nazionale degli operatori di titoli (*listino tecnologico di New York*).

naseberry /'neɪzbrɪ/ n. ⓤⓒ (*bot.*) → **sapodilla**.

nasolabial /neɪzəʊ'leɪbɪəl/ a. (*anat.*) nasolabiale.

nasopharyngeal /neɪzəʊfærɪn'dʒiːəl/ a. (*anat.*) nasofaringeo.

nastiness /'nɑːstɪnəs/ n. ⓤ **1** sporcizia; sudiceria; indecenza; oscenità **2** l'essere disgustoso; cattivo sapore; sgradevolezza **3** gravità (*d'una ferita, ecc.*); pericolosità **4** cattiveria; villania; scortesia; irascibilità.

nasturtium /nə'stɜːʃəm/ n. ⓤⓒ (*bot., Nasturtium*) nasturzio; crescione.

♦**nasty** /'nɑːstɪ/ Ⓐ a. **1** sporco; sudicio; indecente; osceno: *He's too fond of n. stories*, gli piacciono troppo le barzellette sporche **2** disgustoso; nauseante; nauseabondo; sgradevole: **a n. taste**, un sapore disgustoso; un saporaccio; **a n. medicine**, una medicina nauseabonda; **a n. smell**, un odore sgradevole **3** cattivo; brutto; grave; pericoloso: **n. weather**, cattivo (*o brutto*) tempo; **a n. job**, un brutto mestiere; **a n. wound**, una brutta ferita; **a n. corner** (*o* **curve**), una brutta curva; una curva pericolosa; **a n. illness**, una brutta malattia; una malattia grave **4** villano; maleducato; scortese; irascibile: *He was very n. to me*, mi trattò assai male con me; mi trattò assai male **5** (*slang USA*) arrapante; eccitante; sexy Ⓑ **nasties** n. pl. (*slang*) **1** cose sgradevoli (*o ripugnanti*) **2** (le) porcherie (*pop.*): **to do the nasties**, fare le porcherie (*con q.*) **3** (le) vergogne; (i) genitali ● (*sport*) **a n. foul**, un brutto fallo; un fallo pericoloso □ **a n. look**, un'occhiataccia □ **a n. question**, una domanda molto imbarazzante □ **a n. sea**, un mare in tempesta □ **n. words**, parolacce; parole sgradevoli (*o* oscene) □ **to get n.**, incattivirsi; arrabbiarsi; diventare sguaiato □ **to turn n.**, (*di una persona*) arrabbiarsi; stizzirsi; (*del tempo*) guastarsi; (*di una situazione*) mettersi male □ **He has a n. mind**, ha una fantasia che si com-

piace dell'osceno | **-ily** avv.

NAT sigla (*comput.*, **network address translation**) NAT (*tecnica di traduzione di indirizzi IP privati in indirizzi visibili su Internet*).

nat. abbr. 1 (**national**) nazionale (*naz.*) **2** (**natural**) naturale **3** (**naturalist**) naturalista.

Nat. abbr. 1 (**national**) nazionale **2** (**nationalist**) nazionalista.

natal /'neɪtl/ a. natale; natalizio: **n. day**, giorno natalizio; compleanno.

Natalie /'nætəlɪ/ n. Natalia.

natality /nə'tælɪtɪ/ n. Ⓤ natalità.

natation /neɪ'teɪʃn/ n. Ⓤ natazione; nuoto || **natatorial, natatory** a. natatorio.

natch /nætʃ/ avv. (*slang USA*) certo; ovviamente; naturalmente ● **He said n.**, disse di sì.

nates /'neɪtiːz/ n. pl. (*anat.*) natiche.

Nathaniel /nə'θænɪəl/ n. Nataniele.

◆**nation** /'neɪʃn/ n. nazione; popolo ● (*polit.*) **n.-state**, stato nazionale, stato-nazione ● (*econ.*) **most favoured n. clause**, clausola della nazione più favorita.

◆**national** /'næʃənl/ Ⓐ a. **1** nazionale; patrio: **n. anthem**, inno nazionale; **n. bank**, banca nazionale; **n. theatre**, teatro nazionale (*di Stato*); **n. monument**, monumento nazionale; (*sport*) **n. championship**, campionato nazionale **2** patriottico Ⓑ n. **1** cittadino: *French nationals in India*, cittadini francesi residenti in India **2** (*in diplomazia*) compatriota; concittadino **3** (*GB* = **n. newspaper**) quotidiano a diffusione nazionale ● (*in GB*) **N. Audit Office**, organo di controllo dell'amministrazione statale (*cfr. in Italia la Corte dei Conti*) □ (*sport*) **n. coach**, allenatore della nazionale; CT □ (*fin.*) **n. debt**, debito pubblico □. **n. duty**, servizio militare (*di leva*): *He was excused n. duty*, fu esonerato dal servizio militare □ **n. finance**, finanza dello Stato □ (*polit.*) **n. government**, governo nazionale (*del gas, ecc.*) □ (*in USA*) **The N. Guard**, la Guardia Nazionale (*la milizia territoriale dei singoli Stati*) □ **the N. Health Service**, il Servizio d'Assistenza Sanitaria; la Mutua (*fam.*) □ (*econ.*) **n. income**, reddito nazionale □ (*in GB*) **n. insurance**, assicurazioni sociali □ (*in GB*) **N. Insurance Number**, il numero della tessera delle assicurazioni sociali (*funge anche da codice fiscale*) □ (*fin.*) **n. saving**, risparmio nazionale □ (*fin.*) **N. Savings Bank**, Cassa di Risparmio Postale (*in GB; dal 1968*) □ (*in GB*) **n. service**, il servizio militare di leva (*dal 1948 al 1960*) □ (*sport*) **a n. side**, una nazionale (*squadra*) □ (*stor.*) **N. Socialism**, nazionalsocialismo; nazismo □ (*stor.*) **N. Socialist**, nazionalsocialista; nazista □ (*sport*) **the n. team**, la nazionale.

nationalism /'næʃnəlɪzəm/ n. Ⓤ nazionalismo; patriottismo.

◆**nationalist** /'næʃnəlɪst/ Ⓐ n. nazionalista; patriota Ⓑ a. nazionalista; nazionalistico || **nationalistic** a. nazionalistico.

nationality /næʃə'nælɪtɪ/ n. ⓊⒸ nazionalità; cittadinanza: **people of various nationalities**, persone di diverse nazionalità; *British n.*, cittadinanza britannica.

to **nationalize** /'næʃnəlaɪz/ v. t. **1** (*econ.*) nazionalizzare **2** naturalizzare; concedere la cittadinanza a (*uno straniero*) || **nationalization** n. **1** Ⓤ (*econ.*) nazionalizzazione **2** Ⓤ naturalizzazione.

nationally /'næʃnəlɪ/ avv. **1** nazionalmente; in sede di nazione **2** (*anche*) per tutta la nazione.

nationhood /'neɪʃnhʊd/ n. Ⓤ status di nazione: **to achieve n.**, diventare una nazione (indipendente); conquistare l'indipendenza.

nationwide /'neɪʃn'waɪd/ Ⓐ avv. **1** per

tutta la nazione; in tutto il paese **2** su scala nazionale Ⓑ **a.** (a carattere) nazionale; su scala nazionale; diffuso in tutta la nazione: **a n. strike**, uno sciopero (a carattere) nazionale ● **a n. search for the kidnappers**, una ricerca dei rapitori estesa a tutto il territorio nazionale.

◆**native** /'neɪtɪv/ Ⓐ a. **1** nativo; natio; natale: **one's n. country**, il paese natio; la patria; **one's n. place**, il luogo natio; il paese natio; la città natale; **n. language**, lingua madre; madrelingua; idioma nativo **2** innato; naturale; schietto; spontaneo: **n. ability**, abilità naturale, innata; **n. kindness**, gentilezza schietta, spontanea **3** indigeno; del luogo; locale; **n. plants**, piante indigene; **n. industry**, industria locale; **n. villages**, villagi indigeni **4** (*miner.*) nativo: **n. copper**, rame nativo **5** (*comput.*) nativo (*detto di software creato specificamente per una precisa piattaforma*) Ⓑ n. **1** nativo; persona nata in un luogo; persona del luogo: **a n. of southern Italy**, un nativo dell'Italia Meridionale; *I am a n. here*, io sono di qui; *He speaks Russian like a n.*, parla il russo come un russo **2** indigeno, indigena; aborigeno **3** animale indigeno; pianta indigena: *The ostrich is a n. of Africa*, lo struzzo è nativo dell'Africa **4** ostrica coltivata nelle acque della Gran Bretagna ● (*USA*) **N. American**, indiano d'America; (*anche*) indio caraibico □ (*Austral.*) **N. Australian**, aborigeno □ (*zool., Austral.*) **n. bear**, koala □ **a n. Bostonian**, un nativo di Boston □ (*comput.*) **n. file format**, formato di file nativo □ (*zool.*) **n. cat** (*Dasyurus*), dasiuro □ **n. speaker**, (persona) madrelingua □ (*spreg. o scherz., di straniero*) **to go n.**, fare proprio lo stile di vita degli abitanti del luogo; diventare un indigeno | **-ly** avv. | **-ness** n. Ⓤ.

nativism /'neɪtɪvɪzəm/ (*filos.*) n. Ⓤ innatismo; nativismo || **nativist** n. innatista; nativista.

nativity /nə'tɪvɪtɪ/ n. **1** (*spec. relig., arte*) natività **2** (*astrol.*) tema di natività; oroscopo **3** (*relig.*) – **the N.**, la Natività; il Natale ● (*in GB*) **N. play**, dramma natalizio (*rappresentato da bambini*).

NATO /'neɪtəʊ/ sigla (**North Atlantic Treaty Organization**) Organizzazione del trattato nord-Atlantico.

natremia /neɪ'triːmɪə/ n. Ⓤ (*med.*) natriemia.

natrolite /'neɪtrəlaɪt/ n. Ⓤ (*miner.*) natrolite.

natron /'neɪtrən/ n. Ⓤ (*miner.*) natron; carbonato idrato di sodio.

natter /'nætə(r)/ n. (*fam. spec. ingl.*) chiacchierata: **to have a n.**, farsi una chiacchierata (*o quattro chiacchiere*).

to **natter** /'nætə(r)/ v. i. (*fam., spec. ingl.*) **1** chiacchierare; ciarlare **2** borbottare; brontolare.

natterjack /'nætədʒæk/ n. (*zool., Bufo calamita*) rospo dei canneti.

nattiness /'nætɪnəs/ n. Ⓤ (*fam. antiq.*) eleganza; inappuntabilità.

natty /'nætɪ/ a. **1** (*fam. antiq.*) attillato; elegante; inappuntabile: **a n. hat**, un elegante cappellino **2** (*slang ingl.: di capelli*) acconciati a boccoli fitti (*alla rasta*) | **-ily** avv.

◆**natural** /'nætʃrəl/ Ⓐ a. **1** naturale; innato; congenito; spontaneo; della natura: **n. food**, alimento naturale; **a n. blonde**, una bionda naturale; **a n. fibre**, una fibra naturale; **n. harbour**, porto naturale; **n. life**, vita naturale; **the n. world**, il mondo della natura: *He addressed me in a n. voice*, si rivolse a me con voce naturale; **n. phenomena**, fenomeni naturali; **n. forces**, le forze della natura; **n. history**, storia naturale; (*leg.*) **n. law**, diritto naturale; **n. science**, scienze naturali; (*biol.*) **n. selection**, selezione natura-

le; **n. talents**, talenti naturali; **n. gas**, gas naturale; (*mus.*) **n. key**, chiave naturale; (*leg.*) **a n. son**, un figlio naturale; **a n. gift**, un dono naturale; una qualità innata **2** per natura; nato: **a n. comedian**, un commediante nato Ⓑ n. **1** (*fam.*) persona con un dono naturale (*per fare qc.*): *As a race car driver, he's a n.*, è un pilota da corsa nato **2** (*mus.*, = **n. sign**) nota naturale; bequadro **3** persona (*o cosa*) adatta allo scopo, che va benissimo **4** (*slang USA*) condanna a sette anni di carcere ● **n.-born**, di nascita; (*USA*) per natura; nato: (*USA*) **a n.-born actor**, un attore nato; **a n.-born Scotsman**, uno scozzese di nascita □ (*med.*) **n. childbirth**, parto naturale; parto eutocico □ **a n. historian**, un naturalista □ (**the**) **n. man**, l'uomo allo stato di natura □ (*mat.*) **n. number**, numero naturale □ (*leg.*) **a n. person**, una persona fisica □ (*arc.*) **n. philosopher**, fisico □ (*arc.*) **n. philosophy**, fisica □ (*med.*) **n. practitioner**, medico omeopatico; omeopata □ **to die a n. death**, morire di morte naturale □ **for the term** (*o* **rest**) **of one's n. life**, vita natural durante □ **It comes to me**, mi viene naturale (*o* spontaneo) □ **It's only n. that you should be worried**, è più che normale che tu sia preoccupato.

naturalism /'nætʃrəlɪzəm/ n. Ⓤ (*letter., filos., arte*) naturalismo.

naturalist /'nætʃrəlɪst/ Ⓐ n. **1** (*scient.*) naturalista **2** (*letter., filos., arte*) naturalista Ⓑ a. naturalistico.

naturalistic /nætʃrə'lɪstɪk/ a. naturalistico | **-ally** avv.

naturalization /nætʃrəlaɪ'zeɪʃn, *USA* -lɪ'z-/ n. Ⓤ **1** (*leg.*) naturalizzazione; concessione (*o* acquisizione) della cittadinanza (*d'un paese*) **2** adozione (*di parole straniere*) **3** (*biol.*) acclimatazione; naturalizzazione.

to **naturalize** /'nætʃrəlaɪz/ Ⓐ v. t. **1** naturalizzare; concedere la cittadinanza a (q.) **2** (*biol.*) introdurre e acclimatare (*animali esotici*); trapiantare (*piante esotiche, in un paese*) **3** introdurre, adottare (*parole o costumanze straniere*) **4** rendere naturale, spontaneo Ⓑ v. i. **1** (*leg., biol.*) naturalizzarsi **2** fare il naturalista ● **to be naturalized**, naturalizzarsi, prendere la cittadinanza; (*di animali*) acclimatarsi; (*di piante esotiche*) attecchire; (*di parole straniere*) essere adottato, trovare cittadinanza.

◆**naturally** /'nætʃrəlɪ/ avv. **1** naturalmente; spontaneamente: *These trees grow n. here*, questi alberi crescono spontaneamente qui; *It comes n. to him*, per lui è cosa naturale; a lui viene facile **2** in modo naturale; con naturalezza; con disinvoltura: **to behave n.**, comportarsi con naturalezza **3** naturalmente; ovviamente: *N., I'd prefer you came*, naturalmente preferirei che tu venissi; *He was upset, n. enough*, lui ci rimase male, comprensibilmente **4** per natura; congenitamente ● **n. gifted**, che ha un dono naturale; naturale; nato; d'istinto.

naturalness /'nætʃrəlnəs/ n. Ⓤ naturalezza; spontaneità.

◆**nature** /'neɪtʃə(r)/ n. **1** ⓊⒸ natura; carattere, indole, disposizione, temperamento; (*form.*) genere, qualità, specie, sorta: **human n.**, la natura umana; *N. is at its best in spring*, la natura assume il suo aspetto più bello a primavera; *It's the n. of a cat to miaow*, miagolare è nella natura del gatto; *That man is honest by n.*, quell'uomo è onesto per natura; **bad n.**, cattivo carattere; **good n.**, indole buona; buon cuore; *It's a question of a serious n.*, è una questione di natura seria; **100 boxes of each n. of shot**, cento scatole d'ogni sorta di munizioni **2** Ⓤ forza vitale: *N. is exhausted in him*, la forza vitale si è esaurita in lui **3** Ⓤ bisogni di natura: *Such a diet will not support n.*, una dieta simile non è sufficiente a soddisfare i

a b c d e f g h i j k l m **n** o p q r s t u v w x y z

bisogni di natura **4** Ⓤ (*irl.*) amor di patria e della propria gente; patriottismo ● **n. and wildlife parks**, parchi naturali □ (*slang USA*) **n.'s call**, bisogno fisiologico; bisognino (*fam.*) □ **n. lover**, amante della natura □ **n. poets**, poeti della natura □ **n. study**, studio (*o osservazione*) della natura; (*a scuola*) scienze (*materia di studio*) □ **n. trail**, percorso naturalistico (*con segnalazioni della flora, ecc.*) □ **n. worship**, adorazione delle forze della natura □ **against n.**, contro natura; innaturale; immorale □ **by the n. of things**, secondo la natura delle cose □ **to ease n.**, andar di corpo; (*anche*) orinare □ (*arte*) **from n.**, dal vero; dal naturale □ **to get back to n.**, tornare alla natura □ **getting back to n.**, ritorno alla natura □ **in n.**, nel regno della natura; nella realtà, nel mondo □ **to pay the debt of n.** (*o one's debt to n.*), pagare il tributo alla natura; morire □ **Honesty is second n. to him**, per lui è cosa naturale essere onesto □ **This is in the course of n.**, ciò è nella natura delle cose, è naturale.

natured /'neɪtʃəd/ a. (nei composti, per es.) **good-n.**, buono; cordiale; gentile; premuroso; **ill-n.**, cattivo; bisbetico; irascibile.

naturism /'neɪtʃərɪzəm/ n. Ⓤ **1** naturismo **2** nudismo ‖ **naturist** n. **1** naturista **2** nudista ‖ **naturistic** a. naturistico; naturista.

naturopathy /neɪtʃə'rɒpəθɪ/ (*med.*) n. naturopatia ‖ **naturopath** n. naturopata ‖ **naturopathic** a. naturopatico.

naught /nɔːt/ → **nought**.

naughtiness /'nɔːtɪnəs/ n. ⓊⒸ **1** (*spec. di bambini e animali*) cattiveria; birichineria; impertinenza; disubbidienza **2** salacità; volgarità **3** oscenità; scurrilità; indecenza.

naughty /'nɔːtɪ/ Ⓐ a. **1** (*spec. di bambino, animale*) cattivo; cattivello; birichino; disobbediente; impertinente; discolo: **a n. child**, un bambino cattivo **2** salace; piccante; volgare: **a n. book**, un libro piccante **3** osceno; scurrile; sconcio; indecente: **n. language**, linguaggio osceno Ⓑ n. (spesso al pl.) (*slang*) porcherie (*pop.*); rapporto sessuale ● **N. boy!**, cattivello!; birichino!; (*scherz.*) cattivone! □ **a n. postcard**, una cartolina spiritosa (*inviata dal mare, ecc.*) □ (*boxe*) **a n. punch**, un pugno che fa male (*o che si sente*) □ **a n. trick**, una birichinata; un tiro birbone (*scherz.*) | **-ily** avv.

naumachia /nɔː'meɪkɪə/ n. (pl. **naumachiae**, **naumachias**) (*stor.*) naumachia.

nausea /'nɔːzɪə/ n. Ⓤ (*med.*) nausea; (*fig.*) disgusto, fastidio, avversione: **to be overcome by n.**, esser preso dalla nausea □ **to fill sb. with n.**, dare la nausea a q.

to **nauseate** /'nɔːzɪeɪt/ v. t. **1** nauseare; stomacare; disgustare: *I was nauseated by his conduct*, fui disgustato dalla sua condotta **2** avere (*un cibo*) a nausea.

nauseating /'nɔːzɪeɪtɪŋ/ a. **1** nauseante; nauseabondo; (*fig.*) disgustoso: **a n. meal**, un pasto nauseante; **a n. sight**, uno spettacolo disgustoso | **-ly** avv.

nauseous /'nɔːzɪəs/ a. **1** nauseante; nauseabondo; stomachevole; disgustoso **2** (*fam. USA*) nauseato; che ha la nausea ● **to feel n.**, avere la nausea; sentirsi disgustato | **-ly** avv. | **-ness** n. Ⓤ.

naut. → **nautical**.

nautical /'nɔːtɪkl/ a. nautico; navale; marinaresco; marino: **n. terms**, termini nautici, lessico marinaresco; **n. mile**, miglio marino, miglio nautico (*pari a 1853 metri*) ● (*leg.*) **n. error** (*o n. fault*), colpa nautica □ **n. science**, nautica.

nautilus /'nɔːtɪləs/ n. (pl. **nautiluses**, **nautilii**) **1** (= **pearly n.**) (*zool.*, *Nautilus pompilius*) nautilo **2** (= **paper n.**) (*zool.*, *Argonauta argo*) argonauta.

nav. abbr. **1** (**naval**) navale (nav.) **2** (**nav-**

igation) navigazione **3** (*naut.*, **navigator**) ufficiale di rotta.

♦**naval** /'neɪvl/ a. navale; della marina (*da guerra*); di marina: (*mil.*) **n. forces**, forze navali; **n. academy**, accademia navale; **a n. battle**, una battaglia navale; **a n. officer**, un ufficiale di marina ● **n. architect**, ingegnere navale □ **n. discharge**, congedo dalla marina militare □ **n. dockyard**, arsenale marittimo □ **n. engineer**, ingegnere navale □ **n. outfitter**, fornitore della marina militare □ **a n. power**, una potenza marittima.

navalism /'neɪvəlɪzəm/ n. navalismo.

nave① /neɪv/ n. (*archit.*) navata centrale; navata maggiore.

nave② /neɪv/ n. (*mecc.*) mozzo (*di ruota*).

navel /'neɪvl/ n. (*anat.*) ombelico; (*fig.*) centro ● **n. cord** (*o n. string*), cordone ombelicale □ (*bot.*) **n. orange**, arancia 'ombelicata'; (*anat.*) depressione apicale.

navicular /nə'vɪkjʊlə(r)/ Ⓐ a. (*anat.*) navicolare: **n. bone**, osso navicolare Ⓑ n. (*anat.*) osso navicolare; scafoide.

navigable /'nævɪɡəbl/ a. **1** navigabile: **a n. canal**, un canale navigabile; (*leg.*) **n. waters**, acque navigabili **2** (*di nave, aereo, ecc.*) che si può dirigere (*o manovrare*); idoneo alla navigazione ● **a n. balloon**, un (*pallone*) dirigibile □ **a ship in n. condition**, una nave in condizione di navigare ‖ **navigability** n. Ⓤ navigabilità (*di un fiume, di una nave, di un aereo*).

to **navigate** /'nævɪɡeɪt/ Ⓐ v. i. **1** navigare; governare; dirigere la rotta **2** fare l'ufficiale di rotta; (*per estens.*) studiare l'itinerario **3** (*per estens.*) procedere (*su un terreno difficile*) **4** (*raro*) (*comput.*) navigare in Internet **5** (*autom.*) fare il navigatore Ⓑ v. t. **1** navigare, percorrere (*fiumi, mari*) **2** governare (*una nave*); tenere in rotta (*un aereo*) **3** attraversare, fare la traversata di (*un oceano, ecc.*) **4** (*fig.*) guidare; far passare: **to n. a bill through the Commons**, far passare un disegno di legge ai Comuni **5** (*fig.*) superare: *The drunk navigated the steps with difficulty*, l'ubriaco superò i gradini con difficoltà ● **to n. the Alps by air**, trasvolare le Alpi □ **to n. the Atlantic**, fare la traversata dell'Atlantico □ **to n. one's way through the crowd**, farsi largo tra la folla.

navigating /'nævɪɡeɪtɪŋ/ a. navigante; che naviga ● (*naut.*, *aeron.*) **n. officer**, ufficiale di rotta; navigatore.

navigation /nævɪ'ɡeɪʃn/ n. Ⓤ **1** (*naut.*, *aeron.*) navigazione: **inland n.**, navigazione interna; **air** (*o aerial*) **n.**, navigazione aerea; **river n.**, navigazione fluviale **2** (*USA*) traffico (*o commercio*) marittimo **3** (*naut.*) nautica **4** (*comput.*) navigazione: **n. bar**, barra di navigazione ● (*naut.*) **n. lights**, fanali di via □ (*naut.*, *aeron.*) **n. officer**, ufficiale di rotta.

navigational /nævɪ'ɡeɪʃənl/ a. relativo alla navigazione; nautico: **n. astronomy**, astronomia per la navigazione; **n. timepiece**, orologio nautico ● (*naut.*) **n. aids** (*o instruments*), strumenti di assistenza alla navigazione □ (*naut.*) **n. almanac**, effemeridi.

navigator /'nævɪɡeɪtə(r)/ n. **1** navigatore **2** (*naut.*, *aeron.*) ufficiale di rotta; navigatore **3** (*comput.*) navigatore (*programma*); browser **4** (*autom.*) navigatore ● (*aeron.*) **n.'s compartment**, cabina di navigazione.

navvy /'nævɪ/ n. **1** manovale; sterratore; terrazziere **2** (= **steam n.**) scavatrice meccanica; escavatore.

♦**navy** /'neɪvɪ/ n. **1** marina militare; flotta (*da guerra*) **2** (*arc. o lett.*) flotta (*stor.*) – **the N.**, il Ministero della Marina **4** Ⓤ (= **n. blue**) blu scuro; blu navy ● **n. cut**, tabacco tagliato finemente □ **n. league**, lega navale □ **n. list**, annuario della marina □ (*spec. USA*)

n. yard, arsenale marittimo □ **to join the n.**, arruolarsi in marina.

nawab /nə'wɑːb/ n. nababbo (*anche fig.*).

nay /neɪ/ Ⓐ avv. **1** (*arc.*) no **2** (*form. o lett.*) anzi; o piuttosto; o meglio: **a difficult, nay, unanswerable question**, una domanda difficile, o meglio, cui è impossibile rispondere **3** (*arc.*) beh; ebbene Ⓑ n. **1** no; (un) rifiuto: *I won't take nay as an answer*, non sono disposto ad accettare una risposta negativa **2** (*anche polit.*) voto contrario; no; chi vota contro: **to count the nays**, fare il conteggio dei no ● (*in parlamento*) **The nays have it!**, la legge (la proposta, ecc.) è respinta!

Nazarene /'næzə'riːn/ a. e n. nazareno; (abitante o nativo) di Nazareth ● (*relig.*) **the N.**, il Nazareno (Gesù).

Nazareth /'næzərɪθ/ n. (*geogr.*) Nazareth.

Nazarite① /'næzəraɪt/ n. nazareno.

Nazarite② /'næzəraɪt/ n. (*Bibbia*) nazireo.

naze /neɪz/ n. (*geogr.*) capo; promontorio.

♦**Nazi** /'nɑːtsɪ/ (*stor.*) a. e n. (pl. **Nazis**) nazista ‖ **Nazism**, **Naziism** n. nazismo.

to **Nazify** /'nɑːtsɪfaɪ/ v. t. nazificare ‖ **Nazification** n. Ⓤ nazificazione.

NB sigla (*lat.*: *Nota Bene*) (**note well**) nota bene (NB).

NBA sigla **1** (*sport*, *USA*, **National Basketball Association**) Associazione nazionale pallacanestro **2** (*sport*, *USA*, **National Boxing Association**) Associazione nazionale boxe.

NBC sigla **1** (*USA*, **National Broadcasting Company**) Società radiotelevisiva nazionale **2** (*mil.*, **nuclear, biological, and chemical**) nucleare, biologica, chimica (guerra).

NBG sigla (*fam.*, **no bloody good**) che non vale nulla; uno schifo.

NBS sigla (*stor.*, *USA*, **National Bureau of Standards**) Ente nazionale per la normalizzazione.

NC sigla **1** (*o N.C.*) (*USA*, **North Carolina**) Carolina del Nord **2** (**numerical control**) controllo numerico (*di macchine utensili*).

NC-17 sigla (*USA*, **no children 17 and under**) di spettacolo vietato ai minori di 18 anni.

NCC sigla (*USA*, **National Council of Churches**) Consiglio nazionale delle Chiese.

NCO sigla (*mil.*, **non-commissioned officer**) sottufficiale.

ND sigla (*anche* **N.Dak.**) (*USA*, **North Dakota**) Dakota del Nord.

NDA sigla (*leg.*, **non-disclosure agreement**) accordo di non divulgazione.

NE abbr. **1** (*USA*, **Nebraska**) Nebraska **2** (*anche* **N.E.**) (**New England**) Nuova Inghilterra **3** (*geogr.*, **north-east**) nord-est (NE) **4** (**north-eastern**) nordorientale **5** (*Internet*, *telef.*) grafia scherz. o fam. di any.

NE1 sigla (*Internet*, *telef.*) grafia scherz. o fam. di **anyone**.

NEA sigla (*astron.*, **near Earth asteroid**) asteroide vicino alla Terra; (asteroide) NEA.

Neanderthal /nɪ'ændətɑːl/ Ⓐ n. **1** (*geogr.*) Neandertal **2** (= **N. man**), l'uomo di Neandertal **3** (*fig. fam.*) uomo delle caverne; primitivo, retrogrado Ⓑ a. attr. neandertaliano.

neap /niːp/ n. (*naut.*, = **n. tide**) minimo di marea; marea delle quadrature.

to **neap** /niːp/ v. i. (*naut.*: *della marea*) abbassarsi ● (*di nave*) **to be neaped**, non poter prendere il largo per il ritiro della marea.

Neapolitan /nɪə'pɒlɪtən/ Ⓐ a. napoletano Ⓑ n. **1** napoletano **2** Ⓤ napoletano (*il dialetto*) ● **N. ice cream**, gelato (di solito a tavoletta) a strati di vari gusti e colori.

♦**near**① /nɪə(r)/ **A** avv. **1** vicino; dappresso: *Stay somewhere n.*, resta vicino (nei paraggi)! **2** (*di solito*, **nearly**) quasi; circa: *You are n. right*, hai quasi ragione; *It lasted n. a century*, durò circa un secolo **3** (*fam.*) frugalmente; parsimoniosamente; in ristrettezze: *It was a well-to-do family once, but they live very n. now*, era una famiglia benestante, ma ora vivono in gravi ristrettezze **B** prep. (*anche* **n. to**) vicino a; presso (a); nei pressi di; accanto a: *Come and sit n. me*, vieni a sederti accanto a me!; *My cottage is n. the lake*, la mia villetta è nei pressi del lago; *The sun is n. setting*, il sole è vicino al tramonto ● **n. at hand**, a portata di mano, sottomano; vicino (*anche nel tempo*) □ **n. upon**, quasi: *It was n. upon midnight*, era quasi mezzanotte □ (*slang ingl.*) **as n. as dammit**, vicinissimo; a un pelo □ **to come n. to do** (*o* **n. doing**) st., mancare poco che: *Our party came n. winning the election*, mancò poco che il nostro partito vincesse le elezioni □ **to come n. to tears**, essere sul punto di piangere □ **to draw n.**, avvicinarsi: *Easter is drawing n.*, s'avvicina la Pasqua □ **far and n.**, vicino e lontano; da ogni parte; dappertutto □ **It's very n. to Christmas**, siamo sotto Natale □ **The matter lies n. his heart**, la faccenda gli sta molto a cuore □ **That's nowhere** (*o* **not anywhere**) **n. enough**, non basta davvero; è tutt'altro che sufficiente.

♦**near**② /nɪə(r)/ **a. 1** vicino (soprattutto come agg. pred.; *cfr.* **nearby**); prossimo; (*di parente*) stretto; (*d'amico*) vicino al cuore, intimo: *The school is quite n.*, la scuola è vicinissima; *Easter is n.*, la Pasqua è vicina; **in the n. future**, nel prossimo futuro; **on a n. day**, uno dei prossimi giorni; **a n. relation**, un parente dei più vicini; un parente stretto; **a n. friend**, un amico intimo **2** (*spec. ingl.: di un veicolo, di un cavallo, della strada*) di sinistra; sinistro: **the n. horse**, il cavallo di sinistra (*di una pariglia*); **the n. side of the road**, il lato sinistro della strada **3** (*di strada, itinerario*) breve: *He took the n. way*, prese la via diretta; *Can you tell me the nearest way to the airport?*, sai dirmi qual è la strada più breve per l'aeroporto? **4** (*fig. fam.*) di manica stretta (*fig.*); avaro; gretto; meschino; tirchio ● (*econ.*) **n. banking**, attività parabancaria □ **a n. collision**, una collisione evitata per poco □ (*geogr.*) **the N. East**, il Vicino Oriente; il Medio Oriente ● **a n. miss**, un colpo (un proiettile, ecc.) per poco non andato a segno; (*per estens.*) un incontro (un incidente, un progetto, un successo, ecc.) mancato per poco: *That was a n. miss*, ho (hai, ecc.) mancato il colpo per poco; c'è mancato poco che facessi centro; (*anche*) per poco non l'ho incontrato □ **n. miss**, colpo (proiettile, ecc.) che manca il bersaglio di poco; incidente mancato per un pelo □ **n. escape** = **It was a n. escape** → *sotto* □ (*econ.*) **n. money**, quasi moneta □ (*econ.*) **n. monopoly**, monopolio imperfetto □ **a n. resemblance**, una somiglianza quasi perfetta □ **n. shave** = **It was a n. escape** → *sotto* □ **the n. side**, il lato più vicino, il lato in vista (*di un oggetto*) □ **n. thing** = **It was a n. escape** → *sotto* □ **a n. translation**, una traduzione letterale (*o* aderente al testo) □ (*med.*) **n. vision chart**, carta ottometrica □ **to give a n. guess**, indovinare o quasi; indovinare pressappoco □ **in the n. distance**, in secondo piano (*d'un quadro, ecc.*) □ (*sport*) **n. winner**, secondo arrivato ● **It was a n. escape** (*o* **a n. thing**, **a n. shave**), ce l'abbiamo (ce l'avete, ecc.) fatta per un pelo; ce la siamo (ve la siete, ecc.) cavata per il rotto della cuffia: *It was a n. thing!*, c'è mancato poco!; per un soffio!; per un pelo! □ **Come nearer!**, avvicinati! □ (*sport*) **one's nearest rival**, l'avversario diretto □ (*fam.*) **one's nearest and dearest**, i parenti più prossimi; i familiari.

near③ /nɪə(r)/ **a. e avv.** (nei composti:) **1** quasi: **a n.-perfect description**, una descrizione quasi perfetta **2** strettamente; molto: **two n.-related terms**, due termini strettamente connessi ● (*sport*) **a n.-capacity crowd**, uno stadio quasi pieno □ **n.-dead with fright**, mezzo morto dalla paura □ **in a state of n.-war**, in uno stato che rasenta la guerra □ **a n.-red colour**, un colore che tira al rosso.

to **near** /nɪə(r)/ **A** v. t. avvicinarsi a; accostarsi a: *The ship was nearing the dock*, la nave si accostava alla banchina **B** v. i. avvicinarsi: *The soccer season is nearing*, s'avvicina l'inizio della stagione calcistica.

♦**nearby** /nɪə'baɪ/ **A** avv. vicino; dappresso; qui presso; nelle vicinanze: *My school is n.*, la mia scuola è qui vicino **B** a. attr. vicino; attiguo: **the n. town**, la città vicina.

nearish /'nɪərɪʃ/ **a.** abbastanza vicino; piuttosto vicino.

♦**nearly** /'nɪəlɪ/ avv. **1** quasi; pressappoco: *The bus is n. full*, l'autobus è quasi pieno; *It's n. three o'clock now*, sono quasi le tre; *It's n. time to start*, è quasi ora di partire **2** da vicino; dappresso: *I examined it n.*, lo esaminai da vicino (*o* attentamente); *The matter concerns me n.*, la faccenda mi tocca da vicino **3** strettamente; molto: *The two girls n. resemble each other*, le due ragazze si somigliano molto ● **not n.**, tutt'altro che; per niente; non... affatto; niente affatto: *His work isn't n. good enough*, il suo lavoro non è per niente soddisfacente □ **I've got thirty dollars but that won't be n. enough to buy her a present**, ho trenta dollari ma certo non basteranno per comprarle un regalo □ **I n. missed the train**, per poco non persi il treno □ **He n. died**, fu sul punto di morire.

nearness /'nɪənəs/ n. Ⓤ **1** vicinanza; prossimità **2** (*fig.*) intimità **3** (*fig.*) grettezza; meschinità; tirchieria.

nearshore /'nɪəʃɔː(r)/ **a.** sottocosta; costiero: **n. currents**, correnti sottocosta.

nearside /'nɪəsaɪd/ **A** n. (*spec. ingl.*) lato sinistro (*di un veicolo, di un cavallo, della strada; il più vicino al marciapiede: perché in GB il traffico tiene la sinistra*) **B** a. attr. di sinistra; sinistro: (*autom.*) **the n. door**, lo sportello di sinistra; **the n. lane**, la corsia di sinistra; **the n. back light**, il fanalino posteriore sinistro.

nearsighted /nɪə'saɪtɪd/ (*med.*) a. miope || **nearsightedness** n. Ⓤ miopia.

♦**neat**① /niːt/ **a. 1** nitido; lindo; pulito; chiaro; preciso; terso: **a n. handwriting**, una calligrafia nitida, chiara; **a n. house**, una casa linda, pulita; **a n. language**, un linguaggio chiaro, preciso; **a n. style**, uno stile nitido, terso **2** bello; ben fatto; ben proporzionato; elegante: *Jane has a n. figure*, Jane ha una figurina elegante; **a n. dress**, un bel vestitino **3** acuto; conciso; spiritoso: *You gave a very n. answer*, hai dato una risposta molto acuta **4** accurato; ordinato; metodico; preciso; netto: **a n. piece of work**, un lavoro accurato, ben fatto; **a n. worker**, un lavoratore metodico, preciso; **a n. division**, una divisione netta **5** (*di vino, liquore*) puro; schietto; liscio: *I never drink rum n.*, non bevo mai il rum schietto **6** efficace; efficiente: **a n. approach to a difficult problem**, un modo efficace di affrontare un problema difficile; **a n. businesslike manner**, un modo di fare efficiente, da uomo d'affari **7** (*slang USA*) ottimo; splendido; favoloso; eccezionale; fantastico ● **n.-handed**, abile (con le mani); destro; lesto □ **a n. trick**, un bel tiro; uno scherzo riuscito | **-ly** avv. | **-ness** n. Ⓤ.

neat② /niːt/ n. (inv. al pl.) (*arc. o dial.*) **1** bue; toro; vacca **2** Ⓤ (*collett.*) bovini.

to **neaten** /'niːtn/ v. t. tenere (*o* rendere)

pulito (*o* lindo); riordinare.

'**neath** /niːθ/ prep. (*poet.*) sotto (→ **beneath**).

neb /neb/ n. (*arc. o region.*) **1** becco **2** muso; grugno **3** naso **4** beccuccio (*di teiera, ecc.*) **5** punta; estremità.

NEB sigla (**GB**, **National Enterprise Board**) Comitato per l'industria nazionale.

nebbish /'nebɪʃ/ (*fam. USA*) **A** a. goffo; scialbo; timido **B** n. persona goffa, scialba, timida; (un) poveraccio; (una) nullità.

nebula /'nebjulə/ n. (pl. **nebulas**, **nebulae**) **1** (*astron.*) nebulosa **2** (*med.*) macchia bianca della cornea; nubecula; nebbia.

nebular /'nebjulə(r)/ a. (*astron.*) nebulare; di nebulosa.

nebulizer /'nebjulaɪzə(r)/ (*anche med.*) n. nebulizzatore || **nebulization** n. Ⓤ nebulizzazione || to **nebulize** v. t. nebulizzare.

nebulosity /nebjʊ'lɒsɪtɪ/ n. **1** Ⓤ nebulosità (*anche fig.*) **2** (*astron.*) nebulosa.

nebulous /'nebjuləs/ a. nebuloso; nebbioso; indistinto; incerto; vago: **a n. idea**, un'idea vaga (*o* confusa) ● **the n. mass of voters**, la vasta nebulosa degli elettori **2** (*astron.*) **n. star**, nebulosa | **-ly** avv. | **-ness** n. Ⓤ.

necessarian /nesə'sɛərɪən/ e deriv. → **necessitarian**, e deriv.

♦**necessarily** /'nesəsrəlɪ, nesə'sɛrəlɪ/ avv. necessariamente; di necessità; per forza.

♦**necessary** /'nesəsrɪ/ **A** a. **1** necessario; essenziale: *Is it really n.?*, è proprio necessario?; *It's n. for him to leave at once* (*o that he should leave at once*), è necessario (*o* indispensabile) ch'egli parta subito; *Drink is more n. to health than food*, il bere è più necessario alla salute che non il cibo **2** inevitabile: **a n. evil**, un male inevitabile **B** n. **1** cosa necessaria; l'indispensabile; (spesso al pl.) (il) necessario (*alla vita*): *He was left without the necessaries of life*, restò privo del necessario **2** (*fam.*) — **the n.**, il necessario (*azione fatta a uno scopo, denaro che serve, ecc.*): **to do the n.**, fare il necessario, quel che si deve; (*fam.*) pagare il conto ● **the n. consequences**, le conseguenze inevitabili □ **the n. requirements**, i requisiti richiesti □ (*fam.*) **to provide the n.**, trovare il denaro che occorre □ **if n.**, se è necessario; se occorre; all'occorrenza.

necessitarian /nɪsesɪ'tɛərɪən/ (*filos.*) **A** n. determinista **B** a. deterministico || **necessitarianism** n. Ⓤ determinismo; necessitismo.

to **necessitate** /nɪ'sesɪteɪt/ v. t. **1** (*form.*) rendere necessario; necessitare; richiedere (necessariamente): *The increase in unemployment necessitates the development of industry*, l'aumento della disoccupazione richiede un maggior sviluppo dell'industria **2** (di solito al passivo) costringere; obbligare: *I am necessitated to act alone*, sono costretto ad agire da solo.

necessitous /nɪ'sesɪtəs/ a. (*form.*) bisognoso; indigente; povero ● **to be in n. circumstances**, essere in gravi ristrettezze | **-ness** n. Ⓤ.

necessity /nɪ'sesɪtɪ/ n. **1** Ⓤ necessità; bisogno; indigenza; povertà: *N. compelled him to steal*, il bisogno lo spinse a rubare; **to be in n.**, trovarsi (*o* versare) in necessità **2** Ⓤ necessità; ineluttabilità; inevitabilità: *N. knows no law*, la necessità non conosce leggi **3** cosa necessaria; (al pl., *anche* **necessities of life**) necessità della vita: *A passport is a n.*, il passaporto è una cosa necessaria; *Food, clothing and a roof over one's head are necessities*, il cibo, il vestiario e un tetto sopra la testa sono necessità della vita **4** condizione necessaria; conseguenza naturale, inevitabile: *Death is a n. to life*, la morte è la conseguenza naturale della vita ● **to**

a b c d e f g h i j k l m **n** o p q r s t u v w x y z

bow to n., far buon viso a cattiva sorte □ **by** (*o* **from**, **out of**) **n.**, per necessità; per forza di cose □ (*leg.*) **case of absolute n.**, caso di forza maggiore □ (*naut.*) **for the n. of the ship and cargo**, per la salvezza della nave e del carico □ **in case of n.**, in caso di necessità; all'occorrenza; al bisogno □ **to make a virtue of n.**, fare di necessità virtù □ **of n.**, di necessità; necessariamente □ **to be under the n. of doing st.**, essere costretto a fare qc.; non poter fare a meno di fare qc. □ **There was no n. for you to do that**, non era necessario che tu facessi ciò □ (*prov.*) **N. is the mother of invention**, il bisogno aguzza l'ingegno.

♦**neck** /nɛk/ *n.* **1** (*anat.*, *mecc.*, *metall. e fig.*) collo: **to break one's n.**, rompersi (*o* fiaccarsi) il collo, l'osso del collo; **the n. of a bottle**, il collo d'una bottiglia; **the n. of a shirt**, il collo (*o* il colletto) d'una camicia; *He's up to his n. in it*, c'è dentro fino al collo **2** (*anat.*) colletto (*di dente*): **the n. of a tooth**, il colletto d'un dente **3** (*ipp.*) incollatura (*di cavallo*): **to win by a n.**, vincere per una incollatura; il più è fatto □ (*fig. fam.*) **to breathe down sb.'s n.**, inseguire da vicino (*o* tallonare) q.; tenere d'occhio (*o* sotto controllo) q.; stare addosso a q. □ (*slang*) **to get it in the n.**, ricevere una grossa sgridata (*o* punizione); essere rimproverato (*o* punito) severamente □ **to have a stiff n.**, avere il torcicollo; (*fig.*) essere ostinato (*o* caparbio) □ (*fig.*) **to put one's n. on the line**, rischiare grosso □ **to risk one's n.**, correre il rischio di rimettterci l'osso del collo; rischiare la testa, la vita □ **to save one's n.**, salvarsi dal capestro, evitare la forca; salvare la testa; (*fig.*) cavarsela per il rotto della cuffia □ (*fig. fam.*) **to stick one's n. out**, rischiare forte prendendo posizione; esporsi alle critiche (al ridicolo, *ecc.*) □ (*fig.*) **a stiff n.**, caparbietà; ostinazione □ **to be up to one's n. in debt**, essere indebitato fino al collo □ **to be up to one's n. in trouble**, essere in un mare di guai.

to neck /nɛk/ **A** *v. t.* tirare il collo a (*un pollo*) **B** *v. i.* (*slang*) sbaciucchiarsi; pomiciare (*pop.*).

neckband /'nɛkbænd/ *n.* **1** collaretto, listino del collo (*d'una camicia, ecc.*) **2** fascia che si porta al collo; collarina (*d'abito talare*).

neckcloth /'nɛkklɒθ/ *n.* fazzoletto da collo; foulard da collo; foularino.

necked /nɛkt/ *a.* (*nei composti, per es:*) **long-n.**, dal collo lungo; **short-n.**, dal collo corto ● (*di vestito*) **high-n.**, accollato □ **low-n.**, scollato □ (*fig.*) **stiff-n.**, caparbio; ostinato.

neckerchief /'nɛkətʃɪf/ *n.* (*un tempo*) fazzoletto da collo (*da uomo*); foulard.

necking /'nɛkɪŋ/ *n.* **1** (*archit.*) collarino **2** ⓤ (*slang*) sbaciucchiamenti; pomiciata (*pop.*).

necklace /'nɛkləs/ *n.* collana (*gioiello*): **a n. of cultured pearls**, una collana di perle coltivate.

necklash /'nɛklæʃ/ *n.* (*autom.*) colpo di frusta.

neckless /'nɛkləs/ *a.* **1** privo di collo **2** (*d'indumento*) senza colletto.

necklet /'nɛklət/ *n.* **1** colletto; collo di pelliccia **2** collare (*gioiello*).

neckline /'nɛklaɪn/ *n.* scollatura (*di un abito*): **an extremely low n.**, una scollatura molto profonda.

neckstrap /'nɛkstræp/ *n.* tracolla.

necktie /'nɛktaɪ/ *n.* (*USA*) **1** cravatta **2** (*pop.*) cappio al collo ● (*slang*) **n. party**, impiccagione.

neckwear /'nɛkwɛə(r)/ *n.* ⓤ (*comm.*) articoli da portare al collo; colletti, cravatte, sciarpe, ecc.

necrobiosis /nɛkrəʊbaɪ'əʊsɪs/ *n.* ⓤ (*med.*) necrobiosi.

necrologist /nɛ'krɒlədʒɪst/ *n.* necrologista.

necrology /nɛ'krɒlədʒɪ/ *n.* **1** necrologia; necrologio **2** necrologo; obituario ‖ **necrological** *a.* necrologico.

necromancy /'nɛkrəʊmænsɪ/ *n.* ⓤ negromanzia ‖ **necromancer** *n.* negromante ‖ **necromantic** *a.* negromantico.

necrophagy /nə'krɒfədʒɪ/ (*zool.*) *n.* ⓤ necrofagia ‖ **necrophagous** *a.* necrofago.

necrophilia /nɛkrə'fɪlɪə/, **necrophilism** /nɛ'krɒfɪlɪzəm/ (*psic.*) *n.* ⓤ necrofilia ‖ **necrophile** *n.* necrofilo ‖ **necrophiliac** *a.* e *n.* necrofilo ‖ **necrophilic** *a.* necrofilo.

necrophobia /nɛkrə'fəʊbɪə/ (*psic.*) *n.* ⓤ necrofobia.

necrophorus /'nɛkrəʊfɔː(r)/ *n.* (*zool.*, *Necrophorus*) necroforo (*il genere d'insetti; cfr.* **burying beetle**, *sotto* **to bury**).

necropolis /nɛ'krɒpəlɪs/ *n.* (pl. **necropolises**, **necropoles**, **necropoleis**, **necropoli**) necropoli.

necropsy /'nɛkrɒpsɪ/, **necroscopy** /nɛ'krɒskəpɪ/ *n.* ⓤⒸ necroscopia; autopsia.

necrosis /nɛ'krəʊsɪs/ (*med.*, *bot.*) *n.* ⓤⒸ (pl. **necroses**) necrosi ‖ **necrotic** *a.* necrotico.

to necrotize /'nɛkrəʊtaɪz/ (*med.*, *bot.*) **A** *v. i.* diventare necrotico; necrotizzarsi; necrosare **B** *v. t.* necrotizzare ‖ **necrotizing A** *a.* necrotizzante **B** *n.* ⓤ necrotizzazione.

nectar /'nɛktə(r)/ (*mitol.*, *bot. e fig.*) *n.* nettare ‖ **nectarean**, **nectareous** *a.* nettareo; (*fig.*) delizioso.

nectariferous /nɛktə'rɪfərəs/ *a.* (*bot.*) nettarifero.

nectarine /'nɛktərɪn/ *n.* **1** (*bot.*, *Prunus persica nectarina*) pesconoce; nocepesco **2** (*il frutto*) (pesca) nettarina; pescanoce; nocepesca.

nectary /'nɛktərɪ/ *n.* **1** (*bot.*) nettario **2** (*zool.*) proboscide (*d'insetto*).

ned /nɛd/ *n.* (*fam.*, *spreg.*, *scozz.*) teppistello; giovane sbandato (*di bassa estrazione sociale*).

Ned /nɛd/ *n.* dim. di **Edmund** e di **Edward**.

NEDC sigla (*stor.*, *GB*, **National Economic Development Council**) Consiglio nazionale per lo sviluppo economico.

neddy /'nɛdɪ/ *n.* **1** (*fam.*) asino; ciuco; somaro **2** (*slang Austral.*) cavallo da corsa.

Neddy /'nɛdɪ/ *n.* **1** → **Ned 2** → **NEDC**.

née /neɪ/ (*franc.*) *a.* nata (*davanti al cognome da nubile*): *Mrs Mary Burns, née Clark*, la signora Mary Burns, nata Clark.

♦**need** /niːd/ *n.* ⓤ bisogno; necessità: *I feel the n. for some rest*, sento il bisogno d'un po' di riposo; *I'm in n. of a holiday*, ho bisogno di una vacanza; *There is no n. to hurry*, non c'è bisogno di (*o* non occorre) affannarsi; *'Thy n. is greater than mine'* Sir

Philip Sidney, 'tu ne hai più bisogno di me'; **man's fundamental needs**, i bisogni fondamentali dell'uomo **2** (al pl.) bisogni; esigenze; necessità: **daily needs**, bisogni quotidiani; *My needs are few*, non ho molte esigenze **3** ⓤ bisogno; indigenza; ristrettezze; povertà: **to be in n.**, essere nel bisogno, nell'indigenza ● (*in GB*) **needs test**, accertamento delle condizioni di bisogno di assistenza sociale o medica (*cfr.* **means test**, *sotto* **mean** ③) □ **to be in n. of**, essere bisognoso di; aver bisogno di: *He's in n. of treatment*, è bisognoso di cure mediche; *Are you in n. of help?*, hai bisogno d'aiuto? **2** (*comm.*) **in case of n.**, occorrendo □ **to fail sb. in his n.**, non aiutare q. che si trova in bisogno (*o* nell'ora del bisogno) □ **good at n.**, utile in caso di bisogno □ (*form.*) **if n. be**, in caso di bisogno; se necessario; all'occorrenza: *I will come if n. be*, verrò se sarà necessario □ **if n. were**, se ce ne fosse bisogno; in caso di bisogno □ **people in n.**, i bisognosi; gli indigenti.

♦**to need** /niːd/ **A** *v. t.* (costruzione pers.; si comporta spesso come i verbi modali davanti a un infinito; si costruisce invece regolarmente quando regge un compl. ogg.) **1** aver bisogno di; essere necessario; bisognare; importare; occorrere; (in frasi interr. o neg.) dovere, abbisognare di, sentire la mancanza di: *Do you n. any assistance?*, hai bisogno d'aiuto?; *The farmers n. rain*, i contadini hanno bisogno di pioggia; *The car needs repairing* (*o to be repaired*), l'auto ha bisogno d'essere riparata; *The toner needs changing*, bisogna cambiare il toner; *This is a book I've needed a long time*, questo è un libro di cui ho sentito a lungo la mancanza (che ho molto desiderato avere); *He n. not come* (*o he doesn't n. to come*), non importa (*o* non occorre) che venga; *You needn't do it, if you don't want to*, non occorre che tu lo faccia (*o* non devi farlo), se non vuoi (*cfr.* **You mustn't do it**, non devi farlo!; te lo vieto; non sta bene, ecc.); *He needn't be told*, non è necessario dirglielo (*è meglio che non lo sappia*); *He doesn't n. to be told*, non c'è bisogno d'informarlo (*lo sa già*); *N. you go* (*o do you n. to go*) *so soon?*, devi andare così presto?; *I didn't n. to take the umbrella*, non occorse (*o* non occorreva) che prendessi l'ombrello; *I needn't have taken the umbrella*, era inutile che avessi preso l'ombrello; non avrei dovuto prendere l'ombrello; *This work needs to be done with great care*, bisogna fare questo lavoro (*o* questo lavoro va fatto) con ogni cura; *I n. to speak to the boss*, devo parlare con il capo **2** essere privo di; mancare di: *The sauce needs salt*, la salsa manca di sale **B** *v. i.* (*arc.*) **1** (impers.) essere necessario; importare; occorrere: *It needs not*, non è necessario; non importa **2** trovarsi in bisogno; essere bisognoso (*o* povero) ● **N. anybody know?**, è proprio necessario che si sappia?; non si può tenere la cosa segreta? □ **n. I say**, manco a dirlo □ **He didn't n. to be told twice**, non se lo fece dire due volte □ **I n. hardly say that...**, non occorre ch'io dica che...; è superfluo dire che... □ **It needed doing**, bisognava farlo □ **It will n. doing**, sarà necessario (si dovrà) farlo □ (*fam.*, *iron.*) **That's all I** (*o* **we**) **n.!**, ci mancava questa!; piove sul bagnato! □ *I don't n. this right now!*, questa non ci voleva proprio adesso!

❶ Nota: to need

1 Quando è seguito dal complemento oggetto, **to need** si comporta come un verbo regolare (cioè ha l'ausiliare *do* nelle frasi interrogative e negative, e la *-s* della terza persona singolare al presente indicativo): *This sauce needs more salt*, ci vuole più sale in questa salsa; *I don't need your help*, non ho bisogno del tuo aiuto; *Do we really need a new fridge?*,

abbiamo davvero bisogno di un frigo nuovo?

2 Quando è seguito da un altro verbo all'infinito, **to need** può invece comportarsi a) come verbo modale o b) come verbo regolare.

a Anche se è in regressione, l'uso modale è ancora abbastanza comune nell'inglese britannico, soprattutto nelle frasi negative e interrogative, mentre è poco usato in quello americano. Come modale, **to need** è privo di flessione ed è seguito dall'infinito senza **to**: *We needn't call her*, non è necessario chiamarla (o che la chiamiamo); *Need I tell him?*, è necessario che glielo dica?; glielo devo proprio dire?

b Nell'uso regolare **to need** è viceversa seguito dall'infinito con **to**: *He needs to find a solution quickly*, ha bisogno di trovare una soluzione in tempi rapidi; *We don't need to call her*; non occorre che la chiamiamo

3 need not have + participio passato indica che il soggetto ha fatto qualcosa che non era necessario fare: *You needn't have bought a projector*, non era il caso (o non occorreva) che tu comprassi un proiettore (ma l'hai comprato).

did not need to + infinito può a) avere lo stesso significato di **need not have** + participio passato, oppure b) indicare che il soggetto non ha fatto qualcosa perché non era necessario farla. Perciò *We didn't need to buy a projector*, può significare, a seconda del contesto: a) non era il caso che comprassimo un proiettore (ma l'abbiamo comprato); oppure b) non avevamo bisogno di comprare un proiettore (per cui non l'abbiamo comprato); non abbiamo avuto bisogno di comprare un proiettore.

needful /'niːdfl/ **A** *a.* **1** necessario; indispensabile **2** (*arc.*) bisognoso; indigente **B** *n.* – **the n. 1** (*fam. ingl.*) il necessario: **to do the n.**, fare il necessario (*o* quel che occorre, quel che c'è da fare) **2** (*scherz. ingl.*) quattrini; soldi: *I'm short of the n.*, sono a corto di soldi; sono malmesso a quattrini ‖ **needfully** *avv.* necessariamente; di necessità ‖ **needfulness** *n.* ☐ **1** l'essere necessario; necessità **2** (*raro*) indigenza; bisogno.

neediness /'niːdɪnəs/ *n.* ☐ bisogno; indigenza; povertà.

needle /'niːdl/ *n.* **1** (*anche bot., mecc., med.*) ago; (*tecn.*) lancetta (*di uno strumento*): **n. and thread**, ago e filo; **the eye of a n.**, la cruna d'un ago; **the n. of a syringe**, l'ago d'una siringa; **pine-tree needles**, aghi di pino; **the n. of a compass**, l'ago d'una bussola; (*autom.*) *The n. on the petrol tank is on 'empty'*, la lancetta della benzina segna 'rosso' **2** ago torto; uncinetto; ferro da calza: **knitting n.**, ferro da calza; **darning n.**, ago da rammendo; **crochet n.**, uncinetto **3** (*mus.*) puntina (*di grammofono*) **4** (*geogr.*) punta; cima; guglia; vetta **5** obelisco **6** ☐ (*fam.*) irritazione; nervosismo **7** (*fam.*) punzecchiatura **8** (*fam.*) siringa **9** (*fam.*) iniezione: *The injured man was given a n. for tetanus*, al ferito fecero un'antitetanica **10** ☐ (*fam., sport*) agonismo **11** (*canottaggio*) remo per la voga di punta **12** (*alpinismo*) guglia; monolito ● (*fam.*) **needles and pins**, formicolio ● **n. bath**, doccia filiforme (*mecc.*) **n. bearing**, boccola ad aghi ☐ **n. book**, agoraio in forma di libro ☐ **n. case**, agoraio ☐ **n.'s eye**, cruna (*dell'ago*) ☐ **n. exchange**, servizio per tossicodipendenti che fornisce siringhe sterili in cambio di quelle usate; (*sport*) **n. game**, partita (*o* gara) assai combattuta (*o* tirata) (*tra due rivali storici*) ☐ (*elettron.*) **n. gap**, spinterometro a punte ☐ (*mil.*) **n. gun**, fucile ad ago ☐ **n. lace**, merletto ad ago ☐ (*sport*) **n. match** = **n. game** → *sopra* ☐ (*fam.*) **n. park**, parco frequentato da drogati; parco pieno di siringhe (*di drogati*) ☐

n.-pointed, puntuto come un ago ☐ (*radio*) **n. time**, tempo dedicato alla trasmissione di musica registrata ☐ (*mecc.*) **n. valve**, valvola ad ago ☐ (*fig.*) **as sharp as a n.**, acuto; intelligente, perspicace ☐ (*slang*) **to be back on the n.**, avere ripreso a bucarsi (*o a farsi*) ☐ (*slang*) **to do the n.**, bucarsi; farsi (*pop.*) ☐ (*fam.*) **to get the n.**, innervosirsi; stizzirsi; seccarsi ☐ (*fam.*) **to give sb. the n.**, punzecchiare, stuzzicare q. ☐ (*fam.*) **to have the n.**, avere i nervi (*o il nervoso*) ☐ (*slang*) **to hit the n.**, diventare tossicomane; farsi (*pop.*) ☐ (*fig.*) **to look for a n. in a haystack**, cercare un ago in un pagliaio ☐ (*slang*) **to be off the n.**, avere smesso di bucarsi; non farsi più (*pop.*) ☐ **to thread a n.**, infilare un ago ☐ (*fig.*) **to thread the n.**, portare a termine un compito difficile.

to **needle** /'niːdl/ **A** *v. t.* **1** cucire **2** forare, pungere con un ago **3** (*fam.*) pungere (*fig.*); punzecchiare; infastidire; stuzzicare **4** (*agopuntura*) applicare aghi a (q.) **5** (*fam. USA*) aumentare la gradazione alcolica di (*un liquore*) **B** *v. i.* **1** cucire; fare lavori di cucito; agucchiare (*fam.*) **2** cristallizzarsi in forma d'aghi.

needlecraft /'niːdlkrɑːft/ *n.* ☐ arte del cucito; il cucito.

needlefish /'niːdlfɪʃ/ *n.* (*zool.*) **1** (*Belone belone*) aguglia comune **2** (*Syngnathus*) pesce ago.

needleful /'niːdlfl/ *n.* gugliata.

needlepoint /'niːdlpɔɪnt/ *n.* (*cucito*) ricamo (*o* merletto) ad ago ● **n. lace**, merletto ad ago.

needless /'niːdləs/ *a.* non necessario; inutile; superfluo; evitabile: (*sport*) **a n. foul**, un fallo evitabile; **n. work**, lavoro inutile, superfluo ● **to say**, inutile a dirsi; manco a dirlo | **-ly** *avv.* | **-ness** *n.* ☐.

needlewoman /'niːdlwʊmən/ *n.* (pl. **needlewomen**) cucitrice ● **a good n.**, una donna brava nei lavori di cucito ☐ **I'm no n.**, io non so cucire.

needlework /'niːdlwɜːk/ *n.* ☐ cucito; lavoro d'ago; ricamo ad ago.

♦**needn't** /'niːdnt/ *contraz.* di **need not**.

needs /niːdz/ *avv.* (*form. o arc.*) di necessità; assolutamente: *He n. must obey*, deve assolutamente obbedire ● (*prov.*) **N. must when the devil drives**, necessità non conosce legge.

needy /'niːdɪ/ *a.* bisognoso; indigente; povero: **a n. family**, una famiglia bisognosa ● (collett.) **the n.**, gli indigenti; i poveri.

neem /niːm/ *n.* ☐ (*bot., Azadirachta indica*) neem.

ne'er /nɛə(r)/ *avv.* (*poet.*) mai; giammai.

nefarious /nɪ'fɛərɪəs/ *a.* nefando; iniquo; malvagio; scellerato | **-ly** *avv.* | **-ness** *n.* ☐.

neg. *abbr.* **1** (**negation**) negazione **2** (**negative**) negativo **3** (**negotiable**) trattabile.

to **negate** /nɪ'ɡeɪt/ *v. t.* **1** negare; contestare; confutare; non riconoscere (*l'esistenza, la verità, di qc.*) **2** (*form.*) annullare, vanificare (*sforzi, tentativi, ecc.*).

negation /nɪ'ɡeɪʃn/ *n.* ☐ **1** negazione; diniego; rifiuto: **a sign of n.**, un segno di diniego **2** (*gramm., filos., mat.*) negazione **3** (*form.*) vanificazione.

♦**negative**① /'nɛɡətɪv/ *a.* (*elettr., elettron., mat., med., ecc.*) negativo: **n. electricity**, elettricità negativa; **n. pole**, polo negativo; **n. numbers**, numeri negativi; **n. sign**, segno negativo, segno «meno»; **a n. answer**, una risposta negativa ● **a n. vote**, un voto negativo, contrario; **n. criticism**, critica negativa; critica non costruttiva **2** (*mat.*) opposto: **n. matrix**, matrice opposta ● (*fin., rag.*) **n. balance**, saldo negativo (*o* passivo) ☐ (*elettr.*) **n. booster**, devoltore ☐ (*econ.*) **n.**

business cycle, congiuntura negativa ☐ (*leg.*) **n. covenant**, clausola restrittiva (*o* vessatoria) ☐ (*psic.*) **n. empathy**, empatia negativa ☐ (*econ.*) **n. equity**, disvalore (*di un immobile*) ☐ (*leg.*) **n. evidence**, prova negativa ☐ (*elettron.*) **n. feedback**, retroazione negativa ☐ (*fin.*) **n. investment**, disinvestimento ☐ (*mat., stat.*) **n. quantity**, quantità negativa ☐ (*econ.*) **n. saving**, risparmio negativo ☐ (*sport*) **n. test**, controllo antidoping negativo | **-ly** *avv.* | **-ness** *n.* ☐.

❶ NOTA: *double negative*

Frasi come *I don't know nobody here*, qui non conosco nessuno; *He ain't* (*o isn't*) *doing nothing*, non sta facendo niente, benché molto diffuse nella lingua popolare e nei dialetti, sono grammaticalmente scorrette. In una frase di significato negativo deve infatti comparire una sola negazione: *I know nobody here* (*o I don't know anybody here*); *He's doing nothing* (*o He isn't doing anything*).

Nell'inglese standard una seconda negazione è possibile solo per annullare la prima, cioè per dare alla frase un significato positivo: a differenza dell'italiano, due negazioni affermano (ma si tratta comunque di una costruzione poco frequente): *Nobody never makes mistakes*, nessuno è esente da errori; tutti fanno errori; *I'm not doing nothing!*, non è vero che non sto facendo niente!

negative② /'nɛɡətɪv/ **A** *n.* **1** negazione (*anche gramm.*); risposta negativa; diniego: *He returned us a n.*, ci diede una risposta negativa; *Two negatives make an affirmative*, due negazioni valgono un'affermazione **2** (*mat.*) elemento opposto **3** (*elettr.*) polo negativo **4** (*fotogr.*) negativa **5** (*fig.*) qualità negativa; difetto (*del carattere, ecc.*) **B** *inter.* (*mil., spec. USA*) no ● **to answer in the n.**, rispondere negativamente ☐ **It was decided in the n.**, la decisione fu negativa ☐ **The answer is in the n.**, la risposta è no.

to **negative** /'nɛɡətɪv/ *v. t.* **1** disapprovare; respingere; porre il veto a (*una mozione, un disegno di legge, un candidato*) **2** negare, contraddire, smentire (*un'affermazione*) **3** confutare, dimostrare l'infondatezza di (*un'ipotesi, una teoria, ecc.*) **4** (*form.*) rendere inutile; vanificare; neutralizzare.

negativism /'nɛɡətɪvɪzəm/ *n.* ☐ **1** (*filos.*) negativismo **2** (*psic.*) negativismo ‖ **negativist** *n.* **1** (*filos.*) negativista; agnostico **2** (*psic.*) negativista.

negativity /nɛɡə'tɪvətɪ/ *n.* ☐ negatività.

negator /nɪ'ɡeɪtə(r)/ *n.* negatore.

negatory /'nɛɡətərɪ/ *a.* negativo; negatore; che nega.

negatron /'nɛɡətrɒn/ *n.* ☐ (*fis., antiq.*) negatrone; elettrone.

neglect /nɪ'ɡlɛkt/ *n.* ☐ **1** negligenza; trascuratezza; noncuranza **2** abbandono; oblio: *The house was in a state of n.*, la casa era in uno stato d'abbandono ● **n. of one's duty**, il trascurare il proprio dovere; inadempienza; omissione di atti d'ufficio.

to **neglect** /nɪ'ɡlɛkt/ *v. t.* **1** trascurare; negligere (*raro*): **to n. one's duties**, trascurare i propri doveri; venire meno ai propri obblighi; **to n. one's friends**, trascurare i propri amici **2** dimenticare; tralasciare: *Don't n. replying to your father*, non dimenticare di rispondere a tuo padre!

neglected /nɪ'ɡlɛktɪd/ *a.* **1** negletto; trascurato; dimenticato **2** trascurato; trasandato: **to have a n. look**, avere un'aria trasandata.

neglectful /nɪ'ɡlɛktfl/ *a.* negligente; trascurato; noncurante ● **to be n. of**, non curarsi di, trascurare: *I am rather n. of my clothes*, non mi curo molto del mio modo di vestire | **-ly** *avv.* | **-ness** *n.* ☐.

negligee, **négligée** /'nɛɡliːʒeɪ, *USA* -'ʒeɪ/

n. vestaglia (*da donna*); négligé; veste da camera.

negligence /'nɛɡlɪdʒəns/ n. Ⓤ **1** negligenza; trascuratezza; noncuranza **2** abbandono; disordine; oblio **3** (*leg.*) negligenza (*illecito civile*) • (*naut.*) **n. of the master**, colpa del capitano.

negligent /'nɛɡlɪdʒənt/ a. **1** negligente; noncurante; disattento; indifferente; svogliato: *He is n. in his correspondence*, è negligente nel tenere la corrispondenza **2** trascurato; trasandato **3** (*leg.*) dovuto a negligenza; colposo; imprudente: **n. driving**, guida imprudente • **to be n. of detail**, trascurare i dettagli □ **to be n. of one's duties**, trascurare i propri doveri | **-ly** avv.

negligible /'nɛɡlɪdʒəbl/ a. trascurabile; irrilevante; insignificante • **n. quantity**, quantità trascurabile; (*fig.*) persona insignificante ‖ **negligibility** n. Ⓤ l'essere trascurabile; irrilevanza.

negotiable /nɪˈɡəʊʃəbl/ a. **1** (*comm.*, *fin.*) negoziabile; trasferibile: **n. instruments**, titoli (di credito) negoziabili **2** sormontabile; superabile (*anche fig.*): **n. difficulties**, difficoltà superabili **3** (*di strada*) transitabile • (*banca*) **n. cheque**, assegno trasferibile □ **n. price**, prezzo trattabile ‖ **negotiability**. Ⓤ **1** (*comm.*) negoziabilità **2** (*di strada*) transitabilità.

negotiant /nɪˈɡəʊʃənt/ n. negoziatore.

♦**to negotiate** /nɪˈɡəʊʃɪeɪt/ Ⓐ v. t. **1** (*spec. comm.*, *fin.*) negoziare; prendere accordi per (*una compravendita, ecc.*); trattare (la conclusione di): **to n. a bill of exchange**, negoziare una cambiale; **to n. bonds [stocks]**, negoziare obbligazioni [titoli]; (*polit.*) **to n. peace**, negoziare la pace; **to n. a sale**, prendere accordi per una vendita; (*comm. est.*) **to n. a treaty with a nation**, trattare la conclusione d'un accordo con una nazione **2** sormontare; superare; riuscire a evitare; sorvolare: **to n. an obstacle**, superare un ostacolo; *It took us two hours to n. the steep hill*, ci vollero due ore per valicare quell'erto colle; (*di un hovercraft*) **to n. floating rubbish**, riuscire a evitare rottami galleggianti Ⓑ v. i. **1** negoziare; mercanteggiare **2** intavolare (*o aprire*) le trattative; trattare: **to n. with the enemy**, intavolare trattative col nemico.

negotiating /nɪˈɡəʊʃɪeɪtɪŋ/ n. Ⓤ il negoziare; negoziati; trattative • **n. table**, tavolo dei negoziati □ **to be at the n. table**, stare trattando.

♦**negotiation** /nɪˌɡəʊʃɪˈeɪʃn/ n. **1** negoziato; trattativa: **to enter into negotiations with sb.**, intavolare negoziati con q.; **to resume negotiations**, riprendere le trattative **2** (*comm.*, *fin.*) negoziazione (*di titoli, ecc.*) **3** superamento; (il) valicare, (il) sormontare, (l') evitare (→ **to negotiate**) • **wage n.**, contrattazione salariale.

negotiator /nɪˈɡəʊʃɪeɪtə(r)/ n. negoziatore, negoziatrice.

negress /'niːɡrɪs/ n. (*spreg.*) negra.

Negrillo /nɪˈɡrɪləʊ/ n. (pl. **Negrillos**, **Negrilloes**) (*antrop.*) pigmeo africano; negrillo.

Negrito /nɪˈɡriːtəʊ/ n. (pl. **Negritos**, **Negritoes**) (*antrop.*) negrito; pigmeo asiatico.

negritude /'nɛɡrɪtjuːd, USA -tuːd/ n. Ⓤ negritudine; negrità.

Negro /'niːɡrəʊ/ (*antiq. o offensivo*) Ⓐ n. (pl. **Negroes**) negro; nero Ⓑ a. negro; dei negri; nero • (*mus.*) **N. spiritual**, spiritual.

Negroid /'niːɡrɔɪd/ a. e n. (*antrop. antiq.*) negroide.

negroni /nɪˈɡrəʊnɪ/ (*ital.*) n. (pl. **negronis**) negroni (*aperitivo*).

Negrophobia /niːɡrəʊˈfəʊbɪə/ n. avversione per i neri ‖ **Negrophobe** n. chi ha avversione per i neri.

negus /'niːɡəs/ n. Ⓤ bevanda d'acqua e vino caldo, con spezie e succo di limone.

Negus /'niːɡəs/ n. (*stor.*) Negus; imperatore d'Etiopia.

neigh /neɪ/ n. nitrito.

to neigh /neɪ/ v. i. nitrire.

neighbor /'neɪbə(r)/ e deriv. (*USA*) → **neighbour**, e deriv.

♦**neighbour**, (*USA*) **neighbor** /'neɪbə(r)/ Ⓐ n. **1** vicino, vicina; confinante: **next--door neighbours**, vicini di casa; *What are the neighbours like?*, come sono i vicini?; *We were neighbours at table*, eravamo vicini di tavola **2** (*relig.*) prossimo: *Love thy n. as thyself*, ama il prossimo tuo come te stesso **3** cosa (*o nazione, ecc.*) vicina; confinante: *Austria is one of the northern neighbours of Italy*, l'Austria è una delle nazioni che confinano a nord con l'Italia Ⓑ a. attr. → **neighbouring** • (*per un inglese*) **our neighbours across the Channel**, i nostri vicini di là della Manica; i francesi □ **My nearest n. is ten miles off**, la famiglia più vicina abita a dieci miglia da noi.

to neighbour, (*USA*) **to neighbor** /'neɪbə(r)/ Ⓐ v. t. confinare con Ⓑ v. i. **1** – **to n. on** (*o upon*) **st.**, confinare con qc. **2** – **to n. with sb.**, essere in rapporti di buon vicinato con q.

neighbourhood, (*USA*) **neighborhood** /'neɪbəhʊd/ n. **1** vicinanze; dintorni; paraggi: *He lives in the n. of Leeds*, abita nei dintorni di Leeds **2** distretto; regione; area; quartiere; territorio: *They live in an attractive n.*, abitano in un bel quartiere (*della città*) **3** (*collett.*) vicinato; i vicini (*di casa*): *He was despised by the whole n.*, era disprezzato da tutti i vicini **4** Ⓤ vicinanza: *The n. of the factory is a nuisance*, la vicinanza della fabbrica è una cosa fastidiosa **5** (*mat.*) intorno (*nell'insiemistica*) • (*in GB*) **n. watch**, vigilanza di quartiere (*da parte dei vicini di casa*) □ (*fam.*) **in the n. of**, all'incirca, a un dipresso, quasi: *The motorway is in the n. of 200 miles long*, l'autostrada è lunga circa 200 miglia.

neighbouring, (*USA*) **neighboring** /'neɪbərɪŋ/ a. vicino; adiacente; contiguo; (*di un Paese*) limitrofo: **n. towns**, città vicine; **n. countries**, paesi limitrofi; nazioni vicine.

neighbourless, (*USA*) **neighborless** /'neɪbələs/ a. senza vicini; isolato; solo.

neighbourly, (*USA*) **neighborly** /'neɪbəlɪ/ a. socievole; cordiale; gentile; amichevole ‖ **neighbourliness**, (*USA*) **neighborliness** n. Ⓤ buon vicinato; socievolezza; cortesia; gentilezza.

♦**neither** /'naɪðə(r), 'niːð-/ Ⓐ a. e pron. né l'uno né l'altro; nessuno dei due: *N. accusation is true*, né l'una né l'altra accusa è vera; *N. of the books is of any use to me*, non mi serve nessuno dei due libri; *N. of them knows*, nessuno di loro (due) lo sa ❶ NOTA: **they** → **they** Ⓑ avv. e cong. **1** (correl. di **nor**) né: *It's n. brown nor yellow*, non è né marrone né giallo (*è di un colore intermedio*); *N. they nor she is* (*n. she nor they are*) *going there* (*o N. she is going there nor they are*), non ci andranno né loro né lei **2** nemmeno; neanche; neppure: *If you don't accept the offer, n. shall I*, se tu non accetti l'offerta, non l'accetterò neanch'io; «*I don't want it*» «*N. do I*», «non lo voglio» «neanch'io»; *I don't know and n. do I care*, non lo so e neppure me ne importa • (*fig.*) **That's n. here nor there**, questo c'entra come i cavoli a merenda.

nekton /'nɛktən/ n. Ⓤ (*biol.*) necton.

Nell /nɛl/, **Nellie** /'nɛlɪ/ → **Nelly**.

nelly /'nɛlɪ/ n. (*zool.*) **1** (*Macronectes giganteus*) ossifraga **2** (*Phoebetria*) albatro.

Nelly /'nɛlɪ/ n. **1** dim. di **Helen** e di **Eleanor 2** (*fam.*) stupido; sciocco; tonto **3**

(*slang USA*, *spreg.*) finocchio; checca • (*slang*) **not on your N.**, neanche per sogno!; neanche per idea!; scòrdatelo!

nelson /'nɛlsn/ n. (*lotta greco-romana*) nelson, elson: **a half n.**, una mezza nelson.

nelumbo /nɪˈlʌmbəʊ/ n. (pl. **nelumbos**) (*bot.*, *Nelumbo*) nelumbo, nelumbio.

nemathelminth /nɛməˈθɛlmɪnθ/ n. (*zool.*) nematelminta.

nematic /nɪˈmætɪk/ a. (*chim.*) nematico.

nematocide /'nɛmətəsaɪd/ n. Ⓤ (*farm.*) nematocida.

nematocyst /'nɛmətəsɪst/ n. (*zool.*) nematocisti.

nematode /'nɛmətəʊd/ n. (*zool.*) nematode.

Nemesis /'nɛməsɪs/ n. **1** (*mitol.*) Nemesi **2** (pl. **nemeses**, **nemesises**) – (*fig.*) n., nemesi.

NEMS sigla (*scient.*, **nanoelectromechanical systems**) sistemi nanoelettromeccanici (NEMS).

nenuphar /'nɛnjʊfɑː(r)/ n. (*bot.*) **1** (*Nuphar luteum*) nenufaro; ninfea gialla **2** (*Nymphaea lotus*) loto bianco d'Egitto; ninfea bianca; carfano.

neo-avantgarde /niːəʊˌævɑːntˈɡɑːd/ n. (*arte*, *letter.*) neoavanguardia.

neo-baroque /niːəʊbəˈrɒk/ a. (*arte*, *archit.*) neobarocco • **the neo-baroque style**, il neobarocco.

neo-capitalism /niːəʊˈkæpɪtəlɪzəm/ (*econ.*) n. Ⓤ neocapitalismo ‖ **neo-capitalist** n. neocapitalista ‖ **neo-capitalistic** a. neocapitalistico.

neoclassical, **neoclassic** /niːəʊˈklæsɪk(l)/ a. neoclassico.

neoclassicism /niːəʊˈklæsɪsɪzəm/ (*arte*, *letter.*) n. Ⓤ neoclassicismo ‖ **neoclassicist** n. neoclassicista.

neocolonialism /niːəʊkəˈləʊnɪəlɪzəm/ (*polit.*) n. Ⓤ neocolonialismo ‖ **neocolonial** Ⓐ a. neocolonialista; neocolonialistico Ⓑ n. potenza neocolonialista ‖ **neocolonialist** a. e n. neocolonialista.

neocon /'niːəʊkɒn/ a. e n. (*slang USA*) → **neoconservative**.

neoconservative /niːəʊkənˈsɜːvətɪv/ (*polit.*) a. e n. neoconservatore ‖ **neoconservatism**. Ⓤ neoconservatorismo.

neodymium /niːəʊˈdɪmɪəm/ n. Ⓤ (*chim.*) neodimio.

neo-fascist /niːəʊˈfæʃɪst/ (*polit.*) a. e n. neofascista ‖ **neo-fascism** n. Ⓤ neofascismo.

neoformation /niːəʊfɔːˈmeɪʃn/ n. (*med.*) neoformazione; neoplasma.

neo-Freudian /niːəʊˈfrɔɪdɪən/ a. (*psic.*) neofreudiano.

Neogene /'niːəʊdʒiːn/ n. (*geol.*) neogene.

neoglacial /niːəʊˈɡleɪʃəl/ (*geol.*) a. neoglaciale ‖ **neoglaciation** n. Ⓤ neoglaciazione.

neo-Gothic /niːəʊˈɡɒθɪk/ a. e n. Ⓤ (*arte*) neogotico; gotico vittoriano.

Neogrammarian /niːəʊɡrəˈmɛərɪən/ n. (*ling.*) neogrammatico.

Neo-Imperialism /niːəʊɪmˈpɪərɪəlɪzəm/ (*polit.*) n. Ⓤ neoimperialismo ‖ **Neo-Imperialist** a. e n. neoimperialista.

neo-Impressionism /niːəʊɪmˈprɛʃənɪzəm/ (*arte*) n. Ⓤ neoimpressionismo ‖ **neo-Impressionist** a. e n. neoimpressionista.

neo-Latin /niːəʊˈlætɪn/ a. e n. Ⓤ (*ling.*) neolatino.

neo-liberal /niːəʊˈlɪbərəl/ (*econ.*) Ⓐ a. neoliberista; neoliberistico Ⓑ n. neoliberista ‖ **neo-liberalism** n. Ⓤ neoliberalismo; neoliberismo.

neolinguistics /niːəʊlɪŋˈɡwɪstɪks/ n. pl.

(con il verbo al sing.) neolinguistica.

Neolithic /niːəʊˈlɪθɪk/ n. e a. (*preistoria*) neolitico: (*antrop.*) **N. man**, l'uomo neolitico.

neological /niːəˈlɒdʒɪkl/ a. neologico.

neologism /niːˈɒlədʒɪzəm/ (*ling.*) n. neologismo; neoconiazione; neoformazione || **neologist** n. neologista || **neologize** v. i. introdurre (*o* inventare, usare) neologismi || **neology** n. 🔊 neologia.

neo-Malthusianism /niːəʊmælˈθjuːzɪənɪzəm/ n. (*econ.*) neomaltusianismo || **neo-Malthusian** a. e n. neomaltusiano.

neo-mercantilism /niːəʊˈmɜːkəntɪlɪzəm/ n. 🔊 (*econ.*) neomercantilismo.

neomycin /niːəˈmaɪsən/ n. 🔊 (*med., farm.*) neomicina.

neon /ˈniːɒn/ n. (*chim.*) neon ● (*elettron.*) **n. glow lamp**, lampada al neon □ **n. signs**, insegne al neon.

neonatal /niːəʊˈneɪtl/ a. (*demogr., med.*) neonatale: **n. mortality**, mortalità neonatale; (*med.*) **n. unit**, reparto neonatale || **neonatologist** n. (*med.*) neonatologo || **neonatology** n. 🔊 (*med.*) neonatologia.

neonationalism /niːəʊˈnæʃnəlɪzəm/ n. (*polit.*) neonazionalismo.

neo-Nazi /niːəʊˈnɑːtsɪ/ (*polit.*) a. e n. (pl. **neo-Nazis**) neonazista || **neo-Nazism** n. neonazismo.

neopallium /niːəʊˈpælɪəm/ n. (pl. **neopallia**) (*anat.*) neopallio.

neophilia /niːəʊˈfɪlɪə/ n. 🔊 neofilia || **neophiliac** n. neofilo.

neophobia /niːəʊˈfəʊbɪə/ n. 🔊 neofobia.

neophyte /ˈniːəfaɪt/ n. neofita, neofito.

neoplasia /niːəʊˈpleɪʒə/ n. 🔊 (*med.*) neoplasia.

neoplasm /ˈniːəʊplæzəm/ n. (*med.*) neoplasma; neoformazione.

neoplastic /niːəʊˈplæstɪk/ a. (*med.*) neoplastico; neoplasico.

neo-Platonism /niːəʊˈpleɪtənɪzəm/ (*filos.*) n. neoplatonismo || **neo-Platonic** a. neoplatonico || **neo-Platonist** n. neoplatonico.

neo-positivism /niːəʊˈpɒzɪtɪvɪzəm/ (*filos.*) n. 🔊 neopositivismo || **neo-positivist** n. neopositivista.

neoprene /ˈniːəʊpriːn/ n. (*chim., ind.*) neoprene.

neo-realism /niːəʊˈrɪəlɪzəm/ (*cinem., letter.*) n. 🔊 neorealismo || **neo-realist** a. e n. neorealista.

neoteny /niːˈɒtənɪ/ (*biol.*) n. 🔊 neotenia || **neotenous** a. neotenico.

neoteric /niːəʊˈterɪk/ a. (*letter.*) neoterico; recente; nuovo.

neoterism /niːˈɒtərɪzəm/ n. 🔊 (*letter.*) neoterismo.

neotropical /niːəʊˈtrɒpɪkl/ a. (*geogr.*) neotropicale; neotropico.

Neozoic /niːəʊˈzəʊɪk/ a. e n. (*geol.*) neozoico.

Nepalese /nepəˈliːz/ Ⓐ a. e n. (inv. al pl.) nepalese Ⓑ n. 🔊 nepalese (*la lingua*).

nepenthe /nɛˈpɛnθɪ/ n. (*mitol. e fig.*) nepente.

nepenthes /nɛˈpɛnθiːz/ n. (inv. al pl.) (*bot., Nepenthes*) nepente.

nepheline /ˈnɛfəliːn/ n. 🔊 (*miner.*) nefelina.

nephelometer /nɛfəˈlɒmɪtə(r)/ (*chim., fis.*) n. nefelometro || **nephelometry** n. 🔊 nefelometria.

♦**nephew** /ˈnɛfjuː, ˈnɛv-/ n. nipote (*maschio; di zio o di zia*).

nephrite /ˈnɛfraɪt/ n. (*miner.*) nefrite.

nephritic /nɪˈfrɪtɪk/ Ⓐ a. 1 (*med.*) nefritico 2 (*anat.*) renale Ⓑ n. (*med.*) nefritico.

nephritis /nɪˈfraɪtɪs/ n. 🔊 (*med.*) nefrite.

nephrolithiasis /nɛfrəlɪˈθaɪəsɪs/ n. 🔊 (*med.*) nefrolitiasi.

nephrology /nɪˈfrɒlədʒɪ/ (*med.*) n. 🔊 nefrologia || **nephrologist** n. nefrologo.

nephropathy /nɪˈfrɒpəθɪ/ n. 🔊 (*med.*) nefropatia.

nephrosis /nɪˈfrəʊsɪs/ (*med.*) n. 🔊 nefrosi || **nephrotic** a. nefrotico, nefrosico.

nephrotomy /nɪˈfrɒtəmɪ/ n. 🔊 (*med.*) nefrotomia.

ne plus ultra /neɪplʌsˈʌltrɑː/ (*lat.*) loc. n. non plus ultra; livello massimo d'eccellenza.

nepotic /nɪˈpɒtɪk/ = **nepotistic → nepotism**.

nepotism /ˈnɛpətɪzəm/ n. 🔊 nepotismo || **nepotist** n. nepotista || **nepotistic** a. nepotistico.

Neptune /ˈnɛptjuːn, USA -tuːn/ n. (*mitol., astron.*) Nettuno.

Neptunian /nɛpˈtjuːnɪən, USA -ˈtuː-/ a. 1 (*mitol.*) nettunio (*lett.*); di Nettuno 2 (*astron., astrol.*) nettuniano; del pianeta Nettuno 3 (*geol.*) N., nettuniano: **N. rocks**, rocce nettuniane.

Neptunism /ˈnɛptjuːnɪzəm, USA -tuː-/ (*geol., stor.*) n. nettunismo || **Neptunist** n. nettunista.

neptunite /ˈnɛptjuːnaɪt/ n. 🔊 (*miner.*) nettunite.

neptunium /nɛpˈtjuːnɪəm, USA -ˈtuː-/ n. 🔊 (*chim.*) nettunio.

nerd /nɜːd/ n. (*slang spreg.*) 1 (una) nullità; (uno) zero 2 individuo goffo, imbranato, scialbo 3 fanatico; fissato: **a computer n.**, un fanatico dei computer.

nereid /ˈnɪərɪɪd/ n. (*zool., Nereis*) nereide.

Nereid /ˈnɪərɪɪd/ n. (*mitol., astron.*) Nereide.

Nero /ˈnɪərəʊ/ n. (*stor. romana*) Nerone.

neroli /ˈnɪərəlɪ/ n. (*profumeria, = **n. oil**) olio essenziale (*o* essenza) di neroli.

Neronian /nɪəˈrəʊnɪən/ a. 1 (*stor.*) neroniano 2 (*fig.*) crudele; neroniano; tirannico.

nervation /nɜːˈveɪʃn/ n. (*bot.*) nervatura.

♦**nerve** /nɜːv/ n. 1 🔊 (*anat. e fig.*) nervo: **a fit of nerves**, un attacco di nervi; *He has nerves of steel*, ha nervi d'acciaio; *His nerves are on edge*, ha i nervi a fior di pelle 2 (pl.) nervo (*fig.*); forza; resistenza; vigore: *Good laws are the nerves of a State*, le buone leggi sono il nerbo dello Stato; *His n. failed him*, gli vennero meno le forze 3 (pl.) nervi; nervosismo: *It sounds like nerves to me*, a me sembra nervosismo 4 saldezza di nervi; coraggio; autocontrollo; animo; sangue freddo (*fig.*): **to lose one's n.**, perdersi d'animo; **a man of n.**, un uomo dotato di sangue freddo (*o* padrone dei suoi nervi); (*calcio*) *The shoot-out is a test of n.*, i rigori sono una prova della saldezza di nervi (*di una squadra*) 5 (*fam.*) impudenza; sfacciataggine; faccia tosta; bel coraggio: *You have n.!*, hai una bella faccia tosta!; bel coraggio! 6 (*bot., zool.*) nervatura ● (*mil.*) **n. agent**, gas nervino □ (*anat.*) **n. cell**, cellula nervosa □ (*anat.*) **n. centre**, centro nervoso; ganglio (*anche fig.*) □ (*anat.*) **n. ending**, terminazione nervosa □ (*mil.*) **n. gas**, gas nervino □ (*anat.*) **n. knot**, ganglio nervoso □ **n.-racking** = **n.-wracking** □ *sotto* □ **a n.-shattering noise**, un rumore che scuote i nervi □ **n.-wracking**, esasperante; irritante; *The first presentation was quite n.-wracking, but it was easier after that*, era molto tesa per la prima presentazione ma dopo è stato tutto più facile □ **to get nerves**, innervosirsi □ **to get on sb.'s nerves**, dare ai nervi a q.; urtare i nervi di q. □ **n. strain**, tensione nervosa □ **not to know what nerves are**, non avere mai il nervosismo; essere sempre calmo; non scomporsi mai □ **Some n.!**, che faccia

tosta! □ (*fig.*) **to strain every n.**, fare ogni sforzo; mettercela tutta □ **Her nerves went to pieces**, è crollata; ha avuto una crisi di nervi.

to nerve /nɜːv/ v. t. rinvigorire; tonificare; incoraggiare; fortificare; temprare (*fig.*) ● **to n. oneself**, farsi forza; farsi animo; farsi coraggio: *You must n. yourself for this difficult task*, devi farti forza per l'arduo compito che ti sta dinanzi.

nerved /nɜːvd/ a. 1 dai nervi saldi; freddo (*fig.*); coraggioso 2 (*bot.*) nervato.

nerveless /ˈnɜːvləs/ a. 1 snervato; fiacco; inerte; debole; sfibrato 2 calmo; freddo; dai nervi saldi 3 (*zool.*) privo di nervi 4 (*bot.*) senza nervature | **-ly** avv.

nervelessness /ˈnɜːvləsnəs/ n. 🔊 1 snervatezza; fiacchezza; debolezza 2 (*tecn.*) mancanza di nervi (*o* di nervature).

nervily /ˈnɜːvəlɪ/ avv. 1 nervosamente 2 sfacciatamente.

nervine /ˈnɜːviːn/ Ⓐ a. nervino Ⓑ n. (*med.*) medicamento nervino.

nerviness /ˈnɜːvɪnəs/ n. 🔊 1 nervosismo; agitazione 2 (*fam. USA*) sfacciataggine; sfrontatezza; impudenza.

nervosity /nɜːˈvɒsətɪ/ n. nervosità; nervosismo.

♦**nervous** /ˈnɜːvəs/ a. 1 nervoso; eccitabile; irritabile; irrequieto; teso; agitato: (*fisiol.*) **the n. system**, il sistema nervoso; **n. energy**, energia nervosa; **a n. breakdown**, un esaurimento nervoso; *He is very n.*, è molto nervoso, eccitabile 2 (*arc. o lett.*) forte; robusto; vigoroso: **a n. style**, uno stile vigoroso 3 pauroso; timido; apprensivo ● **a n. laugh**, una risata nervosa □ **to be n. of doing st.**, aver paura di fare qc. □ **to be n. of traffic**, avere paura del traffico □ **to make sb. n.**, fare innervosire q. | **-ly** avv. | **-ness** n. 🔊.

nervure /ˈnɜːvjʊə(r)/ n. (*bot., zool., archit.*) nervatura.

nervy /ˈnɜːvɪ/ a. 1 (*fam.*) nervoso; agitato; eccitabile; irascibile; irrequieto 2 (*fam. USA*) impudente; sfacciato; sfrontato 3 (*slang*) che dà ai nervi; irritante 4 (*fam. USA*) audace; coraggioso 5 (*arc. o lett.*) forte; vigoroso.

nescient /ˈnesɪənt/ a. e n. 1 nesciente (*lett.*); ignorante 2 (*raro*) agnostico || **nescience** n. 🔊 1 nescienza (*lett.*); ignoranza 2 (*raro*) agnosticismo.

ness /nes/ n. (*geogr.*) capo; promontorio (*spec. nei toponimi*).

Nessie /ˈnesɪ/ n. (*fam.*) il Mostro di Loch Ness (*in Scozia*).

nest /nest/ n. 1 (*zool., di uccelli*) nido; (*di insetti*) colonia; (*di altri animali*) tana: **ants' n.**, formicaio; **wasps' n.**, nido di vespe; vespaio; **turtle's n.**, tana di tartaruga 2 covata (*di uccelli*) 3 (*fig.*) nido; casa; luogo accogliente; rifugio: **love n.**, nido d'amore 4 (*fig.*) postazione; nido: **a machine-gun n.**, nido di mitragliatrici 5 (*fig.*) covo; tana: **a n. of spies**, un nido di spie; **a n. of bandits**, un covo di banditi 6 gruppo di oggetti sovrapponibili o inseribili uno dentro l'altro: **a n. of tables**, set di tavolini sovrapponibili 7 (*mecc.*) gruppo compatto 8 (*geol., miner.*) tasca 9 (*naut., = **crow's n.**) coffa 10 (*ling.*) insieme di unità sintattiche ● **n. box**, nido artificiale □ **n. egg**, endice; nidiandolo; (*fig.*) gruzzolo □ (*fig.*) **to feather one's n.**, arricchirsi (*per lo più indebitamente*); farsi il nido (*pop.*) □ (*fig.*) **to foul one's n.**, sputare nel piatto in cui si mangia, tirare sassi in piccionaia.

to nest /nest/ Ⓐ v. i. 1 fare il nido; nidificare; (*d'insetti*) annidarsi 2 (*di solito* **to go nesting**) andare a (caccia di) nidi Ⓑ v. t. 1 impilare (*oggetti*) uno dentro l'altro 2 (*comput.*) annidare.

nested /'nɛstɪd/ a. **1** (d'insetto, ecc.) annidato **2** (comput.) annidato: **n. folder**, cartella annidata (dentro un'altra) ● **n. boxes**, scatole cinesi □ (mat.) **n. sets**, catena d'insiemi.

nestful /'nɛstfl/ n. nidiata.

nesting /'nɛstɪŋ/ n. ⓤ **1** nidificazione **2** caccia ai nidi **3** (ling.) incassatura; incastro **4** (comput.) annidamento ● **to go n.**, andare a rubare nidi d'uccelli.

to **nestle** /'nɛsl/ Ⓐ v. i. **1** annidarsi; accoccolarsi; rannicchiarsi; stringersi: **to n. among the leaves**, annidarsi tra le foglie; **to n. in the grass**, accoccolarsi nell'erba; **to n. down in bed**, rannicchiarsi nel letto; The little girl nestled at her mother's breast, la bambina si strinse al seno della mamma **2** nascondersi; essere nascosto (fra): The cottage nestled among the trees, la casetta era nascosta fra gli alberi Ⓑ v. t. abbracciare; stringere; tener riparato (come in un nido); coccolare: The mother was nestling the baby in her lap, la madre teneva amorosamente il bimbo in grembo.

nestling /'nɛslɪŋ/ n. uccellino di nido; uccello nidiaceo (o nidiace); uccellino implume.

Nestor /'nɛstɔː(r)/ n. (letter. e fig.) Nestore.

Nestorianism /nɛ'stɔːrɪənɪzəm/ (relig.) n. ⓤ nestorianesimo, nestorianismo || **Nestorian** a. e n. nestoriano.

♦**net**① /nɛt/ n. **1** rete (anche ferr., radio, TV, telef., sport); reticella; (fig.) trappola, rete, maglie: **a fishing net**, una rete da pesca; **a hair-net**, una reticella per capelli; **wire net**, rete metallica; **to be caught in the net of justice**, essere preso nelle maglie della giustizia; (tennis) **to come to the net**, scendere a rete **2** (geol.) reticolato **3** (mat.) reticolo **4** ⓤ tessuto a rete; trina; pizzo; tulle; filet **5** (fam., comput.) – the Net, la Net, Internet: He met his girlfriend on the Net, ha conosciuto la sua ragazza su Internet **6** (al pl.) (cricket) campo di esercitazione ● **net-bag**, rete per far la spesa □ (tennis) **net band** (o **net cord**), nastro della rete: **net-cord bounce**, rimbalzo sul nastro □ **net curtain**, tenda di tulle □ (comput.) **net etiquette** → **netiquette** □ (pallavolo) **net fault**, fallo di rete □ **net fishing**, pesca con la rete □ (tennis) **net judge**, giudice di rete □ (naut.) **net layer** (o **net-laying ship**), nave posareti □ (comput.) **net neutrality**, neutralità della rete (trattamento equo da parte di una rete dei servizi che la utilizzano) □ (ind. tess.) **net silk**, seta ritorta.

net② /nɛt/ Ⓐ a. **1** (comm., econ., fin., rag.) netto: **net amount**, importo netto; **net cash flow**, flusso di cassa (o monetario) netto; **net domestic product** (abbr. **NDP**), prodotto interno netto; **net operating profit**, profitto netto di gestione; utile netto d'esercizio; **net pay**, retribuzione netta; **net income**, reddito netto; **net price**, prezzo netto; **net proceeds**, ricavo netto; **net salary**, stipendio netto; **net turnover**, giro d'affari netto; **net weight**, peso netto; **net yield**, rendimento netto **2** (stat.) depurato: **net correlation**, correlazione depurata **3** (fig.) finale: **net result**, risultato finale Ⓑ n. **1** (market.) prezzo netto **2** (market.) peso netto **3** (fin., rag.) utile (o guadagno) netto Ⓒ avv. (comm.) al netto ● **net assets**, attivo (o patrimonio) netto □ (fin., rag.) **net assets value**, valore d'inventario.

to **net**① /nɛt/ Ⓐ v. t. **1** irretire; prendere con la rete; accalappiare; intrappolare: **to net fish [birds]**, prendere pesci [uccelli] con la rete (o con le reti); **to net a rich husband**, accalappiare un marito ricco **2** chiudere, sbarrare con reti; porre (o tendere) reti in: **to net a river**, porre le reti in un fiume **3** coprire, proteggere (per es., alberi da frutta dagli uccelli) con reti **4** intrecciare a rete

(una borsa, un'amaca, ecc.) **5** (tennis) mandare in rete: **to net the ball**, mandare la palla in rete **6** (calcio, ecc.) mandare (o mettere) in rete: **to net the ball**, fare rete; segnare; insaccare; (hockey su ghiaccio) **to net the puck**, insaccare il disco Ⓑ v. i. **1** fabbricare reti; fare reti **2** (calcio, ecc.) segnare; fare gol **3** (tennis, ecc.) mandare in rete.

to **net**② /nɛt/ v. t. (comm.) **1** guadagnare; ricavare: I netted two thousand pounds, ci guadagnai duemila sterline **2** dare (una somma) come guadagno netto; dare un utile di.

netball /'nɛtbɔːl/ (sport) n. **1** ⓤ netball (gioco simile al basket, praticato dalle ragazze) **2** pallone da netball ● **n. court**, campo di netball || **netballer** n. giocatrice di netball.

netful /'nɛtfl/ n. retata (quanto sta nella rete).

nethead /'nɛthɛd/ n. (fam., comput.) fanatico di Internet; fanatico della Rete.

nether /'nɛðə(r)/ (arc.) a. inferiore; più basso: **the n. lip**, il labbro inferiore ● **the n. world** (o **the n. regions**), gli inferi; l'inferno || **nethermost** a. (il) più basso; infimo.

Netherlands /'nɛðələndz/ n. pl. (geogr.) Paesi Bassi; Olanda || **Netherlander** n. abitante dei Paesi Bassi; olandese; neerlandese || **Netherlandic**, **Netherlandish** Ⓐ a. dei Paesi Bassi; olandese Ⓑ n. ⓤ nederlandese, neerlandese (la lingua).

netherworld /'nɛθəwɜːld/ n. ⓤ **1** mondo sotterraneo; mondo infero **2** sottomondo; bassifondi (pl.).

netiquette /'nɛtɪkɛt/ n. ⓤ (comput.) etichetta della Rete; netiquette (regole di comportamento da seguire quando s'interagisce sulla Rete).

netizen /'nɛtɪzn/ n. (comput.) utente di Internet che rispetta il codice di → «netiquette».

netmaker /'nɛtmeɪkə(r)/ n. fabbricante di reti.

netminder /'nɛtmaɪndə(r)/ n. (hockey su ghiaccio) portiere.

netspeak /'nɛtspiːk/ n. ⓤ (comput., fam.) linguaggio in Internet (spec. in chat o nelle e-mail, caratterizzato da abbreviazioni e sigle).

netsurfer /'nɛtsɜːfə(r)/ (fam., comput.) n. chi naviga in Internet; navigatore della Rete || **netsurfing** ⓤ navigazione in Internet.

nett /nɛt/ → **net**②.

netted /'nɛtɪd/ a. (sport) **1** (calcio, ecc.: della porta) provvista di rete **2** (tennis, ecc.: di un tiro) che finisce in rete: **a n. backhand**, un rovescio che finisce in rete.

netting /'nɛtɪŋ/ n. **1** ⓤ fabbricazione di reti **2** ⓤ pesca con le reti **3** rete metallica **4** reticolato di ferro ● **wire n.**, rete metallica.

nettle /'nɛtl/ n. (bot., Urtica dioica; = **stinging n.**) ortica ● (fig.) **n.-grasper**, chi affronta risolutamente una difficoltà □ (med.) **n. rash**, orticaria □ (fig.) **to grasp the n.**, affrontare e risolvere una difficoltà con fermezza; prendere il toro per le corna.

to **nettle** /'nɛtl/ v. t. **1** (raro) pungere (q.) con un'ortica **2** (fig.) punzecchiare; esasperare; irritare; pungere (q.) sul vivo.

nettled /'nɛtld/ a. irritato; infastidito; esasperato; punto sul vivo.

nettle-tree /'nɛtltriː/ n. (bot., Celtis australis) bagolaro; spaccasassi.

♦**network** /'nɛtwɜːk/ n. **1** rete (anche fig.) reticolato: **a n. of friends**, una rete di amici; **the old boy** (o **old boys**) **n.**, la rete dei vecchi compagni di scuola **2** (tecn.) rete; rete di comunicazione; sistema: **a railway n.**, una rete ferroviaria; **the motorway n.**, la rete autostradale; (market.) **a distribution n.**, una rete di distribuzione; **a n. of canals**, un sistema di canali **3** (radio, TV) rete di emit-

tenti; network: **a TV n.**, una rete televisiva **4** (comput.) rete (di computer): **n. access**, accesso alla rete; **n. driver**, driver di rete; **n. neighborhood**, risorse di rete; **n. neutrality = net neutrality → net**①; **n. printer**, stampante di rete ● (comput.) **n. appliance**, calcolatore con risorse limitate (per l'accesso alla rete o a server dedicati) □ **n. of roads**, rete stradale; viabilità ordinaria □ **a n. of wires**, una rete di fili metallici (per l'elettricità, ecc.) □ (metall.) **n. structure**, struttura reticolare.

to **network** /'nɛtwɜːk/ Ⓐ v. t. **1** (radio, TV) diffondere (un programma) su un network **2** (comput.) collegare (computer: per farli interagire) Ⓑ v. i. (fig.) creare contatti sociali; fare amicizie.

networker /'nɛtwɜːkə(r)/ n. **1** (comput.) utente di un network; chi opera all'interno di una rete (di computer) **2** (fig.) chi crea (o tiene) contatti; chi coltiva una rete di amicizie.

networking /'nɛtwɜːkɪŋ/ n. ⓤ **1** (comput.) l'agire nell'ambito di una rete (di computer); utilizzo di network **2** creazione (o costituzione) di una rete di contatti personali (spec. nel posto di lavoro).

neume, **neum** /njuːm/ (mus.) n. neuma || **neumic** a. neumatico.

neural /'njʊərəl/ a. (anat.) neurale: **n. tube**, tubo neurale; neurasse ● (comput.) **n. network**, rete neurale.

neuralgia /njʊə'rældʒə/ (med.) n. ⓤ nevralgia || **neuralgic** a. nevralgico.

neurasthenia /njʊərəs'θiːnɪə/ (med.) n. ⓤ nevrastenia || **neurasthenic** a. e n. nevrastenico.

neuraxis /njʊə'ræksəs/ n. (pl. **neuraxes**) (anat.) nevrasse, neurasse.

neurectomy /njʊə'rɛktəmɪ/ n. ⓤⒸ (med.) neurectomia.

neurine /'njʊəraɪn/ n. ⓤ (biochim.) neurina.

neuritis /njʊə'raɪtəs/ (med.) n. ⓤ nevrite, neurite || **neuritic** a. e n. nevritico.

neuroanatomy /njʊərəʊ'nætəmɪ/ n. ⓤ neuroanatomia || **neuroanatomical** a. neuroanatomico.

neuroasthenia /njʊərəʊæs'θiːnɪə/ n. ⓤ nevrastenia || **neuroasthenic** a. e n. nevrastenico.

neurobiology /njʊərəʊbaɪ'ɒlədʒɪ/ n. ⓤ neurobiologia || **neurobiological** a. neurobiologico || **neurobiologist** n. neurobiologo.

neuroblast /'njʊərəʊblæst/ n. (biol.) neuroblasto.

neuroblastoma /njʊərəʊblæ'stəʊmə/ n. (pl. **neuroblastomas**, **neuroblastomata**) (med.) neuroblastoma.

neurochemistry /njʊərəʊ'kɛmɪstrɪ/ n. ⓤ (scient.) neurochimica || **neurochemical** a. neurochimico.

neurocranium /njʊərəʊ'kreɪnɪəm/ n. (pl. **neurocraniums**, **neurocrania**) (anat.) neurocranio.

neurocyte /'njʊərəʊsaɪt/ n. (biol.) neurocita; neurone.

neurodegenerative /njʊərəʊdɪ'dʒɛnərətɪv/ a. (med.) neurodegenerativo.

neurodermatitis /njʊərəʊdɜːmə'taɪtɪs/ n. (med.) neurodermatite.

neuroendocrine /njʊərəʊ'ɛndəʊkrɪn/ a. (biol.) neuroendocrino.

neuroendocrinology /njʊərəʊɛndəʊkraɪ'nɒlədʒɪ/ n. ⓤ neuroendocrinologia || **neuroendocrinologist** n. neuroendocrinologo.

neurofibromatosis /njʊərəʊfaɪbrəʊmə'təʊsɪs/ n. ⓤ (med.) neurofibromatosi.

neurogenetics /njʊərəʊdʒə'nɛtɪks/ n. pl. (col verbo al sing.) (biol.) neurogenetica.

neurogenic /ˌnjʊərəʊˈdʒɛnɪk/ a. (*biol.*) neurogenico; neurogeno.

neurohormone /ˌnjʊərəʊˈhɔːməʊn/ (*biol.*) n. neurormone ‖ **neurohormonal** a. neurormonale.

neurohypophysis /ˌnjʊərəʊhaɪˈpɒfɪsɪs/ n. (pl. **neurohypophyses**) (*anat.*) neuroipofisi.

neuroleptic /ˌnjʊərəʊˈlɛptɪk/ a. e n. (*farm.*) neurolettico.

neurolinguistics /ˌnjʊərəʊlɪŋˈgwɪstɪks/ n. pl. (col verbo al sing.) neurolinguistica.

neurology /njʊəˈrɒlədʒɪ/ (*med.*) n. Ⓤ neurologia ‖ **neurological** a. neurologico ‖ **neurologically** avv. neurologicamente ‖ **neurologist** n. neurologo.

neuroma /njʊəˈrəʊmə/ n. (pl. **neuromas**, **neuromata**) (*med.*) neuroma.

neuromere /ˈnjʊərəmɪə(r)/ n. (*anat.*) neuromero.

neuromotor /ˈnjʊərəməʊtə(r)/ a. (*fisiol.*) neuromotorio.

neuromuscular /ˌnjʊərəʊˈmʌskjələ(r)/ a. (*anat.*) neuromuscolare.

neuron /ˈnjʊərɒn/ (*anat.*) n. neurone; cellula nervosa ‖ **neuronal** a. neuronale.

neuropath /ˈnjʊərəpæθ/ n. (*med.*) neuropatico, nevropatico.

neuropathology /ˌnjʊərəʊpəˈθɒlədʒɪ/ n. Ⓤ (*med.*) neuropatologia ‖ **neuropathological** a. neuropatologico ‖ **neuropathologist** n. neuropatologo.

neuropathy /njʊəˈrɒpəθɪ/ (*med.*) n. Ⓤ Ⓒ neuropatia, nevropatia ‖ **neuropathic** a. neuropatico, nevropatico.

neurophysiology /ˌnjʊərəʊfɪzɪˈɒlədʒɪ/ n. Ⓤ neurofisiologia ‖ **neurophysiological** a. neurofisiologico ‖ **neurophysiologist** n. neurofisiologo.

neuropsychiatry /ˌnjʊərəʊsaɪˈkaɪətrɪ/ (*med.*) n. Ⓤ neuropsichiatria ‖ **neuropsychiatrist** n. neuropsichiatra.

neuropsychology /ˌnjʊərəʊsaɪˈkɒlədʒɪ/ (*med.*) n. Ⓤ neuropsicologia ‖ **neuropsychologist** n. (*med.*) neuropsicologo.

neuropteran /njʊəˈrɒptərən/ n. (pl. **neuropterans**, **neuroptera**) (*zool.*, Neuroptera) neurottero.

neuroscience /ˈnjʊərəʊsaɪəns/ n. neuroscienza ‖ **neuroscientist** n. neuroscienziato.

neurosensory /ˌnjʊərəʊˈsɛnsərɪ/ a. (*biol.*, *med.*) neurosensoriale.

neurosis /njʊəˈrəʊsɪs/ n. Ⓒ (pl. **neuroses**) (*psic.*) nevrosi, neurosi.

neurosurgery /ˌnjʊərəʊˈsɜːdʒərɪ/ (*med.*) n. Ⓤ neurochirurgia ‖ **neurosurgeon** n. neurochirurgo.

neurotic /njʊəˈrɒtɪk/ a. e n. (*psic.*) nevrotico ‖ **-ally** avv.

neurotomy /njʊəˈrɒtəmɪ/ n. Ⓤ Ⓒ (*med.*) neurotomia.

neurotonic /ˌnjʊərəʊˈtɒnɪk/ a. e n. (*farm.*) neurotonico.

neurotoxin /ˌnjʊərəʊˈtɒksɪn/ (*biol.*) n. neurotossina ‖ **neurotoxic** a. neurotossico.

neurotransmitter /ˌnjʊərəʊtrænzˈmɪtə(r)/ (*fisiol.*) n. neurotrasmettitore ‖ **neurotransmission** n. Ⓤ neurotrasmissione.

neurotropic /ˌnjʊərəʊˈtrɒpɪk/ (*med.*) a. neurotropo ‖ **neurotropism** n. Ⓤ neurotropismo.

neuter /ˈnjuːtə(r)/ Ⓐ a. **1** (*biol.*, *gramm.*) neutro: **n. gender**, genere neutro **2** (*raro*) neutrale: **to stand n.**, rimanere neutrale Ⓑ n. **1** (*gramm.*) genere neutro **2** (*biol.*) animale neutro; pianta neutra **3** animale castrato.

to **neuter** /ˈnjuːtə(r), USA ˈnuː-/ v. t. **1** castrare; sterilizzare (*un animale*) **2** (*fig.*) neu-

tralizzare.

neutral /ˈnjuːtrəl/ Ⓐ a. **1** neutrale: **a n. country**, un paese neutrale **2** (*chim.*, *fis.*, *mecc.*) neutro: **a n. substance**, una sostanza neutra; **a n. colour**, un colore neutro; **n. soap**, sapone neutro **3** (*fig.*) insignificante; scialbo; incolore: **a n. personality**, una personalità insignificante Ⓑ n. **1** (*polit.*) potenza neutrale; (un) neutrale **2** (*mecc.*) posizione di folle; folle: *The transmission is in n.*, il cambio è in folle; **to stay in n.**, restare in folle (*anche fig.*) ● (*sport*) **n. field** (o **n. ground**), campo neutro □ **n.-tinted**, di colore neutro; grigio □ (*banca*) **n. transactions**, operazioni indifferenti □ (*ling.*) **n. vowel**, vocale neutra | **-ly** avv.

neutralism /ˈnjuːtrəlɪzəm/ (*polit.*) n. neutralismo ‖ **neutralist** n. Ⓤ neutralista.

neutrality /njuːˈtrælətɪ/ n. Ⓤ neutralità (*polit.*) **armed n.**, neutralità armata.

to **neutralize** /ˈnjuːtrəlaɪz/ v. t. neutralizzare (*in ogni senso*) ‖ **neutralization** n. Ⓤ neutralizzazione ‖ **neutralizer** n. (*anche chim.*) neutralizzante.

neutron /ˈnjuːtrɒn/ n. (*fis.*) neutrone ● (*mil.*) **n. bomb**, bomba al neutrone; bomba neutronica.

neutrophil /ˈnjuːtrəfɪl/, **neutrophile** /ˈnjuːtrəfaɪl/ a. e n. (*biol.*) neutrofilo.

névé /ˈnɛveɪ, USA neɪˈveɪ/ (*franc.*) n. (*geogr.*) **1** firn; neve granulare dei nevai **2** (campo di) neve compatta; nevato; gramolato.

never /ˈnɛvə(r)/ avv. **1** mai; non... mai; giammai: *I shall n. forget him*, non lo dimenticherò mai; *N.!*, giammai!; *«Have you ever been to Inverness?» «No, n.»*, «Sei mai stato a Inverness?» «No, mai»; *I should n. have believed it*, non l'avrei mai creduto **2** (*con verbi al passato*) per nulla; non: *She n. told me*, non me l'ha detto; non mi ha detto proprio niente; *He n. went*, non c'è poi andato **3** (*fam. ingl.*, *escl.*) ma va'!; accidenti! ● (*lett.*) **n. a**, non uno; neanche uno: *We saw n. a soul*, non vedemmo neanche un'anima □ **n. after**, mai più (*da allora*) □ **n. before**, mai prima d'ora; mai prima d'allora □ **n.-ceasing**, incessante □ **n.-dying**, immortale □ **n.-ending**, senza fine; interminabile; infinito □ (*lett.*) **n. ever**, mai e poi mai □ **n.-failing**, infallibile; immancabile □ **n.-to-be-forgotten**, indimenticabile; memorabile □ **N. again!**, mai più! □ **N. fear!**, non aver paura!; niente paura! □ **N. mind!** → **to mind** □ **n. more**, mai più □ (*fam. USA*) **a n.-stop**, uno sempre in movimento □ (*fam. USA*) **a n.-was** (*o* **a n.-wuzzer**), uno che non ha mai combinato niente di buono; un fallito □ **That will n. do**, così non va; non va bene; così è impossibile; non ci siamo proprio □ **Well, I n.!** (*o* **I n. did!**), è inaudito!; questa poi!; ma va là!; non ci credo!; incredibile! □ (*fam.*) **You n. left the key in the lock!**, non mi dirai che hai lasciato la chiave nella toppa! □ (*prov.*) **It's n. too late to mend**, non è mai troppo tardi per emendarsi □ (*prov.*) **N. is a long word**, «mai» è una parola grossa □ (*prov.*) **N. is a long day**, è facile dire «mai!» □ (*prov.*) **N. say n.**, mai dire «mai».

nevermore /ˌnɛvəˈmɔː(r)/ avv. (*lett.*) mai più.

never-never /ˌnɛvəˈnɛvə(r)/ Ⓐ a. attr. utopico; immaginario; illusorio: **never-never land**, mondo immaginario; mondo sognato; paese dei sogni ● **the Never-Never Country** (*o* **Land**), (*in Australia*) la regione del Northern Territory a sud-est di Darwin □ **the Never-Never Land**, l'Isola che non c'è (*in 'Peter Pan' di J.M. Barrie*) Ⓑ n. **1** (**the Never-Never**) l'interno desertico dell'Australia **2** (*fam. ingl.*) sistema delle vendite a rate: **on the never-never**, a rate.

◆**nevertheless** /ˌnɛvəðəˈlɛs/ avv. e cong. nondimeno; ciononostante; tuttavia: *There was no money left; n., we managed for a while*, i soldi erano finiti; ciononostante, per un po' tirammo avanti.

◆**new** ① /njuː, USA nuː/ Ⓐ a. **1** nuovo; novello; recente; fresco; moderno: **a new idea**, un'idea nuova; **new economy**, nuova economia; *That's a new word to me*, questa parola mi è nuova, ignota; **new and second-hand books**, libri nuovi e libri di seconda mano; *Have you got a new phone?*, hai un telefono nuovo?; **new milk**, latte fresco; **new potatoes**, patate novelle; **new from school**, fresco di studi; **the new woman**, la donna moderna **2** nuovo; diverso: *I'll be right back with a new bottle*, arrivo subito con un'altra bottiglia; *We are looking for a new place*, stiamo cercando un'altra casa Ⓑ n. Ⓤ – **the new**, ciò che è nuovo; il nuovo □ (*mus.*, *filos.*) **New Age**, New Age; (GB) **New Age traveller**, persona senza fissa dimora che rifiuta i valori della società moderna □ **new blood**, sangue nuovo (*anche fig.*); persone nuove, forze nuove, ricambi; (*anche*) idee nuove, innovazioni □ **a new broom**, una scopa nuova; (*fig.*) un nuovo assunto; uno nominato di fresco; un nuovo capo □ (*sport*) **new buy**, nuovo acquisto; neo acquisto □ (*fam. USA*) **new-collar**, piccolo borghese di origini operaie □ **new-day**, alla moda, aggiornato, moderno: **new-day conveyances**, i moderni mezzi di trasporto □ (*stor.*, *in USA*) **the 'New Deal'**, il 'New Deal' (*del Presidente F.D. Roosevelt, dopo il 1932*) □ (*in USA*) **New Englander**, abitante (o nativo) della Nuova Inghilterra □ **the new entrants**, le nuove leve (di lavoratori) □ (*polit.*) **New Labour**, il nuovo partito laburista (*quello di Tony Blair*) □ (*polit.*) **the New Left**, la nuova sinistra □ (*polit.*) **New Leftist**, membro della nuova sinistra □ (*arte*, *moda*, *ecc.*) **new look**, new look □ **new moon**, luna nuova (*non la si vede dalla terra*), novilunio; nuova luna, primo quarto di luna, falce di luna crescente: *'And as she went home she saw a new moon, bright as a splinter of crystal in the western sky'* D.H. LAWRENCE, 'mentre andava a casa, ella vide la falce della nuova luna, lucente come una scheggia di cristallo nel cielo di occidente' □ (*in GB, dopo il 1971*) **new penny**, nuovo penny (*moneta pari a 1 centesimo di sterlina*) □ (*sport*) **new professional**, neoprofessionista □ **a new release**, una novità (*spec.* discografica) □ **the new rich**, gli arricchiti; i nuovi ricchi □ (*polit.*) **the New Right**, la nuova destra □ **New Scotland Yard**, la (nuova) sede della Polizia «Metropolitana» di Londra □ (*fin.*) **new shares**, azioni di nuova emissione □ **new snow**, neve nuova; neve fresca □ (*agric.*) **new soil**, terreno vergine □ (*relig.*) **the New Testament**, il Nuovo Testamento □ **new town**, città satellite □ (*in GB*) **new university**, nuova università (*nome nuovo, dal 1992 dato ai vecchi 'politecnici'*) □ **new wave**, (*cinem.*) nouvelle vague; (*mus.*) new wave □ (*geogr.*) **the New World**, il Nuovo Mondo □ **New Year**, Anno Nuovo □ **the New Year holidays**, le vacanze di Capodanno □ **New Year's Day**, Capodanno; il primo dell'anno ❶ CULTURA • → **bank holiday**, *sotto* **bank** ②□ **New Year's eve**, la vigilia di capodanno; l'ultimo dell'anno □ **New Year's resolution**, proposito per l'anno nuovo □ **New Yorker**, newyorchese; nuovayorchese □ (*fam. USA*) **New Yorky**, tipico di New York □ (*geogr.*) **New Zealand**, Nuova Zelanda □ **New Zealander**, neozelandese □ **as good as new**, come nuovo; quasi nuovo □ **ever new**, in continuo rinnovamento; sempre nuovo □ **to feel like a new man**, sentirsi rinato □ (*fam.*, *iron.*) **So what else is new?**, bella novità!; sai che novità! □ *That's nothing new*, non è una novità.

new ② /njuː, USA nuː/ avv. (di solito, nei

composti:) **1** di recente; di fresco; da poco tempo: **new-made**, fatto di recente; **new-found**, scoperto da poco; **new-mown hay**, fieno falciato di fresco; **a new-coined word**, una parola coniata di fresco **2** di nuovo; nuovamente: **new-built**, costruito di nuovo; ricostruito ● (*di un fiore*) **new-blown**, appena sbocciato □ **new-fashioned**, alla moda □ **a new-fledged bird**, un uccellino che ha appena messo le ali □ **new-laid eggs**, uova appena deposte: uova fresche.

newbie /'njuːbɪ/ n. (*fam.*, *comput.*) neofita, novellino (*di computer*).

newborn /'njuːbɔːn/ **A** a. appena nato; neonato: **a n. baby**, un neonato. **B** n. neonato, neonata.

newcomer /'njuːkʌmə(r)/ n. nuovo arrivato; nuovo venuto; recluta ● (*sport*) **a n. to skiing**, un neofita dello sci; uno sciatore principiante □ **to be a n. to teaching**, essere nuovo all'insegnamento; essere un docente di prima nomina.

newel /'njuːəl/ n. (*archit.*) **1** montante di scala a chiocciola **2** (= **n. post**) pilastrino (o montante) di balaustra di scala.

newfangled /'njuːfæŋgld/ a. (*spreg.*) troppo moderno; nuovo e strano; originale; stravagante.

Newfoundland /njuːˈfaʊndlənd/ n. **1** (*geogr.*) Terranova **2** (= **N. dog**) terranova; cane di Terranova ‖ **Newfoundlander** n. abitante di Terranova.

◆**newly** /'njuːlɪ/ avv. **1** di recente; di fresco; da poco tempo; appena: **a n. discovered country**, una regione scoperta di recente; **a guest n. arrived**, un ospite appena arrivato **2** di nuovo; in modo nuovo: **a flat n. furnished**, un appartamento arredato di nuovo ● (*sport*) **a n. promoted team**, una squadra neopromossa.

newly-wed /'njuːlɪwed/ a. sposato di fresco; appena sposato: **a newly-wed couple**, una coppia di sposi novelli ● **the newly-weds**, i novelli sposi; gli sposini.

newness /'njuːnəs/ n. ⍟ novità; l'esser recente; freschezza (*fig.*); modernità (→ **new**①).

◆**news** /njuːz, *USA* nuːz/ n. ⍟ (col verbo al sing.) **1** notizia, notizie; nuove; novità; novella (*lett.*): *Have you heard the n.?*, hai sentito la notizia?; sai la novità?; *That's excellent n.!*, è un'ottima notizia!; *I've had no n. of him*, non ho avuto sue notizie; *Is there any n.?*, ci sono notizie?; ci sono novità?; *He's not coming in to work today, he's had some terrible n.*, non viene al lavoro oggi, ha avuto una notizia terribile; **a n. item**, una notizia; **a piece of n.**, una notizia; **the latest n.**, l'ultima notizia, le ultime notizie; (*giorn.*, *TV*) le recentissime; *There was some good n. as well*, ci sono state anche delle buone notizie **2** (*radio*, *TV*) notiziario; giornale radio; telegiornale: **the evening n.**, il telegiornale della sera ● **n. agency**, agenzia d'informazioni; agenzia di stampa □ (*radio*) **n. bulletin**, notiziario; giornale radio □ **n. conference**, conferenza stampa □ (*giorn.*, *TV*) **n. desk**, redazione □ **n. editor**, capocronista □ (*radio*, *TV*) **n. headlines**, titoli delle notizie; notizie in breve, notiziario (*a ore fisse*) □ (*fam.*) **n. hound**, giornalista; reporter □ **n. release**, comunicato stampa □ (*comput.*) **n. server**, server di newsgroup □ **n. service**, agenzia d'informazioni; agenzia di stampa □ **n. writer**, cronista; reporter □ (*di una cosa*) **to be big n.**, fare notizia □ **to break the n. to sb.**, dare una cattiva notizia a q. □ **in the n.**, sui giornali; al telegiornale □ *What's the* **n. this morning?**, che c'è di nuovo stamani? □ (*prov.*) **No n. is good n.**, nessuna nuova, buona nuova.

newsagent /'njuːzeɪdʒənt/ n. giornalaio; edicolante ● **wholesale n.**, (titolare di) deposito di giornali.

newsboy /'njuːzbɔɪ/ n. venditore di giornali per la strada (o a domicilio); strillone.

newscast /'njuːzkɑːst/ n. **1** (*radio*) giornale radio; notiziario **2** (*TV*) telegiornale; notiziario.

◆**newscaster** /'njuːzkɑːstə(r)/ n. (*radio*, *TV*) annunciatore, annunciatrice; speaker; conduttore, conduttrice.

newsdealer /'njuːzdiːlə(r)/, *USA* 'nuː-/ n. (*USA*) giornalaio; edicolante.

newsfeed /'njuːzfiːd/, *USA* 'nuːz-/ n. (*comput.*) newsfeed (*trasferimento di news verso un server*).

newsflash /'njuːzflæʃ/ n. (*radio*, *TV*) notizia lampo; flash d'agenzia; flash.

newsgirl /'njuːzgɜːl/ n. ragazza che fa lo strillonaggio (o che consegna i giornali a domicilio).

newsgroup /'njuːzgruːp/, *USA* 'nuː-/ n. (*comput.*) gruppo di discussione (*bacheca virtuale su cui registrare i propri messaggi*).

newshawk /'njuːzhɔːk/, **newshound** /'njuːzhaʊnd/ n. (*spec. USA*) giornalista che va sempre a caccia di notizie.

newsiness /'njuːzɪnəs/ n. ⍟ (*fam.*) abbondanza di notizie.

newsletter /'njuːzletə(r)/ n. notiziario, bollettino d'informazioni (*di una ditta, un'associazione, ecc.*).

newsmaker /'njuːzmeɪkə(r)/ n. (*USA*) persona (o avvenimento) che «fa notizia».

newsman /'njuːzmən/ n. (pl. *newsmen*) (*USA*) giornalista; cronista.

newsmonger /'njuːzmʌŋgə(r)/ n. (*arc.*) pettegolo, pettegola; (*d'uomo*) gazzettino (*fig.*); (*di donna*) comare (*fig.*).

◆**newspaper** /'njuːspeɪpə(r)/ n. **1** giornale; quotidiano; gazzetta; testata (*fig.*) **2** ⍟ carta di giornale ● **n. reading**, la lettura dei giornali □ **a daily n.**, un quotidiano □ **a weekly n.**, un settimanale.

newspaperman /'njuːspeɪpəmən/ n. (pl. *newspapermen*) giornalista, cronista (*uomo*).

newspaperwoman /'njuːspeɪpəwʊmən/ n. (pl. *newspaperwomen*) giornalista, cronista (*donna*).

Newspeak /'njuːspiːk/ n. (*fig.*) linguaggio propagandistico tendenzioso, politichese (*dal romanzo «1984» di G. Orwell*).

newsprint /'njuːsprɪnt/ n. ⍟ **1** carta da (o di) giornale **2** testo (di giornale).

newsreader /'njuːzriːdə(r)/ n. **1** (*radio*, *TV*) annunciatore, annunciatrice; speaker; conduttore, conduttrice **2** (*comput.*) lettore di news (*programma per la lettura dei newsgroup*).

newsreel /'njuːzriːl/ n. (*cinem.*) cinegiornale.

newsroom /'njuːzruːm/ n. **1** redazione, cronaca (*di giornale, ecc.*); sala stampa **2** (*in un circolo, ecc.*) sala di lettura.

newssheet /'njuːzʃiːt/ n. notiziario; bollettino d'informazioni.

newsstand /'njuːzstænd/ n. edicola (*di giornalaio*); chiosco (*dei giornali*).

newsvendor /'njuːzvendə(r)/ n. **1** giornalaio **2** strillone.

newsweekly /'njuːzwiːklɪ/ n. rivista settimanale.

newsworthy /'njuːzwɜːðɪ/ a. che fa notizia; interessante; importante; che merita d'essere pubblicato.

newsy /'njuːzɪ/ **A** a. **1** (*fam.*) pieno (o ricco) di notizie personali (o frivole): **a n. letter**, una lettera ricca di notizie **2** pettegolo **B** n. (*USA*) ragazzo che vende giornali; strillone ● **a n. popular magazine**, un rotocalco pieno di pettegolezzi.

newt /njuːt/ n. (*zool.*, *Triturus*) tritone.

newton /'njuːtən/ n. (*fis.*) newton.

Newtonian /njuːˈtəʊnɪən/ (*scient.*) **A** a. newtoniano; di Newton **B** n. fautore delle teorie di Newton.

◆**next** /nekst/ **A** a. prossimo; (il) più vicino; vicino; contiguo; seguente; successivo; primo: **the n. house**, la casa più vicina; la casa accanto; **the n. train**, il prossimo treno; il treno seguente; il primo treno (*dopo questo*): *What time's the n. train?*, a che ora è il prossimo treno?; *The n. train leaves in six minutes*, il primo treno parte tra sei minuti; **the n. stop**, la prossima fermata; la fermata successiva; la prima fermata (*dopo questa*); **the n. day**, il giorno seguente; il giorno dopo; **n. Monday** (o **on Monday n.**), lunedì prossimo; **n. week**, la prossima settimana; **n. year**, l'anno prossimo; l'anno venturo **B** n. (agg. sost.) prossimo; primo (*dopo un altro*): *I will tell you in my n.*, te ne parlerò nella mia prossima (lettera); **the n. to arrive**, il prossimo (che arriva); il primo ad arrivare (*in seguito*); *N., please!*, avanti un altro!; avanti il prossimo!; sotto a chi tocca! (*fam.*) **C** avv. **1** in seguito; dopo; poi: *What shall I do n.?*, che cosa devo fare dopo?; **to come n.**, venire subito dopo; *Who comes n.?*, a chi tocca dopo?; a chi tocca ora?; *What comes n.?*, e adesso che cosa viene; a che cosa tocca ora? **2** la prossima volta; la volta dopo: *When shall I meet you n.?*, quando ti vedrò la prossima volta?; quando ti rivedrò?; *When I saw him n., he had grown a beard*, quando lo rividi, portava la barba **D** prep. (*arc.*, *ora* **n. to**) **1** vicino a; accanto a; presso: **a seat n. to the fire**, un posto (*a sedere*) vicino al fuoco; **the building n. to the post office**, l'edificio vicino alla Posta **2** subito dopo; dopo: *Ann loves you n. to her own son*, sei la persona che Ann ama di più, dopo suo figlio; **the largest city n. to New York**, la città più grande dopo New York ● **the n. after that**, quello (*autobus, treno, ecc.*) dopo □ **the n. best (thing)**, la migliore alternativa □ **n. but one**, (il) secondo; quello dopo il prossimo □ **n. but two**, il secondo dopo il prossimo; il terzo (*in una fila*) □ **n. but three**, il terzo dopo il prossimo; il quarto (*in una fila*) □ **n. door**, accanto a: *They live n. door to me*, abitano accanto a me □ **n.-door**, della porta accanto □ **n.-door neighbours**, vicini di casa; (*in un albergo*) vicini di camera □ (*fig.*) **n. door to**, quasi; pressoché: *It's n. door to impossible*, è pressoché impossibile □ **n. of kin**, parente più prossimo □ (*fam.*) **n. off**, per seconda cosa; in secondo luogo (correlato con **first off**) □ **n. to impossible**, quasi impossibile □ **n. to none**, quasi nessuno □ **n. to nothing**, quasi niente □ **in the n. place**, (in secondo, in terzo luogo, ecc.) □ **the Sunday n. before Easter**, l'ultima domenica prima della Pasqua (*la Domenica delle Palme*) □ **the year after n.**, tra due anni □ **as curious [ambitious, etc.] as the n. man**, curioso [ambizioso, ecc.] come chiunque altro; non meno curioso [ambizioso, ecc.] degli altri □ *What n.?*, e poi?; che altro? □ (*iron.*) *What (o Whatever) n.!*, accidenti!; acciderba!; c'è da aspettarsi di tutto.

nexus /'neksəs/ n. (di solito sing.) (pl. *nexuses*, *nexus*) **1** nesso; connessione; legame; relazione **2** gruppo (o serie) di cose, d'idee, ecc., connesse fra loro **3** (*ling.*) nesso sintattico.

NF sigla **1** (*polit.*, *GB*, **National Front**) Fronte nazionale **2** (*Canada*, **Newfoundland**) Terranova.

NFL sigla (*USA*, **National Football League**) Lega nazionale football americano.

NFU sigla (*GB*, **National Farmers' Union**) Unione nazionale dei coltivatori.

ng sigla (*comput.*, **newsgroup**), gruppo di

discussione; newsgroup.

NGO sigla (**non-hovernmental organization**) organizzazione non governativa (ONG).

NH sigla (anche N.H.) (USA, **New Hampshire**) New Hampshire.

NHOH sigla (Internet, telef., **never heard of him** (o **her**)), mai sentito (o sentita) nominare.

NHS sigla (GB, **National Health Service**) Servizio sanitario nazionale (cfr. ital. «SSN»).

NI sigla **1** (GB, **National Insurance**) assicurazione nazionale **2** (**Northern Ireland**) Irlanda del Nord.

niacin /'naɪəsɪn/ n. Ⓤ (chim.) niacina (vitamina PP).

Niagara Falls (the) /naɪˈægərəˈfɔːlz/ n. pl. (geogr.) le Cascate del Niagara (nome anche di una città sæ vicina).

nib /nɪb/ n. **1** (un tempo) punta di penna d'oca **2** (= **pen nib**) pennino **3** punta (d'un arnese) **4** (pl.) chicchi di caffè (o di cacao) frantumati ● (fam. spreg., antiq.) **his nibs**, persona importante; Sua Signoria; (il) signorino (fam.).

to **nib** /nɪb/ v. t. **1** (un tempo) affilare, appuntire (una penna d'oca) **2** mettere il pennino a (un portapenne) **3** aggiustare il pennino di (una penna).

nibble /'nɪbl/ n. **1** piccolo morso; morsetto; morsettino **2** il mordicchiare; rosicchiamento **3** boccone; spuntino; bocconcino: **to have a n.**, mangiare un boccone **4** (fig.) accenno d'interesse: The house has been on sale for six months, but we haven't had so much as a n., la casa è in vendita da sei mesi, ma nessuno ha mostrato il benché minimo interesse ● **to have a n. at st.**, mordicchiare (o rodere) qc.

to **nibble** /'nɪbl/ v. t. e i. (spesso **to n. at**) **1** mordicchiare; morsicare; rosicchiare: The rabbits were nibbling (at) the cabbages, i conigli rosicchiavano i cavoli **2** (di pecore) brucare **3** (di persone) mangiucchiare; sgranocchiare **4** mostrare un certo interesse per, stare per accettare (un'offerta, ecc.) **5** cavillare; criticare; trovare da ridire ● (di pesci) **to n. (at) the bait**, abboccare □ **to n. at one's food**, mangiucchiare; mangiare di malavoglia □ **to n. at a subject**, sfiorare (o toccare appena) un argomento □ **to n. away** (o **off**), staccare a piccoli morsi; (fig.) consumare a poco a poco.

niblick /'nɪblɪk/ n. (golf) ferro N° 9.

Nicaraguan /nɪkəˈrægjʊən/ a. e n. nicaraguegno; nicaraguense.

♦**nice** /naɪs/ a. **1** bello (anche iron.); grazioso; attraente; amichevole; affabile; gradevole; piacevole; simpatico; cortese; gentile; premuroso: **n. clothes**, bei vestiti; **a n. day**, una bella giornata; **the n. weather of early summer**, il bel tempo all'inizio dell'estate; There's a n. quiet pub not far from here, c'è un pub grazioso e tranquillo non lontano da qui; You're in a n. mess, sei in un bel guaio; **a n. little girl**, una graziosa ragazzina; She's really n., è molto carina; **a n. remark**, un'osservazione gentile; You've been very n. to me, sei stato molto gentile con me; **a n. fellow**, un tipo simpatico; un simpaticone **2** (di bevanda, cibo, pasto, ecc.) bello; buono; gustoso; squisito: **a n. steak**, una bella bistecca; Will you have a n. cup of tea?, vuoi una bella tazza di tè?; What a n. cake!, che buona torta! **3** delicato; difficile; sottile; fine: **a n. problem**, un problema delicato; **a n. experiment**, un esperimento difficile; **a n. distinction**, una distinzione sottile; **a n. ear**, un orecchio fine **4** onesto; retto; corretto (negli affari, ecc.) **5** bravo; perbene (fam.): N. boys don't crib, un bravo ragazzo non copia (a scuola, all'esame) **6** di gusti difficili; incon-

tentabile; esigente; minuzioso; scrupoloso: I'm n. about my food, sono di gusti difficili nel mangiare; **a n. inquiry**, un'indagine minuziosa; **a n. observer**, un osservatore scrupoloso ● (fam.) **n. and...**, bello...; ben..., proprio...; piacevolmente...: **n. and big**, bello grande; **n. and easy**, comodo e facile; facilmente; (di cibo) **n. and hot**, bello caldo; (d'abito, di stanza, del tempo, ecc.) **n. and warm**, bello caldo; (di una persona) ben caldo □ **a n. instrument**, uno strumento di precisione □ **n.-looking**, di bell'aspetto; grazioso; attraente □ (fam.) **N. one!**, bene!; bello! □ (iron.) **He's a n. one to talk about fairness**, proprio lui parla di correttezza □ **as n. as pie**, (agg.) gentilissimo; (avv.) benissimo, alla perfezione: Everything was going as n. as pie, tutto stava andando alla perfezione □ **How n. to see you!**, che gioia rivederti!; (a un ospite) benvenuto! □ (USA) **Have a n. day!**, buongiorno, signore (o signora, ecc.)! (detto da un cameriere o un commesso a un cliente che esce) □ **N. to have met you**, è stato un piacere conoscerla □ N. to meet you, Mrs Green, piacere di conoscerla, signora Green □ N. to meet you everybody, piacere di conoscervi □ (fam.) **N. work if you can get it!**, mica male come lavoro!; (per estens.) mica male l'idea!, io ci starei eccome! □ **Their car is going n. and fast**, la loro automobile va a meraviglia □ **This stick is a n. long one**, questo bastone è bello lungo □ (prov.) **N. and easy does it**, bene e con calma si risolve tutto.

NICE sigla (GB, med., **National Institute for Clinical Excellence**) Istituto nazionale per l'eccellenza clinica.

Nice /niːs/ n. (geogr.) Nizza.

♦**nicely** /'naɪslɪ/ avv. **1** esattamente; in modo preciso, minuzioso; scrupoloso **2** (fam.) gradevolmente; piacevolmente **3** (fam.) bene; proprio bene; a pennello: This overcoat will suit him n., questo soprabito gli starà a pennello; The new student is doing n., il nuovo studente fa (o se la cava) bene ● (di un malato) **to be doing n.**, essere in via di guarigione.

niceness /'naɪsnəs/ n. Ⓤ **1** sottigliezza; finezza **2** esattezza; precisione; scrupolosità **3** (fam.) gradevolezza; piacevolezza; simpatia **4** (fam.) cortesia; gentilezza (→ **nice**).

nicety /'naɪsətɪ/ n. **1** Ⓤ accuratezza; esattezza; precisione; meticolosità; scrupolosità: **n. of judgement**, accuratezza di giudizio **2** Ⓤ l'essere esigente; incontentabilità; raffinatezza di gusti **3** Ⓤ l'essere complesso, intricato; delicatezza; difficoltà: **a question of great n.**, una faccenda di grande delicatezza **4** (pl.) finezze; sottigliezze; minuzie: **the niceties of drawing**, le finezze dell'arte del disegno **5** (pl.) cose buone: **the niceties of life**, le cose buone della vita (anche per un bimbo o un animale: dolcetti, carezze, grattatine, ecc.) ● **to a n.**, esattamente; in modo preciso; alla perfezione, a puntino: I cannot judge the distance to a n., non sono in grado di valutare esattamente la distanza □ (di capo di vestiario, ecc.) **to fit to a n.**, stare a pennello.

niche /niːʃ/ n. **1** (archit.) nicchia; alcova; recesso; incavo **2** (biol.) nicchia: **ecological n.**, nicchia ecologica **3** (econ.) nicchia (di mercato) **4** (fig.) nicchia; posticino: He is looking for the right n. for himself, cerca di farsi una bella nicchia (o di trovarsi un bel posticino) ● (econ.) **n. marketing**, marketing per nicchie di mercato □ **n. retail shops**, negozi al dettaglio che si sono fatti la loro nicchia (nel mercato); negozi specializzati.

to **niche** /niːʃ/ v. t. collocare (una statua, ecc.) in una nicchia ● **to n. oneself**, rannicchiarsi; (fig.) farsi una comoda nicchia.

Nicholas /'nɪkələs/ n. Nicola, Niccolò.

nick① /nɪk/ n. **1** intaccatura; tacca (anche tipogr.) **2** (biol.) nick: **n. translation**, traslazione del nick; trasferimento puntiforme **3** (slang) prigione; galera; gattabuia (pop.) **4** (slang) posto di polizia; commissariato ● **in the n. of time**, al momento giusto; al momento opportuno; (anche) appena in tempo; al limite □ **The meat was cooked to a n.**, la carne era cotta al punto giusto (o a puntino).

nick② /nɪk/ n. (fam., anche sport) condizioni fisiche; condizioni; forma: This car is in good n., quest'auto è in buone condizioni (o è messa bene) ● **to be in bad n.**, essere ridotto male (o puntino).

to **nick** /nɪk/ v. t. **1** intaccare; fare una tacca (o tacche) in; fare un'incisione in: **to n. a horse's tail** (o **a horse**), fare a un cavallo una incisione alla base della coda **2** segnare (punti, ecc.) facendo tacche **3** afferrare; cogliere; indovinare; intuire: **to n. an opportunity**, cogliere un'occasione; **to n. the truth**, intuire la verità **4** prendere al volo (fig.): **to n. a train**, prendere al volo un treno **5** (fam.) prendere, arrestare; beccare; pizzicare (pop.): He was nicked by the police, si fece beccare dalla polizia **6** (fam.) rubare; sgraffignare (fam.); fregare, fregarsi (pop.): **to n. sb. out of st.**, fregare qc. a q. **7** (fam. USA) far pagare (q.) (anche fig.): **to get nicked for it**, pagarla cara.

Nick /nɪk/ n. dim. di → **Nicholas** ● **Old N.**, il Diavolo; Belzebù.

nickel /'nɪkl/ n. **1** Ⓤ (chim.) nichel, nickel, nichelio **2** (USA) moneta da cinque centesimi (di dollaro) **3** moneta di nichel; nichelino ● **n.-plated**, nichelato □ **n.-plating**, nichelatura ● **n. silver**, alpacca; argentana □ **n. steel**, acciaio al nichelio □ (slang USA) **double n.**, il numero 55; (autom.) il limite delle 55 miglia orarie (in autostrada) ● (USA) **It's your n.!**, questa volta paghi tu! □ (USA) **Not on my n.!**, non con i soldi miei!

to **nickel** /'nɪkl/ v. t. nichelare || **nickelling**, (USA) **nickeling** n. Ⓤ nichelatura.

nickelodeon /nɪkəlˈəʊdɪən/ n. (USA) **1** (un tempo) cinema (o teatro di varietà) d'infimo ordine (o di terza visione) **2** juke-box di tipo antiquato.

nicker /'nɪkə(r)/ n. (inv. al pl.) (slang arc.) sterlina.

to **nickle-plate** /nɪkl'pleɪt/ v. t. nichelare.

nicknack /'nɪknæk/ n. → **knick-knack**.

nickname /'nɪkneɪm/ n. **1** nomignolo; soprannome **2** vezzeggiativo; diminutivo **3** (comput.) nickname; soprannome; pseudonimo; nome di fantasia.

to **nickname** /'nɪkneɪm/ v. t. soprannominare; dare un nomignolo a (q.).

nicotinamide /nɪkəˈtɪnəmaɪd/ n. Ⓤ (biol.) nicotinammide.

nicotine /'nɪkəti:n/ n. Ⓤ (chim.) nicotina.

nicotinic /nɪkəʊˈti:nɪk/ a. (chim.) nicotinico.

nicotinism /'nɪkəʊtɪ:nɪzəm/ n. Ⓤ (med.) nicotinismo; tabagismo.

to **nictate** /'nɪkteɪt/, to **nictitate** /'nɪktɪteɪt/ v. i. ammiccare rapidamente; battere le palpebre.

nictation /nɪk'teɪʃn/, **nictitation** /nɪktɪ'teɪʃn/ n. Ⓤ (med.) nittitazione.

nictitating /'nɪktɪteɪtɪŋ/ a. (zool.) nittitante: **n. membrane**, membrana nittitante.

nide /naɪd/ n. covata (o nidiata) di fagiani.

to **nidificate** /'nɪdɪfɪkeɪt/ v. i. nidificare || **nidification** n. Ⓤ nidificazione.

to **nidify** /'nɪdɪfaɪ/ → **to nidificate**.

to **nid-nod** /'nɪdnɒd/ v. i. ciondolare il capo (per il sonno); piegare la testa.

nidus /'naɪdəs/ n. (pl. **nidi**, **niduses**) **1** (zool.) nido (spec. d'insetti e di ragni) **2** (med.) nido, focolaio d'infezione.

a b c d e f g h i j k l m n o p q r s t u v w x y z

◆**niece** /niːs/ n. nipote (*femmina; di zio o di zia*); nipotina.

niello /nɪˈɛləʊ/ n. (pl. **nielli**, **niellos**) (*oreficeria*) 1 niello 2 Ⓤ niellatura.

to **niello** /nɪˈɛləʊ/ v. t. (*oreficeria*) niellare.

niff /nɪf/ (*slang*) n. cattivo odore; puzzo ‖ **niffy** a. che puzza; maleodorante ● **This cheese is niffy**, questo formaggio puzza.

nifty /ˈnɪftɪ/ Ⓐ a. (*slang*) elegante; bello; ingegnoso; con i fiocchi; eccezionale; splendido Ⓑ n. (*slang*) 1 (*ingl.*) (biglietto da) 50 sterline 2 (*USA*) battuta divertente ● (*boxe*) **a n. right at the jaw**, un bel destro alla mascella ‖ **-ily** avv. ‖ **-iness** n. Ⓤ.

Nigerian /naɪˈdʒɪərɪən/ a. e n. nigeriano.

nigga /ˈnɪgə/ abbr. *fam. USA* di **nigger**.

niggard /ˈnɪgəd/ n. avaro; tirchio; spilorcio; taccagno.

niggardly /ˈnɪgədlɪ/ Ⓐ a. 1 avaro; gretto; spilorcio; taccagno; tirchio 2 misero; scarso; meschino; irrisorio: **a n. sum**, una misera somma di denaro Ⓑ avv. avaramente; con grettezza ‖ **niggardliness** n. Ⓤ avarizia; grettezza; spilorceria; taccagneria; tirchieria.

nigger /ˈnɪgə(r)/ n. (*spreg.*) negro, negra ● (*fig.*) **a n. in the woodpile**, un intoppo; un intralcio; un piantagrane; un guastafeste □ (*USA, gergo dei neri*) **a bad** (*o* **bad-ass**) **n.**, un nero tosto, combattivo; (*anche*) un nero violento, che picchia le donne ❶ **NOTA D'USO •** *Il termine e le espressioni derivate sono fortemente offensivi se usati da un bianco.*

niggle /nɪgl/ n. (*fam.*) 1 dubbio; incertezza; perplessità; preoccupazione 2 lieve critica; appunto; riserva.

to **niggle** /ˈnɪgl/ Ⓐ v. i. 1 fare il pignolo; preoccuparsi d'inezie, dei particolari (*d'un lavoro*) 2 criticare; trovare da ridire Ⓑ v. t. 1 infastidire; importunare; urtare 2 tormentare; preoccupare ● **to n. at sb.**, molestare, infastidire q. □ **to n. over st.**, perdersi nei dettagli.

niggling /ˈnɪglɪŋ/ Ⓐ a. 1 pignolo; minuzioso 2 insignificante; da nulla; di nessun valore Ⓑ n. Ⓤ cavillosità; pedanteria; pignoleria ● **n. handwriting**, scrittura minuta.

nigh /naɪ/ Ⓐ avv. (*arc., poet. o dial.*) vicino; presso; accanto Ⓑ prep. vicino a; accanto a Ⓒ a. vicino; prossimo: *The end of the world is n.*, la fine del mondo è vicina! ● **to draw n.**, avvicinarsi □ **well n.**, quasi; pressoché.

◆**night** /naɪt/ Ⓐ n. Ⓒ Ⓤ 1 notte; nottata; sera; serata: **n. and day**, giorno e notte; notte e dì; sempre; **n. after n.**, una notte (*o* una sera) dopo l'altra; **all n.** (**long**), tutta la notte; **by n.**, di notte, durante la notte; **at the calar della notte** di notte; (*fig.*) **the n. of barbarism**, la notte della barbarie; **to have** (*o* **to pass**) **a good** [**a bad**] **n.**, passare una buona [una brutta] nottata; dormir bene [male]; **to make a n. of it**, passare una serata magnifica (*a far festa, a far baldoria*); **n. on the town**, nottata di baldoria 2 festa; party: (*fam.*) **hen n.**, festa per sole donne 3 (*teatr.*) serata; soirée (*franc.*): **the first** (*o* **opening**) **n.**, la prima; la première; **amateur n.**, serata del dilettante; (*fig.*) cosa fatta alla meglio; pasto alla buona 4 Ⓤ notte; buio; oscurità; tenebre: *N. is drawing near*, cala la notte; si fa buio Ⓑ a. attr. della notte; di notte; notturno: **n. life**, vita notturna; (*trasp.*) **n. flight**, volo notturno; **n. porter**, portiere di notte (*in un hotel*) ● **n. bird**, uccello notturno; (*fig.*) nottambulo □ (*med.*) **n. blindness**, cecità notturna; nictalopia □ **n. boat**, nave traghetto che fa servizio notturno □ **n. brawl**, rissa, schiamazzo notturno □ **n. chair** (*o* **n. stool**), seggetta; comoda □ **n.--clothes** → **nightwear** □ (*leg., USA*) **n. court**, seduta serale (*o* notturna) del tribunale □ (*aeron. mil.*) **n. fighter**, caccia notturno □ **n. flower**, fiore che s'apre di notte □ **n.-**

-hag, diavolessa, strega; incubo □ (*USA*) **n. letter**, telegramma lettera □ **n.-moth**, farfalla notturna; falena □ **n. nurse**, chi fa la notte a un malato; nottante (*fam.*) □ (*fig.*) **n. owl**, nottambulo; tiratardi (*fam.*) □ (*arte*) **n. piece**, quadro con soggetto notturno; notturno □ (*banca*) **n. safe**, cassa continua □ **n. school**, scuola serale □ **n. shift**, turno di notte □ **n. side**, (*astron.*) lato oscuro (*di un pianeta*); (*fig.*) aspetto (*o* lato) negativo (*di qc.*) □ **n. soil**, contenuto dei pozzi neri (*che si vuotano di notte*); bottino □ (*tur.*: *in un conto, ecc.*) **nights spent**, pernottamenti □ **n. table**, comodino □ **n. vision**, visione notturna (*capacità di vederci di notte*): **n.-vision glasses**, occhiali per visione notturna □ **n. watch**, vigilanza notturna, guardia di notte; sorvegliante notturno, guardia notturna; (*naut.*) guardia notturna □ **n. watching**, sorveglianza notturna □ **n. watchman**, guardiano (*o* custode) notturno; metronotte □ **n. work**, lavoro notturno, fatto di notte □ **as black** (*o* **as dark**) **as n.**, nero come la notte □ **a good n.'s rest**, una bella dormita □ **to have a n. out** (*o* **off**), passare la sera (*e* parte della notte) fuori (*di*) casa; far nottata divertendosi; (*di domestico*) avere una serata libera □ **in the dead of n.**, nel cuor della notte □ **to kiss sb. good n.**, dare a q. il bacio della buonanotte □ **last n.**, la notte scorsa; iersera □ **late at n.**, a tarda notte; a notte alta, fonda; a notte avanzata, inoltrata □ **to turn n. into day**, fare di notte giorno □ (*prov.*) **N. is the mother of counsel**, la notte porta consiglio ❶ **FALSI AMICI** ● **night** *non significa* night *nel senso italiano di locale notturno.*

nightcap /ˈnaɪtkæp/ n. 1 (*un tempo*) berretto da notte; papalina 2 (*fam.*) bicchierino di liquore bevuto prima d'andare a letto 3 (*sport, USA*) ultimo e più importante evento di una giornata di gare.

nightclub /ˈnaɪtklʌb/ n. locale notturno; night-club; night (*fam.*) ‖ **nightclubber** n. frequentatore (*o* frequentatrice) di night ‖ **nightclubbing** n. Ⓤ (*antiq.*) (il fare il) giro dei night.

nightdress /ˈnaɪtdrɛs/ n. camicia da notte (*da donna*).

nightfall /ˈnaɪtfɔːl/ n. crepuscolo; (l') imbrunire ● **at n.**, al calar della notte.

nightglow /ˈnaɪtgləʊ/ n. Ⓤ (*meteor.*) luminescenza notturna.

nightgown /ˈnaɪtgaʊn/ n. 1 (*USA*) → **nightdress** 2 (*ingl., antiq.*) → **nightshirt**.

nighthawk /ˈnaɪthɔːk/ n. 1 (*zool., Caprimulgus europaeus*) succiacapre 2 (*zool., Chordeiles*) succiacapre americano 3 (*fam.*) nottambulo; tiratardi (*fam.*).

nightie /ˈnaɪtɪ/ n. (*fam.*) camicia da notte (*da donna*).

nightingale /ˈnaɪtɪŋgeɪl/ n. 1 (*zool., Luscinia*) usignolo 2 (*slang USA*) delatore; spia della polizia 3 (*slang USA*) falena (*fig.*); prostituta.

nightjar /ˈnaɪtdʒɑː(r)/ n. (*zool., Caprimulgus europaeus*) succiacapre.

nightlife /ˈnaɪtlaɪf/ n. vita notturna.

nightlight /ˈnaɪtlaɪt/ n. 1 lampada da notte (*lasciata accesa, spec. in camera da letto*) 2 lumino da notte: *I think there are some nightlights under the stairs*, credo che ci siano dei lumini da notte sotto le scale 3 Ⓤ (*meteor.*) luminescenza notturna.

nightlong /ˈnaɪtlɒŋ/ Ⓐ avv. per tutta la notte Ⓑ a. che dura tutta la notte.

nightly /ˈnaɪtlɪ/ Ⓐ a. 1 notturno; della notte; di ogni notte 2 serale; d'ogni sera: **n. show**, spettacolo che si replica ogni sera Ⓑ avv. 1 di notte; ogni notte 2 di sera; ogni sera.

◆**nightmare** /ˈnaɪtmɛə(r)/ n. incubo (*anche fig.*); ossessione: *The journey was a n.*, il viaggio è stato un incubo ● **n. scenario**, sce-

nario da incubo; visione da incubo.

nightmarish /ˈnaɪtmɛərɪʃ/ a. d'incubo; (*fig.*) ossessionante, spaventoso, terribile ‖ **-ly** avv.

night-night /naɪtˈnaɪt/ inter. (*fam.*) notte!; buonanotte!

nightrider /ˈnaɪtraɪdə(r)/ n. (*stor., in USA*) membro di una banda di bianchi mascherati, a cavallo, autori di raid notturni ai danni dei neri e dei loro simpatizzanti.

nights /naɪts/ avv. (*fam.*) 1 di notte; tutta la notte; tutte le notti 2 (*fig.*) in sogno: «*I'll come and stay with you n.», she said*' E. Hemingway, '«verrò a trovarti e starò con te in sogno», disse lei'.

nightshade /ˈnaɪtʃeɪd/ n. (*bot., Solanum nigrum*) morella ● **deadly n.** (*Atropa belladonna*), belladonna □ **woody n.** (*Solanum dulcamara*), dulcamara.

nightshirt /ˈnaɪtʃɜːt/ n. camicia da notte (*da uomo*).

nightside /ˈnaɪtsaɪd/ n. (*gergo giorn.*) (il) personale che lavora all'edizione del mattino (*d'un quotidiano*).

nightspot /ˈnaɪtspɒt/ n. (*fam.*) locale notturno; night (*fam.*).

nightstick /ˈnaɪtstɪk/ n. (*USA*) 1 bastone, manganello (*da poliziotto*); sfollagente 2 (*volg.*) pene; batacchio, cazzo (*volg.*).

nighttime /ˈnaɪttaɪm/ Ⓐ n. notte; ore notturne: **in the n.**, di notte; nottetempo Ⓑ a. attr. notturno: **n. flights**, voli notturni.

nightwear /ˈnaɪtwɛə(r)/ n. (*comm.*) biancheria da notte; capi di abbigliamento per la notte (*camicie da notte, pigiama, ecc.*).

nighty-night /naɪtɪˈnaɪt/ inter. (*fam.*) buonanotte!; notte! (*fam.*).

nigrescent /nɪˈgrɛsənt/ a. 1 (*biol.*) nigrescente; tendente al nero 2 nerastro; nereggiante; nericcio ‖ **nigrescence** n. Ⓤ 1 (*biol.*) nigrescenza 2 nerezza (*spec. della pelle, dei capelli, degli occhi*).

nigritude /ˈnɪgrɪtjuːd, USA* -tuːd/ n. Ⓤ (*raro*) nerezza; l'esser nero.

nigrosine /ˈnaɪgrəʊsiːn/ n. (*chim.*) nigrosina.

nihilism /ˈniːɪlɪzəm, ˈnaɪəl-/ (*polit., filos.*) n. Ⓤ nichilismo ‖ **nihilist** n. nichilista ‖ **nihilistic** a. nichilista.

nihility /naɪˈhɪlɪtɪ/ n. Ⓤ il nulla; nullità; l'essere nullo.

◆**nil** /nɪl/ n. 1 none; nulla 2 (*sport*) zero: *We won the match by two goals to nil* (*o two nil, 2-0*), vincemmo la partita per due a zero ● (*sport*) **a nil-nil draw**, un pareggio zero a zero; uno zero a zero □ (*dog.*) **with nil duties**, in esenzione doganale □ **to reduce** (*o* **to cut**) **to nil**, azzerare (*costi, spese, ecc.*) □ **The profits were nil**, non ci furono guadagni.

Nile /naɪl/ n. (*geogr.*) Nilo.

nilgai, **nilghye** /ˈnɪlgaɪ/ n. (pl. *nilgais*, *nilgai*, *nilghyes*) (*zool., Boselaphus tragocamelus*) nilgau, nilgai.

Nilometer /naɪˈlɒmɪtə(r)/ n. nilometro.

Nilot, **Nilote** /ˈnaɪlɒt/ n. nilota.

Nilotic /naɪˈlɒtɪk/ a. (*geogr.*) del Nilo; nilotico.

nimble /ˈnɪmbl/ a. 1 agile (*anche fig.*); lesto; svelto; pronto: *Monkeys are very n. climbers*, le scimmie sono arrampicatrici molto agili; **a n. mind**, una mente agile; **a n. reply**, una risposta pronta 2 sveglio; intelligente ● **n.-fingered**, lesto di mano □ **n.--footed**, agile, lesto, veloce □ **n.-witted**, pronto di mente; sveglio (*fig.*) ‖ **-ness** n. Ⓤ ‖ **-bly** avv.

nimbostratus /nɪmbəʊˈstreɪtəs/ n. (pl. *nimbostrati*) (*meteor.*) nembostrato.

nimbus /ˈnɪmbəs/ n. (pl. *nimbi*, *nimbuses*) 1 (*meteor.*) nembo 2 nimbo; au-

reola.

Nimby /'nɪmbɪ/ (*slang*) n. (acronimo di **not in my back yard**) persona che si oppone alla presenza di un impianto o una struttura ritenuti sgradevoli vicino alla propria abitazione (*ma non alla loro installazione altrove*) ‖ **Nimbyism** n. ⓤ atteggiamento da 'Nimby'.

niminy-piminy /'nɪmɪnɪ'pɪmɪnɪ/ a. affettato; lezioso; smanceroso.

nincompoop /'nɪŋkəmpuːp/ n. (*fam.*) balordo; stupido; semplicciotto.

♦**nine** /naɪn/ a. e n. nove ● (*sport*) **a n.**, una squadra di baseball (*di nove giocatori*) □ (*USA*) **n.-eleven**, l'undici settembre (*del 2001: il giorno della distruzione delle Torri Gemelle di New York*) □ **N. Men's Morris**, filetto (*gioco da tavolo*) □ **a n. days' wonder**, una novità destinata a non durare; un fuoco di paglia □ (*telef.*) **n.-n.-n.** → **999** □ (*telef.*) **n.-one-one** → **911** □ **n. times out of ten**, nove volte su dieci □ **n.-to-five**, dalle 9 alle 5 (*di pomeriggio*); (*agg.*) a tempo pieno, impiegatizio; (*fig.: di un lavoro, ecc.*) di routine, noioso □ **n.-to-five job**, lavoro (*in ufficio, ecc.*) dalle 9 alle 17; giornata lavorativa di otto ore; (*fig.*) impiego fisso ● **n.-to-fiver**, impiegato; lavoratore a tempo pieno (*mat.*) **to cast out (the) nines**, fare la prova del nove □ (*fam.*) **dressed up to the nines**, vestito con eleganza, ricercatezza; tutto in ghingheri □ **It's n.** (**o'clock**), sono le nove.

ninefold /'naɪnfəʊld/ **A** a. **1** nonuplo; (che è) nove volte maggiore **2** composto di nove parti **B** n. nonuplo **C** avv. nove volte tanto.

911 /naɪnwʌn'wʌn/ num. card. (*telef., in USA*) 911 (*numero per le chiamate di emergenza, cfr. ingl. 999, ital. 113*).

999 /naɪnnaɪn'naɪn/ num. card. (*telef., in GB*) 999 (*numero per le chiamate d'emergenza; cfr. USA 911, ital. 113*).

ninepin /'naɪnpɪn/ n. **1** birillo **2** (pl., col verbo al sing.) gioco dei birilli; i birilli: **to play ninepins**, giocare ai birilli ● **n. alley**, bowling (*il locale*).

♦**nineteen** /naɪn'tiːn/ a. e n. diciannove ● **to talk n. to the dozen**, parlare in continuazione.

nineteenth /naɪn'tiːnθ/ a. e n. diciannovesimo; decimonono (*lett.*) ● (*mat.*) **a n.**, un diciannovesimo (*frazione*) □ (*golf, fam.*) **the n. hole**, la 19ᵃ buca (*che non esiste*); (*fig.*) il bar del campo di golf.

♦**ninety** /'naɪntɪ/ a. e n. novanta ● **n.-nine times out of a hundred**, novantanove volte su cento ● **the nineties**, gli anni fra i novanta e i cento (*in un secolo o nella vita d'una persona*): He was in his late nineties, era quasi centenario □ (*del medico al paziente*) **Say n.-nine!**, dica trentatré ‖ **ninetieth** a. e n. novantesimo.

Nineveh /'nɪnɪvɪ/ n. (*geogr., stor.*) Ninive.

ninny /'nɪnɪ/ n. (*fam., antiq.*) semplicciotto; sciocco; stupido: You n.!, sciocchino!; scioccone!

ninth /naɪnθ/ **A** a. nono: **the n. part**, la nona parte **B** n. **1** (*mat.*) nono: **one n.**, un nono (*frazione*) **2** (*mus.*) nona ● **on the n.**, il nove del mese ‖ **ninthly** avv. (*raro*) in nono luogo.

NIO sigla (*GB*, **Northern Ireland Office**) Dipartimento dell'Irlanda del Nord.

Niobe /'naɪəbɪ/ n. **1** (*mitol.*) Niobe **2** (*fig.*) donna disperata, inconsolabile.

niobite /'naɪəbaɪt/ n. ⓤ (*miner.*) niobite.

niobium /naɪ'əʊbɪəm/ n. ⓤ (*chim.*) niobio.

nip ① /nɪp/ n. **1** pizzico; pizzicotto; morso; morsetto; morsettino **2** aria pungente; gelo; freddo intenso: The nip of the night startled the boy, il freddo pungente della notte fece sussultare il ragazzo **3** (*fig. antiq.*) detto (*o*

osservazione) pungente; sarcasmo **4** sapore piccante (*del formaggio*) **5** (*naut.*) presa (*di un cavo*); cocca; volta **6** (*mecc.*) grippaggio ● **nip and tuck**, (*fam.*) chirurgia plastica; (*sport*) (sost.) testa a testa, situazione di parità; cosa ottenuta a stento, di misura; (avv.) testa a testa, alla pari.

nip ② /nɪp/ n. sorso, goccetto (*di liquore*); cicchetto (*fam.*).

to nip ① /nɪp/ **A** v. t. **1** pizzicare; dare un pizzicotto a; pizzicottare; (*di un insetto, ecc.*) pungere; mordere; morsicare: He's nipped his forefinger in the drawer, si è pizzicato l'indice nel cassetto; The bulldog nipped me on the leg, il bulldog mi morse a una gamba **2** (*del gelo, del vento*) tagliare; recidere; distruggere: Frost nipped the plants in our garden, il gelo distrusse le piante del nostro giardino **3** (*slang USA*) sgraffignare; arraffare; rubare **B** v. i. **1** dar pizzicotti; pungere; morsicare **2** pungere (*fig.*); essere gelido, pungente: The wind nips hard today, oggi tira un vento gelido **3** fare una corsa (*o un salto*); recarsi alla svelta; fare un viaggetto: **to nip down to the post office**, fare un salto alla Posta; **to nip over to London**, fare un viaggetto a Londra **4** (*mecc.*) bloccarsi; grippare ● (*fig.*) **to nip st. in the bud**, stroncare qc. sul nascere; distruggere qc. in boccio.

■ **nip at** v. i. + prep. **1** fare l'atto (*o cercare*) di mordere: The dog ran after the thief nipping at his legs, il cane inseguì il ladro cercando di morderlo alle gambe **2** tagliare (*fig.*): The sleet nipped at my face, il nevischio mi tagliava la faccia.

■ **nip in** v. i. + avv. infilarsi (*o scivolare*) dentro; entrare alla svelta: (*autom.*) Nip in quick before someone else grabs it!, infilati dentro alla svelta prima che qualcuno ti prenda il posto! **B** v. t. + avv. stringere (*un vestito, ecc.*): **to nip a dress in at the waist**, stringere un vestito in vita □ (*autom., fam.*) **to nip in and out of the traffic**, zigzagare in mezzo al traffico.

■ **nip into** v. i. + prep. infilarsi in; scivolare dentro: The girl nipped into my car, la ragazza mi si infilò in macchina.

■ **nip off** v. i. + avv. (*fam.*) **1** andarsene in fretta; scappare; filare via **2** fare un salto (*fig.*): **to nip off to the baker's to buy some bread**, fare un salto dal fornaio per comprare del pane **B** v. t. + avv. recidere, strappare, tirare via (*fiori, foglie, ecc.*).

■ **nip out** v. i. + avv. → **nip off**.

■ **nip up** v. i. + avv. (*slang*) sgraffignare; arraffare; rubare.

to nip ② /nɪp/ **A** v. i. bere un bicchierino (*di liquore*); prendere un cicchetto (*fam.*) **B** v. t. bere (*un liquore*) a sorsi, a cicchierini.

Nip /nɪp/ a. e n. (abbr. di **Nipponese**) (*spreg.*) nipponico; giapponese; muso giallo (*spreg.*).

nipper /'nɪpə(r)/ n. **1** (pl.) (= **pair of nippers**) pinza; pinzetta **2** (pl.) (*antiq.*) occhiali a stringinaso **3** (*fam.*) marmocchio; monello; ragazzino **4** (*zool.*) chela; pinza (*di granchio*) **5** dente incisivo (*del cavallo*) **6** (pl.) (*slang USA*) manette ● (*mecc.*) **cutting nippers**, tronchese □ **wire nippers**, pinza per fili; pinza da elettricista.

nipping /'nɪpɪŋ/ a. **1** pungente; tagliente; gelido: **n. cold**, freddo pungente **2** (*fig.*) sarcastico; mordace; pungente; tagliente.

nipple /'nɪpl/ n. **1** (*anat.*) capezzolo **2** tettarella **3** protuberanza (*in genere*) **4** (*mecc.*) raccordo filettato; nipplo **5** (*mecc.*) rubinetto di regolazione (*o di arresto*) **6** (*un tempo: di fucile ad avancarica*) luminello ● (*mecc.*) **lubricating n.**, ingrassatore; oliatore; lubrificatore.

nipplewort /'nɪplwɜːt/ n. (*bot.*, Lapsana communis) lapsana.

Nippon /'nɪpɒn/ n. (*geogr.*) Giappone.

Nipponese /nɪpə'niːz/ **A** a. nipponico; giapponese **B** n. **1** (pl.) i nipponici; i giapponesi **2** ⓤ giapponese (*la lingua*).

nippy /'nɪpɪ/ a. **1** pungente; gelido; tagliente; It is n. today, oggi si gela **2** (*fig.*) mordace; sarcastico; pungente **3** (*fam.*) agile; lesto; svelto; veloce **4** (*di un'automobile*) scattante; che ha una buona ripresa ● (*fam.*) **Look n.!**, sbrigati!; spicciati!

nirvana /nɪə'vɑːnə/ n. **1** ⓤ (*relig.*) nirvana **2** (*fig.*) vita beata; pace; serenità.

nisei /'niːseɪ/ n. (inv. al pl.) (*fam. USA*) americano di origine giapponese.

nisi /'naɪsaɪ, 'niːsiː/ (*lat.*) cong. (*leg.*) a meno che (non); se non ● **a decree n.**, un decreto provvisorio □ **an order n.**, un'ingiunzione provvisoria.

Nissen hut /'nɪsənhʌt/ loc. n. (*in GB*) baracca di lamiera con il tetto a volta.

nit ① /nɪt/ n. (*zool.*) lendine; uovo di pidocchio (*o di altro parassita*).

nit ② /nɪt/ n. (*fam. spreg.*) imbecille; stupido; cretino; idiota.

nit ③ /nɪt/ n. (*fis.*) nit.

nite /naɪt/ n. (*spec. USA*) notte.

niter /'naɪtə(r)/ (*USA*) → **nitre**.

niterie /'naɪtərɪ/ n. (*slang USA*) locale notturno; night.

niton /'naɪtɒn/ n. ⓤ (*chim., raro*) niton; radon.

nitpicking /'nɪtpɪkɪŋ/ **A** n. ⓤ (*fam.*) critiche minuziose e pedanti; pignoleria **B** a. cavilloso; pedantesco; pignolo; pignolesco ‖ to **nitpick** v. i. (*fam.*) fare il pignolo; pignoleggiare; cercare il pelo nell'uovo ‖ **nitpicker** n. pignolo, pignola.

nitrate /'naɪtreɪt/ n. ⓒⓤ (*chim.*) nitrato (*spec. di sodio o di potassio*).

to nitrate /'naɪtreɪt/ (*chim.*) v. t. nitrare ‖ **nitration** n. nitrazione.

nitre, (*USA*) **niter** /'naɪtə(r)/ n. ⓤ (*chim.*) nitro; nitrato di potassio; salnitro.

nitric /'naɪtrɪk/ a. (*chim.*) nitrico: **n. acid**, acido nitrico.

nitridation /naɪtraɪ'deɪʃn/ n. ⓤ (*chim.*) nitrurazione.

nitride /'naɪtraɪd/ (*chim.*) n. nitruro.

nitriding /'naɪtraɪdɪŋ/ n. ⓤ (*chim.*) nitrurazione.

to nitrify /'naɪtrɪfaɪ/ (*chim.*) v. t. nitrificare ‖ **nitrification** n. ⓤ nitrificazione.

nitrile /'naɪtraɪl/ n. (*chim.*) nitrile.

nitrite /'naɪtraɪt/ n. (*chim.*) nitrito.

nitrobenzene /naɪtrəʊ'benziːn/ n. ⓤ (*chim.*) nitrobenzene.

nitrocellulose /naɪtrəʊ'seljʊləʊs/ n. ⓤ (*chim.*) nitrocellulosa.

nitrogen /'naɪtrədʒən/ n. (*chim.*) azoto □ (*biochim.*) **n. fixation**, fissazione dell'azoto □ (*med.*) **n. narcosis**, narcosi da azoto □ (*chim.*) **n. oxide**, ossido d'azoto.

nitrogenous /naɪ'trɒdʒənəs/ a. (*chim.*) azotato: **n. fertilizer**, concime azotato.

nitroglycerine, nitroglycerin /naɪtrəʊ'glɪsəriːn/ n. ⓤ (*chim.*) nitroglicerina.

nitron /'naɪtrɒn/ n. (*chim.*) nitron.

nitrosation /naɪtrəʊ'zeɪʃn/ n. ⓤ (*chim.*) nitrosazione.

nitrosyl /'naɪtrəʊsɪl/ n. (*chim.*) nitrosile; nitrosonio.

nitrous /'naɪtrəs/ a. (*chim.*) nitroso: **n. acid**, acido nitroso ● **n. oxide**, protossido d'azoto; gas esilarante.

nitty-gritty /'nɪtɪ'grɪtɪ/ n. ⓤ (*fam.*) **1** essenza; sostanza; succo (*fig.*) **2** soldi; denaro ● **to get down to the nitty-gritty**, venire al dunque; andare al sodo; arrivare al nocciolo del problema.

nitwit /'nɪtwɪt/ (*fam.*) n. imbecille; stupido ‖ **nitwitted** a. corto di cervello; stupido;

sciocco.

nival /'naɪvl/ a. (*scient.*) nivale.

nivation /naɪ'veɪʃn/ n. ⓤ (*geol.*) nivazione.

niveous /'nɪvɪəs/ a. (*lett.*) niveo.

nix ① /nɪks/ n. (*mitol. germanica*) spiritello delle acque.

nix ② /nɪks/ (*slang USA*) **A** n. nix; nisba; niente; nulla **B** avv. no **C** inter. niente da fare; macché! (*dal tedesco «nichts»*).

to **nix** /nɪks/ v. t. (*slang USA*) respingere (*una proposta*); bocciare (*un progetto*).

nixie /'nɪksɪ/ n. (*mitol. germanica*) fatina delle acque; ondina.

NJ sigla (*anche N.J.*) (*USA*, **New Jersey**) New Jersey.

NM sigla (*anche N.Mex.*) (*USA*, **New Mexico**) Nuovo Messico.

NMD sigla (*mil. USA*, **National Missile Defense**), difesa nazionale missilistica.

NMR sigla (*med.*, **nuclear magnetic resonance**) risonanza magnetica nucleare (RMN).

NNE sigla (*geogr.*, **north-north-east**) nord-nord-est (NNE).

NNP sigla (**net national product**) prodotto nazionale netto (PNN).

NNTP sigla (*comput.*, **network news transfer protocol**) NNTP (*protocollo per la comunicazione di news*).

NNW sigla (*geogr.*, **north-north-west**) nord-nord-ovest (NNO).

♦**no** ① /nəʊ, nə/ **A** avv. no: «*Will you come with us?*», «*No, I won't*», «vuoi venire con noi?», «no, non vengo»; *No, thank you*, no, grazie; *I think he'll say no*, credo che dirà di no; «*He even threatened to strike me*» «*No!*», «minacciò persino di battermi» «no!» (davvero!; è incredibile!; questa poi!) **B** n. (pl. *noes* e *nos*) **1** no; negazione: *I won't take no for an answer*, non accetto un «no» in risposta; non voglio saperne di rifiuti; *Two noes make a yes*, due negazioni affermano **2** no; voto (o votante) contrario: *The noes have it*, vincono i no; i voti contrari prevalgono.

♦**no** ② /nəʊ/ a. **1** nessuno; non; niente: *No circumstance could justify that*, nessuna circostanza potrebbe giustificare ciò; *They have no children*, non hanno bambini; *He is no doctor*, non è (affatto) dottore; *There will be no difficulty*, non ci saranno difficoltà; *He's no fool*, non è stupido; è tutt'altro che stupido; *It is no joke*, non è (mica) uno scherzo; *It's no part of my plan*, non fa parte dei miei piani; **by no means**, in nessun modo; no di certo ❶ Nota: *they* → **they 2** niente; abbasso; via!; **No tax increases!**, niente aumenti delle tasse!; **No nukes!**, abbasso il nucleare!; **No nonsense!**, niente fesserie!; niente cavolate! (*pop.*) ● (*banca*) **«No account»**, «non esiste conto corrente a questo nome» □ (*fam. USA*) **no-account**, buono a nulla; incapace; inetto; che non vale niente □ **«No admittance»** (*cartello*), «vietato l'ingresso» □ (*cricket*) **no-ball**, lancio nullo; palla non valida □ (*basket*) **«no basket!»**, «canestro non valido!» □ (*econ.*) **no-bid contract**, contratto assegnato senza gara di appalto □ **No cards, no flowers**, non si mandano partecipazioni personali e si dispensa dall'inviare fiori (*ass.*, *autom.*) **no-claim bonus**, sconto condizionato; bonus malus □ **no comment**, no comment □ (*polit.*) **no confidence**, sfiducia: **no-confidence motion**, mozione di sfiducia □ (*boxe*) **no contest**, verdetto di annullamento dell'incontro (*tra due dilettanti: da parte dell'arbitro*); match nullo □ **no date**, senza data □ **no doubt**, senza dubbio □ (*autom.*) **No entry**, divieto d'accesso; (*anche*) senso vietato (*cartello*) □ **no-fault**, senza colpa: (*leg.*) **no-fault divorce**, divorzio concesso «senza colpa» □ (*ass.*) **no-fault insurance policy**, polizza

kasko (*di RC auto*) □ (*leg.*) **no-fault liability**, responsabilità oggettiva (*o senza colpa*) □ (*mil.*) **no-fly zone**, zona di non sorvolo; zona d'interdizione dei voli □ (*fam.*) **no-frills**, senza fronzoli; semplice; essenziale; spartano (*fig.*); alla buona; senza lusso: **a no-frills holiday**, una vacanza spartana □ **a no-frost refrigerator**, un frigorifero a sbrinamento automatico □ (*banca*) **no funds**, mancano i fondi; conto scoperto □ (*fam.*) **no go**, non valido, nullo; inservibile, inutile: **a no-go deal**, un affare sfumato; *It's no go*, non serve a nulla; non vale nulla □ (*in una città*) **no-go area**, zona proibita; zona a rischio; zona alla quale la polizia (*o* l'esercito) non ha accesso; (*anche*) zona controllata dall'altra banda (*della malavita*) □ (*fam.*) **a no-go situation**, una situazione senza via di uscita (*o* senza alternativa) □ (*fam.*) **no-good**, buono a nulla, inetto, incapace; (*di un oggetto*) inservibile, inutile □ (*slang USA*) **a no-goodnik**, un buono a nulla, un incapace □ (*scherma*) **«No hit!»**, «niente di fatto!» □ (*lotta e fig.*) **no holds barred**, senza esclusione di prese (*o* di colpi); (agg.) senza esitazioni (*o* compromessi); esplicito; totale; a tutto campo □ (*lotta*) **no-holds-barred contest**, incontro di lotta libera □ (*fam.*) **a no-hoper**, un povero disgraziato; un disperato; un fallito; un perdente nato □ (*fam.*) **No kidding!**, sul serio!; davvero!; proprio! □ (*slang USA*) **no-knock**, senza (dover) bussare; (*leg.*) senza (bisogno del) mandato di perquisizione □ (*fam.*) **No lie!**, sul serio!; davvero!; parola! □ **no man**, nessuno □ **no man's land**, (*mil.*) la terra di nessuno; (*fig.*) zona grigia, situazione confusa (*o* fluida) □ **No matter!**, non importa!; non fa niente! □ **no matter** (cong.), anche se; per quanto…: *He said he would climb the mountain no matter how hard it rained*, disse che avrebbe scalato la montagna anche se pioveva (*o* per quanto piovesse) a dirotto □ **no-nonsense**, immediato, diretto; concreto, pratico; brusco, spiccio: **a no-nonsense approach**, un approccio diretto; **in a no-nonsense voice**, in tono brusco □ **no one**, nessuno □ (*autom.*) **«No parking»** (*cartello*), «divieto di sosta» □ (*calcio*, ecc.) **no-score draw**, pareggio zero a zero; pareggio a reti inviolate □ (*fam. USA*) **no-show**, passeggero (prenotato) che non si presenta alla partenza (*dell'aereo*, ecc.); individuo che non rispetta un appuntamento □ (*fam.*) **no-show employee**, assenteista □ (*rugby*) **no side**, fischio finale dell'arbitro; fine della partita □ **«No smoking»** (*cartello*), «vietato fumare» □ (*pallavolo*) **no-spin serve**, servizio a foglia morta □ (*di pentole, tegami, ecc.*) **no-stick**, antiaderente; non-attacca □ (*fam.*) □ (*econ.*, *sindacalismo*) **no-strike clause**, clausola restrittiva del diritto di sciopero □ (*autom.*) **No thoroughfare** (*cartello*), «divieto di transito»; «strada chiusa» □ (*autom.*) **«No waiting»** (*cartello*), «divieto di fermata» □ (*fam.*) **no way** → **noway** □ (*fam.*) **no-win**, senza possibilità di vittoria; senza via d'uscita: (*sport*) *Our team was in a no-win situation*, la nostra squadra era ormai senza via d'uscita □ **no wonder that…**, non c'è (o non c'era) da stupirsi se…: (*It's*) *no wonder that you're tired out after such a long walk*, non c'è da stupirsi se sei stanco morto dopo una camminata così lunga □ **with no**, senza: *My house is in a secluded part of the country, with no telephone service*, la mia casa è in una zona isolata della campagna, senza telefono □ **It's no distance**, è vicinissimo; è qui a due passi □ **There's no knowing**, non c'è verso di saperlo □ **There's no tea left**, non c'è più tè; abbiamo finito il tè □ **There was no mistaking what he meant**, non era possibile fraintenderlo; le sue parole (*o* le sue intenzioni) erano chiare.

♦**no** ③ /nəʊ, nə/ avv. **1** (prima d'un compar.)

non: *She's no better yet*, non si può dire che stia meglio; *No less than ten people told me*, me l'han detto non meno di dieci persone; *There were no fewer than a hundred people there*, c'erano non meno di cento persone **2** (correl. di **or**) no: *Pleasant or no, it is true*, piaccia o no, è vero; *Hungry or no, you can't eat it*, che tu abbia fame o no, non puoi mangiarlo ● **no more**, non più; mai più; nient'altro; neanche; nemmeno: *I want no more of it*, non ne voglio più; *If you won't go, no more will I*, se tu non ci vuoi andare, non ne ho nessuna voglia neanch'io; *No more wine?*, non prendi più vino?; *No more tea, thank you*, non prendo più tè (o niente più tè), grazie □ **no sooner… than**, appena; non appena: *No sooner had he arrived than he went away again*, era appena arrivato che ripartì ❶ Nota: *no sooner* → **soon** □ **No sooner said than done**, detto fatto □ **I could get there no sooner (than I did)**, non potevo arrivarci prima □ **It's no less than a scandal**, è uno scandalo bell'e buono □ **Jane is no better than she should be**, Jane non è proprio uno stinco di santa □ **There's no such thing (as that)**, non esiste una cosa simile.

No., no. abbr. (**number**) numero (n.).

NO sigla **1** (**naval officer**) ufficiale di Marina **2** (**New Orleans**).

Noachian /nəʊ'eɪkɪən/ a. noachide; noetico (*lett.*); relativo a Noè.

Noah /nəʊə/ n. (*Bibbia*) Noè: **N.'s ark**, l'arca di Noè.

nob ① /nɒb/ n. (*slang*) **1** testa; capoccia; zucca (*fig.*) **2** (*nel gioco di carte detto «cribbage»*) fante.

nob ② /nɒb/ (*slang*) n. (*ingl.*, *spreg.*) nobile; aristocratico; persona altolocata ‖ **nobby** a. **1** elegante; alla moda **2** eccellente; ottimo; di prima qualità.

to **nob** /nɒb/ v. t. (*boxe*) colpire (*l'avversario*) alla testa.

to **no-ball** /'nəʊbɔːl/ (*cricket*) **A** v. t. dichiarare nullo il lancio di (*un giocatore*) **B** v. i. (*di un lanciatore*) fare un lancio nullo.

to **nobble** /'nɒbl/ v. t. (*slang*) **1** drogare, azzoppare (*un cavallo, per impedirgli di vincere una corsa*) **2** vincere (*una corsa, una gara*) con la corruzione, la frode **3** corrompere, comprare (*un giudice, un arbitro, un fantino, ecc.*) **4** ottenere in modo illecito, rubare (*denaro*); imbrogliare; truffare **5** arrestare, acciuffare, beccare (*un delinquente*) **6** bloccare, fermare, prendere (q.) per il bavero (*fam.*); assediare (*per chiedere favori, ecc.*).

nobelium /nəʊ'biːlɪəm/ n. ⓤ (*chim.*) nobelio.

Nobel prize /'nəʊbɛl'praɪz/ loc. n. premio Nobel.

nobiliary /nəʊ'bɪlɪərɪ/ a. nobiliare: **n. particle**, prefisso nobiliare.

nobility /nəʊ'bɪlətɪ/ n. ⓤⒸ **1** nobiltà; dignità: **n. of features** [**soul**], nobiltà d'aspetto [d'animo] **2** imponenza; grandiosità; magnificenza; sontuosità; eccellenza **3** nobiltà d'animo; generosità **4** nobiltà; rango **5** — **the n.**, la nobiltà; i nobili; l'aristocrazia: **the landed n.**, la nobiltà terriera.

noble /'nəʊbl/ **A** a. **1** nobile; aristocratico; generoso; sublime; illustre, insigne: **a man of n. birth**, un uomo di nobili natali; **n. actions** [**feelings**], azioni [sentimenti] nobili; (*chim.*) **n. metals**, metalli nobili **2** grandioso; imponente; magnifico; sontuoso; splendido; eccellente: **a n. building**, un edificio imponente; **a n. view**, una splendida vista; **a n. cellar**, una cantina eccellente **B** n. **1** nobile: **the nobles**, i nobili; gli aristocratici **2** (*stor.*) moneta d'oro inglese, pari a 6 scellini e 7 penny (*usata fino al 1461*) ● (*sport*) **the n. art**, il pugilato □ **n.-minded**, d'animo nobile; generoso; magnanimo □ **n.-minded-**

ness, nobiltà d'animo; generosità; magnanimità | **-ness n.** ▢.

nobleman /'nəʊblmən/ **n.** (pl. **noblemen**) nobiluomo; titolato; aristocratico.

noblesse /nəʊ'blɛs/ **n.** ▢ (con l'art. determ.) (la) nobiltà; (i) nobili ● (spesso iron.) **N. oblige**, noblesse oblige (franc.).

noblewoman /'nəʊblwʊmən/ **n.** (pl. **noblewomen**) nobildonna.

nobly /'nəʊblɪ/ **avv. 1** nobilmente; generosamente: He n. rescued the drowning man, con grande generosità, salvò la vita all'uomo che stava annegando **2** magnificamente; grandiosamente; splendidamente ● **n. born**, di nobili natali.

◆**nobody** /'nəʊbədɪ/ **A pron. indef.** nessuno: N. knows, non lo sa nessuno; nessuno sa niente; There was n. there, non c'era nessuno ❶ **Nota:** they → they **B n.** (pl. **nobodies**) persona di nessun conto; illustre sconosciuto (scherz.); nullità: The poor girl has married a n., la poverina ha sposato una nullità ● **n. but you**, solo tu o **n. else**, nessun altro.

no-brainer /nəʊ'breɪnə(r)/ **n.** (slang) **1** domanda, problema, ecc., ultrafacile (che non richiede uno sforzo mentale); cavolata; stupidata **2** stupido; cretino.

nociceptive /nəʊsɪ'sɛptɪv/ **a.** (biol.) nocicettivo.

nociceptor /'nəʊsɪrɪsɛptə(r)/ **n.** (biol.) nocicettore.

nock /nɒk/ **n.** cocca (della freccia).

to nock /nɒk/ **v. t.** accoccare (una freccia).

noctambulist /nɒk'tæmbjʊlɪst/ **n.** sonnambulo ‖ **noctambulism n.** ▢ sonnambulismo.

noctiluca /nɒktɪ'luːkə/ **n.** (pl. **noctilucas**, **noctilucae**) (zool., Noctiluca) nottiluca.

noctilucent /nɒktɪ'luːsnt/ **a.** (meteor.) (di nube) nottilucente.

noctivagous /nɒk'tɪvəgəs/ **a.** (lett.) nottivago.

noctule /'nɒktjuːl/ **n.** (zool., Nyctalus noctula) nottola.

nocturn /'nɒktɜːn/ **n.** (relig.) notturno.

nocturnal /nɒk'tɜːnl/ **a.** notturno: **n. animals**, animali notturni ● (di persona) **n. habits**, abitudini da nottambulo.

nocturne /'nɒktɜːn/ **n.** (arte, mus.) notturno.

nocuous /'nɒkjʊəs/ **a.** nocivo; dannoso.

nod /nɒd/ **n. 1** cenno del capo; cenno: He gave me a nod of approval, mi fece un cenno d'approvazione (col capo) **2** il ciondolare del capo, l'abbassarsi del mento sul petto (per il sonno) **3** ▢ l'ondeggiare, ondeggiamento (delle vette degli alberi al vento, ecc.) **4** (fig.) assenso; consenso; approvazione: **to give the nod**, dare il consenso **5** ▢ (slang USA) torpore indotto da narcotico ● (fam. GB) **a nod and a wink**, cenno di intesa; ammiccamento □ **to get the nod**, ricevere il permesso; essere approvato ● (fam.) **on the nod**, senza formalità; senza discussione; per consenso generale; senza che si debba votare: The proposal went through on the nod, la proposta fu approvata per consenso generale; He got the job on the nod, ottenne il posto senza ulteriori formalità □ **The empire was at** (o was dependent on) **his nod**, l'impero obbediva a un suo cenno.

◆**to nod** /nɒd/ **A v. i. 1** accennare col capo; accennare di sì; abbassare la testa; fare un cenno con la testa: I asked her if she could come and she nodded, le chiesi se poteva venire ed ella accennò di sì; He nodded in agreement, fece un cenno d'assenso (col capo) **2** ciondolare il capo, lasciar cadere il capo sul petto (per il sonno); sonnecchiare; dormicchiare: Grandfather sat nodding by the fire, il nonno sedeva vicino al fuoco e ogni tanto lasciava cadere il capo sul petto

3 (di fiori, ecc.) scuotere il capo, ondeggiare (al vento, ecc.): **fine nodding plumes**, bei pennacchi ondeggianti **4** sbagliare per disattenzione; essere distratto **5** (slang; anche **to nod out**) essere intontito dalla droga **B v. t. 1** muovere (il capo) dall'alto verso il basso; fare un cenno con (la testa) **2** fare cenno a (q.); ordinare con un cenno a (q.): The sergeant nodded him to step forward, il sergente gli fece cenno di fare un passo avanti ● **to nod one's approval** [**one's agreement**], manifestare la propria approvazione [il proprio consenso] con un cenno del capo; fare un cenno d'approvazione [di consenso] □ **to nod one's assent**, far di sì con la testa □ **to nod one's farewell**, salutare (o accomiatarsi) con un cenno del capo □ **to nod off**, addormentarsi (involontariamente); appisolarsi: **to nod off in the middle of a lesson**, appisolarsi nel bel mezzo di una lezione □ (prov.) **Homer (sometimes) nods**, quandoque dormitat Homerus (lat.); tutti possono sbagliare.

nodal /'nəʊdl/ **a.** (scient.) nodale; di nodo: (astron.) **n. line**, linea dei nodi; **n. processor**, elaboratore nodale.

nodding /'nɒdɪŋ/ **A a. 1** (del capo) chinato; piegato in avanti **2** ciondolante **3** oscillante **B n.** ▢ ciondolio (o cenno) del capo ● **a n. acquaintance**, una conoscenza superficiale; una persona che si conosce (o che si saluta) appena □ **to be on n. terms with sb.**, conoscere q. soltanto di vista.

noddle /'nɒdl/ **n.** (fam. scherz.) testa; zucca (fig.); cervello (fig.).

to noddle /'nɒdl/ **A v. t.** tentennare, dondolare (la testa) **B v. i.** accennare con il capo.

noddy /'nɒdɪ/ **n.** (fam., spreg.) **1** babbeo; gonzo; semplicione **2** poliziotto; sbirro (spreg.).

node /nəʊd/ **n. 1** (astron., mat., med., ling.) nodo **2** (comput.) nodo **3** (bot.) nocchio; nodo.

nodical /'nəʊdɪkl/ **a.** (astron.) nodale.

nodose /'nəʊdəʊs/ (scient.) **a.** nodoso ‖ **nodosity n.** ▢◯ nodosità.

nodular /'nɒdjʊlə(r)/ **a.** (tecn.) nodulare.

nodulated **a.** a forma di nodulo; nodulare.

nodule /'nɒdjuːl/ **n.** (scient.) **n.** nodulo ‖ **nodulose, nodulous a.** noduloso; a noduli; pieno di noduli.

nodus /'nəʊdəs/ **n.** (pl. **nodi**) **1** (anat., med.) nodo **2** (fig.) nodo (fig.); difficoltà; intoppo; punto difficile; complicazione.

Noel ① /nəʊ'ɛl/ **n.** (relig., arc.) Natale.

Noel ② /nəʊəl/ **n.** Natale (nome proprio).

noesis /nəʊ'iːsɪs/ (filos.) **n.** ▢ noesi ‖ **noetic a.** noetico.

nog ① /nɒg/ **n. 1** piolo; cavicchio; tassello di legno (murato in una parete) **2** (ind. min.) cuneo, zeppa (di sostegno).

nog ② /nɒg/ **n. 1** birra forte (fabbricata nell'East Anglia) **2** (= egg-nog) → **egg**.

noggin /'nɒgɪn/ **n. 1** boccaletto; gotto; piccola tazza **2** (misura per liquori) quarto di pinta (1/7 di litro) **3** (fam.) goccetto, sorso, cicchetto (di liquore) **4** (slang) testa; zucca, capoccia (pop.).

nogging /'nɒgɪŋ/ **n.** (ind. costr.) muratura rustica di riempimento di un'armatura in legno.

nohow /'nəʊhaʊ/ **avv.** (fam., spec. USA) in nessun modo; per niente ● **to be** [**to feel**] **n.**, essere [sentirsi] fuori posto (o scombussolato).

NOI sigla (fin., econ.) acron. di **Net Operating Income**) reddito operativo netto; risultato netto di gestione.

noil /nɔɪl/ **n.** ▢◯ (ind. tess.) cascame di pettinatura; pettinaccia.

◆**noise** /nɔɪz/ **n. 1** ▢ rumore; clamore; chiasso; baccano; frastuono; rumorosità: **the n. of the city** [**of the engine, of the train**], il rumore della città [del motore, del treno]; Don't make such a (loud) n.!, non fate tanto chiasso!; **the n. of traffic**, il frastuono del traffico; (mecc.) **n. of gears**, rumorosità degli ingranaggi **2** (elettron.) rumore di fondo; interferenza; disturbo **3** ▢ (slang USA) chiacchiere vuote; blablà; blatera **4** (slang USA) pistola **5** ▢ (slang USA) eroina ● **n.-abatement procedures**, procedure antirumore □ (elettron.) **n. factor**, rapporto (o cifra) di rumore ● (mus.) **n. gate**, filtro (di rumore) □ **n. insulation**, isolamento acustico □ (elettron.) **n. jammer**, trasmettitore di disturbo □ **n. level**, livello di rumore □ (ecol.) **n. pollution**, inquinamento acustico □ **to make a n.**, far rumore; fare chiasso; rumoreggiare □ **to make a lot of n. about st.**, fare un gran chiasso per qc. □ **to make a lot of n. and do nothing**, dire tante belle parole e poi non combinare niente □ (fig.) **to make a n. in the world**, far parlare molto di sé; destare rumore □ **to make the right noises**, dire frasi di circostanza.

to noise /nɔɪz/ **v. t.** (spec. **to n. about**, o **to n. abroad** o **to n. around**) divulgare, diffondere (una voce, una notizia); strombazzare.

noiseless /'nɔɪzləs/ **a.** silenzioso; poco rumoroso; silente (lett.): **a n. typewriter**, una macchina da scrivere silenziosa; 'Like n. nautilus shells, their light prows sped through the sea' H. MELVILLE, 'quali silenti conchiglie di nautilo, le agili prue volavano sul mare' ● **on n. feet**, con passi felpati; senza far rumore | **-ness n.** ▢.

noisome /'nɔɪsəm/ **a. 1** dannoso; malsano; nocivo **2** fetido; puzzolente **3** disgustoso; nauseabondo | **-ly avv.** | **-ness n.** ▢.

◆**noisy** /'nɔɪzɪ/ **a. 1** chiassoso; rumoroso: **n. children**, bambini chiassosi **2** (fig.) chiassoso; vistoso: **n. colours**, colori chiassosi, sgargianti **3** turbolento: **a n. class**, una classe turbolenta ● **a n. eater**, uno che mangia in modo rumoroso ‖ **noisily avv.** rumorosamente ‖ **noisiness n.** ▢ rumorosità; fragore; frastuono.

noli me tangere /'nəʊlɪmeɪ'tæŋgərɪ/ (lat.) **loc. verb. 1** (med.) noli me tangere; ulcus rodens; epitelioma (cutaneo) basocellulare **2** divieto d'interferire **3** ▢ aspetto sdegnoso; aria scostante: **a noli me tangere manner**, un modo di fare altezzoso, scostante **4** (un) intoccabile; (un) argomento proibito **5** (arte) dipinto di Cristo risuscitato che appare a Maria Maddalena (bot., = **noli-me-tangere**) = **touch-me-not** → **touch**.

nolle prosequi /'nɒlɪ'prɒsɪkwaɪ/ (lat.) **loc. verb.** (leg.) **1** chiusura di un'azione penale (ordine dell' → «Attorney General», → **attorney**): d'ufficio o su istanza di parte) **2** rinuncia agli atti del giudizio **3** (per approssimazione) remissione di querela.

no-load /nəʊ'ləʊd/ **a.** (fin.) senza commissione d'entrata.

nolo contendere /nəʊləʊkɒn'tɛndərɪ/ (lat.) **loc. n.** (leg., in USA) dichiarazione di patteggiamento senza ammissione di colpa.

noma /'nəʊmə/ **n.** ▢ (med., raro) noma.

nomad /'nəʊmæd/ **n. e a.** nomade ‖ **nomadic a.** nomade: **nomadic peoples**, popolazioni nomadi ‖ **nomadism n.** ▢ nomadismo.

nom de plume /nɒmdə'pluːm/ (franc.) **n.** (pl. **noms de plume**) (form.) pseudonimo.

nome /nəʊm/ **n.** (stor.) nomo (divisione amministrativa in Egitto e composizione poetica greca).

nomenclator /'nəʊmenkleɪtə(r)/ **n.** menclatore.

nomenclature /nə'mɛnklətʃə(r)/ **n.** ▢◯

a b c d e f g h i j k l m n o p q r s t u v w x y z

nomenclatura.

nomenklatura /ˌnɒmɛnkləˈtjʊərə/ n. (*stor. e spreg.*) nomenklatura.

nominal /ˈnɒmɪnl/ a. **1** (*anche gramm.*) nominale; del nome; dei nomi; di nome: **n. definition**, definizione nominale; (*fin.*) **n. value**, valore nominale; **a n. price**, un prezzo nominale; **a n. rent**, un affitto nominale (*o irrisorio*); **a n. leader**, uno che è capo di nome (*non di fatto*); **a n. register**, un registro dei nomi **2** nominativo: **a n. roll**, un elenco nominativo **3** simbolico; teorico: (*leg.*) **n. damages**, risarcimento simbolico **4** (*scient., tecn.*) nominale; calcolato ● (*rag.*) **n. account**, conto impersonale; (*anche*) sottoconto numerario □ (*rag.*) **n. assets**, attività fittizie; poste rettificative del capitale □ (*fin.*) **n. capital**, capitale nominale □ (*fisc.*) **n. element**, componente del reddito □ (*fin.*) **n. yield**, rendimento nominale (*di un titolo*) | **-ly** avv.

nominalism /ˈnɒmɪnəlɪzəm/ (*filos.*) n. Ⓤ nominalismo || **nominalist** n. e a. nominalista || **nominalistic** a. nominalistico.

to **nominalize** /ˈnɒmɪnəlaɪz/ (*ling.*) v. t. nominalizzare; sostantivare || **nominalization** n. Ⓤ nominalizzazione.

to **nominate** /ˈnɒmɪneɪt/ v. t. **1** nominare; designare: *The candidates were nominated yesterday*, i candidati furono designati ieri **2** (*polit.*) presentare, proporre (q.) come candidato: **to n. sb. for the presidency**, proporre q. come candidato alla presidenza **3** (*arc.*) dire a chiare lettere; dire esplicitamente: *'Is it so nominated in the bond?'* W. SHAKESPEARE, 'sta proprio scritto a chiare lettere nel contratto?'.

nomination /ˌnɒmɪˈneɪʃn/ n. **1** nomina; designazione **2** (*polit.*) candidatura: **to win the n.**, ottenere la candidatura ● **n. day**, giorno della presentazione delle candidature.

nominative /ˈnɒmɪnətɪv/ Ⓐ a. (*anche gramm.*) nominativo: **the n. case**, il caso nominativo; (*fin.*) **n. shares**, azioni nominative Ⓑ n. (*gramm.*) nominativo || **nominatival** a. (*gramm.*) del caso nominativo.

nominator /ˈnɒmɪneɪtə(r)/ n. **1** nominatore; designatore **2** (*polit.*) chi candida q.; proponente.

nominee /ˌnɒmɪˈniː/ n. **1** persona nominata, designata (*a un ufficio*) **2** (*spec. polit.*) candidato.

Nominet /ˈnɒmɪnɛt/ n. Ⓤ (*comput., in GB*) Ufficio di Stato Civile per i brevetti delle aziende che vanno su Internet.

nomogram /ˈnəʊməgræm/, **nomograph** /ˈnəʊməgrɑːf/ (*mat.*) n. nomogramma || **nomography** n. Ⓤ nomografia.

non-acceptance /ˌnɒnəˈksɛptəns/ n. Ⓤ Ⓒ (*spec. comm. e leg.*) mancata accettazione (*di una cambiale, di merci, ecc.*).

nonactionable /nɒnˈækʃənəbl/ a. (*leg.*) non tutelabile in giudizio.

nonaddictive /nɒnəˈdɪktɪv/, **non-addicting** /nɒnəˈdɪktɪŋ/ a. (*farm.*) che non causa assuefazione (*o dipendenza*).

nonage /ˈnəʊnɪdʒ/ n. Ⓤ **1** (*leg.*) minorità; età minore **2** (*fig.*) immaturità.

nonagenarian /ˌnɒnədʒəˈnɛərɪən/ a. e n. nonagenario.

nonagon /ˈnɒnəgɒn/ (*geom.*) n. ennagono || **nonagonal** a. ennagonale.

non-alcoholic /ˌnɒnælkəˈhɒlɪk/ a. non alcolico; analcolico: **a non-alcoholic drink**, una bevanda non alcolica; un analcolico.

non-aligned /ˌnɒnəˈlaɪnd/ (*polit.*) a. non allineato; non impegnato; neutrale ● (*stor.*) **Non-Aligned Movement**, Movimento dei paesi non allineati || **non-alignment** n. non allineamento; neutralità.

nonane /ˈnəʊneɪn/ n. (*chim.*) nonano.

non-appearance /ˌnɒnəˈpɪərəns/ n. (*leg.*) mancata comparizione; assenza (*d'imputato o di teste*); contumacia.

nonary /ˈnəʊnərɪ/ Ⓐ a. (*mat.*) nonario: n. **scale**, sistema nonario Ⓑ n. gruppo di nove (*cose, oggetti*).

non-attendance /ˌnɒnəˈtɛndəns/ n. **1** assenza **2** (*leg.*) mancata comparizione; contumacia.

non-bank /nɒnˈbæŋk/ a. attr. (*fin.*) parabancario ● **non-bank credit**, credito concesso da istituti parabancari.

non-bearing /nɒnˈbɛərɪŋ/ a. (*edil.: di muro*) non portante.

non-believer /ˌnɒnbɪˈliːvə(r)/ n. non credente; ateo.

non-belligerent /ˌnɒnbəˈlɪdʒərənt/ (*polit.*) a. e n. (*nazione*) non belligerante || **non-belligerency** n. Ⓤ non belligeranza.

non-biodegradable /ˌnɒnbaɪəʊdɪˈgreɪdəbl/ a. (*chim.*) non biodegradabile.

non-breakable /nɒnˈbreɪkəbl/ a. infrangibile.

nonce /nɒns/ n. – (*soltanto nella loc.:*) **for the n.**, per il presente; per il momento; per questa volta ● **n.-word**, parola coniata per l'occasione; (*ling.*) hapax.

nonchalant /ˈnɒnʃələnt, USA nɒnʃəˈlɑːnt/ a. noncurante; indifferente; disinvolto; informale; distaccato || **nonchalance** n. Ⓤ indifferenza; noncuranza; disinvoltura; nonchalance; distacco.

non-clerical /nɒnˈklɛrɪkl/ a. non impiegatizio.

non-collegiate /ˌnɒnkəˈliːdʒɪət/ Ⓐ a. non organizzato in college Ⓑ n. (*all'università*) chi non è membro di un 'college'; studente esterno.

non-com /nɒnˈkɒm/ n. (*fam., mil.*) sottufficiale.

non-combatant /nɒnˈkɒmbətənt/ n. (*mil.*) **1** militare non combattente (*cappellano, medico, ecc.*) **2** (*in tempo di guerra*) civile; borghese.

non-combustible /ˌnɒnkəmˈbʌstəbl/ a. (*tecn.*) incombustibile.

non-commissioned officer /ˌnɒnkəmɪʃndˈɒfɪsə(r)/ loc. n. (*mil.*) sottufficiale.

non-committal /ˌnɒnkəˈmɪtl/ a. non impegnativo; vago; evasivo: **a non-committal answer**, una risposta evasiva ● (*di persona*) **to be non-committal**, non dire né sì né no; non pronunciarsi | **-ly** avv.

non-committed /ˌnɒnkəˈmɪtɪd/ a. (*polit.*) non impegnato: **non-committed nations**, nazioni non impegnate.

non-competing /ˌnɒnkəmˈpiːtɪŋ/ a. **1** (*comm.*) non concorrenziale **2** (*sport*) che non gareggia; fuori gara.

non-competitive /ˌnɒnkəmˈpɛtɪtɪv/ a. **1** non competitivo **2** (*sport*) non competitivo; non agonistico.

non-compliance /ˌnɒnkəmˈplaɪəns/ (*leg.*) n. Ⓤ **1** inadempienza **2** inosservanza; rifiuto d'obbedire (*a un'ingiunzione, ecc.*) || **non-compliant** a. **1** inadempiente **2** inosservante; che rifiuta d'obbedire (*a un'ingiunzione, ecc.*).

non compos mentis /nɒnˈkɒmpəsˈmɛntɪs/ (*lat.*) a. pred. (*leg.*) incapace d'intendere e di volere.

non-conductor /ˌnɒnkənˈdʌktə(r)/ (*elettr.*) n. materiale isolante; coibente || **non-conducting** a. non conduttore; coibente; isolante: **non-conducting material**, materiale isolante.

nonconformist /ˌnɒnkənˈfɔːmɪst/ n. **1** anticonformista; nonconformista **2** – N., nonconformista (*protestante dissenziente dalla religione anglicana*) || **nonconformism** n. Ⓤ **1** anticonformismo; nonconformismo **2** (*relig.*) – Nonconformism, appartenenza a una chiesa dissenziente.

nonconformity /ˌnɒnkənˈfɔːmətɪ/ n. Ⓤ **1** = **nonconformism → nonconformist 2** mancanza di conformità **3** (*geol.*) discordanza angolare.

non-contagious /ˌnɒnkənˈteɪdʒəs/ a. (*med.*) non contagioso.

non-contributory /ˌnɒnkənˈtrɪbjʊtrɪ/ a. non basato sul pagamento di contributi sociali; non contributivo ● **a non-contributory pension**, una pensione sociale.

non-cooperation /ˌnɒnkəʊɒpəˈreɪʃn/ n. Ⓤ **1** non collaborazione, rifiuto di collaborare (*sul lavoro, ecc.*) **2** (*stor., polit.*) disobbedienza civile, resistenza passiva (*per es., quella di Gandhi in India*).

non-cumulative /ˌnɒnˈkjuːmjʊlətɪv/ a. (*fin.*) non cumulativo.

non-custodial /ˌnɒnkʌsˈtəʊdɪəl/ a. (*leg.*) **1** non detentivo: **non-custodial sentence**, pena non detentiva **2** (*di genitore*) non affidatario.

non-deductible /ˌnɒndɪˈdʌktəbl/ a. (*fisc.*) non deducibile.

non-degradable /ˌnɒndɪˈgreɪdəbl/ a. (*chim.*) non degradabile.

non-delivery /ˌnɒndɪˈlɪvərɪ/ n. Ⓒ Ⓤ (*comm.*) mancata consegna.

non-denominational /ˌnɒndɪnɒmɪˈneɪʃnl/ (*relig.*) a. aconfessionale || **non-denominationalism** n. Ⓤ aconfessionalità.

nondescript /ˈnɒndɪskrɪpt/ Ⓐ a. indefinito; indefinibile; indescrivibile; anonimo Ⓑ n. individuo (*o oggetto*) indefinibile.

non-disclosure /ˌnɒndɪsˈkləʊʒə(r)/ n. Ⓤ (*leg.*) mancata rivelazione di fatti; reticenza.

non-disposable /ˌnɒndɪsˈpəʊzəbl/ a. (*market.: di un contenitore*) da restituire; a rendere.

non-diversified /ˌnɒndaɪˈvɜːsɪfaɪd/ a. (*anche fin.*) indifferenziato.

non-drinker /nɒnˈdrɪŋkə(r)/ n. astemio || **non-drinking** a. astemio.

non-driver /nɒnˈdraɪvə(r)/ n. uno che non sa guidare; chi non guida automezzi.

non-durable /nɒnˈdjʊərəbl/ Ⓐ a. (*econ.*) non durevole: **non-durable goods**, beni di consumo non durevoli Ⓑ n. pl. (*econ.*) beni di consumo non durevoli.

♦**none**① /nʌn/ Ⓐ pron. indef. **1** nessuno, nessuna: *N. of them is the man I am looking for*, nessuno di loro è l'uomo che cerco; *N. of them are useful to me*, nessuno di loro mi è utile; *A part-time help is better than n. at all*, un aiuto a metà tempo è meglio che nessun aiuto; *There are n. left*, non ne sono rimasti; *non ne è rimasto nessuno*; *If a doctor is wanted, I am n.*, se cercano un dottore, io non lo sono **2** niente; nulla: *N. of this concerns me*, niente di tutto ciò mi riguarda; *Have you got any money? Because I have n.*, hai dei soldi? Perché io non ne ho Ⓑ avv. (*seguito da un compar.*) per nulla; nient'affatto: **n. the easier**, per nulla più facile; **n. the cleaner**, niente affatto più pulito ● **n. but**, nessuno tranne, nessuno che non sia; solamente, soltanto: *N. but a brave man would dare to do it*, soltanto un coraggioso oserebbe farlo □ **n. the less → nonetheless** □ **to be n. the wiser**, saperne quanto prima □ **to be n. the worse for st.**, non aver risentito di qc.; non avere sofferto di qc. ● **n. other than**, nientedimeno che: *N. other than the President was present*, era presente nientedimeno che il Presidente □ **n. of** (+ superl.), non dei (*o delle*) più: *The crossing was n. of the smoothest*, la traversata non fu delle più tranquille □ **He said he would have n. of it**, rifiutò recisamente (l'offerta); disse di non volerne sapere □ **N. of that!**,

basta!; smettila!; smettetela! □ **That's n. of
your business**, non sono affari tuoi! □ **n. too**
(+ agg.), non troppo.

none② /nəʊn/ n. (*relig.*) nona.

non-effective /nɒnɪ'fɛktɪv/ a. **1** inefficace **2** (*mil.*) inabile al servizio attivo.

non-ego /nɒn'ɛɡəʊ/ n. Ⓤ (*filos.*) non-io.

non-enforceable /nɒnɪn'fɔːsəbl/ a.
(*leg.: di legge, ecc.*) inapplicabile.

nonentity /nɒn'ɛntətɪ/ n. **1** Ⓤ inesistenza; il non essere **2** cosa inesistente (*o immaginaria*) **3** Ⓤ irrilevanza; mancanza
d'importanza **4** nullità; uomo da nulla; zero (*fig.*).

nones /nəʊnz/ n. pl. **1** (*stor.*) none (*del calendario romano*) **2** (*relig.*) nona; ora nona.

non-essential /nɒnɪ'sɛnʃl/ Ⓐ a. non essenziale; inutile Ⓑ n. cosa non essenziale.

nonesuch /'nʌnsʌtʃ/ (*lett.*) Ⓐ a. senza
pari; ineguagliabile Ⓑ n. persona (*o cosa*)
senza pari.

nonetheless /nʌnðə'lɛs/ avv. nondimeno; ciononostante; eppure; tuttavia.

non-EU /nɒniː'juː/ a. (*polit.*) extracomunitario.

non-EU citizen /nɒniːjuː'sɪtɪzən/ loc. n.
extracomunitario (sost.).

non-European /nɒnjʊərə'pɪən/ a. e n. **1**
extraeuropeo; non europeo **2** extracomunitario.

non-event /nɒnɪ'vɛnt/ n. (*fam.*) fatto
(episodio, ecc.) di scarso peso; cosa riuscita
a metà; delusione; flop; fiasco (*fig.*).

non-executive /nɒnɪɡ'zɛkjətɪv/ a. (*org.
az.*) non esecutivo: **non-executive director**,
direttore non esecutivo.

non-existent /nɒnɪɡ'zɪstənt/ a. inesistente ‖ **non-existence** n. Ⓤ inesistenza; il
non essere.

non-fading /nɒn'feɪdɪŋ/ a. (*di tinta, ecc.*)
che non si scolora; solido.

non-fat /nɒn'fæt/ a. (*di cibo*) senza grassi.

non-feasance /nɒn'fiːzəns/ n. Ⓤ (*leg.*)
omissione (*di un atto dovuto*).

non-ferrous /nɒn'fɛrəs/ a. (*metall.*) non
ferroso.

non-fiction /nɒn'fɪkʃn/ (*letter.*) Ⓐ n. opere non di narrativa; saggistica Ⓑ a. attr. non
di narrativa ‖ **non-fictional** a. non di narrativa.

non-figurative /nɒn'fɪɡərətɪv/ a. (*arte*)
non figurativo; astratto.

non-finish /nɒn'fɪnɪʃ/ n. (*sport*) mancato
arrivo al traguardo; ritiro.

non-flammable /nɒn'flæməbl/ a. ininfiammabile.

non-fulfilment /nɒnfʊl'fɪlmənt/ n. (*leg.*)
inadempienza; inadempimento: **non-fulfilment of a contract**, inadempienza contrattuale.

non-fungible /nɒn'fʌndʒɪbl/ a. (*econ.: di
un bene*) infungibile.

non-glare /nɒn'ɡlɛə(r)/ a. (*autom.*) anabbagliante: **non-glare mirror**, specchietto
retrovisore anabbagliante.

non-governmental /nɒnɡʌvən-
'mɛntəl/ a. non governativo: **non-governmental organization** (abbr. **NGO**), organizzazione non governativa; ONG.

non-hero /nɒn'hɪərəʊ/ n. (*letter., ecc.*) antieroe.

non-historical /nɒnhɪ'stɒrɪkl/ a. non
storico; astorico.

non-human /nɒn'hjuːmən/ a. non
umano.

non-immigrant /nɒn'ɪmɪɡrənt/ a. e n.
(*spec. USA*) che (*o chi*) non è un immigrante:
non-immigrant visitors to the USA, visitatori degli USA che non sono immigranti ●
(*USA*) **non-immigrant visa**, visto per visite
temporanee.

non-inflationary /nɒnɪn'fleɪʃənrɪ/ a.
(*econ.*) non inflazionistico.

non-information /nɒnɪnfə'meɪʃn/ n. Ⓤ
disinformazione.

non-interest-bearing /nɒn-
'ɪntrɪstbɛərɪŋ/ loc. a. (*fin.*) infruttifero:
non-interest-bearing accounts, conti infruttiferi.

non-interference /nɒnɪntə'fɪərəns/ n.
Ⓤ (*spec. polit.*) non ingerenza.

non-intervention /nɒnɪntə'vɛnʃn/ n. Ⓤ
(*spec. polit.*) non intervento; non interventi-
smo; neutralità.

non-involved /nɒnɪn'vɒlvd/ a. non coinvolto; non implicato.

non-involvement /nɒnɪn'vɒlvmənt/ n.
Ⓤ mancato coinvolgimento; il non essere
implicato (*in qc.*).

non-iron /nɒn'aɪən/ a. (*d'abito e sim.*) non
stiro; lava e indossa.

non-juror /nɒn'dʒʊərə(r)/ n. (*spec. stor.*)
chi rifiuta di prestare il giuramento di fedeltà (*al sovrano, al governo, ecc.*).

non-jury /nɒn'dʒʊərɪ/ a. attr. (*leg.: di un
processo*) che si svolge senza la presenza di
una giuria.

non-logical /nɒn'lɒdʒɪkl/ a. illogico.

non-marketable /nɒn'mɑːkɪtəbl/ a. **1**
(*comm.*) non commerciabile **2** (*fin.*) non negoziabile.

non-material /nɒnmə'tɪərɪəl/ a. (*anche
econ.*) immateriale: **non-material goods**,
beni immateriali.

non-member /nɒn'mɛmbə(r)/ n. non socio; estraneo (*a un club*) ● **open to non-
members**, aperto al pubblico.

non-metal /nɒn'mɛtəl/ (*chim.*) n. non metallo; metalloide ‖ **non-metallic** a. (*antiq.*)
non metallico; metalloidico.

non-monetary /nɒn'mʌnɪtrɪ/ a. (*econ.*)
non monetario ● (*fin.*) **non-monetary investments**, investimenti in beni rifugio.

non-negotiable /nɒnnɪ'ɡəʊʃəbl/ a.
(*leg.: di un titolo, ecc.*) non negoziabile.

non-nuclear /nɒn'njuːklɪə(r)/ a. **1** (*mil.*)
che non possiede armi nucleari **2** non nucleare: **a non-nuclear power**, una potenza
non nucleare **3** (*mil.*) convenzionale: **non-
nuclear weapons**, armi convenzionali.

non-nucleoside /nɒn'njuːklɪəʊsaɪd/ a.
(*med., farm.*) non nucleosidico.

no-no /'nəʊnəʊ/ n. (pl. **no-nos**) (*fam. USA*)
cosa da non farsi; cosa disdicevole (*o proibita*); tabù (*fig.*).

non-observance /nɒnəb'zɜːvəns/ n. Ⓤ
(*spec. leg.*) inosservanza.

non-operating /nɒn'ɒpəreɪtɪŋ/ a. **1** (*di
personale ferroviario*) non viaggiante **2** non
operativo; che non funziona: (*fin.*) **non-operating company**, società non operativa ●
(*fin.*) **non-operating loss**, sopravvenienza
passiva □ (*fin.*) **non-operating profits**, sopravvenienze attive.

non-parametric /nɒnpærə'mɛtrɪk/ a.
(*stat.*) non parametrico.

nonpareil /'nɒnpərəl, USA -ə'rɛl/ Ⓐ a.
(*lett.*) senza pari; incomparabile; unico Ⓑ
n. **1** persona (*o cosa*) incomparabile, unica
al mondo **2** (*tipogr., stor.*) nompariglia,
nonpariglia; (carattere di) corpo 6.

non-partisan /nɒnpɑːtɪ'zæn/ a. **1**
(*polit.*) indipendente: (*USA*) **non-partisan
ticket**, lista di candidati indipendenti **2** (*di
giudizio, ecc.*) imparziale.

non-party /nɒn'pɑːtɪ/ a. (*polit.*) apartiti-
co; indipendente.

non-payment /nɒn'peɪmənt/ n. Ⓤ
(*comm.*) mancato pagamento; rifiuto di pagare.

non-performance /nɒnpə'fɔːməns/ n.
Ⓤ (*leg.*) inadempienza; inadempimento.

non-perishable /nɒn'pɛrɪʃəbl/ a. (*di
merce*) non deperibile.

non-person /'nɒnpɜːsn/ n. (*polit.*) persona non tutelata (*dalle leggi, ecc.*); cittadino di
serie B (*fam.*).

nonplus /nɒn'plʌs/ n. (pl. **nonplusses**,
nonpluses) imbarazzo; perplessità ● **to be
at a n.**, essere imbarazzato; non sapere che
pesci pigliare (*fam.*).

to **nonplus** /nɒn'plʌs/ v. t. (spec. al passivo)
imbarazzare; confondere; sconcertare.

nonplussed /nɒn'plʌst/ a. perplesso; sorpreso; sconcertato.

non-political /nɒnpə'lɪtɪkl/ a. apolitico.

non-polluting /nɒnpə'luːtɪŋ/ a. (*ecol.*)
non inquinante.

non-productive /nɒnprə'dʌktɪv/ a.
(*econ., fin.*) improduttivo.

non-professional /nɒnprə'fɛʃənl/
(*spec. sport*) Ⓐ a. non professionale; dilettantistico Ⓑ n. non professionista ● **a non-
professional golfer**, un giocatore di golf
non professionista.

non-profit /nɒn'prɒfɪt/ a. (*econ., USA*) che
non ha scopi di lucro; disinteressato: **a non-
profit organization**, un'organizzazione
senza scopi di lucro.

non-profit-making /nɒn-
'prɒfɪtmeɪkɪŋ/ loc. a. (*econ.*) **1** che non ha
scopi di lucro; senza fini di lucro **2** che non
rende.

non-proliferation /nɒnprəlɪfə'reɪʃn/ n.
Ⓤ (*polit., mil.*) non proliferazione ● **non-
proliferation treaty**, trattato di non proliferazione.

non-racial /nɒn'reɪʃl/ a. non razzista.

non-racist /nɒn'reɪsɪst/ n. non razzista.

non-receipt /nɒnrɪ'siːt/ n. (*bur.*) mancato ricevimento (*della corrispondenza, di assegni, ecc.*).

non-recoverable /nɒnrɪ'kʌvərəbl/ a.
irrecuperabile.

non-refundable /nɒnrɪ'fʌndəbl/ a. non
rimborsabile.

non-renewable, nonrenewable /nɒn-
rə'njuːəbl/ a. non rinnovabile: **non-renewable resources**, risorse non rinnovabili.

non-representational /nɒnreprɪzen-
'teɪʃənl/ a. (*arte*) non figurativo; astratto.

non-representative /nɒnreprɪ-
'zɛntətɪv/ a. (*stat.*) non rappresentativo.

non-resident /nɒn'rɛzɪdənt/ Ⓐ a. non
residente (*nel posto dove lavora, studia, ecc.*)
Ⓑ **1** (*relig.*) titolare di beneficio ecclesiastico il quale risiede altrove **2** non residente; chi non risiede nella sua sede d'ufficio (*o
di studio, ecc.*) **3** persona di passaggio ●
non-resident maid, donna (di servizio) a
giornata □ (*bur.*) **non-resident persons**,
soggetti non residenti □ (*di bar o ristorante annesso a un albergo*) **open to non-residents**,
aperto al pubblico (*a tutti, non solo agli ospiti*) ‖ **non-residence** n. Ⓤ il non essere residente; il non risiedere nel posto in cui si lavora (*o si studia, ecc.*).

non-residential /nɒnrɛzɪ'dɛnʃl/ a. **1**
non residenziale **2** (*del lavoro di un domestico, ecc.*) senza obbligo di pernottamento; a
giornata.

non-resistance /nɒnrɪ'zɪstəns/ n. Ⓤ **1**
(*polit.*) resistenza passiva **2** (*med.*) mancanza di difese immunitarie.

non-resistant /nɒnrɪ'zɪstənt/ a. **1** remissivo; sottomesso; docile **2** (*med.*) privo
di difese immunitarie.

non-respondent /nɒnrɪ'spɒndənt/ n.
chi non fornisce risposte (*a un questionario,
ecc.*).

non-returnable /nɒnrɪ'tɜːnəbl/ a. **1**
(*market.*) da non restituire; a perdere: **non-
returnable bottles**, bottiglie a perdere **2**
(*banca, ecc.*) non restituibile; non ripetibile:

a
b
c
d
e
f
g
h
i
j
k
l
m
n
o
p
q
r
s
t
u
v
w
x
y
z

a **non-returnable deposit**, un deposito non restituibile.

non-revenue /nɒnˈrɛvənjuː/ a. (fin.) non fiscale: **non-revenue receipts**, entrate non fiscali (dello Stato).

non-selling /nɒnˈsɛlɪŋ/ a. (org. az.: di reparto, ecc.) non addetto alle vendite.

◆**nonsense** /ˈnɒnsəns/ **A** n. ⓤ **1** nonsenso; controsenso; assurdità; insensatezza; frottole, sciocchezze, stupidaggini: That's all n., sono tutte sciocchezze! **2** modo di fare dissennato (o insensato); condotta assurda **3** (letter. ingl.) = n. poems → sotto **B** inter. – N.!, sciocchezze!; cavolate!, fesserie! (fam.) ● (stat.) n. **correlation**, correlazione spuria □ (biol.) n. **mutation**, mutazione nonsenso □ (letter. ingl.) n. **poems** [n. **verse**], nonsense; poesie [versi] nonsense ❶ CULTURA • **nonsense**: una poesia nonsense è un testo umoristico che vuole divertire con una descrizione di situazioni assurde o surreali oppure con l'uso di un linguaggio inventato o paradossale. Diversi autori a partire dalla seconda metà dell'Ottocento hanno pubblicato versi nonsense, tra cui Lewis Carroll e Edward Lear, considerati i fondatori del genere (→ **jabberwocky**; **runcible spoon**).

nonsensical /nɒnˈsɛnsɪkl/ a. assurdo; bislacco; privo di senso; insulso; sciocco: n. **remarks**, osservazioni sciocche (o insensate) | **-ly** avv.

non-sensical /nɒnˈsɛnsɪkl/ a. (ling.) asemantico.

non sequitur /nɒnˈsɛkwɪtə(r)/ (lat.) n. (abbr.: **non seq.**) **1** affermazione non pertinente (a ciò che è stato detto) **2** (filos.) conclusione illogica.

non-shrink /nɒnˈʃrɪŋk/ a. attr. **1** (tecn.) senza ritiro: (edil.) **non-shrink grout**, malta senza ritiro **2** (di tessuto) irrestringibile.

non-sinkable /nɒnˈsɪŋkəbl/ a. (di natante) inaffondabile.

non-skid /nɒnˈskɪd/ a. **1** (autom.: di pneumatico) antislittamento; antisdrucciolevole **2** (edil.) → **non-slip**.

non-slip /nɒnˈslɪp/ a. (edil.) antisdrucciolo: **non-slip vinyl**, vinile antisdrucciolo; **non-slip tiles**, piastrelle antisdrucciolo.

non-smoker /nɒnˈsməʊkə(r)/ n. **1** non fumatore **2** (ferr.) carrozza (o scompartimento) per non fumatori.

non-smoking /nɒnˈsməʊkɪŋ/ a. per (o riservato a) non fumatori: (ferr.) a **non-smoking carriage**, una carrozza per non fumatori.

non-specialist /nɒnˈspɛʃəlɪst/ n. non specialista; profano.

non-specific /nɒnspəˈsɪfɪk/ a. (spec. med.) aspecifico: **non-specific infection**, infezione aspecifica.

non-starter /nɒnˈstɑːtə(r)/ n. **1** (sport) cavallo (o atleta) che viene ritirato prima della corsa **2** (fig.) chi non ha possibilità di successo (in una candidatura, ecc.) **3** (fam.) idea (o proposta) sballata; progetto che non va in porto.

non-steroidal /nɒnstəˈrɔɪdəl/ (farm.) **A** a. non steroideo **B** n. farmaco non steroideo.

non-stick /nɒnˈstɪk/ a. antiaderente (detto di pentola, padella o tegame con speciale rivestimento interno).

non-stop /nɒnˈstɒp/ **A** a. **1** senza sosta; senza interruzione; incessante **2** (di viaggio) ininterrotto; senza fermate **3** (di treno, autobus) diretto **4** (aeron.) senza scalo; non stop: a **non-stop flight**, un volo non stop **B** n. **1** treno (o autobus) diretto, che non ferma **2** corsa (viaggio) senza fermate **C** avv. **1** senza sosta: to **work non-stop from 8 a.m. to 2 p.m.**, lavorare senza sosta dalle otto di mattina alle due del pomeriggio **2** (di treno,

autobus) senza fermate (intermedie) **3** (aeron.) senza scalo: to **fly non-stop from Rome to New York**, volare senza scalo da Roma a New York.

non-striker /nɒnˈstraɪkə(r)/ n. chi non aderisce a uno sciopero.

non-structural /nɒnˈstrʌktʃərəl/ a. (tecn.) non strutturale.

nonsuch /ˈnʌnsʌtʃ/ → **nonesuch**.

nonsuit /nɒnˈsuːt/ n. ⓤ (leg.) non luogo a procedere: to **enter a n.**, pronunciare un non luogo a procedere.

to **nonsuit** /nɒnˈsuːt/ v. t. (leg.) pronunciare un non luogo a procedere ai danni di (un attore in una causa civile).

non-synchronous /nɒnˈsɪŋkrənəs/ a. (tecn.) asincrono: (mecc.) **non-synchronous motor**, motore asincrono.

non-tariff /nɒnˈtærɪf/ a. (comm. est.) non tariffario: (dog.) **non-tariff barriers**, barriere non tariffarie.

non-taxable /nɒnˈtæksəbl/ a. (fisc.) non tassabile; non imponibile; esentasse: **non-taxable income**, reddito non tassabile (o esente da tassazione).

non-title /nɒnˈtaɪtl/ a. (sport: di una gara, un incontro) senza titolo in palio.

non-toxic /nɒnˈtɒksɪk/ a. (farm., med.) atossico.

non-trading /nɒnˈtreɪdɪŋ/ a. (fin.) non commerciale: **non-trading company**, società non commerciale ● **non-trading association**, società di liberi professionisti; studio professionale.

non-transferable /nɒnˈtrænsfərəbl/ a. (leg., fin.) non trasferibile.

non-U /nɒnˈjuː/ a. (scherz., antiq.) poco fine; inelegante; plebeo (non all'altezza della «upper class»).

non-union /nɒnˈjuːnɪən/ a. (d'operaio, ecc.) non iscritto a un sindacato || **non-unionized** a. (di un lavoratore) non sindacalizzato.

non-usage /nɒnˈjuːsɪdʒ/ n. ⓤ mancato uso; disuso.

non-use /nɒnˈjuːs/ n. (anche econ., market.) non uso: **the use or non-use of certain products**, l'uso o il non uso di taluni prodotti || **non-user** n. ⓤ (leg.) mancato esercizio (di un diritto); inerzia.

non-utilized /nɒnˈjuːtɪlaɪzd/ a. inutilizzato; non utilizzato: (econ.) **non-utilized production potential**, capacità produttiva non utilizzata.

non-verbal /nɒnˈvɜːbl/ a. non verbale; che non fa uso della parola; gestuale: (pubbl.) **non-verbal behaviour**, comportamento non verbale (gesti, mosse, ecc.).

non-viable /nɒnˈvaɪəbl/ a. **1** non realizzabile; irrealistico **2** (med., demogr.) non vitale: **non-viable fetus**, feto non vitale.

non-violence /nɒnˈvaɪələns/ n. ⓤ non violenza.

non-violent /nɒnˈvaɪələnt/ a. non violento; che non fa ricorso alla violenza; pacifico: a **non-violent demonstration**, una dimostrazione pacifica (o non violenta).

non-volatile /nɒnˈvɒlətaɪl/ a. **1** (chim.) non volatile **2** (comput.) non volatile: **non-volatile memory**, memoria non volatile.

non-voter /nɒnˈvəʊtə(r)/ n. (polit.) **1** non votante; chi non vota; astenuto **2** chi non ha diritto di voto.

non-voting /nɒnˈvəʊtɪŋ/ a. **1** (polit., ecc.) che non vota; che si astiene **2** (polit., fin.) che non ha (o senza) diritto di voto: **non-voting shares**, azioni senza diritto di voto.

non-wage /nɒnˈweɪdʒ/ a. **1** non salariale: **non-wage labour costs**, costi del lavoro non salariali **2** non salariato; autonomo: **non-wage earner**, lavoratore autonomo; **non-wage earners' income**, redditi non sa-

lariali; **non-wage economy**, economia non monetaria.

non-white /nɒnˈwaɪt/ a. e n. non bianco; (persona) di colore.

non-zero /nɒnˈzɪərəʊ/ a. (mat., comput.) diverso da zero: **non-zero digit**, cifra diversa da zero.

noodle① /ˈnuːdl/ n. **1** gonzo; sempliciotto; stupido **2** (slang USA) testa; zucca, capoccia (pop.).

noodle② /ˈnuːdl/ n. **1** (spesso al pl.) tagliatelle; taglierini, ecc. **2** (pl., USA) pasta (alimentare) ● (cucina) n. **plates**, trafile (dischetti perforati) per fare la pasta in casa.

to **noodle** /ˈnuːdl/ v. i. (slang USA) **1** improvvisare (con uno strumento musicale); strimpellare **2** giocherellare con un'idea; pensare senza troppo impegno.

noogie /ˈnuːɡi/ n. (USA) il gesto di strofinare le nocche sulla testa di qualcuno (per affetto o per scherzo).

nook /nʊk/ n. angolo; angolino; cantuccio; recesso ● to **search every n. and cranny**, cercare dappertutto.

noon /nuːn/ (lett.) **noonday** /ˈnuːndeɪ/, **noontide** /ˈnuːntaɪd/ n. **1** mezzogiorno; mezzodì (raro); meriggio (lett.) **2** (fig.) culmine; apogeo; acme ● **noontide heat**, il caldo meridiano □ It's twelve n., sono le dodici; è mezzogiorno.

◆**no one** /ˈnəʊwʌn/ pron. indef. e n. → **nobody**.

nooner /ˈnuːnə(r)/ n. (slang USA) **1** pausa (o pasto) di mezzogiorno **2** sveltina di mezzogiorno (pop.).

noose /nuːs/ n. cappio; laccio (anche fig.); nodo scorsoio; (fig.) trappola: **the hangman's n.**, il cappio del boia; il capestro; to **put one's head in the n.**, mettere la testa nel cappio; (fig.) cadere in trappola.

to **noose** /nuːs/ v. t. **1** accalappiare; prendere al laccio; intrappolare **2** legare con un nodo scorsoio; fare un cappio a (una corda, ecc.) **3** (fig. raro) impiccare.

noosphere /ˈnəʊəsfɪə(r)/ n. (filos.) noosfera.

nopal /ˈnəʊpl/ n. (bot.) **1** (Opuntia lindheimeri) cactus dai fiori gialli **2** (Nopalea cochinellifera) cactus dai fiori rossi.

◆**nope** /nəʊp/ avv. (fam.) no.

◆**nor**① /nɔː(r), nə(r)/ cong. (spesso correl. di **neither**) né; e non; neanche; nemmeno: I have neither coffee nor tea, non ho né caffè né tè; It's neither green nor yellow, non è né verde né giallo; I don't know, nor do I care, non lo so e non (o né) me ne importa; He doesn't smoke, nor does he drink, egli non fuma e neanche beve.

nor② /nɔː(r)/ abbr. (spec. nei composti, = **north**) nord: **norwestern**, nordoccidentale; **nor'wester**, (vento) maestrale.

noradrenaline /ˌnɔːrəˈdrɛnəlɪn/ n. ⓤ (biochim.) noradrenalina.

Nordic /ˈnɔːdɪk/ a. e n. (etnol.) nordico ● (sci) **the N. combined**, la combinata nordica.

Norfolk /ˈnɔːfək/ n. (geogr.) Norfolk (contea inglese) ● (raro) **N. capon**, aringa affumicata □ (scherz.) **N. dumpling** (o **N. turkey**), abitante (o nativo) del Norfolk.

noria /ˈnɔːrɪə/ n. noria.

norite /ˈnɔːraɪt/ n. ⓤ (geol.) norite.

norland /ˈnɔːlənd/ n. (arc.) regione nordica; paese settentrionale.

norm /nɔːm/ n. **1** norma; regola **2** modello; tipo **3** (mat.) norma **4** (ling.) norma **5** (comm. est.) norma; prescrizione comunitaria (della UE) **6** (econ.) massimo salariale; tetto (fig.).

◆**normal** /ˈnɔːml/ **A** a. normale (in ogni senso): (geom.) a **n. line**, una linea normale, perpendicolare; (USA) a **n. school**, una

scuola normale; una scuola di tirocinio per insegnanti **B** n. **1** livello normale; condizione normale; norma **2** (*geom.*) (linea) normale; (la) perpendicolare **3** (*slang ingl.*, *antiq.*) eterosessuale ● (*stat.*) n. **distribution**, distribuzione normale □ (*econ.*) n. **price**, prezzo d'equilibrio □ n. **seasonal temperatures**, temperature medie stagionali □ (*sport*) n. **time**, tempo normale (*non supplementare*) □ (*sport*) n. **weight**, peso forma (*di un atleta*) □ **above [below] n.**, più che [men che] normale; sopra [sotto] la norma □ **to get back to n.**, normalizzarsi.

normalcy /'nɔːməlsɪ/ n. [U] (*USA*) normalità.

normality /nɔːˈmælɪtɪ/ n. [U] normalità.

to **normalize** /'nɔːməlaɪz/ **A** v. t. normalizzare; rendere normale **B** v. i. normalizzarsi; tornare alla normalità: (*med.*) *My blood pressure has normalized*, mi si è normalizzata la pressione || **normalization** n. [U] normalizzazione: **the normalization of international relations**, la normalizzazione dei rapporti internazionali.

◆**normally** /'nɔːməlɪ/ avv. **1** generalmente; di solito; di norma: *N., I park behind the school*, di solito parcheggio dietro alla scuola **2** regolarmente; normalmente: *At last she began to eat n.*, alla fine cominciò a mangiare in modo regolare.

Norman /'nɔːmən/ **A** n. (*stor.*) **1** normanno **2** [U] (= **N. French**) franco-normanno (*lingua dei Normanni*) **B** a. normanno; dei Normanni: **the N. Conquest**, la conquista normanna (*dell'Inghilterra: nel 1066*); **N. architecture**, architettura normanna ● **N. French**, franco-normanno (*la lingua*) ❶ **CULTURA** ● **Norman French**: è la varietà di francese parlato in Inghilterra dalle classi dominanti a partire dalla conquista normanna nel 1066 fino alla Guerra dei Cent'Anni (1337-1453). Ha lasciato tracce soprattutto nella terminologia giuridica e legale dell'inglese moderno.

Normandy /'nɔːməndɪ/ n. (*geogr.*) Normandia.

normative /'nɔːmətɪv/ a. normativo: (*ling.*) n. **grammar**, grammatica normativa; (*leg.*) a n. **law**, una (legge) normativa | **-ly** avv.

normoblast /'nɔːməublæst/ n. (*biol.*) normoblasto.

Norn /nɔːn/ n. (*mitol. scandinava*) Norna.

Norse /nɔːs/ **A** a. **1** (*stor.*) norreno **2** scandinavo **3** norvegese **B** n. [U] lingua norrena; lingua scandinava antica ● **the N.**, gli Scandinavi; i Norvegesi || **Norseman** n. (pl. **Norsemen**) (*stor.*) antico abitante della Scandinavia; vichingo.

◆**north** /nɔːθ/ **A** n. [U] **1** nord; settentrione; parte settentrionale: *Normandy is in the n. of France*, la Normandia è nel nord della Francia; *England is to the n. of France*, l'Inghilterra è a nord della Francia; **magnetic n.**, nord magnetico **2** (*geogr.*) – **the N.**, il Nord, i paesi del nord; (*in Inghil.*) il Nord; (*in USA*) gli Stati del nord; (*stor. USA*) il Nord, gli Stati nordisti **B** a. nord; nordico; settentrionale: **n. wind**, vento del (*o* da) nord; **N. America**, America del Nord (*o* Settentrionale) **2** (situato a) nord: **the n. entrance**, l'entrata nord; **the n. side of the house**, il lato nord della casa **3** (esposto, rivolto, che guarda) a nord (*o* a settentrione): **a n. window**, una finestra che guarda a nord **C** avv. a nord; verso (il) nord; a (*o* verso) settentrione: *The house faces n.*, la casa è esposta a nord; *Birds go in summer, and estate gli uccelli vanno a nord*; *Take the M1 n. and come off at the junction before Nottingham*, prendi la M1 verso nord ed esci allo svincolo prima di Nottingham ● **N. Africa**, il Nord Africa □ **N. African**, nordafricano □ **N. America**, il Nord America, l'Ameri-

ca del Nord □ **N. American**, nordamericano □ **the N. Atlantic**, l'Atlantico settentrionale □ (*anche polit.*) **N. Atlantic**, nordatlantico □ **the N. Country**, (*in GB*) il Nord; (*in America*) l'Alaska, lo Yukon, ecc. □ (*in USA*) **N. Dakota**, il Nord Dakota □ **-facing**, che guarda il nord; rivolto a settentrione □ **the N. of Italy**, l'Italia settentrionale □ **the N. Pole**, il polo nord; il polo artico □ **the N. Sea**, il Mare del Nord □ **N. Sea oil**, il petrolio del Mare del Nord □ (*astron.*) **the N. Star**, la stella polare □ **the n. wind**, il vento del nord; la tramontana (*in Italia*) □ (*di un territorio*) **to lie n. and south**, estendersi da nord a sud; essere disposto nel senso dei meridiani.

Northants /'nɔːθænts/ abbr. (**Northamptonshire**) la Contea di Northampton.

northbound /'nɔːθbaʊnd/ a. diretto a nord; che va verso nord: **n. traffic**, il traffico che va verso nord ● (*autom.*) **the n. carriageway**, la carreggiata nord (*di un'autostrada*).

◆**northeast** /nɔːˈiːst/ **A** n. [U] nordest **B** a. di nordest; nordorientale **C** avv. verso nordest.

northeaster /nɔːˈiːstə(r)/ n. vento di (*o* da) nordest; grecale (*in Italia*) || **northeasterly**, **northeastern** a. di (*o* da) nordest; nordorientale.

northeastward /nɔːˈiːstwəd/ **A** a. **1** (*spec. del vento*) di (*o* da) nordest **2** a nordest; rivolto a nordest **B** n. [U] (direzione di) nordest || **northeastwards**, **northeastward** avv. verso nordest.

norther /'nɔːðə(r)/ n. vento del nord; vento di settentrione; tramontana (*in Italia*).

northerly /'nɔːðəlɪ/ a. **1** del nord; del settentrione; settentrionale: **a n. wind**, un vento del (*o* da) nord **2** verso nord; verso settentrione: (*naut.*, *aeron.*) **a n. course**, una rotta verso nord **B** avv. **1** (*del vento*) da nord: *The wind blew n.*, il vento soffiava da nord **2** verso nord; verso settentrione: **to sail n.**, navigare verso nord **C** n. vento del nord; tramontana (*in Italia*) ● (*geogr.*) **n. latitude**, latitudine boreale (*o* settentrionale, *o* nord) □ (*naut.*) **to sail in a n. direction**, navigare verso nord.

◆**northern** /'nɔːðən/ **A** a. **1** del nord; nordico; settentrionale; boreale: **a n. wind**, un vento del (*o* da) nord; **the N. States of the USA**, gli Stati settentrionali degli USA; *He speaks with a n. accent*, parla con un accento del nord; **the n. hemisphere**, l'emisfero settentrionale (*o* boreale); **the n. lights**, l'aurora boreale **2** (esposto, rivolto, che guarda) a nord (*o* a settentrione): **a n. window**, una finestra a settentrione **3** (*USA*) degli Stati del nord; (*stor.*) nordista **B** n. **1** (*USA*) abitante (*o* nativo) di uno Stato del nord **2** vento del nord **3** [U] inglese del nord dell'Inghilterra.

northerner /'nɔːðənə(r)/ n. **1** settentrionale; abitante (*o* nativo) di un paese del nord **2** – **N.**, abitante (*o* nativo) dell'Inghilterra settentrionale **3** (*USA*) – N., abitante (*o* nativo) di uno Stato del nord; (*stor.*) nordista.

northernmost /'nɔːðənməʊst/ a. (il) più a nord; (il) più settentrionale; dell'estremo nord: *John o'Groats is a village at the n. point of the Scottish mainland*, John o'Groats è un paese sulla punta più settentrionale della terraferma scozzese.

northing /'nɔːθɪŋ/ n. **1** (*naut.*) avanzamento (*o* deviazione) (*della rotta*) verso nord **2** (*naut.*) distanza coperta navigando verso nord **3** (*astron.*) declinazione nord, moto apparente (*di una stella*) verso nord.

Northland /'nɔːθlənd/ n. (*geogr.*) **1** (*in Europa*) la penisola scandinava **2** (*in Canada*) l'estremo nord.

Northman /'nɔːθmən/ n. (pl. **Northmen**) **1** (*stor.*) abitante dell'antica Scandinavia;

vichingo **2** scandinavo (*svedese o norvegese*).

Northumbrian /nɔːˈθʌmbrɪən/ a. e n. **1** (*stor.*) abitante, dialetto della Northumbria **2** (abitante, parlata) del Northumberland.

northward /'nɔːθwəd/ **A** a. diretto (*o* rivolto) a nord **B** avv. verso nord **C** n. [U] (*raro*) direzione nord ● **The ship sailed to the n.**, la nave fece rotta verso nord || **northwardly A** a. **1** diretto (*o* rivolto) a nord; verso (il) nord: **the northwardly flight of the geese**, il volo delle oche verso il nord **2** che spira verso nord: **a northwardly wind**, un vento che spira verso nord **B** avv. verso nord || **northwards** avv. verso nord.

◆**northwest** /nɔːθˈwest/ **A** n. [U] nordovest **B** a. di nordovest; nordoccidentale **C** avv. verso nordovest.

northwester /nɔːθˈwestə(r)/ n. vento di (*o* da) nordovest; maestrale (*in Italia*).

northwesterly /nɔːθˈwestəlɪ/, **northwestern** /nɔːθˈwestən/ a. di (*o* da) nordovest; nordoccidentale.

northwestward /nɔːθˈwestwəd/ **A** a. **1** (*spec. del vento*) di (*o* da) nordovest **2** a nordovest; rivolto a nordovest **B** n. [U] (direzione di) nordovest || **northwestwards**, **northwestward** avv. verso nordovest.

Norway /'nɔːweɪ/ n. (*geogr.*) Norvegia.

Norwegian /nɔːˈwiːdʒən/ **A** a. norvegese **B** n. **1** norvegese; abitante (*o* nativo) della Norvegia **2** [U] norvegese (*la lingua*).

nor'wester /nɔːˈwestə(r)/ n. **1** forte vento di (*o* da) nordovest **2** (*naut.*) burrasca da nordovest **3** (*fam.*) bicchierino di liquore forte **4** (*raro*) cappello di tela cerata (*da marinaio*).

◆**nose** /nəʊz/ n. **1** (*anat.*) naso; (*di animale*) muso: *Greek n.*, naso greco; *Roman n.*, naso aquilino; *He has a small n.*, ha il naso piccolo; **to blow one's n.**, soffiarsi il naso **2** odorato; olfatto; (*di animale*) fiuto: *My dog has a good n.*, il mio cane ha un buon fiuto **3** (*fig.*) naso; fiuto: **to have a good n. for bargains**, avere naso per gli acquisti a buon mercato **4** aroma, profumo (*del fieno, del tè, ecc.*) **5** (*mecc.*) becco, beccuccio; sporgenza; canna, cannuccia; tubo: **the n. of a retort**, la cannuccia di una storta; **the n. of a pair of bellows**, il tubo di un mantice, di un soffietto **6** (*fig.*) muso (*di un'automobile, ecc.*) **7** (*naut.*, *aeron.*) prua; prora; muso (*d'aereo*) **8** (*mil.*) punta (*di proiettile, di siluro*); ogiva **9** (*geogr.*) sperone di roccia **10** (*slang*) spia; informatore della polizia ● (*zool.*) **n.-ape** (*Nasalis Larvatus*), nasica; scimmia dalla proboscide □ **n.-breathing**, respirazione col naso □ **n.-bridge**, ponte (*degli occhiali*) □ (*slang*, *scherz.*) n. **burner**, pipa corta □ (*slang*) **n.-candy**, cocaina, coca (*da inalare*) □ **n.-clip**, morsetto; stringinaso □ **n. cone**, (*autom.*) musetto (*di vettura da corsa*); (*aeron.*, *miss.*) ogiva: **re-entry n. cone**, ogiva per il rientro (*di un razzo*) □ **n. dive**, (*aeron.*) picchiata; (*fig.*) calo brusco, caduta in verticale, crollo, tonfo (*di prezzi, ecc.*) □ (*farm.*) **n. drops**, gocce per il naso; gocce nasali □ (*mil.*, *miss.*) **n. fuse**, spoletta anteriore □ (*aeron.*, *naut.*) **n.-heavy**, appruato □ (*slang*) **n. job**, operazione di plastica del naso; plastica al naso: **to have a n. job**, farsi rifare il naso □ (*mecc.*) **n. key**, controchiavetta □ (*aeron.*) **n. landing gear**, carrello anteriore □ (*zool.*) **n.-monkey** = **n.-ape** → sopra □ **n. pad**, nasello (*degli occhiali*); placchetta □ (*slang*) **n.-rag**, fazzoletto (*da naso*) □ **n.-ring**, anello portato al naso (*come ornamento*); nasiera (*per buoi, tori, ecc.*) □ **n. to tail**, in fila serrata; con i paraurti a contatto o quasi □ (*slang*) **n.-warmer** = **n. burner** → sopra □ (*aeron.*) **n.-wheel**, ruota del carrello anteriore □ (*slang*) **n.-wiper** = **n.-rag** → sopra □ **as plain as the n. on your face**, chiaro co-

me la luce del sole; lampante; evidente; ovvio □ (*fig.*) **to bite** (*o* **to snap**) **sb.'s n. off**, dare una rispostaccia a q.; rispondere per le rime (*o* in malo modo) a q. □ (*sport e fig.*) **by a n.**, di misura; con uno strettissimo margine (di vantaggio) □ **to count noses**, contare i presenti □ (*fig.*) **to cut off one's n. to spite one's face**, castrarsi per far dispetto alla moglie □ (*fig.*) **to follow one's n.**, andare sempre dritto; seguire il proprio naso □ (*fig.*) **to get a bloody n.**, subire una grossa sconfitta (*o* una batosta) □ (*fam. ingl.*) **to get up sb.'s n.**, mandare q. su tutte le furie; fare incavolare q. (*fam.*) □ (*fig.*) **to have one's n. in the air**, avere la puzza sotto il naso; essere tronfio (*o* altezzoso, arrogante) □ **to have one's n. in a book**, essere immerso nella lettura di un libro □ **to have a runny n.**, avere il naso che cola □ (*fig. fam.*) **to keep one's n. clean**, tenersi fuori dei guai; rigare diritto □ (*fig. fam.*) **to keep one's n. to the grindstone**, lavorare sodo (*o* come un mulo); darci sotto (*fam.*) □ (*fam.*) **to lead sb. by the n.**, menare q. per il naso □ (*fam.*) **to look down one's n. at sb.**, guardare q. dall'alto in basso □ (*fam.*) **on the n.**, al naso; all'odorato; (*fam.*) all'ora esatta, puntualmente, in punto □ (*fam.*) **to pay through the n.**, pagare un occhio della testa □ (*fam.*) **to poke** (*o* **to stick**) **one's n. into st.**, ficcare il naso in qc. □ (*fam.*) **to put sb.'s n. out of joint**, indispettire, offendere, far rimanere male q. □ (*fig. fam.*) **to rub sb.'s n. in it**, rinfacciare (*o* far pesare) qc. a q.; sbattere qc. in faccia a q. □ **to see no further than (the end of) one's n.**, non vedere più in là del proprio naso □ **to speak through one's n.**, parlare nel naso □ (*fam.*) **to turn up one's n. at sb.** [st.], arricciare il naso davanti a q. [qc.] □ **under sb.'s (very) n.**, (proprio) sotto il naso di q. □ (*ipp. e fig.*) **to win by a n.**, vincere di stretta misura.

to **nose** /nəʊz/ v. t. e i. **1** (*anche* **to n. out**) annusare; fiutare; odorare; annasare (*lett. o dial.*): *The cat nosed out a mouse*, il gatto fiutò un topo; *I always n. treachery*, annuso sempre l'inganno; *He's very good at nosing a bargain*, è bravissimo a fiutare un affare **2** strofinare il naso contro; (*d'animali*) annusare **3** farsi largo, farsi strada (*col muso*); avanzare superando: *The ship nosed the first big swell*, la nave avanzò superando la prima grossa ondata **4** (*slang*) fare la spia; spifferare ● (*di cane o gatto*) **to n. the door open**, aprire la porta col naso □ **to n. one's way**, farsi strada, procedere: *Our craft nosed its way slowly through the fog*, la nostra imbarcazione procedeva lentamente nella nebbia.

■ **nose about** v. i. + avv. (*fam.*) **1** annusare in giro (*o* qua e là) **2** mettere (*o* ficcare) il naso qua e là; curiosare; ficcanasare: **to n. about in sb.'s private life**, mettere il naso nella vita privata di q.; *They've been nosing about in our garden*, hanno curiosato nel nostro giardino.

■ **nose after** v. i. + prep. annusare in cerca di (qc.); cercare (qc.) con il fiuto.

■ **nose ahead** v. i. + avv. **1** (*di un veicolo*) avanzare col muso **2** (*sport*) passare in testa (*o* andare al comando della corsa) ma di poco.

■ **nose around** → **nose about**.

■ **nose at** v. i. + prep. fiutare; annusare.

■ **nose down** v. i. + avv. (*di un aereo*) scendere in leggera picchiata; scendere dolcemente.

■ **nose into** v. i. + prep. (*fam.*) ficcare il naso in; curiosare in: *I don't like people nosing into my affairs*, non mi piace la gente ficchi il naso nei miei affari.

■ **nose out** v. t. + avv. **1** scovare (qc.) con l'olfatto **2** (*fam.*) scovare; fiutare; scoprire: **to n. out a scandal**, fiutare uno scandalo; **to n. out a nice spot for a picnic**, scoprire un

bel posticino per un picnic **3** (*nelle corse*) superare, sopravanzare (q.) ma di poco; (*fig.*) superare (q.) di misura.

■ **nose round** → **nose about**.

■ **nose up** v. i. + avv. (*di un aereo*) cabrare.

nosebag /'nəʊzbæɡ/ n. musetta; sacchetto per la biada.

noseband /'nəʊzbænd/ n. (*equit.*) capezzina (*nella testiera del cavallo*).

nosebleed /'nəʊzbliːd/ n. **1** (*med.*) emorragia nasale; epistassi; sangue al naso **2** (*slang USA*) tipo noioso; seccatore; rompipalle.

nosed /nəʊzd/ a. (nei composti, per es.:) **pug-n.**, dal naso corto e all'insù ● (*mil.*) a **soft-n. bullet**, un proiettile a punta deformabile.

to **nosedive**, to **nose-dive** /'nəʊzdaɪv/ v. i. **1** (*aeron.*) picchiare; scendere in picchiata **2** (*fig.*: *di prezzi, ecc.*) calare bruscamente; scendere in caduta verticale; crollare.

nosegay /'nəʊzɡeɪ/ n. mazzo di fiori; mazzolino.

nosehole /'nəʊzhəʊl/ n. (*slang*) buco del naso; narice.

noseless /'nəʊzləs/ a. senza naso; senza olfatto.

nosepiece /'nəʊzpiːs/ n. **1** ponte (*degli occhiali*) **2** portaobiettivo (*di microscopio*) **3** (*tecn.*) boccaglio; tubo di efflusso **4** (*stor.*) nasale (*di armatura*) **5** → **noseband**.

nosepipe /'nəʊzpaɪp/ n. (*tecn.*) boccaglio; terminale di tubo di scarico.

nosey /'nəʊzi/ → **nosy**.

nosh /nɒʃ/ n. (*slang*) **1** ▣ roba da mangiare; cibo **2** spuntino; mangiata ● **n.-up**, abbuffata, grossa mangiata □ **to have a quick n.**, fare uno spuntino; mangiare un boccone.

to **nosh** /nɒʃ/ **A** v. i. (*slang*) mangiare; fare uno spuntino **B** v. t. masticare ● **to n. up**, abbuffarsi.

nosher /'nɒʃə(r)/ n. (*slang*) **1** chi mangia di buon gusto; mangiatore; buongustaio **2** chi mastica ● **a big n.**, uno che s'abbuffa; un mangione.

noshery /'nɒʃəri/ n. (*slang USA*) posto in cui si mangia; ristorantino; tavola calda.

nosily /'nəʊzɪli/ avv. (*fam.*) sfacciatamente; da ficcanaso; ficcanasando.

nosiness /'nəʊzɪnəs/ n. ▣ il ficcanasare; curiosaggine; invadenza.

nosing /'nəʊzɪŋ/ n. (*edil.*) **1** aggetto di gradino **2** listello di metallo (*per rivestire l'aggetto*) **3** tagliacque (*della pila di un ponte*) **4** ▣ (*ferr.*) serpeggiamento.

nosocomial /nɒsə'kəʊmɪəl/ a. nosocomiale.

nosogenesis /nɒsə'dʒɛnəsɪs/ n. ▣ (*med.*) nosogenesi; patogenesi.

nosography /nɒ'sɒɡrəfi/ (*med.*) n. ▣ nosografia || **nosographic**, **nosographical** a. nosografico.

nosology /nə'sɒlədʒɪ/ (*med.*) n. ▣ nosologia || **nosological** a. nosologico.

nostalgia /nɒ'stældʒə/ n. ▣ nostalgia || **nostalgic** a. **1** nostalgico **2** che fa venire (*o* provoca) la nostalgia || **nostalgically** avv. nostalgicamente.

nostril /'nɒstrɪl/ n. (*anat.*) narice; (*di cavallo, anche*) frogia.

nostrum /'nɒstrəm/ n. (*form.*, *spreg.*) panacea; rimedio sovrano; toccasana.

nosy /'nəʊzi/ a. **1** che ha il naso grosso (*o* lungo); nasuto **2** (*spec. di cereale, di fieno*) maleodorante **3** (*di persona*) che ha il naso (*o* l'olfatto) delicato **4** (*fam.*) ficcanaso; curioso; inframmettente; invadente ● (*fam. spreg.*) **n. parker**, ficcanaso; impiccione □ (*fam.*) **to get n.**, ficcare il naso; ficcanasare.

◆**not** /nɒt/ avv. **1** non: *They were not* (*di soli-*

to: *weren't*) *there*, non c'erano; *We do not* (*di solito: don't*) *know*, non lo sappiamo; *It is not* (*di solito isn't*) *cold today*, non è freddo oggi; *I told him not to go*, gli dissi di non andare; *You're Italian, aren't you?*, sei italiano, non è vero? (*o* nevvero?); *Not everybody wants to join us*, non tutti vogliono unirsi a noi ❶ **Nota**: *double negative* → **negative 2** no; di no: *I believe* [*think*, *hope*, *suppose*] *not*, credo [penso, spero, suppongo] di no; **perhaps not**, forse no; **whether you like it or not**, ti piaccia o no; *I haven't decided if I'll vote or not yet*, non ho ancora deciso se votare o no; *Not to decide is to decide not*, non decidere vuol dire decidere di no ● (*fam.*) **not to be all there**, essere un po' scemo (*o* un po' tocco) □ *Not as far as I know*, non che io sappia □ **not at all**, niente affatto; per niente □ **not but what** (*o* **not that**), non che (seguito dal verbo neg.); per quanto; comunque; tuttavia: *I cannot lift it; not but what a stronger man might*, io non riesco a sollevarlo; non che uno più forte di me non possa farcela (*o* per quanto uno più forte di me potrebbe farcela) □ **not a few**, non pochi □ (*leg.*) **not guilty**, innocente: *Do you plead guilty or not guilty?*, Lei si dichiara colpevole o innocente? □ (*slang*) **not half**, molto; moltissimo; eccome!: «*Was he annoyed?*» «*Not half*», «era seccato?» «eccome!» □ **not once** (**nor twice**), non una sola volta; spesso □ (*leg.*, *in Scozia*) **not proven**, (verdetto di) insufficienza di prove □ (*autom.*) **not running**, fermo ai box: **cars not running after 60 laps**, macchine ferme dopo 60 giri di pista □ **not seldom**, non di rado □ (*banca*) «**not sufficient funds**», «fondi insufficienti»; «conto scoperto» □ **not to say**, per non dire: *It's warm, not to say hot*, è caldo, per non dire caldissimo □ **not that...**, non che; non già che...: *Not that it matters*, non che abbia importanza □ (*tennis*: *della palla*) **not up**, non giocabile; non buona (*per un doppio rimbalzo a terra*) □ **as likely as not**, probabilmente.

notability /nəʊtə'bɪlətɪ/ n. **1** ▣ notabilità; ragguardevolezza; importanza **2** notabile; persona eminente, importante.

notable /'nəʊtəbl/ **A** a. degno di nota; notevole; ragguardevole; considerevole; importante; insigne: **a n. event**, un avvenimento importante; **a n. speaker**, un insigne oratore **B** n. notabile; persona eminente, importante ● (*chim.*) **a n. quantity of**, una quantità percettibile di | **-ness** n. ▣.

◆**notably** /'nəʊtəblɪ/ avv. **1** specialmente; in particolare **2** notevolmente; considerevolmente; sensibilmente: *The unemployment rate has increased n. in Italy over the past five years*, il tasso di disoccupazione è notevolmente aumentato in Italia negli ultimi cinque anni.

to **notarize** /'nəʊtəraɪz/ (*leg.*) v. t. autenticare, legalizzare (*un documento, ecc.*) || **notarization** n. ▣ certificazione (*o* autenticazione) notarile.

notary /'nəʊtərɪ/ (*leg.*) n. notaio ❶ **Cultura** ● **notary**: *in Gran Bretagna è un ufficiale pubblico il cui compito è autenticare la sottoscrizione di atti da lui non redatti; i* **notarial acts** *riguardano soprattutto le procure per l'estero e il protesto delle cambiali estere. Le funzioni di «notaio» nel senso italiano sono svolte in Inghilterra e nel Galles dai* **solicitors** ● **n. public**, notaio □ **under a n.'s hand**, per mano di un notaio □ **notarial** a. notarile: **notarial deed**, atto notarile; rogito.

to **notate** /nəʊ'teɪt/ v. t. (*mus.*) fare la notazione, trascrivere le note di.

notation /nəʊ'teɪʃn/ n. **1** (*mus.*, *ling.*) notazione **2** (*mat.*, *ecc.*) segno grafico convenzionale; simbolo: **phonetic notations**, simboli fonetici **3** annotazione; nota.

notch /nɒtʃ/ n. **1** tacca; incisione; incavo a

V **2** intaglio **3** (*anat.*) incisione **4** (*fig.*) livello; grado, gradino: *This novel is a n. above his previous production*, questo romanzo è un gradino al di sopra dei suoi scritti precedenti **5** (*USA*) gola, stretto passo (*fra monti*) **6** (*slang USA*) successo, operazione riuscita (*della polizia, ecc.*) (*anche* **n. on one's belt**, letteralm. *'tacca sulla cintura'*) ● (*metall.*) **n. test**, prova di intaglio □ (*fam.*) **top-n.**, eccellente; straordinario.

to **notch** /nɒtʃ/ v. t. **1** dentellare; intaccare; fare tacche in; incavare **2** intagliare **3** (*spesso* to n. up, to n. down) segnare (*punti, ecc.*) facendo tacche; (*fig.*) avere (*successo*) ● (*fig.*) to n. (up) another victory, ottenere (*o* segnare) un'altra vittoria.

notchback /'nɒtʃbæk/ n. (*autom.*) **1** inclinazione a rovescio (*del lunotto posteriore*) **2** automobile con lunotto posteriore inclinato a rovescio.

notched /nɒtʃt/, **notchy** /'nɒtʃɪ/ a. (*bot., zool.*) dentellato; a tacche.

♦**note** /nəʊt/ n. **1** nota; appunto; chiosa; postilla; segno; marchio; (*fig.*) accento; tono: **to make a n. of st.**, prendere nota di qc.; **to take notes**, prendere appunti; **marginal n.**, nota in margine; postilla; **a diplomatic n.**, una nota diplomatica; *There was a n. of sadness in his words*, c'era una nota (*o* un accento, un tono) di tristezza nelle sue parole; **to set a n. of infamy on sb.**, porre un marchio d'infamia su q.; **a matter worthy of n.**, una cosa degna di nota; **a n. of irritation**, un tono d'irritazione **2** biglietto; breve lettera: *Has he left a n.?*, ha lasciato un biglietto?; **a thank-you n.**, un biglietto di ringraziamento **3** segno d'interpunzione; punto: **n. of exclamation**, punto esclamativo; **n. of interrogation**, punto interrogativo **4** Ⓤ eccellenza; eminenza; chiara fama; riguardo: **a philosopher of n.**, un filosofo di chiara fama; **a man of n.**, un uomo di riguardo **5** Ⓤ importanza; rilevanza: *That's nothing of n.*, non è nulla d'importante **6** banconota; biglietto (*di banca*): *All in ten-pound notes, please*, tutto in biglietti da dieci sterline, prego **7** (*mus.*) nota: **to play** (*o* to sing) a false n., prendere una nota falsa suonando (*o* cantando) **8** (*comm.*) bolla; bolletta; bollettino; distinta: **delivery n.**, bolla di consegna; *It says on the delivery n. that we have to pick up a cheque for the balance*, la bolla di consegna dice che dobbiamo ritirare un assegno per il saldo; **consignment n.**, bolletta di spedizione ferroviaria; **dispatch n.**, bollettino di spedizione; (*naut.*) **weight n.**, distinta dei pesi; **bought n.**, distinta d'acquisto; **sales n.**, distinta di vendita **9** (*fin.*) titolo; buono; certificato (*di credito*); cartella: **non-interest-bearing government notes**, titoli di stato non fruttiferi; **floating n.**, certificato di credito a tasso variabile **10** (*fin., leg.*) cambiale propria (*o* diretta); effetto (*cambiario*); pagherò (*o* vaglia) cambiario: (*banca, rag.*) **notes payable**, conto (*o* distinta) effetti passivi; **notes receivable**, conto (*o* distinta) effetti attivi (*o* all'incasso); **promissory n.**, pagherò cambiario **11** (*rag.*) nota: **credit [debit] n.**, nota di accredito [di addebito] **12** (*ass.*) certificato: **cover n.**, certificato di copertura provvisoria del rischio ● (*fin., USA*) **n.-broker**, intermediario di sconto □ (*fin.*) **n. circulation**, circolazione cartacea □ (*fin.*) **n. issue**, emissione di banconote □ (*fin.*) **n.-issuing bank**, banca di emissione □ (*leg.*) **n. of counsel's fees**, parcella d'avvocato □ (*rag.*) **n. of expenses**, nota spese □ (*fin., leg.*) **n. of hand**, pagherò cambiario □ (*leg.*) **n. of protest**, protesto preliminare □ (*banca*) **n. register**, registro degli effetti □ (*fig.*) **to change one's n.**, cambiar tono; diventare più mansueto, più umile □ (*fam.*) **to compare notes with sb.**, comunicarsi impressioni (*o* raf-

frontare le proprie idee) con q. □ **to make notes of**, prendere appunti di □ **of n.**, degno di nota; importante; notevole; famoso: **nothing of n.**, niente d'importante; **a novelist of n.**, un romanziere famoso □ **to preach from notes**, predicare servendosi di appunti □ (*fig.*) **to strike** (*o* to sound) **a false n.**, far risuonare una nota stonata □ (*fig.*) **to strike the right n.**, toccare la nota giusta □ **to take n. of st.**, prender nota di qc.; fare attenzione a qc.

to **note** /nəʊt/ v. t. **1** fare attenzione a; badare a; osservare: *N. what I say*, bada a quel che ti dico!; *N. how to mend it*, osserva (sta' a vedere) come si fa a ripararlo! **2** notare; osservare; dire; rilevare; rimarcare: *Please n. that...*, favorite rilevare che...; vogliate notare che... **3** (*di solito* to n. down) notare; annotare; prender nota di; mettere per iscritto: *The student noted down every word his teacher said*, lo studente prese nota d'ogni parola detta dall'insegnante; **to n. down one's impressions**, annotare le proprie impressioni.

notebook /'nəʊtbʊk/ n. **1** libretto per appunti; taccuino; bloc-notes **2** (*comput.*, = **n. computer**) computer portatile ● (*sport*) **the referee's n.**, il taccuino dell'arbitro.

notecase /'nəʊtkeɪs/ n. (*raro*) portafogli.

♦**noted** /'nəʊtɪd/ a. celebre; famoso; rinomato: **a n. musician**, un celebre musicista; *What's your town n. for?*, per che cosa è famosa la tua città?

notehead /'nəʊthɛd/ n. **1** intestazione (*su un foglietto di carta da lettere*) **2** foglietto di carta.

noteless /'nəʊtləs/ a. non degno di nota; privo d'interesse.

notelet /'nəʊtlət/ n. cartoncino decorato (*da inviare per posta*); biglietto decorato.

notepad /'nəʊtpæd/ n. **1** blocchetto per appunti; bloc-notes ● (*comput.*) **n. computer**, computer palmare; palmare.

notepaper /'nəʊtpeɪpə(r)/ n. Ⓤ carta da lettere.

noteworthy /'nəʊtwɜːðɪ/ a. degno di nota; notevole; ragguardevole | **-iness** Ⓝ.

♦**nothing** ① /'nʌθɪŋ/ pron. indef. e n. **1** niente; nulla: *I have n. to say*, non ho niente da dire; *N. pleased him*, niente gli andava a genio; *That's n. to what followed*, questo è niente a confronto di quel che venne dopo **2** (*seguito da un agg.*) nessuna cosa; nessuna impresa: *N. great is easy*, nessuna grande impresa è facile **3** (*con l'art. indef.*) nullità; nessuno; persona di nessun conto: '*Pop, I'm n.! I'm n., Pop. Can't you understand that?*' A. MILLER, 'papà, non sono nessuno; sono una nullità. Non lo capisci?'; *He would be a mere n. without his money*, senza il suo denaro, non sarebbe nessuno (*o* sarebbe una nullità) **4** (*mat.*) zero: *Take ten from ten, and the result is n.*, sottrai dieci da dieci e il risultato è zero **5** bazzecola; bagatella; inezia; quisquilia; cosa di nessuna importanza: **the little nothings of life**, le cose senza importanza della vita quotidiana ● **n. broken**, niente di rotto: *I fell off a ladder: n. broken luckily*, sono caduto da una scala a pioli: per fortuna, niente di rotto □ **n. but**, nient'altro che: *This is n. but the truth*, questa non è (nient'altro) che la verità; *He did n. but smoke*, non faceva (altro) che fumare □ **n. else**, niente altro □ **n. less than** (*o* n. short of), nulla di inferiore a; (*anche*) nient'altro che; addirittura: *It's n. less than monstrous*, ma è addirittura mostruoso! □ **n. like**, niente di meglio che (*o* di): *There's n. like doing things at once*, non c'è niente di meglio che fare le cose subito; *There's n. like beer*, non c'è niente di meglio della birra! □ **n. much**, poco o nulla; quasi niente □ **n. of the sort**, niente del genere;

niente di simile □ **to come to n.**, finire in nulla; fallire; andare in fumo □ **to dance on n.**, pendere dalla forca; essere impiccato □ **for n.**, per niente; gratis o quasi; senza scopo; invano □ **I got this recorder for n.**, ho avuto questo registratore per niente □ **His efforts to pass the exam were** (*o* went) **for n.**, i suoi sforzi di superare l'esame furono vani □ **to have n. to do with sb.**, non avere nulla a che fare con q. □ **to have n. on**, non avere nulla indosso, essere nudo; (*fig.*) non avere impegni, essere libero □ (*fam.*) **to have n. on sb.**, non essere da più di q.; (*anche*) non avere prove (*o* niente in mano) contro q. □ **to hear n. of sb.**, non avere (*o* non ricevere) notizie di q. □ (*fam.*) **like n. on earth**, (in modo) orribile, atroce, pessimo: *The food is like n. on earth in some Soho pasta joints*, il cibo è pessimo in talune trattorie italiane di Soho □ **to make n. of**, non capire niente di; non far caso a, non dar peso a; non trarre profitto da: *I can make n. of this book*, in questo libro non ci capisco niente; questo libro, per me, non ha né capo né coda; *He makes n. of his mistakes*, non dà peso ai suoi errori; *You've made n. of your good chance*, non hai saputo trarre alcun profitto dalla tua buona fortuna □ **to make n. of doing st.**, non pensarci su due volte (a fare qc.); fare come se nulla fosse: *He makes n. of walking ten miles*, per lui è cosa da nulla fare dieci miglia a piedi (*anche fig.*) □ **to mean n.**, non significare nulla □ **a mere n.**, un bel niente; proprio nulla; nulla di nulla □ **next to n.**, quasi niente □ (*fam.*) **no n.**, nulla di nulla; proprio niente □ **to say n. of**, per non parlare di; a prescindere da □ **to stop at n.**, essere senza scrupoli □ **sweet nothings**, paroline dolci; coccole; tenerezze □ **to think n. of**, non far caso a; non dar peso a: *He thinks n. of driving 20 miles a day to work and back*, fa in auto 20 miglia al giorno per andare al lavoro, senza farci caso □ **There's n. in it!**, non c'è niente di vero, è tutto falso!; (*anche*) non c'è niente da scegliere!; è imprevedibile! □ (*formula di cortesia*) **Think n. of it!**, ma prego; ma Le pare! □ (*fam.*) **N. doing!**, niente da fare!; non ci sto! (non ci sta, ecc.); no e poi no! (*anche*) □ **n.** (era, ecc.) proibito □ **She has n. in her**, non c'è niente di buono in lei; è una nullità; è una donna insignificante, inconcludente □ **That has n. to do with me**, ciò non mi tocca, non mi riguarda; non è affar mio □ **That is n. to you**, ciò non ti tocca, non ti riguarda; non è affar tuo □ **There is n. for it but to go home**, non c'è altro da fare che andare a casa □ **There is n. much the matter**, non c'è niente di grave □ **There's n. to riding a moped**, non ci vuole niente ad (*o* è facile) andare in ciclomotore □ (*prov.*) **N. venture, n. have**, chi non risica non rosica.

nothing ② /'nʌθɪŋ/ avv. niente affatto, non affatto; per nulla; in nessun modo: *Your pen differs n. from mine*, la tua penna non è affatto diversa dalla mia; *It's n. like what it used to be*, non è per nulla com'era prima □ (*fam.*) **n. like** (*o* n. near), neanche un po'; nemmeno per sogno; no davvero; ma no!

nothing ③ /'nʌθɪŋ/ a. (*slang*) da niente; che non vale niente; senza prospettive: *That was a n. job*, era un lavoro senza prospettive.

nothingness /'nʌθɪŋnəs/ n. **1** Ⓤ (il) nulla; (il) non-essere; inesistenza **2** Ⓤ inutilità; insignificanza **3** bazzecola; bagatella; inezia; quisquilia.

notice /'nəʊtɪs/ n. **1** annuncio, annunzio; avviso; comunicazione; notifica; manifesto; cartello: (*trasp., naut.*) **n. of readiness**, avviso di prontezza (*nel → «charter party»*, → **charter**); (*leg.*) **n. to third party**, notifica della chiamata in causa di un terzo; **to put up a n.**, affiggere un avviso; attaccare un

a b c d e f g h i j k l m **n** o p q r s t u v w x y z

cartello; **church notices**, annunzi religiosi; manifesti attaccati alla porta d'una chiesa **2** preavviso; disdetta (*di un contratto d'affitto*); preavviso di licenziamento (*di un dipendente*): **at ten minutes' n.**, col preavviso di dieci minuti; *The tenant gave n.*, l'inquilino diede la disdetta; *The workers got a month's n.*, gli operai ebbero il preavviso (di licenziamento) di un mese **3** (*leg.*) notifica; comunicazione; avviso; diffida; intimazione: (*ass.*, *USA*) **n. of loss**, avviso (*o* denuncia) di sinistro; (*fisc.*) **n. of assessment**, notifica di accertamento; (*fin*) **n. of a meeting**, avviso di convocazione d'assemblea **4** 🔲 attenzione; considerazione; osservazione: **to attract n.**, attirare l'attenzione; **to bring st. to sb.'s n.**, richiamare qc. all'attenzione di q.; far notare qc. a q. **5** breve articolo (*di giornale*) notizia; recensione: **biographical n.**, notizia biografica; **a n. about a play**, la recensione di un dramma ● **n. board**, tabellone (*per affissioni*); bacheca (*banca*) **n. deposit**, deposito con preavviso □ (*ass.*) **n. of abandonment**, dichiarazione di abbandono □ (*comm.*) **n. of payment**, avviso di pagamento □ (*leg.*) **n. of protest**, avviso di protesto (*di un effetto*) □ (*leg.*) **n. to perform**, intimazione di dare esecuzione (*a un contratto*) □ (*leg.*) **n. to quit** (*o* **n. to vacate**), notifica di sfratto; disdetta (*di contratto di locazione*); (*agric.*) disdetta (*di contratto d'affittanza*) □ **advance n.**, preavviso □ **at short n.**, con breve preavviso; entro breve tempo □ **to come in n.**, farsi notare; attirare l'attenzione □ **to give n.**, comunicare (*form.*) *N. is hereby given that...*, si comunica con la presente che... □ **to give n. to sb.** (*o* **to serve sb. with n.**), licenziare q., dare il preavviso di licenziamento a q.; (*anche*) sfrattare q.; dare la disdetta a q.: *Our domestic help was given a week's n.*, la nostra colf ricevette gli otto giorni □ **to hand in one's n.**, licenziarsi □ (*leg.*) **to serve n.**, annunciare ufficialmente; notificare □ (*fam.*) **to sit up and take n.**, avere considerazione e rispetto □ **to take n.**, osservare; rilevare; fare attenzione; badare: *Take n. that I shan't be able to help you*, bada che non potrò aiutarti □ **to take no n. of**, non osservare; non rilevare; far mostra di non vedere; chiudere un occhio su (*fig.*): *The teacher took no n. of what was going on*, l'insegnante chiuse un occhio su quel che stava succedendo □ **till** (*o* **until**) **further n.**, fino a nuovo avviso □ **without n.**, senza preavviso: *He left without n.*, se ne andò senza preavviso □ *It escaped my n.*, mi è sfuggito; non ci ho fatto caso □ **The baby takes n.**, il bambino comincia a dar segni d'interesse per il mondo che lo circonda.

♦**to notice** /'nəʊtɪs/ **A** v. t. **1** osservare; notare; accorgersi di; avvertire; rilevare: *I noticed that the messenger came back late*, notai che il messaggero ritornò tardi; *I noticed a strange smell in the kitchen*, m'accorsi di (*o* avvertii) uno strano odore in cucina **2** interessarsi a; occuparsi di (q.); avere interesse per; essere gentile con (q.): *She began to n. the young men of the village*, ella cominciò a interessarsi ai (*o* a provare interesse per i) giovani del paese **3** notare; far rilevare: *In his speech, he noticed the usefulness of the new invention*, nel suo discorso, fece rilevare l'utilità della nuova invenzione **4** (*giorn.*) recensire **5** (*leg.*) notificare, intimare a (q.) **B** v. i. badare; stare attento: *I wasn't noticing at all*, non stavo proprio attento; m'ero distratto ● (*leg.*) **The tenant was noticed to quit**, l'inquilino ricevette la disdetta.

noticeable /'nəʊtɪsəbl/ a. **1** ben visibile; avvertibile; di cui ci si accorge facilmente; evidente **2** notevole; cospicuo; ragguardevole | **-bly** avv.

notifiable /'nəʊtɪfaɪəbl/ a. **1** notificabile

2 (*di malattia infettiva*) da denunciare all'autorità sanitaria.

notification /ˌnəʊtɪfɪ'keɪʃn/ n. 🔲 **1** notificazione; comunicazione; (*leg.*) notifica **2** denuncia (*di nascita, morte, malattia, ecc.*).

to notify /'nəʊtɪfaɪ/ v. t. **1** notificare a (*leg.*); comunicare a; avvisare; informare: *The mayor notified the citizens to gather in the main square*, il sindaco avvisò i cittadini d'adunarsi nella piazza principale; **to n. the police**, informare la polizia (*form.*) *N. me when you are leaving*, fammi sapere quando parti **2** dichiarare (*all'autorità*); denunciare: **to n. a birth** [**a death**], denunciare la nascita d'un bambino [la morte di q.].

♦**notion** /'nəʊʃn/ n. **1** (*filos.*) nozione; idea; concetto: *I have no precise n. of what you mean by democracy*, non ho un'idea precisa di quel che tu voglia dire con la parola «democrazia» **2** idea; opinione: **silly notions**, idee sciocche; *He has no n. of discipline*, non ha idea di (*o* non sa) che cosa sia la disciplina **3** (*arc.*) intenzione: *I have no n. of going yet*, non ho ancora intenzione d'andarmene **4** (*fam.*) voglia; capriccio; ghiribizzo **5** (pl.) (*USA*) aggeggini; articoli vari d'uso comune (*aghi, spilli, filo, nastri, ecc.*); minuterie; chincaglierie □ **to take a n.**, mettersi in testa un'idea: *He took a n. to visit his mother-in-law*, si mise in testa di far visita alla suocera □ **as the n. takes him**, quando gli salta il ticchio □ **Such is the common n.**, questa è l'idea corrente (*o* l'opinione comune).

notional /'nəʊʃənl/ a. **1** astratto; speculativo; teorico (*non basato su esperimenti*): **n. works**, opere speculative **2** apparente; immaginario; fantastico; irreale: **n. value**, valore immaginario **3** (*USA*) che ha idee strane; stravagante; bizzarro **4** (*ling.*) nozionale **5** (*econ.*, *fin.*) figurativo: **n. income**, reddito figurativo; **n. rent**, canone figurativo (*d'affitto*).

notochord /'nəʊtəʊkɔːd/ n. (*zool.*) notocorda.

notoriety /ˌnəʊtə'raɪətɪ/ n. 🔲 **1** notorietà; rinomanza **2** (*spec.*) cattiva fama; brutta rinomanza; taccia; nomea.

notorious /nə'tɔːrɪəs/ a. **1** notorio; noto: *It is n. that...*, è notorio che... **2** famigerato; tristemente noto: **a n. gangster**, un famigerato delinquente; **a ship n. for ill-luck**, una nave tristemente nota per la sua sfortuna | **-ly** avv. | **-ness** n. 🔲.

Notts /nɒts/ abbr. (**Nottinghamshire**) la Contea di Nottingham.

notwithstanding /ˌnɒtwɪð'stændɪŋ/ **A** prep. a dispetto di; nonostante: *The pioneers went on, n. the storm*, i pionieri continuarono ad avanzare, nonostante la tempesta **B** avv. nondimeno; tuttavia; lo stesso: *They will go home, n.*, andranno a casa lo stesso **C** cong. (*arc.*) sebbene; quantunque.

nougat /'nuːgɑː, *USA* 'nuːgət/ n. 🔲 torrone.

nought /nɔːt/ n. **1** (*lett.*) niente; nulla: *'If thou must love me, let it be for n. / Except for love's sake only'* E. BARRETT BROWNING, 'se devi amarmi, ciò sia per nient'altro che per amor dell'amore' **2** (*mat.*) zero **3** (*GB*) nullità; persona insignificante ● **noughts and crosses**, (gioco degli) zeri e ics; tris □ **to bring to n.**, portare alla rovina □ **to come to n.**, finire in nulla; fallire; andare in rovina.

noumenon /'nuːmənɒn/ (*filos.*) n. (pl. **noumena**) noumeno || **noumenal** a. del noumeno; numenico.

♦**noun** /naʊn/ n. (*gramm.*) nome; sostantivo ● (*ling.*) **n. phrase**, locuzione nominale.

to nourish /'nʌrɪʃ/ v. t. nutrire (*anche fig.*); alimentare; accarezzare; covare; serbare; coltivare (*fig.*): **to n. feelings of contempt**,

nutrire (*o* covare) sentimenti di disprezzo; **to n. hopes**, nutrire (*o* coltivare) speranze; **to n. a habit**, coltivare un'abitudine ● (*agric.*) **to n. the soil**, nutrire (*o* concimare) il terreno.

nourishing /'nʌrɪʃɪŋ/ a. nutriente; nutritivo: **n. food**, cibo nutriente.

nourishment /'nʌrɪʃmənt/ n. 🔲 **1** nutrimento; sostentazione **2** nutrizione; alimentazione.

nous /naʊs/ n. **1** (*filos.*) nous; intelletto **2** (*fam. ingl.*) accortezza; buonsenso.

nouveau riche /ˌnuːvəʊ'riːʃ/ (*franc.*) n. (pl. **nouveaux riches**) nuovo ricco; arricchito.

Nov. abbr. (**November**) novembre (Nov.).

nova /'nəʊvə/ n. (pl. **novae**, **novas**) (*astron.*) nova.

novation /nə'veɪʃn/ n. (*leg.*) novazione (*spec. quella soggettiva*).

novel ① /'nɒvl/ a. nuovo; insolito; originale: **a n. theory**, una teoria nuova, una teoria originale.

♦**novel** ② /'nɒvl/ n. **1** romanzo: **detective n.**, romanzo giallo; giallo; **historical n.**, romanzo storico; **n. writer**, romanziere, romanziera; autore, autrice di romanzi **2** (= **the n.**) la narrativa; il romanzo **3** (*diritto romano*; di solito al pl.) novella ❶ FALSI AMICI • **novel** *non significa* novella *nel senso di racconto*.

novelette /ˌnɒvə'let/ n. **1** breve romanzo (*dalle 30 alle 50 mila parole*); novella; racconto lungo **2** romanzo rosa; romanzo leggero **3** (*mus.*) novelletta || **novelettish** a. (*spesso spreg.*) sdolcinato; sentimentale; svenevole.

novelist /'nɒvəlɪst/ n. romanziere, romanziera ❶ FALSI AMICI • **novelist** *non significa* novellista.

novelistic /ˌnɒvə'lɪstɪk/ a. romanzesco; (caratteristico) del romanzo; narrativo.

to novelize /'nɒvəlaɪz/ v. t. romanzare; ricavare un romanzo da (*un avvenimento, ecc.*) || **novelization** n. 🔲 riduzione in forma di romanzo.

novella /nə'velə/ (*ital.*) n. (pl. **novellas**, **novelle**) (*letter.*) racconto lungo; novella.

novelty /'nɒvltɪ/ n. **1** 🔲 novità; attualità; originalità **2** novità; cosa nuova **3** (pl.) (= **n. goods**) oggettini di moda; chincaglierie; minuterie; ninnoli.

♦**November** /nə'vembə(r)/ **A** n. **1** novembre (*per gli esempi d'uso* → **April**) **2** (*radio*, *tel.*) (la lettera) n; November **B** a. attr. di novembre; novembrino: **N. rain**, pioggia novembrina.

novena /nə'viːnə/ n. (pl. **novenas**, **novenae**) (*relig. cattolica*) novena.

novercal /nəʊ'vɜːkl/ a. (*raro*) di (*o* da) matrigna.

novice /'nɒvɪs/ n. (*anche relig.*) novizio, novizia; principiante.

noviciate, **novitiate** /nə'vɪʃɪət/ n. **1** noviziato (*anche relig.*) **2** (*raro*) (*relig.*) novizio, novizia **3** (*relig.*) alloggi dei novizi.

novocaine, **novocain** /'nəʊvəʊkeɪn/ n. 🔲 (*farm.*) novocaina.

♦**now** /naʊ/ **A** avv. **1** ora; adesso; in questo momento; a questo punto (*nel tempo*); subito: *My parents are in the country now*, ora i miei genitori sono in campagna; *We must start now*, dobbiamo partire ora; *I'll do it now*, lo farò subito; *I can offer it to you now*, posso offrirtelo subito; *Now we'll see what happens*, vedremo ora che succede **2** (*anche, nelle narrazioni*) allora; ormai: *Now he tried a new plan*, allora egli provò ad attuare un altro progetto; *It was now clear that...*, era ormai chiaro che... **3** ora (*lievemente avversativo*); ebbene; orbene; or dunque; dunque; orsù; suvvia; via: *Now listen to me!*, ora, ascoltami!; *No nonsense, now!*, or-

sù, basta con queste sciocchezze!; *Now let me see*, via, fammi vedere!; *Now Barabbas was a robber*, orbene (o dunque), questo Barabba era un ladrone; *Now what do you mean by it?*, ebbene, che cosa intendi dire con ciò? **B** cong. (*spesso*, **now that**) ora che; dacché: *Now you feel better you can go back to work*, ora che stai meglio puoi tornare al lavoro; *Now everyone's been introduced, we should get started*, ora che tutti sono stati presentati potremmo cominciare **C** n. ⓤ (il) presente: **to read the future in the now**, leggere il futuro nel presente ● **now and then**; (**every**) **now and again**, di quando in quando; di tanto in tanto; ogni tanto: *I play football and go running now and then*, gioco a calcio e vado a correre ogni tanto □ **Now now** (*o* **now then**), suvvia!; e via! □ **by now**, ormai: *They will have arrived by now*, ormai saranno arrivati □ **for now**, per ora; per adesso: *That's it for now*, per ora è tutto □ **from now on** (*o* **onwards**), d'ora in poi; d'ora in avanti □ **from now till tomorrow**, di qui a domani □ **up to** (*o* **till**, **until**) **now**, finora; sinora □ **Oh, come now!**, via!; suvvia!; va là (*che non ci credo*)!; smettila!

♦**nowadays** /ˈnaʊədeɪz/ **A** avv. oggi; oggigiorno; oggidì; al giorno d'oggi **B** a. di oggi; odierno; attuale **C** n. ⓤ la presente epoca; il presente.

♦**noway** /ˈnəʊweɪ/ avv. (*fam.*, *spec. USA*) in nessun modo; per niente; per nulla; mai e poi mai; assolutamente no.

noways /ˈnəʊweɪz/ avv. (*dial. USA*), → **noway**.

♦**nowhere** /ˈnəʊweə(r)/ **A** avv. in nessun luogo; da nessuna parte; in nessun posto **B** n. ⓤ luogo inesistente; (il) nulla ● (*fam.*) **n. near**, neanche lontanamente; per niente, per nulla; niente affatto: *My book is n. near as good as yours*, il mio libro non è neanche lontanamente buono quanto il tuo □ (*fig.*) **to be** (*o* **to come in**) **n.**, non essere approdato a nulla; aver fatto fiasco; (*in una corsa*) non piazzarsi, arrivare fra gli ultimi □ (*fig.*) **to get n.**, non approdare a nulla; non combinare niente; far fiasco; fallire: *That will get you n.*, così non combinerai niente di buono □ **We live in a little room with n. to cook**, abitiamo in una stanzetta, senza nemmeno il posto per cucinare □ (*fig.*) **Ten dollars goes n.**, con dieci dollari si fa poca strada (*si compra poco, ecc.*).

nowise /ˈnəʊwaɪz/ avv. (*arc. o lett.*) in nessun modo; per niente; per nulla.

nowt /naʊt/ n. (*GB, dial.*) → **nothing** ①.

♦**noxious** /ˈnɒkʃəs/ a. **1** nocivo; dannoso; pernicioso: **n. wastes**, rifiuti nocivi; (*fig.*) a **n. book**, un libro pernicioso **2** disgustoso; fastidioso; sgradevole ● **n. gases**, gas tossici | **-ly** avv. | **-ness** n. ⓤ.

nozzle /ˈnɒzl/ n. **1** (*mecc.*) effusore; ugello **2** becco, beccuccio (*di tubo, teiera, ecc.*) **3** boccaglio (*di pompa*) **4** lancia (*di manichetta antincendio*) **5** (*slang*) naso; muso.

NP sigla (**notary public**) notaio (*solo per alcune funzioni*).

n.p. sigla **1** (**new paragraph**) a capo (*dettando*) **2** (*di un libro*, **no place** (**of publication**) senza luogo (di pubblicazione).

NPA sigla (*GB*, **Newspaper Publishers' Association**) Associazione degli editori di giornali.

NPR sigla (*USA*, **National Public Radio**) Radio nazionale pubblica (*rete di emittenti radio indipendenti*).

NPT sigla (*polit.* **Nuclear Non-Proliferation Treaty**), Trattato di non-proliferazione nucleare.

NRA sigla **1** (*USA*, **National Rifle Association**) Associazione nazionale per le armi **2** (*GB*, **National Rivers Authority**) Autorità di controllo per le acque interne.

NS sigla **1** (*nelle date*, **new style**) nuovo stile (*secondo il calendario gregoriano*) **2** (*Canada*, **Nova Scotia**) Nuova Scozia.

NSA sigla (*USA*, **National Security Agency**) Agenzia per la sicurezza nazionale (*spionaggio elettronico*).

NSAID sigla (*farm.*, **non steroidal anti-inflammatory drug**) farmaco antinfiammatorio non steroideo (FANS).

NSB sigla (*GB*, **National Savings Bank**) Cassa di risparmio nazionale.

NSC sigla (*USA*, **National Security Council**) Consiglio per la sicurezza nazionale.

NSF sigla (*USA*, **National Science Foundation**) Fondazione nazionale per le scienze.

NSFW sigla (*slang*, *Internet*, **not safe for work**; *di indirizzi o link a pagine con contenuto sessuale*) rischioso per il luogo di lavoro (NSFW).

NSPCC sigla (*GB*, **National Society for the Prevention of Cruelty to Children**) Società nazionale per la protezione dei bambini.

NSW sigla (*Australia*, **New South Wales**) Nuovo Galles del Sud.

NT sigla **1** (*GB*, **National Trust**) Trust nazionale (*per la tutela dei beni ambientali e culturali*) **2** (*relig.*, **New Testament**) Nuovo Testamento (NT) **3** (*Australia*, **Northern Territory**) Territorio del Nord **4** (*Canada*, **Northwest Territories**) Territori del Nord-Ovest **5** (*comput.*, **new technology**) nuova tecnologia.

nth /ɛnθ/ a. (*mat. e fig.*) ennesimo: **to the nth power**, all'ennesima potenza ● **to the nth degree**, al massimo.

NTSC sigla (*TV*, **National Television Standards Committee**) Comitato nazionale per gli standard televisivi (*sistema di trasmissione, cfr.* **PAL**).

nt wt abbr. (**net weight**) peso netto.

nu ① /njuː, *USA* nuː/ n. ni (*tredicesima lettera dell'alfabeto greco*).

nu ② /nuː/ a. (*USA*) *grafia fam. di* → **new**: (*mus.*, *spec. USA*) **nu-metal** (*genere di musica rock sviluppatosi negli USA alla fine degli anni '90*).

nuance /ˈnjuːɑːns, *USA* ˈnuː-/ n. (*anche fig.*) sfumatura; gradazione (*di colore, ecc.*); nuance (*franc.*).

nub /nʌb/ n. **1** (*raro*) piccola protuberanza; sporgenza **2** pezzo (*spec. di carbone*) **3** ⓤ (*fam.*) **the nub**, il nòcciolo, il nucleo, la parte essenziale (*d'un racconto, ecc.*).

nubble /ˈnʌbl/ n. (*raro*) **1** piccola protuberanza **2** pezzetto.

nubby /ˈnʌbɪ/ a. (*di golf, ecc.*) di lana bouclé.

nubecula /njuːˈbɛkjʊlə/ n. (pl. *nubeculae*) (*astron., med.*) nubecola.

nubile /ˈnjuːbaɪl, *USA* ˈnuːbɪl/ a. **1** in età da marito; maritabile; nubile **2** sessualmente matura; sessualmente attraente ❶ **FALSI AMICI** • nubile *non significa* nubile *nel senso puramente anagrafico*.

nuchal /ˈnjuːkl, *USA* ˈnuː-/ a. (*anat.*) della nuca; nucale.

nucleal /ˈnjuːklɪəl, *USA* ˈnuː-/ a. (*biol.*) nucleare; del nucleo.

♦**nuclear** /ˈnjuːklɪə(r), *USA* ˈnuː-/ **A** a. (*fis., chim., biol.*) nucleare: **n. fission**, fissione nucleare; **n. physics**, fisica nucleare; **n. plant**, impianto nucleare; **n. reactor**, reattore nucleare; pila atomica **B** n. **1** ⓤ energia nucleare; (il) nucleare **2** (*mil.*) arma nucleare **3** (*marina mil.*) sommergibile a propulsione nucleare ● (*mil.*) **n. button**, bottone (*o pulsante*) che può scatenare la guerra atomica (*in mano al Presidente degli USA*) □ **n. chemistry**, chimica nucleare □ (*polit.*) **n. disarmament**, disarmo nucleare □ **n. engineering**,

ingegneria nucleare □ (*sociol.*) **n. family**, famiglia nucleare □ (*med.*) **n. magnetic resonance**, risonanza magnetica nucleare □ **n.-free**, denuclearizzato □ (*fig.*, *spec. polit. USA*) **n. option**, soluzione estrema (*con conseguenze disastrose per tutte le parti*) □ **n. power**, energia nucleare; (il) nucleare □ **n. power plant** (*o* **station**), centrale nucleotermoelettrica □ (*marina mil.*) **n.-powered submarine**, sottomarino a propulsione nucleare □ **n. reprocessing**, rigenerazione delle scorie nucleari □ (*bot.*) **n. sap**, cariolinfa □ (*fis.*) **n. spin**, spin nucleare □ **n. submarine**, sottomarino nucleare □ **n. war**, guerra nucleare □ **n. waste**, scorie nucleari.

nuclearism /ˈnjuːklɪərɪzəm, *USA* ˈnuː-/ (*polit.*) n. ⓤ nuclearismo || **nuclearist** n. nuclearista.

to **nuclearize** /ˈnjuːklɪəraɪz, *USA* ˈnuː-/ v. t. nuclearizzare || **nuclearization** n. ⓤ nuclearizzazione.

nuclease /ˈnjuːklɪeɪz/ n. (*biochim.*) nucleasi.

nucleate /ˈnjuːklɪət, *USA* ˈnuː-/ a. (*biol.*) nucleato; fornito di nucleo.

to **nucleate** /ˈnjuːklɪeɪt, *USA* ˈnuː-/ v. i. **1** (*anche biol.*) costituire un nucleo **2** formarsi intorno a un nucleo (*o* un'area) centrale **3** (*chim.*) agire come nucleo || **nucleated** a. **1** (*biol.*) nucleato 2 che si è formato intorno a un nucleo centrale || **nucleation** n. ⓤⓒ (*fis., chim.*) nucleazione.

nucleic /njuːˈkliːɪk, *USA* nuː-/ a. (*biochim.*) nucleico; nucleinico: **n. acid**, acido nucleico.

nuclein /ˈnjuːklɪɪn, *USA* ˈnuː-/ n. ⓤ (*biochim.*) nucleina.

nucleoid /ˈnjuːklɪɔɪd, *USA* ˈnuː-/ (*biol.*) **A** n. nucleoide **B** a. simile a nucleo.

nucleolus /njuːˈkliːələs, *USA* nuː-/ (*biol.*) n. (pl. *nucleoli*) nucleolo || **nucleolar** a. del nucleolo; nucleolare.

nucleon /ˈnjuːklɪɒn, *USA* ˈnuː-/ n. (*fis.*) nucleone.

nucleonics /njuːklɪˈɒnɪks, *USA* nuː-/ (*fis.*) n. pl. (col verbo al sing.) nucleonica; ingegneria nucleare || **nucleonic** a. **1** nucleonico **2** della nucleonica: **nucleonic instruments**, strumenti della nucleonica.

nucleophilic /njuːklɪəʊˈfɪlɪk/ (*chim.*) a. nucleofilo: **n. reagent**, reagente nucleofilo || **nucleophile** n. sostanza nucleofila.

nucleoplasm /ˈnjuːklɪəʊplæzəm, *USA* ˈnuː-/ n. ⓤ (*biol.*) nucleoplasma.

nucleoprotein /njuːklɪəʊˈprəʊtiːn, *USA* nuː-/ n. (*biochim.*) nucleoproteina.

nucleoside /ˈnjuːklɪəʊsaɪd, *USA* ˈnuː-/ n. (*biochim.*) nucleoside.

nucleotide /ˈnjuːklɪəʊtaɪd, *USA* ˈnuː-/ n. (*biochim.*) nucleotide.

nucleus /ˈnjuːklɪəs, *USA* ˈnuː-/ n. (pl. *nuclei*, *nucleuses*) **1** (*scient.*) nucleo: **compound n.**, nucleo composto **2** (*bot.*) nòcciolo **3** (*fig.*) nucleo; fulcro; parte essenziale: **the n. of a library**, il nucleo d'una (*futura*) biblioteca.

nuclide /ˈnjuːklaɪd, *USA* ˈnuː-/ n. (*fis.*) nuclide.

nude /njuːd, *USA* nuːd/ **A** a. nudo; ignudo **B** n. (*spec. arte*) figura nuda; nudo: **a classical n.**, un nudo classico ● **n. bathing**, il fare il bagno nudi □ (*leg.*) **n. contract**, nudum pactum (*lat.*); contratto privo di tutela giuridica □ (*moda*) **n. look**, nude-look □ (*moda*) **n. party**, un raduno di nudisti □ (*moda*) **n. stockings**, calze color carne □ **to be in the n.**, essere nudo | **-ly** avv. | **-ness** n. ⓤ.

nudge /nʌdʒ/ n. **1** spinta leggera; colpetto di gomito (→ **to nudge**) **2** (*fam. USA*) brontolone; pittima; piaga (*fig.*) **3** (*fam.*) stimolo; spinta.

to **nudge** /nʌdʒ/ v. t. **1** spingere leggermente; toccare col gomito (*q. per richiamarne*

l'attenzione); dare di gomito a (q.) **2** (*fig.*) richiamare l'attenzione di (q.) **3** (*fig.*) stimolare; esortare; spingere (*fig.*) ● **to n. down**, abbassare, spingere (*prezzi, ecc.*) a un lieve ribasso □ (*fig.*) **to n. up**, aumentare, spingere (*prezzi, ecc.*) a un lieve rialzo □ **to n. one's way**, farsi strada.

nudie /'njuːdɪ, *USA* 'nuːdɪ/ **A** n. (*fam. USA*) **1** (*cinem.*) film con molto nudo; (*anche*) attrice che si esibisce nuda **2** rivista piena di nudi **B** a. pieno di nudi; relativo al nudo.

nudist /'njuːdɪst, *USA* 'nuː-/ n. e a. nudista ● **n. beach**, spiaggia per nudisti □ **n. camp** (*o* **n. colony**), campo (*o* colonia) di nudisti ‖ **nudism** n. ▣ **1** nudismo **2** (*psic.*) nudomania.

nudity /'njuːdɪtɪ, *USA* 'nuː-/ n. ▣ nudità.

nudnik /'nʌdnɪk/ n. (*slang USA*) seccatore, seccatrice; scocciatore, scocciatrice; impiastro, peste (*fig.*).

nuff /nʌf/ a. (*slang*) molto; grande: **n. respect**, grande ammirazione ● (*slang*) **N. sed!**, non dico altro!; ti basti questo!

nuffin /'nʌfɪn/, **nuffink** /'nʌfɪŋk/ pron. (*slang ingl.*) niente; nulla.

nugatory /'njuːgətɪ, *USA* 'nuː-/ a. **1** frivolo; futile; insignificante **2** (*anche leg.*) inefficace; inutile; vano.

nugget /'nʌgɪt/ n. **1** (*geol.*) pepita (*d'oro, ecc.*) **2** (*metall.*) goccia di saldatura **3** (*pl.*) (*slang*) testicoli; palle (*pop.*) ● (*cucina*) **chicken n.**, crocchetta di pollo; bocconcino di pollo impanato.

◆**nuisance** /'njuːsns, *USA* 'nuː-/ n. **1** fastidio; molestia; seccatura; rottura di scatole (*fam.*): **the n. of city traffic**, il fastidio del traffico cittadino; *What a n.!*, che seccatura! **2** individuo fastidioso; seccatore, seccatrice; rompiscatole (*fam.*) **3** (*leg.*) infrazione (*di una legge, ecc.*); turbativa; molestia; danno: *Commit no n.*, non arrecate danni!; non imbrattare! (*in Italia, per es. in un giardino pubblico*: Rispettate le piante!) ● (*polit.*) **to have a n. value**, essere in grado di fare un'azione di disturbo □ **to make a n. of oneself**, rendersi insopportabile □ **Flies are a n.**, le mosche sono insetti molesti □ *That boy is a perfect n.*, quel bambino è pestifero!

nuke /njuːk, *USA* nuːk/ n. (*fam., spec. USA*) **1** (*mil.*) arma nucleare **2** (*naut., mil.*) sottomarino a propulsione nucleare **3** impianto (*o* reattore) nucleare **4** (*mil.*) attacco nucleare **5** (*mil.*) potenza nucleare **6** nuclearista; fautore del nucleare ● **n. warning**, allarme di pericolo nucleare.

to **nuke** /njuːk, *USA* nuːk/ v. t. (*fam., spec. USA*) **1** (*mil.*) sottoporre (q. *o* qc.) a un attacco nucleare; bombardare con missili a testata atomica **2** distruggere; fare a pezzi **3** stendere, fregare (*fam.*): *The math test really nuked me*, quella che mi ha fregato è stata la prova di matematica **4** (*scherz.*) riscaldare (*o* cuocere) in un forno a microonde.

null /nʌl/ **A** a. **1** (*spec. leg.*) nullo; non valido **2** (*mat.*) nullo; pari a zero: **n. matrix**, matrice nulla; **n. set**, insieme vuoto; **a n. result**, zero come risultato **B** n. **1** zero **2** (*comput.*) null (*assenza d'informazione*) **3** (*radio, ecc.*) assenza di segnale ● (*leg.*) **n. and void**, nullo □ (*comput.*) **n. character**, carattere nullo; riempitivo a zeri binari □ (*comput.*) **n. modem cable**, cavo null modem (*per la comunicazione diretta tra porte seriali*)

to **null** /nʌl/ v. t. (*spec. leg.*) annullare; invalidare.

to **nullify** /'nʌlɪfaɪ/ v. t. **1** nullificare **2** (*spec. leg.*) annullare; invalidare ‖ **nullification** n. ▣ **1** nullificazione **2** (*spec. leg.*) annullamento.

nullipara /nə'lɪpərə/ (*demogr.*) n. (pl. **nulliparae**) nullipara ‖ **nulliparous** a. (*di don-*

na) nullipara.

nulliparity /nʌlɪ'pærɪtɪ/ n. ▣ (*demogr., med.*) nulliparità.

nullipore /'nʌlɪpɔː(r)/ n. (*bot.*) nullipora.

nullity /'nʌlətɪ/ n. ▣ (*leg., mat.*) nullità: **the n. of a marriage**, la nullità di un matrimonio ● (*leg.*) **a n. suit**, una causa d'annullamento d'un matrimonio.

num. abbr. **1** (**number**) numero **2** (**numeral**) numero; cifra.

numb /nʌm/ a. **1** intirizzito; intorpidito; intormentito; addormentato (*fam.*): **to have one's hands n. with cold**, avere le mani intirizzite dal freddo **2** (*fig.*) inebetito; intontito; istupidito; tramortito: **to be n. from suffering**, essere intontito dalla sofferenza ● **a n. feeling**, una sensazione d'intorpidimento □ (*fig.*) **n. to grief**, insensibile al dolore ‖ **-ly** avv.

to **numb** /nʌm/ v. t. **1** intirizzire; intorpidire; intormentire **2** (*fig.*) inebetire; intontire; istupidire; tramortire: *He was numbed with fright*, era tramortito per lo spavento.

◆**number** /'nʌmbə(r)/ n. **1** (*anche mat.*) numero; cifra; quantità indeterminata: **cardinal [ordinal] numbers**, numeri cardinali [ordinali]; **even [odd] numbers**, numeri pari [dispari]; *What's your phone n.?*, qual è il tuo numero di telefono?; *We live at No. 42 Oxford Street*, abitiamo al numero 42 di Oxford Street; *Take a n. 22 to Putney Bridge, then get a 295*, prendi il numero 22 fino a Putney Bridge e poi prendi il 295; **to increase the n. of members**, aumentare il numero dei soci; *I was n. 5 in the race*, nella corsa avevo il numero 5; *I wear n. 8 shoes*, porto scarpe numero 8 (*in Italia, 37/38*); (*sport*) **n. of fouls**, numero dei falli commessi **2** (*gramm.*) numero (*singolare, plurale o duale*) **3** numero (*di giornale o rivista*); dispensa; puntata: **a back n.**, un numero arretrato; *Novels used to be issued in numbers*, una volta i romanzi uscivano a dispense (*o* a puntate) **4** (*teatr.*) numero (*di uno spettacolo*) **5** (*mus.*) brano; pezzo; canzone (*di una raccolta*): *He sang a few numbers from his latest album*, cantò alcuni brani del suo ultimo album **6** (*ind. tess.*) titolo (*di un filato*) **7** (*lett.*) ritmo; numero (*lett.*) **8** (*lett.*) (pl.) versi; piedi; metri; metrica **9** (pl.) numerose persone; molti: *Numbers died in the retreat*, molti perirono nella ritirata; *There are numbers who live by begging*, c'è una quantità di gente che vive di accattonaggio **10** (*sport*) pettorale (*di cavallo da corsa, di sciatore, ecc.*): *He was n. five in the ski race*, aveva il cinque come pettorale nella gara di sci **11** (*fam.*) oggetto, cosa, lavoro, vestito da donna, ecc., piacevole o pregevole (*a seconda dell'antecedente o di quel che segue*): *This restaurant is really a classy n.*, questo è proprio un ristorante di classe; *Your sister's little n. is by Armani*, il bel vestitino di tua sorella è di Armani **12** (*slang*) tipo; tizio; individuo: *Any n. in the information office can tell you*, qualsiasi impiegato dell'ufficio informazioni te lo sa dire; *Who's that cute little n. in a red dress?*, chi è quel bel tipino vestito di rosso?; **a hot n.**, un uomo (*o* una donna) sexy; un tipo arrapante (*fam.*) **13** (*slang*) sigaretta di marijuana **14** (*slang USA*) **the numbers**, (il racket delle) lotterie clandestine: **a numbers banker**, il gestore di una lotteria clandestina ● (*comput.*) **n. code**, codice numerico □ (*fam.*) **n.-cruncher**, grosso computer, grande calcolatore; (*anche*) attuario, ragioniere (*fam.*) □ **n.-crunching**, (agg.) che fa calcoli complessi; (sost.) il fare calcoli complessi; (*anche*) materie scientifiche (*a scuola*) □ (*rugby*) **n. eight**, il numero otto (*il giocatore*) □ **a n. of**, parecchi, diversi: *A n. of employees have been sacked lately*, di recente sono stati licenziati parecchi dipendenti □

numbers of people, molta gente □ **n. on roll**, numero delle persone iscritte □ (*fam.*) **n. one**, (sost.) il numero uno, il capo, il boss; stretto collaboratore, direttore; io stesso, me stesso; (*sport*) protagonista assoluto; (*slang USA*) omicidio di primo grado; (*slang eufem. USA*) la pipì; (*volg. USA*) «lui», il pene; (agg.) numero uno; principale, preminente; assoluto: *After all, you are n. one!*, dopotutto, sei tu il capo!; *I leave these matters to my n. one*, queste faccende le delego al mio direttore; *I'm thinking of n. one!*, sto pensando a me stesso!; **to look after** (*o* to take **care of**) **n. one**, pensare solo a (*o* prendersi cura solo di) sé stesso; **public enemy n. one**, il nemico pubblico numero uno; **my n. one problem**, il mio problema principale; **n. one priority**, priorità assoluta □ (*autom.*) **n. plate**, targa □ (*mat., stat.*) **n. series**, serie numerica □ (*USA*) **n. sign**, simbolo #; cancelletto □ (*mat.*) **n. system**, sistema numerico □ (*in GB*) **No. 10 (Downing Street)**, il numero 10 di Downing Street; la residenza ufficiale del Primo Ministro, a Londra □ (*fig.*) **N. Ten**, il premier (*o* il governo) britannico □ (*fam.*) **n. two**, il numero due; il secondo per importanza; il luogotenente; (*slang eufem. USA*) la popò: *I'm only n. two in the firm*, non sono che il numero due dell'azienda □ (*fam.*) **any n. of times**, cento (*o* mille) volte: *I've told you any n. of times not to do it*, te l'ho detto mille volte di non farlo □ **beyond n.**, innumerevoli □ (*fam.*) **cushy n.**, (posto di) lavoro di tutto riposo; grande pacchia (*fam.*) □ **to do a n.**, fare un numero (*in uno spettacolo, ecc.*) □ (*fam.*) **to do one's n.**, fare il solito numero, la solita tirata (*fig.*): *Keep off the subject of marriage, or he'll start doing his n. about the death of love*, non toccare l'argomento del matrimonio, se non vuoi che lui faccia la solita menata sulla fine dell'amore! □ (*slang USA*) **to do a n. on sb.**, fare un brutto tiro a q.; fregare q. (*pop.*) □ (*fam.*) **to have sb.'s n.**, prendere (bene) le misure a q.; conoscere il punto debole di q. □ **any n. of**, moltissimi, numerosissimi (*aeron.*) **flight n.**, numero del volo □ **in n.**, di numero: *They were ten in n.*, erano dieci di numero; erano in dieci □ **in the n.**, nel novero (*lett.*); nel gruppo: *He isn't in our n.*, non fa parte del nostro gruppo; non è dei nostri □ **a large** (*o* a great) **n.**; **large numbers of**, un buon numero, un gran numero di; numerosi, molti □ **a small n.** (*o* small **numbers**) **of**, uno scarso numero di; pochi □ **times without n.**, innumerevoli volte □ (*telef.*) **Wrong n.!**, (Lei) ha sbagliato numero! □ (*telef.*) **It was just a wrong n.**, era qualcuno che ha sbagliato numero □ (*fam.*) **His n. is up** (*o* **has come up**), per lui è finita; è suonata la sua ora (*sarà punito, ecc.*); è (già) morto.

to **number** /'nʌmbə(r)/ v. t. **1** numerare; dare un numero a: *Let's n. the pages of our manuscript*, numeriamo le pagine del nostro manoscritto! **2** annoverare; contare; includere: **to n. sb. among one's friends**, annoverare q. fra i propri amici; *The town numbers 40,000 inhabitants*, la città conta 40 000 abitanti **3** ammontare a; essere (*di numero*); arrivare a (*un numero*): *Check-ups n. in the hundreds*, vi sono centinaia di controlli medici **4** (*ind. tess.*) titolare ● (*mil.*) **to n. off**, dire a voce alta il proprio numero di matricola (*in una formazione*) □ (*slang eufem. USA*) **to n. one**, fare la pipì □ (*slang eufem. USA*) **to n. two**, fare la popò; fare la grossa (*pop.*).

numbered /'nʌmbəd/ a. numerato: (*banca*) **a n. account**, un conto numerato (*o* cifrato) ● (*fig.*) **His days are n.**, ha i giorni contati.

numbering /'nʌmbərɪŋ/ n. ▣ numerazione ● **n. machine**, numeratrice (*cinem.*); numeratore (*meccanismo per numerare*).

numberless /'nʌmbələs/ a. senza numero; innumerevole.

numberplate /'nʌmbəpleɪt/ n. (*autom.*) targa.

numbfish /'nʌmfɪʃ/ n. (*zool.*, *Torpedo*) torpedine.

numbing drug /'nʌmɪŋdrʌg/ loc. n. (*med.*, *vet.*) forte anestetico.

numbness /'nʌmnəs/ n. ⓤ **1** intorpidimento, torpore, insensibilità (*di una parte del corpo*) **2** (*fig.*) intontimento; stordimento; torpore.

numbskull /'nʌmskʌl/ → **numskull**.

numerable /'njuːmərəbl/, *USA* 'nuː-/ a. numerabile; che si può contare ‖ **numerability** ⓤ (*raro*) numerabilità.

numeracy /'njuːmərəsɪ/, *USA* 'nuː-/ n. ⓤ preparazione matematica; capacità di far di conto.

numeraire /njuːmə'reə(r)/, *USA* nuː-/ (*franc.*) n. (*econ.*, *fin.*) numerario.

numeral /'njuːmərəl/, *USA* 'nuː-/ (*mat.*, *gramm.*) **A** a. numerale **B** n. numero; cifra: *Roman numerals*, numeri romani; *Arabic numerals*, cifre arabe.

numerary /'njuːmərərɪ/, *USA* 'nuː-/ a. (*lett.*) numerario (*raro*); relativo ai numeri.

numerate /'njuːmərət/ a. che ha una buona preparazione matematica.

to **numerate** /'njuːməreɪt, *USA* 'nuː-/ v. t. (*raro*) numerare; enumerare; contare.

numeration /njuːmə'reɪʃn, *USA* nuː-/ n. ⓤⓒ numerazione.

numerator /'njuːməreɪtə(r), *USA* 'nuː-/ n. (*mat.*) numeratore.

numerical, numeric /nju:'mɛrɪk(l), *USA* nuː-/ a. numerico: **n. symbols**, simboli numerici; **the n. superiority of the enemy**, la superiorità numerica del nemico ● (*comput.*, *stat.*) **n. analysis**, analisi numerica □ (*comput.*) **numeric field**, campo numerico □ **numeric filing**, archiviazione numerica □ (*comput.*) **numeric keypad**, tastierino numerico | **-ly** avv.

numerics /njuː'mɛrɪks, *USA* nuː-/ n. pl. caratteri numerici; cifre.

numerology /njuːmə'rɒlədʒɪ, *USA* nuː-/ n. ⓤ numerologia: *Dante's n.*, la numerologia dantesca ‖ **numerological** a. numerologico ‖ **numerologist** n. numerologo.

numerosity /njuːmə'rɒsətɪ/ n. ⓤ = **numerousness** → **numerous**.

♦**numerous** /'njuːmərəs, *USA* 'nuː-/ a. **1** numerosi; molti: **n. changes**, numerosi cambiamenti; **n. people**, numerose persone; molta gente **2** numeroso; grande: **a n. family**, una famiglia numerosa ‖ **numerously** avv. numerosamente; in gran numero ‖ **numerousness** n. ⓤ numerosità.

numinous /'njuːmɪnəs, *USA* 'nuː-/ a. (*relig. o lett.*) **1** divino; spirituale; mistico **2** magico; misterioso; pauroso ‖ **numinousness** n. ⓤ numinosità.

numismatic /njuːmɪz'mætɪk, *USA* nuː-/ a. numismatico.

numismatics /njuːmɪz'mætɪks, *USA* nuː-/ n. pl. (*col verbo al sing.*) numismatica ‖ **numismatist** n. numismatico.

numismatology /njuːmɪzmə'tɒlədʒɪ, *USA* nuː-/ n. ⓤ numismatica.

nummulite /'nʌmjʊlaɪt/ (*paleont.*) n. nummulite.

numpty /'nʌmptɪ/ n. (*fam. GB*) idiota; scemo.

numskull /'nʌmskʌl/ n. (*fam.*, *antiq.*) stupido; testone, zuccone (*fig. fam.*).

nun /nʌn/ n. **1** suora; monaca **2** (*zool.*) → **smew 3** (*zool.*; *dial. ingl.*) → **bluetit 4** (*zool.*) piccione domestico con un ciuffo bianco in testa ● **nun's cloth** (*o* **veiling**), stoffa fine per veli o vestiti da donna.

nun-buoy /'nʌnbɔɪ/ n. (*naut.*) boa a due coni.

nunciature /'nʌnʃətjʊə(r)/ n. ⓒⓤ (*relig.*) nunziatura.

nuncio /'nʌnʃɪəʊ/ n. (pl. **nuncios**) (*relig.*) nunzio (*apostolico*, *pontificio*).

nuncupative /'nʌnkjʊpeɪtɪv/ a. (*leg.*: *di testamento*) nuncupativo ‖ **nuncupation** n. nuncupazione.

nunlike /'nʌnlaɪk/ a. monacale; di (*o* da) suora.

nunnery /'nʌnərɪ/ n. (*lett.*) convento, monastero (*di suore*): '*Get thee to a n., go; farewell*' W. SHAKESPEARE, 'vattene in convento, su!; addio!'.

nuphar /'njuːfɑː(r)/ n. (*bot.*, *Nuphar luteum*) nenufaro; ninfea gialla.

nuptial /'nʌpʃl/ a. nuziale ● (*zool.*) n. **flight**, volo nuziale (*dell'ape regina*).

nuptials /'nʌpʃlz/ n. pl. (*form.*) nozze; sposalizio.

nuragh /nuː'rɑːgeɪ/ (*archit.*) n. (pl. **nuraghi**) nuraghe ‖ **nuraghic** a. nuragico.

nurd /nɜːd/ → **nerd**.

♦**nurse** ① /nɜːs/ n. **1** (*di solito* **wet n.**) balia; nutrice **2** (= **dry n.**) bambinaia; balia asciutta **3** infermiera, infermiere: **a Red Cross n.**, un infermiere della Croce Rossa; una crocerossina **4** (*zool.*) ape (*o* formica) operaia (*che ha cura delle larve*) **5** (*agric.*, = **n. tree**) albero piantato a protezione d'altri alberi ● **n.'s aid**, portantino (*d'ospedale*) □ **n.-child**, bambino a balia; figlio di latte □ (*zool.*) **n. frog**, (*Alytes obstetricans*) alite ostetrico □ (*zool.*) **n. shark** → **nurse**② □ **male n.**, infermiere □ (*un tempo*) **to put a child (out) to n.**, dare (*o* mettere) un bambino a balia □ **student n.**, allievo infermiere.

nurse ② /nɜːs/ n. (*zool.*, *di solito* **n. shark**) **1** (*Somniosus microcephalus*) squalo della Groenlandia **2** (*Ginglymostoma cirratum*) squalo nutrice **3** *Carcharias arenarius*.

to **nurse** /nɜːs/ **A** v. t. **1** allattare; nutrire al seno; (*fig.*) nutrire, covare, alimentare: **to n. a baby**, allattare un bambino; **to n. feelings of hatred**, nutrire sentimenti d'odio; **to n. one's anger**, covare l'ira **2** badare a, aver cura di (*bambini*) **3** far da infermiere (*o* infermiera) a (q.); curare, assistere (*un malato*, *un vecchio*) **4** curare; aver cura di; portar riguardo a: **to n. seedlings**, aver cura di pianticelle giovani; **to n. one's injured leg**, portar riguardo a una gamba ferita **5** accarezzare; coccolare; stringersi al seno: **to n. a child**, stringersi al seno un bambino; **to n. one's pet dog**, coccolare il cagnolino prediletto **6** coltivare: **to n. the fine arts**, coltivare le belle arti **7** (*polit.*) coltivare, curare (*il proprio collegio elettorale*) **8** trattare bene, non sforzare (*l'automobile e sim.*) **9** (*sport*) allevare (*giocatori*) **B** v. i. **1** (*di bambino*) poppare **2** allattare un bambino **3** fare l'infermiere (*o* l'infermiera) ● **to n. a business**, occuparsi di un'azienda nel modo dovuto □ **to n. a cold**, curarsi un raffreddore □ (*fig.*) **to n. the fire**, starsene seduti vicino al fuoco □ (*comm.*) **to n. stocks**, tenere scorte in attesa di un rialzo dei prezzi □ (*fig.*) **to n. one's wounds**, leccarsi le ferite (*dopo una sconfitta*) □ **to be nursed in luxury**, essere allevato nel lusso.

nursehound /'nɜːshaʊnd/ n. (*zool.*, *Scyliorhinus canicula*) gattuccio; palombetto; cagnola (*region.*).

nurseling /'nɜːslɪŋ/ n. **1** lattante; poppante **2** (*fig.*) beniamino; prediletto.

nursemaid /'nɜːsmeɪd/ n. bambinaia.

nursery /'nɜːsərɪ/ n. **1** asilo nido; asilo infantile; nido d'infanzia; *Little Harry is going to n. now*, il piccolo Harry va all'asilo nido **2** vivaio (*anche fig.*); semenzaio; serra; (*fig.*) culla: **a fish n.**, un vivaio di pesci; *Italy, the n. of art*, l'Italia, (la) culla dell'arte **3** (*sport*)

vivaio (*di calciatori, ecc.*) **4** (*arc.*) camera dei bambini ● (*ecol.*) n. **area**, zona di riproduzione (*di pesci, cetacei, ecc.*) □ **n. garden**, vivaio (*di piante*) □ **n. governess** (*o* **n. maid**), governante; bambinaia □ **n. rhyme**, poesiola per bambini; filastrocca □ **n. school**, asilo infantile; nido d'infanzia; scuola materna □ (*sci*) **n. slope**, pista per principianti; campetto (*fam.*) □ (*ipp.*) **n. stakes**, le corse dei «due anni» □ **n. tale**, fiaba; favola.

nurseryman /'nɜːsrɪmən/ n. (pl. **nurserymen**) vivaista; arboricoltore.

nursing /'nɜːsɪŋ/ n. ⓤ **1** allattamento al seno **2** (*med.*) assistenza infermieristica; nursing **3** professione d'infermiere (*o* d'infermiera): **to study n.**, studiare da infermiere (*o* infermiera) ● **n. bottle**, poppatoio □ (*biblico*) **n. father**, padre adottivo □ **n. home**, casa di cura; clinica privata; casa di salute; casa di riposo (*per anziani*); (*spesso*) convalescenziario □ **n. mother**, madre che allatta il figlio al seno; (*biblico*) madre adottiva ● **n. service**, servizio d'assistenza infermieristica □ **n. sister**, infermiera diplomata.

nursling /'nɜːslɪŋ/ → **nurseling**.

nurture /'nɜːtʃə(r)/ n. (*form.*) **1** allevamento; educazione **2** nutrimento; alimento.

to **nurture** /'nɜːtʃə(r)/ v. t. (*form.*) **1** allevare; educare **2** nutrire; alimentare **3** (*fig.*) coltivare (*speranze*); covare (*odio, ecc.*) **4** (*sport*) allevare (*giocatori*).

♦**nut** /nʌt/ n. **1** (*bot.*, *scient.*) achenio **2** (*bot.*) (usato come termine generico in alcuni composti:) **walnut**, noce; **hazelnut**, nocciola; **peanut**, nocciolina americana; **cashew (nut)**, noce di acagiù; **Brazil nut**, noce del Brasile **3** (*mecc.*) dado **4** (*slang*) testa, zucca; (*fig.*) cervello: *Use your nut!*, adopera la testa!; usa il cervello!; **to be off one's nut**, essere matto; essere fuori di testa; mancare d'una rotella **5** (*naut.*) mazza (*dell'ancora*) **6** (*mus.*: *di violino*) capotasto **7** (*slang*) matto; eccentrico; squinternato **8** (*slang*) fanatico, patito (*di q. o qc.*) **9** (pl.) piccoli pezzi di carbone **10** (pl.) (*volg.*) palle; coglioni (*volg.*); zebedei (*pop.*) ● **nuts and bolts**, (*mecc.*) dadi e bulloni, bulloneria □ (*fig. fam.*) dettagli tecnici, rudimenti: **the nuts and bolts of cooking**, i rudimenti dell'arte culinaria □ **nuts-and-bolts** (agg.), fondamentale; essenziale; pratico □ **nut-brown**, (color) nocciola □ **nut butter**, burro di noci □ (*bot.*) **nut-gall**, galla nuciforme; galla di quercia □ **nut-hook**, bacchio per le noci □ **nut oil**, olio di noci □ (*bot.*) **nut palm**, *Cycas media* □ (*mecc.*) **nut screw**, madrevite □ (*bot.*) **nut tree**, noce; (*anche*) nocciòlo, avellano □ (*zool.*) **nut weevil** (*Balaninus nucum*), balanino □ **nut wrench**, serradadi □ (*slang*) **to do one's nut**, arrabbiarsi; incavolarsi; essere incavolato (*pop.*) □ (*slang*) **to go off one's nut**, andare giù di testa; impazzire □ (*slang*) **He can't play bridge for nuts**, non sa neanche da che parte si comincia a giocare a bridge.

to **nut** /nʌt/ **A** v. i. (*di solito* **to go nutting**) raccoglier noci **B** v. t. (*slang*) dare una testata a (q.) ● (*fig. slang USA*) **to nut up**, dare i numeri (*fam.*).

nutant /'njuːtənt, *USA* 'nuː-/ a. nutante (*bot.*); oscillante.

nutation /njuː'teɪʃn, *USA* nuː-/ (*astron.*, *bot.*, *mecc.*) n. nutazione ‖ **nutational** a. nutazionale.

nutball /'nʌtbɔːl/ n. (*slang USA*) eccentrico; pazzoide; svitato; scentrato.

nutcase /'nʌtkeɪs/ → **nutball**.

nutcracker /'nʌtkrækə(r)/ n. **1** (di solito pl.) schiaccianoci **2** (*zool.*, *Nucifraga caryocatactes*) nocciolaia.

nuthatch, nut hatch /'nʌthætʃ/ n. (*zool.*, *Sitta europaea*) picchio muratore.

nuthouse /'nʌthaʊs/ n. (*slang*) manicomio.

a b c d e f g h i j k l m n o p q r s t u v w x y z

nutmeg /'nʌtmeg/ n. **1** Ⓤ noce moscata (la spezia) **2** (= **n. apple**) noce moscata (il frutto) **3** (bot., Myristica fragrans; = **n. tree**) noce moscata **4** (sport: calcio) tunnel ● **n. grater**, grattugia per la noce moscata □ (med.) **n. liver**, fegato a noce moscata; atrofia cianotica del fegato.

to **nutmeg** /'nʌtmeg/ v. t. (slang; sport: calcio) fare il tunnel a (un avversario).

nutraceutical /ˌnjuːtrə'sjuːtɪkl, USA nuː-/ (farm., contraz. di **nutritious** e **pharmaceutical**) Ⓐ n. **1** integratore contenente sostanze naturali; nutraceutico **2** (alim.) alimento funzionale Ⓑ a. attr. nutraceutico.

nutria /'njuːtrɪə, USA 'nuː-/ n. **1** (zool., Myocastor coypus) nutria; castorino **2** ⓤⒸ (moda) castorino; pelliccia di nutria.

nutrient /'njuːtrɪənt, USA 'nuː-/ Ⓐ a. nutriente; nutritivo; nutritizio Ⓑ n. nutriente; sostanza nutriente.

nutriment /'njuːtrɪmənt, USA 'nuː-/ n. **1** Ⓤ (form.) nutrimento (anche fig.) **2** nutriente; sostanza nutritiva.

nutrition /njuː'trɪʃn, USA nuː-/ n. Ⓤ **1** nutrizione; alimentazione: **the science of n.** (o **n. science**), la scienza dell'alimentazione **2** nutrimento; alimento ● (su un prodotto alimentare confezionato) **n. facts**, valori nutrizionali ‖ **nutritional** a. nutrizionale; relativo alla nutrizione: **nutritional sciences**, scienza dell'alimentazione.

nutritionist /njuː'trɪʃənɪst, USA nuː-/ n. nutrizionista.

nutritious /njuː'trɪʃəs, USA nuː-/ a. nutritivo; nutriente | **-ly** avv.

nutritiousness /njuː'trɪʃəsnəs, USA nuː-/ n. Ⓤ l'essere nutritivo; potere nutritivo.

nutritive /'njuːtrɪtɪv, USA 'nuː-/ Ⓐ a. **1** nutritivo; nutriente **2** alimentare Ⓑ n. alimento nutriente.

nuts /nʌts/ Ⓐ a. (slang) **1** matto, pazzo; suonato, svitato (pop.): The boy is n.!, quel ragazzo è svitato! **2** (fig.) matto, pazzo; fanatico; patito (fig.): She is n. about (o on, over) country music, va matta (o pazza) per il country Ⓑ inter. (pop.) al diavolo!; in malora!: N. to you and your boss!, (andate) al diavolo tu e il tuo padrone! ● (slang) **to be dead n. on st.**, andare pazzo per qc.: They are all dead n. on abstract painting, vanno tutti pazzi per la pittura astratta □ (slang) **to drive sb. n.**, fare impazzire (o ammattire) q. □ **to go n.**, andare giù di testa; dare di matto; ammattire; impazzire.

nutshell /'nʌtʃel/ n. (anche fig.) guscio di noce ● (fig.) **in a n.**, in poche parole; brevemente; insomma.

nutter /'nʌtə(r)/ n. (slang) matto; pazzo; svitato (fam.).

nutty /'nʌtɪ/ a. **1** ricco di noci; che dà molte noci **2** che sa di noce: **a n. taste**, un gusto di noce **3** (di dolce, ecc.) alle noci: **a n. cake**, una torta alle noci **4** (slang) matto; pazzo **5** (slang) fanatico; entusiasta; che non ci vede (per qc.) **6** (slang) cotto, innamorato pazzo (di q.): He's really n. about Jill, è proprio cotto di Jill ● (slang) **to be n. on st.**, andar matto (o pazzo) per qc.

nux vomica /'nʌks'vɒmɪkə/ (lat.) n. (inv. al pl.) **1** (bot., Strychnos nux-vomica) noce vomica **2** (med.) noce vomica.

to **nuzzle** /'nʌzl/ Ⓐ v. t. **1** premere, strofinare il muso contro (qc.): The horse nuzzled the snow, il cavallo strofinò il muso contro la neve **2** (del porco, ecc.) scavare col grifo Ⓑ v. i. **1** (di cane, ecc.) annusare; fiutare **2** (di porco) grufolare **3** accoccolarsi; rannicchiarsi ● **to n. one's face into a cushion**, affondare la faccia in un cuscino □ **to n. oneself**, accoccolarsi; rannicchiarsi.

NV abbr. (USA, **Nevada**) Nevada.

nvCJD sigla → **vCJD**.

NVQ sigla (GB, **National Vocational Qualification**) Attestato d'istruzione professio-nale.

NW sigla **1** (**north-west**) nord-ovest (NO) **2** (**north-western**) nordoccidentale.

NY sigla (anche N.Y.) (**New York**) New York (città e stato USA).

Nyasa /naɪ'æsə/ n. (geogr., = **lake N.**) (lago) Niassa.

Nyasaland /naɪ'æsəlænd/ n. (geogr., stor.) Niassa (lo Stato, ora Malawi).

NYC sigla (USA, **New York City**) (la) città di New York.

nyctalopia /ˌnɪktə'ləʊpɪə/ n. Ⓤ nictalopia.

nyctophobia /ˌnɪktə'fəʊbɪə/ n. Ⓤ (med.) nictofobia.

nylon /'naɪlɒn/ n. **1** Ⓤ (ind. tess.) nylon, nailon: **n. stockings**, calze di nailon **2** (pl.) (fam.) calze di nailon; indumenti di nailon.

nymph /nɪmf/ n. **1** (mitol.) ninfa **2** (fig.) ninfa (lett.); fanciulla **3** (zool.) ninfa ‖ **nymphal** a. **1** (mitol., anche **nymphean**, **nymphish**, **nymphlike**) ninfale; di ninfa; delle ninfe **2** (zool.) ninfale.

nympha /'nɪmfə/ n. (pl. **nymphae**) (anat.) ninfa.

nymphaea /nɪm'fiːə/ n. (bot.) ninfea.

nymphaeum /nɪm'fiːəm/ n. (pl. **nymphaea**) (archeol.) ninfeo.

nymphet /nɪm'fɛt/ n. (anche fig.) ninfetta.

nympho /'nɪmfəʊ/ n. (pl. **nymphos**) (slang) ninfomane.

nymphomania /ˌnɪmfə'meɪnɪə/ (psic.) n. Ⓤ ninfomania ‖ **nymphomaniac** Ⓐ n. ninfomane Ⓑ a. della (o relativo alla) ninfomania.

NYSE sigla (USA, **New York Stock Exchange**) Borsa di New York.

nystagmus /nɪ'stægməs/ n. Ⓤ (med.) nistagmo.

nystatin /'nɪstətɪn/ n. Ⓤ (chim., farm.) nistatina.

NZ sigla (**New Zealand**) Nuova Zelanda.

o, O

O ①, **o** /əʊ/ n. (pl. **O's**, **o's**; **Os**, **os**; **Oes**, **oes**) **1** O, o (*quindicesima lettera dell'alfabeto ingl.*): *'Their eyes might strain / And stretch themselves to Oes'* R. BROWNING, 'i loro occhi potevano sforzarsi e tendersi fino a diventare delle 'o' **2** zero (*nelle date o compitando numeri telefonici*) ● **o for Oscar**, o come Otranto.

O ② sigla **1** (*o* **O.**) (**ocean**) oceano **2** (*USA*, **Ohio**) Ohio.

o. abbr. **1** (**old**) vecchio **2** (**only**) soltanto **3** (**order**) ordine.

o /əʊ/ **A** inter. → **oh B** vocat. (*lett.*) o: *'O Earth O Earth return! / Arise from out the dewy grass;'* W. BLAKE, 'O Terra, O Terra, ritorna! / Sorgi dall'erba fresca di rugiada'.

o' /ə/ abbr. di **of**.

O' /əʊ/ pref. (*in taluni cognomi irl., per es. in:*) **O' Connor** (*significa figlio di Connor*).

oaf /əʊf/ n. (pl. **oafs**, *raro* **oaves**) **1** balordo; gonzo **2** tanghero; zotico.

oafish /'əʊfɪʃ/ a. **1** balordo; stupido **2** rozzo; tanghero; zotico | **-ly** avv. | **-ness** n. Ⓤ.

♦**oak** /əʊk/ n. **1** (*bot.*, *Quercus*: pl. **oaks**, **oak**) quercia: **an oak table**, un tavolo di quercia **2** Ⓤ (legno di quercia **3** (collett.) mobili di quercia **4** Ⓤ fronde di quercia **5** color marrone (*come le foglie della quercia*) **6** (*gergo universitario*) porta esterna dell'alloggio degli studenti: (*antiq.*) **to sport one's oak**, tenere la porta esterna chiusa per evitare visite ● (*sport*) **the Oaks**, corsa per puledre di tre anni (*a Epsom*) □ **oak apple**, galla di quercia □ (*stor.*) **Oak-apple Day**, festa commemorativa della restaurazione degli Stuart (*Carlo II, 29 maggio 1660*) □ **oak bark**, corteccia di quercia □ **oak gall**, galla di quercia □ (*bot.*) **oak moss**, muschio quercino □ (*zool.*) **oak moth**, tortrice della quercia (*insetto*) □ (*bot.*) **oak sapling**, querciolo □ **oak wood**, querceto; (*anche*) legno quercino, legno di quercia.

oaken /'əʊkən/ a. di quercia; di legno di quercia; quercino.

oakum /'əʊkəm/ n. stoppa ● (*naut.*) **caulking o.**, stoppa da calafato.

O&M sigla (*ind.*, **organization and methods**) organizzazione e metodi (OM).

OAP sigla (*GB*, **old-age pensioner**) titolare di pensione di vecchiaia; pensionato.

OAPEC /'əʊpɛk/ sigla (**Organization of Arab Petroleum Exporting Countries**) Organizzazione dei paesi arabi esportatori di petrolio.

oar /ɔː(r)/ n. (*naut.*) **1** remo **2** (spec. al pl.) rematore ● **oar blade**, pala di remo □ **oar handgrip**, impugnatura di remo □ (*anche fig.*) **to pull in one's oars**, tirare i remi in barca; (*fig.*) darsi per vinto □ **to pull a good oar**, essere un buon rematore □ **to pull hard on one's oars**, vogare a tutta forza □ (*fam.*) **to put** (*o* **to stick** *o* **to shove**) **one's oar in**, intromettersi, immischiarsi; mettere il becco (*fig.*); interloquire □ **to rest on one's oars**, smettere di remare; (*fig.*) prendersi un po' di riposo □ **to toss oars**, alzare i remi (*in segno di saluto*) □ (*naut.*) **Out oars!**, arma remi!

to **oar** /ɔː(r)/ v. i. (*naut.*) andare a remi; remare; vogare ● **to oar one's way across a river**, attraversare un fiume in una barca a remi.

oared /ɔːd/ a. (*naut.*) munito di remi; a remi ● (*d'imbarcazione*) **two-o.**, a due remi.

oarfish /'ɔːfɪʃ/ n. (pl. **oarfish**, **oarfishes**) (*zool.*, *Regalecus glesne*) regaleco; re delle aringhe.

oarlock /'ɔːlɒk/ n. (*naut.*, *USA*) scalmo (*cfr. ingl.* **rowlock**).

oarsman /'ɔːzmən/ n. (pl. **oarsmen**) rematore; vogatore; canottiere ‖ **oarsmanship** n. Ⓤ arte del remare; abilità di rematore.

oarstroke /'ɔːstrəʊk/ n. (*naut.*) colpo di remo.

oarswoman /'ɔːzwʊmən/ n. (pl. **oarswomen**) rematrice.

oarweed /'ɔːwiːd/ n. Ⓤ (*bot.*) alghe marine; fuco; laminaria.

OAS sigla (*USA*, **Organization of American States**) Organizzazione degli Stati americani.

oasis /əʊ'eɪsɪs/ n. (pl. **oases**) oasi (*anche fig.*).

oast /əʊst/ n. forno per essiccare i luppoli ● **o. house**, essiccatoio per il luppolo.

oat /əʊt/ n. **1** (di solito al pl.) (*bot.*, *Avena sativa*) avena **2** (*poet.*) avena (*lett.*); zampogna **3** (pl.) chicchi d'avena; avena (*come alimento o foraggio*) **4** (pl.) (*slang*) soddisfazione sessuale; gratificazione dei sensi ● (*fam. USA*) **to feel one's oats**, essere su di giri (*o* di morale); sentirsi in forma □ (*slang*) **to get one's oats**, trovare la soddisfazione dei sensi; trovare appagamento sessuale □ **to be off one's oats**, aver perso l'appetito □ (*fig.*) **to sow one's wild oats**, correre la cavallina; dar sfogo ai bollori giovanili □ (*bot.*) **wild oats** (*Avena fatua*), avena folle.

oatcake /'əʊtkeɪk/ n. (*spec. in Scozia*) biscotto azzimo di farina d'avena.

oaten /'əʊtn/ a. d'avena; di farina d'avena.

oater /'əʊtə(r)/ n. (*fam. USA*) film (*o* originale televisivo*) western (*dall'avena per i cavalli*).

oath /əʊθ/ n. **1** (*leg.*) giuramento: **to be on** (*o* **upon**, *o* **under**) **o.**, essere sotto giuramento; **to take** (*o* **to make**, **to swear**) **an o.**, fare un giuramento; prestare giuramento; giurare; **to break one's o.**, violare il (*o* venire meno al*) giuramento **2** imprecazione; bestemmia ● (*leg.*) **o. breaking**, violazione di giuramento □ **to put sb. on his o.**, far giurare q.

oatmeal /'əʊtmiːl/ n. Ⓤ **1** farina d'avena (*spec. per il porridge*) **2** (*USA*) → **porridge 3** color grigio giallastro.

obbligato /ɒblɪ'gɑːtəʊ/ (*ital.*), (*mus.*) **A** a. obbligato: **o. note**, nota obbligata **B** n. (pl. **obbligatos**, **obbligati**) parte obbligata.

obcordate /ɒb'kɔːdeɪt/ a. (*bot.*) obcordato.

obduction /ɒb'dʌkʃn/ n. Ⓤ (*med.*) obduzione; autopsia.

obduracy /'ɒbdjʊərəsɪ/ n. Ⓤ **1** durezza (*d'animo*); crudeltà **2** impenitenza (*raro*) caparbietà; ostinazione; testardaggine.

obdurate /'ɒbdjʊrət/ a. **1** duro (*d'animo*); crudele **2** impenitente; incallito (*fig.*) **3** caparbio; ostinato; testardo; inflessibile | **-ly** avv. | **-ness** n. Ⓤ.

OBE sigla (*titolo*, *GB*, **Officer of the Order of the British Empire**) Ufficiale dell'ordine dell'Impero britannico.

obedience /ə'biːdɪəns/ n. Ⓤ obbedienza; docilità; sottomissione ● **to act in o. to orders**, agire secondo gli ordini □ **to command o.**, saper farsi ubbidire.

obedient /ə'biːdɪənt/ a. obbediente, ubbidiente; docile; sottomesso ● (*in chiusa di lettera; molto formale o antiq.*) **Your o. servant**, Suo devotissimo | **-ly** avv.

obeisance /əʊ'beɪsns/ n. (*form.*) **1** inchino; riverenza **2** Ⓤ (atto di) omaggio: **to do** (*o* **to make**, **to pay**) **o. to sb.**, rendere omaggio a q.; fare atto di sottomissione a q.

obelisk /'ɒbəlɪsk/ n. **1** (*archit.*) obelisco **2** → **obelus 3** (*tipogr.*) croce latina.

obelus /'ɒbələs/ n. (pl. **obeli**) (*filol.*) obelo; obelisco.

obese /əʊ'biːs/ a. obeso; corpulento ‖ **obesity** n. Ⓤ obesità.

obesogenic /ˌɒbiːsə'dʒɛnɪk/ a. (*med.*, *fattore*) che tende a causare obesità; obesogeno.

♦to **obey** /əʊ'beɪ/ **A** v. t. **1** ubbidire a: **to o. the law**, ubbidire alla legge **2** eseguire; osservare; rispettare: *Soldiers must o. orders*, i soldati devono eseguire gli ordini **B** v. i. ubbidire ● **O. your common sense!**, lasciati guidare dal buonsenso!

to **obfuscate** /'ɒbfəskeɪt/ v. t. **1** offuscare; oscurare **2** (*fig.*) ottenebrare; confondere ‖ **obfuscation** n. Ⓤ **1** offuscamento **2** (*fig.*) ottenebramento; confusione mentale.

ob-gyn abbr. (*med.*, **obstetrics-gynaecology**) ostetricia e ginecologia.

obit /'ɒbɪt/ n. (*fam.*) → **obituary**, A.

obiter dictum /ˌɒbɪtə'dɪktəm/ (*lat.*) loc. n. **1** (*leg.*) dichiarazione incidentale (*del giudice, quando emette la sentenza; non vale come precedente giudiziale*) **2** (*fig.*) commento casuale.

obituary /ə'bɪtʃʊərɪ/ **A** n. articolo commemorativo di un defunto; necrologia; necrologio **B** a. attr. funebre; necrologico: **o. notices**, annunci funebri; necrologi ● (*giorn.*) **o. page**, pagina che contiene articoli commemorativi di personalità morte di recente; pagina dei necrologi ❶ FALSI AMICI ● **obituary** *non significa* obitorio ‖ **obituarist** n. necrologista.

♦**object** /'ɒbdʒɪkt/ **A** n. **1** oggetto; cosa; soggetto; argomento; materia: **glass objects**, oggetti di vetro; **to be an o. of contempt** [**of pity**], essere oggetto di disprezzo [di pietà]; **o. of study**, materia di studio **2** scopo; intento; fine; mira, obiettivo (*fig.*): *His only o. is to make money*, il suo solo scopo è far quattrini; **to succeed in one's o.**, riuscire nel proprio intento; **with the o. of**, con l'intento di **3** (*filos.*) oggetto **4** (*gramm.*) oggetto: **direct o.**, complemento oggetto (*o* diretto); **indirect o.**, complemento indiretto; **prepositional o.**, complemento indiretto retto da una preposizione **5** (*fam.*) persona (*o* cosa) ridicola; orrore (*fig.*): *What a disgusting o.!*, che orrore! **B** a. attr.

(*comput.*) a oggetti: **o. language**, linguaggio a oggetti; **o. technology**, tecnologia a oggetti ● (*biliardo*) **o. ball**, palla battuta; (*in Italia, anche*) pallino □ (*comput.*) **o. code**, codice oggetto □ (*scient.*) **o. finder**, vite micrometrica (*di microscopio*) □ (*ottica*) **o. glass** (*o* **o. lens**), obiettivo (*di telescopio, microscopio, ecc.*) □ **o. lesson**, dimostrazione (*o* lezione) pratica; esempio pratico □ (*comput.*) **o. oriented programming**, programmazione a oggetti □ (*scient.*) **o. plate**, vetrino □ (*psic.*) **o. relationship**, relazione oggettuale □ **o. staff**, livella da geometra □ **Money is no o.**, il prezzo non è un problema, i soldi non sono un problema.

to **object** /əb'dʒɛkt/ v. t. e i. **1** obiettare; opporre (*discutendo*): *He objected that the evidence was not clear*, obiettò che le prove non erano chiare; **to o. facts to a theory**, opporre fatti a una teoria **2** opporsi (a); disapprovare; protestare; non permettere; non tollerare: *I o. to your meddling*, disapprovo la tua ingerenza (*o* intromissione); *He always objected as a matter of principle*, protestava sempre per principio; *I o. to being treated like that*, non tollero d'esser trattato così **3** (*leg.*) opporsi; proporre un'eccezione; fare opposizione ● **if you do not o.**, se non hai niente in contrario; se non ti dispiace.

to **objectify** /ɒb'dʒɛktɪfaɪ/ v. t. **1** oggettivare; rendere concreto **2** considerare come un oggetto: **to o. women**, considerare le donne come oggetti ‖ **objectification** n. [u] **1** oggettivazione **2** il considerare (q.) come un oggetto.

◆**objection** /əb'dʒɛkʃn/ n. [c][u] **1** obiezione; opposizione; avversione; disapprovazione: **to raise an o.**, sollevare un'obiezione; *Is there) any o.?*, (ci sono) obiezioni? **2** difficoltà; inconveniente; ostacolo **3** (*leg.*) obiezione; eccezione; opposizione ● **to sustain an o.**, accogliere un'obiezione ● **to have o. to**, sentir avversione per, trovar da ridire su; non piacere (impers.): *I have no o. to working hard*, non mi dispiace affatto lavorar sodo □ **to take o. to**, disapprovare: *You always take o. to what I say*, disapprovi sempre quel che dico io □ **I have no o.**, non ho nulla in contrario.

objectionable /əb'dʒɛkʃənəbl/ a. **1** cui si può obiettare; eccepibile **2** deplorevole; riprovevole; detestabile; sgradevole; spiacevole | **-bly avv.**

◆**objective** /əb'dʒɛktɪv/ **A** a. (*filos., gramm., ecc.*) obiettivo; oggettivo: **an o. description**, una descrizione oggettiva; **o. case**, caso oggettivo (*accusativo*); **o. genitive**, genitivo oggettivo **B** n. **1** (*mil., ottica, ecc.*) obiettivo **2** (*gramm.*) caso oggettivo; accusativo ● (*mil.*) **o. point**, obiettivo | **-ly avv.** | **-ness n.** [u].

objectivism /əb'dʒɛktɪvɪzəm/ (*filos., arte, ecc.*) n. [u] oggettivismo ‖ **objectivist A** n. oggettivista **B** a. oggettivista; oggettivistico ‖ **objectivistic** a. oggettivistico.

objectivity /ɒbdʒɛk'tɪvətɪ/ n. [u] obiettività; oggettività.

objectless /'ɒbdʒɪktləs/ a. privo di obiettivo; senza scopo; inutile.

objector /əb'dʒɛktə(r)/ n. **1** obiettore; oppositore: **a conscientious o.**, un obiettore di coscienza **2** (*leg.*) chi propone un'eccezione.

objet d'art /'ɒbʒeɪ'dɑː(r)/ (*franc.*) loc. n. oggetto d'arte.

to **objurgate** /'ɒbdʒɜːgeɪt/ (*lett.*) v. t. obiurgare; riprendere aspramente; censurare ‖ **objurgation** n. obiurgazione; aspro rimprovero; rabbuffo ‖ **objurgatory** a. riprensivo (*lett.*); di rimprovero.

oblate① /'ɒbleɪt/ n. (*relig.*) oblato, oblata.

oblate② /'ɒbleɪt/ a. (*geom.: di sfera*) schiacciato ai poli.

oblation /əʊ'bleɪʃn/ (*anche relig.*) n. [u][c] oblazione; offerta ‖ **oblational**, **oblatory** a. oblatorio.

obligate /'ɒblɪgeɪt/ a. obbligato ● (*fam. USA*) **o. runner**, chi s'impone di fare jogging a rischio della salute; fanatico del jogging.

to **obligate** /'ɒblɪgeɪt/ v. t. (*spec. leg.*) obbligare.

◆**obligation** /ɒblɪ'geɪʃn/ n. **1** [c][u] obbligazione (*anche leg.*); obbligo; dovere; impegno: **to be under (an) o. to sb.**, avere un obbligo (*di riconoscenza*) verso q. **2** (*fin., rag.*) impegno di spesa; obbligazione; passività **3** (*leg., in Scozia*) obbligazione ● (*comm.*) **to meet one's obligations**, far fronte ai propri impegni □ **to put sb. under an o.**, rendere un servigio (*o* fare un favore) a q. ● **to repay an o.**, ricambiare un favore.

obligative /'ɒblɪgeɪtɪv/ a. obbligatorio.

obligator /'ɒblɪgeɪtə(r)/ n. **1** → **obligor 2** → **obliger**.

obligatory /ə'blɪgətrɪ/ a. obbligatorio | **-ily avv.** | **-iness n.** [u].

◆to **oblige** /ə'blaɪdʒ/ **A** v. t. **1** obbligare; costringere: **to feel obliged to do st.**, sentirsi in dovere di fare q.c. **2** (*form.*) fare un favore a; fare una cortesia a: *Please o. me by lending me fifty pounds*, fammi il favore di prestarmi cinquanta sterline **B** v. i. **1** essere compiacente (*o* servizievole); prestarsi gentilmente (*a fare qc.*): *When we need help, she's always happy to o.*, quando abbiamo bisogno, è sempre pronta ad aiutarci ● **to o. sb. with st.**, fare il piacere di dare (*o* di prestare) qc. a q.; favorire qc. a q. ● *Much obliged*, obbligato; molto riconoscente.

obligee /ɒblɪ'dʒiː/ n. (*leg.*) obbligatario; creditore.

obliger /ə'blaɪdʒə(r)/ n. chi obbliga; obbligante.

obliging /ə'blaɪdʒɪŋ/ a. cortese; compiacente; gentile; premuroso; servizievole | **-ly avv.** | **-ness n.** [u].

obligor /ɒblɪ'gɔː(r)/ n. (*leg.*) obbligato; debitore.

oblique /əʊ'bliːk/ **A** a. **1** obliquo; inclinato: **an o. line**, una linea obliqua; **an o. plane**, un piano inclinato **2** (*bot., zool.*) asimmetrico **3** (*gramm.*) indiretto: **o. case**, caso indiretto **4** (*fig.*) elusivo, evasivo; indiretto; subdolo: **o. charges**, accuse indirette; **o. manoeuvres**, manovre subdole **B** n. **1** (*la*) diagonale **2** (*gramm.*) caso indiretto **3** (*tipogr.*; = **o. stroke**) sbarretta (*o* barra) obliqua (/) | **-ly avv.** | **-ness n.** [u].

to **oblique** /əʊ'bliːk/ v. i. **1** inclinarsi **2** (*spec. mil.*) avanzare obliquamente (*o* diagonalmente); deviare; piegare.

obliquity /ə'blɪkwətɪ/ n. [u][c] **1** (*scient., tecn.*) obliquità **2** (*fig.*) elusività; evasività **3** discorso evasivo; evasività.

to **obliterate** /ə'blɪtəreɪt/ v. t. **1** obliterare; cancellare; annullare: **to o. a postage stamp**, obliterare un francobollo; **to o. the memory of sb.** (*o st.*), cancellare il ricordo di q. (*o qc.*) **2** cancellare (qc.) dalla faccia della terra; annientare; distruggere **3** (*med.*) asportare; rimuovere ‖ **obliteration** n. [u] **1** obliterazione (*anche med.*); cancellatura; annullamento **2** annientamento; distruzione.

obliterator /ə'blɪtəreɪtə(r)/ n. **1** (*anche tecn.*) obliteratore **2** (*tecn.*) macchina obliteratrice.

oblivion /ə'blɪvɪən/ n. [u] oblio; dimenticanza: **to fall** (*o* **to sink**) **into o.**, cadere nell'oblio.

oblivious /ə'blɪvɪəs/ a. dimentico; immemore ● **o. to danger**, ignaro del pericolo | **-ly avv.** | **-ness n.** [u].

oblong /'ɒblɒŋ/ **A** a. oblungo; bislungo **B**

n. (*geom.*) figura di forma oblunga; rettangolo che ha per base il lato maggiore ● **o. mesh**, tessuto a maglie rettangolari.

obloquy /'ɒbləkwɪ/ n. [u] (*form.*) **1** ingiuria; offesa (*verbale o scritta*); vituperazione (*raro*) **2** cattiva reputazione; infamia; onta; disonore.

obnoxious /əb'nɒkʃəs/ a. **1** disgustoso; sgradevole; odioso **2** riprovevole; biasimevole | **-ly avv.** | **-ness n.** [u].

to **obnubilate** /ɒb'njuːbɪleɪt/ v. t. (*lett.*) obnubilare.

oboe /'əʊbəʊ/ (*mus.*) n. oboe ‖ **oboist** n. oboista.

obol /'ɒbl/ → **obolus**.

obolus /'ɒbələs/ n. (pl. **oboli**) obolo (*antica moneta greca*).

obs. abbr. **1** (**observation**) osservazione **2** (**observatory**) osservatorio **3** (**obsolete**) obsoleto.

obscene /əb'siːn/ a. **1** osceno; impudico; sconcio; indecente; turpe **2** (*per estens.*) disgustoso; ripugnante; repulsivo; shoccante | **-ly avv.**

obscenity /əb'sɛnətɪ/ n. **1** [u] oscenità; impudicizia; sconcezza; indecenza; turpitudine **2** oscenità; atto (*o* discorso) osceno; parola turpe; cosa ripugnante.

obscurantism /ɒbskjʊə'ræntɪzəm/ n. [u] oscurantismo ‖ **obscurant**, **obscurantist A** a. oscurantistico **B** n. oscurantista.

obscuration /ɒbskjʊə'reɪʃn/ n. [u] **1** oscuramento **2** (*fig.*) offuscamento (*della mente, ecc.*) **3** (*astron.*) occultazione (*di un astro*).

obscure /əb'skjʊə(r)/ a. **1** oscuro (*anche fig.*); poco chiaro; indistinto; confuso; vago: **an o. explanation**, una spiegazione oscura (*o poco chiara*); **an o. figure**, una figura indistinta; **an o. scientist**, un oscuro scienziato **2** (*di linguaggio, ecc.*) astruso; incomprensibile **3** (*autom., mecc.*) inaccessibile: **o. parts**, parti inaccessibili (*del motore*) | **-ly avv.** | **-ness n.** [u].

to **obscure** /əb'skjʊə(r)/ v. t. **1** oscurare (*anche fig.*); offuscare; ottenebrare; eclissare: **to o. sb.'s glory**, oscurare la gloria di q. **2** nascondere in parte; far dimenticare: *His current success obscures his past failures*, il suo attuale successo fa dimenticare i suoi fallimenti passati **3** confondere; rendere più confuso (*o* più difficile): *His testimony obscured the issue*, la sua testimonianza servì solo a complicare le cose.

obscured /əb'skjʊəd/ a. oscurato; offuscato ● **o. glass**, vetro opaco □ (*meteor.*) **o. sky**, cielo invisibile.

obscurity /əb'skjʊərətɪ/ n. **1** [u] oscurità (*anche fig.*); tenebre **2** cosa (*o parola, ecc.*) oscura; astrusità.

obsecration /ɒbsɪ'kreɪʃn/ n. [u] implorazione; supplica.

obsequies /'ɒbsɪkwɪz/ n. pl. esequie; onoranze funebri ‖ **obsequial** a. delle esequie; funebre.

obsequious /əb'siːkwɪəs/ a. ossequioso; adulatorio; servile | **-ly avv.** | **-ness n.** [u].

observable /əb'zɜːvəbl/ a. **1** osservabile; visibile; palese **2** degno di nota; notevole; ragguardevole ‖ **observability** n. [u] osservabilità.

observance /əb'zɜːvəns/ n. **1** [u] osservanza; (*leg.*) rispetto: **the o. of speed laws**, l'osservanza (*o* il rispetto) delle norme sulla velocità consentita **2** (pl., *raro*) osservanze; usanze; riti **3** (*di un ordine religioso*) regola: **monastic observances**, regole di vita monastica **4** [u] (*raro*) osservazione; l'osservare **5** [u] (*sport*) rispetto delle regole del gioco ● **in o. of the law**, in ossequio alla legge.

observant /əb'zɜːvənt/ **A** a. **1** dotato di spirito d'osservazione; attento; perspicace:

o. spectators, spettatori attenti; **an o. pupil**, uno scolaro perspicace **2** che osserva (*prescrizioni, leggi, ecc.*); osservante; rispettoso; obbediente: **o. of the rules of etiquette**, rispettoso delle regole dell'etichetta **B** n. – (*relig.*) O., frate osservante; minore osservante.

♦**observation** /ˌɒbzə'veɪʃn/ n. **1** Ⓤ osservazione; studio; esame: **to keep sb. under o.**, tenere q. sotto (o in) osservazione; *Mary is under o. at the hospital*, Mary è sotto osservazione all'ospedale **2** osservazione; considerazione; riflessione; commento: *He made a few observations on the issue*, fece alcune osservazioni sulla questione **3** osservazione; rilevazione: **the o. of price trends**, la rilevazione dell'andamento dei prezzi **4** (*naut.*) punto nave; altezza (*di un astro*): **to take an o.**, fare il punto nave; prendere un'altezza ● (*mil.*) **o. aircraft**, aereo da ricognizione; ricognitore □ (*ferr.*) **o. car**, carrozza belvedere; carrozza panoramica □ (*mil.*) **o. post**, osservatorio □ (*astron.*) **o. station**, osservatorio □ **to escape o.**, passare inosservato.

observational /ˌɒbzə'veɪʃənl/ a. che si basa su (o che è frutto di) osservazioni ● **o. instrument**, strumento per osservazioni scientifiche.

observatory /əb'zɜːvətrɪ/ n. (*scient.*) osservatorio.

♦**to observe** /əb'zɜːv/ v. t. e i. **1** osservare; rispettare (*anche leg.*): **to o. the laws**, osservare le leggi; **to o. a clause**, rispettare una clausola **2** osservare; considerare; esaminare: **to o. natural phenomena**, osservare i fenomeni della natura **3** santificare; celebrare; osservare: **to o. Christmas**, celebrare il Natale **4** (*form.*) osservare; notare: **to o. sb.'s movements**, notare i movimenti di q. **5** osservare; fare osservazioni: *He observed that it was getting late*, osservò che si faceva tardi ● **to o. good manners**, rispettare il galateo; essere educato □ **to o. silence**, mantenere il silenzio; starsene zitto.

♦**observer** /əb'zɜːvə(r)/ n. **1** osservatore, osservatrice; spettatore, spettatrice; studioso, studiosa: **international o.**, osservatore internazionale; **a casual o.**, uno spettatore involontario **2** (*leg. e relig.*) osservante (*della legge, delle feste comandate*) **3** (*mil.*) osservatore; vedetta **4** (*aeron. mil.*) osservatore.

observing /əb'zɜːvɪŋ/ a. **1** dotato di spirito d'osservazione; osservatore; perspicace **2** (*relig. e leg.*) osservante.

to obsess /əb'sɛs/ **A** v. t. ossessionare; opprimere; tormentare; assillare **B** v. i. (*USA*) essere ossessionato (*da qc.*); non pensare ad altro (*che a qc.*).

obsessed /əb'sɛst/ a. ossessionato ● **an o. person**, un ossesso.

obsession /əb'sɛʃn/ n. Ⓤⓒ (*anche psic.*) ossessione.

obsessional /əb'sɛʃənl/ a. **1** (*psic.*) che soffre di ossessione **2** (*psic.*) ossessivo: **o. neurosis**, nevrosi ossessiva | **-ly** avv.

obsessive /əb'sɛsɪv/ **A** a. ossessivo **B** n. (*psic.*) fissato; maniaco ● (*psic.*) **O.-Compulsive Disorder**, Disturbo Ossessivo-Compulsivo ‖ **obsessively** avv. ossessivamente ‖ **obsessiveness** n. Ⓤ ossessività.

obsidian /əb'sɪdɪən/ n. Ⓤ (*geol.*) ossidiana.

obsidional /əb'sɪdɪənl/ a. (*stor.*) ossidionale (*lett.*); relativo a un assedio: **o. crown**, corona ossidionale.

to obsolesce /ˌɒbsə'lɛs/ v. i. (*di macchine, ecc.*) diventare obsoleto; invecchiare.

obsolescent /ˌɒbsə'lɛsnt/ a. **1** che sta cadendo in disuso; che sta diventando antiquato **2** (*ind.*) obsolescente ‖ **obsolescence** n. Ⓤ **1** (*ind.*) obsolescenza **2** il cadere in disuso; desuetudine; invecchiamento; obsolescenza.

obsolete /'ɒbsəliːt/ a. **1** desueto; antiquato; sorpassato; vieto; obsoleto: **o. words**, parole desuete; **o. guns**, cannoni antiquati; **o. customs**, viete costumanze; **o. equipment**, attrezzature obsolete **2** (*biol.: d'organo*) obsoleto; rudimentale ● (*comm.*) **o. prices**, prezzi scaduti (o non più validi) | **-ly** avv. | **-ness** n. Ⓤ.

obstacle /'ɒbstəkl/ n. **1** ostacolo; impedimento **2** (*equit.*) ostacolo ● (*mil., USA*) **o. course**, percorso di guerra □ (*sport*) **o. race**, corsa a ostacoli.

obstetric /ɒb'stɛtrɪk/, **obstetrical** /ɒb-'stɛtrɪkl/ a. (*med.*) ostetrico ● **o. ward**, reparto ostetricia | **-ally** avv.

obstetrician /ˌɒbstə'trɪʃn/ n. (*med.*) ostetrico.

obstetrics /ɒb'stɛtrɪks/ n. pl. (col verbo al sing.) (*med.*) ostetricia.

obstinacy /'ɒbstɪnəsɪ/ n. Ⓤ ostinatezza; ostinazione; caparbietà; testardaggine.

obstinate /'ɒbstɪnət/ a. ostinato; caparbio; cocciuto; testardo; accanito: **an o. fever**, una febbre ostinata (o persistente) | **-ly** avv.

obstreperous /əb'strɛpərəs/ a. (*form.*) **1** chiassoso; clamoroso; tumultuoso **2** turbolento; ribelle; indisciplinato | **-ly** avv. | **-ness** n. Ⓤ.

to obstruct /əb'strʌkt/ **A** v. t. **1** ostruire; occludere; chiudere; sbarrare **2** impedire; ostacolare; bloccare: **to o. traffic**, ostacolare (o bloccare) il traffico **3** intercettare: **to o. the light**, intercettare la luce **4** (*sport*) ostacolare; fare ostruzione a: **to o. an opponent**, ostacolare un avversario **B** v. i. **1** (*sport*) fare ostruzione **2** (*spec. polit.*) fare ostruzionismo ● **to o. the view**, ostruire la vista.

obstruction /əb'strʌkʃn/ n. **1** ostruzione; occlusione; sbarramento **2** (*anche naut.*) ostacolo; impedimento **3** (*polit.*) ostruzionismo **4** (*sport*) ostruzione; fallo d'ostruzione; (*anche*) ostruzionismo **5** (*med.*) ostruzione; occlusione **6** (*leg.*) blocco stradale ● (*naut.*) **o. beacon**, faro di pericolo □ (*leg.*) **o. of a police constable**, resistenza a un agente di polizia.

obstructionism /əb'strʌkʃənɪzm/ (*spec. polit. e sport*) n. Ⓤ ostruzionismo ‖ **obstructionist** **A** n. ostruzionista **B** a. attr. ostruzionistico.

obstructive /əb'strʌktɪv/ **A** a. **1** ostruttivo; che ostruisce; che tende a ostruire; (*med.*) occludente **2** che ostacola; che è d'intralcio **3** (*polit.*) ostruzionista; ostruzionistico **4** (*ling.*) ostruente **B** n. (*spec. polit.*) ostruzionista | **-ly** avv. | **-ness** n. Ⓤ.

♦**to obtain** /əb'teɪn/ **A** v. t. **1** ottenere; conseguire; raggiungere: **to o. a good position**, ottenere un buon posto; raggiungere una buona posizione **2** ottenere; procurarsi; riuscire ad avere: **to o. permission from one's employer**, riuscire ad avere il permesso del datore di lavoro **B** v. i. (*form.*) prevalere; prendere piede; affermarsi: *Gender discrimination still obtains in many countries*, in molti paesi la discriminazione sessuale è ancora una realtà.

obtainable /əb'teɪnəbl/ a. **1** ottenibile; conseguibile; raggiungibile **2** (*fin., market.: di un articolo*) procurabile; disponibile.

obtainment /əb'teɪnmənt/ n. Ⓤ ottenimento; conseguimento.

obtected /əb'tɛktɪd/ a. (*zool.*) obtecto; racchiuso in un involucro chitinoso.

to obtrude /əb'truːd/ **A** v. t. **1** spingere avanti (o fuori); protendere; sporgere **2** imporre: **to o. one's opinions upon others**, imporre agli altri le proprie opinioni **B** v. i. intrudersi (*lett.*); intromettersi; imporsi.

obtruder /əb'truːdə(r)/ n. intruso, intrusa; persona invadente.

obtrusion /əb'truːʒn/ n. Ⓤⓒ intrusione, intromissione; invadenza.

obtrusive /əb'truːsɪv/ a. **1** inframmettente; importuno; invadente **2** appariscente; che si fa notare; vistoso, chiassoso; assordante: **o. music**, musica assordante ● **o. colours**, tinte sgargianti ● **o. smells**, odori sgradevoli | **-ly** avv. | **-ness** n. Ⓤ.

to obtund /əb'tʌnd/ v. t. (*spec. med.*) ottundere (*i sensi, una facoltà*).

obtundent /əb'tʌndənt/ **A** a. ottundente **B** n. (*farm., med.*) sedativo.

to obturate /'ɒbtjʊəreɪt/ v. t. (*form.*) otturare.

obturation /ˌɒbtjʊə'reɪʃn/ n. Ⓤⓒ **1** (*med., mil., ecc.*) otturazione **2** (*med.*) occlusione (intestinale).

obturator /'ɒbtjʊəreɪtə(r)/ **A** n. **1** (*mil.*) otturatore (*spec. d'arma da fuoco*) **2** (*anat.*) muscolo otturatore **3** (*med.*) mandrino (*di ago o cannula*) **B** a. (*anat.*) otturatorio: **o. nerve**, nervo otturatorio.

obtuse /əb'tjuːs, *USA* -'tuːs/ a. **1** (*geom.*) ottuso; smussato; spuntato: **an o. angle**, un angolo ottuso **2** (*fig.*) ottuso; stolido; stupido ● (*geom.: di un triangolo*) **o.-angled**, ottusangolo ● **an o. pain**, un dolore sordo | **-ly** avv. | **-ness** n. Ⓤ.

obverse /'ɒbvɜːs/ **A** a. contrario; opposto **B** n. (*form.*) **1** contrario; inverso: **the o. of beauty**, il contrario della bellezza **2** (*logica*) proposizione inversa **3** (*di medaglia, moneta, ecc.*) diritto; recto, retto | **-ly** avv.

to obvert /ɒb'vɜːt/ (*logica*) v. t. invertire ‖ **obversion** n. Ⓤ inversione.

to obviate /'ɒbvɪeɪt/ v. t. ovviare a; risolvere; evitare; prevenire: **to o. a danger**, evitare un pericolo; **to o. a difficulty**, risolvere una difficoltà.

♦**obvious** /'ɒbvɪəs/ **A** a. ovvio; chiaro; evidente; manifesto: **for o. reasons**, per ovvi motivi **B** n. Ⓤ – **the o.**, l'ovvio; ciò che è ovvio: **to state the o.**, dire una cosa ovvia | **-ness** n. Ⓤ.

♦**obviously** /'ɒbvɪəslɪ/ avv. ovviamente; naturalmente; sicuramente: *Cost is o. an important consideration*, il costo è ovviamente un fattore importante.

OC① sigla (**oral contraceptive**) contraccettivo (o anticoncezionale) orale; (la) pillola (*fam.*).

OC② sigla (*mil.*, **officer commanding** (o **in charge**)) ufficiale in comando.

Oc. abbr. (**ocean**) oceano.

ocarina /ˌɒkə'riːnə/ (*ital.*) n. (*mus.*) ocarina ● **o. player**, suonatore d'ocarina; ocarinista.

♦**occasion** /ə'keɪʒn/ n. **1** Ⓒ occasione; circostanza; opportunità: **on the o. of our last meeting**, in occasione del nostro ultimo incontro **2** Ⓤ (*form.*) motivo; causa immediata (o diretta); ragione; causa: *There is no o. for alarm*, non c'è motivo d'allarmarsi; *The o. of the riots is obvious*, la causa immediata dei tumulti è evidente **3** (pl.) (*arc.*) affari; faccende ● **to give o. to**, dar occasione a; cagionare; provocare: *My words gave o. to a burst of laughter*, le mie parole provocarono uno scoppio di risa □ **if the o. demands**, se la circostanza lo richiede □ **on o.**, all'occasione; occasionalmente; saltuariamente; di quando in quando, talvolta □ **on the last o.**, l'ultima volta □ **on this festive o.**, in questa lieta occasione □ **on rare occasions**, qualche rara volta; raramente □ **to rise to the o.** (o to be equal to the o.), essere all'altezza della situazione □ **to take o. to do** [**to say**] **st.**, cogliere l'occasione per fare [per dire] qc.

to occasion /ə'keɪʒn/ v. t. (*form.*) dare occasione a; causare; esser causa di; provocare: **to o. a delay in the delivery of the goods**, causare un ritardo nella consegna

della merce.

◆**occasional** /ə'keɪʒənl/ a. **1** occasionale; accidentale; casuale: *This thing is quite o.*, questa cosa è del tutto accidentale **2** di circostanza; d'occasione; celebrativo: **o. poems**, poesie di circostanza **3** sporadico; saltuario: **o. meetings**, riunioni saltuarie ● **an o. licence**, una licenza per vendere alcolici solo in certe ore (*in GB*) □ **an o. table**, una tavola aggiunta per l'occasione (*di un banchetto, ecc.*) □ **I smoke an o. cigarette**, di tanto in tanto, fumo una sigaretta.

occasionalism /ə'keɪʒnəlɪzəm/ (*filos.*) n. ⓤ occasionalismo ‖ **occasionalist** n. seguace dell'occasionalismo.

◆**occasionally** /ə'keɪʒnəlɪ/ avv. saltuariamente; di quando in quando; di tanto in tanto.

Occident /'ɒksɪdənt/ n. **1** Occidente (*l'Europa occidentale; l'Europa e l'America; la civiltà occidentale*) **2** – (*poet.*) o., occidente; ponente; ovest.

occidental /ɒksɪ'dentl/ Ⓐ a. occidentale Ⓑ n. – O., occidentale ‖ **occidentalism** n. ⓤ occidentalismo ‖ **occidentalist** n. occidentalista.

to **occidentalize** /ɒksɪ'dentəlaɪz/ Ⓐ v. t. occidentalizzare; rendere occidentale (*nel carattere, nei costumi, ecc.*) Ⓑ v. i. occidentalizzarsi ‖ **occidentalization** n. ⓤ occidentalizzazione.

occiput /'ɒksɪpʌt/ (*anat.*) n. (pl. *occiputs*, *occipita*) **1** occipite **2** osso occipitale ‖ **occipital** Ⓐ a. occipitale: **occipital lobe**, lobo occipitale Ⓑ n. (= occipital bone) osso occipitale.

Occitan /'ɒksɪtən/ a. e n. (*ling.*) occitano.

to **occlude** /ə'kluːd/ v. t. **1** occludere; ostruire **2** (*chim.*) occludere (*per es., i gas: in un solido poroso*) **3** (*med.*) far chiudere bene (*le arcate dentarie*).

occlusion /ə'kluːʒn/ n. ⓤ **1** (*anche fis., med., fisiol., ling.*) occlusione **2** (*anat.*) occlusione dentale **3** (*chim.*) occlusione ‖ **occlusive** Ⓐ a. occlusivo Ⓑ n. (*ling.*) (consonante) occlusiva.

occlusor /ə'kluːsə(r)/ n. (*tecn., scient.*) chi (*o cosa che*) occlude.

occult /'ɒkʌlt, USA ə'kʌlt/ Ⓐ a. occulto (*anche scient.*); celato; nascosto; arcano; segreto: **the o. sciences**, le scienze occulte Ⓑ n. ⓤ – **the o.**, l'occulto ‖ **-ly** avv.

to **occult** /ɒ'kʌlt, USA ə'kʌlt/ Ⓐ v. t. (*spec. astron.*) occultare; celare; nascondere (*alla vista*) Ⓑ v. i. (*raro*) occultarsi; celarsi; nascondersi ● (*naut.*) **occulting light**, luce intermittente (*di faro*).

occultation /ɒkəl'teɪʃn/ n. occultamento; occultazione (*astron.*) **the o. of a star**, l'occultazione d'una stella.

occultism /'ɒkʌltɪzəm, ə'kʌl-/ n. ⓤ occultismo ‖ **occultist** n. occultista.

occultness /'ɒkʌltnəs, ə'kʌl-/ n. ⓤ l'essere occulto (→ **occult**).

occupancy /'ɒkjʊpənsɪ/ n. (*spec. leg.*) **1** ⓤ occupazione, presa di possesso (*di una «res nullius»*) **2** ⓤⓒ conduzione, locazione (*di un immobile*).

occupant /'ɒkjʊpənt/ n. **1** (*spec. leg.*) occupante; locatario; affittuario **2** titolare (*di un posto, di un impiego*) ● **the occupants of the car**, gli occupanti dell'auto.

◆**occupation** /ɒkjʊ'peɪʃn/ n. **1** occupazione; impiego; lavoro; professione: '*A man should always have an o. of some kind*' O. WILDE, 'un uomo dovrebbe sempre avere una professione di qualche tipo' **2** ⓤ (*leg.*) occupazione, possesso effettivo **3** ⓤ (*leg.*) modo di acquisto (*di un immobile*) **4** ⓤ (*mil.*) occupazione (*di un territorio*) **5** ⓤ (*sindacalismo, ecc.*) occupazione (*di una fabbrica, di una scuola*) **6** (pl.) (*tur.*) presenze (*in albergo,*

ecc.) ● **o. bridge**, ponte privato □ (*mil.*) **o. forces**, forze d'occupazione □ (*stor.*) **o. franchise**, diritto al voto in qualità di affittuario □ **o. road**, strada privata □ (*fisc.*) **o. tax**, (*in GB*) tassa sulle occupazioni del suolo; (*in USA*) imposta sull'esercizio di una professione (*cfr. ital. I.C.I.A.P.*) □ (*mil.*) **o. troops**, truppe d'occupazione.

occupational /ɒkjʊ'peɪʃənl/ a. d'occupazione; professionale; occupazionale: (*econ., stat.*) **o. levels**, livelli d'occupazione; **o. disease**, malattia professionale (*o del lavoro*) ● **o. accidents**, infortuni sul lavoro □ (*ass.*) **o. hazard**, rischio professionale □ **o. medicine**, medicina del lavoro □ (*econ.*) **o. mobility**, mobilità occupazionale □ **o. pension**, pensione di lavoro □ **o. therapist**, ergoterapista □ **o. therapy**, terapia occupazionale; ergoterapia.

occupied /'ɒkjəpaɪd/ a. **1** occupato: *I found the toilet o.*, ho trovato la toilette occupata **2** (*mil.: di un paese*) occupato **3** occupato; impegnato (*in qc.*) **4** (*econ.*) occupato; che lavora ● **to be o.** (*o in*), essere occupato □ **to be too much occupied with one's worries**, dar troppo peso ai propri crucci.

occupier /'ɒkjʊpaɪə(r)/ n. **1** occupatore; occupante **2** (*leg.*) conduttore; locatario; affittuario **3** (*di un posto di lavoro*) titolare **4** (*mil.*) occupante.

◆to **occupy** /'ɒkjʊpaɪ/ v. t. occupare; impiegare; essere in (*o prendere*) possesso di; avere in affitto (*o in locazione*); ricoprire (*una carica, ecc.*); tenere, detenere (*un posto*); prendere (*un periodo di tempo*): **to o. a seat**, occupare un posto a sedere; **to o. an important position**, occupare (*o ricoprire*) un posto importante; (*mil.*) **to o. a territory**, occupare un territorio; *Will the workers o. the factory?*, gli operai occuperanno lo stabilimento?; **to o. one's time**, impiegare il proprio tempo; *He was occupied with checking the accounts*, era occupato a controllare i conti; *The visit to the factory occupied the whole morning*, la visita della fabbrica occupò tutta la mattina ● **to o. oneself with** (*o in*), occuparsi di.

◆to **occur** /ə'kɜː(r)/ v. i. **1** accadere; capitare; succedere: '*When did the tragedy o.?*' A. CHRISTIE, 'quando è successa la tragedia?' **2** (*impers.*) venire in mente; sovvenire (*lett.*): *It didn't o. to me to look behind the door*, non mi venne in mente di (*o non pensai a*) guardare dietro la porta **3** esserci; ricorrere; trovarsi: *Slight mistakes o. occasionally in the manuscript*, nel manoscritto vi sono, qua e là, lievi errori ❶ FALSI AMICI ● **to occur** non significa *occorrere nel senso di essere necessario*.

occurrence /ə'kʌrəns/ n. **1** ⓤ l'accadere; (il) verificarsi; comparsa; apparizione: **the frequent o. of sandstorms**, il frequente verificarsi di tempesta di sabbia **2** avvenimento; evento; fatto; fenomeno: **an unforeseen o.**, un avvenimento imprevisto; *Strikes had become a regular o.*, gli scioperi erano diventati un evento all'ordine del giorno **3** frequenza; occorrenza (*stat.*) ❶ FALSI AMICI ● **occurrence** non significa occorrenza nel senso di bisogno o necessità.

OCD sigla (*med.*, **obsessive-compulsive disorder**) disturbo ossessivo-compulsivo.

◆**ocean** /'əʊʃn/ (*geogr.*) Ⓐ n. **1** oceano (*anche fig.*); (una) gran distesa: **the Atlantic O.**, l'Oceano Atlantico; **an o. of grass**, un oceano d'erba **2** (pl.) (*fam., antiq.*) grande quantità; mare (*fig.*): **oceans of flowers**, un mare di fiori Ⓑ a. attr. oceanico (*geogr.*) **o. floor**, fondo oceanico (*naut.*) **o. lane**, rotta oceanica; **an o. voyage**, un viaggio oceanico ● **an o.-going ship**, una nave d'altura □ **o. highways**, rotte oceaniche principali □ **o. liner**, nave di linea transoceanica; transa-

tlantico □ **o. tramp**, nave da carico; nave rinfusiera; carretta (*fam.*).

oceanarium /əʊʃə'neərɪəm/ n. (pl. *oceanaria*, *oceanariums*) acquario (*con acqua di mare*).

oceanaut /'əʊʃənɔːt/ n. oceanauta; chi compie esplorazioni e ricerche marine.

Oceanian /əʊʃɪ'eɪnɪən/ a. e n. oceaniano; (abitante) dell'Oceania.

oceanic /əʊʃɪ'ænɪk/ a. oceanico.

Oceanid /əʊ'siːənɪd/ n. (pl. *Oceanids*, *Oceanides*) (*mitol.*) oceanina.

oceanography /əʊʃə'nɒgrəfɪ/ n. ⓤ oceanografia ‖ **oceanographer** n. oceanografo ‖ **oceanographic**, **oceanographical** a. oceanografico ‖ **oceanographically** avv. oceanograficamente.

Oceanus /əʊ'siːənəs/ n. (*mitol.*) Oceano.

ocellated, **ocellate** /əʊ'selət(ɪd)/ a. (*zool.*) **1** simile a un ocello **2** ocellato; provvisto d'ocelli **3** maculato; coperto di macchie a forma d'occhio.

ocellus /əʊ'seləs/ n. (pl. *ocelli*) **1** (*zool.*) ocello (*di insetti, ecc.*) **2** ocello; macchia a forma d'occhio (*del pavone, per es.*).

ocelot /'ɒsələt/ n. (*zool., Felis pardalis*) ocelot; gattopardo americano.

och /ɒx/ inter. (*scozz., irl.*) oh!; ah!

OCHA sigla (*polit.*, **Office of Coordination of Humanitarian Affairs**), Ufficio per il coordinamento degli affari umanitari (*fa parte dell'ONU*).

ocher /'əʊkə(r)/ e deriv. (*USA*) → **ochre**, e deriv.

ochlocracy /ɒ'klɒkrəsɪ/ (*polit.*) n. ⓤ oclocrazia; governo della plebe ‖ **ochlocrat** n. fautore dell'oclocrazia ‖ **ochlocratic** a. oclocratico.

ochlophobia /ɒklə'fəʊbɪə/ n. ⓤ (*psic.*) demofobia.

ochre /'əʊkə(r)/ Ⓐ n. ⓤ **1** (*miner.*) ocra **2** color ocra; color giallo scuro Ⓑ a. ocra: **an o. dress**, un vestito ocra ‖ **ochreous**, **ochrous**, **ochry** a. ocraceo; che contiene ocra; simile a ocra ● **ochreous sands**, sabbie ocracee ‖ **ochroid** a. (*chim.*) simile all'ocra.

Ocker /'ɒkə(r)/ (*slang Austral.*) Ⓐ n. australiano; australiano tipico Ⓑ a. attr. tipicamente australiano (*aggressivo e rozzo, ma anche allegro, intraprendente*).

◆**o'clock** /ə'klɒk/ avv. (*nelle indicazioni dell'ora piena*) – **five o'clock**, le (ore) cinque; **at ten o'clock**, alle dieci.

OCR sigla (*comput.*, **optical character recognition** (*o reader*)) riconoscimento (*o lettore*) ottico di caratteri.

Oct. abbr. (**October**) ottobre (ott.).

oct. abbr. (*di un libro*, **octavo**) (in) ottavo.

octad /'ɒktæd/ n. **1** (*mat.*) gruppo (*o serie*) di otto (*cose, oggetti*) **2** (*chim.*) elemento (*o radicale*) con valenza 8.

octagon /'ɒktəgən/ (*geom.*) n. ottagono ‖ **octagonal** a. ottagonale.

octahedrite /ɒktə'hiːdraɪt/ n. ⓤ (*miner.*) ottaedrite.

octahedron /ɒktə'hiːdrən/ (*geom., miner.*) n. (pl. *octahedrons*, *octahedra*) ottaedro ‖ **octahedral** a. ottaedrico.

octal /'ɒktl/ (*mat.*) Ⓐ a. ottale Ⓑ n. sistema ottale.

octameter /ɒk'tæmɪtə(r)/ n. (*poesia*) ottametro.

octane /'ɒkteɪn/ n. ⓤⓒ (*chim.*) ottano ● **o. number** (*o rating*), numero di ottano □ (*autom., chim.*) **a high-o. fuel**, un combustibile ad alto numero di ottano.

octangular /ɒk'tæŋgjʊlə(r)/ a. ottangolare; ottagonale.

octant /'ɒktənt/ n. (*geom., astron., naut.*) ottante.

octastyle /ˈɒktəstaɪl/ *a.* e *n.* (*archit.*, *archeol.*) (edificio) ottastilo.

octave /ˈɒktɪv/ *n.* **1** (*relig.*, *mus.*, *poesia*) ottava **2** gruppo (o serie) di otto (*cose, oggetti*) **3** (*scherma*) ottava **4** barile della capacità di 13 galloni e mezzo (*pari a 61 litri circa*) ● (*mus.*) **O. flute**, ottavino.

Octavian /ɒkˈteɪvɪən/ *n.* (*stor.*) Ottaviano.

octavo /ɒkˈteɪvəʊ/ **A** *n.* (pl. *octavos*) (*tipogr.*) volume in ottavo **B** *a. attr.* in ottavo.

octennial /ɒkˈtɛnɪəl/ *a.* che accade (o ricorre) ogni otto anni; ottenne (*raro*); che dura da otto anni.

octet, **octette** /ɒkˈtɛt/ *n.* **1** (*mus.*) ottetto **2** (*poesia*) ottava; (*spec.*) (i) primi otto versi d'un sonetto **3** (*fis.*, *chim.*) ottetto.

◆**October** /ɒkˈtəʊbə(r)/ **A** *n.* ᴜᴄ ottobre (*per gli esempi d'uso →* **April**) **B** *a. attr.* d'ottobre; ottobrino: **O. fruit**, frutta ottobrina.

Octobrist /ɒkˈtəʊbrɪst/ *n.* (*stor. russa*) ottobrista.

octocentenary /ɒktəʊsɛnˈtiːnərɪ/ *n.* ottocentesimo anniversario; ottocentenario (*raro*).

octodecimo /ɒktəʊˈdɛsɪməʊ/ **A** *n.* (pl. *octodecimos*) (*tipogr.*) volume in diciottesimo **B** *a. attr.* in diciottesimo.

octogenarian /ɒktədʒəˈnɛərɪən/ *a.* e *n.* ottuagenario; ottantenne.

octonary /ˈɒktənrɪ/ **A** *a.* **1** del numero otto; in serie di otto **2** (*poesia*) ottonario **B** *n.* **1** gruppo di otto **2** (*poesia*) ottonario.

octopod /ˈɒktəpɒd/ *n.* (*zool.*, pl. *octopods*, pl. *scient.* **Octopoda**) ottopode.

octopus /ˈɒktəpəs/ *n.* (pl. *octopuses*, *octopi* (*coll.*, *Octopus*) **1** polpo **2** piovra.

octoroon /ɒktəˈruːn/ *n.* figlio di un meticcio e d'una bianca (o viceversa); meticcio con un ottavo di sangue di etnia nera.

octosyllabic /ɒktəsɪˈlæbɪk/ *a.* e *n.* (*poesia*) (verso) ottonario.

octosyllable /ˈɒktəsɪləbl/ *n.* e *a.* **1** → **octosyllabic 2** (parola) di otto sillabe.

octothorp, **octothorpe** /ˈɒktəθɔːp/ *n.* (*USA*) simbolo #; cancelletto.

octroi /ˈɒktrwaː/ (*franc.*) *n.* (pl. *octrois*) **1** (*fisc.*) dazio di consumo **2** casello daziario.

octuple /ˈɒktjʊpl/ *a.* e *n.* (*mat.*) ottuplo.

to **octuple** /ˈɒktjʊpl/ *v. t.* ottuplicare; moltiplicare per otto.

octyl /ˈɒktəl/ **A** *n.* ᴜ (*chim.*) ottile **B** *a. attr.* (*chim.*) ottilico: **o. alcohol**, alcol ottilico; ottanolo.

ocular /ˈɒkjʊlə(r)/ **A** *a.* (*anat.*) dell'occhio; oculare **B** *n.* (*ottica*) oculare | **-ly** *avv.*

oculist /ˈɒkjʊlɪst/ *n.* (*med.*, *raro*) oculista.

oculomotor /ɒkjʊləʊˈməʊtə(r)/ *a.* (*anat.*, *med.*) oculomotore: **o. nerve**, nervo oculomotore; **o. paralysis**, paralisi oculomotoria.

O.D. *abbr.* **1** (**overdose**) overdose (*di droga*) **2** (*gergo ospedaliero*, **overdose**) paziente che ha preso un'overdose **3** (*mil.*, *USA*, **olive drab**) divisa militare (*verde oliva sporco; fino al 1959*).

to **O.D.** /əʊˈdiː/ *v. i.* (*fam.*) **1** farsi un'overdose: **to O.D. on heroin**, farsi un'overdose d'eroina **2** morire di un'overdose (*di droga*).

odalisque /ˈəʊdəlɪsk/ *n.* odalisca.

◆**odd** /ɒd/ **A** *a.* **1** (*anche scient.*) dispari: (*mat.*) **odd numbers**, numeri dispari; **odd months**, mesi dispari **2** scompagnato; spaiato: **You're wearing odd socks**, hai indosso calzini scompagnati; **an odd glove**, un guanto spaiato; **two odd volumes of the original 10-volume set**, due volumi scompagnati dei dieci che componevano l'opera **3** casuale; occasionale; saltuario: **odd jobs**, lavori occasionali (o saltuari) **4** strano, bizzarro; eccentrico; originale; stravagante: **He's a very odd person**, è un uomo assai bizzarro; è un bell'originale; non fa il paio con nessuno **5** (*sport*) in più; che fa la differenza: (*calcio*) **We won by the odd goal in five**, abbiamo vinto per un gol in più su cinque (*cioè, per 3 a 2*) **B** *a.* (posposto al sost.) e passa; e rotti; (in) più; oltre: **fifty thousand odd**, cinquantamila e passa (o e rotti); **He must be forty odd**, deve avere più di 40 anni; deve aver passato la quarantina; **forty odd pounds**, quaranta sterline e rotti; **forty odd years ago**, più di quarant'anni fa **C** *n.* (*golf*) **1** colpo in più del totale dell'avversario (*per fare una buca*) **2** (*raro*) handicap di un colpo (*per ogni buca*) ● **odd-and/or even**, pari e/o dispari (*il gioco*) □ (*fam.*) **odd bird**, tipo strambo; eccentrico □ **the odd change**, gli spiccioli, il resto: **keep the odd change!**, tenga il resto! □ (*comput.*) **odd-even check**, controllo pari-dispari □ (*fis.*) **odd-even nucleus**, nucleo dispari-pari □ (*sport*, *ecc.*) **the odd game**, lo spareggio; la bella (*fam.*) □ **odd-job man** (o **odd-jobber**) (uomo) tuttofare □ **odd-looking**, bizzarro, dall'aria strana; strano (*all'aspetto*) □ **odd lot**, (*market.*) lotto di rimanenza, lotto invenduto □ (*fin.*, *Borsa*) spezzatura (*di azioni*) □ **odd man out**, uomo il cui voto fa la differenza; chi fa traboccare la bilancia (*fig.*) □ **odd man out** (o **odd one out**), intruso, estraneo, isolato; chi non lega con gli altri; persona (o cosa) spaiata; pesce fuor d'acqua (*fig.*) □ (*fis.*) **odd-odd nucleus**, nucleo dispari-dispari □ (*market.*) **odd pricing**, prezzatura che invoglia all'acquisto (*per es., £4.99, quattro sterline e 99 penny*) □ (*market.*) **odd sizes**, misure (*d'abiti, di scarpe, ecc.*) poco richieste □ (*zool.*) **odd-toed ungulate**, animale dei perissodattili (*con uno o tre dita per piede*) □ **odd woman out**, intrusa, estranea, isolata; pesce fuor d'acqua (*fig.*) □ **to do odd jobs**, fare lavori occasionali; fare lavoretti □ **to do st. at odd moments**, fare qc. a tempo perso □ **to eat at odd times**, mangiare quando capita (o fuori pasto, fuori ora) □ **in some odd corner**, da qualche parte; chissà dove □ (*su un cartello stradale*) **on odd days only**, sosta permessa nei giorni dispari □ **There are 1,002; what shall we do with the odd two?**, ce ne sono 1002; che ne facciamo dei due (in più)? □ **How odd!**, che strano!

oddball /ˈɒdbɔːl/ *a.* e *n.* (*slang*) (tipo) stravagante, eccentrico, originale.

oddish /ˈɒdɪʃ/ *a.* piuttosto strano; alquanto bizzarro.

oddity /ˈɒdɪtɪ/ *n.* **1** ᴜ stranezza; bizzarria; eccentricità; originalità **2** persona (o cosa) strana; avvenimento strano, (una) stranezza; (un) originale; (uno) stravagante.

oddly /ˈɒdlɪ/ *avv.* stranamente; in modo strano: **to act o.**, agire in modo strano ● **o. enough**, strano a dirsi; stranamente.

oddments /ˈɒdmənts/ *n. pl.* **1** cianfrusaglie; oggetti scompagnati; pezzi spaiati **2** (*comm.*) rimanenze, rimasugli; ritagli; scampoli: **o. of silk**, scampoli di seta; **an o. sale**, una vendita di rimanenze.

oddness /ˈɒdnəs/ *n.* ᴜ **1** l'esser dispari; disparità **2** stranezza, bizzarria; eccentricità; singolarità.

◆**odds** /ɒdz/ *n. pl.* (talvolta col verbo al sing.) **1** disparità; disuguaglianza; differenza: **It makes no o.**, non fa differenza; non fa nulla; non importa **2** probabilità: **The o. are on our team**, il pronostico ci è favorevole; **The o. are against you**, le probabilità sono (o il pronostico è) a vostro sfavore; **to have even o.**, avere pari probabilità; (*sport*) **What o. is it?**, che probabilità c'è?; **The o. are that we shall lose**, è assai probabile che si perda **3** (*sport*) vantaggio; abbuono; handicap: **to give [to receive] o.**, concedere [ricevere] un handicap **4** (*ipp.*: *nelle scommesse*) quota; quotazione: **the o. of the totalizator**, le quote del totalizzatore; *Varenne was running at o. of 3 to 1*, Varenne era dato alla quotazione di 3 a 1; (*degli allibratori*) **to lay** (o **to offer**) **o. of 5 to 1 on a horse**, dare un cavallo a (o alla quotazione di) 5 a 1; **to take o. of 10 to 1**, accettare la quotazione di 10 a 1; *What are the o. for your horse?*, a quanto danno il tuo cavallo? **5** (*fig.*) posta in gioco: *The o. are too high*, la posta in gioco è troppo alta ● **o. and ends** (*fam.*: **o. and sods**), articoli di varia natura; cosette; ritagli; scampoli; cianfrusaglie □ **-on**, avvantaggiato; assai probabile: **the o.-on favourite**, di gran lunga il favorito; *It's o.-on he will succeed*, è quasi certo che riuscirà □ (*stat.*, *med.*) **o. ratio**, 'odds ratio' (*negli studi epidemiologici*); rapporto di previsione □ **against all the o.**, in modo del tutto imprevisto; contrariamente a ogni aspettativa; contro ogni pronostico □ **to be at o. with sb.**, essere in dissidio (o in lite) con q. □ **to be at o. with st.**, essere in contrasto con qc.; fare a pugni con qc. (*fig.*) □ **to be at o. with fate**, lottare contro il fato avverso □ **to back a horse at long [short] o.**, puntare su un cavallo che è dato a una quotazione alta [bassa] □ **by o.** (o **by all o.**, **by long o.**), di gran lunga □ **by considerable o.**, di larga misura □ **to fight against great** (o **heavy, long**) **o.**, battersi in condizioni di assoluta inferiorità □ (*fam.*) **What's the o.?**, che cosa ci scommetti (*che...*); (*anche*) cosa importa, che differenza fa? □ (*fam.*) **It makes no o.**, non cambia nulla; fa lo stesso; non m'interessa □ **I give you long o. he won't marry her**, mi gioco la testa che non la sposa.

ode /əʊd/ *n.* (*poesia*) ode.

odeum /əʊˈdiːəm/ *n.* (pl. *odeums*, *odea*) **1** (*stor.*) odeon **2** auditorio; sala da concerti.

ODI *sigla* (cricket, **one-day international**), partita tra due nazionali (*che dura una giornata e consiste in un numero prestabilito di lanci*).

Odin /ˈəʊdɪn/ *n.* (*mitol.*) Odino.

odious /ˈəʊdɪəs/ *a.* odioso; disgustoso; ripugnante | **-ly** *avv.* | **-ness** *n.* ᴜ.

odometer /ɒˈdɒmɪtə(r)/ *n.* (*fis.*) odometro; (*autom.*, *USA*) contakilometri.

odontalgia /ɒdɒnˈtældʒə/ (*med.*) *n.* ᴜ odontalgia || **odontalgic** *a.* odontalgico.

odontoblast /ɒˈdɒntəblɑːst/ *n.* (*biol.*) odontoblasto.

odontoglossum /ɒdɒntəˈglɒsəm/ *n.* (*bot.*, *Odontoglossum*) odontoglosso.

odontology /ɒdɒnˈtɒlədʒɪ/ (*med.*) *n.* ᴜ odontologia; odontoiatria || **odontological** *a.* odontologico; odontoiatrico || **odontologist** *n.* odontoiatra; dentista.

odontoma /əʊdɒnˈtəʊmə/ *n.* (pl. *odontomas*, *odontomata*) (*med.*) odontoma.

odontopathy /ɒdɒnˈtɒpəθɪ/ *n.* ᴜᴄ (*med.*) odontopatia.

odor /ˈəʊdə(r)/ e *deriv.* (*USA*) → **odour**, e *deriv.*

odoriferous /əʊdəˈrɪfərəs/ *a.* odorifero; fragrante | **-ly** *avv.*

odorimeter /əʊdəˈrɪmɪtə(r)/ *n.* odorimetro; olfattometro || **odorimetry** *n.* ᴜ odorimetria.

to **odorize** /ˈəʊdəraɪz/ (*chim.*) *v. t.* odorizzare (*un gas, ecc.*) || **odorization** *n.* ᴜᴄ odorizzazione.

odorous /ˈəʊdərəs/ *a.* odoroso; fragrante; profumato.

odour, (*USA*) **odor** /ˈəʊdə(r)/ *n.* **1** odore; fragranza; profumo **2** (= **bad o.**) cattivo odore **3** (*fig.*) odore; sentore **4** (*fig.*) fama; reputazione: **to be in bad** (o **ill**) **o.** (**with**), avere una cattiva reputazione, essere in disgrazia (presso); **to be in good o. with**, essere nelle grazie di.

odourant, (*USA*) **odorant** /ˈəʊdərənt/ *n.*

(*tecn.*) odorizzante.

odourless, (*USA*) **odorless** /'əudələs/ *a.* inodoro, inodore: **an o. deodorant**, un deodorante inodore.

Odysseus /ə'dɪsjuːs/ *n.* (*letter. greca*) Odisseo.

Odyssey /'ɒdəsɪ/ *n.* **1** (*letter. greca*) Odissea **2** – (*fig.*) o., odissea; serie di traversie.

OE sigla (*ling.* **Old English**) inglese antico.

o.e. sigla (*comm.*, **omissions excepted**) salvo omissioni.

OECD sigla (**Organisation for Economic Co-operation and Development**) Organizzazione per la cooperazione e lo sviluppo economico (OCSE).

oecology /iː'kɒlədʒɪ/ e *deriv.* → **ecology**, e *deriv.*

oecumenical /iːkjuː'menɪkl/ e *deriv.* → **ecumenical**, e *deriv.*

OED sigla (**Oxford English Dictionary**) dizionario Oxford della lingua inglese.

oedema /ɪ'diːmə/ (*med.*) *n.* (pl. **oedemas**, **oedemata**) edema ‖ **oedematous** *a.* edematico; edematoso.

Oedipal /'iːdɪpl/ *a.* (*psic.*) edipico.

oedipism /'iːdɪpɪzm/ *n.* □ (*psic.*) edipismo.

Oedipus /'iːdɪpəs/ *n.* (*mitol.*) Edipo • (*psic.*) **O. complex**, complesso d'Edipo.

OEM sigla (*comput.*, **original equipment manufacturer**) produttore di materiale originale.

oenology /iː'nɒlədʒɪ/ *n.* □ (*scient.*) enologia ‖ **oenological** *a.* enologico ‖ **oenologist** *n.* enologo.

oenophile /'iːnəfaɪl/ *n.* enofilo ‖ **oenophilic** *a.* enofilo.

oenothera /iːnə'θɪərə/ *n.* (*bot.*) enotera.

o'er /ɔə(r), 'əuə(r)/ (*poet.*) → **over** ① e (*2*).

oesophagism /iː'sɒfəgɪzəm/ *n.* □ (*med.*) esofagismo.

oesophagitis /iːsɒfə'dʒaɪtɪs/ *n.* □ (*med.*) esofagite.

oesophagus /ɪ'sɒfəgəs/ (*anat.*) *n.* (pl. **oesophagi**) esofago ‖ **oesophageal** *a.* esofageo.

oestrogen /'iːstrədʒən/ (*biochim.*) *n.* estrogeno ‖ **oestrogenic** *a.* estrogenico.

oestrone /'iːstrəun/ *n.* □ (*biol.*) estrone; follicolina.

oestrus /'iːstrəs/ (*biol.*) *n.* estro ‖ **oestrous** *a.* estrale.

oeuvre /'ɜːvrə/ (*franc.*) *n.* □ opera; (*anche*) opera omnia (*di un autore*).

♦**of** ① /ɒv, əv/ *prep.* **1** (compl. di specificazione, denominazione, materia, causa, ecc.) di: *I am the head of the family*, sono il capo della famiglia; *I'd like a glass of wine*, vorrei un bicchiere di vino; **the city of Rome**, la città di Roma; **a house of brick**, una casa di mattoni; **to die of fright [of starvation]**, morire di paura [di fame]; **to be quick of eye**, essere pronto d'occhio; *He was robbed of his money*, fu derubato del suo denaro; **to get rid of an enemy**, sbarazzarsi d'un nemico; *I was tired of driving*, ero stanco di guidare **2** (*separazione, provenienza, ecc.*) da: **to rid sb. of st.**, liberare q. da qc.; **within a mile of the harbour**, a un miglio dal porto; **to expect st. of sb.**, aspettarsi qc. da q. **3** da parte di: *It was kind of you to lend us your car*, è stato gentile da parte tua prestarci l'auto **4** (con taluni verbi) a: *Who are you thinking of?*, a chi stai pensando? **5** (*USA*: *nel dire le ore*) a; meno: *It's ten of four*, mancano dieci minuti alle quattro; sono le quattro meno dieci **6** (compl. di tempo) di; (*fam.*) da: **the first of April**, il 1° d'aprile; **a boy of ten**, un ragazzo di dieci anni; (*fam.*) **her husband of 24 years**, writer Peter Jones, lo scrittore Peter Jones, suo marito

da 24 anni ● **of course**, naturalmente; per certo; beninteso □ **of late**, di recente; recentemente; ultimamente □ **of a morning [of an evening, etc.]**, di mattina, alla mattina [di sera, alla sera, ecc.] □ **of necessity**, di necessità; necessariamente; per forza □ **of old (of yore)**, anticamente; una volta □ **of recent years**, negli ultimi anni □ **to admit of**, ammettere (*un'eccezione, ecc.*) □ **to approve of st.**, approvare qc. □ (*USA*) **back of**, dietro; dietro a □ **to come of a good family**, discendere da una buona famiglia □ **a friend of mine**, un mio amico □ **Henry of all men**, Henry fra tutti; proprio Henry □ **irrespective of**, a prescindere da; senza considerare □ **to make a fool of oneself**, fare la figura dello stupido; rendersi ridicolo □ **a person of no importance**, una persona senza importanza □ **one of my friends**, uno dei miei amici □ **out of**, fuori di; da; in: *He went out of the room*, uscì dalla stanza; **to drink out of a cup**, bere in (o da) una tazza □ **to tell sb. of an event**, raccontare un avvenimento (*o* un fatto) a q. □ **to the north of France**, a nord della Francia □ **He came of a Monday**, venne (*o* un) lunedì □ **It's foolish of you to say that**, sei uno sciocco a dire queste cose □ **We had a bad time of it**, ce la passammo male □ **What do you do of a Saturday?**, cosa fai (*o* di) sabato? □ **Well, what of it?**, bene, e con ciò?

of ② /əv, ə/ vc. verb. (*slang USA*) → **have**.

ofay /'əufeɪ/ *n.* (*spreg. USA, antiq.*) **1** individuo di razza bianca; bianco **2** negro che si comporta da bianco.

Ofcom /'ɒfkɒm/ sigla (*GB*, **Office of Communications**), Ufficio delle comunicazioni (*ente di controllo dei media*).

♦**off** ① /ɒf/ *avv.* **1** via; lontano; distante; a distanza; alla larga: *They went off in a hurry*, andarono via in fretta; *Where are you off to?*, dove te ne vai?; *I'm off on holiday tomorrow*, domani parto per le vacanze; *The road is two miles off*, la strada è lontana due miglia (*o* è a due miglia di distanza); *Keep off!*, sta' alla larga! **2** (in loc. col verbo **to be**, è idiom.; per es.:) **to be well [badly] off**, essere in buone [cattive] condizioni finanziarie; *The lid was off*, il coperchio era venuto via (o era stato tolto); *They're off*, sono partiti; se ne sono andati; *I must be off*, devo andarmene; *Their engagement is off*, il fidanzamento è rotto; *The deal is off*, l'affare è sfumato; *The trip is off*, la gita non si fa più; *The gas is off*, il gas è spento; (*anche*) hanno tolto il gas; *The hot water is off*, manca l'acqua calda; *The meeting is off*, la riunione è sospesa; *The staff is off today*, il personale fa vacanza oggi; (*elettr.*) *The switch is off*, l'interruttore è disinserito; *The electricity is off*, hanno tolto la corrente; (*autom., mecc.*) *The clutch is off*, la frizione è disinnestata **3** del tutto; per intero: **to pay off a debt**, pagare per intero (o saldare) un debito **4** (nei verbi frasali, è idiom.; per es.:) **to come off**, staccarsi, ecc.; **to cut off**, tagliare, staccare, ecc. (→ **to come**, **to cut**) **5** di sconto: *I managed to get 50 dollars off*, riuscii ad avere uno sconto di (*fam.*: a tirare giù) 50 dollari **6** (*Borsa, fin.*) (*di titoli*) in ribasso; giù, sotto (*fam.*): *Oils are off ten points today*, oggi le azioni petrolifere sono sotto di dieci punti **7** (*teatr.*) dietro le quinte; fuori campo: «**voices off**» (*didascalia*); «voci fuori campo» **8** (*sport*: *radio, TV*) 'esce' (*seguito dal nome del giocatore sostituito*) ● **far off**, lontano, lungi: *Christmas is not far off*, il Natale non è lontano □ **from far off**, da lungi, di lontano □ **to finish off a piece of work**, finire (o portare a termine) un lavoro □ **to get off to a good start**, partire con il piede giusto (*fig.*) □ **on and off** (o **off and on**), a intervalli; in modo intermittente: *It has been snowing on and off since*

yesterday, nevica a intervalli da ieri □ **Off with you!**, va' via!; vattene!; fuori dai piedi! □ **My holidays are only two weeks off**, mancano solo due settimane alle mie vacanze □ **Let's take a day off**, prendiamoci un giorno di vacanza □ *I need some time off work*, ho bisogno di prendermi un periodo di vacanza □ *She's still off work*, non ha ancora ripreso a lavorare □ **right off** (o **straight off**), subito; immediatamente □ **Off we go!**, si parte! □ **Off with his head!**, tagliategli la testa! □ **Hands off!**, giù le mani! □ **Hats off!**, giù il cappello! □ **How are you off for clean shirts?**, come sei messo (o come stai) a camicie pulite?

♦**off** ② /ɒf/ *prep.* **1** da; lontano da; fuori di; giù da: *I stepped off the bus*, scesi dall'autobus; *Get off my feet!*, scendimi dai piedi!; non starmi sui piedi!; **to get off one's horse**, smontare da cavallo; *The cover has come off my book*, mi s'è staccata la copertina dal libro; *The cottage stands off the main road*, la villetta è lontana dalla strada maestra; *The car is off the road*, l'automobile è fuori (o è uscita di) strada **2** (*naut.*) all'altezza di; al largo di; a poca distanza da: *The ship was off the island*, la nave era al largo dell'isola; *The lighthouse is just off the coast*, il faro è a poca distanza dalla costa **3** in meno di; con lo sconto di; **He gave me five per cent off the list price**, mi ha tolto il cinque per cento dal prezzo di listino **4** di; per mezzo di; con: *He lived off the fat of the land*, viveva delle abbondanti risorse della terra; aveva ogni ben di Dio; **to dine off a leg of mutton**, pranzare con una coscia di castrato; **to eat off silver plate**, mangiare usando piatti d'argento **5** fuori: *The ship was driven off her course*, la nave fu spinta fuori rotta; **to be off duty**, essere fuori servizio **6** (*anche sport*) a carico di; ai danni di **7** (*sport*) con un handicap di: *He plays off ten*, gioca con un handicap di dieci punti ● (*radio*, *TV*) **off the air**, non in onda (avv.) □ (*sport*) **off the ball**, non ha la palla, che non è sulla palla: *He was fouled off the ball*, subì il fallo mentre non era in possesso della palla □ (*baseball*: *del 'corridore'*) **to be off base**, non essere in base; essere fuori base □ **off the beaten track**, (*di un luogo*) isolato, fuori mano; (*fig.*) insolito, fuori dell'ordinario, straordinario, originale □ (*econ.*) **off-the-books economy**, economia sommersa □ (*econ.*) **off-the-books work**, lavoro nero □ (*mecc.*) **to be off centre**, essere fuori centro □ **to be off colour**, essere del colore sbagliato; (*di persona*) essere indisposto, stare poco bene; essere in giornata nera; (*USA*, *di barzelletta, battuta ecc.*) essere un po' indecente, spinto (*fig.*) □ (*sport*) **to be off the field** (o **the pitch**), essere fuori campo; non giocare; fare panchina □ (*sport*) **to be off one's game**, giocare peggio del solito □ (*sport e fig.*) **to be off guard**, non stare in guardia; scoprirsi □ **to be off one's head**, essere andato giù di testa; essere ammattito □ (*mil. e fig.*) **off limits**, in zona proibita; (*cartello*) 'zona invalicabile' □ (*fig. fam.*) **off the map**, inesistente; passato; svanito □ (*ferr., trasp.*) **off peak**, nelle ore non di punta: *This ticket is valid off peak*, questo biglietto è valido nelle ore non di punta □ (*fig.*) **off the point**, non pertinente; che non c'entra; a sproposito □ (*calcio, ecc.*) **Off the post!**, palo! □ **off the record**, ufficiosamente; in confidenza □ (*tur.*) **off season**, fuori stagione □ (*geol.*) **off shore**, fuori costa; in ambiente neritico □ **to be off target**, mancare il bersaglio; (*calcio, ecc.*) non andare a segno: *His header was off target*, il suo colpo di testa andò a vuoto □ **to be off the track**, essere fuori strada (*anche fig.*); (*sport*) essere uscito di pista; (*fig.*) essere sulla pista sbagliata □ **an alley off Main Street**, una viuzza che si diparte dal Corso □ **to get off the subject**, uscire dal

seminato (*fig.*); divagare □ **to speak off the record**, parlare ufficiosamente (*non in veste ufficiale*).

off③ /ɒf/ a. **1** lontano; remoto; altro: **the off side of the medal**, l'altro lato della medaglia **2** laterale; secondario; di secondaria importanza: **in an off street**, in una strada laterale; in una via secondaria **3** (*spec. ingl.*) destro; di destra (*cfr.* **near**②, *def. 2*): **the off side of the road**, il lato destro della strada; **the off horse**, il cavallo di destra (*d'una pariglia*) **4** piccolo; esiguo; scarso; cattivo; deludente; vago: *Profits are off this year*, i guadagni sono esigui quest'anno; *His performance was rather off*, la sua recitazione è stata alquanto deludente; *There's only an off chance of your being right*, c'è solo una vaga possibilità che tu abbia ragione **5** (*di cibo*) non fresco; passato; guasto: *This fish is a bit off*, questo pesce non è proprio fresco; *This meat smells off to me*, dall'odore direi che questa carne è andata a male **6** (*di pietanza o piatto*) finito; esaurito: (*al ristorante*) **'Sorry, chicken is off'**, 'mi dispiace, ma il pollo è finito' **7** (*di persona*) scortese; sgarbato; scostante **8** (*elettr.*) disinserito; staccato; spento: *The (electric) iron is off*, il ferro (da stiro) è staccato **9** (*mecc.*) disinserito; disinnestato **10** (*market., tur.*) di stasi; morto: **in the off season**, nella stagione morta • **an off day**, un giorno libero (*o* di vacanza); (*fam.*) una giornata nera, una giornata no: *She has off and on days according to her mood*, ella ha giornate sì e giornate no, secondo l'umore □ (*elettr.*) **the off switch**, l'interruttore per spegnere (per scollegare, ecc.) □ **off year**, (*agric.*) anno in cui le piante non danno frutto; anno no (*fam.*); (*polit., USA*) anno in cui si tengono elezioni ma non le presidenziali □ **on the off chance that...**, nel caso improbabile che...; caso mai...: **on the off chance he should come**, caso mai venisse ❶ FALSI AMICI • off *non significa* off *nel senso italiano di alternativo*.

off④ /ɒf/ nei composti: (*radio, TV*) **off-air**, (agg.) relativo alle trasmissioni; per (*o* dei) programmi; (avv.) quando non è in onda: *Sheila is totally different off-air*, Sheila è totalmente diversa quando non è in onda; (*USA*) **off-air reporter**, cronista che lavora per la televisione, senza apparire sullo schermo; **off-balance**, sbilanciato; che ha perso l'equilibrio; (avv.) alla sprovvista; (*fin.*) **off-balance sheet**, (*di finanziamento*) fuori bilancio; (*di operazione, ecc.*) non messo a bilancio; (*Borsa*) **off-board**, non ufficiale; **off-board market**, mercato terziario (*o* ristretto); mercatino (*fam.*); **off-board securities**, titoli non quotati (*in Borsa*); (*teatr., USA: di uno spettacolo*) **off-Broadway**, 'off-Broadway', sperimentale; non commerciale (*e che costa poco*); (*fotogr., TV*) **off-camera**, non inquadrato; non ripreso; **off-centre**, (*mecc.*) fuori centro, scentrato; (*elettron.*) eccentrico; **off-colour**, indisposto, malaticcio; (*USA, di barzelletta, battuta ecc.*) un po' indecente, spinto (*fig.*); (*fin.*) **off-cover**, fuori copertura; senza garanzia; (*fam.*) **off-the-cuff**, improvvisato; (*di un discorso*) fatto a braccio: **to give an off-the-cuff speech**, parlare a braccio; (*ling.*) **off-glide**, metastasi; **an off-guard moment**, un momento in cui non si sta in guardia; **off-hand** → **offhand**; (*mus. e fig.*) **off-key**, stonato; non intonato; (*farm., med.*) **off-label**, off-label (*detto di farmaco che viene assunto in circostanze non previste o non consigliate dal produttore*); **off-licence**, (agg.) (*di negozio*) autorizzato a vendere alcolici soltanto in confezioni da asporto; (sost., *ingl.*) negozio di vini, birra e liquori; bottiglieria; (*anche*) banco di vendita (*di pub o albergo*) di alcolici da consumare altrove; **off-licensee**, chi è in possesso di una → «off-licence» (*sopra*); **off-limits**, (*mil.*) in cui è proibito entrare; (*fig.*) proibito, vietato; **off-line**, (*mecc.*) deviato; (*tecn.*) disassato; (*di macchinario*) inattivo, fuori servizio; (*comput., radio, TV*) off-line, non connesso: **off-line processing**, trattamento off-line; **off-line storage**, memoria off-line; (*fin.*) **off-market**, assai basso, molto interessante, eccezionale: **off-market interest rates**, tassi d'interesse eccezionali; (*spec. polit.*) **off-message**, non allineato (*con la politica del proprio partito*); **off-peak**, (*di energia elettrica, gas, ecc.*) erogato in ore di basso consumo; (*trasp.: del traffico*) non di punta, normale; (*tur.*) di (*o* in) bassa stagione: (*ferr., ecc.*) **off-peak service**, servizio normale; **off-peak rate** (*o* **tariff**), tariffa ordinaria (*di un trasporto o servizio*); **off-the-peg**, (*d'abito*) bell'e fatto, confezionato, di serie; (*fig.*) preconfezionato, standard: (*fin.*) **off-the-peg loan agreements**, accordi per crediti preconfezionati; (*sport: sci*) **off-piste**, fuori pista; (*di un immobile*) **(bought) off plan**, (acquistato) sulla carta; (*market.*) **off-price**, vendita a prezzo scontato; (*tipogr.*) **off-print**, estratto (*di giornale, ecc.*); (*fam.*) **off-putting**, scostante; fastidioso; sgradevole; (*fam. USA*) **off-the-rack** → **off-the-peg**; (*di notizia, ecc.*) **off-the-record**, da non verbalizzare; non ufficiale; ufficioso; (*trasp.*) **off-road vehicle**, fuoristrada (*l'automezzo*); **off-roader**, fuoristrada (*il mezzo*); (*anche*) fuoristradista; (*sport*) **off-roading**, il fuoristrada (*l'attività, le gare*); (*market., ingl.*) **off-sale**, vendita di alcolici da asporto (*detti* **off-sales**); (*cinem., TV*) **off-screen**, che non compare sullo schermo; fuori campo; (*market., tur.*) **off-season**, stagione morta, bassa stagione; (agg.) della bassa stagione: **off-season prices**, prezzi della bassa stagione; (*market.: di un articolo*) **off-the shelf**, fatto in serie, standard; **off-the-shoulder blouse**, camicetta in stile gitano (*che lascia le spalle nude*); (*cricket*) **off side** → **off**⑤, *def. 2*; **off-stage** → **offstage**; (*autom.*) **off-street parking**, parcheggio su terreno privato (*non su strada*); (*ipp.*) **off-track betting**, scommesse sui cavalli (da corsa) che avvengono fuori dei locali dell'ippodromo (*con allibratori privati*); (*ciclismo, ecc.*) **off-track race**, corsa fuoristrada; (*sport*) **off-track race rider**, fuoristradista; (*comm.*) **off-trade**, vendita di alcolici da asporto; (*slang*) **off-the-wall**, assurdo, bizzarro, stravagante, pazzesco; **off-white**, bianco avorio, bianco isabella, biancosporco; (*polit., USA*) **off-year election**, elezioni politiche che si tengono in un anno in cui non si svolgono le presidenziali.

off⑤ /ɒf/ n. **1** (*fam., spec. sport*) via; partenza; inizio (*di una corsa, ecc.*): *The off was delayed twice*, il via fu rinviato due volte **2** (*cricket*) settore del campo alla destra del battitore destrimano • **from the off**, dall'inizio; dal principio □ (*fig.*) **I've had my offs and ons**, ho avuto i miei alti e bassi.

off⑥ /ɒf/ inter. (*nelle corse*) via! (*alla partenza*).

to **off** /ɒf/ **A** v. t. **1** (*fam.*) annullare, disdire (*un impegno, ecc.*) **2** (*slang USA*) portare via **3** (*slang USA*) fare fuori (*fam.*); uccidere **4** (*volg. USA*) farsi (*una donna, ecc.*); scopare (*volg.*) **B** v. i. **1** (*raro*) andarsene **2** (*slang USA*) crepare; morire.

Off. abbr. **1** (**office**) ufficio **2** (*mil.*, **officer**) ufficiale.

OFFA /ˈɒfə/ sigla (*GB*, **Office for Fair Access**), Ufficio per l'accesso alle istituzioni (*di istruzione*); Ufficio per le pari opportunità nell'istruzione.

offal /ˈɒfl/ n. ⓤ **1** avanzi; rifiuti; rimasugli; scarti **2** (*cucina*) frattaglie; interiora; rigaglie **3** crusca; farinello (*di grano e altri cereali*) (*dial.*).

offbeat /ˈɒfbiːt/ **A** n. (*mus.*) tempo debole **B** a. (*fam.*) non convenzionale; inusitato; originale; anticonformistico: **o. clothes**, abiti originali; **o. ideas**, idee anticonformistiche • (*mus.*) **o. effect** (*o* **o. rhythm**), controtempo.

offcut /ˈɒfkʌt/ n. ritaglio, avanzo (*di stoffa*); scampolo.

♦**offence**, (*USA*) **offense** /əˈfɛns/ n. **1** offesa; ingiuria; insulto; oltraggio: **an o. against decency [to one's conscience]** un'offesa alla decenza [alla propria coscienza]; **to cause [to give] o. to sb.**, fare [recare] offesa a q. **2** (*leg.*) contravvenzione; trasgressione; delitto; reato; illecito: **petty o.**, reato di minore gravità; **an o. against the law**, una trasgressione alla legge; **criminal o.**, illecito penale **3** (*sport*) infrazione, fallo: **a serious o.**, un'infrazione grave **4** ⓤ (*sport*) attacco; offensiva **5** ⓤ (*mil.*) offesa; offensiva; l'attaccare • (*leg.*) **o. committed without malice**, reato colposo □ (*leg.*) **first o.**, reato commesso da un incensurato □ **to take o.**, offendersi; aversene a male □ **No o.**, senza offesa; non vorrei offendere □ **I meant no o.**, non intendevo offendere □ **No o. was meant** (*o* **intended**), non c'era intenzione d'offendere.

♦to **offend** /əˈfɛnd/ **A** v. t. offendere; insultare; oltraggiare; essere un'offesa a; disturbare: *He was offended at (o by) my words*, si sentì offeso dalle mie parole; *His behaviour offends my sense of justice*, il suo comportamento offende (*o* è contrario al) mio senso di giustizia; **to o. the eye**, offendere la vista **B** v. i. **1** (*leg.*) commettere una colpa (*o* un reato) **2** recare offesa; suscitare risentimento **3** (*sport*) commettere falli (*o* infrazioni); essere falloso • **to o. against**, contravvenire a; trasgredire; violare: **to o. against custom**, contravvenire alle usanze.

offended /əˈfɛndɪd/ a. **1** offeso; insultato **2** (*leg.*) offeso **3** (*sport*) che subisce (*o* che ha subìto) un fallo • (*leg.*) **the o. party**, la parte offesa; la parte lesa.

offender /əˈfɛndə(r)/ n. **1** offensore **2** (*leg.*) trasgressore; reo; delinquente; criminale: **to sue an o. for damages in a civil court**, intentare una causa civile per danni contro un trasgressore; **a juvenile o.**, un delinquente minorenne **3** (*sport*) autore del fallo; chi commette (*o* ha commesso) l'infrazione **4** (*fig.*) colpevole, responsabile (*di un guaio*) • (*leg., fam. USA*) **offenders' tag**, braccialetto elettronico di una persona agli arresti domiciliari (*perché la polizia ne possa controllare i movimenti*) □ (*leg.*) **a first o.**, un reo non recidivo; un (reo) incensurato □ **a persistent** (*o* **habitual**) **o.**, un recidivo.

offending /əˈfɛndɪŋ/ a. **1** offensivo **2** (*leg.*) che contravviene; che trasgredisce; che viola **3** (*sport*) che commette (*o* ha commesso) il fallo (*o* l'infrazione) **4** (*scherz.*) responsabile (*di un guaio, ecc.*); incriminato.

♦**offense** /əˈfɛns/ e deriv. (*USA*) → **offence**, e *deriv.*

♦**offensive** /əˈfɛnsɪv/ **A** a. **1** offensivo; aggressivo; ingiurioso; oltraggioso: **o. weapons**, armi offensive; **an o. remark**, un'osservazione offensiva **2** disgustoso; ripugnante; sgradevole; spiacevole: **an o. smell**, un odore sgradevole **3** (*sport*) offensivo; che attacca, di attacco; offensivistico: **an o. play**, un'azione d'attacco **B** n. **1** (*mil. e fig.*) offensiva: **to take** (*o* **to act on**) **the o.**, prendere l'offensiva; (*fig.*) **a peace o.**, un'offensiva di pace **2** (*sport*) offensiva; gioco d'attacco • (*sport*) **o. player**, attaccante □ **o. tactics**, tattiche d'attacco | **-ly** avv. | **-ness** n. ⓤ.

♦**offer** /ˈɒfə(r)/ n. **1** (*anche comm.*) offerta: *I'll make him an o. he cannot refuse*, gli farò un'offerta che non potrà rifiutare; **an o. to help** (*o* **of help**), un'offerta d'aiuto; **a binding o.**, un'offerta impegnativa; *She had an offer accepted on a flat in Earlsdon*, è stata accettata una sua offerta per un ap-

partamento a Earlsdon **2** proposta: **an o. of marriage**, una proposta di matrimonio **3** (*leg.*) proposta (*contrattuale*) **4** [U] (*Borsa*, = **offer price**) prezzo lettera; cambio (*o* corso) lettera; lettera **5** (*comm. est.*) offerta • **o. for sale**, (*market.*) offerta di vendita; (*fin.*) offerta al pubblico (*di azioni*) □ **o. price**, (*Borsa*) = *def. 4* → *sopra*; (*fin.*) prezzo di emissione (*di azioni*) □ (*fin.*) **o. to purchase**, offerta pubblica di acquisto (abbr. **OPA**) □ **job offers**, offerte di lavoro (*o* d'impiego) □ (*comm.*) **on o.**, in offerta; in vendita □ (*market.*) **on special o.**, in offerta speciale □ (*comm.*) **price x, or nearest o.**, prezzo x, trattabile □ (*comm.*) **under o.**, in corso di vendita.

♦to **offer** /ˈɒfə(r)/ **A** v. t. **1** offrire; porgere; presentare: **to o. one's apologies**, porgere le proprie scuse; *He offered a plan*, presentò un piano; **to o. one's services**, offrire i propri servigi; (*comm.*) **to o. goods for sale**, offrire merce in vendita; mettere in vendita della merce **2** offrirsi di: *He offered to take me home*, si offrì di accompagnarmi a casa **3** (*comm.*) fare un'offerta di: *I was offered a fortune for this painting*, per questo quadro mi offrirono una fortuna **4** scegliere (*una disciplina*) come materia di studio **5** (*sport*) offrire, servire (*una palla*) **B** v. i. **1** offrirsi; presentarsi: *I bought stocks whenever opportunity offered*, compravo azioni ogni volta che se ne presentava l'occasione **2** fare un'offerta, un sacrificio; sacrificare (*alla divinità*) • **to o. oneself as a candidate**, presentarsi candidato □ **to o. battle**, mostrarsi pronti a combattere □ **to o. a bribe to sb.**, fare un tentativo di corrompere q.; offrire una bustarella a q. (*fam.*) □ **to o. itself**, offrirsi; presentarsi (*un'occasione, una possibilità*) □ **to o. oneself**, proporsi: *He offered himself as a translator*, si propose come traduttore □ **to o. an opinion**, dare (*o* esprimere) un'opinione □ **to o. resistance**, resistere; fare resistenza □ **to o. up**, offrire (*un sacrificio alla divinità*); rendere (*grazie, ecc.*) □ **as occasion offers**, all'occasione □ (*banca*) **offered rate**, tasso d'interesse attivo.

offeree /ɒfəˈriː/ n. (*leg.*) destinatario di una proposta di contratto.

offerer /ˈɒfərə(r)/ n. offerente.

♦**offering** /ˈɒfərɪŋ/ n. **1** [U] offerta; l'offrire **2** offerta; dono; cosa offerta: **a peace o.**, un'offerta di pace; **a votive o.**, un'offerta votiva **3** (*relig.*) offerta; oblazione; sacrificio **4** (*fin.*) offerta al pubblico (*di azioni*) • **o. of bribes**, tentativo di corruzione □ (*fin.*) **o. price**, prezzo di emissione (*di azioni*).

offeror /ˈɒfərə(r)/ n. (*leg.*) proponente (*di un contratto*).

offertory /ˈɒfətrɪ/ n. (*relig.*) **1** offertorio **2** raccolta delle offerte, questua (*in chiesa*).

offhand /ɒfˈhænd/ **A** avv. (*anche* **offhandedly**) **1** estemporaneamente; all'improntu; su due piedi; lì per lì: *I'm not sure when I'm free, o.*, così su due piedi non so con sicurezza quando sarò libero **2** in modo spiccio, sbrigativo; disinvoltamente; senza tanti complimenti **B** a. (*anche* **offhanded**) **1** estemporaneo; improvvisato: **an o. speech**, un discorso improvvisato **2** spiccio; sbrigativo; brusco; sgarbato: **an o. manner**, maniere sbrigative; *He was o. with me*, è stato brusco con me **3** noncurante ‖ **offhandedness** n. [U] **1** estemporaneità **2** sbrigatività; bruschezza; sgarbatezza.

♦**office** /ˈɒfɪs/ n. **1** ufficio: *He goes to the o. at 9 a.m.*, va in ufficio alle nove di mattina; *I work in an o. in town*, lavoro in un ufficio in centro; **post o.**, ufficio postale; *I won't be in the o. tomorrow morning*, non sarò in ufficio domattina **2** dovere; funzione; incombenza; carica; incarico: **the o. of president**, i doveri (*o* le funzioni) di presidente; la carica di presidente; **post o.**, ufficio postale **3** – **O.**, Ministero (*in GB*): **the Foreign O.**, il Ministero degli Esteri; **the Post O.**, il Ministero delle Poste **4** [UC] (*polit.*) carica; potere; esercizio del potere; governo: *The Conservative Party is in o.*, il partito conservatore è al potere (*o* al governo); *Some politicians are corrupted by o.*, l'esercizio del potere corrompe taluni uomini politici; **to enter** (*o* **to take**) **o.**, entrare in carica; assumere un incarico ministeriale **5** (*relig.*) ufficio, uffizio: **the o. for the dead**, l'uffizio dei defunti **6** (pl.) uffici; interessamento; raccomandazione: **through the mayor's good offices**, tramite i buoni uffici del sindaco **7** (pl.) servizi (*in una casa*); 'office' (*in un albergo*); cucina, lavanderia, ecc. **8** (*polit.*, = **party o.**) sezione (*di partito*) **9** (*slang, antiq.*) accenno; suggerimento **10** (*slang*) gabinetto; ritirata; cesso **11** (*gergo aeron.*) cabina di pilotaggio • (*comput.*) **o. automation**, automazione d'ufficio □ **o. bearer**, chi tiene un ufficio; chi ha una carica; funzionario □ **o. block**, palazzo di (*o* per) uffici □ **o. boy**, fattorino; ragazzo d'ufficio □ **o. cleaners**, imprese di pulizia di uffici □ **o. cleaning contractor**, (titolare di) impresa di pulizia d'uffici □ (*comput.*) **o. data processing**, sistemi informativi gestionali; burotica □ **o. equipment**, attrezzature e macchine per ufficio □ **o. fitter**, arredatore di uffici □ (*GB*, *polit.*) **O. for Public Sector Information**, Dipartimento per le informazioni sul settore pubblico □ **o. furniture**, mobili per ufficio □ **o. girl**, ragazza d'ufficio □ **o. holder**, chi tiene un ufficio; chi ha una carica; funzionario pubblico □ **o. hours**, ore d'ufficio; orario d'ufficio: *I work usual o. hours, nine to five, Monday to Friday*, ho un normale orario di lavoro, dalle nove alle cinque, dal lunedì al venerdì □ **o. party**, festa (banchetto, ecc.) aziendale □ **o. rental**, locazione di uffici □ **o. seeker**, chi cerca un impiego statale; aspirante a una carica pubblica □ **o. stationery**, cancelleria per ufficio □ **o. work**, lavoro d'ufficio □ **o. worker**, impiegato □ **to accept o.**, accettare un ufficio; assumere una carica □ (*polit.*) **to come into o.**, andare al potere □ (*polit.*) **out of o.**, all'opposizione: *The Labour Party is out of o.*, il partito laburista è all'opposizione □ **to perform the last offices to sb.**, celebrare gli ultimi riti per q.; dire l'uffizio dei defunti per q. □ **to resign** (*o* **to leave**) **o.**, dimettersi; rinunciare a un ufficio; lasciare una carica □ (*relig.*) **to say the o.**, dire l'uffizio □ **to seek o.**, cercare di ottenere una carica pubblica; cercare di farsi eleggere **CULTURA** • **Office**: *con l'eccezione di alcuni ministeri veri e propri (come lo* **Home Office**), *il termine* **Office** *viene usato in Gran Bretagna per i dipartimenti minori e non ministeriali dell'amministrazione pubblica, tra cui diversi organi con funzioni di garante, ad esempio, l'***Office for National Statistics**, Istituto Nazionale di Statistica; *l'***Office of Fair Trading**, Autorità garante della concorrenza e del mercato; *l'***Office for Standards in Education**, Ufficio per la valutazione delle scuole pubbliche.

to **office** /ˈɒfɪs/ v. i. (*fam.*) avere l'ufficio: *Where do you o.?*, dove hai l'ufficio?

♦**officer** /ˈɒfɪsə(r)/ n. **1** (*mil., marina mil.*) ufficiale: **army officers**, ufficiali dell'esercito; **naval officers**, ufficiali di marina; **air force officers**, ufficiali d'aviazione; **medical o.**, ufficiale medico **2** (alto) funzionario; dirigente: **a customs o.**, un funzionario della dogana; **the officers of a concern**, i dirigenti di un'azienda **3** (spec. al vocat.) poliziotto; agente di polizia • **officers' mess**, (*mil.*) mensa ufficiali; (*naut.*) quadrato ufficiali □ (*leg.*) **officers of the court**, gli ausiliari della giustizia □ (*mil.*) **o. of the day**, ufficiale di giornata □ (*mil.*) **o. of the guard**, ufficiale di picchetto □ **o. of public health**, ufficiale sanitario □ **an o. of State**, un funzionario statale; (*polit.*) un ministro □ (*naut.*) **o. of the watch**, ufficiale di guardia □ **officers' quarters**, quadrato ufficiali; alloggi degli ufficiali □ **uniformed o.**, poliziotto in divisa.

to **officer** /ˈɒfɪsə(r)/ v. t. (*mil.*) **1** provvedere (*un reparto*) d'ufficiali; fornire i quadri a (*un reparto*) **2** (di solito al passivo) comandare (come ufficiale): *My company was officered by Capt. Wright*, la mia compagnia era comandata dal capitano Wright.

♦**official** /əˈfɪʃl/ **A** a. ufficiale; di (*o* pertinente a) un ufficio: **an o. letter [invitation]**, una lettera [un invito] ufficiale; **o. duties**, doveri d'ufficio; **in one's o. capacity**, in veste ufficiale; (*sport*) **o. record**, primato ufficiale **B** n. **1** funzionario; dirigente (*statale*); impiegato di grado elevato (*cfr.* **clerk**); pubblico ufficiale: **government officials**, funzionari statali **2** (*sport*) dirigente (*o* commissario) sportivo; ufficiale di gara; (*ciclismo*) direttore della corsa • (*leg.*) **o. action**, atto amministrativo □ **o. character**, carattere ufficiale; ufficialità □ (*Borsa*) **o. list**, listino ufficiale □ (*naut.*) **o. log book**, giornale di bordo □ (*leg.*) **o. oath**, giuramento solenne □ (*autom., motociclismo, ecc.*) **o. practice**, prove di qualificazione □ (*fin.*) **o. rate of interest**, tasso legale d'interesse □ (*leg.*) **o. receiver** → **receiver**, *def. 4* □ (*GB*) **O. Secrets Act**, legge sui segreti di Stato □ **o. strike**, sciopero ufficiale.

officialdom /əˈfɪʃldəm/ n. [U] **1** l'essere un pubblico ufficiale **2** (la) burocrazia; (collett.) (i) burocrati.

officialese /əfɪʃəˈliːz/ n. [U] gergo burocratico; burocratese.

to **officialize** /əˈfɪʃəlaɪz/ v. t. ufficializzare (*bur.*); rendere ufficiale; dare un carattere ufficiale a.

officially /əˈfɪʃəlɪ/ avv. ufficialmente; in via ufficiale.

officiant /əˈfɪʃɪənt/ n. (*relig.*) officiante; celebrante.

to **officiate** /əˈfɪʃɪeɪt/ v. i. **1** compiere l'ufficio di; fare le funzioni di; fare da: **to o. as host at a formal lunch**, compiere l'ufficio di anfitrione a una colazione ufficiale; **to o. as best man at a wedding**, fare da testimone (*per lo sposo*) a un matrimonio **2** (*relig.*) ufficiare; celebrare: *A bishop officiated at their marriage*, al loro matrimonio ufficiava un vescovo **3** (*sport*) arbitrare: **to o. (at) a game**, dirigere una partita ‖ **officiation** n. [U] **1** (*relig.*) ufficiatura **2** (*sport*) → **officiating**, **B**, *def. 2* ‖ **officiator** n. officiante.

officiating /əˈfɪʃɪeɪtɪŋ/ **A** a. (*relig.*) officiante **B** n. [U] **1** (*relig.*) ufficiatura **2** (*sport*) arbitraggio • (*relig.*) **the o. priest**, l'officiante; il celebrante.

officinal /ɒfɪˈsaɪnl/ a. **1** (*di pianta*) officinale; medicinale **2** (*di farmaco*) officinale; (*anche*) da banco.

officious /əˈfɪʃəs/ a. inframmettente; importuno; invadente; troppo zelante: **an o. letter**, una lettera importuna **FALSI AMICI** • officious *non significa* ufficioso | **-ly** avv. | **-ness** n. [U].

offing /ˈɒfɪŋ/ n. (*naut.*) **1** [U] (il) largo; mare aperto: (*di nave*) **to lay in the o.**, restare al largo (*ma in vista della terra*) **2** distanza da terra: (*di nave*) **to gain a good o.**, portarsi a una buona distanza da terra • (*naut.*) **in the o.**, al largo; in vista (*anche fig.*): *A torpedo boat was waiting in the o.*, una torpediniera aspettava al largo; *There is an engagement in the o.*, c'è in vista un fidanzamento.

offish /ˈɒfɪʃ/ a. (*fam.*) altero; altezzoso; compassato; distante | **-ly** avv. | **-ness** n. [U].

offline /ɒfˈlaɪn/ a. e avv. (*comput.*) = **off-line** → **off** ④.

to **offload** /ɒfˈləʊd/ v. t. **1** (*naut.*) far sbarcare (*passeggeri*); scaricare (*merce*) **2** (*fig.*) scaricare: **to off-load unemployment onto the shoulders of the young**, scaricare la di-

soccupazione sulle spalle dei giovani **3** (*fig.*) demotivare **4** (*comput.*) scaricare (*dati da un computer a un altro*) **5** (*fam.*) sbolognare; appioppare: *I managed to off-load my old moped onto Peter*, sono riuscito a sbolognare il mio vecchio ciclomotore a Peter.

offprint /'ɒfprɪnt/ n. estratto (*di un articolo, ecc.*).

offscourings /'ɒfskaʊərɪŋz/ n. pl. (*form.*) rifiuti; scarti; feccia.

offset ① /'ɒfsɛt/ n. **1** cosa che ne compensa un'altra; contrappeso (*fig.*); contropartita **2** (*bot.*) germoglio; pollone; rampollo (*anche fig.*) **3** (*fig.*) discendente (*o ramo*) collaterale (*di una famiglia*) **4** (*comm.*) compensazione. ● **o. purchase**, acquisto in compensazione **5** ▣ (*comm. est.*) scambio di compensazione **6** (*rag.*) contropartita: **o. account**, conto di contropartita **7** (*geogr.*) ramo (*di catena di monti*); terrazzo **8** (*edil.*) risega **9** (*ind. min.*) traversa **10** ▣ (*geol.*) rigetto orizzontale **11** ▣ (*geol.*) avanzamento di spiaggia **12** (*nei sistemi di controllo*) scarto **13** ▣ (*tipogr.*, = **o. process**) offset; procedimento offset **14** (*comput.*) offset; scostamento ● (*mil.*) **o. bombing**, bombardamento con falso scopo □ (*tecn.*) **o. line**, linea di offset □ **o. lithography**, stampa offset (*il procedimento*) □ **o. press**, macchina da stampa offset □ **o. print**, stampa offset (*il risultato*) □ (*geol.*) **o. ridge**, dislocazione tettonica □ (*elettron.*) **o. voltage**, tensione di offset □ (*ind. petrolifera*) **o. well**, pozzo di compensazione.

offset ② /'ɒfsɛt/ a. **1** (*mecc.*) fuori asse; disassato: **o. cylinder**, cilindro fuori asse; (*autom.*) **o. wheels**, ruote disassate **2** (*tecn.*) con lama ad angolo: **o. screwdriver**, cacciavite con lama ad angolo **3** (*tipogr.*) stampato in offset.

to **offset** /'ɒfsɛt/ v. t. e i. (pass. e p. p. **offset**) **1** compensare; controbilanciare: *In this bank, deposits do not o. withdrawals*, in questa banca, i depositi non controbilanciano i prelievi; **to o. a handicap**, compensare uno svantaggio iniziale **2** (*archit.*) sfalsare (*un muro*) **3** (*tipogr.*) stampare in offset **4** spostare lateralmente **5** (*rag.*) compensare; rettificare ● (*fisc.*) **to o. deductible expenses against taxable income**, compensare le spese detraibili dal reddito imponibile □ (*rag.*) **offsetting entry**, posta rettificativa; storno □ (*comm. est.*) **offsetting swap**, operazione di scambio di compensazione.

offshoot /'ɒfʃuːt/ n. **1** (*bot.*) germoglio; pollone; rampollo (*anche fig.*) **2** (*fig.*) ramo cadetto (*o collaterale*), discendente di ramo collaterale (*di una famiglia*) **3** (*fig.*) derivato; ramo (*fig.*); propaggine: *Their dialect is an o. of old Albanian*, il loro dialetto deriva dall'albanese antico.

offshore /ɒf'ʃɔː(r)/ **A** avv. **1** (*naut.*) in mare aperto; in alto mare; al largo **2** (*econ., ind.*) 'offshore'; all'estero **B** a. **1** (*ind.*) situato in mare; offshore: **o. platforms**, piattaforme petrolifere offshore; **o. industries**, industrie offshore **2** (*del vento*) che viene dalla terra; di terra **3** (*fin.*) operante (*o che si svolge*) all'estero; d'oltremare; offshore: **o. banks**, banche offshore (*spec. nelle Isole della Manica*); **o. fund**, fondo d'investimento che opera all'estero; **o. funds**, capitali imboscati all'estero □ (*ind. petrolifera*) **o. drilling**, perforazione offshore □ **o. drilling rig**, gatto selvatico (*fig.*) □ **o. fishing**, pesca d'alto mare □ (*naut.*) **o. navigation**, navigazione in mare aperto □ **an o. oilfield**, un giacimento petrolifero sottomarino □ (*comm. est., USA*) **o. purchases**, acquisti fatti all'estero □ (*sport*) **o. race**, regata d'altura □ (*ind. petrolifera*) **o. staff**, personale di una piattaforma petrolifera (*o di gas naturale*) □ (*naut.*) **o. wind**, vento di (*o da*) terra.

offshoring /'ɒfʃɔːrɪŋ/ n. ▣ (*econ.*) delocalizzazione (*spec. dei comparti produttivi di un'azienda*).

offside /ɒf'saɪd/ **A** n. **1** (*spec. ingl.*) lato destro (*di un veicolo, di un cavallo, della strada*; *il più lontano dal marciapiede*: *perché in GB il traffico tiene la sinistra*) **2** (*sport*) offside; fuorigioco **B** a. **1** di destra; destro: (*GB, autom.*) **the o. passenger door**, lo sportello di destra; **the o. lane**, la corsia di destra; **the o. back light**, il fanalino posteriore destro **2** (*sport*) (che è) fuorigioco; di (*o del*) fuorigioco: **o. position**, posizione di fuorigioco; fuorigioco; offside; **o. trap**, trappola del fuorigioco **C** avv. **1** (*di animale o veicolo*) a destra, sul lato destro **2** (*sport*) (in) fuorigioco; offside ● **o. decision**, concessione di un fuorigioco (*da parte dell'arbitro*) □ (*calcio*) **the o. flag**, la bandierina del fuorigioco □ **the o. trap**, la trappola del fuorigioco; il fuorigioco.

offsider /ɒf'saɪdə(r)/ n. (*fam. Austral.*) assistente; vice; socio; compare.

offspring /'ɒfsprɪŋ/ n. (pl. inv.) **1** discendente; prole; progenie; rampollo: *Charles is my only o.*, Charles è il mio unico discendente; *They have several o.*, hanno una prole numerosa **2** (*di animali*) cuccioli; piccoli **3** (*fig.*) frutti; prodotto; risultati.

offstage /ɒf'steɪdʒ/ a. e avv. (*teatr.*) **1** (che avviene) dietro le quinte; fuori campo; fuori scena **2** (*di un attore, un'attrice*) in privato; nella vita privata; quando non è in scena.

offtake /'ɒfteɪk/ n. **1** ▣ prelievo (*di materiali, carburante, ecc.*); ritiro (*di merce*) **2** canale di sfogo (*o di spurgo*).

Ofgas /'ɒfgæs/ sigla (*GB*, **Office of Gas Supply**) Ufficio per l'erogazione del gas (*ente regolatore dell'industria del gas*).

Ofsted /'ɒfstɛd/ abbr. (*GB*, **Office for Standards in Education**) Ente di controllo per il settore scolastico.

oft /ɒft/ avv. (*spec. poet.*) spesso: *This oft-repeated argument is based on a false premise*, questo discorso, così spesso ripetuto, si basa su una premessa falsa; **oft-times**, spesse volte; **many a time and oft**, spesso; spesse volte.

OFT sigla (*GB*, **Office of Fair Trading**) Ente per la regolamentazione del mercato (*antitrust e difesa dei consumatori*).

Oftel /'ɒftɛl/ abbr. (*GB*, **Office of Telecommunications**) Ente di controllo per l'industria telefonica.

◆**often** /'ɒfn, 'ɒftən/ avv. spesso; sovente; spesse volte; frequentemente ● **as o. as**, ogni volta che; tutte le volte che □ **as o. as not**, la metà delle volte; piuttosto spesso □ **every so o.**, ogni tanto; di tanto in tanto □ **how o.?**, quante volte?; ogni quanto (tempo)?: *How o. do tube trains run?*, Ogni quanto (tempo) passano i treni della metropolitana?; *How o. are the lessons?*, che frequenza hanno le lezioni? □ **more o. than not**, il più delle volte □ **very o.**, spessissimo.

Ofwat /'ɒfwɒt/ abbr. (*GB*, **Office of Water Services**) Ente di controllo per le aziende erogatrici di acqua.

ogee /'əʊdʒiː/ n. (*archit.*) modanatura a S; gola (*diritta o rovescia*) ● **o. arch**, arco ogivale □ **o. window**, finestra ogivale.

ogive /'əʊdʒaɪv/ n. **1** (*archit.*) ogiva **2** (*mil.*) ogiva ‖ **ogival** a. (*archit.*) ogivale; a sesto acuto; archiacuto.

ogle /'əʊgl/ n. sguardo lascivo; sguardo amoroso; sguardo languido.

to **ogle** /'əʊgl/ v. t. e i. (*di solito*, **to o. at**) concupire con lo sguardo; mangiare con gli occhi (*fam.*); guardare con desiderio sessuale: *He was ogling the stripteaser*, mangiava con gli occhi la spogliarellista ‖ **ogler** n. chi lancia sguardi lascivi.

ogre /'əʊgə(r)/ (*anche fig.*) n. orco ‖ **ogreish**, **ogrish** a. (*di orco*) orco.

ogress /'əʊgres/ n. (*anche fig.*) orchessa.

◆**oh** /əʊ/ inter. **1** (*di sorpresa, meraviglia, dolore, timore, ecc.*) oh!, ah!: *Oh, is that so?*, ah, è così? **2** ehi!; senta!: *Oh, Mr Jones, may I speak to you for a moment?*, senta, signor Jones, posso parlarLe un attimo?

OH abbr. (*USA*, **Ohio**) Ohio. ●

ohm /əʊm/ (*fis.*) n. ohm ● **Ohm's law**, la legge di Ohm ‖ **ohmic** a. ohmico.

ohmmeter /'əʊmmiːtə(r)/ n. (*fis.*) ohmmetro, ohmetro.

OHMS sigla (*GB*, **On His (o Her) Majesty's Service**) al servizio di Sua Maestà.

oho /əʊ'həʊ/ inter. (*di sorpresa, esultanza, ecc.*) oh!; ah!; evviva!

OHP abbr. (**overhead projector**) proiettore (di lucidi).

oi /ɔɪ/ inter. (*fam.*) ehi!; olà!

OIC sigla (*Internet, telef.*, **oh, I see!**), ora capisco!; ho capito!

oidium /əʊ'ɪdɪəm/ n. (pl. **oidia**) oidio (*di fungo*).

oik /ɔɪk/ n. (*slang spreg.*) buzzurro; burino; zoticone; tanghero.

◆**oil** /ɔɪl/ **A** n. **1** ▣ olio: **mineral [vegetable] oils**, oli minerali [vegetali]; **olive oil**, olio d'oliva; **fatty** (*o* **fixed**) **oils**, oli grassi (*o fissi*); **essential** (*o* **volatile**) **oils**, oli essenziali (*o volatili*); **whale oil**, olio di balena **2** ▣ petrolio: **oil production**, la produzione di petrolio **3** (pl.) (= **oil colours**) colori a olio **4** ▣ (*ind.*) olio essenziale; essenza: **oil of cloves**, olio essenziale di chiodi di garofano **5** dipinto (quadro, ritratto) a olio **6** ▣ (*cucina*) olio; grasso: *I cook without using any oils*, io cucino senza grassi **7** ▣ (= **fuel oil**) olio combustibile; gasolio; nafta **8** ▣ (*fam. USA*) adulazione; sapone (*fig. fam.*) **9** ▣ (*fam. USA*) mezzo di corruzione; bustarella; pizzo; tangente; mazzetta **10** ▣ (*slang USA*) alcolici; liquori **B** a. attr. **1** del petrolio; petrolifero **2** dell'olio; oleario: **the oil market**, il mercato oleario □ **oil-based paint** = **oil paint** → sotto □ **oil-bearing**, petrolifero; ricco di petrolio □ **oil bottle**, oliera □ **oil burner**, bruciatore a gasolio (*o a nafta*); (*slang*) automezzo che consuma troppo □ (*ind.*) **oil cake**, panello di semi oleosi □ **oil central heating**, riscaldamento centrale a gasolio (*o a nafta*) □ **oil colour**, colore a olio □ (*fin.*) **oil company**, società petrolifera □ (*mecc.*) **oil-cooled**, raffreddato a olio □ (*ind. petrolifera*) **oil derrick**, torre di trivellazione; derrick □ (*mecc.*) **oil feeder**, oliatore a pressione □ (*mecc.*) **oil filter**, filtro dell'olio □ **oil-fired**, (funzionante) a nafta (*o a gasolio*): **oil-fired boiler**, caldaia a gasolio (*o a nafta*) □ **oil-fired heating**, riscaldamento a gasolio (*o a nafta*) □ **oil fires**, incendi di pozzi petroliferi □ **oil fuel**, olio combustibile; gasolio; nafta □ (*zool.*) **oil gland**, ghiandola che secerne olio; ghiandola del codrione (*o dell'uropigio*) □ **oil meal**, farina di semi di lino □ **oil mill**, frantoio; oleificio □ (*bot.*) **oil nut**, noce oleifera; noce oleosa □ **oil of turpentine**, acquaragia □ (*chim.*) **oil of vitriol**, acido solforico; olio di vetriolo (*pop.*) □ **oil paint**, pittura a olio (*la materia*) □ **oil painting**, quadro a olio; pittura a olio; (*fig.*) bellezza: *He's [She's] no oil painting*, non è una bellezza; non è un Adone [una Venere] □ (*mecc.*) **oil pan**, coppa dell'olio □ **oil pipeline**, oleodotto □ (*naut., ind. petrolifera*) **oil platform**, piattaforma per ricerche petrolifere □ **oil press**, torchio per olio □ **oil pump**, (*autom., mecc.*) pompa dell'olio; (*in un impianto di riscaldamento*) pompa del gasolio (*o della nafta*) □ **oil refining company**, società di raffinazione del petrolio □ **oil rig** → **oilrig** □ (*mecc.*) **oil seal**, tenuta a olio; (*anche*) paraolio □ **oil-seed**, seme oleifero □ (*geol.*) **oil**

shale, argillite petrolifera (*o* bituminosa) □ **oil slick**, macchia di petrolio greggio sul mare (*per collisione o incaglio di petroliere*) □ **oil spill**, fuoriuscita di petrolio (*da una petroliera incagliata, ecc.*) □ **oil storage tank**, serbatoio di petrolio □ (*naut.*) **oil tanker**, petroliera □ **oil terminal**, deposito (del) petrolio (*in un porto, ecc.*) □ (*sport: autom.*) **oil-warning flag**, bandierina che avverte i piloti della presenza di olio sulla pista □ **oil waste disposal**, smaltimento dei residui di petrolio □ **oil well**, pozzo petrolifero □ **oil worker**, addetto alla lavorazione del petrolio; petroliere □ **to burn the midnight oil**, stare alzato la notte per lavorare (*o* per studiare) □ (*di alimenti*) **in oil**, sott'olio □ (*di dipinto*) **in oils**, a olio □ (*di un quadro*) **painted in oils**, dipinto a olio □ (*fig.*) **to pour oil on the flames**, gettar olio sul fuoco □ (*fig.*) **to pour oil on troubled waters**, (tentare di) metter pace; rappacificare gli animi □ **to strike oil**, trovare il petrolio; (*fig.*) trovare quello che si cercava, fare centro; avere successo, fare fortuna.

to oil /ɔɪl/ **A** v. t. **1** lubrificare; oliare; ingrassare: **to oil a padlock**, oliare un lucchetto **2** fondere (*burro, grasso, ecc.*); struggere **3** lucidare (*mobili, ecc.*) **4** (*fam.*) adulare; insaponare (*fig.*) **5** (*slang*) corrompere; comprare (q.); ungere le ruote a (q.) (*fig.*) □ **B** v. i. **1** fondersi (*di burro, grasso, ecc.*); struggersi **2** (*naut.*) fare nafta; rifornirsi di nafta ● (*slang*) **to oil sb.'s palm**, corrompere (*o* comprare) q.; ungere le ruote a q. (*fig.*) □ (*fam.*) **to oil up**, adulare, insaponare (*fig.*) □ (*fig.*) **to oil the wheels** (*o* **the works**) **of**, rendere più scorrevole (*o* più liscio); facilitare, agevolare (*rapporti, trattative, ecc.*) □ **oiled sardines**, sardine sott'olio ● (*slang: di persona*) **to be well oiled**, essere alticcio, brillo.

oilbird /'ɔɪlbɜːd/ n. (*zool.*, *Steatornis caripensis*) guaciaro.

oilcan /'ɔɪlkæn/ n. (*mecc.*) oliatore a mano.

oilcloth /'ɔɪlklɒθ/ n. **1** tela cerata; incerata **2** (*solo ingl.*) linoleum.

oiler /'ɔɪlə(r)/ n. **1** (*mecc.*) oliatore; lubrificatore; ingrassatore (*operaio e strumento*) **2** autocisterna; cisterna **3** (*naut.*) petroliera **4** (*fam. USA*) pozzo di petrolio **5** (pl.) (*USA*) → oilskin, def. 2.

oilfield /'ɔɪlfiːld/ n. giacimento petrolifero; bacino petrolifero.

oilflation /ɔɪl'fleɪʃn/ n. ⓤ inflazione da eccessivo aumento del prezzo del petrolio.

oiliness /'ɔɪlɪnəs/ n. ⓤ oleosità; untuosità (*anche fig.*).

oiling /'ɔɪlɪŋ/ n. ⓤⓒ **1** (*mecc.*) lubrificazione a olio; ingrassaggio **2** (*ind. tess.*) oliatura (*della lana, ecc.*).

oilless /'ɔɪlləs/ a. **1** senza olio **2** senza petrolio **3** (*mecc.*) autolubrificante: **o. bearing**, cuscinetto autolubrificante.

oilman /'ɔɪlmən/ n. (pl. *oilmen*) **1** commerciante d'olio **2** industriale petrolifero; petroliere **3** petroliere (*operaio*) **4** venditore di petrolio (*o di oli combustibili*) **5** (*slang USA*) ubriacone; (*anche*) messicano.

oilpaper /'ɔɪlpeɪpə(r)/ n. carta oleata.

oilrig /'ɔɪlrɪɡ/ n. impianto di trivellazione petrolifera; (*spec.*) piattaforma offshore.

oilseed /'ɔɪlsiːd/ **A** n. ⓤ semi (pl.) oleosi **B** a. **1** oleoso **2** di semi oleosi ● (*bot.*) **o. rape** (*Brassica napus arvensis*) colza; ravizzone.

oilskin /'ɔɪlskɪn/ n. **1** tela cerata; incerata **2** (pl.) indumenti di tela cerata.

oilstone /'ɔɪlstəʊn/ n. ⓤ pietra da cote; cote.

oiltight /'ɔɪltaɪt/ a. (*mecc.*) a tenuta d'olio.

oily /'ɔɪlɪ/ a. **1** oleoso; untuoso (*anche fig.*): **an o. speech**, un discorso untuoso **2** unto; sporco d'olio: **o. hands**, mani unte; **o. rags**,

stracci unti ● (*fig.*) **o.-tongued**, untuoso; mellifluo.

oink /ɔɪŋk/ n. **1** (*fam.*) verso del maiale; grugnito **2** (*slang USA*) poliziotto; sbirro.

to oink /ɔɪŋk/ v. i. (*fam.*) fare il verso del maiale; grugnire.

ointment /'ɔɪntmənt/ n. ⓒⓤ (*farm.*) unguento; pomata.

OJ sigla (*fam.*, **orange juice**) succo d'arancia.

OJT sigla (*econ.*, **on-the-job training**) formazione sul lavoro.

OK abbr. (*USA*, **Oklahoma**) Oklahoma.

okapi /əʊ'kɑːpɪ/ n. (pl. *okapis*) (*zool.*, Okapia johnstoni) okapi.

◆**okay**, **OK**, **O.K.** /əʊ'keɪ/ (*fam.*) **A** a. esatto; corretto; giusto; ben fatto **B** avv. bene; benissimo: *Is it OK if we bring the children in?*, va bene se facciamo entrare i bambini?; *Is everything o. for this weekend?*, è tutto OK per questo fine settimana? **C** inter. va bene!; sta bene!; d'accordo! **D** n. approvazione; consenso ● **to give the o.**, approvare; dare il via □ **to look o.**, aver l'aria d'andare bene: *The hotel looks o.*, mi pare che l'albergo vada bene.

to okay, **to OK**, **to O.K.** /əʊ'keɪ/ v. t. (*fam.*) approvare; dare via libera a (qc.).

okey-doke /əʊkɪ'dəʊk/, **okey-dokey** /əʊkɪ'dəʊkɪ/ a. e avv. (*fam.*) → **okay**.

Okie /'əʊkɪ/ n. (*fam. USA*) **1** abitante (*o* nativo) dell'Oklahoma **2** (*fig. spreg.*) contadino; provinciale; zoticone.

◆**old** /əʊld/ a. (compar. *older* e *elder*, superl. relat. *oldest* e *eldest* ❶ NOTA: *elder o older?* → **elder**) **1** vecchio; antico; antiquato; superato; vetusto; **old friends**, vecchi amici; **old traditions**, tradizioni antiche; **old fashions**, mode antiquate; **old ideas**, idee vetuste (*o* superate); **the old year**, l'anno vecchio **2** – old in, esperto in; incallito in; indurito in: **old in diplomacy**, esperto nelle arti della diplomazia; **old in vice**, incallito nel vizio; **old in crime**, indurito nel crimine; recidivo **3** (in loc. esprimenti il concetto d'età, è idiom.; per es.:) **at ten years old**, all'età di dieci anni; a dieci anni; (*ipp.*) **a four-year-old** (**horse**), un cavallo di quattro anni; **a four-year-old child**, un bambino di quattro anni; *Five to twelve year-olds pay half price*, i bambini dai cinque ai dodici anni pagano metà prezzo; *How old are you?*, quanti anni hai?; *How are the children?*, quanti anni hanno i bambini?; *I'm twenty years old*, ho vent'anni; *How old was his father?*, quanti anni aveva suo padre?; *You are old enough to know better*, sei grande, ormai; dovresti avere più giudizio ● (collett.) **the old**, i vecchi □ **old age**, vecchiaia: **old-age pension**, pensione di vecchiaia □ **old-age pensioner**, detentore di pensione di vecchiaia □ **as old as the hills**, vecchio come il mondo (*o* come Matusalemme); antichissimo; vetusto □ **an old bachelor**, uno scapolo impenitente; uno zitellone (*scherz.*) □ (*leg., stor.*) **Old Bailey**, la sede della Corte Penale Centrale (*a Londra, fino alla fine dell'Ottocento*) □ (*slang*) **old bat**, vecchia befana; vecchia strega □ (*fig.*) **an old bird**, un individuo scaltro; una vecchia volpe □ **old boy**, vecchio compagno di scuola; ex alunno di una scuola secondaria (*spec. di una «public school»*); (*fam.*) anziano; vecchio; (*fam. antiq.*, al vocat.) vecchio mio □ **the old-boy** (*o* **old boys'**) **network**, il legame di assistenza reciproca (*nella carriera, ecc.*) esistente fra vecchi compagni di scuola □ (*fam. USA*) **old buddy**, amico del cuore □ **old chap** = **old man** → *sotto* □ **old-clothes man**, rivenditore d'abiti usati; rigattiere □ **the old country**, la madrepatria □ **old economy**, la vecchia economia □ (*ling.*) **Old English**, la lingua anglosassone, l'inglese antico □ **an old-estab-**

lished firm, una vecchia ditta; una ditta fondata molti anni fa □ **old Etonian**, ex alunno del college di Eton □ (*volg.*) **old fart**, vecchiaccio □ (*fig.*) **old flame**, vecchia fiamma □ **old fogey** (*o* **old fogy**), persona d'idee antiquate; parruccone (*fig.*) □ (*fig.*) **the Old Gentleman** = **the Old One** → *sotto* □ **old girl**, vecchia compagna di scuola; ex alunna (*fam.*) vecchia signora □ (*USA*) **Old Glory**, la bandiera americana □ **old gold**, (color) oro vecchio □ **an old hand**, uno che è vecchio del mestiere; un veterano; un esperto □ (*fig.*) **Old Harry** = **the Old One** → *sotto* □ (*fam.*) **old hat**, antiquato, fuori moda; banale; trito □ (*fam.*) **the old lady**, la vecchia; la moglie; la mamma □ **the Old Lady (of Threadneedle Street)**, la Banca d'Inghilterra □ (*polit.*) **the Old Left**, la vecchia sinistra □ (*polit.*) **Old Leftist**, membro della vecchia sinistra □ **an old maid**, una vecchia zitella; (*fig.*) un uomo bisbetico (*o* difficile) □ **old-maidish**, di (*o* da) zitella; zitellesco; bisbetico; difficile □ (*fam. antiq.*, al vocat.) **old man**, vecchio mio!; caro mio!; ragazzo mio! □ **an old man**, un vecchio; un vegliardo □ **the old man**, (*fam.*) il vecchio; il padre; il marito; (*fig.*) quello di prima; la vera natura maligna di (q.) □ (*fig.*) **the Old Man of the Sea**, persona di cui è difficile sbarazzarsi (*dalle «Mille e una notte»*) □ (*fam. USA*) **old man River**, il (fiume) Mississippi □ (*bot.*) **old-man's beard** (*Clematis vitalba*), vitalba □ **old master**, antico maestro (*della pittura*); famoso quadro antico □ **old money**, soldi vecchi, denaro che non ha più corso legale; (*fig.*) gente che è ricca da sempre □ (*fam. scherz.*) **Old Nick**, il diavolo □ (*fig.*) **the Old One**, il diavolo; il demonio □ **old people's home**, casa di riposo, casa protetta □ **old school**, (*GB*) la scuola frequentata da giovani; (*fig.*) la vecchia guardia (agg.) (*mus., ecc.*) vecchio stile; vecchia maniera; di una volta □ **the old school tie**, la cravatta della «vecchia scuola»; (*fig.*) i valori della «public school» (*lealtà, sportività, snobismo, ecc.*) □ **an old soldier**, (*mil.*) un veterano; (*fig.*) un uomo di grande esperienza; (*fam.*) una bottiglia vuota □ (*fam.*) **old stager**, vecchia volpe (*fig.*) □ **old-style**, vecchio stile; all'antica; tradizionale □ (*fam.*) **an old sweat**, un veterano; uno che è vecchio del mestiere; un vecchio soldato □ (*relig.*) **the Old Testament**, il Vecchio (*o* l'Antico) Testamento □ **old-time**, dei tempi antichi; all'antica; vecchio stile: **old-time dancing**, ballo (*o* modo di ballare) all'antica □ (*spec. polit.*) **old-timer**, tradizionalista, individuo all'antica; (*USA*) vecchio, vegliardo: **a Communist old-timer**, un comunista ortodosso □ **the Old Vic**, l'Old Vic (*teatro di Londra inaugurato nel 1818*) □ **an old wives' tale**, una storia da donnette; una superstizione □ **an old woman**, una vecchia □ (*fam.*) **the old woman** (*o* **my old woman**), la moglie; la madre; la (mia) vecchia □ **old-womanliness** (*o* **old-womanishness**), pavidità; timore; timidezza □ **old-womanly** (*o* **old-womanish**), da donnicciola; pavido; timoroso, timido □ **old-world**, antico, all'antica, vecchio stile; (*USA*) europeo, del continente antico □ **the Old World**, il Vecchio Mondo; l'Europa, l'Asia e l'Africa □ **any old**, qualsiasi, qualunque: *I don't want any old car; I want a Jag!*, non voglio un'auto purchessia; voglio una Jaguar! □ **any old how**, alla meglio; alla rinfusa; a casaccio; come viene viene □ **the good old days**, il buon tempo andato □ **to grow old**, invecchiare □ **to have an old head on young shoulders**, avere molto giudizio per la propria età (pur essendo giovane) □ (*slang*) **to have a good old time**, spassarsela moltissimo; divertirsi un mondo □ **in days of old**, nei tempi antichi; un tempo; una volta □ **in the good old times**, nei tempi passati; ai bei tempi (*d'una volta*) □ **to look**

old, avere un'aria da vecchio; sembrare vecchio □ **the men of old**, gli uomini d'una volta □ (*fam.*: *detto da un vecchio*) **my old bones**, le mie stanche ossa □ **of the old school**, antiquato; all'antica; vecchio stile; tradizionalista □ **of long standing**, d'antica data □ **He's an old hand at that work**, ha una lunga esperienza in quel genere di lavoro □ **The century grows old**, il secolo volge alla fine □ **That child has an old face**, quel bambino ha una faccia da vecchio □ (*modo prov.*) **It's not the good old days any more**, non è più come ai bei tempi andati.

olde /ˈəʊld/ a. (*spec. scherz. o iron.*) vecchio; all'antica; vecchio stile: **o. worlde** (attr.), vecchio stile, vecchia maniera.

olden /ˈəʊldən/ a. (*lett.*) antico; vecchio; antiquato; all'antica; in **o. times** (*o* **days**), nei tempi antichi; un tempo.

♦**old-fashioned** /əʊldˈfæʃnd/ a. antiquato, fuori moda, superato: **the old-fashioned way**, all'antica.

oldie /ˈəʊldɪ/ n. (*fam.*) **1** vecchietto, vecchietta; vecchierello, vecchierella **2** barzelletta vecchiotta; canzone vecchia; vecchio film (*slang USA*) **o. but goodie**, (*di un oggetto*) vecchio ma ancora valido, (*di persona*) vecchio ma in gamba □ (*fam.*) **golden o.**, vecchio film di successo; vecchia canzone di successo; classico (*del cinema, della musica, ecc.*); vecchia gloria, vecchio notabile (*di partito politico*) (*scherz.*) arzillo vecchietto.

oldish /ˈəʊldɪʃ/ a. piuttosto vecchio; vecchiotto; attempato.

oldster /ˈəʊldstə(r)/ n. (*fam. USA*) vecchio; vegliardo; anziano.

oleaginous /əʊlɪˈædʒɪnəs/ a. oleoso; oleaceo; oleifero.

oleander /əʊlɪˈændə(r)/ n. (*bot.*, *Nerium oleander*) oleandro.

oleaster /əʊlɪˈæstə(r)/ n. (*bot.*) **1** (*Olea oleaster*) olivastro; oleastro **2** (*Elaeagnus angustifolia*) eleagno; olivagno; olivo di Boemia.

olefin, **olefine** /ˈəʊləfɪn/ (*chim.*) n. □ olefina || **olefinic** a. olefinico.

oleic /ˈəʊlɪk/ (*chim.*) a. oleico: **o. acid**, acido oleico || **oleate** n. oleato.

oleiferous /əʊlɪˈɪfərəs/ a. oleifero.

olein /ˈəʊlɪɪn/ n. (*chim.*) oleina.

oleograph /ˈəʊlɪəʊɡrɑːf/ n. oleografia (*riproduzione a stampa di un quadro a olio*) || **oleographic** a. oleografico || **oleography** n. □ oleografia (*il processo di stampa*).

oleomargarine /əʊlɪəʊmɑːdʒəˈriːn/ n. □ (*chim.*) oleomargarina.

oleometer /əʊlɪˈɒmɪtə(r)/ n. (*chim.*, *fis.*) oleometro.

oleoresin /əʊlɪəʊˈrezɪn/ n. (*chim.*) oleoresina.

O level /ˈəʊlevl/ loc. n. (*stor.*, *GB*) esame della scuola secondaria ❶ **CULTURA • O level:** *insieme di test* → «A level» *faceva parte del sistema di esami scolastici in vigore nel Regno Unito* (*con l'eccezione della Scozia*) *fino al 1988, quando venne sostituito dal* → «GCSE».

olfaction /ɒlˈfækʃən/ n. □ **1** olfatto; odorato **2** l'odorare || **olfactive** a. olfattivo; olfattorio.

olfactometer /ɒlfækˈtɒmɪtə(r)/ n. (*med.*) olfattometro.

olfactory /ɒlˈfæktərɪ/ a. (*anat.*) olfattivo; olfattorio: **o. nerves**, nervi olfattori.

olibanum /ɒˈlɪbənəm/ n. □ incenso; olibano (*lett.*).

oligaemia, (*USA*) **oligemia** /ɒlɪˈɡiːmɪə/ (*med.*) n. □ oligoemia || **oligaemic**, (*USA*) **oligemic** a. oligoemico.

oligarch /ˈɒlɪɡɑːk/ n. oligarca.

oligarchy /ˈɒlɪɡɑːkɪ/ n. ⓤⓒ oligarchia || **oligarchical** a. oligarchico || **oligarchically** avv. oligarchicamente.

oligemia, **oligemic** (*USA*) → **oligaemia**, **oligaemic**.

Oligocene /ˈɒlɪɡəsiːn/ (*geol.*) Ⓐ n. □ oligocene Ⓑ a. oligocenico.

oligoclase /ˈɒlɪɡəʊkleɪs/ n. □ (*miner.*) oligoclasio.

oligomer /ɒˈlɪɡəmə(r)/ (*chim.*) n. oligomero || **oligomeric** a. oligomerico.

oligonucleotide /ɒlɪɡəˈnjuːklɪəʊtaɪd, *USA* -'nuː-/ n. (*biol.*) oligonucleotide.

oligopoly /ɒlɪˈɡɒpəlɪ/ (*econ.*) n. oligopolio || **oligopolist** n. oligopolista || **oligopolistic** a. oligopolistico.

oligopsony /ɒlɪˈɡɒpsənɪ/ (*econ.*) n. oligopsonio || **oligopsonistic** a. oligopsonistico.

oligosaccharide /ɒlɪɡəʊˈsækəraɪd/ n. (*chim.*) oligosaccaride.

oligospermia /ɒlɪɡəʊˈspɜːmɪə/ n. □ oligospermia.

oliguria /ɒlɪˈɡjʊərɪə/, **oliguresis** /ɒlɪɡjʊəˈriːsɪs/ n. (*med.*) oliguria.

olio /ˈəʊlɪəʊ/ n. (*pl.* **olios**) **1** (*cucina*) olla podrida (*spagn.*); spezzatino; piatto misto di carne e verdura, condito con spezie **2** (*fig.*) mescolanza; miscuglio.

olivaceous /ɒlɪˈveɪʃəs/ a. **1** olivastro; olivaceo; verde oliva **2** a forma d'oliva.

olivary /ˈɒlɪvərɪ/ a. (*anat.*) olivare: **o. bodies**, corpi olivari.

olive /ˈɒlɪv/ Ⓐ n. **1** (*bot.*, *Olea europaea*: = **o. tree**) olivo, ulivo **2** oliva, uliva: **stuffed olives**, olive farcite **3** □ colore olivastro; color verde oliva **4** (*zool.*, *Oliva*) oliva **5** (*zool.*, *Dacus oleae*; = **o. fly**) mosca olearia (*o delle olive*) Ⓑ a. verde oliva; olivastro: **o. complexion**, carnagione olivastra ● (*anche fig.*) **o. branch**, ramo (*o ramoscello*) di olivo **o.-coloured**, olivastro □ **an o. crown** (*o* **wreath**), una corona di ramoscelli d'olivo (*simbolo di vittoria sportiva*) □ **o. drab**, (*colore*) grigioverde (*per divise militari*) □ **o. green**, verde oliva □ **o. grove**, oliveto, uliveto □ **o.-like**, a forma di uliva □ **o. oil**, olio d'oliva □ **o. wood**, legno d'olivo □ (*cucina*) **beef** (*o* **veal**) **olives**, involtini; messicani; fette di manzo (*o di vitello*) arrotolate con erbe e cotte in umido □ (*fig.*) **to hold out an o. branch**, porgere il ramoscello d'olivo; fare profferte di pace.

olivenite /əʊˈlɪvənaɪt/ n. □ (*miner.*) olivenite.

Oliver /ˈɒlɪvə(r)/ n. Oliviero.

olivine /ɒlɪˈviːn/ n. □ (*miner.*) olivina.

olm /əʊlm/ n. (*zool.*, *Proteus anguineus*) proteo.

ology /ˈɒlədʒɪ/ n. (*scherz.*: *da* **biology**, *ecc.*) scienza; disciplina; materia di studio.

Olympia /əʊˈlɪmpɪə/ n. (*geogr.*, *stor.*) Olimpia.

Olympiad /əʊˈlɪmpɪæd/ n. (*sport*) **1** (*stor.*) olimpiade **2** quadriennio olimpico **3** (*spec. scacchi e bridge*) olimpiade; prestigioso campionato internazionale o nazionale.

Olympian /əʊˈlɪmpɪən/ Ⓐ a. olimpico; olimpiaco (*lett.*); (*fig.*) maestoso; imperturbabile: **o. calm**, calma olimpica Ⓑ n. **1** (*mitol.*) abitante (*o divinità*) dell'Olimpo **2** (*sport, spec. USA*) olimpionico **3** (*fig.*) persona olimpica || **Olympianism** n. □ olimpicità; imperturbabilità.

Olympic /əʊˈlɪmpɪk/ a. olimpico; olimpiaco (*lett.*): **O. games**, giochi olimpici; olimpiadi ● **an O. champion**, un campione olimpionico; un olimpionico ● **the Olympics**, i giochi olimpici; le Olimpiadi □ **O. athlete**, olimpionico (sost.) □ **the O. flame**, la fiamma olimpica □ **an O. gold medal**, una medaglia d'oro olimpica □ **O. medallist**, olimpionico (*l'atleta*) □ (*su un giornale*) **medals awarded**, medagliere olimpionico □ **O. record**, primato olimpionico □ **O. record**

holder, primatista olimpionico □ **O.-size pool**, piscina olimpionica □ **O. torch**, fiaccola olimpica □ **O. torch bearer**, tedoforo delle Olimpiadi □ **O. Winter** (*o* **Winter O.**) **Games**, Olimpiadi invernali.

Olympism /əˈlɪmpɪzəm/ n. □ (*sport*) olimpismo.

Olympus /əˈlɪmpəs/ n. (*mitol. e fig.*) Olimpo.

omasum /əʊˈmeɪsəm/ n. (*pl.* **omasa**) (*zool.*) omaso.

ombre /ˈɒmbə(r)/ n. (*stor.*) ombra (*gioco di carte*).

ombudsman /ˈɒmbʊdzmən/ n. (*pl.* **ombudsmen**) ombudsman; difensore civico.

ombudswoman /ˈɒmbʊdzwʊmən/ n. (*pl.* **ombudswomen**) difensore civico (*donna*).

omega /ˈəʊmɪɡə, *USA* əʊˈmeɪɡə/ n. **1** omega (*ultima lettera dell'alfabeto greco*) **2** (*fig.*) omega; fine.

omegatron /əʊˈmiːɡətrɒn/ n. (*elettron.*) omegatrone.

omelette, **omelet** /ˈɒmlət/ n. omelette; frittata: **cheese o.**, omelette al formaggio; **plain o.**, omelette al naturale; **savoury o.**, omelette con erbe; *Spanish o.*, frittata di verdura, **sweet o.**, omelette con marmellata ● (*prov.*) **You can't make an o. without breaking eggs**, non si può fare la frittata senza rompere le uova.

omen /ˈəʊmən/ n. ⓒⓤ augurio; auspicio; indizio; presagio; pronostico; segno: **an o. of victory**, un indizio (*o un presagio*) di vittoria ● **to take omens**, trarre auspici.

to **omen** /ˈəʊmən/ v. t. esser un auspicio di; presagire; far presagire ● **ill-omened**, di malaugurio; sfortunato: **an ill-omened beginning**, un inizio sfortunato.

omentum /əʊˈmentəm/ (*anat.*) n. (*pl.* **omenta**) omento || **omental** a. omentale; dell'omento.

omicron /əʊˈmaɪkrən/ n. omicron (*quindicesima lettera dell'alfabeto greco*).

ominous /ˈɒmɪnəs/ a. di malaugurio; malauguroso; infausto; minaccioso; inquietante; sinistro: **a dead and o. silence**, un silenzio assoluto, minaccioso e sinistro; *'In the gloom of the jungle, each minute seemed more o.'* N. MAILER, 'nell'oscurità della giungla, ogni minuto diventava più inquietante'.

omissible /əʊˈmɪsəbl/ a. omissibile; tralasciabile.

omission /əˈmɪʃn/ n. ⓒⓤ **1** omissione; il tralasciare; dimenticanza; lacuna: **sins of o.**, peccati d'omissione **2** (*sport*) esclusione (*di un giocatore*) || (*leg.*) **crime of o.**, reato di omissione || **omissive** a. omissivo.

to **omit** /əˈmɪt/ v. t. **1** omettere; tralasciare; trascurare: **to o. a word**, omettere una parola; **to o. doing** (*o* **to do**) **one's duty**, omettere (*o trascurare*) di fare il proprio dovere **2** (*sport, ecc.*) escludere; lasciare fuori: **to o. a player from the team**, lasciare fuori un giocatore; non metterlo in squadra.

omnibus /ˈɒmnɪbəs/ Ⓐ n. **1** (*arc.*: *di solito* **bus**) autobus **2** = **o. volume** → *sotto* Ⓑ a. attr. che include più cose; che serve a più scopi ● (*polit.*) **an o. bill**, un disegno di legge che investe vari problemi □ (*teatr.*) **o. box**, palco preso in affitto da più abbonati □ **an o. clause**, (*leg.*) una clausola testamentaria con cui si devolvono beni non ancora conosciuti o elencati; (*ass.*) una clausola onnicomprensiva (*o comprensiva d'ogni rischio*) □ **o. edition**, edizione antologica (*di un libro*); (*radio, TV*) replica di varie puntate messe insieme □ **o. volume**, volume che contiene più opere dello stesso autore o dello stesso argomento.

omnidirectional /ɒmnɪdɪˈrekʃənl, -daɪ-/ a. (*elettron.*) omnidirezionale: **o. an-**

tenna, antenna omnidirezionale.

omnifarious /ɒmnɪˈfɛərɪəs/ *a.* di ogni genere; svariato.

omnipotent /ɒmˈnɪpətənt/ *a.* onnipotente ● (*relig.*) **the O.**, l'Onnipotente; Dio || **omnipotence** *n.* ⓤ onnipotenza.

omnipresent /ɒmnɪˈprɛznt/ *a.* onnipresente || **omnipresence** *n.* ⓤ onnipresenza.

omnirange /ˈɒmnɪreɪndʒ/ *n.* (*aeron.*) radiofaro omnidirezionale.

omniscient /ɒmˈnɪsɪənt/ *a.* onnisciente || **omniscience** *n.* ⓤ onniscienza.

omnium-gatherum /ɒmnɪəmˈgæðərəm/ *n.* (*fam. o scherz.*) miscuglio; accozzaglia; guazzabuglio; di tutto un po'.

omnivore /ˈɒmnɪvɔː(r)/ *n.* (*zool.*) (animale) onnivoro.

omnivorous /ɒmˈnɪvərəs/ *a.* onnivoro ● **an o. reader**, un lettore onnivoro; uno che legge di tutto.

omphalitis /ɒmfəˈlaɪtɪs/ *n.* ⓤ (*med.*) onfalite.

omphalos /ˈɒmfələs/ *n.* **1** (*anat., lett.*) ombelico **2** (*stor., mil.*) brocco (*di uno scudo*) **3** (*fig.*) centro.

◆**on** ① /ɒn, ən/ *prep.* **1** (compl. di luogo: stato e moto, *anche fig.*) su; sopra; a; in: *He was sitting* [*he sat down*] *on a chair*, era seduto [si sedette] su una sedia; *There's a book on the table*, c'è un libro sulla (*o* sopra la) tavola; (*sport: calcio, ecc.*) **to play on the wing**, giocare sulla fascia; (*TV*) **to watch a new serial on Channel 4**, guardare un serial nuovo su Canale 4; *They live on the fifth floor*, abitano al quinto piano; *He lived on a farm*, viveva in una fattoria; *I don't like travelling on buses*, non mi piace andare in autobus; *There were paintings on the walls*, c'erano quadri alle pareti; *He's on the phone*, al telefono; *The house was on fire*, la casa era in fiamme; **a house on the river**, una casa sul fiume; **to launch an attack on the enemy**, sferrare un attacco al nemico; **war on terrorism**, la guerra al terrorismo; (*naut., aeron.*) **on board**, a bordo; **to go on a trip**, andare in gita; **to wear a ring on one's finger**, avere un anello al dito; *The door is on your right*, la porta è alla tua destra; *The teachers are on strike*, i docenti sono in sciopero; **to be on duty**, essere in servizio; essere di turno; **to travel on horseback**, viaggiare a cavallo; (*sport*) **shots on goal**, tiri a rete; tiri in porta **2** (*argomento*) su; riguardo a; circa: **a lecture on Shakespeare**, una conferenza su Shakespeare; *This is my opinion on racial segregation*, questa è la mia opinione sulla segregazione razziale **3** (*tempo*) di, in (*o* idiom.); (*spesso seguito da un gerundio*) a: **on Sunday**, (la) domenica; **on a Sunday**, una domenica; **on Sundays**, di domenica; **on this occasion**, in questa occasione; **on my birthday**, nel (*o* il) giorno del mio compleanno; **on Christmas eve**, la vigilia di Natale; **on their arrival**, al loro arrivo; (*comm.*) **on delivery**, alla consegna; (*fin.*) **on sight**, a vista; *On seeing the accident, she fainted*, svenne alla vista dell'incidente **4** (*mezzo*) a; con; di: *My car runs on diesel*, la mia automobile va a gasolio; *I've cut my hand on a piece of glass*, mi sono tagliato la mano con un pezzo di vetro; *Man cannot live on bread alone*, non si vive di solo pane; *My sons live on the dole*, i miei figli vivono del sussidio di disoccupazione **5** (*modo*) a; in; con; per: *I went there on foot*, ci andai a piedi; *I heard the news on the radio*, ho sentito la notizia alla radio (*o* per radio); *He delivered a speech on TV*, fece un discorso alla tivù; *I bought the goods on credit*, ho comprato la merce a credito; (*comm.*) **on account**, in conto; (*anche*) in acconto; **to buy st. on the cheap**, comprare qc. a buon mercato **6** (*causa*) per; a motivo di; in virtù di;

per merito di: *He's been arrested on suspicion of murder*, è stato arrestato per sospetto di omicidio; *He was appointed sales manager on his long experience in this field*, fu nominato direttore alle vendite per la sua lunga esperienza in questo campo **7** (*beneficio, vantaggio*) per; in: *He spends a lot of money on presents for his wife*, spende un mucchio di soldi in regali per la moglie; *I've wasted a lot of time on trifles*, ho perso un sacco di tempo per inezie **8** a confronto di; rispetto a: *Sales are down on last year*, le vendite sono calate rispetto all'anno scorso **9** in; al servizio (*o* alle dipendenze) di; in organico presso; (*sport*) in squadra con: *He's got a job on a newspaper*, lavora in un giornale; *Which side is he on?*, con quale squadra gioca? **10** (*fam.*) a spese di; in conto a; a carico di: *You can get your dentures on the NHS*, puoi avere la dentiera a carico dell'A-SL; l'ASL 'passa' la dentiera; *Lunch is on me!*, il pranzo lo offro io! **11** (*fam.*: indica il danno subito da q.; è idiom.): *The phone went dead on me*, mi cadde la linea (*del telefono*); *The truck broke down on him*, gli si ruppe il camion **12** (*slang*) sul conto di; contro: *The police have nothing on him*, la polizia non ha niente in mano contro di lui ● **on account of**, per conto di; a causa di □ (*radio, TV*) **on the air**, in onda (*radio*) □ **on (the *o* an) average**, in media; di media □ **to be on the ball**, (*sport*) essere sulla palla; avere la palla al piede; (*fig.*) essere un tipo sveglio □ **on-call**, (*di servizio, ecc.*) a chiamata; senza appuntamento □ **to be on drugs**, drogarsi; farsi (*pop.*) □ **on examination**, dietro esame □ **to be on guard**, stare in guardia □ (*leg.*) **to be on the jury**, fare parte della giuria □ **on loan**, in prestito □ **to be on the lookout**, essere di sentinella; stare in guardia □ **on no account**, per nessuna ragione; per nessun motivo □ **on penalty of death**, pena la morte □ **on the phone**, al telefono; (*anche*) in elenco □ (*di donna*) **to be on the pill**, prendere la pillola (*anticoncezionale*) □ **on purpose**, di proposito; a bella posta; apposta □ **on reaching home**, quando arrivai (arrivasti, ecc.) a casa □ **to be on the regular staff**, essere di ruolo (*o* in pianta stabile) □ **on sale**, in vendita □ (*comm.*) **on sale or return**, da vendere o restituire; in conto deposito □ **on the spot**, su due piedi (*fig.*); immediatamente: **an on-the-spot decision**, una decisione immediata □ **to be on the staff**, fare parte del personale; essere in organico □ **to be on strike**, essere in sciopero □ **on tap**, (*della birra*) alla spina; (*fig.: di merce*) disponibile □ **on time** (*o* **on the minute**), in tempo esatto; puntualmente □ **on my way home**, andando a casa; mentre andavo a casa □ **on the whole**, nel complesso □ (*fam.*) **Drinks are on the house!**, offre la ditta (il padrone, ecc.)! □ **just on ten o'clock**, proprio verso le dieci □ **to be mad on st.**, andare pazzo per qc. (*anche fig.*) □ **to turn one's back on sb.**, voltare le spalle a q. □ **He made a profit on the sale**, ricavò un guadagno dalla vendita □ **I dropped the tray on the floor**, lasciai cadere a terra il vassoio.

◆**on** ② /ɒn/ *avv.* **1** avanti; innanzi: *Go on!*, va' avanti!; *Come on!*, vieni avanti!; fatti avanti!; **to send on**, mandare avanti (q.); inoltrare (*una lettera, ecc.*) **2** sopra; addosso; in testa: *He had his raincoat on*, aveva addosso l'impermeabile; *He came in with his hat on*, entrò col cappello in testa **3** (*per indicare continuazione; per es.:*) **to read on**, continuare a leggere **4** (*nei verbi frasali, è* idiom.; *per es.:*) **to bring on**, causare, provocare, ecc.; **to come on**, venire (bene, male, ecc.); apparire; cominciare; ecc. (→ **to bring, to come**, *ecc.*) ❶ **NOTA:** *onto o on to?* → **onto 5** (*Borsa, fin.: di titoli*) in rialzo; in ascesa; in ripresa: *Industrials were on five points yesterday*, le azioni industriali erano

ieri in rialzo di cinque punti ● **to be on about st.**, parlare di continuo di qc.; blaterare qc.: *What is he on about this time?*, e adesso, che cosa sta blaterando? □ **to be on at sb.**, stare addosso a q.; assillare, importunare q.: *She's always on at her husband to stop going to the pub*, assilla sempre il marito perché smetta di andare al pub □ (*sport: calcio, ecc.*) **to be on for**, entrare in campo al posto di: (*in una radiocronaca o telecronaca*) *Jones on for Martins*, in campo Jones al posto di Martins □ **to be on to**, mettersi in contatto con, rivolgersi a, chiamare (*anche al telefono*); (*anche*) stare dietro a (q.); tenere d'occhio (q. *o* qc.); essere sulle tracce di; stare addosso a (q.); assillare, tormentare; (*fam. USA*) essere al corrente (*o* informato) di; avere scoperto (qc.): *I've been on to the headmaster, but it was no use*, mi sono rivolto al preside, ma non è servito a nulla; *We'd better be on to the fire brigade*, sarebbe meglio chiamare i pompieri; *I've been on to his moves for weeks*, sono settimane che tengo d'occhio le sue mosse; *The police were on to the kidnappers*, la polizia era sulle tracce dei rapitori; *He's been on to me to buy a new car for years*, sono anni che mi sta addosso perché compri una macchina nuova; *Mother wasn't on to what was happening*, la mamma non era al corrente di quel che stava accadendo □ (*fam.*) **to be on to sb.**, avere capito il gioco di q. (*o* come stanno le cose) □ **on and off**, a intervalli; in modo intermittente; saltuariamente □ **on and on**, incessantemente, senza posa, senza sosta: *He talked on and on*, non la smetteva mai di parlare □ **and so on**, e così via; eccetera □ **far on in the night**, fino a notte avanzata □ **from that day on**, da quel giorno in poi □ **later on**, più tardi; dopo □ **He's well on in years**, è avanti con gli (*o* negli) anni □ **It's getting on for ten o'clock**, si stanno facendo le dieci; manca poco alle dieci □ **Come on!**, suvvia!; via!; orsù!

◆**on** ③ /ɒn/ *a. pred.* **1** attaccato; fissato: *The button is on*, il bottone è attaccato; *The lid of the trunk is on*, il coperchio del baule è fissato **2** attaccato; inserito; acceso; in funzione; aperto; avviato: *The iron is on*, il ferro da stiro è attaccato; *Is the printer on?*, la stampante è accesa?; *The fire was on*, il fuoco era acceso; *When I go out, I usually leave the lights on*, di solito, quando esco, lascio la luce accesa; *The gas is on*, il gas è aperto; *The tap is on*, il rubinetto è aperto; *The water is on*, l'acqua viene (*o* arriva); (*anche*) la sto tirando; *The handbrake is on*, il freno a mano è inserito (*o* è tirato); *The engine is on*, il motore è avviato **3** (= **on duty**) in servizio; di turno: *Only two policemen were on*, erano in servizio soltanto due poliziotti **4** fissato; stabilito; programmato: *The meeting is on for tomorrow*, la riunione è fissata per domani; *Do you have anything on tonight?*, hai niente in programma per stasera?; che si fa stasera? **5** (*cinem., teatr.*) in cartellone; in corso di programmazione: *What's on TV tonight?*, che cosa danno questa sera in TV?; *There's absolutely nothing on as usual*, non c'è assolutamente niente come al solito; **'Hamlet' will be on for ten nights**, l'"Amleto" terrà il cartellone per dieci sere **6** (*di un attore, ecc.*) di scena; (*radio, TV*) in onda: *You're on in five minutes*, fra cinque minuti sei di scena (*o* in onda) **7** (*di un evento, una gara, un concerto, ecc.*) in svolgimento; in corso; in atto; (*già*) cominciato: *'There's a war on; there's a war going on in the north of Ireland'* B. BEHAN, 'è in atto una guerra, una guerra nel nord dell'Irlanda'; (*sport*) *The match is on*, la partita è cominciata; *The performance is on*, lo spettacolo è già cominciato **8** (*al ristorante: di una pietanza*) disponibile **9** che è d'accordo; che

ci sta; che è della partita: **'How about a trip to Venice?' 'I'm on'**, 'che ne dici di una gita a Venezia?' 'ci sto'; *There's a party tonight; are you on?*, c'è una festa stasera; ci stai? (*o* ci vai?) **10** (*fam. USA*) che capisce; che si rende conto: *I tried to act as if nothing had happened, but my wife was on at once*, cercai di comportarmi come se non fosse successo nulla, ma mia moglie capì subito **11** (*sport: di un giocatore*) in campo; che gioca: *Carew has been on for half an hour*, Carew è in campo da mezz'ora **12** (*sport: di una gara*) entrato nel vivo: *Now the race is on*, ora la corsa è entrata nel vivo **13** (*slang*) avvinazzato; brillo ● (*fam.*) **an on day**, una giornata buona, una giornata sì (*in cui si è di buonumore, ecc.*) □ **an on year**, un anno buono (*o* favorevole); una buona annata □ **not on**, non attaccato, disinserito, spento, staccato, ecc.; non programmato, rinviato, non più attuale; (*al ristorante: di un piatto*) finito, non disponibile; (*fam.*) inaccettabile, improponibile, intollerabile; non fattibile, impossibile: *It's just not on to treat my house as if it were a hotel!*, non mi va affatto che si tratti la mia casa come fosse un albergo!; *I'm afraid a holiday abroad is not on this summer*, temo proprio che una vacanza all'estero non sia possibile quest'estate □ (*fam.*) **You're on**, d'accordo.

on ④ /ɒn/ *nei composti*: (*radio, TV*) **on-air**, in onda; in trasmissione; in diretta; (*fam. USA*) **on-and-offer**, chi fa lavori occasionali; **on-board → onboard**; (*cinem., TV*) **on-camera**, inquadrato; (*edil.*) **on centre**, interasse; (*mecc.*) **on-centre**, centrato; (*ling.*) **on-glide**, catastasi; **on-the-job injury**, infortunio sul lavoro; (*org. az.*) **on-the-job training**, avviamento al lavoro mediante tirocinio; (*market.*) **on-licence**, licenza per la vendita di alcolici da consumare sul posto; (*comput., elettr.*) **on-line → online**; (*spec. polit.*) **on-message**, in linea, allineato (*con la politica del proprio partito*); (*di luce*) **on-off**, intermittente; (*nei sistemi di controllo*) **on-off control**, regolazione on-off; (*elettr.*) **on-off switch**, interruttore acceso/spento; (*autom.*) **on-road performance**, comportamento (*o* prestazioni) su strada; **on-screen**, (*TV, cinem.*) sullo schermo, inquadrato; sugli schermi; (*comput.*) a terminale video, a video, sullo schermo, (*di software*) utilizzabile su terminale video: (*TV*) **on-screen dialogue**, dialogo con i personaggi inquadrati; **on-screen violence**, la violenza al cinema (*o* in TV); (*teatr.*) **on-stage**, in scena; che avviene sul palcoscenico (*non dietro le quinte*); (*ind.*) **on-stream**, (*avv.*) in produzione, in esercizio, produttivamente; (*agg.*) produttivo: (*org. az.*) **on-stream factor**, saturazione produttiva; (*autom.*) **on-street parking**, parcheggio in strada; (*elettr.*) **the on switch**, l'interruttore per l'accensione (*o* per il collegamento).

on ⑤ /ɒn/ *n. e a. attr.* (*cricket*) settore del campo alla sinistra del battitore destrimano.

on ⑥ /ɒn/ *inter.* avanti! ● **On with the show!**, si dia inizio allo spettacolo!

ON *abbr.* (*anche* Ont.) (*Canada,* **Ontario**) Ontario.

onager /'ɒnədʒə(r)/ *n.* **1** (*zool., Equus onager*) onagro **2** (*stor.*) onagro.

onanism /'əʊnənɪzəm/ *n.* ⓤ onanismo ‖ **onanist** *n.* onanista ‖ **onanistic** *a.* onanistico.

onboard /'ɒnbɔːd/ *a.* a bordo; di bordo: **an o. camera**, una telecamera a bordo (*di una vettura da corsa, di un satellite, ecc.*).

◆**once** /wʌns/ **A** *avv.* **1** una volta; una volta sola: *I've seen it only o.*, l'ho visto una volta sola; **o. a day**, una volta al giorno **2** una volta; un tempo; in passato: *I was very fond of*

him o., una volta gli volevo molto bene; **a o.-celebrated actor**, un attore un tempo famoso **3** una volta o l'altra: *I'd like to see London o.*, mi piacerebbe vedere Londra una volta o l'altra **B** *cong.* non appena; quando; una volta che: **O. he is tired, he will quit**, non appena sarà stanco, smetterà; **O. you learn it, you'll never forget**, una volta che l'hai imparato, non lo dimenticherai più; *We'll have an extra bedroom o. the job's done*, avremo una camera da letto in più quando il lavoro sarà finito **C** *n.* ⓤ una volta; una sola volta; una volta tanto: **O. is enough for me**, a me basta una volta; *Let him go this o.*, per questa volta (*o* per una volta) lascialo andare ● **o. again**, ancora una volta; di nuovo □ **o. and for all**, una volta per sempre, una volta per tutte: *The dispute was settled o. and for all*, la lite fu composta una volta per tutte □ **o. in a while**, ogni tanto; di quando in quando; di rado □ **o. more = o. again →** *sopra* □ **o.-off**, unico; che accade una volta sola □ **o. or twice**, una volta o due □ (*fam.*) **o.-over**, occhiata veloce; scorsa; occhiatina; controllata; (*fam.*) mano, passata (*di lavoro, ecc.*); (*slang*) ripassata (*fam.*), busse, botte □ **all at o.**, tutto in una volta, tutto a un tratto; contemporaneamente, tutti (*o* tutte) insieme: *Don't speak all at o.!*, non parlate tutti insieme! □ **at o.**, subito; immediatamente □ **at o. clever and humble**, intelligente e umile a un tempo □ **for (this) o.**, per questa volta, una volta tanto: *I'm right for o.*, una volta tanto ho ragione io □ **more than o.**, più d'una volta □ **my o. master**, il mio vecchio maestro (*o* padrone); colui che mi fu maestro (*o* padrone) □ **not o.**, non una volta: *Not o. have you done what I asked*, non una volta hai fatto quel che ti chiedevo □ (*mat.*) **O. three is three**, tre per uno fa tre □ **O. upon a time...**, c'era una volta... □ (*prov.*) **O. bitten, twice shy**, il gatto scottato teme l'acqua fredda.

oncer /'wʌnsə(r)/ *n.* **1** (*fam. USA*) donna fedele a un solo uomo per tutta la vita **2** (*fam.*) cosa che capita una sola volta **3** (*slang arc.*) banconota da una sterlina.

oncogene /'ɒŋkəʊdʒiːn/ *n.* (*biol.*) oncogene; gene oncogeno.

oncogenic /ɒŋkəʊ'dʒɛnɪk/ (*biol.*) *a.* oncogeno; oncogenico ‖ **oncogenesis** *n.* ⓤ oncogenesi.

oncology /ɒŋ'kɒlədʒɪ/ (*med.*) *n.* ⓤ oncologia ‖ **oncological, oncologic** *a.* oncologico ‖ **oncologist** *n.* oncologo.

oncoming /'ɒnkʌmɪŋ/ **A** *a.* **1** che s'avvicina (*nel tempo*); prossimo; imminente; futuro: **the o. spring**, la primavera in arrivo **2** che s'avvicina (*nello spazio*); che viene nella mia (*nostra, ecc.*) direzione: *There was a lot of o. traffic*, il traffico in senso contrario (*al nostro*) era intenso **B** *n.* ⓤ l'avvicinarsi; l'approssimarsi: **the o. of spring**, l'approssimarsi della primavera ● (*naut.*) **the o. tide**, la marea che sale.

oncost /'ɒnkɒst/ *n.* ⓤ (*rag., in GB*) spese generali (*o* indirette).

oncovirus /'ɒnkəʊvaɪrəs/ *n.* (*biol.*) oncovirus.

◆**one** /wʌn/ **A** *a. num. card. e a. indef.* **1** un, uno: **one million**, un milione; **a hundred and one**, cento uno; **one pound eleven**, (*un tempo*) una sterlina e undici scellini; (*ora*) una sterlina e undici penny; **forty-one**, quarantuno; **one in ten**, uno su dieci; **one day only**, soltanto un giorno; *I'll stay one night*, mi fermo per una notte; *To read a foreign language is one thing; to speak it is another*, leggere una lingua straniera è una cosa, parlarla, un'altra; **from one end of the street to the other**, da un capo all'altro della strada **2** solo; unico; stesso: *I have one friend here*, ho un solo amico qui; *'She was still the one woman in the world for him'* T.

DREISER, 'lei era ancora la sola donna al mondo per lui'; *We all gave one answer*, demmo tutti la stessa risposta; *That's the one way to do it*, questo è l'unico modo di farlo; *No one man could do it*, nessuno potrebbe farlo da solo **3** (*talora*) primo: **«Iliad», book one**, l'«Iliade», libro primo **B** *n.* **1** uno; numero uno: *Write down a one*, scrivi un uno!; *Half of two is one*, uno è la metà di due **2** ⓤ l'una (*dell'orologio*): **at one o'clock**, all'una **3** (*fam. ingl.*) bel tipo; birbante; birbantello, birba; bricconcello: *Oh, you are a one!*, sei proprio un bel tipo!; va là che la sai lunga! **4** (*filos.*) – **the One**, l'Uno; il Principio Primo; l'Assoluto **C** *pron. indef.* **1** uno, una; un certo, una certa: *One came running*, uno venne correndo; **one of these days**, uno di questi giorni; un giorno o l'altro; **one of the richest women in Italy**, una delle donne più ricche d'Italia; *I bought the house from one Mr Jones*, comprai la casa da un certo (signor) Jones **2** (*costr. impers.*) uno; si: *One has to do one's best*, si deve fare del proprio meglio ❶ **NOTA:** *you o one?* → **you D** *pron. dimostr.* **1** quello, quella: *I don't want the black pencil; I want the red one*, non voglio la matita nera; voglio quella rossa; *I prefer large ones*, preferisco quelli grandi **2** (*idiom.*) **this one or that one**, questo o quello; **Which one do you prefer?**, quale (*di questi, di quelli*) preferisci?; **I don't want these; I'd like the ones over there**, non voglio questi; vorrei quelli laggiù; **His father was a doctor and he wants to be one too**, suo padre era medico e anche lui vuole diventarlo; **He worked like one possessed**, lavorava come un ossesso ● **the one about**, quella (*la barzelletta*) di (*o* su): *Have you heard the one about the parrot and the cat?*, la sai quella del pappagallo e del gatto? □ (*relig.*) **the One above** (*o* **the Holy One**), l'Essere Supremo; Dio □ **one after another**, l'uno dopo l'altro □ (*sport*) **one all**, (*calcio, ecc.*) uno a uno; (*tennis*) uno pari □ **one and all**, tutti; tutti quanti □ (*enfat.*) **one and the same**, identico; uguale; medesimo □ **one another** (pron. recipr.), l'un l'altro; tra di noi (*o* voi, loro); reciprocamente: *Love one another*, amatevi (l'un l'altro) ❶ **NOTA:** *each other o one another?* → **each** □ **one-armed**, monco; con un braccio solo □ (*fig. fam.*) **one-armed bandit**, macchina mangiasoldi; slot machine □ (*fam. USA*) **one bagger = one-base hit →** *sotto* □ (*baseball*) **one-base hit**, battuta che consente di raggiungere la prima base □ **one by one**, a uno a uno; uno per uno; uno alla volta □ (*naut., tur.*) **one-class liner**, piroscafo a classe unica □ (*ciclismo*) **one-day race**, corsa in linea, gara in linea □ **one-dimensional**, (*mat.*) unidimensionale; (*fig.*) noioso, tedioso □ (*mat.*) **one-dimensionality**, unidimensionalità □ **one-directional**, unidirezionale □ **to be one down**, avere fatto un punto in meno; (*fig.*) essere in (posizione di) svantaggio; (*sport*) essere sotto (*o* in svantaggio) di un gol (*o* di un canestro, ecc.) □ **one-eyed**, che ha un occhio solo, guercio, monocolo; (*fig.*) parziale, prevenuto, miope (*fig.*) □ (*pallavolo*) **one-foot takeoff**, stacco su un piede solo □ (*calcio, ecc.*) **one-footed player**, giocatore 'unipiede' (*che usa solo il destro o il sinistro*) □ **one-hand**, eseguito con una mano sola: (*pallavolo*) **one-hand dig**, recupero con una mano sola; (*basket, ecc.*) **one-hand pass**, passaggio con una mano; **one-hand shot**, tiro con una mano sola □ **one-handed**, che ha una mano sola, monco; eseguito con una mano sola: **one-horse**, tirato da un solo cavallo, a un cavallo; (*fig.*) antiquato, piccolo, provinciale; (*fig., scherz.*) male in arnese: **a one-horse sleigh**, una slitta trainata da un solo cavallo; **a one-horse town**, un piccolo paese insignificante □ **a one-horse race**, una corsa (un'elezione politica, ecc.) che ha

già il vincitore; una gara già vinta in partenza □ (*mat.*) **one hundred**, cento; 100 □ (*atletica*) **the 110-metre hurdles**, i centodieci a ostacoli □ (*nuoto*) **the 100-metre backstroke**, i cento (metri) dorso □ (*atletica*) **the 100-metre dash**, i cento metri; i cento □ (*atletica*) **100-metre runner**, centometrista; centista □ (*nuoto*) **100-metre swimmer (freestyle)**, centometrista; centista (stile libero) □ **one-idea'd** (*o* **one-idead**), fissato in un'idea; che ha una sola idea fissa in testa □ (*fam.*) **one in the eye**, delusione; smacco; scorno □ **one in a million**, (*mat.*, *stat.*) uno su un milione; (*fig.*) (agg.) unico, eccezionale □ **one-legged**, che ha una gamba sola; mutilato d'una gamba; (*fig.*) difettoso, zoppicante □ (*USA*) **one-liner**, battuta di spirito; spiritosaggine; freddura □ (*tennis*) **one love**, uno a zero □ **one-man**, individuale, di un singolo, fatto da un solo uomo: (*leg.*, *fin.*) **one-man business** (*o* **company**), azienda (*o* ditta) individuale; società autocratica (*o* unipersonale); **one-man job**, lavoro fatto da un uomo solo □ **one-man band**, suonatore ambulante che suona vari strumenti che porta addosso; (*fig.*) attività svolta per conto proprio, da solo □ **one-man show**, (*arte*) (mostra) personale; (*mus.*) recital; (*fig.*) attività svolta per conto proprio, da solo □ (*polit.*) **one man, one vote**, ogni cittadino, un voto; il suffragio universale □ (*atletica*) **the one-mile run**, il miglio □ **a one-minute silence**, un minuto di silenzio (*o* di raccoglimento) □ **one-night stand**, (*teatr.*) serata unica; (*fam.*) avventura (amorosa) di una notte sola; notte d'amore (*fam.*) □ **one of a kind**, unico □ **one-off**, (agg.) fatto in esemplare unico; unico, straordinario; (*sost.*) caso del tutto unico, risultato atipico; pezzo unico, modello esclusivo; artista (attore, giocatore, ecc.) straordinario, unico al mondo: **a one-off performance**, una rappresentazione (*o* esecuzione) straordinaria □ **a one-off job**, un lavoro su commissione □ (*econ.*) **one-off production**, produzione su commessa □ (*fam. USA*) **one-on-one**, a confronto diretto, faccia a faccia, a tu per tu, a quattr'occhi □ (*sport*) **one-on-one defence**, difesa a uomo □ **one or two**, uno o due; (*per estens.*) pochi, pochissimi □ (*demogr.*) **one-parent family**, famiglia monoparentale □ (*demogr.*) **one-person household**, famiglia mononucleare; famiglia composta da una persona sola □ (*sport*) **a one-piece suit**, una tuta monopezzo □ **a one-piece swimsuit**, un (costume da bagno) monopezzo □ (*market.*) **one-price**, a prezzo unico □ «**One price**» (*cartello*), «Prezzi fissi» □ (*fam. USA*) **one-shot = one-off → sopra** □ **one-sided**, unilaterale; (*fig.*) parziale; ineguale, impari: (*stat.*) **one-sided test**, test unilaterale; **one-sided judgement**, giudizio parziale; (*sport*) **one-sided match**, incontro impari (*o* sbilanciato) □ **one-sidedness**, unilateralità; (*fig.*) parzialità; inegualità, l'essere impari □ (*market.*) **one size (fits all)**, misura unica (*di guanti di lana, ecc.*) □ (*tur.: di un albergo*) **one-star**, a una stella □ (*mus.*) **one-step**, one-step (*ballo*) □ **one-stop**, che fornisce beni e servizi correlati nello stesso luogo: **one-stop shop**, negozio o ufficio che fornisce tutto il necessario (*per un determinato scopo*) □ (*stat.*) **one-tailed test**, test a una coda □ (*mat.*) **one thousand**, mille; 1000 □ (*comput.*) **one-to-many**, (relazione) uno a molti □ (*mat.*, *comput.*) **one to one**, uno a uno; biunivocamente □ **one-to-one**, (*mat.*, *comput.*) (relazione) uno a uno, biunivoca; (*fig.*) faccia a faccia, individuale: (*sport e fig.*) **one-to-one challenge**, sfida faccia a faccia; (*mat.*, *comput.*) **one-to-one correspondence**, corrispondenza biunivoca; **a one-to-one interview**, un'intervista faccia a faccia □ (*sport*) **one-two**, (*boxe*) uno-due, doppietta; (*calcio*) uno-due, triangolazione; (*scher-*

ma) uno-due, finta e cavazione □ **one-track**, (*di ferrovia*) a un solo binario; (*di un nastro magnetico*) a una (sola) pista □ **a one-track mind**, una mente fissata in una sola idea: *You have a one-track mind!*, allora hai il chiodo fisso! □ (*fam.*) **to be one up**, avere fatto un punto in più; (*fig.*) essere in (posizione di) vantaggio; (*sport*) essere sopra (*o* in vantaggio) di un gol (di un canestro, ecc.) □ (*fam.*) **one-upmanship**, arte di procurarsi (*o* di mantenere) un vantaggio sugli altri; il voler surclassare q. a tutti i costi □ (*autom.*) «**One way**» (*cartello*), «senso unico» □ **one-way**, (*di strada* e *fig.*) a senso unico; (*elettr.*, *comput.*) unidirezionale; (*stat.*) a un'entrata, monovalente: **a one-way street**, una strada a senso unico; un senso unico; **one-way admiration**, ammirazione a senso unico; (*comput.*) **one-way communication**, comunicazione unidirezionale; (*stat.*) **one-way classification**, classificazione a un'entrata □ **one-way media**, 'media' semplici (*non interattivi*) □ **one-way mirror**, vetro specchiato; finto specchio □ (*trasp.*, *USA*) **one-way ticket**, biglietto di sola andata □ (*comm. est.*) **one-way trade**, scambio unidirezionale □ **one-woman**, (*di lavoro, ecc.*) fatto da una donna sola; individuale □ **to be all one**, essere tutti uniti (*o* d'accordo) □ (**all**) **in one**, tutt'insieme; al tempo stesso: *He is chairman and treasurer in one*, è al tempo stesso presidente e cassiere □ **an all-in-one knife**, un coltello multiuso (*cacciavite, cavaturaccioli, ecc.*) □ **to be at one**, essere uniti: *We are at one now*, ora noi siamo uniti (*o* d'accordo) □ **to become one**, (*di oggetti, ecc.*) essere unificati; (*di persone*) essere uniti in matrimonio □ **by ones and twos**, a uno o due alla volta; alla spicciolata □ **every one of you**, ciascuno di voi □ **for one**, quanto a me (a te, ecc.); per esempio; per fare un caso; intanto: *I, for one, don't believe it*, quanto a me, non ci credo; *Smith, for one, will not agree*, Smith, per esempio, non sarà d'accordo □ **for one thing**, tanto per dirne una; tanto per cominciare; in primo luogo: *For one thing, he drinks*, tanto per dirne una, è un beone □ **to go one better**, offrire (*o* rischiare) un po' di più (*di un altro*) □ (*fig.*) **in the year one**, molti anni fa □ **no one**, nessuno □ (*fam.*) **never a one**, nessuno; non uno □ **I'm not the (the) one to do that**, non sono tipo da farlo □ (*fam.*) **You're a sly one!**, sei un furbacchione, tu! □ **They answered with one voice**, risposero a una (sola) voce (*o* in coro) □ **It is one too many for him**, è un po' troppo (troppo difficile, ecc.) per lui □ **It's all one to me what you do**, qualunque cosa tu faccia, mi è indifferente □ (*market.*) **Buy one, get one free**, compri due, paghi uno.

oneiric /əʊ'naɪərɪk/ *a.* onirico.

oneirism /əʊ'naɪərɪzəm/ *n.* □ (*psic.*) onirismo; stato sognante.

oneiromancy /əʊ'naɪərəmænsɪ/ *n.* □ oniromanzia.

oneness /'wʌnnəs/ *n.* □ **1** unità; unione; interezza **2** singolarità; unicità **3** concordia; accordo (*di opinioni, idee, ecc.*) **4** identità.

oner /'wʌnə(r)/ *n.* (*slang*) **1** persona (*o* cosa) eccezionale; asso, fenomeno (*fam.*); campione: *He's a o. at tennis*, è un asso, a tennis **2** colpo solo: **in a o.**, in un sol colpo **3** (*boxe*) pugno da kappaò; colpo che mette fuori combattimento.

onerosity /əʊnə'rɒsɪtɪ/ *n.* □ onerosità.

onerous /'ɒnərəs/ *a.* oneroso (*anche leg.*); gravoso: **o. tasks**, compiti onerosi ● (*leg.*) **o. contract**, contratto a titolo oneroso | **-ly** *avv.* | **-ness** *n.* □.

♦**one's** /wʌnz/, **one's own** /wʌnz'əʊn/ *pron. poss.* (*antiq.*) proprio; -si (*impers.*): **to respect one's parents**, rispettare i (propri) genitori; **to cut one's finger**, tagliarsi un di-

to; **to live on one's own**, vivere per conto proprio.

oneself /wʌn'sɛlf/ *pron. rifl.* **1** sé; sé stesso, sé stessa; sé stesse; si: **to wash o.**, lavarsi; **to starve o.**, lasciarsi morire di fame; *One should not only trust o.*, non ci si dovrebbe fidare solo di sé stessi **2** da sé; da solo (*o* da soli): *One should always try and manage things o.*, bisognerebbe sempre cercare di fare le cose da soli ● **to be o.**, essere sé stesso; essere normale; essere naturale; essere spontaneo □ **by o.**, da sé; da solo; senza aiuto □ **to come to o.**, ritornare in sé, riaversi, riprendersi; tornare in sé, rinsavire □ **to mutter to o.**, mormorare tra sé (e sé) □ **to set up in business for o.**, mettersi in affari per proprio conto (*o* in proprio).

one-time, **one time** /'wʌntaɪm/ *a.* un tempo; già; ex: **the one-time governor**, l'ex governatore.

to **one-up** /wʌn'ʌp/ *v. t.* (*fam.*) (*fig.*) superare (q.); surclassare (q.).

ongoing /'ɒngəʊɪŋ/ **A** *a.* in corso; in via di sviluppo; crescente: **o. projects**, progetti in corso; **an o. crisis**, una crisi crescente **B** *n.* ⓤ azione continua; movimento incessante.

ongoings /'ɒngəʊɪŋz/ *n. pl.* **1** vicende; fatti; avvenimenti **2** condotta, comportamento (*spec. riprovevole*).

♦**onion** /'ʌnɪən/ *n.* **1** (*bot.*, *Allium cepa*) cipolla: **boiled onions**, cipolle lessate **2** cipolla (*il bulbo*) **3** (*slang antiq.*) testa; zucca (*pop.*): **to be off one's o.**, essere andato giù di testa; essere ammattito ● (*archit.*) **o. dome**, cupola a bulbo (*o* a cipolla) □ (*archit.*) **o.-domed**, dalla cupola a bulbo (*o* a cipolla) □ **o. marble**, (marmo) cipollino □ (*cucina*) **o. rings**, anelli di cipolla □ **o.-shaped**, a forma di cipolla □ **o.-skin**, buccia di cipolla; (*tecn.*) velo di cipolla; carta sottilissima □ (*fam.*) **to know one's onions**, sapere il fatto proprio.

oniony /'ʌnɪənɪ/ *a.* di (*o* simile a, che sa di) cipolla.

online /'ɒnlaɪn/ *a. e avv.* (*comput.*, *elettr.*) online; in linea; in rete; connesso: **o. help**, aiuto online; **o. service**, servizio online; **o. banking**, servizi bancari in rete; *I'll have a look o.*, do un'occhiata in rete ● (*fin.*) **o. trading**, trading online.

onlooker /'ɒnlʊkə(r)/ *n.* spettatore, spettatrice; astante.

♦**only** /'əʊnlɪ/ **A** *a.* solo; unico: *It's the o. book I have on this subject*, è l'unico libro che io abbia su questo argomento; *He was an o. son*, era figlio unico; *He's the o. man that can do it*, è il solo che possa farlo; lui solo può farlo; *They were the o. people who came on foot*, furono i soli a venire a piedi **B** *avv.* solamente; soltanto; unicamente; non... che; solo: *O. I saw him*, soltanto (*o* solo) io lo vidi; *I saw o. him*, vidi solamente lui; *I saw him*, lo vidi soltanto (*non gli parlai*); *There are o. two left*, ne sono rimasti soltanto due; *We've o. got them in blue and black*, li abbiamo solo in blu e in nero; *That o. makes matters worse*, ciò non fa che peggiorare la situazione; **o. you**, solo tu; tu solo **C** *cong.* (*fam.*) **1** ma; solo (*fam.*): *I'd help you with pleasure, o. I'm too busy*, ti aiuterei volentieri, ma (*o* solo) ho troppo da fare **2** (*fam.*) solo che; se non fosse che: *He would invite you, o. you would refuse*, se non fosse che tu rifiuteresti, ti inviterebbe **D** *n.* ⓤ (*fam.*, *pubbl.*) – **the o.**, ciò che è unico (nel suo genere) ● **adults o.**, (*di film*) per (soli) adulti □ (*arc.*) **o.-begotten**, unigenito □ (*relig.*) **the O.-Begotten Son**, l'Unigenito □ **if o.**, se almeno: *If o. it would stop raining*, se almeno smettesse di piovere! □ «**Ladies o.**» (*cartello*), «riservato alle signore» □ **my one and o. chance**, l'unica (*o* la sola) occasione per me □ **my one and o. hope**, la mia sola speranza; l'ultima mia speranza □ **I'm o. too glad** (*o* **pleased**) **to hear that**, sono proprio

contento (*o* lietissimo) di apprendere ciò □ **It is o. too true**, purtroppo è vero □ **I was o. just in time**, arrivai appena in tempo □ **O. think!**, immagina un po'!; figurati!

o.n.o. abbr. (*GB, di prezzo*, **or near(est) offer**), trattabile: £1,500 o.n.o., 1500 sterline trattabili.

onomasiology /ɒnəmæzɪ'ɒlədʒɪ/ n. ⓤ (*ling.*) onomasiologia.

onomastic /ɒnə'mæstɪk/ a. (*ling.*) onomastico.

onomasticon /ɒnə'mæstɪkɒn/ n. (*ling.*) lessico onomastico.

onomastics /ɒnə'mæstɪks/ n. pl. (col verbo al sing.) (*ling.*) onomastica.

onomatopoeia /ɒnəmætə'pɪə/ n. ⓤ (*ling.*) onomatopea ‖ **onomatopoeic**, **onomatopoetic** a. onomatopeico.

onrush /'ɒnrʌʃ/ n. avanzata impetuosa; attacco; assalto ‖ **onrushing** a. che avanza; (*fig.*) impetuoso ● (*naut.*) **the onrushing tide**, la marea che sale.

on-screen /ɒn'skriːn/ a. e avv. → **on** ④.

onset /'ɒnsɛt/ n. 1 assalto; attacco; carica: **at the first o.**, al primo assalto 2 inizio; insorgenza; (il) manifestarsi: **the o. of winter**, l'inizio dell'inverno; (*med.*) **the o. of the mumps**, il manifestarsi (*o* i sintomi iniziali) degli orecchioni.

onshore /ɒn'ʃɔː(r)/ a. e avv. 1 (situato) sulla terraferma 2 (*del vento*) dal largo (verso terra): *A gale was blowing o.*, spirava un forte vento verso terra 3 (che si svolge) all'interno (*di un Paese*); domestico: **o. production**, produzione domestica ● **o. oil drilling**, estrazione del petrolio sulla terraferma □ **o. wind**, vento di mare.

onside /ɒn'saɪd/ **A** a. (*sport*) non in fuorigioco; in posizione regolare: *The attacker was o.*, l'attaccante non era in fuorigioco **B** avv. 1 (*sport*) in posizione regolare 2 (*fig., fam.*, spec. nella loc.) **to bring sb. o.**, portare q. dalla propria parte; convincere q. delle proprie ragioni.

onslaught /'ɒnslɔːt/ n. assalto furioso; furibondo attacco.

◆**onto** /'ɒntuː/ prep. (*anche* **on to**) 1 su; sopra: *We jumped o. the train*, saltammo sul treno; *The French window looks o. the park*, la portafinestra dà sul parco 2 in: *The fugitive jumped o. the boat*, il fuggiasco saltò in barca; *John got o. the county council*, John fu eletto nel consiglio di contea 3 a: *I got o. the manager*, riuscì a parlare al direttore 4 = **to be on to** → **on**② ● (*fam.*) **to be o. a good thing**, avere trovato l'America (*fig.*); essersi sistemato (bene) □ **Thank you for putting me o. a good thing!**, grazie d'avermi trovato una buona sistemazione (*o* d'avermi messo a posto)!; grazie d'avermi dato una buona dritta! (*pop.*).

❶ **NOTA:** *onto* **o** *on to?*
In generale, *onto* si può scrivere con una unica parola o con due, cioè sia *onto* che *on to* sono corretti. Si scrive sempre con due parole nel caso in cui *on* è un avverbio che fa parte di un verbo frasale e *to* è una preposizione che introduce un complemento, una subordinata o una infinitiva: *He then drove on to Spain*, proseguì per la Spagna; *He went on to suggest some ways of solving the problem*, continuò suggerendo vari modi per risolvere il problema.

ontogenesis /ɒntəʊ'dʒɛnəsɪs/ (*biol.*) n. ⓤ ontogenesi ‖ **ontogenetic** a. ontogenetico.

ontogeny /ɒn'tɒdʒənɪ/ n. ⓤ (*biol.*) ontogenesi.

ontology /ɒn'tɒlədʒɪ/ n. 1 ⓤ (*filos.*) ontologia 2 (*spec. comput.*) ontologia ‖ **ontological** a. ontologico ‖ **ontologically** avv. ontologicamente ‖ **ontologism** n. ⓤ ontologismo ‖ **ontologist** n. ontologista.

onus /'əʊnəs/ n. ⓤ onere; responsabilità; gravame; obbligo; peso (*fig.*): (*leg.*) **o. of proof**, onere della prova.

onward /'ɒnwəd/ **A** avv. (= **onwards**) avanti; oltre; (*di tempo*) in poi: **to go** (*o* **to move**) **o.**, andare avanti; procedere oltre: *'Clare wished they had gone o.'* T. HARDY, 'Clare avrebbe voluto che fossero andati avanti'; **from now o.**, d'ora in poi **B** a. 1 in avanti; che avanza; che sta innanzi: **o. path**, il sentiero che ci sta innanzi; (*fig.*) la strada che dobbiamo percorrere 2 avanzato; progredito ● (*anche fig.*) **o. march**, avanzata ● **o. trend**, tendenza al progresso.

onychophoran /ɒnɪ'kɒfərən/ n. (*zool.*) onicoforo.

onymous /'ɒnɪməs/ a. (*di un libro*) che ha (*o* che porta) un nome; non anonimo.

onyx /'ɒnɪks/ n. ⓤ (*miner.*) onice.

oocyst /'əʊəsɪst/ n. (*biol.*) oocisti.

oocyte /'əʊəsaɪt/ n. (*biol.*) oocita, oocito; ovocita, ovocito.

oodles /'uːdlz/ n. pl. (*slang*) una gran quantità (di); un mucchio (di): **o. of excellent food**, una gran quantità di cibo eccellente.

oof① /uːf/ inter. (*scherz.*) «gulp» (*per un pugno allo stomaco, ecc.*).

oof② /uːf/ n. (*slang*) denaro; quattrini; grana (*pop.*) ● **an oof-bird**, un uomo pieno di quattrini; la gallina dalle uova d'oro (*fig.*).

oofy /'uːfɪ/ a. (*slang*) danaroso; pieno di quattrini; pieno di grana.

oogamy /əʊ'ɒɡəmɪ/ n. ⓤ (*biol.*) oogamia, ovogamia.

oogenesis /əʊə'dʒɛnəsɪs/ (*biol.*) n. ⓤ oogenesi, ovogenesi ‖ **oogenetic** a. oogenetico.

oogonium /əʊə'ɡəʊnɪəm/ n. (pl. **oogonia** e **oogoniums**) (*biol., bot.*) oogonio.

ooh /uː/ inter. 1 (escl. di ammirazione, sorpresa) ooh 2 (escl. di irritazione) uff; uffa.

ook /uːk/ n. (*slang USA*) 1 ⓤ sostanza viscida; poltiglia 2 individuo odioso (*o* insipido).

oolite /'əʊəlaɪt/ (*geol.*) n. ⓤ calcare oolitico ‖ **oolitic** a. oolitico.

oolith /'əʊəlɪθ/ n. (*geol.*) oolite.

oompah /'ʊmpɑː/, **oompah-pah** /'ʊmpɑːpɑː/ n. ⓤ umpappà, zumpappà (*di strumenti musicali*).

oomph /ʊmf/ n. (*slang*) 1 energia; vitalità; grinta, spinta (*pop.*) 2 attrazione del sesso; (*di donna*) fascino; sex appeal.

OOP sigla (*comput.*, **object oriented programming**) OOP (*programmazione orientata agli oggetti*).

oops /uːps/ inter. (*fam.*) oh!; «ops» (*pop.*); oddio! ● (*fam.*) **o.-a-daisy**, oplà (*come commento alla caduta di q., spec. un bambino*).

oosphere /'əʊəsfɪə(r)/ n. (*biol.*) oosfera.

oospore /'əʊəspɔː(r)/ n. (*biol.*) oospora.

ootheca /əʊə'θiːkə/ n. (pl. **oothecae**) (*biol.*) ooteca, ovoteca.

ooze① /uːz/ n. ⓤ 1 fanghiglia; limo; melma (*spec. sul fondo del mare, d'un lago, ecc.*) 2 (*geol.*) sedimento marino organogeno 3 terreno soffice e fangoso.

ooze② /uːz/ n. 1 liquido per concia 2 ⓤ stillicidio; trasudazione 3 liquido che cola (*o* che trasuda) ● **o. leather**, tipo di pelle scamosciata.

to **ooze** /uːz/ **A** v. i. 1 colare; fluire lentamente; stillare: *Sweat was oozing from his forehead*, il sudore gli colava dalla fronte 2 (*fig.*) trapelare, trasudare, filtrare: *The secret oozed out*, il segreto trapelò **B** v. t. 1 far colare; stillare 2 (*fig.*) far trapelare; rivelare ● (*fig.*) **to o. away**, scomparire a poco a poco; spegnersi; svanire: *My desire oozed away*, il mio desiderio si spense □ **to o. blood**, sanguinare lievemente □ **to o. with**

good cheer [**optimism**], trasudare buonumore [ottimismo].

oozy /'uːzɪ/ a. 1 fangoso; limoso; melmoso 2 che trasuda; umido.

op① /ɒp/ n. (abbr. di **operation**) 1 (*med.*) operazione; intervento chirurgico 2 (*spec. mil.*) operazione: **ops room**, sala operativa.

op② /ɒp/ a. (abbr. di **optical**) – (*arte*) **op art**, arte ottica; op art; **op artist**, artista «op».

OP sigla 1 (*mil.*, **observation post**) osservatorio 2 (*relig.*, **Order of Preachers**) i Domenicani.

o.p. sigla (*di un libro*, **out of print**) esaurito.

to **opacify** /əʊ'pæsɪfaɪ/ **A** v. t. opacizzare **B** v. i. opacizzarsi ‖ **opacification** n. ⓤ opacizzazione ‖ **opacifier** n. (*tecn.*) opacizzante.

opacity /ə'pæsətɪ/ n. ⓤ 1 opacità 2 impermeabilità (*al colore, ecc.*) 3 (*fig.*) oscurità; poca chiarezza 4 (*fig.*) ottusità; scarsa intelligenza.

opah /'əʊpə/ n. (*zool., Lampris regius*) lampride; pesce re.

opal /'əʊpl/ n. 1 ⓤⓒ (*miner.*) opale 2 ⓤ (= **o. glass**) vetro opalino; opalina.

opalescent /əʊpə'lɛsnt/ a. opalescente ‖ **opalescence** n. ⓤ opalescenza.

opaline① /'əʊpəliːn/ n. ⓤ vetro opalino; opalina.

opaline② /'əʊpəlaɪn/ a. opalino.

opaque /əʊ'peɪk/ a. 1 opaco 2 (*fig.*) oscuro; poco chiaro 3 (*fig.*) ottuso; poco intelligente ‖ **-ly** avv. ‖ **-ness** n. ⓤ.

op. cit. abbr. (*lat.*: *opere citato*) (**in the work cited**) nell'opera citata (op. cit.).

to **ope** /əʊp/ (*poet.*) → to **open**.

OPEC /'əʊpɛk/ sigla (**Organization of the Petroleum Exporting Countries**) Organizzazione dei paesi esportatori di petrolio.

op-ed (page) /ɒp'ɛdpeɪdʒ/ loc. n. (*USA*) pagina (*di un quotidiano*) di fronte a quella degli editoriali (*contiene elzeviri, recensioni di libri, ecc.*).

◆**open** /'əʊpən/ **A** a. 1 aperto (*anche fig.*); (*di un fiore, ecc.*) sbocciato, dischiuso; franco; leale; sgombro (*da ostruzioni*); (*naut.*) navigabile: **o. doors**, porte aperte; (*fon.*) **an o. vowel**, una vocale aperta; **in the o. country**, in aperta campagna; **the o. sea**, il mare aperto; l'alto mare; **an o. river**, un fiume sgombro da banchi di sabbia (*dal ghiaccio, ecc.*); (*med.*) *The bowels are o.*, l'intestino è sgombro; **in the o. air**, all'aria aperta; **an o. character**, un carattere aperto; (*mil.*) **an o. town**, una città aperta; **to keep one's account o. at a bank**, avere un conto aperto presso una banca; **an o. letter**, una lettera aperta; *I'll be o. with you*, sarò franco con te 2 libero; aperto al pubblico; pubblico; non riservato; disponibile; vacante; pronto, disposto (a): **an o. competition**, una gara libera; un concorso pubblico; **an o. meeting**, una riunione pubblica; **an o. scholarship**, una borsa di studio non riservata (a categorie speciali); *The job is still o.*, il posto è ancora vacante; **to be o. to an offer**, essere disposto a prendere in considerazione un'offerta; **to be o. to conviction**, essere pronto a ricredersi (*o* a lasciarsi convincere) 3 indifeso; scoperto; sguarnito; vuoto: (*calcio, ecc.*) **o. goal**, porta vuota (*o* sguarnita); (*tennis*) **o. court**, settore del campo scoperto 4 aperto al dubbio; dubbio; indeciso; incerto; insoluto: **an o. question**, una questione dubbia; **to leave a matter o.**, lasciare una faccenda insoluta 5 di dominio pubblico; evidente; manifesto; noto: **an o. scandal**, uno scandalo di dominio pubblico; **an o. quarrel**, una lite nota a tutti; **o. contempt**, evidente disprezzo (*o* da adito a, esposto; soggetto; che presta il fianco: **to be o. to attack**, prestare il fianco agli attacchi; **to be**

o. to temptation, andare soggetto alle tentazioni; *This statement is o. to misunderstanding*, questa affermazione dà adito a fraintendimento (*o* può essere frainteso) **7** (*sport*: *di un giocatore*) libero; smarcato: **to find an o. teammate**, pescare un compagno smarcato **8** scoperto: **an o. car**, un'automobile scoperta **9** (*del tempo, ecc.*) mite: **o. weather**, tempo mite **10** (*golf, tennis*) open **B** n. **1** U – **the o.**, l'aperta campagna; l'aria aperta **2** (*golf, tennis*) open; gara aperta a tutti ● **o. account**, conto aperto (*tra due operatori economici*); (*rag.*) conto non ancora chiuso □ **an o.-air match**, una partita all'aperto □ **o.-and-shut**, ovvio; chiaro; che si risolve subito □ (*leg.*) **an o.-and-shut case**, un caso semplicissimo □ (*metall.*) **o.-arc furnace**, forno ad arco indiretto □ (*comput.*) **o. architecture**, architettura aperta, estendibile □ **o.-armed**, a braccia aperte; caloroso; cordiale: **an o.-armed welcome**, un'accoglienza calorosa □ (*naut.*) **o. berth**, ormeggio in rada □ (*sartoria*) **o.-bottom trousers**, pantaloni confezionati con l'orlo ancora da cucire □ (*chim.*) **o.-chain**, a catena aperta □ (*comm., leg.*) **an o. cheque**, un assegno bancario non sbarrato; un assegno aperto (*o* al portatore) □ (*elettr., TV*) **o.-circuit**, a circuito aperto □ (*tecn.*) **o.-cycle**, a ciclo aperto □ **o. day**, giorno delle visite (*a una caserma, una fabbrica*, ecc.); giorno di ricevimento (*dei genitori*: *a scuola*) □ **o.-door**, aperto a tutti □ (*polit., comm.*) **an o.-door trade policy**, una politica di libertà dei traffici □ **an o. drain** (*o* **sewer**), una fogna scoperta; un fosso di scolo □ **o.-eared**, con gli orecchi tesi; tutt'orecchie; attentissimo □ (*fin., leg.*) **o.-end**, aperto: **o.-end credit**, credito aperto; **o.-end mortgage**, ipoteca aperta □ (*fin.*) **o.-end investment fund**, fondo d'investimento «aperto» (*o* a capitale variabile) □ (*mecc.*) **o.-end spanner**, chiave fissa (*semplice o doppia*); chiave a bocca □ **o.-ended**, senza limite di tempo (*rif. a dibattito, ecc.*); (*polit.*) interlocutorio; (*comput.*) aperto, estendibile □ **an o.-ended question**, una domanda (*in un questionario, ecc.*) a risposta libera □ (*USA*) **o. enrollment**, liberalizzazione degli accessi (*rif. a università, ecc.*) □ **o.-eyed**, con gli occhi sbarrati (*o* spalancati); a occhi aperti; guardingo; consapevole □ **o.-faced**, a viso scoperto; dal viso aperto (*o* leale) □ **o. forum**, tribuna aperta □ **o.-handed**, generoso, liberale, munifico; che ha le mani bucate (*pop.*) □ (*med.*) **o.-heart**, a cuore aperto: **an o.-heart operation**, un intervento a cuore aperto □ **o.-hearted**, che ha il cuore aperto; franco; leale, sincero; cordiale □ **o.-heartedness**, franchezza, lealtà, sincerità; cordialità □ (*metall.*) **o.-hearth furnace**, forno a riverbero; forno Martin-Siemens □ (*metall.*) **o.-hearth process**, processo Martin-Siemens □ (*USA*) **o. house** = **o. day** → *sopra* □ (*econ.*) **o. inflation**, inflazione incontrollata □ **o. letter**, lettera aperta □ (*econ., fin.*) **o. market**, mercato aperto (*o* libero) □ **o.-minded**, che ha la mente aperta; liberale; di larghe vedute, spregiudicato □ **o.-mindedness**, larghezza di vedute, liberalità, spregiudicatezza □ **o.-mouthed**, a bocca aperta; stupito, meravigliato; (*anche*) avido, vorace; chiassoso, rumoroso □ (*di abito*) **o.-necked**, scollato □ (*mil.*) **o. order**, ordine sparso □ (*ind. min.*) **o.-pit mining**, coltivazione a giorno (*o* a cielo aperto) □ (*edil.*) **o.-plan**, senza pareti divisorie; a pianta aperta □ **an o. port**, un porto franco □ (*polit., in USA*) **o. primary**, elezioni preliminari (*per decidere le candidature*) □ **o. prison**, prigione aperta; prigione di minima sicurezza □ **o. sandwich**, tartina □ **o.-sea route**, rotta d'altura □ **the o. season**, la stagione in cui la caccia (*o* la pesca) è aperta □ **an o. secret**, il segreto di Pulcinella □ **o.-shelf library**, biblioteca con accesso libero ai volumi □ **o. shop**, azienda che assume anche operai non iscritti ai sindacati □ (*comput.*) **o.-source**, che ha i codici sorgente a disposizione; aperto; open-source □ **o. space**, spazio (libero); (*sport*) varco, corridoio, buco (*fig.*): **to look for o. space**, cercare spazio; tentare il corridoio □ (*archit.*) **o.-space** (agg.), open-space; senza pareti divisorie; con pareti scorrevoli □ (*sport*) **o. stand**, tribuna scoperta □ (*poker*) **o. straight**, scala aperta □ **an o. syllable**, una sillaba che termina in vocale □ (*comput.*) **o. system**, sistema aperto □ (*sport*) **o. terraced banking**, scalinata scoperta □ **o.-top**, (*di autobus, ecc.*) senza tetto, scoperto; (*di auto*) decappottabile □ (*comm.*) **o. to the nearest offer**, trattabile □ (*in GB*) **the O. University**, «l'Università aperta» (*operante per corrispondenza o per televisione*) □ (*leg.*) **o. verdict**, verdetto (*della giuria di un* → *«coroner»*) di non luogo a procedere (*in un caso di morte sospetta*) □ (*naut.*) **o. water**, acque libere dal ghiaccio □ (*leg.*) **a case tried in o. court**, una causa discussa in presenza del pubblico (*o* a porte aperte, in pubblica udienza) □ (*fig.*) **to come into the o.**, essere franco (*o* sincero); metter le carte in tavola □ **to fire in the o. air**, sparare in aria □ (*fig.*) **to force an o. door**, sfondare una porta aperta □ (*sport*) **a goal from o. play**, un gol segnato su azione (*e non con calcio piazzato*) □ **in the o.**, all'aperto □ **to keep o. house**, tener casa aperta; essere molto ospitale □ **to lay oneself o. to attack**, esporsi (*o* prestare il fianco) agli attacchi □ **with o. arms**, a braccia aperte □ **Doors o. at six p.m.** (*cartello*), si apre alle diciotto (*nei cinema, teatri, ecc.*) □ **The door flew o.**, la porta si spalancò □ **There are three courses o. to us**, abbiamo tre possibili scelte.

♦**to open** /ˈəʊpən/ **A** v. t. **1** aprire; schiudere; cominciare; iniziare; intraprendere; manifestare; palesare; rivelare; scavare; stappare; sgombrare, pulire (*una strada, ecc.*); rendere navigabile (*un canale*): **to o. a box**, aprire una scatola; **to o. a new road**, aprire una nuova strada; **to o. one's hand**, aprire (*o* stendere) la mano; **to o. an account at a bank**, aprire un conto in banca; **to o. a shop**, aprire un negozio; **to o. a debate**, aprire un dibattito; **to o. a campaign**, dare inizio a una campagna (*militare o di propaganda*); **to o. a business concern**, aprire un'azienda; intraprendere un'attività commerciale; **to o. one's heart** (*o* **one's mind**) **to sb.**, aprire il cuore (*o* l'animo) a q.; **to o. fire at** (*o* **on**) **the enemy**, aprire il fuoco contro il nemico; **to o. one's designs**, rivelare i propri piani; **to o. a well**, scavare un pozzo; **to o. a bottle**, aprire (*o* stappare) una bottiglia **2** (*mil.*) allargare; rompere: *The soldiers opened their ranks*, i soldati ruppero le righe **3** (*med.*) aprire, incidere (*un ascesso, ecc.*) **4** dare adito a (*critiche, ecc.*); esporre **B** v. i. **1** aprirsi; aprire; schiudersi; manifestare; rivelarsi; sbocciare: *The door opened*, la porta s'aprì; *O. in the name of the law!*, aprite in nome della legge!; *When does school o. again?*, quando si riapre la scuola?; *The buds are opening*, i boccioli si stanno aprendo; *The roses are beginning to o.*, le rose cominciano a sbocciare; *The session opened yesterday*, la sessione s'aprì ieri **2** aprire i battenti, iniziare; cominciare (*a fare qc.*): *The Book Show is opening tomorrow*, la Fiera del Libro apre i battenti domani; *He opened with a compliment*, cominciò facendo un complimento **3** (*anche naut.*) apparire; aprirsi (alla vista): *The harbour lights opened*, apparvero le luci del porto **4** (*Borsa, fin.*) aprire: *Chemicals opened at par yesterday*, i titoli della chimica aprirono alla pari ieri **5** (*mil.*) aprire il fuoco: *'Guns from the sea o. against us'* R. GRAVES, 'dal mare cannoni aprono il fuoco su di noi' **6** (*poker*) aprire (*il gioco*) ● **to o. the ball**, aprire il ballo; dare inizio alle danze □ (*leg.*: *d'un avvocato*) **to o. a case**, cominciare a perorare una causa □ (*fig.*) **to o. the door to st.**, aprire la strada a qc. □ **to o. one's eyes wide**, spalancare gli occhi □ (*fig.*) **to o. sb.'s eyes (to st.)**, aprir gli occhi a q. (su qc.) □ **to o. ground**, dissodare il terreno □ (*polit.*) **to o. Parliament**, inaugurare una sessione del parlamento □ (*fam.*) **to o. sb.'s mouth**, far parlare q.; costringere q. a parlare □ (*sport*) **to o. the scoring**, aprire le segnature □ (*comm.*: *sul mercato, in Borsa*) *Wheat opened active*, in apertura il grano è stato assai sostenuto.

■ **open into** v. i. + prep. dare accesso a; aprirsi su; dare su: *The door opened into a large hall*, la porta si apriva su una grande sala; *The room opens into a long passage*, la stanza dà accesso a un lungo corridoio.

■ **open on** (*o* **onto**) v. i. + prep. (*di finestre e sim.*) dare su: *Our bow-window opens on the lake*, il nostro bovindo dà sul lago.

■ **open out** **A** v. t. + avv. aprire; spiegare: **to o. out a road map**, spiegare una cartina stradale **B** v. i. + avv. **1** aprirsi; dispiegarsi; rivelarsi: *A beautiful view of the valley opened out before us*, davanti a noi si aprì una splendida vista della vallata **2** (*di una strada, un fiume, ecc.*) allargarsi **3** (*fig.*: *di una persona*) aprirsi; svelare il proprio animo **4** (*fig.*: *di affari, prospettive, ecc.*) migliorare; farsi più attraenti.

■ **open up** **A** v. t. + avv. **1** aprire: **to o. up a box** [**a suitcase**], aprire una scatola [una valigia]; **to o. up a mine**, aprire una miniera; (*comm.*) **to o. up a new branch**, aprire una nuova filiale; **to o. up the country to trade**, aprire il paese ai traffici **2** (*autom.*) mandare su di giri (*un motore*) **3** (*sport*: *nelle corse*) guadagnare; stabilire; conquistare: **to o. up a margin**, conquistare un margine di vantaggio **B** v. i. + avv. **1** aprire (la porta): *O. up! This is the police!*, aprite! polizia! **2** (*mil.*) aprire il fuoco: *They opened up with machine guns*, aprirono il fuoco con i mitra **3** (*di un motore*) andare su di giri **4** (*fig.*) aprirsi; essere più socievole **5** (*fig.*) (*di una partita, della recitazione, ecc.*) vivacizzarsi; diventare più brioso **6** (*sport*) aprirsi (*fig.*); sbloccarsi; cominciare a ingranare.

openable /ˈəʊpənəbl/ a. apribile.

opencast /ˈəʊpənkɑːst/ a. (*ind. min.*) a cielo aperto: **o. mining**, estrazione di minerali a cielo aperto ● **o. coal**, carbone di superficie.

opener /ˈəʊpnə(r)/ n. **1** chi apre **2** arnese (*o* utensile) per aprire **3** (*sport*) partita d'inizio (*in un torneo*); (*baseball*) primo incontro (*di una serie*); (*calcio, ecc.*) gol in apertura di partita **4** (*teatr.*) numero d'apertura **5** (*poker, ecc.*) chi ha aperto; (*anche*) chi è di mano **6** (pl.) (*poker*) apertura; coppia che consente l'apertura (*di solito, due jack*) **7** (*cricket*) uno dei primi due battitori di una squadra ● **a bottle o.**, un apribottiglie □ (*fam.*) **an eye-o.**, una cosa stupefacente; un fatto rivelatore □ **a tin o.**, un apriscatole □ (*fam.*) **for openers**, come antipasto; (*fig.*) come inizio, tanto per cominciare.

♦**opening**① /ˈəʊpnɪŋ/ n. **1** apertura; orifizio; passaggio; varco; pertugio; foro; buco: *There's a large o. in the wall*, c'è un grosso foro nel muro; (*sport*) **the o. of the basket**, il buco del canestro **2** CU apertura; inizio; principio: **the o. of a speech**, l'inizio d'un discorso; (*econ.*) **the o. of a new market for our products**, l'apertura di un nuovo mercato per i nostri prodotti; **o. time**, ora di apertura; **o. hours**, orario di apertura (*di negozi, ecc.*) **3** U l'aprirsi; il dischiudersi; lo sbocciare (*di fiori, ecc.*) **4** (*leg.*) apertura d'udienza; inizio del processo; (= **o. of pleadings**) dichiarazioni preliminari (*dell'avvocato della parte lesa*) **5** occasione favo-

revole; possibilità; opportunità, sbocco: **market openings**, sbocchi commerciali (o opportunità di mercato) **6** prospettiva; posto vacante: *I would like to know whether there is an o. in your firm*, desidererei sapere se c'è qualche prospettiva (o posto vacante) nella Vostra ditta **7** (*Borsa*) apertura (*delle contrattazioni*) **8** (*fin., rag.*) apertura: **o. of credit**, apertura di credito **9** (*a dama, a scacchi*) apertura; serie di mosse iniziali **10** (*USA*) radura **11** (*sport: calcio, ecc.*) passaggio; suggerimento; imbeccata (*fam.*); (*anche*) occasione di gioco, azione offensiva **12** (*sport: scherma, tuffi, ecc.*) apertura ● **o. ceremony**, inaugurazione; cerimonia d'apertura □ (*tennis, ecc.*) **o. exchanges**, scambi iniziali □ (*poker*) **o. without openers**, l'aprire (il gioco) senza avere l'apertura (*cfr.* **opener**, *def. 6*) □ (*sport*) **to make openings**, aprire il gioco (*per i compagni di squadra*); allargare il gioco; creare occasioni.

opening ② /ˈəʊpnɪŋ/ a. inaugurale; di apertura; iniziale; primo: **o. speech**, discorso d'apertura; (*fin.*) **o. capital**, capitale iniziale ● (*poker*) **o. bet**, puntata d'apertura □ (*teatr.*) **o. night**, prima (*di uno spettacolo*); première (*franc.*) □ **o. remarks**, osservazioni preliminari (o introduttive).

openly /ˈəʊpənlɪ/ avv. apertamente; francamente; lealmente; pubblicamente; a viso aperto; alla luce del sole (*fig.*).

openness /ˈəʊpənnəs/ n. ⓤ **1** apertura; ampiezza; spaziosità: **the o. of the American prairies**, la spaziosità delle praterie americane **2** franchezza; lealtà; schiettezza; sincerità **3** (= **o. of mind**) apertura mentale; mancanza di pregiudizi ● **the o. of the country**, l'essere il terreno sgombro da ostacoli (o pianeggiante, ecc.).

openwork /ˈəʊpənwɜːk/ n. ⓤ **1** (*cucito*) lavoro a traforo; lavoro a giorno **2** (*di legno o metallo*) lavoro di traforo.

♦**opera** /ˈɒprə/ n. (*teatr.*) **1** opera lirica; opera **2** ⓤ la lirica **3** compagnia lirica ● **o. cloak**, mantello da sera □ **o. glasses**, binocolo da teatro □ **o. hat**, gibus □ **o. house**, teatro dell'opera; teatro lirico □ **the o. season**, la stagione dell'opera □ **an o. singer**, una cantante lirica □ **comic o.**, opera comica □ **grand o.**, opera lirica □ **light o.**, opéra comique (*franc.*); operetta.

operable /ˈɒprəbl/ a. **1** (*med.*) operabile **2** in uso; in servizio; in funzione: *The railway network was still o.*, la rete ferroviaria funzionava ancora || **operability** n. ⓤ (*med.*) operabilità.

operant /ˈɒpərənt/ Ⓐ a. operante; attivo; efficace Ⓑ n. operante ● (*psic.*) **o. conditioning**, condizionamento strumentale.

♦to **operate** /ˈɒpəreɪt/ Ⓐ v. i. **1** operare; agire; contribuire; (*med.*) fare un'operazione chirurgica: *Several factors operated to bring about our defeat*, parecchi fattori contribuirono a determinare la nostra sconfitta; *The surgeons o. from 7 to 11 a.m.*, i chirurghi operano dalle 7 alle 11 di mattina **2** (*mecc.*) funzionare; andare **3** (*di medicamento*) essere efficace **4** (*sport*) giocare; operare Ⓑ v. t. **1** produrre; provocare: *Energy operates changes*, l'energia produce mutamenti **2** far funzionare; azionare: **to o. a machine**, azionare una macchina **3** (*comm.*) condurre (*un'azienda*); gestire: *The bank operates several branches*, la banca gestisce diverse filiali **4** (*med.*) operare: **to o. sb. for appendicitis**, operare q. di appendicite ● (*Borsa, fin.*) **to o. for a fall**, speculare al ribasso □ (*Borsa, fin.*) **to o. for a rise**, speculare al rialzo □ **to o. a mine**, sfruttare (*o coltivare*) una miniera □ (*med.*) **to o. on**, operare: *The patient was operated on yesterday*, il paziente fu operato ieri □ **to o. on sb.'s fears**, far leva sui timori di q. □ **to o. on** (*o upon*), influire, avere un effetto su.

operatic /ɒpəˈrætɪk/ a. **1** (*teatr.*) dell'opera; operistico; lirico: **an o. singer**, un cantante lirico **2** (*fig.*) esagerato; melodrammatico; teatrale; istrionico.

operatics /ɒpəˈrætɪks/ n. pl. (col verbo al sing.) **1** (*teatr.*) produzione di opere liriche **2** (*fig.*) comportamento melodrammatico.

operating /ˈɒpəreɪtɪŋ/ Ⓐ n. ⓤ **1** (*mecc., comput.*) funzionamento: **o. hours**, ore di funzionamento **2** (*med.*) operazione **3** (*comm.*) gestione; conduzione (*di un'impresa*) Ⓑ a. attr. **1** (*econ.*) gestionale; operativo: **o. instructions**, istruzioni operative **2** (*med.*) operatorio ● (*rag.*) **o. accounts**, conti di gestione □ (*rag.*) **o. budget**, budget operativo □ (*org. az.*) **o. capacity**, capacità produttiva □ (*rag.*) **o. costs**, costi di gestione (o di esercizio) □ (*fin.*) **o. deficit**, perdita di gestione (*di un'azienda*) □ (*rag.*) **o. expenses**, spese d'esercizio □ (*med.*) **o. room**, sala operatoria □ (*comput.*) **o. system**, sistema operativo □ (*med.*) **o. table**, tavolo operatorio □ (*med.*) **o. theatre**, sala operatoria □ **o. time**, tempo di utilizzo (*di un impianto*); tempo d'intervento (*di un relè, ecc.*).

♦**operation** /ɒpəˈreɪʃn/ n. **1** operazione: **the operations of the mind**, le operazioni della mente; (*anche mil.*) **to begin operations**, iniziare le operazioni; **the o. of pruning**, l'operazione della potatura **2** (*med.*) intervento; operazione: **to perform an o. for a duodenal ulcer**, eseguire un'operazione per un'ulcera duodenale **3** azione; effetto: **the operations of nature**, l'azione (o gli effetti) delle forze della natura **4** ⓤ funzionamento: *The o. of this machine is easily explained*, il funzionamento di questa macchina è facile da spiegare **5** (*comm.*) gestione; conduzione (*di un'azienda*) **6** (*Borsa, fin.*) operazione **7** (*mat.*) operazione: **the four operations**, le quattro operazioni **8** ⓤ (*leg.*) efficacia; vigore **9** (*elettr., tecn.*) comando: **o. keys**, tasti di comando ● **operations research** (abbr. **OR**), ricerca operativa □ (*mil.*) **operations room**, sala operativa □ (*leg.*) **by o. of the law**, ope legis (*lat.*) □ **to come** (*o to go*) **into o.**, entrare in vigore; acquistare efficacia □ **in o.**, (*di una macchina*) in azione, in funzione; (*di una legge, ecc.*) in vigore, in attuazione.

operational /ɒpəˈreɪʃnəl/ a. **1** relativo a operazioni; operativo: **o. research** (abbr. **OR**), ricerca operativa **2** (*mat., elettr.*) operazionale **3** (*comm.*) gestionale; di gestione; d'esercizio: **the o. cost of a new airliner**, il costo d'esercizio d'un nuovo aeroplano di linea **4** (*mil.*) operativo; che può entrare in azione subito: *The fleet is already o.*, la flotta è pronta a entrare in operazione (o a essere impiegata) ● (*ind.*) **o. maintenance**, manutenzione ordinaria □ (*mil.*) **o. training**, addestramento all'azione | **-ly** avv.

operationalism /ɒpəˈreɪʃnəlɪzəm/ n. ⓤ (*filos.*) operazionalismo; operazionismo.

to **operationalize** /ɒpəˈreɪʃnəlaɪz/ v. t. rendere operativo (*un programma, ecc.*).

operationism /ɒpəˈreɪʃnɪzəm/ n. ⓤ → **operationalism**.

operative /ˈɒpərətɪv/ Ⓐ a. **1** operativo; attivo; efficace **2** manuale; pratico: **the o. arts**, le arti manuali; i mestieri (*fig.*) **the o. part of this work**, la parte pratica di questo lavoro **3** (*med.*) operatorio: **o. treatment**, trattamento operatorio Ⓑ n. **1** operaio (*di fabbrica*); operaio meccanico: **wool operatives**, operai lanieri **2** artigiano; lavorante **3** (*USA*) agente segreto; spia **4** (*USA*) detective privato ● (*med.*) **o. dentistry**, odontoiatria conservativa □ **o. word**, (*tecn.*) istruzione; (*fig.*) parola chiave □ **to become o.**, entrare in vigore; divenire operante: *This law will become o. tomorrow*, questa legge entrerà in vigore domani | **-ly** avv. | **-ness** n. ⓤ.

♦**operator** /ˈɒpəreɪtə(r)/ n. **1** operatore

(*anche fin., comput., ling.*); operatrice **2** operaio addetto a una macchina **3** (*telef.*) centralinista; telefonista **4** (*comm.*) gestore (*di un'impresa*); esercente **5** (*econ.*) operatore; imprenditore: **tour o.**, operatore turistico **6** (*USA*) persona abile, che ci sa fare (*anche con le donne*) **7** (*slang, spreg.*) armeggione; faccendiere; traffichino ● (*biol.*) **o. gene**, operone □ (*telef.*) **o. rate**, tariffa di comunicazioni tramite operatore.

operculum /əʊˈpɜːkjʊləm/ (*biol.*) n. (pl. *opercula, operculums*) opercolo || **opercular** a. opercolare || **operculate, operculated** a. opercolato.

operetta /ɒpəˈretə/ (*mus.*) n. ⓤ operetta || **operettist** n. operettista.

operon /ˈɒpərɒn/ n. (*biol.*) operone.

operose /ˈɒpərəʊs/ a. (*raro*) operoso; laborioso; diligente.

Ophelia /əʊˈfiːlɪə/ n. (*letter.*) Ofelia.

ophidians /ɒˈfɪdɪənz/ (*zool.*) n. pl. (*Ophidia*) ofidi || **ophidian** Ⓐ a. degli ofidi Ⓑ n. ofide; serpente.

ophiolite /ˈɒfɪəlaɪt/ n. ⓤ (*miner.*) ofiolite.

ophite /ˈɒfaɪt/ (*miner.*) n. ⓤ ofite; serpentino || **ophitic** a. ofitico.

ophthalmia /ɒfˈθælmɪə/ (*med.*) n. ⓤ oftalmia.

ophthalmic /ɒfˈθælmɪk/ a. (*med.*) oftalmico ● **o. optician**, oculista.

ophthalmitis /ɒfθælˈmaɪtɪs/ n. ⓤ (*med.*) oftalmia; oftalmite.

ophthalmology /ɒfθælˈmɒlədʒɪ/ n. ⓤ oftalmologia; oculistica || **ophthalmological** a. oftalmologico || **ophthalmologist** n. oftalmologo; oculista.

ophthalmometer /ɒfθælˈmɒmɪtə(r)/ (*med.*) n. oftalmometro || **ophthalmometry** n. ⓤ oftalmometria.

ophthalmoscope /ɒfˈθælməskəʊp/ (*med.*) n. oftalmoscopio || **ophthalmoscopic** a. oftalmoscopico || **ophthalmoscopy** n. ⓤ oftalmoscopia.

ophthalmy /ˈɒfθælmɪ/ n. ⓤ → **ophthalmia**.

opiate /ˈəʊpɪət/ Ⓐ n. opiato; oppiato; oppiaceo: **to be addicted to opiates**, essere dedito agli oppiacei Ⓑ a. **1** oppiaceo **2** dovuto agli oppiacei: (*med.*) **o. abstinence syndrome**, sindrome da astinenza dagli oppiacei.

to **opiate** /ˈəʊpɪeɪt/ v. t. (*raro*) oppiare.

to **opine** /əʊˈpaɪn/ v. t. (*form.*) opinare.

♦**opinion** /əˈpɪnɪən/ n. ⓤ opinione; avviso; parere (*anche legale*): **political opinions**, opinioni politiche; **to take counsel's o.**, sentire il parere d'un avvocato; *You had better get a medical o. of the case*, faresti bene a sentire il parere di un medico su questo caso ● (*polit.*) **o. former**, chi influenza l'opinione pubblica □ **o. maker**, opinion maker; opinionista; editorialista; notista □ (*stat.*) **o. poll** (*o* **o. survey**), indagine (o sondaggio) d'opinione; indagine demoscopica □ **to act up to one's opinions**, agire conformemente alle proprie convinzioni □ **to form [have] a high [a low] o. of sb.**, farsi [avere] un alto [un cattivo] concetto di q. □ **to have no o. of sb.**, non avere stima di q. □ **in my o.**, a mio avviso; secondo me □ **public o.**, l'opinione pubblica □ (*med.*) **second o.**, consulto: **to seek a second o. from sb.**, chiedere un consulto a q. □ **It's a matter of o.**, è una questione discutibile; è cosa opinabile □ **What's your o.?**, che ne pensi?

opinionated /əˈpɪnɪəneɪtɪd/ a. caparbio; cocciuto; dogmatico; supponente; presuntuoso; troppo sicuro di essere nel giusto.

opinionative /əˈpɪnɪəneɪtɪv/ a. (*raro*) **1** d'opinione **2** → **opinionated**.

opioid /ˈəʊpɪɔɪd/ a. e n. (*farm.*) oppioide.

opiomania /əʊpɪəˈmeɪnɪə/ (*med.*) n. ⓤ op-

piomania || **opiomaniac** a. e n. oppiomane.

opiophagy /ˈəʊpɪˈɒfədʒɪ/ n. ☑ oppiofagia.

opium /ˈəʊpɪəm/ n. (*farm.*) oppio ● **o. addict**, oppiomane □ **o. den**, fumeria d'oppio □ **o. eater**, masticatore (o mangiatore) d'oppio; oppiofago □ **o. habit**, oppiomania □ **o. joint**, fumeria d'oppio □ (*bot.*) **o. poppy** (*Papaver somniferum*), papavero da oppio □ (*stor.*) **the O. War**, la guerra dell'oppio.

opopanax /əʊˈpɒpənæks/ n. **1** (*bot.*, *Opopanax chironium*) oppanaco, oppoponaco **2** ☑ oppoponaco (*la resina*).

opossum /əˈpɒsəm/ n. (pl. **opossums**, **opossum**) **1** (*zool.*, *Didelphis virginiana*) opossum **2** ☑ pelle (o pelo) di opossum.

opp. abbr. (**opposite**) di fronte, dirimpetto.

oppidan /ˈɒpɪdn/ **A** a. (*raro*) cittadino; urbano **B** n. **1** (*raro*) abitante d'una città; cittadino **2** (*a Eton*) studente esterno.

opponency /əˈpəʊnənsɪ/ n. ☑ antagonismo; opposizione.

◆**opponent** /əˈpəʊnənt/ **A** n. **1** oppositore; avversario; antagonista **2** (*comm.*) concorrente **3** (*sport*) avversario; antagonista **B** a. (*raro*) contrario; opposto ● (*anat.*) **o. muscle**, muscolo opponente.

opportune /ˈɒpətjuːn, USA ɒpəˈtuːn/ a. opportuno; conveniente; favorevole; propizio: **most o. aid**, aiuto assai opportuno (o provvidenziale); **at an o. moment**, in un momento conveniente (o opportuno) | **-ly** avv. | **-ness** n. ☑.

opportunist /ɒpəˈtjuːnɪst, USA -ˈtuː-/ (*anche batteriologia*) opportunista || **opportunism** n. ☑ opportunismo.

opportunistic /ɒpətjuːˈnɪstɪk, USA -tuː-/ a. (*anche di un batterio*) opportunistico.

◆**opportunity** /ɒpəˈtjuːnɪtɪ, USA -ˈtuː-/ ☑ opportunità; occasione; possibilità: *It's a good o. for buying shares*, è una buona occasione per comperare azioni; **the o. of seeing Rome**, l'occasione di visitare Roma; **to get [to seize] an o.**, avere [cogliere] un'occasione; **to let the o. slip**, lasciarsi sfuggire l'occasione; **to have unlimited opportunities**, avere possibilità illimitate ● (*econ.*) **o. cost**, costo-opportunità (o di sostituzione) □ '*O. makes a thief* ' F. Bacon, 'L'occasione fa l'uomo ladro' □ (*prov.*) **O. seldom knocks twice**, ogni lasciata è persa □ (*Austral.*) **o. shop**, negozio di oggetti e vestiti usati (*gestito da un ente benefico*).

opposable /əˈpəʊzəbl/ a. opponibile: **o. thumb**, pollice opponibile || **opposability** n. ☑ l'essere opponibile; opponibilità.

◆**to oppose** /əˈpəʊz/ **A** v. t. **1** opporsi a (*anche anat.*); essere contrario a; contrastare; osteggiare; combattere (*fig.*): **to o. a candidate to the presidency**, opporsi a un candidato alla presidenza; **to o. nationalism**, essere contrario al nazionalismo; **to o. a scheme**, osteggiare un progetto **2** opporre; contrapporre; mettere di fronte: **to o. anger with patience**, contrapporre la pazienza all'ira **B** v. i. opporsi; fare opposizione.

◆**opposed** /əˈpəʊzd/ a. **1** contrario; avverso **2** opposto: *Their characters are strongly o.*, sono due caratteri del tutto opposti; **diametrically o.**, diametralmente opposti **3** (*mecc.*) (*di cilindro*) contrapposto: **o.-cylinder engine**, motore a cilindri contrapposti; motore boxer ● (*geom.*) **o. angle**, angolo opposto □ **to be o. to sb.('s) doing st.**, essere contrario a che q. faccia qc. □ **as o. to**, nei confronti di, rispetto a; al contrario di, invece di.

opposer /əˈpəʊzə(r)/ n. oppositore, oppositrice; antagonista.

opposing /əˈpəʊzɪŋ/ a. **1** che si oppone; contrario; avverso **2** opposto; contrario ● **o. opinions**, pareri opposti; **o. views**, idee contrarie **3** (*sport*) avversario: **the o. team**, la squadra avversaria ● (*sport*) **o. player**, av-

versario.

◆**opposite** /ˈɒpəzɪt/ **A** a. **1** opposto; contrario; altro: **the o. side of the problem**, il lato opposto del problema; *They came from o. directions*, venivano da direzioni opposte; *That girl is very popular with the o. sex*, quella ragazza piace molto alle persone dell'altro sesso **2** (*sport*) avversario: **the o. side** (*o* **team**), la squadra avversaria **B** n. ☑ (l') opposto; (il) contrario: *Good and evil are opposites*, il bene e il male sono contrari; *The o. is true*, è vero il contrario **C** avv. di fronte; dirimpetto: *There was an accident o.*, ci fu un incidente dirimpetto (dall'altra parte della strada) **D** prep. dirimpetto, di fronte a; in faccia a: *There was an explosion o. our hotel*, ci fu un'esplosione di fronte al nostro albergo; *There's a cashpoint o. the church*, c'è un bancomat di fronte alla chiesa ● (*bot.*) **o. leaves**, foglie opposte □ **the o. number**, l'omologo, il collega; (*sport*) il giocatore che ha lo stesso ruolo (*nella squadra avversaria*), l'avversario diretto: **our Premier and his French o. number**, il nostro primo ministro e il suo collega francese □ (*leg.*) **the o. party**, la controparte □ (*cinem.*, *teatr.*) **to play o.**, recitare a fianco di (*una persona dell'altro sesso*); avere (q.) come partner.

oppositeness /ˈɒpəzɪtnəs/ n. ☑ l'essere opposto (o contrario) (→ **opposite**).

◆**opposition** /ɒpəˈzɪʃn/ n. ☑ **1** opposizione; antagonismo; contrasto; concorrenza; ostilità; resistenza: *The Liberal Party was in o.*, il partito liberale era all'opposizione; *The two friends found themselves in o. to each other*, i due amici si trovarono in contrasto; *The enemy met with o. everywhere*, il nemico incontrò resistenza ovunque **2** (*sport*) opposizione; contrasto **3** (*sport*) – **the o.**, la squadra avversaria; gli avversari **4** (*comm.*) – **the o.**, la concorrenza; i concorrenti **5** (*astron.*) opposizione **6** (*ling.*) opposizione ● (*fisiol.*) **o. of the thumb**, opposizione del pollice (*alle altre dita*) □ (*polit.*) **o. party**, partito di (o alla) opposizione □ (*polit.*, *in GB*) **His** (*o* **Her**) **Majesty's O.**, il partito che è all'opposizione in Parlamento □ **in o. to public opinion**, contro l'opinione pubblica □ **to offer a determined o.**, resistere con fermezza.

to oppress /əˈpres/ v. t. opprimere; gravare; angariare; vessare; sopraffare; schiacciare (*fig.*): **to o. a people**, opprimere un popolo.

oppressed /əˈprest/ a. oppresso; vessato: **o. minorities**, minoranze oppresse.

oppression /əˈpreʃn/ n. ☑ oppressione; angheria; vessazione; sopraffazione: *I felt the o. of the heat*, sentivo l'oppressione del caldo; **innocent victims of o.**, innocenti vittime dell'oppressione || **oppressor** n. oppressore; tiranno.

oppressive /əˈpresɪv/ a. oppressivo; opprimente; vessatorio; tirannico: **o. laws**, leggi oppressive; **o. heat**, caldo opprimente | **-ly** avv. | **-ness** n. ☑.

opprobrious /əˈprəʊbrɪəs/ a. **1** obbrobrioso; disonorevole; vituperabile: **o. behaviour**, condotta obbrobriosa **2** ingiurioso; oltraggioso; infamante; offensivo: **o. words**, parole oltraggiose | **-ly** avv. | **-ness** n. ☑.

opprobrium /əˈprəʊbrɪəm/ n. ☑ (*form.*) **1** obbrobrio; vituperio; infamia **2** spregio; disprezzo ❶ **FALSI AMICI** • opprobrium *non significa* obbrobrio *nel senso di cosa estremamente brutta*.

to oppugn /ɒˈpjuːn/ v. t. **1** oppugnare (*lett.*, *fig.*); contrastare; controbattere (*idee*, *opinioni*, *ecc.*) **2** opporsi a; osteggiare.

oppugnant /ɒˈpʌgnənt/ **A** a. (*raro*) ostile; avverso **B** n. oppositore || **oppugnancy** n.

☑ (*raro*) opposizione; ostilità.

op-shop /ˈɒpʃɒp/ n. (*fam. Austral.*) negozio di oggetti e vestiti usati (*gestito da un ente benefico*).

OPSI /ˈɒpsɪ/ sigla (*GB*, **Office of Public Sector Information**), Dipartimento per le informazioni relative al settore pubblico.

opsonin /ˈɒpsənɪn/ n. (*biol.*, *med.*) opsonina.

◆**to opt** /ɒpt/ v. i. optare; scegliere: **to opt for st.**, optare per qc.

■ **opt in** v. i. + avv. (*anche* **opt in to**) partecipare; aderire (a).

■ **opt out** v. i. + avv. (*anche* **opt out of**) ritirarsi (da qc.); chiamarsi fuori (da qc.).

opt. abbr. **1** (**optical**) ottico **2** (**optimum**) optimum, ottimale **3** (**optional**) opzionale.

optative /ˈɒptətɪv/ a. e n. (*gramm.*) (modo) ottativo.

optic /ˈɒptɪk/ **A** a. (*anat.*) ottico: **o. nerve**, nervo ottico; **o. axis**, asse ottico **B** n. ® (*in GB*) dosatore (*per bottiglie di liquori capovolte*, *in un bar*).

optical /ˈɒptɪkl/ a. **1** (*spec. fis.*) ottico; dell'occhio: **o. cable**, cavo ottico; **o. instruments**, strumenti ottici; **an o. illusion**, un'illusione ottica **2** (*arte*) ottico: **o. art**; arte ottica **3** (*astron.*) visibile ● **o. bench**, banco ottico □ (*comput.*) **o. disc** (*o* **disk**), disco ottico □ (*fis.*) **o. fibres**, fibre ottiche □ **o. glass**, vetro d'ottica □ **o. goods**, articoli di ottica (*occhiali*, *lenti*, *montature*, *ecc.*) □ (*comput.*) **o. mouse**, mouse ottico □ (*cinem.*) **o. printer**, truka □ (*tecn.*) **o. rangefinder**, telemetro ottico.

optician /ɒpˈtɪʃn/ n. **1** (= **dispensing o.**) ottico (*chi vende occhiali e lenti*) **2** (= **ophthalmic o.**) oculista; optometrista.

optics /ˈɒptɪks/ n. pl. (col verbo al sing.) (*fis.*) ottica.

optimal /ˈɒptɪməl/ a. ottimale: **the o. temperature**, la temperatura ottimale | **-ly** avv.

to optimalize /ˈɒptɪməlaɪz/ v. t. ottimalizzare; ottimizzare || **optimalization** n. ☑ ottimalizzazione; ottimizzazione.

optimism /ˈɒptɪmɪzəm/ n. ☑ ottimismo || **optimist** n. ottimista.

◆**optimistic** /ɒptɪˈmɪstɪk/ a. ottimistico | **-ally** avv.

to optimize /ˈɒptɪmaɪz/ **A** v. i. essere ottimista; comportarsi da ottimista **B** v. t. ottimizzare: **to o. machine performance**, ottimizzare il rendimento del macchinario || **optimization** n. ☑ ottimizzazione.

optimum /ˈɒptɪməm/ **A** n. (di solito sing.) (*spec. biol.*) optimum; condizioni (*d'ambiente*, *ecc.*) ideali **B** a. attr. ottimale: **the o. safe speed**, la velocità ottimale di sicurezza.

◆**option** /ˈɒpʃn/ n. **1** scelta; opzione: **to keep** (*o* **to leave**) **one's options open**, non impegnarsi; rinviare la scelta **2** libertà di scelta: *I had no o. but to go*, non potei fare altro che andare; dovetti andare (per forza) **3** (*Borsa*, *fin.*) opzione; (contratto a) premio: **o. dealer**, operatore in contratti a premio; **options settlement**, risposta premi **4** (*comm.*) opzione: *They have an option on the rights to the novel*, hanno un'opzione sui diritti del romanzo.

to option /ˈɒpʃn/ v. t. **1** acquistare i diritti di **2** vendere i diritti di: *His book has already been optioned for a movie*, ha già venduto i diritti cinematografici del suo libro.

optional /ˈɒpʃnl/ a. opzionale; facoltativo; a scelta, a richiesta: materie (di studio) opzionali ● (*autom.*, *comm.*) **o. accessory** (*o* **o. extra**), optional | **-ly** avv.

optoelectronics /ɒptəʊɪlekˈtrɒnɪks/ (*fis.*) n. pl. (col verbo al sing.) optoelettronica || **optoelectronic** a. optoelettronico; fotoelettronico.

optogram /'ɒptəgræm/ n. (med.) optogramma.

optometer /ɒp'tɒmɪtə(r)/ n. (med.) optometro.

optometry /ɒp'tɒmɪtrɪ/ (med.) n. ⓤ optometria || **optometric, optometrical** a. optometrico || **optometrist** n. optometrista.

opt-out /'ɒptaʊt/ n. **1** decisione (o opzione) di non fare più parte (di qc.) **2** ritiro (di un ospedale, una scuola, ecc.) dal controllo (di un'autorità superiore); passaggio alla gestione autonoma.

optronics /ɒp'trɒnɪks/ n. pl. (col verbo al sing.) scienza delle fibre ottiche.

opulence /'ɒpjʊləns/ n. ⓤ **1** opulenza; grande ricchezza **2** abbondanza; sovrabbondanza.

opulent /'ɒpjʊlənt/ a. **1** opulento; assai ricco **2** abbondante; sovrabbondante | **-ly** avv.

opuntia /ə'pʌnʃə/ n. (bot., Opuntia) opunzia.

opus /'əʊpəs/ (lat.) n. (pl. **opera, opuses**) (mus., abbr. **op.**) opera (abbr. op.): Beethoven op. 15, Beethoven op. 15.

opuscule /ə'pʌskjuːl/ n. (mus., letter.) opuscolo; opera minore.

opusculum /ə'pʌskjʊləm/ (lat.) n. (pl. **opuscula**) (mus., letter.) opera minore.

♦**or** ① /ɔː(r), ə(r)/ cong. **1** o; oppure; ossia; ovvero: **black or white**, bianco o nero; **five or six**, cinque o sei; Will you be there or not?, ci sarai o no? **2** (in correlazione con una parola di valore neg.) né: **without relatives or friends**, senza parenti né amici ● **either... or**, (o)... o: Take either this book or that one, prendi questo libro o quello! □ **or else**, altrimenti; se no □ **or so**, o giù di lì; o pressappoco; o circa: There were twenty or so of them, erano in venti o giù di lì.

or ② /ɔː(r)/ n. ⓤ (arald.) oro; giallo oro.

OR sigla **1** (**operations research**) ricerca operativa **2** (anche **Or.**) (USA, **Oregon**) Oregon.

orache, orach /'ɒrɪtʃ/ n. (bot., Atriplex hortense) atreplice; spinacione; bietolone rosso.

oracle /'ɒrəkl/ n. oracolo (anche fig.): **to consult the o.**, consultare l'oracolo; (fig.) sentire il parere di un esperto ● (fam.) **to work the o.**, fare miracoli (fig.); fare un bell'intrallazzo; (slang ingl.: della polizia) incastrare un sospetto attribuendogli una falsa confessione.

oracular /ə'rækjʊlə(r)/ a. **1** oracolare; di (o da) oracolo; profetico; misterioso; oscuro (fig.) **2** (di persona) che parla come un oracolo; autorevole | **-ly** avv.

oral /'ɔːrəl/ Ⓐ a. orale; verbale: **an o. examination**, un esame orale; **o. contraceptive**, contraccettivo orale; (anat.) **o. cavity**, cavità orale; (psic.) **o. phase**, fase orale; **o. traditions**, tradizioni orali; (leg.) **o. testimony**, testimonianza orale; (leg.) **o. contract**, contratto verbale Ⓑ n. (fam.) esame orale: **the orals**, gli orali; My last exam is French o. on Monday afternoon, il mio ultimo esame è l'orale di francese lunedì pomeriggio ● **o. history**, storia tramandata oralmente □ **o. sex**, sesso orale □ (med.) **o. surgeon**, chirurgo della bocca □ **o. surgery**, chirurgia odontostomatologica | **-ly** avv.

orality /ɔː'rælətɪ/ n. ⓤ (anche psic.) oralità.

♦**orange** /'ɒrɪndʒ/ n. **1** arancia **2** (bot., Citrus aurantium) o. **tree**) arancio **3** ⓤ color arancione **4** aranciata (naturale): **a glass of o.**, un bicchiere d'aranciata ● **oranges and lemons**, arance e limoni (canzone e gioco infantile) □ **o. blossom**, fiore d'arancio; zagara □ **o. grove**, aranceto □ **o. peel**, scorza d'arancia □ **o. squash**, spremuta d'arancio; (anche) bibita non frizzante al sapore d'arancia □ **o. stick**, scalzaunghie (per le unghie).

orangeade /ɒrɪn'dʒeɪd/ n. ⓤ aranciata; bibita frizzante al sapore d'arancia.

Orangeism /'ɒrɪndʒɪzəm/ n. ⓤ orangismo (ideologia dell'«Orange Order», società protestante nell'Irlanda del Nord).

Orangeman /'ɒrɪndʒmən/ n. (pl. **Orangemen**) orangista; membro dell''Orange Order' (società protestante nell'Irlanda del Nord).

orangery /'ɒrɪndʒərɪ/ n. **1** aranciera; serra di aranci **2** aranceto.

orangewood /'ɒrɪndʒwʊd/ n. ⓤ legno d'arancio.

orangey /'ɒrɪndʒɪ/ a. **1** arancione chiaro; aranciato **2** che sa di arancio.

orang-utan, orang-outan, orang-utang, orang-outang /ɔː'ræŋə'tæn/ n. (zool., Pongo pygmaeus) orangutan; orango.

to **orate** /ɔː'reɪt, USA 'ɒːreɪt/ v. i. (form. o spreg.) fare un'orazione; arringare; fare uno sproloquio.

oration /ɔː'reɪʃn/ n. orazione; discorso solenne; arringa: **a funeral o.**, un'orazione funebre.

orator /'ɒrətə(r)/ n. oratore.

Oratorian /ɒrə'tɔːrɪən/ a. e n. (relig.) (padre) oratoriano.

oratorical /ɒrə'tɒrɪkl/ a. oratorio; ampolloso; retorico: **o. prose**, prosa oratoria; **o. style**, stile oratorio | **-ly** avv.

oratorio /ɒrə'tɔːrɪəʊ/ n. (pl. **oratorios**) (mus.) oratorio.

oratory ① /'ɒrətrɪ/ n. ⓤ **1** oratoria; arte oratoria; eloquenza **2** retorica; linguaggio retorico.

oratory ② /'ɒrətrɪ/ n. (relig.) **1** oratorio (piccola cappella) **2 – O.**, Oratorio (ordine religioso di San Filippo Neri).

orb /ɔːb/ n. **1** (form.) orbe; globo; sfera **2** (poet.) occhio **3** (poet.) astro.

to **orb** /ɔːb/ Ⓐ v. t. **1** dar forma di sfera a (qc.) **2** (poet.) circondare; racchiudere Ⓑ v. i. (poet.) assumere la forma d'una sfera.

orbicular /ɔː'bɪkjʊlə(r)/ a. **1** (form.) globulare; sferico **2** (anat., bot., geol., tecn.) orbicolare || **orbicularity** n. ⓤ forma orbicolare; sfericità.

orbiculate /ɔː'bɪkjʊlət/ → **orbicular**.

orbit /'ɔːbɪt/ n. ⓤ **1** (astron., miss., anat. e fig.) orbita: **the satellite's o. round Mars**, l'orbita del satellite intorno a Marte **2** (fig.) orbita; ambito: **in one's family o.**, nell'ambito della propria famiglia ● **to go into o.**, (miss.) entrare in orbita; (fig. fam.) perdere le staffe.

to **orbit** /'ɔːbɪt/ (astron., miss.) Ⓐ v. i. orbitare (o compiere un'orbita) intorno a (qc.): **a satellite orbiting the earth**, un satellite in orbita intorno alla terra **2** mettere (o mandare) in orbita.

orbital /'ɔːbɪtl/ Ⓐ a. **1** (scient.) orbitale **2** (miss.) orbitale; in orbita: **o. platform**, stazione orbitale; **o. velocity**, velocità orbitale Ⓑ n. **1** (fis.) orbitale **2** = **o. road** → sotto (autom.) **o. motorway**, raccordo anulare (di Londra: autostradale) □ (miss.) **o. rendezvous**, (punto di) rendez-vous nello spazio □ (autom.) **o. road** (o **o. route**), raccordo anulare; tangenziale.

orbiter /'ɔːbɪtə(r)/ n. (miss.) orbiter.

orc /ɔːk/ n. (mitol.) orco.

orca /'ɔːkə/ n. (zool., Orcinus orca) orca.

Orcadian /ɔː'keɪdɪən/ a. e n. (abitante, nativo) delle isole Orcadi.

orchard /'ɔːtʃəd/ n. frutteto ● **a peach o.**, un pescheto | **orcharding** n. ⓤ frutticoltura || **orchardist, orchardman** n. (pl. **orchardists, orchardmen**) frutticoltore.

orchestics /ɔː'kestɪks/ n. pl. (col verbo al sing.) orchestica || **orchestic** a. (lett.) orchestico.

orchestra /'ɔːkɪstrə/ n. **1** (mus.) orchestra **2** (teatr., = **o. pit**) buca dell'orchestra; golfo mistico ● (teatr.) **o. stalls**, poltrone delle prime file; poltronissime □ (mus.) **string o.**, orchestra d'archi.

orchestral /ɔː'kestrəl/ a. (mus.) orchestrale ● **an o. player**, un orchestrale; una orchestrale □ **o. score**, partitura per orchestra.

to **orchestrate** /'ɔːkɪstreɪt/ (mus. e fig.) v. t. e i. orchestrare || **orchestration** n. ⓤⓒ orchestrazione || **orchestrator** n. orchestratore.

orchid /'ɔːkɪd/ n. (bot.) orchidea || **orchidist** n. coltivatore d'orchidee.

orchidaceous /ɔːkɪ'deɪʃəs/ a. (bot.) orchidaceo.

orchidectomy /ɔːkɪ'dektəmɪ/ n. ⓤⓒ (med.) orchiectomia.

orchidopexy /'ɔːkɪdəʊpeksɪ/ n. ⓤ (med.) orchiopessia; orchidopessia.

orchil /'ɔːtʃɪl/ n. ⓤ (chim., bot.) oricello.

orchis /'ɔːkɪs/ → **orchid**.

orchitis /ɔː'kaɪtɪs/ n. ⓤ (med.) orchite.

ord. abbr. **1** (**order**) ordine **2** (mat., **ordinal**) ordinale **3** (**ordinance**) ordinanza **4** (**ordinary**) ordinario.

to **ordain** /ɔː'deɪn/ v. t. (spec. relig.) **1** ordinare, consacrare: **to be ordained priest [king]**, essere ordinato sacerdote [consacrato re] **2** (form.) predestinare; decretare; stabilire: God has ordained death as our lot (o us to die), Dio ha decretato che la morte fosse la nostra sorte; Dio ci ha voluti mortali.

ordainer /ɔː'deɪnə(r)/ n. (relig.) ordinante.

ordainment /ɔː'deɪnmənt/ n. **1** ⓤ l'ordinare; il decretare **2** decreto; ordinanza.

ordeal /ɔː'diːl/ n. **1** (stor.) ordalia; giudizio di Dio **2** (fig.) cimento; prova; travaglio; traversia: I have not yet recovered from that terrible o., non mi sono ancora ripreso da quella prova tremenda.

♦**order** /'ɔːdə(r)/ n. **1** ⓤ ordine; ordinamento; disposizione; assetto; genere; ceto; grado; fila; serie: **in alphabetical o.**, in ordine alfabetico; **in good o.**, in bell'ordine; **in o. of importance**, in ordine d'importanza; (mil.) **in o. of battle**, in ordine (o schieramento) di battaglia; **troops in open o.**, soldati in ordine sparso **2** ordine; comando: Orders must be obeyed, si deve obbedire agli ordini **3** (relig.) **the monastic orders**, gli ordini monastici **4** (archit.) ordine: **the Doric o.**, l'ordine dorico **5** (mat.) grado: **equation of the first o.**, equazione di primo grado **6** (bot., zool.) ordine **7** (comm.) ordinazione; ordinativo; ordine; commessa; (anche) merce ordinata: **to place [to cancel] an o.**, collocare [annullare] un'ordinazione; **to fill** (o **to carry out**) **an o.**, eseguire (o dar corso a) un'ordinazione; **o. buying**, acquisti su ordinativo; The o. arrived in good condition, la merce ordinata è arrivata in buono stato **8** (banca, Borsa) ordine **9** (leg.) ordine; decreto ingiuntivo; mandato: **to make a compulsory winding-up o.**, emettere un decreto di liquidazione coatta **10** (tur.) ordinazione: A waiter took our orders, un cameriere prese le ordinazioni; They've just rung for last orders, hanno suonato la campanella per le ultime ordinazioni **11** (sport: nelle corse) ordine: **o. of arrival**, ordine di arrivo ● (nelle assemblee) **O.!**, o.!, mozione d'ordine! (spec. per sollevare un'eccezione alla procedura) □ **o. book**, (comm.) libro (o registro) delle ordinazioni; (polit.) registro delle mozioni (ai Comuni) □ (comm.) **o. clerk**, impiegato che registra le ordinazioni □ **an o. for payment**, un ordine (o un mandato) di pagamento □ (comm.) **o. form**, modulo d'ordinazione □ (leg., in GB) **o. in council**, (in teoria) ordinanza del sovrano; (in pratica) de-

creto governativo □ **o. in writing**, ordine scritto; (*comm.*) ordinazione scritta, ordinativo scritto □ (*in GB*) **the O. of the Bath**, l'Ordine del Bagno □ **o. of business**, ordine del giorno (*di un'assemblea, ecc.*) □ ● **o. of the day**, ordine del giorno; (*fig.*) cosa consueta, cosa all'ordine del giorno: *Pork was the o. of the day*, la carne di maiale era all'ordine del giorno □ (*in GB*) **the O. of the Garter**, l'Ordine della Giarrettiera (*1348*) □ (*mat.*) **o. of magnitude**, ordine di grandezza □ (*in Scozia*) **the O. of the Thistle**, l'Ordine del Cardo (*1687*) □ **o. paper**, ordine del giorno (*scritto*) dei lavori parlamentari (*ai Comuni*) □ (*comm., org. az.*) **o. processing**, lavorazione degli ordinativi □ **o. to view**, permesso di visitare (*un appartamento, ecc.*); (*leg.*) mandato d'ispezione □ **to be called to o.**, essere richiamato all'ordine □ (*comm.*) **a cheque to sb.'s o.**, un assegno all'ordine di q. □ (*mecc.*) **to get out of o.**, guastarsi; incepparsi; cessare di funzionare: *I'm afraid the toilets are out of o.*, purtroppo il bagno è fuori servizio □ **to be in o.**, essere in ordine; essere regolare (*o valido*): *That all seems to be in o.*, sembra che sia tutto a posto □ **in o. for**, affinché; perché: *In o. for the engine to start, you must turn the key*, perché il motore si avvii, devi girare la chiave □ **in o. that**, affinché; perché □ **in o. to**, allo scopo di; per □ **in bad o.**, in disordine: *The books were in bad o.*, i libri erano in disordine □ (*USA*) **in short o.**, in breve tempo; in quattro e quattr'otto □ **to keep o.**, (*leg.*) mantenere l'ordine; (*a scuola*) tenere la disciplina □ (*fig.*) **a large** (*o* **tall**) **o.**, un compito arduo; un lavoro difficile: *That's a tall o.!*, questo è chiedere troppo! □ (*made*) **to o.**, (*fatto*) su ordinazione, su misura: **shoes to o.**, scarpe su ordinazione □ (*comm.: di un articolo*) **on o.**, in ordinazione; (*già*) ordinato; commissionato □ **out of o.**, in disordine; guasto; (*fam. ingl.*) inaccettabile, intollerabile, vergognoso, che passa il segno: *The engine* [*the phone*] *is out of o.*, il motore [il telefono] è guasto □ (*mecc.*) **to put in working o.**, mettere in funzione; riparare □ (*nelle assemblee*) **to raise a point of o.**, sollevare una questione di procedura □ (*mil.*) **review o.**, uniforme di parata □ (*relig.*) **to take holy orders**, prendere gli ordini sacri; essere ordinato sacerdote □ **to o.**, su ordinazione; a richiesta, a domanda; (*di un titolo di credito*) all'ordine □ (*comm.*) **trial o.**, ordine di prova □ **to be under o.** (*o* **orders**), aver ricevuto l'ordine: *The captain was under orders to sail for India*, il capitano aveva ricevuto l'ordine di salpare per l'India □ (*mil.*) **to be under the orders of**, essere agli ordini di, essere sotto il comando di □ **until further orders**, fino a nuovo ordine □ (*fam.*) **Doctor's orders!**, ordine del medico! □ (*in un locale pubblico*) **Last orders!**, si chiude!

♦**to order** /'ɔːdə(r)/ v. t. **1** ordinare; dar ordini a; comandare; fare: **to o. a retreat**, ordinare la ritirata; *The general ordered the troops to advance*, il generale ordinò alle truppe d'avanzare (*o fece avanzare le truppe*); *I ordered that they should come immediately*, ordinai che venissero subito; *The boy was ordered out*, al ragazzo fu ordinato di uscire **2** riordinare; ordinare; mettere in ordine: **to o. one's thoughts** [**affairs**], riordinare i propri pensieri [affari] **3** (*leg.*) ordinare: **to o. an inquiry**, ordinare un'inchiesta **4** (*comm.*) ordinare; commissionare: *I have ordered you a new suit* (*o I have ordered a new suit for you*), ti ho ordinato un vestito nuovo (ho ordinato un vestito nuovo per te) **5** (*tur.*) ordinare; fare un'ordinazione per (qc.): **to o. dinner**, ordinare il pranzo; *Can I o. some food please?*, posso ordinare da mangiare? **6** (*form.*) disporre: *So we hoped, but it was otherwise ordered*, noi lo speravamo, ma il fato aveva disposto altrimenti □ **to o. a taxi**, chiamare un taxi □

(*mil.*) **O. arms**, fianc'arm'!

■ **order about** (*o* **around**) v. t. + avv. dare ordini di continuo a (q.); mandare (q.) di qua e di là.

■ **order away** v. t. + avv. mandare via (q.); allontanare.

■ **order back** v. t. + avv. dare ordini a (q.) di ritornare; richiamare.

■ **order from** v. t. + prep. **1** (*comm.*) ordinare a: **to o. goods from a wholesaler**, ordinare merce a un grossista **2** → **order off**, def. 2.

■ **order home** v. t. + avv. mandare (q.) a casa (*o* in patria).

■ **order in** v. t. + avv. **1** far entrare; ordinare a (q.) di entrare **2** (*comm.*) ordinare (*merce*).

■ **order of** v. t. + prep. (*comm.*) ordinare (*merci*) a (q.).

■ **order off** v. t. + avv. **1** mandare via; fare allontanare **2** (*sport*) espellere (*dal campo di gioco*).

■ **order out** v. t. + avv. **1** mandare fuori (q.); espellere (*un giocatore, ecc.*) **2** chiamare (*poliziotti, ecc.*) in servizio; fare intervenire (*truppe, ecc.*).

■ **order up** v. t. + avv. (*anche mil.*) mettere (*truppe, ecc.*) in campo; mandare al fronte.

orderable /'ɔːdərəbl/ a. ordinabile.

ordered /'ɔːdəd/ a. ordinato: **an o. existence**, una vita ordinata ● (*stat.*) **o. series**, serie ordinata □ **badly o.**, disordinato.

orderer /'ɔːdərə(r)/ n. ordinatore.

ordering /'ɔːdərɪŋ/ n. ☐ **1** ordinamento; disposizione **2** (*relig.*) ordinazione **3** (*comput.*) ordinamento ● (*anche sport*) **o.-off**, allontanamento, espulsione (*di un giocatore, ecc.*).

orderliness /'ɔːdəlɪnəs/ n. ☐ ordine; buona condotta; compostezza; correttezza; regolarità.

orderly /'ɔːdəlɪ/ Ⓐ a. ordinato; in ordine; metodico; composto; corretto; regolare; tranquillo: **an o. room**, una stanza ordinata (*o* in ordine); **an o. mind** [**person**], una mente [una persona] ordinata; **an o. citizen**, un cittadino tranquillo; **o. behaviour**, comportamento composto (*o* corretto) Ⓑ n. **1** (*mil.*) attendente **2** inserviente (*maschio*: *d'ospedale*) ● **o. bin**, cassetta per i rifiuti (*collocata lungo la strada*) □ (*mil.*) **the o. book**, il registro degli ordini dati □ (*mil.*) **the o. officer**, l'ufficiale di giornata (*o* di picchetto) □ (*mil.*) **the o. room**, l'ufficio di compagnia; la fureria.

ordinal /'ɔːdɪnl/ Ⓐ a. **1** (*mat.*) ordinale: **o. numbers**, numeri ordinali **2** (*zool., bot.*) di (*o* che appartiene a) un ordine Ⓑ n. **1** (*mat.*) numero ordinale **2** (*relig.*) ordinale.

ordinance /'ɔːdɪnəns/ n. **1** ordinanza; decreto; ingiunzione **2** rito religioso; cerimonia.

ordinand /'ɔːdɪnənd/ n. (*relig.*) ordinando.

ordinarily /'ɔːdənrəlɪ/ avv. **1** ordinariamente; di solito **2** ordinariamente; in modo ordinario; con mezzi ordinari.

ordinariness /'ɔːdənrɪnəs/ n. ☐ l'esser ordinario, ecc. (→ **ordinary**).

♦**ordinary** /'ɔːdɪnrɪ/ Ⓐ a. ordinario; comune; consueto; normale; solito; mediocre: **o. wool**, lana comune; **o. people**, gente ordinaria (*o* comune); **o. traffic**, traffico consueto; **o. wine**, vino ordinario (*o* mediocre); (*fin.*) **o. shares**, azioni ordinarie **1** (*relig.*) vescovo ordinario **2** (*relig.*) ordinale (*della chiesa anglicana*) ● (*leg.*) **o. care**, diligenza ordinaria □ (*leg.*) **o. crimes**, delitti comuni; delinquenza comune □ (*autom.*) **o.-grade petrol**, benzina normale □ **o. level** = **O-level** → **O**, sigla □ (*autom.*) **o. motorcar**, automobile di serie □ (*ferr.*) **o. return ticket**, biglietto ordinario di andata e ritorno □

o. seaman, (*naut.*) marinaio semplice; (*marina mil., in GB*) comune di 2ᵃ classe □ (*sport*) **o. time**, tempo regolamentare □ **in o.**, (*di medico, ecc.*) fisso, stabile, in servizio permanente; (*di nave*) in disarmo □ **in an o. way**, d'ordinario; di norma; normalmente □ **out of the o.**, fuori del comune; insolito; straordinario; eccezionale.

ordinate /'ɔːdnət/ n. (*mat.*) ordinata.

ordination /ɔːdɪ'neɪʃn/ n. **1** ☐ (*relig.*) ordinazione; conferimento dell'ordine sacro **2** ☐☐ classificazione; sistemazione; ordinamento.

ordnance /'ɔːdnəns/ n. ☐ (*mil.*) **1** artiglieria **2** materiale militare; sussistenza; veicoli militari; armi e munizioni ● **o. map**, carta topografica ufficiale □ **o. survey**, rilievi topografici □ **the O. Survey**, l'Istituto Cartografico (*in GB*) □ **o. surveyor**, topografo militare □ (*USA*) **Army O. Corps**, Commissariato per le armi e munizioni □ **piece of o.**, cannone.

Ordovician /ɔːdə'vɪsɪən/ a. e n. ☐ (*geol.*) ordoviciano.

ordure /'ɔːdjʊə(r)/ n. ☐ **1** lordura; escrementi; sterco **2** (*fig.*) oscenità; indecenza.

ore /ɔː(r)/ n. ☐☐ **1** (*miner.*) minerale (grezzo): **iron ore**, minerale ferroso **2** (*poet.*) metallo; (*spec.*) oro ● (*geol.*) **ore bed**, strato minerale □ **ore body**, corpo (*o massa*) minerale □ (*ind. min.*) **ore crusher**, frantumatore (*macchina*) □ **ore dressing**, preparazione (*o* arricchimento) dei minerali.

oread /'ɔːrɪæd/ n. (*mitol.*) oreade; ninfa montana.

oregano /ɒrɪ'gɑːnəʊ, USA ɔː'rɛgən-/ n. (pl. **oreganos**) (*bot., Origanum vulgare*) origano.

Orestes /ɒ'restiːz/ n. Oreste.

orfe /ɔːf/ n. (*zool., Leuciscus idus*) (*anche silver o.*) leuciscio argenteo ● (*zool.*) **golden o.**, leuciscio giallo oro.

org. abbr. **1** (**organic**) organico **2** (**organization**) organizzazione **3** (**organized**) organizzato.

♦**organ** /'ɔːgən/ n. **1** organo (*anche fig.*): **speech organs**, gli organi della fonazione; (*mus.*) **electric o.**, organo elettrico; *The Cabinet is an o. of government*, il Gabinetto è un organo di governo **2** organo (*di stampa*); giornale; periodico **3** organismo; ente **4** (*eufem., = male o.*) membro virile; membro ● (*mus.*) **o. bellows**, mantici dell'organo □ **o. blower**, suonatore d'organo □ **o. builder**, fabbricante d'organi □ **o.-grinder**, suonatore ambulante d'organino; (*fig.*) chi comanda □ **o. loft**, galleria (*o* tribuna) dell'organo (*nelle chiese*) □ **o. pipe**, canna d'organo □ **o. stop**, registro d'organo.

organdie, organdy /'ɔːgəndɪ/ n. ☐ (*ind. tess.*) organdis; organza.

organic /ɔː'gænɪk/ a. **1** (*chim., med. e fig.*) organico: **o. life**, vita organica; **o. chemistry**, chimica organica; **o. remains**, residui organici; **an o. whole**, un tutto organico **2** biologico ● **o. farming**, agricoltura biologica □ **o. foods**, alimenti naturali (*o* biologici) | **-ally** avv.

organicism /ɔː'gænɪsɪzəm/ (*filos., med., psic.*) n. ☐ organicismo || **organicist** n. organicista || **organicistic** a. organicistico.

♦**organism** /'ɔːgənɪzəm/ n. organismo (*anche fig.*); corpo: **a living o.**, un organismo vivente; **the social o.**, il corpo sociale.

organist /'ɔːgənɪst/ n. (*mus.*) organista.

organizable /'ɔːgənaɪzəbl/ a. organizzabile.

♦**organization** /ɔːgənaɪ'zeɪʃn, USA -nɪ'z-/ n. ☐☐ organizzazione; organismo (*anche fig.*) ● (*org. az.*) **o. analysis**, analisi della struttura organizzativa □ **o. chart**, organigramma □ **o. structure**, struttura organizzativa || **organizational** a. organizzativo || **organizationally** avv. organizzativamente.

◆to **organize** /'ɔːgənaɪz/ **A** v. t. organizzare **B** v. i. organizzarsi **❶ Nota:** *-ise o -ize?* → **-ise**.

◆**organized** /'ɔːgənaɪzd/ a. organizzato: *'Science is o. knowledge'* H. Spencer, 'la scienza è conoscenza organizzata' ● **o. crime**, criminalità organizzata □ (*econ.*) **o. labour**, manodopera sindacalizzata.

◆**organizer** /'ɔːgənaɪzə(r)/ n. **1** organizzatore, organizzatrice; coordinatore **2** attivista sindacale; sindacalista ● **personal o.**, agendina elettronica tascabile; organizer; (*anche*) agenda personale a fogli intercambiabili.

organizing /'ɔːgənaɪzɪŋ/ a. che organizza; organizzatore: (*sport, ecc.*) **o. committee**, comitato organizzatore.

organogenesis /ˌɔːgənəʊˈdʒɛnəsɪs/ (*biol.*) n. ☺ organogenesi.

organogenic /ˌɔːgənəʊˈdʒɛnɪk/ a. (*geol.*) organogeno.

organogram /ɔːˈgænəʊgræm/ n. (*org. az.*) organigramma.

organography /ɔːgəˈnɒgrəfɪ/ (*biol.*) n. ☺ organografia.

organoleptic /ˌɔːgənəʊˈlɛptɪk/ a. organolettico.

organology /ɔːgəˈnɒlədʒɪ/ (*biol.*) n. ☺ organologia ‖ **organological** a. organologico ‖ **organologist** n. organologo.

organometallic /ˌɔːgænəʊmɪˈtælɪk/ a. (*chim.*) organometallico ● **o. compound**, organometallo.

organon /'ɔːgənɒn/ n. (*filos.*) organo; sistema epistemologico.

organopathy /ɔːgəˈnɒpəθɪ/ n. ☺ (*med.*) organopatia.

organophosphate /ɔːgænəʊˈfɒsfeɪt/ n. (*chim.*) organofosfato; fosfato organico.

organotherapy /ˌɔːgənəʊˈθɛrəpɪ/ n. ☺ (*med.*) organoterapia.

organum /'ɔːgənəm/ n. **1** (*stor., mus.*) musica polifonica del IX secolo **2** (*filos.*) → **organon**.

organza /ɔːˈgænzə/ n. ☺ (*ind. tess.*) organza.

organzine /'ɔːgənziːn/ n. ☺ (*ind. tess.*) organzino.

orgasm /'ɔːgæzəm/ n. (*fisiol. e fig.*) orgasmo.

orgasmic /ɔːˈgæzmɪk/ a. **1** (*fisiol.*) orgasmico **2** (*fig.*) assai eccitante ‖ **orgastic** a. orgastico.

orgeat /'ɔːdʒɪæt/ n. ☺ orzata.

orgiastic /ɔːdʒɪˈæstɪk/ a. orgiastico.

orgone /'ɔːgəʊn/ n. ☺ (*psic.*) orgone.

orgonomy /ɔːˈgɒnəmɪ/ n. ☺ (*psic.*) orgonomia.

orgy /'ɔːdʒɪ/ n. orgia (*anche fig.*): **an o. of blood**, un'orgia di sangue; **an o. of colours**, un'orgia di colori.

oribi /'ɒrɪbɪ/ n. (*zool., Ourebia ourebi*) oribi.

oriel /'ɔːrɪəl/ n. (*archit.*, = **o. window**) finestra sporgente; balcone chiuso da vetrate; bovindo.

orient /'ɔːrɪənt/ **A** n. ☺ oriente; levante **B** a. **1** (*poet.*) orientale **2** (*arc.*) levante; nascente: **the o. moon**, la luna nascente ● (*geogr.*) **the O.**, l'Oriente.

to **orient** /'ɔːrɪənt/ (*spec. USA*) → **to orientate**.

oriental /ɔːrɪˈɛntl/ **A** a. orientale **B** n. ☺ **O.**, orientale; asiatico **❶ Nota d'uso** ● *Per le persone, le culture, le lingue, ecc., si preferisce* **Asian** ‖ **orientalism** n. ☺ orientalismo ‖ **orientalist** n. orientalista.

to **orientalize** /ɔːrɪˈɛntəlaɪz/ **A** v. t. orientalizzare; rendere orientale; dare un carattere orientale a **B** v. i. diventare orientale ‖ **orientalization** n. ☺ orientalizzazione.

to **orientate** /'ɔːrɪənteɪt/ **A** v. t. **1** orientare; volgere verso oriente **2** (*fig.*) orientare; indirizzare; finalizzare **B** v. i. orientarsi ● **to o. a church**, costruire una chiesa con l'altare rivolto a oriente □ **to o. oneself**, orientarsi (*anche fig.*).

orientated /'ɔːrɪənteɪtɪd/ → **oriented**.

orientation /ɔːrɪənˈteɪʃn/ n. ☺ (*anche scient.*) orientamento; orientazione ● (*course*, corso di orientamento ● (*econ.*) **o. price**, prezzo di orientamento; prezzo orientativo ‖ **orientational** a. (*tecn.*) orientativo.

oriented /'ɔːrɪəntɪd/ a. **1** diretto (a); rivolto (a) **2** (*fig.*) che sa orientarsi; che è cosciente del tempo, dello spazio, ecc. **3** (*geol.*) orientato.

orienteering /ɔːrɪənˈtɪərɪŋ/ n. ☺ (*sport*) orientamento con bussola e mappa; orienteering.

orifice /'ɒrɪfɪs/ n. (*anche scient.*) orificio, orifizio; bocca (*fig.*).

oriflamme /'ɒrɪflæm/ n. **1** (*stor.*) orifiamma **2** stendardo (*in genere*).

origami /ɒrɪˈgɑːmɪ/ n. ☺ origami.

Origen /'ɒrɪdʒɛn/ n. (*stor., filos.*) Origene.

◆**origin** /'ɒrɪdʒɪn/ n. **1** ☺☺ origine; primo principio; derivazione; provenienza: **the o. of a word**, l'origine d'una parola; **a man of humble o.**, un uomo d'umili origini (*o natali*) **2** (*geom.*) origine; punto d'intersezione ● (*comm.*) **certificate of o.**, certificato d'origine.

◆**original** /əˈrɪdʒənl/ **A** a. **1** originale; originario; iniziale; di origine; primo: (*relig.*) **the o. sin**, il peccato originale; **the o. forests of North America**, le foreste originarie del Nord America; **o. nationality**, nazionalità d'origine; **the o. project**, il progetto iniziale; **the o. owner**, il primo proprietario **2** originale; nuovo; diverso; singolare: **o. ideas**, idee originali (*o nuove*); **an o. composer**, un compositore originale **3** genuino; autentico: **an o. Van Gogh**, un Van Gogh autentico **B** n. **1** (l') originale: *This is just a copy, I want the o.*, questa è solo una copia, io voglio l'originale **2** lingua originale: **in the o.**, in lingua originale; nell'originale **3** (*fam.*) (persona) originale; eccentrico ● (*econ.*) **o. goods**, beni naturali ● (*leg.*) **o. jurisdiction**, giurisdizione di prima istanza □ (*ass., naut.*) **o. slip**, polizzetta provvisoria.

originality /ərɪdʒəˈnælɪtɪ/ n. ☺ originalità.

◆**originally** /əˈrɪdʒənəlɪ/ avv. **1** originalmente; in modo originale **2** originariamente; in origine.

to **originate** /əˈrɪdʒəneɪt/ **A** v. t. **1** originare; dare origine a; causare; produrre: **to o. a new idea**, dare origine a un concetto nuovo **2** inventare: **to o. a new fashion**, inventare una nuova moda **B** v. i. **1** originarsi; aver origine; discendere; derivare; provenire: *The dispute originated in (o from) a misunderstanding*, la lite nacque per un equivoco **2** (*USA: di un treno, un autobus*) nascere: *This train originates in Rome*, questo treno nasce a Roma.

originating /əˈrɪdʒəneɪtɪŋ/ a. (*banca, fin.*) accreditante; emittente: **o. bank**, banca emittente.

origination /ərɪdʒəˈneɪʃn/ n. ☺ **1** l'avere origine; derivazione; provenienza **2** il dare origine; creazione; invenzione; inizio ● (*banca, fin.*) **o. fee**, spese di apertura di credito.

originator /əˈrɪdʒəneɪtə(r)/ n. chi dà origine; autore; iniziatore; artefice; ideatore.

orinasal /ɔːrɪˈneɪzl/ (*anat. e fon.*) **A** a. oronasale **B** n. suono (*o vocale*) oronasale.

O-ring /'əʊrɪŋ/ n. (*mecc.*) guarnizione circolare.

oriole /'ɔːrɪəʊl/ n. **1** (*zool., Oriolus oriolus*; = **golden o.**) oriolo; rigogolo **2** (*zool.*) oriolo americano (*della famiglia degli itteridi*).

Orion /əˈraɪən/ n. (*mitol., astron.*) Orione: **O.'s belt**, la cintura d'Orione.

orison /'ɒrɪzn/ n. (*poet.*, di solito al pl.) orazione; preghiera.

Orkney Islands /'ɔːknɪˈaɪləndz/ n. pl. (*geogr.*) Isole Orcadi.

Orlon® /'ɔːlɒn/ n. ☺ Orlon (*fibra tessile*).

orlop /'ɔːlɒp/ n. (*naut.*, = **o. deck**) ponte di stiva.

ormer /'ɔːmə(r)/ n. (*zool., Haliotis*) orecchia di mare.

ormolu /'ɔːməluː/ n. ☺ similoro; bronzo dorato (*lega*) ● **o. varnish**, porporina.

ornament /'ɔːnəmənt/ n. ☺☺ ornamento (*anche fig.*); addobbo; decorazione; ninnolo; soprammobile ● (*relig.*) **ornaments**, paramenti; arredi sacri □ **by way of o.**, per ornamento.

to **ornament** /'ɔːnəmənt/ v. t. ornare; adornare; decorare.

ornamental /ɔːnəˈmɛntl/ a. ornamentale; decorativo: **o. plants**, piante ornamentali ‖ **-ly** avv.

ornamentation /ɔːnəmɛnˈteɪʃn/ n. ☺ ornamentazione; decorazione; abbellimento; ornamento.

ornate /ɔːˈneɪt/ a. riccamente ornato; troppo adorno; elaborato ‖ **-ly** avv. ‖ **-ness** n. ☺.

ornery /'ɔːnərɪ/ (*fam. USA*) **a. 1** bisbetico; maldisposto **2** cocciuto **3** volgarotto; meschino; gretto **4** irritabile; irascibile **5** (*USA*) eccentrico; strambo ‖ **orneriness** n. ☺ **1** l'essere bisbetico **2** cocciutaggine **3** volgarità; meschinità; grettezza **4** irritabilità; irascibilità **5** (*USA*) eccentricità.

ornithic /ɔːˈnɪθɪk/ a. (*raro*) (*zool.*) ornitico.

ornithischian /ɔːnɪˈθɪskɪən/ n. (*paleont.*) ornitisco.

ornithogalum /ɔːnəˈθɒgələm/ n. (*bot., Ornithogalum*) ornitogalo; stella di Betlemme (*più com.*).

ornithology /ɔːnɪˈθɒlədʒɪ/ n. ☺ (*zool.*) ornitologia ‖ **ornithological** a. ornitologico ‖ **ornithologically** avv. ornitologicamente ‖ **ornithologist** n. ornitologo.

ornithorhynchus /ɔːnɪθəˈrɪŋkəs/ n. (*zool., Ornithorhynchus anatinus*) ornitorinco.

ornithosis /ɔːnɪˈθəʊsɪs/ n. (*med.*) ornitosi.

orogeny /ɔːˈrɒdʒənɪ/, **orogenesis** /ɒrəʊˈdʒɛnəsɪs/ (*geol.*) n. ☺ orogenesi ‖ **orogenic** a. orogenico.

orography /ɒˈrɒgrəfɪ/ (*scient.*) n. ☺ orografia ‖ **orographic, orographical** a. orografico ‖ **orographically** avv. orograficamente.

oropharynx /ɔːrəʊˈfærɪŋks/ (*anat.*) n. (pl. **oropharinges, oropharynxes**) orofaringe ‖ **oropharyngeal** a. orofaringeo.

orotund /'ɒrəʊtʌnd/ a. altisonante; magniloquente; roboante; pomposo.

orphan /'ɔːfn/ **A** n. orfano, orfana: *He was left an o.*, rimase orfano **B** a. attr. orfano ● **o. child**, orfanello, un'orfanella □ (*ecol.*) **o. site**, zona contaminata abbandonata □ (*fin., Borsa*) **o. stock**, titolo orfano □ **a home for orphans**, un orfanotrofio.

to **orphan** /'ɔːfn/ v. t. (di solito, al passivo) rendere orfano ● *He was orphaned at the tender age of five*, rimase orfano alla tenera età di cinque anni.

orphanage /'ɔːfənɪdʒ/ n. **1** orfanotrofio **2** ☺ (*raro*) condizione d'orfano.

orphanhood /'ɔːfənhʊd/ n. ☺ condizione d'orfano; l'essere orfano.

Orpheus /'ɔːfɪəs/ n. (*mitol.*) Orfeo ‖ **Orphean** a. **1** orfico; di Orfeo **2** (*fig.*) simile

a b c d e f g h i j k l m n **o** p q r s t u v w x y z

alla musica d'Orfeo; incantevole; melodioso.

Orphic /'ɔːfɪk/ a. **1** orfico; di Orfeo **2** (*fig.*) incantevole; melodioso **3** (*fig.*) iniziatico; occulto; misterioso.

Orphism /'ɔːfɪzəm/ n. Ⓤ orfismo; religione orfica.

orphrey /'ɔːfrɪ/ n. (*relig.*) stolone (*di paramento*).

orpiment /'ɔːpɪmənt/ n. Ⓤ (*chim.*, *miner.*) orpimento; arsenico giallo.

orrery /'ɒrərɪ/ n. (*astron.*) planetario meccanico.

orris ① /'ɒrɪs/ n. **1** (*bot.*, *Iris florentina*) giglio fiorentino; ireos; giaggiolo **2** Ⓤ polvere di ireos ● (*profumeria*) o. **root**, rizoma di giaggiolo.

orris ② /'ɒrɪs/ n. Ⓤ passafino; merletto (o ricamo) in oro e argento.

orthesis /ɔː'θiːsɪs/ n. (pl. **ortheses**) (*med.*) ortesi (*apparecchio correttivo*).

orthicon /'ɔːθɪkɒn/ n. (*elettron.*, *TV*) orticonoscopio.

orthocentre, (*USA*) **orthocenter** /ɔːθəʊ-'sɛntə(r)/ n. (*geom.*) ortocentro.

orthochromatic /ɔːθəʊkrəʊ'mætɪk/ a. (*fotogr.*) ortocromatico.

orthoclase /'ɔːθəʊkleɪs/ n. Ⓤ (*miner.*) ortoclasio.

orthodontics /ɔːθə'dɒntɪks/ (*med.*) n. pl. (col verbo al sing.) ortodontia; ortodonzia || **orthodontic** a. ortodontico || **orthodontist** n. ortodontista.

orthodox /'ɔːθədɒks/ a. (*anche fig.*) ortodosso ● (*relig.*) **the O. Church**, la Chiesa Ortodossa.

orthodoxy /'ɔːθədɒksɪ/ n. ⓊⒸ (*anche fig.*) ortodossia.

orthodrome /'ɔːθədrəʊm/ n. (*geogr.*) (linea) ortodromica; ortodromia || **orthodromic** a. (*scient.*) ortodromico.

orthoepy /'ɔːθəʊɛpɪ/ (*ling.*) n. Ⓤ ortoepia || **orthoepic** a. ortoepico.

orthogenesis /ɔːθəʊ'dʒɛnəsɪs/ (*biol.*) n. Ⓤ ortogenesi || **orthogenetic** a. ortogenetico.

orthogonal /ɔː'θɒɡənl/ (*geom.*) a. ortogonale || **orthogonality** n. Ⓤ ortogonalità || **orthogonally** avv. ortogonalmente.

orthography /ɔː'θɒɡrəfɪ/ n. **1** Ⓤ (*gramm.*) ortografia **2** ⓊⒸ (*geogr.*) proiezione ortografica || **orthographic**, **orthographical** a. **1** (*gramm.*) ortografico **2** (*geogr.*) ortografico: **orthographic projection**, proiezione ortografica || **orthographically** avv. ortograficamente.

orthonormal /ɔː'θɔːməl/ a. (*geom.*) ortonormale.

orthopaedics, (*USA*) **orthopedics** /ɔː-θə'piːdɪks/ (*med.*) n. pl. (col verbo al sing.) ortopedia || **orthopaedic**, (*USA*) **orthopedic** a. ortopedico: **orthopaedic surgery**, chirurgia ortopedica; **orthopaedic mattress**, materasso ortopedico ● (*comm.*) **orthopaedic footwear**, calzature ortopediche || **orthopaedically**, (*USA*) **orthopedically** avv. ortopedicamente || **orthopaedist**, (*USA*) **orthopedist** n. ortopedico.

orthopedics /ɔːθəʊ'piːdɪks/ e deriv. (*USA*) → **orthopaedics**, e deriv.

orthopteran /ɔː'θɒptərən/ Ⓐ n. (*zool.*) ortottero Ⓑ a. relativo agli ortotteri.

orthoptics /ɔː'θɒptɪks/ (*med.*) n. pl. (col verbo al sing.) ortottica || **orthoptic** a. ortottico || **orthoptist** n. ortottista.

orthosis /ɔː'θəʊsɪs/ n. (pl. **orthoses**) (*med.*) tutore ortopedico; tutore.

ortolan /'ɔːtələn/ n. (*zool.*, *Emberiza hortulana*) ortolano.

Orwellian /ɔː'wɛlɪən/ a. (*letter.*) orwelliano.

oryx /'ɒrɪks/ n. (pl. **oryxes**, **oryx**) (*zool.*, *Oryx*) orice.

orzo /'ɔːtsəʊ/ n. Ⓤ pastina; risone (*per minestra*).

OS sigla **1** (*nelle date*, **old style**) vecchio stile (*secondo il calendario giuliano*) **2** (*comput.*, **operating system**) sistema operativo **3** (*naut.*, **ordinary seaman**) marinaio semplice **4** (*GB*, **Ordnance Survey**) Istituto cartografico **5** (*anche* O/S, **o.s.**) (*comm.*, **out of stock**) esaurito.

OSAS sigla (*med.*, **obstructive sleep apnea syndrome**) OSAS; sindrome delle apnee ostruttive del sonno.

Oscan /'ɒskən/ (*stor.*) Ⓐ a. osco Ⓑ n. **1** osco **2** Ⓤ osco (*la lingua*).

Oscar® /'ɒskə(r)/ n. **1** (*cinem.*) (premio) Oscar: **nominated for an O.**, candidato all'Oscar **2** (*radio*, *tel.*) (la lettera) o; Oscar.

to **oscillate** /'ɒsɪleɪt/ Ⓐ v. i. **1** (*anche fig.*) oscillare: *Oil prices oscillated between 68 and 70 dollars per barrel*, i prezzi del petrolio oscillavano tra i 68 e i 70 dollari al barile **2** (*fig.*) esitare; tentennare; essere incerto Ⓑ v. t. far oscillare || **oscillation** n. ⓊⒸ **1** oscillazione (*anche fig.*, *di prezzi*, *ecc.*) **2** (*fig.*) esitazione; tentennamento.

oscillating /'ɒsɪleɪtɪŋ/ a. **1** che oscilla; oscillante **2** (*tecn.*, *scient.*) oscillante: (*mecc.*) **o. conveyor**, trasportatore oscillante; canale a scosse (*mecc.*) **o. screen**, vibrovaglio.

oscillator /'ɒsɪleɪtə(r)/ n. (*fis.*, *elettron.*) oscillatore.

oscillatory /'ɒsɪlətrɪ/ a. **1** (*fis.*, *mecc.*) oscillatorio **2** (*elettr.*) oscillante; oscillatorio.

oscillogram /ə'sɪləɡræm/ n. (*fis.*) oscillogramma.

oscillograph /ə'sɪləɡrɑːf/ (*fis.*) n. oscillografo: **cathode-ray o.**, oscillografo a raggi catodici || **oscillographic** a. oscillografico || **oscillography** n. Ⓤ oscillografia.

oscillometer /ɒsɪ'lɒmɪtə(r)/ n. **1** (*med.*) oscillometro **2** (*naut.*, *aeron.*) rollometro || **oscillometry** n. Ⓤ (*med.*) oscillometria.

oscilloscope /ə'sɪləskəʊp/ n. (*fis.*) oscilloscopio: **dual-trace o.**, oscilloscopio a doppia traccia.

oscitancy /'ɒsɪtənsɪ/ n. Ⓤ (*form.*) inerzia; indolenza; negligenza.

osculant /'ɒskjʊlənt/ a. **1** che combacia; combaciante **2** (*biol.*) intermedio; affine; che forma un punto di contatto (*fra due o più specie*).

oscular /'ɒskjʊlə(r)/ a. **1** (*arc. o scherz.*) della bocca; del bacio **2** (*biol.*) di un osculo **3** (*mat.*) che fa osculazione; osculatore.

to **osculate** /'ɒskjʊleɪt/ v. i. e t. **1** (*arc. o scherz.*) osculare; baciare **2** combaciare con (qc.) **3** (*biol.*: *di due o più specie*) avere caratteristiche in comune **4** (*mat.*) oscularsi.

osculating /'ɒskjʊleɪtɪŋ/ a. attr. (*scient.*) osculatore: (*astron.*) **o. orbit**, orbita osculatrice.

osculation /ɒskjʊ'leɪʃn/ n. Ⓤ **1** (*arc. o scherz.*) osculazione; atto del baciare **2** il combaciare; combaciamento **3** (*mat.*) osculazione.

osculatory /'ɒskjʊlətrɪ/ a. **1** (*raro*) osculatorio **2** (*mat.*) osculatore.

osculum /'ɒskjʊləm/ n. (pl. **oscula**) (*zool.*) osculo.

OSHA sigla (*USA*, **Occupational Safety and Health Administration**) Ente per l'igiene e la sicurezza del lavoro.

osier /'əʊzɪə(r)/ n. **1** (*bot.*, *Salix viminalis*, *ecc.*) salice da vimini; vetrice **2** vimine; vinco; vermena ● **o. bed**, vincheto.

Osiris /əʊ'saɪrɪs/ n. (*relig.*) Osiride.

Osmanli /ɒz'mænlɪ/ Ⓐ a. osmanli; ottomanico Ⓑ n. **1** ottomano **2** Ⓤ osmanli (*la lingua*).

osmic /'ɒzmɪk/ a. (*chim.*) osmico.

osmiridium /ɒzmɪ'rɪdɪəm/ n. Ⓤ (*miner.*) osmiridio.

osmium /'ɒzmɪəm/ n. (*chim.*) osmio.

osmometer /ɒs'mɒmɪtə(r)/ n. (*chim.*) osmometro.

to **osmose** /'ɒzməʊs/ (*chim.*) Ⓐ v. t. sottoporre a osmosi Ⓑ v. i. subire l'osmosi.

osmosis /ɒz'məʊsɪs/ (*fis.*, *chim.*, *fisiol.*) n. Ⓤ osmosi || **osmotic** a. osmotico || **osmotically** avv. osmoticamente.

osmotaxis /ɒzmə'tæksɪs/ n. Ⓤ (*biol.*) osmotassi.

osmund /'ɒzmənd/ n. (*bot.*, *Osmunda regalis*) felce regale; osmunda.

osprey /'ɒspreɪ/ n. **1** (*zool.*, *Pandion haliaëtus*) falco pescatore **2** aigrette, egretta, aspri (*piuma per cappello da donna*).

ossein /'ɒsɪɪn/ n. Ⓤ (*biochim.*) osseina.

osseous /'ɒsɪəs/ a. **1** (*anat.*, *zool.*) osseo **2** (*geol.*) ossifero.

Ossete /'ɒsiːt/, **Osset** /'ɒsɪt/ n. osseta.

Ossetia /ɒ'siːʃɪə/ n. (*geogr.*) Ossezia.

Ossetian /ɒ'siːʃən/ a. e n. Ⓐ ossetico Ⓑ n. **1** osseta **2** Ⓤ ossetico || **Ossetic** n. Ⓤ ossetico (*la lingua*).

Ossianic /ɒsɪ'ænɪk/ a. (*letter.*) ossianico; di Ossian: **the O. poems**, i poemi ossianici.

ossicle /'ɒsɪkl/ n. **1** (*anat.*) ossicino **2** (*zool.*) ossicolo.

ossific /ɒ'sɪfɪk/ a. (*fisiol.*) che ossifica; ossificante.

ossifrage /'ɒsɪfrɪdʒ/ n. (*zool.*) **1** (*Gypaëtus barbatus*) gipeto; avvoltoio degli agnelli **2** (*Pandion haliaëtus*) falco pescatore.

to **ossify** /'ɒsɪfaɪ/ Ⓐ v. t. **1** (*fisiol.*) ossificare **2** (*fig.*) cristallizzare; fissare in modo rigido Ⓑ v. i. **1** (*fisiol.*) ossificarsi **2** (*fig.*) cristallizzarsi; fossilizzarsi; irrigidirsi || **ossification** n. **1** Ⓤ (*fisiol.*) ossificazione **2** (*anat.*) formazione ossea **3** Ⓤ (*fig.*) cristallizzazione, fossilizzazione (*di idee*, *ecc.*).

osso bucco /'ɒsəʊ'buːkəʊ/ (*ital.*) loc. n. (*cucina*) ossobuco.

ossuary /'ɒsjʊərɪ/ n. ossario.

OST sigla (*mus.*, *cinem.*, **original soundtrack**), colonna sonora originale.

osteitis /ɒstɪ'aɪtɪs/ n. Ⓤ (*med.*) osteite.

Ostend /ɒ'stɛnd/ n. (*geogr.*) Ostenda.

ostensible /ɒ'stɛnsəbl/ a. apparente; preteso; simulato; presunto: (*fin.*) **o. partner**, socio apparente | **-bly** avv. ❶ **Falsi amici** ● ostensible *non significa* ostensibile.

ostension /ɒ'stɛnʃn/ n. ⓊⒸ (*relig.*) ostensione.

ostensive /ɒ'stɛnsɪv/ a. (*ling.*) ostensivo.

ostensory /ɒ'stɛnsərɪ/ n. (*relig.*) ostensorio.

ostentation /ɒstɛn'teɪʃn/ n. Ⓤ ostentazione; esibizione; pompa.

ostentatious /ɒstɛn'teɪʃəs/ a. che ostenta; ostentativo (*raro*); pomposo; pretenzioso; vanitoso: **o. apparel**, vesti pretenziose | **-ly** avv. | **-ness** n. Ⓤ.

osteoarthritis /ɒstɪəʊɑː'θraɪtɪs/ n. Ⓤ (*med.*) osteoartrite.

osteoblast /'ɒstɪəʊblɑːst/ n. (*biol.*) osteoblasto.

osteoclasis /ɒstɪ'ɒkləsɪs/ n. (pl. **osteoclases**) (*med.*) osteoclasia.

osteoclast /'ɒstɪəʊklæst/ n. (*biol.*) osteoclasto.

osteocyte /'ɒstɪəsaɪt/ n. (*biol.*) osteocita.

osteogenesis /ɒstɪəʊdʒɛnəsɪs/ n. (*scient.*) osteogenesi.

osteoid /'ɒstɪɔɪd/ a. e n. (*biol.*) (sostanza, tessuto) osteoide.

osteology /ɒstɪ'ɒlədʒɪ/ n. Ⓤ osteologia || **osteological** a. osteologico || **osteologically** avv. osteologicamente || **os-**

teologist n. osteologo.

osteoma /ˌɒstɪˈəʊmə/ n. (pl. **osteomas**, **osteomata**) (*med.*) osteoma.

osteomalacia /ˌɒstɪəʊməˈleɪʃɪə/ n. ⓤ (*med.*) osteomalacia.

osteomyelitis /ˌɒstɪəʊmaɪɪˈlaɪtɪs/ (*med.*) n. ⓤ osteomielite || **osteomyelitic** a. osteomielitico.

osteon /ˈɒstɪɒn/ n. (*anat.*) osteone.

osteopathy /ˌɒstɪˈɒpəθɪ/ (*med.*) n. ⓤ **1** osteopatia **2** fisioterapia; massoterapia || **osteopath** n. **1** osteopata **2** fisiatra **3** fisioterapista || **osteopathic** a. **1** osteopatico **2** fisioterapico.

osteoporosis /ˌɒstɪəʊpəˈrəʊsɪs/ (*med.*) n. ⓤ osteoporosi || **osteoporotic** a. osteoporotico.

osteotome /ˈɒstɪətəʊm/ n. (*med.*) osteotomo.

osteotomy /ˌɒstɪˈɒtəmɪ/ n. ⓤⓒ (*med.*) osteotomia.

ostiary /ˈɒstɪərɪ/ n. (*relig.*) ostiario.

ostler /ˈɒslə(r)/ n. (*un tempo*) stalliere (*d'una locanda*); mozzo di stalla.

to **ostracize** /ˈɒstrəsaɪz/ (*anche fig.*) v. t. ostracizzare; dar l'ostracismo a (q.) || **ostracism** n. ⓤ ostracismo.

ostrich /ˈɒstrɪtʃ/ n. **1** (*zool.*, *Struthio camelus*) struzzo **2** (*fig. fam.*) chi fa come lo struzzo; svicolone (*fam.*) • (*fig.*) **o. policy** (*o* **o. attitude**), politica dello struzzo.

Ostrogoth /ˈɒstrəgɒθ/ (*stor.*) a. e n. ostrogoto || **Ostrogothic** a. ostrogoto; ostrogotico.

Oswald, **Oswold** /ˈɒzwəld/ n. Osvaldo.

OT sigla **1** (**Old Testament**) Vecchio Testamento **2** (*anche* **o.t.**) (**overtime**) lavoro straordinario, straordinari.

otalgia /əʊˈtældʒɪə/ (*med.*) n. ⓤⓒ otalgia || **otalgic** a. otalgico.

otary /ˈəʊtərɪ/ n. (*zool.*, *Otaria*) otaria.

OTC sigla **1** (*Borsa*, **over-the-counter**) fuori listino **2** (*farmaco*, **over-the-counter**) da banco **3** (*mil.*, *GB*, **Officers' Training Corps**) Corpo addestramento ufficiali.

Othello /əʊˈθeləʊ/ n. Otello.

♦**other** /ˈʌðə(r)/ Ⓐ a. altro; differente; diverso; rimanente; in più; in aggiunta: *Put it in your o. hand*, mettilo nell'altra mano; *Have you got any o. book on this subject?*, hai qualche altro libro sull'argomento?; **in o. words**, in altre parole; *There are some o. people waiting for you*, c'è altra gente che t'aspetta; *There is no o. explanation*, non c'è altra spiegazione Ⓑ pron. indef. altro; altra: *Please tell the others*, per favore, dillo agli altri; *One or the o. of us will be there*, l'uno o l'altro di noi sarà presente; *How many others are there?*, quanti altri ce ne sono?; *Three others*, altri tre Ⓒ avv. altro; altrimenti; diversamente: *He can't do o. than go*, non può fare altro che andare; *I couldn't behave o. than I did*, non potei comportarmi diversamente (da come feci) □ **the o. day**, l'altro giorno; pochi giorni fa □ (*fam.*) **one's o. half**, la propria metà; la moglie; il marito □ **o. than**, altri (*o* altro) che; in altro modo che, se non: *There was nobody in the hall o. than Peter*, nella sala non c'era altri che Peter; *One cannot get up there o. than by riding a mule*, lassù non ci s'arriva se non a dorso di mulo □ **o. things being equal**, a parità di condizioni; ceteris paribus (*lat.*) □ **the o. world**, l'altro mondo □ (*fam.*, *scherz.*) **a bit of the o.**, un po' di sesso; quelle cose (*fam.*) □ **each o.**, l'un l'altro ■ Nota: *each other o one another?* → **each** □ **every o. boy**, ogni altro ragazzo; tutti gli altri ragazzi; (*oppure*) un ragazzo sì e uno no □ **every o. day** [**week**, **month**], un giorno [una settimana, un mese] sì e uno no; ogni due giorni [ogni due settimane, mesi] □ **in o. times**, nei tempi andati □ **none o. than**, non altri che: *It was none o. than the king*, non era altri che il re; era il re in persona □ **on the o. hand**, d'altra parte; peraltro; però; tuttavia: *He's a clever boy. On the o. hand, he's lazy*, è un ragazzo intelligente, però è pigro □ **one after the o.**, uno dopo l'altro; in fila; in successione □ **some day or o.**, un giorno o l'altro □ **some time or o.**, una volta o l'altra □ **somewhere or o.**, da qualche parte □ **to tell one from the o.**, distinguere uno dall'altro: *It's difficult to tell one twin from the o.*, è difficile distinguere i due gemelli.

otherness /ˈʌðənəs/ n. ⓤ (*raro*) diversità; differenza.

♦**otherwise** /ˈʌðəwaɪz/ Ⓐ avv. altrimenti; in altro modo; diversamente; d'altronde; per il resto: *It would be difficult for me to act o.*, mi sarebbe difficile agire diversamente; *He is green, but o. perfect for the job*, è inesperto, ma per il resto è perfetto per questo lavoro Ⓑ cong. altrimenti; se no: *You must study harder; o. you won't pass your exam*, devi studiare di più; altrimenti (o se no) non supererai l'esame Ⓒ a. pred. differente, diverso: *John's answer could not be o.*, la risposta di John non poteva essere diversa • **to be o. engaged**, essere occupato in altre faccende □ **or o.**, o in qualche altro modo; o no: *I'll get there by bus, by taxi or o.*, ci andrò in autobus, in taxi o in qualche altro modo; *Children are welcome, whether accompanied or o.*, i bambini sono bene accetti, accompagnati o no □ **reactions automatic and o.**, reazioni automatiche e non (automatiche) □ **Judas, o.** (*o* **o. called**) **Iscariot**, Giuda, altrimenti detto Iscariota □ **unless o. stated**, salvo indicazione contraria.

otherworldly /ˌʌðəˈwɜːldlɪ/ a. ultraterreno; oltremondano; ascetico; spirituale || **otherworldliness**, **other-worldliness** n. ⓤ oltremondanità; distacco dal mondo terreno; ascetismo; spiritualità.

otic /ˈɒtɪk/ a. (*anat.*) otico; dell'orecchio.

otiose /ˈəʊtɪəʊs/ a. **1** (*raro*) pigro; ozioso **2** inutile; superfluo; vano; ozioso (*fig.*).

otitis /əˈtaɪtɪs/ (*med.*) n. ⓤ otite || **otitic** a. otitico.

otocyst /ˈəʊtəʊsɪst/ n. (*zool.*) otocisti.

OTOH sigla (*Internet*, **on the other hand**) dall'altro lato; però.

otolaryngology /ˌəʊtəlærɪŋˈɡɒlədʒɪ/ (*med.*) n. ⓤ otorinolaringoiatria || **otolaryngological** a. otorinolaringoiatrico || **otolaryngologist** n. otorinolaringoiatra; otorino (*fam.*).

otolith /ˈəʊtəʊlɪθ/, **otolite** /ˈəʊtəlaɪt/ n. (*anat.*) otolite.

otology /əʊˈtɒlədʒɪ/ (*med.*) n. ⓤ otologia; otoiatria || **otological** a. otoiatrico || **otologist** n. otoiatra.

otorhinolaryngology /ˌəʊtərɪnəʊlærɪŋˈɡɒlədʒɪ/ (*med.*) n. ⓤ otorinolaringoiatria || **otorhinolaryngological** a. otorinolaringologico.

otorrhoea /ˌəʊtəˈriːə/ n. ⓤ (*med.*) otorrea.

otosclerosis /ˌəʊtəsklɪəˈrəʊsɪs/ n. ⓤ (*med.*) otosclerosi.

otoscope /ˈəʊtəskəʊp/ (*med.*) n. otoscopio || **otoscopy** n. ⓤ otoscopia.

OTT sigla (*fam.*, **over the top**) esagerato, eccessivo.

otter /ˈɒtə(r)/ n. **1** (pl. **otter**, **otters**) (*zool.*, *Lutra*) lontra **2** ⓤ (pelliccia di) lontra **3** (*pesca*, = **o. board**) divergente • **o. dog** (*o.* **o. hound**), cane per la caccia alla lontra (*zool.*) **o. shell** (*Lutraria*), lutraria (*zool.*) **o. shrew** (*Potamogale*), potamogale □ (*pesca*) **o. trawl**, rete a strascico con divergente; paranza con divergente (*zool.*) **dog o.**, maschio della lontra.

otto /ˈɒtəʊ/ n. (pl. **ottos**) olio essenziale (*o* essenza) a: **o. of roses**, essenza di rose.

Otto /ˈɒtəʊ/ n. Otto; Ottone.

ottoman /ˈɒtəmən/ n. (pl. **ottomans**) **1** ottomana; divano **2** sgabello imbottito.

Ottoman /ˈɒtəmən/ a. e n. (pl. **Ottomans**) (*stor.*) ottomano; turco: **the O. Empire**, l'Impero ottomano.

oubliette /ˌuːblɪˈet/ (*franc.*) n. (*stor.*) segreta (*per prigionieri*) con apertura solo nel soffitto.

ouch /aʊtʃ/ inter. (*di dolore*) ahi; (*anche*) toccato!

♦**ought**① /ɔːt/ v. modale

ought ha caratteristiche particolari:
● ha significato di condizionale;
● non ha forme flesse (-s alla 3ª pers. sing. pres., -ing, -ed), non è mai usato con ausiliari e non ha quindi tempi composti;
● forma le domande mediante la semplice posposizione del soggetto;
● la forma negativa è **ought not**, spesso abbreviato in **oughtn't**;
● viene usato nelle *question tags*;

1 (*esprime dovere morale*) – *He o. to be more patient with her*, dovrebbe avere più pazienza con lei; *You o. to be ashamed of yourself!*, dovresti vergognarti!; *It o. not to be allowed*, non lo si dovrebbe permettere **2** (*esprime opportunità, consiglio, rimprovero*) – *You o. to see a doctor about that foot*, dovresti far vedere quel piede da un dottore; *You just o. to hear him!*, dovresti sentirlo!; *Oughtn't we to do something about it?*, non dovremmo (o non sarebbe bene) fare qualcosa?; *I o. to remind you that...*, è bene (o, *form.*, è d'uopo) che vi ricordi che...; *This o. to have been done months ago*, lo si sarebbe dovuto fare mesi fa **3** (*esprime probabilità*) – *This o. to be enough*, questo dovrebbe bastare; *They o. to be able to help you*, dovrebbero poterti aiutare; *They o. to have arrived by now*, dovrebbero essere arrivati ormai; *There o. to be a cashpoint in the shopping centre*, dovrebbe esserci un bancomat nel centro commerciale.

ought② /ɔːt/ n. (variante di **aught**) alcunché; alcuna cosa; qualunque cosa.

oughtest /ˈɔːtəst/ (*arc. o poet.*) 2ª pers. sing. di **ought**.

oughtn't /ˈɔːtnt/ contraz. di **ought not**.

Ouija board® /ˈwiːdʒə bɔːd/ loc. n. tavoletta Ouija (*usata nelle sedute spiritiche*).

♦**ounce**① /aʊns/ n. **1** oncia (*unità di peso e fig.*): **o. avoirdupois**, oncia avoirdupois (*1/16 di libbra e cioè 28,35 grammi*); **o. troy**, oncia troy (*1/12 di libbra, e cioè 31,1 grammi*); *He hasn't an o. of common sense*, non ha un'oncia (o un grammo, un briciolo) di buon senso **2** (*slang USA*) droga.

ounce② /aʊns/ n. (*zool.*, *Felis uncia*) leopardo delle nevi.

♦**our** /ˈaʊə(r), ɑː(r)/ a. poss. **1** (il) nostro, (la) nostra; (i) nostri, (le) nostre: *We'll keep our promise*, manterremo la nostra promessa; *We've done our best*, abbiamo fatto del nostro meglio **2** (*quando è unito alla forma in* -ing, *è idiom.*; *per es.*:) *Please forgive our answering so late*, vogliate scusare se rispondiamo così tardi; *Do you mind our parking here?*, vi dispiace se parcheggiamo qui? ● (*relig.*) **Our Father**, Padre Nostro; padrenostro (*la preghiera*) □ **Our Lady**, Nostra Signora; la Madonna □ **Our Lord**, Nostro Signore □ **Our Saviour**, il Salvatore; Cristo □ **in our midst**, in mezzo a noi □ **in our opinion**, secondo noi; a nostro avviso.

♦**ours** /ˈaʊəz, ɑːz/ pron. poss. (il) nostro, (la) nostra; (i) nostri, (le) nostre: *This car is o.*, questa automobile è nostra; *Their products are good; but o. are better*, i loro prodotti sono buoni; ma i nostri sono migliori; *O. is a*

large family, la nostra famiglia è numerosa ● **a friend of o.**, un nostro amico □ **this garden of o.**, questo nostro giardino ❶ **NOTA**: *'s: apostrofo e caso possessivo* → **'s** ①.

ourself /aʊəˈself/ *pron. rifl.* (*usato nel pluralis maiestatis*) Noi; Noi in persona; Ci: *'What touches us o. shall be last served'* W. SHAKESPEARE, 'Ciò che riguarda Noi (*o* la Nostra persona) sarà l'ultimo nostro pensiero'.

◆**ourselves** /aʊəˈselvz/ *pron. rifl. e enfat.* noi stessi, noi stesse; noi di persona; ci: *We hurt o.*, ci facemmo male; *We went o.*, ci andammo noi stessi; ci andammo di persona ● (**all**) **by o.**, (da) soli; da noi; senza aiuto; senza compagnia □ **We'll see to it o.**, ci penseremo noi; ce ne occupiamo noi.

ousel /ˈuːzl/ → **ouzel**.

to **oust** /aʊst/ *v. t.* **1** cacciare; espellere; estromettere; soppiantare; scalzare; rimuovere; sloggiare; far sgombrare: *The colonels ousted the president from office*, i colonnelli rimossero il presidente dalla sua carica **2** (*leg.*) spossessare; spodestare; espropriare ● **to o. sb. from a job**, licenziare q.; cacciare q. dal suo impiego.

ouster /ˈaʊstə(r)/, **ousting** /ˈaʊstɪŋ/ *n.* Ⓤ **1** espulsione; rimozione **2** (*leg.*) spossessamento; esproprio; espropriazione.

◆**out** ① /aʊt/ Ⓐ *avv. e a. pred.* **1** fuori; in fuori; all'aperto; (*anche*) assente: *He's out just now*, al momento è fuori (*o* non è in casa, in ufficio, ecc.); *He's out on business*, è fuori (*o* è in viaggio) per affari; *She's out at work*, è al lavoro; *The book is out at present*, il libro è fuori (*o* in prestito) per il momento; *Come out and play*, vieni fuori a giocare!; *He's out because of sickness*, è assente per malattia **2** spento: **to drive with the lights out**, guidare a fari spenti; *The fire is out*, il fuoco è spento **3** finito; passato; terminato: *I'll be seeing you before the week is out*, ti verrò a trovare prima della fine della settimana **4** (= **out on strike**) in sciopero: *The workers are out*, gli operai sono in sciopero **5** sbocciato: *The roses are out*, le rose sono sbocciate **6** pubblicato: *When will your new book be out?*, quando sarà pubblicato (*o* quando uscirà) il tuo nuovo libro? **7** rivelato; scoperto; trapelato; svelato; di dominio pubblico: *The secret is out*, il segreto è di dominio pubblico **8** libero; di libertà: *They have their Sundays out*, hanno le domeniche libere **9** out; fuori moda; passato di moda; superato: *Miniskirts were out but now are in again*, le minigonne erano passate di moda ma ora sono tornate in auge **10** (*fam.*) in passivo; in perdita: *He was a thousand dollars out*, era in perdita di mille dollari **11** fuori servizio; guasto: *The lift is out again*, l'ascensore è di nuovo guasto **12** esplicito; dichiarato: *He sympathizes with our party, but isn't out about it*, è un nostro simpatizzante, ma non in modo esplicito **13** venuto allo scoperto: *He isn't out to his family yet*, non è ancora venuto allo scoperto con la famiglia (*dichiarando di essere un gay, ecc.*) **14** proibito; vietato; escluso; fuori questione: *Smoking in the classroom is definitely out*, è assolutamente vietato fumare in aula; *Going to the disco is out, do you hear?*, di andare in discoteca non se ne parla nemmeno, hai capito? **15** (*seguito da un inf.*) intenzionato; che mira a (*fare qc.*); che punta a: *We are all out to win*, puntiamo tutti alla vittoria **16** incosciente; privo di conoscenza: *The rescued boy has been out for hours*, sono ore che il ragazzo salvato è privo di conoscenza **17** (*naut.*) (*della marea*) bassa **18** (di moda e con le varie **to be**, **is** idiom.; per es.:) *The moon is out*, c'è la luna; *The chickens are out*, si sono dischiuse le uova; sono nati i pulcini; *The Conservatives were out*, i conservatori erano all'opposizione; *John is out in New Zealand*, John si tro-

va in Nuova Zelanda; **to be out at the elbows**, avere i gomiti (della giacca) logori, sdruciti; (*fig.*) essere malmesso, scalcagnato, povero **19** (nei verbi frasali, è idiom.; per es.:) **to blow out**, spegnere (soffiando); **to break out**, scoppiare, ecc. (→ **to blow** ①, **to break**, *ecc.*) **20** (*sport*: calcio, tennis, pallavolo, *ecc.*) uscito; fuori; out; in 'out': *The ball is out*, la palla è fuori; *The service is out*, la battuta è out **21** (*sport*: di un giocatore) espulso; eliminato; fuori gioco **22** (*sport*: nelle corse) ritiratosi; non più in corsa Ⓑ **out of** *prep.* **1** fuori; fuori di; fuori da; da: *Tom is out of town now*, ora Tom è fuori città; *I left the car out of the garage*, lasciai l'automobile fuori del garage; *Don't throw things out of the window*, non gettare oggetti dalla finestra (*o* dal finestrino)!; *Don't drink out of the bottle*, non bere dalla bottiglia!; *'The boy sat beside the bed and his mother read out of a very long book'* G. GREENE, 'il ragazzo stava seduto accanto al letto e la mamma gli leggeva (da) un lunghissimo libro'; **a scene out of a play**, una scena (presa) da un dramma **2** fra, tra; su: *You must choose one out of these six*, devi sceglierne uno fra questi sei; *It happens in nine cases out of ten*, capita in nove casi su dieci **3** a causa di; per: *You did it out of spite*, l'hai fatto per dispetto; *I didn't mention it out of consideration for her feelings*, non ho fatto cenno di ciò per non ferirla nei suoi sentimenti **4** a una distanza di; alla larga da: **to keep out of trouble**, stare alla larga dai guai **5** (*naut.*) al largo di: *We were five miles out of Hamburg when the storm broke*, eravamo cinque miglia al largo d'Amburgo quando scoppiò la burrasca **6** senza; privo di: *He's out of work*, è senza lavoro; *We are out of wine*, siamo senza vino; (*autom.*) *The car is out of petrol*, non c'è più benzina (nel serbatoio) ● **out and away**, di gran lunga □ **out and out**, da cima a fondo; completo, assoluto, perfetto: **an out-and-out success**, un successo assoluto □ **an out-and-out liar**, un bugiardo bello e buono □ **to be out and about**, essere di nuovo in piedi; essere ristabilito e in grado di uscire □ (*slang*) **out-and-outer**, individuo eccezionale, fuoriclasse; (*anche*) entusiasta, fanatico; estremista □ (*slang*) **out cold**, svenuto □ **out East**, in Oriente; nell'Estremo Oriente □ (*fam.*) **to be out for**, andare in cerca (*o* a caccia) di; mirare a: *What is he out for?*, a che cosa mira? □ **to be out for the count**, (*boxe*) essere contato fino a 10; (*fig.*) essere kappaò (*o* svenuto, addormentato della grossa); essere partito (*fig.*) □ **to be out for money**, dare la caccia ai soldi; tirare al quattrino (*fig.*) □ **out from**, al largo di □ **to be out in one's calculations**, sbagliarsi nei calcoli; far male i calcoli □ (*nelle corse*) **to be out in front**, essere in testa (alla corsa); essere al comando, aver preso il comando della corsa □ **out of bounds**, fuori dei limiti; (*cartello*) «accesso vietato» □ **to be out of breath**, essere senza fiato; essere trafelato □ (*parapsicologia*) **out-of-body**, extracorporeo: **out-of-body experience**, esperienza extracorporea □ **out of commission**, (*mecc.*) fuori servizio, guasto; (*naut.*) in disarmo □ **to be out of contract**, non essere sotto contratto; essere libero □ **to be out of control**, non essere sotto controllo, aver preso la mano; (*mecc.*) non rispondere (più) ai comandi □ **to be out of the country**, essere all'estero □ (*leg.*) **out-of-court**, stragiudiziale; in via amichevole □ **to be out of danger**, essere fuori pericolo □ **out-of-date**, antiquato; superato; passato di moda □ **out of distance**, fuori portata (*dell'avversario*); (*boxe*, *scherma*) fuori misura □ **out of doors**, all'aperto; all'aria aperta; (*sost.*) l'esterno, l'aria aperta □ **out-of-door games**, giochi (svaghi, sport) all'aria aperta □ **out of doubt**, fuori di dubbio; senza dub-

bio □ (*fig.*) **to be out of one's element**, essere come un pesce fuor d'acqua □ (*anche sport*) **to be out of form**, essere giù di forma □ **to be out of hand**, non essere a portata di mano □ **to be out of hearing**, non essere a portata di voce □ (*fig.*) **to be out of it**, esserne fuori; essere escluso; (*anche*) essere male informato; essere in errore □ **out of line**, fuori linea; non allineato; (*fam.*) scorretto, presuntuoso □ (*comput.*) **out-of-line coding**, codifica (*o* istruzione) fuori linea □ **to be out of one's mind**, aver perso la ragione; essere fuori di testa □ **to be out of money**, essere a corto di quattrini □ **to be out of order**, essere guasto: *The phone is out of order*, il telefono è guasto □ **to be out of patience with sb.**, non aver più (*o* aver perso la) pazienza con q. □ (*fis.*) **out-of-phase**, fuori fase; sfasato (*anche fig.*) □ **to be out of pocket**, essere privo di fondi □ **out-of-pocket cost**, costo vivo □ **out-of-pocket expenses**, spese vive; piccole spese □ **to be out of practice**, essere fuori esercizio (*o* allenamento) □ (*di libro*) **out-of-print**, esaurito; fuori catalogo □ **to be out of reach**, essere fuori portata; essere irraggiungibile □ (*comm.*) **to be out of sale**, essere fuori commercio; essere esaurito □ (*tecn.*) **out of service**, fuori servizio; guasto □ (*elettr.*) **out-of-service jack**, jack di messa fuori servizio □ **out of sight**, scomparso alla vista; (*fam.*) irrealizzabile, incredibile; favoloso, stupendo; (*slang USA*) costosissimo, caro; (*anche*) suonato (*dall'alcol, dalla droga*) □ (*comm.*: di merce) **to be out of stock**, essere esaurito □ **out-of-town**, fuori città; extraurbano; (*fig.*) semplice, naturale, schietto □ (*anche sport*) **to be out of training**, essere giù di allenamento □ **out of use**, fuori uso □ **out-of-the-way**, fuori mano; fuori del comune; insolito, strano: **an out-of-the-way village**, un paese fuori mano □ **to be out of work**, essere disoccupato; essere a spasso (*fig.*) □ (*fam.*) **to be out on one's feet**, essere stanco morto □ **to be out on one's own**, essere tutto solo □ (*slang*) **to be out on a limb**, essere in brache di tela (*fig. fam.*); essere esposto (*o* vulnerabile) □ (*slang*) **to be out to lunch**, essere svitato, svanito, svaporato; essere fuori strada, sballato (*fig.*) □ **to be out with sb.**, essere in rotta con q. □ **to live out in the country**, abitare in campagna □ (*naut.*) **on the voyage out**, nel viaggio d'andata □ **times out of number**, infinite volte □ **tired out**, stanco morto □ *Truth will out*, la verità salta sempre fuori □ **Out with him!**, buttatelo fuori! □ **Out you go!**, vattene (via)!; Fuori di qui! □ **Out with it!**, di' quello che hai da dire!; fuori la verità!; sputa il rospo! (*fig.*) □ (*prov.*) *Murder will out*, tutti i misfatti vengono al pettine □ (*prov.*) *Out of sight, out of mind*, lontano dagli occhi, lontano dal cuore.

◆**out** ② /aʊt/ *prep.* **1** (*spec. USA*) fuori di (= **out of** → **out** ①, Ⓑ) **2** (*fam.*) da; per; attraverso: *She went out the door*, uscì dalla porta.

out ③ /aʊt/ *a. attr.* **1** (di solito nei composti:) esterno; verso l'esterno: **out-tray** (*USA* **out-box**), cassetta della corrispondenza in partenza **2** (*sport*) fuori casa; in trasferta ● (*med.*) **out patient**, paziente di 'day hospital'; paziente esterno □ **out-patient**, ambulatoriale: *You can make an out-patients' appointment with the nurse*, puoi prendere un appuntamento ambulatoriale con l'infermiere □ (*med.*) **out-patient department**, ambulatorio □ (*relig.*) **out sister**, sorella laica; coadiutrice □ (*ferr.*) **the out train**, il treno in partenza.

out ④ /aʊt/ *n.* **1** (*tipogr.*) vuoto; lacuna **2** (*fam. USA*) scappatoia; via d'uscita (*fig.*).

out ⑤ /aʊt/ *inter.* **1** fuori!; via! **2** (*sport*: tennis, *ecc.*) out!; palla fuori!

to **out** /aʊt/ v. t. **1** cacciare; buttar fuori **2** svelare che (q.) è omosessuale: *He threatened to out the judge*, minacciò di svelare l'omosessualità del giudice **3** denunciare pubblicamente; svelare le malefatte di (*q.*, *una società, ecc.*) **4** (*boxe*) metter fuori combattimento.

outa /'aʊtə/ prep. (*slang USA*) = **out of** → **out**①, B.

outage /'aʊtɪdʒ/ n. ⓤ **1** (*ind.*) inoperosità (*d'un macchinario*) **2** periodo d'interruzione (*nell'erogazione d'elettricità, ecc.*) **3** (*comm.*) calo; perdita.

outback /'aʊtbæk/ (*Austral.*) Ⓐ n. ⓤ territorio isolato; (l') interno; (l') entroterra Ⓑ a. dell'interno; dell'entroterra.

outbade /aʊt'beɪd/ pass. di **to outbid**.

to **outbalance** /aʊt'bæləns/ → **to outweigh**.

to **outbid** /aʊt'bɪd/ (pass. e p. p. **outbid**), v. t. **1** (*comm.*) offrire di più di (q.) (*a un'asta, ecc.*) **2** rilanciare (*alle carte*) su (q.).

outboard /'aʊtbɔːd/ Ⓐ avv. (*naut.*) fuori bordo Ⓑ a. e n. fuoribordo ● **o. motor**, motore fuoribordo; fuoribordo □ **o. motorboat**, fuoribordo (*il motoscafo*).

outbound /'aʊtbaʊnd/ a. (*di un veicolo, ecc.*) in partenza; in uscita ● **o. for**, in partenza per; (*naut.*) in rotta per: **a ship o. for America**, una nave in rotta per l'America □ (*ferr.*) **o. track**, binario di uscita □ **o. traffic**, traffico in uscita.

to **outbox** /aʊt'bɒks/ v. t. (*sport*) superare (q.) in tecnica pugilistica.

to **outbrave** /aʊt'breɪv/ v. t. **1** superare in coraggio; vincere **2** affrontare con grande coraggio; sfidare: *The raft outbraved the billows*, la zattera sfidava i marosi.

outbreak /'aʊtbreɪk/ n. **1** scoppio (*d'un incendio, d'una guerra, ecc.*) **2** eruzione (*d'un vulcano*) **3** attacco (*d'una malattia*); focolaio epidemico; epidemia **4** (*geol.*) → **outcrop**.

to **outbreed** /aʊt'briːd/ (*antrop.*) (pass. e p. **outbred**), v. t. e i. riprodurre (riprodursi) per esogamia || **outbreeding** n. ⓤ **1** esogamia **2** esincrocio; esoincrocio.

outbuilding /'aʊtbɪldɪŋ/ n. (*edil.*) dépendance; edificio annesso.

outburst /'aʊtbɜːst/ n. **1** scoppio; esplosione: **an o. of rage [laughter]**, uno scoppio di rabbia [di risa] **2** (*fig.*) scoppio d'ira, di passione repressa; accesso; scatto **3** (*ind. min.*) soffione di grisou; eruzione di gas ● (*mil.*) **an o. of machinegun fire**, una raffica di mitragliatrice.

outcast /'aʊtkɑːst/ a. e n. **1** reietto; emarginato; escluso **2** bandito; esiliato; proscritto.

outcaste /'aʊtkɑːst/ Ⓐ n. (*in India*) **1** individuo espulso dalla sua casta **2** persona senza casta; paria Ⓑ a. senza casta.

to **outclass** /aʊt'klɑːs/ (*anche sport*) v. t. superare di gran lunga; surclassare || **outclassed** a. surclassato || **outclassing** n. ⓤ surclassamento.

out-clearing /aʊt'klɪərɪŋ/ n. (*fin.*) compensazione in uscita; insieme di cambiali e assegni pagabili a una banca e presentati alla stanza di compensazione.

♦**outcome** /'aʊtkʌm/ n. conseguenza; esito; risultato: **the o. of the match [of the race]**, l'esito dell'incontro [della corsa].

outcrop /'aʊtkrɒp/ n. (*geol.*) affioramento; roccia che affiora **2** (*fig.*) manifestazione esteriore.

to **outcrop** /aʊt'rɒp/ (*geol.*) v. i. affiorare || **outcropping** n. affioramento.

outcross /'aʊtkrɒs/ n. animale (o pianta) riprodotti mediante esincrocio.

to **outcross** /aʊt'krɒs/ v. t. riprodurre per esogamia.

outcry /'aʊtkraɪ/ n. **1** grido; clamore; pro-

testa; scalpore **2** (*comm.*) vendita all'asta.

outdated /aʊt'deɪtɪd/ a. antiquato; sorpassato; passato di moda; datato.

outdid /aʊt'dɪd/ pass. di **to outdo**.

to **outdistance** /aʊt'dɪstəns/ v. t. (*spec. sport*) lasciare indietro; distanziare; staccare.

to **outdo** /aʊt'duː/ (pass. **outdid**, p. p. **outdone**) v. t. sorpassare; superare; far meglio di (q.); vincerla su: *'The waves beside them danced, but they / Outdid the sparkling waves in glee'* W. WORDSWORTH, 'accanto a loro le onde danzavano, ma essi superavano le spumeggianti onde in allegria' ● **to o. oneself**, superare sé stesso; mettercela tutta; fare l'impossibile □ **(in order) not to be outdone**, per non farsi superare (*fig.*); per non essere da meno.

outdoor /'aʊtdɔː(r)/ a. attr. esterno; di fuori; all'aperto; (*sport*) outdoor: **o. games**, giochi (o svaghi, sport) all'aperto ● **o. pursuits**, attività all'aperto □ (*tur.*) **o. seating**, posti (a sedere) all'aperto □ (*cinem.*) **o. shooting**, riprese esterne; esterni □ **o. swimming pool**, piscina all'aperto □ **o. work**, lavoro esterno.

outdoors /aʊt'dɔːz/ Ⓐ avv. fuori; fuori di casa; all'aperto: *Let's go o. and get some fresh air*, andiamo fuori a prendere una boccata d'aria! Ⓑ n. ⓤ – **the o.**, l'aperto; la vita all'aperto.

outer /'aʊtə(r)/ Ⓐ a. esterno; esteriore: **the o. edge of the net**, il bordo esterno della rete; (*anat.*) **the o. ear**, l'orecchio esterno; (*astron.*) **o. planets**, pianeti esterni Ⓑ n. **1** (*d'un bersaglio*) cerchio più lontano dal centro; cerchio esterno **2** (*boxe*) colpo da kappaò ● (*fin.*) **o. band**, banda esterna (*di una moneta*) □ **o. case**, copertone, pneumatico; (*di orologio*) controcassa □ (*USA*) **o. city**, sobborghi; periferia □ (*autom.*) **o. cover**, copertone (*di pneumatico*) □ **o. covering**, copertura esterna □ **o. garments**, vestiti; capi di vestiario (*non biancheria intima*) □ (*naut.*) **o. harbour**, avamporto □ (*naut.*) **o. keel**, controchiglia □ **the o. man**, l'uomo visto dal di fuori; l'aspetto esteriore d'un uomo □ **o. reality**, realtà oggettiva □ (*anat.*) **o. skin**, epidermide □ (*astron.*) **o. space**, spazio extraatmosferico (o cosmico) □ **the o. world**, il mondo esterno; la gente al di fuori della propria cerchia.

outercourse /'aʊtəkɔːs/ n. ⓤ rapporto sessuale non completo (*che non include la penetrazione*); petting spinto.

outermost /'aʊtəməʊst/ a. (il) più esterno; (l') estremo; (il) più remoto: **the o. stars**, le stelle più remote.

outerwear /'aʊtəweə(r)/ n. ⓤ indumenti da portare sopra (*cappotti, ecc.*).

to **outface** /aʊt'feɪs/ v. t. **1** far abbassare gli occhi a (q.); mettere (q.) in imbarazzo fissandolo **2** affrontare, sfidare coraggiosamente.

outfall /'aʊtfɔːl/ n. **1** bocca di scarico, sbocco (*d'una fogna*) **2** foce (*d'un fiume*) ● **o. sewer**, fogna principale; collettore.

outfield /'aʊtfiːld/ n. **1** (*cricket*) parte del campo più lontana dal battitore **2** (*baseball*) parte del campo all'esterno del diamante **3** (*baseball*) (collett.) giocatori che vi stanno; gli esterni (*sono tre*) ● (*calcio*) **the o. players**, i giocatori in campo (*escluso il portiere*) || **outfielder** n. (*sport*) «outfielder»; esterno.

to **outfight** /aʊt'faɪt/ (pass. e p. p. **outfought**), v. t. (*sport*) battersi meglio, essere più combattivo di (*un avversario*).

outfighting /'aʊtfaɪtɪŋ/ n. ⓤ (*boxe*) combattimento a distanza.

♦**outfit** /'aʊtfɪt/ n. **1** attrezzatura; corredo; completo; dotazione; equipaggiamento: **a dentist's o.**, un'attrezzatura da dentista; **a camping o.**, un corredo da campeggio; **a**

tennis o., un completo da tennis **2** (*moda*) tenuta; completo: **an elegant o.**, un completo elegante **3** (*naut.*) allestimento **4** (*fam.*) gruppo; squadra; (*mil.*) unità **5** piccola impresa; aziendina **6** complesso musicale **7** squadra sportiva **8** (*slang USA*) organizzazione criminale; gruppo di malavitosi; ganga; banda **9** (*slang USA*) attrezzatura per drogarsi.

to **outfit** /'aʊtfɪt/ v. t. **1** attrezzare; corredare; equipaggiare **2** (*naut.*) armare; allestire.

outfitter /'aʊtfɪtə(r)/ n. **1** fornitore; chi vende attrezzature **2** negoziante di capi d'abbigliamento (*per uomo*) ● **electrical o.**, elettricista (*il negoziante*) □ **a firm of men's outfitters**, una ditta di confezioni da uomo □ «**Outfitters for the bigger man**» (*cartello*), «taglie forti».

outfitting /'aʊtfɪtɪŋ/ n. ⓤ **1** attrezzatura; equipaggiamento **2** (*naut.*) armamento, allestimento (*di una nave*).

to **outflank** /aʊt'flæŋk/ v. t. **1** (*mil.*) aggirare sul fianco (o sull'ala) **2** (*fig.*) avere la meglio su.

outflanking /aʊt'flæŋkɪŋ/ n. ⓤ aggiramento sul fianco (o sull'ala).

outflow /'aʊtfləʊ/ n. efflusso; deflusso: **the o. of the river**, il deflusso dell'acqua del fiume; (*anche*) la portata del fiume ● (*fin.*) **the o. of capital**, il deflusso di capitali.

to **outflow** /aʊt'fləʊ/ v. i. effluire (*raro*); defluire.

outflung /'aʊtflʌŋ/ a. aperto; spalancato: *'A small pistol lay on the floor near his o. right hand'* A. CHRISTIE, 'una piccola pistola stava sul pavimento accanto alla mano destra spalancata'.

outfought /aʊt'fɔːt/ pass. e p. p. di **to outfight**.

to **outfox** /aʊt'fɒks/ v. t. vincere (q.) in astuzia; farla in barba a (q.).

outfront /aʊt'frʌnt/ a. (*fam. USA*) onesto; schietto; sincero.

to **outgas** /aʊt'gæs/ (*tecn.*) v. t. degassare || **outgassing** n. ⓤ degassamento.

to **outgeneral** /aʊt'dʒenərəl/ v. t. (*spec. mil.*) superare in strategia; battere (*un altro generale*).

outgo /'aʊtgəʊ/ n. ⓤⓖ **1** uscita; efflusso **2** (*comm.*) uscita; spesa: **cash outgoes**, uscite di cassa.

outgoer /'aʊtgəʊə(r)/ n. **1** chi esce; chi va via **2** impiegato uscente; chi lascia un posto (*un ufficio, ecc.*).

outgoing /'aʊtgəʊɪŋ/ Ⓐ a. attr. **1** in partenza: **o. correspondence**, corrispondenza in partenza; **an o. ship**, una nave in partenza **2** uscente; dimissionario: **the o. president**, il presidente uscente **3** (*sport: di un giocatore*) in uscita **4** (*comm.: di una fattura*) in uscita **5** (*di posta*) in partenza **6** socievole; estroverso; espansivo Ⓑ n. ⓤⓖ uscita; partenza ● (*comput.*) **o. mail**, posta in uscita □ **o. tide**, marea calante.

outgoings /'aʊtgəʊɪŋz/ n. pl. (*comm.*) uscite; spese.

to **outgrow** /aʊt'grəʊ/ (pass. **outgrew**, p. p. **outgrown**), v. t. **1** crescere più di; diventare più grande di: *Jack has outgrown his elder brother*, Jack s'è fatto più grande di suo fratello maggiore **2** liberarsi di, perdere (*con l'andare degli anni*): *He has outgrown the bad habits of boyhood*, s'è liberato delle cattive abitudini dell'infanzia ● **to o. one's clothes**, diventare troppo grande per i propri vestiti; non entrare più negli abiti.

outgrowth /'aʊtgrəʊθ/ n. **1** escrescenza **2** (*bot.*) escrescenza; galla **3** (*fig.*) conseguenza; risultato; sviluppo.

to **outguess** /aʊt'gɛs/ v. t. **1** superare in astuzia; essere più furbo di (q.) **2** anticipa-

re, prevedere le mosse di (q.) **3** superare giocando d'anticipo; battere sull'anticipo (*fig.*).

to **outgun** /aʊt'gʌn/ v. t. **1** (*mil.*) avere più potenza di fuoco di (*un nemico*) **2** sparare meglio di (q.) **3** (*fig.*) superare come peso (*fig.*); avere la meglio su (q.).

outhouse /'aʊthaʊs/ n. **1** edificio annesso; lavanderia; fienile; rimessa; stalla **2** (*USA*) gabinetto fuori della casa; servizi esterni.

outing /'aʊtɪŋ/ n. **1** gita; escursione; viaggetto: **a school o.**, una gita scolastica **2** ᴜᴄ rivelazione della omosessualità (*spec. da parte di attivisti gay*); il venire allo scoperto **3** (*sport*) uscita (*di un atleta, corridore, cavallo da corsa, ecc.*); (*anche*) (partita in) trasferta.

to **outjockey** /aʊt'dʒɒkɪ/ v. t. essere più furbo di (q.); superare in astuzia; ingannare.

outjutting /'aʊtdʒʌtɪŋ/ a. in aggetto; che protrude.

outlandish /aʊt'lændɪʃ/ a. **1** (*arc.*) straniero **2** esotico; strano; bizzarro; inconsueto: **an o. costume [dish]**, un costume [un piatto] esotico **3** (*di un luogo*) remoto; lontanissimo; isolato | **-ly** avv. | **-ness** n. ᴜ.

to **outlast** /aʊt'lɑːst/ v. t. **1** superare in durata; (*sport*) battere alla distanza **2** sopravvivere a.

outlaw ① /'aʊtlɔː/ a. illegale; proibito dalla legge: **an o. strike**, uno sciopero illegale.
outlaw ② /'aʊtlɔː/ n. **1** (*stor.*) proscritto **2** bandito; criminale; fuorilegge.
to **outlaw** /'aʊtlɔː/ v. t. **1** (*stor.*) bandire; mettere al bando; proscrivere **2** dichiarare (*o rendere*) illegale; vietare; proibire.

outlawry /'aʊtlɔːrɪ/ n. ᴜ **1** (*stor.*) l'essere messo al bando; proscrizione **2** l'essere un fuorilegge; illegalità; violazione della legge.

outlay /'aʊtleɪ/ n. ᴄᴜ (*fin., rag.*) uscita; esborso; spesa ● **initial o.**, spese d'impianto.
to **outlay** /aʊt'leɪ/ (*pass. e p. p.* ***outlaid***), v. t. (*spec. USA*) sborsare; spendere: **to o. $ 5,000 for** (*o* **on**) **a vacation abroad**, spendere cinquemila dollari per una vacanza all'estero.

outlet /'aʊtlet/ n. **1** uscita; apertura; scarico; sbocco; sfogo: **an o. for water**, uno scarico per l'acqua; **the o. of a pond**, lo sbocco d'un laghetto **2** (*fig.*) sfogo: **an o. for one's emotions**, uno sfogo alle proprie emozioni **3** (*elettr.*) attacco; presa (di corrente) **4** (*econ., market.*) mercato; sbocco; (*anche*) punto di vendita; (*spec.*) outlet (*negozio che vende articoli a prezzi scontati*): *We must find new outlets for our products*, dobbiamo trovare nuovi mercati per i nostri prodotti **5** (*radio, TV*) stazione (*spec. locale*) ● (*geogr.*) **o. glacier**, ghiacciaio terminale.

outlier /'aʊtlaɪə(r)/ n. **1** chi abita lontano dal posto di lavoro **2** estraneo; solitario; chi è escluso da un gruppo (*o si tiene in disparte*) **3** (*geol.*) lembo di ricoprimento; scoglio tettonico **4** (*stat.*) valore erratico.

♦**outline** /'aʊtlaɪn/ n. **1** contorno; profilo; sagoma: **the o. of the skyscrapers**, la sagoma dei grattacieli **2** abbozzo; schema; schizzo: *He gave us an o. of his plan*, ci presentò un abbozzo del suo progetto **3** profilo (*fig.*); lineamenti: **an o. of English history**, lineamenti di storia dell'Inghilterra **4** (pl.) punti principali; elementi essenziali: **the outlines of a settlement**, i punti principali di un accordo ● **o. drawing**, disegno lineare □ (*leg.*) **o. law**, legge quadro □ **o. map**, una carta geografica muta □ **to describe st. in o.**, descrivere qc. a grandi linee □ **to draw sb. (st.) in o.**, fare uno schizzo di q. (di qc.); schizzare q. (qc.).
to **outline** /'aʊtlaɪn/ v. t. **1** tracciare il contorno di; schizzare **2** (*fig.*) descrivere a

grandi linee; delineare; abbozzare: **to o. a ten-point programme**, abbozzare un programma articolato in dieci punti.

to **outlive** /aʊt'lɪv/ v. t. **1** sopravvivere a; vivere più a lungo di: **to o. one's husband**, vivere più a lungo del proprio marito **2** scampare a (*una calamità*) ● **to o. one's usefulness**, non servire più (a nulla).

outlook /'aʊtlʊk/ n. **1** vista; veduta; panorama: *The cottage has a pleasant o. over the beach*, la villetta gode di una bella vista sulla spiaggia **2** punto di vista; idee; vedute (*fig.*); opinioni; atteggiamento mentale; modo di sentire: *My o. on life has changed completely*, le mie idee sulla vita sono cambiate del tutto; *We are pacifist in o.*, siamo di sentimenti pacifisti **3** prospettive; previsioni: **the economic o.**, le prospettive dell'economia; **the market o.**, le prospettive del mercato (*anche*: del mercato azionario); *The o. for steel demand in Italy is bad*, le prospettive per la domanda d'acciaio in Italia non sono buone **4** (= **weather o.**) previsioni del tempo (*o* meteorologiche): *What is the o. for the weekend?*, qual è il tempo previsto per il fine settimana?

outlying /'aʊtlaɪɪŋ/ a. **1** esterno; esteriore **2** fuori mano; lontano; remoto: **o. villages**, villaggi remoti **3** (*mil.*) avanzato: **an o. post**, un posto avanzato.

to **outman** /aʊt'mæn/ v. t. **1** superare (q.) in virilità **2** (*ind., ecc.*) superare come potenziale umano.

outmanned /aʊt'mænd/ a. (*anche sport*) con gli effettivi ridotti; a ranghi ridotti.

to **outmanoeuvre**, (*USA*) to **outmaneuver** /aʊtmə'nuːvə(r)/ v. t. manovrare più abilmente di (q.); vincere (*il nemico*) con abili manovre; essere migliori strateghi di.

to **outmarch** /aʊt'mɑːtʃ/ v. t. lasciare indietro (q.) nella marcia; sorpassare; sopravvanzare.

to **outmatch** /aʊt'mætʃ/ v. t. sorpassare; superare; essere superiore a (q.).

outmoded /aʊt'məʊdɪd/ a. antiquato; passato di moda; invecchiato | **-ness** n. ᴜ.

outmost /'aʊtməʊst/ → **outermost**.

to **outmuscle** /aʊt'mʌsəl/ v. t. (*spec. sport*) superare sul piano fisico; essere fisicamente superiore: *The home team outmuscled the opposition for most of the game*, la squadra di casa è stata fisicamente superiore rispetto agli avversari per gran parte della partita.

to **outnumber** /aʊt'nʌmbə(r)/ v. t. **1** superare in numero; esser più numeroso di; schiacciare (*il nemico*) con la forza del numero **2** (*sport, mil.*) avere la superiorità numerica su (q.).

to **outpace** /aʊt'peɪs/ v. t. **1** camminare (*o* procedere) più in fretta di; distanziare; staccare (*fam.*) **2** (*sport*) superare (q.) in velocità **3** (*fig.*) superare; sopravanzare: *Output has outpaced home consumption*, la produzione ha superato i consumi interni.

outpatient /'aʊtpeɪʃnt/ = **out-patient** → **out** ③.

outpayment /'aʊtpeɪmənt/ n. (*fin.*) erogazione (*di fondi*).

to **outperform** /aʊtpə'fɔːm/ v. t. (*fin., sport, ecc.*) avere una performance (prestazioni, risultati, ecc.) migliori di (*o* superiori a); surclassare: *The new Rising Sun stocks have outperformed the Dow Jones index*, le nuove azioni Rising Sun hanno avuto una performance superiore all'indice Dow Jones.

to **outplace** /aʊt'pleɪs/ (*econ.*) v. t. ricollocare all'esterno (*dipendenti in esubero*) || **out-placement, outplacing** n. ᴜ ricollocazione (all'esterno) (*di dipendenti in esubero*).

to **outplay** /aʊt'pleɪ/ v. t. (*sport*) **1** giocare

meglio di: *We outplayed England but lost the match*, abbiamo giocato meglio dell'Inghilterra ma abbiamo perso la partita **2** battere, beffare, sbarazzarsi di (*un singolo avversario diretto*).

to **outpoint** /aʊt'pɔɪnt/ v. t. (*boxe*) battere (*l'avversario*) ai punti.

outport /'aʊtpɔːt/ n. **1** (*naut.*) porto secondario (*o* ausiliario) **2** (*ingl.*) qualsiasi porto britannico (*a esclusione del porto di Londra*) **3** (*Canada*) porticciolo, piccolo paese sul mare (*spec. in Terranova*).

outpost /'aʊtpəʊst/ n. (*mil. e fig.*) avamposto.

outpour /'aʊtpɔː(r)/ n. fuoriuscita; perdita, fuga (*di liquidi, ecc.*); versamento.
to **outpour** /aʊt'pɔː(r)/ v. t. **1** effondere; versare **2** (*fig.*) sfogare.

outpouring /aʊt'pɔːrɪŋ/ n. ᴄᴜ **1** (generalm. al pl.) effusione; sfogo **2** profusione (*di sforzi, ecc.*); fiume, valanga (*fig.*): **an o. of new inventions**, una valanga di nuove invenzioni **3** (pl.) esternazioni; uscite (*fig.*) **4** (*geol.*) trabocco (*della lava*) **5** → **outpour**.

♦**output** /'aʊtpʊt/ n. **1** (*anche ind.*) produzione: **the o. of a factory**, la produzione d'una fabbrica; **the scientific o. of the year**, la produzione scientifica dell'anno **2** (*ind.*) lavoro utile; rendimento; resa **3** (*mecc., elettr., ecc.*) potenza sviluppata; energia erogata **4** (*comput., elettron.*) output; uscita: **o. power**, potenza di uscita ● **o. data**, i dati sulla produzione □ (*comput.*) **o. device**, dispositivo di output □ **o. file**, file di output □ (*econ., fin.*) **o. gap**, divario di prodotto □ **o. per man-hour**, produzione oraria per addetto □ (*comput.*) **o. voice**, uscita vocale (*autom., elettr.*) **There is no generator o.**, la dinamo non dà corrente (*guasto*).

to **output** /'aʊtpʊt/ (*pass. e p. p.* **output**), v. t. (*comput.*) emettere, fornire in uscita (*dati, risultati, ecc.*).

outrage /'aʊtreɪdʒ/ n. **1** ᴜ indignazione; sdegno: *The decision was greeted with general o.*, la decisione fu accolta da indignazione generale; **to tremble with o.**, tremare dall'indignazione; **to voice one's o.**, esprimere il proprio sdegno; protestare con veemenza **2** atto crudele; atrocità: **to commit outrages**, commettere atrocità; **bomb o.**, attentato dinamitardo **3** atto scandaloso; scandalo; soperchieria: **an o. against taxpayers**, una soperchieria ai danni del contribuente; *This is an o.!*, è uno scandalo! **4** offesa (*alla morale, ecc.*); oltraggio ❶ **FALSI AMICI** ● outrage non significa oltraggio nel senso di offesa rivolta a una persona.

to **outrage** /'aʊtreɪdʒ/ v. t. **1** indignare; sdegnare; scandalizzare: **to o. public opinion**, indignare l'opinione pubblica **2** violare; fare violenza a; offendere (*la morale, ecc.*): **to o. sb.'s sense of justice**, offendere il senso di giustizia di q. ❶ **FALSI AMICI** ● to outrage non significa oltraggiare nel senso di offendere una persona || **outraged** a. indignato; sdegnato; scandalizzato.

outrageous /aʊt'reɪdʒəs/ a. **1** che indigna; scandaloso; indecente: *I find it absolutely o. that he should be passed over for promotion*, trovo veramente scandaloso che non gli abbiano dato la promozione **2** iperbolico; poco credibile; assurdo: **o. requests**, richieste assurde; richieste che non stanno né in cielo né in terra **3** stravagante; eccentrico: *He always wears o. shirts*, porta sempre camicie stravaganti **4** esagerato; scandaloso; sfacciato: **an o. price**, un prezzo esagerato; **o. fortune**, fortuna sfacciata **5** (*fam.*) pessimo; orribile; pazzesco: (*sport*) **o. play**, gioco pessimo, orribile; **o. weather**, tempo orribile ❶ **FALSI AMICI** ● outrageous non significa oltraggioso | **-ly** avv. | **-ness** n. ᴜ.

outran /aʊtˈræn/ pass. di **to outrun**.

to **outrange** /aʊtˈreɪndʒ/ v. t. **1** (d'arma da fuoco) avere una gittata maggiore di (un'altra); superare in gittata **2** (fig.) sopravanzare; superare.

to **outrank** /aʊtˈræŋk/ v. t. (spec. mil.) avere un grado più alto di (q.); superare (q.) in grado.

outré /ˈuːtreɪ, USA uːˈtreɪ/ (franc.) a. **1** stravagante; eccentrico **2** scorretto; sconveniente.

outreach /ˈaʊtriːtʃ/ n. **1** ⓤ l'estendersi ② estensione; portata **3** coinvolgimento nella società, impegno nel sociale (di istituzione religiosa, sociale, ecc.): **o. work**, lavoro calato nel sociale **4** iniziativa di solidarietà; programma di sensibilizzazione, di diffusione culturale, di aiuto.

to **outreach** /aʊtˈriːtʃ/ v. t. **1** estendersi più di, sorpassare (qc.) in estensione **2** (fig.) sorpassare; eccedere.

to **outride** /aʊtˈraɪd/ (pass. **outrode**, p. p. **outridden**), v. t. **1** distanziare (q.) a cavallo; lasciare indietro (q.) cavalcando; sottrarsi a (q.) fuggendo a cavallo **2** (naut.) superare indenne (una tempesta).

outrider /ˈaʊtraɪdə(r)/ n. **1** (stor.) lacchè **2** battistrada; motociclista di scorta; staffetta **3** (USA) bovaro a cavallo.

outrigger /ˈaʊtrɪɡə(r)/ n. **1** (mecc., ecc.) intelaiatura (o supporto) di base (della gru, ecc.) **2** (naut.) buttafuori (per le scalmiere dei remi) **3** (naut.: di canoa) bilanciere **4** (naut.) outrigger; fuoriscalmo; canoa a bilanciere **5** (aeron.) intelaiatura di sostegno **6** (in una carrozza) prolungamento del bilancino (per attaccare un altro cavallo).

outright /ˈaʊtraɪt/ 🅐 avv. **1** completamente; interamente; del tutto; per intero: **to pay o.**, pagare per intero **2** immediatamente; subito; sul colpo; al primo colpo: **to be killed o.**, restar ucciso sul colpo **3** apertamente; schiettamente; sinceramente; senza peli sulla lingua; chiaro e tondo: **to tell sb. o. what one thinks of him**, dire apertamente a q. quel che si pensa di lui 🅑 a. attr. **1** aperto; franco; schietto; sincero; secco: **an o. denial**, una secca smentita **2** completo; integrale; immediato: **o. disaster**, disastro completo; **o. payment**, pagamento integrale (o immediato) ● **an o. lie**, una bugia bell'e buona ● **an o. present**, un dono incondizionato; un vero e proprio regalo □ (sport) **an o. victory**, una vittoria lampante □ **an o. winner**, un vincitore indiscusso.

to **outrival** /aʊtˈraɪvl/ v. t. (form.) far meglio di (q.); superare.

outro /ˈaʊtrəʊ/ n. epilogo, finale (di un brano musicale, di un film, di un'opera letteraria, ecc.).

outrode /aʊtˈrəʊd/ pass. di **to outride**.

outrun /aʊtˈrʌn/ n. (sport) pista di lancio (nei salti con gli sci).

to **outrun** /aʊtˈrʌn/ (pass. **outran**, p. p. **outrun**), v. t. **1** sorpassare in velocità; superare nella corsa **2** (fig.) superare; andare oltre: Science fiction often outruns common sense, la fantascienza spesso va oltre il buonsenso.

outrunner /ˈaʊtrʌnə(r)/ n. **1** (un tempo) battistrada; (fig.) pioniere, precursore **2** cane di testa (in un traino di slitta).

outsat /aʊtˈsæt/ pass. e p. p. di **to outsit**.

to **outscore** /aʊtˈskɔː(r)/ v. t. (sport) superare (q.) nel punteggio; fare più punti di (q.).

to **outsell** /aʊtˈsel/ (pass. e p. p. **outsold**), v. t. (comm.) **1** vendere più di (un concorrente) **2** (di merce) vendersi più di (un'altra).

outset /ˈaʊtset/ n. ⓤ inizio; principio; esordio: **at** (o **from**) **the o.**, fin dall'inizio.

to **outshine** /aʊtˈʃaɪn/ (pass. e p. p. **outshone**), v. t. **1** superare in splendore; bril-

lare più di (qc.); offuscare **2** (fig.) superare; eclissare.

◆**outside** /aʊtˈsaɪd/ 🅐 n. **1** ⓤ (il) di fuori; (l') esterno: **the o. of a building**, l'esterno d'un edificio; **to open a door from the o.**, aprire una porta dal di fuori **2** ⓤ apparenza; aspetto (esteriore) **3** (trasp.) cassetta (di diligenza), passeggero che viaggia a cassetta **4** (pl.) fogli esterni (d'una risma di carta) **5** (sport: calcio, ecc.) esterno; ala; (basket) esterno; (football americano) esterno; (rugby) qualsiasi giocatore (eccettuati gli attaccanti) 🅑 a. attr. **1** esterno; fatto (o posto, situato) all'esterno; proveniente dall'esterno; esteriore; di fuori; all'aperto: **o. edge**, bordo esterno; **o. lighting**, illuminazione esterna (di una casa); **o. tap**, rubinetto all'esterno; (sport) **o. defender**, difensore esterno; (mecc.) **o. diameter**, diametro esterno; **o. work**, lavoro fatto all'esterno, all'aperto (fuori d'un edificio); **o. repairs**, riparazioni esterne (in un edificio); **o. help**, aiuto che viene dall'esterno; aiuto di estranei (a un'organizzazione); **o. activities**, attività all'aperto **2** estraneo: **o. influences**, influssi esterni **3** estremo; (il) maggiore (o più alto) possibile: **to quote the o. prices**, fissare i più alti prezzi possibili **4** a parte; collaterale: **to have o. interests**, avere interessi collaterali **5** minimo; piccolissimo; remoto: **an o. chance**, una remota probabilità **6** di massima: **an o. estimate**, un preventivo di massima 🅒 avv. fuori; di fuori; all'esterno; all'aperto: Come o.!, vieni fuori!; There's nobody o., di fuori non c'è nessuno; The box was red o. and black inside, la scatola era rossa di fuori e nera di dentro 🅓 prep. **1** fuori; fuori di; all'esterno di: They live just o. Rome, abitano appena fuori Roma; He was standing o. the door, stava in piedi fuori della (o davanti alla) porta; We waited o. the room, aspettammo fuori della stanza **2** (fam.) all'infuori di; eccetto; tranne: Nobody knows o. the members of my family, non lo sa nessuno, all'infuori dei miei familiari **3** (fam.) al di là di: oltre **4** (sport) sotto, al disotto di: She was two seconds o. the world record, ha mancato (o non ha battuto) il record mondiale per due secondi ● (pallavolo) **o. attacker**, attaccante di ala □ (radio, TV) **o. broadcast**, trasmissione in esterno □ (fin.) **o. broker** (o **o. dealer**), operatore estraneo alla Borsa Valori; agente di cambio senza riconoscimento ufficiale □ (mecc.) **o. caliper**, compasso di spessore (o per esterni) □ **o. in** = **inside out** → **inside**① □ **o. lane**, (autom.) corsia di sorpasso; (sport) corsia esterna (della pista) □ (sport) **o. left**, ala sinistra; esterno sinistro □ **o. of**, (USA) = 🅓 → sopra □ **the o. of a bus**, l'imperiale d'un autobus □ (sport) **o. right**, esterno destro; ala destra □ **at the** (very) **o.**, al massimo; tutt'al più: There were a hundred people at the (very) o., c'erano cento persone al massimo □ **from o. the country**, dal di fuori; dall'estero □ (fam. ingl.) **to get o. of st.**, mangiare, bere qc.; fare fuori qc. □ (autom.) **on the o.**, sulla corsia di sorpasso □ (stor.) **to travel o.**, viaggiare a cassetta.

outsider /aʊtˈsaɪdə(r)/ n. **1** osservatore esterno **2** persona esclusa da un gruppo (o tenuta fuori da un ambiente sociale); estraneo; profano **3** (sport) outsider **4** (ipp.) cavallo dato perdente: It's a 33-1 outsider, lo danno perdente 33 a 1 **5** (spec. polit.) outsider; candidato che ha scarse probabilità di vittoria.

to **outsit** /aʊtˈsɪt/ (pass. e p. p. **outsat**), v. t. **1** restare seduto (o trattenersi) più a lungo di (altri ospiti) **2** rimanere seduto dopo la fine di (uno spettacolo, ecc.).

outsize /ˈaʊtsaɪz/ 🅐 n. taglia (o misura) superiore alla media; taglia forte 🅑 a. attr. **1** (di abito, ecc.) grande; di taglia forte **2** (=

outsized) fuori misura; grandissimo; enorme; gigantesco: **an o. hat**, un cappello enorme ● (market.) **an o. shop**, un negozio di abiti di taglia forte.

outskirts /ˈaʊtskɜːts/ n. pl. **1** sobborghi; periferia; zona suburbana: **on the o. of the town**, alla periferia della città **2** (fig.) margini; confini.

to **outsmart** /aʊtˈsmɑːt/ v. t. (fam.) sorpassare in astuzia; essere più furbo di (q.); mettere nel sacco (fig.).

outsold /aʊtˈsəʊld/ pass. e p. p. di **to outsell**.

outsole /ˈaʊtsəʊl/ n. suola (di una scarpa).

to **outsource** /ˈaʊtsɔːs/ v. t. (econ., fin.) appaltare (a ditte specializzate) operazioni della gestione di (un'azienda); terziarizzare: We outsourced some work to a manufacturer in India a few years ago, abbiamo appaltato del lavoro a un produttore in India alcuni anni fa ‖ **outsourcing** n. ⓤ outsourcing (trasferimento di funzioni e servizi interni all'azienda a un fornitore esterno); terziarizzazione ‖ **outsourcer** n. outsourcer (fornitore di servizi in outsourcing).

to **outspan** /aʊtˈspæn/ v. t. (in Sud Africa) **1** staccare, sbardare (cavalli) **2** togliere il giogo a (buoi).

outspoken /aʊtˈspəʊkən/ a. chiaro; franco; esplicito; schietto: **an o. remark**, una franca osservazione ● (di persona) **to be o.**, dire quel che si pensa; parlare a cuore aperto (o senza peli sulla lingua) | **-ly** avv. | **-ness** n. ⓤ.

outspread /aʊtˈspred/ a. disteso; spiegato; teso: **with o. arms**, a braccia tese; **with o. wings**, ad ali spiegate.

to **outsprint** /aʊtˈsprɪnt/ v. t. (nelle corse) battere in volata.

◆**outstanding** /aʊtˈstændɪŋ/ a. **1** prominente; ben visibile; chiaro: **an o. example**, un chiaro esempio **2** eminente; notevole; eccellente; eccezionale; clamoroso: **an o. person**, una persona eminente; **an o. fact**, un fatto notevole; **an o. result**, un risultato eccellente **3** (comm.) in pendenza; arretrato; insoluto; non pagato (fin.) in sofferenza, in circolazione: **o. debts**, debiti insoluti; **o. bills**, cambiali non pagate; effetti in circolazione **4** (di lavoro) ancora da fare; in sospeso **5** (comm.) inevaso; da evadere: **to have a good deal of orders o.**, avere ancora molte ordinazioni da evadere ● (rag.) **o. balance**, saldo scoperto □ (banca) **an o. cheque**, un assegno ancora in circolazione (non presentato all'incasso) □ (leg.) **o. claim**, pretesa insoddisfatta; credito arretrato □ (fin.) **o. coupons**, cedole non pagate □ (leg.) **o. matter**, pendenza □ **an o. problem**, un problema irrisolto | **-ly** avv.

to **outstare** /aʊtˈsteə(r)/ v. t. fare abbassare lo sguardo a (q.) fissandolo.

outstation /ˈaʊtsteɪʃn/ n. stazione avanzata; avamposto.

to **outstay** /aʊtˈsteɪ/ v. t. trattenersi più a lungo di (q.) ● **to o. one's welcome**, trattenersi più del necessario; diventare un ospite sgradito.

to **outstep** /aʊtˈstep/ v. t. **1** superare (o sorpassare) camminando **2** (fig.) andare oltre: **to o. the truth**, andare oltre la verità.

to **outstretch** /aʊtˈstretʃ/ v. t. **1** distendere; spiegare; stendere (le braccia, ecc.) **2** (fig.) superare, oltrepassare (un limite).

outstretched /aʊtˈstretʃt/ a. disteso; steso; allungato; spiegato; teso; proteso: **with o. arms [paws]**, a braccia tese [con le zampe allungate].

to **outstrip** /aʊtˈstrɪp/ v. t. **1** correre più forte di (q.); lasciare indietro; distanziare di un bel tratto; staccare di molto **2** (fig.) battere; superare; vincere.

outswing /'aʊtswɪŋ/ n. (sport) **1** (calcio, ecc.) effetto a uscire (della palla) **2** (cricket) traiettoria (della palla lanciata) dalla sinistra alla destra del battitore.

outswinger /'aʊtswɪŋə(r)/ n. (sport) **1** (calcio, ecc.) palla (parabola, tiro) con effetto a uscire (o a girare verso l'esterno) **2** (cricket) 'outswinger'; palla lanciata che vola dalla sinistra alla destra del battitore.

outswinging ball /aʊtswɪŋɪŋ'bɔːl/ loc. n. (sport) → **outswinger**

out-take /'aʊtteɪk/ n. (cinem., TV) pezzo tagliato, taglio (durante una registrazione).

to **out-think** /aʊt'θɪŋk/ (pass. e p. p. **out-thought**), v. t. pensare più rapidamente di (un avversario); battere (q.) sull'anticipo.

to **out-top** /aʊt'tɒp/ v. t. **1** superare in altezza; elevarsi al disopra di (qc.) **2** (fig.) superare.

out-turn /'aʊttɜːn/ n. **1** (econ.) risultato effettivo; resa **2** (fisc.) gettito; entrate fiscali **3** (naut.) resa allo sbarco.

to **outvalue** /aʊt'væljuː/ v. t. valere più di (qc.); superare in valore.

to **outvie** /aʊt'vaɪ/ v. t. superare (o vincere) in una gara.

to **outvote** /aʊt'vəʊt/ v. t. sconfiggere (q.) in una votazione; avere più voti di (q.); mettere in minoranza: **to find oneself outvoted**, essere battuto ai voti; essere messo in minoranza.

to **outwalk** /aʊt'wɔːk/ v. t. **1** camminare più svelto di (q.) **2** oltrepassare (un punto).

outward /'aʊtwəd/ **A** a. **1** esterno; esteriore; estrinseco: **o.** form, forma esterna; **o. beauty**, bellezza esteriore; **o. show**, aspetto esteriore; apparenza **2** corporeo; materiale: **o. things**, le cose materiali; gli oggetti; il mondo esteriore **3** apparente; superficiale; visibile **4** di andata: (naut.) **the o. voyage**, il viaggio d'andata **B** n. **1** ▣ (l') apparenza; (l') aspetto esteriore **2** (pl.) (le) cose materiali; (il) mondo esteriore **C** avv. → **outwards** ● (naut.) **o. bill of lading**, polizza di carico per il viaggio di andata □ (naut.: di nave o passeggero) **o. bound**, diretto a un porto straniero; in viaggio d'andata □ (naut.) **o. bounder**, nave in partenza; nave in viaggio d'andata □ (naut.) **o. cargo**, carico di andata □ (naut.) **o. freight**, nolo di andata □ (teol.) **the o. man**, l'uomo come entità corporea.

outwardly /'aʊtwədlɪ/ avv. al di fuori; all'esterno; esteriormente; in apparenza; apparentemente: Jane remained o. calm, Jane rimase esteriormente calma.

outwardness /'aʊtwədnəs/ n. ▣ esteriorità; aspetto esteriore; apparenza.

outwards /'aʊtwədz/ avv. **1** verso l'esterno; in fuori: **galaxies moving o.**, galassie che si spostano verso l'esterno **2** (trasp.) in andata: **to travel o.**, fare il viaggio di andata.

outwash /'aʊtwɒʃ/ n. ▣ (geol.) deposito di dilavamento glaciale ● (geogr.) **o. plain**, piana da dilavamento glaciale.

to **outwatch** /aʊt'wɒtʃ/ v. t. **1** vegliare più a lungo di (q.) **2** osservare (q.) finché scompare.

outwear /'aʊtweə(r)/ n. ▣ (market.) capi d'abbigliamento, indumenti (esclusa la biancheria intima).

to **outwear** /aʊt'weə(r)/ (pass. **outwore**, p. p. **outworn**), v. t. **1** durare più a lungo di (qc.); superare in durata **2** (di solito al p.p.) consumare, logorare (vestiti, ecc.) **3** spossare; stancare.

to **outweigh** /aʊt'weɪ/ v. t. **1** pesare più di; aver maggior peso di (anche fig.); sorpassare in importanza; superare in valore **2** vincere: Curiosity outweighed her shyness, la curiosità vinse la sua timidezza **3** (boxe,

lotta, ecc.) pesare più di (un avversario).

outwent /aʊt'wɛnt/ pass. di **to outgo**.

to **outwit** /aʊt'wɪt/ v. t. superare in astuzia; mettere nel sacco (fig.); farla in barba a (q.).

outwith /aʊt'wɪθ/ prep. (scozz.) fuori di.

outwore /aʊt'wɔː(r)/ pass. di **to outwear**.

outwork /'aʊtwɜːk/ n. **1** (mil.) fortificazione esterna **2** ▣ (econ.) lavoro esterno; lavoro dato a domicilio.

to **outwork** /aʊt'wɜːk/ v. t. **1** lavorare meglio (o più in fretta) di (q.) **2** completare; portare a termine (un'opera).

outworker /'aʊtwɜːkə(r)/ n. (econ.) lavoratore esterno; lavorante a domicilio.

outworn /aʊt'wɔːn/ **A** p. p. di **to outwear B** a. attr. /'aʊtwɔːn/ **1** esausto; stremato: **an o. boxer**, un pugile stremato **2** desueto; sorpassato; logoro; trito; vieto: **an o. phrase**, un modo di dire trito (o vieto).

ouzel /'uːzl/ n. (zool.) **1** (Cinclus cinclus; anche **water o.**) merlo acquaiolo **2** (= **ring o.**; Turdus torquatus) merlo dal collare.

ouzo /'uːzəʊ/ (greco) n. ▣◻ (pl. **ouzos**) «ouzo»; (bicchiere di) liquore aromatizzato all'anice.

oval /'əʊvl/ **a.** e n. ovale ● (sport) **the O.**, famoso campo di cricket a Londra □ (in USA) **the O. Office**, la Sala Ovale, l'ufficio del Presidente; (per estens.) la presidenza degli Stati Uniti □ **ovalness** n. ▣ l'essere ovale.

Ovaltine® /'əʊvltiːn/ n. ▣◻ Ovomaltina.

ovarial /əʊ'veərɪəl/ a. (fisiol.) ovarico: **o. function**, funzione ovarica.

ovarian /əʊ'veərɪən/ a. (anat.) ovarico: (med.) **o. cyst**, cisti ovarica.

to **ovariectomize** /əʊveərɪ'ɛktəmaɪz/ v. t. (med.) ovariectomizzare.

ovariectomy /əʊveərɪ'ɛktəmɪ/ n. ▣◻ (med.) ovariectomia.

ovariotomy /əʊveərɪ'ɒtəmɪ/ n. ▣◻ (med.) ovariotomia.

ovaritis /əʊvə'raɪtɪs/ n. ▣ (med.) ovarite.

ovary /'əʊvərɪ/ n. **1** (anat.) ovario; ovaia **2** (bot.) ovario.

ovate /'əʊveɪt/ a. **1** ovale **2** (bot.) ovoidale; ovato.

ovation /əʊ'veɪʃn/ n. **1** (stor. romana) ovazione **2** ovazione; vivo applauso; acclamazione ● **to receive a standing o.**, essere acclamati dal pubblico che si alza in piedi.

♦**oven** /'ʌvn/ n. forno (anche fig.); fornetto: **microwave o.**, forno a microonde; It's like an o. in here!, sembra di stare in un forno! ● (zool.) **o.-bird**, (Furnarius) fornaio; (Seiurus aurocapillus) tordo dalla corona d'oro; ballerina dei boschi □ **o.-cooked**, al forno: **o.--cooked chips**, patatine (affettate) al forno □ **o.-dressed** (o **o.-ready**), pronto per il forno (rif. a cibo preconfezionato) □ (ind.) **o.-dry**, essiccato al forno.

ovenproof /'ʌvənpruːf/ a. (cucina: di stoviglie) resistente al calore del forno ● **o. dish**, teglia da forno.

ovenware /'ʌvnweə(r)/ n. ▣ (cucina) stoviglie da forno; pirofile.

♦**over**① /'əʊvə(r)/ avv. **1** al di sopra; di sopra; di là; oltre: Can you jump o.?, sei capace di saltare di là?; **to lean o.**, sporgersi (al di sopra) **2** completamente; da cima a fondo; da capo a piedi: The table was covered (all) o. with paint, la tavola era tutta coperta di vernice; I've read the book o., ho letto il libro da cima a fondo **3** (a. pred.) rimasto; avanzato: Is there any bread [money] o.?, è avanzato del pane [del denaro]? **4** (a. pred.) finito; terminato; passato; sfumato: The lesson is o., la lezione è finita; The rain will soon be o., la pioggia cesserà ben presto; The danger is o., il pericolo è passato (o sfumato) **5** di ritorno: **to be o. from abroad**, essere di ritorno dall'estero

6 (in qualche loc., è idiom.; per es.:) I'm going o. to America, vado in America; My children were o. at Easter, i figli mi sono venuti a trovare per Pasqua; Nothing was left o., non avanzò (o non rimase) nulla; (a scuola) (Your) time (is) o.!, tempo scaduto!; consegnare (i compiti)! **7** (nei verbi frasali, è idiom.; per es.:) **to boil o.**, traboccare; **to do st. o.**, rifare qc.; fare qc. daccapo; **to fall o.**, rovesciarsi, ecc. (→ **to boil, to do, to fall**, ecc.) **8** (nelle comunicazioni radio, ecc.) passo: O. to you, Jack!, passo a te, Jack!; **o. and out**, passo e chiudo ● **o. and above**, in aggiunta; per sovrappiù; per soprammercato; senza calcolare, senza tener conto di (basket) **o.-and-back**, passaggio dietro la schiena □ **o. and done with**, proprio finito; completamente finito; chiuso □ **o. and o.**, più volte; ripetutamente; sempre di nuovo: The orator was interrupted time and o., l'oratore fu interrotto più volte; 'I had a queer feeling that war meant murdering the same man o. and o., and that in the end I would discover the man was myself' E. O'NEILL, 'avevo la strana sensazione che la guerra volesse dire uccidere sempre di nuovo lo stesso uomo, e che alla fine avrei scoperto che quell'uomo ero io' □ **o. and o. again**, mille volte: I've told you that o. and o. again, te l'ho detto mille volte □ (cucina, USA) **egg o. easy**, uovo all'occhio di bue □ **o. there**, laggiù □ **all o.** → **all**.

♦**over**② /'əʊvə(r)/ prep. **1** sopra; su: The branch hung o. the roof, il ramo pendeva sopra il tetto; **with one's hat o. one's eyes**, col cappello sugli occhi; **to lay the cloth o. the table**, stendere la tovaglia sulla tavola; **to build a bridge o. the river**, costruire un ponte sul fiume **2** più di; oltre: **o. a hundred people**, oltre cento persone; **nothing o. a hundred dollars**, niente (o neanche un centesimo) più di cento dollari; He's o. thirty, ha più di trent'anni **3** attraverso; per tutto: **o. the whole country**, per tutta la nazione; **all o. the world**, in tutto il mondo **4** durante; nel corso di; attraverso; per: We'll discuss it o. our dinner, ne discuteremo durante il pranzo; **o. the centuries**, nel corso dei secoli; attraverso i secoli; **o. a period of several years**, per un periodo di molti anni; They've been going out for well o. a year now, escono insieme da oltre un anno ormai; What are you doing o. Christmas?, che cosa fai per Natale? **5** di là da; oltre: **to jump o. a fence**, saltare di là da uno steccato; **a city o. the border**, una città oltre il confine **6** fin dopo: Stay o. Christmas, rimani fin dopo Natale! **7** nei confronti di; rispetto a: Prices have gone up twenty per cent o. last year, i prezzi sono aumentati del venti per cento rispetto all'anno scorso **8** in fatto di; riguardo a: The firm is having difficulties o. VAT, la ditta è in difficoltà in fatto di IVA **9** per la questione (o sul problema) di: Workers are on strike o. pension reform, i lavoratori sono in sciopero per la questione della riforma pensionistica **10** (sport) su; ai danni di: **a 3-0 win o. Spain**, una vittoria per tre a zero sulla Spagna ● □ **o.--counter**, (di medicinale) da banco; (fin: di titolo, ecc.) non trattato in una borsa ufficiale; del ristretto □ (fin.) **o.-the-counter market**, terzo mercato, mercato ristretto, fuoriborsa; mercatino (fam.) □ (fam. USA) **o. one's head**, al di sopra del proprio comprendonio (fam., scherz.); incomprensibile □ **o. head and ears**, fin sopra i capelli: **to be in debt o. head and ears**, esser indebitato fin sopra i capelli □ **o. one's ears**, sopra le orecchie; (anche) alle tempie: He's getting grey o. his ears, sta facendo i capelli grigi alle tempie □ (fig.) **o. sb.'s head**, sulla testa di q. (scavalcandolo nella gerarchia) □ (slang USA) **o. the hill**, troppo in là con gli anni; troppo vecchio; (di un prigioniero) evaso; (anche) che ha

disertato □ (*nelle corse*) **to be o. the line**, aver tagliato il traguardo □ (*rugby*) **o. the line**, oltre la linea di meta: **to take the ball o. the line**, portare la palla oltre la linea di meta □ **o. the phone**, al telefono; (*anche*) per (mezzo del) telefono: **speaking o. the phone**, parlando al telefono; **to take orders o. the phone**, ricevere (*o* accettare) ordinazioni per telefono; *Why don't you give the airline a ring and change your flight o. the phone?*, perché non chiami la compagnia aerea e cambi il volo al telefono? □ (*trasp.*) **o.-the-road**, su strada; su gomma □ (*sport fam.*) **o. the sticks**, a ostacoli: *Racing today o. the sticks at Plumpton*, oggi corse a ostacoli a Plumpton □ (*fam.*) **o. the top**, (agg.) eccessivo, esagerato; (avv.) troppo: *That's O.T.T.!*, questo è troppo! □ (*fam. USA*) **o.-the--transom**, non richiesto, inviato senza richiesta □ **all o.** → **all** □ **to climb o. a wall**, scavalcare un muro (*arrampicandosi*) □ **to fall o. an obstacle**, cadere inciampando in un ostacolo □ **to help sb. o. a road**, aiutare q. ad attraversare una strada □ **the house o. the way**, la casa dall'altra parte della strada; la casa di fronte □ **to preside o. a meeting**, presiedere una riunione □ **to sit o. the fire**, starsene seduto vicino al fuoco □ (*prov.*) **O. shoes, o. boots**, quando ci si è in ballo bisogna ballare.

over ③ /'əʊvə(r)/ n. (*cricket*) «over»; serie di lanci effettuati (*6 palle*).

over- /'əʊvə(r)/ **pref.** sopra-; sovra-; che sta sopra; superiore; che supera la norma; eccessivo; troppo: **over-optimistic**, troppo ottimistico.

overabundant /əʊvərə'bʌndənt/ a. sovrabbondante ‖ **overabundance** n. ⓤⓒ sovrabbondanza.

to overachieve /əʊvərə'tʃiːv/ v. i. **1** (*spec. a scuola*) eccellere al di sopra delle aspettative **2** (*sul lavoro, nello sport, ecc.*) (voler) eccellere a tutti i costi ‖ **overachiever** n. (*a scuola*) studente che ha risultati superiori alle aspettative **2** persona che vuole eccellere a tutti i costi.

to overact /əʊvər'ækt/ (*teatr.*) v. t. e i. esagerare; strafare: **to o. a part** (*o* **to o. the role**), esagerare nel fare una parte; gigioneggiare ‖ **overacting** Ⓐ n. ⓤ gigionismo; enfasi (*o* recitazione) gigionesca Ⓑ a. che gigioneggia; gigionesco ● **an overacting player**, un gigione.

overactive /əʊvər'æktɪv/ a. troppo attivo; iperattivo ‖ **overactivity** n. ⓤ attività eccessiva; iperattività.

overage ① /əʊvər'eɪdʒ/ a. che ha superato una data età; troppo vecchio.

overage ② /'əʊvərɪdʒ/ n. (*comm., naut.*) eccedenza di carico rispetto a quanto specificato nella polizza di carico; eccedenza all'imbarco.

overall ① /'əʊvərɔːl/ n. **1** (*ingl.*) grembiule da lavoro; grembiulone **2** (pl.) → **overalls**.

♦**overall** ② /'əʊvər'ɔːl/ Ⓐ a. attr. globale; complessivo; generale; totale; assoluto: (*econ.*) **o. demand**, domanda globale; (*rag.*) **o. balance**, saldo globale; *That's my o. impression*, questa è la mia impressione generale; (*sport*) **o. standings**, classifica generale; **o. winner**, vincitore assoluto Ⓑ avv. **1** nel complesso; complessivamente; nell'insieme; in tutto: *O., I believe we can accept his offer*, nel complesso, credo che si possa accettare la sua offerta; *How much shall I have to pay o.?*, quanto dovrò pagare in tutto? **2** (*sport*) in classifica generale: *He was fifth o.*, era quinto in classifica generale ● (*naut.*) **o. length**, lunghezza fuori tutto.

over-allocation /əʊvərælə'keɪʃn/ n. ⓤⓒ (*fin.*) allocazione eccessiva; collocazione eccessiva (*di azioni*).

overalls /'əʊvərɔːlz/ n. pl. **1** (*ingl.*) tuta intera (*da lavoro*) **2** (*USA*) salopette; pantaloni (*da lavoro*) con pettorina (*cfr. ingl.* **dungarees**, *def. 2*).

overambition /əʊvəræm'bɪʃn/ n. ⓤ ambizione esagerata (*o* sfrenata).

overambitious /əʊvəræm'bɪʃəs/ a. troppo ambizioso.

overanxious /əʊvər'æŋkʃəs/ a. troppo ansioso; trepidante.

to overarch /əʊvər'ɑːtʃ/ Ⓐ v. t. formare un arco su; coprire con una volta: *Thick foliage overarched the river*, il denso fogliame formava un arco sopra il fiume Ⓑ v. i. formare un arco; sovrastare a mo' d'arco.

overarching /əʊvər'ɑːtʃɪŋ/ a. **1** che forma un arco su **2** (*fig.*) onnicomprensivo; globale; generale: **o. reforms**, riforme globali; **o. principle**, principio generale.

overarm /əʊvər'ɑːm/ a. **1** (*sport*) effettuato alzando il braccio al disopra della spalla: **o. throw**, lancio effettuato alzando il braccio al disopra della spalla (*per es., nel giavellotto*) **2** (*nuoto*) alla marinara: **o. stroke**, bracciata alla marinara; over.

overate /əʊvər'eɪt/ pass. di **to overeat**.

to overawe /əʊvər'ɔː/ v. t. intimidire; mettere (q.) in soggezione ‖ **overawing** n. ⓤ intimidazione.

overbalance /əʊvə'bæləns/ n. (*arc.*) eccesso di peso.

to overbalance /əʊvə'bæləns/ Ⓐ v. t. **1** far perdere l'equilibrio a; sbilanciare **2** pesare più di; superare in peso **3** (*fig.*) superare in importanza, in valore: *Debts o. credits*, i debiti superano i crediti Ⓑ v. i. perdere l'equilibrio; sbilanciarsi ● (*fin., rag.*) **to o. the budget**, sbilanciare il preventivo.

to overbear /əʊvə'beə(r)/ (pass. **overbore**, p. p. **overborne**) Ⓐ v. t. dominare; opprimere; sopraffare; sottomettere; ridurre (q.) all'obbedienza Ⓑ v. i. **1** (*bot.*) dare troppi frutti **2** generare troppi figli ● **to be overborne in a debate**, aver la peggio in una discussione.

overbearing /əʊvə'beərɪŋ/ a. altezzoso; arrogante; borioso; imperioso; dispotico; prepotente: *The boss is o. in his manner*, il capo ha maniere altezzose (*o* imperiose) | **-ly** avv. | **-ness** n. ⓤ.

overbid /'əʊvəbɪd/ n. **1** (*comm.*) offerta più alta (*o* migliore) **2** (*nelle aste*) rilancio **3** (*bridge*) dichiarazione troppo alta.

to overbid /əʊvə'bɪd/ (pass. **overbid**, p. p. **overbid, overbidden**) Ⓐ v. t. **1** (*comm.*) fare un'offerta superiore a quella di (q.); offrire più di (q.) **2** (*bridge*) dichiarare di più di (q.) Ⓑ v. i. **1** (*comm.*) offrire troppo **2** (*nelle aste*) rilanciare **3** (*bridge*) fare una dichiarazione troppo alta.

to overblow /əʊvə'bləʊ/ (pass. **overblew**, p. p. **overblown**) v. t. **1** (*del vento, ecc.*) soffiare sopra; disperdere; dissipare (*soffiando*) **2** ricoprire (qc.) d'uno strato di (*sabbia, neve, ecc.*) **3** (*mus.*) soffiare con troppa forza in (*uno strumento a fiato*).

overblown /əʊvə'bləʊn/ a. **1** (*spec. di fiore*) sfiorito; spampanato **2** (*di stile, ecc.*) pomposo; pretenzioso; fiorito **3** eccessivo; esagerato: **o. claims**, pretese esagerate.

overboard /'əʊvəbɔːd/ avv. (*naut.*) fuori bordo; in mare; a mare: **to fall o.**, cadere in mare; **to throw part of the cargo o.**, gettare a mare parte del carico ● (*fam.*) **to go o. about** (*o* **for**) **sb.**, perdere la testa per q. □ **Man o.!**, uomo in mare! □ (*fig.*) **to throw sb. o.**, sbarazzarsi di q.; scaricare q. (*fam.*) □ (*fig.*) **to throw a scheme o.**, buttare all'aria un progetto; mandare a monte un piano.

overbold /əʊvə'bəʊld/ a. troppo audace; impudente; sfacciato; temerario | **-ness** n. ⓤ.

to overbook /əʊvə'bʊk/ v. t. e i. (*tur.*) accettare più prenotazioni dei posti (*o* delle camere) disponibili (*in aereo, in albergo, ecc.*) ‖ **overbooked** a. che ha più prenotazioni rispetto ai posti disponibili ‖ **overbooking** n. ⓤ (*tur.*) prenotazioni in eccesso; pratica di prenotare posti che non sono disponibili (*per ovviare a possibili defezioni di clienti*).

overbore /əʊvə'bɔː(r)/ pass. di **to overbear**.

overborne /əʊvə'bɔːn/ p. p. di **to overbear**.

overbought /əʊvə'bɔːt/ pass. e p. p. di **to overbuy**.

overbridge /'əʊvəbrɪdʒ/ n. sovrappasso; cavalcavia.

to overbrim /əʊvə'brɪm/ Ⓐ v. t. traboccare da (*un recipiente*) Ⓑ v. i. traboccare.

to overbuild /əʊvə'bɪld/ (pass. e p. p. **overbuilt**), v. t. **1** sopraelevare (*un edificio*); costruire sopra (*un edificio*) **2** costruire troppi edifici in (*un'area*); cementificare.

overbuilt /əʊvə'bɪlt/ a. costruito in eccesso; sovracostruito; cementificato.

overburden /əʊvə'bɜːdn/ n. (*ind. min.*) strato sterile.

to overburden /əʊvə'bɜːdn/ v. t. **1** sovraccaricare; oberare: **an overburdened horse**, un cavallo sovraccarico **2** abbattere; accasciare.

overbusy /əʊvə'bɪzɪ/ a. **1** troppo indaffarato; occupatissimo **2** che si dà troppo da fare; troppo premuroso; zelante.

to overbuy /əʊvə'baɪ/ (pass. e p. p. **overbought**) Ⓐ v. t. comprare troppa merce Ⓑ v. t. comprare (*merce, ecc.*) in quantità eccessiva (*rispetto al fabbisogno*).

overcall /'əʊvəkɔːl/ n. (*bridge*) → **overbid**.

to overcall /əʊvə'kɔːl/ v. t. (*bridge*) → **to overbid**.

overcame /əʊvə'keɪm/ pass. di **to overcome**.

overcapacity /əʊvəkə'pæsɪtɪ/ n. ⓤ (*econ.*) eccesso di capacità produttiva.

to overcapitalize /əʊvə'kæpɪtəlaɪz/ (*fin.*) v. t. sovracapitalizzare (*un'azienda*) ‖ **overcapitalization** n. sovracapitalizzazione.

overcareful /əʊvə'kɛəfl/ a. **1** troppo accurato **2** troppo guardingo; prudente all'eccesso.

overcast /əʊvə'kɑːst/ Ⓐ a. **1** (*del cielo*) coperto; annuvolato: **o. weather**, tempo nuvoloso **2** (*fig.*) depresso; cupo; tetro; triste **3** cucito a sopraggitto Ⓑ n. (*meteor.*) copertura del cielo; cortina di nuvole **2** (*cucito*) sopraggitto: **o. stitch**, punto a sopraggitto ● (*mil., aeron.*) **o. bombing**, bombardamento con scarsa visibilità.

to overcast /əʊvə'kɑːst/ (pass. e p. p. **overcast**), v. t. **1** coprire di nuvole; annuvolare; offuscare; oscurare **2** cucire a sopraggitto; sopraggittare.

overcaution /əʊvə'kɔːʃn/ n. ⓤ prudenza eccessiva; eccesso di cautela.

overcautious /əʊvə'kɔːʃəs/ a. troppo cauto; guardingo all'eccesso | **-ly** avv.

overcharge /əʊvə'tʃɑːdʒ/ n. **1** prezzo eccessivo; maggiorazione di prezzo; addebito eccessivo **2** sovraccarico **3** (*mil.*) carica eccessiva (*di esplosivo*) ● (*naut.*) **o. claim**, richiesta di indennizzo per carico eccessivo.

to overcharge /əʊvə'tʃɑːdʒ/ Ⓐ v. t. **1** addebitare in eccesso; far pagare (*un articolo, ecc.*) troppo caro a (q.): *We were overcharged for the wine*, ci fecero pagare il vino troppo caro **2** sovraccaricare (*anche fig.*); appesantire: **to o. an electric circuit**, sovraccaricare un circuito elettrico; **to o. a description**, sovraccaricare una descrizione Ⓑ v. i. avere (*o* praticare, fare) prezzi

troppo alti.

overcheck /ˈəʊvətʃek/ n. (ipp.) freno americano (di trottatore).

to **overcheck** /əʊvəˈtʃek/ v. t. e i. (USA) → **to overdraw, A** e **B**, def. 2.

to **overclock** /əʊvəˈklɒk/ (comput.) v. t. overcloccare (portare un processore a velocità superiori a quelle previste dal costruttore) ‖ **overclocker** n. **1** utente che overclocca (un processore) **2** software che overclocca (un processore) ‖ **overclocking** n. overclocking.

to **overcloud** /əʊvəˈklaʊd/ **A** v. t. annuvolare; offuscare; oscurare; rannuvolare: Despair overclouded his face, la disperazione gli offuscava il volto **B** v. i. **1** annuvolarsi; rannuvolarsi **2** (fig.) rattristarsi.

overcoat /ˈəʊvəkəʊt/ n. **1** soprabito; cappotto **2** rivestimento protettivo (di vernice, ecc.) ● (slang USA) **Chicago o.** (o **wooden o.**), bara.

◆to **overcome** /əʊvəˈkʌm/ (pass. **overcame**, p. p. **overcome**) **A** v. t. **1** sopraffare; sconfiggere; sottomettere; superare; vincere: **to o. one's enemies**, sconfiggere i propri nemici; **to o. temptations**, vincere le tentazioni **2** sopraffare; pervadere: **to be overcome with** (o **by**) **emotion**, essere sopraffatto dall'emozione **3** superare; risolvere: **to o. a difficulty**, superare una difficoltà **B** v. i. vincere; trionfare: We shall o., vinceremo.

to **overcompensate** /əʊvəˈkɒmpənseɪt/ **A** v. t. sovracompensare; compensare eccessivamente **B** v. i. (psic.) fare una supercompensazione ‖ **overcompensation** n. ⓤ **1** sovracompensazione **2** (psic.) supercompensazione.

overconfident /əʊvəˈkɒnfɪdənt/ a. troppo fiducioso; troppo sicuro di sé; presuntuoso ‖ **overconfidence** n. ⓤ eccessiva fiducia; eccessiva sicurezza di sé; presunzione; sicumera ‖ **overconfidently** avv. presuntuosamente.

to **overcook** /əʊvəˈkʊk/ v. t. (cucina) fare scuocere (gli spaghetti, ecc.) ‖ **overcooked** a. troppo cotto; scotto: The steak was a little overcooked, la bistecca era cotta un po' troppo.

overcorrection /əʊvəkəˈrekʃn/ n. ⓤ (ling.) ipercorrezione.

overcritical /əʊvəˈkrɪtɪkl/ a. **1** troppo critico; ipercritico **2** (fis. nucl.) sopracritico.

to **overcrop** /əʊvəˈkrɒp/ v. t. (agric.) esaurire, impoverire (un terreno) con una coltivazione intensiva.

to **overcrowd** /əʊvəˈkraʊd/ v. t. sovraffollare; stipare; gremire ‖ **overcrowded** a. sovraffollato; gremito ● **to live in overcrowded conditions**, vivere in sovraffollamento (o stipati) ‖ **overcrowding** n. ⓤ affollamento eccessivo; sovraffollamento.

overcurious /əʊvəˈkjʊərɪəs/ a. troppo curioso.

overcurrent /ˈəʊvəkʌrənt/ n. ⓤⓒ (elettr.) sovracorrente.

overdelicate /əʊvəˈdelɪkət/ a. troppo delicato ‖ **overdelicacy** n. ⓤ eccessiva delicatezza.

overdetermined /əʊvədəˈtɜːmɪnd/ a. (ling.) sovradeterminato; surdeterminato.

to **overdevelop** /əʊvədɪˈveləp/ v. t. **1** sviluppare eccessivamente **2** (fotogr.) sovrasviluppare.

overdeveloped /əʊvədɪˈveləpt/ a. **1** (anche fotogr.) troppo sviluppato **2** (fig.) eccessivo; esagerato: **an o. sense of one's ability**, un sentimento esagerato delle proprie capacità.

overdevelopment /əʊvədɪˈveləpmənt/ n. ⓤ (econ.) sovrasviluppo.

overdid /əʊvəˈdɪd/ pass. di **to overdo**.

to **overdo** /əʊvəˈduː/ (pass. **overdid**, p. p.

overdone) **A** v. t. **1** eccedere in (qc.); esagerare: That actor has overdone his part, quell'attore ha esagerato (o ha caricato) la sua parte **2** guastare, sciupare l'effetto di (qc.) con l'esagerazione: Mary overdid her apology, Mary si profuse in troppe scuse **3** cuocere troppo; far scuocere: You've overdone the pasta!, hai fatto scuocere la pasta! **B** v. i. esagerare; strafare ● **to o. it**, darci dentro (fam.); esagerare, strafare; ammazzarsi di lavoro □ **to o. oneself**, strafare; affaticarsi troppo.

overdone /əʊvəˈdʌn/ **A** p. p. di **to overdo B** a. **1** esagerato **2** troppo cotto; stracotto; scotto: **an o. steak**, una bistecca cotta troppo.

overdoor /əʊvəˈdɔː(r)/ n. (edil.) sovrapporta, soprapporta (il disegno ornamentale).

overdose /ˈəʊvədəʊs/ n. dose eccessiva; dose troppo forte; overdose: **to die of an o.**, morire per un'overdose.

to **overdose** /əʊvəˈdəʊs/ **A** v. t. dare una dose eccessiva a (q.) **B** v. i. **1** iniettarsi un'overdose: **to o. on heroin**, iniettarsi un'overdose di eroina **2** eccedere (con qc.): Lately I've overdosed on spaghetti, di recente ho ecceduto con gli spaghetti.

overdraft /ˈəʊvədrɑːft/ n. **1** (banca) emissione di una somma eccedente il proprio conto; somma tratta allo scoperto (cosa illecita) **2** (banca, = **o. facility**) scoperto (di conto corrente) assistito da fido; castelletto **3** (ind.) utilizzo eccessivo (d'acqua potabile, ecc.) **4** (USA) → **overdraught** ● (banca) **o. credit**, credito in conto corrente □ **to exceed one's o.**, emettere assegni oltre il proprio scoperto (assistito da fido); sorpassare (fam.).

overdraught /ˈəʊvədrɑːft/ n. (tecn.) corrente d'aria fatta passare sopra un fuoco (in un forno).

to **overdraw** /əʊvəˈdrɔː/ (pass. **overdrew**, p. p. **overdrawn**) **A** v. t. **1** esagerare; rappresentare in modo esagerato; caricare le tinte di: **to o. the dangers of a situation**, esagerare i pericoli di una situazione **2** (banca) emettere assegni per una somma eccedente (il proprio conto corrente): **to o. one's account**, sorpassare il proprio conto **B** v. i. **1** esagerare; caricare le tinte (fig.) **2** (banca) tirare allo scoperto ● (banca) **to be overdrawn**, (di conto) essere scoperto; (di correntista) essere allo scoperto (fam.: in rosso).

to **overdress** /əʊvəˈdres/ v. t. e i. vestire (o vestirsi) in modo troppo elegante o formale (per l'occasione) ‖ **overdressed** a. vestito in modo troppo elegante o formale (per l'occasione).

overdrew /əʊvəˈdruː/ pass. di **to overdraw**.

overdrinking /əʊvəˈdrɪŋkɪŋ/ n. ⓤ abuso di bevande alcoliche; alcolismo; il bere.

overdrive /ˈəʊvədraɪv/ n. **1** ⓤ (mecc., autom.) overdrive **2** ⓤ (fig.) stato di grande attività; lavorio frenetico **3** (di chitarra elettrica) overdrive ● **to get** (o **to go**) **into o.**, (autom.) inserire (o mettere) l'overdrive; (fig.) darsi un gran daffare; partire in quarta (fig.).

to **overdrive** /əʊvəˈdraɪv/ (pass. **overdrove**, p. p. **overdriven**) **A** v. t. **1** (autom.) tirare troppo, spingere troppo (un motore) **2** affaticare, stancare, strapazzare (una persona, un cavallo, ecc.) **B** v. i. prendere tempo; temporeggiare; tirarla per le lunghe.

overdriven /əʊvəˈdrɪvən/ **A** p. p. di **to overdrive B** a. stanco morto; esausto; spompato (fam.).

overdue /əʊvəˈdjuː/ a. **1** (comm., fin.) insoluto; scaduto: **o. account**, conto scaduto (o in sospeso); Your bill of exchange is o., la tua cambiale è scaduta **2** (di treno, ecc.) in

ritardo **3** atteso da (troppo) tempo: **a long-o. change**, un cambiamento atteso da molto tempo; una modifica che si sarebbe dovuta fare molto tempo prima **4** che da tempo avrebbe diritto a qc.: The soldiers are o. for some leave, da tempo i soldati avrebbero il diritto a qualche giorno di permesso **5** (fam.) (di nascituro) in ritardo **6** (fam.) (di donna incinta) uscita di conto **7** (di un libro) ancora da restituire ● (leg., trasp.) **o. delivery**, ritardo nella consegna □ (fin.) **o. interest**, interessi accumulati di mora □ **My motorbike is o. for a service**, la mia moto ha un gran bisogno di un meccanico.

to **overeat** /əʊvərˈiːt/ (pass. **overate**, p. p. **overeaten**) v. i. mangiare troppo (d'abitudine); alimentarsi in eccesso.

over-elaborate /əʊvərɪˈlæbərɪt/ a. troppo elaborato; macchinoso.

overemotional /əʊvərɪˈməʊʃənl/ a. troppo emotivo; iperemotivo.

overemphasis /əʊvərˈemfəsɪs/ n. ⓤ enfasi eccessiva.

to **overemphasize** /əʊvərˈemfəsaɪz/ v. t. enfatizzare troppo; esagerare; calcare la mano su; dipingere a forti tinte (fig.): I don't want to o. the gravity of the situation, non voglio calcare la mano sulla gravità della situazione.

overemployment /əʊvərɪmˈplɔɪmənt/ n. ⓤ (econ.) sovraoccupazione; iperoccupazione; iperimpiego.

overestimate /əʊvərˈestɪmət/ n. **1** stima in eccesso; valutazione esagerata; supervalutazione **2** calcolo per eccesso.

to **overestimate** /əʊvərˈestɪmeɪt/ v. t. **1** sopravvalutare; supervalutare: Don't o. your abilities, non sopravvalutare le tue capacità! **2** calcolare per eccesso ‖ **overestimation** n. ⓤⓒ supervalutazione; stima per eccesso.

overexcitable /əʊvərɪkˈsaɪtəbl/ a. sovreccitabile ‖ **overexcitability** n. ⓤ sovreccitabilità.

to **overexcite** /əʊvərɪkˈsaɪt/ v. t. sovreccitare ‖ **overexcited** a. sovreccitato ● **to get overexcited**, sovreccitarsi ‖ **overexcitement** n. ⓤ sovreccitazione.

to **overexert oneself** /əʊvərɪgˈzɜːtwʌnˈself/ v. t. + pron. rifl. affaticarsi troppo; abusare delle proprie forze; sottoporsi a surmenage ‖ **overexertion** n. ⓤ iperaffaticamento; surmenage.

overexploitation /əʊvəreksplɔɪˈteɪʃn/ n. ⓤ sfruttamento eccessivo (di una risorsa naturale); ipersfruttamento.

to **overexpose** /əʊvərɪkˈspəʊz/ (fotogr., fin., fig.) v. t. sovraesporre ‖ **overexposed** a. sovraesposto ‖ **overexposure** n. ⓤ sovraesposizione.

to **overextend** /əʊvərɪkˈstend/ v. t. allungare troppo (un discorso, una canzone, ecc.) ● **to o. oneself**, sovraesporsi, impegnarsi troppo (spec. finanziariamente): The bank has overextended itself, la banca si è sovraesposta ‖ **overextension** n. ⓤ (fin.) sovraesposizione.

overfall /ˈəʊvəfɔːl/ n. **1** (idraul.) stramazzo **2** (naut.) tratto di mare agitato **3** (pl.) (naut.) frangenti di marea (o di secca).

overfatigue /əʊvəfəˈtiːg/ n. ⓤ eccesso di fatica; fatica eccessiva; iperaffaticamento.

to **overfatigue** /əʊvəfəˈtiːg/ v. t. sovraffaticare.

to **overfeed** /əʊvəˈfiːd/ (pass. e p. p. **overfed**) **A** v. t. nutrire eccessivamente; ipernutrire **B** v. i. nutrirsi troppo; ipernutrirsi ‖ **overfeeding** n. ⓤ nutrizione eccessiva; superalimentazione.

to **overfill** /əʊvəˈfɪl/ v. t. riempire troppo; far traboccare **B** v. i. riempirsi troppo.

to **overfish** /əʊvəˈfɪʃ/ (pesca, ecol.) v. t.

depauperare le risorse ittiche di (*un fiume, un tratto del mare, ecc.*) ‖ **overfishing** n. depauperamento delle risorse ittiche.

overfit /ˌəʊvəˈfɪt/ a. (*sport*) sovrallenato; superallenato.

overflight /ˈəʊvəflaɪt/ n. (*aeron.*) sorvolo (*dello spazio aereo di uno Stato*).

overflow /ˈəʊvəfləʊ/ n. **1** ⟦c⟧ tracimazione; straripamento; esondazione; traboccamento (*raro*) **2** (*fig.*) sovrabbondanza; eccesso: **an o. of applications for a job**, un eccesso di domande di lavoro **3** (*tecn.*) sfioratore; troppopieno **4** ⟦u⟧ liquido che trabocca; liquido in eccesso **5** (*comput.*) overflow (*quando il risultato di un'operazione supera le dimensioni che possono essere rappresentate*) ● (*tecn.*) **o. channel**, canale sfioratore □ (*comput.*) **o. error**, errore di overflow □ (*tecn.*) **o. pipe**, scolmatore; sfioratore; troppopieno.

to **overflow** /ˌəʊvəˈfləʊ/ **A** v. t. **1** inondare; allagare: *The flooded river will o. the plains*, il fiume in piena inonderà la pianura **2** superare; scavalcare; traboccare oltre: **to o. the banks**, superare gli argini **3** far traboccare **4** (*fig.: della folla, ecc.*) dilagare in, affollarsi in; affollare **B** v. i. **1** (*di un liquido*) traboccare **2** (*di un fiume, ecc.*) tracimare; straripare: *Every autumn the river overflows*, il fiume straripa ogni autunno ● **to be overflowing with joy**, essere stracolmo di gioia □ **The hall was overflowing with people**, la sala era gremita di gente □ **The crowd overflowed into the square**, la folla si riversò nella piazza.

overflowing① /ˌəʊvəˈfləʊɪŋ/ a. **1** straripante; traboccante (*anche fig.*) in rotta: **o. rivers**, fiumi in rotta; (*fig.*) **a heart o. with love**, un cuore traboccante d'amore **2** sovrabbondante; abbondantissimo.

overflowing② /ˌəʊvəˈfləʊɪŋ/ n. ⟦u⟧ **1** traboccamento; straripamento; tracimazione **2** sovrabbondanza; eccesso ● **full to o.**, traboccante (*di gente*); stracolmo.

to **overfly** /ˌəʊvəˈflaɪ/ (*pass.* **overflew**, p. p. **overflown**), v. t. (*aeron.*) sorvolare.

overfold /ˈəʊvəfəʊld/ n. (*geol.*) piega rovesciata.

overfond /ˌəʊvəˈfɒnd/ a. – **o. of**, troppo amante di (*qc.*); troppo affezionato (*o attaccato*) a (*qc.*); che va pazzo per (*qc.*).

overfull /ˌəʊvəˈfʊl/ a. **1** troppo pieno; stracolmo; troppo **2** sazio; satollo.

overfunding /ˌəʊvəˈfʌndɪŋ/ n. ⟦u⟧ (*fin.*) finanziamento eccessivo; superfinanziamento.

overglad /ˌəʊvəˈɡlæd/ a. stracontento; arcicontento.

overground /ˌəʊvəˈɡraʊnd/ **A** a. **1** (*di ferrovia*) in superficie **2** chiaro; aperto; palese; che avviene alla luce del sole; trasparente (*fig.*): **to use o. political processes**, usare processi politici trasparenti **B** n. (*ferr.; bur.*) rete urbana (*di Londra*) in superficie (*cfr.* **underground**, **C**, *def. 1*) **C** avv. **1** in superficie; sulla terra **2** (*fig.*) allo scoperto; alla luce del sole.

to **overgrow** /ˌəʊvəˈɡrəʊ/ (*pass.* **overgrew**, p. p. **overgrown**) **A** v. t. **1** (*di vegetazione, ecc.*) coprire; ricoprire: *The front garden was overgrown with weeds*, il giardino davanti (alla casa) era invaso d'erbacce **2** crescere più di (*q.*) **B** v. i. crescere troppo (*o troppo in fretta*) ● **to o. one's clothes**, non stare più nei panni; essere cresciuto troppo.

overgrowth /ˈəʊvəɡrəʊθ/ n. ⟦uc⟧ **1** vegetazione rigogliosa **2** crescita eccessiva (*o troppo rapida*).

overhand /ˈəʊvəhænd/ **A** a. **1** (*del braccio*) dall'alto in basso: **an o. gesture**, un gesto del braccio dall'alto in basso **2** (*sport*) fatto col braccio alzato al disopra della spalla **3** (*cucito*) sopraggitto **B**

avv. /ˈəʊvəˈhænd/ **1** (*sport*) sopramano; alzando il braccio sopra la spalla: *Charles bowled o.*, Charles lanciò la palla sopramano **2** (*cucito*) a sopraggitto ● (*sport*) **an o. ball**, una palla lanciata sopramano □ **o. knot**, nodo a 8; nodo semplice □ (*boxe*) **o. punch**, pugno accompagnato □ **o. serve** (*o* **service**), (*tennis*) servizio alto, battuta alta; (*pallavolo*) servizio dall'alto verso il basso □ (*nuoto*) **o. stroke**, bracciata alla marinara (*o* all'indiana); 'over'.

overhang /ˈəʊvəhæŋ/ n. **1** sporgenza **2** (*archit.*) aggetto; sporgenza del tetto **3** (*alpinismo*) strapiombo **4** (*moda*) sboffo; sbuffo.

to **overhang** /ˌəʊvəˈhæŋ/ (*pass.* e p. p. **overhung**) **A** v. t. **1** sporgere sopra (*qc.*); incombere su; sovrastare (a); strapiombare su: *The cliffs o. the river*, i dirupi strapiombano sul fiume **2** decorare; appendere decorazioni a: **to o. a Christmas tree**, decorare un albero di Natale **B** v. i. sporgere; aggettare; incombere; sovrastare; strapiombare.

overhanging /ˌəʊvəˈhæŋɪŋ/ a. **1** sporgente; incombente; a strapiombo: **o. rocks**, rocce a strapiombo **2** (*archit.*) aggettante; in aggetto; a sbalzo.

overhaul /ˈəʊvəhɔːl/ n. **1** accurato esame **2** (*spec. mecc.*) revisione; ripassata; check-up **3** (*fig.*) riorganizzazione; riforma.

to **overhaul** /ˌəʊvəˈhɔːl/ v. t. **1** esaminare a fondo; ispezionare; verificare **2** (*mecc.*) fare la manutenzione di; revisionare; ripassare: **to o. an engine**, ripassare un motore **3** (*fig.*) riorganizzare; rivedere; riformare **4** (*spec. naut.*) raggiungere; oltrepassare; sorpassare; superare: *The yacht soon overhauled the trawler*, lo yacht sorpassò ben presto il peschereccio.

overhauling /ˌəʊvəˈhɔːlɪŋ/ n. ⟦u⟧ **1** (*mecc.*) ripasso (*di un motore*) **2** (*spec. naut.*) sorpasso.

overhead /ˈəʊvəhɛd/ **A** avv. **1** in alto; di sopra; in cielo; lassù: **the stars o.**, le stelle in cielo; le stelle lassù **2** al piano di sopra: *There was a terrific noise o.*, c'era un rumore tremendo al piano di sopra **B** a. /ˌəʊvəˈhɛd/ **1** che sta di sopra, in alto; aereo; soprelevato: **o. wires**, linee aeree (*di fili metallici, dell'elettricità*) **2** (*comm.*) generale; globale; complessivo: **o. expenses** (*o* **o. charges**), spese generali; **o. price**, prezzo globale; prezzo tutto compreso **3** (*mecc.*) in testa: **o. valves**, valvole in testa **4** (*chim.*) di testa: **o. product**, prodotto di testa (*di distillazione*) **5** (*ind. min.*) di superficie; che sta fuori del pozzo **C** n. **1** (= **o. door**) porta basculante **2** (*pl.*) (*rag.*) spese generali **3** (*tennis, ecc.,* = **o. smash**) schiacciata alta; smash alto ● (*ferr.*) **o. bridge** (*o* **crossing**), cavalcavia □ (*di funivia*) **o. cable car**, cabina (*compreso il carrello*); telecabina □ (*mil.*) **o. fire**, tiro al disopra delle proprie truppe □ (*calcio*) **o. kick**, rovesciata □ (*basket*) **o. pass**, passaggio sopra la testa (*a due mani*) □ (*autom.*) **o. lane signals**, segnaletica verticale □ **o. projector**, lavagna luminosa □ (*mecc.*) **o. shovel**, pala a scarico posteriore □ (*mecc.*) **o.-travelling crane**, gru a ponte; carroponte.

to **overhear** /ˌəʊvəˈhɪə(r)/ (*pass.* e p. p. **overheard**) **A** v. t. **1** udire per caso; sentire di sfuggita; intercettare; captare (*una conversazione, ecc.*) **2** sentire (*qc.*) ascoltando di nascosto **B** v. i. sentire (*involontariamente*): *He couldn't help overhearing*, non poté fare a meno di sentire.

to **overheat** /ˌəʊvəˈhiːt/ **A** v. t. (*anche fig.*) surriscaldare **B** v. i. surriscaldarsi; accalorarsi; eccitarsi: *The Italian economy was overheating*, l'economia italiana si stava surriscaldando ‖ **overheated** a. **1** surriscaldato **2** accalorato; eccitato ● (*di un motore*) **to get overheated**, surri-

scaldarsi ‖ **overheating** n. ⟦u⟧ (*anche fig.*) surriscaldamento; accaloramento; eccitazione.

overhung /ˌəʊvəˈhʌŋ/ pass. e p. p. di **to overhang**.

to **overindulge** /ˌəʊvərɪnˈdʌldʒ/ v. t. trattare con eccessiva indulgenza; viziare: **to o. one's children**, viziare i propri figli ● **to o. in**, eccedere con, abusare di: *Don't o. in port*, non eccedere col porto! □ **to o. oneself**, essere troppo indulgenti (*o* indulgere troppo) verso sé stessi; (*fig.*) lasciarsi andare ‖ **overindulged** a. (*di un bambino, ecc.*) viziato.

overindulgent /ˌəʊvərɪnˈdʌldʒənt/ a. troppo indulgente; permissivo; (*sport*) **o. refereeing**, arbitraggio permissivo ‖ **overindulgence** n. ⟦u⟧ **1** eccessiva indulgenza **2** il lasciarsi andare; eccesso alimentare; stravizio, stravizi.

overinflated /ˌəʊvərɪnˈfleɪtɪd/ a. **1** (*di pallone, ecc.*) troppo gonfio **2** esagerato; eccessivo; inflazionato (*fig.*).

to **overinsure** /ˌəʊvərɪnˈʃʊə(r)/ (*ass.*) v. t. soprassicurare ‖ **overinsurance** n. ⟦u⟧ soprassicurazione; assicurazione per un valore superiore a quello di realizzo (*del bene*) ‖ **overinsured** a. soprassicurato.

to **overinvest** /ˌəʊvərɪnˈvɛst/ (*fin.*) v. t. e i. investire, in eccesso; sovrainvestire ‖ **overinvestment** n. ⟦u⟧ sovrainvestimento; iperinvestimento.

overinvolved /ˌəʊvərɪnˈvɒlvd/ a. troppo coinvolto.

overissue /ˌəʊvərˈɪʃuː/ n. (*fin.*) emissione eccessiva (*di azioni, banconote, ecc.*); sovraemissione.

to **overissue** /ˌəʊvərˈɪʃuː/ v. t. (*spec. fin.*) emettere (*azioni, banconote, ecc.*) in eccesso.

overjoyed /ˌəʊvəˈdʒɔɪd/ a. pieno di gioia; felicissimo; arcicontento; gongolante.

overkill /ˈəʊvəkɪl/ n. ⟦uc⟧ **1** (*mil.*) potenziale nucleare altamente distruttivo **2** (*fig.*) provvedimento (trattamento, ecc.) eccessivo; eccesso: **a propaganda o.**, un eccesso di propaganda.

over knee, **overknee** /əʊvəˈniː/ a. (*di un calzettone, ecc.*) che arriva fin sopra il ginocchio.

overladen /ˌəʊvəˈleɪdn/ a. sovraccarico; stracarico.

overlaid /ˌəʊvəˈleɪd/ pass. e p. p. di **to overlay**.

overlain /ˌəʊvəˈleɪn/ pass. e p. p. di **to overlie**.

overland /ˈəʊvəlænd/ a. e avv. per via di terra: **to travel o.**, viaggiare per via di terra; **o. trade**, traffici per via di terra ● **the o. route**, l'itinerario.

overlap /ˈəʊvəlæp/ n. **1** sovrapposizione; accavallamento **2** parte sovrapposta **3** (*sport*) sovrapposizione; (*anche*) superiorità numerica: **to force an o.**, imporre una situazione di superiorità numerica ● (*sport*) **o. run**, corsa in sovrapposizione.

to **overlap** /ˌəʊvəˈlæp/ **A** v. t. **1** sovrapporre; accavallare **2** fare coincidere **3** (*sport: di un giocatore*) sovrapporsi a (*un compagno*) **B** v. i. **1** sovrapporsi; accavallarsi: *The tiles overlap*, le tegole sono parzialmente sovrapposte **2** coincidere in parte: *Here psychology and sociology o.*, in questo punto la psicologia e la sociologia coincidono in parte **3** (*comput.*: sovrapporsi; accavallarsi; sovrapporsi **4** (*sport: di due giocatori*) sovrapporsi.

overlapping /ˌəʊvəˈlæpɪŋ/ n. ⟦uc⟧ sovrapposizione; accavallamento.

overlay① /ˈəʊvəleɪ/ n. **1** coperta (da letto); copriletto **2** sopratovaglia **3** (*costr. stradali*) rinnovamento del manto (di usura) **4** (*comput.*) overlay; sovrapposizione in memoria (*di dati*) accostati **5** (*grafica*) pellicola addizionale; se-

lezione **6** (*tipogr.*) tacco.

overlay ② /ˈəʊvəleɪ/ pass. di **to overlie**.

to **overlay** /əʊvəˈleɪ/ (pass. e p. p. **overlaid**), v. t. **1** coprire; ricoprire **2** (*fig.*) gravare su; opprimere; soffocare **3** ricoprire (*per decorazione*); laminare: **ebony overlaid with silver**, avorio laminato d'argento **4** (*tipogr.*) taccheggiare.

overleaf /əʊvəˈliːf/ avv. a tergo; sul verso; sul retro: *See o.*, vedi a tergo ● **to turn o.**, girare pagina.

to **overleap** /əʊvəˈliːp/ (pass. e p. p. **overleapt**, **overleaped**), v. t. **1** saltare di là da; saltare oltre **2** omettere; tralasciare; trascurare.

to **overlie** /əʊvəˈlaɪ/ (pass. **overlay**, p. p. **overlain**), v. t. **1** giacere sopra (q.); ricoprire **2** soffocare (*spec. un bambino, standogli addosso*).

overload /ˈəʊvələʊd/ n. (*anche elettr., elettron.*) sovraccarico: **an o. of stress**, un sovraccarico di stress ● (*elettr.*) **o. cut-out**, interruttore di massima; salvamotore.

to **overload** /əʊvəˈləʊd/ v. t. **1** (*anche elettr., elettron.*) sovraccaricare: **to o. a lorry**, sovraccaricare un camion; **to o. an electric circuit** [a washing machine, etc.], sovraccaricare un circuito elettrico [una lavatrice, ecc.] **2** (*fig.*) oberare; gravare; opprimere.

overloaded /əʊvəˈləʊdɪd/ a. **1** (*anche elettr.*) sovraccarico: *O. cars are dangerous*, le automobili sovraccariche sono pericolose **2** (*fig.*) sovraccarico; gravato: **to be o. with work**, essere sovraccarico di lavoro **3** (*autom.*) sovraccarico di traffico: **o. motorways**, autostrade sovraccariche di traffico.

overlong /əʊvəˈlɒŋ/ **A** a. troppo lungo; prolisso **B** avv. troppo a lungo.

overlook /ˈəʊvəlʊk/ n. (*USA*) **1** svista **2** punto dominante (*o da cui si gode una bella vista*).

to **overlook** /əʊvəˈlʊk/ v. t. **1** guardare dall'alto; dominare; godere la vista di: *From my house, I o. the whole town*, dalla mia casa, domino (*o godo la vista di*) tutta la città **2** dare su; guardare su; offrire la vista di: **windows overlooking a garden**, finestre che danno su un giardino: *We'll give you room nineteen, overlooking the park*, vi diamo la camera numero diciannove con vista sul parco **3** lasciarsi sfuggire; non rilevare; non vedere; tralasciare: **to o. a misprint**, lasciarsi sfuggire un errore di stampa (*o un refuso*) **4** non riconoscere; trascurare; non far conto di: *His merits have been overlooked by the boss*, i suoi meriti non sono stati riconosciuti dal capo **5** chiudere un occhio su; sorvolare su; passar sopra a; perdonare; tollerare: *Let's o. their faults*, passiamo sopra alle loro colpe! **6** sorvegliare; ispezionare; supervisionare.

overlooked /ˈəʊvəlʊkt/ a. **1** trascurato; tralasciato **2** perdonato **3** sorvegliato, ispezionato ● (*in GB*) **o. area**, zona in cui i vicini s'incaricano di sorvegliare anche le case altrui.

overlooker /əʊvəˈlʊkə(r)/ n. sorvegliante; soprintendente; supervisore.

overlord /ˈəʊvələːd/ n. **1** (*stor.*) grande feudatario **2** (*fig.*) grande signore; capo assoluto ‖ **overlordship** n. ⓤⒸ (*stor.*) dignità (*o potere*) di grande feudatario.

overly /ˈəʊvəlɪ/ avv. troppo; eccessivamente; oltremodo: **an o. possessive husband**, un marito troppo possessivo.

overman /ˈəʊvəmæn/ n. (pl. **overmen**) **1** capo; caposquadra; sorvegliante; capo minatore **2** arbitro **3** (*filos.*) superuomo.

to **overman** /əʊvəˈmæn/ v. t. impiegare (*o avere*) troppo personale in (*un'attività, un reparto, ecc.*); sovradimensionare ‖ **overmanned** a. sovradimensionato; che ha

un'eccedenza di personale (*o di manodopera*) ‖ **overmanning** n. ⓤ eccedenza di personale; sovradimensionamento (*del personale, ecc.*).

overmantel /ˈəʊvəmæntl/ n. (*archit.*) caminiera (*mensola, specchiera, ecc.*).

overmany /əʊvəˈmɛnɪ/ a. troppi, troppe.

to **overmaster** /əʊvəˈmɑːstə(r)/ v. t. assoggettare; sottomettere; soggiogare ● **an overmastering motive**, un motivo dominante ● **an overmastering passion**, una passione travolgente.

overmatch /ˈəʊvəmætʃ/ n. **1** avversario troppo forte; nemico invincibile; osso duro (*fam.*) **2** (*sport*) partita non equilibrata; match impari; incontro difficile.

to **overmatch** /əʊvəˈmætʃ/ v. t. superare; sconfiggere; vincere; surclassare.

overmeasure /əʊvəˈmɛʒə(r)/ n. misura eccessiva; sovrappiù; eccedenza; eccesso.

overmodulation /əʊvəmɒdjʊˈleɪʃn/ n. ⓤ (*radio, TV*) sovramodulazione.

overmuch /əʊvəˈmʌtʃ/ **A** a. eccessivo; che è di troppo **B** avv. eccessivamente; troppo **C** n. eccesso; quantità eccessiva.

overnice /əʊvəˈnaɪs/ a. esigente; di gusti difficili; schifiltoso; schizzinoso.

◆**overnight** /əʊvəˈnaɪt/ **A** avv. **1** durante la notte; per la notte **2** la sera prima; la notte prima **B** a. **1** di notte; fatto di notte: **an o. trip**, un viaggio di notte **2** per la notte; di (*o per*) una sola notte: **an o. stop**, una fermata per la notte; **an o. guest**, un ospite per la notte **3** (*di una festa, ecc.*) che dura tutta la notte **4** improvviso; immediato: **o. success**, successo immediato **5** (*fin.*) overnight; alla giornata: **o. loan**, prestito alla giornata; **o. rate**, tasso overnight (*o a brevissimo*) ● **an o. bag** (*o case*), una borsa da viaggio; una ventiquattrore □ (*tur.*) **o. bill**, conto del pernottamento □ (*tur.*) **o. stay**, pernottamento □ **to stay o.**, pernottare.

to **overnight** /əʊvəˈnaɪt/ v. i. trattenersi per la notte; pernottare.

overnighter /əʊvəˈnaɪtə(r)/ n. **1** chi si ferma per la notte; chi alloggia per una notte **2** (*USA*) viaggio di notte **3** ventiquattrore (*valigetta*).

overpaid /əʊvəˈpeɪd/ **A** pass. e p. p. di **to overpay B** a. **1** strapagato; pagato troppo: **o. directors**, amministratori strapagati **2** pagato più del dovuto: **full refund of o. taxes**, rimborso completo delle imposte pagate più del dovuto.

overpass /ˈəʊvəpɑːs/ n. (*USA*) cavalcavia; sovrappassaggio (*cfr. ingl.* **flyover**).

to **overpass** /əʊvəˈpɑːs/ v. t. **1** passar sopra a (*anche fig.*); superare; sorpassare; traversare; valicare **2** ignorare; trascurare; non tener conto di, sorvolare su (qc.) **3** (*USA*) sorvolare; volare sopra.

overpassed /əʊvəˈpɑːst/, **overpast** /əʊvəˈpɑːst/ a. passato; trascorso; tramontato.

to **overpay** /əʊvəˈpeɪ/ (pass. e p. p. **overpaid**), v. t. pagar troppo; superpagare; strapagare ‖ **overpayment** n. ⓤ (*econ.*) retribuzione eccessiva.

to **overplay** /əʊvəˈpleɪ/ v. t. **1** (*teatr.*) esagerare; caricare (*una parte*) **2** dare troppa enfasi (*o troppo rilievo*) a (qc.) **3** (*sport*) mandare la palla oltre: (*golf*) **to o. the putting green**, mandare la palla oltre il green **4** (*fig.*) esagerare; gonfiare (*fig.*): *The opposition likes to o. the result of the election*, alla opposizione piace gonfiare il risultato dell'elezione ● (*sport*) **to o. the ball**, tenere troppo la palla (*senza andare sotto rete*) □ **to o. one's hand**, rischiare troppo per le carte che si hanno in mano (*nei giochi di carte e fig.*); tentare l'impossibile.

overplus /ˈəʊvəplʌs/ n. **1** sovrappiù; ec-

cesso: **an o. of unsold goods**, un eccesso di merce invenduta **2** (*comm.*) rimanenza; resto **3** ⓤ (*econ.*) plusvalore.

overpolite /əʊvəpəˈlaɪt/ a. troppo gentile; cerimonioso.

overpopulated /əʊvəˈpɒpjʊleɪtɪd/ a. sovrappopolato.

overpopulation /əʊvəpɒpjʊˈleɪʃn/ n. ⓤ (*demogr.*) eccesso di popolazione; sovrappopolazione; popolazione in eccesso.

to **overpower** /əʊvəˈpaʊə(r)/ v. t. **1** sopraffare (*anche fig.*); sconfiggere; soverchiare; dominare; opprimere; soggiogare: *I was overpowered by thirst*, fui sopraffatto dalla sete; **to be overpowered with** (*o by*) **grief**, essere sopraffatto dal dolore **2** (*anche sport*) superare (q.) in potenza; surclassare.

overpowering /əʊvəˈpaʊərɪŋ/ a. opprimente; prepotente; schiacciante; irresistibile; insopportabile; travolgente: **o. heat**, caldo opprimente; **o. beauty**, bellezza irresistibile; **o. sorrow**, dolore insopportabile ‖ **-ly** avv.

overpraise /əʊvəˈpreɪz/ n. lode eccessiva; elogio smodato.

to **overpraise** /əʊvəˈpreɪz/ v. t. lodare troppo; portare alle stelle; stralodare.

to **overprescribe** /əʊvəprɪˈskraɪb/ (*med.*) v. t. e i. prescrivere (*medicinali*) senza necessità (*o più del necessario*) ‖ **overprescription** n. ⓤ prescrizione non necessaria (*o eccessiva*) di medicinali.

overpressure /əʊvəˈpreʃə(r)/ n. **1** (*fis.*) sovrapressione **2** pressione eccessiva; stress eccessivo.

to **overprice** /əʊvəˈpraɪs/ (*comm.*) v. t. mettere un prezzo troppo alto a (*un articolo, un prodotto, ecc.*); chiedere un prezzo troppo alto per (qc.) ‖ **overpricing** n. ⓤ fissazione di prezzi eccessivi.

overpriced /əʊvəˈpraɪst/ a. eccessivamente caro; sovrapprezzo.

overprint /ˈəʊvəprɪnt/ n. **1** ⓤⒸ sovrimpressione; sovrastampa **2** francobollo sovrastampato.

to **overprint** /əʊvəˈprɪnt/ v. t. **1** (*tipogr.*) sovrastampare **2** (*fotogr.*) stampare (*una positiva*) troppo scura **3** (*grafica*) plastificare **4** (*tipogr.*) stampare troppe copie di (*un libro*).

to **overproduce** /əʊvəprəˈdjuːs/ (*econ.*) v. t. e i. produrre in eccesso ‖ **overproduction** n. ⓤ sovrapproduzione.

overproof /əʊvəˈpruːf/ a. e n. (liquore) che contiene troppo alcol.

overprotective /əʊvəprəˈtɛktɪv/ a. iperprotettivo ‖ to **overprotect** v. t. proteggere (q.) eccessivamente; essere iperprotettivo verso (q.) ‖ **overprotection**, **overprotectiveness** n. ⓤ eccesso di protezione.

overproud /əʊvəˈpraʊd/ a. troppo orgoglioso.

overqualified /əʊvəˈkwɒlɪfaɪd/ a. (*di un dipendente*) fin troppo qualificato (*per le mansioni svolte*).

overran /əʊvəˈræn/ pass. di **to overrun**.

to **overrate** /əʊvəˈreɪt/ v. t. sopravvalutare; far troppo conto di; stimare troppo: **to o. one's strength**, sopravvalutare le proprie forze.

to **overreach** /əʊvəˈriːtʃ/ **A** v. t. **1** raggiungere e oltrepassare; superare; andare oltre **2** imbrogliare; ingannare; abbindolare **3** fallire (*un obiettivo, un traguardo, ecc.*) per aver mirato troppo in alto **B** v. i. **1** andare troppo oltre **2** (*di cavallo, ecc.*) arrivarsi; colpire la zampa anteriore con lo zoccolo posteriore □ **to o. oneself**, fallire per aver voluto troppo; fare il passo più lungo della gamba (*fig.*).

to **overreact** /əʊvərɪˈækt/ v. i. reagire in modo eccessivo ‖ **overreacting** n. ⓤ rea-

zione eccessiva (*o* sproporzionata) ‖ **over-reaction** n. ⓤⓒ reazione eccessiva (*o* sproporzionata).

to **overrefine**, **over-refine** /ˌəʊvərɪˈfaɪn/ Ⓐ v. t. **1** (*tecn.*) raffinare troppo **2** (*fig.*) rifinire (qc.) con cura eccessiva; rileccare (*uno scritto, ecc.*) Ⓑ v. i. (*fig.*) andare per il sottile; sottilizzare; guardare al pelo nell'uisero (*fig.*) ‖ **overrefinement**, **over-refinement** n. ⓤⓒ **1** (*tecn.*) raffinazione eccessiva **2** (*fig.*) rifinitura eccessiva; rileccatura.

overrich /ˌəʊvəˈrɪtʃ/ a. troppo ricco ● (*autom.*) o. **mixture**, miscela troppo ricca.

override /ˈəʊvəraɪd/ n. **1** (*tecn.*) sovrapposizione di un comando manuale; passaggio (*dall'automatico*) al controllo manuale **2** (*econ.*) aumento, rialzo (*di retribuzione, preventivo o costo*) **3** (*leg., polit., in USA*) annullamento, rigetto, superamento (*di un'ordinanza, un veto, ecc.*).

to **override** /ˌəʊvəˈraɪd/ (pass. **overrode**, p. p. **overridden**), v. t. **1** calpestare, travolgere (*a cavallo, ecc.*): *Our vanguard overrode the first line of defenders*, la nostra avanguardia travolse la prima linea di difesa del nemico **2** percorrere a cavallo **3** affaticare, sfiancare (*un cavallo, ecc.*) **4** (*fig.*) calpestare, passare sopra a; non tenere in nessun conto; ignorare: *The government overrode the protests of the demonstrators*, il governo ignorò le proteste dei dimostranti; **to o. sb.'s claims**, calpestare i diritti di q. **5** essere più importante di; venire prima di (*fam.*); essere prioritario rispetto a: *The welfare of my family overrides my career*, il benessere della mia famiglia viene prima della carriera **6** prevalere (*o* averla vinta) su; annullare; revocare; rovesciare; capovolgere; scavalcare: **to o. the opposition**, averla vinta sull'opposizione; (*in USA*) **to o. the President's veto**, scavalcare il veto del Presidente; **to o. a decision**, capovolgere (*o* rovesciare) una decisione **7** (*medicina: di un osso fratturato o parte di esso*) accavallarsi con; sovrapporsi a (*un altro*) **8** (*di un veicolo*) invadere (*un marciapiede, una corsia riservata, ecc.*); percorrere abusivamente **9** (*tecn.*) sovrapporre un comando manuale a (*un meccanismo di controllo*); bypassare (*un automatismo*) **10** (*tecn.*) passare sopra a (*un lembo di materiale*); ricoprire (*parzialmente*) ● (*leg.*) **to o. one's commission**, commettere un abuso di potere.

overrider /ˈəʊvəraɪdə(r)/ n. (*autom.*) rostro (*del paraurti*).

overriding① /ˌəʊvəˈraɪdɪŋ/ a. **1** prioritario; di primaria importanza **2** (*leg.*) inderogabile; prevalente: o. **interests**, interessi prevalenti ● o. **fear**, paura dominante ▫ o. **need**, necessità impellente.

overriding② /ˌəʊvərˈaɪdɪŋ/ n. ⓤ **1** (= o. **by vehicles**) invasione (*di marciapiedi, ecc.*) da parte di automezzi; percorso abusivo **2** → **override** e **to override**.

overripe /ˌəʊvəˈraɪp/ a. troppo maturo; strafatto.

overrode /ˌəʊvəˈrəʊd/ pass. di **to override**.

overrule /ˌəʊvərˈuːl/ n. (*spec. sport*) revoca, modifica (*di una decisione arbitrale*).

to **overrule** /ˌəʊvərˈuːl/ v. t. **1** annullare; revocare; rovesciare: (*tennis*) *The umpire overruled the decision of the line judge*, il giudice di sedia ha rovesciato la decisione del giudice di linea; **to o. an order**, revocare un ordine **2** non accogliere (*una proposta, ecc.*); respingere: (*leg.*) **to o. an objection**, respingere un'obiezione **3** prevalere su; avere il sopravvento su: *His greed overruled his common sense*, l'avidità ebbe il sopravvento sul suo buonsenso **4** decidere, avere l'ultima parola su (qc.) **5** (*leg.*) cassare: **to o. a judgment**, cassare una sentenza.

overruling /ˌəʊvərˈuːlɪŋ/ n. ⓤ (*leg.*) **1** annullamento, revoca, cassazione (*di una sentenza, ecc.*) **2** rigetto (*di un reclamo*) **3** (*anche sport*) rovesciamento (*di una decisione, un verdetto*).

overrun /ˈəʊvərʌn/ n. **1** l'eccedere; eccedenza **2** straripamento (*di un fiume*) **3** (*tipogr.*) copie supplementari; tiratura in eccedenza **4** (*comput.*) sovraccarico di dati **5** (*di tempo, di preventivo, di spese, ecc.*) sforamento; sfondamento.

to **overrun** /ˌəʊvərˈʌn/ (pass. **overran**, p. p. **overrun**) Ⓐ v. t. **1** invadere; devastare; infestare; ricoprire: **territory overrun by the enemy**, territorio invaso dal nemico; *The garden was overrun with weeds*, il giardino era invaso da (*o* ricoperto di) erbacce **2** sommergere; inondare: *The swollen river overran the valley*, il fiume in piena sommerse la vallata **3** oltrepassare; superare; eccedere; sforare; splafonare (*fam.*): *Your speech overran the time allowed*, il tuo discorso superò il limite di tempo consentito **4** (*tipogr.*) rigiustificare (*una riga, una colonna, ecc.*) **5** (*tipogr.*) stampare copie supplementari (*o* in eccedenza) di (*una pubblicazione, un inserto, ecc.*) **6** (*mecc.*) mandare fuori giri; imballare (*un motore*) **7** far funzionare troppo (*o* troppo a lungo: *una macchina*) **8** (*sport: nelle corse*) sorpassare; superare (*in curva, ecc.*) **9** (*calcio*) allungare troppo, farsi sfuggire (*la palla*) Ⓑ v. i. **1** straripare; traboccare **2** protrarsi **3** (*mecc.: di motore*) andare fuori giri; imballarsi ● (*tipogr.: di una riga*) **to o. into the margin**, superare la giustezza.

overrunning /ˌəʊvəˈrʌnɪŋ/ n. **1** invasione; incursione **2** straripamento; tracimazione (*di un fiume*) **3** (*tipogr.*) scorrimento (*del testo*) **4** (*meteor.*) scorrimento **5** sfondamento, sforamento (*del tempo concesso, di preventivo, ecc.*) ● (*mecc.*) o. **clutch**, innesto di scorrimento; frizione elettrica.

oversail /ˈəʊvəseɪl/ n. (*edil.*) sporgenza; sbalzo.

to **oversail** /ˌəʊvəˈseɪl/ v. i. (*edil.*) aggettare; sporgere ● **oversailing courses**, cordonatura; cordone.

oversaw /ˌəʊvəˈsɔː/ pass. di **to oversee**.

overscrupulous /ˌəʊvəˈskruːpjʊləs/ a. troppo scrupoloso.

♦**overseas** /ˌəʊvəˈsiːz/ Ⓐ avv. oltremare; oltreoceano; al di là del mare; all'estero: **to go o.**, andare oltreoceano Ⓑ a. (= **oversea**) d'oltremare; estero; per l'estero: o. **trade**, traffici d'oltremare; commercio estero; o. **branch**, filiale estera; *Have you looked into o. conservation work?*, hai indagato sui lavori per l'ambiente all'estero? ● (*mil., USA*) o. **cap**, bustina (*berretto pieghevole; cfr. ingl.* **forage cap**, *sotto* **forage**) ▫ o. **workers**, lavoratori stranieri ▫ **workers o.**, lavoratori (emigrati) all'estero.

to **oversee** /ˌəʊvəˈsiː/ (pass. **oversaw**, p. p. **overseen**), v. t. sorvegliare; ispezionare; sovrintendere a; supervisionare ‖ **overseeing** n. ⓤ sorveglianza; sovrintendenza; ispezione.

overseen /ˌəʊvəˈsiːn/ p. p. di **to oversee**.

overseer /ˈəʊvəsiːə(r)/ n. **1** sorvegliante; sovrintendente; caposquadra **2** (*tipogr.*) proto.

to **oversell** /ˌəʊvəˈsɛl/ (pass. e p. p. **oversold**) Ⓐ v. t. **1** (*comm.*) vendere più (*merce, ecc.*) di quel che si ha in magazzino **2** (*fam.*) sopravvalutare; decantare troppo; lodare esageratamente (qc.) Ⓑ v. i. (*comm.*) vendere troppo ● (*Borsa: di un operatore*) **to be oversold**, trovarsi in posizione di vendita scoperta.

oversensitive /ˌəʊvəˈsɛnsɪtɪv/ a. **1** ipersensibile **2** troppo suscettibile: **to be o. to criticism**, risentirsi troppo delle critiche;

essere permaloso ‖ **oversensitiveness**, **oversensitivity** n. ⓤ **1** ipersensibilità **2** suscettibilità.

to **overset** /ˌəʊvəˈsɛt/ (pass. e p. p. **overset**) Ⓐ v. t. **1** capovolgere; mettere sottosopra; rovesciare **2** (*fig.*) sconvolgere; scompigliare; turbare Ⓑ v. i. capovolgersi; rovesciarsi.

to **oversew** /ˈəʊvəsəʊ/ (pass. **oversewed**, p. p. **oversewn**, **oversewed**), v. t. cucire a sopraggitto; sopraggittare ‖ **oversewing** n. ⓤ (*cucito*) sopraggitto.

oversexed /ˌəʊvəˈsɛkst/ a. **1** che ha una sessualità eccessiva; che sente troppo gli impulsi sessuali **2** eccessivamente interessato alle cose del sesso.

to **overshadow** /ˌəʊvəˈʃædəʊ/ v. t. **1** ombreggiare; dare ombra a **2** (*fig.*) mettere in ombra (*fig.*); far passare (qc.) in secondo piano; offuscare **3** (*fig.*) gettare un'ombra su (q.); rattristare; rendere (q.) infelice **4** dominare; sovrastare: *The old castle overshadows the village*, il vecchio castello sovrasta il paese.

overshoe /ˈəʊvəʃuː/ n. soprascarpa; caloscia: **a pair of overshoes**, un paio di calosce.

overshoot /ˌəʊvəˈʃuːt/ n. **1** (il) passare il segno; (l') andare oltre le proprie intenzioni **2** sfondamento, sforamento (*del tempo concesso, ecc.*); (*econ., fin.*) splafonamento **3** (*aeron.*) atterraggio lungo **4** (*elettr., TV*) «overshoot».

to **overshoot** /ˌəʊvəˈʃuːt/ (pass. e p. p. **overshot**) v. t. e i. **1** oltrepassare; andare oltre (*le proprie intenzioni, ecc.*); superare (*un limite, ecc.*); sfondare, sforare: **to o. a budget**, sforare un preventivo; *We had overshot our turning*, avevamo oltrepassato la traversa giusta; (*radio, TV*) **to o. one's time**, sforare l'orario stabilito; sforare; (*fig.*) **to o. one's target**, mancare l'obiettivo (*andando oltre*); (*autom., ecc.*) **to o. one's destination**, oltrepassare la propria destinazione; (*fin.*) **to o. a cash limit**, sforare un tetto di spesa; **to o. a ceiling**, splafonare **2** (*mil., sport*) tirare (*o* sparare) oltre (*il bersaglio*); fare un tiro (*o* un lancio) troppo lungo: **to o. one's target**, mancare il bersaglio con un tiro troppo lungo; (*di un proiettile, un missile o una palla*) passare sopra, andare (*o* cadere) oltre il bersaglio (*la porta, ecc.*) ● (*fig.*) **to o. the mark**, passare il segno; esagerare □ (*aeron.*) **to o. the runway**, non fermarsi alla fine della pista; fare un atterraggio lungo □ **to o. oneself**, andare oltre le proprie intenzioni; avere una reazione eccessiva; (*fam.*) passare di là.

overshot /ˌəʊvəˈʃɒt/ Ⓐ pass. e p. p. di **to overshoot** Ⓑ a. **1** (*anat.*) sporgente (*dal di sopra*): o. **jaw**, mascella superiore sporgente (*del cane*) **2** (*mecc.*) azionato dall'alto **3** (*di ruota idraulica*) per disopra: o. **wheel**, ruota per disopra (*mossa dall'acqua che la colpisce in alto*); ruota a cassette.

overside /ˌəʊvəˈsaɪd/ a. e avv. (*naut.*) a fianco della nave: o. **delivery of cargo**, consegna da bordo a bordo; consegna a fianco della nave (*su barche, ecc.; non sul molo*); **to unload cargo o.**, scaricare il carico a fianco della nave (*con chiatte, ecc.*) ● (*naut.*) o. **port**, porto con fondali bassi.

oversight /ˈəʊvəsaɪt/ n. **1** svista; sbaglio; omissione; **by o.**, per una svista; per sbaglio **2** (*form.*) sorveglianza; supervisione: **to have (the) o. of children**, avere la sorveglianza dei bambini.

to **oversimplify** /ˌəʊvəˈsɪmplɪfaɪ/ v. t. **1** semplificare troppo **2** cadere nel semplicismo ‖ **oversimplification** n. **1** semplificazione eccessiva **2** ⓤ semplicismo.

oversize /ˈəʊvəsaɪz/ Ⓐ a. **1** più grande della norma; fuori misura; sovradimensio-

nato: **o. bed**, letto fuori misura **2** (*di capo di vestiario*) di taglia forte: **an o. suit**, un abito di taglia forte **B** n. **1** misura superiore alla norma; dimensioni extra **2** (*di capo di vestiario, ecc.*) taglia forte; taglia calibrata; oversize.

oversized /ˈəʊvəˈsaɪzd/ a. → **oversize**.

overskirt /ˈəʊvəskɜːt/ n. (*moda, un tempo*) sopraggonna.

to **oversleep** /ˈəʊvəˈsliːp/ (pass. e p. p. **overslept**) v. t. e i. dormire oltre (*l'ora prevista*); non svegliarsi: *Sorry,* (*I*) *overslept*, mi dispiace, non mi sono svegliato (*in tempo*) ● **to o. oneself**, dormire troppo; non svegliarsi (all'ora fissata).

oversocks /ˈəʊvəsɒks/ n. pl. (*ciclismo*) copricalzini.

oversold /ˈəʊvəˈsəʊld/ pass. e p. p. di **to oversell** ● (*Borsa*) **o. position**, posizione di vendita scoperta.

oversoul /ˈəʊvəsəʊl/ n. (*filos.*) anima universale; anima cosmica.

to **overspend** /ˈəʊvəˈspend/ (pass. e p. p. **overspent**) **A** v. t. **1** spendere più di: **to o. one's salary**, spendere più del proprio stipendio **2** esaurire (*fondi, ecc.*) **3** (*fig.*) logorare (*forze, ecc.*); consumare (*energie*) **B** v. i. **1** spendere troppo (*per le proprie possibilità*) **2** (*del governo, ecc.*) sforare ● (*fin.*) **to o. one's budget**, sforare il preventivo.

overspent /ˈəʊvəˈspent/ **A** pass. e p. p. di **to overspend B** a. sfinito; esausto.

overspill /ˈəʊvəspɪl/ n. ⓤ **1** liquido versato; quantità di liquido rovesciato **2** (*demogr.*) eccedenza demografica; eccedenza di popolazione (*di una città*) ● (*urbanistica*) **o. towns**, città satelliti.

to **overspread** /ˈəʊvəˈspred/ (pass. e p. p. **overspread**), v. t. **1** stendere sopra; spargere su; ricoprire; coprire **2** spargersi (*o* diffondersi) su; inondare.

overstaffed /ˈəʊvəˈstɑːft/ a. (*di un'azienda, ecc.*) che ha troppo personale; sovradimensionato.

overstaffing /ˈəʊvəˈstɑːfɪŋ/ n. ⓤ eccessivo impiego di personale; sovradimensionamento.

to **overstate** /ˈəʊvəˈsteɪt/ v. t. esagerare (*fatti, ecc.*); ingigantire, gonfiare (*una cosa, una storia, ecc.*) || **overstatement** n. ⓤ esagerazione; affermazione esagerata.

to **overstay** /ˈəʊvəˈsteɪ/ v. t. rimanere (*o* trattenersi) oltre (*il previsto*) ● **to o. one's welcome**, trattenersi troppo a lungo; diventare un ospite sgradito || **overstayer** n. (*leg., in GB*) straniero il cui permesso di soggiorno (*o di lavoro*) è scaduto.

oversteer /ˈəʊvəstɪə(r)/ n. (*autom.*) **1** ⓤ sovrasterzo **2** sovrasterzata.

to **oversteer** /ˈəʊvəstɪə(r)/ (*autom.*) v. i. sovrasterzare; essere sovrasterzante || **oversteering A** a. sovrasterzante **B** n. sovrasterzata.

to **overstep** /ˈəʊvəˈstep/ v. t. (*spec. fig.*) oltrepassare; andare oltre; eccedere: **to o. the limits of good taste**, oltrepassare i limiti del buongusto ● (*anche fig.*) **to o. the mark**, passare il segno; oltrepassare ogni limite.

overstock /ˈəʊvəˈstɒk/ n. ⓤ (*comm.*) eccesso di merce (*in magazzino, in giacenza, ecc.*).

to **overstock** /ˈəʊvəˈstɒk/ v. t. **1** approvvigionare in eccesso; riempire troppo (*di merce, ecc.*): **to o. a shop**, riempire un negozio di troppa merce **2** (*zootecnia*) tenere troppi animali su (*un terreno*) ● **to o. a market**, saturare un mercato □ **to be overstocked with goods**, avere troppa merce in magazzino (*o in negozio*).

overstory /ˈəʊvəstɔːrɪ/ n. (*biol., ecol.*) lo strato più alto della foresta pluviale.

overstrain /ˈəʊvəstreɪn/ n. **1** eccesso di fatica; sforzo eccessivo **2** (*tecn.*) sollecitazione eccessiva (*di un metallo, ecc.*).

to **overstrain** /ˈəʊvəˈstreɪn/ **A** v. t. **1** affaticare; sforzare troppo; strapazzare **2** (*tecn.*) sollecitare troppo; sovrasollecitare (*spec. metalli*) **B** v. i. affaticarsi; sforzarsi troppo; strapazzarsi.

to **overstress** /ˈəʊvəˈstres/ v. t. **1** enfatizzare troppo **2** (*tecn.*) sovrasollecitare (*metalli, ecc.*) || **overstressing** n. **1** eccessiva enfatizzazione **2** (*tecn.*) sovrasollecitazione.

to **overstretch** /ˈəʊvəˈstretʃ/ **A** v. t. **1** allungare, tendere eccessivamente **2** (*fig.*) impegnare (q.) oltre il limite delle sue forze; mettere a dura prova **B** v. i. allungarsi, tendersi eccessivamente || **overstretched** a. **1** troppo allungato; troppo teso **2** (*fig.*) impegnato oltre il proprio limite; messo a dura prova.

overstrung /ˈəʊvəˈstrʌŋ/ a. **1** troppo teso (*fig.*); sovreccitato **2** (*di pianoforte*) a corde incrociate.

to **overstuff** /ˈəʊvəˈstʌf/ v. t. **1** riempire; rimpinzare (*di cibo, ecc.*) **2** imbottire più del necessario (*poltrone, ecc.*).

to **oversubscribe** /ˈəʊvəsəbˈskraɪb/ v. t. (*fin.*) sottoscrivere in eccesso ● **to o. an issue of bonds**, sottoscrivere un numero di obbligazioni superiore a quelle emesse.

oversubscribed /ˈəʊvəsʌbˈskraɪbd/ a. **1** (*di scuola, ecc.*) che ha un numero di iscrizioni o prenotazioni superiore ai posti disponibili **2** (*fin.*) sottoscritto in eccesso.

oversupply /ˈəʊvəsəˈplaɪ/ n. ⓤ **1** provvista eccessiva; rifornimento eccessivo **2** (*econ.*) eccedenza dell'offerta; offerta eccessiva.

to **oversupply** /ˈəʊvəsəˈplaɪ/ v. t. **1** rifornire in eccesso; approvvigionare troppo **2** (*econ.*) intasare (*il mercato*) di offerta di beni.

overt /əʊˈvɜːt/ a. **1** aperto (*fig.*); evidente; palese; manifesto **2** aperto al pubblico; libero: **market o.**, mercato aperto al pubblico **3** (*fig.*) intenzionale; doloso.

to **overtake** /ˈəʊvəˈteɪk/ (pass. **overtook**, p. p. **overtaken**), v. t. e i. **1** raggiungere; oltrepassare; sorpassare: *A sports car overtook us on a bend*, una macchina sportiva ci sorpassò in curva **2** cogliere di sorpresa; sorprendere: *We were overtaken by nightfall*, fummo sorpresi dalle tenebre ● (*autom.*) **to o. on the outside**, sorpassare all'esterno.

overtaking /ˈəʊvəˈteɪkɪŋ/ n. (*autom.*) sorpasso ● **o. lane**, corsia di sorpasso (*in autostrada*) □ (*autom.*) **o. power**, capacità di sorpasso; ripresa □ (*autom.*) «**No o.**» (*cartello*), «divieto di sorpasso».

to **overtask** /ˈəʊvəˈtɑːsk/ v. t. assegnare un compito troppo arduo a (q.); sovraccaricare (q.) di lavoro.

to **overtax** /ˈəʊvəˈtæks/ v. t. **1** (*fin.*) gravare di imposte; tassare eccessivamente **2** abusare di; chiedere troppo a: **to o. sb.'s patience**, abusare della pazienza di q.; **to o. one's strength**, chiedere troppo alle proprie energie || **overtaxation** n. ⓤ (*fin.*) tassazione eccessiva.

overtemperature /ˈəʊvəˈtemprətʃə(r)/ n. ⓤ (*tecn.*) sovratemperatura; temperatura eccessiva.

overthrow /ˈəʊvəθrəʊ/ n. **1** rovesciamento **2** rovescio (*fig.*); disfatta; rovina; sconfitta **3** (*baseball*) tiro troppo alto (*o lungo*) **4** (*cricket*) rinvio troppo lungo (*da parte di uno dei ribattitori*); (*anche*) 'run' (*o punto*) realizzato **5** (*tuffi*) entrata lunga (*in acqua*).

to **overthrow** /ˈəʊvəˈθrəʊ/ (pass. **overthrew**, p. p. **overthrown**) **A** v. t. **1** rovesciare (*anche fig.*); abbattere; far cadere: **to o. the government**, rovesciare il governo **2** (*anche sport*) battere; sconfiggere; travolge-

re **B** v. i. (*sport*) fare un lancio troppo lungo (*anche*, **to o. the ball**) ● (*baseball*) **to o. a base**, lanciare la palla oltre una base (*fallo*) □ (*sci*) **to o. a flag**, abbattere una bandierina; sbandierare □ (*sci*) **to o. a pole**, abbattere un paletto.

overthrust /ˈəʊvəθrʌst/ n. (*geol.*) sovrascorrimento; carreggiamento (*raro*).

overtide /ˈəʊvətaɪd/ n. ⓤ (*naut.*) sovramarea.

overtime /ˈəʊvətaɪm/ **A** n. ⓤ **1** (lavoro) straordinario: **to be on o.** (*o to work o.*), fare lo straordinario; *Does your company pay you overtime?*, la tua azienda ti paga lo straordinario? **2** indennità di (lavoro) straordinario: **to be earning o.**, percepire lo straordinario **3** (*sport USA: basket, lotta, ecc.*) overtime; tempo supplementare, tempi supplementari (*cfr. ingl.* **extra time**, *sotto* **extra**) **B** a. **1** straordinario: **o. work**, lavoro straordinario; **o. pay**, indennità (*o retribuzione*) di lavoro straordinario **2** supplementare: (*lotta*) **o. round**, ripresa supplementare **C** avv. oltre l'orario normale di lavoro ● (*fig. fam.*) **to work o. to do st.**, darci dentro per fare qc. (*fam.*).

to **overtime** /ˈəʊvəˈtaɪm/ v. t. (*fotogr.*) sovraesporre (*una pellicola*).

to **overtip** /ˈəʊvəˈtɪp/ (*tur.*) v. t. dare una mancia eccessiva a (q.).

to **overtire** /ˈəʊvəˈtaɪə(r)/ v. t. affaticare troppo; strapazzare ● **to o. oneself**, stancarsi troppo; strapazzarsi || **overtired** a. esausto; spossato; stanco morto (*fam.*); stremato.

overtone /ˈəʊvətəʊn/ n. **1** (*fis.: acustica*) armonica **2** (*mus.*) suono armonico; armonico **3** tonalità, sfumatura (*di colore*) **4** (*fig.*, *spec. al pl.*) sfumatura di significato; implicazione; connotazione; accenno; traccia: **philosophical overtones**, implicazioni filosofiche; *There was an o. of derision in his words*, c'era una sfumatura di derisione nelle sue parole.

overtook /ˈəʊvəˈtʊk/ pass. di **to overtake**.

to **overtop** /ˈəʊvəˈtɒp/ v. t. **1** elevarsi al di sopra di; dominare; sovrastare; torreggiare su: **the house overtopping all the others**, la casa che domina tutte le altre **2** far traboccare; far tracimare **3** (*fig.*) eclissare; sorpassare; superare; essere superiore a.

overtopping /ˈəʊvəˈtɒpɪŋ/ n. ⓤ tracimazione; traboccamento.

to **overtrade** /ˈəʊvəˈtreɪd/ (*comm.*) v. i. commerciare oltre i limiti della propria disponibilità finanziaria; esporsi troppo || **overtrading** n. ⓤ attività eccedente le proprie disponibilità finanziarie.

to **overtrain** /ˈəʊvəˈtreɪn/ (*sport*) **A** v. t. allenare eccessivamente; superallenare **B** v. i. allenarsi troppo || **overtraining** n. ⓤ allenamento eccessivo; superallenamento.

overtrousers /ˈɔːvətraʊzəz/ n. pl. soprapantaloni, sovrapantaloni (*spec. impermeabili*).

to **overtrump** /ˈəʊvəˈtrʌmp/ v. t. e i. (*nei giochi di carte*) giocare un atout più alto (*di quello giocato dall'avversario*); mangiare (*un'altra briscola*).

overture /ˈəʊvətjʊə(r)/ n. **1** (*mus.*) ouverture (*franc.*) **2** (*fig.*) premessa; prologo; preludio **3** (*fig.*) approccio; offerta; avance (*franc.*): **to make overtures to sb.**, fare delle avances a q.; tentare approcci verso q.; **peace overtures**, offerte di pace **4** (*d'un poema*) prologo; proemio ● **overtures of love**, profferte amorose.

overturn /ˈəʊvəˈtɜːn/ n. ⓤ (*anche geol.*) rovesciamento.

to **overturn** /ˈəʊvəˈtɜːn/ **A** v. t. **1** rovesciare (*anche fig.*); capovolgere: *The canoe was overturned by the waves*, la canoa fu

rovesciata dalle onde **2** (*fig.*) rovesciare; abbattere: **to o. the government**, rovesciare il governo **B** v. i. rovesciarsi; capovolgersi ● (*geol.*) **overturned fold**, piega rovesciata ‖ **overturning** n. ① capovolgimento; rovesciamento.

overuse /əʊvəˈjuːs/ n. ① uso eccessivo; abuso.

to **overuse** /əʊvəˈjuːz/ v. t. fare un uso eccessivo di; abusare di.

to **overvalue** /əʊvəˈvæljuː/ (*fin.*) v. t. valutare troppo; sopravvalutare ‖ **overvaluation** n. ① eccesso di valutazione; sopravvalutazione ‖ **overvalued** a. sopravvalutato.

overview /ˈəʊvəvjuː/ n. visione d'insieme; rassegna generale; rassegna; panoramica (*fig.*); descrizione per sommi capi.

to **overview** /əʊvəˈvjuː/ v. t. **1** passare in rassegna; descrivere per sommi capi **2** (*di una finestra, ecc.*) dare su; affacciarsi su **3** esaminare; studiare.

overvoltage /əʊvəˈvəʊltɪdʒ/ n. ①ⓒ (*elettr., elettron.*) sovratensione.

overwatched /əʊvəˈwɒtʃt/ a. **1** sorvegliato **2** (*mil.*) coperto **3** (*arc.*) stanco per il troppo vegliare; morto di sonno (*fig.*).

overweening /əʊvəˈwiːnɪŋ/ a. **1** arrogante; presuntuoso **2** smisurato; eccessivo: **o. pride**, orgoglio smisurato | **-ly avv.**

to **overweigh** /əʊvəˈweɪ/ v. t. **1** pesare più di (q.); superare (*un avversario, ecc.*) in peso **2** opprimere; gravare su (q.).

overweight /ˈəʊvəweɪt/ **A** n. **1** ① eccedenza di peso; soprappeso; peso abbondante, peso superiore al normale **2** ① (*fig.*) maggiore importanza; maggior peso (*fig.*); preponderanza **3** persona in sovrappeso **B** a. pred. **1** (*trasp.*) che supera il peso consentito; in eccesso: **o. luggage** (*USA*: **o. baggage**), bagaglio in eccesso **2** (*di persona*) che pesa troppo; di peso superiore al normale; pletorico **C** avv. sopra il peso forma; sovrappeso: (*boxe*) **The boxer is half a pound o.**, il pugile è sovrappeso di mezza libbra ● (*fin.*) **o. coin**, moneta forte.

to **overweight** /əʊvəˈweɪt/ v. t. **1** sovraccaricare **2** (*fig.*) dare troppo peso a.

to **overwhelm** /əʊvəˈwelm/ v. t. **1** sommergere; seppellire: **The town was overwhelmed when the floods came**, la città fu sommersa quando venne l'inondazione **2** sbaragliare; sgominare; travolgere; soprafffare; schiacciare: **Our army was overwhelmed by the enemy**, il nostro esercito fu sopraffatto dal nemico **3** confondere; imbarazzare; sconvolgere: **Your kindness overwhelms me**, la tua gentilezza mi confonde.

♦**overwhelming** /əʊvəˈwelmɪŋ/ a. travolgente; incontenibile; irresistibile; che sopraffà; soverchiante; schiacciante; immenso; grandissimo; fortissimo: **an o. desire**, un desiderio incontenibile; **an o. grief**, un immenso dolore; **an o. majority**, una maggioranza schiacciante; **an o. success**, un successo travolgente; **an o. task**, un compito enorme ‖ **overwhelmingly** avv. **1** in modo travolgente; irresistibilmente **2** in misura preponderante; quasi totalmente; nella stragrande maggioranza **3** in massa: **to vote overwhelmingly for the Democratic candidate**, votare in massa per il candidato democratico ‖ **overwhelmingness** n. ① carattere o natura travolgente; complessità, difficoltà, intensità soverchiante.

to **overwind** /əʊvəˈwaɪnd/ (pass. e p. p. **overwound**), v. t. **1** avvolgere (*una fune, ecc.*) a troppe volte **2** caricare troppo (*un orologio, un giocattolo a molla, ecc.*).

overwinter /əʊvəˈwɪntə(r)/ a. pred. (che accade) durante l'inverno; invernale: (*med., stat.*) **o. mortality**, mortalità invernale.

to **overwinter** /əʊvəˈwɪntə(r)/ **A** v. i. (*di*

pianta o animali) superare l'inverno; svernare **B** v. t. tenere in vita durante l'inverno.

overwork /ˈəʊvəwɜːk/ n. ① eccesso di lavoro; lavoro eccessivo; superlavoro.

to **overwork** /əʊvəˈwɜːk/ **A** v. t. **1** far lavorare troppo; affaticare; strapazzare: **Don't o. your horse!**, non affaticare il tuo cavallo! **2** fare un uso eccessivo di; abusare di; servirsi troppo (*o troppo spesso*) di (qc.): **You o. that excuse**, ti servi troppo (spesso) di quella scusa **B** v. i. lavorare troppo; affaticarsi; strapazzarsi.

overworked /əʊvəˈwɜːkt/ a. **1** sovraccarico di lavoro **2** spossato; stremato **3** (*di un modo di dire, ecc.*) abusato; trito; vieto **4** (*sport: di un giocatore*) troppo impegnato.

overwound /əʊvəˈwaʊnd/ pass. e p. p. di **to overwind**.

to **overwrite** /əʊvəˈraɪt/ (pass. **overwrote**, p. p. **overwritten**) **A** v. t. **1** scrivere sopra (qc. già scritto) **2** scrivere (qc.) in uno stile troppo fiorito (*o troppo elaborato*) **3** (*spec. comput.*) sovrascrivere; incidere (*un disco*) cancellando una precedente registrazione **B** v. i. scrivere troppo.

overwrought /əʊvəˈrɔːt/ a. **1** affaticato; esausto **2** nervoso; teso (*fig.*); sovreccitato **3** (*di stile*) troppo elaborato; ricercato.

ovicapsule /ˈəʊvəkæpsjuːl/ n. (*anat.*) ovisacco.

Ovid /ˈɒvɪd/ n. (*stor., letter.*) Ovidio ‖ **Ovidian** a. (*letter.*) ovidiano; di Ovidio.

oviduct /ˈəʊvɪdʌkt/ n. (*anat.*) ovidotto; ovidutto.

oviform /ˈəʊvɪfɔːm/ a. oviforme; ovale.

ovine /ˈəʊvaɪn/ a. (*zool.*) ovino; di pecora; delle pecore.

oviparous /əʊˈvɪpərəs/ (*zool.*) a. oviparo ‖ **oviparity** n. ① oviparità.

to **oviposit** /əʊvɪˈpɒzɪt/ v. i. ovideporre ‖ **oviposition** n. ① ovideposizione.

ovipositor /əʊvɪˈpɒzɪtə(r)/ n. (*zool.*) ovopositore.

ovisac /ˈəʊvɪsæk/ n. (*anat.*) ovisacco.

ovogenesis /əʊvəˈdʒenɪsɪs/ (*biol.*) n. ① ovogenesi ‖ **ovogenetic** a. ovogenetico.

ovoid /ˈəʊvɔɪd/ a. e n. ovoide.

ovolo /ˈəʊvələʊ/ n. (pl. **ovoli**) (*archit.*) ovolo.

ovoviviparous /əʊvəʊvɪˈvɪpərəs/ (*zool.*) a. ovoviviparo ‖ **ovoviviparism** n. ① ovoviviparismo ‖ **ovoviviparity** n. ① ovoviviparità.

ovular /ˈɒvjʊlə(r)/ a. (*biol.*) ovulare.

to **ovulate** /ˈɒvjʊleɪt/ (*fisiol.*) v. i. ovulare; avere l'ovulazione ‖ **ovulation** n. ① ovulazione ‖ **ovulatory** a. ovulatorio.

ovule /ˈəʊvjuːl/ n. (*bot.*) ovolo; ovulo.

ovum /ˈəʊvəm/ n. (pl. **ova**) (*biol.*) uovo; cellula uovo.

ow /aʊ/ inter. ahi.

♦to **owe** /əʊ/ **A** v. t. dovere; essere debitore di; essere in debito di; essere indebitato con: **I owe Mr Jones a hundred pounds** (*o a hundred pounds to Mr Jones*), devo cento sterline a Mr Jones; **We owe the law of gravity to Newton**, dobbiamo a Newton la legge di gravità; **I owe him much** [*my life*], gli devo molto [la vita]; '**I owe him little duty and less love**' W. SHAKESPEARE, 'a lui devo poca riconoscenza e meno amore' **B** v. i. essere indebitato; aver debiti ● **to owe for**, dover pagare: **She still owes for the dresses she bought last year**, deve ancora pagare i vestiti che comprò l'anno scorso □ **to owe sb. a grudge**, serbar rancore a q.; avere risentimento verso q.; avercela con q. (*fam.*) □ **to owe sb. ill will**, aver malanimo verso q.; avercela con q. (*fam.*) □ **to owe no thanks to anybody**, non dover ringraziare nessuno (*fam.*) □ **to owe sb. one**, essere in debito di un favore con q. □ (*comm.*) **I owe**

you (abbr. **IOU**), pagherò (*formula con cui si riconosce un debito per iscritto*) □ **He thinks the world owes him a living**, crede che tutto gli sia dovuto.

owing /ˈəʊɪŋ/ a. **1** che si deve; dovuto; ancora da pagare; arretrato; scaduto: **He paid all that was o.**, pagò quanto era dovuto (*o tutto quello che c'era da pagare*) **2** (*fin.*) in debito, in passivo: **The firm was wound up on Monday o. two million pounds**, la ditta fu messa in liquidazione lunedì con un passivo di due milioni di sterline ● **o. to**, a causa di; a motivo di: **O. to the drought, crops are short**, a causa della siccità, il raccolto è scarso ❶ NOTA: *due to o owing to?* → **due**①.

owl /aʊl/ n. **1** (*zool.*, Asio, Bubo, ecc.) gufo **2** (*zool.*, Athene noctua) civetta **3** (*fig.*) nottambulo **4** (*fig.*) persona dall'aspetto solenne; vecchio gufo (*fam.*) ● (*fam.*) **owl bus**, autobus notturno □ **owl-light**, crepuscolo □ (*zool.*) **owl pigeon**, varietà di piccione □ (*fam. USA*) **owl train**, treno notturno □ (*zool.*) **barn owl** (*Tyto alba*), barbagianni □ (*fig.*) **to carry owls to Athens**, portar nottole ad Atene □ (*zool.*) **eagle-owl** (*Bubo bubo*), gufo reale □ (*zool.*) **long-eared owl** (*Asio otus*), gufo comune □ (*zool.*) **tawny owl** (*Strix aluco*), allocco.

owlery /ˈaʊlərɪ/ n. nido di gufo (*o di civetta*).

owlet /ˈaʊlət/ n. (*zool.*) **1** piccolo gufo **2** piccola civetta.

owlish /ˈaʊlɪʃ/ a. di (da) gufo; da allocco (*anche fig.*) | **-ness** n. ①.

owlishly /ˈaʊlɪʃlɪ/ avv. con aria di solenne saggezza.

♦**own** /əʊn/ **A** a. **1** (preceduto dall'agg. poss.) proprio; particolare; (di) mio (tuo, suo, ecc.): **to do st. with one's own hands**, fare qc. con le proprie mani; **This farm is my own** (*o This is my own farm*), questa fattoria è proprio mia (*o di mia proprietà*); **It has a value all its own**, ha un valore del tutto suo, particolare; **I have no money of my own**, non ho denaro di mio **2** (idiom.; per es.:) **to cook one's own meals**, farsi da mangiare da solo (*o da sé*) **B** n. (il) proprio; ciò che ci appartiene; il mio (il tuo, il suo, ecc.): **I can do as I like with my own**, posso disporre del mio a mio piacimento ● (*market.*) **own brand**, marchio (di commercio) □ **own brother**, fratello (*non fratellastro*) □ **own cousin**, primo cugino, prima cugina □ (*sport*) **own field**, il campo di casa, il campo amico; (*fig.*) il fattore campo □ (*sport e fig.*) **own goal**, autogol, autorete; (*fig.*) errore commesso a proprio danno □ (*calcio, ecc.*) **one's own half**, la propria metà campo □ **own-initiative**, di propria iniziativa, d'ufficio (agg.) □ **to be one's own man** (*o master*), non aver padroni; lavorare per conto proprio; essere un lavoratore autonomo □ (*fin., ingl.*) **own shares**, azioni proprie □ **own sister**, sorella (*non sorellastra*) □ **to come into one's own**, riuscire a dare piena prova di sé; cominciare a essere efficiente (utile, ecc.); realizzarsi □ **to do a piece of work on one's own**, fare un lavoro per conto proprio (*o da solo*) □ (*fam.*) **to get one's own back**, prendersi la rivincita; ripagare con la stessa moneta (*fig.*) □ **to hold one's own**, tener duro, resistere, non cedere; cavarsela bene, far valere i propri diritti; mantenersi calmo, dignitoso; portarsi bene □ **to live on one's own**, vivere del proprio; essere indipendente (*economicamente*) □ (al vocat.) **my own** (*o my own sweetheart*, ecc.), mio caro, mia cara; tesoro □ **of one's own**, per sé; personale: **I want a girl of my own**, voglio una ragazza tutta per me □ (*sport*) **on one's own**, da solo: **to be going on one's own**, andare da solo.

♦to **own** /əʊn/ v. t. **1** possedere; avere; essere (il) proprietario di: **Who owns this**

house?, chi è il proprietario di questa casa? **2** (*form.*) ammettere; concedere; confessare; riconoscere: **to own one's faults**, ammettere le proprie colpe ● **to own oneself indebted**, riconoscersi in debito (*verso q.*) □ (*form.*) **to own to**, confessare, riconoscere, ammettere: **to own to a sense of shame**, confessare di provar vergogna □ (*fam.*) **to own up**, confessare, ammettere: *I own up to it*, ammetto d'averlo fatto io; *He owned up to stealing the money*, confessò di aver rubato i soldi.

owned /əʊnd/ a. posseduto ● (*di casa*) o. **mortgaged**, di proprietà ma gravata d'ipoteca □ **o. outright**, di proprietà.

♦**owner** /ˈəʊnə(r)/ n. **1** proprietario, proprietaria; possessore; padrone, padrona **2** (*leg.*) titolare **3** (*naut.*, = **shipowner**) armatore ● (*naut.*) **o.-charterer**, armatore noleggiatore □ (*autom.*) **o.-driver**, chi guida il proprio automezzo; padroncino (*di camion*), autotrasportatore indipendente; (*anche*) tassista autonomo (*che lavora per conto suo*) □ (*fin.*) **owners' equity**, capitale proprio; capitale (*o patrimonio*) netto □ (*fin.*) **o. manager**, proprietario direttore (*di un'azienda*) □ (*econ.*) **o.-occupation**, proprietà della casa (*in cui si abita*); proprietà del podere (*che si coltiva*) □ (*econ.*) **o.-occupied**, abitato dal proprietario (*rif. a casa*); di proprietà di chi lo coltiva (*rif. a podere*) □ **o.-occupier**, chi è proprietario della casa in cui abita; (*agric.*) chi è proprietario del podere che coltiva, coltivatore diretto □ (*ferr.*) **o.'s risk rate**, tariffa speciale □ (*comm.*) **at o.'s risk**, a rischio e pericolo del committente (*o del destinatario*) □ (*market.*) **a one-o. second-hand car**, un'auto usata che ha avuto un solo proprietario (*o senza passaggi di proprietà*).

ownerless /ˈəʊnələs/ a. senza padrone: **an o. cat**, un gatto senza padrone.

♦**ownership** /ˈəʊnəʃɪp/ n. ▣ **1** (*leg.*) proprietà; **right of o.**, diritto di proprietà **2** (*di giornale*) testata: **to buy the o. of a paper**, comprare la testata di un giornale ● «**under new o.**» (*cartello*), «nuova gestione» (*di negozio, ecc.*).

ox /ɒks/ n. (pl. **oxen**) (*zool.*) **1** (*Bos domesticus*) bue domestico; bove **2** bovino (*in genere*) ● (*zool.*) **ox-bird** (*Erolia alpina*), piovanello pancianera □ **ox-cart**, carro (trainato) da buoi □ **ox-eye**, occhio bovino; (*bot.*, *Chrysanthemum leucanthemum*; = **ox-eye daisy**), margherita dei campi □ **ox-eyed**, dagli occhi bovini; dagli occhi di bue □ **ox fence**, steccato di recinto per bovini □ (*fam.*) **to play the giddy ox**, fare lo stupido; fare l'asino (*region.*).

oxalic /ɒkˈsælɪk/ (*chim.*) a. ossalico: **o. acid**, acido ossalico ‖ **oxalate** n. ossalato.

oxalis /ɒkˈsælɪs/ n. **1** (*bot.*) ossalidacea (*in genere*) **2** (*bot.*, *Oxalis acetosella*) acetosella; ossalide.

oxamide /ɒkˈsæmɪd/ n. (*chim.*) ossammide.

oxbow /ˈɒksbəʊ/ n. (*idrologia, geol.*) meandro abbandonato ● **o. lake**, lago di meandro abbandonato; lanca; morta; mortizza.

Oxbridge /ˈɒksbrɪdʒ/ ▣ n. ▣ «Oxbridge» (*composto da Oxford e Cambridge, in contrapposizione alle università di recente istituzione; cfr.* **redbrick**, *def. 2*) ▣ a. attr. relativo a Oxford e Cambridge.

oxen /ˈɒksn/ pl. di **ox**.

oxer /ˈɒksə(r)/ n. **1** staccionata di recinto per bovini **2** (*ipp.*) ostacolo costituito da due siepi divise da un fossato; oxer.

Oxfam /ˈɒksfæm/ abbr. (**Oxford Committee for Famine Relief**) Comitato oxoniense per la liberazione dalla carestia (*associazione di beneficenza*).

Oxford /ˈɒksfəd/ n. (*geogr.*) Oxford ● **O. accent**, accento di Oxford □ **O. bags**, pantaloni larghi di flanella ● **O. blue**, blu scuro; (*sport*) membro di una squadra (*o di un armo*) dell'università di Oxford □ **O. cloth** (= **o.**), stoffa di cotone per camicie □ **O. comma** → **comma** □ **O. grey**, grigio scuro, con puntini bianchi □ **an O. man**, uno che s'è laureato a Oxford □ **O. shoes** (= **oxfords**), scarpe basse da uomo; scarpe classiche (*coi lacci*).

oxherd /ˈɒkshɜːd/ n. bovaro; mandriano.

oxhide /ˈɒkshaɪd/ n. ▣ **1** pelle di bue **2** cuoio di bue.

oxidant /ˈɒksɪdənt/ n. (*chim.*) ossidante.

oxidase /ˈɒksɪdeɪz/ n. (*biol.*) ossidasi.

to oxidate /ˈɒksɪdeɪt/ → **to oxidize**.

oxidation /ɒksɪˈdeɪʃn/ n. ▣ ossidazione ● (*chim.*) **o.-reduction**, ossidoriduzione ‖ **oxidative** a. ossidativo.

oxide /ˈɒksaɪd/ n. (*chim.*) ossido: **iron o.**, ossido di ferro ● **o. blue**, blu cobalto □ **o. yellow**, giallo ocra □ **red o.**, minio.

to oxidize /ˈɒksɪdaɪz/ (*chim.*) ▣ v. t. ossidare ▣ v. i. ossidarsi ‖ **oxidizable** a. ossidabile ‖ **oxidization** n. ossidazione □ **oxidizer** n. (agente *o* sostanza) ossidante ‖ **oxidizing** a. ossidante.

oximeter /ɒkˈsɪmɪtə(r)/ n. (*chim., med.*) ossimetro.

oxlip /ˈɒkslɪp/ n. (*bot.*, *Primula elatior*) primavera maggiore.

Oxon /ˈɒksɒn/ abbr. di **Oxonian** (*nei titoli di studio*): *George Smith, M.A. Oxon*, George Smith, laureato a Oxford.

Oxonian /ɒkˈsəʊnɪən/ ▣ a. **1** dell'università di Oxford **2** oxoniano; oxoniense, ossoniense; della città di Oxford ▣ n. **1** studente (*o laureato*) dell'università di Oxford **2** nativo (*o abitante*) di Oxford.

oxtail /ˈɒksteɪl/ n. ▣ (*cucina*) coda di bue.

oxter /ˈɒkstə(r)/ n. (*scozz.*) ascella.

to oxter /ˈɒkstə(r)/ v. t. (*scozz.*) prendere (q.) sottobraccio (*o a braccetto*).

oxyacetylene /ɒksɪəˈsetɪliːn/ ▣ n. ▣ (*chim.*) miscela ossiacetilenica ▣ a. attr. ossiacetilenico: **o. blowpipe** (*o* **torch**), cannello ossiacetilenico; **o. cutting**, taglio ossiacetilenico; (*metall.*) **o. welding**, saldatura ossiacetilenica.

oxyacid /ɒksɪˈæsɪd/ n. (*chim.*) ossiacido.

oxychloride /ɒksɪˈklɔːraɪd/ n. (*chim.*) ossicloruro.

oxygen /ˈɒksɪdʒən/ n. (*chim.*) ossigeno ● (*fisiol.*) **o. debt**, debito d'ossigeno □ (*tecn.*) **o. lance**, lancia termica □ (*med.*) **o. mask**, maschera a ossigeno □ (*miss.*) **o. propellant**, propellente a ossigeno liquido □ (*med.*) **o. tent**, tenda a ossigeno □ (*med.*) **o. therapy**, ossigenoterapia.

to oxygenate /ˈɒksɪdʒəneɪt/ ▣ v. t. **1** (*chim.*) ossigenare **2** (*med.*) somministrare ossigeno a (q.) ▣ v. i. combinarsi con l'ossigeno ‖ **oxygenation** n. ▣ **1** (*chim.*) ossigenazione **2** (*med.*) somministrazione d'ossigeno.

oxygenator /ˈɒksɪdʒəneɪtə(r)/ n. (*med.*) ossigenatore (*strumento*).

to oxygenize /ˈɒksɪdʒənaɪz/ → **to oxygenate**.

oxyhaemoglobin, (USA) **oxyhemoglobin** /ɒksɪhiːməʊˈɡləʊbɪn/ n. ▣ (*biol.*) ossiemoglobina.

oxyhydrogen /ɒksɪˈhaɪdrədʒən/ ▣ n. ▣ (*chim.*) miscela ossidrica ▣ a. attr. ossidrico: **o. blowpipe** (*o* **o. torch**), cannello ossidrico; **o. welding**, saldatura ossidrica.

oxymoron /ɒksɪˈmɔːrɒn/ n. (pl. **oxymora**) (*retor.*) ossimoro.

oxyuriasis /ɒksɪjʊˈraɪəsɪs/ n. ▣ (*med.*) ossiuriasi.

oxyuris /ɒksɪˈjʊrɪs/ n. (pl. **oxyurides**) (*zool.*) ossiuro.

oyer /ˈɔɪə(r)/ n. (*leg., stor.*) udienza.

oyes, **oyez** /əʊˈjes, USA ˈəʊjes-/ inter. udite!; ascoltate! (*spec. usata dai banditori e nei tribunali*).

oyster /ˈɔɪstə(r)/ n. **1** (*zool.*, *Ostrea edulis*) ostrica: **pearl o.** (*Meleagrina margaritifera*), ostrica perlifera **2** (*fig. fam.*) persona troppo riservata (*o che non ha comunicativa*); persona di carattere chiuso; tipo chiuso (*fam.*) ● **o. bank** = **o. bed** → *sotto* (*o* **o. bar**, ristorante specializzato in ostriche (*che, di solito, vengono servite al banco*) □ **o. bed**, banco di ostriche □ (*GB., trasp.*) **o. card**, oyster card (*carta prepagata ricaricabile utilizzabile sulla rete metropolitana di Londra*) □ (*zool.*) **o. catcher** (*Haematopus ostralegus*), ostralega, beccaccia di mare □ **o. farm** (*o* **o. field**), allevamento di ostriche; ostricaio □ **o. farmer**, ostricoltore □ **o. farming**, ostricoltura □ **o. knife**, coltello da ostriche □ **o. man**, ostricaio (*pescatore o venditore d'ostriche*) □ **o. park**, vivaio di ostriche □ **o. seller**, ostricaio □ **o. shell**, valva d'ostrica □ **to be as dumb as an o.**, essere muto come un pesce.

to oyster /ˈɔɪstə(r)/ v. i. pescare ostriche.

Oz /ɒz/ (*slang*) ▣ n. **1** (*geogr.*) Australia **2** australiano ▣ a. australiano.

ozocerite /əʊˈzəʊsɪəraɪt/, **ozokerite**, **ozokerit** /əʊˈzəʊkɪəraɪt/ n. ▣ (*chim., miner.*) ozocerite, ozocherite.

ozone /ˈəʊzəʊn/ n. ▣ **1** (*chim.*) ozono **2** (*slang*) aria pura ● (*ecol.*: *di un frigorifero, ecc.*) **o.-friendly**, che non danneggia la fascia dell'ozono (*essendo privo di CFC*) □ (*tecn.*) **o. generator**, ozonizzatore □ **o. hole**, buco nell'ozono □ **o. layer**, strato dell'ozono; ozonosfera ‖ **ozonic** a. (*chim.*) ozonico.

to ozonize /ˈəʊzəʊnaɪz/ (*chim.*) v. t. ozonizzare ‖ **ozonization** n. ▣ ozonizzazione ‖ **ozonizer** n. (*tecn.*) ozonizzatore; ozonogeno.

ozonometer /əʊzəʊˈnɒmɪtə(r)/ n. ozonometro ‖ **ozonometric** a. ozonometrico ‖ **ozonometry** n. ▣ ozonometria.

ozonosphere /əʊˈzəʊnəsfɪə(r)/ n. ▣ ozonosfera.

Ozzie /ˈɒzɪ/, **Ozzy** /ˈɒzɪ/ a. e n. (*slang*) australiano.

p, P

P ①, **p** /piː/ n. (pl. **P's, p's; Ps, ps**) 1 P, p (*sedicesima lettera dell'alfabeto ingl.*) 2 (*in GB*) nuovo penny (*dal febbraio del 1971*) ● **p for Papa**, p come Palermo □ (*fig.*) **to mind one's p's and q's**, stare attenti a quel che si fa; badare a quel che si dice; esser cauto (*o* guardingo).

P ② sigla 1 (*autom.*, **park**) parcheggio (*marcia del cambio automatico*) 2 (**parking**) parcheggio, posteggio (P) 3 (*scuola*, **pass**) promozione; voto di sufficienza (*USA*) 4 (*scacchi*, **pawn**) pedone (P) 5 (**president**) presidente 6 (**priest**) sacerdote 7 (**prince**) principe.

p. abbr. 1 (**page**) pagina (pag.) 2 (**part**) parte 3 (**population**) popolazione (pop.).

PA sigla 1 (= PA system) (**public address system**) sistema di amplificazione del suono 2 (**personal assistant**) assistente personale, segretario particolare 3 (*med.*, **physician's assistant**) assistente sanitario (*non medico*) 4 (**press agent**) addetto stampa 5 (**Press Association**) Associazione della stampa 6 (*anche* **Pa.**) (**Pennsylvania**) Pennsylvania (*USA*) 7 (*GB*, **Publishers Association**) Associazione degli editori.

pa /paː/ n. (abbr. *fam. di* **papa**) papà; babbo.

p.a. sigla (**per annum**) all'anno.

pablum /'pæbləm/ n. ▭ → **pabulum**.

pabulum /'pæbjʊləm/ n. ▭ 1 (*biol. e fig.*) alimento; cibo; nutrimento 2 (*spreg.*) brodaglia (*fig.*); discorso banale; idea melensa; scritto da quattro soldi.

PABX sigla (*telef.*, **private automatic branch exchange**) centralino telefonico automatico privato.

Pac. abbr. (**Pacific**) Pacifico.

paca /'paːkə/ n. (*zool.*, *Cuniculus paca*) paca.

♦**pace** ① /peɪs/ n. 1 passo; (*fig.*) andatura, velocità: **at** (**a**) **walking p.**, a passo d'uomo; **furious p.**, grande velocità; foga; precipitazione; **to go at a good p.**, andare di buon passo; **to force the p.**, forzare il passo 2 ambio 3 (*fig.*) ritmo: (*anche sport*) **to maintain a lively p.**, mantenere un ritmo elevato ● (*cricket*) **p. bowler**, lanciatore che effettua lanci veloci (*o sport*) **p. car**, vettura staffetta, automobile che fa l'andatura (*nel primo giro del circuito*) □ **to gather p.**, acquistare velocità □ **to go the p.**, andare a tutta velocità; (*fig.*) correre la cavallina, fare la bella vita □ **to keep p. with sb.** [st.], essere (*o* andare) al passo con q. [qc.]; (*anche fig.*) tenere il passo di, reggere il ritmo di q. [qc.] □ **to mend one's p.**, cambiar passo; affrettarsi □ **to be off the p.**, (*ipp.*) essere nelle retrovie; (*fig.*) essere in posizione di svantaggio □ **to put sb. through his paces**, fare una prova (*o* un provino) a q. □ **to quicken one's p.**, allungare il passo; accelerare □ **to set the p.**, (*sport*) fare l'andatura; dare il passo; (*fig.*) fare da battistrada □ (*fig.*) **to show one's paces**, dare dimostrazione delle proprie capacità □ **to stand the p.**, reggere il passo; tenere l'andatura della corsa.

pace ② /'paːtʃeɪ/ (*lat.*) prep. con buona pace di; con tutto il rispetto per.

to **pace** /peɪs/ Ⓐ v. i. 1 andare al passo; camminare; passeggiare 2 (*di cavallo*) ambiare; andare all'ambio Ⓑ v. t. 1 percorre-

re a gran passi; misurare coi passi: **to p. a room**, percorrere a gran passi una stanza 2 (*sport*) fare l'andatura per (*un corridore, un podista, ecc.*): *My trainer was pacing me on a bicycle*, seguendomi in bicicletta, il mio allenatore mi faceva l'andatura 3 (*fig.*) regolare l'andatura (*o il ritmo*) di (qc.) 4 (*med.*) regolare il battito di, stimolare (*il cuore*) ● **to p. off** (**out**), misurare a passi (*una distanza e sim.*).

paced /peɪst/ a. 1 misurato (a passi) 2 (*nei composti, per es.*): **fast-[slow-]p.**, che ha un passo rapido [lento]; ad andatura veloce [lenta].

pacemaker /'peɪsmeɪkə(r)/ n. 1 (*sport*) chi fa l'andatura; battistrada 2 (*fig.*) figura di primo piano 3 (*anat.*) segnapasso (cardiaco) 4 (*med.*) stimolatore cardiaco; pacemaker 5 (*ciclismo*: *dietro motori*) allenatore (*pilota della moto*).

pacer /'peɪsə(r)/ n. 1 (*sport*) chi fa l'andatura; battistrada 2 (*di cavallo*) ambiatore; cavallo addestrato all'ambio (*nel trotto*).

pacesetter /'peɪssetə(r)/ n. 1 (*sport*) chi fa l'andatura; battistrada 2 (*fig.*) figura di primo piano 3 → **pacemaker**, def. 5.

paceway /'peɪsweɪ/ n. (*Austral.*) ippodromo.

pacha /'pɑːʃə/ n. pascià.

pachisi /pəˈtʃiːzi/ n. pachisi (*gioco indiano da tavoliere*).

pachyderm /'pækɪdɜːm/ n. (*zool.*) pachiderma (*anche fig.*) ‖ **pachydermatous** a. 1 (*zool.*) di (*o* da) pachiderma; pachidermico 2 (*fig.*) di pelle dura; coriaceo; insensibile.

pachydermia /pækɪˈdɜːmɪə/ n. ▭ (*med.*) pachidermia.

pachymeningitis /pækɪmenɪnˈdʒaɪtɪs/ n. ▭ (*med.*) pachimeningite.

pachymeninx /pækɪˈmiːnɪŋks/ n. (pl. *pachymeninges*) (*med.*) pachimeninge.

pacifiable /'pæsɪfaɪəbl/ a. pacificabile.

pacific /pəˈsɪfɪk/ a. pacifico; calmo; tranquillo ● (*geogr.*) **the P.** (**Ocean**), l'Oceano Pacifico; il Pacifico; **-ally** avv.

pacificism /pəˈsɪfɪsɪzəm/ e *deriv.* → **pacifism**, e *deriv.*

pacifier /'pæsɪfaɪə(r)/ n. 1 pacificatore; paciere 2 (*USA*) succhiotto; ciuccio; tettarella.

pacifism /'pæsɪfɪzəm/ n. ▭ pacifismo ‖ **pacifist** n. e a. pacifista ‖ **pacifistic** a. pacifistico.

to **pacify** /'pæsɪfaɪ/ v. t. pacificare; calmare; placare; sedare; rabbonire ‖ **pacification** ▭ pacificazione ‖ **pacificator** n. pacificatore ‖ **pacificatory** a. pacificatore; conciliativo.

pack /pæk/ n. 1 pacco; fagotto; fardello; involto; peso; soma 2 (*anche mil.*) zaino; sacca 3 balla (*di lana, ecc.*) 4 branco; muta: **a p. of wolves**, un branco di lupi; **a p. of hounds**, una muta di cani (*spec. nella caccia alla volpe*) 5 (*spreg.*) banda; masnada; branco: **a p. of thieves**, una banda di ladri; **a p. of fools**, un branco di stupidi 6 (*spreg.*) mucchio; sacco: **a p. of lies**, un sacco di bugie 7 (*ind.*) quantità di pesce (*di carne, frut-*

ta, ecc.) messa in scatola in una stagione 8 (*geogr.*, = **p. ice**) pack; banco di ghiaccio; banchisa 9 (*comm.*) imballaggio; imballo; confezione; incarto: **vacuum p.**, imballaggio sottovuoto; **economy p.**, confezione risparmio 10 (*med.*) impacco; tampone: **an ice p.**, un impacco di ghiaccio; **a p. for a wound**, un tampone per una ferita 11 (= **face p.**, *cosmesi*) maschera 12 mazzo (*di carte*) 13 (*spec. USA*) pacchetto di sigarette 14 (*ind. min.*) ripiena; rinterro 15 (*mil.*) piccola unità tattica (*di aerei, ecc.*) 16 (*sport*: *ciclismo*) gruppo; plotone; plotoncino 17 (*rugby*) pacchetto di mischia; 'pack' ● **p. animal**, bestia da soma □ (*mil.*) **p. artillery**, artiglieria someggiata □ **p. cloth**, tela da sacco; tela per imballaggi □ (*mil.*) **p.-drill**, marcia con lo zaino in spalla (*per punizione*): *No names, no p.-drill*, chi tiene la bocca cucita, non sarà mai punito; mai fare i nomi □ **p. frame**, portazaino (*struttura metallica tubolare*) □ (*metall.*) **p. hardening**, cementazione in cassetta (*o con cementanti solidi*) □ (*geogr.*) **p.-ice**, banchisa; pack □ (*zool.*) **p. leader**, capobranco; bestia guidaiola; guidaiolo □ **p. needle**, quadrello (*ago da tappezziere*) (*un tempo*) □ **p. pedlar**, venditore ambulante che portava la sua merce avvolta in un fagotto □ (*ind. min.*) **p. wall**, muro di ripiena; pilastro di pietrame □ **a six-pack of lager**, birra chiara in confezione da sei lattine.

♦to **pack** /pæk/ Ⓐ v. t. 1 impaccare; impacchettare; imballare; mettere in scatola (*o* in casse) 2 (*anche* **to p. in**) pigiare; riempire; imbottire; stipare; affollare; gremire: *We were packed in like sardines*, eravamo pigiati come sardine; **to p. a bag with clothes**, riempire una sacca di vestiti; *The audience packed the hall*, il pubblico stipava la sala; *Did you p. the bags yourself?*, ha fatto lei le valigie? 3 formare una muta di (*cani*) 4 raccogliere (*le carte da gioco*) e farne un mazzo 5 rincalzare, pressare (*terriccio*); tamponare, turare (*con una guarnizione*: *una falla, ecc.*): **to pack a leaking joint**, turare una giuntura che perde (*o* che fa acqua, ecc.) 6 mettere la soma a (*un animale*) 7 (*med.*) avvolgere (*il corpo, ecc.*) in panni umidi; fare un impacco a (q.) 8 (*leg.*) manipolare la composizione di (*un organo, un comitato, ecc.*); scegliere (*una giuria, ecc.*) favorevole e parziale 9 (*slang*, *spec. USA*) avere, possedere, essere dotato di; nascondere (*fig.*): *That boy packs a lot of talent*, quel ragazzo possiede molto talento 10 (*mecc.*) mettere la guarnizione a 11 (*slang*, *spec. USA*) avere addosso, portare (*un'arma*); portare (*spec. in uno zaino*): **to p. a gun**, portare la pistola; andare in giro armato (*con arma da fuoco*) Ⓑ v. i. 1 (*anche* **to p. up**) fare i bagagli; far le valigie 2 ammassarsi; accumularsi; ammucchiarsi: *The snow had packed against the door*, la neve si era ammassata contro la porta 3 (*ciclismo*) raggrupparsi; compattarsi 4 (*di un corridore*) farsi riassorbire dal gruppo □ **to p. a hard punch**, (*di un pugile*) possedere la castagna, picchiare duro; (*di bevanda alcolica*) picchiare, bruciare in gola □ **to p. hounds**, formare una muta di cani □ **to p. in bales**, imballare □ **to p. in**

boxes, inscatolare □ **to p. in cans** (o **in tins**), imballare in scatole di latta; inscatolare □ **to p. in cases**, incassare; mettere in casse □ **to p. one's bags**, fare fagotto (fig.) □ (fam. USA) **to p. a union card**, avere la tessera del sindacato □ **to send sb. packing**, costringere q. a far fagotto; cacciarlo; toglierlo dai piedi □ (tur.) **things to p.**, cose da mettere in valigia (o da portare con sé) □ **Knitwear packs easily**, è facile mettere in valigia gli indumenti di maglia.

■ **pack away** v. t. + avv. **1** mettere (qc.) via, mettere da parte; riporre **2** (fam.) fare fuori (cibo, ecc.); divorare.

■ **pack down** v. i. + avv. **1** (della neve, ecc.) ispessirsi, pigiarsi **2** (rugby) formare una mischia.

■ **pack in** Ⓐ v. t. + avv. **1** far entrare; pigiare; stipare **2** attirare, richiamare (folle di spettatori, ecc.) **3** piantare (fig.); smettere: **to p. in one's university studies**, piantare l'università Ⓑ v. i. + avv. affollarsi; pigiarsi; stiparsi □ (fam.) **to p. it in**, smetterla; piantarla (con un'attività, un lavoro, un gioco, ecc.).

■ **pack off** v. t. + avv. **1** spedire (qc.) in un pacco **2** mandare via (q.) in fretta e furia; spedire (fig.): **to p. the children off to school**, spedire a scuola i bambini.

■ **pack out** v. t. + avv. **1** imbottire **2** riempire, stipare, gremire (un locale, ecc.) di gente.

■ **pack up** Ⓐ v. t. + avv. **1** mettere (cose) in valigia; imballare: **to p. up one's things**, mettere in valigia i propri effetti personali; **to p. up one's books**, imballare i libri **2** rinunciare a (un tentativo); smettere; piantare (fig.): **to p. up one's job**, piantare il lavoro; You should p. up smoking, dovresti smetterla di fumare Ⓑ v. i. + avv. **1** fare i bagagli; fare fagotto (anche fig.) **2** (fam.) smetterla; piantarla; mollare (il lavoro, ecc.) **3** (fam.: di una macchina, del motore, ecc.) guastarsi, fermarsi; piantare (fam.): Halfway to London, the engine packed up on us, a mezza strada da Londra, ci piantò il motore.

packable /'pækəbl/ a. **1** impaccabile; imballabile **2** (moda) pieghevole: **p. trench coat**, impermeabile pieghevole.

♦**package** /'pækɪdʒ/ n. **1** pacco; collo; balla; cassa **2** imballaggio; confezione; incarto: **p. to be returned**, imballaggio a rendere **3** (econ., polit.) pacchetto: **an aid p.**, un pacchetto di aiuti (internazionali, ecc.); **an austerity p.**, un pacchetto di misure d'austerità **4** (comput.) pacchetto **5** (comm., tur.) combinazione: **an attractive p.**, una combinazione allettante **6** (USA) pacchetto; involto (cfr. ingl. packet) **7** (fam. USA) mucchio di soldi **8** (slang USA: detto di una donna) bel tocco; (bel) bocconcino ● (sindacalismo) **p. bargaining**, contrattazione sul pacchetto salariale □ (ferr.) **p. car**, vagone collettame □ **p. deal**, (econ., polit.) pacchetto; (comm.) acquisto (o vendita) in blocco □ (tur.) **p. holiday**, pacchetto vacanze □ (tur.) **p. tour**, viaggio organizzato; pacchetto turistico (o di viaggio) □ **economic p.**, pacchetto economico (del governo).

to **package** /'pækɪdʒ/ v. t. **1** (comm.) impaccare; imballare; confezionare **2** (fam. USA) presentare (un articolo, un prodotto, un cantante, ecc.) ● bene ● (tecn.) **packaged burner**, bruciatore monoblocco □ (trasp.) **packaged cargo**, collettame.

packager /'pækɪdʒə(r)/ n. (comm.) impacchettatore; imballatore; confezionatore.

packaging /'pækɪdʒɪŋ/ n. Ⓤ **1** confezione; imballaggio: **p. machine**, macchina da imballaggio; imballatrice; impacchettatrice; **p. materials**, materiali da imballaggio **2** materiale da imballaggio; imballaggio **3** (comm.) presentazione del prodotto; presentazione **4** (fig.) presentazione.

packed /pækt/ a. **1** (= **p.-out**) pieno zep-

po; stracolmo; gremito; stipato: The room was p. with people, la stanza era piena zeppa di gente **2** (tur.) al sacco: **p. lunch** (o **meal**), cestino da viaggio; colazione al sacco; cestino pranzo **3** (leg.: di giuria) truccata ● **p. earth**, terriccio rincalzato.

packer /'pækə(r)/ n. **1** impaccatore; imballatore **2** imballatrice; impacchettatrice; macchina per impaccare **3** industriale della carne in scatola.

♦**packet** /'pækɪt/ n. **1** pacchetto; pacco; involto; confezione; sacchetto: **a p. of crisps**, un sacchetto di patatine (fritte); **a p. of biscuits [of cigarettes]**, un pacchetto di biscotti (di sigarette); **postal p.**, pacco postale; **a p. of envelopes**, una confezione di buste **2** (ingl.) busta paga; (per estens.) paga, retribuzione **3** (naut., = **p. boat**) (nave) postale **4** (comput.) pacchetto: **data p.**, pacchetto di dati (per la trasmissione) **5** (biol.) pacchetto **6** (di aghi da cucire) bustina **7** (slang) mucchio (o sacco, barca) di soldi; I'm afraid it's going to cost a p., temo costerà una barca di soldi **8** (slang) guaio; brutto colpo; strigliata **9** (gergo mil.) pallottola; proiettile **10** (gergo gay) 'pacco'; genitali maschili ● (comput.) **p. sniffer**, intercettatore di pacchetti □ (comput.) **p. switching**, commutazione di pacchetto □ (comput.) **p. transmission**, trasmissione a pacchetti □ (slang) **to catch** (o **to cop, to stop**) **a p.**, beccarsi una pallottola, restare ucciso; (anche) passare un guaio grosso; vedersela brutta; prendersi una bella strigliata.

to **packet** /'pækɪt/ v. t. impacchettare.

packhorse /'pækhɔːs/ n. **1** cavallo da soma **2** (fig.) uomo di fatica.

packhouse /'pækhaʊs/ n. (USA) **1** magazzino; deposito **2** conservificio.

packing /'pækɪŋ/ n. **1** Ⓤ impacchettamento; imballaggio; materiale da imballaggio **2** Ⓤ il far le valigie **3** (mecc.) guarnizione; baderna **4** Ⓤ (med.) tamponamento (d'una ferita, ecc.) **5** Ⓤ (ind.) confezionamento di cibi (in scatola, in vasetti, ecc.) **6** Ⓤ (geol.) assestamento **7** Ⓤ (slang) roba da mangiare; robaccia ● **p. box** (o **p. case**), cassa da imballaggio □ (comm.) **p.-free**, franco d'imballaggio □ (mecc.) **p. gland**, (anello) premistoppa □ **p. house** (o **p. plant**), impianto di lavorazione della carne in scatola; conservificio □ (comm.) **p. list**, distinta della merce spedita; bolla d'accompagnamento □ **p. needle**, quadrello (ago da tappezziere) □ **p. paper**, carta da imballaggio □ **p. press**, pressa per imballare □ **p. sheet**, tela per imballaggio □ **to do one's p.**, fare le valigie.

packman /'pækmən/ n. (pl. **packmen**) (un tempo) venditore ambulante.

packsack /'pæksæk/ n. (USA) zaino.

packsaddle /'pæksædl/ n. basto.

packthread /'pækθred/ n. corda da pacchi; refe; spago.

♦**pact** /pækt/ n. patto; accordo; convenzione: (polit.) **non-aggression p.**, patto di non aggressione; (stor., polit.) Warsaw p., patto di Varsavia.

pactional /'pækʃənl/ a. (leg.) pattizio.

pacy /'peɪsɪ/ a. (GB) **1** (di atleta, ecc.) veloce; rapido **2** (di film, ecc.) dal ritmo incalzante.

♦**pad** ① /pæd/ n. **1** batuffolo; cuscinetto; guancialetto; imbottitura: **a shoulder pad**, un cuscinetto d'imbottitura per la spalla; **elbow pad**, paragomito; **shin pad**, parastinchi **2** (= **inking pad, stamp pad**) (anche tipogr.) cuscinetto per timbri; tampone: **pad printing**, stampa a tampone **3** (= **writing pad**) blocchetto di fogli di carta da scrivere (o da disegno) **4** (med.) zaffo; tampone; stuello **5** (elettron.) attenuatore fisso **6** (cricket) gambale; parastinchi **7** (anat.) cuscinetto adiposo; (zool.) cuscinetto carnoso (sotto i

piedi dei gatti, ecc.) **8** zampa (spec. di volpe o lepre) **9** (mecc.) cuscinetto ammortizzatore; flangia di attacco **10** (autom., mecc.) pattino d'attrito (di freno a disco); pastiglia **11** (metall.) suola (del crogiolo) **12** (aeron.) piattaforma: **helicopter pad**, piattaforma per elicotteri **13** (= **landing pad**; aeron.) piattaforma di atterraggio **14** (= **launch pad**; miss.) piattaforma di lancio **15** (slang) alloggio; casa **16** (slang) giaciglio; letto **17** (slang USA) mazzetta; pizzo (preso da poliziotti corrotti): **to be on the pad**, prendere le mazzette ● (autom.) **pad wear indicator**, segnalatore (ottico) dell'usura dei pattini.

pad ② /pæd/ n. **1** rumore smorzato di passi; rumore fatto da un bastone che batte la terra **2** (Austral.) sentiero: **a cattle pad**, un trattura **3** (slang antiq.) strada (spec. in:) **gentleman** (o **knight, squire**) **of the pad**, «re della strada»; bandito; brigante; grassatore **4** (arc.) ronzino.

to **pad** ① /pæd/ v. t. **1** (anche **to pad out**) imbottire; ovattare **2** (anche **to pad out**) gonfiare, inzeppare, infarcire (una frase, un discorso, ecc.) **3** (anche **to pad up**) falsificare (un conto spese, ecc.) a proprio vantaggio; alterare, gonfiare (il numero dei soci di un circolo, ecc.) **4** (med.) zaffare; tamponare **5** (mecc.) applicare pattini di attrito (o pastiglie) a **6** (comput.) riempire (spazio inutilizzato) ● (slang USA) **to pad out**, andare a letto; sistemarsi (o arrangiarsi) per la notte.

to **pad** ② /pæd/ v. i. **1** andare a piedi; camminare **2** camminare leggermente; muoversi con passo felpato **3** (arc.) fare il brigante (o il grassatore).

padded /'pædɪd/ a. imbottito: **p. bra**, reggiseno imbottito; **p. collar**, collare imbottito (per cani e gatti) ● **p. cell**, cella imbottita □ **p. hips**, fianchi prosperosi □ **p. jacket**, giubbotto imbottito; piumino.

padder /'pædə(r)/ n. (elettron.) condensatore in serie.

padding /'pædɪŋ/ n. Ⓤ **1** (anche sport) imbottitura **2** materiale per imbottitura; ovatta **3** (fig.) riempitivo (in un discorso, libro, ecc.) **4** (comput.) riempimento (dello spazio inutilizzato).

paddle /'pædl/ n. **1** pagaia **2** pala (di ruota ad acqua o di ruota a pale) **3** (mecc.) spatola; paletta **4** (zool.) pinna; natatoia; aletta **5** (anche sport) pagaiata; colpo di pagaia **6** racchetta (da ping-pong) **7** (lotta libera) paletta (dell'arbitro) ● (naut.) **p. box**, tamburo di ruota a pale □ (naut.) **p. steamer**, piroscafo (o vapore) a ruote (o a pale) □ (naut.) **p. wheel**, ruota a pale □ (sport) **double p.**, pagaia doppia □ **to have a p. in the water**, diguazzare nell'acqua bassa (lungo la spiaggia, ecc.).

to **paddle** ① /'pædl/ Ⓐ v. i. **1** vogare con la pagaia; pagaiare **2** (di nave) procedere mediante ruote a pale **3** (zool.: di palmipedi) nuotare **4** (di bambini, ecc.) nuotare a cane Ⓑ v. t. **1** muovere (una canoa, ecc.) con pagaie; trasportare (q. o qc.) a forza di pagaiare **2** (fam. USA) battere; sculacciare ● (fig.) **to p. one's own canoe**, essere indipendente; fare da sé; cavarsela da sé ● **paddling pool**, vasca per giochi infantili (ai giardini, ecc.); piscinetta di plastica.

to **paddle** ② /'pædl/ v. i. **1** diguazzare; sguazzare (coi piedi nell'acqua) **2** giocherellare con le dita **3** (di bambino) camminare barcollando; trotterellare.

paddlefish /'pædlfɪʃ/ n. (pl. **paddlefish**, **paddlefishes**) (zool., Polyodon spathula) pesce spatola.

paddler /'pædlə(r)/ n. **1** chi voga con la pagaia **2** chi diguazza nell'acqua bassa.

paddock ① /'pædək/ n. **1** paddock; praticello presso le stalle; chiuso; recinto **2** (negli ippodromi) paddock; passeggiatoio **3**

(*autom.*, *ecc.*) paddock; recinto dei meccanici (*con sala stampa*, *ecc.*).

paddock ② /'pædək/ n. (*dial.*) rana; rospo.

paddy ① /'pædɪ/ n. **1** Ⓤ riso (*spec. con la buccia*); riso vestito **2** (= **p. field**) risaia.

paddy ② /'pædɪ/ n. (*fam.*) arrabbiatura; scatto d'ira; accesso di collera; luna storta (*fig.*).

Paddy /'pædɪ/ n. (*fam. o spreg.*) **1** dim. di → **Patrick 2** (*per estens.*) irlandese (*Patrizio*; *il santo omonimo è il protettore dell'Irlanda*) **3** (*slang USA*) poliziotto; sbirro ● (*slang USA*) **p.-wagon**, cellulare (*furgone della polizia*).

padlock /'pædlɒk/ n. lucchetto ● **p. law**, legge che regola l'orario di chiusura (*dei negozi*, *caffè*, *ecc.*).

to **padlock** /'pædlɒk/ v. t. chiudere col lucchetto.

padre /'pɑːdreɪ/ n. **1** (*mil.*) cappellano **2** (*relig.*; anche al vocat.) padre.

padsaw /'pædsɔː/ n. saracco (*seghetto a lama trapezoidale*).

Padua /'pædjʊə/ n. (*geogr.*) Padova ‖ **Paduan** a. e n. padovano.

paean /'piːən/ n. (*poesia*) peana.

paederast /'piːdəræst/ n. → **pederast**.

paederasty /'piːdəræstɪ/ n. → **pederasty**.

paediatrics, (*USA*) **pediatrics** /piːdɪ-'ætrɪks/ (*med.*) n. pl. (col verbo al sing.) pediatria ‖ **paediatric**, (*USA*) **pediatric** a. pediatrico ‖ **paediatrician**, (*USA*) **pediatrician**, **paediatrist**, (*USA*) **pediatrist** n. pediatra.

paedogamy, (*USA*) **pedogamy** /piː'dɒgəmɪ/ n. Ⓤ (*biol.*) pedogamia.

paedogenesis, (*USA*) **pedogenesis** /piːdəʊ'dʒɛnəsɪs/ n. Ⓤ (*bot.*, *zool.*) pedogenesi.

paedology, (*USA*) **pedology** /piː'dɒlədʒɪ/ n. Ⓤ (*psic.*) pedologia.

paedophile, (*USA*) **pedophile** /'piːdəʊfaɪl/ n. pedofilo.

paedophilia, (*USA*) **pedophilia** /piːdəʊ-'fɪlɪə/ n. Ⓤ pedofilia ‖ **paedophiliac**, (*USA*) **pedophiliac** a. pedofilo.

paella /paɪ'ɛlə/ n. Ⓤ (*cucina*) paella.

paeon /'piːən/ n. (*poesia*) peone (*piede di tre brevi e una lunga*).

paeony /'piːənɪ/ → **peony**.

pagan /'peɪgən/ a. e n. pagano ‖ **paganish** a. di (*o da*) pagano; paganeggiante ‖ **paganism** n. Ⓤ **1** paganesimo **2** (la) paganità.

to **paganize** /'peɪgənaɪz/ Ⓐ v. t. rendere pagano; paganizzare Ⓑ v. i. diventar pagano; paganeggiare (*lett.*) ‖ **paganization** n. Ⓤ paganizzazione.

◆**page** ① /peɪdʒ/ n. **1** (*anche fig.*) pagina: **the sports pages**, le pagine sportive (*di un giornale*); **on p. ten**, a pagina dieci; *That is a bad p. in his life*, quella è una brutta pagina nella sua vita **2** (*comput.*) pagina: **p. break**, interruzione di pagina ● (*giorn.*) **p. make-up**, impaginazione □ (*tipogr.*) **p. proofs**, bozze impaginate □ (*tipogr.*) **p. setting**, impaginazione □ (*fam.*) **p. three**, la terza pagina di un giornale popolare (*con donne nude*, *ecc.*) ● (*fam. antiq.*) **p. turner**, libro che si legge tutto di un fiato (*o fam. USA*) **to take a p. from sb.'s book**, copiare, imitare, seguire l'esempio di q.

page ② /peɪdʒ/ n. **1** (*anche pageboy*) (*stor.*) paggio; **2** fattorino d'albergo (*in livrea*) **3** paggio (*della sposa: a un matrimonio*) ● (*a corte*, *ecc.*) **p. of honour**, paggio d'onore.

to **page** ① /peɪdʒ/ v. t. **1** numerare le pagine di (*un libro*) **2** (*tipogr.*) paginare (*anche* **to p. up**) impaginare **3** (*comput.*) paginare ● **to p. through**, scorrere le pagine di; sfogliare.

to **page** ② /peɪdʒ/ v. t. **1** far da paggio (*o fattorino*) a **2** chiamare (*q.: in un albergo*, *ecc.*) per mezzo dell'altoparlante (*di un cicalino*, *ecc.*) ● **paging system**, sistema cercapersone.

pageant /'pædʒənt/ n. **1** (*teatr.*) spettacolo drammatico (*di solito*, *all'aperto*) rievocante avvenimenti storici **2** corteo storico; parata; processione; sagra; sfilata **3** (*fig.*) pompa; sfarzo **4** (*spreg.*) sfoggio; bella mostra ● **a beauty p.**, un concorso di bellezza.

pageantry /'pædʒəntrɪ/ n. Ⓤ **1** spettacolo fastoso (*o sfarzoso*) **2** pompa; sfarzo.

pageboy /'peɪdʒbɔɪ/ n. **1** (*stor.*) paggio; paggetto o acconciatura (*dei capelli*) alla paggetto; caschetto.

pager /'peɪdʒə(r)/ n. **1** (*telef.*) segreteria telefonica **2** (*USA*) cicalino; cercapersone; Teledrin®; pager **3** (*ind.*) chi fabbrica cercapersone.

paginal /'pædʒɪnl/ a. **1** di pagina; fatto di pagine **2** pagina per pagina.

pagination /pædʒɪ'neɪʃn/ n. Ⓤ **1** paginatura **2** impaginazione; impaginatura ‖ to **paginate** v. t. **1** numerare le pagine di (*un libro*) **2** (*tipogr.*) impaginare.

paging /'peɪdʒɪŋ/ n. Ⓤ **1** (*tipogr.*) impaginazione **2** (*comput.*) paginazione **3** il chiamare con cercapersone (cicalini, *ecc.*) ● **p. system**, interfono; cercapersone.

pagoda /pə'gəʊdə/ n. **1** (*archit.*) pagoda **2** (*stor.*) moneta d'oro dell'India meridionale ● (*bot.*) **p. tree** (*Sophora japonica*), robinia del Giappone.

PAH sigla (*fis.*, **polycyclic aromatic hydrocarbon**) idrocarburo policiclico aromatico.

pah /pɑː/ inter. **1** (*di disgusto*, *disprezzo*) puah! **2** (*d'incredulità*) bah!; via, via!; ma va là!

◆**paid** /peɪd/ Ⓐ pass. e p. p. di **to pay** Ⓑ a. **1** pagato: **p. holidays**, ferie pagate **2** (*di lavoro*) remunerato; pagato; retribuito: **a well p. worker**, un lavoratore ben pagato ● (*fin.*) **p.-in capital** (*o* **p.-up capital**), capitale versato (*o conferito*, *o di apporto*) □ **p.-up member**, (membro regolarmente) iscritto (*spec. a un sindacato*); socio in regola con i versamenti (*fig.*) appartenente a pieno titolo (*a un gruppo*, *una comunità*, *ecc.*), sostenitore convinto □ (*fin.*) **p.-up share**, azione liberata □ **fully p.-up**, (*econ.*, *di capitale*) interamente versato (*fam.*) autentico, a pieno titolo, di ferro (*fig.*) □ (*fam.*) **to put p. to a matter**, risolvere (*o sistemare*) definitivamente una faccenda.

pail /peɪl/ n. secchio; secchia ● **ice p.**, secchiello da ghiaccio □ **milk p.**, secchio per il latte ‖ **pailful** n. secchiata; quanto sta in un secchio.

paillasse /'pæljæs, pæl'jæs/ → **palliasse**.

◆**pain** /peɪn/ n. **1** Ⓤ pena; dolore; male; patimento; afflizione; sofferenza; tormento: **to be in p.**, stare in pena; sentir male; soffrire; *He's in a lot of p.*, sente molto dolore; **a shooting p.**, un dolore lancinante; *I have a p. in my leg*, ho male a una gamba **2** (pl.) (= **labour pains**) doglie del parto **3** Ⓤ pena; punizione: **under** (*o* **on**) **p. of**, sotto pena di **4** (*fam.* = **p. in the neck**) scocciatura; rottura (di scatole) (*pop.*); scocciatore; rompiscatole ● (*leg.*) **p. and suffering**, pretium doloris (*lat.*) (*GB*, *fig.*) **p. barrier**, barriera del dolore (*volg.*) **p. in the arse** (*USA*: **p. in the ass**), rottura di coglioni (*o di balle*) (*volg.*); rompicoglioni (*volg.*); rompiballe (*pop.*) □ (*leg.*) **pains and penalties**, pene; **bills of pains and penalties**, leggi penali eccezionali □ **for one's pains**, come contraccambio, come ricompensa (*dei propri sforzi*, *delle proprie fatiche*): *All he got for his pains was a severe reprimand*, come ricompensa, ricevette una severa sgridata □ **to give sb. p.**, addolorare q.; far soffrire q. □ **to spare**

no pains, to do (*o doing*) **st.**, mettercela tutta (*o impegnarsi a fondo*) per fare qc. □ **to take pains** (*o* **to be at pains**), darsi pena; affannarsi; avere un bel da fare; faticare: *I was at considerable pains to explain my attitude*, ebbi un bel da fare (*o mi ci volle del bello e del buono*) per chiarire il mio atteggiamento □ (*prov.*) **No p., no gain**, senza fatica non si ottiene nulla.

to **pain** /peɪn/ Ⓐ v. t. **1** addolorare; affliggere; far male a; far soffrire: *The wound pained me for several weeks*, la ferita mi fece male per diverse settimane **2** (*fam.*) infastidire; seccare; scocciare (*fam.*) Ⓑ v. i. dolere; far male: *My arm is paining*, mi fa male un braccio.

pained /peɪnd/ a. addolorato; afflitto; sofferente: **to look p.**, apparire addolorato; **a p. expression**, un'aria afflitta (*o offesa*) ● **a p. silence**, un penoso silenzio.

◆**painful** /'peɪnfl/ a. **1** doloroso; penoso; fastidioso; molesto; spiacevole; sofferto: **a p. experience**, un'esperienza dolorosa; **p. efforts**, penosi sforzi; **a p. decision**, una decisione sofferta; *It's too p. to stand*, mi fa troppo male per stare in piedi **2** che fa male; dolente: **a p. finger**, un dito che fa male; (*boxe*) **a p. blow**, un colpo che fa male | **-ly** avv. | **-ness** n. Ⓤ.

painkiller /'peɪnkɪlə(r)/ (*farm.*) n. analgesico; antidolorifico; calmante; sedativo ‖ **painkilling** a. analgesico; antidolorifico; calmante; sedativo.

painless /'peɪnləs/ a. indolore: **p. childbirth**, parto indolore | **-ly** avv. | **-ness** n. Ⓤ.

painstaking /'peɪnzteɪkɪŋ/ a. accurato; coscienzioso; diligente; scrupoloso: **a p. search**, una ricerca meticolosa Ⓑ n. Ⓤ il darsi pena; diligenza; grande cura.

◆**paint** /peɪnt/ n. Ⓤ **1** colore; vernice; pittura: **ground p.**, colore in polvere; **spray p.**, vernice a spruzzo **2** belletto; rossetto **3** (= **grease p.**; *teatr.*, *cinem.*) cerone **4** (pl.) tavolette (*o tubetti*) di colore; acquerelli ● **p. remover**, (prodotto) sverniciante; diluente □ **p. sprayer**, pistola a spruzzo □ **p. spraying**, tinteggiatura a tempera; verniciatura a spruzzo □ **p. stripper**, diluente, sverniciatore □ **p. stripping**, sverniciatura □ **grease p.**, cerone □ (*fam.*) **as fresh as p.**, fresco come una rosa □ **«wet p.»**, (*cartello*) «vernice fresca».

◆to **paint** /peɪnt/ Ⓐ v. t. **1** dipingere (*anche fig.*); ritrarre; raffigurare; colorare; pitturare; verniciare: **to p. exotic animals**, dipingere animali esotici; **to p. the fence green**, verniciare di verde lo steccato **2** imbellettare; dare il rossetto al (*viso*) **3** (*med.*) spennellare (*una ferita*, *ecc.*) **4** applicare, dare (*un tipo di vernice*) Ⓑ v. i. **1** dipingere; fare il pittore **2** imbellettarsi: **to p. heavily**, imbellettarsi in modo esagerato ● (*pitt.*) **to p. the background**, campire □ **to p. one's nails**, mettersi lo smalto sulle unghie □ **to p. st. out** (*o* **over**), coprire qc. di vernice; cancellare qc. coprendola di vernice □ **to p. a picture**, dipingere un quadro; (*fig.*) fare un quadro, dare una descrizione □ (*fam.*) **to p. the town red**, andare in giro a far baldoria (*in pub*, *locali notturni ecc.*).

paintball game /'peɪntbɔːlgeɪm/ loc. n. (*mil.*) guerra simulata (*con proiettili di vernice che esplodono segnando i contendenti colpiti*).

paintbox /'peɪntbɒks/ n. scatola dei colori.

paintbrush /'peɪntbrʌʃ/ n. pennello (*da pittore o per verniciare*).

painted ① /'peɪntɪd/ a. **1** dipinto; raffigurato in pittura **2** colorato; verniciato **3** imbellettato **4** finto; immaginario: **a p. devil**, un diavolo finto (*o immaginario*) ● (*zool.*) **p. wolf** (*Lycaon pictus*), licaone □ **newly-p.**, dipinto di fresco.

painter① /'peɪntə(r)/ n. **1** (*arte*) pittore, pittrice **2** (= **house-p.**) imbianchino **3** (*ind.*) verniciatore ● (*med.*) **p.'s colic**, colica saturnina.

painter② /'peɪntə(r)/ n. (*naut.*) barbetta; cima da ormeggio (*o* da rimorchio) ● **to cut the p.**, (*naut.*) tagliare gli ormeggi; (*fig.*) separarsi; (*stor.*: *di una colonia*) staccarsi dalla madrepatria.

◆**painting** /'peɪntɪŋ/ n. **1** ⓤ (*arte*) pittura; *I do a bit of p. in my spare time*, dipingo un po' nel tempo libero **2** dipinto; quadro: **an oil p.**, un dipinto a olio **3** ⓤ (*ind.*) verniciatura; pittura: **spray p.**, verniciatura a spruzzo **4** ⓤ (*med.*) spennellatura **5** (*edil.*) tinteggiatura; pittura: **colour-wash p.**, tinteggiatura a calce; **water-colour p.**, pittura (*o* tinteggiatura) a tempera.

paintress /'peɪntrɪs/ n. pittrice.

paintwork /'peɪntwɜːk/ n. ⓤ **1** verniciatura **2** parte verniciata; vernice: **the p. of my bike [car]**, la vernice della mia bicicletta [della mia auto].

painty /'peɪntɪ/ a. **1** imbrattato di colore; sporco di vernice **2** (*pitt.*: *di un dipinto*) sovraccarico di colore.

◆**pair** /peə(r)/ n. **1** paio; coppia: **a p. of shoes**, un paio di scarpe; *This p. is fine, I'll take them*, questo paio va bene, le prendo; **a p. of scissors**, un paio di forbici; **the happy p.**, la coppia felice; gli sposi novelli **2** (*di cavalli*) pariglia **3** cosa che fa paio con un'altra: *Where is the p. to this sock?*, dov'è il calzino che fa paio con questo? **4** (*elettr., mecc., ecc.*) coppia **5** (*canottaggio*) due (sost.) **6** (*tennis, ecc.*) coppia (*nel doppio*) **7** (*nei giochi di carte*) coppia: **a p. of court cards**, una coppia vestita ● (*pattinaggio*) **pairs figure skating**, pattinaggio artistico a coppie □ **a p. of compasses**, un compasso □ **a p.-oar**, una barca a due remi; (*canottaggio*) un due senza □ **a p. of scales**, una bilancia □ **a p. of stairs** (*o* of steps), una rampa di scale □ (*nei giochi di carte*) **p. royal**, tris □ **p.-wise**, a coppie; a due a due; appaiati □ (*fig. di persona*) **a safe p. of hands**, una garanzia □ **in pairs**, a coppie □ (*poker*) **one p.**, (una) coppia □ **one-p.** [**two-p.**] **front**, stanza del primo [del secondo] piano che dà sulla strada □ **to sell in pairs**, vendere a paia □ (*poker*) **two pairs**, doppia coppia; doppia □ (*fig.*) **It's another p. of shoes**, è un altro paio di maniche; è tutt'altra cosa □ (*fig.*) **I've only got one p. of hands**, ho soltanto due mani.

to **pair** /peə(r)/ **A** v. t. **1** appaiare; accoppiare; mettere a due a due **2** sposare; unire (*in matrimonio*) **B** v. i. **1** appaiarsi; accoppiarsi **2** (*raro*) sposarsi ● **to p. off**, mettere per due; appaiare; far mettere insieme (*persone, oggetti, ecc.*); (*sport*) abbinare (*concorrenti*) □ (*fam.*) **to p. off with sb.**, mettersi insieme, fidanzarsi con q. □ **to p. up with sb.**, fare coppia con q.

pairing /'peərɪŋ/ n. ⓤ **1** appaiamento; accoppiamento **2** (*ipp.*) accoppiata **3** (*elettron.*) appaiamento delle linee ● (*zool.*) **p. season**, stagione degli amori.

paisley /'peɪzlɪ/ **A** n. ⓤ (*ind. tess.*) **1** tessuto a motivo cachemire **2** motivo cachemire **B** a. a motivo cachemire: **a p. shirt [shawl]**, una camicia [uno scialle] a motivo cachemire.

pajamas /pə'dʒɑːməz/ n. pl. (*USA*) pigiama ● (*moda*) **p. pants**, pigiama palazzo.

Paki /'pækɪ/ a. e n. (*spreg. ingl.*) pachistano ● (*slang*) **P.-bashing**, teppismo aggressivo contro i pachistani (*in GB*).

Pakistani /pɑːkɪ'stɑːnɪ/ a. e n. (pl. **Pakistanis**) pachistano.

pakora /pə'kɔːrə/ n. (*cucina indiana*) pakora (*frittella di pollo, cipolla, spinaci, ecc.*).

pal /pæl/ n. **1** (*fam.*) amico; compagno **2** (al vocat.; *iron.*) tipo; tizio: *Listen, pal!*, ehi, tu!

to **pal** /pæl/ v. i. (*fam.*) **1** – **to pal with** (*o* **around with**), essere amico di, frequentare (q.) **2** – **to pal up with sb.**, far amicizia con q.

PAL sigla (*TV*, **phase alternation line**) riga ad alternanza di fase (*sistema di trasmissione, cfr.* **NTSC**).

◆**palace** /'pæləs/ n. **1** palazzo **2** (= **royal p.**) palazzo reale; reggia **3** (= **bishop's p.**) palazzo vescovile; vescovado **4** «palace»; elegante luogo di ritrovo **5** – (*fam., in GB*) **the P.**, Buckingham Palace; la casa reale; i reali inglesi ● (*ferr., USA*) **p. car**, carrozza di lusso; vettura salone □ **p. guard**, guardia del palazzo; (*fig. spreg.*) entourage; accoliti (pl.) □ **p. coup** (*o* plot), rivolta di palazzo.

paladin /'pælədɪn/ n. (*anche fig.*) paladino.

palaeoanthropology, (*USA*) **paleoanthropology** /ˌpælɪəʊænθrə'pɒlədʒɪ/ n. ⓤ paleoantropologia.

palaeobiology, (*USA*) **paleobiology** /ˌpælɪəʊbaɪ'ɒlədʒɪ/ n. ⓤ paleobiologia.

palaeobotany, (*USA*) **paleobotany** /ˌpælɪəʊ'bɒtənɪ/ n. ⓤ paleobotanica.

Palaeocene /'pælɪəʊsiːn/ (*geol.*) **A** n. ⓤ Paleocene **B** a. paleocenico.

palaeoclimatology, (*USA*) **paleoclimatology** /ˌpælɪəʊklaɪmə'tɒlədʒɪ/ n. ⓤ paleoclimatologia.

palaeoecology, (*USA*) **paleoecology** /ˌpælɪəʊɪ'kɒlədʒɪ/ n. ⓤ paleoecologia.

palaeoethnology, (*USA*) **paleoethnology** /ˌpælɪəʊeθ'nɒlədʒɪ/ n. ⓤ paletnologia; paleoetnologia || **palaeoethnological**, (*USA*) **paleoethnological** a. paletnologico || **palaeoethnologist**, (*USA*) **paleoethnologist** n. paletnologo.

Palaeogene /'pælɪəʊdʒiːn/ (*geol.*) **A** n. ⓤ paleogene **B** a. paleogenico.

palaeogenetics, (*USA*) **paleogenetics** /ˌpælɪəʊdʒə'netɪks/ n. pl. (col verbo al sing.) paleogenetica.

palaeography, (*USA*) **paleography** /ˌpælɪ'ɒɡrəfɪ/ n. ⓤ paleografia || **palaeographer**, (*USA*) **paleographer** n. paleografo || **palaeographic**, (*USA*) **paleographic** a. paleografico.

palaeolith, (*USA*) **paleolith** /'pælɪəʊlɪθ/ n. (*raro*) arnese (*o* utensile) del paleolitico.

Palaeolithic, (*USA*) **Paleolithic** /ˌpælɪəʊ'lɪθɪk/ n. e a. (*preistoria*) paleolitico.

palaeontology, (*USA*) **paleontology** /ˌpælɪɒn'tɒlədʒɪ/ n. ⓤ paleontologia || **palaeontological**, (*USA*) **paleontological** a. paleontologico || **palaeontologist**, (*USA*) **paleontologist** n. paleontologo.

Palaeozoic, (*USA*) **Paleozoic** /ˌpælɪəʊ'zəʊɪk/ a. e n. (*geol.*) Paleozoico.

palaestra /pə'liːstrə/ n. (pl. *palaestrae, palaestras*) (*spec. stor.*) palestra.

palama /'pæləmə/ n. (pl. *palamae*) (*zool.*) membrana interdigitale.

palanquin, **palankeen** /ˌpælən'kiːn/ n. palanchino (*portantina*).

palatability /ˌpælətə'bɪlətɪ/ n. ⓤ **1** gradevolezza; gustosità; buon sapore **2** (*fig.*) l'essere accettabile (*o* gradito).

palatable /'pælətəbl/ a. **1** appetitoso; gradevole al palato; gustoso; saporito **2** (*fig.*) accettabile; bene accetto; gradito; piacevole | **-bly** avv. | **-ness** n. ⓤ.

palatal /'pælətl/ **A** a. (*anat., fon.*) palatale **B** n. (*fon.*) suono palatale.

to **palatalize** /'pælətəlaɪz/ (*fon.*) v. t. palatalizzare || **palatalization** n. ⓤ palatalizzazione.

palate /'pælət/ n. **1** (*anat.*) palato: **cleft p.**, palato fesso; gola lupina; **soft p.**, palato molle **2** (*fig.*) gusto ● **to have a good p. for wines**, saper gustare il vino; essere un intenditore di vini.

palatial /pə'leɪʃl/ a. di (*o* da, degno d'un) palazzo; splendido; sontuoso; maestoso.

palatinate /pə'lætɪneɪt/ n. (*stor.*) palatinato ● (*geogr.*) **the P.**, il Palatinato (*del Reno*).

palatine① /'pælətaɪn/ **A** a. (*stor.*) palatino: **a count p.**, un conte palatino **B** n. **1** – P., conte palatino **2** (*moda*) pellegrina; mantelletto corto di pelliccia **3** – **the P.**, il (colle) Palatino (*a Roma*).

palatine② /'pælətaɪn/ (*anat.*) **A** a. palatino; del palato **B** n. (= **p. bone**) osso palatino.

palaver /pə'lɑːvə(r)/ n. **1** (di solito al sing.) colloquio; abboccamento; conversazione; discussione **2** ⓤ (collett.) chiacchiere; ciance; ciarle **3** discorso ingannevole; adulazione **4** (*fam.*) affare noioso; faccenda: *Sounds like too much p. for me*, è troppo complicato per me.

to **palaver** /pə'lɑːvə(r)/ **A** v. i. **1** (*spesso scherz.*) essere a colloquio; parlamentare **2** chiacchierare; cianciare; parlare a vanvera **B** v. t. allettare; blandire; circuire.

palazzo pants /pə'lɑːtsəʊpænts/ n. pl. (*moda*) pantaloni palazzo.

pale① /peɪl/ a. **1** pallido (*anche fig.*); sbiadito; scolorito; scialbo; smorto: **a p. face**, un viso pallido; *You look a bit p.*, hai il viso un po' pallido; **p. pink**, rosa pallido; **a p. imitation**, una scialba imitazione **2** (*di luce*) debole; fioco; smorzato ● **p.-faced**, dal viso (*o* dal colorito) pallido □ **to turn p.**, impallidire | **-ly** avv. | **-ness** n. ⓤ.

pale② /peɪl/ n. **1** palo, paletto (*da recinto*); piolo; picchetto; stecca di legno, steccone **2** (*antiq.*) staccionata; steccato; recinto **3** (*spec. fig.*) confine; limite; termine: **out of the p. of civilization**, fuori dei confini del mondo civile **4** (*arald.*) palo ● (*fig.*) **beyond** (*o* outside) **the p.**, scorretto; indecente □ (*fig.*) **outside the p. of the law**, fuori della legalità □ (*fig.*) **within the p.**, corretto.

to **pale** /peɪl/ **A** v. i. impallidire (*anche fig.*); sbiancare in volto; apparire sbiadito (*o* scialbo) **B** v. t. rendere pallido (*o* sbiadito, smorto, fioco).

paled /peɪld/ a. (*arald.*) palato.

paleface /'peɪlfeɪs/ n. viso pallido, bianco (*per gli Indiani d'America*).

paleo- /'pælɪəʊ/ e *composti* → **palaeo-**, e *composti*.

paleoconservatism /ˌpælɪəʊkən'sɜːvətɪzəm/ (*USA, polit.*) n. ⓤ paleoconservatorismo; tradizionalismo || **paleoconservative** n. conservatore tradizionale; tradizionalista.

Palestine /'pæləstaɪn/ n. (*geogr.*) Palestina.

Palestinian /ˌpælɪ'stɪnɪən/ a. e n. Palestinese.

paletot /'pæltəʊ/ (*franc.*) n. soprabito; cappotto.

palette /'pælɪt/ n. **1** (*arte*) tavolozza (*anche fig.*) **2** (*comput.*) tavolozza: **p. window**, finestra tavolozza **3** (*geol.*) scudo di calcite ● **p. knife**, spatola; mestichino ❶ **FALSI AMICI** ● palette *non significa* paletta.

palfrey /'pɔːlfrɪ/ n. (*stor.*) palafreno.

palilalia /ˌpælɪ'leɪlɪə/ n. ⓤ (*med.*) palilalia.

palilogy /pə'lɪlədʒɪ/ n. ⓤ (*retor.*) palilogia.

palimony /'pælɪmənɪ/ n. ⓤ (*leg., USA*) alimenti dovuti (*o* passati) all'ex convivente (*o* alla ex convivente).

palimpsest /'pælɪmpsest/ n. (*filol., petrografia*) palinsesto.

palindrome /'pælɪndrəʊm/ n. **1** parola palindroma (*per es.*: «madam») **2** verso palindromo **3** (*biol.*) sequenza palindromica || **palindromic** a. palindromo; palindromico.

paling /'peɪlɪŋ/ n. **1** asse (*di steccato*); stecca di legno **2** palizzata; steccato **3** ▣ palificazione.

palingenesis /pælɪn'dʒenəsɪs/ n. ▣ (*biol.*, *geol.* e *fig.*) palingenesi.

palingenetic /pælɪndʒə'netɪk/ a. di palingenesi.

palings /'peɪlɪŋz/ n. pl. palizzata; steccato.

palinode /'pælɪnəʊd/ n. palinodia; (*fig.*) ritrattazione.

palisade /pælɪ'seɪd/ n. **1** palizzata; steccato; stecconata **2** (pl.) (*USA*) scogliere, dirupi (*spec. lungo un fiume*).

to **palisade** /pælɪ'seɪd/ v. t. circondare con una palizzata; recintare con uno steccato.

palish /'peɪlɪʃ/ a. pallidetto; pallidino; palliduccio.

palissander, **palisander** /'pælɪsændə(r)/ n. palissandro.

pall /pɔːl/ n. **1** drappo funebre **2** (*relig.*) pallio **3** (*fig.*) cappa; coltre; manto: **a p. of smoke**, una cappa di fumo **4** (*USA*) catafalco; feretro; bara ● (*fig.*) **to cast a p. of gloom**, gettare una nube di tetraggine.

to **pall** /pɔːl/ **A** v. i. (*generalm.* **to p. on sb.**) diventare noioso (o stucchevole); venire a noia: *This sort of book soon palls on me*, questa sorta di libri mi viene subito a noia **B** v. t. saziare; satollare; disgustare; stancare.

Palladian /pə'leɪdɪən/ (*archit.*) a. palladiano ‖ **Palladianism** n. ▣ stile palladiano.

palladic /pə'lædɪk/ a. (*chim.*) palladico.

palladium① /pə'leɪdɪəm/ n. **1** (*fig.*, pl. *palladiums*, *palladia*) palladio (*lett.*); protettore; protezione **2** – P., palladio (*statua di Pallade*).

palladium② /pə'leɪdɪəm/ (*chim.*) n. ▣ palladio.

Pallas /'pæləs/ n. (*mitol.*) Pallade.

pallbearer, **pall bearer** /'pɔːlbeərə(r)/ n. **1** chi regge i cordoni a un funerale **2** portatore di bara.

pallet① /'pælət/ n. pagliericcio; giaciglio.

pallet② /'pælət/ n. **1** paletta (*da vasaio, ecc.*); spatola **2** (*pitt.*) tavolozza **3** (*mecc.*) nottolino (*di comando, di regolazione, di ingranaggio*) **4** bocchetta (*dell'ancora d'un orologio*) **5** pallet (*piattaforma per trasportare merci disposte a pila*); bancale; paletta di caricamento **6** (*edil.*) tassello (*di legno*) ● **p. racking**, rastrelliere per contenitori pallettizzati □ **p. truck**, carrello (a forca) per pallet.

to **palletize** /'pælətaɪz/ (*comm.*) v. t. pallettizzare ‖ **palletization** n. ▣ pallettizzazione ‖ **palletized** a. pallettizzato ● (*naut.*) **palletized ship**, nave per il trasporto di carico pallettizzato.

palliasse /'pælɪæs, pæl'jæs/ n. pagliericcio; saccone.

to **palliate** /'pælɪeɪt/ v. t. alleviare; attenuare; lenire; mitigare; trovare attenuanti per: **to p. a pain**, lenire un dolore; **to p. a crime**, trovare attenuanti per un delitto ‖ **palliation** n. **1** ▣ attenuazione; lenimento; mitigazione **2** palliativo; attenuante; scusante; scusa.

palliative /'pælɪətɪv/ a. e n. palliativo.

pallid /'pælɪd/ a. **1** pallido; smorto; smunto; esangue **2** scialbo; poco attraente; smorto | **-ly** avv. | **-ness** n. ▣.

pallium /'pælɪəm/ n. (pl. *pallia*, *palliums*) (*stor.*, *relig.*) pallio.

pall-mall /pæl'mæl/ n. ▣ (*stor.*) pallamaglio (*gioco*).

pallor /'pælə(r)/ n. ▣ pallore.

pally /'pælɪ/ **A** a. (*fam.*) amichevole; da amico **B** n. (*slang USA*) amico; (al vocat.) bello mio (*anche iron.*).

palm① /pɑːm/ n. (*bot.*) palma (*anche fig.*); (= **p. tree**) palmizio: **date p.** (*Phoenix dactylifera*), palma da datteri ● (*bot.*) **p.-bearing**, palmifero □ **p. grove**, palmeto □ (*bot.*) **p. nut**, palmisti (*seme di una palma africana: è commestibile*) □ (*relig.*) **P. Sunday**, Domenica delle Palme □ **to bear** (*o* **to carry off**) **the p.**, avere (o riportare) la palma □ **to yield the p. to sb.**, cedere la palma a q.; riconoscersi vinto (o superato) da q.

palm② /pɑːm/ n. **1** (*anat.*) palma (*della mano*); palmo **2** spatola (*di un arnese*) **3** pala (*di un remo*) **4** (*naut.*) patta (*dell'ancora*) **5** (*baseball*) sacco (*del guanto*) **6** (*zool.*) pala (*del palco di un cervo*) ● (*slang*) **p. oil**, mancia, mazzetta □ **to grease** (*o* **to oil**) **sb.'s p.**, ungere q. (*fam.*); corrompere q. con denaro □ (*fam.*) **to have an itching** (*o* **itchy**) **p.**, essere avido di denaro □ **to hold** (*o* **to have**) **sb. in the p. of one's hand**, tenere q. in pugno □ **to read sb.'s p.**, leggere la mano a q.

to **palm** /pɑːm/ v. t. **1** nascondere (*una carta, una moneta, ecc.*) nel palmo della mano **2** toccare col palmo **3** (*fam.*) rubare; sgraffignare a (q.); corrompere; dare la mancia a (q.).

■ **palm away** v. t. + avv. (*spec. sport*) respingere con il palmo della mano: *Our keeper palmed away a dangerous header*, il nostro portiere respinse a mano aperta un colpo di testa pericoloso.

■ **palm off** v. t. + avv. **1** (*spec. sport*) → **palm away 2** (*sport*) inviare, spedire (*la palla*) con una manata; schiaffeggiare (*la palla*) **3** liberarsi, sbarazzarsi di (q.) □ **to p. oneself off as**, farsi passare per, spacciarsi per (q.) □ **to palm sb. off with**, liquidare q. (*con una scusa, un pretesto, ecc.*) □ **to p. st. off on sb.**, affibbiare, sbolognare, rifilare qc. a q.

■ **palm out** v. t. + avv. (*spec. sport*) → **palm away**.

palmaceous /pæl'meɪʃəs/ a. (*bot.*) della (*o relativo alla*) famiglia delle palme.

palmar /'pælmə(r)/ a. (*anat.*) palmare; del palmo della mano.

palmate /'pælmeɪt/, **palmated** /'pælmeɪtɪd/ a. (*bot.*, *zool.*) palmato: **p. feet**, piedi palmati.

palmer /'pɑːmə(r)/ n. **1** (*stor.*) palmiere; pellegrino (*spec. dalla Terrasanta*) **2** monaco pellegrino **3** (*zool.*, = **palmerworm**) bruco peloso (*nocivo alla vegetazione*) **4** (= **p. fly**) tipo di mosca artificiale (*per la pesca*).

palmetto /pæl'metəʊ/ n. (pl. *palmettos*, *palmettoes*) (*bot.*, *Sabal palmetto*) palmetto; palma nana.

palmful /'pɑːmfl/ n. quanto sta nel palmo d'una mano; manciata.

palmiped /'pælmɪped/ a. e n. (*zool.*) palmipede.

palmistry /'pɑːmɪstrɪ/ n. ▣ chiromanzia ‖ **palmist** n. chiromante.

palmitic /pæl'mɪtɪk/ (*chim.*) a. palmitico ‖ **palmitate** n. palmitato.

palmitin /'pælmɪtɪn/ n. ▣ (*chim.*) palmitina.

palmtop /'pɑːmtɒp/ n. (*comput.*) computer palmare.

palmy /'pɑːmɪ/ a. **1** ricco di palme **2** di (o simile a) palma **3** (*fig.*) fausto; fiorente; felice; glorioso; vittorioso; prospero: **p. days**, giorni felici (o di gloria).

palmyra /pæl'maɪərə/ n. (*bot.*, *Borassus flabelliformis*) borasso flabelliforme.

palomino /pælə'miːnəʊ/ n. (pl. *palominos*) palomino (*cavallo di color scuro dorato, con criniera e coda paglierine*).

palooka /pə'luːkə/ n. (*slang USA*) **1** pugile schiappa **2** bestione, scimmione (*fig.*); grosso fesso; cretino; stupido.

palp /pælp/ n. (*zool.*) palpo.

palpability /pælpə'bɪlətɪ/ n. ▣ **1** palpabilità **2** (*fig.*) evidenza.

palpable /'pælpəbl/ a. **1** palpabile **2** (*fig.*) chiaro; evidente; manifesto; palpabile | **-bly** avv.

to **palpate** /'pælpeɪt/ (*spec. med.*) v. t. palpare ‖ **palpation** n. ▣ palpazione.

palpebral /'pælpɪbrəl/ a. (*anat.*) palpebrale.

palpitant /'pælpɪtənt/ a. palpitante.

to **palpitate** /'pælpɪteɪt/ v. i. (*anche med.*) palpitare: **to p. with fear**, palpitare di paura.

palpitation /pælpɪ'teɪʃn/ n. ▣ (*anche med.*) palpitazione.

palpus /'pælpəs/ n. (pl. *palpi*) (*zool.*) palpo.

palsgrave /'pɔːlzgreɪv/ n. (*stor.*) conte palatino.

palsied /'pɔːlzɪd/ a. **1** (*med.*) colpito da paralisi; paralitico **2** (*fig.*) paralizzato; bloccato; barcollante; tremolante.

palsy /'pɔːlzɪ/ n. ▣ (*anche fig.*) paralisi.

to **palsy** /'pɔːlzɪ/ v. t. (*di solito fig.*) paralizzare.

to **palter** /'pɔːltə(r)/ v. i. (*antiq.*) **1** cavillare; equivocare; tergiversare **2** essere sleale (*o insincero*) **3** mercanteggiare; tirare sul prezzo.

paltry /'pɔːltrɪ/ a. gretto; meschino; misero; spregevole: **a p. excuse**, una scusa meschina; **a p. increase**, un aumento misero ‖ **paltriness** n. ▣ grettezza; meschinità; miseria morale.

paludal /pə'luːdəl/ a. paludoso; palustre; di palude ● (*med.*) **p. fever**, febbre palustre; malaria.

paludism /'pælʊdɪzəm/ n. ▣ (*med.*) paludismo (*raro*); malaria.

paly① /'peɪlɪ/ a. pallidetto; pallidino; palliduccio.

paly② /'peɪlɪ/ a. (*arald.*: *di scudo*) palato.

palynology /pælɪ'nɒlədʒɪ/ n. ▣ (*bot.*) palinologia.

pam /pæm/ n. (*in alcuni giochi di carte*) fante di fiori.

pampas /'pæmpəs/ n. inv. (*geogr.*) (la) pampa; (le) pampas ● (*bot.*) **p. grass** (*Cortaderia argentea*), ginerio; erba delle pampas.

pampean /pæm'piːən/ a. pampeano; della pampa.

to **pamper** /'pæmpə(r)/ v. t. essere troppo indulgente con (q.); coccolare troppo; viziare: *Don't p. the child*, non viziare il ragazzo!

pamphlet /'pæmflət/ n. opuscolo; libello; pamphlet.

pamphletary /'pæmflɪtrɪ/ a. panflettistico.

pamphleteer /pæmflɪ'tɪə(r)/ n. scrittore di opuscoli; libellista; panflettista.

to **pamphleteer** /pæmflɪ'tɪə(r)/ v. i. scrivere opuscoli polemici (o libelli).

◆**pan**① /pæn/ n. **1** tegame; casseruola; teglia; terrina **2** (= **frying pan**) padella **3** (*USA*) teglia; tortiera **4** (= **panful**) padellata; quanto sta in un tegame, ecc. **5** piatto (*della bilancia*) **6** (*stor.*: *d'arma da fuoco*) scodellino **7** (*ind. min.*) bateia; piatto (*per separare l'oro dalla sabbia*) **8** (*geol.*, = **hardpan**) strato solido; crostone **9** coppa, vaso, tazza (*wc*) **10** (*mecc.*) coppa dell'olio, carter (*in un motore*) **11** (*anat.*: = **brainpan**) scatola o calotta cranica **12** (*slang*) muso; faccia; ceffo; grugno ● (*slang*) **to go down the pan**, andare in malora □ (*slang USA*) **to be on the pan**, essere attaccato (o criticato).

pan② /pæn/ n. (*cinem.*, *TV*, = **pan shot**) panoramica.

pan③ /pæn/ n. (*bot.*) foglia di betel; betel (*da masticare*).

to **pan**① /pæn/ **A** v. t. **1** cuocere in casseruola, tegame, padella, ecc. (→ **pan**① **2** (*ind. min.*, *anche* **to pan off** (**out**)), trattare

al piatto (*sabbia*, *ecc. per cavarne oro*); separare (*l'oro dalla sabbia*) mediante trattamento al piatto **3** (*fig. fam.*) attaccare; criticare; denigrare; stroncare (*fig.*) **B** v. i. – **to pan out**, (*ind. min.*) dare risultato; (*di sabbia aurifera*) dare oro; (*fig.*) andare a finire bene, avere successo, riuscire.

to **pan** ② /pæn/ v. t. e i. (*cinem.*, *TV*) fare una panoramica (di); panoramicare.

PAN sigla (*comput.*, **Personal Area Network**) rete di dimensione ridotta collegante dispositivi di uso personale.

Pan /pæn/ n. (*mitol.*) Pan; Pane.

panacea /pænə'si:ə/ n. panacea.

panache /pæ'næʃ/ n. **1** pennacchio (*spec. d'elmo*) **2** □ eleganza; stile; sfarzo; pompa **3** □ (*fig.*) brio; spavalderia; baldanza; tracotanza.

Pan-African /pæn'æfrɪkən/ a. (*polit.*) panafricano.

Pan-Africanism /pæn'æfrɪkənɪzəm/ (*polit.*) n. □ panafricanismo ‖ **Pan-Africanist** n. e a. panafricanista.

Panama /pænə'mɑː/ n. (*geogr.*) Panama ● **P. Canal**, canale di Panama □ **P. hat**, panama (*il cappello*) ‖ **Panamanian** a. e n. panamense.

Pan-American /pænə'merɪkən/ a. (*polit.*) panamericano.

Pan-Americanism /pænə'merɪkənɪzəm/ n. □ (*polit.*) panamericanismo.

Pan-Arabism /pæn'ærəbɪzəm/ n. □ panarabismo ‖ **Pan-Arab** **A** a. panarabo **B** n. fautore del panarabismo.

Pan-Asianism /pæn'eɪʃənɪzəm/ n. (*polit.*) panasiatismo.

Pan-Asiatic /pæneɪʃi'ætɪk/ a. panasiatico.

Panathenaea /pænæθɪ'nɪə/ n. pl. Panatenee ‖ **Panathenaic** a. panatenaico.

pancake /'pæŋkeɪk/ n. **1** (*cucina*) crespella; crêpe; pancake; frittella dolce **2** (*ind. min.*) platea di cemento **3** □ (*cosmesi*) pancake **4** (*aeron.*, = **p. landing**) atterraggio di pancia, spanciata ● **p. batter**, pastella per frittelle □ **P. Day**, il martedì grasso □ (*mecc.*) **p. engine**, motore a cilindri radiali □ (*folklore ingl.*) **p. race**, corsa con padelle e frittelle, che sono lanciate in aria □ **as flat as a p.**, completamente piatto; schiacciato.

to **pancake** /'pæŋkeɪk/ (*aeron.*) **A** v. i. atterrare di pancia; spanciare **B** v. t. fare atterrare (*un aereo*) di pancia.

panchromatic /pænkrə'mætɪk/ a. (*fotogr.*) pancromatico: **p. film**, pellicola pancromatica.

panclastite /pæn'klæstaɪt/ n. □ (*miner.*) panclastite.

Pancras /'pæŋkrəs/ n. Pancrazio.

pancreas /'pæŋkrɪəs/ (*anat.*) n. pancreas ‖ **pancreatic** a. pancreatico: (*fisiol.*) **pancreatic juice**, succo pancreatico.

pancreatin /'pæŋkrɪətɪn/ n. □ (*biochim.*) pancreatina.

pancreatitis /pæŋkrɪə'taɪtɪs/ n. □ (*med.*) pancreatite.

panda /'pændə/ n. **1** (*zool.*) panda **2** (= **lesser p.**, **red p.**; *Ailurus fulgens*) panda minore **3** (= **giant p.**; *Ailuropoda melanoleuca*) panda gigante ● (*in GB*) **p. car**, piccola automobile della polizia (*un tempo dipinta di bianco e nero*) □ (*in GB*) **p. crossing**, attraversamento pedonale con semaforo a luce intermittente (o con pulsante di comando per i pedoni).

Pandean /pæn'di:ən/ a. (*mitol.*) di Pan; del dio Pan; panico ● **P. pipe**, siringa (*del dio Pan*); fistola (*rozzo strumento musicale*).

pandects /'pændekts/ n. pl. (*stor.*, *leg.*) pandette.

pandemic /pæn'demɪk/ (*med.*) **A** a. pandemico **B** n. pandemia.

pandemonium /pændɪ'məunɪəm/ n. □ pandemonio.

pander /'pændə(r)/ n. (= **panderer**) **1** mezzano; ruffiano; manutengolo **2** chi soddisfa i vizi altrui, traendone profitto.

to **pander** /'pændə(r)/ v. i. **1** far da mezzano **2** – (*fig.*) **to p. to**, soddisfare (*debolezze o vizi altrui*) traendone profitto; assecondare; compiacere.

panderism /'pændərɪzəm/ n. □ lenocinio.

pandit /'pʌndɪt/ (*Hindi*) n. → **pundit**, *def. 1.*

P&L sigla (*comm.*, **profit & loss**) profitti e perdite.

Pandora /pæn'dɔ:rə/ n. (*mitol.*) Pandora ● **P.'s box**, (il) vaso di Pandora; (*fig.*) fonte inesauribile di guai.

pandora /pæn'dɔ:rə/, **pandore** /'pændɔ:(r)/ n. (*stor. mus.*) pandura, pandora.

p&p sigla (*comm.*, **postage and packing**) spese d'imballo e di spedizione.

pane /peɪn/ n. **1** vetro (*di finestra, ecc.*); lastra di vetro **2** pannello (*di porta, muro, ecc.*) **3** riquadro, scacco (*di stoffa a quadretti*) **4** (*del martello*) penna **5** (*mecc.*: *di un dado o bullone*) faccia **6** (*di brillante*) faccetta **7** (*filatelia*) foglio (*di francobolli*) **8** (*comput.*) pannello; riquadro.

paned /peɪnd/ a. **1** (*di un vestito, ecc.*) a strisce di colori diversi; a riquadri **2** (*nei composti, per es.*:) **wide-p.**, dai vetri grandi.

panegyric /pænɪ'dʒɪrɪk/ n. panegirico; lode formale ‖ **panegyrical, panegyric** a. di panegirico; elogiativo ‖ **panegyrically** avv. panegiricamente.

to **panegyrize** /'pænɪdʒɪraɪz/ v. t. elogiare; lodare; esaltare; magnificare ‖ **panegyrist** n. panegirista.

♦**panel** /'pænl/ n. **1** pannello; riquadro; formella: **p. heater**, pannello radiante; **p. heating**, riscaldamento a pannelli radianti **2** (*autom.*) lamiera; pannello (*di carrozzeria*): **p. beater**, battilastra; battilamiere; lamierista; **p. beating**, raddrizzatura delle lamiere **3** quadro di comandi; pulsantiera; **control p.**, pannello di controllo; **push-button p.**, pulsantiera **4** (*arte*) tavola; riquadro **5** (*sartoria*) pannello **6** striscia di carta (o di pergamena) **7** gruppo (*di valutatori, investigatori, ecc.*); commissione; collegio; giuria: (*leg.*) **p. of arbitrators**, collegio arbitrale; **a p. of examiners**, una commissione esaminatrice **8** gruppo di esperti; panel; convegno; tavola rotonda: (*radio, TV, ecc.*) **a p. discussion**, una tavola rotonda **9** (*leg.*) lista dei giurati; giuria: **to serve on a p.**, fare parte d'una giuria **10** (*in GB*) elenco dei medici convenzionati con la mutua; (i) mutuati (*d'un medico convenzionato*): (*di paziente*) **to be on a doctor's p.**, essere mutuato; avere la mutua; (*di medico*) **to be on the p.**, essere convenzionato con la mutua; **p. doctor**, medico convenzionato (o mutualistico) **11** (*ind. costr.*) elemento di traliccio; (*anche*) cassettone; (*ind. min.*) sezione (*d'una miniera*) **12** (*aeron.*) spicchio (*di paracadute, ecc.*) **13** (*equit.*) cuscino (*della sella*); sottosella **14** sella rudimentale ● **p. board**, tavolo da disegno (*con fermafoglio*); cartone per pannelli; (*elettron.*) quadro strumenti □ (*radio, TV*) **p. game** (o **p. show**), programma di intrattenimento a quiz con personalità note come concorrenti □ (*edil.*) **p. wall**, parete divisoria □ **p. work**, pannellatura.

to **panel** /'pænl/ v. t. **1** rivestire di pannelli; pannellare **2** ornare (*un vestito da donna*) con pannelli **3** (*leg.*) iscrivere (q.) nella lista dei giurati **4** (*ind. min.*) sezionare.

panelist /'pænəlɪst/ n. (*USA*) → **panellist**.

panelling, (*USA*) **paneling** /'pænəlɪŋ/ n. □ (*edil.*) **1** rivestimento a pannelli **2** (col-

lett.) pannellatura **3** legno per pannellatura.

panellist /'pænəlɪst/ n. **1** (*radio*, *TV*) chi partecipa a una tavola rotonda **2** chi partecipa a un gioco (*radiofonico o televisivo*) di domande e risposte.

Pan-European /pænjuərə'pi:ən/ a. paneuropeo.

Pan-Europeanism /pænjuərə'pi:ənɪzəm/ n. □ paneuropeismo.

to **pan-fry** /'pænfraɪ/ v. t. friggere in padella.

panful /'pænful/ n. quanto sta in una casseruola (o in un tegame, in una padella); padellata; tegamata.

pang /pæŋ/ n. **1** dolore acuto, improvviso e breve; fitta; spasimo; trafittura **2** (*fig.*) pena; tormento: **the pangs of love**, le pene dell'amore ● **the pangs of conscience** [**of remorse**], i morsi della coscienza [i tormenti del rimorso] □ **hunger pangs**, i morsi della fame.

pangenesis /pæn'dʒenəsɪs/ (*biol.*) n. □ pangenesi.

Pan-German /pæn'dʒɜːmən/ (*polit.*) **A** a. pangermanistico **B** n. pangermanista.

Pan-Germanism /pæn'dʒɜːmənɪzəm/ n. □ (*polit.*) pangermanesimo.

pangolin /pæn'gəulɪn/ n. (*zool.*, *Manis*) pangolino.

panhandle /'pænhændl/ n. **1** manico di casseruola (o di tegame, di padella) **2** (*fig. USA*) striscia di territorio sporgente (*fra Stato e Stato, ecc.*); «becco d'anatra» (*fig.*) **3** □ (*slang*) accattonaggio.

to **panhandle** /'pænhændl/ (*slang USA*) v. i. accattare; mendicare; chiedere l'elemosina (*sul marciapiede*) ‖ **panhandler** n. accattone; mendicante.

Panhellenic /pænhɪ'lenɪk/ a. (*polit.*) panellenico.

Panhellenism, **Pan-hellenism** /pæn'helɪnɪzəm/ (*polit.*) n. □ panellenismo ‖ **Panhellenist** n. panellenista.

panic ① /'pænɪk/ n. (*bot.*, *Panicum italicum*; = **p. grass**) panico.

♦**panic** ② /'pænɪk/ **A** a. panico; di panico; causato da panico: **p. fear**, timor panico; **p. attack**, attacco di panico; (*econ.*) **p. selling**, vendite dovute al panico **B** n. **1** □ C panico: *Don't get into a p.*, non farti prendere dal panico **2** (*Borsa*) panico **3** (*slang USA*) cosa o persona buffa (o spassosa); spasso (*fam.*); macchietta **4** (*fam.*) gran fretta; fretta e furia ● **p. button**, pulsante di emergenza □ (*econ.*) **p. buying**, incetta di beni nel timore di un aumento dei prezzi □ **p.-monger**, chi sparge il panico di proposito; allarmista □ **p. room**, stanza blindata (*nella quale rifugiarsi per sottrarsi a una rapina*) □ **p.-stricken**, preso dal panico; in preda al panico □ (*fam.*) **to be at p. stations**, essere in stato di allarme; essere in preda al panico □ (*fam.*) **to push** (o **to hit**) **the p. button**, dare l'allarme; (*fig.*) reagire d'impulso e in modo incontrollato.

to **panic** /'pænɪk/ (*pass. e p. p. panicked*) **A** v. t. **1** gettare il panico fra; spaventare **2** (*slang USA*) divertire, far ridere (q.) a crepapelle; entusiasmare **B** v. i. essere colto dal panico; perdere la testa ● **to p. about st.**, farsi prendere dal panico per qc. □ (*slang USA*) **You p. me!**, mi fai morire dal ridere; (*iron.*) fai ridere i polli!

panicky /'pænɪkɪ/ a. (*fam.*) **1** preso dal panico; spaventato **2** impressionabile; pauroso; timoroso ● **a p. reaction**, una reazione dovuta al panico.

panicle /'pænɪkl/ n. (*bot.*) pannocchia.

paniculate /pə'nɪkjulət/ a. (*bot.*) paniculato; a forma di pannocchia.

Pan-Islam /pæn'ɪzlɑːm/ (*polit.*) n. □ panislamismo ‖ **Pan-Islamic** a. panislamico.

pan-Islamism /pæn'ɪzləmɪzəm/ n. Ⓤ (*polit.*) panislamismo.

panjandrum /pæn'dʒændrəm/ n. (*fam.*) funzionario arrogante, che si dà arie; pezzo grosso (*fam.*).

panlogical /pæn'lɒdʒɪkl/ a. (*filos.*) panlogico.

panlogism /'pænlɒdʒɪzəm/ n. Ⓤ (*filos.*) panlogismo.

pannage /'pænɪdʒ/ n. **1** (*stor.*) (diritto di, somma pagata per il) pascolo di suini **2** (*arc.*) mangime per suini (*ghiande, ecc.*).

panne /pæn/ n. Ⓤ (*ind. tess.*) panno soffice, simile al velluto; felpa.

pannier /'pænɪə(r)/ n. **1** paniere (*da basto*); gerla; corbello **2** borsa fissata su un lato della ruota di una bicicletta **3** (*stor.*) paniere (*negli abiti femminili*).

pannikin /'pænɪkɪn/ n. **1** piccolo boccale di metallo **2** tegamino.

panning ① /'pænɪŋ/ n. **1** lavaggio (*di sabbie aurifere*) con la bateia; trattamento al piatto **2** (*fig. fam.*) aspra critica; stroncatura.

panning ② /'pænɪŋ/ n. (*cinem., TV*) panoramica (*l'azione*) ● (*cinem.*) **p. shot**, panoramica (*il risultato*).

Pannonian /pə'nəʊnɪən/ a. (*stor.*) pannonico.

panoply /'pænəplɪ/ n. **1** (*stor.*) panoplia (*di armi*) **2** (*fig.*) gamma; parata; tavolozza; varietà: **the rich p. of local gastronomic delights**, la ricca varietà delle delizie gastronomiche locali **3** apparato sfarzoso; sfarzo; pompa; **all the p. of a royal wedding**, tutto lo sfarzo di un matrimonio regale ‖ **panoplied** a. **1** (*stor.*) rivestito dell'armatura completa **2** (*fig.*) abbigliato con sfarzo.

panoptic /pæn'ɒptɪk/ a. **1** panottico **2** (*fig.*) generale; onnicomprensivo; panottico.

panopticon /pæn'ɒptɪkən/ n. (*stor.*) panottico.

panorama /pænə'rɑːmə/ n. panorama (*anche fig.*) ‖ **panoramic** a. panoramico: **panoramic view**, vista panoramica ‖ **panoramically** avv. panoramicamente.

pan-pan /'pænpæn/ n. (*radio*) pan-pan (*S.O.S. radiotelefonico meno grave del →* «**mayday**»).

panpipe, pan-pipe /'pænpaɪp/ n. → **pan-pipes**.

panpipes, pan-pipes /'pænpaɪps/ n. pl. (*mus.*) siringa; fistola; zampogna.

panpsychism /pæn'saɪkɪzəm/ n. Ⓤ (*filos.*) panpsichismo.

pansexual /pæn'sɛkʃʊəl/ a. pansessuale.

pan-sexualism /pæn'sɛkʃʊəlɪzəm/ n. Ⓤ pansessualismo.

Pan-Slavic /pæn'slɑːvɪk/ a. (*polit.*) panslavistico; panslavo.

Pan-Slavism, Panslavism /pæn'slɑːvɪzəm/ (*polit.*) n. Ⓤ panslavismo ‖ **Panslavist** a. e n. panslavista.

pansy /'pænzɪ/ n. **1** (*bot., Viola tricolor*) viola del pensiero **2** (*fam., = *p. boy) uomo effeminato; mammoletta **3** (*spreg. antiq.*) finocchio; checca **4** Ⓤ color viola scuro.

pant /pænt/ n. **1** ansito; respiro affannoso; anelito (*lett.*) **2** palpito; pulsazione irregolare **3** (*fig.*) sbuffo (*del treno*).

to **pant** /pænt/ Ⓐ v. i. **1** ansare; ansimare; anelare (*lett.*) **2** (*del cuore, ecc.*) palpitare; pulsare in modo anormale **3** (*fig.: del treno, ecc.*) sbuffare Ⓑ v. t. (*anche* **to p. out**) dire (*o* pronunciare) ansimando ● **to p. for** (*o* **after**) st., anelare (*o* aspirare) a qc.; desiderare ardentemente qc.; bramare qc. □ **to p. for air**, boccheggiare.

pantagruelian /pæntəɡrʊ'ɛlɪən/ a. pan-

tagruelico.

pantagruelism /pæntə'ɡruːəlɪzəm/ n. Ⓤ umorismo cinico.

pantalets /'pæntələts/, **pantalettes** /pæntə'lɛts/ n. pl. mutande lunghe da donna (*portate verso la metà dell'800*).

pantaloon /pæntə'luːn/ n. **1** – P., Pantalone (*maschera dell'antico teatro veneziano*) **2** (pl.) (*stor.*) pantaloni lunghi e attillati (*della fine del '700*) **3** (pl.) (*scherz.*) pantaloni (*in genere*).

pantcoat /'pæntkəʊt/ n. (*moda*) giacca (*da donna*) da indossare con i pantaloni.

pantechnicon /pæn'tɛknɪkən/ n. (*ingl. antiq.*) **1** magazzino di mobili **2** (= **p. van**) furgone per mobili (*o per traslochi*).

pantheism /'pænθɪɪzəm/ (*filos.*) n. Ⓤ panteismo ‖ **pantheist** n. panteista ‖ **pantheistic, pantheistical** a. panteistico ‖ **pantheistically** avv. panteisticamente.

Pantheon /pæn'θiːən/ n. Pantheon (*a Roma*).

pantheon /'pænθɪən/ n. (*stor. greca e fig.*) pantheon.

panther /'pænθə(r)/ n. (pl. **panthers, panther**) (*zool.*) **1** (*Panthera pardus*) pantera **2** (*USA, Felis concolor*) puma **3** (*USA, Panthera onca*) giaguaro.

panties /'pæntɪz/ n. pl. (*fam.*) **1** mutandine (*da bambino o da donna*) **2** calzoncini; pantaloncini (*per bambino*).

pantihose /'pæntɪhəʊz/ → **pantyhose**.

pantile /'pæntaɪl/ n. (*edil.*) tegola alla fiamminga; tegola romana (*per tetti*).

panting /'pæntɪŋ/ Ⓐ a. ansimante; ansante Ⓑ n. ⓊⒸ palpitazione ‖ **pantingly** avv. affannosamente; ansando; ansimando.

Pantisocracy /pæntɪ'sɒkrəsɪ/ n. Ⓤ (*letter. ingl.*) pantisocrazia.

panto /'pæntəʊ/ n. (pl. **pantos**) (abbr. *fam.*) → **pantomime**, def. 1.

pantograph /'pæntəɡrɑːf/ n. (*arti grafiche, ferr.*) pantografo ‖ **pantographer** n. pantografista ‖ **pantographic** a. pantografico.

pantomime ● /'pæntəmaɪm/ n. **1** (*in GB*) «pantomime» ● Ⓒ **CULTURA** ● **pantomime**: è uno spettacolo teatrale basato su una favola che si rappresenta a Natale ed è destinato soprattutto ai bambini, con canti, balli, scene comiche e diversi personaggi fissi, tra cui il **principal boy**, l'eroe maschile, sempre interpretato da una ragazza, e la **Dame**, una vecchia buffa sempre interpretata da un uomo **2** (*teatr.*) pantomima; pantomimo **3** (*fig.*) pantomima; mimica **4** (*stor. romana*) pantomimo; mimo ● **p. horse**, figura di cavallo formato da due persone nascoste dentro una sola pelle ‖ **pantomimic** a. pantomimico.

to **pantomime** /'pæntəmaɪm/ Ⓐ v. i. **1** recitare in una pantomima **2** esprimersi con la mimica Ⓑ v. t. rappresentare (qc.) con la mimica.

pantoscope /'pæntəʊskəʊp/ (*fotogr.*) n. macchina con grandangolare ‖ **pantoscopic** a. grandangolare: **pantoscopic lens**, lente grandangolare.

pantothenic /pæntə'θɛnɪk/ a. (*chim.*) pantotenico: **p. acid**, acido pantotenico.

pantry /'pæntrɪ/ n. **1** dispensa **2** (*naut.*) riposto ● **butler's p.**, stanza (*fra la cucina e la sala da pranzo*) in cui riporre stoviglie, vasellame, ecc.

pantryman /'pæntrɪmən/ n. (pl. **pantrymen**) dispensiere.

◆ **pants** /pænts/ n. pl. **1** (*USA*) calzoni; pantaloni (*cfr. ingl.* **trousers**) **2** (*in GB*) mutande; mutandine (*da uomo*) **3** (*in GB*) mutandine (*da donna*) **4** pantaloni da donna (*non attillati*) **5** (*GB, fam.*) spazzatura (*fig.*); schifo: **the concert was p.**, il concerto era uno schifo ● (*USA*) **p. presser**, stiracalzoni □ (*mo-*

da) **p. suit**, tailleur-pantalone □ **to beat the p. off sb.**, suonarle a q.; pestare, sconfiggere q. □ **to bore the p. off sb.**, annoiare a morte q. □ **to catch sb. with his p. down**, prendere q. alla sprovvista, sorprendere q. in una situazione critica □ **to charm the p. off sb.**, incantare, affascinare q. □ (*spreg.*) **fancy p.**, damerino, giovanotto di città □ (*volg.*) **to fudge one's p.**, farsela sotto, farsela addosso (*per la paura*) □ **to be in long [short] p.**, portare i calzoni lunghi [corti], essere grande [piccolo: *d'età*] □ (*ingl.*) **loon p.**, pantaloni a zampa d'elefante □ **to scare the p. off sb.**, terrorizzare q. □ (*volg.*) **to shit one's p.**, cacarsi addosso (*per la paura*) □ **to sue the p. off sb.**, fare causa a q. riuscendo a cavarne un mucchio di soldi □ (*in una coppia*) **to wear the p.**, portare i pantaloni; comandare □ (*slang*) **to wet one's p.**, farsela addosso (*la pipì: per la paura*).

pantsuit /'pæntsuːt/ n. (*moda, USA*) tailleur-pantalone.

pantyhose /'pæntɪhəʊz/ n. (inv. al pl.) (*spec. USA; cfr. ingl.* **tights**, *sotto* **tight** ①, C, def. 1 e 2) calzamaglia; collant.

pantyliner /'pæntɪlaɪnə(r)/ n. salvamutandine.

pantywaist, panty-waist /'pæntɪweɪst/ n. (*fam. USA*) femminuccia; fifone; cagasotto (*pop.*).

pap ① /pæp/ n. Ⓤ **1** pappa; pan cotto (*nell'acqua, nel brodo, ecc.*) **2** (*spec. USA*) protezione; protezione politica; favoritismo politico **3** (*spreg.*) sboba, sbobba; libro (*o film, ecc.*) insulso **4** (*a scuola*) brodaglia (*fig.*); notizie (*o informazioni*) di nessun interesse.

pap ② /pæp/ n. (*slang*) capezzolo ● (*geol.*) **paps**, mammelloni.

papa ① /pə'pɑː/ n. (*antiq. ingl.*) papà.

papa ② /pə'pɑː, *USA* 'pɑːpə/ n. (*slang USA*) amico; amante; marito.

papacy /'peɪpəsɪ/ n. Ⓤ Ⓒ papato.

papain /pə'peɪɪn/ n. Ⓤ (*chim.*) papaina.

papal /'peɪpl/ a. papale ● (*stor.*) **the P. States**, gli Stati Pontifici.

papalism /'peɪpəlɪzəm/ n. Ⓤ papismo ‖ **papalist** n. papista; papalino.

paparazzo /pæpə'rætsəʊ/ (*ital.*) n. (pl. **paparazzi**) paparazzo.

papaveraceous /pəpeɪvə'reɪʃəs/ a. (*bot.*) papaveraceo.

papaverine /pə'peɪvəriːn/ n. Ⓤ (*chim.*) papaverina.

papaw /pə'pɔː/, **papaya** /pə'paɪə/ n. (*bot., Carica papaya*) papaia (*anche il frutto*).

◆ **paper** /'peɪpə(r)/ Ⓐ n. **1** Ⓤ carta: **a sheet of p.**, un foglio di carta; **carbon p.**, carta carbone; **toilet p.**, carta igienica **2** (di solito pl.) documento; appunto; lettera; scritto: **the Lincoln papers**, gli scritti (*o il carteggio*) di Lincoln **3** (= **p. money, p. currency**) cartamoneta; carta monetata; banconota; biglietto di banca **4** (= **commercial p.**) titolo di credito; effetto; valore (*assegno, cambiale, pagherò, ecc.*) **5** (= **newspaper**) giornale: **the morning p.**, il giornale del mattino: *Could you get me a p. and twenty cigarettes?*, mi prenderesti il giornale e un pacchetto di sigarette?; *The ad went in the p. this morning*, l'annuncio è uscito sul giornale stamattina **6** compito, elaborato, esercizio, tema (*d'esame, ecc.*): *We did loads of work on past papers*, abbiamo lavorato molto sui temi delle ultime prove **7** comunicazione (*scritta*); contributo, memoria (*per un congresso, ecc.*); monografia; saggio; studio **8** (pl.) (*anche leg.*) documenti; carteggio; incartamento: *Can I see your papers, please?*, favorisca i documenti? **9** Ⓤ (= **wallpaper**) carta da parati; tappezzeria **10** (= **voting p.**) scheda di votazione **11** (*slang*) biglietto d'invito; biglietto d'ingresso gratuito **12** (*USA*) = **bad p.** → *sotto* **13** (*fam.*) car-

tina (*per fare sigarette a mano*) **14** (*slang USA*) bustina di droga **B** **a. attr. 1** di carta; cartaceo **2** da tavolino; da passacarte; burocratico **3** sulla carta; a tavolino; teorico: **p. battles**, battaglie a tavolino (*o* sulla carta) **4** (*fin.*) cartolare: **p. credit**, credito cartolare **5** (*fin.*) cartaceo: **p. currency**, moneta cartacea; cartamoneta ● **p. bag**, sacchetto di carta; sportina di carta □ (*legatoria*) **p. binding**, brossura □ **p. chase**, finta caccia alla volpe (*gioco di bambini*) □ **p. clip**, fermaglio, graffetta; clip □ **p.-cover**, (agg.) in brossura; (sost.) pubblicazione in brossura □ **p. cup**, bicchiere di carta □ **p. cutter**, tagliacarte; taglierina □ **p. fastener → p. clip** □ **p.-feed**, alimentatore di fogli □ (*ind.*) **p. folding machine**, macchina piegafogli □ (*fin.*) **p. gold**, oro-carta; diritti speciali di prelievo □ **p. handkerchief**, fazzoletto di carta □ (*fin.*) **p. holdings**, titoli fiduciari; (valori di) portafoglio □ **p.-knife**, tagliacarte □ **p. machine**, macchina per la fabbricazione della carta □ **p. maker**, cartaio; fabbricante di carta □ **p. manufacture**, industria cartaria □ **p. mill**, cartiera □ (*fin.*) **p. money**, moneta cartacea; cartamoneta □ (*zool.*) **p. nautilus → nautilus** □ **a p. of pins**, un cartoncino (*o* un cartoccetto) di spilli □ (*fig.*) **p. profits**, profitti ipotetici (*o* sulla carta) □ (*spreg.*) **p. pusher**, passacarte, burocrate □ **p. round**, giro di consegna di giornali a domicilio □ **p. sack**, sacco di carta □ **p. shop**, edicola di giornali; chiosco (*vende anche dolci, sigarette, ecc.*) □ **p. shredder**, distruggi-documenti □ **p.-thin**, sottile come un foglio di carta; ultrasottile; (*fig.*, *di scusa, ecc.*) inconsistente □ (*fig.*) **a p. tiger**, una tigre di carta □ (*spec. USA*) **p. trail**, traccia cartacea; documenti (*che testimoniano alle attività di q.*) □ **p. war** (*o* **warfare**), polemica attraverso pubblicazioni (su libri o giornali) □ **p. wiper**, asciugatutto □ **p.-works**, cartiera □ (*USA*) **bad p.**, soldi falsi; assegno a vuoto □ (*USA*) **big p.**, un sacco di soldi □ **to commit st. to p.**, metter qc. per iscritto □ **to deliver** (*o* **to read**) **a p.**, fare una comunicazione (*a un congresso, ecc.*) □ **examination papers**, temi d'esame; elaborati □ **to make the papers**, finire sulle pagine dei giornali; diventare famoso (*o* celebre) □ (*fig.*) **on p.**, sulla carta; in teoria □ **packing p.**, carta da imballaggio □ **to put pen to p.**, metter mano alla penna □ (*fig.*) **to send in one's papers**, dare le dimissioni.

to paper /'peɪpə(r)/ *v. t.* **1** tappezzare con carta da parati **2** avvolgere nella carta; incartare **3** foderare (*o* rivestire) di carta **4** (*slang*) riempire (*un teatro*) distribuendo biglietti gratuiti ● **to p. over**, ricoprire di carta; (*fig.*) celare, mascherare, nascondere (*difetti, ecc.*); insabbiare (*fig.*) □ **to p. up**, tappare con carta.

paperback /'peɪpəbæk/ **A** *a.* in brossura **B** *n.* libro in brossura; paperback.

paperboard /'peɪpəbɔ:d/ *n.* cartone ● (*di un libro*) **bound in p.**, cartonato □ **to bind a book in p.**, cartonare un libro.

paperbound /'peɪpəbaʊnd/ *a.* (*di libro, ecc.*) in brossura.

paperboy, **paper boy** /'peɪpəbɔɪ/ *n.* **1** fattorino del giornalaio (*per consegna a domicilio*) **2** strillone.

papergirl, **paper girl** /'peɪpəgɜ:l/ *n.* ragazza che consegna giornali a domicilio.

paperhanger /'peɪpəhæŋə(r)/ *n.* **1** tappezziere **2** (*slang USA*) spacciatore di denaro falso (*o* di assegni fasulli) || **paperhanging** *n.* □ **1** applicazione di carta da parati **2** (*slang USA*) spaccio di denaro falso.

paperless /'peɪpələs/ *a.* **1** senza carta **2** privo di documenti.

papermaking /'peɪpəmeɪkɪŋ/ *n.* □ fabbricazione della carta ● **p. industry**, industria cartaria □ **p. materials**, materie prime per fabbricare la carta.

to paper-train /'peɪpətreɪn/ *v. t.* educare (*un cucciolo*) a defecare e orinare sulla carta.

paperware /'peɪpəweə(r)/ *n.* □ oggetti di cartapesta.

paperweight /'peɪpəweɪt/ *n.* fermacarte.

paperwork /'peɪpəwɜ:k/ *n.* □ **1** lavoro d'ufficio (*o* burocratico); il riempire moduli, ecc. **2** scartoffie: *That's all the p. done!*, e così le scartoffie sono a posto!

papery /'peɪpərɪ/ *a.* di carta; simile a carta; cartaceo.

papier-mâché /pæpjeɪ'mæʃeɪ/ (*franc.*) *n.* □ cartapesta.

papilionaceous /pəpɪlɪə'neɪʃəs/ *a.* (*bot.*) papilionato; papilionaceo.

papilla /pə'pɪlə/ (*anat.*, *bot.*) *n.* (pl. **papillae**) papilla || **papillary** *a.* papillare || **papillate** *a.* **1** papillato; ricoperto di papille **2** papilliforme; a forma di papilla || **papillose** *a.* papilloso.

papilloma /pæpɪ'ləʊmə/ *n.* (pl. **papillomas, papillomata**) (*med.*) papilloma.

papillomatosis /pæpɪləʊmə'təʊsɪs/ *n.* □ (*med.*) papillomatosi.

papillomavirus /pæpɪ'ləʊməvaɪrəs/ *n.* (*med.*) papillomavirus; virus del papilloma.

papist /'peɪpɪst/ *n.* **1** papista **2** (*spreg.*) cattolico || **papism**, papistry *n.* □ **1** papismo **2** (*spreg.*) cattolicesimo || **papistical** *a.* **1** papistico **2** (*spreg.*) di (*o* da) cattolico.

papoose /pə'pu:s/ *n.* **1** (*antiq.*) bambino indiano (*nell'America del nord*) **2** zaino portabambini.

pappus /'pæpəs/ (*bot.*) *n.* (pl. **pappi**) pappo || **pappose** *a.* papposo.

pappy ① /'pæpɪ/ *a.* molle; polposo.

pappy ② /'pæpɪ/ *n.* (*fam.*) papà; babbo; «papi» (*fam.*).

paprika /'pæprɪkə, *USA* pə'pri:-/ *n.* **1** (*bot.*, *Capsicum annuum*) pepe rosso; peperone **2** □ (*cucina*) paprica.

Pap smear /'pæpsmɪə(r)/ *loc. n.* (*med.*) striscio per il Pap test.

Pap test /'pæptɛst/ *loc. n.* (*med.*) Pap test.

Papua /'pæpjʊə/ *n.* (*geogr.*) Papuasia.

Papuan /'pæpjʊən/ *a. e n.* (abitante) della Papuasia.

papula /'pæpjʊlə/ *n.* (pl. **papulae**) (*med.*) papula; pustola.

papule /'pæpju:l/ (*med.*) *n.* papula; pustola || **papular** *a.* papulare || **papulose** *a.* papuloso; pustoloso.

papyraceous /pæpɪ'reɪʃəs/ *a.* papiraceo.

papyrology /pæpɪ'rɒlədʒɪ/ *n.* □ papirologia || **papyrological** *a.* papirologico || **papyrologist** *n.* papirologo.

papyrus /pə'paɪərəs/ *n.* □ (pl. **papyruses, papyri**) papiro.

par /pɑ:(r)/ *n.* **1** (*spec. fin.*) parità; pari: **par of exchange**, parità di cambio; cambio alla pari; **above par**, sopra la pari; **below par**, sotto la pari; *A stock is at par when it can be sold for its face value*, un titolo è alla pari quando lo si può vendere per il suo valore nominale **2** (*golf*) par; norma ● **par for the course**, (*golf*) la norma per il campo; (*fig.*) cosa di ordinaria amministrazione, cosa normale □ (*fin.*) **par value**, valore nominale (*di un titolo*) □ (*fam.*) **not to feel quite up to par**, non sentirsi del tutto in forma □ (*fig.*) **to be on a par with**, stare alla pari con, reggere il confronto di □ (*fig. fam.*) **to be under par**, essere un po' giù di corda (*o* di forma).

par. *abbr.* **1** (**parallel**) parallelo **2** (**parish**) parrocchia (parr.) **3** (*fam.*, **paragraph**) paragrafo.

para /'pærə/ *n.* **1** (abbr. *fam.* di **para-trooper**) parà: **the paras**, i parà **2** (abbr. di **paragraph**) paragrafo.

parabanking /'pærəbæŋkɪŋ/ **A** *a.* parabancario **B** *n.* □ attività parabancaria.

parabasis /pə'ræbəsɪs/ *n.* (pl. **parabases**) (*teatr. greco*) parabasi.

Parabellum /pærə'bɛləm/ *n.* *inv.* (*mil.*) parabellum.

parabiosis /pærəbaɪ'əʊsɪs/ *n.* □ (*zool.*) parabiosi.

parable /'pærəbl/ *n.* parabola: **the p. of the prodigal son**, la parabola del figliol prodigo.

parabola /pə'ræbələ/ *n.* (*geom.*, *mat.*) parabola.

parabole /pə'ræbəlɪ/ *n.* (*retor.*) metafora; similitudine.

parabolic /pærə'bɒlɪk/ *a.* **1** (*geom.*, *mat.*) parabolico **2** □ (o in forma di) parabola; allegorico ● (*TV*) **p. aerial**, antenna parabolica □ (*miss.*) **p. flight**, volo parabolico □ (*astron.*) **p. orbit**, orbita parabolica □ (*radar*) **p. reflector**, riflettore parabolico || **parabolically** *avv.* in forma di parabola.

paraboloid /pə'ræbələɪd/ *n.* (*geom.*) paraboloide.

parabrake /'pærəbreɪk/ *n.* (*aeron.*, *autom.*) paracadute di coda; paracadute freno.

paracentesis /pærəsɛn'ti:sɪs/ *n.* (pl. **paracenteses**) (*med.*) paracentesi.

paracetamol /pærə'si:təmɒl/ *n.* □ **UC** (*farm.*) paracetamolo.

parachute /'pærəʃu:t/ *n.* (*aeron.*) paracadute ● **p. flare**, bengala a paracadute □ **p. jump**, lancio col paracadute □ (*mil.*) **p. mine**, mina lanciata col paracadute □ (*mil.*) **p. troops**, truppe paracadutiste.

to parachute /'pærəʃu:t/ **A** *v. t.* (*aeron.*) lanciare col paracadute; paracadutare **B** *v. i.* lanciarsi col paracadute; paracadutarsi.

parachuting /'pærəʃu:tɪŋ/ *n.* □ (*sport*) paracadutismo acrobatico.

parachutist /'pærəʃu:tɪst/ *n.* paracadutista.

Paraclete /'pærəkli:t/ *n.* (*relig.*) Paracleto, Paraclito (*attributo dello Spirito Santo*).

parade /pə'reɪd/ *n.* **1** parata (*spec. mil.*); (*mil.*) rassegna, rivista: *The soldiers were on p.*, i soldati erano schierati per la rassegna **2** sfilata; corteo; processione: **beauty p.**, sfilata delle partecipanti a un concorso di bellezza **3** serie; sfilza; catena; sfilata; rassegna: **a p. of songs**, una rassegna di canzoni **4** mostra; ostentazione; sfoggio: **a p. of wealth**, uno sfoggio di ricchezza **5** (= **p. ground**) campo di Marte; piazza d'armi **6** (*di moda*: = **fashion p.**) sfilata **7** passeggiata pubblica; lungomare; piazza; spianata **8** (*scherma*) parata ● (*mil.*) **p. ground**, piazza d'armi □ **to make a p. of one's grief**, mettere in piazza il proprio dolore □ **on p.**, (*mil.*) in parata; (*fig.*) in bella mostra.

to parade /pə'reɪd/ **A** *v. t.* **1** sfilare a passo di parata per (*un luogo*): *The band paraded the streets of the little town*, la banda sfilò per le strade della cittadina a passo di parata **2** (*mil.*) passare (*truppe*) in rassegna (*o* in rivista) **3** far sfilare: *The prisoners were paraded through the city*, i prigionieri furono fatti sfilare per la città **4** esibire; fare sfoggio di; mettere in mostra; ostentare: *You always p. your skill*, fai sempre sfoggio della tua abilità **5** sbandierare (*fig.*); spacciare: **to p. old ideas as new theories**, spacciare vecchie idee come teorie nuove **B** *v. i.* **1** sfilare in parata (*o* in corteo) **2** far mostra di sé; pavoneggiarsi.

paradigm /'pærədaɪm/ *n.* (pl. **paradigms, paradigmata**) **1** (*gramm.*) paradigma **2** (*fig.*) paradigma; esempio dimostrativo.

paradigmatic /pærədɪg'mætɪk/ *a.* **1** (*gramm.*) paradigmatico **2** (*fig.*) esemplifi-

cativo | **-ally avv.**
paradise /'pærədaɪs/ n. **1** ⓤ (*relig.*) paradiso **2** ⓤ (*relig.*) paradiso terrestre **3** (*fig.*) paradiso; luogo paradisiaco ● (*zool.*) **bird of p.** (*Paradisea*), paradisea; uccello del paradiso □ (*relig.*) **the earthly p.**, il paradiso terrestre □ **to go to p.**, andare in paradiso ‖ **paradisaical, paradisiac, paradisiacal, paradisial** a. paradisiaco; di paradiso.
parados /'pærədɒs/ n. (pl. **paradoses, parados**) (*mil.*) paradosso; paradorso; spalletta.
paradox /'pærədɒks/ n. (*anche econ.*) paradosso; assurdità: **to speak by p.**, parlare per paradossi; (*econ.*) **the p. of thrift**, il paradosso della parsimonia.
paradoxical /pærə'dɒksɪkl/ a. paradossale ● (*med.*) **p. embolus**, embolo paradosso □ (*fisiol.*) **p. sleep**, sonno paradosso ‖ **paradoxicality** n. ⓤ paradossalità ‖ **paradoxically avv.** paradossalmente.
paradrop /'pærədrɒp/ n. (*mil.*) lancio con il paracadute.
to **paradrop** /'pærədrɒp/ v. t. (*mil.*) paracadutare.
paraesthesia /pærəs'θiːzɪə/ n. ⓤ (*med.*) parestesia.
paraffin, paraffine /'pærəfiːn/ n. ⓤ **1** paraffina **2** (*chim.*) idrocarburo paraffinico (*in genere*) **3** petrolio combustibile **4** (= **p. oil**) olio di paraffina; (*in GB*) kerosene ● **p. paper**, carta paraffinata □ **p. test**, (prova del) guanto di paraffina □ **p. wax**, paraffina solida; cera paraffinica.
to **paraffin,** to **paraffine** /'pærəfiːn/ v. t. paraffinare.
paraffinic /pærə'fɪnɪk/ a. (*chim.*) paraffinico.
paraffinized /'pærəfɪnaɪzd/ a. paraffinato.
parafiscal /pærə'fɪskl/ a. parafiscale.
parafoil /'pærəfɔɪl/ n. (*mil.*) paracadute con superficie portante.
parageusia /pærə'dʒuːsɪə/ n. ⓤ (*psic.*) parageusia.
paraglider /'pærəglaɪdə(r)/ n. **1** (*miss.*) paracadute (*frenante: di un razzo, ecc.*) **2** (*sport*) parapendio (*il paracadute*) **3** (*sport*) pilota di parapendio.
paragliding /'pærəglaɪdɪŋ/ n. (*sport*) parapendio (*l'attività*).
paragoge /pærə'ɡəʊdʒɪ/ (*ling.*) n. paragoge; epitesi ‖ **paragogic, paragogical** a. paragogico; epitetico.
paragon /'pærəɡən/ n. **1** esemplare; modello: **a p. of virtue**, un modello di virtù **2** persona (*o cosa*) di grande eccellenza; perla; paragone (*lett.*) **3** diamante perfetto (*che pesa cento o più carati*) **4** (*tipogr.*) corpo 19; corpo 20 ❶ **FALSI AMICI** ‧ paragon *non significa* paragone *nel senso di comparazione o confronto.*
paragonite /pə'ræɡənaɪt/ n. ⓤ (*miner.*) paragonite.
para-governmental /pærəɡʌvən'mentl/ a. paragovernativo.
paragrammatism /pærə'ɡræmətɪzəm/ n. ⓤ (*psic.*) paragrammatismo.
♦**paragraph** /'pærəɡrɑːf/ n. **1** paragrafo; comma **2** (*tipogr.*) alinea; capoverso **3** (*giorn.*); stelloncino; trafiletto ● (*pattinaggio*) **p. loop**, paragrafo ‖ **paragraphic, paragraphical** a. **1** di (*o che forma un*) paragrafo **2** in forma di trafiletto.
to **paragraph** /'pærəɡrɑːf/ **A** v. t. **1** trattare (*un argomento*) in un trafiletto **2** dividere (*o ordinare*) in paragrafi (*o in commi*); paragrafare **B** v. i. scrivere trafiletti (*per un giornale*).
paragrapher /'pærəɡrɑːfə(r)/ n. autore di trafiletti; trafilettista.

paragraphia /pærə'ɡræfɪə/ n. ⓤ (*psic.*) paragrafia.
Paraguay /'pærəɡwaɪ/ n. (*geogr.*) Paraguay ● (*bot.*) **P. tea** (*Ilex paraguayensis*), mate (*la pianta e l'infuso*) ‖ **Paraguayan** a. e n. paraguaiano.
parainfluenza /pærəɪnflu'enzə/ a. attr. (*med.*) parainfluenzale: **p. virus**, virus parainfluenzale.
parakeet /'pærəkiːt/ n. (*zool.*, *Psitacula*, *Pezoporus*, *ecc.*) parrocchetto.
parakite /'pærəkaɪt/ n. **1** aquilone usato come paracadute **2** aquilone senza coda (*usato per scopi scientifici*) **3** (*sport*) «aquilone-paracadute» (*trainato da un'auto o da un motoscafo*).
paralalia /pærə'leɪlɪə/ n. ⓤ (*psic.*) paralalia.
paralanguage /'pærəlæŋɡwɪdʒ/ n. ⓤⓒ (*ling.*) aspetti soprasegmentali e paralinguistici della comunicazione; paralinguaggio.
paralegal /pærə'liːɡl/ **A** a. (*spec. USA*) paralegale **B** n. (*leg.*) assistente di un avvocato.
paraleipsis /pærə'laɪpsɪs/ n. (pl. **paraleipses**) (*retor.*) paralessi.
paralexia /pærə'leksɪə/ n. (*psic.*) paralessia.
paralinguistics /pærəlɪŋ'ɡwɪstɪks/ n. pl. (col verbo al sing.) paralinguistica ‖ **paralinguistic** a. paralinguistico.
paralipomena /pærəlaɪ'pɒmənə/ n. pl. (*relig. e fig.*) paralipomeni.
paralipsis /pærə'lɪpsɪs/ n. → **paraleipsis**.
parallax /'pærəlæks/ (*astron.*, *ottica*) n. ⓤⓒ parallasse ‖ **parallactic** a. parallattico.
parallel /'pærəlel/ **A** a. **1** parallelo (*anche geom.*): **Take the road p. to the river**, prendi la strada parallela al fiume **2** (*elettr.*) in parallelo: **p. circuit**, circuito in parallelo **3** (*fig.*) analogo; parallelo; concordante; simile **B** n. **1** (*geom.*) parallela **2** (*geogr.*, *comput.*) parallelo **3** (*fig.*) parallelo; paragone; confronto: **to draw a p. between two things**, fare un parallelo fra due cose **4** (*mil.*) parallela; trincea parallela alle linee nemiche **5** (pl.) (*tipogr.*) sbarrette parallele ● (*atletica*) **p. bars**, parallele □ (*comm. est.*) **p. imports**, importazioni parallele □ (*comput.*) **p. port**, (porta) parallela □ (*comput.*) **p. printer**, stampante parallela □ (*naut.*) **p. rule** (*o ruler*), parallela a rulli (*per tracciare rotte*) □ **in p.**, in parallelo; (*fig.*) nello stesso tempo; contestualmente.
to **parallel** /'pærəlel/ v. t. **1** dare a (*qc.*) un andamento parallelo a un'altra; rendere paralleli **2** essere (*o correre*) parallelo a: **The highway parallels the railway**, la strada corre parallela alla ferrovia **3** confrontare, paragonare (*cose, idee*); trovare una corrispondenza fra (*due o più cose*) **4** essere l'equivalente di; eguagliare **5** (*elettr.*) mettere (*o collegare*) in parallelo.
parallelepiped /pærəle'lepɪped/ n. (*geom.*) parallelepipedo.
parallelism /'pærəlelɪzəm/ n. ⓤ (*anche fig.*) parallelismo.
parallelly /'pærəlelli/, **parallely** /'pærəlelli/ avv. parallelamente.
parallelogram /pærə'leləɡræm/ n. (*geom.*) parallelogramma.
paralogia /pærə'ləʊdʒɪə/ n. ⓤ (*psic.*) paralogia.
paralogism /pə'rælədʒɪzəm/ (*filos.*) n. ⓤ paralogismo ‖ **paralogistic** a. paralogistico ‖ to **paralogize** v. i. paralogizzare.
Paralympics /pærə'lɪmpɪks/ (*sport*) n. pl. paralimpiade; paraolimpiade ‖ **paralympian** n. (*atleta*) paraolimpionico.
to **paralyse** /'pærəlaɪz/ v. t. paralizzare (*anche fig.*); rendere inattivo, bloccare; rag-

gelare (*per la paura, ecc.*): **Transport was paralysed by the strikes**, i trasporti furono paralizzati dagli scioperi ‖ **paralysation** n. ⓤ (*spec. fig.*) paralizzazione.
paralysed /'pærəlaɪzd/ a. **1** (*med.*) paralizzato **2** → **paralytic, A**, def. 2 **3** (*fig.*) paralizzato: **Economic activity is p.**, l'attività economica è paralizzata.
paralysing /'pærəlaɪzɪŋ/ **A** a. (*med. e fig.*) paralizzante **B** n. ⓤ paralizzazione.
paralysis /pə'ræləsɪs/ n. ⓤ (pl. **paralyses**) (*med.*) paralisi; (*fig.*) inattività, ristagno ● (*med.*) **p. agitans**, morbo di Parkinson.
paralytic /pærə'lɪtɪk/ **A** a. **1** (*med.*) paralitico **2** (*fam. ingl.*) ubriaco fradicio **B** n. (*med.*) paralitico.
to **paralyze** /'pærəlaɪz/ (*USA*) → **to paralyse**.
paramagnetic /pærəmæɡ'netɪk/ (*fis.*) a. paramagnetico ‖ **paramagnetism** n. ⓤ paramagnetismo.
paramedic /pærə'medɪk/ **A** n. (*USA*) paramedico; operatore del servizio sanitario (*esclusi medici e infermieri*) **B** a. paramedico.
paramedical /pærə'medɪkl/ a. (*USA*) paramedico: **p. personnel**, personale paramedico.
parament /'pærəmənt/ n. (*relig.*) paramento.
parameter /pə'ræmɪtə(r)/ n. (*mat.*, *stat.*) parametro (*anche fig.*).
to **parameterize** /pə'ræmɪtəraɪz/ v. t. parametrizzare ‖ **parameterization** n. ⓤ parametrizzazione.
parametral /pə'ræmɪtrəl/ a. (*scient.*) parametrico.
parametric /pærə'metrɪk/ a. (*scient.*) parametrico.
parametritis /pærəmə'traɪtəs/ n. (*med.*) parametrite.
parametrium /pærə'miːtrɪəm/ n. (pl. **parametria**) (*anat.*) parametrio.
to **parametrize** /pə'ræmətraɪz/ v. t. parametrizzare ‖ **parametrization** n. ⓤ parametrizzazione.
paramilitary /pærə'mɪlətrɪ/ a. paramilitare.
paramnesia /pærəm'niːzɪə/ n. ⓤ (*psic.*) paramnesia.
paramorphism /pærə'mɔːfɪzəm/ n. ⓤ **1** (*med.*) paramorfismo **2** (*miner.*) paramorfosi.
paramount /'pærəmaʊnt/ a. **1** eminente; sommo; supremo; sovrano; capitale: **lord p.**, signore supremo; **Time is of p. importance**, il fattore tempo è di somma importanza **2** (*leg.*) preminente; prevalente: **p. clause**, clausola prevalente ● **p. to**, superiore a ‖ **paramountcy** n. ⓤ preminenza; eminenza; l'esser sommo (*o supremo*); l'essere di capitale importanza.
paramour /'pærəmʊə(r)/ n. (*lett.*) amante; drudo, druda (*lett.*).
paranasal /pærə'neɪzl/ a. (*anat.*) paranasale: **p. sinuses**, seni paranasali.
paranoia /pærə'nɔɪə/ (*psic. e fig.*) n. ⓤ paranoia ‖ **paranoiac** a. e n. paranoico.
paranoid /'pærənɔɪd/ a. e n. (*psic.*) paranoide.
paranormal /pærə'nɔːml/ (*psic.*) a. e n. paranormale ‖ **paranormally** avv. in modo paranormale ‖ **paranormality** n. ⓤ paranormalità.
paranymph /'pærənɪmf/ n. **1** (*stor.*) paraninfo **2** (*arc.*) testimone dello sposo.
paraparesis /pærəpə'riːsɪs/ n. ⓤ (*med.*) paraparesi.
parapente /pærə'pɒnt/, **parapenting** /pærə'pɒntɪŋ/ (*franc.*) n. ⓤ (*sport*) parapendio.

to **parapente** /ˈpærəˈpɒnt/ (*franc.*) v. i. (*sport*) **1** fare parapendio **2** lanciarsi col parapendio.

parapet /ˈpærəpɪt/ n. **1** (*archit.*, *mil.*) parapetto **2** balaustra; ringhiera.

paraph /ˈpæræf/ n. parafa; paraffo; svolazzo (*dopo la firma*).

to **paraph** /ˈpærəf/ v. t. parafare; firmare con le iniziali.

paraphasia /ˌpærəˈfeɪzɪə/ n. ◻ (*psic.*) parafasia.

paraphernal /ˌpærəˈfɜːnəl/ a. (*leg.*) extradotale; parafernale.

paraphernalia /ˌpærəfəˈneɪlɪə/ n. pl. **1** armamentario; attrezzatura; accessori; corredo; apparato **2** (*leg.*, *stor.*) beni extradotali.

paraphilia /ˌpærəˈfɪlɪə/ (*psic.*) n. ◻ parafilia ‖ **paraphiliac** a. e n. parafiliaco.

paraphimosis /ˌpærəfaɪˈməʊsɪs/ n. ◻ (*med.*) parafimosi.

paraphrase /ˈpærəfreɪz/ n. (*anche ling.*) parafrasi.

to **paraphrase** /ˈpærəfreɪz/ Ⓐ v. t. parafrasare (*un brano, ecc.*) Ⓑ v. i. fare parafrasi.

paraphrast /ˈpærəfræst/ n. (*lett.*) parafraste.

paraphrastic /ˌpærəˈfræstɪk/ a. **1** parafrastico **2** che fa uso di parafrasi.

paraphrenia /ˌpærəˈfriːnɪə/ n. ◻ (*psic.*) parafrenia.

paraphysis /pəˈræfɪsɪs/ n. (pl. ***paraphyses***) (*bot., zool.*) parafisi.

paraplegia /ˌpærəˈpliːdʒə/ (*med.*) n. ◻ paraplegia ‖ **paraplegic** a. e n. paraplegico.

parapodium /ˌpærəˈpəʊdɪəm/ n. (pl. ***parapodia***) (*zool.*) parapodio.

parapolitical /ˌpærəpəˈlɪtɪkl/ a. parapolitico.

paraprofessional /ˌpærəprəˈfɛʃənl/ Ⓐ n. chi svolge un'attività paraprofessionale Ⓑ a. paraprofessionale.

parapsychic /ˌpærəˈsaɪkɪk/, **parapsychical** /ˌpærəˈsaɪkɪkl/ a. parapsichico.

parapsychology /ˌpærəsaɪˈkɒlədʒɪ/ n. ◻ (*psic.*) parapsicologia ‖ **parapsychologic**, **parapsychological** a. parapsicologico ‖ **parapsychologist** n. parapsicologo.

parapublic /ˌpærəˈpʌblɪk/ a. (*econ.*) parapubblico.

Paraquat® /ˈpærəkwɒt/ n. ◻ (*chim.*) Paraquat (*erbicida altamente tossico*).

Para rubber /ˈpɑːrɑː ˈrʌbə(r)/ loc. n. para (*varietà di gomma elastica*).

paras /ˈpærəz/ n. pl. (abbr. di **paratroopers**) (*mil.*) (i) parà; reparti di parà.

parasang /ˈpærəsæŋ/ n. (*stor.*) parasanga.

parascenium /ˌpærəˈsiːnɪəm/ n. (pl. ***parascenia***) (*archeol.*) parascenio.

parascientific /ˌpærəsaɪənˈtɪfɪk/ a. parascientifico.

paraselene /ˌpærəsɪˈliːnɪ/ n. (pl. ***paraselenae***) (*astron.*) paraselene.

parasite /ˈpærəsaɪt/ n. **1** (*anche biol.*) parassita **2** (*elettr.*) corrente parassita.

parasitic, **parasitical** /ˌpærəˈsɪtɪk(l)/ a. parassitico; parassitario ‖ **parasitically** avv. parassitariamente.

parasiticide /ˌpærəˈsɪtɪsaɪd/ n. ◻ parassiticida; antiparassitario.

parasitized /ˈpærəˈsɪtɪsaɪzd/ a. infestato da parassiti.

parasitology /ˌpærəsaɪˈtɒlədʒɪ/ n. ◻ parassitologia ‖ **parasitological** a. parassitologico ‖ **parasitologist** n. parassitologo.

parasitosis /ˌpærəsaɪˈtəʊsɪs/ n. ◻ (*med.*) parassitosi.

parasol /ˈpærəsɒl/ n. parasole; ombrellino.

parastatal /ˌpærəˈsteɪtl/ a. parastatale; semiufficiale: **p. bodies**, enti parastatali.

parasympathetic /ˌpærəsɪmpəˈθɛtɪk/ a. (*anat.*) parasimpatico: **p. nervous system**, sistema nervoso parasimpatico.

parataxis /ˌpærəˈtæksɪs/ (*ling.*) n. paratassi ‖ **paratactic, paratactical** a. paratattico.

parathyroid /ˌpærəˈθaɪrɔɪd/ (*anat.*) Ⓐ n. paratiroide Ⓑ a. paratiroideo.

paratrooper /ˈpærətruːpə(r)/ n. (*mil.*) paracadutista (*soldato*).

paratroops /ˈpærətruːps/ n. pl. (*mil.*) reparti di paracadutisti.

paratyphoid /ˌpærəˈtaɪfɔɪd/ Ⓐ a. (*med.*) paratifoideo Ⓑ n. (= **p. fever**) paratifo.

paravane /ˈpærəveɪn/ n. (*naut., mil.*) paramine.

to **parboil** /ˈpɑːbɔɪl/ v. t. **1** sbollentare; bollire parzialmente **2** (*fig.*) «cuocere» (*una persona, per l'eccessivo calore*); surriscaldare.

parbuckle /ˈpɑːbʌkl/ n. (*naut.*) lentia; imbracatura doppia.

to **parbuckle** /ˈpɑːbʌkl/ v. t. – to p. up [**down**], sollevare [calare] per mezzo di una lentia.

♦**parcel** /ˈpɑːsl/ n. **1** pacco; pacchetto; collo; involto: **to do up** [**to undo**] **a p.**, fare [disfare] un pacco **2** (*comm.*) partita (*di merce messa in vendita*): **a p. of books**, una partita di libri **3** (*USA o leg.*; = **p. of land**) parcella fondiaria; lotto di terreno **4** (*arc.*) parte (*spec. nell'espress.*:) **to be part and p. of st.**, essere parte integrante di qc. **5** gruppo; branco: **a p. of fools**, un branco di stupidi ● **p. bomb**, pacco bomba; **p. delivery**, consegna (*o* recapito) di pacchi ◻ **p. delivery service**, servizio di corriere ◻ (*fin.*) **p. of shares**, pacchetto azionario ◻ **parcels office**, ufficio pacchi ◻ **p. paper**, carta da pacchi ◻ **p. post**, servizio dei pacchi postali; messaggeria, messaggerie ◻ (*ferr.*) **p. rate**, tariffa per pacchi (*o* per colli) ◻ (*comm.*) **by p. post**, per pacco postale.

to **parcel** /ˈpɑːsl/ v. t. **1** (*di solito* **to p. out**) dividere in parti; spartire; distribuire **2** (*spesso* **to p. up**) impaccare; impacchettare; involtare (*fam.*) **3** (*USA o leg.*) lottizzare (*terreni*) **4** (*naut.*) bendare (*una cima*) con striscie di tela.

parcelling, (*USA*) **parceling** /ˈpɑːsɪlɪŋ/ n. ◻ **1** divisione in parti; spartizione; distribuzione **2** impacchettamento **3** (*USA o leg.*) lottizzazione (*di terreni*).

to **parch** /pɑːtʃ/ Ⓐ v. t. **1** arrostire parzialmente; bruciare; essiccare: **parched corn**, granturco essiccato **2** (*del sole, della sete*) riardere; inaridire; far bruciare la gola a (q.); scottare: **the parched earth**, la terra riarsa (*o* inaridita) Ⓑ v. i. essiccarsi; dissecarsi; inaridirsi ● **to be parched with thirst**, avere la gola riarsa dalla sete.

parched /pɑːtʃt/ a. inaridito; riarso; disseccato: *I'm p., could you bring us some water please?*, sto morendo di sete, può portarci dell'acqua per favore?

Parcheesi® /pɑːˈtʃiːzɪ/ n. (*USA*) → **pachisi**.

parching /ˈpɑːtʃɪŋ/ a. che inaridisce; bruciante; che si secca: *'A burning forehead, and a p. tongue'* J. KEATS, 'la fronte che brucia, e la lingua che si secca'.

parchment /ˈpɑːtʃmənt/ n. **1** ◻ pergamena; cartapecora **2** (*arte, letter.*) pergamena **3** (*comm.*, = **p. paper**) carta pergamenata.

pard① /pɑːd/ n. (*poet.*) leopardo.

pard② /pɑːd/ n. (*slang USA*, abbr. di **pardner**) amico; socio (in affari).

♦**pardon**① /ˈpɑːdn/ n. **1** perdono **2** (*leg.*) grazia; indulto: **general p.**, indulto generale **3** (*relig.*) indulgenza ● **to ask** (**for**) **sb.'s**

p., chieder perdono a q.; chiedere a q. d'essere perdonato ◻ **to beg sb.'s p.**, chieder perdono a q.; chiedere scusa a q. ◻ **I beg your p.**, (chiedo) scusa!; mi scusi!; (*anche*, *cercando di passare*) permesso! ◻ **I beg your p.?**, (le spiace ripetere,) prego?; (*anche*, *come escl. indignata*) ma che dice?, che parole sono queste?

♦**pardon**② /ˈpɑːdn/ inter. (contraz. di **I beg your pardon**) **1** (*con inflessione interrogativa*) scusa? scusi? prego? (*non ho capito, può ripetere?*) **2** perdono! scusa! scusi!

to **pardon** /ˈpɑːdn/ v. t. **1** perdonare; scusare; passar sopra a; condonare: *'I p. thee thy life before you ask it'* W. SHAKESPEARE, 'ti condono la vita prima che tu me lo chieda' **2** (*leg.*) concedere l'indulto (*o* la grazia) a (q.) ● (*USA*) *P. me!*, scusi!; (chiedo) scusa!; (*anche*, *come escl. indignata*) ma che dice?, che parole sono queste? ◻ (*iron.*) *P. me for living!*, mi scusi tanto!; mille scuse! ◻ *If you'll p. the expression...* (*o* *P. my French...*), se mi si passa l'espressione (*detto quando si usano termini audaci o volgari*).

pardonable /ˈpɑːdnəbl/ a. perdonabile; scusabile ‖ **-bly** avv.

pardoner /ˈpɑːdnə(r)/ n. **1** chi perdona **2** (*stor., relig.*) distributore (*o* venditore) d'indulgenze.

to **pare** /peə(r)/ v. t. **1** pareggiare; rifilare; tagliare: **to p. a hedge**, pareggiare una siepe; **to p. one's nails**, tagliarsi le unghie **2** pelare, sbucciare (*frutta*): togliere (*la buccia*) **3** (*fig.*) ridurre; tagliare: **to p. to the bone**, ridurre all'osso (→ **to p. down**).

■ **pare away** v. t. + avv. **1** togliere (rifilando) **2** (*anche fig.*) tagliare.

■ **pare down** v. t. + avv. ridurre; tagliare: **to p. down costs**, ridurre i costi.

■ **pare off** → **to pare away**.

pared-down /peəˈdaʊn/ a. **1** ridotto; ridotto al minimo **2** essenziale; minimale.

paregoric /ˌpærɪˈɡɒrɪk/ a. e n. (*farm.*) paregorico (*raro*); analgesico, antalgico, calmante.

parenchyma /pæˈrɛŋkɪmə/ (*anat., bot.*) n. ◻ parenchima ‖ **parenchymal**, **parenchymatous** a. parenchimatico; parenchimatoso.

♦**parent** /ˈpeərənt/ n. **1** genitore, genitrice; padre; madre **2** (*fig.*) causa; fonte; origine **3** (*bot., fis. nucl.*) capostipite ● **p. bird** [**p. tree**], uccello [albero] che ne ha prodotto un altro ◻ (*fin.*) **p. company**, società (*o* casa) madre ◻ (*chim.*) **p. compound**, composto progenitore ◻ (*ling.*) **p. language**, lingua madre ◻ (*comput.*) **p. node**, nodo padre ◻ (*stat.*) **p. population**, popolazione d'origine ◻ (*geol.*) **p. rock**, roccia madre (*o* madrale) ◻ (*naut.*) **p. ship**, nave appoggio ◻ **p.-teacher association**, associazione insegnanti e genitori ◻ **our first parents**, i nostri progenitori; Adamo ed Eva ❶ FALSI AMICI ● **parent** *non significa* parente.

parentage /ˈpeərəntɪdʒ/ n. ◻ **1** genitura (*lett.*); paternità; maternità **2** genitori; (la) famiglia d'origine **3** discendenza; origine; stirpe: **of humble p.**, di umile origine.

parental /pəˈrɛntl/ a. **1** dei genitori; parentale; paterno; materno **2** (*psic.*) genitoriale: **p. figure**, figura genitoriale ● (*leg.*) **p. authority** (*o* **p. power**), patria potestà.

parenteral /pæˈrɛntərəl/ a. (*med.*) parenterale ● **p. feeding**, nutrizione per via parenterale.

parenthesis /pəˈrɛnθəsɪs/ n. (pl. ***parentheses***) (*ling.*); (*fig.*) intervallo, pausa: **in p.**, fra parentesi; per inciso.

to **parenthesize** /pəˈrɛnθɪsaɪz/ v. t. **1** mettere (*una parola, ecc.*) tra parentesi **2** dire per inciso.

parenthetical /ˌpærənˈθɛtɪkl/, **parenthetic** /ˌpærənˈθɛtɪk/ a. **1** parentetico **2**

(*fig.*) frapposto; intercalato **3** (*ling.*) incidentale ● (*ling.*) **p. clause**, inciso | **-ly** avv.

parenthood /'pɛərənthʊd/ n. ⓤ genitorialità; condizione di genitore; l'essere genitore.

parenting /'pɛərəntɪŋ/ n. ⓤ educazione e allevamento della prole; cura genitoriale; cura dei figli.

parentless /'pɛərəntləs/ a. senza genitori; orfano (*di entrambi*).

parer /'pɛərə(r)/ n. chi pareggia (qc.) tagliando; chi taglia, sbuccia, ecc. (→ **to pare**).

paresis /pə'riːsɪs/ (*med.*) n. ⓤ paresi ‖ **paretic** a. **1** di (o da) paresi **2** (*anche sost.*) paretico.

par excellence /paːr'ɛksəlɑːns, USA paːreksə'lɑːns/ (*franc.*) loc. avv. per eccellenza; per antonomasia.

parget /'paːdʒɪt/ n. (*edil.*) intonaco; stucco.

to **parget** /'paːdʒɪt/ v. t. (*edil.*) intonacare; decorare a stucco.

pargeting /'paːdʒɪtɪŋ/ n. ⓤ (*edil.*) **1** intonaco decorativo **2** intonaco interno (*nelle canne fumarie*).

parheliacal /paːhɪ'laɪəkl/, **parhelic** /paː-'hiːlɪk/ a. (*astron.*) parelico.

parhelion /paː'hiːlɪən/ n. (pl. **parhelia**) (*astron.*) parelio.

pariah /pə'raɪə/ n. (*anche fig.*) paria ● **p. dog**, cane randagio.

Parian /'pɛərɪən/ Ⓐ a. pario; dell'isola di Paro: **P. marble**, marmo pario Ⓑ n. **1** abitante di Paro **2** (= **P. ware**) porcellana bianca finissima (a pasta dura).

parietal /pə'raɪətl/ a. (*anat.*) parietale: **p. bones**, ossa parietali.

pari-mutuel /pærɪ'mjuːtʃʊəl/ (*franc.*) n. (pl. **pari-mutuels**, **paris-mutuels**) (*sport*) **1** scommessa alle corse dei cavalli (*in cui i vincitori si dividono proporzionalmente le somme puntate dai perdenti*) **2** (*spec. USA*, = **pari-mutuel machine**) totalizzatore (*macchina*; cfr. ingl. **totalizator**).

paring /'pɛərɪŋ/ n. ⓤⓒ **1** sbucciatura; pelatura **2** (pl.) bucce: **potato parings**, bucce di patate **3** potatura; ripulitura ● (*tecn.*) **p. chisel**, scalpello a legno □ (*tecn.*) **p. gouge**, scalpello a legno concavo □ **p. knife**, coltello per sbucciare; coltello da frutta; sbucciatore □ **nail-parings**, pezzetti d'unghia tagliati.

Paris ① /'pærɪs/ n. (*geogr.*) Parigi ● **P. blue**, blu di Parigi □ (*chim.*) **P. green**, verde di Parigi (*insetticida*).

Paris ② /'pærɪs/ n. (*mitol.*, *letter.*) Paride.

parish /'pærɪʃ/ n. **1** (*relig.*) parrocchia **2** (*in GB* = **civil p.**) distretto rurale **3** (*fig.*) zona, distretto (*di tassista, poliziotto, ecc.*); campo (*di competenza, d'interesse*) ● **p. church**, parrocchia; pieve □ **p. clerk**, «chierico» (*funzionario laico*) □ (*in GB*) **p. council**, consiglio di cittadini (*in un distretto rurale*) □ **p. magazine**, bollettino della parrocchia □ **p. priest**, parroco; pievano □ (*fig. spreg.*) **p.-pump**, di interesse locale, campanilistico, meschino; ristretto □ **p. registers**, registri parrocchiali □ (*arc.*) **to go on the p.**, ricevere il sussidio della parrocchia; essere nelle liste dei poveri.

parishioner /pə'rɪʃənə(r)/ n. parrocchiano.

Parisian /pə'rɪzɪən/ a. e n. parigino.

parisyllabic /pærɪsɪ'læbɪk/ a. e n. (*ling.*) parisillabo.

parity ① /'pærətɪ/ n. **1** ⓤ parità; uguaglianza: **p. of status**, parità di condizione sociale; **to achieve p. with**, raggiungere la parità con **2** ⓤ analogia; equivalenza; corrispondenza **3** (*fin.*) parità: **p. band**, banda di parità (o di oscillazione); **p. grid**, griglia di parità **4** (*mat.*, *fis.*) parità: **p. even [odd]**

parity, parità pari [dispari] **5** (*comput.*) parità: **p. check**, controllo di parità; **p. error**, errore di parità.

parity ② /'pærətɪ/ n. (*med.*) **1** l'aver partorito **2** parità.

◆to **park** /paːk/ n. **1** (*anche autom.*, *mil.*) parco: **a national p.**, un parco nazionale; **a p. of tanks**, un parco di carri armati **2** (*autom.*, = **car p.**) parcheggio, posteggio **3** (*sport*, *slang ingl.*) campo (*di gioco*) ● **the P.**, (*ora*) Hyde Park; (*un tempo*) St James Park (*entrambi a Londra*) □ **p. keeper**, guardiano di un parco □ (*autom.*) **car p.**, posteggio; autoparco □ **oyster p.**, vivaio di ostriche.

◆to **park** /paːk/ v. t. e i. **1** (*autom.*) parcheggiare; posteggiare: *Is it all right to p. around here?*, si può parcheggiare da queste parti? **2** (*mil.*) parcare **3** (*fam.*) lasciare (qc.) e andarsene **4** (*fam.*) parcheggiare, sistemare (q.) provvisoriamente **5** (*fam. USA*) amoreggiare, pomiciare (*spec. in automobile*) ● (*fam.*) **He parked himself in a comfortable armchair**, si sistemò in una comoda poltrona.

parka /'paːkə/ n. (*moda*) **1** giaccone di pelliccia (*con cappuccio*) **2** (*USA*) parka; giacca a vento.

park and ride site /'paːkən'raɪdsaɪt/ loc. n. (*autom.*) parcheggio d'interscambio.

parker /'paːkə(r)/ n. (*autom.*) chi parcheggia; parcheggiatore.

parkin /'paːkɪn/ n. (*dial.*) focaccia di farina d'avena e di melassa.

◆**parking** /'paːkɪŋ/ n. ⓤ (*autom.*) il parcheggiare; parcheggio; posteggio: **free car p.**, parcheggio gratuito; *There is some free p. but it's a few streets away*, c'è una zona con parcheggio gratuito ma è qualche strada più in là; **illegal p.**, parcheggio in zona vietata (o in divieto) ● **p. ban**, divieto permanente di parcheggio □ **p. bay** (o **place**), posto di parcheggio (*dentro le righe*); posto macchina (*fam.*) □ (*USA*) **p. brake**, freno a mano; freno di stazionamento □ (*autom.*) **p. disc**, disco orario □ (*USA*) **p. garage**, parcheggio al chiuso □ (*autom.*) **p. lights**, luci di posizione (o di stazionamento) □ (*USA*) **p. lot**, area di parcheggio (all'aperto); posteggio □ **p. meter**, parchimetro □ **p. offence = p. violation** → *sotto* □ (*miss.*) **p. orbit**, orbita di parcheggio □ (*autom.*) **p. space**, parcheggio, spazio per parcheggiare ● **p. sensor**, sensore di parcheggio □ **p. ticket**, multa per divieto di sosta □ **p. violation**, infrazione alle disposizioni sulla sosta dei veicoli □ (*cartello*) **No p.**, divieto di parcheggio; divieto di sosta.

parkinsonian /paːkɪn'səʊnɪən/ a. e n. parkinsoniano.

Parkinsonism /'paːkɪnsənɪzəm/ n. → **Parkinson's disease**.

Parkinson's disease /'paːkɪnsənzdɪziːz/ loc. n. ⓤ (*med.*) morbo di Parkinson; parkinsonismo.

parkland /'paːklænd/ n. ⓤⓒ terreno a parco; verde; parco.

parkway /'paːkweɪ/ n. (*USA*) **1** viale; strada alberata **2** (*autom.*) superstrada turistica.

parky /'paːkɪ/ a. (*fam.*: *dell'aria, del mattino, ecc.*) fresco; freddino; frizzante.

parlance /'paːləns/ n. ⓤ parlata; linguaggio; gergo: **in common p.**, nella parlata comune; nel linguaggio corrente; **newspaper p.**, gergo giornalistico.

parlatory /'paːlətrɪ/ n. parlatorio (*di convento*).

to **parlay** /'paːleɪ/ v. t. (*USA*) **1** raddoppiare (*la puntata*); puntare di nuovo (*la somma vinta*) **2** (*fig.*) mettere a profitto, sfruttare (*un talento, ecc.*): *He parlayed his invention into a fortune*, mettendo a profitto la sua invenzione, realizzò una fortuna.

parley /'paːlɪ/ n. (*mil.*) abboccamento, colloquio (*d'un parlamentare col nemico*); incontro (*di parlamentari*) ● (*stor.*) **to beat [to sound] a p.**, chiedere di parlamentare battendo il tamburo [suonando la tromba].

to **parley** /'paːlɪ/ v. i. (*mil.*) parlamentare.

to **parleyvoo** /paːlɪ'vuː/ v. i. (*scherz.*) parlare francese.

◆**parliament** /'paːləmənt/ n. **1** ⓤⓒ (*stor.*, *polit.*) (*di solito* P.) parlamento; (*spec.*) camera dei deputati ❶ **CULTURA** ● **parliament**: *il Parlamento britannico è propriamente costituito dalla Camera dei Lord* (**House of Lords**), *dalla Camera dei Comuni* (**House of Commons**) *e dal sovrano; tuttavia con questo termine si indicano comunemente le due camere o, più spesso, solo la seconda;* = **Houses of Parliament** → **house 2** ⓤⓒ (*polit.*) legislatura **3** (= **p. cake**) biscotto allo zenzero ● **Act of P.**, legge parlamentare □ **to dissolve P.**, sciogliere il parlamento (o le Camere) □ (*polit.*) **to open P.**, riaprire il parlamento (*dopo le elezioni*); (*in GB*: del Sovrano) presenziare alla riapertura dei lavori parlamentari □ **upholder of P.**, fautore del parlamento; parlamentarista.

parliamentarian /paːləmɛn'tɛərɪən/ n. **1** (*stor.*) sostenitore del Parlamento (*contro re Carlo I, nella guerra civile del secolo XVII*) **2** (*polit.*) membro del parlamento (*in GB*) **3** deputato esperto in questioni di procedura parlamentare ‖ **parliamentarianism**, **parliamentarism** n. ⓤ (*polit.*) parlamentarismo.

◆**parliamentary** /paːlə'mɛntrɪ/ a. **1** parlamentare: **p. government**, governo parlamentare; **p. committee**, commissione parlamentare **2** (*fig. fam.*) corretto; pieno di tatto; civile; urbano: **p. language**, linguaggio urbano ● (*in GB*) **p. agent**, tutelatore d'interessi settoriali o privati in parlamento; lobbista □ (*polit.*) **p. borough**, collegio elettorale (*in GB*) □ **the P. Commissioner**, il difensore civico (*in GB*) □ **p. private secretary**, deputato che i contatti per un ministro (*in GB*) □ **p. privilege**, immunità parlamentare □ (*in GB*) **p. secretary**, ministro; segretario di stato □ (*in GB*) **p. undersecretary**, sottosegretario 'politico'.

parlour, (*USA*) **parlor** /'paːlə(r)/ n. **1** (*un tempo*) salotto; salottino (*in una casa o in un albergo*) **2** parlatorio (*di convento o di collegio*) **3** (*USA*) bottega; salone; negozio: **a beauty p.**, un salone di bellezza; **a bootblack p.**, la bottega d'un lustrascarpe ● (*ferr.*, *USA*) **p. car**, carrozza di lusso; carrozza salone □ **p. games**, giochi di società (*un tempo*) □ **p. maid**, cameriera (*che serve a tavola*) □ (*fam. antiq.*) **p. pink**, socialista da salotto (o all'acqua di rose) □ **pizza p.**, pizzeria.

parlous /'paːləs/ a. (*scherz.*, *raro*; contraz. di **perilous**) pericoloso; rischioso ● **to be in a p. state**, essere in condizioni precarie.

Parma ham /paːmə'hæm/ loc. n. ⓤⓒ prosciutto di Parma.

Parmesan /'paːmɪzæn/ Ⓐ a. parmigiano: **P. cheese**, formaggio parmigiano Ⓑ n. **1** ⓤⓒ (*anche* **P. cheese**) parmigiano **2** parmigiano; parmense.

Parnassian /paː'næsɪən/ (*letter.*) a. e n. parnassiano ‖ **Parnassianism** n. ⓤ parnassianesimo.

Parnassus /paː'næsəs/ n. (*geogr. e fig.*) Parnaso.

parochial /pə'rəʊkɪəl/ a. **1** (*relig.*) parrocchiale; della parrocchia: **p. school**, scuola della parrocchia **2** distrettuale; municipale **3** (*fig.*) provinciale; di campanile; limitato; ristretto: **a p. mentality**, una mentalità provinciale (o ristretta) **4** (*spec. USA*) confessionale ● **p. jargon**, gergo 'di bottega'; lessico familiare □ (*USA*) **p. school**, scuola confessionale ‖ **parochialism**, **parochiality** n. ⓤ

1 l'esser parrocchiale **2** (*fig.*) campanilismo; provincialismo; ristrettezza di vedute; grettezza **3** (*USA*) confessionalismo; confessionalità.

parodist /'pærədɪst/ n. parodista ǁ **parodistic** a. parodistico.

parody /'pærədɪ/ n. ⓒⓤ (*anche fig.*) parodia; (*fig.*) imitazione scadente, sottospecie (*fig.*).

to **parody** /'pærədɪ/ v. t. parodiare.

parol /pə'rəʊl/ Ⓐ n. (*leg.*) dichiarazione orale Ⓑ a. verbale; orale: **p. contract**, contratto verbale; **p. evidence**, prove orali.

parole /pə'rəʊl/ n. ⓤ **1** (*leg.*, *in GB e in USA*) scarcerazione sulla parola; libertà sulla parola: **to be on p.**, essere in libertà sulla parola; **to be given p.**, essere messo in libertà sulla parola; **p. hearing**, udienza per la concessione della libertà sulla parola; **p. officer**, funzionario che sorveglia ex detenuti in libertà sulla parola; funzionario di sorveglianza **2** (*stor.*) parola d'onore (*di non fuggire*): **to break one's p.**, mancare alla parola data (*fuggendo*) **3** (*ling.*) parole (*franc.*) **4** (*mil.*) parola d'ordine ❶ FALSI AMICI • parole *non significa* parola *nel senso di* vocabolo, termine.

to **parole** /pə'rəʊl/ v. t. (di solito, al passivo) rilasciare (*un detenuto*) sulla parola.

parolee /pərəʊ'liː/ n. (*leg.*) ex detenuto messo in libertà sulla parola.

paronomasia /pærənəʊ'meɪzɪə/ n. (*ling.*, *retor.*) paronomasia.

paronychia /pærəʊ'nɪkɪə/ n. ⓤ (*med.*) paronichia.

paronym /'pærənɪm/ (*ling.*) n. paronimo ǁ **paronymous** a. paronimico.

paroquet /'pærəkɪt/ → **parakeet**.

parosmia /pæ'rɒzmɪə/ n. ⓤ (*psic.*) parosmia.

parotid /pə'rɒtɪd/ (*anat.*) Ⓐ a. parotide; parotideo: **p. gland**, ghiandola parotide Ⓑ n. ghiandola parotide.

parotitis /pærə'taɪtɪs/ n. ⓤ (*med.*) parotite.

paroxysm /'pærəksɪzəm/ (*med.*, *geol. e fig.*) n. parossismo ǁ **paroxysmal** a. parossistico; di parossismo.

paroxytone /pə'rɒksɪtəʊn/ (*ling.*) Ⓐ a. parossitono Ⓑ n. parossitono; parola piana.

parquet /'pɑːkeɪ, USA pɑː'keɪ/ (*franc.*) n. **1** ⓤⓒ pavimento di legno; parquet: **p. strip**, assicella di parquet **2** (*teatr.*, *USA*; = **p. circle**) (poltrone di) platea • **p. layer**, parchettista.

to **parquet** /'pɑːkeɪ, USA pɑː'keɪ/ (*franc.*) v. t. pavimentare (*una stanza*) a parquet.

parquetry /'pɑːkɪtrɪ/ n. ⓤ listelli di legno per pavimenti; parchettatura.

parr /pɑː(r)/ n. (inv. al pl.) salmone giovane (*prima che scenda al mare*).

parrakeet /'pærəkiːt/ → **parakeet**.

parricide /'pærɪsaɪd/ n. **1** parricida **2** parricidio ǁ **parricidal** a. parricida.

parrot /'pærət/ n. (*zool.*) pappagallo (*anche fig.*) • **p. fashion**, a pappagallo; pappagallescamente □ (*med.*) **p. fever**, psittacosi □ (*zool.*) **p.-fish**, pesce pappagallo □ (*fam.*) **to be (as) sick as a p.**, rimanere da cane; restarci male | **parrotlike** a. da pappagallo; pappagallesco ǁ **parrotry** n. ⓤ pappagallismo.

to **parrot** /'pærət/ v. t. ripetere a pappagallo; imitare in modo pappagallesco.

parry /'pærɪ/ n. **1** parata (*nella scherma*, *ecc.*) **2** (*fig.*) risposta evasiva.

to **parry** /'pærɪ/ v. t. **1** (*nella scherma*, *ecc.*) parare; scansare; schivare: **to p. a blow [a thrust]**, parare un colpo [una stoccata] **2** (*calcio*, *ecc.*; *anche* **to p. away**) parare, respingere (*un tiro*) **3** respingere, rintuzzare (*un attacco*) **4** (*fig.*) eludere (*una domanda*).

to **parse** /pɑːz/ v. t. **1** (*gramm.*) analizzare; fare l'analisi grammaticale di (*una parola*); fare l'analisi logica di (*una frase*) **2** (*comput.*) analizzare sintatticamente.

parsec /'pɑːsɛk/ n. (*astron.*) parsec.

Parsee /pɑː'siː/ n. (*stor.*) **1** parsi (*seguace di Zoroastro*) **2** ⓤ lingua parsi.

parser /'pɑːsə(r)/ n. **1** chi fa l'analisi grammaticale **2** (*comput.*) analizzatore sintattico; parser.

Parsi /pɑː'siː/ n. (pl. **Parsis**) → **Parsee**.

parsimonious /pɑːsɪ'məʊnɪəs/ a. **1** parsimonioso; frugale; parco **2** (*spreg.*) avaro; gretto; meschino | **-ly** avv. | **-ness** n. ⓤ.

parsimony /'pɑːsɪmənɪ/ n. ⓤ **1** parsimonia; frugalità **2** (*spreg.*) avarizia; grettezza.

parsing /'pɑːzɪŋ/ n. ⓤ **1** (*gramm.*) analisi sintattica (*di una frase*) **2** (*comput.*) analisi sintattica.

parsley /'pɑːslɪ/ n. (*bot.*, *Petroselinum crispum*) prezzemolo • (*cucina*) **p. sauce**, salsa bianca con aggiunta di prezzemolo.

parsnip /'pɑːsnɪp/ n. (*bot.*, *Pastinaca sativa*) pastinaca.

parson /'pɑːsn/ n. **1** parroco; curato **2** (*fam.*) pastore (*protestante*, *in genere*) **3** (*talora*, *al vocat.*) padre • (*fam.*, *cucina*) **p.'s nose**, boccone del prete (*estremità posteriore del pollo*) ǁ **parsonic** a. (*raro*) di (*o da*) parroco.

parsonage /'pɑːsənɪdʒ/ n. **1** casa parrocchiale; canonica **2** (*diritto ecclesiastico ingl.*) terreni (*o prebende*) d'un pastore.

♦**part**① /pɑːt/ n. **1** parte (*anche teatr. e leg.*); porzione; pezzo: *He lost p. of his fortune*, perse parte del suo patrimonio; *I've done my p.*, ho fatto la mia parte; **genuine spare parts**, pezzi di ricambio originali; *The actor learnt his p. well*, l'attore imparò bene la sua parte; (*gramm.*) **the parts of speech**, le parti del discorso; **to take sb.'s parts**, prendere le parti (*o le difese*) di q. **2** (pl.) parti; località; regione: *I am a stranger to these parts*, sono un pesce fuor d'acqua da queste parti **3** affare; compito; spettanza: *It was not my p. to interfere*, non era affar mio interferire **4** dispensa; fascicolo; puntata **5** (*USA*: *dei capelli*) scriminatura; riga **6** (*mecc.*, = **spare p.**) pezzo di ricambio • **p. and parcel**, parte integrante □ (*comm.*) **p. delivery**, consegna parziale □ (*ind.*, *comm.*) **parts department**, reparto pezzi di ricambio; «Ricambi» □ (*comm.*) **p. exchange**, permuta parziale □ (*mecc.*, *ecc.*) **parts kit**, ricambi in dotazione □ (*trasp.*) **p. load**, carico parziale □ (*fig.*: *di una persona*) **to be p. of the furniture**, passare del tutto inosservato □ (*gramm.*) **part of speech**, categoria grammaticale □ (*leg.*) **p.-owner**, comproprietario; condomino; caratista □ **p.-ownership**, proprietà in comune □ **p. payment**, pagamento parziale; acconto □ (*mus.*) **p.-singing**, canto a più voci; canto polifonico □ **p.-song**, canzone a più voci □ (*mecc.*) **p. stockist**, magazzino ricambi □ **p. time**, part time, (a) orario ridotto (*di lavoro*, *ecc.*); (a) tempo determinato □ **p.-timer**, chi lavora a orario ridotto (*o part-time*) □ (*fam.*) **p.-way**, a metà strada, a metà; in parte, parzialmente: *The door is p.-way open*, la porta è mezza aperta □ **p. work**, pubblicazione a dispense □ **for the most p.**, per lo più □ **for my p.**, per parte mia; quanto a me □ **from all parts**, da ogni parte; da tutte le parti; da ogni lato □ **to have done one's p.**, aver fatto la propria parte □ **to have neither p. nor lot in st.**, non aver alcun interesse in qc. □ **in p.**, in parte; parzialmente □ (*market.*) **in p. exchange**, in cambio parziale □ **in foreign parts**, in paesi stranieri; all'estero □ (*fam.*) **to look the p.**, avere l'aspetto giusto; essere in parte (*all'aspetto*) □ **the most p. of them**, i più di loro □ **on the p. of**, da parte di: *Every effort will*

be made on our p., da parte nostra faremo ogni sforzo □ (*anche fig.*) **to play a p.**, avere una parte (*o un ruolo*); (*anche*) recitare una parte, fingere, fare la commedia: *He played a very important p.*, ebbe una parte molto importante □ **to play an unworthy p.**, fare una brutta parte, una figura indegna □ **to sing in parts**, cantare a più voci □ **to take sb.'s p.**, prendere le parti (*o le difese*) di q. □ **to take p. in st.**, prender parte a qc. □ **to take st. in bad p.**, prendersela per qc. □ **to take st. in good p.**, non prendersela per qc.

part② /pɑːt/ avv. in parte; parzialmente • **a lie that is p. truth**, una bugia che è una mezza verità.

to **part** /pɑːt/ Ⓐ v. t. **1** dividere; separare: *We must p. the calves from the herd*, dobbiamo separare i vitelli dalla mandria **2** distinguere fra; separare nella mente: **to p. two theories**, distinguere fra due teorie **3** fare la scriminatura a (*i capelli*): **to p. one's hair in the middle**, portare (*o portare*) la riga nel mezzo **4** dischiudere (*le labbra*) **5** (*arc.*) distribuire in parti; spartire Ⓑ v. i. **1** dividersi; lasciarsi; separarsi; aprirsi: *They parted in anger*, si separarono adirati **2** rompersi; spezzarsi: *The rope parted*, la corda si ruppe **3** staccarsi; venir via: *The seams parted*, le cuciture (*o i punti*) vennero via **4** (*di strade*, *ecc.*) divergere **5** (*eufem.*) andarsene (*fig.*); morire • **to p. from**, separare (*q.*) da; separarsi da, dire addio a (*una persona*, *ecc.*): *The boy refused to be parted from his dog*, il ragazzo non volle essere separato dal suo cane □ **to p. with**, staccarsi, separarsi da (*una cosa*); cedere, disfarsi di (*un bene*, *una proprietà*) □ **to p. company (with)**, separarsi, staccarsi (*da*); prendere due strade diverse; porre fine a un'amicizia; essere in disaccordo, non essere d'accordo (*con*): *On that question the minority will p. company with the party leadership*, su quella questione, la minoranza non sarà d'accordo con la direzione del partito □ **to p. from one's family**, staccarsi dalla (*o lasciare la*) famiglia □ **to p. the curtains**, aprire le tendine □ **to p. with one's money**, spendere il proprio denaro.

part. abbr. **1** (**particular**) particolare **2** (**particularly**) particolarmente.

to **partake** /pɑː'teɪk/ (pass. **partook**, p. p. **partaken**) Ⓐ v. i. **1** prendere parte; partecipare; esser partecipe: *We p. in your grief*, siamo partecipi del vostro dolore **2** (*arc.*, *scherz.*, *di solito* **to p. of**) dividere (*cibo*, *bevanda*); prendere un po' (*o una porzione*) di (*cibo*) Ⓑ v. t. (*raro*) partecipare a; condividere • (*fig.*) **to p. of**, sapere di; sentire di; avere qc. di: *Our dialect partakes of French*, il nostro dialetto ha qualcosa del francese □ (*arc.*, *o scherz.*) **to p. of**, partecipare a (*un pasto* o *una bevuta*).

partaker /pɑː'teɪkə(r)/ n. partecipante; chi condivide qc. (→ **to partake**).

partan /'pɑːtən/ n. (*scozz.*) granchio.

parterre /pɑː'tɛə(r)/ (*franc.*) n. **1** parterre; piccolo giardino diviso in aiuole **2** (*teatr.*) platea.

parthenocarpy /pɑː'θiːnəʊkɑːpɪ/ n. ⓤ (*bot.*) partenocarpia.

parthenogenesis /pɑːθənəʊ'dʒɛnəsɪs/ (*biol.*) n. ⓤ partenogenesi ǁ **parthenogenetic** a. partenogenetico ǁ **parthenogenetically** avv. partenogeneticamente.

Parthenon /'pɑːθənən/ n. (*archit.*, *stor.*) Partenone.

Parthian /'pɑːθɪən/ Ⓐ a. (*stor.*) dei Parti Ⓑ n. Parto • (*fig.*) **P. shot** (*o* **P. shaft**), freccia del Parto.

partial /'pɑːʃl/ a. **1** parziale; incompleto: **p. payment**, pagamento parziale; **a p. solution**, una soluzione parziale; **p. eclipse**, eclissi parziale **2** parziale; non obiettivo;

ingiusto: **to be p. to sb.**, esser parziale verso q. **3** (*fam.*) che ha un debole per (qc.): **to be p. to chocolates**, avere un debole per i cioccolatini ‖ **partially** avv. parzialmente; in parte ● **partially sighted**, ipovedente.

❶ NOTA: *partially o partly?*
Partially e *partly* sono essenzialmente sinonimi e hanno il significato di "parzialmente", però si usano in contesti leggermente diversi. *Partially* si usa soprattutto per dire "non totalmente, in modo incompleto": *facilities for the blind and partially sighted*, servizi per i non vedenti e gli ipovedenti; *the state of siege round the city has been partially lifted*, lo stato di assedio attorno alla città è stato parzialmente tolto. *Partly* si usa più spesso di *partially*, soprattutto col significato di "in parte": *Performance is assessed partly by examination and partly by written course work*, il rendimento è valutato in parte attraverso un esame e in parte attraverso prove scritte durante il corso; *Partly because of the poor financial state of the economy and partly because of the weather, profits were down last year*, in parte a causa della grave situazione economica e in parte a causa delle condizioni meteorologiche, i profitti l'anno scorso furono bassi.

partiality /ˌpɑːʃɪˈælətɪ/ n. Ⓤ **1** parzialità; favoritismo **2** predilezione; preferenza; (un) debole: **a p. for sweets**, un debole per le caramelle.

partible /ˈpɑːtəbl/ a. divisibile ‖ **partibility** n. Ⓤ divisibilità.

participance /pɑːˈtɪsɪpəns/ n. Ⓤ (*raro*) partecipazione.

◆**participant** /pɑːˈtɪsɪpənt/ Ⓐ a. partecipe Ⓑ n. partecipante; chi condivide (qc.).

◆to **participate** /pɑːˈtɪsɪpeɪt/ v. i. **1** – **to p. in**, partecipare a; prendere parte a; condividere: *He participated in the discussion*, partecipò alla discussione **2** – **to p. of**, partecipare (o esser partecipe) di; avere la natura (o il carattere) di.

participating /pɑːˈtɪsɪpeɪtɪŋ/ a. che partecipa; partecipante ● (*fin.*) **p. bond**, obbligazione a partecipazione ◻ (*fin.*) **p. interests**, partecipazioni azionarie ◻ (*ass.*) **p. policy**, polizza vita con partecipazione agli utili.

◆**participation** /pɑːˌtɪsɪˈpeɪʃn/ n. Ⓤ **1** partecipazione **2** (*fin.*) partecipazione agli utili ● (*ass., fin.*) **p. in profits**, partecipazione agli utili (*da parte dell'assicurato*).

participative /pɑːˈtɪsɪpeɪtɪv/ a. (*polit., econ.*) partecipativo; di partecipazione: **p. management**, gestione partecipativa.

participator /pɑːˈtɪsɪpeɪtə(r)/ n. partecipante.

participatory /pɑːˈtɪsɪpətrɪ/ a. partecipativo; di partecipazione: (*polit.*) **p. democracy**, democrazia partecipativa.

◆**participle** /ˈpɑːtɪsɪpl/ (*gramm.*) n. participio ‖ **participial** a. participiale.

❶ NOTA: *-ed o -t?*
Il past simple e il participio passato dei verbi *to burn, to dream, to dwell, to kneel, to lean, to leap, to learn, to smell, to spell, to spill* e *to spoil* possono finire in *–ed* o *–t* e sono corrette entrambe le forme, *burned* o *burnt, dreamed* o *dreamt, dwelled* o *dwelt*, ecc. Generalmente la forma *–ed* è preferita nell'inglese americano, mentre la forma *–t* è leggermente più frequente nell'inglese britannico.

particle /ˈpɑːtɪkl/ Ⓐ n. **1** (*fis., gramm.*) particella **2** (*fig.*) grano; granello; briciolo: **a p. of dust [of rain]**, un granello di polvere [una gocciolina di pioggia]; **a p. of truth**, un briciolo di verità **3** (*relig.*) particola Ⓑ a. attr. particellare; delle particelle: **p. properties**, proprietà particellari; **p. physics**, fisica delle particelle ● (*fis. nucl.*) **p. accelerator**, acceleratore di particelle ◻ (*ind.*) **p. board**, pannello truciolare ◻ **p.-size analysis**, analisi granulometrica ◻ (*fis.*) **p. trap**, trappola per particelle.

particoloured, **parti-coloured**, (*USA*) **particolored**, **parti-colored** /ˈpɑːtɪkʌləd/ a. multicolore; variopinto: **p. flowers**, fiori variopinti.

◆**particular** /pəˈtɪkjʊlə(r)/ Ⓐ a. **1** particolare; speciale: *There's no p. reason for going there*, non c'è una ragione speciale perché ci si debba andare; *Why did you choose that p. book?*, perché hai scelto proprio quel libro? **2** particolareggiato; minuzioso; preciso: **a full and p. report**, un rapporto completo e particolareggiato **3** meticoloso; scrupoloso; difficile; esigente; schizzinoso: **a p. customer**, un cliente esigente; *He is very p. about (o as to) what he eats*, è molto schizzinoso nel mangiare; *I'm not p. about it*, non ho preferenze Ⓑ n. **1** (*filos.*) particolare **2** (spesso al pl.) particolare; dettaglio; dato: *You're wrong in every p.*, ti sbagli su ogni punto; **to give full particulars**, dare ampi particolari; **to go into particulars**, addentrarsi (o scendere) nei particolari; *The policeman took my particulars*, il poliziotto prese le mie generalità ● (*leg.*) **p. amnesty**, indulto ◻ (*ass., naut.*) **p. average**, avaria particolare ◻ **a p. friend of mine**, un mio amico intimo ◻ **in p.**, in particolare; specialmente.

particularism /pəˈtɪkjʊlərɪzəm/ (*relig., polit.*) n. Ⓤ particolarismo ‖ **particularist** a. e n. particolarista; fautore del particolarismo ‖ **particularistic** a. particolaristico.

particularity /pəˌtɪkjʊˈlærətɪ/ n. **1** Ⓤ particolarità; specificità; peculiarità **2** Ⓤ esattezza; minuziosità; precisione **3** Ⓤ meticolosità; scrupolosità **4** particolarità; particolare; dettaglio.

to **particularize** /pəˈtɪkjʊləraɪz/ v. t. e i. particolareggiare; dettagliare; specificare ‖ **particularization** n. Ⓤ particolarizzazione; specificazione.

◆**particularly** /pəˈtɪkjʊləlɪ/ avv. in particolare, particolarmente, specialmente: *We are hoping to expand our business, p. in Europe*, speriamo di espandere la nostra attività, specialmente in Europa.

particulate /pɑːˈtɪkjʊlət/ a. attr. (*scient.*) costituito da particelle; di particelle; particellare: **p. emissions**, emissioni di particolato; **p. matter**, particolato; sostanze particellari; **fine p. matter**, polveri sottili.

parting /ˈpɑːtɪŋ/ n. Ⓤ Ⓒ **1** divisione; separazione: **p. line**, linea di divisione **2** distacco; congedo; partenza; addio: **p. advice**, consigli dati alla partenza; ultimi consigli; **a p. kiss**, un bacio d'addio **3** punto di divisione (o di separazione) **4** (*dei capelli*) scriminatura; riga: **centre p.**, riga nel mezzo **5** (*geol.*) (strato di) fissilità **6** (*eufem.*) dipartita (*fig.*); morte ● **the p. of the ways**, il bivio (*anche fig.*) ◻ (*fig.*) **the p. shot**, la frecciata (o stoccata, occhiata, osservazione) finale ◻ (*archit.*) **p. strip**, striscia di divisione ◻ (*tecn.*) **p. tool**, utensile di troncatura ◻ **a p. visit**, una visita di congedo.

partisan, **partizan**, *USA* /ˈpɑːtəzən/ Ⓐ n. **1** partigiano; fautore; sostenitore **2** (*mil., polit.*) partigiano Ⓑ a. partigiano; di parte; fazioso: **in a p. spirit**, con (o per) spirito di parte ‖ **partisanship** n. Ⓤ partigianeria; faziosità.

partita /pɑːˈtiːtə/ (*ital.*) n. (*mus.*) partita.

partite /ˈpɑːtaɪt/ a. (*bot., zool.*) partito, diviso (spesso nei composti, per es.:) **tripartite**, tripartito.

partition /pɑːˈtɪʃn/ n. Ⓒ Ⓤ **1** partizione; ripartizione; spartizione: **the p. of India**, la spartizione dell'India **2** sezione; scomparto **3** (*edil.* = **partition wall**) parete divisoria; tramezzo: **a folding p.**, una parete a soffietto **4** (*leg.*) divisione patrimoniale **5** (*comput.*) partizione **6** (*trasp.*) cartone divisorio (*nell'imballaggio*) ● (*polit.*) **the p. of power**, la divisione dei poteri.

to **partition** /pɑːˈtɪʃn/ v. t. **1** dividere in parti; ripartire; spartire **2** dividere in sezioni (o in scomparti) **3** (*comput.*) partizionare ● **to p. off a room**, tramezzare una stanza.

partitioned /pɑːˈtɪʃnd/ a. **1** separato; diviso **2** (*edil.*) tramezzato **3** (*comput.*) partizionato.

partitioning /pɑːˈtɪʃnɪŋ/ n. Ⓤ **1** divisione; spartizione **2** (*edil.*) tramezzatura; materiale per tramezzi **3** (*comput.*) segmentazione.

partitive /ˈpɑːtɪtɪv/ a. e n. (*gramm.*) partitivo: **p. genitive**, genitivo partitivo.

◆**partly** /ˈpɑːtlɪ/ avv. parzialmente; in parte ● (*comm., ind.*) **p.-finished goods**, merce in corso di lavorazione; semilavorati ◻ (*fin.*) **p.-paid capital**, capitale parzialmente versato **❶ NOTA:** *partially o partly?* → **partially**.

◆**partner** /ˈpɑːtnə(r)/ n. **1** (*comm., leg.*) socio; associato **2** partner; compagno, compagna (*nei giochi di carte, al tennis, negli spettacoli, ecc.*) **3** marito, moglie **4** (*nel ballo* = **dancing p.**) cavaliere, dama; ballerino, ballerina **5** (*fam.*) amico; innamorato ● (*leg.*) **partners in crime**, complici; correi ◻ **business p.**, socio in affari.

to **partner** /ˈpɑːtnə(r)/ v. t. **1** (*comm.*) diventar socio di (q.) **2** farsi compagno di (q.) **3** associare, mettere insieme (*q. con q. altro*); dare un compagno a (q.) **4** (*nel ballo*) fare da cavaliere (o da dama) a (q.); ballare con (q.) ● **to p. up**, appaiare, mettere in coppia; fare coppia (fissa).

◆**partnership** /ˈpɑːtnəʃɪp/ Ⓐ n. Ⓤ **1** l'associarsi; partenariato; associazione **2** (*leg., fin.*) società; società di persone (o in nome collettivo) (*cfr.* **company**, def. **4** e **corporation**, def. **3**): **to enter into p. with sb.**, entrare in società con q. Ⓑ a. attr. (*leg., fin.*) sociale: **p. assets**, attivo sociale; **p. funds**, fondi sociali ● (*leg.*) **p. articles** (o **deed**) **of p.**, contratto d'associazione ◻ (*fig.*) **to form a p. with**, associarsi a, combinarsi con ◻ **limited p.**, società in accomandita semplice ◻ **unlimited** (o **general**) **p.**, società in nome collettivo.

parton /ˈpɑːtɒn/ n. (*fis. nucl.*) partone.

partook /pɑːˈtʊk/ pass. di **to partake**.

partridge /ˈpɑːtrɪdʒ/ n. (pl. **partridges**, **partridge**) (*zool.*, *Perdix*; *Alectoris*) **1** pernice **2** fasianide (*in genere*) ● **p.-wood**, legno pernice, usato in ebanisteria ◻ (*zool.*) **Greek p.** (*Alectoris graeca*), coturnice ◻ (*zool.*) **grey p.** (*Perdix perdix*), pernice grigia; starna.

◆**part-time** /pɑːˈtaɪm/ Ⓐ a. a orario ridotto; part-time: **a part-time job**, un lavoro a orario ridotto; part-time Ⓑ avv. a orario ridotto: **to work part-time**, lavorare part-time; fare il part-time.

parturient /pɑːˈtjʊərɪənt/ a. **1** partoriente **2** (*fig.*) che è sul punto di produrre (*un'idea nuova, una scoperta, ecc.*).

parturition /ˌpɑːtjʊˈrɪʃn/ n. Ⓤ (*anche fig.*) parto.

◆**party**① /ˈpɑːtɪ/ n. **1** partito; parte politica: **the Conservative p.**, il partito conservatore; **the Labour p.**, il partito laburista **2** squadra; gruppo; comitiva; crocchio: **a rescue p.**, una squadra di soccorso; **to make up a p.**, formare una comitiva **3** festa; ricevimento; riunione; festa: **to give a p.**, dare un ricevimento (o un party); organizzare una festa: **hen p.**, festa di addio al nubilato; **stag p.**, festa di addio al celibato **4** (*leg.*) parte; parte contraente; parte in causa: **to become p. to an action**, costituirsi parte in

un processo; **the two parties to the contract**, le due parti contraenti **5** (*fam. scherz. USA*) persona; individuo; tipo; tizio **6** (*mil.*) distaccamento (*di soldati*); squadra; plotone; reparto: **a firing p.**, un plotone d'esecuzione; (*oppure*) un plotone d'onore (*a un funerale, dove si spara a salve*); **a landing p.**, un reparto di fanteria da sbarco **7** (*telef.*) abbonato; utente ● (*leg.*) **the p. at fault**, la parte responsabile □ (*leg.*) **the p. concerned**, la parte interessata; l'interessato; gli interessati □ (*leg.*) **the p. entitled**, l'avente diritto; gli aventi diritto □ **p. funding**, finanziamento dei partiti □ **p. game**, gioco di società (*spec. di bambini*) □ **p. leader**, leader (*o segretario*) di un partito politico □ (*polit.*) **the p. line**, la linea (politica) del partito □ (*telef.*) **p. line**, telefono in duplex; duplex; (*anche*) party line, linea calda (*o erotica*) □ (*polit.*) **p.-liner**, chi segue la linea politica del partito □ **p. man**, festaiolo, chi va ai party di frequente; (*polit.*) uomo di partito, sostenitore della linea (politica) d'un partito □ (*polit.*) **p. office**, sezione □ (*ingl.*) **p. piece**, pezzo forte (*poesia, canzone, ecc. in cui q. si esibisce in compagnia*); (*fig.*) numero; cavallo di battaglia □ (*spec. ingl.*) **p.-political**, di partito; partitico: **p.-political broadcast**, tribuna politica (*trasmessa in TV durante il periodo elettorale*) □ (*fam.*) **p. pooper**, guastafeste; musone; muso lungo □ (*polit.*) **p. rally**, riunione di partito; comizio □ **the p. grass roots**, la base del partito □ **p. spirit**, fedeltà a un partito; spirito di parte; partigianeria; (*anche*) umore festaiolo, atmosfera festaiola: **to get into the p. spirit**, cominciare a divertirsi □ (*ferr.*) **p. ticket**, biglietto collettivo □ (*leg.*) **to be a p. to a crime**, essere complice in un delitto □ (*edil., leg.*) **p. wall**, muro divisorio fra due proprietà; muro in comune □ **Will you join our p.?**, vuoi essere dei nostri? □ (*iron.*) **The p. is over**, la festa (*o* la pacchia, la cuccagna) è finita.

party ② /'pɑ:tɪ/ *a.* (*arald.*) partito.

to party /'pɑ:tɪ/ *v. i.* (*fam. spec. USA*) **1** divertirsi; fare festa **2** bere; drogarsi; fare sesso.

partygoer /'pɑ:tɪgəʊə(r)/ *n.* **1** invitato a una festa **2** assiduo frequentatore di feste.

parvenu /'pɑ:vənju:, -nu:/ (*franc.*) *n.* parvenu; arricchito; nuovo ricco.

parvis /'pɑ:vɪs/ *n.* (*archit.*) sagrato.

pas /pɑ:/ (*franc.*) *n.* **1** passo; precedenza: **to give the pas to sb.**, cedere il passo a q. **2** (*danza*) passo: **a pas seul**, un passo a solo.

paschal /'pæs'kæl/ *a.* **1** pasquale (*della Pasqua israelitica*) **2** (*arc. o lett.*) pasquale (*della Pasqua cristiana*): **the p. lamb**, l'agnello pasquale (*Cristo*).

pas de deux /pɑ:də'dɜ:/ (*franc.*) *loc. n.* (*danza*) pas de deux; passo a due.

pash /pæʃ/ *n.* (abbr. *slang di* **passion**) infatuazione; cotta.

to pash /pæʃ/ *v. i.* (*fam. Austr.*) pomiciare.

pasha /'pɑ:ʃə/ *n.* (*stor.*) pascià.

pashalik /pə'ʃɑ:lɪk/ *n.* ꭃ pascialato; territorio retto da un pascià.

pashmina /pʌʃ'mi:nə/ *n.* ꭃ pashmina.

pasque flower, **pasqueflower** /'pæskflaʊə(r)/ *n.* (*bot.*, *Anemone pulsatilla*) pulsatilla.

pasquinade /pæskwɪ'neɪd/ *n.* pasquinata.

to pasquinade /pæskwɪ'neɪd/ *v. t.* satireggiare; fare una pasquinata su q.

pass ① /pɑ:s/ *n.* **1** il passare (*anche nei giochi di carte*); passaggio **2** approvazione (*spec. agli esami*); promozione; voto di sufficienza **3** (*mil.*) lasciapassare; salvacondotto; permesso **4** (*scherma*) passata; stoccata **5** (*di solito* **free p.**) biglietto gratuito (*in ferrovia, a teatro, ecc.*); tessera di libero ingresso (*o circolazione*) **6** (*tecn.*) passata **7** (*me-*

tall.) passata; (*anche*) passo di laminazione **8** (*miss.*) passaggio (*di satellite*) **9** (*fig.*) situazione (*spec. critica*) **10** (*sport*) passaggio; lancio; appoggio; suggerimento; assist; tocco; imbeccata: **a p. forward**, un passaggio (*o un tocco*) in avanti; **a through p.**, un passaggio filtrante **11** (*tennis*) passante: **to make a p.**, effettuare un passante **12** (*scherma*) affondo **13** (*sci*) pass; tessera d'ingresso **14** (*di illusionista, d'ipnotizzatore*) il passar le mani davanti a (*o sopra: un oggetto, una persona*) ● (*elettron.*) **p. band**, banda passante □ (*università*) **p. degree**, laurea senza gli → «honours» (→ **honour**) □ **p.-fail**, promosso o bocciato (*metodo di valutazione scolastica*) □ **p. key** → **passkey** □ **p.-rate**, percentuale dei candidati promossi (*o sport*) **to exchange passes**, scambiarsi passaggi; palleggiare (*tra due*); fraseggiare (*fig.*) □ (*fam.*) **to make a p. at sb.**, fare proposte indiscrete (*o* importune) a q. □ **Things have come to a sorry p.**, le cose si mettono male; mala tempora currunt (*lat.*).

pass ② /pɑ:s/ *n.* **1** passo, gola, valico (*fra i monti*) **2** (*mil.*) passo fortificato; fortezza di confine **3** (*di un fiume*) guado; traghetto **4** canale navigabile (*spec. alla foce d'un fiume*) **5** apertura (*o passaggio*) per il pesce (*per superare una chiusa*) ● (*fig.*) **to hold the p.**, tener duro; resistere □ (*fig.*) **to sell the p.**, tradire; venire a patti col nemico.

♦**to pass** /pɑ:s/ 🅰 *v. i.* **1** passare; andare oltre; procedere; finire; trascorrere; terminare; essere approvato; essere ammesso; essere promosso: *We passed through several towns*, passammo attraverso parecchie città; *A lot of time has passed*, è trascorso molto tempo; *My words passed unnoticed*, le mie parole passarono inosservate; *The estate passed to his heirs*, la proprietà passò ai suoi eredi; *The bill has passed*, il disegno di legge è stato approvato **2** accadere; capitare; succedere **3** (*nei giochi di carte*) passare; non starci (*fam.*); passare la mano **4** (*sport*) passare; effettuare un passaggio; smistare **5** (*autom., ecc.*) superare, sorpassare; fare un sorpasso: **to p. on the inside**, sorpassare all'interno **6** (*fam.*) rinunciare; dire di no (*a un'offerta*) **I'll p., thank you**, grazie, per me no **7** (*fam. USA: di un nero*) farsi passare per bianco; farsi accettare 🅱 *v. t.* **1** passare; trascorrere; attraversare; oltrepassare; sorpassare; superare: *P. me the salt, please*, passami il sale, per favore; **to p. the sea [the frontier]**, passare il mare [il confine]; **to p. the time chatting**, passare il tempo a chiacchierare; *We have passed their house*, abbiamo oltrepassato la loro casa **2** approvare; varare (*una legge*); ammettere; promuovere; sanzionare: *The House of Commons passed the bill*, la Camera dei Comuni approvò il disegno di legge; *He passed eight students out of ten*, promosse otto studenti su dieci **3** superare; essere approvato in: **to p. an exam [a test]**, superare un esame [una prova] **4** far passare; trapassare; passare; trafiggere **5** far circolare; mettere in circolazione: *They were arrested for passing forged banknotes*, furono arrestati per aver messo in circolazione banconote false **6** (*leg.*) emettere; dare; dire; pronunciare; irrogare (*una pena*): **to p. judgement on sb. [for sb.]**, pronunciare una sentenza contro q. [a favore di q.]; **to p. an opinion on st.**, dare il proprio parere su qc. **7** passare su (qc.); lasciare correre **8** (*fam.*) affibbiare, appioppare, sbolognare (*fam.*) **9** (*sport*) passare; smistare; lanciare **10** (*autom., ecc.*) superare; sorpassare: *He passed his rival on the outside*, sorpassò il concorrente all'esterno ● (*fig.*) **to p. the buck**, palleggiarsi le responsabilità; fare a scaricabarile □ (*fig.*) **to p. the buck on sb.**, scaricare la responsabilità sulle spalle di q. □ **to p. criticism on st.**, criti-

care qc. □ (*fin.*: *di una società*) **to p. a dividend**, non dichiarare (*o* ritenere) un dividendo □ **to p. one's oath**, impegnarsi con giuramento; giurare □ **to p. a remark**, fare un'osservazione; dire la propria □ (*eufem.*) **to p. water**, far acqua; orinare □ (*eufem.*) **to p. wind**, fare un vento (*o* un peto) □ **to come to p.**, succedere; accadere □ (*fig.*) **to have passed the chair**, non esser più presidente; aver lasciato la presidenza □ **to let st. p.**, lasciar correre qc.; lasciar perdere □ **It passes belief!**, è incredibile!

■ **pass along** 🅰 *v. i. + avv.* **1** passare oltre, procedere; passare per (*un luogo*) **2** andare avanti (*in autobus, ecc.*) 🅱 *v. t. + avv.* passare (qc.) di mano in mano; far circolare (*un messaggio, ecc.*).

■ **pass as** *v. i. + prep.* passare per: *He passed as a medicine man*, passò per uno stregone.

■ **pass away** 🅰 *v. i. + avv.* **1** passare; andare via; cessare; finire: *The pain will p. away*, il dolore passerà **2** (*fig. eufem.*) passare a miglior vita; morire; *His father passed away last night*, suo padre è mancato ieri sera 🅱 *v. t. + avv.* far passare (*o* trascorrere) bene.

■ **pass back** *v. t. + avv.* **1** restituire; rendere **2** inoltrare, trasmettere (*informazioni, reclami, ecc.*) **3** (*sport*) passare (*la palla*) all'indietro; fare un retropassaggio.

■ **pass between** *v. i. + prep.* accadere, succedere, esserci: *A secret has passed between them*, c'è stato un segreto tra loro.

■ **pass by** 🅰 *v. i. + avv.* **1** passare accanto; passare oltre; tirare via (*fam.*) (*senza curarsi di q. o qc.*) **2** (*del tempo*) passare, trascorrere 🅱 *v. t. + avv.* **1** trascurare, non tener conto di: **to p. a matter by**, trascurare una faccenda **2** tagliar fuori (*fig.*); deludere: *Life has passed her by*, la vita l'ha delusa 🅲 *v. i. + prep.* **1** passare vicino a (*o* accanto a): *When you've passed by the school, turn right*, quando hai oltrepassato la scuola, volta a destra! **2** andare sotto (*o* essere conosciuto con: *un nome*): *The fugitive passed by the name of Smith*, l'evaso andava sotto il nome di Smith.

■ **pass down** 🅰 *v. t. + avv.* **1** passare, porgere, allungare (*qc. che sta in alto*); tirare giù (*fam.*) **2** (*fig.*) passare (*informazioni, vestiti usati, ecc.*) **3** (*fig.*) tramandare, trasmettere (*a eredi, discendenti, ecc.*) 🅱 *v. i. + prep.* spostarsi, andare avanti in: *Please, p. down the bus!*, favoriscano andare avanti (nell'autobus)! □ **to p. it down**, passare parola: *We're taking a break. P. it down* N. MAILER, 'ci fermiamo a riposare. Passa parola!'.

■ **pass downfield** *v. t. e i. + avv.* (*sport*) passare (*la palla*) in profondità; verticalizzare (*il gioco*).

■ **pass for** *v. i. + prep.* **1** passare per; essere preso per: *I don't think he'll p. for a native*, non credo che sarà preso per un indigeno **2** superare un esame per diventare: *He hopes to p. for a doctor in five years' time*, spera di diventare medico tra cinque anni.

■ **pass forward** *v. t. e i. + avv.* (*sport*) passare (*la palla*) in avanti; fare un passaggio in avanti.

■ **pass in** 🅰 *v. i. + avv.* passare entrando; entrare 🅱 *v. t. + avv.* **1** far passare (*un biglietto, ecc.*) dentro **2** consegnare (*un elaborato, ecc.*) facendolo passare di mano in mano □ **to p. in review**, passare in rassegna (*anche fig.*).

■ **pass into** *v. i. + prep.* **1** entrare in (*un luogo*) **2** (*fig.*) passare a: *It will p. into history*, passerà alla storia **3** (*fig.*) entrare a far parte di; essere ammesso a: *He passed into the school of law*, fu ammesso alla facoltà di giurisprudenza **4** (*fig.*) cadere: **to p. into a deep sleep**, cadere in un sonno profondo **5** trasformarsi; (*di un colore*) sfumare in (*un al-*

tro): *The rain passed into sleet*, la pioggia si trasformò in nevischio.

■ **pass off** A **v. i.** + **avv. 1** passare; finire; cessare; andare via **2** andare; funzionare; svolgersi: *How did the party p. off?*, com'è andata la festa? B **v. t.** + **avv. 1** trascurare; passare sopra a; sorvolare (*o glissare*) su: **to p. off sb's remark**, passare sopra l'osservazione di q. **2** spacciare (*moneta falsa, ecc.*); far passare: **to p. off a copy as the original**, far passare una copia per l'originale □ **to p. oneself off as**, farsi passare, spacciarsi per: *He passed himself off as a priest*, si fece passare per prete.

■ **pass on** A **v. i.** + **avv. 1** passare oltre; procedere; tirare avanti **2** (*fam. eufem.*) passare a miglior vita; morire **3** passare (*a un argomento, ecc.*); passare a trattare B **v. t.** + **avv. 1** passare; far circolare; far conoscere **2** passare (*vestiti vecchi, ecc.*) **3** trasmettere; tramandare: *This watch has been passed on from my grandfather*, questo orologio mi è stato tramandato da mio nonno **4** (*econ.*) traslare, trasferire, far ricadere, riversare: **the increased costs were passed on to customers**, l'aumento dei costi è stato traslato sui consumatori C **v. t.** + **prep.** (*leg.*) emettere (*una sentenza*) contro (q.) □ **to p. judgment on sb.** [st.], dare un giudizio su q. [qc.].

■ **pass out** A **v. i.** + **avv. 1** (*fam.*) svenire; perdere i sensi **2** (*mil.*) essere promosso (*all'accademia, ecc.*) B **v. t.** + **avv.** dare in omaggio; distribuire, regalare □ **to p. out of**, andarsene; abbandonare.

■ **pass over** A **v. t.** + **avv. 1** tralasciare; lasciare da parte; trascurare; passare sopra a; sorvolare su; glissare su (*un argomento, ecc.*): *We can p. over the details*, possiamo tralasciare i dettagli; **to be passed over for a promotion**, essere lasciato da parte in occasione di una promozione **2** lasciarsi sfuggire, mancare, perdere (*un'occasione, ecc.*) B **v. i.** + **avv. 1** (*di aerei, ecc.*) passare in alto **2** (*fig.*) passare: *He passed over to the enemy*, passò al nemico **3** (*fam. eufem.*) passare a miglior vita; morire C **v. i.** + **prep. 1** passare sopra; (*di un aereo*) sorvolare **2** superare (*un ostacolo, ecc.*); sorpassare, scavalcare (*un fiume, la ferrovia, ecc.*) **3** esaminare (*leggere, trattare, ecc.*) rapidamente; scorrere, dare una scorsa a (*dati, informazioni, risposte, ecc.*) □ **to p. one's eye over st.**, gettare l'occhio su qc. □ **to p. st. over in silence**, passare qc. sotto silenzio.

■ **pass round** A **v. t.** + **avv.** far circolare; passare in giro; distribuire; offrire a tutti: *P. the whisky round*, offri il whisky a tutti! B **v. t.** + **prep. 1** passare (*una fune, ecc.*) intorno a (qc.) **2** passare (*fogli, avvisi, ecc.*) a (*persone, un gruppo, ecc.*) **3** far circolare (*informazioni, notizie, ecc.*) in (*un ambiente, ecc.*) □ **to p. round the hat**, fare una colletta.

■ **pass through** A **v. i.** + **avv.** essere di passaggio: *I'm just passing through*, sono di passaggio B **v. i.** + **prep. 1** passare da, per (*un luogo; senza fermarvisi*) **2** (*far*) passare fra (*o* in): **to p. a comb through one's hair**, passarsi un pettine fra i capelli **3** passare (*anni di studio, ecc.*) **4** (*fig.*) passare, attraversare (*crisi, difficoltà, ecc.*): *Italy was passing through a big economic crisis*, l'Italia stava attraversando una grossa crisi economica.

■ **pass under** **v. i.** + **avv.** (*o prep.*) **1** passare sotto (qc.) **2** andare sotto, essere conosciuto con (*un nome*): *The runaway passed under the name of Smith*, il fuggiasco andava sotto il nome di Smith □ (*fig.*) **A lot of water has passed under the bridge**, ne è passata di acqua sotto i ponti!

■ **pass up** **v. t.** + **avv. 1** passare (*un oggetto: a q. che è in alto*) **2** trascurare, lasciarsi sfuggire, perdere (*un'opportunità, ecc.*) **3** non partecipare a; saltare **4** (*USA*) ignorare, fin-

gere di non vedere (q.).

pass. abbr. (**passenger**) passeggero.

passable /ˈpɑːsəbl/ **a. 1** (*di strada, luogo, ecc.*) praticabile; transitabile **2** (*di fiume*) guadabile **3** accettabile; passabile; discreto; tollerabile **4** (*di moneta, ecc.*) genuino; che può essere messo in circolazione ‖ **passably** **avv.** passabilmente; abbastanza bene; discretamente.

♦**passage** /ˈpæsɪdʒ/ **n.** ⓤⒸ **1** passaggio; il passare; apertura; varco: **the p. of the seasons**, il passare delle stagioni **2** passaggio; tragitto; traversata; viaggio (*per mare o in aereo*); prezzo del viaggio: **to pay one's p. to America**, pagarsi la traversata per l'America **3** (= **passageway**) corridoio (*in una casa*); andito; passaggio **4** brano; passo; squarcio (*fig.*): **a p. from «Hamlet»**, un passo dell'«Amleto» **5** (*anat.*) canale; condotto; dotto **6** (*leg.*) approvazione (*di una risoluzione, di un disegno di legge, ecc.*); varo (*di una legge*) **7** (*lett.*) scambio (*di colpi, di parole, ecc.*) tra due persone **8** (*fisiol.*) evacuazione (intestinale) **9** (*med.*) introduzione endoluminale (*di uno strumento*) **10** (*ipp.*) passage (*franc.*); passeggio **11** (*caccia*) passo (*degli uccelli*) **12** (*sport*) passaggio del turno; ammissione ● (*lett.*) **a p. of arms**, un combattimento, una battaglia; (*fig.*) una disputa, una polemica □ (*naut.*) **p. home**, viaggio di ritorno □ **p. money**, prezzo della traversata □ (*naut.*) **p. out**, viaggio d'andata □ **to book one's p.**, prenotare il biglietto del viaggio □ (*naut.*) **to work one's p.**, guadagnarsi la traversata lavorando a bordo.

to passage /ˈpæsɪdʒ/ A **v. i.** (*di cavallo o cavaliere*) fare il passage (*o* il passeggio) B **v. t.** far fare il passage a (*un cavallo*).

passageway /ˈpæsɪdʒweɪ/ **n. 1** corridoio (*in una casa*); andito; passaggio **2** (*tecn.*) passaggio; corsia ● **p. for cars**, passo carraio.

passant /ˈpæsnt/ **a.** (*arald.*) passante: **a lion p.**, un leone passante.

passbook /ˈpɑːsbʊk/ **n. 1** (*banca*) libretto di deposito (*o* a risparmio) **2** (*fin., in GB*) libretto (*di a building society*) **3** (*un tempo*) libretto di credito (*in un negozio*).

passé /ˈpɑːseɪ, USA pæˈseɪ/ (*franc.*) **a. 1** passato; sfiorito **2** superato; passato di moda; antiquato.

passementerie /pæsˈmentrɪ/ **n.** ⓤ passamaneria; passamani (pl.).

♦**passenger** /ˈpæsɪndʒə(r)/ **n. 1** passeggero, passeggera; viaggiatore, viaggiatrice **2** (*fam.*) membro dell'equipaggio che è di peso (*o* che non sa rendersi utile); zavorra, peso morto (*fig.*) ● (*ferr.*) **p. and goods train**, treno misto □ (*aeron.*) **p. cabin**, cabina di classe turistica □ (*di funivia*) **p. cage**, cabina (*escluso il carrello*); telecabina □ **p. car**, (*ferr.*) carrozza viaggiatori; (*autom., USA*) autovettura, berlina □ (*autom., USA*) **p. car toll**, casello (*d'autostrada*) per le automobili □ **p. lift**, ascensore □ (*naut.*) **p. liner**, nave passeggeri di linea □ (*zool.*) **p. pigeon** (*Ectopistes migratorius*), colombo migratore (*dell'America del nord*) □ (*aeron.*) **p. plane**, aereo passeggeri □ (*autom.*) **p. seat**, sedile del passeggero □ **p. traffic**, movimento (di) passeggeri □ **p. train**, treno viaggiatori, treno passeggeri.

passe-partout /pæspɑːˈtuː/ (*franc.*) **n. 1** passe-partout; comunella **2** passe-partout; sopraffondo (*per foto, ecc.*).

passer /ˈpɑːsə(r)/ **n.** (*sport*) chi fa (*o* ha fatto) un passaggio.

passer-by /ˈpɑːsəˈbaɪ/ **n.** (pl. **passers-by**) passante; viandante.

passerine /ˈpæsəraɪn/ A **a.** di (*o* simile a) passero B **n.** (*zool.*) passeraceo.

passible /ˈpæsəbl/ **a.** emotivo; impressionabile ‖ **passibility** **n.** ⓤ emotività; impressionabilità.

passim /ˈpæsɪm/ (*lat.*) **avv.** passim; in vari luoghi nel testo.

passing /ˈpɑːsɪŋ/ A **a. 1** passeggero; effimero; fuggevole; fugace; transitorio: **a p. joy**, una gioia fugace; **a p. fancy**, un capriccio passeggero **2** casuale; incidentale: **a p. remark**, un'osservazione casuale **3** di promozione; di sufficienza: **a p. grade**, un voto di sufficienza **4** (*sport: di un tiro, ecc.*) passante; che filtra B **n.** ⓤ **1** passaggio; il passare (*d'una persona, del tempo, ecc.*): *With the p. of the years, he became more prudent*, col passare degli anni, divenne più prudente; (*leg.*) **p. of title**, passaggio di proprietà **2** (*autom.*) il sorpassare; sorpasso **3** (*leg., polit.*) approvazione, varo (*di un disegno di legge, ecc.*) **4** (*sport*) passaggio, passaggi: **a p. game**, un gioco fatto di passaggi **5** (*leg.*) pronuncia, irrogazione: **p. sentence**, l'irrogazione di una condanna **6** (*form.*) dipartita; scomparsa; decesso; morte; trapasso ● **p. bell**, campana che si suona per i morti □ **p. events**, attualità □ (*autom.*) **p. lane**, corsia di sorpasso: «**P. lane ahead**», (*cartello stradale*) «(prossima) corsia di sorpasso» □ (*mus.*) **p. note** (*USA*: **p. tone**), nota di passaggio □ (*tennis*) **p. shot**, colpo passante; passante □ (*sport*) **p. skills**, doti di buon passatore □ (*tennis*) **p. stroke** = **p. shot** → *sopra* □ (*ferr.*) **p. track**, binario di sorpasso □ **in p.**, incidentalmente; di sfuggita; en passant (*franc.*).

♦**passion** /ˈpæʃn/ **n. 1** passione; vivo interesse; passione amorosa; entusiasmo; **to have a p. for cars**, avere la passione dell'automobile **2** accesso (*o* scatto) d'ira; collera: **to fly into a p.**, avere un accesso d'ira; montare in collera **3** ⓤ (*relig.*) – **the P.**, la Passione di Cristo ● **p. fruit**, frutto della passione; granadilla; maracujà □ (*letter.*) **P. play**, rappresentazione sacra della passione di Cristo; mistero della Passione □ (*relig.*) **P. Sunday**, domenica di Passione (*la quinta di quaresima*) □ (*relig.*) **P. Week**, la Settimana Santa.

passional /ˈpæʃənl/ A **a.** passionale B **n.** (*relig.*) passionario.

passionate /ˈpæʃənət/ **a. 1** appassionato; ardente; focoso; passionale: **a p. speech**, un discorso appassionato; **a p. nature**, un temperamento passionale **2** collerico; iracondo; irascibile: **a p. temper**, un carattere irascibile **3** impetuoso; intenso; veemente; travolgente: **p. rage**, ira impetuosa; **a p. emotion**, un'emozione travolgente | **-ly avv.** | **-ness n.** ⓤ.

passionflower /ˈpæʃnflaʊə(r)/ **n.** (*bot., Passiflora*) passiflora; fior di passione.

Passionist /ˈpæʃənɪst/ **n.** (*relig.*) passionista.

passionless /ˈpæʃənləs/ **a.** (*spreg.*) impassibile; insensibile; privo di sentimento | **-ly avv.** | **-ness n.** ⓤ.

to passivate /ˈpæsɪveɪt/ (*chim.*) **v. t.** passivare ‖ **passivation** **n.** ⓤ passivazione.

♦**passive** /ˈpæsɪv/ A **a. 1** passivo: **to remain p.**, restare passivo; **p. resistance**, resistenza passiva; **p. smoking**, fumo passivo; (*ling.*) **p. vocabulary**, vocabolario passivo; (*sport*) **p. play**, gioco passivo **2** (*fin., rag.*) passivo; in passivo; (*di un saldo, ecc.*) negativo: **p. management**, gestione passiva; (*leg., fin.*) **p. obligations**, obblighi passivi; **p. balance of trade**, bilancia commerciale passiva; (*comm.*) **p. debt**, credito infruttifero **3** (*gramm.*) passivo: **p. voice**, voce (*o* forma) passiva B **n.** ⓤ (*gramm.*) passivo: **a verb in the p.**, un verbo al passivo. ❶ **Nota:** *to give* → **to give**.

❶ Nota: *passive (progressive tenses)*
La forma **to be + -ing**, quando indica l'aspetto progressivo dell'azione, equivale all'italiano *stare + gerundio*:

1 *The committee is examining the report*, la commissione sta esaminando il rapporto;

2 *The enemy was attacking us*, il nemico ci stava attaccando.

Ma l'inglese, a differenza dell'italiano, dispone anche della corrispondente forma progressiva passiva, che ha struttura **to be + being + participio passato**:

1a *The report is being examined by the committee*, il rapporto è all'esame della commissione;

2a *We were being attacked by the enemy*, eravamo attaccati dal nemico, eravamo sotto attacco nemico.

Per tradurre in italiano le frasi inglesi contenenti una forma progressiva passiva occorre di volta in volta trovare la soluzione più adatta, ricorrendo a strutture sintattiche diverse. Ecco qualche ulteriore esempio: *His alibi is being checked by the police*, la polizia sta controllando il suo alibi; *The old factory was being demolished*, la vecchia fabbrica era in demolizione, stavano demolendo la vecchia fabbrica; *A summit is being held on the issue*, sulla questione è in corso (o si sta tenendo) un vertice.

Le forme del passivo progressivo comunemente usate sono quelle del presente e del passato, mentre si adoperano raramente quelle del futuro (**will be + being + participio passato**) e del **present perfect** (**have been + being + participio passato**).
Per il passivo dei verbi **ditransitive → to give**

passiveness /ˈpæsɪvnəs/, **passivity** /pæˈsɪvətɪ/ n. ⊍ (*anche scient.*) passività.

passivism /ˈpæsɪvɪzəm/ (*anche psic.*) n. ⊍ passivismo || **passivist** n. passivista.

to **passivize** /ˈpæsɪvaɪz/ Ⓐ v. t. (*gramm.*) mettere (o volgere) al passivo Ⓑ v. i. (*di un verbo*) prendere la forma passiva.

passkey /ˈpɑːskiː/ n. **1** chiave data solo a persone autorizzate **2** passe-partout; comunella.

passout /ˈpɑːsaʊt/ n. (*fam.*) **1** svenimento **2** chi ha perso i sensi; persona svenuta **3** (*teatr.*) contromarca.

Passover /ˈpɑːsəʊvə(r)/ n. (*relig.*) Pasqua ebraica.

♦**passport** /ˈpɑːspɔːt/ n. **1** passaporto **2** (*fig.*) mezzo; strumento: **a p. to fame**, un mezzo per diventare famoso ● **p. photo**, foto formato tessera □ **the p. to success**, la chiave del successo □ **to apply for a p.**, chiedere il passaporto □ **My p. is out of date**, il mio passaporto è scaduto.

pass-through /ˈpɑːsθruː/ n. (*USA*) passavivande (*tra la cucina e la sala da pranzo*).

password /ˈpɑːswɜːd/ n. **1** (*spec. mil.*) parola d'ordine: **to demand the p.**, chiedere la parola d'ordine **2** (*comput.*) password; parola chiave (*per l'accesso*).

♦**past** /pɑːst/ Ⓐ a. passato (*anche gramm.*); scorso; trascorso; finito; ultimo: **p. customs**, usi passati; (*sport*) **his p. performance**, le sue passate prestazioni; *His worries were p.*, le sue preoccupazioni erano finite; **the p. week [year]**, la settimana scorsa [l'anno scorso]; **in times p.**, nei tempi passati; nei tempi andati; **in the p. few days**, negli ultimi giorni; nei giorni passati Ⓑ n. **1** ⊍ (*il*) passato: **recollections of the p.**, ricordi del passato **2** passato burrascoso (o poco chiaro, oscuro): *She is a woman with a p.*, è una donna con un passato burrascoso **3** ⊍ (*gramm.*) passato: **the p. tenses**, i tempi del

passato (*del verbo*) **❶ Nota:** *present perfect / simple past → present* Ⓒ prep. oltre; di là di; dopo: *He walked p. the gate*, camminò oltre il cancello; *I stayed up till p. midnight*, rimasi alzato fin dopo mezzanotte; *He ran p. the bridge*, corse di là dal ponte; *He's p. all hope*, è al di là d'ogni speranza; è un caso disperato Ⓓ avv. **1** oltre; accanto: *He walked p. without noticing me*, mi passò accanto senza vedermi; *The gents is on the right just p. the jukebox*, il bagno degli uomini è a destra appena oltre il jukebox; **to hasten p.**, passar oltre in tutta fretta; *I'm just p. Northampton*, ho appena superato Northampton **2** (*idiom.*; per es.:) **to go p.**, passare; transitare; *The battalion marched p.*, il battaglione passò marciando (o sfilò a passo di marcia); *It hasn't been p. since I've been waiting*, non è passato da quando sto aspettando ● **a p. chairman**, un ex presidente □ **p. comparison**, senza confronti □ **p. description**, indescrivibile □ **p. due**, (*di debito*) scaduto; (*di treno, ecc.*) in ritardo □ (*di un malato, della situazione, ecc.*) **p. hope**, disperato □ **p. the hour**, dopo l'ora esatta: *Trains run every ten minutes p. the hour*, i treni passano ogni dieci minuti dopo l'ora esatta (*cioè alle 7 e 10, alle 7 e 10, alle 8 e 10, ecc.*) □ (*fam.*) **to be p. it**, non essere più all'altezza (o in grado di fare qc.); essere troppo vecchio (*per fare sesso, ecc.*) □ **p. master**, conoscitore perfetto; maestro indiscusso; (*nella Massoneria, in una gilda, ecc.*) ex maestro □ **to be a p. master at doing st.** (o **in st.**), essere un maestro a fare qc. (o in qc.) □ (*gramm.*) **p. participle**, participio passato □ (*gramm.*) **p. perfect**, trapassato □ **to be p. praying for**, (*di una persona*) essere irremovibile; (*di una cosa*) essere inservibile □ (*gramm.*) **p. simple**, passato remoto; (*talora*) imperfetto; (*talora*) passato prossimo (*in ital.*) □ (*ipp.*) **to be p. the winning post**, avere tagliato il traguardo □ **for a long time p.**, da molto tempo □ **half p. three**, le tre e mezza □ **a problem p. solution**, un problema insolubile □ **a quarter p. four**, le quattro e un quarto □ **John is well p. seventy**, John è più che settantenne.

pasta /ˈpæstə/ (*ital.*) n. ⊍ (*cucina*) pasta (alimentare) ● (*tur.*) **p. dish**, portata (o porzione) di pastasciutta □ (*fam. USA*) **p. joint**, trattoria italiana (o ristorantuccio) alla buona □ **p. machine**, macchina per fare la pasta.

paste /peɪst/ n. **1** ⊍⊍ pasta: **alimentary p.**, pasta alimentare; **anchovy p.**, pasta d'acciughe **2** ⊍ colla: **starch p.**, colla di amido **3** ⊍ (= **tooth paste**) dentifricio **4** ⊍⊍ strass: **p. jewelry**, gioielli di strass **5** (*elettr.*) pasta gelificante (*per le batterie*) ● **p. job**, lavoro copiato (o abborracciato); lavoro di forbici e colla □ (*tecn.*) **p. mixer**, impastatrice (*non per farina*) □ **p. pot**, vaso da colla □ **p. resin**, resina in pasta □ **shoe p.**, lucido da scarpe □ **wallpaper p.**, colla da parati.

to **paste** /peɪst/ Ⓐ v. t. **1** incollare; appiccicare **2** tappezzare (con la colla): **to p. ad posters all over the place**, tappezzare tutto quanto di manifesti pubblicitari **3** (*comput.*) incollare: **P. link** (o **shortcut**), incolla collegamento; **P. special**, incolla speciale **4** (*fam. USA*) battere; picchiare; pestare; sconfiggere **5** (*fam. USA*) dare la colpa: **to p. it on sb.**, dare la colpa a q. Ⓑ v. i. incollarsi; appiccicarsi ● **to p. up**, attaccare; affiggere: **to p. up a notice**, affiggere un avviso □ **to p. a window with paper**, coprire una finestra incollandovi sopra della carta.

pasteboard /ˈpeɪstbɔːd/ Ⓐ n. ⊍ **1** cartone leggero; cartone incollato **2** (*slang*) cartoncino; biglietto da visita **3** (*slang*) biglietto di scommessa alle corse **4** (*slang*) biglietto d'ingresso **5** (*slang*) carta da gioco Ⓑ a. attr. **1** di cartone **2** (*fig.*) inconsistente; fal-

so; fittizio.

paste-in /ˈpeɪstɪn/ n. (*editoria*) inserto incollato (*sull'orlo di una pagina*).

pastel ① /ˈpæstl/ Ⓐ n. (*arte*) **1** pastello **2** pastello; disegno a pastello Ⓑ a. attr. **1** (*arte*) a pastello: **p. drawing**, disegno a pastello **2** (*di colore*) pastello; sfumato; tenue: **p. green**, verde pastello || **pastellist, pastelist** n. (*arte*) pastellista.

pastel ② /ˈpæstl/ n. (*bot.*, *Isatis tinctoria*) guado (*l'erba e il colorante*).

pastern /ˈpæstən/ n. (*zool.*) pastorale (*parte del piede del cavallo*).

paste-up /ˈpeɪstʌp/ n. (*arti grafiche, tipogr.*) menabò, stampone.

pasteurism /ˈpæstərɪzəm/ n. (*med.*) trattamento Pasteur (*anche* **Pasteur treatment**).

to **pasteurize** /ˈpɑːstʃəraɪz/ (*ind.*) v. t. pastorizzare || **pasteurization** n. pastorizzazione || **pasteurizer** n. pastorizzatore.

pasteurized /ˈpæstʃəraɪzd/ a. pastorizzato.

pasticcio /pæˈstɪtʃəʊ/ (*ital.*) n. (pl. **pasticcios, pasticci**) → **pastiche**.

pastiche /pæˈstiːʃ/ (*franc.*) n. (*letter., mus.*) pastiche; pasticcio; zibaldone; parodia.

pasties /ˈpeɪstɪz/ n. pl. coppette (*copriseno; usate dalle spogliarelliste*).

pastil /ˈpæstɪl/, **pastille** /ˈpæstəl/, USA pæˈstiːl/ n. (*farm.*) pasticca; pastiglia.

pastime /ˈpɑːstaɪm/ n. passatempo; divertimento; svago.

pastiness /ˈpeɪstɪnəs/ n. ⊍ pastosità; mollezza.

pasting /ˈpeɪstɪŋ/ n. (*fam.*) **1** bastonatura; fracco di botte; pestaggio **2** (*anche sport*) secca sconfitta; batosta.

pastor /ˈpɑːstə(r)/ n. **1** (*relig.*) pastore; ministro (del culto) **2** (*fig.*) pastore di anime **3** (*zool.*, *Sturnus roseus*) storno roseo.

pastoral /ˈpɑːstərəl/ Ⓐ a. **1** pastorale; dei pastori; del pastore: **a p. poem**, una poesia pastorale; (*relig.*) **p. visit**, visita pastorale; (*relig.*) **p. staff**, bastone pastorale; pastorale **2** tenuto a pascolo; pascolativo: **p. lands**, terreni tenuti a pascolo Ⓑ n. **1** pastorale; (*relig.*) lettera pastorale; (*mus.*) sonata pastorale **2** (*letter.*) poesia pastorale; dramma pastorale || **pastorally** avv. pastoralmente; in modo pastorale.

pastorale /pæstəˈrɑːl/ (*ital.*) n. (pl. **pastorales, pastorali**) (*mus.*) pastorale.

pastorate /ˈpɑːstərət/, **pastorship** /ˈpɑːstəʃɪp/ n. (*relig.*) **1** ufficio di pastore (o di ministro del culto) **2** (*collett.*) pastori; ministri del culto.

pastrami /pəˈstrɑːmɪ/ n. ⊍ (*spec. USA*; *cucina*) carne di manzo speziata e affumicata.

♦**pastry** /ˈpeɪstrɪ/ n. **1** ⊍ pasticceria; (collett.) paste e pasticcini **2** ⊍ pasta (*per dolci*); impasto; sfoglia **3** pasta; pasticcino ● **p. cook**, pasticciere □ **p. cream**, crema (per dolci) □ **p. tube**, siringa (*per dolci*) □ **p. wheel**, (rotella) tagliapasta.

pasturage /ˈpɑːstʃərɪdʒ/ n. ⊍ **1** pascolo; pastura **2** diritto di pascolo.

pasture /ˈpɑːstʃə(r)/ n. **1** ⊍⊍ pascolo, pascoli; pastura **2** ⊍ pastura; foraggio ● **p. lands**, terreni da pascolo; pascoli □ **mountain p. land**, alpeggio □ **to put cows out to p.**, mandare le mucche al pascolo.

to **pasture** /ˈpɑːstʃə(r)/ Ⓐ v. i. pascolare; pascere (*lett.*) Ⓑ v. t. **1** pascolare; portare al pascolo; far pascere **2** (*di terreno*) offrire pascolo a (*pecore, ecc.*).

pasty ① /ˈpæstɪ/ n. (*cucina*) pasticcio (*spec. di carne*).

pasty ② /ˈpeɪstɪ/ a. **1** pastoso; molle **2** (= **p.-faced**) pallido; terreo in viso.

pat① /pæt/ n. **1** colpetto (*affettuoso*); colpettino; buffetto; manatina; pacca (*fam.*) **2** pezzetto; pezzettino (*di burro, ecc.*) **3** scalpiccio ● (*cricket, tennis*) **pat-ball**, gioco lento □ (*fam.*) **a pat on the back**, un colpetto (*sulla spalla, ecc.*) d'approvazione o d'incoraggiamento; (*fig.*) un segno di compiacimento, un elogio.

pat② /pæt/ **A** avv. **1** a proposito; a punto: *His answer came pat*, la sua risposta venne a proposito **2** a portata di mano: *He had his little fib pat*, aveva a portata di mano la sua bugietta **B** a. adatto; appropriato; opportuno; tempestivo ● **to know st. off pat**, sapere qc. a menadito □ **to stand pat**, (*a poker*) essere servito; (*fig.*) non mutare idea; restare dello stesso avviso; essere irremovibile.

to **pat** /pæt/ **A** v. t. dare un colpetto (affettuoso) a; carezzare: **to pat sb. on the shoulder**, dar colpetti affettuosi a q. sulla spalla; **to pat a dog on the head**, carezzare un cane sulla testa (*con buffetti*) **B** v. i. **1** dar colpi leggeri; tamburellare (*con le dita o con le mani*) **2** fare un leggero rumore, come di colpi ● **to pat down the earth in a flower pot**, comprimere la terra in un vaso da fiori con vari colpetti □ **to pat sb. dry**, asciugare q. con vari colpetti dell'asciugamano □ **to pat on** (*o* **upon**), battere leggermente: *The rain was patting on the windowpanes*, la pioggia batteva leggera contro i vetri della finestra □ (*fig.*) **to pat oneself on the back**, esser contento di sé; compiacersi con sé stesso □ **to pat sb. on the back**, dare un colpetto sulla schiena a q., dare un buffetto a q.; (*fig.*) congratularsi con q.

Pat① /pæt/ n. dim. di **Patrick** e di **Patricia**.

Pat② /pæt/ n. (*scherz. o spreg.*) irlandese (*da Patrick, nome comune in Irlanda*).

pat. abbr. **1** (**patent**) brevetto (brev.) **2** (**patented**) brevettato.

patagium /pə'teɪdʒɪəm/ n. (pl. *patagia*) (*zool.*) patagio.

Patagonian /pætə'gəʊnɪən/ **A** a. patagone; della Patagonia **B** n. patagone.

pataphysics /pætə'fɪzɪks/ n. pl. (col verbo al sing.) patafisica.

patch /pætʃ/ n. **1** pezza (*anche fig.*); rappezzo; toppa; rattoppo **2** cerotto (*su una ferita, o per l'assunzione di un farmaco*); benda (*su un occhio ferito*): **nicotine p.**, cerotto alla nicotina **3** (= **beauty p.**) neo posticcio **4** appezzamento, pezzo (*di terreno*): **a potato p.**, un appezzamento coltivato a patate **5** chiazza; macchia; (*del manto di un cavallo, anche*) pezza; squarcio: **vegetation patches**, chiazze di vegetazione; **patches of blue sky**, squarci di sereno **6** (*autom.: un tempo*) rappezzatura, toppa (*di pneumatico*): **a heat p.**, una toppa a caldo **7** (*elettr.*) collegamento provvisorio **8** (*comput.*) correzione temporanea; toppa; pezza **9** pezzo; frammento **10** (*fam.*) periodo; fase; momento: **to strike a bad p.**, attraversare un brutto periodo **11** zona di lavoro; territorio; (*di un poliziotto*) giro **12** (*mil.*) distintivo di panno ● (*sartoria*) **p. pocket**, tasca a toppa; tasca riportata □ (*med.*) **p. test**, cutireazione; test cutaneo □ **bald p.**, zona priva di capelli; chierica; tonsura □ **in patches**, a tratti; qua e là □ (*fam.*) **not to be a p. on**, essere niente a paragone di; non valere una cicca rispetto a: *My book is not a p. on yours*, il mio libro è niente a paragone del tuo.

to **patch** /pætʃ/ v. t. **1** rappezzare (*anche fig.*); rattoppare: *The windows [were] patched with cardboard and their roofs with corrugated iron* G. ORWELL, 'le finestre erano rappezzate col cartone e i tetti con lamiera ondulata' **2** (*di stoffa*) servire per rattoppare (*un vestito*) **3** fare (*una coperta di lana, ecc.*) con riquadri (di stoffa, di lana, ecc.) **4** (*elettr.*) collegare provvisoriamente **5** (*comput.*) correggere temporaneamente,

mettere una pezza a (*il codice*) **6** applicare nèi posticci a (q.) ● **to p. together**, mettere assieme (*cocci rotti, ecc.*); (*fig.*) abborracciare, mettere insieme alla meglio, raffazzonare □ **to p. up**, rappezzare, rattoppare; (*fig.*) mettere una pezza a; aggiustare, appianare, accomodare: **to p. up one's marriage**, mettere una pezza al proprio matrimonio □ **to p. up a matter**, aggiustare una faccenda □ **to p. up a dispute**, appianare un dissidio.

patcher /'pætʃə(r)/ n. rappezzatore, rappezzatrice; rattoppatore, rattoppatrice.

patchiness /'pætʃɪnəs/ n. Ⓤ **1** l'esser rappezzato (*o* rattoppato) **2** disposizione a chiazze (*o* a macchie); irregolarità (*di disegno*) **3** frammentarietà; lacunosità.

patching /'pætʃɪŋ/ n. Ⓤ Ⓒ **1** rappezzatura; rattoppatura **2** (*spesso* **p.-up**) rabberciamento, raffazzonamento; aggiustamento, accomodamento.

patchouli /pə'tʃuːlɪ, 'pætʃʊlɪ/ n. **1** (pl. *patchoulis, patchoulies*) (*bot., Pogostemon patchouly*) patchouli, paciuli, pasciulì **2** Ⓤ patchouli (*l'essenza, il profumo*).

patchwork /'pætʃwɜːk/ n. **1** Ⓤ patchwork; stoffa composta da riquadri cuciti insieme **2** (*fig.*) mosaico (*fig.*); zibaldone; miscuglio: **the p. of the English countryside**, il mosaico della campagna inglese ● **a p. cover**, una coperta patchwork □ **a p. quilt**, una imbottita patchwork.

patchy /'pætʃɪ/ a. **1** rappezzato; rattoppato **2** a riquadri; a scacchi **3** lacunoso; irregolare; non uniforme; frammentario: **a p. knowledge of biology**, una conoscenza frammentaria della biologia **4** macchiato; chiazzato.

pate /peɪt/ n. (*fam. scherz.*) testa; zucca (*fig.*): **bald p.**, zucca pelata.

pâté /'pæteɪ, USA pɑː'teɪ/ (*franc.*) n. Ⓤ (*cucina*) pâté (*in genere, di fegato*).

patella /pə'telə/ n. (pl. *patellae, patellas*) **1** (*zool., Patella*) patella (*mollusco*) **2** (*anat.*) patella, rotula (*del ginocchio*) ‖ **patellar** a. patellare: **patellar reflex**, riflesso patellare.

paten /'pætn/ n. **1** (*relig.*) patena **2** piattino di metallo.

patency /'peɪtənsɪ/ n. Ⓤ **1** evidenza; ovvietà **2** (*med.*) pervietà.

patent (*GB, tranne che nella loc.* **letters patent**) /'peɪtnt/ (*USA, tranne che nel sign. A, def. 1*) /'pætənt/ **A** a. **1** patente; evidente; apparente; manifesto; ovvio: **a p. injustice**, una patente ingiustizia; (*leg.*) **a p. defect**, un vizio palese **2** (*leg.*) brevettato; fabbricato su brevetto; (*market.*) venduto in esclusiva **3** (*med.*) aperto; pervio **B** n. **1** brevetto; privativa (industriale): **to apply for a** (o **to file**) **p. for st.**, fare domanda di brevetto per qc.; **to take out a p. for st.**, brevettare qc.; **protected by p.**, protetto da brevetto; (*leg.*) **'p. pending'**, 'brevetto in corso di registrazione'; **p. holder**, concessionario (*o* titolare) di brevetto; **p. infringement**, violazione di brevetto (*o* di privativa); **p. law**, diritto dei brevetti; diritto brevettuale; (*in GB*) **the P. Office**, l'ufficio brevetti; (*leg.*) **p. rights**, diritti di privativa industriale; brevetti **2** (*fig.*) esclusiva; brevetto: *You have no p. on success*, non hai l'esclusiva del successo ❶ FALSI AMICI • patent *non significa* patente *di guida* ● **p. leather**, cuoio verniciato; coppale □ (*naut.*) **p. log**, solcometro a elica □ (*farm.*) **p. medicine**, specialità farmaceutica da banco □ **letters p.**, (*stor.*) lettere patenti; (*leg.*) brevetto (d'invenzione).

to **patent** /'peɪtnt, USA 'pætənt/ v. t. **1** brevettare (*un'invenzione*) **2** (*leg.*) concedere a (q.) un diritto di brevetto; concedere un'esclusiva a (q.).

patentable /'peɪtntəbl/ a. brevettabile ‖ **patentability** n. Ⓤ patentabilità.

patented /'peɪtntɪd/ a. brevettato.

patentee /peɪtn'tiː/ n. (*leg.*) concessionario (o titolare) di brevetto.

patentor /'peɪtntə(r)/ n. (*leg.*) chi concede un brevetto.

pater /'peɪtə(r)/ n. (*gergo studentesco, arc.* o *scherz.*) padre.

paterfamilias /peɪtəfə'mɪlɪæs/ (*lat.*) n. (pl. *patresfamilias*) (*diritto romano; anche scherz.*) padre di famiglia; capo (della) famiglia.

paternal /pə'tɜːnl/ a. **1** paterno: **p. grandmother**, nonna paterna **2** paternalistico: **p. government**, governo paternalistico □ **-ly** avv.

paternalism /pə'tɜːnəlɪzəm/ n. Ⓤ paternalismo ‖ **paternalistic** a. paternalistico.

paternity /pə'tɜːnətɪ/ n. Ⓤ (*anche fig.*) paternità: **p. test**, test di paternità ● (*leg.*) **p. suit**, istanza presentata per determinare la paternità.

paternoster /pætə'nɒstə(r)/ (*lat.*) n. (*relig.*) paternostro; paternoster ● (*sport*) **p. line**, dirlindana, tirlindana; lenza con molti ami □ (*fam.*) **devil's p.**, imprecazione borbottata sottovoce; paternostro del rospo (*fam.*).

◆**path** /pɑːθ/ n. **1** sentiero; viottolo; stradicciola; vialetto (*di giardino o parco*): **a steep p.**, un sentiero ripido; **a bridle p.**, un sentiero da fare a cavallo; **a p. through the woods**, un sentiero nei boschi **2** corsia pedonale **3** pista (*per ciclisti*) **4** (*fig.*) sentiero; via; strada: **the p. to success**, la strada del successo; **to deviate from the right p.**, deviare dalla retta via; *'The paths of glory lead but to the grave'* T. GRAY, 'le vie della gloria portano soltanto alla tomba' **5** percorso; (*mecc.*) corsa; (*astron., miss.*) traiettoria, orbita: **the p. of the meteor**, la traiettoria della meteora; **the p. of the hurricane**, il percorso dell'uragano **6** (*aeron., naut.*) sentiero **7** (*comput.*) percorso; path **8** (*sport*) traiettoria (*della palla*) ● **p. laying**, posa in opera di sentieri di pietre (*in giardini, parchi*).

◆**pathetic** /pə'θetɪk/ a. **1** patetico; commovente; pietoso; toccante **2** (*spreg.*) patetico (*fam.*); che fa pena; penoso; che fa cascare le braccia: **a p. attempt**, un tentativo penoso; **a p. singer**, un cantante che fa pena ● (*letter.*) **p. fallacy**, attribuzione di sentimenti (*propri dell'uomo*) alle cose inanimate (*in poesia*) ‖ **-ally** avv.

pathfinder /'pɑːθfaɪndə(r)/ n. **1** apripista; chi fa strada; esploratore **2** (*fig.*) pioniere; scopritore **3** (*aeron., mil.*) ricognitore **4** (*aeron.*) radarfaro.

pathless /'pɑːθləs/ a. senza sentieri; impenetrabile.

pathogen /'pæθədʒən/ (*med.*) n. agente patogeno ‖ **pathogenicity** n. Ⓤ patogenicità.

pathogenesis /pæθə'dʒenəsɪs/ (*med.*) n. Ⓤ patogenesi ‖ **pathogenetic, pathogenic** a. patogeno; patogenetico: **pathogenetic germs**, germi patogeni.

pathogeny /pə'θɒdʒənɪ/ n. Ⓤ (*med.*) patogenesi.

pathognomonic /pæθəʊnəʊ'mɒnɪk/ a. (*med.*) patognomonico.

pathography /pæ'θɒɡrəfɪ/ n. Ⓤ (*med.*) patografia.

pathological, pathologic /pæθə'lɒdʒɪk(l)/ a. **1** (*med.*) patologico **2** patologico; inveterato; irrefrenabile; incorreggibile: **a p. fear**, una paura patologica; **p. liar**, bugiardo patologico ‖ **-ly** avv.

pathology /pə'θɒlədʒɪ/ (*med.*) n. Ⓤ Ⓒ patologia ‖ **pathologist** n. **1** patologo **2** (*leg.*) medico legale.

pathophysiology /pæθəfɪzɪ'ɒlədʒɪ/ n. Ⓤ (*med.*) fisiopatologia.

a
b
c
d
e
f
g
h
i
j
k
l
m
n
o
p
q
r
s
t
u
v
w
x
y
z

pathos /'peɪθɒs/ n. ⓤ pathos, patos; commozione.

pathway /'pɑːθweɪ/ n. 1 sentiero; viottolo; stradicciola 2 passerella 3 (fig.) via; strada: **the p. to success**, la via del successo 4 (fisiol.) via nervosa.

♦**patience** /'peɪʃns/ n. ⓤ 1 pazienza; sopportazione; tolleranza: It takes great p., ci vuole una grande pazienza; My p. is wearing thin, la mia pazienza è agli sgoccioli; sto per perdere la pazienza; **to lose** (o **to run out of**) **p.**, perdere la pazienza; impazientirsi; spazientirsi; **to be out of p.**, aver perso la pazienza; essersi spazientito; **to try sb.'s p.**, mettere a dura prova la pazienza di q.; spazientire q.; It would try the p. of a saint, farebbe perdere la pazienza a un santo 2 (spec. ingl., alle carte) solitari: **a game of p.**, un solitario ● (bot.) **p. dock** (Rumex patientia), erba pazienza; romice.

♦**patient** /'peɪʃnt/ ◭ a. paziente; tollerante: **a p. worker**, un lavoratore paziente; **hours of p. waiting**, ore di paziente attesa ◳ n. (med.) paziente; degente; malato; ammalato; infermo: Are you a regular p. at this practise?, lei è un paziente abituale di questo studio? ● **to be p.**, essere paziente; pazientare, portar pazienza: Be p.!, porta pazienza! □ (in GB) **the P.'s Charter**, la Carta dei diritti dell'ammalato (1992) | **-ly** avv.

patienthood /'peɪʃnthʊd/ n. ⓤ condizione (o stato) di degente.

patina /'pætɪnə/ n. (pl. **patinas**, **patinae**) patina (anche fig.): **the p. of moisture [of time]**, la patina dell'umidità [del tempo] || **patinated** a. patinato || **patination** n. ⓤ patinatura.

to patinate /'pætɪneɪt/ v. t. patinare.

patio /'pætɪəʊ/ n. (pl. **patios**) (edil.) patio: **p. door**, porte a vetro che danno su un patio.

patois /'pætwɑː/ (franc.) n. (inv. al pl.) 1 dialetto 2 gergo.

pat. pend. abbr. (leg., **patent pending**) brevetto in corso di registrazione.

Patras /pə'træs/ n. (geogr.) Patrasso.

patrial /'peɪtrɪəl/ n. (leg., stor.) chi (cittadino di un Paese del Commonwealth, ecc.) aveva il diritto (fino al 1981) di stabilirsi in Gran Bretagna (perché luogo di nascita di un parente stretto).

patriarch /'peɪtrɪɑːk/ n. 1 (stor., relig.) patriarca 2 (fig.) vecchio venerando 3 (fig.) padre; fondatore.

patriarchal /peɪtrɪ'ɑːkl/ a. patriarcale; (fig.) venerabile | **-ly** avv.

patriarchate /'peɪtrɪɑːkeɪt/ n. (stor., relig.) patriarcato.

patriarchy /'peɪtrɪɑːkɪ/ n. 1 ⓤ patriarcato 2 società patriarcale.

Patricia /pə'trɪʃə/ n. Patrizia.

patrician /pə'trɪʃn/ a. e n. (anche stor. romana) patrizio; nobile.

patriciate /pə'trɪʃɪət/ n. (anche stor. romana) patriziato.

patricide /'pætrɪsaɪd/ n. 1 ⓤ parricidio; patricidio (lett.) 2 parricida; patricida (lett.) || **patricidal** a. parricida; di (o da) parricida.

Patrick /'pætrɪk/ n. Patrizio.

patrilineage /pætrɪ'lɪnɪɪdʒ/ (etnol.) n. ⓤ patrilinearità || **patrilineal**, **patrilinear** a. patrilineare; patrilineo.

patrilocal /pætrɪ'ləʊkl/ (etnol.) a. patrilocale || **patrilocality** n. ⓤ patrilocalità.

patrimony /'pætrɪmənɪ/ n. 1 (anche fig.) patrimonio (ereditario); eredità 2 patrimonio di un'istituzione; patrimonio ecclesiastico || **patrimonial** a. patrimoniale.

patriot /'pætrɪət/ n. 1 patriota; patriota (raro) || **patriotism** n. ⓤ patriottismo.

patriotic /pætrɪ'ɒtɪk/ a. patriottico | **-ally** avv.

patristics /pə'trɪstɪks/ (relig.) n. pl. (col verbo al sing.) patristica || **patristic** a. patristico.

patrol /pə'trəʊl/ n. 1 ⓤ perlustrazione; ricognizione: **air p.**, ricognizione aerea 2 pattuglia; ronda: **to be on p.** (duty), essere di pattuglia 3 (aeron.) volo di ricognizione 4 (naut.) pattugliamento, vigilanza (navale); perlustrazione (di sommergibile) ● **p. car**, auto della polizia (in servizio di pattugliamento); autopattuglia; gazzella (fam.) □ (naut.) **p. vessel**, vedetta; nave da pattuglia □ (fam. USA) **p. wagon**, furgone cellulare; cellulare.

to patrol /pə'trəʊl/ ◭ v. i. pattugliare; andar di pattuglia; far la ronda ◳ v. t. perlustrare; pattugliare ● **patrolled building**, condominio sorvegliato da un guardiano armato.

patrolman /pə'trəʊlmən/ n. (pl. **patrolmen**) 1 chi è di pattuglia 2 (spec. USA) poliziotto, agente (di servizio in una certa zona) 3 (autom., in GB) addetto del soccorso stradale; meccanico dell'ACI (in Italia).

patrology /pə'trɒlədʒɪ/ (relig.) n. ⓤ patrologia || **patrological** a. patrologico || **patrologist** n. patrologo.

patron /'peɪtrən/ n. 1 sostenitore, sostenitrice; mecenate (m. e f.): **a p. of the arts**, un mecenate, una mecenate 2 patrono, patrona 3 (form.) cliente abituale (di un negozio, albergo, ecc.); frequentatore, frequentatrice abituale (di un teatro) 4 (stor. romana) patrono ● (relig.) **p. saint**, (santo) patrono, (santa) patrona.

patronage /'pætrənɪdʒ/ n. ⓤ 1 (anche relig.) patronato; patrocinio; protezione; sostegno (finanziario) 2 (polit.) clientelismo; potere di conferire onori, assegnare cariche, dare impieghi: **a widespread p. system**, un diffuso sistema clientelare 3 (comm., form.) clientela abituale (d'un negozio); gli avventori 4 (fam., antiq.) arie di superiorità (o da protettore); condiscendenza ● (fin.) **p. dividend**, dividendo (di una cooperativa) ai soci.

patronal /pə'trəʊnl/ a. patronale; del santo patrono: (relig.) **the p. festival**, la festa del santo patrono.

patroness /peɪtrə'nes, USA 'peɪtrənəs/ n. 1 patronessa; patrocinatrice; protettrice 2 (relig.) (santa) patrona.

to patronize /'pætrənaɪz/ v. t. 1 trattare con condiscendenza; trattare con aria di superiorità; fare la lezione a: Stop patronizing me!, non farmi la lezione!; scendi dal piedistallo! 2 (form.) essere cliente di (un negozio) 3 (form.) patrocinare; proteggere; favorire; incoraggiare.

patronizing /'pætrənaɪzɪŋ/ a. pieno di condiscendenza; paternalistico || **patronizingly** avv. in tono di condiscendenza; con condiscendenza; con fare paternalistico.

patronymic /pætrə'nɪmɪk/ a. e n. (ling.) patronimico.

patroon /pə'truːn/ n. (stor. USA) proprietario terriero; latifondista (sotto il governo olandese di New York e del New Jersey).

patsy /'pætsɪ/ n. (fam. USA) capro espiatorio; gonzo; merlo (fig.).

patten /'pætn/ n. 1 (un tempo) soprascarpa con suola di legno; zoccolo (contro il fango) 2 (archit., arc.) base di colonna; zoccolo 3 (med.) rialzo ortopedico.

patter [1] /'pætə(r)/ n. ⓤ 1 gergo: **thieves' p.**, il gergo ladresco; **the p. of technology**, il gergo della tecnologia 2 cicaleccio; cicalio; discorso frettoloso (di attore comico, imbonitore, ecc.) 3 parole ripetute meccanicamente; tiritera (fam.) ● **p. song**, canzoncina d'operetta (con recitativi).

patter [2] /'pætə(r)/ n. ⓤ 1 picchiettio; ticchettio: **the p. of rain on the roof**, il picchiettio della pioggia sul tetto 2 scalpiccio: **the p. of bare little feet on the floor**, lo scalpiccio di piedini nudi sul pavimento: (fig.) When can we expect the p. of tiny feet on the floor?, quando vi nascerà il primo bebè?

to patter [1] /'pætə(r)/ ◭ v. t. biascicare, borbottare, mormorare, dire in fretta, ripetere meccanicamente (preghiere, ecc.) ◳ v. i. 1 parlare in fretta; borbottare; parlare in modo incomprensibile 2 trotterellare; zampettare.

to patter [2] /'pætə(r)/ v. i. picchiettare; ticchettare; scalpicciare.

♦**pattern** /'pætn/ n. 1 campione; modello (anche fig.); esempio; **paper p.**, modello di carta (per vestiti) 2 disegno (di stoffa, ecc.); motivo (di un vestito): **wallpaper patterns**, disegni di carta da parati; **the p. of a novel**, il disegno (o la struttura) d'un romanzo 3 (mil.: d'arma da fuoco) rosa di tiro; schema (di bombardamento) 4 (tecn., ling., psic.) schema; modello; pattern: **behaviour p.**, modello di comportamento 5 (TV) monoscopio (l'immagine) 6 (aeron.) procedura 7 (comput., stat.) configurazione; schema: (comput.) **p. matching**, corrispondenza di configurazioni 8 (med.) impronta, sagoma (presa da un dentista) 9 metodo; ordine; piano; sistema: **a work p.**, un metodo di lavoro ● (aeron., mil.) **p. bombing**, bombardamento a schema □ (di stoffe, carta, ecc.) **p. book**, campionario (di stoffe, carta, ecc.) □ (ling.) **p. drills**, esercizi strutturali □ **a p. father** [**wife**], un padre [una moglie] esemplare □ (TV) **p. generator**, generatore di monoscopio □ (spec. fonderia) **p. maker**, modellista ● **p. paper**, carta per modelli □ **p. room** (o **p. shop**), reparto modellisti (d'una fonderia) □ **to cut to p.**, tagliare sul modello □ **to take p. by sb.**, prendere esempio da q.; modellarsi su q. □ (autom.) **tread p.**, disegno del battistrada.

to pattern /'pætn/ v. t. 1 modellare (anche fig.); copiare da un campione; tagliare (un vestito) sul modello: **to p. a dress on a French model**, tagliare un vestito su un modello francese; **to p. oneself on sb.**, modellarsi su q.; prendere esempio da q. 2 operare (tessuti); ornare (stoffe, ecc.) con disegni.

patterned /'pætnd/ a. 1 modellato 2 copiato da un campione 3 (di tessuto, d'abito) operato; a disegni; fantasia (agg.) ● (market.) **p. interview**, intervista guidata □ (stat.) **p. sampling**, campionamento sistematico.

patterning /'pætnɪŋ/ n. ⓤ (psic.) adesione a un modello comportamentale.

patty /'pætɪ/ n. 1 (ingl.) piccolo pasticcio; polpettina (di carne, pesce, ecc.) 2 (USA) medaglione di carne tritata (per un hamburger, ecc.) ● (USA) **p. melt**, sottile tondino di carne ricoperto di formaggio □ (cucina) **p. tins**, stampini.

patulous /'pætjʊləs/ a. (bot.) patente; patulo (raro); aperto; largo.

paucity /'pɔːsətɪ/ n. ⓤ (form.) pochezza; scarsezza; insufficienza.

Paul /pɔːl/ n. Paolo ● **P. Pry**, ficcanaso (dal personaggio d'una commedia di J. Poole).

Paula /'pɔːlə/ n. Paola.

Pauline [1] /'pɔːliːn, USA pɔː'liːn/ n. Paolina.

Pauline [2] /'pɔːlaɪn/ (relig.) paolino; di San Paolo.

paunch /pɔːntʃ/ n. 1 pancia; pancione; trippa (fig.): **to develop a p.**, mettere su pancia 2 (cucina) interiora; trippa || **paunchiness** n. ⓤ l'esser panciuto; obesità || **paunchy** a. panciuto; obeso.

♦**pauper** /'pɔːpə(r)/ n. povero; indigente; bisognoso ● **p.'s grave**, fossa comune (di cimitero) || **pauperism** n. ⓤ 1 l'essere povero (o

indigente) **2** (*econ.*) pauperismo.

to **pauperize** /'pɔːpəraɪz/ v. t. depauperare; impoverire; ridurre all'indigenza || **pauperization** n. Ⓤ depauperamento; impoverimento.

pause /pɔːz/ n. **1** pausa (*anche mus.*); intervallo; interruzione; posa; tregua: **to make a p.**, fare una pausa; **a pursuit without p.**, un inseguimento senza posa; **a p. in bombing**, una tregua nei bombardamenti **2** (*poesia*) cesura ● **p. dots**, puntini di sospensione □ (*lett.*) **to give sb. p.**, far esitare q.; renderlo incerto (*o* indeciso).

♦to **pause** /pɔːz/ v. i. fare una pausa (*o* un'interruzione); soffermarsi; arrestarsi: **to p. upon a word**, soffermarsi su una parola ● **to p. for an answer**, aspettare una risposta □ **He paused for breath**, si fermò per riprendere fiato.

pavage /'peɪvɪdʒ/ n. Ⓤ **1** pavimentazione (*delle strade*) **2** (*fisc., stor.*) imposta per la pavimentazione delle strade.

pavan /'pævn, pə'væn/, **pavane** /pə'væn/ n. (*stor.*) pavana (*danza*).

to **pave** /peɪv/ v. t. pavimentare; lastricare (*anche fig.*); coprire: *The yard was paved with flagstones*, il cortile era pavimentato con lastre di pietra; **a path paved with flowers**, un sentiero coperto di fiori ● (*fig.*) **to pave the way for sb.**, aprire la via a q.; preparare (*o* spianare) la strada a q.

♦**pavement** /'peɪvmənt/ n. **1** Ⓤ pavimentazione, manto (*spec. stradale*) **2** lastrico; lastricato; selciato **3** (*ingl.*) marciapiede (*cfr. USA* **sidewalk**) **4** (*USA, = *p.* street*) strada lastricata ● **p. artist**, chi disegna con gessetti colorati sul marciapiede (*per ricevere denaro dai passanti*), madonnaro; (*USA*) artista che espone e vende i suoi lavori sul marciapiede □ **p. café**, ristorante con tavoli all'aperto □ (*edil.*) **p. light**, finestratura a livello del marciapiede (*per dare luce a un locale sotterraneo*) □ (*fig.*) **to be on the p.**, essere sul lastrico ❶ FALSI AMICI ● pavement *non significa* pavimento.

paver /'peɪvə(r)/ n. **1** lastricatore; selciatore **2** pavimentatrice: **road p.**, pavimentatrice stradale (*macchina*) **3** pietra da selciato.

pavid /'pævɪd/ a. (*raro*) pavido; timoroso.

pavilion /pə'vɪlɪən/ n. **1** padiglione **2** grande tenda; tendone **3** (*anat.*) padiglione **4** (*sport, ingl.*) posto di ristoro e spogliatoi (*in un campo di cricket*).

to **pavilion** /pə'vɪlɪən/ v. t. **1** fornire di padiglione **2** racchiudere (*o* riparare) sotto un padiglione.

paving /'peɪvɪŋ/ n. Ⓤ **1** pavimentazione (*spec. stradale*): **p. services**, lavori di pavimentazione **2** materiale da pavimentazione ● **p. slab**, piastrella □ **p. stone**, pietra da selciato □ **p. tile**, mattonella per pavimentazione □ **cobblestone p.**, acciottolato.

pavior (*spec. USA*), **paviour** /'peɪvɪə(r)/ n. **1** selciatore; lastricatore **2** mattone per pavimentazione.

pavise, **pavis** /'pævɪs/ n. (*stor.*) pavese (*grande scudo*).

Pavlovian /pæv'ləʊvɪən/ a. (*psic.*) pavloviano: **P. reflex**, riflesso pavloviano.

pavonine /'pævənaɪn/ a. **1** di (*o* simile a) pavone **2** iridescente.

paw /pɔː/ n. **1** (*zool.*) zampa **2** (*fam. scherz.*) mano; zampa (*scherz.*): *Get your paws off me!*, toglimi le zampe di dosso! ● (*a un cane*) **Paw!**, zampa!; zampina!

to **paw** /pɔː/ Ⓐ v. i. (*del cavallo*) scalpitare Ⓑ v. t. **1** (*del cavallo*) colpire con la zampa; dare una zampata a: *The wild horse pawed the air*, il cavallo selvaggio dava zampate all'aria (*o* scalciava) **2** (*fam.: di persona*) mettere le mani addosso a; maneggiare in modo

maldestro ● (*di un cane*) **to paw (at) the door**, grattare la porta (*per entrare*) □ **to paw the ground**, scalpitare.

pawky /'pɔːkɪ/ (*scozz. o dial.*) a. **1** ironico e arguto; pungente **2** furbo; scaltro || **pawkily** avv. **1** con arguzia ironica; con umorismo pungente **2** con furbizia; scaltramente || **pawkiness** n. Ⓤ **1** arguzia ironica; umorismo pungente **2** furbizia; scaltrezza.

pawl /pɔːl/ n. **1** (*mecc.*) dente d'arresto; nottolino **2** (*naut.*) castagna, scontro (*dell'argano, ecc.*).

pawn① /pɔːn/ n. **1** (*scacchi*) pedone **2** (*fig.*) pedina: **to be a p. in sb.'s hands**, essere una pedina nelle mani di q.

pawn② /pɔːn/ n. Ⓤ (*leg.*) pegno (*anche fig.*); garanzia: **in** (*o at*) **p.**, in pegno ● **p. agency**, agenzia di pegni, Monte di Pietà □ **p. ticket**, polizza di pegno □ **to get st. out of p.**, disimpegnare qc. □ **to take a thing out of p.**, riscattare un oggetto pignorato.

to **pawn** /pɔːn/ v. t. impegnare (*anche fig.*); dare in pegno; pignorare: **to p. the family jewels**, pignorare i gioielli della famiglia; **to p. one's honour [one's word]**, impegnare il (*o* impegnarsi sul) proprio onore [dare in pegno, impegnare, la propria parola].

pawnbroker /'pɔːnbrəʊkə(r)/ (*leg.*) n. prestatore su pegno; gestore di un'agenzia di pegni || **pawnbroking** n. Ⓤ il prestar denaro su pegno; attività di prestatore su pegno.

pawnee /pɔː'niː/ n. (*leg.*) chi ha ricevuto qc. in pegno; creditore pignoratizio.

pawner /'pɔːnə(r)/ n. (*leg.*) chi costituisce un pegno; debitore pignoratizio.

pawnshop /'pɔːnʃɒp/ n. agenzia di prestiti su pegno; Monte di Pietà.

pawpaw /'pɔːpɔː/ → **papaw**.

pax /pæks/ n. **1** (*stor., relig.*) pace (*tavoletta con l'immagine del Crocifisso*) **2** (*gergo studentesco*) pace!; basta! (*invito a metter fine a una lite*).

pay /peɪ/ Ⓐ n. Ⓤ paga; retribuzione; compenso; salario; stipendio; (*mil.*) soldo, diaria Ⓑ a. attr. salariale: **pay pause**, tregua salariale ● (*med.*) **pay bed**, letto a pagamento (*in un ospedale*) □ **pay-book**, libro paga □ **pay ceiling**, tetto salariale □ (*in GB*) **pay cheque**, assegno paga (*dal 1960*) □ **pay claim**, rivendicazione (*o* richiesta d'aumento) salariale □ **pay day**, giorno di paga; (*Borsa*) giorno di liquidazione (*o dei compensi*) □ **pay differential**, differenziale salariale □ (*USA*) **pay dirt**, terreno ricco di minerali; (*fig.*) miniera d'oro (*fig.*), attività rimunerativa □ (*USA*) **pay envelope**, busta paga □ **pay freeze**, congelamento (*o* blocco) dei salari □ (*ind. min.*) **pay ore**, minerale coltivabile □ (*ingl.*) **pay package**, pacchetto salariale □ (*ingl.*) **pay packet**, busta paga □ (*TV*) **pay-per-view**, pay-per-view (*sistema a pagamento per singolo programma*) □ (*telef.*) **pay phone**, telefono a monete metalliche (*in Italia, anche*: a gettoni) □ **pay rise**, aumento salariale □ **pay settlement**, accordo salariale □ **pay sheet**, libro paga □ (*USA*) **pay station**, cabina telefonica pubblica □ **pay telephone** = **pay phone** → *sopra* □ (*TV*) **pay television**, pay-tv □ **pay toilet**, gabinetto a pagamento □ **to be in the pay of**, essere alle dipendenze (*o* al soldo) di.

♦to **pay**① /peɪ/ (*pass. e p. p.* **paid**) Ⓐ v. t. **1** pagare; liquidare; saldare: **to pay workmen [the tailor, one's creditors]**, pagare gli operai [il sarto, i creditori]; **to pay a debt**, pagare (*o* saldare) un debito; (*trasp.*) **to pay toll**, pagare il pedaggio ❶ NOTA: pagare → **pagare 2** (*di lavoro*) remunerare; rendere; esser retribuito con: *This job pays two hundred pounds a week*, questo lavoro rende duecento sterline la settimana **3** (*econ., fin.*) fruttare; rendere: *The investment paid*

15% *after tax*, l'investimento rese il 15% al netto d'imposta **4** dare profitto (*o* giovare) a (q.): *It won't pay you to refuse*, rifiutare non ti gioverà **5** (*form.*) ripagare; ricompensare Ⓑ v. i. **1** pagare; fare un pagamento: **to pay by cheque**, pagare con un assegno; **to pay by instalments**, pagare a rate; *How would you like to pay?*, come vuole pagare?; *Can I pay by credit card?*, posso pagare con carta di credito? **2** fruttare; rendere; pagare; convenire; essere conveniente: *Crime doesn't pay*, il delitto non paga; *It pays to be honest*, conviene essere onesti ● **to pay attention**, far attenzione; stare attento (*a quel che si dice, ecc.*) □ **to pay sb. by the hour**, pagare q. a ore □ **to pay the debt of nature**, pagare il debito alla natura (*lett.*); morire □ **to pay a call on sb.** = **to pay sb. a visit** → *sotto* □ **to pay cash**, pagare in contanti □ **to pay a compliment**, fare un complimento □ **to pay one's court to**, far la corte a □ (*di una macchina, uno strumento, ecc.*) **to pay for itself**, pagarsi (*da solo: entro un certo tempo*) □ **to pay homage to sb.**, rendere omaggio a q. □ **to pay in advance**, pagare in anticipo □ (*fig.*) **to pay sb. in his own coin**, pagare (*o* ripagare) q. della stessa moneta; rendere pan per focaccia □ **to pay on the nail**, pagare a tamburo battente □ (*banca*) **Pay self**, pagate al mio ordine (*o* a me medesimo; abbr. M.M.) (*scritto su un assegno*) □ **to pay through the nose**, pagare un prezzo esorbitante □ **to pay a tribute to sb.**, onorare q.; riconoscere il merito di q. □ **to pay sb. a visit**, far visita a q. □ **to pay one's way**, far fronte ai propri impegni, (*d'investimento, impresa, ecc.*) coprire le spese, rendere almeno quanto sono i costi d'esercizio □ (*fig.*) **to pay the piper**, pagare il conto; sostenere le spese; (*anche*) subire le conseguenze: (*prov.*) *He who pays the piper calls the tune*, colui che paga i suonatori sceglie la musica.

■ **pay back** v. t. + avv. **1** restituire; rendere (*denaro*) **2** rimborsare: **to pay back a loan**, rimborsare un mutuo; **to pay money back to sb.**, rimborsare q. **3** (*fig.*) ripagare, contraccambiare: *I paid him back in his own coin*, lo ripagai della stessa moneta; gli resi pan per focaccia.

■ **pay down** v. t. + avv. **1** pagare in soluzione unica; pagare per intero **2** pagare (*o* versare) in contanti (*o* in acconto) □ **to pay down a debt**, pagare un debito poco a poco (*o* un po' alla volta).

■ **pay for** v. t. + prep. **1** pagare (per): *You should be paid for your work*, dovresti essere pagato per il tuo lavoro; *How much did you pay for that jacket?*, quanto hai pagato per quella giacca? **2** (*fig.*) pagarla; scontare; scontarla: *He'll pay dearly for this*, questo lo pagherà caro; *We're paying for the mild winter with a wet spring*, stiamo scontando l'inverno mite con una primavera piovosa □ (*comm.*) **to pay for the goods**, pagare la merce.

■ **pay in** v. t. + avv. versare (*denaro, assegni, ecc.: in banca o su un conto*).

■ **pay into** v. t. + prep. (*banca*) versare in (*o* su): *I've paid five hundred pounds into my current account* [*into my bank*], ho versato cinquecento sterline sul mio conto corrente [*in banca*]; *I'd like to pay these cheques into this account please*, vorrei versare questi assegni su questo conto.

■ **pay off** Ⓐ v. t. + avv. **1** pagare, saldare, estinguere: **to pay off a loan**, estinguere un mutuo **2** liquidare, tacitare (*un creditore*); saldare i conti con (*un negozio, ecc.*) **3** (*fig. fam.*) fare i conti con (q.) **4** licenziare e liquidare (*un dipendente*) **5** (*fam.*) pagare, tacitare, comprare il silenzio di (q.) **6** (*naut.*) mettere (*una nave*) in disarmo Ⓑ v. i. + avv. **1** (*fam.*) essere redditizio; andare bene; dare un buon risultato: *It was a risky plan but*

it paid off, era un progetto rischioso, ma è andata bene **2** (*naut.*) (*di nave*) abbattere; strapoggiare.

■ **pay out** v. t. + avv. **1** sborsare (*denaro*) **2** (*di una banca, ecc.*: *ai clienti*) pagare, corrispondere (*denaro*) **3** ripagare (*fig.*), rendere pan per focaccia a (q.) **4** (*anche naut.*) filare, mollare (*una cima, una fune, ecc.*).

■ **pay over** v. t. + avv. **1** (*form.*) pagare, corrispondere, versare (*denaro*) **2** (*ass.*) liquidare (*una somma per danni, ecc.*).

■ **pay up** v. t. + avv. pagare (in toto); saldare: **to pay up arrears**, pagare gli arretrati □ (*fin.*) **to pay up shares**, pagare l'ultimo versamento a liberazione di azioni.

to pay ② /peɪ/ v. t. (*naut.*) impeciare; catramare; rincatramare.

payable /'peɪəbl/ a. **1** pagabile; esigibile: (*di un titolo di credito*) **p. to bearer**, pagabile al portatore **2** (*di un lavoro, ecc.*) redditizio; remunerativo **3** (*d'una miniera*) coltivabile, che vale la pena di sfruttare; (*d'un giacimento*) coltivabile, ricco ‖ **payability** n. ⓤ **1** disponibilità a pagare; solvibilità **2** (*fin.*) remuneratività (*di un titolo, ecc.*).

pay-and-display /peɪəndɪ'spleɪ/ n. parcheggio a pagamento (*in cui si deve esporre sul parabrezza il biglietto emesso dall'apposito distributore*): **pay-and-display machine**, distributore di biglietti per il parcheggio; *It's pay-and-display in this street*, in questa strada deve pagare al parchimetro ed esporre il ticket.

pay-as-you-earn /peɪæzju:'ɜ:n/ n. ⓤ (*fisc.*) ritenuta alla fonte; sistema di tassazione mediante ritenute sullo stipendio.

pay-as-you-go /peɪæzju:'gəʊ/ Ⓐ a. (*tel.*, *di telefono cellulare*) con scheda ricaricabile; prepagato Ⓑ n. **1** ⓤ pagamento a consumo **2** (*trib.*) sistema contributivo **3** telefono con scheda ricaricabile.

payback /'peɪbæk/ n. ⓒⓤ (*fin.*) **1** reintegrazione, recupero (*del capitale investito*) **2** restituzione, rimborso (*di un prestito, un mutuo*) **3** il rifarsi (*su q.*); rivincita; vendetta.

paycheck /'peɪtʃek/ n. (*USA*) assegno paga.

paydown /'peɪdaʊn/ n. **1** pagamento (*di un debito*) a rate **2** (*fin., USA*) premio di ricapitalizzazione (*di un'impresa*).

PAYE sigla **1** (*GB, Nuova Zelanda*, **pay as you earn**) (sistema fiscale di) ritenuta alla fonte **2** (**pay as you enter**) pagamento all'ingresso (*non si accettano prenotazioni*).

payee /peɪ'i:/ n. (*leg., comm.*) **1** beneficiario, beneficiaria (*di un pagamento*) **2** (*di un assegno*) portatore; beneficiario **3** (*ass.*: *di una polizza*) beneficiario.

payer /'peɪə(r)/ n. **1** pagatore; pagante: **a bad p.**, un cattivo pagatore **2** chi deve pagare.

PAYG, PAYGO, sigla → **pay-as-you-go**.

paying ① /'peɪɪŋ/ Ⓐ a. **1** che paga; pagante: **the p. bank**, la banca che paga; **p. spectators**, spettatori paganti **2** fruttifero; lucrativo; redditizio; remunerativo Ⓑ n. ⓤ pagamento; versamento ● **p. guest**, pensionante a (*banca*) **p.-in**, versamento □ (*banca*) **p.-in book**, blocchetto di distinte di versamento □ (*banca*) **p.-in slip**, distinta (*o modulo*) di versamento □ **p. office**, ufficio pagamenti.

paying ② /'peɪɪŋ/ n. ⓤ (*naut.*) impeciatura; catramatura.

payload /'peɪləʊd/ n. **1** (*trasp.*) carico utile, carico remunerativo (*spec. di un aereo*) **2** (*mil., miss.*) carico utile; carica esplosiva **3** (*ind. min.*) minerale utile.

paymaster /'peɪmɑ:stə(r)/ n. **1** (*mil.*) ufficiale pagatore **2** chi prepara gli stipendi, le buste paga ● (*in GB*) **P. General**, Ragioniere Capo dello Stato (*paga tutte le pensioni dello Stato e fa da cassiere per quasi tutti i dicaste-*

ri).

♦**payment** /'peɪmənt/ n. **1** (*comm., leg.*) pagamento; somma pagata; versamento: **cash p.**, pagamento in contanti; *They require prompt p.*, esigono il pagamento immediato; **to amortize a debt by monthly payments**, ammortizzare un debito con versamenti mensili; **a one-off p.**, un versamento una tantum **2** ⓤ remunerazione; retribuzione **3** ⓤ (*fig.*) ricompensa; punizione ● (*comm.*) **p. against documents**, pagamento contro documenti □ **p. by cheque**, pagamento mediante assegno bancario □ **p. by instalments**, pagamento rateale □ (*econ.*) **payments deficit**, deficit della bilancia dei pagamenti □ **p. in advance**, pagamento anticipato; acconto □ **p. in full**, pagamento a saldo; saldo □ **p. in kind**, pagamento in natura □ **p. into the bank**, versamento in banca □ **p. on account**, acconto □ **p. on delivery**, pagamento alla consegna □ (*banca*) **p. order**, ordine di pagamento (*o di bonifico*) □ **to enforce p.**, farsi pagare; costringere un debitore a pagare.

pay-off, payoff /'peɪɒf/ n. (*fam.*) **1** (*pagamento di una*) somma vinta **2** guadagno; profitto; utile **3** pagamento finale; saldo; liquidazione **4** (*fig.*) resa dei conti **5** (*fam.*) tangente; mazzetta **6** risultato; esito **7** conclusione (*di una storia*); finale; battuta finale **8** (*pubbl.*) slogan di chiusura; «payoff».

payola /peɪ'əʊlə/ n. (*fam. USA*) bustarella; mazzetta; pizzo; tangente.

payout /'peɪaʊt/ n. **1** (*fin.*) sovvenzione; sussidio **2** grosso pagamento; grande aumento salariale; (*ass.*) grosso indennizzo **3** (*fam.*) resa dei conti; il rifarsi (*con q.*) ● (*fin.*) **p. ratio**, rapporto utili-dividendi (*di una società*) □ **an insurance p.**, un indennizzo assicurativo.

Payphone® /'peɪfəʊn/ n. telefono a gettoni (*o a monete*).

payroll /'peɪrəʊl/ n. **1** (*rag.*) libro paga; ruolo paga **2** ammontare delle retribuzioni **3** (*per estens.*) i dipendenti in ruolo paga (*di un'azienda*) ● **p. processing**, computerizzazione della tenuta dei libri paga □ **p. snatch**, rapina delle buste paga □ (*fisc., in USA*) **p. tax**, imposta sul ruolo paga.

paysagist /'peɪsədʒɪst/ (*franc.*) n. (*pitt.*) paesaggista.

payslip /'peɪslɪp/ n. (*ingl.*) distinta (*fam.*: striscia) della retribuzione.

paystub /'peɪstʌb/ n. (*USA*) → **payslip**.

payt abbr. (*comm.*, **payment**) pagamento; versamento (vers.).

PBX sigla (*telef.*, **private branch exchange**) centralino telefonico privato.

PC sigla **1** (**personal computer**) computer personale; personal computer **2** (*polizia*, **police constable**) agente **3** (**politically correct**) politicamente corretto **4** (**Privy Council**) consiglio privato (*di un Sovrano*).

pc. abbr. (**piece**) pezzo (pz.).

p.c. sigla **1** (**per cent**) per cento **2** (**postcard**) cartolina postale (c.p.).

P/C sigla **1** (*comm.*, **petty cash**) piccola cassa (*per le spese correnti*) **2** (*comm.*, **price current**) prezzo corrente.

PCB abbr. **1** (*chim.*, **polychlorinated biphenyl**) bifenile policlorurato **2** (*elettron.*, **printed circuit board**) (scheda a) circuito stampato.

P-Celtic /'pi:keltɪk/ a. e n. ⓤ (*ling.*) celtico-P; brittonico (*gallese, cornico e bretone*).

PCM sigla **1** (*radio*, **pulse-code modulation**) modulazione a impulsi codificati **2** (*Internet, telef.*, **please call me**), chiamami per favore.

PCOS sigla (*med.*, **polycystic ovary** (*o* **ovarian**) **syndrome**) sindrome dell'ovaio policistico; policistosi ovarica (PCO).

PCP sigla **1** (*chim.*, **pentachlorophenol**) pentaclorofenolo **2** (*farm.*, **phencyclidine**) fenciclidina (*ipnotico e anestetico usato come allucinogeno*); PCP; ketamina; polvere d'angelo.

PCR sigla (**post-consumer recycled**) prodotto con materiale riciclato.

Pct abbr. (*USA*, **per cent**) per cento.

PD sigla (*USA*, **police department**) dipartimento di polizia.

pd. abbr. (*comm.*, **paid**) pagato.

PDA sigla (*comput.*, **personal digital assistant**) (computer) palmare.

PDF sigla (*comput.*, **portable document format**), PDF; formato portatile di documento (*tipo di file*).

p.d.q. sigla (*fam.*, **pretty damn quick**) di corsa, al più presto.

PDT sigla (**Pacific Daylight Time**) ora legale del fuso orario del Pacifico (*GMT-7*).

PE /pi:'i:/ n. (acronimo *fam. di* **physical education**) educazione fisica.

♦**pea** /pi:/ n. (*bot.*, *Pisum sativum*) pisello ● **pea bean**, varietà di fagiolo piccolo □ (*fam.*) **pea-brained**, dal cervello di gallina □ **pea green**, verde pisello □ (*naut.*) **pea jacket** → **peacoat** □ **pea pod** (*o* **pea shell**), baccello di pisello □ **pea soup**, passato di piselli (*spec. secchi*) □ (*fam.*) **pea-souper**, nebbia densa e gialla □ (*di nebbia*) **pea-soupy**, densa e gialla □ **to be as like as two peas (in a pod)**, somigliarsi come due gocce d'acqua □ **green peas**, piselli freschi.

♦**peace** /pi:s/ n. ⓤ **1** pace; calma; quiete; serenità; tranquillità: **to be at p.**, (*di una nazione*) essere in pace; (*di una persona*) essere in pace, essere sereno; (*anche, eufem.*) giacere in pace, essere morto; **p. of mind**, pace dello spirito; tranquillità d'animo; **p. with honour**, pace onorevole; **to have p.**, essere in pace (*non in guerra*); **to keep p.**, mantenere la pace; **to leave sb. in p.**, lasciare in pace q.; **to make p.**, fare la pace; firmare un trattato di pace **2** (*leg., polit.*) ordine pubblico: **to disturb the p.**, turbare l'ordine pubblico; **breach of the p.**, turbamento dell'ordine pubblico ● (*polit.*) **p. accord** (*o* **p. agreement**), accordo di pace; trattato di pace □ **p. camp**, campo di pacifisti (*all'esterno di una base militare*) □ (*in USA*) **P. Corps**, Corpo dei Volontari della Pace □ (*fig.*) **p. dividend**, dividendo della pace □ (*polit.*) **p. enforcement**, imposizione della pace con le armi (*a due belligeranti*) □ **p.-loving**, amante della pace □ **p. march**, marcia della pace □ **p. movement**, movimento pacifista □ **p. offering**, (*relig.*) sacrificio propiziatorio; (*fig.*) dono di riconciliazione, offerta di pace □ **p. officer**, poliziotto; sceriffo □ **p. process**, processo di pace □ **p. sign**, (gesto fatto in) segno di pace □ **to hold** (*o* **to keep**) **one's p.**, starsene zitto; tacere; non protestare □ **to keep the p.** (*o* **the King's p., the Queen's p.**), mantenere la quiete pubblica (*o* l'ordine pubblico) □ **to make one's p. with sb.**, far la pace con q.; rappacificarsi (*o* riconciliarsi) con q. □ (*relig.*) **P. be with you!**, la pace sia con te!

peaceable /'pi:səbl/ a. pacifico; calmo; quieto; tranquillo: **a p. people**, un popolo pacifico, amante della pace; **a p. protest**, una protesta pacifica, non violenta | **-ness** n. ⓤ | **-bly** avv.

♦**peaceful** /'pi:sfl/ a. pacifico; calmo; quieto; tranquillo: **p. tribes**, tribù pacifiche; **a p. night**, una notte piena di calma; **a p. bay**, una baia tranquilla □ (*polit.*) **p. coexistence**, coesistenza pacifica | **-ly** avv. | **-ness** n. ⓤ.

peacekeeping /'pi:ski:pɪŋ/ Ⓐ n. ⓤ (il) mantenimento della pace Ⓑ a. che fa da paciere; posto a tutela della pace ● (*polit.*) **p. force**, forza di pace (*dell'ONU*) ‖ **peace-**

p

keeper n. tutore della pace; paciere.

peacemaker /'piːsmeɪkə(r)/ n. **1** pacificatore, pacificatrice; paciere **2** (*USA, scherz.*) revolver; rivoltella; pistola ‖ **peacemaking** ⓤ pacificazione.

peacemonger /'piːsmʌŋgə(r)/ n. (*spreg.*) pacifista.

peacenik /'piːsnɪk/ n. (*fam. USA*) pacifista.

peacetime /'piːstaɪm/ **A** n. ⓤ tempo di pace: **in p.**, in tempo di pace **B** a. **attr.** del tempo di pace.

peach /piːtʃ/ **A** n. **1** (*bot.*) pesca **2** (*bot., Prunus persica*; = **p. tree**) pesco **3** ⓤ color pesca **4** (*fam.*) cosa eccezionale; cannonata (*fam.*); (*anche*) bella ragazza; (una) bellezza; (un) amore **B** a. **attr.** di color pesca; roseo; rosato ● **peaches and cream**, (*di pelle*) rosea e liscia: **peaches and cream complexion**, pelle di pesca □ **p. blossoms**, fiori di pesco □ **p.-coloured**, di color pesca; roseo □ (*slang USA*) **p. fuzz**, accenno di barba (*di adolescente*); (*volg.*) peli del pube femminile □ (*cucina*) **p. Melba**, pesca Melba (*dessert di mezza pesca con gelato alla vaniglia e succo di lamponi*) □ **p. orchard**, pescheto.

to **peach** /piːtʃ/ v. i. (*slang*) fare la spia; fare una soffiata; spifferare; cantare (*fig.*): **to p. to the headmaster**, fare la spia al preside.

peachery /'piːtʃərɪ/ n. pescheto.

peachick /'piːtʃɪk/ n. **1** (*zool.*) piccolo di pavone; pavoncino **2** (*fig.*) giovanotto vanesio.

peachy /'piːtʃɪ/ a. **1** (*spec. delle guance*) color pesca; morbido come una pesca; vellutato **2** (*fam.*) eccellente; fantastico; eccezionale.

peacoat, pea coat /'piːkəʊt/ n. (*naut.*) giubbotto da marinaio.

peacock /'piːkɒk/ n. **1** (*zool.*) pavone (*maschio*) **2** (*fig.*) uomo vanitoso; pavone (*fig.*) ● **p. blue**, blu pavone □ (*zool.*) **p. butterfly** (*Vanessa io*), vanessa io □ **p. coal**, carbone iridescente □ **as proud as a p.**, vanitoso come un pavone.

to **peacock** /'piːkɒk/ v. i. pavoneggiarsi; insuperbire; vestirsi delle penne del pavone.

peafowl /'piːfaʊl/ n. (*zool., Pavo*) pavone (*maschio o femmina*).

peagun /'piːgʌn/ n. cerbottana (*giocattolo*).

peahen /'piːhen/ n. (*zool.*) pavona; pavonessa.

◆**peak** /piːk/ **A** n. **1** cima; picco; sommità; vetta **2** punta; (*di tetto, ecc.*) pizzo; (*di cappello*) visiera: **the p. of a cap**, la visiera d'un berretto **3** (*fig.*) punto (*o valore*) massimo; culmine; apice; (il) massimo; punta (*fig.*); (*scient., tecn.*) picco: **the p. of production**, il punto più alto (*o il massimo*) della produzione; **peaks of illiteracy of up to 95%**, punte di analfabetismo che arrivano al 95%; (*elettron.*) **p. detector**, rivelatore di picco **4** (*naut.*) picco, penna (*di vela*) **5** (*naut.*) gavone, scafetto **B** a. **attr.** massimo; di punta: (*econ.*) **p. productivity**, produttività massima; **p. efficiency**, massimo rendimento; (*econ.*) **p. demand**, domanda di punta ● **p. hours**, ore di punta □ **p. load**, (*tecn.*) carico massimo; (*elettr.*) carico massimo (*o di punta*) □ (*Borsa*) **p. price**, corso massimo (*o tur.*) **p. season**, alta stagione □ (*TV*) **p. time**, orario di maggiore ascolto; prima serata □ (*elettr.*) **p. value**, valore di cresta □ (*sport*) **to be in p. condition**, essere in forma perfetta.

to **peak** ① /piːk/ v. i. raggiungere l'apice (*o il culmine*); essere al punto massimo (*o al valore più alto*): *Production is expected to p. next year*, ci attendiamo che la produzione raggiunga il punto più alto l'anno prossimo.

to **peak** ② /piːk/ **A** v. t. **1** (*naut.*) alzare (*un pennone*) in posizione verticale; mettere a picco; appiccare **2** (*naut.*) disporre (*i remi*) a picco **3** (*della balena*) alzare (*la coda*) per immergersi **B** v. i. (*della balena*) alzare la coda per l'immersione.

to **peak** ③ /piːk/ v. i. (*arc.*) languire; struggersi: *She began to p. and pine*, ella cominciò a struggersi e a languire.

peaked ① /piːkt/, **peaky** ① /'piːkɪ/ a. puntuto; aguzzo; affilato ● (*archit.*) **p. roof**, tetto a punta.

peaked ② /piːkt/ a. **1** a punta; appuntito **2** (*di un berretto*) con la visiera **3** → **peaky** ②.

peaky ② /'piːkɪ/ a. (*fam. ingl.*) emaciato; malaticcio; smunto; scarno ● **to feel a bit p.**, essere un po' indisposto.

peal /piːl/ n. **1** suono (*di campane*); scampanio **2** concerto di campane; carillon **3** (*di risa*) scoppio; (*d'applausi*) scroscio **4** (*del tuono*) fragore; rimbombo; scoppio ● **p. ringing** = **change ringing** → **change** □ (*di campane*) **to ring at full p.**, suonare a distesa.

to **peal** /piːl/ **A** v. i. **1** (*di campane*) scampanare; suonare a distesa **2** rumoreggiare; scrosciare **B** v. t. **1** suonare (*campane*) a distesa **2** far risuonare; far rimbombare **3** annunziare a gran voce; proclamare; strombazzare.

pean /'piːən/ → **paean**.

peanut /'piːnʌt/ **A** n. **1** (*bot., Arachis hypogaea*) arachide; nocciolina americana **2** (*fam. USA*) ometto; nanerottolo; mezzacartuccia (*fam.*) **3** (*al pl.*) trucioli di polistirolo espanso (*per imballaggi*) **4** (*al pl.*) (*fam. USA*) due (*o quattro*) soldi; pochi spiccioli; una miseria, una sciocchezza: **to be worth peanuts**, valere una miseria **B** a. **attr. 1** d'arachide; d'arachidi: **p. butter**, burro d'arachidi; **p. oil**, olio di arachide; **p. brittle**, croccante alle arachidi **2** (*fam.*) che vale poco; da poco; risibile; da quattro soldi: **a p. offer**, un'offerta risibile, da quattro soldi.

◆**pear** /peə(r)/ n. (*bot.*) **1** pera **2** (*Pyrus communis*; = **p. tree**) pero ● **p.-shaped**, a pera; a forma di pera; (*fig., fam.*) a rotoli; a monte.

pearl ① /pɜːl/ n. **1** (*anche fig.*) perla **2** ⓤ (= **mother-of-p.**) madreperla **3** ⓤ (= **p. grey**) grigio perla (*il colore*) **4** (*tipogr.*) corpo 5 **5** (*pl.*) (*scherz. ingl.*) denti ● (*chim.*) **p. ash**, perlassa □ **p. barley**, orzo perlato □ (*elettr.*) **p. bulb**, lampadina opacizzata □ **p. button**, bottone di madreperla □ **p. diver** (*o* **p. fisher**), pescatore di perle □ **p. diving**, pesca delle perle □ **p. drop**, orecchino con perla a goccia □ **p. fishery**, banco sottomarino di ostriche perlifere □ **p. fishing** = **p. diving** → *sopra* □ **p. grey**, grigio perla □ **p. oyster**, ostrica perlifera □ **p. shell**, madreperla greggia □ **p. stringer**, chi infila collane di perle □ (*fig.*) **to cast pearls before swine**, gettar perle ai porci.

pearl ② /pɜːl/ → **purl** ①.

to **pearl** ① /pɜːl/ **A** v. t. **1** imperlare; ornare di perle **2** dare un colore perlaceo a (*qc.*) **3** perlare (*l'orzo, ecc.*) **B** v. i. **1** imperlarsi **2** pescare perle ● **to go pearling**, andare a pesca di perle.

to **pearl** ② /pɜːl/ → **purl** ①.

Pearl /pɜːl/ n. Perla.

pearled /pɜːld/ a. (*dell'orzo, ecc.*) perlato.

pearler /'pɜːlə(r)/ n. **1** pescatore di perle **2** persona (*o cosa*) strabiliante.

pearlies /'pɜːlɪz/ n. pl. **1** costume dei fruttivendoli (*e altri venditori ambulanti*) londinesi (*tutto coperto di bottoni di madreperla*) **2** (*pop.*) (i) denti.

pearling /'pɜːlɪŋ/ n. ⓤ pesca delle perle.

pearlite /'pɜːlaɪt/ n. (*metall., geol.*) perlite.

pearly /'pɜːlɪ/ a. **1** perlaceo; perlato; color perla; lucente come perla **2** adorno (*o fatto*) di perle **3** coperto di madreperla ● (*Bibbia o scherz.*) **the P. Gates**, le porte del Paradiso □ (*slang*) **the p. gates**, i denti □ (*zool.*) **p. nautilus** → **nautilus** ‖ **pearliness** n. ⓤ l'esser perlaceo (*o perlato*).

peasant /'pezənt/ n. **1** (*stor.; oggi si dice* **farmer** *o* **smallholder**) contadino, contadina **2** operaio agricolo (*in Europa*) **3** (*spreg.*) contadino; contadinaccio; bifolco; cafone; buzzurro; zoticone ● **p. art**, arte rustica □ **p. food**, cibo da contadini □ **p. labour**, manodopera per i lavori agricoli ‖ **peasantry** n. ⓤ (*stor.*) **1** (*collett.*) contadini; coloni; rurali **2** contadinanza (*raro*); l'esser contadino.

pease /piːz/ n. pl. (*pl. arc. o dial. di* **pea**) piselli ● (*cucina*) **p. pudding**, stufato di piselli (*come contorno a carne di maiale*) □ **p. soup**, zuppa di piselli.

peasecod /'piːzkɒd/ n. (*bot.*) baccello di pisello.

peashooter /'piːʃuːtə(r)/ n. cerbottana (*giocattolo*).

peat /piːt/ n. **1** ⓤ torba **2** formella di torba **3** color marrone scuro ● **p. bog** (*o* **moor**), torbiera □ **p. moss**, muschio di torba; sfagno □ **p. reek**, fumo di torba; (*fig. fam.*) whisky distillato (*di contrabbando*) su fuoco di torba ‖ **peaty** a. torboso.

pebble /'pebl/ n. **1** ciottolo; sasso; sassolino **2** ⓤ (*miner.*) cristallo di rocca; quarzo ialino **3** (*ottica*) lente di quarzo ● (*edil.*) **p. dash**, intonaco a pinocchino (*con ghiaietto*) □ (*edil.*) **p. dashing**, intonacatura a pinocchino □ **p. gravel**, ghiaia □ **p. leather**, cuoio zigrinato; zigrino □ **p. paving**, acciottolato □ (*fam.*) **You're not the only p. on the beach**, non ci sei mica solo tu al mondo!

to **pebble** /'pebl/ v. t. **1** acciottolare **2** zigrinare (*cuoio*) **3** prendere (q.) a sassate.

pebbly /'peblɪ/ a. ciottoloso; sassoso; ghiaioso ● (*geol.*) **p. sand**, sabbia con ciottoli.

pebrine /'peɪbriːn/ n. ⓤ pebrina (*malattia del baco da seta*).

pec /pek/ n. (*fam.*, abbr. di **pectoral muscle**) muscolo pettorale.

pecan /'piːkən/, *USA* pɪ'kɑːn/ n. (*bot.*) **1** (*Carya illinoensis*) pecan; noce americano **2** noce americana.

peccable /'pekəbl/ a. soggetto a peccare; peccabile (*lett.*) ‖ **peccability** n. ⓤ l'essere soggetto a peccare; peccabilità (*lett.*).

peccadillo /pekə'dɪləʊ/ n. (*pl.* **peccadilloes, peccadillos**) peccatuccio; piccola colpa.

peccant /'pekənt/ a. **1** peccante; che pecca; peccatore **2** difettoso **3** (*med., antiq.*) che provoca malattie; insalubre ‖ **peccancy** n. **1** ⓤ l'esser peccatore **2** peccato.

peccary /'pekərɪ/ n. (*zool., Tayassu*) pecari.

peck ① /pek/ n. **1** «peck» (*misura per cereali: pari a 9,09 litri in GB; a 8,8 litri in USA*) **2** recipiente della capacità di un «peck» **3** (*fig. fam.*) mucchio; sacco (*fam.*): **a p. of dirt**, un mucchio di sudiciume.

peck ② /pek/ n. **1** beccata; colpo di becco **2** (*fam.*) bacio frettoloso; bacetto **3** (*slang*) roba da mangiare; cibo.

to **peck** /pek/ v. t. e i. **1** beccare; colpire (*o afferrare, mangiare*) col becco **2** fare col becco: **to p. a hole**, fare un buco col becco **3** (*fam., spesso* **to p. at**) mangiucchiare; sbocconcellare **4** (*fam.*) baciare in fretta; dare un bacetto a (q.) ● **to p. at**, fare l'atto di beccare; (*fam.*) mangiucchiare; sbocconcellare; (*fam.*) beccarsi con (q.); criticare; trovare da ridire su (qc.); (*fam.*) trattare (*un argomento*) per sommi capi □ **to p. out**, (*fam.*) strappare col becco ● **pecking order**, (*zool., etologia*) ordine di beccata; (*psic.*) ge-

rarchia sociale.

pecker /'pɛkə(r)/ n. **1** (*zool.*) uccello che becca; (*di solito* **woodpecker**) picchio **2** piccone **3** (*fam.*) naso **4** (*volg. USA*) cazzo, uccello (*volg.*) • (*fam.*) **to keep one's p. up**, farsi coraggio; tenersi su (*fam.*).

to **pecker** /'pɛkə(r)/ v. t. (*fam.*) dare un bacetto a (q.): **to p. sb. on the cheek**, dare un bacetto sulla guancia a q.

peckerhead /'pɛkəhɛd/ n. (*volg.*) testa di cazzo (*volg.*); idiota; cretino.

peckerwood /'pɛkəwʊd/ n. (*slang USA*) **1** (*stor.*) bianco povero (*nel Sud*) **2** (uomo) bianco (*in genere*).

peckings /'pɛkɪŋz/ n. pl. (*slang USA*) becchime (*fig.*); cibo.

peckish /'pɛkɪʃ/ a. (*fam.*) **1** piuttosto affamato; che ha un languorino **2** (*USA*) irritabile.

pecks /pɛks/ n. pl. (*slang USA*) **1** muscoli pettorali **2** → **peckings**.

pecs /pɛks/ → **pecks**, *def. 1*.

pectase /'pɛkteɪs/ n. (*chim.*) pectasi.

pecten /'pɛktən/ n. (pl. **pectens, pectines**) (*zool.*) **1** (*Pecten*) pettine (*mollusco*) **2** organo (*di un animale*) simile a un pettine.

pectin /'pɛktɪn/ (*biochim.*) n. ᵁᶜ pectina || **pectic** a. pectico: **pectic acid**, acido pectico.

pectoral /'pɛktərəl/ ▲ a. (*anat.*) pettorale: (*zool.*) **p. fin**, pinna pettorale ᴮ n. **1** pettorale **2** (*anat.*) muscolo pettorale **3** (*zool.*) pinna pettorale • (*relig.*) **p. cross**, croce pettorale □ (*ginnastica*) **p. exercises**, esercizi pettorali.

pects /pɛkts/ → **pecks**, *def. 1*.

to **peculate** /'pɛkjʊleɪt/ (*leg.*) ▲ v. i. commettere peculato ᴮ v. t. appropriarsi indebitamente di (*denaro, spec. pubblico*) || **peculation** n. ᵁ peculato; appropriazione indebita || **peculator** n. chi commette peculato.

peculiar /pɪ'kju:lɪə(r)/ ▲ a. **1** peculiare; particolare, caratteristico; speciale: **a matter of p. interest**, una faccenda di particolare interesse; **a mood quite p. to him**, uno stato d'animo che gli è del tutto peculiare **2** bizzarro; eccentrico; singolare; strano; curioso: **p. ideas**, idee bizzarre; **a p. flavour**, uno strano sapore; **a p. situation**, una situazione strana (*o* imbarazzante); *He has always been a little p.*, è sempre stato (un tipo) un po' bizzarro **3** strano; fuori fase: *I'm feeling a bit p. today*, oggi mi sento un po' strano ᴮ n. **1** prerogativa; privilegio **2** (*stor., relig.*) chiesa (*o* parrocchia) non soggetta alla giurisdizione della diocesi **3** – P., membro dei «Peculiar People» • **P. People**, setta evangelica fondata nel 1838 (*che crede nell'intervento divino per guarire le malattie*) □ (**God's**) **p. people**, il popolo eletto (da Dio); gli eletti; gli eletti | **-ly** avv.

peculiarity /pɪkju:lɪ'ærətɪ/ n. **1** peculiarità; caratteristica; particolarità **2** bizzarria; eccentricità; singolarità; stranezza: **p. of manner**, singolarità del modo di fare; **p. of speech**, eccentricità nel parlare.

pecuniary /pɪ'kju:nɪərɪ/ a. pecuniario; finanziario; monetario; in denaro: **p. gain**, guadagno finanziario; (*fin.*) **p. motives**, motivi pecuniari; (*fin.*) **p. unit**, unità monetaria • (*leg.*) **p. damage**, danno patrimoniale □ (*leg.*) **p. offence**, reato passibile di pena pecuniaria.

ped /pɛd/ (*fam. USA*) → **pedestrian**.

pedagog /'pɛdəgɒg/ (*USA*) → **pedagogue**.

pedagogic /pɛdə'gɒdʒɪk/, **pedagogical** /pɛdə'gɒdʒɪkl/ a. pedagogico | **-ally** avv.

pedagogue /'pɛdəgɒg/ n. **1** pedagogo **2** (*spreg.*) pedante.

pedagogy /'pɛdəgɒdʒɪ/ n. ᵁ pedagogia || **pedagogics** n. pl. (col verbo al sing.) peda-

gogia.

pedal ① /'pɛdl/ n. **1** (*mecc., mus.*) pedale: (*autom.*) **clutch p.**, pedale della frizione; (*mus.*) **loud p.**, pedale del forte; (*mus.*) **soft p.**, pedale del piano **2** (*aeron.*) pedaliera • **p. bin**, pattumiera a pedale □ **p. boat**, pattino a pedali; pedalò ® □ **p. crank**, pedivella (*mus.*) **p. keyboard**, pedaliera (*d'organo*) □ **p. pusher**, ciclista □ **p. pushers**, calzoni (*da donna*) a metà polpaccio.

pedal ② /'pɛdl/ a. (*biol.*) del piede; pedale.

to **pedal** /'pɛdl/ ▲ v. i. **1** pedalare **2** azionare un pedale (*o* i pedali) **3** (*boxe*) pedalare ᴮ v. t. azionare (*o* comandare, muovere) (qc.) per mezzo di pedali.

pedalo /'pɛdələʊ/ n. (pl. **pedalos, pedaloes**) moscone (*o* pattino) a pedali; pedalò ®.

pedant /'pɛdnt/ n. pedante || **pedantry** n. ᵁ pedanteria.

pedantic /pɪ'dæntɪk/ a. **1** pedantesco **2** (*di persona*) pedante | **-ally** avv.

to **peddle** /'pɛdl/ ▲ v. i. fare il venditore ambulante ᴮ v. t. **1** vendere al minuto **2** mettere in giro (*dicerie, ecc.*) **3** spacciare (*droga*) • **to p. advice**, distribuire consigli (a dritta e a manca) □ (*volg. USA*) **to p. one's ass**, prostituirsi □ **to p. gossip**, fare della maldicenza □ (*fam. USA*) **to p. one's papers**, farsi gli affari propri.

peddler /'pɛdlə(r)/ n. **1** (*USA*) → **pedlar 2** spacciatore di droga.

peddling /'pɛdlɪŋ/ ▲ a. futile; meschino; di poco conto; di scarsa importanza: **a p. outlook on life**, una visione meschina della vita ᴮ n. ᵁ **1** commercio ambulante **2** spaccio di droga.

pederast /'pɛdəræst/ n. pederasta.

pederasty /'pi:dəræstɪ/ n. ᵁ pederastia •

pedestal /'pɛdɪstl/ n. **1** (*anche fig. e scient.*) piedistallo; piedestallo **2** piede centrale (*di tavolo*) **3** (*edil.*) colonna (*di lavandino*) • **p. table**, tavolo a piede centrale □ (*fig.*) **to knock sb. off his p.**, buttare giù q. dal piedistallo □ (*fig.*) **to set** (*o* to put) **sb. on a p.**, mettere q. su un piedistallo.

pedestrian /pɪ'dɛstrɪən/ ▲ n. pedone; viandante ᴮ a. pedestre (*anche fig.*); comune; banale; prosaico • **p. area**, zona pedonale □ **p. crossing**, passaggio pedonale □ **p. island** (*o* **p. precinct**), isola (*o* zona) pedonale.

to **pedestrianize** /pɪ'dɛstrɪənaɪz/ v. t. pedonalizzare (*una strada, ecc.*) || **pedestrianization** n. ᵁ pedonalizzazione || **pedestrianized** a. pedonalizzato.

pediatrics /pi:dɪ'ætrɪks/ e deriv. (*USA*) → **paediatrics**, e deriv.

pedicab /'pɛdɪkæb/ n. triciclo usato come taxi (*in Indonesia, ecc.*).

pedicel /'pɛdɪsl/, **pedicle** /'pɛdɪkl/ (*bot., zool.*) n. pedicello; peduncolo || **pedicellate** a. pedicellato.

pedicular /pɪ'dɪkjʊlə(r)/ a. (*med.*) pedicolare.

pediculosis /pɛdɪkjʊ'ləʊsɪs/ n. ᵁ (*med.*) pediculosi; morbo pedicolare.

pediculous /pɪ'dɪkjʊləs/ a. (*med.*) pidocchioso; infestato dai pidocchi.

pedicure /'pɛdɪkjʊə(r)/ n. **1** pedicure; callista; podologo **2** ᵁ pedicure (*improprio*); trattamento curativo dei piedi || **pedicurist** n. pedicure (*chi fa il trattamento*).

pedigree /'pɛdɪgri:/ ▲ n. **1** albero genealogico **2** ᵁ genealogia; ascendenza; lignaggio (*lett.*) **3** ᵁ (*d'animali*) pedigree **4** (*di persone*) passato; storia personale; trascorsi: *He has a criminal p.*, ha un passato di delinquente ᴮ a. attr. che ha il pedigree: **a p. bull** [Alsatian], un toro [un pastore tedesco] che ha il pedigree || **pedigreed** a. **1** di nobili natali; d'alto lignaggio **2** (*d'animali*) che

ha il pedigree: **a pedigreed dog**, un cane con pedigree.

pediment /'pɛdɪmənt/ n. (*archit.*) frontone; timpano || **pedimental** a. **1** di (*o* che serve da*) frontone **2** che ha la forma di un frontone || **pedimented** a. (*d'edificio*) provvisto di frontone.

pedlar /'pɛdlə(r)/ n. **1** venditore ambulante **2** (*fig.*) chi diffonde (*o* divulga) qc.; propagatore: **a p. of gossip**, uno che diffonde pettegolezzi • **p.'s French**, gergo della malavita □ (*polit.*) **p. of influence**, procacciatore di favori (*spesso illeciti*).

pedo- e deriv. (*USA*) → **paedo-** e deriv.

pedogenesis /pi:də'dʒɛnəsɪs/ n. ᵁ (*geol.*) pedogenesi.

pedology /pɪ'dɒlədʒɪ/ (*geol.*) n. ᵁ pedologia; scienza del suolo || **pedological** a. pedologico || **pedologist** n. pedologo.

pedometer /pɪ'dɒmɪtə(r)/ n. pedometro; contapassi (*strumento*).

pedophile /'pi:dəʊfaɪl/ e deriv. (*USA*) → **paedophile**, e deriv.

peduncle /pɪ'dʌŋkl/ (*anat., bot., zool.*) n. peduncolo || **peduncular** a. peduncolare.

pedunculate /pɪ'dʌŋkjʊleɪt/ a. (*bot., zool.*) peduncolato.

pee ① /pi:/ n. (*volg.*) **1** piscio (*volg.*); pipì (*fam.*); orina **2** pisciata (*volg.*): **to go for** (**to have, to take) a pee**, (andare a) fare una pisciata.

pee ②, **pe** /pi:/ n. pi; lettera p.

to **pee** /pi:/ v. i. (*volg.*) pisciare (*volg.*); fare pipì (*fam.*); orinare • **to pee oneself**, farsi la pipì addosso; pisciarsi addosso.

peek /pi:k/ n. sguardo furtivo; sbirciatina • (*slang USA*) **p. freak**, guardone.

to **peek** /pi:k/ v. i. **1** guardare furtivamente; sbirciare **2** far capolino; spuntare • (*fam.*) **to p. at** (*o* di soppiatto).

peekaboo /pi:kə'bu:/ ▲ n. **1** cucù (*gioco che si fa con bimbi piccini*) **2** (*slang USA*) sguardo furtivo; sbirciatina ᴮ inter. cucù!

peel ① /pi:l/ n. ᵁ buccia; scorza; pelle: **lemon p.**, scorza di limone; **candied p.**, scorzette (*di limone o d'arancio*) candite.

peel ② /pi:l/ n. pala da fornaio.

peel ③ /pi:l/ n. (*stor.*) torre di difesa (*sul confine con la Scozia*).

to **peel** /pi:l/ ▲ v. t. **1** sbucciare; pelare; mondare: **to p. an orange**, sbucciare un'arancia **2** sgusciare: **peeled prawns**, gamberetti sgusciati **3** (*generalm.* **to p. off**) staccare, togliere (*la buccia, la scorza, un indumento, ecc.*): *She gingerly peeled off the plaster*, tolse cautamente il cerotto ᴮ v. i. **1** sbucciarsi; spellarsi: *She got sunburnt and her face peeled*, prese troppo sole e le si spellò il viso **2** (*fam.*) spogliarsi; svestirsi **3** (*fam. USA*) andarsene in fretta; smammare (*fam.*); (*autom.*) partire sgommando • (*fam.*) **to keep one's eyes peeled**, tenere gli occhi ben aperti.

▪ **peel away** ▲ v. i. + avv. **1** (*della pelle, ecc.*) sbucciarsi, staccarsi; (*del viso, ecc.*) spellarsi: *The paint is peeling away*, sta staccando la vernice **2** (*aeron.*) → **peel off**, *def. 4* ᴮ v. t. + avv. **1** sbucciare, pelare **2** staccare, tirare via (*una pellicola, un incarto, ecc.*).

▪ **peel back** v. t. + avv. **1** pelare, sbucciare (*una banana, ecc.*) **2** rivoltare, rimboccare (*una manica, ecc.*).

▪ **peel off** v. i. + avv. **1** (*della pelle, di vernice, ecc.*) sbucciarsi, staccarsi; (*del viso, ecc.*) spellarsi **2** (*fam.*) staccarsi dal gruppo; andarsene in fretta; tagliare la corda **3** (*fam.*) svestirsi; spogliarsi; denudarsi **4** (*aeron.*) (*di un aereo*) staccarsi (*dalla formazione*) virando **5** (*fam. USA*) → **to peel**, B, *def. 3*.

▪ **peel out** v. i. + avv. **1** (*fam.*) andarsene in fretta; tagliare la corda **2** (*slang USA*: *di un'auto*) sgommare.

peeler ① /'piːlə(r)/ n. **1** chi sbuccia; sbucciatore, sbucciatrice **2** (ind.) pelatrice (macchina) **3** (fam. USA) spogliarellista.

peeler ② /'piːlə(r)/ n. (slang antiq.) poliziotto (dal nome di Sir Robert Peel).

peeling /'piːlɪŋ/ n. **1** buccia, scorza (staccata dalla frutta, ecc.): **peelings**, bucce (spec. di patate) **2** Ⓤ sbucciatura; mondatura **3** Ⓤ (della pelle o di un rivestimento) spellatura **4** Ⓤ (cosmesi) peeling • **p. machine**, (ind. tess.) mondatrice (dei semi di cotone); (ind. della frutta e verdura) pelatrice, mondatrice, sbucciatrice.

peen /piːn/ n. penna (del martello) • **p. hammer**, martello da muratore.

to **peen** /piːn/ v. t. **1** martellare a penna; battere con la penna del martello **2** → **to shot-peen**.

peening /'piːnɪŋ/ n. **1** martellamento a penna **2** → **shot-peening**.

peep ① /piːp/ n. **1** pigolio **2** squittio **3** (infant.) suono di clacson; tutù (infant.) **4** (fam.) suono; parola.

peep ② /piːp/ n. **1** sguardo furtivo; occhiata; sbirciata **2** veduta parziale; scorcio; vista fugace **3** primo apparire (dell'alba, della luce, ecc.) • **p.-show**, apparecchio nel quale si vedono foto o diapositive (anche erotiche) attraverso un foro provvisto di lente; (slang USA) spettacolo di spogliarello □ **p. sight**, diottra (d'arma da fuoco) ‖ (mil.) **p. slot**, feritoia □ **at p. of dawn** (o of day), allo spuntar del giorno; all'alba □ **to get a p. of st.**, intravedere qc. □ **to take a p. at st.**, dare un'occhiata a qc.

to **peep** ① /piːp/ v. i. **1** (d'uccelli) pigolare (anche fig.) **2** (di topi) squittire **3** (fam.) parlare; emettere un suono **4** (slang) cantare (fig.); soffiare, fare una soffiata; spifferare.

to **peep** ② /piːp/ v. i. **1** guardare furtivamente; sbirciare; spiare: 'Buck Mulligan peeped an instant under the mirror and then covered the bowl smartly' J. JOYCE, 'Buck Mulligan sbirciò per un attimo sotto lo specchio e poi fu lesto a coprire il bacile'; to **p. behind the scenes [under the bed]**, spiare dietro le quinte [sbirciare sotto il letto] **2** (spesso **to p. out**) apparire a poco a poco; far capolino; spuntare: The sun peeped out, spuntò il sole **3** (fig.: di qualità, ecc.) rivelarsi spontaneamente; scoprirsi • **to p. at sb.**, spiare q. □ **to p. into a room**, sbirciare dentro una stanza □ **peeping Tom**, guardone; voyeur.

peepbo /'piːpbəʊ/ → **peekaboo**.

peepee /'piːpiː/ n. **1** (infant.) pipì **2** (slang scherz. USA) pisello (membro virile).

peeper ① /'piːpə(r)/ n. animale che pigola; pulcino.

peeper ② /'piːpə(r)/ n. **1** chi sbircia; chi spia; persona curiosa; ficcanaso; (anche) guardone **2** (pl.) (slang) occhi; (anche) occhiali da sole **3** (slang USA) detective privato.

peephole /'piːphəʊl/ n. spioncino (in una porta, ecc.).

peer /pɪə(r)/ n. **1** pari; uguale; persona di pari condizione sociale, grado, ecc.: **the right to be judged by one's peers**, il diritto d'essere giudicato dai propri pari **2** coetaneo **3** Pari (d'Inghilterra, di Scozia o d'Irlanda); Lord; nobile (di un'altra nazione): **the Peers of the Realm**, i Pari del Regno • **p. group**, gruppo di persone della stessa classe, età, ecc. □ (psic.) **p.-group pressure**, pressione esercitata dai coetanei (dalla gente di pari condizione, ecc.) □ **p. review**, revisione fatta da ricercatori indipendenti; referaggio □ (comput.) **peer-to-peer** → **peer-to-peer**.

♦to **peer** /pɪə(r)/ v. i. **1** guardar da presso; sbirciare; scrutare: to **p. into a dark cave**, guardare dentro una caverna buia; to **p. at** sb., sbirciare q.; scrutare q. **2** apparire a poco a poco; far capolino; spuntare.

peerage /'pɪərɪdʒ/ n. **1** (collett.) (i) Pari (d'Inghilterra, di Scozia o d'Irlanda) **2** (l') aristocrazia, (la) nobiltà (di un'altra nazione) **3** dignità (o titolo) di Pari **4** almanacco nobiliare (inglese).

peeress /'pɪəres/ n. **1** (in GB; di solito, **Lady Peer**) Pari (d'Inghilterra) che è donna **2** (più com.) moglie (o vedova) di un Pari.

peerless /'pɪələs/ a. senza pari; impareggiabile; incomparabile | **-ly** avv. | **-ness** n. Ⓤ.

to **peer-review** /pɪərɪ'vjuː/ v. t. (generalm. al passivo) sottoporre al giudizio di chi lavora nello stesso campo.

peer-to-peer /pɪətə'pɪə(r)/ (comput.) Ⓐ a. P2P; peer to peer (riferito alla comunicazione diretta tra due computer, spec. per la condivisione di file): **peer-to peer-application**, programma peer to peer; programma P2P Ⓑ n. (= **peer to peer application**) → sopra • **peer-to-peer network**, rete paritetica (di dispositivi allo stesso livello).

peeve /piːv/ n. (fam.) scocciatura; seccatura • (USA) **to have a p. on sb.**, avercela con q. □ **one's pet p.**, la cosa che meno si sopporta.

to **peeve** /piːv/ (fam.) v. t. irritare; seccare; scocciare (fam.) ‖ **peeved** a. irritato; seccato; scocciato (fam.).

peevish /'piːvɪʃ/ a. irritabile; irascibile; permaloso; stizzoso | **-ly** avv. | **-ness** n. Ⓤ.

peewee /'piːwiː/ n. (fam. USA) **1** persona bassa di statura; nano, tappo (fig.) **2** tipo insignificante, senza importanza **3** piccola sigaretta di marijuana.

peewit /'piːwɪt/ → **pewit**.

♦**peg** /peg/ n. **1** piolo; caviglia; cavicchio **2** (anche sport) picchetto; paletto; piolo: **tent pegs**, picchetti da tenda, **hat pegs**, pioli per attaccare il cappello; attaccapanni **3** (per botti) zaffo; zipolo **4** (= **clothes peg**) molletta da bucato **5** (mus.: di violino, ecc.) bischero; pirolo **6** (mecc.) spina; spinotto **7** tassello (di legno) **8** (fig.) appiglio; pretesto **9** (fin.) punto (o tasso) d'intervento; parità: **peg adjustments**, adeguazioni delle parità **10** (pl.) (slang USA) gambe; (anche) calzoni **11** (pl.) (slang USA) denti **12** = **peg leg** sotto **13** bevanda alcolica; (spec.) brandy (o whisky) con seltz • (fam.) **peg leg**, gamba di legno; persona con una gamba di legno □ **peg top**, trottola □ **peg-top trousers**, calzoni larghi in alto e stretti in fondo; calzoni a sbuffo (d'abito) **off the peg**, confezionato; bell'e fatto □ (fig.) **a square peg in a round hole**, un pesce fuor d'acqua □ (fig.) **to take** (o bring) sb. **down a peg or two**, far abbassare la cresta a q. □ (fig.) **to be brought** (o **taken**) **down one peg or two**, essere ridimensionato; dover abbassare la cresta.

to **peg** /peg/ Ⓐ v. t. **1** fissare; infiggere (o piantare) con caviglie, pioli, ecc.; incavigliare; incavicchiare: **to peg a notice to a billboard**, fissare (o attaccare) un avviso su un cartellone **2** picchettare: **to peg a tent**, picchettare una tenda **3** colpire (o trapassare) con un piolo, un picchetto **4** (fin., Borsa) stabilizzare il prezzo di (azioni, ecc.); stabilizzare (il mercato) **5** fissare: (prezzi, quotazioni, ecc.) The peso had been pegged at parity to the dollar since 1991, la parità tra peso e dollaro era stata fissata nel 1991 **6** ancorare (retribuzioni, interessi, ecc.); agganciare (fig.): Wage indexation means pegging wage increases to the cost-of-living index, l'indicizzazione dei salari significa ancorare gli aumenti salariali all'indice del costo della vita **7** (fam.) classificare, definire: She pegged him as a wet blanket, lo definì un guastafeste **8** (fam.) lanciare, scagliare (una palla, sassi, ecc.) **9** (sport) segnare (il puntegg-

io) sul marcapunti Ⓑ v. i. segnare i punti (in una partita) sul marcapunti (anche, v. t., **to peg the score**)

■ **peg away at** v. i. + avv. + prep. (fam.) lavorare sodo, sgobbare, darci sotto a (fare qc.).

■ **peg down** v. t. + avv. **1** piantare; fissare con paletti (pioli, cavicchi, picchetti, ecc.): **to peg down the tents**, piantare le tende **2** mantenere (un prezzo, ecc.) basso: **to peg down the prices of foodstuffs**, mantenere bassi i prezzi dei generi alimentari **3** (fam.) vincolare, impegnare (q.); inchiodare (fig.): You should peg him down to a firm date of delivery of the goods, devi vincolarlo a una data fissa per la consegna della merce; **to peg sb. down to the rules**, inchiodare q. al regolamento.

■ **peg out** Ⓐ v. t. + avv. **1** appendere, stendere (il bucato ad asciugare) **2** puntare (una tovaglia, una carta geografica, ecc.) con spilli **3** delimitare con picchetti; picchettare: **to peg out a plot of land**, picchettare un lotto di terreno Ⓑ v. i. + avv. (fam.) **1** morire **2** (di un motore, ecc.) spegnersi, guastarsi **3** (sport) mollare; ritirarsi □ **to peg out a claim**, rivendicare il possesso di un terreno (minerario, ecc.) delimitandolo con picchetti.

■ **peg up** v. t. + avv. attaccare (con un gancio, con le mollette, ecc.): She was pegging up the clothes, stava stendendo la biancheria.

Pegasus /'pegəsəs/ n. (pl. **Pegasi, Pegasuses**) **1** (mitol., astron.) Pegaso **2** (fig.) ispirazione poetica.

pegboard /'pegbɔːd/ n. **1** marcapunti (per taluni giochi) **2** (market.) tabellone per appendervi articoli in esposizione **3** (elettr.) pannello a spine.

pegbox /'pegbɒks/ n. (mus.) cavigliera.

pegged /pegd/ a. **1** provvisto di pioli (di cavicchi, ecc.) **2** picchettato **3** (Borsa, fin.) sostenuto; stabilizzato: **p. market**, mercato stabilizzato; **p. price**, prezzo di sostegno **4** (fin.: di prezzo) fissato • (fin.) **p. rates of exchange**, tassi di cambio stabilizzati.

pegging /'pegɪŋ/ n. Ⓤ **1** il fissare con pioli; picchettamento **2** (Borsa, fin.) stabilizzazione; sostegno (di prezzi, tassi di cambio, ecc.) **3** fissazione (di prezzi, ecc.) **4** ancoramento, agganciamento (fig.).

Peggy /'pegɪ/ n. dim. di → **Margaret**.

pegmatite /'pegmətaɪt/ n. Ⓤ (geol.) pegmatite.

Peiping /'peɪ'pɪŋ/ n. (geogr.) Pechino.

pejorative /pɪ'dʒɒrətɪv/ a. e n. (anche gramm.) peggiorativo ❶ NOTA: diminutive, pejorative, terms of endearment → diminutive | **-ly** avv.

peke /piːk/ n. (fam.) pechinese (cane).

pekin /piː'kɪn/ n. seta di Pechino.

Pekinese /piːkɪ'niːz/, **Pekingese** /piːkɪŋ'iːz/ a. e n. (inv. al pl.) pechinese.

Peking /piː'kɪŋ/ n. (geogr.) Pechino.

pekoe /'piːkəʊ/ n. Ⓤ «pekoe» (tè scuro di prima qualità).

pelage /'pelɪdʒ/ n. pelame.

pelagian /pɪ'leɪdʒən/ Ⓐ a. pelagico (anche oceanografia, geol.); oceanico Ⓑ n. **1** (zool.) animale pelagico **2** (bot.) pianta pelagica.

Pelagian /pɪ'leɪdʒən/ (relig.) a. e n. pelagiano ‖ **Pelagianism** n. Ⓤ pelagianismo.

pelagic /pə'lædʒɪk/ a. pelagico (anche oceanografia, geol.); oceanico.

pelargonium /pelə'gəʊnɪəm/ n. (bot., Pelargonium) geranio; pelargonio.

Pelasgian /pe'læzgɪən/ a. (stor.) pelasgico; dei Pelasgi.

pelerine /'peləriːn/ n. pellegrina (corta mantellina).

pelf /pelf/ n. Ⓤ (spreg. antiq.) denaro; peculio.

pelican /'pelɪkən/ n. (zool., Pelecanus) pel-

licano ● (*nelle città*) **p. crossing**, attraversamento pedonale regolato da semaforo (*con un pulsante azionato dai pedoni*).

pelisse /pə'liːs/ n. **1** mantello da donna, bordato di pelliccia **2** cappottino (*da bambino*) **3** (*stor.*) giacca da ussaro (*guarnita di pelliccia*).

pellagra /pɪ'læɡrə/ (*med.*) n. ▫ pellagra ‖ **pellagrous** a. pellagroso.

pellet /'pɛlət/ n. **1** pallottola (*d'argilla, carta, ecc.*); pallina **2** pallina di piombo **3** (*farm.*) pellet; pillola **4** (*agric.*) pellet, nucleo (*di mangime*) **5** (*mil.*) pallottola **6** (*geol.*) grumo **7** (*scient., tecn.*) pallottola; sferetta; pastiglia **8** (*stor.*) palla di pietra (*per catapulta o cannone*).

to **pellet** /'pɛlət/ v. t. **1** appallottolare **2** colpire con una pallottola (*spec. di carta*) (*o con un pallino*); impallinare **3** → **to pelletize**.

to **pelletize** /'pɛlətaɪz/ (*tecn.*) v. t. pellettizzare ‖ **pelletization** n. ▫ pellettizzazione.

pellicle /'pɛlɪkl/ n. pellicola; membrana ‖ **pellicular** a. pellicolare; di (*o simile a*) pellicola.

pell-mell /pɛl'mɛl/ 🅰 avv. **1** alla rinfusa; disordinatamente **2** precipitosamente; sfrenatamente 🅱 a. **1** disordinato; promiscuo **2** precipitoso; sfrenato 🅲 n. **1** confusione; disordine **2** mischia; folla disordinata.

pellucid /pɛ'luːsɪd/ a. pellucido; trasparente, chiaro (*anche fig.*); lampante: **a p. explanation**, una spiegazione chiarissima ‖ **pellucidity** n. ▫ pellucidità; trasparenza, chiarezza (*anche fig.*).

pelmet /'pɛlmɪt/ n. mantovana (*corto drappo sopra una tenda*).

Peloponnesian /pɛləpə'niːʃn/ a. e n. peloponnesiaco.

pelota /pə'ləʊtə/ n. ▫ pelota; palla basca (*gioco spagnolo*).

peloton /'pɛlətɒn/ (*franc.*), n. (*ciclismo*) plotone, gruppo.

pelt① /pɛlt/ n. **1** pelle non conciata (*di animale da pelliccia*) **2** (*scherz.*) pelle (*dell'uomo*).

pelt② /pɛlt/ n. **1** forte colpo (*di sasso, ecc.*) **2** scroscio (*di pioggia*); bufera (*di neve*) **3** ▫ impeto; velocità ● **at full p.**, a tutta velocità; a rotta di collo.

to **pelt** /pɛlt/ 🅰 v. t. **1** attaccare, colpire (*scagliando qc.*); bersagliare; tempestare **2** lanciare, scagliare 🅱 v. i. **1** (*spesso* **to p. down**) battere insistentemente; picchiare; scrosciare: *The rain is pelting down*, piove a catinelle **2** affrettarsi; precipitarsi ● **to p. sb. with questions**, tempestare q. di domande □ **to p. sb. with stones**, lapidare q. □ **pelting rain**, pioggia a dirotto; pioggia a catinelle □ **It's pelting (with rain)**, viene giù a catinelle.

pelta /'pɛltə/ n. (pl. **peltae**) (*stor., mil.*) pelta.

peltast /'pɛltæst/ n. (*stor.*) peltasta.

peltate /'pɛltət/ a. (*stor. e bot.*) peltato; a forma di scudo.

peltry /'pɛltrɪ/ n. ▫ (*collett.*) **1** pelli non conciate **2** pellame; pelletteria.

pelvic /'pɛlvɪk/ a. (*anat.*) pelvico.

pelvimeter /pɛl'vɪmɪtə(r)/ (*med.*) n. pelvimetro ‖ **pelvimetry** n. ▫ pelvimetria.

pelvis /'pɛlvɪs/ n. (pl. **pelvises, pelves**) (*anat.*) **1** pelvi; bacino: **to rotate one's p.**, ruotare il bacino; **false p.**, grande pelvi; pelvi falsa; **true p.**, piccola pelvi; pelvi vera **2** (= **pelvic cavity**) pelvi; cavità pelvica **3** (= **renal p.**) pelvi renale; bacinetto renale.

pemmican, pemican /'pɛmɪkən/ n. ▫ (*alim.*) pemmican (*carne essiccata, mescolata a grasso e spezie e ridotta in pasta*).

pen① /pɛn/ n. **1** recinto (*per animali dome-*

stici); chiuso **2** (*nelle Indie occidentali*) fattoria; piantagione **3** → **playpen 4** (= **submarine pen**) base di sommergibili (*in cemento armato*) **5** (*di fiume*) diga ● **hen pen**, pollaio □ (*USA, anche fig.*) **pig pen**, porcile □ **sheep pen**, ovile.

♦**pen**② /pɛn/ n. **1** (*stor.*) penna d'oca (*per scrivere*) **2** penna (*per scrivere*) **3** ▫ (*fig.*) stile; penna: *He lives by his pen*, si guadagna la vita scrivendo **4** (*di uno strumento*) pennino **5** (*zool.*) penna, gladio (*di calamaro*) ● **a pen-and-ink drawing**, un disegno (fatto) a penna (*o a china, a inchiostro*) □ **pen cap**, cappuccio di penna □ (*comput.*) **pen drive**, chiavetta USB; penna USB □ **pen friend**, corrispondente; amico di penna □ **pen lid** = **pen cap** → sopra □ **pen name**, pseudonimo; nome d'arte □ **pen-nib**, pennino □ (*USA*) **pen pal**, corrispondente; amico di penna □ **pen picture**, profilo (*biografico*); medaglione □ (*fam. spreg.*) **pen-pusher**, scrivano; scribacchino; impiegatuccio □ **pen-wiper**, nettapenne; puliscipenne □ (*lett.*) **to take up one's pen**, porre mano alla penna; cominciare a scrivere.

pen③ /pɛn/ n. (*zool.*) femmina del cigno.

pen④ /pɛn/ n. (*USA, abbr. slang di* **penitentiary**) penitenziario.

to **pen**① /pɛn/ v. t. chiudere (*o rinchiudere*) in un recinto ● **to pen in** (*o* **to pen up**), mettere (*bestiame*) al chiuso.

to **pen**② /pɛn/ v. t. (*form.*) scrivere (*con la penna*); comporre, redigere: **to pen a letter**, scrivere una lettera.

penal /'piːnl/ a. **1** (*leg.*) penale: **p. code**, codice penale (*in Italia, Francia, ecc.*); **p. law**, diritto penale **2** (*fig.*) che penalizza; rigoroso; severo: **a new p. tax**, una nuova imposta che penalizza il contribuente ● (*leg.*) **p. clause**, clausola penale (*in un contratto*); penale □ (*leg.*) **a p. offence**, un reato passibile di sanzione penale □ (*leg.*) **p. servitude**, lavori forzati (*aboliti in GB nel 1948*) □ (*leg.*) **p. suit** (*o* **action**), causa penale | **-ly** avv.

to **penalize** /'piːnəlaɪz/ v. t. **1** penalizzare **2** (*leg.*) rendere perseguibile penalmente; criminalizzare **3** (*sport*) penalizzare ‖ **penalization** n. ▫ **1** penalizzazione **2** (*leg.*) criminalizzazione **3** (*sport*) penalizzazione.

♦**penalty** /'pɛnltɪ/ n. **1** (*leg., comm.*) penalità; multa; ammenda; sanzione penale; penale; pena **2** (*ass., autom.*) penale, sovrappremio (*in caso di sinistro*) **3** (*fisc.*) soprattassa **4** (*calcio, hockey, pallanuoto, ecc.*) rigore; massima punizione: **to give a p.**, concedere il rigore: **to lose [to win] on penalties**, perdere [vincere] ai rigori **5** (*rugby*) punizione ● (*sport*) **p. area**, area di rigore □ **p. box**, (*calcio*) area di rigore; (*hockey su ghiaccio*) zona di rigore □ (*comm., leg.*) **p. clause**, clausola penale; penale □ (*sport*) **p. kick**, (*calcio*) calcio di rigore; penalty; (*rugby*) calcio di punizione, tiro libero □ (*autom.*) **p. points**, punti di penalizzazione (*sulla patente*) □ (*calcio, spec. USA, Austral.*) **p. shooter**, chi tira un rigore; rigorista □ (*calcio*) **p. shoot-out**, i calci di rigore, i rigori (*per decidere una partita finita in parità*) □ (*pallanuoto, ecc.*) **p. shot**, rigore □ (*calcio*) **p. spot**, disco del rigore; dischetto □ (*fam.*) □ (*calcio*) **p. taker**, chi tira un rigore; rigorista □ (*rugby*) **p. try**, meta di punizione (*assegnata dall'arbitro*) □ (*calcio*) **to go to penalties**, andare ai rigori (*tirare i calci di rigore dopo i supplementari*) □ **to pay the p.**, pagare il fio; scontare una colpa.

penance /'pɛnəns/ n. ▫◉ (*anche relig.*) penitenza: **to do p.**, far penitenza.

to **penance** /'pɛnəns/ v. t. dare una penitenza a (q.).

Penates /pɛ'nɑːteɪz/ n. pl. (*relig. romana*) penati.

pence /pɛns/ n. pl. «pence» (pl. *di* «penny», la centesima parte d'una sterlina; *indica il valore per le singole monetine, per indicare le quali si usa «pennies»; cfr.* **penny**).

penchant /'pɒnʃɒn/ (*franc.*) n. inclinazione; propensione; tendenza; predilezione (*per q. o qc.*).

♦**pencil** /'pɛnsl/ n. **1** matita; lapis: **written in p.**, scritto a matita; **copying p.**, matita copiativa **2** (*elettr., = **p. beam**) fascio filiforme (*o concentrato*) **3** (*ottica*) pennello: **p. of light**, fascio di luce **4** (*geom.*) fascio (*di linee che s'incontrano in un punto*) ● **p. cap**, salvapunte □ **p. case**, portamatite (*astuccio*) □ **p. drawing**, disegno a matita □ **p. moustache**, baffetti sottili □ (*fam. spreg.*) **p.-pusher**, scrivano; scribacchino; impiegatuccio □ **p. sharpener**, temperamatite.

to **pencil** /'pɛnsl/ v. t. disegnare (*o segnare, scrivere*) con la matita; buttar giù a matita.

■ **pencil in** v. t. + avv. organizzare o includere provvisoriamente.

pencilled /'pɛnsld/ a. (*di sopracciglio*) disegnato con la matita.

pendant /'pɛndənt, *def.* 4 'pɛndɒn/ 🅰 n. **1** pendaglio; pendente; ciondolo (*spec. di collana, orecchino*) **2** calata di lampada (*dal soffitto*) **3** (*archit.*) fregio pensile **4** (*naut.*) → **pennant**, *def. 1 e 2* **5** (*anche, con pronuncia franc.* /pɑ̃'dɑ̃/) cosa che s'appaia a un'altra; paio; pendant 🅱 a. → **pendent** ● (*edil.*) **p. post**, puntello; saetta.

pendent /'pɛndənt/ a. **1** pendente; pendulo; sospeso **2** incombente **3** (*fig., anche leg.*) pendente; che è pendente; che è in sospeso: **a lawsuit which is p.**, una causa che è tuttora pendente (*o non giudicata*) **4** (*gramm.: di periodo*) lasciato in sospeso ‖ **pendency** n. ▫ **1** l'esser pendente (*o sospeso*) **2** (*fig.*) l'essere in sospeso; l'essere tuttora indeciso.

pendentive /pɛn'dɛntɪv/ n. (*archit.*) pennacchio.

pending /'pɛndɪŋ/ 🅰 a. **1** pendente (*fig.*); indeciso; non risolto: **a p. suit**, una causa pendente **2** incombente 🅱 prep. **1** durante: **p. these negotiations**, durante questi negoziati **2** in attesa di: **p. his acceptance**, in attesa della sua accettazione ● **p. dealings**, trattative in corso □ **patent p.**, brevetto in corso di concessione.

pendragon /pɛn'dræɡən/ n. (*stor.*) capo supremo; principe (*fra i Britanni o i Gallesi*).

pendular /'pɛndjʊlə(r)/ a. (*scient.*) pendolare.

penduline /'pɛndjʊlaɪn/ a. **1** (*di nido*) pendulo **2** (*d'uccello*) che costruisce un nido pendulo (*per es.*, il pendolino) ● (*zool.*) **p. titmouse** (*Remiz pendulinus*), pendolino.

pendulous /'pɛndjʊləs/ a. (*di nido, fiore, ecc.*) pendulo; sospeso ● **p. breasts**, seni penduli (*o cadenti, cascanti*).

pendulum /'pɛndjʊləm/ n. **1** (*fis.; anche fig.*) pendolo **2** (*alpinismo*) pendolo ● **p. clock**, orologio a pendolo; pendola □ **p. motion**, moto pendolare □ **p. rod**, asta del pendolo (*di un orologio*).

peneplain, peneplane /'piːnɪpleɪn/ n. (*geol.*) penepiano.

penetrable /'pɛnɪtrəbl/ a. penetrabile ‖ **penetrability** n. ▫ penetrabilità.

penetralia /pɛnɪ'treɪlɪə/ n. pl. (*lett.*) (i) penetrali.

penetrant /'pɛnɪtrənt/ a. penetrante; acuto; aguzzo.

to **penetrate** /'pɛnɪtreɪt/ v. t. e i. **1** penetrare (*anche fisiol. e fig.*); penetrare in; farsi strada in (*o fra*); comprendere; scoprire: **The sun penetrated the black clouds**, il sole si fece strada fra le nere nubi; (*econ.*) **to p. a market**, penetrare in un mercato; **I pene-**

trated his disguise, scoprii il suo travestimento **2** compenetrare; permeare; pervadere **3** diffondersi, spargersi in **4** (*mil. e sport*) infiltrarsi; insinuarsi **5** (*di un concetto, ecc.*) diventare chiaro; andare a segno; essere capito (*o inteso*) ● **to be penetrated with**, essere pervaso (*o permeato*) di.

penetrating /'pɛnɪtreɪtɪŋ/ a. **1** penetrante; (*fig.*) acuto, sottile: **a p. sound** [**smell**, **look**], un suono [un odore, uno sguardo] penetrante **2** profondo: **a p. wound**, una profonda ferita **3** (*sport*) penetrante; ficcante **4** (*sport*: *di un giocatore*) dotato di buona penetrazione | **-ly** avv.

penetration /pɛnɪ'treɪʃn/ n. **1** (*anche fisiol. e fig.*) penetrazione **2** (*econ.*) **market p.**, penetrazione in un mercato **2** (*mil. e sport*) penetrazione; infiltrazione; insinuazione **3** Ⓤ (*fig.*) acume; perspicacia **4** Ⓤ infiltrazione (*di un liquido*) ● (*mil. stor.*) **peaceful p.**, penetrazione pacifica.

penetrative /'pɛnɪtrətɪv/ a. **1** penetrativo; penetrante (*anche fig.*) **2** (*sport*) ficcante; incisivo: **p. play**, gioco incisivo ‖ **penetrativeness** n. Ⓤ **1** l'essere penetrante (*anche fig.*) **2** (*mil. e sport*) incisività.

penguin /'pɛŋgwɪn/ n. (*zool.*, Aptenodytes; Eudyptes, *ecc.*) pinguino ● (*fam.*) **p. suit**, smoking.

penholder /'pɛnhəʊldə(r)/ n. (*un tempo*) portapenne; asticciola.

penicillate /'pɛnɪsɪlət/ a. (*bot., zool.*) penicillato; (fatto) a pennello.

penicillin /pɛnɪ'sɪlɪn/ n. Ⓤ (*farm.*) penicillina.

penicillium /pɛnə'sɪlɪəm/ n. (pl. *penicillia*, *penicilliums*) (*biol.*) penicillio.

penicillus /pɛnɪ'sɪləs/ n. (pl. *penicilli*) (*biol.*) penicillo.

penile /'piːnaɪl/ a. (*anat.*) penieno; del pene.

peninsula /pə'nɪnsjʊlə/ n. (*geogr.*) penisola ‖ **peninsular** a. peninsulare.

penis /'piːnɪs/ n. (pl. *penes*, *penises*) (*anat.*) pene.

penitent /'pɛnɪtənt/ a. e n. penitente; pentito; contrito ‖ **penitence** n. Ⓤ penitenza; pentimento; contrizione ‖ **penitently** avv. contritamente.

penitential /pɛnɪ'tɛnʃl/ Ⓐ a. penitenziale; di penitenza: (*relig.*) **p. psalms**, salmi penitenziali Ⓑ n. (*relig.*) libro penitenziale.

penitentiary /pɛnɪ'tɛnʃərɪ/ Ⓐ a. **1** (*relig.*) penitenziale; di penitenza **2** (*leg.*) penitenziario; penale **3** (*leg., USA*) (*di un reato*) passibile di pena detentiva in un penitenziario Ⓑ n. **1** (*in GB*) riformatorio; casa di correzione **2** (*in USA*) penitenziario; carcere **3** (*relig.*) penitenziere **4** (*relig.*) penitenzieria.

penknife /'pɛnnaɪf/ n. (pl. *penknives*) temperino; coltellino.

penman /'pɛnmən/ n. (pl. *penmen*) **1** calligrafo: **a good p.**, un buon calligrafo **2** scriba; scrivano **3** scrittore; autore ● **a bad p.**, uno che ha una brutta scrittura.

penmanship /'pɛnmənʃɪp/ n. Ⓤ **1** calligrafia; scrittura **2** arte dello scrivere.

pennant /'pɛnənt/ n. **1** (*naut.*) fiamma; guidone; pennello; bandiera di segnalazione; (= **broad p.**) gagliardetto **2** (*naut.*) bracotto; penzolo **3** (*mil.*) gagliardetto **4** (*sport*) gagliardetto **5** (*baseball, in USA*) «pennant» (*trofeo del campionato di baseball*).

pennate /'pɛneɪt/ a. (*scient.*) **1** pennato; pennuto **2** → **pinnate**.

penniless /'pɛnɪləs/ a. senza un soldo; spiantato; squattrinato.

Pennines (the) /'pɛnaɪnz/, **Pennine Hills** /pɛnaɪn'hɪlz/ n. pl. (*geogr.*) i (monti) Pennini.

pennon /'pɛnən/ n. **1** vessillo; stendardo;

gagliardetto **2** (*naut.*) fiamma; guidone; pennello **3** (*zool.*) sommolo (*di ala*) **4** (*poet.*: *d'uccello*) ala.

penn'orth /'pɛnəθ/ n. Ⓤ (abbr. di **pennyworth**) valore di un penny; quanto si può comprare con un penny.

Pennsylvanian /pɛnsɪl'veɪnɪən/ a. e n. (abitante, nativo) della Pennsylvania.

♦**penny** /'pɛnɪ/ n. (pl. *pennies*, *pence*) **1** penny (*moneta ingl.*, *pari a un centesimo di sterlina*, V. anche nota sotto **pence**) **2** (*USA*, pl. *pennies*) centesimo di dollaro: '*Turning the p. over he saw Lincoln and the words «In God We Trust – Liberty 1923». How beautiful it is, he said*' W. SAROYAN, 'rivoltando il cent, vide Lincoln e le parole «La Nostra Fede è in Dio – Libertà 1923». Che bello, disse' **3** (*Bibbia*) denaro (*traduzione ingl. della parola latina «denarius»*) ● (*raro*) **p.-a-liner**, giornalista da strapazzo; scribacchino; imbrattacarte □ (*filatelia*) **P. Black**, il penny nero (*il 1° francobollo ingl. e del mondo*: *del 1840*) □ (*fam.*) **p. dreadful**, romanzo giallo da due soldi; romanzaccio pieno di orrori □ (*stor.*) **p.-farthing**, biciclo □ **p. pincher**, avaro, spilorcio, tirchio (sost.); (*fam.*) oggetto (articolo, automezzo, *ecc.*) che ha un prezzo conveniente (*o che fa risparmiare*) □ **p.-pinching**, (agg.) avaro, spilorcio, tirchio; (sost.) avarizia, tirchieria □ **to be p.-wise and pound-foolish**, essere tirchio con i centesimi e prodigo con gli euro □ **a bad p.**, un penny falso; (*fig.*) un poco di buono □ **not to have a p. to one's name** (*o* **not to have two pennies to rub together**), non avere il becco di un quattrino □ (*fam.*) **a pretty p.**, un bel gruzzolo; una bella somma (di denaro) □ (*fam.*) **to spend a p.**, andare al gabinetto □ **to take care of the pence**, badare al centesimo □ **a three-p. stamp**, un francobollo da tre penny □ **to turn** (*o* **to earn, to make**) **an honest p.**, guadagnarsi il pane (*o* la vita) onestamente □ (*fig.*) **to turn up like a bad p.**, saltar fuori nei momenti meno opportuni □ **two** (*o* **ten**) **a p.**, molto comune □ **A p. for your thoughts!**, a che cosa stai pensando? (*si dice a persona assorta in meditazione*) □ (*fam.*) **The p. dropped!**, finalmente ha (*o* hai, *ecc.*) capito! □ (*prov.*) **A p. saved is a p. earned** (*o* **gained**), quattrino risparmiato, due volte guadagnato □ (*prov.*) **In for a p., in for a pound**, chi ha fatto trenta può fare trentuno; quando si è in ballo, bisogna ballare □ (*prov.*) **Take care of the pence, and the pounds will take care of themselves**, il risparmio incomincia dal centesimo.

pennyroyal /pɛnɪ'rɔɪl/ n. (*bot.*, Mentha pulegium) pulegio; mentuccia.

pennyweight /'pɛnɪweɪt/ n. «pennyweight» (*unità di peso per preziosi, del sistema «troy»*; pari a 1/20 di oncia e cioè a grammi 1,55).

pennywort /'pɛnɪwɜːt/ n. (*bot.*, Cotyledon umbilicus-veneris) ombelico di Venere.

pennyworth /'pɛnɪwəθ/ n. **1** valore di un penny; quanto si può comprare con un penny; penny: (*un tempo*) **a p. of toffees**, un penny di caramelle **2** (*fig.*) (un) briciolo; (un) soldo (*di qc.*) ● **not a p.**, neanche un po'.

penology /piː'nɒlədʒɪ/ (*leg.*) n. Ⓤ diritto penale; criminologia ‖ **penologist** n. penalista; esperto di diritto penale; criminologo.

pensile /'pɛnsaɪl/ a. **1** pensile; sospeso **2** (*d'uccello*) che costruisce un nido pendulo (*per es.*, il pendolino).

♦**pension** ① /'pɛnʃn/ n. **1** pensione (*assegno fisso percepito da un pensionato*): **old-age p.**, pensione di vecchiaia; **disability p.**, pensione di invalidità **2** (*stor.*) assegno, sussidio (*dato a un artista, ecc.*) ● **p. book**, libretto della pensione □ (*fin.*) **p. company**, società assicuratrice di pensioni volontarie □ **p. con-**

tributions, contributi per la pensione; contributi sociali □ **p. fund**, fondo pensione □ **p. plan**, piano di pensionamento □ **p. system**, sistema pensionistico □ **to retire on a p.**, andare in pensione.

pension ② /'pɒnsɪɒn/ (*franc.*) n. pensione: **to live en p.**, essere (*o* stare) a pensione.

to **pension** /'pɛnʃn/ v. t. pensionare; assegnare una pensione a (q.).

■ **pension off** v. t. + avv. (*di persona*) mandare in pensione; (*di cosa*) scartare; rottamare.

pensionable /'pɛnʃənəbl/ a. pensionabile; che ha (*o* che dà) diritto alla pensione: **p. age**, età pensionabile; **p. service**, servizio pensionabile.

pensioner /'pɛnʃənə(r)/ n. **1** pensionato, pensionata **2** (*nell'università di Cambridge*) studente che paga la retta del college (*senza godere di una borsa di studio*).

pensive /'pɛnsɪv/ a. (*lett.*) **1** pensoso; meditabondo **2** malinconico; triste | **-ly** avv. | **-ness** n. Ⓤ.

penstock /'pɛnstɒk/ n. **1** chiusa, saracinesca (*di regolazione delle acque*) **2** canale (*o* tubo) d'alimentazione (*per una ruota ad acqua*) **3** condotta forzata (*di centrale idroelettrica*).

pent /pɛnt/ a. (spesso **p.-in**, **p.-up**) **1** rinchiuso; (*fig.*) in gabbia: **to feel p.-up**, sentirsi in gabbia **2** rattenuto (*lett.*); represso: **p.-up feelings**, sentimenti repressi ● (*edil.*) **p. roof**, tetto a uno spiovente (*o* a una falda).

pentachord /'pɛntəkɔːd/ n. (*mus.*) pentacordo.

pentacle /'pɛntəkl/ n. pentacolo; stella a cinque punte.

pentad /'pɛntæd/ n. **1** gruppo (*o* serie) di cinque unità; pentade (*raro*) **2** periodo di cinque anni; lustro **3** (*meteor.*) periodo di cinque giorni **4** (*chim.*) elemento pentavalente.

pentadactyl /pɛntə'dæktɪl/ a. (*zool.*) pentadattilo.

pentagon /'pɛntəgən/ (*geom.*) n. pentagono ● (*USA*) **the P.**, il Pentagono (*ad Arlington, in Virginia; fig.*: il Ministero della Difesa – *o* la potenza militare – *degli USA*) ‖ **pentagonal** a. pentagonale.

pentagram /'pɛntəgræm/ n. pentacolo; stella a cinque punte ❶ **FALSI AMICI** • **pentagram** *non significa* pentagramma.

pentahedron /pɛntə'hiːdrən/ n. (pl. *pentahedrons*, *pentahedra*) (*geom.*) pentaedro.

pentamer /'pɛntəmə(r)/ n. Ⓤ (*chim.*) pentamero.

pentameter /pɛn'tæmɪtə(r)/ n. (*poesia*) pentametro.

pentane /'pɛnteɪn/ n. Ⓤ (*chim.*) pentano.

pentapody /pɛn'tæpədɪ/ n. Ⓤ (*poesia*) pentapodia.

pentarchy /'pɛntɑːkɪ/ n. Ⓤ pentarchia.

pentastich /'pɛntəstɪk/ n. (*poesia*) strofa pentastica.

pentastyle /'pɛntəstaɪl/ a. (*archit.*) pentastilo.

pentasyllabic /pɛntəsɪ'læbɪk/ a. pentasillabo.

Pentateuch /'pɛntətjuːk/ (*relig.*) n. Pentateuco ‖ **Pentateuchal** a. del Pentateuco.

pentathlon /pɛn'tæθlən/ (*sport*) n. pentathlon, pentatlon ‖ **pentathlete** n. pentatleta.

pentatonic /pɛntə'tɒnɪk/ a. (*mus.*) pentatonico; pentafonico.

pentavalent /pɛntə'veɪlənt/ a. (*chim.*) pentavalente.

Pentecost /'pɛntɪkɒst/ n. (*relig.*) Pentecoste.

Pentecostal /pɛntɪ'kɒstl/ Ⓐ a. (*relig.*) della Pentecoste Ⓑ n. pentecostale (*membro*

a b c d e f g h i j k l m n o p q r s t u v w x y z

di una setta religiosa).

Pentelic /pɛnˈtɛlɪk/ a. pentelico: P. **marble**, marmo pentelico.

penthouse /ˈpɛnthaʊs/ n. (*edil.*) **1** tettoia a un solo spiovente (*appoggiata a un edificio*) **2** attico; sopralzo ● **p. roof**, tetto a uno spiovente (*o a una falda*).

pentode /ˈpɛntəʊd/ n. (*elettron.*) pentodo.

pentosan /ˈpɛntəsæn/ n. (*chim.*) pentosano.

pentose /ˈpɛntəʊz/ n. (*chim.*) pentosio.

Pentothal® /ˈpɛntəθæl/ n. (*chim.*) pentotal; pentothal.

penult /pɪˈnʌlt, USA ˈpiːnʌlt/, **penultima** /pɪˈnʌltɪmə/ n. (*ling.*) penultima sillaba.

penultimate /pɪˈnʌltɪmət/ **A** a. penultimo **B** n. **1** (il) penultimo **2** → **penult**.

penumbra /pɪˈnʌmbrə/ (*astron.*, *fotogr.*) n. (pl. **penumbrae**, **penumbras**) penombra ‖ **penumbral** a. di (*o* in) penombra.

penurious /pɪˈnjʊərɪəs/ a. (*form.*) **1** avaro; gretto; meschino; sordido; tirchio **2** povero; indigente; bisognoso **3** (*del terreno*) avaro; sterile | **-ly** avv. | **-ness** n. ⓤ.

penury /ˈpɛnjərɪ/ n. ⓤ (*form.*) penuria; indigenza; miseria.

peon (*def. 1* /ˈpiːən/, *def. 2 e 3* /pjuːn/) n. **1** (*nel Messico e nel Sud America*) peón; peone; operaio a giornata **2** povero, povera; persona indigente **3** (*in India*) soldato di fanteria; poliziotto indigeno; attendente; domestico.

peony /ˈpiːənɪ/ n. (*bot.*, *Paeonia officinalis*) peonia.

♦**people** /ˈpiːpl/ n. **1** popolo; nazione; razza; stirpe; gente: **the English p.**, il popolo inglese; **the English-speaking peoples**, i popoli di lingua inglese; **government of the p.**, governo del popolo **2** (collett., col verbo al pl.) persone; abitanti; gente; folla: **clever** [**stupid**] **p.**, persone intelligenti [stupide]; **city** [**country**] **p.**, gente di città [di campagna]; *There were lots of p.*, c'era molta gente (*o* una gran folla); *I don't care what p. say*, non m'importa di quel che dice la gente; *There was just a gas bill, and a letter for you from the car insurance p.*, c'era solo una bolletta del gas e una lettera per te da quelli dell'assicurazione per la macchina **3** (*slang USA*) tipo; tizio; individuo: *He's bad p.*, è un brutto tipo **4** (*slang USA*) – **the p.**, quelli della narcotici; la squadra antidroga ● (*autom.*) **p. carrier**, veicolo multifunzionale (*o* multiuso); monovolume; **one's p.**, i familiari; i parenti; gli antenati; i progenitori: *His p. have lived there for centuries*, la sua famiglia vi abita da secoli □ (*polit.*) **p.'s front**, fronte popolare □ (*TV, USA*) **p. meter**, audimetro □ **p. mover**, mezzo di trasporto rapido a percorso fisso □ **p. pleaser**, persona che si prodiga per essere amata □ (*polit.*) **p.'s republic**, repubblica popolare □ **p. smuggler**, trafficante di esseri umani (*per prostituzione, immigrazione clandestina, ecc.*) □ **p. of wealth**, gente ricca □ (*polit.*) **to go to the p.**, fare appello al Paese; indire le elezioni politiche □ **the little p.**, le fate; i folletti; gli gnomi □ (*fam.*) **my p.**, i miei; la mia famiglia □ *Bill, of all p., was the first who came to my rescue*, fu Bill, sorprendentemente, che venne in mio soccorso □ **You of all p. should know better**, proprio tu dovresti avere un po' più di criterio.

to **people** /ˈpiːpl/ **A** v. t. popolare; abitare **B** v. i. **1** popolarsi **2** (*fam.*) riempirsi di gente.

pep /pɛp/ n. (*slang*) energia; spirito; vigore; vivacità ● **a pep pill**, un eccitante (*in pillola*) □ (*USA*) **pep rally**, raduno in onore di una squadra (*spec. di studenti delle superiori*) prima di un evento sportivo □ **a pep talk**, un discorso d'incitamento; un fervorino; un pistolotto.

to **pep** /pɛp/ v. t. (*generalm.* **to pep up**) **1** vi-

---

vacizzare; animare; ravvivare; stimolare; tirare su (*fam.*) **2** insaporire (*il cibo*).

PEP /pɛp/ sigla (*stor.*, *GB*, **personal equity plan**) piano d'investimento azionario personale (*cfr.* **ISA**).

peperino /pɛpəˈriːnəʊ/ n. ⓤ (*geol.*) peperino (*roccia vulcanica*).

Pepin /ˈpɛpɪn/ n. (*stor.*) Pipino: **P. the Short**, Pipino il Breve.

peplos /ˈpɛpləs/ n. (*stor.*) peplo.

peplum /ˈpɛpləm/ n. (*moda*) **1** svasatura sui fianchi (di corpino, giacca, gonna) **2** (*nell'Ottocento*) sopraggonna **3** (*nell'antica Grecia*) peplo.

♦**pepper** /ˈpɛpə(r)/ n. (*bot.*) **1** ⓤ pepe (*la pianta e il frutto*): **black** [**white**] **p.**, pepe nero [bianco] **2** peperone ● (*di stoffa, capelli, ecc.*) **p.-and-salt**, (color) pepe e sale □ **p.-castor** (*o* p.-**caster**), pepaiola a spolvero □ **p. hair**, capelli brizzolati □ **p. mill**, macinapepe, macinino per pepe, pepaiola □ **p. pot**, pepaiola (*bucherellata*) □ **p. spray**, spray al peperoncino (*bomboletta per difesa personale*) □ **p. steak**, bistecca al pepe (*nero o verde*) □ (*bot.*) **p. tree** (*Schinus molle*), pepe del Perù; falso pepe; albero del pepe.

to **pepper** /ˈpɛpə(r)/ v. t. **1** pepare; impepare; cospargere di (*o* condire con) pepe **2** cospargere, costellare; ricoprire di; punteggiare; inzeppare: *The report was peppered with figures*, la relazione era zeppa di cifre **3** bersagliare; colpire (*con proiettili*); tempestare (*anche fig.: di domande, ecc.*) **4** (*fig.*) attaccare; battere; picchiare (q.) **5** (*fig.*) rendere pepato; vivacizzare ● **to p. sb.'s behind with lead shot**, impallinare il sedere di q.

pepperbox /ˈpɛpəbɒks/ n. (*USA*) **1** pepaiola (*bucherellata*) **2** (*stor.*) pistola a 5 o 6 canne **3** (*slang*) nido di mitragliatrici.

peppercorn /ˈpɛpəkɔːn/ n. **1** granello di pepe nero (*un tempo usato come pagamento di affitto nominale*) **2** (*fig.*) cosa insignificante; inezia; nonnulla ● (*leg.*) **p. rent**, affitto nominale.

peppermint /ˈpɛpəmɪnt/ n. **1** (*bot.*, *Mentha piperita*) menta peperita **2** ⓤ olio essenziale (*o* essenza) di menta (*usata in medicina e per far pasticche*) **3** (= **p. drop**) caramella (*o* pasticca) di menta; mentina.

pepperoni /pɛpəˈrəʊnɪ/ n. ⓤ salamino piccante.

to **pepper spray** /ˈpɛpəspreɪ/ v. t. spruzzare uno spray irritante (*a base di peperoncino*) addosso a.

peppery /ˈpɛpərɪ/ a. **1** pepato (*anche fig.*); pungente, salato (*fig.*): **a p. reply**, una risposta pepata **2** (*fig.*) irascibile; collerico ‖ **pepperiness** n. ⓤ **1** l'essere molto pepato **2** (*fig.*) collericità; irascibilità.

peppy /ˈpɛpɪ/ a. **1** (*slang USA*) energico, vigoroso; pieno d'entusiasmo **2** stimolante; eccitante | **-iness** n. ⓤ.

pepsin /ˈpɛpsɪn/ n. ⓤ (*biochim.*) pepsina.

peptic /ˈpɛptɪk/ a. (*chim.*, *anat.*, *med.*) peptico; gastrico; dell'apparato digerente: **p. glands**, ghiandole peptiche; **p. ulcer**, ulcera peptica.

peptide /ˈpɛptaɪd/ n. (*biochim.*) peptide.

to **peptize** /ˈpɛptaɪz/ (*chim.*) v. t. peptizzare.

peptone /ˈpɛptəʊn/ n. (*biochim.*) peptone.

to **peptonize** /ˈpɛptənaɪz/ v. t. (*biochim.*) peptonizzare.

♦**per** /pɜː(r), pə(r)/ prep. **1** (*antiq.*) per; per mezzo di; mediante: **per post**, per posta, per mezzo della posta; **per Mr Smith**, per mezzo (*o* per il tramite) di Mr Smith; **per rail**, per ferrovia **2** (*distributivo*) per; a; ogni: **a shilling per man**, uno scellino per ciascuno (*o* a testa); *It's £50 per person, per night, including full English or continental break-*

---

fast, sono £50 a persona a notte, compresa la colazione all'inglese o internazionale; (*fis.*) **per second**, per secondo; al minuto secondo; **one dollar per yard**, un dollaro ogni (*o* la) iarda ● **per annum**, all'anno □ **per capita**, a testa; pro capite: (*stat.*) **per capita consumption**, consumo pro capite □ **per cent** → **per cent** □ **per contra**, al contrario □ (*comm.*) **as per invoice**, come da fattura.

peracid /pɜːˈræsɪd/ n. (*chim.*) peracido.

peradventure /ˌpɜːrədˈvɛntʃə(r)/ avv. (*arc.*) forse; probabilmente ● **beyond p.**, fuor di dubbio □ **without** (**all**) **p.**, senza (alcun) dubbio.

to **perambulate** /pəˈræmbjʊleɪt/ **A** v. i. camminare; girare; passeggiare; vagare **B** v. t. percorrere a piedi; girare per; passeggiare in ‖ **perambulation** n. (*form.*) camminata; passeggiata; passeggio; giro.

perambulator /pəˈræmbjʊleɪtə(r)/ n. (*GB*) carrozzina (*per bambini, con tettuccio*).

perborate /pɜːˈbɔːreɪt/ n. (*chim.*) perborato: **sodium p.**, perborato di sodio.

percale /pɜːˈkeɪl/ n. ⓤ (*ind. tess.*) percalle.

percaline /pɜːkəˈliːn/ n. ⓤ (*ind. tess.*) percallino.

perceivable /pəˈsiːvəbl/ a. percepibile; percettibile | **-bly** avv.

♦to **perceive** /pəˈsiːv/ v. t. **1** percepire; accorgersi di; avvertire **2** scorgere; vedere: *I perceived a teardrop on her cheek*, vidi una lacrima sul suo viso.

♦**per cent**, **percent** /pəˈsɛnt/ (*mat.*) **A** n. percento; percentuale: *Eighty per cent are women*, l'ottanta per cento sono donne; **half a per cent**, lo zero virgola cinque per cento; mezzo punto percentuale **B** a. attr. percentuale: **per cent variations in the cost of living**, variazioni percentuali del costo della vita **C** avv. per cento: **a 2.5 per cent increase**, un aumento del 2,5 per cento; *I'm a hundred per cent in agreement with you*, sono d'accordo con te al cento per cento.

♦**percentage** /pəˈsɛntɪdʒ/ n. **1** percentuale: **a p. of the proceeds**, una percentuale sugli utili; **p. on sales**, percentuale sulle vendite; interessenza **2** (*per estens.*) parte; porzione: *Only a small p. of the people invited came*, venne solo una piccola parte degli invitati **3** (*fam.*) interesse personale; tornaconto: *There's no p. in being outspoken*, non c'è interesse a parlare chiaro.

percentile /pəˈsɛntaɪl/ n. (*stat.*) percentile; dato percentile.

percept /ˈpɜːsɛpt/ n. (*filos.*, *psic.*) ⓤ percetto; oggetto percepito.

perceptible /pəˈsɛptəbl/ a. percettibile; percepibile ‖ **perceptibility** n. ⓤ percettibilità; percepibilità ‖ **perceptibly** avv. percettibilmente; percepibilmente.

♦**perception** /pəˈsɛpʃn/ n. ⓤⓒ **1** (*anche filos.*) percezione (*sensitiva e intellettiva*); intuizione **2** (*leg.*) riscossione, esazione (*di canoni, tributi, ecc.*) ‖ **perceptional** a. percettivo; della percezione.

perceptive /pəˈsɛptɪv/ a. **1** percettivo **2** acuto; intelligente; oculato; perspicace; sagace: (*sport*) **a p. pass**, un passaggio intelligente; **a p. remark**, un'osservazione sagace ‖ **perceptiveness**, **perceptivity** n. ⓤ percettività ‖ **perceptively** avv. perspicacemente; sagacemente.

Perceval /ˈpɜːsɪvl/ → **Percival**.

perch① /pɜːtʃ/ n. (pl. **perches**, **perch**) (*zool.*) **1** (*Perca fluviatilis*) pesce persico **2** (*Perca flavescens*) perca dorata.

perch② /pɜːtʃ/ n. **1** posatoio; trespolo; bastone (*su cui stanno appollaiati polli, uccelli*) **2** pertica (*unità di misura lineare, pari a 5 iarde e mezzo e cioè a circa 5 metri*) **3** (*naut.*) miraglio a pertica (*di una boa*) ● (*fam.*) **to knock sb.**

off his p., sbalzar q. di sella (*fig.*); spodestare q. □ **square p.**, pertica quadrata (*m² 25 circa*) □ (*d'uccello*) **to take one's p.**, appollaiarsi □ (*fig.*) **Come off your p.!**, scendi dal piedistallo! (*fam.*: dal pero!); non darti arie!

to **perch** /pɜːtʃ/ v. i. appollaiarsi; (*d'uccelli*) posarsi: *The blackbird perched upon a bough*, il merlo si posò su un ramo; *The little pianist perched on the stool*, il piccolo pianista si appollaiò sullo sgabello ● (*geol.*) **perched block**, masso erratico in bilico □ **perched groundwater**, falda idrica sospesa □ **perched spring**, sorgente artesiana.

perchance /pəˈtʃɑːns/ avv. (*arc. o lett.*) per avventura; per caso; forse: *'to sleep, p. to dream'* W. SHAKESPEARE, 'dormire, forse sognare'.

perchloric /pɜːˈklɔːrɪk/ (*chim.*) a. perclorico ‖ **perchlorate** n. perclorato.

perchloride /pɜːˈklɔːraɪd/ n. (*chim.*) percloruro.

percipient /pəˈsɪpɪənt/ a. percettivo; perspicace ‖ **percipience** n. ꭒ percettività; percezione; intuito.

Percival /ˈpɜːsɪvl/ n. (*letter.*) Parsifal.

to **percolate** /ˈpɜːkəleɪt/ v. t. e i. 1 colare; filtrare; far passare (*il caffè, ecc.*); (*del caffè*) passare: *Rainwater percolates through the soil*, l'acqua piovana filtra attraverso il terreno; *The coffee is percolating*, il caffè sta passando 2 (*scient.*) percolare 3 (*di una notizia*) diffondersi ‖ **percolation** n. ꭒ 1 filtrazione 2 (*scient.*) percolazione.

percolator /ˈpɜːkəleɪtə(r)/ n. 1 percolatore (= **coffee p.**) macchinetta da caffè; caffettiera a filtro ● **electric p.**, caffettiera elettrica.

to **percuss** /pɜːˈkʌs/ v. t. (*med.*) sottoporre (q.) a percussione.

percussion /pɜːˈkʌʃn/ n. ꭒ 1 (*anche med.*) percussione: (*mus.*) **p. instruments**, strumenti a percussione; (*d'arma da fuoco*) **p. lock**, meccanismo di percussione 2 colpo; vibrazione (*da percossa*) ● **p. cap**, capsula, detonatore; (*di fucile antiquato o giocattolo*) fulminante □ (*mecc.*) **p. drill**, perforatrice a percussione □ (*mecc.*) **p. pin**, percussore ‖ **percussionist** n. (*mus.*) percussionista ‖ **percussive** a. di percussione.

percutaneous /pɜːkjuːˈteɪnɪəs/ a. (*med.*) percutaneo; ipodermico.

perdition /pəˈdɪʃn/ n. ꭒ 1 rovina; perdizione 2 (*relig.*) dannazione (*dell'anima*).

perdurability /pɜːdjʊərəˈbɪlətɪ/ n. ꭒ l'essere lungamente durevole; durevolezza (*raro*); persistenza.

perdurable /pɜːˈdjʊərəbl/ a. 1 lungamente durevole; duraturo 2 (*relig.*) eterno ‖ **-bly** avv.

to **peregrinate** /ˈperɪgrɪneɪt/ v. i. peregrinare; viaggiare ᗷ v. t. viaggiare in (*un luogo*) ‖ **peregrination** n. ꭒꭒ peregrinazione; viaggio ‖ **peregrinator** n. chi peregrina; chi va di luogo in luogo.

peregrine, peregrin /ˈperɪgrɪn/ ᗩ a. 1 (*arc.*) peregrino; forestiero; esotico 2 (*zool.*) migratorio ᗷ n. (*zool., Falco peregrinus*; = **p. falcon**) falco pellegrino.

peremptory /pəˈrem(p)tərɪ/ a. perentorio (*anche leg.*); tassativo; imperioso: **in a p. manner**, in modo perentorio ● (*leg.*) **p. evidence**, prova liberatoria □ (*leg.*) **a p. writ**, una citazione a comparire; un mandato di comparizione ‖ **peremptorily** avv. perentoriamente ‖ **peremptoriness** n. ꭒ perentorietà; imperiosità.

perennial /pəˈrenɪəl/ ᗩ a. perenne (*anche bot.*); perpetuo; eterno: **a p. plant**, una pianta perenne; **p. youth**, eterna giovinezza ᗷ n. (*bot.*) pianta perenne ● (*bot.*) **hardy p.**, pianta perenne che resiste all'aperto; (*fig.*) libro (canzone, ecc.) che non passa mai di

moda; storia trita, cosa risaputa, tormentone: *That story is a hardy p.!*, questa è una storia risaputa! ‖ **-ly** avv.

perf. abbr. 1 → **perfect** 2 (**performance**) esecuzione; rendimento.

perfect /ˈpɜːfɪkt/ ᗩ a. perfetto; compiuto; completo; eccellente; esatto; preciso: **a p. diamond**, un diamante perfetto; (*aeron.*) **a p. landing**, un atterraggio perfetto; **in p. silence**, in perfetto (*o* assoluto) silenzio; (*econ.*) **p. monopoly**, monopolio perfetto; *That's p.*, va benissimo ᗷ n. ꭒ (*gramm.*) perfetto ● (*legatoria*) **p. bound**, legato in colla (*senza cuciture*) □ (*econ.*) **p. competition**, concorrenza perfetta □ **p. copy**, copia fedele □ (*mus.*) **p. interval**, accordo perfetto □ **a p. nuisance**, una vera seccatura □ (*mat.*) **p. number**, numero perfetto □ (*mus.*) **p. pitch**, orecchio assoluto □ (*sci*) **p. snow**, neve perfetta □ **a p. stranger**, un perfetto sconosciuto □ (*gramm.*) **p. tense**, tempo perfetto.

to **perfect** /pəˈfekt/ v. t. 1 perfezionare; migliorare 2 completare; portare a termine; finire ● **to p. oneself**, perfezionarsi.

perfecta /pəˈfektə/ n. (*ipp., USA*) accoppiata.

perfectible /pəˈfektəbl/ a. perfettibile; perfezionabile ‖ **perfectibility** n. ꭒ perfettibilità; perfezionabilità.

perfection /pəˈfekʃn/ n. ꭒ 1 perfezione: *This piece of work has succeeded to p.*, questo lavoro è riuscito alla perfezione 2 perfezionamento 3 (*biol.*) sviluppo completo; maturità ● **to bring to p.**, perfezionare; portare alla perfezione.

perfectionism /pəˈfekʃənɪzəm/ n. ꭒ perfezionismo ‖ **perfectionist** n. perfezionista.

perfective /pəˈfektɪv/ a. (*ling.*) perfettivo.

perfectly /ˈpɜːfɪktlɪ/ avv. perfettamente.

perfectness /ˈpɜːfɪktnəs/ n. ꭒ l'essere perfetto; perfezione.

perfervid /pɜːˈfɜːvɪd/ a. (*lett.*) fervidissimo; appassionato; ardente.

perfidious /pəˈfɪdɪəs/ a. perfido ‖ **perfidiously** avv. perfidamente ‖ **perfidiousness** n. ꭒ perfidia.

perfidy /ˈpɜːfɪdɪ/ n. 1 ꭒ perfidia; l'essere perfido 2 perfidia; atto perfido.

perfoliate /pɜːˈfəʊlɪət/ a. (*bot.*) perfogliato.

perforable /ˈpɜːfərəbl/ a. perforabile.

to **perforate** /ˈpɜːfəreɪt/ ᗩ v. t. 1 perforare; traforare; bucherellare 2 perforare; trafiggere; trapassare: *The arrow has perforated his chest*, la freccia gli ha trapassato il torace ᗷ v. i. 1 fare un foro 2 penetrare: **to p. into [through]**, penetrare in [attraverso].

perforated /ˈpɜːfəreɪtɪd/ a. 1 perforato: (*metall.*) **p. metal**, lamiera perforata; (*med.*) **p. ulcer**, ulcera perforata 2 (*di un francobollo, ecc.*) dentellato ● (*edil.*) **p. brick**, mattone forato; foratone □ **p. initials**, monogramma inciso mediante perforazione □ (*USA*) **p. tape**, nastro perforato.

perforating /ˈpɜːfəreɪtɪŋ/ a. (*anat., med.*) perforante: **p. fibres**, fibre perforanti; **p. ulcer**, ulcera perforante ● **p. machine**, perforatrice meccanica.

perforation /pɜːfəˈreɪʃn/ n. ꭒꭒ 1 perforamento; perforazione; traforamento (*raro*); traforo 2 (*filatelia*) dentellatura (*di francobollo*) ● (*filatelia*) **p. gauge**, odontometro; dentellometro.

perforative /ˈpɜːfərətɪv/ a. perforante.

perforator /ˈpɜːfəreɪtə(r)/ n. 1 perforatore; (*macchina*) perforatrice 2 (*med.*) trapano osseo.

perforce /pəˈfɔːs/ avv. (*form.*) per forza; di necessità.

◆to **perform** /pəˈfɔːm/ ᗩ v. t. 1 eseguire; compiere; fare; effettuare: **to p. an experiment**, fare un esperimento; (*med.*) **to p. an operation**, eseguire un'operazione; (*leg.*) **to p. a task**, eseguire un compito; **to p. stunts**, eseguire acrobazie 2 adempiere (a); eseguire; assolvere; disimpegnare; svolgere (*un ruolo, ecc.*); espletare (*un servizio*): **to p. a contract [a promise]**, adempiere a un contratto [a una promessa]; **to p. a command**, eseguire un ordine; **to p. a duty**, assolvere un dovere 3 (*teatr.*) rappresentare; recitare; eseguire (*anche mus.*): **to p. a play**, rappresentare un dramma; **to p. a sonata at the piano**, eseguire una sonata al pianoforte ᗷ v. i. 1 (*di macchina, ecc.*) funzionare 2 (*teatr.*) recitare 3 (*mus.*) suonare: **to p. on the piano**, suonare il pianoforte 4 esibirsi in pubblico; (*di animali ammaestrati*) dare spettacolo 5 (*anche sport*) andare (*bene, male, ecc.*); rendere; avere una performance: *How does the new Ferrari p.?*, qual è la performance della nuova Ferrari?; *He can also p. well as a sweeper*, rende bene anche nel ruolo di libero 6 (*fam.*) fare sesso; (*spec. del maschio*) avere una prestazione (*buona, cattiva, ecc.*) a letto 7 (*eufem.*) fare pipì ● **to p. well**, (*dell'economia, ecc.*) avere un buon andamento; (*di una macchina*) funzionare bene; (*di un automezzo*) comportarsi bene (*sulla strada*); (*sport*) giocare bene.

performable /pəˈfɔːməbl/ a. 1 eseguibile; effettuabile; fattibile 2 (*teatr.*) rappresentabile; recitabile 3 (*mus.*) che si può suonare ‖ **performability** n. ꭒ 1 eseguibilità 2 (*teatr.*) rappresentabilità 3 (*mus.*) eseguibilità.

◆**performance** /pəˈfɔːməns/ n. ꭒꭒ 1 esecuzione (*anche leg.*); adempimento; compimento; effettuazione; assolvimento (*di un dovere*): **the p. of a contract**, l'adempimento di un contratto; **the p. of a command**, l'esecuzione di un ordine 2 (*teatr.*) rappresentazione; recita; spettacolo; (*mus.*) esecuzione, concerto: **a benefit p.**, uno spettacolo di beneficenza 3 azione (*o* fatto) fuori del comune; impresa eccezionale 4 (*d'una macchina, d'un motore, ecc.*) prestazioni (*di esercizio*); rendimento; resa, performance: **the brilliant p. of a car**, le prestazioni brillanti di una vettura 5 (*ling.*) esecuzione; performance 6 (*market.*) indice delle vendite (*d'un articolo*) 7 (*fam.*) cosa fastidiosa, difficile (da farsi); impresa (*fig.*): *Solving the problem has been quite a p.*, è stato un'impresa risolvere il problema 8 (*sport*) performance; rendimento; resa; prestazioni (*calcio*) **a good team p.**, un buon rendimento dell'intera squadra; un buon lavoro d'équipe ● (*med.*) **p. anxiety**, ansia da prestazione □ **p. appraisal**, valutazione (*di merito*) del personale (*di un'azienda*) □ (*teatr.*) **p. art**, performance (art) (*forma di produzione teatrale, pittorica e artistica*) □ (*tecn.*) **p. bond**, garanzia dell'esecuzione (*di un contratto o appalto*) □ (*tecn.*) **p. characteristic**, caratteristica operativa □ (*tecn.*) **p. data**, dati del funzionamento □ (*sport*) **p.-enhancing drugs**, sostanze stupefacenti che migliorano le prestazioni; sostanze dopanti □ (*Borsa*) **the p. of the stock market**, l'andamento del mercato azionario □ (*org. az.*) **p. pay**, retribuzione aggiuntiva per il maggiore rendimento □ **p. poetry**, la poesia composta appositamente per essere recitata in pubblico □ (*di salario*) **p.-related**, rapportato al rendimento □ (*org. az., psic.*) **p. test**, test di rendimento □ (*autom.*) **a high-p. car**, un'automobile dalle prestazioni elevate □ **What a p.!**, che impresa difficile!; (*spreg.*) che brutto modo di fare!; che messinscena!; che spettacolo indegno!

performative /pəˈfɔːmətɪv/ a. e n. (*ling.*) performativo.

performer /pə'fɔːmə(r)/ n. **1** esecutore, esecutrice **2** (spec.) interprete; attore, attrice; artista (che dà spettacolo); musicista.

performing /pə'fɔːmɪŋ/ a. **1** di rappresentazione; d'esecuzione: (leg.) **p. rights**, diritti di rappresentazione (o di autore) **2** (di un animale) ammaestrato ● **the p. arts**, le arti dello spettacolo; le arti sceniche □ (in GB) **P. Rights Society**, Società degli autori e degli editori (in Italia: abbr. S.I.A.E.).

perfume /'pɜːfjuːm/ n. ⫸ **1** profumo **2** profumo; fragranza; olezzo (lett.).

to **perfume** /'pɜːfjuːm/ v. t. profumare.

perfumed /pə'fjuːmd/ a. profumato; odoroso.

perfumer /pə'fjuːmə(r)/ n. profumiere, profumiera.

perfumery /pə'fjuːmərɪ/ n. ⫸ profumeria (in ogni senso).

perfunctory /pə'fʌŋ(k)tərɪ/ a. frettoloso; fatto meccanicamente; formale; fatto pro-forma; di circostanza; superficiale; svogliato: **a p. inspection**, un'ispezione frettolosa (o superficiale); **a p. lecturer**, un conferenziere svogliato || **perfunctorily avv.** in modo frettoloso; svogliatamente || **perfunctoriness** n. ⫸ frettolosità; superficialità; svogliatezza.

to **perfuse** /pə'fjuːz/ v. t. **1** cospargere; spruzzare; inondare (fig.); irrorare: **to p. with water**, spruzzare d'acqua; **to p. with light**, inondare di luce **2** effondere; versare su (o attraverso); permeare di (un liquido) || **perfusive** a. che cosparge; che effonde.

perfusion /pə'fjuːʒn/ n. **1** cospargimento (raro); effusione **2** (med., fisiol.) perfusione.

pergola /'pɜːgələ/ n. pergola; pergolato.

◆**perhaps** /pə'hæps/ avv. forse; probabilmente; può darsi: P. he will come tomorrow, forse verrà domani; P. you'd like to meet her, forse vorresti incontrarla; **p. so**, forse sì; **p. not**, forse no.

perianal /pɛrɪ'eɪnəl/ a. (anat.) perianale.

perianth /'pɛrɪænθ/ n. (bot.) perianzio.

periarthritis /pɛrɪɑː'θraɪtɪs/ n. ⫸ (med.) periartrite.

periastron /pɛrɪ'æstrən/ n. (astron.) periastro.

pericarditis /pɛrɪkɑː'daɪtɪs/ n. ⫸ (med.) pericardite.

pericardium /pɛrɪ'kɑːdɪəm/ (anat.) n. (pl. **pericardia**) pericardio || **pericardial** a. pericardico.

pericarp /'pɛrɪkɑːp/ n. (bot.) pericarpo; pericarpio.

perichondrium /pɛrɪ'kɒndrɪəm/ n. ⫸ (anat., zool.) pericondrio.

periclase /'pɛrɪkleɪs/ n. ⫸ (miner.) periclasio.

Pericles /'pɛrɪkliːz/ n. (stor.) Pericle.

periderm /'pɛrɪdɜːm/ n. (bot.) periderma.

peridium /pə'rɪdɪəm/ n. (pl. **peridia**) (bot.) peridio.

peridot /'pɛrɪdɒt/ n. ⫸ (miner.) olivina; peridoto.

peridotite /pɛrɪ'dəʊtaɪt/ n. ⫸ (miner.) peridotite.

peridural /pɛrɪ'djʊərəl/ a. (anat.) peridurale.

perigastric /pɛrɪ'gæstrɪk/ a. (anat.) perigastrico.

perigastritis /pɛrɪgæ'straɪtɪs/ n. ⫸ (med.) perigastrite.

perigee /'pɛrɪdʒiː/ (astron.) n. perigeo || **perigean** a. perigeo; di perigeo.

perihelion /pɛrɪ'hiːlɪən/ ◮ n. (astron.) perielio ◳ a. attr. perieliaco.

peril /'pɛrəl/ n. pericolo; rischio: **to be in p. of one's life**, essere in pericolo di vita; You do it at your p., lo fai a tuo rischio e pericolo ● (ass., naut.) **perils of the sea**, rischi del-

la navigazione marittima; pericoli del mare.

perilous /'pɛrələs/ a. pericoloso; rischioso | **-ly** avv. | **-ness** n. ⫸.

perilune /'pɛrɪluːn/ n. (astron., miss.) perilunio.

perimeter /pə'rɪmɪtə(r)/ (anche geom. e med.) n. perimetro || **perimetric**, **perimetrical** a. perimetrale; perimetrico.

perimetrium /pɛrə'miːtrɪəm/ n. (pl. **perimetria**) (anat.) perimetrio.

perimetry /pə'rɪmɪtrɪ/ n. ⫸ (med.) perimetria.

perinatal /pɛrɪ'neɪtl/ a. perinatale: (demogr.) **p. mortality**, mortalità perinatale ● **p. period**, perinatalità.

perinatology /pɛrɪneɪ'tɒlədʒɪ/ n. ⫸ (med.) perinatologia.

perineum /pɛrɪ'niːəm/ (anat.) n. (pl. **perinea**) perineo || **perineal** a. perineale; del perineo.

periocular /pɛrɪ'ɒkjʊlə(r)/ a. (anat.) perioculare.

◆**period** /'pɪərɪəd/ n. **1** periodo; durata; intervallo; lasso di tempo: **a p. of rest**, un periodo di riposo; **in the p. of the Roman Empire**, al tempo dell'impero romano; **probationary p.**, periodo di prova (di un dipendente); I go through periods where I read a lot, attraverso dei periodi in cui leggo molto **2** fine; termine: Death put a p. to his plans, la morte pose termine ai suoi progetti **3** (gramm.) punto fermo; punto **4** (a scuola) ora (di lezione); lezione; **an English p.**, una lezione (o un'ora) d'inglese **5** (sport) fase (di gioco); (basket, pallanuoto, ecc.) tempo **6** (fisiol., = menstrual p.) mestruazioni; ciclo: **a heavy p.**, mestruazioni abbondanti; **to miss one's p.**, saltare un mese; **p. pains**, dolori mestruali **7** (mat.) periodo: **p. of a function**, periodo di una funzione **8** (pl.) (raro) linguaggio retorico ● **a p. film**, un film in costume □ **p. furniture [painting]**, mobili [quadri] d'epoca □ **a p. novel [play]**, un romanzo [un dramma] d'ambiente □ **p. of training**, periodo di addestramento (o di tirocinio); (per studenti) stage (franc.) □ (med.) **p. pain**, dolori mestruali; dismenorrea □ **p. piece**, (arte) pezzo d'epoca; (fig. scherz.) pezzo da museo □ (calcio) **second p. of extra time**, secondo tempo supplementare ● (fam.) **I told them no, p.**, ho detto loro di no, punto e basta.

periodate /pɜː'raɪədeɪt/ n. (chim.) periodato.

periodic /pɪərɪ'ɒdɪk/ a. periodico (anche scient., tecn.); intermittente: (fis.) **p. motion**, moto periodico; (chim.) **p. system of the elements**, sistema periodico degli elementi; (med.) **a p. fever**, una febbre periodica ● (gramm.) **p. sentence**, periodo complesso □ (org. az.) **p. stock-taking**, inventario periodico □ (chim.) **p. table**, tavola periodica degli elementi.

periodical /pɪərɪ'ɒdɪkl/ ◮ a. periodico; intermittente ◳ n. periodico; pubblicazione periodica; rivista | **-ly** avv.

periodicity /pɪərɪə'dɪsətɪ/ n. ⫸ (anche fis.) periodicità.

to **periodize** /'pɪərɪədaɪz/ v. t. periodizzare || **periodization** n. ⫸ periodizzazione.

periodontal /pɛrɪəʊ'dɒntl/ a. (anat.) periodontale: **p. tissues**, tessuti periodontali; periodonto.

periodontics /pɛrɪə'dɒntɪks/ n. pl. (col verbo al sing.) (med.) periodonzia.

periodontist /pɛrɪə'dɒntɪst/ n. (med.) specialista in periodonzia.

periodontitis /pɛrɪəʊdɒn'taɪtɪs/ n. ⫸ (med.) periodontite.

periodontium /pɛrɪə'dɒntɪəm/ n. (pl. **periodontia**) (anat.) periodonto.

periodontology /pɛrɪəʊdɒn'tɒlədʒɪ/ n.

⫸ → **periodontics**.

periodontosis /pɛrɪəʊdɒn'təʊsɪs/ n. ⫸ (med.) periodontosi.

periosteum /pɛrɪ'ɒstɪəm/ (anat.) n. (pl. **periostea**) periostio || **periosteal** a. periostale; del periostio.

periostitis /pɛrɪɒ'staɪtɪs/ n. ⫸ (med.) periostite.

peripatetic /pɛrɪpə'tɛtɪk/ ◮ a. **1** – (stor., filos.) P., peripatetico, aristotelico (della scuola del Peripato in Atene) **2** (spec. scherz.) ambulante; itinerante ◳ n. **1** – (stor., filos.) P., peripatetico; aristotelico **2** (spec. scherz.) venditore ambulante || **Peripateticism** n. ⫸ (stor., filos.) peripatetismo (raro); aristotelismo.

peripeteia /pɛrɪpə'tiːə/ n. (lett.) peripezia; vicissitudine (in un dramma, nella vita).

peripheral /pə'rɪfərəl/ ◮ a. **1** periferico: (anat.) **p. nervous system**, sistema nervoso periferico; (comput.) **p. equipment**, apparecchiatura periferica **2** (fig.) marginale; secondario: **a p. question**, una questione marginale; **of p. interest**, d'interesse secondario ◳ n. (comput.) periferica; unità periferica ● (mecc.) **p. speed**, velocità di taglio.

periphery /pə'rɪfərɪ/ n. **1** periferia (anche anat. e fig.); perimetro; (spec.) circonferenza: **on the p. of the city**, alla periferia della città **2** (geom.) contorno; superficie esterna (spec. sferica).

periphrasis /pə'rɪfrəsɪs/ n. (pl. **periphrases**) perifrasi.

periphrastic /pɛrɪ'fræstɪk/ a. perifrastico | **-ally** avv.

periplus /'pɛrɪpləs/ n. (pl. **peripli**) periplo.

peripteral /pə'rɪptərəl/ a. (archit.) periptero, peritterro.

periscope /'pɛrɪskəʊp/ n. (fis., naut.) periscopio ● **p. depth**, quota periscopica (di un sottomarino) □ **p. well**, tubo del periscopio.

periscopic /pɛrɪ'skɒpɪk/ a. (fis., naut.) periscopico.

to **perish** /'pɛrɪʃ/ ◮ v. i. **1** perire; morire; andar distrutto: **to p. by the sword**, perire di spada; **to be perishing with hunger**, sentirsi morir di fame **2** (di un oggetto, ecc.) consumarsi; logorarsi **3** (di merce) deperire; deteriorarsi ◳ v. t. (raro) deteriorare; distruggere; rovinare ● **P. the thought!**, neanche a pensarci! neanche per sogno!; facciamo gli scongiuri!

perishable /'pɛrɪʃəbl/ ◮ a. deteriorabile; deperibile: **p. goods**, merci deperibili ◳ n. pl. (comm.) merci deperibili || **perishability** n. ⫸ deteriorabilità; deperibilità.

perished /'pɛrɪʃt/ a. (ingl.) **1** distrutto; stremato; mezzo morto **2** morto di freddo; gelato.

perisher /'pɛrɪʃə(r)/ n. (slang) individuo insopportabile; seccatore ● **little p.**, ragazzino terribile; peste (fig.); Pierino (fam.).

perishing /'pɛrɪʃɪŋ/ ◮ a. deterioramento, deperimento (di merci) ◳ a. **1** terribile; tremendo; da morire: **a p. cold**, un freddo da morire **2** (slang) maledetto; dannato: **a p. nuisance**, una maledetta scocciatura ● **It's absolutely p. outside**, fuori si gela.

perisperm /'pɛrɪspɜːm/ n. (bot.) perisperma.

perissodactyl /pərɪsəʊ'dæktɪl/ ◮ n. (zool.) perissodattilo ◳ a. dei perissodattili.

peristalsis /pɛrɪ'stælsɪs/ (fisiol.) n. ⫸ peristalsi || **peristaltic** a. peristaltico.

peristome /'pɛrɪstəʊm/ n. (zool.) peristoma.

peristyle /'pɛrɪstaɪl/ n. (archit.) peristilio.

perithecium /pɛrɪ'θiːsɪəm/ n. (pl. **perithecia**) (bot.) periteceo.

peritoneum /pɛrɪtə'niːəm/ (anat.) n. (pl.

peritoneums, **peritonea**) peritoneo ‖ **peritoneal** a. peritoneale.

peritonitis /ˌperɪtəˈnaɪtɪs/ n. Ⓤ (*med.*) peritonite.

peri-track /ˈperɪtræk/ n. (*aeron.*, abbr. di **perimeter track**) pista di rullaggio.

periwig /ˈperɪwɪg/ n. parrucca ‖ **periwigged** a. imparruccato.

periwinkle ① /ˈperɪwɪŋkl/ n. (*bot.*, *Vinca minor*) pervinca.

periwinkle ② /ˈperɪwɪŋkl/ n. (*zool.*, *Littorina littorea*) littorina.

perjured /ˈpɜːdʒəd/ a. spergiuro; che giura (*o* ha giurato) il falso.

to **perjure oneself** /ˈpɜːdʒəwʌnˈself/ v. t. + pron. rifl. spergiurare; giurare il falso ‖ **perjurer** n. spergiuro; chi giura (*o* ha giurato) il falso.

perjury /ˈpɜːdʒərɪ/ n. Ⓒ 1 spergiuro; giuramento falso 2 (*leg.*) falsa dichiarazione giurata ‖ **perjurious** a. spergiuro.

to **perk** ① /pɜːk/ Ⓐ v. i. (*anche* to p. up) 1 alzare la testa, sollevare il capo (*in modo vivace*) 2 buttarsi avanti; farsi avanti in modo sfacciato; esser troppo baldanzoso (*o* intraprendente) 3 riacquistare vigore; riaversi; riprendersi Ⓑ v. t. (*spesso* to p. up) 1 alzare, sollevare (*di scatto*): *My dog perked up its head*, il mio cane alzò la testa di scatto 2 infondere vigore a (q.); rinvigorire; tirare su; rianimare; rincuorare 3 (*fam.*) fare il lifting (*o* la plastica) a (*una parte del corpo*) ● (*fam.*) **to p. one's tail**, alzare la cresta (*fig.*) □ **to p. oneself up**, rianimarsi, ringalluzzirsi; (*arc.*) acconciarsi; attillarsi; azzimarsi.

to **perk** ② /pɜːk/ v. t. e i. (*fam.*) far passare (*il caffè, ecc.*); (*del caffè*) passare; filtrare.

perks /pɜːks/ n. pl. (abbr. *fam.* di **perquisites**) gratifiche; competenze accessorie; compensi extra ● **The CEO's p. include a home and a company car**, l'amministratore delegato ha diritto fra l'altro all'alloggio (di servizio) e a un'automobile aziendale.

perky /ˈpɜːkɪ/ a. 1 baldanzoso; vivace; pimpante; vispo; tutto pepe (*fam.*) 2 agile; maneggevole 3 troppo disinvolto; sicuro di sé; impudente; sfacciato: **a p. little chap**, un tipetto disinvolto ‖ **-iness** n. Ⓤ.

PERL /pɜːl/ sigla (*comput.*, **practical extraction and report language**) PERL (*linguaggio di script per amministrazione di sistema e applicazioni web*).

perlite /ˈpɜːlaɪt/ n. Ⓤ (*miner.*) perlite.

perlocution /ˌpɜːləˈkjuːʃn/ (*ling.*) n. atto perlocutorio ‖ **perlocutionary** a. perlocutorio ‖ **perlocutive** a. perlocutorio, perlocutivo.

perm ① /pɜːm/ n. (abbr. *fam.* di **permanent wave**) permanente; ondulazione permanente.

perm ② /pɜːm/ n. (abbr. *fam.* di **permutation**) sistema (*al totocalcio*).

to **perm** ① /pɜːm/ v. t. (*fam.*) fare la permanente a: *She's had her hair permed*, si è fatta la permanente.

to **perm** ② /pɜːm/ v. t. e i. (*fam.*) giocare (*al totocalcio*) col sistema; essere un sistemista; fare le doppie (*o* le triple) per (*una certa partita*).

permaculture /ˈpɜːməkʌltʃə/ n. Ⓤ (*ecol.*) permacultura.

permafrost /ˈpɜːməfrɒst/ n. Ⓤ (*geol.*) permafrost; permagelo.

permalink /ˈpɜːməlɪŋk/ n. (*comput.*, *Internet*) riferimento permanente (*per accedere a una pagina di un sito, anche dopo riconfigurazione di questo*).

permanence /ˈpɜːmənəns/ n. Ⓤ permanenza; stabilità ‖ **permanency** n. 1 Ⓤ permanenza; stabilità 2 cosa permanente; posto fisso (*di lavoro*).

◆**permanent** /ˈpɜːmənənt/ Ⓐ a. perma-

nente; durevole; stabile: (*anat.*) **p. teeth**, denti permanenti; **p. wave**, (ondulazione) permanente Ⓑ n. (*fam.*) permanente: **to give sb. a p.**, fare la permanente a q. ● (*fin.*) **p. assets**, capitale fisso (*o* immobilizzato) □ (*econ.*, *polit.*) **p. conflict**, conflittualità permanente; conflitto permanente □ (*fin.*) **p. debt**, debito consolidato □ (*leg.*) **p. disability**, invalidità permanente □ (*ind. tess.*) **p. finish**, finissaggio □ **a p. position**, un posto stabile (*o* di ruolo) □ (*d'indumento*) **p.-press**, ingualcibile □ (*di metallo, ecc.*) **p. set**, deformazione permanente □ **p. staff**, personale di ruolo: **to be on the p. staff**, essere di ruolo (*o* in pianta stabile) □ (*ferr.*) **p. way**, massicciata completa; armamento e ballast □ **p. worker**, lavoratore in pianta stabile ‖ **-ly** avv.

permanganate /pɜːˈmæŋgəneɪt/ (*chim.*) n. Ⓤ permanganato ‖ **permanganic** a. permanganico.

permeability /ˌpɜːmɪəˈbɪlətɪ/ n. Ⓤ (*geol.*, *fis., ecc.*) permeabilità.

permeable /ˈpɜːmɪəbl/ a. permeabile: (*geol.*) **p. bed**, strato permeabile.

permeance /ˈpɜːmɪəns/ n. Ⓤ 1 il permeare 2 (*elettr.*) permeanza.

permease /ˈpɜːmɪeɪz/ n. (*biol.*) permeasi.

to **permeate** /ˈpɜːmɪeɪt/ Ⓐ v. t. permeare (*anche fig.*); intridere; penetrare (in); compenetrare; pervadere; saturare: *The smell of gas had permeated the room*, l'odore di gas aveva saturato la stanza Ⓑ v. i. penetrare; diffondersi: *Rainwater permeates easily through gravel and sand*, l'acqua piovana penetra facilmente nei terreni ghiaiosi e sabbiosi ● (*fig.*: *di notizia, ecc.*) **to p. among**, diffondersi fra.

permeation /ˌpɜːmɪˈeɪʃn/ n. Ⓤ 1 il permeare 2 (*chim., fis.*) permeazione.

permeator /ˈpɜːmɪeɪtə(r)/ n. (*chim.*) permeatore.

permed /pɜːmd/ a. con la permanente.

Permian /ˈpɜːmɪən/ a. e n. (*geol.*) permiano; permico.

perming /ˈpɜːmɪŋ/ n. Ⓤ il fare la permanente (*ai capelli*).

permissible /pəˈmɪsəbl/ a. 1 permissibile; ammissibile 2 (*USA*: *ind. min.*) di sicurezza: **p. lamp**, lampada di sicurezza ● (*med.*) **p. dose**, dose massima consentita ‖ **permissibility** n. Ⓤ ammissibilità.

◆**permission** /pəˈmɪʃn/ n. Ⓤ permesso; autorizzazione; licenza: **to receive p. to do st.**, ricevere il permesso di fare qc.; *You should ask your father's p.*, devi chiedere il permesso a tuo padre ● **p.-based marketing**, marketing autorizzato.

permissive /pəˈmɪsɪv/ Ⓐ a. 1 che permette; concessivo; permissivo 2 (*arc. o leg.*) facoltativo Ⓑ n. persona permissiva; lassista ● (*leg.*) **p. legislation**, norme permissive □ (*leg.*) **p. waste**, deterioramento colposo (*di locali*) ‖ **-ly** avv.

permissiveness /pəˈmɪsɪvnəs/ n. Ⓤ permissività.

permit /ˈpɜːmɪt/ n. 1 permesso; licenza: **to grant a p.**, rilasciare un permesso 2 (*autom.*) patente: (**international**) **driving p.**, patente di guida (internazionale).

◆to **permit** /pəˈmɪt/ v. t. e i. permettere; consentire; tollerare: *We were not permitted to record the concert*, non ci fu permesso di registrare il concerto; *P. me to remark that...*, mi consenta di osservare che...; *They did not p. the text to be altered*, non tollerarono che il testo fosse mutato; *We're going to have a picnic tomorrow, weather permitting*, andiamo a fare un picnic domani, tempo permettendo ● **to p. of**, ammettere; permettere; consentire: *Your behaviour permits of no other explanation*, il tuo comportamento non ammette altra spiegazione

□ **to p. oneself**, permettersi, concedersi: *I p. myself a glass of wine now and then*, di quando in quando mi concedo un bicchiere di vino. ❶ NOTA: *to allow* → **to allow**.

permittivity /ˌpɜːmɪˈtɪvətɪ/ n. Ⓤ (*elettr.*) permettività; costante dielettrica.

permutable /pɜːˈmjuːtəbl/ (*spec. mat.*) a. permutabile ‖ **permutability** n. Ⓤ permutabilità.

permutation /ˌpɜːmjuˈteɪʃn/ n. 1 Ⓒ (*mat., chim., ing.*) permutazione 2 Ⓒ (*leg., comm.*) permuta 3 Ⓒ (*al totocalcio*) sistema ● **p. lock**, serratura a combinazione.

to **permute** /pəˈmjuːt/ v. t. 1 (*spec. mat.*) permutare 2 cambiare; mutare.

pern /pɜːn/ n. (*zool.*, *Pernis apivorus*) falco pecchiaiolo.

pernicious /pəˈnɪʃəs/ a. pernicioso; dannoso; esiziale; funesto; nocivo: (*med.*) **p. anaemia**, anemia perniciosa; **p. habits**, abitudini dannose ‖ **-ly** avv. ‖ **-ness** n. Ⓤ.

pernickety /pəˈnɪkətɪ/ a. (*fam.*) 1 esigente; difficile; meticoloso; pignolo 2 (*di un lavoro, ecc.*) difficile; minuzioso; di precisione.

to **perorate** /ˈperəreɪt/ v. i. perorare.

peroration /ˌperəˈreɪʃn/ n. (*form.*) perorazione.

peroxide /pəˈrɒksaɪd/ n. (*chim.*) 1 perossido 2 Ⓤ (*fam.*, = **hydrogen p.**) perossido d'idrogeno; acqua ossigenata ● **a p. blonde**, una bionda ossigenata.

to **peroxide** /pəˈrɒksaɪd/ v. t. ossigenare (*i capelli*).

perpendicular /ˌpɜːpənˈdɪkjələ(r)/ Ⓐ a. 1 (*geom.*) perpendicolare 2 verticale 3 (*di monte, ecc.*) erto; ripido; scosceso 4 (*scherz.*: *di persona*) in piedi; eretto; impalato Ⓑ n. 1 – (*geom.*, *costr. navali*) **the p.**, la perpendicolare 2 – **the p.**, la linea verticale; la verticale 3 archipendolo; filo a piombo 4 (*di monte*) parete verticale 5 (*archit.*) **the P. (Style)**, lo stile gotico perpendicolare ‖ **perpendicularity** n. Ⓤ (*geom.*) perpendicolarità.

to **perpetrate** /ˈpɜːpɪtreɪt/ v. t. perpetrare; commettere: **to p. a crime**, perpetrare un delitto ● **to p. a massacre**, fare un massacro ‖ **perpetration** n. Ⓤ perpetrazione; il perpetrare; esecuzione (*di un reato*) ‖ **perpetrator** n. perpetratore.

perpetual /pəˈpetʃʊəl/ a. 1 perpetuo; eterno: **p. snows**, nevi perpetue; **p. motion**, moto perpetuo 2 continuo; incessante ● (*fin.*) **p. annuity**, rendita perpetua □ (*fin.*) **p. debt**, debito irredimibile □ (*leg.*) **p. lease**, locazione perpetua □ (*mecc.*) **p. screw**, vite senza fine ‖ **-ly** avv.

to **perpetuate** /pəˈpetʃʊeɪt/ v. t. perpetuare; eternare: **to p. the memory of sb.**, perpetuare la memoria di q. ‖ **perpetuance** n. Ⓤ perpetuità; perennità ‖ **perpetuation** n. Ⓤ perpetuazione ‖ **perpetuator** n. perpetuatore.

perpetuity /ˌpɜːpɪˈtjuːətɪ/ n. 1 Ⓤ perpetuità; eternità 2 Ⓤ diritto di proprietà, senza potere di alienazione, in perpetuo 3 (*leg.*) rendita vitalizia; vitalizio ● **in p.** (*o* **in to p.**, **for p.**), in perpetuo; per sempre.

to **perplex** /pəˈpleks/ v. t. 1 imbarazzare; confondere; sconcertare; rendere perplesso: **to be perplexed by contradictory evidence**, restare perplesso di fronte a prove contraddittorie 2 complicare; imbrogliare; ingarbugliare: **to p. a problem**, complicare un problema.

perplexed /pəˈplekst/ a. 1 (*di persona*) perplesso; confuso; imbarazzato; incerto 2 complicato; ingarbugliato; intricato.

perplexing /pəˈpleksɪŋ/ a. che confonde; imbarazzante; sconcertante: **a p. question**, una domanda imbarazzante ‖ **-ly** avv.

perplexity /pəˈpleksətɪ/ n. 1 Ⓤ perplessi-

a b c d e f g h i j k l m n o **p** q r s t u v w x y z

tà; imbarazzo; sconcerto **2** Ⓤ difficoltà; complessità **3** enigma; mistero; rompicapo.

per pro. abbr. (*lat.*: *per procurationem*) (**by proxy**) per procura (p.p.).

perquisite /'pɜːkwɪzɪt/ n. **1** (*leg.*) emolumento (*occasionale*) **2** (*leg.*) spettanza; competenza **3** gratifica; mancia abituale **4** indennità accessoria; agevolazione aggiuntiva **5** (pl.) (*stor.*) diritti accessori (*di un signore feudale*); prestazioni in natura.

perron /'perən/ n. (*archit.*) scalinata, gradinata esterna; scala monumentale.

perry /'perɪ/ n. **1** Ⓤ sidro di pere; «perry» **2** (bicchiere di) «perry».

pers. abbr. **1** (**person**) persona **2** (**personal**) personale.

perse /pɜːs/ a. e n. (di) colore tra il grigio e il blu.

to **persecute** /'pɜːsɪkjuːt/ v. t. **1** perseguitare **2** molestare; (*fig.*) infastidire, importunare || **persecution** n. **1** Ⓤ Ⓒ persecuzione: **the persecutions of the early Christians**, le persecuzioni dei primi cristiani **2** Ⓤ l'importunare; molestia ● (*psic.*) **persecution complex**, mania di persecuzione || **persecutor** n. persecutore || **persecutory** a. persecutorio.

Persephone /pɜː'sefənɪ/ n. (*mitol.*) Persefone.

Perseus /'pɜːsjuːs/ n. (*mitol., astron.*) Perseo.

to **persevere** /pɜːsɪ'vɪə(r)/ v. i. perseverare; aver costanza: **to p. in one's studies** [**with a task**], perseverare negli studi [in un lavoro] || **perseverance** n. Ⓤ perseveranza; costanza || **persevering** a. perseverante || **perseveringly** avv. perseverantemente.

Persian /'pɜːʃn/ Ⓐ a. persiano; persico Ⓑ n. **1** persiano; abitante (*o nativo*) della Persia **2** Ⓤ persiano (*la lingua*) ● **P. blinds**, persiane; gelosie **2** (*geogr.*) **the P. Gulf**, il Golfo Persico □ **P. lamb**, agnello di razza karakul; (*pelliccia*) persiano, astrakan.

persicaria /pɜːsɪ'keərɪə/ n. (*bot., Polygonum persicaria*) persicaria.

persiflage /'pɜːsɪflɑːʒ/ n. burla; canzonatura ● **a piece of p.**, una facezia; una spiritosaggine.

persimmon /pɜː'sɪmən/ n. (*bot.*, = Japanese p.) **1** (*Diospyros kaki*) cachi, kaki **2** Ⓤ Ⓒ cachi, kaki (*il frutto*).

to **persist** /pɜː'sɪst/ v. i. **1** persistere; perseverare; ostinarsi; insistere: **to p. in doing st. one's way**, ostinarsi a fare qc. a modo proprio **2** permanere; continuare; durare: *Bad weather persisted throughout the winter*, il brutto tempo durò tutto l'inverno **3** proseguire; seguitare: *The miners persisted with their search for gold*, i minatori proseguirono nella loro ricerca dell'oro.

persistence /pə'sɪstəns/, **persistency** /pə'sɪstənsɪ/ n. Ⓤ **1** persistenza (*anche scient. e comput.*); perseveranza; ostinazione: (*fisiol.*) **p. of vision**, persistenza delle immagini **2** permanenza; durata **3** (*fis.*) bagliore residuo.

persistent /pə'sɪstənt/ a. **1** persistente; ostinato; perseverante: **a p. pain**, un dolore persistente; **a p. cough**, una tosse ostinata **2** permanente; durevole **3** (*bot.*) persistente **4** (*chim.*) non degradabile; persistente ● (*comput.*) **p. data**, dati che permangono da una sessione a un'altra □ (*leg.*) **a p. offender**, un recidivo □ (*med.*) **p. vegetative state** (abbr.: **PVS**), stato vegetativo persistente | **-ly** avv.

persnickety /pə'snɪkətɪ/ a. (*fam. USA*) **1** snobistico; da snob **2** → **pernickety**.

♦**person** /'pɜːsn/ n. (pl. *people*; *form. o leg.* *persons*) **1** (*bur., iron. o spreg.*) persona;

individuo; figura (umana); corpo: *He's a very odd p.*, è una persona assai stravagante; *I cannot stand importunate people*, non sopporto le persone moleste; (*leg.*) **legal p.**, persona giuridica; *The girl had a fine p.*, la ragazza era ben fatta; la ragazza aveva una bella figura; (*relig.*) **the three persons of the Godhead**, le tre Persone della Trinità; (*gramm.*) **to speak in the first p.**, parlare in prima persona **2** (*zool.*) individuo (*d'una colonia d'insetti, ecc.*) **3** (*bur.*) soggetto: **resident persons**, i soggetti residenti **4** (pl.) → **people** ● (*leg.*) **the p. charged**, l'imputato □ (*leg.*) **the p. entitled**, l'avente diritto □ **the p. in charge**, il responsabile □ (*telef.*) **a p.-to-p. call**, una chiamata a persona specifica □ (*leg.*) **natural p.**, persona fisica □ **to act in one's own p.**, agire di persona (*o personalmente, per conto proprio*) □ (*rif. a italofono, francofono, ecc.*) **to address sb. in the second p. singular**, dare del tu a q. □ (*stat.*) **per p.**, a persona; a testa □ **I'll be present in p.**, ci andrò di persona.

persona /pɜː'səʊnə/ (*lat.*) n. **1** (*psic.*: pl. *personas*) persona; individuo **2** (*letter., teatr.*: pl. *personae*) personaggio ● (*diplomazia*) **p. non grata**, persona non gradita.

personable /'pɜːsənəbl/ a. ben fatto; bello; di bell'aspetto; che si presenta bene.

personage /'pɜːsənɪdʒ/ n. personaggio.

♦**personal** /'pɜːsnl/ Ⓐ a. **1** personale; individuale; particolare; privato: **a p. opinion**, un'opinione personale; **p. liberty**, libertà personale; **for one's p. needs**, per i propri bisogni particolari; **a p. bodyguard**, una guardia del corpo privata; **a p. interview**, un colloquio privato; (*relig.*) **a p. God**, un Dio personale **2** (*gramm.*) personale: **a p. pronoun**, un pronome personale **3** della persona; del corpo; fisico: **p. vanity**, vanità della propria persona **4** (*spreg.*) offensivo; scortese; villano: *Don't be so p.!*, non essere così offensivo (*o villano*)! Ⓑ n. **1** (*leg.*) avere (*o bene*) personale **2** (*pubbl.*) annuncio personale **3** (*sport*) fallo personale; personale ● (*leg., ass.*) **p. accident**, infortunio □ (*pubbl.*) **p. advertisement**, annuncio personale □ **p. advertisements**, piccola pubblicità □ (*fisc., in GB*) **p. allowance**, detrazione personale, quota esente (*da imposta*) □ (*leg.*) **p. assets**, beni personali; attivo mobiliare □ **p. assistant**, assistente personale; segretaria privata; segretario particolare ● (*sport*) **p. best**, miglior risultato personale; record personale □ (*leg.*) **p. belongings** (*o effects*), effetti personali □ **p. care**, la cura che si ha per il proprio corpo; (*anche*) assistenza personale (*ad anziani, ecc.*) □ **p. care products**, prodotti di bellezza □ (*leg.*) **p. chattels**, beni mobili □ (*di giornale*) **p. column**, rubrica degli annunci personali □ (*comput.*) **p. computer**, personal computer; PC □ (*sport*) **p. contact**, contatto fisico personale □ (*econ.*) **p. contract**, chiamata nominativa (*di un lavoratore*) □ (*banca*) **p. customers**, clienti privati □ (*comput.*) **p. digital assistant** (abbr.: **PDA**), (computer) palmare □ (*leg.*) **p. estate** (*o property*), patrimonio personale; beni mobili; proprietà mobiliare □ (*sport*) **p. foul**, fallo personale □ (*banca*) **p. identification number** (abbr. P.I.N.), numero segreto (*di carta di credito*) □ (*fisc.*) **p. income tax**, imposta sul reddito delle persone fisiche (*cfr. ital. IRPEF*) □ (*leg.*) **p. injury**, lesione personale; danno fisico □ (*ass.*) **p. liability insurance**, assicurazione per la responsabilità civile verso i terzi □ **p. organizer** → **organizer** □ (*econ.*) **p. saving**, risparmio privato (*o delle famiglie*) □ (*econ.*) **p. sector**, il settore delle famiglie □ **p. service**, (*leg.*) notificazione (*di un atto*) in mani proprie; (*stor.*) prestazioni personali (*del vassallo*) □ (*fin.*) **p. share**, azione nominativa □ (*market.*) **p. shopper**, assistente dei clienti (*che li aiuta nel fare gli*

acquisti); commesso di negozio □ (*mus.*) **p. stereo**, stereo portatile □ (*sport*) **p. trainer**, allenatore (*o istruttore*) personale ● **p. wealth**, patrimonio personale □ **Let's avoid being p. in our comments!**, evitiamo di fare commenti di carattere personale!

♦**personality** /pɜːsə'nælətɪ/ n. **1** personalità; indole; carattere; temperamento: *He has a strong p.*, ha una forte personalità **2** personalità; personaggio; persona importante (*o ragguardevole*); pezzo grosso: **a TV p.**, un personaggio televisivo **3** Ⓤ personalità; originalità: *His works lack p.*, le sue opere mancano di originalità **4** (*pl.*) osservazioni di carattere personale: **to avoid personalities**, evitare le osservazioni (*o allusioni, ecc.*) di carattere personale ● **p. cult**, culto della personalità □ (*psic.*) **p. test**, test caratterologico (*o della personalità*).

to **personalize** /'pɜːsənalaɪz/ v. t. **1** personalizzare; rendere personale **2** mettere su un piano personale; attribuire esclusivamente a sé: *Don't p. his criticism*, non prendere le sue critiche come rivolte solo a te **3** personificare; impersonare **4** contraddistinguere (*un oggetto*) con un marchio personale; marcare con le cifre; personalizzare || **personalization** n. Ⓤ **1** personalizzazione **2** personificazione.

personalized /'pɜːsənalaɪzd/ a. **1** personalizzato: (*banca*) **p. cheque**, assegno personalizzato **2** impersonato **3** (*di camicie, fazzoletti, ecc.*) con le cifre; con il monogramma.

♦**personally** /'pɜːsənalɪ/ avv. **1** personalmente **2** di persona **3** su uno piano personale; (*anche*) in mala parte: **to take st. p.**, prendere qc. in mala parte ● (*econ.*) **a p. managed farm**, un podere a conduzione diretta.

personalty /'pɜːsənltɪ/ n. Ⓤ (*leg.*) beni mobili; patrimonio mobiliare.

personate /'pɜːsəneɪt/ a. (*bot.: di corolla*) personata.

to **personate** /'pɜːsəneɪt/ v. t. **1** impersonare; fare la parte di (*un personaggio*) **2** personificare **3** (*leg.*) farsi passare (*o spacciarsi*) per, assumere le spoglie di (q.) || **personation** n. Ⓤ **1** l'impersonare; l'esser impersonato **2** personificazione **3** (*leg.*) sostituzione di persona.

personator /'pɜːsəneɪtə(r)/ n. **1** chi impersona; personificatore (*raro*) **2** (*leg.*) chi si spaccia per un altro.

personification /pəsɒnɪfɪ'keɪʃn/ n. Ⓤ Ⓒ personificazione ● **He is the p. of envy**, è l'invidia fatta persona.

to **personify** /pə'sɒnɪfaɪ/ v. t. personificare: *He is goodness personified*, è la bontà personificata || **personifier** → **personator**.

♦**personnel** /pɜːsə'nɛl/ n. Ⓤ **1** personale; (*collett.*) impiegati e operai **2** (*di un'azienda*) reparto personale **3** (= **army p.**) truppe; soldati ● (*mil.*) **p. carrier**, trasporto truppe □ (*in un'azienda*) **p. communications**, comunicazioni interne □ **p. consultant**, selezionatore di personale ● **p. department**, ufficio (*del*) personale ● **p. manager**, direttore (*o capo*) del personale.

♦**perspective** /pə'spektɪv/ Ⓐ n. **1** Ⓤ (*pitt., geom.*) prospettiva: **linear p.**, prospettiva lineare; **in p.**, in prospettiva **2** Ⓤ (*fig.*) punto di vista; visuale: *I judge him from my own p.*, lo giudico dal mio punto di vista **3** disegno (*o rappresentazione*) in prospettiva; prospettiva: **a p. of the Lake District**, una prospettiva della Regione dei Laghi **4** (*fig.*) prospettiva; possibilità; speranza **5** scorcio; veduta; vista Ⓑ a. di prospettiva; in prospettiva; prospettico: **p. drawing**, disegno prospettico.

perspectively /pə'spektɪvlɪ/ avv. in prospettiva.

Perspex® /'pɜːspɛks/ n. perspex; plexiglas; plastica robusta e trasparente.

perspicacious /pɜːspɪ'keɪʃəs/ a. perspicace; acuto; sagace | **-ly avv.**

perspicacity /pɜːspɪ'kæsətɪ/ n. ⓤ perspicacia; acutezza; sagacia.

perspicuity /pəspɪ'kjuːɪtɪ/ n. ⓤ perspicuità; chiarezza; evidenza.

perspicuous /pə'spɪkjʊəs/ a. perspicuo; chiaro; evidente | **-ly avv.**

perspiration /pɜːspɪ'reɪʃn/ n. ⓤ 1 traspirazione; sudore 2 (*med.*) perspirazione ● **to be bathed in p.**, essere in un bagno di sudore || **perspiratory** a. traspiratorio; che fa traspirare; sudorifero; sudorifico.

to **perspire** /pə'spaɪə(r)/ Ⓐ v. i. traspirare; sudare Ⓑ v. t. trasudare.

persuadable /pə'sweɪdəbl/ a. persuasibile; persuadibile || **persuadability** n. ⓤ persuasibilità; persuasibilità.

♦to **persuade** /pə'sweɪd/ v. t. persuadere; convincere; indurre: **to p. sb. to do st.**, convincere (*o* indurre) q. a fare qc. ● **to p. oneself**, persuadersi; convincersi ● **to p. sb. out of st.**, convincere q. a non fare qc.; distogliere q. da qc.: *I couldn't p. him out of his plan*, non riuscii a distoglierlo dal suo progetto.

persuaded /pə'sweɪdɪd/ a. persuaso; convinto.

persuader /pə'sweɪdə(r)/ n. 1 persuasore 2 (*slang USA*) pistola; rivoltella 3 (*slang USA*) manganello ● **the hidden persuaders**, i persuasori occulti.

persuasible /pə'sweɪzəbl/ a. persuasibile; persuadibile || **persuasibility** n. ⓤ persuasibilità; persuasibilità.

persuasion /pə'sweɪʒn/ n. 1 ⓤ persuasione; convincimento; convinzione: **powers of p.**, capacità di persuasione 2 convinzioni (pl.); opinioni (pl.); credo: **political p.**, credo politico 3 religione; credo; fede 4 ⓤ (con attrib.) (*fam. scherz.*) genere; specie; tipo; scuola.

persuasive /pə'sweɪsɪv/ a. persuasivo; convincente ● **p. powers**, capacità di persuasione || **persuasively avv.** persuasivamente; convincentemente || **persuasiveness** n. ⓤ persuasività; attitudine a persuadere; forza di persuasione.

persulfate /pɜː'sʌlfeɪt/ n. ⓤ (*chim.*) persolfato.

pert /pɜːt/ a. 1 impertinente; impudente; insolente; sfacciato 2 vivace; sveglio (*fig.*) 3 allegro; brioso; sbarazzino: **a p. nose**, un naso sbarazzino | **-ly avv.**

PERT sigla (**programme evaluation and review technique**) tecnica di revisione e valutazione dei programmi.

to **pertain** /pə'teɪn/ v. i. 1 appartenere; spettare (a); far parte (di): *This research pertains to physics*, questa ricerca appartiene alla fisica 2 addirsi, convenire (a) 3 essere pertinente, riferirsi, attenere (a).

pertinacious /pɜːtɪ'neɪʃəs/ a. 1 pertinace; costante; fermo; perseverante 2 caparbio; ostinato; testardo; protervo 3 insistente; importuno | **-ly avv.**

pertinaciousness /pɜːtɪ'neɪʃəsnəs/, **pertinacity** /pɜːtɪ'næsətɪ/ n. ⓤ 1 pertinacia; costanza; fermezza; perseveranza 2 caparbietà; ostinazione; testardaggine; protervia 3 insistenza; importunità.

pertinent /'pɜːtɪnənt/ a. pertinente; attinente: **a p. remark**, un'osservazione pertinente || **pertinence**, **pertinency** n. ⓤ pertinenza; attinenza || **pertinently avv.** pertinentemente.

pertness /'pɜːtnəs/ n. ⓤ 1 impertinenza; impudenza; insolenza; sfacciataggine 2 vivacità; prontezza (*della mente*).

to **perturb** /pə'tɜːb/ v. t. perturbare; turbare; agitare; allarmare; sconvolgere: *I was*

perturbed by the news of his death, la notizia della sua morte mi sconvolse || **perturbative** a. perturbativo.

perturbation /pɜːtə'beɪʃn/ n. ⓤⓒ 1 perturbazione; perturbamento; agitazione; scompiglio 2 (*scient.*) perturbazione.

perturbator /'pɜːtəbeɪtə(r)/ n. perturbatore; disturbatore.

Peru /pə'ruː/ n. (*geogr.*) Perù.

peruke /pə'ruːk/ n. (*un tempo*) parrucca.

perusal /pə'ruːzl/ n. ⓤⓒ 1 attenta lettura; esame accurato 2 letta; scorsa: **a quick p.**, una rapida scorsa (*al giornale, ecc.*).

to **peruse** /pə'ruːz/ v. t. 1 leggere attentamente; esaminare accuratamente; studiare 2 scrutare (*il volto di q.*) 3 (*scherz.*) leggere alla svelta, sfogliare, scorrere (*il giornale, ecc.*).

Peruvian /pə'ruːvɪən/ a. e n. peruviano ● (*bot.*) **P. bark**, corteccia di china.

to **pervade** /pə'veɪd/ v. t. pervadere; permeare; diffondersi in: *The smell of onion pervaded the room*, l'odore della cipolla pervadeva la stanza; *I was pervaded by a sense of guilt*, fui pervaso da un senso di colpa || **pervasion** n. diffusione; penetrazione.

pervasive /pə'veɪsɪv/ a. che pervade; penetrante; dilagante (*fig.*): **the p. influence of the mass media**, il dilagante influsso dei mass media || **pervasively avv.** pervasivamente || **pervasiveness** n. ⓤ diffusione; penetrazione.

perverse /pə'vɜːs/ a. 1 (*di comportamento, ecc.*) irragionevole; capriccioso; riottoso 2 (*di persona*) caparbio; ostinato; intrattabile 3 (*d'un fatto, di un effetto, ecc.*) avverso; contrario; sfavorevole; perverso (*improprio, ma comune*): *Fiscal drag is one of the p. effects of inflation*, il fiscal drag è uno degli effetti perversi dell'inflazione 4 (*arc.*) perverso; cattivo; iniquo; malvagio ● **a p. verdict**, un verdetto iniquo | **-ly avv.** | **-ness n.** ⓤ **❶ FALSI AMICI • nell'inglese attuale perverse non significa** perverso.

perversion /pə'vɜːʃn/ n. ⓤⓒ 1 pervertimento; perversione; corruzione: **sexual p.**, perversione sessuale 2 alterazione; svisamento; travisamento: **a p. of spelling**, un'alterazione della grafia 3 parodia; imitazione.

perversity /pə'vɜːsətɪ/ n. 1 irragionevolezza; riottosità 2 caparbietà; ostinazione 3 (*arc.*) perversità; malvagità; cattiveria **❶ FALSI AMICI • nell'inglese attuale perversity non significa** perversità.

perversive /pə'vɜːsɪv/ a. che perverte; che tende a pervertire.

pervert /'pɜːvɜːt/ n. pervertito; depravato: **a sexual p.**, un pervertito sessuale.

to **pervert** /pə'vɜːt/ v. t. 1 pervertire; corrompere; depravare; guastare 2 alterare; snaturare; svisare; travisare: **to p. the law**, svisare la legge ● (*leg.*) **to p. the course of justice**, falsare il corso della giustizia, fuorviare la giustizia □ **to p. the truth**, distorcere la verità □ **to p. a word**, travisare il significato d'una parola.

perverted /pə'vɜːtɪd/ a. 1 pervertito; perverso; depravato: **a p. imagination**, una fantasia perversa 2 alterato; snaturato; svisato; travisato; perverso: **a p. way of reasoning**, un modo di ragionare perverso | **-ly avv.**

perverter /pə'vɜːtə(r)/ n. pervertitore; pervertitrice; corruttore, corruttrice.

pervicacious /pɜːvɪ'keɪʃəs/ a. pervicace | **-ly avv.** | **-ness n.** ⓤ.

pervicacity /pɜːvɪ'kæsɪtɪ/ n. ⓤ pervicacia.

pervious /'pɜːvɪəs/ a. 1 pervio (*raro*); accessibile; praticabile 2 penetrabile; per-

meabile 3 (*fig.*) chiaro; comprensibile; semplice ● **to be p. to reason**, essere ragionevole | **-ly avv.**

perviousness /'pɜːvɪəsnəs/ n. ⓤ 1 pervietà (*raro*); accessibilità; praticabilità 2 penetrabilità; permeabilità 3 chiarezza; comprensibilità; semplicità.

Pesach /'peɪsɑːk/, **Pesah** /'peɪsɑː/ n. (*relig.*) Pasqua ebraica.

peseta /pə'seɪtə/ (*spagn.*) n. peseta (*moneta spagnola*).

pesky /'peskɪ/ a. (*fam. USA*) fastidioso; sgradevole; seccante; scocciante.

peso /'peɪsəʊ/ (*spagn.*) n. (pl. **pesos**) peso (*unità monetaria di alcuni paesi dell'America centrale e meridionale*).

pessary /'pesərɪ/ n. 1 (*med.*) pessario 2 (= **p. diaphragm**) diaframma 3 suppositorio vaginale.

pessimism /'pesɪmɪzəm/ n. ⓤ pessimismo || **pessimist** n. pessimista.

pessimistic /pesɪ'mɪstɪk/ a. pessimistico || **pessimistically avv.** con pessimismo; pessimisticamente.

pest /pest/ n. 1 insetto o piccolo animale nocivo o infestante; parassita: **garden pests**, parassiti delle piante da giardino; parassiti da giardino; *Rabbits can be a serious p.*, i conigli possono essere molto nocivi; **p. control**, disinfestazione; lotta antiparassitaria 2 (*fig.*) seccatore, seccatrice; scocciatore, scocciatrice; individuo pestifero 3 (*arc.*: **the p.**) la peste (bubbonica) **❶ FALSI AMICI • nell'inglese attuale pest non significa** peste **nel significato medico.**

to **pester** /'pestə(r)/ v. t. 1 infastidire; importunare; assillare 2 molestare; tormentare: *Swarms of midges pestered us*, sciami di moscerini ci tormentavano.

pesticide /'pestɪsaɪd/ n. (*chim.*) pesticida; insetticida; antiparassitario || **pesticidal a.** pesticida.

pestiferous /pe'stɪfərəs/ a. 1 (*anche fig.*) pestifero 2 (*fam.*) fastidioso; importuno; molesto 3 (*fig.*) dannoso, nocivo, pericoloso (*moralmente e socialmente*).

pestilence /'pestɪləns/ n. (*form.*) 1 (*med.*) pestilenza; peste (bubbonica) 2 (*fig.*) idea pericolosa; dottrina sovvertitrice; teoria immorale.

pestilent /'pestɪlənt/ a. 1 pestilente (*raro*); pestifero (*anche fig.*) 2 fatale; pernicioso; mortale 3 (*fam.*) pestifero; fastidioso; importuno; molesto | **-ly avv.**

pestilential /pestɪ'lenʃl/ a. 1 (*anche fig.*) pestilenziale 2 fatale; pernicioso; mortale 3 (*fam.*) pestifero; fastidioso; importuno; molesto | **-ly avv.**

pestle /'pesl/ n. pestello.

to **pestle** /'pesl/ Ⓐ v. t. pestare (*o* frantumare, tritare) col pestello Ⓑ v. i. usare il pestello.

♦**pet**① /pet/ Ⓐ n. 1 animale d'affezione (*o* da compagnia): **to keep a rabbit as a pet**, tenere un coniglio come animale da compagnia 2 (*di persona o animale*) favorito; beniamino; prediletto; cocco (*fam.*): *Jane is her teacher's pet*, Jane è la beniamina della sua insegnante 3 (al vocat.) – **my pet**, mio caro, mia cara (*detto a una persona*) Ⓑ a. attr. 1 preferito; prediletto; favorito 2 che sta più a cuore; a cui si tiene di più: *It's his pet project*, è il progetto che gli sta più a cuore ● **pet animals**, animali d'affezione; animali da compagnia □ (*fam.*) **pet aversion = pet hate** → *sotto* □ **pet carrier**, borsa per il trasporto di animali domestici (*tecn.*) □ **pet-cock**, valvola (*o* rubinetto) di sfogo □ **pet door**, gattaiola □ **the pet duck**, l'anatroccolo prediletto (*dai bambini*) □ **pet food**, prodotti alimentari per animali da compagnia □ (*di albergo, negozio, ecc.*) **pet-friendly**,

che accetta animali da compagnia; pet-friendly □ (*fam.*) **pet hate** (*o* **pet peeve**), cosa che si detesta di più □ **pet lamb**, agnellino □ **pet name**, vezzeggiativo; nomignolo affettuoso □ (*USA*) **pet port**, gattaiola □ **pet shop**, negozio d'uccelli, gatti, cagnolini, ecc. □ **pet-sitter**, chi bada a un animale da compagnia (*in assenza del padrone*) □ (*psic.*) **pet therapy**, terapia che si avvale degli effetti positivi della presenza di un animale da compagnia; 'pet therapy'.

pet ② /pɛt/ n. collera; malumore; stizza ● **to be in a pet**, essere stizzito.

to **pet** /pɛt/ Ⓐ v. t. **1** coccolare; vezzeggiare; viziare: *Dogs like to be petted*, ai cani piace essere coccolati **2** (*fam.*) sbaciucchiare; pomiciare con (q.) Ⓑ v. i. (*fam.*) sbaciucchiarsi; pomiciare, limonare (*fam.*).

PET (*def. 1* /piːiːˈtiː/ *def. 2* /pɛt/) abbr. **1** (*chim.*, **polyethylene terephthalate**) polietilene tereftalato; polietilentereftalato (*polimero plastico*) **2** (*med.*, **positron emission tomography**) tomografia a emissione di positroni.

petabyte /ˈpɛtəbaɪt/ n. (*comput.*) petabyte (*equivale a 2⁵⁰ byte*).

petaflop /ˈpɛtəflɒp/ n. (*comput.*) petaflop (*equivale a 10¹⁵ flop*).

petal /ˈpɛtl/ (*bot.*) n. petalo ● **p.-shaped**, petaliforme a. del petalo; petaloideo □ **petalled**, **petaled** a. con petali ● **red-petalled**, dai petali rossi.

petalite /ˈpɛtəlaɪt/ n. Ⓤ (*miner.*) petalite.

petard /pəˈtɑːd/ n. petardo ● (*fig.*) **to be hoist(ed) with** (*o* by) **one's own p.**, darsi la zappa sui piedi; restar vittima delle proprie macchinazioni.

petasus /ˈpɛtəsəs/ n. **1** (*stor.*) petaso **2** (*mitol.*) petaso (*di Mercurio*).

petechia /pɪˈtiːkɪə/ (*med.*) n. (pl. ***petechiae***) petecchia ‖ **petechial** a. petecchiale: **petechial fever**, tifo petecchiale.

Peter /ˈpiːtə(r)/ n. Pietro ● **P. Pan**, (*letter.*) Peter Pan («il ragazzo che non voleva crescere»); (*fig.*) uomo giovanile (*o* immaturo) □ (*stor.*) **P.'s pence**, l'obolo di San Pietro (*pagato in Inghil. fino al 1534*) □ **to rob P. to pay Paul**, fare un debito nuovo per pagarne uno vecchio.

to **peter** /ˈpiːtə(r)/ v. i. – (*fam.*) **to p. out**, estinguersi; esaurirsi; (*fig.*) indebolirsi; spegnersi lentamente: *The vein of gold ore has petered out*, la vena aurifera s'è esaurita.

peterman /ˈpiːtəmən/ n. (pl. ***petermen***) (*slang*) scassinatore di casseforti.

petersham /ˈpiːtəʃəm/ n. **1** Ⓤ (*ind. tess.*) gros-grain (*stoffa o nastro per cappelli da uomo e per cinture*) **2** (*stor.*) cappotto pesante con mantellina corta (*portato nel '700*).

petiole /ˈpɛtɪəʊl/ n. **1** (*bot.*) picciolo **2** (*zool.*) peduncolo ‖ **petiolar** a. (*bot.*) di picciolo; petiolare; peziolare ‖ **petiolate** a. **1** (*bot.*) picciolato; peziolato **2** (*zool.*) peduncolato.

petit /pəˈtiː/ (*franc.*) a. piccolo ● (*polit.*) **p. bourgeois**, piccolo borghese □ **p. fours**, petit-four (*pasticcini di pasta di mandorle*) □ (*leg.*, *stor. o USA*) **p. larceny**, furto di scarsa entità □ (*med.*) **p. mal**, piccolo male (*forma di epilessia*) □ **p. pois**, pisellini novelli □ **p. verre**, bicchierino da liquore.

petite /pəˈtiːt/ (*franc.*) a. **1** piccola: (*polit.*) **p. bourgeoisie**, piccola borghesia **2** (*di donna*) minuta e aggraziata: *She's quite p. with shoulder-length brown hair*, è piuttosto minuta e ha i capelli castani lunghi fino alle spalle.

petition /pəˈtɪʃn/ n. **1** petizione; supplica; preghiera **2** (*leg.*) petizione; istanza; esposto; ricorso: **p. of creditors**, istanza dei creditori; **p. for rehearing** (**of a case**), ricorso

per la riapertura di un processo; **p. in bankruptcy**, istanza di fallimento ‖ **petitionary** a. di petizione; fatto a mo' di petizione.

to **petition** /pəˈtɪʃn/ Ⓐ v. t. **1** rivolgere una supplica a (q.) **2** (*leg.*) presentare una petizione (*o* un'istanza, un ricorso) a (q.) Ⓑ v. i. **1** – **to p. for**, chiedere umilmente **2** (*leg.*) fare una petizione (*o* un'istanza, un ricorso) ‖ **petitioner** n. **1** postulante; richiedente **2** (*leg.*) chi fa una petizione; istante; ricorrente.

petitory /ˈpɛtɪtərɪ/ a. (*leg.*: *in Italia, in Francia, ecc.*) petitorio: **p. action**, azione petitoria.

Petrarch /ˈpɛtrɑːk/ n. (*stor. letter.*) Petrarca.

Petrarchan /pɛˈtrɑːkən/ a. (*letter.*) petrarchesco: **P. sonnet**, sonetto petrarchesco.

Petrarchism /ˈpɛtrɑːkɪzəm/ (*letter.*) n. Ⓤ petrarchismo ‖ **Petrarchist** n. petrarchista.

petrel /ˈpɛtrəl/ n. (*zool.*, *Hydrobates pelagicus*; = **storm p.**, **stormy p.**) procellaria; uccello delle tempeste.

Petri dish /ˈpɛtrɪ dɪʃ/ n. (*scient.*) capsula di Petri; piastra di Petri; scatola di Petri.

petrifaction /ˌpɛtrɪˈfækʃn/, **petrification** /ˌpɛtrɪfɪˈkeɪʃn/ n. Ⓤ (*geol.*; *anche fig.*) pietrificazione **2** oggetto pietrificato; fossile.

petrified /ˈpɛtrɪfaɪd/ a. **1** (*geol.*; *anche fig.*) pietrificato: **p. forest**, foresta pietrificata **2** (*fig.*) impietrito.

to **petrify** /ˈpɛtrɪfaɪ/ Ⓐ v. t. **1** (*geol.*; *anche fig.*) pietrificare **2** (*fig.*) pietrificare; irrigidire (*per paura, stupore, ecc.*); terrorizzare Ⓑ v. i. **1** (*anche fig.*) pietrificarsi **2** (*fig.*) impietrire; impietrirsi; restar di sasso.

petrochemical /ˌpɛtrəʊˈkɛmɪkl/ Ⓐ a. petrolchimico Ⓑ n. pl. (*ind.*) prodotti petrolchimici.

petrochemistry /ˌpɛtrəʊˈkɛmɪstrɪ/ n. Ⓤ petrolchimica.

petrodollar /ˈpɛtrəʊdɒlə(r)/ n. (*econ.*, *fin.*) petrodollaro; petroldollaro.

petrogenesis /ˌpɛtrəˈdʒɛnɪsɪs/ n. Ⓤ (*geol.*) petrogenesi.

petroglyph /ˈpɛtrəglɪf/ n. (*archeol.*) petroglifo.

petrography /pɛˈtrɒɡrəfɪ/ (*geol.*) n. Ⓤ petrografia ‖ **petrographer** n. petrografo ‖ **petrographic**, **petrographical** a. petrografico.

petrol /ˈpɛtrəl/ n. benzina (*cfr. USA* **gasoline**) ● **p. bomb**, bomba Molotov □ **p. can** = **p. tin** → *sotto* □ (*autom.*) **p. cap**, coperchio (*o* sportellino) della benzina □ **p. coupon**, buono benzina □ (*autom.*) **p. gauge**, spia (del livello) della benzina □ (*fam.*) **p.-head**, fanatico di motori e di vetture da corsa □ **p. pump**, distributore (*o* pompa) di benzina □ **p. station**, stazione di rifornimento □ **p.-station attendant**, benzinaio □ **p. tank**, serbatoio della benzina □ **p. tin**, latta per benzina □ (*autom.*) **to get some p.**, far benzina □ (*autom.*) **to be low on p.**, avere poca benzina (*nel serbatoio*) ❶ FALSI AMICI ● petrol *non significa* petrolio.

petrolatum /ˌpɛtrəˈleɪtəm/ n. (*chim.*) (*spec. USA*) petrolato.

petroleum /pəˈtrəʊlɪəm/ n. Ⓤ (*geol.*) petrolio; petrolio grezzo ● **p. jelly** = **petrolatum** □ **p. products**, prodotti petroliferi □ **p. refinery**, raffineria di petrolio □ **p. refining**, raffinazione del petrolio □ **p. technologist**, tecnico del petrolio.

petrolic /pɛˈtrɒlɪk/ a. del petrolio; ricavato dal petrolio.

petroliferous /ˌpɛtrəʊˈlɪfərəs/ a. petrolifero.

petrology /pəˈtrɒlədʒɪ/ (*geol.*) n. Ⓤ petrologia ‖ **petrologic**, **petrological** a. petro-

logico ‖ **petrologist** n. petrologo.

petrous /ˈpɛtrəs/ a. **1** pietroso **2** (*anat.*) petroso.

Petruchio /pɪˈtruːkɪəʊ/ n. (*letter.*) Petruccio.

petticoat /ˈpɛtɪkəʊt/ Ⓐ n. **1** (*un tempo*) sottoveste; sottogonna **2** (*fam.*) donna; ragazza Ⓑ a. attr. **1** femminile; donnesco **2** di donne; fatto dalle donne: **p. government**, governo di donne; (*fig.*) predominio delle donne, matriarcato.

to **pettifog** /ˈpɛtɪfɒɡ/ v. i. **1** essere un avvocaticchio, un azzeccagarbugli **2** cavillare; essere sofistico.

pettifogger /ˈpɛtɪfɒɡə(r)/ n. **1** avvocaticchio; leguleio; azzeccagarbugli; avvocato da strapazzo **2** cavillatore; sofistico.

pettifoggery /ˈpɛtɪfɒɡərɪ/, **pettifogging** ① /ˈpɛtɪfɒɡɪŋ/ n. Ⓤ **1** astuzie di leguleio; trucchetti legali **2** cavilli; sofismi; sofisticherie.

pettifogging ② /ˈpɛtɪfɒɡɪŋ/ a. **1** (*di cosa*) insignificante; futile; banale: **p. details**, particolari insignificanti **2** (*di persona*) cavilloso; capzioso; sofistico.

pettily /ˈpɛtɪlɪ/ avv. grettamente; meschinamente.

pettiness /ˈpɛtɪnəs/ n. Ⓤ grettezza; insignificanza; meschinità; piccineria.

petting /ˈpɛtɪŋ/ n. Ⓤ (*fam.*) petting; sbaciucchiamenti; pomiciata: **heavy p.**, petting spinto.

pettish /ˈpɛtɪʃ/ a. irritabile; irascibile; stizzoso; permaloso ‖ **-ly** avv. ‖ **-ness** n. Ⓤ.

pettitoes /ˈpɛtɪtəʊz/ n. pl. (*cucina*) zampetti di maiale.

petty /ˈpɛtɪ/ a. **1** piccolo; di poca importanza; insignificante: **p. shopkeepers**, piccoli negozianti; **p. cares**, piccole seccature **2** (= **p.-minded**) gretto; meschino; ingeneroso; piccino; di mentalità ristretta: **a p. grudge**, un risentimento meschino ● **p. cash**, (fondo per le) piccole spese □ (*leg.*) **p. jury**, giuria ordinaria □ (*leg.*, *stor. o USA*) **p. larceny**, furto di poca entità □ (*leg.*) **p. offence**, reato minore □ (*marina mil.*) **p. officer**, sottufficiale □ (*marina mil.*, *in GB*) **P. Officer**, Capo F.R. di 1ª classe □ (*marina mil.*, *in USA*) **P. Officer 1st Class**, Capo F.R. di 1ª classe □ (*marina mil.*, *in USA*) **P. Officer 2nd Class**, Capo R.T. di 2ª classe □ (*marina mil.*, *in USA*) **P. Officer 3rd Class**, Capo di 3ª classe □ **a p. prince**, un principe di poco conto; un principotto □ (*polit.*) **p. state**, staterello □ **p. thief**, ladruncolo.

petulance /ˈpɛtjʊləns/ n. Ⓤ stizza; irascibilità; irritabilità; impazienza.

petulant /ˈpɛtjʊlənt/ a. stizzoso; irascibile; irritabile; impaziente ‖ **-ly** avv. ❶ FALSI AMICI ● petulant *non significa* petulante.

petunia /pɪˈtjuːnɪə/ n. (*bot.*, *Petunia*) petunia.

pew /pjuː/ n. **1** (*relig.*) panca di chiesa; recinto privato chiuso da tramezzi di legno (*nelle chiese protestanti*): **family pew**, panca (*o* recinto) di famiglia **2** (*fam.*) posto a sedere: **to find a pew**, trovare un posto a sedere; *Take a pew!*, siediti; prendi un posto.

pewit /ˈpiːwɪt/ n. (*zool.*, *Vanellus cristatus*) pavoncella; vanello ● **p. gull** (*Larus ridibundus*), gabbiano comune.

pewter /ˈpjuːtə(r)/ n. Ⓤ **1** peltro **2** (*collett.*) utensili di peltro ‖ **pewterer** n. peltraio.

PFI sigla (*GB*, *polit.*, **Private Finance Initiative**) iniziativa di finanza privata.

PFO sigla (*med.*, **patent foramen ovale**) PFO; forame ovale pervio (FOP).

PG sigla **1** (**paying guest**) ospite pagante **2** (*film*, **parental guidance**) visibile in compagnia di un genitore.

PG-13 sigla (*USA*, **parental guidance** (*no*

children under 13)) spettacolo vietato ai minori di 13 anni se non accompagnati dai genitori.

pg. abbr. (**page**) pagina.

PGA sigla (*USA*, **Professional Golf Association**) PGA (*associazione golfisti professionisti*).

PGCE sigla (*GB*, **Postgraduate Certificate of Education**) diploma post-laurea di specializzazione nell'insegnamento (*cfr.* Diploma di abilitazione SSIS).

PGD sigla (*med.*, **pre-implantation genetic diagnosis**) diagnosi genetica preimpianto (DGP).

PGP sigla (*comput.*, **pretty good privacy**) PGP (*tecnica di cifratura che consente di trasmettere dati in modo sicuro*).

Phaethon /ˈfeɪəθən/ n. (*mitol.*) Fetonte.

phaeton /ˈfeɪtn/ n. (*stor.*) **1** carrozza scoperta a quattro ruote **2** (*autom.*) torpedo.

phage /feɪdʒ/ n. (*biol.*, contraz. di **bacteriophage**) batteriofago; fago.

phagocyte /ˈfægəsaɪt/ n. (*biol.*) fagocita.

to **phagocytize** /fəˈɡəʊsɪtaɪz/ v. t. (*biol.*) fagocitare.

phagocytosis /fægəsaɪˈtəʊsɪs/ n. ⓤ (*biol.*) fagocitosi.

phalange /ˈfælændʒ/ n. (*anat.*) falange.

phalangeal /fəˈlændʒɪəl/ a. (*anat.*) falangeo; di falange.

phalanger /fəˈlændʒə(r)/ n. (*zool.*, *Trichosurus*) falangista.

phalanstery /ˈfælənstərɪ/ (*polit.*) n. falansterio, falanstero ‖ **phalansterian** Ⓐ a. di falansterio Ⓑ n. membro di un falansterio.

phalanx /ˈfælæŋks/ n. (pl. *phalanxes*, *phalanges*) (*stor.*, *anat. e fig.*) falange.

phalarope /ˈfælərəʊp/ n. (*zool.*, *Phalaropus*) falaropo.

phallic /ˈfælɪk/ a. (anche *psic.*) fallico: **p. symbol**, simbolo fallico.

phallicism /ˈfælɪsɪzəm/ n. ⓤ fallicismo.

phallocentric /fæləʊˈsɛntrɪk/ a. fallocentrico ‖ **phallocentrism**, **phallocentricity** n. ⓤ fallocentrismo.

phallocracy /fəˈlɒkrəsɪ/ n. ⓤ fallocrazia ‖ **phallocrat** n. fallocrate ‖ **phallocratic** a. fallocratico.

phallus /ˈfæləs/ n. (pl. *phalli*, *phalluses*) (*anat.*, *antrop.*) fallo.

phanerogam /ˈfænərəʊɡæm/ (*bot.*) n. fanerogama ‖ **phanerogamic**, **phanerogamous** a. fanerogamo.

phantasm /ˈfæntæzəm/ n. **1** (*arc. o lett.*) fantasma; spettro **2** visione; illusione ‖ **phantasmal**, **phantasmic**, a. **1** (*arc. o lett.*) di fantasma; spettrale **2** illusorio; fantomatico; irreale.

phantasmagoria /fæntæzməˈɡɒrɪə/ n. fantasmagoria ‖ **phantasmagorical**, **phantasmagoric** a. fantasmagorico.

phantasmagory /fænˈtæzməɡərɪ/ n. fantasmagoria.

phantasy /ˈfæntəsɪ/ → **fantasy**.

phantom /ˈfæntəm/ n. **1** fantasma; spettro; illusione; visione **2** (*fis. nucl.*) fantasma; fantoccio ● (*med.*) **p. pregnancy**, gravidanza immaginaria □ **the p. ship**, il vascello fantasma □ (*med.*) **p. tumour**, tumore apparente.

pharaoh /ˈfeərəʊ/ n. (*stor.*) faraone ‖ **pharaonic** a. faraonico.

Pharisee /ˈfærɪsiː/ n. **1** (*stor.*) fariseo **2** – (*fig.*) a., fariseo; ipocrita ‖ **Pharisaic**, **Pharisaical**. a. **1** (*stor.*) farisaico **2** – (*fig.*) pharisaic, farisaico; falso; ipocrita ‖ **Pharisaism**, **Phariseeism** n. ⓤ **1** (*stor.*) fariseismo **2** – (*fig.*) **pharisaicness**, fariseismo; falsità; ipocrisia.

pharma /ˈfɑːmə/ n. (abbr. fam. di **phar-**

maceutical) casa farmaceutica (*spec. se multinazionale* ● **Big P.**, le multinazionali farmaceutiche.

pharmaceutic /fɑːməˈsjuːtɪk/ a. → **pharmaceutical**.

pharmaceutical /fɑːməˈsjuːtɪkl/ Ⓐ a. farmaceutico: **p. manufacturer**, produttore farmaceutico Ⓑ n. **1** (generalm. al pl.) prodotto farmaceutico; medicinale; farmaco **2** (pl.) (*fin.*) azioni di società farmaceutiche ‖ **pharmaceutically** avv. farmaceuticamente ‖ **pharmaceutics** n. pl. (col verbo al sing.) farmaceutica.

pharmacist /ˈfɑːməsɪst/, **pharmaceutist** /fɑːməˈsjuːtɪst/ n. farmacista (*più comune*: USA, **druggist**; ingl., **chemist**).

pharmacokinetics /fɑːməkəʊkɪˈnɛtɪks/ n. pl. (col verbo al sing.) (*farm.*) farmacocinetica.

pharmacology /fɑːməˈkɒlədʒɪ/ n. ⓤ farmacologia ‖ **pharmacological**, **pharmacologic** a. farmacologico ‖ **pharmacologically** avv. farmacologicamente ‖ **pharmacologist** n. farmacologo.

pharmacopoeia /fɑːməkəˈpiːə/ n. ⓊⒸ farmacopea ‖ **pharmacopoeial** a. della farmacopea.

pharmacy /ˈfɑːməsɪ/ n. (*form.*) **1** ⓤ arte farmaceutica; farmacia **2** farmacia (*il negozio*).

pharming /ˈfɑːmɪŋ/ n. ⓤ **1** (*biol.*) pharming (*uso di animali geneticamente modificati per la produzione di farmaci*) **2** → **phishing**.

pharyngal /fəˈrɪŋɡl/, **pharyngeal** /fæˈrɪndʒɪəl/ a. **1** (*anat.*) faringeo **2** (*ling.*) faringale.

pharyngitis /færənˈdʒaɪtɪs/ n. ⓤ (*med.*) faringite.

pharyngology /færɪŋˈɡɒlədʒɪ/ n. ⓤ (*med.*) faringologia.

pharyngoscopy /færɪŋˈɡɒskəpɪ/ n. ⓊⒸ faringoscopia.

pharyngotomy /færɪŋˈɡɒtəmɪ/ n. ⓊⒸ (*med.*) faringotomia.

pharynx /ˈfærɪŋks/ n. (pl. *pharynxes*, *pharynges*) (*anat.*) faringe.

♦**phase** /feɪz/ n. **1** fase; periodo, stadio: **the phases of the moon**, le fasi della luna; **a critical p.**, una fase critica; **the final p. in a process**, l'ultimo stadio di un processo **2** (*scient.*, *tecn.*) fase: **p. angle**, (*astron.*) angolo di fase; (*elettr.*) differenza di fase ● (*elettr.*) **p. advancer**, compensatore di fase; rifasatore □ (*elettron.*) **p. control**, regolazione di fase □ (*elettr.*) **p. delay**, ritardo di fase □ (*elettron.*) **p. modulator**, modulatore di fase □ (*elettron.*) **p. shift**, sfasamento □ **p. shifter**, sfasatore □ (*elettr.*) **to be in p.**, essere in fase □ (*elettr.*) **out of p.**, fuori fase; sfasato □ (*elettr.*) **single-p.** [**two-p.**, **three-p.**], monofase [bifase, trifase].

to **phase** /feɪz/ v. t. **1** (*elettr.*) mettere in fase **2** programmare, pianificare (qc.) in fasi successive; scaglionare (*nel tempo*) ● to **p. down**, ridurre gradualmente □ to **p. in**, introdurre gradualmente □ to **p. out**, eliminare gradualmente; scartare (*attrezzature, ecc.*); ritirare (*truppe, ecc.*) a poco a poco.

phased /feɪzd/ a. **1** (*elettr.*) messo in fase **2** scaglionato: (*mil.*) **a p. withdrawal of troops**, un ritiro di truppe scaglionato.

phasedown /ˈfeɪzdaʊn/ n. riduzione graduale.

phasemeter /ˈfeɪzmiːtə(r)/ n. (*elettr.*) fasometro.

phase-out, **phaseout** /ˈfeɪzaʊt/ n. (*spec. USA*) graduale arresto (*o cessazione*).

phaser /ˈfeɪzə(r)/ n. **1** (*elettr.*) fasatore **2** (*radio*, *TV*) sincronizzatore.

phasor /ˈfeɪzə(r)/ n. (*fis.*) fasore.

phat /fæt/ a. (*slang*, grafia scherz. di **fat**) figo; mitico; grande.

phatic /ˈfætɪk/ a. (*ling.*) fatico.

PhB abbr. (*lat.*: *Philosophiae Baccalaureus*) (**Bachelor of Philosophy**) dottore in filosofia (*laurea di 1° grado*).

PhD /piːeɪtʃˈdiː/ n. (abbr. di **Philosophiae Doctor**) **1** «Doctor of Philosophy» ● CULTURA ● PhD: *La laurea di terzo grado, il dottorato, abbreviato in* **PhD** (*Philosophiae Doctor*), *è conseguibile dopo tre o quattro anni di ricerca e la discussione di una tesi. Cfr.* **BA**, **MA 2** detentore di tale titolo accademico (posposto al nome) ● **PhD student**, dottorando.

pheasant /ˈfɛznt/ n. (pl. *pheasant*, *pheasants*) (*zool.*, *Phasianus*) fagiano ● (*bot.*: *di fiore*) **p.-eyed**, picchiettato □ **hen-p.**, fagiana □ **young p.**, fagianotto.

pheasantry /ˈfɛsəntrɪ/ n. fagianaia.

Phebe /ˈfiːbɪ/ → **Phoebe**.

phellem /ˈfɛlɛm/ n. (*bot.*) sughero; fellema.

phelloderm /ˈfɛləʊdɜːm/ n. ⓤ (*bot.*) felloderma.

phellogen /ˈfɛlədʒən/ n. (*bot.*) fellogeno.

phenacetin /fɪˈnæsɪtɪn/ n. ⓤ (*chim.*, *farm.*) fenacetina.

phenic /ˈfiːnɪk/ (*chim.*) a. – **p. acid**, acido fenico; fenolo ‖ **phenate** n. fenato.

phenix /ˈfiːnɪks/ (*USA*) → **phoenix**.

phenobarbital /fiːnəʊˈbɑːbɪtl/ n. ⓤ (*chim.*, *farm.*) fenobarbitale.

phenobarbitone /fiːnəʊˈbɑːbɪtəʊn/ n. ⓤ (*chim.*, *farm.*) fenobarbitone.

phenocryst /ˈfiːnəkrɪst/ n. (*geol.*) fenocristallo.

phenol /ˈfiːnɒl/ (*chim.*) n. Ⓒⓤ fenolo; acido fenico ‖ **phenolic** a. fenolico: (*ind.*) **phenolic laminate**, laminato fenolico.

phenology /fiːˈnɒlədʒɪ/ (*biol.*) n. ⓤ fenologia ‖ **phenological** a. fenologico.

phenom /fəˈnɒm/ n. (contraz. *fam.* di **phenomenon**) (*di persona*) fenomeno; portento.

phenomenal /fəˈnɒmɪnl/ a. **1** (*scient.*, *filos.*) fenomenico **2** fenomenale; singolare; prodigioso; straordinario ‖ **-ly** avv.

phenomenalism /fɪˈnɒmɪnəlɪzəm/ (*filos.*) n. ⓤ fenomenismo; fenomenalismo ‖ **phenomenalist** n. fenomenista; seguace del fenomenismo ‖ **phenomenalistic** a. del fenomenalismo.

phenomenality /fɪnɒmɪˈnælətɪ/ n. ⓤ fenomenalità; fenomenicità.

to **phenomenalize** /fɪˈnɒmɪnəlaɪz/ v. t. (*scient.*, *filos.*) rappresentare come fenomenico.

phenomenology /fənɒmɪˈnɒlədʒɪ/ (*scient.*, *filos.*) n. ⓤ fenomenologia ‖ **phenomenological** a. fenomenologico ‖ **phenomenologist** n. fenomenologo.

♦**phenomenon** /fəˈnɒmɪnən/ n. (pl. *phenomena*, *phenomenons*) (*scient.*, *filos.*) fenomeno (anche *fig.*).

phenotype /ˈfiːnəʊtaɪp/ (*biol.*) n. fenotipo ‖ **phenotypical**, **phenotypic** a. fenotipico.

phenoxide /fɪˈnɒksaɪd/ n. ⓤ (*chim.*) fenossido.

phenyl /ˈfiːnɪl/ Ⓐ n. ⓤ (*chim.*) fenile Ⓑ a. attr. fenilico.

phenylalanine /fiːnɪlˈæləniːn/ n. ⓤ (*chim.*) fenilalanina.

phenylamine /fiːnɪlˈæmɪn/ n. ⓤ (*chim.*) fenilammina.

phenylketonuria /fiːnaɪlkiːtəˈnjʊərɪə/ n. ⓤ (*med.*) fenilchetonuria.

pheromone /ˈfɛrəməʊn/ n. (*biochim.*) feromone; ferormone.

phew /fjuː/ inter. (*di impazienza*, *sorpresa*, *ecc.*) uff!; puah!

phi /faɪ/ n. (pl. *phis*) fi (*ventunesima lettera dell'alfabeto greco*) ● (*fis. nucl.*) **phi meson**, mesone fi.

phial /'faɪəl/ n. fiala; boccettina; flacone.

Phidias /'fɪdɪæs/ n. (stor.) Fidia.

Philadelphia /fɪlə'dɛlfɪə/ n. (geogr.) Filadelfia.

to **philander** /fɪ'lændə(r)/ (antiq.) v. i. fare il cascamorto; essere un donnaiolo ‖ **philanderer** n. cascamorto; damerino; donnaiolo.

philandering /fɪ'lændərɪŋ/ **A** n. ⓤ comportamento da donnaiolo; (il) correre dietro alle donne **B** a. (da) donnaiolo.

philanthropic /fɪlən'θrɒpɪk/, **philanthropical** /fɪlən'θrɒpɪkl/ a. filantropico; altruistico; caritatevole; generoso | **-ally** avv.

philanthropist /fɪ'lænθrəpɪst/ n. filantropo.

to **philanthropize** /fɪ'lænθrəpaɪz/ **A** v. i. fare il filantropo **B** v. t. **1** trattare (q.) con filantropia; beneficare **2** dare un carattere filantropico a (qc.).

philanthropy /fɪ'lænθrəpɪ/ n. ⓤ filantropia ‖ **philanthropism** n. ⓤ filantropismo.

philately /fɪ'lætəlɪ/ n. ⓤ filatelia ‖ **philatelic** a. filatelico ‖ **philatelist** n. filatelico; filatelista.

philharmonic /fɪlɑ:'mɒnɪk/ **A** a. filarmonico **B** n. **1** società filarmonica **2** (fam.) orchestra filarmonica.

philhellene /'fɪlhɛli:n/ (anche stor., polit.) n. filelleno ‖ **philhellenic** a. filellenico ‖ **philhellenism** n. ⓤ filellenismo ‖ **philhellenist** n. filelleno.

Philip /'fɪlɪp/ n. Filippo.

philippic /fɪ'lɪpɪk/ n. (form.) filippica; invettiva.

Philippine /'fɪlɪpi:n/ a. filippino; delle isole Filippine.

Philippines /'fɪlɪpi:nz/ n. pl. (geogr.) le (isole) Filippine.

Philistine /'fɪlɪstaɪn/ **A** a. **1** (stor.) filisteo **2** – p. (fig.) incolto; retrivo; filisteo **B** n. **1** (stor.) filisteo **2** – p. (fig.) persona dalla mentalità gretta; filisteo ‖ **philistinism** n. ⓤ (fig.) filisteismo.

Phillips screw® /'fɪlɪpskru:/ loc. n. (mecc.) vite a croce (o a stella).

Phillips screwdriver® /'fɪlɪpskru:draɪvə(r)/ loc. n. (mecc.) cacciavite a croce (o a stella).

Philly /'fɪlɪ/ n. (fam. USA) Filadelfia.

philodendron /fɪlə'dɛndrən/ n. (bot., Philodendron) filodendro.

philology /fɪ'lɒlədʒɪ/ n. ⓤ filologia ‖ **philologian** n. filologo ‖ **philological**, **philologic** a. filologico ‖ **philologically** avv. filologicamente ‖ **philologist** n. filologo.

Philomel /'fɪləmɛl/, **Philomela** /fɪlə'mi:lə/ n. (mitol.) Filomela.

philosopher /fɪ'lɒsəfə(r)/ n. filosofo (anche fig.) ● **p.'s stone**, pietra filosofale ‖ **natural p.**, filosofo della natura; (un tempo) fisico.

philosophical, **philosophic** /fɪlə'sɒfɪk(l)/ a. **1** filosofico **2** (fig.) ragionevole; calmo; sereno; rassegnato | **-ly** avv.

philosophism /fɪ'lɒsəfɪzəm/ n. ⓤ **1** filosofismo **2** (spreg.) sofisma; sofisticheria.

to **philosophize** /fɪ'lɒsəfaɪz/ **A** v. i. **1** filosofare **2** (spreg.) filosofeggiare **B** v. t. filosofare su, teorizzare su (qc.).

♦**philosophy** /fɪ'lɒsəfɪ/ n. **1** ⓤ filosofia: **moral p.**, filosofia morale **2** filosofia (pensiero di un dato filosofo, branca filosofica) **3** filosofia personale; filosofia di vita **4** (fig.) filosofia; serenità; rassegnazione.

Philostratus /fɪ'lɒstrətəs/ n. Filostrato.

philotechnic /fɪlə'tɛknɪk/ a. filotecnico.

philtre /'fɪltə(r)/, (USA) **philter** /'fɪltə(r)/ n. filtro d'amore; pozione magica (in genere).

phimosis /faɪ'məʊsɪs/ n. ⓤ (med.) fimosi.

Phinehas /'fɪnɪæs/ n. (Bibbia) Fineas.

---

phishing /'fɪʃɪŋ/ n. ⓤ (comput.) raggiro telematico finalizzato all'acquisizione di dati personali ‖ **phisher** n. phisher (chi pratica il phishing).

phiz /fɪz/ n. (fam. scherz.) faccia; fisionomia.

phizog /'fɪzɒg/ → **phiz**.

phlebitis /flɪ'baɪtɪs/ (med.) n. ⓤ flebite ‖ **phlebitic** a. flebitico.

phlebography /flɪ'bɒgrəfɪ/ n. ⓤ (med.) flebografia.

phlebosclerosis /flɛbəʊsklɪ'rəʊsɪs/ n. ⓤ (med.) flebosclerosi.

phlebotomy /flɪ'bɒtəmɪ/ (med.) n. **1** (stor.) flebotomia; salasso **2** incisione di una vena ‖ **phlebotomist** n. **1** (stor.) flebotomo; salassatore **2** addetto ai prelievi di sangue ‖ to **phlebotomize** v. t. salassare.

phlegm /flɛm/ n. ⓤ **1** (fisiol.) flemma, muco; (med.) flemma, catarro **2** (fig.) flemma; apatia; freddezza; lentezza; pazienza; sangue freddo ‖ **phlegmy** a. **1** (fisiol.) mucoso **2** (med.) catarroso; flemmatico.

phlegmatic /flɛg'mætɪk/, **phlegmatical** /flɛg'mætɪkl/ a. flemmatico; calmo; freddo; lento; paziente; imperturbabile | **-ally** avv.

phlegmon /'flɛgmən/ (med.) n. flemmone ‖ **phlegmonous** a. flemmonoso.

phloem /'fləʊɛm/ n. (bot.) floema; capillare; libro.

phlogistic /flɒ'dʒɪstɪk/ a. (med.) flogistico.

phlogiston /flɒ'dʒɪstən/ n. (stor. naturale) flogisto.

phlogopite /'flɒgəpaɪt/ n. (miner.) flogopite.

phlox /flɒks/ n. (bot., Phlox) phlox; fiamma (pop.).

phobia /'fəʊbɪə/ (spec. psic.) n. fobia ‖ **phobic** a. e n. fobico: **phobic neurosis**, nevrosi fobica.

phocine /'fəʊsaɪn/ a. (zool.) della (o relativo alla) foca.

phocomelia /fəʊkə'mi:lɪə/ (med.) n. ⓤ focomelia ‖ **phocomelic** a. focomelico.

Phoebe /'fi:bɪ/ n. **1** (mitol.) Febe; (poet.) (la) luna **2** (astron.) Febe; Febea.

Phoebus /'fi:bəs/ n. **1** (mitol.) Febo; (poet.) (il) sole.

Phoenicia /fɪ'nɪʃɪə/ n. (stor., geogr.) Fenicia.

Phoenician /fɪ'nɪʃən/ (stor.) **A** a. fenicio **B** n. **1** fenicio; abitante (o nativo) della Fenicia **2** ⓤ fenicio (la lingua).

phoenix /'fi:nɪks/ n. **1** (mitol.) fenice; (anche fig.) araba fenice **2** (astron.) – P., Fenice (costellazione).

phon /fɒn/ n. (fis.) fon (unità di misura del suono).

phonation /fəʊ'neɪʃn/ (scient.) n. ⓤⓒ fonazione ‖ to **phonate** v. i. emettere un suono con le corde vocali ‖ **phonatory** a. fonatorio.

♦**phone**① /fəʊn/ n. telefono ● **p. bill**, bolletta del telefono ▫ **p.-book**, elenco del telefono ▫ **p. booth**, telefono pubblico (in un hotel, ecc.); (spec. USA) cabina telefonica ▫ **p. call**, telefonata ▫ **p. card**, scheda telefonica ▫ **p. number**, numero telefonico ▫ **p.-tapping**, intercettazioni telefoniche ▫ **p. unit counter**, contascatti ▫ **by p.**, per telefono ▫ to **get on the p. to sb.**, raggiungere q. per telefono; chiamare al telefono q. ▫ to **be on the p.**, essere al telefono; (anche) essere sull'elenco (telefonico) ▫ **over the p.**, al telefono; (anche) per (mezzo del) telefono: **to receive orders over the p.**, ricevere (o accettare) ordinazioni per telefono ▫ to **pick up the p.**, alzare (o prendere su) il ricevitore ▫ to **put down the p.**, riattaccare.

phone② /fəʊn/ n. (scient.) fono.

---

to **phone** /fəʊn/ v. t. e i. telefonare a (q.); comunicare per telefono; chiamare (q.) al telefono: Remember to p. mother, ricordati di telefonare alla mamma!; She phoned me early in the morning, mi chiamò al telefono la mattina presto; Can I p. for a taxi?, posso chiamare un taxi?; He phoned me about his accident, mi telefonò raccontandomi del suo incidente.

▪ **phone back** v. t. e i. + avv. richiamare (al telefono); ritelefonare: I'll p. you back in five minutes, ti richiamo fra cinque minuti.

▪ **phone in** v. t. e i. + avv. telefonare (in ufficio, al posto di lavoro, ecc.): He phoned in to say he would be late, chiamò in ufficio per avvisare che sarebbe arrivato in ritardo **2** (radio, TV) (di uno dell'uditorio) telefonare; fare una telefonata (a un programma).

▪ **phone up** v. t. e i. + avv. (fam.) telefonare a (q.); chiamare (al telefono): Don't forget to p. up all your friends!, non dimenticare di chiamare tutti i tuoi amici!

phonecard /'fəʊnkɑ:d/ n. scheda telefonica.

phone-in /'fəʊnɪn/ n. (TV, radio) programma (o trasmissione) con telefonate del pubblico in diretta.

phonematic /fəʊnɪ'mætɪk/ a. (ling.) fonematico.

phoneme /'fəʊni:m/ (ling.) n. fonema ‖ **phonemic** a. fonematico; fonemico ‖ **phonemics** n. pl. (col verbo al sing.) fonemica; fonematica.

phonemicization /fəʊni:mɪsaɪ'zeɪʃn/ n. ⓤⓒ (ling.) fonematizzazione.

phonetic /fə'nɛtɪk/ a. fonetico: **p. symbols**, simboli fonetici | **-ally** avv.

phonetics /fə'nɛtɪks/ n. pl. (col verbo al sing.) fonetica ‖ **phonetician**, **phonetist**, **phonetist** n. fonetista.

phoney /'fəʊnɪ/ **A** a. (slang) falso; finto; fittizio; fasullo; (mil.) **p. mine**, mina falsa **B** n. **1** oggetto falso; prodotto adulterato **2** ciarlatano; impostore ● **p. war**, guerra dichiarata ma non combattuta.

phoniatrics /fəʊ'naɪətrɪks/ (med.) n. pl. (col verbo al sing.) foniatria ‖ **phoniatric** a. foniatrico.

phoniatry /fəʊ'naɪətrɪ/ (med.) n. ⓤ foniatria ‖ **phoniatric** a. foniatrico.

phonic /'fɒnɪk/ a. (fis., ling.) fonico | **-ally** avv.

phonics /'fɒnɪks/ n. pl. (col verbo al sing.) **1** approccio fonetico alla glottodidattica **2** (arc.) acustica.

phonocardiogram /fəʊnə'kɑ:dɪəʊgræm/ n. (med.) fonocardiogramma.

phonocardiograph /fəʊnə'kɑ:dɪəʊgræf/ (med.) n. fonocardiografo ‖ **phonocardiography** n. ⓤ fonocardiografia.

phonogram /'fəʊnəgræm/ n. **1** (ling.) fonogramma **2** segno stenografico.

phonograph /'fəʊnəgrɑ:f/ n. **1** fonografo (antico, con cilindri) **2** (USA) fonografo meccanico; grammofono **3** (ling.) fonetografo ● **p. record**, disco fonografico ▫ (elettr.) **p. pickup**, fonorivelatore; pickup.

phonography /fəʊ'nɒgrəfɪ/ n. ⓤ **1** grafia (o scrittura) fonematica **2** metodo stenografico Pitman ‖ **phonographer**, **phonographist** n. **1** esperto in trascrizioni fonetiche **2** stenografo che usa il metodo Pitman ‖ **phonographic** a. **1** fonografico **2** stenografico.

phonolite /'fəʊnəlaɪt/ n. ⓤⓒ (geol.) fonolite.

phonology /fə'nɒlədʒɪ/ (ling.) n. ⓤ fonologia ‖ **phonological**, **phonologic** a. fonologico ‖ **phonologist** n. fonologo.

phonometer /fəʊ'nɒmɪtə(r)/ (fis.) n. fonometro ‖ **phonometry** n. ⓤ fonometria.

phonon /'fəʊnɒn/ n. (fis.) fonone.

phonophobia /fəʊnəˈfəʊbɪə/ n. U (med.) fonofobia.

phonoscope /ˈfəʊnəʊskəʊp/ n. (fis.) fonoscopio.

phonotype /ˈfəʊnəʊtaɪp/ n. (tipogr.) carattere (di un simbolo) fonetico.

phonotypy /ˈfəʊnəʊtaɪpɪ/ n. U 1 uso di simboli fonetici 2 metodo stenografico Pitman.

phony /ˈfəʊnɪ/ → phoney.

phooey /ˈfuːɪ/ inter. 1 (d'incredulità, ecc.) bah; uffa! 2 (di disgusto, ecc.) puah.

phormium /ˈfɔːmɪəm/ n. (bot., Phormium) formio.

phosgene /ˈfɒzdʒiːn/ n. U (chim.) fosgene (gas tossico).

phosphatase /ˈfɒsfəteɪs/ n. U (biochim.) fosfatasi.

phosphate /ˈfɒsfeɪt/ n. (chim.) fosfato ● (metall.) p. coating, rivestimento fosfatico; fosfatazione □ (geol.) p. rock, roccia fosfatica; fosforite.

to **phosphate** /ˈfɒsfeɪt/ (metall.) v. t. fosfatare || **phosphating** n. fosfatazione.

phosphatic /fɒsˈfætɪk/ a. (chim.) fosfatico.

phosphatide /ˈfɒsfətaɪd/ n. U (chim.) fosfatide.

to **phosphatize** /ˈfɒsfətaɪz/ v. t. 1 (chim.) convertire in fosfati 2 (metall.) trattare (metalli) con la fosfatazione || **phosphatization** n. U (chim.) fosfatizzazione.

phosphene /ˈfɒsfiːn/ n. U (med.) fosfene.

phosphide /ˈfɒsfaɪd/ n. U (chim.) fosfuro.

phosphine /ˈfɒsfiːn/ n. U (chim.) fosfina.

phosphite /ˈfɒsfaɪt/ n. CU (chim.) fosfito.

phospholipid /fɒsfəʊˈlɪpɪd/ n. (biochim.) fosfolipide.

phosphoprotein /fɒsfəʊˈprəʊtiːn/ n. (biochim.) fosfoproteina; fosfoprotide.

phosphor /ˈfɒsfə(r)/ n. U (usato solo nei composti) (chim.) fosforo (sostanza luminescente).

to **phosphorate** /ˈfɒsfəreɪt/ v. t. 1 (chim.) fosforare 2 (raro) rendere fosforescente.

to **phosphoresce** /fɒsfəˈrɛs/ v. i. fosforeggiare (raro); essere fosforescente.

phosphorescence /fɒsfəˈrɛsns/ n. U fosforescenza || **phosphorescent** a. fosforescente: **phosphorescent paint**, vernice fosforescente.

phosphoric /fɒsˈfɒrɪk/ a. 1 (chim.) fosforico: p. acid, acido fosforico 2 (raro) fosforescente.

phosphorite /ˈfɒsfəraɪt/ n. U (miner.) fosforite.

phosphorous /ˈfɒsfərəs/ a. 1 (chim.) fosforoso: p. acid, acido fosforoso 2 fosforescente.

phosphorus /ˈfɒsfərəs/ n. U (chim.) fosforo (elemento).

phosphorylase /fɒsˈfɒrɪleɪs/ n. U (biochim.) fosforilasi.

to **phosphorylate** /fɒsˈfɒrəleɪt/ (chim.) v. t. fosforilare || **phosphorylation** n. U fosforilazione.

◆**photo** /ˈfəʊtəʊ/ n. (pl. **photos**) (fam.) foto; fotografia ● p. agency, agenzia fotografica □ (banca) p.-card, carta di credito con fotografia □ p. finish, (sport) fotofinish; finale di gara serrato; arrivo testa a testa □ p.-frame, portaritratti □ p. opportunity → photocall □ p. safari, fotosafari □ p. typesetting, fotocomposizione.

to **photo** /ˈfəʊtəʊ/ v. t. (fam.) fotografare.

photoallergy /fəʊtəʊˈæ1ədʒɪ/ n. U (med.) fotoallergia.

photobiology /fəʊtəbaɪˈɒlədʒɪ/ n. U fotobiologia.

photoblog /ˈfəʊtəʊblɒg/ n. (comput., Internet) blog fotografico; fotoblog.

photocall /ˈfəʊtəʊkɔːl/ n. (ingl.) posa per una foto di gruppo (di celebrità dello spettacolo, ecc.).

photocatalysis /fəʊtəʊkəˈtæləsɪs/ n. U (fis., chim.) fotocatalisi.

photocathode /fəʊtəˈkæθəʊd/ n. (fis., TV) fotocatodo.

photocell /ˈfəʊtəʊsɛl/ n. (elettron.) cellula fotoelettrica; fotocellula.

photochemical /fəʊtəˈkɛmɪkl/ a. fotochimico ● p. technician, fototecnico (sost.) | -ly avv.

photochemistry /fəʊtəˈkɛmɪstrɪ/ n. U (scient.) fotochimica.

to **photochop** /ˈfəʊtəʊtʃɒp/ v. t. → to photoshop.

photochromic /fəʊtəˈkrəʊmɪk/ (chim., ottica) a. fotocromatico: p. lenses, lenti fotocromatiche || **photochromism** n. U fotocromia.

to **photocompose** /fəʊtəkəmˈpəʊz/ (grafica, USA) v. t. fotocomporre || **photocomposition** n. U fotocomposizione.

photoconductivity /fəʊtəkɒndʌkˈtɪvətɪ/ (fis.) n. U fotoconduttività || **photoconductive** a. fotoconduttivo || **photoconductor** n. fotoconduttore.

photocopiable /fəʊtəʊkɒpɪəbl/ a. fotocopiabile.

photocopier /ˈfəʊtəʊkɒpɪə(r)/ n. (grafica) fotocopiatrice.

photocopy /ˈfəʊtəʊkɒpɪ/ n. fotocopia.

to **photocopy** /ˈfəʊtəʊkɒpɪ/ v. t. fotocopiare; fare una fotocopia di (qc.).

photocopying /ˈfəʊtəʊkɒpɪɪŋ/ n. U (grafica, = p. process) fotocopiatura.

photodegradable /fəʊtəʊdɪˈgreɪdəbl/ a. fotodegradabile.

photodegradation /fəʊtəʊdɛgrəˈdeɪʃn/ n. U fotodegradazione.

photodetector /fəʊtəʊdɪˈtɛktə(r)/ n. (elettron.) rivelatore fotoelettrico; sensore di luce.

photodiode /ˈfəʊtəʊdaɪəʊd/ n. (elettron.) fotodiodo.

photodisintegration /fəʊtəʊdɪsɪntɪˈgreɪʃn/ n. U (fis. nucl.) fotodisintegrazione.

photodynamic /fəʊtəʊdaɪˈnæmɪk/ a. (biol.) fotodinamico.

photoelastic /fəʊtəʊɪˈlæstɪk/ a. fotoelastico || **photoelasticity** n. U fotoelasticità.

photoelectric /fəʊtəʊɪˈlɛktrɪk/, **photoelectrical** /fəʊtəʊɪˈlɛktrɪkl/ (elettr.) a. fotoelettrico: p. cell, cellula fotoelettrica; fotocellula || **photoelectricity** n. U fotoelettricità.

photoelectron /fəʊtəʊɪˈlɛktrɒn/ n. (fis.) fotoelettrone.

photoelectronics /fəʊtəʊɪlɛkˈtrɒnɪks/ n. pl. (col verbo al sing.) (scient.) fotoelettronica.

photoemission /fəʊtəʊɪˈmɪʃn/ n. U (fis.) fotoemissione.

to **photoengrave** /fəʊtəʊɪnˈgreɪv/ (grafica) v. t. fotoincidere || **photoengraver** n. fotoincisore; fotocalcografo || **photoengraving** n. U fotoincisione.

photofit® /ˈfəʊtəʊfɪt/ n. (polizia) fotofit.

photoflash /ˈfəʊtəʊflæʃ/ n. flash; lampo di luce; lampo di magnesio ● (mil.) p. bomb, bomba illuminante a lampo.

photog /fəˈtɒg/ n. (slang USA) fotografo.

photogen /ˈfəʊtəʊdʒən/ n. U (biol.) fotogeno (raro); sostanza fotogena.

photogenic /fəʊtəˈdʒɛnɪk/ a. 1 fotogenico 2 (biol.) fotogeno; fosforescente ● p. quality, fotogenia; fotogeneticità (di una persona) | -ally avv.

photogram /ˈfəʊtəʊgræm/ n. 1 (cinem., ecc.) fotogramma 2 (grafica) silhouette (franc.).

photogrammetry /fəʊtəˈgræmətrɪ/ (cartografia) n. U fotogrammetria || **photogrammetric** a. fotogrammetrico || **photogrammetrist** n. fotogrammetrista.

◆**photograph** /ˈfəʊtəgrɑːf/ n. fotografia; foto: to take a p., fare una fotografia; to have one's p. taken, farsi fare la fotografia ● p. library, fototeca □ a colour p., una foto a colori □ montage p., fotomontaggio.

to **photograph** /ˈfəʊtəgrɑːf/ A v. t. fotografare B v. i. far fotografie ● to p. well [badly], venir bene [male] in fotografia; essere [non essere] fotogenico: I don't p. well, non sono fotogenico.

◆**photographer** /fəˈtɒgrəfə(r)/ n. fotografo ● free-lance p., fotografo free-lance.

photographic /fəʊtəˈgræfɪk/ a. fotografico: p. film, pellicola fotografica ● p. equipment, apparecchi fotografici □ p. goods, articoli per la fotografia □ p. memory, memoria fotografica □ p. processor, chi sviluppa (e ritocca) fotografie; ritoccatore □ p. service, servizio fotografico | -ally avv.

photography /fəˈtɒgrəfɪ/ n. U fotografia (l'arte): colour p., fotografia a colori; I wanted to do a p. course, volevo seguire un corso di fotografia.

photogravure /fəʊtəgrəˈvjʊə(r)/ n. U (grafica) fotocalcografia; fotoincisione; fototipia.

to **photogravure** /fəʊtəgrəˈvjʊə(r)/ v. t. fare una fotocalcografia (o una fotoincisione, una fototipia) di (qc.).

photoheliograph /fəʊtəʊˈhiːlɪəʊgræf/ (ottica) n. U fotoeliografo || **photoheliography** n. U fotoeliografia.

photoionization /fəʊtəʊaɪənaɪˈzeɪʃn, USA -nɪˈz-/ n. U (fis.) fotoionizzazione.

photojournalism /fəʊtəʊˈdʒɜːnəlɪzəm/ n. U fotogiornalismo.

photolitho /fəʊtəˈlɪθəʊ/ n. UC (pl. **photolithos**) fotolito, fotolitografia (l'immagine e il procedimento).

photolithograph /fəʊtəˈlɪθəgrɑːf/ n. fotolitografia (la copia riprodotta).

to **photolithograph** /fəʊtəˈlɪθəgrɑːf/ v. t. riprodurre (o stampare) mediante fotolitografia.

photolithography /fəʊtəlɪˈθɒgrəfɪ/ n. U fotolitografia (il procedimento).

photoluminescence /fəʊtəʊluːmɪˈnɛsns/ n. U (fis.) fotoluminescenza.

photolysis /fəʊˈtɒləsɪs/ (chim., fis.) n. U fotolisi || **photolytic** a. fotolitico.

photomap /ˈfəʊtəʊmæp/ n. (topogr.) carta fotogrammetrica.

photomechanical /fəʊtəʊmɪˈkænɪkl/ a. (tecn.) fotomeccanico.

photometer /fəʊˈtɒmɪtə(r)/ (tecn., ottica) n. fotometro || **photometric** a. fotometrico || **photometrically** avv. fotometricamente || **photometry** n. U fotometria.

photomicrograph /fəʊtəˈmaɪkrəgrɑːf/ n. microfotografia (l'immagine) || **photomicrography** n. U microfotografia (il procedimento).

photomontage /fəʊtəʊmɒnˈtɑːʒ/ n. fotomontaggio.

photomultiplier /fəʊtəˈmʌltɪplaɪə(r)/ n. (elettron.) fotomoltiplicatore.

photon /ˈfəʊtɒn/ n. (fis. nucl., ottica) fotone.

photonic /fəʊˈtɒnɪk/ a. fotonico ● **photonics** n. pl. (col verbo al sing.) fotonica.

photonovel /ˈfəʊtəʊnɒvl/ n. fotoromanzo; fotonovella.

photonuclear /fəʊtəˈnjuːklɪə(r), USA -ˈnuː-/ a. (fis.) fotonucleare.

photoperiod /fəutəu'pɪərɪəd/ n. fotoperiodo.

photoperiodism /fəutəu'pɪərɪədɪzəm/ n. ⓤ (biol.) fotoperiodismo.

photophobia /fəutə'fəubɪə/ (psic.) n. ⓤ fotofobia || **photophobic** a. fotofobo.

photophore /'fəutəfɔː(r)/ n. (zool.) fotoforo.

photophoresis /fəutəufə'riːsɪs/ n. ⓤ (fis.) fotoforesi.

photoprint /'fəutəprɪnt/ n. stampa fotografica (l'immagine) || **photoprinting** n. stampa fotografica (il procedimento).

photoproton /fəutəu'prəutɒn/ n. (fis.) fotoprotone.

photoreaction /fəutəurɪ'ækʃn/ n. ⓤⓒ fotoreazione.

photorealism /fəutəu'rɪəlɪzəm/ (arte) n. ⓤ iperrealismo fotografico || **photorealist** Ⓐ n. iperrealista fotografico Ⓑ a. (anche **photorealistic**) iperrealistico.

photoreceptor /fəutəurɪ'septə(r)/ (biol.) n. fotorecettore || **photoreceptive** a. fotorecettore.

photo-reportage /fəutəurɪ'pɔːtɪdʒ/ n. (giorn.) fotocronaca; fotoservizio; fotoreportage.

photoscan /'fəutəuskæn/ (med.) n. scintigrafia.

photosensitive /fəutə'sensətɪv/ (scient.) a. fotosensibile || **photosensitivity** n. ⓤ fotosensibilità.

to **photoset** /'fəutəuset/ (pass. e p. p. **photoset**), v. t. fotocomporre.

to **photoshop** /'fəutəuʃɒp/ v. t. (comput., di immagini digitali) manipolare, modificare.

photosphere /'fəutəsfɪə(r)/ (astron.) n. fotosfera || **photospheric** a. fotosferico.

photostat /'fəutəstæt/ n. **1** ® fotostato; apparecchio fotostatico **2** (= **p. copy**) copia fotostatica || **photostatic** a. fotostatica.

to **photostat** /'fəutəustæt/ v. t. fare una copia fotostatica di (un documento, ecc.).

photosynthesis /fəutə'sɪnθəsɪs/ (bot.) n. ⓤ fotosintesi || **photosynthetic** a. fotosintetico || **photosynthetically** avv. fotosinteticamente.

to **photosynthesize** /fəutəu'sɪnθəsaɪz/ v. i. e t. (bot.) fare la fotosintesi (di) (qc.); fotosintetizzare (qc.).

phototaxis /fəutə'tæksɪs/ n. ⓤ (biol.) fototatismo; fototattismo.

phototherapy /fəutə'θerəpɪ/ (med.) n. ⓤ fototerapia || **phototherapeutic** a. fototerapico || **phototherapeutics** n. pl. (col verbo al sing.) fototerapia.

phototropism /fəutə'trəupɪzəm/ n. ⓤ (bot.) fototropismo.

phototube /'fəutətjuːb/, USA -tuː-/ n. (elettron.) fototubo.

phototype /'fəutətaɪp/ n. (grafica) lastra (o stampa) prodotta mediante fototipia ● (USA) **p. setting**, fotocomposizione.

phototypesetter /'fəutə'taɪpsetə(r)/ (grafica, USA) n. fotocompositrice (macchina) || **phototypesetting** n. ⓤ fotocomposizione.

phototypy /'fəutətaɪpɪ/ (grafica) n. ⓤ fototipia || **phototypist** n. fototipista.

photovoltaic /fəutəvɒl'teɪk/ a. (elettron.) fotovoltaico.

photozyncography /fəutəuzɪŋ'kɒgrəfɪ/ (tipogr.) n. ⓤ fotozincografia.

phrasal /'freɪzl/ a. di frase; di espressione; di locuzione ● (gramm. ingl.) **p. verb**, verbo «frasale»; verbo sintagmatico.

♦**phrase** /freɪz/ n. **1** (gramm.) frase (che non ha senso compiuto; cfr. **sentence**, def. 3); espressione; locuzione; modo di dire: **a dictionary of English phrases**, un dizionario di espressioni (idiomatiche) inglesi; un di-

zionario fraseologico inglese **2** modo d'esprimersi; stile: **in simple p.**, in uno stile semplice **3** (mus.) frase **4** (ling.) sintagma; **noun p.**, sintagma nominale **5** (pl.) (spreg.) ciarle; (vuote) parole ● **p.-book**, frasario; repertorio di frasi □ (ling.) **p. marker**, diagramma ad albero □ **as the p. goes**, come si suol dire.

to **phrase** /freɪz/ v. t. **1** esprimere; enunciare; formulare **2** (mus.) fraseggiare.

phraseology /freɪzɪ'ɒlədʒɪ/ n. ⓤ **1** fraseologia **2** formulazione; enunciazione || **phraseological** a. fraseologico.

phrasing /'freɪzɪŋ/ n. ⓤ **1** formulazione; enunciazione **2** (mus.) fraseggio.

phratry /'freɪtrɪ/ n. (stor. greca) fratria.

phreatic /fri'ætɪk/ a. (geol.) freatico: **p. water**, acqua freatica.

phrenetic /frɪ'netɪk/ a. → **frenetic**.

phrenic /'frenɪk/ a. **1** (anat.) frenico: **p. nerve**, nervo frenico **2** (arc.) della mente; mentale.

phrenology /frə'nɒlədʒɪ/ n. ⓤ frenologia || **phrenological** a. frenologico || **phrenologist** n. frenologo.

Phrygia /'frɪdʒɪə/ n. (stor., geogr.) Frigia.

Phrygian /'frɪdʒɪən/ a. e n. (stor.) frigio: **P. cap**, berretto frigio.

Phryne /'fraɪnɪ/ n. (stor.) Frine.

phthalein /'θeɪliɪn/ n. ⓤ (chim.) ftaleina.

phthalic /'θælɪk/ (chim.) a. ftalico: **p. acid**, acido ftalico || **phthalate** n. ⓤ ftalato.

phthisiology /θaɪsɪ'ɒlədʒɪ/ (med.) n. ⓤ tisiologia || **phthisiological** a. tisiologico || **phthisiologist** n. tisiologo.

phthisis /'θaɪsɪs/ (med.) n. ⓤ tisi; etisia; tisi polmonare || **phthisic, phthisical** a. tisico; tubercolotico.

phut /fʌt/ n. suono prodotto da un pallone (da una camera d'aria, ecc.) che si sgonfia; «pfff»; sibilo (di proiettile, ecc.) ● **to go p.**, sgonfiarsi; (di lampadina) fulminarsi; (mecc., ecc.) guastarsi; (fig.: d'un progetto, ecc.) andare a monte, andare in fumo, andare a rotoli: *The TV set has gone p.*, s'è guastato il televisore.

phwoah /fwɔːə/, **phwoar** /fwɔːə(r)/ inter. (escl. di ammirazione, spec. sessuale) ammazza!; uau!: *P. – she's gorgeous!*, ammazza, quant'è bella!

phylactery /fɪ'læktərɪ/ n. (relig.) filatterio; filacterio.

phyletic /faɪ'letɪk/ a. (biol.) filetico: **p. evolution**, evoluzione filetica.

Phyllis /'fɪlɪs/ n. (mitol.) Fillide; Filli.

phyllite /'fɪlaɪt/ n. ⓤ (geol.) fillite; fillade.

phyllode /'fɪləud/ n. (bot.) fillodio.

phyllome /'fɪləum/ n. (bot.) filloma.

phyllotaxis /fɪlə'tæksɪs/ n. ⓤ (bot.) fillotassi.

phylloxera /fɪ'lɒksərə/ n. (zool., Phylloxera) fillossera.

phylogenesis /faɪlə'dʒenəsɪs/ n. ⓤ (biol.) filogenesi.

phylogenetic /faɪləudʒə'netɪk/, **phylogenic** /faɪləu'dʒiːnɪk/ a. (biol.) filogenetico.

phylogeny /faɪ'lɒdʒənɪ/ n. ⓤ (biol.) filogenesi.

phylum /'faɪləm/ n. (pl. **phyla**) **1** (biol.) phylum; tipo **2** (ling.) ceppo, gruppo (di lingue).

phys. abbr. **1** (**physical**) fisico **2** (**physician**) medico **3** (**physics**) fisica (fis.) **4** (**physiological**) fisiologico **5** (**physiology**) fisiologia.

physiatrics /fɪzɪ'ætrɪks/ (med.) n. pl. (col verbo al sing.) fisiatria || **physiatrist** n. fisiatra.

physic /'fɪzɪk/ n. (arc.) **1** purgante; purga; medicamento, farmaco **2** medicina: *'Being young, I studied p.'* C. MARLOWE, 'da giova-

ne studiai medicina'.

to **physic** /'fɪzɪk/ (pass. e p. p. **physicked**), v. t. (arc.) dare una medicina (o una purga) a (q.).

♦**physical** /'fɪzɪkl/ Ⓐ a. **1** fisico: **p. chemistry**, chimica fisica; **p. strength**, forza fisica; (fis.) **p. forces**, forze fisiche; **p. exercise**, esercizio fisico; **p. geography**, geografia fisica; (sport) **p. condition**, condizione fisica **2** (fig.) fisico; corporeo; concreto; naturale; materiale: **a p. object**, un oggetto concreto; **a p. explanation**, una spiegazione naturale **3** (sport) atletico; vigoroso: *Jack is very p.*, Jack è molto atletico **4** (sport, eufem.) duro; violento: **a p. tackle**, un tackle duro Ⓑ n. (abbr. fam. di **p. examination**) visita (medica) ● (comput.) **p. address**, indirizzo fisico □ (rag.) **p. assets**, attività materiali (o tangibili) □ **p. checkup**, esame medico; check-up □ **p. culture**, cultura fisica; culturismo □ **p. culturist**, culturista □ **p. education** (abbr. **PE**), educazione fisica □ (fam., antiq.) **p. jerks**, esercizi fisici; ginnastica a corpo libero □ (teatr.) **p. theatre**, physical theatre; teatro fisico □ **p. therapy** → **physiotherapy** □ **p. training**, educazione fisica; ginnastica □ (USA) **to get p.**, diventare aggressivo; menare le mani; (anche) allungare le mani, mettere le mani addosso.

physicalism /'fɪzɪklɪzəm/ n. ⓤ fisicalismo.

♦**physically** /'fɪzɪklɪ/ avv. **1** fisicamente, corporalmente; **p.-demanding**, faticoso; che richiede uno sforzo fisico notevole; **p.-disabled**, con una disabilità fisica **2** fisicamente (relativo alla fisica): **p. impossible**, impossibile secondo le leggi della fisica.

physicalness /'fɪzɪklnəs/ n. ⓤ fisicità.

physician /fɪ'zɪʃn/ n. **1** medico; dottore (in medicina) **2** (fig. arc.) guaritore; chi dà conforto.

physicism /'fɪzɪsɪzəm/ n. ⓤ (filos.) fisicismo.

physicist /'fɪzɪsɪst/ n. **1** fisico; studioso di fisica **2** (filos.) fisicista.

♦**physics** /'fɪzɪks/ n. pl. **1** (col verbo al sing.) fisica **2** proprietà fisiche **3** (arc.) medicina.

physio /'fɪzɪəu/ n. (pl. **physios**) (abbr. fam. di **physiotherapist**) (med.) fisioterapista.

physiocrat /'fɪzɪəkræt/ (stor., econ.) n. fisiocrate; fisiocratico || **physiocracy** n. ⓤ fisiocrazia || **physiocratic** a. fisiocratico.

physiognomy /fɪzɪ'ɒnəmɪ, USA -'ɒgnəumɪ/ n. **1** ⓤ fisiognomia; fisiognomica **2** fisionomia, fisonomia (anche fig.) **3** (slang) faccia; viso || **physiognomic**, **physiognomical** a. **1** fisiognomico **2** fisionomico || **physiognomist** n. cultore di fisiognomia; fisiognomo.

physiography /fɪzɪ'ɒgrəfɪ/ n. ⓤ **1** fisiografia **2** geografia fisica **3** geomorfologia || **physiographer** n. fisiografo || **physiographic, physiographical** a. **1** fisiografico **2** geofisico **3** geomorfico.

physiology /fɪzɪ'ɒlədʒɪ/ n. ⓤ fisiologia || **physiological, physiologic** a. fisiologico || **physiologically** avv. fisiologicamente || **physiologist** n. fisiologo.

physiopathology /fɪzɪəupə'θɒlədʒɪ/ (med.) n. ⓤ fisiopatologia || **physiopathological, physiopathologic** a. fisiopatologico.

physiopsychology /fɪzɪəusaɪ'kɒlədʒɪ/ n. ⓤ (med.) fisiopsicologia.

physiotherapy /fɪzɪəu'θerəpɪ/ (med.) n. ⓤ fisioterapia || **physiotherapist** n. fisioterapista.

physique /fɪ'ziːk/ n. ⓒⓤ **1** fisico; costituzione fisica; corporatura: **a man of muscular p.**, un uomo che ha un fisico muscoloso **2** (sport, fam.) contrasto duro; duro scontro.

phytobiology /ˌfaɪtəʊbaɪˈɒlədʒɪ/ n. ▢ (*bot.*) fitobiologia.

phytochemistry /ˌfaɪtəʊˈkɛmɪstrɪ/ (*scient.*) n. ▢ fitochimica ‖ **phytochemical** a. fitochimico.

phytochrome /ˈfaɪtəʊkrəʊm/ n. (*chim.*) fitocromo.

phytogenesis /ˌfaɪtəʊˈdʒɛnəsɪs/ (*bot.*) n. ▢ fitogenesi ‖ **phytogenetic** a. fitogenetico.

phytogenic /ˌfaɪtəˈdʒɛnɪk/ a. (*geol.*) fitogeno: **p. substances**, formazioni fitogene.

phytogeography /ˌfaɪtəʊdʒɪˈɒɡrəfɪ/ (*bot.*) n. ▢ fitogeografia ‖ **phytogeographical** a. fitogeografico.

phytogeology /ˌfaɪtəʊdʒɪˈɒlədʒɪ/ n. ▢ fitogeologia.

phytohormone /ˈfaɪtəʊhɔːməʊn/ n. fitormone.

phytology /faɪˈtɒlədʒɪ/ (*scient.*) n. ▢ fitologia; botanica ‖ **phytological** a. fitologico ‖ **phytologist** n. fitologo.

phytopathology /ˌfaɪtəʊpəˈθɒlədʒɪ/ (*bot.*) n. ▢ fitopatologia ‖ **phytopathologist** n. fitopatologo.

phytophagous /faɪˈtɒfəɡəs/ (*zool.*) a. fitofago ‖ **phytophagy** n. ▢ fitofagia.

phytoplankton /ˌfaɪtəʊˈplæŋktən/ n. ▢ (*biol.*) fitoplancton.

phytosterol /faɪˈtɒstərɒl/ n. ▢ (*biol.*) fitosterolo.

phytotherapy /ˌfaɪtəʊˈθɛrəpɪ/ n. ▢ fitoterapia.

phytotoxic /ˌfaɪtəˈtɒksɪk/ a. (*scient.*) fitotossico.

phytotoxin /ˌfaɪtəˈtɒksɪn/ n. fitotossina.

phytotron /ˈfaɪtəʊtrɒn/ n. fitotrone.

pi ① /paɪ/ n. (pl. **pis**) pi (*sedicesima lettera dell'alfabeto greco*); (*geom.*) pi greco • (*fis. nucl.*) **pi meson**, mesone pi; pione.

pi ② /paɪ/ → **pie** ③.

PI sigla (**private investigator**) investigatore privato.

piacular /paɪˈækjʊlə(r)/ a. **1** espiatorio **2** da espiare; peccaminoso; malvagio.

piaffe /pɪˈæf/ n. (*equit.*) ciambella; trotto cadenzato sul posto.

to **piaffe** /pɪˈæf/ v. i. (*equit.*) piaffare; fare la ciambella.

pia mater /ˌpaɪəˈmeɪtə(r)/ loc. n. (*anat.*) piamadre.

pianism /ˈpɪənɪzəm/ n. ▢ (*mus.*) pianismo.

pianissimo /pɪəˈnɪsɪməʊ/ (*ital.*) avv. (*mus.*) pianissimo.

pianist /ˈpiːənɪst/ n. (*mus.*) pianista.

♦**piano** ① /pɪˈænəʊ/ (*ital.*) n. (pl. **pianos**) (*mus.*) pianoforte; piano • **p. accordion**, fisarmonica □ **p. accordionist**, fisarmonicista □ **p. organ**, organino • **p. player**, pianista □ **p. practice**, esercizi al piano (*o* per il piano) □ **p. stool**, sgabello per pianoforte □ **p. tuner**, accordatore di pianoforti □ (*metall.*) **p. wire**, filo armonico.

piano ② /pɪˈɑːnəʊ/ (*ital.*) **A** avv. (*mus.*) piano **B** n. (*mus.*) pezzo da suonare piano.

pianoforte /ˌpiænəʊˈfɔːtɪ/ (*ital.*) n. (*mus.*) pianoforte; piano.

Pianola ® /piːˈbrɒk/ n. (*mus.*) pianola.

piastre, (*USA*) **piaster** /pɪˈæstə(r)/ n. piastra (*moneta*).

piazza /pɪˈætsə/ (*ital.*) n. (pl. **piazzas**, **piazze**) piazza (*spec. di città italiana*).

pibroch /ˈpiːbrɒk/ n. musica (*di solito marziale*) per cornamusa.

pic /pɪk/ n. (abbr. *slang di* **picture**) foto; fotografia.

pica ① /ˈpaɪkə/ n. (*tipogr.*) pica (*unità tipografica*).

pica ② /ˈpaɪkə/ n. ▢ (*med.*) pica; picacismo.

picador /ˈpɪkədɔː(r)/ (*spagn.*) n. picador.

Picardy /ˈpɪkədɪ/ n. (*geogr.*) Piccardia.

picaresque /ˌpɪkəˈrɛsk/ a. (*letter.*) picaresco.

picaroon /ˌpɪkəˈruːn/ n. **1** picaro; canaglia; brigante; furfante **2** pirata; corsaro **3** (*naut.*) piccola nave pirata.

picayune /ˌpɪkəˈjuːn/ (*ital.*) (*USA*) **A** n. **1** monetina; (*spec.*) moneta da 5 centesimi (*di dollaro*) **2** (*fam.*) cosa (*o* persona) insignificante; inezia, nonnulla; nessuno (*fig.*) **B** a. insignificante; meschino; spregevole.

piccalilli /ˈpɪkəlɪlɪ/ n. ▢ (*cucina*) giardiniera (*verdura sottaceto assortita*) con senape.

piccaninny /ˈpɪkənɪnɪ/ n. **1** bimbetto negro; negretto **2** piccino; bimbo; neonato.

piccolo /ˈpɪkələʊ/ (*mus.*) n. (pl. **piccolos**) (*mus.*, anche **C** **p.**) ottavino.

piceous /ˈpɪsɪəs/ a. piceo (*lett.*); di pece; color della pece.

pick ① /pɪk/ n. **1** piccone **2** (*in genere*) strumento appuntito (spec. nei composti, come **toothpick**, stuzzicadenti; **ice-pick**, piccozza) **3** (*mecc.*) becco; picco; dente; tagliente **4** (*mus.*) plettro • **p.-mattock**, gravina.

pick ② /pɪk/ n. **1** ▢ scelta; selezione **2** scelta; (il) fiore (*fig.*), (il) meglio **3** raccolta: **the first p. of cherries**, la prima raccolta di ciliegie **4** (*tipogr.*) grumo d'inchiostro; macchia • **the p. of the bunch**, il fior fiore □ **Take your p.!**, scegli tu; prendine uno a scelta.

♦to **pick** /pɪk/ v. t. e i. **1** forare; spezzare (*roccia, ecc.*), scavare (*il terreno*) con un piccone; piccozzare **2** cavare, togliere (*con le dita*); tirare su (*o* via); scrostare: **to p. a hair off one's jacket**, togliersi un capello dalla giacca **3** cogliere; raccogliere: **to p. flowers**, coglier fiori; **to p. cotton**, raccogliere il cotone **4** scegliere; selezionare; cernere; (*sport*) **to p. a team**, selezionare una squadra; *He has been picked for Italy*, è stato selezionato per la nazionale italiana **5** lacerare; sbrindellare; stracciare; sfilacciare: **to p. rags**, lacerare stracci; **to p. oakum**, sfilacciare stoppa **6** forzare (*una porta, ecc.*); scassinare; aprire illegalmente (*con un grimaldello, ecc.*) **7** stuzzicare: **to p. one's teeth**, stuzzicarsi i denti; usare lo stuzzicadenti **8** pulire; ripulire: **to p. a bone clean**, pulire (*o* scarnire, spolpare) un osso; **to p. strawberries**, ripulire le fragole (*dei calici e dei gambi*) **9** (*anche* **to p. away**: *d'uccelli*) beccare; becchettare (*grano, ecc.*) **10** (*fig.*: *di persona*) piluccare (*frutta, ecc.*); sbocconcellare; mangiucchiare: **to p. grapes**, piluccare l'uva **11** (*USA*) pizzicare (*uno strumento a corda*) **12** spennare: **to p. a chicken**, spennare un pollo **13** (*sport*) prendere: (*tennis*) *He failed to p. the passing shot*, non riuscì a prendere il passante **14** (*sport*) prendere (*nelle scommesse*); indovinare: (*ipp.*) **to p. the winner**, prendere il cavallo vincente • **to p. and choose**, scegliere il meglio; esser difficile (*o* esigente, meticoloso): *I can p. and choose which jobs I accept*, posso permettermi di scegliere quali lavori accettare □ **to p. and steal**, rubare; fare man bassa □ **to p. sb.'s brains**, approfittare di q. (*più esperto*); farsi dire da q. come si fa a fare qc. □ (*polit.*) **to p. a Cabinet of technocrats**, formare un governo di tecnici □ **to p. a lock**, far scattare una serratura (*senza usare la chiave*); forzare una serratura □ **to p. one's nose**, mettersi le dita nel naso □ **to p. sb.'s pocket**, borseggiare q. □ **to p. a quarrel with sb.**, attaccar lite con q. □ **to p. a scab**, grattarsi (*o* tirarsi) via una crosta (*con le unghie*) □ (*sport*) **to p. sides**, schierarsi; formare squadre □ **to p. to pieces**, fare a pezzi; (*fig.*) analizzare; criticare, trovar da ridire su □ **to p. one's way** (*o* **steps**), procedere con grande cautela; guardare dove si mettono i piedi □ **to p. one's words**, scegliere le parole più adatte; parlare in punta di forchetta (*fig.*) □

(*fig.*) **to have a bone to p. with sb.**, avere qc. da rimproverare a q.; avere un motivo di discordia con q.

• **pick apart** v. t. + avv. fare a pezzi (*anche fig.*); strappare; (*fig.*) criticare duramente.

• **pick at** v. t. + avv. **1** toccare; tirare (*con la punta delle dita*): *Don't p. at your wound!*, non toccarti la ferita! **2** becchettare **3** (*fam.*) piluccare; mangiare di malavoglia; sbocconcellare **4** (*fig. fam.*) trattare in modo sommario; sfiorare appena (*un argomento, ecc.*) **5** (*fam.*) rimbeccare; sgridare.

• **pick in** v. t. + avv. fare (*un buco: con un oggetto appuntito*).

• **pick off** v. t. + avv. **1** levare, staccare, cogliere (*fiori, frutta, ecc.*) **2** abbattere (*con un'arma da fuoco*): *The patrol was picked off by the snipers*, la pattuglia fu abbattuta dai cecchini **3** (*baseball*) cogliere (*il 'corridore'*) fuori base.

• **pick on** v. t. + prep. **1** scegliere; selezionare **2** (*fam.*) dare addosso a, prendere di mira, prendersela con (q.); sfottere (*pop.*); criticare; trovare da ridire su: *P. on someone your own size!*, prenditela con uno grosso come te, se hai il coraggio!

• **pick out** v. t. + avv. **1** togliere; cavare; levare; scucire: *Don't forget to p. out the stone!*, non dimenticarti di levare il nòcciolo! **2** scegliere; trascegliere; selezionare: *He picked out the best pieces*, scelse i pezzi migliori **3** scorgere, distinguere, individuare, riconoscere, identificare (q. *o* qc., *in un gruppo o un mucchio*); pescare (*fam.*): **to p. out a face in the crowd**, scorgere un viso tra la folla; **to p. out the wrong man**, identificare l'uomo sbagliato **4** cogliere, intendere, capire (*il senso di un brano, una poesia, ecc.*) **5** far risaltare; evidenziare; dipingere (*con un colore diverso*): *The hills were picked out in brown*, le colline erano dipinte in marrone **6** (*mus.*) suonare (*un motivo, ecc.*) a orecchio.

• **pick over** v. t. + avv. passare al vaglio (*fig.*); esaminare a uno a uno.

• **pick up** **A** v. t. + avv. **1** prendere su; tirare su (*fam.*); alzare; sollevare; raccogliere; ritirare: **to p. up firewood**, raccogliere legna da ardere; **to p. up the receiver**, alzare il ricevitore (*al telefono*); **to p. up one's shirts from the cleaner's**, ritirare le camicie in lavanderia; (*pallanuoto, rugby*) **to p. the ball up**, prendere su la palla (*con le mani*) **2** prendere su, dare un passaggio a (q.); andare a prendere (q. *o* qc.); prendere a bordo (*di un veicolo*); salvare (*naufraghi, ecc.*): *The bus stopped to p. up passengers*, l'autobus si fermò per prendere su (*o* far salire) dei passeggeri; *I'll p. you up at your house*, passo a prenderti a casa (*in auto*); *What time shall I p. you up?*, a che ora devo venire a prenderti?; *The survivors were picked up by a chopper*, i sopravvissuti furono salvati da un elicottero **3** arrestare; prendere; beccare (*fam.*): *The fugitive was picked up by the police*, l'evaso fu arrestato dalla polizia **4** (*fam.*) fare la conoscenza di (q.); rimorchiare (*una ragazza, ecc.*): *The man was trying to p. her up*, l'uomo stava cercando di rimorchiarla **5** afferrare, cogliere (*un suono, un odore, ecc.*); trovare (*errori, una traccia*); scorgere (*un aereo nemico, ecc.*); (*dei fari*) inquadrare (*una sagoma, ecc.*): *I've picked up a lot of misprints*, ho trovato un sacco di refusi **6** prendere; ricevere (*un segnale radio, ecc.*) **7** (*fam.*) trovare (*qc. da comprare a buon prezzo*); comprare: *It's a DVD I picked up at the supermarket*, è un DVD che ho trovato al supermercato **8** (*fam.*) prendere; prendere su (*fig.*); imparare; mettere insieme (*fam.*): **to p. up bad habits**, prendere brutte abitudini; **to p. up four-letter words**, imparare parolacce; **to p. up new ideas**, mettere insieme idee nuove **9** riprendere; continuare (*un racconto, ecc.*) **10** (*fam.*) riprendere, sgridare **11** (*fam.*) guadagnare; met-

tere insieme (*fam.*) **12** rinvigorire, stimolare; tirare su (*fam.*): *A cup of coffee will p. me up*, una tazza di caffè mi tirerà su **13** far aumentare (*le vendite, ecc.*); far migliorare **14** rompere (*il terreno, ecc.*) con un piccone; spicconare **15** (*cucito*) riprendere: **to p. up a stitch**, riprendere una maglia **16** (*Borsa*) rastrellare (*azioni*) **17** (*sport*) arrestare, bloccare, fermare (*un avversario, ecc.*) **18** (*sport*) fare, ottenere, vincere: **to p. up a great result**, fare un gran risultato; **to p. up a prize**, ottenere un premio **B** v. i. + avv. **1** riprendersi; riaversi; migliorare in salute; rimettersi **2** (*del tempo*) rimettersi **3** (*degli affari, ecc.*) essere in ripresa; recuperare: *The economy is picking up*, l'economia è in ripresa **4** (*mecc.: di un motore*) riprendere; accelerare **5** riprendere, ricominciare (*a fare qc.*) **6** imparare: *The children picked up some French on holiday*, in vacanza i bambini hanno imparato un po' di francese **7** (*della velocità, ecc.*) aumentare; crescere: *Now the pace is picking up*, adesso l'andatura aumenta **8** (*spec: autom., ecc.*) (*anche* **to p. up speed**) accelerare □ **to p. up after sb.**, rimettere in ordine (*o ripulire*) dopo che se n'è andato q. (*spec. bambini*) □ **to p. up a bargain**, fare un buon affare □ (*fig.*) **to p. up the bill**, pagare il conto; assumersi (*o sostenere*) le spese □ (*sport*) **to p. up a booking**, beccarsi il cartellino giallo (*teatr.*) □ **to p. up the cue**, afferrare (*o non perdere*) la battuta □ **to p. up flesh**, ingrassare □ (*fig.*) **to p. up the gauntlet**, raccogliere la sfida □ **to p. up a living**, sbarcare il lunario □ (*fam. USA*) **to p. up on st.**, accorgersi di qc.; fermare la propria attenzione su qc. □ **to p. up oneself**, tirarsi su, rimettersi in piedi, rialzarsi (*dopo una caduta, ecc.*); (*fig.*) rimettersi in piedi (*fig.*); rimettersi in sesto; riaversi (*dopo un fallimento, ecc.*); recuperare (*dopo una malattia, una batosta, ecc.*) □ (*fig.*) **to p. up the pieces**, raccogliere (*o raccattare*) i cocci (*rotti*); (*fig.*) sforzarsi di tornare alla normalità (*dopo un disastro, ecc.*) □ (*fig.*) **to p. up the threads**, riannodare le fila; riprendere i rapporti; riprendere (*a lavorare, studiare, ecc.*).

pickaback /ˈpɪkəbæk/ → **piggyback**.

pick and mix, **pick 'n' mix** /ˈpɪkənˈmɪks/ **A** n. ⓤ assortimento di dolciumi (*che si paga a peso*); dolciumi assortiti **B** a. che si può scegliere e combinare a piacere.

pickaninny /ˈpɪkənɪnɪ/ → **piccaninny**.

pickaxe, (*USA*) **pickax** /ˈpɪkæks/ n. piccone.

to **pickaxe**, (*USA*) to **pickax** /ˈpɪkæks/ **A** v. t. rompere (*o spezzare*) (*il terreno, ecc.*) col piccone; dissodare **B** v. i. lavorare col piccone; spicconare.

picked /pɪkt/ a. **1** scelto; selezionato: **p. soldiers**, truppe scelte **2** (*di frutta*) colto dall'albero **3** (*di frutta, ecc.*) mondato; pulito.

picker /ˈpɪkə(r)/ n. **1** raccoglitore; coglitore; mondatore: **fruit pickers**, coglitori di frutta **2** (*agric., mecc.*) raccoglitrice **3** (*ind. min.*) cernitore; (*anche*) macchina cernitrice **4** (*ind. tess., mecc.*) slappolatore; apritoio.

pickerel /ˈpɪkərəl/ n. (pl. **pickerel**, **pickerels**) (*zool.*) giovane luccio.

picket /ˈpɪkɪt/ n. **1** picchetto; piolo; paletto **2** (*mil.*, = **picquet**, **piquet**) picchetto; sentinella: **to be on p. duty**, essere di picchetto **3** picchetto (*di scioperanti*); (*per estens.*) picchettatore: **three pickets were arrested by the police**, tre picchettatori sono stati arrestati dalla polizia **4** ⓤ → **picketing**, def. 2 □ (*mil., naut.*) **p. boat**, vedetta; nave vedetta □ **p. fence**, palizzata □ **p. line**, cordone di scioperanti che formano picchetti.

to **picket** /ˈpɪkɪt/ **A** v. t. **1** chiudere (*o fissare, proteggere*) con picchetti; picchettare; recingere con uno steccato: **to p. a tent**, fis-

sare una tenda con picchetti **2** legare (*un cavallo*) a un paletto **3** (*mil.*) mettere (*soldati*) di picchetto **4** picchettare (*una fabbrica*) **B** v. i. **1** (*mil.*) essere di picchetto **2** (*di scioperanti*) formare picchetti.

picketer /ˈpɪkɪtə(r)/ n. picchettatore.

picketing /ˈpɪkɪtɪŋ/ n. ⓤ **1** chiusura con picchetti, ecc. (*cfr.* **to picket**) **2** picchettaggio; picchettamento (*da parte di scioperanti*).

pickguard /ˈpɪkɡɑːd/ n. (*mus.*) battipenna (*di plettro*).

picking /ˈpɪkɪŋ/ n. **1** (*anche comm.*) scelta; selezione; cernita **2** raccolta; raccolto: **hop p.**, il raccolto del luppolo **3** (*spec.* **p. and stealing**) furterello, furterelli **4** (pl.) avanzi; residui; spigolature **5** (pl.) oggetti rubati; bottino; malloppo (*fam.*) **6** (pl.) denaro facile; profitti illeciti ● (*agric.*) **p. machine**, raccoglitrice (*macchina*).

pickle /ˈpɪkl/ n. **1** salamoia **2** (pl.) giardiniera; sottaceti; (*USA*) cetriolo sottaceto **3** (*fam.*) guaio; imbroglio; pasticcio (*fig.*); impiccio: *I am in a* (*pretty*) *p.*, sono in un brutto guaio (*o in un bell'imbroglio*) **4** (*fam.*) bambino cattivello; birichino **5** (*metall.*) bagno di decapaggio.

to **pickle** /ˈpɪkl/ v. t. **1** mettere sottaceto; conservare in salamoia **2** (*metall.*) decapare **3** (*stor., naut.*) strofinare sale o aceto sulle spalle di (*un marinaio fustigato*).

pickled /ˈpɪkld/ a. **1** in salamoia; sottaceto: **p. olives**, olive in salamoia; **p. onions**, cipolline sottaceto **2** (*slang*) ubriaco; sbronzo.

pickling /ˈpɪklɪŋ/ n. ⓤ **1** conservazione sottaceto **2** (*metall.*) decapaggio.

picklock /ˈpɪklɒk/ n. **1** scassinatore **2** grimaldello.

pick-me-up /ˈpɪkmiːʌp/ n. (*fam.*) bevanda alcolica; cordiale; tonico; cicchetto (*fam.*).

pickoff /ˈpɪkɒf/ n. (*baseball*) il cogliere un 'corridore' fuori base (*sorprendendolo con un lancio veloce*).

pickpocket /ˈpɪkpɒkɪt/ n. borsaiolo; borseggiatore ‖ **pickpocketing** n. ⓤ (*leg.*) borseggio.

•**pickup**, **pick-up** /ˈpɪkʌp/ n. **1** (*elettr.*) trasduttore; pick-up (*di chitarra elettrica, ecc.*) **2** (*elettr.*) valore di scatto (*o di spunto*) **3** (*di grammofono*, = **p. arm**) fonorivelatore; pick-up **4** (*fam.*) conoscenza occasionale; partner occasionale **5** (*USA*, = **p. truck**) camioncino a sponde basse (*scoperto, col fondo ribaltabile*) **6** (*autom., mecc.*) accelerazione; ripresa: *My car has very good p.*, la mia macchina ha un'ottima ripresa **7** (*econ.*) miglioramento; ripresa; recupero; ritorno (*fig.*): *There's been a p. in exports*, c'è stato un ritorno delle esportazioni □ **a p. in sales**, una ripresa delle vendite **8** (*aeron.*) pick-up **9** (*miss.*) recupero (*di una capsula spaziale*) **10** (*fam., autom.*) passaggio; strappo (*fam.*) **11** (*fam.*) fermata (*per merci o passeggeri*); carico di merci (*o di passeggeri*) **12** (presa in) consegna: **p. service**, servizio di prelievo e consegna a domicilio **13** (*TV*) attrezzatura di ripresa **14** (*fam.*) persona cui si dà un passaggio **15** (*slang*) donna rimorchiata.

picky /ˈpɪkɪ/ a. (*fam.*) **1** esigente; difficile; pignolo; schizzinoso **2** pedante; pignolo.

pick-your-own farm /pɪk jɔːr-ˈəʊnfɑːm/ loc. n. orto in cui si paga (*a prezzo ridotto*) la frutta che si raccoglie da soli.

picnic /ˈpɪknɪk/ n. **1** merenda all'aperto; scampagnata; picnic **2** (*fam.*) cosa piacevole; lavoro facile: *It's no p.*, non è una cosa piacevole (*o facile*).

to **picnic** /ˈpɪknɪk/ (pass. e p. p. **picnicked**), v. i. fare una merenda (*all'aperto*); fare una scampagnata; fare un picnic ‖ **picnicker** n. chi partecipa a un picnic; chi fa

una merenda all'aperto.

picofarad /ˈpiːkəʊfærəd/ n. (*elettr.*) picofarad.

picosecond /ˈpaɪkəʊsɛkənd/ n. (*fis.*) picosecondo; trilionesimo di secondo.

picot /ˈpiːkəʊ/ (*franc.*) n. (*moda*) festoncino.

picotee /pɪkəˈtiː/ n. (*bot.*) garofano screziato (*all'orlo dei petali*).

picquet /ˈpɪkɪt/ → **picket**, def. 2.

picric /ˈpɪkrɪk/ (*chim.*) a. picrico: **p. acid**, acido picrico ‖ **picrate** n. ⓤ picrato (*esplosivo*).

Pictish /ˈpɪktɪʃ/ a. (*stor.*) dei Pitti (→ **Picts**).

pictogram /ˈpɪktəɡræm/ n. (*ling.*) pittogramma.

pictograph /ˈpɪktəɡrɑːf/ (*spec. archeol.*) n. pittogramma ‖ **pictographic** a. pittografico ‖ **pictography** n. ⓤ pittografia.

pictorial /pɪkˈtɔːrɪəl/ **A** a. **1** illustrato; figurato **2** pittoresco; vivido; vivace **3** pittorico: **p. art**, arte pittorica **B** n. **1** giornale illustrato; rotocalco **2** articolo riccamente corredato di foto **3** francobollo commemorativo | **-ly** avv.

pictorialism /pɪkˈtɔːrɪəlɪzəm/ n. ⓤ (*arte*) pittorialismo.

Picts /pɪkts/ n. pl. (*stor.*) Pitti (*antichi abitanti della Scozia*).

•**picture** /ˈpɪktʃə(r)/ n. **1** quadro (*anche fig.*); disegno; pittura; ritratto (*anche fig.*); (*vivida*) descrizione: **to paint a p.**, dipingere un quadro; *The girl is the p. of her mother*, la ragazza è il ritratto di sua madre; *Tom is the p. of health*, Tom è il ritratto della salute; **the present political p.**, il quadro politico attuale; **a poor p. of the times**, una descrizione inadeguata del nostro tempo **2** fotografia; foto; illustrazione: **a book full of pictures**, un libro pieno d'illustrazioni **3** (*fig.*) immagine; idea: **to make a p. of the situation**, farsi un'idea della situazione **4** (*cinem.*) fotogramma **5** (*TV*) immagine: **p. quality**, qualità dell'immagine **6** pellicola cinematografica; film; (pl.) (il) cinema: *My cousin is in pictures*, mio cugino lavora nel cinema **7** (*med.*) quadro clinico; sintomatologia ● **the big p.**, il film principale (*in una sala multipla*); (*USA*) il quadro generale (*della situazione*) □ **p. book**, libro illustrato (*spec. per bambini*) (*carte da gioco*) **p. card**, figura □ **p.-frame**, portaritratti □ **p. framer**, corniciaio □ (*arte*) **p. gallery**, pinacoteca □ **p.-goer**, frequentatore di cinema □ **p. hat**, cappellino a larga tesa, ornato di penne di struzzo □ **p. hook**, gancetto per quadri □ **p. library**, archivio iconografico □ (*tel.*) **p. message**, mms, messaggio multimediale □ (*arc.*) **p. palace** (*o* **p. theatre**, **p. house**), cinematografo; sala cinematografica □ **p. postcard**, cartolina illustrata □ **p. restorer**, restauratore di quadri □ (*TV*) **p. signal**, segnale video □ **p. story**, fotoromanzo □ (*elettron.*) **p. tube**, cinescopio; tubo di riproduzione (*di televisore*) □ **p. valuer**, stimatore di quadri □ (*edil.*) **p. window**, finestra panoramica □ **p. writing**, scrittura pittografica □ **to draw a mental p. of st.**, farsi un'idea di qc. □ (*fam.*) **to get the p.**, afferrare la situazione; capire: *Get the p.?*, (hai) capito? □ (*fam.*) **to be in the p.**, essere al corrente (*o informato*); (*anche*) essere al centro dell'attenzione □ (*fam.*) **to be out of the p.**, essere disinformato; essere trascurato (*o ignorato*) □ (*fam.*) **to put sb. in the p.**, mettere q. al corrente; informare q. □ (*fam.*) **to take sb.'s p.** (*o* **a p. of sb.**), fare la foto a q. □ (*fam.*) **You'll look a p. in that dress!**, con quel vestito farai un figurone! □ (*prov.*) **Every p. tells a story**, la situazione è più che chiara.

to **picture** /ˈpɪktʃə(r)/ v. t. **1** dipingere; ritrarre; raffigurare; rappresentare **2** imma-

ginare; immaginarsi: *Just p. the scene!*, immaginati la scena! **3** descrivere vividamente **4** (*fotogr.*) riprendere ● **to p. oneself**, immaginarsi: *P. yourself in my place!*, immaginati al mio posto! □ **to p. to oneself**, immaginarsi; figurarsi: *P. to yourself how I felt!*, figurati come mi sentivo!

picturesque /ˌpɪktʃəˈrɛsk/ a. **1** pittoresco; colorito; vivido; espressivo **2** (*di persona*) bizzarro; originale; strambo | **-ly avv.**

picturesqueness /ˌpɪktʃəˈrɛsknəs/ n. ⓤ **1** carattere pittoresco; l'esser pittoresco; amenità; vividezza **2** bizzarria; originalità.

PID sigla (*med.*, **primary immune deficiency**) immunodeficienza primaria.

piddle /ˈpɪdl/ n. (*fam.*) pipì.

to **piddle** /ˈpɪdl/ v. i. **1** (*infant.*) far pipì **2** (*fam.*, anche **to p. away**) perdere tempo; gingillarsi.

■ **piddle away** v. t. + avv. (*fam.*) sprecare: **to p. away one's time**, perdere (o sprecare) il tempo.

piddling /ˈpɪdlɪŋ/ a. insignificante; futile; meschino; da nulla.

piddock /ˈpɪdək/ n. (*zool.*, *Pholas dactylus*) folade.

pidgin /ˈpɪdʒɪn/ n. **1** (*ling.*) pidgin **2** (= **English**) pidgin-English ❶ **Cultura • pidgin English**: *è una lingua franca costituita da elementi di inglese e di un'altra lingua, usata come mezzo di comunicazione quando non esiste una lingua in comune. Storicamente, si riferisce alla lingua franca usata in ambito commerciale tra britannici e cinesi a partire dal XVII secolo (il termine* **pidgin** *è una corruzione cinese della parola* **business**).

pi-dog /ˈpaɪdɒg/ → **pyedog**.

pie ① /paɪ/ n. (*zool.*, *Pica pica*; = **magpie**) gazza.

♦**pie** ② /paɪ/ n. (*cucina*) **1** (*GB*) torta salata o dolce (*con copertura*); pasticcio: **kidney pie**, pasticcio di rognoni; **vegetable pie**, torta di verdura; *Can I have a steak and kidney pie and a chilli con carne please?*, vorrei uno sformato di manzo e rognoni e un piatto di chilli con carne; **lemon meringue pie**, torta al limone ricoperta di meringa **2** (*USA*) torta; crostata: **apple pie**, torta di mele ● **pie chart** (o **pie graph**), grafico a torta; areogramma □ (*fam.*) **pie in the sky**, speranza illusoria; promessa fallace □ **as easy as pie**, facile come bere un bicchiere d'acqua □ **to eat humble pie**, ingoiare un rospo; umiliarsi □ (*fig.*) **to have a finger in every pie**, avere le mani in pasta, avere lo zampino dappertutto □ (*fig.*) **to have a finger in the pie**, essere addentro alla faccenda.

pie ③ /paɪ/ n. (*tipogr.*, = **printers' pie**) caratteri in disordine.

piebald /ˈpaɪbɔːld/ Ⓐ a. **1** (*spec. di cavallo*) pezzato; (*spec.*) pomellato **2** (*fig. arc.*) screziato; variegato **3** (*fig.*) eterogeneo; misto Ⓑ n. cavallo bayzzato (o pomellato).

♦**piece** /piːs/ n. **1** pezzo (*anche arte, mus. e giorn.*); frammento; brano; parte; oggetto (*artistico*); moneta (*metallica*) (*giorn.*) articolo: **a p. of wood [chalk, paper]**, un pezzo di legno [gesso, carta]; **to be in pieces**, essere a pezzi; **to go** (o **to fall**) **to pieces**, andare in pezzi; **a p. of gold**, una moneta d'oro; **a ten-cent p.**, un pezzo (o una moneta) da dieci centesimi *It takes a pound coin and a 20p p.*, ci vogliono una moneta da una sterlina e una da venti centesimi; **a dinner service of forty pieces**, un servizio da tavola di quaranta pezzi; **antique pieces**, pezzi (o oggetti) d'antiquariato; **a p. of music**, un brano musicale (*giorn.*) **think p.**, articolo di opinione **2** pezza; taglio (*di stoffa*): **to sell goods by the p.**, vendere la merce a pezze (o al pezzo) **3** (*mil.*, *antiq.*) pezzo d'artiglieria; cannone **4** carabina; fucile: **fowling p.**, leggero fucile da caccia **5** (*teatr.*, *spec.* **dra-**

matic p.) dramma **6** barile, botte (*di vino*, *ecc.*) **7** (*dama*, *scacchi*) pezzo; pedina **8** (*fam. USA*) rivoltella; pistola **9** (*slang USA*) pizzo; tangente **10** (*slang USA*) pezzo di ragazza ● (*comm.*) **a p.**, al pezzo; cadauno □ **p. by p.**, pezzo per pezzo □ (*di tessuto*) **p.-dyed**, tinto in pezza □ **p.-goods**, tessuti in pezza; (*spec.*) cotonine, seterie □ (*sport*) **a p. of action**, un'azione; un episodio (*slang*) **a p. of the action**, una parte dell'affare; una fetta della torta (*fam.*) □ **a p. of advice**, un consiglio □ (*volg. USA*) **p. of ass**, pezzo di fica (*volg.*), donna; (*anche*) scopata (*volg.*) □ **a p. of business**, un affare □ (*fig.*) **p. of cake**, passeggiata (*fig.*), lavoro da ragazzi, cosa facilissima □ **a p. of clothing**, un capo di vestiario □ (*stor.*) **p. of eight**, dollaro spagnolo (*d'argento*, *pari a otto reali*) □ **a p. of furniture**, un mobile □ **a p. of good luck**, un colpo di fortuna; una circostanza fortunata □ **a p. of impudence**, un'impudenza; un atto sfrontato; una bella sfacciataggine □ **a p. of information**, un'informazione □ **a p. of news**, una notizia □ **a p. of nonsense**, una sciocchezza; una stupidaggine; una fesseria □ (*slang*, *volg.*) **p. of piss**, cavolata; cagata (*cosa facilissima da fare*) □ (*econ.*) **p. rate**, retribuzione a pezzo (o a cottimo) □ (*volg.*) **a p. of tail** = **a p. of ass** → *sopra* □ **a p. of work**, un lavoro; (*fam. USA*) un campione, un fenomeno; (*anche*) un brutto tipo, un brutto soggetto: *You're some p. of work!*, sei davvero impagabile! □ **p. wage**, salario a cottimo □ **all in one p.**, tutto intero □ (*comm.*) **by the p.**, al pezzo; (*di stoffa*) a pezze; (*econ.*) a cottimo □ (*fam.*) **to give sb. a p. of one's mind**, dire a q. quel che si pensa di lui; dirne quattro a q.; cantarla chiara e tonda a q. □ (*fig.*) **to go to pieces**, avere un cedimento, un tracollo (*fisico o morale*): *They went to pieces in the second half*, sono crollati nel secondo tempo □ (*fam.*) **a nasty p. of work**, un brutto tipo, un brutto soggetto □ (*fig.*) **of a** (o **of one**) **p. with**, coerente con; analogo a; dello stesso tipo di; affine a □ **to pay sb. by the p.**, pagare q. a cottimo □ (*fam.*) **to say** (o **to speak**) **one's p.**, dire quello che si pensa □ (*mecc.*) **to take a machine to pieces**, smontare una macchina □ **a two-p. bathing costume**, un costume a due pezzi; un duepezzi □ **a two-p. dress**, un abito a due pezzi.

to **piece** /piːs/ v. t. **1** (*anche* **to p. out**, **to p. together**) mettere insieme, unendo pezzo per pezzo; congiungere cucendo; giuntare: **to p. a quilt**, giuntare una coperta imbottita; **to p. a book together from a series of lectures**, mettere insieme un libro da una serie di conferenze **2** attaccare; congiungere; connettere: **to p. one thing on to another**, attaccare una cosa a un'altra **3** (*anche* **to p. up**) rammendare; rappezzare; rattoppare **4** (*tecn.*) giuntare ● **to p. out a gap**, colmare una lacuna □ **to p. out a story**, ricostruire una storia □ **piecing machine**, giuntatrice.

piecemeal /ˈpiːsmiːl/ Ⓐ avv. pezzo a pezzo; un po' alla volta; a spizzichi: **work done p.**, lavoro fatto a spizzichi; **to do things p.**, fare le cose un po' alla volta Ⓑ a. fatto a spizzichi (o un po' alla volta); frammentario.

piecer /ˈpiːsə(r)/ n. (*tecn.*) giuntatore.

piecework /ˈpiːswɜːk/ n. (*econ.*) (*lavoro a*) cottimo || **pieceworker** n. cottimista.

piecrust /ˈpaɪkrʌst/ n. crosta di pasticcio (o di torta).

pied /paɪd/ a. **1** (*di cavallo*) pezzato; (*spec.*) pomellato **2** screziato; variegato ● (*zool.*) **p. woodpecker** (*Dendrocopus maior*), picchio maggiore □ **P. Piper (of Hamelin)**, il Pifferaio magico (di Hamelin).

pied-à-terre /ˌpjeɪdɑːˈteə(r)/ (*franc.*) n. pied-à-terre; piedaterra.

piedmont /ˈpiːdmənt/ a. attr. (*geol.*) pe-

demontano: **p. glacier**, ghiacciaio pedemontano.

Piedmont /ˈpiːdmənt/ n. (*geogr.*) Piemonte || **Piedmontese** Ⓐ a. piemontese Ⓑ n. **1** (*inv. al pl.*) piemontese **2** ⓤ piemontese (*il dialetto*).

pie-dog /ˈpaɪdɒg/ → **pyedog**.

pie-eyed /ˈpaɪaɪd/ a. (*slang*) ubriaco; sbronzo.

pie-faced /ˈpaɪfeɪst/ a. (*fam.*) dalla faccia di luna piena.

pier /pɪə(r)/ n. **1** (*naut.*) frangiflutti **2** (*naut.*) banchina; gettata; molo; pontile **3** pila (*di ponte*) **4** (*edil.*) piedritto; montante; pilastro ● (*naut.*) **p. dues = pierage** (*fig.*) **p. face**, fronte del molo □ **p.-glass**, specchiera (*tra due finestre*) □ **p.-head**, testa (o punta) di molo □ **p.-table**, mensola (*tra due finestre*).

pierage /ˈpɪərɪdʒ/ n. ⓤ (*comm.*, *naut.*) diritti di banchina; diritti di ormeggio al pontile.

to **pierce** /pɪəs/ v. t. e i. **1** forare; perforare; passare; trapassare; trafiggere: *The bullet pierced his arm*, la pallottola gli perforò il braccio; **to p. a cask**, forare una botte **2** (*mil.*) sfondare; aprire una breccia (in): **to p. through the enemy's defences**, sfondare le difese del nemico **3** squarciare: *The rising sun pierced the clouds*, il sole che sorgeva squarciò le nuvole **4** (*fig.*) fare breccia in; trafiggere; ferire; pungere; straziare: *Grief pierced her heart*, il dolore le straziava il cuore ● **to p. a hole in the wall**, fare un buco nel muro □ **to p. through** [**into**] st., penetrare attraverso [dentro] qc. □ **to p. a tunnel**, scavare una galleria □ **to have one's ears pierced**, farsi forare i lobi delle orecchie (*per mettere gli orecchini*) □ **The whistle of a train pierced her ears**, il fischio di un treno le lacerò le orecchie.

pierceable /ˈpɪəsəbl/ a. forabile; perforabile.

pierced /pɪəst/ a. **1** forato; perforato **2** (*fig.*) trafitto; ferito ● **p. ears**, orecchie col buco per gli orecchini.

piercer /ˈpɪəsə(r)/ n. **1** arnese per forare (*in genere*); punzone **2** (*ind.*) punzonatore **3** (*zool.*) pungiglione.

piercing /ˈpɪəsɪŋ/ Ⓐ a. (*anche fig.*) penetrante; acuto; pungente; straziante: **p. cold**, freddo pungente; **a p. cry**, un grido acuto (o lacerante); **p. sarcasm**, sarcasmo pungente Ⓑ n. **1** ⓤ il farsi perforare una parte del corpo (*per inserirvi un ornamento*); piercing **2** perforazione di una parte del corpo (*per inserirvi un ornamento*); piercing | **-ly avv.**

Pierides /paɪˈɛrɪdiːz/ n. pl. Pieridi; Muse || **Pierian** a. pierio (*lett.*); delle Pieridi.

pierrot /ˈpɪərəʊ/ (*franc.*) n. pierrot.

pietism /ˈpaɪətɪzəm/ n. ⓤ **1** – (*relig.*) P., pietismo **2** (*fig. spreg.*) pietismo; santocchieria || **pietist** n. **1** – (*relig.*) Pietist, pietista **2** (*fig. spreg.*) pietista; bacchettone; bigotto || **pietistic**, **pietistical** a. **1** – (*relig.*) Pietistic, pietistico **2** (*fig.*, *spreg.*) pietistico; bigotto || **pietistically** avv. pietisticamente.

piety /ˈpaɪətɪ/ n. **1** ⓤ religiosità; devozione; pietà **2** ⓤ rispetto; reverenza; pietà: **filial p.**, devozione filiale; pietà filiale **3** atto di devozione; (*per estens.*, *spreg.*) opinione corrente (*accettata acriticamente*), articolo di fede.

piezoelectricity /ˌpiːzəʊɪlekˈtrɪsətɪ/ (*fis.*) n. ⓤ piezoelettricità || **piezoelectric** a. piezoelettrico: **a piezoelectric lighter**, un accendino piezoelettrico.

piezomagnetism /ˌpiːzəʊˈmægnətɪzəm/ (*fis.*) n. ⓤ piezomagnetismo || **piezomagnetic** a. piezomagnetico.

piezometer /ˌpiːəˈzɒmɪtə(r)/ (*fis.*) n. pie-

zometro ‖ **piezometry** n. ⓤ piezometria.

piffle /'pɪfl/ n. ⓤ (*fam.*, *antiq.*) inezie; sciocchezze.

to **piffle** /'pɪfl/ v. i. (*fam.*) **1** dire sciocchezze; blaterare **2** comportarsi da sciocco; fare lo stupido.

piffling /'pɪflɪŋ/ a. (*fam.*) insignificante; futile; senza importanza; da nulla.

•**pig** /pɪg/ n. ⓒ **1** (*zool.*, *Sus*) porco (*in genere*); (*Sus scrofa*) maiale (*anche fig. fam.*); suino; carne di maiale: **roast pig**, maiale arrostito; carne di maiale arrosto: **greedy pig**, maiale; mangione; **dirty pig**, maiale; sudicione **2** (*slang spreg.*) poliziotto; piedipiatti; sbirro **3** (*metall.*) lingotto; pane: **pig lead**, piombo in pani **4** (*fis. nucl.*) contenitore schermato • (*metall.*) **pig bed**, letto di colata per lingotti □ (*gergo naut.*, *USA*) **pig-boat**, sottomarino □ **pig breeder** (*o farmer*), allevatore di maiali □ **pig breeding**, allevamento di suini □ **pig-eyed**, dagli occhi porcini □ (*cucina*) **pig's feet**, zampetti di maiale □ (*fam.*) **pig-headed**, cocciuto; testardo □ (*metall.*) **pig iron**, ghisa (*di prima fusione*), ghisa grezza; (*anche*) ghisa in pani □ **pig-making**, il preparare (salare, tritare, insaccare, ecc.) la carne di maiale □ (*fam.*) **a pig of a job**, un lavoraccio; un compito ingrato □ **pig production**, produzione della carne di maiale □ **pig pudding**, migliaccio; sanguinaccio □ **pig's wash** → **pigwash** □ (*fig.*) **to bring one's pigs to the wrong market**, far fiasco; fare un cattivo affare; fallire in un'impresa □ (*fig.*) **to buy a pig in a poke**, comprare alla cieca (*o a scatola chiusa*) □ (*fam.*) **to make a pig's ear of st.**, incasinare qc. □ **to make a pig of oneself**, mangiare come un porco; ingozzarsi □ **to be an obstinate pig**, essere testardo come un mulo □ (*fam.*) **Don't be a pig!**, non fare la carogna! □ (*per esprimere incredulità, meraviglia*) **Pigs might fly**, ma sì: quando gli asini voleranno!

to **pig** /pɪg/ Ⓐ v. t. (*di scrofa*) fare, figliare, partorire (*maialini*) Ⓑ v. i. (*di scrofa*) figliare • (*fam.*) **to pig it**, vivere come maiali (*nella sporcizia, nella miseria*) □ (*slang USA*) **to pig out**, mangiare come un maiale; abbuffarsi; ingozzarsi; strippare: **to pig out on chocolates**, ingozzarsi di cioccolatini.

•**pigeon①** /'pɪdʒɪn/ n. **1** (*zool.*, *Columba*, *Macropygia*, *ecc.*) piccione; colombo: **carrier p.** (*o* **homing p.**), piccione viaggiatore; **wood p.**, (*Columba oenas*) colombella; (*Columba palumbus*) colombaccio **2** (*fig. fam.*) gonzo; merlo; pollo (*fig.*); babbeo **3** (*fam.*) compito; affare; lavoro: *That isn't my p.!*, non è affar mio! **4** (*fam.*) bella ragazza; pollastrella, piccinciono (*fig.*) **5** (*sport*, = **clay p.**) piattello • **p.-breasted** (*o* **p.-chested**), col petto a sterno carenato; col petto a tacchino □ **p.-hearted**, timido; pusillanime □ **p.-house**, piccionaia; colombaia □ (*med.*) **p.-toed**, dal piede varo □ (*bot.*) **p.-weed** (*Silene inflata*), strigolo.

pigeon② /'pɪdʒɪn/ n. (*nel composto* **p.-English**) → **pidgin**.

to **pigeon** /'pɪdʒɪn/ v. t. (*fam.*) imbrogliare; ingannare; fare (q.) fesso (*fam.*).

pigeonhole /'pɪdʒɪnhəʊl/ n. **1** nicchia (*o foro d'entrata*) di colombaia; colombario **2** casella **3** (pl.) casellario **4** (*fig.*) casella (*fig.*); scompartimento • **p. case**, casellario.

to **pigeonhole** /'pɪdʒɪnhəʊl/ v. t. **1** archiviare; incasellare **2** (*fam.*) classificare **3** (*fig.*) accantonare; mettere da parte; insabbiare.

pigfish /'pɪgfɪʃ/ → **hogfish**.

piggery /'pɪgərɪ/ n. **1** allevamento di suini (*fattoria*) **2** (*anche fig.*) porcile **3** (collett.) suini; maiali; porci **4** (*fig.*) sporcizia; sudiciume; (*anche*) golosità; rozzezza.

piggish /'pɪgɪʃ/ a. **1** porcino; di (*o da*) maiale; maialesco **2** (*fig.*) maialesco; ghiot-

to; ingordo **3** (*fig.*) sporco; sudicio | **-ly** avv. | **-ness** n.

piggy /'pɪgɪ/ (*fam.*) Ⓐ n. porcellino; maialino Ⓑ a. **1** porcino: **p. eyes**, occhi porcini **2** (*fig.*) ingordo; avido • (*GB*) **p.-in-the-middle**, gioco del «chi sta in mezzo» (*due giocatori si lanciano la palla e quello in mezzo cerca di prenderla*); (*fig.*) chi si trova involontariamente in mezzo a due litiganti.

piggyback /'pɪgɪbæk/ Ⓐ avv. e a. **1** sulle spalle; a cavalluccio: **to give sb. a p. ride**, portare q. a cavalluccio; **to get a p. ride**, essere portato a cavalluccio **2** (*trasp.*) (trasportato) su un altro veicolo: **p. service**, trasporto misto treno-autocarro; **p. transport**, trasporto combinato strada-rotaia **3** (*med.*: *di trapianto cardiaco*) con il cuore (*del paziente*) che funziona in tandem con quello trapiantato Ⓑ n. **1** (= **p. ride**) *V. sopra*, A, *def. 1* **2** (= **p. service**) *V. sopra*, A, *def. 2* • **to ride p. on sb.**, montare a cavalluccio di q.

to **piggyback** /'pɪgɪbæk/ v. t. **1** portare (q.) a cavalluccio **2** trasportare (*un veicolo*) su un altro veicolo.

piggybank /'pɪgɪbæŋk/ n. salvadanaio (a forma di porcellino): **to raid the p.**, rompere il salvadanaio.

pigheaded /'pɪghɛdɪd/ a. caparbio; cocciuto; ostinato; testardo | **-ly** avv. | **-ness** n. ⓤ.

piglet /'pɪglət/ n. porcellino; maialino.

piglike /'pɪglaɪk/ a. di (*o da*) porco; porcino; maialesco.

pigling /'pɪglɪŋ/ n. porcellino; maialino.

pigmeat /'pɪgmiːt/ n. ⓤ (*cucina*) carne di maiale; prosciutto; insaccati.

pigment /'pɪgmənt/ (*chim.*, *biol.*, *ecc.*) n. pigmento: **p. cell**, cellula del pigmento • (*ind. tess.*) **p. printing**, pigmentazione; stampa a pigmento ‖ **pigmental**, **pigmentary** a. di pigmento; pigmentario.

to **pigment** /'pɪgmənt/ (*biol.*) Ⓐ v. t. pigmentare Ⓑ v. i. pigmentarsi.

pigmentation /ˌpɪgmən'teɪʃn/ n. ⓤ (*biol.*) pigmentazione.

pigmy /'pɪgmɪ/ → **pygmy**.

pignut /'pɪgnʌt/ n. (*bot.*, *Bunium bulbocastanum*) bulbocastano; (*il frutto*) castagna di terra.

pigout /'pɪgaʊt/ n. (*fam.*) abbuffata; strippata.

pigpen /'pɪgpɛn/ n. (*USA*; *anche fig.*) porcile; porcilaia.

pigskin /'pɪgskɪn/ n. **1** ⓤ pelle di cinghiale; cinghiale: **a p. bag**, una borsetta di cinghiale **2** (*fam. USA*) pallone da football americano **3** (*fam.*) sella (*da cavallo*).

pigsticker, **pig-sticker** /'pɪgstɪkə(r)/ n. **1** cacciatore di cinghiali **2** chi macella suini **3** coltello da caccia; coltello a serramanico.

pigsticking /'pɪgstɪkɪŋ/ n. ⓤ **1** caccia al cinghiale con la lancia **2** macellazione di suini.

pigsty /'pɪgstaɪ/ n. (*anche fig.*) porcile.

pigswill /'pɪgswɪl/ → **pigwash**.

pigtail /'pɪgteɪl/ n. **1** treccina; codino (*alla cinese*) **2** treccia di tabacco (*arrotolato*) **3** (*elettr.*) cavetto di raccordo • (*elettr.*) **p. splice**, giunto a tortiglione.

pigwash /'pɪgwɒʃ/ n. **1** broda (per maiali) **2** (*fig.*) sbobba.

pigweed /'pɪgwiːd/ n. (*bot.*) **1** (*Amaranthus retroflexus*) amaranto comune **2** (*Chenopodium album*) chenopodio bianco; farinello comune.

pika /'paɪkə/ n. (*zool.*, *Ocotonidae*) ocotonide (*in genere*); pica; lepre fischiante.

pike① /paɪk/ n. **1** (*stor.*) picca **2** (*dial.*) → **pickaxe 3** (*spec. nei toponimi dell'Inghilterra sett.*) picco; cima; vetta • **p. pole**, rampale

(*da pompiere*).

pike② /paɪk/ n. (abbr. di **turnpike**) **1** sbarra (*o cancello*) che chiude una strada a pedaggio **2** strada a pedaggio **3** pedaggio.

pike③ /paɪk/ n. (pl. **pike**, **pikes**) (*zool.*, *Esox lucius*) luccio.

pike④ /paɪk/ n. (*sport*) tuffo carpiato (*anche* **p. dive**) • **p. position**, posizione carpiata (*anche di un ginnasta*).

to **pike** /paɪk/ v. t. (*stor.*) trafiggere (*o uccidere*) con una picca.

pikelet /'paɪklət/ n. (*cucina*) pasticcino da tè.

pikeman① /'paɪkmən/ n. (pl. **pikemen**) (*stor.*, *mil.*) picchiere.

pikeman② /'paɪkmən/ n. (pl. **pikemen**) custode di strada a pedaggio.

piker /'paɪkə(r)/ n. (*fam. USA*) **1** giocatore che fa solo piccole puntate **2** persona gretta; taccagno; tirchio **3** persona piena di cautela; persona che non s'arrischia.

pikestaff /'paɪkstɑːf/ n. (*stor.*) asta della picca • (*fam.*) **as plain as a p.**, chiaro come la luce del sole; lampante.

pilaf, **pilaff** /'pɪlæf/ → **pilau**.

pilaster /pɪ'læstə(r)/ n. (*archit.*) lesena.

Pilate /'paɪlət/ n. (*stor.*) Pilato.

pilau /pɪ'laʊ/, **pilaw** /pɪ'lɔː/ n. ⓤⓒ (*cucina*) pilaf: **p. rice**, riso pilaf.

pilchard /'pɪltʃəd/ n. (*zool.*, *Sardinia pilchardus*) sardina; sarda.

•**pile①** /paɪl/ n. **1** (*edil.*) palo (*di fondazione*) **2** palafitta **3** pila (*di ponte*); pilastro • **p.-driver**, battipalo; berta; (*fam.*) (*boxe*) colpo (*o pugno*) poderoso, mazzata (*fig.*); (*calcio*, *ecc.*) staffilata, stangata, stoccata □ **p.-dweller**, palafitticolo □ **p.-dwelling**, casa su palafitte; palafitta □ (*ind. costr.*) **p. foundation**, fondazione su pali □ (*edil.*) **p. shoe**, puntazza □ (*archeol.*) **p.-work**, palafitta □ **to drive a p.**, piantare un palo ❶ FALSI AMICI • **pile** *non significa* pile *nel senso italiano di tessuto sintetico*.

•**pile②** /paɪl/ n. **1** pila; cumulo; mucchio; catasta: *There is a p. of dishes to wash*, c'è una pila di piatti da lavare **2** casamento; edificio; blocco di case; isolato **3** (*fam.*) mucchio di quattrini; bel gruzzolo: **to make a (*o* one's) p.**, farsi un bel gruzzolo; far fortuna **4** (*fis. nucl.*) pila **5** (*elettr.*) pila a secco **6** = **funeral p.** → *sotto* • **p.-up**, (*autom.*) ammasso (*o groviglio*) di auto (*incidente*); carambola; (*ciclismo*) groviglio (*di corridori caduti*): *There was a three car p.-up on the first bend*, c'è stato un tamponamento a catena di tre macchine alla prima curva □ **atomic p.**, pila atomica (*o nucleare*) □ **funeral p.**, pila funeraria; pira; rogo □ **to stack st. in a p.**, accatastare qc. □ **wood p.**, catasta di legna ❶ FALSI AMICI • **pile** *non significa* pile *nel senso italiano di tessuto sintetico*.

pile③ /paɪl/ n. ⓤ (*ind. tess.*) pelo (*di tappeto*, *velluto*, *ecc.*) ❶ FALSI AMICI • **pile** *non significa* pile *nel senso italiano di tessuto sintetico*.

to **pile①** /paɪl/ v. t. **1** palificare; conficcar pali in **2** munire di palafitte.

to **pile②** /paɪl/ Ⓐ v. t. **1** accatastare; ammassare; ammucchiare; ammonticchiare **2** riempire: *He piled my plate with meat*, mi riempì il piatto di carne **3** colmare, caricare (*q.*: *di lavoro, ecc.*) Ⓑ v. i. **1** ammucchiarsi; accumularsi **2** affollarsi; ammassarsi.

▪ **pile in** Ⓐ v. t. far entrare; stipare; calcare Ⓑ v. i. (*fam.*) **1** entrare in massa; accalcarsi dentro **2** mettersi (a lavorare, mangiare, ecc.); buttarsi (*di ricordi, ecc.*) **to p. in on sb.**, affollarsi alla mente di q.

▪ **pile into** v. i. + prep. **1** accalcarsi (*o affollarsi*) in (*un luogo*) **2** (*fam.*) dare addosso a (q.); aggredire **3** (*fam.*) buttarsi su (*cibo*); mettersi a mangiare (qc.) con foga (*o avidamente*).

■ **pile off** v. i. + avv. **1** uscire in massa; accalcarsi fuori **2** (*trasp.*) scendere in folla (*da un mezzo pubblico*).

■ **pile on** Ⓐ v. t. + avv. accumulare, aggiungere: **to p. more wood on**, aggiungere dell'altra legna Ⓑ v. i. + avv. salire in massa; affollarsi (*in un veicolo*) □ (*fam.*) **to p. it on**, spararle grosse; esagerare □ (*fam.*) **to p. on the agony**, caricare le tinte; esagerare gli aspetti negativi (*o drammatici*).

■ **pile onto** Ⓐ v. t. + prep. **1** accumulare, aggiungere (qc.) a: *P. more wood onto the fire!*, aggiungi legna al fuoco! **2** assegnare, attribuire (*lavoro, ecc.*) a (q.); gettare sulle spalle di (q.) Ⓑ v. i. + prep. affollarsi, accalcarsi su (*un mezzo di trasporto, ecc.*).

■ **pile out** v. i. + avv. (*fam.*) uscire in massa; accalcarsi fuori.

■ **pile up** Ⓐ v. t. + avv. **1** accatastare; accumulare: **to p. up cases**, accatastare casse; **to p. up a fortune**, accumulare una fortuna **2** (*fam.*) andare incontro a (*guai, ecc.*) Ⓑ v. i. **1** accumularsi; ammassarsi; ammonticchiarsi: *A lot of parcels have piled up*, si sono accumulati molti pacchi **2** (*delle nuvole*) addensarsi **3** (*autom.*) tamponarsi a catena; accatastarsi.

■ **pile upon** → **pile on**.

pileate /ˈpaɪlɪət/ a. (*bot.*) dotato di pileo.

pileated /ˈpaɪlɪeɪtɪd/ a. **1** (*stor. romana*) pileato **2** (*zool.*) dotato di pileo.

piles /paɪlz/ n. pl. (*med., fam.*) emorroidi.

pileum /ˈpaɪlɪəm/ n. (pl. **pilea**) (*zool.*) pileo.

pileus /ˈpaɪlɪəs/ n. (pl. **pilei**) **1** (*stor. romana*) pileo **2** (*bot.*) pileo; cappello (*del fungo*).

pilewort /ˈpaɪlwɜːt/ n. (*bot.*, *Ranunculus ficaria*) favagello.

to **pilfer** /ˈpɪlfə(r)/ v. t. e i. rubacchiare ‖ **pilferer** n. ladruncolo ‖ **pilfering** n. Ⓤ furti di scarsa entità.

pilferage /ˈpɪlfərɪdʒ/ n. Ⓤ **1** il rubacchiare; furterello, furterelli **2** oggetti di poco conto rubati **3** (*comm.*) perdita subita per piccoli furti.

pilgrim /ˈpɪlɡrɪm/ n. pellegrino, pellegrina ● (*stor.*) **the P. Fathers**, i Padri Pellegrini (*i primi coloni puritani dell'America; sbarcati dal «Mayflower» nel 1620, fondarono la Plymouth Colony*) □ **pilgrims' hostel**, foresteria (*di convento*).

pilgrimage /ˈpɪlɡrɪmɪdʒ/ n. Ⓤ (*relig.*, *anche fig.*) pellegrinaggio: **to go on a p.**, andare in pellegrinaggio.

to **pilgrimage** /ˈpɪlɡrɪmɪdʒ/ v. i. andare in pellegrinaggio.

piliferous /pɪˈlɪfərəs/ a. (*anche bot.*) pilifero.

piling /ˈpaɪlɪŋ/ n. Ⓤ **1** (*edil.*) palificazione; palafittata (*raro*) **2** (*di solito* **p.-up**) accatastamento; ammucchiamento ● **p.-out**, sfollamento.

♦**pill** /pɪl/ n. **1** (*anche fig.*) pillola; compressa; pastiglia: *Take a couple of pills and see how you feel in the morning*, prendi un paio di pillole e vedi come ti senti domattina **2** (*slang scherz.*) palla (*di cannone, da gioco*); pallottola **3** (pl.) (*slang*) biliardo **4** (*slang USA, antiq.*) sigaretta **5** (*slang USA*) rompiballe; tipo palloso (*pop.*) **6** (*slang USA*) pillola di droga **7** (pl.) (*volg. USA*) palle; coglioni **8** – **the p.**, la pillola (anticoncezionale): **to be on the p.**, prendere la pillola; **to go on the p.**, cominciare a prendere la pillola; **to come off the p.**, smettere di prendere la pillola ● (*fig.*) **a p. to cure an earthquake**, una mezza misura; un provvedimento del tutto inadeguato □ (*slang spreg. USA*) **p. head** (o **p. pusher**), farmacista (*anche*) medico □ (*slang*) **p.-popper** → **pillhead** □ **booster p.**, stimolante □ (*slang*) **courage p.**, pillola di barbiturico □ **to gild the p.**, indorare la pillola □ (*fig.*) **to sugar** (o **to sweeten) the**

p., addolcire la pillola □ (*fig.*) **to swallow a bitter p.**, mandar giù un boccone amaro □ **to take (sleeping) pills**, prendere sonniferi; impasticcarsi (*anche per suicidarsi*).

to **pill** /pɪl/ v. t. **1** curare con pillole **2** fare pillole di (qc.) **3** (*slang*) ostracizzare; votare contro (q.); dare voto contrario a (q.) **4** (*slang*) bocciare (*uno studente*).

pillage /ˈpɪlɪdʒ/ n. Ⓤ **1** saccheggio; sacco (*lett.*) **2** bottino; preda bellica; spoglie (*lett.*).

to **pillage** /ˈpɪlɪdʒ/ v. t. e i. saccheggiare; mettere a sacco (*lett.*); depredare; predare; razziare ‖ **pillager** n. saccheggiatore; predatore; razziatore.

pillar /ˈpɪlə(r)/ n. **1** (*ind. costr.*) pilastro, colonna (*anche fig.*): **a p. of smoke**, una colonna di fumo **2** (*mecc.*) incastellatura a colonna **3** (*di bicicletta*) tubo reggisella **4** (*naut.*) puntale: **p. of the hold**, puntale di stiva ● (*in GB*) **p. box**, cassetta postale (*rossa e di forma cilindrica, posta al margine del marciapiede*) □ **p.-box red**, rosso bandiera □ (*tecn.*) **p. drill**, trapano a colonna □ (*geogr.*) **the Pillars of Hercules**, le Colonne d'Ercole □ (*relig., stor.*) **p. saint**, stilita □ (*fig.*) **to be driven from p. to post**, essere mandato da Erode a Pilato □ (*ipp.*) **to lead from p. to post**, essere in testa (*o condurre*) dall'inizio alla fine.

to **pillar** /ˈpɪlə(r)/ v. t. sostenere (*o rafforzare*) con pilastri.

pillared /ˈpɪləd/ a. (*edil.*) a colonne; a pilastri.

pillaret /ˈpɪlərət/ n. pilastrino.

pillbox /ˈpɪlbɒks/ n. **1** portapillole **2** (*mil.*) fortino (*spec. di calcestruzzo*); casamatta **3** (*scherz.*) vetturetta; veicolo minuscolo **4** berretto tondo, senza tesa (*dei fattorini, ecc.*).

pillhead /ˈpɪlhed/ n. (*slang*) farmacodipendente ● **to be a p.**, essere farmacodipendente.

pilling /ˈpɪlɪŋ/ n. Ⓤ (*ind. tess.*) pilling; formazione di bioccoli lanosi sul tessuto.

pillion /ˈpɪlɪən/ n. **1** (*stor.*) sella leggera (*da donna*) **2** (*stor.*) cuscino (*posto dietro la sella*) **3** sellino posteriore (*di motocicletta*) ● **to ride p.**, viaggiare sul sellino posteriore (*di una moto*).

pillock /ˈpɪlək/ n. (*slang ingl.*) cretino; deficiente; fesso; scemo.

pillory /ˈpɪlərɪ/ n. (*stor. e fig.*) berlina; gogna: *'Of course when they saw me I was not on my pedestal, I was in the p.'* O. WILDE, 'ovviamente quando mi videro non ero sul mio piedistallo, ero alla gogna'.

to **pillory** /ˈpɪlərɪ/ v. t. mettere alla berlina (*o alla gogna*) (*anche fig.*).

♦**pillow** /ˈpɪləʊ/ n. **1** guanciale; cuscino **2** (*mecc.*) cuscino di supporto; cuscinetto ● **p. fight**, battaglia con i cuscini □ **p. lace**, merletto a tombolo □ (*geol.*) **p. lava**, lava a cuscini □ (*fam.*) **p. talk**, discorso fatto da una coppia nell'intimità (*o a letto*); confidenze intime □ **lace-making p.**, tombolo.

to **pillow** /ˈpɪləʊ/ v. t. **1** adagiare; appoggiare; posare: *The boy pillowed his head on her shoulder*, il ragazzo le appoggiò la testa sulla spalla **2** (*fig.*) far da cuscino a; offrire appoggio a.

pillowcase /ˈpɪləʊkeɪs/ n. federa.

pillowslip /ˈpɪləʊslɪp/ n. federa.

pillowy /ˈpɪləʊɪ/ a. morbido come un cuscino; cedevole; soffice.

pillwort /ˈpɪlwɜːt/ n. (*bot.*, *Pilularia globulifera*) pilularia (*felce*).

pilose /ˈpaɪləʊs/ (*biol.*) a. peloso ‖ **pilosity** n. Ⓤ pelosità.

♦**pilot** /ˈpaɪlət/ Ⓐ n. **1** (*aeron.*) pilota: **automatic p.**, pilota automatico; **test p.**, pilota collaudatore **2** (*naut.*) pilota **3** (*miss.*) pilo-

ta **4** (*naut.*, = **p. book**) portolano **5** (*tecn.*) fiammella pilota **6** (*fig. arc.*) guida; consigliere **7** (= **p. project**) progetto pilota **8** (*TV*) episodio pilota; programma pilota **9** (*zool.*, = **p. fish**) pesce pilota **10** (*ferr.*, *USA*) cacciapietre **11** (*sport, autom.*) copilota; navigatore (*cfr.* **driver**, *def. 5*) **12** (*naut. arc.*) timoniere; nocchiero Ⓑ a. attr. pilota; sperimentale; **p. plant**, impianto pilota (*o sperimentale*; **p. survey**, indagine pilota; **p. balloon**, pallone pilota ● (*mecc.*) **p. bit**, punta (*o tagliatore*) pilota □ (*naut.*) **p. boat**, battello pilota; pilotina □ (*naut.*) **p. bridge**, ponte di comando; plancia □ **p. burner**, fiamma pilota, fiamma spia (*di apparecchi a gas*) □ (*stat.*) **p. census**, censimento di prova (*o d'assaggio*) □ (*aeron.*) **p. chute**, paracadute pilota □ **p.-cloth**, stoffa blu, di lana pesante (*per soprabiti*) □ (*naut.*) **p. cutter**, pilotina □ (*ferr.*) **p. engine**, locomotiva staffetta □ (*zool.*) **p. fish** (*Naucrates ductor*), pesce pilota □ (*naut.*) **p.-house**, timoniera; casotto del timone □ (*elettr.*) **p. lamp** (*o* **p. light**), lampada spia; spia luminosa □ **p. light**, (*di bruciatore a gas*) = **p. burner** → *sopra* □ (*naut.*) **p. master**, capo pilota □ (*aeron. mil.*, *in GB*) **p. officer**, sottotenente (*d'aviazione*) □ (*mecc.*) **p. pin**, perno di guida □ (*aeron.*) **p. trainer**, istruttore di volo □ (*zool.*) **p. whale** (*Globicephala melaena*), globicefalo □ (*fam. antiq.*) **to drop the p.**, abbandonare un fido consigliere □ (*fig.*) **to be on automatic p.**, essere ancora addormentato, essere ancora intontito.

to **pilot** /ˈpaɪlət/ v. t. **1** (*aeron., naut., miss.*) pilotare **2** (*fig.*) guidare; condurre; dirigere; pilotare (*fam.*).

pilotage /ˈpaɪlətɪdʒ/ n. (*naut., aeron.*) **1** pilotaggio **2** compenso dato al pilota ● (*naut.*) **p. dues**, diritti di pilotaggio.

pilotis /pɪloˈtiː/ (*franc.*) n. (*archit.*) pilotis.

pilotless /ˈpaɪlətləs/ a. (*naut., aeron.*) senza pilota.

pilous /ˈpaɪləʊs/ a. (*biol.*) peloso.

pilule /ˈpɪljuːl/ n. pilloletta; pillolina.

pimento ① /pɪˈmentəʊ/ n. (pl. **pimentos**, **pimento**) **1** (*bot.*, *Pimenta officinalis*) pianta del pepe della Giamaica **2** □ pimento; pepe della Giamaica ● **p. oil**, olio essenziale (*o essenza*) di pimento.

pimento ② /pɪˈmentəʊ/ n. (pl. **pimentos**) (*bot.*, *Capsicum annuum*) peperone dolce.

Pimm's ® /pɪmz/ n. bevanda alcolica (*a base di brandy, gin o whisky*) frammista a gassosa.

pimp /pɪmp/ n. **1** ruffiano; lenone (*lett.*); magnaccia; pappone; protettore **2** (*Austral.*) delatore; spia della polizia.

to **pimp** /pɪmp/ Ⓐ v. i. **1** fare il protettore (*o il magnaccia*) **2** (*Austral.*) fare la spia; fare una soffiata Ⓑ v. t. (*USA*) imbrogliare; fregare (q.).

pimpernel /ˈpɪmpənel/ n. (*bot.*, *Anagallis arvensis*) anagallide; mordigallina ● (*letter.*) **the Scarlet P.**, la Primula Rossa.

pimping /ˈpɪmpɪŋ/ Ⓐ n. Ⓤ lenocinio; ruffianeria; prossenetismo (*lett.*) Ⓑ a. (*fam.*) gretto; meschino; insignificante.

pimple /ˈpɪmpl/ n. **1** (*med.*) pustola; pustoletta; foruncolo; brufolo **2** (*ind.*) bollicina.

pimpled /ˈpɪmpld/, **pimply** /ˈpɪmplɪ/ a. **1** brufoloso; pustoloso; foruncoloso **2** (*fam. spreg.*) imberbe; immaturo ● **a p. young man**, uno sbarbatello.

pimpmobile /ˈpɪmpməʊbiːl/ n. (*slang USA*) macchinona, auto grande e vistosa (*da magnaccia*).

♦**pin** /pɪn/ n. **1** spillo; spilla: **dressmaker's pins**, spilli (*da sarta*); **safety pin**, spillo di sicurezza (*o da balia*); **a scarf pin**, una spilla per sciarpa **2** (*mecc.*) perno; spinotto; spina; copiglia **3** (*falegn.*, = **wooden pin**) ca-

vicchio **4** (*mus.*) bischero; pirolo **5** (*fig.*) bagattella; inezia; quisquilia **6** (= **drawing pin**) puntina da disegno **7** (= **clothespeg**, (*USA*) **clothespin**) molletta (da bucato) **8** (= **hairpin**) forcina (*per capelli*) **9** (= **ninepin**) birillo **10** (= **rolling pin**) matterello (*per fare la sfoglia*) **11** «pin» (*misura per liquidi, pari a 4,5 galloni ingl., cioè a 20,46 litri*); barilotto di tale capacità **12** (*elettron.*) piedino; terminale **13** (*mil.*) linguetta (*di bomba a mano*) **14** (*USA*) spillone; spilla **15** (*sport: golf*) asticella segnabuca **16** (*lotta*) schienata (*anche* **pin-fall**): **pin-fall win**, vittoria per schienata **17** (pl.) (*fam.*) gambe: **to be quick on one's pins**, essere svelto di gambe; essere in gamba; essere arzillo, vispo ● (*fig.*) **pins and needles**, formicolio: (*fig.*) **to be on pins and needles**, stare sulle spine; (*anche*) smaniare □ (*metall.*) **pin bar**, barra per spine □ (*naut.*) **pin block**, cavigliere □ (*mus.*) **pin block**, (*di clavicembalo, di pianoforte*) somiere; (*di pianoforte, anche*) pancone □ (*mecc.*) **pin joint**, articolazione a perno; snodo □ **pin money**, (*un tempo*) spillatico; denaro per le piccole spese (*d'una donna*); (*ora*) argent de poche; paghetta (*fam.*) □ (*naut.*) **pin rail**, cavigliera a murata □ (*mecc.*) **pin rod**, spina di collegamento □ (*di abito*) **pin-striped**, a righine; (*spec.*) gessato □ (*mecc.*) **a pin wrench**, una chiave inglese con spinotto □ **as neat as a new pin**, tutto lindo; pulitissimo; tirato a nuovo □ (*fam.*) **I don't care a pin** (*o* **two pins**), non me ne importa un fico secco □ (*fam.*) **You could have heard a pin drop**, si sarebbe sentita volare una mosca.

to **pin** /pɪn/ v. t. **1** attaccare (con uno spillo, una puntina, ecc.); appuntare; affiggere; fissare; puntare; unire: **to pin documents together**, attaccare (*o* unire) documenti con spilli; **to pin a notice on the board**, affiggere un avviso sul tabellone; **to pin a medal on sb.'s chest**, appuntare una medaglia sul petto a q. **2** forare, pungere, trafiggere, infilzare (*spec. con uno spillo*): **to pin butterflies**, infilzare farfalle con spilli **3** (*mecc.*) imperniare; incoppigliare **4** (→ **to pin back**, **to pin down**) immobilizzare; bloccare; tenere fermo (*o* inchiodato): *The driver was pinned against the wheel*, il conducente rimase immobilizzato contro il volante **5** attribuire; addossare; affibbiare: **to pin the blame on sb.**, affibbiare la colpa a q.; *The murder had been pinned on an innocent man*, dell'assassinio era stato incolpato un innocente **6** riporre; porre: **to pin one's faith** [**hopes**] **on sb.**, riporre la propria fiducia [speranza] in q. **7** (slang USA) arrestare; beccare, pizzicare (*fig.*).

■ **pin back** v. t. + avv. **1** fissare, tenere a posto con uno spillo **2** bloccare; immobilizzare: *He pinned my arms back against the counter*, mi immobilizzò le braccia contro il bancone □ (*fam. USA*) **to pin sb.'s ears back**, dare una strigliata a q.; fare il pelo a q. □ (*fam. GB*) **Pin your ears back!**, ascoltami bene!; stammi bene a sentire!

■ **pin down** v. t. + avv. **1** fissare con uno spillo, ecc. **2** bloccare; tenere fermo; immobilizzare: *We were pinned down by machine gun fire*, eravamo bloccati dal fuoco delle mitragliatrici **3** vincolare; costringere a rispettare qc. (*una promessa, ecc.*); costringere a fissare (*una data, una cifra, ecc.*): **to pin sb. down to an agreement**, costringere q. a rispettare un accordo **4** definire, stabilire, identificare, ecc. con precisione; individuare: *There's something strange about him, which I can't quite pin down*, c'è qualcosa di strano in lui che non riesco a definire; *Finally scientists pinned down the malformations to thalidomide*, alla fine gli scienziati individuarono nel talidomide la causa delle malformazioni **5** (*lotta*) schienare (*un avversario*).

■ **pin up** v. t. + avv. **1** attaccare (*o* fissare, puntare) con spilli, puntine, ecc.; spillare: **to pin up the hem of a skirt**, puntare con spilli (*o* spillare) l'orlo di una gonna **2** attaccare; affiggere **3** tirare su e fissare (*i capelli*).

PIN /pɪn/ sigla (banca, **personal identification number**) numero d'identificazione personale.

pinacoid /ˈpɪnəkɔɪd/ a. e n. (*miner.*) pinacoide.

pinafore /ˈpɪnəfɔː(r)/ n. **1** grembiule senza maniche (*spec. per bambine*); grembiulino **2** (= **p. dress**) scamiciato.

pinaster /paɪˈnæstə(r)/ n. (*bot.*, *Pinus pinaster*) pinastro; pino marittimo.

pinball /ˈpɪnbɔːl/ n. **1** gioco del biliardino **2** (= **p. machine**) flipper; biliardino **3** cuscinetto portaspilli.

pince-nez /pæns'neɪ/ (*franc.*) n. occhiali a stringinaso; pince-nez.

pincers /ˈpɪnsəz/ n. pl. **1** (= **a pair of p.**) tenaglia, tenaglie (*per schiodare*); tenaglia corta (*cfr.* **tongs**) **2** (*zool.*) chele; pinze (*di un granchio, ecc.*) ● (*mil.*) **p.** (*o* **pincer**) **attack** (*o* **movement**), attacco a tenaglia.

pinch /pɪntʃ/ n. **1** pizzicotto; pizzico **2** pizzico, presa (*di sale, di tabacco, ecc.*) **3** (*fig.*) morso (*fig.*); angustia; tormento; sofferenza: **the p. of poverty**, il tormento della miseria **4** (= **p. bar**) palanchino (*arnese*) **5** (*slang*) furto; (*anche*) cosa rubata, bottino **6** (*slang*) arresto; incarcerazione ● (*elettr.*) **p. effect**, reostrizione □ (*baseball*) **p.-hitter**, battitore di riserva; (*fig.*) riserva, sostituto □ **p. of a smile**, sorriso striminzito: *'She smiled; that cheerless new p. of a smile'* T. CAPOTE, 'ella sorrise; quell'insolito, triste sorriso striminzito' □ **at a p.**, in caso di emergenza; in caso di necessità □ **to feel the p.**, essere in ristrettezze; navigare in cattive acque □ **to feel the p. of hunger**, sentire i morsi della fame □ **if it comes to a p.**, se le cose si mettono male; se si viene alle strette □ (*fig.*) **to take st. with a p. of salt**, prendere qc. cum grano salis (*lat.*).

to **pinch** /pɪntʃ/ Ⓐ v. t. pizzicare; dare un pizzicotto a (q.); serrare; stringere; pungere: *I've pinched my thumb*, mi sono pizzicato il pollice (*me lo sono stretto nella porta, ecc.*); *He pinched my cheek*, mi diede un pizzicotto sulla guancia **2** (*fig.*, *spec. al passivo*) far soffrire; tormentare; tenere a corto, ridurre in strettezze: **to be pinched with cold**, essere tormentato dal freddo **3** (*slang*) rubare; fregare; grattare (*pop.*) **4** (*slang*) arrestare; pizzicare, beccare (*pop.*) **5** (*naut.*) tenere (*una nave*) il più possibile all'orza; orzare a raso Ⓑ v. i. **1** dare pizzicotti **2** (*di scarpe, ecc.*) stringere; fare male **3** (*di persona*) lesinare; fare una grande economia: *Nobody should p. on food*, non si dovrebbe lesinare sul cibo **4** (*di minerale*) contrarsi; assottigliarsi ● (*fam.*) **to p. and scrape**, tirare la cinghia (*fig.*); fare grandi economie □ **to p. money from sb.**, rubare denaro a q. □ **to p. off** (*o* **out**), spollonare (*una pianta*) □ **to p. pennies**, contare il centesimo; risparmiare al massimo; essere tirchio (*o* spilorcio) □ **to be pinched for room**, non aver spazio per muoversi □ (*fig.*) **That's where the shoe pinches**, è questo il punto dolente; è questo che non va.

pinchbeck /ˈpɪntʃbɛk/ Ⓐ n. Ⓤ princisbecco; similoro Ⓑ a. **1** di similoro **2** (*fig.*) falso; finto; fittizio.

pinched /pɪntʃt/ a. (*dei lineamenti*) tirato; emaciato ● **to be p. for money**, essere a corto di soldi □ **to be p. for time**, avere una gran fretta.

pinching /ˈpɪntʃɪŋ/ Ⓐ a. **1** che stringe; che fa male: **p. shoes**, scarpe che fan male **2** doloroso **3** avaro; tirchio; parsimonioso Ⓑ n. Ⓤ **1** il dare pizzicotti **2** avarizia; tir-

chieria; parsimonia.

pinchpenny /ˈpɪntʃpɛni/ a. e n. (*fam.*) avaro; spilorcio; tirchio.

pincushion /ˈpɪnkʊʃn/ n. puntaspilli; portaspilli.

Pindar /ˈpɪndə(r)/ n. (*stor.*) Pindaro ‖ **Pindaric** Ⓐ a. (*letter.*) pindarico Ⓑ n. metro (*o* verso) pindarico.

pine /paɪn/ n. **1** (*bot.*, *Pinus*) pino (*la pianta*) **2** Ⓤ pino (*il legno*) **3** (*raro*) → **pineapple** ● **p.-cone**, pigna □ **p.-kernel** (*o* **p.-seed**), pinolo □ (*zool.*) **p. marten**, (*Martes martes*) martora comune; (*Martes americana*) martora americana □ **p. needles**, aghi di pino □ **p. nut**, pinolo.

to **pine** /paɪn/ v. i. **1** (*anche* **to p. away**) penare; languire; struggersi: **to p. away for love of sb.**, struggersi per amore di q. **2** – **to p. for** (*o* **after**), struggersi dal desiderio di, desiderare ardentemente ● **to p. to do st.**, morire dalla voglia di fare qc. □ **They p. with chronic hunger**, hanno una fame secolare.

pineal /ˈpɪnɪəl/ a. (*anat.*) pineale: **p. gland**, ghiandola pineale; epifisi.

♦**pineapple** /ˈpaɪnæpl/ n. **1** (*bot.*, *Ananas sativus*) ananasso, ananas **2** ananas (*frutto*) **3** (*gergo mil.*) ananas; bomba a mano **4** Ⓤ (*slang*) sussidio di disoccupazione ● (*cucina*) **p. melba**, fetta di ananasso con gelato di vaniglia e succo di lamponi.

pinene /ˈpaɪniːn/ n. Ⓤ (*chim.*) pinene.

pinery /ˈpaɪnəri/ n. **1** pineta **2** piantagione di ananassi.

pinetree /ˈpaɪntriː/ n. (*bot.*, *Pinus*) pino.

pinewood /ˈpaɪnwʊd/ n. Ⓤ **1** pineta; pineto **2** legno di pino; pino.

piney /ˈpaɪni/ → **piny**.

pinfeather /ˈpɪnfɛðə(r)/ n. (*zool.*) penna nascente (*di uccello*).

pinfold /ˈpɪnfəʊld/ n. **1** chiuso; recinto (*per bestiame*) **2** (*per estens.*) luogo di reclusione.

to **pinfold** /ˈpɪnfəʊld/ v. t. **1** mettere (*bestie*) al chiuso **2** (*fig.*) rinchiudere; serrare.

ping /pɪŋ/ n. **1** colpo secco (*come d'un proiettile che urta qc.*) **2** (*mecc.: di motore*) battito in testa **3** (*elettron.*) impulso.

to **ping**① /pɪŋ/ v. i. **1** dare un suono secco **2** (*mecc.: di motore*) battere in testa.

to **ping**② /pɪŋ/ v. t. (*comput.*) verificare se (*un dispositivo*) è connesso a Internet.

pinger /ˈpɪŋə(r)/ n. (*fam.*) contaminuti da cucina.

ping-pong /ˈpɪŋpɒŋ/ n. **1** (*sport*) ping-pong; tennis da tavolo; tennistavolo **2** (*fig.*) batti e ribatti; altalena (*fig.*): (*in GB*) **parliamentary ping-pong**, l'altalena parlamentare (*tra la Camera e i Lord*) ● **ping-pong player**, giocatore di ping-pong; pongista (*raro*).

pinguid /ˈpɪŋgwɪd/ (*scherz.*) a. (*raro*) pingue; grasso ‖ **pinguidity** n. Ⓤ pinguedine.

pinhead /ˈpɪnhɛd/ n. **1** capocchia di spillo **2** (*fig.*) bazzecola; minuzia; cosa piccolissima **3** (*med. fam.*) microcefalo **4** (*slang spreg.*) microcefalo; imbecille.

pinheaded /ˈpɪnhɛdɪd/ a. (*slang spreg.*) cretino; sciocco; stupido | **-ness** n. Ⓤ.

pinhole /ˈpɪnhəʊl/ n. **1** foro di spillo **2** (*metall.*) punta di spillo **3** (*tiro con l'arco*) centro **4** (*mecc.*) foro per perno: (*fotogr.*) **p. camera**, stenoscopio.

pinion① /ˈpɪnɪən/ n. **1** punta dell'ala (*d'un uccello*) **2** penna dell'ala; penna remigante **3** (*poet.*) ala; vanno (*poet.*).

pinion② /ˈpɪnɪən/ n. (*mecc.*) pignone: **bevel p.**, pignone conico.

to **pinion** /ˈpɪnɪən/ v. t. **1** tarpare le ali a (*un uccello*) **2** (*fig.*) legare (*q. con funi*); legare le braccia a (q.); immobilizzare; tenere

fermo.

pinioned /'pɪnɪənd/ a. 1 (di uccello) dalle ali tarpate 2 (lett.) dotato di ali; alato.

♦**pink** ① /pɪŋk/ A n. 1 (bot., Dianthus) garofano 2 Ⓤ color rosa: salmon p., rosa salmone 3 (= hunting p.) rosso (della giacca indossata nella caccia alla volpe) 4 cacciatore (nella caccia alla volpe) 5 Ⓤ – (fig.) the p., il fiore; il meglio; il massimo: the p. of elegance, il fiore dell'eleganza; the p. of perfection, il culmine della perfezione; in the p. of health, in perfetta salute; in gran forma 6 (polit., spreg.) sinistroide; sinistrorso B a. 1 rosa; rosa pallido; roseo: p. cheeks, guance rosee 2 (polit., generalm. spreg.) sinistroide; sinistrorso; socialisteggiante: p. socialism, socialismo moderato (o all'acqua di rose) 3 di omosessuale; per omosessuali; gay ● p.-collar, relativo a lavori tradizionalmente svolti da donne; femminile (cameriera, segretaria, ecc.) □ (fam. scherz.) to see p. elephants, avere allucinazioni alcoliche □ (med.) p.-eye, congiuntivite acuta contagiosa □ p. gin, gin aromatizzato con essenze amare (angostura, ecc.) □ (ciclismo) the p. jersey, la maglia rosa □ (ingl.) the p. pound, il potere di acquisto degli omosessuali □ (fam. USA) p. slip, lettera di licenziamento □ (fam.) to be in the p., essere in forma smagliante; stare benissimo.

pink ② /pɪŋk/ n. (stor., naut.) pinco (tipo di veliero).

pink ③ /pɪŋk/ n. (zool.) salmone giovane.

to **pink** ① /pɪŋk/ v. t. 1 traforare (cuoio, ecc.) 2 dentellare (stoffa) 3 trafiggere (con la spada, ecc.) ● pinking shears (o scissors), forbici seghettate (da sarto).

to **pink** ② /pɪŋk/ v. i. (mecc.: di motore) battere in testa; detonare.

pinkie /'pɪŋkɪ/ n. (fam. USA) (dito) mignolo.

pinking ① /'pɪŋkɪŋ/ n. dentellatura (di stoffa).

pinking ② /'pɪŋkɪŋ/ n. (mecc.: di motore) battito in testa; detonazione.

pinkish /'pɪŋkɪʃ/, **pinky** /'pɪŋkɪ/ a. roseo; rosato.

pinko /'pɪŋkəʊ/ n. (pl. pinkos) (spreg. USA) sinistroide (fam. spreg.); socialista; radicale.

to **pink-slip** /pɪŋk'slɪp/ v. t. (fam. USA) licenziare.

pinna /'pɪnə/ n. (pl. pinnas, pinnae) 1 (zool.) pinna (di pesce) 2 (bot.) lobo (di foglia pennata) 3 (zool.) pinna (mollusco lamellibranco).

pinnace /'pɪnəs/ n. (naut.) 1 scialuppa (a otto remi o a motore); lancia 2 (stor.) pinaccia ● steam p., lancia a vapore.

pinnacle /'pɪnəkl/ n. 1 (archit.) pinnacolo 2 pinnacolo (di montagna) 3 (fig.) apogeo; colmo; culmine; sommo.

to **pinnacle** /'pɪnəkl/ v. t. 1 collocare su un pinnacolo 2 (fig.) mettere su un piedistallo 3 ornare di pinnacolo.

pinnate /'pɪnət/, **pinnated** /'pɪneɪtɪd/ a. 1 (bot.) pennato 2 (zool.) fornito di pinne.

pinner /'pɪnə(r)/ n. 1 chi attacca (o affigge, punta) con spilli, ecc. (→ to pin) 2 grembiulino 3 (stor.) copricapo muliebre con due alette laterali.

pinniped /'pɪnɪpəd/ (zool.) A a. dei pinnipedi B n. pinnipede.

pinnule /'pɪnjuːl/ n. 1 (bot.) pinnula; fogliolina secondaria (di foglia pennata) 2 (zool.) piccola pinna; pinnula.

pinny /'pɪnɪ/ n. (fam., abbr. di pinafore) grembiule.

pinochle, pinocle /'piːnəʊkl/ n. (USA) pinnacolo (gioco di carte).

pinocytosis /pɪnəʊsaɪ'təʊsɪs/ n. Ⓤ (biol.) pinocitosi.

pinpoint /'pɪnpɔɪnt/ A n. 1 punta di spillo

lo 2 puntino, punto (spec. di luce) 3 (fig.) inezia; bazzecola; nonnulla 4 (su una mappa) punto identificato 5 (mil.) bersaglio (aeron.) punto osservato; punto (o posizione) rispetto al suolo B a. attr. 1 minuscolo; piccolissimo 2 esatto; di precisione: p. aim, mira esatta ● p. accuracy, precisione millimetrica.

to **pinpoint** /'pɪnpɔɪnt/ v. t. 1 identificare (un punto, un problema, ecc.); localizzare; inquadrare; individuare con esattezza: (mil.) to p. a target, individuare (o colpire) con esattezza un bersaglio 2 (fig.) mettere in evidenza; dare risalto a (qc.).

pinprick /'pɪnprɪk/ n. 1 puntura di spillo 2 (fig.) piccola noia; seccatura.

to **pinprick** /'pɪnprɪk/ v. t. 1 pungere; forare (con uno spillo) 2 (fig.) infastidire; seccare, scocciare (fam.).

pinstripe /'pɪnstraɪp/ A n. 1 righina (su stoffa) 2 (pl.) abito a righine (o gessato) B a. attr. (di abito) a righine; (spec.) gessato.

pinstriper /'pɪnstraɪpə(r)/ n. 1 uomo che indossa un gessato 2 (fig.) uomo d'affari.

♦**pint** /paɪnt/ n. pinta: Just half a p. for me, per me solo una birra piccola ● CULTURA
• pint: misura per liquidi, pari a 1/8 di gallon e a 0,56 l in GB, a 0,47 l in USA. Attualmente, in parte in seguito alle disposizioni dell'Unione Europea ma in base anche a decisioni precedenti del governo britannico, il Regno Unito si sta uniformando al sistema metrico decimale. Mentre in documenti ufficiali e nell'uso giuridico è ammesso soltanto il sistema metrico, nell'uso popolare resistono le misure tradizionali quali il miglio e l'oncia, il piede e la libbra. La pinta viene usata soprattutto per la birra nei pub e nei bar e – in modo informale – per il latte ● (fam.) p.-sized (o p.-size), più piccolo del normale; ridotto; (fig.) insignificante, poco importante.

pinta /'paɪntə/ n. (fam., in GB) pinta di latte.

pintable /'pɪnteɪbl/ n. biliardino; flipper.

pintail /'pɪnteɪl/ n. (zool.) 1 (Anas acuta) codone 2 (Pedioecetes phasianellus) tetraone codacuta 3 (Pterocles alchata) grandula mediterranea.

pintle /'pɪntl/ n. 1 (di porta) arpione; cardine; ganghero 2 (naut.: del timone) agugliotto 3 (autom.) perno d'aggancio ● (di un autocarro) p.-hook, gancio di rimorchio.

pinto /'pɪntəʊ/ A a. (USA: di cavallo) pezzato B n. (pl. pintos, pintoes) cavallo pezzato.

pin-up /pɪn'ʌp/ A n. (fam.) 1 foto da appendere (spec. di ragazza formosa) 2 pin-up girl; pin-up; ragazza copertina 3 (USA) lampada da appendere B a. attr. 1 di (o da) pin-up: a pin-up magazine, una rivista di foto di pin-up 2 (USA) (di lampada, ecc.) da appendere.

pinwheel /'pɪnhwiːl/ n. 1 girandola (giocattolo e fuoco d'artificio) 2 (di orologio) ruota dentata a spinotti.

piny /'paɪnɪ/ a. 1 coperto (o ricco) di pini 2 simile al pino ● a p. odour, un odore di pino.

Pinyin /'pɪnjɪn/ n. Ⓤ (ling.) pinyin.

pion /'paɪɒn/ n. (fis. nucl.) pione; mesone pi.

pioneer /paɪə'nɪə(r)/ A n. 1 pioniere; precursore; antesignano 2 (mil.) soldato del genio; artiere 3 (stor.) pioniere (nel Far West) B a. attr. pionieristico; da pioniere: p. undertaking, impresa pionieristica ● p. work, lavoro di sperimentazione.

to **pioneer** /paɪə'nɪə(r)/ A v. i. fare da pioniere B v. t. fare da pioniere in (qc.); sperimentare per primo ● to p. a new technique, introdurre una nuova tecnica □ to p. a way for others, aprire la strada ad altri.

pioneering /paɪə'nɪərɪŋ/ A n. Ⓤ pionierismo B a. attr. pionieristico.

pious /'paɪəs/ a. 1 pio; devoto; religioso 2 pietoso; detto (o fatto) a fin di bene: a p. fraud, una bugia pietosa; un pietoso inganno 3 (spreg.) che finge la devozione; ipocrita; bigotto ● a p. hope, un pio desiderio | -ly avv. | -ness n. Ⓤ.

pip ① /pɪp/ n. 1 seme (di mela, pera, arancia, ecc.) 2 (d'uva) vinacciolo.

pip ② /pɪp/ n. Ⓤ 1 pipita (malattia dei polli) 2 (slang) malessere; (lieve) indisposizione 3 (slang, antiq.) malumore: That gives me the pip, ciò mi mette di malumore.

pip ③ /pɪp/ n. 1 punto (unità; simbolo segnato sulle tessere del domino, sui dadi, ecc.) 2 (mil.) stelletta (da ufficiale) 3 (bot.) singolo fiorellino (d'una infiorescenza a grappolo o a pannocchia) 4 faccetta romboidale (della buccia d'un ananas) 5 (slang USA) foruncolo; brufolo.

pip ④ /pɪp/ n. 1 (elettron.) segnale di ritorno; traccia d'impulso 2 (radio, TV) suono acuto e breve (prodotto meccanicamente per segnare i secondi): They broadcast six pips as a time-signal, trasmettono sei «pip» come segnale orario 3 (pl.) – the pips, il segnale orario.

to **pip** ① /pɪp/ v. t. (fam.) 1 bocciare; votare contro (q.) 2 colpire (col fucile, ecc.); sparare a (q.) 3 battere; sconfiggere; superare: (ipp. e fig.) He was pipped at the post, fu battuto sul traguardo (o sul filo di lana).

to **pip** ② /pɪp/ A v. i. (forse variante di to peep ①) pigolare; fare pio pio B v. t. (di un uccellino) rompere (il guscio dell'uovo).

pipage /'paɪpɪdʒ/ n. Ⓤ 1 sistema di tubazioni; (collett.) tubature 2 (costo del) trasporto mediante tubazioni.

♦**pipe** /paɪp/ n. 1 tubo; canna; condotto; conduttura: a water p., un tubo dell'acqua; (mecc.) exhaust p., tubo di scarico 2 (mus.) canna (d'organo) 3 (mus.) piffero; flauto 4 (pl.) (mus.) zampogna; cornamusa; piva 5 (naut.) fischietto di nostromo 6 fischio (il suono); fischietto (anche d'uccello); zufolo 7 (spesso pl.) voce di chi canta; canto 8 (anat.) canale; organo cavo; condotto (per es., windpipe, trachea 9 (= tobacco p.) pipa; (anche) pipata (di tabacco): to smoke a p., fumare la pipa; farsi una pipata 10 (geol.) camino (di vulcano) 11 (comput.) simbolo 12 (geol.) pozzo (di dolina carsica) 13 (slang USA) cosa facile; gioco da ragazzi 14 (volg. USA) tubo; pene 15 (per vino) pipa; botte bislunga (di 105 galloni in GB, 126 in USA) 16 (pl.) corde vocali (di un cantante) 17 (pl.) cornamuse scozzesi (→ bagpipe) ● p. bomb, bomba rudimentale racchiusa in un tubo di ferro □ p. cleaner, scovolino; (anche) nettapipe □ p. cleaning, pulitura di condutture (o di tubi) □ (mecc.) p. cutter, tagliatubi □ (fam.) p. dream, idea fantastica; progetto irrealizzabile; vana speranza □ p. (and tube) fitter, tubista (riparatore o installatore); (USA) gasista □ (mecc.) p. fittings, raccordi per tubazioni □ p. (and tube) manufacturer, tubista (fabbricante) □ (mil.) p. major, sottufficiale che comanda le cornamuse del reggimento □ pipes of Pan → panpipe □ (mus.) p. organ, organo a canne □ p. rack, portapipe, rastrelliera per pipe □ p. stem, cannuccia (di pipa) □ (mecc.) p. tee, raccordo a T □ (mecc.) p. thread, filettatura per tubi (tecn.) p. threader, filiera per tubi □ p. union, manicotto, raccordo per tubazioni □ p. work contractors, posatori di tubi; ditta per la posa di tubi □ (mecc.) p. wrench, giratubi; chiave stringitubo □ to fill one's p., caricare la pipa □ (volg. USA) to lay (the) p., lustrare il tubo; scopare (volg.) □ to be on the p., fumare il crack; farsi di crack □ (fig. fam.) Put that in your p. and smoke it!, prendi su e porta a casa!

to **pipe** /paɪp/ Ⓐ v. i. **1** suonare il piffero (*o la zampogna*) **2** (*naut.: del nostromo*) fischiare; dare ordini con il fischietto **3** (*d'uccello*) fischiare; zufolare; cinguettare **4** (*di persona*) cantare con un fil di voce (*o con voce acuta*); parlare con voce acuta Ⓑ v. t. **1** suonare (*una melodia*) col piffero (*o con la zampogna*); zufolare **2** cantare (*una canzone*), dire (qc.) con un fil di voce (*o con voce acuta*) **3** (*naut.*) chiamare (*marinai, col fischietto*); salutare (*un ufficiale, col fischietto*): **to p. all hands on deck**, chiamare tutti i marinai in coperta **4** (*tecn.*) provvedere di tubi (*o di condutture*) **5** (*anche* **to p. in**) convogliare, portare (*acqua, gas, petrolio, ecc.*) per mezzo di tubazioni **6** (*floricoltura*) propagare (*garofani, ecc.*) per talea **7** ornare (*un vestito*) con cordoncini (*o con bordini o profili*) **8** ornare (*un dolce*) con fregi di crema o glassa **9** (*mus., radio, TV*; anche **to p. in**) trasmettere via filo (*o via cavo coassiale*) **10** (*comput.*) collegare in cascata (*due processi*) ● (*fam.*) **to p. one's eye**, piangere □ (*naut.*) **to p. the side**, rendere gli onori col fischietto; fischiare alla banda.
■ **pipe aboard** v. t. + avv. (*naut.*) salutare col fischietto l'arrivo a bordo di: **to p. an admiral aboard**, salutare col fischietto l'arrivo a bordo di un ammiraglio.
■ **pipe ashore** v. t. + avv. (*naut.*) salutare col fischietto (*un ufficiale*) allo sbarco.
■ **pipe away** Ⓐ v. i. + avv. (*di una banda, ecc.*) continuare a suonare (*strumenti a fiato*) Ⓑ v. t. + avv. convogliare, portar via (*acqua, ecc.*) per mezzo di tubazioni.
■ **pipe down** Ⓐ v. i. + avv. (*fam.*) calmarsi; zittirsi; mettersi tranquillo: *P. down, children!*, state buoni, bambini! Ⓑ v. t. + avv. (*naut.*) avvertire (q.) col fischietto che è ora di smontare dal turno.
■ **pipe in** v. t. + avv. **1** addurre, portare (*acqua, ecc.*) con tubi **2** trasmettere (*musica*) in un locale chiuso; trasmettere via filo (*o via cavo assiale*).
■ **pipe into** v. t. + prep. convogliare, addurre, portare (*acqua, ecc.*) in (*una casa, ecc.*).
■ **pipe up** v. t. e i. + avv. **1** venirsene fuori, interloquire (*con voce acuta*); dire (cantare, ecc.) con una vocettina **2** (*slang USA*) fumare (*o tirare*) crack; farsi di crack.

pipeclay /ˈpaɪpkleɪ/ n. Ⓤ terra da pipe; argilla bianca per pipe.
to **pipeclay** /ˈpaɪpkleɪ/ v. t. **1** (*spec. mil.*) sbiancare (*cinturoni, ecc.*) con argilla bianca fine **2** (*fam.*) riordinare; sistemare: **to p. accounts**, sistemare i conti.

piped music /ˈpaɪpt ˈmjuːzɪk/ loc. n. musica di sottofondo (*diffusa in locali pubblici*).

pipedreaming /ˈpaɪpdriːmɪŋ/ n. Ⓤ sogni a occhi aperti; vane illusioni.

pipefish /ˈpaɪpfɪʃ/ n. (*zool., Syngnathus*) pesce ago.

pipeful /ˈpaɪpfl/ n. pipata; quanto tabacco sta in una pipa.

pipehead /ˈpaɪphɛd/ n. (*slang USA*) fumatore di crack.

pipeline /ˈpaɪplaɪn/ n. **1** condotta; conduttura; tubazione: **the water pipelines**, le condutture dell'acqua; **gas p.**, tubazione del gas; **p. network**, rete di tubazioni **2** (*fig.*) canale diretto (*per contattare q.*); canale riservato (*di informazioni*); tramite; mezzo di trasmissione **3** oleodotto **4** gasdotto **5** (*comput.*) pipeline: **p. burst cache**, memoria cache (*a trasferimento 'a raffica'*) ● (*fig.*) **to be in the p.**, essere in corso; essere in arrivo; essere in cantiere (*o in preparazione*); (*di una pratica, ecc.*) seguire il suo iter □ **methane p.**, metanodotto □ **oil p.**, oleodotto.

pipelining /ˈpaɪplaɪnɪŋ/ n. Ⓤ (*comput.*) pipelining (*elaborazione in cascata a stadi concorrenti*).

piper /ˈpaɪpə(r)/ n. **1** pifferaio; zampogna-

ro **2** suonatore di cornamusa.

piperazine /paɪˈpɛrəziːn/ n. Ⓤ (*chim.*) piperazina.

pipette /pɪˈpɛt/ n. (*chim.*) pipetta.

pipework /ˈpaɪpwɜːk/ n. Ⓤ tubature; tubazioni; condutture; tubi.

piping ① /ˈpaɪpɪŋ/ n. **1** Ⓤ il suonare il piffero (*o la cornamusa*) **2** suono di pifferi (*o di cornamuse*) **3** suono stridulo, acuto, penetrante **4** Ⓤ tubazione; tubatura; rete di condutture (*o di tubazioni*) (*per acqua, gas, ecc.*): **p. system**, rete di tubazioni **5** Ⓤ cordoncino di guarnizione; profilo: **with satin p.**, con un profilo di raso; profilato di raso **6** Ⓤ (*cucina*) guarnizione (*di glassa, crema, ecc., su dolci*) **7** Ⓤ (*fam.*) lamento; pianto.

piping ② /ˈpaɪpɪŋ/ a. **1** acuto; stridulo: **a p. voice**, una voce stridula **2** calmo; pacifico; sereno (dalla loc. **peaceful piping**, rif. al suono delle cornamuse in tempo di pace): *'the p. times of peace'* W. SHAKESPEARE, 'i giorni sereni del tempo di pace' ● **p. hot**, caldo bollente (*rif. a cibo, bevande*).

pipistrelle, pipistrel /ˈpɪpɪˈstrɛl/ n. (*zool., Pipistrellus*) pipistrello.

pipit /ˈpɪpɪt/ n. (*zool.*) **1** – **meadow p.** (*Anthus pratensis*), pispola **2** – **tree p.** (*Anthus trivialis*), pispolone; prispolone.

pipkin /ˈpɪpkɪn/ n. pentolino, tegamino (*di terracotta*).

pippin /ˈpɪpɪn/ n. (*bot.*) **1** seme (*di mela, pera, ecc.*) **2** mela di forma rotondeggiante e molto schiacciata **3** (*fam.*) persona (*o cosa*) eccellente; gioiellino (*fig.*).

pipsqueak /ˈpɪpskwiːk/ n. (*slang*) **1** (*mil.*) proiettile che emette un suono sibilante **2** persona meschina (*o spregevole*); nullità; scartina; mezzasega (*volg.*).

pipy /ˈpaɪpɪ/ a. **1** a forma di tubo; tubolare **2** acuto; stridulo **3** (*slang*) piagnucoloso.

piquancy /ˈpiːkənsɪ/ n. Ⓤ **1** l'esser piccante; gusto (*o sapore*) piccante **2** (*fig.*) arguzia; mordacità.

piquant /ˈpiːkənt/ a. **1** piccante (*anche fig.*); arguto; mordace | **-ly** avv.

pique ① /piːk/ n. Ⓤ picca; ripicca; puntiglio; irritazione; risentimento: *He went off in a p.*, se ne andò per picca ● **to take a p. against sb.**, prendersela con q.; piccarsi con q.

pique ② /piːk/ n. (*nel gioco del picchetto*) «pic»; il fare 30 punti prima che l'avversario cominci a segnare.
to **pique** ① /piːk/ v. t. **1** urtare; irritare; offendere **2** stimolare, suscitare (*curiosità, ecc.*) ● **to p. oneself on st.**, piccarsi di, vantarsi di qc.
to **pique** ② /piːk/ Ⓐ v. i. (*nel picchetto*) fare 30 punti prima che l'avversario cominci a segnare Ⓑ v. t. lasciare (q.) 30 punti a zero; dare cappotto a (q.).

piqué /ˈpiːkeɪ, USA piːˈkeɪ/ (*franc.*) n. Ⓤ (*ind. tess.*) piqué; picchè.

piqued /piːkt/ a. indispettito; irritato; seccato.

piquet ① /pɪˈkɛt/ n. picchetto (*gioco d'azzardo*).

piquet ② /ˈpɪkɪt/ → **picket**, def. 2.

piracy /ˈpaɪərəsɪ/ n. **1** Ⓤ pirateria: **an act of p.**, un atto di pirateria; **air p.**, pirateria aerea **2** atto di pirateria; impresa piratesca **3** Ⓤ riproduzione abusiva; pirateria; plagio; pirateria letteraria: (*comput.*) **software p.**, pirateria informatica **4** (pl.) copie riprodotte abusivamente; copie piratate.

piragua /pɪˈrægwə(r)/ n. piroga.

piranha /pɪˈrɑːnjə/ n. (*zool., Serrasalmo rhombeus*) piranha; pesce tigre.

pirate /ˈpaɪərət/ Ⓐ n. **1** pirata; corsaro **2** (*naut.*) nave pirata **3** (*fig.*) chi stampa un libro alla macchia; plagiario **4** (*fig.*) riproduttore abusivo (*di dischi, cassette, ecc.*) Ⓑ a.

attr. pirata: (*radio, TV*) **p. broadcast**, trasmissione pirata; **p. copy**, copia pirata; **p. (radio) station**, radio pirata.
to **pirate** /ˈpaɪərət/ v. t. **1** (*antiq.*) depredare, saccheggiare (*sul mare*) **2** (*fig.*) pubblicare (*un libro*) alla macchia; riprodurre abusivamente (*dischi, cassette, ecc.*); contraffare; piratare: **to p. CDs**, contraffare cd.

piratical /paɪˈrætɪkl/ a. di (*o da*) pirata; piratesco ● **a p. act**, un atto di pirateria | **-ly** avv.

piriformis /ˈpɪrɪfɔːmɪs/ a. (*spec. anat.*) piriforme: **p. muscle**, muscolo piriforme.

pirn /pɜːn/ n. (*scozz.*) **1** (*ind. tess.*) spoletta **2** canna da pesca.

pirogue /pɪˈrəʊg/ n. piroga.

pirouette /pɪruˈɛt/ (*franc.*) n. piroetta.
to **pirouette** /pɪruˈɛt/ (*franc.*) v. i. piroettare; eseguire una piroetta.

piscary /ˈpɪskərɪ/ n. **1** (*leg.*) diritto di pesca (*in acque altrui*) **2** (*raro*) zona di pesca ● **common of p.**, diritto di pesca pubblica.

piscatorial /ˌpɪskəˈtɔːrɪəl/, **piscatory** /ˈpɪskətərɪ/ a. **1** relativo alla pesca; piscatorio (*lett.*) **2** dedito alla pesca.

Piscean /ˈpaɪsɪən/ (*astrol.*) Ⓐ n. pescino; persona nata sotto il segno dei Pesci Ⓑ a. dei Pesci.

Pisces /ˈpaɪsiːz/ Ⓐ n. pl. (col verbo al sing.) **1** (*astron., astrol.*) Pesci (*costellazione e XII segno dello zodiaco*) **2** (*astrol.*) (un) pesci; individuo nato sotto il segno dei Pesci Ⓑ a. (*astrol.*) dei Pesci.

pisciculture /ˈpɪsɪkʌltʃə(r)/ n. Ⓤ piscicoltura || **piscicultural** a. piscicolo; della piscicoltura || **pisciculturist** n. piscicoltore.

piscina /pɪˈsiːnə/ n. (pl. **piscinas, piscinae**) **1** peschiera **2** (*stor. romana*) piscina **3** (*relig.*) bacile per acqua lustrale.

piscine ① /ˈpɪsiːn/ n. piscina.

piscine ② /ˈpɪsaɪn/ a. (*raro*) pescino; di (*o simile a*) pesce.

piscivorous /pɪˈsɪvərəs/ a. (*scient.*) piscivoro; ittiofago.

pisiform /ˈpaɪsɪfɔːm/ Ⓐ n. (*anat.*) pisiforme (*osso del carpo*) Ⓑ a. (*bot., zool.*) a forma di pisello.

piss /pɪs/ n. (*volg.*) **1** Ⓤ piscio (*volg.*); orina **2** pisciata (*volg.*): **to take** (*o* **to have**) **a p.**, fare una pisciata **3** Ⓤ (*fig. spreg.*) piscio; birra (*o altra bevanda*) poco alcolica ● (*slang USA*) **p. and vinegar**, brio; vivacità; energia □ (*slang USA*) **p. and wind**, vuote ciance, sbruffonate; (*anche*) sbruffone, pieno di chiacchiere □ (*slang USA*) **p.-ant**, uomo da nulla; tipo insignificante, scialbo □ (*slang USA*) **p.-elegant**, pretenzioso □ (*slang*) **p.-house**, pisciatoio □ (*slang USA*) **p.-poor**, povero in canna; pessimo, sbagliato, misero, inefficace: **a p.-poor performance**, (*mus., teatr., ecc.*) una pessima esecuzione; (*sport*) una pessima prestazione; **a p.-poor effort**, uno sforzo inefficace; un misero sforzo □ **p.-pot**, orinale; (*slang*) ubriacone □ (*volg.*) **p.-take**, presa in giro; presa per il culo (*volg.*) □ (*volg.*) **p.-up**, sbevazzata; grande bevuta; trincata (*pop.*) □ (*slang*) **to take the p.**, farsi sfottere □ (*volg.*) **to take the p. out of sb.**, prendere in giro q.; sfottere q.; prendere q. per i fondelli, per il culo (*volg.*).
to **piss** /pɪs/ (*slang*) v. t. e i. **1** (*volg.*) pisciare (*volg.*); orinare: **to p. blood**, pisciare sangue; **to p. one's trousers**, pisciarsi nei calzoni **2** (*slang*) piovere a catinelle **3** (*slang USA*) incavolarsi; arrabbiarsi; prendersela (*con*); fare incavolare ● (*volg.*) **to p. against** (*o in*) **the wind**, pisciare controvento; (*fig.*) non combinar un cavolo, sprecare tempo e fatica □ (*volg. USA*) **to p. and moan**, rompere le palle con continue lamentele; piagnucolare di continuo □ **to p. oneself**, pisciarsi addosso; (*anche*) farsela sotto (*per paura,*

ecc.); incavolarsi: **to p. oneself with laughter** (*o* **laughing**), pisciarsi addosso dal ridere; scompisciarsi dalle risa □ (*volg.*) **to p. in one's pants**, scompisciarsi dalle risa.

■ **piss about** (*o* **around**) (*slang*) Ⓐ v. i. + avv. sprecare tempo; battere la fiacca; bighellonare; non fare un cazzo (*volg.*) Ⓑ v. t. + avv. prendere (q.) per i fondelli; prendere per il culo (*volg.*).

■ **piss away** v. t. + avv. (*slang*) sprecare; sciupare (*tempo*); sperperare (*denaro*).

■ **piss down** v. i. + avv. (*slang*) piovere a catinelle; diluviare.

■ **piss off** (*slang*) Ⓐ v. i. + avv. andare via; smammare (*pop.*): *P. off!*, smamma!; vattene! Ⓑ v. t. + avv. scocciare; seccare; stufare (*fig. fam.*); fare incavolare: *His cheek pisses me off*, mi scoccia la sua faccia tosta.

■ **piss on** v. t. + avv. (*volg., anche fig.*) pisciare su (*o* sopra); fottersene di (qc.); sbattersene di: **to p. on sb.**, fottersene di q.; *I p. on it!*, ci piscio sopra!

■ **piss up** v. t. + avv. (*slang*) rovinare; incasinare; mandare a monte (*o* a puttane) □ (*fig., volg.*) **to p. up a rope**, andare a farsi fottere, andare a cagare (*volg.*).

pissed /pɪst/ a. (*slang*) **1** (*ingl.*) ubriaco; sbronzo **2** (*USA*) scocciato; seccato; incavolato; incazzato (*volg.*) ● (*slang*) **p. as a newt** (*o* **p. to the gills**, **p. out of one's mind**), ubriaco fradicio □ (*volg.*) **p. off**, incavolato; incazzato (*volg.*): *I'm p. off waiting*, mi sono rotto (le palle) d'aspettare; **to get p. off at sb.**, incavolarsi con q.

pisser /'pɪsə(r)/ n. (*volg.*) **1** chi piscia **2** cesso; latrina; pisciatoio **3** (*ingl.*) pub **4** (*ingl.*) uccello (*volg.*); pene **5** (*USA*) lavoraccio; faticaccia; rogna **6** (*USA*) rottura; seccatura; porcheria; schifezza **7** (*USA*) persona (*o* cosa) buffa, spassosissima **8** (*USA*) persona (*o* cosa) eccezionale (*o* fenomenale, straordinaria): *The show was a real p.*, lo spettacolo è stato davvero una cannonata.

pisshead /'pɪshɛd/ n. (*slang*) **1** (*ingl.*) beone; ubriacone **2** (*USA*) fesso; cretino; idiota; imbecille.

pissing /'pɪsɪŋ/ Ⓐ n. ⓤ (*volg.*) il pisciare; pisciata, pisciate Ⓑ avv. (*volg.*) straordinariamente; moltissimo: **a p. awful boring party**, un party orrendo, da far morire di noia.

pistachio /pɪ'stɑːʃɪəʊ/ n. (pl. **pistachios**) **1** (*bot.*, *Pistacia vera*) pistacchio (*albero e frutto*) **2** ⓤ color pistacchio; (= **p. green**) verde pistacchio.

piste /piːst/ n. **1** (*sci*) pista **2** (*scherma*) pedana ● **to ski off-p.**, sciare fuori pista.

pistil /'pɪstɪl/ (*bot.*) n. pistillo.

pistillate /'pɪstɪlɪt/ a. (*bot.*) pistillifero.

pistilliferous /pɪstɪ'lɪfərəs/ a. (*bot.*) pistillifero.

pistol /'pɪstl/ n. pistola ● (*di fucile*) **p.-grip**, calciolo □ (*fam.*) **p.-packer**, individuo armato di pistola □ (*sport*) **p. shooter**, tiratore di pistola □ **p. shot**, pistolettata □ (*mil.*) **machine p.**, pistola mitragliatrice □ (*sport*) **starting p.**, pistola di mossiere ● **Very p.**, pistola di segnalazioni □ **water p.**, pistola ad acqua.

to pistol /'pɪstl/ v. t. sparare a (q.) con la pistola.

pistole /pɪ'stəʊl/ n. (*stor.*) pistola (*antica moneta d'oro*).

to pistol-whip /'pɪstlwɪp/ v. t. (*USA*) colpire (q.) col calcio della pistola.

piston /'pɪstən/ n. **1** (*mecc.*) pistone; stantuffo **2** (*mus.*) pistone ● (*mecc.*) **p. displacement**, cilindrata (*di un motore*) □ (*mecc.*) **p. drill**, perforatrice a pistone □ (*mecc.*) **p. engine**, motore a pistoni □ (*mecc.*) **p. pin**, spinotto del pistone; spinotto □ (*autom., mecc.*) **p. ring**, anello per stantuffo; fascia elastica del pistone; segmento □ (*mecc.*) **p. rod**, biella □ **p.**

stroke, corsa del pistone.

♦**pit** ① /pɪt/ n. **1** buca; fossa; trappola (*per animali, anche fig.*) **2** abisso; burrone **3** (*fig., relig.*) (= **the pit of hell**, **the bottomless pit**) l'inferno **4** cava: **a chalk-pit**, una cava di gesso; **a sand-pit**, una cava di sabbia; **a clay-pit**, una cava d'argilla **5** miniera; pozzo di miniera: **a coal-pit**, una miniera di carbone; **a surface pit**, una miniera a cielo aperto **6** (*anat.*) cavità, depressione; bocca (*fig.*): **the pit of the stomach**, la bocca dello stomaco **7** (*med.*) cicatrice; buttero (*da vaiolo*) **8** (*teatr.*) platea (*anche fig.*); pubblico in platea **9** (*corse automobilistiche*) box: **pit stop**, sosta ai box; (*fig.*) sosta a una stazione di servizio (*in autostrada, ecc.*); **the pit straight**, il rettilineo dei box; **the pit crew**, la squadra degli addetti al box; **the pit lane**, la corsia dei box **10** (*mil.*) piazzuola (*di mortai*) **11** (*fin.*) settore (*della Borsa*) **12** (*slang*) cuccia (*fig. fam.*); letto; giaciglio **13** (*atletica*) buca (*di caduta: nel salto in lungo o triplo*) **14** (*slang*) posto sudicio; porcile; letamaio **15** (*pl.*) – **the pits**, la persona (*o* cosa peggiore); il peggio del peggio; una schifezza ● **pit bull**, pit bull (*cane*) □ **pit coal**, carbon fossile □ **pit dwelling**, caverna (*abitata da uomini nella preistoria*) □ (*un tempo*) **pit pony**, cavallino da miniera □ (*tecn.*) **pit saw**, segone; sega per tronchi abbattuti (*da usare in due*) □ **pit stop** = def. 9 → sopra □ (*fig.*) **to dig a pit for sb.**, tendere un tranello (*o* preparare una trappola*) a q. □ (*fam.*) **That film is the pits!**, quel film è una schifezza!

pit ② /pɪt/ n. (*USA*) nocciolo (*di ciliegia, pesca, ecc.*).

to pit ① /pɪt/ Ⓐ v. t. **1** infossare; interrare; mettere in una buca (*cibi, ecc., per conservarli*) **2** mettere (*galli, ecc.*) nell'arena per i combattimenti **3** butterare: *His face had been pitted by smallpox*, aveva la faccia butterata dal vaiolo **4** intaccare; bucherellare Ⓑ v. i. **1** infossarsi; avvallarsi; (*del terreno*) sprofondare facendo buche **2** (*autom.*) fermarsi (*o* fare una sosta) ai box ● **to pit against**, aizzare (*un animale contro un altro*); (*fig.*) opporre, contrapporre (*una persona, un'idea, una qualità, ecc. a un'altra*).

to pit ② /pɪt/ v. t. (*USA*) snocciolare, togliere il nocciolo a (*un frutto*).

pita /'pɪtə/ n. (*USA*) → **pitta**.

pit-a-pat /pɪtə'pæt/ Ⓐ avv. **1** a battiti rapidi; con forti palpitazioni **2** scalpicciando Ⓑ n. **1** battito; batticuore; palpitazione; palpito **2** picchiettio; scalpiccio; ticchettio; zampettio (*raro*) ● **to go pit-a-pat**, (*del cuore*) palpitare, battere forte (*o* all'impazzata); (*della pioggia*) picchierellare; (*dei piedi*) scalpicciare; (*di un animale*) zampettare.

pitbull /'pɪtbʊl/ n. = **pit bull** → **pit** ①.

pitch ① /pɪtʃ/ n. ⓤ pece ● **p.-black**, nero come la pece □ (*stor.*) **p.-cap**, copricapo impeciato (*strumento di tortura*) □ **p. dark**, buio pesto □ **p. darkness**, completa oscurità □ (*bot., USA; spec. Pinus rigida*) **p. pine**, pitch pine, pino rosso.

♦**pitch** ② /pɪtʃ/ n. **1** (*spec. sport: baseball e cricket*) lancio; palla lanciata: **a good p.**, un buon lancio **2** ⓤ (*naut., aeron.*) beccheggio **3** posteggio (*di venditore ambulante, ecc.*) **4** ⓤ (*mus. e ling.*) tono; tonalità (*d'un suono, anche parlando*) **5** ⓤⓒ (*mus.*) altezza (*di una nota*) **6** (*fig.*) culmine, apice, punto massimo; colmo: **the p. of merriment**, il colmo (*o* il massimo) dell'allegria **7** (*fig.*) grado; punto: *The party was at the highest p. of excitement*, la festa era giunta al punto più alto (*o* al culmine) dell'eccitazione **8** (*archit.*) altezza (*di un arco, di una volta*) **9** (*comm.*) quantità di merce esposta in vendita **10** ⓤ (*di un tetto, ecc.*) inclinazione; pendenza **11** (*mecc.*) passo: **screw p.**, passo della vite; **variable p. propeller**, elica a passo variabile **12** (*sport: baseball, cricket, calcio, hockey*)

campo (*di gioco*); (*anche*) fattore campo: **off the p.**, fuori dal campo di gioco; non in campo; **p. invasion**, invasione di campo; **p.-side**, bordo campo **13** (*fig. fam.*) discorsetto; imbonimento; tirata imbonitoria: **the salesman's p.**, la tirata imbonitoria del venditore **14** (*tur.*) posto adatto per piantarvi la tenda (*o* per parcheggiare la roulotte) **15** ⓤ (*fam.*) abbordaggio; approccio amoroso ● (*mecc.*) **p. circle**, circonferenza primitiva (*di una ruota dentata*) □ (*mecc.*) **p. cone**, cono primitivo □ (*mus.*) **p.-pipe**, strumento a fiato per accordare; corista □ **to fly a high p.**, (*di falco, ecc.*) volare fino al punto più alto (*prima di gettarsi sulla preda*); (*fig.*) mirare in alto, fare progetti ambiziosi (*o* voli di fantasia) □ **to have a good sales p.**, sapere vendere la propria merce □ (*USA*) **to make a p. for sb.**, cercare di abbordare q.; provarci con q.; tentare un approccio amoroso con q. □ (*USA*) **to make a p. for st.**, spezzare una lancia in favore di qc. □ (*fig.*) **to queer sb.'s p.**, guastare i piani a q.; rompere le uova nel paniere a q. (*fig.*).

to pitch ① /pɪtʃ/ v. t. impeciare.

to pitch ② /pɪtʃ/ Ⓐ v. t. **1** piantare; fissare; rizzare: **to p. a tent**, piantare una tenda; **to p. a camp**, fissare il campo; accamparsi **2** gettare; lanciare; scagliare; buttare: **to p. a ball**, lanciare una palla **3** (*mus.*) accordare; intonare (*uno strumento, ecc.*); impostare (*la voce*): **to p. a melody in a higher key**, intonare una melodia in chiave più alta **4** (*fig.*) impostare (*un discorso*); dare il tono a (qc.); esprimere (qc.) in un modo particolare **5** (*comm.*) esporre (*merce in vendita*) al mercato **6** pavimentare; selciare (*una strada*) **7** dare un'inclinazione (*o* una pendenza) a (*un tetto*) **8** (*sport: baseball*) lanciare: **to p. the ball to the batter**, lanciare la palla al battitore **9** (*fam.*) raccontare; narrare: **to p. a yarn**, raccontare una storia Ⓑ v. i. **1** accamparsi **2** cadere; stramazzare: **to p. on one's head**, cadere a capofitto; **to p. out of the window**, cadere dalla finestra **3** (*naut., aeron.*) beccheggiare **4** (*aeron.*) impennarsi; picchiare **5** (*baseball*) essere al lancio; fare il lanciatore: **the pitching team**, la squadra che è ai lanci **6** (*del tetto, ecc.*) avere una (*certa*) pendenza (*o* inclinazione): *The roof of the barn pitches sharply*, il tetto del granaio ha una forte pendenza ● (*cricket*) **to p. a good length**, fare un bel lancio lungo □ **to p. hay**, caricare fieno (*gettandolo coi forconi sui carri*) □ (*fig.*) **to p. one's tent**, piantar le tende, stabilirsi (*in un luogo*) □ **to be pitched off one's horse**, essere disarcionato.

■ **pitch forward** v. i. + avv. cadere in avanti; cadere a capofitto.

■ **pitch in** Ⓐ v. t. + avv. buttare, gettare in Ⓑ v. i. + avv. **1** (*fam.*) buttarsi; mettercisi di buona lena; darci dentro; buttarsi sul cibo (*nella mischia, ecc.*) **2** (*fam.*) intervenire, venire in aiuto, dare soccorso: *He kindly pitched in with a hundred pounds*, intervenne generosamente con cento sterline.

■ **pitch into** Ⓐ v. t. + prep. buttare, gettare, scaraventare (q. o qc.) in (*un luogo*) Ⓑ v. i. + prep. **1** (*fam.*) assestare colpi a (q.); attaccare (*con pugni, critiche, ecc.*) **2** gettarsi su (*cibo, ecc.*); buttarsi in (*fig.*): **to p. into the job**, buttarsi nel lavoro; darci dentro □ **to p. sb. into a position**, fare accettare un posto a q. per forza; imporre q. in un posto.

■ **pitch on** v. t. + avv. **1** far cadere la scelta su (q.); scegliere **2** (*fam.*) prendersela con (q.).

■ **pitch out** v. t. + avv. buttare fuori; cacciare, espellere (q.).

■ **pitch over** v. i. + avv. **1** (*naut.*) beccheggiare violentemente **2** (*di animali in branco*) sgroppare: '*And they pitched over one after the other, just as steamers shoot rapids*' R. KIPLING, 'e sgroppavano uno dopo l'altro, come fanno i piroscafi superando le rapide'.

■ **pitch up** **A** v. t. + avv. (*cricket*) lanciare (*la palla*) facendola rimbalzare vicino al battitore **B** v. i. + avv. (*fam.*) arrivare; farsi vivo; saltar fuori.

■ **pitch upon** → **pitch on**.

pitch-and-putt /ˈpɪtʃənˈpʌt/ n. (*golf*) gioco su campo a nove buche (*più corto del normale*).

pitch-and-run shot /ˈpɪtʃənˈrʌnʃɒt/ loc. n. (*golf*) colpo corto di avvicinamento (*alla buca*).

pitch-and-toss /ˈpɪtʃənˈtɒs/ loc. n. gioco in cui si tirano monete contro un segno fissato sul terreno (*chi va più vicino al segno raccoglie le monete e le getta in aria, guadagnando quelle che ricadono con la «testa» in alto*).

pitchblende /ˈpɪtʃblɛnd/ n. ⓤ (*miner.*) pechblenda.

pitched ① /pɪtʃt/ a. impeciato.

pitched ② /pɪtʃt/ a. (*di un tetto*) spiovente ● **p. battle**, (*stor.*) battaglia campale; (*fig.*) lotta all'ultimo sangue; scontro violento; lite feroce.

pitcher ① /ˈpɪtʃə(r)/ n. **1** anfora; (*USA*) caraffa, brocca (*di solito, di terracotta*) **2** (*bot.*) ascidio ● (*prov.*) **Little pitchers have long ears**, i bambini hanno le orecchie lunghe (*ascoltano tutto senza parere*).

pitcher ② /ˈpɪtʃə(r)/ n. **1** (*spec. nel baseball*) lanciatore **2** (*golf*) ferro 7 **3** venditore ambulante che ha un posteggio fisso; posteggiatore **4** blocchetto per selciare strade; selce ● (*baseball*) **p.'s box**, box di lancio □ (*baseball*) **p.'s mound**, monte di lancio □ (*baseball*) **p.'s plate**, pedana di lancio.

pitchfork /ˈpɪtʃfɔːk/ n. (*agric.*) forcone; forca.

to **pitchfork** /ˈpɪtʃfɔːk/ v. t. **1** sollevare (*o smuovere*) col forcone; inforcare (*fieno, ecc.*) **2** (*fig.*) spingere a viva forza; spingere (q.) a occupare (*un posto*) ● **He was pitchforked into that job by destiny**, fu il destino a portarlo a occupare quel posto.

pitching /ˈpɪtʃɪŋ/ n. ⓤ (*baseball*) lancio, lanci (*della palla*): **p. foot**, piede d'appoggio per il lancio **2** ⓤ (*naut., aeron.*) beccheggio **3** ⓤ (*comm.*) esposizione (*di merce in vendita*) **4** ⓤ lastricatura **5** lastricato; selciato.

pitchstone /ˈpɪtʃstəʊn/ n. ⓤ (*geol.*) roccia vetrosa; «pitchstone».

pitchy /ˈpɪtʃɪ/ a. **1** impeciato **2** pecioso; simile a pece **3** nero come la pece.

piteous /ˈpɪtɪəs/ a. pietoso; doloroso; commovente; miserando | **-ly** avv. | **-ness** n. ⓤ.

pitfall /ˈpɪtfɔːl/ n. **1** fossa, trabocchetto (*per catturare animali*) **2** trappola (*anche fig.*); insidia; tranello.

pith /pɪθ/ n. ⓤ **1** (*anat., bot., zool.*) midollo (*di piante, ossa, ecc.*) **2** albedo, albedine (*parte interna biancastra della buccia degli agrumi*) **3** (*fig.*) parte essenziale; essenza; nòcciolo, succo (*fig.*): **the p. of his words**, il succo delle sue parole; **the p. of the matter**, il nòcciolo della faccenda **4** (*fig.*) energia; forza; vigore **5** (*fig.*) importanza: **things of great p. and moment**, imprese di grande importanza e gravità ● **the p. and marrow of st.**, l'intima essenza di qc. □ **p. helmet**, casco coloniale □ **to get down to the p. of the matter**, andare al sodo.

to **pith** /pɪθ/ v. t. **1** togliere il midollo a (*una pianta*) **2** uccidere (*animali*) forando (*o tagliando*) il midollo spinale.

pithead /ˈpɪthɛd/ n. (*ind. min.*) (*strutture intorno alla*) bocca di una miniera ● **p. baths**, bagni alla bocca della miniera.

Pithecanthropus /pɪθɪˈkænθrəpəs, -ˈθrəʊpəs/ n. (pl. **Pithecanthropi**) (*paleont.*) pitecantropo.

pithless /ˈpɪθləs/ a. **1** senza midollo **2**

(*fig.*) smidollato.

pithy /ˈpɪθɪ/ a. **1** midolloso; pieno di (*o simile a*) midollo **2** (*fig.*) conciso; efficace; energico; forte; succoso; stringato; vigoroso: **a p. style**, uno stile conciso (*o vigoroso*) || **pithily** avv. concisamente; vigorosamente; con energia || **pithiness** n. ⓤ l'essere midolloso; abbondanza di midollo **2** (*fig.*) concisione; stringatezza; succosità; energia.

pitiable /ˈpɪtɪəbl/ a. **1** pietoso; lacrimevole; doloroso; commovente; miserando **2** meschino; miserabile; spregevole | **-bly** avv.

pitiableness /ˈpɪtɪəblnəs/ n. ⓤ **1** l'essere pietoso (*o miserando*); il muovere a pietà **2** meschinità; spregevolezza.

pitiful /ˈpɪtɪfl/ a. **1** pietoso; compassionevole; misericordioso; lacrimevole; penoso; commovente: **a p. scene**, una scena penosa **2** meschino; misero; spregevole: **a p. salary**, un misero stipendio; **a p. lie**, una menzogna spregevole | **-ly** avv.

pitifulness /ˈpɪtɪflnəs/ n. ⓤ **1** pietà; misericordia; compassione **2** stato pietoso (*o miserando*) **3** meschinità; spregevolezza.

pitiless /ˈpɪtɪləs/ a. spietato; crudele | **-ly** avv. | **-ness** n. ⓤ.

pitman /ˈpɪtmən/ n. **1** (pl. **pitmen**) minatore (*spec. di miniera di carbone*) **2** (pl. **pitmans**) (*mecc., USA*) biella; barra d'accoppiamento **3** (pl. **pitmen**) (*autom.*) addetto (*o meccanico*) ai box.

pitometer /pɪˈtɒmɪtə(r)/ n. (*fis.*) pitometro.

piton /ˈpiːtɒn/ n. (*alpinismo*) chiodo (*da roccia o da ghiaccio*) ● **p. carrier**, portachiodi □ **p. hammer**, mazzetta.

pitta /ˈpɪtə/ n. (*cucina*, = **p. bread**) pane azzimo (*di forma rotonda e schiacciata*).

pittance /ˈpɪtns/ n. **1** compenso, paga, remunerazione (*spec. se scarsi*): **a mere p.**, un compenso irrisorio; un'elemosina **2** esigua quantità (*di cibo, di denaro, ecc.*); inezia; miseria (*fig.*) **3** (*stor.*) lascito a un istituto religioso (*per provvedere al vitto e alle bevande*).

pitted ① /ˈpɪtɪd/ a. **1** bucherellato **2** (*med.*) butterato.

pitted ② /ˈpɪtɪd/ a. (*spec. USA*) snocciolato; senza nòcciolo: **p. prunes**, prugne secche snocciolate.

pitter /ˈpɪtə(r)/ n. (*USA*) snocciolatoio (*per ciliegie, olive, ecc.*).

pitter-patter /ˈpɪtəpætə(r)/ → **pit-a--pat**.

pitting /ˈpɪtɪŋ/ n. ⓤ **1** (*ind. min.*) scavo del pozzo **2** (*metall.*) corrosione per vaiolatura.

pituitary /pɪˈtjuːɪtrɪ/ a. (*anat.*) pituitario; ipofisario: **p. gland** (*o* **p. body**), ghiandola pituitaria; ipofisi ● (*med.*) **p. dwarfism**, nanismo ipofisario.

• **pity** /ˈpɪtɪ/ n. **1** ⓤ pietà; compassione; misericordia: **to have** (*o* **to take**) **p. on**, aver pietà di; **to feel p. for**, provar compassione per; **out of p.**, per pietà; per pura compassione **2** (*generalm. al sing.*) peccato; cosa che dispiace: *It's a p. that...*, è un peccato che...; **what a p.!**, che peccato!; *The p. is that...*, peccato che... ● **for p.'s sake**, per carità; per amor di Dio □ (*ingl.*) **more's the p.**, purtroppo; sfortunatamente.

to **pity** /ˈpɪtɪ/ v. t. compassionare; aver pietà di; compatire.

pitying /ˈpɪtɪɪŋ/ a. compassionevole; pietoso; misericordioso | **-ly** avv.

pityriasis /pɪtɪˈraɪəsɪs/ n. ⓤ (*med., vet.*) pitiriasi.

• **pivot** /ˈpɪvət/ n. **1** perno (*anche fig.*); cardine; punto centrale: **the p. of the question**, il perno della questione; (*sport*) **the p. of the team**, il perno della squadra; il giocatore che ha il ruolo chiave (*anche* **the p. man**) **2** (*mil.*) soldato (*o reparto*) che serve da perno

(*nelle evoluzioni*) **3** (*basket*) pivot ● **p. bridge**, ponte girevole □ (*sport*) **p. foot**, piede di perno □ (*basket*) **p. wing**, ala pivot □ (*mecc.*) **set on a p.**, montato su un perno; pivotante.

to **pivot** /ˈpɪvət/ **A** v. t. imperniare; montare su (*o provvedere di*) un perno **B** v. i. **1** (*anche fig.*) imperniarsi **2** girare su sé stesso: *'Then Michael pivoted to bring the gun to bear on* [*the police captain*]*'* M. PUZO, 'poi Michael girò su stesso per prendere di mira [il capitano della polizia]' ● (*fig.*) **to p. on** (*o* **upon**) **st.**, dipendere da qc.

pivotal /ˈpɪvətl/ a. **1** di perno; che serve da perno **2** (*fig.*) di cardinale importanza; importantissimo.

pivoting /ˈpɪvətɪŋ/ **A** n. ⓤ il fare perno (*su un piede, ecc.*); rotazione **B** a. attr. pivotante ● (*sci*) **p. action**, azione sterzante (*facendo perno su uno dei due sci*).

pix /pɪks/ n. pl. (abbr. *slang di* **pictures**) **1** quadri **2** fotografie; foto **3** cinema.

pixel /ˈpɪksl/ n. (contraz. di **picture element**) (*comput.*) pixel (*elemento base di un'immagine digitale*).

pixie /ˈpɪksɪ/ n. fata; folletto; spiritello.

pixillated /ˈpɪksɪleɪtɪd/ a. (*USA*) **1** (*fam.*) pazzerello; picchiatello; svitato (*fam.*) **2** (*slang*) ubriaco; sbronzo.

pixy /ˈpɪksɪ/ n. → **pixie**.

♦ **pizza** /ˈpiːtsə/ (*ital.*) n. ⓤⓒ pizza ● **p. cutter**, spatola per la pizza; tagliapizza □ **p. house** (*o* **shop**, *o* **restaurant**), pizzeria □ **p. slices**, porzioni di pizza; (*cartello*) 'pizza al taglio' □ **p. topping**, condimento della pizza.

pizzaburger /ˈpiːtsəbɜːgə(r)/ n. (*USA, cucina*) pizza farcita di carne di manzo tritata.

pizzaface /ˈpiːtsəfeɪs/ n. (*slang USA*) individuo dalla faccia piena di brufoli.

pizzazz /pɪˈzæz/ n. (*slang USA*) **1** entusiasmo; brio; slancio; spinta (*fig.*) **2** (*autom.*) accessorio vistoso.

pizzicato /pɪtsɪˈkɑːtəʊ/ (*ital.*), (*mus.*) **A** avv. e a. pizzicato **B** n. (pl. **pizzicati**, **pizzicatos**) pizzicato.

pk abbr. **1** (**park**) parco **2** (**peak**) picco; vetta.

pl. abbr. **1** (*anche* **PL.**) (**place**) luogo; piazza **2** (**plate**) piatto; (*di un libro*) tavola fuori testo.

P/L sigla (*comm.*, **profit and loss**) profitti e perdite.

PLA sigla (*GB*, **Port of London Authority**) Autorità portuale di Londra.

placable /ˈplækəbl/ a. placabile || **placably** avv. placabilmente || **placability** n. ⓤ placabilità.

placard /ˈplækɑːd/ n. affisso; cartellone; manifesto pubblicitario.

to **placard** /ˈplækɑːd/ v. t. **1** affiggere manifesti su (*un muro, ecc.*); coprire di cartelloni **2** annunciare (qc.) con cartelloni (*o con manifesti*).

to **placate** /pləˈkeɪt, *USA* ˈpleɪkeɪt/ v. t. placare; calmare; pacificare; rabbonire || **placatory** a. che placa; conciliante; accomodante.

♦ **place** /pleɪs/ n. **1** posto; luogo; località; locale; casa; punto; impiego; posizione; rango; ruolo: *Have you booked places on the train?*, hai prenotato i posti sul treno?; *There are only twenty places on the course*, ci sono solo venti posti per il corso; **p. of work**, posto di lavoro; **p. of worship**, un luogo di culto (*chiesa o cappella*); **places of amusement**, locali di divertimento; **country p.**, casa di campagna; *I was offered a p. as gardener*, mi ha offerto un posto da giardiniere; (*anche fig.*) *Put yourself in my p.!*, mettiti al mio posto!; **a sore p. on the arm**, un punto dolente del braccio; *If I were in your p. ...*, se fossi al tuo posto... **2** (*comm.*)

piazza; mercato **3** (*d'un libro, ecc.*) brano; passo; segno: *He quoted a p. from the Bible*, citò un passo della Bibbia **4** (*sport*) posto (*in classifica*); posizione: *Our team finished in third p.*, la nostra squadra finì al terzo posto **5** (*nelle corse e sim.*) piazzamento: (*ipp.*) **to back a horse for a p.**, giocare un cavallo piazzato **6** (*fam.*) casa; (*spec.*) casa di campagna; villa: *Let's go to my p.!*, andiamo a casa mia!; *They invited us to their p. for the weekend*, ci invitarono nella loro villa per il week-end; *I'm just having a few people round to my p. for a few drinks*, ho invitato giusto un po' di gente a bere qualcosa a casa mia **7** (= **eating p.**) ristorante; trattoria **8** (*mat.*) cifra: **to calculate to the sixth decimal p.**, calcolare i decimali fino alla sesta cifra ● (*ipp.*) **p. bet**, scommessa sul (cavallo) piazzato (*2° o 3° in GB; 2° in USA*) □ **p. card**, segnaposto (*a tavola*) □ (*ipp.*) **p. horse**, cavallo piazzato □ (*fig.*) **a p. in the sun**, un posto al sole □ (*sport*) **p. judge**, giudice di classifica □ (*calcio e rugby*) **p.-kick**, calcio piazzato □ (*sport*) **p. list**, classifica; graduatoria □ **p.-mat**, tovaglietta di un servizio all'americana □ **p. name**, toponimo □ **p. of birth**, luogo di nascita □ **p. of business**, sede degli affari □ (*leg.*) **p. of jurisdiction**, foro competente □ (*banca, comm.*) **p. of payment**, piazza di pagamento □ (*autom., ecc.*) **p. on the grid**, posizione alla griglia di partenza □ **p. setting**, coperto (*posto apparecchiato a tavola*); (*anche*) apparecchiatura □ (*fam.*) **to be all over the p.**, essere in disordine, essere incasinato; (*anche*) essere sconvolto (*o stravolto*) □ **to change places**, scambiarsi di posto □ **to find [lose] one's p.**, ritrovare [perdere] il segno (*leggendo*) □ (*ipp.*) **for a p.**, piazzato □ **to give p. to**, far luogo a; far posto a; esser seguito da □ **to go places**, andare in giro, viaggiare molto; (*fig.*) aver successo; fare strada; sfondare (*fam.*) □ (*fig.*) **high places**, le alte sfere; (*fig.*) **in high places**, in alto loco □ (*polit., ai Comuni, per indicare la Camera dei Lord*) **in another p.**, altrove □ **in the first [second] p.**, in primo [secondo] luogo □ **in p.**, a posto, al posto giusto, in ordine; (*fig.*) adatto, appropriato, adeguato: *I would like everything to be in p.*, mi piacerebbe che tutto fosse a posto; *The offer is not quite in p.*, l'offerta non è del tutto adeguata □ **in p. of**, in luogo di; al posto di; invece di □ (*fig.*) **to keep sb. in his p.**, far stare q. al suo posto □ (*fig.*) **to know one's p.**, saper stare al proprio posto □ (*scherz.*) **the other p.**, l'altra università (*Cambridge per quelli di Oxford, e viceversa*) □ **out of p.**, fuori posto, spostato; non al proprio posto; (*fig.*) fuori luogo, inopportuno, sconveniente □ (*fig.*) **to put sb. in his p.**, far stare q. al suo posto; tenere a freno q. □ **to take place**, aver luogo; accadere; svolgersi □ **to take the place of**, prendere il posto di, sostituire; fare le veci di.

to **place** /pleɪs/ **A** v. t. **1** collocare; mettere; porre; disporre; posare; riporre: **to p. the books on the shelf**, mettere i libri sullo scaffale; *I p. my family before everything*, metto la famiglia innanzi a tutto; *The major was placed in command of the regiment*, il maggiore fu posto al comando del reggimento; **to p. one's confidence in sb.**, riporre la propria fiducia in q. **2** identificare; individuare; riconoscere: **to p. a voice [a face]**, riconoscere una voce [una faccia] **3** (*fin.*) investire (*denaro*) **4** (*comm.*) conferire, dare, passare, piazzare (*un'ordinazione, un ordinativo*): **to p. an order for goods with one's supplier**, dare un'ordinazione di merci al proprio fornitore; *We're thinking of placing a small trial order with them*, stiamo pensando di dare a loro un piccolo ordine di prova **5** (*comm.*) collocare, vendere (*merci*) **6** collocare (q.) in un impiego; trovare un posto a (q.); impiegare: **to p. sb. as a**

cashier, impiegare q. come cassiere **7** (*sport*) disporre, piazzare (*giocatori*) **8** (*sport*) mandare, mettere (*la palla in rete*) **9** (*sport*) fare, eseguire (*un passaggio*) **10** (*mil.*) piazzare, postare (*cannoni, ecc.*) **B** v. i. **1** (*sport*) piazzarsi; classificarsi: *He placed second*, si classificò secondo **2** (*sport*) piazzarsi; (*in GB*) arrivare secondo o terzo; (*in USA*) arrivare secondo ● **to p. sb.'s age at 40**, dare a q. 40 anni; ritenere che q. abbia 40 anni (*all'aspetto*) □ **to p. sb. at his ease**, mettere q. a suo agio □ (*ipp.*) **to p. a bet**, fare una scommessa □ (*telef.*) **to p. a call to sb.**, fare una telefonata a q. □ **to p. oneself**, collocarsi; mettersi; prendere posizione; (*sport*) piazzarsi; appostarsi □ **to p. sb. under arrest**, mettere q. agli arresti □ **to p. sb. under oath**, mettere q. sotto giuramento □ **to be placed**, (*sport*) piazzarsi, classificarsi (*1°, 2°, ecc.*); (*ipp.*) piazzarsi: *The Queen's horse wasn't placed*, il cavallo della regina non si piazzò □ **His face looks familiar, but I can't p. him**, la sua faccia mi è familiare, ma non riesco a ricordare chi sia (*o dove l'abbia conosciuto*).

■ **place aside** v. t. + avv. **1** mettere da parte (*anche fig.*); posare; risparmiare; rinunciare a: **to p. aside one's tools**, posare i propri arnesi; **to p. aside some money**, mettere da parte un po' di soldi; **to p. aside a plan**, accantonare un progetto **2** mettere da parte (*anche fig.*); tenere in serbo; conservare: **to p. aside an article for a customer**, tenere in serbo un articolo per un cliente.

■ **place back** v. t. + avv. rimettere (a posto): *P. the book back on the shelf!*, rimetti il libro sullo scaffale!

■ **place down** v. t. + avv. mettere giù; posare.

■ **place out** v. t. + avv. collocare, sistemare, affidare: **to p. out orphans into private homes**, affidare orfani a famiglie.

placebo /pləˈsiːbəʊ/ n. (pl. **placebos**) (*farm., med.*) placebo ● (*med.*) **p. effect**, effetto placebo.

placed /pleɪst/ a. **1** collocato; messo; disposto: *How are we p. for money?*, come siamo messi (o come stiamo) a soldi? **2** (*ipp.*) piazzato ○ **to be highly p.**, occupare un posto (o rivestire un ruolo) importante.

placeman /ˈpleɪsmən/ n. (pl. **placemen**) (*spesso spreg.*) funzionario (o impiegato statale, burocrate) nominato per motivi politici e che cura solo il proprio interesse.

placement /ˈpleɪsmənt/ n. [U] **1** collocamento; disposizione; collocazione; piazzamento: **p. agency**, agenzia di collocamento; **p. exam**, test di piazzamento **2** (*fin.*) investimento (*di denaro*): **a fixed-return p.**, un investimento a reddito fisso **3** (*comm.*) conferimento, piazzamento (*di un'ordinazione*) **4** (*comm.*) collocamento (*di merci, ecc.*) **5** (*Borsa*) collocazione (*di azioni*) **6** (*sport*) il piazzare (*una palla*): **perfect p.**, il piazzare una palla imprendibile ● (*econ.*) **the p. of labour**, il collocamento della manodopera.

placenta /pləˈsɛntə/ n. (pl. **placentas**, **placentae**) (*anat.*) placenta (*med.*) **p. previa**, placenta previa.

placental /pləˈsɛntl/ **A** a. **1** (*anat., bot.*) placentare **2** (*zool.*) placentale; placentato: **p. mammals**, mammiferi placentali **B** n. (*zool.*) placentato.

placentation /ˌplæsɛnˈteɪʃn/ n. [U] (*anat., bot.*) placentazione.

placer① /ˈpleɪsə(r)/ n. **1** collocatore; chi mette, chi pone, ecc. (→ **to place**) **2** (*sport, ipp., USA*) corridore (*a cavallo, ecc.*) piazzato (*in un certo posto*) **3** (*slang, UK*) ricettatore.

placer② /ˈpleɪsə(r)/ n. (*geol.*) giacimento alluvionale; placer.

placet /ˈpleɪsɛt/ (*lat.*) n. placet; beneplacito.

placid /ˈplæsɪd/ a. placido; calmo; sereno; tranquillo | **-ly** avv. | **-ness** n. [U].

placidity /pləˈsɪdətɪ/ n. [U] placidità; calma; serenità; tranquillità.

placing /ˈpleɪsɪŋ/ n. [U] **1** (*Borsa*) collocamento (*di azioni*) **2** (*sport*) posto in classifica **3** (pl.) classifica: **general placings**, classifica generale.

placket /ˈplækɪt/ n. **1** apertura (*spec. in gonna; in alto, per infilarla meglio*): **four-button p.**, apertura con quattro bottoni **2** (*arc.*) tasca (*di gonna*).

placode /ˈplækəʊd/ n. [U] (*anat.*) placode.

placoid /ˈplækɔɪd/ **A** a. (*zool.*) placoide **B** n. pesce placoide.

plagal /ˈpleɪgl/ a. (*mus.*) plagale.

plagiarism /ˈpleɪdʒərɪzəm/ n. **1** [U] plagio; il plagiare **2** plagio (*scritto spacciato per proprio*) || **plagiarist** n. plagiario || **plagiaristic** a. di (o da) plagiario; plagiario.

to **plagiarize** /ˈpleɪdʒəraɪz/ v. t. plagiare.

plagiary /ˈpleɪdʒərɪ/ n. (*arc.*) → **plagiarism**.

plagiocephaly /ˌpleɪdʒɪəʊˈsɛfəlɪ/ n. [U] (*med.*) plagiocefalia.

plagioclase /ˈpleɪdʒəʊkleɪs/ n. [U] (*miner.*) plagioclasio.

plague /pleɪg/ n. **1** piaga (*fig.*): *the ten Plagues of Egypt*, le dieci piaghe d'Egitto **2** (solo al sing.) (*fig.*) tormento; piaga: *Traffic is the p. of the western world*, il traffico è la piaga del mondo occidentale **3** (*med.*) peste; pestilenza; epidemia **4** (*stor., med.*) – **the p.**, la peste bubbonica.

to **plague** /pleɪg/ v. t. **1** affliggere; assillare; infastidire; tormentare; seccare: **to be plagued by headaches**, essere afflitto dal mal di testa **2** (*raro*) appestare; infestare.

plaguey, plaguy /ˈpleɪgɪ/ a. (*fam. antiq.*) fastidioso; molesto; seccante.

plaice /pleɪs/ n. (*zool., Pleuronectes platessa*) platessa; pianuzza; passera di mare.

plaid /plæd/ n. [U] (*ind. tess.*) **1** plaid; mantello scozzese a scacchi; coperta di lana (*da viaggio, ecc.*) **2** stoffa a grandi quadri per plaid ● **a p. scarf**, uno scialle a scacchi || **plaided** a. **1** che indossa il plaid **2** (*di stoffa*) a scacchi.

◆ **plain** /pleɪn/ **A** a. **1** chiaro; evidente; ovvio; facile: **p. words**, parole chiare; *The significance of his works is p.*, il significato delle sue opere è evidente **2** semplice; franco; schietto; puro; sobrio; alla buona; comune; ordinario; normale; disadorno: **p. food [cooking]**, cibo [cucina] semplice; **a p. cook**, un cuoco (o una cuoca) alla buona; **p. folk**, gente semplice; **a p. meal**, un pasto semplice (o alla buona); **p. paper**, carta ordinaria (*non scritta o non intestata*); **p. words**, parole franche; **the p. truth**, la pura verità; **p. style**, stile disadorno: *A p. design would need less work of course*, un design semplice richiederebbe naturalmente meno lavoro **3** insignificante; brutto; brutto; comune: *It's a pity the girl is so p.*, peccato che la ragazza sia così insignificante; **a p. face**, un viso bruttino (o comune) **4** (*di stoffa, tessuto*) liscio; non operato (*di disegno*) in bianco e nero (*non a colori*); non ornato; a tinta unita: **a p. carpet**, un tappeto a tinta unita **6** (*lavoro a maglia*) (*di punto*) unito **7** (*di persona*) esplicito: **to be p. with sb.**, essere esplicito (o parlare chiaro) con q. **8** piano; liscio **B** n. piano; pianura: (*geogr.*) **the Great Plains**, le Grandi Pianure (*in USA, a ovest del Mississippi*) **C** avv. **1** chiaramente; con chiarezza; con semplicità: *The noise came p. to my ears*, percepii chiaramente il rumore **2** completamente; del tutto: *He's p. wrong*, ha torto marcio ● **p. cards**, carte basse (*a gioco; non figure*) □ **p. chocolate**, cioccolato fondente (o amaro) □ **p. chocolates**, cioccolatini amari ripieni □ **p.**

clothes, abito borghese □ **p.-clothes man**, poliziotto in borghese □ **p. common sense**, il puro buonsenso □ **p. dealing**, modo d'agire onesto; sincerità; schiettezza; lealtà □ (*cucina*) **p. flour**, farina normale (*senza aggiunte*; *cfr.* **self-raising flour**, *sotto* **self-**) □ **p. living**, vita modesta, semplice □ **p. sailing**, (*naut.*) navigazione facile; (*fig.*) vita facile, lavoro da ragazzi, roba da ridere (*fam.*) □ (*relig.*) **p. service**, servizio divino semplice (*senza canti, simile alla 'messa piana' dei cattolici*) □ **p. sewing**, cucito semplice (*o non elaborato*) □ **p.-spoken**, franco; schietto; senza peli sulla lingua (*fam.*) □ **p.-spokenness**, franchezza; schiettezza □ (*cucito*) **p. stitch**, punto dritto (*o a legaccio*) □ (*nel bridge e nel whist*) **p. suit**, seme che non è atout □ (*leg.*, *in GB*) **p. theft**, furto semplice □ **as p. as day** (*o* **as a pikestaff**), ovvio; evidentissimo; lampante □ **in p. English**, per dirla schietta □ **in p. sight**, in bella vista; in piena luce □ **in p. view** = **in p. sight** → *sopra* □ **in p. words**, in termini chiari; in poche parole □ (*fam.*) **It's as p. as the nose on your face!**, è lampante!; lo vedrebbe anche un cieco!

plainchant /'pleɪntʃɑːnt/ n. ⓤ → **plain-song**.

plainly /'pleɪnlɪ/ avv. **1** manifestamente; chiaramente **2** semplicemente.

plainness /'pleɪnnəs/ n. ⓤ **1** chiarezza; evidenza **2** semplicità; sobrietà; franchezza; schiettezza **3** l'essere comune (*o ordinario*) **4** (*eufem.*) l'essere bruttino; bruttezza.

plainsman /'pleɪnzmən/ n. (pl. **plains-men**) pianigiano; abitante della pianura.

plainsong /'pleɪnsɒŋ/ n. (*mus.*) canto piano.

plaint /pleɪnt/ n. **1** (*leg.*) istanza scritta (*dell'attore*); querela **2** (*arc. o poet.*) compianto; lamento; querela (*poet.*).

♦**plaintiff** /'pleɪntɪf/ n. (*leg.*) attore; querelante; parte civile; ricorrente ● **p.'s attorney**, avvocato di parte civile □ **p.'s move** (*o* **motion**), istanza (*o richiesta*) dell'attore.

plaintive /'pleɪntɪv/ a. lamentoso; malinconico; mesto | **-ly** avv. | **-ness** n. ⓤ.

plait /plæt/ n. **1** treccia (*di capelli, ecc.*): **straw p.**, treccia di paglia; **to wear one's hair in plaits**, portare (*o avere*) le trecce **2** (*raro*) → **pleat**.

to **plait** /plæt/ v. t. **1** intrecciare o piegare; pieghettare ● **to p. a basket**, fare una cesta (*di vimini*) □ **to p. one's hair**, farsi le trecce.

plaited /'pleɪtɪd/ a. **1** (*di paglia, nastro, ecc.*) intrecciato **2** (*di vestito, ecc.*) pieghettato; a pieghe ● **p. hair**, capelli a treccia; trecce.

plaiting /'pleɪtɪŋ/ n. ⓤ **1** l'intrecciare; intreccio **2** pieghettatura.

♦**plan** /plæn/ n. **1** piano; disegno (*architettonico o industriale*); progetto; programma; proposito: **working p.**, piano di lavoro; (*ind.*) disegno costruttivo (*o esecutivo*); (*mecc.*) **p. of an engine**, disegno di un motore; *Let's hope everything will go according to p.*, speriamo che tutto vada secondo i piani prestabiliti; **vacation plans**, progetti per le vacanze; *I've not got any plans*, non ho piani; (*econ.*) **a five-year p.**, un piano quinquennale; **pension p.**, piano pensionistico; **town p.**, piano urbanistico **2** (*archit., grafica*) pianta; pianta d'insieme; sezione orizzontale; planimetria: **the p. of the town**, la pianta della città; **the plans of a house**, la planimetria d'una casa; **ground p.**, pianta del piano terreno **3** (*mil. e sport*) piano tattico; piano: **p. of attack**, piano d'attacco ● **P. B**, piano alternativo: *There is no Plan B*, non ci sono alternative; non si torna indietro □ **p. of action**, piano d'azione; (*mil.*) piano di battaglia □ **to make plans**, fare progetti.

♦to **plan** /plæn/ Ⓐ v. t. **1** (*archit., ind.*) progettare; disegnare la pianta di: **to p. a house** [**a machine**], progettare una casa [una macchina] **2** progettare; programmare; avere in animo; intendere: *We are planning to go to Australia*, progettiamo di andare in Australia **3** (*econ.*) programmare; pianificare: **to p. production**, programmare la produzione Ⓑ v. i. far piani (*o progetti*); far programmi ● **planned economy**, economia pianificata □ (*stat.*) **planned parenthood**, controllo delle nascite.

▪ **plan ahead** v. t. + avv. progettare in anticipo.

▪ **plan for** v. t. + prep. **1** fare progetti per: **to p. for the future of one's children**, fare progetti per il futuro dei figli **2** prevedere: *We hadn't planned for his refusal*, non avevamo previsto che avrebbe rifiutato.

▪ **plan on** v. t. + prep. intendere; avere in animo; proporsi: *We had planned on spending the weekend at the seaside*, ci eravamo proposti di passare il fine settimana al mare.

▪ **plan out** v. t. + avv. progettare bene; preparare (*o studiare*) nei minimi particolari: **to p. out a new advertising campaign**, studiare nei minimi dettagli una nuova campagna pubblicitaria.

planar /'pleɪnə(r)/ a. (*geom., scient.*) planare.

planarian /plə'neərɪən/ n. (*zool.*) planaria.

planarity /pleɪn'ærɪtɪ/ n. ⓤ (*geom., elettron.*) planarità.

planchet /'plɑːnʃɪt/ n. tondello (*da cui coniare una moneta*); dischetto.

plane① /pleɪn/ n. (*bot., Platanus; = p. tree*) platano.

plane② /pleɪn/ n. (*falegn.*) pialla ● **p. iron**, ferro da pialla □ **jack p.**, pialla per sgrossare □ **smoothing p.**, pialletto.

plane③ /pleɪn/ Ⓐ n. **1** piano (*anche geom.*); livello: **inclined p.**, piano inclinato; **a low p. of culture**, un basso livello culturale **2** (*aeron.*) piano alare; superficie portante **3** (*naut.: di sottomarino*) timone orizzontale **4** (*naut.: di aliscafo*) ala portante **5** (*mecc.*) piano di riscontro Ⓑ a. attr. piano: **a p. surface**, una superficie piana; **p. geometry**, geometria piana; **p. angle**, angolo piano (*di 180 gradi*) ● (*naut.*) **p. chart**, carta in proiezione di Mercatore □ (*naut.*) **p. sailing**, navigazione piana; rilevamento della posizione della nave supponendo la terra piatta □ (*topogr.*) **p. table**, tavoletta pretoriana □ **on a friendly p.**, su un piano amichevole.

♦**plane**④ /pleɪn/ n. (abbr. di **aeroplane**) aeroplano; aereo; apparecchio; velivolo ● **p. crash**, disastro aereo □ (*USA*) **p. ride**, volo (*su un aereo di linea*) □ **to take a p.**, prendere un aereo □ **to travel by p.**, viaggiare in aereo.

to **plane**① /pleɪn/ v. t. (*falegn.*) piallare ● **to p. away** (*o* **down, off**), levare (*o togliere*) (*irregolarità*) con la pialla; spianare.

to **plane**② /pleɪn/ v. i. **1** (*aeron., di solito* **to p. down**) planare **2** (*fam.*) viaggiare in aereo.

planeload /'pleɪnləʊd/ n. (*aeron.*) carico: **a p. of refugees**, un (aereo) carico di rifugiati.

planer /'pleɪnə(r)/ n. **1** piallatore (*operaio*) **2** (*falegn., mecc.*) piallatrice (*macchina*) **3** (*tipogr.*) battitoia.

♦**planet**① /'plænɪt/ n. (*astron., astrol.*) pianeta ● (*astron.*) **the p. Earth**, il pianeta Terra □ (*mecc.*) **p. gear**, ruota planetaria; ingranaggio satellite □ **p.-stricken** (*o* **p.-struck**), sotto l'influsso (*malefico*) di un pianeta □ (*mecc.*) **p. wheel** = **p. gear** → *sopra*.

planet② /'plænɪt/ n. (*relig.*) pianeta.

planetarium /plænɪ'teərɪəm/ n. (pl.

planetariums, **planetaria**) (*astron.*) planetario.

planetary /'plænɪtrɪ/ Ⓐ a. **1** (*astron., astrol., fis., mecc.*) planetario; dei pianeti: **p. system**, sistema planetario; **p. influence**, l'influsso dei pianeti; **p. orbit**, orbita planetaria **2** di questo mondo; terrestre **3** (*arc.*) errante; errabondo Ⓑ n. (*mecc.*) planetario ● (*fis. nucl.*) **p. electron**, elettrone orbitale □ (*mecc.*) **p. gear**, ruota planetaria; ingranaggio satellite □ (*mecc.*) **p. gear train**, rotismo planetario (*o epicicloidale*).

planetoid /'plænɪtɔɪd/ a. (*astron.*) planetoide; asteroide.

planetology /plænɪ'tɒlədʒɪ/ (*astron.*) n. ⓤ planetologia || **planetological** a. planetologico || **planetologist** n. planetologo.

plangent /'plændʒənt/ (*lett.*) a. **1** sonoro; risonante; fragoroso **2** lamentoso ● **the p. waves**, i flutti che s'infrangono con fragore || **plangency** n. ⓤ **1** sonorità; fragore; risonanza **2** suono lamentoso.

planimeter /plæ'nɪmɪtə(r)/ n. planimetro (*strumento per misurare superfici*) || **planimetric, planimetrical** a. planimetrico || **planimetry** n. ⓤ planimetria; geometria piana.

planing /'pleɪnɪŋ/ n. ⓤⓒ (*falegn., mecc.*) piallatura; piallata ● **p. machine**, piallatrice (*macchina*).

to **planish** /'plænɪʃ/ v. t. **1** (*metall.*) martellare (*metalli*) **2** (*mecc.*) spianare (*con rulli, ecc.*).

planishing /'plænɪʃɪŋ/ n. ⓤ (*metall.*) spianatura.

planisphere /'plænɪsfɪə(r)/ n. (*astron.*) planisfero.

plank /plæŋk/ n. **1** asse; tavola; tavolone: **timber in planks**, legname in tavole **2** (*naut.*) tavola del fasciame **3** (*polit., spec. USA*) caposaldo, articolo (*o punto*) importante di un programma) **4** (*sport*) asse (*dello skateboard*) ● **p. bed**, tavolaccio (*delle prigioni*) □ (*fam.*) **to be as thick as two short planks**, essere proprio stupido (*o del tutto cretino*) □ **to walk the p.**, (*stor.*) esser gettato a mare dai pirati (*che sospingevano il prigioniero bendato su una tavola fino a farlo cadere in mare*); (*fig.*) dimettersi, farsi da parte.

to **plank** /plæŋk/ v. t. **1** coprire (*o pavimentare, rivestire*) di tavole **2** (*cucina*) battere (*la carne, per ammorbidirla*) **3** (*USA*) arrostire sulla graticola e servire su un'asse (*carne, pesce*) ● (*fam.*) **to p. down** (*o* **out**), sborsare (*denaro*) in contanti □ (*slang*) **to p. st. down**, sbattere giù qc. (*sul tavolo, ecc.*) con forza.

planking /'plæŋkɪŋ/ n. ⓤ **1** tavolato; assito **2** (*naut.*) fasciame ● (*naut.*) **deck p.**, tavolato del ponte.

plankton /'plæŋktən/ (*biol.*) n. plancton; plankton || **planktonic** a. planctonico.

planner /'plænə(r)/ n. **1** (*archit., ind.*) progettista **2** ideatore di piani (*o di progetti*) **3** (*econ.*) pianificatore; programmatore **4** (*demogr.*) coppia che pratica il controllo delle nascite ● **town p.** (*USA:* **city p.**), urbanista.

♦**planning** /'plænɪŋ/ n. **1** (*archit., ind.*) progettazione **2** concezione; invenzione **3** (*econ., ecc.*) pianificazione; programmazione ● **p. board**, comitato per la programmazione □ **p. chief**, capo dell'ufficio progettazione □ **p. permission**, licenza edilizia; licenza di costruzione □ **town p.** (*USA:* **city p.**), urbanistica.

plano-concave /plænəʊ'kɒnkeɪv/ a. (*fis.*) pianoconcavo.

plano-convex /plænəʊ'kɒnveks/ a. (*fis.*) pianoconvesso.

♦**plant** /plɑːnt/ n. **1** (*bot.*) pianta; piantina (*da trapianto*); vegetale: **garden plants**, piante da giardino; **pot plants**, piante da

vaso; **cabbage plants**, piantine di cavolo **2** Ⓤ (*mecc.*) macchinari; attrezzature; impianti: **to invest in new p.**, investire in nuovi macchinari **3** (*ind.*) fabbrica; stabilimento; impianto; centrale: **a car p.**, una fabbrica di automobili; **a chemical p.**, uno stabilimento chimico; **a nuclear p.**, una centrale nucleare; **a power p.**, una centrale idroelettrica **4** (*slang*) nascondiglio di refurtiva (*o di droga*) **5** (*slang*) oggetto nascosto tra le cose di q. per incastrarlo; trappola **6** (*slang USA*) infiltrato; spia: **a police p.**, un infiltrato della polizia; un agente infiltrato **7** (*slang USA*) posto di sorveglianza della polizia ● (*econ.*) **p. bargaining**, trattative salariali a livello aziendale □ **p. engineer**, impiantista □ (*ind.*) **p. engineering**, impiantistica □ (*agric.*) **p. food**, concime liquido; fertilizzante □ **p. geography**, fitogeografia □ (*bot.*) **p. hormone**, fitormone □ **p. life**, flora; vegetazione □ **p. louse**, pidocchio delle piante; afide □ **p. maintenance**, manutenzione d'impianti □ **p. maintenance engineer**, manutentista □ **p. pathology**, patologia vegetale; fitopatologia □ **p. pot**, vaso per piante □ **p. protection product**, fitofarmaco ❶ **FALSI AMICI ● plant** *non significa* pianta *nel senso di* mappa *o di* pianta del piede.

to **plant** /plɑːnt/ v. t. **1** piantare; seminare; interrare; mettere a dimora: **to p. trees** [**seeds**], piantare alberi [semi]; **to p. a field with vines**, piantare un terreno a viti **2** (*fam.*) mettere con forza; piantare; piazzare; mollare; assestare; stampare; conficcare: **to p. a kiss on sb.'s cheek**, stampare un bacio sulla guancia di q.; **to p. a knife in sb.'s back**, piantare un coltello nella schiena a q. **3** mettere; ficcare (*un'idea, ecc.*); insinuare (*un dubbio, ecc.*): **to p. an idea into sb.'s mind**, ficcare un'idea in testa a q. **4** piazzare (di nascosto o subdolamente); nascondere: **to p. a bomb**, piazzare una bomba; **to p. microphones in a room**, piazzare microfoni nascosti in una stanza **5** (*fam.*) nascondere (*prove false per incastrare q.*): *He says the cocaine was planted on him*, dice che la cocaina gliel'ha nascosta addosso qualcuno **6** appostare (*come informatore, spia, ecc.*); infiltrare **7** fondare; stabilire; impiantare: **to p. a new city**, fondare una nuova città **8** (*sport*) piazzare; piantare; insaccare (*la palla*) in rete **9** (*slang*) seppellire ● **to p. oneself**, piantarsi; piazzarsi; sistemarsi: *He planted himself in front of the door*, si piantò davanti alla porta.

■ **plant out** v. t. + avv. trapiantare, svasare (*piante*).

plantable /ˈplɑːntəbl/ a. che può esser piantato, ecc. (→ **to plant**).

Plantagenet /plænˈtædʒənɪt/ a. e n. (*stor.*) Plantageneto.

plantain ① /ˈplæntɪn/ n. (*bot.*, *Plantago major*) piantaggine.

plantain ② /ˈplæntɪn/ n. (*bot.*, *Musa paradisiaca*) varietà di banano; banana usata come legume.

plantar /ˈplæntə(r)/ a. (*anat.*) plantare (*della pianta del piede*): **p. arch**, arcata plantare.

plantation /plænˈteɪʃn/ n. **1** albereto; bosco **2** (*agric.*) piantagione: **3** Ⓤ insediamento; colonizzazione **4** Ⓤ fondazione; istituzione **5** (*stor.*) colonia; colonia penale.

planter /ˈplɑːntə(r)/ n. **1** piantatore; coltivatore: **tobacco p.**, coltivatore di tabacco **2** colono; colonizzatore **3** piantatrice (*macchina*): **a potato p.**, una piantatrice di patate **4** (*USA*) fioriera (*cassetta per fiori e piante*); vaso.

plantigrade /ˈplæntɪɡreɪd/ a. e n. (*zool.*) plantigrado.

planting /ˈplɑːntɪŋ/ n. **1** Ⓤ piantatura; messa a dimora; interramento (*di piante*) **2** pianta giovane; piantina; pianticella **3**

(*sport*: *salto con l'asta*) appoggio in buca.

plantlet /ˈplɑːntlət/ n. pianticella.

plantlike, **plant-like** /ˈplɑːntlaɪk/ a. simile a una pianta.

plaque /plɑːk/ (*franc.*) n. **1** placca; piastra; targa (*di marmo o metallo*): **memorial p.**, targa ricordo **2** (*med.*) placca **3** (*med.*, = **dental p.**) placca dentaria; placca batterica || **plaquette** n. placchetta; piastrina.

plash ① /plæʃ/ (*lett.*) n. pozza fangosa; acquitrino; pantano || **plashy** ① a. fangoso; acquitrinoso.

plash ② /plæʃ/ n. sciabordio; sciaguattio; lieve rumore; piccolo tonfo: **the p. of a fountain**, lo sciaguattio d'una fontana || **plashy** ② a. che sciaborda; che sciaguatta.

to **plash** ① /plæʃ/ v. t. e i. **1** sciabordare; sciaguattare; diguazzare **2** schizzare; sprizzare; spruzzare.

to **plash** ② /plæʃ/ v. t. **1** piegare e intrecciare (*rami, per fare una siepe viva*) **2** fare, accomodare (*una siepe, intrecciando rami*).

plasm /ˈplæzəm/ n. Ⓤ (*biol.*) plasma.

plasma /ˈplæzmə/ (*biol.*, *fis.*, *miner.*, *miss.*) n. Ⓤ plasma ● (*biol.*) **p. cell**, plasmacellula; plasmocita □ (*aeron.*) **p. engine**, motore a plasma □ (*fis.*) **p. physics**, fisica del plasma □ **p. proteins**, proteine plasmatiche □ (*miss.*) **p. rocket**, razzo a plasma □ (*tecn.*) **p. screen**, schermo al plasma □ (*fisiol.*) **blood p.**, plasma sanguigno || **plasmatic**, **plasmic** a. plasmatico.

plasmapheresis /plæzməˈfɛrəsɪs/ n. Ⓤ (*med.*) plasmaferesi.

plasmid /ˈplæzmɪd/ n. (*biol.*) plasmide; plasmidio.

plasmin /ˈplæzmɪn/ n. (*biol.*) plasmina.

plasmodium /plæzˈməʊdɪəm/ n. Ⓤ (*zool.*, *biol.*) plasmodio.

plaster /ˈplɑːstə(r)/ n. Ⓤ Ⓒ **1** (*edil.*) intonaco; malta da intonaco **2** (= **p. of Paris**) gesso di Parigi; scagliola **3** (*med.*) impiastro; cataplasma **4** (*med.*, = **sticking p.**) cerotto **5** (*med.*) gesso: *He's got one leg in p.*, ha una gamba ingessata ● **p. cast**, (*arte*) calco, modello in gesso; (*med.*) ingessatura, gesso: **to have one's arm in a p. cast**, avere un braccio ingessato □ (*edil.*) **p. coat**, (mano d') intonaco □ **p. refuse**, calcinacci □ (*med.*) **to put a broken leg in p.**, ingessare una gamba rotta.

to **plaster** /ˈplɑːstə(r)/ v. t. **1** (*edil.*) intonacare (*muri, ecc.*) **2** (*med.*) applicare un impiastro a; mettere un cerotto su **3** (*med.*) ingessare (*un braccio rotto, ecc.*) **4** (*fig.*) impiastrare; ricoprire; tappezzare; affiggere, attaccare (*con la colla, ecc.*): *They plastered posters on the walls*, attaccarono manifesti ai muri **5** spennare (*vino*) **6** (*agric.*) gessare (*un terreno*) **7** (*slang*) picchiare forte; dare una batosta a; battere; sconfiggere **8** (*slang, mil.*) bombardare pesantemente; martellare (*fig.*) ● (*fig.*) **to p. sb. with praise**, coprire q. di elogi ● **The town was plastered with advertisements**, i muri della città erano coperti di manifesti pubblicitari.

■ **plaster down** v. t. + avv. impiastrare; impomatare: **to p. down one's hair**, impomatarsi i capelli.

■ **plaster on** v. t. + avv. (o prep.) **1** attaccare, affiggere (*avvisi, manifesti, ecc.*) **2** appiccicare (*vernice, ecc.*) **3** spalmare (*burro, ecc.*).

■ **plaster over** v. t. + avv. (o prep.) **1** chiudere con il gesso; stuccare: **to p. over the cracks in a wall**, stuccare le fessure in un muro **2** (*fig.*) celare; nascondere: *They're trying hard to p. over their differences*, fanno di tutto per nascondere le loro divergenze □ (*fig.*) **to p. over the cracks**, coprire gli screzi.

■ **plaster up** v. t. + avv. chiudere con il gesso; stuccare.

plasterboard /ˈplɑːstəbɔːd/ n. Ⓤ (*edil.*)

cartongesso.

plastered /ˈplɑːstəd/ a. (*slang*) ubriaco; sbronzo.

plasterer /ˈplɑːstərə(r)/ n. (*edil.*) intonacatore; scagliolista; stuccatore.

plastering /ˈplɑːstərɪŋ/ n. Ⓤ **1** (*edil.*) intonacatura **2** (*edil.*) (mano di) intonaco **3** (*med.*) ingessatura **4** (*slang*) solenne batosta ● **cement p.**, intonaco di cemento.

plasterwork /ˈplɑːstəwɜːk/ n. Ⓤ (*edil.*) (lavoro d') intonacatura.

plastery /ˈplɑːstərɪ/ a. gessoso; simile a intonaco.

◆ **plastic** /ˈplæstɪk/ Ⓐ a. **1** plastico; modellabile: **p. clay**, argilla plastica **2** di plastica: **p. bag**, sacchetto di plastica; **p. bullet**, proiettile di plastica; **p. tableware**, posate e piatti di plastica **3** (*fig.*) plasmabile; malleabile; duttile; influenzabile: **the p. mind of children**, la mente duttile dei bambini **4** (*med.*) plastico: **p. surgery**, chirurgia plastica; **p. surgeon**, specialista in chirurgia plastica **5** (*di alimenti*) sintetico; preconfezionato **6** (*fig.*) falso; insincero; di plastica: **a p. smile**, un sorriso insincero Ⓑ n. **1** Ⓤ materia plastica; plastica: **to coat with p.**, ricoprire di plastica; plasticare **2** (pl., col verbo al sing.) scienza delle materie plastiche; produzione di materie plastiche: **the plastics industry**, l'industria della plastica **3** oggetto di plastica **4** Ⓤ (*fam.* = **p. money**) carta (*o carte*) di credito: **to pay with p.**, pagare con la carta di credito; *Cash or p.?*, paga in contanti o con la carta di credito? ● **p. arts**, arti plastiche □ **p. bomb**, bomba al plastico □ **p. explosive**, esplosivo al plastico; plastico □ **p. mesh**, rete di plastica (*per recinzione*) □ (*archit.*) **p. model**, plastico □ (*USA*) **p. wrap**, pellicola adesiva (*per alimenti*) □ **p.-wrapped**, avvolto nella plastica.

to **plasticate** /ˈplæstɪkeɪt/ v. t. **1** plasticare; modellare **2** (*mil.*) → **to plastic-bomb**.

to **plastic-coat** /ˈplæstɪkkəʊt/ v. t. ricoprire di plastica; plasticare.

Plasticine® /ˈplæstɪsiːn/ n. (*scult.*) plastilina.

plasticism /ˈplæstɪsɪzəm/ n. Ⓤ (*arte*) plasticismo.

plasticity /plæˈstɪsɪtɪ/ n. Ⓤ **1** (*mecc.*) plasticità **2** (*arte*) plasticità; effetto plastico **3** (*fig.*) influenzabilità; duttilità; adattabilità.

to **plasticize** /ˈplæstɪsaɪz/ (*ind.*) Ⓐ v. t. plastificare Ⓑ v. i. plastificarsi || **plasticization** n. Ⓤ plastificazione.

plasticizer /ˈplæstɪsaɪzə(r)/ n. Ⓤ Ⓒ (sostanza) plastificante.

plastid /ˈplæstɪd/ n. (*biol.*, *bot.*) plastidio.

plastisol /ˈplæstɪsɒl/ n. Ⓤ (*chim.*) plastisol.

plastron /ˈplæstrɒn/ n. **1** (*stor.*) piastrone (*dell'armatura*); pettorale (*arc.*) **2** (*scherma*, = **metallic p.**) coprigiubbotto metallico **3** (*zool.*) piastrone (*di tartaruga*) **4** pettorina, davantino (*d'abito femminile*) **5** plastron, sparato inamidato (*di camicia da uomo*).

plat ① /plæt/ n. **1** (*arc.*) piccolo lotto; pezzetto di terreno **2** (*USA*) pianta (*d'una città, ecc.*); mappa.

plat ② /plæt/ n. treccia; corda (→ **plait**, *def. 1*).

to **plat** /plæt/ v. t. intrecciare; intessere (→ **to plait**).

platan /ˈplætən/ n. (*bot.*, *Platanus*) platano.

platband /ˈplætbænd/ n. (*archit.*) piattabanda.

◆ **plate** /pleɪt/ n. **1** piatto; piatto piano; piattino: **shallow p.**, piatto piano; **soup p.**, piatto fondo; scodella; **fruit p.**, piattino per la frutta; **a p. of meat**, un piatto di carne; **a set of plates**, un servizio di piatti **2** Ⓤ (*collett.*) oggetti di metallo placcato; (*anche*) argenteria; posateria; vasellame: **a piece of p.**, un

pezzo d'argenteria **3** foglio (*di metallo*); pia-stra; (*mil.*) blinda; placca; lamina; lastra (*anche fotogr.*); negativa: (*elettr.*) **positive p.**, piastra positiva **4** (*metall.*) lamiera: (*naut.*) **keel p.**, lamiera di chiglia **5** (*arte, tipogr.*) lastra per incisioni; cliché; lastra stereotipa **6** (*arte, tipogr.*) incisione; (*editoria*) illustrazione; tavola fuori testo **7** (= **name p.**) targa; targhetta; (*autom.*) targa: **a brass p.**, una targa d'ottone; **vanity p.**, targa d'auto personalizzata (*non esiste in Italia*) **8** (*nelle corse*) coppa (*per il vincitore*); premio (*in genere*) **9** (*med.*) = **dental p.**) placca di resina; placca palatale; scheletrato; dentiera **10** (*edil.*) base, zoccolo; (*anche*) traversino **11** (*mecc.*) lastra, piastra; disco (*metallico*): **the clutch plates**, i dischi della frizione **12** (*baseball*) piatto (*della base*); (*per estens.*) base; (*anche*) pedana: **pitcher's p.**, pedana del lanciatore; **home p.**, casa base **13** (*anat.*) lamina **14** (*metall.*) lamella **15** (*geol.*) placca; zolla: **p. tectonics**, tettonica a zolle (*o a placche*) **16** (*elettr., elettron.*) anodo **17** (*elettr.*) armatura del condensatore **18** (*elettr.*) = **wall p.** → **wall 19** (*zool.*) squama **20** (*USA*) coperto (*a tavola*) **21** piastra (*di cucina elettrica*) **22** (*relig.*) vassoio per la questua ● (*baseball*) **p. appearance**, comparsa alla battuta □ **p.-armour**, (*stor.*) corazza di piastre; (*naut.*) corazza di navi da guerra □ **p. basket**, cestino per posate □ (*edil.*) **p. cut**, intestatura □ **p. glass**, cristallo in lastre; vetro da specchi (*o per vetrine di negozio*) □ (*autom.*) **p. number**, numero di targa □ **p. rack**, rastrelliera; scolapiatti (*appeso*); rastrelliera portapiatti □ **p.-warmer**, scaldapiatti □ **to clean one's p.**, fare piazza pulita; mangiare tutto □ **dinner at fifty dollars a p.**, pranzo a cinquanta dollari (a testa) □ (*fig.*) **to give** (*o* **to hand**) **st. to sb. on a p.**, dare qc. a qc. su un piatto d'argento □ (*fig. fam.*) **to have a lot on one's p.**, avere molta carne al fuoco (*fig.*); avere un sacco di cose da fare □ (*in chiesa*) **to pass round the p.**, fare la questua □ (*fig., USA*) **to step up to the p.**, agire; impegnarsi; prendere posizione.

to **plate** /pleɪt/ v. t. **1** (*tecn.*) placcare (*anche fig.*): *'P. sin with gold'* W. SHAKESPEARE, 'placcate d'oro il peccato!' **2** (*metall.*) laminare **3** (*naut.*) fasciare, corazzare (*una nave*) **4** (*mecc.*) fissare con piastre **5** (*biol., med.*) piastrare **6** (*fam.*) scodellare (*minestra, ecc.*); servire in un piatto **7** (*tipogr.*) preparare le matrici di (*un volume, ecc.*) ● **to gold-p.**, dorare; indorare □ **to platinum-p.**, platinare □ **to silver-p.**, argentare □ **to zinc-p.**, zincare.

plateau /'plætəʊ, *USA* plæ'toʊ/ n. (pl. **plateaus**, **plateaux**) **1** (*geogr.*) plateau; altopiano; tavolato **2** plateau; vassoio **3** (*econ., fin.*) plateau (*di prezzi, ecc.*).

to **plateau** /plæ'təʊ/ v. i. (pass. e p.p. **plateaued**) (*anche* **to p. off**) (*di prezzi, vendite, ecc.*) raggiungere l'equilibrio; stabilizzarsi: *We expect sales to p. next year*, prevediamo che le vendite si stabilizzeranno l'anno prossimo.

plated /'pleɪtɪd/ a. (spec. nei composti) placcato: **gold-p.**, placcato in oro; dorato.

plateful /'pleɪtfʊl/ n. piatto; piatto colmo; quanto sta in un piatto.

platelayer /'pleɪtleɪə(r)/ n. (*ferr.*) **1** operaio addetto alla posa (*o alla manutenzione*) dei binari **2** manovale di linea.

platelet /'pleɪtlət/ n. (*biol.*, = **blood p.**) piastrina ● (*med.*) **p. thrombosis**, trombosi piastrinica.

platen /'plætən/ n. **1** (*tipogr.*) premicarta; platina: **p. press**, macchina a platina **2** (*di macchina da scrivere, di stampante*) rullo **3** (*mecc.*) piastra metallica.

plater /'pleɪtə(r)/ n. **1** (*tecn.*) placcatore **2** (*ipp.*) brocco; cavallo (*da corsa*) di scarso va-

---

lore.

♦**platform** /'plætfɔ:m/ n. **1** piattaforma; palco; tribuna (*per oratori*): **concert p.**, palco dei suonatori **2** (*ferr.*) marciapiede; banchina; binario: *Which p. does the Bristol train leave from?*, da quale binario parte il treno per Bristol?; *The train will leave from p. six*, il treno partirà dal binario sei **3** – (*fig.*) **the p.**, l'oratoria; l'arte oratoria **4** (*di autobus o tram*) piattaforma **5** (*aeron., mil.*) piattaforma: **launching p.**, piattaforma di atterraggio (*o di sbarco*) **6** (*tuffi*) piattaforma **7** (*polit., ecc.*) piattaforma; piattaforma rivendicativa; principi programmatici (*d'un partito, ecc.*) **8** (*geol.*) piattaforma **9** (*edil.*) ponte **10** (*comput.*) piattaforma **11** (pl.) = **p. shoes** → *sotto* ● **p. balance**, bascula; bilancia (*o ponte*) a bilico □ (*ferr.*) **p. car**, pianale; carro merci senza sponde □ **p. diver**, tuffatore dalla piattaforma; piattoformista □ (*ferr.*) **p. roofing** (*o* **p. shelter**), pensilina □ (*moda*) **p. shoes**, zatteroni (*sandali con suola e tacco altissimi*) □ (*ferr.*) **p. ticket**, biglietto d'ingresso □ (*edil.*) **p. tower**, ponteggio □ **p. trolley**, carrello a piattaforma.

platforming /'plætfɔ:mɪŋ/ n. ☐ (*chim.*) platforming.

platforms /'plætfɔ:mz/ n. pl. (*moda*) zatteroni.

platina /plə'ti:nə/ n. ☐ (*miner., antiq.*) platina.

plating /'pleɪtɪŋ/ n. ☐ **1** (*tecn.*) placcaggio, placcatura (*doratura, argentatura, ecc.*) **2** (*metall.*) preparazione delle lamiere **3** (*naut.*) fasciame metallico **4** (*aeron.*) rivestimento **5** (*biol., med.*) piastratura.

platinic /plə'tɪnɪk/ a. (*chim.*) platinico.

to **platinize** /'plætɪnaɪz/ (*ind.*) v. t. platinare ‖ **platinization** n. ☐ platinatura; platinaggio.

platinoid /'plætɪnɔɪd/ n. ☐☐ (*metall.*) platinoide (*lega*).

platinum /'plætɪnəm/ n. ☐ (*chim.*) platino ● **p. black**, nero di platino □ (*fam.*) **p. blonde**, bionda platinata □ **p. plating**, platinatura.

platitude /'plætɪtju:d/ n. insulsaggine; luogo comune; banalità ‖ **platitudinous** a. insulso; trito; banale.

platitudinarian /plætɪtju:dɪ'neərɪən/ 🅰 n. chi dice o scrive insulsaggini; chi si compiace di luoghi comuni 🅱 a. banale; insulso; trito.

to **platitudinize** /plætɪ'tju:dɪnaɪz/ v. i. dire (*o scrivere*) insulsaggini; essere banale.

Plato /'pleɪtəʊ/ n. (*stor., filos.*) Platone.

Platonic /plə'tɒnɪk/ a. (*filos.*) platonico (*fig.*) P. love, amore platonico | **-ally** avv.

Platonism /'pleɪtənɪzəm/ (*filos.*) n. ☐ platonismo ‖ **Platonist** n. platonico.

to **Platonize** /'pleɪtənaɪz/ 🅰 v. i. (*filos.*) essere un seguace di Platone; filosofare alla maniera platonica 🅱 v. t. rendere platonico.

platoon /plə'tu:n/ n. **1** (*mil.*) plotone **2** (*per estens.*) gruppo; squadra.

platter /'plætə(r)/ n. **1** (*arc. o USA*) piatto ovale; piatto da portata **2** (*slang, nel baseball*) piatto (*della base*) **3** (*slang USA, antiq.*) disco fonografico ● (*tur.*) **cold cuts p.**, piatto freddo □ (*fig. USA*) **on a (silver) p.**, senza sforzo; su un piatto d'argento (*fig.*).

Platyhelminthes /plætɪhel'mɪnθi:z/ (*zool.*) n. pl. platelminti ‖ **platyhelminth** n. platelminta.

platypus /'plætɪpəs/ n. (pl. **platypuses**, **platypi**) (*zool., Ornithorhynchus anatinus*; = **duckbilled p.**) ornitorinco.

platyrrhine /'plætɪraɪn/ a. (*zool.: di scimmia*) platirrina.

plaudit /'plɔ:dɪt/ n. (di solito al pl.; *form.*) applauso; plauso; elogio.

---

plausibility /plɔ:zə'bɪlətɪ/ n. ☐☐ **1** accettabilità; ragionevolezza; verosimiglianza; plausibilità **2** (*spreg.*) falsità; speciosità.

plausible /'plɔ:zəbl/ a. **1** accettabile; ragionevole; verosimile; plausibile: **a p. excuse**, una scusa accettabile; **a p. argument**, un argomento ragionevole (*o giusto in apparenza*) **2** (*spreg.*) falso; ingannevole; specioso ● **a p. liar**, un bugiardo che la sa vendere □ **a p. vendor**, un venditore persuasivo | **-bly** avv.

Plautus /'plɔ:təs/ n. (*stor. letter.*) Plauto.

♦**play** ① /pleɪ/ n. **1** ☐ gioco; modo di giocare: *The children are at p.*, i bambini stanno giocando; **the game and p. of chess**, il gioco degli scacchi e come giocarlo; **the p. of sunlight upon leaves**, il gioco della luce del sole sulle foglie **2** ☐ (*mecc.*) gioco: **the excessive p. of the bolts**, il gioco eccessivo dei bulloni **3** (*teatr.*) lavoro teatrale; dramma; commedia: **the plays of John Webster**, i drammi di John Webster; *The p. fell flat*, la commedia fu un fiasco; *We went to the p.*, andammo a teatro **4** ☐ (*mus.*) esecuzione **5** mossa: *It's your p.*, tocca a te giocare; sta a te muovere; a te la mossa **6** (*fig.*) attività; azione: **to be in full p.**, essere in azione **7** (*sport*) giocata; azione: **attacking plays**, azioni offensive ● (*fig.*) **p.-acting**, commedia; finzione; melodramma (*fig.*) □ **p.-box**, scatola per giocattoli □ (*radio, TV, USA*) **p.--by-p. commentary**, radiocronaca; telecronaca; commento minuto per minuto □ **p.--day**, giorno di vacanza (*da scuola*) □ **p.--debt**, debito di gioco □ (*USA*) **p. dough**, plastilina □ (*sport*) **p.-off** = **play-off** □ **p. on words**, un gioco di parole □ **p. pool**, piscina per giochi; piscinetta (*per bambini*) □ **p. street**, strada (*di città*) chiusa al traffico per i giochi dei bambini □ (*psic.*) **p. therapy**, terapia del gioco; ludoterapia □ **to allow full p. to one's restlessness**, dare pieno sfogo alla propria irrequietezza □ **as good as a p.**, divertentissimo □ **to bring** (*o* **to call**) **into p.**, mettere in gioco; fare intervenire; mettere in azione □ **to come into p.**, entrare in gioco (*fig.*); entrare in azione □ **to give free p. to one's imagination**, dare (libero) sfogo alla propria fantasia □ **in p.**, per gioco; per scherzo; per celia; (*sport: del pallone, della palla*) in gioco □ (*sport*) **to make p.**, dar filo da torcere agli avversari □ (*fam.*) **to make a p. for**, darsi da fare per, cercare di ottenere (qc.); manovrare per (*una nomina, ecc.*); fare il filo a, stare dietro a (q.) □ (*sport: del pallone, della palla*) **out of play**, non in gioco.

play ② /pleɪ/ vc. verb. (*comput.*) esegui!; riproduci! (*istruzione*).

♦to **play** /pleɪ/ v. t. e i. **1** giocare (*anche sport*); giocare a (*o con*); gareggiare; giocherellare; baloccarsi; gingillarsi; divertirsi; scherzare; trastullarsi: **to p. tennis**, giocare a tennis; **to p. with a ball**, giocare con una palla; (*sport*) **to p. a beautiful game**, giocare bene; fare un bel gioco; (*anche*) fare dell'accademia; **to p. sb. at cards**, giocare a carte con q.: *Let's p. cowboys*, giochiamo ai cowboy!; *Let's p. at* (*being*) *redskins*, giochiamo agli indiani!; **to p. a pawn**, giocare (*o muovere*) un pedone (*a scacchi*); **to p. one's cards well** [**badly**], giocare bene [male] le proprie carte (*anche fig.*); **to p. with a bunch of keys**, baloccarsi (*o gingillarsi*) con un mazzo di chiavi; (*fig.*) **to p. with fire**, scherzare col fuoco **2** (*fam.*) giocare a essere; fare la parte di; far mostra; far finta: *Jim played ski instructor*, Jim faceva la parte del maestro di sci; **to p. innocent**, recitare la parte dell'innocente **3** (*sport*) effettuare, fare (*un tiro, ecc.*): *He wasn't sure which shot to p.*, era incerto su quale colpo effettuare **4** (*sport*) far giocare; mettere in campo: *The coach played Jones as goalkeeper*, l'allenatore fece giocare Jo-

nes in porta (*o* mise Jones in campo come portiere) **5** (*sport*: *del terreno*) essere adatto al gioco: *This cricket pitch plays well*, questo campo di cricket è adatto al gioco (*ci si gioca bene*) **6** (*sport*) giocare contro (q.); ospitare; battersi contro: *Scotland were playing Wales*, la Scozia ospitava il Galles; *Will you p. the challenger?*, ti batterai contro lo sfidante? **7** (*teatr.*) recitare; rappresentare; interpretare, sostenere (*un ruolo*); fare la parte di; fare (*una parte*); (*di una commedia, ecc.*) essere recitato; tenere il cartellone; (*di film*) essere proiettato: **to p. King Lear**, rappresentare il Re Lear; *Mel Gibson plays Hamlet*, Mel Gibson interpreta la parte di Amleto; **to p. one's part well**, fare bene la propria parte (*anche fig.*); *A new movie is playing tonight*, questa sera danno un film nuovo **8** (*mus.*) suonare; eseguire: **to p. the national anthem**, suonare l'inno nazionale; **to p. by ear**, suonare a orecchio; **to p. the violin**, suonare il violino; *They're playing the Forum on the 16th of December*, suonano al Forum il 16 dicembre **9** (*video, TV*) far girare; far vedere; proiettare **10** scherzare (*poet.*); muoversi qua e là; errare; (*del vento*) soffiare: *The moonlight was playing on the still waters of the lake*, il chiaro di luna scherzava sulle acque tranquille del lago; *A faint smile played on her lips*, un lieve sorriso le errava sulle labbra (*o* le sfiorava le labbra) **11** (*mecc.*: *di un pezzo*) aver gioco: *Pistons must p. inside cylinders*, i pistoni devono aver gioco dentro ai cilindri **12** (*di fontane*) zampillare **13** dirigere, orientare (*un getto d'acqua, ecc.*): *We played a searchlight on the building*, illuminammo l'edificio con una fotoelettrica **14** (*dei muscoli*) guizzare (*sotto la pelle*) **15** (*pesca*) dare filo a (*un pesce che ha abboccato*) per stancarlo **16** (*fam.*) stare al gioco **17** (*slang USA*) avere successo; essere apprezzato • (*sport*) **to p. at home** [**away**], giocare in casa [in trasferta] □ (*calcio, ecc.*) **to p. a ball**, calciare una palla □ **to p. ball**, (*sport*) dare il calcio d'inizio (*o* di ripresa); (*fig.*) fare la propria parte; non tirarsi indietro (*fig.*); (*fam.*) **to p. ball with sb.**, collaborare con q.; dare una mano a q. □ **to p. one's cards close to one's chest**, tenersi le carte strette al petto (*giocando*); (*fig.*) tenere nascoste le proprie mosse □ **to p. dead**, fare finta d'essere morto, fare il morto; (*fig.*) restare indifferente, fare finta di niente □ **to p. the devil**, fare il diavolo a quattro □ (*slang*) **to p. dirty**, fare il gioco sporco □ **to p. fair**, giocare lealmente; (*fig.*) giocare a carte scoperte, comportarsi in modo leale □ **to p. sb. false**, tradire q.; ingannare q. □ (*fig.*) **to p. first fiddle**, avere una parte di primo piano; avere molta voce in capitolo □ **to p. a fish**, stancare un pesce dandogli corda e poi tirando la lenza □ **to p. sb. like a fish**, giocare con q. come il gatto con il topo □ **to p. the fool**, fare lo stupido □ (*teatr., mus., sport*) **to p. for the first time**, esordire; giocare (*o* recitare, suonare) per la prima volta □ **to p. for heavy stakes**, giocare forte, d'azzardo □ **to p. for safety**, stare sul sicuro; (*sport*) tirare a «fare risultato» (*accontentandosi di un pareggio*) □ **to p. for sympathy**, cercare di accattivarsi la simpatia □ **to p. for time**, cercare di guadagnare tempo, temporeggiare; (*sport*) fare melina □ **to p. foul**, (*sport*) fare falli, essere falloso; (*fig.*) barare; essere sleale □ **to p. the game**, stare alle regole del gioco; (*fig.*) esser leale, onesto □ (*fig.*) **to p. sb.'s game**, stare al gioco di q. □ (*fam.*) **to p. games with sb.** [**st.**], farsi gioco di q. [giocare (*o* giocherellare) con qc.] □ **to play God**, fare il padreterno □ **to p. high**, giocar forte; fare forti puntate □ (*fam.*) **to p. the horses**, giocare alle corse (*di cavalli*) □ (*fig.*) **to p. into sb.'s hands**, fare il gioco di q. □ **to p. oneself into a new job**, fare l'abitudine (*fam.*: l'osso) a un lavoro nuovo □ (*fam.*) **to p. it cool**, mantenere la calma □ **to p. it for real**, fare sul serio □ (*calcio*) **to p. the long ball**, verticalizzare; dare profondità al gioco □ **to p. low**, giocare in modo prudente; fare puntate basse □ (*Borsa, fin.*) **to p. the market**, speculare (*o* giocare) in Borsa □ (*sport*) **to p. out of one's skin**, giocare da dio □ **to p. safe**, tenersi dalla parte del sicuro; non voler correre rischi □ (*fig.*) **to p. second fiddle** (*o* **second lead**), fare il comprimario; avere una parte secondaria (*o* di secondo piano) □ (*sport*) **to p. a team at home**, ospitare una squadra □ (*teatr.*) **to p. to a full house**, recitare a teatro esaurito □ **to p. to the gallery**, (*teatr.*) recitare per il loggione; (*fig.*) cercare una popolarità a buon mercato □ **to p. truant**, marinare la scuola □ **to p. a waiting game**, (*sport*) fare melina; (*fig.*) tirarla per le lunghe; stare a vedere come si mettono le cose □ (*equit.*) **to p. with horses (on the ground)**, far lavorare (*o* esercitare) i cavalli (a terra) □ (*eufem.*) **to p. with oneself**, masturbarsi.

■ **play about** (*o* ***around***) v. i. + avv. **1** spassarsela (*anche fig.*); divertirsi; giocare: **to p. around on the seashore**, giocare sulla spiaggia; **to p. about with sand**, giocare con la sabbia; *I was playing about in the garden when I twisted my ankle*, stavo giocando in giardino quando mi sono storto la caviglia **2** trastullarsi: **to p. around with dangerous substances**, trastullarsi con sostanze pericolose.

■ **play again** v. t. e i. + avv. **1** (*mus.*) suonare di nuovo **2** (*teatr.*) recitare di nuovo **3** (*sport*) giocare di nuovo; rigiocare (*una palla*).

■ **play along** **A** v. t. + avv. tenere (q.) sulla corda; fare aspettare (*prima di decidere, ecc.*) **B** v. i. + avv. (*fam.*) fingere d'essere d'accordo □ **to p. along with sb.**, stare al gioco di q. □ **to p. along with sb.'s offer** [**proposal**], mostrare d'accettare l'offerta [di aderire alla proposta] di q.

■ **play at** v. i. + prep. **1** → **to play**, *def. 1* **2** fare (qc.) per gioco; scherzare con (qc.); giocare a: *One shouldn't p. at business*, con gli affari non si scherza!; (*fam.*) *What are you playing at?*, a che gioco giochiamo?; cosa credi di fare? **3** fingere di; fare (qc.) per mostra: **to p. at fighting**, fare finta di battersi; giocare alla guerra **4** (*sport*) giocare nel ruolo di: **to p. at full-back**, giocare da terzino; **to p. at the back**, giocare in difesa.

■ **play back** v. t. + avv. **1** (*sport*) rinviare (*una palla*); respingere (*un tiro*) **2** riascoltare (*un nastro, ecc.*); ascoltare la registrazione di (*un concerto, un discorso, ecc.*) **3** (*radio, TV*) trasmettere (*una partita, ecc.*) in differita.

■ **play down** v. t. + avv. sminuire l'importanza di (qc.); minimizzare □ (*spec. polit.*) **to p. down to sb.**, mettersi all'altezza di q.; scendere al livello di q.

■ **play home** v. t. + avv. passare (*la palla*) al proprio portiere: **to p. the ball home**, dare al portiere.

■ **play in** v. i. + prep. **1** giocare (recitare, suonare, ecc.) in (*un luogo, un dramma, un'opera, ecc.*) **2** (*sport*) giocare in (*un ruolo*): **to p. in defence** [**in goal**], giocare in difesa [in porta] □ **to p. oneself in**, (*sport*) entrare in partita, scaldarsi nei primi minuti di gioco; (*fig.*) rodarsi, farci l'osso (*pop.*).

■ **play off** **A** v. i. + avv. (*sport*) giocare lo spareggio; disputare la bella (*fam.*): *Brazil and Germany will p. off for third place*, il Brasile e la Germania si disputeranno il terzo posto **B** v. t. + avv. **1** (*fig.*) contrapporre (q.) a un altro (*spec. per trarne un vantaggio*); aizzare; mettere su (*fam.*): *The party leader played his rivals off* (*against each other*), il capo del partito mise i propri rivali l'uno contro l'altro **2** (*USA, di due persone, oggetti, ecc.*) essere perfettamente complementari **3** (*USA*) far leva su; approfittare di; strumentalizzare: *Government policy plays off peoples fears*, la politica del governo strumentalizza i timori della gente.

■ **play on** **A** v. i. + avv. continuare (*o* riprendere) a giocare (*o* a suonare, a recitare, ecc.): (*sport*) *P. on!*, continuate il gioco! **B** v. t. + avv. (*sport*) mantenere (*un avversario*) in gioco **C** v. i. + prep. **1** giocare (suonare, recitare, ecc.) su (*un luogo, uno strumento, ecc.*) **2** → **to play**, *def. 9* **3** agire, far leva su (qc.); strumentalizzare: **to p. on sb.'s feelings** [**fears**], far leva sui sentimenti [sui timori] di q. **D** v. t. + prep. → **to play**, *def. 12* □ **to p. a joke** (*o* **a prank**) **on sb.**, fare uno scherzo a q. □ **to p. a dirty trick on sb.**, fare un brutto tiro a q. □ **to p. on words**, fare giochi di parole.

■ **play out** **A** v. i. + avv. giocare all'aperto **B** v. t. + avv. **1** suonare (*un brano, un inno, ecc.*) fino in fondo; giocare (*una partita*) fino in fondo; recitare (*una commedia, una parte ecc.*) fino in fondo: (*tennis*) *The game was played out although it was getting dark*, si finì di giocare il game benché si stesse facendo buio **2** (*fig.*) condurre (*una lotta, ecc.*) fino in fondo **3** (*fig.*) sfogare giocando (*un istinto, ecc.*) **4** accompagnare (*con la musica*) l'uscita di (q.) **5** filare, mollare (*una fune, ecc.*) □ (*sport*) **to p. it out**, giocare finché uno dei due vinca □ (*sport*) **to p. out time**, tenere la palla; fare melina; tirare a «fare risultato» (*accontentandosi del pareggio*) □ **to be played out**, (*sport*) essere eliminato (*giocando*); (*fam., di persona*) essere esausto, stanco morto; (*di denaro, provviste, ecc.*) essere finito, esaurito; (*di abitudini, idee, ecc.*) essere sorpassato, fuori moda.

■ **play rough** v. i. + avv. (*sport e fig.*) fare un gioco duro.

■ **play round** → **play about**.

■ **play through** **A** v. t. + avv. giocare (*una partita*); recitare (una commedia), suonare (*musica*) fino in fondo **B** v. i. + avv. (*sport*: *golf*) passare davanti a giocatori più lenti.

■ **play together** v. i. + avv. **1** giocare insieme **2** (*sport*: *di due atleti*) fare coppia □ (*sport*) **to p. well together**, andare d'accordo; combinare.

■ **play up** **A** v. t. + avv. **1** mettere troppo in evidenza; enfatizzare; esagerare; gonfiare: **to p. up one's qualifications**, gonfiare i requisiti che si posseggono **2** (*fam. USA*) pubblicizzare; reclamizzare **3** (*fam.*) infastidire, dare fastidio a; tormentare; (*di un bambino, ecc.*) far disperare **B** v. i. + avv. **1** (*sport*) giocare di buona lena; mettercela tutta; darci sotto (*fam.*): *P. up!*, forza!; sotto! (*incitamento*) **2** (*fam.*) comportarsi male; (*di un bambino, ecc.*) fare le bizze; fare i capricci: *My phone's been playing up recently*, il mio telefono sta facendo i capricci ultimamente.

■ **play upon** → **play on**.

■ **play up to** v. i. + avv. + prep. **1** (*teatr.*) fare da spalla a (*un altro attore*) **2** (*fig.*) tener bordone a (q.) **3** (*fam.*) adulare; insaponare, sviolinare (*fam.*).

playable /ˈpleɪəbl/ a. **1** (*sport*) giocabile: **a p. ball**, un pallone giocabile **2** (*teatr.*) che si può rappresentare **3** (*mus.*) eseguibile; che si può suonare **4** (*di campo di gioco*) agibile; praticabile ‖ **playability** n. **U** **1** (*teatr.*) rappresentabilità **2** (*mus.*) eseguibilità **3** (*sport*) praticabilità (*di un campo*).

to **play-act** /ˈpleɪækt/ v. i. **1** fare la commedia; fingere; simulare **2** essere melodrammatico (*o* teatrale) **3** (*teatr.*) recitare.

playback /ˈpleɪbæk/ n. **1** (*mus., radio, TV*) playback; replay; ripetizione; riproduzione **2** (= **p. key**) (*mus.*) tasto del playback (*di registratore, ecc.*) • (*elettron.*) **p. head**, testina di playback; testina di riproduzione ❶ **FALSI AMICI** • playback *non significa* playback *nel senso di simulazione di un'esecuzione in diretta.*

playbill /ˈpleɪbɪl/ n. (*teatr.*) **1** cartellone;

manifesto; locandina **2** (*USA*) programma di sala.

playbook /'pleɪbʊk/ n. libro di giochi (*per bambini*).

playboy /'pleɪbɔɪ/ n. playboy; vitaiolo.

Play-doh® /'pleɪdəʊ/ n. ⓤ plastilina®; Play-doh.

♦**player** /'pleɪə(r)/ n. **1** (*anche sport*) giocatore, giocatrice: **a football p.**, un calciatore; **tennis p.**, tennista **2** (*teatr.*) attore, attrice: **strolling players**, attori girovaghi **3** (*mus.*) suonatore, suonatrice; esecutore (*di musica*) **4** (*Borsa, fin.*) speculatore **5** (= **record p.**) giradischi **6** (= **cassette p.**) mangiacassette; riproduttore stereo (*di cassette*) **7** (= **CD p.**) (*comput.*) lettore CD **8** (*fam.*) operatore economico; industriale; investitore; chi agisce in un dato settore economico • (*sport*) **p.-coach**, giocatore-allenatore □ (*sport*) **p.- -manager**, giocatore-commissario tecnico □ (*mus.*) **p. piano**, pianoforte meccanico; pianola.

playfellow /'pleɪfeləʊ/ n. compagno (*o* compagna) di gioco.

playful /'pleɪfl/ a. allegro; brioso; giocoso; festoso; festevole (*raro*); scherzoso; vivace • **a p. kitten**, un gattino giocherellone | **-ly avv.** | **-ness n.** ⓤ.

playgoer /'pleɪgəʊə(r)/ n. assiduo frequentatore di teatri.

♦**playground** /'pleɪgraʊnd/ n. terreno di gioco (*per bambini, anche in senso fig.*); campo di gioco; parco di gioco; cortile per la ricreazione (*presso scuole*); area di svago.

playgroup /'pleɪgruːp/ n. (*in GB, dal 1960*) asilo infantile di quartiere; gruppo di gioco.

playhouse /'pleɪhaʊs/ n. **1** teatro **2** casa-giocattolo (*per bambini*) **3** (*USA*) casa della bambola.

playing /'pleɪɪŋ/ Ⓐ n. ⓤ **1** (*teatr.*) rappresentazione; recitazione; interpretazione (*di un ruolo*) **2** ⓤ (*mus.*) esecuzione: **the p. of the national anthem**, l'esecuzione dell'inno nazionale **3** ⓤ (*sport*) il giocare; stile di gioco; disputa (*di una partita*) **4** ⓤⓒ (*sport*) giocata, giocate Ⓑ a. (*sport*) **1** che gioca; giocatore: (*tennis*) **p. captain**, capitano giocatore **2** di (*o* da) gioco; nel gioco: **p. area**, area di gioco (*calcio, ecc.*); **p. field**, campo di gioco; **p. skill**, abilità nel gioco **3** di giocatore: **p. career**, carriera di giocatore • **p. cards**, carte da gioco □ (*sport*) **p. staff**, organico (*di una squadra*) □ (*fig.*) **to have a level p. field**, giocare (*competere, ecc.*) ad armi pari.

playlet /'pleɪlət/ n. (*teatr.*) breve dramma; commediola.

playlist /'pleɪlɪst/ n. (*radio, ecc.*) scaletta musicale.

playmaker /'pleɪmeɪkə(r)/ n. **1** (*calcio, ecc.*) regista **2** (*basket*) playmaker || **play-making n.** ⓤ (*calcio, ecc.*) regia.

playmate /'pleɪmeɪt/ n. compagno (*o* compagna) di gioco.

play-off /'pleɪɒf/ n. (*sport*) play-off; spareggio; partita di spareggio; incontro a eliminazione diretta; la bella (*fam.*): (*calcio, ecc.*) **relegation play-off**, spareggio 'salvezza'.

play-out /'pleɪaʊt/ n. (*sport*) play-out; fase finale a eliminazione del campionato (*per squadre non ammesse ai play-off e non retrocesse direttamente*).

playpen /'pleɪpen/ n. box (*per bambini*).

playpit /'pleɪpɪt/ n. piccola buca per i giochi dei bambini (*spesso piena di sabbia*).

playroom /'pleɪruːm/ n. stanza dei giochi.

playschool /'pleɪskuːl/ n. nido d'infanzia.

Playstation® /'pleɪsteɪʃn/ n. Playstation (*console per videogiochi*).

playsuit /'pleɪˌsjuːt/ n. tenuta da gioco;

tenuta sportiva (*per donna o bambino*).

plaything /'pleɪθɪŋ/ n. giocattolo; balocco (*anche fig.*).

playtime /'pleɪtaɪm/ n. ⓤ ora della ricreazione (*spec. a scuola*) • **at p.**, durante la ricreazione.

playwright /'pleɪraɪt/ n. drammaturgo; commediografo.

plaza /'plɑːzə/ n. piazza • **shopping p.**, centro commerciale.

PLC, plc sigla (*GB*, **public limited company**) società pubblica; società per azioni.

plea /pliː/ n. **1** (*form.*) richiesta (*solenne*); appello: **to make a p. for forgiveness**, fare un appello al perdono **2** motivo addotto; giustificazione; scusa; pretesto: *She left on the p. of a headache*, se ne andò con la scusa di un mal di testa **3** (*leg.*) difesa (*nel giudizio penale*); dichiarazione, replica (*della difesa*); eccezione (*sollevata dalla difesa*) **4** (*leg.*) dichiarazione, ammissione (*dell'imputato*): **a p. of guilty**, un'ammissione di colpevolezza; **a p. of not guilty**, una dichiarazione d'innocenza; *What is your p.?*, Lei come si dichiara? **5** (*leg., scozz. o stor.*) azione in giudizio; causa • (*leg.*) **p. bargain**, accordo (*o* patto) per ottenere una riduzione della pena □ (*leg.*) **p. bargaining**, patteggiamento □ (*leg.*) **p. in abatement**, eccezione di annullamento □ (*leg.*) **p. in bar**, eccezione perentoria □ (*leg.*) **p. of laches**, eccezione di prescrizione □ (*fam.*) **to cop a p.**, dichiararsi colpevole di un reato minore (*per evitare la condanna per uno più grave*).

to **pleach** /pliːtʃ/ v. t. **1** (*poet.*) piegare e intrecciare (*rami, ecc.*) **2** fare, aggiustare, riparare (*una siepe*) intrecciandone i rami.

to **plead** /pliːd/ Ⓐ v. i. **1** (*leg.: di avvocato*) patrocinare una causa; perorare **2** (*leg.: d'imputato*) rispondere a un'accusa; dichiararsi, riconoscersi: **to p. not guilty**, dichiararsi innocente; **to p. guilty (of a crime, etc.)**, dichiararsi colpevole (di un delitto, ecc.) **3** – **to p. for**, chiedere; implorare; invocare; supplicare: **to p. for mercy**, chiedere misericordia; implorare pietà Ⓑ v. t. **1** (*leg. e fig.*) patrocinare, perorare, difendere (*una causa*): **to p. a case in court**, perorare una causa in tribunale **2** (*leg.*) accampare; allegare; eccepire **3** (*fig.*) addurre (*o* accampare) a giustificazione (*o* a pretesto): *I can only p. inexperience*, a mia giustificazione posso addurre soltanto la mia inesperienza • (*leg.*) **to p. an alibi**, invocare un alibi □ (*leg.*) **to p. a counterclaim**, sollevare un'eccezione riconvenzionale □ (*leg.*) **to p. insanity**, invocare l'infermità mentale □ **to p. with sb. for a person**, intercedere presso q. in favore d'una persona □ **to p. with sb. to change his mind**, supplicare q. di voler tornare sulle sue decisioni.

pleadable /'pliːdəbl/ a. **1** (*leg.*) accampabile; adducibile; allegabile; eccepibile **2** (*fig.*) che si può addurre a giustificazione.

pleader /'pliːdə(r)/ n. **1** (*leg.*) patrocinatore; (avvocato) patrocinante; avvocato difensore **2** peroratore; intercessore; supplice (*lett.*).

pleading /'pliːdɪŋ/ Ⓐ n. **1** ⓤ (*leg.*) difesa; patrocinio **2** perorazione; discussione d'una causa; arringa **3** (pl.) (*leg.*) comparse; difese scritte delle parti in causa Ⓑ a. implorante; supplichevole; supplice (*lett.*).

♦**pleasant** /'pleznt/ a. **1** piacevole; gradevole; amabile; ameno; attraente; dilettevole: **a p. evening**, una piacevole serata; **a p. smile**, un amabile sorriso; **a p. voice**, una voce gradevole; **p. fields**, campi ameni; *Did you have a p. journey?*, hai fatto buon viaggio? **2** (*di persona*) simpatico; affabile; gentile; cortese; amichevole **3** (*del tempo*) bello **4** (*arc.*) faceto; spiritoso | **-ly avv.** | **-ness n.** ⓤ.

pleasantry /'plezntrɪ/ n. (*form.*) **1** ⓤ gaiezza; allegria; umor faceto **2** facezia; motto di spirito; battuta; spiritosaggine **3** (*spesso* pl.) complimento; cortesia **4** (pl.) convenevoli.

♦**please** /pliːz/ inter. **1** per piacere!; per favore!: *A cup of coffee, p.*, un caffè, per favore! **2** (*rispondendo a un'offerta; anche* **yes, p.**) sì, grazie!; sì, prego!: *Would you like some more tea? – yes, p.!*, vuoi dell'altro tè? – sì, grazie!

to **please** /pliːz/ Ⓐ v. i. piacere; esser gradito; riuscire simpatico; accomodare; garbare; parere: *He was anxious to p.*, era ansioso d'essere gradito (o di riuscire simpatico); *I cannot always do as I p.*, non posso sempre fare quel che mi piace (o quel che mi garba, mi pare) Ⓑ v. t. piacere a; far piacere a; compiacere; contentare; soddisfare; riuscire gradito a (q.): *His last book will p. you*, il suo ultimo libro ti piacerà; *She has come just to p. me*, è venuta solo per farmi piacere • **to p. oneself**, fare ciò che si vuole (o che garba); fare a modo proprio: *P. yourself!*, fa' quel che ti garba; fa' quel che ti pare; fa' pure! □ **P. go away**, fate il favore di andarvene! □ **p. God**, a Dio piacendo; Dio volendo □ **(may it) p. Your Honour**, così piaccia a Vostro Onore (*rivolgendosi a un giudice*) □ **to be pleased**, compiacersi: *His Majesty has been graciously pleased to confer him the Order of the Garter*, Sua Maestà s'è graziosamente compiaciuta di conferirgli l'Ordine della Giarrettiera □ **hard to p.**, difficile da accontentare □ **if you p.**, se non ti dispiace; con il tuo permesso.

♦**pleased** /pliːzd/ a. compiaciuto; contento; lieto; soddisfatto: *John looked p.*, John sembrava contento; *I'm p. to help you*, sarò lieto di aiutarti; *I am p. with your work*, sono soddisfatto del tuo lavoro; *P. to meet you, John*, piacere di conoscerti, John • **to be p. with oneself**, essere soddisfatto (o contento) di sé • **as p. as Punch**, contento come una pasqua.

pleasing /'pliːzɪŋ/ a. **1** piacevole; gradevole; attraente; simpatico **2** soddisfacente: **to make p. progress**, fare progressi soddisfacenti | **-ly avv.** | **-ness n.** ⓤ.

pleasurable /'pleʒərəbl/ a. (*form.*) piacevole; gradevole; che dà piacere | **-bly avv.** | **-ness n.** ⓤ.

♦**pleasure** /'pleʒə(r)/ n. ⓤⓒ piacere; diletto; divertimento; gioia; spasso; favore; soddisfazione: **a sensation of p.**, una sensazione di piacere; **the pleasures of life**, le gioie della vita; *Mr Maxwell, it's a p. to finally meet you*, signor Maxwell, è un piacere incontrarla finalmente; *Do me the p. of dining with me*, mi faccia il piacere (o il favore) di pranzare con me • **p. boat** (o **p. craft**), battello da diporto □ **p. ground**, luogo di ricreazione (*giardino, parco, ecc.*) □ **p.-house**, casa per le vacanze □ **p.-seeker**, chi è in cerca di svaghi; turista; vacanziere □ **p. tour**, viaggio di piacere □ **p. trip**, gita di piacere □ **at (one's) p.**, a piacere; a volontà: *It can be altered at p.*, lo si può cambiare a volontà (o a piacere) □ **for p.**, per divertimento □ *My p.!*, prego!; non c'è di che! □ **to take p. in**, compiacersi di; provar piacere a; divertirsi a: *He takes p. in contradicting* (o *in contradiction*), si diverte a contraddire □ **with p.**, con grande piacere; volentieri □ (*form.*) **I await your p.**, sono a Sua disposizione □ (*offrendo qc.*) **What's your p.?**, che cosa ti va?; che cosa prendi? □ (*detto da un sovrano*) **It is our p. to...**, piace alla Maestà Nostra di...

pleat /pliːt/ n. piega (*di stoffa o di tenda: fatta ad arte*); pieghetta.

to **pleat** /pliːt/ v. t. pieghettare; plissettare; fare la piega in (qc.) || **pleating n.** ⓤ plissettatura.

pleated /'pliːtɪd/ a. (*di abito*) a pieghe;

plissettato.

pleather /'plɛðə(r)/ n. ☐ (*moda*) finta pelle.

pleb /plɛb/ n. (*slang*) **1** plebeo; popolano **2** (*USA*) → **plebe 3** (pl.) – **the plebs**, il popolino; le masse; la plebe.

plebe /pli:b/ n. (*fam. USA*) allievo del primo corso dell'Accademia militare di West Point o dell'Accademia navale di Annapolis.

plebeian /plɪ'bi:ən/ **A** a. plebeo; (*spreg.*) volgare: **p. tastes**, gusti plebei **B** n. plebeo; popolano.

plebiscite /'plɛbɪsɪt, USA -saɪt/ (*polit., anche stor.*) n. plebiscito ‖ **plebiscitary** a. plebiscitario.

plectrum /'plɛktrəm/ n. (pl. **plectra**, **plectrums**) (*mus.*) plettro.

pled /plɛd/ pass. e p. p. (*scozz. e USA*) di **to plead**.

pledge /plɛdʒ/ n. **1** ☐ (*leg.*) pegno; garanzia; (*fig.*) prova: *I gave him a ring as a p.*, gli diedi un anello in pegno (o come pegno); **to take jewels out of p.**, ritirare gioielli dati in pegno; disimpegnare gioielli; **a p. of love**, un pegno d'amore **2** (*fig.*) impegno; promessa; suggello; voto solenne: **a p. of marriage**, una promessa di matrimonio; **to keep the p.**, mantenere la promessa; **to make a p.**, prendere un impegno; **a sacred p.**, un sacro suggello **3** brindisi: **to drink a p. to sb.'s victory**, fare un brindisi alla vittoria di q. **4** (*stor.*) ostaggio ● (*fig.*) **the p. of their love**, il pegno del loro amore (*un figlio*) □ **to put st. in p.** (*o to p.*), impegnare, pignorare qc. □ (*arc. o scherz.*) **to take** (*o to sign*) **the p.**, far voto di non bere più (*o di astenersi dall'alcol*).

♦to **pledge** /plɛdʒ/ v. t. **1** impegnare (*anche fig.*); pignorare; (*leg.*) dare come pegno, costituire in pegno: **to p. a ring**, impegnare un anello; **to p. one's honour [word]**, impegnare l'onore [dare la parola] **2** brindare a (*qc.*); brindare alla salute di (*q.*).

pledgee /plɛ'dʒi:/ n. (*leg.*) chi ha ricevuto qc. in pegno; creditore pignoratizio.

pledger /'plɛdʒə(r)/ n. (*leg.*) chi ha dato qc. in pegno; debitore pignoratizio.

pledget /'plɛdʒɪt/ n. **1** batuffolo (*o compressa*) di cotone (*o di garza*) (*per ferite*) **2** (*naut.*) cordone di stoppa (*per calafatare*).

pledging /'plɛdʒɪŋ/ n. (*leg.*) costituzione in pegno.

pledgor /plɛdʒ'ɔ:(r)/ → **pledger**.

Pleiad /'plaɪəd/ n. **1** – (pl.) (*mitol., astron.*) **the Pleiades**, le Pleiadi **2** – (*fig.*) **p.**, pleiade: **a p. of poets**, una pleiade di poeti.

pleiotropism /plaɪ'ɒtrəpɪzəm/, **pleiotropy** /plaɪ'ɒtrəpɪ/ n. ☐ (*biol.*) pleiotropismo; pleiotropia ‖ **pleiotropic** a. pleiotropico.

Pleistocene /'plaɪstəsi:n/ (*geol.*) **A** n. ☐ pleistocene **B** a. attr. pleistocenico.

plenary /'pli:nərɪ/ a. **1** assoluto; completo; illimitato; pieno: **p. powers**, pieni poteri **2** (*anche relig.*) plenario: **p. meeting**, assemblea plenaria; **p. indulgence**, indulgenza plenaria **B** n. assemblea plenaria.

plenipotentiary /ˌplɛnɪpə'tɛnʃərɪ/ **A** n. plenipotenziario **B** a. **1** plenipotenziario: **p. diplomat**, diplomatico plenipotenziario **2** assoluto; illimitato; pieno: **p. powers**, pieni poteri.

plenitude /'plɛnɪtjuːd, USA -tuːd/ n. ☐ **1** pienezza; completezza **2** abbondanza; profusione.

plenteous /'plɛntɪəs/ a. (*poet.*) **1** abbondante; copioso **2** fertile; fruttifero | **-ly avv.** | **-ness** n. ☐.

plentiful /'plɛntɪfl/ a. abbondante; copioso: **a p. supply of food**, abbondanti provviste di cibo | **-ly avv.** | **-ness** n. ☐.

♦**plenty** /'plɛntɪ/ **A** n. ☐ **1** abbondanza; co-

pia (*lett.*) **2** prosperità; benessere: **the years of p.**, gli anni della prosperità; **the land of p.**, il paese della cuccagna **B** a. pred. abbondante; più che sufficiente: *Provisions were p.*, le provviste erano più che sufficienti **C** avv. (*fam. USA*) molto; del tutto; proprio: **p. good**, molto buono; ottimo; *It makes me p. mad*, mi fa proprio incavolare ● **p. more**, ancora molto; molti altri: *Take as much pudding as you like; there is p. more*, prendi quanto budino vuoi; ce n'è ancora □ **p. of**, grande quantità; abbondanza di (*qc.*): *They have p. of money*, hanno un sacco di soldi □ **to enjoy oneself p.**, divertirsi un mondo □ **in p.**, in abbondanza □ **to live in p.**, vivere nell'abbondanza □ **to see p. of sb.**, vedere q. spessissimo □ **p. of time**, tanto (*o molto*) tempo: *I'd give yourself p. of time if I were you*, se fossi in te mi muoverei con molto anticipo; *I reckon if we leave about six that should give us p. of time, even if there is traffic*, credo che se partiamo alle sei avremo tutto il tempo necessario, anche se c'è traffico.

plenum /'pli:nəm/ n. **1** (pl. **plenums**, **plena**) (*leg.*) plenum; assemblea plenaria **2** ☐ (*tecn.*) sovrappressione ● **p. chamber**, camera a pressione □ **p. system**, sistema in sovrappressione.

pleochroism /plɪ'ɒkrəʊɪzəm/ n. ☐ (*miner.*) pleocroismo.

pleonasm /'pli:ənæzəm/ (*ling.*) n. ☐☐ pleonasmo ‖ **pleonastic** a. pleonastico ‖ **pleonastically** avv. pleonasticamente.

pleonaste /'pli:næst/ n. ☐ (*miner.*) pleonasto.

pleroma /plɪ'rəʊmə/ n. ☐ (*filos.*) pleroma.

plerome /'plɪərəʊm/ n. (*bot.*) pleroma.

plesiosaur /'pli:sɪəsɔ:(r)/, **plesiosaurus** /ˌpli:sɪə'sɔ:rəs/ n. (pl. **plesiosaurs**, **plesiosauri**) (*paleont.*) plesiosauro.

plessor /'plɛsə(r)/ → **plexor**.

plethora /'plɛθərə/ (*med.*) n. ☐ pletora (*anche fig.*) ‖ **plethoric** a. pletorico (*anche fig.*).

plethysmograph /plə'θɪzməgrɑːf/ (*med.*) n. pletismografo ‖ **plethysmography** n. ☐ pletismografia.

pleura /'plʊərə/ (*anat.*) n. (pl. **pleurae**, **pleuras**) pleura ‖ **pleural** a. pleurico.

pleurisy /'plʊərəsɪ/, **pleuritis** /plʊə'raɪtɪs/ (*med.*) n. ☐ pleurite ‖ **pleuritic** a. pleuritico.

pleurocentesis /ˌplʊərəʊsɛn'tiːsɪs/ n. ☐ (*med.*) pleurocentesi.

pleuropneumonia /ˌplʊərəʊnjuː'məʊnɪə/ n. ☐ (*med.*) pleuropolmonite.

pleurotomy /plʊ'rɒtəmɪ/ n. ☐☐ (*med.*) pleurotomia.

pleuston /'plu:stən/ n. ☐ (*biol.*) pleuston.

Plexiglas® /'plɛksɪglɑːs/ n. (*ind.*) plexiglas (*materia plastica succedanea del vetro*).

pleximeter /plɛk'sɪmɪtə(r)/ n. (*med.*) plessimetro.

plexor /'plɛksə(r)/ n. (*med.*) martelletto (*per percussione*).

plexus /'plɛksəs/ n. (pl. **plexuses**, **plexus**) **1** (*anat.*) plesso: **the solar p.**, il plesso solare **2** connessione; intrico; viluppo.

pliability /ˌplaɪə'bɪlətɪ/ n. ☐ **1** pieghevolezza; flessibilità; duttilità **2** (*fig.*) arrendevolezza; docilità.

pliable /'plaɪəbl/ a. **1** pieghevole; flessibile; duttile **2** (*fig.*) arrendevole; docile | **-bly avv.**

pliancy /'plaɪənsɪ/ n. ☐ **1** flessibilità; duttilità **2** flessuosità **3** (*fig.*) influenzabilità; suggestionabilità; arrendevolezza.

pliant /'plaɪənt/ a. **1** flessibile; duttile **2** flessuoso: **a p. body**, un corpo flessuoso **3** (*fig.*) influenzabile; suggestionabile | **-ly avv.**

plica /'plaɪkə/ n. (pl. **plicae**) (*anat.*,

med.) plica.

plicate /'plaɪkət/, **plicated** /'plaɪkeɪtɪd/ a. (*bot., zool., geol.*) disposto in pieghe; pieghettato; plicato.

plication /plaɪ'keɪʃn/ n. ☐ **1** (*scient.*) disposizione in pieghe; piegatura **2** (*med.*) plicazione.

plied yarn /'plaɪdjɑːn/ loc. n. (*ind. tess.*) filato a due (*o a più*) capi.

pliers /'plaɪəz/ n. pl. pinze ● **a pair of p.**, un paio di pinze.

plight① /plaɪt/ n. condizione, situazione (*spec. avversa, difficile*); stato: **a hopeless p.**, una situazione disperata; **to be in a sad** (*o sorry*) **p.**, essere in uno stato pietoso; trovarsi a mal partito.

plight② /plaɪt/ n. (*arc. o dial.*) **1** impegno; promessa **2** fidanzamento.

to **plight** /plaɪt/ v. t. (*form. o lett.*) impegnare; dare (*la parola*): **to p. one's honour**, impegnare il proprio onore; **to p. one's word**, dare la propria parola (*d'onore*) ● **to p. oneself**, impegnarsi; fidanzarsi □ **to p. one's troth**, impegnarsi; dare la propria parola; fidanzarsi.

Plimsoll /'plɪmsl/ n. (*naut.*, = P. line, P.'s mark) linea di galleggiamento a pieno carico; marca di bordo libero.

plimsolls /'plɪmsɒlz/ n. pl. (*ingl.*) scarpe da ginnastica; scarpe da tennis (*di tela*).

plinth /plɪnθ/ n. **1** (*archit.*) plinto **2** base, piedistallo (*di statua*) **3** (*ind. costr.*) plinto di fondazione.

Pliny /'plɪnɪ/ n. (*stor. letter.*) Plinio.

Pliocene /'plaɪəʊsiːn/ (*geol.*) **A** n. ☐ pliocene **B** a. attr. pliocenico.

PLO sigla (**Palestine Liberation Organization**) Organizzazione per la liberazione della Palestina (OLP).

plod /plɒd/ n. **1** ☐ l'arrancare; il camminare a fatica **2** passo pesante, rumoroso **3** (*fam.*) lavoro faticoso; sfacchinata; sgobbata **4** (*slang*) – **the p.**, la polizia; gli sbirri (*pop.*).

to **plod** /plɒd/ **A** v. i. **1** camminare a fatica; arrancare **2** (*fig.*) sfacchinare; sgobbare: **to p. away**, lavorare sodo; sgobbare; **to p. away at one's lessons**, sgobbare per preparare le lezioni **B** v. t. percorrere a fatica: *'The plowman homeward plods his weary way'* T. GRAY, 'il contadino stancamente percorre la via del ritorno a casa' ● (*fig.*) **to p. along**, tirare avanti a stento, progredire con grande lentezza □ **to p. away** → **A**, def. 2.

plodder /'plɒdə(r)/ n. **1** chi arranca; chi cammina a fatica **2** lavoratore assiduo; sgobbone.

plodding /'plɒdɪŋ/ a. faticoso; laborioso; lento.

plonk /plɒŋk/ **A** n. **1** tonfo; rumore (*o suono*) sordo **2** (*slang*) vino andante; vino rosso ordinario **B** avv. con un tonfo; con un rumore (*o suono*) sordo; pesantemente.

to **plonk** /plɒŋk/ **A** v. i. cadere con un tonfo **B** v. t. lasciar cadere con un tonfo (*o di peso*); sbattere: *He plonked the coins on the counter*, sbatté le monete sul bancone ● **to p. oneself**, lasciarsi cadere di peso; gettarsi (*o buttarsi*) di schianto (*su una sedia, a letto, ecc.*).

plonker /'plɒŋkə(r)/ n. (*slang*) **1** fesso; imbecille; pirla (*region.*) **2** bacio con lo schiocco; bacione **3** gaffe; topica **4** (*volg.*) batacchio (*fig.*); uccello (*volg.*); pene.

plop /plɒp/ **A** n. tonfo, plop (*d'un sassolino che cade nell'acqua, ecc.*) **B** avv. con un lieve tonfo; con un piccolo botto.

to **plop** /plɒp/ **A** v. i. fare plop; fare (*o cadere con*) un tonfo **B** v. t. far cadere con un tonfo ● **to p. into an armchair**, lasciarsi cadere in una poltrona.

a b c d e f g h i j k l m n o **p** q r s t u v w x y z

plosion /'pləʊʒn/ n. (fon.) esplosione.

plosive /'pləʊsɪv/ (fon.) **A** a. esplosivo; occlusivo **B** n. consonante esplosiva; plosiva; occlusiva.

♦**plot** /plɒt/ n. **1** (agric.) appezzamento, lotto, pezzo, tratto (di terreno); area: **a potato p.**, un appezzamento coltivato a patate; **a grass p.**, un tratto di terreno erboso; **a building p.**, un'area fabbricabile **2** (spec. USA) pianta; mappa; grafico; diagramma **3** (naut., aeron.) tracciato della rotta **4** complotto; congiura; trama; macchinazione; cospirazione; intrigo: **to lay a p.**, ordire una congiura; **to foil a p.**, sventare un complotto **5** intreccio, trama (di romanzo, film, ecc.) ● (scherz.) **The p. thickens**, la cosa si fa più misteriosa; la storia si complica □ (fam.) **to lose the p.**, non capire più niente; perdere la testa; uscire di testa.

to **plot** /plɒt/ v. t. e i. **1** disegnare; progettare; tracciare; far la pianta di **2** (topogr.) rilevare; fare il rilevamento di (un terreno) **3** (naut., aeron.) rilevare la posizione di (navi, ecc.); tracciare (la rotta) **4** congiurare; cospirare; macchinare; tramare; complottare **5** ideare la trama di (un romanzo, ecc.) **6** (fig.) fare il grafico di: **to p. the increase in sales**, fare il grafico dell'aumento delle vendite **7** (comput.) disegnare grafici ● (edil.) **to p. out**, lottizzare.

plotless /'plɒtləs/ a. (di un romanzo, ecc.) senza intreccio; privo di trama.

plotter /'plɒtə(r)/ n. **1** chi traccia, grafici, mappe, ecc. **2** (elettron.) diagrammatore, plotter (strumento) **3** (= **protractor**) goniometro **4** cospiratore, cospiratrice; congiurato, congiurata **5** (comput.) dispositivo per disegnare grafici.

plotting /'plɒtɪŋ/ n. ⓤ **1** il tracciare un grafico (una mappa, ecc.); progettazione **2** grafico; tracciato **3** il complottare; cospirazione ● **p. chart**, carta nautica □ **p. paper**, carta millimetrata □ (mil., naut.) **p. room**, centrale di tiro.

plough /plaʊ/ n. **1** (agric.) aratro **2** terreno arato: **two hundred acres of p.**, duecento acri di terreno arato **3** (falegn.) incorsatoio **4** (ind. min.) piallatrice **5** (fam. antiq.) bocciatura **6** (sci, = **snowplough**) spazzaneve ● (astron.) **the P.**, il Gran Carro, l'Orsa Maggiore (costellazione) □ **p.-beam**, stanga centrale, timone (dell'aratro) □ **p.-iron**, coltro □ **p.-shoe**, dentale (legno del vomere) □ **p.-staff**, nettatoio; arnese per pulire il coltro □ **p.-tree**, manico dell'aratro □ (fig.) **to put one's hand to the p.**, porre mano all'opera; intraprendere un lavoro.

to **plough** /plaʊ/ **A** v. t. **1** arare (il terreno, ecc.) **2** (di nave) solcare (il mare, ecc.) **3** (di dolore) solcare di rughe (la fronte, ecc.) **4** (fam. antiq.) bocciare (un candidato) **B** v. i. **1** arare; fare l'aratura **2** prestarsi all'aratura; ararsi: **This field ploughs easily**, questo campo si ara facilmente **3** (fam. antiq.: di studente) farsi bocciare; essere bocciato ● (naut.: di nave) **to p. across**, attraversare (l'oceano, ecc.) □ (fig.) **to p. the sands**, arare il mare; fare una cosa inutile.

▪ **plough back A** v. t. + avv. **1** (agric.) sotterrare con l'aratro; sovesciare **2** (fin.) reinvestire (utili, profitti): *All our profits are ploughed back into the business*, tutti i nostri profitti vengono reinvestiti nell'azienda **B** v. i. + avv. (fin.: di un'impresa) autofinanziarsi.

▪ **plough in A** v. t. + avv. (agric.) sotterrare con l'aratro (ceneri, ecc.); sovesciare (stoppie, trifoglio, ecc.) **B** v. i. + avv. (fam.) buttarcisi; gettarsi nella mischia (fig.).

▪ **plough into A** v. t. + prep. **1** (agric.) sovesciare in (terra, ecc.) **2** (fin.) investire (denaro) in (un'azienda) **B** v. i. + prep. (fam.) **1** buttarsi, gettarsi a corpo morto su (fig.): **to p. into the study of Russian**, buttarsi a corpo morto a studiare il russo **2** (di un veicolo) andare a sbattere contro; infilarsi in; piombare su: *The bus left the road and ploughed into the cottage*, l'autobus uscì di strada e andò a sbattere contro la villetta.

▪ **plough on** v. i. + avv. **1** (agric.) continuare ad arare **2** (fam.) procedere con determinazione; tirare innanzi.

▪ **plough through** v. i. + prep. **1** procedere (o farsi largo) a fatica attraverso (o in, su): **to p. through the snow**, procedere a fatica nella neve **2** fare (leggere, ecc.) a fatica: **to p. through a novel to the end**, riuscire a fatica a finire di leggere un romanzo □ **to p. one's way through**, fendere, farsi largo a fatica tra (la folla, ecc.); aprirsi a stento un varco fra.

▪ **plough under** v. t. + avv. **1** seppellire (erbacce, ecc.) con l'aratro **2** (fam.) sotterrare, far sparire, distruggere (speranze, ecc.).

▪ **plough up** v. t. + avv. **1** (agric.) arare; finire di arare **2** (fig.: delle ruote di un veicolo) sprofondare in (sabbia, fango, ecc.) **3** rinvenire, trovare (qc.) arando: *The farmer ploughed up an ancient vase*, arando il contadino rinvenne un vaso antico.

ploughboy /'plaʊbɔɪ/ n. **1** giovane aratore **2** contadinello (in genere).

plougher /'plaʊə(r)/ n. aratore.

ploughing /'plaʊɪŋ/ n. ⓤ aratura.

ploughland /'plaʊlænd/ n. **1** terreno arativo **2** (stor.) terreno arato in un anno da un tiro di otto buoi.

ploughman /'plaʊmən/ n. (pl. **ploughmen**) **1** aratore **2** contadino (in genere) ● (fam.) **p.'s lunch**, il pasto delle 12; (nei pub) spuntino (o menù) «del contadino» (piatto unico di pane imburrato, formaggio, pomodori, sedano, insalata e sottaceti).

ploughshare /'plaʊʃɛə(r)/ n. vomere.

plover /'plʌvə(r)/ n. (zool.) **1** (Charadrius, ecc.) piviere **2** (= **green p.**) (Vanellus, ecc.) pavoncella.

plow, to **plow** /plaʊ/ e deriv. (USA) → **plough, to plough**, e deriv.

ploy /plɔɪ/ n. **1** manovra; stratagemma; espediente **2** (raro) impresa **3** (raro) passatempo; divertimento **4** (spec. scozz.) occupazione; impiego; attività.

pluck /plʌk/ n. **1** strappo; strattone; tirata **2** frattaglie (pl.) **3** (fig. fam.) fegato; coraggio; audacia; ardimento.

to **pluck** /plʌk/ v. t. **1** strappare; cogliere; sradicare; svellere: *He plucked me back from the edge of the cliff*, mi strappò via dall'orlo del precipizio; **to p. up** (o **out**) **weeds from the garden**, strappare le erbacce dal giardino; **to p. flowers**, cogliere fiori **2** strappare le penne a; spennare; (fig. fam.) spogliare (un giocatore): **to p. a goose**, spennare un'oca; **to p. a gambler**, spennare un giocatore d'azzardo **3** (mus.) pizzicare (le corde di una chitarra, ecc.); suonare; strimpellare **4** (ind. tess.) sfeltrare **5** (fam. antiq.) bocciare (un candidato) ● **to p. at**, tirare: *The sick boy plucked at the bed cover*, il bambino malato tirava la coperta del letto □ **to p. sb. by the sleeve**, tirare q. per la manica □ **to p. a drowning man out of the river**, tirar fuori dal fiume uno che sta annegando □ **to p. one's eyebrows**, depilarsi le sopracciglia □ **to p. up courage** (o **one's heart**), farsi animo; farsi coraggio.

plucker /'plʌkə(r)/ n. (ind. tess.) sfeltratrice (macchina).

plucky /'plʌkɪ/ a. coraggioso; audace; ardimentoso; risoluto; di fegato (fig.) ‖ **pluckily** avv. (fam.) coraggiosamente ‖ **pluckiness** n. ⓤ (fam.) fegato (fig.); coraggio; audacia; ardimento.

♦**plug** /plʌg/ n. **1** tappo; tampone; zaffo; tassello: **the p. of a barrel**, lo zaffo di una botte; **the p. of a volcano**, il tappo di un vulca-

no; **the p. in a washbasin**, il tappo di un lavandino **2** (= **water-p.**, **fire p.**) presa d'acqua; idrante **3** (elettr., = **connecting p.**) spina (della corrente, del telefono, ecc.); connettore: *I inserted the p. in the socket*, inserii la spina nella presa **4** (autom., elettr.; = **sparking p.**, USA **spark p.**) candela (di motore) **5** (tecn., = **fusible p.**) tappo fusibile (di caldaia a vapore, ecc.) **6** (metall.) spina; (anche) punzone **7** (= **wall p.**) tappo a espansione: **to insert a p. into the wall**, inserire un tappo nel muro **8** tavoletta di tabacco compresso; pezzo di tabacco da masticare; cicca **9** (pesca) plugo **10** (fam.) promozione (pubblicitaria); consiglio agli utenti; annuncio pubblicitario; dritta, imbeccata (data ai futuri consumatori): **to give a new CD a p.**, pubblicizzare un cd nuovo **11** (slang) pallottola; proiettile **12** (slang) raccomandazione; spinta (pop.) **13** (slang) cazzotto (pop.); pugno **14** (med.) tampone **15** (med.) otturazione dentaria **16** (slang USA) vino andante **17** (slang USA) sorso di birra **18** (antiq.) catenella dello sciacquone ● (comput.) **p. and play**, 'plug and play' (standard di autoconfigurazione quando un pc viene connesso a una periferica): **p. and play compatibility**, compatibilità 'plug and play' □ (comput.) **p.-compatible**, compatibile per connettore (di mecc. dei fluidi) □ **p. flow**, corrente a stantuffo □ (elettr.) **p. fuse**, fusibile a tappo □ (slang USA) **p. hat**, cappello a cilindro □ (edil., elettr.) **p. point**, presa (di corrente) □ (autom., mecc.) **p. spanner**, chiave per candele □ (comput.) **p.-to-p. compatibility**, compatibilità a livello dei connettori □ (fam.) **p.-ugly**, (agg.) bruttissimo; (sost.; USA) delinquente, teppista □ (elettr.) **female p.**, presa (di corrente) □ (elettr.) **male p.**, spina □ **to pull the p.**, tirare lo sciacquone, tirare l'acqua (al cesso); (anche) staccare la spina (anche fig.) □ (fig.) **to pull the p. on sb.** [st.], mettere fine a (qc.); mollare; far mancare il proprio appoggio a (q.).

to **plug** /plʌg/ **A** v. t. **1** tappare; chiudere; otturare; turare; ostruire; tamponare: **to p. the leaks**, tamponare le falle; **to p. a hole**, turare un foro **2** zaffare (una botte, ecc.) **3** (elettr.) collegare, inserire: **to p. a battery into a socket**, collegare una batteria a una presa **4** (fam.) fare pubblicità a (qc.); spingere (fig.); promuovere (un prodotto, un cd, un libro nuovo): *I can't stand people who p. their own books on TV*, non sopporto quelli che promuovono i loro libri in tivù **5** (slang USA) sparare a (q.); imbottire (di piombo); impiombare; uccidere (sparando) **6** tassellare: **to p. a water melon**, tassellare un cocomero **B** v. i. (elettr.) collegarsi; (di una spina) inserirsi; attaccarsi (fam.): *Where does it p. (in)?*, dove s'attacca?

▪ **plug at** v. i. + prep. (fam. USA) sparare a (q. o qc.).

▪ **plug away at** v. i. + avv. + prep. **1** sgobbare, sfacchinare, dedicarsi anima e corpo a (qc. o fare qc.): **to p. away at soccer practice**, fare allenamento col pallone a più non posso; **to p. away at writing a new play**, sgobbare per scrivere una commedia nuova **2** (USA) continuare a sparare a (q. o qc.).

▪ **plug back** v. t. + avv. (ind. petrolifera) tappare (un pozzo) al fondo (con uno strato di cemento).

▪ **plug for** v. i. + prep. (USA) parlare bene di (q. o qc.); fare il tifo per (q.).

▪ **plug in** (o **into**) **A** v. t. + avv. (o prep.) **1** infilare, mettere, inserire in: *I plugged two balls of wax into my ears*, mi misi due tappi di cera nelle orecchie **2** (elettr.) collegare (alla rete); inserire la spina in (una presa); attaccare: **to p. an electric razor in**, attaccare un rasoio elettrico; **to p. in a lamp**, avvitare una lampadina alla presa; *Is there anywhere I can p. in my laptop?*, posso collegare il mio portatile da qualche parte? **B** v. i.

+ avv. **1** (*elettr.*) inserirsi (*in una presa*); collegarsi a (*un altro apparecchio*): *Portable computers can be plugged into TV sets*, i computer portatili si possono collegare ai televisori **2** (*fig.*) sintonizzarsi con (*le idee di q.*, *ecc.*); mettersi sulla stessa lunghezza d'onda di (*q.*): *He's trying to p. into his readers' whims*, sta cercando di mettersi in sintonia con le fantasie dei suoi lettori **3** (*USA*) avere accesso a (*una risorsa, un servizio, ecc.*); poter sfruttare; utilizzare: *Living in a big town, it is easier to p. into a whole range of public services*, se si vive in una grande città, è più facile avere accesso a una vasta gamma di servizi pubblici □ **to p. in the earphones**, mettersi la cuffia (*per ascoltare musica*).

■ **plug in on** v. i. + avv. + prep. (*elettr.*) collegarsi con; inserirsi in (*un impianto, ecc.*): *'How often, or on what system, the Thought Police plugged in on any individual wire was guesswork'* G. ORWELL, 'su quante volte, o con quale sistema, la Polizia del Pensiero si collegasse con gli impianti dei singoli utenti, si poteva soltanto fare congetture'.

■ **plug up** ▲ v. t. + avv. **1** otturare; intasare; ostruire; bloccare: *Dead leaves have plugged up the pipe*, le foglie morte hanno ostruito il tubo **2** chiudere (*o turare*) con un tappo: **to p. up one's ears**, turarsi le orecchie **3** zaffare (*una botte*) Ⓑ v. i. + avv. otturarsi; intasarsi; ostruirsi: *The sink has plugged up*, il lavello si è intasato.

plug and play /plʌgən'pleɪ/ n. (*comput.*) plug and play (*tecnologia che consente di aggiungere un nuovo componente a un sistema senza doverlo riconfigurare*).

plugboard /'plʌgbɔːd/ n. (*elettr.*, *comput.*) presa multipla; ciabatta (*fam.*).

plugged /'plʌgd/ a. otturato; intasato; ostruito; bloccato; chiuso; turato: *a p. nose*, ho il naso chiuso (*per il raffreddore*) ● **to be p. in**, (*elettr.*) essere collegato (*o inserito*); essere attaccato (*o acceso*): *The TV set has been left p. in*, il televisore è stato lasciato acceso (*cioè, in attesa*) □ (*fig.: di una persona*) **p. in**, in contatto con quello che succede; al corrente; ben informato □ **to be p. into the world of politics**, avere agganci con la politica.

plugger /'plʌgə(r)/ n. **1** chi tappa; chi ottura **2** (*med.*) otturatore (*di dentista*) **3** (*fam.*) chi fa una pubblicità sfacciata a (*un prodotto, ecc.*); chi lo spinge (*alla radio, in TV*) **4** chi pesca con il plugo **5** (*fam.*) sgobbone.

plughole /'plʌghəʊl/ n. **1** foro (*o rotondino*); buco (*del lavandino, ecc.*) **2** (*ind. min.*) foro da mina; (*anche*) passo d'uomo (*attraverso uno sbarramento*) **3** (*slang USA*) compenso dato sottobanco (*a un presentatore TV, ecc.*) ● (*di un progetto, ecc.*) **to go down the p.**, andare in malora.

plug-in /plʌgɪn/ ▲ a. attr. collegabile; (*tecn.*) inseribile: **a plug-in ringer**, una suoneria inseribile (*o a innesto*) Ⓑ n. **1** (*tecn.*) collegamento **2** apparecchio che si può collegare **3** (*comput.*) 'plug-in' (*programma ausiliario che estende le potenzialità di un altro programma*).

plum /plʌm/ n. **1** (*bot.*) susina; prugna **2** (*bot.*, *Prunus domestica*; = **p.-tree**) susino; prugno **3** uva secca, uva passa (*usata per dolci*) **4** color prugna **5** (*fig.*) cosa eccellente; posto (*o impiego*) ottimo; colpo di fortuna **6** (*polit.*) ricompensa, premio (*per servizi resi*) ● (*cucina*) **p. cake**, plum-cake; panfrutto □ **p. colour**, color prugna □ **p. duff**, budino di fior di farina, uva passa o sultanina, ecc. (*fatto bollire dentro un sacchetto di tela*) □ (*fam.*) **a p. job**, un posto (*di lavoro*) favoloso □ **p. pudding**, budino natalizio (*di farina, grasso di rognone, briciole di pane, uva secca o sultanina, uova, ecc.*) □ (*zool.*) **p.-pudding dog**, cane dalmata □ **p. tomato**, pomodoro dalla forma allungata (*varietà usata per i pe-*

lati).

plumage /'pluːmɪdʒ/ n. Ⓤ **1** (*zool.*) piumaggio; penne; piume **2** (*fig.*) vestiti sgargianti.

plumb /plʌm/ ▲ n. (*tecn.*) **1** (= **p. bob**) piombo; piombino **2** (*edil.*) (= **p. line**) filo a piombo Ⓑ a. **1** a piombo; perpendicolare; verticale **2** (*fig.*) completo; assoluto; bell'e buono: **p. nonsense**, sciocchezze bell'e buone **2** (*fig.*) esattamente; completamente **3** (*slang*) completamente; del tutto: **p. crazy** (*USA*: **p. loco**), completamente pazzo; matto da legare ● **p. bob**, piombo (*di filo o scandaglio*) □ (*naut.*) **p. line**, scandaglio a mano (*o a sagola*); piombino □ (*edil.*) **p. rule**, archipendolo, archipenzolo □ (*edil.*) **p. wire**, filo a piombo □ **out of p.**, fuori piombo; non a piombo; a strapiombo.

to **plumb** /plʌm/ ▲ v. t. **1** (*tecn.*) mettere a piombo **2** piombare; appesantire con piombini **3** (*edil.*) predisporre con tubazioni idriche: *The basement has been plumbed for a bathroom*, il seminterrato è predisposto con le tubazioni per un bagno **4** (*naut.*) scandagliare, sondare **5** (*fig.*) sondare; toccare il fondo di; svelare (*un mistero, ecc.*): **to p. the depths of the soul of man**, sondare le profondità dell'animo umano Ⓑ v. i. **1** piombare; cadere a piombo **2** (*fam.*) fare l'idraulico (*o il fontaniere*) ● **to p. in**, collegare (*una lavatrice, ecc.*) con l'impianto idraulico □ **to p. a sink**, installare un lavandino; collegarlo con le tubature dell'acqua.

plumbago /plʌm'beɪgəʊ/ n. Ⓤ **1** (*miner.*) piombaggine; grafite **2** (*bot.*, *Plumbago europaea*) piombaggine.

plumbeous /'plʌmbɪəs/ a. **1** di piombo **2** simile a piombo; plumbeo.

plumber /'plʌmə(r)/ n. idraulico ● (*fam. USA*) **p.'s friend** (*o* **helper**), sturalavandini □ **p.'s snake**, mandrino flessibile piegatubi (*da idraulico*).

plumbery /'plʌmərɪ/ n. **1** bottega d'idraulico **2** Ⓤ lavoro d'idraulico.

plumbic /'plʌmbɪk/ a. **1** (*chim.*) piombico **2** (*med.*) dovuto al piombo.

plumbiferous /plʌm'bɪfərəs/ a. (*miner.*) piombifero.

plumbing /'plʌmɪŋ/ n. **1** Ⓤ (*tecn.*) messa a piombo **2** Ⓤ piombatura; impiombatura **3** Ⓤ lavoro di idraulico **4** Ⓤ (*edil.*) impianto idraulico; attrezzature igienico-sanitarie **5** (*edil.*) attacco (idraulico): **p. for a washing machine**, attacco per la lavatrice **6** Ⓤ (*scherz.*) l'idraulica (*l'apparato uro-genitale*) **7** (*slang USA*) bagno (*fig.*); toilette ● **p. contractor**, idraulico.

plumbism /'plʌmbɪzəm/ n. Ⓤ (*med.*) saturnismo.

plumbous /'plʌmbəs/ a. (*chim.*) piomboso.

plume /pluːm/ n. **1** penna; piuma (*come ornamento*) **2** (*mil. e fig.*) pennacchio: **a p. of smoke**, un pennacchio di fumo ● (*fig.*) **borrowed plumes**, «le penne del pavone»; meriti ostentati che non ci appartengono.

to **plume** /pluːm/ v. t. **1** guarnire (*o adornare*) di penne o di piume); impennacchiare **2** (*d'uccello*) lisciarsi, pulirsi (*le penne*) col becco ● (*di persona*) **to p. oneself on st.**, farsi bello (*o vantarsi*) di qc.; pavoneggiarsi per qc.

plumed /pluːmd/ a. piumato; ornato di piume.

plummet /'plʌmɪt/ n. **1** piombo (*di filo a piombo, di lenza*); piombino **2** filo a piombo **3** (*naut.*) scandaglio a mano **4** (*tecn.*) galleggiante (*o pescante*) di rotametro.

to **plummet** /'plʌmɪt/ v. i. **1** cadere a piombo (*o a perpendicolo*); precipitare: *The plane plummeted to earth*, l'aereo precipitò

al suolo; *He plummeted to his death from the hotel roof*, è morto dopo essere precipitato dal tetto dell'albergo **2** (*di prezzi, ecc.*) cadere a picco; essere in caduta verticale; crollare: *The Dow plummeted last week*, l'indice Dow Jones è andato a picco la settimana scorsa.

plummeting /'plʌmɪtɪŋ/ n. Ⓤ (*di prezzi, ecc.*) caduta a picco (*o verticale*); crollo; tonfo (*della Borsa, ecc.*).

plummy /'plʌmɪ/ a. **1** simile a una susina **2** pieno di susine (*o di uva passa*) **3** del colore della prugna; rosso scuro **4** (*della voce*) sonora; pastosa **5** (*di un accento*) affettato; aristocratico **6** (*fam.: d'impiego, ecc.*) buono; vantaggioso; desiderabile; bello: *He got a p. part in the film*, ha avuto una bella parte nel film.

plumose /'pluːməʊs/ a. **1** (*bot.*, *zool.*) piumoso; coperto di piume **2** simile a una piuma.

plump① /plʌmp/ a. grassoccio; grassotello; paffuto; tondo; rotondo: **a p. boy**, un ragazzo grassotello; *She's a little p., not fat*, è rotondetta, non grassa ● **p. cushions**, cuscini belli pieni (*ben rigonfi*) □ **p. peaches**, pesche grosse □ **a p. purse**, un borsellino rigonfio (*di denaro*).

plump② /plʌmp/ ▲ n. **1** caduta improvvisa; ruzzolone **2** botto; schianto; tonfo Ⓑ a. secco; reciso; chiaro e tondo: *He answered with a p. «no»*, rispose con un secco no; negò recisamente Ⓒ avv. **1** a piombo; in verticale **2** di botto; di peso; di schianto: *He fell p. into the river*, cadde di peso nel fiume **3** chiaro e tondo; seccamente; recisamente ● **He lied p.**, mentì nel più sfacciato dei modi.

to **plump**① /plʌmp/ ▲ v. t. (*anche* **to p. up**) ingrassare; far ingrassare; gonfiare; riempire Ⓑ v. i. (*anche* **to p. out**, **to p. up**) ingrassare; gonfiarsi; diventare paffuto (*o tondo, rotondo*) ● **to p. out one's cheeks**, gonfiare le gote □ **to p. up a cushion**, sprimacciare un cuscino.

to **plump**② /plʌmp/ ▲ v. i. (*spesso* **to p. down**) cadere a piombo; stramazzare; sedersi di schianto; lasciarsi cadere: *He plumped down in an armchair*, si sedette di schianto su una poltrona Ⓑ v. t. (*spesso* **to p. down**) buttar giù; lasciar cadere d'improvviso (*o di schianto*); sbattere (*fam.*).

■ **plump against** v. i. + prep. andare a sbattere, urtare contro.

■ **plump down** → **to plump**②, A e B.

■ **plump for** v. i. + prep. **1** scegliere; preferire: *They plumped for a holiday abroad*, optarono per una vacanza all'estero **2** dare la preferenza; votare per (*un candidato, ecc.*).

plumper① /'plʌmpə(r)/ n. (*stor.*) pallottola (*o disco, ecc.*) da tenere in bocca per far apparire rotonde le guance (*usati dagli attori*).

plumper② /'plʌmpə(r)/ n. **1** caduta improvvisa; ruzzolone **2** (*polit.*) voto dato a un solo candidato (*quando si potrebbe votare per più d'uno*).

plumpness /'plʌmpnəs/ n. Ⓤ grassezza; prosperosità; rotondità.

plumpy /'plʌmpɪ/ a. (*fam.*) grassoccio; grassottello; paffuto; rotondetto.

plumule /'pluːmjuːl/ n. **1** (*bot.*) plumula **2** (*zool.*) piumino.

plumy /'pluːmɪ/ a. **1** piumoso **2** adorno di piume; piumato **3** simile a una piuma.

plunder /'plʌndə(r)/ n. Ⓤ **1** saccheggio; sacco (*lett.*); razzia **2** rapina; svaligiamento **3** bottino; preda (*spec. di guerra*).

to **plunder** /'plʌndə(r)/ v. t. e i. **1** depredare; saccheggiare; mettere a sacco (*lett.*); razziare: *The lansquenets plundered Rome in 1527*, i lanzichenecchi misero a sacco Roma nel 1527 **2** rapinare; svaligiare.

plunderer /'plʌndərə(r)/ n. **1** saccheggia-

tore; predatore; predone **2** rapinatore; svaligiatore.

plunge /plʌndʒ/ n. **1** (anche sport) tuffo; immersione **2** (fam.) nuotata **3** (USA) piscina **4** (fig.) tuffo, salto, balzo: **a p. for the exit**, un balzo verso l'uscita **5** (comm.: di prezzi, quotazioni, ecc.) caduta a picco (o verticale); crollo; tonfo (fam.): **the p. in prices**, la caduta a picco dei prezzi **6** (fam.) investimento poco prudente; speculazione avventata **7** (geol.) angolo d'inclinazione ● **p. pool**, (geogr.) buca (sotto una cascata); (anche) piccola piscina; vasca idromassaggio □ (fig.) **to take the p.**, saltare il fosso; decidersi; buttarsi (fam.); fare il gran passo.

♦to **plunge** /plʌndʒ/ [A] v. t. **1** immergere (anche fig.); tuffare: **to p. one's face into the water**, immergere il viso nell'acqua **2** (fig.) gettare; precipitare; spingere: **to p. a room into darkness**, gettare una stanza nell'oscurità; **to p. the nation into war**, (far) precipitare la nazione nella guerra **3** affondare nel terreno; interrare (un vaso da fiori, ecc.) [B] v. i. **1** immergersi (anche fig.); tuffarsi: **to p. into water**, tuffarsi nell'acqua; I plunged into his latest novel, mi immersi nella lettura del suo ultimo romanzo **2** (sport) tuffarsi (rif. al portiere, ecc.); (rugby) **to p. over the Redskins' line**, tuffarsi oltre la linea di meta dei Redskin **3** (fig.) gettarsi; buttarsi; lanciarsi; precipitarsi; entrare improvvisamente; salire (o scendere) a precipizio: **to p. into the thick of the jungle**, gettarsi nel folto della giungla; **to p. down a steep slope**, buttarsi giù per un ripido pendio; **to p. into a room**, precipitarsi in una stanza; (fig.) **to p. into a discussion**, lanciarsi in una discussione; **to p. upstairs [downstairs]**, salire [scendere] le scale a precipizio **4** (di nave) beccheggiare **5** (comm.: di prezzi, quotazioni, monete, ecc.) calare all'improvviso; cadere a picco (o verticalmente); crollare; fare un tonfo (fam.) **6** fare speculazioni avventate **7** giocare grosso; puntare forte ● **to p. into debt**, ingolfarsi nei debiti □ (econ.) **to p. into recession**, cadere (o precipitare) nella recessione □ **to be plunged in thought**, essere immerso nei pensieri.

plunger /'plʌndʒə(r)/ n. **1** tuffatore **2** sturalavandini **3** (mecc.) stantuffo tuffante (di una pompa) **4** (fam.) giocatore d'azzardo **5** (Borsa) speculatore avventato.

plunging /'plʌndʒɪŋ/ [A] n. ⓤ **1** il tuffarsi; immersione **2** (naut.) beccheggio [B] a. assai profondo; vertiginoso: **a p. neckline**, una scollatura vertiginosa (o molto audace).

plunk /plʌŋk/ n. **1** il pizzicare le corde d'una chitarra (o strumento simile); suono di una corda pizzicata; pizzicato **2** (fam.) forte colpo; grave percossa **3** (slang USA, antiq.) dollaro ● (fam.) **p. in the middle**, nel bel mezzo; proprio nel mezzo.

to **plunk** /plʌŋk/ [A] v. t. **1** buttar giù; gettar giù; far cadere di botto (o di schianto) **2** pizzicare (le corde di una chitarra, ecc.) [B] v. i. **1** cader di peso (o di schianto) **2** (di chitarra, ecc.) emettere un suono metallico ● (fam. USA) **to p. down a hundred dollars**, sborsare cento dollari.

plunker /'plʌŋkə(r)/ n. (slang USA) preservativo.

pluperfect /pluː'pɜːfɪkt/ a. e n. (gramm.) piuccheperfetto; trapassato.

♦**plural** /'plʊərəl/ [A] n. (gramm.) plurale: **a noun in the p.**, un sostantivo al plurale [B] a. plurale; pluralistico; eterogeneo; molteplice; multiforme: A p. society is spreading all over Europe, in tutta l'Europa si sta diffondendo una società pluralistica ● **p. marriage**, matrimonio poligamico □ (polit., stor.) **p. voter**, votante in più collegi (in GB, fino al 1948).

pluralism /'plʊərəlɪzəm/ n. ⓤ **1** (filos.,

polit.) pluralismo **2** (relig.) cumulo di benefici ecclesiastici ‖ **pluralist** n. **1** (filos., polit.) pluralista **2** (relig.) ecclesiastico che cumula più benefici ‖ **pluralistic** a. pluralistico.

plurality /plʊə'rælətɪ/ n. ⓤ **1** pluralità; molteplicità **2** (gramm.) pluralità; l'essere (al) plurale **3** gran numero; moltitudine **4** (relig.) cumulo di benefici ecclesiastici **5** (polit. USA) maggioranza relativa; scarto di voti (tra il candidato che ha ottenuto la maggioranza e il secondo) **6** (relig.) → **pluralism**, def. 2 ● **p. of offices**, cumulo d'incarichi.

to **pluralize** /'plʊərəlaɪz/ v. t. (gramm.) fare il plurale di (un nome); mettere al plurale; pluralizzare.

plurilingual /plʊərɪ'lɪŋgwəl/ a. plurilingue ‖ **plurilingualism** n. ⓤ plurilinguismo.

pluripotent /plʊərɪ'pəʊtənt/ a. (biol.) pluripotente.

♦**plus** /plʌs/ [A] a. **1** (mat., fis.) più; positivo: **a temperature of p. 25 degrees**, una temperatura di più 25° **2** (in un voto, ecc.: posposto) più: B p., B più **3** (elettr.) positivo **4** aggiuntivo; extra; in più: **a p. benefit**, un vantaggio aggiuntivo **5** (dopo un numerale) al di sopra di; sopra; più di; oltre: **children of 10 p.**, i bambini sopra i 10 anni; He earns £30,000 p. a year, guadagna più di 30 000 sterline l'anno **6** vantaggioso; positivo: **a p. factor**, un fattore vantaggioso (o positivo); **on the p. side**, sul lato positivo [B] n. (pl. **pluses, plusses**) **1** (mat. = p. sign) (segno) più; segno positivo **2** aggiunta; quantità in più; extra **3** vantaggio; marcia in più (fam.) [C] prep. **1** (mat.) più: **two p. two**, due più due **2** più; e in aggiunta: **the salary p. bonuses**, lo stipendio più le gratifiche; They arrived with their five children p. the dog, arrivarono con i cinque figli più il cane [D] cong. (fam.) e poi; e in aggiunta: The house is well-situated and the right size, p. it's reasonably priced, la casa è in un bel quartiere e delle dimensioni giuste, e poi ha un prezzo interessante ● **p.-fours**, calzoni alla zuava □ (fam.) **That girl has personality p.**, quella ragazza ha personalità da vendere.

plush /plʌʃ/ [A] n. **1** ⓤ (ind. tess.) felpa; peluche **2** (pl.) calzoni della livrea (di un valletto) [B] a. → **plushy**.

plushy /'plʌʃɪ/ a. **1** di felpa; simile a felpa **2** (fam.) elegantissimo; di lusso; costoso; costosissimo: **a p. furnished flat**, un appartamento ammobiliato di lusso; **a p. car**, un'auto costosissima.

Plutarch /'pluːtɑːk/ n. (stor. letter.) Plutarco.

plutarchy /'pluːtɑːkɪ/ n. ⓤⓒ plutocrazia.

plute /pluːt/ n. (fam. USA) riccone; creso; nababbo.

pluteus /'pluːtɪəs/ n. (pl. **plutei**) **1** (archit. e stor.) pluteo **2** (zool.) pluteo.

Pluto /'pluːtəʊ/ n. (mitol., astron.) Plutone.

plutocracy /pluː'tɒkrəsɪ/ n. ⓤⓒ plutocrazia ‖ **plutocratic** a. plutocratico.

plutocrat /'pluːtəkræt/ n. **1** plutocrate **2** (fam.) riccone.

pluton /'pluːtɒn/ n. (geol.) plutone.

Plutonian /pluː'təʊnɪən/ a. (mitol.) plutonico.

plutonic /pluː'tɒnɪk/ a. **1** (geol.) plutonico, plutoniano: **p. rocks**, rocce plutoniche **2** – (mitol.) P., plutonico; plutoniano.

plutonism /'pluːtənɪzəm/ n. ⓤ (geol.) **1** plutonismo **2** – (stor.) P., plutonismo ‖ **Plutonist** n. (stor.) plutonista.

plutonium /pluː'təʊnɪəm/ n. ⓤ (chim.) plutonio.

pluvial /'pluːvɪəl/ a. (geol.) pluviale: **p. lake**, lago pluviale ● (ass.) **p. insurance**, assicurazione contro la pioggia.

pluviometer /pluːvɪ'ɒmɪtə(r)/ (meteor.)

n. pluviometro ‖ **pluviometric, pluviometrical** a. pluviometrico ‖ **pluviometry** n. ⓤ pluviometria.

pluvious /'pluːvɪəs/ a. piovoso; pluvio (lett.).

ply /plaɪ/ n. ⓤ **1** piega; (fig.) tendenza, inclinazione **2** capo (di lana, ecc.); trefolo (di corda): **three-ply wool**, lana a tre capi **3** (falegn.) piallaccio; strato: **four-ply wood**, legno (compensato) a quattro strati **4** (ind. tess.) filato semplice di ritorto **5** (di pneumatico) tela.

to **ply** /plaɪ/ [A] v. t. **1** adoperare; maneggiare; lavorare con: **to ply an axe**, adoperare l'ascia; **to ply the sword**, maneggiare la spada; **to ply one's needle**, lavorare d'ago; cucire **2** condurre; esercitare: **to ply a trade**, esercitare un mestiere **3** importunare; incalzare: **to ply sb. with questions**, incalzare q. con domande **4** fornire; provvedere; offrire (di continuo); riempire; rimpinzare: **to ply sb. with presents**, riempire q. di doni; **to ply sb. with drinks**, offrire di continuo da bere a q.; **to ply sb. with food**, rimpinzare q. di cibo **5** (naut.) solcare (il mare); attraversare (un fiume, ecc.): All kinds of boats ply the river, imbarcazioni d'ogni sorta attraversano il fiume [B] v. i. **1** lavorare assiduamente; essere affaccendato; darsi da fare: **to ply with a spade**, darsi da fare con una vanga **2** (spec. naut.) fare servizio regolare; fare la spola: The ferry plies between Italy and Corsica, il traghetto fa servizio di linea tra l'Italia e la Corsica **3** (naut.) bordeggiare; andare all'orza raso **4** (di barcaiolo, vetturino, facchino) stazionare (in attesa di clienti) **5** (di taxi) stazionare **6** (di prostitute) essere in attesa di clienti; battere ● **to ply one's brush delicately**, usare il pennello con delicatezza □ (di taxi e sim.) **to ply for hire**, fare servizio; essere in attesa di clienti □ (naut.) **to ply the oars**, remare □ **to ply one's wit**, usare l'ingegno; far uso della propria intelligenza.

plying /'plaɪɪŋ/ [A] n. ⓤ **1** conduzione, esercizio (di un mestiere, ecc.) **2** l'importunare; insistenza **3** (naut.) il bordeggiare [B] a. **1** (spec. naut.) che fa servizio regolare; di linea **2** che è usato; che fa forza: **oars p. against the stream**, remi che fanno forza contro la corrente.

plywood /'plaɪwʊd/ n. ⓤ **1** legno compensato; pannello compensato **2** (fig.) l'industria del compensato.

♦**p.m.** ①, **P.M., pm** /piː'em/ avv. (abbr. di **post meridiem**) del pomeriggio; della sera; pomeridiano: It's 10 p.m., sono le 10 di sera ● **the 9 p.m. (train) from Dover**, il treno delle 21 da Dover.

p.m. ② sigla (lat.: post mortem) (med., **post-mortem (examination)**) autopsia.

PM sigla **1** (**postmaster**) ufficiale postale **2** (med., **postmortem (examination)**) autopsia **3** (**prime minister**) primo ministro **4** (mil., **provost marshal**) comandante di unità della polizia militare.

PMG sigla (USA, **postmaster general**) direttore dei servizi postali.

PMS sigla (med., **premenstrual syndrome**) sindrome premestruale.

PMT sigla (med., **premenstrual tension**) tensione premestruale.

PND sigla (GB, leg., **penalty notice for disorder**) diffida per disordini.

pneuma /'njuːmə/ n. **1** (filos.) pneuma **2** (mus.) neuma.

pneumatic /njʊ'mætɪk/ [A] a. **1** (mecc.) pneumatico: **p. dispatch**, posta pneumatica (sistema di tubi ad aria compressa); **p. drill**, trapano pneumatico, perforatrice ad aria compressa; martello pneumatico (improprio, ma comune); **p. post**, posta pneumatica (trasmissione della corrispondenza) **2** (relig.) spiri-

tuale **3** (*fam.*) (*di donna*) giunonica; formosa **B** n. **1** (= **p. tyre**) pneumatico, gomma (*d'automobile*, *ecc.*) **2** (*relig.*) pneumatico; uomo pneumatico; chi è pervenuto alla gnosi ● (*tecn.*) **p. caisson**, campana pneumatica □ (*tecn.*) **p. conveyor**, trasportatore pneumatico □ (*mecc.*) **p. hammer**, martello pneumatico □ (*edil.*) **p. pillars**, pilastri pneumatici □ (*ind. min.*) **p. rock drill**, perforatrice ad aria compressa ● **p. tube**, tubo della posta pneumatica.

pneumatically /njuˈmætɪklɪ/ avv. ad aria compressa.

pneumaticity /njuːməˈtɪsətɪ/ n. ⓊⒼ l'essere pneumatico.

pneumatics /njuˈmætɪks/ n. pl. (*fis.*, col verbo al sing.) pneumatica.

pneumatology /njuːməˈtɒlədʒɪ/ n. Ⓤ (*filos.*, *relig.*) pneumatologia.

pneumococcus /njuːməˈkɒkəs/ n. (pl. **pneumococci**) (*med.*) pneumococco.

pneumoconiosis /njuːməkəʊnɪˈəʊsɪs/ n. Ⓤ (*med.*) pneumoconiosi.

pneumogastric /njuːməʊˈɡæstrɪk/ a. (*anat.*) pneumogastrico: **p. nerves**, nervi pneumogastrici.

pneumonectomy /njuːməʊˈnɛktəmɪ/ n. ⓊⒸ (*med.*) pneumonectomia.

pneumonia /njuˈməʊnɪə/ (*med.*) n. Ⓤ polmonite: **double p.**, polmonite doppia ‖ **pneumonic** a. **1** affetto da polmonite **2** polmonitico **3** polmonare.

pneumonitis /njuːməˈnaɪtɪs/ n. Ⓤ (*med.*) polmonite.

pneumothorax /njuːməʊˈθɔːræks/ n. (pl. **pneumothoraxes**, **pneumothoraces**) (*med.*) pneumotorace.

PNG sigla (*comput.*, **portable network graphics**) PNG (*formato grafico di tipo bitmap*).

PnP abbr. (*comput.*) → **plug and play**.

PO sigla **1** (*mil.*, *naut.*, **petty officer**) sottufficiale **2** (*mil.*, *aeron.*, **pilot officer**) ufficiale pilota **3** (**postal order**) vaglia postale **4** (**post office**) ufficio postale.

po /pəʊ/ n. (pl. **pos**) (*fam.*) vaso da notte; vasino (*fam.*).

to **poach**① /pəʊtʃ/ v. t. (*cucina*) **1** affogare (*uova*); cuocere (*uova*) in camicia **2** far bollire; far sobbollire; cuocere (*pesce*) in bianco ● **poached eggs**, uova affogate; uova in camicia.

to **poach**② /pəʊtʃ/ v. t. e i. **1** cacciare (*o pescare*) di frodo; fare il bracconiere; entrare abusivamente in, sconfinare in, violare (*una proprietà, una riserva*): **to p. pheasants**, cacciare fagiani di frodo; **to p. for trout**, pescare trote di frodo **2** frodare; portare via, rubare (*in genere*): **to p. sb.'s ideas**, rubare le idee a q.; **to p. top managers from another company**, portare via dirigenti di primo piano a un'altra società **3** (*dei piedi, delle scarpe*) impantanarsi; affondare nel terreno **4** (*del terreno*) diventare fangoso; formare buche (*per esser stato calpestato*) ● (*di cavallo*) **to p. at the turf**, calpestare il (*o lasciare impronte di zoccoli sul*) terreno erboso □ (*fig.*) **to p. on another's territory** (*o preserve*), invadere il campo altrui; (*comm.*) portar via i clienti a q.

poacher /ˈpəʊtʃə(r)/ n. **1** bracconiere; cacciatore (*o pescatore*) di frodo **2** (*cucina*) pentolino per fare le uova in camicia **3** (*cucina*) tegame per far bollire il pesce.

poaching /ˈpəʊtʃɪŋ/ n. Ⓤ (*leg.*) bracconaggio; caccia (*o pesca*) di frodo.

PO Box /piːəʊˈbɒks/ n. (abbr. di **post office box**) casella postale.

pochard /ˈpəʊtʃəd/ n. (*zool.*, *Aythya ferina*) moriglione.

pochette /pɒˈʃɛt/ n. borsetta a busta; busta.

---

pock /pɒk/ n. (*med.*) **1** pustola vaiolosa **2** (= **pockmark**) cicatrice; buttero.

pocked /pɒkt/ a. (*med.*) butterato.

♦**pocket** /ˈpɒkɪt/ Ⓐ n. **1** tasca; taschino: *I've got my passport in my pocket*, ho il passaporto in tasca; **coat p.**, tasca della giacca; **trouser p.**, tasca dei pantaloni; **waistcoat p.**, taschino del panciotto; **watch-p.**, taschino dell'orologio; *Be prepared to put your hand in your p.*, preparati a metter mano alla tasca (*o al portafoglio*)! **2** (*fig.*) possibilità economiche; mezzi finanziari **3** cavità (*in genere*); sacca: **pockets of mist**, sacche di nebbia; (*mil.*) **pockets of resistance**, sacche di resistenza; (*miner.*) **ore p.**, cavità piena di minerale **4** (*aeron.*, = **air p.**) vuoto d'aria **5** (*biliardo*) buca **6** (*ind. min.*) tasca (*o silo*) di carico **7** (*anat.*) sacca; sacco **8** (*USA*) borsetta (*da donna*) **B** a. attr. da tasca; tascabile: **p. edition**, edizione tascabile; **a p. calculator**, una calcolatrice tascabile ● (*naut.*, *mil.*) **p. battleship**, corazzata tascabile; (*fig.*, *spec. sport*) individuo (*o giocatore*) piccolo ma forte e aggressivo □ **p. billiards**, gioco del biliardo a buche, con 16 bilie (*una bianca e 15 colorate; più diffuso in USA*) □ **p.-book**, agenda, taccuino; (*USA*) portafoglio; (*fig.*) reddito, risorse finanziarie; libro tascabile: *Our goods meet the p.-books of blue-collar families*, i nostri prodotti sono alla portata delle borse delle famiglie operaie □ (*stor.*) **p. borough**, collegio elettorale in mano a una persona o a una famiglia influente (*prima del 1832*) □ **p. diary**, un'agenda tascabile; un'agendina □ (*fig.*) **a p. edition of a man**, un uomo in formato mignon □ **p. expenses**, piccole spese personali □ **p. flashlight**, lampadina tascabile □ (*biliardo*) **p. games**, giochi con sei buche □ **p. handkerchief**, fazzoletto da tasca □ (*fig.*) **a p. handkerchief of land**, un fazzoletto di terra □ **p. knife**, temperino □ **p. money**, denaro per le piccole spese; argent de poche; paghetta (*fam.*) □ **p.-picking**, borseggio □ **p. piece**, moneta portafortuna □ (*fam.: di un oggetto in vendita o all'asta*) **p.-pleasing**, accessibile, abbordabile; alla portata di tutte le tasche □ **a p.-size book**, un libro tascabile □ (*banca*, *USA*) **p. teller**, carta di Bancomat; tessera magnetica □ (*polit. USA*) **p. veto**, «pocket veto» (*quando il presidente non firma un disegno di legge nel periodo finale di una legislatura*) □ (*fig.*) **deep pockets**, grandi disponibilità finanziarie □ (*fig.*) **to be in p.**, aver quattrini; essere in attivo, averci guadagnato (*in un affare*) □ (*fig.*) **to have st. in one's p.**, avere qc. in tasca; essere sicuro di ottenere (*conseguire, ecc.*) qc. □ **to have sb. in one's p.**, tenere q. in pugno □ (*fig.*) **to line one's pockets**, fare i soldi; far il gruzzolo □ **to be out of p.**, avere le tasche vuote; essere in passivo, averci rimesso (*di tasca propria*) □ **out-of-p. expenses**, spese vive; denaro speso di tasca propria □ **to pick sb.'s p.**, borseggiare q. □ **to put one's pride in one's p.**, inghiottire un rospo (*fig.*); umiliarsi □ **to suffer in one's p.**, rimetterci di tasca propria □ **I paid out of my own p.**, ho pagato di tasca mia □ *That leaves me 200 euros out of p.*, così ci rimetto duecento euro.

to **pocket** /ˈpɒkɪt/ v. t. **1** intascare; mettersi in tasca; appropriarsi di (*qc.*): *The man pocketed the fifty-pound note*, l'uomo intascò la banconota da cinquanta sterline **2** mandar giù; sopportare; ingoiare; incassare (*fig.*): **to p. an insult**, mandar giù un insulto **3** (*sport*) chiudere, tagliare la strada a (*un altro concorrente*) **4** far tacere, soffocare (*un sentimento*): **to p. one's pride**, far tacere l'orgoglio **5** (*polit. USA*) non firmare (*un disegno di legge*) (*metodo utilizzato dal presidente degli Stati Uniti come veto di fatto*) **6** (*biliardo*) mandare in buca (*una bilia*): **to p. the ball**,

---

fare bilia.

pocketbook /ˈpɒkɪtbʊk/ = **pocket-book** → **pocket**.

pocketful /ˈpɒkɪtfʊl/ n. **1** quanto sta in una tasca; tascata **2** (*fig.*) (un) mucchio, un sacco (*di soldi, ecc.*).

pocketknife /ˈpɒkɪtnaɪf/ n. (pl. **pocketknives**) coltellino tascabile; temperino.

pockmark /ˈpɒkmɑːk/ n. **1** (*med.*) cicatrice; buttero **2** (pl.) (*med.*) butteratura **3** (piccolo) buco; foro.

to **pockmark** /ˈpɒkmɑːk/ v. t. **1** (*med.*) butterare **2** bucherellare; coprire di buchi (*o di buche*) ‖ **pockmarked** a. **1** butterato: **a pockmarked face**, un viso butterato **2** bucherellato.

pocky /ˈpɒkɪ/ a. **1** butterato **2** di (*o simile a*) una pustola **3** affetto dal vaiolo; vaioloso.

pod① /pɒd/ n. **1** (*bot.*) baccello; capsula; siliqua; guscio (*di pisello, ecc.*) **2** (*zool.*) bozzolo (*di baco da seta*) **3** (*pesca*) nassa per anguille **4** (*aeron.*) carlinga; gondola **5** (= **fuel pod**) contenitore (*spec. serbatoio*) sganciabile **6** (*miss.*) scomparto distaccabile (*d'astronave*) **7** cialda (*per macchine da caffè e simili*): **pod system**, sistema a cialde; (*est.*) macchina (da caffè) a cialde ● (*aeron.*) **engine pod**, gondola del motore.

pod② /pɒd/ n. (*mecc.*) **1** portapunta (*di un trapano, ecc.*) **2** scanalatura; cava ● (*tecn.*) **pod bit**, punta a sgorbia.

pod③ /pɒd/ n. piccolo branco (*di foche, di balene, ecc.*).

pod④ /pɒd/ abbr. → **podcast**.

to **pod**① /pɒd/ Ⓐ v. i. (*di pianta*) produrre (*o fare*) baccelli **B** v. t. sbaccellare; sgranare; sgusciare (*piselli, ecc.*).

to **pod**② /pɒd/ v. t. spingere (*foche, balene*) in branco.

podagra /pəˈdæɡrə/ (*med.*) n. Ⓤ podagra; gotta del piede ‖ **podagral**, **podagric**, **podagrous** a. podagrico; podagroso.

podalic /pəˈdælɪk/ a. (*med.*) podalico: **p. position**, posizione podalica (*del feto*); **p. version**, rivolgimento podalico.

podcast /ˈpɒdkɑːst/ (*comput.*) n. podcast (*file audio o video disponibile su internet e scaricabile, previa sottoscrizione, per la riproduzione non in linea*) ‖ to **podcast** v. t. trasmettere un podcast ‖ **podcasting** n. Ⓤ podcasting (*trasmissione automatica di un podcast*).

podcatcher /ˈpɒdkætʃə(r)/ n. (*comput.*) podcatcher (*applicazione per la ricezione automatica delle trasmissioni in* → **podcasting**).

podded /ˈpɒdɪd/ a. (*di pianta*) che dà (*o produce*) baccelli.

podge /pɒdʒ/ n. (*fam.*) persona tozza e grassa; tombolo (*fam.*).

podgy /ˈpɒdʒɪ/ a. (*fam.*) grassotto; atticciato; piccolo e tondo; tozzo | **-iness** n. Ⓤ.

podiatry /pəˈdaɪətrɪ/ (*USA*) n. Ⓤ podiatria; arte del callista (*o del pedicure*) ‖ **podiatrist** n. podologo; pedicure; callista.

podium /ˈpəʊdɪəm/ n. (pl. **podiums**, **podia**) **1** podio: **to step onto the p.**, (*di direttore d'orchestra, conferenziere, ecc.*) salire sul podio; (*sport*) **p. placing**, posto sul podio (*1°, 2° o 3° posto*) **2** piattaforma; predella **3** (*archit.*) podio **4** (*USA*) leggio **5** cubo (*di discoteca*): **p. dancer**, cubista.

podocarp /ˈpəʊdəʊkɑːp/ n. (*bot.*) podocarpo.

podology /pəʊˈdɒlədʒɪ/ n. Ⓤ (*med.*) podologia.

podophyllin /pɒdəʊˈfɪlɪn/ n. Ⓤ (*chim.*) podofillina.

podophyllum /pɒdəʊˈfɪləm/ n. (pl. **podophyllums**, **podophylli**) **1** (*bot.*, *Podophyllum peltatum*) podofillo **2** Ⓤ (*farm.*) rizoma di podofillo; podofillina.

Podunk /ˈpɒdʌŋk/ Ⓐ n. (*slang USA*) imma-

a b c d e f g h i j k l m n o p q r s t u v w x y z

ginaria cittadina di provincia; città fuori mano **B a. attr.** di provincia; fuori mano: **a p. town**, una città fuori mano.

POE sigla (**port of entry**) porto di entrata.

◆**poem** /ˈpəʊɪm/ n. **1** poesia; componimento poetico **2** poema.

poesy /ˈpəʊɪzɪ/ n. ⓤ (arc.) poesia; arte poetica.

◆**poet** /ˈpəʊɪt/ n. (anche fig.) poeta, poetessa: *'Poets are the unacknowledged legislators of mankind'* P.B. SHELLEY, 'i poeti sono i misconosciuti legislatori dell'umanità' ● **the Poets' Corner**, l'Angolo dei Poeti (nell'Abbazia di Westminster, a Londra); (scherz.) parte d'una rivista dedicata alla poesia □ **P. Laureate**, il poeta ufficiale della Gran Bretagna ❶ CULTURA • **poet laureate**: *nel Regno Unito è un titolo conferito a vita dal sovrano a un poeta importante, il quale diventa membro stipendiato della Casa Reale. Un tempo il compito del* **poet laureate** *era di celebrare in versi cerimonie quali un'incoronazione o un matrimonio reale, ma oggi non esiste più alcun obbligo specifico. Il titolo venne conferito per la prima volta da Giacomo I a Ben Jonson nel 1616, ma il primo vero* **poet laureate** *fu John Dryden, nominato da Carlo II nel 1668. Famosi* **poets laureate** *del passato furono William Wordsworth e Alfred Tennyson nell'Ottocento e John Betjeman e Ted Hughes nel Novecento. L'attuale* **poet laureate** *è Andrew Motion. Questo titolo esiste anche in altri paesi, tra cui gli Stati Uniti, ma non ha la stessa importanza storica di quello britannico.*

poetaster /ˈpəʊɪˌtæstə(r)/ n. poetastro.

poetess /ˈpəʊɪtes/ n. poetessa.

poetic /pəʊˈetɪk/ a. poetico; della poesia: **p. subjects**, argomenti poetici; **p. genius**, il genio della poesia; l'estro poetico ● **a p. family**, una famiglia di poeti □ **p. justice**, giusta ricompensa; ciò che uno si merita □ **p. licence**, licenza poetica.

poetical /pəʊˈetɪkl/ a. poetico; della poesia; in versi: **p. works**, opere poetiche; **a p. play**, un dramma in versi ● **a p. idea of marriage**, un'idea poetica del matrimonio ● **a p. person**, una persona dall'indole poetica | **-ly** avv. | **-ness** n. ⓤ.

poeticality /pəʊˌetɪˈkælətɪ/ n. ⓤ poeticità.

to **poeticize** /pəʊˈetɪsaɪz/ v. t. poeticizzare; poetizzare; rendere poetico.

poetics /pəʊˈetɪks/ n. pl. (col verbo al sing.) poetica.

to **poetize** /ˈpəʊɪtaɪz/ **A** v. i. poetare **B** v. t. **1** poetizzare; rendere (un tema) poetico **2** trattare (un argomento) in versi.

◆**poetry** /ˈpəʊɪtrɪ/ n. ⓤ poesia (anche fig.); arte poetica; (collett.) opere poetiche ● **p. slam**, gara di poesia; torneo di poesia □ **prose p.**, prosa poetica.

po-faced /ˈpəʊfeɪst/ a. (fam. ingl.) serioso; solenne e contegnoso; censorio; musone.

pogey /ˈpəʊgɪ/ n. (slang Canada) **1** sussidio di disoccupazione **2** assicurazione contro la perdita del posto di lavoro **3** assistenza ai disoccupati ● **p. clothes**, vestiti avuti dall'assistenza sociale.

poggie /ˈpɒgɪ/ n. (gergo mil., USA) recluta.

pogo stick /ˈpəʊgəʊstɪk/ loc. n. trampolo con molla (giocattolo); «canguro».

pogrom /ˈpɒgrəm/ n. pogrom; massacro in massa (spec. di ebrei).

poignancy /ˈpɔɪnɪənsɪ/ n. ⓤ (di un sentimento, ecc.) l'essere cocente, pungente; intensità; violenza; causticità.

poignant /ˈpɔɪnɪənt/ a. **1** struggente; toccante; acuto; cocente: **a p. farewell**, un addio struggente; **p. grief**, acuto dolore; **p. regret**, cocente rammarico **2** (arc., di odore o gusto) pungente; acre; penetrante | **-ly** avv.

poinsettia /pɔɪnˈsetɪə/ n. (bot., Euphorbia pulcherrima) poinsezia; stella di Natale.

◆**point** /pɔɪnt/ n. **1** punta (anche mecc.); puntina; punta di terra; promontorio; capo: **the p. of a knife [of a stick]**, la punta d'un coltello [d'un bastone]; (autom., elettr.) **platinum p.**, puntina platinata; **to stand on the p. of one's toes**, stare in punta di piedi; (geogr.) **P. Hope**, Punta Hope (in Alaska) **2** punto; puntino; punto fermo; punto essenziale; (= **p. of view**) punto di vista; opinione; grado; istante; momento: (geogr.) **cardinal p.**, punto cardinale; (tipogr.) **full p.**, punto fermo; *They don't agree on these points*, su questi punti loro non sono d'accordo; **a decimal p.**, un punto di numero decimale (in Italia si usa la virgola): *The ship has four p. seven (4.7) guns*, la nave ha cannoni da «quattro punto sette» (4.7); **the main points of a speech**, i punti principali di un discorso; **the p. of an argument**, il punto essenziale (o il succo) d'un argomento; **to have a weak p.**, avere un punto debole; *The dollar has gained five points against the euro*, il dollaro ha guadagnato cinque punti sull'euro; *I begin to see your p.*, comincio a capire il tuo punto di vista; **Keep to the p.**, stai al punto!; non divagare!; **the p. of departure**, il punto di partenza; (naut.) il punto base; **a p. of contact**, un punto di contatto; **a high p. of civilization**, un alto grado di civiltà; (geom.) **the p. of intersection of two lines**, il punto d'intersezione di due linee **3** ⓤ motivo; scopo; utilità: *What's your p. in going?*, che motivo hai d'andare?; *There is no (o not much) p. in doing that*, non vedo lo scopo (o l'utilità) di fare ciò **4** ⓤ efficacia; vigore; mordente: *His comments lack p.*, i suoi commenti sono privi di mordente **5** (geogr., naut.; = **p. of the compass**) punto della rosa dei venti (ve ne sono 32); quarta (11° 15') **6** (autom., elettr.) puntina (di candela o di ruttore) **7** (naut.) matafione: **reef points**, matafioni dei terzaroli **8** (mil.) punta d'una colonna; avanguardia **9** (ferr. = **p. rail**) ago (dello scambio) **10** (pl.) (ferr.) scambio **11** (del termometro) grado **12** (elettr.) punto; presa di corrente: **a lighting p.**, un punto luce; **a p. for the phone**, una presa per il telefono **13** (tipogr.) punto tipografico; punto **14** (sport) punto **15** (boxe) punta del mento **16** (scherma) affondo; allungo **17** (cricket) difensore (posizionato vicino al battitore a sua destra) **18** ⓤ (caccia) punta (del cane) **19** (pl.) orecchi, coda, zampe (d'animale domestico); (spec.) criniera, coda e zampe (d'un cavallo): **bay with black points**, baio con coda, criniera e zampe nere **20** (slang USA) ago ipodermico **21** (slang USA) (chi fa da) palo; complice ● **p. by p.**, punto per punto; esaurientemente □ (di vigile) **p. duty**, servizio di vigilanza del traffico a un incrocio □ (mil.) **p. fire**, fuoco concentrato □ (basket) **p. guard**, playmaker; guardia di punta □ **p. lace**, merletto (o pizzo) a punto ago □ (USA) **p. man**, (mil.) uomo di testa di una pattuglia; (fig., spec. polit.) uomo di punta; (sport) marcatore, cannoniere □ **a p. of conscience**, un caso di scienza □ **p. of honour**, punto d'onore □ (boxe) **the p. (of the jaw)**, la punta del mento □ (aeron. e fig.) **p. of no return**, punto dal quale non si torna indietro (in un volo transoceanico, per mancanza di carburante) □ (nelle assemblee, riunioni, ecc.) **p. of order**, mozione d'ordine; questione di procedura □ **p. of reference**, punto di riferimento; punto fisso □ (naut.) **points of sailing**, andature delle barche a vela □ (comm.) **p. of sale**, punto vendita □ (ferr.) **p. of switch**, punto di scambio □ **p. of view**, punto di vista □ **p. rationing**, razionamento con sistema di punti □ (boxe, lotta) **points defeat** (o **loss**), sconfitta ai punti □ (sport) **points difference** (o **spread**), differenza punti □ (ciclismo) **points race**, corsa a punti (su pista) □ (fig., in un dibattito) **p.-scoring**, il voler avere a tutti i co-

sti la meglio sull'avversario (invece di affrontare seriamente la questione) □ (tipogr.) **p. size**, corpo □ (sport) **p.-to-p.**, corsa siepi di cavalli dilettanti □ (comput.) **p.-to-p. protocol → PPP** □ (boxe, lotta) **points victory** (o **win**), vittoria ai punti □ (balletto) **p.-work**, danza sulle punte □ **at the p. of death**, in punto di morte □ **at the p. of the sword**, con la spada puntata contro; (fig.) sotto minaccia di gravi violenze □ **at all points**, da ogni punto di vista; sotto ogni aspetto □ **beside the p.**, fuori proposito; non pertinente; che non c'entra □ **to carry** (o **to gain**) **one's p.**, far prevalere il proprio punto di vista □ **to come** (o **to get**) **to the p.**, venire al sodo (o al dunque, al fatto) □ (anche fig.) **to get the p.**, afferrare il concetto; capire l'idea □ **to give points to sb.**, dar dei punti (di vantaggio) a q.; essere superiore a q.: *He can give you points on good manners*, vi può dare dei punti quanto alla buona educazione □ **to have a p.**, non essere senza ragione: *You have a p. here*, su questo punto hai ragione □ **to have a low boiling p.**, (fis.) avere un punto di ebollizione basso; (fig.) perdere subito le staffe □ (fam.) **to have one's points**, avere dei punti buoni; avere i propri meriti; avere del buono □ **in p. of fact**, (leg.) in materia di fatto; (per estens.) effettivamente, realmente, davvero □ (leg.) **in p. of law**, in materia di diritto □ **to make one's p.**, chiarire il proprio punto di vista; sostenere una tesi □ **to make a p. of st.**, fare di qc. una questione essenziale; attribuire grande importanza a qc. □ (di cane) **to make** (o **to come to a**) **p.**, fare la punta; puntare □ **to make** (o **to score**) **a p.**, fare un punto; segnare un punto a proprio favore; (fig.) dimostrare d'aver ragione (o d'essere nel giusto) □ **to make a p. of doing st.**, farsi un dovere di (considerare doveroso, ritenere importante) fare qc. □ **off the p.**, fuori proposito; non pertinente □ (sport) **on points**, ai punti: **to lose [to win] on points**, perdere [vincere] ai punti □ **on the p. of**, esser sul punto di; stare per: *They were on the p. of refusing his offer*, stavano per rifiutare la sua offerta □ **power p.**, presa (elettrica) □ **to stick to the p.**, restare in argomento; non divagare □ **to stretch a p.**, fare un'eccezione; lasciar correre; allargare la manica (fig.) □ **strong p.**, (il) forte: *Swimming is not his strong p.*, il nuoto non è il suo forte □ **to the p.**, pertinente: *Your answer is not to the p.*, la tua risposta non è pertinente □ **up to a p.**, fino a un certo punto □ **to win one's p.**, imporre il proprio punto di vista □ **What's the p. of acting like a child?**, a che giova comportarsi da bambino? □ **That's beside the p.!**, questo non c'entra! (non è pertinente); questa è una questione a parte.

◆to **point** /pɔɪnt/ v. t. e i. **1** fare la punta a; appuntire; affilare; aguzzare: **to p. a pencil**, fare la punta a una matita **2** punteggiare; mettere i punti in (una frase, un discorso) (di solito **to p. out**) additare; segnare a dito; indicare; mostrare: *It's bad manners to p.*, non sta bene segnare a dito; *He pointed out the finest monuments to the visitors*, additò i monumenti più belli ai visitatori; **to p. the way**, indicare la strada; *P. (me) out the books you want*, mostrami i libri che desideri **4** (fig., di solito **to p. out**) illustrare; dar rilievo a; mettere in evidenza; far notare; far rilevare: *He pointed his remarks with apt illustrations*, illustrò le sue osservazioni con esempi appropriati; **to p. a moral**, dar rilievo a un concetto morale (per mezzo d'esempi, ecc.); *May I p. out to you that your account is still outstanding?*, posso farLe notare che il Suo conto è ancora scoperto? **5** (anche mil.) puntare; spianare (una rivoltella, ecc.): **to p. a gun [a telescope]**, puntare un fucile [un telescopio] **6** (di cane) puntare: *My dog pointed a hare*, il mio cane puntò una lepre

7 (*edil.*) stuccare; turare; riempire di malta i giunti di (*un muro di mattoni*) **8** (*comput.*) puntare **9** (*naut.*) orzare; stringere il vento ● **to p. fingers**, puntare il dito; (*fig.*) scandalizzarsi □ **to p. manure in**, sotterrare concime con la punta della vanga □ **to p. the soil over**, rivoltare la terra con la punta della vanga.

■ **point at** Ⓐ v. i. + prep. **1** additare; indicare; segnare a dito: *You shouldn't p. at people*, non si deve segnare a dito la gente **2** (*USA*) dare l'idea di; suggerire la possibilità di; far pensare a; far ritenere Ⓑ v. t. + prep. puntare: **to p. one's finger at sb.**, puntare il dito contro q.; **to p. a gun at sb.**, puntare una pistola contro q.

■ **point down** Ⓐ v. i. + avv. indicare verso il basso Ⓑ v. t. + avv. (*USA*) levigare (*una superficie*).

■ **point off** v. t. + avv. segnare con un punto (*la parte decimale di un numero*).

■ **point out** v. t. + avv. → **to point**, def. 3 e 4.

■ **point to** Ⓐ v. i. + prep. **1** segnare a dito; indicare, segnare (*una direzione, un punto su una cartina, ecc.*): *He pointed to the window*, indicò la finestra **2** essere esposto (*o rivolto*) a; guardare a: *The front points to the east*, la facciata guarda a est **3** riferirsi a; mettere in evidenza, in rilievo: *He pointed to the urgent need for strict measures*, mise in evidenza l'urgente bisogno di provvedimenti severi **4** → **point at**, A, def. 2 Ⓑ v. t. + prep. **1** puntare contro (*o verso*) **2** dirigere, orientare, rivolgere (*anche fig.*).

■ **point towards** → **point to**.

■ **point up** Ⓐ v. t. + avv. **1** mettere in evidenza (*o in risalto*); evidenziare **2** (*USA*) irruvidire (*una superficie*) Ⓑ v. i. + avv. indicare verso l'alto.

point-blank /ˌpɔɪntˈblæŋk/ Ⓐ a. **1** (*mil.*): *di tiro*) diretto; (con l'alzo) a zero: **point-blank shooting**, tiro diretto; tiro a zero **2** (*fig.*) a bruciapelo; netto; reciso; secco; categorico: **a point-blank question**, una domanda a bruciapelo; **a point-blank refusal**, un netto rifiuto Ⓑ avv. **1** (*mil.*) a zero; a bruciapelo: **to shoot point-blank**, sparare a zero **2** (*fig.*) nettamente; seccamente; categoricamente: *She refused point-blank*, rifiutò seccamente ● (*mil.*) **point-blank distance** (*o range*), distanza adatta al tiro diretto; distanza ravvicinata □ **a point-blank shot**, uno sparo a bruciapelo; (*sport*) un tiro a bruciapelo (*in porta*).

pointe /pwæːnt/ (*franc.*) n. (*balletto*) punta (del piede): **on pointes**, sulle punte ● **p. work**, danza sulle punte.

pointed /ˈpɔɪntɪd/ a. **1** puntuto; appuntito; acuminato; acuto; aguzzo; a punta: **p. tools**, arnesi acuminati; strumenti a punta; **a p. nose**, un naso aguzzo **2** (*fig.*) inciso; conciso ed energico; **a p. style**, uno stile incisivo **3** (*fig.*) penetrante; pungente; mordace; tagliente: **p. wit**, spirito mordace; **a p. remark**, un'osservazione pungente **4** (*fig.*) evidente; fatto a bella posta; intenzionale; marcato; preciso: **a p. allusion**, un'allusione precisa (*archit.*) **p. arch**, arco a sesto acuto ● **p. ignorance**, crassa ignoranza **2** (*archit.*) **p. style**, stile ogivale; stile gotico | **-ly** avv. | **-ness** n. Ⓤ.

pointer /ˈpɔɪntə(r)/ n. **1** persona che addita; cosa che indica; indicatore **2** (*di bilancia o contatore*) indice, lancetta, ago; (*di orologio*) lancetta **3** bacchetta, canna (*per indicare qc. su una lavagna, uno schermo, ecc.*) **4** cane da punta (*o da ferma*); pointer **5** (*d'arma da fuoco*) congegno di punteria; alzo **6** (*fam.*) allusione; indicazione; suggerimento; dritta; imbeccata **7** (*comput.*) puntatore; dispositivo di puntamento **8** (*econ., fin.*) indicatore; indice **9** (pl.) (*fam.*) seni a punta ● (*zool., Carcharodon carcharias*) **white p.**, squalo bianco.

pointillism /ˈpɔɪntɪlɪzəm/ (*pitt.*) n. Ⓤ divisionismo || **pointillist** n. divisionista.

pointing /ˈpɔɪntɪŋ/ n. **1** punteggiatura **2** (*edil.*, = **p.-up**) stuccatura (*o otturazione*) dei giunti in vista, con malta; (*anche*) malta per giunti **3** (*d'arma da fuoco*) puntamento ● (*comput.*) **p. device** → **pointer**, def. 7 □ (*edil.*) **p. trowel**, cazzuola per giunti.

pointless /ˈpɔɪntləs/ a. **1** senza punta; spuntato; ottuso **2** senza scopo; senza significato; a vuoto; inutile: **p. cruelty**, crudeltà senza scopo **3** (*di giocatore o squadra*) a zero punti **4** (*di partita o incontro*) senza segnature; (chiuso sullo) zero a zero | **-ly** avv. | **-ness** n. Ⓤ.

pointsman /ˈpɔɪntsmən/ n. (pl. **pointsmen**) **1** (*ferr.*) deviatore; scambista **2** poliziotto addetto alla vigilanza del traffico.

pointy /ˈpɔɪntɪ/ a. appuntito; puntuto; acuminato; aguzzo; in punta: **p. ears**, orecchie aguzze ● (*slang USA*) **p.-head**, intellettuale, cervellone □ **p.-headed**, intellettuale, che si dà arie da esperto.

poise /pɔɪz/ n. Ⓤ **1** equilibrio (*anche fig.*); padronanza di sé; compostezza **2** portamento elegante (*del capo, ecc.*).

to **poise** /pɔɪz/ Ⓐ v. t. **1** bilanciare; equilibrare; tenere in equilibrio **2** tenere in posizione: **to p. a lance**, tenere in posizione una lancia **3** (*raro*) tenere pronto Ⓑ v. i. **1** essere (*o restare*) in equilibrio **2** restar sospeso (*in aria*); librarsi **3** (*raro*) tenersi pronto ● **to p. oneself**, tenersi in equilibrio.

poised /pɔɪzd/ a. **1** sospeso (*anche fig.*); a mezz'aria: *The earth is p. in space*, la terra è sospesa nello spazio; *He is p. between life and death*, è sospeso tra la vita e la morte **2** pronto: *The rebels were p. to attack* (*o for attack*), i rivoltosi erano pronti ad attaccare **3** in equilibrio: **to carry st. p. on one's head**, portare qc. in equilibrio sulla testa **4** immobile; fermo **5** (*fig.*) equilibrato; padrone di sé; calmo e dignitoso.

poison /ˈpɔɪzn/ n. Ⓤⓒ (*anche fig.*) veleno: **rat p.**, veleno per topi; **slow p.**, veleno lento (*ad azione lenta*); **the p. of envy**, il veleno dell'invidia ● (*zool.*) **p. fang**, dente velenifero □ **p. gas**, gas tossico; gas asfissiante □ (*bot.*) **p.-ivy** (*Rhus toxicodendron*), edera del Canada □ (*fig.*) **p. pen**, chi scrive lettere anonime calunniose (offensive, ecc.); corvo (*fig.*) □ (*fig.*) **p.-pen letter**, lettera anonima calunniosa (offensiva, ecc.); lettera di un corvo (*fig.*) □ (*anche econ.*) **p. pill**, pillola avvelenata □ **to hate sb. like p.**, essere nemico di veleno contro q. □ (*fam.*) *What's your p.?*, (*anche: Name your p.!*), e tu che cosa (*o quale liquore*) bevi?

to **poison** /ˈpɔɪzn/ v. t. **1** avvelenare; intossicare: *'If you p. us do we not die?'* W. SHAKESPEARE, 'forse che, se ci avveleniamo, noi non moriamo?' **2** inquinare: *The river has been poisoned by industrial waste*, il fiume è stato inquinato (*o contaminato*) dagli scarichi industriali **3** (*fig.*) corrompere; guastare; pervertire: *That sad event poisoned his life for ever*, quel fatto doloroso gli avvelenò la vita per sempre; *He's trying to p. your mind against me*, sta cercando di inculcarti odio verso di me ● **poisoned chalice**, calice avvelenato.

poisoner /ˈpɔɪzənə(r)/ n. avvelenatore, avvelenatrice.

poisoning /ˈpɔɪzənɪŋ/ n. Ⓤ avvelenamento ● (*med.*) **blood p.**, setticemia □ **food p.**, intossicazione alimentare □ (*iron. USA*) **lead p.**, ferite di arma da fuoco.

poisonous /ˈpɔɪzənəs/ a. **1** velenoso (*anche fig.*); dannoso; astioso; perfido: **p. plants**, piante velenose; **p. doctrines**, insegnamenti velenosi **2** (*fam.*) orribile; pessimo; schifoso (*fam.*) | **-ly** avv. | **-ness** n. Ⓤ.

poke① /pəʊk/ n. **1** colpo (di punta); urto;

spinta; gomitata; ditata **2** (*fam.*) pugno **3** (*fam.*) posapiano; lumaca (*fig.*) **4** (*volg.*) chiavata; scopata **5** (*volg.*) donna come partner sessuale ● (*fig.*) **p. in the eye**, pugno in un occhio: *It's better than a p. in the eye with a sharp stick!*, è meglio di un pugno in un occhio! □ **to give the fire a p.**, dare un'attizzatina al fuoco.

poke② /pəʊk/ n. **1** (*dial.*) borsa; sacco **2** (*slang USA*) portafogli; borsellino; (*anche*) rotolo di banconote; soldi; denaro ● (*fig.*) **to buy a pig in a p.**, comprare a scatola chiusa (*o alla cieca*).

poke③ /pəʊk/ n. (*un tempo*) visiera ● **p. bonnet**, cuffia con ampia visiera (*per es., delle donne dell'Esercito della Salvezza*).

to **poke** /pəʊk/ Ⓐ v. t. **1** colpire; urtare; spingere; dare un colpetto (*o una gomitata*) a: **to p. sb. in the ribs**, dare una gomitata (*o un colpetto confidenziale*) a q. nelle costole **2** (*anche* **to p. up**) attizzare (*il fuoco*) **3** conficcare; ficcare; cacciare: **to p. one's nose into other people's affairs**, ficcare il naso negli affari altrui; **to p. one's finger into a crack**, cacciare il dito in una fessura **4** (*fam.*) colpire col pugno; dare un pugno a (q.) **5** (*volg.*) chiavare; sbattere; scopare (*volg.*) Ⓑ v. i. **1** dare un colpetto **2** sporgere; spuntare: *His left knee was poking through a big hole*, gli spuntava il ginocchio sinistro da un grosso buco **3** ficcare il naso; curiosare; immischiarsi; intromettersi ● **to p. and pry**, essere un ficcanaso □ **to p. at sb.**, agitare un attizzatoio (*o un bastone, ecc.*) contro q.; pungolare q. □ (*calcio, ecc.*) **to p. the ball home**, toccare la palla in rete; insaccare con un tocchetto □ **to p. fun at**, deridere; dileggiare; farsi beffe di; prendere in giro □ **to p. a hole in st.**, fare un buco in qc. (*con un dito, un bastone, un arnese appuntito*).

■ **poke about** (*o around*) v. i. + avv. (*fam.*) **1** ficcanasare **2** cercare qc.; frugare; rovistare: **to p. about for st.**, frugare in cerca di qc.; **to p. around in sb.'s drawers**, rovistare nei cassetti di q.

■ **poke along** v. i. + avv. **1** procedere lentamente **2** bighellonare; oziare; ciondolare.

■ **poke in** v. i. + avv. **1** ficcare; conficcare **2** fare (*un buco*) **3** ficcanasare; curiosare □ (*fam.*) **to p. one's nose in**, ficcanasare.

■ **poke out** v. t. + avv. **1** mettere fuori: **to p. one's nose out of the window**, mettere il naso fuori della finestra **2** sporgere; lasciare (qc.) fuori **3** cavare (*un occhio, ecc.*) **4** spegnere (*il fuoco*) con un arnese.

■ **poke up** v. t. + avv. ravvivare (il fuoco) □ (*fig.*) **to p. oneself up in a small room**, rinchiudersi in una stanzetta.

pokeberry /ˈpəʊkbərɪ/ n. (*bot.*) bacca della → «pokeweed».

poker① /ˈpəʊkə(r)/ n. **1** attizzatoio **2** punta metallica, pirografo **3** (*nelle università d'Oxford e Cambridge*) mazziere **4** (*volg.*) asta; batacchio; pene ● **as stiff as a p.**, rigido come un manico di scopa □ **red-hot p.**, attizzatoio arroventato; (*bot., Kniphofia*) tritoma.

poker② /ˈpəʊkə(r)/ n. poker (*gioco di carte*) ● (*fam.*) **p. face**, faccia da poker; faccia (*o individuo*) impassibile □ **p.-faced**, che ha una faccia da poker; impassibile; imperscrutabile.

pokeroot /ˈpəʊkruːt/ → **pokeweed**.

pokerwork /ˈpəʊkəwɜːk/ n. Ⓤ (*arte*) pirografia.

pokeweed /ˈpəʊkwiːd/ n. (*bot., Phytolacca americana*) fitolacca; uva selvatica.

pokey① /ˈpəʊkɪ/ n. (*slang USA*) carcere; gattabuia (*pop.*).

pokie /ˈpəʊkɪ/ n. (*Austral., fam.*) macchina mangiasoldi.

poky, pokey② /ˈpəʊkɪ/ a. **1** (*di luogo, stanza*) limitato; angusto; piccolo; ristretto **2** (*di*

lavoro) meschino; scialbo; piatto **3** (*USA*) lento; noioso; stagnante **4** (*fam. USA*) malvestito; sciatto; trasandato.

pol /pɒl/ n. (abbr. *slang USA di* **politician**) (uomo) politico.

Polack /ˈpəʊlæk/ n. (*slang spreg.*, *USA*) polacco (sost.).

Poland /ˈpəʊlənd/ n. (*geogr.*) Polonia.

polar /ˈpəʊlə(r)/ **A** a. **1** (*geogr.*, *astron.*, *fis.*, *ecc.*) polare: (*mat.*) **p. coordinate**, coordinata polare; **p. circle**, circolo polare; **p. distance**, distanza polare; **p. bear**, orso polare; orso bianco **2** (*fig.*) antitetico; diametralmente opposto; del tutto diverso **B** n. (*geom.*) retta polare; (la) polare ● **p. cap**, calotta polare □ (*tess.*) **p. fleece**, pile □ (*zool.*) **p. hare**, lepre artica □ **p. lights**, aurora boreale; aurora australe □ (*miss.*) **p. orbit**, orbita polare □ (*miss.*) **p. satellite**, satellite in orbita polare □ **p. seas**, mari artici □ (*geol.*) **p. wandering**, migrazione dei poli.

polarimeter /ˌpəʊləˈrɪmɪtə(r)/ (*fis.*) n. polarimetro || **polarimetric** a. polarimetrico || **polarimetry** n. ⓤ polarimetria.

Polaris /pəˈlɑːrɪs/ n. (*astron.*) stella polare.

polariscope /pəʊˈlærɪskəʊp/ n. (*fis.*) polariscopio.

polarity /pəˈlærəti/ n. ⓤⓒ (*scient.*) polarità (*anche fig.*).

polarizable /ˈpəʊləˌraɪzəbl/ (*fis.*) a. polarizzabile || **polarizability** n. ⓤ polarizzabilità.

to **polarize** /ˈpəʊləraɪz/ (*elettr.*, *fis.*) **A** v. t. **1** (*fis.*) polarizzare **2** (*fig.*) dividere (in due); scindere: **to p. public opinion**, dividere l'opinione pubblica **B** v. i. **1** (*fis.*) polarizzarsi **2** (*fig.*) dividersi (in due); scindersi || **polarization** n. ⓤ **1** (*fis.*) polarizzazione **2** (*fig.*) divisione; scissione || **polarized** a. **1** (*fis.*) polarizzato **2** (*fig.*) diviso; scisso.

polarizer /ˈpəʊləraɪzə(r)/ n. (*ottica*) polarizzatore.

polarizing /ˈpəʊləraɪzɪŋ/ a. che polarizza; polarizzatore.

polarograph /pəʊˈlærəʊɡrɑːf/ (*chim.*) n. polarografo || **polarography** n. ⓤ polarografia.

Polaroid ® /ˈpəʊlərɔɪd/ n. **1** (*ottica*) polaroid; polaroide **2** (*fotogr.*, = **P. camera**) Polaroid **3** (pl.) occhiali con lenti Polaroid.

polder /ˈpəʊldə(r)/ n. (*geogr.*) polder (*terreno sotto il livello dell'alta marea, bonificato e reso coltivabile*).

♦ **pole** ① /pəʊl/ n. **1** palo (*anche di ferro*); paletto: **telephone poles**, pali del telefono; **a tent p.**, un paletto da tenda **2** (*sport*) asta **3** pertica (*misura di lunghezza pari a 5 iarde e mezzo, cioè a 5 metri circa*) **4** timone (*di carro*) **5** (*sport*: *autom.*, *ipp.*, *ecc.*) palo (*di partenza*); (*anche, autom.*) pole position: **to be on p.**, essere in pole position **6** (*sport*) racchetta (*da sci*) **7** (*sci*) paletto (*per delimitare il percorso dello slalom*) **8** (*ginnastica*) pertica: **p. climbing**, salita alla pertica **9** (*naut.*) asta; pennone; spigone (*dell'albero*) ● **p. dance**, pole dance (*danza erotica o artistica intorno a un palo*) □ (*sport*: *autom.*, *anche fig.*) **p. position**, pole position □ (*sci*) **p. shaft**, asta della racchetta □ (*sci*) **p. tip**, puntale (*della racchetta*) □ **p. trimmer**, svettatoio a pertica □ (*sport*) **a p.-vault**, un salto con l'asta □ (*sport*) **p.-vaulter**, astista □ (*sport*) **p.-vaulting** (*o the* **p. vault** *o* **p.-jumping**), salto con l'asta □ **under bare poles**, (*naut.*) con le vele ammainate; (*fig.*) nudo, spoglio □ (*slang*) **to be up the p.**, essere sulla pista sbagliata, sbagliarsi; (*anche*) essere pazzerello, tocco; essere incasinato (*o nei guai*); (*USA*) essere sbronzo.

♦ **pole** ② /pəʊl/ n. (*geogr.*, *astron.*, *elettr.*, *mecc.*) polo (*anche fig.*): **the North P.**, il polo nord; **magnetic p.**, polo magnetico; polo della calamita; **positive** [**negative**] **p.**, polo

positivo [negativo] ● **p. star**, (*astron.*) stella polare; (*fig.*) polo, punto d'attrazione, calamita □ (*fig.*) **to be poles apart**, essere agli antipodi; essere ai poli opposti: *He and his brother are poles apart*, egli è l'opposto di suo fratello.

to **pole** /pəʊl/ **A** v. t. **1** fornire (*o provvedere*) di pali; sostenere (*piante*, *ecc.*) con pali **2** (*anche* **to p. away**, **to p. off**) allontanare, spingere (*un'imbarcazione*) con una pertica **B** v. i. (*sport*: *sci*) usare la racchetta; fare forza sulle racchette (*per procedere*).

Pole /pəʊl/ n. polacco.

poleaxe, (*USA*) **poleax** /ˈpəʊlæks/ n. **1** (*stor.*) ascia da guerra; alabarda **2** ascia (*o mazza*) da beccaio.

to **poleaxe**, (*USA*) to **poleax** /ˈpəʊlæks/ v. t. **1** attaccare (*o abbattere*) (*un nemico*) con l'ascia **2** abbattere (*una bestia da macello*) con l'ascia **3** (*fig.*) annichilire; stordire **4** (*boxe*) atterrare con un pugno demolitore (*o con una mazzata*).

poleaxed /ˈpəʊlækst/ a. pred. distrutto; annichilito; sconvolto; stordito; tramortito.

polecat /ˈpəʊlkæt/ n. (*zool.*) **1** (*Putorius foetidus*) puzzola europea **2** (*USA*: *Mephitis mephitis*) moffetta.

polemarch /ˈpɒləmɑːk/ n. (*stor. greca*) polemarco.

polemic /pəˈlɛmɪk/ n. **1** ⓤⓒ polemica; discussione **2** polemista || **polemicist**, **polemist** n. polemista || to **polemize** v. i. polemizzare.

polemical /pəˈlɛmɪkl/, **polemic** /pəˈlɛmɪk/ a. polemico | **-ly** avv.

polemics /pəˈlɛmɪks/ n. pl. (col verbo al sing.) **1** polemica; arte polemica **2** (*relig.*) controversia (*o disputa*) teologica.

polemology /ˌpɒləˈmɒlədʒɪ/ n. ⓤ polemologia || **polemologist** n. polemologo.

poler /ˈpəʊlə(r)/ n. **1** chiattaiolo **2** (*slang USA*) sgobbone.

to **pole-vault** /ˈpəʊlvɔːlt/ v. i. (*sport*) fare il salto con l'asta.

♦ **police** /pəˈliːs/ n. **1** (collett., col verbo al pl.) polizia; forza pubblica; pubblica sicurezza: *The p. are on his tracks*, la polizia è sulle sue tracce **2** (*fam. USA*) poliziotto ● (*un tempo*) **p. box**, cabina telefonica per chiamare la polizia □ **p. car**, auto della polizia □ (*in GB*) **p. constable**, agente (m. e f.) di polizia; poliziotto, poliziotta □ (*leg.*) **p. court**, corte di giustizia di primo grado (*competente per reati di minore importanza*) □ **p. dog**, cane poliziotto □ **p. headquarters**, comando della polizia □ (*leg.*) **p. magistrate**, giudice di una → «police court» (*sopra*) □ **p. office**, posto (*o ufficio*) di polizia; commissariato □ **p. officer**, agente (m. e f.) di polizia; poliziotto, poliziotta □ «**P. parking only**» (*cartello*), 'riservato alle auto della polizia' □ (*leg.*) **p. record**, fedina penale □ **p. recruits**, reclute della polizia; poliziotti nuovi □ **p. state**, Stato di polizia □ **p. station**, ufficio (*o posto*) di polizia; commissariato □ **p. van**, (furgone) cellulare.

to **police** /pəˈliːs/ v. t. **1** presidiare, proteggere (*con la polizia*); sorvegliare; vigilare: **to p. the streets of a town**, presidiare con la polizia le strade d'una città **2** (*mil.*, *USA*) tenere in ordine (*un accampamento*, *ecc.*) **3** (*fig.*) vigilare su; tenere in ordine.

♦ **policeman** /pəˈliːsmən/ n. (pl. **policemen**) agente di polizia; poliziotto; guardia ● **NOTA D'USO** ● *L'uso del termine al plurale per indicare la categoria e quindi entrambi i sessi non è accettato da tutti. Cfr.* **police officer**, **policewoman** || **policemanlike**, **policemanish** a. di (*o da*) poliziotto; poliziesco.

policewoman /pəˈliːswʊmən/ n. (pl. **policewomen**) donna poliziotto.

policing /pəˈliːsɪŋ/ n. ⓤ operazione (*o ope-*

razioni) di polizia: **political p.**, operazioni (*o interventi*) della polizia politica.

♦ **policy** ① /ˈpɒləsɪ/ n. **1** politica; linea politica; linea programmatica; indirizzo: **this government's economic p.**, la politica economica del presente governo; **company p.**, politica aziendale; *There's a no overtime p. at my office*, per la politica del mio ufficio non esiste straordinario; (*econ.*) **a p. of full employment**, una politica di pieno impiego; **to evolve new policies**, creare nuove politiche **2** ⓤ linea di condotta; politica: (*prov.*) *Honesty is the best p.*, l'onestà è la miglior politica ● **p. maker**, chi prende le decisioni politiche; responsabile delle decisioni; decisore □ **p.-making**, presa di decisioni politiche; costruzione di politiche □ **p. statement**, dichiarazione di politica □ **p. target**, obiettivo di politica.

policy ② /ˈpɒləsɪ/ n. (*ass.*) polizza: **a marine insurance p.**, una polizza d'assicurazione marittima; **to take out a p.**, sottoscrivere una polizza ● **p. loan**, prestito su polizza □ **p. value**, valore di riserva della polizza.

policyholder /ˈpɒləsɪhəʊldə(r)/ n. (*ass.*) detentore (*o titolare*) di polizza; assicurato, assicurata.

polio /ˈpəʊlɪəʊ/ n. ⓤ (abbr. di **poliomyelitis**) polio; poliomielite; paralisi infantile ● (*med.*) **a p. patient**, un poliomielitico.

poliomyelitis /ˌpəʊlɪəʊmaɪəˈlaɪtɪs/ (*med.*) n. ⓤ poliomielite.

poliovirus /ˈpəʊlɪəʊˌvaɪərəs/ n. (*med.*) poliovirus.

polish /ˈpɒlɪʃ/ n. **1** lustro; lucentezza; levigatezza **2** lucidatura; lucidata; lustrata: *My shoes need a good p.*, le mie scarpe hanno bisogno di una bella lucidatina **3** ⓤ lucido; vernice: **shoe-p.**, lucido per scarpe **4** ⓤ (*fig.*) finezza; raffinatezza; squisitezza; eleganza **5** ⓤ (*tecn.*) polish; materiale per rivestimento superficiale (*cera*, *lacca*, *ecc.*) **6** ⓤ smalto per le unghie ● **a tin of metal p.**, un barattolo di preparato per lucidare metalli □ **a writer of remarkable p.**, uno scrittore assai raffinato □ *His manners lack p.*, le sue maniere sono un po' rozze.

to **polish** /ˈpɒlɪʃ/ **A** v. t. **1** levigare; lisciare; lucidare; pulimentare: **to p. silver** [**furniture**], lucidare l'argenteria [i mobili] **2** (*fig.*) ingentilire; affinare; rifinire: **to p. one's style**, ingentilire il proprio stile; **to p. a speech**, rifinire un discorso **B** v. i. **1** levigarsi; lucidarsi; diventar lucido (*o liscio*): *This wood polishes well*, questo legno si lucida bene **2** (*fig.*) ingentilirsi; raffinarsi □ (*fam.*) **to p. off**, finire, sbrigare (*un lavoro*); finire, spazzare via, sbafarsi (*una pietanza*); (*anche sport*) stracciare, sbaragliare, sbarazzarsi di (*un avversario*); far fuori (q.) □ **to p. up**, lucidare; pulire (*l'argenteria*, *ecc.*); (*fig. fam.*) rifinire, migliorare, perfezionare.

Polish /ˈpəʊlɪʃ/ **A** a. polacco **B** n. ⓤ (il) polacco (*la lingua*).

polished /ˈpɒlɪʃt/ a. **1** lucido; tirato a lucido; lucente; lustro **2** (*fig.*) raffinato; fine; distinto; elegante; forbito: **p. manners**, modi distinti **3** (*fig.*) eccellente; perfetto: **a p. performance**, un'eccellente esecuzione **4** (*fig.*) levigato; limato; cesellato; polito (*lett.*): **p. style**, stile levigato; prosa levigata.

polisher /ˈpɒlɪʃə(r)/ n. **1** lucidatore: **furniture p.**, lucidatore di mobili **2** lucidatrice (*macchina*): **floor-p.**, lucidatrice per pavimenti **3** (*tecn.*) polish; liquido (*o pasta*) per lucidare.

polishing /ˈpɒlɪʃɪŋ/ n. ⓤⓒ **1** lucidatura; levigatura **2** (*fig.*) (lavoro di) rifinitura; affinamento; raffinamento ● **p. machine**, lucidatrice (*macchina*) □ **p. paste**, pasta per lucidare □ **p. wheel**, disco per lucidare.

♦ **polite** /pəˈlaɪt/ a. **1** gentile; cortese; garbato; bene educato; civile; ammodo **2** raffina-

to; elegante; fine ● **p. letters**, le belle lettere □ **p. remarks**, convenevoli □ **the p. society**, la buona società; il bel mondo | **-ly** avv.

politeness /pə'laɪtnəs/ n. **1** ⓤ gentilezza; cortesia; garbatezza; buona educazione; civiltà; belle maniere: **formal p.**, cortesia fredda, formale **2** ⓤ raffinatezza; eleganza; finezza **3** atto gentile; cortesia; gentilezza.

Politian /pə'lɪʃn/ n. (*stor.*, *letter.*) Poliziano.

politic /'pɒlətɪk/ a. **1** (*di persona*) accorto; avveduto; prudente; sagace: **a p. statesman**, uno statista sagace **2** (*di persona*, *spreg.*) astuto; scaltro **3** conveniente; giovevole; opportuno; saggio; utile: *It would be p. for you to accept*, da parte tua sarebbe saggio accettare **4** (*raro*) politico ● **the body p.**, lo Stato ‖ **politicly** avv. astutamente; con grande furbizia.

♦**political** /pə'lɪtɪkl/ a. **1** politico: **p. parties**, partiti politici; **p. economy**, economia politica; **a p. solution**, una soluzione politica **2** interessato alla politica; attivo in politica; politicizzato: *My students are very p.*, i miei studenti sono molto politicizzati **3** (*spreg.*) politico; di interesse politico; di politica: **for purely p. reasons**, per ragioni puramente politiche (*o di pura politica*) ● (*stor.*) **p. agent** (*o resident*), consulente inglese di un principe indiano □ **a p. animal**, un animale politico; un politico nato □ **the p. arena**, l'agone politico □ **p. asylum**, asilo politico □ **p. correctness**, il politicamente corretto ● **p. incorrectness**, il politicamente scorretto □ (*leg.*) **p. offence**, reato politico □ **p. prisoner**, prigioniero politico □ **p. science**, scienza politica □ **p. scientist**, studioso di scienza politica □ **p. secretary**, segretario particolare (*di un uomo politico*) ‖ **politically** avv. politicamente; da un punto di vista politico ● **politically correct**, politicamente corretto.

♦**politician** /pɒlɪ'tɪʃn/ n. **1** uomo politico; statista **2** (*spreg.*) politicante.

politicide /pə'lɪtɪsaɪd/ n. (*USA*) «suicidio» politico.

to **politicize** /pə'lɪtɪsaɪz/ Ⓐ v. i. **1** occuparsi di politica; fare politica **2** parlare di politica Ⓑ v. t. dare un carattere politico a; politicizzare ‖ **politicization** n. ⓤ **1** politicizzazione **2** responsabilizzazione civile.

politicking /'pɒlətɪkɪŋ/ n. ⓤ (*spesso spreg.*) l'essere un politicante; attivismo politico.

politico /pə'lɪtɪkəʊ/ n. (pl. *politicos*, *politicoes*) (*spreg.*) politicante.

♦**politics** /'pɒlətɪks/ n. pl. **1** (col verbo al sing.) politica; attività politica: **to go into p.**, darsi alla politica; **to talk p.**, parlare di politica **2** (col verbo al sing.) arte (*o scienza*) del governare; politica **3** (col verbo al sing.) scienze politiche **4** idee (*o opinioni*) politiche; principi politici; posizione (*o collocazione*) politica: *What are his p.?*, quali sono le sue idee politiche?; **the p. of this newspaper**, la posizione politica di questo giornale **5** (col verbo al pl. o al sing.) (*spreg.*) giochi di potere; politica di corridoio; manovre; intrighi: **office p.**, intrighi aziendali; **party p.**, interessi di partito; manovre di partito.

polity /'pɒlətɪ/ n. **1** ⓤ governo; ordinamenti e leggi civili; vita sociale **2** società ordinata secondo leggi civili; Stato; polis.

polka /'pɒlkə/ n. (*mus.*) polca, polka ● **p. dots**, pallini; pois (*ciclismo*) **p.-dot jersey**, maglia a pois □ **a p.-dot scarf**, una sciarpa a pallini.

♦**poll**① /pəʊl/ n. **1** ⓤ (*polit.*) partecipazione al voto; votazione: **the opening of the p.**, l'inizio delle votazioni; l'apertura del seggio elettorale **2** (*polit.*) lista elettorale; elenco degli elettori **3** ⓤ (*polit.*) scrutinio dei voti; voti (*dati, ottenuti, o scrutinati*): **to head the** **p.**, essere in testa nelle votazioni **4** inchiesta (*d'opinione*); indagine su campione; sondaggio: **a Gallup p.**, un'inchiesta Gallup; **an opinion p.**, un'indagine demoscopica; un sondaggio d'opinione **5** (pl. collett.) **the polls**, i seggi (*nelle elezioni*) **6** (*del cavallo*) nuca **7** (*arc.*, *dial. o scherz.*) testa; zucca (*fig.*) **8** (*arc.*) nuca; cuoio capelluto ● **p.- -book**, registro degli elettori; lista elettorale □ **p. clerk**, scrutatore □ (*fisc.*, *in GB*) **p.-tax**, capitazione; testatico; imposta pro capite (*assai impopolare: dal 1990 al 1993; sostituita dalla council tax*) □ (*polit.*) **p. turmoil**, subbuglio elettorale (*nello svolgimento delle votazioni*) □ **p. victory** [*o* **win**], vittoria elettorale □ **p. watcher**, osservatore, rappresentante di lista (*nelle votazioni*) □ **to go to the polls**, andare a votare; andare alle urne □ **a heavy** [**poor**] **p.**, un'alta [bassa] percentuale di votanti.

poll② /pəʊl/ Ⓐ a. **1** mozzato; tagliato di netto **2** (*d'albero*) senza cima **3** dalle corna mozze (spec. nei composti): **a p.-ox**, un bue dalle corna mozze Ⓑ n. (*zool.*) animale senza corna.

to **poll** /pəʊl/ Ⓐ v. t. **1** (*polit.*) scrutinare i voti (*in un collegio, ecc.*) **2** (*polit.*: *d'un candidato*) ottenere (*un certo numero di voti*) **3** (*polit.*: *d'un elettore*) dare (*il proprio voto*) **4** intervistare; sondare **5** cimare, potare, svettare (*alberi, piante*) **6** mozzare le corna a (*bestiame*) **7** tosare (*capelli, siepi*) Ⓑ v. i. (*polit.*) votare; esprimere il proprio voto.

pollack /'pɒlæk/ n. (pl. *pollack*, *pollacks*) (*zool.*, *Pollachius virens*) merlano nero.

pollard /'pɒləd/ n. **1** (*zool.*) animale (*bue, capra, ecc.*) senza corna (*o dalle corna mozze*) **2** (*bot.*) albero capitozzato; pianta scimata **3** miscela di crusca e farina (*come mangime*).

to **pollard** /'pɒləd/ v. t. **1** cimare (*una pianta*); capitozzare; scamozzare **2** mozzare le corna a (*un animale*).

polled /pəʊld/ a. **1** (*bot.*: *di un albero*) cimato **2** (*zool.*) senza corna.

pollee /pəʊ'liː/ n. intervistato (*nei sondaggi*).

pollen /'pɒlən/ n. ⓤ (*bot.*) polline ● **p. count**, (*bot.*) conteggio pollinico (*med.*) misurazione della quantità di polline presente nell'aria (*per le allergie*) □ (*bot.*) **p. sac**, sacco pollinico.

poller /'pəʊlə(r)/ n. **1** chi esegue sondaggi d'opinione; intervistatore **2** votante **3** chi cima piante.

pollex /'pɒlɛks/ n. (pl. *pollices*) (*anat.*) pollice.

to **pollinate** /'pɒləneɪt/ (*bot.*) v. t. impollinare ‖ **pollination** n. ⓤ impollinazione ‖ **pollinator** n. impollinatore.

polling /'pəʊlɪŋ/ Ⓐ a. che vota; votante Ⓑ n. ⓤ **1** votazione elettorale **2** percentuale dei votanti **3** (*comput.*) interrogazione in sequenza ● **p. booth**, cabina elettorale □ **p. clerk**, scrutatore □ **p. day**, giorno delle elezioni (*o delle votazioni*) □ **p. station**, seggio elettorale.

pollinosis /pɒlɪ'nəʊsɪs/ n. ⓤ (*med.*) pollinosi.

polliwog /'pɒlɪwɒg/ n. (*USA, Canada o dial.*) (*zool.*) girino.

pollock /'pɒlək/ n. (pl. *pollock*, *pollocks*) → **pollack**.

pollster /'pəʊlstə(r)/ n. esperto in sondaggi d'opinione; «pollster»; analista elettorale.

pollutant /pə'luːtənt/ n. (*ecol.*) inquinante; sostanza inquinante.

to **pollute** /pə'luːt/ v. t. **1** inquinare, contaminare (*acqua, ecc.*); infettare; insudiciare; insozzare **2** (*fig.*) corrompere; guastare; profanare.

polluted /pə'luːtɪd/ a. **1** inquinato **2** cor-

rotto **3** (*slang USA*) ubriaco; sbronzo.

polluter /pə'luːtə(r)/ n. **1** inquinatore; contaminatore **2** (*fig.*) corruttore; profanatore.

polluting /pə'luːtɪŋ/ a. (*ecol.*) inquinante: **p. gases**, gas inquinanti.

♦**pollution** /pə'luːʃn/ n. ⓤ **1** inquinamento, contaminazione (*ecol.*); infezione; insozzamento: **air p.**, inquinamento atmosferico; **water p.**, inquinamento dell'acqua **2** (*fig.*) corruzione; profanazione **3** (*fisiol.*) polluzione.

pollutive /pə'luːtɪv/ a. inquinante.

Pollux /'pɒləks/ n. (*mitol.*, *astron.*) Polluce.

Pollyanna /pɒlɪ'ænə/ n. (*fam. USA*) inguaribile ottimista (*dalla protagonista dell'omonimo romanzo di Eleanor Porter*).

polo /'pəʊləʊ/ (*sport*) Ⓐ n. polo Ⓑ a. attr. di (*o da*) polo; polistico: **p. ball**, palla da polo; **p. field**, campo di polo ● **p. coat**, cappotto maschile a doppiopetto di pelo di cammello □ **p. neck**, collo alto □ **p.-neck sweater**, maglione dolcevita □ (*sport*) **p. player**, polista □ **p. shirt**, maglietta polo □ (*sport*) **p. stick**, bastone da polo □ (*sport*) **water p.**, pallanuoto.

polonaise /pɒlə'neɪz/ (*franc.*) n. (*un tempo*) polacca (*danza, musica e abito femminile*).

polonium /pə'ləʊnɪəm/ n. ⓤ (*chim.*) polonio.

Polonius /pə'ləʊnɪəs/ n. (*letter.*) Polonio.

polony /pə'ləʊnɪ/ n. ⓤⒸ mortadella (*forse dal nome della città di Bologna*).

poltergeist /'pəʊltəgaɪst/ n. poltergeist; spirito dispettoso.

poltroon /pɒl'truːn/ n. (*arc.*) codardo; pauroso; vigliacco ‖ **poltroonery** n. ⓤ codardia; vigliaccheria.

poly /'pɒlɪ/ n. **1** (abbr. *fam. di* **polytechnic**) politecnico **2** ⓤ (abbr. *fam. di* **polythene**) plastica trasparente.

polyacrylate /pɒlɪ'ækrɪleɪt/ n. (*chim.*) poliacrilato.

polyacrylic /pɒlɪə'krɪlɪk/ a. (*chim.*) poliacrilico.

polyamide /pɒlɪ'æmaɪd/ Ⓐ n. (*chim.*) poliammide Ⓑ a. attr. poliammidico.

polyamory /pɒlɪ'æmərɪ/ n. poliamore; relazione di gruppo ‖ **polyamorous** a. relativo al poliamore.

polyandry /'pɒlɪændrɪ/ n. ⓤ (*bot.*, *etnol.*) poliandria ‖ **polyandrous** a. **1** (*bot.*) poliandro **2** (*etnol.*) poliandrica.

polyanthus /pɒlɪ'ænθəs/ n. (pl. *polyanthuses*, *polyanthi*) (*bot.*) **1** (*Primula elatior*) primavera maggiore **2** (*Narcissus tazetta*) narciso a mazzetti.

polyarchy /'pɒlɪɑːkɪ/ n. poliarchia ‖ **polyarchic** a. poliarchico.

polyarthritis /pɒlɪɑː'θraɪtɪs/ n. ⓤ (*med.*) poliartrite.

polyatomic /pɒlɪə'tɒmɪk/ a. (*chim.*) poliatomico.

polybasite /pɒlɪ'beɪsaɪt/ n. ⓤ (*miner.*) polibasite.

polybutadiene /pɒlɪbjuːtə'daɪiːn/ n. ⓤ (*chim.*) polibutadiene.

polycarbonate /pɒlɪ'kɑːbəneɪt/ n. (*chim.*) policarbonato.

polycentric /pɒlɪ'sɛntrɪk/ a. (*polit.*) policentrico.

polycentrism /pɒlɪ'sɛntrɪzəm/ (*polit.*) n. ⓤ policentrismo.

polychromatic /pɒlɪkrəʊ'mætɪk/ a. policromatico; multicolore.

polychrome /'pɒlɪkrəʊm/ Ⓐ a. policromo: **p. printing**, stampa policroma Ⓑ n. **1** opera d'arte (*spec. statua*) policroma **2** (*arte, letter.*) policromia **3** (*farm.*) esculina.

to **polychrome** /'pɒlɪkrəʊm/ v. t. policromare.

polychromy /'pɒlɪkrəʊmɪ/ n. ⓤ policro-

mia || **polychromic** a. policromo; multicolore.

polyclinic /ˌpɒlɪˈklɪnɪk/ n. (*med.*) policlinico; poliambulatorio.

polycystic /ˌpɒlɪˈsɪstɪk/ a. (*med.*) policistico: **p. ovary**, ovaio policistico.

polycythemia /ˌpɒlɪsaɪˈθiːmɪə/ n. ⓤ (*med.*) policitemia.

polydactyly /ˌpɒlɪˈdæktəlɪ/ (*med.*) n. ⓤ polidattilia || **polydactyl** a. e n. polidattilo.

polyene /ˈpɒlɪiːn/ n. (*chim.*) poliene.

polyester /ˌpɒlɪˈɛstə(r)/ n. ⓤ (*chim.*) poliestere ● (*ind. tess.*) **p. fibre**, fibra poliestere □ (*ind.*) **p. laminate**, laminato poliestere.

polyether /ˌpɒlɪˈiːθə(r)/ n. (*chim.*) polietere.

polyethylene /ˌpɒlɪˈɛθəliːn/ n. ⓤ (*chim.*, *spec. USA*) polietilene; politene.

polyfidelity /ˌpɒlɪfɪˈdɛlɪtɪ/ n. ⓤ polifedeltà; matrimonio di gruppo.

polyfunctional /ˌpɒlɪˈfʌŋkʃənl/ a. (*chim.*) polifunzionale.

polygala /pəˈlɪɡələ/ n. (*bot.*, *Polygala senega*) poligala.

polygamy /pəˈlɪɡəmɪ/ (*bot.*, *etnol.*) n. ⓤ poligamia || **polygamist** n. poligamo || **polygamous**, **polygamic** a. poligamo.

polygenesis /ˌpɒlɪˈdʒɛnəsɪs/ n. ⓤ (*scient.*) poligenesi.

polygenetic /ˌpɒlɪdʒəˈnɛtɪk/ a. poligenetico.

polygenic /ˌpɒlɪˈdʒɛnɪk/ a. poligenico.

polygenism /pəˈlɪdʒənɪzəm/ n. ⓤ (*scient.*) poligenismo.

polygeny /pəˈlɪdʒənɪ/ n. ⓤ (*scient.*) poligenesi.

polyglot /ˈpɒlɪɡlɒt/ a. e n. poliglotta: **a p. dictionary**, un dizionario poliglotta || **polyglottal**, **polyglottic** a. poliglottico.

polygon /ˈpɒlɪɡən/ (*geom.*) n. poligono || **polygonal** Ⓐ a. poligonale Ⓑ n. (*mat.*) poligonale.

polygraph /ˈpɒlɪɡrɑːf/ n. **1** poligrafo (*strumento*) **2** (*med.*) sfigmografo (*strumento*) **3** poligrafo; scrittore versatile **4** (= **Keeler p.**) macchina della verità || **polygraphic** a. **1** poligrafico **2** relativo all'uso di uno sfigmografo, ecc. || **polygraphy** n. ⓤ poligrafia.

polygyny /pəˈlɪdʒɪnɪ/ n. ⓤ (*zool.*, *etnol.*) poliginia || **polygynous** a. (*bot.*) poliginico.

polyhedron /ˌpɒlɪˈhiːdrən/ (*geom.*) n. (pl. **polyhedrons**, **polyhedra**) poliedro || **polyhedral**, **polyhedric** a. poliedrico.

polyhybrid /ˌpɒlɪˈhaɪbrɪd/ a. e n. (*biol.*) poliibrido.

Polyhymnia /ˌpɒlɪˈhɪmnɪə/ n. (*mitol.*) Polimnia (*una delle Muse*)

polymath /ˈpɒlɪmæθ/ Ⓐ n. uomo dalla cultura eclettica (*o competente di diverse discipline*); intellettuale poliedrico (*fig.*) Ⓑ agg. attr. **1** dalla cultura eclettica; competente di diverse discipline; poliedrico (*fig.*) **2** colto; erudito.

polymer /ˈpɒlɪmə(r)/ (*chim.*) n. polimero ● **p. plastic**, materia plastica; plastomero || **polymeric** a. polimerico.

polymerase /ˈpɒlɪməreɪs/ n. ⓤ (*biochim.*) polimerasi.

polymerism /pɒˈlɪmərɪzəm/ n. ⓤ (*chim.*) polimerismo; polimeria.

to **polymerize** /pɒˈlɪməraɪz/ (*chim.*) Ⓐ v. t. polimerizzare Ⓑ v. i. polimerizzarsi || **polymerization** n. ⓤ polimerizzazione.

polymerous /pɒˈlɪmərəs/ a. (*chim.*) polimero.

polymery /pəˈlɪmərɪ/ n. ⓤ (*biol.*) polimeria.

polymorph /ˈpɒlɪmɔːf/ n. **1** (*biol.*) organismo polimorfo **2** (*chim.*, *miner.*) elemento polimorfo **3** (*bot.*) organo polimorfo **4** (*med.*) leucocita polimorfonucleato.

polymorphism /ˌpɒlɪˈmɔːfɪzəm/ (*scient.*) n. ⓤ polimorfismo || **polymorphic**, **polymorphous** a. polimorfo.

polymorphy /ˈpɒlɪmɔːfɪ/ n. ⓤ (*scient.*) polimorfia.

Polynesia /ˌpɒlɪˈniːʒə/ n. (*geogr.*) Polinesia.

Polynesian /ˌpɒlɪˈniːʒn/ a. e n. polinesiano (*anche la lingua*).

polyneuritis /ˌpɒlɪnjʊəˈraɪtɪs/ n. ⓤ (*med.*) polinevrite.

polynomial /ˌpɒlɪˈnəʊmɪəl/ (*mat.*) Ⓐ a. polinomiale; di polinomio Ⓑ n. polinomio.

polynuclear /ˌpɒlɪˈnjuːklɪə(r)/, *USA* -ˈnuː-/ a. (*biol.*) polinucleato.

polyolefin /ˌpɒlɪˈəʊlɪfɪn/ n. (*chim.*, *ind. tess.*) poliolefina.

polyopia /ˌpɒlɪˈəʊpɪə/ n. ⓤ (*med.*) poliopia.

polyp /ˈpɒlɪp/ n. (*zool.*, *med.*) polipo.

polypary /ˈpɒlɪpərɪ/ n. (*zool.*) polipaio.

polypectomy /ˌpɒlɪˈpɛktəmɪ/ n. (*chir.*) polipectomia.

polypeptide /ˌpɒlɪˈpɛptaɪd/ n. ⓤ (*biochim.*) polipeptide.

polyphagous /pəˈlɪfəɡəs/ a. polifago.

polyphase /ˈpɒlɪfeɪz/ a. attr. (*elettr.*, *elettron.*) polifase: **p. circuit**, circuito polifase.

Polypheme /ˈpɒlɪfiːm/, **Polyphemus** /ˌpɒlɪˈfiːməs/ n. (*mitol.*) Polifemo.

polyphenol /ˌpɒlɪˈfiːnəl/ n. (*chim.*) polifenolo.

polyphony /pəˈlɪfənɪ/ (*mus.*) n. ⓤ polifonia || **polyphonic**, **polyphonous** a. polifonico || **polyphonist** n. polifonista.

polyphosphate /ˌpɒlɪˈfɒsfeɪt/ n. (*chim.*) polifosfato.

polyploid /ˈpɒlɪplɔɪd/ (*biol.*) a. poliploide || **polyploidy** n. ⓤⓒ poliploidia.

polypnoea /ˌpɒlɪpˈniːə/ n. ⓤ (*med.*) polipnea.

polypod /ˈpɒlɪpɒd/ → **polypody**.

polypody /ˈpɒlɪpədɪ/ n. (*bot.*, *Polypodium vulgare*; = **common p.**) polipodio; felce dolce.

polypoid /ˈpɒlɪpɔɪd/ a. (*zool.*, *med.*) polipoide.

polyposis /ˌpɒlɪˈpəʊsɪs/ n. ⓤ (*med.*) poliposi.

polypropylene /ˌpɒlɪˈprəʊpɪliːn/ n. ⓤ (*chim.*) polipropilene.

polyptych /ˈpɒlɪptɪk/ n. (*pitt.*) polittico.

polypus /ˈpɒlɪpəs/ n. (pl. **polypi**, **polypuses**) (*zool.*, *med.*) polipo.

polyrhythm /ˈpɒlɪrɪðəm/ (*mus.*) n. ⓤ poliritmia || **polyrhythmic** a. poliritmico.

polysaccharide /ˌpɒlɪˈsækəraɪd/ n. (*chim.*) polisaccaride.

polysemy /ˌpɒlɪˈsiːmɪ/ (*ling.*) n. ⓤ polisemia || **polysemous**, **polysemic** a. polisemico; polisemantico.

polystyrene /ˌpɒlɪˈstaɪriːn/ n. ⓤ (*chim.*) polistirolo; polistirene.

polysyllabic /ˌpɒlɪsɪˈlæbɪk/, **polysyllabical** /ˌpɒlɪsɪˈlæbɪkl/ a. polisillabo; polisillabico.

polysyllable /ˈpɒlɪsɪləbl/ n. polisillabo.

polysyllogism /ˌpɒlɪˈsɪlədʒɪzəm/ n. (*filos.*) polisillogismo.

polysyndeton /ˌpɒlɪˈsɪndɪtən/ n. ⓤ (*retor.*) polisindeto.

polysynthesis /ˌpɒlɪˈsɪnθɪsɪs/ (*ling.*) n. polisintesi || **polysynthetic** a. polisintetico; incorporante.

polytechnic /ˌpɒlɪˈtɛknɪk/ Ⓐ a. politecnico Ⓑ n. politecnico (*istituto d'istruzione superiore a indirizzo tecnico-professionale*; *in GB dal 1992 parte dell'università*).

polytheism /ˈpɒlɪθiːɪzəm/ n. ⓤ politeismo || **polytheist** n. politeista || **polytheistic** a. politeistico.

polythene /ˈpɒlɪθiːn/ n. ⓤ (*chim.*) polietilene; polietilene.

polytonality /ˌpɒlɪtəʊˈnælətɪ/ (*mus.*) n. ⓤ politonalità || **polytonal** a. politonale.

polytone /ˈpɒlɪtəʊn/ n. (contraz. di **polyphonic ringtone**) suoneria polifonica.

polytunnel /ˈpɒlɪtʌnəl/ n. (*ecol.*, *agric.*) tunnel di polietilene (*per colture che richiedono temperature e umidità più alte*).

polyunsaturate /ˌpɒlɪʌnˈsætʃərət/ n. (*chim.*) (*grasso*) polinsaturo.

polyunsaturated /ˌpɒlɪʌnˈsætʃəreɪtɪd/ a. (*chim.*) polinsaturo.

polyurethane /ˌpɒlɪˈjʊərəθeɪn/ n. (*chim.*) poliuretano ● **p. foam**, poliuretano espanso □ **p. resin**, resina poliuretanica; poliuretano □ **p. rubber**, gomma poliuretanica.

polyuria /ˌpɒlɪˈjʊərɪə/ n. ⓤ (*med.*) poliuria.

polyvalent /ˌpɒlɪˈveɪlənt/ a. (*chim.*, *med.*) polivalente || **polyvalence** n. ⓤ (*chim.*) polivalenza.

polyvinyl /ˌpɒlɪˈvaɪnɪl/ n. ⓤ (*chim.*) polivinile ● **p. alcohol**, alcol polivinilico □ **p. chloride**, cloruro di polivinile (*resina*).

pom /pɒm/ n. **1** (abbr. di **Pomeranian dog**) volpino di Pomerania **2** → **pommy**.

pomace /ˈpʌmɪs/ n. ⓤ **1** polpa di mele (*residuo della fabbricazione del sidro*) **2** residuo di frutta spremuta **3** residuo di pesce (*dopo l'estrazione dell'olio*; *usato come fertilizzante*).

pomaceous /pəʊˈmeɪʃəs/ a. di mela; di pomo; pomaceo (*arc.*).

pomander /pəˈmændə(r)/ n. sfera bucherellata contenente sostanze aromatiche (*tenuta addosso come disinfettante o portafortuna*).

pome /pəʊm/ n. (*bot.*) pomo (*lett.*); mela.

pomegranate /ˈpɒmɪɡrænɪt/ n. (*bot.*) **1** melagrana **2** (*Punica granatum*, = **p. tree**) melograno.

pomelo /ˈpʌmələʊ/ n. (pl. **pomelos**) (*bot.*, *USA*) **1** (*Citrus paradisi*) pompelmo **2** (*Citrus maxima*) pummelo (*varietà di pompelmo*).

Pomeranian /ˌpɒməˈreɪnɪən/ Ⓐ a. (*geogr.*) pomerano; della Pomerania Ⓑ n. **1** pomerano; abitante della Pomerania **2** (= **P. dog**) pomero; volpino di Pomerania.

pomiculture /ˈpɒmɪkʌltʃə(r)/ n. ⓤ pomicoltura || **pomiculturist** n. pomicoltore.

pomiferous /pəʊˈmɪfərəs/ a. (*bot.*) pomifero (*lett.*); che produce pomi.

pommel /ˈpʌməl/ n. **1** pomo (*della spada*, *della sella*, *ecc.*) **2** (*ginnastica*) maniglia (*del cavallo*) ● (*ginnastica*) **p. horse**, cavallo con maniglie (*l'attrezzo*).

to **pommel** /ˈpʌməl/ v. t. dare pugni a (q.); battere; colpire (*un tempo*, *col pomo della spada*) || **pommelling**, (*USA*) **pommeling** n. pugni (*dati a q.*); cazzottatura (*pop.*).

pommie /ˈpɒmɪ/ → **pommy**.

pommy /ˈpɒmɪ/ n. (*slang*, *in Australia o NZ*) immigrato inglese; inglese.

pomology /pəʊˈmɒlədʒɪ/ (*bot.*) n. ⓤ pomologia || **pomological** a. pomologico || **pomologist** n. esperto in frutticoltura; pomologo.

pomp /pɒmp/ n. ⓤ pompa; fasto; sfarzo; sfoggio ● **p. and circumstance**, grande pompa.

pompadour /ˈpɒmpəˌdʊə(r)/ n. (*USA*) **1** (*rif. a uomo*) capelli pettinati all'indietro e lasciati gonfi sul davanti **2** (*rif. a donna*) acconciatura di capelli che forma un rotolo gonfio intorno al viso.

Pompeian /pɒmˈpiːən/ a. e n. pompeiano.

Pompeii /pɒmˈpeɪiː/ n. (*geogr.*, *stor.*) Pompei.

Pompey /ˈpɒmpɪ/ n. (*stor. romana*) Pompeo.

pompom /ˈpɒmpɒm/ → **pompon**.

pom-pom /ˈpɒmpɒm/ n. (*mil.*) **1** (*nella guerra anglo-boera*) grossa mitragliatrice **2**

(*nella 2ª guerra mondiale*) mitragliera quadrinata (*cannone antiaereo automatico*).

pompon /ˈpɒmpɒn/ (*franc.*) n. fiocco; nappa; pompon.

pomposity /pɒmˈpɒsətɪ/ n. Ⓤ **1** pomposità; sussiego **2** ampollosità **3** fasto; sfarzo.

pompous /ˈpɒmpəs/ a. **1** pomposo; tronfio; sussiegoso **2** ampolloso; altisonante **3** fastoso; sfarzoso | **-ly avv.**

pompousness /ˈpɒmpəsnəs/ n. Ⓤ → **pomposity.**

ponce /pɒns/ n. (*slang*) **1** mezzano; ruffiano **2** protettore; magnaccia, pappone (*region.*) **3** (*spreg.*) tipo effeminato; checca, frocetto (*spreg.*).

to **ponce about** (*o* **around**) /ˈpɒnsəˈraʊnd/ v. i. (*slang*) **1** fare il magnaccia **2** camminare con movenze da effeminato **3** oziare; bighellonare.

poncho /ˈpɒntʃəʊ/ (*ispanoamericano*) n. (pl. **ponchos**) poncho; poncio.

poncy /ˈpɒnsɪ/ a. (*slang, spreg.*) **1** di (*o* da) mezzano; ruffianesco **2** di (*o* da) magnaccia (*o* pappone) **3** di (*o* da) finocchio (*o* frocetto).

♦**pond** /pɒnd/ n. **1** stagno; laghetto (*spesso artificiale*); pozza **2** (*scherz.*) – **the** (**big**) **P.**, l'Atlantico ● **p. life**, animali che vivono negli stagni; (*GB, fam.*) verme; individuo spregevole ▫ (*bot.*) **p. lily** (*Nymphaea*), ninfea ▫ (*zool.*) **p. skater** (*Gerris*), gerride ▫ **fish p.**, peschiera; vivaio.

to **pond** /pɒnd/ Ⓐ v. t. – **to p. back** (*o* to **p. up**), arrestare il corso di, trattenere le acque di (*un fiume: costruendo una diga, ecc.*) Ⓑ v. i. (*dell'acqua*) formar pozza; stagnare.

to **ponder** /ˈpɒndə(r)/ Ⓐ v. t. ponderare; considerare; valutare; soppesare: **to p. a decision**, ponderare una decisione Ⓑ v. i. – **to p. on** (*o* over), ponderare; pensare a; riflettere su: *He pondered over the problem for a long time*, rifletté a lungo sul problema || **ponderer** n. ponderatore, ponderatrice || **ponderingly avv.** con ponderazione; ponderatamente.

ponderable /ˈpɒndərəbl/ a. ponderabile; valutabile || **ponderability** n. Ⓤ ponderabilità.

ponderation /pɒndəˈreɪʃn/ n. Ⓤ bilanciamento (*di pesi*).

ponderosity /pɒndəˈrɒsətɪ/ n. Ⓤ **1** pesantezza; ponderosità (*raro*) **2** (*di movimenti*) lentezza **3** (*di stile, ecc.*) monotonia; tediosità.

ponderous /ˈpɒndərəs/ a. **1** ponderoso; grave; greve; pesante **2** grosso; massiccio **3** fatto a fatica; lento: **a p. yawn**, uno sbadiglio lento **4** monotono; tedioso: **a p. style**, uno stile tedioso | **-ly avv.**

ponderousness /ˈpɒndərəsnəs/ n. Ⓤ → **ponderosity.**

pondweed /ˈpɒndwiːd/ n. (*bot.*) pianta acquatica (*in genere*).

pone ① /pəʊn/ n. pane di granturco (*nel sud degli USA*).

pone ② /pəʊn/ n. (*in giochi di carte*) giocatore che taglia il mazzo (*o* che parla per primo).

pong /pɒŋ/ (*fam.*) n. Ⓤ puzzo; cattivo odore || **pongy** a. puzzolente.

to **pong** /pɒŋ/ v. i. (*fam.*) puzzare; fare cattivo odore.

pongee /pɒnˈdʒiː/ n. Ⓤ (*ind. tess.*) stoffa di seta naturale cinese.

pongid /ˈpɒndʒɪd/ n. (*zool.*) pongide.

pongo /ˈpɒŋgəʊ/ n. (pl. **pongos**) (*zool., Pongo*) pongo (*genere cui appartiene l'orango*).

poniard /ˈpɒnjəd/ n. (*stor.*) pugnale.

to **poniard** /ˈpɒnjəd/ v. t. pugnalare.

pons /pɒnz/ (*lat.*) n. (pl. **pontes**) (*anat.*) ponte: **p. Varolii**, ponte di Varolio.

pontifex /ˈpɒntɪfɛks/ n. (pl. **pontifices**) (*stor. romana*) pontefice: **p. maximus**, pontefice massimo.

pontiff /ˈpɒntɪf/ n. (*relig.*) **1** pontefice; papa **2** gran sacerdote ● **the sovereign p.**, il sommo pontefice.

pontifical /pɒnˈtɪfɪkl/ Ⓐ a. (*relig.*) **1** pontificale; pontificio **2** (*fig.*) (troppo) solenne; ieratico Ⓑ n. (*relig.*) **1** pontificale (*libro*) **2** (pl.) paramenti pontificali | **-ly avv.**

pontificate /pɒnˈtɪfɪkət/ n. pontificato.

to **pontificate** /pɒnˈtɪfɪkeɪt/ v. i. (*anche fig.*) pontificare.

pontil /ˈpɒntɪl/ n. (*ind. del vetro*) asta di ferro.

pontoon ① /pɒnˈtuːn/ n. **1** pontone; barca da ponte; chiatta **2** (*aeron.*) galleggiante (*di un idrovolante*) **3** (*naut.*) pontone a biga ● **p. bridge**, ponte di barche.

pontoon ② /pɒnˈtuːn/ n. (*gioco di carte*) ventuno (*specie di sette e mezzo*).

pony /ˈpəʊnɪ/ n. **1** (*zool.*) pony **2** (*slang*) venticinque sterline **3** (*slang USA*) bigino (*pop.*); traduttore **4** (*slang USA*) ballerina: **a p. show**, uno spettacolo di varietà **5** (*slang USA*) bicchierino per (*o* da) liquore ● (*sport*) **p.-trekker**, chi pratica il 'pony-trekking' ▫ (*sport*) **p.-trekking**, trekking su pony; vacanze in campagna a dorso di pony.

to **pony** /ˈpəʊnɪ/ v. t. (*slang USA*) tradurre con il bigino (*pop.*) ● **to p. up**, pagare; saldare un conto.

ponytail /ˈpəʊnɪteɪl/ n. coda di cavallo (*pettinatura*).

poo /puː/ n. ⒸⓊ (*slang*) popò; cacca (*slang, volg.*) **to be in the poo**, essere nella merda.

to **poo** /puː/ v. i. (*slang*) fare la popò; cacare.

pooch /puːtʃ/ n. (*slang*) cane bastardo; bastardino.

poodle /ˈpuːdl/ n. **1** can barbone; barboncino **2** (*spreg. ingl.*) leccapiedi; tirapiedi ● (*ind. tess.*) **p. cloth**, bouclé (*franc.*).

to **poodle** /ˈpuːdl/ v. t. tosare (*un cane*) a mo' di barboncino.

poof /puːf/, **poofter** /ˈpuːftə(r)/ (*slang*) n. (*spreg. ingl.*) **1** finocchio; checca **2** tipo inconcludente (*o* vigliacco); coniglio (*fig.*) || **poofy a.** (*spreg.*) di (*o* da) finocchio.

pooh /puː/ Ⓐ inter. (*di disprezzo, impazienza, ecc.*) poh!; bah!; puah! Ⓑ n. cacca; popò.

Pooh-Bah /ˈpuːbɑː/ n. (*scherz. o spreg.*) chi ricopre molte cariche; burocrate pomposo (*o* pieno di sé).

to **pooh-pooh** /puːˈpuː/ v. t. **1** deridere; dileggiare; farsi beffe di **2** disdegnare; prendere sottogamba (*un consiglio, ecc.*); snobbare.

♦**pool** ① /puːl/ n. **1** pozza; stagno; pozzanghera (*di liquido versato*) **2** gorgo (*di fiume*) **3** (= **swimming p.**) piscina: **p. maintenance**, manutenzione di piscine **4** (*ind. min.*) sacca (*di gas o petrolio*) ● (*fis. nucl.*) **p. reactor**, reattore a piscina ▫ (*nuoto*) **competition p.**, piscina olimpica ▫ (*fig.*) **in a p. of blood**, in una pozza di sangue.

pool ② /puːl/ n. **1** (*nei giochi di carte, d'azzardo*) ammontare della posta; piatto **2** Ⓤ (*biliardo*) gioco a buca fra più giocatori; gioco americano **3** (*biliardo*) partita a buca **4** (*econ.*) ammasso (*spec. governativo*) **5** (*fin.*) pool; consorzio (*d'imprese*); sindacato **6** (*fin.*) fondo monetario comune **7** Ⓤ (*econ.*) risorse (manodopera, esperti, fondi, idee, ecc.) disponibili; potenziale; (insieme della) manodopera (*di una data zona*) **8** (*sport: lotta, ecc.*) girone eliminatorio **9** (pl.) (*fam.*) – **the pools**, il totocalcio: *If ever I win the pools...*, se vinco al totocalcio... ● **pools coupon**, schedina del totocalcio ▫ **pools forecasts**, pronostici del totocalcio ▫ **p. operator**, addetto alla piscina ▫ (*fig. spreg.*) **dirty p.**, gioco sporco; condotta disonesta ▫ **p. ta-**

ble, (tavolo del) biliardo con sei buche ▫ (*USA*) **to play** (*o* to **shoot**) **p.**, giocare al biliardo (*con 15 palle colorate e numerate e sei buche*).

to **pool** ① /puːl/ Ⓐ v. i. formare una pozza Ⓑ v. t. scavare sotto (*un giacimento carbonifero*).

to **pool** ② /puːl/ Ⓐ v. t. (*fin.*) consorziare; mettere in comune; riunire: **to p. resources** [**savings**], mettere insieme risorse [risparmi] Ⓑ v. i. (*d'imprese, ecc.*) consorziarsi; mettersi in comune.

poolhall /ˈpuːlhɔːl/ (*USA*) → **poolroom.**

poolroom /ˈpuːlruːm/ n. (*USA*) sala da biliardo.

poolshark /ˈpuːlʃɑːk/ n. (*slang USA*) giocatore professionista di biliardo.

poontang /ˈpuːntæŋ/ n. **1** Ⓤ (*volg. USA*) scopata, chiavata (*volg.*) **2** donna, donne; fica, fiche (*volg.*).

poop ① /puːp/ n. (*naut.*) **1** poppa **2** (= **p. deck**) cassero di poppa; casseretto; ponte del casseretto ● (*naut.*) **p. bulkhead**, paratia frontale del casseretto.

poop ② /puːp/ n. (*slang*) **1** cacca; popò (*spec. di cane*) **2** balle (pl.) (*fig.*); fesserie (pl.).

poop ③ /puːp/ n. Ⓤ (*slang USA*) informazioni; pettegolezzi ● **p. sheet**, foglio di notizie; programma (*sportivo, ecc.*).

poop ④ /puːp/ n. (*slang USA*) **1** vecchietto; nonno (*fig.*) **2** gonzo; sciocco; stupido; fesso.

to **poop** ① /puːp/ v. t. (*naut.*) **1** (*dell'onda*) frangersi sulla poppa di (*una nave*) **2** (*di nave*) ricevere (*le onde*) da poppa.

to **poop** ② /puːp/ v. i. (*slang*) cacare; fare la cacca (*o* la popò).

pooped /puːpt/ a. (*slang USA*, = **p. out**) stanco morto; distrutto (*fam.*); stracciato (*pop.*).

pooper-scooper /ˈpuːpəskuːpə(r)/ n. paletta per raccattare escrementi (*del proprio cane: dalla strada, ecc.*).

poo-poo /ˈpuːpuː/ → **poo.**

to **poop out** /ˈpuːpaʊt/ v. i. + avv. (*fam. USA*) **1** stancarsi molto **2** (*di un motore, ecc.*) guastarsi; andare in panne.

♦**poor** /pʊə(r), pɔː(r)/ a. **1** povero (*anche fig.*); bisognoso; indigente; meschino; misero; disgraziato; infelice: **p. soil**, terreno povero; **the p. old man**, il povero vecchio; **a p. man**, un pover'uomo, un poveretto; (*anche*) un (uomo) povero; *That is a p. consolation*, è una misera (*o* magra) consolazione; **p. little boy!**, povero bambino!; **a p. excuse**, una scusa meschina **2** cattivo; brutto; mediocre; scadente; scarso: **p. health**, cattiva salute; **p. quality**, cattiva qualità; **a p. match**, una brutta partita; (*sport*) **a p. player**, un giocatore mediocre; *His English is very p.*, il suo inglese è assai scadente; **a p. crop**, un raccolto scarso; **p. weather**, brutto tempo **3** deficiente; insufficiente; difettoso: **p. eyesight**, vista debole; **p. finishing**, rifinitura insufficiente ● (collett.) **the p.**, i poveri ▫ **a p. body**, un corpo debole, emaciato, sparuto ▫ **p. box**, cassetta delle elemosine (*in chiesa*) ▫ (*stor.*) **p.-house**, ricovero di mendicità; ospizio ▫ (*stor.*) **the p. law**, la legge per l'assistenza ai poveri ▫ **p. memory**, memoria corta ▫ (*anche fig.*) **p. relation**, parente povero ▫ **a p. salary**, uno stipendio basso ▫ **p.-spirited**, pusillanime; vile; scoraggiato; avvilito ▫ (*sport, ecc.*) **p. timing**, mancanza di tempismo ▫ **as p. as a church mouse**, povero in canna; poverissimo ▫ **to be a p. loser**, non saper perdere ▫ **to cut a p. figure**, avere un aspetto misero; sfigurare; fare una magra figura ▫ **to have a p. ear for music**, non avere orecchio (musicale) ▫ **to have a p. time**, passarsela male; non divertirsi affatto ▫ **to take a p. view of st.**, disapprova-

a
b
c
d
e
f
g
h
i
j
k
l
m
n
o
p
q
r
s
t
u
v
w
x
y
z

re qc. □ **You p. thing!**, poverino!; poverina!

poorboy /'puəbɔɪ/ n. (*moda*) maglione attillato, a coste.

poorly /'puəlɪ/ **A** avv. **1** poveramente; scarsamente: **p. furnished**, poveramente ammobiliato **2** in modo mediocre (*o* scadente); male; maluccio: (*sport*) **to play p.**, giocare maluccio **B** a. pred. (*fam.*) in cattiva salute; indisposto ● **p. timed**, intempestivo □ **to feel** (*o* **to be**) **p.**, non sentirsi bene; essere malandato □ **to think p. of sb.**, avere una scarsa opinione di q. □ **to be p. off**, star male a quattrini; essere in miseria; essere giù (*a provviste, ecc.*).

to **poor-mouth** /'puəmaʊθ/ **A** v. i. (*fam.*) piangere miseria **B** v. t. **1** (*fam.*) parlare male, sparlare di (q.) **2** sminuire; deprezzare.

poorness /'puənəs/ n. ⓤ **1** povertà; indigenza; meschinità **2** insufficienza; scarsezza **3** (*di terreno*) povertà; sterilità.

poove /puːv/ → **poof**.

pop ① /pɒp/ **A** n. **1** schiocco: **the pop of a cork**, lo schiocco d'un tappo **2** colpo (*d'arma da fuoco*); scoppio; botto; sparo **3** (*fam., antiq.*) bevanda effervescente; gazzosa **4** (*slang, anche sport*) tentativo (*di colpire il bersaglio*); tiro **5** ⓤ (*slang*) pegno: **in pop**, in pegno **6** (*slang*) iniezione di droga; buco; pera **7** (*slang USA*) pistola **8** (*slang USA*) → **Popsicle B** avv. **1** con un botto; facendo «pum»; con uno schiocco **2** improvvisamente; a un tratto; di botto **C** inter. «pum»! ● (*baseball*) **pop fly**, volata corta; palla battuta debolmente, troppo in alto □ **pop-top**, apribile alla sommità; (*di lattina o di birra, ecc.*) che si apre a strappo □ **pop-up**, che si solleva a scatto; (*comput.*) a scomparsa: **a pop-up toaster**, un tostapane a scatto (che butta fuori le fette calde) □ **to go pop**, schioccare; scoppiare.

♦**pop** ② /pɒp/ **A** a. (abbr. di **popular**) pop; popolare: **pop music**, musica pop; **pop concert** (**festival**), concerto (festival) pop; **pop art**, pop art; **pop group**, gruppo pop **B** n. ⓤ (*fam.*) **1** musica pop **2** pop art ● (*mus.*) **pop charts**, classifica delle canzoni pop di successo □ **top of the pops**, disco in testa alla classifica delle vendite.

pop ③ /pɒp/ n. (*slang USA*) **1** babbo; papà **2** nonnetto; vecchietto.

♦to **pop** /pɒp/ **A** v. i. **1** schioccare; scoppiettare **2** scoppiare; esplodere **3** (*soprattutto degli occhi*) schizzare fuori dalle orbite (*fig.: per lo stupore, ecc.*) **4** (*slang*) sparare; tirare (*con un'arma da fuoco*): **to pop at a bird**, sparare a un uccello **5** (*slang USA*) pagare (*per q.*); offrire **6** (*slang*) fare un salto: *I'm just popping to the shop*, faccio un salto al negozio **B** v. t. **1** far schioccare; far scoppiare: **to pop a balloon**, far scoppiare un palloncino **2** scaricare, far fuoco con (*una pistola, ecc.*) **3** sparare a (q.) **4** (*spec. USA*) arrostire (*granturco*) sino a farlo scoppiare **5** (*fam.*) dare in pegno; impegnare **6** (*slang*) ingerire, buttar giù, trangugiare (*medicine, pillole, ecc.*) **7** (*slang*) colpire; picchiare; bussare; menare (*pop.*) **8** (*slang USA*) arrestare; beccare; (*anche*) ammazzare; uccidere; scassinare, aprire (*una cassaforte*) ● (*slang*) **to pop the big question** (*o* **the big one**), fare una proposta di matrimonio.

■ **pop across** v. i. + avv. (*o* prep.) **1** attraversare: **to pop across the road**, attraversare la strada **2** (*fam.*) fare un salto (*da q.*); fare una visitina (*a q.*): *I'll pop across to the newsstand*, faccio un salto dal giornalaio.

■ **pop along** (*o* **around**) v. i. + avv. fare un salto (*fig.*); fare una breve visita.

■ **pop back** **A** v. i. + avv. **1** tornare, ritornare giù (*autom., mecc.*) avere un ritorno di fiamma **B** v. t. + avv. (*fam.*) riportare, restituire (qc.).

■ **pop down** **A** v. i. + avv. **1** (*di un oggetto, un dispositivo*) venire giù di scatto (*dal suo so-*

stegno) **2** (*fam.*) → **pop along B** v. t. + avv. buttare giù (*idee, ecc.*).

■ **pop in A** v. i. + avv. entrare per un attimo; fare una capatina: *I'll pop in and have a look next time I'm at the shopping centre*, passo a dare un'occhiata la prossima volta che sono al centro commerciale **B** v. t. + avv. **1** sporgere (*la testa, ecc.*): **to pop in one's head**, fare una capatina **2** infilare, mettere dentro □ **to pop one's head in at the door**, far capolino dalla porta □ **to pop in** (**on sb.**), fare un salto (*o* una capatina) da q.: *Pop in* (*on us*) *for a cuppa tea!*, vieni a prendere il tè da noi!

■ **pop into A** v. i. + prep. fare un salto in (*ufficio, ecc.*) **B** v. t. + prep. infilare, mettere (qc.) in (*un luogo*): *I popped the postcard into the postbox*, imbucai la cartolina.

■ **pop off A** v. i. + avv. (*fam.*) **1** andarsene (in fretta); svignarsela: *I must pop off*, devo andarmene **2** saltare (via): *A button has popped off*, è saltato un bottone **3** (*di un'arma da fuoco*) sparare; (*di una bomba, ecc.*) esplodere **4** (*fig.*) morire all'improvviso; crepare (*fam.*) **5** (*USA*) sbottare (*fig.*), sbottare: **to pop off at sb.**, sbottare contro q. **B** v. t. + avv. **1** fare esplodere **2** scaricare (*un'arma da fuoco*).

■ **pop on** v. t. + avv. (*fam.*) **1** mettersi, gettarsi addosso, infilarsi (*un indumento, ecc.*) **2** mettere su (*o sul fuoco*): **to pop the water on for coffee**, mettere su l'acqua per fare il caffè.

■ **pop out A** v. i. + avv. **1** (*della testa, ecc.*) sporgersi; far capolino **2** (*di persona*) fare un salto fuori; uscire un attimo; affacciarsi un momento **3** (*degli occhi*) uscire, schizzare (*dalle orbite: per lo stupore, ecc.*) **B** v. t. + avv. mettere, sporgere (*la testa, ecc.*) fuori; I **popped my head out** (**of the window**), mi affacciai (alla finestra).

■ **pop over** **A** v. i. + avv. → **pop along B** v. t. + avv. (*fam.*) riportare, restituire (qc.).

■ **pop round A** v. i. + avv. **1** (*fam.*) fare un salto (*fig.*): *He popped round to the bank*, fece un salto in banca **B** v. i. + prep. **1** sporgere (*la testa, ecc.*) da: **to pop one's head round the door**, sporgere (*o* sbucare con) la testa dall'uscio **2** girare: **to pop round the corner**, girare l'angolo.

■ **pop up** v. i. + avv. (*fam.*) **1** (*di un oggetto, un toast, ecc.*) venire su di scatto **2** saltare fuori (*anche fig.*); comparire (*o* succedere) all'improvviso: *Let's hope he won't pop up too late*, speriamo che non salti fuori (*o si faccia vivo*) troppo tardi; *Something unexpected has popped up*, è saltato fuori qualcosa di imprevisto **3** (*di una persona*) farsi vedere; farsi vivo.

POP sigla **1** (*comput.*, **point of presence**) punto di presenza (e di accesso a una rete) **2** (*di busta*, GB, **post office preferred**) in regola con il bustometro.

pop. abbr. (**population**) popolazione (pop.).

popcorn /'pɒpkɔːn/ n. ⓤ popcorn; granturco soffiato.

pope /pəʊp/ (*relig.*) n. **1** (*nella Chiesa cattolica*) papa **2** (*nella Chiesa ortodossa*) pope ● **p.'s head**, scopa tonda, dal manico lungo; piumino per spolverare □ **P. Joan**, la Papessa Giovanna (*gioco di carte*) □ (*fam.*) **the p.'s nose**, il boccone del prete ‖ **popedom** n. ⓤⓒ papato.

Popemobile /'pəʊpməbiːl/ n. automobile blindata del papa; papamobile.

popery /'pəʊpərɪ/ n. ⓤ (*spreg.*) papismo; cattolicesimo.

Popeye /'pɒpaɪ/ n. Braccio di Ferro (*personaggio dei fumetti*).

popeyed /'pɒpaɪd/ a. (*fam.*) **1** dagli occhi sporgenti (*o* bovini) **2** dagli occhi spalancati, sbarrati (*per lo stupore, ecc.*).

popgun /'pɒpɡʌn/ n. **1** fucile ad aria com-

pressa (*o a tappo*: *giocattolo*) **2** (*spreg.*) arma da fuoco di scarsa efficacia; scacciacani.

popish /'pəʊpɪʃ/ a. (*spreg.*) di (*o* da) papista; papistico; papalino; cattolico.

poplar /'pɒplə(r)/ n. (*bot., Populus*) pioppo (*anche il legno*) ● **trembling p.** (*Populus tremula*), pioppo tremolo □ **white p.** (*Populus alba*), pioppo bianco; gattice.

poplin /'pɒplɪn/ n. ⓤ (*ind. tess.*) popeline.

popliteal /pɒp'lɪtɪəl/ a. (*anat.*) popliteo; del poplite.

popliteus /pɒp'lɪtɪəs/ n. (pl. *poplitei*) (*anat.*) popliteo **1** poplite **2** (= **p. muscle**) muscolo popliteo.

poppa /'pɒpə/ n. (*fam. USA*) babbo; papà; «papi» (*fam.*).

popper /'pɒpə(r)/ n. **1** (*fam.*) bottone automatico; automatico **2** (*USA*) recipiente per arrostire il granturco **3** (*slang*) pillola di anfetamina (*droga*); fiala di droga per inalazione **4** (*slang*) chi si droga; tossicodipendente **5** (*slang USA, antiq.*) pistola; fucile.

poppet /'pɒpɪt/ n. **1** (*mecc.*, = **p. head**) supporto verticale **2** (*mecc.*, = **p. valve**) valvola a fungo **3** (*mecc.*) sfera d'arresto (*o di scatto*) **4** (*ind. min.*) castelletto **5** (*naut.*) colonna d'invasatura **6** (*dial.*) persona di bassa statura; tappo; tappetto (*fig.*) **7** (*spec. vezzegg.*) piccolo, piccola; piccino, piccina; amore (*fig.*); tesoruccio.

poppied /'pɒpɪd/ a. **1** coperto (*o* decorato) di papaveri **2** soporifero **3** sonnolento; sotto l'influsso dell'oppio.

to **popple** /'pɒpl/ v. i. **1** (*dell'acqua*) ribollire; fare le bolle **2** (*del mare*) incresparsi; sciabordare.

poppy ① /'pɒpɪ/ n. **1** (*bot., Papaver*) papavero **2** ⓤ rosso papavero **3** ⓤ (*slang*) oppio **4** coccarda a forma di papavero (*distintivo*) ● (*fam., in GB*) **P. Day**, giorno celebrativo dei caduti in guerra ❶ **CULTURA • Poppy Day**: → **Remembrance Day**, *sotto* **remembrance** □ **p.-head**, testa di papavero; capsula di semi di papavero; (*archit.*) fiore cruciforme ligneo (*nelle chiese gotiche*).

poppy ② /'pɒpɪ/ a. (*mus.*) molto pop; di facile presa.

poppycock /'pɒpɪkɒk/ n. (*fam., antiq.*) sciocchezze; stupidaggini; fesserie.

popshop /'pɒpʃɒp/ n. (*slang*) monte di pietà; banco dei pegni.

Popsicle® /'pɒpsɪkl/ n. (*USA*) ghiacciolo (*da succhiare*).

popsock /'pɒpsɒk/ n. (*fam.*) gambaletto (*da donna*).

popster /'pɒpstə(r)/ n. (*fam.*) artista pop.

popsy ① /'pɒpsɪ/ n. (*slang antiq.*) bella ragazza; pupa; amorosa; ragazza (*di q.*).

popsy ② /'pɒpsɪ/ n. (*vezzegg.*) bambolina.

pop-top /'pɒptɒp/ **A** n. (*fam. USA*) **1** camper (imbarcazione, ecc.) con parte del tetto sollevabile **2** lattina (*di birra, ecc.*) con apertura a strappo **B** a. attr. → **pop** ①.

populace /'pɒpjʊləs/ n. popolino; plebe; plebaglia; volgo.

♦**popular** /'pɒpjʊlə(r)/ a. **1** che ha successo; amato; popolare; di moda; in voga: **a p. sport**, uno sport popolare; **a p. song**, una canzone in voga; **p. among teenagers**, che ha successo presso gli adolescenti; *Her course is very p.*, il suo corso è molto seguito; *The resort is very p. with German tourists*, la località è assai amata dai turisti tedeschi; *I'm not very p. in the office after what happened*, non sono molto benvoluto in ufficio dopo quello che è successo **2** popolare; del popolo; di popolo: **p. discontent**, scontento popolare; (*polit.*) **p. front**, fronte popolare **3** per un pubblico popolare; popolare: **the p. press**, la stampa popolare; i giornali popolari; **p. prices**, prezzi popolari **4** comune; diffuso; popolare: *Ann is a p.*

name for girls, Ann è un nome femminile diffuso; **p. fallacy**, credenza erronea diffusa; **p. opinion**, opinione diffusa • **p. etymology**, etimologia popolare □ **p. music**, musica pop □ **p. science**, scienza divulgativa □ **by p. acclaim**, a furor di popolo □ **by p. demand**, a richiesta popolare.

popularity /pɒpjʊˈlærətɪ/ n. ⓤ popolarità; favore; voga: **to win p.**, acquistare popolarità.

to **popularize** /ˈpɒpjʊləraɪz/ v. t. **1** diffondere; far amare; rendere popolare **2** divulgare; volgarizzare ‖ **popularization** n. ⓤ **1** diffusione; popolarizzazione **2** divulgazione; volgarizzazione ‖ **popularizer** n. **1** chi diffonde l'interesse per qc. **2** divulgatore, divulgatrice; volgarizzatore, volgarizzatrice.

popularly /ˈpɒpjʊləlɪ/ avv. generalmente; comunemente; popolarmente; volgarmente • **a p.-priced camera**, una macchina fotografica venduta a prezzo popolare.

to **populate** /ˈpɒpjʊleɪt/ v. t. **1** popolare **2** (*comput.*) popolare, inserire dati (*spec. in una base di dati*).

♦**population** /pɒpjʊˈleɪʃn/ n. ⓒ **1** (*demogr.*) popolazione **2** (*raro*) popolamento **3** (*mat.*, *stat.*) popolazione; universo • **p. explosion**, esplosione demografica; boom delle nascite □ **p. mean**, media della popolazione □ **p. register**, registro della popolazione; anagrafe □ **p. trend**, tendenza demografica □ **decrease [increase] in p.**, regresso [incremento] demografico.

populist /ˈpɒpjʊlɪst/ (*polit.*) n. populista ‖ **populism** n. ⓤ populismo.

populous /ˈpɒpjʊləs/ a. popoloso; (densamente) popolato | **-ly** avv. | **-ness** n. ⓤ.

pop-up /ˈpɒpʌp/ Ⓐ n. **1** salterello (*di lavandino, ecc.*): **pop-up drain**, scarico con salterello (*in un bagno, ecc.*) **2** (*baseball*) = **pop fly** → **pop** ① **3** (*comput.*) finestra a comparsa Ⓑ a. attr. → **pop** (**1**).

porbeagle /ˈpɔːbiːgl/ n. (*zool.*, *Lamna nasus*) smeriglio; squalo nasuto.

porcelain /ˈpɔːsəlɪn/ Ⓐ n. ⓤ **1** porcellana **2** (*collett.*) porcellane Ⓑ a. attr. di porcellana: **old p. figurines**, antiche figurine di porcellana • (*elettr.*) **p. capacitor**, condensatore in porcellana □ **p. cement**, adesivo per porcellana □ (*miner.*) **p. clay**, caolino ‖ **porcellaneous, porcellanous** a. porcellanaceo; porcellanoso; di porcellana.

to **porcelainize** /ˈpɔːslɪnaɪz/ v. t. (*tecn.*) porcellanare.

porch /pɔːtʃ/ n. (*archit.*) **1** portico; porticato **2** (*USA*) veranda.

porcine /ˈpɔːsaɪn/ a. porcino; suino; di (*o* da) porco.

porcupine /ˈpɔːkjʊpaɪn/ n. (*zool.*, *Hystrix*) porcospino; istrice • (*zool.*) **p. ant-eater** (*Tachyglossus aculeatus*), echidna istrice □ (*zool.*) **p. fish** → **puffer**, def. 4.

pore /pɔː(r)/ n. (*anat.*, *bot.*, *fis.*) poro.

to **pore** /pɔː(r)/ v. i. **1** – **to p. over**, leggere (*o* studiare) attentamente (*un libro, ecc.*) **2** – **to p. on** (*o* **upon**, **over**), meditare, riflettere su; studiare • **to p. one's eyes out**, logorarsi la vista sui libri.

porgy /ˈpɔːdʒɪ/ n. (pl. *porgies*, *porgy*) (*zool.*, *Pagrus pagrus*) pagro.

Porifera /pəˈrɪfərə/ (*lat.*), (*zool.*) n. pl. i poriferi ‖ **poriferan** a. e n. porifero.

♦**pork** /pɔːk/ n. ⓤ carne di maiale; carne suina • (*slang USA*) **p. barrel**, denaro pubblico speso per procurarsi voti □ (*slang USA*) **p. barreling**, uso del denaro pubblico per ottenere voti; manovre elettoralistiche □ **p. butcher**, macellaio di maiali; norcino □ **p. butcher's**, norcineria; salumeria □ **p. chop**, braciola di maiale □ **p. packers**, produttori di

carne di maiale in scatola □ **p. pie**, pasticcio di carne di maiale □ **a p.-pie hat**, un cappello a cupola schiacciata e tesa piegata all'insù □ (*cucina*) **p. scratchings**, ciccioli; siccioli.

porker /ˈpɔːkə(r)/ n. maiale da ingrasso; porco.

porket /ˈpɔːkɪt/ n. maialino da ingrasso; porcello.

porkling /ˈpɔːklɪŋ/ n. porcello, porcella; porcellino da latte.

to **pork out** /ˈpɔːkˈaʊt/ v. i. + avv. (*slang USA*) mangiare come un porco; abbuffarsi.

porky /ˈpɔːkɪ/ Ⓐ a. **1** di (*o* da) maiale; porcino **2** (*fam.*) grasso; obeso; panciuto Ⓑ n. bugia; menzogna.

porn /pɔːn/ (*fam.*) Ⓐ n. **1** ⓤ pornografia **2** film pornografico; pornofilm **3** pornografo Ⓑ a. porno; pornografico • **p. actor**, pornoattore □ **p. actress**, pornoattrice □ **p. cassette**, pornocassetta □ **p. film**, pornofilm □ **p. magazine**, pornorivista □ **p. shop**, pornoshop □ **p. show**, pornoshow.

porno /ˈpɔːnəʊ/ a. e n. (pl. *pornos*) → **porn**.

pornography /pɔːˈnɒɡrəfɪ/ n. ⓤ pornografia ‖ **pornographer** n. pornografo ‖ **pornographic** a. pornografico ‖ **pornographically** avv. pornograficamente.

pornstar, porn star /ˈpɔːnstɑː(r)/ n. pornostar; pornodivo; pornodiva.

porny /ˈpɔːnɪ/ a. (*slang*) porno; pornografico.

porous /ˈpɔːrəs/ a. poroso: **p. metals**, metalli porosi ‖ **porosity, porousness** n. ⓤ porosità.

porphyria /pɔːˈfɪrɪə/ n. ⓤ (*med.*) porfiria.

porphyrin /ˈpɔːfərɪn/ n. ⓤ (*biochim.*) porfirina.

porphyrite /ˈpɔːfəraɪt/ n. (*geol.*) ⓤ porfirite ‖ **porphyritic** a. porfirico.

porphyry /ˈpɔːfərɪ/ n. ⓤ (*geol.*) porfido.

porpoise /ˈpɔːpəs/ n. (*zool.*) **1** (*Phocaena phocaena*) focena; marsovino, marsuino **2** (*slang*, *Delphinus delphis*) delfino comune.

to **porpoise** /ˈpɔːpəs/ v. i. (*di imbarcazione*) impennarsi e ricadere; piastrellare.

porridge /ˈpɒrɪdʒ/ n. **1** porridge; farinata d'avena (*cotta in latte o panna*; *ancora in largo uso in Scozia*) **2** (*slang*) periodo di detenzione: **to do p.**, scontare una pena in carcere • (*fig.*) **to keep one's breath to cool one's p.**, tenere le proprie opinioni per sé.

porringer /ˈpɒrɪndʒə(r)/ n. scodella col manico (*spec. per il porridge*).

♦**port** ① /pɔːt/ n. (*anche fig.*) porto: **to enter p.**, entrare in porto; **fishing p.**, porto di pescherecci; **to call at a p.**, fare scalo in un porto • **p. area**, zona portuale □ **p. authority**, ente del porto; capitaneria di porto □ **p. charges**, spese portuali □ **p. dues**, diritti di porto □ (*naut.*) **p. facilities**, attrezzature portuali; (la) portualità □ **p. of call**, porto di scalo; scalo; (*fig.*) meta abituale □ **p. of delivery**, porto di scarico (*o* di arrivo, di sbarco) □ **p. of entry**, porto d'entrata (*di merci importate*); punto di sbarco (*di passeggeri da una nave o da un aereo*) □ **p. regulations**, regolamenti portuali □ (*ass.*, *naut.*) **p. risk**, rischio di sosta in porto □ (*in GB*) **p. warden**, ispettore del carico e dello stivaggio □ **p. workers**, lavoratori (*o* maestranze) portuali; i portuali; scaricatori di porto □ **naval p.**, porto militare □ **to leave p.**, salpare □ (*fig.*) **Any p. in a storm**, in tempo di tempesta tutti i porti sono buoni.

port ② /pɔːt/ n. **1** (*naut.*, = **porthole**) portello; portellone **2** (*elettr.*) porta **3** (*fis. nucl.*) canale **4** (*mecc.*) apertura; luce; foro (*di cilindro, valvola, ecc.*) **5** (*comput.*) porta **6** sportello: **pet p.**, sportello per il gatto; gattaiola • (*naut.*) **p. light**, oblò.

port ③ /pɔːt/ Ⓐ n. ⓤ (*naut.*, *aeron.*; = **p. side**) fianco sinistro (*di aereo o di nave*); babordo (*termine ora in disuso*) Ⓑ a. attr. di sinistra; sinistro • (*canottaggio*) **p. oar**, remo (*o* vogatore) di sinistra □ (*naut.*) **p. tack**, mure a sinistra □ **to put the helm to p.**, mettere la barra a sinistra; virare a sinistra.

port ④ /pɔːt/ n. ⓤ (*mil.*) posizione del «portat'arm»: **rifles at the p.**, fucili in posizione di «portat'arm».

port ⑤ /pɔːt/ n. **1** ⓤ porto (*vino liquoroso portoghese*); (*in origine*) vino di Oporto **2** bicchiere di porto.

to **port** ① /pɔːt/ v. t. e i. (*naut.*) **1** virare a sinistra **2** mettere (*la barra*) a sinistra: *P. your helm!*, barra a sinistra.

to **port** ② /pɔːt/ v. t. (*mil.*) tenere (*il fucile, ecc.*) in posizione di «portat'arm» • **P. arms!**, «portat'arm»!

to **port** ③ /pɔːt/ v. t. (*comput.*) convertire (*software*).

portable /ˈpɔːtəbl/ Ⓐ a. **1** portatile; trasportabile **2** trasferibile: **p. mortgage**, ipoteca trasferibile; **p. pension**, pensione trasferibile Ⓑ n. portatile ‖ **portability** n. ⓤ (*anche comput.*) portabilità; trasportabilità; l'esser portatile.

portage /ˈpɔːtɪdʒ/ n. ⓤ **1** trasporto **2** (*comm.*) porto; spese di trasporto **3** trasporto (*di battelli o merci*) via terra da un'idrovia a un'altra.

to **portage** /ˈpɔːtɪdʒ/ v. t. trasportare (*battelli, merci*) via terra da un fiume a un altro (*o* da un lago a un altro, ecc.).

Portakabin ® /ˈpɔːtəkæbɪn/ n. prefabbricato.

portal /ˈpɔːtl/ Ⓐ n. **1** (*archit.*, *comput.*) portale **2** (*anat.* = **portal vein**) vena porta Ⓑ a. attr. (*anat.*) portale; della vena porta.

Portaloo ® /ˈpɔːtəluː/ n. (pl. *portaloos*) latrina trasportabile.

Porta Pottie ® /ˈpɔːtə ˈpɒtɪ/ n. latrina trasportabile.

portcullis /pɔːtˈkʌlɪs/ n. saracinesca (*di fortezza, castello, ecc.*).

Porte /pɔːt/ n. (*stor.*) Porta (*governo ottomano fino al 1923*): **the Sublime P.**, la Sublime Porta.

to **portend** /pɔːˈtend/ v. t. **1** preannunciare; presagire: *'What might the staying of my blood p.?'* C. MARLOWE, 'che cosa vorrà presagire il fatto che mi si è fermato il sangue?' **2** (*raro*) predire.

portent /ˈpɔːtent/ n. **1** presagio (*spec. triste*); segno premonitore; segnale minaccioso; indizio **2** portento; prodigio.

portentous /pɔːˈtentəs/ a. **1** che è di malaugurio; funesto **2** portentoso; prodigioso **3** pomposo; solenne; (*di persona*) contegnoso, solenne, che si dà arie | **-ly** avv.

porter ① /ˈpɔːtə(r)/ n. **1** facchino; portabagagli **2** (*ferr.*, *USA*) cameriere, inserviente (*di vagone letto, ecc.*) **3** inserviente (*d'ospedale*) • (*un tempo*) **p.'s knot**, cuscinetto usato dai facchini per portar pesi sulle spalle.

porter ② /ˈpɔːtə(r)/ n. portinaio; portiere (*di scuola, d'albergo, di condominio, ecc.*) • **p.'s desk**, portineria (*in un albergo*) □ **p.'s lodge**, alloggio del portiere; portineria (*casetta*).

porter ③ /ˈpɔːtə(r)/ n. ⓤⓒ birra scura • (*arc. o USA*) **p.-house**, birreria; osteria; trattoria.

porterage /ˈpɔːtərɪdʒ/ n. ⓤ **1** facchinaggio **2** spese di facchinaggio.

portfolio /pɔːtˈfəʊlɪəʊ/ n. (pl. *portfolios*) **1** busta, cartella (*per lo più di cuoio*) **2** (*polit.*, *fin.*) portafoglio; ministero: **minister without p.**, ministro senza portafoglio; **the p. of a company**, il portafoglio d'una società commerciale; **p. investment**, investimento di portafoglio; **p. diversification**, diversificazione di portafoglio **3** (*comm.*, *pubbl.*)

portfolio • (*banca*) **p. management**, gestione di portafoglio □ (*Borsa, fin.*) **diversified p.**, portafoglio diversificato; giardinetto.

porthole /'pɔːthəʊl/ n. 1 (*naut.*) portello; oblò 2 (*aeron.*) oblò; finestrino 3 (*un tempo*) feritoia.

Portia /'pɔːʃɪə/ n. (*letter.*) Porzia.

portico /'pɔːtɪkəʊ/ (*archit.*) n. (pl. **porticoes, porticos**) portico; colonnato ‖ **porticoed a.** porticato.

portière /pɔːtɪ'ɛə(r)/ (*franc.*) n. portiera; tenda pesante.

portion /'pɔːʃn/ n. 1 porzione; parte: **a generous p. of pudding**, una porzione abbondante di budino 2 (*fin.*) porzione; quota 3 (*leg.*) porzione di patrimonio (*che va a un erede*) 4 (= **marriage p.**) dote 5 brano; estratto; frammento (*di uno scritto, un libro, ecc.*) 6 (*lett.*) destino; fato; sorte: *To die is our p.*, il destino dell'uomo è morire • (*volg. ingl.*) **to give sb. a p.**, farlo sentire a q.; darglielo.

to **portion** /'pɔːʃn/ v. t. 1 dividere; ripartire 2 assegnare la dote a (*una nubile*) • **to p. out**, assegnare; distribuire; spartire.

portionless /'pɔːʃənləs/ a. 1 senza eredità 2 (*di ragazza*) senza dote.

portly /'pɔːtlɪ/ a. 1 corpulento; grasso 2 (*arc.*) dignitoso; imponente; maestoso; prestante ‖ **portliness n.** Ⓤ corpulenza; grassezza.

portmanteau /pɔːt'mæntəʊ/ n. (pl. **portmanteaus, portmanteaux**) (*un tempo*) baule armadio; valigia porta-abiti • (*ling.*) **p. word**, parola macedonia; parola-valigia (*per es.*, **smog** *da* **smoke** *e* **fog**).

portolan /'pɔːtəʊlən/ n. (*naut.*) portolano.

♦**portrait** /'pɔːtrɪt/ n. 1 ritratto (*anche fig.*): *Annigoni painted the p. of Queen Elizabeth*, Annigoni dipinse il ritratto della Regina Elisabetta 2 (*fig.*) quadro; pittura; descrizione: *The author gives us a vivid p. of country life*, l'autore ci offre una descrizione vivida della vita di campagna 3 (*comput.*) disposizione verticale (*del foglio di stampa*) • **p. painter**, ritrattista □ **a full-length p.**, un ritratto a figura intera □ **a half-length p.**, un ritratto a mezzo busto ‖ **portraitist n.** (*pitt. e fotogr.*) ritrattista.

portraiture /'pɔːtrɪtʃə(r)/ n. 1 Ⓤ arte del ritrarre; ritrattistica 2 ritratto; (*fig.*) descrizione.

to **portray** /pɔː'treɪ/ v. t. 1 ritrarre; dipingere 2 (*fig.*) descrivere vividamente 3 rappresentare (*un personaggio*) sulla scena: *He was portrayed as an old man*, fu rappresentato nelle vesti di un vecchio ‖ **portrayable a.** 1 che si può ritrarre 2 descrivibile ‖ **portrayal n.** 1 Ⓤ il ritrarre 2 (*fig.*) vivida descrizione; quadro; pittura 3 rappresentazione (*sulla scena*) ‖ **portrayer n.** 1 (*raro*) ritrattista; pittore 2 (*fig.*) descrittore.

portress /'pɔːtrɪs/ n. portinaia, portiera (*spec. di convento*).

Portugal /'pɔːtʃʊgl/ n. (*geogr.*) Portogallo.

Portuguese /pɔːtʃʊ'giːz/ Ⓐ a. portoghese Ⓑ n. 1 (inv. al pl.) portoghese: **the P.**, i portoghesi 2 Ⓤ portoghese (*la lingua*) • (*zool.*) **P. man-of-war** (*Physalia physalis*), fisalia; caravella portoghese.

portulaca /pɔːtʃə'leɪkə/ n. (*bot.*) 1 (*Portulaca grandiflora*) portulaca 2 (*Portulaca oleracea*) porcellana.

POS sigla (**point of sale**) punto di vendita (*anche il terminale di pagamento*).

pose /pəʊz/ n. 1 posa; positura; 2 modo di fare affettato; posa; affettazione: *His generosity is just a p.*, la sua generosità non è che una posa.

♦to **pose** /pəʊz/ Ⓐ v. t. 1 costituire (*un pericolo*); causare (*una difficoltà*); creare (*un problema*); porre (*una domanda*); proporre (*un*

quesito) 3 mettere in posa; far posare Ⓑ v. i. 1 mettersi (*o stare*) in posa; posare: **to p. for a photo**, mettersi in posa per una foto; **to p. for painters**, posare per pittori 2 posare; atteggiarsi (a): **to p. as a martyr**, atteggiarsi a martire 3 fingersi; spacciarsi; farsi passare: *He posed as a police officer*, si fece passare per poliziotto.

poser ① /'pəʊzə(r)/ n. 1 chi posa (*per un pittore, ecc.*); modello, modella 2 (*spreg.*) chi posa (*dandosi importanza*); posatore, posatrice.

poser ② /'pəʊzə(r)/ n. (*fam.*) 1 domanda imbarazzante; quesito difficile 2 problema arduo; rompicapo; bella gatta da pelare.

poseur /pəʊ'zɜː(r)/ (*franc.*) n. posatore; chi posa (*dandosi importanza*).

posh /pɒʃ/ Ⓐ a. (*fam.*) 1 elegante; di lusso; lussuoso: **p. clothes**, abiti eleganti; **a p. hotel**, un albergo di lusso 2 (*ingl., talora spreg.*) ricercato; raffinato; da aristocratico; molto su; bene: *He speaks with a p. accent*, parla con un accento raffinato; parla come un aristocratico; **a p. part of the town**, un quartiere molto su; un quartiere bene; **the p. people**, la gente bene; l'alta società Ⓑ avv. (*fam.*) con ricercatezza; con affettazione aristocratica: **to speak p.**, parlare con accento aristocratico.

posit /'pɒzɪt/ n. (*filos.*) presupposto; assunto; postulato.

to **posit** /'pɒzɪt/ v. t. 1 (*filos.*) assumere; presupporre; postulare 2 mettere a posto; posizionare; collocare.

♦**position** /pə'zɪʃn/ n. 1 posizione; positura; atteggiamento; punto di vista; situazione; condizione: **geographic p.**, posizione geografica; (*mil.*) **strategic p.**, posizione strategica; (*sport*) *The players were in p.*, i giocatori erano in posizione; *I am in an awkward p.*, mi trovo in una posizione delicata 2 (*aeron., naut., miss.*) posizione; punto 3 impiego (*spec. statale*); posto (*di lavoro*): **positions held**, posti di lavoro ricoperti; **to get a good p.**, ottenere un buon impiego 4 (*sport*) posizione (*alla partenza*); (*anche*) posto in classifica; (*anche*) posizione assunta (*in campo*), piazzamento; (*sport*) *He plays in a defensive p.*, gioca nel ruolo di difensore 5 (*mil., anche*) postazione: **gun positions**, postazioni d'artiglieria 6 (*Borsa, banca*) posizione: **to cover a p.**, coprire una posizione 7 (*mus.*) posizione • (*org. az.*) **p. analysis**, analisi delle mansioni □ (*mil.*) **p. finder**, telemetro □ (*sport*) **p. play**, gioco piazzato □ (*mat.*) **p. ratio**, rapporto di tre punti; coordinata baricentrica □ **p. statement**, presa di posizione (*fig.*) □ **in p.**, a posto; nel posto giusto □ **to be in a p. to do st.**, essere in condizione (*o in grado*) di fare qc.: *I'm not in a p. to help him*, non sono in condizione di poterlo aiutare □ **to be in a standing p.**, essere in piedi □ (*form.*) **of position**, altolocato: **men** (*o* **women**) **of p.**, persone altolocate □ **out of p.**, fuori posto; nel posto sbagliato; (*sport*) fuori del proprio ruolo: *He was out of p.*, era fuori posizione.

to **position** /pə'zɪʃn/ v. t. 1 posizionare; mettere in posizione; collocare; mettere a posto; disporre; sistemare 2 (*mil., sport, ecc.*) piazzare; mettere in postazione, posizionare; schierare 3 determinare la posizione di (qc.); localizzare.

positional /pə'zɪʃənl/ a. di posizione; posizionale: **p. change**, cambiamento di posizione; **p. play**, gioco di posizione • (*sport*) **to have a fine p. sense**, avere il senso della posizione.

positioned /pə'zɪʃnd/ a. 1 (*mecc.*) posizionato 2 (*mil. e sport*) piazzato; appostato; schierato.

positioning /pə'zɪʃənɪŋ/ n. Ⓤ 1 messa in posizione 2 (*mecc.*) posizionamento 3 (*mil.*

e sport) disposizione; messa in postazione; schieramento 4 (*market.*) posizionamento.

♦**positive** /'pɒzətɪv/ Ⓐ a. 1 (*elettr., mat., med., gramm., ecc.*) positivo: **p. electricity**, elettricità positiva; **p. charge**, carica positiva; **p. sign**, segno positivo; **p. law**, diritto positivo; *The test was p.*, il test è stato positivo; **p. degree**, grado positivo (*d'un aggettivo, d'un avverbio*); **a p. answer**, una risposta positiva 2 positivo; concreto; esplicito; certo; sicuro; chiaro; preciso: **p. reasoning**, ragionamento positivo; **a p. person**, una persona positiva (*o costruttiva, concreta, pratica*); **p. result**, risultato positivo; **p. help**, aiuto concreto; **p. orders**, ordini espliciti; **p. knowledge**, notizie certe; informazioni sicure; **p. instructions**, istruzioni precise 3 (*di persona*) convinto; sicuro; deciso: *He was p. he had seen a ghost*, era sicuro d'aver visto uno spettro 4 positivo; fiducioso; ottimistico: **a p. attitude to life**, un atteggiamento positivo verso la vita 5 (*fam.*) completo; vero e proprio; bell'e buono: **a p. fool**, un completo imbecille; **a p. shame**, una vera vergogna Ⓑ n. 1 qualità positiva; cosa positiva 2 (*fotogr.*) positiva 3 (*gramm.*) grado positivo 4 (*med.*) risultato positivo: **false p.**, falso positivo • **p. criticism**, critica costruttiva (*o positiva*) □ (*USA, leg.*) **p. discrimination**, discriminazione positiva (misure per la protezione di persone svantaggiate, sistemi di quote, ecc., allo scopo di realizzare una uguaglianza di fatto) □ (*leg.*) **p. evidence**, prove decisive □ (*mus.*) **p. organ**, organo positivo □ (*leg.*) **p. proof**, prova certa; prova fondata sui fatti □ (*mat.*) **p. stop**, arresto meccanico □ (*in GB*) **p. vetting**, screening approfondito (*per l'arruolamento nei servizi segreti, ecc.*).

positively /'pɒzətɪvlɪ/ avv. 1 positivamente; certamente; sicuramente 2 positivamente; di positivo 3 positivamente; concretamente; praticamente 4 affermativamente; di sì: *Let's hope they will answer p.*, speriamo che rispondano di sì 5 assolutamente 6 (*fam.*) decisamente; addirittura; proprio; davvero: *She doesn't just dislike him; she p. hates him*, non è che lui non le piaccia; lo odia proprio 7 (*USA*) ma sì; ma certo • (*elettr.*) **p. charged**, a carica positiva.

positiveness /'pɒzətɪvnəs/ n. Ⓤ 1 positività 2 certezza; sicurezza 3 sicurezza di sé; perentorietà.

positivism /'pɒzɪtɪvɪzəm/ (*filos.*) n. Ⓤ positivismo ‖ **positivist n.** positivista ‖ **positivistic a.** positivistico.

positivity /pɒzɪ'tɪvɪtɪ/ n. Ⓤ positività.

positron /'pɒzɪtrɒn/ n. (*fis. nucl.*) positrone; positone.

positronium /pɒzɪ'trəʊnɪəm/ n. (*fis. nucl.*) positronio.

posology /pəʊ'sɒlədʒɪ/ (*farm.*) n. Ⓤ posologia ‖ **posological a.** della posologia.

poss /pɒs/ abbr. 1 (**possession**) possesso 2 (*gramm.*, **possessive**) possessivo 3 (**possible**) possibile: **as soon as p.**, al più presto possibile 4 (**possibly**) forse.

posse /'pɒsɪ/ n. 1 (*stor., in USA* = **p. comitatus**) gruppo di volontari che aiutavano lo sceriffo nel dare la caccia a un bandito 2 banda di teppisti neri o giamaicani dediti allo spaccio della droga 3 (*slang*) banda; squadra; ghenga 4 (*giorn.*) gruppo, drappello (*di reporter*) • (*volg. USA*) **pussy p.**, la buoncostume.

♦to **possess** /pə'zes/ v. t. 1 possedere; avere: *They p. farming land*, possiedono terreni agricoli; **to p. good eyesight**, avere gli occhi buoni 2 conoscere a fondo, essere padrone di, possedere (*una lingua straniera, ecc.*) 3 invasare; ossessionare; possedere: **to be possessed by the devil**, essere posse-

duto dal demonio **4** detenere (*armi da fuoco, ecc.*) **5** possedere (*una donna*) ● **to p. one-self of st.**, impossessarsi di qc.; impadronir-si di qc. □ **to be possessed by** (*o* **with**) **an idea**, esser tutto preso da un'idea □ **to be possessed of st.**, possedere qc.; avere qc. in proprietà □ **What possessed you to hit your brother?**, che cosa ti ha spinto a picchiare tuo fratello?

possessed /pə'zɛst/ *a.* posseduto dal demonio; indemoniato; invasato; ossesso.

♦**possession** /pə'zɛʃn/ *n.* **1** ⓤ possesso: **to be in p. of st.**, essere in possesso di qc.; possedere qc.; **to come into p. of a fortune**, entrare in possesso d'una fortuna **2** (*spec. al* pl.) possedimento (*anche polit.*); proprietà; beni; averi: *British possessions*, possedimenti britannici; **my personal possessions**, le mie proprietà personali **3** ⓤ conoscenza approfondita, padronanza, possesso (*d'una lingua straniera, ecc.*) **4** ⓤ l'essere invasato; ossessione; possessione **5** ⓤ detenzione (*di droga, armi, ecc.*) ● (*leg.*) **p. order**, sentenza di sfratto □ **to rejoice in the p. of st.**, aver la fortuna di possedere qc. □ **self-p.**, padronanza di sé □ **to take p. of st.**, prender possesso di qc. □ (*leg.*) **taking p. of an estate**, presa di possesso di una proprietà □ (*prov.*) **P. is nine-tenths** (*o* **nine points**) **of the law**, possedere una cosa è già quasi averla per diritto.

♦**possessive** /pə'zɛsɪv/ 🅰 *a.* **1** possessivo: (*gramm.*) **p. pronouns**, pronomi possessivi **2** possessivo: **a p. mother**, una madre possessiva **3** geloso: **a p. husband**, un marito geloso 🅱 *n.* (*gramm.*) **1** caso possessivo **2** pronome (*o* aggettivo) possessivo ● **to be p. of** (*o* about), essere possessivo nei confronti di | **-ly** *avv.*

possessiveness /pə'zɛsɪvnəs/ *n.* ⓤ l'esser possessivo; possessività; tendenza a opprimere, a dominare, a soffocare (*gli altri*).

possessor /pə'zɛsə(r)/ *n.* possessore; detentore; proprietario, proprietaria.

possessory /pə'zɛsərɪ/ *a.* **1** di possessore **2** (*leg.*) possessorio; di proprietà: **p. interest**, interesse possessorio; **p. title**, titolo (*o* diritto) di proprietà; **p. lien**, diritto di ritenzione.

posset /'pɒsɪt/ *n.* bevanda di latte caldo, vino (*o* birra) e spezie varie (*assai usata un tempo contro il raffreddore*).

possibilism /'pɒsəbɪlɪzəm/ *n.* ⓤ possibilismo || **possibilist** 🅰 *n.* possibilista 🅱 *a.* possibilistico || **possibilistic** *a.* possibilistico.

♦**possibility** /pɒsə'bɪlətɪ/ *n.* ⓤⓒ **1** possibilità: *There is no p. of his winning*, non c'è nessuna possibilità di vittoria per lui **2** (pl.) possibilità di successo; prospettiva; opportunità: *What are the possibilities?*, che possibilità (di successo) ci sono? **3** caso (*o* soluzione, risultato) possibile **4** (*fam.*) persona (*o* cosa) che può andare bene ● (*trasp.*) **p. of transit**, transitabilità (*di una strada*).

♦**possible** /'pɒsəbl/ 🅰 *a.* **1** possibile: **a p. solution**, una soluzione possibile; *Do you think it p.?*, credi sia possibile? **2** accettabile; ammissibile; plausibile: **a p. answer**, una risposta plausibile **3** attuabile; fattibile **4** (*fam.*) sopportabile; tollerabile 🅱 *n.* **1** (il) possibile: **to do one's p.**, fare il possibile **2** → **possibility**, *def.* 3 e 4 ● **as far as p.**, nei limiti del possibile □ **as soon as p.**, il più presto possibile; quanto prima □ **if p.**, possibilmente; se ti (se mi, ecc.) è possibile: *If p., call back at nine*, possibilmente, richiamami alle nove □ **It's p.!**, può darsi! □ **It's quite p.!**, è possibilissimo!

♦**possibly** /'pɒsəblɪ/ *avv.* **1** forse; può darsi: *It's a very rare specimen, p. the only one left*, è un esemplare molto raro, forse l'unico rimasto; '**Will your salary be in-**

---

creased?' 'P.', 'ti aumenteranno lo stipendio?' 'forse' **2** (*nelle domande è idiom.*) – *What can she p. mean?*, che cosa vorrà mai dire?; *Could you p. lend me a hand?*, potresti per caso darmi una mano?; *How can I p. know?*, com'è che faccio a saperlo? **3** (*con funzione di enfasi*) – *It can't p. work*, non può proprio funzionare; non è possibile che funzioni; *I'll do all I p. can*, farò tutto il possibile; farò del mio meglio ❶ **FALSI AMICI** • possibly *non significa* possibilmente.

possum /'pɒsəm/ *n.* (*fam.; zool.*, *Didelphis virginiana*) opossum ● **to play p.**, fingersi (*o* fare il) morto; fingere di dormire; fare lo gnorri; fare l'indiano (*fig.*).

♦**post**① /pəʊst/ *n.* **1** (*ind. costr.*) montante; puntello; palo (*di steccato*) **2** (*nelle miniere*) butta; puntello; gamba; (*anche*) pilastro di minerale **3** (*naut.*) dritto; (*anche*) palo d'ormeggio, bittone (*in un porto*): **stern p.**, dritto di poppa **4** (*sport*, = **goalpost**) palo della porta (*nel calcio, ecc.*) **5** (*spec. ipp.*) palo; palo di partenza; (*anche*) traguardo **6** (*basket*) post; pilastro; centro; pivot **7** (*boxe*) paletto (*del ring*) **8** (*sci*) paletto (*nello slalom*) **9** (*equit.*) dritto, piliere (*per addestrare cavalli nel maneggio*) □ (*ipp.*) **p. and planks**, dritto di tavole □ (*ipp.*) **p. and rails**, dritto di barriere □ (*fam.*) **to be as deaf as a p.**, essere sordo come una campana.

♦**post**② /pəʊst/ *n.* **1** (*mil.*) posto (*di guardia, di sentinella, ecc.*): **frontier p.**, posto di frontiera **2** posto; posto di lavoro; impiego; carica: **to get a good p.**, ottenere un buon posto; **to fill a p.**, ricoprire una carica **3** (= **trading p.**) stazione commerciale **4** (*mil.*) avamposto **5** (*rag.*) posta; registrazione contabile **6** (*Borsa*) corbeille **7** (*comput.*) messaggio (*su un newsgroup o una mailing list*) ● (*USA*) **p. exchange**, spaccio militare □ **p. holder**, chi occupa un posto (*di lavoro*); titolare □ (*mil.*) **first p.**, primo suono di tromba della ritirata □ (*mil.*) **last p.**, ultimo suono di tromba della ritirata; (*anche*) squillo di tromba per onoranze funebri □ (*mil.*) **to be on p.**, essere di guardia (*o* di sentinella).

♦**post**③ /pəʊst/ *n.* **1** (*un tempo*) corriere postale; (*anche*) stazione di posta **2** ⓤⓒ posta; corrispondenza; ufficio postale: *I had a heavy p. today*, ho ricevuto molta corrispondenza oggi; *Is there anything interesting in the p.?*, c'è niente di interessante nella posta? **3** ⓤ levata della posta: *I missed the morning p.*, ho perduto la levata del mattino; ho impostato troppo tardi **4** ⓤ distribuzione della posta: *Your letter has arrived by the second p.*, la tua lettera è arrivata con la seconda distribuzione ● (*naut.*) **p.-boat**, battello postale □ (*un tempo*) **p. chaise**, diligenza postale □ **p.-free**, franco di posta; in franchigia postale □ **p.-haste**, (*avv.*) in gran fretta □ (*un tempo*) **p. horn**, corno da postiglione □ (*un tempo*) **p.-horse**, cavallo di posta □ **p. office**, ufficio postale □ **the P. Office**, (*stor.*) il Ministero delle Poste (*in GB*); (*dal 1969*) Società (*per azioni*) delle Poste Britanniche □ **p.-office box**, casella postale □ (*ferr.*) **p.-office car**, vagone postale □ (*USA*) **P. Office Department**, Ministero delle Poste (*fino al 1° luglio 1971*) □ (*di busta*) **Post Office Preferred** (abbr. **P.P.P.**), in regola con il bustometro □ (*fin., stor.*) **P.-Office Savings Bank**, cassa di risparmio postale (*in GB, fino al 1968; ora* **National Savings Bank**) □ **the P. Office Tower** (*a Londra*), il grattacielo delle Poste (*termine ufficiale:* **the Telecom Tower**) □ (*USA*) **p.-paid**, franco di posta; in franchigia; porto pagato □ **p. town**, cittadina con ufficio postale □ (*polit.*) **p. vote**, voto espresso per lettera (*in GB*) □ **by p.**, per posta; a mezzo posta: *The exam results are sent by p. sometime during the last week of August*, i risultati degli esami vengono spediti per posta durante l'ultima

---

settimana di agosto □ **by return of p.** (*o* of **mail**), a giro di posta; (*un tempo*) a volta di corriere.

♦**to post**① /pəʊst/ *v. t.* **1** (*anche* **to p. up**) affiggere; attaccare (*un manifesto, ecc.*) **2** (*anche* **to p. over**) coprire (*un muro, ecc.*) di manifesti **3** mettere (*il nome di q.*) su un manifesto; affiggere all'albo; annunciare, pubblicare (*a mezzo di manifesto*): **to p. a reward**, pubblicizzare la ricompensa (*per la cattura d'un malfattore, ecc.*); *The names of the successful students were posted*, i nomi dei candidati promossi furono pubblicati (*o* affissi all'albo) **4** (*comput.*) inviare come messaggio (*a un newsgroup o a una mailing list*) ● **to p. a ship as missing**, affiggere all'albo il nome di una nave dispersa □ **«P. no bills!»**, «divieto d'affissione».

♦**to post**② /pəʊst/ *v. t.* (*mil.*) **1** appostare; piazzare; collocare; mettere (*soldati in un posto*): *Guards were posted outside the embassy*, furono messe guardie fuori dall'ambasciata **2** dare il comando a; nominare (*un comandante*) **3** (*bur., mil.*) assegnare, inviare: **to be posted to a regiment**, essere assegnato a un reggimento ● (*basket*) **to p. up**, giocare in posizione di post (*o* di pivot) □ (*spec. mil.*) **to be posted away**, essere trasferito.

♦**to post**③ /pəʊst/ 🅰 *v. i.* **1** (*un tempo*) viaggiare con cavalli di posta; viaggiare in diligenza **2** (*per estens.; arc.*) viaggiare in gran fretta; affrettarsi 🅱 *v. t.* **1** spedire per posta (*lettere, pacchi, ecc.*) **2** impostare, imbucare (*lettere, ecc.*; cfr. USA **to mail**②, def. 2) **3** (*comput.*) inviare un messaggio di posta elettronica (a un gruppo di discussione o a una mailing list) **4** (*rag.*, *anche* **to p. up**) passare, registrare (*una partita*) a mastro **5** (*fam.*, *anche* **to p. up**) informare; dare tutti i particolari a (q.): *He is kept well posted*, lo tengono ben informato ● (*comm.*) **to p. up the general ledger**, aggiornare il mastro generale.

postage /'pəʊstɪdʒ/ *n.* ⓤ spese postali; tariffa postale; affrancatura (*d'una lettera, ecc.*): **«p. due»** (*scritto su una busta*), «affrancatura insufficiente» ● (*spec. USA*) **p.-due stamp**, segnatasse □ **p. meter**, (macchina) affrancatrice □ **p. stamp**, francobollo □ **extra p.**, soprattassa postale □ (*comm.*) **plus p. and packing**, spese postali e d'imballaggio escluse (*da un prezzo*).

postal /'pəʊstl/ 🅰 *a.* postale: **p. rates**, tariffe postali 🅱 *n.* (*fam. USA*) **1** (abbr. di **postal card**) cartolina **2** vaglia postale **3** treno postale ● (*in GB*) **p. code**, codice di avviamento postale □ **p. delivery zone**, distretto postale □ (*in GB*) **p. district**, distretto postale (*per es., a Londra:* EC2) □ **p. employee**, impiegato delle poste □ **p. order**, vaglia postale a taglio fisso □ **p. union**, unione postale (*fra Paesi diversi*) □ (*polit.*, *in USA, ecc.*) **p. vote**, voto per posta (*o* con una lettera).

post-atomic /pəʊstə'tɒmɪk/ *a.* postatomic.

postbag /'pəʊs(t)bæg/ *n.* **1** borsa delle lettere (*del postino*) **2** (= **mailbag**) sacco postale **3** (*fam.*) (la) posta, (la) corrispondenza (*ricevuta da un giornale, da una TV, da un personaggio, ecc.*).

postbox /'pəʊs(t)bɒks/ *n.* **1** cassetta della posta (*pubblica*); buca delle lettere **2** cassetta per le lettere; cassetta postale (*privata*).

postboy /'pəʊs(t)bɔɪ/ *n.* **1** (*stor.*) postiglione **2** (*ora*) fattorino che porta la posta.

postbus /'pəʊs(t)bʌs/ *n.* (abbr. *fam.* di **post office minibus**) piccolo autobus delle poste (*in GB: per il trasporto di corrispondenza, ecc., nelle zone rurali*).

postcard /'pəʊs(t)kɑːd/ *n.* cartolina: **picture p.**, cartolina illustrata.

post-classical /pəʊs(t)'klæsɪkl/ *a.* post-

a b c d e f g h i j k l m n o p q r s t u v w x y z

classico.

postcode /'pəʊs(t)kəʊd/ n. (*in GB*) codice di avviamento postale (abbr. CAP); (*GB*, *fam.*) **p. lottery**, situazione per cui la qualità dei servizi dipende dalla zona in cui si vive.

to **postcode** /'pəʊs(t)kəʊd/ v. t. premettere il codice d'avviamento postale (o il CAP) al (*nome di una città*); mettere il CAP in (*una busta, una lettera*).

post-communism /pəʊst-'kɒmjənɪzəm/ (*polit.*) n. ⓤ postcomunismo ‖ **post-communist** a. e n. postcomunista.

post-conciliar, postconciliar /pəʊs(t)-kən'sɪlɪə(r)/ a. (*relig.*) postconciliare.

postdate /pəʊs(t)'deɪt/ n. data posteriore (*a quella effettiva*).

to **postdate** /pəʊs(t)'deɪt/ v. t. **1** postdatare (*un documento, un assegno, ecc.*) **2** attribuire (*un avvenimento*) a una data più tarda ‖ **postdating** n. ⓤ postdatazione.

postdental /pəʊst'dentəl/ a. (*anat.*) postdentale.

postdoc /'pəʊstdɒk/ (*fam.*) **A** a. → **post-doctoral B** n. **1** persona impegnata in una ricerca successiva al dottorato **2** specializzazione successiva al dottorato; post-dottorato; postdottorato.

postdoctoral /pəʊst'dɒktərəl/ a. (*di lavoro, ricerca, ecc.*) successivo al dottorato; post--dottorato; postdottorato.

♦**poster** /'pəʊstə(r)/ n. **1** poster; affisso; avviso; cartello; cartellone; manifesto **2** attacchino ● **p. advertising**, pubblicità a mezzo affissione □ **p. child (for)**, bambino la cui foto è usata da un ente benefico o umanitario nella sua pubblicità; (*per estens.*, *fig.*) simbolo (di); incarnazione (di); personificazione (di); archetipo (di): *He's the poster child for all that's wrong in football*, è il simbolo di quello che non va nel calcio ● **p. designer**, cartellonista □ **p. panel**, tabellone pubblicitario.

poste restante /pəʊst'resta:nt/ (*franc.*) loc. n. fermoposta.

posterior /pɒ'stɪərɪə(r)/ **A** a. (*spec. anat. e med.*) posteriore **B** n. (*fam.*, *scherz.*) deretano; sedere ‖ **posteriority** n. ⓤ posteriorità ‖ **posteriorly** avv. posteriormente.

posterity /pɒ'sterətɪ/ n. ⓤ posterità; (i) posteri.

posterization /pəʊstəraɪ'zeɪʃn/ n. ⓤ (*tipogr.*) posterizzazione (*improvviso salto di toni in un'immagine fotografica*).

postern /'pəʊstɜ:n/ **A** n. **1** posterla; postierla; porta posteriore; segreta **2** (*fig.*) porta di servizio **B** a. attr. posteriore; di dietro; sul retro: **p. gate**, cancello sul retro.

posterolateral /pɒstərəʊ'lætərəl/ a. (*anat.*) posterolaterale.

posteromedial /pɒstərəʊ'mi:dɪəl/ a. (*anat.*) posteromediale.

postface /'pəʊstfeɪs/ n. postfazione.

post-fascist /pəʊst'fæʃɪst/ a. e n. (*polit.*) postfascista.

postfix /pəʊs(t)'fɪks/ n. (*ling.*) suffisso.

to **postfix** /pəʊs(t)'fɪks/ v. t. (*ling.*) suffissare.

postglacial /pəʊs(t)'gleɪsɪəl/ a. (*geol.*) postglaciale.

postgraduate /pəʊs(t)'grædʒʊət/ **A** a. di perfezionamento, di specializzazione (*dopo la laurea*) postlaurea: **p. courses**, corsi di perfezionamento **B** n. laureato che si perfeziona presso un'università (*di solito studente di master o di dottorato*) ● **p. school**, scuola di perfezionamento □ **a p. student**, uno specializzando.

posthitis /pɒs'θaɪtɪs/ n. ⓤ (*med.*) postite.

posthumous /'pɒstjʊməs/ a. postumo ‖ **posthumously** avv. dopo la morte.

post-hypnotic /pəʊsthɪp'nɒtɪk/ a. (*psic.*) postipnotico.

postiche /pɒ'sti:ʃ/ (*franc.*) **A** a. posticcio; artificiale; falso **B** n. parrucchino; capelli posticci; posticcio; (*anche*) baffi posticci.

postie /'pəʊstɪ/ n. (*fam. GB*) postino.

postil /'pɒstɪl/ n. (*stor.*) postilla; glossa (*spec. alle Sacre Scritture*).

postilion, postillion /pə'stɪlɪən/ n. (*un tempo*) postiglione.

post-Impressionism /pəʊstɪm-'preʃənɪzəm/ (*pitt.*) n. ⓤ postimpressionismo ‖ **post-Impressionist** n. postimpressionista.

postindustrial /pəʊstɪn'dʌstrɪəl/ a. postindustriale.

post-infarction /pəʊstɪn'fɑ:kʃn/ a. (*med.*) postinfartuale.

post-influenzal /pəʊstɪnflʊ'enzəl/ a. (*med.*) postinfluenzale.

posting ① /'pəʊstɪŋ/ n. **1** ⓤ affissione (*di manifesti*) **2** ⓤ pubblicazione (*all'albo, ecc.*) **3** (*comput.*) messaggio (*a un newsgroup o a una mailing list*).

posting ② /'pəʊstɪŋ/ n. (*spec. mil.*) **1** ⓤ destinazione; assegnazione **2** sede, destinazione assegnata (*a un ufficiale, a un funzionario, ecc.*).

posting ③ /'pəʊstɪŋ/ n. **1** ⓤ (*un tempo*) il viaggiare con cavalli di posta (*o in diligenza*) **2** ⓤ impostazione (*della corrispondenza*); spedizione per posta **3** ⓤ (*rag.*) registrazione (*di una partita*) a mastro **4** (*rag.*) partita registrata a mastro; posta.

postlude /'pəʊs(t)lu:d/ n. (*mus.*) posludio; postludio.

♦**postman** /'pəʊs(t)mən/ n. (pl. *postmen*) postino; portalettere ● **p.'s knock**, la bussata del postino (*gioco infantile: la lettera che il «postino» consegna si paga con un bacio*).

postmark /'pəʊs(t)mɑ:k/ n. bollo (o timbro) postale ● (*USA*) **p. stamp**, francobollo.

to **postmark** /'pəʊs(t)mɑ:k/ v. t. **1** bollare, timbrare (*una lettera*) **2** (*di una lettera*) recare il timbro postale di (*una città*).

postmaster /'pəʊs(t)mɑ:stə(r)/ n. **1** direttore (o titolare) d'un ufficio postale; ufficiale postale **2** (*comput.*) responsabile del sistema di posta elettronica ● (*un tempo*) P. General, Ministro delle Poste.

postmature /pəʊstmə'tjʊə(r)/ a. (*med.*) postmaturo.

postmeridian, post-meridian /pəʊs(t)mə'rɪdɪən/ a. pomeridiano.

post meridiem /'pəʊs(t)mə'rɪdɪem/ (*lat.*) loc. avv. dopo mezzogiorno (di solito abbr. in **PM, pm, P.M., p.m.**).

postmistress /'pəʊs(t)mɪstrɪs/ n. direttrice (o titolare) d'un ufficio postale.

postmodernism, post-modernism /pəʊs(t)'mɒdənɪzəm/ n. ⓤ postmodernismo ‖ **postmodern, post-modern** a. postmoderno ‖ **postmodernist, post-modernist** n. postmodernista.

postmortem /pəʊs(t)'mɔ:təm/ **A** n. **1** (*leg., med.*) autopsia **2** (*fig.*) attento esame (*di qc. che è andato a male*) **B** a. attr. (*med.*) autoptico: **p. examination**, esame autoptico; autopsia.

postnatal /pəʊs(t)'neɪtl/ a. **1** (*med.*) postnatale **2** (che avviene) dopo la nascita.

postnuptial /pəʊs(t)'nʌpʃəl/ a. posteriore alle nozze.

postoffice /'pəʊstɒfɪs/ = **post office** → **post** ③.

postoperative /pəʊst'ɒpərətɪv/ a. (*med.*) postoperatorio.

postponable /pə'spəʊnəbl/ a. posponibile; differibile.

to **postpone** /pə'spəʊn/ v. t. **1** posporre; posticipare; differire; rimandare; rinviare;

prorogare; *The conference has been postponed to the beginning of November*, la conferenza è stata posticipata all'inizio di novembre **2** (*fin., leg.*) postergare: **to p. a mortgage**, postergare un'ipoteca **3** (*raro*) posporre; subordinare.

postponement /pə'spəʊnmənt/ n. ⓒ posposizione; posticipazione; differimento; dilazione; rinvio; proroga.

postposition /pəʊs(t)pə'zɪʃn/ (*ling.*) n. **1** ⓤ posposizione **2** particella (o parola) positiva (di solito enclitica; *per es.*: **-wards** in **skywards**) ‖ **postpositional, postpositive** a. pospositivo.

postprandial /pəʊs(t)'prændɪəl/ a. **1** (*med.*) postprandiale **2** (*di solito scherz.*) (che avviene) dopo il pranzo; postprandiale.

post-press /pəʊst'pres/ n. (*editoria*) operazioni successive alla stampa; post--stampa.

post-production, postproduction /pəʊstprə'dʌkʃn/ n. ⓤ (*cinem., TV*) postproduzione.

postscript /'pəʊsskrɪpt/ n. (abbr. **PS**, **P.S.**) poscritto.

post-structuralism /pəʊst'strʌktʃərəlɪzəm/ n. ⓤ (*ling.*) poststrutturalismo.

post-traumatic /pəʊstrɔ:'mætɪk/ a. (*med.*) – solo nella loc. **post-traumatic stress disorder**, sindrome post-traumatica da stress.

postulancy /'pɒstʊlənsɪ/ n. ⓤ (*relig.*) postulato.

postulant /'pɒstjʊlənt/ n. (*spec. relig.*) postulante.

postulate /'pɒstjʊlət/ n. **1** (*mat., filos.*) postulato **2** (*fig.*) principio basilare; presupposto indispensabile.

to **postulate** /'pɒstjʊleɪt/ v. t. e i. **1** postulare; domandare; richiedere **2** postulare; ammettere; ipotizzare; supporre.

postulation /pɒstjʊ'leɪʃn/ n. **1** ⓤ (*spec. relig.*) postulazione **2** postulato; supposizione.

postulator /'pɒstjʊleɪtə(r)/ n. (*spec. relig.*) postulatore.

postural /'pɒstʃərəl/ a. posturale (*fisiol.*); di positura; d'atteggiamento ● (*med.*) **p. hypotension**, ipotensione ortostatica.

posture /'pɒstʃə(r)/ n. ⓒ **1** (*fisiol.*) postura **2** positura; posa; atteggiamento (*anche della mente*); attitudine **3** (*arte*) posa (*di una modella*) **4** (*fig.*) condizione; stato delle cose; situazione: **a delicate p. in foreign affairs**, una situazione delicata in politica estera.

to **posture** /'pɒstʃə(r)/ **A** v. t. **1** mettere (q.) in una posizione; atteggiare **2** mettere (*la modella, ecc.*) in posa **B** v. i. posare; mettersi in posa; atteggiarsi.

posturer /'pɒstʃərə(r)/ n. **1** chi prende una posa; posatore **2** contorsionista.

postvocalic /pəʊs(t)və'kælɪk/ a. (*fon.*) postvocalico.

post-volcanic /pəʊs(t)vɒl'kænɪk/ a. (*geol.*) postvulcanico.

postwar /pəʊs(t)'wɔ:(r)/ **A** a. attr. postbellico; del dopoguerra **B** n. (*USA*) dopoguerra.

postwoman /'pəʊs(t)wʊmən/ n. (pl. *postwomen*) postina.

posy /'pəʊzɪ/ n. **1** mazzolino di fiori **2** (*arc.*) motto inciso (*su un anello, ecc.*).

♦**pot** /pɒt/ n. **1** pentola; marmitta; pignatta **2** vaso; vasetto: **a pot of jam**, un vasetto di marmellata **3** boccale; brocca: **a pint pot**, un boccale da una pinta **4** barattolo: **a pot of paint**, un barattolo di vernice **5** (= **teapot**) teiera **6** (= **coffeepot**) caffettiera **7** (= **flowerpot**) vaso da fiori **8** (= **chimneypot**) comignolo **9** (= **chamber pot**) vaso da notte; padella (*per degenti*); (*per bimbi*) vasino

10 (*fam.*, = **pot of money**) mucchio di quattrini; forte somma di denaro: **to have** [**to inherit, to make**] **pots of money**, avere [ereditare, fare] un sacco di quattrini; **to put the pot on a favourite horse**, puntare una grossa somma su un cavallo favorito **11** (*fam.*, = **big pot**) pezzo grosso; persona importante **12** (*sport, fam.*) coppa d'argento; premio in denaro (*in genere*) **13** (*fam.*) posta, piatto (*nei giochi di carte*) **14** (*biliardo*) buca; colpo che manda la palla in buca **15** (= **pot-shot**) sparo (*o* tiro) a casaccio; tiro facile; (*anche fig.*) tentativo vano; critica infondata **16** (*slang*) pancia; stomaco sporgente; trippa; pancione **17** (*slang, ass.*) fondo comune **18** (*slang USA*) cassa comune **19** (*pesca*) nassa per aragoste **20** (*slang, mecc.*) cilindro (*di un motore*) **21** (*slang antiq.*) droga; marijuana; erba (*pop.*) ● **pots and pans**, pentole (*e* padelle), batteria da cucina □ (*fam.*) **pot belly**, grossa pancia; pancione; trippa; (*USA anche*) stufetta panciuta □ **pot-bellied**, con una grossa pancia; dal ventre sporgente (*anche di oggetto*) panciuto: **pot-bellied stove**, stufetta panciuta □ **pot-boy**, garzone d'osteria □ (*slang USA*) **pot bust**, retata di drogati □ **pot clay**, argilla per vasi (*o* per crogioli) □ **pot culture**, (*bot.*) coltivazione in vaso; (*slang antiq.*) la cultura della marijuana ● **pot-herbs**, erbe da cucina; erbe aromatiche □ **pot lead**, piombaggine usata per scafi d'imbarcazioni da corsa □ (*cucina*) **pot liquor**, sugo di cottura (*che resta nella pentola*) □ **pot luck** → **potluck** (*bot.*) **pot marigold** (*Calendula officinalis*), calendola; fiorrancio □ **pot-metal**, (*metall.*) lega di rame e piombo; (*anche*) vetro colorato nel crogiolo □ **a pot of tea**, una teiera (piena) di tè □ **pot plant**, pianta da vaso □ (*cucina*) **pot roast**, arrosto morto (*nel tegame*) □ (*archeol.*) **pot-sherd**, frammento di vaso □ **pot-shot** = *def. 15 → sopra* □ (*ind.*) **pot still**, distillatore □ (*fam.*) **to go to pot**, andare in malora (*o* in rovina) □ (*fig.*) **to keep the pot boiling**, mandare avanti la baracca; riuscire a tirare avanti □ (*poker*) **to be in the pot**, giocare; starci (*fam.*) □ (*fig.*) **to make the pot boil**, guadagnarsi il pane; sbarcare il lunario □ (*poker*) **to stay in the pot** = **to be in the pot** → *sopra* □ (*fam.*) (**It's a case of**) **the pot calling the kettle black**, (senti) da che pulpito viene la predica!; senti chi parla! □ (*prov.*) **A watched pot never boils**, pentola guardata non bolle mai; il desiderio rende più lunga l'attesa.

to **pot** /pɒt/ **A** v. t. **1** mettere (*o* conservare) in vaso: **to pot jam**, conservare la marmellata in vasi **2** mettere (*una pianta*) in vaso; invasare **3** cuocere in pentola **4** cacciare (*selvaggina*) per la mensa **5** (*fam.*) ottenere; vincere: **to pot all the prizes**, vincere tutti i premi **6** (*biliardo*) imbucare; mandare (*una bilia*) in buca **7** mettere (*un bimbo*) sul vasino **B** v. i. **1** (*biliardo*) imbucare la bilia; far bilia **2** – (*fam.*) **to pot at**, sparare a uccelli (*o* a selvaggina) a facile portata di tiro.

potable /'pəʊtəbl/ a. potabile; bevibile ‖ **potability** n. ⓤ potabilità.

potash /'pɒtæʃ/ n. ⓤ (*chim.*) **1** potassa caustica; idrossido di potassio **2** potassa; carbonato di potassio ● **caustic p.**, potassa caustica.

potassium /pə'tæsɪəm/ (*chim.*) n. ⓤ potassio ● **p. cyanide**, cianuro di potassio □ **p. nitrate**, nitrato di potassio; nitro ‖ **potassic** a. potassico.

potation /pəʊ'teɪʃn/ (*form. o scherz.*) n. **1** ⓤ bevuta; libagione: **liberal potations**, abbondanti libagioni **2** sorso **3** bevanda (*spec. alcolica*): **my favourite p.**, la mia bevanda preferita.

♦**potato** /pə'teɪtəʊ/ n. (pl. **potatoes**) (*bot.*, *Solanum tuberosum*) patata: **roast potatoes**,

patate al forno ● (*zool.*) **p. beetle** (*Doryphora decemlineata*), dorifora della patata □ **p. chips** (*USA*, **p. crisps**), patatine fritte, in confezione; «chips» □ **p. flour**, fecola di patate □ (*slang ingl.*) **p.-head**, testa di rapa; zuccone; testone □ **p.-masher**, schiacciapatate □ **p.-parer** (*o* **p.-peeler**), pelapatate; sbucciapatate □ (*fig. fam.*) **hot p.**, argomento imbarazzante; patata bollente (*fig.*): **to drop sb. like a hot p.**, sbarazzarsi di q. come di una patata bollente □ **mashed potatoes**, purè di patate □ (*fig. USA*) **small potatoes**, inezie; quisquilie; cosa o persona senza importanza.

potbelly /'pɒtbelɪ/ n. e *deriv.* = **pot belly**, e *deriv.* → **pot**.

potboiler /'pɒtbɔɪlə(r)/ n. (*fam. spreg.*) libro, articolo, quadro, ecc., fatto in fretta e solo per fare soldi; opera puramente commerciale.

potbound /'pɒtbaʊnd/ a. (*di pianta*) sistemata in un vaso troppo piccolo.

potch /pɒtʃ/ n. (*slang USA*) schiaffo; sculacciata.

to **potch** /pɒtʃ/ v. t. (*slang USA*) schiaffeggiare; sculacciare.

poteen /pɒ'tiːn/ n. ⓤ whisky irlandese distillato alla macchia.

Potemkin /pə'temkɪn/ n. (solo nella loc. *fig., iron.*) **P. village**, realtà fallace (*costruita allo scopo di ingannare*).

potence /'pəʊtəns/ n. → **potency**, *def. 1 e 3*.

potency /'pəʊtənsɪ/ n. ⓤⓒ **1** potenza; forza; efficacia **2** (*omeopatia, genetica*) potenza. **3** (= **sexual p.**) potenza sessuale.

potent /'pəʊtnt/ a. (*spec. poet.*) potente; forte; efficace: **a p. monarch**, un potente sovrano; **a p. drug**, una medicina potente (*o* efficace) ‖ **-ly** avv.

potentate /'pəʊtnteɪt/ n. **1** potentato; monarca; sovrano **2** potentato; stato autocratico.

♦**potential** /pə'tenʃl/ **A** a. (*filos., fis., gramm.*) potenziale: **a p. buyer**, un acquirente potenziale; *We went to visit a p. supplier*, siamo andati a trovare un potenziale fornitore; (*econ.*) **p. demand**, domanda potenziale; (*fis.*) **p. energy**, energia potenziale; (*fin.*) **p. profit**, reddito potenziale; (*gramm.*) **p. mood (subjunctive)**, modo (congiuntivo) potenziale **B** n. ⓤⓒ **1** potenziale; potenzialità; capacità: **a product with (an) enormous sales p.**, un prodotto dal grande potenziale di vendita; **the p. for accidents**, la possibilità di incidenti **2** (*elettr., fis.*) potenziale **3** (= **p. energy**) energia potenziale **4** (*gramm.*) congiuntivo potenziale ● (*fis.*) **p. barrier**, barriera di potenziale □ (*med.*) **p. corrosive**, corrosivo potenziale □ (*fis.*) **p. curve**, curva di potenziale □ (*elettr.*) **p. difference**, differenza di potenziale □ (*elettr.*) **p. divider**, partitore di tensione □ (*elettr.*) **p. drop**, caduta di potenziale □ (*fis.*) **p. well**, buca di potenziale ‖ **-ly** avv.

potentiality /pətenʃɪ'ælətɪ/ n. ⓤⓒ **1** potenzialità **2** (pl.) risorse potenziali.

to **potentialize** /pə'tenʃəlaɪz/ v. t. rendere potenziale.

to **potentiate** /pə'tenʃɪeɪt/ v. t. potenziare (*anche farm.*); incrementare.

potentiation /pətenʃɪ'eɪʃn/ n. ⓤ (*spec. farm.*) potenziamento.

potentiator /pə'tenʃɪeɪtə(r)/ n. **1** (*alim.*) potenziatore **2** (*farm.*) agente potenziante.

potentiometer /pətenʃɪ'ɒmɪtə(r)/ n. (*elettr.*) potenziometro.

potentiometric /pətenʃɪə'metrɪk/ a. (*scient.*) potenziometrico.

potful /'pɒtfʊl/ n. quanto sta in un vaso (in una pentola, ecc.).

pothead /'pɒthed/ n. (*slang*) fumatore di marijuana.

potheen /pɒ'θiːn/ → **poteen**.

pother /'pɒðə(r)/ n. ⓤ **1** fumo denso; nuvola di polvere; polverone **2** chiasso; baccano; confusione ● **to make** (*o* **to raise**) **a p. about st.**, fare tante storie, fare un putiferio (per qc.).

to **pother** /'pɒðə(r)/ **A** v. t. infastidire; molestare; seccare **B** v. i. preoccuparsi; fare (tante) storie; fare un putiferio.

pothole /'pɒthəʊl/ n. **1** (*sulla strada, nell'acqua, ecc.*) buca **2** (*geol.*) marmitta dei giganti **3** (*speleologia*) pozzo (carsico); cavità da erosione **4** (*fig.*) difficoltà; intoppo ‖ **potholer** n. (*sport*) speleologo dilettante ‖ **potholing** n. ⓤ (*sport*) speleologia.

pothook /'pɒthʊk/ n. **1** gancio della catena (*per appendere il paiolo nel camino*) **2** (*fig.*) asta a uncino (*di scrittura infantile*).

pothouse /'pɒthaʊs/ n. (*dial.*) osteria; bettola; pub.

pothunter /'pɒthʌntə(r)/ n. **1** chi caccia soltanto per riempire il carniere **2** (*sport, spreg.*) collezionatore di trofei; cacciatore di medaglie **3** (*fam.*) archeologo dilettante; tombarolo (*spreg.*).

potion /'pəʊʃn/ n. pozione; bevanda medicinale (*o* velenosa).

Potiphar /'pɒtɪfə(r)/ n. (*Bibbia*) Putifarre.

potluck /pɒt'lʌk/ n. ⓤ **1** piatto alla buona; pasto rimediato: **to take p.**, accontentarsi di quello che c'è; mangiare quello che passa il convento **2** sorte; caso: **to try p.**, tentare la sorte; **to take p.**, andare a caso (*o* a casaccio) **3** (*fam.*) pasto (*o* picnic) al quale ogni invitato porta qualcosa da mangiare.

potman /'pɒtmən/ n. (pl. **potmen**) garzone d'osteria.

potpourri /pəʊ'pʊərɪ, *USA* poʊpʊ'riː/ (*franc.*) n. **1** miscuglio di petali e foglie di fiori essiccati (*per profumare un ambiente*) **2** (*letter., mus.*) pot-pourri; scelta antologica; zibaldone **3** mescolanza, miscuglio (*in genere*).

potsherd /'pɒtʃɜːd/ n. = **pot-sherd** → **pot**.

potted /'pɒtɪd/ a. **1** (*di pianta*) in vaso **2** (*di carne o pesce*) in pasta (*dentro un vaso*); conservato in vasetto (*o* in barattolo) **3** (*fig. spreg.*) riassunto alla meglio; condensato **4** (= **p. up**; *slang USA*) ubriaco; sbronzo.

potter /'pɒtə(r)/ n. **1** vasaio; pentolaio **2** (*ceramica*) torniante; vasaio ● **p.'s clay**, argilla per stoviglie (*o* per ceramiche); terra da cocci □ (*USA*) **p.'s field**, cimitero dei poveri □ **p.'s wheel**, ruota del vasaio; tornio del vasaio.

to **potter** /'pɒtə(r)/ v. i. (*spesso* **to p. about, to p. at**) baloccarsi; gingillarsi; lavoracchiare; lavoricchiare: **to p. about** (*o* **around**) **in the garden**, fare lavoretti in giardino; **to p. at an occupation**, baloccarsi con un'occupazione ● **to p. away one's time**, sciupare (*o* sprecare) il tempo.

pottery /'pɒtərɪ/ n. **1** ⓤ ceramiche; stoviglie; terraglie **2** ⓤ arte ceramica; industria della ceramica **3** fabbrica di ceramiche (*o* di stoviglie) ● (*in GB*) **the Potteries**, distretto della contea di Stafford famoso per le sue ceramiche.

potting /'pɒtɪŋ/ n. ⓤ **1** (*di piante*), invasatura **2** conservazione (*di cibo*) in vasetti ● **p. compost**, terriccio per vasi □ **p. shed**, ripostiglio per gli attrezzi (*da giardinaggio*).

potty ① /'pɒtɪ/ a. (*fam.*) **1** piccolo; insignificante: **p. affairs**, affari insignificanti **2** molto facile: **p. questions**, domande molto facili (*o* da bambini) **3** matto; pazzo ● **to be p. about sb.**, andare pazzo per q.; amare q. alla follia □ **to be p. about st.**, andare pazzo per qc. □ **to drive sb. p.**, fare ammattire q.

potty ② /'pɒtɪ/ n. (*fam.*) vasino (*infant.*) ●

(*di bimbo*) **p.-trained**, abituato ad andare (di corpo) sul vasino.

pouch /paʊtʃ/ n. **1** borsa; sacca: **a tobacco p.**, una borsa da tabacco; **pouches under the eyes**, borse sotto gli occhi **2** (*zool.*) sacca delle guance; (*anche*) marsupio: **the p. of a kangaroo**, il marsupio d'un canguro **3** (= **ammunition p.**) cartucciera; giberna **4** sacco postale **5** valigia diplomatica **6** (*scozz.*) tasca.

to **pouch** /paʊtʃ/ Ⓐ v. t. **1** mettere in una borsa; mettersi in tasca; intascare **2** gonfiare (*a mo' di borsa*): *The little boy pouched his cheeks*, il bambino gonfiò le gote **3** mettere (*corrispondenza*) in un sacco postale **4** drappeggiare (*un abito*) **5** (*slang*) dare la mancia a (q.) Ⓑ v. i. assumere forma di borsa; gonfiarsi.

pouched /paʊtʃt/ a. **1** provvisto di borsa **2** a forma di borsa.

pouchy /ˈpaʊtʃɪ/ a. **1** a forma di borsa **2** (*di pantalone*) che fa le borse; cadente.

pouffe, pouf /puːf/ (*franc.*) n. **1** pouf (*grosso sgabello cilindrico*) **2** (*stor.*) pouf (*acconciatura alta dei capelli, in uso nell'800*) **3** (*stor.*) pouf; sboffo; sellino (*sotto l'abito*) **4** (*slang spreg.*) → **poof**.

poult /pəʊlt/ n. (*zool.*) **1** pollastro; pollastrino **2** tacchinotto **3** giovane fagiano **4** piccioncino.

poulterer /ˈpəʊltərə(r)/ n. pollaiolo; pollivendolo ● **p.'s** (**shop**), polleria.

poultice /ˈpəʊltɪs/ n. cataplasma; impiastro.

to **poultice** /ˈpəʊltɪs/ v. t. mettere (o applicare) un impiastro su.

poultry /ˈpəʊltrɪ/ n. Ⓤ (collett.) **1** pollame **2** (*macelleria*) pollame; carne di pollo; carne bianca ● **p. breeder** (o **p. farmer**), allevatore di polli; pollicoltore □ **p. breeding** (o **p. farming**) pollicoltura □ **p. dealer**, pollivendolo □ **p. farm**, allevamento di polli; azienda avicola □ **the p. industry**, l'industria dell'allevamento dei polli □ **p. packer**, imballatore di polli da mercato □ **p. pen**, pollaio □ (*cucina*) **p. shears**, trinciapollo □ **p. shop**, polleria.

pounce ① /paʊns/ n. balzo (*d'un animale da preda, ecc.*); il piombare dall'alto (*per es., d'un falco*): **to make a p.**, fare un balzo.

pounce ② /paʊns/ n. Ⓤ **1** polvere di pomice; pomice in polvere **2** (*disegno*) spolvero ● (*grafica*) **p. wheel**, rotella dentata per spolvero.

to **pounce** ① /paʊns/ v. t. e i. (*spesso* **to p. on**) balzare addosso a; piombare su: *The kidnappers pounced on the girl*, i rapitori balzarono addosso alla ragazza ● (*fig.*) **to p. at** (o **on**) **an opportunity**, afferrare al volo un'occasione ● **He pounced on my blunder**, colse al volo il mio errore.

to **pounce** ② /paʊns/ v. t. **1** spolverare, mettere lo spolvero su (*un disegno*); ricalcare, trasportare (*un disegno*) **2** pomiciare, lisciare con la pomice (*carta, ecc.*) ‖ **pouncing** n. Ⓤ (*grafica*) spolvero.

◆**pound** ① /paʊnd/ n. **1** libbra (*unità di peso, pari a 454 grammi circa*; abbr. **lb.**) **2** (= **p. sterling**) sterlina; lira sterlina (*banconota o, dal 1983, moneta metallica; unità del sistema monetario ingl.*; abbr. **£1**): **a fifty-p. note**, un biglietto da cinquanta sterline; *It cost me sixty pounds*, mi è costato sessanta sterline; *You owe me ten pounds forty*, mi devi dieci sterline e 40 penny **3** sterlina australiana (o neozelandese, ecc.) **4** lira egiziana **5** (*mecc.*) libbra-forza **6** (*fig.*) potere economico (o finanziario): **grey p.**, potere economico degli anziani; **pink p.**, potere economico dei gay ● **p. coin**, moneta (metallica) da una sterlina (*dal 1983*) □ (*telef., USA*) **p. key**, tasto con cancelletto □ (*USA*) **p. sign**, (il) simbolo #; cancelletto □ **avoirdupois p.**, libbra

di sedici once (*del sistema «avoirdupois»*; *pari a 454 grammi circa*) □ (*fig.*) **to exact one's p. of flesh**, esigere fino all'ultimo centesimo; pretendere tutto quello che ci è dovuto; essere inesorabile □ **troy p.**, libbra di dodici once (*del sistema «troy»*; *pari a 373 grammi circa*).

pound ② /paʊnd/ n. **1** forte colpo; botta; tonfo **2** Ⓤ (= **pounding**) rumor di colpi; martellio; martellamento.

pound ③ /paʊnd/ n. **1** (*un tempo*) stabulario; recinto per bestiame smarrito **2** (*ora*) recinto per animali randagi **3** (*autom.*) deposito auto (*rimosse per ostruzione al traffico*) **4** (= **p. net**) rete (*per pesci*) da posta fissa **5** (*fig.*) luogo di confino; prigione **6** laghetto artificiale; bacino idrico: **p. lock**, chiusa (o conca) di navigazione fluviale ● **dog p.**, canile municipale.

to **pound** ① /paʊnd/ v. t. (*arc.*) controllare il peso di (*monete: pesandone insieme fino a formare una libbra*).

to **pound** ② /paʊnd/ v. t. e i. **1** (*anche* **to p. at, to p. on**) battere (*alla porta, ecc.*); colpire (*coi pugni, ecc.*); pestare; (*mil.*) bombardare; strimpellare: *My heart was pounding*, mi batteva il cuore; *Who is pounding* (*out*) *a tune on the piano?*, chi sta strimpellando un motivo al pianoforte? **2** pestare; tritare **3** (*boxe*) colpire forte (*l'avversario*) ● (*fig.*) **to p. on sb.'s head**, redarguire, sgridare q. □ (*fig.*) **to p. the pavement looking for a job**, battere tutta la città in cerca di lavoro □ **to p. st. to pieces**, fare a pezzi (o frantumare) qc. a furia di battere.

■ **pound along** v. i. + avv. **1** procedere (o avanzare) pesantemente **2** andare di gran carriera.

■ **pound down** v. t. + avv. frantumare; triturare; tritare.

■ **pound in** v. t. + avv. **1** conficcare, piantare (qc.) battendo **2** inculcare, far entrare (qc.) in testa (*a q.*).

■ **pound into** v. t. + prep. **1** tritare battendo; frantumare; ridurre in: **to p. rocks into powder**, ridurre in polvere (o frantumare) rocce; **to p. millet into flour**, ridurre miglio in farina **2** conficcare, piantare in □ (*fig.*) **to p. st. into sb.'s head**, inculcare qc. in testa a q. □ **to p. st. into a jelly**, fare una marmellata di qc. (*fig.*).

■ **pound out** v. t. + avv. **1** spianare (*lamiere, ecc.*) battendo **2** (*fam.*) battere (*lettere a macchina, ecc.*) **3** (*fam.*) strimpellare, suonare (*un motivo, ecc.*) pestando forte.

■ **pound up → pound down**.

to **pound** ③ /paʊnd/ v. t. **1** metter (*bestiame*) al chiuso **2** (*fig.*) rinchiudere; imprigionare.

poundage ① /ˈpaʊndɪdʒ/ n. Ⓤ **1** peso in libbre **2** (*comm.*) percentuale (o provvigione, tassa, ecc.) calcolata a un tanto la sterlina o la libbra **3** tassa per l'emissione d'un vaglia postale.

poundage ② /ˈpaʊndɪdʒ/ n. Ⓤ **1** il tenere bestiame in un recinto **2** diritto pagato per ogni capo di bestiame tenuto al chiuso.

pounder ① /ˈpaʊndə(r)/ n. (di solito, nei composti:) **1** animale (o cosa) che pesa un certo numero di libbre: *I landed a good three-p.*, tirai a riva un bel pesce di tre libbre **2** cannone che spara proiettili del peso di un certo numero di libbre: **a 25-p.**, un cannone che spara proiettili del peso di 25 libbre; un pezzo da venticinque **3** banconota che vale un certo numero di sterline: **a fifty-p.**, un biglietto da cinquanta sterline **4** persona che ha (o che guadagna) un certo numero di sterline **5** oggetto che costa un certo numero di sterline.

pounder ② /ˈpaʊndə(r)/ n. **1** chi batte (o chi colpisce, pesta, trita, ecc.) (→ **pound** ②) **2** pestello **3** mortaio.

pounding /ˈpaʊndɪŋ/ n. **1** Ⓤ martellio; ru-

more sordo **2** Ⓤ (*anche mil.*) martellamento; tambureggiamento; bombardamento (*di cannoni*) **3** Ⓤ (*mus.*) strimpellamento **4** Ⓤ polverizzazione; triturazione **5** (*fam.*) batosta; pesante sconfitta **6** pestaggio; pestata; bòtte **7** (*fig.*) pesante attacco; critica violenta ● **p. of horses**, scalpitio di cavalli.

pour /pɔː(r)/ n. Ⓤ **1** (*di solito* **downpour**) acquazzone; scroscio di pioggia; diluvio **2** (*metall.*) colata (*di metallo fuso*) ● (*metall.*) **p. point**, temperatura di colata.

◆to **pour** /pɔː(r)/ Ⓐ v. t. **1** versare; gettare (*un liquido*): *P. cold water on it*, gettaci sopra dell'acqua fredda! **2** (*tecn.*) colare (*metallo, cemento, ecc.*) Ⓑ v. i. **1** (*di liquido, ecc.*) riversarsi; fluire copiosamente; scorrere liberamente; sgorgare: *Blood poured from the wound*, il sangue fluiva copioso dalla ferita **2** versare il tè (o il caffè, ecc.) agli ospiti: *Shall I p.?*, posso versare? ● (*fig.*) **to p. cold water on**, scoraggiare (*una persona*); smorzare (*l'entusiasmo di q.*); gettare acqua fredda su (*un progetto*) □ **to p. it on**, mettercela tutta, darci sotto; fare grandi elogi; fare la vittima, esagerare i propri guai o malanni; (*autom.*) andare a tutta birra □ (*fig.*) **to p. oil on flames**, versare benzina sul fuoco □ (*fig.*) **to p. oil on troubled waters**, gettar acqua sul fuoco (*fig.*); metter pace □ **to p. ridicule on sb.**, gettare il ridicolo su q. □ *It's pouring* (*with rain*), diluvia; piove a dirotto □ (*prov.*) **It never rains but it pours**, piove sul bagnato (*fig.*); le disgrazie non vengono mai sole.

■ **pour across** v. i. + avv. (o prep.) riversarsi al di là (*anche fig.*); scorrere attraverso: *A lot of traffic poured across the river*, molto traffico si riversò al di là del fiume.

■ **pour along** v. i. + avv. (o prep.) scorrere, fluire per (o in): *A long line of cars were pouring along the avenue*, una lunga fila di auto fluiva nel viale.

■ **pour away** v. t. + avv. buttare (o gettare) via (*un liquido, ecc.*).

■ **pour back** Ⓐ v. t. + avv. rimettere (*un liquido*) in un recipiente Ⓑ v. i. (*di persone*) tornare in gran numero; accalcarsi di nuovo in (*un luogo*).

■ **pour down** Ⓐ v. t. + avv. (o prep.) **1** versare, gettare (*liquidi*): *I poured the dirty water down the drain*, gettai l'acqua sporca nel lavandino **2** emettere (*suoni*) **3** diffondere (*luce, calore*); riversare (su): *The sun poured down its terrible heat on us*, il sole riversava il suo terribile calore su di noi Ⓑ v. i. + avv. **1** (*della pioggia*) cadere a dirotto **2** piovere a dirotto (o a catinelle) **3** (*di un ruscello, ecc.*) scendere (*dai monti*).

■ **pour in** (*into*) Ⓐ v. i. + avv. (prep.) **1** (*dell'acqua, del sole, ecc.*) entrare a fiotti (in) **2** (*di persone e fig.*) riversarsi; affollarsi; affluire; arrivare in gran numero: *The crowd poured into the concert hall*, la folla si riversò nella sala dei concerti; *Telegrams are pouring in*, arriva un gran numero di telegrammi Ⓑ v. t. + avv. (prep.) **1** versare, mettere, aggiungere (*liquidi o semiliquidi*) **2** (*fam.*) riversare, immettere (*denaro, capitali, ecc.*): *We poured fresh money into the new undertaking*, immettemmo denaro fresco nella nuova impresa.

■ **pour off** Ⓐ v. t. + avv. gettare (o buttare) via (*un liquido, ecc.*); eliminare (*unto, ecc.*) Ⓑ v. i. + prep. sgocciolare, scivolare via da: *Water pours off the swan's feathers*, l'acqua scivola via dalle penne del cigno.

■ **pour out** Ⓐ v. i. + avv. **1** (*di un liquido*) sgorgare; (*del fumo, ecc.*) uscire a fiotti **2** (*della luce*) uscire; emanare; provenire **3** (*di persone*) uscire in massa; riversarsi fuori: *The audience poured out of the theatre*, il pubblico si accalcò all'uscita del teatro Ⓑ v. t. + avv. **1** versare (*tè, caffè, ecc.*) **2** riversare; dire per esteso; narrare profusamente; dilungarsi in: **to p. out one's troubles**, di-

lungarsi nel racconto dei propri guai □ (*lett.*) **to p. out gifts**, largire doni □ **to p. out money**, gettare soldi a piene mani.

■ **pour over** v. i. + prep. **1** (*di un liquido*) traboccare; (*di un fiume*) tracimare, straripare: *The flooded river poured over its banks*, il fiume in piena straripò **2** (*fig.*) scorrere su, fluire su; trascorrere (*lett.*): *Traffic poured over the new motorway*, il traffico scorreva sulla nuova autostrada **3** riversarsi su.

■ **pour through** ◆ v. i. + avv. (o prep.) **1** (*della pioggia, ecc.*) entrare (*dal tetto, ecc.*) **2** (*della luce*) entrare a fiotti: *Sunshine poured through the windows*, il sole entrava a fiotti dalle finestre **3** (*di persone*) riversarsi: *Crowds of soccer fans poured through the gates*, una folla di tifosi si riversò nello stadio dai cancelli ◆ v. t. + avv. (o prep.) versare (*un liquido*) attraverso; filtrare (*un liquido*).

pourer /'pɔːrə(r)/ n. **1** chi versa **2** beccuccio, linguetta (*di scatole, ecc.*).

pouring /'pɔːrɪŋ/ ◆ a. **1** che scorre; che fluisce: **loud-p. torrents**, torrenti che scorrono rumorosi **2** di pioggia insistente: **a p. wet day**, una giornata di pioggia insistente **3** (*di pioggia*) torrenziale ◆ n. ◆ **1** il versare (*tè, caffè, ecc.*); versamento **2** (*metall.*) colata.

pourparler /puə'pɑːleɪ, USA -'leɪ/ (*franc.*) n. (di solito al pl.) pourparler; discussione preliminare; abboccamento; trattativa.

pourpoint /'puːəpɔɪnt/ n. (*stor.*) trapunta; farsetto imbottito.

pout① /paʊt/ n. broncio.

pout② /paʊt/ n. (pl. *pouts*, *pout*) (*zool.*, nei composti:) **eel-p.**, (*Zoarces viviparus*) blennio viviparo; (*Zoarces anguillaris*) blennio anguillare; **whiting p.** (*Gadus luscus*), gado barbato; **horn-p.** (*Ameiurus nebulosus*), pesce gatto.

to pout /paʊt/ ◆ v. i. sporgere le labbra; fare (o mettere) il broncio; imbronciarsi; fare il muso (lungo) ◆ v. t. **1** sporgere (*le labbra*) **2** atteggiare (*la bocca*) al broncio.

pouter /'paʊtə(r)/ n. **1** chi fa il broncio; musone (*fam.*) **2** (*zool.*, = **p. pigeon**) piccione dal gozzo.

pouting /'paʊtɪŋ/ a. imbronciato || **poutingly** avv. col broncio; di malumore.

◆ **poverty** /'pɒvətɪ/ n. ◆ **1** povertà; indigenza; miseria **2** (*fig.*) povertà; scarsezza; scarsità: **p. of ideas**, povertà di idee □ (*econ.*) **p. line**, soglia di povertà □ **p.-stricken immigrants**, immigrati poverissimi □ (*econ.*, *sociol.*) **the p. trap**, la trappola della povertà.

POW /piːəʊ'dʌbljuː/ n. (acronimo *fam. di* **prisoner of war**) prigioniero di guerra ● **POW camp**, campo di prigionia.

powder /'paʊdə(r)/ n. **1** ◆ polvere (*materia ridotta in polvere*): **tooth p.**, polvere dentifricia **2** (*farm.*) polvere medicinale; polverina: **a digestive p.**, una polverina per digerire **3** ◆ (= **gunpowder**) polvere da sparo **4** (= **talcum p.**) talco **5** (= **face p.**) cipria **6** ◆ (*sci*) neve farinosa **7** ◆ (*slang*) cocaina; eroina **8** ◆ (= **washing p.**) detersivo in polvere ● **p. base**, sottocipria; fondotinta □ **p.-box**, scatola da cipria; (*ind. min.*) cassa degli esplosivi □ (*mil.*, *stor.*) **p. charge**, cartoccio; carica di lancio (*d'un cannone*) □ **p. factory**, polverificio □ (*stor.*) **p. horn** (o **p. flask**), corno (o fiaschetta) della polvere (*da sparo*) □ (*stor.*) **p.-house**, polveriera □ **p. keg**, (*stor.*) barilotto di polvere da sparo; (*fig.*) polveriera □ **p. magazine**, (*mil.*) polveriera; (*naut.*) santabarbara □ (*metall.*) **p. metal**, metallo in polvere; polvere di metallo □ **p. metallurgy**, ceramica delle polveri; metallo ceramica □ **p. mill**, polverificio □ (*stor.*, *naut.*) **p.-monkey**, mozzo addetto alle munizioni □ **p. puff**, piumino della cipria □ **p. room**, gabinetto per signore (*spec. in un locale pubblico*) □

(*stor.*) **to have one's p. wet**, avere le polveri bagnate □ **to keep one's p. dry**, (*stor.*) tener asciutte le polveri; (*fig.*) essere pronto a ogni emergenza □ (*slang USA*) **to take a p.** (o **a round p.**), tagliare la corda (*fig.*); svignarsela.

to powder /'paʊdə(r)/ ◆ v. t. **1** versare polvere su; spolverizzare **2** incipriare; dare il talco a (*un bambino, ecc.*) **3** ridurre in polvere; polverizzare ◆ v. i. **1** polverizzarsi **2** incipriarsi ● (*di donna*) **to p. one's nose**, incipriarsi; (*eufem.*) andare in bagno □ **powdered coffee**, caffè macinato □ **powdered milk**, latte in polvere □ **powdered sugar**, zucchero a velo.

powdery /'paʊdərɪ/ a. **1** polverizzato; in polvere **2** friabile; polveroso; simile a polvere; (*fig.*) farinoso: **p. snow**, neve farinosa **3** (*del viso, del naso, ecc.*) incipriato **4** polverulento; coperto di polvere.

◆ **power** /'paʊə(r)/ n. **1** ◆ potere; (*fis.*, *mat.*, *polit.*) potenza; capacità; facoltà; forza; possibilità; potestà; vigore: (*fis.*) **heating p.**, potere calorifico; (*econ.*) **purchasing p.**, potere d'acquisto; **the p. of the law**, la forza della legge; **to have sb. in one's p.**, avere q. in proprio potere; **the powers of the Cabinet**, i poteri del Gabinetto (*in GB*); **the Great Powers**, le Grandi Potenze; **to the p. of four** (2^4) **is 16**, due alla quarta fa sedici; **the p. of hearing**, la facoltà dell'udito; (*leg.*) **the p. of adjudication**, il potere decisorio; (*leg.*) **p. of sale**, facoltà di vendita; (*polit.*) **to come into p.**, andare al potere; **a man of varied powers**, un uomo dalle molteplici capacità **2** ◆ (*mecc.*) forza motrice; potenza; energia: **water p.**, energia idrica (o idroelettrica) **3** ◆ (*elettr.*) corrente; energia elettrica; luce (*fam.*): *The p. went off during the storm*, durante il temporale se ne andò la corrente; *The p. has come back*, è tornata la luce **4** (*fig.*, = **p. in the land**) personaggio potente (o influente); (*un'*) autorità; (*una*) potenza **5** – (*fam.*) **a p. of**, un gran numero di; una quantità di; un mucchio di: **a p. of people**, una quantità di gente; **a p. of work**, un sacco di lavoro **6** (*sport*) potenza: *He simply doesn't possess the p.*, fatto si è che non ha la potenza ● **the powers above**, le potenze soprannaturali; gli dèi; (*anche*) le autorità □ (*elettr.*) **p. amplifier**, amplificatore di potenza □ (*mecc.*) **p.-assisted**, servoassistito □ (*polit.*) **p. base**, base del potere (*elettorale, economico*) □ (*mecc.*) **p. brake**, freno servoassistito; servofreno □ (*polit.*, *USA*) **p. broker**, chi controlla un gran numero di voti □ (*ferr.*, *USA*) **p. car**, automotrice; (*anche*) elettromotrice □ (*elettr.*) **p. cut**, interruzione della corrente (*spec. volontaria*): *It must be a p. cut, because all the street lamps are down too*, dev'essere andata via la corrente perché anche tutti i lampioni in strada si sono spenti □ (*aeron.*) **p.-dive**, picchiata col motore acceso □ (*mecc.*) **p. drill**, trapano a motore □ (*mecc.*) **p.-drive**, trazione (o trasmissione) meccanica o elettrica □ (*mecc.*) **p.-driven**, a motore; motorizzato □ (*elettr.*) **p. failure**, interruzione della corrente (*per guasto*) □ (*mecc.*) **p. feed**, avanzamento automatico (*di una macchina, ecc.*) □ (*aeron.*) **p. glider**, motoaliante □ (*mecc.*) **p. lathe**, tornio meccanico □ **p. line**, linea elettrica (*dell'alta tensione*) □ **p.-loom**, telaio meccanico □ **p.-mill**, mulino a vapore (o a energia elettrica) □ **p. mower**, tosaerba a motore □ (*leg.*) **p. of attorney**, procura; atto di procura □ **the p. of a lens**, la capacità d'ingrandimento d'una lente □ (*autom.*, *mecc.*) **p. output**, potenza erogata □ (*elettr.*) **p. pack**, gruppo di alimentazione; alimentatore; (*comput.*) batteria □ **p. plant**, gruppo elettrogeno; (*USA*) = **p. station** = *sotto* □ **p. play**, (*fig.*) gioco di potere; manovra strategica; (*sport*: *football americano*) offensiva

che coinvolge molti giocatori in un punto specifico; (*sport*: *hockey su ghiaccio*) azione in superiorità numerica (*durante l'espulsione temporanea di un giocatore*) □ (*elettr.*) **p. point**, presa di corrente; (*edil.*) punto luce □ **p. politics**, la politica della forza; la politica del pugno di ferro □ (*mus.*) **p. pop**, power pop (*rock melodico ma aggressivo*) □ **p. saw**, sega a motore; motosega; sega elettrica □ **p. sharing**, spartizione dei poteri □ **p. shovel**, escavatore meccanico a cucchiaia □ **p. station**, centrale elettrica □ (*mecc.*) **p.(-assisted) steering**, servosterzo □ (*elettr.*) **p. strip**, presa multipla; ciabatta (*per più spine elettriche*) □ (*polit.*) **p. structure**, struttura (o impalcatura) del potere □ (*elettr.*, *comput.*) **p. supply**, alimentazione (*di energia elettrica*) □ **p. supply unit**, gruppo di alimentazione; alimentatore □ (*mecc.*) **p. takeoff**, presa di potenza □ (*scherz.*) **the powers that be**, le autorità costituite □ (*elettr.*) **p. tool**, attrezzo (*trapano, ecc.*) elettrico □ (*mecc.*) **p. train**, organi di trasmissione (*di veicoli*); catena cinematica □ (*elettr.*) **p. transmission line**, linea di trasporto di energia elettrica □ (*slang USA*) **p. trip**, delirio di onnipotenza □ (*comput.*) **p. user**, utente esperto □ **p. worker**, operaio dell'elettricità; elettrico (*fam.*) □ (*polit.*) **to come back** (o **to return**) **to p.**, tornare al potere □ (*polit.*) **to be in p.**, essere al potere □ **to tax one's powers to the utmost**, chiedere il massimo a sé stessi □ (*fam.*) **More p. to him!**, buon per lui! □ (*fam.*) **More p. to your elbow!**, che tu possa farcela!; la fortuna ti assista! □ **I will do all in my p.**, farò tutto il possibile.

to power /'paʊə(r)/ ◆ v. t. **1** fornire di motore; motorizzare **2** fornire di energia elettrica; alimentare **3** (*sport*) imprimere forza a (*un tiro*); caricare: (*boxe*) **to p. one's blows**, caricare i colpi ◆ v. i. **1** lavorare sodo; darci sotto, darci dentro (*fam.*) **2** (*naut.*) navigare a motore.

■ **power down** v. i. + prep. (*autom.*, *ecc.*) saettare, sfrecciare in (o lungo): *The leading motorbikes are powering down the home straight*, le moto del gruppo di testa sfrecciano sulla dirittura di arrivo.

powerboat /ˈ/ n. (*naut.*) motoscafo || **powerboating** n. ◆ (*sport*) motonautica (*agonistica*).

to power-dive /'paʊədaɪv/ ◆ v. i. (*di un aereo*) scendere in picchiata con il motore acceso ◆ v. t. mettere (*un aereo*) in picchiata con il motore acceso.

powered /'paʊəd/ a. **1** azionato da motore; motorizzato; a motore: **a p. saw**, una sega a motore **2** (*nei composti, per es. in:*) **a high-p. engine**, un motore di grande potenza; **electrically-p.**, a elettricità; a trazione elettrica; elettrico; **oil-p. central heating**, riscaldamento centrale a nafta (o a gasolio).

◆ **powerful** /'paʊəfl/ ◆ a. **1** potente; poderoso; energico; forte; possente; vigoroso: **a p. ally**, un potente alleato; **a p. grip**, una stretta energica; **a p. physique**, un fisico forte; **a p. speech**, un discorso vigoroso **2** (*di odore*) forte; penetrante; pungente **3** (*di luce*) forte; accecante; potente **4** autorevole; importante; incisivo **5** (*fam.*) formidabile; straordinario; forte (*fam.*) ◆ B avv. (*slang USA*) straordinariamente; molto: *He ran p. fast*, scappò come un fulmine ● **p. build**, corporatura possente (*di un atleta, ecc.*) □ (*sport*) **to have a p. shot**, avere una grande potenza di tiro □ **-ly** avv. □ **-ness** n. ◆

powerhouse /'paʊəhaʊs/ n. **1** centrale elettrica **2** (*fig.*) potenza; persona o gruppo molto potente **3** (*fig.*) individuo assai forte; uomo forzuto **4** (*fig.*) fabbrica: *This place is a real p. of ideas*, questo posto è una vera fucina di idee **5** mano molto buona (*nei giochi di carte*).

powerless /'paʊələs/ a. **1** senza potere

2 debole; fiacco; incapace; impotente | **-ly avv.** | **-ness n.** Ⓤ.

power-walking /'pauəwɔ:kɪŋ/ n. Ⓤ camminata a passo energico (*come esercizio fisico*).

powwow /'pauwau/ n. **1** cerimonia con riti magici (*dei pellirosse*) **2** riunione (*fra indiani dell'America del nord*); consiglio tribale **3** stregone (*di pellerossa*) **4** Ⓤ arti magiche dello stregone **5** (*fam.*) riunione, discussione, conciliabolo (*in genere*; *spec. polit.*).

to **powwow** /'pauwau/ Ⓐ v. i. **1** (*degli indiani d'America*) tenere una cerimonia sacra (*o un consiglio tribale*) **2** (*fam.*) tenere una riunione (*o un conciliabolo*); conferire; discutere Ⓑ v. t. curare con arti magiche.

pox /pɒks/ n. (*med.*) **1** malattia esantematica **2** (*fam. antiq.*) sifilide; malattia venerea **3** (*arc.*) vaiolo ● (*arc.*) **A pox on you!**, va al diavolo (*o* in malora)!

poxy /'pɒksɪ/ a. (*volg. ingl.*) che non vale niente; schifoso; del cazzo (*volg.*).

pozzolana /pɒtsəʊ'lɑːnə/ (*ital.*) n. Ⓤ (*miner.*) pozzolana.

P2P sigla (*comput.*) → **peer-to-peer**.

p.p. sigla **1** (**parcel post**) pacco postale (p.p.) **2** (*lat.*: *per procurationem*) (**by proxy**) per procura (p.p.) **3** (*comm.*, **postage paid**) porto pagato; franco posta.

ppd abbr. **1** (*comm.*, **postage paid**) porto pagato; franco posta **2** (**prepaid**) prepagato.

ppm sigla (*chim.*, **parts per million**) parti per milione.

PPP sigla **1** (*econ.*, **purchasing power parity**) parità dei poteri d'acquisto **2** (*comput.*, **point to point protocol**) PPP (*protocollo di comunicazione di basso livello tra due calcolatori*).

PPPoE sigla (*comput.*, **point to point protocol over Ethernet**) PPPoE (*versione di →* **PPP** *tra dispositivi connessi in rete locale di tipo Ethernet*).

PPV sigla (*TV*, **pay-per-view**) «pay per view».

PQ sigla (*Canada*, **Province of Quebec**) Provincia del Quebec.

PR abbr. **1** (*polit.*, **proportional representation**) sistema proporzionale **2** (**public relations**) relazioni pubbliche **3** (*anche* P.R.) (**Puerto Rico**) Portorico.

Pr. abbr. **1** (**priest**) prete **2** (**prince**) principe.

pr. abbr. **1** (**pair**) paio **2** (**price**) prezzo **3** (*di un libro*, **printing**) ristampa.

practicability /ˌpræktɪkə'bɪlətɪ/ n. Ⓤ **1** praticabilità; l'essere fattibile **2** praticità; utilità **3** transitabilità (*di una strada*).

practicable /'præktɪkəbl/ a. **1** praticabile; fattibile; effettuabile; eseguibile: **a p. plan**, un progetto effettuabile **2** (*di strada*) transitabile **3** pratico; funzionale: **a p. tool**, un arnese pratico ● **a p. weapon**, un'arma che funziona | **-bly avv.** | **-ness n.** Ⓤ.

◆**practical** /'præktɪkl/ Ⓐ a. **1** pratico; concreto; positivo: **a p. man**, un uomo pratico; **p. matters** [**questions**], faccende [questioni] pratiche; **p. knowledge**, conoscenza pratica; **a p. mind**, una mente positiva **2** funzionale; pratico: **a p. dress**, un vestito pratico **3** esperto; perito; pratico: **a p. farmer**, un esperto agricoltore **4** effettivo; reale; vero e proprio: *He has p. control of the business*, egli detiene il controllo effettivo (*o* di fatto) dell'azienda **5** praticabile; fattibile; effettuabile Ⓑ n. prova (*o* lezione) pratica ● (*fam.*) joke, scherzo di mano; beffa; burla; tiro birbone (*o* mancino) □ **p. joker**, beffatore; burlone, burlona □ (*USA*) **p. nurse**, infermiera non diplomata □ **p. science**, scienza applicata □ **for all p. purposes**, a tutti gli effetti; in realtà; di fatto.

practicality /ˌpræktɪ'kælətɪ/ n. **1** Ⓤ praticità; concretezza; senso pratico **2** Ⓤ praticabilità; fattibilità **3** (*generalm. al pl.*) aspetto pratico; aspetto concreto; problema pratico.

practically /'præktɪklɪ/ avv. **1** praticamente **2** effettivamente; in realtà; di fatto: *He is p. the boss*, di fatto il padrone è lui **3** quasi; pressoché: *He is p. blind*, è quasi cieco; **p. nothing**, nulla o quasi.

practicalness /'præktɪklnəs/ n. Ⓤ→ **practicality**.

◆**practice** /'præktɪs/ n. **1** Ⓤ pratica: *Theory is useless without p.*, la teoria è inutile senza la pratica; **in p.**, in pratica; **to put into p.**, mettere in pratica **2** Ⓤ⒞ pratica; abitudine; consuetudine; uso; procedura; prassi: **the p. of getting up early**, l'abitudine d'alzarsi presto; **common p.**, uso corrente; **good p.**, buona prassi; **the usual p.**, la procedura corrente; *Roman Catholic practices*, pratiche religiose cattoliche; riti cattolici; **to make a p. of doing st.**, prendere l'abitudine di fare qc. **3** Ⓤ esercizio; esercitazione; allenamento: (*sport*) **ball p.**, allenamento col pallone; (*mil.*) **gun p.**, esercitazione ai pezzi; **piano p.**, esercizi al piano; *You need more p.*, hai bisogno di più esercizio; **to keep in p.**, tenersi in esercizio; **to be out of p.**, essere fuori esercizio **4** periodo di esercizio, di esercitazione: **daily practices**, esercitazioni quotidiane **5** Ⓤ (*di dottore, avvocato*) esercizio della professione; pratica: **the p. of law**, l'esercizio della professione forense; *We are in p. together*, siamo soci; *Dr Jones has retired from p.*, il dottor Jones non esercita più **6** (*di dottore*) gabinetto, studio, ambulatorio; (*di avvocato*) studio; (*per estens.*) clientela: **a dental p.**, un gabinetto dentistico; **a legal p.**, uno studio legale; *Dr Brown has a large p.*, il dottor Brown ha una vasta clientela; *Where is his p.?*, dove esercita?; dov'è il suo studio (ambulatorio, ecc.)? **7** Ⓤ (*leg.*) procedura **8** (*mat.*) metodo delle quote ● (*golf*) **p. green**, campo per fare pratica □ (*prov.*) **P. makes perfect**, è tutta questione di esercizio.

❶ NOTA: *practice o practise?*
Nell'inglese britannico *practice* è un sostantivo: *Practice makes perfect*, l'esercizio rende perfetti; *a medical practice*, studio medico; *the difference between what happens in theory and what actually happens in practice*, la differenza tra ciò che accade in teoria e in pratica. Il verbo è *to practise*: *to keep on practising the piano*, continuare a suonare il piano; *to practise medicine*, praticare la professione medica; *practising Christians*, cristiani praticanti. In inglese americano invece, sia verbo che sostantivo si scrivono *practice*.

to **practice** /'præktɪs/ (*USA*) → **to practise**.

practician /præk'tɪʃn/ n. **1** pratico **2** → **practitioner**.

◆to **practise** /'præktɪs/ Ⓐ v. t. **1** esercitare; praticare: **to p. medicine**, esercitare la medicina; **to p. law**, esercitare l'avvocatura; **to p. several sports**, praticare diversi sport **2** mettere in pratica; seguire: **to p. the same method**, seguire lo stesso metodo; **to p. economy**, fare economia; risparmiare; **to p. what one preaches**, mettere in pratica quello che si predica **3** professare, praticare (*una religione, ecc.*) **4** esercitarsi a; allenarsi a (*o* in): **to p. the piano**, esercitarsi al piano; (*calcio*) **to p. penalties**, esercitarsi nei calci di rigore Ⓑ v. i. **1** far pratica; esercitarsi; fare esercizio; allenarsi: **to p. for an hour every morning**, far esercizio per un'ora tutte le mattine; **to p. on the piano**, fare esercizi di pianoforte **2** esercitare la professione; esercitare: **to p. as a doctor**, esercitare la professione di medico; *I've stopped practising*, non esercito più.

■ **practise upon** v. i. + prep. (*arc.*) abbindolare; raggirare.

practised /'præktɪst/ a. **1** esperto; perito; pratico; provetto **2** appreso con la pratica; perfetto **3** (*sport*) ben allenato; abile; bravo.

practiser /'præktɪsə(r)/ n. praticante; chi mette in pratica (qc.).

practising /'præktɪsɪŋ/ a. **1** che esercita una professione; praticante: **a p. barrister**, un avvocato che esercita la professione **2** (*relig.*) praticante ● (*leg.*, *in GB*) **p. certificate**, certificato di abilitazione professionale di un → «solicitor» (*def. 1*).

◆**practitioner** /præk'tɪʃənə(r)/ n. **1** professionista **2** (= **general p.**) medico generico **3** (*spreg.*) praticante: **a p. of magic**, chi pratica la magia.

praedial /'priːdɪəl/ → **predial**.

praefect /'priːfɛkt/ → **prefect**.

praetor /'priːtə(r)/ (*stor. romana*) n. pretore || **praetorial** a. pretorio; pretoriale || **praetorship** n. Ⓤ⒞ carica (*o* dignità, ufficio) di pretore.

praetorian /priː'tɔːrɪən/ a. e n. (*stor. romana*) pretoriano ● **the p. guard**, i pretoriani.

pragmatic /præg'mætɪk/, **pragmatical** /præg'mætɪkl/ a. **1** pragmatico; pratico; concreto; positivo **2** (*filos.*) pragmatico **3** (*arc.*) dogmatico; intransigente; presuntuoso **4** (*arc.*) inframmettente; invadente **5** (*stor.*) **the P. Sanction**, la Prammatica sanzione || **pragmatically** avv. in modo pragmatico; pragmaticamente; concretamente.

pragmatics /præg'mætɪks/ n. pl. (col verbo al sing.) (*filos.*, *ling.*) pragmatica.

pragmatism /'prægmətɪzəm/ n. Ⓤ **1** pragmatismo; praticità; realismo **2** (*filos.*) pragmatismo **3** (*arc.*) dogmatismo; pedanteria || **pragmatist** n. **1** persona pragmatica, pratica, concreta, realistica **2** (*filos.*) pragmatista || **pragmatistic** a. (*filos.*) pragmatistico.

to **pragmatize** /'prægmətaɪz/ Ⓐ v. t. dare colore di realtà a (qc.); materializzare; razionalizzare (*un mito*) Ⓑ v. i. agire (*o* esprimersi) in modo pragmatico.

Prague /prɑːg/ n. (*geogr.*) Praga.

prairie /'preərɪ/ n. Ⓤ⒞ prateria ● (*zool.*) **p. chicken** (*o* **p. hen**) (*Tympanuchus cupido*), tetraone delle praterie □ (*zool.*) **p. dog** (*Cynomys ludovicianus*), cinomio; cane delle praterie □ (*USA*) **p.-dogging**, improvviso spuntare di teste sopra le pareti divisorie di un ufficio □ (*cucina*) **p. oyster**, uovo all'ostrica □ (*stor. USA*) **p. schooner**, carro coperto, usato dai pionieri nelle migrazioni verso l'Ovest □ (*zool.*) **p. wolf** (*Canis latrans*), coyote.

◆**praise** /preɪz/ n. Ⓤ **1** lode; elogio; approvazione; encomio: **to win high p.**, ricevere grandi elogi **2** (*relig.*) gloria: **to give p. to God**, rendere gloria a Dio ● **beyond p.**, superiore a ogni elogio □ **to be loud in one's p.**, approvare a gran voce □ **to sing sb.'s praises**, celebrare le lodi di q. □ **to sing one's own praises**, battersi la grancassa (*fig.*) □ (*fam.*) **P. be!**, Dio sia lodato! ● **P. be to God!**, lode al Signore!

to **praise** /preɪz/ v. t. **1** lodare; elogiare; encomiare; decantare **2** (*relig.*) glorificare; esaltare ● **to p. oneself**, lodarsi; incensarsi □ **to p. sb. to the skies**, portare q. alle stelle.

praiseful /'preɪzfl/ a. pieno d'elogi; laudativo (*lett.*).

praiseworthy /'preɪzwɜːðɪ/ a. lodevole; lodabile; encomiabile | **-ily avv.** | **-iness n.** Ⓤ.

praline /'prɑːliːn/ n. pralina.

pram ① /præm/ n. (*naut.*) prama; barchino (*di servizio*).

◆**pram** ② /præm/ n. (abbr. *fam.* di **perambulator**, *GB*) carrozzina (*per bambini, con tettuc-*

cio).

prance /prɑːns/, **prancing** /'prɑːnsɪŋ/ n. 1 (*del cavallo*) rallegrata 2 (*fig.*) andatura baldanzosa (*o* impettita).

to **prance** /prɑːns/ **A** v. i. 1 (*del cavallo*) fare la rallegrata 2 (*fig.*, *anche* **to p. about**) camminare impettito; pavoneggiarsi 3 (*fam.*: *di bambino*) saltellare; far capriole; ruzzare **B** v. t. far fare la rallegrata a (*un cavallo*) ● **to p. up to sb.**, rivolgersi a q. con aria baldanzosa.

prancing /'prɑːnsɪŋ/ a. 1 (*del cavallo*) che fa la rallegrata; rampante 2 (*fig.*) baldanzoso; impettito.

prandial /'prændɪəl/ a. (*form. o scherz.*) di pranzo; del pranzo.

prang /præŋ/ n. (*slang ingl.*) 1 (*mil.*, *antiq.*) bombardamento pesante (*di aerei*) 2 scontro (*di veicoli*); incidente; botta; ammaccatura 3 caduta di un aereo; (*anche*) atterraggio di fortuna.

to **prang** /præŋ/ v. t. (*slang ingl.*) 1 (*mil.*, *antiq.*) bombardare efficacemente; colpire in pieno, centrare (*un bersaglio*) 2 fracassare (*un aereo*) 3 dare una botta a, ammaccare (*un'automobile*) ● (*slang*) **to p. up**, rovinare, incasinare; mettere (*una donna*) incinta.

prank /præŋk/ n. 1 birichinata; marachella; monelleria; beffa; burla; scherzo: **to play a p. on sb.**, fare uno scherzo a q. 2 mossa vivace; saltello; sgambetto (*spec. d'un animale*) 3 (*raro, di un motore*) capriccio.

to **prank** /præŋk/ **A** v. t. (*spesso* **to p. out**) adornare; agghindare; vestire (q.) vistosamente **B** v. i. adornarsi; agghindarsi; vestirsi in modo appariscente; farsi bello ● **to p. oneself up**, adornarsi; agghindarsi; vestirsi in modo appariscente; farsi bello.

prankish /'præŋkɪʃ/ a. birichino; burlone; sbarazzino || **prankishness** n. ⓤ birichineria; vivacità eccessiva.

prankster /'præŋkstə(r)/ n. (*fam.*) birichino; burlone; mattacchione.

prase /preɪz/ n. ⓤ (*miner.*) prasio (*varietà di quarzo*).

praseodymium /ˌpreɪzɪə'dɪmɪəm/ n. ⓤ (*chim.*) praseodimio.

prat /præt/ n. 1 (*slang spreg.*) buono a nulla; stupido; tonto; tontolone (*pop.*) 2 (*slang USA*) culo; sedere ● **p. boy**, chi fa servizi umili; tirapiedi □ (*USA*) **p. digger**, borsaiolo □ (*USA*) **p. digging**, borseggio.

prate /preɪt/ n. ⓤ chiacchiere; ciance; ciarle; cicaleccio.

to **prate** /preɪt/ v. i. chiacchierare; ciarlare; cicalare; parlare a vanvera **B** v. t. blaterare || **prater** n. chiacchierone, chiacchierona.

pratfall /'prætfɔːl/ n. (*slang USA*) 1 (il) battere il culo in terra; culata (*pop.*) 2 (*fig.*) batosta; scacco; sconfitta ● (*slang*) **to do a p.**, battere il culo in terra (*anche fig.*).

pratincole /'prætɪŋkəʊl/ n. (*zool.*, *Glareola pratincola*) pernice di mare.

pratique /'prætiːk/ n. ⓤ (*naut.*) libera pratica; pratica.

prattle /'prætl/ n. ⓤ 1 chiacchiere; ciance; ciarle 2 (*di bambino*) balbettio; ciangottio.

to **prattle** /'prætl/ **A** v. i. 1 chiacchierare; cianciare; parlare a vanvera 2 (*di bambino*) ciangottare **B** v. t. 1 blaterare 2 balbettare; ciangottare (*parole infantili*) || **prattler** n. 1 chiacchierone, chiacchierona 2 bambino che ciangotta.

prawn /prɔːn/ n. (*zool.*) gamberone; scampo ● (*cucina*) **p. cocktail**, cocktail di scampi □ (*cucina*) **p. salad**, insalata di scampi.

to **prawn** /prɔːn/ v. i. andare a pesca di scampi || **prawning** n. ⓤ pesca degli scampi.

praxis /'præksɪs/ n. (pl. **praxes**) 1 ⓤ prassi; procedura corrente 2 ⓤ pratica (*opposta a teoria*) 3 (*gramm.*) raccolta di esempi; eserciziario.

pray /preɪ/ avv. e inter. (*arc. o lett.*) di grazia; per favore; deh!: *P. tell me!*, per favore, dimmelo!; *P. be seated!*, di grazia, sedetevi!

◆to **pray** /preɪ/ v. t. e i. 1 pregare: **to p. God**, pregare Iddio; *We prayed to God for the wounded man*, pregammo Dio per il ferito; *'Pray for the repose of the soul of. Does anybody really?'* J. JOYCE, 'pregate per il riposo dell'anima di. C'è qualcuno che lo fa davvero?' 2 (*form. o arc.*) impetrare; implorare; supplicare: **to p. to God for help**, implorare (*o* impetrare) l'aiuto divino ● **to p. for permission**, chiedere il permesso □ **to p. on behalf of sb.**, pregare per q.; intercedere per q.

◆**prayer** /'preə(r)/ n. 1 preghiera; orazione; prece (*lett.*): **to say one's prayers**, dire le preghiere; *My p. was answered*, la mia preghiera fu esaudita 2 raccomandazione: **medical prayers**, raccomandazioni del medico 3 (*leg.*) domanda giudiziale (*leg.*); istanza; supplica ● **p. beads**, i grani del rosario □ **the p. book**, il libro delle preghiere □ **the P. Book** (*o* **the Book of Common P.**), il Libro delle Preghiere ❶ CULTURA ● = **Book of Common Prayer** → **book** □ **p. carpet** (*o* **rug**), tappeto di preghiera (*usato dai musulmani*) □ **p. meeting**, incontro di preghiera □ **p. wheel**, mulino di preghiera, cilindro da preghiere (*usato dai buddisti*).

prayerful /'preəfl/ a. devoto; fervente; pio; religioso | **-ness** n. ⓤ.

prayerless /'preələs/ a. che non prega; senza preghiere | **-ness** n. ⓤ.

praying /'preɪɪŋ/ **A** a. che prega; in preghiera; pregante, orante (*lett.*) **B** n. ⓤ (il) pregare; (le) preghiere ● (*zool.*) **p. mantis** (*Mantis religiosa*), mantide religiosa.

preach /priːtʃ/ n. (*fam.*) predica; sermone.

to **preach** /priːtʃ/ v. t. e i. predicare (*anche fig.*); proclamare; sostenere; esaltare: **to p. the Gospel**, predicare il Vangelo; *Practise what you p.*, predica con l'esempio!; metti in pratica quel che predichi! ● **to p. at sb.**, fare la predica a q.; ammonire q. □ **to p. down**, screditare □ (*relig.*) **to p. a sermon**, fare una predica □ (*fig.*) **to p. to the converted**, sfondare una porta aperta.

preacher /'priːtʃə(r)/ n. 1 predicatore, predicatrice 2 (*relig.*) pastore.

to **preachify** /'priːtʃɪfaɪ/ v. i. predicare; moraleggiare; sermoneggiare; fare predicozzi.

preaching /'priːtʃɪŋ/ **A** n. ⓤ 1 predicazione 2 predica; sermone **B** a. che predica.

preachment /'priːtʃmənt/ n. (*di solito spreg.*) predica noiosa; predicozzo; sermone (*fig.*).

preachy /'priːtʃɪ/ (*fam.*) a. 1 incline a far prediche; moraleggiante; sermoneggiante 2 che sa di predica; predicatorio || **preachiness** n. ⓤ inclinazione alle prediche; tendenza moraleggiante.

pre-adamite /priː'ædəmaɪt/ n. e a. preadamita || **pre-adamic** a. preadamitico.

preadaptation /ˌpriːædæp'teɪʃn/ n. ⓤ (*biol.*) preadattamento.

preadolescent /ˌpriːædə'lesənt/ a. e n. preadolescente || **preadolescence** n. ⓤ preadolescenza.

pre-agonal /priː'ægənəl/ a. (*med.*) preagonico.

preamble /priː'æmbl/ n. preambolo; prefazione; proemio; premessa.

preamp /'priːæmp/ abbr. di **preamplifier**.

preamplifier /'priːæmplɪfaɪə(r)/ n. (*elettron.*) preamplificatore.

preanaesthetic, (*USA*) **preanesthetic** /ˌpriːænəs'θetɪk/ a. e n. (*med.*) preanestetico.

to **preannounce** /ˌpriːə'naʊns/ v. t. preannunciare || **preannouncement** n. preannuncio.

to **prearrange** /ˌpriːə'reɪndʒ/ v. t. sistemare in precedenza; predisporre || **prearranged** a. prefissato; predisposto || **prearrangement** n. ⓤ predisposizione; sistemazione preventiva.

pre-atomic /ˌpriːə'tɒmɪk/ a. preatomico.

prebend /'prebənd/ n. (*relig.*) 1 prebenda 2 (*raro*) prebendario.

prebendal /prɪ'bendl/ a. 1 di prebenda 2 di prebendario.

prebendary /'prebəndrɪ/ n. (*relig.*) prebendario.

prebiotic /ˌpriːbaɪ'ɒtɪk/ a. (*biol.*) prebiotico.

prec. abbr. (**preceding**) precedente.

Precambrian, **Pre-Cambrian** /ˌpriː'kæmbrɪən/ a. e n. (*geol.*) precambrico; precambriano.

precancerous /priː'kænsərəs/ a. (*med.*) precanceroso.

precarious /prɪ'keərɪəs/ a. precario; aleatorio; incerto: (*fig.*) **p. tenure**, possesso precario ● **the p. life of a sailor**, la vita rischiosa del marinaio □ **p. loan**, credito dubbio | **-ly** avv. | **-ness** n. ⓤ.

precast /priː'kɑːst/ a. (*edil.*) prefabbricato: **p. terrazzo floor tiles**, mattonelle di palladiana prefabbricate ● (*ind. costr.*) **p. concrete**, componenti di calcestruzzo prefabbricati.

precaution /prɪ'kɔːʃn/ n. 1 precauzione 2 (pl.) misure precauzionali || **precautionary** a. precauzionale; preventivo; cautelativo.

◆to **precede** /prɪ'siːd/ v. t. e i. 1 precedere; venir prima di; aver la precedenza su; essere superiore a: *Such duties p. all others*, simili doveri vengono prima di ogni altro 2 far precedere; premettere: **to p. a ceremony with a speech of welcome**, far precedere una cerimonia da un discorso di benvenuto.

precedence /'presɪdəns/ n. ⓤ 1 precedenza; priorità 2 diritto di precedenza ● **to be seated according to p.**, occupare posti a sedere in stretto ordine di precedenza □ **to take p. over**, avere la precedenza su; (*fig.*) essere più importante di.

precedent /'presɪdənt/ n. ⓤⓖ (*spec. leg.*) precedente (*giurisprudenziale*): *It is without p.*, è una cosa senza precedenti; (*leg.*) **to set a p.**, creare (*o* stabilire) un precedente || **precedented** a. (*leg.*) che ha un precedente; che si basa su un precedente.

precedential /ˌpresɪ'denʃl/ a. (*leg.*) che costituisce un precedente.

preceding /prɪ'siːdɪŋ/ a. precedente.

to **precent** /prɪ'sent/ **A** v. i. (*relig.*) fare da primo cantore **B** v. t. intonare (*un salmo, ecc.*); guidare il coro nel canto di (*un salmo, ecc.*).

precentor /prɪ'sentə(r)/ n. (*relig.*) primo cantore; maestro del coro.

precept /'priːsept/ n. 1 precetto; massima; norma; regola 2 (*fin.*, *in GB*) ingiunzione di pagamento (*di un'imposta locale*) 3 (*leg.*) intimazione; ingiunzione; precetto ● (*prov.*) **Example is better than p.**, contano più gli esempi che le parole || **preceptive** a. 1 (*form.*) istruttivo; didattico 2 (*leg.*) precettivo.

preceptor /'priːseptə(r)/ n. precettore; istitutore || **preceptorial** a. 1 di precettore 2 (*di sistema d'istruzione*) che fa uso di precettori || **preceptorship** n. ⓤ ufficio di precettore.

preceptory /'priːseptrɪ/ n. (*stor.*) 1 comunità di Cavalieri Templari 2 beni di tale comunità.

preceptress /prɪ'septrɪs/ n. precettrice;

istitutrice.

precession /prɪ'sɛʃn/ (*astron.*, *fis.*) n. ⓤ precessione: **p. of the equinoxes**, precessione degli equinozi ‖ **precessional** a. della (*o derivante dalla*) precessione.

to **prechill** /priː'tʃɪl/ v. t. (*tecn.*, *ind.*) presurgelare.

pre-Christian /prɪ'krɪstʃən/ a. precristiano.

precinct /'priːsɪŋkt/ n. **1** recinto: **the sacred precincts**, i sacri recinti (*d'una chiesa*); il sagrato **2** (pl.) dintorni, vicinanze (*d'una città*) **3** (pl.) confini: limiti: **within the city precincts**, dentro i confini (le mura) della città **4** (*USA*) divisione amministrativa (*d'una città, a scopi di polizia*); distretto **5** (*USA*) posto di polizia **6** (*USA*) circoscrizione elettorale ● **pedestrian p.**, isola pedonale □ **shopping p.**, zona commerciale.

preciosity /prɛʃɪ'ɒsɪtɪ/ n. ⓤ preziosità; ricercatezza (*dello stile*); preziosismo.

precious /'prɛʃəs/ Ⓐ a. **1** (*anche iron.*) prezioso: **p. stones**, pietre preziose; **p. words**, parole preziose; *Here's your p. newspaper!*, eccoti il tuo prezioso giornale! **2** (*di stile, ecc.*) ricercato; affettato; prezioso **3** (*spreg.*) delicato; ultrasensibile; schizzinoso; suscettibile: *Why be so p. about such a little thing?*, perché risentirsi tanto per una simile sciocchezza? **4** (*fam. iron.*) completo; perfetto; bello: **a p. liar**, un perfetto bugiardo Ⓑ n. (*fam. antiq.*) tesoro; amato bene (*lett.*) Ⓒ avv. (*solo con* little *e* few) molto; assai: **p. little help**, assai poco aiuto; pochissimo aiuto; **p. few friends**, pochissimi amici; *There's p. little I can do*, io posso fare ben poco ● **p. coral**, corallo rosso □ **p. metal**, metallo prezioso | **-ly avv.**

preciousness /'prɛʃəsnəs/ n. ⓤ **1** preziosità; gran pregio **2** preziosismo; ricercatezza.

precipice /'prɛsɪpɪs/ n. precipizio; parete scoscesa; strapiombo.

precipitable /prɪ'sɪpɪtəbl/ (*chim.*) a. precipitabile ‖ **precipitability** n. ⓤ precipitabilità.

precipitance /prɪ'sɪpɪtəns/, **precipitancy** /prɪ'sɪpɪtənsɪ/ n. ⓤⒸ **1** precipitazione; fretta **2** azione avventata; avventatezza.

precipitant /prɪ'sɪpɪtənt/ n. (*chim.*) precipitante.

precipitate ① /prɪ'sɪpɪteɪt/ n. Ⓒⓤ (*chim.*) precipitato.

precipitate ② /prɪ'sɪpɪtət/ a. precipitoso; avventato: **a p. flight**, una fuga precipitosa ‖ **precipitately avv. 1** precipitosamente; avventatamente; a precipizio **2** a capofitto ‖ **precipitateness** n. ⓤ precipitazione; avventatezza.

to **precipitate** /prɪ'sɪpɪteɪt/ Ⓐ v. i. **1** precipitarsi **2** (*chim.*) precipitare Ⓑ v. t. **1** precipitare (*anche fig.*); far precipitare; far esplodere; accelerare; affrettare troppo: **to p. the country into war**, far precipitare il paese nella guerra; *The killing precipitated a political crisis*, l'assassinio fece esplodere una crisi politica **2** (*chim.*) precipitare ● **to p. the showdown**, andare alla resa dei conti troppo in fretta.

precipitation /prɪsɪpɪ'teɪʃn/ n. **1** ⓤ precipitazione; fretta; avventatezza **2** ⓤ (*chim. e meteor.*) precipitazione **3** (*chim.*) precipitato.

precipitative /prɪ'sɪpɪtətɪv/ a. (*chim.*) precipitativo.

precipitator /prɪ'sɪpɪteɪtə(r)/ n. (*chim.*) precipitatore.

precipitous /prɪ'sɪpɪtəs/ a. **1** erto; ripido; scosceso: **a p. mountain**, un monte scosceso **2** precipitoso; avventato | **-ly avv.** | **-ness** n. ⓤ.

précis /'preɪsiː/ (*franc.*) n. (inv. al pl.) com-

---

pendio; sunto; riassunto; sommario.

to **précis** /'preɪsiː/ (*franc.*) v. t. compendiare; riassumere.

● **precise** /prɪ'saɪs/ a. preciso; esatto; accurato; attento; meticoloso; puntiglioso; scrupoloso: **p. calculations**, calcoli esatti (*o precisi*); **p. figures**, cifre precise; **the p. amount**, l'esatto ammontare; **a more p. term**, un termine (*o un vocabolo*) più preciso; **a p. man**, un uomo attento, scrupoloso ● **at the p. moment that...**, proprio nel momento in cui... ‖ **preciseness** n. ⓤ precisione; esattezza; scrupolosità.

● **precisely** /prɪ'saɪslɪ/ avv. **1** precisamente; con precisione; con esattezza **2** proprio: *P. (so)!*, proprio così!; davvero!

precisian /prɪ'sɪʒn/ n. **1** formalista; pignolo **2** (*spec. stor.*) puritano; rigorista ‖ **precisianism** n. ⓤ **1** formalismo; pignoleria **2** (*spec. stor.*) puritanesimo; rigorismo.

precision /prɪ'sɪʒn/ n. ⓤ precisione; accuratezza; esattezza ● (*mil.*) **p. bombing**, bombardamento di precisione □ (*metall.*) **p. casting**, microfusione □ **p. engineering**, ingegneria di precisione □ **p. instruments**, strumenti di precisione □ (*comm.: di un prodotto*) **p.-made**, di precisione □ (*calcio, ecc.*) **p. pass**, passaggio di precisione.

precisionist /prɪ'sɪʒnɪst/ n. **1** chi ama la precisione **2** purista; rigorista **3** (*pitt.*) precisionista.

preclassical /priː'klæsɪkl/ a. (*letter.*) preclassico.

to **preclude** /prɪ'kluːd/ v. t. precludere; escludere; impedire; vietare: **to p. sb. from doing st.**, impedire a q. di fare qc. ● **to be precluded from doing st.**, non poter fare qc. ‖ **preclusion** n. ⓤ preclusione; esclusione; impedimento ‖ **preclusive** a. preclusivo; che è d'impedimento.

precocious /prɪ'kəʊʃəs/ a. **1** (*fig.*) precoce: **a p. child**, un bambino precoce **2** (*bot.: di pianta*) precoce; (*di frutto*) primaticcio ‖ **precociously** avv. precocemente ‖ **precociousness, precocity** n. ⓤ (*anche bot.*) precocità.

precognition /priːkɒg'nɪʃn/ n. ⓤ (*anche parapsicologia*) precognizione ‖ **precognitive** a. precognitivo.

pre-Columbian /priːkə'lʌmbɪən/ a. precolombiano.

precombustion /priːkəm'bʌstʃən/ n. ⓤ (*chim.*) precombustione ● (*mecc.*) **p. chamber**, camera di precombustione.

precompetitive /priːkəm'petɪtɪv/ a. (*comm., market.*) che riguarda lo sviluppo di un prodotto; precompetitivo: **p. stage**, fase di sviluppo.

to **preconceive** /priːkən'siːv/ v. t. concepire in anticipo; farsi anzitempo un'opinione di (*qc. o qc.*); avere preconcetti su.

preconceived /priːkən'siːvd/ a. preconcetto: **p. ideas** [**opinions**], idee [opinioni] preconcette; preconcetti; pregiudizi.

preconception /priːkən'sɛpʃn/ n. preconcetto; pregiudizio.

to **preconcert** /priːkən'sɜːt/ v. t. predisporre; prestabilire ‖ **preconcerted** a. predisposto; prestabilito.

precondition /priːkən'dɪʃn/ n. requisito indispensabile; presupposto inderogabile.

to **precondition** /priːkən'dɪʃn/ v. t. (*anche psic.*) predisporre; preparare.

to **preconfigure** /priːkən'fɪgə(r)/ v. t. (*comput.*) preconfigurare.

to **preconize** /'priːkənaɪz/ (*anche relig.*) v. t. preconizzare; annunciare pubblicamente; proclamare ‖ **preconization** n. ⓤⒸ preconizzazione.

preconscious /priː'kɒnʃəs/ a. e n. (*psic.*) preconscio.

preconsonantal /priːkɒnsən'æntəl/ a.

(*ling.*) preconsonantico.

precontractual /priːkən'træktʃʊəl/ a. (*leg.*) precontrattuale.

to **precook** /priː'kʊk/ v. t. **1** cuocere (*una vivanda*) in anticipo (*per poi riscaldarla*) **2** (*ind.*) sottoporre (*un alimento*) a cottura parziale; precuocere (*raro*) ‖ **precooked** a. (*spec. ind.*) precotto; precucinato ‖ **precooking** n. ⓤ (*anche ind.*) precottura.

precordium /prɪ'kɔːdɪəm/ (*anat.*) n. (pl. **precordia**) precordio ‖ **precordial** a. precordiale.

precursive /priː'kɜːsɪv/ → **precursory**.

precursor /priː'kɜːsə(r)/ n. **1** (*anche chim.*) precursore **2** predecessore.

precursory /priː'kɜːsərɪ/ a. **1** precursore; foriero **2** introduttivo; preliminare.

predacious /prɪ'deɪʃəs/ a. (*d'animale*) predatore; rapace ● (*zool.*) **the p. instinct**, l'istinto predatorio.

predacity /prɪ'dæsətɪ/ n. ⓤ (*d'animale*) l'essere predatore; rapacità.

to **predate** ① /prɪ'deɪt/ v. t. predatare; antidatare.

to **predate** ② /prɪ'deɪt/ v. t. e i. (*zool.*) predare; comportarsi da predatore.

predator /'predətə(r)/ n. **1** predatore (*anche zool.*) **2** (*fig.*) predone; avvoltoio (*fig.*) **3** (*fin.*) chi dà la scalata a una società.

predatory /'predətrɪ/ a. **1** predatorio **2** (*d'animale*) da preda, predatore; rapace (*anche fig.*): **p. people**, gente rapace ● (*comm.*) **p. pricing**, (fissazione di) prezzo sleale; prezzi predatori | **-ily avv.** | **-iness** n. ⓤ.

predecease /priːdɪ'siːs/ n. ⓤ (*leg.*, *ass.*) premorienza.

to **predecease** /priːdɪ'siːs/ v. t. (*leg.*, *ass.*) premorire a (q.); morire prima di (q.).

predecessor /'priːdɪsɛsə(r)/ n. **1** predecessore; antecessore **2** antenato **3** primo modello; oggetto (*o strumento*) usato prima d'un altro (*che l'ha sostituito*).

predella /prɪ'dɛlə/ (*ital.*) n. (pl. **predelle**) (*archit., arte*) predella.

predestinarian /priːdɛstɪ'nɛərɪən/ (*relig.*) Ⓐ a. **1** della predestinazione **2** che crede nella predestinazione Ⓑ n. predestinaziano; chi crede nella predestinazione ‖ **predestinarianism** n. ⓤ predestinazionismo.

predestinate /priː'dɛstɪnət/ a. (*anche relig.*) predestinato.

to **predestinate** /priː'dɛstɪneɪt/ v. t. (*anche relig.*) predestinare.

predestination /priːdɛstɪ'neɪʃn/ n. ⓤ (*spec. relig.*) predestinazione.

to **predestine** /priː'dɛstɪn/ v. t. (*anche relig.*) predestinare.

to **predetermine** /priːdɪ'tɜːmɪn/ v. t. predeterminare ‖ **predeterminate** a. predeterminato ‖ **predetermination** n. ⓤ predeterminazione.

predeterminer /priːdɪ'tɜːmɪnə(r)/ n. (*gramm. ingl.*) «predeterminante» (*come* «all», *che precede gli articoli*).

prediabetes /priːdaɪə'biːtiːz/ (*med.*) n. ⓤ prediabete ‖ **prediabetic** a. e n. prediabetico.

predial /'priːdɪəl/ Ⓐ a. (*leg.*) prediale Ⓑ n. (*stor.*) servo della gleba.

predicable /'predɪkəbl/ Ⓐ a. affermabile; asseribile Ⓑ n. (*filos.*) predicabile ‖ **predicability** n. ⓤ l'essere affermabile (*o asseribile*, predicabile).

predicament /prɪ'dɪkəmənt/ n. **1** situazione difficile; brutto frangente; imbarazzo; imbroglio **2** (*filos.*) predicamento, categoria (*secondo Aristotele*) ‖ **predicamental** a. (*filos.*) di predicamento.

predicant /'predɪkənt/ Ⓐ a. (*relig.*) predicante Ⓑ n. frate predicante (*spec. domenica-*

no); predicatore.

predicate /ˈprɛdɪkət/ (*gramm.*, *filos.*) **A**
n. predicato **B** a. attr. predicativo: (*ling.*) a
p. adjective, un aggettivo predicativo.

to **predicate** /ˈprɛdɪkeɪt/ v. t. **1** affermare; asserire **2** implicare; significare **3** (*filos.*) predicare ● (*USA*) **to p. on** (o **upon**), ba-
sare (*un ragionamento, ecc.*) su || **predica-
tion** n. **ʊᴄ 1** affermazione; asserzione **2**
(*filos.*) predicato **3** (*ling.*) predicazione.

predicative /prɪˈdɪkətɪv/ **A** a. **1** affermativo; assertivo **2** (*ling.*) predicativo **B** n.
(*ling.*) aggettivo (o nome, ecc.) predicativo.

predicatory /ˈprɛdɪkətrɪ/ a. predicatorio;
di predicazione.

♦to **predict** /prɪˈdɪkt/ v. t. predire; preannunciare; presagire.

predictable /prɪˈdɪktəbl/ a. che si può
predire; predicibile; prevedibile || **predict-
ability** n. ʊ l'essere predicibile; prevedibilità.

prediction /prɪˈdɪkʃn/ n. ᴄᴜ **1** predizione;
profezia; pronostico **2** (*meteor.*) previsione.

predictive /prɪˈdɪktɪv/ a. **1** che predice;
profetico **2** (*ling.*) predittivo.

predictor /prɪˈdɪktə(r)/ n. **1** chi predice;
profeta; veggente **2** (*mil.*) puntatore automatico (*per cannone antiaereo*); goniotacome-
tro.

to **predigest** /priːdaɪˈdʒɛst/ v. t. **1** predi-
gerire **2** (*spec. ind.*) sottoporre (*un alimento*)
a predigestione **3** (*fig.*) semplificare, volgarizzare (*un libro, ecc.*).

predigested /priːdaɪˈdʒɛstɪd/ a. predigerito.

predigestion /priːdaɪˈdʒɛstʃən/ n. ʊ (*anche fisiol. e ind.*) predigestione.

predilection /priːdɪˈlɛkʃn/ n. (*form.*) predilezione.

to **predispose** /priːdɪˈspəʊz/ v. t. predisporre (*a una malattia, ecc.*); disporre; rendere incline; indurre.

predisposition /priːdɪspəˈzɪʃn/ n. ᴜᴄ
predisposizione; inclinazione.

prednisolone /prɛdˈnɪsələʊn/ n. ʊ (*biochim.*) prednisolone.

prednisone /ˈprɛdnɪsəʊn/ n. ʊ (*biochim.*)
prednisone.

predominance /prɪˈdɒmɪnəns/, **pre-
dominancy** /prɪˈdɒmɪnənsɪ/ n. ʊ predominio; preponderanza; prevalenza.

predominant /prɪˈdɒmɪnənt/ a. predo-
minante; preponderante; prevalente | **-ly**
avv.

to **predominate** /prɪˈdɒmɪneɪt/ v. i. predominare; prevalere ● **to p. over**, avere la
prevalenza (o il predominio) su; dominare;
sopraffare || **predomination** n. predomi-
nio.

to **pre-elect** /priːɪˈlɛkt/ v. t. preeleggere;
eleggere prima || **pre-election** **A** n. ʊ
preelezione **B** a. attr. preelettorale || **pre-
-electoral** a. preelettorale.

preemie, **premie** /ˈpriːmɪ/ n. (*fam. spec.
USA*) (neonato) prematuro.

pre-eminent /priːˈɛmɪnənt/ a. premi-
nente; superiore || **pre-eminence** n. ʊ pre-
minenza; superiorità || **pre-eminently**
avv. preminentemente.

to **pre-empt** /priːˈɛmpt/ v. t. (*leg.*) comprare (qc.) valendosi del diritto di prelazione **2** accaparrarsi; assicurarsi; impossessarsi di (qc.) **3** (*USA*) occupare (*terreno pubblico*) per acquistare il diritto di prelazione
4 prevenire; rendere inutile; frustrare; superare (*fig.*); mandare a vuoto (qc.).

pre-emption /priːˈɛmpʃn/ n. ʊ (*leg.*) **1**
prelazione; acquisto compiuto esercitando
il diritto di prelazione **2** (= **right of pre-
-emption**) diritto di prelazione **3** (diritto di)
confisca (*dei beni di un neutrale da parte di un
belligerante*).

pre-emptive /priːˈɛmptɪv/ a. **1** di (o pertinente a) prelazione **2** (*anche mil.*) preventivo: **a pre-emptive attack**, un attacco preventivo ● **pre-emptive right**, (*leg.*) diritto di
prelazione; (*fin.*) diritto di opzione.

to **preen** /priːn/ v. t. (*di un uccello*) lisciarsi
(*le penne*) col becco ● **to p. oneself**, (*di persona*) agghindarsi; azzimarsi; (*fig.*) pavoneggiarsi, compiacersi di sé ● **to p. on one's
success**, (*fig.*) pavoneggiarsi per il proprio
successo.

to **pre-engage** /priːɪnˈgeɪdʒ/ v. t. impe-
gnare (o occupare) in anticipo; prenotare ||
pre-engagement n. ᴄᴜ impegno precedente; prenotazione.

to **pre-establish** /priːɪˈstæblɪʃ/ v. t. stabilire in anticipo; prestabilire.

pre-examination /priːɪgzæmɪˈneɪʃn/ n.
esame preliminare; preesame.

to **pre-exist** /priːɪgˈzɪst/ **A** v. i. preesiste-
re **B** v. t. esistere prima di || **pre-exis-
tence** n. ʊ preesistenza || **pre-existent**,
pre-existing a. preesistente.

pref. abbr. **1** (**preface**) prefazione **2** (*Borsa*, **preferred**) (**stock**)) azione privilegiata

prefab /ˈpriːfæb/ n. (*fam.*; abbr. di **prefabricated house**) casa prefabbricata; prefabbricato.

to **prefabricate** /priːˈfæbrɪkeɪt/ v.
t. prefabbricare ● **prefabricated building**,
prefabbricato || **prefabrication** n. ʊ pre-
fabbricazione.

preface /ˈprɛfəs/ n. **1** prefazione; proemio **2** premessa; preambolo **3** (*relig.*) pre-
fazio.

to **preface** /ˈprɛfəs/ **A** v. t. **1** fare la prefazione a (*un libro*); fare l'introduzione a (*un
discorso*) **2** premettere a; far precedere da:
*The courtier prefaced his speech with a
bow*, il cortigiano fece precedere il suo discorso da un inchino **3** (*di fatti*) preludere a
B v. i. fare osservazioni introduttive (o preliminari).

prefacer /ˈprɛfəsə(r)/ n. prefatore.

prefatorial /prɛfəˈtɔːrɪəl/, **prefatory**
/ˈprɛfətrɪ/ a. preliminare; introduttivo.

prefect /ˈpriːfɛkt/ n. **1** (*stor. romana,
polit.*) prefetto: **the p. of police**, il prefetto di
polizia (a *Parigi*) **2** (*in GB*) prefect, studente
anziano con mansioni disciplinari (*spec. in
una scuola privata*); prefetto || **prefectorial**
a. di prefetto; prefettizio.

prefecture /ˈpriːfɛktʃə(r)/ n. (*spec. stor.*,
polit.) prefettura || **prefectural** a. di prefet-
tura.

♦to **prefer** /prɪˈfɜː(r)/ v. t. **1** preferire: *I p.
wine to beer*, preferisco il vino alla birra; *I p.
to read rather than study*, preferisco leggere piuttosto che studiare **2** (*leg.*) avanzare;
presentare; sporgere: **to p. an indictment
against sb.**, presentare un'accusa contro q.
3 (*leg.*) fare un pagamento preferenziale a
(*un creditore*) **4** (*form.*) promuovere; elevare; innalzare (*o a grado più alto*)

❶ NOTA: *prefer to o prefer than?*

To prefer è generalmente seguito da *to*, non da
than: *He prefers playing on the computer
to watching television*, preferisce giocare
con il computer che guardare la televisione. *I prefer cycling to driving*, preferisco
andare in bicicletta al guidare. Le difficoltà
sorgono quando *to prefer* è seguito da una frase che comincia con *to* + verbo all'infinito, perché non si può dire *I prefer to ignore the
matter to to discuss it*; in questo caso si può
usare *than* seguito dall'infinito con o senza *to*:
I prefer to ignore the matter than (to) *discuss it*, preferisco ignorare la questione
piuttosto che discuterne.

preferable /ˈprɛfrəbl/ a. preferibile ||
preferability n. ʊ l'essere preferibile; pre-
feribilità (*raro*) || **preferably** avv. preferibil-

mente.

♦**preference** /ˈprɛfrəns/ n. **1** ᴜᴄ preferenza, preferenza; predilezione: *My p. is for
non-violent sports*, le mie preferenze vanno
agli sport non violenti **2** preferenza; cosa
preferita **3** (*per estens., comm. est.*) trattamento di favore **4** ʊ precedenza; priorità **5**
ʊ parzialità ● (*fin.*) **p. stock** (o **p. shares**),
azioni preferenziali (o privilegiate) ▫ (*polit.*)
**to mark preferences against some candi-
dates**, attribuire voti di preferenza a taluni
candidati ▫ **to show p. to sb.**, fare delle preferenze per q.; essere parziale verso q.

preferential /prɛfəˈrɛnʃl/ a. di favore;
preferenziale; privilegiato: **p. treatment**,
trattamento privilegiato (o di favore); (*leg.*)
p. creditor, creditore privilegiato ● (*ind.,
USA*) **p. shop**, azienda che dà la priorità
d'assunzione agli iscritti ai sindacati ▫
(*polit.*) **p. voting**, votazione col sistema dei
voti di preferenza (*non in GB*) | **-ly** avv.

preferment /prɪˈfɜːmənt/ n. ᴄᴜ promozione; avanzamento.

preferred /prɪˈfɜːd/ a. **1** preferito **2** preferenziale ● **p. claim** (o **debt**), credito privilegiato ▫ (*leg. USA*) **p. creditor**, creditore privilegiato ▫ (*fin., USA*) **p. stock** (o **shares**),
azioni preferenziali (o privilegiate) (*cfr. ingl.*
preference stock, sotto **preference**).

to **prefigure** /priːˈfɪgə(r)/ v. t. **1** prefigurare; adombrare; far presentire **2** immagi-
nare (*qualcosa che avverrà*); figurarsi || **pre-
figuration** n. ʊ prefigurazione || **prefigur-
ative** a. che prefigura; che serve a prefigurare.

to **pre-finance** /priːˈfaɪnæns/ (*fin.*) v. t.
prefinanziare || **pre-financing** n. ʊ prefi-
nanziamento.

prefix /ˈpriːfɪks/ n. **1** (*gramm.*) prefisso **2**
titolo premesso a un nome (*per es.*: **Mr, Dr**,
ecc.) **3** (*telef., ingl.*) prefisso.

to **prefix** /ˈpriːfɪks/ v. t. **1** premettere;
porre avanti; far precedere **2** (*gramm.*) pre-
fissare; mettere come prefisso a (*una parola*).

prefixal /priːˈfɪksəl/ a. (*ling.*) prefissale.

prefixation /priːfɪkˈseɪʃn/ n. ʊ (*gramm.*)
prefissazione.

preflight /ˈpriːflaɪt/ a. attr. (*aeron.*) prima
del volo; anteriore al decollo.

prefloration /priːflɒˈreɪʃn/ n. ʊ (*bot.*)
prefolorazione.

prefoliation /priːfəʊlɪˈeɪʃn/ n. ʊ (*bot.*)
prefogliazione.

to **preform** /priːˈfɔːm/ v. t. (*anche biol.,
metall.*) preformare.

to **preformat** /priːˈfɔːmæt/ v. t. (*comput.*)
preformattare (*un disco, un testo impaginato,
ecc.*) || **preformatted** a. preformattato.

preformation /priːfɔːˈmeɪʃn/ n. ᴜᴄ (*anche biol.*) preformazione.

prefrontal /priːˈfrʌntl/ a. (*anat.*) prefron-
tale.

preg /prɛg/ a. pred. (*slang USA*) incinta.

preggers /ˈprɛgəz/ a. (*slang*) incinta.

preglacial /priːˈgleɪsɪəl/ a. (*geol.*) pregla-
ciale.

♦**pregnancy** /ˈprɛgnənsɪ/ n. **1** ᴜᴄ gravidanza: (*med.*) **p. test**, test di gravidanza **2** ʊ
(*fig.*) pregnanza; l'essere significativo (o
suggestivo); importanza; pienezza; profondità **3** ʊ (*ling.*) pregnanza.

♦**pregnant** /ˈprɛgnənt/ a. **1** (*di donna*) incinta; gravida; *When did you find out you
were p.?*, quando hai scoperto di essere incinta?; *The doctor reckons I'm six weeks p.*,
il dottore pensa che sia incinta di sei settimane **2** (*di bestia*) gravida; pregna **3** (*fig.*)
gravido; fecondo; fertile; prolifico; ricco di
concetti: **p. with consequences**, gravido di
conseguenze **4** (*fig.*) pregnante; denso di
significato; significativo; suggestivo; importante; pieno; profondo: **a p. reply**, una ri-

sposta densa di significato ● (*gramm.*) **p. construction**, costrutto pregnante □ (*di donna*) **to fall p.**, restare incinta | **-ly** avv.

pregrammatical /priːɡrəˈmætɪkl/ a. (*ling.*) pregrammaticale.

to **preheat** /priːˈhiːt/ v. t. (*anche tecn.*) preriscaldare || **preheater** n. (*tecn.*) preriscaldatore || **preheating** n. ⓤ (*anche tecn.*) preriscaldamento.

prehensile /priːˈhensaɪl/ (*zool.*) a. prensile: **p. tail**, coda prensile || **prehensility** n. prensilità; l'esser prensile.

prehension /prɪˈhenʃn/ n. ⓤ (*scient.*) prensione; l'afferrare (*anche mentalmente*); comprensione; apprendimento.

prehistoric /priːhɪˈstɒrɪk/, **prehistorical** /priːhɪˈstɒrɪkl/ a. preistorico || **prehistorically** avv. in tempi preistorici.

prehistory /priːˈhɪstrɪ/ n. preistoria.

pre-Homeric /priːhəʊˈmerɪk/ a. (*letter. greca*) preomerico.

preignition /priːɪɡˈnɪʃn/ n. ⓤ (*autom., mecc.*) preaccensione.

pre-industrial /prɪɪnˈdʌstrɪəl/ a. preindustriale.

to **prejudge** /priːˈdʒʌdʒ/ v. t. giudicare prematuramente; dare un giudizio avventato su || **prejudgement, prejudgment** n. ⓤⓒ giudizio prematuro.

prejudice /ˈpredʒʊdɪs/ n. **1** ⓤⓒ pregiudizio; preconcetto; prevenzione: **to have a p. against foreigners**, aver pregiudizi contro gli stranieri **2** ⓤ pregiudizio; danno: **without p. to anybody**, senza recare pregiudizio ad alcuno ● **to have a p. in favour of sb.**, essere bendisposto verso q. □ **to the p. of sb.**, portando pregiudizio a q.; con danno di q. □ (*leg.*) **without p.**, fatta salva la riserva di far valere altri diritti; con ogni riserva; senza pregiudizio.

to **prejudice** /ˈpredʒʊdɪs/ v. t. **1** pregiudicare; compromettere **2** danneggiare; ledere; nuocere a (q.) **3** metter su (*contro*) (*fam.*); disporre male (*verso*); prevenire: *His parents prejudiced him against the girl*, i suoi genitori lo misero su contro la ragazza ● **to p. sb. in favour of sb. else**, disporre bene q. verso q. altro.

prejudiced /ˈpredʒʊdɪst/ a. che ha pregiudizi (*verso q. o qc.*); prevenuto.

prejudicial /predʒʊˈdɪʃl/ a. pregiudizievole; dannoso; compromettente ● **p. to sb.'s health**, pregiudizievole (*o che è di pregiudizio*) alla salute di q.

prelacy /ˈpreləsɪ/ n. **1** (*relig.*) prelatura **2** ⓤ (*collett.*) i prelati **3** (*spreg.*) governo della Chiesa da parte dei prelati; governo prelatizio.

prelate /ˈprelət/ n. (*relig.*) prelato || **prelatic, prelatical** a. prelatizio; (*spreg.*) prelatesco.

prelature /ˈprelətʃə(r)/ n. (*relig.*) prelatura.

to **prelect** /prɪˈlekt/ (*raro*) v. i. fare conferenze (*o lezioni universitarie*) || **prelection** n. conferenza; lezione universitaria || **prelector** n. conferenziere; docente universitario.

prelim /ˈpriːlɪm/ n. (*fam.*) **1** (abbr. di **preliminary examination**) esame preliminare; preesame **2** (pl.) (*di un libro*) pagine introduttive **3** (pl., *sport*) preliminari.

preliminary /prɪˈlɪmɪnərɪ/ **A** a. preliminare; introduttivo; preventivo: **a p. examination**, un esame preliminare **B** n. **1** preliminare; introduzione **2** esame preliminare **3** (pl.) (*di un libro*) pagine introduttive **4** (pl., *sport*) preliminari ● (*leg.*) **a p. agreement to sell**, un preliminare di vendita □ (*leg.*) **p. enquiries**, visura catastale e ipotecaria □ (*leg.*) **p. investigation**, indagine preliminare (*in materia penale*) □ (*sport*) **p. round**, giro-

ne eliminatorio □ **p. to**, prima di.

preliteracy /priːˈlɪtərəsɪ/ n. ⓤ pregrafismo.

preliterate /priːˈlɪtərət/ a. (*di un popolo, ecc.*) che non conosce ancora l'uso della scrittura.

preloaded /priːˈləʊdɪd/ a. (*comput.*) preinstallato: **p. software**, software preinstallato.

prelude /ˈpreljuːd/, *USA* -luːd/ n. preludio (*anche mus.*); introduzione || **preludial** a. **1** introduttivo **2** (*mus.*) di preludio.

to **prelude** /ˈpreljuːd/, *USA* -luːd/ v. t. e i. **1** preludere (a); far da preludio (a); introdurre; preannunciare **2** (*mus.*) suonare un preludio; preludiare.

prelusion /prɪˈljuːʒn/, *USA* -'luː-/ n. preludio; introduzione || **prelusive** a. che prelude; introduttivo; preliminare.

premarital /priːˈmærɪtl/ a. prematrimoniale; antenuziale: **p. sex**, rapporti intimi prematrimoniali ● (*leg., in USA*) **p. contract**, patto sulla futura divisione dei beni in caso di divorzio.

pre-match /priːˈmætʃ/ a. attr. (*sport*) pre-partita.

premature /ˈpremətʃə(r)/, *USA* priːmə-ˈtʊ(r)/ a. prematuro; anticipato; intempestivo; precoce: **a p. decision**, una decisione prematura; **p. baldness**, calvizie precoce ● (*med.*) **a p. baby**, un (bambino) prematuro ● (*med.*) **p. beat**, extrasistole □ **p. senility**, senilità precoce | **-ly** avv.

prematureness /ˈpremətʃənəs/, *USA* priːmə-ˈtʊə-/, **prematurity** /premə-ˈtʃʊərətɪ/, *USA* -tʊə-/ n. ⓤ prematurità; intempestività; precocità.

premed /priːˈmed/ (*fam.*) **A** a. → **premedical** **B** n. **1** (*med.*) operazione preoperatoria **2** (*USA*) (studente di) corso propedeutico alla facoltà di medicina.

premedical /priːˈmedɪkl/ a. (*USA*) propedeutico allo studio della medicina.

premedication /priːmedɪˈkeɪʃn/ n. ⓤ (*med.*) premedicazione; preanestesia.

to **premeditate** /priːˈmedɪteɪt/ v. t. premeditare ● (*leg.*) **premeditated murder**, omicidio premeditato || **premeditation** n. ⓤ (*anche leg.*) premeditazione.

premenstrual /priːˈmenstrʊəl/ a. (*med.*) premestruale: **p. syndrome**, sindrome premestruale.

premier /ˈpremɪə(r)/, *USA* prɪˈmɪ(r)/ **A** a. primo; (il) più importante; primario; principale: *Brighton is the p. seaside resort in England*, Brighton è la principale stazione balneare in Inghilterra; **to take (the) p. place**, occupare il primo posto **B** n. (*polit.*) primo ministro; presidente del consiglio (*dei ministri*) ● (*sport: calcio*) **the P. League**, la serie A (in Inghilterra e Scozia).

premiere /ˈpremɪə(r)/, *USA* prɪˈmɪ(r)/ n. (*teatr., cinem.*) **1** prima rappresentazione, première (*di un dramma*); prima visione (*di un film*) **2** primadonna; prima attrice.

to **premiere** /ˈpremɪə(r)/, *USA* prɪˈmɪ(r)/ **A** v. t. dare (*un dramma, un film*) in prima rappresentazione **B** v. i. essere dato in prima rappresentazione.

premiership /ˈpremɪəʃɪp, *USA* prɪˈmɪʃɪp/ n. ⓤ **1** (*polit.*) carica di primo ministro; presidenza del consiglio (*dei ministri*) **2** (*sport: calcio*) **the P.**, la serie A inglese ● **P. race**, la lotta per lo scudetto.

◆**premise** /ˈpremɪs/ n. **1** (*filos.*) premessa **2** (pl.) (*spec. bur. e comm.*) fabbricati; locali; stabili; (*leg.*) immobili: *The premises will be sold at auction*, i locali saranno venduti all'asta **3** (pl.) (*di un'azienda, ecc.*) uffici; sede **4** (pl.) (*leg.*) premesse (*di un contratto*) ● (*di birra, liquore*) **to be drunk on the premises**, da bersi sul posto (*non da asportare*) □ «keep

off the premises» (*cartello*), «vietato l'ingresso».

to **premise** /prɪˈmaɪz/ v. t. e i. (*form.*) premettere; far precedere a; dire (qc.) come premessa.

premiss /ˈpremɪs/ → **premise**, def. 1.

◆**premium** /ˈpriːmɪəm/ **A** n. (pl. **premiums, premia**) **1** premio; ricompensa: **a p. for good conduct**, un premio per buona condotta **2** (*ass.*) premio: **p. income**, raccolta di premi; premi incassati **3** pagamento straordinario; buonuscita; gratifica; soprassoldo **4** tassa d'apprendistato (*pagata dal tirocinante a un professionista*) **5** (*fin.*) aggio (*nel cambio di valuta*): *There was a time when the Italian lira was at a p. over gold*, ci fu un tempo in cui la lira faceva aggio sull'oro **6** (*market.*) (articolo dato in) omaggio: **p. stamps**, punti «qualità»; buoni omaggio **7** (*autom.*) super (*la benzina*) **B** a. attr. **1** di prima qualità; eccellente; ottimo **2** (*autom.*) super: **p. petrol** (*USA*: **p. gasoline**), benzina super **3** (*fin.*: *di un prezzo, ecc.*) maggiorato; addizionale **4** (*fin., Borsa*: *di un titolo*) sopra la pari: **p. shares**, azioni sopra la pari ● (*fin.*) **p. bond**, titolo di stato a premio □ **p. bonus**, premio (*per i dipendenti*); incentivo □ (*market.*) **p. offer**, offerta regalo □ (*fin.*) **p. on shares**, premio di emissione □ **p. pay**, salario a incentivo □ (*fin.*) **at a p.**, sopra la pari: *These stocks are selling at a p.*, queste azioni si vendono sopra la pari □ (*fig.*) **to be at a p.**, essere assai ricercato (*o raro*) □ (*fig.*) **to hold st. at a p.**, tenere qc. in grande considerazione; far gran conto di qc. □ **to put a p. on**, incoraggiare; favorire; privilegiare; attribuire importanza a.

premolar /priːˈməʊlə(r)/ a. e n. (*anat.*) premolare.

premonition /priːməˈnɪʃn/ n. premonizione; presentimento.

premonitor /prɪˈmɒnɪtə(r)/ n. premonitore.

premonitory /prɪˈmɒnɪtrɪ/ a. premonitorio; premonitore ● **a p. dream**, un sogno premonitore | **-ily** avv.

premunition /priːmjʊˈnɪʃn/ n. ⓒⓤ (*med.*) premunizione.

prenatal /priːˈneɪtl/ a. (*med.*) prenatale; di prima della nascita.

prentice /ˈprentɪs/ n. (abbr. arc. di **apprentice**) apprendista.

prenuclear /priːˈnjuːklɪə(r)/ a. (*polit., mil.*) anteriore all'era dello sviluppo delle armi nucleari.

prenup /priːˈnʌp/ n. (*fam. USA*) = **prenuptial agreement** → **prenuptial**.

prenuptial /priːˈnʌpʃl/ a. antenuziale ● (*leg. USA*) **p. agreement**, patto sulla futura divisione dei beni in caso di divorzio.

preoccupation /priːɒkjʊˈpeɪʃn/ n. **1** cura (*lett.*); pensiero che assorbe; distrazione; preoccupazione: *There's some p. with his health*, la sua salute desta qualche preoccupazione **2** (*raro*) occupazione precedente.

preoccupied /priːˈɒkjʊpaɪd/ a. **1** pensieroso; assorto; occupato (*da un pensiero*): *You look p.*, hai l'aria pensierosa; **to be p. with other worries**, essere occupato da altri problemi; avere altri problemi per la testa **2** occupato in precedenza ❶ **FALSI AMICI** ● preoccupied *non significa* preoccupato.

to **preoccupy** /priːˈɒkjʊpaɪ/ v. t. **1** (*di pensiero*) occupare la mente di; assorbire tutti i pensieri di; essere al centro dei pensieri di: *Something has been preoccupying her lately*, c'è qualcosa ultimamente che assorbe tutti i suoi pensieri; *The present crisis is preoccupying the European leaders*, l'attuale crisi è al centro dei pensieri dei leader europei **2** occupare (*terreno, ecc.*) prima (*di altri*) ❶ **FALSI AMICI** ● to preoccupy *non significa* preoccupare.

to **pre-ordain** /priːɔː'deɪn/ v. t. preordinare; prestabilire; predestinare || **preordained** a. predestinato; prestabilito || **pre-ordination** n. ⓤ preordinazione.

pre-owned /priː'əʊnd/ a. di seconda mano.

prep /prɛp/ n. (fam.) **1** (abbr. di **preparation**) lezioni da preparare; compito a casa **2** (abbr. di **preparatory school**) scuola «preparatoria» **3** studente di una → «preparatory school» (→ **preparatory**).

to **prep** /prɛp/ Ⓐ v. i. (fam.) **1** frequentare la «preparatory school» **2** prepararsi; studiare a casa; fare i compiti Ⓑ v. t. (fam.) preparare (per la scuola, per un intervento chirurgico, ecc.).

prepack /priː'pæk/ n. (market.) confezione; contenitore.

to **prepack** /priː'pæk/, to **prepackage** /priː'pækɪdʒ/ v. t. preconfezionare.

prepackage /priː'pækɪdʒ/ n. pellicola protettiva; confezione.

prepackaged /priː'pækɪdʒd/ a. (di prodotto e fig.) preconfezionato; in confezione: **p. advertisement**, messaggio pubblicitario preconfezionato.

prepackaging /priː'pækɪdʒɪŋ/, **prepacking** /priː'pækɪŋ/ n. ⓤ preconfezionamento.

prepacked /priː'pækt/ a. (market.) preconfezionato; in confezione.

prepaid /priː'peɪd/ Ⓐ pass. e p. p. di to **prepay** Ⓑ a. **1** pagato in anticipo; (di busta) preaffrancata **2** (comm., trasp.) franco di porto ● (trasp.) **p. freight**, nolo anticipato □ (di lettera) **p. reply**, risposta pagata.

♦**preparation** /prɛpə'reɪʃn/ n. **1** ⓤ preparazione; allestimento **2** preparativo: **preparations for a journey**, preparativi per un viaggio **3** (farm., ind.) preparato (medicina o alimento) **4** lezioni da preparare; compito a casa.

preparative /prɪ'pærətɪv/ Ⓐ a. preparatorio Ⓑ n. **1** sostanza che serve a preparare (qc.) **2** (mil., naut.) segnale di tenersi pronti; segnale di «all'erta».

preparatory /prɪ'pærətrɪ/ a. preparatorio; preliminare: **p. training**, addestramento preliminare; (sport) preparazione atletica ● **p. course**, corso propedeutico □ **p. school**, scuola «preparatoria» ❶ CULTURA • **preparatory school (o prep school)**: in Gran Bretagna è una scuola privata, spesso un collegio, per bambini dai 7 ai 13 anni che prepara alla **public school** (→ **public**). Alla fine del ciclo gli allievi devono superare un esame chiamato **Common Entrance**. Negli Stati Uniti è una scuola secondaria, di solito privata e spesso un collegio, per ragazzi dai 12 ai 16/18 anni che prepara al college □ **a p. student**, uno studente di scuola «preparatoria» □ (form.) **p. to**, in preparazione di; prima di; in attesa di: (mil. e sport) **a move p. to an attack**, una mossa in preparazione di un attacco.

♦to **prepare** /prɪ'pɛə(r)/ Ⓐ v. t. **1** preparare; allestire; disporre (l'animo di q. a qc.); istruire; addestrare: **to p. a speech** [one's **pupils, a prescription**], preparare un discorso [i propri alunni, una ricetta medica]; **to p. sb. for bad news**, preparare q. a una brutta notizia **2** (sport) preparare (un atleta, una squadra); impostare (il gioco) Ⓑ v. i. prepararsi; disporsi; accingersi: **to p. for an examination**, prepararsi a un esame; **to p. to leave**, accingersi a partire ● **to p. oneself**, preparasi; disporsi (a fare qc.) □ (sci) **to p. the tracks**, preparare le piste.

♦**prepared** /prɪ'pɛəd/ a. **1** preparato; pronto: We are **p. for defeat**, siamo preparati alla sconfitta **2** già preparato; predisposto: **a p. report**, una relazione già pronta **3** pronto; disposto: **to be p.**, essere pronto (o disposto): I am **p. to admit** [to acknowledge] that..., sono pronto ad ammettere [a riconoscere] che...; How far would you be **prepared to travel?**, quanto è disposta a viaggiare?

preparedness /prɪ'pɛərɪdnəs/ n. ⓤ l'essere preparato; l'esser pronto.

to **prepay** /priː'peɪ/ (pass. e p. p. **prepaid**), v. t. pagare in anticipo || **prepayment** n. ⓤⓒ pagamento anticipato.

prepense /prɪ'pɛns/ a. (leg.) premeditato ● (leg.) **malice p.**, premeditazione.

preponderance /prɪ'pɒndərəns/ n. ⓤ preponderanza; prevalenza.

preponderant /prɪ'pɒndərənt/ a. **1** preponderante; prevalente **2** predominante; dominante | **-ly** avv.

to **preponderate** /prɪ'pɒndəreɪt/ v. i. **1** preponderare (raro); predominare; prevalere; avere un maggior peso **2** (della bilancia) pendere.

to **prepose** /priː'pəʊz/ v. t. (ling.) preporre.

♦**preposition** /prɛpə'zɪʃn/ n. (gramm.) preposizione.

prepositional /prɛpə'zɪʃənəl/ a. (ling.) di preposizione; preposizionale: **a p. phrase**, un sintagma preposizionale.

prepositive /priː'pɒzɪtɪv/ (ling.) Ⓐ a. prepositivo Ⓑ n. particella (o parola) prepositiva.

to **prepossess** /priːpə'zɛs/ v. t. **1** disporre (bene o male q. verso qc.); predisporre (l'animo di q.); influire su **2** (di una idea, ecc.) occupare la mente di (q.); ossessionare ● **to be prepossessed by sb.**, ricevere una buona impressione da q.

prepossessed /priːpə'zɛst/ a. **1** che ha una buona opinione (di q.); ben impressionato **2** preoccupato; in pensiero.

prepossessing /priːpə'zɛsɪŋ/ a. attraente; affascinante; simpatico: **p. appearance**, aspetto attraente; **p. manners**, modi affascinanti.

prepossession /priːpə'zɛʃn/ n. **1** predisposizione dell'animo; predilezione; simpatia **2** preconcetto; pregiudizio; prevenzione.

preposterous /prɪ'pɒstərəs/ a. assurdo; irragionevole; insensato; illogico; improbabile | **-ly** avv. | **-ness** n. ⓤ.

prepotent /prɪ'pəʊtənt/ a. **1** (raro) potentissimo; strapotente **2** (biol.) dominante || **prepotence, prepotency** n. ⓤ **1** (raro) prepotere; strapotenza **2** (biol.) dominanza.

preppie /'prɛpɪ/ → **preppy**.

prepping /'prɛpɪŋ/ n. ⓤ (fam.) preparazione.

preppy /'prɛpɪ/ (fam. USA) Ⓐ n. **1** studente di una → «preparatory school» (→ **preparatory**) **2** (per estens.) ragazzo o ragazza elegante e di buona famiglia; ragazzo perbenino Ⓑ a. attr. tipico di un → «preppy»: **p. clothes**, abbigliamento giovanile elegante ma sobrio; abbigliamento da → «preppy».

preprandial /priː'prændɪəl/ a. (scient. o scherz.) prima di un pasto.

pre-preparatory school /priːpriː'pærətrɪ skuːl/ loc. n. (in GB) primo biennio della scuola elementare (5-7 anni di età).

prepress /priː'prɛs/ n. (editoria) operazioni preliminari alla fase di stampa; prestampa.

to **preprint** /priː'prɪnt/ v. t. prestampare.

preprocessor /priː'prəʊsɛsə(r)/ n. (comput.) preprocessore.

to **preprogram** /priː'prəʊɡræm/ (anche comput.) v. t. preprogrammare; programmare in anticipo || **preprogramming** n. ⓤ preprogrammazione.

prepubertal, **pre-pubertal** /priː-

'pjuːbətəl/ a. prepuberale || **prepuberty, pre-puberty** n. ⓤ prepubertà.

prepubescent /priːpjuː'bɛsnt/ Ⓐ n. preadolescente Ⓑ a. prepuberale.

prepuce /'priːpjuːs/ (anat.) n. prepuzio || **preputial** a. prepuziale.

prequel /'priːkwɛl/ n. **1** (cinem., letter.) libro (film, ecc.) che narra fatti che precedono quelli di un libro (film, ecc.) già in circolazione **2** (TV) film (serial, ecc.) basato sugli antefatti di un'altra opera di gran successo.

Pre-Raphaelite /priː'ræfəlaɪt/ n. e a. (arte, letter.) preraffaellita || **Pre-Raphaelitism** n. ⓤ (arte, letter.) preraffaellismo.

to **prerecord** /priːrɪ'kɔːd/ v. t. (radio, TV) preregistrare; registrare in anticipo.

pre-recorded /priːrɪ'kɔːdɪd/ a. (radio, TV) preregistrato.

prerelease /priːrɪ'liːs/ n. (cinem.) anteprima.

to **prerelease** /priːrɪ'liːs/ v. t. (cinem.) dare in anteprima.

prerequisite /priː'rɛkwɪzɪt/ Ⓐ a. essenziale; indispensabile: **p. conditions**, condizioni essenziali Ⓑ n. requisito indispensabile; precondizione; presupposto.

prerogative /prɪ'rɒɡətɪv/ Ⓐ n. **1** prerogativa; privilegio **2** precedenza; priorità Ⓑ a. di prerogativa; che ha una prerogativa; privilegiato: **p. right**, diritto di prerogativa ● (stor.) **p. court**, tribunale ecclesiastico (per la verifica dei testamenti) □ **to have a p.**, avere (o godere di) una prerogativa.

pre-Roman /priː'rəʊmən/ a. preromano.

pre-Romantic /priːrəʊ'mæntɪk/ (letter.) a. e n. preromantico || **pre-Romanticism** n. ⓤ preromanticismo.

Pres. abbr. **1** (polit., presidency) presidenza **2** (polit., president) presidente (Pres.).

presage /'prɛsɪdʒ/ n. presagio; segno premonitore; presentimento.

to **presage** /'prɛsɪdʒ/ v. t. **1** presagire; predire; presentire; vaticinare **2** essere presagio di; far presagire: The latest data **p. economic disaster**, gli ultimi dati fanno presagire un disastro dell'economia.

presbyacusis /prɛzbɪə'kjuːsɪs/ n. ⓤ (med.) presbiacusia.

presbyope /'prɛzbɪəʊp/ a. e n. (med.) presbite.

presbyophrenia /prɛzbɪə'friːnɪə/ n. ⓤ (med.) presbiofrenia.

presbyopia /prɛzbɪ'əʊpɪə/ (med.) n. ⓤ presbiopia; presbitismo || **presbyopic** a. presbite.

presbyter /'prɛzbɪtə(r)/ (relig.) n. **1** (stor.) presbitero **2** sacerdote (della Chiesa anglicana) **3** «anziano» (nella Chiesa Presbiteriana) || **presbyteral, presbyterial** a. **1** presbiterale **2** presbiteriano || **presbyterate** n. **1** presbiterato **2** presbiterio (assemblea delle chiese presbiteriane).

Presbyterian /prɛzbɪ'tɪərɪən/ a. e n. (relig.) presbiteriano: **the P. Church**, la Chiesa Presbiteriana.

Presbyterianism /prɛzbɪ'tɪərɪənɪzəm/ n. ⓤ (relig.) presbiterianesimo.

presbytery /'prɛzbɪtrɪ/ n. **1** (relig. e archit.) presbiterio (parte della chiesa intorno all'altare maggiore) **2** (relig. cattolica) presbiterio; canonica **3** (relig. presbiteriana) presbiterio; tribunale di ministri del culto presbiteriano e di «anziani» **4** (relig. presbiteriana) giurisdizione del presbiterio.

pre-school /priː'skuːl/ Ⓐ a. prescolare; prescolastico: **pre-school age**, età prescolare Ⓑ n. asilo infantile; giardino d'infanzia || **pre-schooler** n. bambino, bambina in età prescolare.

prescient /'prɛsɪənt/ a. presciente; preveggente || **presciently** avv. presciente-

mente; preveggentemente ‖ **prescience** n. Ⓤ prescienza; preveggenza.

to **prescind** /prɪ'sɪnd/ (*raro*) v. t. e i. **1** prescindere **2** prescindere da; tralasciare; trascurare **3** rescindere; staccare.

to **prescribe** /prɪ'skraɪb/ v. t. e i. **1** prescrivere; stabilire; fissare; ordinare **2** prescrivere, ordinare (*una medicina, ecc.*); fare una prescrizione **3** (*leg.: in Italia, Scozia, ecc.*) prescrivere; cadere (*o andare*) in prescrizione **4** (*leg.; pressappoco*) usucapire; acquisire per prescrizione acquisitiva ● (*leg.*) **to p. to** (*o* **for**) **st.**, reclamare un diritto su qc. per usucapione.

prescript /'priːskrɪpt/ n. (*form.*) prescrizione; norma; precetto; comando; ordine.

prescription /prɪ'skrɪpʃn/ n. **1** prescrizione; disposizione; norma; comando; ordine **2** prescrizione, ricetta (*medica*); *I'll also give you a p. for some ointment to apply once in the morning and once before bed*, ti faccio anche una prescrizione per una lozione da applicare la mattina e prima di andare a dormire **3** Ⓤ (*leg.: in Scozia, ecc.*) prescrizione; prescrizione estintiva **4** Ⓤ (*leg.*) usucapione; prescrizione acquisitiva ● **p. book**, ricettario □ **p. charge**, ticket (*sulle medicine «passate» dal servizio sanitario nazionale*) □ (*farm.*) **p. drug**, farmaco vendibile solo su presentazione di ricetta medica □ **to make up a p.**, spedire una ricetta; preparare una medicina (*secondo la prescrizione medica*) □ (*leg.*) **negative p.**, prescrizione estintiva; prescrizione □ (*leg.*) **positive p.**, prescrizione acquisitiva.

prescriptive /prɪ'skrɪptɪv/ a. **1** (*anche leg.*) prescrittivo; basato sulla prescrizione; prescrittibile: **p. right**, diritto prescrittibile **2** (*ling.*) prescrittivo; normativo: **p. grammar**, grammatica normativa ‖ **prescriptivism** n. Ⓤ (*ling.*) l'essere sostenitore dell'uso della grammatica normativa.

pre-season /priː'siːzən/ a. attr. (*sport*) di precampionato: **a pre-season friendly**, un'amichevole di precampionato.

to **pre-select** /priːsɪ'lekt/ v. t. preselezionare ‖ **pre-selection** n. Ⓤ preselezione ‖ **pre-selective** a. preselettivo.

pre-selector /priːsɪ'lektə(r)/ n. (*elettr., elettron.*) preselettore.

♦**presence** /'prezns/ n. **1** Ⓤ presenza; aspetto; aria; portamento: **to be admitted to the p. of sb.**, essere ammesso alla presenza di q.; **a man of heavy p.**, un uomo dall'aspetto pesante; *He has great p.*, ha una presenza che si impone **2** Ⓤ presenza; prontezza: **p. of mind**, presenza di spirito **3** strana presenza; spirito; entità ● (*stor.*) **the p.**, la presenza del sovrano □ **p. chamber**, sala delle udienze □ **in the p. of**, alla presenza di; al cospetto di □ (*negli inviti*) **Your p. is requested**, la Signoria Vostra è invitata a intervenire.

presenile /priː'siːnaɪl/ a. presenile ‖ **presenility** n. Ⓤ presenilità.

♦**present**① /'preznt/ Ⓐ a. **1** presente; attuale; corrente: *Everybody was p.*, erano presenti tutti; **the p. state of affairs**, l'attuale stato di cose; **in the p. year**, nell'anno corrente; (*ass.*) **the p. value of a life policy**, il valore attuale di una polizza sulla vita **2** (*gramm.*) presente: **p. tense**, tempo presente **3** (*arc.*) pronto, immediato **4** (*arc.*) presente a sé stesso Ⓑ n. **1** Ⓤ (*anche gramm.*) (il) presente; (il) tempo presente (*gramm. ingl.*) **p. simple** [**continuous**], presente semplice [progressivo]; **p. perfect**, passato prossimo; *He lives in the p.*, vive nel presente; vive alla giornata ❶ NOTA: *future* → **future 2** (pl.) (*leg.*) documento: **by these presents**, col presente documento ● **p. company excepted**, esclusi i presenti □ **p.-day**, attuale; contemporaneo; d'oggigiorno

---

□ (*gramm.*) **p. participle**, participio presente □ **the p. writer**, lo scrivente; il sottoscritto □ **at p.**, al presente; ora □ **for the p.**, per il momento; per ora □ (*prov.*) **There's no time like the p.**, chi ha tempo non aspetti tempo.

❶ NOTA: *present perfect / simple past*

In linea generale, il **present perfect** si usa quando l'azione passata è in qualche modo ancora connessa al presente; il **simple past** sottolinea all'opposto l'esistenza di un distacco tra l'azione passata e il presente. Si considerino due coppie di esempi:

a *Have you seen Monet's exhibition at the Musée d'Orsay?*, hai visto la mostra di Monet al Museo d'Orsay?

b *Did you see Monet's exhibition at the Musée d'Orsay?*, hai visto la mostra di Monet al Museo d'Orsay?

c *Simon has worked as a plumber for twenty years*, Simon fa l'idraulico da vent'anni.

d *Frank worked as a plumber for twenty years*, Frank ha fatto l'idraulico per vent'anni.

La traduzione italiana è uguale per **a** e **b**, ma dalla **a**, grazie all'uso del **present perfect**, ricaviamo che la mostra è ancora aperta, mentre dalla **b**, poiché è espressa al **simple past**, deduciamo che la mostra è terminata. L'uso del **present perfect** nella **c** fa capire che Simon continua tuttora a fare l'idraulico, mentre la presenza del **simple past** in **d** implica che Frank ha smesso di fare quel lavoro.

Vediamo ora in maggiore dettaglio i casi principali nei quali si usa l'uno o l'altro tempo verbale.

1 Si usa il **present perfect**:

a quando un'azione o un fatto ha avuto luogo in un momento o periodo del passato non specificato e ha conseguenze ancora valide nel presente. Questo vale per azioni e fatti sia recenti che non recenti:
You have drunk too much, so you'd better not drive, hai bevuto troppo, perciò è meglio se non guidi; *I've bought a new moped*, ho comprato un motorino nuovo; *The Democrats have won the election*, i Democratici hanno vinto le elezioni; *The dollar has fallen against the euro*, il dollaro è sceso rispetto all'euro; *The theory of relativity has deeply changed our perception of the world*, la teoria della relatività ha profondamente cambiato la nostra percezione del mondo.

Quanto detto vale inoltre per fatti di cui si ignora se sono accaduti, cioè per le domande, oppure per fatti non accaduti, cioè per le frasi negative:
Have you talked to the head teacher?, hai parlato al preside?; *I haven't found anything*, non ho trovato nulla.

Per tutti questi casi nell'inglese americano viene spesso usato il **simple past**: *You drank too much, so you'd better not drive*; *I bought a new moped*; *The dollar fell against the euro*, ecc.

b Con avverbi di tempo quali **yet, ever, never, already, before, since, just, recently, lately**:
I haven't read her e-mail yet, non ho ancora letto la sua e-mail; *Have you ever seen anything like that?*, hai mai visto qualcosa di simile?; *I've never eaten caviar*, non ho mai mangiato caviale; *I haven't seen her since*, da allora non l'ho più vista; *Gerard has just left*, Gerard è appena andato via; *Have you read any interesting books lately?*, hai letto libri interessanti di recente?

L'inglese americano in questi casi preferisce invece il **simple past**: *I didn't read her e-mail yet*, *Did you ever see anything like

---

that?, ecc.

c Per descrivere un'azione (ripetuta o abituale) o una situazione cominciata nel passato e che prosegue nel presente. In questi casi l'italiano usa il presente indicativo:
He's worked abroad for many years, lavora all'estero da molti anni (non *He works abroad for many years*); *We have owned this house since 1990*, possediamo questa casa dal 1990; *How often have you failed this exam?*, quante volte sei stato bocciato a questo esame? (l'esame non è ancora stato superato).

Quando si vuole sottolineare la continuità o la ripetitività dell'azione si può usare la forma progressiva (**present perfect progressive**):
It's been snowing since Boxing Day, nevica da Santo Stefano; *How long have you been studying French?*, da quanto tempo studi il francese?;

Per l'uso di **for** e **since** nelle costruzioni con il **present perfect** → **da**

d nelle frasi rette da costruzioni del tipo **this is the first time that**, ecc. Anche in questo caso l'italiano usa il presente:
This is the first time that I've come to Rome, è la prima volta che vengo a Roma (non *This is the first time I come to Rome*); *That's the third coffee I've drunk this morning*, è il terzo caffè che bevo questa mattina.

2 Si usa il **simple past**:

a quando si specifica il momento o il periodo del passato in cui è accaduto un fatto o si è svolta (o si svolgeva) un'azione:
There was a plane crash last night, ieri sera c'è stato un incidente aereo; *Sheila changed her job a week ago*, Sheila ha cambiato lavoro una settimana fa; *Alexander the Great died in 323 BC*, Alessandro Magno morì nel 323 a.C.; *We played football from four to seven o'clock*, abbiamo giocato a calcio dalle quattro alle sette; *I spoke to him an hour ago*, gli ho parlato un'ora fa.

Nelle frasi affermative, ciò vale anche quando il periodo specificato non è ancora terminato: *I heard from Fred today and he agreed to change his project*, oggi ho sentito Fred, che ha accettato di cambiare il suo progetto. Viceversa, nelle frasi interrogative e negative contenenti un riferimento a un periodo non ancora terminato è normale usare il **present perfect**: *Have you heard from Fred today?*, hai sentito Fred oggi?; *I haven't heard from Fred today*, oggi non ho sentito Fred.

b Quando si è interessati non al fatto in sé, ma a identificarne o sottolinearne l'autore o la causa: *Who told you that?*, chi te l'ha detto? (non *Who has told you that?*); *Joe told me*, me l'ha detto Joe; *How did he make her angry?*, come ha fatto a farla arrabbiare?; *Why did you accept?*, perché hai accettato?

present② /'preznt/ n. regalo; presente; dono; omaggio: *Christmas presents*, doni natalizi ● **to make sb. a p. of st.**, regalare qc. a q.

present③ /prɪ'zent/ n. Ⓤ (*mil.*) (posizione di) presentat'arm: **to bring the rifle down to the p.**, mettere il fucile in posizione di presentat'arm.

♦to **present** /prɪ'zent/ Ⓐ v. t. **1** presentare (*anche radio, TV*); consegnare; mostrare; offrire; porgere: **to p. a petition**, presentare una petizione; **to p. a cheque for payment**, presentare un assegno all'incasso; (*mil.*) **to p. arms**, presentare le armi **2** presentare (q., *spec. a Corte*): *A number of foreigners were presented*, diversi stranieri furono presentati a Corte **3** (*teatr.*) rappresentare **4** donare; offrire in dono; regalare: *He pre-

sented the school with a library, donò alla scuola una biblioteca **B** v. i. **1** presentarsi (*per una visita, ecc.*) **2** (*fam.*) presentarsi (*bene, in qualità di, ecc.*) ● **to p. one's apologies**, presentare (*o* fare) le proprie scuse □ **to p. one's compliments**, presentare (*o* fare) i propri omaggi □ **to p. oneself**, presentarsi, comparire; (*di un'occasione, ecc.*) presentarsi; (*di un'idea*) venire alla mente: **to p. oneself for an examination**, presentarsi a un esame; (*leg.*) **to p. oneself for trial**, comparire in giudizio □ (*mil.*) **P. arms!**, presentat'arm!

presentable /prɪˈzɛntəbl/ a. presentabile; decoroso ● **to make oneself p.**, rendersi presentabile ‖ **presentability** n. ⓤ presentabilità (*raro*).

◆**presentation** /prɛzənˈteɪʃn/ n. **1** ⓤ presentazione (*anche a Corte*) **2** ⓤⓒ (*teatr.*) rappresentazione: **the p. of a new comedy [drama]**, la rappresentazione di una nuova commedia [di un nuovo dramma] **3** ⓤ offerta (*di un dono*); consegna (*di premi, medaglie, ecc.*) **4** ⓤ (*banca, fin., pubbl.*) presentazione; consegna: **the p. of a bill for acceptance**, la presentazione di una cambiale per l'accettazione **5** (*relig.*) collazione; nomina (*di un prelato a un beneficio*) ● **a p. copy**, una copia omaggio (*di un libro, ecc.*) □ (*comput.*) **p. layer**, strato di presentazione.

presentee /prɛzənˈtiː/ n. **1** (*relig.*) chi è destinato a un beneficio ecclesiastico **2** chi è raccomandato per un impiego (*spec. statale*) **3** chi è presentato a Corte; debuttante **4** destinatario di un dono.

presenter /prɪˈzɛntə(r)/ n. **1** donatore, donatrice **2** (*radio, TV*) presentatore.

presentient /prɪˈsɛnʃɪənt/ a. che presagisce; presago.

presentiment /prɪˈzɛntɪmənt/ n. presentimento ● **to have a p. of st.**, presentire qc.

presently /ˈprɛzntlɪ/ avv. **1** fra poco; a momenti; subito; di lì a poco: *I'm coming p.*, vengo a momenti; torno subito; *'P. the night wind died out'* T. HARDY, 'di lì a poco il vento della notte cadde' **2** (*spec. USA*) attualmente; ora.

presentment /prɪˈzɛntmənt/ n. **1** ⓤ presentazione; modo di presentarsi (*di un'idea alla mente*); rappresentazione; descrizione; esposizione **2** ⓤ (*leg.*) messa in stato d'accusa da parte di una → «grand jury» (→ **grand**①) **3** ⓤⓒ (*teatr.*) rappresentazione **4** ⓤ (*banca, fin.*) presentazione; consegna **5** (*relig.*) esposto (*da parte delle autorità parrocchiali a un vescovo*).

preservable /prɪˈzɜːvəbl/ a. preservabile; conservabile ‖ **preservability** n. ⓤ preservabilità; conservabilità.

preservation /prɛzəˈveɪʃn/ n. ⓤ **1** preservazione; conservazione: **in a good state of p.**, in buono stato di conservazione **2** protezione; difesa; salvaguardia; tutela ● **the p. of peace**, il mantenimento della pace □ **p. order**, ordinanza di conservazione (*di un monumento, ecc.*); dichiarazione di «monumento nazionale».

preservationist /prɛzəˈveɪʃnɪst/ n. chi si occupa della conservazione dei beni culturali, ambientali, ecc.

preservative /prɪˈzɜːvətɪv/ **A** a. preservativo; che preserva; conservativo **B** n. sostanza conservatrice; conservante: conservativo: (*di alimenti*) **free from preservatives**, senza conservanti ❶ FALSI AMICI ● preservative *non significa* preservativo *nel senso di profilattico*.

preserve /prɪˈzɜːv/ n. **1** (spesso al pl.) confettura; marmellata; conserva di frutta: **quince p.**, marmellata di cotogne **2** (= **game p.**) riserva di caccia; bandita **3** (= **fish p.**) peschiera; vivaio; riserva di pesca **4** (*fig.*) area (*o* sfera) riservata; campo (*o* dominio) esclusivo: *Politics used to be a male p.*, la politica un tempo era una sfera esclusivamente maschile; **to trespass on sb.'s p.**, invadere il campo altrui **5** (pl.) (*antiq.*) occhiali protettivi.

◆**to preserve** /prɪˈzɜːv/ **A** v. t. **1** preservare; proteggere; salvaguardare; difendere; conservare; mantenere: *God p. us!*, Dio ci preservi (*o* ci salvi)!; **to p. one's dignity**, conservare (*o* salvare) la propria dignità; **to p. public order**, mantenere l'ordine pubblico **2** conservare; mettere in conserva: **to p. fruit**, mettere in conserva frutta **3** riservare: *Fishing is strictly preserved here*, qui la pesca è rigorosamente riservata **B** v. i. **1** tenere riserve (*di caccia, ecc.*) **2** fare conserve alimentari ● **to p. game [fish]**, proteggere la selvaggina [i pesci]; fare un territorio [un corso d'acqua] autogestito □ **to p. a river**, riservare il diritto di pesca in un fiume.

preserved /prɪˈzɜːvd/ a. (*market.*) conservato; in conserva; in scatola: **p. meat**, carne in scatola ● **p. fruit**, frutta conservata.

preserver /prɪˈzɜːvə(r)/ n. preservatore, preservatrice ● **game p.**, chi tiene una bandita di caccia.

preserving /prɪˈzɜːvɪŋ/ **A** a. conservante; che conserva **B** n. ⓤ (*ind.*) conservazione (*di alimenti*) ● **p. agents**, conservanti □ **p. jar**, vasetto per conserve.

to preset /priːˈsɛt/ (pass. e p. p. **preset**), v. t. programmare (*un apparecchio, ecc.*); puntare (*fam.*) ‖ **presettable** a. programmabile ‖ **presetting** n. ⓤ programmazione (*di un timer, ecc.*).

to preshrink /priːˈʃrɪŋk/ (*ind. tess.*) (pass. e p. p. **preshrunk**), v. t. sanforizzare ‖ **preshrinking** n. ⓤ sanforizzazione.

preshrunk /priːˈʃrʌŋk/ a. (*di tessuto*) sottoposto a restringimento preventivo; sanforizzato; irrestringibile.

to preside /prɪˈzaɪd/ v. i. **1** presiedere a; presiedere: *The House of Lords is presided over by the Lord Chancellor*, la Camera dei Lord è presieduta dal Lord Cancelliere **2** dirigere; esercitare il comando **3** sedere a capotavola ● (*raro*) **to p. at the piano**, sedere al pianoforte; suonare il pianoforte (*in pubblico*).

◆**presidency** /ˈprɛzɪdənsɪ/ n. **1** ⓤⓒ presidenza **2** (*relig.*) consiglio amministrativo (*della Chiesa mormone*) ● (*polit., in USA*) **the P.**, la Presidenza ● **to run for the p.**, essere candidato alla presidenza.

◆**president** /ˈprɛzɪdənt/ n. **1** (*anche polit.*) presidente, presidentessa: **P. Kennedy**, il Presidente Kennedy **2** (*fin., USA*) presidente (*d'una società commerciale*) **3** (*in USA*) rettore, rettrice (*di un'università*) **4** (*stor.*) governatore d'una provincia (*o* d'una colonia) ● (*USA*) **p.-elect**, presidente eletto (*che non ha ancora assunto le funzioni*).

◆**presidential** /prɛzɪˈdɛnʃl/ a. presidenziale ● (*polit.*) **p. campaign**, campagna per le presidenziali □ **p. election**, elezioni presidenziali □ (*in USA*) **p. year**, anno delle elezioni presidenziali ● **-ly** avv.

presidentialism /prɛzɪˈdɛnʃlɪzəm/ (*polit.*) n. ⓤ presidenzialismo ‖ **presidentialist** n. presidenzialista.

presidentship /ˈprɛzɪdəntʃɪp/ n. ⓤ presidenza.

presiding /prɪˈzaɪdɪŋ/ a. che presiede ● (*polit.*) **p. officer**, presidente di seggio (elettorale).

presidium /prɪˈsɪdɪəm/ n. (pl. **presidia**, **presidiums**) (*polit., stor.*) presidium (*in Russia, ecc.*).

pre-ski /priːˈskiː/ a. attr. (*sport*) presciistico ● **pre-ski training**, presciistica.

presoak /priːˈsəʊk/ n. **1** preammollo **2** detergente (*o* polvere) per il preammollo.

to presoak /priːˈsəʊk/ **A** v. i. fare il preammollo **B** v. t. mettere (*panni, ecc.*) in preammollo.

press① /prɛs/ n. **1** pressione; stretta: **a p. of the hand**, una stretta di mano (*in segno d'affetto*) **2** pressa; torchio; pressoio: **a cider p.**, una pressa per fare il sidro; **a wine p.**, un torchio per fare il vino; **a trouser p.**, una pressa per dar la piega ai calzoni; uno stiracalzoni **3** (*mecc.*) pressa: **hydraulic p.**, pressa idraulica **4** ⓤ pressione; urgenza; (l') incalzare: **the p. of events**, l'incalzare degli avvenimenti **5** (= **printing p.**) macchina da stampa; stampatrice; pressa a mano: **to stop the presses**, fermare le macchine (da stampa) **6** stamperia; tipografia **7** ⓤⓒ stampa; lo stampare; (*fig.*) recensione, critica: **to get a good [a bad] p.**, avere una buona [una cattiva] stampa; *The book is now in the p.*, il libro è in corso di stampa **8** ⓤ (*fig.*) – **the p.**, la stampa; i giornalisti: **freedom of the p.**, libertà di stampa **9** (*legatoria*) torchio **10** (= **rolling p.**; *ind. cartaria*) calandra **11** (*fam.*) passata (*del ferro da stiro*); colpo di ferro; stirata **12** casa editrice: *Oxford University P.*, la casa editrice dell'università di Oxford **13** (*sport: basket*) pressing; difesa aggressiva **14** (*lotta*) schiacciamento **15** (*sollevamento pesi*) distensione **16** (*tennis*, = **racket p.**) pressa; portaracchette **17** (*ginnastica*) sollevamento del corpo **18** grosso armadio della biancheria **19** calca; folla; ressa ● **p. agency**, agenzia di stampa (*o* d'informazione) □ **p. agent**, agente pubblicitario; addetto stampa; press agent □ **p. attaché**, addetto stampa (*d'ambasciata*) □ (*ginnastica*) **p. bar**, barra per i pettorali (*di attrezzo multiuso*) □ **p. baron**, potente proprietario di giornali; magnate della stampa □ (*sport*) **p. box**, tribuna stampa (*allo stadio, ecc.*) □ **a p. campaign**, una campagna giornalistica □ **p. conference**, conferenza stampa □ **p. corps**, stampa accreditata □ **p. corrector**, correttore di bozze □ **p. cuttings** (*o* **p. clippings**), ritagli di giornale □ (*metall.*) **p. forging**, fucinatura alla pressa □ (*polit.*) **p. gallery**, galleria della stampa □ **p. laws**, leggi sulla stampa □ **p. mark**, impronta del ferro da stiro (*su un abito, ecc.*) □ (*naut.*) **p. of canvas** (*o* **of sail**), forza di vele □ **p. officer**, addetto stampa (*di una fiera campionaria, ecc.*) □ **p. photographer**, fotoreporter □ **p. proof**, bozza di stampa □ **p. release**, comunicato stampa □ **p. reporter**, cronista □ **p. room** → **pressroom** □ **p. run**, tiratura (*di un giornale*) □ (*polit.*) **p. secretary**, addetto stampa (*di un personaggio politico*) □ (*cinem.*) **p. show**, anteprima per la stampa □ **p. stud**, bottone automatico; automatico □ (*arte*) **p. view**, presentazione alla stampa ● **to go to p.**, (*di libro*) andare in stampa; (*di giornale*) andare in macchina □ **to make a full-court p.**, (*basket*) fare pressing a tutto campo; (*fig. USA*) esercitare una pressione fortissima (*su q.*) □ (*di libro, ecc.*) **off the p.**, appena stampato; fresco di stampa □ **to send to p.**, dare alle stampe.

press② /prɛs/ n. (*stor.*) arruolamento forzato ● (*stor.*) **p.-gang** → **pressgang**.

◆**to press**① /prɛs/ **A** v. t. **1** premere; comprimere; calcare; pigiare; spingere; stringere: **to p. a button**, premere un bottone (*o* un pulsante); **to p. the trigger**, premere il grilletto; **to p. sb.'s hand**, stringere la mano a q. (*in segno d'affetto*); **to p. grapes**, pigiare l'uva **2** spremere: **to p. juice out of a lemon**, spremere il succo da un limone **3** abbracciare; stringere a sé: *He pressed his daughter to his breast*, strinse al seno la figlia **4** mettere (q.) alle strette; incalzare; importunare; sollecitare; urgere: **to p. the enemy forces hard**, incalzare il nemico da presso **5** insistere su; far accettare a forza; imporre l'accettazione di: **to p. a question**,

insistere su una questione; **to p. a gift on sb.**, far accettare a forza un dono a q. **6** stirare: **to p. clothes**, stirare vestiti **7** stampare, incidere (*un disco*) **8** (*fig.*) spingere; propagandare (*un prodotto, ecc.*) **9** fare pressione su (q.) **10** (*sport: calcio, ecc.*) pressare; incalzare; aggredire **11** (*lotta*) schiacciare (*l'avversario*) **12** (*sport: pesistica*) sollevare (*un certo peso*) in distensione **B** v. i. **1** affollarsi; accalcarsi; premere; spingere; incalzare; urgere: *The rioters were pressing against the police*, i rivoltosi s'accalcavano contro la polizia; *Time presses*, il tempo incalza (o stringe) **2** stirarsi **3** (*sport*) premere; fare pressing ● **to p. st. home → press home** □ **to p. one's claim**, insistere in una rivendicazione □ **to p. the button**, premere il bottone; (*fig.*) dare il via; fare il primo passo □ **to p. for an answer**, insistere per avere una risposta □ **to p. sb. for a decision**, chiedere insistentemente a q. di decidere □ **to p. one's opinion on sb.**, imporre la propria opinione a q.

■ **press ahead** v. i. + avv. (*fam.*) andare avanti; continuare: **to p. ahead with one's work**, continuare a lavorare.

■ **press down** v. t. + avv. schiacciare (*un pedale, ecc.*); abbassare (qc.) esercitando una pressione; comprimere; premere; *P. this lever down and turn it to release the cartridge*, abbassa questa leva e girala per sganciare la cartuccia.

■ **press forward A** v. i. + avv. **1** spingersi innanzi; accalcarsi **2** (*fam.*) andare avanti; continuare **3** (*sport*) premere in avanti; fare un pressing offensivo **B** v. t. (*mil.*) spingere avanti, continuare (*l'avanzata, ecc.*).

■ **press hard** v. t. + avv. esercitare una forte pressione su (qc.); incalzare (*il nemico, ecc.*).

■ **press home** v. t. + avv. **1** insistere su (qc.) in modo convincente; far accettare: **to p. home one's point**, fare accettare il proprio punto di vista **2** (*mil. e sport*) spingere a fondo: **to p. home an attack**, spingere a fondo un attacco □ **to p. home one's advantage**, sfruttare al massimo il proprio vantaggio.

■ **press in A** v. i. + avv. sopraggiungere: *Night was pressing in*, sopraggiungeva la notte; si faceva buio **B** v. t. + avv. fare rientrare (qc.) esercitando una pressione □ **to p. in one's way**, farsi largo a forza.

■ **press into** v. t. + prep. comprimere, far entrare (q. o qc.) dentro (*una stanza, una valigia, ecc.*).

■ **press on** v. i. + avv. (*fam.*) andare avanti; continuare; tirare innanzi: *Let's p. on to get there in time*, tiriamo innanzi per arrivare in tempo!

■ **press out** v. t. + avv. fare uscire a forza (qc.); tirare fuori (qc.) premendo □ **to p. the juice out of a lemon**, spremere un limone.

■ **press round** v. i. + avv. (o prep.) stringersi attorno a (q.); circondare (q.) in massa.

to **press** ② /prɛs/ v. t. **1** (*stor.*) arruolare forzatamente (*spec. nella marina*) **2** requisire (*cavalli, barche, ecc.*) ● **to p. st. into service**, fare uso di qc. (*eccezionalmente, in mancanza di meglio*).

pressboard /'prɛsbɔːd/ n. Ⓤ cartone pressato.

press-button /'prɛsbʌtn/ **A** n. pulsante di comando **B** a. attr. a tastiera: **a press-button phone**, un telefono a tastiera.

pressed /prɛst/ a. **1** compresso; pressato: **p. brick**, mattone pressato **2** (*mecc., metall.*) stampato (alla pressa) (*autom.*) **p. steel rims**, cerchi in acciaio stampato **3** (*d'abito*) stirato ● **p. beef**, carne di bue pressata in scatola □ **to be (hard) p. for money [for time]**, essere a corto di denaro [di tempo].

presser /'prɛsə(r)/ n. **1** chi preme, spre-

me, ecc. (→ **press**①) **2** stiratore, stiratrice **3** pressatore; addetto alla pressa **4** (= p.-foot) premistoffa (*di macchina da cucire*).

pressgang /'prɛsgæn/ n. (*stor.*) squadra di marinai che eseguiva arruolamenti forzati.

to **pressgang** /'prɛsgæn/ v. t. **1** (*stor.*) arruolare forzatamente **2** (*fig.*) costringere; forzare ● **to p. sb. into doing st.**, costringere con la forza q. a fare qc.

pressie /'prɛzɪ/ n. (*fam.*) regalo; dono.

pressing /'prɛsɪŋ/ **A** a. **1** incalzante; urgente; imminente; pressante: **a p. matter**, un affare pressante; **p. need**, bisogno urgente; **p. danger**, pericolo imminente **2** insistente; caloroso; importuno: **a p. petitioner**, un postulante insistente; **a p. invitation**, un invito pressante **B** n. **1** Ⓤ (*metall.*) pressatura; (*anche*) stampaggio di lastre **2** Ⓤ stampaggio (*spec. di dischi*) **3** disco (*fonografico*) stampato **4** Ⓤ premere; insistenza: *It didn't take much p. to convince him*, non fu necessario insistere molto per convincerlo **5** Ⓤ pigiatura (*dell'uva*) **6** Ⓤ stiratura: **clothes for p.**, abiti da stirare ❶ **FALSI AMICI** ● pressing non significa pressing *in senso calcistico*.

pressman /'prɛsmən/ n. (pl. **pressmen**) **1** (*tipogr.*) macchinista; stampatore **2** (*fam.*) giornalista; cronista.

pressmark /'prɛsmɑːk/ n. collocazione d'un libro; segnatura; indicazione del posto assegnato a un libro in biblioteca.

pressor /'prɛsə(r)/ a. **1** (*fisiol.*) pressorio **2** (*med.*) ipertensivo: **p. headache**, cefalea ipertensiva ● **p. area**, centro vasomotore.

pressroom /'prɛsruːm/ n. **1** (*tipogr.*) sala delle macchine da stampa **2** sala stampa.

to **press-show** /'prɛsʃəʊ/ v. t. (*cinem.*) presentare (*un film*) alla stampa in anteprima.

press-up /'prɛsʌp/ n. (*in GB, NZ*) (*ginnastica*) flessione (*sulle braccia*); piegamento (*cfr. USA* **push-up**): **to do press-ups**, fare le flessioni.

◆**pressure** /'prɛʃə(r)/ n. Ⓤ **1** (*fis., mecc., med.*) pressione: **the p. of a tyre**, la pressione di un pneumatico; **water p.**, pressione dell'acqua; **blood p.**, pressione sanguigna **2** (*fis., mecc.*) compressione: **p. microphone**, microfono a compressione **3** (*fig.*) pressione; costrizione; tensione, tensioni; stress: (*econ.*) *Prices have come under some slight p.*, sono riapparse lievi tensioni sui prezzi; **the p. of work**, lo stress da lavoro **4** difficoltà: **financial p.**, difficoltà finanziarie **5** (*mil. e sport*) pressione; pressing ● (*mecc.*) **p. bar**, premilamiera □ (*aeron.*) **p. cabin**, cabina pressurizzata □ (*metall.*) **p. casting**, pressofusione □ **p. cooker**, pentola a pressione □ (*mecc., autom.*) **p. feed**, alimentazione forzata □ **p. gauge**, manometro □ (*polit., econ.*) **p. group**, gruppo di pressione □ (*mecc. dei fluidi*) **p. head**, altezza piezometrica □ **p. of business**, affari urgenti; cumulo di lavoro □ (*autom., mecc.*) **p. plate**, spingidisco □ (*med.*) **p. points**, punti cutanei sensibili alla pressione □ **p. regulator**, regolatore della pressione □ (*tecn.*) **p. suit**, tuta pressurizzata □ (*elettr.*) **p. switch**, interruttore a pressione □ (*tecn.*) **p. welding**, saldatura per pressione □ (*fig.*) **to bring p. to bear on sb.**, esercitare (o fare) pressioni su q. □ **to ease the p.**, ridurre la pressione; allentare la tensione □ **under p.**, sotto pressione (*fig.*) □ (*comm.*) **under the p. of competition**, sotto lo stimolo della concorrenza □ (*fig.*) **to work at high p.**, lavorare intensamente; essere sotto sforzo (o sotto pressione) □ **to yield under p.**, cedere (per le pressioni subite).

to **pressure** /'prɛʃə(r)/ (*spec. USA*) → to **pressurize**.

to **pressure-cook** /'prɛʃəkʊk/ v. t. cuocere (in una pentola) a pressione.

to **pressurize** /'prɛʃəraɪz/ v. t. **1** (*aeron., tecn.*) pressurizzare: **pressurized cabin**, cabina pressurizzata **2** (*fig.*) fare (o esercitare) pressioni su (q.) ‖ **pressurization** n. Ⓤ (*aeron., tecn.*) pressurizzazione ‖ **pressurized** a. **1** (*aeron., tecn.*) pressurizzato: (*fis. nucl.*) **pressurized water reactor**, reattore ad acqua pressurizzata **2** (*fig.*) assillato; pressato; sotto pressione.

presswork /'prɛswɜːk/ n. Ⓤ **1** lavoro di stampa; lo stampare **2** materiale a stampa **3** lavoro di casa editrice; editoria.

Prestel® /prɛ'stɛl/ n. (*in GB*; contraz. di **press telephone**) servizio d'informazioni trasmesse per telefono e leggibili su apposito televisore (→ **Homelink**).

prestidigitation /prɛstɪdɪdʒɪ'teɪʃn/ n. Ⓤ prestidigitazione ‖ **prestidigitator** n. prestidigitatore; prestigiatore.

prestige /prɛ'stiːʒ/ **A** n. Ⓤ prestigio (*fig.*); autorità; fascino; rinomanza **B** a. attr. prestigioso; di prestigio: **a p. car**, un'automobile di prestigio.

prestigious /prɛ'stɪdʒəs/ a. prestigioso | -**ly** avv. | -**ness** n. Ⓤ.

presto /'prɛstəʊ/ (*ital.*), (*mus.*) **A** avv. presto **B** n. (pl. **prestos**) presto; brano da eseguire in tempo di presto ● (*escl. di prestigiatore*) *Hey p.!*, oplà!

to **prestress** /priː'strɛs/ (*ind. costr.*) v. t. precomprimere ‖ **prestressed** a. precompresso: **prestressed concrete**, calcestruzzo precompresso ‖ **prestressing** n. Ⓤ precompressione.

presumable /prɪ'zuːməbl/ a. presumibile.

◆**presumably** /prɪ'zuːməblɪ/ avv. presumibilmente; probabilmente: *P., his story is true*, la sua versione dei fatti è presumibilmente vera.

◆to **presume** /prɪ'zjuːm/ **A** v. t. **1** presumere; congetturare; immaginare; supporre; credere: *Will he accept the offer? – I p. so [I p. not]*, accetterà l'offerta? – credo di sì [credo di no] **2** avere l'ardire (o la pretesa) di; prendersi la libertà di; osare: *I don't p. to correct you*, non oso (o non mi sogno certo di) correggerti **3** far presumere; presupporre; esser prova di: *A signed invoice presumes receipt of the shipment*, una fattura firmata fa presumere che la merce sia stata ricevuta **4** (*leg.*) presumere; considerare: **to p. sb. innocent**, considerare q. innocente **B** v. i. **1** agire in modo presuntuoso; prendersi delle libertà **2** far congetture; fare supposizioni: (*form. o scherz.*) *Mr Johnson, I p.?*, suppongo che Lei sia Mr Johnson ● **to p. on**, contare troppo, fare troppo affidamento su (q. o qc.); approfittare di (q. o qc.) □ **to p. upon chance**, affidarsi al caso; riporre troppa fiducia nella buona sorte □ **Ten people are missing and presumed dead**, i dispersi sono dieci e si presume siano morti.

presumedly /prɪ'zjuːmɪdlɪ/ avv. presumibilmente; secondo le supposizioni.

presuming /prɪ'zjuːmɪŋ/ a. presuntuoso; arrogante | -**ly** avv.

presumption /prɪ'zʌmpʃn/ n. **1** presunzione; congettura; supposizione: **a false p.**, una supposizione errata **2** Ⓤ Ⓒ (*leg.*) presunzione: **p. of death**, presunzione di morte; **p. of innocence**, presunzione d'innocenza; *It was a mere p.*, non era che una congettura **3** Ⓤ presunzione; arroganza ● (*ass., demogr.*) **p. of survival**, probabilità di sopravvivenza.

presumptive /prɪ'zʌmptɪv/ a. presuntivo; presunto: **the heir p.**, l'erede presunto; il presunto erede ● (*leg.*) **p. evidence**, prova presuntiva (o congetturale, indiziaria) □ **p. title**, titolo di proprietà presunto |

-ly avv.

presumptuous /prɪ'zʌmptʃʊəs/ a. presuntuoso; arrogante | -ly avv. | -ness n. ⓤ.

to **presuppose** /pri:sə'pəʊz/ v. t. 1 presupporre; supporre 2 presupporre; comportare; implicare.

presupposition /pri:sʌpə'zɪʃn/ n. ⓤⓒ presupposizione; congettura; presupposto.

presynaptic /pri:saɪ'næptɪk/ a. (med.) presinaptico.

presystole /pri:'sɪstəlɪ/ (fisiol.) n. presistole || **presystolic** a. presistolico.

pre-tax, **pretax** /pri:'tæks/ a. (fin.) al lordo di imposte; ante imposte: **pre-tax profits**, profitti al lordo di imposte; utile ante imposte; (rag.) **pre-tax accounting income**, reddito lordo contabile.

pre-teen /pri:'ti:n/ (spec. USA) 🇦 n. preadolescente 🇧 a. preadolescenziale.

pre-teenager /pri:'ti:neɪdʒə(r)/ n. preadolescente.

pretence, (USA) **pretense** /prɪ'tɛns/ n. ⓤⓒ 1 finzione; mostra; simulazione 2 pretesto; scusa: He stays off work on the slightest p., gli basta un minimo pretesto per stare a casa dal lavoro 3 pretesa; pretese: **without p.**, senza pretese 4 (leg.) pretesa; richiesta di riconoscimento di un diritto ● **devoid of all p.**, del tutto privo di pretese □ (leg.) **false pretences**, pretese infondate; frode; inganno; truffa □ **to make a p. of doing st.**, far finta (o fingere) di fare qc. □ **under the p. of personal devotion**, fingendosi un amico devoto □ **under the p. of helping**, facendo finta d'aiutare; con il pretesto di dare aiuto.

pretend /prɪ'tɛnd/ a. attr. (voce infantile) per finta; per gioco; immaginario: **a p. giant**, un gigante immaginario (o finto).

♦to **pretend** /prɪ'tɛnd/ v. t. e i. 1 fingere; far finta; far mostra (di); simulare; far le viste (di): **to p. sickness**, simulare una malattia; I pretended that I was deaf (o to be deaf), facevo finta d'essere sordo 2 pretendere; avere la presunzione di; pretendere a; aspirare (a); accampare diritti su: He doesn't p. to be an expert, non pretende d'essere un esperto; He pretended to the throne of England, pretendeva (o aspirava) al trono d'Inghilterra ● **to p. one is dead**, fingersi morto; fare il morto □ **to p. to sb.** (o **sb.'s hand**), essere il pretendente di (una donna); aspirare alla mano di q. □ **We're only pretending**, facciamo per gioco; non facciamo sul serio.

pretended /prɪ'tɛndɪd/ a. 1 finto; simulato: **p. generosity**, finta generosità 2 presunto; supposto: **p. father**, padre putativo | -ly avv.

pretender /prɪ'tɛndə(r)/ n. 1 pretendente 2 chi finge; simulatore ● (stor.) **the Old P.**, Giacomo Stuart (figlio di re Giacomo II) □ (stor.) **the Young P.**, Carlo Stuart (nipote di Giacomo II).

pretense /prɪ'tɛns/ (USA) → **pretence**.

pretension /prɪ'tɛnʃn/ n. 1 pretesa: He makes (o he has) no pretensions to skill as a painter, non ha la pretesa d'esser bravo come pittore 2 ⓤ presunzione; vanità 3 ⓤ pretenziosità.

to **pre-tension** /pri:'tɛnʃn/ (tecn.) v. t. sottoporre (materiali per l'edilizia, ecc.) a tensione preventiva || **pre-tensioning** n. ⓤ tensione preventiva.

pretentious /prɪ'tɛnʃəs/ a. pretenzioso, presuntuoso; vanitoso: **a p. writer**, uno scrittore pretenzioso | -ly avv. | -ness n. ⓤ.

preterhuman /pri:tə'hju:mən/ a. sovrumano.

preterite, (USA) **preterit** /'prɛtərɪt/ a. e n. (gramm.) preterito.

preterition /prɛtə'rɪʃn/ n. 1 (retor.) preterizione 2 ⓤⓒ omissione.

to **pretermit** /pri:tə'mɪt/ v. t. 1 omettere; tralasciare 2 sospendere; interrompere || **pretermission** n. ⓤⓒ 1 omissione 2 interruzione; cessazione; sospensione.

preternatural /pri:tə'nætʃərəl/ a. 1 preternaturale; soprannaturale 2 straordinario; eccezionale | -ly avv.

pretext /'pri:tɛkst/ n. pretesto; scusa: **to offer a p.**, fornire un pretesto; dare appiglio; **under** (o **on**, **upon**) **the p. of**, col pretesto di.

pretonic /pri:'tɒnɪk/ 🇦 a. (fon.) pretonico 🇧 n. (fon.) sillaba (o vocale) pretonica.

pretor /'pri:tə(r)/ e deriv. → **praetor**, e deriv.

to **pretreat** /pri:'tri:t/ (tecn.) v. t. pretrattare || **pretreatment** n. ⓤ pretrattamento.

to **prettify** /'prɪtɪfaɪ/ v. t. (spesso spreg.) abbellire, agghindare, illeggiadrire (spec. in modo lezioso) ● **to p. oneself**, farsi bello; agghindarsi; mettersi in ghingheri.

prettily /'prɪtɪlɪ/ avv. graziosamente; leggiadramente; elegantemente; bene: **p. dressed**, ben vestito ● (infant.) **to behave p.**, comportarsi bene; fare il bravo.

prettiness /'prɪtɪnəs/ n. ⓤ 1 grazia; graziosità; leggiadria; eleganza 2 (di stile) eleganza affettata; leziosità; ricercatezza.

♦**pretty** /'prɪtɪ/ 🇦 a. 1 grazioso; leggiadro; carino: **a p. girl**, una ragazza graziosa (o carina); **a p. cottage**, una graziosa villetta; **p. scene**, una scena leggiadra 2 (spesso iron.) bello: **a p. picture**, un bel quadretto; A p. mess you've made of it!, hai combinato un bel pasticcio! 3 (fam.) bello; considerevole; grande; grosso: This car cost me a p. sum, questa auto m'è costata una bella somma 4 (fam.) effeminato; poco virile ❶ NOTA: handsome, pretty, beautiful→ **handsome** 🇧 n. 1 (raro) carino; tesoruccio 2 (pl.) biancheria intima 3 (sport: golf) percorso libero 4 riga ornamentale; scanalatura: **to fill a glass up to the p.**, riempire un bicchiere fino alla riga (o fin quasi all'orlo) 🇨 avv. (fam.) abbastanza; discretamente; passabilmente; piuttosto; (anche) molto: **p. good**, abbastanza buono; discreto; **p. late**, piuttosto tardi; I am p. well, sto abbastanza bene; sto benino; **p. difficult**, piuttosto difficile ● (slang) **p. boy**, uomo effeminato; donnina (fig.) □ **a p. distinction**, una distinzione sottile □ **p. much the same** (**thing**), quasi lo stesso; pressoché la stessa cosa: It's p. much the same thing, se non è zuppa, è pan bagnato □ (fam.) **a p. penny**, una bella somma; un bel gruzzolo □ (fam.) **p.-p.**, affettato; lezioso; ricercato; sdolcinato; stucchevole □ **p.-pretties**, chincaglieria; cianfrusaglie; ninnoli □ (fam.) **not a p. sight**, spettacolo sgradevole; cosa brutta a vedersi □ **p. tales**, dicerie, voci: I've heard p. tales about her, ne ho sentite di belle sul suo conto □ **to have a p. wit**, avere molto spirito; essere un tipo spiritoso □ (fam.) **sitting p.**, seduto comodamente; (fig.) in una botte di ferro; tra due cuscini, tranquillo.

pretzel /'prɛtsl/ (ted.) n. (spec. USA) ciambellina croccante salata (a forma di nodo o bastoncino).

to **prevail** /prɪ'veɪl/ v. i. 1 prevalere; avere la meglio; aver successo; vincere: Reason will p., la ragione prevarrà; The King prevailed over the barons, il re ebbe la meglio sui grandi feudatari 2 predominare; essere predominante; essere invalso (o assai diffuso): The use of opium once prevailed in China, un tempo l'uso dell'oppio era assai diffuso in Cina ● **to p. upon** (o **on**), convincere; indurre; persuadere: I prevailed upon him to accept the invitation, lo indussi ad accettare l'invito.

prevailing /prɪ'veɪlɪŋ/ a. 1 prevalente; predominante; dominante 2 assai diffuso;

assai comune; invalso; generale: **a p. practice**, una pratica assai diffusa; un'abitudine assai comune ● (meteor.) **p. wind**, vento dominante □ (leg.) **the p. party**, la parte vittoriosa (in giudizio) □ (comm.) **at the prices now p.**, ai prezzi correnti.

prevalence /'prɛvələns/ n. ⓤ larga diffusione; l'esser comune; prevalenza.

prevalent /'prɛvələnt/ a. 1 assai diffuso; generalmente invalso; assai comune; generale: **a p. belief**, una credenza assai diffusa; **a p. disease**, una malattia assai comune 2 prevalente; predominante | -ly avv.

to **prevaricate** /prɪ'værɪkeɪt/ v. i. 1 parlare (o agire) in modo evasivo; essere evasivo, sfuggente; tergiversare: Instead of answering clearly, he began to p., invece di rispondere in modo chiaro, cominciò a tergiversare 2 (leg., arc.) prevaricare ❶ FALSI AMICI ● nell'inglese attuale to prevaricate non significa prevaricare.

prevarication /prɪværɪ'keɪʃn/ n. ⓤⓒ 1 tergiversazione 2 (leg., arc.) prevaricazione ❶ FALSI AMICI ● nell'inglese attuale prevarication non significa prevaricazione.

prevaricator /prɪ'værɪkeɪtə(r)/ n. chi tergiversa; chi risponde in modo sfuggente ❶ FALSI AMICI ● prevaricator non significa prevaricatore.

prevenient /prɪ'vi:nɪənt/ a. 1 precedente; anteriore 2 che aspetta (qc. che deve avvenire); che è in attesa ● (relig.) **p. grace**, grazia divina che precede il pentimento.

♦to **prevent** /prɪ'vɛnt/ v. t. 1 prevenire; evitare; impedire; ostacolare; inceppare: **to p. aggression**, prevenire l'aggressione; **to p. an accident**, evitare un incidente; What prevented you from writing (o your writing)?, che cosa ti ha impedito di scrivere? 2 (arc.) prevenire (un desiderio, una domanda, ecc.) ● (med.) **to p. a disease**, prevenire una malattia □ (relig.) God prevents us with His grace, Dio ci previene con la Sua grazia.

preventable /prɪ'vɛntəbl/ a. prevenibile; evitabile || **preventability** n. ⓤ prevenibilità; evitabilità.

preventative /prɪ'vɛntətɪv/ → **preventive**.

preventer /prɪ'vɛntə(r)/ n. 1 chi previene; chi evita 2 (naut.) elemento (paterazzo volante, ecc.) di rinforzo.

preventible /prɪ'vɛntəbl/ → **preventable**.

prevention /prɪ'vɛnʃn/ n. 1 ⓤ prevenzione: **the p. of disease**, la prevenzione delle malattie 2 misura preventiva; precauzione ● (prov.) P. is better than cure (USA, An ounce of p. is worth a pound of cure), è meglio prevenire che curare.

preventive /prɪ'vɛntɪv/ 🇦 a. (spec. med.) preventivo; profilattico: **p. treatment**, cura preventiva 🇧 n. 1 (= p. medicine) medicinale preventivo; profilattico 2 misura profilattica 3 provvedimento preventivo 4 contraccettivo; anticoncezionale ● (leg.) **p. attachment**, sequestro conservativo □ (leg.) **p. detention**, detenzione preventiva (fino al 1908); carcerazione di un delinquente abituale (fino al 1973; cfr. **custody**, def. 3) □ (tecn.) **p. maintenance**, manutenzione preventiva □ **p. medicine**, medicina preventiva; profilassi □ **P. Service**, servizio (di guardia costiera) per la repressione del contrabbando | -ly avv.

preverb /'pri:vɜ:b/ (ling.) n. preverbo || **preverbal** a. di preverbo.

preview /'pri:vju:/ n. (cinem., teatr., pitt.) 1 anteprima 2 (USA) «prossimamente»; presentazione; proiezione di scene d'un film di prossima programmazione 3 (comput.) anteprima 4 (fig.) breve descrizione; anticipazione.

to **preview** /'pri:vju:/ 🇦 v. t. 1 vedere (un

film., ecc.) in anteprima; visionare **2** presentare (*un film*) in anteprima **3** (*radio, TV*) dare un'anteprima di 🅑 v. i. (*di un film*) essere presentato in anteprima.

♦**previous** /'priːvɪəs/ a. **1** precedente; antecedente; anteriore: **the p. evening**, la sera precedente; la sera prima; **during a p. encounter**, in un precedente incontro **2** (*fam.*) avventato; frettoloso; precipitoso ● (*leg.*) **p. convictions**, condanne subìte; precedenti; precedenti penali □ (*leg.*) **p. offender**, pregiudicato □ (*polit.*) **p. question**, pregiudiziale; questione pregiudiziale (*in Parlamento*) □ **p. to**, prima di: **p. to his departure**, prima della sua partenza.

♦**previously** /'priːvɪəslɪ/ avv. precedentemente; in precedenza; in passato; prima: *P., she lived in the US*, in passato viveva negli Stati Uniti.

prevision /priːˈvɪʒn/ n. 🆄 previsione; preveggenza ‖ **previsional** a. di (o pertinente a) previsione; previsionale.

prevocalic /priːvəʊˈkælɪk/ a. (*ling.*) prevocalico.

prewar /priːˈwɔː(r)/ a. attr. dell'anteguerra; prebellico: **p. Italy**, l'Italia dell'anteguerra.

prewash /priːˈwɒʃ/ n. prelavaggio.

to **prewash** /priːˈwɒʃ/ v. t. sottoporre a prelavaggio.

prey /preɪ/ n. 🆄 **1** preda; (*fig.*) vittima: *The lion was eating up its p.*, il leone stava divorando la sua preda; **to fall p. to**, cadere in preda a (*un nemico, un sentimento, ecc.*) **2** (*arc.*) preda (*di guerra, ecc.*); bottino ● (*zool.*) **p. animal**, animale soggetto a predazione □ (*zool.*) **a beast of p.**, un predatore □ (*zool.*) **a bird of p.**, un uccello rapace; un rapace.

to **prey** /preɪ/ v. i. – **to p. on** (o **upon**) **1** predare; depredare; far preda di; saccheggiare: *Cats p. on mice*, i gatti fan preda dei topi; *The enemy preyed upon the village*, il nemico saccheggiò il villaggio **2** approfittare di; sfruttare (q.); vivere alle spalle di: *He preys on his old uncle*, vive alle spalle del (o succhia i soldi al) suo vecchio zio **3** consumare; logorare; rodere: *His failure preyed upon his mind*, l'insuccesso gli rodeva l'animo.

prezzie, **prezzy** /'prezɪ/ n. (abbr. *fam. di* **present**) regalo.

Priam /'praɪəm/ n. (*letter.*) Priamo.

Priapean /praɪəˈpiːən/ a. (*mitol., letter.*) priapeo.

priapic /praɪˈæpɪk/ a. **1** → **Priapean 2** fallico.

priapism /'praɪəpɪzəm/ n. 🆄 (*med.*) priapismo.

Priapus /praɪˈeɪpəs/ n. (*mitol.*) Priapo.

♦**price** /praɪs/ n. **1** (*econ., comm.*) prezzo (*anche fig.*): **high [low] prices**, prezzi alti [bassi]; **a fancy p.**, un prezzo esorbitante; *It must be done at any p.*, bisogna farlo a qualunque prezzo (o ad ogni costo) **2** (*Borsa, fin.*) prezzo; corso: **p. of issue**, prezzo di emissione **3** ricompensa; taglia: **to have a p. on one's head**, avere una taglia sulla testa **4** (*ipp.*) quota; quotazione ● **prices account**, listino dei prezzi correnti; mercuriale □ (*Borsa*) **p. after hours**, prezzo del dopoborsa □ **p.-calming factor**, fattore calmierante sui prezzi □ (*econ.*) **p. ceiling**, tetto dei prezzi □ (*econ.*) **p. control**, controllo dei prezzi □ **prices current** = **prices account** → *sopra* □ **p. cut**, sconto □ **p. cutting**, riduzione di prezzo (o dei prezzi) □ (*market.*) **p.-cutting war** = **p. war** → *sotto* □ **p. fall**, crollo (o caduta) dei prezzi □ **p.-fixing**, fissazione dei prezzi (*pratica illecita*); (*anche*) controllo governativo dei prezzi (*per calmierare*) □ (*econ.*) **p. floor**, livello minimo dei prezzi □ **p. freeze**, congelamento (o blocco) dei prezzi □ (*econ.*) **p. increases**, aumenti (o rialzi)

dei prezzi; la dinamica dei prezzi □ (*econ.*) **p. inflation**, inflazione da prezzi □ (*market.*) **p. leader**, articolo civetta □ (*econ.*) **p. lining**, allineamento dei prezzi □ **p. list**, listino (dei) prezzi □ (*econ., fin.*) **the p. of money**, il prezzo del danaro □ **prices on importation**, i prezzi all'importazione □ (*autom.*) **p. on the road**, prezzo chiavi in mano (o su strada) □ (*econ.*) **p. policy**, politica dei prezzi □ (*econ.*) **p. ring**, sindacato di venditori che blocca i prezzi in alto □ (*econ.*) **p. spiral**, spirale dei prezzi □ **p. sticker**, adesivo segnaprezzo □ (*econ.*) **p. stickiness**, vischiosità dei prezzi □ (*econ.*) **p. support**, sostegno (*del governo*) per i prezzi □ **p. swings**, fluttuazioni (o oscillazioni) dei prezzi □ (*market.*) **p. tag**, cartellino del prezzo, cartellino segnaprezzo; (*fig.*) prezzo, costo: **to put a p. tag on st.**, valutare (o dichiarare) il costo di qc. □ (*econ.*) **prices to the consumer**, prezzi al consumo □ (*econ.*) **p. war**, guerra dei prezzi □ **above p.** = **beyond p.** → *sotto* □ **at a p.**, a un prezzo assai elevato; (*fig.*) a caro prezzo □ **to beat down the p.**, riuscire a far calare il prezzo richiesto □ **below p.**, sottoprezzo □ **below cost p.**, sottocosto □ **beyond p.**, inapprezzabile; inestimabile □ (*di un oggetto, una casa, ecc.*) **to fetch a p.**, spuntare un prezzo □ **to name a p.**, fare (o chiedere) un prezzo □ (*fig.*) **to name one's p.**, dire quali sono le proprie condizioni (*per fare qc.*) □ **not for any p.**, per nessun prezzo; (*fig.*) per nulla al mondo □ (*di due articoli*) **to be of a p.**, avere lo stesso prezzo □ **to put a p. on st.**, fare il prezzo di (o stimare) qc. □ **to put a p. to st.**, fare (o indovinare) il prezzo di qc.; valutare qc. □ **a rise of** (o **in**) **prices**, un rincaro □ **to set a high p. on sb.** [**st.**], attribuire un grande valore a q. [qc.] □ **without p.**, che non ha prezzo; inestimabile □ (*fam.*) **What p. a holiday tomorrow?**, che probabilità ci sono di far vacanza domani? □ **What p. success?**, a che vale il successo? □ (*prov.*) **Every man has his p.**, ogni uomo ha il suo prezzo.

to **price** /praɪs/ v. t. **1** fissare il prezzo di (qc.); fare il prezzo di (qc.); assegnare un prezzo a (qc.): *Oil is priced in dollars*, il prezzo del petrolio viene fissato in dollari; *Their goods are priced very high*, la loro merce si vende a un prezzo molto alto **2** (*fig.*) stimare; valutare **3** indicare (o segnare) il prezzo su (merce); prezzare **4** (*fam.*) chiedere il prezzo di (*un articolo*); sentire i prezzi di (*un prodotto, ecc.*): *You'd better p. the various models before making a choice*, ti conviene sentire i prezzi dei vari modelli prima di decidere ● **to p. a car out of the market**, non riuscire a vendere un'automobile perché è troppo cara □ **to p. oneself out of the market**, praticare prezzi esagerati (o proibitivi), così da escludersi dal mercato □ **to p. up**, alzare (o aumentare) il prezzo di (*un prodotto, ecc.*).

priced /praɪst/ a. che ha un prezzo (spec. nei composti, per es.:) **high-p.**, che ha un prezzo elevato; caro; **low-p.**, che ha un prezzo basso; a buon mercato ● **p. catalogue**, catalogo coi prezzi; prezzario □ (*market.*) **p. from**, a partire da: **building lots p. from 49,000 dollars**, lotti edificabili a partire da 49 000 dollari.

priceless /'praɪsləs/ a. **1** senza prezzo; inapprezzabile; inestimabile; impagabile: **a p. pearl**, una perla d'inestimabile valore **2** (*fam.*) divertentissimo; buffo; ridicolo; strambo: **a p. chap**, un tipo buffo (o impagabile); **a p. story**, una storiella divertentissima (o che fa morire dal ridere) ‖ **pricelessly** avv. senza prezzo; impagabilmente ‖ **pricelessness** n. 🆄 l'essere impagabile; valore inestimabile.

to **price-mark** /'praɪsmɑːk/ v. t. (*comm.*) prezzare; mettere il cartellino (del prezzo) a.

pricey /'praɪsɪ/ (*fam.*) a. costoso; caro; salato (*pop.*); esoso ‖ **priciness** n. 🆄 esosità (*del prezzo*); l'essere costoso.

pricing /'praɪsɪŋ/ n. 🆄 determinazione (o fissazione) del prezzo; prezzatura ● **p. machine**, prezzatrice (*macchina*) □ (*econ.*) **p. policy**, politica della determinazione dei prezzi.

prick /prɪk/ n. **1** punta; pungiglione; aculeo **2** puntura (*anche fig.*); punzecchiatura; pungolo (*fig.*); rimorso: **a pin p.**, una puntura di spillo; (*fig.*) una piccolezza fastidiosa (o irritante); **to feel the pricks of conscience**, sentire i morsi della coscienza **3** (*un tempo*) pungolo (*per i buoi*) **4** (*volg.*) cazzo (*volg.*); pene **5** (*volg.*) cazzone, testa di cazzo, coglione, stronzo, rompicoglioni (*volg.*); (*testa di*) rapa (*fig. fam.*) ● **p.-eared**, dalle orecchie appuntite □ **p.-ears**, orecchie ritte, appuntite (*come quelle di certi cani*) □ (*mecc.*) **p. punch**, punteruolo; punzone □ (*slang*) **p. tease** (o **p.-teaser**), donna che provoca sessualmente gli uomini senza poi concedersi □ **to feel the p.**, sentire una fitta, il dolore d'una trafittura □ (*fig.*) **to kick against the pricks**, dar la testa nel muro; opporsi all'inevitabile; ribellarsi invano.

to **prick** /prɪk/ 🅐 v. t. **1** pungere; punzecchiare; forare; trafiggere: *I pricked my finger with a needle*, mi punsi un dito con l'ago; '*If you p. us do we not bleed?*' W. SHAKESPEARE, 'se ci pungete, forse non esce il sangue?' **2** (*fig.*) pungere (*raro*); rimordere: *Remorse pricked my conscience*, il rimorso mi pungeva la coscienza **3** (*spesso* **to p. up**) rizzare, drizzare, tendere (*le orecchie, come un cane*): *The stranger pricked up his ears*, il forestiero rizzò gli orecchi **4** (*un tempo*) pungolare, spronare (*il cavallo, i buoi*) **5** pizzicare; irritare (*pungendo*): *This collar pricks my neck*, questo colletto mi irrita il collo 🅑 v. i. **1** pungere; forare **2** dare fitte; formicolare; pizzicare: *My fingers are pricking*, sento delle fitte alle dita; mi formicolano le dita **3** (*delle orecchie*) fischiare (*fig.*) ● **to p. holes in the ground** [**in paper**], far buchi nel terreno [nella carta: con uno strumento appuntito] □ **to p. sb.'s name**, segnare il nome di q. (*in una lista*) con un forellino (o con un punto) □ **to p. off** (o **out**), tracciare con forellini (*un disegno, la rotta d'una nave sulla carta, ecc.*) □ **to p. out** (o **off**) **seedlings**, trapiantare piantine.

pricker /'prɪkə(r)/ n. **1** chi fora, chi punge, ecc. (→ **to prick**) **2** strumento appuntito; lesina; punteruolo; bulino **3** (*metall.*) ago; spillo.

pricket /'prɪkɪt/ n. **1** (candelabro con) punta su cui infilare la candela **2** (*zool.*) cerbiatto (o daino) di due anni.

pricking /'prɪkɪŋ/ 🅐 n. 🆄 **1** puntura; punzecchiatura **2** il sentirsi pungere; formicolio; pizzicore 🅑 a. pungente; che fora.

prickle /'prɪkl/ n. **1** spina; aculeo; pungiglione **2** formicolio; pizzicore **3** (*fig.*) pungolo **4** (pl.) reazioni aggressive; carattere aggressivo.

to **prickle** /'prɪkl/ 🅐 v. t. **1** pungere; forare; punzecchiare **2** solleticare; dare il pizzicore (o il formicolio) a (q.) 🅑 v. i. **1** formicolare; pizzicare **2** reagire aggressivamente.

prickleback /'prɪklbæk/ → **stickleback**

prickling /'prɪklɪŋ/ 🅐 n. 🆄 **1** il punzecchiare; punzecchiatura **2** pizzicore; formicolio 🅑 a. pungente; che punzecchia.

prickly /'prɪklɪ/ a. **1** pungente; spinoso **2** (*fig.*) scabroso; difficile; irto di difficoltà **3** che pizzica; che dà il prurito **4** (*fig.*) permaloso; suscettibile ● (*bot.*) **p. broom** → **furze** □ (*med.*) **p. heat**, miliaria □ (*bot.*) **p. lettuce** (*Lactuca scariola*), scarola □ (*bot.*) **p. pear** (*Opuntia ficus-indica*), fico d'India ‖

prickliness n. ▢ **1** l'esser pungente (*o* spinoso) **2** (*fig.*) permalosità.

pricy /'praɪsɪ/ → **pricey**.

◆**pride** /praɪd/ n. **1** ▢ orgoglio; alterigia; superbia; fierezza; gloria; vanto: **national p.**, orgoglio nazionale; **false p.**, falso orgoglio; **proper p.**, fierezza; amor proprio; **parental p.**, orgoglio di padre (*o di madre*) **2** ▢ pienezza; colmo; fiore (*fig.*): **in the p. of one's life** [**of youth**], nel fior degli anni [della giovinezza] **3** ▢ parte scelta; (il) fior fiore: **the p. of the Yankees**, il fior fiore degli Yankee **4** ▢ foga; coraggio (*di un cavallo*) **5** branco, gruppo (*di leoni*) **6** (*relig.*) superbia (*uno dei sette peccati capitali*) ● (*fam.*) **p. of the morning**, nebbia (*o pioggerella*) all'alba; (*scherz.*) erezione mattutina □ **p. of place**, la posizione più elevata, il più alto grado: **to take p. of place**, occupare il primo posto; essere il più importante □ **the p. of rank**, l'alterigia del rango; l'alterigia dei nobili □ **to put one's p. in one's pocket**, mettersi l'orgoglio sotto i piedi □ **sb's p. and joy**, l'orgoglio (*o* il vanto) di q.: *Johnny is his parents' p. and joy*, Johnny è l'orgoglio (*o* il vanto) dei suoi genitori □ **to take (a) p. in st.**, andare orgoglioso di qc.; esser fiero di qc. □ **to swallow one's p.**, abbassare la cresta (*fig.*) □ (*prov.*) **P. goes before a fall**, la superbia andò a cavallo e tornò a piedi.

prideful /'praɪdfl/ a. (*spec. scozz. o USA*) orgoglioso; altero; altezzoso; superbo.

prideless /'praɪdləs/ a. senza orgoglio; privo d'orgoglio.

to **pride oneself** /'praɪdwʌn'self/ v. t. + pron. rifl. farsi gloria; gloriarsi; inorgoglirsi; vantarsi: *He prided himself on his courage*, si gloriava del suo coraggio.

prie-dieu /'priː'djɜː/ (*franc.*) n. (pl. **prie-dieux**, **prie-dieus**) (*relig.*) inginocchiatoio.

◆**priest** /priːst/ n. **1** (*relig. cristiane*) prete; sacerdote: **to become a p.**, farsi prete; **parish p.**, parroco **2** (*relig. non cristiane*) sacerdote: **high p.**, gran sacerdote **3** (*pesca*) maglio usato per dare il colpo di grazia ai pesci catturati ● (*stor., in GB*) **p.'s hole**, nascondiglio dei preti cattolici (*durante i periodi di persecuzione*) ● **NOTA D'USO** • *Nel significato religioso può essere usato anche per una donna.*

priestcraft /'priːstkrɑːft/ n. ▢ **1** esercizio delle funzioni sacerdotali **2** (*spreg.*) arte pretina; clericalismo.

priestess /priː'stɛs/ n. sacerdotessa (*di* culto non cristiano).

priesthood /'priːsthʊd/ n. ▢ **1** sacerdozio **2** (*collett.*) clero; preti.

priestlike /'priːstlaɪk/ a. **1** sacerdotale **2** (*spreg.*) pretesco.

priestly /'priːstlɪ/ a. **1** sacerdotale **2** (*spreg.*) pretesco ‖ **priestliness** n. ▢ **1** l'esser sacerdotale **2** (*spreg.*) l'esser pretesco ● **priestliness ordination**, ordinazione sacerdotale.

prig /prɪg/ n. moralista; rigorista; formalista.

priggery /'prɪgərɪ/ n. ▢ moralismo; rigorismo; formalismo.

priggish /'prɪgɪʃ/ a. moralistico; rigoristico; formalistico ‖ **-ly avv.**

priggishness /'prɪgɪʃnəs/ n. ▢ → **priggery**.

prim /prɪm/ a. **1** affettato; cerimonioso; compito; compassato; atteggiato a compostezza cerimoniosa; che tiene alle formalità; «perbene»: **a very p. old gentleman**, un signore anziano, molto compassato **2** castigato; pudibondo; pudico **3** (*di un vestito, ecc.*) grazioso; ordinato; lindo ‖ **-ly avv.**

to **prim** /prɪm/ ▢ v. t. atteggiare (*il viso, le labbra*) a compostezza cerimoniosa ▢ v. i. assumere un'aria cerimoniosa.

teggiamento compito.

prima ballerina /'priːməbælə'riːnə/ (*ital.*) loc. n. (pl. **prima ballerinas**) prima ballerina.

primacy /'praɪməsɪ/ n. ▢ **1** primato; supremazia **2** (*relig.*) primazia **3** (*relig. cattolica*) supremazia del Sommo Pontefice.

prima donna /priːmə'dɒnə/ (*ital.*) loc. n. (pl. **prima donnas**, **prime donne**) (*mus.*) prima donna (*anche fig. spreg.*).

prima donna-ish /priːmə'dɒnəɪʃ/ a. (*spreg.*) di (*o da*) prima donna; bizzoso; capriccioso.

primaeval /praɪ'miːvl/ → **primeval**.

prima facie /praɪmə'feɪʃiː/ (*lat.*) ▢ loc. a. basato su ciò che appare; attendibile fino a dimostrazione contraria; basato su informazioni attendibili; ragionevole; sufficiente: (*leg.*) **prima facie evidence**, prova attendibile fino a dimostrazione contraria; prova sufficiente ▢ loc. avv. prima facie; a prima vista; secondo quanto appare.

primage /'praɪmɪdʒ/ n. ▢ **1** acqua di adescamento **2** (*naut.*) cappa; diritto di cappa; soprannolo.

primal /'praɪml/ a. **1** primitivo; originario; originale **2** primiero; principale.

◆**primarily** /praɪ'mɛrəlɪ/ avv. **1** primariamente; principalmente; soprattutto **2** originariamente; in origine.

◆**primary** /'praɪmərɪ/ ▢ a. **1** primario (*anche chim., fis., elettr., geol.*); principale; fondamentale; elementare: **a p. atom**, un atomo primario; **p. rocks**, rocce primarie; **p. education**, istruzione primaria (*o* elementare); (*astron.*) **p. planets**, pianeti principali; **p. school**, scuola elementare (*o* primaria); (*gramm.*) **p. tenses**, tempi fondamentali **2** primitivo; primordiale: **a p. instinct**, un istinto primitivo (*o* primordiale) ▢ n. **1** cosa di primaria importanza; cosa fondamentale; fondamento **2** (*fis.*, = **p. colour**) colore primario (*o* fondamentale) **3** (*astron.*) corpo primario (*pianeta o satellite*); (*anche*) primaria, stella primaria **4** (*elettr.*, = **p. winding**) avvolgimento primario (*di un trasformatore*) **5** (*elettr.*) conduttore primario **6** (*metall.*) metallo primario **7** (*zool.*) penna maestra (*di uccello*); remigante primaria **8** scuola elementare **9** (*polit., spec. USA*, spesso al pl.) primaria; elezione preliminare (*per la scelta dei candidati*) ● (*fon.*) **p. accent**, accento principale ▢ (*filos.*) **p. cause**, causa prima ▢ (*Borsa, USA*) **p. dealers**, operatori che sono ammessi per primi a fare offerte alle aste di titoli di stato ▢ (*leg.*) **p. evidence**, prova incontestabile ▢ (*Borsa*) **p. market**, mercato primario ▢ (*econ.*) **p. occupation**, attività primaria; lavoro principale ▢ (*econ.*) **p. products**, prodotti di base ▢ (*comput.*) **p. storage** (*o* **store**), memoria principale ▢ (*fon.*) **p. stress** = **p. accent** → *sopra* ▢ **p. teacher**, insegnante elementare; maestro, maestra ▢ (*comput.*) **p. tooth**, dente da latte ▢ (*comput.*) **p. window**, finestra principale.

primate (*def. 1* /'praɪmət/, *def. 2, 3* /'praɪmeɪt/) n. **1** (*relig.*) primate (*arcivescovo*) **2** (*zool.*) primate **3** (pl.) (*zool., Primates*) primati ● **P. of All England**, (titolo dell') arcivescovo di Canterbury ▢ **P. of England**, (titolo dell') arcivescovo di York ‖ **primatial** a. **1** (*relig.*) primaziale **2** (*zool.*) dei primati.

primatology /praɪmə'tɒlədʒɪ/ n. ▢ primatologia ‖ **primatological** a. primatologico ‖ **primatologist** n. primatologo.

◆**prime** /praɪm/ ▢ a. **1** primo; primario; principale; fondamentale: **the p. cause**, la causa prima; (*polit.*) **p. minister**, primo ministro; (*mat.*) **p. number**, numero primo; **a matter of p. importance**, una faccenda di primaria importanza; **p. motive**, motivo fondamentale **2** (*comm.*) di prima qualità; eccellente; ottimo: **p. beef**, carne di manzo

di prima scelta **3** (*fam.*) grande; eccellente; ottimo: **to be in p. form**, essere in gran forma ▢ n. **1** colmo; fiore; pieno rigoglio: **in the p. of life** (*o* **in one's p.**), nel fiore degli anni, nel pieno rigoglio delle forze; **in the p. of manhood**, nel pieno rigoglio della virilità; *He's past his p.*, non è più nel fiore degli anni **2** (il) meglio, (la) parte migliore (*di qc.*); apice: **the p. of one's career**, l'apice della propria carriera **3** principio; (*spec.*) inizio di primavera **4** (*relig.*) prima; prima ora canonica; ufficio della prima ora canonica **5** (*mat.*) numero primo **6** minuto primo; segno di minuto primo o di «pollice» (*per es.: 25'*) **7** ▢ (*scherma*) prima (*posizione*) **8** (*mus.*) tono fondamentale ● (*filos.*) **p. agent**, primo agente ▢ (*banca*) **p. borrower**, mutuatario di prim'ordine ▢ (*org. az.*) **p. contractor**, capocommessa ▢ (*econ.*) **p. cost**, costo primo ▢ **p. entry**, (*rag.*) prima nota; (*dog.*) bolletta d'entrata ▢ (*geogr.*) **p. meridian**, meridiano zero ▢ **p. mover**, (*filos., teol.*) primo motore; (*econ.*) fonte prima d'energia; (*tecn., mecc.*) motore primo; (*fig.*) motore (*fig.*), causa, movente ▢ (*fin., banca*) **p. rate**, prime rate (*tasso minimo d'interesse per clienti di primaria importanza*) ▢ (*radio, TV*) **p. time**, fascia oraria di massimo ascolto; prima serata ▢ (*mus.*) **p. tone**, tono fondamentale.

to **prime** /praɪm/ v. t. **1** (*un tempo*) caricare (*un fucile, un cannone*) con la polvere da sparo (*un fucile*) **2** innescare (*un'arma da fuoco, una mina*) **3** adescare (*una pompa*) **4** (*fig. fam.*) imbottire, rimpinzare (*q. di cibo*); saturare **5** istruire; preparare, imbeccare (*fam.*): *The witness had been primed by the counsel for the defence*, il testimone era stato imbeccato dall'avvocato difensore **6** (*pitt.*) mesticare, applicare l'imprimitura a, dare una prima mano a (*una tavola, una tela*) **7** (*mecc.*) iniettare benzina in (*un cilindro, un carburatore*) per avviare il motore; dare un cicchetto a (*pop.*) ● **to p. the pump**, adescare la pompa; (*fig., fin.*: dello Stato, dell'intervento pubblico) rimettere in moto l'economia ▢ (*slang USA*) **primed to the ears**, imbottito d'alcol; sbronzo.

primer① /'praɪmə(r)/ n. **1** primo libro (*di lettura*); sillabario; abbecedario **2** manualetto elementare; primo libro (*d'una materia*) **3** (*un tempo*) libro di preghiere.

primer② /'praɪmə(r)/ n. **1** chi innesca (*un fucile*), chi adesca (*una pompa*), ecc. (→ **to prime**) **2** innesco (*di cannone, di mina*); fulminante (*di cartuccia*) **3** (*mecc., aeron.*) iniettore (*di motore d'aereo, ecc.*) **4** mestica; imprimitura; mano di fondo, prima mano (*di vernice*) ● **p. case**, capsula (*di cartuccia*) ▢ **p. mixture**, miscela innescante ▢ **coat of p.**, imprimitura.

primeval /praɪ'miːvl/ a. primevo; primordiale; primitivo; antichissimo: **p. fear**, timore primordiale; **p. forests**, foreste antichissime ‖ **-ly avv.**

priming /'praɪmɪŋ/ n. ▢ **1** l'innescare (*un'arma da fuoco*); l'imbeccare (*un testimone, ecc.*) (→ **to prime**) **2** (*un tempo*) polverino; polvere da sparo messa nello scodellino **3** innesco; fulminante (*di cartuccia*) **4** adescamento; caricamento (*d'una pompa*) **5** imprimitura; mestica; mano di fondo, prima mano (*di vernice*) **6** (*ind., autom.*) applicazione dei fondi: **p. shop**, reparto d'applicazione dei fondi (*in una carrozzeria*) **7** (*mecc.*) cicchetto (*di carburante: per avviare un motore*) (*pop.*) ● (*mecc.*) **p. pump**, pompa d'avviamento ▢ (*geogr.*) **p. of the tides**, anticipo (*o* accelerazione) delle maree.

primipara /praɪ'mɪpərə/ n. (pl. **primiparas**, **primiparae**) primipara ‖ **primiparity** n. ▢ (*di una donna*) condizione di primipara ‖ **primiparous** a. (*biol.*) primiparo.

primitive /'prɪmɪtɪv/ ▢ a. **1** primitivo;

originale; antico: **p. man**, l'uomo primitivo; **p. cultures**, culture primitive **2** primitivo; rudimentale: **p. tools**, attrezzi rudimentali **3** (*mat.*, *ling.*) primitivo **4** primario; basilare; fondamentale: **p. colours**, colori fondamentali **B** n. **1** (*arte*) primitivo (*pittore o scultore operante tra il Duecento e i primi del Quattrocento*) **2** opera (quadro, *ecc.*) di tale artista **3** (*ling.*) nome primitivo **4** (*mat.*) funzione primitiva | **-ly** avv. | **-ness** n. ⓤ.

primitivism /'prɪmɪtɪvɪzəm/ n. ⓤ primitivismo.

primness /'prɪmnəs/ n. ⓤ compostezza cerimoniosa; affettazione; formalità; compitezza.

primogenitor /praɪməʊ'dʒɛnɪtə(r)/ n. primogenitore.

primogeniture /praɪməʊ'dʒɛnɪtʃə(r)/ n. ⓤ primogenitura ‖ **primogenital**, **primogenitary** a. di (*o* da) primogenito; di primogenitura.

primordial /praɪ'mɔːdɪəl/ a. (*scient.*) primordiale; primitivo: **p. soup**, brodo primordiale | **-ly** avv.

primp /prɪmp/ a. (*fam. USA*) azzimato; agghindato; elegante.

to **primp** /prɪmp/ **A** v. t. agghindare; azzimare **B** v. i. agghindarsi; azzimarsi (*spesso* **to p. up**, *o* **to p. and preen**).

primrose /'prɪmrəʊz/ n. **1** (*bot.*, *Primula veris*) primavera odorosa; (*ling.*) primula; primula comune **2** ⓤ color giallo primula ● (*fig.*) **the p. path**, la via del piacere □ (*bot.*) **evening p.** (*Oenothera biennis*), enagra; enotera; rapunzia.

primula /'prɪmjʊlə/ n. (*bot.*, *Primula*) primula (*in genere*).

primus① /'praɪməs/ a. (*in talune scuole maschili ingl.*) primo d'età e d'iscrizione (*fra omonimi*; *per es.*, **Smith p.**) **B** n. (*relig.*) vescovo che è a capo della Chiesa episcopale scozzese ● (*lat.*) **p. inter pares**, primus inter pares; primo fra pari.

primus® ② /'praɪməs/ n. (= **p. stove**) (*un tempo*) fornello a petrolio.

princ. abbr. (**principal**) principale.

◆**prince** /prɪns/ n. **1** principe: **princes of the blood**, principi del sangue; **the Princes of the Church**, i Principi della Chiesa (*i cardinali*) **2** (*fig.*) persona generosa; tipo splendido ● (*nelle favole*) **P. Charming**, il Principe Azzurro □ **P. Consort**, principe consorte □ **the P. of Darkness**, il principe delle tenebre; Satana □ (*fig.*) **the p. of liars**, il più gran mentitore sulla terra □ (*fig.*) **the p. of novelists**, il principe dei romanzieri □ **the P. of Peace**, Gesù Cristo □ **the P. of Wales**, il principe di Galles (*l'erede al trono ingl.*) □ **P. Regent**, principe reggente.

princedom /'prɪnsdəm/ n. ⓤⓒ principato.

princeling /'prɪnslɪŋ/ n. **1** principino **2** (*spreg.*) principotto.

princely /'prɪnslɪ/ **A** a. principesco; generoso; liberale; magnifico; sontuoso; splendido: **a p. gift** [**palace**], un dono [un palazzo] principesco **B** avv. principescamente ‖ **princeliness** n. ⓤ l'essere principesco; generosità; liberalità; magnificenza; sontuosità.

◆**princess** /prɪn'sɛs, *USA* 'prɪnsɪs/ n. principessa ● **p. dress**, princesse (*abito da donna tagliato in un pezzo solo*) □ **P. Royal**, principessa reale (*la primogenita del sovrano inglese*).

◆**principal** /'prɪnsəpl/ **A** a. principale; primario; precipuo: **the p. towns in Wales**, le città principali del Galles; (*gramm.*) **a p. sentence**, una proposizione principale **B** n. **1** direttore, direttrice; massimo dirigente; organizzatore, organizzatrice; capo **2** (*spec. USA*) preside (m. e f.) (*di scuola*; cfr. ingl. **headmaster**, **headmistress**) **3** mandan-

te **4** (*fin.*, *rag.*) capitale (*contrapposto a 'interessi'*): '*Give me my p.*, *and let me go*' W. SHAKESPEARE, 'restituiscimi il mio capitale, e lasciami andare in pace' **5** (*nei duelli*) primo; duellante **6** (*ind. costr.*) capriata; trave maestra **7** (*leg.*) diretto responsabile di un reato: **p. in the first degree**, esecutore materiale; **p. in the second degree**, complice **8** (*leg.*) imputato (*o* debitore, obbligato) principale **9** (*teatr.*, *mus.*) primo attore, prima attrice; voce principale (*in un'opera*); primo strumentista (*di una sezione dell'orchestra*) **10** (*mus.*) registro principale d'organo ● (*teatr.*, *in GB*) **p. boy**, protagonista maschile di una → «**pantomime**» (*def. 1*) □ (*leg.*) **p. challenge**, ricusazione di un giurato □ (*gramm.*) **the p. parts of a verb**, i tempi primitivi d'un verbo; il paradigma (*di un verbo*) ❶ **FALSI AMICI** ● principal *non significa* principale *nel senso di datore di lavoro* | **-ly** avv.

principality /prɪnsə'pælətɪ/ n. **1** principato **2** (*relig.*) principato (*angelo*) ● (*in GB*) **the P.**, il Galles.

principalship /'prɪnsəplʃɪp/ n. ⓤ **1** direzione; comando **2** (*spec. USA*) presidenza (*d'una scuola*).

principate /'prɪnsɪpət/ n. (*spec. stor. romana*) principato.

◆**principle** /'prɪnsəpl/ n. **1** principio; verità fondamentale; concetto fondamentale: **the principles of a religion**, i principi di una religione; **the principles of logic**, i principi della logica; **the first principles**, i principi primi **2** ⓒ principio; regola di condotta; convinzione: **to stick to one's principles**, restare fedele alle proprie convinzioni; **a matter of p.**, una questione di principio **3** ⓤ principi (morali); norme morali: **a man of p.**, un uomo di sani principi; un uomo retto; **a man of no p.**, un uomo senza principi **4** (*scient.*) principio: (*fis.*) **Pascal's p.**, il principio di Pascal **5** principio; norma; regola: **the p. of work sharing**, il principio della condivisione del lavoro **6** – (*farm.*) **active p.**, principio attivo ● **in p.**, in linea di principio; di massima; in teoria □ **on p.**, per principio; per convinzione.

principled /'prɪnsəpld/ a. che ha principi (*nei composti*; *per es.:*) **well-p.**, di buoni (*o* di sani) principi; **loose-p.**, che non ha principi; di dubbia moralità ● **a p. objection**, un'obiezione per principio.

to **prink** /prɪŋk/ **A** v. t. **1** (*d'uccello*) lisciarsi (*le penne*) **2** (*spesso* **to p. up**) adornare; agghindare **B** v. i. **1** (*d'uccello*) pulirsi con il becco **2** (*fig.*) adornarsi; agghindarsi; mettersi in ghingheri ● **to p. oneself up**, adornarsi; agghindarsi; mettersi in ghingheri.

◆**print** /prɪnt/ n. **1** impronta; orma; (*fig.*) segno, traccia: **the p. of a heel**, l'impronta d'un tallone (*o* d'un tacco di scarpa); **the p. of a naked foot**, l'orma di un piede scalzo; **the p. of suffering on his face**, le tracce impresse dal dolore sul suo volto **2** ⓤⓒ stampa; caratteri tipografici: **clear p.**, stampa chiara; **in large** [**in small**] **p.**, a caratteri grandi [piccoli] **3** ⓤ stampatello **4** (*arte*) stampa; riproduzione: **old prints**, vecchie stampe **5** (*fotogr.*) copia (*di una foto*); positiva **6** (*comput.*) stampa: **p. driver**, driver di stampa (*o* di stampante); **p. tail**, coda di stampa **7** ⓤ carta stampata; stampati; pubblicazioni; opuscoli stampati; giornali; riviste: **p. journalism**, giornalismo della carta stampata **8** (pl.; = **fingerprints**) (*fam.*) impronte digitali **9** (= **newsprint**) carta per giornali **10** (*ind. tess.*) disegno, motivo, (*anche*) tela stampata; tessuto stampato: **a p. dress**, un abito di tela stampata; un abito fantasia ● (*comput.*) **p. area**, area di stampa □ **p. caption**, sottotitolo; didascalia □ (*comput.*) **p. head**, testina della stampante □ (*comput.*) **p. job**, stampa □ (*editoria*) **p. on demand**, stampa su ordinazione; print on demand □

(*comput.*) **p. preview**, anteprima di stampa □ (*comput.*) **p. quality**, qualità di stampa □ (*comput.*) **p. queue**, coda di stampa □ (*editoria*, *giorn.*) **p. run**, tiratura □ **p. seller**, venditore di stampe □ (*comput.*) **p. server**, server di stampa □ **p. shop**, negozio di stampe; (*anche*) stamperia, tipografia □ (*comput.*) **p. wheel**, margherita □ **p. worker**, stampatore; tipografo □ **p. works**, fabbrica di tessuti stampati □ **to get into p.**, andare in stampa; essere stampato (*d'un libro*) **in p.**, stampato; in circolazione: *The book is not yet in p.*, il volume non è ancora stampato; *The book is still in p.*, il libro è ancora in circolazione (*o* si stampa ancora) □ (*d'un libro*) **out of p.**, esaurito; fuori commercio □ (*fig.*) **to read the small p.**, controllare tutto minuziosamente (*spec. le clausole di un contatto*, *ecc.*); essere molto prudente □ **to rush into p.**, dare qc. alle stampe in fretta e furia.

◆to **print** /prɪnt/ **A** v. t. **1** imprimere (*anche fig.*); lasciare un'impronta su; stampare: *The scene was printed in his mind*, la scena gli s'era impressa nella mente **2** stampare (*copie fotografiche*, *tessuti*): **to p. (off) copies from a negative**, stampare copie da una negativa **3** (*tipogr.*) stampare; pubblicare; dare alle stampe; tirare (*un certo numero di copie*): **to p. a book**, stampare un libro; **to p. one's opinions on st.**, dare alle stampe le proprie idee su qc. **4** scrivere in stampatello: *P. your name*, scrivi il tuo nome in stampatello! **5** (*comput.*) stampare **6** (*slang USA*) prendere le impronte digitali di (q.) **B** v. i. **1** fare il tipografo **2** (*di pellicola*, *incisione*, *e sim.*) riuscire (*bene*, *male*) alla stampa ● (*fin.*) **to p. money**, stampare moneta □ **to p. off**, stampare (*copie di fotografie*): *How many copies shall we get printed off?*, quante copie ne facciamo stampare? □ (*comput.*) **to p. out**, stampare, fare tabulati di: *I want to p. out this application form*, voglio stampare questo modulo di iscrizione □ **The book is printing**, il libro è in corso di stampa.

printability /prɪntə'bɪlətɪ/ n. ⓤ **1** stampabilità **2** pubblicabilità.

printable /'prɪntəbl/ a. **1** stampabile **2** pubblicabile: *This story isn't p.*, questa storia non è pubblicabile.

printed /'prɪntɪd/ a. **1** stampato; a stampa: **p. patterns**, disegni stampati (*su stoffe*, *ecc.*); **p. fabrics**, tessuti stampati; **p. form**, modulo a stampa **2** dato alle stampe; stampato; pubblicato **3** (*di una traccia*, *un segno*, *ecc.*) impresso ● (*comput.*) **p. circuit**, circuito stampato □ **p. matter** (*o* **p. papers**), stampe; stampati □ **p. publications**, stampati □ **p. wallpaper**, carta da parati a disegni stampati □ (*fig.*) **p. word**, parola stampata; letteratura.

◆**printer** /'prɪntə(r)/ n. **1** tipografo; stampatore; poligrafico (*tecnico*) **2** (*cinem.*, *fotogr.*) stampatrice (*macchina*) **3** (*comput.*) stampante **4** (*ind. tess.*) stampatore di tessuti di cotone **5** (*ceramica*) decoratore ● (*un tempo*) **p.'s devil**, apprendista tipografo □ **p.'s ink**, inchiostro tipografico (*o* da stampa) □ **p.'s pie**, (*tipogr.*) caratteri in disordine; (*fig.*) confusione, pasticcio □ **p.'s reader**, correttore di bozze □ **printers' union**, sindacato dei tipografi.

printery /'prɪntərɪ/ n. (*spec. USA*) **1** stamperia; tipografia **2** stabilimento per la stampa di tessuti.

printing /'prɪntɪŋ/ n. **1** ⓤ stampa; stampatura; pubblicazione **2** tiratura; numero di copie stampate **3** ⓤ (*fotogr.*, *comput.*) stampa (*il procedimento*) **4** ⓤ stampatello ● (*editoria*) **p. and engraving expert**, grafico (*tecnico*) □ **p. and publishing**, industria grafica ed editoria □ (*comput.*) **p. area**, area di stampa □ (*tipogr.*) **p. block**, cliché □ **p. engineer**, tecnico della grafica □ **p. frame**, torchietto da stampa □ **p. house**, stamperia; ti-

pografia □ **p. ink**, inchiostro da stampa □ **p. machine**, macchina da stampa; stampatrice □ **p. paper**, carta da stampa □ **p. plant**, officina poligrafica; poligrafico □ **p. plate**, cliché □ **p. press**, macchina tipografica; stampatrice; torchio tipografico □ **p. telegraphy**, telegrafia con telescriventi □ **p. trade**, lavoro tipografico □ (*comput.*) **p. unit**, unità di stampa.

printless /'prɪntləs/ a. **1** senza impronte; senza segni **2** che non lascia impronte.

printout /'prɪntaʊt/ n. (*comput.*) stampato; stampata; tabulato; elaborato.

printworks /'prɪntwɜːks/ n. pl. (col verbo al sing. o al pl.) **1** stamperia **2** fabbrica di tessuti stampati.

prion /'praɪɒn/ n. (*biochim.*) prione ‖ **prionic** a. prionico.

◆**prior**① /'praɪə(r)/ **A** a. **1** antecedente; anteriore; precedente: **a p. engagement**, un impegno precedente **2** primo; prioritario; più importante **B** avv. **- p. to**, prima di: *It happened p. to my appointment*, accadde prima della mia nomina ● (*mil.*, *USA*) **p. enlisted**, che ha già passato un periodo sotto le armi; che ha già esperienza militare.

prior② /'praɪə(r)/ n. **1** (*relig.*) (padre) priore **2** (*stor. ital.*) priore ‖ **priorate** n. priorato; prioria ‖ **priorship** n. Ⓤ priorato; prioria.

prioress /'praɪərɛs/ n. (*relig.*) priora; madre priora; superiora.

to **prioritize** /praɪ'ɒrɪtaɪz/ v. t. **1** elencare (o mettere) in ordine di priorità **2** dare la priorità a.

◆**priority** /praɪ'ɒrəti/ n. Ⓤ priorità; precedenza: **the p. of a claim**, la priorità di un diritto; **p. over others**, precedenza sugli altri; **to set priorities**, stabilire le priorità ● **p. industry**, industria prioritaria □ **p. objectives**, obiettivi prioritari □ (*comput.*) **p. phase**, fase a priorità □ **first** (o **top**) **p.**, precedenza assoluta ● **to give** [**to take**] **p.**, dare [avere] la precedenza.

priory /'praɪəri/ n. (*relig.*) **1** priorato **2** convento; monastero.

prise③, to **prise** /praɪz/ → **prize**③, to **prize**③.

prism /'prɪzəm/ n. (*geom.*, *fis.*, *miner.*) prisma ● **p. binoculars**, binocolo a prismi □ **p. diopter**, diottro del prisma □ **p. glass**, lente prismatica □ **erecting p.**, prisma raddrizzatore.

prismatic /prɪz'mætɪk/ a. **prismatical** /prɪz'mætɪkl/ a. (*geom.*, *fis.*, *miner.*) prismatico: **p. compass**, bussola prismatica ● **p. binoculars**, binocolo prismatico □ **p. colours**, colori del prisma; colori fondamentali □ (*fotogr.*) **p. eye**, mirino a prisma.

prismoid /'prɪzmɔɪd/ n. (*geom.*) prismoide.

◆**prison** /'prɪzn/ n. **1** prigione; carcere: **to go to p.**, andare in prigione; **to lie** (o **to be**) **in p.**, essere in carcere **2** Ⓤ (*leg.*) carcerazione; detenzione; reclusione: **p. sentence**, sentenza di condanna al carcere; pena detentiva ● **p. bird**, galeotto; avanzo di galera □ **p. breaker**, fuggiasco; evaso □ **p. breaking**, evasione (dal carcere) □ (*mil.*) **p. camp**, campo di prigionia □ **p. facilities**, complesso carcerario (*di una città*) □ (*un tempo*) **p. farm**, colonia penale agricola □ **p. guard**, agente di custodia; guardia carceraria □ **p. reform**, riforma carceraria □ **p. regulations**, ordinamento carcerario □ **p. van**, (furgone) cellulare.

◆**prisoner** /'prɪznə(r)/ n. prigioniero, prigioniera; detenuto, detenuta: **p. of war**, prigioniero di guerra; **p. of conscience**, detenuto per reati d'opinione; **political p.** (o **p. of State**, **State p.**), detenuto politico ● (*leg.*) **p. at the bar**, imputato □ **prisoner's base**, gioco dei prigionieri (*fatto da ragazzi*) □ **to**

take sb. p., far prigioniero q. □ **to take no prisoners**, non fare prigionieri; (*fig.*) non fare concessioni, non fare sconti (*all'avversario*).

priss /prɪs/ n. (*fam.*) perbenista; formalista; persona ammodo.

prissy /'prɪsi/ a. (*fam.*) formalista; perbene; ammodo; perbenistico; prude (*franc.*) | **-ily** avv. | **-iness** n. Ⓤ.

pristine /'prɪstiːn/ a. **1** primiero (*raro*); originario; pristino; antico **2** puro; incorrotto **3** (*di un libro*) integro; intonso ● **in p. condition**, nelle condizioni di prima; come nuovo.

prithee /'prɪði/ inter. (*arc.*) deh!; di grazia!

priv. abbr. (**private**) privato.

privacy /'prɪvəsi, 'praɪ-/ n. Ⓤ **1** vita privata; intimità; isolamento; ritiro; solitudine; privacy: *They live in absolute p.*, vivono in completo isolamento; **to disturb sb.'s p.**, turbare la vita privata (o la tranquillità) altrui **2** segretezza; riserbo; riservatezza ● **p. disclaimer**, informazione sul trattamento dei dati personali (o sulla privacy).

◆**private** /'praɪvət/ **A** a. **1** privato: '*P. faces in public places* / *Are wiser and nicer* / *Than public faces in p. places*' W.H. AUDEN, 'le facce dei privati nei luoghi pubblici / sono più belle e più sagge / delle facce degli uomini pubblici nei luoghi privati'; **a p. house** [**road**], una casa [strada] privata; **p. life**, vita privata; **a p. sale**, una vendita privata; **p. address**, indirizzo privato; **a p. bank**, una banca privata; (*econ.*) **p. consumption**, i consumi privati; (*econ.*) **p. enterprise**, iniziativa privata **2** personale; particolare; **a p. letter**, una lettera personale; **p. reasons**, motivi personali **3** riservato; confidenziale; segreto: *The envelope was marked «p.»*, sulla busta c'era scritto «riservato»; **a p. conversation**, una conversazione confidenziale; *The matter was kept p.*, la faccenda fu tenuta segreta **4** appartato; riparato; isolato: **in a p. corner**, in un angolo appartato **5** (*di persona*) che ama stare per conto proprio; riservato; solitario; schivo **6** (*di un soldato*) semplice **B** n. **1** (*mil.*, *in GB e in USA*) soldato semplice **2** (pl.) (*eufem.*) parti intime; genitali **3** (*eufem.*) (*cartello su una porta*) **«p.»**, «privato»; «vietato l'ingresso» ● (*in GB*) **p. bar**, bar di tono più elevato (*in un pub*; cfr. **public bar**, *sotto* **public**) □ (*spec. sport*) **a p. battle**, una lotta a due; un duello (*fig.*) □ (*polit.*) **p. bill**, legge d'interesse privato; leggina (*fam.*) □ (*trasp.*) **p. carrier**, vettore privato □ (*spec. sport*) **p. chat**, una chiacchierata a quatt'occhi □ **a p. citizen**, un semplice cittadino; un privato □ (*fin.*, *ingl.*) **p. company**, società di capitali (*spesso piccola*) a ristretta base azionaria, società familiare (*le cui azioni non sono quotate in borsa e non possono essere liberamente vendute al pubblico*; cfr. **public company**, *sotto* **public**) □ (*leg.*) **p. composition**, concordato preventivo (*nel fallimento*) □ (*fin.*, *USA*) **p. corporation** = **p. company** → *sopra* □ **p. detective** (o **p. investigator**), investigatore privato □ (*fam.*, *spec. USA*) **p. eye** = **p. detective** → *sopra* □ (*mil.*, *USA*) **p. first class**, soldato scelto (*cfr. ingl.* **lance corporal**, *sotto* **lance**) □ (*med.*) **p. hospital**, clinica privata; casa di cura □ (*tur.*) **p. hotel**, albergo in cui si possono rifiutare i clienti (*spec. se privi di prenotazione*) □ (*fin.*) **p. income**, rendita (personale); mezzi finanziari (*di una persona*); guadagno occasionale □ (*leg.*) **p. individual**, persona fisica □ (*leg.*) **p. law**, diritto privato □ **p. limited company** = **p. company** → *sopra* □ (*sport*) **p. machine**, motocicletta non sponsorizzata □ **p. means**, rendita (personale): *He lives on p. means*, vive di rendita □ (*polit.*, *in GB, Canada, Australia, Nuova Zelanda*) **p. member**, parlamentare che non ha incarichi di governo;

semplice parlamentare; semplice deputato □ (*polit.*, *in GB, Canada, Australia, Nuova Zelanda*) **p. member's bill**, disegno di legge presentato da un semplice parlamentare □ (*fin.*) **p. money**, il denaro dei privati □ (*eufem.*) **p. parts**, parti intime; genitali □ (*med.*) **p. patient**, paziente privato □ (*leg.*) **p. practice**, libera professione □ (*leg.*) **p. property**, proprietà privata □ **p. scholar**, assegnatario di una borsa di studio elargita da un ente privato; (*anche*) studioso indipendente □ (*in GB*) **p. school**, scuola privata (*a pagamento, e lo sono anche molte cosiddette* → «*public schools*», → **public**) □ **p. secretary**, segretario particolare (o privato) □ (*econ.*) **the p. sector**, il settore privato □ (*teatr.*) **p. theatricals**, rappresentazioni private □ (*leg.*) **p. treaty**, scrittura privata; contratto (*di vendita*) stipulato con trattativa privata □ (*arte*, *pitt.*, *ecc.*) **p. view**, anteprima ● **p. war**, guerra tra famiglie; faida □ (*leg.*) **p. wrong**, illecito civile ● **in p.**, in privato; in confidenza; in segreto □ (*leg.*) **regarding p. law**, privatistico | **-ly** avv.

privateer /praɪvə'tɪə(r)/ n. (*naut.*, *stor.*) **1** nave corsara **2** corsaro; capitano (o marinaio) di nave corsara.

to **privateer** /praɪvə'tɪə(r)/ (*naut.*, *stor.*) v. i. **1** fare il corsaro **2** navigare come nave corsara; corseggiare ‖ **privateering** n. Ⓤ guerra di corsa; il corseggiare.

privateness /'praɪvətnəs/ n. Ⓤ **1** privatezza; intimità **2** segretezza; riservatezza.

privation /praɪ'veɪʃn/ n. ⓊⒸ privazione; assenza, mancanza; disagio, stento: **to die of privations**, morire di stenti.

◆to **privatise** /'praɪvətaɪz/, to **privatize** /'praɪvətaɪz/ (*econ.*) v. t. privatizzare ‖ **privatisation**, **privatization** n. Ⓤ privatizzazione.

privatistic /prɪvə'tɪstɪk/ a. (*econ.*) privatistico.

privative /'prɪvətɪv/ **A** a. (*spec. ling.*) privativo **B** n. (*ling.*) prefisso (o suffisso) privativo.

privet /'prɪvɪt/ n. (*bot.*, *Ligustrum vulgare*) ligustro ● (*zool.*) **p. hawk** (*Sphinx Ligustri*), sfinge del ligustro (*farfalla*).

◆**privilege** /'prɪvəlɪdʒ/ n. ⒸⓊ **1** privilegio (*anche fig.*); prerogativa: **the privileges of the diplomatic corps**, i privilegi del corpo diplomatico; (*leg.*) **breach of p.**, infrazione d'un privilegio; **p. of Parliament**, prerogativa (o immunità) parlamentare **2** diritto (*civile*, *politico*): **the p. of equality for all**, il diritto di tutti all'eguaglianza **3** (*leg.*) prerogativa; immunità ● (*stor.*) **p. of clergy**, prerogativa del clero (*d'esser giudicato da un tribunale ecclesiastico*) □ (*leg.*) **p. of necessity**, non punibilità per aver agito in stato di necessità □ (*fisc.*, *USA*) **p. tax**, tassa (o imposta) sulle professioni.

to **privilege** /'prɪvəlɪdʒ/ v. t. privilegiare; accordare un privilegio a (q.) ● **to p. sb. from st.**, esonerare q. da qc., in via di privilegio □ **to p. sb. to do st.**, concedere a q. il privilegio di fare qc.

privileged /'prɪvəlɪdʒd/ a. **1** (*anche leg.*) privilegiato: **the p. classes**, le classi privilegiate **2** confidenziale; riservato: **p. information**, informazioni riservate ● (*leg.*) **p. communication**, comunicazione tutelata dal segreto professionale □ **p. debt**, credito privilegiato □ (*leg.*) **p. from execution**, impignorabile.

privity /'prɪvəti/ n. **1** Ⓤ l'essere (o il venir messo) a parte d'un segreto; comunicazione confidenziale **2** (*leg.*) rapporto giuridico: **p. of contract**, rapporto tra i due contraenti; **p. of estate**, rapporto tra locatore e locatario.

privy /'prɪvi/ **A** a. **1** (*form.*) edotto; al corrente (di qc.); informato: *I wasn't p. to it*,

non ne ero edotto **2** privato: **p. chamber**, camera (*o* stanza) privata (*in una reggia*) **B** n. **1** (*leg.*) parte interessata: **p. to a contract**, parte contraente **2** (*un tempo*) cesso; latrina (*spesso fuori della casa*) • (*in GB*) **The P. Council**, il Consiglio della Corona (*ministri, personaggi eminenti del Commonwealth, ecc.*) □ (*in GB*) **P. Councillor**, membro del «Privy Council» □ (*in GB*) **the P. Purse**, l'appannaggio reale □ **the P. Seal**, il Sigillo privato.

♦**prize** ① /praɪz/ **A** n. **1** premio (*sportivo, di lotteria, ecc.*); ricompensa: **to win a p.**, ottenere (*o* vincere) un premio **2** (*fig.*) dono; gioiello, tesoro (*fig.*): *Fame is the greatest p. in life to him*, per lui la fama è il più grande dono nella vita **3** (*boxe*) borsa **B** a. **1** che ha vinto un premio; premiato: **p. cattle**, bestiame premiato **2** a premio; a premi: (*fin.*) **p. bond**, obbligazione a premio; **a p. competition**, una gara a premi **3** da concorso: **p. orchids**, orchidee da concorso **4** (dato) in premio; premio: **a p. cup**, una coppa (in) premio **5** (*fam.*) prediletto; favorito; adorato: **my p. kitten**, il mio micino prediletto **6** (*fam.*) perfetto; tipico; classico: *He's a p. scrounger*, è il classico scroccone; a **p. example**, un esempio classico • (*spesso iron.*) **a p. answer**, una risposta eccellente (*o* degna d'un premio); una bella risposta □ (*a scuola*) **p. day**, giorno della premiazione □ **p.-giving**, premiazione; distribuzione dei premi (*a scuola*) □ (*fam.*) **a p. idiot**, un perfetto idiota □ **p. money**, premio in denaro; (*boxe*) borsa; (*di un tennista, ecc.*) ingaggio, premio d'ingaggio; (*ipp.*) monte premi □ (*fig.*) **the prizes of life**, le gioie della vita; le soddisfazioni: *He has missed all the prizes of life*, non ha avuto alcuna soddisfazione in vita sua □ **a p. rascal**, un fior di canaglia □ (*sport*) **the p. ring**, il ring; il quadrato; (*fig.*) il mondo della boxe □ **a p. scholarship**, una borsa di studio (*ottenuta per merito*).

prize ② /praɪz/ n. (*naut., mil.*) bottino, preda • (*naut., leg.*) **p. court**, tribunale delle prede □ (*stor.*) **p. money**, quota del denaro ricavato dalla vendita della preda; decima di preda □ (*naut.*) **to become p.**, cader preda; venir catturato □ **to make p. of a ship [a cargo]**, catturare (*o* far bottino di) una nave [il suo carico].

prize ③ /praɪz/ n. ⓤ **1** il fare leva **2** potenza d'una leva.

to **prize** ① /praɪz/ v. t. apprezzare; stimare; aver caro: *We p. liberty more than life*, abbiamo più cara la libertà che la vita.

to **prize** ② /praɪz/ v. t. (*naut., mil.*) catturare (*una nave nemica, ecc.*) in base al diritto di preda.

to **prize** ③ /praɪz/ v. t. far leva su; aprire; forzare (*facendo leva*): **to p. a box open**, aprire (*o* scoperchiare) una cassetta (*facendo leva sul coperchio*) • **to p. the lid up [o out]**, far saltare il coperchio □ **to p. information out of sb.**, carpire informazioni a q.

prizefight /'praɪzfaɪt/ (*boxe*) n. **1** incontro professionistico **2** (*stor.*) incontro a mani nude ‖ **prizefighter** n. **1** (*USA*) pugile professionista **2** (*stor.*) pugile che si batteva per una borsa ‖ **prizefighting** n. ⓤ **1** (*USA*) pugilato professionistico **2** (*stor.*) pugilato senza guantoni.

prizeman /'praɪzmən/ n. (pl. **prizemen**) **1** vincitore d'un premio; premiato **2** detentore di un riconoscimento accademico.

prizewinner /'praɪzwɪnə(r)/ n. vincitore (*o* vincitrice) di un premio ‖ **prizewinning** a. che vince (*o* che ha vinto) un premio; vincitore; premiato: **the prizewinning entry**, il candidato che ha vinto il premio.

pro ① /prəʊ/ pref. lat. **1** (in sostituzione di, in favore di); vice, che fa le veci di; in favore di; filo-: **pro-chancellor**, prorettore (*nelle università, ecc.*); **pro-cathedral**, chiesa che fa le veci della cattedrale; **pro-American**, filoamericano; **pro-European**, europeistico; europeista (*anche sost.*); **pro-labour**, in favore della classe lavoratrice.

pro ② /prəʊ/ (*lat.*) **A** prep. pro; per; in favore di: **pro forma**, proforma; per la forma; **pro hac vice**, per questa volta; solamente in questo caso **B** a. attr. favorevole; in favore **C** n. (pl. **pros**) **1** chi è favorevole; chi vota a favore **2** pro; ragione in favore (*di qc.*) **3** voto favorevole • **pro and con**, (*avv.*) pro e contro; sotto l'aspetto positivo e sotto quello negativo; (*sost.*) (il) pro e (il) contro: *Much has been said on the subject pro and con*, molto è stato detto sull'argomento sia sotto l'aspetto positivo sia sotto quello negativo; **the pros and cons**, il pro e il contro; le ragioni pro e contro □ (*leg. USA*) **pro bono**, patrocinio gratuito □ (*polit.*) **pro-European**, europeista □ (*comm.*) **pro forma invoice**, fattura pro forma □ **pro rata**, in proporzione; proporzionale, pro rata: (*naut.*) **pro rata freight**, nolo pro rata □ **pro tempore** (*o, fam.*, **pro tem**), (*avv.*) pro tempore, temporaneamente; (*agg.*) temporaneo, interino □ **pro tempore office**, interinato.

pro ③ /prəʊ/ **A** n. (pl. **pros**) **1** (abbr. *fam.* di **professional**) professionista: *He's a real pro*, è un vero professionista; (*sport*) **to turn pro**, passare al professionismo; diventare professionista **2** (*slang per* **prostitute**) prostituta **3** (*slang USA*) → **probation B** a. attr. (*spec. sport*) di (*o* da) professionista; professionistico: (*tennis*) **pro championships**, campionati professionistici; **pro footballer**, calciatore professionista • (*sport*) (*di una gara, un incontro*) **pro-am**, 'open'; per professionisti e per dilettanti.

PRO sigla **1** (**GB**, **Public Record Office**) Archivio di Stato **2** (**public relations officer**) addetto alle pubbliche relazioni.

proactive /prəʊˈæktɪv/ a. intraprendente; pieno di iniziativa; attivo; fattivo.

pro-am /prəʊˈæm/ abbr. (*sport*, **professional-amateur**) open; competizione per dilettanti e professionisti.

prob. abbr. **1** (**probably**) probabilmente **2** (**problem**) problema.

probabilism /'prɒbəbɪlɪzəm/ (*filos., relig.*) n. ⓤ probabilismo ‖ **probabilist** n. probabilista.

probabilistic /prɒbəbɪˈlɪstɪk/ a. probabilistico.

probability /prɒbəˈbɪlətɪ/ n. ⓤⓒ (*anche stat.*) probabilità: *There is no p. of his coming*, non c'è nessuna probabilità ch'egli venga; **p. of life**, probabilità di sopravvivenza **2** (*stat.*) **p. sample**, campione probabilistico (*o* casuale) □ (*stat.*) **p. theory**, teoria (*o* calcolo) delle probabilità □ **in all p.**, con tutta probabilità; quasi certamente □ **The p. is that he will go**, è probabile ch'egli vada.

probable /'prɒbəbl/ **A** a. **1** probabile; **a p. result**, un risultato probabile; *It is p. that it will snow before nightfall*, è probabile che nevichi prima di notte **2** più probabile; verosimile: **the p. cause**, la causa più probabile **3** (*stat.*) probabile: **p. life**, vita probabile; **p. error**, errore probabile **B** n. (*fam.*) probabile vincitore; favorito.

♦**probably** /'prɒbəblɪ/ avv. probabilmente; verosimilmente; forse: **very** (*o* **most**) **p.**, molto probabilmente.

probang /'prəʊbæŋ/ n. (*med.*) sonda faringoesofagea.

probate /'prəʊbeɪt/ n. ⓤ **1** omologazione; verifica dell'autenticità di un testamento **2** (*leg.*; = **p. copy**) copia autenticata o omologata (*di testamento*) • (*leg.*) **p. court**, corte di giustizia che omologa i testamenti (*nomina tutori, affida minori, ecc.*) □ (*fisc.*) **p. duty**, tassa di successione □ **p. judge**, giudice addetto all'omologazione dei testamenti □ **to grant p.**, omologare un testamento.

to **probate** /'prəʊbeɪt/ v. t. (*leg., spec. USA*) autenticare, omologare (*un testamento*).

probation /prəˈbeɪʃn/ n. **1** ⓤ l'esaminare candidati; esame; prova **2** ⓤ (*di un dipendente*) prova; periodo di prova; tirocinio; (*di un docente*) straordinariato: *He is still on p. as a teacher*, è ancora in prova come insegnante **3** ⓤ (*relig.*) probandato: **to be on p.**, fare il probandato **4** ⓤ (*leg.*) «probation»; (*pressappoco*) regime di semilibertà; affidamento al servizio sociale; libertà vigilata (*da 6 mesi a 3 anni*; *la pena non viene irrogata*): **to be put on p.**, essere messo in libertà vigilata; **p. officer**, ufficiale giudiziario che sorveglia persone in libertà vigilata.

probational /prəˈbeɪʃənl/, **probationary** /prəˈbeɪʃnrɪ/ a. **1** di prova; di tirocinio: **p. period**, periodo di prova **2** in prova: **p. employees**, impiegati in prova • **p. salary**, stipendio del periodo di prova.

probationer /prəˈbeɪʃənə(r)/ n. **1** persona in prova; praticante; apprendista; tirocinante **2** infermiera (*o* infermiere) tirocinante; allievo infermiere, allieva infermiera **3** (*leg.*) reo in libertà vigilata **4** (*relig.*) probando.

probative /'prəʊbətɪv/ a. probativo; probatorio (*spec. leg.*): **p. facts**, fatti probatori.

probatory /'prəʊbətrɪ/ a. (*spec. leg.*) probatorio.

probe /prəʊb/ n. **1** (*med.*) sonda; specillo **2** (*aeron., miss., radio*) sonda: **moon p.**, sonda lunare **3** (*ind. min.*) sonda; (*anche*) sondaggio **4** (= **space p.**) sonda spaziale **5** (*fig.*) indagine; investigazione • (*elettr.*) **p. coil**, bobina di sonda.

to **probe** /prəʊb/ v. t. e i. **1** sondare (*anche fig.*) **2** (*med.*) specillare, esplorare (*una ferita, ecc.*) con lo specillo **3** fare domande; indagare; investigare **4** saggiare.

prober /'prəʊbə(r)/ n. sondatore, sondatrice.

probing /'prəʊbɪŋ/ **A** n. ⓤ sondaggio, sondaggi (*anche fig.*); il sondare **2** (*fig.*) indagine; investigazione **B** a. **1** (*di sguardo*) indagatore; inquisitore **2** (*di domanda*) pungente **3** (*di studio*) approfondito.

probiotic /prəʊbaɪˈɒtɪk/ a. (*med.*) probiotico.

probity /'prəʊbətɪ/ n. ⓤ (*form.*) probità; integrità; onestà.

♦**problem** /'prɒbləm/ n. problema (*anche fig.*); questione (complicata): **to solve [to tackle] a p.**, risolvere [affrontare] un problema; *What seems to be the p.?*, quale sarebbe il problema?; **the problems of youth**, i problemi dei giovani; *It's not a p.*, non c'è problema • (*comput.*) **p. check**, controllo del problema □ **a p. child**, un bambino difficile □ **p. family**, famiglia che ha problemi □ (*comput.*) **p.-oriented language**, linguaggio di programmazione specializzato nella soluzione di problemi di un dato settore □ (*letter.*) **a p. play [novel]**, un dramma [un romanzo] sociale □ (*di Shakespeare*) **p. play**, «problem play» («Tutto è bene quel che finisce bene», «Misura per misura» e «Troilo e Cressida») □ **no p.**, non c'è problema.

problematic /prɒbləˈmætɪk/, **problematical** /prɒbləˈmætɪkl/ a. problematico; dubbio; incerto • **p. character** (*o* **p. nature**), problematicità ‖ **-ally** avv.

problematicism /prɒbləˈmætɪsɪzəm/ n. ⓤ (*filos.*) problematicismo.

proboscidean, **proboscidian** /prəʊbəˈsɪdɪən/ (*zool.*) **A** a. proboscidato **B** n. **1** proboscidato **2** (pl.) (*Proboscidea*) proboscidati.

proboscis /prəˈbɒsɪs/ n. (pl. **proboscises**, **proboscides**) **1** (*zool.*) proboscide **2** (*scherz.*) naso (*dell'uomo*).

proc. abbr. **1** (**procedure**) procedura **2** (**proceedings**) atti, rendiconti (*anche di conferenze, ecc.*) **3** (**process**) processo.

procaine /'prəʊkeɪn/ n. 🔟 (*chim.*) procaina.

♦**procedure** /prə'siːdʒə(r)/ n. **1** procedimento **2** (*leg., comput.*) procedura **3** prassi: *We are expecting the usual p.*, ci aspettiamo la solita prassi ● (*comput.*) **p.-oriented language**, linguaggio procedurale □ (*aeron.*) **p. track**, percorso di procedura ‖ **procedural** a. (*leg., comput.*) procedurale ‖ **procedurally** avv. proceduralmente.

♦**to proceed** /prə'siːd/ v. i. **1** (*form.*) procedere (*anche fig.*); andare avanti; avanzare; camminare; continuare; seguitare: *The story proceeds as follows*, la storia (il racconto) continua così...; *P. with what you were doing*, continua a fare quello che stavi facendo **2** procedere (*form.*); provenire; derivare: *I heard sobs p. from the next room*, udii dei singhiozzi provenire dalla stanza accanto; *Their joy proceeds from a false hope*, la loro gioia deriva da una speranza fallace **3** passare: *Let's p. to the next question*, passiamo alla domanda seguente! **4** agire; fare; comportarsi: *How shall we p.?*, in che modo dobbiamo agire? **5** mettersi a (*fare qc.*): *The old man proceeded to tell us of his wartime experiences*, il vecchio si mise (o prese) a raccontarci delle sue esperienze in guerra **6** (*leg.*) procedere; condurre un'azione legale; agire legalmente (*contro q.*): **to p. against sb.**, procedere contro q. **7** proseguire gli studi **8** (*naut.*) fare rotta (*per un porto*) ● **to p. to blows**, passare a vie di fatto □ **to p. to extremities**, andare agli estremi □ **to p. with st.**, procedere (o continuare a fare) qc.: *He proceeded with his writing* [*his work*], continuò a scrivere [a lavorare].

♦**proceeding** /prə'siːdɪŋ/ n. **1** procedimento; azione; condotta; modo di procedere (o d'agire) **2** (pl.) (*leg.*) procedimento; azione giudiziaria: **to institute** (o **to take**) **legal proceedings against sb.**, iniziare un procedimento legale (o intentare un'azione giudiziaria) contro q. **3** (pl.) (*leg.*) procedura: **proceedings at law**, procedura legale **4** (pl.) atti; rendiconti; verbali (*di una conferenza, una riunione, ecc.*).

proceeds /'prəʊsiːdz/ n. pl. **1** (*spec. comm.*) profitto; incassi; proventi; ricavo: *The p. will be devoted to charity*, l'incasso sarà devoluto in beneficenza **2** (*fisc.*) getto (*di un'imposta*) **3** (*raro*) esito; risultato ● (*comm.*) **p. of sales**, fatturato.

♦**process** /'prəʊses/ n. **1** processo; procedimento; (*ind.*) metodo, sistema (*di lavorazione, ecc.*): **the p. of digestion**, il processo digestivo; **a chemical p.**, un processo chimico; **industrial p.**, processo produttivo; (*metall.*) *Thomas p.*, processo Thomas **2** operazione: *Designing the new car was a long p.*, la progettazione della nuova auto è stata un'operazione lunga **3** (*leg.*) procedimento; **due p.**, giusto processo **4** (*leg.*) mandato di comparizione; citazione in giudizio: **p. server**, ufficiale giudiziario (*che notifica la citazione al convenuto*) **5** (*anat.*) processo; apofisi; protuberanza; (*zool., bot.*) processo, appendice: **the alveolar p. of the jaw**, il processo alveolare della mascella **6** (*tipogr.*) procedimento fotomeccanico **7** (*comput.*) processo; elaborazione; esecuzione: **p. control**, controllo di processo ● (*ind.*) **p. analysis**, studio del processo produttivo; analisi del processo produttivo □ (*rag.*) **p. cost**, costo di produzione □ **p. engineering**, ingegneria dei controlli di produzione □ (*tipogr.*) **p. engraving**, fotoincisione □ (*ind.*) **p. rules** (o **p. standards**), norme di lavorazione □ (*ind.*) **p. time**, tempo di lavorazione (o di produzione) □ **in the p.**, così facendo; contemporaneamente; a

un tempo □ **in p. of completion**, in fase di completamento □ **in the p. of time**, con l'andar del tempo.

to process① /'prəʊses/ v. t. **1** (*ind.*) sottoporre (*una sostanza*) a un processo (o a un procedimento); lavorare; trattare; trasformare; conservare (*alimenti*) mediante trattamento: **to p. leather**, trattare il cuoio; **to p. raw materials**, trasformare le materie prime: **processed food**, alimenti trattati **2** (*leg.*) citare in giudizio **3** (*tipogr.*) riprodurre (*un disegno ecc.*) mediante procedimento fotomeccanico **4** (*comput.*) processare, trattare, elaborare (*dati*) **5** (*fotogr.*) sviluppare, stampare (*fotografie*) **6** esaminare, passare (*una richiesta, ecc.*) al vaglio ❶ **FALSI AMICI** ● to process *non significa* processare *nel senso legale.*

to process② /prə'ses/ v. i. (*fam.*) andare in processione; sfilare in corteo.

processing /'prəʊsesɪŋ/ **A** n. 🔟 **1** (*ind.*) lavorazione; trattamento; trasformazione; metodo di lavorazione: **continuous p. line**, linea di lavorazione continua **2** (*comput.*) elaborazione (*di dati*); esecuzione (*di un programma*) **3** (*fotogr.*) trattamento, sviluppo (*di una pellicola*) **4** (*econ.*) (= **p. industry**) industria di trasformazione **B** a. attr. (*ind.*) trasformatore; di trasformazione: **p. industries**, industrie trasformative ● (*comput.*) **p. cycle**, ciclo di elaborazione □ (*ind.*) **p. plant**, stabilimento di lavorazione □ (*fisc.*) **p. tax**, imposta di fabbricazione □ (*ind.*) **p. times**, tempi di lavorazione.

procession /prə'seʃn/ n. (*anche relig.*) corteo; processione: **to walk in p.**, sfilare in corteo; andare in processione.

to procession /prə'seʃn/ (*raro*) **A** v. i. sfilare in corteo; andare in processione **B** v. t. portare (*una statua, ecc.*) in processione.

processional /prə'seʃənl/ **A** a. processionale; di (o per) una processione: **a p. hymn**, un inno processionale **B** n. (*relig.*) **1** inno processionale **2** innario processionale ● **at a p. pace**, a passo di processione | **-ly** avv.

processionary moth /prə'seʃənrɪ mɒθ/ loc. n. (*zool.*) processionaria ● (*zool.*) **oak processionary moth** (*Thaumatopoea processionea*), processionaria delle querce.

processor /'prəʊsesə(r)/ n. **1** (*ind.*) chi lavora, tratta, conserva (*cibi, sostanze, ecc.*) **2** (*comput.*) processore; elaboratore; unità di elaborazione ● **food p.** → **food**.

pro-choice /prəʊ'tʃɔɪs/ a. a favore della libera scelta della donna in materia di procreazione; a favore della legalizzazione dell'aborto; abortista ‖ **pro-choicer** n. sostenitore della libera scelta della donna in materia di procreazione; abortista.

procidence /'prəʊsɪdəns/ n. 🔟 (*med.*) procidenza.

to proclaim /prə'kleɪm/ v. t. **1** proclamare; dichiarare: **to p. the new king**, proclamare il nuovo re; **to p. independence**, proclamare l'indipendenza **2** dimostrare; rivelare: *His way of speaking proclaimed the actor in him*, il suo modo di parlare rivelava ch'egli era un attore **3** bandire; mettere al bando; proscrivere; proibire (*una riunione, un comizio*) **4** lodare; esaltare.

proclamation /prɒklə'meɪʃn/ n. 🔟 **1** proclamazione; dichiarazione **2** proclama; bando **3** (*form.*) indicazione; segno; prova (*dell'innocenza, ecc.*).

proclamatory /prə'klæmətrɪ/ a. di proclamazione; che serve a proclamare.

proclisis /'prəʊklɪsɪs/ (*ling.*) n. 🔟 proclisi ‖ **proclitic** **A** a. proclitico **B** n. particella (o parola) proclitica.

proclivity /prə'klɪvɪtɪ/ n. (*form.*) proclività; inclinazione; propensione; tendenza.

proconsul /prəʊ'kɒnsl/ n. **1** (*stor. roma-*

na) proconsole **2** governatore di una colonia (*in genere*) ‖ **proconsular** a. proconsolare ‖ **proconsulate, proconsulship** n. 🔟 proconsolato.

to procrastinate /prəʊ'kræstɪneɪt/ **A** v. i. procrastinare (*raro*); indugiare; temporeggiare **B** v. t. procrastinare; differire; rinviare ‖ **procrastination** n. 🔟 (*form.*) procrastinazione (*raro*); temporeggiamento ‖ **procrastinator** n. procrastinatore (*raro*); temporeggiatore.

to procreate /'prəʊkrieɪt/ v. t. procreare; generare ‖ **procreation** n. 🔟 procreazione ‖ **procreative** a. procreativo; generativo ‖ **procreator** n. procreatore.

Procrustean /prəʊ'krʌstɪən/ a. **1** (*mitol.*) di Procuste: (*fig.*) **a P. bed**, un letto di Procuste **2** (*fig.: d'un metodo, ecc.*) coattivo; drastico.

Procrustes /prəʊ'krʌstiːz/ n. (*mitol.*) Procuste.

proctalgia /prɒk'tældʒɪə/ n. 🔟 (*med.*) proctalgia.

proctitis /prɒk'taɪtɪs/ n. 🔟 (*med.*) proctite.

proctology /prɒk'tɒlədʒɪ/ (*med.*) n. 🔟 proctologia ‖ **proctological** a. proctologico ‖ **proctologist** n. proctologo.

proctor /'prɒktə(r)/ n. **1** (*in talune università inglesi*) censore; funzionario incaricato della disciplina **2** (*USA, in un college o università*) addetto alla vigilanza agli esami **3** (*leg. stor.*) procuratore.

proctoscope /'prɒktəskəʊp/ (*med.*) n. proctoscopio ‖ **proctoscopy** n. 🔟 proctoscopia.

procumbent /prəʊ'kʌmbənt/ a. procombente (*anche bot.*); prostrato; prono.

procurable /prə'kjʊərəbl/ a. che si può procurare; ottenibile; reperibile.

procuration /prɒkjʊ'reɪʃn/ n. 🔟 **1** il procurare; l'ottenere; il procacciarsi **2** intermediazione; procacciamento (*di prestiti per terzi*) **3** (*leg.*) procura **4** (*relig.*) procurazione **5** (*leg.*) lenocinio; reato di lenocinio ● **p. fee** (o **p. money**), compenso dell'intermediazione.

procurator /'prɒkjʊreɪtə(r)/ n. **1** (*stor. romana*) procuratore **2** (*leg., raro*) procuratore; chi ha ricevuto una procura ● (*in Scozia*) **p. fiscal**, procuratore generale (*che promuove la pubblica accusa*); pubblico ministero ‖ **procuratorial** a. (*leg.*) procuratorio ‖ **procuratorship** n. 🔟 (*leg.*) procuratorato.

to procure /prə'kjʊə(r)/ **A** v. t. **1** procurare, procurarsi; procacciare, procacciarsi; ottenere: *You must p. an invitation*, devi procurarti un invito **2** (*arc.*) causare; cagionare: **to p. sb.'s death**, cagionare la morte di q. **3** reperire; approvvigionarsi di (*materie prime*) **4** procurare (*donne*); indurre (*donne*) alla prostituzione **B** v. i. fare il lenone; fare il mezzano (o la mezzana).

procurement /prə'kjʊəmənt/ n. 🔟 **1** il procurare; il procacciare **2** approvvigionamento; reperimento (*di materie per l'industria, di materiali per l'esercito, ecc.*) **3** (*leg.*) lenocinio ● **p. contract**, contratto d'appalto per fornitura □ (*org. az.*) **p. office**, ufficio approvvigionamenti.

procurer /prə'kjʊərə(r)/ n. **1** procacciatore **2** (*spec.*) lenone; mezzano; ruffiano.

procuress /prə'kjʊərɪs/ n. **1** procacciatrice **2** (*spec.*) mezzana; ruffiana.

procuring /prə'kjʊrɪŋ/ n. 🔟 (*leg.*) lenocinio.

prod /prɒd/ n. **1** pungolo **2** (*fig.*) sprone, stimolo, incitamento **3** colpetto (*con un dito o con la punta di un arnese*).

Prod /prɒd/ n. (*fam. irl., spreg.*) protestante.

to prod /prɒd/ v. t. **1** pungolare; sospingere (*una bestia, ecc.*) con un pungolo **2** (*fig.*)

a b c d e f g h i j k l m n o p q r s t u v w x y z

pungolare; incitare; spronare; stimolare: **to p. sb. into doing st.**, stimolare q. a fare qc. **3** (*sport*) spingere con un calcio; mandare, girare, deviare (*la palla*): **to p. the ball over the goal line**, mandare il pallone oltre la linea di porta; girare la palla in rete **4** (*volg.*) chiavare, fottere, scopare (*volg.*).

▪ **prod at** Ⓐ v. i. + prep. **1** dare colpetti (*o* spintarelle) a (q. *o* qc.) con un arnese appuntito (*o* con le dita): *Don't p. at your friend with your pen!*, non punzecchiare il tuo amico con la penna! **2** (*boxe*) bersagliare di colpi, colpire ripetutamente (*l'avversario*) Ⓑ v. t. + prep. punzecchiare (q.) con (qc.): *Don't p. your stick at that poor cat!*, non punzecchiare quel povero gatto col bastone!

prod. abbr. **1** (**produced**) prodotto **2** (**product**) prodotto.

Proddie /'prɒdɪ/ n. → **Prod**.

prodding /'prɒdɪŋ/ n. Ⓤ **1** il pungolare **2** (*fig.*) stimolo, stimolazione; incitamento.

prodigal /'prɒdɪgl/ Ⓐ a. **1** prodigo (*anche fig.*); generoso; liberale; munifico **2** (*spreg.*) prodigo; dissipatore Ⓑ n. persona prodiga; scialacquatore ● **the p. son**, il figliol prodigo | **-ly** avv.

prodigality /prɒdɪ'gælətɪ/ n. **1** prodigalità; generosità; liberalità **2** (*spreg.*, *raro*) prodigalità; dissipazione.

prodigious /prə'dɪdʒəs/ a. **1** prodigioso; miracoloso; portentoso: (*sport*) **a p. save**, una parata prodigiosa **2** enorme: **a p. amount of work**, una mole enorme di lavoro | **-ly** avv. | **-ness** n. Ⓤ.

prodigy /'prɒdɪdʒɪ/ n. prodigio (*anche fig.*); miracolo; portento: *He is a p. of learning*, è un prodigio di cultura ● **the prodigies of nature**, le meraviglie della natura □ **an infant p.** (*o* **a child p.**), un bambino prodigio.

prodromal /'prɒdrəməl/ a. (*med.*) prodromico; sintomatico.

prodrome /'prɒdrəm/ (*med.*) n. prodromo || **prodromic** a. prodromico.

prodrug /'prəʊdrʌg/ n. (*med.*, *farm.*) profarmaco.

produce /'prɒdjuːs, USA -duːs/ n. Ⓤ **1** prodotto, produzione (*spec. della terra o d'una miniera*); prodotti agricoli; derrate: **agricultural p.**, prodotti agricoli; **home p.**, prodotto nazionale **2** frutto, risultato (*del lavoro*, *d'uno sforzo*) ● **p. broker**, operatore di borsa merci □ (*fin.*) **p. exchange**, borsa merci □ **p. importer**, importatore di prodotti agricoli.

♦ **to produce** /prə'djuːs, USA -'duːs/ Ⓐ v. t. **1** produrre; dare (*un frutto*, *un prodotto*); (*di un investimento finanziario*) fruttare; causare, cagionare; fabbricare; mettere in scena, rappresentare (*econ.*): **to p. for export**, produrre per l'esportazione; **to p. cotton goods**, fabbricare tessuti di cotone; **to p. milk**, produrre (*o* dare) latte; **to p. a play** [**a film**], mettere in scena un dramma [produrre un film] **2** produrre (*bur.*); esibire; mostrare; presentare; tirare fuori (*fam.*): **to p. one's driving licence**, esibire la patente di guida; (*leg.*) **to p. evidence**, produrre (*o* presentare, repertare) prove; *The ref produced a red card*, l'arbitro tirò fuori il cartellino rosso **3** (*geom.*) prolungare (*una linea*) **4** pubblicare (*un libro e sim.*) **5** estrarre; tirare fuori: **to p. a gun**, estrarre una pistola; **to p. a silver coin**, tirar fuori una moneta d'argento **6** (*sport*) tirare fuori; effettuare, eseguire, fare **7** (*sport*) dimostrare di possedere; sfoggiare; esprimere: **to p. good play**, esprimere un bel gioco Ⓑ v. i. rendere; essere produttivo; produrre ● (*leg.*) **to p. an alibi**, produrre un alibi.

♦ **producer** /prə'djuːsə(r), USA -'duː-/ n. **1** (*econ.*) produttore **2** (*cinem.*, *teatr.*) impresario; produttore **3** (*ind.*) gasogeno **4**

(*ecol.*) produttore ● (*econ.*) **p. country**, paese produttore □ (*ind.*) **p. gas**, gas di gasogeno □ (*econ.*) **p. goods** (*o* **p.'s goods**), beni capitali; beni strumentali □ **p. prices**, prezzi alla produzione □ (*econ.*) **p.'s surplus**, rendita del produttore.

producible /prə'djuːsəbl, USA -'duː-/ a. **1** producibile **2** (*geom.*) prolungabile || **producibility** n. Ⓤ producibilità.

♦ **product** /'prɒdʌkt, -əkt/ n. **1** (*econ.*) prodotto; manufatto; articolo: **the products of industry**, i prodotti dell'industria; (*ind.*) **secondary p.**, prodotto secondario; **unfinished p.**, prodotto non finito; semilavorato **2** (*chim.*, *mat.*) prodotto **3** (*fig.*) prodotto; frutto; risultato: **the p. of my labours**, il frutto delle mie fatiche **4** (*pl.*) (*banca*) prodotti; numeri ● (*ind.*) **p. design**, progettazione □ (*ind.*) **p. diversification**, diversificazione produttiva □ (*org. az.*) **p. manager**, product manager □ (*mat.*) **p. notation**, prodottoria □ (*econ.*) **p. sector**, settore economico; settore merceologico.

♦ **production** /prə'dʌkʃn/ n. **1** Ⓤ (*econ.*) produzione; fabbricazione: **the p. of steel**, la produzione dell'acciaio; **oil p.**, la produzione di petrolio **2** Ⓤ Ⓒ produzione (*letteraria o artistica*) **3** Ⓤ (*anche leg.*) produzione (*di prove*, *testimoni*, *ecc.*); esibizione (*di documenti*, *ecc.*) **4** Ⓤ Ⓒ (*cinem.*, *teatr.*) produzione (*di un film*); messa in scena (*di un dramma*) ● **p. bonus**, premio di produzione □ (*stat.*) **p. census**, censimento industriale □ (*econ.*) **p. cost**, costo di produzione □ (*econ.*) **p. curve**, isoquanto □ **p. cycle**, ciclo produttivo □ **a p. dip**, un piccolo calo della produzione □ (*econ.*) **p. goods**, beni capitali (*o* strumentali) □ (*econ.*, *org. az.*) **p. line**, linea di produzione □ (*econ.*) **p. machinery**, apparato produttivo □ **p. management**, gestione della produzione □ **p. manager**, direttore di (*o* della) produzione □ **p. order**, ordinativo (*o* buono) di lavorazione; commessa □ (*econ.*) **p. planning**, programmazione della produzione □ (*ind. petrolifera*) **p. platform**, piattaforma di produzione □ (*econ.*) **p. potential**, potenziale produttivo □ (*econ.*) **p. recovery**, ripresa produttiva □ (*org. az.*) **p. run**, fase di fabbricazione □ **p. unit**, unità produttiva □ (*econ.*) **the countries with excess p.**, i paesi eccedentari.

productive /prə'dʌktɪv/ a. produttivo (*anche econ.*); fertile; fruttifero: **a p. mind**, un ingegno produttivo; **p. soil**, terreno produttivo (*o* fertile); **a p. mine**, una miniera fruttifera ● (*econ.*) **the p. activity generated (by a bigger concern)**, l'indotto □ (*econ.*) **p. cycle**, ciclo produttivo □ **the p. economy**, l'economia reale □ (*fin.*) **a p. investment**, un investimento produttivo □ (*econ.*) **p. labour**, lavoro produttivo; manodopera diretta □ **to be p. of**, essere causa di; cagionare; produrre: *Waste is p. of many evils*, lo spreco è causa di molti mali | **-ly** avv.

productivity /prɒdʌk'tɪvətɪ/, **productiveness** /prə'dʌktɪvnəs/ n. Ⓤ (*anche econ.*) produttività; rendimento.

proem /'prəʊem/ n. proemio; esordio; introduzione; preludio || **proemial** a. proemiale; di (*o* da) proemio.

proenzyme /prəʊ'enzaɪm/ n. (*biochim.*) proenzima.

prof /prɒf/ n. (abbr. *fam. di* **professor**) professore; prof. (*fam.*).

profane /prə'feɪn/ a. **1** profano: **p. history**, storia profana **2** pagano: **p. rites**, riti pagani **3** empio; blasfemo; irreligioso; irriverente: **p. language**, parole irriverenti; bestemmie | **-ly** avv. | **-ness** n. Ⓤ.

to profane /prə'feɪn/ v. t. profanare (*anche fig.*); violare || **profanation** n. Ⓤ Ⓒ profanazione; sacrilegio || **profaner** n. profanatore.

profanity /prə'fænətɪ/ n. **1** profanità **2** empietà; irreligiosità; irriverenza **3** (*pl.*) parole irriverenti; bestemmie.

to profess /prə'fes/ v. t. e i. **1** professare (*anche relig.*); dichiarare; esprimere; manifestare; far professione di: **to p. one's admiration**, professare la propria ammirazione; **to p. one's regret**, esprimere il proprio rammarico; **to p. Christianity**, professare la religione cristiana; **to p. medicine [law]**, professare la medicina [l'avvocatura]; **to p. friendship**, far professione d'amicizia **2** pretendere, far mostra di: *He doesn't p. to be a scholar*, non pretende d'essere un erudito **3** insegnare (*a livello universitario*): **to p. Italian literature**, insegnare letteratura italiana **4** esercitare la (propria) professione **5** fare il professore (*spec. universitario*) ● **to p. oneself**, professarsi; dichiararsi: *We p. ourselves quite content*, ci dichiariamo pienamente soddisfatti □ (*relig.*) **to p. God**, far professione di fede in Dio.

professed /prə'fest/ a. **1** professato; dichiarato; riconosciuto: **a p. atheist**, un ateo dichiarato **2** falso; finto; preteso: **p. neutrality**, finta neutralità **3** (*relig.*) professo: **a p. nun**, una monaca professa.

professedly /prə'fesɪdlɪ/ avv. dichiaratamente; apertamente.

♦ **profession** /prə'feʃn/ n. **1** professione; dichiarazione; mestiere: *He's a doctor by p.*, di professione fa il medico; **p. of faith**, professione di fede; **professions of regard**, professioni (*o* dichiarazioni) di stima **2** – **the p.**, i membri d'una professione; la classe: **the teaching p.**, la classe docente; **the medical p.**, i medici (collett.) **3** (*relig.*) professione; professione dei voti solenni ● **in practice if not in p.**, in pratica se non dichiaratamente □ **the learned professions**, le professioni liberali (*l'avvocatura*, *la teologia*, *la medicina*).

♦ **professional** /prə'feʃənl/ Ⓐ a. **1** professionale; di (una) professione; di (un) mestiere: **p. skill**, abilità professionale; **p. secrecy**, segreto professionale; **p. jealousy**, gelosia professionale; *They seemed much more p. than the other company*, sono sembrati molto più professionali dell'altra azienda **2** professionista; professionistico: **a p. tennis player**, un giocatore di tennis professionista; (*sport*) **to turn p.**, passare al professionismo; diventare professionista **3** di professionisti: **p. team**, squadra di professionisti; **p. tennis**, tennis professionistico **4** (*sport*: *calcio*, *ecc.*) tecnico: **a p. foul**, un fallo tecnico (*o* antisportivo) Ⓑ n. **1** (*anche sport*) professionista **2** maestro (*di sport*); commissario tecnico (*di una squadra minore*) ● **p. advice**, consulenza professionale □ (*fin.*) **p. earnings**, redditi derivanti da un'attività professionale □ **p. ethics**, deontologia □ (*ass.*) **p. indemnity insurance**, assicurazione contro la responsabilità civile professionale □ (*sport*) **p. win**, vittoria da professionista □ **a p. writer**, uno scrittore di professione □ **He's a p. complainer**, è uno che si lamenta sempre | **-ly** avv.

professionalism /prə'feʃənəlɪzəm/ n. Ⓤ **1** professionalità **2** professionismo (*anche sport*).

to professionalize /prə'feʃnəlaɪz/ v. t. professionalizzare; rendere professionale; fare di (qc.) una professione || **professionalization** n. Ⓤ professionalizzazione.

♦ **professor** /prə'fesə(r)/ n. **1** (*università*) professore ordinario; cattedratico; (*in USA anche*) docente universitario: (USA) **associate p.**, professore associato; **chair p.**, professore ordinario; cattedratico; (*USA*) **full p.**, professore ordinario; **P. Emeritus**, professore emerito **2** chi fa professione di fede o fedeltà ❶ **Falsi Amici** ● professor *non significa*

professore *o* professoressa *di scuola seconda-ria* || **professorate**, **professoriate** n. 1 professorato; dignità (*o* ufficio) di professo-re; cattedra universitaria 2 (collett.) corpo docente; i professori || **professorial** a. professorale; cattedratico || **professorship** n. professorato; ufficio di professore; cattedra universitaria.

proffer /'prɒfə(r)/ n. (*form.*) profferta; offerta.

to **proffer** /'prɒfə(r)/ v. t. (*form.*) profferi-re (*lett.*); offrire ❶ FALSI AMICI • to proffer *non significa* proferire *nel senso di pronunciare.*

proficiency /prə'fɪʃnsɪ/ n. ⓤ abilità; capa-cità; competenza; (buona) conoscenza; bra-vura; perizia • **p. pay**, retribuzione aggiun-tiva per competenze (*linguistiche, ecc.*) speci-fiche □ **p. test**, test di conoscenza (*di una lin-gua, ecc.*).

proficient /prə'fɪʃnt/ **A** a. abile; capace; competente; esperto; provetto: **to be p. in driving (a car)**, essere esperto nella guida (dell'automobile); **to be p. in English**, cono-scere bene l'inglese **B** n. (*antiq.*) persona capace; esperto; competente | **-ly** avv.

♦**profile** /'prəʊfaɪl/ **A** n. 1 profilo; sagoma; contorno: **her handsome p.**, il suo bel pro-filo; **the sharp p. of a distant hill**, il netto profilo di un'altura lontana 2 (*fig.*) profilo; (rapido) schizzo; breve biografia: **a p. of the new President**, un profilo (*o* una scheda biografica) del nuovo presidente 3 (*archit.*, *geol.*, *ecc.*) profilo; sezione: **to shoot a p.**, tracciare un profilo 4 (*aeron.*) profilo: **wing p.**, profilo alare 5 (*sport*) tracciato; profilo altimetrico **B** a. attr. a sbalzo: **p. stainless flatware**, posateria inossidabile a sbalzo • (*aeron.*) **p. drag**, resistenza di profilo □ **to keep a high p.**, tenere un alto profilo; met-tersi in vista; prendere posizione □ **to keep a low p.**, tenere un basso profilo; restare in ombra (*fig.*) □ (*comm.*, *marketing*) **to raise the p. of st.**, elevare il prestigio di qc. (*un'a-zienda, un prodotto, ecc.*) □ (**seen**) **in p.**, (visto) di profilo.

to **profile** /'prəʊfaɪl/ v. t. 1 disegnare il profilo di; sagomare 2 (*org. az., leg., ecc.*) scrivere (*o* tracciare) un profilo di (q.) 3 (*tecn.*) sagomare; profilare • **to be profiled**, profilarsi: *The snow-capped peaks were profiled against the sky*, le vette innevate si profilavano contro il cielo.

profiler /'prəʊfaɪlə(r)/ n. 1 (*tecn.*) profila-trice; sagomatrice 2 (*polizia*) chi costruisce il profilo psicologico di un criminale o un ri-cercato; profiler.

profiling /'prəʊfaɪlɪŋ/ n. ⓤ 1 profiling; il tracciare un profilo psicologico di q. (*un cli-ente, un criminale, ecc.*) 2 (*tecn.*) profilatura 3 (*polizia*) costruzione del profilo psicologi-co di un criminale o un ricercato; profiling • **p. machine**, macchina (*o* tornio) a copiare.

♦**profit** /'prɒfɪt/ n. ⓊⒸ 1 profitto; beneficio; frutto; giovamento: **to turn st. to p.**, mette-re qc. a profitto; trarre vantaggio da qc. 2 (*econ.*, *fin.*, *rag.*) profitto; guadagno; utile; ricavo: **pre-tax profits**, utili ante tassazione (*o* al lordo della tassazione); **taxable prof-its**, guadagni soggetti a tassazione; **net p.**, utile netto • **p. and loss account**, conto pro-fitti e perdite; conto economico □ **p.-bearing** = **p.-making** *o sotto* (agg.) □ **p. forecast**, previsione degli utili □ **p. graph**, diagram-ma di redditività; profittogramma □ **p.-making**, (agg.) proficuo; lucrativo: (*di un'a-zienda*) in attivo; (sost.) realizzo di profitti □ **p. margin**, (*econ.*) margine di profitto; (*rag.*) redditività netta delle vendite (*econ.*) □ **p. push**, spinta dei profitti □ **p. seeking**, ricer-ca del profitto □ **p.-sharer**, compartecipe agli utili; cointeressato □ **p.-sharing**, com-partecipazione agli utili; interessenza, coin-teressenza □ **p. squeeze**, riduzione degli uti-li □ (*Borsa*) **p.-taking**, presa di beneficio;

vendita di realizzo □ (*fisc.*) **p. tax**, imposta sui profitti (*spec. di Borsa*) □ **at a p.**, vantag-giosamente; ricavando un utile: *We sold our farm at a p.*, abbiamo guadagnato sulla vendita del podere □ **to make a p. of**, rica-vare un utile, fare un guadagno di (*una certa somma*) □ **non-p.** (*o* **not-for-p.**), che non ha fini (*o* senza scopo) di lucro; non lucrativo: **non-p. organization**, organizzazione non lucrativa; ONLUS □ **to yield profits**, dare profitti; essere redditizio.

to **profit** /'prɒfɪt/ **A** v. i. profittare (di); ap-profittare (di); trarre profitto (da): *Many companies profited from slavery during the 18th century*, nel Settecento molte aziende trassero profitto dalla schiavitù; *We hope to p. from the recent economic recovery*, spe-riamo di approfittare della ripresa economi-ca recente **B** v. t. giovare a (q.); essere di profitto a (q.); servire: *What can it p. us?*, di che profitto può esserci?; a che può gio-varci?

profitability /ˌprɒfɪtə'bɪlətɪ/ n. ⓤ (*econ.*) redditività; remuneratività: **p. index**, indice di redditività.

profitable /'prɒfɪtəbl/ a. 1 proficuo; lu-croso; utile: **a p. experience**, un'esperienza utile 2 (*econ.*) redditizio; remunerativo: **a p. investment**, un investimento redditizio | **-bly** avv. | **-ness** n. ⓤ.

profiteer /ˌprɒfɪ'tɪə(r)/ n. profittatore; af-farista; pescecane (*fig.*).

to **profiteer** /ˌprɒfɪ'tɪə(r)/ v. i. essere un profittatore (*o* un affarista); fare guadagni esorbitanti e disonesti || **profiteering** n. ⓤ arricchimento disonesto; affarismo.

profiterole /prɒf'ɪtərəʊl/ n. (*cucina*) pro-fiterole.

profitless /'prɒfɪtləs/ a. senza profitto; inutile; non vantaggioso: **a p. quarrel**, una lite inutile (*o* che non serve a nessuno).

profligacy /'prɒflɪɡəsɪ/ n. ⓤ 1 dissolutez-za; libertinaggio; licenziosità; immoralità 2 dissipatezza; dissipazione; prodigalità; sperpero.

profligate /'prɒflɪɡət/ **A** a. 1 dissoluto; licenzioso; immorale; sfrenato 2 dissipato; prodigo **B** n. 1 persona dissoluta; libertino 2 dissipatore; scialacquatore; sprecone | **-ly** avv.

profound /prə'faʊnd/ **A** a. profondo (*an-che fig.*); assoluto; completo; intenso; radi-cale: *I fell into a p. sleep*, caddi in un sonno profondo; **a p. sigh**, un profondo sospiro; **a p. thinker**, un pensatore profondo; **p. si-lence**, assoluto silenzio; **p. changes**, muta-menti radicali; **p. grief**, intenso dolore **B** n. (*poet.*) – **the p.**, il profondo, le profondità (*del mare, dell'animo, ecc.*) || **profoundly** avv. profondamente; completamente • (*med.*) **profoundly deaf**, sordo profondo.

profundity /prə'fʌndətɪ/, **profound-ness** /prə'faʊndnəs/ (*spec. fig.*) n. ⓤ profon-dità.

profuse /prə'fjuːs/ a. 1 profuso (*raro*); ab-bondante; copioso; folto: **p. thanks**, profusi ringraziamenti; **p. bleeding**, abbondante emorragia (*o* perdita di sangue) 2 prodigo; generoso: **p. in promises**, prodigo di pro-messe | **-ly** avv.

profuseness /prə'fjuːsnəs/, **profusion** /prə'fjuːʒn/ n. ⓤ 1 profusione; abbondan-za; copia (*lett.*): **flowers growing in p.**, fio-ri che crescono a profusione 2 lo spendere a profusione; prodigalità.

prog ① /prɒɡ/ (*gergo studentesco, antiq.*) → **proctor**, def. 2.

prog ② /prɒɡ/ a. (abbr. *fam. di* **progres-sive**) progressivo: (*mus.*) **p. rock**, prog rock; rock progressivo.

prog. abbr. 1 (**progress**) progresso 2 (*fam.*, **programme**) programma.

progenitive /prə'dʒenətɪv/ a. capace di

generare; riproduttivo.

progenitor /prə'dʒenɪtə(r)/ n. 1 progeni-tore; antenato; avo; capostipite 2 (*fig.*) pre-decessore; precursore || **progenitorial** a. 1 di progenitore; ancestrale; atavico 2 da precursore.

progeny /'prɒdʒənɪ/ n. ⓤ 1 (*biol.*) proge-nie 2 progenie; generazione; stirpe; figlio-lanza; prole 3 (*fig.*) esito; risultato.

progesterone /prə'dʒestərəʊn/ n. ⓤ (*biol.*) progesterone.

progestin /prəʊ'dʒestɪn/ n. ⓤ (*biol.*, *farm.*) progestina.

proglottis /prəʊ'ɡlɒtɪs/ n. (pl. **proglotti-des**) (*zool.*) proglottide.

prognathous /prɒɡ'neɪθəs/ (*anat.*) a. prognato || **prognathic** a. prognato || **prognathism** n. ⓤ prognatismo.

prognosis /prɒɡ'nəʊsɪs/ n. (pl. **progno-ses**) 1 (*med.*) prognosi 2 pronostico; previ-sione.

prognostic /prɒɡ'nɒstɪk/ **A** a. (*med.*) prognostico: **p. symptoms**, sintomi progno-stici **B** n. 1 pronostico; previsione 2 segno premonitore; presagio: **a p. of success**, un presagio di successo.

prognosticable /prəɡ'nɒstɪkəbl/ a. pro-nosticabile.

to **prognosticate** /prɒɡ'nɒstɪkeɪt/ v. t. 1 pronosticare; predire; prevedere 2 far prevedere; essere presagio di (qc.).

prognostication /prɒɡnɒstɪ'keɪʃn/ n. 1 ⓤ pronostico; predizione 2 segno premoni-tore; presagio.

prognosticator /prəɡ'nɒstɪkeɪtə(r)/ n. pronosticatore; chi pronostica.

♦**program** /'prəʊɡræm/ n. 1 (*USA*) → **pro-gramme** 2 (*comput.*) programma: **appli-cation p.**, programma applicativo; **system p.**, programma di sistema • **p. counter**, contatore di istruzioni □ **p. drum**, tamburo programmatore □ **p. flowchart**, diagramma di programmazione.

to **program** /'prəʊɡræm/ v. t. e i. 1 (*USA*) → **programme** 2 (*comput.*) programma-re: **to p. a computer**, programmare un cal-colatore elettronico.

programer /'prəʊɡræmə(r)/ n. (*USA*) → **programmer**.

programmable /prə'ɡræməbl/, *USA* 'prəʊɡræm-/ (*anche comput.*) a. programma-bile || **programmability** n. ⓤ programma-bilità.

programmatic /ˌprəʊɡrə'mætɪk/ a. pro-grammatico.

♦**programme**, (*USA*) **program** /'prəʊ-ɡræm/ n. 1 programma; progetto; piano: **a political p.**, un programma politico; (*econ.*) **a p. of budgetary austerity**, un programma d'austerità di bilancio 2 (*TV, radio*) pro-gramma, trasmissione: *Are you watching this p.?*, stai guardando questo program-ma? 3 (*cinem.*, *teatr.*) programma; cartello-ne 4 (*comput.*) → **program** • (*radio, TV*) **p. announcer**, programmista □ (*radio, TV*) **p.-maker**, programmatore; programmista □ **p. music**, musica descrittiva (*radio*) **p. pa-rade**, annuncio dei programmi della gior-nata □ (*cinem.*) **p. picture**, cortometraggio □ **p. planner**, programmatore; programmista □ (*fin.*) **p. trading**, operazioni computeriz-zate di acquisto e vendita.

to **programme** /'prəʊɡræm/ **A** v. t. 1 progettare; mettere in programma; pro-grammare; pianificare 2 (*econ.*, *cinem.*) programmare 3 (*USA*) (*radio, TV*) trasmette-re 4 (*sport*) programmare **B** v. i. seguire un programma (*o* un piano) • **programmed instruction**, istruzione programmata.

programmed /'prəʊɡræmd/ a. program-mato: **p. education**, istruzione programma-mata.

programmer /'prəʊgræmə(r)/ n. (anche comput.) programmatore.

programming /'prəʊgræmɪŋ/ n. ⓤ (econ., cinem., comput., radio, TV) programmazione ● (comput.) **p. language**, linguaggio di programmazione.

◆**progress** /'prəʊgrɛs/ n. ⓤ **1** progresso, progressi; miglioramento: **the p. of science**, i progressi della scienza; **to make p.**, fare progressi; *The patient is making rapid p.*, l'ammalato migliora rapidamente **2** l'avanzare, il procedere: **to make slow p.**, avanzare lentamente **3** sviluppo; svolgimento; andamento; corso; evoluzione: **slow economic p.**, sviluppo economico lento; (med.) **the p. of a disease**, l'evoluzione di una malattia **4** (anche comput.) avanzamento **5** (mil. e sport) avanzata; puntata ● **p. chart**, grafico d'avanzamento □ **p. chaser**, ispettore di avanzamento lavori □ **p. report**, stato (o rapporto) di avanzamento □ **in p.**, in esecuzione; in corso: **work in p.**, lavori in corso □ **A man-hunt is in p.**, è in corso una caccia all'uomo.

to **progress** /prə'grɛs/ v. i. **1** procedere; avanzare; essere in corso: *How is your work progressing?*, come va (o procede) il tuo lavoro? **2** progredire; far progressi: *The Japanese economy is progressing steadily*, l'economia giapponese fa costanti progressi **3** avanzare; estendersi; diffondersi: *Cloudy weather will p. from Wales across the Midlands*, le nuvole si estenderanno dal Galles alle Midlands ● (sport) **to p. to the final**, arrivare in finale.

progression /prə'grɛʃn/ n. **1** ⓤ (il) procedere; (il) progredire; avanzamento: **different modes of p.**, modi diversi di procedere (camminando, strisciando, ecc.) **2** (anche mat., mus.) progressione: **arithmetical [geometrical] p.**, progressione aritmetica [geometrica]; **harmonic p.**, progressione armonica **3** (basket) avanzamento (della palla) ‖ **progressional** a. di progressione; progressivo.

progressionist /prə'grɛʃənɪst/, **progressist** /prə'grɛsɪst/ n. progressista.

◆**progressive** /prə'grɛsɪv/ **A** a. **1** progressivo: **p. method**, metodo progressivo; (fisc.) **a p. tax**, un'imposta progressiva **2** che avanza regolarmente; in avanti: **p. motion**, moto in avanti **3** favorevole al progresso; progressista; progressivo (raro): **a p. party [policy]**, un partito [una politica] progressista **4** (gramm. ingl.) progressivo: **p. form**, forma progressiva (di un verbo) ❶ **Nota:** passive (progressive tenses) → passive **5** (med.) progressivo: **p. muscular atrophy**, atrofia muscolare progressiva **B** n. (polit.) progressista ● (med.) **a p. disease**, una malattia che tende a svilupparsi □ **a p. nation**, una nazione in continuo progresso □ (polit., collett.) **p. people**, progressisti □ (in GB) **p. school**, scuola di tipo progressista (si occupa anche di sviluppare le capacità di socializzazione dei bambini) | **-ly** avv. | **-ness** n. ⓤ.

progressivism /prə'grɛsɪvɪzəm/ n. ⓤ progressismo; politica progressista ‖ **progressivist** n. progressista.

progressivity /prəʊgrɛ'sɪvɪti/ n. ⓤ progressività.

◆to **prohibit** /prə'hɪbɪt/ v. t. proibire; vietare; impedire: *Motorists are prohibited from using cellphones while driving*, agli automobilisti è vietato usare il telefono cellulare durante la guida □ (autom.) «**All vehicles prohibited**» (cartello), «divieto d'accesso a tutti i veicoli».

prohibiter /prə'hɪbɪtə(r)/ n. chi proibisce; proibitore (raro).

prohibition /prəʊhɪ'bɪʃn/ n. ⓒⓤ **1** proibizione; divieto **2** – (stor., in USA) P., Proibizionismo ● (stor., in USA) **P. Party**, partito proibizionista.

prohibitionism /prəʊhɪ'bɪʃənɪzəm/ n. ⓤ proibizionismo ‖ **prohibitionist** n. proibizionista.

prohibitive /prə'hɪbətɪv/ a. proibitivo: **p. prices**, prezzi proibitivi ● **-ly** avv. ● **-ness** n. ⓤ.

prohibitor /prə'hɪbɪtə(r)/ n. chi proibisce; proibitore (raro) ‖ **prohibitory** a. proibitorio (raro); proibitivo.

◆**project** /'prɒdʒɛkt/ n. **1** progetto; piano; programma: **preliminary p.**, progetto di massima; **redevelopment p.**, piano di ristrutturazione urbanistica **2** (a scuola) ricerca (scritta) **3** (edil., USA = **housing p.**) quartiere di case popolari ● **p. engineer**, progettista □ (org. az.) **p. manager**, project manager.

to **project** /prə'dʒɛkt/ **A** v. t. **1** (anche fis., geom., stat., psic.) proiettare; gettare; scagliare: **to p. a beam of light [one's shadow, an image]**, proiettare un raggio di luce [la propria ombra, un'immagine]; **to p. the javelin into the air**, scagliare il giavellotto in aria; **to p. slides**, proiettare diapositive; **to p. a film**, proiettare un film **2** (fig.) indirizzare, rivolgere (la mente, il pensiero, a qc.) **3** (polit., pubblicità) dare una buona immagine di (un candidato, un prodotto, ecc.) **4** (spesso al passivo) stimare; valutare; estrapolare: *The cost of living is projected to rise*, si stima che il costo della vita crescerà **B** v. i. **1** (archit., mecc.) aggettare; sporgere: **projecting dormer**, abbaino sporgente **2** (psic.) fare proiezioni (o una proiezione) ● (mil.) **to p. missiles**, lanciare missili □ **to p. oneself**, proiettarsi; (fig.) trasferirsi (nel futuro, col pensiero, ecc.); dare una (buona) impressione di sé (agli altri): **to p. oneself into the future**, proiettarsi nel futuro □ **to p. one's voice**, parlare chiaro e forte; farsi sentire □ **today's projected visit by the Pope**, la visita del Papa in programma per oggi.

projectile /prə'dʒɛktaɪl/ **A** n. (mil.) proiettile; proietto **B** a. **1** propulsivo; che dà impulso: **p. force**, forza propulsiva **2** (mil.) missile: **a p. weapon**, un'arma missile **3** (zool.) protrattile.

◆**projection** /prə'dʒɛkʃn/ n. ⓒⓤ **1** (geom., geogr., cinem., psic., ling.) proiezione: *Mercator's p.*, la proiezione di Mercatore; **the p. of a film**, la proiezione di un film **2** progettazione; il progettare **3** lo sporgere, sporgenza (anche alpinismo); prominenza; (archit.) aggetto, sporto: **the p. of the eaves**, lo sporto delle grondaie ● **p. booth** = **p. room** → sotto □ (cinem.) **p. machine**, macchina da proiezione; proiettore □ (fis.) **p. microscope**, microscopio a proiezione □ (cinem.) **p. room**, cabina di proiezione □ (psic.) **p. test**, test proiettivo.

projectionist /prə'dʒɛkʃənɪst/ n. (cinem.) proiezionista; cabinista; operatore.

projective /prə'dʒɛktɪv/ a. (geom., psic., ling., ecc.) proiettivo: (psic.) **p. test**, test proiettivo.

projectivity /prəʊdʒɛk'tɪvəti/ n. (geom.) proiettività.

projector /prə'dʒɛktə(r)/ n. **1** (cinem., ecc.) proiettore: **slide p.**, proiettore per diapositive **2** progettatore; inventore: '*Every room has in it one or more projectors*' J. Swift, 'in ogni stanza vi sono uno o più inventori' **3** (mil.) lanciatore; lanciarazzi.

prolactin /prəʊ'læktɪn/ n. ⓤ (biochim.) prolattina.

prolamine /'prəʊləmɪn/ n. (chim.) prolammina.

prolapse /'prəʊlæps/ n. ⓒⓤ (med.) prolasso.

to **prolapse** /prə'læps/ (med.) v. i. (d'un organo) avere un prolasso ‖ **prolapsed** a.

prolassato ● **to have a prolapsed uterus**, avere un prolasso uterino.

prolapsus /prə'læpsəs/ n. ⓤⓒ (med.) prolasso.

prole /prəʊl/ n. (abbr. fam. spreg. di **proletarian**) proletario.

prolegomena /prəʊlə'gɒmɪnə/ (letter.) n. pl. prolegomeni.

prolepsis /prəʊ'lɛpsɪs/ (ling., retor.) n. (pl. **prolepses**) prolessi ‖ **proleptic** a. prolettico ‖ **proleptically** avv. prolettico ‖ **proleptically** avv. proletticamente.

proletarian /prəʊlɪ'tɛərɪən/ a. e n. proletario ● (polit.) **p. dictatorship**, dittatura del proletariato ‖ **proletarianism** n. ⓤ proletariato (la condizione del proletario) ‖ **proletarianization** n. ⓤ proletarizzazione ‖ to **proletarianize** v. t. proletarizzare.

proletariat /prəʊlɪ'tɛərɪət/ n. (polit.) proletariato (i proletari).

pro-life /prəʊ'laɪf/ a. (di movimento, ecc.) per la vita; antiabortista, antieutanasia; contro la clonazione; contro la pena di morte ‖ **pro-lifer** n. antiabortista; persona contro l'eutanasia (o la clonazione, la pena di morte, ecc.).

to **proliferate** /prə'lɪfəreɪt/ **A** v. i. (biol., mil. e fig.) proliferare; prolificare **B** v. t. far prolificare, riprodurre (cellule, ecc.) ‖ **proliferative** a. proliferativo.

proliferation /prəlɪfə'reɪʃn/ n. (biol., mil. e fig.) proliferazione; prolificazione.

proliferous /prə'lɪfərəs/ a. (bot., zool.) prolifero.

prolific /prə'lɪfɪk/ a. prolifico (anche fig.); fecondo; fertile: **p. animals**, animali prolifici; **a p. writer**, uno scrittore prolifico | **-ally** avv.

prolificacy /prə'lɪfɪkəsi/ n. ⓤ prolificità.

prolification /prəʊlɪfɪ'keɪʃn/ n. ⓤ prolificazione; fecondità; fertilità.

prolificity /prəʊlɪ'fɪsəti/, **prolificness** /prə'lɪfɪknəs/ n. ⓤ prolificità.

proline /'prəʊliːn/ n. ⓤ (chim.) prolina.

prolix /'prəʊlɪks/, USA prəʊ'lɪks/ a. prolisso ‖ **prolixity** n. ⓤ prolissità ‖ **prolixly** avv. prolissamente.

prolocutor /prəʊ'lɒkjʊtə(r)/ n. presidente di un'assemblea (spec. del clero anglicano).

prolog /'prəʊlɒg/ (USA) → **prologue**.

prologue, (USA) **prolog** /'prəʊlɒg/ n. **1** prologo (anche fig.); preludio; preambolo; proemio **2** (ciclismo) prologo ● (sport) **p. time trial**, cronoprologo.

to **prologue** /'prəʊlɒg/ v. t. introdurre; fare il prologo a.

to **prolong** /prə'lɒŋ/ v. t. prolungare: (geom.) **to p. a line**, prolungare una linea; **to p. one's stay**, prolungare la propria permanenza ● (comm.) **to p. a bill**, prorogare la scadenza d'una cambiale □ **to p. matters**, tirar le cose in lungo.

to **prolongate** /'prəʊlɒŋgeɪt/ v. t. prolungare.

prolongation /prəʊlɒŋ'geɪʃn/ n. ⓤⓒ **1** prolungamento **2** (comm.) proroga.

prolonged /prə'lɒŋd/ a. prolungato.

prolusion /prə'luːʒən/ n. prolusione; saggio introduttivo.

prolusory /prə'luːzəri/ a. introduttivo; preliminare.

prom /prɒm/ n. (fam.) **1** = **promenade concert** → **promenade 2** passeggiata; corso; (spec.) lungomare **3** (fam. USA) ballo studentesco di fine anno.

PROM sigla (elettron., **programmable read-only memory**) memoria ROM programmabile.

prom. abbr. (**promontory**) promontorio.

promenade /prɒmə'nɑːd/ n. **1** passeggiata; cavalcata **2** passeggiata; pubblico passeggio; (spec.) lungomare **3** danza con

cui si apre un ballo ufficiale **4** (*USA*) ballo studentesco di fine anno **5** (*teatr.*) ridotto ● (*in GB*) **p. concert**, concerto popolare ● **CULTURA • promenade concert**: *è un concerto in cui parte della sala è destinata al pubblico in piedi. In particolare i* **Promenade Concerts***, detti anche* **Proms***, sono concerti di musica classica parzialmente finanziati dalla BBC che si tengono ogni estate a Londra nella Royal Albert Hall. Nella serata finale* (**the Last Night of the Proms**) *vengono suonate arie e canti famosi e il pubblico si unisce al coro. Il concerto si chiude sempre con il canto patriottico* **Land of Hope and Glory** □ (*naut.*) **p. deck**, ponte di passeggiata.

to **promenade** /prɒmə'nɑːd/ **A** v. i. **1** passeggiare; andare a spasso **2** cavalcare (*per diletto*); scarrozzarsi **B** v. t. **1** passeggiare (*o camminare, ecc.*) lungo (*il corso, il lungomare, ecc.*) **2** condurre a passeggio **3** scarrozzare (q.).

promenader /prɒmə'nɑːdə(r)/ n. **1** passeggiatore; gitante **2** frequentatore assiduo di concerti popolari.

Promethean /prə'miːθɪən/ a. **1** di (*o simile a*) Prometeo: **P. fire**, il fuoco di Prometeo **2** prometeico; creativo; audace.

Prometheus /prə'miːθɪəs/ n. (*mitol.*) Prometeo.

promethium /prə'miːθɪəm/ n. ⓤ (*chim.*) prometeo; promezio.

prominence /'prɒmɪnəns/, **prominency** /'prɒmɪnənsɪ/ n. **1** prominenza; sporgenza; protuberanza; rilievo **2** ⓤ (*fig.*) rilevanza; importanza: **a person of p.**, una persona importante ● **to come into p.**, salire alla ribalta (*fig.*).

♦**prominent** /'prɒmɪnənt/ a. **1** prominente; sporgente; protuberante: **a p. chin**, un mento sporgente **2** (*fig.*) importante; di primo piano; di prim'ordine; cospicuo: distinto; notevole: **a p. artist**, un artista importante | **-ly** avv.

promiscuity /prɒmɪ'skjuːətɪ/ n. ⓤ **1** promiscuità; confusione; mescolanza **2** promiscuità dei sessi.

promiscuous /prə'mɪskjʊəs/ a. **1** promiscuo; confuso; disordinato: **a p. crowd of people**, una folla promiscua ● **a p. collection of objects**, un insieme confuso d'oggetti **2** che pratica la promiscuità sessuale; che ha parecchi partner sessuali **3** indiscriminato: **a p. massacre**, un massacro indiscriminato **4** (*fam.*) casuale; occasionale: **a p. stroll**, una passeggiata occasionale (*senza meta o scopo*) **5** (*fam.*) che s'adatta (a tutto); di bocca buona (*fam.*) ● (*spreg.*) **a p. bitch**, una che va a letto con tutti; una ninfomane | **-ly** avv. | **-ness** n. ⓤ.

♦**promise** /'prɒmɪs/ n. **1** promessa: **broken promises**, promesse non mantenute; **a p. to pay**, una promessa di pagamento; **p. of marriage**, promessa di matrimonio **2** ⓤ (*fig.*) speranza: **a youth of great p.**, un giovane di belle speranze ● (*comm., leg.*) **a p. to sell**, un preliminare di vendita □ **to break a p.**, mancare a una promessa □ **to claim sb.'s p.**, esigere che q. tenga fede alla promessa fatta □ **to keep** (*o* **to carry out**) **a p.**, mantenere (*o* adempiere, osservare) una promessa □ **to make** (*o* **to give**) **a p.**, fare una promessa □ **to show** (**great**) **p.**, promettere bene, dare a sperare □ **a poet of p.**, un poeta promettente, che promette bene ● **There isn't much p. of good weather**, il tempo non promette nulla di buono □ (*prov.*) **A p. is a p.**, ogni promessa è debito.

♦to **promise** /'prɒmɪs/ v. t. e i. **1** promettere; fare una promessa; dare a sperare: *The black sky promised a storm*, il cielo nero prometteva un temporale; *I p. to go* (*o that I will go*), prometto di andarci (*o che ci andrò*) **2** (*fam.*) assicurare: *I p. you that it*

---

won't be easy, t'assicuro che non sarà facile **3** (*di solito al passivo*) promettere (*una ragazza*) in moglie ● **to p. the earth** (*o* **the moon**), promettere la luna (*o* mari e monti) □ **to p. oneself**, ripromettersi: *I promised myself a long holiday*, mi ripromettevo di fare una lunga vacanza □ **to p. well** (*o* **fair**), promettere bene ● (*stor., relig. e fig.*) **the Promised Land**, la terra promessa.

promisee /prɒmɪ'siː/ n. (*leg.*) promissario; chi riceve una promessa.

promiser /'prɒmɪsə(r)/ n. **1** promettitore **2** (*leg.*) promittente.

promising /'prɒmɪsɪŋ/ a. promettente; che fa sperare: **a p. violinist**, un violinista promettente; *It looks p.*, sembra promettente ● **a p. sky**, un cielo che promette bene (*o* bel tempo) □ **a p. talent**, un astro nascente | **-ly** avv.

promisor /prɒmɪ'sɔː(r)/ n. (*leg.*) promittente.

promissory /'prɒmɪsərɪ/ a. che ha carattere di promessa; (*leg.*) promissorio ● (*comm., leg.*) **p. note**, pagherò; vaglia cambiario.

promo /'prəʊməʊ/ (*abbr. fam. di* **promotional**) **A** a. promozionale **B** n. (*cinem., TV*) promo.

promontory /'prɒməntrɪ/ n. (*geogr., anat.*) promontorio.

♦to **promote** /prə'məʊt/ v. t. **1** promuovere; far progredire; favorire; incoraggiare; provocare; stimolare: *He was promoted* (*to the rank of*) *captain*, fu promosso capitano; **to p. sales**, promuovere le vendite; **to p. a bill in Parliament**, promuovere un disegno di legge in Parlamento; **to p. sb.'s interests**, favorire gli interessi di q. **2** (*comm.*) lanciare, fare promozione a (*un prodotto*) **3** (*scacchi*) mandare a dama (*un pedone*) **4** (*sport*) promuovere; organizzare: **to p. a boxing match**, organizzare un incontro di pugilato ● (*fin.*) **to p. a new company**, farsi promotore di una nuova società ● **Milk promotes health**, il latte fa bene (alla salute).

promoter /prə'məʊtə(r)/ n. **1** promotore; fautore; iniziatore **2** (*fin.*, **= company p.**) fondatore di una società commerciale **3** (*chim.*) promotore; attivatore.

♦**promotion** /prə'məʊʃn/ n. ⓤ **1** promozione; avanzamento: **to get p.**, avere una promozione **2** il favorire; l'incoraggiare; promuovere; impulso **3** (*econ., comm.*) promozione (*delle vendite*); «promotion»; sviluppo **4** (*fin.*) fondazione (*d'una società commerciale*) **5** (*fam., comm.*) articolo (*o* prodotto) che viene lanciato **6** (*sport*) promozione: **p. play-off**, spareggio per la promozione ● (*fin.*) **p. money**, indennità di fondazione (*di una società*) □ **p. offer**, offerta promozionale.

promotional /prə'məʊʃənl/ a. **1** di promozione; d'avanzamento: **p. possibilities**, prospettive d'avanzamento **2** (*comm.*) promozionale: **p. campaign**, campagna promozionale; **p. sale**, vendita promozionale.

promotive /prə'məʊtɪv/ a. che promuove; promotore; d'incoraggiamento.

♦**prompt** /prɒmpt/ **A** a. **1** pronto; sollecito; alacre; svelto: **a p. answer**, una risposta pronta; **a p. assistant**, un assistente alacre, svelto **2** (*comm.*) a pronti; immediato: **p. delivery**, consegna immediata; **p. payment**, pagamento immediato **3** puntuale; in orario **B** n. **1** (*comm.*) termine di tempo per il saldo (*di un conto*) **2** (*comm.*, **= p. note**) promemoria di pagamento (*con specificata la data di scadenza*) **3** (*teatr.*) suggerimento **4** (*comput.*) prompt (*simbolo che indica che il computer è in attesa*) **5** (*fam.*) imbeccata; esatto; preciso: **at 9 o'clock p.**, alle (*ore*) 9 precise ● (*teatr.*) **p.-book**, copione del suggeritore □ (*teatr.*) **p.-box**, buca del suggeri-

---

tore □ (*comm.*) **p. goods**, merci pronte per la consegna □ (*comm.*) **for p. cash**, a pronta cassa; in contanti | **-ly** avv. | **-ness** n. ⓤ.

♦to **prompt** /prɒm(p)t/ v. t. **1** incitare; indurre; stimolare; spingere: *He was prompted by selfish motives*, era spinto da motivi egoistici **2** ispirare; provocare **3** (*a teatro, a scuola*) suggerire: *No prompting!*, non suggerite!

prompter /'prɒm(p)tə(r)/ n. (*teatr.*) suggeritore, suggeritrice.

prompting /'prɒm(p)tɪŋ/ n. **1** ⓤ stimolo; incitamento; sollecitazione **2** (*anche fig.*) suggerimento: **the promptings of conscience**, i suggerimenti della coscienza.

promptitude /'prɒm(p)tɪtjuːd/, USA -tuːd/, **promptness** /'prɒm(p)tnəs/ n. ⓤ prontezza; sollecitudine; alacrità; sveltezza.

Proms (the) /prɒmz/ n. pl. (*fam.*) i «promenade concerts» (→ **promenade**).

to **promulgate** /'prɒməlgeɪt/ v. t. **1** promulgare: **to p. a decree**, promulgare un decreto **2** (*per estens.*) diffondere; propagare; divulgare: **to p. a new theory**, propagare una nuova teoria | **promulgation** n. ⓤ **1** promulgazione (*non da parte del Capo dello Stato; in GB c'è il* → «**Royal Assent**», → **assent**) **2** diffusione; divulgazione.

promulgator /'prɒməlgeɪtə(r)/ n. promulgatore.

pronaos /prəʊ'neɪɒs/ n. (pl. **pronaoi**) (*archit.*) pronao.

pronation /prəʊ'neɪʃn/ n. (*anat.*) pronazione.

pronator /prəʊ'neɪtə(r)/ a. e n. (*anat.*) (*muscolo*) pronatore.

prone /prəʊn/ a. **1** prono (*anche fig.*): **to lie p. on the ground**, giacere prono a terra **2** (*fig.*) prono; incline; propenso; proclive: **p. to sin**, prono al peccato; **p. to anger**, incline all'ira ● **Man is p. to error**, l'uomo è fallibile □ **to fall p. on the floor**, cadere bocconi sul pavimento; gettarsi per terra a faccia in giù || **proneness** n. ⓤ **1** l'esser prono **2** (*fig.*) inclinazione; propensione.

prong /prɒŋ/ n. **1** rebbio; dente; punta (*di forcone, di forchetta*) **2** (*agric.*) forcone; forca (*per il fieno*) **3** (*mecc.*) dente; sottile sporgenza: **p. key**, chiave a denti (*per dadi circolari*) **4** (*zool.*) ramo, ramificazione (*delle corna d'un cervo, ecc.*) **5** (*volg.*) verga; stecca (*volg.*); pene ● **p.-hoe**, bidente.

to **prong** /prɒŋ/ v. t. **1** infilzare (*o* colpire) con un forcone **2** sollevare con un forcone **3** caricare (*fieno, ecc.*) con un forcone.

pronged /prɒŋd/ a. che ha denti; che ha rebbi: **a two-p. fork**, un forcone a due denti; un bidente ● **three-pronged attack**, attacco su tre fronti (*o* su tre direttrici); triplice attacco.

pronghorn /'prɒŋhɔːn/ n. (pl. **pronghorn, pronghorns**) (*zool.*, *Antilocapra americana*; **= p. antelope**) antilocapra.

pronominal /prəʊ'nɒmɪnl/ a. (*gramm.*) pronominale | **-ly** avv.

to **pronominalize** /prəʊ'nɒmɪnəlaɪz/ (*ling.*) v. t. pronominalizzare || **pronominalization** n. ⓤ pronominalizzazione.

♦**pronoun** /'prəʊnaʊn/ n. (*gramm.*) pronome.

to **pronounce** /prə'naʊns/ v. t. e i. **1** pronunciare: **to p. English well**, pronunciare bene l'inglese; *The judge will p. the sentence*, il giudice pronuncerà (*o* emetterà) la sentenza **2** dichiarare; asserire; esprimere: *The doctor pronounced him fit to resume work*, il dottore lo dichiarò abile al lavoro; **to p. one's opinion**, esprimere la propria opinione; pronunciarsi ● **to p. against**, dichiararsi (*o* prendere posizione) contro (q. *o* qc.); (*leg.*) pronunciarsi contro, emettere una sentenza sfavorevole a (q.) □ **to p. for** (*o*

in favour of) sb. [st.], pronunciarsi (o dichiararsi) a favore di q. [qc.]; (leg.) emettere una sentenza favorevole a q.

pronounceable /prə'naʊnsəbl/ a. pronunciabile ‖ **pronounceability** n. Ⓤ pronunciabilità.

pronounced /prə'naʊnst/ a. **1** pronunciato; marcato; rilevato: **p. cheekbones**, zigomi pronunciati **2** chiaro; deciso; spiccato: **p. ideas**, idee chiare; **a p. tendency**, una spiccata tendenza | **-ly** avv.

pronouncement /prə'naʊnsmənt/ n. dichiarazione; asserzione; affermazione.

pronouncing /prə'naʊnsɪŋ/ Ⓐ n. Ⓤ il pronunciare; pronuncia Ⓑ a. attr. relativo alla pronuncia; fonetico: **an English p. dictionary**, un dizionario fonetico (o di pronuncia) inglese.

pronto /'prɒntəʊ/ (spagn.) avv. (fam.) prontamente; subito; immediatamente.

pronucleus /prəʊ'njuːklɪəs/ n. (pl. **pronuclei**) (biol.) pronucleo.

♦**pronunciation** /prənʌnsɪ'eɪʃn/ n. pronuncia ● **p. dictionary**, dizionario di pronuncia.

♦**proof** ① /pruːf/ n. **1** Ⓤ prova (anche leg.); saggio; dimostrazione; verifica: **to put a theory to the p.**, mettere alla prova una teoria; *I gave him a present as* (a) *p. of my esteem*, gli feci un dono come dimostrazione della mia stima **2** (mat.) dimostrazione **3** Ⓤ (tipogr.) prove di stampa; bozza; bozze: *The book is still in p.*, il libro è ancora in bozze; **to read the proofs**, leggere (o correggere) le bozze **4** (tecn.) positivo di uno stampo **5** (arte, fotogr.) provino **6** Ⓤ (tecn.) gradazione alcolica standard: (di whisky, ecc.) **under p.**, che ha un numero insufficiente di gradi d'alcol ● (filos., mat.) **p. by contradiction**, dimostrazione per assurdo ● **p. correction**, correzione di bozze □ (leg.) **p. of claim** (o of debts), insinuazione di crediti (in un fallimento) □ **p. paper**, carta per bozze □ ● **p. positive**, prova certa; prova inoppugnabile; (med.) positivo al controllo □ (tipogr.) **p. press**, tirabozze; torchio per bozze □ (tipogr.) **p. puller**, tirabozze (addetto) □ (tipogr.) **p.-pulling**, tiratura delle bozze □ **p.-reader** → **to proof-read** □ (tipogr.) **p.-sheet**, bozza di prova; stampone □ (prov.) **The p. of the pudding is in the eating**, quello che conta sono i fatti, non le parole; se son rose fioriranno.

proof ② /pruːf/ a. **1** (spec. nei composti) inattaccabile; a prova di; anti- (pref.): **to be p. against criticism [temptations]**, essere inattaccabile dalle critiche [tetragono alle tentazioni]; (econ.) **inflation-p.**, a prova d'inflazione; **a bomb-p. shelter**, un rifugio a prova di bomba; **a bullet-p. vest**, un giubbotto antiproiettile **2** (spec.: di bevanda alcolica) che ha un certo numero di gradi: *Whisky is 43 p.*, il whisky ha 43 gradi ● (tecn.) **p. spirit**, gradazione alcolica standard.

to **proof** /pruːf/ v. t. **1** (tecn.) rendere (un materiale) resistente; (spec.) rendere impermeabile; impermeabilizzare **2** (tipogr.) tirare una bozza di **3** correggere le bozze di (un libro, ecc.).

proofing /'pruːfɪŋ/ n. Ⓤ (tecn.) **1** impermeabilizzazione **2** sostanza impermeabilizzante.

to **proof-read** /'pruːfriːd/ (pass. e p. p. **proof-read** /'pruːfred/) Ⓐ v. i. correggere bozze Ⓑ v. t. correggere le bozze di ‖ **proof-reader** n. correttore (o correttrice) di bozze ‖ **proof-reading** n. Ⓤ correzione di bozze.

prop ① /prɒp/ n. **1** sostegno (anche fig.); puntello; appoggio: **the p. and stay of the family**, il sostegno della famiglia **2** (rugby, = **p. forward**) pilone (giocatore) **3** (fig.) puntello; cardine; punto di forza ● (bot.) **p.**

root, radice di sostegno.

prop ② /prɒp/ n. (abbr. fam. di **propeller**) elica (d'aereo o di nave) ● (aeron.) **p.-engine**, motore a elica □ (aeron.) **p.-jet**, turbogetto; turboreattore □ (aeron.) **p.-jet engine**, motore a turboelica.

prop ③ /prɒp/ n. (teatr., abbr. di **stage property**) arredo scenico ● **p. man** (o **p. mistress**, se donna), trovarobe; attrezzista.

to **prop** /prɒp/ Ⓐ v. t. **1** (anche **to p. up**) sostenere; puntellare; sorreggere: **to p. up the patient's head**, sorreggere la testa del malato; **to p. a mine**, puntellare una miniera **2** appoggiare; addossare: **to p. a ladder against the wall**, appoggiare una scala contro il muro **3** (fig., anche **to p. up**) sostenere: (fin.) **to p. up the falling euro**, sostenere l'euro che è in calo Ⓑ v. i. **1** (del cavallo) arrestarsi improvvisamente; impuntarsi **2** (rugby) fare il pilone; giocare nel ruolo di pilone ● **to p. the door open**, mettere un fermo alla porta in modo che non si chiuda □ (scherz.) **to p. up the bar**, reggere il banco di mescita; bere al bancone; bere da solo □ (edil.) **propped cantilever**, trave a sbalzo appoggiata.

prop. abbr. **1** (**proper**) proprio **2** (**property**) proprietà **3** (**proposition**) proposizione **4** (leg., **proprietary**) di proprietà riservata **5** (**proprietor**) proprietario.

propaedeutic /prəʊpi'djuːtɪk/ Ⓐ a. propedeutico Ⓑ n. (spesso al pl.) argomento (o studio) propedeutico ‖ **propaedeutical** a. propedeutico.

propaedeutics /prəʊpi'djuːtɪks/ n. pl. (col verbo al sing.) propedeutica.

propagable /'prɒpəgəbl/ a. propagabile ‖ **propagability** n. Ⓤ propagabilità.

propaganda /prɒpə'gændə/ n. Ⓤ propaganda ● **p. organization**, organizzazione propagandistica.

propagandist /prɒpə'gændɪst/ n. **1** propagandista **2** (relig.) missionario ‖ **propagandistic** a. propagandistico ‖ **propagandistically** avv. propagandisticamente.

to **propagandize** /prɒpə'gændaɪz/ Ⓐ v. t. propagandare Ⓑ v. i. far propaganda.

to **propagate** /'prɒpəgeɪt/ Ⓐ v. t. **1** propagare; moltiplicare; (fig.) diffondere, spargere: **to p. the Gospel**, propagare il Vangelo; (fis.) **to p. heat**, propagare il calore **2** (bot.) moltiplicare; propagare; propaginare **3** trasmettere (un carattere ereditario) Ⓑ v. i. **1** propagarsi; essere trasmesso; diffondersi: *Sound propagates easily in water*, il suono si propaga bene nell'acqua **2** (di piante, animali) propagarsi, moltiplicarsi ● (di pianta) **to p. by layering**, propagginare; riprodursi per propaggine □ **to p. itself**, (di piante, animali) propagarsi, moltiplicarsi.

propagation /prɒpə'geɪʃn/ n. Ⓤ **1** propagazione (anche scient.); moltiplicazione; (fig.) propagamento, diffusione: **p. rate** (o **velocity**), velocità di propagazione; **p. of faith [of light]**, la propagazione della fede [della luce] **2** (delle piante, degli animali) propagazione; diffusione ● (delle piante) **p. by layering**, propagginazione.

propagator /'prɒpəgeɪtə(r)/ n. propagatore.

propagule /'prɒpəgjuːl/ n. (bot.) propagolo.

propane /'prəʊpeɪn/ n. Ⓤ (chim.) propano.

proparoxytone /prəʊpə'rɒksɪtəʊn/ Ⓐ a. (ling.) proparossitono Ⓑ n. (parola) proparossitona.

to **propel** /prə'pel/ v. t. **1** muovere; spingere; sospingere; propellere (raro) **2** (mecc.) azionare; spingere **3** (mil. e sport) far avanzare; mandare avanti **4** (fig.) spingere; stimolare; spronare ● (aeron.) **a jet-propelled plane**, un aereo a reazione; un aviogetto.

propellant /prə'pɛlənt/, **propellent** /prə'pɛlənt/ Ⓐ a. (mecc., fis.) propulsore; motore: **p. force**, forza motrice Ⓑ n. **1** (aeron., miss.) propellente **2** (chim.) propellente **3** (mil.) carica di lancio.

propeller /prə'pɛlə(r)/ n. **1** (mecc.) propulsore **2** (naut., aeron.) elica **3** (naut.) nave a elica ● **p. blades**, pale dell'elica □ (mecc.) **p. fan**, ventilatore elicoidale □ (aeron., naut.) **p. pitch**, passo dell'elica ● **p. shaft**, (aeron., naut.) albero portaelica; (autom., mecc.) albero di trasmissione □ (aeron.) **p. lifting p.**, elica portante □ (naut.) **p. well**, gabbia (o pozzetto) dell'elica.

propelling /prə'pelɪŋ/ a. (mecc.) propulsore; motore: **p. force**, forza motrice ● (mecc.) **p. machinery**, apparato motore □ **p. pencil**, matita automatica (o a mina mobile); portamina.

propene /'prəʊpiːn/ n. Ⓤ (chim.) propene; propilene.

propensity /prə'pensətɪ/ n. inclinazione; tendenza; propensione: **a p. to do** (o **for doing**) st., una tendenza a fare qc.; (econ.) **p. to consume** [**to save**], propensione al consumo [al risparmio].

♦**proper** /'prɒpə(r)/ Ⓐ a. **1** proprio (gramm., mat., relig.); particolare; speciale; pertinente; corretto; esatto: **a p. noun** (o **name**), un nome proprio; (relig.) **p. rites**, uffici propri (o speciali); **in the p. sense of the word**, nel senso proprio della parola; **p. fraction**, frazione propria **2** appropriato; adatto; conveniente; giusto; equo; opportuno: **p. treatment**, trattamento appropriato; (med.) terapia appropriata; **the p. tool for this job**, l'arnese adatto a questo lavoro; **a p. price**, un prezzo equo; **at the p. time**, al momento opportuno; *It was p. for him to decline the offer*, fu giusto che rifiutasse (o fece bene a rifiutare) l'offerta **3** decente; decoroso; rispettabile; perbene: **p. behaviour**, comportamento decoroso; *Would it be quite p.?*, sarebbe proprio decoroso?; starebbe davvero bene? **4** adeguato; esauriente; serio: **a p. investigation of st.**, serie indagini su qc. **5** (posposto) propriamente detto: **the population of New York p.**, la popolazione di New York propriamente detta (escludendo i sobborghi) **6** (fam.) vero; vero e proprio; bell'e buono: *I want a p. cat, not a toy one*, voglio un gatto vero, non uno giocattolo; **a p. job**, un lavoro vero e proprio (o regolare); **a p. mess**, un vero pasticcio **7** (arald.) al naturale: **a peacock p.**, un pavone (rappresentato sullo stemma) al naturale Ⓑ n. (relig.) proprio; ufficio proprio Ⓒ avv. (slang ingl.) assai; molto; proprio: *He was p. fed up*, era proprio scocciato ● **to do the p. thing by sb.**, comportarsi correttamente con q. □ (fam.) **to start p.**, cominciare a fare sul serio □ *Do it the p. way*, fallo come si deve; fallo nel modo giusto.

♦**properly** /'prɒpəlɪ/ avv. **1** propriamente; con proprietà: **p. dressed**, vestito con proprietà **2** giustamente; opportunamente: *He very p. refused*, molto giustamente egli rifiutò **3** correttamente; decentemente; decorosamente; bene: *Behave p.!*, comportati bene! **4** (fam.) completamente; del tutto; proprio: *I was p. puzzled*, ero proprio perplesso (o imbarazzato) ● **p. speaking**, a dire il vero; per l'esattezza; a rigor di termini.

propertied /'prɒpətɪd/ a. possidente; che possiede terreni ● **the p. class**, i proprietari terrieri; i possidenti.

♦**property** /'prɒpətɪ/ n. **1** Ⓤ proprietà; possesso; possedimento; patrimonio; tenuta; avere; beni (immobili): *This book is his p.*, questo libro è di sua proprietà; *I have a large p. in Devon*, ho una grossa proprietà nel Devon **2** proprietà; qualità peculiare; caratteristica: **the chemical properties of copper**, le proprietà chimiche del rame **3**

(pl.) (*teatr.*) costumi; materiale scenico **4** ▣ (*leg.*) proprietà; diritto di proprietà ● (*leg.*) **p. abroad**, beni all'estero ▢ (*fin.*) **p. company**, società immobiliare ▢ (*leg.*) **p. damage**, danno patrimoniale ▢ **p. development**, sviluppo edilizio ▢ **p. developer**, imprenditore edile ▢ (*fin.*) **p. funds**, fondi immobiliari ▢ (*fisc.*) **p.-increment tax**, imposta sull'incremento di valore degli immobili (*in Italia, INVIM*) ▢ **p. insurance**, assicurazione d'immobili ▢ (*banca*) **p. loan**, mutuo immobiliare ▢ **p. maintenance**, manutenzione d'immobili ▢ (*cinem., teatr.*) **p. man**, attrezzista; trovarobe ▢ **p. management**, amministrazione di immobili ▢ (*fin.*) **p. market**, mercato immobiliare ▢ (*cinem., TV*) **p. master** (*anche* **p. mistress**, *se donna*), attrezzista; trovarobe ▢ (*leg.*) **p. right**, diritto di proprietà ▢ (*fisc.*) **p. tax**, imposta sul patrimonio (*o patrimoniale*); imposta fondiaria (*in GB, dal 1964 è applicata soltanto dagli enti locali*) ▢ (*d'un segreto, ecc.*) **to become common p.**, divenire di dominio pubblico ▢ (*slang*) **hot p.**, cosa (*o persona*) di gran successo; uomo del giorno ▢ (*leg.*) **intellectual p.**, proprietà intellettuale ▢ **lost p.**, oggetti smarriti ▢ **a man of p.**, un possidente ▢ **personal p.**, beni mobili ▢ **real p.**, beni immobili; proprietà immobiliare.

prophecy /'prɒfəsɪ/ n. **1** profezia; predizione: **the gift of p.**, il dono della profezia **2** spirito profetico.

prophesier /'prɒfəsaɪə(r)/ n. chi fa profezie; profeta.

to **prophesy** /'prɒfəsaɪ/ v. t. e i. **1** profetare; predire; profetizzare **2** (*arc.*) insegnare la religione; interpretare le Sacre Scritture.

prophet /'prɒfɪt/ n. **1** (*anche fig.*) profeta **2** (*fig.*) apostolo; fautore: **a p. of freedom**, un apostolo della libertà ● **the P.**, il Profeta (*Maometto*); il fondatore della setta dei Mormoni (*Joseph Smith*) ▢ **to be a p. of doom**, fare la Cassandra.

prophetess /prɒfɪ'tɛs/ n. profetessa.

prophetic /prə'fɛtɪk/, **prophetical** /prə'fɛtɪkl/ a. profetico | **-ally** avv.

propheticism /prəʊ'fɛtɪsɪzəm/, **prophetism** /'prɒfɪtɪzəm/ n. ▣ profetismo.

prophylactic /prɒfɪ'læktɪk/ Ａ a. (*med.*) profilattico Ｂ n. **1** medicamento (*o trattamento*) profilattico **2** (*farm., spec. USA*) profilattico; preservativo | **-ally** avv.

prophylaxis /prɒfɪ'læksɪs/ n. ▣ (*med.*) profilassi.

propinquity /prə'pɪŋkwətɪ/ n. ▣ propinquità (*anche fig.*).

propionic /prəʊpɪ'ɒnɪk/ a. (*chim.*) propionico: **p. acid**, acido propionico.

to **propitiate** /prə'pɪʃɪeɪt/ v. t. **1** propiziare; propiziarsi: **to p. the judges**, propiziarsi i giudici **2** placare; pacificare; rabbonire; rappacificare.

propitiation /prəpɪʃɪ'eɪʃn/ n. ▣ **1** propiziazione **2** il placare; pacificazione **3** espiazione.

propitiator /prə'pɪʃɪeɪtə(r)/ n. propiziatore.

propitiatory /prə'pɪʃɪətrɪ/ Ａ a. propiziatorio; espiatorio; conciliante: **a p. gesture**, un gesto propiziatorio; **a p. sacrifice**, un sacrificio espiatorio Ｂ n. (*relig. ebraica*) propiziatorio.

propitious /prə'pɪʃəs/ a. propizio; benigno; favorevole: *The rain was p. to the fields*, la pioggia fu propizia alla campagna | **-ly** avv. | **-ness** n. ▣.

propman /'prɒpmən/ n. (pl. **propmen**) (*cinem., teatr.*) attrezzista; trovarobe.

propolis /'prɒpəlɪs/ n. (*biol.*) propoli.

proponent /prə'pəʊnənt/ a. e n. **1** proponente **2** fautore; sostenitore.

♦**proportion** /prə'pɔːʃn/ n. **1** ▣ (*anche mat.*) proporzione: **in direct [inverse] p.**, in proporzione diretta [inversa]; **the proportions of a palace**, le proporzioni di un palazzo **2** parte; quota; percentuale: *A high p. of young people are leaving the countryside*, un'alta percentuale di giovani abbandona le campagne **3** (pl.) (*anche scherz.*) dimensioni: **ample proportions**, grandi dimensioni; mole (*di una persona*) ● **to bear no p. to**, non essere in proporzione con ▢ **to keep st. in p.**, mantenere qc. nelle giuste proporzioni ▢ **out of (all) p. (to st.)**, sproporzionato (rispetto a qc.) ▢ (*fig.*) **sense of p.**, senso delle proporzioni.

to **proportion** /prə'pɔːʃn/ v. t. **1** proporzionare; adeguare; commisurare: **to p. direct taxation to income brackets**, proporzionare l'imposizione diretta agli scaglioni di reddito **2** rendere proporzionato (*o armonioso*) **3** dividere in parti eque; spartire **4** (*chim.*) dosare (*ingredienti*).

proportionable /prə'pɔːʃnəbl/ a. proporzionabile (*raro*); proporzionale | **-bly** avv.

proportional /prə'pɔːʃnl/ Ａ a. **1** (*anche mat., fis., mecc.*) proporzionale: (*polit.*) **p. representation**, rappresentanza proporzionale; la proporzionale (*fam.*) **2** in proporzione (a); adeguato; commisurato (a): *My expenditure is p. to my income*, le mie spese sono proporzionate al mio reddito Ｂ n. (*mat.*) medio proporzionale ● (*disegno*) **p. dividers**, compasso rapportatore ▢ (*grafica*) **p. reducer**, bagno riduttore ▢ (*fisc.*) **p. tax**, imposta proporzionale | **-ly** avv.

proportionalism /prə'pɔːʃnlɪzəm/ (*polit.*) n. ▣ proporzionalismo || **proportionalist** n. proporzionalista.

proportionality /prəpɔːʃə'nælətɪ/ n. ▣ proporzionalità.

proportionate /prə'pɔːʃənət/ a. proporzionato; adeguato; conforme | **-ly** avv.

to **proportionate** /prə'pɔːʃəneɪt/ v. t. proporzionare; adeguare; commisurare.

proportioned /prə'pɔːʃənd/ a. proporzionato.

proportionment /prə'pɔːʃənmənt/ n. ▣ **1** il proporzionare; adeguamento **2** l'essere proporzionato; proporzionalità.

♦**proposal** /prə'pəʊzl/ n. **1** proposta; offerta: **to make a p.**, fare una proposta; **to turn down a p.**, respingere una proposta; *He'll be showing us some of the design proposals*, ci mostrerà alcune delle proposte per il design **2** proposta di matrimonio.

♦to **propose** /prə'pəʊz/ v. t. e i. **1** proporre; offrire; suggerire: **to p. sb. as a member of one's club**, proporre q. come membro del proprio circolo; **to p. a change**, suggerire un mutamento **2** proporsi; progettare; prefiggersi; intendere: **the object I p. to myself**, lo scopo che mi prefiggo; *I proposed to leave (o leaving) soon*, mi proponevo di partire presto **3** dichiararsi; fare una proposta di matrimonio; chiedere la mano (*di q.*): *Tim proposed to Sue!*, Tim ha chiesto a Sue di sposarlo! **4** (*polit., ecc.*) presentare: **to p. a motion**, presentare una mozione ● **to p. a toast** (*o* **sb.'s health**), proporre un brindisi (*o di brindare alla salute di q.*) ▢ (*prov.*) **Man proposes, God disposes**, l'uomo propone e Dio dispone.

♦**proposed** /prə'pəʊzd/ a. **1** proposto: (*fin.*) **p. dividend**, dividendo proposto **2** progettato: **my p. visit to the States**, la mia progettata visita negli Stati Uniti.

proposer /prə'pəʊzə(r)/ n. chi propone; proponente.

proposition /prɒpə'zɪʃn/ n. **1** (*filos.*) proposizione; affermazione; asserzione; giudizio; (*mat.*) problema, teorema: *This is a false p.*, questa è un'affermazione falsa **2**

proposta; progetto; suggerimento: **propositions of peace**, proposte di pace; **a valid p.**, un progetto valido **3** (*fam.*) affare; faccenda; impresa; progetto: (*fam.*) *That's a tough p.*, è una faccenda difficile; *That's a risky p.*, è un'impresa rischiosa **4** (*fam.*) proposta sessuale; avance (*franc.*) ● **to make sb. a p.**, (*comm., ecc.*) fare una proposta a q., proporre un affare a q.; (*fam.*) fare delle avance a q., provarci con q.

to **proposition** /prɒpə'zɪʃn/ v. t. (*fam.*) fare una proposta (*spec.* una profferta amorosa) a (q.).

propositional /prɒpə'zɪʃənl/ a. **1** (*logica, mat., ecc.*) proposizionale **2** (*ling.*) propositivo.

to **propound** /prə'paʊnd/ v. t. **1** proporre (*una questione, un problema*); avanzare (*un esempio, un dubbio*) **2** presentare (*un documento*) **3** (*leg.*) produrre (*un testamento*) per l'omologazione.

proprietary /prə'praɪətrɪ/ Ａ a. **1** di proprietà riservata **2** possidente; abbiente: **the p. classes**, le classi abbienti **3** (*di un prodotto*) brevettato; in esclusiva: **p. medicines**, medicine brevettate; specialità medicinali **4** di proprietà; padronale; patrimoniale: (*leg.*) **p. rights**, diritti patrimoniali Ｂ n. **1** proprietario; padrone; titolare **2** (*leg.*) proprietà: **exclusive p.**, proprietà esclusiva **3** (collett.) proprietari: **the landed p.**, i proprietari terrieri **4** specialità farmaceutica; medicinale specialistico **5** (*fin., USA*; = **p. company**) società madre (*o di controllo*) ● **with a p. air**, con aria da padrone ▢ (*comm.*) **p. articles**, articoli in esclusiva ▢ **p. drugs**, specialità farmaceutiche ▢ **p. manner**, modo di fare da padrone ▢ (*leg.*) **p. name**, marchio di fabbrica registrato; denominazione controllata ▢ (*comput.*) **p. software**, software proprietario.

proprietor /prə'praɪətə(r)/ n. **1** proprietario; padrone; titolare **2** (*leg.*) detentore (*di un marchio di fabbrica, ecc.*) || **proprietorial** a. di proprietario; padronale: (*leg.*) **proprietorial rights**, diritti di proprietà riservata; brevetti || **proprietorship** n. **1** condizione di proprietario **2** proprietà: (*leg.*) **copyright proprietorship**, la proprietà di un diritto d'autore.

proprietress /prə'praɪətrɪs/ n. proprietaria; padrona; titolare.

propriety /prə'praɪətɪ/ n. **1** ▣ proprietà; correttezza; giustezza; opportunità **2** decenza (*di condotta, parola, ecc.*); decoro: **a breach of p.**, un'offesa al decoro; una sconvenienza **3** (pl.) convenienze sociali; norme di buona creanza: ◆ **FALSI AMICI** • **propriety** *non significa proprietà nel senso di caratteristica.*

proprioceptive /prəʊprɪəʊ'sɛptɪv/ (*fisiol.*) a. propriocettivo || **proprioception** n. ▣ propriocezione.

proprioceptor /prəʊprɪə'sɛptə(r)/ n. (*fisiol.*) propriocettore.

props /prɒps/ n. pl. (*gergo teatr.*) costumi; materiale scenico.

propulsion /prə'pʌlʃn/ n. ▣ **1** (*mecc.*) propulsione; (*aeron.*) **jet p.**, propulsione a reazione **2** (*fig.*) impulso; spinta ● (*mecc.*) **p. system**, propulsore || **propulsive** a. (*mecc.*) propulsivo; di propulsione: (*aeron.*) **propulsive efficiency**, rendimento di propulsione.

propyl /'prəʊpɪl/ n. ▣ (*chim.*) propile ● **p. alcohol**, alcol propilico.

propylaeum /prɒpɪ'liːəm/ n. (pl. **propylaea**) (*archit.*) propileo.

propylene /'prəʊpɪliːn/ n. ▣ (*chim.*) propilene; propene ● **p. glycol**, glicol propilenico.

propylon /'prɒpɪlɒn/ n. (pl. **propyla**) → **propylaeum**.

to **prorate** /prəʊˈreɪt/ v. t. (*USA*) ripartire (*o* distribuire) proporzionalmente.

to **prorogue** /prəˈrəʊg/ (*polit.*, *in GB*) v. t. sciogliere (*le Camere*) ‖ **prorogation** n. ⓤ scioglimento delle Camere (*da parte del Sovrano: i Comuni chiudono, i Lord restano in seduta per discutere eventuali appelli contro sentenze di tribunali*).

prosaic /prəˈzeɪɪk/ a. prosaico (*anche fig.*); banale; comune | **-ally** avv. | **-ness** n. ⓤ.

prosaicism /prəˈzeɪɪsɪzəm/, **prosaism** /ˈprəʊzeɪɪzəm/ n. ⓤ **1** prosaicismo **2** prosaicità.

proscenium /prəˈsiːnɪəm/ n. (pl. **prosceniums**, **proscenia**) (*teatr.*) proscenio.

to **proscribe** /prəˈskraɪb/ v. t. **1** proscrivere; bandire; esiliare **2** vietare; condannare; proibire ‖ **proscription** n. **1** ⓤ proscrizione; bando; esilio **2** divieto; proibizione ‖ **proscriptive** a. **1** proscrittivo (*raro*); di proscrizione **2** che proibisce.

prose /prəʊz/ n. **1** ⓤ (*letter.*) prosa **2** ⓤ (*fig.*) prosaicità: **the p. of existence**, la prosaicità della vita **3** (*fam.*) discorso monotono (*o* noioso); persona noiosa **4** (*fam.*) brano (*o* passo) da tradurre ● **p. works** (*o* p. **writings**), opere in prosa □ **p. writer**, prosatore.

to **prose** /prəʊz/ △ v. i. **1** scrivere (*un passo*) in prosa **2** parlare (*o* scrivere) in modo prosaico ᴮ v. t. **1** esprimere (*i propri pensieri*) in prosa **2** volgere (*una poesia*) in prosa.

prosector /prəʊˈsɛktə(r)/ n. (*med.: un tempo*) prosettore; dissettore.

prosecutable /ˈprɒsɪkjuːtəbl/ a. (*leg.*) perseguibile.

to **prosecute** /ˈprɒsɪkjuːt/ △ v. t. **1** proseguire; continuare; seguitare; portare avanti; esercitare: **to p. one's studies**, proseguire gli studi; **to p. an investigation**, portare avanti un'inchiesta; **to p. a trade**, esercitare un commercio (*o* un mestiere) **2** (*leg.*) perseguire (a termini di legge); procedere contro (q.): *Shoplifters will be prosecuted*, i taccheggiatori saranno perseguiti a termini di legge **3** (*leg.*) promuovere: **to p. an action**, promuovere un procedimento legale ᴮ v. i. (*leg.*) far causa; intentare giudizio ● (*leg.*) **to p. the charge**, sostenere l'accusa □ **to p. one's claims**, rivendicare i propri diritti (*facendo ricorso alla legge*) □ (*leg.*) **to p. a crime**, perseguire un reato □ (*leg.*) **to p. in a civil case**, costituirsi parte civile □ (*leg. USA*) **prosecuting attorney**, pubblico ministero □ (*leg.*) **prosecuting witness**, testimone d'accusa.

♦**prosecution** /prɒsɪˈkjuːʃn/ n. **1** ⓤ prosecuzione; continuazione **2** ⓤ esercizio; esecuzione: **in the p. of one's duties**, nell'esercizio delle proprie funzioni **3** ⓤⓒ (*leg.*) processo penale; procedimento giudiziario **4** ⓤ – (*leg.*) **the p.**, l'accusa; la pubblica accusa: **p. evidence**, prove prodotte dall'accusa.

prosecutor /ˈprɒsɪkjuːtə(r)/ n. (*leg.*) **1** pubblico accusatore **2** (*raro*) attore; (*pressappoco*) querelante ● (*leg.*) **public p.**, pubblico ministero.

proselyte /ˈprɒsəlaɪt/ n. proselito; neofita ‖ **proselytism** n. ⓤ proselitismo.

to **proselytize** /ˈprɒsəlɪtaɪz/ △ v. t. convertire ᴮ v. i. fare proseliti; fare proselitismo ‖ **proselytization** n. ⓤ proselitismo ‖ **proselytizer** n. chi fa proseliti; proselitista (*raro*).

prosenchyma /prɒsˈɛŋkɪmə/ (*bot.*) n. (pl. **prosenchymas**, **prosenchymata**) prosenchima ‖ **prosenchymatous** a. prosenchimatico.

proser /ˈprəʊzə(r)/ n. **1** prosatore; chi scrive in prosa **2** (*fam. antiq.*) chi scrive (*o* parla) in modo prosaico (*o* noioso).

prosily /ˈprəʊzəli/ avv. **1** prosaicamente **2** noiosamente.

prosiness /ˈprəʊzɪnəs/ n. ⓤ **1** prosaicità; prosaicismo **2** (*fig.*) banalità, monotonia; tediosità.

prosit /ˈprəʊzɪt/ (*lat.*) inter. cin-cin!; prosit.

prosody /ˈprɒsədi/ n. ⓤ **1** (*ling.*) prosodia **2** (*letter.*) metrica ‖ **prosodic**, **prosodical** a. prosodico ‖ **prosodically** avv. prosodicamente ‖ **prosodist** n. prosodista.

prosopopoeia /prɒsəʊpəˈpiːə/ (*retor.*) n. ⓒ prosopopea.

♦**prospect** /ˈprɒspɛkt/ n. **1** prospettiva; veduta; vista; panorama: **a fine p.**, una bella vista **2** (*fig.*) orizzonte: *That opened new prospects to my mind*, ciò aprì nuovi orizzonti alla mia mente **3** ⓒ prospettiva; aspettativa; previsione; speranza; possibilità: *The boy has good prospects*, il ragazzo ha buone prospettive (*di far carriera, di far fortuna*); **career prospects**, prospettive di carriera; *I see no p. of success*, non vedo possibilità alcuna di riuscita **4** (*spec. USA*) probabile cliente (*o* candidato, sottoscrittore, ecc.) **5** (*ind. min.*) terreno che si suppone contenga minerali; area da sottoporre a prospezione; (*anche*) campione di minerale **6** (*fam.*) giovane (*candidato, giocatore*) che promette bene; promessa; speranza (*fig.*) ● **to have st. in p.**, avere qc. in vista; avere delle prospettive (*di lavoro, d'impiego, ecc.*) ❶ **FALSI AMICI** ● prospect *non significa* prospetto.

to **prospect** /prəˈspɛkt/ △ v. i. **1** (*ind. min.*) fare prospezioni; fare assaggi; fare ricerche minerarie: **to p. for gold**, cercare l'oro **2** (*di miniera*) promettere ᴮ v. t. **1** fare ricerche minerarie, fare prospezioni in (*una regione, ecc.*) **2** gestire, sfruttare (*una miniera*) in via sperimentale ● (*comm.*) **to p. for customers**, cercare di farsi dei clienti □ **to p. for gold**, fare prospezioni per trovare oro.

prospecting /prəˈspɛktɪŋ/ n. ⓤ (*ind. min.*) prospezione.

prospective /prəˈspɛktɪv/ a. **1** eventuale; probabile; potenziale: **a p. customer**, un probabile cliente; un cliente potenziale; **p. profits**, eventuali profitti **2** futuro: **his p. wife**, la sua futura sposa **3** (*ling.*) prospettivo ● **a p. doctor**, uno che aspira a diventare medico □ **a p. mother**, una gestante ‖ **prospectively** avv. probabilmente; prevedibilmente; in prospettiva ‖ **prospectiveness** n. ⓤ l'esser prevedibile (*o* atteso, potenziale); prospettività.

prospector /prəˈspɛktə(r)/ n. (*ind. min.*) cercatore (*spec. d'oro*); prospettore.

prospectus /prəˈspɛktəs/ n. **1** prospetto, programma (*d'una nuova impresa, d'una scuola, ecc.*): *I've got the new p. for the local adult education college*, ho il nuovo programma dell'università per adulti della zona **2** (*comm.*) prospetto informativo **3** (*fin.*) manifesto di emissione (*di titoli*); prospetto.

to **prosper** /ˈprɒspə(r)/ v. i. **1** prosperare; fiorire (*fig.*); essere fiorente **2** aver successo: *At long last he began to p.*, finalmente cominciò ad avere successo.

prosperity /prɒˈspɛrəti/ n. ⓤ prosperità; benessere.

prosperous /ˈprɒspərəs/ a. prospero; prosperoso; fiorente; favorevole; propizio; ricco: **a p. merchant**, un ricco mercante; **a p. country**, una nazione prospera; un paese prospero; **a p. gale**, un vento favorevole | **-ly** avv. | **-ness** n. ⓤ.

prostaglandin /prɒstəˈglændɪn/ n. (*biochim.*) prostaglandina.

prostate /ˈprɒsteɪt/ (*anat.*) n. (= p. **gland**) prostata ‖ **prostatic** a. e n. prostatico.

prostatectomy /prɒsteɪtˈɛktəmi/ n. ⓤⓒ (*med.*) prostatectomia.

prostatism /ˈprɒstətɪzəm/ n. ⓤ (*med.*) prostatismo.

prostatitis /prɒstəˈtaɪtɪs/ n. ⓤ (*med.*) prostatite.

prosthesis /ˈprɒsθəsɪs/ n. (pl. **prostheses**) **1** (*med.*) protesi **2** (*ling.*) protesi ‖ **prosthetic** a. **1** (*med.*) protesico: **prosthetic lab**, laboratorio protesico; officina delle protesi **2** (*ling.*) prostetico; protetico ● (*med.*) **prosthetic dentistry**, odontotecnica.

prosthetics /prɒsˈθɛtɪks/ n. pl. (col verbo al sing.) (*med.*) protesica ● **p. centre**, laboratorio protesico.

prosthetist /ˈprɒsθɪtɪst/ n. (*med.*) protesista.

prosthodontist /prɒsθəˈdɒntɪst/ n. (*med.*) odontotecnico.

prostitute /ˈprɒstɪtjuːt, USA -tuːt/ n. (*anche fig.*) prostituta ● **teenage p.**, baby prostituta □ **a male p.**, un uomo che si prostituisce; un prostituto.

to **prostitute** /ˈprɒstɪtjuːt, USA -tuːt/ v. t. (*anche fig.*) prostituire: **to p. one's talents**, prostituire il proprio ingegno ● **to p. oneself**, (*anche fig.*) prostituirsi.

prostitution /prɒstɪˈtjuːʃn, USA -ˈtuː-/ ⓤ prostituzione (*anche fig.*); meretricio.

prostitutor /ˈprɒstɪtjuːtə(r), USA -tuː-/ n. chi prostituisce.

prostrate /ˈprɒstreɪt/ a. prostrato (*anche bot.*); prosternato; abbattuto; affranto; fiaccato ● **to lay sb. p.**, fiaccare q.

to **prostrate** /prɒˈstreɪt, USA ˈprɒstreɪt/ v. t. prostrare; prosternare; abbattere; accasciare; infiacchire; soggiogare: *He was prostrated by the disease* [*with grief*], era prostrato dalla malattia [*dal dolore*]; **a country prostrated by the enemy**, un paese soggiogato dal nemico ● **to p. oneself**, prostrarsi; prosternarsi: *He prostrated himself before the king*, si prosternò davanti al re.

prostration /prɒˈstreɪʃn/ n. ⓤ **1** prosternazione; prostrazione; il prostrarsi, il prosternarsi (*davanti a q.*) **2** prostrazione; abbattimento.

prostyle /ˈprəʊstaɪl/ △ n. (*archit.*) prostilo ᴮ a. attr. (*di un edificio*) che ha un prostilo.

prosy /ˈprəʊzi/ a. **1** prosastico **2** prosaico; banale; monotono; noioso; tedioso: **a p. talker**, un parlatore noioso.

Prot. abbr. **1** (**protectorate**) protettorato **2** (*relig.*, **Protestant**) protestante.

protactinium /prəʊtækˈtɪnɪəm/ n. ⓤ (*chim.*) protoattinio.

protagonist /prəˈtægənɪst/ n. **1** protagonista **2** (*fig.*) campione; paladino; fautore; sostenitore.

Protagoras /prəʊˈtægəræs/ n. (*filos.*) Protagora.

protamine /ˈprəʊtəmiːn/ n. ⓤ (*biochim.*) protammina.

protanopia /prəʊtəˈnəʊpɪə/ n. ⓤ (*med.*) protanopia.

protasis /ˈprɒtəsɪs/ n. (pl. **protases**) (*ling.*, *letter.*) protasi.

protean /prəʊˈtiːən/ a. proteiforme; versatile; mutevole.

protease /ˈprəʊtɪeɪs/ n. (*biochim.*) proteasi.

♦to **protect** /prəˈtɛkt/ v. t. **1** proteggere; difendere; tutelare; salvaguardare: **to p. sb. from danger**, difendere q. da un pericolo; **to p. one's interest**, tutelare (*o* salvaguardare) i propri interessi; (*econ.*) **to p. domestic industries**, proteggere le industrie nazionali **2** (*comm.*) far fronte a; onorare: **to p. a bill**, onorare una cambiale ● (*boxe*) **to p. one's face**, proteggersi il viso (*con la guardia*).

protected /prəˈtɛktɪd/ a. protetto: (*ecol.*) **p. species**, specie protetta; (*econ.*) **p. im-**

ports, importazioni protette ● (*Borsa*) **p. bear**, ribassista coperto □ (*leg.*) **p. earnings**, retribuzioni impignorabili.

♦**protection** /prə'tɛkʃn/ n. **1** Ⓤ protezione; difesa; tutela; guardia; scorta: **under the p. of the police**, sotto la protezione della polizia **2** lasciapassare; salvacondotto **3** Ⓤ (*econ.*) protezionismo: **trade p.**, protezionismo commerciale **4** Ⓤ (*econ.*) sostegno: **government p.**, sostegno statale **5** (*fam.*, = **p. money**) tangente pagata alla malavita; pizzo (*fam.*) ● (*fam.*) **p. racket**, racket (dei protettori).

protectionism /prə'tɛkʃənɪzəm/ n. Ⓤ (*econ.*) protezionismo.

protectionist /prə'tɛkʃənɪst/ Ⓐ n. **1** (*econ.*) protezionista **2** (*ecol.*) conservazionista; protezionista Ⓑ a. attr. (*econ.*) protezionistico; protezionista: **p. measures**, misure protezionistiche.

protective /prə'tɛktɪv/ Ⓐ a. **1** protettivo; di protezione; di difesa; difensivo: **p. headgear**, protezione per la testa; casco di protezione; **a p. mother**, una madre protettiva; **p. mask**, maschera di protezione; (*biol.*) **p. colouring**, mimetismo difensivo; **a p. gesture**, un gesto di difesa **2** (*econ.*) protettivo; protezionistico: **p. duty**, dazio protettivo; **p. tariffs**, tariffe protezionistiche Ⓑ n. **1** cosa che serve a proteggere; protezione **2** preservativo; profilattico ● (*sport*) **p. cup**, conchiglia di protezione (*per l'inguine*) □ (*leg.*) **p. custody**, detenzione (*da parte della polizia*) a scopo di protezione □ (*mil.*) **p. fire**, fuoco d'interdizione □ **p. helmet**, elmetto (*o casco*) di protezione (*elettr.*) **p. relay**, relè di protezione □ (*banca*) **p. wallet**, portalibretto | **-ly** avv. | **-ness** n. Ⓤ.

protector /prə'tɛktə(r)/ n. **1** protettore; difensore; patrono **2** (*elettr., mecc.*) dispositivo di protezione **3** (*spreg.*) protettore (*di prostitute*); pappone; magnaccia (*pop.*) ● (*elettron.*) **p. tube**, tubo di protezione **2** (*stor.*) **Lord P. of the Commonwealth**, Lord Protettore della Repubblica (*titolo di Oliver Cromwell e del figlio Richard*).

protectorate /prə'tɛktərət/ n. **1** (*leg., polit.*) protettorato **2** Ⓤ → **protectorship**.

protectorship /prə'tɛktəʃɪp/ n. Ⓤ protettorato (*raro*); ufficio (*o carica*) di protettore.

protectory /prə'tɛktərɪ/ n. (*stor.*) patronato, casa di rieducazione (*per adolescenti poveri o traviati*).

protectress /prə'tɛktrɪs/ n. protettrice.

protégé /'prəʊtəʒeɪ, USA prəʊtə'ʒeɪ/ (*franc.*) n. protetto; pupillo.

protégée /'prəʊtəʒeɪ, USA prəʊtə'ʒeɪ/ (*franc.*) n. protetta; pupilla.

♦**protein** /'prəʊtiːn/ n. Ⓤ (*chim., biol.*) proteina ● (*med.*) **p. therapy**, proteinoterapia.

proteinase /'prəʊtiːneɪs/ n. (*biochim.*) proteinasi.

proteinic /prəʊtɪ'ɪnɪk/, **proteinous** /prəʊ'tiːnəs/ a. (*chim., biol.*) proteico; proteinico: **p. substances**, sostanze proteiche.

proteinuria /prəʊtɪ'njʊrɪə/ n. Ⓤ (*med.*) proteinuria.

proteolysis /prəʊtɪ'ɒlɪsɪs/ (*biochim.*) n. Ⓤ proteolisi || **proteolytic** a. proteolitico.

proteome /'prəʊtɪəʊm/ (*chim.*) n. proteoma || **proteomic** a. proteomico || **proteomics** n. pl. (col verbo al sing.) proteomica.

proterandry /prɒtə'rændrɪ/ (*biol.*) n. Ⓤ proterandria || **proterandrous** a. proterandro.

proteranthous /prɒtə'rænθəs/ a. (*bot.*) proterandro.

Proterozoic /prɒtərə'zəʊɪk/ a. e n. (*geol.*) proterozoico (*raro*); archeozoico.

♦**protest** /'prəʊtɛst/ n. **1** (*anche polit.*) protesta; manifestazione (*di protesta*): **to make** (*o to lodge*) **a p.**, fare (*o presentare*) una protesta **2** Ⓤ (*leg., comm.*) protesto; protesto cambiario: **p. charges**, spese di protesto **3** Ⓤ (*leg.*) riserva (*di far valere un diritto*) **4** (*anche sport*) reclamo; ricorso **5** (*naut.* = **ship's p.**) → *sotto* ● **p. march**, corteo di protesta □ **p. meeting**, riunione di protesta □ **p. song**, canzone di protesta □ **p. vote**, voto di protesta □ (*ass., naut.*) **ship's p.**, dichiarazione d'avaria ● **under p.**, malvolentieri; contro la propria volontà; (*leg.*) con riserva.

♦**to protest** /prə'tɛst/ v. t. e i. **1** protestare; affermare, dichiarare solennemente: **to p. one's innocence**, protestare la propria innocenza **2** protestare; fare proteste: **to p. loudly**, protestare a voce alta **3** (*leg., comm.*) protestare: **to p. a bill**, protestare una cambiale **4** (*USA*) protestare contro: **to p. rearmament**, protestare contro il riarmo **5** (*anche sport*) reclamare, ricorrere (*contro qc.*) ● **to p. too much**, negare qc. con troppo entusiasmo (*facendo sospettare che sia vero il contrario*) □ (*di cambiale*) **to be protested**, andare in protesto.

protestant /'prɒtɪstənt/ Ⓐ a. che protesta, protestatario Ⓑ n. chi protesta; protestante; dimostrante.

Protestant /'prɒtɪstənt/ (*relig.*) a. e n. protestante || **to Protestantize** v. t. (*raro*) rendere protestante.

Protestantism /'prɒtɪstəntɪzəm/ n. Ⓤ (*relig.*) protestantesimo.

protestation /prɒtɪ'steɪʃn/ n. (*form.*) **1** protesta **2** affermazione solenne.

protester, **protestor** /prə'tɛstə(r)/ n. **1** chi protesta; contestatore; manifestante; dimostrante **2** (*leg., comm.*) creditore che fa eseguire il protesto cambiario.

protesting /prə'tɛstɪŋ/ a. che protesta; protestatario: **p. attitude**, atteggiamento protestatario | **-ly** avv.

Proteus /'prəʊtiːəs/ n. **1** (*mitol.*) Proteo **2** (*fig.*) persona mutevole; proteo (*raro*).

proteus /'prəʊtiːəs/ n. (*zool., Proteus anguineus*) proteo.

prothalamion /prəʊθə'leɪmɪən/, **prothalamium** /prəʊθə'leɪmɪəm/ n. (pl. **prothalamia**) (*letter.*) epitalamio (*parola coniata da E. Spenser*).

prothallium /prəʊ'θælɪəm/ n. (pl. **prothallia**) (*bot.*) protallo.

prothesis /'prɒθəsɪs/ n. (pl. **protheses**) protesi || **prothetic** a. protetico, prostetico.

prothonotary /prəʊθə'nəʊtərɪ/ → **protonotary**.

prothorax /prəʊ'θɔːræks/ n. (pl. **prothoraxes**, **prothoraces**) (*zool.*) protorace.

prothrombin /prəʊ'θrɒmbɪn/ (*biochim.*) Ⓐ n. protrombina Ⓑ a. protrombinico.

protide /'prəʊtaɪd/ (*biol.*) n. protide || **protidic** a. protidico.

protist /'prəʊtɪst/ n. (*biol.*) protista.

protistology /prəʊtɪ'stɒlədʒɪ/ n. Ⓤ protistologia.

protium /'prəʊtɪəm/ n. Ⓤ (*chim.*) protio; prozio.

protocol /'prəʊtəkɒl/ n. **1** Ⓤ protocollo; cerimoniale **2** (*in diplomazia*) protocollo **3** (*comput.*) protocollo.

Proto-germanic /prəʊtəʊdʒɜː'mænɪk/ n. (*ling.*) protogermanico.

protogine /'prəʊtədʒɪn/ n. Ⓤ (*miner.*) protogino.

protogynous /prəʊ'tɒdʒɪnəs/ (*bot. e zool.*) a. protogino || **protogyny** n. Ⓤ protoginia.

protohistory, **proto-history** /prəʊtə'hɪstrɪ/ n. Ⓤ protostoria || **protohistoric**, **proto-historic**, **protohistorical**, **proto-historical** a. protostorico.

proto-Indo-European /prəʊtəʊɪndəʊjʊərə'pɪən/ a. e n. Ⓤ (*ling.*) protoindoeuropeo.

proto-language /prəʊtəʊ'læŋgwɪdʒ/ n. (*ling.*) protolingua.

protomartyr /'prəʊtəʊmɑːtə(r)/ n. (*relig.*) protomartire.

protome /'prəʊtəmɪ/ n. (*archeol., archit.*) protome.

proton /'prəʊtɒn/ (*fis.*) n. protone ● (*fis. nucl.*) **p. accelerator**, acceleratore di protoni □ (*fis. nucl.*) **p. synchrotron**, protosincrotrone || **protonic** a. protonico.

protonotary /prəʊtəʊ'nəʊtərɪ/ (*relig., stor.*) n. protonotario || **protonotaryship** n. Ⓤ protonotariato.

protoplasm /'prəʊtəplæzəm/ (*biol.*) n. Ⓤ protoplasma || **protoplasmatic**, **protoplasmic** a. protoplasmatico.

protoplast /'prəʊtəʊplæst/ (*biol.*) n. protoplasto || **protoplastic** a. protoplasmatico.

proto-Romance /prəʊtəʊrəʊ'mæns/ n. (*ling.*) protoromanzo.

protostar /'prəʊtəstɑː(r)/ n. (*astron.*) protostella.

prototype /'prəʊtətaɪp/ n. (*comput., scient. e fig.*) prototipo || **prototypal**, **prototypic**, **prototypical** a. prototipo.

prototyping /'prəʊtəʊtaɪpɪŋ/ n. Ⓤ prototipizzazione; creazione di una demo: **function p.**, prototipizzazione di una funzione.

protoxide /prəʊ'tɒksaɪd/ n. (*chim.*) protossido.

protozoan /prəʊtə'zəʊən/ (*zool.*) Ⓐ n. protozoo Ⓑ a. dei protozoi; protozoario.

protozoic /prəʊtə'zəʊɪk/ a. (*zool.*) protozoico.

protozoon /prəʊtə'zəʊɒn/ n. (pl. *scient.* **protozoa**) (*zool.*) protozoo.

to protract /prə'trækt/ v. t. **1** protrarre; prolungare; tirare innanzi; tirare per le lunghe: **a protracted meeting**, una riunione tirata (*o che va*) per le lunghe **2** (*disegno*) riprodurre in scala; rapportare su scala **3** protendere (*una parte del corpo, un muscolo, ecc.*) ● (*med.*) **protracted labour**, travaglio prolungato.

protractedly /prə'træktɪdlɪ/ avv. prolissamente; a lungo.

protractile /prə'træktaɪl/ a. (*zool.*) protrattile.

protraction /prə'trækʃn/ n. Ⓤⓒ **1** protrazione; prolungamento **2** (*disegno*) riproduzione in scala.

protractor /prə'træktə(r)/ n. **1** (*tecn.*) goniometro; rapportatore **2** (*anat.*) (muscolo) estensore **3** (*med.*) estrattore.

to protrude /prə'truːd/ Ⓐ v. t. **1** far sporgere; spingere avanti **2** mettere fuori; tirar fuori **3** (*med.*) protrudere Ⓑ v. i. **1** sporgere in fuori **2** (*med.*) protrudere.

protruding /prə'truːdɪŋ/ a. **1** (*anche anat.*) sporgente: **p. teeth**, denti sporgenti **2** (*archit.*) in aggetto; aggettante.

protrusible /prə'truːsaɪl/, **protrusible** /prə'truːzəbl/ a. (*scient.*) che si può spingere avanti; protrudibile: **p. tongue**, lingua protrudibile.

protrusion /prə'truːʒn/ n. **1** Ⓤ lo sporgere; prominenza **2** Ⓤ (*med.*) protrusione **3** sporgenza; spuntone (*di roccia, ecc.*).

protrusive /prə'truːsɪv/ a. **1** prominente; sporgente **2** (*med.*) protruso.

protuberance /prə'tjuːbərəns/, USA -'tuː-/ n. **1** Ⓤ lo sporgere; sporgenza; prominenza **2** protuberanza; prominenza; sporgenza.

protuberant /prə'tjuːbərənt/, USA -'tuː-/ a. protuberante; prominente; sporgente.

♦**proud** /praʊd/ a. **1** orgoglioso; altero; altezzoso; arrogante; fiero; superbo: *She's too p. to apologize*, è troppo altera per chiedere scusa; *Our victories are something to be p.*

of, le nostre vittorie sono qualcosa di cui andare fieri; *I'm p. of knowing him* (*o to know him*), sono orgoglioso di conoscerlo 2 (*fig. lett.*) superbo; bello; grandioso; magnifico; splendido: **a p. fleet**, una flotta grandiosa (*o* superba); **a p. stallion**, un magnifico stallone 3 (*spec. ingl.*) sporgente; che fa aggetto ● (*fig.*) (**as**) **p. as Punch**, orgogliosissimo □ **a p. day**, un giorno di gloria □ (*med.*) **p. flesh**, tessuto di granulazione esuberante □ **p.-hearted**, altero; altezzoso; arrogante; superbo □ **a p. heritage**, un retaggio glorioso (*da far inorgoglire*) □ **to become p.**, inorgoglirsi; insuperbire □ (*fam.*) **to do sb. p.**, trattare bene q.; fare grandi feste a q. □ (*fam. antiq.*) **to do oneself p.**, trattarsi bene; non farsi mancare nulla □ **to stand p. of sb.**, essere più alto di q. | **-ly avv.** | **-ness n.** Ⓤ.

proustite /'pruːstaɪt/ *n.* Ⓤ (*miner.*) proustite.

prov. *abbr.* 1 (**proverb**) proverbio (prov.) 2 (**province**) provincia (prov.) 3 (**provisional**) provvisorio.

provable /'pruːvəbl/ *a.* provabile; dimostrabile ● (*leg.*) **p. debts**, debiti ammissibili (*al passivo fallimentare*) ‖ **provability** *n.* Ⓤ provabilità (*raro*); dimostrabilità ‖ **provably** *avv.* in modo dimostrabile.

♦to **prove** /pruːv/ (*p. p., spec. USA, proven*) Ⓐ *v. t.* 1 provare; mettere alla prova; sperimentare; fare la prova di; verificare: *No charge was proved against him*, contro di lui non fu provata alcuna accusa; (*mat.*) **to p. a calculation**, fare la prova d'un calcolo; (*tipogr.*) **to p. a type**, fare la prova d'un carattere 2 dimostrare: **to p. one's innocence**, dimostrare la propria innocenza; **to p. sb.'s guilt**, dimostrare la colpevolezza di q.; (*mat.*) **to p. a theorem**, dimostrare un teorema 3 (*leg.*) dimostrare l'autenticità di; omologare, ottenere l'omologazione di (*un testamento*) Ⓑ *v. i.* dimostrarsi; rivelarsi: *The information proved (to be) false*, le informazioni si rivelarono false ● (*leg.*) **to p. by documents**, documentare □ **to p. gold**, saggiare l'oro □ (*tecn.*) **to p. a meter**, controllare la taratura di un contatore □ **to p. oneself**, dimostrarsi; rivelarsi; (*anche*) dare prova del proprio valore: *He proved himself (to be) a reliable witness*, si dimostrò un testimone attendibile ● **to p. a sum**, verificare una somma □ (*prov.*) **The exception proves the rule**, l'eccezione conferma la regola.

proved /pruːvd/ *a.* provato; dimostrato ● (*leg.*) **p. credit** (*o* **p. debt**), credito ammesso (*al passivo fallimentare*).

proven /'pruːvn/ Ⓐ *a. p. p. di* **to prove** Ⓑ *a.* provato; dimostrato; comprovato: **p. courage**, coraggio dimostrato ● (*leg., scozz.*) **a not-p. verdict**, un verdetto d'assoluzione per insufficienza di prove □ **He was found not p.**, fu assolto per insufficienza di prove (*in Scozia, ecc.; ma non in Inghilterra*).

provenance /'prɒvənəns/ *n.* Ⓤ provenienza; derivazione; origine.

Provençal /prɒvɒn'saːl, USA prəʊ-/ Ⓐ *a. e n.* provenzale: **P. poetry**, la poesia provenzale Ⓑ *n.* Ⓤ provenzale (*la lingua*) ‖ **Provençalism** *n.* Ⓤ provenzalismo ‖ **Provençalist** *n.* (*letter.*) provenzalista.

Provence /prɒ'vɒns/ *n.* (*geogr.*) Provenza.

provender /'prɒvəndə(r)/ *n.* Ⓤ 1 biada; foraggio; profenda 2 (*fam. scherz.*) alimenti; cibo; vettovaglie.

provenience /prɒ'viːnɪəns/ *n.* Ⓤ provenienza; origine.

proverb /'prɒvɜːb/ *n.* 1 proverbio 2 (*anche pl.*) gioco dei proverbi ● (*relig.*) **Proverbs**, il libro dei Proverbi (*nel Vecchio Testamento*).

proverbial /prɒ'vɜːbɪəl/ *a.* (*anche fig.*) proverbiale: **a p. phrase**, un'espressione

proverbiale; **p. wisdom**, saggezza proverbiale | **-ly avv.**

proverbialist /prɒ'vɜːbɪəlɪst/ *n.* proverbista.

proverbiality /prɒvɜːbɪ'ælətɪ/ *n.* Ⓤ l'essere proverbiale; proverbialità (*raro*).

♦to **provide** /prə'vaɪd/ *v. t. e i.* 1 provvedere; procacciare; procurare; fornire: **to p. bread for one's family**, provvedere il vitto alla famiglia; **to p. one's son with money**, fornire di denaro il proprio figlio 2 (*stor., relig.*) nominare; designare (q.) a succedere (*in un beneficio ecclesiastico non ancora vacante*) 3 (*leg.*) stabilire; contemplare; prevedere: **a clause which provides that...**, una clausola la quale stabilisce che... 4 (*sport: calcio, ecc.*) offrire, fornire, dare, rifornire (*palle ai compagni*) 5 (*sport*) offrire; creare: **to p. openings**, creare aperture di gioco ● **to p. against**, prendere provvedimenti in vista di; prepararsi a; premunirsi contro; **to p. against old age**, premunirsi contro la vecchiaia □ (*Borsa*) **to p. against a fall** [**a rise**], prepararsi a un ribasso [a un rialzo] □ **to p. for**, provvedere a; badare a; tenere conto di; occuparsi di; (*econ.*) provvedere al mantenimento di (q.): **to p. for one's family**, provvedere al mantenimento della famiglia; *We should p. for unexpected strikes*, dobbiamo tener conto di scioperi imprevisti □ (*banca*) **to p. mortgages**, offrire mutui ipotecari □ **to p. oneself (with)**, provvedersi, fornirsi (di); procacciarsi □ (*leg.*) **unless otherwise provided**, salvo convenzione (*o* disposizione) contraria.

♦**provided** /prə'vaɪdɪd/ *cong.* (*spesso* **p. that**) purché; a condizione che; a patto che: *P. you keep quiet, you can come with us*, puoi venire con noi, purché tu faccia il buono.

providence /'prɒvɪdəns/ *n.* 1 provvidenza 2 (*form.*) preveggenza; previdenza; prudenza ● **special p.**, miracolo.

Providence /'prɒvɪdəns/ *n.* (*relig.*) la Provvidenza.

provident /'prɒvɪdənt/ *a.* 1 provvido; previdente; prudente 2 parsimonioso; economo ● **p. fund**, fondo di previdenza □ **p. society**, società di mutuo soccorso | **-ly avv.**

providential /prɒvɪ'denʃl/ *a.* 1 provvidenziale; (*enfat.*) felice, fortunato, opportuno 2 (*relig.*) della divina Provvidenza; provvidenziale: **a case of p. interference**, un caso d'intervento provvidenziale | **-ly avv.**

provider /prə'vaɪdə(r)/ *n.* 1 provveditore (*raro*); chi provvede (*spec. ai bisogni della sua famiglia*) 2 fornitore 3 (*comput.*) provider (*fornitore di servizi informatici, spec. accesso a Internet*).

♦**providing** /prə'vaɪdɪŋ/ Ⓐ *n.* Ⓤ il provvedere; procacciamento Ⓑ *cong.* → **provided**.

♦**province** /'prɒvɪns/ *n.* 1 provincia; distretto 2 (*relig.*) provincia ecclesiastica 3 (*fig.*) competenza; campo; sfera d'azione: *This is outside my p.*, non è cosa di mia competenza; *It isn't within my p.*, non è di mia competenza.

provincial /prə'vɪnʃl/ Ⓐ *a.* provinciale; da provinciale; (*spreg.*) limitato, ristretto, rozzo: **p. roads**, strade provinciali; **a p. outlook**, una mentalità provinciale Ⓑ *n.* 1 (*anche spreg.*) provinciale 2 (*relig.*) (padre) provinciale | **-ly avv.**

provincialism /prə'vɪnʃəlɪzəm/ *n.* Ⓤ provincialismo ‖ **provincialist** *n.* provinciale.

provinciality /prəvɪnʃɪ'ælətɪ/ *n.* Ⓤ provincialismo.

to **provincialize** /prə'vɪnʃəlaɪz/ *v. t.* rendere provinciale ‖ **provincialization** *n.* Ⓤ provincializzazione.

proving /'pruːvɪŋ/ *n.* 1 Ⓤ sperimentazione; verifica 2 (*leg.*) dichiarazione d'autenticità ● **p. ground**, (*tecn.*) terreno (*o* percor-

so) di prova (*di auto, ecc.*); (*fig.*) banco di prova; (*mil.*) poligono (di tiro) □ (*tecn., mecc.*) **p. ring**, anello dinamometrico.

♦**provision** /prə'vɪʒn/ *n.* 1 Ⓤ il provvedere; provvista; fornitura: (*fin.*) **the p. of capital**, la provvista di fondi; *No p. has been made to foster industrial development*, non si è provveduto a promuovere lo sviluppo dell'industria 2 (*rag.*) accantonamento: **financial p.**, accantonamento finanziario 3 (*leg.*) disposizione; norma; clausola; articolo: **one of the provisions in the will**, una delle disposizioni testamentarie 4 il premunirsi; precauzione, precauzioni 5 (*pl.*) provviste; vettovaglie; viveri 6 (*stor., relig.*) nomina sub condicione (*di un beneficiato; cfr.* **to provide**, A, *def. 2*) ● (*rag.*) **p. account for bad debts**, fondo svalutazione crediti □ (*rag.*) **p. account for depreciation**, fondo svalutazione □ (*rag.*) **p. account for income taxes**, fondo imposte da liquidare □ (*comm.*) **p. dealer** (*o* **p. merchant**), negoziante di alimentari; alimentarista □ **to make p. against st.**, premunirsi contro qc. □ **to make p. for sb.**, provvedere a q. (*nel testamento, ecc.*) □ **to make p. for one's old age**, provvedere alla (*o* risparmiare per la) vecchiaia □ **to run out of provisions**, esaurire le scorte (*di viveri, ecc.*).

to **provision** /prə'vɪʒn/ *v. t.* approvvigionare ‖ **provisioner** *n.* approvvigionatore; fornitore.

provisional /prə'vɪʒənl/ Ⓐ *a.* 1 provvisorio: **a p. appointment**, una nomina provvisoria; (*leg.*) **a p. contract**, un contratto provvisorio; **p. data**, dati provvisori; (*leg.*) **p. liquidator**, liquidatore provvisorio (*o* interinale) 2 interlocutorio: **a p. answer**, una risposta interlocutoria Ⓑ *n.* (*in Irlanda*) «provisional»; membro dell'ala estremista dell'IRA (*Irish Republican Army*) ● (*leg.*) **p. arrest**, fermo di polizia □ (*autom., in GB*) **p. licence**, permesso provvisorio di guida; foglio rosa (*fam., in Italia*).

provisionary /prə'vɪʒənrɪ/ *a.* provvisorio.

provisioned /prə'vɪʒənd/ *a.* 1 approvvigionato 2 provvisto di viveri.

proviso /prə'vaɪzəʊ/ *n.* (*pl.* **provisos, provisoes**) (*leg.*) clausola condizionale; condizione ● **with the p. that...**, a condizione che...; a patto che...

provisor /prə'vaɪzə(r)/ *n.* 1 (*stor., relig.*) detentore del diritto di successione a un beneficio ecclesiastico non ancora vacante 2 (*relig. cattolica*) vicario generale.

provisory /prə'vaɪzərɪ/ *a.* 1 (*leg.*) condizionale 2 provvisorio.

provocation /prɒvə'keɪʃn/ *n.* Ⓤ (*anche leg.*) provocazione.

provocative /prə'vɒkətɪv/ *a.* 1 provocativo; provocatore: **a p. act**, un atto provocatorio 2 stimolante; provocatorio: **a p. novel**, un romanzo stimolante 3 provocante; eccitante: **a p. smile** [**glance**], un sorriso [uno sguardo] provocante | **-ly avv.**

♦to **provoke** /prə'vəʊk/ *v. t.* provocare; eccitare; irritare; stimolare; stuzzicare; causare: **to p. laughter** [**indignation**], provocare il riso [lo sdegno]; *Don't p. me!*, non provocarmi! ● **to p. a riot**, sollevare un tumulto □ **to p. sb. into doing st.**, spingere q. a fare qc. ‖ **provoker** *n.* provocatore, provocatrice.

provoking /prə'vəʊkɪŋ/ *a.* provocante; irritante; fastidioso; noioso; seccante ● **thought-p.**, che stimola il pensiero | **-ly avv.**

provost /'prɒvəst/ *n.* 1 (*in Scozia*) sindaco (*come titolo di cortesia*) 2 (*in talune università*) direttore di un college; rettore; preside 3 (*relig.*) prevosto (*nella Chiesa Anglicana*) 4 membro della polizia militare (*in GB e in Canada*) 5 (*stor.*) prevosto ● (*mil.*) **p. marshal**,

comandante della polizia militare || **provostship** n. **1** (*in talune università*) direzione di un college **2** (*relig.*) prevostura; prepositura.

prow /praʊ/ n. (*naut.*, *aeron.*) prora; prua.

prowess /'praʊɪs/ n. ☐ **1** prodezza; valore; coraggio **2** abilità; bravura; capacità di fare prodezze ● **culinary p.**, bravura come cuoco (*o* come cuoca).

prowl /praʊl/ n. (*spec. nell'espress.*) – **to be [to go] on the p.**, essere [andare] in cerca di preda ● (*USA*) **p. car**, automobile della polizia (*in servizio di pattuglia*); pantera, gazzella, volante (*fam.*).

to **prowl** /praʊl/ **A** v. i. **1** vagare in cerca di preda: *Hyenas p. by night*, le iene escono la notte in cerca di preda **2** andare furtivamente; gironzolare; aggirarsi (*spec. in cerca di qc.*): *He's always prowling about here*, s'aggira sempre nelle vicinanze **B** v. t. **1** aggirarsi in (*un luogo*) in cerca di preda **2** (*slang USA*) perquisire.

prowler /'praʊlə(r)/ n. **1** chi va in cerca di preda; predone **2** chi s'aggira in un luogo **3** (*zool.*) animale da preda; predatore **4** losco figuro; malintenzionato.

prox /prɒks/ → **proximo**.

proxemics /prɒk'sɛmɪks/ n. pl. (col verbo al sing.) (*scient.*) prossemica.

proximal /'prɒksɪməl/ a. (*anat.*, *geol.*) prossimale.

proximate /'prɒksɪmət/ a. **1** vicino; prossimo; immediato: **the p. cause**, la causa prossima (*o* immediata) **2** approssimato; approssimativo | -**ly avv.**

proximation /prɒksɪ'meɪʃn/ n. ☐ approssimazione.

proximity /prɒk'sɪmətɪ/ n. ☐ prossimità; vicinanza ● (*mil.*) **p. fuse**, radiospoletta; radarspoletta ☐ (*polit.*) **p. talks**, colloqui indiretti (*durante i quali le due parti non si incontrano direttamente*) ● (*naut.*) **p. warning indicator**, segnale di allarme di collisione.

proximo /'prɒksɪməʊ/ (*lat.*) a. (*comm.*, di solito abbr. in **prox**) del mese venturo; prossimo (venturo): **on the 20th p.**, il venti del mese prossimo.

proxy /'prɒksɪ/ n. (*leg.*) **1** ☐☐ procura; delega; mandato: **marriage by p.**, matrimonio per procura **2** procuratore; mandatario: *He made me his p.*, mi fece suo procuratore; **to stand p. for sb.**, fungere da procuratore per q. ● **p. celebrity**, celebrità di riflesso ☐ (*comput.*) **p. (server)**, proxy ☐ **p. vote**, voto per procura (*o* per delega) ☐ **p. voting**, votazione per delega.

Prozac® /'prəʊzæk/ n. (*farm.*) Prozac® (*antidepressivo*).

PRS sigla (*GB*, **Performing Right Society**) Società per i diritti di esecuzione (*cfr. ital.* «*SIAE*»).

prude /pruːd/ n. persona troppo modesta e pudica; chi affetta pudore; santocchio; (*di donna, anche*) santarellina.

prudent /'pruːdnt/ a. prudente; cauto; avveduto; giudizioso; saggio: **a p. housewife**, una donna di casa avveduta (*o* giudiziosa) ● (*leg.*) **p. man rule**, diligenza del buon padre di famiglia || **prudence** n. ☐ prudenza; cautela; avvedutezza; saggezza.

prudential /pruː'dɛnʃl/ a. prudenziale.

prudery /'pruːdərɪ/ n. ☐ pudore estremo e affettato; modestia eccessiva; santimonia; santocchieria (*raro*); pruderie (*franc.*).

prudish /'pruːdɪʃ/ a. che si scandalizza facilmente; che affetta pudore; troppo pudibondo; prude (*franc.*) | -**ly avv.** | -**ness** n. ☐.

pruinose /'pruːɪnəʊs/ a. (*bot.*) pruinoso.

prune /pruːn/ n. **1** prugna secca **2** ☐ color prugna **3** (*fam.*) tipo noioso, barboso (*fam.*); stupido; fesso (*fam.*) ● (*di modo di parlare, ecc.*) **prunes and prisms**, affettato;

lezioso ☐ (*slang USA*) **p.-picker**, californiano.

to **prune** /pruːn/ v. t. **1** (*spesso* **to p. back**) potare; mondare; sfrondare; sfoltire **2** (*fig.*) sfrondare; far tagli in: **to p. a speech**, sfrondare un discorso ● **to p. away**, togliere (*rami secchi, ecc.*) potando; sfrondare (*anche fig.*) ☐ **to p. (down) expenses**, ridurre le spese ☐ **to p. off dead branches**, tagliare rami morti || **pruner** n. potatore, potatrice.

prunella ① /pruː'nɛlə/ n. (*ind. tess.*) prunella.

prunella ② /pruː'nɛlə/ n. (*bot.*, *Prunella vulgaris*) prunella; brunella.

pruners /'pruːnəz/ n. pl. cesoie da giardino.

pruning /'pruːnɪŋ/ n. ☐ potatura ● **p. hook**, ronca; roncola; potatoio ☐ **p. knife**, coltello da giardinaggio; roncolo ☐ **p. shears** (*o* **p. scissors**), cesoie da giardino.

prurience /'prʊərɪəns/, **pruriency** /'prʊərɪənsɪ/ n. ☐ lascivia; libidine; lussuria.

prurient /'prʊərɪənt/ a. lascivo; libidinoso; lubrico; pruriginoso | -**ly avv.**

prurigo /prʊ'raɪɡəʊ/ (*med.*) n. ☐ prurigine || **pruriginous** a. pruriginoso.

pruritus /prʊ'raɪtəs/ n. ☐ (*med.*) prurito.

Prussian /'prʌʃn/ a. e n. prussiano ● (*chim.*) **P. blue**, blu di Prussia || **Prussianism** n. ☐ prussianesimo.

prussic /'prʌsɪk/ (*chim.*) a. prussico: **p. acid**, acido prussico || **prussiate** n. ☐ (*antiq.*) prussiato.

pry ① /praɪ/ n. **1** ☐☐ atto di curiosare **2** ficcanaso; curiosone, curiosona ● **a Paul Pry**, un ficcanaso.

pry ② /praɪ/ n. (*USA*) leva; palanchino; piede di porco (*arnese*) (*cfr. ingl.* **prise**).

to **pry** ① /praɪ/ v. i. curiosare; indagare; rovistare; scrutare; spiare ● **to pry about**, ficcare il naso dappertutto ☐ **to pry into**, frugare in; rovistare ☐ **to pry into sb.'s affairs**, ficcare il naso negli affari di q.

to **pry** ② /praɪ/ v. t. (*USA*) aprire (*o* forzare, sollevare) con una leva ● (*fig.*) **to pry a secret out of sb.**, carpire a forza un segreto a q.

prying /'praɪɪŋ/ a. curioso; indagatore; indiscreto; inquisitivo: **a p. look**, uno sguardo indiscreto | -**ly avv.**

prytaneum /prɪtə'niːəm/ n. (pl. *prytanea*) (*stor. greca*) pritaneo.

PS sigla **1** (**postscript**) poscritto: **to add a PS**, aggiungere un poscritto **2** (**private secretary**) segretario privato **3** (**public school**) (*GB*) scuola privata a carattere residenziale; (*USA*) scuola pubblica (*dai 6 ai 12 anni d'età*) **4** (*polizia*, **police sergeant**) sergente; brigadiere.

PSA sigla (**public service announcement**), comunicazione sociale.

psalm /sɑːm/ n. salmo ● **Psalms**, il Libro dei Salmi (*nella Bibbia*) ☐ **p.-book**, cantorino ☐ **to sing psalms**, salmodiare.

psalmist /'sɑːmɪst/ n. salmista ● (*Bibbia*) **the P.**, il Salmista (il re David).

to **psalmodize** /'sɑːmədaɪz/ v. i. salmodiare.

psalmody /'sɑːmədɪ/ n. ☐ salmodia || **psalmodic** a. salmodico.

psalter /'sɔːltə(r)/ n. (*relig.*) salterio; raccolta di salmi.

psaltery /'sɔːltərɪ/ n. (*mus.*) salterio (*strumento a corde*).

psellism /'sɛlɪzəm/ n. ☐ (*med.*) psellismo.

psephology /sɛ'fɒlədʒɪ/ (*polit.*) n. ☐ psefologia; studio del comportamento elettorale || **psephologist** n. studioso di psefologia.

pseud /sjuːd/ n. (*fam. GB*) pseudointellettuale; intellettualoide; artefatto.

pseudarthrosis /sjuːdɑː'θrəʊsɪs/ n. ☐☐ (pl. *pseudoarthroses*) (*med.*) pseudoar-

trosi.

pseudepigrapha /sjuːdɪ'pɪɡrəfə/ n. pl. (*filol.*, *relig.*) pseudepigrafi.

pseudo /'sjuːdəʊ, 'suː-/ (*fam.*) **A** a. falso; finto **B** n. (pl. *pseudos*, *pseudoes*) simulatore; impostore.

pseudoculture /'sjuːdəʊkʌltʃə(r)/, *USA* 'suːdoʊ-/ n. ☐ pseudocultura.

pseudogene /'sjuːdəʊdʒiːn/ n. (*biol.*) pseudogene.

pseudomorph /'sjuːdəʊmɔːf/ (*miner.*) n. cristallo pseudomorfo || **pseudomorphic** a. pseudomorfo || **pseudomorphism** n. ☐ pseudomorfismo || **pseudomorphous** a. pseudomorfo.

pseudonym /'sjuːdənɪm/ n. pseudonimo.

pseudonymous /sjuː'dɒnɪməs/ a. **1** che scrive con uno pseudonimo **2** scritto sotto falso nome; pseudonimo (*raro*) || **pseudonymity** n. ☐ l'essere pseudonimo; lo scrivere sotto falso nome || **pseudonymously** avv. sotto pseudonimo.

pseudophilosophy /'sjuːdəʊfɪlɒsəfɪ, *USA* 'suːdoʊ-/ n. ☐ pseudofilosofia.

pseudopodium /sjuːdəʊ'pəʊdɪəm/ n. (pl. *pseudopodia*) (*biol.*) pseudopodio.

pseudopregnancy /sjuːdəʊ'prɛɡnənsɪ/ n. ☐ (*med.*) pseudogravidanza.

pseudoscience /sjuːdəʊ'saɪəns/ n. ☐ pseudoscienza || **pseudoscientific** a. pseudoscientifico.

pseudosymmetry /'sjuːdəʊsɪmətrɪ, *USA* 'suːdoʊ-/ n. ☐ (*miner.*) pseudosimmetria.

pshaw /pʃɔː/ inter. (*lett.*: *di disgusto, impazienza, ecc.*) puh!; puah!; uff!; ohibò!

psi /psaɪ/ n. (pl. *psis*) psi (*ventitreesima lettera dell'alfabeto greco*).

psittacosis /sɪtə'kəʊsɪs/ n. ☐ (*med.*) psittacosi.

PSNI sigla (**Police Service of Northern Ireland**) Polizia dell'Irlanda del Nord (*cfr.* **RUC**).

psoas /'səʊəs/ n. (*anat.*) psoas.

psoriasis /sə'raɪəsɪs/ (*med.*) n. ☐ psoriasi || **psoriatic** a. psorico.

PSP sigla (*med.*, **paralytic shellfish poisoning**), sindrome paralitica da avvelenamento da molluschi.

PSRP sigla (*econ.*, **poverty reduction strategy paper**), documento strategico per la riduzione della povertà (*formulato da un paese in via di sviluppo*).

psst /ps, pst/ inter. (*per imporre silenzio o richiamare l'attenzione*) pss.

PST sigla (**Pacific Standard Time**) fuso orario del Pacifico (*GMT-8*).

PSV sigla (*autom.*, **public service vehicle**) veicolo adibito al servizio pubblico (*di trasporto passeggeri*).

psych ① /saɪk/ n. (*slang*) **1** ☐ psicologia; psichiatra **2** psicologo; psichiatra.

psych ② /saɪk/ a. (*slang USA*) **1** psicologico; psichiatrico **2** psichedelico.

to **psych** /saɪk/ v. t. (*slang*) **1** psicanalizzare **2** → **psych out**, A **3** → **psych up**.

● **psych down** v. i. + avv. (*slang*) avere un crollo; smontarsi.

● **psych out A** v. t. + avv. (*slang*) **1** innervosire; intimidire; spaventare **2** capire; intuire; leggere dentro (q.) **B** v. i. + avv. (*slang*) innervosirsi; spaventarsi; sbarellare (*pop.*).

● **psych up** v. t. + avv. (*slang USA*) **1** preparare (q.) psicologicamente; caricare; dare la carica a (q.) (*fig.*) **2** eccitare; gasare (*pop.*).

psychasthenia /saɪkæs'θiːnɪə/ n. ☐ psicastenia || **psychasthenic** a. psicastenico.

psyche ① /'saɪkɪ/ n. (*psic.*) psiche.

psyche ② /'saɪkɪ/ n. psiche (*grande specchio*).

psyche ③ /ˈsaɪkɪ/ n. (zool., Canephora unicolor) psiche.
Psyche /ˈsaɪkɪ/ n. (mitol.) Psiche.
psychedelia /saɪkəˈdiːlɪə/ n. ⓤ musica (o arte, cultura, ecc.) psichedelica.
psychedelic /saɪkɪˈdɛlɪk/ ◮ a. psichedelico: **p. drugs**, droghe psichedeliche; **p. music**, musica psichedelica; **a p. trip**, un «viaggio» psichedelico ◪ n. ¹ droga psichedelica ² (med.) consumatore di droghe psichedeliche.
psyched (up) /ˈsaɪktʌp/ a. (slang USA) ¹ pronto psicologicamente; caricato (pop.) ² eccitato; gasato (pop.) ● **to get oneself psyched (up)**, caricarsi, gasarsi (fig.); concentrarsi (per una prova, un esame, ecc.).
psychiatry /saɪˈkaɪətrɪ/ (med.) n. ⓤ psichiatria ‖ **psychiatric, psychiatrical** a. psichiatrico ‖ **psychiatrically** avv. psichiatricamente ‖ **psychiatrist** n. psichiatra; alienista.
psychic /ˈsaɪkɪk/ ◮ a. ¹ psichico: **p. trauma**, trauma psichico; **p. forces**, forze psichiche ² medianico; telepatico ◪ n. ¹ medium ² sensitivo ● (farm.) **p. energizer**, antidepressivo □ **a p. person**, una persona dotata di qualità medianiche (o telepatiche) ‖ **psychical** a. ¹ psichico ² dei fenomeni psichici ³ medianico; paranormale ‖ **psychically** avv. psichicamente ● **psychically unstable**, psicolabile.
psychicism /ˈsaɪkɪsɪzm/ n. ⓤ psichismo; studio dei fenomeni psichici ‖ **psychicist** n. studioso di fenomeni psichici.
psychics /ˈsaɪkɪks/ n. pl. (col verbo al sing.) psicologia.
psycho /ˈsaɪkəʊ/ n. (pl. **psychos**) (fam.) psicopatico; malato di mente (fam.).
psychoactive /saɪkəʊˈæktɪv/ a. psicoattivo.
psychoanalysis /saɪkəʊəˈnæləsɪs/ n. ⓤ psicoanalisi ‖ to **psychoanalyse**, (USA) to **psychoanalyze** v. t. psicoanalizzare ‖ **psychoanalyst** n. psicoanalista ‖ **psychoanalytic, psychoanalytical** a. psicoanalitico.
psychobabble /ˈsaɪkəʊbæbl/ n. ⓤ (fam. USA) pseudopsicologia; psicologia salottiera; ciance psicologiche.
psychobiology /saɪkəʊbaɪˈɒlədʒɪ/ n. ⓤ psicobiologia.
psychodiagnostics /saɪkəʊdaɪəɡˈnɒstɪks/ n. pl. (col verbo al sing.) psicodiagnostica ‖ **psychodiagnostic** a. psicodiagnostico.
psychodrama /ˈsaɪkəʊdrɑːmə/ n. ¹ (med.) psicodramma ² (letter., cinem., TV) dramma psicologico.
psychodynamics /saɪkəʊdaɪˈnæmɪks/ n. pl. (col verbo al sing.) psicodinamica ‖ **psychodynamic** a. psicodinamico.
psychogenesis /saɪkəʊˈdʒɛnəsɪs/ n. ⓤ psicogenesi ‖ **psychogenetic** a. psicogenetico.
psychogenic /saɪkəʊˈdʒɛnɪk/ a. psicogeno.
psychograph /ˈsaɪkəʊɡrɑːf/ n. psicografo (strumento) ‖ **psychographic** a. psicografico ‖ **psychography** n. ⓤ psicografia.
psychokinesis /saɪkəʊkɪˈniːsɪs/ n. ⓤ psicocinesi ‖ **psychokinetic** a. psicocinetico.
psycholinguistics /saɪkəʊlɪŋˈɡwɪstɪks/ (ling.) n. pl. (col verbo al sing.) psicolinguistica ‖ **psycholinguist** n. psicolinguista ‖ **psycholinguistic** a. psicolinguistico.
♦**psychological**, **psychologic** /saɪkəˈlɒdʒɪk(l)/ a. psicologico: **p. terrorism**, terrorismo psicologico; **p. warfare**, guerra psicologica ‖ **-ly** avv.
psychologism /saɪˈkɒlədʒɪzəm/ n. ⓤ psicologismo.
to **psychologize** /saɪˈkɒlədʒaɪz/ ◮ v. i.

studiare (o fare della) psicologia ◪ v. t. analizzare psicologicamente.
♦**psychology** /saɪˈkɒlədʒɪ/ n. ⓤ psicologia ‖ **psychologist** n. psicologo.
psychometric /saɪkəʊˈmɛtrɪk/ a. psicometrico.
psychometrics /saɪkəʊˈmɛtrɪks/ n. pl. (col verbo al sing.) (psic.) psicometria.
psychometry /saɪˈkɒmətrɪ/ n. ⓤ ¹ (parapsicologia) psicometria ² (psic.) → **psychometrics**.
psychomotility /saɪkəʊməʊˈtɪlɪtɪ/ n. ⓤ psicomotricità.
psychomotor /ˈsaɪkəʊməʊtə(r)/ a. (anche med.) psicomotorio.
psychoneurosis /saɪkəʊnjʊəˈrəʊsɪs/ (med.) n. ⓤⓒ (pl. **psychoneuroses**) psiconevrosi ‖ **psychoneurotic** a. e n. psiconeurotico; psiconevrotico.
psychopath /ˈsaɪkəʊpæθ/ (med.) n. psicopatico ‖ **psychopathic** a. psicopatico.
psychopathology /saɪkəʊpəˈθɒlədʒɪ/ n. ⓤ (med.) psicopatologia ‖ **psychopathological** a. psicopatologico ‖ **psychopathologist** n. psicopatologo.
psychopathy /saɪˈkɒpəθɪ/ (med.) n. ⓤⓒ psicopatia.
psychopharmaceutical /saɪkəʊfɑːməˈsjuːtɪkl/ n. (farm.) psicofarmaco.
psychopharmacology /saɪkəʊfɑːməˈkɒlədʒɪ/ n. ⓤ psicofarmacologia ‖ **psychopharmacological** a. psicofarmacologico ● (med.) **psychopharmacological drug**, psicofarmaco.
psychophysics /saɪkəʊˈfɪzɪks/ n. pl. (col verbo al sing.) psicofisica ‖ **psychophysical** a. psicofisico.
psychophysiology /saɪkəʊfɪzɪˈɒlədʒɪ/ n. ⓤ psicofisiologia ‖ **psychophysiological** a. psicofisiologico ‖ **psychophysiologist** n. psicofisiologo.
psychopomp /ˈsaɪkəʊpɒmp/ n. psicopompo.
psychoprophylaxis /saɪkəʊprɒfɪˈlæksɪs/ n. ⓤ psicoprofilassi ‖ **psychoprophylactic** a. psicoprofilattico.
psychosensory /saɪkəʊˈsɛnsərɪ/ a. psicosensoriale.
psychosexual /saɪkəʊˈsɛkʃʊəl/ a. psicosessuale: **p. energy**, energia psicosessuale.
psychosis /saɪˈkəʊsɪs/ n. ⓤⓒ (pl. **psychoses**) (med.) psicosi.
psychosocial /saɪkəʊˈsəʊʃəl/ a. psicosociale.
psychosociology /saɪkəʊsəʊʃɪˈɒlədʒɪ/ n. ⓤ psicosociologia.
psychosomatic /saɪkəʊsəˈmætɪk/ (med.) a. psicosomatico: **p. illness**, malattia psicosomatica.
psychosurgery /saɪkəʊˈsɜːdʒərɪ/ n. ⓤ psicochirurgia.
psychotechnics /saɪkəʊˈtɛknɪks/ n. (col verbo al sing.) psicotecnica ‖ **psychotechnic** a. e n. psicotecnico ‖ **psychotechnical** a. psicotecnico ‖ **psychotechnician** n. psicotecnico.
psychotechnology /saɪkəʊtɛkˈnɒlədʒɪ/ n. ⓤ psicotecnica.
psychotherapeutic /saɪkəʊθɛrəˈpjuːtɪk/ a. (med.) psicoterapeutico; psicoterapico.
psychotherapeutics /saɪkəʊθɛrəˈpjuːtɪks/ n. pl. (col verbo al sing.) (med.) psicoterapia.
psychotherapist /saɪkəʊˈθɛrəpɪst/ n. (med.) psicoterapista; psicoterapeuta.
psychotherapy /saɪkəʊˈθɛrəpɪ/ n. (med.) psicoterapia: **group p.**, psicoterapia di gruppo.
psychotic /saɪˈkɒtɪk/ a. e n. (med.) psicotico: **a p. murderer**, un assassino psicotico.

psychotomimetic /saɪkɒtəʊmɪˈmɛtɪk/ a. e n. (farm.) psicotomimetico.
psychotoxic /saɪkəʊˈtɒksɪk/ a. psicotossico.
psychotropic /saɪkəʊˈtrɒpɪk/ a. e n. (med.) (farmaco) psicotropico.
psychrometer /saɪˈkrɒmɪtə(r)/ (fis., meteor.) n. psicrometro ‖ **psychrometric** a. psicrometrico ‖ **psychrometry** n. ⓤ psicrometria.
psychrophile /ˈsaɪkrəʊfaɪl/, **psychrophilic** /saɪkrəʊˈfɪlɪk/ a. (biol.) psicrofilo.
psykter /ˈpsɪktə(r)/ n. (archeol.) psictere.
psylla /ˈsɪlə/ n. (zool., Psylla) psilla (insetto).
PT sigla (scuola, **physical training**) educazione fisica.
Pt, pt. abbr. ¹ (geogr., **point**) punta ² (**port**) porto.
pt abbr. ¹ (**part**) parte ² (med., **patient**) paziente ³ (comm., **payment**) pagamento
PTA sigla (scuola, **Parent-Teacher Association**) Associazione genitori-insegnanti.
ptarmigan /ˈtɑːmɪɡən/ n. (zool., Lagopus mutus) pernice bianca; lagopo; lagopode.
Pte abbr. (anche **Pvt**) (mil., **private**) soldato (semplice).
pteridophite /ˈtɛrɪdəʊfaɪt/ n. (bot.) pteridofita.
pterodactyl /tɛrəˈdæktɪl/ n. (paleont., Pterodactylus) pterodattilo.
pteropod /ˈtɛrəpɒd/ n. (zool.) pteropode.
pterosaur /ˈtɛrəsɔː(r)/ n. (paleont.) pterosauro.
pterygium /pəˈrɪdʒɪəm/ n. (pl. **pterygia**) (med.) pterigio.
pterygoid /ˈtɛrɪɡɔɪd/ ◮ a. (anat.) pterigoideo: **p. plexus**, plesso pterigoideo; **p. bone**, osso pterigoideo; pterigoide ◪ n. (anat.) ¹ pterigoide ² muscolo pterigoideo.
pto /ˈpiːtiːˈəʊ/ loc. verb. (acronimo di **please turn over**) (in fondo a una pagina) vedi retro.
Ptolemaic /tɒləˈmeɪɪk/ a. (stor.) tolemaico: (astron.) **the P. system**, il sistema tolemaico.
Ptolemy /ˈtɒləmɪ/ n. (stor.) Tolomeo.
ptomaine /ˈtəʊmeɪn/ n. (biol.) ptomaina ● (pop.) **p. poisoning**, intossicazione alimentare.
ptosis /ˈtəʊsɪs/ n. (pl. **ptoses**) (med.) ptosi.
Pty abbr. (Austral., Nuova Zelanda, Sud Africa, **proprietary**) società a responsabilità limitata.
ptyalin /ˈtaɪəlɪn/ n. ⓤ (chim., biol.) ptialina.
ptyalism /ˈtaɪəlɪzəm/ n. ⓤ (med.) ptialismo.
♦**pub** /pʌb/ n. (abbr. fam. di **public house**) pub; spaccio di alcolici ● **pub-keeper**, proprietario di pub; oste □ (fam.) **to go on a pub-crawl**, fare il giro dei pub.
pub., publ. abbr. ¹ (**public**) pubblico ² (**publication**) pubblicazione ³ (**published**) pubblicato ⁴ (**publisher**) editore ⁵ (**publishing**) editoriale; editrice (agg.).
to **pub-crawl** /ˈpʌbkrɔːl/ v. i. (fam., anche **to go pub-crawling**) fare il giro dei pub.
pubertal /ˈpjuːbətəl/ a. puberale.
puberty /ˈpjuːbətɪ/ n. ⓤ pubertà.
pubes /ˈpjuːbiːz/ n. (inv. al pl.) (anat.) pube; regione pubica.
pubescence /pjuːˈbɛsns/ n. ⓤ pubescenza.
pubescent /pjuːˈbɛsnt/ ◮ a. pubescente; pubere ◪ n. pubere.
pubic /ˈpjuːbɪk/ a. (anat.) pubico.
pubis /ˈpjuːbɪs/ n. (pl. **pubes**) (anat.) osso pubico; pube.
♦**public** /ˈpʌblɪk/ ◮ a. pubblico (in ogni senso): **a p. building**, un edificio pubblico; (leg.) **p. law**, diritto pubblico; **a p. protest**, una

protesta pubblica; **p. relations**, relazioni pubbliche; **p. education**, pubblica istruzione; **p. health**, salute pubblica; sanità; (*fin.*) **p. expenditure** (*o* **p. spending**), la spesa pubblica; (*fin.*) **the p. debt**, il debito pubblico Ⓔ**n. 1** pubblico; clientela; spettatori, lettori, ascoltatori **2** pubblico; gente: *The museum is closed to the p. on Mondays*, il lunedì il museo è chiuso al pubblico ● **p. accountant**, ragioniere professionista (*iscritto all'albo*); commercialista □ **p.-address system**, sistema d'amplificazione sonora; impianto di diffusione sonora □ (*edil., leg.*) **p. area**, parti comuni (*di un condominio*) □ (*USA*) **p. assistance**, assistenza sociale □ (*in GB*) **p. bar**, bar esterna (*di un pub: meno elegante e meno cara delle altre*) □ (*polit.*) **p. bill**, disegno di legge d'iniziativa governativa; (*anche*) proposta di legge d'interesse generale □ (*fin.*) **p. company**, società di capitali (*ad azionariato diffuso*; *cfr.* **private company**, *sotto* **private**) □ **p. conveniences**, gabinetti (*di decenza*); latrine pubbliche □ (*fin.*) **p. corporation**, (*in GB*) ente di diritto pubblico (*come la BBC*); (*USA*) società (*o* azienda) statale; (*anche*) comunità urbana □ (*leg., USA*) **p. defender**, difensore d'ufficio □ (*leg., USA*) **p. domain**, pubblico dominio; (*anche*) demanio, proprietà demaniali □ (*leg.*) **p. easement**, servitù pubblica □ **p. finance**, finanza pubblica; (*anche*) scienza delle finanze □ **p. holiday**, festa nazionale; pubblica festività □ **p. house**, pub; locale pubblico in cui si consumano alcolici □ **p. housing**, edilizia popolare; alloggi popolari □ (*econ.*) **p. issue**, offerta al pubblico; offerta pubblica di sottoscrizione (OPS) □ (*comput.*) **p.-key cryptography**, crittografia a chiave pubblica □ **p. life**, vita pubblica; politica □ **p. limited company** = **p. company** → *sopra* □ **a p. man**, un uomo che ricopre cariche pubbliche □ **p.-minded**, animato da senso civico; che ha una coscienza sociale □ **p. nuisance**, (*leg.*) turbativa dell'ordine pubblico; (*fam.*) seccatore; scocciatore, rompiscatole (*fam.*) □ **p. opinion**, opinione pubblica □ **p.-opinion poll**, sondaggio d'opinione; indagine demoscopica □ **p. orator**, oratore ufficiale □ **p. park**, parco pubblico □ (*leg.*) **p. prosecutor**, pubblico ministero □ **the p. purse**, l'erario □ (*in GB*) **the P. Record Office**, l'Archivio di Stato (*a Londra*) □ **p. relations officer**, addetto alle pubbliche relazioni □ (*leg.*) **p. safety**, sicurezza pubblica □ (*in GB*) **p. school**, scuola privata (*residenziale, a livello secondario*); (*in USA e Scozia*) scuola pubblica (*a livello elementare*) ❶ CULTURA • **public school**: *in Inghilterra e nel Galles è un tipo di scuola secondaria privata (in genere un collegio) soprattutto maschile per ragazzi dagli 11 ai 18 anni. Le* **public schools** *di solito sono esigenti in fatto di rendimento scolastico e danno grande importanza allo sport e allo spirito di corpo. A causa delle loro rette elevate, sono tradizionalmente frequentate da ragazzi di ceto elevato. I loro diplomati sono spesso ammessi alle università di Oxford o Cambridge. L'aggettivo* **public** *deriva dal fatto che in origine si trattava di scuole non religiose create e finanziate a beneficio dei comuni cittadini. Le più antiche sono* **Eton, Harrow, Winchester** *e* **Rugby***, tutte fondate nel XV secolo* □ (*econ.*) **the p. sector**, il settore pubblico □ (*fin.*) **p.-sector borrowing requirement**, fabbisogno finanziario dello Stato □ **p. servant**, funzionario statale (*spec. se eletto*) □ **the p. services**, i servizi pubblici □ (*fin.*) **p. service cuts**, tagli alle spese dei servizi pubblici □ **p. service announcement**, comunicazione sociale □ **p. speaking**, oratoria □ **p. spirit**, senso civico; civismo □ **p.-spirited** = **p.-minded** → *sopra* □ **p. utility**, servizio pubblico; impresa pubblica (*o d'interesse pubblico*) □ **the p. welfare**, il bene comune; la salute pubblica □ **p. works**, lavori pubblici; opere pubbliche □ (*relig.*) **p. worship**, il culto; servizio religioso □ **to go p.**, (*di una persona*) fare rivelazioni; uscire allo scoperto; (*fin.: d'una società anonima privata*) trasformarsi in una → «p. company» (*sopra*) □ **in p.**, in pubblico □ (*di notizia*) **to be in the p. domain**, essere di dominio pubblico □ (*di persona*) **to be in the p. eye**, essere molto in vista □ **to make p.**, pubblicare, rendere di pubblico dominio □ **the reading p.**, il pubblico che legge; i lettori □ **the sporting p.**, gli sportivi (*in quanto spettatori*)

❶ NOTA: *public, audience, spectators*
Mentre il sostantivo *public* significa "pubblico", in senso lato e anche nel senso specifico di "insieme di persone con interessi in comune" (ad es. *the reading public*, il pubblico dei lettori), non si usa in riferimento al pubblico allo stadio o al teatro, ecc. In questo caso si usa *audience* (al teatro, al cinema) o *spectators, crowd* (allo stadio e per lo sport in generale).

publican /'pʌblɪkən/ n. **1** (*stor.*) pubblicano; appaltatore; gabelliere **2** bettoliere; oste; locandiere.

♦**publication** /pʌblɪ'keɪʃn/ n. ⓊⒸ pubblicazione (*in ogni senso*).

publicist /'pʌblɪsɪst/ n. **1** addetto stampa; (*anche*) agente pubblicitario **2** (*antiq.*) giornalista pubblicista **3** (*leg.*) pubblicista (*esperto di diritto pubblico o internazionale*) ‖ **publicistic** a. pubblicistico.

♦**publicity** /pʌb'lɪsɪtɪ/ n. Ⓤ pubblicità ● **p. agent**, agente pubblicitario □ **p. stunt** (*o* **gimmick**), trovata (*o* montatura) pubblicitaria.

to **publicize** /'pʌblɪsaɪz/ v. t. **1** dare notizia di (qc.); rendere noto; rendere di pubblico dominio **2** pubblicizzare; dare (*o* fare) pubblicità a (qc.).

publicly /'pʌblɪklɪ/ avv. pubblicamente; in pubblico □ (*econ., fin.*) **p.-controlled**, a controllo pubblico □ (*leg., econ.*) **p.-owned**, di proprietà pubblica; (*fin.: di società per azioni*) ad azionariato diffuso.

♦to **publish** /'pʌblɪʃ/ v. t. **1** pubblicare; stampare: **to p. the news** [**a book**], pubblicare le notizie [un libro] **2** promulgare; proclamare: **to p. an edict**, promulgare un editto **3** propalare; divulgare; rendere noto; dare notizia di (qc.): **to p. the latest data**, rendere noti i dati più recenti □ **to p. the banns of marriage**, fare le pubblicazioni matrimoniali.

publishable /'pʌblɪʃəbl/ a. pubblicabile.

♦**publisher** /'pʌblɪʃə(r)/ n. **1** editore; casa editrice **2** proprietario di giornali; direttore della diffusione ● **p.'s remainder** → **remainder**.

♦**publishing** /'pʌblɪʃɪŋ/ n. Ⓤ editoria; attività editoriale ● **p. agreement**, contratto di edizione □ **p. house**, casa editrice.

puce /pjuːs/ n. Ⓤ color pulce.

puck① /pʌk/ n. folletto (*anche fig.*); spiritello maligno.

puck② /pʌk/ n. (*sport*) disco, dischetto (*usato nell'hockey su ghiaccio*).

pucka /'pʌkə/ → **pukka**.

pucker /'pʌkə(r)/ n. **1** crespa; grinza; piega; increspatura (*di un vestito*) **2** Ⓤ (*fig.*) aria corrucciata; agitazione; eccitazione.

to **pucker** /'pʌkə(r)/ Ⓐ v. t. (*spesso* **to p. up**) corrugare; increspare (*stoffa, ecc.*); raggrinzare Ⓑ v. i. **1** corrugarsi; incresparsi; raggrinzarsi **2** (*di un vestito, ecc.*) gualcirsi; sgualcirsi ● **to p. one's brows**, aggrottare le ciglia; corrugare la fronte.

puckery /'pʌkərɪ/ a. corrugato; increspato; raggrinzato: **p. skin**, pelle raggrinzata.

puckish /'pʌkɪʃ/ a. da folletto; birichino; maliziosetto: **with a p. grin**, con un sorriso birichino.

pud① /pʊd/ n. (*abbr. fam. di* **pudding**) bu-

dino.

pud② /pʌd/ n. (*infant.*) zampina; manina.

♦**pudding** /'pʊdɪŋ/ n. (*cucina*) **1** budino: **rice p.**, budino di riso **2** pudding; sformato; pasticcio di carne (*con pastella*): **steak-and-kidney p.**, pasticcio di manzo e rognone tritati **3** specie di salsiccia di carne (*tritata*), mista a farina d'avena, ecc. **4** (*fam.*) dolce; dessert (*in genere*) **5** (*fam.*) bombolo; tombolo; grassone; ciccione **6** (*fam.*) persona noiosa; barba, pizza (*fig.*) **7** (*volg.*) banana, uccello (*volg.*); pene **8** (*slang*) polpetta; boccone avvelenato **9** (*naut.*) parabordo di protezione ● **p.-cloth**, tela dentro cui si fa cuocere il pudding (*def. 3*) □ (*fig.*) **p.-face**, faccione tondo □ (*fam.*) **p.-head** (sost.), **p.-headed** (agg.), stupido; tonto □ (*cucina*) **p. pie**, crostata; pasticcio di carne □ (*geol.*) **p.-stone**, puddinga; conglomerato di ciottoli multicolori □ (*fam.*) (*di donna*) **to be in the p. club**, essere incinta □ (*volg.*) **to pull one's p.**, menarselo, smanettarselo (*volg.*); masturbarsi.

puddle /'pʌdl/ n. **1** pozza; pozzanghera **2** Ⓔ (*edil.*) impasto di argilla, acqua e sabbia; malta **3** (*fam.*) imbroglio; pasticcio **4** (*scherz.*) – **the p.**, il mare; (*spec.*) l'Atlantico.

to **puddle** /'pʌdl/ Ⓐ v. t. **1** ricoprire (*o* rivestire) (*un muro, ecc.*) di malta; intonacare **2** impastare; rimescolare (*argilla, sabbia e acqua*) **3** (*metall.*) puddellare; affinare **4** intorbidare (*l'acqua*) **5** (*fig. fam.*) imbrogliare; confondere; pasticciare Ⓑ v. i. **1** sguazzare nel fango o nell'acqua bassa **2** (*edil.*) fare la malta.

puddler /'pʌdlə(r)/ n. **1** impastatore (*di malta*) **2** (*metall.*) forno di puddellaggio.

puddling /'pʌdlɪŋ/ n. Ⓤ **1** (*edil.*) l'impastar malta **2** (*metall.*) puddellaggio; affinatura: **p. furnace**, forno di puddellaggio.

puddly /'pʌdlɪ/ a. **1** pieno di pozzanghere **2** fangoso; melmoso.

pudenda /pjuː'dɛndə/ n. pl. (*lat.*) (le) pudende.

pudge /pʌdʒ/ n. (*fam.*) persona bassotta e tonda; tombolo (*pop.*); tappetto (*pop.*).

pudgy /'pʌdʒɪ/ a. bassotto e tondo; tozzo ‖ **pudginess** n. Ⓤ l'essere basso e tondo; l'essere tozzo.

pueblo /'pwɛbləʊ/ (*spagn.*) n. (pl. **pueblos**) **1** villaggio indiano (*nel Messico e nel Sud degli USA*) **2** (*nell'America latina*) villaggio; paese.

puerile /'pjʊəraɪl/ a. (*spreg.*) a. puerile; infantile ‖ **puerility** n. Ⓤ puerilità.

puerperium /pjuːə'pɪːrɪəm/ n. (pl. **puerperia**) (*fisiol.*) puerperio ‖ **puerperal** a. puerperale: (*med.*) **puerperal fever**, febbre puerperale.

Puerto Rico /'pwɜːtəʊ'riːkəʊ/ n. (*geogr.*) Puerto Rico; Portorico ‖ **Puerto Rican** a. e n. portoricano.

puff /pʌf/ n. **1** soffio; sbuffo (*di vento, di fumo*); folata (*di vento*); buffo; sboffo: **a p. of wind**, un soffio (*o una folata*) di vento; **puffs of smoke**, sbuffi di fumo **2** (*d'abito, ecc.*) sboffo; sbuffo: **sleeves with puffs**, maniche a sbuffo **3** ciuffo di capelli (*sulla fronte*) **4** piumino: **powder p.**, piumino per la cipria **5** (*cucina*) bombolone; bignè: **jam p.**, bignè alla marmellata; **cream p.**, bignè alla panna; (*slang*) smidollato; (*anche*) inezia; bazzecola **6** Ⓤ respiro; fiato **7** (*fam.*) sbuffo; sbuffata; montatura pubblicitaria; soffietto (*fam.*); recensione favorevole **8** (*slang*) spinello ● (*zool.*) **p.-adder** (*Bitis arietans*), vipera del deserto; vipera soffiante □ **p.-box**, portacipria □ (*cucina*) **p. pastry**, pasta sfoglia □ (*fam.*) **to be out of p.**, essere senza fiato.

to **puff** /pʌf/ Ⓐ v. i. **1** sbuffare; ansare; ansimare; (*del fumo*) uscire a sbuffi: *Smoke puffed up out of the chimneypot*, il fumo

uscìva a sbuffi dal comìgnolo 2 soffiare; (*del vento*) spirare; arrivare a sbuffi (*o a folate*) 3 tirar boccate di fumo (*da una sigaretta, ecc.*) 4 (*slang*) fumare marijuana; spinellarsi (*pop.*) **B** v. t. 1 soffiare; soffiar via; emettere (*fumo, ecc.*) soffiando (*o a sbuffi*): **to p. smoke into sb.'s face**, soffiare il fumo (*di una sigaretta, ecc.*) in faccia a q. 2 (*spesso* **to p. out**) gonfiare, distendere: *He puffed out his chest*, gonfiò il petto 3 (*fam.*) incensare; pompare (*fig.*); decantare (*merci per la loro bontà, ecc.*); scrivere un soffietto per (*un libro, ecc.*) 4 incipriare (*la faccia*) 5 fumare (*sigarette, ecc.*) 6 far salire il prezzo di (*un lotto all'asta*) con offerte fittizie fatte da un complice ● **to p. and blow**, ansare; ansimare; sbuffare □ **to p. away**, soffiar via; (*di treno, ecc.*) allontanarsi (*o muoversi, passare*) sbuffando □ **to p. (away) at one's cigarette [at one's pipe]**, tirar boccate (*di*) dalla sigaretta [dalla pipa] □ **to p. out**, emettere (*fumo*); spegnere (*una candela, ecc.*) soffiando; gonfiare (*il petto, le penne, ecc.*); dire (*parole*) sbuffando; (*delle vele, ecc.*) gonfiarsi □ **to p. up**, (*del fumo*) salire, levarsi in alto; (*del viso, ecc.*) gonfiarsi, enfiarsi, tumefarsi; (*fig.*) gonfiare d'orgoglio (*o di boria*); insuperbire: *Don't be puffed up*, non gonfiarti di boria □ **The paddle steamer puffed out of sight**, il piroscafo a ruote sbuffando scomparve alla vista.

puffa /'pʌfə/ n. (= **puffa jacket**) giubbotto imbottito; piumino.

puffball /'pʌfbɔːl/ n. (*bot.*) vescia di lupo (*fungo*) ● **p. skirt**, gonna a sbuffo.

puffed /pʌft/ a. 1 (*di manica, ecc.*) a sbuffo 2 (*di cereale*) soffiato: **p. rice**, riso soffiato 3 (*di solito*, **p. out**) (*fam.*) sfiatato; senza fiato: **to be p. out**, avere il fiato corto (*o il fiatone*) 4 (*fig., di solito* **p. up**) tronfio; borioso.

puffer /'pʌfə(r)/ n. 1 chi soffia; chi sbuffa; chi ansima 2 chi decanta qc.; chi scrive soffietti; incensatore 3 (*parola infant.*) tu-tù; locomotiva; treno 4 (*zool.*, = **p. fish**) pesce dei Tetraodontidi; pesce palla 5 chi fa offerte fittizie a un'asta 6 flacone di aerosol; spray; spruzzetto 7 (*slang*) chi si spinella.

puffery /'pʌfərɪ/ n. ⓤ 1 gonfiatura; montatura pubblicitaria; soffietto (*fam.*) 2 sbuffi (*in un vestito*); trine a sbuffo.

puffin /'pʌfɪn/ n. (*zool.*, *Fratercula arctica*) pulcinella di mare.

puffiness /'pʌfɪnəs/ n. ⓤ 1 l'ansimare; l'esser senza fiato 2 gonfiore; enfiagione 3 (*fig.*) boria; pomposità.

puffing /'pʌfɪŋ/ n. ⓤ 1 il soffiare 2 (*collett.*) ansimi; sbuffi ● (*alim.*) **p. gun**, mantice.

puff-puff /'pʌfpʌf/ n. (*infant.*) tu-tù; ciuf-ciuf; treno.

puffy /'pʌfɪ/ a. 1 che arriva a sbuffi (*o a folate*) ● **a p. wind**, un vento che arriva a folate 2 ansante; ansimante; sbuffante; senza fiato 3 gonfio; rigonfio: **p. eyes**, occhi gonfi; **a p. cushion**, un cuscino rigonfio 4 (*fig.*) tronfio; borioso 5 (*USA*) pieno di lodi; incensatorio 6 (*slang, spreg.*) da frocio.

pug ① /pʌg/ n. 1 (*zool.*, = **pug-dog**) carlino 2 (= **pug-nose**) naso rincagnato (*o schiacciato e all'insù*) 3 (*ferr.*) piccola locomotiva da manovra ● **pug-nosed**, dal naso rincagnato; dal naso schiacciato e all'insù.

pug ② /pʌg/ n. (*ind.*) impasto di creta e argilla (*per ceramiche, ecc.*) ● **pug mill**, impastatrice di argilla (*macchina*).

pug ③ /pʌg/ n. (*India*) traccia (*di selvaggina*); orma (*di belva*).

pug ④ /pʌg/ n. 1 (*abbr. slang di* **pugilist**) pugile 2 (*slang USA*) bullo; teppista.

to **pug** /pʌg/ v. t. 1 (*ind.*) impastare (*argilla e creta*) 2 (*edil.*) riempire (*giunti*) d'argilla (*o di materiale insonorizzante*).

pugging /'pʌgɪŋ/ n. ⓤ 1 (*ind.*) l'impastare

(*argilla*) 2 (*edil.*) impasto d'argilla, segatura, ecc. (*spec. per isolamento acustico*).

pugh /pjuː/ inter. (*di disprezzo, disgusto*) puh!; puah!

pugilist /'pjuːdʒɪlɪst/ (*sport, form. o stor.*) n. pugile; pugilatore, pugilista (*raro*) ‖ **pugilism** n. pugilato ‖ **pugilistic** a. pugilistico.

pugnacious /pʌg'neɪʃəs/ a. pugnace (*lett.*); battagliero; combattivo | **-ly** avv. | **-ness** n. ⓤ.

pugnacity /pʌg'næsətɪ/ n. ⓤ combattività.

puhleeze /pə'liːz/ inter. grafia scherz. di **please** per sottolinearne la pronuncia enfatica, spec. a fini ironici: ti prego!; ma fammi il piacere!

puisne /'pjuːnɪ/ (*leg.*) **A** a. (*di grado*) inferiore; meno anziano: **p. judge**, giudice di grado inferiore (*o meno anziano*) **B** n. (= **p. judge**) → sopra.

puissance /'pjuːɪsns/ n. ⓤ (*arc. o poet.*) possa, possanza (*lett.*); forza; vigore.

puissant /'pjuːɪsnt/ a. (*arc. o poet.*) possente; forte; vigoroso | **-ly** avv.

puke /pjuːk/ n. (*slang*) 1 vomito 2 (*fig.*) schifo; cosa (*o persona*) disgustosa.

to **puke** /pjuːk/ v. i. e t. (*slang*) vomitare; rigettare.

pukka, pukkah /'pʌkə/ a. (*India*) 1 autentico; vero; genuino: **a p. sahib**, un vero signore 2 buono; ben fatto; di prim'ordine.

pulchritude /'pʌlkrɪtjuːd, *USA* -tuːd/ (*lett.*) n. ⓤ bellezza (*fisica*); leggiadria ‖ **pulchritudinous** a. bello; avvenente; leggiadro.

to **pule** /pjuːl/ v. i. piagnucolare; frignare ‖ **puling** a. piagnucolante; piagnucoloso.

pull /pʊl/ n. 1 tirata (*anche fig.*); tiro; strappo; strattone: *I gave a p. at the rope*, diedi uno strattone alla corda; *It was a long p. from the valley up here*, è stata una bella tirata dalla valle fin quassù 2 tirata di fumo (*di pipa, di sigaro, ecc.*) 3 tirata di briglia (*data al cavallo*) 4 (*naut.*) colpo di remo; remata; vogata 5 ⓤ (*fis.*) sforzo di trazione: **drawbar p.**, sforzo di trazione alla barra 6 (*tipogr.*) prima bozza 7 sorso; sorsata: *He took a long p. at his tankard of beer*, bevve una lunga sorsata dal suo boccale di birra 8 ⓤ (*mecc.*) capacità di traino 9 ⓤ (*fig.*) autorità; ascendente; influsso; influenza; peso, entratura (*fig.*): *That cardinal has a strong p. with the Pope*, quel cardinale ha molta influenza presso il Papa 10 ⓤ forza d'attrazione (*p. es., della luna sulla terra*); (*fig.*) attrazione pubblicitaria; capacità di attrarre il pubblico; fascino; richiamo: (*market.*) **p. strategy**, strategia dell'attrazione; **an actor [a play] with great box-office p.**, un attore che richiama molto pubblico [un dramma di cassetta] 11 tirante; cordone (*di campanello*) 12 maniglia (*di cassetto*) 13 (*med.*) stiramento (*muscolare*) 14 (*sport: calcio, ecc.*) strattone (*fallo*) 15 (*equit.*) tirata di redini 16 (*lotta*) strappo 17 (*nuoto*) trazione (*delle braccia*) ● (*baseball*) **p. hitting**, battuta a sorpresa □ (*slang*) **to be on the p.**, essere in caccia; cercare di rimorchiare (*ragazzi o ragazze*).

♦to **pull** /pʊl/ **A** v. t. 1 tirare; trarre; trascinare; tirare a sé; strattonare: *Don't p. my hair*, non tirarmi i capelli; **to p. the trigger**, tirare il grilletto; (*ferr.*) **to p. the cord**, tirare l'allarme; **to p. a heavy weight**, trascinare un grosso peso; (*sport*) **to p. an opponent's shirt**, strattonare un avversario per la maglia 2 estrarre; tirare fuori; cavare; togliere: *I had two teeth pulled*, mi sono fatto togliere due denti; *He pulled a gun on me*, tirò fuori una pistola e me la puntò contro 3 cogliere; strappare 4 spennare (*un pollo, ecc.*) 5 attirare (*la clientela, spettatori, ecc.*); assicurarsi (*l'appoggio di q.*); ottenere (*con-*

sensi, voti, ecc.): **to p. a crowd**, attirare folle di spettatori 6 spillare (*birra*) 7 (*tipogr.*) tirare; stampare: **to p. a copy [a proof]**, tirare una copia [una bozza] 8 mettersi (*un abito*); indossare 9 (*fam., spec. USA*) fare, commettere (*un reato, ecc.*): **to p. a robbery**, fare una rapina; **to p. a job**, fare un colpo (*in banca, ecc.*) 10 (*slang*) arrestare 11 (*naut.*) spingere coi remi (*una barca*) 12 (*sport: ipp.*) frenare, trattenere (*un cavallo*; spec. per non fargli vincere una corsa) 13 (*boxe*) trattenere: **to p. one's blows**, trattenere i colpi (*a favore dell'avversario*) 14 (*sport*) trainare (*rimorchi*) con apposite motrici 15 (*ciclismo, ecc.*) raggiungere, prendere (*un uomo in fuga*) 16 (*fig. fam.*) rimorchiare (*una ragazza, un ragazzo*) **B** v. i. 1 tirare; dare strappi (*o strattoni*) 2 lasciarsi tirare; muoversi; spostarsi, aprirsi (*quando si tira*): *This drawer won't p. out*, questo cassetto non vuole aprirsi 3 tirare una boccata di fumo (*da una sigaretta, ecc.*) 4 bere un gran sorso (*di birra, vino, ecc.*) 5 (*del cavallo*) tirare il morso 6 (*naut.*) remare, vogare 7 (*lotta*) effettuare uno strappo 8 (*fig. fam.*) rimorchiare ● (*USA*) **to p. camp**, levare il campo (*o le tende*) □ **to p. clear**, sgombrare; togliersi di mezzo; (*sport: autom.*) portarsi a bordo pista (*dopo un guasto, ecc.*); (*ciclismo, ecc.*) andare in fuga; staccare tutti □ **to p. a face**, fare la faccia lunga; fare una boccaccia (*o una smorfia*) □ **to p. faces**, far boccacce; fare smorfie □ **to p. a fast one on sb.**, giocare un brutto tiro a q.; mettere q. nel sacco (*fig.*) □ (*fig. fam.*) **to p. sb.'s leg**, prendere in giro q.; prendere q. per i fondelli (*fam.*) □ (*med.*) **to p. a muscle**, farsi uno strappo muscolare □ (*naut.*) **to p. oars**, remare; vogare; avere un certo numero di vogatori □ (*pop. USA*) **to p. the plug on sb.** [st.], farla finita con q. [qc.] □ **to p. one's punches**, (*boxe*) non affondare, trattenere i colpi; (*fig.*) risparmiare colpi, non inferire □ (*slang USA*) **to p. rank**, far spesare la propria autorità; farla cascare dall'alto (*fig.*) □ **to p. a sad face**, fare la faccia triste; assumere un'aria rattristata □ (*di veicolo, dei freni, ecc.*) **to p. to one side**, tirare da una parte; tendere ad andare da un lato □ **to p. to pieces**, fare a pezzi, rompere, spezzare; (*fig.*) criticare aspramente, stroncare □ **to p. one's weight**, mettercela tutta; fare la propria parte (*di lavoro*) □ (*fig.*) **to p. strings for sb.**, usare la propria influenza a favore di q. □ (*fig.*) **to p. the strings**, tirare le fila; manovrare □ (*slang USA*) **to p. a stunt**, fare un numero (*fig.*); avere un'alzata d'ingegno □ (*med.*) **pulled muscle**, strappo muscolare.

■ **pull about** v. t. + avv. bistrattare; maltrattare.

■ **pull ahead** v. i. + avv. andare avanti; portarsi in testa; passare avanti; (*autom.*) superare, passare q (*ciclismo*) **to p. ahead of the pack**, staccarsi dal gruppo; andare in fuga.

■ **pull along** v. t. + avv. tirare; trascinare; tirarsi dietro.

■ **pull alongside** v. i. (o v. t.) + avv. (*anche naut.*) accostarsi; affiancarsi (a).

■ **pull apart** **A** v. t. + avv. 1 staccare; fare a pezzi 2 smontare (*un giocattolo, ecc.*) 3 (*fam.*) fare a pezzi, demolire (*fig.*); criticare aspramente: *He was pulled apart by the critics*, i critici lo demolirono **B** v. i. + avv. 1 staccarsi 2 smontarsi.

■ **pull around** → **pull about**.

■ **pull aside** v. t. + avv. 1 scostare, tirare (*una tenda e sim.*) 2 prendere da parte (q.).

■ **pull at** v. i. + prep. 1 tirare: **to p. at sb.'s arm**, tirare q. per un braccio; **to p. at a bell rope**, tirare la fune di una campana (*o il campanello*) 2 dare boccate a: **to p. at one's pipe**, tirare boccate dalla pipa 3 attaccarsi a (*una bottiglia, ecc.*).

■ **pull away** **A** v. t. + avv. 1 tirare via; scostare; allontanare 2 staccare, separare (q.

da q. altro) **B** v. i. + **avv. 1** allontanarsi **2** (*sport*) andarsene, andare via; andare in fuga; staccare gli altri (*concorrenti*) **3** continuare a remare □ (*autom.*) **to p. away from a parking space**, uscire da un posto di parcheggio.

■ **pull back A** v. t. + **avv. 1** tirare indietro (*una tenda, q. in pericolo, ecc.*) **2** (*sport*) tirare indietro, trattenere (*un avversario*) **3** (*mil. e sport*) far ritirare, arretrare (*truppe, giocatori*) **4** (*ciclismo*) raggiungere, prendere, riassorbire (*un uomo in fuga*) **5** recuperare: (*calcio*) **to p. back two goals**, recuperare due gol **B** v. i. + **avv. 1** tirarsi indietro (*anche fig.*); fare marcia indietro (*fig.*); indietreggiare: *It's too late to p. back*, è troppo tardi per fare marcia indietro **2** (*mil. e sport*) arretrare; ripiegare; ritirarsi □ **to p. back on one's spending**, ridurre le spese.

■ **pull down** v. t. + **avv. 1** tirare giù; calare; abbassare: **to p. down the blinds**, tirare giù le tapparelle **2** buttare (*o* gettare) a terra (q.): (*sport*) **to p. down an opponent**, atterrare un avversario con uno strattone **3** buttare giù; demolire: **to p. down an old building**, demolire un edificio vecchio **4** buttare giù (*fisicamente*), indebolire **5** ridurre (q.) alla ragione; umiliare **6** (*slang USA*) portare a casa, guadagnare (*denaro*).

■ **pull for** v. i. + **prep. 1** (*fam.*) tenere per, fare il tifo per (q.) **2** (*naut.*) remare verso (*la spiaggia, ecc.*).

■ **pull in A** v. i. + **avv. 1** (*del treno*) entrare in stazione **2** (*di autoveicolo*) arrivare; (*anche*) accostarsi al marciapiede, accostare, farsi da parte **3** (*di conducente*) fare sosta; fermarsi **4** (*di barca*) accostare **B** v. t. + **avv. 1** tirare (*o* q. oc.) dentro **2** tirare in dentro (*la pancia, ecc.*) **3** tirare su (*una rete da pesca*) **4** attirare, attrarre (*spettatori, ecc.*) **5** (*fam.*) tirare dentro (*fig.*); coinvolgere **6** (*fam.*) portare a casa, guadagnare (*denaro*) **7** (*fam.*) portare dentro; arrestare; fermare **8** (*equit.*) trattenere (*un cavallo*) **9** (*ipp.*) trattenere (*un cavallo*) perché non vinca □ (*fig.*) **to p. in one's belt**, tirare la cinghia.

■ **pull off A** v. t. + **avv. 1** togliere, cavare (*spec. tirando*): *He pulled off his raincoat*, si tolse l'impermeabile **2** portare a compimento; mettere a segno; farcela; riuscire a concludere: **to p. off a deal**, riuscire a concludere un affare **B** v. i. + **avv. 1** (*di un veicolo o un'imbarcazione*) allontanarsi; (*anche*) accostare (a lato); farsi da parte **2** (*di una persona*) partire □ **to p. oneself off**, (*volg.*) menarselo, smanettarselo; masturbarsi □ **to p. it off**, farcela; riuscire a sfondare (*in affari, ecc.*).

■ **pull on** v. t. + **avv.** indossare; mettersi (*indumenti*) □ **to p. on one's socks**, infilarsi i calzini.

■ **pull out A** v. i. + **avv. 1** (*del treno*) uscire di stazione: *The train is pulling out* (*of the station*), il treno sta lasciando la stazione **2** (*di veicolo*) partire; (*anche*) staccarsi dal marciapiede **3** (*di barca*) staccarsi (dalla riva); salpare **4** (*autom.*) buttarsi fuori; uscire dalla fila; iniziare un sorpasso **5** (*fig.*) uscire (*da una depressione, ecc.*); rimettersi in sesto; riprendersi **6** (*anche mil.*) disimpegnarsi; abbandonare; sganciarsi; ritirarsi; tirarsi fuori (*da un impegno, ecc.*): (*fin.*) **to p. out of equities**, abbandonare gli investimenti azionari; (*sport*) *He pulled out of the race*, si ritirò dalla corsa; abbandonò (la corsa) **7** (*aeron.*) rimettersi in assetto orizzontale (*dopo una picchiata*) **8** (*sport: autom.*) farsi da parte; portarsi a bordo pista **9** (*tuffi*) riemergere, uscire (*dall'acqua*) **B** v. t. + **avv. 1** cavare; estrarre; togliere: **to have a tooth pulled out**, farsi togliere un dente; **to p. out a gun**, estrarre una pistola **2** staccare (*un inserto, ecc.*) **3** ritirare (*truppe, ecc.*); disimpegnare **4** (*aeron.*) richiamare (*un aereo dopo una picchiata*) □ (*fig.*) **to p. st. out of the**

bag, far vedere qc. di buono □ (*slang*) **to p. one's finger out**, darsi da fare; darsi una mossa (*pop.*).

■ **pull over** v. i. + **avv. 1** (*di veicolo*) accostare; farsi da parte **2** (*di conducente*) fermarsi.

■ **pull round A** v. t. + **avv. 1** far fare dietro front a (q.) **2** (*fam.*) far rinvenire; far tornare (q.) in sé; rimettere in sesto (*un malato, un'azienda, ecc.*) **3** convincere, portare dalla propria parte (*elettori e sim.*) **B** v. i. + **avv.** (*fam.*) riprendere i sensi; rinvenire; tornare in sé.

■ **pull through A** v. i. + **avv. 1** riprendersi, rimettersi in sesto (*dopo una malattia, una crisi, ecc.*) **2** farcela **B** v. t. + **avv. 1** far passare, infilare (*un filo, ecc.*) **2** rimettere in sesto (q., un'azienda, ecc.) **C** v. t. + **prep. 1** superare (*una crisi, ecc.*) **2** far superare (*una malattia, ecc.*) a (q.).

■ **pull together A** v. i. + **avv. 1** remare all'unisono **2** lavorare d'amore e d'accordo; collaborare; unire gli sforzi; remare insieme (*fig.*) **B** v. t. + **avv.** rimettere in sesto; riorganizzare (*una squadra, ecc.*); rimettere insieme (*fam.*) □ **to p. oneself together**, tirarsi su (*fig.*); riprendersi; (*sport, ecc.*) concentrarsi.

■ **pull under** v. t. + **avv.** (*o* prep.) tirare giù (*o* sotto): *He was pulled under by the current*, la corrente (del fiume) lo tirò sotto.

■ **pull up A** v. t. + **avv. 1** tirare su; alzare: **to p. one's socks up**, tirarsi su i calzini; (*fig.*) rimboccarsi le maniche **2** strappare (*fiori, ecc.*); sradicare (*erbacce, ecc.*) **3** accostare; avvicinare: **to p. up a chair to the table**, avvicinare una sedia alla tavola **4** arrestare, fermare (*un veicolo, un conducente, ecc.*): *The police pulled me up*, mi fermò la polizia **5** (*fam.*) rimproverare; sgridare **6** (*fam.*) tirare su (*fam.*), migliorare (qc.) **B** v. i. + **avv. 1** avvicinarsi; accostarsi; farsi avanti: *He pulled up to the next car*, si accostò alla macchina che gli stava davanti (*in un parcheggio*) **2** (*di veicolo, ecc.*) arrestarsi; fermarsi; (*di conducente*) fare sosta **3** (*fam.*) prendersi un po' di respiro; rallentare il ritmo **4** ritirarsi (*da un concorso, un'asta pubblica, una gara d'appalto, ecc.*); rinunciare **5** (*ipp.*) fermare il cavallo **6** (*fam.*) riprendersi; tirarsi su (*fam.*); mettersi in pari (*in una materia di studio, ecc.*); migliorare □ **to p. oneself up**, tirarsi su; ergersi □ (*fam.*) **to p. up one's roots** (*USA*: **stakes**), sradicarsi, piantare tutto; piantare capra e cavoli (*fig. fam.*) □ **to p. sb. short**, dar da pensare a, far riflettere q. □ **to p. up to** (*o* **with**), portarsi al livello di; raggiungere; riprendere (*fam.*).

pullback /'pʊlbæk/ n. **1** (*mil.*) ritirata; ripiegamento; ritiro **2** (*econ.*) riduzione (*di prezzi, ecc.*).

pull cable /'pʊlkeɪbl/ loc. n. fune traente (*di funivia*).

pull cord /'pʊlkɔːd/ loc. n. corda, filo, ecc., da tirare (*per azionare qc.*); interruttore a cordino.

pull-down /'pʊldaʊn/ a. che si tira giù; che si abbassa; ribaltabile: **pull-down bed**, letto che si abbassa; letto a scomparsa; (*comput.*) **pull-down menu**, menu a tendina (*o* a discesa); **pull-down table**, tavolino ribaltabile.

puller /'pʊlə(r)/ n. **1** chi tira, trascina, rema, ecc. (→ **to pull**) **2** (*mecc.*) apparato a mano **3** (*ind. tess.*) tiratoio; strappatore **4** (*fig.*) motivo di richiamo; attrazione.

pullet /'pʊlɪt/ n. pollastra; pollastrella.

pulley /'pʊlɪ/ n. (*mecc.*) puleggia; carrucola ● (*naut.*) **p.-block**, paranco □ (*edil.*) **p. stile**, montante verticale porta puleggia.

pull-in /'pʊlɪn/ n. (*autom., GB*) **1** piazzola di sosta **2** (*antiq.*) area di ristoro.

pulling /'pʊlɪŋ/ **A** part. pres. di **to pull** che tira; che strattona; che rema; ecc. **B** n. □ **1**

il tirare; lo strattonare **2** trazione: (*sport*) **tractor p.**, trazione (*di rimorchi*) con apposite motrici **3** (*elettron.*) variazione di frequenza **4** (*lotta*) strappo, strappi ● **p. back**, (*mil.*) ripiegamento, ritirata □ **p. boat**, barca a remi □ (*nuoto*) **p. motion**, movimento di trazione (*con le braccia*) □ (*canottaggio*) **p. phase**, fase di trazione □ **p. power**, capacità di richiamo; grande presa (sul pubblico); capacità di attirare clienti; (*rugby*) capacità di tirare un avversario con le braccia (è ammesso) □ (*canottaggio*) **p. stroke**, capovoga.

Pullman /'pʊlmən/ n. (*ferr.*) **1** carrozza pullman; carrozza di lusso **2** (*USA*) vagone letto; wagon-lit ● **P. train**, treno a carrozze pullman ❶ FALSI AMICI ● Pullman *non significa pullman nel senso di autobus di linea*.

pull-off /'pʊlɒf/ **A** a. rimovibile; staccabile: **pull-off cap**, cappuccio rimovibile **B** n. (*autom. USA*) piazzola di sosta.

pull-on /'pʊlɒn/ **A** a. (*d'indumento*) senza allacciatura: **pull-on trousers**, pantaloni senza allacciatura (*con elastico in vita*) **B** n. indumento senza allacciatura.

pull-out /'pʊlaʊt/ **A** n. **1** (*giorn.*) fascicolo, inserto (*da staccare*) **2** (*mil.*) ritirata; ritiro; disimpegno **3** (*aeron.*) richiamata **B** a. **1** estraibile: **pull-out basket**, cestello estraibile (*di elettrodomestico, ecc.*) **2** (*giorn.*) da staccare; staccabile.

pullover /'pʊləʊvə(r)/ n. pullover; maglione di lana.

pull-quote /'pʊlkwəʊt/ n. (*editoria*) frase di articolo estratta e stampata in caratteri più grandi (*per attirare l'attenzione del lettore*).

pull rope /'pʊlrəʊp/ loc. n. fune di alaggio; (*di funivia*) fune traente.

pull tab /'pʊltæb/ loc. n. anello (*di scatoletta, lattina, ecc.*) da strappare ● **pull-tab can**, lattina a strappo.

to **pullulate** /'pʌljʊleɪt/ v. i. **1** pullulare; (*fig.*) diffondersi rapidamente **2** (*di pianta*) germogliare, gemmare, spuntare in quantità ‖ **pullulation** n. □ **1** pullulazione (*raro*); il pullulare; (*fig.*) rapida diffusione **2** (*bot.*) abbondante gemmazione.

pull-up /'pʊlʌp/ n. **1** (*sport*) sollevamento sulle braccia (*alla sbarra*) **2** arresto improvviso **3** (*antiq. GB*) piazzola di sosta; (*anche*) area di ristoro.

pulmonary /'pʌlmənrɪ/ a. (*anat., med.*) polmonare: **p. artery [vein]**, arteria [vena] polmonare; **p. tuberculosis**, tubercolosi polmonare.

pulmonate /'pʌlmənət/ **A** a. (*zool.: di animale*) **1** dei polmonati **2** fornito di polmoni **B** n. (*zool.*) (un) polmonato.

pulmonic /pʌl'mɒnɪk/ a. (*anat., med.*) polmonare.

pulp /pʌlp/ n. □ **1** polpa **2** (*ind.*) pasta di legno (*per fare la carta*) **3** (*ind. min.*) torbida **4** (*anat.*) polpa (*di un dente*): **p. cavity**, cavità della polpa dentaria **5** (*spreg.*) libro (rivista, giornale, ecc.) scadente, di bassa qualità: **p. novel**, romanzaccio; **p. fiction**, narrativa di bassa qualità ● **to reduce** (*o* **to crush**) **to** (**a**) **p.**, ridurre in polpa; spappolare; (*fig.*) ridurre male (*o* ai minimi termini).

to **pulp** /pʌlp/ **A** v. t. **1** ridurre in polpa (*o* in pasta); spappolare **2** estrarre la polpa da (*frutta, ecc.*) **B** v. i. ridursi in polpa; diventare polposo; spappolarsi ● **to p. old books**, mandare al macero libri vecchi.

pulpboard /'pʌlpbɔːd/ n. (*tecn.*) cartone di pastalegno.

pulper /'pʌlpə(r)/ n. (*ind. cartaria*) spappolatore idrodinamico.

pulping /'pʌlpɪŋ/ n. □ (*ind.*) trasformazione del legno in pasta.

pulpit /'pʊlpɪt/ n. (*relig.*) **1** pulpito **2** – (*fig.*) **the p.**, la professione del predicatore; l'addottrinamento (*dal pulpito*) **3** – (collett.)

the p., i predicatori.
pulpiteer /pʊlpɪ'tɪə(r)/ (spreg.) n. predicatore.
pulpitis /pʌl'paɪtɪs/ n. ▯ (med.) pulpite.
pulpless /'pʌlpləs/ a. senza polpa.
pulpotomy /pʌl'pɒtəmɪ/ n. ▣ (med.) pulpotomia.
pulpous /'pʌlpəs/, **pulpy** /'pʌlpɪ/ a. polposo.
pulpwood /'pʌlpwʊd/ n. ▯ (ind.) legname (pino, abete rosso, ecc.) per cartiere.
pulsar /'pʌlsɑː(r)/ n. (astron.) pulsar.
to **pulsate** /pʌl'seɪt/ v. i. **1** pulsare; battere **2** (anche fig.) palpitare; vibrare; sussultare.
pulsatile /'pʌlsətaɪl/ a. **1** (anat.: di un organo) pulsatile **2** (di strumento musicale) a percussione.
pulsatility /pʌlsə'tɪlɪtɪ/ n. ▯ pulsatilità.
pulsatilla /pʌlsə'tɪlə/ n. (bot., Anemone pulsatilla) pulsatilla.
pulsating /pʌl'seɪtɪŋ/ a. **1** (astron., elettr.) pulsante: **p. star**, stella pulsante vibrante; emozionante: (sport) **a p. match**, una partita vibrante.
pulsation /pʌl'seɪʃn/ n. ▣ **1** (anche fisiol.) pulsazione; battito **2** (fis., elettr.) pulsazione **3** palpitazione; vibrazione; sussulto.
pulsative /'pʌlsətɪv/ a. pulsante; che batte.
pulsator /pʌl'seɪtə(r)/ n. (ind. min.) vaglio a scosse.
pulsatory /'pʌlsətrɪ/ → **pulsative**.
pulse① /pʌls/ n. **1** (fisiol.) polso (arterioso): (med.) **to have a quick [a weak] p.**, avere il polso frequente [debole] **2** (fis., elettr.) impulso **3** ▯ (fig.) vivacità; vitalità; attività febbrile: **the p. of a city**, l'attività febbrile di una città **4** (mus.) cadenza ritmica **5** (tecn.) pulsazione; serie d'impulsi ● (elettron.) **p. circuit**, circuito a impulsi □ **p. counter**, contatore d'impulsi □ (fisiol., med.) **p. meter**, sfigmomanometro □ (med.) **p. pressure**, pressione arteriosa differenziale □ (med.) **p. rate**, frequenza del polso □ (elettron.) **p. scaler**, demoltiplicatore d'impulsi □ (fisiol.) **p. wave**, onda sfigmica (del polso) □ (anche fig.) **to feel** (o **to take**) **sb.'s p.**, tastare il polso a q.: **to feel the p. of the nation**, tastare il polso al popolo; sondare i sentimenti (o l'umore) del popolo □ (fig.) **to keep one's finger on the p.**, tenersi aggiornato.
pulse② /pʌls/ n. **1** ▯ (collett.) legumi; leguminose **2** (bot.) (pianta) leguminosa.
to **pulse** /pʌls/ v. i. pulsare; battere; vibrare: **to be pulsing with life**, pulsare di vita.
pulse jet /'pʌlsdʒet/ loc. n. (aeron.) pulsogetto; pulsoreattore (l'aeroplano).
pulse-jet engine /'pʌlsdʒet'endʒɪn/ loc. n. (aeron., mecc.) pulsoreattore; pulsogetto (il motore).
pulseless /'pʌlsləs/ (med.) a. che ha perso il polso; privo di polso ‖ **pulselessness** n. ▯ assenza di polso.
pulser /'pʌlsə(r)/ n. **1** (fis.) pulsatore **2** (elettron.) generatore d'impulsi.
pulsimeter /pʌl'sɪmɪtə(r)/ n. (med.) pulsimetro.
pulsometer /pʌl'sɒmɪtə(r)/ n. **1** (mecc.) pulsometro; pompa a pressione di vapore **2** → **pulsimeter**.
pulverising /'pʌlvəraɪzɪŋ/ n. ▯ (agric.) frantumazione (delle zolle, ecc.).
pulverizable /'pʌlvəraɪzəbl/ a. polverizzabile.
pulverization /pʌlvəraɪ'zeɪʃn, USA -rɪ-'z-/ n. ▯ **1** polverizzazione **2** (fig.) annientamento; distruzione totale.
to **pulverize** /'pʌlvəraɪz/ ◢ v. t. **1** polverizzare (anche fig.); ridurre in polvere; va-

porizzare **2** (agric.) ridurre in polvere; frantumare (zolle, ecc.) ▣ v. i. polverizzarsi; vaporizzarsi.
pulverizer /'pʌlvəraɪzə(r)/ n. **1** polverizzatore; vaporizzatore **2** (mecc.) polverizzatore **3** (agric.) erpice frangizolle.
pulverulent /pʌl'verjʊlənt/ a. **1** polverulento; polveroso **2** (miner.: di roccia) friabile.
pulvinar /pʌl'vaɪnə(r)/ ◢ a. (bot.) del pulvino ▣ n. **1** (anat.) pulvinar **2** (stor. romana) pulvinare.
pulvinate /'pʌlvɪnət/, **pulvinated** /'pʌlvɪneɪtɪd/ a. **1** (archit.) a faccia convessa; pulvinato (lett.) **2** (bot.: di gambo) pulvinato.
pulvinus /pʌl'vaɪnəs/ n. (pl. **pulvini**) (bot.) pulvino.
puma /'pjuːmə, USA 'puː-/ n. (pl. **pumas**, **puma**) (zool., Felis concolor) puma; coguaro.
pumice /'pʌmɪs/ n. ▣ (= **p. stone**) (pietra) pomice ‖ **pumiceous** a. pomicioso (raro); simile alla pomice.
to **pumice** /'pʌmɪs/ v. t. pulire (o levigare) con la pomice.
to **pummel** /'pʌməl/ e deriv. → **to pommel**, e deriv.
♦**pump**① /pʌmp/ n. **1** (mecc.) pompa: **water p.**, pompa dell'acqua; **hand p.**, pompa a mano; **foot p.**, pompa a pedale; **bicycle p.**, pompa da bicicletta; **double-acting p.**, pompa a doppio effetto; pompa aspirante e premente; (autom.) **fuel p.**, pompa di alimentazione; pompa della benzina (o del gasolio); (autom.) **oil p.**, pompa dell'olio; **air p.** (o **tyre p.**), pompa (da bicicletta) **2** (autom., = **petrol p.**, USA **gas p.**) pompa di benzina; pompa (fam.); distributore di benzina **3** (elettron.) pompa; sorgente pompa **4** (fam.) vigorosa stretta di mano **5** (slang USA) cuore **6** (slang USA, = **p.-action rifle** o **p. gun**), fucile a pompa ● (autom.) **p. attendant**, benzinaio □ **p. price**, prezzo alla pompa (della benzina, ecc.) □ **p. priming**, adescamento della pompa; (fig., econ.) provvedimenti per il rilancio dell'economia, investimenti pubblici per la ripresa economica □ **p. room**, (in uno stabilimento termale) sala in cui si bevono le acque; (naut.) sala delle pompe □ **All hands to the pumps!**, (naut.) tutti alle pompe!; (fig.) dateci sotto tutti!
pump② /pʌmp/ n. **1** scarpa leggera di vernice (da sera o da ballo); ballerina **2** (USA) scarpa scollata; scarpa décolleté **3** (ingl.) scarpa di tela; scarpetta da tennis.
to **pump** /pʌmp/ ◢ v. t. **1** pompare: **to p. air into a tyre**, gonfiare un pneumatico; **to p. petrol into the tank**, pompare la benzina nel serbatoio **2** (fig.) muovere (o azionare) energicamente su e giù: **to p. a handle**, azionare vigorosamente una manopola; **to p. the pedals**, pestare sui pedali; **He pumped my hand up and down**, mi strinse calorosamente la mano (muovendola su e giù) **3** (fig., fin.) pompare; immettere (capitali, dollari, ecc.) **4** (fam.) interrogare a fondo (ottenendo notizie, informazioni, ecc.): **I pumped him for details**, mi feci raccontare da lui tutti i particolari; **to p. sb. for information**, farsi dare informazioni da q. **5** (fig.) far restare senza fiato; spompare (fam.): **He was quite pumped after the long run**, dopo la lunga corsa, era proprio spompato **6** (fam.) far entrare; ficcare: **to p. a difficult theory into sb.'s head**, far entrare in testa a q. una teoria difficile **7** (fam.) sparare (colpi) a ripetizione (o a raffica) **8** (volg. USA) sbattere, chiavare, scopare (volg.) ▣ v. i. **1** pompare; azionare una pompa **2** andare su e giù come un pistone; pompare; pulsare: **His legs were pumping**, le sue gambe andavano su e giù come pistoni; **My heart was pumping wildly**, il cuore mi batteva all'impazzata **3** (di liquido) sgorgare; uscire a

fiotti **4** (naut.: di un sottomarino) delfinare ● **to p. st. dry**, prosciugare qc. con le pompe □ (slang, sport) **to p. iron**, fare sollevamento pesi □ **to p. full (of)**, riempire (di) □ (autom.) **to p. on the brake**, premere e rilasciare il freno ripetutamente; pompare (fam.) □ (di un pneumatico) **pumped hard**, ben gonfio; duro □ (med.) **to have one's stomach pumped**, essere sottoposto a lavanda gastrica.
■ **pump out** v. t. + avv. **1** estrarre (un liquido) con una pompa **2** svuotare (con una pompa); prosciugare: **to p. out a boat**, vuotare una barca **3** (fig. fam.) strappare, cavare, estorcere (informazioni, ecc.): **to p. out the truth out of sb.**, cavare la verità da q.
■ **pump up** v. t. + prep. **1** estrarre con una pompa; pompare: **to p. up water from a well**, tirare su acqua dal pozzo con una pompa **2** gonfiare (con una pompa): **to p. up a tyre**, gonfiare un pneumatico **3** (fig. fam.) accrescere; aumentare: **to p. up the volume**, alzare il volume (della radio, ecc.) **4** (fig. fam.) caricare; gasare (pop.).
pumped /pʌmpt/ a. **1** (di un liquido) pompato **2** (fig.) ottenuto con la fatica (o con l'impegno) **3** (= **p. out**) spompato; esausto **4** (fam. USA, = **p. up**) eccitato; caricato; gasato (pop.).
pumper /'pʌmpə(r)/ n. pompista; chi pompa, gonfia, ecc. (→ **to pump**).
pumpernickel /'pʌmpənɪkl/ (ted.) n. ▯ pane integrale di segale.
pumping /'pʌmpɪŋ/ n. ▯ **1** (mecc.) pompaggio (di un fluido) **2** gonfiaggio (di un pneumatico).
pumpkin /'pʌmpkɪn/ n. (bot., Cucurbita pepo) zucca (la pianta e il frutto) ● (fam. USA) **p.-headed**, zuccone; testone.
pun /pʌn/ n. bisticcio; gioco di parole; freddura: **to make puns**, dire freddure.
to **pun**① /pʌn/ v. i. fare giochi di parole; fare dei bisticci ● **to pun on** (o **upon**) **words**, giocare con le parole.
to **pun**② /pʌn/ v. t. compattare, costipare, comprimere (la terra smossa, ecc.) con un mazzapicchio.
punch① /pʌntʃ/ n. **1** (tecn.) punzone (arnese); fustella; punzonatrice (macchina); (metall.) stampo **2** (falegn., = **driving p.**) punzone per incassare chiodi **3** (falegn., = **nail p.**) infilachiodi ● (= **p. knife**) punzone **4** (comput.) perforazione ● **p. card**, scheda perforata □ (USA) **p. clock**, orologio marcatempo □ (tecn.) **p. cutter**, fustellatrice □ (mecc.) **p. press**, pressa meccanica □ **ticket p.**, macchina obliteratrice.
♦**punch**② /pʌntʃ/ n. **1** pugno; colpo (dato col pugno) **2** (fam.) energia; forza; vigore; incisività; mordente **3** (mil. e sport) aggressività; forza d'urto; potenza **4** (boxe) pugno, colpo: **a p. on the jaw**, un colpo alla mascella **5** (sport: calcio, ecc.) respinta di pugno (del portiere); smanacciata (fam.) ● **p.-drunk**, (di un pugile e fig.) stordito (per i pugni ricevuti); suonato □ **p. line**, battuta finale, il più bello (di una barzelletta, ecc.) □ (boxe) **p. on the back of the neck**, colpo alla nuca □ (fam. ingl.) **p.-up**, baruffa; lite; zuffa □ **to beat sb. to the p.**, (boxe) battere q. sull'anticipo; (fig.) giocare d'anticipo □ (di pugile) **to pack quite a p.**, essere un picchiatore □ **to pull one's punches** → **to pull** □ (boxe) **to roll with the p.**, assorbire il colpo con un arretramento o uno spostamento.
punch③ /pʌntʃ/ n. punch; ponce: **rum p.**, ponce al rum ● **p.-bowl**, grande coppa da ponce; (fig.) buca tonda (nel fianco d'un colle).
to **punch**① /pʌntʃ/ v. t. **1** (tecn.) fustellare; punzonare: **to p. a ticket**, forare (bur.: obliterare) un biglietto **2** forare; perforare ● (USA) **to p. the clock**, timbrare il cartelli-

no (*in entrata o in uscita*) □ **to p. a hole**, fare un buco col punzone □ **to get one's ticket punched**, farsi forare il biglietto (*in autobus, ecc.*); (*fig. fam. USA*) morire, lasciarci la pelle.

■ **punch down** v. t. + avv. piantare, ribattere (*chiodi, ecc.*) con un martello (*o altro arnese*).

■ **punch in** Ⓐ v. t. + avv. **1** ribattere, incassare (*chiodi, ecc.*) **2** digitare (*un numero, un codice, ecc.*): *If you'd like to p. your PIN number in here*, digiti qui il suo PIN per favore Ⓑ v. i. + avv. (*USA*) timbrare il cartellino in entrata: *What time do you p. in?*, a che ora timbrare il cartellino andando al lavoro?

■ **punch out** Ⓐ v. t. + avv. **1** fare (*fori su un modulo, un biglietto, ecc.*) **2** estrarre (*chiodi, ecc.*) con un apposito arnese **3** (*tecn.*) stampare; fare (*rondelle, monete metalliche, ecc.*) con un punzone Ⓑ v. i. + avv. (*USA*) timbrare il cartellino in uscita: *We p. out earlier on Friday*, il venerdì usciamo prima dal lavoro.

♦to **punch**② /pʌntʃ/ Ⓐ v. t. **1** colpire col pugno; dar pugni a (q.) **2** (*USA*) pungolare, spingere innanzi (*bestiame*) **3** (*boxe*) colpire: *He punched the challenger below the belt*, colpì lo sfidante sotto la cintura **4** (*sport: calcio, ecc.*: *del portiere*) respingere (*la palla*) di pugno **5** (*pallanuoto*) tirare (*la palla*) col pugno Ⓑ v. i. (*boxe*) portare i colpi; combattere ● (*boxe*) **to p. one's opponent into a corner**, chiudere l'avversario all'angolo a furia di colpi □ **to p. sb. on the nose**, dare un pugno sul naso a q.

■ **punch away** v. i. + avv. continuare a colpire (*o a tirare colpi*).

■ **punch back** v. i. + avv. (*boxe*) rispondere ai colpi; replicare.

■ **punch up** v. i. + avv. **1** (*fam.*) prendere a pugni; colpire (*a mani nude*) **2** battere (*sul registratore di cassa*): **to p. up the total of sb.'s shopping**, battere il totale della spesa fatta da q.

Punch /pʌntʃ/ n. Punch (*personaggio dei burattini ingl.: dall'ital. Pulcinella*) ● **P.-and-Judy show**, teatro delle marionette; (i) burattini □ **to be as pleased as P.**, esser contento come una pasqua.

punchbag /'pʌntʃbæg/ n. (*boxe*) **1** sacco sospeso; sacco (*per allenamento*); pallone, pera (*fam.*) **2** (*fig.*) incassatore.

punchball /'pʌntʃbɔːl/ n. (*boxe*) sacco sospeso; punching ball; sacco, pera (*fam.*).

punched /'pʌntʃt/ a. (*comput.*) perforato: **p. card**, scheda perforata.

puncheon① /'pʌntʃn/ n. **1** palo di sostegno (*spec. nelle miniere di carbone*) **2** punzone; stampo.

puncheon② /'pʌntʃn/ n. (*stor.*) grossa botte (*della capacità di 70-120 galloni*).

puncher① /'pʌntʃə(r)/ n. **1** (*ind.*) punzonatore **2** (*tecn.*) punzone.

puncher② /'pʌntʃə(r)/ n. **1** (*boxe*) picchiatore **2** (*USA*, = **cowpuncher**) bovaro; mandriano.

Punchinello /pʌntʃɪ'neləʊ/ n. (pl. **Punchinellos**, **Punchinelloes**) (*commedia dell'arte*) Pulcinella.

punching ① /'pʌntʃɪŋ/ n. (*tecn.*) punzonatura; perforazione; (*metall.*) stampaggio ● (*mecc.*) **p. machine**, punzonatrice; fustellatrice.

punching② /'pʌntʃɪŋ/ n. (*anche boxe*) il colpire; colpi; modo di colpire ● (*boxe*) **p. ball** → **punchball** □ **p. out (the ball)**, parata di pugno □ (*boxe*) **to be at p. distance**, essere a portata dei colpi.

punchy /'pʌntʃɪ/ a. (*slang*) **1** (*di un pugile*) stordito (*dai pugni*); suonato (*fig.*) **2** (*fig.*) stordito; intontito; rintronato **3** (*fig.*) vigoroso; forte; incisivo.

punctate /'pʌŋkteɪt/ (*zool., bot.*) a. punteggiato; macchiettato ‖ **punctation** n. Ⓤ

punteggiamento (*raro*); macchiettatura.

punctiform /'pʌŋktɪfɔːm/ a. puntiforme.

punctilio /pʌŋk'tɪliəʊ/ n. (pl. **punctilios**) **1** formalità; cerimonia; punto d'onore **2** Ⓤ formalismo; cerimoniosità; meticolosità; pignoleria; scrupolosità.

punctilious /pʌŋk'tɪliəs/ a. formalistico; cerimonioso; meticoloso; minuzioso; pignolo; scrupoloso ● **a p. man**, un formalista | **-ly** avv. | **-ness** n. Ⓤ

punctual /'pʌŋktʃʊəl/ a. **1** puntuale: *He's always p.*, è sempre puntuale **2** (*geom.*) di un punto (*nello spazio*) **3** (*ling.*) puntuale | **-ly** avv.

punctuality /pʌŋktʃʊ'ælətɪ/ n. Ⓤ puntualità.

to **punctuate** /'pʌŋktʃʊeɪt/ Ⓐ v. t. **1** punteggiare; mettere i segni d'interpunzione a (*uno scritto*) **2** (*fig.*) costellare; punteggiare **3** (*fig.*) interrompere: **his speech was punctuated by loud cheers**, il suo discorso era interrotto da grandi acclamazioni **4** accentuare; dar forza a; dare risalto a Ⓑ v. i. usare i segni d'interpunzione ● **not to know how to p.**, non conoscere bene la punteggiatura.

♦**punctuation** /pʌŋktʃʊ'eɪʃn/ n. Ⓤ **1** punteggiatura; interpunzione: **p. marks**, segni d'interpunzione **2** (*mus.*) punteggiatura **3** interruzione continua di un discorso (*per applausi, ecc.*) **4** rilievo; risalto.

puncture /'pʌŋktʃə(r)/ n. **1** foro (*fatto da un oggetto aguzzo*); forellino **2** (*autom., ciclismo, ecc.*) foratura; bucatura: **to get a p.**, bucare; forare; **to have a p.**, avere una gomma a terra; **to mend a p.**, riparare una gomma bucata; **p. repair**, riparazione di una foratura **3** (*med.*) puntura: **lumbar p.**, puntura lombare ❶ **FALSI AMICI** ● *puncture non significa puntura nel senso di iniezione o di punzecchiatura di insetto.*

to **puncture** /'pʌŋktʃə(r)/ Ⓐ v. t. **1** pungere **2** (*di un chiodo, ecc.*) bucare; forare **3** (*fam.*) sgonfiare; ridimensionare; umiliare: **to p. sb.'s enthusiasm**, sgonfiare l'entusiasmo di q. Ⓑ v. i. **1** (*di ciclista, automobilista*) bucare; forare **2** (*di pneumatico, ecc.*) bucarsi; forarsi.

pundit /'pʌndɪt/ n. **1** (*in India*) pandit; bramino molto erudito **2** (*spesso scherz.*) esperto, opinionista (*spec. da salotto televisivo*).

punditocracy /pʌndɪ'tɒkrəsɪ/ n. (*spec. iron.*) gruppo di esperti e commentatori (*con eccessiva influenza sull'opinione pubblica*).

punditry /'pʌndɪtrɪ/ n. Ⓤ (*spesso scherz.*) l'insieme degli esperti e degli opinionisti da salotto televisivo; (*per estens.*) opinioni e discorsi di tali esperti.

pungency /'pʌndʒənsɪ/ n. Ⓤ **1** l'essere pungente (*anche fig.*); acrimonia; asprezza; causticità **2** sapore piccante **3** odore forte (*o acuto*).

pungent /'pʌndʒənt/ a. **1** pungente; acre; aspro; frizzante; mordace; caustico: **p. smoke**, fumo acre; **p. language**, parole aspre **2** (*di sapore*) piccante **3** (*di odore*) forte | **-ly** avv.

Punic /'pjuːnɪk/ Ⓐ a. (*stor.*) punico: **the P. Wars**, le guerre puniche Ⓑ n. Ⓤ lingua punica ● (*fig.*) **P. faith**, fede punica; slealtà.

puniness /'pjuːnɪnəs/ n. Ⓤ **1** piccolezza; gracilità; debolezza **2** meschinità; dappocaggine.

♦to **punish** /'pʌnɪʃ/ v. t. **1** punire; castigare **2** (*fam., sport*) dare una batosta a; suonarle sode; strapazzare **3** (*fam.*) spazzare via, mangiarsi quasi per intero (*una pietanza*); scolarsi (*una bottiglia, ecc.*); far piazza pulita di; far fuori (*pop.*) **4** (*fam.*) maltrattare; strapazzare.

punishable /'pʌnɪʃəbl/ a. punibile ‖

punishability n. Ⓤ punibilità.

punisher /'pʌnɪʃə(r)/ n. punitore; punitrice.

punishing /'pʌnɪʃɪŋ/ Ⓐ a. **1** che punisce; punitore **2** (*fam.*) estenuante; faticosissimo; massacrante **3** (*boxe: di un pugile*) che colpisce forte **4** (*sport: di un tiro, ecc.*) che non perdona Ⓑ n. (*fam.*) dura punizione; grave sconfitta; batosta.

♦**punishment** /'pʌnɪʃmənt/ n. **1** Ⓤ punizione; castigo **2** (*leg.*) pena: **capital p.**, pena capitale **3** (*fam.*) trattamento duro; batosta; gravi danni **4** (*fam., sport*) punizione; sconfitta: **to take severe p.**, subire una dura punizione ● (*di un pugile, di un automezzo, ecc.*) **to have taken a lot of p.**, essere ridotto male.

punitive /'pjuːnətɪv/, **punitory** /'pjuːnɪtərɪ/ a. punitivo: (*mil.*) **p. expedition**, spedizione punitiva; (*fisc.*) **p. taxation**, tassazione punitiva ● (*leg.*) **p. damages** = **exemplary damages** → **exemplary** □ (*comm. est.*) **p. duties**, dazi di ritorsione.

Punjabi /pʌn'dʒɑːbɪ/ Ⓐ n. **1** Ⓤ punjabi (*la lingua*) **2** punjabi Ⓑ a. punjabi.

punk① /pʌŋk/ Ⓐ n. **1** Ⓤ punk; cultura punk **2** Ⓤ (*mus.*, = **p. rock**) punk-rock; musica punk **3** (*mus.*, = **p. rocker**) (musicista) punk; punkettaro (*pop.*); rockettaro punk **4** (*slang*) giovane delinquente; teppistello; ladruncolo: **street punks**, teppistelli di strada **5** (*slang*) giovinastro; ragazzotto; bulletto; pischello **6** (*slang*) tipo che non vale niente; mammalucco; mezzasega (*volg.*) **7** (*slang USA, spreg. per giovane omosessuale passivo*) checca; culattone Ⓑ a. attr. punk; da punk; alla punk: (*mus.*) **a p. band**, un complesso punk; **p. hairstyle**, pettinatura punk.

punk② /pʌŋk/ Ⓐ n. **1** Ⓤ (*USA*) legno marcio, muschio secco (*usati come esca*) **2** Ⓤ roba dozzinale; robaccia; porcheria **3** Ⓤ balle; fandonie; fesserie; sciocchezze; cavolate (*pop.*): **to talk a lot of p.**, dire un sacco di cavolate **4** (*slang USA*) pane Ⓑ a. **1** (*USA: del legno*) marcio; putrido **2** (*slang*) dozzinale; scadente; scalcinato; sballato: **p. food**, cibo scadente **3** (*slang USA*) malmesso; malandato; giù di corda; giù di forma: *Today I'm feeling p.*, oggi mi sento giù di corda.

to **punk** /pʌŋk/ v. t. (*volg. USA*) inchiappettare; sodomizzare □ (*slang USA*) **to p. out on doing st.**, non avere il coraggio di fare qc. □ **punked out**, vestito alla punk.

punkah, **punka** /'pʌŋkə/ n. (*in India*) grande ventaglio (*spesso di foglie di palma: appeso al soffitto e mosso da un cordone con carrucola*).

punkette /pʌŋ'kɛt/ n. ragazza punk; punkettara (*pop.*).

punkster /'pʌŋkstə(r)/ n. (*USA*) punk.

punner① /'pʌnə(r)/ n. arnese per compattare la terra; mazzapicchio; mazzeranga.

punner② /'pʌnə(r)/ → **punster**.

punnet /'pʌnɪt/ n. cestello tondo, vaschetta (*per frutta o verdura*).

punning /'pʌnɪŋ/ a. spiritoso: **a p. caption**, una didascalia spiritosa (*su una cartolina, ecc.*) ● (*letter.*) **p. sonnets**, sonetti che contengono giochi di parole ‖ **punningly** avv. con giochi di parole; spiritosamente.

punster /'pʌnstə(r)/ n. freddurista; chi si diletta di giochi di parole.

punt① /pʌnt/ n. barchino (*per la caccia, ecc.*); barca a fondo piatto, sospinta da una pertica (*spec. a Oxford e a Cambridge*) ● **p.-pole**, pertica.

punt② /pʌnt/ n. (*sport*) **1** (*calcio, rugby*) calcio dalla mano **2** (*football americano, rugby*) calcio al volo; palla 'puntata'; 'punt' **3** (*calcio: del portiere*) calcio di rimessa (*da*

fondo campo).

punt ③ /pʌnt/ n. **1** puntata; scommessa **2** giocatore che punta contro il banco.

punt ④ /pʌnt/ n. punt (*sterlina irlandese*).

to **punt** ① /pʌnt/ **A** v. t. **1** spingere (*un barchino*) con una pertica **2** portare (*o trasportare*) su un barchino **B** v. i. andare (*su un fiume*) in barchino.

to **punt** ② /pʌnt/ v. t. e i. (*sport*) **1** (*calcio, rugby*) effettuare un calcio dalla mano **2** (*football americano, rugby, calcio*) calciare (il pallone) al volo • (*calcio*) **to p. the ball up-field**, lanciare la palla in profondità.

to **punt** ③ /pʌnt/ v. i. **1** (*a faraone o in altri giochi di carte*) puntare contro il banco **2** giocare d'azzardo **3** (*alle corse*) puntare forte su un cavallo.

punter ① /ˈpʌntə(r)/ n. **1** cacciatore (*o pescatore*) che usa un barchino **2** chi va su un fiume per diporto in un barchino (*spingendolo con una pertica*).

punter ② /ˈpʌntə(r)/ n. (*sport*) chi dà un calcio al pallone al volo.

punter ③ /ˈpʌntə(r)/ n. **1** (*nei giochi di carte*) chi fa forti puntate; scommettitore **2** giocatore d'azzardo **3** (*fam.*) fruitore; utente; cliente (*anche di una prostituta*) **4** (*slang*) individuo; tipo; tizio **5** (*slang*) compare (*di un truffatore*).

punting /ˈpʌntɪŋ/ n. **① l**'andare in un barchino spinto da una pertica (*sport praticato a Oxford, Cambridge, ecc.*).

punty /ˈpʌntɪ/ n. (*ind.*) asta di ferro per soffiatore di vetro.

puny /ˈpjuːnɪ/ a. **1** piccolo; debole; gracile: **p. arms**, braccia gracili; **a p. effort**, un debole sforzo **2** meschino; dappoco • **a p. little man**, un ometto; un omuncolo.

pup /pʌp/ n. **1** (*zool.*) cucciolo (*spec. di cane*) **2** (*fig.*) ragazzotto presuntuoso: *He's an impudent pup*, è un ragazzotto presuntuoso • **pup tent**, tenda canadese □ (*di cagna*) **to be in** (*o* **with**) **pup**, essere gravida □ (*fig.*) **to buy a pup**, prendere una fregatura; farsi bidonare (*pop.*) □ (*fig.*) **to sell sb. a pup**, imbrogliare q.; raggirare q.; bidonare q. (*pop.*).

to **pup** /pʌp/ **A** v. i. (*spec. di cagna*) figliare **B** v. t. partorire (*cuccioli*).

pupa /ˈpjuːpə/ (*zool.*) n. (pl. **pupae**, **pupas**) pupa; crisalide ‖ **pupal** a. di pupa; di crisalide.

to **pupate** /pjuːˈpeɪt/ (*zool.*) v. i. impuparsi; trasformarsi in pupa (*o in crisalide*) ‖ **pupation** n. ⓤ trasformazione in pupa.

◆**pupil** ① /ˈpjuːpɪl/ n. **1** alunno, alunna; scolaro, scolara; allievo, allieva: **pupils enrolled**, alunni iscritti **2** (*leg.*) pupillo, pupilla **3** (*leg., scozz.*) minorenne **4** (*arte*) discepolo; allievo; apprendista ‖ **pupillary** ① a. (*leg.*) di pupillo; pupillare.

pupil ② /ˈpjuːpɪl/ (*anat.*) n. pupilla (*dell'occhio*) ‖ **pupillary** ② a. della pupilla; pupillare.

pupillage /ˈpjuːpəlɪdʒ/ n. ⓤ **1** condizione di alunno **2** periodo di scolarizzazione **3** (*leg.*) l'essere pupillo **4** apprendistato; tirocinio.

puppet /ˈpʌpɪt/ n. (*anche fig.*) burattino; fantoccio; marionetta; pupo (*in Sicilia*) • (*polit.*) **a p. government**, un governo fantoccio □ **p. show** [**theatre**], rappresentazione [teatro] delle marionette; (i) burattini □ **glove p.**, burattino (*che s'infila come un guanto*).

puppeteer /ˌpʌpɪˈtɪə(r)/ n. burattinaio; marionettista; puparo (*in Sicilia*).

puppetry /ˈpʌpɪtrɪ/ n. **1** ⓤ (*collett.*) (i) burattini; (le) marionette **2** (*anche fig.*) burattinata **3** ⓤ arte del burattinaio.

◆**puppy** /ˈpʌpɪ/ n. **1** cucciolo **2** cagnolino; cagnetto **3** (*fig.*) giovincello fatuo, presun-

tuoso; ragazzetto insolente • **p. biscuit**, biscotti per cani □ (*infant.*) **p.-dog**, cucciolo; cagnolino □ (*fam.*) **p. fat**, pinguedine infantile □ (*fam.*) **p. love**, cotta giovanile; innamoramento da adolescenti ‖ **puppyish** a. **1** di (*o da*) cucciolo **2** (*fig. arc.*) fatuo; insolente; presuntuoso.

purblind /ˈpɜːblaɪnd/ a. **1** quasi cieco; molto miope **2** (*fig.*) lento (a intendere); ottuso; tardo (di comprendonio) ‖ **purblindness** n. ⓤ **1** semicecità; forte miopia **2** (*fig.*) ottusità; scarsa intelligenza.

purchasable /ˈpɜːtʃəsəbl/ a. **1** acquistabile; comperabile **2** (*di persona*) corruttibile; venale ‖ **purchasability** n. ⓤ **1** l'essere acquistabile; (*di un articolo*) disponibilità **2** corruttibilità.

◆**purchase** /ˈpɜːtʃəs/ n. **1** acquisto; compera **2** (pl.) acquisti fatti; compere; la spesa (*fam.*) **3** appiglio; presa; punto di appoggio (*per uno scalatore, ecc.*) **4** (*mecc.*) attrezzo (*o dispositivo*) di sollevamento **5** (*naut.*) paranco: **p. block**, bozzello per paranco **6** (*fig.*) posizione di vantaggio; leva (*fig.*); appoggio **7** (*sport*) giocatore acquistato; acquisto • (*fin.*) **p. and leaseback**, leasing immobiliare □ (*leg.*) **p. deed**, contratto di compravendita □ (*Borsa*) **p. for the account**, acquisto a termine □ **p. for cash**, acquisto in (*o* per) contanti □ (*rag.*) **purchases ledger**, partitario fornitori □ **p. money**, prezzo d'acquisto (*spec. d'immobili*) □ **p. on credit**, acquisto a credito □ **p. order**, ordine di acquisto □ (*fisc.*) **p. tax**, imposta sugli acquisti (*fino al 1973; cfr. ital. I.G.E.*) □ (*alpinismo, ecc.*) **to gain a p. with one's foot**, trovare un punto d'appoggio per i piedi.

◆to **purchase** /ˈpɜːtʃəs/ v. t. **1** acquistare (*anche fig.*); comperare; comprare: **to p. real estate**, comprare immobili; (*lett.*) **to p. freedom with one's blood**, acquistare la libertà a prezzo del proprio sangue **2** (*econ., fin.*) rilevare (*un'azienda, ecc.*) **3** (*naut.*) sollevare (*con paranchi*); levare (*l'ancora, ecc.*) **4** (*form.*) conquistare; ottenere (*con fatica*).

purchaser /ˈpɜːtʃəsə(r)/ n. acquirente; compratore, compratrice.

purchasing /ˈpɜːtʃəsɪŋ/ **A** a. acquirente; che acquista: **the p. party**, la parte acquirente **B** n. ⓤ **1** l'acquistare; acquisti **2** (*org. az.*) approvvigionamento □ **p. bureau**, ufficio acquisti □ (*econ.*) **p. power**, potere d'acquisto □ (*fin.*) **p.-power bond**, obbligazione indicizzata.

purdah /ˈpɜːdə/ n. (*spec. in India*) **1** cortina (*o tenda*) che separa le donne nelle case **2** (*fig.*) sistema della separazione delle donne.

◆**pure** /pjʊə(r)/ a. **1** puro; casto; schietto: **p. gold**, oro puro; **p. air** [**water**], aria [acqua] pura; **p. mathematics**, matematica pura; (*econ.*) **p. competition**, concorrenza pura **2** puro e semplice; assoluto; perfetto: *That's p. nonsense*, questa è una sciocchezza pura e semplice (*o* bell'e buona); **p. bliss**, felicità assoluta; perfetta beatitudine • (**as**) **p. as the driven snow**, puro come un giglio □ **p. blood**, sangue puro; (*fig.*) razza pura □ (*ass.*) **p. premium**, premio puro; premio matematico (*econ.*) **p. rent**, rendita pura □ **p. white**, bianco immacolato; bianchissimo □ **by p. chance**, per puro caso.

pureblooded /ˈpjʊəblʌdɪd/ a. (*di persona*) dal sangue puro; purosangue.

purebred /ˈpjʊəbred/ **A** a. (*di animale*) di razza pura; purosangue **B** n. purosangue.

purée /ˈpjʊəreɪ/, USA pjʊəˈreɪ/ (*franc.*) n. (*cucina*) purè; purea; passato (*di verdura, ecc.*).

to **purée** /ˈpjʊəreɪ/, USA pjʊəˈreɪ/ v. t. (*cucina*) ridurre in purè (*o* purea); passare (*verdure*).

◆**purely** /ˈpjʊəlɪ/ avv. **1** puramente; sempli-

cemente; soltanto: **a p. formal proposal**, una proposta puramente formale **2** castamente; in purezza: **to live p.**, vivere castamente.

pureness /ˈpjʊənəs/ n. ⓤ purezza: **the p. of the air**, la purezza dell'aria.

purfle /ˈpɜːfl/ → **purfling**.

purfling /ˈpɜːflɪŋ/ n. **1** (*archit., ecc.*) filettatura **2** (*mus.*) listello ornamentale (*d'un violino*).

purgation /pɜːˈgeɪʃn/ n. ⓤ **1** (*anche relig.*) purgazione; purificazione **2** (*med.*) purga; il purgarsi **3** (*leg., stor.*) dimostrazione d'innocenza **4** (*relig.*) purgazione canonica.

purgative /ˈpɜːgətɪv/ **A** a. purgativo; purgante **B** n. (*farm.*) purgante.

purgatory /ˈpɜːgətrɪ/ **A** n. **1** (*relig.*) purgatorio **2** (*fig.*) purgatorio; pena; sofferenza **B** a. purgatorio (*raro*); espiatorio ‖ **purgatorial** a. **1** purgatorio (*raro*); espiatorio **2** (*relig.*) del purgatorio.

purge /pɜːdʒ/ n. (*un tempo*) **1** purga; purgante **2** spurgo; spurgamento: **p. valve**, valvola di spurgo **3** (*polit.*) epurazione; purga.

to **purge** /pɜːdʒ/ **A** v. t. **1** purgare (*anche med.*); purificare **2** spurgare (*una caldaia, sedimenti, ecc.*) **3** (*leg.*) prosciogliere (*da un'accusa*); liberare (*da un sospetto*) **4** (*polit.*) epurare (*un partito, una nazione, ecc.*) **5** espiare (*una colpa, ecc.*); scontare (*una pena*) **B** v. i. **1** purgarsi (*anche med.*); purificarsi • **to p. away** (*o* **off**, **out**), liberare; pulire; sgombrare □ (*leg.*) **to p. a mortgage**, estinguere un'ipoteca □ **to p. oneself of a charge**, discolparsi □ **to p. oneself of suspicion**, dimostrare l'infondatezza di ogni sospetto sul proprio conto; scagionarsi.

purging /ˈpɜːdʒɪŋ/ n. ⓤⓒ **1** purificazione; depurazione; spurgo (*di una caldaia, ecc.*) **2** (*leg.*) proscioglimento **3** (*polit.*) epurazione **4** espiazione (*di una colpa, ecc.*) **5** (*med.*) scarica (intestinale) • (*leg.*) **the p. of a mortgage**, l'estinzione di un'ipoteca.

purificator /ˈpjʊərɪfɪkeɪtə(r)/ n. (*relig.*) purificatoio.

purificatory /pjʊərɪfɪˈkeɪtrɪ, USA pjʊəˈrɪfɪkətɔːrɪ/ **A** a. purificatorio; depurativo **B** n. → **purificator**.

to **purify** /ˈpjʊərɪfaɪ/ **A** v. t. **1** purificare **2** (*chim.*) depurare **B** v. i. **1** purificarsi; diventare puro **2** (*chim.*) depurarsi ‖ **purification** n. ⓤ **1** purificazione **2** (*chim.*) depurazione ‖ **purifier** n. **1** purificatore; purificatrice **2** depuratore (*dell'acqua, ecc.*): **air purifier**, depuratore dell'aria ‖ **purifying** **A** a. purificante; che purifica **B** n. **1** purificazione **2** (*chim.*) depurazione.

Purim /ˈpʊərɪm/ n. (*relig. ebraica*) Purim.

purine /ˈpjʊəriːn/ n. ⓤ (*biochim.*) purina.

purism /ˈpjʊərɪzəm/ n. ⓤ (*anche ling.*) purismo.

purist /ˈpjʊərɪst/ n. purista ‖ **puristic**, **puristical** a. puristico.

Puritan /ˈpjʊərɪtən/ n. e a. **1** (*stor., relig.*) puritano **2** (*fig.*) p., puritano; moralista **3** **Puritanism** n. ⓤ (*stor., relig.*) puritanesimo, puritanismo **2** – (*fig.*) **puritanism**, puritanesimo; eccessivo moralismo.

puritanical, **puritanic** /ˌpjʊərɪˈtænɪk(l)/ a. **1** (*stor., relig.*) puritano **2** (*per estens.*) rigido; severo ‖ **-ly** avv.

purity /ˈpjʊərɪtɪ/ n. ⓤ **1** purezza; purità **2** ⓤ (*scient., tecn.*) purezza.

purl ① /pɜːl/ n. **1** (= **p. stitch**) (*lavoro a maglia*) punto rovescio; maglia a rovescio **2** bordura (*o* filetto) di cordoni d'oro e d'argento **3** smerlo; orlo (*di merletto*) a piccoli cappi • (*lavoro a maglia*) **two plain, two p.**, due diritti, due rovesci.

purl ② /pɜːl/ n. ⓤⓒ (*d'un ruscello, ecc.*) **1** borbottio; mormorio; sussurro **2** moto vorticoso; vortice; mulinello.

purl ③ /pɜːl/ n. [U.C.] (*stor.*) bevanda di assenzio e di birra.

to **purl** ① /pɜːl/ v. t. e i. **1** (*lavoro a maglia*) lavorare a punto rovescio **2** fare (un certo numero di) maglie a rovescio: **knit two, p. one**, due dritti, un rovescio **3** filettare; ornare (*un abito*) con filetti (*o* con orli ricamati) **4** orlare con smerli ● **to p. a stitch**, fare un punto a rovescio.

to **purl** ② /pɜːl/ v. i. (*di ruscello, ecc.*) **1** borbottare; mormorare; sussurrare **2** scorrere vorticoso; turbinare; mulinare.

purler /ˈpɜːlə(r)/ n. (*fam.*) colpo (*o* spinta) che manda a gambe levate; capitombolo ● **to come** (*o* **to take**) **a p.**, fare un capitombolo (*o* un ruzzolone).

purlieu /ˈpɜːljuː/ n. **1** (*leg., stor.*) striscia di terra ai margini d'una foresta **2** (pl.) vicinanze; dintorni; sobborghi **3** (spesso al pl.) luogo di ritrovo; luogo d'incontro.

purlin /ˈpɜːlɪn/, **purline** /ˈpɜːlaɪn/ n. (*edil.*) arccareccio; terzera; trave maestra.

to **purloin** /pɜːˈlɔɪn/ (*form. o scherz.*) v. t. rubare; involare (*lett.*); sottrarre; trafugare ‖ **purloiner** n. ladro.

♦**purple** /ˈpɜːpl/ Ⓐ n. ◊ **1** (color) viola **2** porpora (*sostanza e colore*): *Tyrian p.*, porpora di Tiro **3** – **the p.**, la porpora regia; (*per estens.*) la dignità regia; **born to the p.**, nato principe; di sangue reale **4** – **the p.**, la porpora prelatizia; (*per estens.*) la dignità cardinalizia, la porpora: **to be raised to the p.**, essere innalzato alla porpora Ⓑ a. **1** viola; violaceo **2** di porpora; purpureo; porporino **3** (*fig.*) regale; imperiale **4** paonazzo: *He went p. in the face with rage*, diventò paonazzo per la rabbia ● (*zool.*) **p. emperor** (*Apatura iris*) apatura iris □ (*zool.*) **p. gallinule** (*Porphyrio porphyrio*) pollo sultano; porfirione □ (*USA*) **P. Heart**, medaglia al valore (*per ferite riportate in guerra*) □ (*fam. ingl.*) **p. heart**, compressa a base di anfetamina (*a forma di cuore*) □ **a p. passage**, un brano dallo stile elaborato □ (*fig.*) **a p. patch**, un periodo felice (*o* molto fortunato): = **p. passage** → *sopra* □ **p. prose**, prosa molto ornata; prosa elaborata.

to **purple** /ˈpɜːpl/ Ⓐ v. t. imporporare; tingere di porpora Ⓑ v. i. imporporarsi.

purplish /ˈpɜːplɪʃ/, **purply** /ˈpɜːplɪ/ a. tendente al purpureo; alquanto porporino; violaceo.

purport /ˈpɜːpət/ n. ◊ **1** senso; significato; portata, valore (*d'una parola, ecc.*) **2** (*lett.*) intenzione; proposito; scopo.

to **purport** /pəˈpɔːt/ v. t. **1** (*di documento, discorso, ecc.*) significare; voler dire; dichiarare, stabilire (*un fatto, ecc.*) **2** dare l'impressione di; dare a intendere; far apparire; pretendere; voler passare per: *The article purports to be a faithful account of the events*, l'articolo pretende di essere un resoconto fedele degli eventi ‖ **purported** a. presunto; supposto ‖ **purportedly** avv. a quel che si dice; secondo la gente (*fam.*).

♦**purpose** /ˈpɜːpəs/ n. **1** proposito; fine; scopo; intenzione; mira; disegno: *I will effect my p.*, porterò a compimento il mio proposito; *The p. of the reform is to provide better medical care to senior citizens*, lo scopo della riforma è quello di garantire una migliore assistenza medica agli anziani **2** [U] decisione; fermezza; risolutezza ● (*edil.*) **p.-built**, costruito su commissione (*o* appositamente): **p.-built homes for old people**, case per anziani □ **p.-made**, (fatto) su ordinazione: **p.-made joinery**, lavori di falegnameria fatti su ordinazione □ **to answer** (*o* **to serve**) **one's p.**, servire; andare bene; fare al caso proprio: *I haven't got a screwdriver, but a knife will answer the same p.*, non ho un cacciavite, ma un coltello andrà bene (lo stesso) □ **for all practical**

purposes, a tutti gli effetti; praticamente □ **a man of p.**, un uomo risoluto □ **on p.**, di proposito; apposta: *He did it on p.*, l'ha fatto apposta □ **to little p.**, con scarsi risultati □ **to no p.**, senza alcun risultato □ **to some p.**, con qualche (buon) risultato; non invano □ **to the p.**, a proposito; pertinente; utile □ **to be weak of p.**, essere indeciso (*o* irresoluto).

to **purpose** /ˈpɜːpəs/ v. t. proporsi; intendere; aver l'intenzione di; volere: *He purposes to write* (*o* *writing*) *the story of his life*, si propone di scrivere la storia della sua vita.

purposeful /ˈpɜːpəsfl/ a. **1** deciso; fermo; risoluto **2** pieno di buona volontà; volenteroso **3** che ha uno scopo; finalizzato ‖ **-ly** avv.

purposefulness /ˈpɜːpəsflnəs/ n. [U] **1** decisione; fermezza; risolutezza **2** l'essere volenteroso **3** l'essere finalizzato (*a uno scopo*).

purposeless /ˈpɜːpəsləs/ a. **1** indeciso; incerto; irresoluto **2** senza scopo; inutile: **p. violence**, violenza inutile ‖ **-ly** avv. ‖ **-ness** n. [U].

purposely /ˈpɜːpəslɪ/ avv. di proposito; apposta; intenzionalmente.

purposive /ˈpɜːpəsɪv/ a. **1** fatto con uno scopo; intenzionale; voluto **2** finalizzato (*a uno scopo*); utile **3** ragionato: **a p. sample**, un campione ragionato.

purpura /ˈpɜːpjʊərə/ n. [U] (*med.*) porpora.

purpuric /pɜːˈpjʊərɪk/ a. (*chim., med.*) purpurico: **p. acid**, acido purpurico; **p. fever**, febbre purpurica.

purpurin /ˈpɜːpjʊərɪn/ n. [U] (*chim.*) porporina.

purpurite /ˈpɜːpjʊəraɪt/ n. [U] (*miner.*) purpurite.

purr /pɜː(r)/, **purring** /ˈpɜːrɪŋ/ n. **1** (*del gatto*) fusa; (il) fare le fusa **2** (*per estens.*) ronzio (*del motore, ecc.*).

to **purr** /pɜː(r)/ Ⓐ v. i. **1** (*del gatto*) fare le fusa **2** (*fig.*) essere soddisfatto; esprimere soddisfazione **3** (*per estens.: di un motore*) ronzare sommessamente Ⓑ v. t. esprimere (*un sentimento*), dire (*parole*) a bassa voce e in tono lieto ● (*fig.*) **to p. with delight**, fare le fusa per la gioia.

♦**purse** /pɜːs/ Ⓐ n. **1** borsa (*anche fig.*); borsellino (*da uomo*); portamonete: **a light p.**, un borsellino vuoto (*o* all'asciutto); **a leather p.**, un portamonete di cuoio **2** borsellino da donna; borsetta (*cfr. USA:* **coin p.**) **3** (*USA*) borsa (*da donna*) **4** (*sport*) premio; (*boxe*) borsa: **to put up a p.**, mettere in palio una borsa **5** (*form.*) risorse finanziarie; borsa; cassa: **the public p.**, la borsa pubblica; **to have a common p.**, fare cassa comune ● **p.-bearer**, cassiere; tesoriere □ **p.-net** (*o* **p.-seine**), senna a sacco; sciabica □ (*USA*) **p.-snatcher**, scippatore □ (*USA*) **p.-snatching**, scippo □ **to be beyond one's p.**, non essere alla portata della propria borsa: *Those shoes are beyond my p.*, quelle scarpe non posso proprio permettermele □ (*fig.*) **to hold the p. strings**, tenere i cordoni della borsa □ **to live within one's p.**, vivere secondo le proprie possibilità; fare il passo secondo la gamba □ (*fig.*) **to tighten** [**to loosen**] **the p. strings**, stringere [allargare] i cordoni della borsa.

to **purse** /pɜːs/ Ⓐ v. t. (*spesso* **to p. up**) arricciare; aggrottare; corrugare; torcere: **to p. up one's brows**, aggrottare le ciglia; **to p. up one's lips**, torcere le labbra Ⓑ v. i. (*della fronte, delle labbra, ecc.*) arricciarsi; aggrottarsi; corrugarsi; incresparsi.

purser /ˈpɜːsə(r)/ n. (*naut.*) commissario di bordo.

purslane /ˈpɜːslɪn/ n. (*bot., Portulaca oleracea*) porcellana; procaccia; procacchia.

pursuance /pəˈsjuːəns/ n. [U] **1** adempimento; esecuzione: **in the p. of one's duty**, nell'adempimento del proprio dovere **2** proseguimento ● (*leg.*) **the p. of truth**, la ricerca della verità □ (*bur.*) **in p. of**, in esecuzione di; in applicazione di (*una legge, ecc.*); conformemente a.

pursuant /pəˈsjuːənt/ a. che segue; che consegue ● **p. to**, in conformità con; aderendo a; facendo seguito a; (*leg.*) ai sensi di.

♦to **pursue** /pəˈsjuː/ v. t. e i. **1** inseguire; incalzare; perseguitare; dar la caccia a: **to p. the enemy**, inseguire il nemico; *Bad luck pursued him all the time*, la sfortuna lo perseguitava di continuo; **to p. a prey**, dare la caccia a una preda **2** seguire; cercare; andare in cerca di; perseguire: **to p. pleasure**, andare in cerca del piacere; **to p. one's aim** (*o* **end**), perseguire il proprio scopo **3** continuare; proseguire; portare avanti; attendere a: **to p. one's studies**, proseguire gli studi; **to p. the matter**, approfondire la questione; **to p. one's task**, attendere al proprio compito **4** (*leg., scozz.*) fare causa a (q.) ● **to p. a road** (*o* **a path**), proseguire per una strada □ **Don't ask, don't tell, (don't pursue)** → **to ask**.

pursuer /pəˈsjuːə(r)/ n. **1** inseguitore, inseguitrice **2** (*leg., scozz.*) attore (*in giudizio*).

pursuit /pəˈsjuːt/ n. **1** inseguimento; caccia; ricerca: **the p. of game**, l'inseguimento della selvaggina; **the p. of knowledge**, la ricerca del sapere **2** (*form.*) occupazione; attività: **outdoor pursuits**, attività all'aperto **3** passatempo; svago: **literary pursuits**, svaghi (*o* interessi) letterari **4** obiettivo; scopo **5** (*ciclismo*) (gara a) inseguimento (*la specialità su pista*) **6** (*leg., scozz.*) procedimento ● **to be in p. of**, andare in cerca di; dar la caccia a; perseguire; (*ciclismo, ecc.*) essere all'inseguimento di (*un uomo in fuga*) □ **to be in hot p.**, essere alle calcagna (*di q.*).

pursuivant /ˈpɜːsɪvənt/ n. **1** (*stor.*) assistente dell'araldo; valletto d'arme **2** (*poet.*) accompagnatore; seguace.

pursy ① /ˈpɜːsɪ/ a. **1** asmatico; bolso **2** (*arc.*) corpulento; grasso.

pursy ② /ˈpɜːsɪ/ a. arricciato; corrugato; aggrottato; increspato: **p. lips**, labbra arricciate (*per il disgusto, ecc.*).

purulent /ˈpjʊərələnt/ (*med.*) a. purulento ‖ **purulence, purulency** n. [U] purulenza; suppurazione.

to **purvey** /pəˈveɪ/ Ⓐ v. t. fornire; provvedere; approvvigionare Ⓑ v. i. – **to p. for**, approvvigionare; essere fornitore di.

purveyance /pəˈveɪəns/ n. [U] **1** fornitura; approvvigionamento **2** provvigioni; provviste **3** (*stor.*) diritto della Corona inglese di acquistare provviste fissandone il prezzo.

purveyor /pəˈveɪə(r)/ n. fornitore; approvvigionatore: **P. to the Royal Household**, fornitore della Casa Reale (*in GB*).

purview /ˈpɜːvjuː/ n. **1** (*leg.*) testo (o dispositivo) (*di una legge*); portata (*d'una legge*) **2** intento; intenzione; mira; scopo **3** [U] ambito; campo (d'azione); sfera di competenza; portata; limiti: **to lie within the p. of an inquiry**, rientrare nell'ambito di un'indagine **4** campo visivo; visuale (*anche fig.*).

pus /pʌs/ n. [U] (*med.*) pus.

push /pʊʃ/ n. **1** spinta (*anche fig.*); spintone; urto; impulso: *Nuclear physics was given a tremendous p. by war*, la fisica nucleare ricevette un'enorme spinta dalla guerra **2** il pigiare; pressione: **at the p. of a button**, premendo un pulsante **3** sforzo; impegno: **to make a p.**, fare uno sforzo; mettercela tutta **4** [U] (*fam.*) grinta (*fam.*); decisione; risolutezza; iniziativa; vigore; energia; aggressività: *After the reshuffle, the gov-*

ernment acquired new p., dopo il rimpasto, il governo acquistò nuovo vigore **5** (*mil.*) offensiva; attacco in forze **6** (*fam.*) folla; ressa (*a una festa, ecc.*) **7** (= **p. button**) pulsante **8** (*market.*) forte campagna promozionale **9** (*slang*) banda; cricca **10** (*slang ingl.*) – **the p.**, il licenziamento; (*anche*) l'abbandono **11** (*slang*) faticata; sgobbata **12** (*baccarà, punto banco, ecc.*) pareggio; égalité (*franc.*) ● (*fam.*) **p.-bike**, bicicletta □ (*baseball*) **p. bunt**, smorzata con spinta □ **p. button**, pulsante □ **p.-button**, a pulsante □ (*telef.*) **p.-button dialling**, selezione a pulsanti □ **p.-button panel**, pulsantiera □ (*elettr.*) **p.-button switch**, interruttore a pulsante □ (*radio, TV*) **p.-button tuner**, sintonizzatore a pulsante □ **p.-button warfare**, guerra tecnologica (*o* dei bottoni) □ (*market.*) **p. money**, incentivo in denaro (*a un venditore*) □ (*elettron.*) **p.-pull**, «push-pull»; in controfase: **p.-pull amplifier**, amplificatore in controfase □ (*mecc.*) **p. rod**, asta di comando; punteria □ (*comput.*) **p. technology**, tecnologia 'push' (*tecnologia che gestisce l'invio automatico di informazioni all'utente*) □ **at a p.**, in caso d'emergenza; in un momento critico; al bisogno □ (*slang*) **to get the p.**, essere abbandonato, essere scaricato (*dal partner*); farsi licenziare; farsi buttar fuori □ (*slang*) **to give sb. the p.**, lasciare, scaricare (*il partner*); licenziare q.; buttar fuori q. □ **when** (*o* **if**) **it comes to the p.**, quando (*o* se) arriva il momento critico.

♦to **push** /puʃ/ **A** v. t. **1** spingere; premere; pigiare; schiacciare: *He pushed me into a corner*, mi spinse in un angolo; **to p. a button**, premere un pulsante **2** spingere (*fig.*); fare pressioni su (q.): *My father pushed me to study* (*o into studying*) *law*, mio padre mi ha spinto a studiare legge **3** spingere (*fam.*); cercare d'imporre (*un candidato, un prodotto, ecc.*); fare una grande pubblicità a **4** (*slang*) spacciare (*droga*) **5** (*slang USA*) vendere porta a porta **6** (*slang USA*) spacciare; fare fuori (*pop.*); uccidere **7** (*slang USA*) guidare (*un taxi, ecc.*) a tutta birra (*pop.*). **B** v. i. **1** spingere, dare spinte; premere; fare pressione: *Stop pushing!*, smettila di spingere! **2** (*lett.*) spingersi; addentrarsi; inoltrarsi: *We pushed into the undergrowth*, ci addentrammo nel sottobosco **3** (*nella forma progressiva*) andare per, avvicinarsi a; essere quasi (*una certa ora*): *He's pushing sixty*, va per i sessanta (anni); *It was pushing 12 o'clock when the train came in*, era quasi mezzogiorno quando il treno entrò in stazione ● **to p. the door open** [**shut**], aprire [chiudere] la porta con una spinta □ **to p. one's luck** (**too far**), sfidare la fortuna (*o* la sorte); azzardare troppo □ **to p. oneself**, darsi da fare, darci sotto; (*anche* **to p. oneself forward**) farsi avanti (*fig.*): **to p. oneself too hard**, lavorare troppo; strafare □ **to p. past sb.**, dare uno spintone a q. per passare; spingere q. da parte (*market.*) □ **to p. sales**, incentivare le vendite □ **to be pushed for time** [**for money**], essere a corto di tempo [di denaro].

■ **push about** v. t. + avv. comandare (q.) a bacchetta; dare di continuo ordini a (q.).

■ **push ahead A** v. t. + avv. spingere avanti (*una carriola, una persona, ecc.*) **B** v. i. + avv. **1** (*nelle corse*) farsi avanti; avanzare **2** tirare (*o andare*) avanti; avanzare (*o continuare*) con determinazione; darci sotto (*fam.*).

■ **push along A** v. t. + avv. → **push ahead**, **A B** v. i. + avv. (*fam.*) andare via; andarsene.

■ **push around** → **push about**.

■ **push aside** v. t. + avv. **1** spingere (q.) da parte (*o* di lato) **2** (*fig.*) mettere (q.) da parte; scartare; lasciare a casa (*un dipendente, un candidato, ecc.*).

■ **push away A** v. i. + avv. continuare a spingere **B** v. t. + avv. **1** spingere via; allon-

tanare da sé; respingere **2** (*boxe, lotta*) allontanare (*un avversario*) con una spinta.

■ **push back** v. t. + avv. **1** spingere indietro; respingere (q.) **2** tirare indietro (*i capelli dalla fronte, ecc.*) **3** (*mil. e sport*) respingere (*attaccanti*); rintuzzare (*un attacco*).

■ **push by** v. i. + avv. spingere; farsi avanti spingendo (*o* a spintoni), spintonare.

■ **push forward A** v. t. + avv. **1** spingere avanti **2** (*mil.*) continuare (*un'avanzata*) **3** (*fig.*) avanzare (*un'idea, ecc.*) **4** presentare (*qc. all'attenzione di q.*) **5** accampare, far valere (*un diritto, ecc.*) **6** (*sport: dell'allenatore*) mettere (*un giocatore*) in posizione avanzata **B** v. i. + avv. → **push ahead**, **B** □ **to p. oneself forward**, farsi avanti; (*sport*) portarsi in avanti.

■ **push home** v. t. + avv. spingere a fondo: **to p. the attack home**, spingere a fondo l'attacco (*o* l'offensiva).

■ **push in A** v. t. + avv. spingere dentro; far entrare a forza **B** v. i. + avv. **1** entrare a spintoni (*o* spintonando: *in una fila o coda*) **2** (*fam.*) intromettersi; interloquire con poco garbo.

■ **push into** v. t. + prep. **1** spingere dentro, fare entrare a forza in (*un luogo*) **2** spingere, costringere, forzare; convincere: **to p. sb. into doing st.**, spingere q. a fare qc.

■ **push off A** v. i. + avv. **1** (*di barca*) prendere il largo; partire **2** (*slang*) andare via; andarsene **B** v. t. + avv. **1** sospingere, spingere **2** (*mil. e sport*) respingere (*attaccanti*); rintuzzare (*un attacco*) **3** (*hockey su ghiaccio*: *del portiere*) respingere.

■ **push on** → **push ahead**.

■ **push out A** v. i. + avv. (*di barca*) prendere il largo **B** v. t. + avv. **1** spingere fuori; buttare (*o* mettere) fuori **2** spingere (qc.) in fuori; estrarre (*premendo*) **3** (*fam.*) buttare fuori; licenziare **4** (*sport*) eliminare (*un giocatore*) **5** (*hockey su ghiaccio*) buttare (il disco) fuori campo □ (*fig. fam.*) **to p. the boat out**, fare gran festa; fare le cose in grande.

■ **push over** v. t. + avv. far cadere, buttare giù (*o* qc.) con una spinta.

■ **push through A** v. t. + avv. **1** far passare (q.) a fatica **2** far approvare (*una legge, un candidato, ecc.*) **B** v. i. + avv. passare a forza (*o* a stento) □ **to p. one's way through**, farsi largo a spintoni.

■ **push under** v. t. + avv. **1** spingere (qc.) sotto **2** (*pallanuoto*) affondare (*l'avversario: è fallo*).

■ **push up A** v. t. + avv. **1** spingere (*la bicicletta, ecc.*) in salita **2** sollevare; far alzare; spingere in su **3** (*fig.*) aiutare (q.) a far carriera **4** far salire, alzare (*prezzi, quantitativi, ecc.*) **B** v. i. + avv. **1** avanzare con decisione **2** (*USA*) fare una flessione sulle braccia □ (*fam.*) **to p. up the daisies**, essere morto e sepolto.

pushbutton /ˈpʊʃbʌtn/ = **push-button** → **push** ①.

pushcart /ˈpʊʃkɑːt/ n. carretto (*a mano*); carretto di ambulante.

pushchair /ˈpʊʃtʃɛə(r)/ n. (*GB*) passeggino.

pushed /pʊʃt/ a. (*fam.*) **1** indaffarato; occupato; preso **2** in difficoltà; nei guai; a disagio.

pusher /ˈpʊʃə(r)/ n. **1** chi spinge; chi si fa largo a spinte **2** (*fam.*) persona intraprendente; arrivista; opportunista **3** (*ferr.*) locomotiva di spinta **4** (*aeron.*) elica spingente; (= **p. aeroplane**) aereo con elica spingente **5** (*slang*) chi spinge (*un avversario o un ciclista*) **6** (*slang*) spacciatore di droga.

pushful /ˈpʊʃfl/ a. intraprendente; energico; aggressivo; grintoso (*fam.*) | **-ly** avv. | **-ness** n. ▣.

push-in /ˈpʊʃɪn/ n. (*hockey su ghiaccio*) rimessa in gioco.

pushing ① /ˈpʊʃɪŋ/ a. **1** che spinge **2** che

si avvicina all'età di; quasi all'ora di (*cfr.* **to push**, **B**, *def.* 4): *He's p. fifty*, s'avvicina ai cinquanta.

pushing ② /ˈpʊʃɪŋ/ n. ▣ **1** lo spingere **2** (*sport*) spinta, spinte (*fallo*).

push-off /ˈpʊʃɒf/ n. **1** spinta (*per allontanare q.*) **2** (*nuoto*) virata (*in piscina*) **3** (*tuffi*) impulso (*dal trampolino*).

push-out /ˈpʊʃaʊt/ n. (*sport*) eliminazione (*di un giocatore*).

pushover /ˈpʊʃəʊvə(r)/ n. (*fam.*) **1** cosa facilissima; bazzecola; inezia; passeggiata; scherzo (*fig.*) **2** (*sport*) avversario non temibile; squadra materasso (*fam.*); partita facilissima **3** gonzo; merlo; pollo (*fig.*); facile preda.

pushpin /ˈpʊʃpɪn/ n. (*USA*) puntina da disegno.

push-start /ˈpʊʃstɑːt/ n. avviamento (*o* partenza) a spinta (*di auto o moto*).

to **push-start** /ˈpʊʃstɑːt/ v. t. avviare a spinta (*una motocicletta, una macchina*).

push-up /ˈpʊʃʌp/ n. **1** spinta verso l'alto **2** (*USA*) flessione sulle braccia (*cfr. ingl.* **press-up**) ● **push-up bra**, reggiseno a balconcino □ (*ginnastica*) **push-up stand**, ganci di fissaggio (*di un vogatore*).

pushy /ˈpʊʃɪ/ a. **1** intraprendente; energico; aggressivo; grintoso (*fam.*) **2** che sa imporsi; che si fa valere; invadente; sfacciato; prepotente: *I don't want to be p.*, non voglio impormi ● **a p. salesman**, un venditore insistente | **-ily** avv. | **-iness** n. ▣.

pusillanimous /ˌpjuːsɪˈlænɪməs/ a. pusillanime; vile || **pusillanimity** n. ▣ pusillanimità; viltà || **pusillanimously** avv. pusillanimemente; vilmente.

puss /pʊs/ n. **1** micio; micino **2** (*fam.*) ragazza **3** (*slang USA, antiq.*) faccia; muso **4** (*irl.*) faccia lunga; muso ● **p. in the corner**, (*gioco dei*) quattro cantoni.

pussy ① /ˈpʊsɪ/ n. (*infant.*, = **pussycat**) micio; micino **2** (*bot., fam.*) gattino, amento (*del salice*).

pussy ② /ˈpʊsɪ/ n. (*volg.*) **1** fica, passera (*volg.*) **2** fica (*volg.*); ragazza; (collett.) le donne, il sesso **3** (*slang*) tipo effeminato ● (*di un uomo*) **p.-whipped**, succube della moglie (*o* della fidanzata, dell'amante, ecc.).

pussycat /ˈpʊsɪkæt/ n. **1** micio, micia; micino, micina **2** (*fig.*) timidone; tipo debole.

pussyfoot /ˈpʊsɪfʊt/ n. (pl. **pussyfoots**) (*fam.*) chi non si compromette; chi è molto prudente; svicolone (*fam.*).

to **pussyfoot** /ˈpʊsɪfʊt/ v. i. **1** muoversi in modo circospetto (*o* furtivamente) **2** non prendere posizione; evitare di compromettersi; svicolare (*fam.*).

pussyfooter /ˈpʊsɪfʊtə(r)/ n. (*USA*) **1** → **pussyfoot 2** proibizionista.

pussy willow /ˈpʊsɪˈwɪləʊ/ loc. n. (*bot.*) **1** (*Salix*) salice **2** (*Salix discolor*) salice americano.

to **pustulate** /ˈpʌstjʊleɪt/ (*med.*) v. t. e i. formar pustole; coprire (*o* ricoprirsi) di pustole || **pustulation** n. ▣ formazione di pustole.

pustule /ˈpʌstjuːl/ n. **1** (*med.*) pustola **2** (*bot.*) gonfiore; escrescenza || **pustular**, **pustulate** a. (*med.*) pustoloso || **pustulous** a. (*med.*) pustoloso.

put ① /pʊt/ n. **1** (*sport*, = **shot put**) lancio (*del peso*) **2** (*Borsa*, = **put option**) opzione di vendita (*di azioni*) ● (*Borsa*) **put and call** (**option**), opzione doppia (*per acquisto o vendita, a scelta*); stellaggio; stellage (*franc.*) □ **put of more**, contratto (a premio) di aggiunta; noch per consegnare □ **put price**, prezzo dello stellaggio.

put ② /pʊt/ a. (*fam.*) fermo; immobile; irremovibile: **to stay put**, restare immobile; es-

sere irremovibile.

put ③ /pʌt/ → **putt**.

♦to **put** ① /pʊt/ (pass. e p. p. *put*) **A** v. t. **1** mettere; porre; collocare; apporre; disporre; imporre; aggiungere: *I'll put the car into the garage*, metterò l'auto in garage; *Put yourself in my place*, mettiti al mio posto (o nei miei panni); *He put the matter in my hands*, mise la faccenda nelle mie mani; *A new tax was put on cattle*, fu imposta una nuova tassa sul bestiame **2** (*atletica*) lanciare **3** esporre; esprimere; presentare; dire: *I put the matter to him*, gli esposi la faccenda; *I cannot put it into words*, non so esprimerlo (o dirlo) a parole; *He has a strange way of putting things*, ha uno strano modo di presentare le cose **4** porre; proporre; presentare; sottoporre; fare: *I put the case to the manager*, sottoposi il caso al direttore; **to put a question to the vote**, mettere (o porre) ai voti una questione **5** calcolare; stimare; valutare: *The damage is put at £1m*, si stima che i danni ammontino a un milione di sterline **6** attribuire; ascrivere; dare **7** (*nelle corse*) puntare, scommettere (*denaro*) **8** piantare; conficcare; infiggere: **to put a knife into sb.**, conficcare un coltello in corpo a q.; accoltellare q. **9** (*sport: calcio, ecc.*) piazzare (*un tiro*) **B** v. i. (*spec. naut.*) procedere; dirigersi; far rotta per: **to put to sea**, prendere il largo; allontanarsi • (*eufem.*) **to put an animal to sleep**, sopprimere un animale □ **to put the blame on sb.**, dare la colpa a q. □ **to put a check on st.**, mettere un freno a qc. □ **to put an end to**, por fine a; porre termine a □ **to put a field to** (o **under**) **potatoes**, mettere un campo a patate □ (*fig. fam.*) **to put one's foot in it** (o **in one's mouth**), fare una gaffe, farla grossa □ (*comm.*) **to put goods on the market**, immettere merce in un mercato □ **to put sb. in mind of st.**, ricordare (o rammentare) qc. a q. □ **to put sb. in possession of st.**, far entrare q. in possesso di qc. □ **to put sb. in the wrong**, mettere q. dalla parte del torto □ **to put a law in force**, far entrare in vigore (o rendere esecutiva) una legge □ **to put money to good use**, far buon uso del denaro □ **to put new life into**, infondere nuova vita in □ **to put oneself**, mettersi: **to put oneself on a diet**, mettersi a dieta; **to put oneself in sb.'s shoes**, mettersi nei panni di q.; **to put oneself in sb.'s place**, mettersi al posto di q.; **to put oneself at ease**, mettersi a proprio agio □ **to put paid to a matter**, sistemare una faccenda □ (*USA*) **to put st. on the street**, mettere in piazza qc.; raccontare qc. in giro □ **to put pressure on sb.**, mettere q. sotto pressione □ **to put sb. right**, correggere q. □ **to put st. right**, mettere a posto, aggiustare qc.: **to put a matter right**, sistemare una faccenda □ (*fig.*) **to put a spoke in sb.'s wheel**, mettere il bastone fra le ruote a q. □ **to put to bed**, mettere a letto □ **to put sb. to death**, mettere a morte q. □ **to put sb. to flight**, mettere in fuga q. □ **to put sb. to sleep**, far addormentare q. □ **to put sb. to the sword**, passare q. a fil di spada □ **to put st. to use**, fare uso di qc.; servirsi di qc. □ (*fam. USA*) **to put sb. wise**, avvertire q. (*di qc.*); aprire gli occhi a q. (*fig.*) □ **to be hard put**, trovarsi in grande difficoltà; essere messo alle strette: *I was hard put to finish my work in time*, mi ci volle del bello e del buono per finire in tempo il lavoro.

■ **put about A** v. i. + avv. (*naut.*) invertire la rotta; virare di bordo **B** v. t. + avv. **1** invertire la rotta di (*una nave*): **Put her about!**, invertire la rotta! **2** diffondere, mettere in giro (*notizie*) **3** (*spec. scozz.*) seccare; scocciare; disturbare □ **to put oneself about**, mostrarsi in giro, farsi vedere in pubblico; darsi da fare, darci sotto; (*di donna*) darsi da fare, darla via (*volg.*); (*di uomo*) darsi da fare con le donne.

■ **put across A** v. t. + avv. **1** mettere (qc.) di traverso; gettare (*un ponte su un fiume*) **2** (*fam.*) comunicare; convogliare, trasmettere (*un'idea, un messaggio, ecc.*) **3** (*fam.*) concludere, portare a termine (*un affare e sim.*) **B** v. t. + prep. **1** mettere di traverso su (*trasp.*) traghettare **3** (*fam.*) far credere, rifilare: *I put one across my boss yesterday*, ieri ho rifilato una frottola al capo □ **to put a bridge across a river**, scavalcare un fiume con un ponte □ **to put it across to sb.**, darla a bere a q. (*fig.*).

■ **put ahead** v. t. + avv. **1** anticipare **2** (*sport*) portare in vantaggio (*la propria squadra*) □ **to put the clock ahead**, mettere avanti l'orologio.

■ **put aside** v. t. + avv. **1** mettere da parte; accantonare; dimenticare: **to put aside one's differences**, accantonare le proprie divergenze **2** abbandonare; mettere via (o da parte) **3** mettere da parte; tenere in serbo; risparmiare: **to put aside some money**, mettere da parte un po' di soldi.

■ **put away** v. t. + avv. **1** mettere via; riporre; portare via (*un veicolo, ecc.*): *Put away your things!*, metti via le tue cose! **2** mettere via (o da parte); tenere in serbo; risparmiare **3** mettere da parte, rinunciare a (*un'idea, ecc.*) **4** (*fam.*) papparsi, far fuori (*cibo, ecc.*); scolarsi (*bevande*) **5** (*fam.*) mettere dentro (*in carcere o in manicomio*); mandare in galera **6** (*fam.*) eliminare, sopprimere (*un animale malato*) **7** (*fam. USA*) far fuori; battere; sconfiggere **8** (*Bibbia*) ripudiare (*una moglie*).

■ **put back A** v. t. + avv. **1** tirare indietro (*una sedia, i capelli, ecc.*) **2** rimettere a posto, rimettere: *Put it back on the shelf!*, rimettilo sullo scaffale!; (*sport*) **to put the ball back in play**, rimettere in gioco la palla **3** mettere indietro: **to put the clock back**, mettere indietro l'orologio (*anche fig.*) **4** posticipare, rinviare, spostare: *The meeting was put back to April 20th*, la riunione fu rinviata al 20 aprile; *The conference in Edinburgh has been put back to the start of November*, la conferenza a Edimburgo è stata rinviata all'inizio di novembre **5** (*far*) ritardare; rallentare; ostacolare: *The strike has put back production*, lo sciopero ha rallentato la produzione **6** rimettere su, riacquistare (*peso corporeo*) **B** v. i. + avv. (*naut.*) tornare (indietro): **to put back into harbour**, tornare in porto □ *The trip abroad put me back 1,000 pounds*, il viaggio all'estero m'è costato 1000 sterline.

■ **put before** v. t. + prep. **1** mettere (o porre) (qc.) davanti a (q.) **2** anteporre a **3** portare (*un progetto, ecc.*) davanti a; presentare a **4** offrire (*una scelta*) □ (*fig.*) **to put the cart before the horse**, mettere il carro davanti ai buoi.

■ **put behind** v. t. + avv. **1** far ritardare; tenere indietro (q. *o* qc.) **2** (*fig.*) gettarsi (qc.) dietro le spalle; trascurare.

■ **put by** v. t. + avv. **1** → **put aside 2** eludere, scansare, lasciar perdere (*una domanda, un argomento, ecc.*).

■ **put down A** v. t. + avv. **1** mettere giù; posare; deporre: **to put down one's suitcase [the receiver]**, mettere giù la valigia [posare la cornetta]; **to put down arms**, deporre le armi; *I haven't been able to put the book down*, non sono riuscita a staccarmi dal libro **2** far scendere, scaricare (q. *da un veicolo*): *He put me down at the gate*, mi fece scendere davanti al cancello **3** (*aeron.*) far scendere (*un aereo: sulla terra o anche sull'acqua*) **4** abbattere; eliminare; reprimere, sopprimere; domare: **to put down a revolt**, domare (o stroncare) una rivolta **5** opprimere (*un popolo, ecc.*) **6** ridurre al silenzio; far tacere **7** buttare giù (*fam.*); annotare; scrivere; registrare; segnare: *I put it down in my notebook*, me lo annotai sul taccuino

8 (*comm.*) dare (*una somma*) come anticipo **9** segnare (*q. per una colletta, qc. in conto a q.*): *You can put me down for ten pounds!*, puoi segnarmi per dieci sterline! **10** (*fam.*) disapprovare; criticare; mortificare; umiliare; snobbare; buttare giù (*fam.*) **11** (*fam.*) buttare giù; divorare; tranguggiare **12** (*fam.*) abbattere, sopprimere (*un animale*) **13** (*form.*) mettere in lista; segnare il nome di; iscrivere **B** v. i. + avv. **1** (*aeron.*) scendere, posarsi: *His plane had to put down in the sea*, il suo aereo dovette ammarare **2** (*form.*) mettersi in lista; iscriversi □ **to put down as**, giudicare, ritenere; capire subito che: *I put him down as a salesman*, mi pare che sia un venditore □ **to put down to**, attribuire, imputare: *The outbreak of the civil war was put down to the barons*, lo scoppio della guerra civile fu imputato ai baroni □ **to put one's foot down**, (*autom.*) pigiare l'acceleratore; (*fam.*) puntare i piedi, agire con fermezza □ (*fig.*) **to put down roots**, mettere radici.

■ **put forth** v. t. + avv. **1** (*di piante*) mettere (*foglie, gemme*) **2** (*arc.*) stendere (*la mano, ecc.*) **3** (*arc.*) produrre, fare (*uno sforzo, ecc.*) **4** (*arc.*) pubblicare **5** → **put forward, A, def. 2**.

■ **put forward** v. t. + avv. **1** mettere avanti (*un oggetto qualsiasi, un orologio, ecc.*): **to put the clock forward one hour**, mettere avanti l'orologio di un'ora **2** proporre; avanzare; suggerire: **to put forward a new theory**, avanzare una nuova teoria; **to put forward sb.'s name**, proporre q.; fare il nome di q. **3** anticipare (*una riunione, ecc.*): (*sport*) **to put a match forward**, anticipare una partita **4** far anticipare (*un raccolto, le messi, ecc.*) **5** portare (q.) alla ribalta (*fig.*) □ **to put oneself forward**, mettersi in evidenza; farsi avanti (*come candidato*).

■ **put in A** v. t. + avv. **1** mettere dentro; inserire; introdurre: **to put in a special clause**, introdurre una clausola speciale **2** metterci (*energia, lavoro, ecc.*): *I've put in a few years' work on this dictionary*, ci ho messo alcuni anni di lavoro a fare questo dizionario **3** passare, dedicare (*tempo*); fare (*fam.*): **to put in eight hours at the office**, fare otto ore (filate) in ufficio **4** mettere (*personale, apparecchi, ecc.*); impiegare; installare **5** (*ass., leg.*) presentare: **to put in a claim for damages**, presentare una richiesta di risarcimento **6** (*polit.*) far eleggere; mandare al potere **7** (*sport*) inserire, mettere in squadra (*un giocatore*) **8** (*boxe*) assestare, piazzare (*un colpo*) **9** (*sport*) mandare (o mettere) in campo **10** (*nelle corse, ecc.*) iscrivere **B** v. i. + avv. **1** interloquire; intromettersi: «*It's too late*», *she put in*, «è troppo tardi», disse lei, interloquendo **2** (*naut.*) attraccare; fare scalo □ **to put in an appearance**, farsi vedere; (*leg.*) comparire in giudizio □ **to put in a bid**, fare un'offerta all'asta □ (*leg.*) **to put in evidence**, fornire (o addurre) prove □ (*fam.*) **to put one's oar in**, intromettersi; voler aiutare per forza.

■ **put in for A** v. t. + avv. + prep. **1** iscrivere a (*un esame, una gara, ecc.*): **to put a runner in for a race**, iscrivere un podista a una corsa **2** chiedere (*formalmente*); insistere per ottenere (*un aumento, ecc.*) **3** proporre, candidare (q.) per (*un premio, ecc.*) **B** v. i. + avv. + prep. **1** iscriversi a **2** candidarsi per: **to put in for a job**, fare domanda per un posto di lavoro □ **to put in for a grant**, fare domanda di sussidio □ **to put oneself in for a competition**, iscriversi a una gara.

■ **put inside** v. t. + avv. **1** mettere (qc.) dentro **2** (*fam.*) mettere (q.) dentro; mandare (q.) in galera.

■ **put into** v. t. + prep. **1** mettere (q o qc.) in (*un posto, una situazione, ecc.*) **2** investire (*denaro*) **3** mettere; tradurre; esprimere: **to put st. into words**, esprimere qc. a parole

B v. i. + prep. (*naut.*) entrare: **to put into port for repairs**, entrare in porto per raddobbi.

■ **put off** **A** v. t. + avv. (o prep.) **1** rinviare; rimandare; differire; posporre: *The general meeting has been put off*, l'assemblea generale è stata rinviata; **to put off payments**, differire i pagamenti **2** spegnere (*la luce, il gas, ecc.*) **3** mandare via (q.) con un pretesto; respingere; liberarsi, sbarazzarsi di **4** fare scendere (*da un veicolo*); mollare (*fam.*) **5** distogliere, dissuadere; scoraggiare; distrarre; disturbare; sconcertare: *The railway strike puts me off going on a holiday*, lo sciopero ferroviario mi fa passare la voglia di andare in vacanza; *His rude remark put me off*, la sua osservazione sgarbata mi infastidì **6** mettere via (*dubbi, sospetti, ecc.*); liberarsi di (*una responsabilità, ecc.*) **7** (*arc.*) togliersi (*un indumento*) **B** v. i. + avv. (*naut.*) salpare: *At last we put off from the island*, finalmente salpammo dall'isola.

■ **put on** v. t. + avv. **1** mettere (*sopra qc.*); mettere su (*cibo a cuocere*): *Don't forget to put the lid on!*, non dimenticare di mettere il coperchio! **2** mettersi, indossare (*indumenti*): *He put on his raincoat*, si mise l'impermeabile **3** accendere (*la luce, il gas, ecc.*): *Put the fire on, please*, per favore, accendi il fuoco! **4** mettere su (*peso corporeo*); crescere di: *I've put on a few pounds since Christmas*, da Natale sono cresciuto di qualche libbra **5** mettere; aggiungere; aumentare il numero di: **to put on additional trains in the summer**, mettere treni supplementari l'estate **6** mettere, imporre (*nuove tasse, ecc.*) **7** aumentare: (*di un veicolo*) **to put on speed**, aumentare la velocità **8** mettere in scena; allestire (*uno spettacolo*); dare (*un concerto*): **to put on a new play**, mettere in scena una commedia nuova **9** (*telef.*) mettere in comunicazione: *Can you put her on?*, puoi passarmela? **10** mettere avanti (*l'orologio*) **11** (*teatr.*) mandare in scena (*un attore*) **12** (*sport*) mandare in campo (*un giocatore*) **13** (*fam. USA*) sfottere, prendere in giro; prendersi gioco di (q.) □ **to put it on**, darsi delle arie; fingere, fare finta; mettere su peso, ingrassare; esagerare (*anche nel prezzo*) □ **to put on an act**, fingere, recitare, fare la commedia □ **to put on airs**, darsi delle arie □ (*autom.*) **to put the brakes on**, azionare i freni; frenare □ (*ipp.*) **to put money on a horse**, puntare (*o scommettere*) su un cavallo □ **to put on weight**, ingrassare, prendere peso: *Have you put on a bit of weight?*, hai messo su un po' di chili?

■ **put onto** v. t. + prep. **1** mettere (qc.) su **2** mettere in contatto con: *I'll put you onto the manager*, Le passo il direttore (*al telefono*) **3** informare (q.) di; fare il nome di; mettere (q.) sulle tracce di: **to put the police onto a criminal plan**, informare la polizia di un piano criminoso; **to put sb. onto a cheaper hotel**, fare a q. il nome di un albergo meno caro □ **to put sb. onto a good investment**, consigliare a q. un buon investimento.

■ **put out** **A** v. t. + avv. **1** mettere fuori; buttare fuori (*q. che disturba, ecc.*); esporre; espellere: **to put out the washing [the cat]**, mettere fuori il bucato [il gatto] **2** stendere, allungare, tendere (*la mano, ecc.*): tirare fuori (*la lingua*) **3** tirare fuori (*l'argenteria, ecc.*) **4** (*di piante*) mettere (*foglie, germogli*) **5** emettere (*un comunicato*); diramare, trasmettere (*una notizia, un messaggio radio, ecc.*); emettere (*un comunicato*); dare alle stampe, fare uscire (*un libro, un disco, ecc.*) **6** (*econ.*) produrre: *This plant puts out 55,000 cars a year*, questo stabilimento produce 55 000 auto all'anno **7** (*econ.*) dare fuori, dare (*lavoro*) a domicilio **8** spegnere (*il fuoco, la luce, il gas, ecc.*): **to put out a candle**, spegnere una candela; **to put out a fire**, spegnere un fuoco all'aperto (*o un incendio*)

9 fare perdere i sensi a (q.); tramortire (*con un pugno, ecc.*); (*med.*) anestetizzare (*in anestesia totale*) **10** (*med.*) lussarsi, slogarsi: *I put my shoulder out*, mi slogai la spalla **11** disturbare, dare disturbo a; scomodare: *I wouldn't want to put you out in any way*, non vorrei darti disturbo **12** contrariare; seccare; offendere: *I was put out by their attitude*, il loro atteggiamento mi seccò **13** (*fam.*) far sballare (*un calcolo, ecc.*) **14** (*fin.*) investire: **to put out money into shares**, investire denaro in azioni **15** (*mil., sport, ecc.*) mettere in campo, schierare (*truppe, ecc.*) **16** (*sport*) mettere (*un avversario*) fuori causa; eliminare (*da un torneo, ecc.*) **17** (*baseball*) eliminare (*un battitore o un corridore*) **18** (*comm., anche* **to put out of business**) far fallire; mandare in rovina **B** v. i. + avv. **1** mettercela tutta; fare ogni sforzo **2** (*naut., anche* **to put out to sea**) salpare **3** (*slang USA*) stare al gioco (*fig.*); (*spec. di una donna*) starci, darla via (*volg.*) □ **to put out of action**, (*mil.*) mettere fuori combattimento; (*fig.*) guastare, mettere fuori uso □ **to put out feelers**, (*zool.*) tirare fuori le antenne; (*fig.*) tastare il polso alla situazione □ **to put an idea out of one's head**, togliersi dalla testa un'idea.

■ **put over** **A** v. t. + avv. (o prep.) **1** far passare (q. *o qc.*) sopra **2** (*fam.*) far capire, trasmettere (*un messaggio, ecc.*); esprimere (*il proprio pensiero, ecc.*) **3** (*fam.*) far accettare, assicurare il successo di (*un film, un candidato, ecc.*) **4** (*fam. USA*) rinviare, rimandare, posporre **B** v. i. + avv. (*naut.*) spostarsi; fare una traversata □ (*fam.*) **to put one over sb.**, fregare, infinocchiare q.; darla a bere a q.

■ **put over on** v. t. + avv. + prep. (*fam.*) darla a bere a (q.); rifilare (*una balla, ecc.*) a (q.): *Don't try to put it (o one) over on me!*, non cercare di darmela a bere!; non raccontarmi balle! (*fam.*).

■ **put through** **A** v. t. + avv. **1** portare a compimento (*o a buon fine*), realizzare (*cambiamenti, innovazioni, ecc.*); concludere (*un affare*) **2** fare promuovere (*uno studente*) **3** fare approvare (*una legge: in parlamento, ecc.*) **4** (*telef.*) mettere in linea: *I'll just put you through*, la metto in linea □ (*telef.*) **to put through to**, dare la comunicazione con, passare: *I'll put you through to the captain*, Le passo il capitano □ (*telef.*) **to put a call through**, passare una telefonata **5** (*calcio, ecc.*) lanciare, mettere in moto, aprire a (*un compagno*) **B** v. t. + prep. far passare (q. *o qc.*) attraverso qc.; infilare in: *I cannot put this thread through the eye of the needle*, non riesco a infilare questo filo nella cruna dell'ago □ (*slang*) **to put a hole through sb.**, fare un buco nella pancia a q. (*con una pistola, ecc.*); bucare la pancia a q. □ (*fam.*) **to put sb. through it** (*o* **through the mill**), sottoporre q. a una severa prova □ (*fam.*) **to put sb. through his paces**, far fare una prova (*o un provino*) a q. □ **to put one's son through college**, (riuscire a) fare laureare il figlio.

■ **put together** v. t. + avv. **1** mettere insieme; riunire; congiungere; giungere: **to put a meal together**, mettere insieme un pranzo; **to put one's hands together**, giungere le mani (*per pregare, ecc.*) **2** rimettere insieme; assemblare; montare: *Put the camp bed together!*, monta la brandina **3** raccogliere, ordinare (*le proprie idee, ecc.*) □ **to put it together**, capire tutto; fare due più due □ **to put a sentence together**, costruire una frase □ (*fam.*) **to put two and two together**, fare due più due; trarre le debite conclusioni.

■ **put under** v. t. + avv. anestetizzare; fare perdere i sensi a (q.).

■ **put up** **A** v. t. + avv. **1** alzare; innalzare; issare; sollevare; levare (*in alto*): **to put up a tent**, alzare una tenda; **to put up one's hands**, alzare le mani; **to put up a new ca-**

thedral, innalzare (*o* costruire) una nuova cattedrale **2** mettere su: **to put up a shelf**, mettere su una mensola **3** affiggere, attaccare (*un avviso, ecc.*) **4** aumentare, alzare, crescere, far salire: **to put up prices [taxes]**, aumentare i prezzi [le imposte] **5** mettere da parte; riporre; preparare; confezionare: **to put up hay for the winter**, mettere da parte il fieno per l'inverno **6** provvedere, fornire, tirare fuori (*denaro*) **7** opporre (*resistenza, ecc.*); contrapporre (*un argomento*); accampare (*una scusa*) **8** offrire, mettere (*in vendita, in premio, ecc.*): *His house was put up for sale*, la sua casa fu messa in vendita **9** proporre (*per un posto, per un ruolo, come direttore*): *They put up Mr Clark for the chairmanship*, per la presidenza proposero Mr Clark **10** presentare (*un progetto, un'idea, ecc.*); avanzare (*una proposta*) **11** alloggiare, ospitare, sistemare: *We can put you up in the spare room*, possiamo sistemarti nella camera degli ospiti **12** far levare, stanare (*selvaggina*) **13** (*leg.*) chiamare alla sbarra (*un imputato*) **14** (*fam.*, di solito al passivo) arrangiare; fare (qc.) sottobanco **15** (*arc.*) deporre (*la spada, ecc.*); mettere via, riporre (*preziosi, ecc.*) **B** v. i. + avv. **1** prendere alloggio; sistemarsi; scendere: **to put up with friends for the weekend**, sistemarsi presso amici per il fine settimana **2** candidarsi: (*polit.*) **to put up for a seat**, candidarsi per un seggio □ (*fam.*) **to put sb.'s back up**, irritare; seccare; scocciare (*fam.*) □ **to put up the banns**, fare le pubblicazioni (matrimoniali) □ (*mil. e sport*) **to put up a good** (*o* **strong**) **defence**, difendersi bene; chiudersi (*leg.*) **to put sb. up for trial**, processare q. □ **to put up a petition**, presentare una petizione □ **to put up fruit**, fare una conserva di frutta □ **to put up the shutters**, mettere su le imposte (*di un negozio*); (*fig.*) chiudere bottega, ritirarsi (*dagli affari*).

■ **put upon** v. t. + prep. **1** → **put on 2** recare disturbo a (q.); dare fastidio a (q.); disturbare.

■ **put up to** v. i. + avv. + prep. **1** indurre; spingere; istigare: *Who put the boy up to this piece of mischief?*, chi ha spinto il ragazzo a fare questa birichinata? **2** informare, avvertire, mettere (q.) al corrente di (qc.): *The manager put me up to my new duties*, il direttore mi mise al corrente delle mie nuove mansioni **3** lasciare, rimettere (*una decisione, ecc.*) a (q.).

■ **put up with** v. i. + avv. + prep. **1** alloggiare presso (q.); sistemarsi (*per la notte*) da (q.) **2** (*fam.*) sopportare; tollerare: *I cannot put up with him any longer*, non lo sopporto più □ **to have a lot to put up with**, avere molti rospi da ingoiare (*fig.*).

to **put** ② /pʌt/ → **to putt**.

putative /'pjuːtətɪv/ a. putativo ● (*leg.*) **p. father**, padre putativo | **-ly** avv.

put-down /'pʊtdaʊn/ n. (*fam.*) dura critica; smontata, osservazione che smonta; atto sprezzante; schiaffo (*fig.*).

puteal /'pjuːtɪəl/ n. (*archeol.*) puteale.

putlock /'pʌtlɒk/, **putlog** /'pʌtlɒg/ n. (*edil.*) traversa orizzontale per ponteggio.

put-off /'pʊtɒf/ n. **1** preteso; risposta evasiva; scappatoia **2** cosa che disgusta **3** differimento; rinvio.

put-on /'pʊtɒn/ (*fam.*) **A** a. affettato; lezioso; fasullo **B** n. **1** messa in scena (*fig.*); finta **2** affettazione; leziosità; vezzo **3** impostura.

put-out /'pʌtaʊt/ n. (*baseball*) eliminazione (*di un battitore o un corridore*).

put-put /'pʌtpʌt/ n. (*fam.*) **1** Ⓤ (il) ciuffciuff (*di un piccolo motore*) **2** (*autom.*) macchinina (*fam.*); automobilina **3** barchetta a motore.

putrefaction /pjuːtrɪ'fækʃn/ n. Ⓤ **1** pu-

trefazione **2** (*fig.*) putredine; corruzione, marciume.

putrefactive /pjuːtrɪˈfæktɪv/ *a.* putrefattivo.

putrefier /ˈpjuːtrɪfaɪə(r)/ *n.* agente putrefattivo.

to **putrefy** /ˈpjuːtrɪfaɪ/ **A** *v. i.* **1** putrefarsi; imputridire; marcire **2** (*fig.*) corrompersi **B** *v. t.* **1** putrefare; decomporre; far imputridire **2** (*fig.*) corrompere.

putrescent /pjuːˈtresnt/ *a.* putrescente || **putrescence** *n.* ⃞ **1** putrescenza (*arc.*); marciume **2** (*fig.*) putredine.

putrescible /pjuːˈtresəbl/ *a.* putrescibile.

putrid /ˈpjuːtrɪd/ *a.* **1** putrido (*anche fig.*); corrotto; imputridito; marcio; putrefatto **2** putrido; maleodorante: **p. water**, acqua putrida **3** (*fam.*) sgradevole; orribile; schifoso: **a p. smell**, un odore schifoso || **putridity**, **putridness** *n.* ⃞ putridità (*raro*); putredine (*anche fig.*); marciume.

putsch /pʊtʃ/ (*ted.*) *n.* putsch; colpo di stato; golpe.

putt /pʌt/ *n.* (*golf*) colpo lento e preciso (*per imbucare la palla*); putt (→ **to putt**).

to **putt** /pʌt/ *v. i.* e *t.* (*golf*) effettuare un putt; colpire leggermente (*la palla*) per mandarla in buca.

puttee /ˈpʌtɪ/ *n.* (*mil.*) fascia (*di panno*); mollettiera.

putter ① /ˈpʊtə(r)/ *n.* **1** chi mette, chi pone, ecc. (→ **put** ①) **2** (*sport*, = **shot p.**) lanciatore di peso; pesista.

putter ② /ˈpʌtə(r)/ *n.* (*golf*) **1** mazza corta per effettuare un putt **2** giocatore che esegue un putt ● **He's a good p.**, è bravo nell'uso del putter.

to **putter** /ˈpʌtə(r)/ (*USA*) → **to potter**.

putting ① /ˈpʊtɪŋ/ *n.* ⃞ azione del mettere; messa ● (*sport*) **p. the ball in** (*o* **into**) **play**, rimessa in gioco della palla □ (*naut.*) **p. into port**, entrata in porto (*di una nave*) □ (*econ.*) **p.-out system**, sistema di lavoro dato a domicilio; industria a domicilio □ (*sport*) **p. the shot** (*o* **the weight**), lancio del peso; il peso (*la specialità*) □ (*boxe*) **p. up one's guard** (*o* **one's fists**), messa in guardia.

putting ② /ˈpʌtɪŋ/ *n.* (*golf*) **1** «putting»; effettuazione di putt **2** golf semplificato che si gioca, nei parchi e al mare, su un «putting green».

putting green /ˈpʌtɪŋɡriːn/ *loc. n.* (*golf*) **1** zona del campo vicino alla buca (*per i tiri in buca*) **2** campo da golf semplificato.

putto /ˈpʊtəʊ/ (*ital.*) *n.* (*arte*) putto.

putty ① /ˈpʌtɪ/ *n.* ⃞ **1** (= **glazier's p.**) stucco; mastice **2** (*edil.*, = **plasterers' p.**) stucco, pastiglia (*per intonaci e decorazioni*) ● **p. knife**, spatola per stucco □ **p. rubber**, gomma pane □ (*fig.*) **to be like p. in sb.'s hands**, essere come creta nelle mani di q.

putty ② /ˈpʌtɪ/ → **puttee**.

to **putty** /ˈpʌtɪ/ *v. t.* stuccare; dare lo stucco a ● **to p. in**, fissare (*qc.*) con lo stucco □ **to p. up**, riempire di stucco.

put-up /ˈpʊtʌp/ *a.* (*fam.*) concertato; combinato; losco; poco chiaro: **a put-up job**, un affare losco; un intrallazzo; un imbroglio; un raggiro; (*boxe*) un incontro truccato ● **put-up bed**, letto di fortuna; branda.

put-upon /ˈpʊtəpɒn/ *a.* (*fam.*) **1** sfruttato; usato; messo sotto i piedi (*fig.*): *I don't like feeling put-upon*, non mi piace sentirmi messo sotto i piedi **2** bistrattato; maltrattato.

putz /pʌts/ *n.* (*slang USA*) **1** cretino; deficiente; idiota; imbecille **2** (*volg.*) cazzo (*volg.*); pene.

to **putz around** /pʌtsəˈraʊnd/ *v. i.* + *avv.* (*slang USA*) bighellonare; perdere tempo; non fare un tubo (*pop.*); cazzeggiare (*volg.*) ● **to putz around with**, gingillarsi con (qc.);

---

prendere in giro, sfottere (q.).

puzzle /ˈpʌzl/ *n.* **1** enigma (*gioco e fig.*); indovinello (*fig.*); problema difficile; rompicapo **2** ⃞⃝ confusione; incertezza; dubbio; perplessità: **to be in a p. about st.**, essere in dubbio (*o* essere perplesso) circa qc. ● **p.-headed** (*o* **p.-pated**), che ha le idee confuse; stordito; svampito, svanito (*fam.*).

to **puzzle** /ˈpʌzl/ **A** *v. t.* confondere; disorientare; rendere perplesso; sconcertare **B** *v. i.* **1** essere perplesso **2** spremersi le meningi; scervellarsi ● **to p. one's brains**, scervellarsi □ **to p. (st.) out**, districare (*un imbroglio*); riuscire a capire (*qc. di difficile*); indovinare (*una soluzione*); risolvere (*un problema*) □ **to p. over st.**, scervellarsi su qc.; rompersi la testa per capire qc.

puzzled /ˈpʌzld/ *a.* confuso; disorientato; perplesso; sconcertato.

puzzlement /ˈpʌzlmənt/ *n.* ⃞ confusione; perplessità; disorientamento; sconcerto.

puzzler /ˈpʌzlə(r)/ *n.* **1** enigma; problema difficile; questione complessa **2** chi ama risolvere enigmi; enigmista ● **That girl is a real p.**, quella ragazza non riesco proprio a capirla!

puzzling /ˈpʌzlɪŋ/ *a.* sconcertante; che lascia perplessi; assai strano | **-ly** *avv.*

PVC *abbr.* (*chim.*, **polyvinyl chloride**) cloruro di polivinile (*polimero plastico*).

PVS *sigla* (*med.*, **persistent vegetative state**), stato vegetativo persistente.

PW *abbr.* (*polizia*, **policewoman**) agente (donna).

PWR *sigla* (*fis.*, **pressurized water reactor**) reattore ad acqua pressurizzata.

PX *sigla* (*USA*, **Post Exchange**) spaccio militare (*cfr. GB* **NAAFI**).

pyaemia /paɪˈiːmɪə/ (*med.*) *n.* ⃞ piemia || **pyaemic** *a.* piemico.

pycnidium /pɪkˈnɪdɪəm/ *n.* (pl. **pycnidia**) (*bot.*) picnidio.

pycnometer /pɪkˈnɒmɪtə(r)/ (*chim.*) *n.* picnometro || **pycnometric** *a.* picnometrico ● **pycnometric analysis**, picnometria || **pycnometry** *n.* ⃞ picnometria.

pycnosis /pɪkˈnəʊsɪs/ *n.* ⃞ (*biol.*) picnosi.

pycnostyle /ˈpɪknəʊstaɪl/ *a.* e *n.* (*archit.*) picnostilo.

pyedog /ˈpaɪdɒɡ/ *n.* (*in India*) cane randagio.

pyelitis /paɪəˈlaɪtɪs/ *n.* ⃞ (*med.*) pielite.

pyelocystitis /paɪələʊsɪˈstaɪtɪs/ *n.* ⃞ (*med.*) pielocistite.

pyelography /paɪəˈlɒɡrəfɪ/ (*med.*) *n.* ⃞ pielografia || **pyelogram** *n.* pielogramma.

pyelonephritis /paɪələʊnɪˈfraɪtɪs/ *n.* ⃞ (*med.*) pielonefrite.

pyemia /paɪˈiːmɪə/ e *deriv.* → **pyaemia**, e *deriv.*

Pygmalion /pɪɡˈmeɪlɪən/ *n.* (*mitol.*) Pigmalione.

pygmy /ˈpɪɡmɪ/ **A** *n.* **1** (*antropol.*) pigmeo **2** (*spreg.*) nano **B** *a.* **1** (*spreg.*) nano **2** (*bot.*, *zool.*) nano.

pyjamas /pəˈdʒɑːməz/ *n. pl.* pigiama ● **pyjama jacket** (*o* **top**), giacca del pigiama □ **pyjama party**, pigiama party □ **pyjama suit**, pigiama palazzo □ **a pair of red p.**, un pigiama rosso.

Pylades /ˈpɪlədiːz/ *n.* (*letter.*) Pilade.

pylon /ˈpaɪlɒn/ *n.* **1** (*elettr.*) pilone; (palo a) traliccio **2** (*edil.*) pilone **3** (*aeron.*) pilone **4** (*archit.*) porta, pilastro (*di tempio egizio*).

pylorus /paɪˈlɔːrəs/ (*anat.*) *n.* (pl. **pylori**, **pyloruses**) piloro || **pyloric** *a.* pilorico.

PYO *sigla* (**pick your own**) «raccogli per te» (*modalità di vendita*).

pyoderma /paɪəˈdɜːmə/ *n.* ⃞ (*med.*) piodermite.

pyogenic /paɪəˈdʒɛnɪk/ *a.* piogeno; pioge-

---

nico.

pyorrhoea, (*USA*) **pyorrhea** /paɪəˈriːə/ *n.* ⃞ (*med.*) piorrea.

pyralid /paɪˈrælɪdɪd/ *n.* (*zool.*) piralide.

pyramid /ˈpɪrəmɪd/ *n.* **1** (*geom.*, *archit.*) piramide: **the Pyramids**, le piramidi (*d'Egitto*) **2** albero (*o* mucchio) a piramide **3** (*econ.*, *fin.*) gruppo di holding finanziarie a struttura piramidale ● (*market.*) **p. selling**, vendita a catena □ (*biliardo*) **p. spot**, acchito superiore.

to **pyramid** /ˈpɪrəmɪd/ **A** *v. t.* **1** disporre a piramide **2** (*Borsa, fin.*) reinvestire (*i guadagni*) in nuovi titoli (*per speculazione*) **B** *v. i.* disporsi a piramide.

pyramidal /pɪˈræmɪdl/ *a.* (*geom.*, *anat.*) piramidale | **-ly** *avv.*

pyramiding /ˈpɪrəmɪdɪŋ/ *n.* ⃞ **1** (*fin.*) partecipazione a piramide (*tipica delle società di controllo*) **2** (*Borsa, fin.*) reinvestimento dei guadagni in nuovi titoli.

Pyramus /ˈpɪrəməs/ *n.* (*mitol.*) Piramo.

pyrargyrite /paɪˈrɑːdʒɪraɪt/ *n.* ⃞ (*miner.*) pirargirite.

pyrazole /ˈpaɪrəzəʊl/ *n.* ⃞ (*chim.*) pirazolo.

pyrazolone /pɪˈræzələʊn/ *n.* ⃞ (*chim.*) pirazolone.

pyre /ˈpaɪə(r)/ *n.* pira; pira funeraria; rogo.

Pyrenees /ˈpɪrəˈniːz/ *n. pl.* (*geogr.*) Pirenei || **Pyrenean** *a.* pirenaico.

pyrethrin /paɪˈriːθrɪn/ *n.* ⃞⃝ (*chim.*) piretrina.

pyrethrum /paɪˈriːθrəm/ *n.* **1** (*bot.*, *Chrysanthemum cinerariaefolium*) piretro **2** ⃞ (*chim.*) piretro.

pyretic /paɪˈrɛtɪk/ *a.* (*med.*) piretico; febbrile.

Pyrex ® /ˈpaɪreks/ **A** *n.* pyrex; pirex **B** *a.* attr. di pyrex: **a P. pan**, un tegame di pyrex ● **a P. bowl**, una pirofila.

pyrexia /paɪˈreksɪə/ (*med.*) *n.* ⃞ piressia; febbre || **pyrexial**, **pyrexic** *a.* piretico; febbrile.

pyrheliometer /pɜːhiːlɪˈɒmɪtə(r)/ *n.* (*astrofisica*) pireliometro.

pyridine /ˈpaɪrɪdɪn/ *n.* ⃞ (*chim.*) piridina.

pyriform /ˈpɪrɪfɔːm/ *a.* → **piriformis**.

pyrimidine /pɪˈrɪmədiːn/ *n.* ⃞ (*chim.*) pirimidina.

pyrite /ˈpaɪraɪt/ *n.* ⃞ (*miner.*) pirite; bisolfuro di ferro.

pyrites /paɪˈraɪtiːz/ (*miner.*) *n.* ⃞ bisolfuro: **copper p.**, bisolfuro di rame; cuprite; **iron p.**, bisolfuro di ferro; pirite || **pyritic**, **pyritical** *a.* piritico.

pyroclastic /paɪrəʊˈklæstɪk/ *a.* (*geol.*) piroclastico.

pyroelectric /paɪrəʊɪˈlɛktrɪk/ (*fis.*) *a.* piroelettrico || **pyroelectricity** *n.* ⃞ piroelettricità.

pyrogallic acid /paɪrəʊˈɡælɪkˈæsɪd/ *loc. n.* (*chim.*) acido pirogallico; pirogallolo.

pyrogallol /paɪrəʊˈɡælɒl/ *n.* ⃞ pirogallolo.

pyrogen /ˈpaɪrəʊdʒɛn/ *n.* (*med.*) (agente) pirogeno.

pyrogenesis /paɪrəʊˈdʒɛnəsɪs/ *n.* ⃞ (*geol.*) pirogenesi.

pyrogenic /paɪrəʊˈdʒɛnɪk/, **pyrogenous** /paɪˈrɒdʒənəs/ *a.* **1** (*geol.*) pirogenetico **2** (*med.*) pirogeno.

pyrograph /ˈpaɪrəɡrɑːf/ (*arte*) *n.* pirografia (*l'incisione*) || **pyrographic** *a.* pirografico || **pyrography** *n.* ⃞ pirografia (*il procedimento*).

to **pyrograph** /ˈpaɪrəɡrɑːf/ (*arte*) *v. t.* pirografare || **pyrographer** *n.* pirografista.

pyroligneous /paɪrəʊˈlɪɡnɪəs/ *a.* (*chim.*) pirolegnoso.

pyrolusite /paɪrəʊˈluːsaɪt/ *n.* ⃞ (*miner.*)

pirolusite.

pyrolysis /paɪˈrɒlɪsɪs/ n. ⓤ (*chim.*) pirolisi; piroscissione.

pyromancer /ˈpaɪrəʊmænsə(r)/ n. piromante ‖ **pyromancy** n. ⓤ piromanzia.

pyromania /paɪrəʊˈmeɪnɪə/ (*psic.*) n. ⓤ piromania ‖ **pyromaniac** n. piromane.

pyrometallurgy /ˌpaɪrəʊmeˈtælədʒɪ/ n. ⓤ (*metall.*) pirometallurgia.

pyrometer /paɪˈrɒmɪtə(r)/ (*fis.*) n. pirometro ‖ **pyrometric, pyrometrical** a. pirometrico ‖ **pyrometry** n. ⓤ pirometria.

pyromorphite /paɪrəʊˈmɔːfaɪt/ n. ⓤ (*miner.*) piromorfite.

pyrope /ˈpaɪrəʊp/ n. ⓤ (*miner.*) piropo.

pyrophobia /paɪrəʊˈfəʊbɪə/ (*psic.*) n. ⓤ pirofobia ‖ **pyrophobe** n. pirofobo.

pyrophoric /paɪrəʊˈfɒrɪk/ a. (*chim.*, *metall.*) piroforico.

pyrosis /paɪˈrəʊsɪs/ n. ⓤ (*med.*) pirosi.

pyrotechnic /paɪrəʊˈteknɪk/, **pyrotechnical** /paɪrəʊˈteknɪkl/ a. **1** pirotecnico: **a p. display**, uno spettacolo pirotecnico **2** (*fig.*) brillante; spumeggiante; sfavillante; molto vivace.

pyrotechnics /paɪrəˈteknɪks/ n. pl. **1** (col verbo al sing.) pirotecnica **2** spettacolo pirotecnico; fuochi d'artificio **3** (*fig.*) sfoggio, sfavillio (*d'oratoria, di spirito*).

pyrotechnist /paɪrəʊˈteknɪst/ n. pirotecnico.

pyrotechny /ˈpaɪrəʊteknɪ/ n. ⓤ pirotecnica; pirotecnia.

pyroxene /ˈpaɪrɒksiːn/ n. (*miner.*) pirosseno.

pyroxenite /paɪˈrɒksənaɪt/ n. ⓤⓒ (*geol.*) pirossenite.

pyrrhic ① /ˈpɪrɪk/ n. (*stor.*, = p. dance) pirrica; danza pirrica.

pyrrhic ② /ˈpɪrɪk/ Ⓐ a. (*poesia*) **1** di pirrichio **2** (*di poema*) scritto in pirrichi Ⓑ n. (*poesia*) pirrichio.

Pyrrhic /ˈpɪrɪk/ a. (*stor.*) pirrico; di Pirro: (*fig.*) **a P. victory**, una vittoria di Pirro.

Pyrrho /ˈpɪrəʊ/ (*filos.*) n. Pirrone ‖ **Pyrrhonism** n. ⓤ pirronismo; scetticismo ‖ **Pyrrhonist** n. pirronista; scettico ‖ **Pyrrhonistic** a. pirronistico.

pyrrhotite /ˈpɪrətaɪt/ n. ⓤ (*miner.*) pirrotite.

Pyrrhus /ˈpɪrəs/ n. (*stor.*) Pirro.

pyrrole /ˈpɪrəʊl/ n. ⓤ (*chim.*) pirrolo.

pyruvic /paɪˈruːvɪk/ (*chim.*) a. piruvico ‖ **pyruvate** n. piruvato.

Pythagoras /paɪˈθægərəs/, *USA* pɪ-/ n. (*filos.*) Pitagora ‖ **Pythagorean** Ⓐ a. pitagorico; di Pitagora: **Pythagorean theorem**,

teorema di Pitagora Ⓑ n. (*filos.*) (un) pitagorico ‖ **Pythagoreanism** n. ⓤ (*filos.*) pitagorismo.

Pythia /ˈpɪθɪə/ n. (*mitol.*) Pitia, Pizia (delfica); Pitonessa ‖ **Pythian** Ⓐ a. pitico; pizio: **Pythian games**, giochi pitici Ⓑ n. Pitia, Pizia; Pitonessa ● (*mitol.*) **the Pythian**, Apollo Pizio.

Pythias /ˈpɪθɪæs/ n. (*mitol.*) Pizia.

python /ˈpaɪθn/ n. (*zool.*, *Python*) pitone.

pythoness /ˈpaɪθənɪs/ n. (*nell'antica Grecia*) pitonessa; pizia; indovina.

pythonic ① /paɪˈθɒnɪk/ a. (*zool.*) di (*o* simile a) pitone.

pythonic ② /paɪˈθɒnɪk/ a. (*mitol.*) divinatorio; profetico; pitonico.

pyuria /paɪˈjʊərɪə/ n. ⓤ (*med.*) piuria.

pyx /pɪks/ n. **1** (*relig.*) pisside **2** (= **pyx chest**) cassetta che contiene i campioni delle monete d'oro e d'argento (*nella Zecca reale inglese*).

pyxidium /pɪkˈsɪdɪəm/ n. (pl. *pyxidia*, *pyxidiums*) (*bot.*) pisside.

Pyxis /ˈpɪksɪs/ n. (*astron.*) Bussola (*costellazione*).

pyxis /ˈpɪksɪs/ n. (pl. *pyxides*) **1** (*stor.*) cofanetto cilindrico **2** (*bot.*) pisside **3** (*relig.*) (*raro*) pisside.

q, Q

Q ①, **q** /kjuː/ n. (pl. **Q's**, **q's**, **Qs**, **qs**) Q, q (*diciassettesima lettera dell'alfabeto ingl.*) ● (*naut.*, *mil.*) Q-boat (*o* Q-ship), nave civetta □ **q for Quebec**, q come Quarto □ (*USA*) **Q-tip**®, batuffolo di ovatta (*per pulirsi le orecchie*).

Q ② sigla **1** (**quarter**) trimestre (*dell'anno solare*) **2** (*Canada*, **Quebec**) Quebec **3** (**queen**) regina (*anche carte*, *scacchi*) **4** (**question**) domanda.

q. abbr. **1** (**quarterly**) trimestrale **2** (*di un libro*, **quarto**) in quarto **3** (**query**) quesito **4** (**question**) domanda ● **on the q. t.** (*slang*, = **on the quiet**), → **quiet** ②.

Q&A sigla (**questions and answers**) domande e risposte.

QB abbr. **1** (*sport*, **quarterback**) quarterback; mediano **2** (*leg.*, *GB*, **Queen's Bench** (**Division**)) Alta corte di giustizia.

qbit /ˈkjuːbɪt/ n. → **qubit**.

QC sigla (*leg.*, *GB*, **Queen's Counsel**) patrocinante per la Corona (*alto titolo onorifico concesso ad avvocati*).

Q-Celtic /ˈkjuːkɛltɪk/ a. e n. (*ling.*) celtico-Q; goidelico (*irlandese*, *gaelico scozzese e mannese*).

QED sigla **1** (*lat.*: *quod erat demonstrandum*) (**which was to be demonstrated**) come dovevasi dimostrare (c.d.d.) **2** (*fis.*, **quantum electrodynamics**) elettrodinamica quantistica.

qibla /ˈkɪblə/ n. → **kiblah**.

Qld abbr. (*Austral.*, **Queensland**) Queensland.

QM abbr. (*mil.*, *naut.*, *USA*, **quartermaster**) quartiermastro; timoniere; ufficiale di commissariato.

QMC abbr. (*mil.*, *USA*, **Quartermaster Corps**) Corpo di commissariato militare.

QMG abbr. (*mil.*, *USA*, **quartermaster general**) generale del corpo di commissariato.

q.s. sigla (*lat.*: *quantum sufficit*) (*nelle ricette*, **as much as will suffice**) quanto basta (q.b.).

qto abbr. (*di un libro*, **quarto**) in quarto.

qty abbr. (**quantity**) quantità.

qu. abbr. **1** (**query**) quesito **2** (**question**) domanda.

qua /kweɪ, -ɑː/ (*lat.*) cong. come; in qualità di; in quanto: *Science, qua science, cannot solve bioethical problems*, la scienza, in quanto tale (o di per sé), non può risolvere i problemi bioetici.

quack ① /kwæk/ n. qua qua (*verso dell'anatra*) ● (*infant.*) qua.-q., anatroccolo.

quack ② /kwæk/ **A** n. **1** (*fam.*, *antiq.*) ciarlatano; gabbamondo; impostore **2** (*slang*) medico; dottore; ufficiale medico; mediconzolo (*spreg.*) **B** a. attr. fasullo; finto; da ciarlatano ● **q. medicines**, rimedi empirici; panacee ‖ **quackery** n. ⑩ ciarlataneria; empirismo; pratiche di mediconzolo ‖ **quackish** a. ciarlatanesco; da ciarlatano; empirico.

to **quack** ① /kwæk/ v. i. (*dell'anatra*) fare qua qua; schiamazzare.

to **quack** ② /kwæk/ v. i. fare il ciarlatano ● **to q. a cure**, vantare una cura come miracolosa.

quad ① /kwɒd/ n. (*fam.*) **1** quadrangolo; quadrilatero **2** (*in GB*) corte quadrangolare interna (*di un college universitario*, *ecc.*).

quad ② /kwɒd/ n. (*tipogr.*) quadratino.

quad ③ /kwɒd/ (*fam.*) → **quadruplet**.

quad ④ /kwɒd/ n. (*elettron.*) bicoppia.

quad ⑤ /kwɒd/ n. (*sport*, *trasp.*, = **q. bike**) quad (*motocicletta con quattro grosse ruote*).

quadragenarian /ˌkwɒdrɪdʒəˈnɛərɪən/ a. e n. (*raro*) quadragenario.

Quadragesima /ˌkwɒdrəˈdʒɛsɪmə/ n. (*relig.*, = **Q. Sunday**) domenica di quadragesima.

quadragesimal /ˌkwɒdrəˈdʒɛsɪməl/ a. (*relig.*) quadragesimale; quaresimale.

quadrangle /ˈkwɒdræŋgl/ n. **1** (*geom.*) quadrangolo; quadrilatero **2** (*in GB*) corte quadrangolare interna.

quadrangular /kwɒˈdræŋgjʊlə(r)/ a. quadrangolare.

quadrant /ˈkwɒdrənt/ n. **1** (*geom.*, *anat.*, *naut.*, *astron.*) quadrante **2** (*mecc.*) leva a squadra **3** (*naut.*) settore (*del timone*) ‖ **quadrantal** a. quadrantale; di quadrante.

quadraphonic /ˌkwɒdrəˈfɒnɪk/ (*tecn.*) a. quadrifonico: **q. reproduction**, riproduzione quadrifonica ‖ **quadraphonics** n. pl. (col verbo al sing.) quadrifonia.

quadrat /ˈkwɒdrət/ n. (*tipogr.*) quadratino ● **em q.**, quadratone ‖ **en q.**, quadratino.

quadrate /ˈkwɒdrət/ **A** n. (*geom.*, *anat.*) quadrato **B** a. (*anat.*) quadrato: **q. bone**, osso quadrato; **q. muscle**, muscolo quadrato.

to **quadrate** /kwɒˈdreɪt/ v. t. **1** quadrare; squadrare **2** fare la quadratura di (*un cerchio*) **3** far quadrare; far corrispondere.

quadratic /kwɒˈdrætɪk/ (*mat.*) **A** a. quadratico; di secondo grado: **q. equation**, equazione di secondo grado **B** n. equazione di secondo grado; equazione quadratica.

quadrature /ˈkwɒdrətʃə(r)/ n. ⑩ (*mat.*, *astron.*) quadratura: **the q. of the circle**, la quadratura del cerchio.

quadrennial /kwɒˈdrɛnɪəl/ a. quadriennale ‖ **-ly** avv.

quadrennium /kwɒˈdrɛnɪəm/ n. (pl. **quadrenniums**, **quadrennia**) quadriennio.

quadric /ˈkwɒdrɪk/ (*mat.*) **A** a. quadrico **B** n. quadrica ● (*geom.*) **q. cone**, cono ellittico.

quadriceps /ˈkwɒdrɪsɛps/ n. (pl. **quadricepses**, **quadriceps**) (*anat.*) quadricipite.

quadrifid /ˈkwɒdrɪfɪd/ a. (*bot.*, *zool.*) quadrifido.

quadriga /kwəˈdriːgə/ n. (pl. **quadrigae**, **quadrigas**) (*stor.*) quadriga.

quadrigeminal /ˌkwɒdrɪˈdʒɛmɪnəl/ a. quadrigemino; quadrigemellare.

quadrilateral /ˌkwɒdrɪˈlætərəl/ a. e n. (*geom.*) quadrilatero.

quadrilingual /ˌkwɒdrɪˈlɪŋgwəl/ a. quadrilingue.

quadrille ① /kwəˈdrɪl/ (*franc.*) n. (*mus.*) quadriglia (*musica e danza*).

quadrille ② /kwəˈdrɪl/ (*franc.*) n. (*stor.*) quadriglio (*gioco di carte del '700*).

quadrillion /kwɒˈdrɪlɪən/ n. **1** (*un tempo* in GB) settilione; quarta potenza di un milione (*un 1 seguito da 24 zeri*) **2** (*in USA e spesso in GB*) quadrilione; un milione di miliardi (*un 1 seguito da 15 zeri*).

quadrilobate /ˌkwɒdrɪˈləʊbeɪt/, **quadrilobed** /ˌkwɒdrɪˈləʊbd/ a. (*bot.*) quadrilobato.

quadrilogy /kwɒˈdrɪlədʒɪ/ n. quadrilogia (*raro*); tetralogia.

quadrinomial /ˌkwɒdrɪˈnəʊmɪəl/ (*mat.*) **A** n. quadrinomio **B** a. quadrinomiale.

quadripartite /ˌkwɒdrɪˈpɑːtaɪt/ a. (*form.*) quadripartito.

quadriplegia /ˌkwɒdrɪˈpliːdʒə/ (*med.*) n. ⑩ quadriplegia ‖ **quadriplegic** a. e n. quadriplegico.

quadripole /ˈkwɒdrɪpəʊl/ n. → **quadrupole**.

quadrisyllable /ˈkwɒdrɪˌsɪləbl/ n. quadrisillabo ‖ **quadrisyllabic** a. quadrisillabo.

quadrivalent /ˌkwɒdrɪˈveɪlənt/ (*chim.*) a. tetravalente.

quadrivium /kwɒˈdrɪvɪəm/ n. ⑩ (*stor.*) quadrivio (*nell'insegnamento medievale*).

quadroon /kwɒˈdruːn/ n. quarterone; «cuarteron» (*spagn.*); persona che ha un quarto di sangue nero.

quadrophonic e deriv. → **quadraphonic** e deriv.

quadrumanous /kwɒˈdruːmənəs/ a. quadrumane.

quadruped /ˈkwɒdrʊped/ (*zool.*) n. e a. quadrupede ‖ **quadrupedal** a. quadrupede.

quadruple /ˈkwɒdrʊpl, kwɒˈdruːpl/ **A** a. quadruplo; quadruplice **B** n. quadruplo ● (*canottaggio*) **q. scull**, quadruplo (*o* quattro) di coppia.

to **quadruple** /ˈkwɒdrʊpl, kwɒˈdruːpl/ **A** v. t. quadruplicare **B** v. i. quadruplicarsi.

quadruplet /ˈkwɒdrʊplət, kwɒˈdruːplə-/ n. **1** uno di quattro gemelli **2** (pl.) quattro nati da un parto; gemelli di un parto quadrigemino **3** (*mus.*) quartina.

quadruplicate /kwɒˈdruːplɪkət/ a. **1** quadruplo; quadruplice **2** (*di documento*) in quattro copie **3** (*mat.*) alla quarta potenza ● **in q.**, in quattro esemplari; in quattro copie.

to **quadruplicate** /kwɒˈdruːplɪkeɪt/ v. t. **1** quadruplicare **2** fare quattro copie di (*un documento*) ‖ **quadruplication** n. ⑩ **1** quadruplicazione **2** redazione (*di un documento*) in quattro copie.

quadruplicity /ˌkwɒdrəˈplɪsətɪ/ n. ⑩ quadruplicità.

quadrupole /ˈkwɒdrʊpəʊl/ n. (*elettr.*) quadripolo, quadrupolo.

quads /kwɒdz/ (*fam.*) → **quadruplet**, def. 2.

quaestor /ˈkwiːstə(r)/ (*stor. romana*) n. questore ‖ **quaestorial** a. di (*o* da) questore; questorio ‖ **quaestorship** n. ⑩ questura.

to **quaff** /kwɒf/ v. t. e i. (*lett.*) bere a gran sorsi; tracannare.

quaffable /ˈkwɒfəbl/ a. (*scherz.*: *di vino*) bevibile; buono: *This wine is q.*, questo vino

si lascia bere.

quag /kwæg/ n. (*arc.*) pantano; acquitrino ‖ **quaggy** a. **1** paludoso; pantanoso **2** molle; flaccido; floscio; cascante.

quagga /'kwægə/ n. (pl. *quaggas*, *quagga*) (*zool.*, *Equus quagga*) quagga.

quagmire /'kwɒgmaɪə(r)/ n. **1** [UC] pantano; acquitrino **2** (*fig.*) situazione difficile; intrigo; ginepraio (*fig.*).

quail /kweɪl/ n. (pl. *quail*, *quails*) **1** (*zool.*, *Coturnix*) quaglia **2** (*slang USA*) bella ragazza; bambola; fata (*fig.*) ● **q. call** (*o* **q. pipe**), quagliere.

to **quail** /kweɪl/ v. i. sgomentarsi; aver paura; spaventarsi; perdersi d'animo; tremare (*fig.*); turbarsi: *His enemies quailed before him*, i nemici tremavano davanti a lui.

quaint /kweɪnt/ a. **1** caratteristico (d'altri tempi); pittoresco; curiosamente piacevole: **a q. old fireplace**, un caminetto caratteristico (d'altri tempi); **a q. old custom**, una pittoresca usanza dei tempi passati **2** bizzarro; curioso; eccentrico; originale: **a q. method**, un metodo curioso (*o* originale); **a q. little hat**, un bizzarro cappellino ‖ **-ly** avv. ‖ **-ness** n. [U].

quake /kweɪk/ n. **1** tremito; tremolio; brivido; fremito **2** (*fam.*) terremoto.

to **quake** /kweɪk/ v. i. tremare; tremolare; rabbrividire; oscillare; scuotersi; vacillare: *The earth quaked*, la terra tremò; *My legs were quaking*, mi tremavano le gambe ● (*bot.*) **quaking aspen** (*Populus tremula*), pioppo tremolo; tremolino □ (*geogr.*) **quaking bog**, palude mobile (*o* tremante) □ (*bot.*) **quaking grass**, erba tremolina.

Quaker /'kweɪkə(r)/ (*relig.*) n. quacchero, quacquero ● (*zool.*) **q.-bird** (*Diomedea fuliginosa*), albatro fuligginoso □ (*zool.*) **q. moth**, farfalla appartenente alla famiglia dei nottuidi ‖ **Quakers' meeting**, assemblea religiosa di quaccheri; (*fig. fam.*) riunione in cui si parla poco ‖ **Quakerish** a. di (*o* da) quacchero; quacchero ‖ **Quakerism** n. [U] quaccherismo, quacquerismo ‖ **Quakerly** [A] a. di (*o* da) quacchero; quacchero [B] avv. alla quacchera.

Quakeress /'kweɪkərɪs/ n. (*relig.*) quacchera, quacquera.

Quakertown /'kweɪkətaʊn/ n. (*fam. USA*) Filadelfia.

quaky /'kweɪkɪ/ a. tremulo; tremebondo ‖ **quakiness** n. [U] l'esser tremulo; l'esser tremebondo.

qualifiable /'kwɒlɪfaɪəbl/ a. qualificabile.

♦**qualification** /ˌkwɒlɪfɪ'keɪʃn/ n. [C,U] **1** modificazione; precisazione; riserva: *This statement stands without q.*, questa affermazione è valida senza riserva **2** (*anche leg.*) qualità; attributo; titolo; qualifica; condizione; requisito: **a teacher's qualifications**, le qualifiche professionali d'un insegnante; **q. for an office**, titolo per ricoprire una carica; **the q. for citizenship**, la condizione per ottenere la cittadinanza; *What qualifications have you got?*, che qualifiche hai? **3** qualificazione; attribuzione d'una qualità; descrizione **4** (*leg.*) limitazione; restrizione **5** (*sport*) qualificazione ● (*fin.*) **q. shares**, pacchetto azionario di un amministratore (*della società*) □ (*in USA*) **qualifications to register**, requisiti necessari per essere iscritti nelle liste elettorali □ *His delight had but one q.*, una sola nube offuscava la sua gioia.

qualificatory /'kwɒlɪfɪkətərɪ/ a. **1** (*leg.*) limitativo; restrittivo **2** qualificativo.

♦**qualified** /'kwɒlɪfaɪd/ a. **1** (*anche leg.*) condizionale; condizionato; con riserva: **q. approval**, approvazione con riserva **2** qualificato; capace; competente: **a q. worker**, un operaio qualificato **3** (*leg.*) dotato dei requisiti necessari; abilitato; qualificato: **a q.**

teacher, un insegnante abilitato ● **q. acceptance of a bill**, accettazione condizionata (*o* restrittiva) d'una cambiale □ (*polit.*) **q. majority voting**, voto a maggioranza qualificata.

qualifier /'kwɒlɪfaɪə(r)/ n. **1** (*gramm.*) aggettivo (*o* avverbio) qualificativo **2** (*sport*) incontro (*o* partita) di qualificazione; eliminatoria; gara di selezione **3** (*sport*) chi si qualifica (*o* si è qualificato); squadra che si qualifica (*o* che si è qualificata).

♦to **qualify** /'kwɒlɪfaɪ/ [A] v. t. **1** dare a (q.) i requisiti necessari (*per una carica, una professione, ecc.*) **2** abilitare, qualificare (*anche leg.*): **to q. sb. to teach French** (*o* **for teaching French**), abilitare q. all'insegnamento del francese **3** modificare; precisare; attenuare; restringere; limitare: **to q. one's opinion**, attenuare la propria opinione **4** condizionare; sottoporre (qc.) a condizioni **5** qualificare (*anche gramm.*); dare una qualità a (q.); descrivere: *Adjectives q. nouns*, l'aggettivo qualifica il nome **6** (*sport*) qualificare [B] v. i. **1** acquisire le qualità necessarie (*o* i titoli richiesti, i requisiti); abilitarsi; qualificarsi: *Have you qualified as a barrister?*, hai ottenuto i requisiti per esercitare la professione forense? **2** (*sport*) qualificarsi; passare il turno : **to q. for the finals**, qualificarsi per le finali ● **to q. for the Bar**, diventare procuratore legale □ **to q. for a job**, essere idoneo a ricoprire un posto di lavoro □ (*sport*) **to q. for the next round**, passare il turno □ **to q. oneself**, acquisire le qualità necessarie (*o* i titoli richiesti, i requisiti); abilitarsi; qualificarsi; (*sport*) qualificarsi; passare il turno.

qualifying /'kwɒlɪfaɪɪŋ/ [A] a. qualificativo: (*gramm.*) **q. adjective**, aggettivo qualificativo [B] n. (*sport*) qualificazione ● (*sport*) **q. heats**, batterie di qualificazione □ (*autom.*) **q. practice**, prove per la qualificazione; prove ufficiali □ (*sport*) **q. round**, girone (*o* turno) di qualificazione.

qualitative /'kwɒlɪtətɪv/ a. qualitativo: (*chim.*) **q. analysis**, analisi qualitativa; (*stat.*) **q. data**, dati qualitativi.

♦**quality** /'kwɒlɪtɪ/ [A] n. **1** [U] qualità: **goods of high [of poor] q.**, merce di qualità ottima [scadente]; **the q. of life**, la qualità della vita **2** [U] buona qualità; pregio; eccellenza; superiorità: *Q. is of paramount importance in selling*, nelle vendite la buona qualità è cosa della massima importanza **3** qualità; attributo; caratteristica; requisito; proprietà: **the qualities of steel**, le proprietà dell'acciaio **4** [U] (*arc.*, = **people of q.**) gente d'alto rango **5** (pl.) giornali di qualità; quotidiani autorevoli [B] a. attr. **1** di qualità; sulla qualità: (*ind.*) **q. control**, controllo di (*o* della) qualità; (*ind.*) **q. report**, rapporto sulla qualità **2** di buona qualità: **q. work**, lavoro di (buona) qualità **3** di buona qualità; di buona fattura; bello; ben fatto; eccellente: **q. public services**, servizi pubblici di buona qualità; (*sport: calcio*) **a q. cross into the box**, un bel traversone in area ● (*ind.*) **q. auditor**, valutatore della qualità □ (*ind.*) **q. circle**, tavola rotonda aziendale □ (*ind.*) **q. controller**, responsabile del controllo di qualità □ (*ingl.*) **q. paper**, giornale di qualità; quotidiano autorevole □ (*ingl.*) **q. press**, stampa autorevole; quotidiani autorevoli □ **q. time**, tempo che chi lavora dedica ai rapporti famigliari.

qualm /kwɑːm/ n. **1** repentina sensazione di nausea; conato di vomito **2** senso di depressione (*o* di paura) **3** (di solito al pl.) dubbio improvviso; rimorso; scrupolo: *The boss had no qualms about dismissing the new clerk*, il capo non si è fatto scrupoli a licenziare il nuovo impiegato.

qualmish /'kwɔːmɪʃ/ a. **1** che ha la nausea **2** che sente rimorso; che ha scrupoli; inquieto **3** che dà la nausea; nauseabondo.

quandary /'kwɒndərɪ/ n. difficoltà; dilemma; dubbio; imbarazzo; impaccio ● **to be** (*o* **to find oneself**) **in a q.**, trovarsi in imbarazzo.

quango /'kwæŋgəʊ/ n. (*fam. spreg.*, acronimo di **quasi-autonomous non-governmental organization**) ente parastatale; organizzazione quasi ufficiale; ente inutile.

quant /kwɒnt/ n. pertica munita di disco (*applicato a un'estremità perché non affondi nel fango; usata dai barcaioli delle coste orientali inglesi*).

to **quant** /kwɒnt/ v. t. e i. spingere (*una barca*) con una pertica (→ **quant**).

quanta /'kwɒntə/ pl. di **quantum**.

quantal /'kwɒntl/ a. quantico ● (*stat.*) **q. response**, reazione discontinua alternativa.

quantic /'kwɒntɪk/ n. (*mat.*) forma omogenea.

quantifiable /kwɒntɪ'faɪəbl/ a. quantificabile.

quantification /ˌkwɒntɪfɪ'keɪʃn/ n. [U] (*scient.*, *tecn.*) quantificazione.

quantifier /'kwɒntɪfaɪə(r)/ n. (*logica*, *ling. e mat.*) quantificatore.

to **quantify** /'kwɒntɪfaɪ/ v. t. quantificare.

quantile /'kwɒntaɪl/ n. (*stat.*) quantile.

quantitative /'kwɒntɪtətɪv/ a. quantitativo (*in ogni senso*): (*chim.*) **q. analysis**, analisi quantitativa; (*stat.*) **q. data**, dati quantitativi; (*genetica*) **q. inheritance**, eredità quantitativa; (*poesia*) **q. scansion**, scansione quantitativa.

♦**quantity** /'kwɒntɪtɪ/ n. **1** [U] quantità: *We are interested in quality, not q.*, quello che ci interessa è la qualità, non la quantità **2** [UC] gran quantità; abbondanza: **to use up a q. of coal**, usare una gran quantità di carbone (*o* carbone in abbondanza) **3** quantità; quantitativo: *We grant a discount for large quantities of goods*, concediamo uno sconto per grossi quantitativi di merce **4** (*scient.*) quantità; grandezza: (*mat.*) **incommensurable q.**, quantità incommensurabile; **scalar q.**, grandezza scalare **5** (*ling.*) quantità, lunghezza (*di una vocale, di una sillaba*) ● (*tecn.*) **q. determination**, dosaggio (*d'ingredienti*) □ (*comm.*) **q. discount**, sconto per acquisti di grossi quantitativi □ (*poesia*) **q. mark**, segno della quantità (*d'una vocale*); segno di lunga o di breve □ **q. meter**, contatore (*d'acqua*) **q. per second**, portata al secondo □ (*ind.*) **q. production**, produzione in grande quantità □ **q. rebate** = **q. discount** → *sopra* □ (*edil.*) **q. survey**, computo metrico ed estimativo (*dei materiali*) □ (*edil.*) **q. surveyor**, tecnico che fa il computo metrico ed estimativo; preventivista □ (*econ.*) **q. theory of money**, teoria quantitativa della moneta.

to **quantize** /'kwɒntaɪz/ (*scient.*, *tecn.*) v. t. quantizzare ‖ **quantization** n. [U] quantizzazione ‖ **quantizer** n. (*elettron.*) quantizzatore.

quantum /'kwɒntəm/ [A] n. (pl. *quanta*) **1** (*fis.*) quanto: **light q.**, quanto di luce **2** piccola quantità **3** (*leg.*) quantum; quanto dovuto **4** (*med.*) dose [B] a. attr. (*fis.*) quantico; quantistico; dei quanti: **q. number**, numero quantico; **q. theory**, teoria quantistica (*o* dei quanti); **q. transition**, salto quantico ● **q. bit**, bit quantistico □ **q. chemist**, esperto in chimica quantistica □ **q. chemistry**, chimica quantistica □ (*comput.*) **q. computer**, computer quantistico □ (*comput.*) **q. computing**, computazione quantistica □ **q. jump**, (*fis.*) salto quantico; (*fig.*, = **q. leap**), enorme balzo in avanti, grande progresso □ (*med.*) **q. sufficit** (*lat.*), quanto basta.

quaquaversal /kweɪkwə'vɜːsl/ [A] a. (*scient.*) periclinale; radiale [B] n. (*geol.*) struttura periclinale.

quarantine /'kwɒrəntiːn/ n. (*med.*, *naut. e fig.*) quarantena.

to **quarantine** /ˈkwɒrəntiːn/ v. t. (anche *fig.*) mettere (*o* tenere) in quarantena.

quark /kwɑːk/ n. (*fis. nucl.*) quark ● (*astron.*) **q. star**, stella di quark.

quarrel ① /ˈkwɒrəl/ n. **1** lite; litigio; alterco; contesa; disputa; rissa: **a bitter q.**, una lite accanita **2** contrasto; dissidio; dissidio; motivo di lite: *I have no q. against* (*o* *with*) *him*, non ho motivi di contrasto con lui; non trovo niente da ridire su quello che dice (fa, ecc.) ● **to make up a q.**, fare la pace; rappacificarsi; riconciliarsi □ **to pick a q. with sb.**, attaccar lite (*o* briga) con q.

quarrel ② /ˈkwɒrəl/ n. **1** (*stor.*, *mil.*) quadrello; dardo **2** losanga, rombo (*di vetrate a piombi*) **3** (*edil.*) quadrello (*mattone quadrato da pavimento*); mattonella **4** tagliavetro; diamante (*da vetraio*).

to **quarrel** /ˈkwɒrəl/ v. i. **1** litigare; altercare; bisticciare; disputare; attaccar briga; questionare **2** lagnarsi; trovare da ridire; essere scontento: **to q. with one's wages**, essere scontento del salario ● **to q. about** (*o* **over**) **st.**, litigare per qc. □ (*fig.*) **to q. with one's bread and butter**, (rischiare di) farsi cacciare dal lavoro || **quarreller**, (*USA*) **quarreler** n. **1** litigante **2** attaccabrighe || **quarrelling**, (*USA*) **quarreling** n. ⓤ il litigare; liti; alterchi; dispute; risse.

quarrelsome /ˈkwɒrəlsəm/ a. litigioso; rissoso; attaccabrighe | **-ly** avv. | **-ness** n. ⓤ.

quarrier /ˈkwɒrɪə(r)/ n. cavatore (di marmo, ecc.); cavapietre.

quarry ① /ˈkwɒrɪ/ n. cava; (*fig.*) miniera, fonte (*di notizie, ecc.*): **marble q.**, cava di marmo.

quarry ② /ˈkwɒrɪ/ n. preda (*anche fig.*); selvaggina.

quarry ③ /ˈkwɒrɪ/ n. losanga, rombo (*di vetrate a piombi*) **2** (= **q. tile**) quadrello (*edil.*) **q.-tiled flooring**, pavimentazione in mattonelle; ammattonato.

to **quarry** /ˈkwɒrɪ/ Ⓐ v. t. **1** scavare; estrarre: **to q. limestone**, estrarre calcare (*o* pietre calcaree) **2** (*fig.*) cavar fuori, ricavare (*notizie, fatti, ecc.: da libri, manoscritti, ecc.*) Ⓑ v. i. (*fig.*) fare ricerche (*o* indagini).

quarryman /ˈkwɒrɪmən/ n. (pl. **quarrymen**) cavatore; chi lavora in una cava.

quart ① /kwɔːt/ n. **1** quarto di gallone (*misura per liquidi, pari a litri 1,14 circa in GB, o a 1 litro circa in USA*); recipiente (*spec.* boccale) di tale capacità **2** ottavo di «peck» (*misura per cereali, pari a litri 1,14 circa in GB, o a litri 1,1 circa in USA*) ● (*fam.*) **to try to put a q. into a pint pot**, tentare l'impossibile; voler raddrizzare le gambe ai cani (*fig.*).

quart ② /kɑːt/ n. **1** ⓤ (*scherma*, = **quarte**) quarta **2** (*nei giochi di carte*) sequenza di quattro carte dello stesso seme ● **q. major**, asso, re, regina e fante dello stesso seme.

quart. abbr. (**quarterly**) trimestralmente.

quartan /ˈkwɔːtn/ a. e n. (*med.*) (febbre) quartana.

quarte /kɑːt/ (*franc.*) n. → **quart**②, def. 1.

♦**quarter** /ˈkwɔːtə(r)/ n. **1** (*mat., astron., arald., ecc.*) quarto: **a q. of a mile**, un quarto di miglio; **a q. of a century**, un quarto di secolo; *It's a q. to* (*USA*: *of*) *four*, sono le quattro meno un quarto; *The moon is in its first q.*, la luna è al primo quarto; **a q. of beef**, un quarto di bue; **hind quarters**, quarti posteriori **2** trimestre; (*spec. scozz. e USA*) trimestre scolastico (*cfr. ingl.* **term**) **3** (*USA*) quarto di dollaro; moneta da 25 centesimi **4** quarto della bussola; punto cardinale; (*per estens.*) direzione, località, parte: *Which q. is the wind in?*, in che direzione soffia il vento?; *He has travelled in every q. of the globe*, ha viaggiato in ogni parte del mondo; *'*[*I tried*] *to reach, from the corridor, some other window turned to the same q.'* H. JAMES, '[cercai di] raggiungere, dal

corridoio, un'altra finestra che guardasse nella stessa direzione' **5** (*fig.*) provenienza; fonte; ambiente; settore; (al pl., anche) sfere: *This information comes from a reliable q.*, questa informazione viene da fonte attendibile; *We got help from an unexpected q.*, ricevemmo un aiuto inaspettato; *He's likely to face criticism from some quarters*, verrà probabilmente criticato da qualcuno **6** quartiere; rione; zona d'una città: **the residential q.**, il quartiere residenziale; **the manufacturing q.**, la zona industriale della città **7** (pl.) alloggio: *I found quarters for my friends*, trovai alloggio per i miei amici **8** (pl.) (*mil.*) quartieri; alloggiamento; luogo di guarnigione; caserme **9** (pl.) (*naut. mil.*) posti di combattimento: *The crew took up their quarters*, l'equipaggio occupò i posti di combattimento **10** (*naut.*) giardinetto; anca **11** «quarter» (*misura per cereali, pari a ettolitri 2,90 circa*) **12** «quarter»; quarto di «hundredweight» (*misura di peso, pari a kg 12,70 in GB e a kg 11,34 in USA*) **13** (*arc., sport.: atletica*) – **the q.**, il quarto di miglio (*402 m circa*) **14** (*football americano, basket, football australiano*) tempo (*di gioco: ve ne sono quattro*) **15** (*football americano*) → **quarterback** ● **q. bell** [**q. clock**], campana [orologio] che batte i quarti d'ora □ (*legatoria*) **q.-binding**, rilegatura in pelle sul dorso (*del libro*) e in materiale di minor pregio sui due quadranti □ (*di un libro*) **q.-bound**, rilegato come sopra □ (*in GB*) **q. days**, giorni di scadenza trimestrale (*spec. degli affitti di case*) ⓘ **CULTURA** • **Quarter Days** *sono il 25 marzo* (**Lady Day**)*, il 24 giugno* (**Midsummer Day**)*, 29 settembre* (**Michaelmas**) *e il 25 dicembre* (**Christmas Day**) □ (*USA*) **q. dollar**, quarto di dollaro (*25 cents*) □ (*naut.*) **q. gallery**, balconata □ **q.-hour**, quarto d'ora □ **-hourly**, che avviene) ogni quarto d'ora □ (*sport*) **q. mile**, quarto di miglio □ (*ipp.*) **q.-mile races**, corse di un quarto di miglio □ (*sport*) **q.-miler**, podista che corre il quarto di miglio □ (*mus., USA*) **q. note**, semiminima □ (*fotogr.*) **q. plate**, lastra di 3¼ × 4¼ pollici (*cm 8,3 × 10,8 circa*) □ (*fam. USA*) **q.-pounder**, cosa (*spec.* hamburger) che pesa un quarto di libbra □ **q. round**, (*archit.*) ovolo, echino; (*falegn.*) quartabuono; quartabono □ (*leg., stor.*) **q. sessions**, sessioni trimestrali; udienze trimestrali □ (*mus.*) **q. tone**, quarto di tono; mezzo semitono □ (*naut.*) **q. watch**, turno di guardia fatto da un quarto dell'equipaggio □ (*naut.*) **q. wind**, vento al giardinetto □ (*lett.*) **to ask for q.**, chieder quartiere; chiedere salva la vita □ (*fig.*) **a bad q. of an hour**, un brutto quarto d'ora □ (*naut.*) **to beat to quarters**, chiamare l'equipaggio ai posti di combattimento □ **at close quarters**, dappresso, vicino; (*mil.*) corpo a corpo □ **from every q.** (*o* **from all quarters**), da ogni parte; da tutte le direzioni □ (*lett.*) **to give no q.**, non dar quartiere; non usare misericordia □ **to live in close quarters**, vivere in un ambiente ristretto □ (*lett.*) **to receive q.**, aver salva la vita □ (*edil.*) **sleeping quarters**, zona notte □ **to take up one's quarters with sb.**, andare ad abitare con q.

to **quarter** /ˈkwɔːtə(r)/ Ⓐ v. t. **1** dividere in quarti; dividere in quattro parti: **to q. a watermelon**, dividere in quattro un cocomero **2** (*stor.*) fare in quarti; squartare (*supplizio*): *The traitor was hanged and quartered*, il traditore fu impiccato e squartato **3** (*arald.*) inquartare; dividere (*lo scudo, lo stemma*) in quarti **4** (*mecc.*) disporre (*gomiti*) ad angolo retto **5** alloggiare; acquartierare (*soldati*) **6** battere (*un terreno*); perlustrare Ⓑ v. i. **1** alloggiare; essere alloggiato; (*mil.*) acquartierarsi **2** battere un terreno; fare una perlustrazione **3** (*di nave*) navigare col vento al giardinetto **4** (*del vento*) soffiare verso il giardinetto **5** (*della luna*) cambiare

quarto.

quarterage /ˈkwɔːtərɪdʒ/ n. ⓤ **1** pagamento trimestrale (*dell'affitto, ecc.*) **2** (*mil.*) acquartieramento.

quarterback /ˈkwɔːtəbæk/ n. (*football americano*) giocatore in posizione centrale, che costruisce il gioco offensivo; quarterback: **q. sneak**, incursione del quarterback.

to **quarterback** /ˈkwɔːtəbæk/ v. i. e t. **1** (*sport*) essere il quarterback; costruire il gioco (*di una squadra*) come quarterback **2** (*fig. USA*) dirigere; organizzare.

quarterdeck /ˈkwɔːtədek/ n. (*naut.*) cassero di poppa; cassero poppiero; casseretto.

quarter-final /ˈkwɔːtəfaɪnl/ n. **1** (= **quarter-final match**) incontro dei quarti di finale **2** (pl.) quarti di finale || **quarter-finalist** n. atleta (*o* giocatore, squadra) che partecipa ai quarti di finale.

quartering /ˈkwɔːtərɪŋ/ n. **1** divisione in quattro parti **2** (*stor.*) squartamento **3** (*mil.*) acquartieramento **4** (*arald.*) inquartatura **5** passaggio (*della luna*) da un quarto all'altro.

quarterlight, **quarter light** /ˈkwɔːtəlaɪt/ n. (*autom.*) piccolo finestrino laterale; deflettore.

quarterly /ˈkwɔːtəlɪ/ Ⓐ a. trimestrale: **q. payments**, pagamenti trimestrali Ⓑ avv. **1** trimestralmente **2** (*arald.*) in quarti: (*di scudo*) **q. divided**, diviso in quarti; inquartato Ⓒ n. pubblicazione trimestrale.

quartermaster /ˈkwɔːtəmɑːstə(r)/ n. **1** (*mil.*) quartiermastro (*un tempo*); (*ora*) commissario; maresciallo d'alloggio; furiere **2** (*naut.: un tempo*) quartiermastro **3** (*naut.: oggi*) timoniere **4** (*marina mil.*) secondo capo timoniere **5** (*USA*) ufficiale del commissariato ● (*USA*) **Q. Corps** (abbr. **QMC**), Commissariato militare □ (*USA*) **Q. General** (abbr. **QMG**), Generale del Commissariato.

quartern /ˈkwɔːtən/ n. ● **q. loaf**) pagnotta di quattro libbre circa (*oltre 1 kilo e mezzo*) **2** quarto di pinta (*o* di libbra, ecc.).

quarterstaff /ˈkwɔːtəstɑːf/ n. (pl. **quarterstaves**) lunga asta di legno dalla punta ferrata (*usata un tempo in combattimento*).

quartet, **quartette** /kwɔːˈtet/ n. **1** (*mus.*) quartetto **2** (*fig.*) quartetto; gruppo di quattro **3** (*sport*) quartetto (*di giocatori*).

quartic /ˈkwɔːtɪk/ (*mat.*) Ⓐ a. quartico; di quarto grado Ⓑ n. quartica.

quartile /ˈkwɔːtaɪl/ n. (*stat.*) quartile ● **q. deviation**, deviazione dal quartile.

quarto /ˈkwɔːtəʊ/ (*tipogr.*) Ⓐ a. in quarto Ⓑ n. (pl. **quartos**) (volume) in quarto.

quartz /kwɔːts/ n. ⓤ (*miner.*) quarzo ● (*elettron.*) **q. crystal**, cristallo di quarzo □ (*elettr.*) **q.-iodine lamp**, lampada alogena (*o* al quarzo-iodio) □ (*elettron., med.*) **q. lamp**, lampada al quarzo □ **q. oscillator**, piezoscillatore ● **a q. watch**, un orologio al quarzo.

quartziferous /kwɔːtˈsɪfərəs/ a. (*miner.*) quarzifero.

quartzite /ˈkwɔːtsaɪt/ n. ⓤ (*miner.*) quarzite.

quartzose /ˈkwɔːtsəʊs/ a. (*miner.*) quarzoso.

quasar /ˈkweɪzɑː(r)/ n. (*astron.*) acronimo di **quasi-stellar radio source**) quasar.

to **quash** /kwɒʃ/ v. t. **1** schiacciare; soggiogare; sottomettere; domare: **to q. an uprising**, domare una rivolta **2** (*leg.*) annullare; cassare; invalidare; revocare: **to q. a decision**, revocare una decisione; **to q. a verdict**, annullare un verdetto ● (*leg.*) **to q. the array**, annullare la composizione della giuria || **quashing** n. ⓤ **1** il domare; soggiogamento **2** (*leg.*) annullamento; revoca; cassazione.

quasi /'kweɪzaɪ/ a. e avv. quasi; pressoché; semi- (pref.); poco meno che: **a q.-historical novel**, un romanzo poco meno che storico; **q.-officially**, in modo semiufficiale ● (*econ.*) **q.-money**, quasi moneta □ (*econ.*) **q.-monopoly**, quasi monopolio □ (*fis.*) **q.-particle**, quasi-particella □ (*fin.*) **q.-partner**, quasi socio.

quassia /'kwɒʃə/ n. (*bot., Quassia amara*) quassia.

quassin /'kwæsɪn/ n. ⓤ (*chim., farm.*) quassina.

quatercentenary /kwætəsɛn'tiːnəri/ n. quarto centenario.

quaternary /kwə'tɜːnəri/ Ⓐ a. **1** quaternario; che si compone di quattro elementi **2** – (*geol.*) Q., quaternario: **Q. era**, era quaternaria **3** (*chim., metall.*) quaternario Ⓑ n. **1** quartetto; serie di quattro cose **2** ⓤ – (*geol.*) **the Q.**, il Quaternario; l'era quaternaria.

quaternion /kwə'tɜːnɪən/ n. (*mat.*) quaternione.

quatrain /'kwɒtreɪn/ n. (*poesia*) quartina.

quatrefoil /'kætrəfɔɪl/ n. **1** (*bot., archit.*) quadrifoglio **2** (*arald.*) quattrofoglie.

quattrocento /kwætrəʊ'tʃɛntəʊ/ (*ital.*), (*arte, letter.*) n. ⓤ Quattrocento || **quattrocentist** n. quattrocentista.

quaver /'kweɪvə(r)/ n. **1** (*nel canto*) trillo; gorgheggio **2** tremolio (*della voce*) **3** (*mus.*) croma.

to **quaver** /'kweɪvə(r)/ Ⓐ v. i. **1** tremolare; tremare; vibrare: *His voice quavered and broke*, la voce gli tremò e poi si spezzò **2** (*mus.*) trillare; gorgheggiare Ⓑ v. t. (*di solito* **to q. out**) dire (*o cantare*) con voce tremula ● (*mus.*) **to q. a note**, trillare su una nota; eseguire una nota trillata.

quavering /'kweɪvərɪŋ/ Ⓐ a. **1** tremulo **2** trillante Ⓑ n. ⓤ gorgheggio || **quaveringly** avv. **1** con voce tremula **2** con trilli.

quavery /'kweɪvəri/ a. **1** tremulo; tremolante **2** trillante.

quay /kiː/ n. (*naut.*) banchina (d'attracco); molo; calata ● **q. dues**, diritti di banchina □ **q. ramp**, scivolo di banchina □ **q. trial**, prova agli ormeggi || **quayage** n. ⓤ (*comm., naut.*) diritti di banchina.

quayside /'kiːsaɪd/ n. (*naut.*) area della banchina; banchina: *We had to wait at the q.*, dovemmo aspettare sulla banchina.

qubit /'kjuːbɪt/ n. (*comput., fis.*, contraz. di **quantum bit**) qubit (*corrispondente del bit nella computazione quantistica*).

queasy /'kwiːzi/ a. **1** nauseabondo; disgustoso; nauseante: **a q. mixture**, un miscuglio disgustoso **2** nauseato **3** delicato (*di stomaco*); schizzinoso; schifiltoso **4** (*fig.*) ansioso; inquieto; preoccupato; a disagio, (*anche*) facile a turbarsi; ipersensibile | **-ily** avv. | **-iness** n. ⓤ.

Quebec /kwɪ'bɛk/ n. **1** (*geogr.*) Quebec **2** (*radio, tel.*) (la lettera) q; Quebec.

quebracho /keɪ'brɑːtʃəʊ/ (*spagn.*) n. ⓒⓤ quebracho (*l'albero e il legno*).

♦**queen** /kwiːn/ n. **1** regina: **the q. consort**, la regina consorte; **the q. mother**, la regina madre; (*stor.*) **Q. Victoria**, la Regina Vittoria **2** (*fig.*) regina: (*relig.*) **the Q. of Grace**, la Regina delle grazie (*la Madonna*), **beauty q.**, regina di bellezza; reginetta **3** (*a scacchi*) regina **4** (*a carte*) regina; donna **5** (*zool.*) regina (*di api, ecc.*) **6** (*slang, talvolta spreg.*) omosessuale; effeminato; finocchio, frocio, checca (*spreg.*) ● **Q. Anne furniture**, mobili stile Regina Anna (*1702-1714*) □ (*bot.*) **Q. Anne's Lace** (*Anthriscus sylvestris*), cerfoglio selvatico □ (*zool.*) **the q. bee**, l'ape regina; (*fig., iron.*) la gran capa □ (*leg.*) **Q.'s Bench (Division)** (abbr.: **QBD**), sezione dell'Alta Corte di Giustizia che si occupa di questioni di assicurazione, diritto commerciale e ma-

rittimo, ecc. ❶ **CULTURA** ● **Queen's Bench Division = Chancery Division** → **chancery** □ (*leg.*) **Q.'s Counsel** → **counsel** □ **the q. dowager**, la regina (vedova) □ **Q.'s English**, l'inglese puro (*la lingua*) □ (*leg.*) **Q.'s evidence** → **evidence** □ (*leg.*) **the Q.'s peace**, l'ordine pubblico □ (*edil.*) **q. post**, monaco □ **the q. regent**, la reggente (*del trono*) □ **q. regnant**, regina regnante □ (*polit.*) **the Q.'s speech**, il discorso della regina (*all'apertura del parlamento*) □ (*arte*) **Q.'s ware**, ceramiche pregiate di colore bianco □ (*slang*) **drag q.**, travestito □ (*fam.*) **Q. Anne is dead**, bella novità!; lo sanno anche i sassi! ❶ **CULTURA** ● **the Queen:** → **monarchy.**

to **queen** /kwiːn/ Ⓐ v. t. **1** (*arc.*) fare (*una donna*) regina **2** (*scacchi*) fare (*un pedone*) regina Ⓑ v. i. **1** (*scacchi*) andare a regina **2** (*gioco della dama*) andare a dama ● (*fam. spreg.*) **to q. it**, darsi arie da regina; farla da padrona □ **to q. it over sb.**, spadroneggiare su q. □ (*slang*) **to q. it up**, fare la checca; vestire da checca.

queenlike /'kwiːnlaɪk/ a. di (*o* da) regina; regale.

queenly /'kwiːnli/ a. di (*o* da) regina; degno d'una regina; regale || **queenliness** n. ⓤ regalità; maestà; dignità di regina.

Queensberry rules /kwiːnzbrɪ'ruːlz/ loc. n. **1** le regole del pugilato (*del marchese di Queensberry: 1869*) **2** (*fam.*) comportamento leale; rispetto delle regole del gioco.

queenship /'kwiːnʃɪp/ n. ⓤ condizione (*o* dignità) di regina; regalità.

queer /kwɪə(r)/ Ⓐ a. **1** strano; bizzarro; curioso; singolare; eccentrico: **a q. way of pronouncing English**, uno strano modo di pronunciare l'inglese **2** dubbio; di dubbia moralità; sospetto; poco chiaro: **a q. fellow**, un tipo di dubbia moralità; **q. money**, denaro di dubbia provenienza **3** indisposto; che ha la nausea (*o* le vertigini) **4** (*fam. offensivo*) di (*o* da) omosessuale; omosessuale **5** (*USA*) sbronzo Ⓑ n. (*spreg.*) finocchio, frocio, checca (*pop.*) ● **q.-bashing**, pestaggio degli omosessuali □ (*fam.*) **a q. fish**, un tipo strano; un eccentrico □ (*fam.*) **q. in the head**, matto da legare; pazzo □ **q. theory**, discussione sulla sessualità non eterosessuale; 'queer theory' □ **to feel q.**, sentirsi indisposto; star poco bene □ (*slang ingl., antiq.*) **in Q. Street**, inguaiato (*pop.*); pieno di debiti | **-ly** avv. | **-ness** n. ⓤ.

to **queer** /kwɪə(r)/ v. t. (*slang*) **1** guastare; rovinare; sciupare **2** mettere (*q.*, *o sé stesso*) in cattiva luce ● (*fig.*) **to q. sb.'s pitch**, rompere le uova nel paniere a q.

queerish /'kwɪərɪʃ/ a. **1** alquanto strano; piuttosto bizzarro **2** piuttosto dubbio; sospetto.

to **quell** /kwɛl/ v. t. **1** reprimere; domare; soffocare: **to q. a rebellion**, domare una rivolta **2** acquietare; calmare; lenire: **to q. sb.'s fears**, calmare le apprensioni di q.

to **quench** /kwɛntʃ/ v. t. **1** estinguere; spegnere; smorzare; soffocare: **to q. a fire**, spegnere un fuoco; **to q. the light**, smorzare la luce **2** (*fig.*) reprimere; soffocare (*una speranza, un desiderio, ecc.*) **3** (*metall.*) raffreddare; temprare (*metallo rovente*) in acqua **4** (*slang*) far tacere; ridurre al silenzio (*un avversario*) ● **to q. one's thirst**, dissetarsi.

quenchable /'kwɛntʃəbl/ a. **1** estinguibile **2** (*fig.*) soffocabile.

quench ageing /'kwɛnʃeɪdʒɪŋ/ loc. n. ⓤ (*tecn.*) tempra.

quencher /'kwɛntʃə(r)/ n. **1** spegnitore **2** (*metall.*) tempratore **3** (*fam.*) qualcosa da bere; bevanda alcolica.

quenching /'kwɛntʃɪŋ/ n. ⓤ **1** (*anche elettron.*) spegnimento; estinzione **2** (*fig.*) soffocamento; repressione **3** (*metall.*) raffred-

damento rapido; tempra: **q. bath**, bagno di tempra **4** (*fis. nucl.*) «quenching».

quenchless /'kwɛntʃləs/ a. **1** inestinguibile; perenne **2** (*fig.*) irreprimibile; non soffocabile.

quenelle /kə'nɛl/ (*franc.*) n. (*cucina*) chenella; polpetta di carne; crocchetta di pesce.

quercetin /'kwɜːsətɪn/ n. ⓤ (*chim.*) quercetina.

quercitrin /'kwɜːsɪtrɪn/ n. ⓤ (*chim.*) quercitrina.

quercitron /'kwɜːsɪtrən/ n. **1** (*bot., Quercus tinctoria*) quercitrone **2** ⓤ quercitrone (*l'estratto colorante*).

querist /'kwɪərɪst/ n. chi indaga; chi fa domande.

quern /kwɜːn/ n. **1** macina a mano; macinatoio (*per cereali*) **2** macinino (*per il pepe, ecc.*) ● **q.-stone**, macina di mulino; mola.

querulous /'kwerʊləs/ a. querulo; lamentoso; piagnucoloso | **-ly** avv. | **-ness** n. ⓤ.

query /'kwɪəri/ n. **1** domanda; quesito; questione: **to raise a q.**, sollevare una questione **2** punto interrogativo **3** (*comput.*) interrogazione: **q. and answer station**, stazione d'interrogazione e risposta; **q. language**, linguaggio d'interrogazione ● **Q., what can we do to prevent that?**, di grazia, che cosa possiamo fare per impedirlo?

to **query** /'kwɪəri/ v. t. **1** indagare; investigare; chiedersi; sondare (*fig.*): **to q. sb.'s intentions**, sondare le intenzioni di q.; *I q. whether we can trust him or not*, mi chiedo se ci possiamo fidare di lui o no; «*How come?*», *queried John*, «Come mai?», chiese John **2** discutere; mettere in dubbio (*o in discussione*): **to q. an order**, discutere un ordine **3** (*USA*) fare domande a (q.); interrogare **4** segnare (*parole scritte o stampate*) con un punto interrogativo.

quest /kwɛst/ n. **1** (*lett.*) ricerca: **the q. for truth**, la ricerca della verità **2** (*relig.*) questua; cerca **3** (*leg., raro*) inchiesta: **coroner's q.**, inchiesta del → «coroner» ● **in q. of**, alla ricerca di.

to **quest** /kwɛst/ v. t. e i. **1** (*spec. di cani da caccia*) cercare **2** abbaiare ● (*lett.*) **to q. after** (*o* **for**) **st.**, andare in cerca di qc.

♦**question** /'kwɛstʃən/ n. ⓒⓤ **1** domanda; interrogazione; quesito: *Stop asking me questions*, smettila di farmi domande; (*gramm.*) **indirect q.**, interrogazione indiretta **2** questione; discussione; problema; disputa; controversia; obiezione: *'To be, or not to be: that is the q.'* W. SHAKESPEARE, 'essere, o non essere: questo è il problema?'; **a difficult q.**, una questione difficile; **an open q.**, una questione pendente; un problema insoluto; **the Middle East q.**, la questione mediorientale; *It's not a q. of money*, non è questione di denaro; **the q. of the hour**, il problema del momento; *They granted my claim without q.*, accolsero il mio reclamo senza far questioni (*o senza obiezioni*) **3** (*negli esami*) domanda; quesito **4** (*arc.*) tortura: *The prisoner was put to the q.*, il prigioniero fu messo alla tortura ● (*nelle pubbliche riunioni*) **Q.!**, stia in argomento!; niente digressioni! □ **q. and answer**, botta e risposta □ (*radio, TV*) **q.-and-answer show**, programma a quiz □ (*leg.*) **q. of fact** [**of law**], questione di fatto [di diritto] □ **q. mark**, punto interrogativo (*anche fig.*) □ **q. master** → **quizmaster** (*gramm. ingl.*) □ **q. tag**, «question tag»; breve domanda in coda a una frase (*cfr. ital.* «è vero?», «non è vero?»): *In the sentence «He likes his job, doesn't he?», «doesn't he» is a q. tag*, nella frase «He likes his job, doesn't he?», «doesn't he» è una «question tag» □ (*polit.: in Parlamento*) **q. time**, question time; fase del lavori dedicata alle interrogazioni dei parlamentari □ **to beg the q.** → **to beg** □ **to be be-**

q

side the q., non essere pertinente; essere fuori tema □ **beyond (all) q.** (*o out of q.*), (avv.) fuor di dubbio; senza dubbio, certamente; (agg.) indubbio, indubitabile, certo, sicuro □ **to call st. in q.**, mettere in dubbio qc. □ **to come into q.**, venire in discussione; essere discusso; acquistare importanza □ **out of the q.**, fuori discussione; fuori questione; impossibile □ (*fam.*) **to pop the q.**, fare una proposta di matrimonio □ (*polit.*, *ecc.*) **to put the q.**, sollevare una questione; mettere una questione ai voti □ (*USA*) **sixty-four (thousand) dollar q.**, domanda da 100 milioni; domanda cruciale □ **It's only a q. of putting more sugar in it**, si tratta solo di metterci più zucchero □ **Where he went later is not the q.**, dove sia andato dopo è cosa del tutto irrilevante □ **There is no q. about** (*o of*) **his being honest**, non c'è alcun dubbio sulla sua onestà □ **Questions are welcome**, i presenti sono invitati a fare domande.

to **question** /ˈkwɛstʃən/ Ⓐ v. t. **1** interrogare; far domande a (q.); esaminare: *They were questioned by the immigration officer*, furono interrogati dal funzionario dell'ufficio immigrazione **2** mettere in questione; mettere in dubbio; contestare; dubitare di (qc.): *I q. the accuracy of the report*, dubito dell'accuratezza della relazione; *I q. whether his plan will be successful*, dubito che il suo piano riesca **3** indagare; investigare (*fenomeni, fatti, ecc.*) Ⓑ v. i. fare domande □ **to q. a statement**, negare la validità di un'asserzione □ **It cannot be questioned that** (*lett.*: **but that**)..., è fuori dubbio che...
❶ FALSI AMICI • to question *non significa* questionare.

questionable /ˈkwɛstʃənəbl/ a. **1** discutibile; dubbio; incerto; controverso; opinabile: **a q. statement**, un'affermazione discutibile **2** di dubbia moralità; poco rispettabile; ambiguo; equivoco | **-ness n.** Ⓤ | **-bly avv.**

questioner /ˈkwɛstʃənə(r)/ n. interrogatore; interrogante.

questioning /ˈkwɛstʃənɪŋ/ Ⓐ n. Ⓤ interrogatorio (*della polizia, ecc.*) Ⓑ a. **1** interrogativo; di domanda; interrogante: **a q. look**, uno sguardo interrogativo **2** indagatore: **a q. mind**, una mente indagatrice.

questionnaire /ˌkwɛstʃəˈnɛə(r)/ (*franc.*) n. questionario.

questor /ˈkwɛstə(r)/ e *deriv.* → **quaestor**, e *deriv.*

quetzal /ˈkɛtsl/ n. (pl. **quetzals**, **quetzales**) **1** (*zool., Pharomachrus mocinno*) quetzal **2** quetzal (*la moneta del Guatemala*).

♦**queue** /kjuː/ n. **1** coda (*di capelli*); codino **2** coda (*di gente*); fila: **to stand in a q.**, stare in fila; fare la coda; **to form a q.**, mettersi in fila; formare una fila **3** (*comput.*) coda (*di attesa*) ♦ (*fam.*) **q.-jumper**, chi non rispetta la fila; chi passa davanti scavalcando gli altri (*in una coda*) □ **guided q.**, spazio delimitato per poter fare la fila □ **to jump the q.**, passare davanti agli altri (*che fanno la coda*) □ (*fam.*) **Join the q.!**, preparati a fare la fila!; non sei l'unico!

to **queue** /kjuː/ v. i. (*spesso* **to q. up**) fare la fila; fare la coda; mettersi in coda: **'Please q. this side'** (*cartello*), 'mettersi in coda da questo lato'; **to q. up for a bus**, fare la fila per prendere un autobus; *We can pick up the tickets without having to q.*, possiamo prendere i biglietti senza fare la fila ♦ (*mat., ric. op.*) **queuing theory**, teoria delle code.

to **queue-jump** /ˈkjuːdʒʌmp/ v. i. non rispettare la coda; passare davanti agli altri (*in una fila*).

quibble /ˈkwɪbl/ n. **1** cavillo; arzigogolo; sofisma **2** (*arc.*) gioco di parole; bisticcio **3** (*fam.*) sotterfugio; scappatoia; pretesto **4**

(*fam.*) lieve lagnanza; appunto.

to **quibble** /ˈkwɪbl/ v. i. **1** cavillare; arzigogolare; sofisticare; usare sofismi; sottilizzare **2** (*arc.*) fare giochi di parole || **quibbler** n. cavillatore; sofista.

quibbling /ˈkwɪblɪŋ/ a. **1** cavilloso; sofistico; capzioso **2** (*fam.*) che trova a ridire.

quiche /kiːʃ/ n. Ⓒ (*cucina*) quiche; torta salata.

♦**quick** /kwɪk/ Ⓐ a. **1** celere; lesto; rapido; svelto; veloce: **in q. succession**, in rapida successione; **a q. bus**, un autobus veloce; (*sport*) **a q. pass**, un passaggio veloce; **a q. walker**, un marciatore veloce; **a q. worker**, un lavoratore svelto; uno che lavora in fretta; *It will be quicker if you send your enquiry directly to me*, sarebbe più veloce se mandassi la richiesta direttamente a me **2** pronto; acuto; desto; sveglio (*fig.*); intelligente; vivace; vivo: **a q. reply**, una pronta risposta; **to have a q. eye**, avere la vista acuta; **a q. sense of smell**, un acuto senso dell'olfatto; un odorato acutissimo; **a q. mind**, una mente acuta; un'intelligenza pronta; **a q. wit**, uno spirito vivace; **a q. child**, un ragazzo sveglio, una ragazza sveglia; **q. to anger**, pronto all'ira; **q. to take offense**, pronto a offendersi; permaloso **3** impaziente; irascibile; suscettibile; collerico: **a q. temper**, un temperamento irascibile Ⓑ avv. (*fam.*) rapidamente; velocemente; in fretta: *You are talking too q.*, parli troppo in fretta Ⓒ n. Ⓤ **– the q.**, il vivo; la carne viva: *He bites his nails to the q.*, si morde le unghie fino alla carne viva (*o a sangue*); *The insult stung him to the q.*, l'insulto lo toccò sul vivo ♦ (*farm., med.*) **q.-acting**, a effetto immediato; ad azione rapida □ (*mecc.*) **q.-action coupling**, innesto rapido □ (*arc.*) **the q. and the dead**, i vivi e i morti □ (*slang USA*) **q.-and-dirty**, (avv.) alla carlona; (agg.) affrettato e superficiale, fatto alla carlona; (sost.) cosa fatta alla meglio (*o* alla carlona); rimedio improvvisato □ (*anche*) tavola calda, ristorante economico □ (*rag.*) **q. assets**, attività di pronto realizzo □ (*teatr.*) **a q.-change artist**, un trasformista □ (*geol.*) **q. clay**, argilla fluidificata □ (*naut.*) **q.-dive tank**, cassa di rapida immersione (*di un sottomarino*) □ **q.-eyed**, dalla vista acuta □ **q.-fire**, (*di fucile e fig.*) a ripetizione; (*di cannone*) a tiro rapido: **q.-fire questions**, domande a ripetizione □ (*mil.*) **q.-firer**, fucile a ripetizione; cannone a tiro rapido □ **q.-firing** → **q.-fire** □ (*fam.*) **q. fix**, rimedio provvisorio; pezza (*fig.*); soluzione improvvisata □ **a q. kiss**, un bacio dato in fretta □ **q.-lunch bar** (*o* **q.-lunch counter**), tavola calda □ (*mil., stor.*) **q. march**, marcetta svelta (*dei tempi delle guerre coloniali; suonata ora soltanto nelle riviste militari*) □ (*mil.*) **Q. march!**, avanti, march! □ **a q. meal**, un pasto fatto alla svelta □ **to be q. off the mark**, (*nelle corse*) fare una partenza veloce; (*fig.*) capire al volo, essere sveglio, intelligente □ **to be q. on the uptake**, capire alla svelta □ **a q. one**, (*fam.*) una bevutina; (*volg.*) una sveltina (*volg.*) □ (*edil.*) **q.-setting cement**, cemento a presa rapida □ **q.-sighted**, dalla vista acuta; acuto, perspicace □ **q.-sightedness**, vista acuta; perspicacia □ **a q. spurt**, (*nelle corse*) uno scatto veloce, uno spunto □ **q. thinking**, prontezza della mente; rapidità di riflessi □ **q.-thinking**, (agg.) dalla mente pronta □ (*mil.*) **q. time**, velocità normale di marcia □ **q.-witted**, acuto; perspicace; sagace; sveglio □ (*arc.*) **to be q. with child**, essere avanti nella gravidanza □ (*fam.: di ragazzo*) **not very q.**, lento; poco intelligente □ **Be q.!**, fa' presto; spicciati! □ **He is a Tory to the q.**, è conservatore fino al midollo.

to **quicken** /ˈkwɪkən/ Ⓐ v. t. **1** affrettare; accelerare: *We quickened our steps*, affret-

tammo il passo **2** (*form.*) animare; risvegliare; rinvigorire; stimolare; vivacizzare Ⓑ v. i. **1** affrettarsi; accelerare; farsi più rapido: *My pulse quickened*, il polso mi si fece più rapido **2** (*form.*) animarsi; ravvivarsi **3** (*del feto*) muoversi ♦ (*canottaggio*) **to q. the stroke**, serrare la voga; aumentare il numero dei colpi di remo.

quickening /ˈkwɪkənɪŋ/ Ⓐ a. che anima; stimolante; vivificante Ⓑ n. Ⓤ **1** accelerazione (*del polso, ecc.*) **2** (*med.*) movimenti fetali.

to **quick-freeze** /ˈkwɪkfriːz/ (pass. **quick-froze**, p.p. **quick-frozen**), v. t. surgelare ♦ **quick-frozen foods**, surgelati □ **quick-freezing** n. Ⓤ surgelamento; surgelazione.

quickie /ˈkwɪkɪ/ n. (*fam.*) **1** cosa fatta alla svelta **2** film fatto in economia **3** bicchierino bevuto in fretta **4** (*volg.*) sveltina **5** (*cricket*) lanciatore di palle veloci Ⓑ a. (*fam.*) fatto (ottenuto, ecc.) alla svelta: **to get a q. divorce**, ottenere il divorzio (*o* divorziare) alla svelta ♦ **q. strike**, sciopero selvaggio; sciopero illegale.

quicklime /ˈkwɪklaɪm/ n. Ⓤ (*edil.*) calce viva.

♦**quickly** /ˈkwɪklɪ/ avv. rapidamente; presto; prontamente; alla svelta: *How q. could you have the web site ready?*, in quanto tempo potreste completare il sito?

quickness /ˈkwɪknəs/ n. Ⓤ **1** prontezza; acutezza; acume; intelligenza; sagacia; sveltezza; vivacità **2** rapidità; celerità; velocità ♦ **q. of temper**, impulsività; irascibilità.

quicksand /ˈkwɪksænd/ n. Ⓒ (spesso al pl.) sabbie mobili (*anche fig.*).

quickset /ˈkwɪkset/ Ⓐ n. **1** talea (*o* pianta) viva (*per siepi*) **2** siepe viva (*spec. di biancospino*) Ⓑ a. vivo; formato da talee (*o* piante) vive: **a q. hedge**, una siepe viva (*spec. di biancospino*).

quicksilver /ˈkwɪksɪlvə(r)/ n. Ⓤ (*chim.*) mercurio; argento vivo (*anche fig.*) ♦ **to have a q. temper**, avere l'argento vivo addosso.

quickstep /ˈkwɪkstep/ n. Ⓤⓒ **1** (*mus.*) «quickstep» (*danza*) **2** (*mil., mus.*) vivace marcia militare **3** (*slang USA*) diarrea; cacarella (*pop.*).

quid ① /kwɪd/ n. pezzo di tabacco da masticare; cicca.

♦**quid** ② /kwɪd/ n. (inv. al pl.) (*fam.*) sterlina.

quiddity /ˈkwɪdətɪ/ n. **1** (*filos.*) quiddità; essenza; sostanza **2** (*poet.*) cavillo; sofisma.

quid pro quo /ˈkwɪdprəʊˈkwəʊ/ (*lat.*) n. (pl. **quid pro quos**) **1** compenso **2** contropartita; qualsiasi cosa data in scambio (*un colpo, ecc.*) **3** (*raro*) qui pro quo; equivoco; svista.

quiescent /kwɪˈɛsnt/ a. **1** quiescente (*anche bot.*); immobile; inattivo **2** (*med.*) latente **3** (*elettron.*) a riposo; in assenza di segnale ♦ (*elettron.*) **q. value**, valore di riposo || **quiescence** n. Ⓤ quiescenza (*anche bot.*); immobilità; riposo.

♦**quiet** ① /ˈkwaɪət/ a. **1** quieto; calmo; tranquillo; cheto; zitto; silenzioso; taciturno; placido: **a q. little street**, una stradina quieta; *The sea is q. today*, oggi il mare è calmo; **the q. waters of the lake**, le placide acque del lago; **a q. morning**, una mattinata tranquilla; *Be q.*, sta' zitto!; **a q. man**, un uomo placido (*o* taciturno) **2** modesto; semplice; sobrio: **a q. dress**, un abito dimesso, semplice; **q. good taste**, sobrio buon gusto **3** (*di colore*) tenue; non chiassoso: **q. colours**, colori non chiassosi **4** (*della voce, di un suono*) basso: **in a q. voice**, a voce bassa **5** (*del carattere*) mite; pacifico; pacioso (*fam.*) ♦ **q. disposition**, un carattere pacifico ♦ (*leg.*) **q. enjoyment**, pacifico godimento (*di un bene*) □ **a q. laugh**, una risa-

ta sommessa; una risatina □ **a q. manner**, un modo di fare discreto (*o riservato*) □ **to harbour q. resentment**, nutrire un segreto rancore □ **to have a q. smoke**, farsi una fumatina in santa pace □ **to keep st. q.** (*o* **to keep q. about st.**), tener segreto qc.

quiet ② /'kwaɪət/ n. ⊍ quiete; calma; tranquillità; pace; riposo; silenzio: **a few hours of q.**, qualche ora di tranquillità; **a period of q.**, un periodo di pace (*o di quiete pubblica)* ● **to live in peace and q.**, vivere in santa pace □ **on the q.** (*slang:* **on the q. t.** /kju:'ti:/), di nascosto, alla chetichella; in confidenza, a quattr'occhi.

to **quiet** /'kwaɪət/ (*spec. USA*) → **to quieten**.

to **quieten** /'kwaɪətn/ ◪ v. t. acquietare; chetare; calmare, placare; rabbonire: *He quietened the angry crowd*, placò la folla adirata ◪ v. i. (*di solito* **to q. down**) acquietarsi; chetarsi; calmarsi; placarsi: **at last the children quietened down**, alla fine i bambini si chetarono.

quietism /'kwaɪətɪzəm/ n. ⊍ **1** (*stor., relig.*) quietismo **2** (*spreg., polit.*) immobilismo ‖ **quietist** n. **1** (*stor., relig.*) quietista **2** (*spreg., polit.*) immobilista ‖ **quietistic** a. **1** (*stor., relig.*) quietistico **2** (*spreg., polit.*) immobilistico.

♦**quietly** /'kwaɪətlɪ/ avv. **1** quietamente; tranquillamente; silenziosamente; pacificamente; placidamente **2** dimessamente; modestamente **3** senza strepito; senza fare storie; con le buone (*detto da un poliziotto, ecc.*) *Better come along q.!*, (è) meglio venir via con le buone.

quietness /'kwaɪətnəs/, **quietude** /'kwaɪətju:d/, *USA* -tu:d/ n. ⊍ quiete; calma; tranquillità; riposo; silenzio.

quietus /kwaɪ'i:təs/ n. (*lett.*) **1** liberazione finale; morte **2** colpo di grazia: **to give sb. his q.**, dare il colpo di grazia a q. **3** (*raro*) ricevuta (*di un pagamento*); quietanza; estinzione (*di un debito*).

quiff /kwɪf/ n. **1** (*ingl.*) ciuffo sulla fronte; pettinatura maschile con un ciuffo sul davanti e raffolti all'indietro (*tipica degli anni '50*) **2** (*slang ingl., spreg.*) frocio; finocchio **3** ⊍ (*volg. USA*) la passera; la bernarda; le donne come oggetti sessuali **4** (*volg. USA*) puttana, troia (*volg.*); ⊍ (*collett.*) puttane, troie (*volg.*).

quill /kwɪl/ n. **1** (= **q. feather**) calamo; penna dell'ala (*o della coda*) **2** (= **q. pen**) calamo; penna d'oca (*un tempo usata per scrivere*) **3** (*pesca*) galleggiante a penna **4** (*di porcospino*) aculeo; spina **5** stuzzicadenti (*di penna d'oca*) **6** (*mus.*) zufolo **7** (*ind. tess.*) tubetto; cannello **8** (*mecc.*) albero (*o perno*) cavo ● (*mecc.*) **q. drive**, trasmissione tubolare □ **q.-driver**, imbrattacarte; scrittorello.

to **quill** /kwɪl/ v. t. **1** pieghettare (*in forma di pieghe tubolari*) **2** (*ind. tess.*) incannare (*filato*).

quillet /'kwɪlət/ n. (*arc.*) → **quibble**.

quilt /kwɪlt/ n. coperta imbottita; trapunta; piumino; piumone.

to **quilt** /kwɪlt/ v. t. **1** imbottire; impuntire; trapuntare **2** cucire (*documenti, monete, ecc.*) in un lembo di vestito **3** mettere insieme da varie fonti; raffazzonare (*un'opera letteraria*) **4** (*fam. Austral.*) percuotere; picchiare.

quilted /'kwɪltɪd/ a. **1** trapunto; impuntito **2** trapuntato; imbottito: **a q. windcheater**, una giacca a vento imbottita ● **q. bedspread**, imbottita (*da letto*) □ (*moda*) **q. jacket**, giaccone imbottito; piumino.

quilter /'kwɪltə(r)/ n. fabbricante di piumini e trapunte.

quilting /'kwɪltɪŋ/ n. **1** ⊍ imbottitura; l'impuntire; trapuntatura **2** ⊍ stoffa per imbottite (*o trapunte*); tessuto trapuntato **3** imbottita; trapunta.

quim /kwɪm/ n. (*volg.*) **1** fica, passera, topa, sorca (*volg.*); vulva **2** ⊍ (*collett.*) le donne come oggetti del desiderio sessuale.

quin /kwɪn/ n. (*fam.*) → **quintuplet**, *def.* 1.

quinary /'kwaɪnərɪ/ a. (*mat.*) quinario.

quince /kwɪns/ n. (*bot.*) **1** mela cotogna **2** (= **q.-tree**; *Cydonia oblonga*) cotogno ● **q. jam**, cotognata.

quincentenary /kwɪnsen'ti:nərɪ, *USA* -'sentənerɪ/ n. quinto centenario; cinquecentesimo anniversario.

quincunx /'kwɪnkʌŋks/ (*geom., bot.*) n. quinconce ‖ **quincuncial** a. quinconciale.

quindecagon /kwɪn'dekəgən/ n. (*geom.*) poligono con quindici angoli.

quinella /kwɪ'nelə/ n. (*ipp. USA*) accoppiata invertibile (*o reversibile*).

quinidine /'kwɪnɪdi:n/ n. ⊍ (*chim.*) chinidina.

quinine /kwɪ'ni:n, *USA* 'kwaɪnaɪn/ n. **1** (*chim.*) chinina **2** (*farm.*) chinino.

quinoline /'kwɪnəli:n/ n. ⊍ (*chim.*) chinolina.

quinone /kwɪ'nəʊn/ n. (*chim.*) chinone.

quinquagenarian /kwɪŋkwədʒə'neərɪən/ a. e n. cinquantenne.

Quinquagesima /kwɪŋkwə'dʒesɪmə/ n. (*relig.*, = **Q. Sunday**) quinquagesima; domenica di quinquagesima.

quinquennial /kwɪn'kwenɪəl/ a. quinquennale | **-ly** avv.

quinquennium /kwɪŋ'kwenɪəm/ n. (pl. **quinquenniums**, **quinquennia**) quinquennio; lustro.

quinquereme /'kwɪŋkwɪri:m/ n. (*stor., naut.*) quinquereme.

quinquevalent /kwɪnkwɪ'veɪlənt/ a. (*chim.*) pentavalente.

quins /kwɪnz/ (*fam.*) → **quintuplet**.

quinsy /'kwɪnzɪ/ n. ⊍ (*med.*) angina; tonsillite.

quint ① /kwɪnt/ (*fam. USA*) → **quintuplet**.

quint ② /kwɪnt/ n. **1** (*mus.*) quinta **2** (*nei giochi di carte*) sequenza di cinque carte.

quintain /'kwɪntɪn/ n. (*stor.*) quintana (*gioco medievale*).

quintal /'kwɪntl/ n. **1** quintale (*100 kg*) **2** «hundredweight» (*100 libbre in USA, 112 libbre in GB*).

quintan /'kwɪntn/ n. ⊍ (*med.*) quintana (*febbre; anche* **q. fever**).

quinte /kwɪnt/ (*franc.*) n. (*scherma*) quinta.

quintessence /kwɪn'tesns/ n. ⊍ (*anche fig.*) quintessenza; concentrato.

quintessential /kwɪntɪ'senʃl/ a. (*anche fig.*) quintessenziale | **-ly** avv.

quintet, **quintette** /kwɪn'tet/ n. **1** (*mus.*) quintetto (*la composizione e il complesso di suonatori*) **2** quintetto (*di persone*) **3** (*sport*) quintetto (*di giocatori*).

Quintilian /kwɪn'tɪlɪən/ n. (*stor. letter.*) Quintiliano.

quintillion /kwɪn'tɪlɪən/ n. **1** (*un tempo in GB*) nonilione; quinta potenza di un milione (*un 1 seguito da 30 zeri*) **2** (*in USA e spesso in GB*) quintilione (*un 1 seguito da 18 zeri*).

Quintin /'kwɪntɪn/ n. Quintino.

quintuple /'kwɪntjʊpl, *USA* -'tu:pl/ a. e n. quintuplo.

to **quintuple** /'kwɪntjʊpl, *USA* -'tu:pl/ ◪ v. t. quintuplicare ◪ v. i. quintuplicarsi.

quintuplet /'kwɪntjʊplət, *USA* -'tu:plət/ n. **1** ciascuno dei cinque gemelli di uno stesso parto **2** (pl.) cinque nati da un parto; parto di cinque gemelli **3** (*mus.*) quintina.

quintuplicate /kwɪn'tju:plɪkət, *USA* -'tu:-/ ◪ a. quintuplice; quintuplicato ◪ n. uno di cinque esemplari; uno di cinque copie ● **in q.**, in cinque esemplari (*o copie*).

to **quintuplicate** /kwɪn'tju:plɪkeɪt, *USA* -'tu:-/ v. t. **1** quintuplicare **2** fare cinque copie di (*un documento, ecc.*).

quip /kwɪp/ n. **1** frizzo; motto arguto (*o pungente*); arguzia; battuta di spirito; boutade (*franc.*) **2** gioco di parole; bisticcio.

to **quip** /kwɪp/ v. i. dire frizzi (*o arguzie, battute di spirito*); fare dello spirito.

quipster /'kwɪpstə(r)/ n. persona arguta (*o spiritosa*).

quire ① /'kwaɪə(r)/ n. **1** mazzetta di ventiquattro (*o venticinque*) fogli di carta **2** (*legatoria*) quaderno; quattro fogli piegati (*16 pagine*) ● **a book in quires**, un libro non (ancora) rilegato.

quire ② /'kwaɪə(r)/ (*arc.*) → **choir**.

Quirinal /'kwɪrɪnl/ n. (il) Quirinale.

quirk /kwɜ:k/ n. **1** (*raro*) cavillo; scappatoia; sotterfugio **2** arguzia; frizzo; motto pungente; battuta di spirito; boutade (*franc.*) **3** (*arc.*) ghirigoro; svolazzo **4** ticchio; vezzo; piccola mania ● **a q. of fancy**, un ghiribizzo □ **by a q. of fate**, per puro caso; per combinazione.

quirky /'kwɜ:kɪ/ a. **1** cavilloso **2** strambo; originale **3** astuto; furbo; scaltro | **-iness** n. ⊍.

quirt /kwɜ:t/ n. (*USA*) frustino di cuoio (*da cavaliere*).

to **quirt** /kwɜ:t/ v. t. (*USA*) frustare; colpire col frustino.

quisling /'kwɪzlɪŋ/ n. **1** (*polit.*) quisling; collaborazionista **2** (*per estens.*) traditore (*in genere*).

quit /kwɪt/ a. pred. **1** libero; sollevato, liberato: *'I think we were all pleased to be so cheaply q. of him'* R.L. STEVENSON, 'credo fossimo tutti assai contenti di esserci liberati di lui così a buon prezzo' **2** disobbligato; sdebitato.

to **quit** /kwɪt/ (pass. e p. p. **quitted** o, *spec. USA*, **quit**) ◪ v. t. **1** abbandonare; lasciare; partire da: *I quitted London at dawn*, lasciai Londra all'alba; **to q. one's job**, abbandonare l'impiego (il posto di lavoro) **2** cessare; smettere: **to q. smoking**, smettere di fumare; *Q. worrying*, smettila di preoccuparti; *We don't q. work till 6 p.m.*, non smettiamo di lavorare fino alle sei di sera **3** (*comput.*) abbandonare, interrompere (*un processo*) **4** (*poet.*) compensare; ricambiare; ripagare: **to q. love with hatred**, ripagare l'amore con l'odio ◪ v. i. **1** andarsene; sloggiare **2** abbandonare un'impresa; cedere; arrendersi; rinunciare **3** dare le dimissioni; dimettersi; abbandonare un impiego **4** (*arc.*) comportarsi (*bene, male, ecc.*) ● **to q. a debt**, pagare (*o saldare*) un debito □ **to q. hold of sb.** [*st.*], lasciar andare q. [qc.]; abbandonare la presa su q. [qc.] □ (*econ.: di un'azienda*) **to q. the market**, uscire dal mercato □ **to q. town** (*o* **one's country**), levare le tende (*fig.*) □ (*leg.*) **notice to q.**, disdetta (*di contratto di locazione*); escomio (*la notifica*), licenziamento, (gli) «otto giorni» (*fam.*) □ (*prov.*) **Death quits all scores**, la morte salda tutti i conti.

quitch /kwɪtʃ/ n. (*bot., Agropyron repens*; = **q. grass**) gramigna officinale; dente canino; caprinella.

quitclaim /'kwɪtkleɪm/ n. (*leg., stor.*) rinuncia a un diritto.

to **quitclaim** /'kwɪtkleɪm/ v. t. (*leg., stor.*) rinunciare a un diritto su (qc.).

♦**quite** /kwaɪt/ ◪ avv. **1** completamente; interamente; del tutto: *My work is not q. finished yet*, il mio lavoro non è ancora interamente finito; *He is q. sure about the outcome*, è perfettamente sicuro del risultato **2** davvero; proprio: *He is q. a friend*, è davvero un amico; «*She's a very clever girl*» «*Oh (Yes), q.!*», «È una ragazza molto intelligente» «Lo è davvero!» (o «oh, certo!») **3** abbastanza; piuttosto; più o meno: *He's q.*

young, è piuttosto giovane; *The cake is q. nice*, la torta è piuttosto buona (*o* buonina) **4** (*USA*) molto; assai: *She's q. young*, è giovanissima; *The cake is q. nice*, la torta è ottima **B** inter. certo!; davvero!; proprio! ● **q. a** (*o* **an**, *o* **some**), (davanti a un sost. sing., è idiom., per es.:) *That was q. a race*, quella sì che è stata una corsa; *The girl has q. a voice*, la ragazza ha proprio una bella voce □ **q. a few**, non pochi; molti □ **q. other**, del tutto diverso; tutt'altra cosa □ **q. right**, giustissimo; perfetto □ **q. so**, proprio così; davvero □ (*fam.*) **q. something**, non cosa da poco; mica male (*fam.*): *It's q. something to be divorced at twenty*, mica male essere divorziato a vent'anni □ **I q. like her**, la trovo davvero assai simpatica □ **It took q. a long time**, ci volle un bel po' di tempo □ **I was q. alone** (*o* **q. by myself**), ero tutto solo; ero solo soletto □ **This hat is q. the thing**, questo cappellino è proprio quello che (mi) ci vuole.

❶ NOTA: *quite*

Quite ha due significati principali. Innanzitutto, si può utilizzare con aggettivi che hanno vari gradi di intensità con il significato di "piuttosto, abbastanza": *It's quite expensive*, è abbastanza costoso; *The play was quite good*, la commedia fu piuttosto bella. Inoltre, si può usare con aggettivi che non hanno gradi di intensità, e in questo contesto significa "completamente, del tutto": *you're quite right*, hai completamente ragione; *the results were quite amazing*, i risultati furono fantastici. Con questo secondo significato, *quite* si usa anche nel senso di "davvero": *I quite agree*, sono davvero d'accordo; *It is quite simply the best film I've ever seen*, è davvero il miglior film che io abbia mai visto.

quitrent /'kwɪtrent/ n. (*leg.*, *stor.*) canone enfiteutico (*pagato a un signore feudale*).

quits /kwɪts/ a. **pred.** pari; pari e patta: *We're q. now*, ora siamo pari ● **to call it q.**, considerarsi pari e patta; farla finita, chiuderla lì, piantarla □ **to cry q.**, riconoscere che la partita è pari; rinunciare a competere (a battersi, ecc.) □ (*nei giochi*) **double or q.**, lascia o raddoppia.

quittance /'kwɪtəns/ n. **1** (*leg.*, *comm.*) quietanza; ricevuta **2** (*poet.*) proscioglimento, dispensa (*da un debito, un obbligo*) **3** (*poet.*) ricompensa **4** (*raro*) rappresaglia ● **to give sb. his q.**, mettere q. alla porta; mandare via q.

quitter /'kwɪtə(r)/ n. (*fam.*) chi si arrende (*o* si dà per vinto) facilmente; rinunciatario.

quiver ① /'kwɪvə(r)/ n. faretra; turcasso ● (*fig.*) **to have an arrow** (*o* **a shaft**) **left in one's q.**, avere ancora una freccia al proprio arco; avere ancora una carta da giocare.

quiver ② /'kwɪvə(r)/ n. tremito; tremolio; brivido; fremito.

to quiver /'kwɪvə(r)/ **A** v. i. tremare; tremolare; fremere; rabbrividire: *Her voice quivered*, le tremava la voce; *The leaves were quivering in the wind*, le foglie tremo-

lavano al vento **B** v. t. agitare; far fremere; scuotere.

quivering /'kwɪvərɪŋ/ **A** a. tremante; tremolante; fremente **B** n. ⓤ tremito; brivido; tremolio | **-ly** avv.

qui vive /'kiː'viːv/ (*franc.*) n. (*mil.*) chi va là ● **to be on the qui vive**, stare sul chi vive; stare all'erta.

Quixote /'kwɪksət/ n. **1** (*letter.*) Chisciotte **2** – **q.** (*fig.*), donchisciotte; visionario.

quixotic /kwɪk'sɒtɪk/, **quixotical** /kwɪk-'sɒtɪkl/ a. donchisciottesco; chisciottesco (*raro*) | **-ally** avv.

quixotism /'kwɪksətɪzəm/, **quixotry** /'kwɪksətrɪ/ n. ⓤ donchisciottismo.

quiz /kwɪz/ n. (pl. *quizzes*) **1** quiz; questionario; serie di domande (*o* di quesiti) **2** (*radio*, *TV*) quiz **3** (*a scuola*) esame a base di quiz ● (*TV*) **q. show**, quiz show; spettacolo a base di quiz.

to quiz /kwɪz/ v. t. **1** porre domande (*o* quesiti) a (q.) **2** (*spec. USA*) esaminare, interrogare (*studenti*).

quizmaster /'kwɪzmɑːstə(r)/ n. (*radio*, *TV*) conduttore di giochi a quiz; presentatore di quiz.

quizzical /'kwɪzɪkl/ a. **1** beffardo; canzonatorio; satirico **2** buffo; comico; ridicolo **3** interrogativo; interrogatorio: **a q. look**, un'occhiata interrogativa | **-ly** avv.

quod /kwɒd/ n. (*slang antiq.*) prigione; carcere; gattabuia (*pop.*).

quoin /kɔɪn/ n. **1** (*archit.*, *edil.*) immorsatura; concio d'angolo **2** (*archit.*) concio rastremato (*per archi*) **3** cuneo; bietta; zeppa **4** (*tipogr.*) serraforme **5** (*d'arma da fuoco*) tacca di mira ● (*tecn.*, *naut.*) **q. post**, montante centrale (*di una chiusa*).

to quoin /kɔɪn/ v. t. **1** fissare (*o* rialzare) con un cuneo (*o* con una bietta) **2** (*tipogr.*) serrare a cunei.

quoit /kɔɪt/ n. **1** anello (*di ferro, corda o gomma*) per il gioco del lancio degli anelli **2** (pl.) gioco del lancio degli anelli (*da infilare in un paletto fisso*) **3** (pl.) (*volg. Austral.*) chiappe.

quondam /'kwɒndæm/ (*lat.*) a. quondam (*scherz.*); una volta; un tempo: *Mr Smith, a q. friend of mine*, Mr Smith, un tempo mio amico.

Quonset hut® /'kwɒnsɪt hʌt/ loc. n. (*mil.*, *USA*) baracca di lamiera con il tetto a volta.

quorate /'kwɔːrət/ a. (*ingl.*) che ha raggiunto il quorum; che ha il numero legale.

quorum /'kwɔːrəm/ (*lat.*) n. (*leg.*, *polit.*) quorum; numero legale: **to form a q.**, raggiungere il numero legale.

quot. abbr. (**quotation**) citazione (*comm.*) quotazione (quot.).

quota /'kwəʊtə/ n. **1** quota; parte; porzione: **immigration q.**, quota d'immigrazione **2** (*econ.*) contingente (*d'importazione*): **to lift a q.**, abolire un contingente **3** (*polit.*) quorum (*per essere eletti*) ● **q. country**, paese cui è stata assegnata una quota d'immigrazione □ (*econ.*) **q. period**, periodo contingentale □

(*market.*, *stat.*) **q. sample**, campione stratificato □ (*econ.*) **q. system**, (sistema del) contingentamento (*o* delle quote).

quotable /'kwəʊtəbl/ a. **1** citabile **2** (*fin.*) quotabile || **quotability** n. ⓤ **1** l'essere citabile; citabilità **2** (*fin.*) l'essere quotabile.

quotation /kwəʊ'teɪʃn/ n. ⓒⓤ **1** citazione; passo citato: **a q. from Milton**, una citazione da Milton **2** (*Borsa*, *fin.*) quotazione **3** (*comm.*) preventivo (*del costo di un lavoro*): **to give sb. a q. for repainting the house**, fare a q. un preventivo per ridipingere la casa ● (*naut.*) **a q. for freight**, una quotazione di nolo □ **q. marks**, virgolette (*di citazione*) □ (*comm.*) **the q. of prices**, la quotazione dei prezzi.

♦quote /kwəʊt/ n. (*fam.*) **1** citazione; passo citato **2** (*fam.*) quotazione; preventivo: *Could you send us quotes for all of the styles just so we have an idea of costs?*, potrebbe mandarci dei preventivi per tutti gli stili in modo da avere un'idea dei costi? **3** (pl.) virgolette: **in quotes**, fra virgolette ● (*econ.*) **q.-driven market**, mercato che varia secondo le quotazioni.

♦to quote /kwəʊt/ **A** v. t. **1** citare; addurre (*un esempio*): *The teacher quoted Milton*, l'insegnante citò Milton **2** (*Borsa*, *fin.*) quotare (*titoli, ecc.*); indicare il prezzo corrente di (*merci, ecc.*): *We have quoted our best prices*, vi abbiamo quotato i nostri prezzi minimi; **to be quoted on the Stock Exchange**, (*di titolo*) essere quotato in Borsa **3** (*tipogr.*) mettere fra virgolette; virgolettare **B** v. i. **1** fare citazioni: **to q. from T.S. Eliot**, fare citazioni da T.S. Eliot **2** fare un preventivo ● (*dettando*) **Q.!**, (aprire le) virgolette!; (*anche*) aperte le virgolette □ **Q. ... un-quote**, per citare le parole esatte; aperte le virgolette... chiuse le virgolette.

quoted /'kwəʊtɪd/ a. **1** citato **2** (*Borsa*, *fin.*) quotato: **a q. company**, una società quotata in borsa; **q. shares**, azioni quotate **3** (*fin.*) in titoli quotati: **q. investments**, investimenti in titoli mobiliari; (*fin.*) **q. securities**, valori mobiliari.

quoth /kwəʊθ/ vc. verb. di 1ª e 3ª pers. sing. (*arc. o scherz.*; precede sempre il soggetto e introduce o conclude il discorso diretto) dissi, disse.

quotidian /kwəʊ'tɪdɪən/ **A** a. (*form.*) **1** quotidiano; giornaliero **2** (*fig.*) ordinario; comune; banale **B** n. (*med.*) febbre quotidiana (*nella malaria*).

quotient /'kwəʊʃnt/ n. **1** (*mat.*) quoziente **2** quoziente; quantità: **intelligence q.**, quoziente d'intelligenza ● (*mat.*) **q. set**, insieme quoziente.

Quran /kɒr'ɑːn/ (*relig.*) n. Corano || **Quranic** a. coranico.

q.v. sigla **1** (*lat.*: *quantum vis*) (*nelle ricette*, **as much as you wish**) a volontà **2** (*lat.*: *quod vide*) (**which see**) vedi (*V.*; *nei rimandi*).

qwerty /'kwɜːtɪ/ a. (*anche comput.*: *di tastiera*) qwerty; del tipo standard anglosassone: **q. keyboard**, tastiera qwerty.

qy abbr. (**query**) quesito.

r, R

R ① , r /ɑ:(r)/ n. (pl. **Rs**, **rs**; **R's**, **r's**) R, r (*diciottesima lettera dell'alfabeto ingl.*) ● **r for Romeo**, r come Roma □ **the «r» months**, i mesi con la erre (*da settembre ad aprile*) □ **the three R's**, leggere, scrivere e far di conto (**reading**, **writing**, **arithmetic**).

R ② sigla **1** (*lat.*: *regina*) (**queen**) regina **2** (*relig.*, **rabbi**) rabbino **3** (**registered**) registrato (R) **4** (*polit.*, *USA*, **Republican**) repubblicano **5** (*lat.*: *rex*) (**king**) re **6** (*USA*, *Austral.*, **restricted** (**exhibition**)) proiezione limitata (*di film vietato ai minori di 18 anni non accompagnati*) **7** (*autom.*, **reverse**) retromarcia **8** (**river**) fiume **9** (*scacchi*, **rook**) torre **10** (**royal**) reale.

r. abbr. **1** (**radius**) raggio **2** (**rare**) raro **3** (**recipe**) ricetta **4** (*bibliografia*, **recto**) recto **5** (**right**) destra.

RA sigla **1** (*astron.*, **right ascension**) ascensione retta **2** (*GB*, **Royal Academician**) Accademico reale **3** (*GB*, **Royal Academy**) Accademia reale **4** (*mil.*, *GB*, **Royal Artillery**) Corpo di artiglieria.

RAAF sigla (*mil.*, *Austral.*, **Royal Australian Air Force**) Aeronautica militare.

rabbet /ˈræbɪt/ n. **1** gola; incavo a L; mortasa; scanalatura **2** (= **r. joint**) giunto a maschio e femmina ● **r. plane**, pialletto per scanalare; sponderuola.

to **rabbet** /ˈræbɪt/ A v. t. **1** fare un incavo a L in (*un legno*); scanalare; mortasare **2** unire con un giunto a maschio e femmina B v. i. essere unito a incastro.

rabbi /ˈræbaɪ/ n. (pl. **rabbis**) **1** rabbino **2** (*titolo*) rabbi **3** (*slang USA*, *spreg.*) consigliere (*di un criminale*) ‖ **rabbinate** n. **1** rabbinato **2** (collett.) (i) rabbini.

Rabbinic /rəˈbɪnɪk/ n. ⓤ lingua rabbinica.

rabbinic, **rabbinical** /rəˈbɪnɪk(l)/ a. rabbinico.

rabbinism /ˈræbɪnɪzəm/ n. **1** ⓤ rabbinismo **2** locuzione della lingua rabbinica ‖ **rabbinist** n. rabbinista.

◆**rabbit** /ˈræbɪt/ n. **1** (*zool.*, *Oryctolagus cuniculus*) coniglio **2** ⓤ coniglio (*la carne*): *I don't like r.*, non mi piace il coniglio **3** ⓤ pelliccia di coniglio; lapin (*franc.*) **4** (*fam.*, *sport*) giocatore di scarso valore; brocco, schiappa (*fam.*) ● **r. breeder**, allevatore di conigli; cunicoltore □ **r. breeding**, allevamento di conigli; cunicoltura □ **r.-burrow** (*o* **r.-hole**), tana di coniglio □ (*fig.*, *TV*) **r. ears**, antenna incorporata □ (*fam. spreg.*) **r. food**, insalata e verdure crude □ **r. hutch**, conigliera (*la gabbia*) □ (*boxe*) **r. punch**, colpo di taglio alla nuca (*non consentito*) □ **r. shooting**, caccia al coniglio □ **r. warren**, (complesso di) tane di conigli; (*stor.*, *GB*) garenna, conigliera all'aperto ‖ Welsh r. → **rarebit**.

to **rabbit** /ˈræbɪt/ v. i. **1** (*di solito* **to go rabbiting**) andare a caccia di conigli **2** (*fam.*, *di solito* **to r. on**) blaterare; parlare a ruota libera **3** (*fam. USA*) scappare; darsela a gambe.

rabbitfish /ˈræbɪtfɪʃ/ n. (*zool.*) **1** (*Chimaera monstrosa*) chimera mostruosa **2** → **globefish**.

rabbitry /ˈræbɪtrɪ/ n. **1** ⓤ allevamento di conigli **2** conigliera.

rabbity /ˈræbɪtɪ/ a. **1** di (*o* da) coniglio **2** pieno di conigli **3** che sa di coniglio.

rabble ① /ˈræbl/ n. **1** folla tumultuante; calca; ressa **2** – (*spreg.*) **the r.**, la plebaglia; la marmaglia; la canaglia, la feccia (*del popolo*) ● **r.-rouser**, arruffapopoli; agitatore; sobillatore □ **r.-rousing**, (agg.) che incita alla rivolta, demagogico; (sost.) istigazione alla rivolta, sobillazione.

rabble ② /ˈræbl/ n. (metall.) **1** raschiatoio **2** agitatore, mescolatore (*strumento*).

to **rabble** /ˈræbl/ v. t. (metall.) **1** raschiare **2** agitare; rimescolare.

Rabelaisian /ˌræbəˈleɪzɪən/ A a. (*letter.*) rabelesiano B n. ammiratore (*o* studioso) di Rabelais.

rabid /ˈræbɪd/ a. **1** (*di cane, volpe, ecc.*) rabbioso; idrofobo **2** arrabbiato; furioso; furibondo; furente: **r. hatred**, odio furibondo **3** accanito; fanatico; arrabbiato: **a r. republican**, un fanatico repubblicano; **a r. basketball fan**, un accanito tifoso di basket ‖ **-ly** avv. ‖ **-ness** n. ⓤ.

rabidity /rəˈbɪdətɪ/ n. ⓤ **1** rabbia; furia; furore **2** accanimento; fanatismo **3** l'essere idrofobo.

rabies /ˈreɪbiːz/ n. ⓤ (*med.*, *vet.*) rabbia; idrofobia.

RAC sigla **1** (*mil.*, *GB*, **Royal Armoured Corps**) Corpo di fanteria corazzata **2** (*GB*, **Royal automobile club**) Reale automobile club.

raccoon /rəˈkuːn/ n. (*zool.*, *Procyon lotor*) procione; orsetto lavatore ● (*zool.*) **r. dog** (*Nyctereutes procyonides*), cane procione; cane viverrino.

◆**race** ① /reɪs/ n. **1** (*spec. sport*) corsa; gara (*di velocità*): (*fig.*) **a r. against time**, una corsa contro il tempo; **a horse r.**, una corsa di cavalli; una corsa ippica; **boat r.** → **boat**; (*fig.*) **a r. for power**, una corsa al potere **2** (pl.) corse dei cavalli; ippica: **to attend the races**, andare alle corse dei cavalli **3** corso (*di un astro, della vita*); cammino (*poet.*); vita: (*fig.*) *The old man's r. was nearly run*, la vita del vecchio era ormai giunta al suo termine **4** (*naut.*, = **tidal wave**) rema (*corrente di marea: in un estuario, ecc.*) **5** (= **mill r.**) canale di adduzione; condotta, gora (*di mulino*) **6** (*mecc.*) guida (*o* gola) di scorrimento **7** (*mecc.*) anello (*di un cuscinetto a sfere*) **8** (*ind. tess.*) corsa (*della spola*) ● (*sport USA*) **r. car**, macchina (*o* auto) da corsa □ **r. card**, programma delle corse (*sport*) □ **r. director**, direttore di gara □ (*polit.*) **the r. for mayor**, la lotta per l'elezione a sindaco □ (*nelle corse*) **r. leader**, capoclassifica; corridore in testa alla gara □ **r. meeting**, (*ciclismo*) riunione in pista; (*ipp.*) riunione ippica; (*anche*) corse dei cani □ **r.-track**, (*autom.*) pista; (*USA*) ippodromo □ (*sport*) **r.-walking**, la marcia □ (*sport*) **to run a r.**, fare una corsa.

◆**race** ② /reɪs/ n. razza; schiatta; stirpe; gruppo etnico; etnia; progenie; discendenza: **the human r.**, la razza umana; **the white r.**, la razza bianca; (*fig.*) **the r. of heroes**, la stirpe degli eroi; **a man of noble r.**, un uomo di nobile discendenza ● **r. relations**, relazioni interrazziali (*o* interetniche) □ **r. riot**, sommossa razziale □ **r. squad**, squadra (*della polizia*) per i disordini razziali.

race ③ /reɪs/ n. (*bot.*) radice di zenzero.

to **race** /reɪs/ A v. i. **1** (*spec. sport*) correre; partecipare a una gara; gareggiare: **to r. for the same team**, correre per gli stessi colori **2** andare a tutta velocità; andare di corsa; affrettarsi: **to r. for the bus**, correre per prendere l'autobus **3** (*di motore*) andare su di giri (*o* fuori giri); imballarsi **4** (*del cuore*) battere forte B v. t. **1** gareggiare (*in corsa*) con (q.); correre contro (q.); cercar di superare (q.) nella corsa **2** far correre (*un cavallo, ecc.*); iscrivere alle corse; far partecipare a una gara (*un aereo, ecc.*) **3** portare (q.) di corsa: *He was raced to hospital*, fu portato d'urgenza in ospedale **4** accelerare; affrettare: **to r. a bill through the Commons**, accelerare la discussione (*o* affrettare l'approvazione) di un disegno di legge ai Comuni **5** (*mecc.*) far girare ad alto regime, imballare (*il motore*) ● (*sport*) **to r. flat out**, correre a tutto spiano (*o* a tutta birra) □ **to r. a fortune away**, sperperare un patrimonio alle corse dei cavalli □ **to r. round the corner**, svoltare a tutta velocità □ **to r. with sb.**, gareggiare in corsa con q.; correre contro q.

racecourse /ˈreɪskɔːs/ n. **1** (*ipp.*) ippodromo **2** (*per cani*) cinodromo **3** (*USA*) autodromo **4** (*USA*) velodromo.

racegoer /ˈreɪsgəʊə(r)/ n. frequentatore d'ippodromi.

racehorse /ˈreɪshɔːs/ n. cavallo da corsa.

raceme /ˈræsiːm/ n. (*bot.*) racemo.

racemic /reɪˈsiːmɪk/ a. (*chim.*) racemico.

racemiferous /ˌræsɪˈmɪfərəs/ a. (*bot.*) racemifero.

racemization /ˌræsəmaɪˈzeɪʃn, *USA* -mɪ-ˈz-/ n. ⓤ (*chim.*) racemizzazione.

racemose /ˈræsɪməʊs/ a. (*bot.*) racemoso.

racer /ˈreɪsə(r)/ n. **1** (*sport*) corridore **2** (*sport*) automobile da corsa; bicicletta da corsa; aereo (*o* imbarcazione) da competizione **3** (*ipp.*) cavallo da corsa **4** (*ind. tess.*) aspo **5** (*zool.*, *Coluber constrictor*) serpente corridore **6** (*mil.*) piattaforma girevole (*di cannone*) **7** (*mecc.*) elemento di macchina a scorrimento veloce ● (*sport*) **r. chaser**, tifoso che segue i corridori nelle varie trasferte.

racetrack /ˈreɪstræk/ n. **1** (*autom.*) pista; autodromo **2** (*ipp.*, *USA*) ippodromo **3** motodromo.

raceway /ˈreɪsweɪ/ n. **1** (*elettr.*) canaletta **2** → **race** ①, def. 5 **3** (*spec. USA*) → **race** ①, def. 6 e 7.

Rachel /ˈreɪtʃəl/ n. Rachele.

rachidian /rəˈkɪdɪən/ a. (*anat.*) rachidiano; rachideo.

rachis /ˈreɪkɪs/ n. (pl. **rachises**, **rachides**) (*bot.*, *anat.*) rachide.

rachischisis /rəˈkɪskɪsɪs/ n. ⓤ (*anat.*) rachischisi; spina bifida.

rachitis /ræˈkaɪtɪs/ (*med.*) n. ⓤ rachitismo ‖ **rachitic** a. rachitico.

◆**racial** /ˈreɪʃl/ a. razziale: **r. prejudice**, pregiudizi razziali; **r. discrimination**, discriminazione razziale.

racialism /ˈreɪʃəlɪzəm/ (*antiq.*) n. ⓤ razzi-

smo || **racialist** n. e a. razzista || **racialistic** a. razzistico; razzista.

raciness /'reɪsɪnəs/ n. ⓤ **1** genuinità; originalità **2** asprezza; forza; vigore **3** brio; vivacità; mordacità **4** salacità.

♦**racing** /'reɪsɪŋ/ *(sport)* **A** n. ⓤ **1** il correre; (le) corse **2** (= **horse r.**) corse dei cavalli; ippica **B** a. **attr.** da corsa; da competizione: **r. car**, automobile da corsa; **r. craft**, imbarcazione da competizione; **r. team**, squadra corse ● **r. calendar**, calendario delle corse □ **r.-car driver**, pilota da corsa □ **r. coat**, livrea da corsa *(dei cani: nei cinodromi)* □ **r. colours**, colori di scuderia □ *(ipp.)* **r. course**, pista *(d'ippodromo)* □ **r.-cyclist**, corridore (in bicicletta), ciclista *(nuoto)* **r. dive**, tuffo di partenza □ *(naut.)* **r. eight**, otto da regata □ **r. handlebars**, manubrio da corsa *(di bicicletta)* □ **r. lane**, corsia *(nelle corse)* □ **r. man**, corridore; *(anche)* appassionato d'ippica □ **r. motorcyclist**, corridore motociclista; centauro □ **r. skating**, pattinaggio di velocità □ **r. skiing**, sci agonistico □ **r. stable**, allevamento di cavalli da corsa; *(anche autom.)* scuderia □ **the r. world**, l'ambiente delle corse dei cavalli; il mondo ippico □ **horse r.**, l'ippica.

racism /'reɪsɪzəm/ n. ⓤ razzismo || **racist** n. e a. razzista.

rack ① /ræk/ n. **1** rastrelliera *(per foraggio, armi, stoviglie, ecc.)*; stenditoio: **a plate r.**, una rastrelliera per le stoviglie; uno scolapiatti **2** scaffale *(per esposizione di merce)* **3** *(di solito* **hat r.**) attaccapanni a pioli **4** (= **luggage r.**) portabagagli, rete, reticella *(su treno, corriera, ecc.)* **5** *(mecc.)* cremagliera: **a r. railway**, una ferrovia a cremagliera **6** *(comput.)* contenitore in cui sono alloggiate le schede dei circuiti **7** portapacchi *(di bicicletta)* **8** *(biliardo)* squadra a triangolo **9** *(stor.)* ruota, cavalletto *(per la tortura)*: **to be tortured on the r.**, essere messo alla ruota; essere torturato **10** *(slang USA)* letto; branda **11** *(volg. USA)* poppe; tette ● *(autom.)* **r.--and-pinion steering gear**, sterzo a cremagliera □ *(ferr., USA)* **r. car**, vagone merci per trasporto di autovetture □ *(fig.)* **the r. of gout**, il tormento della gotta □ *(ferr.)* **r. rail**, rotaia a dentiera □ **r. railway**, ferrovia a cremagliera □ **r.-rent** → **rack-rent** □ **r.-renter**, padrone di casa esoso □ *(mecc.)* **r. wheel**, ruota dentata □ **to be on the r.**, essere in agitazione; essere in tensione; soffrire (fisicamente o psicologicamente).

rack ② /ræk/ n. ⓤ *(meteor.)* nembi; nuvolaglia.

rack ③ /ræk/ n. *(di cavallo)* andatura fra il trotto e il piccolo galoppo; ambio.

rack ④ /ræk/ n. distruzione; rovina (solo nelle loc.): **to be in r. and ruin**, essere in rovina; **to go to r. and ruin**, andare in rovina; andare in malora.

rack ⑤ /ræk/ n. arak, arrack *(bevanda fermentata orientale)*.

to **rack** ① /ræk/ v. t. **1** collocare *(o disporre)* su una rastrelliera **2** *(stor.)* mettere alla ruota; torturare **3** *(fig.)* tormentare: *I was racked with jealousy*, ero tormentato dalla gelosia **4** angariare; opprimere; sfruttare: *That landlord racks his tenants*, quel padrone di casa sfrutta i suoi inquilini **5** *(naut.)* legare (alla portoghese); strangolare ● *(fig.)* **to r. one's brains**, scervellarsi; lambiccarsi il cervello □ **to r. up**, provvedere *(un cavallo)* di foraggio; legare *(un cavallo)* alla rastrelliera; *(fam., sport)* totalizzare, realizzare *(punti, vincite)*; *(fam. USA)* battere, sconfiggere, sbaragliare, stracciare *(fam.)*; *(anche)* massacrare di bòtte, atterrare, stendere *(con un colpo)*.

to **rack** ② /ræk/ v. i. *(di nembo)* essere spinto dal vento.

to **rack** ③ /ræk/ v. i. *(di cavallo)* ambiare; andare all'ambio.

to **rack** ④ /ræk/ v. t. *(spesso* **to r. off**) travasare *(vino, sidro, ecc.)*.

racket ① /'rækɪt/ n. **1** chiasso; baccano; fracasso; frastuono **2** *(raro)* bella vita; baldoria: **to go on the r.**, darsi alla bella vita **3** racket; giro *(spreg.)*; attività illegale; organizzazione di gangster: **the narcotics r.**, il racket della droga; **a usury r.**, un giro di usura **4** *(fam.)* imbroglio: **a r. to avoid taxes**, un imbroglio per evadere il fisco **5** *(slang, scherz.)* lavoro; occupazione: *Selling is a good r.*, fare il venditore *(o il commerciante)* è un buon lavoro *(o un'occupazione redditizia)* ● **to stand the r.**, affrontare le conseguenze; pagare il conto *(fig.)* □ *(scherz.)* **What r. are you in?**, che mestiere fai? ● **What a r.!**, che casino *(o chiasso)*! *(pop.)*.

racket ② /'rækɪt/ n. **1** *(sport)* racchetta *(da tennis, da neve, ecc.)* **2** (pl.) le racchette *(gioco simile al tennis, ma giocato al chiuso)* ● **r. head**, testa della racchetta □ **r. press**, pressa per racchette; porta racchette □ **r. throat**, collo della racchetta.

to **racket** ① /'rækɪt/ v. i. **1** far chiasso; far baccano; fare casino *(pop.)* **2** *(spesso* **to r. about**) far baldoria; far vita allegra; fare la bella vita.

to **racket** ② /'rækɪt/ v. t. *(tennis)* colpire *(la palla)* con la racchetta.

racketeer /rækə'tɪə(r)/ n. affiliato a un racket, malavitoso; delinquente || **racketeering** n. ⓤ appartenenza a un racket; malavita organizzata.

rackety /'rækətɪ/ a. **1** chiassoso; rumoroso **2** *(raro)* festaiolo; che ama far baldoria.

racking ① /'rækɪŋ/ a. tormentoso; doloroso; tremendo; atroce: **a r. headache**, un tremendo mal di testa.

racking ② /'rækɪŋ/ n. ⓤ scaffalatura.

rack-rent /'rækrent/ n. ⓤⓒ *(stor.)* canone di locazione esorbitante.

to **rack-rent** /'rækrent/ v. t. *(stor.)* dare in affitto *(case, ecc.)* a un canone esorbitante.

raconteur /rækɒn'tɜː(r)/ *(franc.)* n. buon raccontatore; uno che sa raccontare.

racoon /rə'kuːn/ → **raccoon**.

racquet /'rækɪt/ → **racket** ②.

racy /'reɪsɪ/ a. **1** genuino; naturale; originale: **a r. way of talking**, un modo di parlare naturale **2** che ha un sapore caratteristico *(o particolare)*; forte; vigoroso; robusto: **a r. wine**, un vino robusto **3** brioso; frizzante; mordace; vivace: **r. humour**, umorismo frizzante **4** piccante; salace; scabroso *(fig.)*: **a r. novel**, un romanzo scabroso | **-ily** avv.

rad ① /ræd/ n. *(fis.)* rad.

rad ② /ræd/ n. → **radiator**.

rad ③ /ræd/ a. → **radical**, B.

Rad. abbr. *(polit., radical)* radicale.

rad. abbr. *(geom., radius)* raggio.

radar /'reɪdɑː(r)/ n. radar; radiolocalizzatore ● *(aeron.)* **r. altimeter**, radaraltimetro □ **r. beacon**, radarfaro; radiofaro a impulsi □ **r. detection**, radarlocalizzazione □ *(naut.)* **r.-fitted**, provvisto di radar □ *(aeron., naut.)* **r. fix**, punto radar □ **r. location**, radiolocalizzazione □ **r. meteorology**, radarmeteorologia □ **r. operator**, radarista □ **r. scanner**, antenna radar □ **r. scanning**, esplorazione radar □ *(astron.)* **r. telescope**, radar-telescopio □ *(autom.)* **r. trap**, radartachimetro; Autovelox®.

radarscope /'reɪdɑːskəʊp/ n. schermo del radar.

radarsonde /'reɪdɑːsɒnd/ n. radarsonda.

raddled /'rædld/ a. *(fam. USA)* **1** confuso; frastornato **2** logoro; consumato; consunto.

radge /rædʒ/ a. e n. *(fam. scozz.)* matto;

pazzo; violento.

radgie /'rædʒɪ/ a. → **radge**.

radial /'reɪdɪəl/ **A** a. **1** *(geom., mecc.)* radiale: **r. axle**, asse radiale; **r. artery**, arteria radiale **2** *(autom.: di pneumatico)* radiale **B** n. **1** *(anat.)* arteria *(o nervo)* radiale **2** pneumatico (a struttura) radiale ● *(mecc.)* **r. engine**, motore a stella *(o radiale)* □ **r.-flow turbine**, turbina radiale □ **r.-ply tyre**, pneumatico radiale □ **r. roads**, strade a raggiera □ **r. rotor**, rotore a pale radiali *(di elicottero)* | **-ly** avv.

radian /'reɪdɪən/ n. *(geom.)* radiante.

radiance /'reɪdɪəns/, **radiancy** /'reɪdɪənsɪ/ n. ⓤ **1** radiosità; fulgore; splendore **2** *(fis.)* radianza.

radiant /'reɪdɪənt/ **A** a. radiante *(anche fis.)*; raggiante; brillante; fulgido; fulgente; sfolgorante; splendido: *(fis.)* **r. energy**, energia radiante; **r. heat**, calore radiante; **a r. smile**, un sorriso raggiante *(o radioso)*; **r. beauty**, fulgida bellezza; **a r. morning**, uno splendido mattino **B** n. **1** *(astron.)* punto radiante **2** *(fis.)* radiante ● **r. heater**, pannello radiante □ **r. heating**, riscaldamento a pannelli radianti | **-ly** avv.

radiate /'reɪdɪət/ a. a raggi; provvisto di raggi; radiale **2** *(bot.)* radiato.

to **radiate** /'reɪdɪeɪt/ v. t. e i. irradiare; irraggiare; raggiare; *(fig.)* diffondere, diffondersi; emanare; sprigionare: *Heat and light r.*, il calore e la luce s'irradiano; *Five roads r. from the town*, cinque strade s'irraggiano dalla città ● **to r. joy**, essere raggiante di gioia.

radiation /reɪdɪ'eɪʃn/ n. **1** ⓤ *(scient.)* radiazione; irradiazione; irraggiamento; irradiamento: **the r. of heat**, l'irradiamento del calore **2** disposizione radiale *(o a raggiera)* ● *(fis. nucl.)* **r. protection**, radioprotezione □ *(med.)* **r. sickness**, male *(o malattia)* da radiazioni □ *(med.)* **r. therapy**, radioterapia.

radiative /'reɪdɪətɪv/ a. *(fis. nucl.)* relativo alle radiazioni; radiativo.

radiator /'reɪdɪeɪtə(r)/ n. **1** radiatore *(d'automobile o di termosifone)* **2** *(radio)* antenna trasmittente; trasmettitore ● *(autom.)* **r. cap**, tappo del radiatore □ *(autom.)* **r. hose**, manicotto □ **panel r.**, radiatore a pannelli.

♦**radical** /'rædɪkl/ **A** n. **1** *(chim., mat., polit.)* radicale **2** *(ling., =* **r. word**) radice; radicale **3** *(mat., =* **r. sign**) segno di radice **B** a. **1** radicale; *(fig.)* integrale, profondo: **a r. change**, un mutamento radicale; *(polit.)* **the R. Party**, il partito radicale **2** *(raro)* connaturato **3** *(slang USA)* eccellente; favoloso; ganzo, fico, da sballo *(pop.)* ● **r. chic**, radical-chic | **-ly** avv.

radicalism /'rædɪkəlɪzəm/ n. ⓤ *(polit.)* radicalismo.

to **radicalize** /'rædɪkəlaɪz/ *(polit.)* **A** v. t. radicalizzare **B** v. i. radicalizzarsi || **radicalization** n. ⓤ radicalizzazione.

radicand /'rædɪkænd/ n. *(mat.)* radicando.

to **radicate** /'rædɪkeɪt/ **A** v. i. *(bot.)* radicare; mettere radici **B** v. t. far attecchire; radicare; infondere || **radication** n. ⓤⓒ *(bot.)* radicamento.

radicchio /ræ'diːkɪəʊ/ *(ital.)* n. ⓤ *(bot., cucina)* radicchio.

radicle /'rædɪkl/ n. **1** *(bot.)* radichetta **2** *(anat.)* piccola radice; radicula **3** *(chim.)* radicale.

radicular /ræ'dɪkjʊlə(r)/ a. *(anat.)* radicolare.

radiculitis /rædɪkjʊ'laɪtɪs/ n. ⓤ *(med.)* radicolite.

radii /'reɪdɪaɪ/ pl. di **radius**.

♦**radio** /'reɪdɪəʊ/ **A** n. (pl. **radios**) **1** ⓤ radio; radiofonia; radiotelegrafia: **to broad-**

cast by r., trasmettere per radio; *I heard it on the r.*, l'ho sentito alla radio **2** stazione radio; radio: **a local r.**, una radio locale **3** radiocanale; canale: **R. One**, primo canale della BBC; **R. Four**, canale 4 della BBC **4** apparecchio radio; radio **5** (*comput.*) = **r. button** → *sotto* **B** **a. attr.** radiofonico; radio: **r. programmes**, programmi radiofonici; **r. station**, stazione radiofonica; radiostazione ● **r. advertising**, pubblicità per radio □ **r. aerial**, antenna radio □ **r. alarm**, allarme dato via radio; (*anche*) radiosveglia □ (*aeron.*) **r. altimeter**, radioaltimetro □ **r. amateur**, radioamatore □ **r. and television**, radiotelevisione; (agg. attr.) radiotelevisivo □ **r. astronomer**, radioastronomo □ **r. astronomy**, radioastronomia □ (*aeron.*, *naut.*) **r. beacon**, radiofaro □ **r. bearing**, radiorilevamento □ **r. broadcast**, e *deriv.* → **radio-broadcast**, e *deriv.* □ (*comput.*) **r. button**, pulsante radio □ **r. cab**, radiotaxi (*autom.*) □ **r. car**, autoradio (*il veicolo*); radiomobile □ (*anche sport*) **r. commentary**, radiocronaca □ **r. commentator**, radiocronista □ (*naut.*, *aeron.*) **r. compass**, radiobussola □ **r. control**, radiocomando; radioguida □ (*aeron.*) **r.-controlled autopilot**, radiopilota □ **r.-controlled car**, automobilina radiocomandata (*giocattolo*) □ **r. dating**, datazione radiocarbonica □ **r. engineer**, radiotecnico □ **r. engineering**, radiotecnica □ (*mil.*) **r. fuse**, radiospoletta □ (*astron.*) **r. galaxy**, radiogalassia □ **r.-gramophone**, radiogrammofono □ (*fam.*) **r. ham**, radioamatore □ **r. interview**, radiointervista □ **r.-label** → **radiolabel** □ **r. link** (*o* linkup), radiocollegamento; ponte radio □ **r. listener**, radioascoltatore; radioutente □ (*naut.*) **r. navigation**, radionavigazione □ **r. operator**, radiotelegrafista, marconista, (*mil.*) radiofonista □ **r. oscillator**, radiooscillatore □ (*miss.*) **r. probe**, radiosonda □ **r. pulse**, impulso via radiofrequenza □ **r. range-finder**, radiotelemetro □ **r. range finding**, radiotelemetria □ (*aeron.*) **r. range track**, radiosentiero □ **r. receiver**, radioricevitore □ **r. reception**, radioricezione □ **r. recorder**, radioregistratore □ **r. relay**, radioripetitore □ **r. relay system**, ponteradio □ **r. repairer**, radioriparatore □ **r. repeater**, radioripetitore □ **r. set**, apparecchio radio; radio (*fam.*) □ **r. signal**, radiosegnale □ **r. sounding**, radiosondaggio (*dell'atmosfera*, *ecc.*); (*naut.*) radioscandaglio □ (*astron.*) **r. source**, radiosorgente ● **r. spectrograph**, radiospettrografo □ (*astron.*) **r. star**, radiostella; radiosorgente discreta □ **r. talk**, radioconversazione □ (*astron.*) **r. telescope**, radiotelescopio □ **r. transmitter**, radiotrasmettitore □ **r. tube** (*o* **r. valve**), valvola termoionica □ **r. van**, radiofurgone □ **r. wave**, onda radio; radioonda □ **car r.**, autoradio (*radio di bordo*) □ **on the r.**, alla radio; (*di una persona*) in onda □ **portable r.** (*o* **pocket r.**), radiolina.

to **radio** /ˈreɪdɪəʊ/ **A** v. t. **1** radiotrasmettere (*un messaggio*) **2** mettersi in contatto radiofonico con (q.) **B** v. i. trasmettere per radio ● **to r. for help**, chiedere aiuto via radio.

to **radioactivate** /ˌreɪdɪəʊˈæktɪveɪt/ v. t. (*fis.*) rendere radioattivo.

radioactive /ˌreɪdɪəʊˈæktɪv/ a. (*chim.*, *fis.*) radioattivo: **r. decay**, decadimento radioattivo; **r. fallout**, ricaduta radioattiva; fallout.

radioactivity /ˌreɪdɪəʊækˈtɪvətɪ/ n. ▣ (*chim.*, *fis.*) radioattività.

radiobiology /ˌreɪdɪəʊbaɪˈɒlədʒɪ/ (*biol.*) n. ▣ radiobiologia ‖ **radiobiologist** n. radiobiologo.

radiobroadcast /ˌreɪdɪəʊˈbrɔːdkɑːst/ n. radiotrasmissione; radiodiffusione.

to **radiobroadcast** /ˌreɪdɪəʊˈbrɔːdkɑːst/

v. t. radiotrasmettere; radiodiffondere.

radiocarbon /ˌreɪdɪəʊˈkɑːbən/ n. ▣ (*scient.*) radiocarbonio ● **r. dating**, datazione radiocarbonica.

to **radiocast** /ˈreɪdɪəʊkɑːst/ (*pass. e p. p.* *radiocast*), v. t. (*USA*) radiotrasmettere; radiodiffondere.

radiochemistry /ˌreɪdɪəʊˈkemɪstrɪ/ (*chim.*) n. ▣ radiochimica ‖ **radiochemist** n. radiochimico.

radiochromatography /ˌreɪdɪəʊkrəʊməˈtɒɡrəfɪ/ (*chim.*) n. ▣ analisi radiocromatografica ‖ **radiochromatographic** a. radiocromatografico.

radiocommunication /ˌreɪdɪəʊkəmjuːnɪˈkeɪʃn/ n. radiocomunicazione.

to **radio-control** /ˌreɪdɪəʊkənˈtrəʊl/ v. t. radiocomandare; radioguidare; radiotelecomandare.

radioecology /ˌreɪdɪəʊɪˈkɒlədʒɪ/ n. ▣ radioecologia ‖ **radioecological** a. radioecologico.

radioelement /ˌreɪdɪəʊˈelɪmənt/ n. (*chim.*) radioelemento.

radiogenic /ˌreɪdɪəʊˈdʒenɪk/ a. (*scient.*) radiogenico.

radiogram /ˈreɪdɪəʊɡræm/ n. **1** (*med.*) radiografia (*lastra*); radiogramma **2** radiomessaggio; radiogramma **3** (abbr. di **radio-gramophone**) radiogrammofono.

radiograph /ˈreɪdɪəʊɡrɑːf/ (*spec. med.*) n. radiografia (*lastra*) ‖ **radiographic** a. radiografico ‖ **radiographically** avv. radiograficamente ‖ **radiography** n. ▣ radiografia (*il procedimento*).

to **radiograph** /ˈreɪdɪəʊɡrɑːf/ v. t. radiografare ‖ **radiographer** n. (*med.*) tecnico di radiologia; tecnico radiologo.

radioisotope /ˌreɪdɪəʊˈaɪsətəʊp/ n. (*chim.*, *fis.*) radioisotopo.

to **radiolabel** /ˈreɪdɪəʊleɪbl/ v. t. marcare (q. *o* qc.) con un isotopo radioattivo.

radiolarian /ˌreɪdɪəʊˈleərɪən/ n. (*zool.*) radiolario.

radiology /ˌreɪdɪˈɒlədʒɪ/ (*med.*) n. ▣ radiologia ‖ **radiological** a. radiologico ● (*mil.*) **radiological defence**, difesa antiradiazioni □ (*mil.*) **radiological warfare**, guerra di radiazioni ‖ **radiologically** avv. radiologicamente ‖ **radiologist** n. radiologo.

radiolucent /ˌreɪdɪəʊˈluːsənt/ a. radiotrasparente.

radiometer /ˌreɪdɪˈɒmɪtə(r)/ (*fis.*) n. radiometro ‖ **radiometry** n. ▣ radiometria.

radiometric /ˌreɪdɪəʊˈmetrɪk/ a. (*scient.*) radiometrico.

radionuclide /ˌreɪdɪəʊˈnjuːklaɪd/ n. (*fis. nucl.*) radionuclide.

radiopaque /ˌreɪdɪəʊˈpeɪk/ (*elettr.*) a. radioopaco ‖ **radiopacity** n. ▣ radioopacità.

radiophone /ˈreɪdɪəʊfəʊn/ = **radiotelephone** → **radiotelephony**.

radiophonic /ˌreɪdɪəʊˈfɒnɪk/ a. radiofonico.

radiophonics /ˌreɪdɪəʊˈfɒnɪks/ n. pl. (col verbo al sing.) radiofonia.

radioplay /ˈreɪdɪəʊpleɪ/ n. radiodramma; originale radiofonico.

radioprotection /ˌreɪdɪəʊprəˈtekʃn/ n. radioprotezione ‖ **radioprotective** a. radioprotettivo.

radioscopy /ˌreɪdɪˈɒskəpɪ/ (*spec. med.*) n. ▣ radioscopia ‖ **radioscopic** a. radioscopico.

radiosensitive /ˌreɪdɪəʊˈsensɪtɪv/ (*spec. med.*) a. radiosensibile ‖ **radiosensitivity** n. ▣ radiosensibilità.

radiosonde /ˈreɪdɪəʊsɒnd/ n. (*meteor.*) radiosonda.

radiotelegram /ˌreɪdɪəʊˈtelɪɡræm/ n. ra-

diotelegramma; radiogramma.

radiotelegraph /ˌreɪdɪəʊˈtelɪɡrɑːf/ n. radiotelegrafo ● **r. operator**, radiotelegrafista; marconista.

to **radiotelegraph** /ˌreɪdɪəʊˈtelɪɡrɑːf/ v. t. e i. radiotelegrafare.

radiotelegraphy /ˌreɪdɪəʊtɪˈleɡrəfɪ/ n. ▣ radiotelegrafia ‖ **radiotelegraphic** a. radiotelegrafico.

radiotelemetry /ˌreɪdɪəʊtɪˈlemətrɪ/ n. ▣ radiotelemetria.

radiotelephony /ˌreɪdɪəʊtɪˈlefənɪ/ n. ▣ radiotelefonia ‖ **radiotelephone** **A** n. radiotelefono **B** a. attr. radiotelefonico ● **radiotelephone operator**, radiotelefonista.

radiotelephotography /ˌreɪdɪəʊtelɪfəʊˈtɒɡrəfɪ/ n. ▣ radiotelefotografia.

radioteletype /ˌreɪdɪəʊˈtelɪtaɪp/ n. radiotelescrivente.

radiotherapy /ˌreɪdɪəʊˈθerəpɪ/ (*med.*) n. ▣ radioterapia ‖ **radiotherapeutic** a. radioterapico ‖ **radiotherapeutics** n. pl. (col verbo al sing.) radioterapia ‖ **radiotherapist** n. radioterapista.

radish /ˈrædɪʃ/ n. (*bot.*) **1** (*Raphanus sativus*) rafano **2** (*Raphanus sativus radicula*) ravanello ❶ **FALSI AMICI** ● **radish** non significa né radicchio né radice.

radium /ˈreɪdɪəm/ n. (*chim.*) radio ● **r. emanation**, radioemanazione; radon □ (*med.*) **r.-therapy**, radioterapia, radiumterapia.

radius /ˈreɪdɪəs/ n. (pl. *radii*, *radiuses*) **1** (*geom.*) raggio (*anche fig.*): **r. vector**, raggio vettore; (*mil.*) **r. of action**, raggio d'azione; **within a r. of ten miles**, nel raggio di dieci miglia **2** (*anat.*) radio **3** (*mecc.*, = **r. rod**) raggio di ruota **4** (*di una gru*) sbraccio **5** (*fig.*) ambito; campo: **within the r. of my experience**, nell'ambito della mia esperienza ● (*a Londra*) **the four-mile r.**, il cerchio (*con raggio di quattro miglia*) al cui centro sta Charing Cross.

radix /ˈreɪdɪks/ n. (pl. *radices*, *radixes*) **1** (*bot.*) radice **2** (*ling.*) radice **3** (*mat.*) numero base.

radon /ˈreɪdɒn/ n. ▣ (*chim.*) radon.

radula /ˈrædjʊlə/ n. (pl. *radulae*) (*zool.*) radula.

RAE sigla (*GB*, **research assessment exercise**), attività di valutazione delle attività di ricerca (*nelle facoltà universitarie*).

RAF sigla (*mil.*, *GB*, **Royal Air Force**) Aeronautica militare.

raff /ræf/ → **riffraff**.

raffia /ˈræfɪə/ n. ▣ (*bot.*, *Raphia ruffia*) raffia, rafia (*l'albero e la fibra*).

raffish /ˈræfɪʃ/ a. **1** disinvolto; noncurante; non convenzionale; anticonvenzionale **2** vistoso; volgare | **-ly** avv. | **-ness** n. ▣.

♦ **raffle** ① /ˈræfl/ n. riffa; lotteria.

raffle ② /ˈræfl/ n. ▣ rifiuti; resti; detriti.

to **raffle** /ˈræfl/ **A** v. t. (spesso to **r. off**) mettere in palio (*come premio*) in una riffa **B** v. i. partecipare a una lotteria ● **to r. for**, concorrere a (*un premio di lotteria*).

raft /rɑːft/ n. **1** zattera (*di tronchi d'albero*, *barili*, *ecc.*) **2** massa di tronchi galleggianti (*legati insieme per farli fluitare*) **3** (= **life r.**) gommone; battellino di gomma **4** (*edil.*) zattera; palancolata ● **r. foundation**, fondazione a zattera **5** (*sport*) gommone da → «rafting» (*fam. USA*) **a r. of**, un mucchio di.

to **raft** /rɑːft/ **A** v. t. **1** trasportare su una zattera **2** flottare, fare fluitare (*tronchi*, *ecc.*) **3** attraversare (*un fiume*, *ecc.*) su zattere **B** v. i. navigare su una zattera ● **to r. down a river**, scendere un fiume su una zattera (*o* su un gommone).

rafter ① /ˈrɑːftə(r)/ → **raftsman**.

rafter ② /ˈrɑːftə(r)/ n. (*edil.*) travetto; tra-

vicello; falso puntone.

raftered /'rɑːftəd/ *a.* (*edil.*) **1** provvisto di travetti **2** a travi a vista: **a r. ceiling**, un soffitto a travi a vista.

rafters /'rɑːftəz/ *n. pl.* (*sport*) (*pesistica*) pesi; manubrio.

rafting /'rɑːftɪŋ/ *n.* ⓤ (*sport*) rafting (discesa di torrenti su un gommone).

raftsman /'rɑːftsmən/ *n.* (pl. **raftsmen**) zatteriere.

rag ① /ræg/ *n.* **1** ⓒ⒰ straccio; cencio: **an oily rag**, uno straccio sporco di grasso; **a piece of rag**, uno straccio; un cencio **2** (*anche fig.*) brandello; lembo: **in rags**, in brandelli; sbrindellato; stracciato; *The book had been torn to rags*, il libro era stato ridotto a brandelli **3** (pl.) abiti vecchi; abiti strappati; cenci; stracci: **dressed in rags**, vestito di stracci; cencioso **4** (*spreg.*) giornale di scarso peso; foglio: **the local rag**, il giornale locale **5** (*spreg.*) bandiera; fazzoletto; sipario **6** (*ferr., fam. USA*) addetto agli scambi **7** (*volg.*) assorbente igienico • **rag-and-bone man**, straccivendolo; cenciaiolo □ **rag doll**, bambola di pezza □ **rag fair**, mercato di abiti usati □ **rag merchant**, straccivendolo □ **rag-paper**, carta di stracci □ (*edil.*) **rag-rolling**, marezzatura (*di pareti*) ottenuta passando uno straccio; spugnatura □ **rag rug**, pezzotto; tappeto fatto con strisce di stoffa intrecciate e annodate su una base di stoffa □ (*fam.*) **a rags-to-riches story**, la storia di uno passato dalla povertà alla ricchezza □ (*fam.*) **the rag trade**, l'industria della confezione (o dell'abbigliamento) □ **as a red rag to the bull**, come agitare un drappo rosso davanti a un toro □ (*slang*) **to chew the rag**, chiacchierare; ciarlare; discutere □ (*fam.*) **to feel like a wet rag**, essere esausto; essere ridotto a uno straccio □ **from rags to riches**, dalla povertà alla ricchezza; dalle stalle alle stelle □ (*fam. ingl.*) **to lose one's rag**, infuriarsi; perdere la pazienza □ (*slang USA*) **to be on the rag**, avere le mestruazioni.

rag ② /ræg/ *n.* (*slang*) **1** (*in GB*) corteo (*con carri, ecc.*) di studenti universitari allo scopo di raccogliere fondi per beneficenza (*in un giorno detto* **rag day**, *o in una data settimana*, **rag week**) **2** scherzo chiassoso; burla.

rag ③ /ræg/ *n.* (*mus.*) brano di ragtime.

rag ④ /ræg/ *n.* (*edil.*) lastra di ardesia grezza (*per la copertura di tetti*).

to **rag** ① /ræg/ *v. t.* **1** (*antiq.*) prendere in giro; fare uno scherzo a **2** (*fam. USA*) dare una grossa sgridata a; strapazzare.

to **rag** ② /ræg/ *v. t.* (*mus.*) comporre (o suonare) in ragtime.

raga /'rɑːgə/ *n.* (*mus. indiana*) raga (*sequenza di note e brano musicale*).

ragamuffin /'rægəmʌfɪn/ *n.* (*fam. antiq.*) **1** pezzente; straccione **2** monello; ragazzaccio.

ragbag /'rægbæg/ *n.* **1** sacco per gli stracci **2** (*fig.*) miscellanea; miscuglio; serie (*senza un ordine particolare*) **3** (*spreg.*) donna sciatta e sporca; barbona.

ragbolt /'rægbəʊlt/ *n.* (*mecc.*) bullone di fondazione.

ragdoll, **rag doll** /'rægdɒl/ *n.* bambola di pezza; pupazzo; fantoccio: (*comput.*) **r. physics**, fisica ragdoll (*tipo di animazione*).

♦**rage** /reɪdʒ/ *n.* ⓒⓤ **1** collera; furia; furore; ira; rabbia; stizza: **to be in a r. with sb.**, essere in collera con q.; **to fly into a r.**, montare in collera; andare su tutte le furie; **eyes sparkling with r.**, occhi scintillanti di collera; **road r.**, rabbia di un automobilista infuriato; **the r. of the wind**, la furia del vento **2** desiderio smodato; passione; mania: *He has a r. for fox hunting*, ha la mania della caccia alla volpe **3** furore poetico (*o profeti-*

co); frenesia; ispirazione **4** (*poet.*) ardore; entusiasmo; passione; violenza: **the r. of your grief**, la violenza del tuo dolore • **to be (all) the r.**, esser di gran moda; esser assai popolare; far furore; furoreggiare (*fig.*): *That actress was all the r. a few years ago*, quell'attrice faceva furore alcuni anni fa.

to **rage** /reɪdʒ/ *v. i.* **1** prorompere con rabbia; inveire; scagliarsi (contro): «*I've had enough!*» *Molly raged*, «Ne ho abbastanza!» proruppe Molly furibonda; *Jack raged at the incompetence of his colleagues*, Jack inveì contro l'incompetenza dei suoi colleghi **2** (*fig.*) essere infuriato; infuriare; imperversare: *The storm raged all night*, il temporale infuriò tutta la notte; *The plague was raging throughout the city*, la peste imperversava per tutta la città **3** (*fam. Austral.*) divertirsi da matti; scatenarsi; fare casino.

ragga /'rægə/ *n.* ⓤ (*mus.*) ragga (*musica da ballo afro-giamaicana*).

ragged /'rægɪd/ *a.* **1** logoro; sbrindellato; stracciato; sfilacciato: **a r. shirt**, una camicia logora (o stracciata); **r. clothes**, abiti sbrindellati; **r. edges**, orli sfilacciati **2** cencioso; lacero; pezzente; vestito di stracci: **r. flags [sails]**, bandiere [vele] lacere; **a r. old man**, un vecchio pezzente **3** frastagliato; scabro; scabroso: **r. rocks**, rocce frastagliate **4** irsuto; ispido; irto: **r. hair**, capelli ispidi **5** aspro; ruvido; stridente: **a r. voice**, una voce stridente **6** imperfetto; malfatto; rozzo: **r. verses**, versi imperfetti; **a r. style**, uno stile rozzo **7** (*slang*) esausto; spompato (*pop.*) • (*bot.*) **r. lady** (*Nigella damascena*) fanciullaccia □ (*fam. USA*) **r. out**, elegantissimo; ben vestito; tirato (*fam.*) □ (*bot.*) **r. robin** (*Lychnis flos-cuculi*), fior di cuculo □ (*med.*) **a r. wound**, una ferita lacera □ (*slang*) **to run sb. r.**, debilitare; stremare q.; ridurre q. allo stremo | **-ly** *avv.* | **-ness** *n.* ⓤ.

raggedy /'rægədɪ/ *a.* (*fam. USA*) lacero; frangiato; sfrangiato; in disordine • (*volg.*) **r.-ass** (o **assed**), male in arnese; malmesso; (*di persona anche*) alle prime armi.

raging /'reɪdʒɪŋ/ *a.* **1** scatenato; furioso; furibondo; infuriato; violento: **the r. sea**, il mare infuriato; **a r. fever**, una febbre violenta (*fam.*: da cavallo) **2** (*fam.*) di gran moda; che ha un gran successo • **r. inflation**, inflazione che imperversa □ **r. mad**, matto da legare | **-ly** *avv.*

raglan /'ræglən/ (*moda*) Ⓐ *a.* alla raglan: **r. sleeves**, maniche alla raglan Ⓑ *n.* (= **r. coat**) raglan; cappotto alla raglan.

ragman /'rægmən/ *n.* (pl. **ragmen**) (*USA*) straccivendolo; cenciaiolo.

to **ragout** /rə'guː/ *v. t.* (*cucina*) stufare (*la carne*) con verdure.

ragout /ræ'guː/ *n.* (*cucina*) stufato di carne di manzo o di pollo, con spezie e verdure.

ragpicker /'rægpɪkə(r)/ *n.* straccivendolo; cenciaiolo.

ragstone /'rægstəʊn/ *n.* ⓤ (*edil.*) ardesia grezza (*per coprire tetti*).

ragtag /'rægtæg/ Ⓐ *n.* (*spreg. arc.*) *di solito* **r. and bobtail**) canaglia; plebaglia; marmaglia Ⓑ *a.* disorganizzato; raccogliticcio.

ragtime /'rægtaɪm/ *n.* (*mus.*) ragtime (*tipo di musica sincopata*).

ragworm /'rægwɜːm/ *n.* (*zool.*) nereide.

ragwort /'rægwɜːt/ *n.* (*bot.*, *Senecio jacobaea*) erba di San Giacomo.

RAID *sigla* (*comput.*, **redundant array of inexpensive disks**) RAID (*combinazione di dischi rigidi usata per aumentare l'affidabilità o le prestazioni*)

♦**raid** /reɪd/ *n.* **1** incursione; irruzione; razzia; scorreria; scorribanda; (*mil.*) raid: **an air r.**, un'incursione aerea; **a r. by the police**, un'irruzione (o un blitz) della polizia

rapina: **a r. on a bank**, una rapina a una banca **3** (*Borsa*) scalata (*data a una società acquisendone il pacchetto di maggioranza*) • **a r. on the reserves of a company**, un grosso prelievo (*sia legale sia fraudolento*) dai fondi d'una società □ (*fig., fin.*) **to make a r. on**, appropriarsi di (*una somma di denaro, stornandola dalla sua destinazione originaria*)

to **raid** /reɪd/ Ⓐ *v. t.* **1** fare un'incursione in; fare irruzione in; assalire; razziare; saccheggiare: *The police raided their hideout*, la polizia fece irruzione nel loro covo **2** depredare; rapinare; assaltare (*una banca, ecc.*) **3** (*Borsa, fin.*) dare la scalata a (*un titolo, una società*) Ⓑ *v. i.* fare incursioni (o scorrerie).

raider /'reɪdə(r)/ *n.* **1** razziatore; predone **2** (*mil.*) aereo (o nave) da incursione **3** guastatore; soldato di un commando **4** (*naut.*) nave corsara **5** (*Borsa, fin.*) chi dà la scalata (*a una società*): «predatore».

♦**rail** ① /reɪl/ *n.* **1** barra; sbarra; asta: **a picture r.**, una sbarretta cui appendere quadri **2** (*di legno*) asta; stecca **3** grata; inferriata; cancellata **4** staccionata; steccato **5** parapetto; balaustra; sponda; ringhiera **6** (= **handrail**) corrimano **7** (*ipp.*) steccato: **inner [outer] r.**, steccato interno [esterno] **8** (*naut.*) bordo di murata; battagliola **9** (*ferr.*) rotaia **10** ⓤ (= **railway**) ferrovia: **to send goods by r.**, spedire merce per ferrovia; **to travel by r.**, viaggiare in treno **11** (*equit.*) (pl.) **- rails**, barriera **12** (pl.) (*Borsa*) azioni ferroviarie • **r. crash**, disastro ferroviario □ **r. fence**, staccionata; steccato □ (*ferr.*) **r. gauge**, scartamento □ (*ferr.*) **r. link**, collegamento ferroviario □ (*ferr.*) **r.-motor**, automotrice □ (*edil.*) **r. post**, colonnino di ringhiera □ **r. strike**, sciopero ferroviario □ **r. transport**, trasporto su rotaia □ **to go off (o to jump, to leave) the rails**, (*di treno*) deragliare; (*fig.*) uscire di carreggiata (o dai binari); fare cose strane □ (*naut.*) **to go over the r.**, cadere a mare (*da una nave*).

rail ② /reɪl/ *n.* (*zool.*, *Rallus*) rallo • **water r.** (*Rallus aquaticus*), porciglione.

to **rail** ① /reɪl/ Ⓐ *v. t.* **1** munire di sbarre **2** provvedere di cancelli (o staccionate, parapetti) **3** (*raro*) spedire (*merci*) per ferrovia Ⓑ *v. i.* viaggiare in treno • **to r. in**, rinchiudere con inferriate (o con steccati, ecc.): **to r. the cattle in**, rinchiudere il bestiame con una staccionata □ **to r. off**, recintare, separare (o circondare) con inferriate (staccionate, ecc.); separare (*in genere*): **to r. off the kitchen garden**, circondare l'orto con uno steccato.

to **rail** ② /reɪl/ *v. i.* (*form.*) inveire; lamentarsi; recriminare; scagliarsi: *They always r. at (o against) him*, inveiscono sempre contro di lui.

railbed /'reɪlbed/ *n.* (*ferr.*) massicciata.

railbird /'reɪlbɜːd/ *n.* (*slang USA*) appassionato delle corse di cavalli (*chi le segue stando appollaiato sullo steccato*).

railcar /'reɪlkɑː(r)/ *n.* (*ferr.*) **1** automotrice; elettromotrice **2** (*USA*) vagone ferroviario.

railcard /'reɪlkɑːd/ *n.* (*ferr.*) tessera ferroviaria • (*in GB*) **R.**, tessera speciale per biglietti a prezzo ridotto (*per anziani, disabili, ecc.*).

railhead /'reɪlhed/ *n.* **1** punto estremo di una ferrovia in costruzione **2** (*ferr.*) stazione terminale; capolinea **3** (*ferr.*) fungo (della rotaia).

railing ① /'reɪlɪŋ/ *n.* **1** barra; sbarra **2** (spesso al pl.) grata; inferriata; cancellata; parapetto; balaustra; ringhiera **3** ⓤ (*ferr.*) complesso di rotaie; armamento; metallo per rotaie **4** ⓤ (*elettron.*) grata (*disturbo intenzionale*).

railing ② /'reɪlɪŋ/ Ⓐ *n.* **1** ⓤ l'inveire **2** (pl.)

invettive; recriminazioni **B** *a*. **1** che invei-sce **2** ingiurioso; offensivo.

raillery /'reɪlərɪ/ *n*. ▨ (*form*.) burla; mot-teggio; bonaria presa in giro.

railman /'reɪlmən/ *n*. (pl. *railmen*) ferro-viere.

railroad /'reɪlrəʊd/ *n*. (*USA*) **1** ferrovia; strada ferrata **2** (*fin*.) società ferroviaria **3** (pl.) (*Borsa*) azioni ferroviarie • (*USA*) **r. car**, vagone ferroviario □ (*USA*) **r. ferry**, nave tra-ghetto □ (*USA*) **r. jack** = **railway jack**→ **railway** □ **r. truck**, carrello portabagagli.

to **railroad** /'reɪlrəʊd/ *v*. *t*. (*USA*) **1** tra-sportare per ferrovia **2** provvedere (*un pae-se, ecc.*) di ferrovie **3** (*fam*.) far passare (*o far approvare*) in fretta (*un progetto, un dise-gno di legge*) **4** fare pressioni su, forzare la mano a (*q*.) **5** (*fam*.) processare (*q*.) som-mariamente; mandare (*q*.) in prigione con false accuse • **to r. sb. into doing st.**, indur-re q. a fare qc., con indebite pressioni.

railroader /'reɪlrəʊdə(r)/ *n*. (*USA*) ferro-viere.

Railtrack /'reɪltræk/ *n*. ▨ (*ferr., in GB*) le Ferrovie Britanniche (*organo di controllo: 1994*).

♦**railway** /'reɪlweɪ/ *n*. ferrovia; strada ferra-ta • **a r. accident**, un incidente ferroviario □ **r.-carriage**, carrozza; vettura; vagone pas-seggeri □ **r.-coach**, carrozza ferroviaria □ **r. company**, società ferroviaria □ **r. crossing**, passaggio a livello □ **r. engine**, locomotiva □ **r. guide**, orario ferroviario □ (*mecc*.) **r. jack**, binda; cricco (*o martinetto*) idraulico; car-roponte per locomotive □ **r. journey**, viaggio in ferrovia □ **r. line**, linea ferroviaria □ **r. network**, rete ferroviaria □ **r. rates**, tariffe ferroviarie □ **r. section**, tronco ferroviario □ (*fin*.) **r. shares**, titoli ferroviari; azioni ferro-viarie □ **r. siding**, raccordo ferroviario □ **r. sleeper**, traversina (*di binario*) □ **r. station**, stazione ferroviaria □ **r. switch**, scambio □ **r. system**, rete ferroviaria □ **r. terminus**, sta-zione di testa □ **r. ticket**, biglietto ferroviario □ **r. ticket agency**, agenzia di prenotazioni e biglietti ferroviari □ **r. timetable**, orario fer-roviario □ **r. track**, binario □ **r. wagon**, vago-ne ferroviario □ **r. worker**, ferroviere □ **r. yard**, scalo ferroviario □ **r. cable-r.**, funicolare □ **to work on the r.** (*o on the railways*), lavorare in ferrovia.

railwayman /'reɪlweɪmən/ *n*. (pl. *rail-waymen*) ferroviere.

raiment /'reɪmənt/ *n*. (*poet. o arc.*) abbi-gliamento; vesti; vestimenti (*lett*.).

♦**rain** /reɪn/ **A** *n*. **1** ▨ pioggia: **some of the heaviest r. last autumn**, una delle piogge più forti dello scorso autunno; **to walk in the r.**, camminare sotto la pioggia; *It looks like r.*, *you'd better take an umbrella*, vuol piovere, faresti meglio a prendere un om-brello **2** pioggia: *Heavy rains are expected*, si prevedono forti piogge; **the rains**, le grandi piogge (*in India, ecc.*); **la stagione del-le piogge 3** (*fig.*) pioggia, diluvio, gragnola: **a r. of arrows**, una gragnola di frecce; **a r. of questions**, un diluvio di domande **B** *a*. attr. **1** piovana: **r. water**, acqua piovana **2** pluviale: **r. forest**, foresta pluviale • (*USA*) **r.-check**, (*sport, ecc.*) buono per un ingresso in data futura (*in caso di sospensione di gara o incontro per il maltempo*); (*fig. fam.*) riserva d'accettare: *I'll take a r.-check on it*, (ora no, grazie, ma) mi prenoto per un'altra vol-ta □ **r. dance**, danza della pioggia □ **r. doc-tor**, mago della pioggia □ **r. gauge**, pluvio-metro □ (*come*) **r. or shine** (*o come r., come shine*), col bello e col cattivo tempo; piova o faccia bello; (*fig.*) qualsiasi cosa accada □ (*autom.*) **r. sensor**, sensore di pioggia □ **r. spell**, periodo piovoso □ **r. squall**, piovasco; rovescio □ **r. storm**, pioggia (*pesante*); dilu-vio (*fig.*) □ (*di luogo*) **r.-swept**, tempestoso;

esposto alle intemperie □ (*geol.*) **r.-wash**, di-lavamento; materiale dilavato □ (*fam.*) **to be as right as r.**, stare benissimo (*di salute*) □ (*zool.*) **r.-worm** (*Lumbricus*), lombrico.

♦to **rain** /reɪn/ *v*. *t*. e i. **1** piovere: *It's raining hard*, piove forte; *It rained large drops*, pio-veva a goccioloni; *It didn't stop raining all week*, non ha mai smesso di piovere per tut-ta la settimana **2** (*fig.*) piovere (*fig.*); cade-re, venire giù, versarsi, scorrere, fioccare: *Bullets were raining about me*, mi fioccava-no intorno le pallottole; *Tears were raining down her cheeks*, le lacrime le scorrevano sulle guance **3** (*fig.*) dare (qc.) a piene ma-ni; gettare a profusione; far cadere: **to r. gifts on sb.**, coprire q. di doni; **to r. insults on sb.**, coprire q. d'insulti; **to r. blows on the door**, tempestare di colpi la porta • (*fam. USA*) **to r. on sb.'s parade**, guastare la festa (*o rompere le uova nel paniere*) a q.; fare il guastafeste □ **to get rained on**, ba-gnarsi (*per la pioggia*); prendere l'acqua (*fam.*) □ *It's raining cats and dogs*, piove a catinelle □ (*prov.*) **It never rains but it pours**, piove (sempre) sul bagnato; le di-sgrazie non vengono mai da sole.

▪ **rain down** **A** *v*. *i*. + avv. piovere, cadere (*dell'acqua e fig.*): *A lot of troubles rained down on us*, ci piovvero addosso un sacco di guai **B** *v*. *t*. + avv. → **to rain**, def. 3 □ **to r. down questions on the teacher**, tempesta-re di domande l'insegnante.

▪ **rain in** *v*. *i*. + avv. piovere dentro (*o in casa*).

▪ **rain off** *v*. *t*. + avv. sospendere (*o rinviare*) per la pioggia: *The match was rained off*, la partita è stata rinviata per la pioggia.

▪ **rain out** **A** *v*. *i*. + avv. smettere di piovere; spiovere: *It has rained (itself) out*, è spiovu-to; *Wait till it rains out*, aspetta che abbia spiovuto **B** *v*. *t*. + avv. (*USA*) → **rain off**.

rainbird /'reɪnbɜːd/ *n*. (*zool.*) picchio verde.

♦**rainbow** /'reɪnbəʊ/ *n*. arcobaleno • (*zool.*) **r. trout** (*Salmo gairdneri*), trota iridea (*o arco-baleno*).

raincheck /'reɪntʃek/ *n*. = **rain-check**→ **rain**.

raincloud /'reɪnklaʊd/ *n*. (*meteor.*) nembo.

raincoat /'reɪnkəʊt/ *n*. impermeabile.

raindrop /'reɪndrɒp/ *n*. goccia di pioggia.

rainfall /'reɪnfɔːl/ *n*. **1** pioggia; acquazzo-ne; scroscio: **intense rainfalls**, piogge in-tense **2** ▨ caduta di pioggia; piovosità; pre-cipitazioni atmosferiche: **annual r.**, piovosi-tà annua.

raininess /'reɪnɪnəs/ *n*. ▨ piovosità.

rainless /'reɪnləs/ *a*. senza pioggia; (*di cli-ma*) secco.

rainmaker /'reɪnmeɪkə(r)/ *n*. **1** mago della pioggia **2** (*fam. USA*) mago dei profit-ti; operatore economico bravissimo; mago delle parcelle; avvocato bravissimo □ **rain-making** *n*. ▨ **1** il far piovere **2** (*tecn.*) sti-molazione della pioggia.

rainproof /'reɪnpruːf/ **A** *a*. impermeabi-le; a tenuta d'acqua: **r. material**, stoffa im-permeabile; **a r. roof.**, un tetto che tiene la pioggia **B** *n*. impermeabile.

to **rainproof** /'reɪnpruːf/ *v*. *t*. (*ind.*) rende-re impermeabile; impermeabilizzare.

rainstorm /'reɪnstɔːm/ *n*. acquazzone; temporale.

raintight /'reɪntaɪt/ *a*. impermeabile.

rainwater /'reɪnwɔːtə(r)/ *n*. ▨ acqua pio-vana.

rainwear /'reɪnweə(r)/ *n*. ▨ abbigliamen-to per la pioggia; indumenti per la pioggia (*impermeabili, cerate, cappucci, ecc.*).

rainy /'reɪnɪ/ *a*. piovoso; umido; carico di pioggia: **r. weather**, tempo piovoso; **r. days**,

giornate piovose; **r. winds**, venti umidi • **the r. season**, la stagione delle piogge □ (*fig.*) **to save up** (*o to put away*) **for a r. day**, risparmiare (*o mettere da parte*) per i tempi difficili.

raise /reɪz/ *n*. **1** (*spec. USA*) aumento di sti-pendio (*o di salario*) **2** (*poker*) rilancio; au-mento della posta (*o della puntata, o del piatto*) **3** (*ind. min.*) scavo in rimonta; for-nello.

♦to **raise** /reɪz/ *v*. *t*. **1** alzare; drizzare; in-nalzare; levare; elevare; sollevare; erigere: **to r. a weight**, sollevare un peso; **to r. one's eyes**, alzare gli occhi; **to r. one's voice**, alza-re la voce; (*naut.*) **to r. anchor**, alzare l'an-cora; **to r. a monument**, innalzare (*o erige-re*) un monumento; **to r. a wall**, alzare un muro; **to r. one's hat**, levarsi il cappello; scappellarsi; **to r. sb.'s morale**, sollevare il morale a (*o di*) q.; **to r. suspicions**, solleva-re sospetti; **to r. the country**, sollevare il paese (*farlo rivoltare*); **to r. a question** (*o an issue*), sollevare una questione **2** aumenta-re; accrescere; elevare: **to r. retail prices**, aumentare i prezzi al minuto; **to r. real wages**, aumentare i salari reali; **to r. the temperature**, aumentare la temperatura; (*mat.*) **to r. to the third power**, elevare alla terza potenza **3** elevare; innalzare; pro-muovere: **to r. sb. to the peerage**, elevare q. al grado di pari d'Inghilterra **4** evocare; su-scitare: **to r. memories**, evocare ricordi; **to r. the ghosts of the dead**, evocare le anime dei morti; **to r. a laugh**, suscitare una risa-ta **5** (*agric.*) far crescere; coltivare; produr-re: **to r. corn**, coltivare il granturco; **to r. one's own vegetables**, produrre in proprio gli ortaggi per uso domestico **6** allevare; ti-rar su (*fam.*); fare l'allevatore di: **to r. rab-bits**, allevare conigli; **to r. a large family**, ti-rar su una famiglia numerosa; **to r. cattle**, fare l'allevatore di bestiame **7** raccogliere; radunare; procurare, procurarsi; creare: **to r. a sum of money**, raccogliere (*o procurar-si*) una somma di denaro; **to r. capital**, rac-cogliere fondi; **to r. an army**, radunare un esercito **8** (*anche mil.*) levare, togliere (*un assedio, un blocco navale, un divieto, ecc.*) **9** (*edil.*) rialzare; soprelevare **10** (*radio, ecc.*) contattare; mettersi in contatto con **11** (*po-ker*) rilanciare; aumentare (*la posta*); rilan-ciare su (*un altro giocatore*) **12** (*ind. tess.*) garzare • **to r. bread**, far crescere il pane; farlo lievitare □ **to r. a claim [a demand]**, presentare un reclamo [una richiesta] □ **to r. a colour**, ravvivare un colore □ **to r. a dis-turbance**, provocare una sommossa (*un tu-multo*) □ **to r. one's eyebrows**, inarcare le ciglia (*in atto di meraviglia o con disapprovazio-ne*) □ (*cricket: dell'arbitro*) **to r. one's finger**, alzare l'indice sopra la testa (*segnale di 'out'*) □ **to r. a flag**, issare una bandiera □ **to r. sb. from the dead**, risuscitare q. □ (*mil.*) **to r. sb. from the ranks**, promuovere q. ufficiale □ **to r. one's glass to sb.**, levare il bicchiere in onore di q.; brindare a q. □ **to r. one's hand to sb.**, alzare le mani su q.; percuote-re q. □ **to r. one's head**, apparire; farsi la comparsa □ (*fam.*) **to r. hell** (*o Cain, the devil*), fare il diavolo a quattro; scatenare un putiferio; sollevare un pandemonio □ (*naut.*) **to r. land**, avvistare terra □ **to r. a loan**, ottenere un prestito (*o un mutuo*) □ (*fig.*) **to r. no eyebrows**, non destare sor-presa □ **to r. an objection**, sollevare (*o muo-vere*) un'obiezione; (*leg.*) sollevare un'ecce-zione □ **to r. oneself**, elevarsi (socialmente); (*di animale*) sollevarsi sulle zampe posterio-ri; tirarsi su (*di animale*) □ **to r. a shout**, lan-ciare (*o levare*) un grido □ **to r. sb.'s spirits**, sollevare il morale a (*o di*) q. □ **to r. the standard of living**, migliorare il tenore di vita □ **to r. a tax**, esigere un tributo; (*anche*) aumentare una tassa □ (*slang USA*) **to r. up**,

dare l'allarme □ **to r. one's voice against sb.**, inveire (o protestare) contro q. □ (*boxe*) **to r. the winner's arm**, sollevare il braccio del vincitore.

raised /reɪzd/ a. **1** (*arte, ecc.*) in rilievo: **r. embroidery**, ricamo in rilievo **2** (*di pane, dolci*) ben lievitato; gonfio ● (*geol.*) **r. beach**, spiaggia sopraelevata □ (*edil.*) **r. flooring**, pavimento galleggiante □ (*di vite, ecc.*) **r. head**, testa bombata.

raiser /'reɪzə(r)/ n. **1** (*agric.*) coltivatore: **a r. of wheat**, un coltivatore di frumento **2** allevatore: **a r. of cattle**, un allevatore di bestiame **3** (*di un gradino*) alzata ● **a fund-r.**, uno che raccoglie fondi.

raisin /'reɪzn/ n. uva secca; uva passa.

raising /'reɪzɪŋ/ n. ▣ **1** innalzamento; sollevamento; elevamento; aumento (*di prezzi, ecc.*) **2** (*agric.*) coltivazione **3** allevamento (*di bestiame*) **4** il tirare su (*bambini*); educazione **5** (*edil.*) erezione, costruzione; (*anche*) sopraelevazione **6** riscossione, esazione (*d'imposte*) **7** (*ind. tess.*) garzatura.

raison d'être /'reɪzɒn'detrə/ (*franc.*) **loc. n.** (pl. **raisons d'être**) ragion d'essere; scopo.

Raj /rɑːʒ/ (*hindi*) n. **1** – (*stor.*) **the (British) Raj**, la dominazione britannica in India; l'India britannica **2** (*in India*) governo; amministrazione. ❶ **CULTURA • the Raj**: *la fase imperiale del dominio inglese in India (che soppiantò l'amministrazione da parte della Compagnia delle Indie orientali) durò circa un secolo, dal 1858 all'indipendenza nel 1947. Ha lasciato all'India un sistema legale basato sulla → «Common Law» (→ common* ❶*) e l'inglese come lingua franca, usata da oltre 200 milioni di persone.*

raja, rajah /'rɑːdʒə/ n. ragià.

RAJAR sigla (*GB, tel.*, **Radio Joint Audience Research**) società di rilevamento dati degli ascolti radiofonici (*equivalente dell'Audiradio italiana*).

rake ① /reɪk/ n. **1** (*agric.*) rastrello **2** (*tecn.*) rastrello meccanico ● **r. bar**, traversa portadenti (*di rastrello meccanico*) □ **r. comb**, pettine rado □ **a croupier's r.**, un rastrello da croupier (*al tavolo da gioco*) ● **as lean as a r.**, magro come un chiodo.

rake ② /reɪk/ n. **1** inclinazione **2** (*architt., edil.*) pendenza, scarpa **3** (*aeron.*) inclinazione **4** (*mecc.*) angolo di spoglia (*di un utensile*) **5** (*mecc., autom.*) angolo d'inclinazione (*di uno sterzo, ecc.*) **6** (*naut.*) slancio; inclinazione: **the r. of the stem**, lo slancio del dritto di prua.

rake ③ /reɪk/ n. (*arc.*) libertino; individuo dissoluto.

to **rake** ① /reɪk/ ◢ v. t. **1** rastrellare: **to r. fertilizer into the soil**, rastrellare il terreno per far penetrare il fertilizzante; **to r. level** (o **smooth**), spianare col rastrello **2** graffiare; artigliare **3** percorrere con lo sguardo; esaminare da cima a fondo **4** perlustrare; scrutare; frugare: *Our searchlights raked the dark waters of the bay*, i nostri riflettori frugarono le acque scure della baia **5** (*mil.*) sparare a ventaglio su; sventagliare raffiche su; spazzare: *We raked each new wave of attackers with machine-gun fire*, sventagliavamo raffiche di mitragliatrice su ogni nuova ondata di attaccanti ◣ v. i. frugare; rovistare: *They raked among my papers*, hanno frugato tra le mie carte; **to r. about (a room) for evidence**, frugare (in una stanza) in cerca di prove ● **to r. sb. over the coals**, dare una strigliata a q.

▪ **rake in** v. t. + avv. **1** far penetrare rastrellando **2** rastrellare (*gettoni di gioco, ecc.*) **3** (*fig. fam.*) guadagnare; mettersi in tasca; intascare: **to r. in large profits**, intascare grossi utili; **to r. it in**, fare soldi a palate.

▪ **rake off** v. t. + avv. **1** → **to rake out**, def. 1 **2** (*fam.*) prendere (*denaro, una tangente, ecc.*); beccarsi: *The mob racked off half my earnings*, la mafia si prendeva la metà dei miei guadagni.

▪ **rake out** v. t. + avv. **1** togliere con il rastrello, rastrellare (*foglie secche, ecc.*) **2** pulire (*un camino, una caldaia*) **3** (*fam.*) (cercare e) trovare; scovare, tirare fuori: **to r. out an old photo**, scovare una vecchia fotografia.

▪ **rake over** v. t. + avv. rivoltare con il rastrello (*fam.*) **to r. over old days**, rivangare il passato; rovistare nel passato di q.

▪ **rake through** ◢ v. t. + prep. passare (*un pettine, ecc.*) tra ◣ v. i. + prep. esaminare attentamente; frugare tra; passare al setaccio.

▪ **rake up** v. t. + avv. **1** raccogliere con il rastrello **2** attizzare (*il fuoco*) **3** (*fam.*) rivangare, riesumare (*vecchie storie, rancori, ecc.*) **4** scovare; ripescare; tirare fuori **5** (*fam.*) raggranellare; racimolare; mettere insieme: **to r. up some spare cash**, raggranellare un po' di spiccioli.

to **rake** ② /reɪk/ ◢ v. i. (*spec. naut.*) essere inclinato; avere un'inclinazione: (*naut.*) **a raked mast**, un albero inclinato ◣ v. t. inclinare; dare un'inclinazione a; incurvare: *The front forks of a bicycle are raked*, la forcella anteriore di una bicicletta è incurvata (o ricurva).

to **rake** ③ /reɪk/ v. i. **1** (*di cane da caccia*) cercare la preda col muso a terra **2** (*di falcone*) volare in cerca di preda.

rake-off /'reɪkɒf/ n. (*fam.*) **1** quota; percentuale (*sulle vincite, ecc.*) fetta (*fig.*) **2** bustarella; pizzo; tangente (*compenso illecito*) **3** sconto illegale.

raking /'reɪkɪŋ/ a. **1** inclinato; obliquo **2** (*sport*) angolato: (*calcio*) **a r. shot**, un tiro angolato.

rakish ① /'reɪkɪʃ/ (*arc.*) a. dissoluto; licenzioso ‖ **rakishness** n. ▣ dissolutezza; licenziosità.

rakish ② /'reɪkɪʃ/ a. **1** (*di battello, ecc.*) slanciato; agile; di tipo corsaro **2** ardito; sbarazzino; provocante: **a hat worn at a r. angle**, un cappello portato sulle ventitré ‖ **-ly** avv.

rale /rɑːl/ (*franc.*) n. (*med.*) rantolo (*dei polmoni*); ronco.

◆**rally** /'ræli/ n. **1** adunanza; riunione; raduno; manifestazione; comizio: **a peace r.**, una manifestazione per la pace; **an election r.**, un comizio elettorale **2** il rianimarsi; il riaversi; recupero di forze; ripresa **3** (*autom.*) rally **4** (*tennis, ecc.*) scambio di colpi; palleggio **5** (*polit., sport, ecc.*) recupero; rimonta: *Despite a late r., Arsenal lost the match*, nonostante la rimonta finale, l'Arsenal perse la partita **6** (*Borsa, fin.*) ripresa (*del mercato*); rialzo, impennata (*dei titoli*) ● (*autom.*) **r. driver**, rallista □ (*motociclismo*) **r. rider**, rallista.

to **rally** ① /'ræli/ ◢ v. t. **1** raccogliere; chiamare a raccolta; radunare; adunare; riunire; riorganizzare (*seguaci, truppe, ecc.*): *The general rallied his troops after the defeat*, il generale radunò le sue truppe dopo la sconfitta; *The trade-unionist rallied the workers*, il sindacalista chiamò a raccolta gli operai **2** rianimare; ravvivare; fare appello a: *He rallied all his energy*, fece appello a tutte le sue energie **3** (*fin.: di una notizia, ecc.*) favorire la ripresa di (*un mercato, ecc.*) ◣ v. i. **1** raccogliersi; radunarsi; adunarsi; stringersi; riorganizzarsi: *The soldiers rallied*, i soldati si adunarono; *The party rallied round the leader*, il partito si strinse intorno al leader **2** rianimarsi; riaversi; rimettersi; riprendersi; recuperare: *The patient rallied from the coma*, il paziente si riebbe dal coma **3** (*Borsa, fin.*) essere in ripresa; (*di titoli*) recuperare, riprendersi, essere in rialzo, impennarsi: *The market has rallied*, il mercato è in ripresa **4** (*tennis, ecc.*) fare uno scambio di colpi (*durante una partita*); palleggiare: **to r. from the baseline**, fare scambi dal fondo.

▪ **rally round** (o **around**) v. i. + prep. mobilitarsi a favore di (q.); stringersi intorno a (q.); fare causa comune con (q.).

to **rally** ② /'ræli/ (*arc.*) ◢ v. t. burlarsi di; canzonare; prendere in giro bonariamente ◣ v. i. motteggiare.

rallying /'ræliŋ/ n. ▣ **1** (chiamata a) raccolta; adunata; (l')accorrere **2** (*sport, autom.*) il fare rally ● **r. call** (o **r. cry**), grido di guerra; slogan □ **r. point**, punto di raccolta; (*fig.*) punto di convergenza, forza aggregante.

rallymaster /'rælimɑːstə(r)/ n. (*sport*) organizzatore di rally.

to **ralph** /rælf/ v. t. (*slang USA*) vomitare ● **to r. up one's dinner**, vomitare il pranzo.

Ralph /rælf/ n. Rodolfo.

RAM (*def. 1* /ræm/ *def. 2* /ɑːreɪˈem/) sigla **1** (*comput.*, **random-access memory**) memoria ad accesso casuale **2** (**Royal Academy of Music**) Reale accademia di musica.

ram /ræm/ n. **1** (*zool.*) ariete; montone **2** (*naut., stor.*) sperone, rostro; (*anche*) nave munita di sperone **3** (*mecc.*, = **battering ram**) mazza battente; mazzapicchio; maglio **4** (*mecc.*) pistone (*di pressa idraulica*) **5** (= **hydraulic ram**) ariete idraulico **6** – (*astron., astrol.*) **the Ram**, l'Ariete (*costellazione e segno dello zodiaco*) **7** (*mil., stor.*) ariete **8** (*fig., spreg.*) montone, mandrillo; uomo lascivo ● (*aeron.*) **ram rocket**, razzo d'avviamento (*di pulsoreattore*); (*anche*) endostatoreattore, endoautoreattore.

to **ram** /ræm/ ◢ v. t. **1** cozzare contro; sbattere contro; (*autom.*) tamponare; (naut.) speronare: *He tried to ram me off the road*, cercò di spingermi fuori strada (*urtandomi con la sua auto*) **2** calcare; pigiare; cacciare dentro; piantare; conficcare; ficcare: **to ram a post into the ground**, piantare un palo nel terreno; **to ram a stick through a hole**, ficcare un bastone in un foro; **to ram down the earth round a plant**, calcare il terriccio intorno a una pianta; **to ram one's hat down on one's head**, ficcarsi (o cacciarsi, piantarsi) il cappello in testa; **to ram clothes into a bag**, pigiare vestiti in una borsa da viaggio **3** (*volg.*) chiavare, fottere, scopare (*volg.*) **4** (*volg.*) inchiappettare, inculare (*volg.*) ◣ v. i. cozzare; sbattere: **to ram against st.**, cozzare contro qc. ● (*fig.*) **to ram st. down sb.'s throat**, costringere q. ad accettare qc. (di sgradevole); far ingoiare a forza qc. a q.; propinare qc. a q. □ (*fig.*) **to ram st. home**, far entrare qc. nella testa; fare capire.

▪ **ram in** v. t. + avv. mandare a segno; ficcare dentro; (*calcio*) **to ram in the equalizer**, sparare in porta il gol del pareggio.

▪ **ram through** v. t. + avv. o prep. (*polit.*) far passare (*una legge*) a forte maggioranza; far passare a colpi di maggioranza.

Ramadan /ræmə'dæn/ n. (*relig.*) **1** Ramadan **2** digiuno di ramadan.

ramal /'reɪml/ a. (*bot.*) di ramo; che cresce su un ramo.

ramble /'ræmbl/ n. **1** giro; escursione; lunga passeggiata **2** digressione; divagazione.

to **ramble** /'ræmbl/ v. i. **1** vagare; vagabondare; andare a zonzo **2** (*anche* **to r. on**) divagare; saltare di palo in frasca **3** farneticare; vaneggiare (*anche di piante*) crescere da ogni parte **5** (*di un corso d'acqua*) fluire zigzagando ● **Vines rambled over the wall**, piante rampicanti rivestivano il muro.

rambler /'ræmblə(r)/ n. **1** chi va a zonzo;

gitante; escursionista **2** divagatore; chi salta di palo in frasca **3** (*bot.*, = **r. rose**) rosa rampicante **4** (*sport*) podista.

rambling /'ræmblɪŋ/ **A** a. **1** errante; errabondo; girovago **2** incoerente; sconnesso; sconclusionato: **a r. speech**, un discorso sconnesso **3** (*di pianta*) che cresce da ogni parte **4** (*di casa, edificio*) mal costruito; a struttura irregolare **5** (*di strade*) tortuoso **B** n. ▯ (*sport*) podismo turistico; escursionismo; (il) fare lunghe gite a piedi ● **a r. garden**, un giardino incolto □ **r. suburbs**, periferia cresciuta in modo disordinato | **-ly** avv.

rambunctious /ræm'bʌŋkʃəs/ a. (*fam.*) chiassoso; rumoroso; vivace; turbolento.

RAMC sigla (*mil.*, *GB*, **Royal Army Medical Corps**) Corpo medico dell'esercito.

ramie /'ræmɪ/ n. ▯ (*ind. tess.*) ramia; ramiè.

ramification /ræmɪfɪ'keɪʃn/ n. **1** (*bot. e fig.*) ramificazione; diramazione: **the ramifications of a river** [**of a business**], le ramificazioni di un fiume [di un'azienda]; (*anat.*) **nervous r.**, ramificazione nervosa **2** (*fig.*) conseguenza; risultato; complicazione (*che deriva da qc.*).

to **ramify** /'ræmɪfaɪ/ **A** v. i. **1** ramificarsi; diramarsi **2** complicarsi **B** v. t. ramificare; far diramare.

ramjet (engine) /'ræmdʒɛt ('ɛndʒɪn)/ n. (*aeron.*) statoreattore; autoreattore.

rammer /'ræmə(r)/ n. **1** battipalo; berta **2** pestello **3** (*mil.*, *stor.*) calcatoio; cacciaproietti.

rammy① /'ræmɪ/ a. (*slang USA*) arrapato (*pop.*); eccitato sessualmente.

rammy② /'ræmɪ/ n. (*scozz.*) baruffa; lite; rissa.

ramose /ræ'məʊs/, **ramous** /'reɪməs/ a. (*bot.*) ramoso; ramificato.

ramp① /ræmp/ n. **1** rampa; pendio; scivolo **2** rampa d'accesso (*a un garage, ecc.*) **3** scaletta mobile (*d'aereo*); scaletta d'imbarco (*o di sbarco*) **4** (*autom.*) dosso artificiale (*per fare ridurre la velocità*) **5** (*autom., USA*) rampa d'accesso (*d'autostrada, ecc.; cfr. ingl.* **slip-in**) **6** (*arc.*) scatto d'ira.

ramp② /ræmp/ n. (*slang ingl.*) scandaloso aumento di prezzo; imbroglio; furto (*fig.*).

to **ramp** /ræmp/ **A** v. i. **1** (*di animali e in arald.*) rampare **2** (*arc.*: *di solito* **to r. and rage**) andare su tutte le furie; imperversare; infuriare; tempestare **3** (*di piante*) arrampicarsi **B** v. t. provvedere di rampe.

rampage /'ræmpeɪdʒ/ n. ▭ atto sfrenato; furia; scalmana ● **to be on the r.**, essere infuriato (*o scatenato*) □ **to go on the r.**, scatenarsi; fare il diavolo a quattro: *The thugs went on the r.*, i teppisti si scatenarono.

to **rampage** /ræm'peɪdʒ/ v. i. **1** andare su tutte le furie; imperversare; infuriare; scatenarsi; tempestare **2** (*di belve, ecc.*) aggirarsi (*o correre*) infuriato.

rampageous /ræm'peɪdʒəs/ a. furioso; furibondo; sfrenato; scatenato.

rampancy /'ræmpənsɪ/ n. ▭ **1** l'imperversare; il dilagare **2** sfrenatezza; violenza; aggressività; esuberanza **3** rigogliosità (*raro*); rigoglio.

rampant /'ræmpənt/ a. **1** imperversante; dilagante; predominante: **r. corruption**, corruzione dilagante **2** sfrenato; violento; aggressivo; esuberante: **r. sex**, sesso sfrenato **3** (*di vegetazione*) lussureggiante; rigoglioso **4** (*posposto*) (*arald.*) rampante: **a lion r.**, un leone rampante **5** (*archit.*) rampante: **r. arch**, arco rampante ● **FALSI AMICI** *rampant non significa rampante nel senso di ambizioso* | **-ly** avv.

rampart /'ræmpɑːt/ n. **1** (*mil. e fig.*) bastione; baluardo: **ramparts of rock**, bastioni di roccia **2** (*fig.*) difesa; protezione; riparo; baluardo.

to **rampart** /'ræmpɑːt/ v. t. fortificare (*una città, ecc.*) con bastioni.

rampion /'ræmpɪən/ n. (*bot.*, *Campanula rapunculus*) raperonzolo.

ram-raid /'ræmreɪd/ n. sfondamento della vetrina di un negozio (*con un automezzo rubato*) e saccheggio.

to **ram-raid** /'ræmreɪd/ v. t. saccheggiare (*un negozio*) dopo averne sfondato la vetrina con un automezzo.

ramrod /'ræmrɒd/ n. (*mil.*) **1** bacchetta, scovolo (*d'arma da fuoco*) **2** (*stor.*) calcatoio (*per arma da fuoco ad avancarica*) **3** (*fam. USA*) negriero, schiavista (*fig.*); capoufficio dispotico ● (*fig.*) **as straight as a r.** (*o r. straight*), impalato; dritto come un fuso.

ramshackle /'ræmʃækl/ a. sgangherato; sconquassato; traballante; fatiscente; sul punto di crollare: **a r. coach**, una carrozza sgangherata; **a r. old building**, un vecchio edificio fatiscente; **a r. dictatorship**, una dittatura traballante.

ramsons /'ræmsənz/ n. pl. (col verbo al sing.) (*bot.*, *Allium ursinum*) aglio orsino.

ran /ræn/ pass. di **to run** ● **also-ran**, (*ipp.*) cavallo non piazzato; (*fig.*) concorrente (*o candidato*) perdente.

RAN sigla (*mil.*, *naut.*, *Austral.*, **Royal Australian Navy**) Marina militare.

rance /ræns/ n. ▭ marmo rosso del Belgio (*con striature azzurre e bianche*).

ranch /rɑːntʃ/ n. (*in USA*) ranch, fattoria (*spec. per l'allevamento del bestiame*) ● (*USA*) **r. house**, (*agric.*) edificio principale (*di un ranch*); fattoria; (*edil.*) casa a un solo piano.

to **ranch** /rɑːntʃ/ **A** v. i. (*USA*) **1** possedere (*o condurre*) un ranch **2** lavorare in un ranch **B** v. t. **1** coltivare (*un terreno*) come ranch **2** allevare (*animali*) in un ranch.

rancher /'rɑːntʃə(r)/ n. (*in USA*) **1** chi possiede (*o dirige, o lavora in*) un ranch **2** allevatore (*di bestiame*).

ranchman /'rɑːntʃmən/ n. (pl. **ranchmen**) → **rancher**.

rancid /'rænsɪd/ a. rancido; stantio ● **to go r.**, irrancidire □ **to taste r.**, sapere di rancido || **rancidity** n. ▭ rancidità.

rancorous /'ræŋkərəs/ a. rancoroso; pieno di rancore; acrimonioso; astioso | **-ly** avv.

rancour, (*USA*) **rancor** /'ræŋkə(r)/ n. ▭ rancore; risentimento; acrimonia; astio.

rand① /rænd/ n. **1** striscia di cuoio (*tra la suola e il tacco*) **2** (*dial.*) bordo, margine (*spec. di campo o prato*) **3** (*in Sud Africa*) pianoro lungo il fianco d'una valle ● (*geogr.*) **the R.**, la zona di Johannesburg (*distretto aurifero*).

rand② /rænd/ n. rand (*unità monetaria del Sud Africa*).

randan① /'rændæn/ n. (*naut.*) imbarcazione a tre rematori.

randan② /'rændæn/ n. (*spec. scozz.*) baldoria: **to be on the r.**, far baldoria.

R&B sigla (*mus.*, **rhythm and blues**) rhythm and blues.

R&D sigla (**research and development**) ricerca e sviluppo (R&S).

randem /'rændəm/ **A** avv. con tre cavalli attaccati in fila **B** n. tiro a tre.

randiness /'rændɪnəs/ n. ▭ **1** lascivia **2** eccitazione sessuale; arrapamento.

Randolph /'rændɒlf/ n. Randolfo.

random /'rændəm/ a. **1** casuale; fortuito; accidentale; fatto (*o detto*) a caso (*o a casaccio*): **r. selection**, scelta fatta a caso; **r. shot**, (*di fucile, ecc.*) colpo sparato a casaccio; (*sport*) colpo (*o tiro, lancio*) fatto a casaccio **2** (*d'opera muraria*) irregolare **3** (*stat.*) casuale; aleatorio: **a r. sample**, un campione casuale; **r. variable**, variabile aleatoria **4**

(*GB fam.*) strano; strambo ● (*comput.*) **r. access**, accesso casuale □ (*comput.*) **r. access memory**, memoria ad accesso casuale □ (*mat.*) **r. function**, funzione aleatoria □ (*biol.*) **r. mating**, pangamia □ (*comput.*) **r. number generator**, generatore di numeri casuali □ (*stat.*) **r. sampling**, campionamento aleatorio □ (*stat., econ.*) **r. walk**, percorso casuale; passeggiata casuale □ **at r.**, a casaccio; alla cieca; alla rinfusa: **to shoot at r.**, sparare alla cieca | **-ly** avv. | **-ness** n. ▭.

to **randomize** /'rændəmaɪz/ (*stat.*) v. t. randomizzare || **randomization** n. ▭ randomizzazione.

R&R sigla **1** (**rest and recreation** (*o relaxation*)) relax, vacanza (*o riposo*), tempo libero **2** (*med.*, **rescue and resuscitation**) soccorso e rianimazione **3** (*anche* **R'n'R**) (*mus.*, **rock and roll**) rock and roll.

randy /'rændɪ/ a. (*fam.*) lascivo; libidinoso; arrapato; assatanato.

ranee /rɑː'niː/ n. (*in India*) moglie (*o vedova*) di un ragià.

rang /ræŋ/ pass. di **to ring**.

◆**range** /reɪndʒ/ n. **1** fila; serie; catena (*di montagne*): **a r. of buildings**, una fila di edifici; **a r. of mountains**, una catena di montagne ▭ linea; direzione: *The two buoys are in r. with the lighthouse*, le due boe sono in linea con il faro; *The r. of the strata is from north to south*, la direzione degli strati è da nord a sud **3** ▭ (*d'arma da fuoco*) portata; gittata: *The enemy ship was out of r.*, la nave nemica era fuori portata **4** ▭ campo; gamma; range; raggio d'azione; sfera; portata (*fig.*): **r. of visibility**, campo di visibilità; *The r. of colours was narrow*, la gamma dei colori era ristretta; *studies of very wide r.*, studi di vastissima portata **5** (*comm.*) assortimento; gamma (*di prodotti*); range: **the winter r.**, la gamma degli articoli (*o dei capi*) per l'inverno **6** ▭ (*mus.*) estensione (*della voce*); gamma; registro: **soprano r.**, registro di soprano **7** (*meteor.*) escursione (*termica*) **8** (*aeron., naut., autom.*) autonomia **9** distesa; tratto (*di terreno*): **a wide r. of meadows**, un'ampia distesa di prati **10** (*USA*) prateria; terreno di pascolo libero **11** (= **rifle-r.**) poligono (*di tiro*): **police pistol range**, poligono della polizia per il tiro con la pistola **12** (= **kitchen r.**) fornelli (*di tipo vecchio*); cucina economica **13** (*bot., zool.*) habitat; ambiente naturale **14** ▭ (*tecn.*) raggio; portata (*di cannone, missile, radar, emittente radio, ecc.*): **operating r.**, raggio d'azione; autonomia **15** (*comput.*) intervallo (*di valori, ecc.*) **16** (*stat.*) campo di variazione **17** (*mat.*) immagine (*di una funzione*) **18** (*miss.*) poligono sperimentale **19** (*fis. nucl.*) percorso; portata **20** (*mecc.*) escursione; campo **21** (*USA*) serie di agglomerati urbani **22** (*biathlon*) postazione di tiro (*anche* **shooting range**) ● (*mil.*) **r. adjustment**, aggiustamento in alzo (*spec. USA*) **r. cattle**, bestiame al pascolo libero □ (*naut.*) **r. lights**, luci di allineamento □ (*comm.*) **the r. of prices**, la scala (*o la gamma*) dei prezzi □ (*econ.*) **r. of salary**, fascia retributiva □ (*naut.*) **r. of tide**, intervallo di marea □ **at close r.**, a breve distanza □ **to give free r. to one's imagination**, dare libero corso alla propria fantasia □ **out of r.** (*o* **beyond r.**), fuori portata; fuori del raggio d'azione □ **the upper ranges of society**, gli strati più alti della società □ **within r.**, nel raggio d'azione; (*mil.*) a tiro (*di fucile, ecc.*) □ **Chinese is out of my r.** (*of knowledge*), il cinese non rientra nelle mie conoscenze linguistiche.

to **range** /reɪndʒ/ **A** v. t. **1** disporre; mettere in ordine; allineare; schierare: *The colonel ranged his troops along the river*, il colonnello schierò le sue truppe lungo il fiume **2** classificare; annoverare: *He is ranged*

among the best scientists, lo si annovera fra i migliori scienziati **3** (*mil.*) dare l'alzo a; correggere il tiro di: **to r. a gun on a target**, correggere il tiro di un cannone sparando su un bersaglio **4** puntare (*un telescopio, un fucile, ecc.*) **5** percorrere; vagare per; attraversare; (*naut.*) navigare in: *They ranged the woods for a week*, vagarono per i boschi una settimana; *The ship ranged the South Seas*, la nave navigò nei mari del Sud **6** (*spec. USA*) tenere (*bestiame*) al pascolo libero **7** (*naut.*) abbisciare (*un cavo*) **B** v. i. **1** estendersi; allungarsi: *The mountains r. to the north*, i monti si estendono a nord **2** errare; vagare; vagabondare: *Wolves r. through the woods in search of food*, i lupi vagano nelle foreste in cerca di cibo **3** andare (*da…a*); variare; oscillare: *Discounts range from ten to fifty per cent* (*o between ten and fifty per cent*), gli sconti vanno dal dieci al cinquanta per cento; *The styles r. from sober and serious to playful and silly*, gli stili vanno dal sobrio e serio all'allegro e frivolo **4** essere nel numero (di); poter essere annoverato (fra): *He ranges with the great novelists*, si può annoverare fra i grandi romanzieri **5** (*d'arma da fuoco*) avere una portata (*o una gittata*) di: *Our guns ranged four miles*, i nostri cannoni avevano una portata di quattro miglia **6** (*bot., zool.*) avere il proprio habitat; esser diffuso; trovarsi: *Nightingales r. from the Channel to Warwickshire*, gli usignoli si trovano in tutto il territorio dal Canale della Manica alla contea di Warwick ● (*naut.*) **to r. the coast**, costeggiare; randeggiare ‖ (*fig.*) **to r. far and wide**, trattare argomenti disparati; diffondersi a parlare di ogni sorta di cose □ **to r. oneself**, disporsi; schierarsi; mettersi in una categoria, ritenere di far parte di (*una classe, un gruppo*): *They ranged themselves on each side of the road*, si disposero su entrambi i lati della strada; *They ranged themselves with the barons*, si schierarono con i grandi feudatari □ **to r. over**, errare, vagabondare per (*un territorio*); (*d'animali*) avere l'habitat in (*una zona*); (*fig.: di un libro, ecc.*) spaziare su, coprire (*un argomento*) □ **to r. soldiers in line**, allineare soldati.

rangefinder /ˈreɪndʒfaɪndə(r)/ (*elettron., mil.*) n. radiotelemetro; telemetro; radar telemetrico ‖ **rangefinding** n. Ⓤ telemetria.

rangeland /ˈreɪndʒlænd/ n. (*USA*) vasto terreno da pascolo o per la caccia.

ranger /ˈreɪndʒə(r)/ n. **1** (*in GB*) guardiano d'un parco (*o d'una foresta*) reale **2** (*USA*) guardia forestale; guardaboschi **3** (*spec. USA*) ranger; soldato a cavallo; poliziotto a cavallo **4** (*mil., USA*) soldato d'un reparto di truppe d'assalto **5** (*nelle organizzazioni giovanili*) guida anziana, ranger (*delle Guide*).

ranging /ˈreɪndʒɪŋ/ n. **1** allineamento; schieramento **2** classificazione **3** (*mil.*) ricerca dell'obiettivo; determinazione dell'angolo d'elevazione (*d'un cannone*) **4** (*mil.*) misura della distanza; telemetria **5** rilevamento topografico ● (*topografia*) **r. rod**, palina; picchetto di rilevamento.

rangy /ˈreɪndʒɪ/ a. **1** dalle gambe (*o zampe*) lunghe; slanciato **2** che copre lunghe distanze **3** (*di un locale*) spazioso **4** (*sport*) che copre lunghe distanze; che macina chilometri (*fam.*).

rani /ˈrɑːnɪ/ n. → **ranee**.

♦**rank** ① /ræŋk/ n. Ⓒ/Ⓤ **1** (*anche mil. e ginnastica*) fila; riga; schiera: **the front [the rear] r.**, la prima [l'ultima] fila; **to keep r.**, stare in riga; restare allineato (*o nei ranghi*); **to fall into r.**, formare le righe; allinearsi **2** (*negli scacchi*) regolo; linea orizzontale di «case» (*della scacchiera*) **3** posteggio; posto di stazionamento: **a taxi r.**, un posteggio di taxi **4** ceto, condizione sociale; rango, ordine:

people of all ranks and classes, gente d'ogni ceto e classe sociale; **a poet of the first r.**, un poeta di prim'ordine **5** (*mil.*) grado: **the r. of major**, il grado di maggiore **6** (*mat.*) rango, caratteristica (*di una matrice*) **7** (*ling.*) rango **8** (*sport*) posto, posizione (*in classifica*): (*nelle corse*) **'r.: third'**, 'posizione in classifica: terzo' **9** (pl.) **the ranks** (*o the r. and file*), i militari di truppa; (*fig.*) la «truppa», i gregari, gli operai, le maestranze; la base (*di un partito politico, ecc.*) ● **the r. and fashion**, l'alta società; la nobiltà □ (*stat.*) **r. correlation**, cograduazione □ **the ranks of organized labour**, la fila dei lavoratori organizzati (in sindacati) □ **the ranks of the unemployed**, le fila dei disoccupati □ **to break r.** (*o ranks*), rompere le fila; (*di truppe*) disperdersi; (*fig.*) uscire dai ranghi, disertare, tradire □ **to close ranks**, serrare (*o stringere*) le file, serrare i ranghi; (*fig.*) fare quadrato □ **a man of (high) r.**, un uomo d'elevata condizione sociale; un uomo d'alto rango □ **to pull r.** (*USA*: **one's r.**) **on sb.**, far pesare il proprio grado (*o la propria autorità*) su q. □ (*mil.*) **to reduce sb. to the ranks**, degradare q. a soldato semplice □ (*mil. e fig.*) **to rise from the ranks**, venire dalla gavetta.

rank ② /ræŋk/ a. **1** (*di vegetazione*) lussureggiante; rigoglioso; che fa troppe foglie: **r. weeds**, erbacce rigogliose **2** (*di terreno*) troppo fertile; ricoperto (*d'erbacce*); infestato: **r. soil**, terreno troppo fertile; **land r. with darnel**, terra infestata dal loglio **3** fetido; maleodorante; rancido; (*di un odore*) forte **4** grossolano; indecente; volgare; schifoso; volgare **5** (*spreg.*) grande; bell'e buono; vero e proprio: **the rankest idiot I know**, il più grande idiota che io conosca; **r. treason**, un tradimento bell'e buono **6** (*slang USA*) favoloso; fantastico; bestiale (*pop.*) ● **r. pedantry**, gretta pedanteria □ (*di pianta ornamentale*) **to grow r.**, fare troppe foglie ‖ **-ly avv.** ‖ **-ness n.** Ⓤ.

to **rank** /ræŋk/ **A** v. t. **1** mettere in riga; schierare **2** classificare; assegnare un posto a; collocare; mettere (q.) nel numero (*o nel novero*) di; reputare, stimare: *We can r. D.H. Lawrence as a great novelist*, possiamo porre D.H. Lawrence nel numero dei grandi romanzieri; *He is ranked third in the world*, è classificato al terzo posto della graduatoria mondiale **3** (*USA*) precedere (*in grado*); venir prima di: *A general ranks* (*ingl.: ranks above*) *a colonel*, generale viene prima di colonnello **4** mettere (*libri, ecc.*) in ordine; collocare; sistemare; disporre **5** (*slang USA*) infastidire; bistrattare; strapazzare **B** v. i. **1** occupare un certo posto; collocarsi; essere (*il primo, il secondo, ecc.*): *No doubt China will r. among the Great Powers*, senza dubbio la Cina sarà in futuro una delle grandi potenze; *He ranks third on the list*, occupa il terzo posto nella lista; è il terzo in elenco **2** esser considerato (*o reputato*); passare per: *She ranks among the best actresses in Hollywood*, è considerata una delle attrici migliori di Hollywood **3** (*mil., USA*) avere il grado più alto: *The major ranked at Fort Laramie*, a Fort Laramie, l'ufficiale di grado più alto era il maggiore **4** (*leg.*: *di un creditore*) essere ammesso al passivo fallimentare ● **to r. above**, venir prima di (*per grado, importanza*) □ **to r. after** (*o next to*), venir (subito) dopo (*per grado, importanza*): *The hereditary prince ranks next to the king*, il principe ereditario viene subito dopo il re □ **to r. with**, avere lo stesso grado di, corrispondere a.

ranker /ˈræŋkə(r)/ n. **1** militare di truppa; soldato semplice **2** ufficiale venuto dalla gavetta.

ranking /ˈræŋkɪŋ/ **A** a. **1** (*mil., USA*) più elevato in grado; che ha il grado più alto:

Who's the r. officer here?, chi ha il comando qui? **2** importante, rinomato **B** n. (*spec. sport*) ranking; (posto in) graduatoria; (posizione in) classifica: **world r.**, ranking mondiale (*di tennisti, pugili, ecc.*); **current r.**, classifica provvisoria.

to **rankle** /ˈræŋkl/ v. i. (*fig.*) bruciare, scottare; far soffrire: *The defeat still rankled in his mind* (*o with him*), il ricordo della sconfitta gli bruciava ancora.

rankness /ˈræŋknəs/ n. Ⓤ **1** esuberanza, rigoglio (*della vegetazione*) **2** eccessiva fertilità (*d'un terreno*) **3** cattivo odore **4** grossolanità; indecenza; schifosità; volgarità.

to **ransack** /ˈrænsæk/ v. t. **1** frugare, rovistare in; mettere sottosopra; perquisire a fondo; passare al setaccio: **to r. the terrorists' hideout**, perquisire a fondo il covo dei terroristi; **to r. sb.'s pockets**, rovistare nelle tasche di q. **2** depredare; saccheggiare; svaligiare; ripulire (*fig.*): *The burglars have ransacked my flat*, i ladri mi hanno ripulito l'appartamento □ **to r. a safe**, svaligiare una cassaforte.

ransacker /ˈrænsækə(r)/ n. saccheggiatore; predone; rapinatore.

ransom /ˈrænsəm/ n. riscatto; prezzo del riscatto ● (*leg., naut.*) **r. bill**, promessa (*del proprietario di una nave catturata*) di pagare il riscatto □ **r. demand**, richiesta di riscatto □ **r. money**, riscatto, denaro del riscatto □ **r. note**, biglietto (*o lettera*) di richiesta di riscatto □ **to hold sb. to r.**, tenere q. in ostaggio per ottenere un riscatto; (*fig.*) tenere q. alla propria mercé, ricattare q. □ (*fig.*) **a king's r.**, una grossa somma; un mucchio di soldi (*fam.*).

to **ransom** /ˈrænsəm/ v. t. **1** riscattare; (*fig.*) redimere: *Jesus ransomed mankind*, Gesù ha riscattato il genere umano **2** chiedere e ottenere il pagamento del riscatto per (q.) ‖ **ransomer** n. riscattatore (*raro*); chi paga un riscatto.

rant /rænt/ n. Ⓤ/Ⓒ concione; declamazione; discorso vuoto e ampolloso; farneticamento; lunga tirata.

to **rant** /rænt/ **A** v. i. **1** concionare; declamare **2** sbraitare; farneticare; inveire; scalmanarsi **B** v. t. (*spesso to r. out*) declamare; dire (*o recitare*) in modo ampolloso ● **to r. and rave**, andare su tutte le furie; fare fuoco e fiamme □ (*teatro: di un attore*) **to r. one's lines**, recitare le proprie battute con enfasi gigionesca.

ranter /ˈræntə(r)/ n. chi sbraita, chi strepita; declamatore; parlatore vuoto e ampolloso.

ranting /ˈræntɪŋ/ **A** a. farneticante; ampolloso; altisonante; esaltato **B** n. Ⓤ/Ⓒ → **rant** ‖ **-ly avv.**

ranula /ˈrænjʊlə/ n. (*med.*) ranula.

ranunculaceous /rənʌŋkjʊˈleɪʃəs/ a. (*bot.*) delle ranuncolacee ● **a r. plant**, una ranuncolacea.

ranunculus /rəˈnʌŋkjʊləs/ n. (pl. **ranunculuses**, **ranunculi**) (*bot., Ranunculus*) ranuncolo ● (*bot.*) **garden r.**, ranuncolo dei fioristi.

rap ① /ræp/ n. **1** colpo (*secco e lieve*); colpetto; (il) bussare; bussata; bussatina: *There was a rap at the door*, si udì una bussatina alla porta **2** (*slang USA*) colpa: **to lay** (*o hang*) **the rap on sb.**, dare la colpa a q., accusare q. **3** (*slang USA*) condanna **4** (*slang USA*) rimprovero; critica; bacchettata (*fig.*); sgridata **5** (*slang USA*) accusa: **to make the rap stick**, tenere in piedi un'accusa ● (*slang USA*) **rap sheet**, fedina penale □ (*slang USA*) **to beat the rap**, evitare la condanna; farla franca □ **to give sb. a rap on** (*o over*) **the knuckles**, dare a q. un colpo sulle nocche delle dita; (*fig.*) rimproverare q. □ (*slang USA*) **to take the rap (for st.)**, prendersi la

a b c d e f g h i j k l m n o p q r s t u v w x y z

colpa (di qc.); essere rimproverato (per qc.); essere condannato.

rap ② /ræp/ n. **1** (*stor.*) mezzo penny falso (*in Irlanda*) **2** (*fam.*) niente; nulla: *I don't care a rap*, non me ne importa nulla (*o* un fico secco).

rap ③ /ræp/ n. matassa di centoventi iarde di filato (*109 metri circa*).

rap ④ /ræp/ **A** n. **1** (*slang USA*) chiacchierata; conversazione; discussione amichevole; discorso bonario **2** ◫ (*mus.*, = **rap music**) musica rap (*discorsiva, basata più sulle parole che sull'accompagnamento*) **B** a. (*mus.*) rap: **a rap song**, una canzone rap ● **rap group**, gruppo di discussione ◻ **rap session**, discussione di gruppo; chiacchierata fra amici.

to **rap** ① /ræp/ **A** v. t. **1** colpire lievemente; battere colpetti su (qc.); picchiettare, tamburellare su (qc.): *The teacher rapped his desk to obtain silence*, l'insegnante batté ripetutamente sulla cattedra per ottenere il silenzio **2** criticare; sgridare; strapazzare; inveire contro (q.) **B** v. i. bussare; picchiare: **to rap at the door**, picchiare all'uscio; bussare ● **to rap sb. awake**, svegliare q. bussando ● **to rap out**, trasmettere (*battendo*); lanciare, dare, sbottare in: *The spirit rapped out his answer*, lo spirito rispose dando colpi sul tavolino; *The sergeant rapped out a series of commands*, il sergente urlò una sfilza di secchi ordini ◻ **to rap out a tune**, strimpellare un motivo ◻ **to rap sb. over** (*o* **on**) **the knuckles**, (*un tempo, a scuola*) dare le righettate sulle mani a q.; (*fig.*) dare una grossa sgridata (*o* lavata di capo) a q.

to **rap** ② /ræp/ v. i. (*slang USA*) **1** parlare; fare quattro chiacchiere; conversare: *Let's rap about it!*, parliamone! **2** simpatizzare; andare d'accordo; intendersela **3** (*mus.*) suonare (*o* cantare) musica rap; fare del rap; rappare.

rapacious /rə'peɪʃəs/ a. rapace; avido ‖ **rapaciousness**, **rapacity** n. ◫ rapacità; avidità ‖ **rapaciously** avv. rapacemente; avidamente.

rapid /'ræpɪd/ **A** a. **1** rapido; celere; lesto; svelto; veloce: **a r.-flowing river**, un fiume che scorre veloce **2** (*del polso*) frequente **B** n. (*di solito al pl.*) rapida (*di fiume*): **to shoot the rapids**, scendere (*o* superare) le rapide ● (*fisiol.*) **r. eye movement**, movimento

saccadico (→ **REM**) ◻ (*mil.*) **a r.-fire gun**, un cannone a tiro rapido ◻ **r.-fire questions**, un fuoco di fila di domande ◻ (*mil.*) **r.-reaction force**, forza di pronto intervento ● (*sport*) **rapids shooter**, torrentista ◻ **rapids shooting**, torrentismo | **-ly** avv.

rapidity /rə'pɪdətɪ/, **rapidness** /'ræpɪdnəs/ n. ◫ rapidità; celerità; lestezza; sveltezza; velocità.

rapier /'reɪpɪə(r)/ n. spadino; stocco ● **r.-thrust**, colpo di stocco; (*anche fig.*) stoccata.

rapine /'ræpaɪn, USA 'ræpɪn/ n. (*poet., retor.*) rapina; saccheggio.

rapini /rə'piːnɪ/ n. ◫ (*cucina*) cime (pl.) di rapa.

rapist /'reɪpɪst/ n. (*leg.*) violentatore; stupratore.

rapparee /ræpə'riː/ n. **1** (*stor.*) soldato irregolare, bandito irlandese (*del secolo XVII*) **2** (*per estens.*) bandito; brigante.

rappee /ræ'piː/ n. rapé (*tabacco da fiuto*).

rappel /ræ'pɛl/ n. **1** (*alpinismo*) discesa a corda doppia **2** (*arc., mil.*) rullo di tamburo per l'adunata.

to **rappel** /ræ'pɛl/ v. i. (*alpinismo*) calarsi a corda doppia.

rapper ① /'ræpə(r)/ n. **1** chi batte; chi bussa **2** (*spec.*) batacchio; battente (*di porta*) **3** (*slang USA*) condanna ingiusta.

rapper ② /'ræpə(r)/ n. **1** (*slang USA*) chi chiacchiera (*o* conversa); parlatore **2** (*mus.*) rapper; interprete di musica rap.

rapport /ræ'pɔː(r)/ n. rapporto (*spec. d'amicizia*); relazione; intesa ● **to be in** (*good*) **r. with sb.**, essere in rapporti amichevoli con q.

rapporteur /ræpɔː'tɜː(r)/ n. (*form., spec. polit.*) relatore, relatrice.

rapprochement /ræ'prɒʃmɒn, USA ræprəʊʃ'mɒn/ (*franc.*) n. (*anche polit.*) riavvicinamento; riconciliazione.

rapscallion /ræp'skælɪən/ n. (*arc. o scherz.*) briccone; canaglia; furfante; mascalzone.

rapt /ræpt/ a. rapito (in estasi); assorto; estatico; estasiato: (*relig.*) **r. to heaven**, rapito in cielo; **to be r. in study**, essere assorto nello studio; **a r. look**, uno sguardo estatico | **-ly** avv. | **-ness** n. ◫.

raptor /'ræptə(r)/ n. (*zool.*) uccello rapace; rapace.

raptorial /ræp'tɔːrɪəl/ a. (*zool.*) **1** rapace; predatore; da preda **2** (*dell'arto di un insetto*) raptorio; raptatorio.

rapture /'ræptʃə(r)/ n. **1** ◫ rapimento estatico; estasi: **to listen with r.**, ascoltare rapito **2** (*pl.*) dichiarazioni enfatiche di entusiasmo; estasi: **to go into raptures about st.**, dichiararsi entusiasta per qc.; esaltare qc.; andare in estasi per qc.; **to send into raptures**, entusiasmare; mandare in estasi **3** – (*relig. USA*) **the R.**, l'assunzione in cielo (*dopo la venuta di Cristo*) ● (*med. fam.*) **r. of the deep**, ebbrezza degli abissi; narcosi da azoto.

rapturous /'ræptʃərəs/ a. **1** rapito; estasiato; estatico; entusiastico; frenetico: **r. applause**, applausi frenetici **2** entusiasmante | **-ly** avv. | **-ness** n. ◫.

raptus /'ræptəs/ n. (*med. e fig.*) raptus.

♦**rare** ① /reə(r)/ a. **1** raro; infrequente; insolito: **a r. event**, un avvenimento insolito; **r. beauty**, rara bellezza; **a r. gem**, una gemma rara **2** (*dell'aria, di un gas*) rarefatto **3** (*form.*) eccezionale; straordinario; eccellente; ottimo: **r. skill**, bravura eccezionale; **a r. artist**, un artista eccellente; **r. fruit**, frutta ottima (*o* di prima qualità) ● (*chim.*) **r. earth**, elemento delle terre rare, lantanide ◻ (*chim.*) **r. earths**, terre rare ◻ **r.-earth alloy**, lega di metalli delle terre rare ◻ (*fam.*) **r.**

fun, un gran (*o* bel) divertimento ◻ **r. gas**, gas raro; gas nobile.

rare ② /reə(r)/ a. (*cucina*) poco cotto; al sangue: **r. beef**, manzo poco cotto.

rarebit /'reəbɪt/ n. toast ricoperto di formaggio fuso.

raree-show /'reəriːʃəʊ/ n. **1** spettacolo (*in genere*) nelle piazze e nelle strade (*con carri, ecc.*) **2** = **peep-show** → **peep** ②.

rarefaction /reərɪ'fækʃn/ (*fis.*) n. ◫ rarefazione ‖ **rarefactive** n. rarefattivo.

rarefied /'reərɪfaɪd/ a. **1** (*fis.*) rarefatto **2** (*fig.*) rarefatto; esclusivo; sublime: **in r. circles**, negli ambienti esclusivi (*o* riservati).

to **rarefy** /'reərɪfaɪ/ **A** v. t. **1** (*fis.*) rarefare **2** purificare; affinare; raffinare **B** v. i. **1** rarefarsi **2** purificarsi; affinarsi; raffinarsi.

♦**rarely** /'reəlɪ/ avv. **1** raramente; di rado **2** (*form.*) in modo eccellente; benissimo.

rareness /'reənəs/ n. ◫ **1** rarità **2** (*dell'aria, di un gas*) rarefazione **3** (*form.*) eccellenza; eccezionalità.

raring /'reərɪŋ/ a. (*fam.*) impaziente; smanioso: **to be r. to do st.**, essere impaziente (*o* non vedere l'ora) di fare qc.

rarity /'reərətɪ/ n. **1** ◫ rarità **2** rarità; cosa rara (*o* singolare): *Educated women were* (*something of*) *a rarity in the 18th century*, nel Settecento le donne istruite erano una rarità **3** ◫ (*dell'aria, di un gas*) rarefazione **4** ◫ (*form.*) eccellenza; eccezionalità.

ras /ræs/ n. (*spec. anche fig.*) ras.

rascal /'rɑːskl/ n. **1** canaglia; briccone; farabutto; furfante; mascalzone **2** (*scherz.*) briccconcello; birba: (*a un bambino*) *You little r.!*, birba!; birichino!; birichino!; bricconcello! ‖ **rascality** n. ◫ birbanteria; bricconeria; furfanteria ‖ **rascally** a. da canaglia; bricconesco; furfantesco; birbone: **a rascally trick**, un tiro birbone.

to **rase** /reɪz/ → **to raze**.

rash ① /ræʃ/ n. **1** (*med.*) rash; eruzione cutanea **2** (*fig.*) fioritura, rigoglio, valanga, mucchio (*fig.*): **a r. of scientific discoveries**, una fioritura di scoperte scientifiche; **a r. of accidents**, un mucchio d'incidenti ● (*di una persona*) **to come to** (*o* **break**) **out in a r.**, ricoprirsi di bollicine (*o* di chiazze) rosse.

rash ② /ræʃ/ a. avventato; sconsiderato; impetuoso; imprudente; irruento; precipitoso: **a r. act**, un atto avventato; un colpo di testa (*fig.*); '*Thou wretched, r., intruding fool, fare well!*' W. SHAKESPEARE, 'tu sventurato, imprudente e invadente stupido, addio!' | **-ly** avv. | **-ness** n. ◫.

rasher /'ræʃə(r)/ n. (*cucina*) fetta di pancetta (*o* di prosciutto).

rasp /rɑːsp/ n. **1** (*mecc.*) raspa; raschietto **2** suono aspro, stridente; stridore.

to **rasp** /rɑːsp/ **A** v. t. **1** raspare; raschiare; rodere con la raspa; grattare **2** (*fig.*) irritare; urtare: *The baby's crying rasped my nerves*, il pianto del bambino mi urtava i nervi **B** v. i. **1** raschiare; essere ruvido **2** stridere; emettere un suono aspro, stridulo ● **to r. away** (*o* **off**), raspare via; togliere con la raspa.

raspberry /'rɑːzbrɪ/ n. **1** (*bot., Rubus idaeus*) lampone **2** ◫ sciroppo di lampone **3** ◫ color lampone **4** (*slang*) pernacchia: **to blow a r.** (**at sb.**), fare una pernacchia (a q.); **to get a r.**, beccarsi una pernacchia; essere spernacchiato.

rasper /'rɑːspə(r)/ n. **1** raschino; raschiatoio **2** (*caccia alla volpe*) ostacolo difficile da saltare.

rasping /'rɑːspɪŋ/ **A** n. ◫ raspatura **B** a. **1** aspro; stridulo **2** (*fig.*) fastidioso; irritante **3** lesto; svelto; veloce: **at a r. pace**, a passi veloci **4** (*caccia alla volpe: di ostacolo*) difficile (da saltare).

rasse /ræs/ n. (*zool., Viverricula indica*) ras-

se; viverricola indiana.

Rasta /ˈræstə/ n. (abbr. *fam.*) → **Rastafarian**.

Rastafarian /ræstəˈfeəriən/ a. e n. (*relig.*) rastafariano (*in Giamaica: da «Ras Tafari», titolo dell'imperatore etiope Hailé Sellassié, da tempo defunto, venerato come dio*); rasta ‖ **Rastafarianism** n. ◉ rastafarianismo.

raster /ˈræstə(r)/ n. (*elettron.*) raster; percorso di scansione ● **r. graphics**, grafica a matrice di punti.

rasterization /ræstəraɪˈzeɪʃn/ n. ◉ (*elettron.*) rasterizzazione.

◆**rat** /ræt/ **A** n. **1** (*zool., Rattus*) ratto **2** (*fam.*) disertore; voltagabbana **3** (*fam.*) canaglia; furfante; traditore; crumiro; rinnegato **4** (*spec. al vocat.*) miserabile; verme: *You rat!*, verme! **5** (*slang USA*) spia; informatore della polizia; talpa (*fig.*) **6** (*slang USA*) tipo; tizio (*rif. a un ambiente specifico*): **a gym rat**, un tizio che frequenta le palestre; **a dock rat**, un barbone **B** inter. (*fam. antiq.*) **Rats!**, maledizione!; dannazione! ● (*volg. ingl.*) **rat-arsed**, sbronzo ◻ (*volg. USA*) **rat's ass**, niente; nulla ◻ **rat-catcher**, acchiappatopi; derattizzatore ◻ (*volg. USA*) **rat fuck**, tiro mancino; scherzo da prete ◻ **rat hole** → **rathole** ◻ (*zool.*) **rat kangaroo**, (*Bettongia, Potorous, ecc.*) ratto canguro (*marsupiale*) ◻ (*slang*) **rat pack**, banda di teppistelli ◻ **rat poison**, topicida; veleno per topi ◻ (*fig.*) **rat race**, concorrenza (*o rivalità*) accanita; corsa al successo ◻ **rat-tail**, (*cavallo con la*) coda spelata ◻ (*metall.*) coda di topo; (*tecn.*) lima a coda di topo ◻ **a rat-tailed horse**, un cavallo dalla coda spelata ◻ **rat-trap**, trappola per topi; (*fig. USA*) topaia, catapecchia, stamberga; (*di bicicletta*) pedale seghettato ◻ **to look like a drowned rat**, sembrare un pulcino bagnato ◻ (*fig.*) **to see rats**, avere allucinazioni; aver le traveggole ◻ (*fig.*) **to smell a rat**, fiutare un imbroglio; mangiare la foglia: *I smell a rat!*, gatta ci cova! ◻ **water rat**, topo di fogna; (*fam.*) marinaio, pirata.

to **rat** /ræt/ v. i. **1** (*spec. to go ratting*) cacciare ratti; andare a caccia di topi **2** (*polit.*) defezionare; voltare gabbana; abbandonare il proprio partito **3** (*slang*) fare il crumiro **4** (*slang USA*) fare la spia; cantare (*fig.*); vuotare il sacco (*fig.*).

▪ **rat around** v. i. + avv. (*slang USA*) bighellonare, vivere nell'ozio.

▪ **rat on** v. t. + prep. (*fam.*) **1** fare la spia a; tradire: **to rat on one's friends**, fare la spia agli amici **2** venir meno a (*una promessa*) **3** tirarsi indietro da, abbandonare (*un progetto*) ◻ **to rat on one's debts**, non pagare i debiti.

▪ **rat out** v. i. + avv. (*slang USA*) tagliare la corda; filare via ◻ **to rat out on** → **rat on**.

ratable /ˈreɪtəbl/ a. e deriv. → **rateable**, e deriv.

ratafia /rætəˈfiːə/ n. ◉ ratafià (*liquore*) **2** (= **r. biscuit**) biscotto alle mandorle; amaretto.

ratal /ˈreɪtl/ n. (*fisc. ingl.*) imponibile; reddito imponibile (*a livello locale*).

rataplan /ˈrætəˈplæn/ n. rataplan; rullar di tamburi.

rat-a-tat /ˈrætəˈtæt/ → **rat-tat**.

ratatouille /ˈrætəˈtwiː/ (*franc.*) n. ◉ (*cucina*) ratatouille; stufato di verdure.

ratbag /ˈrætbæg/ n. (*slang*) **1** rompiscatole; individuo spregevole; canaglia; furfante; mascalzone **2** (*Austral.*) tipo strambo; eccentrico.

ratchet /ˈrætʃɪt/ n. (*mecc.*) **1** dente d'arresto; nottolino d'arresto; fermo **2** (= **r.-wheel**) ruota di arpionismo **3** (= **r.-gear**) arpionismo; ruota dentata e fermo ● **r. drill**, trapano a cricco ◻ **r. jack**, martinetto a cricco ◻ (*slang USA*) **r.-mouth**, chiacchierone ◻ **r.**

tool, utensile a cricchetto.

to **ratchet** /ˈrætʃɪt/ v. t. provvedere (*una ruota*) di denti d'arresto.

▪ **ratchet up** v. t. + avv. (*anche fig.*) aumentare.

◆**rate** /reɪt/ n. **1** (*anche stat.*) ammontare; aliquota; percentuale; indice; tasso: **the r. of pay per month**, l'ammontare della retribuzione mensile; **the r. of refunds on exports**, le aliquote dei rimborsi all'esportazione; (*fisc.*) **flat r.**, aliquota costante; **the birth [death] r.**, l'indice di natalità [mortalità]; **marriage r.**, quoziente di nuzialità; **r. of unemployment**, tasso di disoccupazione **2** ritmo, andamento; (*r. of speed*) velocità; rapidità: (*fisiol., nuoto*) **r. of respiration**, ritmo respiratorio; *The train was going at a (o the) r. of sixty miles an hour*, il treno viaggiava a una velocità di sessanta miglia all'ora; *Poverty increases at a fearful r.*, la miseria aumenta con un ritmo spaventoso; (*naut.*) **r. of strokes**, ritmo di voga; numero delle palate (*di remi*) **3** costo; prezzo; tariffa: **railway rates**, tariffe ferroviarie; **at a cheap r.**, a basso prezzo; a buon mercato; **the r. for printed matter**, la tariffa per (la spedizione degli) stampati; **the electricity rates**, le tariffe dell'energia elettrica; **subscription rates**, prezzi (*o quote*) d'abbonamento **4** (*fin.*) corso, tasso (*delle divise*): **the r. of exchange**, il tasso di (o corso del) cambio, il cambio **5** (*fin.*) tasso; saggio: (*banca*) **r. of interest**, tasso d'interesse; **the r. of inflation**, il tasso d'inflazione; **r. of discount**, tasso (*o saggio*) di sconto; *'He lends out money gratis, and brings down / The r. of usance here with us in Venice'* W. SHAKESPEARE, 'presta denaro gratis, e così fa calare il tasso d'interesse che pratichiamo noi a Venezia' **6** (*spec. al pl.*) (*fisc.*) imposta comunale (*o locale*); imposta locale sugli immobili (*cfr. ital.* I.C.I.): **rates and taxes**, tributi locali e imposte nazionali; **rates rebate**, sgravio fiscale **7** classe; categoria; ordine: **a writer of the first r.** (*o a first-r. writer*), uno scrittore di prim'ordine **8** (*naut.*) rata (*o tariffa*) di resa **9** (*USA*) classifica, voto (*a scuola*) ● (*fin.*) **r. base**, base del tasso di remunerazione ◻ (*fin.*) **r. basis**, base tariffaria ◻ **r. book**, tariffario ◻ **r. collector**, esattore comunale ◻ (*fin.*) **r. cut**, riduzione del tasso d'interesse ◻ **r.-making**, tariffazione ◻ (*aeron.*) **r. of climb**, velocità ascensionale ◻ (*aeron.*) **r.-of-climb indicator**, variometro ◻ (*econ.*) **r. of growth**, tasso di crescita (*o di sviluppo*) ◻ **r. of wages**, saggio salariale ◻ **r. scale**, scala tariffaria; saggio retributivo ◻ (*econ.*) **r. war**, guerra tariffaria ◻ **at any r.**, a ogni modo, comunque; almeno, per lo meno ◻ (*fam.*) **at the r. of knots**, a grande velocità; a tutta birra ◻ **at that r.**, di quel passo; in quel caso; se è così ◻ **at this r.**, di questo passo; in questo caso; se va così **❶ FALSI AMICI** ● **rate** non significa rata *nel senso di frazione di pagamento*.

to **rate** /reɪt/ **A** v. t. **1** valutare; stimare; fare il prezzo a: *They rate the house at 200,000 pounds*, valutano la casa 200.000 sterline **2** considerare; giudicare; reputare: *He is rated as a remarkable statesman*, è giudicato un notevole statista **3** annoverare: *I r. him among my best friends*, lo annovero tra i miei più cari amici **4** (*fisc.*) valutare (*ai fini fiscali*); tassare (*a livello locale*) **5** (*naut.*) classificare, stazzare (*una nave*); assegnare la categoria (o il grado) a (*un marinaio*) **6** meritare: **to r. a mention**, meritare di essere menzionato; (*teatr.*) **to r. a show**, meritare di andare in scena **7** regolare (*un orologio*) **8** (*USA*) classificare (*uno studente*) **9** (*fam.*) apprezzare; stimare; avere una buona opinione di (q.) **10** (*fin.*) valutare l'affidabilità (*o la solidità finanziaria*) di; classare **B** v. i. **1** essere classificato; essere

considerato (*o reputato*): *He rates among the best contemporary poets*, è considerato tra i migliori poeti contemporanei **2** (*USA*) essere molto apprezzato ● **to r. goods**, fissare le tariffe per il trasporto delle merci ◻ (*ass., USA*) **to r. up**, far pagare (*a un contraente, un assicurato*) un sovrapremio ◻ (*elettr.*) **rated current**, corrente nominale ◻ (*mecc.*) **rated horsepower**, potenza caratteristica (*di un motore*) ◻ (*trasp.*) **rated load**, carico di targa.

rateable /ˈreɪtəbl/ a. **1** valutabile; stimabile **2** (*fisc.*) tassabile; imponibile (*a livello locale*): **r. property**, proprietà tassabile **3** proporzionale: **r. distribution of profits**, distribuzione proporzionale degli utili ● (*di edificio*) **r. value**, valore locativo; coefficiente catastale ‖ **rateability** n. ◉ **1** l'essere valutabile **2** (*fisc.*) imponibilità (*in rapporto con le imposte locali*).

to **rate-cap** /ˈreɪtkæp/ v. t. (*fisc.: del governo ingl.*) fissare il tetto dell'imponibile applicato da (*un ente locale*).

ratel /ˈreɪtl/ n. (*zool., Mellivora capensis*) ratele; ratelo; mellivora.

ratepayer /ˈreɪtpeɪə(r)/ n. (*fisc., ingl.*) contribuente (*a livello locale*).

rater /ˈreɪtə(r)/ n. (*nei composti, per es.:*) **a first-r.**, una persona di prim'ordine; *He's only a second-r.*, non è che una persona di second'ordine ● (*naut.*) **a ten-r.**, un panfilo di dieci tonnellate.

ratfink /ˈrætfɪŋk/ n. (*slang*) **1** persona spregevole; individuo meschino; verme (*fig.*) **2** informatore (*della polizia*); spione.

◆**rather** /ˈrɑːðə(r)/ **A** avv. **1** piuttosto; alquanto; abbastanza; discretamente; un po': *I am r. tired*, sono piuttosto (o alquanto) stanco; *She was r. pleased*, era abbastanza soddisfatta; *It's r. cold today*, fa piuttosto freddo oggi **2** anzi; meglio; ma piuttosto: *We have not lost; r., we have won*, non abbiamo perso; anzi, abbiamo vinto **B** inter. (*fam.*) certamente; certo; sicuro; eccome; altroché: *«Would you like to go?» «R.!»*, «ti piacerebbe andarci?» «altroché!» ● **r. than**, più che: **pretty r. than beautiful**, grazioso più che veramente bello ● **anything r. than...**, tutto piuttosto che...; tutto fuorché... ◻ **I [you, etc.] had r.**, (*antiq.*) = **would r.** → *sotto* ◻ **I r. enjoy singing**, non mi dispiace affatto cantare ◻ **I r. think that...**, ho l'impressione che...; sono dell'idea che... ◻ **I would (o I'd) r. not**, preferirei di no ◻ **It's r. a pity**, è proprio un peccato ◻ **I r. like Jenny**, tutto sommato, Jenny mi è simpatica ◻ **would r.**, preferisco, preferisci, ecc.; preferirei, preferiresti, ecc.: *I would r. wait, if you don't mind*, preferisco (o preferirei) aspettare, se non ti dispiace; *I'd r. go to Bristol*, preferirei andare a Bristol; *I'd r. not speak about it*, preferirei non parlarne; *Would you r. I stayed?*, preferisci che io rimanga?; *Would you r. he had carried on with his dull job?*, avresti preferito che continuasse a fare quel lavoro noioso?

ratherish /ˈrɑːðərɪʃ/ avv. (*fam. USA*) alquanto; piuttosto; un po' ● **a r. handsome fellow**, un tipo belloccio.

rathole /ˈræthəʊl/ n. **1** tana di topo; topaia **2** (*fig. USA*) buco; tugurio; topaia **3** (*fig. USA*) **the r.**, un pozzo senza fondo: **to pour money down the r.**, gettare denaro in un pozzo senza fondo.

to **rathole** /ˈræthəʊl/ v. t. (*fam. USA*) nascondere (*denaro, oggetti*); accumulare di nascosto.

to **ratify** /ˈrætɪfaɪ/ v. t. **1** ratificare; sanzionare **2** (*sport*) omologare (*un record, ecc.*) ‖ **ratification** n. ◉ **1** ratificazione; ratifica; sanzione **2** (*sport*) omologazione (*di un record, ecc.*) ‖ **ratifier** n. ratificatore, ratificatrice.

♦**rating** /ˈreɪtɪŋ/ n. **1** C classificazione; valutazione; indice; giudizio: **the popularity r. of a candidate**, l'indice della popolarità di un candidato; *My r. of the film is very poor*, il mio giudizio sul film è pessimo **2** (spesso pl.) (*mus.*, *TV*) indice di gradimento (o di ascolto); 'rating'; 'share': **the ratings battle**, la lotta per lo 'share' (*in TV*) **3** U accertamento (o iscrizione a ruolo) d'imposte (*a livello locale*) **4** U,C (*fin.*, = **credit r.**) 'rating'; valutazione (o livello) di affidabilità (o di solidità finanziaria); classamento creditizio: **r. agency**, agenzia di classamento creditizio **5** U (*ass.*) valutazione del rischio **6** U (*di una macchina, un motore*) rendimento; prestazioni di esercizio **7** (*sport, naut.*) 'rating', categoria, classe, stazza di regata (*di panfili, ecc.*) **8** (*naut.*) posizione, qualifica (*del personale di bordo*) **9** (*naut.*) membro dell'equipaggio; marinaio (*non ufficiale*) **10** valore relativo ● (*fisc.*) **r. officer**, funzionario che accerta tributi locali □ (*fin.*, *Borsa*) **bond r.**, rating delle obbligazioni □ (*TV, radio, mus., tennis, ecc.*) **to get good ratings**, ottenere un buon piazzamento; piazzarsi bene in classifica generale □ **insurance r.**, tariffazione delle assicurazioni.

♦**ratio** /ˈreɪʃɪəʊ/ n. (pl. *ratios*) **1** (*mat., mecc.*) rapporto; proporzione: **in the r. of three to two**, in proporzione di tre a due; **compression r.**, rapporto di compressione; **doctor/patient r.**, rapporto medico/pazienti; numero medio di pazienti per ogni medico **2** (*fis., chim.*) titolo: **steam r.**, titolo di vapore acqueo (*nell'aria*) ● (*elettron.*) **r. detector**, demodulatore a rapporto □ (*tecn.*) **r. print**, copia in scala □ (*stat.*) **r. scale**, scala di rapporti.

to **ratiocinate** /ˌrætɪˈɒsɪneɪt/ v. i. raziocinare (*lett.*); ragionare ‖ **ratiocination** n. U raziocinio; ragionamento ‖ **ratiocinative** a. raziocinativo ‖ **ratiocinator** n. raziocinatore.

ration /ˈræʃn/ n. **1** razione (*anche fig.*): *I've had my r. of sorrow*, ho avuto la mia razione di dolore **2** (pl.) razioni; viveri ● **r. card** (o **r. book**), carta (o tessera) annonaria □ **to put sb. on rations**, mettere a razione, razionare q. □ **to be on short rations**, essere a corto di viveri; stare a stecchetto.

to **ration** /ˈræʃn/ v. t. razionare (*alimenti, benzina, sovvenzioni, ecc.*) **2** mettere (q.) a razione; imporre il razionamento a (*persone*) ● **to r. out**, distribuire (*viveri*) in razioni; razionare (*l'acqua, ecc.*).

rational /ˈræʃənl/ **A** a. **1** razionale: *Man is a r. creature*, l'uomo è una creatura razionale **2** ragionevole: **a r. decision**, una decisione ragionevole **3** (*mat.*) razionale: **r. number**, numero razionale **B** n. U (*filos.*) **the r.**, il razionale ● (*econ.*) **r. expectations**, aspettative razionali □ **r. powers**, capacità intellettive; raziocinio ‖ **-ly** avv.

rationale /ˌræʃəˈnɑːl/ n. U,C logica; base razionale; fondamento logico; giustificazione logica (*di qc.*).

rationalism /ˈræʃənəlɪzəm/ (*filos., relig.*) n. U razionalismo ‖ **rationalist** n. razionalista ‖ **rationalistic** a. razionalistico ‖ **rationalistically** avv. razionalisticamente.

rationality /ˌræʃəˈnælətɪ/ n. U **1** razionalità **2** ragionevolezza; sensatezza.

to **rationalize** /ˈræʃnəlaɪz/ **A** v. t. **1** razionalizzare (*anche mat.*) **2** rendere razionale **2** (*ind.*) razionalizzare, organizzare razionalmente (*il lavoro*) **B** v. i. (*raro*) usare la ragione; comportarsi da razionalista ‖ **rationalization** n. U **1** razionalizzazione (*anche mat. e psic.*) **2** (*ind.*) organizzazione razionale, razionalizzazione (*del lavoro*).

rationing /ˈræʃnɪŋ/ n. U razionamento; contingentamento: **petrol r.**, il razionamento della benzina; (*econ., fin.*) **credit r.**, razio-

namento del credito.

ratlines, **ratlins** /ˈrætlɪnz/, **ratlings** /ˈrætlɪŋz/ n. pl. (*naut.*) griselle.

ratoon /rəˈtuːn/ n. (*agric.*) germoglio nuovo (*spec. di canna da zucchero*).

to **ratoon** /rəˈtuːn/ v. i. (*spec. di canna da zucchero*) germogliare di nuovo.

ratsbane /ˈrætsbeɪn/ n. U (*arc. o lett.*) veleno per topi.

rattan /ræˈtæn/ n. **1** (*bot.*, *Calamus rotang*) canna d'India; rattan **2** U malacca, rattan (*fusto della canna d'India usato per fare sedie, canne da pesca e bastoni da passeggio*) **3** bastone di malacca.

rat-tat /ˈrætˈtæt/ n. toc-toc; rumore di colpi (*alla porta*).

ratter /ˈrætə(r)/ n. **1** cacciatore di topi; cane (o gatto) bravo a catturare i topi **3** (*fam.*) disertore; traditore; rinnegato **4** (*fam.*) crumiro.

ratting /ˈrætɪŋ/ n. U **1** caccia ai topi **2** (*fam.*) defezione; tradimento; voltafaccia.

rattle /ˈrætl/ n. **1** sonaglio (*giocattolo, o di serpente*) **2** rumore sordo e prolungato; tamburellamento; acciottolio (*di piatti, ecc.*); sferragliamento; tintinnio (*di monete*): **the r. of the drums**, il rumore sordo dei tamburi; **the r. of hail on the roof of the hut**, il tamburellamento della grandine sul tetto della capanna; *The ghost crept down the corridor with a horrible r. of chains*, lo spettro si trascinò lungo il corridoio con un orribile sferragliare di catene **3** U,C ciarle; cicaleccio; chiacchiericcio **4** U,C chiasso; baccano; allegria rumorosa; baldoria **5** (*mus.*) raganella **6** (*relig.*) crepitacolo **7** U (*med.*) rantolo; ronco ● **r.-brain** (o **r.-head**, **r.-pate**), zucca vuota (*fig.*); svampito; svaporato (*fam.*) □ **r.-brained** (o **r.-headed**, **r.-pated**), scervellato; scriteriato; che parla a vanvera.

to **rattle** ① /ˈrætl/ **A** v. i. **1** sbatacchiare; sbattere; scuotersi con fracasso (*della grandine, ecc.*) tamburellare: *The shutters rattled in the wind*, le persiane sbatacchiavano al vento **2** procedere rumorosamente; sferragliare: *A train rattled past*, un treno passò sferragliando; *The cart rattled over the cobbled street*, il carro procedeva con gran rumore sull'acciottolato **B** v. t. **1** far sbatacchiare; scuotere con fragore; fare del rumore agitando; acciottolare (*piatti, ecc.*); far tintinnare (*monete*): *The wind rattled the door*, il vento faceva sbatacchiare la porta; **to r. the door handle**, scuotere la maniglia dell'uscio facendo un gran rumore **2** (*fam.*) confondere; sconcertare; innervosire; spaventare: *The speaker was badly rattled by the heckling*, l'oratore si innervosì molto per le continue interruzioni; **to get rattled**, innervosirsi; spaventarsi.

■ **rattle along** v. i. + avv. (*di un veicolo*) procedere rumorosamente; sferragliare: *The lorry rattled along the road*, il camion procedeva con gran rumore sulla strada.

■ **rattle away** v. i. + avv. **1** (*di macchine, ecc.*) fare frastuono; fare un rumore metallico **2** (*della grandine, ecc.*) battere forte (*sul tetto, ecc.*); tamburellare □ **to r. away at the piano**, strimpellare al pianoforte.

■ **rattle off** v. t. + avv. **1** dire in fretta; snocciolare: *The little girl rattled off the speech she had learnt by heart*, la bambina snocciolò il discorso che aveva imparato a memoria **2** buttare giù (*fam.*); scrivere in fretta e furia (*appunti, ecc.*).

■ **rattle on** v. i. + avv. **1** (*di un veicolo*) procedere rumorosamente; sferragliare **2** (*di una persona*) chiacchierare; parlare incessantemente; cianciare; ciarlare: **to r. on about one's work**, cianciare di continuo del proprio lavoro; parlare sempre di bottega.

■ **rattle through** v. t. + prep. fare (o dire, recitare, ecc.) in fretta e furia; sbrigare;

spicciare: **to r. through one's work**, fare il proprio lavoro in fretta e furia.

to **rattle** ② /ˈrætl/ v. i. (*naut.*) (*di solito*, **to r. down**) mettere le griselle.

rattler /ˈrætlə(r)/ n. **1** chi (o cosa che) fa un rumore sordo **2** chi parla a vanvera; ciancione, cianciona **3** (*fam.*) treno; treno merci **4** (*fam. USA*) serpente a sonagli; (*anche*) sonaglio (*di serpente*) **5** (*slang*) cannonata (*fig.*): cosa (o persona) eccezionale.

rattlesnake /ˈrætlsneɪk/ n. (*zool.*) **1** (*Crotalus*) serpente a sonagli; crotalo **2** (*Sistrurus*) sistruro; massasauga (*spagn.*).

rattletrap /ˈrætltræp/ **A** n. **1** vecchia automobile; macinino (*fig. fam.*) **2** (*fam.*) → **rattler**, *def.* 2 **3** (*slang*) bocca **4** (pl.) cianfrusaglie **B** a. attr. sconquassato; sgangherato.

rattling /ˈrætlɪŋ/ a. **1** che risuona; tintinnante; sferragliante **2** (*fam. antiq.*) vivace; impetuoso: **a r. wind**, un vento impetuoso **3** (*fam. antiq.*) eccellente; splendido; magnifico ● (*fam. antiq.*) **r. good**, ottimo; (*di racconto, ecc.*) bellissimo.

ratty /ˈrætɪ/ a. **1** di (o da) ratto **2** pieno di ratti **3** (*fam.*) bisbetico; irritabile; permaloso **4** (*fam. USA*) malmesso; in disordine; trasandato; (*d'abito*) frusto, logoro; (*di edificio*) decrepito, fatiscente ● (*fam.*) **to get r.**, scocciarsi (*fam.*), seccarsi (*con q.*).

raucous /ˈrɔːkəs/ a. **1** roco; rauco: **r. shouts**, urla roche **2** chiassoso; vociante: **r. youths**, ragazzi vocianti ❶ FALSI AMICI ● raucous *non significa* rauco *nel senso di affetto da raucedine* ‖ **-ly** avv. ‖ **-ness** n. U.

raunch /rɔːntʃ/ n. U **1** sessualità aggressiva; l'essere arrapante **2** oscenità; sboccataggine; volgarità **3** (*slang USA, antiq.*) sporcizia; sudiciume; trasandatezza.

raunchy /ˈrɔːntʃɪ/ a. **1** sessualmente aggressivo; arrapante; erotico: **a r. dance**, un balletto arrapante **2** piccante; salace; osceno; sboccato; volgare **3** (*slang USA, antiq.*) sudicio; sporco; trasandato; sciatto ‖ **-ily** avv. ‖ **-iness** n. U.

to **ravage** /ˈrævɪdʒ/ v. t. e i. devastare (*anche fig.*); depredare; saccheggiare: **a face ravaged by smallpox**, un viso devastato dal vaiolo.

ravages /ˈrævɪdʒɪz/ n. pl. danni; guasti; devastazioni: **the r. of war**, le devastazioni della guerra; **the r. of time**, i guasti prodotti dal tempo.

rave ① /reɪv/ **A** n. **1** delirio; vaneggiamento **2** urlo, furia (*del vento, del mare*) **3** (*fam.*) mania; moda; infatuazione **4** orgia (*fig.*): **a r. of colours**, un'orgia di colori **5** (*slang*) elogio sperticato **6** (*slang*, = **r.-up**) festa scatenata, da sballo; baldoria; (*anche*) rave, festa rave **B** a. attr. **1** entusiastico; sperticato **2** alla moda; molto in voga ● (*fam.*) **r. party**, festa rave □ **a r. review**, una recensione entusiastica □ (*slang*) **to be in a r. about**, andare pazzo per.

rave ② /reɪv/ n. sponda (*di carro*).

to **rave** /reɪv/ v. i. **1** delirare; farneticare; vaneggiare: *The injured man went on raving*, il ferito continuava a delirare; *'Old age should burn and r. at close of day'* D.M. THOMAS, 'è giusto che i vecchi ardano e delirino quando la fine s'avvicina' **2** (*del vento, del mare*) ruggire; rumoreggiare; infuriare ● (*fam.*) **to r. about**, andare in estasi per; andar pazzo per: *They r. about the colours of this painting*, vanno in estasi per i colori di questo quadro □ **to r. against sb.**, inveire con forza contro q. □ **to r. at sb.**, scagliarsi (o inveire) contro q. □ **to r. oneself hoarse**, diventare roco a furia di gridare (*per manifestare il proprio entusiasmo*) □ **to r. over** = **to r. about** → *sopra* □ (*fam.*) **to r. it up**, fare baldoria; bisbocciare.

ravel /'rævl/ n. **1** groviglio; intrico; nodo; viluppo **2** (fig.) complicazione; difficoltà **3** sfilacciatura; lembo sfilacciato.

to **ravel** /'rævl/ **A** v. t. **1** imbrogliare; ingarbugliare; complicare; confondere: Don't r. the question, non complicare la questione! **2** sfrangiare (stoffa) **3** (di solito to r. out) districare; sbrogliare; sciogliere (il capo d'una fune, ecc.): **to r. out a piece of string**, sbrogliare un pezzo di cordino **B** v. i. **1** imbrogliarsi; ingarbugliarsi; complicarsi; confondersi **2** (di solito to r. out) sfrangiarsi; sfilacciarsi ● **to r. up**, aggrovigliare, ingarbugliare (un gomitolo, ecc.); aggrovigliarsi.

ravelin /'rævlɪn/ n. (mil., stor.) rivellino.

ravelling, (USA) **raveling** /'rævəlɪŋ/ n. ① **1** sfilacciamento **2** sfilacciatura; sfilaccia; filo tirato.

raven /'reɪvn/ **A** n. (zool.) **1** (Corvus corax) corvo imperiale **2** (Corvus) corvo **B** a. corvino: **r. hair**, capelli corvini.

to **raven** /'rævn/ (lett.) **A** v. i. **1** far bottino; predare; saccheggiare **2** mangiare avidamente **B** v. t. divorare; ingozzarsi di; trangugiare ● **to r. after**, andare in cerca di (preda o bottino) □ **to r. for**, essere affamato di.

ravening /'rævənɪŋ/ a. famelico; feroce; vorace: **a r. shark**, uno squalo famelico.

ravenous /'rævənəs/ a. **1** famelico; feroce; vorace: **a r. wolf**, un lupo famelico **2** (anche fig.) avido; ingordo; insaziabile: **a r. hunger**, una fame insaziabile (o da lupi); **r. for power**, avido di potere.

raver /'reɪvə(r)/ n. (fam.) **1** vitaiolo; festaiolo; gaudente; libertino **2** frequentatore di rave (di party sfrenati, ecc.).

rave-up /'reɪvʌp/ n. **1** → **rave**①, **A**, def. 6 **2** (USA) brano chiassoso di musica pop.

ravine /rə'viːn/ n. burrone; gola; forra; orrido.

raving /'reɪvɪŋ/ **A** a. **1** delirante; farneticante; frenetico; furioso **2** (fam.) eccezionale; straordinario; da far girare la testa: **a r. beauty**, una bellezza da far girare la testa **B** n. (spesso al pl.) farneticazione; vaneggiamento ● **r. mad**, pazzo furioso; matto da legare | **-ly** avv.

ravioli /rævɪ'əʊli/ (ital.) n. ① (cucina) ravioli.

to **ravish** /'rævɪʃ/ v. t. **1** (poet.) rapire; (fig.) rapire in estasi, affascinare, incantare: I was ravished by her beauty, fui affascinato dalla sua bellezza **2** (arc. o scherz.) stuprare; violentare ‖ **ravisher** n. (arc. o scherz.) stupratore, violentatore.

ravishing /'rævɪʃɪŋ/ a. **1** affascinante; incantevole: **a r. sight**, una vista incantevole **2** (di cibo, ecc.) delizioso.

ravishment /'rævɪʃmənt/ n. **1** (poet.) rapimento; ratto (spec. di donna sposata o di minorenne) **2** (fig.) rapimento; estasi; incanto **3** (arc. o scherz.) violenza carnale; stupro.

♦**raw** /rɔː/ **A** a. **1** crudo (anche fig.): **raw vegetables**, verdura cruda; This steak is nearly raw, questa bistecca è quasi cruda; **a raw brick**, un mattone crudo; **a raw description of facts**, una cruda descrizione dei fatti **2** greggio; grezzo; crudo; naturale; non raffinato: **raw wool**, lana greggia; **raw silk**, seta cruda; **raw whisky**, whisky naturale (o liscio); **raw sugar**, zucchero non raffinato; **raw hides**, pelli grezze; **raw material**, materiale grezzo; materia prima (anche fig.) **3** (fig.) inesperto; immaturo; rozzo: **a raw recruit**, una recluta inesperta, ancora da istruire; un marmittone (fig. fam.); **a raw lad**, un ragazzo immaturo **4** escoriato; scorticato **5** (di ferita, ecc.) aperto; infiammato; sanguinante; (messo) a nudo; vivo: **a raw wound**, una ferita sanguinante; **a raw sore**, una piaga viva; **a raw throat**, una go-

la infiammata **6** (di emozione, ecc.) scoperto; nudo **7** (del tempo, ecc.) freddo; rigido; inclemente: **a raw wind**, un vento freddo; tempaccio; **a raw winter**, un inverno rigido **8** (USA) fresco; appena fatto **9** (slang USA) osceno; sboccato; spinto; sporco: **a raw joke**, una barzelletta sporca **B** n. – **the raw**, il vivo; il punto sensibile, dolente: **to touch sb. on the raw**, toccare q. sul vivo ● **raw ambition**, ambizione allo stato puro; pura ambizione □ **raw-boned**, ossuto; scarno □ **raw cloth**, stoffa prima della follatura □ (comput.) **raw data**, dati grezzi □ (fam.) **a raw deal**, un trattamento ingiusto (o crudele, duro) □ **raw land**, terra allo stato naturale □ **raw milk**, latte dalla stalla; latte non pastorizzato □ **raw sewage**, acque reflue non trattate □ **raw sludge**, fango non trattato □ **raw spirit**, alcol puro □ **raw water**, acqua non depurata □ **in the raw**, allo stato grezzo (o naturale); (fam.) nudo, svestito | **-ly** avv. | **-ness** n. ①.

rawhide /'rɔːhaɪd/ **A** n. **1** ① cuoio greggio **2** corda (o frusta) di pelle non conciata; correggia **B** a. attr. di cuoio greggio.

rawin /'reɪwɪn/ n. ① (meteor.) radiovento ● **r. target**, radarsonda anemometrica.

rawinsonde /'reɪwɪnsɒnd/ n. (meteor.) radiosonda anemometrica.

rawish /'rɔːɪʃ/ a. piuttosto crudo (o freddo, inesperto, rozzo) → **raw**.

Rawlplug® /'rɔːlplʌg/ n. tappo (o tassello) a espansione.

♦**ray**① /reɪ/ n. **1** (fis., bot., zool.) raggio (anche fig.): **a ray of light**, un raggio di luce; X-rays, raggi X; **heat rays**, raggi termici; (fig.) **a ray of sunshine in one's life**, un raggio di sole nella vita **2** (fig.) filo: There isn't a ray of hope, non c'è un filo di speranza ● (fantascienza) **ray gun**, pistola a raggi □ (med.) **ray therapy**, terapia radiante; radioterapia.

ray② /reɪ/ n. (zool., Raja) razza.

to **ray** /reɪ/ **A** v. i. **1** raggiare; splendere **2** irradiarsi; irraggiarsi **B** v. t. **1** irradiare; irraggiare **2** ornare di raggi **3** (med.) irradiare; trattare (o curare) con terapia radiante.

Ray /reɪ/ n. dim. di **Raymond**.

rayed /reɪd/ a. raggiato; a raggi; che ha raggi.

rayless /'reɪləs/ a. **1** senza raggi **2** (poet.) senza un raggio di luce; oscuro; tetro.

Raymond /'reɪmənd/ n. Raimondo.

rayon /'reɪɒn/ n. ① (ind. tess.) rayon; seta artificiale.

to **raze** /reɪz/ v. t. distruggere; radere al suolo; spianare: The town was razed (to the ground) by the earthquake, la città fu rasa al suolo dal terremoto ● (raro, anche fig.) **to r. out**, cancellare.

razee /rə'ziː/ n. (naut., stor.) nave rasata (priva del ponte superiore).

razor /'reɪzə(r)/ n. rasoio ● (zool.) **r.-back**, (Balaenoptera) balenottera; (USA) maiale semiselvatico □ **r.-backed**, dal dorso affilato (o a lama di rasoio) □ **r.-bill**, becco a lama di rasoio; (zool., Alca torda) gazza marina ● (di un uccello) **r.-billed**, dal becco a lama di rasoio □ **r. blade**, lametta da barba □ **r. clam** = **r.-shell** → sotto □ **r. cut**, taglio fatto col rasoio; rasoiata □ **r.** (o **r.'s**) **edge**, filo del rasoio □ (zool.) **r.-fish**, pesce rasoio; (anche) = **r.-shell** → sotto □ **r. haircut**, taglio (dei capelli) col rasoio; taglio 'scolpito' □ **r.-sharp**, affilato come un rasoio □ (zool.) **r.-shell** (Solen), cannello; cannolicchio; cappalunga □ **r. slash**, ferita inflitta con un rasoio; rasoiata □ **r. strop**, coramella □ **r. wire**, filo spinato □ (fig.) **to be on a r. edge** (o **r.'s edge**), essere sul filo del rasoio.

to **razor** /'reɪzə(r)/ v. t. radere; rasare ● **a well-razored beard**, una barba ben fatta.

to **razor-cut** /'reɪzəkʌt/ (pass. e p. p. **razor-cut**), v. t. tagliare (i capelli, ecc.) con il rasoio.

razz /ræz/ n. (slang USA) pernacchia; (fig.) critica sprezzante.

to **razz** /ræz/ v. t. (slang USA) schernire; prendere in giro; ridicolizzare; spernacchiare; sfottere.

razzamatazz /'ræzəmətæz/ n. ① (fam.) messinscena pubblicitaria (o elettorale); strombazzata (fig.).

razzle /'ræzl/ n. ① (ingl.; nella loc. fam.) **to be** (o **to go out**) **on the r.**, (andare a) fare baldoria; bisbocciare; darsi alla pazza gioia.

razzle-dazzle /ræzl'dæzl/ **A** n. ① (fam. USA) **1** baldoria; confusione **2** imbrogli; maneggi; inciuci (pop.) **3** (sport, ecc.) fumo negli occhi (fig.); sfoggio di bel gioco; accademia (fig.) **4** → **razzamatazz B** a. attr. (fam. USA) **1** ingannevole; truffaldino **2** (sport, ecc.) esibizionistico; spettacolare; vistoso.

razzmatazz /'ræzmətæz/ n. ① → **razzamatazz**.

RC sigla **1** (**Red Cross**) Croce Rossa **2** (**reinforced concrete**) cemento armato (CA) **3** (anche **R.C.**) (**Roman Catholic**) cattolico (apostolico romano).

rcpt abbr. (comm., **receipt**) ricevuta.

RD sigla (banca, **refer to drawer**) rivolgersi all'emittente (formula con cui una banca rifiuta il pagamento di un assegno scoperto).

rd abbr. (**road**) strada; via.

RDA sigla (med., **recommended daily allowance**) dose giornaliera raccomandata.

RDF sigla (comput., **resource description framework**) RDF (sistema per descrivere i metadati di un sito web).

RDS sigla (radio, **radio data system**) sistema di trasmissione dati via radio (nomi delle emittenti, informazioni sul traffico ecc.).

re① /reɪ/ n. (mus.) re (nota).

re② /riː/ prep. (leg., comm.) in merito a; in riferimento a.

re③, **re-** /riː/ pref. ri-; di nuovo (si trova col trattino per ragioni fonetiche, per es. in **to re--elect**, «rieleggere»; o per evitare confusione, come quella possibile fra **to re-cover**, «ricoprire» e **to recover**, «guarire») ❶ NOTA: recover o re-cover? → **to recover**.

RE sigla **1** (scuola, **religious education**) religione (materia di studio) **2** (mil., GB, **Royal Engineers**) Genio militare.

'**re** /ə(r)/ vc. verb. abbr. fam. di **are** (per es., in:) **they're**, essi (o esse) sono.

to **reabsorb** /riːəb'sɔːb/ v. t. riassorbire ‖ **reabsorption** n. ① riassorbimento.

to **reaccustom** /riːə'kʌstəm/ v. t. riabituare ● **to r. oneself**, riabituarsi.

reach /riːtʃ/ n. **1** ① atto (o azione) di allungare la mano (o il braccio): The thug made a quick r. for the knife, il teppista fece un rapido tentativo di afferrare il coltello □ ① portata (di mano); possibilità di accesso; distanza: No help was within r., non c'era alcun aiuto a portata di mano; The medicine is to be kept out of the r. of children, tenere il medicinale fuori dalla portata dei bambini; Their farm is within easy r. of Bristol, la loro fattoria è a poca distanza (o si raggiunge facilmente) da Bristol **3** ① campo (o raggio) d'azione: (mecc.) **the r. of the crane**, il campo d'azione della gru **4** (mil.) portata (di arma da fuoco) **5** (spesso al pl.) tratto, distesa (d'acqua, di mare, ecc.); (di fiume) tronco, tratto: **the upper reaches of the Amazon**, il tratto superiore del Rio delle Amazzoni **6** (boxe) allungo: He has a long r., un buon allungo **7** ① (radio, TV) uditorio; pubblico **8** (naut., = beam r.) lasco: **broad r.**, gran lasco ● **out of sb.'s r.**, irraggiungibile per q.: (sport: calcio) The ball [the pass]

was out of his r., il pallone [il passaggio] era per lui irraggiungibile □ (*boxe*) **a slight r. advantage**, un lieve vantaggio di allungo.

♦to **reach** /riːtʃ/ **A** v. t. **1** (*spesso* **to r. out**) allungare; stendere: *I reached out my hand for the book*, allungai la mano per prendere il libro **2** raggiungere; giungere a; arrivare a; pervenire a: **to r. an agreement**, raggiungere un accordo; *Can you r. the window?*, ci arrivi alla finestra?; *We reached the town by night*, giungemmo nella città di notte; *Granny has reached old age*, la nonna è arrivata alla vecchiaia; *Your letter reached me yesterday*, la tua lettera mi è pervenuta ieri; *The water reached his knees*, l'acqua gli arrivava alle ginocchia **3** (*fam.*) allungare; porgere; passare: *R. me the salt, please*, allungami il sale, per favore **4** mettersi in contatto con (*q., per telefono, ecc.*): *We tried to r. them all day*, cercammo per tutto il giorno di metterci in contatto con loro; *You can r. me on my mobile or landline*, può contattarmi al mio cellulare o al numero di casa **5** (*sport: calcio, ecc.*) arrivare a prendere; arrivare su (*fam.*): *Our keeper reached the ball but failed to stop it*, il nostro portiere arrivò sulla palla ma non riuscì a trattenerla **B** v. i. **1** arrivarci: *I cannot r. so high*, non ci arrivo (fin lassù) – **to r. for**, allungare la mano per prendere; cercar di prendere; cercar d'arrivare a: *I reached for my gun but couldn't get hold of it*, cercai di prendere la rivoltella ma non ci riuscii **3** stendersi; estendersi; andare; arrivare: *The Roman empire reached from Gibraltar to Asia Minor*, l'impero romano si stendeva da Gibilterra all'Asia Minore; *My property reaches as far as the river*, la mia proprietà arriva fino al fiume ● **to r. for the moon**, volere la luna nel pozzo; tentare di raggiungere l'impossibile □ (*naut.*) **to r. land**, toccare terra □ **to r. the mark**, andare a segno □ **as far as the eye can r.**, fin dove giunge lo sguardo □ (*slang USA*) **R. for the sky!**, mani in alto!

■ **reach after** v. i. + prep. raggiungere; conseguire; arrivare, pervenire a (*fig.*).

■ **reach back** v. i. + avv. **1** voltarsi e stendere la mano: *I reached back and gave him the dictionary from the bookcase*, mi voltai e allungando la mano presi il dizionario dalla libreria e glielo diedi **2** (*della memoria*) riandare a (*cose del passato*) □ **to r. back in one's mind**, riandare con la mente a.

■ **reach down** **A** v. i. + avv. **1** chinarsi; abbassarsi; piegarsi **2** (*di una tenda, una gonna, ecc.*) arrivare a: **to r. down to the ground**, arrivare a terra **B** v. t. + avv. tirare giù (*fam.*); prendere (*qc. che è in alto*): *I reached down the old lady's suitcase*, tirai giù la valigia dell'anziana signora.

■ **reach into** **A** v. i. + prep. **1** infilarsi in (*un foro, un condotto, ecc.*) **2** ammontare; spingersi (*nel tempo, ecc.*): *His debts r. into thousands of pounds*, i suoi debiti ammontano a migliaia di sterline **B** v. t. + prep. infilare (*la mano*) in □ **to r. into one's pockets for the money**, mettere le mani in tasca per prendere i soldi.

■ **reach out** v. t. e i. + avv. **1** stendere (*il braccio*); allungare (*la mano*) do: *He reached out (his arm) for the rope*, stese il braccio per prendere la fune **2** (*fig.*) ambire, aspirare: *What does he r. out for?*, quali sono le sue aspirazioni? **3** (*fig.*) rivolgersi (a): *The candidate is trying to r. out to most of his constituents*, il candidato si sforza di rivolgersi alla maggioranza degli elettori del suo collegio □ **to r. out one's hand for the money**, stendere la mano per prendere i soldi.

■ **reach to** **A** v. i. + prep. **1** (*di una fune, ecc.*) arrivare a: *This ladder won't reach to the first floor*, questa scala non arriva fino al

primo piano **2** arrivare a prendere (*qc. che è in alto*): *I can't r. to the cherries on the tree top*, a prendere le ciliegie in cima all'albero non ci arrivo **B** v. t. + prep. allungare (o stendere) (*la mano*) fino a (*qc. che è in alto*).

■ **reach up** **A** v. i. + avv. **1** protendersi verso l'alto; alzarsi in punta di piedi: *He reached up and got the ripe peach on the branch*, s'alzò in punta di piedi e riuscì a prendere la pesca matura sul ramo **2** arrivare (*in altezza*) **B** v. t. + avv. alzare; stendere (*il braccio, ecc.*) verso l'alto.

reachable /'riːtʃəbl/ a. raggiungibile; (che è) alla portata.

reach-me-down /'riːtʃmɪdaʊn/ **A** n. **1** abito confezionato **2** vestito usato (o smesso) **3** (pl.) pantaloni **B** a. attr. **1** (*di abito, ecc.*) confezionato **2** smesso; di seconda mano **3** (*fig.*) fatto in serie; banale; trito.

♦to **react** /riːˈækt/ v. i. (*chim., ecc.*) reagire; (*di persona*) rispondere (*a uno stimolo*), ribellarsi: *The patient doesn't r. to the medicines*, il paziente non reagisce alle medicine; *The citizens reacted against dictatorship*, i cittadini si ribellarono alla dittatura ● (*chim.*) **to r. upon each other**, reagire reciprocamente □ (*chim.*) **to r. with**, reagire con: *Acids react with bases to form salts*, gli acidi reagiscono con le basi per formare i sali.

to **re-act** /riːˈækt/ v. t. rappresentare (*o recitare*) di nuovo; ridare (*un dramma*); replicare: **to re-act a scene**, recitare di nuovo una scena.

reactance /riːˈæktəns/ n. Ⓤ (*elettr.*) reattanza.

reactant /riːˈæktənt/ n. (*chim.*) reagente.

♦**reaction** /rɪˈækʃn/ n. Ⓤ Ⓒ (*chim., fis., polit., med.*) reazione: *What was David's r.?*, qual è stata la reazione di David?; **chain r.**, reazione a catena; **the forces of r.**, le forze della reazione; **a r. against repression**, una reazione alla repressione; **anxiety r.**, reazione ansiosa ● (*aeron.*) **r. engine**, motore (*o propulsore*) a reazione □ (*radio, TV*) **r. index**, indice di gradimento □ (*fisiol.*) **r. time**, tempo di reazione □ **knee-jerk r.**, (*fisiol.*) riflesso patellare; (*fig.*) riflesso condizionato; reazione istintiva ∥ **reactionist** n. (*polit.*) reazionario.

reactionary /rɪˈækʃnrɪ/ (*polit.*) a. e n. reazionario ∥ **reactionaryism** n. Ⓤ reazionarismo.

to **reactivate** /riːˈæktɪveɪt/ v. t. e i. riattivare; riattivarsi ∥ **reactivation** n. Ⓤ riattivazione.

reactive /rɪˈæktɪv/ a. (*chim., elettr.*) reattivo: **r. dye**, colorante reattivo; **r. power**, potenza reattiva | **-ly** avv.

reactivity /riːæk'tɪvətɪ/ n. Ⓤ (*chim.*) reattività.

reactor /rɪˈæktə(r)/ n. **1** (*fis. nucl.*; = **nuclear r.**) reattore nucleare; pila atomica **2** (*elettr.*) reattore **3** (*chim.*) reagente.

read ① /riːd/ n. **1** lettura: **to have a good r.**, leggere con gusto; leggere in santa pace; godersi un libro; **a quick r.**, una lettura frettolosa; una letta; una scorsa **2** (*considerato per la sua leggibilità*): **a good r.**, un libro che si legge bene; un bel libro **3** (*fam. USA*) interpretazione: *What's your r. on it?*, che interpretazione ne dai?; che ne pensi?

read ② /rɛd/ n. **1** letto: **to take st. as r.**, dare qc. per letto; (*fig.*) dare qc. per scontato; **widely r.**, molto letto; assai noto **2** (*di solito nei composti*) colto; versato; informato: **a well-r. man**, un uomo di buona cultura; **well-r. in history**, che ha letto molto di storia; che ha una buona cultura storica.

♦to **read** /riːd/ (*pass.* e *p. p.* **read** /rɛd/), v. t. e i. **1** leggere; (*fig.*) interpretare, indovinare, spiegare: *R. it aloud, please*, leggilo a vo-

ce alta, per favore!; **to r. a book** [**a letter, music**], leggere un libro [una lettera, la musica]; **to r. French**, leggere il francese; **to r. futurity**, leggere nel (libro del) futuro; **to r. sb.'s hand**, leggere la mano a q.; **to r. a dream** [**an omen**], interpretare un sogno [un presagio]; **to r. sb.'s silence as agreement**, interpretare il silenzio di q. come consenso; *I can r. him like a book*, leggo in lui come in un libro aperto; **to r. men's hearts**, leggere nel cuore degli uomini **2** studiare (*all'università, ecc.*): **to r. law** [**chemistry**], studiar legge [chimica]; **to r. for the bar**, studiare per diventare un avvocato patrocinante; *'The next term he took his degree, and came to London to r. for the diplomatic'* O. WILDE, 'il trimestre seguente si laureò, e venne a Londra per prepararsi agli esami di ammissione al servizio diplomatico' **3** (*di strumento*) registrare; segnare: *The speedometer reads sixty miles per hour*, il tachimetro segna sessanta miglia all'ora **4** essere, suonare (*alla lettura*); dire: *His answer reads like a threat*, la sua risposta suona come una minaccia; *The sentence reads as follows...*, la frase dice come segue... **5** (*fam. USA*) capire; afferrare l'idea: *Do you r. me?*, mi hai capito? ● (*fig.*) **to r. between the lines**, leggere fra le righe ● **to r. sb.'s character in his face**, leggere il carattere di q. sul suo viso □ **to r. deeply**, leggere molto □ **to r. sb.'s fortune**, leggere la fortuna a q. □ **to r. hieroglyphs**, decifrare geroglifici □ (*fig.*) **to r. sb. a lesson**, fare una predica a q.; redarguire q. aspramente □ **to r. music at sight**, legger la musica a prima vista □ (*di libro, autore, ecc.*) **to r. poorly**, essere noioso alla lettura □ **to r. the sky**, scrutare il cielo □ **to r. to oneself**, leggere in silenzio □ **to r. oneself to sleep**, leggere fino ad addormentarsi □ **to r. too much into sb.'s words**, attribuire un significato in più (*o dare un peso eccessivo*) alle parole di q. □ (*di libro, autore, ecc.*) **to r. well**, essere interessante alla lettura; farsi leggere, leggersi bene > *'The moon is strong enough to r. by'* D. LESSING, 'il chiaro di luna basta perché si possa leggere' ● **This book reads like a translation**, alla lettura, questo libro ha l'aria d'essere una traduzione.

■ **read back** v. t. + avv. rileggere (*nomi, cifre, ecc.; per controllarli*).

■ **read in** v. t. + avv. (*comput.*) mettere, registrare (*dati, ecc.*) in memoria; memorizzare.

■ **read off** v. t. + avv. **1** leggere da cima a fondo; leggere a voce alta **2** (*di uno strumento*) indicare, registrare (*un dato, un valore, ecc.*).

■ **read on** v. i. + avv. continuare a leggere; andare avanti (*leggendo*).

■ **read out** v. t. + avv. **1** leggere ad alta voce; *Could you r. that phone number out for me while I dial?*, mi leggeresti ad alta voce il numero di telefono mentre lo compongo? **2** (*comput.*) estrarre, prelevare (*dati, ecc.*) **3** (*USA*) espellere, cacciare (*da un partito politico, ecc.*).

■ **read over** v. t. + avv. **1** rileggere: *Let me r. the shopping list over*, fammi rileggere la lista della spesa **2** leggere attentamente (*o a fondo*).

■ **read through** v. t. + avv. **1** → **read over**, *def. 1* **2** (*teatr.*) leggere da cima a fondo (*un copione*) come prova **3** leggere, capire, interpretare criticamente (*q.*).

■ **read up** v. t. + avv. esaminare attentamente; studiare (*un regolamento, ecc.*) □ **to r. up on a subject**, documentarsi su un argomento.

readability /riːdəˈbɪlətɪ/ n. Ⓤ leggibilità (*spec. fig.*) ● **r. requirements**, requisiti di leggibilità (*per la posta*).

readable /'riːdəbl/ a. **1** leggibile; piacevole a leggersi; interessante: *Is this book r.?*, è

interessante questo libro? **2** leggibile; decifrabile | **-ness** n. ▢ | **-bly** avv.

to **readapt**, to **re-adapt** /riːəˈdæpt/ v. t. riadattare ‖ **readaptation**, **re-adaptation** n. ▢ riadattamento.

to **readdress**, to **re-address** /riːəˈdrɛs/ v. t. **1** rifare l'indirizzo di (*una lettera*, *ecc.*); rispedire (*qc. a un nuovo indirizzo*) **2** rivolgersi di nuovo a (q.).

♦**reader** /ˈriːdə(r)/ n. **1** lettore, lettrice: *I'm a great r.*, sono un gran lettore **2** (= **publisher's r.**, **manuscript r.**) lettore di casa editrice **3** (*relig.*, = **lay r.**) laico che legge parti dell'ufficio in chiesa **4** (*tipogr.*, = **proof-r.**) correttore di bozze **5** libro di lettura (*a scuola*) **6** (*nelle università ingl.*) «reader» (*professore non cattedratico*) **7** (*nelle università USA*) assistente **8** (*comput.*) lettore: **magnetic card r.**, lettore di schede magnetiche **9** (*grafica*) microlettore; lettore **10** (*market.*) segnaprezzo; cartellino ● **the first r.**, il sillabario ▢ (*radio*, *TV*) **news r.**, annunciatore.

readership /ˈriːdəʃɪp/ n. **1** i lettori, il numero di lettori (*di una rivista*, *ecc.*) **2** (*nelle università*) posto di → «reader» (*def. 6 e 7*).

♦**readily** /ˈrɛdɪlɪ/ avv. prontamente; alla svelta.

readiness /ˈrɛdɪnəs/ n. ▢ **1** prontezza; premura; buona volontà; sollecitudine: **r. of wit**, prontezza di mente (*o di spirito*); **r. to learn**, voglia d'imparare **2** facilità: **r. of conversation**, facilità di parola: **to have st. in r.**, avere già pronto qc. □ **to hold** (*o* **to keep**) **st. in r.**, tener pronto qc. □ **to put st. in r.**, preparare qc.

♦**reading** /ˈriːdɪŋ/ **A** n. ▢ **1** (*anche polit.*) lettura; lettura pubblica: **first**, **second**, **third r.**, prima, seconda, terza lettura (*di un disegno di legge*); **readings from Shakespeare**, letture di Shakespeare (*tecn.*) **meter r.**, lettura del contatore **2** indicazione; valore indicato (*da uno strumento*) **3** studio; cultura: **a man of vast r.**, un uomo di vasta cultura **4** materia di lettura; roba da leggere: '**further reading**', (*alla fine di un saggio*, *ecc.*) 'ulteriori letture' **5** (*di codice*) lezione; variante; versione: *This is the right r. of the passage*, questa è la lezione giusta del brano **6** interpretazione: *What is your r. of the facts?*, qual è la tua interpretazione dei fatti? **B** a. **1** che legge: **the r. public**, il pubblico dei lettori **2** da (*o per*) leggere ● **r. copy**, copia saggio; campione □ **r. desk**, leggio □ (*comput.*) **r. device**, lettore □ **r. glass**, lente per leggere; lente biconvessa □ **r. knowledge**, capacità di lettura (*di una lingua*) □ **r. lamp**, lampada da tavolo □ **r. list**, (*all'università*, *ecc.*) elenco dei libri da leggere □ **r. room**, sala di lettura □ **r. stand**, leggio □ *This book makes* (**for**) **interesting** [**dull**] **r.**, questo libro è interessante [noioso] da leggere.

to **readjust** /riːəˈdʒʌst/ **A** v. t. **1** aggiustare di nuovo; riadattare; riordinare; riassestare (*un'azienda*, *ecc.*) **2** (*fin.*, *comm.*) ritoccare (*tariffe*, *prezzi*, *ecc.*) **B** v. i. riadattarsi; riassestarsi ‖ **readjustment** n. ▢ **1** riadattamento; riordinamento; riassestamento; riassetto; riequilibrio: **a readjustment in the accounts**, un riordinamento dei conti **2** (*fin.*, *comm.*) ritocco (*di tariffe*, *prezzi*, *ecc.*) **3** (*org. az.*) riorganizzazione, risanamento (*di un'azienda*).

readme /ˈriːdmɪ/ a. attr. (*comput.*) leggimi: **r. file**, file leggimi (*file con le prime istruzioni per installare o far funzionare un applicativo*).

to **readmit** /riːədˈmɪt/ v. t. riammettere ‖ **readmission** n. ▢ riammissione ‖ **readmittance** n. ▢ riammissione.

read-only /riːdˈəʊnlɪ/ a. (*comput.*) per sola lettura; a sola lettura: **read-only file**, file di sola lettura; **read-only memory** (abbr.

ROM), memoria di sola lettura.

readout /ˈriːdaʊt/ n. ▢ (*comput.*) **1** informazioni prelevate (*dispositivo* (*o unità*) di visualizzazione dei dati.

read-through /ˈriːdθruː/ n. (*teatr.*) lettura completa del copione (*di un dramma*, *ecc.*) come prova.

read-write /riːdˈraɪt/ a. (*comput.*) relativo a lettura e scrittura.

♦**ready** /ˈrɛdɪ/ **A** a. **1** pronto; disposto; preparato; rapido; sollecito; svelto; sveglio: *I'm r. to leave*, sono pronto a partire; *He's r. to help us*, è disposto ad aiutarci; *Are you r. to order?*, siete pronti per ordinare?; *Dinner is r.*, il pranzo è pronto; *It should be in half an hour or so*, dovrebbe essere pronto tra circa mezz'ora; **a r. reply**, una risposta pronta; *He has a r. mind*, ha la mente sveglia; *This is the readiest way to do it*, questo è il modo più rapido di farlo **2** (*mil.*) pronto al fuoco **B** n. **1** – solo nella loc. **at the r.**, pronto; pronto per l'uso; pronto a intervenire; (*mil.*) in posizione di tiro **2** – (*ingl.*) **the r.**, (*anche* **the readies**, pl.) i denari contanti; il contante; il liquido ● (*naut.*) **R. about!**, pronti a virare!; pronti alla vira! □ (*rag.*) **r. assets**, disponibilità liquide □ (*edil.*) **r.-built houses**, case prefabbricate □ (*comm.*) **r. cash**, pronta cassa □ **r.-made** → **ready-made** □ **r. meal**, pasto precotto; piatto pronto □ (*edil.*) **r.-mixed concrete**, cemento già preparato; calcestruzzo pronto per la gettata □ **r. money**, contanti; denaro contante: **to pay r. money**, pagare in contanti; **to sell goods for r. money**, vendere merce per pronti contanti □ (*mil.*) **R., present, fire!**, pronti, puntate, fuoco! □ **r. reckoner**, prontuario di calcoli □ (*anche sport*) **R., steady, go!**, pronti..., via!; un, due, tre... via! □ **r. to hand**, a portata di mano □ (*d'abito*) **r.-to-wear**, confezionato; bell'e fatto; prêt-à-porter □ **to be r. with one's tongue**, avere la lingua sciolta □ **r.-witted**, di mente pronta; dallo spirito pronto; dall'ingegno vivace □ **to get r.**, prepararsi □ **to make r.**, prepararsi: *They made r. to fight*, si preparano al combattimento □ **We made everything r.**, preparammo ogni cosa □ (*anche sport*) (**Are you**) **r.?... Go!**, pronti?... via!

to **ready** /ˈrɛdɪ/ v. t. (*form.*) preparare; approntare.

ready-made /rɛdɪˈmeɪd/ **A** a. **1** (*ind.*) preconfezionato; fatto; confezionato: **ready-made clothes** (*o* **clothing**), abiti confezionati; confezioni; **ready-made meals**, pasti preconfezionati **2** pronto; bell'e pronto; bell'e fatto; pronto all'uso; comodo: **a ready-made excuse**, una scusa bell'e pronta **3** poco originale; banale; trito: **ready-made opinions**, luoghi comuni **B** n. **1** (*spec. al pl.*) abito confezionato **2** articolo preconfezionato **3** (*arte*) 'ready made'.

to **reaffirm** /riːəˈfɜːm/ v. t. riaffermare; riconfermare; ribadire ‖ **reaffirmation** n. ▢ riaffermazione; riconferma.

to **reafforest** /riːæˈfɒrɪst/ v. t. rimboschire; rimboscare ‖ **reafforestation** n. ▢ rimboschimento.

reagency /riːˈeɪdʒənsɪ/ n. ▢ (*scient.*) capacità di reazione; reagibilità; reattività.

reagent /riːˈeɪdʒənt/ n. (*chim.*) reagente; reattivo.

♦**real** ① /rɪəl/ **A** a. **1** reale; concreto; effettivo; genuino; autentico; schietto; naturale; sincero; vero: **a r. object**, un oggetto reale; (*econ.*) **r. business cycle**, ciclo economico reale; (*econ.*) **r. output**, prodotto reale; produzione reale; **a r. thing**, una cosa concreta; **r. silk**, vera seta; seta pura; (*mat.*) **r. numbers**, numeri reali; **a r. man**, un vero uomo; un uomo schietto; un uomo in carne e ossa; **r. flowers**, fiori veri; **r. gold**, oro vero; (*fin.*)

r. partner, socio effettivo **2** (*leg.*) immobile; immobiliare: **r. estate**, patrimonio immobiliare; beni immobili **B** n. **1** (*mat.*) numero reale **2** ▢ – **the r.**, il reale **C** avv. (*fam.*) davvero; veramente; realmente; vero e proprio: **a r. fine day**, una giornata veramente bella; *It's r. cold*, fa proprio freddo; *I'm r. sorry*, mi dispiace davvero ● **r. ale**, birra vera (*fermentata nel fusto*, *senza aggiunta di anidride carbonica*) □ **r. agent** = **r.-estate agent** → sotto □ (*leg.*) **r. assets**, beni reali; beni immobili □ (*ass.*) **r. damages**, risarcimento satisfattorio □ **r.-estate agency** [**agent**], agenzia [agente] immobiliare □ (*fin.*) **r.-estate investment trust**, fondo d'investimento immobiliare □ (*fin.*) **the r.-estate market**, il mercato immobiliare □ (*fisc.*) **r. estate tax**, imposta sul patrimonio immobiliare □ (*leg.*) **r. evidence**, prova materiale (*o concreta*) □ (*econ.*) **r. income**, reddito reale (*o in termini reali*) □ **r.-life**, (*agg.*) autentico; non inventato □ **r. money**, moneta reale (*biglietti e monete metalliche*) □ **r. price**, prezzo reale □ (*leg.*) **r. property**, proprietà immobiliare □ (*leg.*) **r. rights**, diritti reali □ (*leg.*) **r. security**, garanzia reale (*o immobiliare*) □ (*sport*, *stor.*) **r. tennis** = **court tennis** → **court** □ (*pubbl.*) **the r. thing**, il prodotto genuino; (*anche*) il meglio, il non plus ultra □ **r. time**, tempo reale □ (*comput.*, *ecc.*) **r.-time**, in tempo reale: **r.-time processing**, elaborazione in tempo reale □ (*econ.*) **r. value**, valore reale □ (*econ.*) **r. wages**, salario reale □ **r. wood**, legno naturale (*non laminato*) □ **the r. world**, la realtà □ (*fam. USA*) **for r.**, (*avv.*) davvero, sul serio □ (*agg.*) fatto (*o detto*) sul serio: *Is this for r.?*, sul serio?; *Are you for r.?*, dici (*o fai*) sul serio? □ (*slang USA*) **Get r.!**, svegliati!; scendi dalle nuvole! □ **in r. earnest**, proprio sul serio □ (*fam. USA*, *anche iron.*) **It's been r.!**, è stata proprio una bella festa!

real ② /reɪˈɑːl/ n. **1** (*stor.*) reale (*antica moneta spagnola*) **2** (*moneta brasiliana*) real.

realgar /rɪˈælgə(r)/ n. ▢ (*miner.*) realgar (*solfuro d'arsenico*).

realia /riːˈɑːlɪə/ (*lat.*) n. pl. **1** (*filos.*) le cose reali; la realtà **2** (*USA*) materiale didattico tratto dalla vita reale (*spec. per la geografia e le lingue straniere*).

to **realign** /riːəˈlaɪn/ **A** v. t. riallineare **B** v. i. riallinearsi ‖ **realignment** n. ▢ **1** riallineamento: (*econ.*, *fin.*) **realignment of currencies**, riallineamento delle valute **2** (*econ.*, *fin.*) riassetto: **economic realignment**, riassetto economico.

to **realise** /ˈriːəlaɪz/ → **to realize**.

realism /ˈrɪəlɪzəm/ (*anche filos.*, *arte*, *polit.*) n. ▢ realismo ‖ **realist** a. e n. realista.

♦**realistic** /rɪəˈlɪstɪk/ a. realistico | **-ally** avv.

♦**reality** /rɪˈælətɪ/ n. **1** ▢ realtà: *One cannot escape from r.*, non si può sfuggire alla realtà **2** ▢ verosimiglianza; fedeltà; realismo: *The scene is reproduced with startling r.*, la scena è riprodotta con impressionante realismo **3** realtà; fatto reale; cosa reale: *His plan became a r.*, il suo piano diventò una realtà ● (*psic.*) **r. principle**, principio di realtà □ (*TV*) **r. show**, reality show (*programma con situazioni di vita reale vissute davanti alle telecamere*) □ **in r.**, in realtà; in verità.

realizable /ˈrɪəlaɪzəbl/ a. **1** comprensibile; di cui ci si può rendere conto **2** realizzabile; attuabile; effettuabile **3** (*fin.*) realizzabile: **r. property**, beni realizzabili ‖ **realizability** n. ▢ **1** comprensibilità **2** realizzabilità; attuabilità (*di un progetto*, *ecc.*).

realization /rɪəlaɪˈzeɪʃn/, USA -lɪˈz-/ n. ▢ **1** comprensione; presa di coscienza; riconoscimento: **the r. of the difficulties**, il riconoscimento delle difficoltà **2** realizzazione; attuazione; effettuazione; compimento: **the r. of one's hopes**, la realizzazione delle pro-

prie speranze **3** (*fin.*) realizzazione; realizzo; conversione in moneta (*di titoli, ecc.*).

♦to **realize** /ˈrɪəlaɪz/ **v. t. 1** comprendere; capire; rendersi conto di; realizzare: *He doesn't r. the risks he is running*, non capisce i rischi che corre; *I r. the difficulties*, mi rendo conto delle difficoltà; *'Oh, earth, you are too wonderful for anybody to r. you'* T. WILDER, 'oh, terra, sei troppo bella perché ci sia qualcuno che se ne renda conto' **2** dare realtà a; far apparire reale: *These details help to r. the scene*, questi particolari contribuiscono a dare realtà alla scena **3** attuare; avverare; realizzare; effettuare; soddisfare: **to r. one's hopes**, realizzare (o attuare) le proprie speranze; **to r. one's ambitions**, soddisfare le proprie ambizioni **4** (*fin.*) realizzare; convertire in moneta; ottenere: **to r. a credit**, realizzare un credito; **to r. a profit**, ottenere un profitto; **to r. securities**, realizzare titoli ❶ NOTA: *-ise o -ize?* → **-ise**.

to **reallocate** /riːˈæləkeɪt/ **v. t.** riassegnare; cambiare la destinazione di (*fondi, ecc.*) || **reallocation** n. ⓤⓒ nuova assegnazione; riallocazione.

♦**really** /ˈrɪəlɪ/ **avv.** realmente; veramente; davvero; proprio: **a r. hot day**, una giornata veramente calda; *«I'm flying to New York tomorrow». «Oh, r.?»*, «Domani prendo l'aereo per New York» «Davvero?» («Ah, sì?») ● (*fam.*) **Not r.?**, ma davvero?, ma cosa mi dici!

realm /rɛlm/ **n.** (*form.*) reame; regno: **the laws of the r.**, le leggi del regno; **the r. of fancy**, il regno della fantasia.

realtone /ˈriːltəʊn/ **n.** (*tel.*) real tone (*porzione di brano musicale reale usata come suoneria*).

realtor /ˈrɪəltə(r)/ **n.** (*in USA e Canada*) agente immobiliare (*iscritto all'albo*).

realty /ˈrɪəltɪ/ **n.** ⓤ (*leg.*) beni immobili; proprietà immobiliare.

ream /riːm/ **n. 1** risma (*480 o 500 fogli di carta da scrivere*) **2** (al pl.) (*fig., di scritti, carta stampata, ecc.*) grande quantità: *He writes reams and reams of verse*, scrive versi in grande quantità (o a getto continuo); *They have to wade through reams of useless data to find the information they require*, devono farsi strada tra montagne di dati inutili per trovare le informazioni che servono ● **printer's r.**, 516 fogli.

to **ream** /riːm/ **v. t. 1** (*mecc.*) alesare; svasare **2** (*USA*) spremere (*arance, limoni, ecc.*) **3** (*volg. USA*) fottere, chiavare; fregare, imbrogliare (*volg.*) **4** (*slang USA*; = **to r. out**) fare una sfuriata a (q.).

reamer /ˈriːmə(r)/ **n. 1** (*mecc.*) alesatore **2** (*USA*) spremiagrumi; spremifrutta.

reaming /ˈriːmɪŋ/ **n.** ⓤⓒ **1** (*mecc.*) alesatura; svasatura **2** (*slang USA*) sfuriata ● **r. bit**, allargatore (*utensile*).

to **reanimate** /riːˈænɪmeɪt/ **v. t.** rianimare; ravvivare || **reanimation** n. ⓤ rianimazione; ravvivamento.

to **reap** /riːp/ **v. t. e i. 1** mietere; falciare: **to r. wheat**, mietere il frumento **2** (*fig.*) raccogliere; cogliere: **to r. the fruits of one's industry**, raccogliere i frutti della propria operosità ● **to r. a crop** (o a harvest), fare un raccolto; (anche *fig.*) raccogliere i frutti □ (*fig.*) **to r. laurels**, mietere allori □ (*fig.*) **the reward of one's toils**, cogliere il frutto delle proprie fatiche □ (*fig.*) **to r. where one has not sown**, trarre profitto dal lavoro altrui; trarre profitto dal lavoro altrui (*prov.*) **You r. what (o as) you sow**, si raccoglie quello che si semina; (*solo in senso negativo*) chi la fa l'aspetti.

reaper /ˈriːpə(r)/ **n.** (*agric.*) **1** mietitore, mietitrice **2** mietitrice (*macchina*) ● **r. and binder** (o r.-binder), mietilegatrice; mieti-

lega.

reaping /ˈriːpɪŋ/ **n. 1** ⓤ mietitura; falciatura **2** raccolto ● **r. hook**, falce messoria; falciola □ **r. machine**, mietitrice (*macchina*).

to **reappear** /riːəˈpɪə(r)/ **v. i. 1** riapparire; ricomparire **2** (*med.: di malattia*) recidivare || **reappearance** n. ⓤⓒ **1** riapparizione; ricomparsa **2** (*med.: di malattia*) recidiva.

to **reapply** /riːəˈplaɪ/ **A v. t. 1** riapplicare **2** azionare di nuovo (*un meccanismo, ecc.*) **B v. i.** fare domanda di nuovo, rifare la domanda (*per un posto, ecc.*) ● **to r. oneself**, applicarsi (o dedicarsi) di nuovo (a qc.).

to **reappoint** /riːəˈpɔɪnt/ **v. t. 1** rinominare; riconfermare; rieleggere **2** stabilire (o fissare) di nuovo || **reappointment** n. ⓤⓒ riconferma; nuova nomina; rielezione.

to **reappraise** /riːəˈpreɪz/ **v. t.** rivalutare || **reappraisal** n. ⓤⓒ rivalutazione.

♦**rear** /rɪə(r)/ **A n. 1** (il) dietro, didietro; tergo; parte posteriore; retro: **the r. of the building**, il retro dell'edificio; **the r. of the wardrobe**, il dietro dell'armadio **2** (*mil. e sport*) retroguardia; retrovie: *The wounded were sent to the r. for safety*, i feriti furono mandati in salvo nelle retrovie; **r. wheel**, ruota di dietro **3** (*fam.*) deretano; sedere; didietro **4** (*fam.*) gabinetto; latrina **B a. attr.** posteriore, di dietro; sul retro: **the r. entrance**, l'entrata posteriore ● (*marina mil., in GB e in USA*) **R.-Admiral**, Contrammiraglio □ (*archit.*) **r.-arch**, arco interno (*di finestra o di porta*) □ (*mecc.*) **r. derailleur**, cambio (*di bicicletta*) □ (*autom.*) **r. drive**, trazione posteriore □ (*autom.*) **r.-driven**, a trazione posteriore □ **r. drop-out**, triangolo della forcella posteriore (*di bicicletta*) □ **r. end**, parte posteriore; didietro □ (*autom.*) **r. fog lamp**, (faro) retronebbia □ (*di bicicletta*) **r. gear**, cambio: **r. gear hanger**, attacco del cambio □ (*autom.*) **r. light**, fanale posteriore (o di coda) □ **the r. rank**, l'ultima fila; la fila di dietro □ (*autom.*) **r. reflector**, catarifrangente □ (*autom.*) **the r. seats**, i sedili posteriori □ (*autom.*) **r. shelf**, cappelliera (*sotto il lunotto*) □ (*d'arma da fuoco*) **r. sight**, tacca di mira; alzo □ (*autom.*) **r. stop lamp**, luce posteriore di stop □ **a r. view**, una vista della parte posteriore □ (*autom.*) **r.-view mirror**, specchietto retrovisore (*interno*; *cfr.* **wing mirror**, *sotto* **wing**) □ (*autom.*) **r. window**, lunotto □ (*autom.*) **r.-window washer**, tergilunotto; lavatergilunotto □ **to be at the r.**, essere in coda □ **at the r. of the church**, in fondo alla chiesa (*cioè verso l'entrata*) □ **to bring up** (o to take up) **the r.**, formare la retroguardia; (*nelle corse*) essere in coda □ (*mil.*) **to hang on the r. of the enemy**, stare alle calcagna del nemico □ **in the r. of the procession**, in fondo alla processione □ **to keep in the r.**, rimanere indietro.

to **rear** /rɪə(r)/ **A v. t. 1** alzare; drizzare; sollevare: **to r. one's hand [voice]**, alzar la mano [la voce]; *The cobra reared its head*, il cobra sollevò la testa **2** (*form.*) elevare; innalzare; costruire: **to r. a temple**, innalzare un tempio **3** allevare; educare; crescere (*bambini, ecc.*): **to r. dogs**, allevare cani **4** coltivare (*prodotti agricoli*) **B v. i.** (*di solito*, to **r. up**) **1** (*di un cavallo*) impennarsi **2** (*della folla, ecc.*) sollevarsi; ribellarsi **3** (*lett.*) ergersi; elevarsi: **high mountains rearing above the valley**, alti monti che si ergono sulla valle.

rear carriage /rɪəˈkærɪdʒ/ **loc. n.** (*autom.*) retrotreno (*di un veicolo*).

to **rear-end** /ˈrɪərɛnd/ **v. t.** (*autom. USA*) tamponare (q.) facendo marcia indietro || **rear-ender** n. tamponamento.

rearer /ˈrɪərə(r)/ **n. 1** allevatore: **cattle r.**, allevatore di bestiame **2** educatore **3** coltivatore **4** cavallo che s'impenna.

rearguard /ˈrɪəɡɑːd/ **n.** (*mil. e fig.*) retro-

guardia ● **r. action**, azione di retroguardia.

rearing /ˈrɪərɪŋ/ **n.** ⓤ **1** allevamento (*di animali*) **2** coltivazione **3** (*del cavallo*) impennata.

to **rearm** /riːˈɑːm/ **A v. t. 1** riarmare **2** (*mil.*) riattivare (*una bomba*) **B v. i.** riarmarsi || **rearmament** n. ⓤ riarmamento; riarmo.

rearmost /ˈrɪəməʊst/ **a.** (il) più arretrato; (l') ultimo.

to **rearrange** /riːəˈreɪndʒ/ **v. t. 1** riordinare; risistemare; riassettare (*anche econ.*) **2** fissare una nuova data per (*un incontro, una partita, ecc.*): *If I don't r. my flight I'll lose the money*, se non fisso una nuova data per il volo perderò i soldi || **rearrangement** n. ⓤⓒ **1** riordinamento; nuovo ordine; riassetto (*anche econ.*) **2** fissazione di una nuova data.

rearward ① /ˈrɪəwəd/ **n.** ⓤ **1** (*raro*) posizione arretrata; fondo; coda **2** (*spec.*) retroguardia; retrovie ● **in the r.**, in coda □ **to the r. of**, dietro a; alle spalle di.

rearward ② /ˈrɪəwəd/ **A a.** posteriore; di dietro **B avv.** di dietro; verso il fondo; in coda.

rearwards /ˈrɪəwədz/ **avv.** indietro; verso il fondo; verso la retroguardia.

to **reascend** /riːəˈsɛnd/ **v. t. e i.** risalire || **reascension** n. ⓤⓒ risalita.

♦**reason** /ˈriːzn/ **n. 1** ⓤ ragione; causa; motivo; intelletto; ragionevolezza; buonsenso: **the age of r.**, l'età della ragione; **to lose one's r.**, perdere la ragione; **to regain r.**, riacquistare l'uso della ragione; *There is no r. to believe that he lied*, non c'è motivo di credere che abbia mentito; *He always complains, with or without r.*, si lamenta sempre, a torto o a ragione **2** (*filos.*) premessa minore (*di un sillogismo*) ● **All the more r. to accept their offer**, una ragione di più per accettare la loro offerta! □ **as r. was**, secondo i dettami della ragione; come ragione comandava □ **to bring sb. to r.**, ridurre q. alla ragione; fare ragionare q. □ **by r. of**, a causa di; a motivo di □ **to give reasons for st.**, render ragione di qc. □ **to listen to** (o to hear) **r.**, ascoltare la voce della ragione; lasciarsi persuadere: *He won't listen to r.*, non vuole sentir ragione □ **out of all r.**, (in modo) del tutto irragionevole □ **to be restored to r.**, riacquistare l'uso della ragione □ **to see r.**, diventare ragionevole; farsi persuadere □ **to see r. to do st.**, aver motivo di far qc. □ **to state the r. for st.**, motivare qc. □ **within r.**, entro limiti ragionevoli □ **It stands to r. that...**, non si può negare che...; è ovvio che... □ **There is r. in what you say**, quel che dici è ragionevole; c'è del vero in ciò che dici □ **There is no earthly r. why he should refuse**, non c'è un motivo al mondo perché debba rifiutare.

to **reason** /ˈriːzn/ **A v. i. 1** ragionare; riflettere, argomentare: **the ability to r.**, la capacità di ragionare; **to r. about** (o on) **politics**, ragionare di politica **2** – **to r. with**, ragionare con; cercare di convincere: *You simply cannot r. with him*, con lui proprio non si ragiona: **B v. t. 1** (*spec. al passivo*) ragionare: **a reasoned conclusion**, una conclusione ragionata **2** valutare (*a lume di ragione*); arguire; calcolare; ritenere: *Comparing men and apes, Darwin reasoned that they must have a common ancestor*, confrontando l'uomo e la scimmia, Darwin arguì che dovevano avere un antenato comune **3** convincere (*con il ragionamento*): **to r. sb. into doing st.**, convincere q. a fare qc.; **to r. sb. out of an idea**, convincere q. a rinunciare a un'idea ● **to r. out**, ragionare a fondo su; risolvere ragionando: **to r. out a problem**, risolvere un problema.

♦**reasonable** /ˈriːznəbl/ **a. 1** ragionevole;

conforme alla ragione; discreto; giusto; conveniente: *Be r.*, sii ragionevole (*o* siate ragionevoli); **a r. explanation**, una spiegazione ragionevole; **a r. price**, un prezzo ragionevole **2** (*di un articolo*) a buon mercato; venduto a un prezzo ragionevole | **-ness** n. ▫.

♦**reasonably** /'riːznəblɪ/ avv. ragionevolmente ● (*di un articolo*) **r. priced**, dal prezzo ragionevole: **r. priced foods**, generi alimentari a un prezzo ragionevole.

reasoner /'riːznə(r)/ n. chi ragiona; ragionatore, ragionatrice ● **a clever r.**, uno che ragiona bene.

reasoning /'riːznɪŋ/ **A** n. **1** ragionamento; argomentazione **2** ▫ raziocinio; ragionamento; modo di ragionare **B** a. ragionevole; razionale: **a r. being**, una creatura razionale.

reasonless /'riːznləs/ a. **1** privo della ragione **2** irragionevole; irrazionale **3** privo di motivo; immotivato; senza ragione.

to **reassemble** /riːə'sɛmbl/ **A** v. t. **1** radunare (*o* riunire) di nuovo **2** (*mecc.*) rimontare; montare di nuovo **B** v. i. adunarsi (*o* riunirsi) nuovamente || **reassembly** n. ▫ **1** nuova riunione, nuova adunanza (*di persone*) **2** (*mecc.*) rimontaggio; riassemblaggio.

to **reassert** /riːə'sɜːt/ v. t. riaffermare; riasserire || **reassertion** n. ▫ riasserzione.

to **reassess** /riːə'sɛs/ v. t. **1** valutare di nuovo; rivedere, correggere (*un'impressione, ecc.*) **2** (*fisc.*) fissare di nuovo (*un'imposta*); riaccertare (*l'imponibile*) **3** (*ass.*) valutare nuovamente (*un danno, ecc.*) || **reassessment** n. ▫ **1** nuova valutazione; revisione, modifica (*di un'opinione, ecc.*) **2** (*fisc.*) nuova determinazione d'imposta; nuovo accertamento (*dell'imponibile*) **3** (*ass.*) nuova valutazione (*di un danno, ecc.*).

to **reassign** /riːə'saɪn/ v. t. **1** riassegnare; (*fin.*) stanziare di nuovo **2** rifissare (*una data, ecc.*) **3** (*leg.*) cedere (*o* trasferire) di nuovo (*un bene*) || **reassignment** n. ▫ **1** riassegnazione; (*fin.*) nuovo stanziamento (*di fondi*) **2** nuova nomina **3** (*leg.*) nuova cessione (*di beni*) **4** (*comput.*) nuova attribuzione (*di valori, ecc.*).

to **reassume** /riːə'sjuːm/ v. t. riassumere (*una carica, ecc.*); riprendere || **reassumption** n. ▫ riassunzione (*di una carica, ecc.*); il riprendere; ripresa.

reassurance /riːə'ʃʊərəns/ n. **1** (*ass.*) riassicurazione **2** rassicurazione.

to **reassure** /riːə'ʃʊə(r)/ v. t. **1** (*ass.*) riassicurare **2** rassicurare; tranquillizzare || **reassuring** a. rassicurante || **reassuringly** avv. rassicurantemente.

to **reattempt** /riːə'tɛmpt/ v. t. ritentare; riprovare.

to **reave** /riːv/ (pass. e p. p. **reft** /rɛft/, *USA* anche **reaved**) (*arc.*) **A** v. t. **1** depredare; derubare **2** rubare **B** v. i. fare razzia; darsi al saccheggio.

to **reawaken** /riːə'weɪkən/ **A** v. t. risvegliare (*anche fig.*) **B** v. i. risvegliarsi || **reawakening** n. risveglio (*anche fig.*).

re-balance /riː'bæləns/ n. (*autom.*) bilanciatura (*delle ruote*).

rebaptism /riː'bæptɪzəm/ n. (*relig.*) ▫ secondo battesimo.

to **rebaptize** /riː'bæptaɪz/ v. t. ribattezzare.

rebarbative /rɪ'bɑːbətɪv/ a. repellente; ripugnante; scostante.

rebate ① /'riːbeɪt/ n. **1** (*comm.*) riduzione; ribasso; sconto; abbuono **2** (*fin.*) rimborso: **a r. on one's income tax**, un rimborso di parte dell'imposta sul reddito.

rebate ② /'riːbeɪt/ → **rabbet**.

to **rebate** ① /rɪ'beɪt/ **A** v. t. **1** (*comm.*) fare uno sconto di, praticare un ribasso di

(*una certa somma*) **2** concedere uno sconto a (q.) **3** (*fin.*) rimborsare (*interessi pagati, ecc.*) **B** v. i. (*comm.*) concedere sconti; praticare ribassi.

to **rebate** ② /'riːbeɪt/ → **to rabbet**.

rebec, **rebeck** /'riːbɛk/ n. (*mus.*) ribecca, ribeca (*antico strumento*).

♦**rebel** /'rɛbl/ n. **1** ribelle; rivoltoso **2** (*stor., USA*) sudista; del Sud ● (*mil.*) **the r. army**, l'esercito dei rivoltosi.

to **rebel** /rɪ'bɛl/ v. i. ribellarsi; rivoltarsi; insorgere: *The army rebelled against their leaders*, l'esercito si ribellò ai suoi capi; **to r. against authority**, ribellarsi all'autorità.

rebellion /rɪ'bɛlɪən/ n. **1** ribellione; rivolta; insurrezione; sedizione **2** ▫ insubordinazione; riottosità.

rebellious /rɪ'bɛlɪəs/ a. ribelle; rivoltoso; riottoso; insubordinato; sedizioso: **a r. pupil**, uno studente ribelle; **a r. disease**, una malattia ribelle (*alle cure*); **a r. meeting**, un'adunata sediziosa | **-ly** avv. | **-ness** n. ▫.

to **rebind** /riː'baɪnd/ (pass. e p. p. **rebound**), v. t. legare di nuovo; rilegare di nuovo (*un libro*).

rebirth /riː'bɜːθ/ n. ▫ **1** rinascita; rinascimento **2** (*relig.*) rinascita spirituale; rigenerazione.

reboot /riː'buːt/ n. (*comput.*) reinizializzazione; riavvio.

to **reboot** /riː'buːt/ v. t. (*comput.*) reinizializzare; riavviare.

reborn /riː'bɔːn/ a. **1** rinato; nato a nuova vita **2** (*relig.*) rigenerato.

rebound ① /riː'baʊnd/ **A** pass. e p. p. di **to rebind** **B** a. (*di libro*) legato (*o* rilegato) di nuovo.

rebound ② /'riːbaʊnd/ n. **1** rimbalzo; contraccolpo: **to hit a ball on the r.**, colpire la palla di rimbalzo; (*basket*) **to grab a r.**, prendere un rimbalzo; (*calcio, ecc.*) **a lucky r.**, un rimbalzo (*o* un rimpallo) fortunato **2** (*econ., fin.*) ripresa, risalita (*di prezzi, quotazioni, ecc.*): *GDP grew by over 2 per cent despite a strong r. in imports*, il PIL crebbe di oltre il 2% nonostante la forte ripresa delle importazioni ● (*fig.*) **on the r.**, come reazione immediata; a caldo, a botta calda: *Jilted by Ann, Joe had an affair on the r. with her best friend*, mollato da Ann, a caldo Joe ebbe una storia con la migliore amica di lei.

to **rebound** /rɪ'baʊnd/ v. i. **1** rimbalzare **2** (*fig.*) ricadere, ripercuotersi (*su q.*); tornare a danno (*di q.*): *His bad action will r. upon him*, la sua cattiva azione ricadrà sul suo capo **3** (*fin.: di prezzi, quotazioni, ecc.*) risalire; tornare al livello di prima; registrare una ripresa.

rebounder /'riːbaʊndə(r)/ n. (*basket*) rimbalzista.

to **rebrand** /riː'brænd/ v. t. rinnovare l'immagine di (*un prodotto, una società*); rimodernare.

rebroadcast /riː'brɔːdkɑːst/ n. (*radio, TV*) ritrasmissione.

to **rebroadcast** /riː'brɔːdkɑːst/ (pass. e p. p. **rebroadcast**), v. t. (*radio, TV*) ritrasmettere.

rebuff /rɪ'bʌf/ n. ripulsa; secco rifiuto.

to **rebuff** /rɪ'bʌf/ v. t. rifiutare seccamente; respingere sdegnosamente; snobbare (*un'offerta, ecc.*).

to **rebuild** /riː'bɪld/ (pass. e p. p. **rebuilt**), v. t. **1** (*edil.*) ricostruire; riedificare; restaurare **2** (*fig.*) ricostruire; riorganizzare (*la società, un partito, ecc.*) ● **to r. one's confidence**, riacquistare fiducia □ **to r. one's hopes**, ricominciare a sperare || **rebuilding** n. ▫ **1** (*edil.*) ricostruzione; riedificazione; restauro (*conservativo*) **2** (*fig.*) ricostruzione; riorganizzazione.

rebuke /rɪ'bjuːk/ n. rimprovero; ramanzi-

na; sgridata: **to administer a r.**, dare una sgridata; fare una ramanzina.

to **rebuke** /rɪ'bjuːk/ v. t. rimproverare; sgridare aspramente || **rebukingly** avv. in tono di rimprovero.

rebus /'riːbəs/ n. (*enigmistica*) rebus.

to **rebut** /rɪ'bʌt/ v. t. **1** (*form.*) rifiutare; respingere **2** (*leg.*) respingere; rigettare: **to r. a charge**, respingere un'accusa **3** (*anche leg.*) confutare; oppugnare (*prove*) || **rebuttable** a. confutabile; oppugnabile ● (*leg.*) **rebuttable presumption**, presunzione refutabile.

rebuttal /rɪ'bʌtl/ n. ▫ **1** rifiuto; ripulsa **2** (*leg.*) rigetto (*di un'accusa*); diniego (*di un'istanza*) **3** (*anche leg.*) confutazione, oppugnazione (*di prove, ecc.*) ● **r. evidence**, prove confutative □ **r. witness**, testimone a discarico (*chiamato a confutare le tesi dell'accusa*).

rebutter /rɪ'bʌtə(r)/ n. **1** chi rifiuta; chi respinge **2** (*anche leg.*) chi confuta **3** (*leg.*) replica del convenuto; difesa.

rec. abbr. **1** (**receipt**) ricevuta (ric.) **2** (**received**) ricevuto **3** (**recommended**) raccomandato **4** (**recording**) registrazione.

recalcitrant /rɪ'kælsɪtrənt/ a. ricalcitrante; ostinato; restio; riluttante || **recalcitrance** n. ▫ ricalcitramento; opposizione; ostinazione; riluttanza.

recalescence /riːkə'lɛsəns/ n. ▫ (*metall.*) recalescenza.

to **recalibrate** /riː'kælɪbreɪt/ v. t. (*anche fig.*) ricalibrare.

recall /rɪ'kɔːl/, *USA* 'riːkɔːl/ n. **1** (di solito al sing.) richiamo (*spec. di un funzionario, di un diplomatico*) **2** (*mil., naut.*) ritirata: **to sound the r.**, suonare la ritirata **3** ▫ (*leg.*) revoca, annullamento (*di una sentenza: per ragioni di fatto*); cfr. **reversal**, def. 3) **4** (di solito al sing.) (*ind., comm.*) ritiro (dal commercio) (*di prodotti deteriorati o difettosi*) **5** (*telef.*) richiamo; segnalatore **6** ▫ (*anche pubbl.*) capacità di ricordare: **to have total r. of st.**, ricordare qc. perfettamente ● **the r. of Parliament**, la riconvocazione del parlamento □ **beyond** (*o* **past**) **r.**, (avv.) irrevocabilmente; (agg.) irrevocabile; che non si può ricordare, dimenticare.

♦to **recall** /rɪ'kɔːl/ v. t. **1** richiamare; far ritornare (*in patria, ecc.*): **to r. an ambassador**, richiamare un ambasciatore **2** richiamare alla mente; far venire in mente; rievocare: **to r. the days of one's youth**, rievocare i giorni della gioventù **3** (*anche leg.*) revocare; annullare (*una sentenza: per motivi di fatto*; cfr. **to reverse**, def. 3): **to r. a decision**, revocare una decisione **4** (*poet.*) richiamare in vita; far rivivere; rianimare (*anche fig.*) **5** (*ind., comm.*) ritirare (dal commercio) (*prodotti deteriorati o difettosi*) **6** (*mil.*) richiamare alle armi ● (*polit.*) **to r. Parliament**, riconvocare il parlamento.

recallable /rɪ'kɔːləbl/ a. **1** che può essere richiamato; richiamabile (*in patria, ecc.*) **2** che può essere ricordato **3** (*anche leg.*) revocabile; annullabile.

to **recant** /rɪ'kænt/ v. t. e i. **1** ritrattare; ripudiare, ritirare (*un'affermazione, ecc.*) **2** abiurare || **recantation** n. ▫ **1** ritrattazione **2** abiura || **recanter** n. **1** ritrattatore **2** chi abiura.

recap ① /'riːkæp/ n. (*USA e Austral.*) pneumatico ricostruito; pneumatico rigenerato.

recap ② /'riːkæp/ n. (*fam.*) **1** ricapitolazione; riassunto **2** (*sport*) sommario (*di una partita*).

to **recap** ① /'riːkæp/ v. t. (*USA e Austral.*) ricostruire, rigenerare (*un pneumatico*).

to **recap** ② /'riːkæp/ v. t. e i. (*fam.*) ricapitolare; riassumere.

to **recapitalize** /riː'kæpɪtəlaɪz/ (*fin.*) v. t. ricapitalizzare (*un'azienda, ecc.*) || **recapi-**

a
b
c
d
e
f
g
h
i
j
k
l
m
n
o
p
q
r
s
t
u
v
w
x
y
z

talization n. ⓤ ricapitalizzazione.

to **recapitulate** /riːkəˈpɪtʃʊleɪt/ v. t. e i. ricapitolare; riassumere ‖ **recapitulatory a.** riassuntivo.

recapitulation /riːkəpɪtʃʊˈleɪʃn/ n. ⓤⒸ (anche biol.) ricapitolazione; riassunto.

recapitulative /riːkəˈpɪtʃʊlətɪv/ a. (biol.) ricapitolativo.

recaption /riːˈkæpʃn/ n. ⓤ (leg.) ripresa di possesso di beni immobili illecitamente sottratti (forma di autotutela, senza intervento del giudice).

recapture /riːˈkæptʃə(r)/ n. ⓤ 1 (mil.) riconquista (di una posizione, ecc.) 2 ricattura (di un evaso, ecc.) 3 (leg., naut.) ricattura marittima.

to **recapture** /riːˈkæptʃə(r)/ v. t. 1 (spec. mil.) riprendere; riconquistare 2 ricatturare; riprendere (un evaso) 3 (fig.) ritrovare, riacquistare (una capacità, una sensazione, ecc.) 4 (lett.) riuscire a ricreare (un'atmosfera, ecc.).

recast /riːˈkɑːst/ n. ⓤ© 1 (metall.) rifusione; il rifondere 2 (fig.) rifacimento; rimaneggiamento; (polit.) rimpasto 3 (teatr.) ridistribuzione delle parti.

to **recast** /riːˈkɑːst/ (pass. e p. p. **recast**), v. t. 1 (metall.) rifondere; fondere di nuovo: **to r. a bronze statue**, rifondere una statua di bronzo 2 (fig.) ricomporre; rimaneggiare; rifare; riscrivere; riformulare (un documento): **to r. a novel**, rimaneggiare un romanzo; **to r. a chapter**, riscrivere un capitolo 3 (teatr.) ridistribuire le parti di (un dramma) ● (mat., rag.) **to r. a column of figures**, rifare l'addizione di una colonna di cifre □ (teatr.) **He was recast as Polonius**, gli fu assegnata la parte di Polonio (in sostituzione di un'altra).

recce /ˈrɛki/ n. ©ⓤ (gergo mil., abbr. di **reconnaissance**) ricognizione; perlustrazione.

recd abbr. (anche **rec'd**) (**received**) ricevuto.

to **recede** /rɪˈsiːd/ v. i. 1 recedere; indietreggiare; ritirarsi; cedere; rinunciare (a): The high water receded, l'acqua alta (dell'inondazione, della marea) si ritirò; **to r. from an undertaking**, rinunciare a un'impresa 2 allontanarsi (dalla vista, dalla memoria); perdersi (nella lontananza); svanire: Memories of childhood r., i ricordi dell'infanzia si perdono (o si allontanano) 3 (di prezzi, ecc.) calare; diminuire; ribassare; essere in ribasso 4 (econ.) (di un'economia, ecc.) rallentare 5 (dei capelli) cominciare a cadere (sulla fronte, sulle tempie); diradarsi: My hair is beginning to r., comincio a stempiarmi ● (fig.) **to r. in the background**, perdere importanza; perdere interesse □ Our hopes receded, le nostre speranze si affievolirono.

receding /rɪˈsiːdɪŋ/ a. rientrante; sfuggente: **to have a r. chin**, avere il mento sfuggente ● **r. hairline**, stempiatura □ **to have a r. hairline**, essere stempiato.

♦**receipt** /rɪˈsiːt/ n. 1 ⓤ ricezione; ricevimento; ricevuta: (comm.) **upon r. of the goods**, al ricevimento della merce; Please acknowledge r. of our letter, favorite accusare ricevuta della nostra lettera; Here's your r., ecco a lei la ricevuta 2 ricevuta; quietanza: **to sign a r.**, firmare una ricevuta; **a r. in full**, una ricevuta a saldo; **a r. on account**, una ricevuta in conto; Have you got the r.?, ha la ricevuta? 3 (pl.) introiti; entrate; proventi; incassi 4 (arc. o dial. USA) ricetta (culinaria) ● **r. book**, (comm.) registro delle ricevute; bollettario □ **r. stamp**, bollo per ricevuta; bollo di quietanza □ (comm., bur.) **to be in r. of**, aver ricevuto; accusare ricevuta di: We are in r. of your letter dated the 3rd of March, abbiamo ricevuto la vostra lettera del 3 marzo □ **to make out a r.**,

compilare (o fare, rilasciare) una ricevuta **❶ FALSI AMICI • nell'inglese attuale** receipt non significa ricetta.

to **receipt** /rɪˈsiːt/ (comm.) v. t. 1 quietanzare (una fattura, un conto): **receipted invoice**, fattura quietanzata 2 (USA) accusare ricevuta di (merce) ‖ **receipting** n. ⓤ il quietanzare ● **receipting machine**, quietanzatrice (macchina).

receivable /rɪˈsiːvəbl/ Ⓐ a. 1 ricevibile 2 (anche leg.) accettabile 3 (comm.) esigibile: **bills r.**, effetti esigibili; cambiali esigibili Ⓑ n. pl. (rag., = **accounts r.**) crediti da clienti; (come intestazioni di conto) «clienti»; «debitori» ● (rag.) **receivables turnover**, indice di dilazione dei pagamenti.

♦to **receive** /rɪˈsiːv/ Ⓐ v. t. 1 ricevere; accogliere; ottenere; riscuotere (denaro): **to r. a letter [a telegram]**, ricevere una lettera [un telegramma]; **to r. a prize**, ricevere (o ottenere) un premio; He received a favourable impression, ricevette (o ebbe) un'impressione favorevole; The film was well received by the critics, il film fu ben accolto dai critici (o ebbe un buon responso di critica); How did she r. your offer?, come accolse la tua offerta?; **to r. medical treatment**, ricevere cure mediche; **to r. a blow on one's head**, ricevere un colpo in testa; **to r. one's pay**, ricevere la paga 2 (radio, TV, telef., ecc.) ricevere; sentire: Are you receiving me?, mi sentite?; Receiving you loud and clear, ti riceviamo forte e chiaro; How many channels do you r.?, quanti canali ricevete? 3 accettare (qc.) come vero; dare credito a; accettare: **to r. a theory**, dare credito a una teoria 4 (relig.) ricevere (una confessione, la comunione): **to r. Holy Communion**, ricevere (o fare) la Comunione 5 (leg.) ricettare: **to r. stolen goods**, ricettare refurtiva, fare il ricettatore 6 (relig.) accogliere, accettare: **to be received into the Roman Catholic Church**, essere accolto in seno alla Chiesa Cattolica; convertirsi al cattolicesimo Ⓑ v. i. 1 ricevere; accettare clienti: The dentist doesn't r. on Saturday afternoons, il dentista non riceve il sabato pomeriggio 2 ricevere; fare ricevimenti 3 (relig.) comunicarsi; fare la comunione 4 (leg.) ricettare; fare il ricettatore 5 (sport: baseball, cricket) andare alla ricezione; giocare in difesa 6 (tennis, = **to r. service**) essere alla risposta.

received /rɪˈsiːvd/ a. 1 ricevuto (→ **to receive**) 2 generalmente accettato; diffuso; generale; invalso: **the r. version**, la versione generalmente accettata; **r. opinions**, opinioni invalse 3 (ling.) acquisito ● (fon.) **r. pronunciation**, pronuncia standard (dell'inglese).

receiver /rɪˈsiːvə(r)/ n. 1 chi riceve; (comm.) ricevente, ricevitore, destinatario: **the r. of the goods**, il ricevente della merce; (sport) **the r. of a pass**, il giocatore che riceve la palla 2 (fin.) tesoriere 3 (leg.) curatore (dei beni di un incapace o di un immobile ipotecato) 4 (leg., in GB; = **r. in bankruptcy, official r.**) custode giudiziario, sequestratario, curatore ad interim (nella procedura fallimentare: prima dell'eventuale dichiarazione di fallimento; cfr. **trustee**, def. 2) 5 (leg., = **r. of stolen goods**) ricettatore 6 (leg., USA) amministratore giudiziale (nell'amministrazione controllata); (anche) liquidatore (di un'azienda) 7 (telef.) ricevitore; cornetta 8 (radio) apparecchio ricevente; ricevitore 9 (chim.) recipiente di raccolta; serbatoio 10 (sport: tennis, pallavolo, ecc.) giocatore alla ricezione; chi risponde a un servizio; tennista alla rimessa 11 (football americano) ricevitore 12 (ling.) ricevente; destinatario.

receivership /rɪˈsiːvəʃɪp/ n. ⓤ (leg.) 1 curatela (dei beni di un incapace o di un immobile ipotecato) 2 custodia giudiziaria; curatela ad interim (cfr. **receiver**, def. 4) 3 (USA)

amministrazione controllata: The corporation has been put into r., la società è stata messa in amministrazione controllata.

receiving /rɪˈsiːvɪŋ/ Ⓐ a. 1 ricevente; che riceve 2 (sport) che è alla ricezione: (pallavolo) **the r. team**, la squadra che è alla ricezione (o che effettua i rilanci) Ⓑ n. ⓤ 1 (leg., = **r. stolen goods**) ricettazione 2 (form.) ricezione 3 (tennis, pallavolo, ecc.) ricezione, rimessa; risposta ● (leg.) **r. order**, provvedimento di nomina di un curatore fallimentare (cfr. **receiver**, def. 4) □ **r. set**, apparecchio radioricevente □ (fig. fam.) **to be on the r. end of**, essere il destinatario (o essere fatto oggetto) di (reclami, critiche, ecc.).

recency /ˈriːsnsɪ/ n. ⓤ l'esser recente; freschezza (di una notizia, ecc.).

recension /rɪˈsɛnʃn/ n. ⓤ© (filol.) recensione.

♦**recent** /ˈriːsnt/ a. recente: **r. discoveries**, scoperte recenti ● **r. buds**, germogli novelli ‖ **-ness** n. ⓤ.

♦**recently** /ˈriːsntlɪ/ avv. recentemente; di recente; da poco tempo: **r. published**, pubblicato di recente; **more r.**, più recentemente.

receptacle /rɪˈsɛptəkl/ n. 1 ricettacolo (anche bot. e zool.) 2 contenitore 3 (elettr. USA) presa di corrente; presa.

♦**reception** /rɪˈsɛpʃn/ n. 1 ⓤ© ricevimento; il ricevere: There will be a r. in honour of the new director, ci sarà un ricevimento in onore del nuovo direttore; They're going to have a big r. afterwards, dopo daranno un grande ricevimento; **after the r. of the goods**, dopo il ricevimento della merce 2 accoglienza: **a warm r.**, un'accoglienza calorosa 3 ⓤ (radio, TV) ricezione: R. was poor, la ricezione era mediocre 4 ⓤ (in albergo) accettazione; reception; ricezione 5 ⓤ (sport) ricezione 6 ⓤ (raro) accettazione; approvazione: **the general r. of his theories**, l'accettazione delle sue teorie da parte di tutti ● **r. centre**, centro di accoglienza (per immigrati clandestini, ecc.) □ (nelle scuole materne) **r. class**, prima classe (4-5 anni d'età) □ (USA) **r. clerk → receptionist** □ **r. desk**, bureau, accettazione, ricezione (in albergo) □ **r. office**, (ufficio) ricezione (in una casa); sala d'attesa (di medico, ecc.); salotto, soggiorno (di casa privata) □ **to have** (o **to get**) **a bad [a good, a mixed] r.**, essere accolto male [bene, così e così] □ His latest novel has had a favourable r., il suo ultimo romanzo ha incontrato il favore del pubblico (o della critica) □ The proposal had a favourable r., la proposta fu accolta favorevolmente.

receptionist /rɪˈsɛpʃənɪst/ n. 1 (tur.) receptionist; chi riceve i clienti (in un albergo, ecc.) 2 (di medico o dentista) assistente di studio; infermiere (che risponde al telefono, prende appuntamenti, ecc.).

receptive /rɪˈsɛptɪv/ a. ricettivo: **a r. mind**, una mente ricettiva ‖ **receptiveness**, **receptivity** n. ⓤ ricettività.

receptor /rɪˈsɛptə(r)/ n. (biol., fisiol.) recettore.

recess /rɪˈsɛs, USA ˈriːsɛs/ n. 1 ⓤ© interruzione (del lavoro, dello studio, ecc.); intervallo; pausa 2 recesso (anche fig.): **in the innermost recesses of one's soul**, nei più segreti recessi dell'anima 3 rientranza; nicchia; alcova 4 (in GB) chiusura del Parlamento (per le vacanze o nell'imminenza di nuove elezioni) 5 (leg.) breve sospensione (di un'udienza) 6 (USA) intervallo, ricreazione (tra due lezioni delle elementari) ● **r. bed**, letto a scomparsa; letto che s'incassa nel muro.

to **recess** /rɪˈsɛs, USA ˈriːsɛs/ Ⓐ v. t. 1 fare una nicchia (o un incavo) in (un muro, ecc.) 2 (edil.) incassare Ⓑ v. i. (form.) interrompere l'attività (o il lavoro, lo studio); andare

in ferie; (*leg.*, *polit.*) sospendere i lavori (*o* l'udienza).

♦**recession** /rɪˈsɛʃn/ n. **1** ⓤ (il) recedere; arretramento; (il) ritirarsi; ritiro **2** rientranza; incasso; nicchia; vano **3** ⓤ (*astron.*) recessione: **the r. of galaxies**, la recessione delle galassie **4** ⓤ (*biol.*) recessione (*dei caratteri*) **5** ⓤⓒ (*econ.*) recessione; periodo di recessione; congiuntura negativa: *The country went into r.*, il paese entrò in un periodo di recessione **6** (*geol.*) ritiro glaciale **7** (*relig.*) processione del clero in uscita.

recessional /rɪˈsɛʃənl/ Ⓐ n. (*relig.*, = **r. hymn**) inno cantato al termine dell'ufficio (*mentre il sacerdote e il coro si ritirano*) Ⓑ a. **1** di (*o* da, per) «recessional»: **r. music**, musica per «recessional» **2** relativo a (*o* che avviene durante) la sospensione dei lavori parlamentari ● (*geol.*) **r. moraine**, morena di ritiro glaciale.

recessionary /rɪˈsɛʃənrɪ/ a. (*econ.*) recessivo; recessionistico.

recessive /rɪˈsɛsɪv/ a. (*biol.*) recessivo: **r. characters**, caratteri recessivi | **-ly** avv. | **-ness** n. ⓤ.

Rechabite /ˈriːkæbaɪt/ n. (*fig.*) astemio (*dal personaggio biblico Rechab*).

to **rechannel** /riːˈtʃænl/ v. t. rincanalare.

recharge /riːˈtʃɑːdʒ/ n. **1** ricarica; nuova carica **2** (*idrologia*) ricarica; ravvenamento: **r. well**, pozzo di ricarica.

to **recharge** /riːˈtʃɑːdʒ/ v. t. e i. (*mil.*, *elettr.*, *ecc.*) ricaricare; caricare di nuovo: **to r. a battery**, ricaricare una batteria; *The wounded bull recharged*, il toro ferito caricò di nuovo ● (*fig.*) **to r. one's batteries**, ricaricare le batterie.

rechargeable /riːˈtʃɑːdʒəbl/ a. (*elettr.*, *ecc.*) ricaricabile.

recharger /riːˈtʃɑːdʒə(r)/ n. (*elettr.*) caricabatterie.

recherché /rəˈʃɛəʃeɪ/ (*franc.*) a. ricercato; troppo raffinato.

to **rechristen** /riːˈkrɪsn/ v. t. ribattezzare.

to **recidivate** /rɪˈsɪdɪveɪt/ v. i. (*leg.*) recidivare.

recidivist /rɪˈsɪdɪvɪst/ a. e n. (*leg.*) recidivo ‖ **recidivism** n. ⓤ tendenza a recidivare; (*leg.*) recidiva; recidività.

♦**recipe** /ˈresəpɪ/ n. ricetta (*medica, di cucina e fig.*); prescrizione medica; (*fig.*) chiave ● **the r. for success**, la formula per il successo.

recipiency /rɪˈsɪpɪənsɪ/ n. ⓤ **1** ricevimento; il ricevere **2** capacità di ricezione; ricettività.

recipient /rɪˈsɪpɪənt/ Ⓐ a. ricettivo; capace di (*o* pronto a) ricevere Ⓑ n. **1** ricevente; destinatario (*di merci, di lettere, ecc.*); chi riceve; chi ha ricevuto: **the r. of a prize**, chi ha ricevuto un premio **2** beneficiario (*di un sussidio, ecc.*) ❶ Falsi amici • recipient *non significa* recipiente.

reciprocal /rɪˈsɪprəkl/ Ⓐ a. **1** reciproco; scambievole; vicendevole; mutuo: **r. love** [**hatred**], amore [odio] reciproco (*gramm.*) **r. pronouns**, pronomi reciproci **2** stesso; fatto (*o* dato) in cambio; ricambiato: **a r. benefit**, un beneficio fatto in cambio (*di un altro*) **3** (*comm.*) di reciprocità; bilaterale: **r. trade agreements**, accordi commerciali di reciprocità Ⓑ n. **1** (*mat.*) reciproco; inverso **2** (*gramm.*) pronome (*o* verbo) reciproco ● (*leg.*) **r. contract**, contratto sinallagmatico □ (*geom.*) **r. pole**, antipolo □ (*mat.*) **r. ratio**, rapporto inverso | **-ly** avv.

reciprocality /rɪsɪprəˈkælətɪ/ n. ⓤ reciprocità.

to **reciprocate** /rɪˈsɪprəkeɪt/ v. t. e i. **1** (*mecc.*) muovere (muoversi) con moto alterno (*o* alternativo) **2** contraccambiare; ricambiare: *I r. her affection*, contraccambio

il suo affetto **3** scambiare, scambiarsi ● **to r. enmity**, essere nemici; odiarsi a vicenda.

reciprocating /rɪˈsɪprəkeɪtɪŋ/ a. (*mecc.*) alternativo; a moto alternativo: **r. motion**, moto alternativo; **a r. engine**, un motore alternativo (*a pistoni, a stantuffi*); **r. compressor**, compressore alternativo ● (*tecn.*) **r.--plate feeder**, alimentatore a scosse.

reciprocation /rɪsɪprəˈkeɪʃn/ n. ⓤ **1** contraccambio; ricambio; scambio: **the r. of kindnesses [of wishes]**, lo scambio di gentilezze [degli auguri] **2** (*mecc.*) moto alternativo (*o* a va e vieni).

reciprocity /resɪˈprɒsətɪ/ n. ⓤ (*anche comm.*, *polit.*, *scient.*) reciprocità (*di trattamento, ecc.*): (*mat.*) **r. law**, legge di reciprocità; **r. in trade**, reciprocità di trattamento nel commercio estero.

recital /rɪˈsaɪtl/ n. **1** (*form.*) racconto; relazione; narrazione; resoconto; rapporto **2** (*mus.*, *teatr.*) recital, esibizione solistica (*di cantante, danzatore o attore*) **3** (spesso al pl.) (*leg.*) parte introduttiva (*di una comparsa*) **4** (*fig.*) sequela; lunga litania; filastrocca (*di lamentele, ecc.*).

recitation /resɪˈteɪʃn/ n. **1** (*form.*) racconto; narrazione; resoconto **2** ⓤⓒ recitazione; declamazione (*di poesie, ecc.*) **3** brano imparato (*o* da imparare) a memoria **4** ⓤ (*USA*) ripetizione della lezione (*da parte degli alunni*).

recitative /resɪtəˈtiːv/ a. e n. (*mus.*, *teatr.*) recitativo.

to **recite** /rɪˈsaɪt/ v. t. e i. **1** recitare a memoria; declamare (*poesie, ecc.*) **2** enumerare; fare l'elenco di; raccontare; dire: **to r. a catalogue of troubles**, fare un lungo elenco dei propri guai ● **to r. examples**, citare esempi □ (*USA*) **to r. one's lesson**, dire la lezione (*a scuola*) ‖ **reciter** n. **1** recitatore, recitatrice; declamatore, declamatrice **2** raccolta di brani da recitare.

reckless /ˈreklɪs/ a. incurante degli altri; avventato; incauto; imprudente; sconsiderato; spericolato; sfrenato; esasperato: **r. of consequences**, incurante delle conseguenze; **a r. driver**, un guidatore spericolato; **r. exploitation of the soil**, sconsiderato sfruttamento del suolo; (*sport*) **r. tackling**, contrasti esasperati ● (*leg.*) **r. endangerment**, condotta imprudente □ (*leg.*) **r. murder**, omicidio causato da imprudenza deliberata | **-ly** avv. | **-ness** n. ⓤ.

♦to **reckon** /ˈrekən/ v. t. e i. **1** calcolare; computare; contare: **to r. the cost of st.**, calcolare il costo di qc.; **reckoning from 2000**, a contare dall'anno 2000 **2** calcolare; stimare: *How much do you r. it's worth?*, quanto calcoli che valga? **3** considerare; giudicare; reputare: *This play is reckoned as the best of the year*, questo dramma è giudicato il migliore dell'anno **4** credere; supporre; pensare; ritenere: *I r. he won't accept our offer*, penso che non accetterà la nostra offerta; *I r. that it's going to be another rainy day*, mi sa che pioverà anche oggi; *'He'll resign' '(Do) you r.?'*, 'Darà le dimissioni' 'Dici?'; *What time do you r. you'll get here?*, a che ora pensi di arrivare? **5** (*fam. ingl.*) considerare elevato; stimare; avere una buona opinione di (q.): *I don't r. his chances*, non credo che abbia molte chance.

■ **reckon for** v. t. + prep. (*fam.*) aspettarsi; pensare; ritenere: *I got more troubles than I reckoned for*, ebbi più guai di quel che m'aspettavo.

■ **reckon in** v. t. + avv. (*fam.*) contare anche; includere nel conto (*o* nel conteggio); conteggiare: **to r. in the students who are absent**, contare anche gli studenti assenti.

■ **reckon on** v. t. + prep. contare su; fare affidamento (*o* assegnamento) su: *You can always r. on me*, puoi sempre contare su di

me; *Don't r. on getting the first prize*, quanto al primo premio, non farci conto.

■ **reckon up** v. t. + avv. **1** fare il totale di; sommare; addizionare: **to r. up a bill**, fare (il totale di) un conto **2** (*fam.*) farsi un'idea della vera natura di (q.); prendere le misure a (*fam.*) □ **to r. up to**, contare fino a.

■ **reckon upon** → **reckon on**.

■ **reckon with** v. i. + prep. **1** tener conto di; prendere in considerazione; considerare; prevedere: *I didn't r. with having to wait so long*, non avevo previsto di dover aspettare tanto **2** fare i conti con (*fig.*); vedersela con: *He'll have to r. with me*, dovrà vedersela con me; *He's an opponent to be reckoned with*, è un avversario con il quale bisogna fare i conti.

■ **reckon without** v. i. + prep. fare i conti senza; non tener conto di: **to r. without the weather**, non tener conto del (cattivo) tempo; (*fig.*) **to r. without one's host**, fare i conti senza l'oste.

reckoner /ˈrekənə(r)/ n. **1** chi conta; chi fa di conto; contabile; computista **2** (= **ready r.**) prontuario di conti fatti ● **a quick r.**, uno svelto a far di conto.

reckoning /ˈrekənɪŋ/ n. **1** ⓤ (il) far di conto; calcolo, calcoli; computo: **by my r.**, secondo i miei calcoli **2** (*fig.*) resa dei conti; fio: **to pay one's r.**, pagare il fio (*o* lo scotto) **3** ⓤⓒ (*aeron.*, *naut.*) determinazione della posizione: **dead r.**, stima della posizione; posizione stimata ● **to be out in one's r.**, far male i conti; sbagliare i propri calcoli.

reclaim /rɪˈkleɪm/ n. **1** ⓤ recupero; riutilizzazione; riutilizzo: **the r. of scrap iron**, il riutilizzo dei rottami di ferro **2** ⓤ recupero, redenzione (*di drogati, ecc.*) **3** (*fin.*) richiesta di rimborso dell'IVA **4** ⓤⓒ (*negli aeroporti* = **baggage r.**) (zona di) ritiro dei bagagli **5** (*ind.*) gomma rigenerata ● (*metall.*) **r. rinse**, risciacquatura di recupero □ **to be beyond** (*o* **past**) **r.**, essere irrecuperabile (*o* incorreggibile) ❶ Falsi amici • reclaim *non significa reclamo né réclame*.

to **reclaim** /rɪˈkleɪm/ v. t. **1** (anche *leg.*) reclamare; rivendicare; chiedere la restituzione (*o* il rimborso) di (*beni, denaro, ecc.*); ripetere: (*fisc.*) **to r. VAT**, chiedere il rimborso dell'IVA **2** recuperare (*alla civiltà, alla virtù, ecc.*); redimere; riscattare; riabilitare; correggere: **to r. offenders**, riabilitare i delinquenti **3** (*ind.*) recuperare, rigenerare (*gomma, ecc.*): **reclaimed rubber**, gomma rigenerata **4** (*agric.*) bonificare; prosciugare; risanare: **to r. marshes**, bonificare terreni paludosi ● (*sport*) **to r. the lead**, recuperare il vantaggio; riandare in testa.

reclaimable /rɪˈkleɪməbl/ a. **1** (anche *leg.*) rivendicabile **2** (*di una persona*) redimibile; recuperabile **3** recuperabile; correggibile **4** (*ind.*) recuperabile; rigenerabile **5** (*agric.*) bonificabile.

reclaimer /rɪˈkleɪmə(r)/ n. **1** chi rivendica, chi reclama (qc.) **2** chi bonifica, ricicla, rigenera (qc.).

reclamation /rekləˈmeɪʃn/ n. **1** ⓤⓒ (anche *leg.*) rivendicazione; ripetizione **2** ⓤ recupero; redenzione; correzione **3** ⓤ (*ind.*) recupero, rigenerazione (*della gomma, ecc.*) **4** ⓤ (*agric.*) bonifica; prosciugamento; risanamento: **r. district**, comprensorio di bonifica.

to **reclassify** /riːˈklæsɪfaɪ/ v. t. riclassificare ‖ **reclassification** n. ⓤⓒ riclassificazione.

reclinate /ˈreklɪneɪt/ a. (*bot.*) reclinato.

to **recline** /rɪˈklaɪn/ Ⓐ v. t. reclinare (*spec. il capo, le membra*); piegare; appoggiare Ⓑ v. i. adagiarsi; appoggiarsi; giacere; sdraiarsi.

recliner /rɪˈklaɪnə(r)/ n. sedia con lo schienale reclinabile.

reclining /rɪˈklaɪnɪŋ/ a. inclinato; coricato;

a
b
c
d
e
f
g
h
i
j
k
l
m
n
o
p
q
r
s
t
u
v
w
x
y
z

disteso • **r. chair** → **recliner** □ **r. seat**, sedile reclinabile.

to **reclothe** /rɪˈkləʊð/ v. t. rivestire; vestire di nuovo; vestire in modo diverso.

recluse /rɪˈkluːs, *USA* ˈreklu:s/ **A** a. appartato; solitario; isolato **B** n. chi vive in solitudine; (*spec.*) eremita, anacoreta **❶ FALSI AMICI** • **recluse** non significa recluso ‖ **reclusion** n. ⓤ vita appartata; solitudine; isolamento **❶ FALSI AMICI** • **reclusion** non significa reclusione.

reclusive /rɪˈkluːsɪv/ a. solitario; che vive appartato; isolato.

♦**recognition** /ˌrekəgˈnɪʃn/ n. ⓤ **1** riconoscimento; identificazione; accettazione; ammissione; apprezzamento: (*polit.*) **the r. of the former French colonies in Africa**, il riconoscimento delle ex colonie francesi in Africa; (*mil.*) **aircraft r.**, il riconoscimento degli aerei nemici; **in r. of your services**, in riconoscimento dei tuoi servigi; **the r. of danger**, il riconoscimento (o la consapevolezza) del pericolo; **to achieve r. as a novelist**, ottenere apprezzamento come romanziere **2** (*teatr.*) agnizione **3** (*sport*) omologazione • **to be beyond r.** (o out of all r.), essere irriconoscibile □ **to fear r.**, temere di essere riconosciuto □ **to have altered** (o changed) **beyond r.**, essere cambiato tanto da essere irriconoscibile.

recognizable /ˈrekəgnaɪzəbl/ a. riconoscibile ‖ **recognizability** n. ⓤ riconoscibilità; l'essere riconoscibile ‖ **recognizably** avv. riconoscibilmente.

recognizance /rɪˈkɒgnɪzns/ n. (*leg.*) **1** impegno formale assunto di fronte a un magistrato **2** cauzione; somma di denaro versata in garanzia.

recognizant /rɪˈkɒgnɪzənt/ a. (*raro*) che mostra di riconoscere; consapevole.

♦to **recognize** /ˈrekəgnaɪz/ v. t. **1** riconoscere; ravvisare; ammettere; accorgersi di (qc.): **to r. a long-lost friend**, riconoscere un vecchio amico che s'era perso di vista; **to r. sb. as one's heir**, riconoscere q. come proprio erede; (*polit.*) **to r. a government**, riconoscere un governo; **to r. defeat**, ammettere la sconfitta; **to r. danger**, accorgersi del pericolo; *His services to the country have been recognized*, i servigi da lui resi al paese sono stati riconosciuti **2** riconoscere la giustizia di (qc.); accogliere; accettare: (*leg.*) **to r. a claim**, accettare (o riconoscere la validità di) una richiesta **3** riconoscere come amico; salutare: *The Joneses now refuse to r. the Clarks*, ora i Jones si rifiutano di salutare (o non salutano più) i Clark **4** (*USA*) dare la parola a (q.; *in una riunione, ecc.*) **5** (*sport*) omologare (*un primato, ecc.*) • **to r. a complaint**, accettare un reclamo **❶ NOTA:** *-ise o -ize?* → **-ise**.

recognized /ˈrekəgnaɪzd/ a. **1** riconosciuto: **legally r.**, legalmente riconosciuto **2** autorizzato: **r. agent**, agente autorizzato.

recoil /ˈriːkɔɪl/ n. ⓤⓒ **1** balzo indietro **2** (*mil.*) rinculo: **the r. of a gun**, il rinculo d'un cannone **3** (*mecc.*) contraccolpo **4** ripugnanza; disgusto • (*d'arma da fuoco*) **r. adapter**, adattatore di rinculo □ (*fis.*) **r. electron**, elettrone di rinculo • **r. pull**, contraccolpo.

to **recoil** /rɪˈkɔɪl/ v. i. **1** balzare indietro; indietreggiare (*per disgusto, sorpresa, timore, ecc.*): *She recoiled in horror*, indietreggiò inorridita **2** (*d'arma da fuoco*) rinculare **3** (*fig.*) rifuggire (*da qc.*): *I r. from (o at) the thought*, rifuggo da questo pensiero; il solo pensiero di ciò mi ripugna **4** (*fig.*) ricadere (*su*); ritorcersi (*contro*): *His slanderous attacks recoiled on himself*, le sue calunnie ricaddero su di lui (o sul suo capo) **5** (*fis.: di un atomo, un nucleo, ecc.*) rinculare.

recoilless /rɪˈkɔɪləs/ a. (*mil.: d'arma da fuoco*) senza rinculo.

to **recollect** /ˌrekəˈlekt/ v. t. e i. ricordare; ricordarsi di; rammentarsi di; richiamare alla mente: *I cannot r. their names*, non riesco a ricordare i loro nomi; **as far as I r.**, se ricordo bene • **to r. oneself**, rammentarsi; ricordarsi.

to **re-collect** /ˌriːkəˈlekt/ **A** v. t. rimettere insieme; radunare nuovamente **B** v. i. riunirsi (o adunarsi) di nuovo • **to re-collect one's courage**, riprendere coraggio; farsi animo □ **to re-collect one's thoughts**, raccogliere le idee □ **to re-collect one's strength**, raccogliere le proprie energie; ritrovare le forze □ **to re-collect oneself**, ricomporsi; riaversi; tornare in sé.

recollection /ˌrekəˈlekʃn/ n. **1** ricordo; rimembranza (*lett.*); memoria; reminiscenza: **recollections of youth**, ricordi di gioventù; **a slight r.**, una vaga reminiscenza **2** ⓤ memoria; capacità di ricordare **3** ⓤ concentrazione **4** ⓤ (*relig.*) raccoglimento • **to the best of my r.**, per quel che ricordo io; se ben ricordo □ **I have no r. of it**, non me ne ricordo ‖ **recollective** a. del ricordo; della memoria.

to **recolonize** /riːˈkɒlənaɪz/ (*anche ecol.*) v. t. colonizzare di nuovo ‖ **recolonization** n. ⓤⓒ nuova colonizzazione.

to **recolour**, (*USA*) to **recolor** /riːˈkʌlə(r)/ v. t. ricolorare; tingere di nuovo.

recombinant /riːˈkɒmbɪnənt/ a. e n. (*biol.*) ricombinante: **r. DNA**, DNA ricombinante.

recombination /ˌriːkɒmbɪˈneɪʃn/ n. ⓤⓒ (*scient.*) ricombinazione.

to **recombine** /ˌriːkəmˈbaɪn/ (*scient.*) **A** v. t. ricombinare; combinare di nuovo **B** v. i. ricombinarsi.

to **recommence** /ˌriːkəˈmens/ v. t. e i. (*form.*) ricominciare ‖ **recommencement** n. ricominciamento (*raro*); nuovo inizio; ripresa.

♦to **recommend** /ˌrekəˈmend/ v. t. e i. **1** raccomandare; consigliare; segnalare; caldeggiare: **to r. sb. for a good position**, raccomandare q. per un buon impiego; *Which wine would you r.?*, che vino mi consigli?; *The doctor recommended that the patient (should) follow a strict diet*, il dottore consigliò che il paziente seguisse una dieta rigida; *Can you r. a good plumber?*, puoi segnalarmi un buon idraulico?; *A friend at work recommended this dentist*, un amico al lavoro mi ha raccomandato questo dentista; **to r. sb. for promotion**, caldeggiare la promozione di q. **2** rendere gradito (o bene accetto) **3** raccomandare; affidare: **to r. one's soul to God**, raccomandare l'anima a Dio; *I r. him to your care*, lo raccomando a te; lo affido alle tue cure **4** (*polit.*) proporre (*un provvedimento*) • **to r. oneself**, raccomandarsi □ (*market.*) **recommended price**, prezzo consigliato.

recommendable /ˌrekəˈmendəbl/ a. raccomandabile.

♦**recommendation** /ˌrekəmenˈdeɪʃn/ n. **1** ⓤⓒ raccomandazione; segnalazione: **letter of r.**, lettera di raccomandazione **2** esortazione; consiglio: **to do st. on sb.'s r.**, fare qc. su consiglio di q.

recommendatory /ˌrekəˈmendətrɪ/ a. raccomandatorio; di raccomandazione; commendatizio.

recommender /ˌrekəˈmendə(r)/ n. chi raccomanda; raccomandante.

to **recommission** /ˌriːkəˈmɪʃn/ v. t. (*naut.*) riarmare (*una nave*).

to **recommit** /ˌriːkəˈmɪt/ v. t. **1** commettere di nuovo **2** riaffidare (qc. a q.) **3** (*polit.*) rinviare (*un progetto di legge, ecc.*) a una

commissione • **to r. sb. to prison**, incarcerare q. di nuovo ‖ **recommitment**, **recommittal** n. ⓤⓒ **1** rinvio (*di un progetto di legge, ecc.*) a una commissione **2** riaffidamento **3** nuova incarcerazione.

recompense /ˈrekəmpens/ n. **1** compenso; ricompensa; remunerazione **2** riparazione (*di un torto*); risarcimento (*di un danno*); indennizzo.

to **recompense** /ˈrekəmpens/ v. t. **1** ricompensare; remunerare; retribuire **2** riparare (*un torto*); risarcire (*un danno*); indennizzare (q.).

to **recompose** /ˌriːkəmˈpəʊz/ v. t. ricomporre (*anche tipogr.*) • **to r. oneself**, ricomporsi (*anche fig.*) ‖ **recomposition** n. ⓤⓒ ricomposizione.

reconcilable /ˈrekənsaɪləbl, -ˈsaɪ-/ a. **1** riconciliabile **2** conciliabile ‖ **reconcilability** n. ⓤ **1** riconciliabilità **2** conciliabilità.

to **reconcile** /ˈrekənsaɪl/ v. t. **1** riconciliare **2** conciliare, comporre, appianare (*una lite, una divergenza*) **3** accordare; far quadrare (*di conti, ecc.*) **4** (*relig.*) riconsacrare (*un luogo sacro profanato*) • **to r. oneself**, rassegnarsi: *You must r. yourself to your fate*, devi rassegnarti al tuo destino □ **to be** (o **to become**) **reconciled to**, rassegnarsi a: *They became reconciled to their lot*, si rassegnarono alla loro sorte.

reconcilement /ˈrekənsaɪlmənt/ n. ⓤⓒ riconciliamento (*raro*); riconciliazione.

reconciliation /ˌrekənsɪlɪˈeɪʃn/ n. ⓤⓒ **1** riconciliazione; conciliazione **2** composizione (*d'una vertenza*) **3** rassegnazione **4** (*spec. rag.*) (controllo della) concordanza (*di due conti*).

recondite /ˈrekəndaɪt/ a. recondito; oscuro; astruso: **a r. subject**, un argomento astruso; **a r. author**, un autore oscuro (o ermetico).

to **recondition** /ˌriːkənˈdɪʃn/ v. t. **1** ricondizionare; riparare; ripristinare; rimettere in efficienza **2** (*mecc.*) rialesare; ripassare **3** (*autom.*) rifare, revisionare, ripassare: **reconditioned engine**, motore rifatto (o revisionato) **4** (*psic.*) ricondizionare • (*ind.*) **reconditioned model**, modello (*d'auto, ecc.*) che ha subito modifiche ‖ **reconditioning** n. ⓤ **1** ricondizionamento; riparazione; ripristino **2** (*mecc.*) ripassata **3** (*autom.*) revisione (*di un motore*) **4** (*psic.*) ricondizionamento.

to **reconduct** /ˌriːkənˈdʌkt/ v. t. ricondurre; condurre (o guidare) di nuovo.

to **reconfirm** /ˌriːkənˈfɜːm/ v. t. riconfermare ‖ **reconfirmation** n. ⓤⓒ riconferma.

reconnaissance /rɪˈkɒnɪsns/ n. **1** ⓤⓒ (*mil.*) ricognizione; esplorazione; perlustrazione: **r. in force**, ricognizione in forze; **r. flight**, volo di ricognizione; **to make a r.**, fare una ricognizione **2** (*mil.*) pattuglia in ricognizione **3** accertamento; esame preliminare: **a r. of the market conditions**, un accertamento sulla situazione del mercato • (*aeron.*) **r. aircraft**, aereo da ricognizione; ricognitore □ (*mil.*) **r. car**, veicolo da ricognizione.

to **reconnect** /ˌriːkəˈnekt/ v. t. **1** riconnettere; ricollegare (*un utente di servizio pubblico, ecc.*); ricongiungere **2** (*elettr.*) riallacciare (*una linea, ecc.*) ‖ **reconnection** n. ⓤⓒ **1** riconnessione; ricollegamento (*di un utente*); riattivazione (*di un servizio pubblico*) **2** (*elettr.*) riallacciamento.

to **reconnoiter** /ˌriːkəˈnɔɪtə(r)/, **reconnoiterer** /ˌriːkəˈnɔɪtərə(r)/ (*USA*) → **to reconnoitre, reconnoitrer**.

to **reconnoitre** /ˌrekəˈnɔɪtə(r)/ **A** v. t. fare una ricognizione di (*una posizione nemica*); perlustrare: **to r. the ground**, perlustrare il

terreno **B** v. i. fare una ricognizione; andare in ricognizione ● **reconnoitring patrol**, pattuglia di ricognizione.

reconnoitrer /rɛkəˈnɔɪtrə(r)/ n. (*mil.*) ricognitore; perlustratore.

to **reconquer** /riːˈkɒŋkə(r)/ v. t. riconquistare || **reconquest** n. 🆄🅲 riconquista.

to **reconsecrate** /riːˈkɒnsɪkreɪt/ (*relig.*) v. t. riconsacrare || **reconsecration** n. 🆄🅲 riconsacrazione.

to **reconsider** /riːkənˈsɪdə(r)/ **A** v. t. riconsiderare; riesaminare; rivedere; riprendere in esame: **to r. a measure**, riprendere in esame un provvedimento **B** v. i. riflettere di nuovo || **reconsideration** n. 🆄 riconsiderazione; riesame; revisione; ripresa in esame.

to **reconstitute** /riːˈkɒnstɪtjuːt/ v. t. ricostituire || **reconstitution** n. 🆄 ricostituzione.

to **reconstruct** /riːkənˈstrʌkt/ v. t. **1** ricostruire (*anche fig.*); riedificare; restaurare **2** riorganizzare; ristrutturare; riformare ● **to r. a crime**, fare la ricostruzione di un delitto □ **reconstructed coal**, agglomerato di carbone; mattonella di polverino.

reconstruction /riːkənˈstrʌkʃn/ n. 🆄🅲 **1** ricostruzione (*anche fig.*); restauro **2** riorganizzazione; ristrutturazione; riforma.

reconstructive /riːkənˈstrʌktɪv/ a. ricostruttivo.

to **reconvene** /riːkənˈviːn/ (*leg.*) v. t. riconvenire || **reconvention** n. 🆄🅲 azione riconvenzionale; riconvenzione.

to **reconvert** /riːkənˈvɜːt/ (*anche ind. e fin.*) v. t. riconvertire || **reconversion** n. 🆄 riconversione.

to **reconvey** /riːkənˈveɪ/ v. t. **1** rispedire; portare indietro **2** (*leg.*) trasferire, cedere (*beni*) al proprietario precedente || **reconveyance** n. 🆄🅲 **1** rispedizione **2** (*leg.*) retrocessione immobiliare.

◆**record** /ˈrɛkɔːd/ **A** n. **1** 🅲🆄 documento; documentazione; registrazione; testimonianza; verbale: **records of past civilizations**, testimonianze di civiltà passate; **the records of the law court**, i verbali del tribunale **2** stato di servizio; curriculum; (il) passato (*di q.*); cose fatte, risultati ottenuti; pagella (*fig.*): **military r.**, curriculum militare; *Murphy's r. is against him*, il passato di Murphy gioca a suo sfavore; **to fight an election on one's own r.**, sostenere una battaglia elettorale sulla base delle cose fatte (*stando al governo o al potere*) **3** (*mus.*) disco (fonografico): **the latest r. by Mina**, l'ultimo disco di Mina; **a microgroove r.**, un (disco) microsolco **4** (*sport*) primato; record: **to break** (*o* **to beat**) **a r.**, battere (*o* superare) un primato; **track r.**, record della pista; (*fig.*) curriculum, passato (*di q.*); storia personale, carriera **5** (*comput.*) record; riga di un database: **r. locking**, blocco di accesso al record **6** (pl.) atti ufficiali; archivi: **in the Army Records**, negli archivi dell'Esercito; **the Records Office**, l'Archivio di Stato **B** a. attr. **1** di (*o* da) primato; imbattibile; insuperabile; record: **at r. speed**, a velocità di primato; **a r. score**, un punteggio record; **r. prices**, prezzi imbattibili **2** (*mus.*) discografico: **a r. company**, una casa discografica● (*comput.*) **r. block**, blocco di record □ (*sport*) **r. breaker**, primatista □ **r.-breaking**, che stabilisce un nuovo primato □ **r. centre**, archivio □ **r.-changer**, cambiadischi □ (*agric.*) **a r. crop**, un raccolto abbondantissimo (*o* eccezionale) □ **r. deck**, piastra del giradischi □ (*sport*) **r. holder**, primatista; detentore (*o* detentrice) di un primato; (*se maschio anche*) recordman □ **r. library**, discoteca (*la raccolta di dischi*) □ **r. player**, giradischi □ **r. shop**, negozio di dischi □ **to break all records for the high jump**, (*sport*) battere

ogni record per il salto in alto; (*fig.*) balzare in aria per lo spavento □ (*leg.*) **criminal r.**, fedina penale: *He has a criminal r.*, ha la fedina penale sporca; **'no criminal r.'**, 'nessun precedente penale'; *He has no criminal r.*, è incensurato, ha la fedina penale pulita ● **for the r.**, per la precisione; per l'esattezza □ (*USA*) **to go on r.**, esprimere pubblicamente le proprie opinioni □ **to have a good** [**a bad**] **r.**, avere un buono [un cattivo] stato di servizio; godere di buona [di cattiva] fama □ **to keep to the r.**, attenersi al verbale; (*fig.*) stare ai fatti □ (*med.*) **medical records**, cartella clinica □ (*fam.*) **off the r.**, ufficiosamente; (agg.) ufficioso, non ufficiale: *This interview* [*statement*] *is off the r.*, questa intervista [dichiarazione] non è da pubblicarsi (*o* non è ufficiale) □ **on r.**, agli atti; registrato: **to put st. on r.**, mettere qc. agli atti; verbalizzare qc.; **the hottest summer on r.**, l'estate più calda che si sia mai registrata □ (*leg.*) **person with a clean r.**, incensurato □ (*sport*) **prize r.**, palmarès, albo d'oro (*di un atleta, di una squadra*) □ **to set the r. straight**, mettere le cose in chiaro; ristabilire la verità □ **It is on r. that...**, risulta che...; è documentato che...; è noto (*o* risaputo) che... ● **❶ FALSI AMICI • record** *non significa ricordo.*

◆to **record** /rɪˈkɔːd/ **A** v. t. **1** registrare; tenere memoria di; prender nota di; incidere (*su disco, su nastro*): **to r. the day's events**, prender nota degli avvenimenti del giorno; *A seismograph records earthquakes*, il sismografo registra i terremoti; **to r. one's voice** [**a speech**], incidere la propria voce [un discorso]; (*radio, TV*) **to r. a programme**, registrare un programma; *What year did he r. that album?*, in che anno ha registrato quell'album? **2** indicare; segnare: *The thermometer recorded 10 °C below zero*, il termometro segnava 10 °C sotto zero **3** mettere a verbale; verbalizzare: **to r. a vote**, mettere a verbale una votazione **4** (*di uno storico, ecc.*) tramandare per iscritto; riferire; narrare **5** indicare; testimoniare: *The marks on the houses r. the height of the flood waters*, i segni sulle case indicano l'altezza raggiunta dalle acque dell'inondazione **6** (*sport: nelle corse*) far registrare; fare: **to r. a good time**, fare un buon tempo **B** v. i. (*mus., radio, TV*) prestarsi alla registrazione ● (*telef.*) **to r. one's name**, lasciare (*o* dire) il proprio nome (*a una segreteria telefonica*) □ (*leg.*) **to r. a verdict**, mettere agli atti un verdetto □ (*leg.*) **to have a deed recorded**, protocollare un atto **❶ FALSI AMICI • to record** *non significa ricordare.*

recordable /rɪˈkɔːdəbl/ a. **1** registrabile; che si può incidere **2** degno d'essere annotato (*o* ricordato).

recorded /rɪˈkɔːdɪd/ a. **1** registrato; verbalizzato **2** tramandato **3** (*mus.*) registrato **4** (*radio, TV*: **= as a r. show**) in differita ● (*radio, TV*) **the r. broadcast of a match**, la differita di un incontro sportivo □ (*in GB*) **r. delivery**, servizio di «consegna registrata» (*di lettera o pacco*); (*per estens.*) raccomandata: *I've got a r. delivery for Mrs Dipley*, ho una raccomandata per la signora Dipley □ (*sport*) **r. time**, tempo realizzato (*nelle corse, nel nuoto*).

◆**recorder** /rɪˈkɔːdə(r)/ n. **1** chi registra; chi prende nota; chi mette a verbale; impiegato addetto alla registrazione; archivista; cancelliere **2** (*leg.*) giudice onorario di nomina regia (*in certe città*) **3** (*tecn.*) strumento registratore **4** (*generalm.* **tape r.**) registratore (*a nastro magnetico*); magnetofono **5** (*mus.*) flauto dolce.

◆**recording** /rɪˈkɔːdɪŋ/ n. **1** 🆄 il registrare; l'annotare; il mettere a verbale, ecc. (→ **to record**) **2** registrazione, incisione (*su dischi, nastri, ecc.*): **sound r.**, registrazione del

suono **3** (*radio, TV*) programma registrato; registrazione ● **r. head**, testina di registrazione □ (*rag.*) **r. instrument**, strumento registratore □ (*rag.*) **r. medium**, documento contabile □ (*tecn.*) **r. rain gauge**, pluviografo □ **r. room**, sala di registrazione (*o* d'incisione) □ **r. speed**, velocità d'incisione (*o* d'incisione) □ **r. tape**, nastro magnetico.

recordist /rɪˈkɔːdɪst/ n. (*cinem., TV*) recordista.

recount /ˈriːkaʊnt/ n. nuovo computo, nuovo conteggio, verifica (*spec. dei voti in un'elezione*).

to **recount** ① /rɪˈkaʊnt/ v. t. **1** narrare; raccontare; riferire **2** elencare; enumerare: *He recounted his sins*, elencò i suoi peccati.

to **recount** ② /riːˈkaʊnt/ v. t. ricontare; contare di nuovo; verificare (*i voti di un'elezione*).

to **recoup** /rɪˈkuːp/ **A** v. t. **1** recuperare: **to r. one's strength**, recuperare le forze **2** (*leg.*) dedurre, trattenere (*parte di una somma dovuta*) **3** rimborsare; risarcire: **to r. sb. for damages**, risarcire q. per i danni subiti **4** recuperare; farsi risarcire (*o* rimborsare): **to r. a loss**, farsi risarcire (*o* rifarsi di) una perdita **B** v. i. recuperare, rimettersi (*in salute*); rimettersi in sesto (*economicamente*) ● **to r. one's health**, rimettersi in salute □ **to r. oneself**, ripagarsi; rifarsi.

recoupment /rɪˈkuːpmənt/ n. **1** recupero **2** (*leg*) deduzione, trattenuta (*di parte d'una somma dovuta*) **3** rimborso; risarcimento; indennizzo.

recourse /rɪˈkɔːs/ n. **1** ricorso: **to have r. to sb.** [**st.**], far ricorso a, ricorrere a q. [qc.] **2** (*raro*) persona (*o* cosa) cui si ricorre; risorsa (*fig.*) **3** (*leg., comm.*) regresso; azione di regresso (*o* di rivalsa): (*banca*) **r. loan**, mutuo con regresso ● (*leg.*) **r. action** (*o* **claim**), azione di regresso □ **to have r. to the law**, ricorrere alla legge; adire le vie legali □ (*leg., comm.*: *scritto dal girante su una cambiale, ecc.*) **«without r. to me»**, senza rivalsa; senza azione di regresso (*nei miei confronti*).

recover /rɪˈkʌvə(r)/ n. (*scherma*) il rimettersi in guardia.

◆to **recover** /rɪˈkʌvə(r)/ **A** v. t. **1** recuperare; compensare; riacquistare; riguadagnare; riottenere; riprendere; ritrovare: **to r. stolen goods**, recuperare la refurtiva; **to r. lost time**, recuperare il tempo perduto; **to r. one's strength**, recuperare le forze; **to r. one's losses**, compensare le (*o* rifarsi delle) perdite; **to r. one's affection**, riacquistare l'affetto di q.; **to r. one's balance**, ritrovare l'equilibrio; **to r. one's breath**, riprendere fiato; **to r. consciousness**, riprendere coscienza **2** (*leg.*) ottenere (*dal tribunale*): **to r. judgment against sb.**, ottenere una sentenza contro q.; aver causa vinta contro q.; **to r. damages**, ottenere il risarcimento dei danni **3** (*comput.*) recuperare (*informazioni*); ripristinare (*procedure*); riparare (*errori*) **B** v. i. **1** rimettersi (*in salute*); ristabilirsi; riaversi; riprendersi; guarire: *He recovered quickly after the operation*, si ristabilì velocemente dopo l'operazione; **to r. from a bad cold**, guarire da un brutto raffreddore **2** (*leg.*) ottenere una sentenza favorevole; vincere una causa; ottenere un risarcimento **3** (*fin., econ.: di titoli, della situazione, ecc.*) essere in ripresa: *Our shares are recovering*, le nostre azioni sono in ripresa **4** (*scherma*, **= to r. the position of guard**) rimettersi in guardia ● **to r. land from the sea**, bonificare terreni strappandoli al mare □ **to r. one's legs**, rimettersi in piedi (*dopo una caduta*) □ **to r. oneself**, ristabilirsi, rimettersi; guarire; riaversi, riprendersi; tornare in sé, tornare padrone di sé (*scherma*) **to r. the sword**, rimettere la spada in linea (*dopo una stoccata*)

□ **to r. one's voice**, riuscire a parlare di nuovo (*dopo aver perso la voce*) ❶ **FALSI AMICI** • to recover *non* significa ricoverare.

❶ **NOTA:** *recover o re-cover?*
I significati principali del verbo *to recover*, senza trattino, sono "recuperare" e "rimettersi", "riprendersi", ad esempio dopo una malattia o un infortunio: *She never really recovered after the shock of her husband's death*, non si riprese mai veramente dopo lo shock per la morte del marito; *The police eventually recovered all the missing diamonds*, la polizia alla fine recuperò tutti i diamanti smarriti. Il verbo *to re-cover*, con trattino, significa invece "coprire di nuovo": *We decided to re-cover the dining room chairs*, decidemmo di coprire di nuovo le sedie della sala da pranzo. Come accade anche in italiano con "ri-" (o "ra-, rin-"), in inglese il prefisso *re-* all'inizio di un verbo spesso indica che si tratta di un'azione ripetuta "di nuovo": *to re-elect*, rieleggere; *to re-examine*, riesaminare; oppure *to re-sign*, firmare di nuovo, mentre *to resign*, senza trattino, significa "dimettersi".

to **re-cover** /riː'kʌvə(r)/ v. t. ricoprire; coprire di nuovo.

recoverable /rɪ'kʌvərəbl/ a. **1** recuperabile **2** (*med.*) guaribile **3** (*comput.*) riparabile; ripristinabile: **r. error**, errore riparabile ‖ **recoverability** n. Ⓤ recuperabilità.

♦**recovery** /rɪ'kʌvərɪ/ n. **1** Ⓤ recupero; riacquisto; ritrovamento: **the r. of a credit**, il recupero di un credito; **the r. of a hidden treasure**, il ritrovamento di un tesoro nascosto **2** Ⓤ il ritrovare l'equilibrio **3** (*aeron.*) ripresa d'assetto; rimessa in linea di volo **4** (*med.*) recupero; ristabilimento (*in salute*); ripresa; guarigione: **to make a slow r.**, avere una guarigione lenta **5** (*fin., econ.*) ripresa: **a r. in production**, una ripresa produttiva; **the economic r.**, la ripresa economica **6** Ⓤ Ⓒ (*leg.*) restituzione (*di un bene immobile*); (*anche*) indennizzo accordato (*dal tribunale*) **7** (*mecc.*) ritorno; corsa di ritorno (*di pistone, ecc.*) **8** (*miss.*) recupero (*di una capsula spaziale, ecc.*) **9** (*comput.*) recupero (*di informazioni*); ripristino (*di procedure*) **10** (*spec. USA*) recupero, riabilitazione (*di drogati, ecc.*): **r. centre** (*o* **house**), centro di recupero; **r. program**, programma di recupero **11** (*sport*) recupero; ripresa; rimonta; ripartenza, riscossa (*di una squadra, ecc.*) **12** (*scherma*) il rimettersi in guardia **13** (*mil.*) ricupero (*di truppe*): **r. operations**, operazioni di ricupero • (*miss.*) **r. capsule**, capsula (spaziale) da recupero (*comput.*) **r. disk**, disco di ripristino (*econ.*) **r. package**, piano di risanamento □ (*med.*) **r. room**, sala di risveglio (*dopo un'operazione*); sala postoperatoria □ (*autom.*) **r. vehicle**, veicolo di soccorso; autogrù □ (*di un malato*) **to be past r.**, essere incurabile □ **to be on the road to r.**, (*med.*) essere in via di guarigione; (*econ.*) essere in ripresa.

to **recreate** /'rekrieit/ Ⓐ v. t. ricreare; divertire; svagare Ⓑ v. i. ricrearsi; divertirsi; svagarsi • **to r. oneself**, ricrearsi; divertirsi; svagarsi.

to **re-create** /riːkrɪ'eit/ v. t. ricreare; creare di nuovo.

recreation /rekrɪ'eiʃn/ n. Ⓤ Ⓒ ricreazione; divertimento; passatempo; svago • **a r. ground**, un campo giochi □ **r. room**, sala di ricreazione; (*USA*) stanza dei giochi (*per i bambini*).

recreational /rekrɪ'eiʃənl/ a. ricreativo • **r. facilities**, impianti ricreativi (*o* sportivi).

recreative /'rekrieitiv/ a. ricreativo.

to **recriminate** /rɪ'krimineit/ v. i. recriminare.

recrimination /rɪkrimi'neiʃn/ n. Ⓤ Ⓒ recriminazione.

recriminative /rɪ'kriminətiv/, **recriminatory** /rɪ'kriminətri/ a. recriminatorio.

to **recross** /riː'krɒs/ v. t. riattraversare; ritraversare.

to **recrudesce** /riːkruː'des/ v. i. **1** rincrudire (*fig.*) **2** (*di malattia, ecc.*) essere in recrudescenza; riacutizzarsi ‖ **recrudescence** n. Ⓤ Ⓒ recrudescenza; riacutizzazione ‖ **recrudescent** a. **1** in recrudescenza; che rincrudisce **2** (*di malattia*) che ha una recrudescenza; che si riacutizza.

♦**recruit** /rɪ'kruːt/ n. **1** (*mil.*) coscritto; recluta **2** (*fig.*) adepto; proselito; nuovo socio **3** (*spesso* **raw r.**) novellino; novizio; principiante • (*mil., in USA*) **r. depot**, centro di addestramento reclute (abbr. C.A.R.).

to **recruit** /rɪ'kruːt/ Ⓐ v. t. **1** (*mil. e fig.*) arruolare; coscrivere; reclutare **2** fare di (q.) un adepto (*o* un nuovo socio) **3** (*per estens.*) assumere; reclutare: **to r. workers**, assumere manodopera **4** (*arc.*) riacquistare; recuperare: **to r. strength**, recuperare le forze Ⓑ v. i. **1** (*mil.*) arruolare, reclutare uomini **2** rimettersi in salute; ristabilirsi; rinvigorirsi.

recruitable /rɪ'kruːtəbl/ a. reclutabile; arruolabile.

recruiting /rɪ'kruːtɪŋ/ n. Ⓤ **1** (*mil.*) arruolamento; coscrizione; reclutamento **2** (*per estens.*) assunzione; reclutamento: **the r. of personnel**, il reclutamento di personale • (*di un'azienda*) **r. office**, ufficio assunzioni □ (*mil.*) **r. sergeant**, sottufficiale di reclutamento.

recruitment /rɪ'kruːtmənt/ n. Ⓤ → **recruiting**.

Rect. abbr. **1** (**rector**) parroco **2** (**rectory**) canonica.

rectal /'rektəl/ a. (*anat., med.*) rettale; del retto: **r. haemorrhage**, emorragia rettale.

rectangle /'rektæŋgl/ n. (*geom.*) rettangolo.

rectangular /rek'tæŋgjulə(r)/ (*geom.*) a. rettangolare ‖ **rectangularity** n. Ⓤ l'essere rettangolare.

rectifiable /'rektifaiəbl/ a. rettificabile; correggibile.

rectification /rektifi'keiʃn/ n. Ⓤ Ⓒ **1** rettificazione; correzione; rettifica (*anche mecc.*): **the r. of alcohol**, la rettificazione dell'alcol; **the r. of mistakes**, la correzione degli errori; **the r. of a curve**, (*geom.*) la rettificazione di una curva; (*di strada*) la rettifica d'una curva **2** (*elettr., radio*) raddrizzamento: **r. of the current**, raddrizzamento della corrente • (*chim.*) **r. distillation**, rettifica.

rectified /'rektifaid/ a. (*dell'alcol, ecc.*) rettificato.

rectifier /'rektifaiə(r)/ n. **1** chi rettifica; chi corregge **2** (*chim.*) rettificatore **3** (*elettr., radio*) raddrizzatore.

to **rectify** /'rektifai/ v. t. **1** rettificare (*anche chim., mat., mecc.*); correggere: **to r. a figure [a mistake]**, rettificare una cifra [correggere un errore] **2** (*fis., radio*) raddrizzare • (*rag.*) **to r. an entry**, rettificare una posta □ **to r. one's life**, emendarsi; tornare sulla retta via (*fig.*).

rectilineal /rekti'liniəl/, **rectilinear** /rekti'liniə(r)/ (*geom.*) a. rettilineo • (*mecc.*) **r. motion**, moto rettilineo ‖ **rectilinearity** n. Ⓤ l'essere rettilineo.

rectitude /'rektitjuːd/, USA -tuːd/ n. Ⓤ (*form.*) rettitudine; onestà; probità.

recto /'rektəʊ/ n. (pl. **rectos**) (*tipogr.*) recto; pagina con numero dispari: **the r. and the verso**, il recto e il verso.

rector /'rektə(r)/ n. **1** (*relig.: Chiesa anglicana*) parroco **2** (*relig.: Chiesa cattolica*) rettore (*di seminario, ecc.*) **3** rettore (*d'università, di college*) **4** preside (*di talune scuole*) ‖ **rectorate** n. rettorato; incarico (*o* durata in cari-

ca) del «rector» ‖ **rectorial** a. rettorale; di rettore ‖ **rectorship** n. rettorato; incarico del «rector».

rectory /'rektəri/ n. (*relig.*) **1** (*Chiesa anglicana*) canonica; presbiterio **2** (*Chiesa cattolica*) beneficio; prebenda.

rectoscope /'rektəʊskəʊp/ (*med.*) n. rettoscopio ‖ **rectoscopy** n. Ⓤ rettoscopia.

rectrix /'rektriks/ n. (pl. **rectrices**) (*zool.*) penna della coda; (penna) timoniera.

rectum /'rektəm/ n. (pl. **rectums**, **recta**) (*anat.*) retto; intestino retto.

rectus /'rektəs/ n. (pl. **recti**) (*anat.*) retto; muscolo retto.

recumbent /rɪ'kʌmbənt/ a. **1** disteso; sdraiato; supino **2** (*bot.*) reclinato ‖ **recumbency** n. Ⓤ il giacere; giacitura; lo stare supino.

to **recuperate** /rɪ'kjuːpəreit/ Ⓐ v. t. **1** recuperare; riacquistare **2** recuperare, rifarsi di (*spese, ecc.*) Ⓑ v. i. **1** ristabilirsi; riaversi; rimettersi in salute; riprendersi: **to r. from an illness**, riaversi da una malattia **2** (*Borsa, fin.*) recuperare • **to r. one's losses**, rifarsi delle perdite.

recuperation /rɪkjuːpə'reiʃn/ n. Ⓤ **1** (*anche Borsa, fin.*) recupero **2** recupero della salute; ristabilimento • **r. drink**, bevanda tonificante.

recuperative /rɪ'kjuːpərətiv/ a. **1** che favorisce il recupero: ritemprante; ristoratore **2** (*mecc.*) a recupero: **r. air heater**, riscaldatore d'aria a recupero • **r. powers**, (*di un malato*) capacità di recupero (*del sonno, ecc.*) potere ristoratore.

recuperator /rɪ'kjuːpəreitə(r)/ n. (*tecn.*) recuperatore (*di calore, ecc.*): (*mecc.*) **spring r.**, recuperatore a molla (*in un fucile*).

to **recur** /rɪ'kɜː(r)/ v. i. **1** riandare; tornare, ritornare (*col pensiero*): *Let's r. to what was said before*, torniamo a quel che si diceva prima **2** tornare alla mente; ripresentarsi: *The long-forgotten accident now recurred to him*, ora gli tornava alla mente quell'incidente da tanto dimenticato **3** ricorrere (*lett.*); riaccadere; (*di un fatto*) ripetersi; (*di un'occasione, di sintomi, ecc.*) ripresentarsi **4** (*mat.: di un numero*) essere periodico.

recurrence /rɪ'kʌrəns/ n. Ⓤ Ⓒ **1** il riandare; il ritornare (*col pensiero*) **2** ricorrenza; riapparizione; ritorno periodico; ricorso **3** (*med.*) recidiva (*di una malattia*).

recurrent /rɪ'kʌrənt/ Ⓐ a. **1** ricorrente; periodico: **r. events**, fatti ricorrenti; (*med.*) **r. fevers**, febbri periodiche; (*anat.*) **r. nerve**, nervo ricorrente **2** (*mat.*) periodico: **r. decimal**, decimale periodico; (*fig.*) presenza ricorrente Ⓑ n. (*anat.*) nervo (*o* arteria) ricorrente.

recurring /rɪ'kɜːriŋ/ a. **1** ricorrente: **a r. dream**, un sogno ricorrente **2** (*fin.*) ricorrente: **r. costs** (*o* **expenses**), spese ricorrenti **3** (*mat.*) periodico: **r. decimals**, decimali periodici.

recursion /rɪ'kɜːʃn/ n. (*mat., comput., ling.*) processo (*o* fatto) ricorsivo; ricorrenza; ricorsione.

recursive /rɪ'kɜːsiv/ (*mat., comput., ling.*) a. ricorsivo: (*comput.*) **r. call**, chiamata ricorsiva; **r. function**, funzione ricorsiva • **r. theory**, teoria della ricorsività ‖ **recursively** avv. ricorsivamente; con ricorsività ‖ **recursiveness** n. Ⓤ ricorsività.

recurvate /riː'kɜːvət/ a. (*bot.*) ricurvo.

to **recurve** /riː'kɜːv/ (*spec. bot.*) Ⓐ v. t. curvare; curvare all'indietro Ⓑ v. i. ricurvarsi; esser ricurvo.

recurved /riː'kɜːvd/ a. (*scient., tecn.*) ricurvo.

recusant /'rekjuznt/ n. e a. **1** chi (*o* che) si rifiuta (*d'obbedire*); dissidente; dissenzien-

te **2** (*stor. ingl.*) chi (*spec.* cattolico che) si rifiutava di assistere alle funzioni anglicane ‖ **recusance, recusancy** n. $\boxed{U}$ **1** rifiuto d'obbedienza all'autorità costituita **2** (*stor. ingl.*) rifiuto di assistere alle funzioni della religione anglicana.

recusation /ˌrekjʊˈzeɪʃn/ n. $\boxed{U}$ = **recusal** → **to recuse**.

to **recuse** /rɪˈkjuːz/ (*leg.*, *in USA, Sud Africa, ecc.*) v. t. ricusare, rifiutare (*un giudice; cfr. ingl.* **to disqualify**) ‖ **recusal** n. $\boxed{U}$ ricusazione (*di un giudice; cfr. ingl.* **disqualification**).

recyclable /riːˈsaɪkləbl/ a. riciclabile ‖ **recyclability** n. $\boxed{U}$ riciclabilità.

♦to **recycle** /riːˈsaɪkl/ v. t. riciclare (*rifiuti, ecc.*).

recycle bin /riːˈsaɪklbɪn/ loc. n. (*comput.*) cestino.

recycling /riːˈsaɪklɪŋ/ n. riciclaggio; riciclo: **r. plant**, impianto di riciclaggio; **glass r.**, riciclaggio del vetro.

♦**red** /red/ $\boxed{A}$ a. **1** rosso: **red cherries**, ciliegie rosse; **red hair**, capelli rossi **2** (*polit.*) rosso; comunista; di sinistra: (*stor.*) **the Red Army**, l'Armata Rossa; l'Armata Sovietica $\boxed{B}$ n. **1** $\boxed{UC}$ colore rosso: **deep red**, rosso scuro; *She was dressed in red*, era vestita di rosso; **the different reds of a sunset**, i vari rossi di un tramonto **2** $\boxed{U}$ rosso; vino rosso **3** (*biliardo*) bilia rossa **4** $\boxed{U}$ rosso; luce rossa **5** (di solito al pl.) rosso; socialista; comunista; (*stor.*) bolscevico: (*iron.*) **to see Reds under the bed**, vedere comunisti perfino sotto il letto; (*stor.*) **the Reds and the Whites**, i Rossi e i Bianchi; i bolscevichi e i russi controrivoluzionari (*dopo il 1917*) **6** (*sport, in GB*) – **the Reds**, i rossi; i calciatori del Liverpool **7** (pl.) (*slang USA*) – **the reds**, i momenti di depressione; le paturnie • **red alert**, allarme rosso □ (*zool.*) **red ant** (*Formica rufa*), formica rossa □ (*trasp.*) **Red Arrow Bus**, autobus dalla ferrovia alla zona centrale di Londra □ (*slang USA*) **red-assed**, infuriato, furibondo; incavolato (*pop.*); incazzato nero (*volg.*) □ (*polit.*) **red-baiting**, attacchi (o persecuzione) con l'accusa di comunismo □ (*USA*) **red ball**, treno merci veloce; treno con diritto di precedenza □ **a red battle**, una battaglia sanguinosa □ (*judo*) **red belt**, cintura rossa □ (*med.*) **red-blind**, affetto da protanopia; protanope □ (*med.*) **red-blindness**, protanopia □ (*biol.*) **red blood cell**, globulo rosso □ **red-blooded**, (*di persona*) vigoroso, gagliardo; (*di romanzo, ecc.*) emozionante, pieno d'azione □ **red book**, annuario dei nomi di personaggi di spicco □ **red-brick** → **redbrick** □ (*stor.*) **the Red Brigades**, le Brigate Rosse □ (*calcio*) **red card**, cartellino rosso □ **red carpet (treatment)**, trattamento da vip; accoglienze con tutti gli onori □ (*USA*) **red cent**, centesimo di dollaro (*un tempo di rame*): *I don't care a red cent*, non me ne importa nulla (o un fico) □ (*fam.*) **Red China**, la Cina popolare □ (*stor.*) **red coat**, giubba rossa (*divisa militare tradizionale*); (*fig.*) soldato inglese (*spec. della polizia militare*) □ **the Red Crescent**, la Mezzaluna Rossa □ **red cross**, croce di San Giorgio (*croce su campo bianco: emblema dell'Inghilterra*) □ **the Red Cross**, la Croce Rossa □ (*zool.*) **red deer** (*Cervus elaphus*), cervo nobile; cervo europeo □ **the Red Devils**, (*mil.*) il reggimento dei paracadutisti inglesi; (*sport*) i calciatori del Manchester United □ (*naut.*) **the red ensign**, la bandiera rossa (*della marina mercantile britannica*) □ (*USA*) **red eye**, (*fam.*) aereo in volo notturno; (*slang*) whisky da pochi soldi □ **red eyes**, occhi rossi (o arrossati, iniettati di sangue) □ **red-faced**, (*con il viso*) rosso dalla vergogna (o dalla rabbia); imbarazzato □ **red flag**, bandiera rossa (*segno di pericolo; stendardo*

della rivoluzione); (*fig.*) drappo rosso, cosa che mette paura □ **the Red Flag**, Bandiera Rossa (*l'inno socialista o comunista*) □ (*astron.*) **red giant**, (stella) gigante rossa □ (*zool.*) **red grouse** (*Lagopus scoticus*), pernice rossa della Scozia □ (*polit., stor.*) **Red Guard**, guardia rossa □ **red-haired**, dai capelli rossi □ **red--handed**, con le mani nel sacco; in flagrante: *He was caught red-handed*, fu colto in flagrante □ (*relig.*) **red hat**, berretta cardinalizia; (*fig.*) la porpora, dignità e ufficio di cardinale □ **red-headed**, (*di una persona*) dai capelli rossi; (*di un uccello, ecc.*) dalla testa rossa □ (*zool.*) **red-headed woodpecker**, picchio capirosso □ (*metall.*) **red heat**, calore rosso □ **red herring**, aringa affumicata; (*fig.*) falsa traccia, diversivo □ **red-hot**, incandescente; arroventato; rovente; (*fig.*) ardente, bruciante; furibondo; recentissimo, fresco; eccezionale; popolarissimo; (*sost., slang USA*) panino imbottito con wurstel; 'hot dog': **red-hot anger**, ira furibonda; (*sport, ecc.*) **red-hot favourite**, superfavorito; **red-hot news**, notizie fresche □ (*antiq.*) **Red Indian**, indiano d'America; pellerossa □ **red ink**, inchiostro rosso; (*fam., banca, fin.*) indebitamento, posizione debitoria; passivo: (*di un'azienda*) **to go into red ink**, andare in passivo (*fam.*: in rosso) □ **red-ink**, in inchiostro rosso; (*banca, fin.*) passivo: **red-ink interest** (o **red interest**), interessi sui numeri rossi, interessi passivi □ (*miner.*) **red lead**, minio □ (*miner.*) **red-lead ore**, crocoite □ **red-lead paint**, vernice al minio; antiruggine □ **red-lead undercoat**, mano di antiruggine □ **red-letter day**, (*un tempo*) giorno di festa, di vacanza (*dal colore usato nei calendari*); (*fig.*) giorno memorabile □ **red light**, luce rossa, segnale di pericolo; semaforo rosso, segno di fermarsi: (*autom.*) **when the red light shows**, quando il semaforo è rosso; **to jump the red light**, «bruciare» il rosso □ **red-light district**, distretto o luci rosse; quartiere delle case di tolleranza □ (*USA*) **red-lining**, rifiuto di un mutuo o di un contratto assicurativo a persone che vivono in aree degradate o a rischio □ (*antiq. o offensivo*) **red man**, indiano (d'America); pellerossa □ (*pallanuoto*) **red marker**, linea rossa di fondocampo □ **red meat**, carne rossa (*spec. di bue*) □ (*zool.*) **red mullet** (*Mullus surmuletus*), triglia di scoglio □ (*bot.*) **red oak** (*Quercus rubra*), quercia rossa □ (*miner.*) **red ochre**, ocra rossa; rosso inglese □ **red pepper**, peperone rosso; (*anche*) pepe di Caienna □ (*bot.*) **red pine** (*Pinus resinosa*), pino americano □ (*USA*) **Red Power**, Potere Rosso (*in favore degli indiani d'America*) □ **a red rag (to a bull)**, (*fig.*) una cosa irritante, una provocazione □ **red rear light**, fanale posteriore (*di una bici o una moto*) □ (*in GB*) **red ribbon**, nastro rosso (*dell'Ordine di Bath*); (*USA*) premio dato al secondo classificato □ (*autom.*) **red route**, strada con divieto di parcheggio (*spec. a Londra*) □ **the Red Sea**, il Mar Rosso □ (*polit., USA*) **red state**, Stato i cui abitanti votano in prevalenza per il Partito repubblicano □ **red shift** → **redshift** □ (*ginnastica*) **red signal**, segnale rosso □ **red tail-lights**, (*autom.*) fanali posteriori, fanalini di coda; (*aeron.*) luci di coda □ **red tape**, nastro rosso; (*fig.*) burocrazia; lungaggine burocratica □ **red-tapist**, burocrate □ (*bot.*) **red weed**, (*Papaver rhoeas*) rosolaccio; (*Phytolacca americana*) fitolacca □ **red worm**, lombrico rosso (*usato come esca*) □ **as red as a beetroot**, rosso come un peperone □ (*banca*) **to be in the red**, essere in rosso; essere in debito; avere il conto scoperto; essere allo scoperto □ **to become** (o **to go**) **red in the face**, farsi rosso in viso; diventar rosso □ (*banca*) **to get in the red**, andare in rosso; andare in debito; andare sotto (*fam.*) □ (*banca*) **to get out of the red**, tornare in credito;

tornare a galla (*fig. fam.*) □ (*fig.*) **to have red hands**, avere le mani insanguinate (o sporche di sangue) □ **to mark a paper in red**, correggere un elaborato in rosso (o con la matita rossa) □ **to run in the red** = **to get in the red** → *sopra* □ (*fig.*) **to see red**, veder rosso, infuriarsi.

to **redact** /rɪˈdækt/ v. t. **1** redigere **2** revisionare; rivedere (*per la stampa*).

redaction /rɪˈdækʃn/ n. $\boxed{UC}$ **1** redazione; il redigere **2** preparazione per la stampa; revisione **3** nuova edizione; ristampa.

redactor /rɪˈdæktə(r)/ n. **1** redattore; estensore; chi redige (*un documento, ecc.*) **2** chi rivede un'edizione (o una pubblicazione); revisore.

redan /rɪˈdæn/ n. (*mil.*) saliente.

to **red-bait** /ˈredbeɪt/ v. t. (*polit.*) attaccare (o perseguitare) (q.) accusandolo d'essere comunista.

redbreast /ˈredbrest/ n. (*zool.*) **1** (*Erithacus rubecola*, = **robin r.**) pettirosso **2** (*Calidris canutus*) piovanello maggiore **3** (*slang*) militare che porta una giubba rossa.

redbrick /ˈredbrɪk/ a. **1** (*edil.*) di mattoni rossi **2** (*di università ingl.*) fondata nei tempi moderni; di nuova istituzione (*rispetto a Oxford e Cambridge, università medievali*).

redcap /ˈredkæp/ n. **1** (*fam.*) soldato della polizia militare **2** (*USA*) facchino, portabagagli (*di stazione o aeroporto*).

redcoat /ˈredkəʊt/ n. **1** (*stor.*) «giubba rossa»; soldato inglese **2** (*tur.*) animatore (*in un villaggio turistico*) **3** (*in GB*) usciere della Camera dei Lord.

redcurrant /ˈredkʌrənt/ n. (*bot., Ribes rubrum*) ribes rosso.

to **redden** /ˈredn/ $\boxed{A}$ v. t. **1** arrossare **2** fare arrossire (*le guance, ecc.*) $\boxed{B}$ v. i. **1** (*del viso, ecc.*) arrossire **2** (*della luce, del cielo, ecc.*) diventare rosso.

reddish /ˈredɪʃ/ a. rossiccio; rossastro.

reddle /ˈredl/ n. $\boxed{U}$ (*miner.*) ocra rossa; rosso inglese.

to **redecorate** /riːˈdekəreɪt/ v. t. **1** ritinteggiare; imbiancare (*una stanza, ecc.*) di nuovo **2** cambiare il parato di (*una stanza, ecc.*) ‖ **redecoration** n. $\boxed{U}$ **1** ritinteggiatura; rimbiancatura **2** rinnovo del parato.

to **redeem** /rɪˈdiːm/ v. t. **1** redimere; riscattare; affrancare; liberare: **to r. a jewel from the pawnshop**, riscattare un gioiello dal monte dei pegni; **to r. a slave**, affrancare uno schiavo **2** recuperare; riacquistare: **to r. one's rights**, recuperare i (o essere reintegrato nei) propri diritti **3** adempiere (*un obbligo*); mantenere (*una promessa*) **4** fare ammenda di; compensare; riscattare: **to r. a fault**, fare ammenda di una colpa; *Her eyes r. her face from ugliness*, gli occhi riscattano la bruttezza del suo viso **5** (*fin., leg.*) riscattare; estinguere (*un'ipoteca, ecc.*): **to r. mortgaged land**, riscattare terreni ipotecati **6** (*Borsa, fin.*) convertire in contanti; rimborsare (*obbligazioni, titoli*) • **to r. pledged goods**, ritirare oggetti dati in pegno; spignorarli.

redeemable /rɪˈdiːməbl/ a. (*anche fin., leg.*) redimibile; riscattabile: (*Borsa, fin.*) **r. stocks**, titoli redimibili, **r. loan**, prestito redimibile.

redeemer /rɪˈdiːmə(r)/ n. chi redime; redentore • (*relig.*) **the R.**, il Redentore.

redeeming /rɪˈdiːmɪŋ/ a. che redime • **r. feature**, qualità positiva (o che salva q.): *His one r. feature is kindness*, si salva solo perché è gentile.

to **redefine** /riːdɪˈfaɪn/ v. t. ridefinire ‖ **redefinition** n. $\boxed{UC}$ ridefinizione.

redemption /rɪˈdempʃn/ n. $\boxed{U}$ **1** redenzione; riscatto **2** recupero, disimpegno, ritiro (*di qc. dato in pegno*) **3** (*fin., leg.*) libera-

zione, affrancamento (*da un impegno*); ammortamento, estinzione (*di un'ipoteca*) **4** (*Borsa, fin.*) rimborso (*d'obbligazioni, di titoli*); riscatto (*di fondi comuni*): **r. price**, valore di rimborso **5** (*ass., trasp.*) riscatto (*di una polizza di carico, ecc.*) ● (*comm.*) **r. coupon**, buono omaggio (*o sconto*) □ (*Borsa, fin.*) **r. date**, data di rimborso □ (*fin.*) **r. fund**, fondo d'ammortamento □ **the r. of a loan**, il rimborso di un mutuo; la restituzione di un prestito □ (*Borsa, fin.*) **r. value**, valore di rimborso □ (*Borsa, fin.*) **r. yield**, rendimento alla scadenza □ **to be past** (*o beyond*) **r.**, essere irredimibile (*o incorreggibile*).

redemptive /rɪˈdɛmptɪv/ *a.* **1** che redime; redentore (agg.) **2** di redenzione.

to **redenominate** /riːdəˈnɒmɪneɪt/ *v. t.* (*fin.*) ridenominare.

to **redeploy** /riːdɪˈplɔɪ/ *v. t.* **1** reimpiegare, ridistribuire (*soldati, operai, ecc.*); (*mil.*) ridislocare, trasferire (*ad altre mansioni, ecc.*) **2** riposizionare (*impianti*) **3** (*sport*) riciclare (*un giocatore*) ‖ **redeployment** *n.* ⓤ **1** reimpiego, ridistribuzione, trasferimento; (*mil.*) nuovo dislocamento **2** riposizionamento (*d'impianti, installazioni militari, ecc.*) **3** (*sport*) riciclo (*di un giocatore*).

to **redesign** /riːdɪˈzaɪn/ *v. t.* ridisegnare; riprogettare; ripianificare.

to **redevelop** /riːdɪˈvɛləp/ *v. t.* **1** sviluppare di nuovo **2** (*edil., urbanistica*) riprogettare; ricostruire: **to r. a slum district**, ricostruire un quartiere di catapecchie ‖ **redevelopment** *n.* **1** nuovo sviluppo **2** (*edil., urbanistica*) riprogettazione (*di un'area*); bonifica urbana; ricostruzione ● **redevelopment site**, lotto (*di edifici*) da ricostruire □ **urban redevelopment**, rinnovamento urbanistico.

redfish /ˈrɛdfɪʃ/ *n.* (*zool.*) **1** salmone maschio (*nel periodo della riproduzione*) **2** (*Oncorhyncus nerka*) salmone rosso (*del Pacifico*).

redhead /ˈrɛdhɛd/ *n.* **1** (*fam.*) rossa; donna dai capelli rossi **2** (*fam.*) rosso; uomo dai capelli rossi **3** (*zool., Aythya americana*) anatra dalla testa rossa.

to **redial** /riːˈdaɪəl/ *v. t.* digitare di nuovo, rifare (*un numero: al telefono, ecc.*).

rediffusion /riːdɪˈfjuːʒən/ *n.* (*radio, TV*) ritrasmissione (*via cavo, ecc.*).

redingote /ˈrɛdɪŋɡəʊt/ (*franc.*) *n.* (*moda*) redingote.

to **redintegrate** /rɛˈdɪntɪɡreɪt/ (*anche leg.*) *v. t.* reintegrare ‖ **redintegration** *n.* ⓤ reintegrazione.

to **redirect** /riːdɪˈrɛkt/ *v. t.* **1** riindirizzare (*una lettera*) **2** inoltrare, rispedire (*una lettera*) a un nuovo indirizzo **3** rivolgere (*qc. a uno scopo*) **4** (*autom.*) dirottare, deviare (*il traffico*).

rediscount /riːˈdɪskaʊnt/ *n.* (*banca*) risconto ● **r. rate**, tasso di risconto.

to **rediscount** /riːˈdɪskaʊnt/ *v. t.* (*banca*) riscontare, scontare di nuovo (*cambiali, ecc.*).

to **rediscover** /riːdɪˈskʌvə(r)/ *v. t.* riscoprire; ritrovare ‖ **rediscovery** *n.* riscoperta.

to **redistribute** /riːdɪˈstrɪbjuːt/ *v. t.* ridistribuire ‖ **redistribution** *n.* ⓤ ridistribuzione: (*econ.*) **the redistribution of wealth**, la ridistribuzione della ricchezza.

to **redivide** /riːdɪˈvaɪd/ *v. t.* ridividere.

redly /ˈrɛdlɪ/ *avv.* di un colore rosso; con tinte di rosso.

redneck /ˈrɛdnɛk/ *n.* (*spreg. USA*) **1** rozzo e grezzo abitante bianco degli Stati del Sud **2** (*per estens.*) bifolco reazionario; (*spec.*) razzista.

redness /ˈrɛdnəs/ *n.* ⓤ l'essere rosso; rossore.

to **redo**, **re-do** /riːˈduː/ (*pass.* **redid**, p. p.

redone), *v. t.* **1** rifare; fare di nuovo: **to redo one's work**, rifare il lavoro **2** ridipingere; ritinteggiare: **to redo the kitchen in white**, ridipingere la cucina di bianco **3** (*comput.*) ripristinare ● **to redo one's hair**, rifarsi la pettinatura.

redolent /ˈrɛdələnt/ *a.* olezzante; profumato; fragrante: **r. wine**, vino profumato ● (*fig.*) **r. of**, che sa di; che ricorda; che richiama alla mente ‖ **redolence** *n.* ⓤ olezzo; profumo; fragranza.

redouble /riːˈdʌbl/ *n.* **1** (*nel bridge*) surcontre **2** (*scherma*) raddoppio.

to **redouble** /riːˈdʌbl/ Ⓐ *v. t. e i.* **1** raddoppiare, raddoppiarsi; aumentare: **to r. one's efforts**, raddoppiare gli sforzi **2** (*bridge*) surcontrare Ⓑ *v. i.* (*scherma*) raddoppiare.

redoubt /rɪˈdaʊt/ *n.* **1** (*mil.*) ridotta, ridotto, fortino **2** (*fig.*) rifugio; riparo.

redoubtable /rɪˈdaʊtəbl/ *a.* (*lett.*) formidabile; temibile; terribile.

to **redound** /rɪˈdaʊnd/ *v. i.* **1** ridondare (*fig.*); riuscire, tornare (*a vantaggio, a danno, ecc.*): *This procedure will r. to our advantage*, questa procedura tornerà a nostro favore **2** ricadere, riversarsi (su): *The disgrace will r. upon his family*, l'onta ricadrà sulla sua famiglia **3** (*arc.*) provenire, derivare (da).

redpoll /ˈrɛdpəʊl/ *n.* (*zool.*) **1** (*Carduelis flammea*) organetto **2** (*Carduelis cannabina*) fanello; montanello.

to **redraft** /riːˈdrɑːft/ *n.* (*leg., comm.*) rivalsa; cambiale di rivalsa.

to **redraft** /riːˈdrɑːft/ *v. t.* redigere di nuovo.

to **redraw** /riːˈdrɔː/ *v. t.* (*pass.* **redrew**, p.p. **redrawn**) **1** ridisegnare **2** (*fig.*) ridisegnare; ridefinire.

redress /rɪˈdrɛs/, *USA* /ˈriːdrɛs/ *n.* rimedio giuridico; riparazione (*di torti, ecc.*); risarcimento (*di danni*); indennizzo ● **to get legal r.**, ottenere giustizia □ (*leg.*) **to seek r. in a court of law**, cercare di ottenere per vie legali un risarcimento di danni.

to **redress** /rɪˈdrɛs/ *v. t.* **1** raddrizzare; riaggiustare; ristabilire: **to r. the balance**, ristabilire l'equilibrio **2** compensare; correggere; riparare; fare ammenda di; risarcire: **to r. a wrong** [**a grievance**], riparare un torto [un'ingiustizia]; **to r. a damage**, risarcire un danno.

to **re-dress** /riːˈdrɛs/ *v. t.* rivestire; vestire di nuovo.

redshank /ˈrɛdʃæŋk/ *n.* (*zool., Tringa totanus*) pettegola.

redshift /ˈrɛdʃɪft/ *n.* (*fis., astron.*) spostamento verso il rosso; redshift.

redskin /ˈrɛdskɪn/ *n.* (*antiq. o offensivo*) pellerossa; indiano d'America.

redstart /ˈrɛdstɑːt/ *n.* (*zool., Phoenicurus phoenicurus*) codirosso.

redtail /ˈrɛdteɪl/ *n.* (*zool.*) → **redstart**.

redtop /ˈrɛdtɒp/ *n.* (*GB*) quotidiano ultrapopolare.

◆to **reduce** /rɪˈdjuːs/, *USA* /-ˈduːs/ Ⓐ *v. t.* **1** ridurre (*anche med.*); mettere (*in una certa condizione*); diminuire; restringere; scemare: **to r. sb. to obedience**, ridurre q. all'obbedienza; **to r. speed** [**expenses, the staff**], ridurre la velocità [le spese, il personale]; *He had his broken shoulder reduced*, si fece ridurre la frattura alla spalla; **to r. prices**, ridurre (*o diminuire, ribassare*) i prezzi; **to r. the discount rate**, ridurre il tasso di sconto; **to r. to powder** [**to a pulp**], ridurre in polvere [in polpa, in poltiglia]; (*mat.*) **to r. fractions to their lowest terms**, ridurre frazioni ai minimi termini; *He was reduced to skin and bones*, si era ridotto pelle e ossa **2** (*chim., metall.*) ridurre: **to r. a substance**,

ridurre una sostanza **3** (*ling.*) indebolire **4** (*pitt.*) diluire (*un colore*) **5** (*fotogr.*) indebolire (*una negativa*) **6** (*cucina*) fare restringere, rassodare (*una salsa, ecc.*) Ⓑ *v. i.* **1** ridursi **2** (*fam.*) dimagrire; cercar di dimagrire (*spec. stando a dieta*): *Mrs Brown has been reducing for a month*, la signora Brown segue una cura dimagrante da un mese ● (*nelle corse*) **to r. sb.'s lead**, accorciare le distanze □ (*mil.*) **to r. sb. to the ranks**, degradare q. a soldato semplice □ **to r. sb. to silence**, far tacere q. □ **to r. one's weight**, perdere peso; dimagrire □ (*calcio*) **to be reduced to ten men**, rimanere in dieci.

reduced /rɪˈdjuːst/ *a.* ridotto: **r. prices**, prezzi ridotti; (*trasp.*) **r. rate**, tariffa ridotta; (*fis.*) **r. mass**, massa ridotta.

reducer /rɪˈdjuːsə(r)/, *USA* /-ˈduː-/ *n.* **1** chi riduce; riduttore, riduttrice **2** (*mecc.*) riduttore; dispositivo di riduzione: **speed r.**, riduttore di velocità **3** (*idraul.*) giunto di riduzione (*di tubature*) **4** (*chim.*) agente deossidante (*o riducente*) **5** (*fotogr.*) bagno d'indebolimento.

reducible /rɪˈdjuːsəbl/, *USA* /-ˈduː-/ (*chim., med., mat.*) *a.* riducibile ‖ **reducibility** *n.* ⓤ riducibilità.

reductase /rɪˈdʌkteɪz/ *n.* (*biochim.*) reduttasi; riduttasi.

reducting /rɪˈdʌktɪŋ/ *a.* riducente ● (*chim.*) **r. agent**, riducente; agente riducente.

◆**reduction** /rɪˈdʌkʃn/ *n.* ⓤⒸ **1** riduzione; ribasso (*dei prezzi*); diminuzione: **a r. in working hours**, una riduzione dell'orario di lavoro **2** (*chim.*) riduzione **3** (*med.*) riduzione (*di una frattura*) **4** (*disegno, fotogr.*) riproduzione in scala minore **5** (*mil.*) degradazione **6** (*ling.*) riduzione **7** (*cucina*) riduzione ● (*tecn.*) **r. gear**, meccanismo di demoltiplicazione; demoltiplicatore.

reductionism /rɪˈdʌkʃnɪzəm/ (*filos., biol.*) *n.* ⓤ riduzionismo ‖ **reductionist** *n.* riduzionista ‖ **reductionistic** *a.* riduzionista.

reductive /rɪˈdʌktɪv/ *a.* riduttivo; che serve a ridurre | **-ly** *avv.*

redundance /rɪˈdʌndəns/ *n.* ⓤ → **redundancy**, *def. 1*.

◆**redundancy** /rɪˈdʌndənsɪ/ *n.* **1** ⓤ (*scient., tecn.*) ridondanza: (*comput.*) **r. check**, controllo di ridondanza **2** ⓒ sovrabbondanza, esubero (*di manodopera, ecc.*); l'essere in soprannumero **3** ⓤⒸ (*ingl. econ.*) perdita del posto di lavoro (*per esubero di personale*); licenziamento: *We are facing r.*, abbiamo in prospettiva la perdita del posto di lavoro; *The company has announced 3,000 redundancies*, la società ha annunciato 3 000 licenziamenti; **voluntary r.**, esodo volontario; **r. fund**, fondo per il → «redundancy payment» (*sotto*); **r. payment**, indennità di licenziamento (*pagata a un lavoratore in esubero*) **4** ⓤ ridondanza; sovrabbondanza; superfluità.

redundant /rɪˈdʌndənt/ *a.* **1** ridondante; sovrabbondante: **a r. style**, uno stile ridondante **2** (*scient., tecn.*) ridondante **3** (*scient.: di strumento*) doppio; secondo; di riserva **4** (*econ.: di manodopera*) esuberante; in esubero; in soprannumero ● (*comm.*) **r. stocks**, scorte in eccedenza □ (*econ.*) **r. worker**, operaio (*licenziato perché*) in soprannumero □ (*econ.: d'operaio, ecc.*) **to be made r.**, essere dichiarato in soprannumero (*o esuberante*); essere licenziato (*senza colpa, e col pagamento di una indennità; in GB non esiste la Cassa integrazione guadagni*).

to **reduplicate** /rɪˈdjuːplɪkeɪt/, *USA* /-ˈduː-/ *v. t.* **1** raddoppiare; duplicare; ripetere; replicare **2** (*ling.*) reduplicare; raddoppiare ‖ **reduplication** *n.* ⓤ **1** raddoppiamento; raddoppio; ripetizione **2** (*ling.*) reduplica-

zione; raddoppiamento ‖ **reduplicative a. 1** che raddoppia; che tende a raddoppiare **2** (*ling.*) reduplicativo.

redwater /'rɛdwɔːtə(r)/ n. Ⓤ (*vet.*) piroplasmosi.

redwing /'rɛdwɪŋ/ n. (*zool.*) **1** (*Turdus musicus*) tordo sassello **2** (*Agelaeus phoeniceus*, = **red-winged blackbird**) alarossa orientale.

redwood /'rɛdwʊd/ n. **1** (*bot.*, *Sequoia sempervirens*, = **r. tree**) sequoia **2** Ⓤ legno rosso di California; legno di sequoia.

to redye, **to re-dye** /riː'daɪ/ v. t. ritingere; tingere di nuovo.

to re-echo /riː'ɛkəʊ/ v. t. e i. riecheggiare.

reed /riːd/ n. **1** (*bot.*, *Arundo donax*) canna; cannuccia (*la pianta*) **2** (stelo di) canna **3** Ⓤ (collett.) canniccio; cannucce (*spec. se usate come copertura di tetti*) **4** (*poet.*) siringa; zampogna; (*fig.*) poesia pastorale **5** (*poet.*) freccia; dardo; saetta; strale **6** (*mus.*) ancia; linguetta **7** (pl.) (*mus.* = **reed instruments**) strumenti a fiato muniti di ancia (*clarinetto, oboe, ecc.*; *distinti dagli ottoni*) **8** (*ind. tess.*) pettine (*di telaio*) **9** (*archit.*) modanatura a cordoncino ● **r. bed**, canneto □ **r. boat**, imbarcazione di canne □ (*zool.*) **r. bunting** (*Emberiza schoeniclus*) migliarino di palude □ (*bot.*) **r. mace**, (*Typha latifolia*) sala, tifa, mazza di palude; (*Typha angustifolia*) stiancia □ (*mus.*) **r. organ**, armonium □ (*zool.*) **r. pheasant** (*Panurus biarmicus*), basettino □ (*mus.*) **r. pipe**, zampogna; canna d'organo munita d'ancia □ **r. sparrow** = **r. bunting** → sopra □ (*mus.*) **r. stop**, registro d'organo ad ancia □ (*elettr.*) **r. switch**, interruttore a lamelle □ (*zool.*) **r. warbler** (*o* **r. wren**) (*Acrocephalus scirpaceus*), cannaiola □ (*fig. fam.*) **a broken r.**, una persona inaffidabile.

to reed /riːd/ v. t. **1** coprire (*un tetto*) di canniccio **2** (*archit.*) decorare con modanature a cordoncino **3** (*mus.*) provvedere (*uno strumento a fiato, una canna d'organo*) di ancia.

to re-edit /riː'ɛdɪt/ v. t. pubblicare di nuovo; ripubblicare; curare una nuova edizione di (*un libro*) ‖ **re-edition** n. ⒰ riedizione; nuova edizione.

reedling /'riːdlɪŋ/ n. (*zool.*, *Panurus biarmicus*) basettino.

to re-educate, **to reeducate** /riː'ɛdʒʊkeɪt/ v. t. rieducare ‖ **re-education**, **reeducation** n. Ⓤ rieducazione.

reedy /'riːdɪ/ a. **1** pieno di canne: **a r. pond**, uno stagno pieno di canne **2** fatto di canne; di canna **3** (*fig.*: *di una persona*) esile; debole **4** (*della voce, di un suono*) chioccio; sottile; stridulo; acuto ‖ **reediness** n. Ⓤ **1** abbondanza di canne **2** esilità; debolezza **3** (*della voce*) stridore; acutezza.

reef ① /riːf/ n. **1** (*naut.*) terzarolo ● **r. knot**, nodo piano □ **r. point**, matafione di terzarolo □ **to take in** (*o* **to tuck in**) **a r.**, (*naut.*) prendere una mano di terzaroli; (*fig.*) procedere con cautela.

reef ② /riːf/ n. **1** (*geogr.*) scogliera; banco di scogli (*o di sabbia*) a fior d'acqua **2** (*ind. min.*) filone tabulare; filone-strato.

to reef /riːf/ v. t. (*naut.*) terzarolare (*una vela*).

reefer /'riːfə(r)/ n. **1** (*naut.*) marinaio che fa terzaroli **2** (*gergo naut.*) aspirante (*o cadetto*) di marina **3** (= **r. jacket**) giubbotto corto a doppiopetto (*da marinaio*) **4** (*naut.*) nodo piano **5** (*slang, antiq.*) spinello; canna **6** (*slang USA*) autocarro (*o carro, vagone*) frigorifero; nave frigorifera.

reek /riːk/ n. **1** (*lett. o scozz.*) fumo denso **2** odore acre; puzzo; esalazione fetida: **the r. of snuff**, l'odore acre del tabacco da fiuto; **the r. of the sewers**, il puzzo delle fogne ‖ **reekie**, **reeky** a. **1** (*lett. o scozz.*) fumoso **2** fetido; puzzolente.

to reek /riːk/ Ⓐ v. i. **1** trasudare; fumare; emettere fumo (*o vapori*) **2** puzzare; (*fig.*) saper di: *He reeks of garlic*, puzza d'aglio; *These remarks r. of racism*, queste osservazioni sanno di razzismo Ⓑ v. t. **1** affumicare **2** emettere, esalare (*fumo, vapori*) ● (*fig.*) **to r. with corruption**, puzzare di corruzione.

◆**reel** ① /riːl/ n. **1** (*ind. tess.*) aspo; bobina **2** rocchetto; bobina: **a r. of cotton**, un rocchetto di cotone; **a r. of magnetic tape**, una bobina di nastro magnetico **3** (*fotogr.*) bobina, rotolo; (*cinem.*) bobina, rotolo, pizza **4** mulinello (*di canna da pesca*) ● (*fig. fam.*) **off the r.**, senza posa; tutto d'un fiato.

reel ② /riːl/ n. (*mus.*) «reel» (*vivace danza scozz. o irl.*).

reel ③ /riːl/ n. **1** barcollamento; ondeggiamento; traballio; vacillamento **2** movimento vorticoso; vortice: (*fig.*) **the r. of folly around us**, il vortice della follia intorno a noi.

to reel ① /riːl/ v. t. (*ind. tess.*, *anche* **to r. in**) annaspare; avvolgere (*filo*) sull'aspo; bobinare ● (*sport*) **to r. in a fish**, tirar su un pesce col mulinello □ **to r. off**, dipanare (*filo*); dire d'un fiato, snocciolare (*una storiella, date, versi, ecc.*) □ **to r. out**, dipanare.

to reel ② /riːl/ v. i. ballare il «reel» (→ **reel** ②).

to reel ③ /riːl/ v. i. **1** (*della testa*) girare: *My head reeled*, mi girava la testa; **to make sb.'s head r.**, far girare la testa a q. **2** barcollare; ondeggiare; traballare; vacillare; esser scosso: *They went off reeling*, se ne andarono barcollando; *The State was reeling to its foundations*, lo Stato era scosso dalle fondamenta **3** girare; turbinare: *The square reeled before his eyes*, la piazza gli girava sotto gli occhi ● **to r. back into the house**, rientrare in casa barcollando □ **to r. back in horror**, arretrare inorridito (*vacillando*).

to re-elect /riːɪ'lɛkt/ v. t. rieleggere ‖ **re--election** n. ⒰ rielezione.

reeler /'riːlə(r)/ n. **1** (nei composti) pellicola; film: **a four-r.**, un film di quattro pizze **2** (*fam. USA*) giro dei bar.

re-eligible /riː'ɛlɪdʒəbl/ a. rieleggibile ‖ **re-eligibility** n. Ⓤ rieleggibilità.

reeling /'riːlɪŋ/ a. **1** barcollante; vacillante; traballante **2** che gira; vorticante.

to re-embark /riːɪm'bɑːk/ v. t. e i. rimbarcare, rimbarcarsi ‖ **re-embarkation** n. ⒰ rimbarco.

to re-emerge /riːɪ'mɜːdʒ/ v. i. riemergere ‖ **re-emergence** n. ⒰ riemersione.

to re-employ /riːɪm'plɔɪ/ v. t. **1** reimpiegare, rimpiegare; impiegare di nuovo **2** assumere di nuovo; riassumere (*manodopera, ecc.*) **3** (*sport*) impiegare (*un giocatore*) in un ruolo diverso; riciclare ‖ **re-employment** n. Ⓤ **1** reimpiego **2** riassunzione (*di lavoratori*).

to re-enact /riːɪ'nækt/ v. t. **1** rimettere (*una legge*) in vigore; reintrodurre **2** ricostruire (*una scena, un delitto, ecc.*) **3** (*teatr.*) recitare (*o rappresentare*) di nuovo ‖ **re--enactment** n. **1** rimessa in vigore (*d'una legge*) **2** ricostruzione (*di un'azione*) **3** (*teatr.*) nuova recita.

to re-enforce /riːɪn'fɔːs/ *e deriv.* → **to re-inforce**, *e deriv.*

to re-engage /riːɪn'geɪdʒ/ Ⓐ v. t. **1** impegnare (prenotare, occupare, ecc.) di nuovo (*una camera, un posto, ecc.*) **2** riassumere; assumere (ingaggiare, ecc.) di nuovo (*personale, ecc.*) **3** attirare di nuovo (*l'attenzione, ecc.*); riconquistare (*la benevolenza, ecc.*) **4** (*mil.*) impegnare (*a attaccare*) di nuovo **5** (*autom., mecc.*) reingranare, reinnestare (*una marcia*) Ⓑ v. i. **1** impegnarsi di nuovo

2 (*mil.*) impegnare combattimento (*o attaccare*) di nuovo **3** (*mecc.*) reingranare; (*di una marcia*) entrare di nuovo ● **to re-engage in business**, rimettersi in affari.

re-engagement /riːɪn'geɪdʒmənt/ n. **1** nuovo impegno; nuova prenotazione **2** riassunzione, rinomina (*di personale, ecc.*) **3** (*mil.*) nuovo attacco **4** (*autom., mecc.*) reinnesto (*di una marcia*).

to re-enlist /riːɪn'lɪst/ (*mil.*) Ⓐ v. t. riarruolare Ⓑ v. i. raffermarsi; riarruolarsi; arruolarsi di nuovo ‖ **re-enlistment** n. nuovo arruolamento; reingaggio; rafferma.

to re-enter /riː'ɛntə(r)/ Ⓐ v. t. **1** rientrare in; entrare di nuovo in: **to re-enter the media market**, rientrare nel mercato dei media **2** iscriversi di nuovo a (*un circolo, una gara, ecc.*) **3** (*rag.*) registrare di nuovo **4** (*comput.*) inserire di nuovo: *I'll have to spend most of the afternoon re-entering the data*, dovrò passare quasi tutto il pomeriggio a reinserire i dati Ⓑ v. i. **1** rientrare; entrare di nuovo **2** iscriversi di nuovo; reiscriversi ‖ **re-entrance** n. ⒰ rientro; nuova entrata.

re-entrant /riː'ɛntrənt/ Ⓐ a. rientrante Ⓑ n. **1** (*geom.*) angolo rientrante **2** parte rientrante; rientranza.

re-entry /riː'ɛntrɪ/ n. ⒰ **1** rientrata; rientro (*anche di navicella spaziale*) **2** (*leg.*) il rientrare in possesso (*di qc.*) **3** (*anche rag.*) nuova registrazione **4** reingresso (*in un paese*) ● (*tur.*) **re-entry visa**, visto di reingresso ● (*miss.*) **re-entry vehicle**, veicolo di rientro □ (*miss.*) **re-entry window**, finestra di rientro □ (*miss.*) **to make a successful re-entry**, rientrare felicemente (*dallo spazio*); fare un rientro perfetto.

to re-equip /riːɪ'kwɪp/ v. t. **1** equipaggiare di nuovo, riallestire (*un esercito, una nave*) **2** riattrezzare (*un'officina, ecc.*); riarredare (*una casa*) ‖ **re-equipment** n. Ⓤ **1** riallestimento **2** nuova attrezzatura; nuovo arredamento.

to re-establish /riːɪ'stæblɪʃ/ v. t. **1** ristabilire; ricostituire; restaurare; rifondare; ricostruire: **to re-establish military bases**, ristabilire basi militari; **to re-establish a town**, ricostruire una città; **to re-establish sb.'s authority**, restaurare l'autorità di q. **2** riaffermare (*un diritto, ecc.*) **3** confermare (*o dimostrare*) di nuovo (*una teoria, ecc.*) ● **to re-establish the budget on a sound footing**, risanare il bilancio □ **to re-establish one's health**, ristabilirsi, rimettersi in salute □ **to re-establish oneself**, installarsi di nuovo; ristabilirsi (*in un luogo*); rimettersi in affari.

re-establishment /riːɪ'stæblɪʃmənt/ n. ⒰ **1** ristabilimento; ricostituzione; restaurazione; rifondazione **2** riaffermazione (*di un diritto, ecc.*) **3** conferma, dimostrazione (*di una teoria, ecc.*).

reeve ① /riːv/ n. **1** (*stor.*) primo magistrato (*di città o distretto medievale*) **2** (*stor.*) sovrintendente, fattore (*di una grande tenuta*) **3** (*nel Canada*) presidente di consiglio comunale.

reeve ② /riːv/ n. (*zool.*) femmina della pavoncella combattente (*cfr.* **ruff** ①, *def.* 4).

to reeve /riːv/ (pass. e p. p. **reeved, rove**), v. t. (*naut.*) **1** infilare, passare (*una cima attraverso un anello, ecc.*) **2** assicurare, legare (*passando una cima in un anello*).

to re-examine /riːɪg'zæmɪn/ v. t. **1** riesaminare **2** (*leg.*) sottoporre (*un testimone*) a nuovo interrogatorio (*dopo il controinterrogatorio*) ‖ **re-examination** n. ⒰ **1** riesame; nuovo esame **2** (*leg.*) nuovo interrogatorio (*del testimone, da parte di colui che l'ha citato*).

re-export /riː'ɛkspɔːt/ n. (*comm.*) **1** articolo (*o prodotto*) riesportato **2** Ⓤ riesportazione.

to **re-export** /riːɪk'spɔːt/ (*comm.* • v. t. riesportare ‖ **re-exportation** n. ⓤ riesportazione ‖ **re-exporter** n. riesportatore, riesportatrice.

to **ref** /rɛf/ v. t. (*fam.*) arbitrare.

ref. abbr. **1** (*sport, fam.*, **referee**) arbitro **2** (**refer to**) rivolgersi a **3** (**reference**) riferimento (rif.).

to **reface** /riː'feɪs/ v. t. **1** rifare la facciata di (*un edificio, ecc.*) **2** (*mecc.*) rettificare; ripassare **3** affrontare (*un problema, ecc.*) di nuovo.

to **refashion** /riː'fæʃn/ v. t. **1** rifoggiare, rimodellare; rifare **2** rimodernare.

Ref. Ch. abbr. (**Reformed Church**) la Chiesa protestante.

refectory /rɪ'fɛktrɪ/ n. refettorio • **r. table**, fratina.

♦to **refer** /rɪ'fɜː(r)/ Ⓐ v. t. **1** indirizzare; mandare; dire (*a q.*) di rivolgersi (a): *My doctor referred me to a specialist*, il mio medico mi mandò da uno specialista **2** affidare; deferire; rimettere; rinviare: *Let's r. the question to arbitration*, deferiamo la questione a un arbitro!; (*polit.*) **to r. a bill to a committee**, rinviare un disegno di legge a una commissione (*per ulteriore esame*) **3** dire a (q.) di consultare: **to r. a student to an encyclopaedia**, dire a uno studente di consultare un'enciclopedia **4** (*spec. comm.*) indirizzare per referenze; dare a (q.) il nome (*di q. altro*) come referenza: *The applicant has referred us to you*, il candidato ci ha dato (*o ha fatto*) il Vostro nome come referenza **5** (*in GB*) rimandare, riprovare (*uno studente*) **6** attribuire la causa di; ascrivere; imputare: **to r. famine to the war**, attribuire la causa della carestia alla guerra **7** (*bot., zool.*) assegnare: **to r. the subclass of barnacles to the crustaceans**, assegnare la sottoclasse dei cirripedi ai crostacei **8** (*sport*) deferire (*un giocatore, ecc.*: *alla commissione disciplinare*) ❶ **FALSI AMICI** • to refer *non significa* riferire Ⓑ v. i. **1** riferirsi (a); concernere; trattare (di); rifarsi (a); alludere; accennare; aver relazione (con): *His remark refers only indirectly to you*, la sua osservazione si riferisce a te soltanto indirettamente; *Don't r. to the accident again*, non alludere più all'incidente (o non menzionarlo, non farne più parola)!; **referring to what I said just now**, rifacendomi a quanto ho detto or ora **2** appellarsi; rivolgersi, fare ricorso (*a q. per informazioni, aiuto, ecc.*); consultare: *R. to the office*, rivolgetevi all'ufficio; **to r. to a map [a dictionary, one's watch]**, consultare una carta geografica (un dizionario, l'orologio) • **to r. back**, rimandare, fare riferimento a (*qc. già detto o scritto*); rinviare, rimettere (*una questione, ecc.*) a (*una persona, un ente, ecc. che l'ha già esaminata prima*); fare riesaminare (*banca*) «r. to drawer» (abbr. **R.D.**), «rivolgersi all'emittente» (*formula con cui una banca rifiuta il pagamento di un assegno scoperto*) □ (*anche comm.*) **referring to**, in riferimento a; riguardo a.

referable /rɪ'fɜːrəbl/ a. riferibile, attribuibile; assegnabile; deferibile (→ **to refer**).

referee /rɛfə'riː/ n. **1** (*leg.*) arbitro **2** (*leg.*) relatore; perito **3** (*polit.*) relatore (*su un disegno di legge*) **4** (*università*) referee (*esperto che valuta un articolo per la pubblicazione in una rivista*) **5** (*comm.*) chi dà referenze (*per q.*); referenza: *Can I give your name as a r.?*, posso fare il Suo nome come referenza? **6** (*sport*) arbitro; (*cfr.* **umpire**, *def. 3*) **7** (*atletica*) giudice (di gara) **8** (*pallavolo*) primo arbitro **9** (*polo*) arbitro esterno • (*banca*) **r. in case of need**, bisognatario □ (*boxe*) **r. stop count**, knockout tecnico (*decretato dall'arbitro*).

to **referee** /rɛfə'riː/ v. t. (*leg. e sport*) v. t. e i.

arbitrare; fare da arbitro (→ **referee**) ‖ **refereeing** n. arbitraggio.

♦**reference** /'rɛfərəns/ n. **1** ⓤⓒ riferimento; rimando; rinvio; accenno; allusione; menzione; relazione; rapporto: *The novel is full of historical references*, il romanzo è pieno di riferimenti storici; **a passing r.**, un accenno fugace; *No r. to a previous meeting was made*, non si fece allusione a un precedente incontro; *His success seems to have little r. to merit*, sembra che il suo successo non sia in relazione (*o abbia ben poco a che fare*) coi suoi meriti **2** ⓤ consultazione: **r. books** (*o works of r.*), libri (*o opere*) di consultazione; **r. library**, biblioteca di consultazione (*che non fa prestiti*) **3** referenza; attestato; benservito: *What are your references?*, quali sono le Sue referenze?; **trade references**, referenze commerciali **4** (lettera di) raccomandazione **5** chi dà referenze (*su q.*); referenza: *Do you have any references from former employers?*, ha delle referenze dai suoi ex datori di lavoro? **6** (*leg.*) compromesso arbitrale **7** (*leg.*) ricorso all'arbitrato; deferimento (*di una controversia*) a un arbitro **8** (= **r. mark**) segno di rimando (*asterisco, ecc.*) **9** (*fig.*) riferimento **10** ⓤ (*raro*) competenza; poteri: *That isn't outsider the (terms of) r. of the committee*, ciò non rientra nei poteri della commissione • (*fin.*) **r. currencies**, valute di riferimento □ (*mecc.*) **r. gauge**, calibro di riscontro; calibro campione □ **r. number**, numero di riferimento □ (*econ.*) **r. price**, prezzo di riferimento □ (*stat.*) **r. set**, insieme di riferimento □ (*comm.*) **to ask for references**, chiedere referenze □ (*comm.*) **banker's r.**, referenze bancarie □ **for easy r.**, per facilitare la consultazione (*di un libro, ecc.*) □ **in** (*o* **with**) **r. to**, in rapporto a, rispetto a; in relazione a, in riferimento a □ **to make r. to**, consultare; accennare, alludere a; fare il nome di; chiedere referenze a: **to make r. to a good encyclopaedia**, consultare una buona enciclopedia □ **to provide sb. with references**, munire q. di (buone) referenze; referenziare q.

to **reference** /'rɛfərəns/ v. t. **1** provvedere (*un libro*) di rimandi **2** fare la bibliografia per (*una tesi, ecc.*) **3** citare, fare riferimento a (*una fonte*).

referend /'rɛfərɛnd/ n. (*ling.*) referendo; significante.

referendary① /rɛfə'rɛndərɪ/ n. **1** (*relig.*) referendario **2** (*raro*) arbitro.

referendary② /rɛfə'rɛndərɪ/ a. (*polit.*) referendario.

♦**referendum** /rɛfə'rɛndəm/ n. (pl. **referenda, referendums**) (*polit.*) referendum.

referent /'rɛfərənt/ n. (*ling.*) referente.

referential /rɛfə'rɛnʃl/ a. **1** di riferimento; di rimando **2** di referenza; informativo **3** (*ling.*) referenziale **4** (*comput.*) referenziale: **r. integrity**, integrità referenziale.

referral /rɪ'fɜːrəl/ n. ⓤ (*form.*) **1** riferimento; il riferirsi (*a q.*) **2** deferimento; il rimettere; rinvio.

referring /rɪ'fɜːrɪŋ/ n. ⓤ **1** il riferirsi; rimando; rinvio (*per consigli, aiuto, ecc.*) **2** deferimento (*di q. o qc. a un'autorità superiore*).

refill /'riːfɪl/ n. **1** ricambio, ricarica, refill, cartuccia (*di un accendisigaro, di una biro, e sim.*) **2** nuovo rifornimento (*di benzina, ecc.*); il rifare il pieno **3** (*fam.*) secondo giro (*fam.*); replica (*di una portata*); bis (*di una bevanda*) • (*offrendo di nuovo da bere*) *Would you like a r.?*, (*meno cortese: Want a r.?*), ne vuoi ancora?; ne vuoi un altro?

to **refill** /riː'fɪl/ v. t. riempire di nuovo (*il serbatoio, ecc.*); ricaricare (*un accendisigaro, una biro, ecc.*).

to **refinance** /riː'faɪnæns/ (*fin.*) v. t. rifinanziare ‖ **refinancing** n. ⓤ rifinanziamento.

to **refine** /rɪ'faɪn/ Ⓐ v. t. **1** (*ind.*) raffinare; affinare; purificare: **to r. sugar**, raffinare lo zucchero; **to r. gold**, affinare l'oro **2** (*fig.*) raffinare; dirozzare; affinare; ingentilire: **to r. sb.'s taste [manners]**, raffinare i gusti [le maniere] di q.; **to r. one's style**, affinare il proprio stile **3** rifinire; ritoccare (*un lavoro, un metodo, ecc.*) Ⓑ v. i. raffinarsi; affinarsi; dirozzarsi; ingentilirsi • **to r. out** (*o away*), togliere (*impurità*) □ **to r. upon** (*o on*), migliorare, perfezionare (*un metodo, ecc.*).

refined /rɪ'faɪnd/ a. **1** (*ind.*) raffinato; purificato: **r. sugar**, zucchero raffinato **2** (*fig.*) raffinato; ricercato; fine; delicato; signorile: **r. feelings**, sentimenti delicati; **a r. style**, uno stile raffinato **3** sofisticato: **r. taste**, gusto sofisticato | **-ly** avv. | **-ness** n. ⓤ.

refinement /rɪ'faɪnmənt/ n. ⓤⓒ **1** (*ind.*) raffinazione (*dello zucchero, ecc.*) **2** raffinatezza; ricercatezza; finezza; signorilità: **r. of taste**, raffinatezza di gusti; **the refinements of luxury**, le ricercatezze del lusso **3** miglioramento; perfezionamento (*di un metodo, ecc.*) **4** miglioria, modifica migliorativa (*in un prodotto*) **5** (*raro*) sottigliezza (*di ragionamento*).

refiner /rɪ'faɪnə(r)/ n. raffinatore, raffinatrice (*persona o apparecchio*) • **a big oil r.**, un grosso industriale della raffinazione (del petrolio); una grossa azienda di raffinazione.

refinery /rɪ'faɪnərɪ/ n. raffineria: **an oil r.**, una raffineria di petrolio • **r. gas**, gas di raffineria.

refining /rɪ'faɪnɪŋ/ n. ⓤ (*anche ind.*) raffinazione.

to **refire** /riː'faɪə(r)/ Ⓐ v. t. accendere di nuovo (*una caldaia, ecc.*) Ⓑ v. i. sparare di nuovo.

refit /'riːfɪt/ n. **1** riparazione **2** (*naut.*) raddobbo.

to **refit** /riː'fɪt/ Ⓐ v. t. **1** riattare; riaggiustare; riparare **2** (*naut.*) raddobbare Ⓑ v. i. **1** essere in riparazione **2** (*naut.*) essere in raddobbo: **to put a ship into port to r.**, mettere una nave in porto per essere raddobbata • (*naut.*) **refitting yard**, cantiere di raddobbo.

refl. abbr. **1** (**reflection**) riflessione; riflesso **2** (**reflective**) riflessivo; riflettente **3** (**reflex**) riflesso.

to **reflate** /riː'fleɪt/ (*econ.*) Ⓐ v. t. reflazionare Ⓑ v. i. provocare una reflazione; adottare misure reflazionistiche ‖ **reflation** n. reflazione ‖ **reflationary** a. reflazionistico.

♦to **reflect** /rɪ'flɛkt/ Ⓐ v. t. **1** riflettere; rimandare; riverberare: *A mirror reflects images*, lo specchio riflette le immagini **2** rispecchiare, riflettere (*fig.*); rivelare; svelare: *A paper that reflects government views*, un giornale che riflette le posizioni del governo **3** arrecare; portare; gettare (*discredito, ecc.*): *This scandal reflects discredit (up) on the company*, questo scandalo getta discredito sull'azienda **4** (*raro*) ripiegare; piegare all'indietro Ⓑ v. i. **1** riflettersi; esser riflesso: *The light reflected from the water into her eyes*, la luce si rifletteva dall'acqua nei suoi occhi **2** riflettere; considerare; meditare: **to r. on the matter**, riflettere sulla faccenda • (*fig.*) **to be reflected in**, riflettersi in, avere come conseguenza: *The state of the US economy is reflected in the high value of the dollar*, lo stato dell'economia statunitense si riflette nell'alto valore del dollaro □ **That reflects little credit on him!**, (la cosa) non gli fa molto onore!

■ **reflect back** v. t. + avv. **1** riflettere (*la luce, ecc.*) **2** (*fig.*) rispecchiare (*opinioni, ecc.*).

■ **reflect on** (*o* **upon**) v. i. + prep. **1** riflettere su, riflettersi, ripercuotersi; influire su; ricadere su: *This charge will r. on the political class as a whole*, questa accusa ricadrà

sull'intera classe politica **3** gettare un'ombra su; mettere (*o* revocare) in dubbio: *The incident reflects* (*badly*) *on their good faith*, l'incidente getta un'ombra sulla loro buona fede.

reflectance /rɪˈflɛktəns/ n. ⓤ (*fis.*) indice (*o* coefficiente) di riflessione; riflettenza.

reflecting /rɪˈflɛktɪŋ/ a. **1** che riflette **2** (*fis.*) riflettente: **r. sign**, segnale riflettente (*nella segnaletica orizzontale*) ● (*topogr.*) **r. level**, livella a riflessione □ (*ottica*) **r. microscope**, microscopio a riflessione □ **r. telescope**, telescopio a riflessione.

♦**reflection** /rɪˈflɛkʃn/ n. **1** ⓤ (*fis.*) riflessione; il riflettere, il riflettersi: **the r. of light** [**of heat, of sound**], la riflessione della luce [del calore, del suono] **2** riflesso; riverbero (*del sole, ecc.*); immagine riflessa (*in uno specchio*) **3** ⓤ riflessione; meditazione; considerazione: *I was lost in r.*, ero assorto in meditazione; **philosophical reflections**, riflessioni filosofiche **4** (*fisiol.*) riflesso **5** riflesso (*fig.*); conseguenza; risultato: *The Internet is a r. of a global society*, Internet è un riflesso della società globale **6** ⓤ rispecchiamento (*fig.*) **7** biasimo; critica; discredito; insinuazione; riprovazione: **to cast reflections upon sb.'s honesty**, fare insinuazioni sull'onestà di q. ● **r. coefficient** (*o* **r. factor**), fattore (*o* coefficiente) di riflessione □ (*elettr.*) **r. loss**, perdita per riflessione □ **on r.**, riflettendoci; pensandoci sopra.

reflective /rɪˈflɛktɪv/ a. **1** riflessivo; cogitabondo; meditabondo; pensoso; assorto: **a r. mind**, un ingegno riflessivo **2** (*fis.*) riflettente: **r. paint**, vernice riflettente ● **r. glare**, bagliore riflesso | **-ly** avv.

reflectiveness /rɪˈflɛktɪvnəs/ n. ⓤ **1** riflessività; pensosità **2** → **reflectivity**.

reflectivity /riːflɛkˈtɪvətɪ/ n. ⓤ (*fis.*) riflettività.

reflectometer /riːflɛkˈtɒmɪtə(r)/ n. (*fis.*) riflettometro.

reflector /rɪˈflɛktə(r)/ n. **1** (*elettr., autom.*) riflettore **2** catarifrangente, gemma (*di bicicletta*) **3** (*astron.*; = **reflecting telescope**) telescopio a riflessione ● (*fig.: di persona, libro, ecc.*) **to be a r. of**, rispecchiare; essere lo specchio di.

to reflectorize /rɪˈflɛktəraɪz/ v. t. riflettorizzare.

reflex /ˈriːflɛks/ 🅐 n. **1** riflesso (*anche fig.*) **2** immagine riflessa (*in uno specchio, ecc.*) **3** (*fig.*) conseguenza; risultato; cosa che rispecchia **4** (*fisiol.*) riflesso: **conditioned r.**, riflesso condizionato; *The patient's reflexes were normal*, i riflessi del paziente erano normali **5** (*fig.*) reazione automatica (*non cosciente né voluta*) **6** = **r. camera** → sotto **7** (*ling.*) riflesso; esito 🅑 a. **1** (*fis., fisiol.*) riflesso: **r. light**, luce riflessa; **r. actions**, azioni riflesse **2** (*psic.*) introspettivo: **a r. thought**, un pensiero introspettivo **3** (*raro*) piegato all'indietro; ricurvo ● (*geom.*) **r. angle**, angolo concavo □ (*cinem., fotogr.*) **r. camera**, reflex; macchina fotografica reflex □ (*elettron.*) **r. circuit**, circuito reflex ● (*med.*) **r. hammer**, martelletto (*per saggiare i riflessi*) □ **a r. influence**, un effetto di ritorno □ **to have quick reflexes**, avere i riflessi pronti; essere pronto di riflessi.

to reflex /riːˈflɛks/ v. t. **1** riflettere **2** flettere (*o* piegare) all'indietro.

reflexed /rɪˈflɛkst/ a. (*bot.*) riflesso; ricurvo.

reflexible /rɪˈflɛksəbl/ (*fis.*) a. riflessibile || **reflexibility** n. ⓤ riflessibilità.

reflexion /rɪˈflɛkʃn/ n. → **reflection**.

♦**reflexive** /rɪˈflɛksɪv/ 🅐 a. **1** (*gramm.*) riflessivo: **a r. pronoun** [**verb**], un pronome [un verbo] riflessivo **2** (*mat.*) riflessivo: **r. relation**, relazione riflessiva 🅑 n. (*gramm.*)

---

pronome (*o* verbo) riflessivo | **-ly** avv.

reflexivity /riːflɛkˈsɪvətɪ/ n. ⓤ **1** (*fis.*) riflessività **2** (*mat.*) proprietà riflessiva **3** (*gramm.*) l'essere riflessivo.

reflexology /riːflɛkˈsɒlədʒɪ/ n. ⓤ (*psic.*) riflessologia.

reflexotherapy /rɪflɛksəˈθɛrəpɪ/ n. ⓤ (*med.*) riflessoterapia.

to refloat /riːˈfləʊt/ v. t. **1** (*naut.*) disincagliare (*una nave*); recuperare, rimettere a galla (*una nave affondata*) **2** (*econ., fin., Borsa*) riportare a galla (*un'azienda*); riquotare (*una società*) in borsa; rilanciare (*un prestito, ecc.*).

reflorescence /riːflɒˈrɛsns/ n. ⓤⓒ (*bot.*) rifioritura.

reflow /ˈriːfləʊ/ n. ⓤⓒ riflusso.

to reflow /rɪˈfləʊ/ v. i. rifluire.

refluent /ˈrɛflʊənt/ a. che rifluisce; in riflusso; refluo: (*med.*) **r. blood**, sangue refluo || **refluence** n. ⓤ riflusso; il rifluire.

reflux /ˈriːflʌks/ n. ⓒⓤ (*anche chim. e med.*) riflusso.

to refocus /riːˈfəʊkəs/ v. t. rimettere a fuoco, focalizzare di nuovo (*un'immagine, ecc.*).

refolding /riːˈfəʊldɪŋ/ n. ⓤⓒ (*geol.*) ripiegamento.

to reforest /riːˈfɒrɪst/ v. t. rimboschire, rimboscare || **reforestation** n. ⓤ rimboschimento, rimboscamento.

♦**reform** /rɪˈfɔːm/ n. **1** ⓤ riforma: *Workers were demonstrating for social r.*, i lavoratori facevano dimostrazioni per le riforme sociali **2** rieducazione; l'emendare, l'emendarsi; emendamento; miglioramento ● (*USA o stor.*) **r. school**, riformatorio; casa di correzione (*in GB, ora*, **community home**).

to reform ① /rɪˈfɔːm/ 🅐 v. t. **1** riformare; correggere; emendare; migliorare **2** eliminare; reprimere: **to r. abuses**, reprimere gli abusi **3** (*chim.*) sottoporre (*una sostanza*) a reforming 🅑 v. i. correggersi; emendarsi; migliorare ● **to r. oneself**, correggersi; emendarsi; migliorare.

to re-form, **to reform** ② /riːˈfɔːm/ 🅐 v. t. riformare; formare di nuovo; ricostituire 🅑 v. i. **1** riformarsi; formarsi di nuovo; ricostituirsi **2** (*mil.*) rimettersi in formazione (*serrata*); serrare i ranghi.

reformable /rɪˈfɔːməbl/ a. riformabile; correggibile; emendabile.

to reformat /riːˈfɔːmæt/ v. t. (*comput.*) riformattare.

reformation ① /rɛfəˈmeɪʃn/ n. ⓤⓒ **1** riforma **2** l'emendarsi; emendamento; miglioramento **3** – (*stor., relig.*) **the R.**, la Riforma || **reformational** a. di riforma; riformatore; migliorativo || **reformationist** n. riformista || **reformative** a. riformativo.

re-formation, **reformation** ② /riːfɔːˈmeɪʃn/ n. ⓤⓒ riformazione; nuova formazione.

reformatory /rɪˈfɔːmətrɪ/ 🅐 n. (*USA o stor.*) riformatorio; casa di correzione 🅑 a. riformativo; riformatore.

reformed /rɪˈfɔːmd/ a. **1** riformato **2** emendato; migliorato; tornato sulla retta via **3** (*chim., ind.*) riformato; di reforming: **r. petrol**, benzina di reforming ● (*relig.*) **the R. Church**, la Chiesa Riformata; (*spec.*) la Chiesa Calvinista.

reformer /rɪˈfɔːmə(r)/ n. **1** riformatore, riformatrice **2** (*stor., relig.*) uno dei capi della Riforma.

reforming /rɪˈfɔːmɪŋ/ n. **1** il riformare, ecc. (*cfr.* **to reform** ① *e* (**2**)) **2** (*chim., ind.*) reforming.

reformist /rɪˈfɔːmɪst/ (*polit., ecc.*) 🅐 n. riformista 🅑 a. riformistico || **reformism** n. ⓤ riformismo.

---

to reformulate /riːˈfɔːmjʊleɪt/ v. t. riformulare || **reformulation** n. ⓤⓒ riformulazione.

to refound ① /riːˈfaʊnd/ v. t. rifondare; fondare di nuovo || **refoundation** n. ⓤ rifondazione || **refounder** n. rifondatore || **refounding** ① n. ⓤ rifondazione.

to refound ② /riːˈfaʊnd/ (*metall.*) v. t. rifondere; fondere di nuovo || **refounding** ② n. rifusione: **the refounding of a type**, la rifusione di un carattere di stampa.

to refract /rɪˈfrækt/ v. t. **1** (*fis.*) rifrangere (*raggi di luce, ecc.*): **refracted light**, luce rifratta; **refracted ray**, raggio rifratto **2** misurare il grado di rifrazione di (*un occhio, una lente, ecc.*).

refracting /rɪˈfræktɪŋ/ a. (*fis.*) rifrangente ● (*astron.*) **r. telescope**, telescopio a rifrazione (*o* diottrico).

refraction /rɪˈfrækʃn/ (*fis.*) n. ⓤ rifrazione: **atmospheric r.**, rifrazione atmosferica ● (*elettr.*) **r. loss**, perdita per rifrazione.

refractive /rɪˈfræktɪv/ a. (*fis.*) **1** rifrangente **2** di rifrazione; concernente la rifrazione: **r. index**, indice di rifrazione.

refractivity /riːfrækˈtɪvətɪ/ n. ⓤ (*elettr.*) rifrattività; rifrangenza.

refractometer /riːfrækˈtɒmɪtə(r)/ n. (*ottica*) rifrattometro.

refractor /rɪˈfræktə(r)/ n. (*fis.*) rifrattore ● **r. telescope** (*astron.*), telescopio a rifrazione (*o* diottrico).

refractory /rɪˈfræktərɪ/ 🅐 a. **1** (*fis., med.*) refrattario: **r. lining**, rivestimento refrattario **2** (*fig.*) indocile; riottoso; ostinato; caparbio: **a r. horse**, un cavallo riottoso 🅑 n. (*ind.*) materiale refrattario ● (*ind. costr.*) **r. cement**, cemento refrattario □ **r. engineer**, tecnico dei refrattari □ **a r. ulcer**, un'ulcera refrattaria al trattamento medico | **-iness** n. ⓤ.

refrain /rɪˈfreɪn/ n. **1** (*mus.*) ritornello; refrain **2** (*poesia*) ripresa; intercalare **3** (*fig.*) cosa (*o* frase) ripetuta; ritornello ● (*fig.*) **It's always the same old r.!**, è sempre lo stesso ritornello (*o* tormentone)!

to refrain /rɪˈfreɪn/ v. i. frenarsi; trattenersi; astenersi: *I refrained from answering*, mi trattenni dal rispondere.

refrangible /rɪˈfrændʒəbl/ (*fis.*) a. rifrangibile || **refrangibility** n. ⓤ rifrangibilità.

to refresh /rɪˈfrɛʃ/ 🅐 v. t. **1** rinfrescare; ristorare; rianimare; rinvigorire; rimettere (q.) in forze; tonificare: *Rest refreshes the body and the mind*, il riposo ristora il corpo e la mente; *Let me r. your memory of what happened*, lascia che ti rinfreschi la memoria su quel che accadde **2** rifornire; rinnovare; ricaricare; riattivare: **to r. a battery**, ricaricare una batteria; *May I r. your glass?*, posso riempirti di nuovo il bicchiere? **3** (*comput.*) aggiornare **4** (*raro*) rinfrescare; far ritornare fresco 🅑 v. i. rinfrescarsi; rifocillarsi; ristorarsi; rianimarsi ● **to r. oneself**, rinfrescarsi; rifocillarsi; ristorarsi; rianimarsi: **to r. oneself with a cold shower**, rinfrescarsi con una doccia fredda □ (*comput.*) **r. rate**, frequenza di aggiornamento, velocità di refresh.

refresher /rɪˈfrɛʃə(r)/ n. **1** (*leg.*) parcella supplementare (*in una causa lunga*) **2** (*fam.*) bibita fresca **3** promemoria; memento ● **r. course**, corso di aggiornamento.

refreshing /rɪˈfrɛʃɪŋ/ a. **1** rinfrescante; ristoratore; che rianima; tonificante: **a r. drink**, una bibita rinfrescante; **r. sleep**, sonno ristoratore **2** gradevole; piacevole: *He received us with r. informality*, ci accolse con una piacevole mancanza di cerimonie ● **a r. breeze**, una brezza che dà refrigerio | **-ly** avv.

refreshment /rɪˈfrɛʃmənt/ n. **1** ⓤ (*arc.*)

rinfresco; ristoro; riposo; sollievo **2** 🔊 ristoro **3** (pl.) rinfreschi ● (*ferr.*) **r. car**, carrozza ristorante □ **«Refreshments provided»**, «saranno offerti rinfreschi» (*scritto su un invito, ecc.*) □ (*ferr.*) **r. room**, buffet; posto di ristoro □ **to have some r.**, rifocillarsi □ **without r.**, senza toccare cibo.

refrigerant /rɪˈfrɪdʒərənt/ **A** a. **1** refrigerante; rinfrescante **2** (*farm.*) antifebbrile **B** n. **1** sostanza refrigerante; miscela frigorifera **2** (*farm.*) medicamento antifebbrile; antipiretico.

to **refrigerate** /rɪˈfrɪdʒəreɪt/ v. t. refrigerare; raffreddare; mettere (qc.) in frigorifero.

refrigerated /rɪˈfrɪdʒəreɪtɪd/ a. refrigerato ● **r. lorry** (*USA* **r. truck**), autocarro frigorifero.

refrigerating /rɪˈfrɪdʒəreɪtɪŋ/ a. (*tecn.*) frigorigeno.

refrigeration /rɪfrɪdʒəˈreɪʃn/ n. 🔊 refrigerazione ● **r. engineer**, tecnico della refrigerazione □ **r. industry**, industria del freddo.

refrigerative /rɪˈfrɪdʒərətɪv/ a. refrigerativo; refrigerante.

refrigerator /rɪˈfrɪdʒəreɪtə(r)/ n. refrigeratore; (armadio) frigorifero; cella frigorifera ● (*ferr.*) **r. car**, carro frigorifero, vagone frigorifero □ **r.-freezer**, frigorifero-congelatore; combinato (*fam.*) □ **r. technician**, frigorista □ **r. van**, furgone frigorifero.

refrigeratory /rɪˈfrɪdʒərætrɪ/ a. e n. refrigerante.

to **refuel** /ˈriːfjʊəl/ (*autom., aeron., naut.*) **A** v. t. rifornire di carburante **B** v. i. rifornirsi di carburante; fare rifornimento; fare benzina (*fam.*): **We stopped to r.**, ci fermammo per fare benzina || **refuelling**, (*USA*) **refueling** n. rifornimento (*di carburante*) ● **refuelling stop**, sosta per fare benzina.

refuge /ˈrefjuːdʒ/ n. **1** 🔊 rifugio (*anche fig.*); asilo; ricovero: **to take r.**, trovare rifugio; rifugiarsi; **to seek r.**, cercare rifugio **2** (= **street r.**) salvagente (*stradale*); isola spartitraffico ● (*fig.*) **to take r. in silence**, rifugiarsi nel silenzio.

♦**refugee** /refjʊˈdʒiː/ n. rifugiato; profugo; **political r.**, profugo politico; fuoriuscito; **war r.**, profugo di guerra; **a r. camp**, un campo profughi; **r. government**, governo in esilio; **r. status**, condizione (*o* status) di rifugiato ● (*econ., fin.*) **r. capital**, capitali vaganti.

refulgent /rɪˈfʌldʒənt/ (*lett.*) a. rifulgente; fulgido; splendente || **refulgence** n. 🔊 fulgore; splendore || **refulgently** avv. fulgidamente.

refund /ˈriːfʌnd/ n. (*leg., comm., ecc.*) rimborso; restituzione; risarcimento; rifusione (*delle spese, dei danni, ecc.*): **prompt r.**, sollecito rimborso; (*fisc.*) **VAT r.**, rimborso IVA.

to **refund** ① /ˈriːfʌnd/ **A** v. t. rimborsare; restituire; rifondere; risarcire: **to r. expenses**, rimborsare le spese; (*fisc.*) **to r. VAT**, rimborsare l'IVA; **to r. a person**, risarcire una persona **B** v. i. fare un rimborso.

to **refund** ② /riːˈfʌnd/ v. t. (*fin.*) rifinanziare; rinnovare (*un mutuo*).

refundable /riːˈfʌndəbl/ a. rimborsabile; risarcibile.

to **refurbish** /riːˈfɜːbɪʃ/ v. t. **1** mettere a nuovo; rinnovare; ammodernare; (*edil.*) restaurare l'esterno (*o* gli interni) di (*una casa*) **2** (*fig.*) ripolverare: **You need to r. your English**, hai bisogno di ripolverare il tuo inglese || **refurbishment** n. 🔊 **1** il rimettere a nuovo; ammodernamento; (*edil.*) (lavoro di) restauro degli esterni (*di una casa*) **2** (*fig.*) rinfrescata, rinfrescatina.

to **refurnish** /riːˈfɜːnɪʃ/ v. t. **1** rifornire; provvedere di nuovo **2** riammobiliare; am-

mobiliare di nuovo (*o* con altri mobili).

refusable /rɪˈfjuːzəbl/ a. rifiutabile; ricusabile.

refusal /rɪˈfjuːzl/ n. **1** 🔊 rifiuto; diniego (*anche leg.*): **to be met with a r.**, ricevere un rifiuto; (*di un'offerta, ecc.*) essere rifiutato; **to take no r.**, non accettare un rifiuto; insistere; essere insistente **2** (*equit.*) rifiuto ● (*ingl., comm.*) **first r.**, (diritto di) opzione; (diritto di) prelazione: **to give sb. first r.**, dare a q. il diritto d'opzione.

refuse /ˈrefjuːs/ **A** n. 🔊 **1** scarto; rifiuti; avanzi **2** immondizia; spazzatura; rifiuti **B** a. di scarto; di rifiuto ● **r. collection**, raccolta dei rifiuti □ **r. collector**, netturbino □ **r. container**, cassonetto dell'immondizia □ **r. disposal**, smaltimento dei rifiuti □ **r. dump**, discarica pubblica □ **r. sack**, sacco per l'immondizia ❶ **FALSI AMICI** ● **refuse** *non significa* refuso.

♦to **refuse** /rɪˈfjuːz/ **A** v. t. **1** rifiutare (*anche leg.*); ricusare; respingere: *He refused my offer* [*the goods, etc.*], rifiutò la mia offerta [la merce, ecc.]; **to r. a loan**, non concedere un mutuo; *He refused my request*, respinse la mia richiesta **2** rifiutare di sposare (q.) **B** v. i. rifiutare; rifiutarsi; dire di no; (*a carte*) non rispondere (a colore) ● **to r. compliance**, rifiutare di aderire a una richiesta (*o* di attenersi alle istruzioni) □ (*equit.: del cavallo*) **to r. the jump**, rifiutare l'ostacolo □ **to r. obedience**, rifiutarsi di obbedire □ **to r. orders**, non accettare ordini ● **I've never been refused**, non ho mai avuto un rifiuto □ **The engine refused to start**, il motore non voleva partire.

to **re-fuse** /riːˈfjuːz/ v. t. (*metall.*) rifondere; fondere di nuovo.

refuser /rɪˈfjuːzə(r)/ n. **1** chi rifiuta **2** (*sport*) cavallo che rifiuta l'ostacolo.

refutable /ˈrefjʊtəbl, rɪˈfjuː-/ a. confutabile; oppugnabile ● (*leg.*) **r. presumption**, presunzione relativa || **refutability** n. 🔊 l'essere confutabile; oppugnabilità.

to **refute** /rɪˈfjuːt/ v. t. confutare; dimostrare (qc.) falso: (*leg.*) **to r. a charge** [**a testimony**], confutare un'accusa [una testimonianza] || **refutal**, **refutation** n. 🔊 confutazione || **refuter** n. confutatore, confutatrice.

reg. abbr. **1** (**register**) registro **2** (*anche* **regd**) (**registered**) registrato; (*posta*) assicurata **3** (**regular**) regolare **4** (**regulation**) regolazione; regolamento **5** (**regiment**) reggimento.

to **regain** /rɪˈɡeɪn/ v. t. riguadagnare; riacquistare; riconquistare; recuperare; riprendere; raggiungere di nuovo: **to r. health**, riacquistare la salute; **to r. credibility**, riconquistare la credibilità; **to r. consciousness**, riprendere conoscenza; tornare in sé ● (*sport*) **to r. the ball** (*o* **possession**), recuperare il pallone □ **to r. one's footing** (*o* **feet**), rimettersi in piedi (*dopo una caduta e fig.*) □ **to r. the lead**, (*nelle corse*) riprendere la testa; (*di una squadra*) ritornare in vantaggio □ (*leg.*) **to r. possession of st.**, tornare in possesso di qc. □ **to r. the shore**, riguadagnare la riva; salvarsi a nuoto.

regal /ˈriːɡl/ a. regio; regale; reale | **-ly** avv.

to **regale** /rɪˈɡeɪl/ **A** v. t. **1** intrattenere piacevolmente (q., *spec. conversando*) **2** deliziare; dilettare **B** v. i. deliziarsi ● **to r. one's guests with the best of everything**, offrire agli ospiti ogni ben di Dio □ **to r. oneself with**, deliziarsi (*concedendosi un piacere*): *At the end of the long day, she regaled herself with a cigarette and a glass of port*, al termine della lunga giornata, si concesse una sigaretta e un bicchiere di porto.

regalia /rɪˈɡeɪlɪə/ n. 🔊 **1** insegne reali (*di re*) **2** insegne; decorazioni; distintivi: **the mayor in his full r.**, il sindaco con tutte le

insegne della sua carica **3** abiti da cerimonia **4** (*stor.*) prerogative del sovrano ❶ **FALSI AMICI** ● **regalia** *non significa né* regalia *né* rigaglia.

regalism /ˈriːɡəlɪzəm/ (*polit., stor.*) n. regalismo || **regalist** n. regalista.

regality /rɪˈɡælətɪ/ n. **1** 🔊 regalità; sovranità **2** prerogativa del sovrano **3** (*raro*) regno; reame; monarchia.

♦**regard** /rɪˈɡɑːd/ n. **1** 🔊 riguardo; attenzione; considerazione; cura; rispetto; stima: *He has no r. for other people's wishes*, non ha riguardo per i desideri degli altri; *They hold you in high r.*, hanno molta stima di te **2** (pl.) saluti; complimenti; ossequi; omaggi: *Please give my kind regards to Your mother*, La prego di porgere i miei ossequi a Sua madre; *Give my best regards to your wife*, omaggi alla Signora **3** (*arc.*) sguardo; sguardo attento; occhiata ● **in this** (*o* **that**) **r.**, a questo proposito □ **in r. to** (*o* **with r. to**), riguardo a; in quanto a □ **in this** (*o* **that**) **r.**, a questo proposito □ **out of r. for**, per riguardo a; per rispetto di □ **without r. to**, senza prendere in considerazione; senza tener conto di; a prescindere da.

♦to **regard** /rɪˈɡɑːd/ v. t. **1** riguardare; concernere: *What you say does not r. our problem at all*, quello che dici non riguarda affatto il nostro problema (*o* è del tutto irrilevante) **2** considerare; giudicare: *He is regarded as the best Italian footballer*, è considerato il miglior calciatore italiano; **to r. a complaint as void**, considerare nullo un reclamo **3** tenere in considerazione; stimare; apprezzare: *I still r. them highly*, li stimo ancora molto **4** guardare intensamente; osservare; scrutare **5** (*form.*) (spec. nelle frasi neg. e interr.) prestare attenzione a; prendere in considerazione; tener conto di ● **to r. sb. kindly**, aver caro q.; voler bene a q. □ **as regards**, per quanto riguarda; riguardo a; in quanto a.

regardant /rɪˈɡɑːdənt/ a. (*arald.*) che guarda indietro, col capo di profilo.

regardful /rɪˈɡɑːdfl/ a. riguardoso; attento; rispettoso | **-ly** avv. | **-ness** n. 🔊.

♦**regarding** /rɪˈɡɑːdɪŋ/ prep. riguardo a; per quanto riguarda; quanto a: **r. your proposal**, quanto alla vostra proposta.

regardless /rɪˈɡɑːdləs/ **A** a. incurante; indifferente; negligente; noncurante; sbadato **B** avv. (*fam.*) malgrado tutto; senza badare alle difficoltà (ai pericoli, ecc.): **to continue the peace talks r.**, continuare le trattative di pace malgrado tutto ● (*fam.*) **r. of**, senza badare a; a dispetto di; nonostante: *Sheila loves him, r. of his faults*, Sheila lo ama, nonostante i suoi difetti; **r. of expense**, senza badare a spese | **-ly** avv. | **-ness** n. 🔊.

regasification /riːɡæsɪfɪˈkeɪʃn/ n. 🔊 (*tecn.*) rigassificazione.

regatta /rɪˈɡætə/ n. (*sport*) regata: **sailing r.**, regata a vela; **yachting r.**, regata di panfili.

to **regelate** /ˈriːdʒəleɪt/ v. i. rigelare; gelare di nuovo || **regelation** n. 🔊 rigelo.

regency /ˈriːdʒənsɪ/ n. **1** (*polit.*) reggenza **2** 🔊 (*stor.*) **the R.**, la Reggenza (*in GB 1810-1820; in Francia: 1715-1723*) **B** a. attr. (*di mobili, ecc.*) in stile reggenza.

regenerate /rɪˈdʒenərət/ a. rigenerato; rinato a nuova vita (*fig.*).

to **regenerate** /rɪˈdʒenəreɪt/ **A** v. t. **1** rigenerare (*anche fig.*); riprodurre; recuperare; rigenerare spiritualmente; redimere **3** (*chim., ind., elettron.*) rigenerare: **regenerated cellulose**, cellulosa rigenerata **4** (*econ.*) risanare, rivitalizzare (*un'azienda, ecc.*) **B** v. i. **1** rigenerarsi (*med.*): *The injured tissue has regenerated*, il tessuto offeso si è rigenerato **2** rinascere

spiritualmente; rigenerarsi; redimersi.

regeneration /rɪdʒɛnəˈreɪʃn/ n. ⊡ **1** rigenerazione (*biol, fis. nucl., elettron., ind.*); recupero **2** (*fig.*) rigenerazione; rinascita spirituale **3** (*econ.*) risanamento (*di un'azienda, ecc.*): **urban r.**, risanamento urbano.

regenerative /rɪˈdʒɛnərətɪv/ a. **1** rigenerativo **2** (*ind.*) a recupero: **r. furnace**, forno a recupero (*del calore*) • (*mecc.*) **r. pump**, turbopompa ◻ (*fis. nucl.*) **r. reactor**, reattore rigeneratore.

regenerator /rɪˈdʒɛnəreɪtə(r)/ n. **1** rigeneratore (*anche fig.*) **2** (*ind.*) preriscaldatore a recupero; recuperatore di calore **3** (*chim.*) rigeneratore **4** (*elettron.*) circuito tampone.

regent /ˈriːdʒənt/ **A** n. **1** (*polit.*) reggente; principe reggente **2** (*USA*) membro del consiglio d'amministrazione (*di un'università di stato*) **B** a. (posposto al sost.) reggente: **the Prince R.**, il Principe Reggente.

reggae /ˈrɛgeɪ/ n. ⊡ (*mus.*) reggae (*musica popolare delle Indie Occidentali*).

regicide /ˈrɛdʒɪsaɪd/ n. **1** regicida **2** ⊡ regicidio ‖ **regicidal** a. regicida.

regifting /riːˈgɪftɪŋ/ n. ⊡ (*fam.*) riciclaggio dei regali.

♦**regime**, **régime** /reɪˈʒiːm/ (*franc.*) n. **1** (*polit.*) regime; sistema politico (*o sociale*): **r. change**, cambio di regime **2** (*med.*) regime (*alimentare*); dieta: **a strict diet r.**, un rigido regime dietetico **3** (*idrologia*) regime (*di un corso d'acqua*).

regimen /ˈrɛdʒɪmɛn/ n. **1** (*med.*) regime (*di vita, igienico*); dieta: **a strict r.**, una dieta stretta **2** (*idrologia*) regime **3** (*raro, polit.*) regime **4** ⊡ (*raro, gramm.*) reggenza (*di un verbo, ecc.*).

regiment /ˈrɛdʒɪmənt/ n. **1** (*mil.*) reggimento **2** (*fig.*) reggimento; moltitudine; gran numero.

to **regiment** /ˈrɛdʒɪmɛnt/ v. t. **1** (*mil. e fig.*) irreggimentare **2** (*mil.*) assegnare (q.) a un reggimento.

regimental /rɛdʒɪˈmɛntl/ a. (*mil.*) reggimentale • (*moda*) **r. tie**, cravatta regimental.

regimentals /rɛdʒɪˈmɛntlz/ n. pl. (*mil.*) **1** uniforme (*o mostrine*) del reggimento **2** uniforme; divisa militare: **to be in full r.**, essere in alta uniforme.

regimentation /rɛdʒɪmɛnˈteɪʃn/ n. ⊡ (*anche fig.*) irreggimentazione.

regimented /ˈrɛdʒɪmɛntɪd/ a. (*anche fig.*) irreggimentato.

Regina /rəˈdʒaɪnə/ (*lat.*) n. **1** Regina: *Elizabeth R.*, Elisabetta Regina **2** (*leg.*) (la) Corona; lo Stato (*nelle cause contro privati*): **R. v.** (= *versus*) **Taylor**, lo stato britannico contro Taylor.

Reginald /ˈrɛdʒɪnld/ n. Reginaldo.

♦**region** /ˈriːdʒən/ n. **1** regione; contrada; zona: **a fertile r.**, una regione fertile; (*anat.*) **the lumbar r.**, la regione lombare **2** (*fig.*) branca; campo; sfera: **in the r. of higher mathematics**, nel campo della matematica superiore **3** (pl.) la provincia (*per distinguerla dalla capitale*) • (*seguito da una cifra tonda*) **in the r. of**, circa; all'incirca: *The price will be in the r. of 200 pounds*, il prezzo si aggirerà sulle 200 sterline ◻ **the lower regions**, gl'inferi; il regno dei morti.

♦**regional** /ˈriːdʒənl/ a. regionale • (*scient.*) **r. anatomy**, anatomia topografica ◻ (*comput.*) **r. settings**, impostazioni locali.

regionalism /ˈriːdʒənəlɪzm/ n. **1** ⊡ regionalismo **2** (*ling.*) regionalismo; locuzione regionale ‖ **regionalist A** n. regionalista **B** a. attr. regionalistico ‖ **regionalistic** a. regionalistico.

to **regionalize** /ˈriːdʒənəlaɪz/ v. t. regionalizzare ‖ **regionalization** n. ⊡ regionalizzazione.

♦**register** /ˈrɛdʒɪstə(r)/ n. **1** registro: **the r. of births**, il registro delle nascite; (*leg.*) **r. of charges**, registro delle ipoteche; (*leg.*) **r. of members**, registro (*o libro*) dei soci; (*fin.*) **the r. of directors**, il registro degli amministratori (*di una società per azioni*); (*leg.*) **r. of title**, registro immobiliare: *Could I ask you to sign the visitors' r. please?*, le dispiace firmare il registro dei visitatori? **2** (*mus.*) registro (*della voce o di uno strumento*) **3** (*mecc.*) registro; valvola di regolazione, valvola di tiraggio (*di stufa, camino, ecc.*) **4** (*ling.*) registro **5** (*tipogr.*) registro **6** (*polit.*, = **electoral r.**) lista elettorale **7** = **cash r.** → sotto **8** (*comput.*) registro • **r. of companies**, Registro delle Società, registro delle imprese; **r. of voters**, lista elettorale ◻ **r. office**, ufficio dello stato civile; anagrafe ◻ (*naut.*) **r. tonnage**, tonnellaggio (*o stazza*) di registro ◻ **cash r.**, registratore di cassa.

to **register** /ˈrɛdʒɪstə(r)/ **A** v. t. **1** registrare; iscrivere; immatricolare: **to r. a birth**, registrare una nascita; **to r. one's car**, immatricolare l'automobile; (*leg.*) **to r. a deed**, registrare un atto **2** segnare; indicare: *The thermometer registered 40 °C.*, il termometro segnava 40 °C **3** (*fig.*) manifestare; esprimere; indicare: *John's face registered uncontrollable fear*, il volto di John esprimeva una paura incontrollabile **4** spedire per assicurata **5** assicurare (*bagaglio, pacchi*) **6** (*mecc.*) registrare; regolare; collimare (*armi da fuoco*) **7** (*leg.*) registrare, depositare (*un brevetto, un marchio di fabbrica*) **8** (*tipogr.*) mettere a registro **9** (*anche sport*) far registrare; conseguire, ottenere (*la vittoria, ecc.*) **10** (*sport*) tesserare (*un giocatore*) **B** v. i. **1** firmare un registro (*spec. all'arrivo in un albergo*); registrarsi: **to r. with the police**, registrarsi presso la polizia **2** iscriversi (*all'università, ecc.*) **3** (*polit.*) iscriversi nelle liste elettorali **4** (*fam.*; in frasi neg.) restare impresso; fare effetto; fare impressione: *He told her his name, but it didn't r.*, le disse il suo nome, ma la cosa la lasciò indifferente (*o ma lei non ci fece caso*).

registered /ˈrɛdʒɪstəd/ a. **1** registrato; immatricolato; iscritto: **r. voters**, iscritti alle liste elettorali (*in GB, di lettera, pacco, ecc.*) assicurato: **r. letter**, assicurata; **to send by r. mail** (*o post*), spedire come assicurata **3** (*fin.*: *di titoli, ecc.*) nominativo: **r. shares**, azioni nominative **4** (*leg.*) registrato; depositato **5** (*sport: di un giocatore*) tesserato • (*fin.*) **r. capital**, capitale sociale ◻ **r. charity**, ente benefico ufficialmente riconosciuto ◻ (*banca, USA*) **r. check**, assegno circolare; credenziale ◻ (*fin.*) **r. holder**, intestatario (*di titoli*) ◻ (*di un immobile*) **r. in sb.'s name**, intestato a q. ◻ (*USA*) **r. nurse**, infermiera diplomata; infermiere diplomato ◻ (*leg.*) **r. office**, sede legale, sede sociale (*di una società*) ◻ (*leg.*) **r. tonnage**, tonnellaggio (*o stazza*) di registro ◻ **r. trademark**, marchio depositato (*o registrato*) ◻ (*Borsa, USA*) **r. trader**, operatore in titoli (*nominati per esami*).

registrable /ˈrɛdʒɪstrəbl/ a. registrabile.

registrant /ˈrɛdʒɪstrənt/ n. (*form.*) **1** chi si registra **2** chi deposita (*un brevetto*).

registrar /rɛdʒɪˈstrɑː(r)/, *USA* /ˈrɛdʒɪstrɑː-/ n. **1** conservatore del registro **2** ufficiale di stato civile (*o dell'anagrafe*) **3** (*in GB*) aiuto medico (*o chirurgo*) ospedaliero **4** (*leg.. in GB*) ausiliare della giustizia; cancelliere **5** (*comput.* = **domain name r.**) registrar (*società di registrazione dei domini web*) • **the R. of Mortgages**, il Conservatore delle Ipoteche ‖ **registrarship** n. **1** ufficio di segretario (*o archivista, cancelliere*) **2** funzioni di ufficiale di stato civile.

♦**registration** /rɛdʒɪˈstreɪʃn/ n. **1** ⊡ registrazione; iscrizione; immatricolazione (*di automobili, ecc.*): **r. charges**, spese di registrazione; (*polit.*) **voter r.**, iscrizione alle li-

ste elettorali **2** ⊡ (*di lettere*) raccomandazione **3** ⊡ (*leg.*) registrazione, deposito (*di brevetti, marchi di fabbrica*) **4** (*autom., USA*, = **r. document**) libretto di circolazione **5** ⊡ (*sport*) tesseramento • (*autom.*) **r. book**, libretto di circolazione ◻ **r. fee**, tassa di registro (*o di registrazione*); tassa per (*lettera*) assicurata; tassa d'iscrizione ◻ (*autom.*) **r. number**, numero d'immatricolazione (*o di targa*) ◻ (*leg.*) **r. of charges**, iscrizione delle ipoteche (*su immobili*) ◻ (*leg.*) **r. of transfers**, iscrizione nei passaggi di proprietà ◻ (*autom., Austral.*) **r. plate**, targa ◻ (*fin.*) **r. under the Companies Acts**, registrazione ai sensi delle leggi sulle società.

registry /ˈrɛdʒɪstrɪ/ n. **1** (= **r. office**) ufficio di stato civile; anagrafe **2** registrazione; iscrizione; immatricolazione **3** (*naut.*) atto di nazionalità; bandiera (*fig.*): **a ship of Liberian r.**, una nave battente bandiera liberiana **4** (*comput.*) registro • **land r.**, (ufficio del) catasto ◻ **to be married at a r. office**, sposarsi civilmente; sposarsi in municipio.

Regius professor /ˈriːdʒ(ɪ)əs prəˈfɛsə(r)/ loc. n. (*in GB*) professore regio (*che occupa una cattedra istituita da un sovrano o che è nominato dalla Corona*).

reglet /ˈrɛglɪt/ n. **1** (*archit.*) listello **2** (*tipogr.*) interlinea.

regnal /ˈrɛgnl/ a. di regno: **r. day**, anniversario del regno; **r. year**, anno di regno.

regnant /ˈrɛgnənt/ a. **1** (posposto al nome) regnante: *Queen r.*, la regina regnante (*non la consorte del re*) **2** (*fig.*) predominante; prevalente: **the r. fashion**, la moda prevalente.

to **regorge** /rɪˈgɔːdʒ/ **A** v. t. rigettare; rigurgitare **B** v. i. sgorgare di nuovo; rifluire.

to **regrate** /rɪˈgreɪt/ v. t. (*stor.*) v. t. accaparrare, incettare (*spec. generi alimentari*) ‖ **regrater** n. accaparratore, accaparratrice; incettatore, incettatrice ‖ **regrating** n. ⊡ accaparramento; incetta.

regress /ˈriːgrɛs/ n. ⊡ **1** regresso; declino; retrocessione **2** (*leg.*) rientro in possesso (*di un immobile*).

to **regress** /rɪˈgrɛs/ v. i. regredire (*anche psic.*); declinare; retrocedere.

regression /rɪˈgrɛʃn/ n. ⊡ **1** regressione; regresso; retrocessione **2** (*geol.*) regressione (*del mare*) **3** (*psic.*) regressione **4** (*stat.*) regressione.

regressive /rɪˈgrɛsɪv/ a. (*psic., fisc., ling. stat.*) regressivo: **r. phase**, fase regressiva; (*econ.*) **r. supply**, offerta regressiva; **r. tax**, imposta regressiva | **-ly** avv. | **-ness** n. ⊡.

regressivity /riːgrɛˈsɪvɪtɪ/ n. ⊡ regressività.

regret /rɪˈgrɛt/ n. ⊡ rammarico; rincrescimento; rimpianto; dispiacere: *He has no regrets*, non ha rimpianti; **to express r. for st.**, esprimere il proprio rammarico per qc. • **to send one's regrets**, scusarsi per iscritto di non potere accettare un invito ◻ (*su un biglietto d'invito*) «**Regrets only**», «Si prega di rispondere soltanto in caso d'impossibilità d'intervenire» ◻ **Please accept my regrets**, voglia (*o La prego di*) accettare le mie scuse.

♦to **regret** /rɪˈgrɛt/ v. t. **1** dolersi di; rammaricarsi di; pentirsi di; dolere, dispiacere, rincrescere (impers.): *I r. being unable* (*o that I cannot attend the meeting*), mi duole (*o mi rincresce, mi rammarico*) di non poter presenziare alla riunione; *I didn't pay much attention at school and r. it now*, non ero molto attenta a scuola e ora me ne pento **2** (*form.*) piangere; rimpiangere: **to r. the loss of a friend**, piangere la perdita di un amico • **I r. to say**, dispiace doverlo dire ◻ **to die regretted by all**, lasciare un gran rimpian-

to dietro di sé (*dopo la morte*).

❶ **Nota:** *to regret*

a Quando è seguito dalla forma in -**ing**, to re-**gret** indica rincrescimento o rammarico: *I regret refusing* (o *having refused*) *their offer*, mi pento di aver rifiutato la loro offerta; *He didn't regret changing his mind*, non si pentì di aver cambiato idea; *I regret leaving so early*, mi rincresce andarmene così presto.

b to regret + infinito con **to** si usa perlopiù seguito da verbi come **to inform, to announce, to say, to tell** ecc., quando si devono comunicare notizie negative: *We regret to inform you that you are not entitled to a refund*, siamo spiacenti di informarla che Lei non ha diritto al rimborso; *I regret to tell you that we cannot accept your offer*, siamo spiacenti di non poter accettare la Sua offerta; purtroppo non possiamo accettare la Sua offerta.

regretful /rɪˈɡrɛtfl/ a. addolorato; dolente; desolato; rammaricato; rincresciuto: **a r. look**, uno sguardo dolente; **r. tears**, lacrime di rammarico || **regretfulness** n. ⓤ rammarico; rimpianto; dispiacere.

❶ **Nota:** *regretful o regrettable?*

L'aggettivo *regretful* significa "rammaricato, addolorato" e si riferisce soprattutto ai sentimenti: *to feel regretful for being so rude*, pentirsi di essere così scortese. L'aggettivo *regrettable* descrive, invece, qualcosa di spiacevole che si ritiene non sarebbe dovuto accadere o che ci dispiace sia accaduto: *a most regrettable incident in which a soldier's gun accidentally went off, fatally wounding the soldier*, un incidente davvero increscioso in cui il fucile di un soldato ha sparato, ferendolo a morte.

regretfully /rɪˈɡrɛtfəlɪ/ avv. **1** con rincrescimento **2** purtroppo; malauguratamente.

regrettable /rɪˈɡrɛtəbl/ a. deplorevole; increscioso; spiacevole ❶ **Nota:** *regrettable o regrettable?* → **regretful**.

regrettably /rɪˈɡrɛtəblɪ/ avv. **1** spiacevolmente; in modo deplorevole **2** purtroppo; malauguratamente.

to **regroup** /riːˈɡruːp/ Ⓐ v. t. **1** raggruppare, radunare, riunire di nuovo **2** riorganizzare (*spec. truppe, dopo una nuova offensiva, ecc.*) Ⓑ v. i. **1** raggrupparsi di nuovo; ricompattarsi **2** (*mil.*) riorganizzarsi || **regroupment** n. ⓤ **1** raggruppamento **2** riorganizzazione (*di truppe, ecc.*).

to **regrow** /riːˈɡrəʊ/ (pass. **regrew**, p. p. **regrown**), v. i. ricrescere || **regrowth** n. ⓤ ricrescita.

regulable /ˈrɛɡjʊləbl/ a. regolabile.

♦**regular** /ˈrɛɡjʊlə(r)/ Ⓐ a. **1** regolare; normale; ordinario; regolato: **r. features**, lineamenti regolari; **r. crystals**, cristalli regolari; **a r. polygon**, un poligono regolare; **r. pulse**, polso regolare; **r. army**, esercito regolare; **r. clergy**, clero regolare; **a r. attitude**, un atteggiamento normale; **to lead a r. life**, condurre una vita regolata **2** fisso; solito; usuale: **r. habits**, abitudini fisse; **a r. income**, un reddito fisso (*o* sicuro); **a r. customer**, un cliente fisso (*o* abituale); *He sat in his r. place*, era seduto al suo solito posto **3** autentico; qualificato; con le carte in regola: **a r. butler**, un maggiordomo con le carte in regola **4** (*fam. antiq.*) completo; perfetto; bell'e buono; matricolato: **a r. scoundrel**, un furfante matricolato **5** (*autom.: di benzina*) normale **6** (*spec. USA: di taglia, misura, ecc.*) normale **7** (*fam.: di una persona*) che va bene di corpo; che ha le mestruazioni regolari **8** (*fam. USA*) bravo, onesto, perbene; simpatico, in gamba: *He's a r. guy*, è un tipo perbene (*o* in gamba) **9** (*sport*) regolamentare: (*tennis*) **a r. racket**, una racchetta re-

golamentare Ⓑ n. **1** soldato dell'esercito regolare **2** (*relig.*) membro del clero regolare; religioso di un ordine monastico **3** (*fam.*) cliente abituale; cliente fisso; habitué (*franc.*) **4** (*fam.*) impiegato di ruolo; dipendente fisso **5** (*fam., TV*) personaggio fisso **6** (*autom.*) benzina normale **7** (*sport*) titolare (*di una squadra*) ● (*mil.*) **r. officer**, ufficiale di carriera □ **r. pace**, andatura normale (*del cavallo, ecc.*) □ **r. people**, gente che fa vita regolata, ordinata; gente quieta, gente per bene □ **a r. soldier**, un soldato dell'esercito regolare □ (*trasp.*) **r. stop**, fermata obbligatoria (*di mezzo pubblico*) □ **r. work**, lavoro fisso (*o* stabile) □ **as r. as clockwork**, regolare (*o* preciso, puntuale) come un orologio □ **to keep r. hours**, fare le cose a ore fisse; essere abitudinario □ **on the r. staff**, in pianta stabile, effettivo (*rif. a personale*).

regularity /ˌrɛɡjʊˈlærətɪ/ n. ⓊⒸ regolarità.

to **regularize** /ˈrɛɡjʊləraɪz/ v. t. rendere regolare; regolarizzare: **to r. the position**, regolarizzare la situazione; (*di due amanti*) sposarsi || **regularization** n. ⓤ regolarizzazione.

♦**regularly** /ˈrɛɡjʊləlɪ/ avv. **1** regolarmente; con regolarità **2** usualmente; abitualmente **3** in modo regolare ● (*del naso, mento, ecc.*) **r. shaped**, di forma regolare; regolare.

regulatable /ˈrɛɡjʊleɪtəbl/ a. regolabile.

to **regulate** /ˈrɛɡjʊleɪt/ v. t. **1** regolare: **to r. one's habits**, regolare le proprie abitudini; (*autom.*) **to r. the pressure of the tyres**, regolare la pressione delle gomme; **to r. a watch**, regolare un orologio **2** regolare, regimare (*un corso d'acqua*) **3** (*mecc.*) regolare; registrare; mettere a punto: (*autom.*) **to r. the brakes**, registrare i freni **4** regolamentare: **to r. economic activity**, regolamentare l'attività economica.

regulated /ˈrɛɡjʊleɪtɪd/ a. **1** regolato **2** (*mecc.*) registrato; messo a punto **3** regolamentato: **r. commodities**, merci regolamentate ● (*econ.*) **r. company**, società regolata (*dalla legge*).

regulating /ˈrɛɡjʊleɪtɪŋ/ a. (*tecn.*) che regola; di regolazione: (*elettr.*) **r. transformer**, trasformatore di regolazione ● (*idraul.*) **r. reservoir**, bacino compensatore □ (*mil.*) **r. station**, stazione di controllo.

♦**regulation** /ˌrɛɡjʊˈleɪʃn/ Ⓐ n. ⓤ disposizione; ordinamento; regolamentazione: **the excessive r. of business**, l'eccessiva regolamentazione degli affari **2** ⓤ (*tecn.*) regolazione; controllo **3** regolamento; regola: *New regulations have been enacted*, sono stati adottati nuovi regolamenti **4** ⓤ regolazione, regimazione (*di un corso d'acqua*) Ⓑ a. attr. **1** conforme a regolamento; consentito; regolamentare: **r. uniform**, una divisa regolamentare; **r. dress**, abito prescritto (*adatto alla circostanza*) **2** regolare; normale; usuale; consueto: **the r. mourning**, il lutto normale ● (*leg.*) **the regulations in force**, le vigenti disposizioni.

regulative /ˈrɛɡjʊlətɪv/ a. (*anche med.*) che regola; regolativo.

♦**regulator** /ˈrɛɡjʊleɪtə(r)/ n. **1** chi regola; moderatore **2** (*tecn.*) regolatore **3** (*autom., mecc.*) correttore (*di frenata, ecc.*) ● (*d'orologio*) **r. pin**, copiglia di regolazione.

regulatory /ˈrɛɡjʊlətrɪ/ a. che regola; regolatore: **r. body** (*o* **r. agency**), ente di controllo.

Regulo® /ˈrɛɡjʊləʊ/ n. (*in GB*) termostato di controllo della fiamma (*in una cucina a gas*).

regulus /ˈrɛɡjʊləs/ n. (pl. **reguluses**, **reguli**) **1** (*zool.*, *Regulus*) regolo **2** (*chim.*) regolo (*di antimonio*).

Regulus /ˈrɛɡjʊləs/ n. (*stor. romana*, *astron.*) Regolo.

to **regurgitate** /rɪˈɡɜːdʒɪteɪt/ Ⓐ v. i. rigurgitare Ⓑ v. t. **1** rigettare; ributtare **2** (*fig.*) ripetere pedissequamente || **regurgitation** n. ⓤ rigurgito (*anche med. e fig.*).

rehab /ˈriːhæb/ n. (*fam. USA*) **1** ⓤ riabilitazione **2** ⓤ restauro; ristrutturazione **3** edificio ristrutturato.

to **rehab** /ˈriːhæb/ v. t. (*fam. USA*) **1** riabilitare (*pazienti*); recuperare (*drogati, ecc.*) **2** restaurare, ristrutturare (*una casa*).

to **rehabilitate** /ˌriːəˈbɪlɪteɪt/ v. t. **1** (*leg.*) riabilitare; reintegrare (q.) in un ufficio (o in una carica, ecc.) **2** (*anche med.*) riabilitare; rieducare **3** restaurare, ristrutturare, ripristinare (*una casa*) ● **to r. oneself**, riabilitarsi || **rehabilitation** n. ⓤ **1** (*leg.*) riabilitazione (*anche di un fallito*) **2** restauro, ristrutturazione, ripristino (*di un edificio*) **3** (*anche med.*) riabilitazione; rieducazione.

to **rehandle** /riːˈhændl/ v. t. rimaneggiare.

rehang /riːˈhæŋ/ n. (*arte, ecc.*) il riappendere (*un quadro, ecc.*).

to **rehang** /riːˈhæŋ/ (pass. e p. p. **rehung**), v. t. **1** (*arte, ecc.*) riappendere, riattaccare (*un quadro, ecc.*) **2** rimettere (*una porta, uno sportello*) sui gan gheri.

rehash /ˈriːhæʃ/ n. rifacimento; rimaneggiamento; rimasticaticcio; rimasticatura: *This musical is a r. of old themes*, questo musical è una rimasticatura di vecchi motivi.

to **rehash** /riːˈhæʃ/ v. t. rifare; rimaneggiare; rifriggere, rimasticare (*fig.*): **to r. old notions**, rimasticare vecchie nozioni.

to **rehear** /riːˈhɪə(r)/ (pass. e p. p. **reheard**), v. t. **1** riudire; udire di nuovo **2** (*leg.*) riesaminare, ridiscutere, giudicare di nuovo (*una causa*).

rehearing /riːˈhɪərɪŋ/ n. (*leg.*) **1** riesame (*di una causa*); nuovo dibattimento **2** udienza di causa d'appello ● **the r. of a trial**, la revisione d'un processo.

rehearsal /rɪˈhɜːsl/ n. **1** Ⓒ (*teatr., cinem., mus., anche fig.*) prova: **to attend rehearsals**, assistere alle prove; **dress r.**, prova generale **2** narrazione; enumerazione; ripetizione; **the r. of one's troubles**, l'enumerazione dei propri guai.

to **rehearse** /rɪˈhɜːs/ v. t. e i. **1** (*teatr., cinem., mus.*) provare (*un dramma, un concerto, ecc.*); fare le prove **2** narrare; enumerare; ripetere per esteso (*o di continuo*): **to r. an old story**, ripetere di continuo una vecchia storia **3** far fare le prove a (q.) **4** ripassare mentalmente **5** simulare un'azione: **rehearsed violence**, violenza simulata **6** recitare (*preghiere*).

rehearser /rɪˈhɜːsə(r)/ n. **1** (*teatr., cinem., mus.*) chi dirige le prove **2** chi enumera; chi ripete **3** chi ripassa (qc.) mentalmente.

reheat /riːˈhiːt/ n. (*aeron.*) **1** ⓤ postcombustione **2** postbruciatore; postcombustore.

to **reheat** /riːˈhiːt/ v. t. **1** riscaldare, scaldare di nuovo (*avanzi, ecc.*) **2** (*aeron.*) dotare (*un aereo*) di postbruciatore.

reheater /riːˈhiːtə(r)/ n. (*aeron.*) postbruciatore; postcombustore.

to **rehome** /riːˈhəʊm/ v. t. trovare un padrone nuovo per (*un cane, un gatto, ecc.*).

to **rehouse** /riːˈhaʊz/ v. t. provvedere di un alloggio nuovo (*spec. inquilini di case demolite, espropriate*); rialloggiare.

to **rehydrate** /riːˈhaɪdreɪt/ (*chim., med.*) v. t. reidratare || **rehydration** n. ⓤ reidratazione.

to **reify** /ˈriːɪfaɪ/ (*filos.*) v. t. reificare || **reification** n. ⓊⒸ reificazione.

reign /reɪn/ n. regno (*anche fig.*): *Queen Victoria's r. was long and glorious*, il regno della regina Vittoria fu lungo e glorioso; **the R. of Terror**, il regno del Terrore (*in Francia*

e fig.); **the r. of law**, il regno della legge; **in the r. of**, sotto il regno di.

to **reign** /reɪn/ v. i. regnare (*anche fig.*); dominare, predominare: **to r. over England**, regnare sull'Inghilterra; *After he spoke, silence reigned*, dopo che ebbe parlato regnò il silenzio.

reigning /'reɪnɪŋ/ a. regnante: **the r. queen**, la regina che regna ora ● (*sport*) **the r. champion**, il campione in carica; il detentore del titolo.

to **reignite** /riːɪg'naɪt/ v. t. riaccendere ‖ **reignition** n. ⓤ riaccensione.

to **reimburse** /riːɪm'bɜːs/ v. t. rimborsare; rifondere; risarcire: **to r. travelling expenses**, rimborsare le spese di viaggio ‖ **reimbursable** a. rimborsabile; risarcibile ‖ **reimbursement** n. ⓊⒸ rimborso; risarcimento.

to **reimport** /riː'ɪmpɔːt/ n. (*comm.*) **1** articolo (*o prodotto*) reimportato **2** ⓤ reimportazione.

to **reimport** /riːɪm'pɔːt/ (*comm.*) v. t. reimportare; importare di nuovo ‖ **reimportation** n. ⓤ reimportazione.

to **reimpose** /riːɪm'pəʊz/ v. t. **1** imporre di nuovo (*tributi, ecc.*) **2** (*raro, tipogr.*) ristampare ‖ **reimposition** n. ⓊⒸ **1** nuova imposizione **2** (*raro, tipogr.*) ristampa.

rein /reɪn/ n. redine (*anche fig.*); briglia: **a pair of reins**, un paio di redini; **to take up [to drop] the reins of government**, prendere [lasciare] le redini del governo ● **to draw r.**, tirare le redini; (*fig.*) raccorciare la briglia (*fig.*), ridurre le spese ○ **to give a horse a free r.** (*o reins*), dar la briglia sul collo al cavallo, lasciarlo andare dove vuole □ **to give free** (*o full*) **r. to**, dare briglia sciolta (*o completa libertà d'azione*) a: **to give free r. to one's imagination**, sbrigliare la fantasia □ **to hold the reins**, tenere le redini (*anche fig.*) □ **to keep a tight r. on sb.**, tenere q. in briglia (*o a freno*) □ **to pull on the reins**, tirare le redini □ **to shorten the reins**, raccorciare la briglia □ (*fig.*) **to take the reins**, prendere in mano le redini.

to **rein** /reɪn/ v. t. **1** imbrigliare; mettere le redini a (*un cavallo*) **2** (*fig.*) controllare; guidare; frenare, tenere a freno.

■ **rein back** v. t. + avv. **1** fermare, rallentare (*un cavallo*) tirando le redini **2** (*fig.*) tenere a freno (*o sotto controllo*): **to r. back one's anger**, tenere a freno l'ira.

■ **rein in** v. t. + avv. **1** rimettere al passo (*un cavallo*) **2** (*fig.*) limitare, ridurre (*costi, spese, ecc.*) **3** (*fig.*) tenere a freno (*o sotto controllo*)

■ **rein up** v. t. + avv. fermare, arrestare (*un cavallo*) tirando le redini.

to **reincarnate** /riːɪn'kɑːnət/ a. (*relig.*) reincarnato.

to **reincarnate** /riːɪn'kɑːneɪt/ (*relig.*) v. t. reincarnare‖ **reincarnation** n. ⓊⒸ reincarnazione.

to **reincorporate** /riːɪn'kɔːpəreɪt/ v. t. incorporare di nuovo (→ **to incorporate**).

reindeer /'reɪndɪə(r)/ n. (pl. *reindeer, reindeers*) (*zool., Rangifer tarandus*) renna● (*bot.*) **r. moss** (*Cladonia rangiferina*), lichene delle renne.

to **reinfect** /riːɪn'fɛkt/ v. t. reinfettare‖ **reinfection** n. ⓤ reinfezione.

to **reinforce** /riːɪn'fɔːs/ n. rinforzo; pezzo di rinforzo.

♦to **reinforce** /riːɪn'fɔːs/ v. t. **1** rinforzare; rafforzare; rinvigorire: **to r. the army**, rinforzare l'esercito; **to r. one's health**, rinforzarsi la salute **2** (*ind. costr.*) armare; fare l'armatura a; rinforzare **3** (*biol.*) rinforzare (*la risposta a uno stimolo*) **4** (*fig.*) corroborare; convalidare; avvalorare: **to r. one's argument**, corroborare la propria argomen-

tazione **5** (*psic.*) rinforzare ● (*ind. costr.*) **reinforcing rod** (*o bar*), ferro d'armatura.

reinforceable /riːɪn'fɔːsəbl/ a. rinforzabile; rafforzabile.

reinforced /riːɪn'fɔːst/ a. (*ind. costr.*) **1** rinforzato: **r. beam**, trave rinforzata **2** armato: **r. concrete**, cemento armato; conglomerato cementizio armato.

reinforcement /riːɪn'fɔːsmənt/ n. ⓊⒸ **1** rinforzamento; rafforzamento; rinforzo: (*med.*) **r. of reflexes**, rafforzamento dei riflessi **2** (*ind. costr.*) armatura: **r. bars**, ferri d'armatura **3** (pl.) (*mil.*) rinforzi **4** (*psic.*) rinforzo: **r. therapy**, terapia di rinforzo.

reining /'reɪnɪŋ/ n. (*equit.*) addestramento (*o guida*) con le redini.

reinnervation /riːɪnə'veɪʃn/ n. ⓤ (*med.*) reinnervazione.

to **reinsert** /riːɪn'sɜːt/ v. t. reinserire‖ **reinsertion** n. ⓊⒸ reinserimento.

to **reinstall** /riːɪn'stɔːl/ v. t. **1** (*anche comput.*) reinstallare **2** rimettere q. al suo posto.

to **reinstate** /riːɪn'steɪt/ v. t. **1** reintegrare (q.) in un ufficio (*o in una carica, ecc.*); riabilitare; riassumere (*un dipendente*) **2** ripristinare (*un'usanza, una pena, ecc.*)‖ **reinstatement** n. ⓊⒸ **1** reintegrazione; riabilitazione; riassunzione (*di un dipendente*): (*leg.*) **reinstatement order**, ordine di riassunzione (*di un dipendente*) **2** ripristino.

to **reinsure** /riːɪn'ʃʊə(r)/ (*ass.*) v. t. riassicurare‖ **reinsurance** n. ⓤ riassicurazione.

to **reintegrate** /riː'ɪntɪgreɪt/ v. t. reintegrare ‖ **reintegration** n. ⓤ reintegrazione ‖ **reintegrative** a. reintegrativo.

to **reinter** /riːɪn'tɜː(r)/ v. t. riseppellire; risotterrare ‖ **reinterment** n. riseppellimento.

to **reinterpret** /riːɪn'tɜːprɪt/ v. t. reinterpretare ‖ **reinterpretation** n. ⓊⒸ reinterpretazione.

to **reintroduce** /riːɪntrə'djuːs, *USA* -'duːs/ v. t. ripresentare (*una persona, un disegno di legge, ecc.*)‖ **reintroduction** n. ⓊⒸ ripresentazione.

to **reinvent** /riːɪn'vɛnt/ v. t. reinventare ● **to r. the wheel**, scoprire l'acqua calda.

to **reinvest** /riːɪn'vɛst/ Ⓐ v. t. **1** (*fin.*) reinvestire, reimpiegare (*capitali*) **2** (*fin.*) investire di nuovo Ⓑ v. i. (*fin.*) fare un reinvestimento ‖ **reinvestment** n. ⓤ (*fin.*) reinvestimento; reimpiego (*di capitali*)

to **reinvigorate** /riːɪn'vɪgəreɪt/ v. t. rinvigorire ‖ **reinvigoration** n. ⓤ rinvigorimento.

reissue /riː'ɪʃuː/ n. **1** (*anche fin.*) nuova emissione (*di azioni, cambiali, ecc.*) **2** nuova edizione; ripubblicazione; ristampa **3** (*filatelia*) reimpressione (*di francobolli*).

to **reissue** /riː'ɪʃuː/ v. t. **1** (*anche fin.*) emettere di nuovo, riemettere (*azioni, cambiali, ecc.*) **2** ripubblicare, ristampare (*libri, dischi, ecc.*).

to **reiterate** /riː'ɪtəreɪt/ v. t. reiterare; ripetere; rifare‖ **reiteration** n. ⓊⒸ reiterazione; ripetizione‖ **reiterative** a. ripetitivo.

reject /'riːdʒɛkt/ n. **1** rifiuto; scarto; oggetto di scarto; (*comm.*) scarto di fabbricazione **2** (*mil.*) riformato; persona inabile al servizio militare **3** (*biol., med.*) rigetto (*di un trapianto, ecc.*) **4** (*USA, a scuola*) studente espulso.

♦to **reject** /rɪ'dʒɛkt/ v. t. **1** (*anche biol., med., leg.*) rigettare; respingere; rifiutare: *You can r. three jurors*, puoi rifiutare tre giurati; **to r. a claim [a proposal]**, respingere un reclamo [rifiutare una proposta]; (*comm.*) **to r. goods**, respingere merci **2** gettar via; scartare: **to r. all defective specimens**, scartare tutti gli esemplari difettosi **3** (= **to r. as unfit**) (*mil.*) riformare:

He was rejected as unfit for military service, è stato riformato **4** (*USA, a scuola*) espellere (*uno studente*) **5** (*raro*) rigettare; vomitare ● (*comm.*) **r. goods**, merci respinte □ **rejected material**, scarto.

rejectable /rɪ'dʒɛktəbl/ a. **1** rigettabile; rifiutabile **2** (*mil.*) riformabile.

rejectee /riːdʒɛk'tiː/ n. (*mil., spec. USA*) riformato (sost.).

rejecter, **rejector** /rɪ'dʒɛktə(r)/ n. chi rifiuta; chi respinge.

rejection /rɪ'dʒɛkʃn/ n. ⓊⒸ **1** rifiuto; rigetto (*bur.*); ripulsa: **the r. of an application**, il rigetto di una domanda di impiego; **a feeling of r.**, un sentimento di ripulsa **2** rifiuto; scarto **3** (*med.*) rigetto **4** (*tecn.*) reiezione **5** (*USA, a scuola*) espulsione (*di uno studente*) ● **r. slip**, lettera di rifiuto (*di un manoscritto; da parte di un editore*).

rejig /riː'dʒɪg/ n. ⓊⒸ (*fam.*) **1** ristrutturazione; riconversione (*di un'azienda, ecc.*) **2** rimaneggiamento; manipolazione; ritocco; risistemazione.

to **rejig** /riː'dʒɪg/ v. t. (*fam.*) **1** ristrutturare; riconvertire (*un'azienda, ecc.*) **2** rimaneggiare; manipolare; ritoccare: **to r. the whole schedule**, rimaneggiare l'intero programma.

to **rejoice** /rɪ'dʒɔɪs/ v. i. allietarsi; rallegrarsi; gioire; esultare: **to r. in** (*o at*) **one's children's success**, rallegrarsi (*o esultare per il*) successo dei propri figli ● (*scherz., antiq.*) *He rejoices in the name of Burley*, si chiama Burley; ha il buffo cognome «Burley».

rejoicing /rɪ'dʒɔɪsɪŋ/ n. **1** ⓤ allegrezza; gioia; giubilo; esultanza; letizia **2** (pl.) festeggiamenti; feste pubbliche; celebrazioni‖ **-ly** avv.

to **rejoin**① /riː'dʒɔɪn/ v. t. e i. **1** replicare; ribattere; rispondere **2** (*leg.*) controreplicare.

to **rejoin**② /rɪ'dʒɔɪn/ Ⓐ v. t. **1** ricongiungere; riunire; riattaccare: **to r. two wires**, riattaccare due fili (*della luce, ecc.*) **2** ricongiungersi con; raggiungere; tornare al (*reggimento, alla base, alla propria nave*) **3** (*polit.*) iscriversi di nuovo a (*un partito*) Ⓑ v. i. ricongiungersi; riattaccarsi; riunirsi; tornare insieme ● (*ciclismo*) **to r. the pack**, riunirsi al gruppo; rientrare.

rejoinder /rɪ'dʒɔɪndə(r)/ n. **1** replica; risposta (*spec. pronta e spiritosa*) **2** (*leg.*) controreplica; replica della difesa **3** (*leg.*) replica del convenuto; duplica.

to **rejuvenate** /rɪ'dʒuːvɪneɪt/ v. t. e i. ringiovanire (*anche fig.*) ‖ **rejuvenating** a. che fa ringiovanire: **rejuvenating cosmetics**, cosmetici che fanno ringiovanire‖ **rejuvenation** n. ⓊⒸ ringiovanimento (*anche fig.*)‖ **rejuvenator** n. persona (*o cosa*) che ridà la giovinezza.

to **rejuvenesce** /riːdʒuːvɪ'nɛs/ Ⓐ v. t. **1** ringiovanire **2** (*biol.*) rinnovare, dare nuova vitalità a (*cellule, ecc.*) Ⓑ v. i. **1** ringiovanire **2** (*biol.: di una cellula*) rigenerarsi; diventare più vitale‖ **rejuvenescence** n. ⓤ (*anche biol.*) ringiovanimento‖ **rejuvenescent** a. che ringiovanisce.

to **rekindle** /riː'kɪndl/ v. t. e i. riaccendere, riaccendersi (*anche fig.*): **to r. a fire [a hope]**, riaccendere un fuoco [una speranza].

rel. abbr. **1** (**relating (to**)) concernente; riferentesi (a) **2** (**relative**) relativo **3** (**religion**) religione.

to **relabel** /riː'leɪbl/ v. t. etichettare di nuovo; mettere una nuova etichetta a (*qc.*).

re-laid /riː'leɪd/ pass. e p. p. di **to re-lay**.

relapse /'riːlæps/ n. **1** (*anche med.*) ricaduta **2** (*leg.*) recidiva.

to **relapse** /rɪ'læps/ v. i. **1** (*di persona già*

guarita) avere una ricaduta; riammalarsi; (*med.*) recidivare 2 ricadere (in); ricascare (in): **to r. into bad habits**, ricadere in cattive abitudini 3 (*leg.*) recidivare ● **to r. into sleep**, riaddormentarsi □ (*med.*) **relapsing fever**, febbre ricorrente.

♦to **relate** /rɪˈleɪt/ A v. t. 1 (*form.*) riferire; riportare; narrare; raccontare: *The old man related the story of his life*, il vecchio narrò la storia della sua vita 2 mettere in relazione; collegare; connettere: *It's easy to r. unemployment and crime*, è facile collegare la disoccupazione con la delinquenza B v. i. 1 riferirsi (a); riguardare; concernere: *This doesn't r. to the matter*, ciò non riguarda la questione 2 (*fam.*) andare d'accordo; trovarsi d'accordo (o in sintonia): *She can't r. to her mother-in-law*, non va d'accordo con la suocera 3 (*fam.*) trovare (*un'idea, ecc.*) accettabile: *I can't r. to the idea of having to work under his supervision*, non riesco ad accettare l'idea di dover lavorare sotto la sua supervisione.

♦**related** /rɪˈleɪtɪd/ a. 1 collegato; connesso: **drug-r. crime**, la criminalità connessa con l'uso della droga; *Have you got any work-r. qualifications?*, hai delle qualifiche relative al lavoro? 2 imparentato 3 (*bot.*, *zool.*) affine ● **to be r. to**, essere collegato (o connesso) con; essere imparentato con: *These subjects are strictly r.*, questi argomenti sono strettamente connessi; *He is r. to the Prime Minister by marriage*, è imparentato con il primo ministro per parte di moglie | **-ness** n. Ⓤ.

relater /rɪˈleɪtə(r)/ n. narratore, narratrice.

relating /rɪˈleɪtɪŋ/ a. relativo (a); che concerne; riguardante: **all the details r. to the matter**, tutti i particolari relativi alla faccenda ● (*leg.*) **r. to procedure**, procedurale.

♦**relation** /rɪˈleɪʃn/ n. 1 Ⓤ relazione; rapporto; connessione; nesso: *There is no r. between the two events*, non c'è rapporto tra i due fatti 2 (pl.) relazioni; rapporti: **trade relations**, rapporti commerciali; **foreign relations**, relazioni con l'estero; **the relations between husband and wife**, i rapporti fra marito e moglie; **business relations**, rapporti d'affari; **human relations**, relazioni umane 3 parente; congiunto: *Is he any r. to you?*, è un tuo parente?; **near [distant] relations**, parenti stretti [lontani]; **a poor r.**, un parente povero (*anche fig.*) 4 Ⓤ racconto; relazione; resoconto: **the r. of one's voyages**, il racconto dei propri viaggi in mare 5 Ⓤ (*mat.*) relazione 6 (*leg.*) esposto (*del denunciante*) ● **relations between workers and industry**, clima sindacale □ **to bear no r. to** (o **to be out of all r. to**), non essere affatto in rapporto con; non aver nulla a che vedere con □ **to have (sexual) relations with sb.**, avere una relazione (o rapporti sessuali) con q. ● **in** (o **with**) **r. to**, rispetto a; riferendosi a; in quanto a.

relational /rɪˈleɪʃənl/ a. (*ling.*, *comput.*) relazionale: **r. capability**, capacità relazionale ● (*comput.*) **r. database**, database relazionale □ (*comput.*) **r. operator**, operatore relazionale.

relationism /rɪˈleɪʃnɪzəm/ (*filos.*) n. Ⓤ relazionismo || **relationist** n. relazionista.

♦**relationship** /rɪˈleɪʃnʃɪp/ n. 1 grado di parentela 2 relazione; rapporto; connessione; nesso: **to have a close r. with one's parents**, avere un buon rapporto con i genitori 3 relazione; rapporto sessuale ● **What is your r. to him?**, in che modo siete parenti?

♦**relative** /ˈrelətɪv/ A a. 1 relativo (*anche gramm.*); in relazione (*con*); connesso (*con*); attinente (*a*): (*fis.*) **r. humidity**, umidità relativa; (*mecc.*) **r. motion**, moto relativo; (*naut.*) **r. wind**, vento relativo; **a r. pronoun**,

un pronome relativo; **a r. clause**, una proposizione relativa; *Beauty is r.*, la bellezza è relativa; **the details r. to the matter**, i particolari relativi alla (o connessi con la) faccenda; *Supply is r. to demand*, l'offerta è in relazione con la domanda (*di merci o prodotti*) 2 correlativo; reciproco; rispettivo: **the r. responsibilities of employer and employee**, le reciproche responsabilità del datore di lavoro e del dipendente 3 comparato; rispettivo: **r. merit**, merito comparato; **the r. advantages of petrol and natural gas**, i rispettivi vantaggi della benzina e del gas naturale B n. 1 (*gramm.*) (pronome) relativo 2 parente; congiunto: *She's a r. of mine*, è una mia parente ● (*comput.*) **r. address**, indirizzo relativo □ (*naut.*) **r. bearing**, rilevamento polare □ (*chim.*) **r. molecular mass**, massa molecolare relativa; peso molecolare □ **r. to**, relativo a, attinente a, che si riferisce a, connesso con: **facts r. to the issue**, fatti attinenti alla questione □ **«Cold» is a r. term**, «freddo» è una parola che ha un valore relativo.

♦**relatively** /ˈrelətɪvlɪ/ avv. relativamente; abbastanza, piuttosto: **r. cheap [new]**, relativamente poco costoso [nuovo]; *Trade is r. slack*, gli scambi sono piuttosto deboli ● **r. to**, relativamente a, in rapporto a □ **r. speaking**, parlando non in senso assoluto; relativamente.

relativeness /ˈrelətɪvnəs/ n. Ⓤ relatività.

relativism /ˈrelətɪvɪzəm/ (*filos.*) n. Ⓤ relativismo || **relativist** n. relativista.

relativistic /relətɪˈvɪstɪk/ a. (*filos.*, *mat.*, *fis.*) relativistico.

relativity /reləˈtɪvɪtɪ/ n. Ⓤ (*anche filos.*, *mat.*, *fis.*) relatività: **the theory of r.**, la teoria della relatività.

to **relativize** /ˈrelətɪvaɪz/ (*anche ling.*) v. t. relativizzare || **relativization** n. Ⓤ relativizzazione.

relaunch /riːˈlɔːntʃ/ n. ⒸⓊ (*comm.*, *sport*) rilancio.

to **relaunch** /riːˈlɔːntʃ/ v. t. (*comm.*, *sport*) rilanciare (*un prodotto, un attacco, ecc.*).

♦to **relax** /rɪˈlæks/ A v. t. 1 rilassare; allentare; attenuare; diminuire; ridurre: **to r. one's muscles**, rilassare i muscoli; **to r. discipline**, rilassare la disciplina; **to r. one's hold** (o **grip**), allentare la presa; **to r. one's attention**, allentare l'attenzione; **to r. the tension**, ridurre la tensione 2 (*ginnastica*) distendere B v. i. 1 rilassarsi; rilassarsi; allentarsi; attenuarsi; diminuire: **to r. on the beach**, rilassarsi sulla spiaggia; *Then discipline relaxed*, allora la disciplina s'allentò 2 (*di persona*) riposarsi; prender fiato; distrarsi ● **to r. one's efforts**, diminuire gli sforzi □ **to r. one's mind**, ricrearsi; distrarsi □ **to r. the pace**, rallentare il passo (o l'andatura).

relaxant /rɪˈlæksnt/ n. (*farm.*) (farmaco) antispasmodico (o antispastico).

relaxation /riːlækˈseɪʃn/ n. 1 Ⓤ rilasciamento (*dei muscoli, ecc.*); rilassamento; rilassatezza 2 Ⓤ allentamento; attenuazione: **the r. of stiff banking controls**, l'allentamento dei rigidi controlli sulle banche 3 ⒸⓊ modo di rilassarsi; relax; distensione; ricreazione; riposo; svago; distrazione 4 Ⓤ remissione (*di un'ammenda, ecc.*) 5 Ⓤ (*scient.*, *tecn.*) rilassamento 6 (*ginnastica*) distensione.

♦**relaxed** /rɪˈlækst/ a. rilassato; disteso; tranquillo | **-ly** avv.

relaxin /rɪˈlæksɪn/, USA -sn/ n. Ⓤ (*biochim.*) relaxina; rilassina.

relaxing /rɪˈlæksɪŋ/ a. rilassante; distensivo.

relay /ˈriːleɪ/ n. 1 (*un tempo*) cavalli di ricambio; cavalli di posta 2 muta (*di cani*) di

ricambio 3 squadra (*di lavoratori*) di ricambio 4 materiale di scorta 5 (*elettr.*, *radio*) relè, relais; ripetitore; relè direzionale; (*ferr.*) **block r.**, relè di blocco 6 (*radio*) collegamento 7 (*sport*) frazione (*di corsa a staffetta*) 8 (*sport*, *di solito* **r. race**) corsa a staffetta; staffetta 9 (*equit.*, *nuoto*, *sci*) staffetta 10 (pl.) (*sport*) gare a staffetta ● (*radio*) **r. broadcast**, ritrasmissione □ (*autom.*) **r. membership card**, tessera per il servizio di traino □ (*atletica*) **r.-race** (o **r.**) **runner**, staffettista; frazionista □ **r. racing**, la staffetta (*la specialità*) □ (*autom.*) **r. service**, servizio di traino (*fino all'officina*) □ (*radio*) **r. station**, stazione ripetitrice; stazione relè; ripetitore □ (*nuoto*) **r. swimmer**, staffettista; frazionista □ (*sport*) **four-man r.**, staffetta di quattro frazioni □ (*nuoto*) **medley r.**, staffetta mista □ **ski r. race**, staffetta alpina.

to **relay** /rɪˈleɪ/ v. t. 1 dare il cambio a; sostituire (*cavalli, lavoratori, ecc.*) 2 (*elettr.*) fornire di relè 3 (*radio*, *TV e fig.*) ritrasmettere 4 (*elettr.*) comandare (*un circuito, ecc.*) a mezzo di relè 5 riferire; comunicare: *Please r. the news to my family*, per favore, comunica la notizia alla mia famiglia.

to **re-lay** /riːˈleɪ/ (*pass. e p. p.* **re-laid**), v. t. 1 ricollocare; rideporre; posare di nuovo (*un cavo, ecc.*) 2 (*edil.*) posare di nuovo, rifare (*un pavimento, una moquette*) 3 (*ferr.*) posare di nuovo (*un tratto di binario*).

releasable /rɪˈliːsəbl/ a. 1 liberabile; rilasciabile 2 (*leg.*) rinunciabile; cedibile; (*di un debito*) che può esser rimesso 3 (*di film*) che può essere distribuito; rappresentabile 4 (*di notizia*) divulgabile; pubblicabile 5 (*di un paziente*) che può essere dimesso 6 (*mecc.*) disinseribile; disinnestabile (→ **to release**).

release /rɪˈliːs/ n. 1 Ⓤ rilascio; liberazione; (*med.*) dimissione (*di un paziente*): **the hostage's r.**, il rilascio dell'ostaggio; **r. from prison**, scarcerazione 2 ⒸⓊ liberazione (*fig.*); sollievo: **a feeling of r.**, un senso di sollievo 3 Ⓤ Ⓒ allentamento (*della presa, ecc.*); il lasciar andare; il mollare: **a r. of tension**, un allentamento della tensione 4 Ⓤ liberazione (*da un obbligo*); condono; dispensa; esonero (*dal servizio*); esenzione, sgravio (*fiscale, ecc.*); remissione (*di un debito*) 5 Ⓤ Ⓒ (*leg.*) abbandono (*di un diritto*); cessione (*di beni*); concessione, rilascio (*di diritti ad altri*); atto di cessione 6 comunicato; annuncio; comunicazione: **a press r.**, un comunicato stampa 7 Ⓤ diffusione; pubblicazione: **the r. of secret documents**, la pubblicazione di documenti segreti; **the r. of a photofit by the police**, la diffusione di un fofofit da parte della polizia 8 Ⓤ (*cinem.*) distribuzione, immissione nel circuito (*di un film*) 9 (*cinem.*) film: *This is a Warner Bros r.*, questo è un film della Warner Bros 10 (*mus.*, *TV*) disco (o videocassetta) di nuova distribuzione 11 Ⓤ (*aeron.*, *mil.*) sgancio (*di bombe*); lancio (*di missili*) 12 (*mecc.*) sbloccaggio; rilascio; scatto: **the r. of a spring**, lo scatto di una molla 13 (*mecc.*) dispositivo di sgancio 14 (*fotogr.*) scatto 15 emissione (*di gas, ecc.*); fuoriuscita; fuga; scarico (*di vapore, ecc.*); sprigionamento (*di energia, ecc.*) 16 (*fig.*) sfogo; scoppio (*fig.*): **a r. of pent-up anger**, uno sfogo d'ira repressa 17 (*comput.*) versione (*di un programma*) 18 (*sport*) lancio (*di un attrezzo*) 19 (*sport*) congedo, permesso di trasferimento (*di un giocatore*) 20 (*sci*) apertura (*di un attacco*): **r. setting screw**, vite per regolare l'apertura dell'attacco 21 (*leg.*, *naut.*) dissequestro ● (*leg.*) **r. from seizure**, dissequestro □ (*mecc.*) **r. lever**, leva di sbloccaggio □ **the r. of goods from customs**, il rilascio (o lo svincolo) di merci dalla dogana □ **r. of a mortgage**, estinzione di un'ipoteca □ (*leg.*) **r. of right of action**, rinuncia all'azione in giudizio □ (*leg.*) **r. on bail**, concessione della libertà

provvisoria su cauzione □ (*fotogr.*) **r. trigger**, levetta dello scatto; scatto □ (*di un film*) **on general r.**, distribuito a tutte le sale cinematografiche di una zona □ (*farm.*) **time-r. capsule**, capsula a rilascio lento.

♦to **release** /rɪˈliːs/ **v. t. 1** liberare; mettere in libertà; rilasciare; sciogliere: **to r. a prisoner** [**a hostage**], rilasciare un prigioniero [un ostaggio]; **to r. sb. from a promise**, liberare (*o* sciogliere) q. da una promessa **2** allentare; lasciare; mollare: **to r. one's hold**, mollare la presa **3** (*aeron. mil.*) sganciare (*bombe*); lanciare (*missili*) **4** (*leg.*) prosciogliere (*un imputato*); liberare, esonerare (*da un obbligo*) **5** (*leg.*) cedere (*una proprietà, un diritto*); consegnare (*beni, chiavi, documenti, ecc.*); abbandonare, rinunciare a (*un diritto*); rimettere, condonare (*un debito*) **6** (*econ., market.*) immettere (*prodotti*) sul mercato; mettere in commercio **7** (*cinem.*) consentire la proiezione al pubblico di (*un film*); distribuire **8** dare alla stampa, rendere pubblica (*una notizia*) **9** (*med.*) dimettere (*un paziente*) **10** (*mecc.*) sbloccare; sganciare; rilasciare **11** (*fotogr.*) far scattare (*l'otturatore*) **12** emettere (*gas, ecc.*); scaricare (*vapore, ecc.*); sprigionare **13** scaricare (*fig.*); sfogare: **to r. pent-up anger**, scaricare l'ira repressa **14** (*autom.*) liberare; togliere; staccare: **to r. the handbrake**, togliere il freno a mano **15** (*comput.*) mettere in produzione (*un applicativo*) **16** (*sport*) congedare, dare a (*un giocatore*) il permesso di trasferirsi **17** (*sci*) aprire (*un attacco dello sci*) **18** (*tiro con l'arco*) scoccare: **to r. an arrow**, scoccare una freccia ● (*autom.*) **to r. the clutch**, lasciare (*lentamente*) il pedale della frizione; innestare (*o* inserire) la frizione □ (*leg.*) **to r. st. from seizure**, dissequestrare qc. □ **to r. goods from the customs**, rilasciare (*o* svincolare) merci dalla dogana □ (*mecc.*) **to r. a spring**, fare scattare una molla.

to **re-lease** /riːˈliːs/ **v. t.** riaffittare.

releasee /rɪliːˈsiː/ **n. 1** (*leg.*) chi ottiene la cessione d'una proprietà (*o* di un diritto); cessionario **2** (*spec. USA*) persona rimessa in libertà.

releaser /rɪˈliːsə(r)/ **n. 1** chi libera, rilascia, ecc. (→ **to release**) **2** distributore di film **3** (*mecc.*) dispositivo di scatto (*o* di sgancio) ● (*fotogr.*) **automatic r.**, autoscatto.

releasor /rɪˈliːsə(r)/ **n.** (*leg.*) **1** cedente; chi cede una proprietà (*o* un diritto) **2** creditore che rimette un debito.

to **relegate** /ˈrɛlɪgeɪt/ **v. t. 1** relegare; confinare; bandire; esiliare **2** relegare (*fig.*); mettere in disparte; retrocedere; declassare **3** (*raro*) deferire; delegare; rimettere **4** (*sport*) retrocedere: **to r. a team to the second division**, retrocedere una squadra in serie C ● **to r. an article to the wastepaper basket**, gettare nel cestino (*o* cestinare) un articolo □ (*sport*) **to be relegated**, essere retrocesso (*in serie B, ecc.*).

relegation /rɛlɪˈgeɪʃn/ **n.** ⓤ **1** relegazione; relegamento (*raro*); esilio **2** relegazione (*fig.*); retrocessione; declassamento **3** (*raro*) deferimento; il rimettere (*una questione, ecc. a q.*) **4** (*sport*) retrocessione: **r. zone**, zona retrocessione ● (*sport*) **r. battle** (*o* **fight**), lotta per la salvezza.

to **relent** /rɪˈlɛnt/ **v. i. 1** addolcirsi; cedere (alla compassione); placarsi; venire a più mite consiglio **2** (*del vento, della pioggia, ecc.*) attenuarsi; placarsi un poco.

relentingly /rɪˈlɛntɪŋlɪ/ **avv.** cedendo; placandosi; venendo a più miti consigli.

relentless /rɪˈlɛntləs/ **a.** implacabile; inflessibile; inesorabile ● **r. pain**, dolore che non dà tregua | **-ly avv.** | **-ness n.** ⓤ.

re-let /riːˈlɛt/ **n. 1** ⓤ subaffitto; sublocazione **2** ⓤ riaffitto **3** bene immobile sublocato o riaffittato.

to **relet**, to **re-let** /riːˈlɛt/ (pass. e p. p. ***relet, re-let***), **v. t. 1** ridare in affitto; riaffittare **2** subaffittare; sublocare ‖ **reletting**, **re-letting n. 1** riaffitto **2** subaffitto; sublocazione.

♦**relevant** /ˈrɛləvənt/ **a. 1** attinente; pertinente; che fa al caso; del caso: **the r. details**, i particolari pertinenti; **to examine all the r. documents**, esaminare tutti i documenti del caso **2** d'attualità; (ancora) valido; che tratta problemi di attualità **3** (*anche leg.*: *di una testimonianza, ecc.*) importante; utile ‖ **relevance**, **relevancy n.** ⓤ **1** attinenza; pertinenza; relazione; rapporto **2** attualità; l'essere attuale **3** (*anche leg.*) importanza, utilità (*di una testimonianza, ecc.*).

reliability /rɪlaɪəˈbɪlətɪ/ **n.** ⓤ **1** attendibilità; affidabilità; credibilità; sicurezza; esattezza **2** (*di un oggetto, uno strumento, ecc.*) sicurezza di funzionamento; resistenza; robustezza; saldezza; solidità **3** (*comput., stat.*) affidabilità; attendibilità **4** (*comm.*) solvibilità ● (*mecc.*) **r. of service**, regolarità di funzionamento □ (*di uno strumento*) **r. test**, prova d'esattezza □ (*autom., sport*) **r. trial**, gara di regolarità □ (*autom.*) **r. trials**, prove di collaudo (*o* di resistenza).

♦**reliable** /rɪˈlaɪəbl/ **a. 1** attendibile; degno di fiducia; fidato; affidabile; credibile; sicuro; esatto; che dà affidamento: **a r. assistant**, un aiutante degno di fiducia; *He is a r. man*, è un uomo che dà affidamento; **a r. instrument**, uno strumento esatto (*o* di cui ci si può fidare) **2** resistente; solido; robusto: **a r. engine**, un motore robusto **3** (*comput., stat.*) affidabile; attendibile **4** (*comm.*) solvibile | **-ness n.** ⓤ | **-bly avv.**

reliance /rɪˈlaɪəns/ **n. 1** ⓤ affidamento; assegnamento; fiducia; fede: **to place r. in** (*o* **on, upon**) **sb.**, aver fiducia in q.; fare assegnamento su q.; *My r. is upon God*, la mia fiducia è riposta in Dio **2** cosa (*o* persona) che dà affidamento; sostegno; appoggio; risorsa.

reliant /rɪˈlaɪənt/ **a. 1** fiducioso; fidente; che fa assegnamento (*su q. o qc.*) **2** dipendente (da q. e qc.): (*econ.*) *Italy is more and more r. on imports of raw materials*, l'Italia è sempre più dipendente dalle importazioni di materie prime **3** (= **self-r.**) che ha fiducia in sé stesso; sicuro di sé ● **to be r. on physical strength**, contare sulla forza fisica.

relic /ˈrɛlɪk/ **n. 1** (*relig.*) reliquia: **a holy r.**, una sacra reliquia **2** cimelio: **a glorious r.**, un glorioso cimelio **3** (pl.) avanzi; resti; vestigia: **the relics of an ancient civilization**, le vestigia di un'antica civiltà **4** (pl.) (*poet. o arc.*) spoglie mortali **5** (*biol.*) specie relitta; relitto.

relict /ˈrɛlɪkt/ **A n. 1** (*arc.*) (di solito, preceduto da un possessivo) vedova **2** (*biol., geol., ling.*) relitto **B a. attr.** (*geol.*) relitto: **r. lake**, lago relitto; **r. rock**, roccia relitta; (*biol.*) **r. species**, specie relitta.

♦**relief**[1] /rɪˈliːf/ **n. 1** ⓤ sollievo; conforto; ristoro: *The medicine gave me some r. from pain*, la medicina mi diede un po' di sollievo dal dolore; **a sigh of r.**, un sospiro di sollievo; *Oh, what a r.!*, oh, che sollievo! **2** ⓤ assistenza; aiuto; soccorso; sussidio: **r. for the flooded areas**, assistenza per le zone alluvionate; **r. funds for those in need**, fondi per l'assistenza ai bisognosi **3** ⓤ (*mil.*) liberazione (*di città assediata*) **4** ⓤⓒ (*mil.*) soccorso (*a città assediata*); truppe di soccorso **5** ⓤ (*anche mil.*) cambio; sostituzione: **the r. of a sentry**, il cambio d'una sentinella **6** chi dà il cambio (*a una sentinella, a q. che è in servizio*); rimpiazzo; rincalzo; squadra che dà il cambio: *We're waiting for the reliefs*, siamo in attesa dei rincalzi **7** diversivo; calo di tensione (*in un libro, ecc.*): **by way of r.**, a mo' di diversivo; tanto per cambiare; (*teatr.*) **comic r.** (*o* **light r.**), diversivo comico (*scene comiche intercalate in un dramma serio*) **8** rimedio (*a un male*); riparazione (*di un torto*) **9** (*fisc.*) sgravio, detrazione: **tax r.**, sgravio fiscale; **r. for expenses**, detrazione per spese sostenute **10** (*leg.*) condono **11** (*mecc.*) scarico **12** (*trasp.*) autobus (*o* treno) straordinario **13** (*sport*) alleggerimento; disimpegno ● **a r. bus** [**coach**], un autobus [un pullman] straordinario □ **r. certification**, certificato attestante il diritto al sussidio □ (*autom.*) **r. driver**, secondo autista □ (*mil., ecc.*) **r. parcel**, pacco aiuto □ (*mil.*) **r. party**, colonna di soccorso; truppe di ricambio (*o* di rincalzo) □ (*sport*) **the r. players**, le riserve □ **r. road**, strada d'alleggerimento del traffico; strada di scorrimento □ (*ferr.*) **r. train**, treno supplementare; treno straordinario □ (*mecc.*) **r. valve**, valvola limitatrice di pressione □ **r. well**, pozzo di drenaggio □ **r. work**, volontariato (*in paesi in via di sviluppo, ecc.*) □ **r. worker**, volontario (*in paesi in via di sviluppo, ecc.*) □ **r. works**, lavori pubblici intrapresi per alleviare la disoccupazione; lavori socialmente utili □ (*di lavoratore*) **to be on r.**, percepire il sussidio di disoccupazione.

relief[2] /rɪˈliːf/ **n.** ⓤ (*arte, geogr.*) rilievo; (*fig.*) evidenza; risalto: **high r.**, altorilievo; **low r.**, bassorilievo; **a r. map**, una carta del rilievo; una carta orografica ● **r. model**, modello del rilievo; plastico □ (*tipogr.*) **r. printing**, stampa in rilievo; rilievografia □ **to bring out st. in r.**, mettere in rilievo qc.; dar risalto a qc.; far risaltare qc. □ **to stand out in r.**, risaltare; stagliarsi; spiccare: *The tower stood out in sharp r. against the sky*, il profilo della torre spiccava contro il cielo.

relievable /rɪˈliːvəbl/ **a. 1** confortabile; alleviabile; mitigabile **2** assistibile; che si può aiutare **3** liberabile **4** sostituibile.

♦to **relieve** /rɪˈliːv/ **v. t. 1** dar sollievo a; confortare; alleviare; mitigare; placare: *I was much relieved to hear it*, a quella notizia mi sentii assai sollevato; **to r. the distressed**, confortare gli afflitti; **to r. pain**, alleviare il dolore; **to r. famine**, mitigare la carestia; *His arrival relieved my anxiety*, il suo arrivo placò la mia ansia **2** assistere; aiutare; soccorrere: **to r. the poor**, soccorrere i bisognosi **3** (*mil.*) liberare: **to r. a besieged town**, liberare una città assediata **4** alleggerire (*anche fig.*); eliminare; sbarazzare; togliere: **to r. sb. of a load**, sbarazzare q. di un peso; (*scherz.*) *A pickpocket relieved him of his purse*, un borsaiolo lo alleggerì del portafoglio **5** (*anche mil.*) dare il cambio a; rilevare; rimpiazzare: **to r. a sentry**, rilevare una sentinella; *He relieved the nurse*, diede il cambio all'infermiera **6** sollevare; privare; rimuovere: *He was relieved of his task*, fu sollevato dal suo incarico **7** (*anche leg.*) liberare, sollevare (*da responsabilità, ecc.*) **8** (*fisc.*) esentare, sgravare **9** (*mecc.*) togliere il carico a (*una molla, ecc.*) **10** (*mil., sport*) disimpegnare; alleggerire ● **to r. one's feelings**, dare sfogo ai propri sentimenti; sfogarsi; fare una sfuriata □ (*mil.*) **to r. guard**, dare il cambio al corpo di guardia; fare il cambio della guardia □ **to r. sb.'s mind**, rassicurare q.; tranquillizzare q. □ **to r. the monotony of the journey**, rompere la monotonia del viaggio □ (*eufem., antiq.*) **to r. oneself**, andare di corpo; orinare; liberarsi (*fam.*) □ (*naut.*) **to r. the watch**, dare il cambio al quarto di guardia.

relieved /rɪˈliːvd/ **a. 1** sollevato; confortato: *I'm very r.*, mi sento assai sollevato **2** (*anche leg.*) liberato, sollevato (*da responsabilità*) **3** che ha spicco; in risalto ● **a r. smile**, un sorriso di sollievo.

reliever /rɪˈliːvə(r)/ **n. 1** chi conforta; soccorritore, soccorritrice **2** liberatore (*di una*

città assediata, ecc.) ● (*farm.*) **pain r.**, analgesico.

relieving /rɪˈliːvɪŋ/ ⒜ **a.** che dà sollievo; che disimpegna; che dà il cambio ⒝ **n.** ⓤ **1** assistenza; soccorso; sollievo **2** (*mil.*) il rilevare (*truppe*); rimpiazzo ● (*archit.*) **r. arch**, arco di scarico □ **r. officer**, funzionario preposto all'assistenza dei poveri.

relievo /rɪˈliːvəʊ/ *n.* ⓤⓒ (pl. *relievos*) (*arte*) rilievo ● **alto-r.**, altorilievo ● **basso-r.**, bassorilievo.

to **relight** /riːˈlaɪt/ *v. t.* **1** riaccendere **2** (*aeron.*) riaccendere, riavviare (*il motore in volo*).

♦**religion** /rɪˈlɪdʒən/ *n.* ⓤⓒ **1** religione (*anche fig.*): **the Christian r.**, la religione cristiana; *Patriotism was his r.*, il patriottismo era la sua religione **2** pratica conventuale (*monastica*); vita religiosa (*o monastica*): **to enter into r.**, abbracciare la vita religiosa ● (*fam. USA, iron.*) **to get r.**, diventare di colpo religioso; convertirsi □ **to make a r. of doing st.**, sentire il dovere sacrosanto (*o farsi un dovere*) di fare qc.

religionism /rɪˈlɪdʒənɪzəm/ *n.* ⓤ fanatismo religioso; bigotteria; santocchieria ‖ **religionist** *n.* bigotto; baciapile; santocchio; pinzochero.

religiose /rɪˈlɪdʒɪəʊs/ *a.* affetto da religiosità morbosa; bigotto, santocchio ‖ **religiosity** *n.* ⓤ **1** religiosità **2** (*spreg.*) fanatismo religioso; bigotteria; santocchieria.

♦**religious** /rɪˈlɪdʒəs/ ⒜ **a. 1** religioso; devoto; pio: **r. books**, libri religiosi ● **a r. man**, un uomo religioso **2** relativo alla religione; religioso: **a r. education**, un'educazione religiosa, **r. liberty**, libertà di religione; **r. music**, musica religiosa, **r. tolerance**, tolleranza religiosa **3** di religiosi: **a r. house**, una casa di religiosi (*o di religiose*); una comunità monastica **4** (*fig.*) coscienzioso; scrupoloso; religioso: **with r. care**, con religiosa attenzione ⒝ **n.** religioso, religiosa | **-ly** *avv.* | **-ness** *n.* ⓤ.

to **reline** /riːˈlaɪn/ *v. t.* **1** rifoderare; rivestire di nuovo **2** (*pitt.*) rintelare **3** (*autom.*) sostituire gli spessori (*o le pastiglie*) dei (*freni*) ● (*autom.*) **to r. the brakes**, cambiare le pastiglie dei freni ‖ **relining** *n.* ⓤⓒ **1** (il) rifoderare; nuovo rivestimento **2** (*pitt.*) rintelatura **3** (*autom.*) sostituzione degli spessori (*o delle pastiglie*): **brake relining**, sostituzione delle pastiglie dei freni.

to **relinquish** /rɪˈlɪŋkwɪʃ/ (*form.*) *v. t.* **1** abbandonare; lasciare; cedere; rinunciare a (*qc.*): **to r. all hope**, lasciare ogni speranza; **to r. a plan**, abbandonare un progetto; **to r. a right**, cedere un diritto; **to r. one's advantage**, rinunciare al proprio vantaggio **2** allentare: **to r. one's hold**, allentare la presa ‖ **relinquishment** *n.* ⓤⓒ abbandono; cessione; rinuncia: (*leg.*) **relinquishment of a right**, abbandono di un diritto.

reliquary /ˈrɛlɪkwərɪ/ *n.* (*relig.*) reliquiario.

relish /ˈrɛlɪʃ/ *n.* **1** ⓤ gusto (*anche fig.*); sapore; piacere; attrattiva; inclinazione; passione: *The boy eats with r.*, il ragazzo mangia di gusto; *There's a r. of garlic in the stew*, si sente il sapore dell'aglio nello stufato; *Life has lost its r. for him*, la vita non gli offre più alcuna attrattiva; *He has no r. for poetry*, non ha gusto per la poesia; *I have no r. for study*, non ho affatto la passione dello studio; lo studio non mi entusiasma **2** (*fig.*) traccia; tocco; pizzico; punta: *There was a r. of malice in his actions*, c'era un pizzico di malizia nei suoi atti **3** condimento; salsa (*spec.* piccante).

to **relish** /ˈrɛlɪʃ/ ⒜ **v. t. 1** gustare; gradire; apprezzare; trovare di proprio gusto; piacere (impers.): *I thought you would r. Spanish wine*, pensavo che avresti gradito il vino

spagnolo; *I don't r. the prospect of driving all day*, non mi attira la prospettiva di guidare tutto il giorno **2** insaporire; dar sapore a (*un cibo*); condire ⒝ **v. i.** (*antiq.*) **1** (*anche fig.*) sapere (di); avere il sapore (di) **2** avere un buon sapore.

relishable /ˈrɛlɪʃəbl/ *a.* appetitoso; gustoso; saporito.

to **relive** /riːˈlɪv/ *v. t. e i.* rivivere; vivere di nuovo (*un'esperienza, ecc.*).

to **reload** /riːˈləʊd/ *n.* **1** ricarica **2** (*d'arma da fuoco*) ricarica **3** (*fotogr.*) pellicola.

to **reload** /riːˈləʊd/ ⒜ **v. t.** (*mil., comput.*) ricaricare: **to r. a rifle**, ricaricare un fucile ⒝ **v. i.** ricaricare: *He's quick at reloading*, è svelto a ricaricare.

reloadable /riːˈləʊdəbl/ *a.* (*mil., comput.*) ricaricabile.

reloading /riːˈləʊdɪŋ/ *n.* ⓤⓒ ricarica (*di un'arma da fuoco*).

relocatable /riːləʊˈkeɪtəbl/ *a.* **1** trasferibile; spostabile **2** (*comput.: di programma*) rilocabile.

to **relocate** /riːləʊˈkeɪt, USA riːˈləʊkeɪt/ ⒜ **v. t. 1** trasferire (*in una sede nuova*); spostare: **to r. an oil refinery**, spostare una raffineria di petrolio **2** (*mil.*) dislocare (*comput.*) rilocare ⒝ **v. i.** trasferirsi; sistemarsi in una sede nuova ‖ **relocation** *n.* ⓤ **1** trasferimento (*in una sede nuova*); spostamento (*di fabbriche, uffici, ecc.*) **2** (*mil.*) dislocamento **3** (*comput.*) rilocazione.

relogging /riːˈlɒgɪŋ/ *n.* ⓤ (*silvicoltura*) recupero di legname.

reluctance /rɪˈlʌktns/, **reluctancy** /rɪˈlʌktnsɪ/ *n.* ⓤ **1** riluttanza; avversione; ripugnanza **2** (*fis.*, = **magnetic r.**) resistenza magnetica; riluttanza.

♦**reluctant** /rɪˈlʌktnt/ *a.* riluttante; restio; ritroso; alieno: *I am r. to accept*, sono riluttante ad accettare; *She was r. to marry*, era restia al matrimonio ● **a r. answer**, una risposta data di malavoglia | **-ly** *avv.*

reluctivity /ˌrɛlʌkˈtɪvətɪ/ *n.* ⓤ (*fis.*) riluttività; riluttanza specifica.

♦to **rely** /rɪˈlaɪ/ *v. i.* **1** confidare (*in*); contare (*su*); fare affidamento (*su*); fare assegnamento (*su*); star certo: *You can r. on him*, puoi contare (*o fare affidamento*) su di lui; *He can be relied on to keep a secret*, si può contare sulla sua discrezione; *You may r. upon it that he will come*, puoi star certo che verrà; verrà, stanne certo **2** dipendere (*da*): *Our country relies on foreign aid*, il nostro paese dipende dagli aiuti dall'estero.

rem /rɛm/ *n.* (acronimo di **roentgen equivalent man**) (*fis.*) rem (*unità di misura di radiazione ionizzante*).

REM /ˈɑːriːˈem, rɛm/ *n. e a. attr.* (*fisiol.*, abbr. di **rapid eye movement**) REM: **REM sleep**, sonno REM.

remade /riːˈmeɪd/ *pass. e p. p.* di **to remake**.

♦to **remain** /rɪˈmeɪn/ *v. i.* (*form.*) **1** rimanere; restare; trattenersi; stare: **to r. at home**, rimanere a casa; *Nothing remains (for us) but to leave*, non ci resta che andarcene; *It remains to be seen whether it is true*, resta da vedere se è vero; *We remained two weeks in Paris*, ci trattenemmo due settimane a Parigi; **to r. faithful**, restar fedele; *It only remains for you to decide*, resta soltanto che tu decida **2** conservarsi; permanere; persistere; sopravvivere: *Old customs still r. among the people of the village*, vecchie usi si conservano ancora fra la gente del paese **3** (*di un edificio*) restare (*o essere ancora*) in piedi: *The old house still remains*, la vecchia casa è ancora in piedi ● **to r. hungry**, restare a pancia vuota □ (*leg.*) **to r. in force**, restare in vigore □ **to r. in office**, restare in carica □ (*autom.*) **to r.**

in the pits, rimanere ai box; non ripartire □ **to r. standing**, restare in piedi □ **One thing remains certain**, una cosa è certa.

remainder /rɪˈmeɪndə(r)/ *n.* **1** ⓤ resto (*anche mat.*); rimanente; residuo; avanzo; avanzi: **the r. of one's life**, il resto della propria vita; **the r. of a meal**, gli avanzi di un pasto; *Ten people were killed and the r. were injured*, dieci persone furono uccise e le rimanenti (*o le altre*) furono ferite **2** (*comm.*) rimanenza; giacenza **3** remainder; copia invenduta (*di un libro*); numero delle copie invendute **4** ⓤ (*leg.*) diritto di proprietà che ha effetto all'accadere di un evento che pone termine a una proprietà precedente (*A trasferisce a B, per la durata della sua vita, un immobile che, dopo la morte di B, passerà a C; non esiste in Italia*) ● **a publisher's r.**, un fondo di magazzino; un libro di rimanenza; un remainder.

to **remainder** /rɪˈmeɪndə(r)/ *v. t.* (*comm.*) vendere a prezzo ridotto, liquidare, svendere (*libri di rimanenza, fondi di magazzino*).

remainderman /rɪˈmeɪndəmən/ *n.* (pl. **remaindermen**) (*leg.*) titolare di un diritto di → «remainder» (*def. 4*) (*cfr.* **reversioner**).

♦**remaining** /rɪˈmeɪnɪŋ/ *a.* **1** rimanente; che resta; restante; residuo: **r. doubts**, dubbi residui; **r. work**, lavoro che resta da fare; (*a scuola*) **r. time**, tempo che resta (*per la consegna di un compito in classe, ecc.*) **2** (*sport*) ancora da giocare (*da percorrere, ecc.*); alla conclusione; al termine: (*autom., ecc.*) **ten laps r.**, dieci giri al termine; (*calcio, ecc.*) **with three games r.**, con tre partite ancora da giocare.

♦**remains** /rɪˈmeɪnz/ *n. pl.* **1** resti; avanzi; cimeli; rovine, ruderi: **the r. of my dinner**, gli avanzi del mio pranzo; **the r. of a temple**, i resti di un tempio; **the r. of ancient Ostia**, le rovine di Ostia antica **2** resti mortali, spoglie mortali; ceneri (*fig.*) **3** (*raro*) opere postume (*di uno scrittore*) ● **the r. of a family**, quel che resta d'una famiglia □ **the r. of one's strength**, il residuo delle proprie forze.

remake /ˈriːmeɪk/ *n.* (*cinem.*) nuova versione; rifacimento, remake (*di un vecchio film*).

to **remake** /riːˈmeɪk/ (*pass. e p. p.* **remade**), *v. t.* **1** rifare; fare di nuovo (*spec. un film*) **2** rifare, rivedere (*piani, progetti*).

to **reman** /riːˈmæn/ *v. t.* **1** fornire (*un'imbarcazione, ecc.*) di un nuovo equipaggio **2** provvedere (*una fabbrica, ecc.*) di nuova manodopera (*o di personale nuovo*) **3** (*mil.*) rinnovare gli effettivi di (*un reparto*).

remand /rɪˈmɑːnd/ *n.* **1** (*leg.*) rinvio (*del dibattimento*) a nuova udienza (*per acquisire prove, ecc.*) **2** (*leg., USA*) (*anche*) rinvio (*di una causa civile*) al giudice di merito (*da parte della corte d'appello*) ● **r. centre** (*o* **r. home**), carcere minorile per detenuti in attesa di giudizio □ **r. on bail**, rinvio a nuova udienza dell'imputato in libertà provvisoria □ **r. in custody**, rinvio a nuova udienza con l'ordine di detenzione in custodia preventiva (*per un periodo massimo di 28 giorni*).

to **remand** /rɪˈmɑːnd/ *v. t.* **1** (*leg.*) rinviare (*l'imputato, la causa*) a nuova udienza **2** (*leg., USA*) (*anche*) rinviare (*una causa civile*) al giudice di merito (*dicesi di un tribunale di grado superiore*) ● **to r. on bail**, rinviare (q.) a giudizio con concessione della libertà provvisoria su cauzione.

remanent /ˈrɛmənənt/ (*anche fis.*) *a.* rimanente; residuo: **r. magnetism**, magnetismo residuo ‖ **remanence** *n.* ⓤ rimanenza; induzione residua.

remanufactured /ˌriːmænjʊˈfæktʃəd/ *a.* (*di pneumatico*) ricostruito; rigenerato.

♦**remark** /rɪˈmɑːk/ *n.* **1** osservazione; nota;

commento; considerazione: *I saw nothing worthy of special r.*, non vidi niente degno di particolare nota; **an interesting r.**, un'osservazione interessante; **to pass remarks at** (*o* **about**) **sb.**, fare commenti sul conto di q.; *Let it pass without r.*, non fare commenti! **2** (*comput.*) commento.

to **remark** /rɪˈmɑːk/ v. t. e i. (far) osservare, notare, rilevare; fare osservazioni; fare commenti: *Did you r. the paleness in his face?*, hai notato il pallore del suo viso?; *The lady remarked that it was a fine day*, la signora osservò (*o* disse) che era una bella giornata; *This point has been already remarked upon*, questo punto è già stato fatto rilevare; **to r. on** (*o* **upon**), fare commenti su; **to r. loudly on st.**, fare osservazioni ad alta voce su qc.

to **re-mark** /riːˈmɑːk/ v. t. rimarcare; marcare, segnare di nuovo.

♦**remarkable** /rɪˈmɑːkəbl/ a. notevole; cospicuo; pregevole; ragguardevole; eccezionale; straordinario ● **r. beauty**, bellezza fuori del comune | **-ness** n. Ⓤ | **-bly** avv.

to **remarry** /riːˈmæri/ **A** v. t. sposare di nuovo; unire di nuovo in matrimonio **B** v. i. risposarsi ‖ **remarriage** n. Ⓤ nuovo matrimonio; seconde (*o* terze, ecc.) nozze.

to **remaster** /riːˈmɑːstə(r)/ v. t. (*mus., cinem.*) rimasterizzare (*creare un nuovo master*).

rematch /ˈriːmætʃ/ n. (*fam., sport*) partita (*o* incontro) di ritorno (*o* di rivincita).

remediable /rɪˈmiːdɪəbl/ a. **1** rimediabile; riparabile **2** (*med.*) curabile; sanabile | **-ness** n. Ⓤ.

remedial /rɪˈmiːdɪəl/ a. **1** che porta rimedio; atto a porre rimedio; riparatore: **r. legislation**, leggi atte a porre rimedio **2** (*med.*) curativo; terapeutico; correttivo: **r. surgery**, chirurgia correttiva ● **r. gymnast**, insegnante di ginnastica correttiva ● **r. gymnastics**, ginnastica correttiva.

remediation /rəmiːdɪˈeɪʃn/ n. Ⓤ (*ecol.*) risanamento (*di un sito contaminato*).

remediless /ˈremədɪləs/ a. **1** irrimediabile; irreparabile **2** incurabile; inguaribile.

♦**remedy** /ˈremədi/ n. **1** rimedio; cura; medicamento; provvedimento; riparo: **a good headache r.**, un buon rimedio per il mal di testa; **a r. for social evils**, un rimedio per i mali della società **2** Ⓤ (*leg.*) rimedio giuridico; riparazione; mezzo di tutela di un diritto accordato dalla legge **3** Ⓤ margine di tolleranza del peso (*nel conio delle monete*) ● **beyond** (*o* **past**) **r.**, senza rimedio; irrimediabile, irreparabile.

to **remedy** /ˈremədi/ v. t. porre rimedio a (qc.); rimediare (a): riparare; curare: **to r. an evil**, porre rimedio a un male; **to r. a defect**, rimediare un difetto.

♦to **remember** /rɪˈmembə(r)/ v. t. e i. **1** ricordare; ricordarsi di; rammentare; rammentarsi di; commemorare (*un avvenimento*): *I can't r. his telephone number*, non riesco a ricordare (*o* non ricordo) il suo numero telefonico; *I r. him quite well*, mi ricordo benissimo di lui; *I r. him as a little boy*, me lo ricordo (che era un) bambino; *R. to send* (*o about sending*) *the telegram*, ricordati di mandare il telegramma; *I r. telling him*, ricordo d'averglielo detto; *He remembered us in his will*, si ricordò di noi nel testamento (*ci lasciò qc.*); *If I r. rightly*, se ben ricordo; *Do you r. where we put the candles?*, ti ricordi dove abbiamo messo le candele? **2** non scordarsi di (q.) (*di fare un regalo, dare la mancia, ecc.*) **3** portare i saluti a (q.); salutare (q.) da parte di: *Please r. me to your mother*, saluta tua madre da parte mia; porga i miei ossequi a Sua madre ● **to r. oneself**, tornare in sé, tornare a comportarsi bene; riprendersi (*da un errore, ecc.*) □ (*form.*)

Mr X begs to be remembered to you, Mr X Le manda i suoi saluti.
❶ NOTA: *to remember*
a to remember + -ing si riferisce al ricordo di un'azione passata: *I remember switching off the oven*, mi ricordo di aver spento il forno; *She remembered meeting him at the concert*, si ricordò di averlo incontrato al concerto; *I remember you asking me why I liked jazz music*, mi ricordo di quando mi hai chiesto perché mi piaceva il jazz.
b to remember + infinito preceduto da **to** si riferisce a un'azione da compiere: *Remember to switch off the oven*, ricordati di spegnere il forno; *He didn't remember to buy a present for his son*, non si è ricordato di comprare un regalo per suo figlio; *You will remember to bring your dictionaries, won't you?*, mi raccomando, ricordatevi di portare il dizionario.

remembrance /rɪˈmembrəns/ n. **1** Ⓒ Ⓤ ricordo; memoria: **to call st. to r.**, richiamare qc. alla memoria; **in r. of**, in ricordo di; in memoria di; **the remembrances of one's youth**, i ricordi della propria giovinezza **2** ricordo; ricordino; souvenir; piccolo dono: *He gave me a small r. when he left*, mi diede un ricordino quando partì **3** Ⓤ commemorazione **4** (pl.) (*nelle lettere*) saluti: *Give my remembrances to all at home*, porgi i miei saluti a tutti i tuoi familiari ● **R. Day** (*o* **R. Sunday**), il giorno commemorativo dei caduti nelle due guerre mondiali **❶ CULTURA**
• (*in GB*) **Remembrance Day**: si celebra nella domenica più vicina all'11 novembre, giorno in cui nel 1918 venne firmato l'armistizio che segnò la fine della prima guerra mondiale. Alle 11 del mattino in tutto il paese si osservano due minuti di silenzio. È tradizione, in questo giorno, portare all'occhiello una coccarda a forma di papavero, fiore associato ai campi delle Fiandre e ai numerosi caduti britannici nella prima guerra mondiale, da cui il nome di **Poppy Day** con cui è anche nota questa ricorrenza. La ricorrenza analoga negli USA e in Canada è il → «*Veterans Day*», → **veteran ❶ I have no r. of it**, non me ne rammento affatto.

remembrancer /rɪˈmembrənsə(r)/ n. **1** – (*in GB*) **R.** (= **Queen's** *o* **King's R.**), funzionario che riscuote le somme dovute alla Corona **2** promemoria; ricordo; ricordino ● **City R.**, rappresentante della City di Londra presso il Parlamento.

remex /ˈriːmeks/ n. (pl. **remiges**) (*zool.*) penna remigante; remigante.

to **remilitarize** /riːˈmɪlɪtəraɪz/ v. t. rimilitarizzare ‖ **remilitarization** n. Ⓤ Ⓒ rimilitarizzazione.

♦to **remind** /rɪˈmaɪnd/ v. t. (far) ricordare a (q.); rammentare a (q.); richiamare alla mente (q.): *R. me to send you the document*, ricordami di spedirti il documento; *May I r. you that you promised to come?*, posso rammentarti che avevi promesso di venire?; *Joan reminds me of my sister*, Joan mi ricorda mia sorella ● **to r. sb. of st.**, ricordare qc. a q.: *R. daddy of his promise!*, ricorda papà la sua promessa □ **That reminds me!**, a proposito!

reminder /rɪˈmaɪndə(r)/ n. **1** memento; promemoria **2** cosa che ne richiama alla mente un'altra **3** (*comm.*) lettera di sollecitazione; sollecito (*di pagamento, ecc.*); sollecitatoria.

remindful /rɪˈmaɪndfl/ a. **1** che richiama alla mente; che fa ricordare; che ravviva la memoria **2** che tiene a mente; memore.

to **reminisce** /remɪˈnɪs/ v. i. (*form.*) **1** abbandonarsi ai ricordi; riandare al passato **2** parlare del passato (*fra amici*).

reminiscence /remɪˈnɪsns/ n. **1** Ⓒ Ⓤ reminiscenza; ricordo; rimembranza (*lett.*) **2** (pl.) memorie (*spec. scritte*) **3** qualcosa che

ricorda: *There is a r. of her mother in the way she speaks*, c'è qualcosa nel suo modo di parlare che ricorda sua madre.

reminiscent /remɪˈnɪsnt/ a. **1** – **r. of**, che rammenta; che richiama alla mente **2** che si abbandona ai ricordi: *The old man became r.*, il vecchio si abbandonò ai ricordi ● **a r. smile**, il sorriso di chi ricorda (*qc. di piacevole*) □ **to be in a r. mood**, essere in vena di ricordi.

remise ① /rəˈmiːz/ n. (*scherma*) rimessa.

remise ② /rɪˈmaɪz/ n. (*leg., stor.*) **1** cessione (*di proprietà*) **2** rinuncia (*a un diritto*).

to **remise** ① /rəˈmiːz/ v. i. (*scherma*) eseguire una rimessa.

to **remise** ② /rɪˈmaɪz/ v. t. (*leg., stor.*) cedere, rinunciare a (*un diritto, una proprietà, ecc.*).

remiss /rɪˈmɪs/ a. **1** negligente; trascurato: **to be r. in one's duties**, essere trascurato nel fare il proprio dovere **2** debole; fiacco; pigro; svogliato ‖ **remissness** n. Ⓤ **1** disattenzione; negligenza; trascuratezza **2** debolezza; fiacchezza; pigrizia, svogliatezza.

remissible /rɪˈmɪsəbl/ a. remissibile; condonabile; perdonabile.

remission /rɪˈmɪʃn/ n. Ⓤ Ⓒ **1** remissione; condono; perdono: (*relig.*) **the r. of sins**, la remissione dei peccati; (*leg.*) **the r. of a debt**, la remissione d'un debito **2** diminuzione; abbassamento; riduzione, rallentamento (*degli sforzi, ecc.*) **3** (*leg.*) riduzione (*di pena*) **4** (*med.*) remissione, remittenza (*di sintomi*) **5** (*raro*) → **remittance** ● (*leg.*) **the r. of a case**, il rinvio di una causa (*a un altro tribunale o al giudice di merito*) □ (*leg.*) **the r. of a claim**, la rinuncia a far valere un diritto □ (*leg.*) **the r. of an offence**, la remissione di un reato □ (*di una malattia*) **to go into r.**, diminuire; fare registrare un miglioramento.

remissive /rɪˈmɪsɪv/ a. **1** (*anche leg.*) remissivo: **a r. clause**, una clausola remissiva **2** che tende a fare abbassare **3** (*med.*) di remittenza.

remit /ˈriːmɪt, *USA* /ˈrɪmɪt/ n. **1** mandato; compito; competenza (pl.); giurisdizione; ambito di indagine; sfera **2** questione da considerare.

to **remit** /rɪˈmɪt/ **A** v. t. **1** (*anche leg.*) rimettere; condonare; perdonare: *God will r. your sin*, Dio rimetterà (*o* perdonerà) il tuo peccato; **to r. a debt**, rimettere un debito; **to r. a penalty**, condonare una pena **2** rimettere; demandare; affidare: **to r. a matter to sb.**, rimettere (*o* demandare) una faccenda a q. **3** rimandare; differire; rinviare: **to r. a matter to a future date**, differire (*o* rinviare) una questione ad altro tempo **4** rimettere; inviare; spedire; mandare: (*comm.*) **to r. money** [**cheques**], rimettere (*o* spedire) denaro [assegni] **5** sospendere; annullare: **to r. a punishment**, sospendere una punizione; **to r. a sentence**, sospendere una sentenza **6** diminuire; ridurre; scemare; smorzare **7** (*leg.*) rinviare (*una causa: a un altro tribunale o al giudice di merito*) **B** v. i. **1** diminuire; scemare; smorzarsi; calare: *A fever remits in the morning*, la febbre cala la mattina **2** (*comm.*) fare una rimessa; spedire denaro: *Kindly r. by return of mail*, vogliate effettuare la rimessa a (stretto) giro di posta.

remittable /rɪˈmɪtəbl/ → **remissible**.

remittal /rɪˈmɪtl/ n. Ⓤ → **remission**.

remittance /rɪˈmɪtns/ n. Ⓒ Ⓤ (*comm.*) rimessa: **a r. in settlement**, una rimessa a saldo; **to make a r.**, fare una rimessa (*un tempo*) **r. man**, persona che vive all'estero col denaro che riceve da casa □ (*banca*) **r. slip**, distinta di accompagnamento.

a b c d e f g h i j k l m n o p q r s t u v w x y z

remittee /rɪmɪ'tiː/ n. (*comm.*) beneficiario di una rimessa (*di denaro*).

remittent /rɪ'mɪtnt/ (*med.*) **A** a. remittente: **r. fever**, febbre remittente **B** n. febbre remittente.

remitter /rɪ'mɪtə(r)/ n. **1** (*comm.*) chi effettua una rimessa (*di denaro*) **2** (*leg.*) rinvio a un titolo d'acquisto (*di un diritto di proprietà anteriore*).

remix /'riːmɪks/ n. (*mus.*) remix; remissaggio.

to **remix** /riː'mɪks/ v. t. **1** mescolare di nuovo; rimescolare; rimiscelare **2** (*mus.*) fare un remissaggio di; fare un remix di ‖ **remixer** n. (*mus.*) chi fa un remix.

remnant /'rɛmnənt/ n. **1** resto; avanzo; residuo; rimasuglio: **the remnants of a picnic**, gli avanzi di un picnic **2** orma; traccia; vestigio: **remnants of her former beauty**, vestigia della sua antica bellezza **3** (pl.) (*comm.*) rimanenze (*di magazzino*); giacenze **4** ritaglio (*di stoffa*); scampolo ● (*comm.*) **a r. sale**, una vendita delle rimanenze; (*spec.*) una vendita di scampoli.

remodel /riː'mɒdəl/ n. (*edil.*) edificio ristrutturato.

to **remodel** /riː'mɒdl/ v. t. **1** rimodellare; riplasmare **2** rifare; ricostruire **3** (*edil.*) ristrutturare **4** (*med.*) ricostruire; rifare: to **have one's nose remodelled**, farsi rifare il naso ‖ **remodelling**, (USA) **remodeling** n. ◱ **1** ricostruzione; rifacimento **2** (*edil.*) ristrutturazione **3** (*med.*) ricostruzione; rifacimento.

to **remonetize** /riː'mʌnɪtaɪz/ (*econ.*) v. t. rimonetare; rimonetizzare ‖ **remonetization** n. ◱ rimonetazione (*di un metallo*).

remonstrance /rɪ'mɒnstrəns/ n. ◰ rimostranza; protesta.

remonstrant /rɪ'mɒnstrənt/ **A** a. che protesta; di protesta; protestatario **B** n. chi fa rimostranze; chi protesta; protestatore.

to **remonstrate** /'rɛmənstreɪt/ v. i. fare rimostranze; protestare: to **r. with sb.**, fare rimostranze a q.; protestare con q.; to **r. against st.**, protestare contro qc. ‖ **remonstration** n. ◰ rimostranza; protesta ‖ **remonstrative** a. di rimostranza; di protesta ‖ **remonstrator** n. chi fa rimostranze; chi protesta; protestatore.

remontant /rɪ'mɒntnt/ a. e n. (*bot.*) (pianta) rifiorente.

remora /'rɛmərə/ n. **1** (*zool.*, *Echeneis remora*) remora **2** remora; impedimento; ostacolo.

remorse /rɪ'mɔːs/ n. ◱ rimorso; contrizione; pentimento ● **without r.**, senza rimorso; (*anche*) senza pietà, spietatamente.

remorseful /rɪ'mɔːsfl/ a. **1** preso dal rimorso; pieno di rimorsi; contrito; pentito **2** che esprime rimorso; dovuto al rimorso | **-ly** avv. | **-ness** n. ◱.

remorseless /rɪ'mɔːsləs/ a. **1** senza rimorso; sordo ai rimorsi **2** inesorabile; spietato | **-ly** avv. | **-ness** n. ◱.

◆**remote** /rɪ'məʊt/ **A** a. **1** remoto; lontano; distante (*anche fig.*); fuori (di) mano: **in a r. village**, in un remoto villaggio; **in the r. past**, nel lontano passato; **in the remotest ages**, nella più remota antichità; **a r. cousin**, un lontano cugino; **a r. resemblance**, una lontana somiglianza; (*anche leg.*) **r. causes**, cause remote **2** (*fig.*) distaccato; distante; indifferente: *He is r. and cold in his manner*, ha un modo di fare distaccato e freddo **3** (*fig.*) lontano; avulso; estraneo: **r. from reality**, avulso dalla realtà; **a question r. from the subject**, una questione estranea all'argomento **4** lieve; piccolo; vago: **a r. possibility**, una vaga possibilità; *I haven't the remotest idea of what he means*, non ho la minima (*o* la più pallida, la più lontana)

idea di che cosa voglia dire **B** n. (*fam.*, = **r. control**) telecomando ● (*comput.*) **r. access**, accesso remoto □ **r. banking**, servizi telebancari □ **r. control**, (*radio*, *telef.*, *TV*, *ecc.*) comando a distanza, telecomando, telecontrollo; (*miss.*) teleguida; (*mil.*) puntamento a distanza (*di un cannone*) □ **r.-control** (*o* **r.-controlled**), comandato a distanza, telecomandato; (*miss.*) teleguidato □ (*edil.*) **r.-control gate operator**, apricancello automatico con telecomando □ (*TV*) **r.-control unit**, telecomando □ (*naut.*) **r.-indicating compass**, telebussola □ (*elettron.*) **r. indicator**, teleindicatore □ (*market.*) **r. retailing**, vendite a distanza □ **r. sensing**, rilevamento a distanza; = **r. control** → *sopra* = **r. terminal** → *sotto* □ (*market.*) **r. shopping**, acquisti a distanza □ (*comput.*) **r. terminal**, terminale remoto.

remotely /rɪ'məʊtlɪ/ avv. **1** di lontano; a distanza: **controlled r.**, comandato a distanza **2** vagamente; alla lontana **3** lontanamente; minimamente: *He isn't r. interested in the matter*, non ha il ben che minimo interesse nella faccenda **4** in un luogo isolato, fuori mano ● (*aeron.*) **r. piloted vehicle**, veicolo teleguidato □ **to smile r.**, sorridere con distacco.

remoteness /rɪ'məʊtnəs/ n. ◱ **1** distanza; lontananza **2** (*fig.*) distacco; freddezza.

remould, (USA) **remold** /'riːməʊld/ n. (*autom.*) pneumatico ricostruito.

to **remould**, (USA) to **remold** /riː'məʊld/ v. t. **1** rimodellare; riplasmare **2** (*ind.*) ricostruire (*un pneumatico*) a caldo ‖ **remoulding**, (USA) **remolding** n. **1** rimodellamento **2** (*ind.*) ricostruzione (*o* rigenerazione) a caldo (*di pneumatici*).

remount /'riːmaʊnt/ n. **1** cavallo fresco; nuova cavalcatura **2** (*mil.*, *stor.*) cavallo di rimonta; rimonta.

to **remount** /riː'maʊnt/ **A** v. t. **1** rimontare a (*cavallo*); risalire in (*bicicletta*); risalire (*un colle, ecc.*) **2** (*mil.*, *stor.*) rifornire (*un reggimento, ecc.*) di cavalli nuovi **3** (*fotogr.*) rimontare; fare una montatura nuova a (*una fotogr.*) **B** v. i. **1** rimontare in sella; risalire in bicicletta **2** rifare una scalata; risalire in vetta **3** – (*fig.*) to **r. to**, risalire a; riandare a (*una data, una fonte, un'età passata, ecc.*).

removable /rɪ'muːvəbl/ **A** a. **1** amovibile, trasferibile **2** rimovibile; spostabile; trasportabile **3** (*eufem.*) licenziabile **B** n. (*leg.*, in *Irlanda*) magistrato amovibile ‖ **removability** n. ◱ amovibilità; l'essere rimovibile (*o* trasferibile).

◆**removal** /rɪ'muːvl/ n. ◰ **1** rimozione (*dal grado, ecc.*); revoca; destituzione; allontanamento (*da un ufficio*): **the r. of an official**, la destituzione di un funzionario **2** spostamento; trasferimento **3** trasloco; sgombero: **r. company** (*o* **firm**), agenzia di traslochi; **r. van**, furgone per traslochi; **r. man**, traslocatore, sgomberatore **4** eliminazione; abolizione; soppressione: **the r. of customs barriers**, l'abolizione delle barriere doganali; **the r. of the causes of discontent**, l'eliminazione delle cause del malcontento **5** eliminazione, uccisione **6** (*med.*) rimozione; estirpazione **7** (*leg.*) avocazione (*di una causa*).

removalist /rɪ'muːvəlɪst/ n. (*Austral.*) traslocatore.

remove /rɪ'muːv/ n. **1** grado di lontananza, di distanza; passo: **to be at several removes from st.**, essere molto lontano da qc.; **at one r. from**, molto vicino a; a un passo da; non in rapporto diretto con; *Genius is often only one r. from eccentricity*, spesso c'è solo un passo fra il genio e l'eccentricità; *Politicians seem to be at one remove from everyday reality*, i politici sembrano non avere un contatto diretto con la realtà quo-

tidiana **2** (*nelle parentele*) grado: **a second cousin at one r.**, un cugino di terzo grado **3** (*form.*) pietanza che viene dopo un'altra (*a tavola*) **4** (*in talune scuole ingl.*) classe speciale intermedia **5** (*form.*) trasloco; trasferimento **6** ◱ promozione (*a scuola*).

◆to **remove** /rɪ'muːv/ **A** v. t. **1** rimuovere; levare; spostare; togliere; trasferire; destituire; allontanare; ritirare; espellere; eliminare; togliere di mezzo: **to r. a magistrate from office**, rimuovere un magistrato dalla carica; destituire un magistrato; **to r. a book from the shelf**, togliere un libro dallo scaffale; **to r. one's hat**, levarsi il cappello; far di cappello, scappellarsi; **to r. the causes of suffering**, eliminare le cause della sofferenza **2** (*med.*) estirpare; rimuovere **3** (*leg.*) avocare, trasferire (*una causa*) **4** (*eufem.*) asportare; portare via; rubare: *'The sea-cook had removed one of the sacks of coins'* R.L. STEVENSON, 'il cuoco di bordo aveva rubato uno dei sacchi pieni di monete' **B** v. i. **1** (*poet.*) allontanarsi; andar via; dipartirsi (*lett.*); partire: *Truth has removed from earth*, la verità ha abbandonato questo mondo **2** (*antiq.*) trasferirsi; traslocare; sgomberare; spostarsi; cambiare residenza; cambiare ufficio ● to **r. sb. from school**, ritirare q. da scuola; (*anche*) espellere q. dalla scuola □ to **r. furniture**, fare traslochi (*come mestiere*) □ to **r. one's gaze**, distogliere lo sguardo; abbassare gli occhi □ to **r. one's make-up**, struccarsi □ (*fig.*) to **r. mountains**, spostare le montagne; far miracoli □ to **r. oneself**, togliersi di mezzo; andar via; andarsene: *I realized that my presence was embarrassing, so I quickly removed myself*, mi resi conto che la mia presenza era imbarazzante, perciò mi tolsi rapidamente di mezzo.

removed /rɪ'muːvd/ a. remoto; lontano; discosto; estraneo: **considerations quite r. from morals**, considerazioni ben lontane dalla morale (*o* del tutto estranee alla morale) ● **a first cousin once [twice] r.**, un cugino di secondo [di terzo] grado.

remover /rɪ'muːvə(r)/ n. **1** chi rimuove; toglie, trasferisce, sgombera, ecc. (→ **to remove**) **2** (*leg.*) **furniture r.**) titolare di un'agenzia di traslochi **3** (pl.) agenzia di traslochi **4** (*leg.*) avocazione, trasferimento (*di una causa*) ● **hair r.**, depilatore □ **paint r.**, (*preparato*) sverniciante.

to **remunerate** /rɪ'mjuːnəreɪt/ v. t. remunerare; ricompensare; retribuire.

remuneration /rɪmjuːnə'reɪʃn/ n. ◰ remunerazione; ricompensa; retribuzione.

remunerative /rɪ'mjuːnərətɪv/ a. remunerativo; remuneratorio; redditizio: **r. jobs**, lavori remunerativi; **a r. business**, un'azienda redditizia | **-ly** avv. | **-ness** n. ◱.

renaissance /rə'neɪsəns, rɛnə'sɑːns/ n. ◱ rinascita; rinascimento.

Renaissance /rə'neɪsəns, rɛnə'sɑːns/ **A** n. ◱ (*arte*, *letter.*) Rinascimento **B** a. attr. del Rinascimento; rinascimentale: **a R. church**, una chiesa rinascimentale ● (*fig.*, *di persona di cultura*) **R. man**, uomo dalle mille risorse; uomo (*artista*, *scrittore*, *ecc.*) poliedrico.

renal /'riːnl/ a. (*anat.*) renale: **r. artery**, arteria renale; **r. tubule**, tubulo renale ● (*med.*) **r. calculus**, calcolo renale □ (*med.*) **r. failure**, insufficienza renale.

to **rename** /riː'neɪm/ v. t. **1** rinominare; nominare di nuovo **2** ribattezzare (*fig.*); dare un nuovo nome a (q.).

renascence /rɪ'næsns/ n. ◱ rinascita; rinascimento.

Renascence /rɪ'næsns/ n. ◱ (*arte*, *letter.*) Rinascimento.

renascent /rɪ'næsnt/ a. (*form.*) rinascente: **r. hopes**, speranze rinascenti.

to **rend** /rɛnd/ (pass. e p. p. ***rent***) **A** v. t. **1** lacerare; squarciare; stracciare; straziare: **to r. one's clothes**, lacerarsi gli abiti; *The stillness of the air was rent by a shot*, l'aria immobile fu squarciata da uno sparo; **to r. sb.'s heart**, straziare il cuore a q. **2** fendere; dividere; spaccare: *The country was rent in two by the question of slavery*, la nazione fu divisa in due dalla questione dello schiavismo **3** strappare: **to r. one's hair**, strapparsi i capelli **B** v. i. **1** lacerarsi; strapparsi **2** fendersi; spaccarsi ● **to r. asunder**, tagliare in due □ **to r. away**, strappare via □ **to r. laths**, fare listelli spaccando il legno.

render /ˈrɛndə(r)/ n. (*edil.*) prima mano d'intonaco; rinzaffo.

to **render** /ˈrɛndə(r)/ v. t. **1** rendere; restituire; contraccambiare; ricambiare; prestare, tributare; far diventare, ridurre; esprimere; rappresentare; riprodurre; tradurre: **to r. thanks**, rendere grazie; **to r. good for evil**, rendere il bene per il male; ricambiare il male col bene; **to r. a service**, rendere un servizio; fare un favore; *I have to r. an account of my actions*, devo rendere conto delle mie azioni; **to r. obedience**, tributare obbedienza; *Can you r. it into French?*, sai tradurlo in francese? **2** (*comm.*) presentare (*un conto, una cambiale*); sottoporre (*un documento, ecc.*) **3** (*arte*) rendere, raffigurare, rappresentare; (*mus.*) eseguire; (*teatr.*) recitare, interpretare (*una parte*): *The quartet was well rendered*, il quartetto fu eseguito bene **4** (*edil.*) rinzaffare **5** (*leg.*) emettere, pronunciare (*una sentenza*) **6** (*naut.*) abbisciare (*un cavo*) ● **to r. assistance**, prestare assistenza □ **to r. help**, prestare aiuto □ (*di un contenitore*) **to be rendered**, a rendere □ (*comm.*) **account rendered**, conto presentato (*ma non ancora saldato*).

■ **render down** v. t. + avv. **1** sciogliere, struggere (*lardo, ecc.*) **2** raffinare (*olio*) **3** (*fig.*) ridurre, semplificare (*idee, ecc.*).

■ **render to** v. t. + prep. (*form.*) rendere, dare a: *R. to Caesar the things that are Caesar's; and to God the things that are God's*, date a Cesare quello che è di Cesare, e a Dio quello che è di Dio.

■ **render up** v. t. + avv. **1** (*form.*) innalzare (*preghiere a Dio*) **2** (*arc.*) cedere, consegnare (*una città al nemico*).

rendering /ˈrɛndərɪŋ/ n. **1** traduzione; versione **2** (*arte, mus., teatr.*) rappresentazione; esecuzione; interpretazione **3** (*edil.*, = **r. coat**) prima mano d'intonaco; rinzaffatura; rinzaffo **4** (*leg.*) emissione (*di una sentenza*) **5** (*archit.*) prospettiva (*di un edificio, ecc.*); disegno prospettico ● **r. of accounts**, rendimento dei conti; rendiconto.

rendezvous /ˈrɒndɪvuː/ n. (inv. al pl.) **1** appuntamento; convegno; incontro; riunione **2** luogo d'incontro **4** (*mil., naut.*) luogo di adunata (*o di raduno*) **5** (*miss.*) rendez-vous, appuntamento (*nello spazio*) ● **place of r.**, luogo d'incontro.

to **rendezvous** /ˈrɒndɪvuː/ **A** v. i. **1** incontrarsi; riunirsi; trovarsi **2** (*miss.: di due astronavi, ecc.*) incontrarsi (*nello spazio*) **B** v. t. (*mil., naut.*) adunare; radunare ● (*miss.*) **to r. in space**, effettuare un appuntamento nello spazio (*o in orbita*).

rendition /rɛnˈdɪʃn/ n. **1** (*spec. USA*) (*mus., teatr., ecc.*) interpretazione: **an excellent r. of Hamlet**, un'eccellente interpretazione di Amleto **2** traduzione **3** (*mil., arc.*) resa ● (*polit., leg., USA*) **extraordinary r.**, consegna straordinaria (*o speciale*) (*di prigionieri a un altro paese senza processo*).

renegade /ˈrɛnɪɡeɪd/ n. **1** rinnegato; disertore; traditore **2** (*relig.*) apostata **3** fuorilegge; ribelle.

to **renegade** /ˈrɛnɪɡeɪd/ v. i. **1** disertare; diventare un rinnegato **2** (*relig.*) abiurare.

renege /rɪˈniːɡ/ n. (*a carte*) rifiuto.

to **renege** /rɪˈniːɡ/ v. i. **1** (*a carte*) rifiutare; non rispondere a colore **2** tirarsi indietro (*fig.*) **3** – **to r. on**, non rispettare; non onorare: **to r. on a promise**, non rispettare una promessa.

to **renegotiate** /riːnɪˈɡəʊʃɪeɪt/ v. t. rinegoziare ‖ **renegotiation** n. rinegoziazione.

(to) **renegue** /rɪˈniːɡ/ → (to) **renege**.

●to **renew** /rɪˈnjuː/, *USA* -ˈnuː/ v. t. **1** rinnovare; ripristinare; ripetere; sostituire: **to r. a passport**, rinnovare un passaporto; **to r. an attack**, rinnovare un attacco; **to r. diplomatic relations**, ripristinare le relazioni diplomatiche; **to r. one's efforts**, rinnovare gli sforzi; (*leg.*) **to r. a contract**, rinnovare un contratto; **to r. a garrison [the tyres]**, sostituire una guarnigione [i pneumatici]; *If the team carries on playing like that I won't be renewing my season ticket*, se la squadra continua a giocare così non rinnoverò il mio abbonamento **2** (*fig.*) rinvigorire; rianimare; ravvivare; rigenerare: *He was renewed by baptism*, fu rigenerato dal battesimo ● (*comm.*) **to r. a bill**, rinnovare una cambiale □ **to r. a book at the library**, rinnovare il prestito di un libro □ **to r. sb.'s life**, dar nuova vita a q. □ (*ass.*) **to r. a policy**, rinnovare una polizza □ **to r. one's strength**, recuperare le forze; recuperarsi (*fam.*); rinvigorirsi □ **with renewed strength**, con rinnovato vigore.

renewable /rɪˈnjuːəbl/ **A** a. rinnovabile: (*leg.*) **r. contract**, contratto rinnovabile; **r. energy sources**, fonti di energia rinnovabili **B** n. (generalm. al pl.) fonte di energia rinnovabile.

renewal /rɪˈnjuːəl/ n. **1** rinnovamento; ripristino; sostituzione; (*comm.*) rinnovo: **the r. of a passport**, il rinnovo di un passaporto; **the r. of a country**, il rinnovamento d'una nazione; **the r. of a bill (of exchange)**, il rinnovo d'una cambiale **2** ripresa: **r. of peace talks**, ripresa dei negoziati di pace ● **r. of lease**, rinnovo della locazione; (*leg.*) ricondùzione □ (*fin.*) **r. coupon**, cedola di affogliamento.

renewer /rɪˈnjuːə/ n. rinnovatore, rinnovatrice.

reniform /ˈriːnɪfɔːm/ a. (*scient.*) reniforme; a forma di rene.

renin /ˈriːnɪn/ n. (*biochim., med.*) renina.

renitent /rɪˈnaɪtənt/ a. (*raro*) renitente; riluttante; restio.

rennet① /ˈrɛnɪt/ n. **1** (*zool.*) abomaso **2** (*biol.*) caglio; presame.

rennet② /ˈrɛnɪt/ n. (*bot.*) mela renetta; renetta.

rennin /ˈrɛnɪn/ n. (*biochim.*) rennina.

to **renominate** /riːˈnɒmɪneɪt/ v. t. **1** rinominare; nominare di nuovo **2** (*polit.*) riproporre la candidatura di (q.) ‖ **renomination** n. nuova nomina.

to **renounce** /rɪˈnaʊns/ n. (*a carte*) rifiuto ● **I have a r. in hearts**, non ho cuori; ho il fallo a cuori (*fam.*).

to **renounce** /rɪˈnaʊns/ **A** v. t. **1** rinunciare a; cedere; abbandonare: (*leg.*) **to r. a claim**, abbandonare una pretesa; **to r. a right [a privilege, a title]**, rinunciare a un diritto [un privilegio, un titolo]; **to r. the world [the crown]**, rinunciare al mondo [alla corona] **2** ripudiare; rinnegare; disconoscere; sconfessare; (*polit.*) denunciare: **to r. one's principles**, rinnegare i propri principi; **to r. a treaty**, denunciare un trattato **B** v. i. (*a carte*) rifiutare; non rispondere a colore ● **to r. one's religion**, abiurare.

renouncement /rɪˈnaʊnsmənt/ n. **1** rinuncia, rinunzia; cessione; abbandono **2** ripudio; disconoscimento; sconfessione **3**

(*polit.*) denuncia (*di un accordo, ecc.*).

renouncer /rɪˈnaʊnsə(r)/ n. **1** chi rinuncia **2** (*leg.*) rinunciatario.

to **renovate** /ˈrɛnəveɪt/ v. t. rinnovare; ripristinare; riparare; restaurare ‖ **renovation** n. rinnovamento; rinnovo; ripristino; riparazione; restauro ‖ **renovator** n. rinnovatore; ripristinatore; restauratore.

renown /rɪˈnaʊn/ n. rinomanza; fama; celebrità; notorietà.

renowned /rɪˈnaʊnd/ a. rinomato; famoso; celebre.

rent① /rɛnt/ pass. e p. p. di to **rend**.

rent② /rɛnt/ n. **1** lacerazione; spaccatura; squarcio; strappo **2** (*fig.*) frattura, divisione, scissione (*in un partito politico, ecc.*).

rent③ /rɛnt/ n. **1** affitto; pigione; canone d'affitto; prezzo della locazione: **to pay the r.**, pagare l'affitto; **r. in advance**, affitto anticipato; **r. in arrears**, affitto arretrato; *The r. is £400 a month plus bills*, l'affitto è £400 al mese più le spese **2** canone di noleggio; (*per macchinario, ecc.*) nolo **3** (= **economic r.**; *termine dell'economia classica*; cfr. **rente** e **unearned income**, *sotto* **income**, *def. 1*) rendita ● **r. book**, ricevutario dei canoni d'affitto ● **r. boy**, giovane prostituto; gigolò □ **r. collector**, esattore; chi riscuote affitti □ (*leg., econ.*) **r. control**, blocco degli affitti □ **r.-free**, senza pagare l'affitto; gratuitamente □ (*d'alloggio*) gratuito ● (*leg., econ.*) **r. freeze**, blocco degli affitti □ **r. officer**, funzionario che cerca un canone equo (*in mancanza d'accordo tra locatore e locatario*) □ **r. restrictions**, disciplina delle locazioni (*o dei canoni d'affitto*) □ (*stor.*) **r. roll**, lista dei poderi col nome degli affittuari; ammontare delle rendite dei propri terreni; ruolo dei censi □ (*econ.*) **r.-seeking**, 'rent-seeking'; ricerca di rendita □ (*stor.*) **r. service**, servizi resi in luogo del canone d'affitto □ **r. strike**, sciopero degli inquilini, rifiuto di pagare l'affitto (*come protesta per gli aumenti, la cattiva conduzione, ecc.*); autoriduzione (*del canone*) □ (*fam. USA*) **to bet the r.**, scommetterci la testa □ «**for r.**», «affittasi» (*cartello*).

●to **rent** /rɛnt/ **A** v. t. **1** prendere in affitto; avere in affitto **2** affittare; dare in affitto; locare; appigionare; dare a pigione **3** prendere a nolo; noleggiare: **to r. a car**, noleggiare un'automobile **B** v. i. (*spec. USA*) affittarsi; essere affittato: *The flat rents for four thousand pounds a year*, l'appartamento si affitta a quattromila sterline l'anno ● (*spec. USA*) **to r. out**, dare in affitto; affittare: **to r. out a room**, dare in affitto una camera □ **a high-rented [low-rented] flat**, un appartamento dato in affitto per un prezzo alto [basso].

rentable /ˈrɛntəbl/ a. affittabile ‖ **rentability** n. l'essere affittabile.

rent-a-cop /ˈrɛntəkɒp/ n. (*fam. USA*) guardia giurata.

rental /ˈrɛntl/ n. **1** canone d'affitto **2** (= **r. income**) reddito di fabbricati; reddito dominicale **3** (= **r. value**) valore locativo **4** (prezzo del) noleggio: **to pay the TV r.**, pagare il noleggio del televisore **5** (*USA*) auto da noleggio; immobile offerto in locazione ● **r. car**, auto da noleggio □ (*USA*) **r. library**, biblioteca circolante □ **r. service**, servizio di noleggio □ **car r.**, noleggio di automobili; autonoleggio.

rente /rɛnt/ (*franc.*) n. (*fin.*) rendita.

renter /ˈrɛntə(r)/ n. **1** affittuario; inquilino; locatario **2** (*raro*) locatore **3** fittavolo **4** (*USA*) noleggiatore **5** (*in GB*) distributore (*di film*) **6** giovane prostituto; gigolò.

rentier /ˈrɒntɪeɪ/ (*franc.*) n. persona che vive di rendita; renditiere; redditiera; reddituario, reddituaria.

renting /ˈrɛntɪŋ/ n. affitto; locazione ● (*fin.*) **r. back**, vendita con patto di loca-

zione.

to **renumber** /riːˈnʌmbə(r)/ v. t. **1** numerare di nuovo **2** ricontare.

renunciation /rɪnʌnsɪˈeɪʃn/ n. ▢ **1** rinuncia, rinunzia; cessione; abbandono: (*leg.*) **r. of a claim**, rinuncia a far valere un diritto **2** rinuncia; sacrificio **3** ripudio ● **r. on oath**, abiura ‖ **renunciative· renunciatory** a. di rinuncia; rinunciatario.

to **reoccupy** /riːˈɒkjʊpaɪ/ v. t. rioccupare ‖ **reoccupation** n. ▣ rioccupazione.

to **reoffend** /riəˈfend/ (*leg.*) v. i. recidivare; essere recidivo ‖ **reoffender** n. recidivo.

to **reopen** /riːˈəʊpən/ ▲ v. t. **1** riaprire: **to r. a factory**, riaprire una fabbrica **2** riprendere; riaprire; ricominciare: **to r. peace talks [hostilities]**, riprendere le trattative per la pace [le ostilità] **3** rimettere in discussione: *Today's match could r. the championship*, la partita di oggi potrebbe riaprire il campionato ▣ v. i. riaprirsi; riaprire: *The office will r. on January 5th*, l'ufficio riaprirà il 5 gennaio ‖ **reopening** n. ▣ **1** riapertura **2** ripresa, riapertura (*di una discussione, di trattative, ecc.*).

reorder /riːˈɔːdə(r)/ n. (*comm.*) riordino, nuovo ordinativo, nuova ordinazione (*di merce già ordinata*) ● **r. number**, codice prodotto (*per una nuova ordinazione*).

to **reorder** /riːˈɔːdə(r)/ ▲ v. t. **1** (*comm.*) ordinare (*merce*) di nuovo **2** riordinare; rimettere in ordine ▣ v. i. (*comm.*) fare nuove ordinazioni.

to **reorganize** /riːˈɔːɡənaɪz/ v. t. e i. riorganizzare, riorganizzarsi; ristrutturare, ristrutturarsi ‖ **reorganization** n. riorganizzazione; ristrutturazione; riassetto.

rep ① /rep/ n. (*ind. tess.*) reps.

rep ② /rep/ n. (*comm.*, abbr. *fam. di* **representative**) rappresentante; agente di commercio; commesso viaggiatore.

rep ③ /rep/ abbr. **1** (*fam.*, **reputation**) reputazione; buon nome **2** (*fam.*, **repertory**) teatro (*o* compagnia) di repertorio.

to **rep** /rep/ v. i. (*comm.*, *fam.*) fare il rappresentante.

Rep. abbr. **1** (**report**) rapporto, relazione **2** (**reporter**) relatore; cronista, reporter **3** (*polit.*, *USA*, **representative**) rappresentante **4** (**republic**) repubblica **5** (*polit.*, *USA*, **Republican**) repubblicano.

repaid /riːˈpeɪd/ pass. e p. p. di **to repay**.

repaint /riːˈpeɪnt/ n. ▣ ridipintura; riverniciatura: *This room needs a good r.*, questa stanza ha bisogno di una bella ridipintura.

to **repaint** /riːˈpeɪnt/ v. t. ridipingere; riverniciare ‖ **repainting** n. ▣ ridipintura; riverniciatura.

repair ① /rɪˈpeə(r)/ n. **1** ▣▣ riparazione; restauro; (pl.) lavori di restauro: *The museum is closed for repairs*, il museo è chiuso per restauro **2** ▣▣ (*naut.*) raddobbo **3** cosa (*o* parte) riparata **4** ▣ condizione; stato di conservazione; buone condizioni: *My car is in (good) r.*, la mia automobile è in buone condizioni (*o* in buono stato); *The house is in bad (o poor) r.*, la casa è in cattivo stato **5** (*pitt.*) ritocco ● (*naut.*) **r. dock**, bacino di riparazione □ (*naut.*) **r. ship**, nave officina □ **r. shop**, officina di riparazioni □ (*naut.*) **r. yard**, cantiere di raddobbo □ **to be beyond r.**, non essere riparabile □ **to be out of r.**, essere in cattivo stato; essere guasto: *The lift is out of r.*, l'ascensore è guasto □ **under r.**, in riparazione □ (*naut.*) **to undergo repairs**, essere ai lavori (*o* in raddobbo) □ «*Road under r.*» (*cartello stradale*), «lavori in corso».

to **repair** ① /rɪˈpeə(r)/ v. i. (*form.*) **1** riparare; rifugiarsi **2** recarsi; andare (*di solito*): **to r. to a café**, andare al caffè.

♦to **repair** ② /rɪˈpeə(r)/ v. t. **1** riparare; ac-

comodare; aggiustare; metter riparo a; rimediare a; risarcire: **to r. a house [an engine, a pair of shoes, a railway track]**, riparare una casa [un motore, un paio di scarpe, un binario ferroviario]; **to r. a wrong**, riparare un torto; **to r. a mistake**, rimediare a un errore; **to r. a loss**, risarcire una perdita **2** (*naut.*) raddobbare: **to r. a ship**, raddobbare una nave **3** (*edil.*) restaurare (*un edificio*).

repairable /rɪˈpeərəbl/ a. riparabile; aggiustabile; accomodabile; rimediabile ‖ **repairability** n. ▣ riparabilità; possibilità di porre rimedio.

repairer /rɪˈpeərə(r)/ n. aggiustatore; accomodatore; riparatore ● **bicycle r.**, ciclista (*meccanico*).

repairing /rɪˈpeərɪŋ/ n. ▣ **1** riparazione (*anche di un torto*) **2** (*mecc.*) riparazioni; (*USA*) **auto r.**, riparazioni auto **3** (*naut.*) raddobbo: **r. basin**, bacino di raddobbo (*o* di carenaggio).

repairman /rɪˈpeəmən/ n. (pl. *repairmen*) aggiustatore; riparatore ● **radio r.**, radiotecnico.

repand /rɪˈpænd/ a. (*bot.*: *di foglia*) col margine ondulato.

to **repaper** /riːˈpeɪpə(r)/ v. t. ritappezzare; cambiare la carta da parati a (*una stanza*).

reparable /ˈrepərəbl/ a. riparabile; rimediabile; risarcibile.

reparation /repəˈreɪʃn/ n. **1** ▣ riparazione (*di danni, offese, ecc.*); risarcimento: **to ask r. for the damage suffered**, chiedere riparazione del danno subito **2** (pl.) riparazioni; lavori di restauro (*più comune* **repairs**) **3** (pl.) (= **war reparations**) riparazioni di guerra ● **to make r. for st.**, fare ammenda di qc.; riparare a qc. (*un torto, ecc.*).

reparative /rɪˈpærətɪv/ a. (*anche leg.*) di riparazione; riparatore.

repartee /repɑːˈtiː/ n. **1** replica pronta; risposta spiritosa **2** conversazione serrata, spiritosa; botta e risposta; battibecco **3** ▣ l'avere la battuta pronta; prontezza di spirito; abilità nel fare a botta e risposta.

repartition /riːpɑːˈtɪʃn/ n. ▣▣ **1** ripartizione; divisione; distribuzione **2** ridistribuzione.

to **repartition** /riːpɑːˈtɪʃn/ v. t. **1** ripartire; dividere; distribuire **2** ridistribuire.

repast /rɪˈpɑːst/ n. (*form.*) pasto (*più comune* **meal**).

repatriate /riːˈpætrɪət/ n. rimpatriato.

to **repatriate** /riːˈpætrɪeɪt/ v. t. e i. rimpatriare ‖ **repatriation** n. ▣ rimpatrio.

to **repay** /rɪˈpeɪ/ (pass. e p. p. **repaid**) ▲ v. t. ripagare; restituire, rendere; rimborsare, ricompensare; ricambiare: **to r. money**, restituire denaro; **to r. a favour [a visit]**, ricambiare un favore [una visita]; **to r. sb. for a service**, ricompensare q. per un servizio; (*banca*) **to r. a loan**, rimborsare un mutuo ▣ v. i. (*banca*) restituire il denaro; pare il rimborso **2** contraccambiare; ricambiare; rimettersi in pari (*fam.*). ● **to r. sb.'s faith**, dimostrarsi degno della fiducia di q.

repayable /rɪˈpeɪəbl/ a. rimborsabile; restituibile (*fin.*) **r. at call**, rimborsabile a vista ● (*fin.*: *di un contributo*) **non-r.**, a fondo perduto: **non-r. capital grants**, sovvenzioni di capitali a fondo perduto.

repayment /rɪˈpeɪmənt/ n. **1** ▣ restituzione; rimborso: **r. of VAT on exportation**, restituzione dell'IVA all'esportazione **2** ricambio; contraccambio **3** rata di un mutuo; versamento ● (*banca*, *leg.*) **r. mortgage over 25 years**, mutuo ipotecario rimborsabile in 25 anni □ **r. table**, tabella di ammortamento (*di un mutuo*).

repeal /rɪˈpiːl/ n. ▣ (*leg.*) abrogazione; annullamento; revoca: **r. by implication**,

abrogazione tacita; **the r. of a duty**, l'abolizione di un dazio.

to **repeal** /rɪˈpiːl/ v. t. (*leg.*) abrogare; abolire; annullare; revocare: *The law was repealed*, la legge fu abrogata.

repealable /rɪˈpiːləbl/ (*leg.*) a. abrogabile; annullabile; revocabile ‖ **repealability** n. ▣ abrogabilità; revocabilità.

repealer /rɪˈpiːlə(r)/ n. **1** chi revoca; abrogatore, abrogatrice **2** abrogazionista **3** – (*stor.*) **R.**, fautore della separazione dell'Irlanda dalla Gran Bretagna.

repeat /rɪˈpiːt/ n. **1** ripetizione; rinnovazione; rinnovo (*anche comm.*): **the r. of an order**, il rinnovo di un'ordinazione **2** (*mus.*, *radio*, *TV*) replica **3** (*mus.*, = **r. sign**) segno di ripetizione; ritornello **4** (= **r. order**) ordinazione ripetuta; ordine ripetitivo ● **r. offender**, recidivo (sost.) □ (*teatr.*) **r. performance**, replica □ (*GB*, *med.*) **r. prescription**, ricetta ripetibile.

♦to **repeat** /rɪˈpiːt/ ▲ v. t. **1** ripetere; reiterare; replicare; ridire; rifare; ripetere a memoria, recitare: *R. that*, ripetilo!; **to r. an attempt [a mistake]**, ripetere un tentativo [un errore]; **to r. a class [a year]**, ripetere una classe [un anno]; *R. after me:...*, ripeti con me:...; **to r. verses**, recitare dei versi **2** (andare a) raccontare; ridire; spiattellare, spifferare (*fam.*); svelare: **to r. a secret**, svelare un segreto **3** rivivere: **to r. an adventure**, rivivere un'avventura ▣ v. i. **1** ripetersi; ricorrere; accadere più volte **2** (*del cibo*) tornare in bocca; tornare su (*fam.*): *Cucumbers r. on me*, i cetrioli mi tornano su **3** (*USA*) votare (*illegalmente*) più d'una volta ● **to r. oneself**, ripetersi: *Unfortunately, Jane tends to r. herself*, sfortunatamente, Jane tende a ripetersi; *History repeats itself*, la storia si ripete.

repeatable /rɪˈpiːtəbl/ a. ripetibile.

repeated /rɪˈpiːtɪd/ a. ripetuto; reiterato: **after r. efforts**, dopo ripetuti sforzi ● (*mat.*) **r. root**, radice multipla | **-ly** avv.

repeater /rɪˈpiːtə(r)/ n. **1** ripetitore, ripetitrice; chi ripete **2** orologio a ripetizione **3** arma da fuoco (*fucile*, *pistola*) a ripetizione **4** (*a scuola*) ripetente **5** (*mat.*) numero periodico **6** (*telef.*, *radio*, *TV*) ripetitore; amplificatore **7** (*USA*) chi vota più volte (*illegalmente*) **8** (*spec. USA*) recidivo ● (*radio*) **r. station**, stazione ripetitrice; stazione relè; ripetitore.

repeating /rɪˈpiːtɪŋ/ a. **1** che si ripete; ricorrente; periodico: (*mat.*) **r. decimal**, un decimale periodico **2** a ripetizione: **a r. rifle**, una carabina a ripetizione ● (*elettr.*) **r. coil**, bobina ripetitrice (*o* traslatrice) □ **r. watch**, orologio a ripetizione.

repechage /ˈrepəʃɑːʒ/ (*franc.*) n. (*sport*: *spec. canottaggio e scherma*) ripescaggio; recupero: **r. heat**, batteria di recupero.

to **repel** /rɪˈpel/ v. t. e i. **1** respingere; cacciare indietro; ricacciare; rifiutare; non accettare: *Two breakwaters r. the waves*, due frangiflutti respingono le onde; **to r. an invasion**, respingere un'invasione; **to r. an offer**, non accettare un'offerta **2** ripugnare a; essere repellente a: *This odour repels me*, quest'odore mi ripugna **3** (*fis.*, *chim.*) respingere: *Like electric charges r. each other*, le cariche elettriche dello stesso segno si respingono **4** (*mil.*, *sport*) rintuzzare (*un attacco*) ● **to r. a blow**, parare un colpo □ (*comm.*) **to r. competition**, combattere la concorrenza.

repellency /rɪˈpelənsɪ/ n. ▣ **1** ripugnanza; repulsione **2** (*fis.*, *chim.*) repellenza.

repellent /rɪˈpelənt/ ▲ a. repellente; ripugnante; repulsivo ▣ n. sostanza (*o* soluzione) repellente; insettifugo ● **mosquito r.**, zanzarifugo (*stick* o *spray*) □ **water r.**, idrorepellente | **-ly** avv.

repeller /rɪˈpelə(r)/ n. **1** chi respinge **2**

(*elettron.*) riflettore.

repent /rɪˈpɛnt/ a. **1** (*bot.*) repente; rampicante **2** (*zool.*) reptante; strisciante.

to **repent** /rɪˈpɛnt/ v. t. e i. pentirsi; pentirsi di; rammaricarsi di: *You shall r.* (*of*) *this*, te ne pentirai; *I have nothing to r. of*, non ho nulla di cui pentirmi; *They repented their generosity*, si pentirono della loro generosità; *We repented setting off late*, ci rammaricammo d'esser partiti tardi ‖ **repentance** n. Ⓤ pentimento; contrizione.

repentant /rɪˈpɛntənt/ Ⓐ a. pentito; penitente; contrito Ⓑ n. (*spec. relig.*) penitente | **-ly** avv.

to **repeople** /riːˈpiːpl/ v. t. ripopolare.

repercussion /ˌriːpəˈkʌʃn/ n. Ⓒ Ⓤ ripercussione (*anche fig.*); contraccolpo ‖ **repercussive** a. ripercussivo.

reperfusion /ˌriːpəˈfjuːʒn/ n. Ⓤ (*med.*) riperfusione ● **r. injury**, danno da riperfusione.

repertoire /ˈrɛpətwɑː(r)/ (*franc.*) n. (*mus.*, *teatr.*, *sport*) repertorio: **a r. of jokes**, un repertorio di barzellette.

repertory /ˈrɛpətrɪ/ n. **1** repertorio lista; raccolta **2** (*mus.*, *teatr.*) repertorio ● **r. company**, compagnia di repertorio □ **r. theatre**, teatro di repertorio.

repetend /ˈrɛpɪtɛnd/ n. **1** (*mat.*) periodo (*di decimale periodico*) **2** (*mus.*) motivo ricorrente; ritornello.

repetition /ˌrɛpɪˈtɪʃn/ n. **1** ripetizione; reiterazione; replica **2** (*arte*) replica; copia; riproduzione **3** (*a scuola*) ripetizione (*o recitazione*) a memoria **4** (*mus.*) ripetizione; ripresa.

repetitious /ˌrɛpɪˈtɪʃəs/ a. ripetitivo; pieno di ripetizioni; noioso | **-ly** avv. | **-ness** n. Ⓤ.

repetitive /rɪˈpɛtɪtɪv/ a. **1** ripetitivo; reiterativo **2** pieno di ripetizioni; che si ripete; noioso **3** (*tecn.*) ripetuto: **r. strain injury** (abbr. **RSI**), lesione da sforzo ripetuto (*della mano, ecc.*) | **-ly** avv. | **-ness** n. Ⓤ.

to **rephrase** /riːˈfreɪz/ v. t. riformulare (*una domanda, ecc.*).

to **repine** /rɪˈpaɪn/ v. i. (*form.*) affliggersi; dolersi; lagnarsi; lamentarsi: **to r. at one's lot**, affliggersi della propria sorte.

♦to **replace** /rɪˈpleɪs/ v. t. **1** ricollocare; rimettere a posto; riporre: *You should r. the chinaware on the shelf*, devi rimettere la porcellana sullo scaffale **2** soppiantare; sostituire; rimpiazzare: **to r. a worn tyre**, sostituire un pneumatico logoro; *No article replaced without receipt*, senza scontrino non si sostituisce la merce **3** subentrare a, succedere a: *Mr A. Jones has become general manager, thus replacing Mr J. Martin*, Mr A. Jones è diventato direttore generale, e pertanto subentra a Mr J. Martin **4** (*comput.*) sostituire **5** (*sport*) rimpiazzare, sostituire (*un giocatore*) ● **difficult to r.**, difficilmente rimpiazzabile.

replaceable /rɪˈpleɪsəbl/ a. **1** ricollocabile; restituibile **2** soppiantabile; sostituibile **3** (*econ.*) fungibile; surrogabile: **r. goods**, beni fungibili ‖ **replaceability** n. Ⓤ **1** sostituibilità **2** (*econ.*) fungibilità; surrogabilità.

♦**replacement** /rɪˈpleɪsmənt/ n. **1** Ⓤ ricollocamento **2** Ⓤ sostituzione; rimpiazzo: **the r. of obsolete machinery**, la sostituzione del macchinario obsoleto **3** Ⓤ successione, subentro (*in una carica, in una mansione, ecc.*) **4** rimpiazzo; sostituto; chi subentra **5** (*ind.*, *mecc.*) sostituzione, ricambio (*di pezzi e sim.*) **6** (*ind.*, *mecc.*) ricambio; pezzo di ricambio **7** Ⓤ (*geol.*) sostituzione; metasomatismo **8** Ⓒ Ⓤ (*sport*) rimpiazzo; sostituzione: **replacements allowed**, (numero di) sostituzioni consentite ● (*polit.*) **r. party**, partito di ricambio (*o di alternativa*).

to **replant** /riːˈplɑːnt/ v. t. **1** ripiantare (*alberi, ecc.*) **2** trapiantare (*alberi*) **3** (*med.*) reimpiantare (*organi*) ‖ **replantation** n. **1** nuova piantagione; reimpianto (*d'alberi*) **2** trapianto (*d'alberi, di piante*) **3** (*med.*) reimpianto.

re-plastering, **replastering** /riːˈplɑːstərɪŋ/ n. (*edil.*) rifacimento dell'intonaco.

replay /ˈriːpleɪ/ n. **1** (*sport*) partita ripetuta; incontro ripetuto; replica **2** (*radio*, *TV*, = **action r.**) ripetizione; replay; replica.

to **replay** /riːˈpleɪ/ Ⓐ v. t. **1** (*sport*) giocare di nuovo, rigiocare, ripetere (*una partita, un incontro*) **2** (*mus.*) suonare di nuovo; riascoltare (*una cosa registrata*) **3** (*radio*, *TV*) ripetere (*parte di una trasmissione, una scena, alcune sequenze*) **4** (*comput.*) rileggere (*un nastro*) Ⓑ v. i. (*sport*) **1** ripetere la partita **2** riprendere il gioco ● (*tennis*) **to r. a point**, rigiocare un punto.

to **replenish** /rɪˈplɛnɪʃ/ (*form.*) v. t. **1** riempire; rifornire: **to r. sb's glass**, riempire il bicchiere a q. **2** reintegrare; ricostituire: **to r. one's stock of goods**, reintegrare le scorte di merce ● (*di persona*) **replenished with**, pieno di; ben fornito di ‖ **replenishment** n. Ⓤ Ⓒ **1** riempimento; rifornimento **2** reintegrazione (*delle scorte*) **3** nuova provvista.

replete /rɪˈpliːt/ a. (*form.*) **1** pieno; (ben) fornito; (ben) provvisto: **to be r. with charm** [**with humour**], essere pieno di fascino [d'umorismo] **2** sazio; satollo | **-ness** n. Ⓤ.

repletion /rɪˈpliːʃn/ n. Ⓤ (*form.*) **1** pienezza; l'esser ben fornito **2** sazietà: **to eat to r.**, mangiare a sazietà **3** (*med.*) pletora ● **The theatre was filled to r.**, il teatro era pieno zeppo (*o stracolmo*).

replevin /rɪˈplɛvɪn/ n. Ⓤ (*leg.*) (azione di) recupero di beni mobili, su cauzione.

to **replevy** /rɪˈplɛvɪ/ v. t. (*leg.*) recuperare (*beni mobili*) su cauzione.

replica /ˈrɛplɪkə/ (*ital.*) n. **1** (*arte*) replica; riproduzione; copia **2** riproduzione (*spec. in scala ridotta*) **3** (*mus.*) ripresa; ritornello **4** sosia ● **r. kit**, divisa ufficiale (*di una squadra*) in vendita al pubblico ❶ **FALSI AMICI** ● replica *non significa* replica *nel senso di risposta o nel senso teatrale*.

replicable /ˈrɛplɪkəbl/ a. replicabile; ripetibile.

replicate ① /ˈrɛplɪkət/ n. **1** (*mus.*) motivo ripetuto un'ottava più alta (*o più bassa*) **2** (*scient.*) esperimento ripetuto.

replicate ② /ˈrɛplɪkət/ a. (*bot.*) ripiegato su sé stesso.

to **replicate** /ˈrɛplɪkeɪt/ Ⓐ v. t. **1** replicare, ripetere (*un esperimento, ecc.*) **2** (*arte*) fare una replica di (*un quadro, ecc.*) **3** (*per estens.*) copiare; riprodurre **4** (*raro*) piegare all'indietro Ⓑ v. i. (*biol.*) replicarsi; moltiplicarsi.

replication /ˌrɛplɪˈkeɪʃn/ n. Ⓤ **1** replica; risposta **2** (*scient.*) ripetizione (*di un esperimento*) **3** copia; riproduzione **4** (*biol.*) replicazione **5** (*leg.*, *un tempo*) replica dell'attore ● (*biol.*) **r. fork**, forcella di replicazione; forca replicativa.

replicon /ˈrɛplɪkɒn/ n. (*biol.*) replicone.

replier /rɪˈplaɪə(r)/ n. chi risponde; chi replica.

♦**reply** /rɪˈplaɪ/ n. **1** risposta; replica **2** (*leg.*) replica ● **r. card**, cartolina con risposta pagata □ **r. sheet**, foglio per le risposte (*in un questionario, ecc.*) □ **in r. to**, in risposta a.

♦to **reply** /rɪˈplaɪ/ v. i. e t. **1** rispondere (a); replicare; ribattere: **to r. to a question**, rispondere a una domanda; **to r. in writing**, rispondere per iscritto; *We replied to the enemy's fire*, rispondemmo al fuoco del nemico **2** (*comput.*) rispondere (*a un messaggio*

di posta elettronica*); *There must have been about 100 e-mails to r. to this morning*, ci saranno state circa 100 e-mail a cui rispondere stamattina ● **to r. for sb.**, rispondere per (*o a nome di*) q. □ **to r. in kind**, rispondere per le rime; rendere pane per focaccia (*fig.*).

repo /ˈriːpəʊ/ n. **1** (*fam. USA*; abbr. di **repossession**) bene mobile (*spec. automezzo*) espropriato (*a un insolvente*) **2** (*fin.*, *banca*; abbr. di **repurchase operation**) patto di riacquisto (*di titoli venduti*); pronti contro termine ● **r. man**, chi fa il mestiere di espropriatore di oggetti (*spec. autoveicoli*) a debitori insolventi.

to **repo** /ˈriːpəʊ/ v. t. (*fam. USA*) → **to repossess**.

to **repolish** /riːˈpɒlɪʃ/ v. t. riforbire; affinare; levigare (*o lucidare*) di nuovo.

to **repopulate** /riːˈpɒpjuleɪt/ v. t. ripopolare ‖ **repopulation** n. Ⓤ ripopolamento.

♦**report** /rɪˈpɔːt/ n. **1** diceria; pettegolezzo; voce: *The r. goes* (*o R. has it*) *that you are married*, corre voce che tu sia sposato; **idle reports**, notizie infondate; voci **2** rapporto; relazione; resoconto; descrizione; cronaca; verbale; denuncia (*alla polizia*): **to make** [**to draw up**] **a r.**, fare [stendere] un rapporto; **a medical r.**, una relazione medica; (**to file) a police r.**, (presentare) una denuncia alla polizia **3** servizio (giornalistico); corrispondenza; pezzo di cronaca **4** Ⓤ (*form.*) reputazione; fama: **a man of good** [**of ill**] **r.**, un uomo che gode buona [cattiva] reputazione **5** (= **school r.**) rapporto scolastico (*alla fine del trimestre*); pagella: **a schoolboy's r.**, la pagella di un alunno **6** colpo (*d'arma da fuoco*); scoppio; detonazione: **the r. of a gun**, un colpo d'arma da fuoco; uno sparo **7** (*comput.*) report; rapporto; prospetto ● (*USA*) **r. card** = *def. 5* → *sopra*.

♦to **report** /rɪˈpɔːt/ Ⓐ v. t. **1** riportare; riferire; relazionare; narrare; raccontare: *I reported what I had seen*, riferii quel che avevo visto; **to r. a message**, riferire un messaggio; *He reported all the details of the scene to me*, mi raccontò tutti i particolari della scena **2** annunciare; comunicare **3** fare una relazione su; relazionare su (*bur.*): fare la cronaca di: **to r. a speech**, riportare un discorso (*stenografarlo, riassumerlo*); **to r. an event**, fare la cronaca di un avvenimento **4** fare rapporto contro (q.); deferire, denunciare (*alla polizia, ecc.*): **to r. a clerk to the manager**, fare rapporto al direttore contro un impiegato; **to r. sb.'s rude behaviour**, denunciare il comportamento sgarbato di q.; **to r. a theft** [**an accident, a person**] **to the police**, denunciare un furto [un incidente, una persona] alla polizia Ⓑ v. i. **1** fare una relazione (*o un rapporto*) **2** fare il reporter (*o il cronista*): *He reports for «The Independent»*, fa il cronista per «l'Independent» **3** presentarsi (*a rapporto, alla polizia, ecc.*): *R. to the manager at once*, presentati subito al direttore!; **to r. to the police**, presentarsi alla polizia **4** presentarsi a rapporto: *You must r. immediately*, devi presentarti subito a rapporto **5** dare notizie di sé ● **to r. back**, riferire; riferire al ritorno (*da una missione, ecc.*); ripresentarsi: **to r. back to work**, riprendere il lavoro (*dopo le ferie, ecc.*) □ **to r. for duty**, presentarsi a rapporto; riprendere servizio □ **to r. for work at 8.30**, andare al lavoro alle 8.30 □ (*fisc.*) **to r. one's income**, fare la dichiarazione dei propri redditi □ (*USA*) **to r. out**, riferire su; ripresentare: *The committee reported the bill out*, la commissione parlamentare riferì sul disegno di legge □ **to r. the proceedings of a meeting**, verbalizzare gli atti di una riunione □ **to r. progress**, riferire sull'andamento (*o lo stato d'avanzamento*) dei lavori □ **to r. progress to sb.**, tenere al corrente q.

a b c d e f g h i j k l m n o p q r s t u v w x y z

sull'andamento (*di un lavoro, ecc.*) □ ● **to r. sick**, darsi ammalato; marcare visita (*fam.*) □ (*gramm.*) **reported speech**, discorso indiretto □ **It is reported that...**, si dice che...; corre voce che...

reportable /rɪˈpɔːtəbl/ *a.* **1** riportabile; riferibile; degno di menzione **2** da dichiarare (*all'autorità, ecc.*) **3** (*fisc.*) da dichiarare: **one's r. income**, il reddito da dichiarare (*al fisco*).

reportage /rɛpɔːˈtɑːʒ/ (*franc.*) *n.* **1** cronaca giornalistica; servizio giornalistico; reportage **2** Ⓤ modo spiccio di riferire notizie; stile giornalistico.

reportedly /rɪˈpɔːtɪdlɪ/ *avv.* a quanto viene riferito; stando a quel che si dice.

♦**reporter** /rɪˈpɔːtə(r)/ *n.* **1** chi riferisce; rapportatore (*raro*) **2** (*giorn.*) cronista; reporter; corrispondente **3** stenografo (*al Parlamento*) ● (*in Parlamento*) **reporters' gallery**, tribuna della stampa.

♦**reporting** /rɪˈpɔːtɪŋ/ *n.* ● **1** cronaca (*anche radio, TV*); giornalismo; servizio d'informazioni **2** presentazione; il presentarsi **3** (*org. az.*) tecnica di informare mediante relazioni ● **r. pay**, indennità di presenza □ (*ass.*) **r. policy**, polizza ad adeguamento.

reportorial /rɪpɔːˈtɔːrɪəl/ *a.* (*spec. USA*) di (*o da*) cronista; giornalistico.

repose /rɪˈpəʊz/ *n.* Ⓤ **1** riposo; pace; quiete; tranquillità **2** compostezza; calma; pacatezza **3** armonia (*di forme, di colori; per es. in un quadro*).

to **repose**① /rɪˈpəʊz/ *v. t.* (*form.*) riporre, nutrire (*fiducia, speranza, ecc.*): **to r. full confidence in sb.** [**st.**], nutrire piena fiducia in q. [*qc.*].

to **repose**② /rɪˈpəʊz/ Ⓐ *v. i.* **1** riposare, riposarsi: *R. on the bed*, riposati sul letto! **2** (*fig.*) esser riposto: *His faith reposed in God*, la sua fede era riposta in Dio **3** basarsi; fondarsi; esser basato (*o fondato*): *The whole system reposes on credit*, l'intero sistema è basato sul credito **4** (*eufem.*) riposare (in pace); giacere **5** (*geol.*) poggiare: *The shale reposes on a bed of limestone*, lo scisto argilloso poggia su uno strato di calcare Ⓑ *v. t.* posare; appoggiare; far riposare: **to r. one's head on sb.'s shoulder**, appoggiare (*o posare*) il capo sulla spalla di q. ● **to r. oneself**, riposare, riposarsi.

reposeful /rɪˈpəʊzfl/ *a.* calmo; riposante; tranquillo | **-ly** *avv.*

to **reposition** /rɪːpəˈzɪʃn/ *v. t.* (*tecn., chir., market.*) riposizionare.

repositioning /rɪːpəˈzɪʃnɪŋ/ *n.* (*tecn., chir., market.*) riposizionamento.

repository /rɪˈpɒzɪtrɪ/ *n.* **1** ricettacolo; ripostiglio **2** (*relig.*) repositorio **3** sepolcro; tomba **4** (*fig.*) miniera (*di notizie, ecc.*) **5** (*fig.*) depositario (*di segreti, ecc.*); confidente **6** (*comput.*) insieme d'informazioni su un sistema.

to **repossess** /rɪːpəˈzɛs/ *v. t.* **1** rientrare in possesso di (*qc.*); riacquistare; (*spec.*) riprendersi (*un oggetto per inadempienza del compratore*) **2** reintegrare (q.) in possesso; restituire a (q.): *He was repossessed of his house*, gli fu restituita la casa **3** (*sport*) riconquistare (*la palla*).

repossession /rɪːpəˈzɛʃn/ *n.* **1** il rientrare (*o il rimettere*) in possesso; riacquisto; ripresa di possesso (*spec. di un bene mobile, per mancato pagamento del compratore*) **2** (*sport*) riconquista (*della palla*) ● (*leg.*) **r. order**, sentenza di restituzione (*di un immobile*) al proprietario.

to **repot** /rɪːˈpɒt/ *v. t.* rinvasare; svasare || **repotting** *n.* ⓊⒸ rinvasatura; rinvaso.

repoussé /rəˈpuːseɪ, *USA* -ˈseɪ/ (*franc.*) Ⓐ *a.* (*di metallo*) sbalzato; a sbalzo Ⓑ *n.* Ⓤ lavoro a sbalzo; metallo lavorato a sbalzo.

repp /rɛp/ → **rep**①.

repped /rɛpt/ *a.* (*di tessuto*) a coste.

repr. *abbr.* **1** (**reprint, reprinted**) ristampa, ristampato **2** (**represented**) rappresentato.

to **reprehend** /rɛprɪˈhɛnd/ (*form.*) *v. t.* riprendere; rimproverare; biasimare; riprovare || **reprehension** *n.* Ⓤ biasimo; riprovazione.

reprehensible /rɛprɪˈhɛnsəbl/ *a.* biasimevole; riprovevole || **reprehensibleness** *n.* Ⓤ l'essere riprovevole || **reprehensibly** *avv.* biasimevolmente; riprovevolmente.

♦to **represent** /rɛprɪˈzɛnt/ *v. t.* **1** rappresentare; descrivere; dipingere (*anche fig.*); raffigurare; simboleggiare; significare; far presente; recitare: *The picture represents the murder of Abel*, il quadro rappresenta l'uccisione di Abele; (*mat.*) **«x» represents the unknown**, l'«x» rappresenta l'incognita; *I represented to him the absolute necessity to see to it at once*, gli feci presente l'assoluta necessità di provvedere immediatamente; (*teatr.*) **to r. «Hamlet»**, rappresentare l'«Amleto»; *Diplomats r. their country abroad*, i diplomatici rappresentano il loro paese all'estero **2** presentare alla mente; dimostrare; illustrare: *I can only r. it to you by metaphors*, posso illustrartelo soltanto per mezzo di metafore **3** (*teatr.*) impersonare; fare la parte di; interpretare: **to r. Hamlet**, fare la parte d'Amleto **4** fungere da; essere l'equivalente di: *A cave represented home to primitive peoples*, per i popoli primitivi, una caverna fungeva da casa **5** far notare; osservare; asserire; dichiarare; affermare: *He represents that he has been (o himself to have been) to the Pole*, asserisce d'essere stato al Polo **6** significare; voler dire; aver valore: *Such excuses r. nothing at all to me*, siffatte scuse non hanno per me alcun valore **7** (*leg.*) rappresentare (*parti in causa, ecc.*) **8** (*comm.*) fare il rappresentarsi come; dichiarare d'essere; farsi passare per; protestarsi: *He likes to r. himself as a famous healer*, ama farsi passare per un famoso guaritore.

to **re-present** /rɪːprɪˈzɛnt/ *v. t.* ripresentare; presentare di nuovo: (*comm.*) **to re--present a bill for payment**, ripresentare una cambiale al pagamento.

representable /rɛprɪˈzɛntəbl/ *a.* rappresentabile; descrivibile; raffigurabile || **representability** *n.* Ⓤ rappresentabilità.

♦**representation** /rɛprɪzɛnˈteɪʃn/ *n.* **1** Ⓤ (*leg.*) rappresentazione (*anche nel diritto di successione*) **2** ⓊⒸ rappresentazione; descrizione; raffigurazione; immagine; quadro (*fig.*) **3** (*teatr.*) rappresentazione; interpretazione **4** Ⓤ (*comm., polit.*) rappresentanza: **proportional r.**, rappresentanza proporzionale **5** argomentazione; asserzione; dichiarazione; dimostrazione; illustrazione: **according to his own representations**, secondo le sue asserzioni (*o dichiarazioni*); stando a quel che dice lui **6** (*spesso al pl.*) osservazione; rimostranza; protesta: **to make representations**, fare osservazioni (*o rimostranze*) **7** (*mat.*) rappresentazione **8** (*pl.*) (*ass.*) dichiarazioni dell'assicurato (*alla compagnia d'assicurazione: sul rischio da assicurare*).

representational /rɛprɪzɛnˈteɪʃənl/ *a.* **1** rappresentativo; di rappresentazione, ecc. (→ **representation**) **2** (*arte*) figurativo ● **r. character** (*o quality*), figuratività (*di un quadro, ecc.*) □ **r. painting**, pittura figurativa.

representationalism /rɛprɪzɛnˈteɪʃənlɪzəm/ (*arte*) *n.* figurativismo || **representationalist** *n.* artista figurativo; seguace del figurativismo.

♦**representative** /rɛprɪˈzɛntətɪv/ Ⓐ *a.* rappresentativo; che rappresenta; basato sulla rappresentanza; caratteristico; tipico: **a meeting of r. men**, una riunione di uomini rappresentativi; (*polit.*) **r. government**, sistema (*di governo*) rappresentativo; (*stat.*) **r. sample**, campione rappresentativo; *Detroit is a r. American city*, Detroit è una tipica città americana; **a r. selection of English poets**, una scelta rappresentativa di poeti inglesi Ⓑ *n.* **1** uomo rappresentativo; cosa (*o persona*) tipica; esempio tipico **2** (*comm.*, = **r. agent**) rappresentante **3** (*polit.*) rappresentante del popolo; deputato: *Our State has sent four Democratic representatives to Congress*, il nostro Stato ha mandato quattro rappresentanti democratici al Congresso; (*in USA*) **the House of Representatives**, la Camera dei Rappresentanti ❶ **CULTURA** ▪ → **house 4** (*sport*) (la) rappresentativa: (*calcio*) **the r. eleven**, la rappresentativa (o la nazionale) di calcio ● **a r. assembly**, un'assemblea di rappresentanti del popolo □ **a r. body**, un organo rappresentativo; una rappresentanza □ **a r. firm**, un'azienda tipo □ (*sport*) **r. player**, nazionale (sost.) □ **to be r. of**, rappresentare; raffigurare: (*pitt.*) **a group r. of the theological virtues**, un gruppo che rappresenta le virtù teologali □ **the Chinese r. at the UN**, il rappresentante della Cina all'ONU | **-ly** *avv.*

representativeness /rɛprɪˈzɛntətɪvnəs/ *n.* Ⓤ rappresentatività; aspetto tipico; carattere rappresentativo (→ **representative**).

to **repress** /rɪˈprɛs/ *v. t.* **1** reprimere; frenare; trattenere; domare: **to r. one's feelings**, reprimere i propri sentimenti; **to r. a sigh**, trattenere un sospiro; **to r. an uprising**, reprimere (*o domare*) una sollevazione **2** (*psic.*) reprimere; rimuovere.

repressed /rɪˈprɛst/ *a.* **1** represso: **a r. child**, un bambino represso **2** (*psic.*) represso; rimosso ● (*psic.*) **r. content** (*o r. experience*), il rimosso □ **a r. feeling**, un sentimento represso □ (*econ.*) **r. inflation**, inflazione repressa (*dal governo*).

repressible /rɪˈprɛsəbl/ (*scient.*) *a.* reprimibile.

repression /rɪˈprɛʃn/ *n.* **1** repressione: **political [sexual] r.**, repressione politica [sessuale] **2** (*psic.*) repressione; rimozione.

repressive /rɪˈprɛsɪv/ *a.* **1** repressivo: **a r. regime**, un regime repressivo **2** (*psic.*) repressivo; di rimozione | **-ly** *avv.* | **-ness** *n.*

to **reprice** /rɪːˈpraɪs/ *v. t.* **1** fissare un nuovo prezzo per (*merci*) **2** (*fin.*) stabilire un nuovo tasso per (*titoli*) || **repricing** *n.* ⓊⒸ **1** fissazione di un nuovo prezzo **2** (*fin.*) modifica del tasso (*di titoli a tasso variabile*).

reprieve /rɪˈpriːv/ *n.* ⓊⒸ **1** (*leg.*) rinvio (*o sospensione*) dell'esecuzione di una sentenza (*spec. di una condanna a morte*) **2** (*fig.*) dilazione; tregua **3** (*fig. raro*) notizia confortante; sollievo.

to **reprieve** /rɪˈpriːv/ *v. t.* **1** (*leg.*) rinviare (*o sospendere*) l'esecuzione di (*una condanna a morte*) **2** (*fig.*) dar tregua, dar sollievo a (q.).

reprimand /ˈrɛprɪmɑːnd/ *n.* ⓊⒸ **1** rabbuffo; rampogna; rimprovero **2** (*rif. a impiegati, ecc.*) ammonimento; censura.

to **reprimand** /ˈrɛprɪmɑːnd/ *v. t.* **1** rampognare; rimproverare **2** ammonire, censurare (*un impiegato, ecc.*).

reprint /ˈriːprɪnt/ *n.* ⓊⒸ **1** ristampa; opera ristampata; azione di ristampare: *The third r. is just out*, è uscita ora la terza ristampa **2** (*spec.*) ristampa anastatica; reprint.

to **reprint** /rɪːˈprɪnt/ *v. t.* ristampare ● (*di un libro e sim.*) **to be reprinting**, essere in ristampa || **reprinting** *n.* Ⓤ ristampa; il ristampare.

to **reprioritize** /rɪːpraɪˈprɪtaɪz/ Ⓐ *v. t.* ri-

dare la priorità a (qc.) **B** v. i. ristabilire l'ordine delle priorità || **reprioritization** n. Ⓤ ristabilimento delle priorità.

reprisal /rɪˈpraɪzl/ n. (*leg.*, *mil.*, *ecc.*) rappresaglia; ritorsione; rivalsa: **to make** (*o* **to take**) **reprisals**, compiere rappresaglie ● **as a r.** (*o* **in r.**, **by way of r.**), per rappresaglia.

reprise /rɪˈpriːz/ n. **1** (*leg.*) detrazione annuale (*sul reddito agrario: per pagamento di imposte, annualità, ecc.*) **2** (*mus.*) ripresa; ritornello **3** (*sport*) ripresa (*di un attacco, ecc.*); ritorno (sull'avversario).

repro /ˈriːprəʊ/ **A** n. (abbr. *fam. di* **reproduction**) **1** riproduzione; copia **2** bozza in carta fotografica **B** a. attr. **1** riprodotto; copiato **2** (*di mobili, ecc.*) in stile: **r. furniture**, mobili in stile.

reproach /rɪˈprəʊtʃ/ n. **1** rimprovero; sgridata; rabbuffo; rimbrotto **2** Ⓤ biasimo: **a term of r.**, una parola di biasimo **3** Ⓤ Ⓒ (*form.*) onta; disonore; discredito; vergogna: **to bring r. upon sb.**, arrecare disonore a q. ● **above** (*o* **beyond**) **r.**, irreprensibile □ **to lead a life without r.**, condurre una vita irreprensibile.

to **reproach** /rɪˈprəʊtʃ/ v. t. **1** rimproverare; riprendere; sgridare; rimbrottare; biasimare: *I reproached him for being late*, lo sgridai per il ritardo **2** accusare; incolpare: *They reproached him with negligence*, lo incolparono d'essere negligente ● **She has nothing to r. herself with**, non ha nulla da rimproverarsi.

reproachable /rɪˈprəʊtʃəbl/ a. rimproverabile; reprensibile; riprovevole | **-bly** avv.

reproachful /rɪˈprəʊtʃfʊl/ a. di rimprovero; di biasimo: **r. words**, parole di rimprovero || **reproachfully** avv. con aria di biasimo; in tono di rimprovero || **reproachfulness** n. Ⓤ il contenere biasimo; sapore di condanna; tono di rimprovero.

reprobate /ˈreprəbeɪt/ a. e n. **1** reprobo; dissoluto **2** (*relig.*) dannato.

to **reprobate** /ˈreprəbeɪt/ (*form.*) v. t. **1** riprovare; disapprovare; condannare; biasimare; censurare **2** (*relig.*) dannare || **reprobation** n. Ⓤ **1** riprovazione; biasimo; censura **2** (*relig.*) dannazione.

to **reprocess** /riːˈprəʊses/ v. t. (*ind.*) **1** ritrattare; rilavorare **2** rigenerare || **reprocessing** n. Ⓤ **1** (*ind.*) ritrattamento; rilavorazione **2** (*ind.*) rigenerazione **3** (*fis. nucl.*) ritrattamento; reprocessing.

to **reproduce** /riːprəˈdjuːs, *USA* -ˈduːs/ **A** v. t. riprodurre; rigenerare; rappresentare di nuovo; ripetere: (*biol.*) **to r. one's kind**, riprodurre la specie; **to r. a play**, riprodurre un dramma **B** v. i. (*biol.*) riprodursi; prolificare; procreare **2** riprodursi; poter essere riprodotto (*o* copiato): *Half-tones don't r. well*, le mezzetinte non si riproducono bene.

reproduceable /riːprəˈdjuːsəbl, *USA* -ˈduː-/ a. riproducibile.

reproducer /riːprəˈdjuːsə(r), *USA* -ˈduː-/ n. **1** (*biol.*) riproduttore **2** riproduttore (*del suono, ecc.*).

reproducible /riːprəˈdjuːsəbl, *USA* -ˈduː-/ a. riproducibile || **reproducibility** n. Ⓤ riproducibilità.

reproduction /riːprəˈdʌkʃn/ n. **1** Ⓤ produzione; procreazione; prolificazione **2** Ⓤ riproduzione; imitazione **3** facsimile; copia (*riprodotta*) ● **a r. portrait**, la copia di un ritratto **4** (*grafica*) **r. proof**, bozza in carta fotografica □ (*demogr., stat.*) **r. rate**, tasso di riproduzione (demografica) □ **four-colour r.**, quadricromia.

reproductive /riːprəˈdʌktɪv/ a. riproduttivo; di riproduzione; riproduttore: (*anat.*) **r.**

system, apparato riproduttore | **-ly** avv. | **-ness** n. Ⓤ.

reprography /rɪˈprɒɡrəfi/ n. Ⓤ riprografia || **reprographer** n. chi fa copie riprografiche || **reprographic** a. riprografico.

reproof /rɪˈpruːf/ n. (*form.*) **1** Ⓤ disapprovazione; rimprovero; biasimo: **a word of r.**, una parola di biasimo **2** rimprovero; rimbrotto ● **to speak in r. of st.**, avere parole di riprovazione per qc.

to **reproof** /rɪˈpruːf/ v. t. (*ind.*) rendere (*un tessuto, ecc.*) nuovamente impermeabile; impermeabilizzare di nuovo.

reprovable /rɪˈpruːvəbl/ a. riprovevole.

reproval /rɪˈpruːvl/ → **reproof**.

to **reprove** /rɪˈpruːv/ v. t. (*form.*) riprovare; biasimare; rimproverare; riprendere; rimbrottare.

reproving /rɪˈpruːvɪŋ/ a. di riprovazione; di biasimo ● **in a r. voice**, in tono di rimprovero | **-ly** avv.

reptile /ˈreptaɪl/ **A** n. (*zool.*) rettile (*anche* fig.) **B** a. **1** (*zool., bot.*) strisciante **2** (*fig.*) servile; strisciante; viscido ● (*fig.*) **the r. press**, la stampa prezzolata || **reptilian A** a. **1** di (*o* simile a) rettile **2** (*fig.*) abietto; insidioso; malfido; strisciante; viscido; servile **B** n. (*zool.*) rettile ● (*geol.*) **the reptilian age**, l'età dei rettili; il mesozoico.

♦**republic** /rɪˈpʌblɪk/ n. repubblica ● (*fig.*) **the r. of letters**, la repubblica delle lettere; i letterati.

♦**republican** /rɪˈpʌblɪkən/ a. e n. repubblicano ● (*spec. in USA*) **the R. Party**, il partito repubblicano || **republicanism** n. Ⓤ repubblicanesimo.

Republicrat /rɪˈpʌblɪkræt/ n. (*polit. spreg., USA*) repubblicano con simpatie per i progressisti (*anche*) democratico che inclina verso i conservatori.

to **republish** /riːˈpʌblɪʃ/ v. t. ripubblicare || **republication** n. Ⓤ Ⓒ **1** ripubblicazione **2** nuova edizione; ristampa.

to **repudiate** /rɪˈpjuːdɪeɪt/ v. t. **1** ripudiare; sconfessare; rinnegare: **to r. one's wife** [**friends**], ripudiare la moglie [gli amici] **2** rifiutare; ricusare; respingere: **to r. an offer**, respingere un'offerta; **to r. a gift**, ricusare un dono **3** (*leg.*) rifiutare di riconoscere; disconoscere: **to r. a debt**, rifiutare di riconoscere un debito || **repudiation** n. Ⓤ **1** ripudio; sconfessione **2** rifiuto **3** (*leg.*) rifiuto di riconoscere (*un debito, ecc.*); disconoscimento || **repudiator** n. ripudiatore; rinnegatore.

repugnance /rɪˈpʌɡnəns/, **repugnancy** /rɪˈpʌɡnənsi/ n. Ⓤ **1** ripugnanza; avversione; disgusto; repulsione **2** (*raro*) incompatibilità; inconciliabilità; incongruenza.

repugnant /rɪˈpʌɡnənt/ a. **1** ripugnante; disgustoso; ributtante; schifoso: **r. food**, cibo ripugnante **2** incompatibile; inconciliabile: **actions r. to his words**, atti incompatibili (*o* in contrasto) con le sue parole ● **It is r. to me...**, mi è odioso...; mi ripugna...

repulse /rɪˈpʌls/ n. **1** ripulsa; diniego; rifiuto: **to meet with a r.**, ricevere un rifiuto **2** (*mil.*) cacciata; il respingere; l'essere respinto **3** (*fig.*) sconfitta; scacco.

to **repulse** /rɪˈpʌls/ v. t. respingere; ricacciare; rifiutare; rigettare; ricusare: **to r. the enemy**, ricacciare il nemico; **to r. an attack**, respingere un assalto; (*leg.*) **to r. an accusation**, respingere un'accusa; **to r. an offer**, rifiutare (*o* respingere) un'offerta ● (*anche* fig.) **to be repulsed (by)**, essere nauseato (*o* disgustato) (da).

repulsion /rɪˈpʌlʃn/ n. Ⓤ **1** (*fis.*) repulsione: **capillary r.**, repulsione capillare (*di certi liquidi*) **2** ripulsione; ripugnanza; avversione; disgusto ● (*elettr.*) **r. motor**, motore a repulsione.

repulsive /rɪˈpʌlsɪv/ a. **1** (*fis.*) repulsivo; ripulsivo **2** ripugnante; disgustoso; ributtante; schifoso ● (*mecc.*) **r. force**, forza repulsiva | **-ly** avv. | **-ness** n. Ⓤ.

repurchase /riːˈpɜːtʃɪs/ n. riacquisto; ricompera; riscatto: (*leg.*) **r. clause**, clausola di riacquisto ● (*fin., banca*) **r. agreement**, (operazione di) pronti contro termine; patto di riacquisto (*di titoli venduti*).

to **repurchase** /riːˈpɜːtʃɪs/ v. t. riacquistare; ricomprare; riscattare.

to **repurpose** /riːˈpɜːpəs/ v. t. (*spec. comput., di dati*) convertire (*da un formato o un supporto a un altro, es. da cartaceo a elettronico*) || **repurposed A** p. p. di **to repurpose B** a. riconvertito; adattato a un nuovo scopo.

reputability /repjʊtəˈbɪlɪti/ n. Ⓤ rispettabilità; buona reputazione.

reputable /ˈrepjʊtəbl/ a. onorevole; rispettabile; stimabile: **r. conduct**, condotta onorevole ● **a r. firm**, una ditta che ha una buona reputazione | **-bly** avv.

♦**reputation** /repjʊˈteɪʃn/ n. Ⓤ Ⓒ **1** reputazione; fama; nome: *Mr Jones has a good r.* (*o is a man of good r.*), Mr Jones gode buona reputazione; *He has a r. for* (*o the r. of*) *being a good teacher*, ha fama d'essere un bravo insegnante; *She has a bad r.*, è donna di dubbia fama **2** onorabilità; rispettabilità; buon nome; stima: *That was a serious blow to his r.*, quello fu un grave colpo per il suo buon nome ● **to live up to one's r.**, non venir meno al proprio buon nome □ **to make a r. for oneself**, farsi un nome.

repute /rɪˈpjuːt/ n. Ⓤ **1** reputazione; fama; nome: **ill r.**, dubbia fama; **good r.**, buona reputazione; buon nome **2** onorabilità; rispettabilità; buon nome: **a hotel of (some) r.**, un albergo (abbastanza) rinomato ● **to be held in high r.**, essere tenuto in grande considerazione □ **to know sb. by r.**, conoscere q. di fama.

reputed /rɪˈpjuːtɪd/ a. **1** ritenuto; supposto; presunto: (*leg.*) **r. owner**, proprietario presunto **2** (*leg.*) putativo: **r. father**, padre putativo ● **to be highly** (*o* **well**) **r.**, godere di una buona reputazione; essere assai stimato □ **to be ill r.**, avere una brutta nomea || **reputedly** avv. a quel che si suppone; secondo l'opinione generale.

req. abbr. **1** (**request**) domanda **2** (**required**) necessario, richiesto.

♦**request** /rɪˈkwest/ n. **1** richiesta; domanda: *We did it at his r.*, lo facemmo dietro sua richiesta; **a r. for a loan**, una domanda di prestito **2** richiesta; sollecitazione **3** (*radio, TV*) disco (canzone, ecc.) a richiesta **4** (*comput.*) richiesta: **HTTP r.**, richiesta HTTP (*dal client al server*) **5** (*teatr.*) brano a richiesta ● **r. for bids** (*o for tenders*), concorso (*o gara*) d'appalto □ (*trasp.*) **r. stop**, fermata a richiesta □ **by r.**, a richiesta; su invito □ **on r.**, su richiesta: *These goods are in great r.*, c'è molta richiesta di questa merce.

♦to **request** /rɪˈkwest/ v. t. **1** chiedere; richiedere; domandare; sollecitare: *We have requested more information from the school*, abbiamo richiesto maggiori informazioni alla scuola **2** invitare; pregare: (*tur.*) *Guests are kindly requested to leave their keys with the porter*, i clienti sono pregati di consegnare la chiave al portiere ● **to r. st. of sb.**, chiedere qc. a q. □ **to r. sb.'s presence**, invitare q. (*a un ricevimento, ecc.*) □ **as requested**, come da richiesta; come da istruzioni ricevute.

requiem /ˈrekwɪəm/ n. (*relig., mus.*) **1** requiem **2** (= **r. mass**) messa di requiem.

♦to **require** /rɪˈkwaɪə(r)/ v. t. **1** richiedere; esigere; volere; volerci (impers.): **r. obedience**, esigere obbedienza; *This job requires a lot of patience*, questo lavoro richiede

molta pazienza; *It required all my authority to keep them in hand*, ci volle tutta la mia autorità per tenerli a freno **2** comandare; ordinare: *Do what is required of you*, fa' quel che ti si comanda **3** abbisognare, aver bisogno di: *We r. your assistance*, abbiamo bisogno del tuo aiuto **4** (*gramm.: di un verbo, ecc.*) reggere; volere (*fam.*) ● **to be required**, essere necessario (*o* richiesto); occorrere; volerci; (*di persona*) essere invitato a, dovere: *All candidates are required to hold a university degree*, tutti i candidati devono essere in possesso di laurea □ «*Guests are required to wear tie and jacket*» (*su un invito*), «giacca e cravatta d'obbligo».

required /rɪˈkwaɪəd/ a. **1** richiesto; necessario; che serve: **the r. spanner**, la chiave inglese che serve **2** (*anche leg.*) obbligatorio: **the r. books**, i libri contabili obbligatori ● **the r. exams**, gli esami che si devono sostenere □ **when r.**, se del caso; all'occorrenza.

♦**requirement** /rɪˈkwaɪəmənt/ n. **1** bisogno; esigenza; necessità (*comm.*) **to meet the requirements of one's clients**, soddisfare le esigenze della clientela **2** requisito; condizione; titolo: **the requirements for university entrance**, i requisiti per l'ammissione all'università **3** (*econ.*) fabbisogno: *Car production is in excess of home r.*, la produzione di automobili supera il fabbisogno domestico **4** (pl.) (*fin., rag.*) «parte fabbisogni» (*di un bilancio*) ● (*leg.*) **r. contract**, contratto di fornitura (*o* di somministrazione, *o* a consegne ripartite).

requisite /ˈrɛkwɪzɪt/ A a. richiesto; necessario; indispensabile: **everything r. for a long journey**, tutte le cose necessarie a un lungo viaggio B n. **1** requisito **2** fabbisogno; (l') occorrente; (il) necessario.

requisition /rɛkwɪˈzɪʃn/ n. **1** (*raro*) richiesta scritta; domanda; istanza **2** condizione (*o* qualità) richiesta; requisito: **the requisitions for a university degree**, i requisiti per conseguire una laurea **3** cu (*spec. mil.*) requisizione ● **to call st. into r.**, chiedere qc.; far richiesta di qc.; (*anche*) requisire qc. □ **to put st. in r.**, ricorrere a qc.; far uso di qc.

to **requisition** /rɛkwɪˈzɪʃn/ v. t. **1** requisire: *Several hotels were requisitioned to accommodate the refugees*, diversi alberghi furono requisiti per alloggiare i rifugiati **2** imporre una requisizione a: *They requisitioned the town for cars*, imposero alla città la requisizione delle automobili **3** (*mil. e fig.*) ordinare a (q.); assegnare (q.): *I was requisitioned to drive the colonel's car*, fui assegnato al colonnello come autista.

requisitioning /rɛkwɪˈzɪʃnɪŋ/ n. ⊍ requisizione; il requisire.

requital /rɪˈkwaɪtl/ n. ⊍ **1** cambio; contraccambio: **to receive benefits in r. for one's services**, ricevere benefici in cambio dei propri servigi **2** ricompensa **3** rappresaglia; vendetta ● **to make full r.**, ricambiare a usura; ricompensare ampiamente.

to **requite** /rɪˈkwaɪt/ v. t. **1** contraccambiare; ricambiare; restituire: **to r. a favour**, ricambiare un favore; **to r. evil with good**, ricambiare il male col bene; rendere bene per male; **to r. sb's love**, contraccambiare l'amore di q. **2** ricompensare; ripagare: **to r. sb. for his services**, ricompensare q. per i servizi resi **3** vendicare; vendicarsi di; punire: **to r. a wrong**, vendicare un torto.

reran /riːˈræn/ pass. di **to rerun**.

to **re-read** /riːˈriːd/ (pass. e p. p. *re-read* /riːˈrɛd/), v. t. rileggere; leggere di nuovo.

reredos /ˈriːədɒs/ n. **1** (*archit.*) dossale **2** (*antiq.*) → **fireback**, def. 1.

reroofing /riːˈruːfɪŋ/ n. (*edil.*) rifacimento

(dei) tetti.

to **reroute**, to **re-route** /riːˈruːt/ v. t. **1** far cambiare percorso o direzione a; (*aeron., naut.*) far cambiare rotta a; dirottare; deviare (*il traffico*) **2** (*fig.*) dirottare: (*econ.*) **to r. investments**, dirottare gli investimenti.

rerun /ˈriːrʌn/ n. **1** (film presentato in) seconda visione; replica **2** (*sport*) ripetizione (*di una gara*) **3** (*comput.*) riesecuzione.

to **rerun** /riːˈrʌn/ (pass. *reran*, p. p. *rerun*), v. t. **1** presentare (*un film*) in seconda visione; ridare (*fam.*) **2** (*sport*) rifare, ripetere (*una corsa*) **3** (*comput.*) rieseguire (*un programma*).

res. abbr. **1** (**research**) ricerca **2** (**reserve**) riserva **3** (**residence**) residenza.

resalable /riːˈseɪləbl/ a. rivendibile.

resale /ˈriːseɪl/ n. ⊍ (*comm.*) rivendita; il rivendere ● **r. price**, prezzo imposto (*o* di rivendita) □ **r. price agreement**, accordo di prezzo imposto.

resaleable /riːˈseɪləbl/ a. → **resalable**.

resat /riːˈsæt/ pass. e p. p. di **to resit**.

to **reschedule** /riːˈʃedjuːl, USA -ˈskedʒʊl/ v. t. **1** (*org. az.*) riprogrammare; ripianificare **2** rifare (*orari, ecc.*); rivedere (*impegni*) **3** (*trasp.*) modificare gli orari di (*treni, ecc.*) **4** (*fin.*) rinegoziare le condizioni di (*prestiti rinnovati*); riscadenzare (*un mutuo*) **5** (*sport*) rinviare; spostare (*un incontro, ecc.*) || **rescheduling** n. ⊍ **1** (*org. az.*) riprogrammazione **2** revisione; riordino (*di orari, ecc.*) **3** (*trasp.*) modifica degli orari **4** (*fin.*) rinegoziazione delle condizioni **5** (*sport*) rinvio; spostamento.

to **rescind** /rɪˈsɪnd/ (*leg.*) v. t. rescindere; annullare; abrogare: **to r. a contract**, rescindere un contratto; **to r. a law**, abrogare una legge ● (*leg.*) **rescinding clause**, clausola risolutiva || **rescindable** a. rescindibile.

rescission /rɪˈsɪʒn/ n. ⊍ rescissione, annullamento, risoluzione (*di un contratto*); abrogazione (*di una legge*).

rescissory /rɪˈsɪsərɪ/ a. (*leg.*) rescissorio.

rescript /ˈriːskrɪpt/ n. **1** (*stor.*) rescritto (*d'imperatore romano, di papa, di principe*) **2** editto; decreto (*in genere*) **3** copia; duplicato.

rescue /ˈrɛskjuː/ n. **1** ⊍⊍ liberazione; aiuto; soccorso; salvamento; salvataggio: *A tug came to our r.*, un rimorchiatore venne in nostro soccorso **2** ⊍ (*leg.*) liberazione (*di un detenuto*) con la forza ● (*cartello alla spiaggia*) «Rescue», «Bagnino» (*di salvataggio*) □ **r. cable**, fune di soccorso (*di funivia*) □ **r. dog**, cane da salvataggio (*o* da catastrofe, da valanga) □ **r. team**, squadra di salvataggio (*o* di soccorritori) □ **r. services**, la protezione civile □ (*naut.*) **r. vessel**, nave di soccorso □ **r. worker**, soccorritore; componente di una squadra di salvataggio.

♦to **rescue** /ˈrɛskjuː/ v. t. **1** liberare; salvare; soccorrere: *He rescued the child from the fire*, salvò il bambino dall'incendio; **to r. hostages**, liberare degli ostaggi; (*boxe: di un pugile*) **to be rescued by the referee**, essere salvato dall'intervento dell'arbitro **2** (*leg.*) liberare con la forza; far evadere (*un detenuto*).

rescuer /ˈrɛskjuːə(r)/ n. salvatore; soccorritore, soccorritrice.

to **reseal** /riːˈsiːl/ v. t. risigillare; richiudere.

resealable /riːˈsiːləbl/ a. richiudibile.

♦**research** /rɪˈsɜːtʃ/ n. ⊍⊍ **1** ⊍⊍ ricerca, ricerche; studio: **current r. into transplants**, le attuali ricerche sui trapianti; **r. work**, (*lavoro di*) ricerca; **a piece of r.**, una ricerca; **to do r.**, fare ricerca; essere ricercatore; **to do** (*o* to carry out) **some r. into st.**, condurre ricerche su qc.; studiare qc.; **to be engaged

in r. work, essere impegnato in ricerche (*o* in un lavoro di ricerca) **2** (al pl.) ricerche; indagini: (*med.*) **pathological researches**, ricerche patologiche ● (*econ., org. az.*) **r. and development**, ricerca e sviluppo □ **r. assistant**, assistente (*di ricerca*) □ **r. fellow**, ricercatore universitario □ **r. fellowship**, posto di ricercatore universitario □ **r. paper**, ricerca (*scritta*) □ (*naut.*) **r. ship**, nave oceanografica □ **r. worker**, ricercatore.

to **research** /rɪˈsɜːtʃ/ A v. i. fare ricerche; indagare; investigare: **to r. into** (*o* on) **the causes of st.**, fare ricerche sulle cause di qc. B v. t. fare ricerche su, indagare su (*un argomento*) || **researcher** n. ricercatore, ricercatrice; incaricato delle ricerche.

to **reseat** /riːˈsiːt/ v. t. **1** (*form.*) rimettere (q.) a sedere **2** fornire di sedie (*o* di poltrone) nuove **3** rifare il fondo a (*una sedia, ecc.*) **4** reinsediare (*q. in una carica, un ufficio*) ● **when you're all reseated**, quando vi sarete riseduti tutti.

to **resect** /riːˈsɛkt/ (*med.*) v. t. resecare || **resection** n. ⊍⊍ resezione.

reseda /ˈrɛsɪdə, USA rɪˈsiːdə/ n. **1** (*bot., Reseda*) reseda **2** ⊍ color reseda; verde pallido.

to **reseed** /riːˈsiːd/ v. t. riseminare.

to **resell** /riːˈsɛl/ (pass. e p. p. *resold*) v. t. rivendere || **reseller** n. rivenditore, rivenditrice; chi vende per la seconda volta || **reselling** n. ⊍ rivendita (*il rivendere*).

resemblance /rɪˈzɛmbləns/ n. ⊍⊍ somiglianza; rassomiglianza ● **to bear a striking r. to sb.** [st.], somigliare in modo impressionante a q. [qc.].

to **resemble** /rɪˈzɛmbl/ v. t. assomigliare a; rassomigliare a; sembrare: *Some dogs r. their masters*, alcuni cani somigliano ai loro padroni.

to **resent** /rɪˈzɛnt/ v. t. risentirsi di; dolersi di; offendersi per; prendersela per: *He resents criticism* [*being criticised*], si risente delle critiche.

resentful /rɪˈzɛntfl/ a. **1** pieno di risentimento; risentito; sdegnato: **a r. look**, un'occhiata risentita **2** che si risente facilmente; permaloso | **-ly avv.** | **-ness** n. ⊍.

resentment /rɪˈzɛntmənt/ n. ⊍⊍ risentimento; rancore; sdegno: *I bear no r. against her*, non le serbo alcun rancore.

reserpine /rɪˈsɜːpiːn/ n. (*chim.*) reserpina.

♦**reservation** /rɛzəˈveɪʃn/ n. **1** ⊍⊍ riserva; restrizione; eccezione: *He agreed, but with some reservations*, fu d'accordo, ma con qualche riserva; (*leg., relig.*) **mental r.**, riserva mentale **2** (*in USA e in Canada*) riserva: **an Indian r.**, una riserva indiana **3** (*spec. USA*) prenotazione (*in albergo, piroscafo, ecc.; cfr. ingl. booking*): **to honor a r.**, rispettare una prenotazione □ (*econ.*) **r. demand**, domanda di riserva □ **r. price**, prezzo di riserva.

reserve /rɪˈzɜːv/ A n. **1** riserva; scorta; serbo: **a r. of fuel**, una riserva di combustibile; **a game r.**, una riserva di caccia; (*mil.*) **to be in** (*o* to be on) **the r.**, appartenere alla riserva; **to have other arguments in r.**, avere altri argomenti in serbo **2** ⊍ riserbo; riservatezza; discrezione; reticenza: *I appreciate his r. of manner*, apprezzo il suo riserbo **3** ⊍ (*leg.*) riserva, riserve: **without r.**, senza riserve; incondizionatamente **4** (*ecol.*) riserva; parco naturale **5** (*banca, fin., rag.*) riserva; accantonamento; fondo di riserva: **the gold r.**, la riserva aurea; **bank r.**, riserva bancaria **6** – (pl.) (*mil.*) **the reserves**, le riserve; le truppe di riserva **7** (*Austral.*) parco giochi **8** (*in USA e in Canada*) riserva indiana **9** – (*fin.*) **the R.**, la riserva della Banca d'Inghilterra **10** (*sport*) riserva; rincalzo; giocatore di riserva B a. attr. di riserva; di rincalzo: **r. stock**,

provvista di riserva; (*org. az.*) scorta tampone, stock stabilizzatore; (*fin.*) **r. assets**, attività di riserva; riserve ufficiali ● (*rag.*) **r. account**, conto (di) riserva; fondo: **r. account for bad debts**, fondo svalutazione crediti; **r. account for depreciation**, fondo svalutazione (*di merci, titoli, ecc.*); **r. account for income taxes**, fondo imposte da pagare □ (*ass.*) **r. against unsettled claims**, riserva sinistri □ (*fin.*) **r. bank**, una delle 12 banche che formano il *«Federal R. System»* (→ **Fed**, *def. 3*) in USA □ (*fin., leg.*) **r. capital**, capitale di riserva (*di una società*) □ (*fin.*) **r. currency**, valuta di riserva; valuta pregiata (*rag.*) **r. for depreciation**, fondo ammortamento □ (*fin.*) **r. fund**, fondo di riserva □ **r. parachute**, paracadute di riserva □ **r. price**, prezzo di riserva; prezzo minimo (*a un'asta pubblica*) □ (*fin.*) **r. ratio**, rapporto della riserva bancaria □ (*fin.*) **r. requirement**, riserva obbligatoria □ (*ass.*) **r. value**, valore di riserva (*di una polizza*) □ (*banca: di un assegno bancario*) **under usual r.**, salvo buon fine □ **with all (due) reserves**, con tutte le riserve.

♦to **reserve** /rɪˈzɜːv/ v. t. **1** riservare; riservarsi: *I r. the right to come and go freely*, mi riservo il diritto di passaggio (*di andare e venire liberamente*); *The umpire reserved his decision*, l'arbitro si riservò di decidere **2** serbare; conservare; tenere in serbo: *R. your energies*, tieni in serbo le tue forze! **3** (*spec. USA*) prenotare; riservare (*cfr. ingl.* **to book**): **to r. a seat on a train** [**on a plane, at the theatre**], prenotare un posto in treno [in aereo, una poltrona a teatro] ● **to r. for oneself**, riservare per sé; riservarsi (*un diritto, ecc.*).

reserved /rɪˈzɜːvd/ a. **1** riservato; prenotato: **r. seats**, posti riservati **2** riservato; pieno di riserbo; poco espansivo **3** (*econ., fin.*) riservato; accantonato ● (*mil.*) **r. list**, lista degli ufficiali della riserva □ (*ind. min.*) **r. minerals**, giacimenti demaniali | **-ly** avv. | **-ness** n. ☐.

reservist /rɪˈzɜːvɪst/ n. (*mil.*) riservista; soldato (*o marinaio*) della riserva.

reservoir /ˈrɛzəvwɑː(r)/ n. **1** serbatoio; cisterna **2** bacino idrico (*o idroelettrico*); lago artificiale **3** (*anat.*) serbatoio; cavità **4** (*fig.*) miniera, repertorio, riserva (*di fatti, notizie, ecc.*).

reset ① /riːˈsɛt/ n. (*leg., scozz.*) ricettazione.

reset ② /riːˈsɛt/ n. **1** ricollocamento; nuova sistemazione; ripristino **2** (*tipogr.*) ricomposizione **3** azzeramento, reset (*d'uno strumento*) **4** (*autom., elettr., mecc.*) registrazione; regolazione **5** (*comput.*) ripristino; reset: **r. key**, tasto per il reset **6** (*raro*) piantina trapiantata.

to **reset** ① /riːˈsɛt/ (*leg., scozz.*) ricettare ③ v. i. fare il ricettatore.

to **reset** ② /riːˈsɛt/ (*pass. e p. p.* **reset**), v. t. **1** ricollocare; rimettere a posto (*anche med.*); risistemare; ripristinare: **to r. a broken arm**, rimettere a posto un braccio rotto **2** (*tipogr.*) ricomporre **3** riazzerare, rimettere a zero (*o a punto*): **to r. an instrument**, rimettere a zero uno strumento **4** incastonare (*una pietra preziosa*) di nuovo **5** riaffilare (*una sega, ecc.*) **6** (*autom., elettr., mecc.*) registrare; regolare **7** (*comput.*) fare il reset di; ripristinare; resettare **8** (*raro*) ripiantare (*un arbusto*); risistemare (*un'aiuola*) ● **to r. one's watch**, spostare le lancette dell'orologio (*cambiando fuso orario*).

to **resettle** /riːˈsɛtl/ ④ v. t. **1** ristabilire; riassettare; risistemare; rimettere in ordine **2** colonizzare di nuovo; ripopolare **3** insediare (*profughi, stranieri, ecc.: in un paese nuovo*) **4** (*leg.*) assegnare, destinare di nuovo (→ **to settle**) ③ v. i. **1** ristabilirsi (*in un luogo*) **2** (*di profughi, ecc.*) insediarsi **3** (*di un li-*

quido) depositarsi di nuovo.

resettlement /riːˈsɛtlmənt/ n. ☐ **1** ristabilimento; riassetto **2** nuova colonizzazione; ripopolamento **3** insediamento (*di profughi, ecc.*) **4** (*di un liquido*) nuovo deposito (→ **to resettle**) **5** (*leg.*) nuova assegnazione; nuova destinazione (→ **settlement**).

to **reshape** /riːˈʃeɪp/ v. t. rifoggiare; rimodellare; dare nuova forma a.

to **reship** /riːˈʃɪp/ ④ v. t. **1** (*naut.*) rimbarcare; spedire di nuovo (*via mare*) **2** (*naut.*) trasbordare **3** (*per estens.*) spedire di nuovo; rispedire ③ v. i. rimbarcarsi (*anche come marinaio*) ‖ **reshipment** n. ☐ **1** (*naut.*) rimbarco; rispedizione (*via mare*) **2** (*naut.*) trasbordo **3** (*per estens.*) rispedizione (*di merci, ecc.*).

reshuffle /riːˈʃʌfl/ n. **1** il rimescolare (*le carte, ecc.*); rimescolamento; rimescolata **2** (*fig.*) rimaneggiamento; rimescolamento delle carte (*fig. fam.*) **3** (*spec. polit.*) rimpasto: **a Cabinet r.**, un rimpasto di governo.

to **reshuffle** /riːˈʃʌfl/ v. t. **1** rimescolare; mescolare di nuovo (*le carte, ecc.*) **2** (*fig.*) rimaneggiare **3** (*spec. polit.*) fare un rimpasto di; rimaneggiare (*il governo, ecc.*).

to **reside** /rɪˈzaɪd/ v. i. **1** risiedere; abitare; vivere; trovarsi: **to r. abroad**, risiedere all'estero **2** (*fig.*) risiedere; stare: *The power of decision resides in him*, il potere decisionale risiede in (*o spetta a*) lui.

residence /ˈrɛzɪdns/ n. **1** ☐ residenza; soggiorno; dimora: **to take up (one's) r. in a place**, prendere la residenza in un luogo; **my r. in Europe**, il mio soggiorno in Europa; (*in albergo*) *Can I ask you to fill out the r. card?*, posso chiederle di riempire il modulo del registro per gli ospiti? **2** residenza; villa; casa signorile **3** (*spesso scherz.*) casa; abitazione: **my humble r.**, la mia umile dimora **4** ☐ (*leg.*) domicilio fiscale **5** (*tur.*) hotel, residence □ **r. permit**, permesso di soggiorno; carta di soggiorno □ **to be in r.**, (*di funzionario*) essere in sede; (*di professore*) risiedere presso l'università; (*di studenti*) essere in sede □ (*in GB*) **novelist [poet] in r.**, romanziere [poeta] che è ospite fisso di un college □ **R. is required**, la residenza è obbligatoria; c'è l'obbligo di residenza ❶ **FALSI AMICI** • residence *non significa* residence *nel senso italiano di complesso alberghiero*.

residency /ˈrɛzɪdnsɪ/ n. **1** (*stor.*) residenza ufficiale del rappresentante del governo inglese (*nelle colonie*) **2** residenza; abitazione **3** (*med.*) internato (*di un medico*).

♦**resident** /ˈrɛzɪdnt/ ④ a. **1** residente; del luogo; locale: **the r. population**, la popolazione locale **2** interno; fisso: **r. doctor**, medico interno (*di un ospedale*); **r. housekeeper**, governante fissa **3** (*di animale*) stanziale **4** (*fig.*) inerente; insito: **powers of sensation r. in the nerves**, facoltà sensorie insite nei nervi ③ n. **1** abitante; residente: **the residents of the suburbs**, gli abitanti della periferia **2** (*zool.*) animale stanziale **3** cliente fisso (*di un albergo, ecc.*) **4** (*med.*) medico interno **5** – (*stor.*) R., «Residente» (*in una colonia ingl.*) **6** agente segreto all'estero ● **residents' association**, comitato di quartiere.

♦**residential** /rɛzɪˈdɛnʃl/ a. residenziale; fatto di sole case d'abitazione (*o di ville*) (*non di negozi o uffici*); (*per estens.*) elegante, signorile: **a r. quarter**, un quartiere residenziale; **a r. street**, una strada signorile ● **r. course**, corso residenziale □ (*comput.*) **r. gateway**, gateway residenziale (*dispositivo hardware che collega una rete domestica a Internet*) □ **r. home**, casa di riposo □ (*polit.*) **r. qualifications**, requisito della residenza (*per poter votare*) □ (*leg.*) **r. requirement**, obbligo della residenza □ (*tur.*) **r. staff**, personale residente □ (*tur.*) **large r. block**, resi-

dence.

residentiary /rɛzɪˈdɛnʃərɪ/ ④ n. **1** (*relig.*) ecclesiastico che ha l'obbligo della residenza **2** (*raro*) residente; abitante ③ a. **1** (*spesso di carica, beneficio ecclesiastico, ecc.*) residenziale **2** (*d'ecclesiastico*) residente.

residual /rɪˈzɪdjʊəl/ ④ a. **1** residuo; rimanente; restante **2** (*elettr.*) residuo: **r. magnetism**, magnetismo residuo **3** (*geol.*) residuale ③ n. **1** residuo; sostanza residua **2** (*mat.*) resto (*di una sottrazione*); differenza **3** (*geogr., geol.*) residuale ● **r. error**, (*mat.*) errore (*di calcolo*) non ancora trovato (*o corretto*); (*stat.*) errore residuo □ (*elettr.*) **r. field**, campo residuo □ (*ind.*) **r. oil**, asfalto (*o bitume*) da petrolio; residuo (*di raffinazione*) □ (*ind.*) **r. product**, sottoprodotto □ (*mat.*) **r. set**, insieme residuo.

residuary /rɪˈzɪdjʊərɪ/ ④ a. residuo; rimanente ③ n. (*leg.*, = **r. legatee**) legatario del residuo, erede di ciò che rimane dopo il pagamento dei debiti e dei legati ● (*leg.*) **r. legacy**, legato del residuo.

residue /ˈrɛzɪdjuː/ n. **1** residuo (*anche chim., geol.*); resto; rimanente **2** (*mat.*) residuo (*integrale*) **3** (*leg.*) residuo attivo, parte residua (*di un patrimonio ereditario: dopo aver pagato i debiti e i legati*).

residuum /rɪˈzɪdjʊəm/ n. (pl. **residua**, **residuums**) (*spec. chim.*) residuo; sostanza residua.

♦to **resign** ① /rɪˈzaɪn/ ④ v. t. **1** abbandonare; cedere; lasciare; rinunciare a: **to r. the chairmanship**, lasciare la presidenza (*di un'azienda, ecc.*); **to r. a right**, rinunciare a un diritto; **to r. hope**, abbandonare la speranza **2** (*form.*) consegnare; affidare: *The dying man resigned his children to the care of his brother*, il morente affidò i figli alle cure del fratello ③ v. i. **1** rassegnarsi **2** rassegnare le dimissioni; dimettersi: **to r. as manager**, dimettersi da direttore; *He resigned from the post he had occupied for ten years*, si dimise dal posto che occupava da dieci anni **3** (*a scacchi*) ritirarsi; dare partita vinta all'avversario ● (*polit.*) **to r. from the Cabinet**, dimettersi da ministro □ **to r. oneself**, rassegnarsi, adattarsi; abbandonarsi, cedere a: *They resigned themselves to their fate*, si rassegnarono al loro destino; *I couldn't r. myself to living alone*, non potevo rassegnarmi a vivere solo □ **to r. one's post**, dare le dimissioni, dimettersi (*dall'impiego*) □ **This is no resigning matter**, questa faccenda non comporta l'obbligo di dare le dimissioni.

to **re-sign**, to **resign** ② /riːˈsaɪn/ v. t. firmare di nuovo.

♦**resignation** /rɛzɪɡˈneɪʃn/ n. **1** ☐ abbandono; cessione; rinuncia **2** ☐ lettera di dimissioni; dimissioni: **to give (o to send) in one's r.**, dare (*o presentare*) le dimissioni **3** ☐ rassegnazione: *They put up with the defeat with r.*, accettarono la sconfitta con rassegnazione.

resigned /rɪˈzaɪnd/ a. rassegnato | **-ly** avv.

resigner /rɪˈzaɪnə(r)/ n. **1** chi rinuncia (*a qc.*) **2** dimissionario, dimissionaria.

to **resile** /rɪˈzaɪl/ v. i. **1** (*fis.*) essere resiliente; avere una buona elasticità **2** (*fig.*) avere elasticità mentale **3** (*fig.*) essere dotato di capacità di recupero.

resilience /rɪˈzɪlɪəns/, **resiliency** /rɪˈzɪlɪənsɪ/ n. ☐ **1** (*fis., ind. costr., mecc.*) resilienza; buona elasticità (*anche fig.*): **the r. of rubber**, la buona elasticità della gomma **2** (*fig.*) capacità di recupero (*o di ripresa, di rimonta*).

resilient /rɪˈzɪlɪənt/ a. **1** (*fis., ind. costr., mecc.*) resiliente; elastico (*anche fig.*): **to have a r. mind**, avere una mente elastica **2** (*fig.*) che ha capacità di recupero (*o di ripresa, di rimonta*) | **-ly** avv.

resin /'rɛzɪn/ n. ▣ (*chim.*) resina ● **r. emulsion**, emulsione resinosa □ (*ind. tess.*) **r. finish**, resinatura.

to **resin** /'rɛzɪn/ v. t. trattare con resina; rivestire di resina.

resinate /'rɛzɪneɪt/ n. (*chim.*) resinato.

to **resinate** /'rɛzɪneɪt/ v. t. (*tecn.*) impregnare di resina; resinare ‖ **resinated** a. resinato: **resinated wine**, vino resinato.

resinic /re'zɪnɪk/ a. (*chim.*) resinico.

resinoid /'rɛzɪnɔɪd/ (*chim.*) ◬ a. resinoide ◪ n. resina sintetica.

resinous /'rɛzɪnəs/ a. resinoso: **r. cement**, adesivo resinoso.

resist /rɪ'zɪst/ n. 1 (*ind.*) sostanza che rende resistente agli agenti chimici 2 (*grafica*) riserva 3 (*metall.*) rivestimento isolante.

♦to **resist** /rɪ'zɪst/ ◬ v. t. 1 resistere a; opporsi a; respingere: **to r. an attack [disease, temptations]**, resistere a un attacco [a una malattia, alle tentazioni]; **to r. God's will**, opporsi alla volontà del Signore 2 rinunciare a; resistere a; trattenersi da; fare a meno di: *I cannot r. (drinking) a glass of wine*, non so rinunciare a (bere) un bicchiere di vino ◪ v. i. 1 resistere; opporre resistenza 2 reggere; farcela (*fam.*): *I can r. no longer*, non ce la faccio più ● (*leg.*) **to r. arrest**, fare resistenza all'arresto □ **to r. laughing**, trattenere il riso; riuscire a restare serio □ (*naut.*) **to r. the weather**, resistere alle intemperie.

♦**resistance** /rɪ'zɪstəns/ n. 1 ◰ (*elettr., mecc., polit., mil.*) resistenza: **to offer** (*o* **to put up**) **a strong r.**, opporre una forte resistenza; **to make no r. to the enemy**, non offrire resistenza al nemico; **electrical r.**, resistenza elettrica 2 (*fisiol.*) resistenza; difese immunitarie: **r. to infection**, resistenza alle infezioni 3 – (*stor.*) **the R.**, la Resistenza: **R. fighters**, i combattenti della resistenza; i resistenti ● (*elettr.*) **r. coil**, bobina di resistenza □ (*fis.*) **r. meter**, ohmmetro □ (*mil.*) **r. movement**, resistenza; movimento di resistenza □ (*metall.*) **r. welding**, saldatura per resistenza □ (*elettr.*) **r. wire**, filo resistivo (*o* per resistori) □ (*anche fig.*) **the line of least r.**, la linea di minor resistenza.

resistant /rɪ'zɪstənt/ a. resistente: (*med.*) **r. to antibiotics**, resistente agli antibiotici; (*med.*) **disease-r.**, resistente alle malattie; (*fis.*) **heat-r.**, resistente al calore.

resister /rɪ'zɪstə(r)/ n. chi fa resistenza; oppositore: (*polit.*) **passive r.**, chi fa resistenza passiva; oppositore passivo.

resistible /rɪ'zɪstəbl/ a. 1 a cui si può resistere 2 capace di resistere ‖ **resistibility** n. ◰ 1 possibilità di resistere 2 capacità di resistenza.

resistive /rɪ'zɪstɪv/ a. 1 che resiste; capace di resistere; resistente 2 (*elettr.*) resistivo.

resistivity /rɪzɪ'stɪvətɪ/ n. ◰ (*elettr.*) resistività.

resistojet /rɪ'zɪstəʊdʒet/ n. (*miss.*) reattore a resistenza.

resistor /rɪ'zɪstə(r)/ n. (*elettr.*) resistore; resistenza ● (*elettr.*) **r. element**, elemento resistivo □ **r. furnace**, forno a resistenza □ (*elettr.*) **r. network**, rete resistiva.

resit /'riːsɪt/ n. 1 ◰ ripetizione (*di un esame*) 2 esame ripetuto.

to **resit** /riː'sɪt/ (*pass. e p. p.* **resat**), v. t. (*nelle università inglesi*) ripetere (*un esame scritto*); fare (*un esame*) per la seconda volta.

to **resize** /riː'saɪz/ v. t. (*comput.*) ridimensionare (*una finestra*).

resold /riː'səʊld/ *pass. e p. p. di* **to resell**.

to **resole** /riː'səʊl/ v. t. risuolare.

resoling /riː'səʊlɪŋ/ n. ◰ risuolatura.

resoluble /rɪ'zɒljʊbl/ a. 1 risolubile; ri-

solvibile 2 (*ottica*) scomponibile; risolubile.

resolute /'rɛzəluːt/ a. risoluto; deciso; deliberato; fermo; sicuro: **a r. answer**, una risposta decisa | **-ly** avv. | **-ness** n. ◰.

♦**resolution** /rɛzə'luːʃn/ n. ◰ 1 risoluzione (*anche med., mus.*); determinazione; deliberazione; decisione; proposito; soluzione: **to make good resolutions**, fare buoni propositi; **to pass a r.**, approvare una deliberazione (*o* una delibera); **the r. of a problem**, la soluzione di un problema 2 risolutezza; decisione; fermezza 3 (*ottica*) decomposizione; scomposizione 4 (*fis., ottica, elettron.*) potere risolvente 5 (*fotogr., TV, comput.*) definizione, risoluzione (*di immagine*) 6 (*chim.*) scomposizione 7 (*leg.*) risoluzione (*di un contratto*) ● **to come to a r.**, prendere una decisione □ **to show great r.**, mostrarsi assai deciso (*o* molto risoluto).

resolutive /'rɛzəljutɪv/ a. 1 (*med.*) risolvente 2 (*leg.*) risolutivo.

resolvable /rɪ'zɒlvəbl/ a. 1 risolvibile; risolubile 2 (*ottica*) scomponibile; risolubile ‖ **resolvability** n. ◰ 1 risolvibilità; risolubilità 2 (*ottica*) l'essere scomponibile.

resolve /rɪ'zɒlv/ n. ◰ (*form.*) 1 risoluzione; decisione; proposito: **to keep one's r.**, mantenere la propria decisione 2 risolutezza; fermezza.

♦to **resolve** /rɪ'zɒlv/ ◬ v. t. 1 risolvere; sciogliere; chiarire; decidere; deliberare: *The problem has not yet been resolved*, il problema non è ancora stato risolto; **to r. difficulties**, risolvere difficoltà; **to r. doubts**, chiarire dubbi; *He resolved not to go* (*o that he wouldn't go*), decise di non andare 2 (*form.*) indurre; convincere; far decidere: *The news resolved us to stay at home*, le notizie ci indussero a restare a casa 3 scomporre; dividere; separare: **to r. st. into its components**, scomporre qc. nei suoi componenti 4 (*ottica*) decomporre; scomporre; risolvere 5 (*mus.*) risolvere 6 (*fotogr.*) definire (*l'immagine*) ◪ v. i. 1 (*form.*) risolversi; decidersi; prendere una risoluzione (*o* una decisione) 2 dissolversi; sciogliersi; disintegrarsi 3 (*chim., ottica*) scomporsi 4 (*med.*) risolversi ● **to r. against doing st.**, decidere di non fare qc. □ **to r. on** (*o* **upon**) **doing st.**, decidere (*o* deliberare; stabilire) di fare qc.: *He resolved on buying the painting*, decise di acquistare il quadro □ **to r. itself**, trasformarsi; diventare; (*polit., GB*) costituirsi in: *The discussion resolved itself into a quarrel*, la discussione si trasformò in una lite: *The House resolved itself into a committee*, la Camera (dei Rappresentanti) si costituì in commissione □ (*nelle deliberazioni*) **resolved that...**, (avendo) deliberato che... □ (*fis., ottica, elettron.*) **resolving power**, potere risolvente.

resolved /rɪ'zɒlvd/ a. 1 diviso; separato; scisso 2 risoluto; deciso; fermo; determinato 3 convinto; persuaso 4 (*di un problema, ecc.*) risolto | **-ly** avv.

resolvent /rɪ'zɒlvənt/ a. e n. 1 (*farm.*) (rimedio) risolvente 2 (*mat.*) risolvente: **r. of an operator**, risolvente di un operatore ● (*mat.*) **r. kernel**, nucleo risolvente.

resonance /'rɛzənəns/ n. ◰ 1 (*della voce*) l'essere risonante 2 (*anche fis., elettr., mecc., med.*) risonanza ● (*elettr.*) **r. bridge**, ponte a risonanza □ (*mecc.*) **r. vibration**, vibrazione di risonanza.

resonant /'rɛzənənt/ a. 1 (*anche fis., elettr., mecc.*) risonante 2 sonoro: **a r. voice**, una voce sonora 3 che rimanda (*un suono*); echeggiante: **a house r. with the laughter of children**, una casa che echeggia delle risa dei bambini ● (*elettr.*) **r. capacitor**, condensatore autorisonante □ (*fis.*) **r. detector**, rivelatore di risonanza □ (*aeron.*) **r. jet**, pulsoreattore risonante □ **to**

be r. with, risuonare di (*grida, rumori, ecc.*) | **-ly** avv.

to **resonate** /'rɛzəneɪt/ ◬ v. i. 1 (*fis.*) risuonare; entrare in risonanza 2 (*form.*) risuonare; echeggiare ◪ v. t. far risuonare.

resonator /'rɛzəneɪtə(r)/ n. 1 (*fis.*) risonatore 2 (*radio*) circuito di risonanza 3 (*mus.*) cassa di risonanza.

to **resorb** /rɪ'zɔːb/ ◬ v. t. (*anche fis.*) riassorbire ◪ v. i. riassorbirsi.

resorcin /rɪ'zɔːsɪn/, **resorcinol** /rɪ-'zɔːsɪnɒl/ n. ◰ (*chim.*) resorcina; resorcinolo.

resorption /rɪ'zɔːpʃn/ n. ◰ (*fis. e fisiol.*) riadsorbimento; riassorbimento.

♦**resort** /rɪ'zɔːt/ n. 1 ◰ ricorso; il ricorrere: **without r. to violence**, senza fare ricorso alla violenza; *He had r. to force*, fece ricorso alla forza 2 risorsa; espediente; ripiego: *I tried to repeat the experiment as a last r.*, come ultimo espediente, cercai di ripetere l'esperimento 3 (*arc.*) svago; passatempo 4 ritrovo: concorso (*di gente, di folla*): **a place of r.**, un luogo di ritrovo 5 località turistica; luogo di vacanza (*o* di villeggiatura); stazione (*climatica*): **holiday resorts**, luoghi di villeggiatura; **winter r.**, luogo di villeggiatura invernale; **a health r.**, una stazione climatica; **a seaside r.**, una località di mare; una stazione balneare.

to **resort** /rɪ'zɔːt/ v. i. 1 ricorrere (a); far ricorso (a): **to r. to violence**, fare ricorso alla violenza 2 (*form.*) recarsi (a); andare (a); frequentare: *People r. to the seaside in summer*, la gente va al mare d'estate ● **to r. to drink** (*o* **to drinking**), darsi al bere □ **to r. to begging**, ridursi a mendicare.

to **re-sort** /riː'sɔːt/ v. t. selezionare di nuovo.

to **resound** /rɪ'zaʊnd/ ◬ v. i. 1 (*di suono, ecc.*) risuonare; echeggiare; rimbombare; ripercuotersi: *The hall resounded with applause*, la sala risuonò di applausi 2 (*fig.*) aver risonanza: *The event will r. through Europe*, l'avvenimento avrà risonanza in tutta Europa ◪ v. t. 1 far riecheggiare; far risuonare 2 (*fig.*) celebrare; cantare: *They will r. his praises*, ne canteranno le lodi.

to **re-sound** /riː'saʊnd/ ◬ v. t. 1 suonare di nuovo (*uno strumento*) 2 scandagliare (*o* sondare) di nuovo ◪ v. i. risuonare; suonare di nuovo.

resounding /rɪ'zaʊndɪŋ/ a. 1 risonante; echeggiante; sonoro: **a r. slap**, un sonoro ceffone 2 strepitoso; clamoroso: **a r. success**, un successo clamoroso | **-ly** avv.

♦**resource** /rɪ'zɔːs/ n. 1 risorsa (*anche econ.*): **natural resources**, risorse naturali; **r. allocation**, allocazione delle risorse; **inner resources**, risorse interiori; *He is a man of great r.*, è uomo di molte risorse 2 mezzo; espediente; ripiego 3 (*comput.*) risorsa 4 occupazione dilettevole; passatempo; svago ● **to leave sb. to his own resources**, lasciare che q. se la cavi (*o* passi il tempo, si organizzi) da solo.

to **resource** /rɪ'zɔːs/ v. t. provvedere (q.) di mezzi; attrezzare; finanziare; dotare di risorse ‖ **resourced** a. dotato di mezzi; finanziato.

resourceful /rɪ'zɔːsfl/ a. pieno di risorse; intraprendente; ingegnoso: **a r. man**, un uomo intraprendente; **a r. thing**, una trovata ingegnosa | **-ly** avv. | **-ness** n. ◰.

resourceless /rɪ'zɔːsləs/ a. senza risorse; privo di risorse | **-ness** n. ◰.

resp. *abbr.* (**respectively**) rispettivamente.

♦**respect** /rɪ'spɛkt/ n. 1 ◰ rispetto; riguardo; considerazione; conto; stima: **to have [to show] r. for sb.**, avere [mostrare] rispetto per q.; *He was held in great r. by*

everybody, era tenuto in gran conto da tutti; *He enjoyed the r. of everybody*, godeva la stima di tutti; *One must have r. for other people's feelings*, bisogna aver riguardo per i sentimenti altrui **2** aspetto; rispetto; punto di vista: *He is dangerous in many respects*, è pericoloso sotto molti aspetti **3** (*form.*) (pl.) rispetti; ossequi; omaggi: *Please give my respects to your mother*, porga i miei rispetti (*o* ossequi) a Sua madre ● **in r. of** (*o* **to**), riguardo a; in quanto a □ **to pay r. to**, portar rispetto a □ (*form.*) **to pay one's respects to sb.**, presentare i propri rispetti a q.; porgere i propri omaggi a q. □ **to show r. of persons**, fare delle parzialità □ **to win the r. of sb.**, guadagnarsi la stima di q. □ (*bur. e comm.*) **with r. to**, rispetto a, riguardo a, quanto a; con (*o* facendo) riferimento a □ **with (all) due r.**, col dovuto (*o* con tutto il) rispetto (detto prima di esprimere dissenso) □ **without r. of persons**, senza guardare in faccia nessuno; senza parzialità ● **without r. to**, senza riguardo a; senza curarsi di; a prescindere da: *He did it without r. to the results*, lo fece senza curarsi delle conseguenze □ **In this r. you are wrong**, riguardo a ciò, hai torto.

♦to **respect** /rɪˈspɛkt/ v. t. **1** rispettare; stimare; tenere in considerazione; osservare: **to r. other people's feelings**, rispettare i sentimenti degli altri; **to r. the law**, rispettare la legge **2** (*raro*, salvo nel part. pres.) riguardare; concernere: **laws respecting racial integration**, leggi concernenti l'integrazione razziale.

respectability /rɪˌspɛktəˈbɪlətɪ/ n. ⓤ **1** rispettabilità; onorabilità **2** (pl.) convenienze sociali.

respectable /rɪˈspɛktəbl/ a. **1** rispettabile; onorabile; onorevole; onesto: **a r. hotel**, un albergo rispettabile; **to act from r. motives**, agire per motivi onorevoli (*o* onesti); **a r. merchant**, un mercante onesto **2** conveniente; decoroso; dignitoso; riguardoso: **r. behaviour**, condotta decorosa **3** (*fam.*) considerevole; notevole; ragguardevole; discreto: *His work was r. but not outstanding*, la sua opera fu ragguardevole ma non eccezionale; **a r. amount**, una somma ragguardevole ● (*comm.*) **a r. bill**, una cambiale di buona firma □ **a r. suit of clothes**, un abito decente (*o* presentabile) | **-ness** n. ⓤ | **-bly** avv.

respected /rɪˈspɛktɪd/ a. rispettato; apprezzato; stimato.

respecter /rɪˈspɛktə(r)/ n. chi rispetta; chi è rispettoso (*spec. nella frase*): *He is no r. of persons*, non guarda in faccia nessuno; non fa parzialità ● (*prov.*) **Death is no r. of persons**, la morte non guarda in faccia (a) nessuno.

respectful /rɪˈspɛktfl/ a. rispettoso; deferente || **respectfully** avv. rispettosamente; deferentemente || **respectfulness** n. ⓤ rispetto; deferenza.

respecting /rɪˈspɛktɪŋ/ prep. rispetto a; riguardo a; quanto a; circa; su.

respective /rɪˈspɛktɪv/ a. rispettivo; relativo: *They were chosen according to their r. qualifications*, furono scelti secondo le rispettive qualifiche ● **Put them back in their r. places**, riponili ciascuno al suo posto.

♦**respectively** /rɪˈspɛktɪvlɪ/ avv. rispettivamente: *The glasses and cups cost £9 and £12 r.*, i bicchieri e le tazze costano rispettivamente 9 e 12 sterline.

to **respell** /riːˈspɛl/ v. t. **1** riscrivere (*una parola*) con diversa ortografia (*di solito, con simboli fonetici*) **2** sillabare di nuovo.

respirable /ˈrɛspɪrəbl/ a. respirabile || **respirability** n. ⓤ respirabilità.

respiration /ˌrɛspɪˈreɪʃn/ n. **1** ⓤ (*fisiol., med.*) respirazione: **artificial r.**, respirazio-

---

ne artificiale **2** respiro.

respirator /ˈrɛspɪreɪtə(r)/ n. **1** (*anche med.*) respiratore **2** maschera antipolvere **3** (*mil.*) maschera antigas.

respiratory /rɪˈspɪrətrɪ/ a. respiratorio: (*anat.*) **r. organs**, organi respiratori; (*med.*) **r. arrest**, arresto respiratorio; (*anat.*) **r. tract**, vie respiratorie ● **r. cavity**, cavità toracica.

to **respire** /rɪˈspaɪə(r)/ v. t. e i. **1** (*fisiol.*) respirare **2** (*fig.*) respirare; riprendere fiato; farsi animo.

respite /ˈrɛspaɪt, USA -ɪt/ n. **1** ⓤⓒ respiro (*fig.*); momento di riposo; sollievo; tregua: **a r. from toil**, un momento di riposo da un lavoro faticoso; **a r. from pain**, un po' di sollievo dal dolore **2** (*comm.*) proroga; dilazione; rinvio **3** (*leg.*) sospensione dell'esecuzione (*di una sentenza*) ● **without a moment's r.**, senza un attimo di respiro.

to **respite** /ˈrɛspaɪt, USA -ɪt/ v. t. **1** dare respiro a (q.); dar tregua a (q.) **2** (*comm.*) concedere una dilazione a (*un debitore, ecc.*) **3** (*comm.*) differire (*un pagamento*) **4** (*leg.*) sospendere (*una grave condanna*).

resplendent /rɪˈsplɛndənt/ a. risplendente; splendido; fulgido || **resplendence**, **resplendency** n. ⓤ splendore; fulgore || **resplendently** avv. risplendentemente; splendidamente; fulgidamente.

respond /rɪˈspɒnd/ n. **1** (*relig.*) responsorio **2** (*relig.*) risposta (*data dai fedeli all'officiante*) **3** (*archit.*) parasta, pilastro sporgente (*alle due estremità di un portico, di una navata, ecc.*).

♦to **respond** /rɪˈspɒnd/ v. i. **1** rispondere; replicare: **to r. to a letter**, rispondere a una lettera **2** rispondere; reagire: *The congregation responded to the priest*, i fedeli rispondevano al sacerdote; *He responded to the insult with a punch*, rispose all'insulto con un pugno; *He responded with rage*, reagì con rabbia; *Nerves r. to a stimulus*, i nervi rispondono a uno stimolo; (*med.*) **to r. to treatment with antibiotics**, essere (*o* mostrarsi) sensibile (a): *They r. to kindness*, sono sensibili alla gentilezza **4** (*boxe, ecc.*) rispondere ai colpi; replicare ● **to r. negatively [positively] to a question**, rispondere di no [di sì] a una domanda.

respondence /rɪˈspɒndəns/, **respondency** /rɪˈspɒndənsɪ/ n. ⓤ **1** rispondenza; corrispondenza **2** accordo; armonia.

respondent /rɪˈspɒndənt/ Ⓐ a. rispondente; che risponde; che reagisce (a) Ⓑ n. **1** chi risponde; chi reagisce **2** chi risponde a un questionario; interpellato; intervistato **3** (*leg.*) convenuto, convenuta (*spec. in una causa di divorzio*).

♦**response** /rɪˈspɒns/ n. **1** ⓒ risposta; replica: *My letter brought (o drew) no r.*, la mia lettera non ha avuto risposta **2** ⓒ reazione; risposta: *Their r. was the declaration of war*, la loro reazione fu di dichiarare la guerra; per tutta risposta, dichiararono guerra **3** responso: **the r. of the oracle**, il responso dell'oracolo **4** (*comput.*) risposta: *HTTP r.*, risposta HTTP (*del server al client*) **5** (*relig.*) risposta (*dei fedeli al sacerdote*) ● **to bring (o to meet with) no r.**, non suscitare reazioni □ **in r. to**, come reazione a □ **to make no r.**, non reagire.

♦**responsibility** /rɪˌspɒnsəˈbɪlətɪ/ n. ⓤⓒ responsabilità: *I'll take the r. of doing it*, mi assumerò io la responsabilità di farlo; **heavy [great] responsibilities**, gravi [grandi] responsabilità ● (*spec. polit.*) **to claim r. for**, rivendicare (*un attentato, ecc.*) □ **on one's own r.**, sotto la propria responsabilità □ **to take full r.**, assumersi tutta la responsabilità □ *He lacks r.*, è un irresponsabile.

♦**responsible** /rɪˈspɒnsəbl/ a. **1** responsabile; che risponde (di qc.); che deve render ragione; dotato di senso della responsabilità; fidato: *The captain is r. for the safety of the passengers and cargo*, il capitano è responsabile della sicurezza dei passeggeri e del carico; *He is directly r. to the boss*, risponde direttamente al capo; *He is a r. person*, è una persona responsabile (*o* fidata) **2** di responsabilità: *He has a r. position*, occupa una posizione di (grande) responsabilità **3** che ha la colpa: *Who is r. for the delay?*, di chi è la colpa del ritardo? (*o* chi è responsabile del ritardo?) **4** che è la causa; cui va attribuito (qc.): *Pollution is r. for several respiratory diseases*, l'inquinamento è la causa di diverse malattie respiratorie ● (*leg.*) **r. parenthood**, maternità e paternità responsabile □ **The author of the music is also r. for the lyrics**, l'autore della musica è anche l'autore dei versi | **-bly** avv.

responsive /rɪˈspɒnsɪv/ a. **1** di risposta: **a r. glance**, un'occhiata di risposta (*o* d'intesa) **2** che reagisce (*agli stimoli, ecc.*); reattivo; sensibile; comprensivo; pronto a simpatizzare: *She's quite r. to her pupils' needs*, è assai sensibile alle esigenze dei suoi alunni; **a r. audience**, un pubblico reattivo (*o* sensibile) **3** (*tecn.*) che risponde: (*med.*) **a disease r. to treatment**, una malattia che risponde alle cure; *The brakes aren't very r.*, i freni non rispondono bene ● (*relig.*) **r. reading**, lettura di passi liturgici, con risposte dei fedeli | **-ly** avv.

responsiveness /rɪˈspɒnsɪvnəs/ n. ⓤ **1** sensibilità; comprensione; simpatia **2** (*biol.*) responsività.

responsorial /ˌrɛspɒnˈsɔːrɪəl/ a. (*relig.*) responsoriale.

responsory /rɪˈspɒnsərɪ/ n. (*relig.*) responsorio.

respray /ˈriːspreɪ/, **respraying** /riːˈspreɪɪŋ/ n. (*autom.*) riverniciatura (a spruzzo).

to **re-spray** /rɪˈspreɪ/ v. t. (*autom.*) riverniciare (a spruzzo).

♦**rest**① /rɛst/ n. **1** ⓤ riposo; pace; quiete: (*anche med.*) **complete r.**, riposo assoluto; **a day of r.**, un giorno di riposo; un giorno di festa; *Get some rest*, riposati un po'! **2** pausa; posa; sosta: *Shall we have a r.?*, facciamo una pausa? **without r.**, senza posa **3** ricovero; rifugio; ospizio; casa di riposo: **a seamen's r.**, una casa di riposo per marinai **4** appoggio; sostegno; (*mecc.*) supporto **5** (*mus.*) pausa **6** (*biliardo*) bilancino (*per la stecca*) **7** (*poesia*) cesura **8** (*autom.*) (posizione di) fermo: **acceleration from r.**, accelerazione da fermo ● (*autom., USA*) **r. area**, piazzuola di sosta; area di ristoro □ (*med.*) **r. cure**, cura del riposo, riposo terapeutico □ (*anche, sport, nel ciclismo*) **r. day**, giorno di riposo □ **r. home**, casa di riposo, casa protetta □ (*fis.*) **r. mass**, massa di riposo (*o* di quiete) □ (*boxe*) **r. period**, minuto d'intervallo □ (*USA*) **r. room**, toeletta, gabinetto, ritirata (*in un albergo, ristorante, ecc.*) □ (*autom., USA*) **r. stop**, area di servizio □ **at r.**, in riposo, quieto; immobile; che sta riposando, che dorme; (*fig.*) morto □ **to come to r.**, arrestarsi; fermarsi □ **to go (o to retire) to r.**, andare a letto (*o* a dormire, a riposare) □ **to have a good night's r.**, fare una bella dormita; riposare bene □ **to lay sb. to r.**, seppellire q. □ **to set sb.'s mind at r.**, mettere in pace l'animo a q.; rassicurare q.; tranquillizzare q. □ **to set a question at r.**, definire una questione; sistemare una faccenda □ **to take one's r.**, riposare, riposarsi □ **to take a short r.**, riposare un poco ● **I never have a moment's r.**, non ho un minuto di riposo; non ho mai tregua □ (*fam.*) **Give it a r.**, falla finita!; piantala!

a
b
c
d
e
f
g
h
i
j
k
l
m
n
o
p
q
r
s
t
u
v
w
x
y
z

◆**rest** ② /rɛst/ n. (con l'art. determ.) **1** Ⓤ resto; residuo; rimanente; avanzo; (il) restante: *I'll do the r. of the work tomorrow*, il resto del lavoro lo farò domani; *Give the r. to the dogs*, da' gli avanzi ai cani! **2** (col verbo al pl.) (i) rimanenti; (gli) altri **3** (*banca, fin.*) fondo di riserva (*nella parte delle passività della Banca d'Inghilterra*) **4** (*banca*) scadenza (*delle rate di un mutuo*) **5** (pl.) (*banca*) scadenze per la preparazione degli estratti conto ● **and (all) the r.** (of it), e così via; e via dicendo; eccetera eccetera □ **for the r.**, per il resto; in quanto al resto □ **the r. is history**, il resto è storia.

rest ③ /rɛst/ n. (*stor.*) resta: **to lay (*o* to set) one's lance in r.**, mettere la lancia in resta.

◆**to rest** ① /rɛst/ Ⓐ v. i. **1** (*anche fig.*) riposare, riposarsi; dormire; aver pace (*o* riposo): *Let's r. for five minutes*, riposiamoci cinque minuti!; *Let him r. in peace*, lascialo riposare in pace!; *He is resting from his labours*, si riposa dalle sue fatiche; (*su una lapide*) **'R. in peace'** (abbr. **RIP**), 'riposi in pace'; *She could not r. till she got her wish*, non ebbe pace finché non ottenne quel che voleva **2** appoggiarsi; poggiarsi; poggiare; posarsi; sostenersi; basarsi: *The old man rested on his stick*, il vecchio si appoggiava al bastone; *The bridge rests on six piers*, il ponte poggia su sei piloni; *Science rests on the observation of phenomena*, la scienza si basa sull'osservazione dei fenomeni; *My eyes rested on the picture*, il mio sguardo si posò sul quadro **3** dipendere (da); stare (a): *It rests on you to decide*, sta a te decidere; *The final decision rests on his vote*, la decisione finale dipende dal suo voto **4** confidare; fare affidamento: **to r. in God**, confidare in Dio; *We r. in your promise*, facciamo affidamento sulla tua promessa **5** (*agric.*: *del terreno*) essere a riposo (*o* a maggese) Ⓑ v. t. **1** far riposare; dar riposo a; riposare: *I stopped to r. my horse*, mi fermai per far riposare il cavallo; *I should r. my eyes from excessive reading*, dovrei (far) riposare gli occhi stanchi per il troppo leggere **2** appoggiare; poggiare; posare: *R. your head on the pillow*, appoggia la testa sul guanciale! **3** basare; fondare: *He rested his argument on sound premises*, basò la sua tesi su premesse solide; *I r. my hopes in you*, fondo le mie speranze in te; **to r. one's gaze (*o* one's eyes) on st.**, posare lo sguardo su qc. **4** (*agric.*) lasciare a riposo; lasciare a maggese ● **to r. against st.**, appoggiarsi a qc. □ (*fig.*) **to r. on one's laurels**, dormire sugli allori □ **to r. on one's oars**, smettere di remare; (*fig.*) prendersi un po' di riposo, tirare i remi in barca (*fig.*) □ **God r. his soul**, Dio l'abbia in grazia!

to rest ② /rɛst/ v. i. (*form.*) restare; rimanere; stare; essere: *You may r. assured that they will pay you*, puoi star certo che ti pagheranno.

to restage, **to re-stage** /riːˈsteɪdʒ/ v. t. (*teatr.*) rimettere in scena.

restart /ˈriːstɑːt/ n. **1** nuovo inizio; ripresa: **the r. of play**, la ripresa del gioco **2** nuova partenza; ripartenza: (*autom.*) **r. lap**, giro di ripartenza **3** (*mecc.*) rimessa in moto.

to restart /riːˈstɑːt/ Ⓐ v. t. **1** riavviare; ricominciare; ridare inizio a **2** levare di nuovo (*la selvaggina*) **3** (*sport: nelle corse*) ridare il via a: (*autom., ecc.*) **to r. the race**, ridare il via alla corsa **4** (*mecc.*) rimettere in moto (*un motore*) **5** (*comput.*) riavviare, fare ripartire (*un programma*) Ⓑ v. i. **1** riavviarsi; ripartire **2** (*calcio, ecc.*) riprendere il gioco ● (*fig.*) **to r. from square one**, ripartire da zero.

to restate /riːˈsteɪt/ v. t. **1** dichiarare di nuovo; riaffermare **2** esporre in

modo diverso; formulare di nuovo ‖ **restatement** n. Ⓒ Ⓤ **1** nuova dichiarazione; riaffermazione; riesposizione **2** nuova formulazione.

◆**restaurant** /ˈrɛstrɒnt/ n. ristorante ● (*ferr.*) **r. car**, carrozza (*o* vettura) ristorante □ **delivery r.**, ristorante con asporto □ **go-to r.**, ristorante (normale: *senza asporto delle pietanze*).

restaurateur /ˌrɛstərəˈtɜː(r)/ (*franc.*) n. ristoratore; padrone di ristorante.

rested /ˈrɛstɪd/ a. riposato.

restful /ˈrɛstfl/ a. calmo; quieto; tranquillo; riposante; di riposo: **a r. life**, una vita di riposo (*o* tranquilla) | **-ly** avv. | **-ness** n. Ⓤ.

❶ Nota: *restful, restive o restless?*
Questi tre aggettivi vengono spesso confusi, anche dai madrelingua stessi. L'aggettivo *restful* significa "rilassante": *two weeks' restful holiday*, una rilassante vacanza di due settimane. *Restive* non significa "riposante", ma "irrequieto, agitato": *The audience became restive as the beginning of the show was delayed still further*, il pubblico divenne agitato quando l'inizio dello spettacolo venne ritardato ulteriormente. L'aggettivo *restless* significa "ansioso, irrequieto, turbato": *He spent a restless night, tossing and turning as he worried about the problems of the day*, trascorse una notte insonne rigirandosi nel letto mentre pensava ai problemi della giornata; *I become restless if I stay in the same job for too long*, divento irrequieto se faccio lo stesso lavoro per troppo tempo.

restharrow, **rest-harrow** /ˈrɛstˈhærəʊ/ n. (*bot.*, *Ononis repens*) ononide strisciante; stancabue.

resting /ˈrɛstɪŋ/ a. **1** che riposa; in riposo **2** che s'appoggia; che poggia; appoggiato: **with a hand r. on the bar**, con una mano appoggiata sul bancone ● (*biol.*) **r. cell**, cellula in riposo (*o fisiol.*) **r. metabolism**, metabolismo basale □ (*Borsa*) **r. order**, ordine a revoca □ **r. place**, luogo di riposo; (*eufem.*) tomba ● **one's last r. place**, l'ultimo luogo di riposo; la tomba.

restitution /ˌrɛstɪˈtjuːʃn/, USA -ˈtuː-/ n. **1** (*form.*) restituzione **2** riparazione; rimborso; risarcimento **3** (*fis.*) restituzione: (*mecc.*) **r. coefficient**, coefficiente di restituzione ● **to make r.**, riparare un torto; risarcire un danno.

restive /ˈrɛstɪv/ a. **1** (*di un cavallo, ecc.*) recalcitrante; restio: **a r. horse**, un cavallo recalcitrante **2** caparbio; cocciuto; indocile; indisciplinato; riottoso **3** agitato; impaziente; irrequieto: **a r. audience**, un pubblico irrequieto **4** insoddisfatto; scontento | **-ly** avv. | **-ness** n. Ⓤ ❶ Nota: *restful, restive o restless?* → **restful**.

restless /ˈrɛstləs/ a. **1** senza riposo; inquieto; irrequieto; agitato; turbato: **the r. sea**, il mare inquieto (*o* agitato); **a r. boy**, un ragazzo irrequieto **2** insonne: **a r. night**, una notte insonne **3** senza tregua; incessante: *The wind is r.*, il vento non dà tregua | **-ly** avv. | **-ness** n. Ⓤ ❶ Nota: *restful, restive o restless?* → **restful**.

to restock /riːˈstɒk/ Ⓐ v. t. **1** (*comm.*) rifornire; ricostituire le scorte di (*un'azienda, ecc.*) **2** ripopolare (*di fauna: un parco, ecc.*) Ⓑ v. i. (*anche comm.*) rifornirsi; fare provviste ‖ **restocking** n. Ⓤ Ⓒ **1** (*comm.*) rifornimento; ricostituzione delle scorte **2** ripopolamento (*di un parco, ecc.*: *con fauna*).

restorable /rɪˈstɔːrəbl/ a. **1** restituibile **2** restaurabile; ricostruibile; ripristinabile (→ **to restore**).

restoration /ˌrɛstəˈreɪʃn/ n. **1** Ⓤ restituzione **2** Ⓤ restaurazione; ristabilimento; reintegrazione; ripristino; ristabilimento;

reintroduzione (*di una legge, ecc.*): **the r. of the monarchy**, la restaurazione della monarchia; **the r. of peace**, il ristabilimento della pace **3** ricostruzione (*di un castello, di un fossile ecc.*) **4** Ⓤ riattamento; restauro; lavoro di restauro: **furniture r.**, restauro di mobili; **closed for restoration**, chiuso per restauro **5** Ⓤ (*med.*) ricostruzione (*spec. di un dente*) **6** modello ricostruito **7** – (*stor., in Inghil.*) **the R.**, la Restaurazione (*della monarchia degli Stuart, dopo il 1660*) ● (*letter.*) **R. plays**, commedie del periodo della Restaurazione (*1660-1688*) □ (*ass.*) **r. premium**, premio di riadeguamento □ **r. to health** (*o* **from sickness**), risanamento; ristabilimento in salute.

restorative /rɪˈstɔːrətɪv/ (*form.*) Ⓐ a. **1** ristoratore (*raro*); ristoratore; corroborante: **a r. drink**, una bevanda ristoratrice **2** (*med.*) ricostruttivo: **r. dentistry**, odontoiatria ricostruttiva Ⓑ n. corroborante; tonico; cordiale; ricostituente.

◆**to restore** /rɪˈstɔː(r)/ v. t. **1** (*form.*) restituire; rendere **2** restaurare; ristabilire; ripristinare; reintrodurre (*una legge, ecc.*): **to r. a church [a picture]**, restaurare una chiesa [un quadro]; **to r. democracy**, restaurare la democrazia; **to r. capital punishment**, reintrodurre la pena di morte **3** rimettere (*sul trono, ecc.*); reintegrare: **to r. a king (to the throne)**, rimettere un re sul trono; **to r. sb. to his rights**, reintegrare q. nei suoi diritti **4** ricostruire: **to r. an old text**, ricostruire un testo antico **5** ristorare; rimettere (q.) in salute **6** (*comput.*) ripristinare ● **to r. to health**, risanare □ (*sport*) **to r. one's team's lead**, riportare in vantaggio la propria squadra.

restorer /rɪˈstɔːrə(r)/ n. **1** restauratore: **a picture r.**, un restauratore di quadri **2** ripristinatore; ricostruttore ● **hair r.**, lozione per rigenerare i capelli; rigenerante dei capelli.

to restrain /rɪˈstreɪn/ v. t. **1** contenere; frenare; dominare; reprimere; trattenere: (*econ.*) **to r. inflation**, contenere l'inflazione; **to r. one's indignation**, contenere l'indignazione; **to r. one's tears**, trattenere le lacrime; *He restrained the frightened horse*, trattenne il cavallo imbizzarrito **2** moderare; limitare: **to r. price increases**, limitare gli aumenti dei prezzi **3** (*raro*) imprigionare; rinchiudere in manicomio ● **to r. sb. from doing st.**, impedire a q. di fare qc. □ (*basket*) **restraining circle**, area di palla contesa.

restrainable /rɪˈstreɪnəbl/ a. contenibile; raffrenabile (*raro*); reprimibile.

restrained /rɪˈstreɪnd/ a. **1** pieno di ritegno; riservato; controllato; misurato: **r. style**, stile misurato **2** non vistoso; sobrio: **r. colours**, colori sobri; tinte sobrie ● (*edil.*) **r. beam**, trave incastrata | **-ly** avv.

restraining order /rɪˈstreɪnɪŋɔːdə(r)/ loc. n. (*leg.*) provvedimento giudiziario con il quale si ordina di astenersi dal fare qc.; ordinanza; ingiunzione della corte; divieto formale.

restraint /rɪˈstreɪnt/ n. **1** Ⓒ Ⓤ restrizione; freno (*fig.*); limitazione; contenimento: **to submit sb. to r.**, porre freni (*o* limitazioni) a q.; (*fin.*) **spending r.**, contenimento delle spese; (*econ.*) **wage r.**, contenimento (*o* compressione) dei salari; **without r.**, senza restrizioni; liberamente; (*econ.*) **restraints on competition**, restrizioni alla libera concorrenza **2** Ⓤ moderazione; riserbo; riservatezza; ritegno: *He has no r. at all*, non ha alcun ritegno **3** Ⓤ (*leg.*) restrizione della libertà; arresto (*in genere*); costrizione fisica (*di alienati*) **4** (*spec. USA*) dispositivo di sicurezza (*per auto*); cintura di sicurezza ● (*econ.*) **r. of trade**, limitazione della libertà

dei traffici □ (*leg.*) **r. on alienation**, vincolo di inalienabilità □ **to keep one's emotions under r.**, dominare le proprie emozioni □ **to be put** (*o* **placed**) **under r.**, essere privato della libertà; (*spec.*) esser rinchiuso in manicomio.

♦to **restrict** /rɪ'strɪkt/ v. t. restringere (*fig.*); limitare; ridurre: *Babies r. their parents' freedom*, i neonati limitano la libertà dei genitori; **laws to r. the sale of guns**, leggi per limitare la vendita di armi da fuoco.

restricted /rɪ'strɪktɪd/ a. **1** limitato; ristretto **2** (*di documento, ecc.*) riservato **3** (*di luogo*) riservato; non aperto al pubblico □ **r. area**, (*autom.*) zona con restrizioni del traffico (*limiti di velocità, divieti di sosta, ecc.*); (*naut.*) zona regolamentata; (*mil., spec. USA*) zona militare; (*in una miniera, ecc.*) zona vietata; (*basket*) area piccola, area dei tre secondi □ (*fin.*) **r. fund**, fondo vincolato □ (*econ.*) **r. market**, mercato vincolato □ (*naut.*) **r. waters**, acque ristrette □ **The Commission is r. to advising only on local matters**, la Commissione ha solo potere consultivo su questioni locali.

♦to **restriction** /rɪ'strɪkʃn/ n. **1** [U] restrizione; limitazione: **restrictions on exportation [on foreign capital]**, restrizioni alle esportazioni [all'afflusso di capitali esteri] **2** (*fin.*) misura di contenimento ● (*econ.*) **r. scheme**, regime vincolistico ‖ **restrictionism** [U] (*econ.*) restrizionismo.

restrictive /rɪ'strɪktɪv/ a. restrittivo; limitativo: **r. regulations [tariffs]**, norme [tariffe] restrittive ● (*leg.*) **r. interpretation of a law**, interpretazione restrittiva di una legge □ **r. practices**, pratiche restrittive della concorrenza | **-ly** avv. | **-ness** n. [U].

to **restring** /riː'strɪŋ/ (*pass. e p. p.* **restrung**), v. t. **1** (*mus.*) raccordare, rimettere le corde a (*un violino, ecc.*) **2** infilare (*perline, ecc.*) di nuovo; rinfilare **3** (*tennis*) raccordare (*la racchetta*).

restringing /riː'strɪŋɪŋ/ n. [U] (*mus., tennis*) raccordatura (*di un violino, una racchetta, ecc.*).

to **restructure** /riː'strʌktʃə(r)/ (*anche econ.*) v. t. ristrutturare ‖ **restructuring** n. [U] ristrutturazione.

to **restuff** /riː'stʌf/ v. t. **1** rimpinzare di nuovo **2** imbottire (*o* impagliare) di nuovo.

restyle /riː'staɪl/ (*market.*) n. rinnovamento dell'immagine di un prodotto (*o di una persona, ecc.*); restyling.

to **restyle** /riː'staɪl/ v. t. (*market.*) **1** rinnovare l'immagine (*di un prodotto o di una persona, ecc.*); fare il restyling di **2** cambiare il nome o lo slogan ufficiale (*a un'azienda*).

restyling /riː'staɪlɪŋ/ n. (*market.*) restyling; rinnovamento.

to **resubmit** /riːsəb'mɪt/ v. t. **1** sottomettere di nuovo **2** sottoporre di nuovo **3** ripresentare (*un'istanza, una domanda di lavoro, ecc.*).

♦**result** /rɪ'zʌlt/ n. **1** [U] risultato (*anche mat.*); esito; conclusione; conseguenza; effetto: *the uncertain r. of the general elections*, il risultato (*o* l'esito) incerto delle elezioni politiche; *Have you seen the football results?*, hai visto i risultati delle partite di calcio?; *When do you get the results?*, quando avrai i risultati? **2** (*sport*) risultato utile; risultato (*fam.*): *We must absolutely get a r. tomorrow*, domani dobbiamo assolutamente fare risultato (*cioè, vincere o pareggiare*) **3** esito (*di un esame, un colloquio*) **4** (pl.) (*di un'azienda*) risultati; utili ● (*sport*) **results board**, tabellone dei risultati; classifica □ **as a r.**, di conseguenza; pertanto □ **without r.**, senza alcun risultato; senza frutto; infruttuoso: *Her search was without r.*, la sua ricerca fu infruttuosa.

to **result** /rɪ'zʌlt/ v. i. **1** derivare; conseguire; seguire: *The quarrel resulted from a misunderstanding*, la lite derivò da un malinteso **2** avere come risultato; concludersi; risolversi; finire: **to r. badly**, riuscir male; *Their promises resulted in nothing*, le loro promesse si risolsero in nulla **3** – **to r. in**, portare (a); causare; provocare: *The news resulted in widespread panic*, la notizia provocò un panico diffuso ● (*sport*) **to r. in a goal**, sfociare in un gol □ **to r. in good**, dare buoni frutti; dare un risultato soddisfacente □ **to r. in tragedy**, finire in tragedia □ **The undertaking resulted in a large profit**, l'impresa diede alla fine un grosso profitto.

resultant /rɪ'zʌltnt/ **A** a. risultante; che si ha come conseguenza; conseguente **B** n. **1** (*ling.*) risultante **2** (*fis.*) risultante.

resultative /rɪ'zʌltətɪv/ a. (*ling.*) resultativo: **r. verb**, verbo risultativo.

resultless /rɪ'zʌltləs/ a. senza risultato; infruttuoso; inutile; vano.

resumable /rɪ'zjuːməbl/, *USA* -'zuː-/ a. **1** che si può riprendere (*o* ricominciare) **2** recuperabile **3** riassumibile.

♦to **resume** /rɪ'zjuːm/, *USA* -'zuːm/ **A** v. t. **1** riassumere; riprendere, ripigliare, rioccupare; ricapitolare: **to r. one's office**, riassumere l'ufficio (*o* le funzioni); **to r. work [the conversation]**, riprendere il lavoro [la conversazione]; (*sport*) **to r. the game** (*o* **to r. playing**), riprendere il gioco; rientrare in campo **2** recuperare; rioccupare; riprendere: *He resumed his seat*, riprese (*o* rioccupò) il suo posto (a sedere) **3** riassumere; ricapitolare **B** v. i. ricominciare; riprendere a dire; soggiungere: *«No, it's too late» he resumed*, «no, è troppo tardi» soggiunse ● (*leg.*) **to r. possession of st.**, rientrare in possesso di qc. □ **to r. where one left off**, riattaccare (*o* ripigliare) da dove ci si è interrotti.

résumé, resume, resumé /'rezjuːmeɪ, *USA* rezu'meɪ/ (*franc.*) n. **1** riassunto; sunto; sommario **2** (*spec. USA*) curriculum vitae.

resumption /rɪ'zʌmpʃn/ n. [U] **1** riassunzione; ripresa; il ricominciare (*sport*) **the r. of play**, la ripresa del gioco; **the r. of one's duties**, la riassunzione delle proprie responsabilità; **the r. of diplomatic relations**, la ripresa delle relazioni diplomatiche **2** ripresa; riappropriazione.

resumptive /rɪ'zʌmptɪv/ a. **1** di riassunzione; di ripresa **2** riassuntivo; di riepilogo.

resupinate /rɪ'sjuːpɪneɪt/ a. (*bot.*) resupinato; capovolto; invertito.

to **resupply** /riːsə'plaɪ/ v. t. rifornire di nuovo.

to **resurface** /riː'sɜːfəs/ **A** v. i. **1** (*naut.*: *di sommergibile*) riemergere; tornare in superficie **2** (*fig., spec. fin.*) tornare a galla; riprendersi; tornare in attivo **3** (*fig.*) ricomparire; riemergere **B** v. t. rifare la superficie di (*un campo sportivo, ecc.*); riasfaltare (*una strada, ecc.*) ‖ **resurfacing** n. [U] **1** (*naut.*) riemersione **2** (*fig.*) ritorno a galla **3** (*fig.*) ricomparsa **4** rifacimento del manto; riasfaltatura.

resurgence /rɪ'sɜːdʒəns/ n. **1** [U] rinascita; ripresa: **the r. of nationalism**, la rinascita del nazionalismo **2** risorgiva; fontanile.

resurgent /rɪ'sɜːdʒənt/ **A** a. rinascente; in ripresa: **r. interest**, rinascente interesse **B** n. **1** chi risorge; chi è in ripresa **2** risorgiva; fontanile.

to **resurrect** /rezə'rekt/ **A** v. t. **1** far rivivere; riesumare: **to r. an old technique**, far rivivere un'antica tecnica **2** (*fam.*) dissotterrare; riesumare; cavar fuori **3** (*relig.*) resuscitare **B** v. i. risorgere; risuscitare; tornare in vita.

resurrection /rezə'rekʃn/ n. [U] resurrezione; (*fig.*) rinascita ● (*relig.*) **the R.**, la Re-

surrezione (*di Cristo*); la resurrezione dei morti □ (*un tempo*) **r. man**, disseppellitore di cadaveri; ladro di cadaveri ‖ **resurrectional a.** di resurrezione.

resurrectionist /rezə'rekʃənɪst/ n. **1** (*un tempo*) disseppellitore (*o* ladro) di cadaveri **2** chi ridona vita (*a qc.*); chi fa rivivere (*una moda, ecc.*) **3** chi crede nella resurrezione di Cristo.

resurvey /riː'sɜːveɪ/ n. riesame.

to **resurvey** /riː'sɜːveɪ/ v. t. riesaminare; riconsiderare.

to **resuscitate** /rɪ'sʌsɪteɪt/ v. t. e i. **1** resuscitare (*anche fig.*); riportare (*o* tornare) in vita **2** (*med.*) rianimare ‖ **resuscitation** n. [U] **1** il resuscitare; richiamo (*o* ritorno) in vita **2** (*med.*) rianimazione ‖ **resuscitative** a. che rianima; che richiama in vita ‖ **resuscitator** n. **1** chi richiama in vita; rianimatore **2** (*med.*) apparecchio per la rianimazione; rianimatore.

resveratrol /rez'vɪərətrɒl/ n. (*biochim.*) resveratrolo.

to **ret** /ret/ v. t. (*ind.*) macerare (*canapa, lino, ecc.*).

ret. abbr. (**retired**) in pensione.

retable /rɪ'teɪbl/ n. (*arte, relig.*) retablo.

♦to **retail** /'riːteɪl/ (*comm.*) **A** n. [U] attività (*o* vendita) al minuto; minuto; dettaglio: **to sell by r.**, vendere al minuto; **r. prices**, prezzi al minuto; **a r. dealer**, un venditore al minuto; un dettagliante **B** avv. al minuto; al dettaglio: **to sell [to buy] r.**, vendere [comprare] al minuto ● **r. audit**, rilevazione delle vendite al minuto □ **r. department**, reparto vendite al minuto □ **r. outlet**, punto di vendita al dettaglio □ **r. merchant**, dettagliante □ **r. park**, centro commerciale □ **r. price**, prezzo al dettaglio □ **r. sale**, vendita al dettaglio □ **r. shop** (*o* **store**), negozio al dettaglio □ **r. therapy**, shopping terapeutico □ **r. trade**, commercio al dettaglio □ **at r.**, al minuto.

to **retail** /'riːteɪl/ **A** v. t. **1** vendere al minuto (*o* al dettaglio) **2** (*fig.*) particolareggiare; raccontare dettagliatamente; riferire (per filo e per segno): **to r. gossip**, riferire maldicenze (*o* pettegolezzi) **B** v. i. (*di merce*) vendersi al minuto: *These articles r. at twenty dollars a dozen*, questi articoli si vendono al minuto per venti dollari la dozzina.

retailer /'riːteɪlə(r)/ n. (*comm.*) commerciante al minuto; dettagliante; rivenditore ● (*fig.*) **a r. of gossip**, una persona pettegola; una malalingua.

retailing /'riːteɪlɪŋ/ n. [U] attività di dettagliante; vendita al minuto; distribuzione.

♦to **retain** /rɪ'teɪn/ v. t. **1** trattenere; non far passare: *The function of a dam is to r. water*, la funzione di una diga è quella di trattenere le acque **2** conservare; mantenere; serbare: *He retained his seat in Parliament*, mantenne il suo seggio in parlamento; **to r. st. in one's memory**, serbare qc. nella memoria; (*sport*) **to r. one's title**, mantenere il titolo; **to r. the gold**, conservare la medaglia d'oro **3** tenere a mente; ritenere a memoria; ricordare **4** (*edil.*) contenere, trattenere (*terriccio, ecc.*) **5** tenere (q.) alle proprie dipendenze (*o* al proprio servizio); confermare (*un dipendente*) **6** (*leg.*) impegnare (*un avvocato*) pagando un anticipo sull'onorario **7** (*spec. med.*) ritenere (*la bile, l'urina, ecc.*) ● (*form.*) **to r. in one's possession**, conservare; non buttare via ● (*leg.*) **retaining fee**, anticipo sull'onorario (*a un avvocato*) □ (*mil.*) **retaining force**, truppe di contenimento (*o* d'appoggio) □ (*mecc.*) **retaining ring**, anello di ritenuta □ (*edil.*) **retaining wall**, muro di contenimento (*o* di sostegno).

retainer /rɪ'teɪnə(r)/ n. **1** (*tecn.*) dispositivo di fissaggio; gabbia; fermo **2** (*odontoiatria*) ancoraggio **3** (*leg.*) anticipo sull'ono-

rario (*versato a un avvocato*, *come impegno*) **4** deposito (*per locali in affitto*) **5** Ⓤ ritenzione; assunzione; ingaggio **6** (*stor.*) seguace; servitore; dipendente.

retake /ˈriːteɪk/ n. **1** Ⓤ il riprendere; ripresa **2** (*cinem.*, *fotogr.*) nuova ripresa **3** esame ripetuto **4** (*sport*) ripetizione; ribattuta.

to **retake** /riːˈteɪk/ (pass. *retook*, p. p. *retaken*), v. t. **1** riprendere; ripigliare; (*mil.*) riconquistare **2** (*cinem.*, *fotogr.*) girare (o fotografare) di nuovo; riprendere per la seconda volta **3** ripetere, rifare (*un esame*) **4** (*sport*) ripetere (*un tiro*); ribattere (*una punizione*, *ecc.*) ● (*sport*, *ecc.*) **to r. the lead**, tornare in vantaggio.

retaking /riːˈteɪkɪŋ/ n. ■ **1** il riprendere; ripresa **2** ripetizione (*di un esame*) **3** (*sport*) ripetizione, ribattuta (*di un tiro*).

to **retaliate** /rɪˈtælɪeɪt/ Ⓐ v. i. rivalersi; far rappresaglie; rendere la pariglia; reagire: **to r. against one's opponent**, far rappresaglie su un avversario; *She retaliated by slapping him*, reagì dandogli un ceffone Ⓑ v. t. **1** contraccambiare, ricambiare, restituire (*un'offesa*, *un torto*, *ecc.*) **2** ritorcere: **to r. a charge upon an accuser**, ritorcere un'imputazione sull'accusatore ● (*leg.*) **to r. a wrong**, restituire un torto.

retaliation /rɪˌtælɪˈeɪʃn/ n. ⓊⒸ ritorsione; rappresaglia; rivalsa ● **by way of r.** (*o in r.*), per ritorsione; per rappresaglia □ (*stor.*) **the law of r.**, la legge del taglione ‖.

retaliative a. di ritorsione; di rappresaglia ● (*comm. est.*) **retaliatory duties [tariffs]**, dazi adottati [tariffe adottate] per ritorsione □ (*sport*) **retaliatory foul**, fallo di reazione.

retard /ˈriːtɑːd, *nella def. 2* ˈriːtɑːd/ n. **1** ⓊⒸ ritardo: **r. of the tide**, ritardo della marea **2** (*slang USA*) ritardato (*mentale*) □ **I FALSI AMICI** ● retard *non significa* retard *nel senso italiano di farmaco a lento rilascio.*

to **retard** /rɪˈtɑːd/ v. t. e i. **1** ritardare; rallentare; tardare: **to r. the progress of science**, rallentare il progresso della scienza **2** (*mecc.*) ritardare ● (*comm.*) **to r. payment**, rimandare il pagamento.

retardant /rɪˈtɑːdnt/ a. e n. (*chim.*) (agente) ritardante.

retardation /ˌriːtɑːˈdeɪʃn/ n. **1** ⓊⒸ ritardo; rallentamento **2** ⓊⒸ (*mus.*) ritardo **3** Ⓤ (*psic.*) ritardo mentale.

retarded /rɪˈtɑːdɪd/ a. (*anche psic.*) ritardato.

retardee /rɪˈtɑːdiː/ n. (*psic.*, *USA*) ritardato (mentale).

retarder /rɪˈtɑːdə(r)/ n. **1** (*chim.*) ritardante; ritardatore **2** (*mecc.*) rallentatore **3** (*ferr.*) freno sul binario; staffa di frenatura.

retardment /rɪˈtɑːdmənt/ n. Ⓤ → **retardation**.

to **retask** /riːˈtɑːsk/ v. t. (*mil.*) ridefinire la funzione di (*spec. un mezzo militare*).

retch /retʃ/ n. conato di vomito.

to **retch** /retʃ/ v. i. aver conati di vomito ● **to make sb. r.**, far venire il vomito a q.

retd abbr. **1** (**retired**) in pensione **2** (**returned**) restituito.

rete /ˈriːtiː/ (*lat.*) n. (pl. **retia**) (*anat.*) rete.

to **retell** /riːˈtel/ (pass. e p. p. *retold*), v. t. ridire; ripetere; raccontare di nuovo.

retention /rɪˈtenʃn/ n. Ⓤ **1** il trattenere, l'essere trattenuto, ritenzione (→ **to retain**) **2** ritentiva; memoria **3** (*med.*) ritenzione (*dell'urina*, *ecc.*) **4** (*leg.*) ritenzione; riserva **5** (*leg.*, *comm.*) ritenuta, trattenuta (*negli appalti: a garanzia della buona esecuzione dei lavori*) **6** (pl.) (*fin.*) utili non distribuiti ● (*med.*) **r. cyst**, cisti da ritenzione □ (*leg.*) **r. of title**, riservato dominio.

retentive /rɪˈtentɪv/ a. **1** che trattiene; che non lascia passare: *Peat is r. of water*, la

---

torba trattiene l'acqua **2** ritentivo; che fa ricordare: **r. faculty**, facoltà ritentiva ● **a r. memory**, un'ottima memoria □ **a r. person**, una persona dotata di ottima memoria (o di ritentiva) | -**ly** avv.

retentiveness /rɪˈtentɪvnəs/ n. Ⓤ **1** capacità di trattenere (→ **retentive**) **2** capacità ritentiva, ritontività (*della memoria*).

retentivity /ˌriːtenˈtɪvəti/ n. Ⓤ **1** capacità di trattenere: (*del terreno*) **moisture r.**, capacità di trattenere l'umidità **2** (*elettr.*) induzione residua (massima); ritentiva **3** → **retentiveness**, def. 2.

to **retest** /riːˈtest/ v. t. provare, esaminare, testare nuovamente; sottoporre nuovamente ad analisi.

rethink /ˈriːθɪŋk/ n. (*fam.*) ripensamento.

to **rethink** /riːˈθɪŋk/ (pass. e p. p. *rethought*), v. t. e i. ripensare; riconsiderare; rivedere: *We'd better r. our strategy*, ci conviene rivedere la nostra strategia.

retiarius /ˌriːtɪˈeərɪəs/ (*lat.*) n. (pl. *retiarii*) (*stor. romana*) reziario.

reticent /ˈretɪsnt/ a. reticente; evasivo; riservato ‖ **reticence** n. Ⓤ reticenza; evasività; riserbo; riservatezza ‖ **reticently** avv. reticentemente; evasivamente; riservatamente.

reticle /ˈretɪkl/ n. (*ottica*) reticolo.

reticular /rɪˈtɪkjʊlə(r)/ a. reticolare (*anche anat.*).

reticulate /rɪˈtɪkjʊlət/ a. (*biol.*) reticolato; retiforme.

to **reticulate** /rɪˈtɪkjʊleɪt/ v. t. e i. formare un reticolo (su); diventare reticolato.

reticulation /rɪˌtɪkjʊˈleɪʃn/ n. **1** reticolazione **2** (*grafica*) reticolatura **3** (*fotogr.*) retinatura.

reticule /ˈretɪkjuːl/ n. **1** (*ottica*) reticolo **2** (*raro*) borsetta a rete.

reticulosis /rɪˌtɪkjʊˈləʊsɪs/ n. Ⓤ (*med.*) reticolosi.

reticulum /rɪˈtɪkjʊləm/ n. (pl. *reticula*) (*anat.*, *biol.*) reticolo.

retiform /ˈriːtɪfɔːm/ a. retiforme.

retina /ˈretɪnə/ (*anat.*) n. (pl. *retinas*, *retinae*) retina ‖ **retinal** a. della retina; retinico ● (*tecn.*) **retinal scan**, scansione della retina.

retinene /ˈretɪniːn/ n. (*chim.*) retinene.

retinitis /ˌretɪˈnaɪtɪs/ n. Ⓤ (*med.*) retinite.

retinol /ˈretɪnɒl/ n. (*biochim.*) retinolo; vitamina A.

retinopathy /ˌretɪˈnɒpəθi/ n. Ⓤ (*med.*) retinopatia.

retinoscope /ˈretɪnəskəʊp/ (*med.*) n. retinoscopio ‖ **retinoscopy** n. Ⓤ retinoscopia.

retinue /ˈretɪnjuː/ n. seguito; persone del seguito; scorta (*anche armata*).

retire /rɪˈtaɪə(r)/ n. (*mil.*) ritirata: **to sound the r.**, suonare la ritirata.

◆to **retire** /rɪˈtaɪə(r)/ Ⓐ v. i. **1** ritirarsi; indietreggiare; andarsene; rientrare (*in casa*); (*form.*) andare a letto: *He retired to his room*, si ritirò in camera sua; *We always r. before midnight*, ci ritiriamo sempre prima di mezzanotte; **to r. from business**, ritirarsi dagli affari **2** ritirarsi dall'impiego (o dagli affari) andare in pensione; mettersi a riposo; dimettersi: **to r. (on a pension) at sixty**, andare in pensione a sessant'anni **3** (*sport*) abbandonare; ritirarsi (*da*): **to r. from competition**, abbandonare lo sport agonistico; **to r. from a contest**, ritirarsi da una gara; (*boxe*) **to r. from the ring**, ritirarsi dal ring **4** (*scherma*) indietreggiare Ⓑ v. t. **1** (*mil.*) ritirare: **to r. one's troops**, ritirare le proprie truppe **2** (*comm.*) ritirare (*merce a credito*) **3** (*fin.*) ritirare; smobilitare: **to r. banknotes from circulation**, ritirare biglietti di

---

banca dalla circolazione **4** congedare; collocare (o mettere) a riposo; mandare in pensione; pensionare: *They retired him in July*, lo hanno mandato in pensione a luglio **5** (*org. az.*) smobilitare (*impianti*, *attrezzature*, *ecc.*) ● **to r. from the world**, entrare in convento (o r. **into oneself**, chiudersi in sé □ **to r. to bed**, ritirarsi; andare a letto □ **to r. to rest**, andare a riposare.

retired /rɪˈtaɪəd/ Ⓐ a. **1** (*form.*) ritirato; appartato; solitario: **to lead a r. life**, fare vita ritirata; **in a r. valley**, in una valle appartata; *He lives r.*, vive appartato (o in solitudine) **2** (collocato) a riposo; pensionato; in pensione: **a r. general**, un generale a riposo; **a r. public officer**, un funzionario statale in pensione: «*Do you work?*» «*Not anymore, I'm r. now*», «*Lavora?*» «*Non più, ora sono in pensione*» Ⓑ n. (collett.) **the r.**, i pensionati ● (*comm.*) **a r. bill**, una cambiale ritirata □ **a r. grocer**, un droghiere che s'è ritirato dagli affari; un ex droghiere □ (*mil.*) **the r. list**, la lista degli ufficiali a riposo □ **r. pay**, pensione; trattamento di quiescenza □ **r. person**, pensionato, pensionata □ **the r. personnel**, i pensionati.

retiredness /rɪˈtaɪədnəs/ n. Ⓤ isolamento; solitudine.

retiree /rɪˈtaɪəriː/ n. (*spec. USA*) pensionato.

◆**retirement** /rɪˈtaɪəmənt/ n. **1** ⓊⒸ ritiro; isolamento; (*raro*) luogo appartato: **r. into a monastery**, ritiro a vita monastica **2** ⓊⒸ andata a riposo, in pensione; collocamento a riposo; pensionamento: *He has reached the age of r.*, ha raggiunto l'età pensionabile (o del collocamento a riposo); **early r.**, pensionamento anticipato; prepensionamento **3** Ⓤ periodo in cui si è in pensione; vita di pensionato **4** Ⓤ vita appartata; solitudine: **to live in r.**, vivere in solitudine; fare vita ritirata **5** Ⓤ (*fin.*) ritiro; smobilizzazione; smobilizzo **6** Ⓤ (*mil.*) ritirata ● **r. allowance**, indennità di buonuscita □ (*fin.*) **r. annuity**, rendita vitalizia differita □ **r. date [plan]**, data [piano] di pensionamento □ (*USA*) **r. home**, casa di riposo, pensionato □ **r. pension**, pensione ordinaria (*per raggiunti limiti d'età*); pensione di vecchiaia □ **during one's r.**, quando si è (o si sarà) in pensione; da pensionato.

retiring /rɪˈtaɪərɪŋ/ a. **1** ritirato; appartato; riservato; solitario; schivo; timido **2** che va in pensione; uscente **3** (*mil.*) in ritirata ● **r. age**, età pensionabile □ **r. allowance**, premio di buonuscita □ **r. pension**, pensione ordinaria (o di vecchiaia) □ (*sport*) **the r. player**, il giocatore che lascia il campo; il giocatore rimpiazzato (o in uscita).

retold /riːˈtəʊld/ pass. e p. p. di **to retell**.

retook /riːˈtʊk/ pass. di **to retake**.

to **retool** /riːˈtuːl/ v. t. **1** riattrezzare, rinnovare le attrezzature di (*una fabbrica*, *ecc.*) **2** (*USA*) riorganizzare; ristrutturare ‖ **retooling** n. Ⓤ **1** rinnovo delle attrezzature (*di una fabbrica*) **2** (*USA*) riorganizzazione; ristrutturazione.

retorsion /rɪˈtɔːʃn/ n. Ⓤ (*leg.*) ritorsione.

retort① /rɪˈtɔːt/ n. **1** replica; rimbecco; risposta per le rime **2** (*raro*) ritorsione; rappresaglia ● **to say in r.**, rimbeccare; replicare.

retort② /rɪˈtɔːt/ n. **1** (*chim.*) storta **2** (*ind.*) autoclave.

to **retort**① /rɪˈtɔːt/ Ⓐ v. t. **1** ritorcere (*fig.*); ribattere: **to r. an argument**, ribattere un argomento; **to r. a charge**, ritorcere un'accusa **2** contraccambiare; ricambiare; restituire; rendere: **to r. an incivility**, ricambiare una scortesia (o una villania); **to r. an offence upon sb.**, restituire un'offesa a q. Ⓑ v. i. replicare; ribattere; rispondere per le rime.

to **retort**② /rɪˈtɔːt/ v. t. **1** (*chim.*) distillare

(*argillite petrolifera, ecc.*) in una storta **2** (*ind.*) sterilizzare (*alimenti in scatola, ecc.*) in autoclave.

retorted /rɪ'tɔːtɪd/ a. ritorto; piegato all'indietro.

retortion /rɪ'tɔːʃn/ n. ⓤ **1** il ritorcere; il piegare all'indietro **2** il ricambiare (*un'offesa, ecc.*) **3** il rispondere per le rime **4** (*leg., polit.*) ritorsione; rappresaglia.

retouch /'riːtʌtʃ/ n. (*arte, fotogr.*) ritocco: **r. colours**, colori da ritocco.

to **retouch** /riː'tʌtʃ/ v. t. ritoccare ‖ **retoucher** n. ritoccatore ‖ **retouching** n. ⓤ il ritoccare; ritocco, ritocchi.

to **retrace** /rɪ'treɪs/ v. t. **1** riconsiderare; riandare a (*fig.*); tornar con la mente su; rievocare; ripercorrere (*fig.*) **2** ricostruire (*avvenimenti, mosse di q., ecc.*) ● (*anche fig.*) **to r. one's steps**, tornare sui propri passi; tornare indietro.

to **re-trace** /riː'treɪs/ v. t. **1** ritracciare (*una mappa, ecc.*); tracciare di nuovo **2** ripassare (*un disegno, ecc.*) a penna (*o a matita*).

to **retract** /rɪ'trækt/ Ⓐ v. t. **1** ritirare; tirare indietro; ritrarre: *After taking off, the pilot retracted the undercarriage*, dopo il decollo, il pilota ritirò il carrello **2** ritirare; ritrattare; revocare: **to r. a statement**, ritrattare una dichiarazione; **to r. an offer**, revocare un'offerta; **to r. a promise**, ritirare la parola data **3** (*med.*) ritirare; divaricare Ⓑ v. i. **1** ritrarsi (*per la paura, ecc.*) **2** (*anche fisiol.*) ritirarsi; contrarsi.

retractable /rɪ'træktəbl/ a. **1** retrattile: (*aeron.*) **r. undercarriage**, carrello retrattile **2** ritrattabile; revocabile ‖ **retractability** n. ⓤ ritrattabilità; revocabilità.

retractation /riːtræk'teɪʃn/ n. ⓊⒸ ritrattazione; revoca (*di un'offerta, ecc.*).

retractile /rɪ'træktaɪl/ (*spec. zool.*) a. retrattile: **r. claws**, artigli retrattili ‖ **retractility** n. ⓤ retrattilità.

retraction /rɪ'trækʃn/ n. **1** ⓤ (*anche med.*) ritrazione; ritiro **2** ⓊⒸ ritrattazione; revoca **3** ⓤ (*fon.*) arretramento (*della lingua*).

retractor /rɪ'træktə(r)/ n. **1** (*anat.*) retrattore (*muscolo*); flessore **2** (*med.*) retrattore, divaricatore (*strumento*).

to **retrain** /riː'treɪn/ Ⓐ v. t. **1** riaddestrare, riqualificare (*personale, ecc.*) **2** (*sport*) riallenare (*atleti*) **3** rieducare (*un muscolo, ecc.*) Ⓑ v. i. riqualificarsi **2** riallenarsi.

retraining /riː'treɪnɪŋ/ n. ⓤ **1** riaddestramento; riqualificazione **2** (*sport*) riallenamento.

retral /'riːtrəl/ a. (*scient.*) posteriore.

retransfer /riː'trænsfɜː(r)/ n. ⓊⒸ nuovo trasferimento.

to **retransfer** /riː'trænsfɜː(r)/ v. t. trasferire di nuovo.

to **retransform** /riːtræns'fɔːm/ v. t. ritrasformare; trasformare di nuovo ‖ **retransformation** n. ⓊⒸ nuova trasformazione.

to **retranslate** /riːtræns'leɪt/ v. t. **1** ritradurre; tradurre di nuovo **2** fare la retroversione di (*un passo, ecc.*) ‖ **retranslation** n. **1** nuova traduzione **2** retroversione (*dalla traduzione all'originale*).

retread /'riːtred/ n. **1** (*autom.*) pneumatico ricostruito; pneumatico rigenerato **2** (*USA*) disoccupato (*o pensionato*) riqualificato **3** (*USA*) film (*disco, ecc.*) ripescato.

to **retread** /riː'tred/ v. t. **1** (*ind.*) ricostruire (*un pneumatico*) **2** (*USA*) riqualificare **3** (*USA*) ripescare (*un film, ecc.*) ‖ **retreading** n. ⓊⒸ **1** (*ind.*) rigenerazione a freddo; ricostruzione (*di pneumatici*) **2** (*USA*) riqualificazione **3** (*USA*) ripescaggio (*di un film, un disco, ecc.*).

retreat /rɪ'triːt/ n. **1** (*mil.*) ritirata: **to sound the r.**, suonare la ritirata **2** ritiro (*an-*

che sport); luogo appartato; ricovero; rifugio: **a country r.**, un ritiro campestre **3** casa di cura; casa di riposo **4** (*geogr.*) ritiro (*di ghiacciai, ecc.*) **5** (*archit.*) rientranza; rientro **6** ⓤ (*relig.*) ritiro (spirituale): **to go into r.**, andare in ritiro ● (*fam.*) **to beat a r.**, battere in ritirata (*anche fig.*); defilarsi □ **to intercept sb.'s r.**, tagliare la ritirata a q. □ **to make good one's r.**, ritirarsi senza perdite (*o senza danno*).

♦to **retreat** /rɪ'triːt/ Ⓐ v. i. **1** ritirarsi; indietreggiare; (*mil.*) ripiegare **2** (*fig.: in una discussione, ecc.*) cedere; recedere Ⓑ v. t. **1** ritirare (*truppe, ecc.*) **2** (*scacchi*) ritirare (*un pezzo in pericolo*) ● (*boxe, scherma*) **to r. out of distance**, indietreggiare portandosi fuori misura.

retreating /rɪ'triːtɪŋ/ a. **1** in ritirata; che ripiega: **a r. army**, un esercito in ritirata **2** rientrante; sfuggente: **a r. chin**, un mento sfuggente ● (*sport*) **r. defence**, difesa che arretra.

to **retrench**① /rɪ'trentʃ/ Ⓐ v. t. **1** limitare; ridurre; diminuire; decurtare: **to r. expenses**, limitare le spese; **to r. privileges**, ridurre i privilegi **2** omettere; tralasciare; tagliare: **to r. passages in a literary work**, omettere passi di un'opera letteraria **3** accorciare; fare tagli in: **to r. a book**, fare tagli in un libro **4** (*Austral.*) mettere (*dipendenti*) in cassa integrazione (*o in mobilità*) Ⓑ v. i. fare economie; ridurre le spese: *Falling orders forced many companies to r.*, il calo degli ordini ha costretto molte aziende a ridurre le spese.

to **retrench**② /rɪ'trentʃ/ v. t. (*mil.*) fortificare (*una posizione*) con una seconda linea di difesa.

retrenchment① /rɪ'trentʃmənt/ n. ⓊⒸ **1** riduzione; decurtazione; taglio (*fig.*) **2** riduzione delle spese; economia; risparmio **3** accorciamento; omissione; taglio (*in un libro, ecc.*) ● **a policy of economic r.**, una politica di restrizioni economiche.

retrenchment② /rɪ'trentʃmənt/ n. (*mil.*) linea di difesa interna.

retrial /riː'traɪəl/ n. (*leg.*) nuovo processo.

retribution /retrɪ'bjuːʃn/ n. ⓤ (*form.*) castigo; punizione; pena: **to suffer a terrible r.**, subire un tremendo castigo ● (*relig.*) **the day of r.**, il giorno del giudizio universale ❶ **FALSI AMICI** ● **retribution** non significa retribuzione.

retributive /rɪ'trɪbjʊtɪv/ a. punitivo; di castigo ● **r. action**, azione di rappresaglia; azione punitiva.

retributory /rɪ'trɪbjʊtrɪ/ → **retributive**.

retrievable /rɪ'triːvəbl/ a. **1** recuperabile (*anche comput.*) **2** riparabile; rimediabile.

retrieval /rɪ'triːvl/ n. **1** ⓤ recupero, riacquisto (*di beni, ecc.*) **2** riparazione, rimedio (*a un errore*) **3** ⓤ (*comput.*) reperimento; recupero: **r. system**, metodo di reperimento ● **beyond** (*o past*) **r.**, irrecuperabile.

retrieve /rɪ'triːv/ n. **1** (*sport*) (*calcio, ecc.*) recupero (*della palla*); intercettamento; (*tennis*) rinvio, ribattuta **2** → **retrieval**.

to **retrieve** /rɪ'triːv/ Ⓐ v. t. **1** recuperare; riacquistare; riprendere; ritrovare: **to r. one's losses [the situation]**, recuperare le perdite [la situazione] **2** riparare; correggere **3** salvare **4** richiamare alla mente **5** (*di cani da caccia*) riportare (*la selvaggina*) **6** (*comput.*) reperire; recuperare, rintracciare (*dati, ecc.*) Ⓑ v. i. **1** (*di cani*) riportare; rintracciare e riportare la selvaggina **2** (*sport*) recuperare (la palla).

retriever /rɪ'triːvə(r)/ n. **1** (*caccia*) cane da riporto **2** (*sport*) chi recupera la palla ● **That dog is a good r.**, quel cane è bravo a riportare.

retrieving /rɪ'triːvɪŋ/ n. ⓤ **1** (*caccia*) ri-

porto **2** (*sport*) recupero ● (*sport, ecc.*) **r. powers**, capacità di ripresa.

retro① /'retrəʊ/ n. (*miss.*, abbr. di **retro-rocket**) retrorazzo; razzo frenante.

retro② /'retrəʊ/ Ⓐ a. rétro; passatista: **r. fashion**, moda rétro Ⓑ n. **1** rétro; gusto (*o stile*) rétro **2** (*mostra*) retrospettiva.

to **retroact** /retrəʊ'ækt/ v. i. **1** reagire **2** agire in senso contrario **3** (*leg.*) essere retroattivo; avere effetto retroattivo.

retroaction /retrəʊ'ækʃn/ n. ⓊⒸ **1** reazione **2** (*tecn.*) retroazione positiva **3** (*ling.*) retroazione.

retroactive /retrəʊ'æktɪv/ a. retroattivo: **a r. law**, una legge retroattiva ● **r. pay**, arretrati (*di stipendio*) ‖ **retroactively** avv. retroattivamente ‖ **retroactivity** n. ⓤ (*leg.*) retroattività.

to **retrocede**① /retrəʊ'siːd/ v. i. retrocedere; arretrare; indietreggiare ‖ **retrocession**① n. ⓤ retrocessione; indietreggiamento.

to **retrocede**② /retrəʊ'siːd/ v. t. cedere di nuovo, restituire (*un territorio già occupato*) ‖ **retrocession**② n. restituzione (*di un territorio*).

retrochoir /retrəʊkwaɪə(r)/ n. (*archit.*) coro dietro l'altare maggiore.

retrofire /retrəʊ'faɪə(r)/ n. ⓊⒸ (*miss.*) accensione di un retrorazzo (*o dei retrorazzi*) ● **r. time**, tempo d'accensione dei retrorazzi.

to **retrofire** /retrəʊ'faɪə(r)/ (*miss.*) Ⓐ v. i. (*di retrorazzo, ecc.*) accendersi Ⓑ v. t. accendere i retrorazzi di (*un'astronave, ecc.*).

retrofit /'retrəʊfɪt/ n. (*tecn.*) retrofit.

to **retrofit** /'retrəʊfɪt/ v. t. (*mecc.*) applicare un retrofit a (*un automezzo*).

retroflection /retrəʊ'flekʃn/ n. ⓤ → **retroflexion**.

retroflex /'retrəʊfleks/, **retroflexed** /'retrəʊflekst/ a. (*scient., fon.*) retroflesso.

retroflexion /retrəʊ'flekʃn/ n. ⓤ **1** (*scient., fon.*) retroflessione **2** (*med.*) retroflessione uterina.

retrogradation /retrəʊɡrə'deɪʃn/ n. ⓤ **1** (*spec. astron.*) retrogradazione; moto retrogrado **2** (*chim.*) retrogradazione (*form.*) retrogressione; regressione; regresso; decadimento.

retrograde /'retrəʊɡreɪd/ a. **1** (*spec. astron., biol. e chim.*) retrogrado: **r. motion**, moto retrogrado; **r. evaporation**, evaporazione retrograda **2** (*polit.*) retrogrado; reazionario: **r. ideas**, idee retrograde **3** contrario; inverso: **in r. order**, in ordine inverso **4** (*psic.*) retrogrado; regressivo: **r. amnesia**, amnesia retrograda.

to **retrograde** /'retrəʊɡreɪd/ v. i. **1** (*spec. astron.*) retrogradare; aver moto retrogrado **2** regredire; decadere; peggiorare.

to **retrogress** /retrəʊ'ɡres/ v. i. (*anche med. e psic.*) regredire; peggiorare; deteriorarsi.

retrogression /retrəʊ'ɡreʃn/ n. ⓤ **1** (*spec. astron.*) retrogradazione; moto retrogrado **2** (*meteor.*) retrogressione **3** regressione (*anche med. e psic.*); regresso.

retrogressive /retrəʊ'ɡresɪv/ a. regressivo; degenerativo ‖ **-ly** avv.

retropulsion /retrəʊ'pʌlʃn/ n. (*med.*) retropulsione.

retrorocket /'retrəʊrɒkɪt/ n. (*miss.*) retrorazzo.

retrorse /rɪ'trɔːs/ a. (*biol., bot.*) retrorso.

retrospect /'retrəʊspekt/ n. ⓤ il riandare al passato; sguardo (*o esame*) retrospettivo; visione retrospettiva ● **in r.**, riandando al passato; in retrospettiva; a posteriori.

retrospection /retrəʊ'spekʃn/ n. ⓊⒸ (*psic.*) retrospezione; sguardo (*o esame*) re-

trospettivo; abitudine (*o* facoltà) di riandare le cose passate.

retrospective /ˌretrəʊ'spektɪv/ **A** a. **1** (*psic.*) retrospettivo **2** (*leg.*) retroattivo: **a r. law**, una legge retroattiva **B** n. (*arte, mus., ecc.*) retrospettiva | **-ly** avv.

retroussé /rə'truːseɪ, *USA* rətrʊ'seɪ/ (*franc.*) a. (*di naso*) (rivolto) all'insù.

retroversion /ˌretrəʊ'vɜːʃn/ n. **1** Ⓤ (*med.*) retroversione: **r. of the uterus**, retroversione dell'utero (*o* uterina) **2** Ⓤ (*ling.*) retroversione.

retroverted /'retrəʊvɜːtɪd/ a. (*med.*) retroverso.

retrovirus /'retrəʊvaɪərəs/ n. (*biol., med.*) retrovirus.

to **retry** /riː'traɪ/ v. t. **1** riprovare; ritentare; provare di nuovo **2** (*leg.*) riprocessare, processare (q.) di nuovo **3** (*leg.*) ridiscutere, discutere di nuovo (*una causa*).

retting /'retɪŋ/ n. Ⓤ (*ind. tess.*) macerazione.

to **retune** /riː'tjuːn, *USA* riː'tuːn/ v. t. **1** (*mus.*) riaccordare (*uno strumento*) **2** (*radio, TV*) risintonizzare.

to **returf** /riː'tɜːf/ (*sport*) v. t. rizollare (*il campo, la pista, ecc.*) ‖ **returfing** n. Ⓤ rizollatura.

return /rɪ'tɜːn/ **A** n. **1** ritorno; viaggio di ritorno: **on my r.**, al mio ritorno; **a r. to power**, un ritorno al potere; **the r. of summer**, il ritorno dell'estate **2** Ⓤ contraccambio; cambio; restituzione; compenso; ricompensa: **in r. for**, in cambio di; in compenso di; *That was a poor r. for our kindness*, fu una magra ricompensa per le nostre gentilezze; **to ask for the r. of the loan**, chiedere la restituzione del prestito **3** (*fin., rag.*) Ⓤ rendimento; profitto; ricavo; guadagno; provento; incasso: *He got a good r. on his investment*, ottenne un buon guadagno dagli investimenti; (*teatr.*) **box-office returns**, incassi di botteghino; **the r. on capital**, (*econ.*) il rendimento del capitale (*investito*); (*fin., rag.*) la redditività del capitale (*investito*); (*econ.*) **the law of diminishing returns**, la legge dei rendimenti decrescenti; **returns to scale**, rendimenti di scala (*di un'azienda*) **4** dichiarazione, (*leg.*) relazione; (*in particolare*) relazione di notifica, rapporto; (*comm.*) prospetto, rendiconto: **bank returns**, prospetti della situazione bancaria (*estratti conto, ecc.*) **5** (pl.) (*polit., stat.*) risultato: **the census** [**the election**] **returns**, i risultati del censimento [delle elezioni] **6** (*polit.*) rielezione: *He secured his r. for Colchester*, si assicurò la rielezione per il collegio di Colchester **7** (= **r. ticket**) biglietto d'andata e ritorno: *A r. to Brighton please*, un biglietto di andata e ritorno per Brighton **8** (pl.) resa (*all'editore: di libri invenduti*) **9** (*comput.*) invio; ritorno **10** (*anche sport*) ritorno in auge; rentrée (*franc.*): **a winning r.**, una rentrée vittoriosa **11** (*ferr., ecc.*) andata e ritorno: *The price is £2 r.*, costa due sterline andata e ritorno **12** (*comm.*) merce restituita (*o* respinta) **13** (*fam., fisc.*): *di solito*, **tax r.**) dichiarazione dei redditi **14** (*sport*) ritorno (*di una partita, ecc.*); ritorno in campo (*di un giocatore*) **15** (*boxe, lotta*) risposta, replica (*a un attacco*) **16** (*calcio, ecc.*) restituzione, rilancio, rinvio, ritorno (*della palla*) **17** (*tennis, ecc.*) risposta, rinvio, ribattuta: **a weak r.**, un rinvio debole; **r. of service**, ribattuta; rinvio **18** (*a carte*) risposta **19** (pl.) tabacco dolce da pipa **B** a. **1** di ritorno: **r. journey**, viaggio di ritorno **2** di andata e ritorno: **r. trip**, viaggio d'andata e ritorno **3** (*sport*) di ritorno **4** (*sport*) di ritorno: (*calcio, ecc.*) **r. game** (*o* **r. match**), partita di ritorno; rivincita; ritorno; (*calcio, ecc.*) **r. leg**, partita di ritorno; rivincita **5** (*boxe, lotta*) **r. match**, incontro di ritorno; rivincita **5** (*sport*) di rimando; di

rinvio; d'incontro: (*cricket*) **r. crease**, linea di rimando; (*calcio*) **r. kick**, calcio di rinvio; rilancio **6** (*elettr., mecc.*) di ritorno: **r. idler**, puleggia folle di ritorno; **r. wire**, filo di ritorno ● **r. address**, indirizzo del mittente □ (*archit.*) **r. angle**, angolo di ritorno □ (*calcio, ecc.*) **r. attack**, contrattacco; contropiede □ (*tecn.*) **r. bend**, curva a 180 gradi (*per tubature*) □ (*comput.*) **r. code**, codice di ritorno □ **r. half**, tagliando per il ritorno □ **r. key**, (*di macchina da scrivere*) tasto di ritorno; (*comput.*) tasto di invio □ (*fin.*) **r. of income**, denuncia dei redditi □ (*mecc.*) **r. of a piston**, (corsa di) ritorno d'un pistone □ (*ass.*) **r. of premium**, restituzione del premio ● **r. on equity** (abbr. **ROE**), (*fin.*) ritorno sul capitale; (*rag.*) (indice di) redditività del capitale netto □ **r. on investment** (abbr. **ROI**), (*fin.*) ritorno sull'investimento; (*rag.*) (indice di) redditività del capitale investito □ (*calcio*) **r. pass**, passaggio restituito; sponda □ (*teatr.*) **r. performance**, replica □ (*archit.*) **r. side**, parte rientrante □ (*mecc.*) **r. spring**, molla di richiamo □ (*ferr.*) **r. ticket**, biglietto di andata e ritorno □ **r. visit**, visita restituita; nuova visita (*di un ladro in casa, ecc.*) □ **r. voyage**, viaggio di ritorno (*per mare*) □ (*edil.*) **r. wall**, muro di risvolto (*o* d'accompagnamento) □ **by r. of mail** (*o* **of post**), a volta di corriere; a giro di posta □ (*ferr.*) **day r.**, biglietto di andata e ritorno, valido per un giorno □ (*di contenitore*) **no r.**, a perdere □ (*comm.*: *di merce*) **on sale or r.**, da vendere o restituire; in conto deposito □ *Many happy returns!* (*o* *Many happy returns of the day!*), cento di questi giorni!

♦to **return** /rɪ'tɜːn/ **A** v. i. **1** ritornare; tornare: *Let's r. home*, torniamo a casa!; *Let's r. to the subject*, torniamo all'argomento!; (*sport*) **to r. to the game**, tornare a giocare; *The estate has returned to the original owner*, la proprietà è ritornata nelle mani del primo padrone **2** replicare; ribattere; rispondere: *«I won't come», he returned*, «io non ci vengo», rispose **3** (*sport*: *di una squadra*) tornare in campo **4** (*calcio, tennis, ecc.*) effettuare il rinvio (*o* la ribattuta); rinviare, rilanciare, ribattere **5** ripartire (*fig.*); riprendersi; rimontare **B** v. t. **1** rendere; restituire; ridare; ritornare (*improprio*); ricambiare; rimandare, rinviare, rispedire, respingere: (*anche boxe*) **to r. a blow**, rendere (*o* restituire) un colpo; (*fin.*) **to r. a loan**, restituire un prestito; pagare un mutuo; *How much did your investment r.?*, quanto ti ha reso il tuo investimento?; **to r. a borrowed book** [**a visit**], restituire un libro preso a prestito [una visita]; **to r. love** [**greetings**], ricambiare l'affetto [i saluti]; *In case of non-delivery, please r. to the sender*, in caso di mancata consegna, si prega di respingere al mittente **2** rimettere; collocare di nuovo: *Small fish must be returned to the water*, i pesci piccoli devono essere rimessi in acqua **3** (*anche leg.*) dichiarare (ufficialmente); giudicare; emettere (*una sentenza, un verdetto*): *The jury returned a verdict of guilty*, la giuria emise un verdetto di colpevolezza **4** (*fisc.*) dichiarare; fare una denuncia di: **to r. all the sources of one's income**, fare una denuncia di tutti i propri cespiti **5** (*polit.*) eleggere; mandare: *Each constituency returns a member to Parliament*, ogni collegio elettorale manda un deputato in Parlamento (*in GB*) **6** (*fin.*) dare (*un utile*); rendere (*un interesse*) **7** (*comput.*) restituire: **to r. a value**, restituire un valore **8** (*sport*) rimandare, restituire (*la palla*); (*tennis*) ribattere; (*pallavolo*) rilanciare; **to r. the ball to a teammate**, restituire la palla a un compagno; **to r. a serve**, ribattere la palla del servizio **9** (*a carte*) rispondere a: **to r. hearts**, rispondere a cuori ● **to r. an answer**, dare una risposta □

(*telef.*) **to r. sb.'s call**, richiamare q. (*che ci ha telefonato*) □ (*mil.*) **to r. fire**, rispondere al fuoco □ **to r. goods of poor quality**, respingere merci di qualità scadente □ **to r. land to forest**, rimboscare un terreno □ **to r. like for like**, rendere la pariglia; rendere pan per focaccia □ (*leg.*) **to r. a list of jurors**, comunicare ufficialmente un elenco di giurati □ (*fin.*) **to r. a profit**, dar (un) frutto; fruttare □ **to r. thanks**, ringraziare (*in un brindisi, ecc.*); (*spec.*) rendere grazie a Dio (*nella preghiera prima del pasto*) □ (*banca*) **to r. to the black**, tornare in nero (*o* in attivo) □ (*leg.*) **to r. a verdict**, emettere un verdetto □ (*comm.*) **returned empties**, vuoti di ritorno □ **returned soldier**, reduce □ **Empties to be returned**, vuoti a rendere □ (*Bibbia*) **Unto dust shalt thou r.**, polvere sei e polvere ritornerai.

returnable /rɪ'tɜːnəbl/ **A** a. **1** restituibile **2** da rendere; da restituire **3** (*polit.*) eleggibile **B** n. (*USA*) recipiente (*o* contenitore) a rendere ● **r. bottle**, vuoto a rendere □ (*comm.*) **non-r.**, (*di contenitore*) a perdere.

returner /rɪ'tɜːnə(r)/ n. **1** chi torna al lavoro dopo una lunga interruzione **2** (*tennis*) ribattitore; chi effettua il rinvio (*o* la risposta) **3** (*sport*: *in genere*) chi restituisce (*o* ha restituito) la palla.

returning /rɪ'tɜːnɪŋ/ a. **1** che ritorna; (*di persona*) di ritorno **2** ricorrente ● (*polit.*) **r. officer**, presidente di seggio elettorale.

retuse /rɪ'tjuːs, *USA* -'tuːs/ a. (*bot.*) retuso.

reunification /ˌriːjuːnɪfɪ'keɪʃn/ n. Ⓤ (*polit.*) riunificazione.

reunion /riː'juːnɪən/ n. **1** riunione; adunanza **2** ricongiungimento; riappacificazione **3** (*fig.*) riconciliazione ● **a college r.**, una riunione di ex studenti (*della stessa università*).

to **reunite** /ˌriːju:'naɪt/ v. t. e i. **1** riunire, riunirsi **2** riconciliare; riconciliarsi.

reupholstery, **re-upholstery** /ˌriːʌp'həʊlstəri/ n. (lavori di) rinnovo della tappezzeria.

reusable /riː'juːzəbl/ a. usabile di nuovo; riusabile; rigenerabile ‖ **reusability** n. Ⓤ l'essere riusabile (*o* rigenerabile).

to **reuse** /riː'juːz/ v. t. riusare; rigenerare.

to **reutilize** /riː'juːtəlaɪz/ v. t. riutilizzare ‖ **reutilization** n. Ⓤ riutilizzazione.

rev /rev/ n. (*mecc.*: abbr. *fam. di* **revolution**) giro (*del motore*): *The engine is on high* [*low*] *revs*, il motore è su [giù] di giri ● **rev counter**, contagiri.

to **rev** /rev/ (*fam., spesso* **to rev up**) **A** v. t. **1** (*mecc.*) mandare su di giri (*il motore*) **2** (*fig.*) accelerare, aumentare (*la produzione, ecc.*): **to rev up a process**, accelerare un processo **3** (*USA*) infiammare; entusiasmare **B** v. i. **1** (*mecc.*: *del motore*) andare su di giri **2** (*fig.*) entusiasmarsi; scaldarsi; andare su di giri **3** (*fig.*) accelerare; intensificarsi: *Competition among rival universities is revving up*, la concorrenza fra università rivali si sta intensificando.

Rev /rev/ n. **1** (*pop.*) reverendo; prete; sacerdote **2** (*seguito da nome*) Reverendo: **the Rev. G. Clark**, il Reverendo G. Clark.

rev. abbr. **1** (**reverse**) contrario, rovescio; (*mecc.*) retromarcia **2** (**revised**) riveduto, corretto **3** (**revision**) revisione **4** (*econ.*, **revenue**) entrata, ricavo; erario, fisco.

to **revaccinate** /riː'væksɪneɪt/ (*med.*) v. t. rivaccinare ‖ **revaccination** n. Ⓤ rivaccinazione.

to **revalorize** /riː'væləraɪz/ (*fin., econ.*) v. t. rivalorizzare; rivalutare: **to r. the assets on a balance sheet**, rivalutare le attività di bilancio ‖ **revalorization** n. Ⓤ rivalorizzazione; rivalutazione: **the revalorization of currency**, la rivalutazione della moneta.

revaluation /riːˈvæljuːˈeɪʃn/ n. ⓤ **1** rivalutazione; nuova valutazione: **the r. of an estate**, la rivalutazione di una proprietà **2** (*econ.*, *fin.*) rivalutazione: **the r. of the dollar against the euro**, la rivalutazione del dollaro sull'euro; **the r. of assets**, la rivalutazione delle attività.

to **revalue** /riːˈvæljuː/ v. t. **1** rivalutare; valutare di nuovo **2** (*econ.*, *fin.*) rivalutare: **to r. the dollar**, rivalutare il dollaro.

revamp /riːˈvæmp/ n. ⓤⓒ (*fig.*) operazione di facciata; rifacimento; modifica: **the r. of an old play**, il rifacimento di un vecchio dramma.

to **revamp** /riːˈvæmp/ v. t. **1** rifare la tomaia a (*una scarpa*) **2** (*fig. fam.*) risistemare (*una vecchia automobile, ecc.*); riorganizzare (*un'azienda, ecc.*); rimodernare (*una casa*); rinnovare, rifare, modificare (*un romanzo, una commedia, ecc.*).

revanchism /rɪˈvæntʃɪzəm/ (*polit.*) n. ⓤ revanscismo || **revanchist** Ⓐ n. revanscista Ⓑ a. revanscistico.

revascularization /riːvæskjʊləraɪˈzeɪʃn/, *USA* -rɪˈz-/ n. ⓤ (*med.*) rivascolarizzazione.

Revd abbr. (**Reverend**) reverendo.

reveal /rɪˈviːl/ n. (*archit.*) mazzetta (*di porta o finestra*).

♦to **reveal** /rɪˈviːl/ v. t. rivelare; svelare; manifestare; palesare: **to r. one's identity**, rivelare il proprio nome; **to r. a secret**, svelare un segreto ● **to r. oneself**, rivelarsi; mostrarsi; apparire: *She revealed herself to be totally unreliable*, si rivelò completamente inaffidabile □ **revealed religion**, religione rivelata || **revealable** a. rivelabile; svelabile || **revealer** n. rivelatore, rivelatrice.

revealing /rɪˈviːlɪŋ/ a. **1** rivelatore; sintomatico (*fig.*); significativo: **a r. answer**, una risposta rivelatrice (*o* sintomatica) **2** (*d'abito, ecc.*) che rivela (*o* che fa intravedere) le forme (del corpo); trasparente.

reveille /rɪˈvælɪ, *USA* ˈrɛvəli/ n. ⓤ (*mil.*) sveglia: **to sound the r.**, suonare la sveglia ● (*mil.*) **r. gun**, cannone del mattino.

revel /ˈrɛvl/ n. (spesso al pl.) festa; festeggiamento; baldoria; gozzoviglia.

to **revel** /ˈrɛvl/ (*lett. o scherz.*) v. i. divertirsi; far festa; far baldoria; far bagordi; gozzovigliare ● **to r. away one's money [time]**, sciupare il denaro [il tempo] in bagordi (*o* in gozzoviglie) □ **to r. in**, trovar diletto in; godere di, crogiolarsi in: *He revels in success*, si crogiola nel successo || **reveller**, (*USA*) **reveler** n. festaiolo; gozzovigliatore; crapulone || **revelling**, (*USA*) **reveling** → **revelry**.

revelation /rɛvəˈleɪʃn/ n. ⓤⓒ **1** (*spec. relig.*) rivelazione: *It was a r. to me*, per me fu una rivelazione **2** – R. (*o* **Revelations**), l'Apocalisse ● **What a r.!**, che portento! || **revelational** a. (*relig.*) della rivelazione.

revelationist /rɛvɪˈleɪʃənɪst/ n. (*relig.*) chi crede nella rivelazione divina ● (*relig.*) **the R.**, l'autore dell'Apocalisse; San Giovanni.

revelatory /ˈrɛvɪlɪtrɪ, *USA* ˈrɛvələtɔːrɪ/ a. rivelatore: **a r. experience**, un'esperienza rivelatrice.

revelry /ˈrɛvlrɪ/ n. ⓤⓒ festeggiamento; baldoria; crapula; gozzoviglia.

revendication /rɪvɛndɪˈkeɪʃn/ n. ⓤ (*leg.*, *polit.*) rivendicazione.

revenge /rɪˈvɛndʒ/ n. ⓤ **1** vendetta: *He did it in (o out of) r.*, lo fece per vendetta **2** desiderio di vendetta; spirito vendicativo **3** (*al gioco*) rivincita: **to give sb. his r.**, dar la rivincita a q. ● **to have one's r.**, prendersi la rivincita □ **to take r. on sb.**, vendicarsi di q.

to **revenge** /rɪˈvɛndʒ/ v. t. vendicare; vendicarsi di: **to r. an injustice**, vendicare un'ingiustizia; **to r. one's father**, vendicare il proprio padre; **to r. an offence [an insult]**, vendicare un'offesa [vendicarsi di un'ingiuria] ● **to r. on sb.**, vendicarsi di q. □ **to r. oneself**, vendicarsi □ **to be revenged on sb. (for st.)**, vendicarsi di q. (per qc.) || **revenger** n. vendicatore, vendicatrice.

revengeful /rɪˈvɛndʒfl/ a. vendicativo | **-ly** avv. | **-ness** n. ⓤ.

♦**revenue** /ˈrɛvənjuː, *USA* -ənuː/ Ⓐ n. ⓤⓒ **1** (*fin.*) entrata; reddito; rendita; ricavo: **the balance between costs and revenues**, l'equilibrio fra costi e ricavi **2** (*in GB*, = **Inland R.**) erario; fisco **3** (pl.) entrate dello Stato; introiti erariali (*o* fiscali) Ⓑ a. attr. fiscale; tributario; erariale: **r. claim**, credito fiscale; **r. duties**, dazi fiscali; diritti erariali; **r. receipts**, entrate fiscali; (*dog.*) **r. tariffs**, tariffe fiscali (*e non protettive*); **r. tax**, imposta erariale (*o* fiscale) ● (*rag.*) **r. account**, conto economico; conto profitti e perdite □ (*leg.*) **r. act**, legge fiscale □ (*rag.*) **revenues and expenditures**, entrate e spese □ (*fin.*) **r.-bearing**, produttivo di reddito □ (*leg.*) **r. case**, controversia tributaria □ (*naut.*) **r. cutter**, lancia della finanza; guardacoste (*fin., rag.*) **r. expenditure**, spese d'esercizio □ (*fisc.*) **r. from taxation**, gettito fiscale □ **r. inspector**, ispettore della finanza □ (*fisc.*) **r. officer**, funzionario del fisco □ (*rag.*) **r. reserves**, riserve disponibili □ **r. stamp**, marca da bollo □ (*fisc., in GB*) **r. tribunal**, commissione tributaria.

reverb /ˈriːvɜːb/ n. ⓤ (*mus., acustica*) riverbero.

reverberant /rɪˈvɜːbərənt/ a. (*poet.*) **1** riverberante; che riverbera **2** riecheggiante; rimbombante; risonante.

to **reverberate** /rɪˈvɜːbəreɪt/ Ⓐ v. i. **1** riverberare, riverberarsi **2** (*di suono*) riecheggiare; rimbombare; risuonare: *The square reverberated with (o to) gunfire*, la piazza rimbombò di spari Ⓑ v. t. **1** riverberare; riflettere **2** far rimbombare; far risuonare **3** (*metall.*) riverberare; fondere nel forno a riverbero ● (*ind.*) **reverberating furnace**, forno a riverbero.

reverberation /rɪvɜːbəˈreɪʃn/ n. ⓤⓒ **1** (*acustica*) riverberazione; riverbero **2** (al pl.) ripercussioni; conseguenze; riflessi: *The reverberations of the crisis are still being felt*, le ripercussioni della crisi si fanno ancora sentire.

reverberative /rɪˈvɜːbərətɪv/ a. (*poet.*) **1** riverberante **2** riecheggiante; risonante.

reverberator /rɪˈvɜːbəreɪtə(r)/ n. **1** lampada a riverbero **2** (*ind.*) disco di riverbero.

reverberatory /rɪˈvɜːbərətrɪ, -əreɪ-/ Ⓐ a. (*fis., ind.*) a riverbero; di riverbero: **r. furnace**, forno a riverbero Ⓑ n. forno a riverbero.

to **revere** /rɪˈvɪə(r)/ v. t. (*form.*) riverire; onorare; venerare: **a poet revered by all**, un poeta onorato da tutti.

reverence /ˈrɛvərəns/ n. **1** ⓤ riverenza; gran rispetto; venerazione: **to hold sb. [st.] in r.**, avere un gran rispetto per q. [per qc.]; **to feel r. for sb.**, sentire (*o* nutrire) riverenza per q. **2** (*arc.*) riverenza; inchino **3** – (*relig.*) R., Reverendo (*talora usato per i preti cattolici; preceduto da un agg. poss.*): *Your R.!*, Reverendo!; *His R.*, il Reverendo ● **to pay r. to sb.**, riverire q.; onorare q.

to **reverence** /ˈrɛvərəns/ v. t. (*raro, form.*) riverire; onorare; venerare.

reverend /ˈrɛvərənd/ Ⓐ a. **1** reverendo; venerabile **2** del clero Ⓑ n. reverendo; sacerdote ● **r. gentleman**, il reverendo; il ministro del culto ● **The Rev. Peter Miles**, il reverendo pastore Peter Miles □ (*vocat.*) **r. sir**, reverendo (*a un ministro del culto anglicano o protestante*) □ (*d'arcivescovo*) **Most R.**, reverendissimo □ (*di vescovo*) **Right R.**, molto

reverendo □ (*di decano*) **Very R.**, molto reverendo.

reverent /ˈrɛvərənt/ a. riverente, reverente.

reverential /rɛvəˈrɛnʃl/ a. reverenziale; riverenziale; riverente: **r. fear**, timore reverenziale | **-ly** avv.

reverie /ˈrɛvərɪ/ n. ⓤⓒ fantasticheria; sogno a occhi aperti: **to be lost in r.**, essere assorto in fantasticherie; fantasticare.

revers /rɪˈvɪə(r)/ (*franc.*) n. (inv. al pl.) revers; risvolto (*d'abito o soprabito*).

reversal /rɪˈvɜːsl/ n. **1** ⓒⓤ rovesciamento, capovolgimento, inversione (*anche fig.*): **the r. of a trend**, l'inversione di una tendenza; **the r. of the present economic trend**, il rovesciamento del ciclo congiunturale; **a r. of roles**, un'inversione di ruoli **2** (*anche econ., fin.*) rovescio; rovescione **3** ⓤⓒ (*leg.*) revoca, annullamento (*di una sentenza: per ragioni di diritto*; *cfr.* **recall**, *def.* **3**) **4** ⓤⓒ (*rag.*) storno: **the r. of entries**, lo storno di scritture; **in r.**, a storno; **entry in r.**, scrittura di storno **5** ⓤ (*fotogr.*) inversione.

♦**reverse** /rɪˈvɜːs/ Ⓐ a. **1** inverso; contrario; opposto; invertito; a rovescio; rovesciato: **the r. side of a coin**, il lato opposto (*o* il rovescio) d'una moneta; (*geol.*) **r. fault**, faglia inversa; **in r. order**, in ordine inverso; a rovescio; facendosi dal fondo; **in the r. direction**, nella direzione opposta; (*elettr.*) **r. current**, corrente inversa; (*mecc.*) **r. rotation**, rotazione inversa; **a r. «T»**, una «T» rovesciata; **r. discrimination**, discriminazione a rovescio **2** (*sport: di un tuffo*) rovesciato Ⓑ n. **1** ⓤ rovescio (*di stoffa, ecc.*); contrario; opposto: *Quite the r.!*, proprio il contrario!; **the r. of the medal**, il rovescio della medaglia; *The r. is true*, è vero il contrario **2** rovescio (*di fortuna*); sfortuna; disgrazia; disfatta; sconfitta: *They suffered a r.*, subirono un rovescio **3** ⓤⓒ (*mecc.*) marcia indietro; retromarcia: *The car was in r.*, l'automobile era in retromarcia ● (*cinem., TV*) **r.-angle shot**, controcampo □ (*elettron.*) **r. bias**, polarizzazione inversa □ (*telef.*) **r.-charge call**, telefonata a carico del destinatario □ (*comput., tecn.*) **r. engineering**, 'reverse engineering' (*analisi di un sistema per individuarne i meccanismi di funzionamento*) □ (*mil.*) **r. fire**, fuoco sulla retroguardia; fuoco alle spalle □ (*autom., mecc.*) **r. gear**, marcia indietro; retromarcia □ (*elettr.*) **r. key**, tasto d'inversione □ (*mecc.*) **r. motion**, marcia indietro; retromarcia □ (*biol.*) **r. mutation**, mutazione inversa, retromutazione □ (*grafica*) **r. process**, inversione □ (*USA*) **r. racism**, razzismo a rovescio (*contro i bianchi*) □ (*comput.*) **r. slash**, barra a sinistra, backslash (\) □ (*fin.*) **r. takeover**, acquisizione di controllo inversa (*di una grande società da parte di una piccola*) □ (*market.*) **r. vending**, vendita (*di bevande*) con contenitori da restituire infilandoli nel distributore (*che, in compenso, emette buoni o moneta*) □ **to go into r.**, (*autom.*) andare in retromarcia; (*fig.*) avere un'inversione di tendenza □ (*autom.*) **to put the car into r.**, mettere l'auto in retromarcia; mettere la retromarcia □ (*autom.*) **to swing the car into r.**, mettere la retromarcia □ (*fig.*) **to swing st. into r.**, rovesciare qc. (*una tendenza, ecc.*).

♦to **reverse** /rɪˈvɜːs/ Ⓐ v. t. **1** invertire; rovesciare; capovolgere; rivoltare; ribaltare: **to r. the roles**, invertire i ruoli; **to r. a difficult situation**, ribaltare una situazione difficile; **to r. the order**, invertire l'ordine; (*elettr.*) **to r. the current**, invertire la corrente; **to r. a cup [a glass]**, capovolgere una tazza [un bicchiere] **to r. a coat**, rivoltare una giacca; **to r. one's policy**, invertire la linea (politica, ecc.) **2** (*mecc.*) invertire il movimento di; far andare in senso contrario: **to**

r. **machinery**, invertire il movimento d'un macchinario **3** (*leg.*) riformare; cassare; revocare (*una sentenza: per ragioni di diritto*); cfr. **to recall**, *def. 3*): *The judges of the higher court reversed the judgement*, i giudici del tribunale superiore riformarono la sentenza **4** (*autom.*) far fare la retromarcia a (*un veicolo*) **5** (*telef.*) addebitare (*una chiamata*) al destinatario **B** v. i. **1** (*spec. nelle danze*) girare in senso inverso **2** invertire il movimento **3** (*mecc., autom.*) ingranare la retromarcia **4** (*autom.*) fare retromarcia: **to r. into the garage**, entrare in garage in retromarcia **5** (*di un moto*) invertirsi ● (*telef.*) **to r. the charges**, fare una telefonata a carico del destinatario □ (*mil.*) **R. arms!**, rovesciat'arm!

to **reverse-engineer** /rɪ'vɜːs ɛndʒɪ'nɪə(r)/ v. i. (*comput., tecn.*) effettuare il reverse-engineering (→ **reverse**).

reverser /rɪ'vɜːsə(r)/ n. (*elettr.*) inversore.

reversibility /rɪvɜːsə'bɪlətɪ/ n. ⓤ **1** invertibilità; reversibilità **2** (*leg.*) revocabilità **3** (*chim., leg.*) reversibilità.

reversible /rɪ'vɜːsəbl/ a. **1** invertibile; rovesciabile; rivoltabile **2** (*di stoffa, capo di vestiario, ecc.*) reversibile; a due diritti; double-face (*franc.*): **a r. raincoat**, un impermeabile double-face **3** (*leg.*) cassabile; revocabile **4** (*chim., fis., leg.*) reversibile ● (*elettr.*) **r. booster**, survoltore-devoltore □ (*chim.*) **r. reaction**, reazione reversibile □ (*autom., mecc.*) **r. steering gear**, sterzo reversibile.

reversing /rɪ'vɜːsɪŋ/ a. **1** (*scient., tecn.*) che inverte; invertente **2** (*elettr., metall.*) reversibile **3** (*autom.*) in retromarcia ● (*rag.*) **r. entry**, registrazione a poste invertite; registrazione all'attivo e al passivo; partita di giro □ (*mecc.*) **r. gear**, invertitore di marcia □ (*autom.*) **r. light**, luce (*o fanale posteriore*) della retromarcia □ (*elettr.*) **r. switch**, inversore.

reversion /rɪ'vɜːʃn/ n. **1** ⓤ (*leg.*) reversione, riversione (*diritto immobiliare senza preciso equivalente in Italia*) **2** (*leg.*, = **estate in r.**) beni reversibili; proprietà reversibile **3** (*ass.*) capitale assicurato (*da pagarsi in caso di morte*) **4** (*biol.*) reversione, regressione **5** ⓤ arretramento, ritorno (*a una credenza, a un costume, ecc.*) **6** (*chim.*) ritorno allo stato precedente.

reversional /rɪ'vɜːʃənl/ a. (*leg.*) reversibile; di reversione.

reversionary /rɪ'vɜːʃənrɪ/ a. **1** (*leg., chim.*) reversibile: **r. annuity**, rendita vitalizia reversibile **2** (*biol.*) atavico; regressivo **3** che segna un ritorno (*a una credenza, a costumi, ecc.*) ● (*ass.*) **r. bonus**, somma pagata in aggiunta al capitale assicurato (*alla scadenza*) □ (*leg.*) **r. interest**, reversibilità.

reversioner /rɪ'vɜːʃnə(r)/ n. (*leg.*) titolare del diritto a una 'estate in reversion'; (*in senso lato*) chi ha un diritto di reversibilità (*cfr.* **remainderman**).

revert /rɪ'vɜːt/ n. (*relig.*) chi torna alla fede primitiva; riconvertito.

to **revert** /rɪ'vɜːt/ v. i. **1** (*leg.*) andare (*o spettare*) (*a q.*) per reversione **2** (*biol.*) regredire **3** tornare; ritornare: **reverting to my original assumption…**, tornando al mio primo assunto…; *The fields have reverted to marshland*, i campi (*già coltivati*) sono tornati allo stato di palude **4** (*sport: della palla*) tornare in possesso di; tornare sul piede di (*o in mano a: un giocatore*).

revertant /rɪ'vɜːtənt/ a. e n. (*biol.*) (individuo) che ha subito una reversione.

reverter /rɪ'vɜːtə(r)/ n. (*leg.*) → **reversion**, *def. 1 e 2*.

revertible /rɪ'vɜːtəbl/ a. (*leg.*) reversibile.

to **revet** /rɪ'vɛt/ v. t. (*archit., mil.*) rivestire,

rinforzare (*un muro, un bastione*).

revetment /rɪ'vɛtmənt/ n. (*archit., mil.*) **1** rivestimento (*di rinforzo*) **2** muro di sostegno; contrafforte.

♦**review** /rɪ'vjuː/ n. **1** ⓤ (*mil.*) rivista; rassegna; parata: **to pass soldiers in r.**, passare in rivista soldati **2** ⓤ esame; sguardo retrospettivo; rassegna **3** rivista; pubblicazione periodica; periodico: **a scientific r.**, una rivista scientifica **4** recensione (*d'un libro, d'un dramma, ecc.*); critica **5** ⓤ (*leg.*) revisione; riesame **6** (*USA*) ripasso (*delle lezioni*) **7** (*teatr.*) → **revue** ● **r. board**, comitato (*o commissione*) di revisione ● **r. copy**, copia (*di un libro, ecc.*) per recensione ● (*mil.*) **r. order**, alta uniforme; divisa da parata □ (*di un problema, di un libro, ecc.*) **to come under r.**, esser preso in esame; esser fatto oggetto di critiche ● **to keep under r.**, tenere sotto continuo controllo; sottoporre a monitoraggio continuo.

♦to **review** /rɪ'vjuː/ **A** v. t. **1** rivedere; riesaminare; riconsiderare; riandare a (*con la mente*); dare uno sguardo retrospettivo a; passare in rassegna (*il passato, ecc.*) **2** (*mil.*) passare in rivista; passare in rassegna **3** recensire, fare la recensione di (*un libro, ecc.*) **4** (*leg.*) riesaminare; sottoporre a revisione **5** (*USA*) ripassare (*per un esame, ecc.*) **B** v. i. fare il recensore; fare il critico (*letterario, ecc.*).

reviewable /rɪ'vjuːəbl/ a. **1** rivedibile; riesaminabile **2** (*di libro e sim.*) recensibile **3** (*leg.*) che si può sottoporre a revisione; riesaminabile.

reviewal /rɪ'vjuːəl/ n. ⓤ **1** recensione; critica **2** (*leg.*) revisione; riesame.

reviewer /rɪ'vjuːə(r)/ n. recensore; critico.

to **revile** /rɪ'vaɪl/ (*form.*) **A** v. t. ingiuriare; insultare; oltraggiare; svillaneggiare; vituperare **B** v. i. lanciare ingiurie (*o insulti*) || **reviler** n. chi ingiuria; chi insulta; oltraggiatore || **reviling A** n. ⓤ ingiurie; insulti; oltraggi; vituperi **B** a. ingiurioso; oltraggioso; offensivo.

revisable /rɪ'vaɪzəbl/ a. rivedibile; correggibile.

revisal /rɪ'vaɪzl/ n. ⓤ revisione; esame; correzione.

revise /rɪ'vaɪz/ n. (*tipogr.*) bozza corretta; seconda bozza ● **second r.**, terza bozza (*di stampa*).

to **revise** /rɪ'vaɪz/ **A** v. t. **1** rivedere; correggere; emendare; revisionare: **to r. a manuscript** [**a printer's proof**], rivedere un manoscritto [una bozza di stampa]; **to r. an estimate**, rivedere un preventivo **2** modificare; ritoccare: **to r. tariffs**, ritoccare le tariffe **3** (*ingl.*) ripassare (*per un esame*) **B** v. i. ripassare la lezione; fare il ripasso: *Are you just nervous or haven't you revised enough?*, sei solo tesa o non hai ripassato abbastanza? || **revised** a. **1** riveduto; emendato; corretto **2** ripassato ● (*relig.*) **the Revised Version**, la Versione Riveduta (*della Bibbia Anglicana 1881-95*) || **reviser** n. revisore; correttore, correttrice (*di bozze*).

revision /rɪ'vɪʒn/ n. **1** ⓤ revisione; correzione (*di bozze*) **2** copia (*o versione*) revisionata; modifica; ritocco **3** ⓤ ripasso (*per gli esami*): **to do some r.**, fare un po' di ripasso || **revisional, revisionary** a. di revisione.

revisionism /rɪ'vɪʒənɪzəm/ n. ⓤ revisionismo || **revisionist A** n. revisionista **B** a. revisionistico.

to **revisit** /riː'vɪzɪt/ v. t. rivisitare; visitare di nuovo || **revisitation** n. ⓤ rivisitazione.

revisor /rɪ'vaɪzə(r)/ = **reviser** → to **revise**.

revisory /rɪ'vaɪzərɪ/ a. di revisione; di revisori: **r. committee**, comitato di revisori.

to **revitalize** /riː'vaɪtəlaɪz/ v. t. rivitalizzare; dar nuova vita a; vivificare di nuovo || **revitalization** n. ⓤ ravvivamento; nuova vivificazione.

revivable /rɪ'vaɪvəbl/ a. nuovamente ravvivabile; rinnovabile (→ **to revive**).

revival /rɪ'vaɪvl/ n. ⓤ **1** revival; ripristino; rinascita; rinnovamento; risorgimento; risveglio: **the r. of folk music**, la rinascita della musica folk **2** rimessa (*o ritorno*) in auge; ritorno in uso; ripresa; riesumazione (*fig.*): **the r. of an ancient tradition**, la ripresa (*o il recupero*) di un'antica tradizione; **the r. of a word**, il ritorno in uso d'una parola; **the r. of an old comedy**, la riesumazione di una vecchia commedia; (*econ.*) *The economy sank back into a recession after a short-lived r. in growth*, dopo una breve ripresa della crescita l'economia ripiombò nella recessione **3** (*di leggi, ecc.*) ritorno in vigore; riacquisto di validità **4** risveglio religioso; ritorno alla religione **5** (*med.*) ritorno alla vita; ripresa dei sensi; recupero delle forze **6** (*leg.*) reviviscenza: **the r. of a contract**, la reviviscenza di un contratto **7** (*sport*) riscossa; ripartenza (*fig.*); rimonta ● (*stor.*) **the R. of Learning** (*o of Letters*), il Rinascimento; la Rinascenza.

revivalism /rɪ'vaɪvəlɪzəm/ (*relig.*) n. ⓤ revivalismo || **revivalist A** n. revivalista **B** a. revivalistico.

to **revive** /rɪ'vaɪv/ **A** v. i. **1** rianimarsi; riaversi; riprendere i sensi; riprendersi: *Withered flowers r. in the rain*, i fiori avvizziti si riprendono sotto la pioggia **2** ravvivarsi; tornare in vita: *My hopes revived*, le mie speranze si ravvivarono **3** (*di usanze e sim.*) rivivere; tornare in auge; tornare in uso **4** (*di leggi, ecc.*) tornare in vigore; riacquistare validità **5** (*sport*) riaversi; riprendersi; ripartire (*fig.*) **B** v. t. **1** rianimare; far riprendere i sensi a (q.); ravvivare; riportare in vita: **to r. an unconscious person**, rianimare una persona priva di sensi; **to r. the market**, rianimare il mercato **2** far rivivere; ristabilire; riportare in voga; rimettere in voga (*una moda*): **to r. an ancient custom**, far rivivere un'antica usanza **3** rimettere in vigore; ridare validità a (*una legge, ecc.*) **4** (*teatr.*) riesumare, riprendere, riportare sulle scene (*un vecchio dramma*) **5** richiamare alla mente **6** riattizzare, rinfocolare (*dissidi, liti, ecc.*).

reviver /rɪ'vaɪvə(r)/ n. **1** rianimatore; ravvivatore; chi fa rivivere; ecc.; chi rimette in voga (→ **to revive**) **2** sostanza che ridà il colore (*o la lucentezza*) ad abiti stinti, ecc.) **3** (*slang*) bevanda stimolante; tonico.

to **revivify** /rɪ'vɪvɪfaɪ/ v. t. **1** ravvivare; rinvigorire; vivificare **2** (*chim.*) riattivare || **revivification** n. ⓤ **1** ravvivamento; rinvigorimento; vivificazione **2** (*chim.*) riattivazione **3** (*med.*) reviviscenza.

reviviscent /rɛvɪ'vɪsnt/ (*lett.*) a. reviviscente || **reviviscence, reviviscency** n. ⓤ reviviscenza.

revocability /rɛvəkə'bɪlətɪ/ n. ⓤ (*leg.*) revocabilità; abrogabilità; annullabilità.

revocable /'rɛvəkəbl/ a. (*spec. leg.*) revocabile; abrogabile; annullabile; (*comm.*) **r. letter of credit**, lettera di credito revocabile | **-bly** avv.

revocation /rɛvə'keɪʃn/ n. ⓤ (*leg.*) revoca; abrogazione; annullamento: **r. in law**, revoca ope legis; **the r. of a will**, la revoca di un testamento ● **the r. of a licence**, il ritiro di una licenza.

revocatory /'rɛvəkətrɪ/ a. (*leg.*) revocatorio; revocativo; abrogatorio.

revoke /rɪ'vəʊk/ n. (*a carte*) mancata risposta a colore; rifiuto (→ **to revoke**).

to **revoke** /rɪ'vəʊk/ **A** v. t. revocare; abrogare; annullare: **to r. a law**, abrogare una

legge **B** v. i. (*a carte*) rifiutare; non rispondere a colore (*pur avendo carte del seme richiesto*) ● **to r. one's promise**, venir meno alla propria promessa.

revolt /rɪ'vəʊlt/ n. [U] rivolta; ribellione; insurrezione; sommossa ● **to break out in r.**, ribellarsi; rivoltarsi; sollevarsi □ **to turn away in r. from sb.** [**st.**], sentirsi rivoltato da q. [qc.]; trovare q. [qc.] rivoltante.

to **revolt** /rɪ'vəʊlt/ **A** v. i. **1** rivoltarsi; ribellarsi; insorgere; sollevarsi: *My stomach revolted at that sight*, a quella vista mi si rivoltò lo stomaco; **to r. against the tyrant**, rivoltarsi (*o* insorgere) contro il tiranno **2** ribellarsi (*fig.*); nausearsi; provare (*o* sentire) ripugnanza: *His nature revolts against such bad treatment*, la sua indole si ribella contro un trattamento così cattivo **3** provare orrore (per); inorridire (a): *I r. from scenes of violence*, inorridisco di fronte a scene di violenza **B** v. t. disgustare; nauseare; riempire di disgusto; rivoltare (*fig.*); ripugnare a: *What they saw revolted them*, quello che videro li riempì di disgusto; *These actions r. my conscience*, queste azioni ripugnano alla mia coscienza.

revolted /rɪ'vəʊltɪd/ a. **1** rivoltoso; ribelle: **r. subjects**, sudditi ribelli **2** disgustato; nauseato.

revolting /rɪ'vəʊltɪŋ/ a. **1** disgustoso; nauseabondo; rivoltante; ripugnante **2** in rivolta; che si ribella **3** (*fam.*) schifoso; orrendo | **-ly** avv.

revolute /'rɛvəluːt/ a. (*bot.*) revoluto; accartocciato.

◆**revolution** /rɛvə'luːʃn/ n. **1** [U] (*astron., polit.*) rivoluzione (*anche fig.*); movimento di rivoluzione: **the r. of the earth around the sun**, la rivoluzione della terra attorno al sole; **r. in modern physics**, una rivoluzione nella fisica moderna; (*stor., econ.*) **the industrial r.**, la rivoluzione industriale **2** (*mecc.*) giro (*di motore*): **4,000 revolutions** (abbr. **revs**) **per minute**, 4000 giri al minuto ● (*mecc.*) **r. counter**, contagiri □ **the r. of the seasons**, il ciclo delle stagioni □ **the computer [robotic] r.**, la rivoluzione informatica [robotica].

◆**revolutionary** /rɛvə'luːʃənərɪ/ **A** a. **1** rivoluzionario **2** (*mecc.*) rotatorio **B** n. rivoluzionario ● (*stor., in USA*) **the R. War**, la guerra d'indipendenza americana (1775-1783).

revolutionism /rɛvə'luːʃənɪzəm/ n. [U] rivoluzionarismo || **revolutionist** n. rivoluzionarista.

to **revolutionize** /rɛvə'luːʃənaɪz/ v. t. **1** rinnovare radicalmente; rivoluzionare; sovvertire **2** agitare (*fig.*); inculcare idee rivoluzionarie in (*operai, lavoratori, ecc.*).

to **revolve** /rɪ'vɒlv/ **A** v. i. **1** (*mecc., astron.*) girare; ruotare: *The planets r. round the sun*, i pianeti ruotano intorno al sole **2** tornare periodicamente; ricorrere: **the revolving seasons**, le ricorrenti stagioni; il volgere delle stagioni **3** (*fig.*) girare; frullare; mulinare: *God knows what ideas r. in her mind*, Dio sa che cosa le frulla nel cervello **B** v. t. **1** far girare; far ruotare; roteare **2** rivolgere (*nella mente*); considerare; ponderare: **to r. a matter in one's mind**, rivolgere una questione nella mente.

revolver /rɪ'vɒlvə(r)/ n. rivoltella; revolver; pistola a tamburo ● **r. shot**, revolverata.

revolving /rɪ'vɒlvɪŋ/ a. **1** rotante; roteante **2** girevole: **a r. chair**, una sedia girevole; **a r. door**, una porta girevole; una bussola ● (*mecc.*) **r.-block engine**, motore a cilindri rotanti □ (*comm.*) **r. credit**, credito rotativo □ (*ind. tess.*) **r. drier**, asciugatoio a tamburo rotante □ (*mecc.*) **r. shovel**, escavatore girevole □ **r. sprinkler**, irroratore girevole (*da*

giardino).

revote /riː'vəʊt/ n. (*polit.*) votazione ripetuta; nuova votazione; ripetizione del voto.

to **revote** /riː'vəʊt/ v. i. (*polit.*) votare di nuovo; ripetere la votazione.

revue /rɪ'vjuː/ (*franc.*) n. [U] (*teatr.*) rivista; spettacolo di varietà.

revulsion /rɪ'vʌlʃn/ n. [U] **1** (*med.*) revulsione **2** improvviso mutamento (*dei propri sentimenti, dell'opinione pubblica, ecc.*); reazione violenta **3** (*spec.*) repulsione; ripugnanza; avversione.

revulsive /rɪ'vʌlsɪv/ a. e n. (*med.*) revulsivo.

Rev. Ver. abbr. (*Bibbia*, **Revised Version**) versione riveduta (*della Bibbia Anglicana: 1881-95*).

◆**reward** /rɪ'wɔːd/ n. [U] **1** ricompensa; compenso; premio **2** (*leg.*, = **r. money**) taglia: **the r. for the capture of a criminal**, il premio per la cattura d'un criminale ● **to expect some r.**, aspettarsi una ricompensa.

to **reward** /rɪ'wɔːd/ v. t. **1** ricompensare; compensare; remunerare; premiare **2** contraccambiare; ripagare (*fig.*).

rewarder /rɪ'wɔːdə(r)/ n. chi ricompensa; remuneratore, remuneratrice.

rewarding /rɪ'wɔːdɪŋ/ a. remunerativo; gratificante; che dà soddisfazioni: **a r. job**, un lavoro gratificante ● **a r. novel**, un romanzo che merita d'essere letto.

rewardless /rɪ'wɔːdləs/ a. **1** senza remunerazione; non pagato **2** senza ricompensa; che non vale la pena di fare.

to **rewin** /riː'wɪn/ (pass. e p. p. **rewon**), v. t. vincere di nuovo; riconquistare.

rewind /riː'waɪnd/ n. (*tecn.*) dispositivo di riavvolgimento ● **r. button**, pulsante di riavvolgimento.

to **rewind** /riː'waɪnd/ (pass. e p. p. **rewound**), v. t. **1** riavvolgere (*un nastro magnetico, ecc.*) **2** ricaricare (*un orologio, un giocattolo a molla, ecc.*) || **rewinding** n. [U] **1** riavvolgimento **2** ricarica (*di un orologio, di un giocattolo a molla, ecc.*).

rewire, re-wire /riː'waɪə(r)/, **rewiring, re-wiring** /riː'waɪərɪŋ/ n. (*edil., elettr.*) rifacimento dell'impianto elettrico.

to **rewire**, to **re-wire** /riː'waɪə(r)/ v. t. **1** rifare l'impianto elettrico di (*una casa, ecc.*) **2** ritelegrafare (*una notizia*) **3** ritelegrafare a (q.).

to **reword** /riː'wɜːd/ v. t. esprimere (*o* formulare) con altre parole; modificare (*uno scritto, un discorso*).

to **rework** /riː'wɜːk/ v. t. **1** rielaborare (*un motivo musicale, ecc.*) **2** (*tecn.*) rilavorare **3** rimaneggiare; modificare; rivedere (*progetti, ecc.*) || **reworking** n. [U] **1** rielaborazione **2** (*tecn.*) rilavorazione **3** rimaneggiamento.

rewrite /'riːraɪt/ n. **1** rimaneggiamento; versione: **a modern r. of an old novel**, una versione moderna di un vecchio romanzo **2** (*gramm. generativa, comput.*) riscrittura ● (*fam.*) **r. man**, chi riscrive (*memorie, ecc.*) per q. altro.

to **rewrite** /riː'raɪt/ (pass. **rewrote**, p. p. **rewritten**), v. t. riscrivere; rimaneggiare.

Rex /rɛks/ (*lat.*) n. **1** Re: *George Rex*, Giorgio Re (*regnante*) **2** (*leg., in GB*) (la) Corona; lo Stato (*nelle cause contro privati cittadini*) ● *Rex v.* (*o versus*) *Smith*, (intestazione di una) causa legale della Corona contro Mr Smith.

Reynard /'rɛnəd/ n. (*letter.*) la Volpe (*nome proprio usato nelle favole*).

RFC sigla **1** (*comput.*, **request for comments**) RFC; richiesta di commenti (*documento soggetto all'approvazione dell'* → *«IETF»*) **2** (*sport*, **rugby football club**) società di rugby.

RFID sigla (*scient.*, **radio frequency identification**), identificazione tramite radiofrequenza.

RFU sigla (*GB*, **Rugby Football Union**) Unione del Rugby.

RGB sigla (*comput.*, **red green blue**) RGB (*di monitor, codifica, ecc. che rappresenta i colori mediante i primari rosso, verde e blu*).

RGS sigla (*GB*, **Royal Geographical Society**) Reale società geografica.

Rgt abbr. (*mil.*, **regiment**) reggimento.

RH sigla **1** (*anche r.h.*) (**right hand**) mano destra **2** (**Royal Highness**) Altezza Reale (AR).

rhabdomancy /'ræbdəmænsɪ/ n. [U] rabdomanzia.

rhabdomyolysis /ræbdəʊmɪ'ɒləsɪs/ n. [U] (*med.*) rabdomiolisi.

Rhaetia /'riːʃə/ n. (*geogr., stor.*) Rezia || **Rhaetian** **A** a. retico: (*geogr.*) **Rhaetian Alps**, Alpi Retiche **B** n. (*stor.*) abitante della Rezia.

Rhaetic /'riːtɪk/ **A** a. (*geol.*) retico **B** n. [U] (*stor.*) retico (*la lingua*).

Rhaeto-Romance /riːtəʊrə'mæns/, **Rhaeto-Romanic** /riːtəʊrə'mænɪk/ a. e n. [U] (*ling.*) retoromanzo.

rhagades /'rægədiːz/ n. pl. (*med.*) ragadi.

rhapsode /'ræpsəʊd/ n. (*stor., letter.*) rapsodo.

rhapsodic, **rhapsodical** /ræp'sɒdɪk(l)/ a. **1** (*stor., letter.*) rapsodico **2** (*fam.*) entusiastico | **-ally** avv.

rhapsodist /'ræpsədɪst/ n. **1** (*stor., letter.*) rapsodo **2** (*fam.*) chi parla (*o* scrive) in modo troppo entusiastico.

to **rhapsodize** /'ræpsədaɪz/ **A** v. i. **1** declamare (*o* scrivere) rapsodie **2** (*fam.*) parlare (*o* scrivere) in modo entusiastico: **to r. about** (*o over*) **one's children**, parlare in modo entusiastico dei propri figli **B** v. t. declamare; recitare.

rhapsody /'ræpsədɪ/ n. **1** (*letter., mus.*) rapsodia **2** (*fig.*) discorso (*o* scritto) ampolloso (*o* entusiastico, retorico) ● **to go into rhapsodies over st.**, mostrare grande entusiasmo (*o* andare in solluchero) per qc.

RHD sigla (*o* **l.h.d.**) (*autom.*, **right-hand drive**) guida a destra.

rhea /'rɪə/ n. **1** (*zool., Rhea americana*) nandù **2** – (*mitol., astron.*) R., Rea.

Rheims /riːmz/ n. (*geogr.*) Reims.

rheme /riːm/ n. (*ling.*) rema.

Rhenish /'riːnɪʃ/ **A** a. (*geogr.*) del Reno, renano: **R. wine**, vino del Reno **B** n. vino del Reno.

rhenium /'riːnɪəm/ n. [U] (*chim.*) renio.

rheology /riː'ɒlədʒɪ/ n. [U] (*fis.*) reologia.

rheometer /riː'ɒmɪtə(r)/ (*elettr.*) n. reometro || **rheometry** n. [U] reometria.

rheostat /'riːəstæt/ (*elettr.*) n. reostato || **rheostatic** a. reostatico ● (*tecn.*) **rheostatic braking**, frenatura reostatica.

rhesus /'riːsəs/ n. (*zool., Macaca mulatta; = **r. monkey**) reso ● (*med.*) **r. baby**, neonato affetto da eritroblastosi fetale □ (*biol.*) **r. factor** (*più spesso **Rh factor***), fattore Rh; fattore Rhesus.

rhetor /'riːtə(r)/ n. (*anche fig.*) retore.

rhetoric /'rɛtərɪk/ n. [U] retorica.

rhetorical /rɪ'tɒrɪkl/ a. retorico: **a r. question**, una domanda retorica; **a r. style**, uno stile retorico || **rhetorically** avv. **1** retoricamente; in modo retorico **2** (*fam.*) tanto per chiedere (*o* per parlare).

rhetorician /rɛtə'rɪʃn/ n. (*anche fig.*) retore.

rheum /ruːm/ n. (*med., antiq.*) catarro; muco.

rheumatic /ruː'mætɪk/ (*med.*) **A** a. **1**

reumatico: **a r. fever**, una febbre reumatica **2** affetto da reumatismo; reumatizzato: **a r. joint**, una giuntura affetta da reumatismo **B** n. **1** persona affetta da reumatismo; reumatico (*raro*) **2** (pl.) (col verbo al sing.) (*fam.*) reumatismo ‖ **rheumaticky** a. (*fam.*) affetto da reumatismo; reumatizzato.

rheumatism /'ruːmətɪzəm/ n. ⓤ (*med.*) reumatismo, reumatismi.

rheumatoid /'ruːmətɔɪd/ a. (*med.*) reumatoide: **r. arthritis**, artrite reumatoide.

rheumatology /ruːmə'tɒlədʒɪ/ (*med.*) n. ⓤ reumatologia ‖ **rheumatological** a. reumatologico ‖ **rheumatologist** n. reumatologo.

rheumy /'ruːmɪ/ a. **1** (*med.*, *arc.*) catarrale; catarroso; mucoso **2** (*lett.*) umido; malsano.

rhinal /'raɪnl/ a. (*anat.*) nasale.

Rhine /raɪn/ n. (*geogr.*) Reno ● **R. wine**, vino del Reno.

Rhineland /'raɪnlænd/ n. (*geogr.*) Renania.

rhinestone /'raɪnstəʊn/ n. (*miner.*) varietà di cristallo di rocca (*usata anche per fare diamanti artificiali*); strass.

rhinitis /raɪ'naɪtɪs/ n. ⓤ (*med.*) rinite: **allergic r.**, rinite allergica.

rhino ① /'raɪnəʊ/ n. (pl. **rhinos**, **rhino**) (abbr. *fam. di* **rhinoceros**) rinoceronte.

rhino ② /'raɪnəʊ/ n. (inv. al pl.) (*slang*) denaro; quattrini; grana (*pop.*) ● **ready r.**, contanti; soldi sull'unghia (*pop.*).

rhinoceros /raɪ'nɒsərəs/ n. (pl. **rhinoceroses**, **rhinoceros**) (*zool.*, *Rhinoceros*) rinoceronte ‖ **rhinocerotic** a. di (o da) rinoceronte.

rhinology /raɪ'nɒlədʒɪ/ (*med.*) n. ⓤ rinalgia ‖ **rhinologist** n. rinologo.

rhinoplasty /'raɪnəplæstɪ/ (*med.*) n. ⓤ rinoplastica ‖ **rhinoplastic** a. rinoplastico.

rhinorrhea /raɪnə'riːə/ n. ⓤ (*med.*) rinorrea.

rhinoscope /'raɪnəskəʊp/ (*med.*) n. rinoscopio ‖ **rhinoscopy** n. ⓤ rinoscopia.

rhinovirus /'raɪnəvaɪərəs/ n. (*biol.*) rinovirus.

rhizoid /'raɪzɔɪd/ n. (*bot.*) rizoide.

rhizomatous /raɪ'zɒmətəs/ a. (*bot.*) rizomatoso.

rhizome /'raɪzəʊm/ n. (*bot.*) rizoma.

rho /rəʊ/ n. ro (*diciassettesima lettera dell'alfabeto greco*).

Rhodes /rəʊdz/ n. (*geogr.*) Rodi ‖ **Rhodian** **A** a. rodio; di Rodi **B** n. rodiota; abitante di Rodi.

Rhodesian /rəʊ'diːʒn/ (*stor.*) a. e n. rhodesiano.

rhodie /'rəʊdɪ/ n. (*bot.*, *fam.*) rododendro.

rhodium ① /'rəʊdɪəm/ (*chim.*) n. ⓤ rodio.

rhodium ② /'rəʊdɪəm/ n. ⓤ (= **r. wood**) legno rodio.

rhodochrosite /rəʊdə'krəʊsaɪt/ n. ⓤ (*miner.*) rodocrosite.

rhododendron /rəʊdə'dendrən/ n. (*bot.*, *Rhododendron*) rododendro.

rhodonite /'rɒdənaɪt/ n. ⓤ (*miner.*) rodonite.

rhodopsin /rəʊ'dɒpsɪn/ n. ⓤ (*biol.*) rodopsina.

rhomb /rɒm/ (*geom.*) n. rombo ‖ **rhombic** a. rombico.

rhombohedral /rɒmbəʊ'hiːdrəl/ a. (*geom.*, *miner.*) romboedrico.

rhombohedron /rɒmbəʊ'hiːdrən/ n. (pl. **rhombohedrons**, **rhombohedra**) (*geom.*) romboedro.

rhomboid /'rɒmbɔɪd/ **A** a. **1** (*geom.*) romboidale; romboide **2** (*anat.*) romboide: **r. muscle**, muscolo romboide **B** n. **1**

(*geom.*) romboide; parallelogramma obliquo **2** (*anat.*) muscolo romboide; romboide ‖ **rhomboidal** a. (*geom.*) romboidale.

rhombus /'rɒmbəs/ n. (pl. **rhombuses**, **rhombi**) **1** (*geom.*) rombo **2** (*zool.*, *Rhombus*) rombo.

Rhone /rəʊn/ n. (*geogr.*) Rodano.

rhotacism /'rəʊtəsɪzəm/ n. ⓤ (*ling.*) rotacismo.

RHS sigla **1** (*GB*, **Royal Historical Society**) Reale società storica **2** (*GB*, **Royal Horticultural Society**) Reale società d'orticoltura.

rhubarb /'ruːbɑːb/ n. **1** (*bot.*, *Rheum*) rabarbaro **2** (*slang USA*) lite; rissa; baruffa **3** (*teatr.*) 'rhubarb' (*parola ripetuta di seguito per fingere una conversazione*).

rhumb /rʌm/ n. (*naut.*) rombo: **r. line**, linea di rombo; linea (o retta) lossodromica ● (*naut.*) **r.-line course**, rotta lossodromica.

rhyme /raɪm/ n. **1** rima **2** poesia; componimento in rima **3** (pl.) rime; versi ● (*letter.*) **r. royal**, stanza di sette pentapodie giambiche (ababbcc) □ **without r. or reason**, senza una logica; senza una ragione.

to **rhyme** /raɪm/ **A** v. i. **1** rimare: «*More*» *and* «*door*» *r. perfectly*, «more» e «door» rimano perfettamente **2** (*arc.*) fare versi; verseggiare **B** v. t. **1** far rimare (*una parola con un'altra*) **2** mettere in versi; versificare; verseggiare ● (*letter.*) **rhyming couplets**, distici rimati □ **rhyming dictionary**, rimario □ **rhyming slang**, gergo in cui alcune parole sono sostituite con altre che rimano con esse (*per es.*, «*trouble and strife*» *al posto di* «*wife*»).

rhymed /raɪmd/ a. rimato; in rima.

rhymeless /'raɪmləs/ a. senza rima.

rhymer /'raɪmə(r)/ n. rimatore; verseggiatore; poeta.

rhymester /'raɪmstə(r)/ n. (*arc. spreg.*) poetastro; poetucolo.

rhymist /'raɪmɪst/ → **rhymer**.

rhyolite /'raɪəlaɪt/ n. ⓤ (*geol.*) riolite.

♦**rhythm** /'rɪðəm/ n. **1** (*mus.*) ritmo **2** (*fig.*) cadenza (o successione) regolare **3** (*sport*, *ecc.*) ritmo: **to keep one's r.**, mantenere il ritmo ● **r.-and-blues** (abbr. **R. and B.**) (col verbo al sing.) rhythm and blues (*musica popolare afroamericana*) □ **r. method**, continenza periodica, metodo Ogino-Knaus □ (*mus.*) **r. section**, sezione ritmica.

rhythmic /'rɪðmɪk/, **rhythmical** /'rɪðmɪkl/ a. ritmico ‖ **-ally** avv.

rhythmicity /rɪð'mɪsətɪ/ n. ⓤ ritmicità.

rhythmics /'rɪðmɪks/ n. pl. (col verbo al sing.) ritmica; ritmologia.

rhythmless /'rɪðmləs/ a. senza ritmo.

RI sigla **1** (*anche* **R.I.**) (*USA*, **Rhode Island**) Rhode Island **2** (*GB*, **Royal Institution**) Regio istituto.

riant /'raɪənt/ a. (*lett.*) ridente; lieto: **a r. landscape**, un ridente paesaggio.

rib /rɪb/ n. **1** (*anat.*) costa; costola: **false ribs**, costole false; **floating ribs**, costole fluttuanti; **true** (o **sternal**) **ribs**, costole vere (o sternali); **to fracture one's ribs**, riportare una frattura alle costole **2** (*di stoffa*, *di lavoro a maglia*) costa: **a rib sweater**, un maglione a coste **3** (*cucina*) costata; costoletta: **ribs of beef**, costolette di bue **4** (*archit.*) costolone; nervatura **5** (*bot.*, *zool.*) nervatura (principale): **the rib of a leaf**, la nervatura d'una foglia **6** (*aeron.*) centina (*di ala*) **7** (*naut.*) ordinata; corba; costa **8** (*geol.*) vena (*di minerale*) **9** (*d'ombrello*) stecca **10** nervatura, rialzo ornamentale (*sul dorso di un libro*) **11** (*agric.*) porca (*fra solco e solco*) **12** segno lasciato dall'onda sulla spiaggia **13** cresta (*di un monte*) **14** (*mecc.*) nervatura; scanalatura **15** bindella (*che unisce le due canne di una doppietta*) **16** (*ind. min.*) pila-

stro abbandonato **17** (*slang USA*) presa in giro (*o per i fondelli*) **18** (*scherz. arc.*) donna; moglie (*dal racconto della Genesi*) ● (*anat.*) **rib cage**, gabbia toracica □ (*sport*) **rib pad**, paracostole □ (*cucito*) **rib stitch**, punto a costa □ (*fam.*) **rib-tickler**, cosa divertente; spasso □ (*fam.*) **rib-tickling**, buffo; comico; spassoso □ **to dig** (o **to poke**) **sb. in the ribs**, dar di gomito a q.; dare una gomitatina nelle costole a q. (*per richiamarne l'attenzione*, *ecc.*).

to **rib** /rɪb/ v. t. **1** fornire di coste; rinforzare con nervature **2** provvedere (*un ombrello*) di stecche **3** (*archit.*) munire di costoloni **4** (*mecc.*) scanalare **5** (*agric.*) arare lasciando le porche fra solco e solco **6** lavorare (*un tessuto, ecc.*) a coste **7** (*slang USA*) prendere in giro; burlare; sfottere (*fam.*).

ribald /'rɪbld/ (*antiq.*) **A** a. licenzioso; osceno; scurrile; volgare: **a r. joke**, una barzelletta licenziosa **B** n. individuo volgare; chi usa un linguaggio osceno (o scurrile); persona sboccata.

ribaldry /'rɪbldrɪ/ n. ⓤ (*antiq.*) licenziosità; oscenità; scurrilità; volgarità.

riband /'rɪbənd/ → **ribbon**.

ribband /'rɪbənd/ n. (*naut.*) **1** longarina, longherina **2** lista.

ribbed /rɪbd/ a. **1** munito di coste; fornito di costole **2** (*mecc.*, *bot.*) nervato **3** (*archit.*) con nervature; nervato **4** rigato; con rigatura a coste: (*autom.*) **r. tyre**, pneumatico rigato ● **a r. sweater**, un maglione a coste.

ribbing /'rɪbɪŋ/ n. **1** (*archit.*) costolatura; nervatura **2** (*bot.*) nervatura (principale) **3** (*mecc.*) nervatura; scanalatura **4** (*di un tessuto*, *ecc.*) lavorazione a coste; coste, rigature **5** (*slang USA*) presa in giro (o per i fondelli); sfottitura (*fam.*) ● (*cucito*) **r. stitch**, punto a costa.

ribbon /'rɪbən/ n. **1** nastro; fettuccia **2** (*anche mil.*) nastrino **3** (*fig.*) lembo; striscia: **a r. of blue sky**, un lembo di sereno; **a r. of smoke**, una striscia di fumo **4** (pl.) brandelli; pezzi: **to cut** (o **tear**) **st. to ribbons**, fare a brandelli qc.; lacerare qc. **5** (pl.) (*fam.*) redini: **to take the ribbons**, prendere le redini **6** (*edil.*) banchina (*di pavimento*) **7** (*ginnastica ritmica*) nastro ● (*mecc.*) **r. brake**, freno a nastro □ **r. building** (o **r. development**), costruzione di case lungo i due lati delle principali vie suburbane (*con danno del paesaggio*) □ (*elettr.*) **r. cable**, cavo a nastro; cavo piatto; piattina □ (*mecc.*) **r. conveyor**, coclea a nastro □ (*bot.*) **r. grass** (*Phalaris arundinacea picta*), scagliola dei giardini; nastro di pastorella ● **a r. of road**, una fettuccia stradale □ (*aeron.*) **r. parachute**, paracadute a nastri □ **r.-saw**, sega a nastro □ (*stor.*) **R. Society**, società segreta di cattolici irlandesi (*fondata ai primi dell'800*) □ (*d'abito e sim.*) **to be hanging in ribbons**, esser tutto lacero (o a brandelli).

ribboned /'rɪbənd/ a. ornato di nastri; decorato di nastrini.

ribes /'raɪbiːz/ n. (solo sing.) (*bot.*, *Ribes*) ribes.

riboflavin /raɪbəʊ'fleɪvɪn/ n. ⓤ (*biochim.*) riboflavina; vitamina B₂.

ribonuclease /raɪbəʊ'njuːkliːeɪs/ n. ⓤ (*biochim.*) ribonucleasi.

ribonucleic /raɪbəʊnjuː'kliːɪk/ a. (*biochim.*) ribonucleico.

ribose /'raɪbəʊz/ n. ⓤ (*chim.*) ribosio.

ribosome /'raɪbəsəʊm/ n. (*biol.*) ribosoma.

ribwort /'rɪbwɜːt/ n. (*bot.*, *Plantago lanceolata*) arnoglossa.

♦**rice** /raɪs/ n. ⓤ **1** (*bot.*, *Oryza sativa*) riso **2** (= **brown r.**) risone **3** (*spreg. USA*) **r.-belly**; mangiariso; cinese; asiatico □ (*zool.*) **r.-bird**, (*Padda oryzivora*) padda; (*USA*, *Dolichonix ory-*

zivorus) bobolink, doliconice □ **r. field** (*o* **r. paddy**), risaia □ **r. meal**, farina di riso; riso in polvere □ **r. mill**, pileria di riso □ **r. paper**, carta di riso □ **r. pudding**, budino di riso □ **polished r.**, riso brillato □ **r. weeder**, mondariso, mondina.

ricer /'raɪsə(r)/ *n.* (*cucina, USA*) passaverdure; schiacciapatate.

♦**rich** /rɪtʃ/ *a.* **1** ricco; costoso; sfarzoso, sontuoso; abbondante, fertile, opulento; ben condito, ben guarnito; nutriente; succulento: **r. gifts** [**prizes**], ricchi doni [premi]; **a r. country**, un paese ricco; **a region r. in natural resources**, una regione ricca di risorse naturali; **a r. banquet**, un banchetto sontuoso; **a r. harvest**, un raccolto abbondante; **r. land**, terreno fertile; **r. pastries**, pasticcini ben guarniti **2** (*di colore*) smagliante; vivido; intenso: **r. colouring**, colori vivi **3** (*di suono*) pieno; profondo **4** (*di odore*) intenso; fragrante **5** (*di vino*) potente; robusto; corposo **6** (*fam.*) divertente; spassoso; comico; ridicolo: **r. humour**, umorismo divertente **7** (*fam.*) assurdo; incredibile: *Oh, that's too r.!*, ma no! è incredibile! (*o* questa è bella!; questa è grossa!) ● (*collett.*) **the r.**, i ricchi (*edil.*) **r. concrete**, calcestruzzo grasso □ **r. cream**, crema grassa □ (*autom.*) **r. mixture**, miscela ricca (*o* grassa) □ **to grow** (*o* **to get**) **r.**, arricchire; arricchirsi □ **to make sb. r.**, arricchire q.

Richard /'rɪtʃəd/ *n.* Riccardo.

riches /'rɪtʃɪz/ *n. pl.* (*form.*) ricchezza; ricchezze: **vast r.**, grandi ricchezze.

richly /'rɪtʃlɪ/ *avv.* **1** riccamente; abbondantemente; costosamente; sontuosamente; sfarzosamente **2** pienamente; del tutto; proprio; davvero: *He r. deserves to succeed*, merita davvero di riuscire (*o* d'aver successo).

richness /'rɪtʃnəs/ *n.* ⓤ **1** ricchezza; abbondanza; opulenza; fertilità (*del suolo*); sfarzosità, sontuosità (*d'abiti, ecc.*) **2** vividezza, intensità (*di colore*) **3** pienezza, profondità (*di suono*) **4** (*del vino*) l'esser corposo.

ricin /'raɪsɪn/ *n.* ⓤ (*biochim.*) ricina.

rick① /rɪk/ *n.* **1** mucchio (*di fieno, paglia, ecc.*); bica, barca, barco **2** (= **hayrick**) mucchio di fieno ◦ **r.-cloth**, telone da pagliaio □ **r.-yard** (*o* **r.-barton**), spiazzo per i pagliai; aia.

rick② /rɪk/ *n.* slogatura; storta; distorsione; lieve strappo.

to **rick**① /rɪk/ *v. t.* abbicare, ammucchiare (*fieno, paglia*).

to **rick**② /rɪk/ *v. t.* slogare; storcere leggermente: **to r. one's ankle**, slogarsi una caviglia.

rickets /'rɪkɪts/ *n.* (col verbo al sing. o al pl.) (*med.*) rachitismo.

rickettsia /rɪ'kɛtsɪə/ *n.* (pl. **rickettsiae** e **rickettsias**) (*biol.*) rickettsia.

rickety /'rɪkətɪ/ *a.* **1** (*med.*) rachitico **2** (*fig.*) malfermo; sgangherato; sconquassato; traballante: **a r. hotel**, un albergo sgangherato; **a r. table**, un tavolo traballante ● **a r. chair**, una sedia zoppa ‖ **ricketiness** *n.* ⓤ **1** (*med.*) rachitismo **2** (*fig.*) l'esser malfermo (*o* traballante).

ricking /'rɪkɪŋ/ *n.* ⓤ (*agric.*) abbicatura (*del fieno, ecc.*).

rickshaw, **ricksha** /'rɪkʃɔː/ *n.* risciò; ricsciò.

ricky-ticky /'rɪkɪ'tɪkɪ/ *a.* (*slang USA*) **1** tipico della musica popolare veloce degli anni '20; monotono; ripetitivo **2** fuori moda; vecchio; trito.

ricochet /'rɪkəʃeɪ, *USA* rɪkəˈʃeɪ/ *n.* **1** rimbalzo (*spec. di proiettile o di sasso lanciato sull'acqua*) **2** (= **r. shot**) colpo di rimbalzo **3** (*sport*) rimbalzo angolato; rimpallo.

to **ricochet** /'rɪkəʃeɪ, *USA* rɪkəˈʃeɪ/ Ⓐ *v. i.* rimbalzare (*spec. ad angolo*): *The bullet ricocheted from* (*o off*) *the wall*, la pallottola rimbalzò sul muro Ⓑ *v. t.* colpire di rimbalzo ● (*pallanuoto: della palla*) **to r. on the water**, impennarsi sull'acqua.

rictus /'rɪktəs/ *n.* (*med. e fig.*) rictus.

♦to **rid** /rɪd/ (pass. e p. p. **rid**) *v. t.* liberare; sbarazzare: **to rid the road of fallen rocks**, sbarazzare la strada dai massi caduti ● **to rid oneself**, liberarsi; sbarazzarsi: *He rid himself of his cocaine habit*, si liberò del vizio della cocaina ● **to be rid of sb.** [**st.**], essersi liberato (*o* sbarazzato) di q. [qc.] □ **to get rid of sb.** [**st.**], liberarsi (*o* sbarazzarsi, disfarsi) di q. [qc.]; *We need to get rid of him, he's useless*, dobbiamo sbarazzarci di lui, è inutile.

ridable /'raɪdəbl/ *a.* **1** (*di cavallo*) cavalcabile; che si lascia montare **2** (*di sentiero, ecc.*) che si può percorrere a cavallo; cavalcabile.

riddance /'rɪdns/ *n.* ⓤ liberazione: *Good r.!*, una bella liberazione!

ridden /'rɪdn/ Ⓐ *p. p.* di **to ride** Ⓑ *a.* (nei composti:) **1** dominato; oppresso; tormentato: **guilt-r.**, tormentato dai sensi di colpa **2** infestato: **flea-r.**, infestato dalle pulci ● **a police-r. State**, uno Stato di polizia □ **a priest-r. country**, un paese dominato dai preti.

riddle① /'rɪdl/ *n.* indovinello; enigma: **the r. of the universe**, l'enigma dell'universo; **to speak in riddles**, parlare per enigmi ● **to read a r.**, risolvere un indovinello; indovinare.

riddle② /'rɪdl/ *n.* (*ind. min., metall.*) crivello; setaccio; vaglio.

to **riddle**① /'rɪdl/ Ⓐ *v. i.* **1** parlare per enigmi (*o* in modo enigmatico) **2** proporre indovinelli Ⓑ *v. t.* risolvere (*un enigma*); spiegare (*un indovinello*) ● **R. me this**, risolvi questo indovinello (*cfr. ital. fam.* «indovina indovinello») ‖ **riddler** *n.* chi fa indovinelli; chi parla per enigmi.

to **riddle**② /'rɪdl/ *v. t.* **1** (*anche fig.*) passare al crivello; setacciare; vagliare: **to r. the soil**, passare il terriccio al crivello **2** crivellare; bucare come un crivello; bucherellare: *His car was riddled with bullets*, gli crivellarono l'automobile di pallottole **3** (*fig.*) criticare (*una teoria*); confutare (*un'argomentazione*) ● **riddled with errors**, pieno zeppo di errori.

riddling /'rɪdlɪŋ/ *n.* ⓤⓒ crivellatura; setacciatura; vagliatura.

ride /raɪd/ *n.* **1** cavalcata; corsa (*o* passeggiata, viaggio) a cavallo **2** corsa, passeggiata, viaggio, giro (*in bicicletta, in motocicletta, anche in automobile come passeggero, ecc.*): **to have a r. in the new car**, fare un giro con la macchina nuova; **to have a r. on the merry--go-round**, fare un giro in giostra; *That was a good r. for Biaggi*, quella di Biaggi è stata una buona corsa (*o* una buona gara) **3** corsa (*su un mezzo pubblico*): **a bus r.**, una corsa in autobus **4** passaggio: **to give sb. a r. to the station**, dare a q. un passaggio fino alla stazione **5** tragitto; percorso; distanza: *The school is a short bus r. from my house*, ci sono poche fermate d'autobus da casa mia alla scuola **6** vialetto, sentiero per cavalli (*spec. attraverso un bosco*) **7** (*sport: lotta*) rullata (*sull'avversario a terra*) **8** (*equit.*) sentiero per cavalli (*nei boschi*) **9** (*mil.*) gruppo di reclute a cavallo **10** (*pop. USA*) automezzo; moto **11** (*volg.*) chiavata, scopata (*volg.*) ● (*fig.*) **to get a free r.**, ricevere qc. gratis; andare a sbafo (*pop.*) □ (*slang USA*) **to give sb. a r.**, imbrogliare, ingannare q. □ **to give sb. a r. on one's shoulders**, portare q. a cavalluccio □ (*slang USA*) **to go along for the r.**, stare a guardare; andare dietro agli altri;

seguire gli altri passivamente □ **to go for a r.**, andare a fare una cavalcata (*o* una gita in bicicletta, una corsa in motocicletta, una gita in auto, ecc.) □ **to have an easy r.**, (*sport*) vincere una corsa (a cavallo o in moto) facilmente; (*fig.*) filare via liscio; (*di un progetto, ecc.*) essere approvato con estrema facilità □ **to hitch a r.**, fare l'autostop; trovare un passaggio □ (*fig. fam.*) **to be in for a bumpy r.**, andare incontro a delle noie (*o* a delle difficoltà, degli imprevisti) □ (*fig.*) **rough r.**, periodo burrascoso; trattamento sgradevole, critiche □ **to steal a r.**, viaggiare abusivamente, senza biglietto (*su un mezzo pubblico*) □ (*fam.*) **to take sb. for a r.**, imbrogliare, ingannare q.; fare fesso q. (*pop.*); uccidere, fare fuori q. (*portandolo via in auto*) □ (*autom.*) **to take sb. out for a r.** (*o* **for little rides**), portare q. a fare un giretto (*o* dei giretti) in auto.

♦to **ride** /raɪd/ (pass. **rode**, p. p. **ridden**) Ⓐ *v. i.* **1** andare a cavallo; cavalcare: *Can you r.?*, sai andare a cavallo?; *They were riding along the canal*, cavalcavano lungo il canale; *We rode down to the river*, scendemmo al fiume; **to r. home**, tornare a casa (a cavallo); **to r. at full gallop**, andare di gran galoppo; **to r. in a race**, partecipare a una corsa ippica; **to go riding**, andare a cavallo; fare una cavalcata **2** andare, viaggiare (*in treno, auto, ecc.*), come passeggero: **to r. in** (*o* **on**) **a cart**, viaggiare su un carro; *I was riding on bus N° 45, when...*, mi trovavo sul 45 quando...; *Five can r. in a taxicab in the U.S.*, negli Stati Uniti si può viaggiare in cinque in un taxi **3** andare, correre (*in bicicletta, in motocicletta, ecc.*): *I jumped on my bike and rode to the station*, saltai sulla bici e corsi alla stazione; *Which team is Rossi riding for?*, per quale squadra corre Rossi? **4** (*di veicolo*) andare; viaggiare: *This car rides smoothly*, questa macchina va bene **5** (*anche fig.*) galleggiare: *A full moon was riding high in the sky*, in cielo galleggiava una luna piena **6** (*naut.*, = **to r. at anchor**) essere alla fonda; sorgere sull'ancora **7** (*di fantino*) pesare (*alle corse*): *The jockey rode ten stone*, il fantino pesava dieci «stone» (*kg 63,500*) **8** sovrapporsi; accavallarsi **9** (*mus.*) improvvisare liberamente (*su un tema di jazz*) **10** (*volg.*) chiavare; scopare (*volg.*) Ⓑ *v. t.* **1** cavalcare; montare: **to r. a horse**, montare un cavallo; andare a cavallo **2** andare in (*bicicletta, motocicletta, ecc.*); guidare, pilotare (*una moto*); essere in sella a (*una bicicletta*): *I r. my bicycle to school*, vado a scuola in bicicletta; **to learn to r. a bike**, imparare ad andare in bici **3** percorrere a cavallo; attraversare a cavallo: *We rode 20 miles*, facemmo venti miglia a cavallo; *We rode the prairie*, attraversammo a cavallo la prateria **4** (*USA*) prendere (*un ascensore*) **5** portare (q.) a cavalluccio **6** fare, gareggiare in (*una corsa a cavallo, ecc.*) **7** (*anche fig.*) farsi portare da; lasciarsi trasportare da; cavalcare: **to r. the waves**, farsi portare dalle onde **8** (spec. al passivo) dominare; opprimere; tormentare: *I was ridden by* (*o* with) *doubts*, ero tormentato dai dubbi; **to be ridden by** (*o* with) **fear**, essere dominato dalla paura **9** (*fam. spec. USA*) infastidire; seccare; scocciare (*fam.*) **10** (*boxe*) attutire, assorbire (*un colpo*) indietreggiando ● (*slang USA*) **to r. the fence**, essere indeciso (*o* titubante) □ **to be riding for a fall**, cavalcare a rompicollo; (*fig.*) andare in cerca di guai □ **to r. a ford**, passare un guado a cavallo □ (*slang USA*) **to r. the gravy train**, fare la bella vita; fare l'imboscato (*in un'organizzazione: guadagnando bene e lavorando poco*) □ (*fam. USA*) **to r. herd on st.**, tenere d'occhio qc. □ **to r. high**, avere successo; andare alla grande (*pop.*) □ (*fig.*) **to r. the high horse**, darsi grandi arie □ (*fig.*) **to r. a hobby**, insistere

troppo in un passatempo; avere un pallino (*fam.*) □ **to r. one's horse at a fence**, portare il cavallo ad affrontare un ostacolo □ **to r. a horse to death**, sfiancare un cavallo; cavalcare fino a sfiancarlo □ **to r. on sb.'s back** (*o* **shoulders**), stare a cavalcioni su q.; farsi portare a cavalluccio da q. □ **to r. on sb.'s knees**, stare a cavalcioni sulle ginocchia di q. □ (*slang USA*) **to r. the rods** (*o* **the rails**), viaggiare da clandestino (*spec. su un treno merci*) □ (*fam.*) **to r. roughshod over st.**, calpestare qc. (*fig.*) □ (*USA*) **to r. shotgun**, (*stor.*) viaggiare accanto al postiglione, con le armi in pugno, viaggiare come guardia armata; (*slang*) viaggiare accanto al guidatore □ **to r. side-saddle**, cavalcare all'amazzone □ **to r. to hounds**, partecipare a una caccia alla volpe □ **to r. up a hill**, salire (*a cavallo, in moto, ecc.*) un pendio □ (*fam.*) **to let st. r.**, lasciar correre (*fig.*).

▪ **ride across** v. t. + prep. **1** cavalcare attraverso; attraversare a cavallo **2** (*sport*: *polo*) tagliare la strada a (*un avversario*).

▪ **ride away** v. i. + avv. andarsene (*a cavallo, in bicicletta, ecc.*).

▪ **ride back** v. i. + avv. **1** ritornare (*a cavallo, in bicicletta, ecc.*) **2** ritornare (*su un veicolo, come passeggero*).

▪ **ride down** v. t. + avv. **1** travolgere, calpestare (q.) col proprio cavallo **2** caricare (*la folla, ecc.*) col cavallo **3** raggiungere (q.) (*a cavallo*) **4** sfiancare (*un cavallo*).

▪ **ride off** v. i. + avv. allontanarsi (*a cavallo, in bicicletta, ecc.*).

▪ **ride on** Ⓐ v. i. + avv. continuare a cavalcare; andare avanti, proseguire (*a cavallo, in bicicletta, ecc.*) Ⓑ v. i. + prep. (*fam.*) **1** dipendere da: *The future of the firm rides on getting this contract*, il futuro della ditta dipende dall'acquisizione di questo appalto **2** (*di denaro*) essere puntato (*spec. su un cavallo da corsa*) □ **to r. on great popularity**, godere di grande popolarità.

▪ **ride out** Ⓐ v. t. + avv. (*naut. e fig.*) superare, uscire bene da: *The ship rode out the storm*, la nave superò la tempesta; **to r. out a financial crisis**, superare una crisi finanziaria Ⓑ v. i. + avv. uscire (*o* andare) a cavallo (*o in bicicletta*): **to r. out to the hills**, fare una cavalcata in collina.

▪ **ride up** v. i. + avv. **1** arrivare a cavallo (*o in bicicletta*) **2** salire (*con un ascensore, ecc.*) **3** (*di indumento*) salire, andare su: *This skirt tends to r. up*, questa gonna tende a salire.

▪ **ride upon** → **ride on**, B.

♦**rider** /ˈraɪdə(r)/ n. **1** cavaliere; cavalcatore; cavalcatrice; cavallerizzo, cavallerizza: *John is no r.*, John è un pessimo cavaliere **2** (*ipp.*) fantino **3** (*ciclismo*) ciclista; corridore **4** motociclista; pilota (*di moto*) **5** viaggiatore (*spec. su un mezzo pubblico*) **6** (*leg.*) clausola addizionale; codicillo; postilla **7** (*leg.*) raccomandazione della giuria (*aggiunta al verdetto*) **8** (*di bilancia*) cavaliere **9** (*costr. navali*) rinforzo diagonale per ordinate; ordinata supplementare **10** (*mat.*) esercizio di applicazione ● **lady r.**, cavallerizza; amazzone.

riderless /ˈraɪdələs/ a. (*di cavallo*) **1** senza cavaliere **2** (*ipp.*) senza fantino.

ridership /ˈraɪdəʃɪp/ n. ⓤ numero di utenti di un dato mezzo pubblico di trasporto.

ridge /rɪdʒ/ n. **1** (*geogr.*) cresta; crinale; linea di displuvio; spartiacque: **the r. of a mountain**, la cresta di un monte **2** (*edil.*) colmo: **the r. of the roof**, il colmo del tetto **3** (*geogr.*) catena (*di monti*); giogaia; dorsale **4** (*anat.*) cresta (*di un osso, di un dente, ecc.*) **5** (*agric.*) porca; riga in rilievo, costa (*su stoffa, ecc.*) **7** (*geol.*) dorsale (*anche sottomarina*) **8** (*zool.*) dorso, spina dorsale (*spec. di una balena*) **9** (*meteor.*) promontorio **10** (*sci*) scalino (*nella pista*) ● (*edil.*) **r. board**, trave di colmo □ **r. bone**, spina dorsale; promi-

nenze vertebrali lungo la spina dorsale □ (*edil.*) **r. cap**, scossalina di colmo □ (*anat.*) **the r. of the nose**, il setto nasale □ **r. pole**, traversa (*di una tenda*); (*edil.*) → **r. board** → *sopra* □ **r. tent**, tenda a palo centrale □ (*edil.*) **r. tile**, tegola di colmo.

to **ridge** /rɪdʒ/ v. t. e i. **1** (*agric.*) rincalzare (*il terreno*) **2** (*spec. del mare*) incresparsi, incresparsi **3** segnare (*spec. di rughe*): **a face ridged with care and sorrow**, un viso segnato dagli affanni e dal dolore.

ridger /ˈrɪdʒə(r)/ n. (*agric.*) rincalzatore (*macchina*).

ridgeway /ˈrɪdʒweɪ/ n. strada lungo un crinale.

ridging /ˈrɪdʒɪŋ/ n. ⓤ (*agric.*) aratura a porche ● **r. hoe**, rincalzatore (*a mano*) □ **r. plough**, aratro rincalzatore.

ridgy /ˈrɪdʒɪ/ a. **1** (*del terreno*) pieno di creste; collinoso **2** (*agric.*: *del terreno*) a porche **3** (*del mare*) increspato.

ridicule /ˈrɪdɪkjuːl/ n. ⓤ ridicolo; scherno; canzonatura ● **to hold up sb.** [**st.**] **to r.**, mettere in ridicolo q. [qc.] □ **to pour r. on sb.** [**st.**], gettare il ridicolo su q. [qc.].

to **ridicule** /ˈrɪdɪkjuːl/ v. t. mettere in ridicolo; ridicolizzare; beffare; schernire; canzonare.

♦**ridiculous** /rɪˈdɪkjʊləs/ a. ridicolo; assurdo | **-ly** avv. | **-ness** n. ⓤ.

riding① /ˈraɪdɪŋ/ Ⓐ n. **1** ⓤ (*sport*) equitazione **2** ⓒ gita (*o viaggio*) a cavallo **3** (il) viaggiare (*su un mezzo pubblico, ecc.*) **4** ⓤ (*di solito con un agg.*) percorribilità a cavallo: *This trail is easy r.*, questo sentiero è cavalcabile senza alcuna difficoltà **5** (*naut.*) ancoraggio; lo stare alla fonda Ⓑ a. attr. **1** di (*o da*) cavallerizzo **2** (*ipp.*) da fantino: **r. cap**, berretto da fantino; **cap 3** ippico: **r. competition**, concorso ippico **4** (*sport*) in sella a; su: (*motociclismo*): *Manako, r. a Honda, won the race*, la corsa è stata vinta da Manako su Honda ● (*naut.*) **r. boom**, asta di posta □ **r. boots**, stivali da equitazione □ **r. breeches**, calzoni da cavallerizzo □ **r. camel**, cammello da cavalcare (*o da viaggio*) □ **r. coat**, redingote □ **r. costume**, costume da amazzone □ **r. crop**, frustino □ **r. ground**, galoppatoio □ **r. habit**, costume da amazzone □ **r. horse**, cavallo da sella □ **r. jacket**, giacca da cavallo □ **r. kit**, corredo da cavallerizzo; attrezzi per l'equitazione, «tutto per l'equitazione» □ (*naut.*) **r. lamp** (*o* **r. light**), fanale di fonda □ **r. master**, maestro d'equitazione; cavallerizzo □ **r. school**, scuola di equitazione; maneggio □ **r. track**, galoppatoio □ **r. whip**, frustino □ **Little Red R. Hood**, Cappuccetto Rosso.

riding② /ˈraɪdɪŋ/ n. **1** «riding» (*stor.*: ciascuna delle tre divisioni amministrative dello Yorkshire; *cfr.* per «thriding» *o* terza parte) **2** (*Canada*) collegio elettorale **3** (*NZ*) divisione amministrativa.

Riesling /ˈriːslɪŋ/ n. Ⓤⓒ Riesling (*vino*).

rif /ɑːraɪˈɛf/ n. (*slang USA*) licenziamento (*acronimo di* **reduction in force**).

to **rif** /ɑːraɪˈɛf/ v. t. (*slang USA*) licenziare; buttare fuori, mandare (q.) a spasso.

rife /raɪf/ a. pred. (*form.*) **1** comune; corrente; diffuso; prevalente: *Famine is still r. in some regions of Africa*, la carestia è ancora diffusa in talune regioni dell'Africa **2** abbondante; pieno; ricco ● **to be r.**, imperversare: *Rebellion is r. all over the region*, la rivolta imperversa in tutta la regione □ **to be r. with**, abbondare di, essere pieno (*o ricco*) di: **a man r. with contradictions**, un uomo pieno di contraddizioni; *The country is r. with racism*, il razzismo dilaga nel paese □ **to grow r.**, diffondersi; (*di piante*) crescere rigoglioso.

riff /rɪf/ n. (*mus.*) riff; motivo ripetuto.

to **riff** /rɪf/ v. i. **1** (*mus.*) suonare un riff **2** (*fig.*) ripetere ostinatamente, ossessivamente.

▪ **riff through** → **riffle through**.

riffle /ˈrɪfl/ n. (*USA*) **1** bassofondo; barra, secca (*di un fiume*) **2** piccola rapida **3** increspatura; piccola onda **4** lieve suono (*di risate*); mormorio (*di conversazione*) **5** scorsa, sfogliata (*a un giornale*) **6** (*ind. min.*) dispositivo per il lavaggio delle sabbie aurifere.

to **riffle** /ˈrɪfl/ v. t. **1** scorrere, dare una scorsa a (*pagine*); sfogliare (*un giornale*) **2** increspare (*l'acqua*) **3** mescolare (*le carte da gioco*) incastrandole una nell'altra.

▪ **riffle through** v. i. + prep. scorrere, dare una scorsa a (*pagine*); sfogliare (*un giornale*).

riffler /ˈrɪflə(r)/ n. (*tecn.*) lima arcuata (*per stampi*).

riff-raff /ˈrɪfræf/ n. ⓤ canaglia; marmaglia; plebaglia.

rifle /ˈraɪfl/ n. **1** (*d'arma da fuoco*) riga (*della canna*) **2** fucile; carabina **3** (pl.) fucilieri: **the King's Royal Rifles**, i Fucilieri del Re (*in GB*) ● **r. bracket**, portafucile (*per motocicletta, ecc.*) □ (*mil.*) **r. green**, verde scuro (*dalla divisa dei fucilieri*) □ (*mil.*) **r. grenade**, granata per fucile □ **r. range**, poligono di tiro; portata, tiro di fucile: **within r. range**, a tiro di fucile □ **r. shot**, colpo di fucile, fucilata; portata, tiro di fucile □ **He's a good r. shot** (*o* **a good shot with a r.**), è un bravo tiratore (*col fucile*).

to **rifle**① /ˈraɪfl/ v. t. **1** depredare; saccheggiare; svaligiare: *The thieves rifled the safe*, i ladri svuotarono la cassaforte **2** rubare; portar via (*bottino, ecc.*) **3** (*sport, fam.*) scoccare (*calcio*) □ **to r. an unstoppable shot from twenty yards**, scoccare un tiro imparabile da 18 metri ● **to r. through**, frugare, rovistare in (*o* fra): **to r. through the drawers** [**sb.'s papers**], rovistare nei cassetti [frugare fra le carte di q.].

to **rifle**② /ˈraɪfl/ v. t. rigare (*la canna di un'arma da fuoco*): **rifled bore**, anima rigata; **a rifled gun barrel**, una canna di fucile ad anima rigata.

rifleman /ˈraɪflmən/ n. (pl. **riflemen**) **1** (*mil.*) fuciliere **2** tiratore: *He's a good r.*, è un bravo tiratore (*col fucile*).

rifler /ˈraɪflə(r)/ n. bandito; ladro; predone.

rifling /ˈraɪflɪŋ/ n. ⓤ (*d'arma da fuoco*) rigatura: **uniform-twist r.**, rigatura a passo costante.

rift /rɪft/ n. **1** (*geol., geogr.*) fossa tettonica; rift **2** fessura; fenditura; spaccatura; spacco; squarcio **3** (*fig.*) spaccatura, incrinatura (*fig.*); dissenso; contrasto; divergenza; screzio ● **a r. in the thick foliage**, uno spiraglio nel fitto fogliame □ **a r. of blue**, uno squarcio di sereno □ (*geol.*) **r. valley**, valle (*o fossa*) tettonica.

to **rift** /rɪft/ Ⓐ v. t. fendere; spaccare; squarciare Ⓑ v. i. fendersi; spaccarsi; squarciarsi.

rig① /rɪg/ n. **1** ⓤ (*naut.*) attrezzatura **2** ⓤ (*anche ind.*) attrezzamento; equipaggiamento **3** impianto (*di sondaggio, di trivellazione, ecc.*); piattaforma di trivellazione (*in mare*): **oil rig**, impianto petrolifero **4** ⓤ (*fam.*) abbigliamento; tenuta; modo di vestire (*spec. se strano, vistoso*) **5** ⓒ cavalli e carrozza **6** (*autom., USA*) autotreno **7** (*slang USA*) attrezzatura per drogati **8** (*volg.*) pene; cazzo (*volg.*) ● (*fam. spreg.*) **rig-out**, modo di vestire (*fam.*): (*d'essere conciato*): *You can't go out in that rig-out!*, non puoi uscire conciato così! □ **to be in full rig**, (*di imbarcazione a vela*) essere completamente attrezzata (*o armata*); (*di persona*) essere in ghingheri; essere in tiro (*fam.*) □ **to be dressed in festive rig**, portare l'abito della festa.

rig② /rɪg/ n. (*fam.*) **1** imbroglio; inganno; raggiro **2** (*comm., fin.*) manovra per far sa-

lire i prezzi; maneggiamento ● (*polit.*) **vote rig**, broglio elettorale.

to **rig**① /rɪg/ v. t. **1** (*naut.*) armare; attrezzare, equipaggiare (*una nave, un albero*): **cutter rigged**, armata a cutter **2** (*aeron.*) montare (*o* assemblare) le parti di (*un aereo*) **3** (*spesso* **to rig up**, **to rig out**) attrezzare; equipaggiare; (*fam.*) provvedere d'abiti; vestire: *The boy was rigged out as a little sailor*, il ragazzo era vestito da marinaretto; **to rig out the whole family for the winter**, provvedere d'abiti l'intera famiglia per l'inverno **4** (*spesso* **to rig up**) costruire in fretta; tirare su (*un riparo, ecc.*); allestire; impiantare; installare; costruire (*una nave, un aereo*): *They rigged up a bed for the night*, allestirono un letto per la notte **5** (*spesso* **to rig up**) escogitare; architettare (*un piano, ecc.*); trovare: **to rig up a way to convince the voters**, trovare il modo di convincere gli elettori ● **to rig up the tents**, montare le tende.

to **rig**② /rɪg/ v. t. **1** manomettere: **to rig the scales**, manomettere la bilancia **2** manipolare; truccare: **to rig an election**, truccare un'elezione **3** (*Borsa, fin.*) maneggiare; manovrare; controllare: *Speculators rigged the stock market*, gli speculatori manovrarono il mercato azionario ● (*polit.*) **rigged elections**, elezioni con brogli; elezioni addomesticate (*fam.*).

rigadoon /rɪgə'duːn/ n. rigaudon (*franc.*); rigodone; rigolone (*antico ballo e aria musicale*).

rigger① /'rɪgə(r)/ n. **1** (*naut.*) operaio allestitore; attrezzatore **2** (*aeron.*) assemblatore; montatore **3** (*edil.*) ponteggio di protezione **4** (*naut.*) nave con un certo tipo di attrezzatura: **fore-and-aft r.**, nave a vele auriche **5** (*canottaggio*) portante (*di scalmiera*) ● (*naut.*) **a full r.**, un'imbarcazione a vela completamente attrezzata □ (*naut.*) **a square r.**, una nave a vela quadra.

rigger② /'rɪgə(r)/ n. **1** maneggione **2** (*Borsa*, = **market r.**) aggiotatore.

rigging① /'rɪgɪŋ/ n. Ⓤ **1** (*naut.*) attrezzatura; cordame; sartiame; manovre **2** (*aeron.*) assemblaggio **3** (*anche ind.*) equipaggiamento; arnesi; attrezzi **4** (*fam.*) abbigliamento ● **r. loft**, (*naut.*) reparto d'arsenale per l'attrezzatura; (*teatr.*) impalcatura (*o* galleria) di manovra per le scene.

rigging② /'rɪgɪŋ/ n. Ⓤ manipolazione; broglio, brogli: **vote r.**, brogli elettorali ● (*Borsa*) **r. the market**, aggiotaggio.

♦**right**① /raɪt/ a. **1** destro; di destra: *Show me your r. hand*, mostrami la mano destra; **a r. glove**, un guanto destro; **the r. side of the house**, il lato destro della casa; (*boxe*) **a r. hook**, un gancio destro **2** a destra: **«No r. turn»** (*cartello*), «divieto di svolta a destra» **3** (*polit.*) a (*o* di) destra: *He's very r.*, è molto di destra **4** retto (*anche geom.*); corretto, giusto, esatto; onesto; preciso; in linea retta; diritto, dritto; adatto, conveniente, appropriato, opportuno: **a r. line**, una linea retta; una retta; **a r. conscience**, una coscienza retta; **a r. man**, un uomo retto; *It's only r. to let him know*, è più che giusto farglielo sapere; *Your answer is quite r.*, la tua risposta è giusta (*o* è esatta); *He knows the r. people*, conosce le persone giuste (*o* la gente che conta); *Is this the r. train to Chester?*, è il treno giusto per Chester, questo?; va bene questo treno per Chester?; *What is the r. time?*, qual è l'ora esatta (*o* precisa?); *This is the r. time to tell him*, questo è il momento adatto per dirglielo; **at the r. moment**, al momento giusto (*o* opportuno); *He is the r. man in the r. place*, è l'uomo giusto al posto giusto; è l'uomo che ci vuole **5** che sta bene (*di salute*); sano (*di corpo e di mente*): *Do you feel all r.?*, ti senti bene?; *She doesn't look quite r.*, non ha l'aria di star bene **6** che ha ragione; che fa bene, che va bene (*fam.*): *You were r. in refusing his offer*, hai fatto bene a rifiutare la sua offerta; *Time will prove me r.*, il tempo mi darà ragione; (*fam.*) *Am I r. for Oxford Circus?*, vado bene per Oxford Circus? **7** (*USA*) affidabile; sicuro: **a r. guy**, un tipo affidabile **8** (*fam.*) vero; vero e proprio: *He's a r. idiot*, è un vero idiota; **a r. fool**, un perfetto stupido; *The house is in a r. mess*, la casa è nel caos totale ● (*mecc.*) **r.-and-left screw**, vite con filettatura doppia □ (*sport*) **a r.-and-left shot**, una doppietta (*due fucilate dalle due canne*) □ (*geom.*) **r. angle**, angolo retto □ **a r.-angled bend**, una curva ad angolo retto □ (*geom.*) **a r.-angled triangle**, un triangolo rettangolo □ (*anche fig.*) **one's r. arm**, il proprio braccio destro; (*anche*) non so che cosa (*fig.*): *I'd give my r. arm to marry her*, darei non so che cosa pur di sposarla □ (*fam.*) **(as) r. as rain**, che sta benissimo; in perfetta salute □ (*calcio, ecc.*) **r. back**, terzino destro □ (*polit.*) **the R. Centre**, il centrodestra: **R.-Centre government**, governo di centrodestra □ (*rugby*) **r. centre**, trequarti centrodestra (*giocatore*) □ (*comput.*) **r. click**, clic destro; pressione del pulsante destro del mouse □ **r. enough**, (agg.) discreto, soddisfacente; (avv.) naturalmente, ovviamente, per forza (*fam.*) □ (*baseball*) **r. fielder**, esterno destro □ **r. foot**, piede destro; (*sport*) destro □ (*calcio, ecc.*) **r.-foot**, di destro: **a r.-foot cross**, un cross di destro □ **r.-footed**, di destro; (*di un giocatore*) che usa (solo) il piede destro □ (*sport*) **r. footer**, chi calcia di destro; (*calcio, ecc.*) destro (il tiro) □ (*calcio, ecc.*) **r. half** (*o* **halfback**), mediano (*o* laterale) destro □ **r. hand**, mano destra, lato destro: **at** (*o* **on, to**) **one's r. hand**, a mano destra, alla propria destra, a destra; a dritta (*lett.*); **to be at sb.'s r. hand**, essere alla destra di q.; (*fig.*) essere il braccio destro di q. □ **r.-hand**, destro, (che sta) a destra, di destra, di destro: **the r.-hand side of the canal**, il lato destro del canale; **a r.-hand bend**, una curva a destra; (*autom.*) **r.-hand drive** (*o* **steering**), guida a destra; **the r.-hand man**, l'uomo di destra (*in una fila di soldati, ecc.*); (*fig.*) il braccio destro (*di q.*); **r.-hand screw**, vite destrorsa; vite con la filettatura destra; (*calcio, ecc.*) **the r.-hand post**, il palo di destra (*della porta*) □ **r.-handed**, destrimano, che usa la mano destra; (*di un colpo, lancio, ecc.*) di destro; (*tecn.*) destrorso, in senso orario; (*slang USA*) eterosessuale: **a r.-handed blow**, un colpo con la destra; (*boxe*) un destro □ (*mat.*) **r.-handed system**, sistema di riferimento destrorso □ **r.-handed rotation**, rotazione in senso orario □ **r.-handedly**, di destro; con il destro □ **r.-handedness**, l'essere destrimano, uso della mano destra □ **r.-hander**, destrimano, persona che si serve della mano destra; (*boxe*) pugile che porta i colpi col destro; (*anche*) destro (*pugno*) □ **the r. heir**, l'erede legittimo □ (*fam.*) **r. in the** (*o* **in one's**) **head**, sano di mente; che ha la testa a posto (*fam.*) □ (*fin.*) **rights issue**, emissione (di azioni) riservata agli azionisti □ (*geom.*) **r.-lined**, rettilineo □ (*calcio, ecc.*) **r. midfield**, settore destro del centrocampo □ (*calcio*) **r. midfielder**, centrocampista di destra □ **r.-minded**, equanime; onesto; giusto; ragionevole; retto □ **r.-mindedness**, equanimità; onestà; ragionevolezza; rettitudine □ (*polit.*) **r.-of-centre**, di centrodestra □ (*slang*) **r. on**, giusto, esatto; aggiornato, moderno □ (*comput.*) **r. shift**, scorrimento a destra □ **the r. side**, il lato (*o* il verso) giusto; il diritto (*di una stoffa, ecc.*) □ **r. side out**, per il diritto (*o* il dritto): *Your jumper isn't r. side out*, il tuo golf non è per il dritto □ **r. side up**, dritto; non capovolto; a testa in su: *In the canal beside the road, r. side up, rested a car*, nel canale accanto alla strada c'era, dritta, un'auto □ **r.-thinking**, assennato; giudizioso □ (*USA*) **r. triangle** = **r.-angled triangle** → *sopra* □ **a r. turn**, una svolta a destra □ **the r. way**, la strada (*o* la direzione) giusta; il modo giusto (*di fare qc.*); il modo: *He took the r. way to offend us*, trovò il modo di offenderci □ **r. wing**, ala destra (*di un esercito, di un partito, ecc.*); (*sport*: *calcio, hockey, ecc.*) ala destra, fascia destra (*la posizione*); ala destra (*il giocatore*); (*rugby*) trequarti ala destra □ (*polit.*) **r.-wing**, di destra; destroide (*spreg.*): **r.-wing extremist**, ultrà di destra □ **r.-winger**, (*polit.*) uomo di destra; destroide (*spreg.*); (*sport*) ala destra (*il giocatore*) □ **all r.**, d'accordo; certamente; bene, benino; bene (di salute): *Is he feeling all r. now?*, sta bene ora? □ **All r.!**, benissimo! □ **to do the r. thing**, fare la cosa giusta; fare ciò che si deve □ **to do st. in the r. way**, fare qc. come si deve □ **to be in one's r. mind** (*o* **r. senses**), esser sano di mente; essere dell'umore normale (*o* del solito umore) □ (*fig.*) **to get on the r. side of sb.**, prendere q. per il verso giusto; ingraziarsi q.; entrare nelle grazie di q. □ **to keep on the r. side of the law**, rispettare la legge □ (*autom.*) **to keep to the r. side**, tenere la destra □ (*fam.*) **Mr R.**, l'uomo giusto (*per una donna*); (il mio, tuo, ecc.) «lui» □ (*fam.*) **Miss R.**, la donna giusta (*per un uomo*); (la mia, tua, ecc.) «lei» □ **on the r. side**, a destra □ **to be on the r. side of fifty**, essere al di sotto della cinquantina; avere meno di 50 anni □ **to put r.**, aggiustare; rimettere a posto; rimettere in salute, risanare; correggere, dimostrare a (q.) che aveva torto: *Five days' rest will put you r.*, cinque giorni di riposo ti rimetteranno in salute; *Put the clock r.!*, rimetti l'orologio! □ (*fig.*) **to put one's r. hand to work**, mettersi al lavoro di buona lena; lavorare sodo □ **to put a pupil r.**, mettere a posto (*o* richiamare all'ordine) uno studente □ **to set r.** = **to put r.** → *sopra* □ **to set** (*o* **to put**) **oneself r. with sb.**, giustificarsi, spiegarsi con q. □ **to stay on the r. side of sb.**, restare nelle grazie di q.; tenersi buono q.; restare amico di q. □ **R. you are!**, (*fam.*) **R. oh!**, ma certo!; va bene!; d'accordo!; senz'altro □ **Quite r.!**, proprio così!; esatto!; hai ragione! □ **That's all r.!**, figurati!; non c'è di che! □ **All's r. with the world**, tutto va nel migliore dei modi.

♦**right**② /raɪt/ n. **1** Ⓤ lato destro; (la) destra; (la) mano destra: **to keep to the r.**, tenere la destra (*o la mano destra*); **to turn to the r.**, voltare a destra **2** Ⓤ (il) giusto; (la) ragione; (il) bene: **to know r. from wrong**, distinguere il bene dal male; **r. and wrong**, il bene e il male; la ragione e il torto **3** (*leg.*) diritto; interesse tutelato dalla legge; pretesa, titolo: **rights and duties**, diritti e doveri; *He has no r. to bully you like that*, non ha il diritto di fare il prepotente con te a questo modo; **the r. to work**, il diritto al lavoro; **r. of access**, diritto di passaggio; **r. of association**, diritto di associazione; **to have a r. to do st.**, avere titolo a fare qc.; **Rights Management Services** → **RMS** **4** (*boxe*) destro: **a beautiful r.**, un bel destro; **a straight r.**, un diretto destro **5** (*mil.*) ala destra; fianco destro **6** – (*polit.*) **the R.**, la Destra: **a member of the R.**, un uomo della destra; un conservatore; (*USA*) **the New R.**, la Nuova Destra **7** – **the r.**, il diritto (*di una stoffa, ecc.*) ● (*boxe*) **a r.-and-left**, un destro doppiato da un sinistro □ (*fam.*) **the r. to hire and fire**, il diritto d'assumere e di licenziare □ (*leg.*) **r. in action**, diritto immateriale □ (*leg.*) **r. in personam**, diritto di credito □ (*leg.*) **r. in rem**, diritto materiale □ (*leg.*) **r. of action**, diritto di agire in giudizio □ (*leg.*) **r. of common**, diritto di far uso di un terreno della comunità □ (*leg.*) **r. of pre-emption**, diritto di prelazione □ (*leg.*) **r. of redemption**, diritto di ri-

scatto □ (*leg.*) **r. of search**, diritto di perquisizione (*di una nave in alto mare*) □ **r. of way**, (*leg.*) diritto (*o* servitù) di passaggio; (*autom.*) diritto di precedenza □ **right-to--life**, (*polit.*, *di un movimento, ecc.*) per il diritto alla vita; antiabortista □ **right-to-lifer**, (*polit.*) antiabortista; sostenitore del diritto alla vita □ **r. to strike**, diritto di sciopero □ **to assert one's rights**, sostenere (*o* difendere) il proprio buon diritto □ **by r.** (*o* **by rights**), a rigore, a rigor di logica; secondo giustizia; (*leg.*) in via di diritto, di diritto □ **by r. of**, a causa di; per merito di □ **to do sb. r.**, render giustizia a q. □ **in one's own r.**, di diritto; per diritto di nascita; (*fig.*) per i propri meriti □ **to be in the r.**, essere nel giusto; aver ragione; essere dalla parte della giustizia □ **to set** (*o* **to put**) **st. to rights**, aggiustare qc.; mettere a posto qc.: *He'll put the country to rights*, rimetterà a posto il Paese □ **to set** (*o* **to put**) **sb. to rights**, rimettere in sesto q. □ **to stand on one's rights** = **to assert one's rights** → *sopra* □ **women's rights**, i diritti delle donne.

♦**right** ③ /raɪt/ *avv.* **1** a destra (*anche polit.*); a dritta (*lett. o naut.*): **to turn** [**to look**] **r.**, voltare [guardare] a destra; *The voters have moved r.*, l'elettorato s'è spostato a destra **2** (*sport*) con la destra; di destro: **to throw r.**, tirare con la destra **3** correttamente; giustamente; bene: *Everything seems to go r. with him*, sembra che tutto gli vada bene; *It serves you r.*, sta bene!; te lo meriti!; *If I remember r.*, se ben ricordo **4** esattamente; bene; proprio: *Put it r. in the middle*, mettilo esattamente nel centro (*o* proprio nel mezzo); **r. here**, proprio qui; *Go r. on until you see the station*, va' sempre dritto fin che arrivi alla stazione **5** immediatamente; subito: *I'll be r. back*, torno subito; *I'll come r. away*, vengo subito; *I'm going r. home*, vado dritto a casa **6** completamente; del tutto: *He turned r. round*, si girò completamente; si voltò del tutto; fece dietro front **7** rettamente; onestamente: **to act r.**, agire rettamente; **to live r.**, vivere onestamente **8** (*escl.*) dunque; allora: *R.! let's start again!*, allora, ricominciamo **9** (*escl.*, = **all r.**) bene; d'accordo: «*Come tomorrow*» «*R.! What time?*» «Vieni domani» «Bene! a che ora?» **10** (*slang*) molto; davvero; proprio: *I'm r. glad to see you*, sono proprio contento di vederti ● **r. along** = **r. on** → *sotto* □ **r. and left**, a destra e a sinistra; a dritta e a manca; da tutte le parti □ **r. away**, subito; immediatamente □ (*fam.*) **r.--down clever**, bravissimo □ (*fam.*) **a r.--down rascal**, un furfante matricolato □ **r. enough**, certo; effettivamente □ **R. Honourable** → **honourable** □ **r.**, **left and centre** = **r. and left** → *sopra* □ **r. now**, proprio adesso; subito; immediatamente □ (*fam.*) **r. off** (*o* **r. off the bat**), subito; immediatamente; per primo □ **r. on**, senza interruzione; continuamente □ (*fam.*) **R. on!**, bravo!; giusto!; sono d'accordo! □ **r. or wrong**, bene o male; giusto o sbagliato; a ragione o a torto □ (*di vescovo*) **R. Reverend**, reverendissimo □ **r. through**, da cima a fondo □ **r. well**, benissimo; perfettamente □ (*fam.*) **to get sb.** [**st.**] **r.**, capire bene q. [qc.]: *Let me get this r.: do you want to join us or not?*, fammi capire (bene): vuoi venire con noi o no? □ **to have got it r. on st.**, avere capito bene qc.; avere le idee giuste su qc. □ **to guess r.**, indovinare: *He guessed r. the first time*, ha indovinato subito □ (*fam.*) **too r.!**, hai ragione; sono d'accordo! □ (*mil.*) **R. turn!**, fianco destr!; fronte a destr! □ (*USA*) **Let me tell you r. here that...**, lascia che ti dica subito che...; ti dico subito che... □ **The apple is rotten r. through**, la mela è tutta marcia □ (*USA*) **Come r. in**, avanti!; entra pure! □ (*di soldati in parata*) **Eyes r.!**, attenti a destr!

to **right** /raɪt/ **A** *v. t.* **1** raddrizzare (*anche fig.*); correggere; rettificare; rimediare; riparare: *We righted the boat and started rowing*, raddrizzammo la barca e cominciammo a remare; **to r. a wrong**, raddrizzare un torto; **to r. an injustice**, riparare un'ingiustizia; **to r. a mistake**, correggere un errore **2** render giustizia a; riabilitare; risarcire (*una persona danneggiata, un'offesa*) **3** riassettare; mettere in ordine; riordinare: *The maid righted the room*, la cameriera riordinò la stanza **B** *v. i.* raddrizzarsi; ritrovare l'equilibrio: *The canoe righted after the rapids*, dopo le rapide la canoa si raddrizzò ● **to r. itself**, raddrizzarsi, riprendere la posizione verticale; correggersi da sé, aggiustarsi: *Let's hope things will r. themselves in the end*, speriamo che tutto s'aggiusti (da sé) alla fine!

rightable /'raɪtəbl/ *a.* correggibile; rimediabile; riparabile.

right-about /'raɪtəbaʊt/ **A** *n.* **1** (*mil.*) dietrofront **2** (*fig.*) dietrofront, voltafaccia **3** cambiamento di direzione **B** *a.* e *avv.* in direzione opposta.

righteous /'raɪtʃəs/ *a.* **1** retto; giusto; onesto; virtuoso: **a r. man**, un uomo retto, virtuoso; **a r. cause**, una causa giusta, santa; **r. anger**, giusta ira; ira giustificata **2** (*slang USA*) buono; ottimo; bravo; (*anche*) straordinario; importante; grosso; autentico: **a r. daddy**, un ottimo padre; **some r. criminals**, dei grossi criminali | **-ly** *avv.*

righteousness /'raɪtʃəsnəs/ *n.* ⓤ rettitudine; giustizia; onestà; virtù.

rightful /'raɪtfl/ *a.* **1** giusto; equo; onesto; retto: **a r. act**, un'azione onesta, retta **2** (*leg.*) legittimo: **the r. heir**, l'erede legittimo; **r. claims**, pretese legittime ● **one's r. rank**, il grado che compete | **-ly** *avv.*

rightfulness /'raɪtflnəs/ *n.* ⓤ **1** giustizia; equità; onestà; rettitudine **2** (*leg.*) legittimità.

rightie → **righty**.

rightism /'raɪtɪzəm/ (*polit.*) *n.* ⓤ destrismo || **rightist** **A** *n.* uomo di destra; destroide; conservatore **B** *a.* di destra; della destra: **rightist sympathizers**, simpatizzanti della destra.

rightly /'raɪtli/ *avv.* **1** esattamente; correttamente; bene: **if I am r. informed**, se sono bene informato **2** giustamente; a buon diritto; a ragione **3** (*fam.*) con esattezza; con precisione: *I can't r. say whether he was there or not*, non so dire con esattezza se ci fosse o no **4** rettamente; onestamente.

rightness /'raɪtnəs/ *n.* ⓤ **1** correttezza; esattezza; giustezza **2** integrità (morale); onestà; rettitudine; dirittura.

righto /raɪt'əʊ/ *inter.* (*fam.*) va bene!; sta bene!; d'accordo!

rightward /'raɪtwəd/ **A** *a.* **1** volto a destra **2** a destra: **a r. turn**, una svolta a destra **B** *avv.* (= **rightwards**) verso destra.

righty /'raɪti/ **A** *n.* **1** persona che si serve della mano destra; destrimano **2** (*polit.*) reazionario; oltranzista di destra **B** *avv.* con la destra: **to throw r.**, tirare con la destra ● **r.-o** → **rightio**.

rigid /'rɪdʒɪd/ *a.* rigido; duro; (*fig.*) inflessibile, rigoroso, severo: **a r. iron bar**, una sbarra di ferro rigida; **r. regulations**, norme rigide, severe □ (*aeron.*) **r. airship**, dirigibile rigido □ (*edil.*) **r. frame**, telaio rigido □ (*fin.*) **r. parity**, parità rigida □ **to be r. with terror**, essere irrigidito dal terrore □ (*fam.*) **to shake sb. r.**, raggelare q. per la paura; (*anche*) fare restare q. di stucco | **-ly** *avv.* | **-ness** *n.* ⓤ.

rigidity /rɪ'dʒɪdətɪ/ *n.* **1** ⓤ rigidità; rigidezza **2** ⓤⓒ (*fig.*) rigidità; inflessibilità, rigore; intransigenza; (*econ.*) **price r.**, la rigidità

dei prezzi; **r. of principles**, intransigenza di principi.

rigmarole /'rɪgmərəʊl/ *n.* **1** filastrocca; cantilena; tiritera **2** discorso prolisso (senza capo né coda) **3** procedura lunga e complicata; lunga formalità; trafila.

rigor ① /'rɪgə(r)/ (*lat.*) *n.* (*med.*) **1** ⓤ rigidità: **r. mortis**, rigidità cadaverica; rigor mortis **2** brivido febbrile.

rigor ② *n.* ⓤ (*USA*) → **rigour**.

rigorism /'rɪgərɪzəm/ *n.* ⓤ rigorismo || **rigorist** *n.* rigorista.

rigorous /'rɪgərəs/ *a.* **1** rigido; (*fig.*) inflessibile, severo: **a r. climate**, un clima rigido; **r. discipline**, disciplina severa **2** rigoroso; accurato; preciso; scrupoloso: **a r. inquiry**, un'indagine rigorosa | **-ly** *avv.* | **-ness** *n.* ⓤ.

rigour, (*USA*) **rigor** /'rɪgə(r)/ *n.* **1** ⓤ rigore; severità; austerità: **the r. of the law**, il rigore della legge; **the r. of the hermit's life**, l'austerità della vita eremitica **2** (spesso al pl.) rigore; inclemenza; durezza; asprezza; difficoltà: **the rigours of the weather**, i rigori della stagione; **the rigours of life**, le asperità della vita **3** ⓤ rigore; coerenza; esattezza; precisione.

to **rile** /raɪl/ *v. t.* **1** (*fam.*) infastidire; irritare; seccare; scocciare (*fam.*) **2** (*USA*) agitare; intorbidire ● (*fam.*) **to r. up** (*o* **to get riled**), seccarsi; scocciarsi (*fam.*).

rill /rɪl/ *n.* **1** (*poet.*) ruscello; rivolo **2** → **rille**.

rille /rɪl/ *n.* (*astron.*) solco, canale (*della superficie lunare*).

rillet /'rɪlət/ *n.* (*poet.*) ruscelletto.

rim /rɪm/ *n.* **1** orlo; margine; bordo: **the rim of a bowl**, l'orlo d'una tazza **2** montatura (*di occhiali*) **3** (*mecc.*, *autom.*) cerchio, cerchione; (*di bicicletta*) cerchio **4** (*sport*) bordo (*del canestro*) **5** cerchio, alone (*di una macchia*) ● (*mecc.*) **rim brake**, freno sul cerchione □ (*mecc.*) **rim speed**, velocità periferica (*di una ruota, puleggia, ecc.*) □ **rim teeth**, dentellatura □ (*slang USA*) **to be on the rims**, essere ridotto al verde (*o* senza il becco di un quattrino) □ (*poet.*) **the sea's rim**, la linea dell'orizzonte (*sul mare*).

to **rim** /rɪm/ *v. t.* **1** orlare; bordare **2** (*mecc.*) cerchiare; munire (*una ruota*) di cerchione **3** cingere; recintare **4** (*slang USA*) bidonare, fregare (*pop.*).

rime ① /raɪm/ *n.* ⓤ **1** (*poet.*) brina **2** galaverna ● (*meteor.*) **r. frost**, brina di condensazione.

rime ② /raɪm/ → **rhyme**.

to **rime** ① /raɪm/ *v. t.* (*poet.*) coprire di brina.

to **rime** ② /raɪm/ → **rhyme**.

rimless /'rɪmləs/ *a.* **1** senz'orlo; senza margine **2** (*di occhiali*) senza montatura **3** (*mecc.*) senza cerchione.

rimmed /rɪmd/ *a.* **1** orlato; bordato: **red-r. eyes**, occhi cerchiati di rosso **2** (*di occhiali*) con la montatura: **gold-r. spectacles**, occhiali dalla montatura d'oro **3** (*mecc.*: *di un automezzo*) con i cerchioni.

rimy /'raɪmɪ/ *a.* coperto di brina; brinato.

rind /raɪnd/ *n.* **1** scorza; buccia (*di frutta*); corteccia (*di pianta*) **2** (*del formaggio*) crosta **3** (*di pancetta*) cotenna; cotica (*dial.*) **4** (*fig.*) scorza; aspetto esteriore; apparenza **5** (*slang*) faccia tosta; impudenza.

to **rind** /raɪnd/ *v. t.* scortecciare; sbucciare.

rinded /'raɪndɪd/ *a.* (nei composti) dalla corteccia; dalla scorza: **a rough-r. oak**, una quercia dalla corteccia dura; **green-r.**, dalla scorza verde.

rinderpest /'rɪndəpest/ *n.* ⓤ (*vet.*) peste bovina.

♦**ring** ① /rɪŋ/ *n.* **1** anello; cerchio; cerchietto;

circolo: **a gold r.**, un anello d'oro; **a r. of smoke**, un anello di fumo; *The girls danced in a r.*, le ragazze danzavano in circolo; **rings in the water**, cerchi nell'acqua; **the rings of a tree**, gli anelli d'un albero **2** alone (*di una macchia, della luna, ecc.*) **3** collare, collarino (*di uccelli*) **4** rotella, disco (*di racchetta da sci*) **5** (*boxe*) ring; quadrato; (*fig.*) la boxe, il pugilato **6** (*ipp.*) ring; recinto dei cavalli (*nell'ippodromo*); recinto del peso (*dei fantini*); (*anche*) zona degli allibratori **7** recinto per cavalli (*o* bovini) (*in esposizione o in vendita*) **8** banda di criminali; racket; (*fin., polit.*) ring; cricca, combriccola; sindacato (*di speculatori*): **a drug r.**, una banda di trafficanti; un traffico di droga **9** (= **circus r.**) arena, pista (*di un circo equestre*) **10** (*naut.*) maniglione (*dell'ancora*) **11** (*mecc.*) anello, ghiera; (= **piston r.**) anello di pistone; fascia elastica; segmento **12** (*mat.*) anello **13** (*ind. tess.*) filatoio ad anelli; ring **14** (= **gas r.**) fornello a gas **15** (*Borsa merci*) recinto alle grida **16** (*basket*) anello; cerchio; ferro (*fam.*): **to hit the r.**, colpire (*o* prendere) il ferro (*del canestro*) **17** (*ginnastica*) anelli ● **r.-a-r. o' roses** (*USA*, **r.-around-a-rosy**, **r.-around-the-rosy**), girotondo (*gioco infantile*) □ (*mecc.*) **r. bevel gear**, corona (dentata) conica □ **r. binder**, quaderno ad anelli; taccuino a fogli mobili □ (*zool.*) **r.-dove**, (*Columba palumbus*) colombaccio; (*Streptopelia risoria*) tortora domestica □ **r.-fence**, steccato di cinta; (*fin.*) allocazione di fondi a uno scopo preciso; stanziamento vincolato □ **r. finger**, (dito) anulare □ (*boxe*) **r. floor**, pavimento del ring □ (*tecn., mecc.*) **r. gauge**, calibro ad anello □ (*mecc.*) **r. gear**, corona dentata □ (*autom.*) **r. junction**, rotatoria □ (*stor.*) **r.-mail**, maglia di ferro; armatura a maglia □ (*elettr.*) **r. main**, circuito principale □ (*zool.*) **r.-neck**, uccello (*o* serpente) dal collare □ (*zool.*) **r.-necked**, dal collare □ (*mecc.*) **r. nut**, ghiera filettata □ (*astron.*) **the rings of Saturn**, gli anelli di Saturno □ (*boxe*) **r. post**, paletto del ring □ **r.-pull**, linguetta metallica (*che si strappa*) □ **a r.-pull can**, una lattina con apertura a strappo □ (*autom.*) **r. road**, (strada di) circonvallazione; raccordo anulare; tangenziale □ (*fig., spec. boxe*) **r.-rusty**, arrugginito; fuori allenamento □ (*zool.*) **r. snake**, serpente a strisce di colori diversi (*in genere*); (*spec.*) (*Natrix natrix*), biscia dal collare □ (*mecc.*) **r. spanner**, chiave poligonale doppia (*o* a stella doppia) □ (*boxe*) **r. steps**, scaletta del ring □ (*d'uccello*) **r.-tailed**, dalla coda ad anelli colorati □ **r. tone** → **ringtone** □ **r.-wall**, muro di cinta □ **to have rings round one's eyes**, avere gli occhi cerchiati (*o* le occhiaie) □ **key r.**, (anello) portachiavi □ **napkin r.**, (anello) portatovagliolo □ **nose r.**, anello infilato attraverso il naso (*del toro, ecc.*) □ (*fig. fam.*) **to run rings round sb.**, dare dei punti a q.; surclassare q. □ (*fig.*) **to throw one's hat into the r.**, entrare in lizza (*o* in gara) □ (*bot.*) **tree r.**, anello annuale, anello di crescita (*di un albero*) □ **wedding r.**, fede; anello nuziale; vera.

♦**ring** ② /rɪŋ/ n. **1** suono (*di campana, moneta, ecc.*); suonata; squillo (*di campanello*); **There was a r. at the door**, ci fu uno squillo di campanello (*o* una scampanellata) alla porta; **Every r. of the phone made me start**, ogni squillo del telefono mi faceva sobbalzare; **the r. of laughter**, lo squillare delle risa **2** tintinnio (*di monete*) **3** (*fig.*) accento; timbro; tono: *There was a r. of sincerity in his voice*, c'era un accento di sincerità nella sua voce; le sue parole suonavano sincere; *The idea has a familiar r.* (*to it*), l'idea mi suona familiare **4** (*fam.*) colpo di telefono; telefonata: *Give me a r.*, fammi una telefonata; *I could give you a r. sometime next week and let you know*, potrei darti un colpo di telefono la settimana prossima e farti sapere.

to **ring** ① /rɪŋ/ **A** v. t. **1** accerchiare; circondare **2** cingere; girare intorno a: *A narrow path ringed the lake*, uno stretto sentiero girava intorno al lago **3** radunare; far entrare (*il bestiame*) nel recinto **4** mettere un anello al naso di (*un toro, ecc.*) **5** marcare (*un uccello*) con un anello; mettere un anello alla zampa di (*un piccione, ecc.*) **6** circondare, segnare (*errori, ecc.*) con un cerchio (*rosso, blu, ecc.*) **7** (*cucina*) fare fettine rotonde di (*una carota, ecc.*); affettare (*verdura*) **B** v. i. **1** formare anelli (*o* cerchi); raccogliersi in spire **2** (*di uccelli*) alzarsi in volo a spirale ● **to r. about** (*o* **around**, **round**), circondare; accerchiare; fare cerchio intorno a; proteggere: **a village ringed around with hills**, un paese circondato da colline; **to r. round the important points**, cerchiare i punti importanti.

♦to **ring** ② /rɪŋ/ (pass. ***rang***, p. p. ***rung***) **A** v. i. **1** suonare (*anche fig.*); scampanellare; squillare; tintinnare; suonare il campanello: *The bells are ringing*, suonano le campane; *His promises rang false*, le sue promesse suonavano false; *His words rang hollow*, le sue parole suonavano insincere; *The doorbell rang*, squillò il campanello (della porta); *Coins r.*, le monete tintinnano **2** scampanellare; chiamare (*suonando il campanello*); telefonare: *Did you r., sir?*, ha chiamato, signore?; **to r. for the maid**, chiamare la cameriera (*suonando*); *When did you r.?*, quando hai telefonato?; **to r. for the room service**, chiamare per il servizio in camera (*in albergo*) **3** risuonare (*anche fig.*); echeggiare: *The garden rang with the joyful cries of children*, il giardino risuonava delle grida gioiose dei bambini **4** (*degli orecchi*) fischiare; ronzare **B** v. t. **1** suonare (*campane, ecc.*): **to r. the bell**, suonare il campanello; **to r. the bells**, suonare le campane **2** (*dell'orologio, ecc.*) battere, suonare (*le ore*): *The chimes rang the hours*, il carillon suonava le ore **3** far risuonare; far tintinnare: **to r. a coin**, far tintinnare una moneta; battere una moneta (*per accertarne la bontà*) **4** (*fam.*) telefonare a (q.); chiamare (*fam.*): *R. me tomorrow*, chiamami domani ● **to r. the alarm**, suonare (*o* dare) l'allarme □ (*fig.*) **to r. a bell**, richiamare qc. alla memoria; non essere nuovo per q. (*fig.*); (*anche*) toccare il tasto giusto: *That name rings a bell*, quel nome non mi è nuovo □ (*fig. fam.*) **to r. the bell**, aver successo; funzionare □ (*slang USA*) **to r. sb.'s bell**, dare un orgasmo a q.; scopare q. (*volg.*) □ **to r. the changes**, (*mus.*) suonare le campane con le variazioni tipiche della tecnica inglese; (*fig.*) introdurre un po' di varietà: *We drink wine, but occasionally r. the changes with a glass of beer*, beviamo vino, ma ogni tanto, per variare, beviamo un bicchiere di birra □ (*teatr.*) **to r. down the curtain**, calare il sipario (*o* la tela) □ (*fig.*) **to r. down the curtain on st.**, porre fine a qc.; scrivere la parola fine su qc. □ **to r. false**, (*di una moneta*) sembrare falsa (*al suono*); (*fig.*) suonare falso □ **to r. for dinner**, suonare per il pranzo □ **to r. for prayers**, chiamare alla preghiera (*suonando campane o un campanello*) □ **to r. the knell of**, suonare a morto per (q.); (*fig.*) annunciare (*col suono di campana*) la fine di (qc.) □ **to r. loud**, risuonare alto: *'The train was slowing up for Fort Wayne and his voice rang loud in the comparative quiet'* F. SCOTT FITZGERALD, 'il treno rallentava prima della stazione di Fort Wayne e la sua voce risuonò alta nella relativa quiete' □ **to r. sb.'s praises**, cantare le lodi di q. □ **to r. true**, (*di una moneta*) sembrar buona (*al suono*); (*fig.*) avere un accento di verità □ **to make sb.'s head r.**, intronare il capo a q. □ **The song rings in my head**, la canzone mi ronza nel capo □ **His voice rang with indignation**, la sua voce vibrava di sdegno.

■ **ring around** v. i. e t. + avv. fare un giro di telefonate (a): *I rang around all the hotels but couldn't find a room*, feci un giro di telefonate a tutti gli alberghi senza riuscire a trovare una camera.

■ **ring back** v. i. e t. + avv. ritelefonare (a); richiamare (al telefono): *I'll r. you back later*, ti richiamo più tardi.

■ **ring in** **A** v. i. + avv. **1** telefonare, chiamare (*al telefono: in casa, in ufficio, in TV, ecc.*): *Your wife has just rung in*, ha appena telefonato Sua moglie; *If I feel like this tomorrow morning I think I'll r. in sick*, se mi sento così domattina credo che chiamerò per dire che sono malata **2** (*USA*) marcare l'entrata; timbrare il cartellino (*entrando in fabbrica, in ufficio, ecc.*) **B** v. t. + avv. dare il benvenuto a, salutare con il suono delle campane l'arrivo di: **to r. in the New Year**, salutare con le campane l'arrivo dell'Anno Nuovo.

■ **ring off** v. i. + avv. mettere (*o* buttare) giù il telefono (*a q.*); riattaccare: *Don't r. off!*, non riattaccare! □ (*del telefono*) **to r. off the hook**, squillare in continuazione.

■ **ring out** **A** v. i. + avv. **1** risuonare; squillare: *A shot rang out*, risuonò un colpo (*o* uno sparo); *Suddenly a voice rang out*, si udì lo squillo improvviso di una voce **2** (*del telefono*) squillare lontano **3** (*al telefono*) chiamare; fare una chiamata **4** (*USA*) marcare l'uscita; timbrare il cartellino (*in uscita dal lavoro*) **B** v. t. + avv. salutare (*o* dare l'addio a) con il suono delle campane: **to r. out the Old Year**, dare l'addio con le campane all'anno vecchio.

■ **ring round** → **ring around**.

■ **ring up** **A** v. i. + avv. chiamare (al telefono); telefonare: *A lot of people have rung up while you were out*, ha telefonato un sacco di gente mentre eri fuori **B** v. t. + avv. **1** telefonare a; chiamare (al telefono): *I'll r. you up tomorrow*, ti chiamo domani **2** battere (*sul registratore di cassa*): *The cashier rang up ten pounds*, la cassiera ha battuto dieci sterline **3** (*per estens.*) incassare (*una certa somma*) □ (*teatr.*) **to r. up the curtain**, tirare (*o* alzare) il sipario □ (*fig.*) **to r. up the curtain on st.**, dare l'avvio a qc.

ringbolt /ˈrɪŋbəʊlt/ n. **1** (*mecc.*) bullone a occhio con anello **2** (*naut.*) golfare; spina.

ringcraft /ˈrɪŋkrɑːft/ n. U (*sport*) abilità (*o* tecnica) pugilistica.

ringed /rɪŋd/ a. **1** che ha (*o* che porta) l'anello (*spec. nuziale*); sposato; fidanzato **2** ornato d'anelli; inanellato **3** (*di un occhio*) con le occhiaie; cerchiato **4** (*di un uccello, ecc.*) con il collarino **5** (= **ring-shaped**) ad anello; anulare; circolare ● (*zool.*) **r. plover**, (*Charadrius hiaticula*) corriere grosso; (*Charadrius dubius*) corriere piccolo.

ringent /ˈrɪndʒənt/ a. **1** aperto; spalancato **2** (*bot.*) labiato.

ringer ① /ˈrɪŋə(r)/ n. **1** chi accerchia; cosa che fa cerchio intorno (*a un'altra*; → **ring** ①) **2** (*caccia*) animale (*spec.* volpe) che fugge compiendo cerchi **3** (*spec.*) anello di metallo gettato in modo che s'infili su un piolo (= *gioco dei* **quoits** → **quoit**, *def. 1 e 2*).

ringer ② /ˈrɪŋə(r)/ n. **1** (= **bell-r.**) campanaro **2** suoneria: **telephone r.**, suoneria telefonica **3** (*slang USA*) concorrente (*o* cavallo) iscritto sotto falso nome **4** (*slang*, = **dead r.**) sosia ● (*slang*) **He's a dead r. for his brother**, è suo fratello nato e sputato.

to **ring-fence** /ˈrɪŋfɛns/ v. t. **1** recintare con uno steccato **2** (*fin.*) stanziare, destinare (*fondi*) a uno scopo preciso.

ringgit /ˈrɪŋgɪt/ n. ringgit (*moneta della Malaysia*).

ringing /ˈrɪŋɪŋ/ **A** n. U **1** suono squillante; tintinnio **2** scampanio; scampanellata **B** a.

sonoro; squillante: **a r. laugh**, una risata sonora (o squillante); **a r. voice**, una voce sonora ● **a r. frost**, un gelo che fa scricchiolare il terreno (sotto i piedi) □ (telef.) **r. tone**, segnale di linea libera; segnale di chiamata.

ringleader /'rɪŋliːdə(r)/ n. capobanda; caporione; capoccia (pop.).

ringlet /'rɪŋlət/ n. **1** anellino; cerchietto **2** ricciolo; ricciolino ‖ **ringleted**, **ringlety** a. ricciuto; riccioluto.

ringmaster /'rɪŋmɑːstə(r)/ n. direttore di pista (di un circo equestre).

ringroad /'rɪŋrəʊd/ = **ring road** → **ring** ①.

ringside /'rɪŋsaɪd/ **A** n. **1** (boxe) bordo ring **2** (di circo equestre) bordo della pista **3** (per estens.) posizione di prima fila; buon osservatorio **B** a. attr. **1** (boxe) di bordo ring: **a r. seat**, un posto di bordo ring **2** di bordo pista **3** di prima fila; da cui si vede bene.

ringster /'rɪŋstə(r)/ n. (fam. USA) **1** membro di una cricca (spec. politica) **2** pugile.

ringtone /'rɪŋtəʊn/ n. suoneria (di telefono cellulare, ecc.).

ringworm /'rɪŋwɜːm/ n. ⓤ (med.) tricofizia; tinea.

rink /rɪŋk/ n. (sport) **1** pattinatoio; pista di pattinaggio (su ghiaccio o a rotelle) **2** campo (di ghiaccio) per il gioco del curling **3** squadra di giocatori di curling **4** (bocce) corsia di gioco; (fig.) squadra di giocatori di bocce **5** (pattinaggio, ecc.) palazzo del ghiaccio; palaghiaccio ● **r. boards**, balaustra.

rinky-dink /'rɪŋkɪdɪŋk/ **A** n. (slang USA) **1** merce scadente (o di seconda mano); roba da poco; oggetto da due soldi **2** persona da poco (o di poco conto) **3** imbroglio; raggiro **B** a. **1** scadente; da due soldi **2** malmesso; malconcio; scalcinato.

rinse /rɪns/ n. **1** risciacquata: *I've given the glasses a r.*, ho dato una risciacquata ai bicchieri **2** ⓤ (ind.) risciacquatura **3** sciacquata; lavata sommaria **4** ⓤⓒ cachet (franc.); tintura leggera per capelli (che si asporta risciacquandoli): **blue r.**, cachet azzurro (per signore di mezza età).

to **rinse** /rɪns/ v. t. **1** (anche **r. out**) sciacquare; risciacquare; to **r. clothes**, risciacquar panni; to **r. one's mouth**, sciacquarsi la bocca **2** sciacquare; lavare sommariamente (senza sapone): to **r. one's hands**, sciacquarsi le mani **3** (fam., anche to **r. down**) mandar giù (bevendo); innaffiare (cibo con birra, vino, ecc.).

rinsing /'rɪnsɪŋ/ n. ⓤⓒ risciacquatura; acqua di risciacquatura.

◆**riot** /'raɪət/ n. **1** insurrezione; sommossa; sedizione; rivolta; tumulto; sollevazione **2** baccano; chiasso; fracasso; frastuono; intemperanza (pl.) **3** gozzoviglia; orgia (anche fig.): **a r. of colours**, un'orgia di colori **4** (fam.) cannonata (fig. fam.); grande successo; colpo (fig.) **5** (fam.) spasso: *Her hat is a r.*, il suo cappellino è uno spasso (o fa morire dal ridere) ● (stor.) **the R. Act**, la legge contro le sommosse (o i tumulti popolari: del 1715, abrogata nel 1967) □ **r. gear**, tenuta da sommossa, equipaggiamento antisommossa (elmetti, scudi, ecc.) □ **r. gun**, fucile a canna corta (per l'ordine pubblico) □ **r. police**, reparti antisommossa; la celere (ass.) □ **r. risk**, rischio di sommosse popolari □ **r. shield**, scudo per poliziotti; scudo di plastica □ **r. squad**, reparto antisommossa □ (fig.) to **read the R. Act**, (della polizia) leggere l'ordine di scioglimento a una folla (prima della carica); (per estens.) dare un severo avvertimento; richiamare all'ordine; dare una lavata di capo (a q.) □ to **run r.**, dare in eccessi; scatenarsi; sfrenarsi; (di piante) crescere con eccessivo rigoglio, lussureggiare.

to **riot** /'raɪət/ v. i. **1** insorgere; sollevarsi;

tumultuare **2** far baccano; far chiasso **3** fare orge; gozzovigliare ● to **r. in**, indulgere (o abbandonarsi, darsi) a □ to **r. one's money** [time] **away**, sprecare il denaro [il tempo] in bagordi.

rioter /'raɪətə(r)/ n. **1** ribelle; rivoltoso; sedizioso **2** (arc.) chi si dà alle orge; gaudente.

riotous /'raɪətəs/ a. **1** rivoltoso; sedizioso; turbolento; tumultuante **2** dissoluto; intemperante; licenzioso; sfrenato: *He leads a r. life*, conduce una vita dissoluta; **r. laughter**, risa sfrenate **3** (raro: di piante) rigoglioso; lussureggiante | **-ly** avv. | **-ness**. ⓤ ❶ **FALSI AMICI** ● riotous *non significa* riottoso.

rip ① /rɪp/ n. **1** lacerazione; strappo; squarcio **2** scucitura **3** (falegn.) taglio secondo il verso della fibra ● (ind. tess.) **rip-stop fabric**, tessuto antistrappo.

rip ② /rɪp/ n. (naut., = **riptide**) tratto di mare o di fiume, con onde tumultuose (per l'incontro di maree o correnti) ● **rip current**, corrente di ritorno.

rip ③ /rɪp/ n. (slang) **1** cavallaccio; ronzino; rozza **2** individuo dissoluto; debosciato **3** cosa (o persona) senza valore.

to **rip** /rɪp/ **A** v. t. **1** lacerare; strappare; scucire; sdrucire; tirar via: *Rip out the lining*, strappa (o scuci) la fodera!; to **rip off the old wallpaper**, strappare (o tirar via) la vecchia carta da parati **2** (spesso to **rip up**) fendere; spaccare; squarciare: *I ripped up the shirt to use it as a bandage*, squarciai la camicia per usarla come benda **3** (spesso to **rip off**) staccare; tagliare netto; tranciare; troncare **4** (falegn.) segare (il legno) secondo il verso della fibra **5** scoperchiare (un tetto d'ardesia, di scandole) **6** (fig.) fare (qc.) a pezzi (fig.); sconfiggere, battere; criticare aspramente, stroncare **7** (comput., fam.) rippare, estrarre (tracce audio o video da CD, DVD, ecc.) **B** v. i. **1** lacerarsi; strapparsi; scucirsi **2** fendersi; spaccarsi; squarciarsi **3** (fam.) andare a grande velocità (o a tutta birra); filar via: (di una barca, un'automobile, ecc.) *Let her (o it) rip*, lasciala filare; mandala a tutta birra ● to **rip along the seams**, scucirsi □ to **rip a fissure [a passage]**, aprire una fessura [un passaggio] □ to **rip in half (o in two)**, spaccare in due; fare in due pezzi □ to **rip open**, sventrare; aprire; squarciare □ to **rip a letter open**, aprire una lettera (stracciando la busta) □ (fig. fam.) to **let things rip**, lasciare che le cose vadano a modo loro; lasciar perdere □ **Let it rip!**, avanti!; si cominci!; (anche) lascia perdere!

■ **rip across** v. t. + avv. lacerare, stracciare (in due pezzi); fare in due pezzi (fam.): to **rip across a cheque**, stracciare un assegno.

■ **rip apart** v. t. + avv. **1** spaccare in due; fare a pezzi: *The bomb ripped apart the coach*, la bomba spaccò in due il pullman **2** buttare all'aria; mettere a soqquadro: *The burglars ripped apart my flat*, i ladri misero a soqquadro il mio appartamento.

■ **rip away** v. t. + avv. **1** strappare via; staccare **2** (fig.) eliminare; fare piazza pulita di.

■ **rip down** v. t. + avv. strappare, tirare giù (manifesti e sim.).

■ **rip into** v. i. + prep. **1** (di belve) azzannare **2** (fig.) attaccare, assalire, con grande violenza; criticare, a tutto spiano; stroncare.

■ **rip off** v. t. + avv. **1** staccare di netto; tranciare; strappare via: *The crash ripped off both front wheels of the car*, l'urto tranciò entrambe le ruote anteriori dell'auto **2** squarciare: *The car bomb ripped off the front of the barracks*, l'autobomba squarciò la facciata della caserma **3** (fam.) rubare: to **rip off mobiles**, rubare cellulari **4** (fam.) far pagare un prezzo esagerato a; spennare; rapinare **5** (fam.) imbrogliare; fregare; tirare un bidone a (pop.) **6** (fam.) copiare; scopiazzare.

■ **rip on** v. t. + prep. (slang USA) infastidire, importunare, dare addosso a (q.); scocciare, seccare, rompere (fam.).

■ **rip out** v. t. + avv. **1** strappare; tirare via **2** buttare giù, far cadere (denti, ecc.) **3** (edil.) demolire; sventrare **4** (arc.) dire, pronunciare, prorompere in (bestemmie, parolacce, ecc.).

■ **rip up** v. t. + avv. **1** stracciare, fare a pezzi (il giornale, una lettera, ecc.) **2** squarciare, tirare su (la pavimentazione, ecc.) **3** sfilacciare (stoffa) **4** (fig.) stracciare (fig.), non rispettare (un contratto e sim.).

RIP sigla (**rest in peace**) riposi in pace.

riparian /raɪ'peərɪən/ a. rivierasco; ripario ● **r. proprietor**, proprietario di terreni rivieraschi (di un fiume, ecc.) □ (leg.) **r. rights**, diritti connessi con la proprietà della riva (quali la pesca, l'uso delle acque, ecc.); diritti rivieraschi; ripatico.

ripcord, **rip-cord** /'rɪpkɔːd/ n. **1** corda di strappo, cavo di spiegamento (di paracadute) **2** fune di strappamento (di aerostato).

ripe /raɪp/ a. **1** maturo; (fig.) compiuto, completo, perfetto: **r. apples**, mele mature; **r. experience**, esperienza matura; **of r. age**, in età matura; **a man of r. years**, un uomo maturo (d'anni) **2** atto; idoneo; pronto: *The country is r. for change*, il paese è pronto al cambiamento; **r. for trouble**, pronto a combinar guai **3** stagionato; maturo: **r. cheese**, formaggio stagionato ● **r. beauty**, bellezza matura ● **r. lips**, labbra piene (o turgide) □ **The time is r. for action**, è giunta l'ora d'agire | **-ly** avv. | **-ness** n. ⓤ.

to **ripen** /'raɪpən/ **A** v. t. **1** maturare; far maturare **2** stagionare **B** v. i. **1** maturare; maturarsi **2** stagionarsi ‖ **ripening** n. ⓤ (agric.) maturazione.

rip-off /'rɪpɒf/ n. (fam.) **1** il far pagare a prezzi esagerati; rapina; furto; fregatura: *At £100 each, it's a rip-off*, a cento sterline l'uno, è una rapina **2** imitazione; scopiazzatura.

riposte, **ripost** /rɪ'pəʊst/ n. **1** (scherma) risposta **2** (fig.) replica, risposta (spiritosa o incisiva) **3** ⓤ reazione.

to **riposte**, to **ripost** /rɪ'pəʊst/ v. i. **1** (scherma) eseguire una risposta **2** (fig.) replicare; rispondere per le rime **3** (anche sport) replicare; reagire.

ripped /rɪpt/ a. (anche **r. off**, **r. up**) (slang USA) **1** intontito dall'alcol (o dalla droga), suonato (pop.) **2** fatto (di droga); intrippato (pop.).

ripper /'rɪpə(r)/ n. **1** chi lacera, squarcia, ecc. (→ to **rip**) **2** arnese per scoperchiare tetti (d'ardesia o di scandole) **3** (falegn.) → **ripsaw** **4** estrattore per chiodi; cacciachiodi **5** (tecn.) scarificatore (di un bulldozer) **6** (slang spec. Austral.) persona (o cosa) straordinaria; cannonata (fig. fam.) **7** (pl., slang) anfetamine ● **Jack the R.**, Jack lo Squartatore.

ripping /'rɪpɪŋ/ **A** n. ⓤ **1** lacerazione; strappo **2** tranciamento **3** (falegn.) il segare secondo il verso della fibra (del legno) **B** a. **1** che lacera, strappa, squarcia (→ to **rip**) **2** (slang antiq.) eccellente; magnifico; ottimo; straordinario ● **r. bar**, estrattore per chiodi; cacciachiodi (slang antiq.) □ to **have a r. good time**, spassarsela; divertirsi un mondo.

ripple ① /'rɪpl/ n. **1** increspatura; ondulazione; piccola onda; (tecn.) ripple **2** mormorio di voci; gorgoglio (dell'acqua); lieve suono (di risa) **3** (elettr.) ondulazione **4** (USA) piccola rapida (di fiume) **5** (fam. USA) tentativo ● **r.-cloth**, tessuto crespo; crespo □ **r. effect**, effetto a catena; effetto domino □ **r. marks**, solchi ondulati (sulla sabbia, nel fango, ecc.).

ripple ② /'rɪpl/ n. (ind. tess.) pettine di fer-

ro; gramola.

to **ripple** ① /'rɪpl/ **A** v. i. **1** incresparsi; formare piccole onde; (*del mare mosso*) fare le ochette **2** (*del grano, ecc.*) ondeggiare (*al vento*) **3** (*di acque*) mormorare; gorgogliare **4** (*fig.: di suono, risa, ecc.*) diffondersi; propagarsi **B** v. t. **1** increspare, ondulare: *A light wind rippled the surface of the lake*, un venticello increspava la superficie del lago **2** segnare; rigare.

to **ripple** ② /'rɪpl/ v. t. (*ind. tess.*) pettinare; gramolare.

ripplet /'rɪplət/ n. lieve increspatura; piccolissima onda; ochetta (*fig.*).

ripply /'rɪplɪ/ a. crespo; increspato; ondulato.

riprap /'rɪpræp/ n. (*ind. costr.*) **1** fondazione subacquea di pietrame alla rinfusa **2** ☐ pietrame per tali fondazioni.

rip-roaring /'rɪprɔːrɪŋ/ a. (*fam.*) chiassoso; rumoroso; scatenato; sfrenato.

ripsaw /'rɪpsɔː/ n. (*falegn.*) saracco; segaccio.

riptide /'rɪptaɪd/ n. (*naut.*) **1** corrente di ritorno **2** tratto di mare o di fiume con onde tumultuose (*per l'incontro di maree o correnti*) **3** (*fig.*) vortice.

Ripuarian /rɪpjuːˈɛərɪən/ a. (*stor.*) Ripuario: R. Franks, i Franchi Ripuari.

RISC sigla (*comput.*, **reduced instruction-set computer**) elaboratore con set d'istruzioni ridotto.

◆to **rise** /raɪz/ n. **1** altura; elevazione; rialzo; rilievo: *The house stands on a r.*, la casa è situata su un'altura; (*geogr.*) **continental r.**, rilievo continentale **2** salita; ascesa: a **steep r.**, una salita ripida; **the r. of a politician**, l'ascesa di un uomo politico **3** (il) sorgere, (la) levata (*del sole, della luna, ecc.*) **4** aumento; crescita; rialzo; lievitazione (*di prezzi*); (*di un fiume*) innalzamento di livello: *Prices are on the r.*, i prezzi sono in aumento; **a r. in temperature**, un aumento della temperatura; **a r. in prices**, un rialzo dei prezzi **5** avanzamento; progresso; promozione; aumento (*di paga*): *He has had a r. in rank*, ha avuto una promozione (di grado); *I asked my employer for a r.*, chiesi un aumento (di stipendio) al principale **6** (*raro*) sorgente; origine **7** ☐ (*di pesce*) affioramento; il salire a fior d'acqua (*per cibarsi*) **8** ☐ altezza; livello; crescita: *The tidal r. is twenty feet*, l'altezza della marea è di venti piedi (*sei metri*) **9** (*di gradino*) alzata **10** (*archit.*) freccia (*di un arco, di un ponte*) **11** (*teatr.*) alzata del sipario **12** (*volg.*) erezione; (il) drizzare ● (*naut.*) **the r. and fall of the tide**, il movimento alterno della marea ☐ (*naut.*) **the r. of the tide**, il flusso della marea ☐ **to give r. to**, dare origine a; far nascere (*fig.*), causare ☐ (*fam.*) **to take** (*o* to get) **a r. out of sb.**, far perdere la pazienza a q.; esasperare q.; fare uscire dai gangheri q. ☐ **I fished all day but didn't get a r.**, ho pescato tutto il giorno senza che affiorasse neanche un pesce.

◆to **rise** /raɪz/ (*pass.* **rose**, p. p. **risen**) **A** v. i. **1** alzarsi; levarsi; rizzarsi; ergersi; sorgere; spuntare; scaturire; nascere: *He rose from the chair*, si alzò dalla sedia; *They r. at dawn*, si alzano all'alba; *The tide is rising*, si alza la marea; *The dough has risen*, la pasta s'è alzata (ha lievitato); *The sun was rising*, il sole sorgeva; *The wind rose suddenly*, improvvisamente si levò il vento; *A snow-capped mountain rose on our left*, un monte incappucciato di neve si ergeva alla nostra sinistra; *The Thames rises in the Cotswold Hills*, il Tamigi nasce nelle Cotswold Hills; *The hair rose on my head*, mi si rizzarono i capelli (in testa) **2** risorgere; risuscitare: *Christ is risen!*, Cristo è risorto! **3** salire (*in un ascensore, ecc.*) **4** aumentare;

crescere; (*di fiume, ecc.*) gonfiarsi, essere in piena; (*di prezzi, ecc.*) salire, lievitare: *In the flood the river rose three feet*, con la piena il fiume crebbe di tre piedi; *The Tiber is rising*, il Tevere è in piena; *Prices are rising*, i prezzi aumentano; *Costs are rising*, i costi salgono; *Blisters r.*, le vesciche si gonfiano; *The barometer* [*the mercury*] *is rising steadily*, il barometro [il mercurio] continua a salire; *The road rises in a gentle curve*, la strada sale facendo una lieve curva; *Our net income rose 10% last year*, l'anno scorso il nostro utile netto è cresciuto del 10% **5** (*del pane, ecc.*) crescere; lievitare **6** (*del pesce*) affiorare; venire a galla; salire a fior d'acqua (*per cibarsi*) **7** (*fig.*) elevarsi; far carriera; far progressi; farsi una posizione; farsi strada: **a man likely to r.**, un uomo che farà carriera; **to r. to an important position**, raggiungere una posizione di rilievo **8** insorgere; sollevarsi; ribellarsi: *The people rose against the tyrant*, il popolo insorse contro il tiranno **9** (*di riunione, del parlamento, ecc.*) sciogliersi; sospendere la seduta **10** derivare; provenire; scaturire; scoppiare; essere causato da; esser dovuto a: *The war rose out of a border incident*, la guerra scoppiò per un incidente di frontiera **11** (*fam.*) reagire (*se stuzzicati da q.*) **12** (*box.: di un pugile atterrato*) alzarsi in piedi **13** (*calcio*) saltare; andare in elevazione: *Zidane rose to head in*, Zidane è andato in elevazione e ha insaccato di testa **B** v. t. **1** (*caccia*) levare, scovare, stanare (*selvaggina*) **2** (*pesca*) prendere, pescare ● **to r. again**, risorgere ☐ (*di merce*) **to r. in price**, rincarare ☐ **to r. in rebellion**, ribellarsi ☐ **to r. in the world**, fare carriera; farsi strada (*fig.*) ☐ (*del pesce e fig.*) **to r. to the bait**, abboccare ☐ **to r. to one's feet**, alzarsi in piedi; prendere la parola in pubblico ☐ (*fig.*) **to r. to the occasion**, mostrarsi all'altezza della situazione ☐ **to r. to power**, salire al potere ☐ **to r. to the surface**, (*del pesce*) affiorare; (*fig.*) affiorare, venire alla luce ☐ **a tree that rises twenty feet**, un albero alto venti piedi ☐ (*teatr.*) **The house rose**, il pubblico si levò in piedi ☐ **My stomach rises against it**, mi si rivolta lo stomaco; ciò mi disgusta ☐ **He doesn't r. above mediocrity**, non esce dalla mediocrità ☐ **The girl's colour rose**, il viso della ragazza s'imporporò ☐ **An idea rose before my mind**, mi venne in mente un'idea ☐ (*fam.*) **R. and shine!**, sveglia!; in piedi!

■ **rise above** v. i. + prep. **1** alzarsi su (*o* sopra): *A column of smoke was rising above the hill*, una colonna di fumo si alzava sulla collina **2** (*fig.*) essere (*o* mostrarsi) superiore a; superare: *You should r. above these petty jealousies*, dovresti essere superiore a queste meschine gelosie; **to r. above self-interest**, non badare all'interesse personale.

■ **rise from** v. i. + prep. **1** alzarsi da (*una sedia, da tavola, ecc.*) **2** (*fig.*) derivare, provenire, nascere da; essere causato da: *His remorse rises from the consciousness of what he did*, il suo rimorso nasce dalla consapevolezza di ciò che ha fatto ☐ **to r. from the ashes**, rinascere dalle ceneri ☐ **to r. from the dead** (*o* the grave), risuscitare ☐ (*mil.*) **to r. from the ranks**, (*di un ufficiale*) venire dalla gavetta.

■ **rise up** v. i. + avv. **1** alzarsi (in piedi); sollevarsi; insorgere; sollevarsi; ribellarsi; fare una sommossa **3** (*fig.: di un sentimento*) sorgere: *Terror rose up in my heart when I saw the tiger*, quando vidi la tigre, il terrore s'impadronì di me.

risen /'rɪzn/ **A** p. p. di **to rise** **B** a. **1** sorto; risorto: **the r. Christ**, Cristo risorto **2** alzato; in piedi: *'A squad* [*of Cossacks*] *with uplifted sabres galloped towards the car-*

riage, r. in saddles' B. MALAMUD, 'uno squadrone di cosacchi, con le sciabole sguainate e in piedi sulle staffe, veniva al galoppo verso la carrozza'.

riser /'raɪzə(r)/ n. **1** chi si alza (*a una certa ora*): **an early r.**, uno che si alza presto; un tipo mattiniero; **a late r.**, uno che si alza tardi; un dormiglione **2** (*di gradino*) alzata **3** (*edil.*) colonna montante (*dell'acqua, del gas, ecc.*) **4** (*geol.*) scarpata **5** (*ind. min.*) fornello **6** (*sport: parapendio*) bretella **7** (*pl. USA*) scarpe con i rialzi **8** (*pl. USA*) rialzo di gradini (*allo stadio, ecc.: per vedere meglio*) **9** (*pesca*) pesce che sale per cibarsi **10** (*raro*) ribelle; rivoltoso; insorto.

risible /'rɪzəbl/ a. **1** incline al riso; ridanciano **2** (*fisiol.*) del riso: **r. muscle**, muscolo del riso **3** risibile; ridicolo; comico ● **r. wages**, salario risibile ‖ **risibility** n. ☐ **1** inclinazione al riso; senso del ridicolo **2** risibilità.

rising /'raɪzɪŋ/ **A** a. **1** (*del sole, ecc.*) sorgente; nascente: **the r. sun**, il sole nascente; il sol levante **2** crescente; in sviluppo; in aumento: **r. tide**, marea crescente; **in a r. series**, in successione crescente; **r. prices**, prezzi in aumento **3** ascendente; in salita: **r. ground**, terreno in salita **4** promettente; che si fa strada: **a r. young man**, un giovane promettente **B** n. **1** (*del sole, ecc.*) alzarsi; levata **2** insurrezione; sollevamento; rivolta; sommossa: **r. of the people**, sommossa popolare **3** altura; rilievo; prominenza **4** salita; rampa; pendio **5** (= **r. again**) risurrezione **6** lievito **7** (*polit.*) sospensione (*dei lavori in Parlamento*) **C** prep. vicino a, circa; che si avvicina a (*negli anni*): **r. 10,000 pounds**, circa 10 000 sterline; **to be r. forty**, essere vicino ai quarant'anni ● (*edil.*) **r. damp**, umidità dal basso ☐ **the r. generation**, la nuova generazione ☐ **r. ground**, altura ☐ (*econ.*) **a r. market**, un mercato al rialzo ☐ **a r. politician** [**lawyer**], un uomo politico [un avvocato] emergente ☐ **a r. star**, una stella emergente (*del cinema, ecc.*); un astro nascente (*del tennis, ecc.*); (*econ.*) un'azienda (*o* un prodotto) assai promettente ☐ (*econ.*) **a r. trend**, una tendenza al rialzo ☐ (*equit.*) **to do the r. trot**, battere la sella ☐ **the Land of the R. Sun**, l'Impero del Sol Levante.

◆**risk** /rɪsk/ n. ☐ rischio; azzardo; pericolo: **fire r.**, rischio d'incendio; **to take** (*o* to run) **a r.**, correre un rischio; *There is a r. of another accident happening* (*o* There is a r. that another accident will happen), c'è il rischio che si verifichi un altro incidente ● (*comput.*) **r. analysis**, analisi del rischio ☐ (*ass., fin.*) **r.-averse**, avverso al rischio ☐ (*ass., fin.*) **r.-aversion**, avversione al rischio ☐ **r. awareness**, il saper riconoscere i rischi ☐ (*ass., fin.*) **r. bearing**, assunzione di rischio ☐ (*fin.*) **r. capital**, capitale di rischio ☐ (*med.*) **r. factor**, fattore di rischio ☐ **r.-free**, esente da rischio; privo di rischio ☐ (*fin.*) **r. management**, gestione del rischio ☐ (*naut.*) **r. of craft**, rischio di alleggio ☐ (*fin.*) **r. premium**, premio di rischio ☐ (*ass., fin.*) **r.-taking**, assunzione di rischio ☐ (*ass.*) **all risks**, assicurazione «tutti i rischi» ☐ **at r.**, in forse; in pericolo ☐ **at the r. of one's life**, a rischio della vita ☐ **at one's own r.**, a proprio rischio e pericolo ☐ (*comm.*) **at owner's r.**, a rischio (e pericolo) del committente ☐ (*polit.*) **security r.**, rischio per la sicurezza nazionale.

◆to **risk** /rɪsk/ v. t. e i. **1** rischiare; arrischiare; azzardare; mettere a rischio: (*anche fig.*) **to r. one's neck**, rischiare l'osso del collo; *Many workers r. losing their jobs*, molti lavoratori rischiano di perdere il posto; *Nobody risked criticizing the president*, nessuno si azzardò a criticare il presidente; **to r. one's life**, mettere a rischio (*o* a repentaglio) la propria vita.

riskily /'rɪskəlɪ/ avv. rischiosamente.

riskiness /'rɪskɪnəs/ n. ▢ arrischiatezza; avventatezza; pericolosità.

riskless /'rɪskləs/ a. senza rischio.

risky /'rɪskɪ/ a. rischioso; arrischiato; azzardoso; pericoloso: **a r. venture**, un'impresa rischiosa.

risotto /rɪ'zɒtəʊ/ (*ital.*) n. ▣ (pl. **risottos**) (*cucina*) risotto.

risqué /'rɪskeɪ, USA rɪ'skeɪ/ (*franc.*) a. audace; scabroso; piccante; spinto: **a r. dress**, un abito audace; **a r. joke**, una barzelletta spinta.

rissole /'rɪsəʊl/ n. (*cucina*) polpetta; crocchetta.

rite /raɪt/ n. **1** (*relig.*) rito: **the Latin r.**, il rito latino; **burial rites**, riti funebri **2** rito; cerimonia (*anche fig.*).

ritual /'rɪtʃʊəl/ ▣ a. rituale: **r. dances**, danze rituali ▣ n. ▢ rituale **2** rito; rituale; cerimonia: **the rain r.**, il rituale per invocare la pioggia | **-ly** avv.

ritualism /'rɪtʃʊəlɪzəm/ n. ▢ **1** (*relig.*) ritualismo **2** (*per estens.*) eccessiva cerimoniosità **3** studio di riti magici o religiosi ‖ **ritualist** n. **1** (*relig.*) ritualista **2** persona troppo attaccata a riti e cerimonie **3** studioso di riti magici o religiosi ‖ **ritualistic a. 1** rituale; ritualistico **2** (*relig.*) che segue il ritualismo ‖ **ritualistically** avv. ritualmente; ritualisticamente.

ritualization /rɪtʃʊəlaɪ'zeɪʃn, USA -lɪ'z-/ n. ▢ ritualizzazione.

to **ritualize** /'rɪtʃʊəlaɪz/ ▣ v. t. ritualizzare; rendere rituale ▣ v. i. (*relig.*) seguire il ritualismo.

ritzy /'rɪtzɪ/ a. (*slang*) **1** costoso; lussuoso; magnifico; splendido; favoloso (*fam.*) **2** che si dà le arie **3** pretenzioso | **-ily** avv. | **-iness** n. ▢.

◆**rival** /'raɪvl/ ▣ n. rivale: **rivals for the presidency**, rivali per la presidenza ▣ a. **1** rivale: **r. factions**, fazioni rivali **2** concorrente; in concorrenza: (*comm.*) **r. firms**, ditte in concorrenza **3** (*sport*) avversario: **the r. teams**, le squadre avversarie ● (*econ.*) **r. commodities**, beni alternativi ‖ (*fin.*) **r. companies**, società rivali ‖ (*sport*) **r. football fans**, tifosi di squadre avversarie; tifoserie rivali ‖ **business rivals**, concorrenti; rivali in affari ‖ **without a r.**, senza pari.

to **rival** /'raɪvl/ v. t. rivaleggiare con; competere con; eguagliare; emulare: *He rivals his father in intelligence*, eguaglia il padre per intelligenza.

rivalry /'raɪvlrɪ/ n. ▢ rivalità; emulazione; competizione: **friendly r.**, emulazione amichevole.

to **rive** /raɪv/ (pass. **rived**, p. p. **rived**, **riven**) ▣ v. t. (di solito al passivo) **1** lacerare; strappare: **to r. off the bark of a tree**, strappare la corteccia di un albero; scortecciare un albero **2** fendere; spaccare; spezzare: **to r. wood [stones]**, spaccare legna [pietre] **3** fare (*listelli*) spaccando il legno ▣ v. i. (*spec. del legno*) fendersi; spaccarsi; spezzarsi.

◆**river** ① /'rɪvə(r)/ n. (*anche fig.*) fiume: **the R. Thames**, il fiume Tamigi; **the Hudson R.**, il fiume Hudson; **a r. of lava**, un fiume (*o un torrente*) di lava ● **r. bank**, argine, sponda, riva (*di fiume*) □ **r. basin**, bacino fluviale □ (*zool.*) **r. crawfish**, gambero di fiume □ **r. delta**, delta di un fiume □ (*ecol.*) **r.-delta marsh**, palude deltizia □ **r. god**, divinità fluviale □ **r. harbour**, porto fluviale □ **r. head**, sorgente (*di fiume*) □ (*zool.*, *fam.*) **r. horse**, ippopotamo □ **down r.**, a valle (*fig.*) **to sell sb. down the r.**, tradire q.; vendere q. □ **up r.**, a monte □ (*slang*) **up the r.**, in galera; al fresco.

river ② /'raɪvə(r)/ n. chi spacca (*legna, ecc.*);

chi lacera.

riverain /'rɪvəreɪn/ ▣ a. fluviale ▣ n. territorio fluviale.

riverbed /'rɪvəbed/ n. letto di fiume; alveo (*fluviale*).

riverboat /'rɪvəbəʊt/ n. barca fluviale.

riverfront /'rɪvəfrʌnt/ ▣ n. lungofiume ▣ a. attr. che si svolge lungo un fiume; rivierasco.

riverine /'rɪvəraɪn/ a. fluviale: **r. plants**, piante fluviali.

riverside /'rɪvəsaɪd/ ▣ n. sponda, riva (*di fiume*); lungofiume ▣ a. attr. della (*o sulla*) riva di un fiume; lungo il fiume: **a r. cottage**, una villetta sulla riva di un fiume.

rivet /'rɪvɪt/ n. chiodo (*da ribadire*); rivetto, ribattino ● **r. gun**, sparachiodi.

to **rivet** /'rɪvɪt/ v. t. **1** inchiodare; chiodare, ribadire, ribattere, rivettare; fissare: **to r. a nail**, ribadire (*o ribattere*) un chiodo; **to r. a bolt**, ribadire un bullone; (*fig.*) **to r. an error**, ribadire un errore; *His eyes were riveted on her*, il suo sguardo era fissato su di lei; **to r. one's attention upon st.**, fissare la propria attenzione su qc. **2** (*fig.*) inchiodare: *The onlookers were riveted to the spot*, gli astanti rimasero inchiodati sul posto **3** fermare, concentrare (*l'attenzione di q.*).

riveter /'rɪvɪtə(r)/ n. **1** rivettatore; ribaditore **2** ribaditrice, rivettatrice (*macchina*).

riveting /'rɪvɪtɪŋ/ ▣ n. ▢ rivettatura; ribaditura; ribadimento; chiodatura ▣ a. (*fig.*) affascinante; incantevole; avvincente ● **r. hammer**, martello per ribadire □ (*mecc.*) **r. machine**, ribaditrice; chiodatrice.

Riviera /rɪvɪ'eərə/ n. (*geogr.*) Riviera (*da Cannes a La Spezia*) ● **the French R.**, la Costa Azzurra.

rivière /rɪvɪ'eə(r)/ (*franc.*) n. collana di gemme (*spec. a più giri*).

rivulet /'rɪvjʊlət/ n. (*lett.*) ruscelletto; rivoletto.

rix-dollar /'rɪksdɒlə(r)/ n. (*stor.*) tallero d'argento.

RL sigla (*sport*, **rugby league**) lega del rugby.

RM sigla **1** (*GB*, **Royal Mail**) Regie poste **2** (*mil.*, *GB*, **Royal Marines**) Corpo dei marine **3** (*GB*, **Royal Mint**) Zecca dello Stato.

rm abbr. (**room**) stanza.

RMA sigla (*GB*, **Royal Military Academy**) Accademia militare.

RMS® sigla (*comput.*, **Rights Management Services**) servizi di gestione dei diritti di accesso (*tecnologia Microsoft per cifrare documenti in modo da impedire l'accesso a utenti non abilitati*).

rms sigla (**rms value**) (*fis.*, **root-mean-square value**) valore efficace.

RN sigla **1** (**registered nurse**) infermiere diplomato (*uomo o donna*) **2** (*GB*, **Royal Navy**) Marina militare.

RNA abbr. (*biol.*, **ribonucleic acid**) acido ribonucleico.

RNLI sigla (*GB*, **Royal National Lifeboat Institution**) Organizzazione nazionale per il soccorso in mare.

roach ① /rəʊtʃ/ n. (pl. **roaches**, **roach**) (*zool.*) **1** (*Leuciscus*) leucisco **2** (*Chondrostoma genei*) lasca ● **as sound as a r.**, sano come un pesce.

◆**roach** ② /rəʊtʃ/ n. **1** (*zool.*, *spec. USA*; abbr. di **cockroach**) (*Blatta*) blatta; scarafaggio **2** (*slang*) racchia; ciospo **3** cicca di spinello (*di marijuana*) **4** (*slang USA*) poliziotto **5** (*slang USA*) puttanella; sgualdrina.

roach ③ /rəʊtʃ/ n. (*naut.*) allunamento, lunata (*di una vela*).

◆**road** /rəʊd/ n. **1** strada; via (*anche fig.*): **a bumpy r.**, una strada accidentata; **a back r.**, una strada secondaria; **a main r.**, una stra-

da principale (*o maestra*); **the r. to London**, la strada per Londra; **the r. to success**, la via del successo; **the r. to ruin**, la via della perdizione **2** (pl.) (*naut.*) rada: *The ship was lying in the roads*, la nave era ancorata nella rada **3** (*USA*, = **railroad**) ferrovia **4** (*teatr.*) giro di rappresentazioni; tournée **5** (*sport*) tournée ● **r. accident**, incidente stradale; investimento □ (*slang USA*) **r. apples**, escrementi (*fam.* 'polpette') di cavallo □ **r. block** → **roadblock** □ **r. book**, guida stradale □ **r. bump**, cunetta □ (*trasp.*) **r. carrier**, vettore stradale □ (*autom.*) «**r. closed**» (*cartello*), «strada interrotta» □ (*teatr.*, *USA*) **r. company**, compagnia di giro □ **r. conditions**, viabilità □ **r. contractor**, (titolare d') impresa di costruzioni stradali □ (*ciclismo*) **r. course**, percorso su strada □ **r. crew**, squadra di addetti a lavori stradali □ **r. crossing**, crocevia; crocicchio □ **r. crown**, colmo della strada □ (*sport*) **r. cycling**, ciclismo su strada □ **r. fork**, bivio stradale □ **r. foundation**, massicciata □ (*autom.*) **r.-fund licence**, licenza (*o bollo*) di circolazione □ (*autom.*) **r. fund licence fee**, tassa di circolazione □ **r. gang** → **road crew** □ **r. grade**, pendenza (di una strada) □ **r. haulage**, trasporto su strada (*o su gomma*) □ **r. haulier**, trasportatore su strada; vettore (*tur.*) □ **r. height**, altitudine (*di un valico, ecc.*) □ (*fam.*) **r. hog**, pirata della strada □ **r. hoggery**, guida spericolata; comportamento da pirata della strada □ (*autom.*) **r. holding** → **roadholding** □ **r. hump**, dissuasore di velocità; moderatore d'andatura; dosso artificiale (*sulla strada*) □ (*USA*) **r. kill**, animali investiti con un veicolo e uccisi □ (*autom.*) **r. link-up**, punto di raccordo (stradale) □ **r. manager**, organizzatore dei trasporti per un complesso di musicisti (*spec., per un complesso rock*) □ (*autom.*, *mecc.*) **r. manners**, comportamento di un conducente; cortesia stradale □ **r. map**, carta stradale: *I've got a r. map in the car*, ho una carta stradale in macchina; (*fig. USA*) spiegazione dettagliata; piano d'azione (*o d'intervento*) □ **r. marking**, applicazione della segnaletica stradale □ (*autom.*) **r. markings**, segnaletica orizzontale □ **r.-mender**, cantoniere; stradino □ **r. metal**, brecciame; pietrisco □ (*autom.*) «**r. narrows**» (*cartello*), «strettoia» □ **r. network**, rete stradale □ **r. noise**, rumore del traffico stradale □ (*sociol.*) **r. operator**, operatore di strada (*assistente sociale*) □ (*GB*) **r. pricing**, pedaggio stradale □ (*sport*) **r. race**, corsa su strada; gara su strada □ (*ciclismo*) **r. racing**, le corse su strada □ **r.-racing cyclist** (*o* **r. rider**), stradista; routier (*franc.*) □ **r. rage**, esplosione d'ira (*alterchi, risse, ecc.*) dovuta allo stress della guida e alla congestione del traffico □ **r. roller**, compressore stradale □ (*podismo*) **r. run**, corsa su strada □ **r. section**, tronco stradale □ (*autom.*) **r. sense**, «senso della strada»; capacità di guida anche con traffico intenso □ **r. show** → **roadshow** □ **r. sign**, segnale stradale (*verticale*; → **marker**, def. **12**); cartello stradale; indicatore stradale □ **r. signal**, segnale stradale □ (*collett.*) **r. signs**, segnaletica (*verticale*) □ (*autom.*) **r. tax**, tassa di circolazione □ (*autom.*) **r. test**, collaudo su strada; prova su strada; (*USA*) esame di guida □ **r. traffic**, traffico automobilistico; circolazione stradale □ (*leg.*) **r. traffic offence**, contravvenzione al codice della strada □ (*Austral.*) **r. train**, autotreno a uno o due rimorchi □ **r. tunnel**, tunnel stradale □ (*autom.*) **r. tyre**, pneumatico da strada (*non da corsa*) □ (*autom.*) «**r. under repair** (*o* **r. up**)» (*cartello*), «lavori in corso» □ (*sport*) **r.-walker**, marciatore □ **r. yard**, cantiere stradale □ **across the r.**, al di là (*o dall'altra parte*) della strada □ **along the r.**, lungo la strada; seguendo la (stessa) strada □ (*autom.*, *fam.*) **to**

burn the r., divorare la strada; andare a tutto gas (*o* a tutta birra) □ (*trasp.*) **by r.**, su strada, su gomma (*non per ferrovia*) ▸ **country r.**, strada di campagna □ **down the r.**, lungo la strada; giù per la strada; (*anche*) in futuro, più in là □ (*USA e scozz.*) **to get out of the r.**, cavarsi di mezzo; togliersi dai piedi; fare largo □ (*autom.*) **to go off the r.**, uscire di strada □ (*fam. USA*) **to hit the r.**, partire; mettersi in viaggio; (*anche*) mettersi in marcia, riprendere il viaggio □ (*autom.*, *fam.*) **to hog the r.**, guidare in modo spericolato □ (*autom.*: *di un veicolo*) **to hold the r.**, tenere la strada □ **to be on the r.**, essere per strada (*o* in viaggio, in cammino); (*di un automezzo*) essere (ancora) in circolazione (*o* in buono stato); (*teatr.*, *sport*) essere in tournée; (*USA e scozz.*) essere tra i piedi, essere d'impiccio □ **to be on the right r.**, essere sulla strada giusta (*anche fig.*) □ (*fam.*) *Shall we have one for the r.?*, prendiamo il bicchiere della staffa? □ **to take to the r.**, mettersi in cammino; mettersi in viaggio; (*stor.*) darsi alla macchia (*o* al brigantaggio); (*ora*) darsi al vagabondaggio □ «No r. markings» (*cartello*), «segnaletica in rifacimento».

roadable /'rəʊdəbl/ *a.* (*autom.*) idoneo a viaggiare su strada.

roadbed /'rəʊdbɛd/ *n.* **1** massicciata (*di strada o ferrovia*) **2** (*USA*) piano (*o* sede) stradale; carreggiata.

roadblock /'rəʊdblɒk/ *n.* blocco stradale; posto di blocco (*della polizia, ecc.*).

roadbook /'rəʊdbʊk/ *n.* (*ciclismo, ecc.*) storia della corsa (*a stampa*).

roadbuilding /'rəʊdbɪldɪŋ/ *n.* ▣ costruzione di strade; costruzione stradale; edilizia stradale: **r. programme**, piano di costruzione stradale; progetto di viabilità.

roadcraft /'rəʊdkrɑːft/ *n.* ▣ (*autom.*) abilità (*o* capacità) nella guida.

roadholding /'rəʊdhəʊldɪŋ/ *n.* ▣ (*autom.*) tenuta di strada ● **This car has good r.**, questa automobile tiene bene la strada.

roadhouse /'rəʊdhaʊs/ *n.* (*USA, antiq.*) posto di ristoro; ristorante (*o* albergo) lungo una strada.

roadie /'rəʊdɪ/ *n.* (*fam.*) = **road manager** → **road**.

roadless /'rəʊdləs/ *a.* senza (*o* privo di) strade.

roadman /'rəʊdmən/ *n.* (pl. *roadmen*) **1** cantoniere; stradino **2** (*ciclismo*) stradista; routier (*franc.*).

roadshow /'rəʊdʃəʊ/ *n.* **1** (*teatr.*) spettacolo (*o* compagnia di giro) in tournée **2** mostra all'aperto: **an antiques r.**, una mostra dell'antiquariato all'aperto **3** (*radio, TV, mus.*) trasmissione itinerante in diretta (*condotta da un disc jockey*); troupe della radio (*o* della TV) **4** (*fin.*) campagna promozionale (*di una società che sta per quotarsi in Borsa*) **5** (*polit.*) campagna di propaganda elettorale.

roadside /'rəʊdsaɪd/ **A** *n.* margine della strada; banchina **B** *a. attr.* (posto) sul bordo della strada, sulla strada: **a r. inn**, una locanda sulla strada ● (*autom.*) **r. repairs**, riparazioni di fortuna (*non in officina*); soccorso stradale □ **r. verge**, ciglio stradale; banchina.

roadstead /'rəʊdstɛd/ *n.* (*naut.*) rada.

roadster /'rəʊdstə(r)/ *n.* **1** (*autom., antiq.*) spider; automobile scoperta a due posti **2** bicicletta da turismo **3** (*un tempo*) cavallo da tiro **4** (*raro*) viaggiatore esperto; chi è abituato a viaggiare **5** (*USA*) vagabondo.

to **road-test** /'rəʊdtɛst/ *v. t.* (*autom.*) provare (*una vettura*) su strada.

roadway /'rəʊdweɪ/ *n.* ▣ **1** manto stradale **2** carreggiata (*di una strada*); corsia di marcia **3** piano stradale (*di ponte*).

roadwork /'rəʊdwɜːk/ *n.* ▣ (*sport*) footing; allenamento su strada (*di un pugile, ecc.*): **to do** (*o* **to engage in**) **r.**, fare del footing.

roadworks /'rəʊdwɜːks/ *n. pl.* lavori stradali ● (*autom.*) «R.» (*cartello*), «lavori in corso».

roadworthy /'rəʊdwɜːðɪ/ *a.* (*di veicolo*) efficiente; affidabile | **roadworthiness** *n.* ▣ affidabilità; efficienza (*di un veicolo*) ● (*autom.*) **roadworthiness test**, revisione obbligatoria (*di un automezzo usato*).

roam /rəʊm/ *n.* (*raro*) giro (*senza meta precisa*); passeggiata; vagabondaggio.

to **roam** /rəʊm/ **A** *v. i.* **1** (*spesso* **to r. about** *o* **around**) errare; girovagare; vagare; andar ramingo (*lett.*) **2** (*sport*) scorrazzare; svariare: **to r. all over the field**, svariare per tutto il campo **B** *v. t.* girandolare, gironzolare, vagare per; percorrere: **to r. the woods**, vagare per i boschi; **to r. around the shopping centre**, gironzolare per il centro commerciale.

roamer /'rəʊmə(r)/ *n.* **1** girandolone; girellone **2** vagabondo; nomade.

roaming /'rəʊmɪŋ/ *n.* (*tel.*, = **r. service**) roaming (*nella telefonia, un accordo che permette all'utente di utilizzare la rete di altre società*).

roan ① /rəʊn/ **A** *a.* roano **B** *n.* (cavallo) roano.

roan ② /rəʊn/ (*calzoleria, legatoria*) **A** *n.* ▣ cuoio uso marocchino **B** *a. attr.* uso marocchino; marocchinato: **r. binding**, legatura marocchinata.

roar /rɔː(r)/ *n.* **1** ruggito: **the roars of a lion**, i ruggiti di un leone **2** muggito; mugghio; rombo (*del vento, ecc.*); scoppio (*di tuono*); scroscio, scoppio (*di risa*): **the r. of a bull**, il muggito di un toro; **the r. of the waves on the beach**, il mugghiare delle onde sulla spiaggia; **roars of laughter**, scrosci di risa **3** urlo; boato; clamore (*della folla*): **the r. of the fans**, il boato dei tifosi; **a r. of pain**, un urlo di dolore ● **to set the room in a r.**, far scoppiare dalle risa tutti (*i presenti nella stanza*).

to **roar** /rɔː(r)/ **A** *v. i.* **1** ruggire; (*per estens.*) mugghiare; muggire; rombare; scrosciare: *Lions r.*, i leoni ruggiscono; *The sea was roaring*, il mare ruggiva; *The waves are roaring*, le onde mugghiano; *The guns were roaring*, rombavano i cannoni **2** scoppiare a ridere; ridere a crepapelle: *Everybody roared at his jokes*, tutti scoppiavano a ridere a sentire le sue barzellette **3** (*spec. di cavallo bolso*) respirare rumorosamente **4** (*autom.: del motore*) rombare **5** (*di un veicolo*) correre rombando: *The racing car roared by*, la macchina da corsa passò rombando **6** (*della folla*) rumoreggiare; strepitare; vociare; urlare: **to r. with pain**, urlare dal dolore **7** (*fam.*) piangere a voce alta; strillare **B** *v. t.* (*spesso* **to r. out**) gridare; urlare; dire (*o* manifestare) a gran voce: *He roared out a threat*, urlò una minaccia; **to r. defiance**, gridare parole di sfida; (*della folla, ecc.*) **to r. approval**, manifestare a gran voce la propria approvazione ● **to r. at sb.**, gridare a q.; chiamare q. gridando □ **to r. sb. deaf**, assordare q. con urli □ **to r. sb. down**, subissare q. (*che tenta di parlare*) di urla □ **to r. oneself hoarse**, diventare rauco a furia di urlare □ **to r. out**, lanciare un urlo; gridare (*un ordine, ecc.*) □ **to r. through**, attraversare rombando: *The train roared through the station*, il treno attraversò la stazione rombando □ **to r. with laughter**, ridere fragorosamente.

roarer /'rɔːrə(r)/ *n.* **1** chi ruggisce, chi mugghia, ecc. (→ **to roar**) **2** cavallo bolso **3** (*slang ingl., spreg.*) frocio; frocione; checca **4** (*slang USA*) cosa stupenda; cannonata

(*fig.*); cosa da sballo (*fam.*).

roaring /'rɔːrɪŋ/ **A** *a.* **1** ruggente; mugghiante; scrosciante; sonante (*lett.*): **r. applause**, applausi scroscianti; **the r. sea**, il sonante mare **2** che urla; fragoroso; rumoroso; rombante: **r. traffic**, traffico rumoroso **3** tempestoso; di tempesta; tumultuoso: **a r. wind**, un vento di tempesta **4** (*del fuoco*) crepitante **5** (*fam.*) florido; prospero; ottimo **B** *n.* ▣ **1** il ruggire; ruggiti; mugghio **2** fracasso; baccano; urla **3** (*vet.*) bolsaggine ● **r. drunk**, ubriaco fradicio □ (*geogr.*) **the r. forties**, la zona tempestosa dell'Atlantico fra il 40° e il 50° parallelo di latitudine nord (*o* sud) □ **r. mad**, matto da legare □ (*fig.*) **a r. night**, una notte di sballo (*fam.*); una notte di bagordi □ **a r. success**, un successone □ **the r. twenties**, i ruggenti anni venti (*del secolo scorso*) □ **to do a r. trade** (*o* **business**), fare affari d'oro □ (*fam.*) **to be in r. (good) health**, scoppiare di salute.

roast /rəʊst/ **A** *n.* **1** ▣ arrosto: **cold r.**, arrosto freddo; **pork r.**, arrosto di maiale **2** ▣ (*metall.*) arrostimento **3** tostatura (*del caffè*) **4** (*USA*) grigliata; barbecue **5** (*slang USA*) strigliata; rimprovero; lavata di capo; (*anche*) critica, stroncatura; sfottitura **B** *a. attr.* arrosto; arrostito: **r. beef**, manzo arrosto; roast beef; **r. pork**, carne di maiale arrosto; arrosto di maiale □ **r. chestnut**, caldarrosta □ **r. meat**, carne arrostita; arrosto □ **r. mutton**, arrosto di castrato □ **to give a chicken a good r.**, arrostire perbenino un pollo.

to **roast** /rəʊst/ **A** *v. t.* **1** arrostire: **to r. meat on a spit**, arrostire carne allo spiedo; **to r. chestnuts**, arrostire le castagne; fare le caldarroste **2** tostare, torrefare (*caffè*): **to r. coffee-beans**, tostare i chicchi del caffè **3** (*metall.*) arrostire **4** (*slang USA*) strigliare, rimproverare; (*anche*) criticare, stroncare; sfottere, prendere in giro **B** *v. i.* **1** fare l'arrosto **2** arrostirsi: *This meat roasts well*, questa carne si arrostisce bene **3** (*del caffè*) tostarsi **4** (*fam.*) crepare (*o* scoppiare) dal caldo ● **to r. oneself**, (*fig.*) arrostirsi: *She likes to r. herself in the sun*, le piace arrostirsi al sole.

roaster /'rəʊstə(r)/ *n.* **1** chi arrostisce, chi tosta (→ **to roast**); rosticciere **2** (*cucina*) casseruola per l'arrosto; forno per arrosto; girarrosto **3** (*metall.*) forno di arrostimento; tostatore **4** tostatrice; tostino: **coffee r.**, tostacaffè **5** pollo (*o* maialino, coniglio, ecc.) da fare arrosto **6** (*fam.*) giornata torrida.

roasting /'rəʊstɪŋ/ *n.* **1** ▣ arrostimento; arrostitura; arrostita (*fam.*) **2** ▣ torrefazione (*del caffè*) **3** ▣ (*metall.*) arrostimento **4** (*fam.*) lavata di capo (*fig.*); ramanzina; sgridata: **to give sb. a good** (*o* **a real**) **r.**, dare a q. una bella lavata di capo **5** (*fam.*) severa critica; stroncatura **6** (*fam.*) presa in giro (*o* per i fondelli); sfottitura ● (*metall.*) **r. furnace**, forno di arrostimento □ (*cucina*) **r. jack**, girarrosto □ **r. pan** (*o* **tin**), teglia da forno □ **It's r. hot in here**, qui dentro si crepa dal caldo.

Rob /rɒb/ *n. dim. di* **Robert**.

◆to **rob** /rɒb/ *v. t.* rapinare; rubare (*spec. con la violenza o le minacce*): *They beat him and robbed him of his wallet*, lo picchiarono e gli rubarono il portafoglio; *I was robbed of all my money*, fui rapinato di tutti i miei soldi; **to rob a bank**, rapinare una banca **2** (*fig.*) privare; spogliare; saccheggiare (*fig.*): **to rob sb. of his rights**, privare (*o* spogliare) q. dei suoi diritti **3** (*fig.*) defraudare; derubare (*fig.*) ● (*fam. USA*) **to rob the cradle**, amoreggiare con (*o* sposare) una persona molto più giovane □ (*prov.*) **to rob Peter to pay Paul**, scoprire un altare per ricoprirne un altro (*cioè, fare un debito per pagarne un altro*).

a b c d e f g h i j k l m n o p q r s t u v w x y z

robber /'rɒbə(r)/ n. ladro; ladrone; predone; rapinatore ● **r. economy**, sfruttamento indiscriminato delle risorse □ (zool.) **r. fly** (Asilus), tafano, assillo □ **child r.**, baby rapinatore.

robbery /'rɒbərɪ/ n. **1** rapina; furto (anche fig.); ladrocinio; ruberia: That's downright r.!, questo è un furto bell'e buono! **2** (sport) partita (o vittoria) rubata; furto (fig.) ● **r. with violence**, rapina aggravata □ (leg.) **armed r.**, rapina a mano armata.

robe /rəʊb/ n. **1** veste lunga e ampia **2** toga (da magistrato, professore, avvocato, ecc.) **3** (di sacerdote) abito talare **4** (= bathrobe) accappatoio **5** vestaglia; veste da camera ● **r.-de-chambre** (franc.), veste da camera □ **beach r.**, accappatoio da spiaggia □ **gentlemen of the r.**, professionisti togati; avvocati □ **long r.**, toga da avvocato □ **royal robes**, abiti regali.

to **robe** /rəʊb/ **A** v. t. (form.) **1** vestire; abbigliare; parare **2** mettere la toga a (q.) **B** v. i. vestire la toga ● **to r. oneself**, mettersi la toga (o i paramenti); vestirsi.

Robert /'rɒbət/ n. Roberto.

robin /'rɒbɪn/ n. (zool.) **1** (= r. redbreast, Erithacus rubecula) pettirosso **2** (USA, = American r., Turdus migratorius) tordo americano ● (mitol.) R. Goodfellow, folletto □ (bot.) **r.-run-the-hedge** (Glechoma hederacea), edera terrestre.

roborant /'rəʊbərənt/ a. e n. (raro) (med.) corroborante; tonico.

◆**robot** /'rəʊbɒt/ n. **1** (mecc., cibernetica) robot **2** (fantascienza e fig.) robot; automa ● (mil.) **r. bomb**, bomba volante □ (aeron.) **r. pilot**, pilota automatico.

robotic /rəʊ'bɒtɪk/ a. di (o da) robot; robotico ● **r. technology**, tecnologia robotica.

robotics /rəʊ'bɒtɪks/ n. pl. (col verbo al sing.) robotica.

robotism /'rəʊbətɪzəm/ n. Ⓤ **1** automazione **2** (psic.) comportamento (movimenti, ecc.) da robot; automatismo.

to **robotize** /'rəʊbətaɪz/ v. t. **1** robotizzare; automatizzare **2** far diventare (q.) un robot; trasformare (q.) in un automa || **robotization** n. Ⓤ robotizzazione.

robust /rəʊ'bʌst/ a. **1** robusto (anche fig.); forte; gagliardo; vigoroso: **a r. farmer**, un contadino robusto; **r. intellect**, ingegno robusto **2** faticoso; duro; pesante: **r. work**, lavoro faticoso **3** (del vino) corposo; robusto **4** (spreg.) rozzo; pesante ● (mil.) **a r. defence**, una difesa efficace □ (econ.) economia solida (o sana) □ **a r. mind**, una mente quadrata (o solida) | **-ly** avv. | **-ness** n. Ⓤ.

roc /rɒk/ n. (mitol.) roc (enorme uccello da preda, nelle leggende arabe).

rocambole /'rɒkəmbəʊl/ n. (bot., Allium scorodoprasum) aglio di Spagna.

rochet /'rɒtʃɪt/ n. (relig.) rocchetto (veste di lino bianco, da cerimonia).

◆**rock**① /rɒk/ n. **1** Ⓤ Ⓒ (geol.) roccia; pietra (in genere); rupe; scoglio; masso; macigno: **a mass of r.**, una massa di roccia; A castle built on r., un castello costruito sulla roccia; **as firm as r.**, saldo come la roccia; The ship ran upon the rocks, la nave s'incagliò sugli scogli; (autom.) «Falling rocks» (cartello), «caduta massi» **3** (spec. USA) sasso; pietra: **to throw rocks at sb.**, lanciare sassi contro q. **3** (GB) bastoncino di zucchero candito (spesso con su scritto il nome della località turistica in cui è venduto) **4** (ingl., = almond r.) torrone a strisce colorate (venduto nell'Inghil. sett.) **5** cubetto di ghiaccio: **two whiskies on the rocks, please!**, due whisky con ghiaccio, per favore! **6** (slang USA) spesso al pl.) brillante; diamante; gioiello; pietra preziosa: I watched her take off her gloves. Boy, was she lousy with rocks' J.D. SALING-

ER, 'la guardai mentre si sfilava i guanti. Caspita, brillanti a tutto spiano!' **7** (slang USA, antiq.) dollaro **8** (baseball) errore; sbaglio **9** (geogr., fam.) – the R., la Rocca di Gibilterra **10** (geogr., in USA) – the R., l'isola di Alcatraz (un tempo noto penitenziario nella baia di San Francisco) **11** (pl., volg. USA) coglioni, palle (volg.): **to get one's rocks off**, avere un orgasmo, venire (pop.); (fig.) andare in orgasmo, provarci un gran gusto ● **r. alum**, allume di rocca (o geogr.) **r. basin**, ombelico (di un ghiacciaio) □ **r. bed**, base di roccia, fondo roccioso □ (zool.) **r.-bird**, uccello che nidifica sulle rocce; rupicola □ (zool.) **r. borer**, mollusco che perfora gli scogli □ **r. bottom**, il fondo (del mare) □ (fig.) **to hit r. bottom**, toccare il fondo, essere al minimo: Sales have hit r. bottom, le vendite sono scese al minimo □ **r.-bottom**, (di livello) minimo, il più basso; (di prezzo) minimo, ridottissimo, stracciato □ **r.-bound**, circondato da rocce; (di litorale) roccioso □ **r. cake** (o **r. bun**), dolce (o tortina) dalla crosta dura □ (USA) **r. candy**, bastoncino di zucchero candito □ (sport) **r. climber**, rocciatore □ (sport) **r. climbing**, (scalate in) roccia □ (USA) **r. coal**, antracite □ (miner.) **r. crystal**, cristallo di rocca; quarzo ialino □ **r. dove** = **r. pigeon** → (alpinismo) **r. drill**, perforatrice da roccia □ (alpinismo) **r. face**, parete rocciosa □ **r.-faced**, dal viso di pietra, impassibile □ (zool.) **r.-fish** (Scorpaena; Helicolenus, ecc.), scorfano; scorpena □ **r. garden**, giardino roccioso (o alla giapponese) □ (zool.) **r. goat** (Capra hibex), stambecco □ **r.-hewn**, scavato (o tagliato) nella roccia □ (bot.) **r. melon**, (melone) cantalupo □ (miner.) **r.-oil**, petrolio grezzo □ **r., paper and scissors**, morra cinese □ (zool.) **r. pigeon**, (Columba livia), piccione selvatico; colombo sassaiolo (o terraiolo) □ (bot.) **r. plants**, piante rupestri (o rupicole) □ (zool.) **r. rabbit** (Hirax), irace □ (bot.) **r. rose**, (Helianthemum vulgare) eliantemo; (Cistus) cisto □ (comm.) **r. salmon**, palombo; squalo; gattuccio □ (min.) **r. salt**, salgemma □ **r. steady**, fermo; stabile; saldo; (mus.) tipo di musica da ballo giamaicana degli anni '60 □ **r. step**, (alpinismo) gradino di roccia; (geogr.) soglia glaciale (di ghiacciaio) □ (ciclismo) **r. walk**, esercizio alla rampa (nel freestyle) □ **r. wool**, lana di roccia □ (fam. USA) **to be between a r. and a hard place**, essere tra l'incudine e il martello □ **to be on the rocks**, (di nave) essersi arenata sugli scogli; (fig. fam.: di persona) essere al verde (o in bolletta); (fin.) essere sull'orlo del fallimento; (fig.) essere in crisi: Their marriage was on the rocks, il loro matrimonio era in crisi □ (slang USA) **to have rocks in one's box** (o **head**), avere le pigne in testa; non avere tutte le rotelle a posto □ **to reach r. bottom**, toccare il fondo (anche fig.) □ **to run upon the rocks**, (naut.) urtare negli scogli, naufragare; (fig.) andare in malora, far fiasco.

rock② /rɒk/ **A** n. **1** dondolio; oscillazione **2** (= r. and roll, rock'n'roll) rock, rock and roll (musica e ballo) **B** a. (mus.) rock: **a r. singer**, un cantante rock ● **r. 'n' roller**, rockettaro.

rock③ /rɒk/ n. (slang) **1** Ⓤ cocaina **2** blocchetto di crack.

to **rock** /rɒk/ **A** v. t. **1** cullare; dondolare: **to r. a baby**, cullare un bambino; **to r. a cradle**, dondolare una culla **2** scuotere; scrollare; far tremare: The explosion rocked the house, l'esplosione fece tremare la casa **3** (fig.) buttare all'aria; sconvolgere **B** v. i. **1** dondolare, dondolarsi; oscillare **2** tremare; vacillare: The house rocked during the earthquake, la casa tremò durante il terremoto **3** (naut.) rollare; dondolare: 'The ship rocked only, quick and light like a child's cradle' J. CONRAD, 'la nave rollava appena,

rapida e leggera come la culla di un bambino' **4** (mus.) ballare il rock; suonare il rock ● **to r. about**, (di una barca, ecc.) dondolare, oscillare; far dondolare (una barca, ecc.) □ **to r. a baby to sleep**, far addormentare un bambino cullandolo; ninnare un bambino □ (fig. fam.) **to r. the boat**, agitarsi con il rischio di far fallire un'impresa (o un progetto); causare guai; dare fastidio agli altri (in un gruppo); sabotare uno sforzo comune □ **to r. oneself** (**to and fro, from side to side**), dondolarsi.

rockabilly /'rɒkəbɪlɪ/ n. (mus.) **1** Ⓤ rockabilly; combinazione di rock, pop e country **2** interprete di rockabilly.

rock and roll, **rock 'n' roll** /'rɒkn'rəʊl/ loc. n. Ⓤ (mus.) rock and roll; rock.

rocker① /'rɒkə(r)/ n. **1** chi culla, ecc. (→ **to rock**) **2** assicella ricurva (di sedia o cavallo a dondolo) **3** sedia a dondolo **4** cavallo a dondolo **5** (edil.) appoggio articolato **6** pattino dalla lama molto ricurva **7** (ind. min.) canale concentratore oscillante **8** (mil.) affusto ● (mecc.) **r. arm**, braccio (o leva) oscillante; bilanciere □ (mecc.) **r. shaft**, albero oscillante □ (fam.) **to be off one's r.**, essere matto (da legare); essere fuori di testa, essere svitato (fig. fam.).

rocker② /'rɒkə(r)/ n. (mus.) **1** rocker; rockettaro, rocchettaro; cantante (o musicista) rock **2** canzone rock **3** rocker; rockettaro; fanatico di rock.

rockery /'rɒkərɪ/ n. giardino roccioso; giardino giapponese.

◆**rocket**① /'rɒkɪt/ n. **1** razzo (da segnalazioni militari e fuoco artificiale) **2** (mil., miss.) razzo; missile **3** (fam.) cicchetto; sgridata; ramanzina; lavata di capo (fig.): **to get a good r.**, prendersi una bella sgridata ● **r. base**, base missilistica □ **r. bomb**, bomba volante; missile a razzo □ (aeron.) **r. engine**, motore a razzo; endoreattore □ (mil.) **r. gun**, lanciarazzi □ (mil.) **r. launcher**, lanciarazzi; lanciamissili □ (miss.) **r. pad**, rampa di lancio □ **r.-propelled**, con propulsione a razzo □ (aeron.) **r. propulsion**, propulsione a razzo □ (aeron.) **r. ramjet**, autoreattore a razzo; endostatoreattore □ (mil.) **r. range**, poligono missilistico □ (fam., fig.) **r. science**, roba da cervelloni: It's not r. science, non ci vuole mica un genio □ **r. scientist**, esperto di missilistica; (scherz. USA) cervellone, genio.

rocket② /'rɒkɪt/ n. (bot.) **1** (Eruca sativa) ruca; ruchetta; rucola **2** (Hesperis matronalis) viola matronale **3** (Barbarea vulgaris) barbarea; erba di Santa Barbara comune.

to **rocket** /'rɒkɪt/ **A** v. i. **1** salire (arrivare, ecc.) come un razzo; salire (arrivare, ecc.) a razzo; balzare: He rocketed over the last two miles, percorse a razzo le ultime due miglia; In a week the song rocketed to the top of the charts, in una sola settimana la canzone è balzata in testa alla hit-parade **2** (autom., ecc.) andare a razzo; sfrecciare; passare sfrecciando: The train rocketed by, il treno passò sfrecciando **3** (dei prezzi) salire (o andare) alle stelle **4** (di solito **to r. off** o **away**) partire a razzo **B** v. t. **1** (mil.) bombardare con razzi **2** inviare con (o in) un razzo ● He rocketed to the top, fece una carriera fulminea.

rocketing /'rɒkɪtɪŋ/ a. **1** che va a razzo; velocissimo **2** in forte aumento: **a r. crime rate**, un tasso di criminalità in forte aumento.

rocketry /'rɒkɪtrɪ/ n. Ⓤ missilistica.

rockfall /'rɒkfɔ:l/ n. Ⓤ **1** caduta di massi **2** cumulo di massi caduti.

rockhead /'rɒkhed/ n. (slang USA) testa dura; testone; zuccone; cretino.

Rockies (the) /'rɒkɪz/ n. pl. (geogr., fam.) le Montagne Rocciose.

rockiness /'rɒkɪnəs/ n. Ⓤ pietrosità; l'es-

sere roccioso.

rocking /ˈrɒkɪŋ/ a. dondolante; oscillante: **a r. gait**, un'andatura dondolante; (*mecc.*) **r. lever**, leva oscillante ● **r. chair**, sedia a dondolo □ **r. horse**, cavallo a dondolo □ **r. stone**, roccia (*o masso*) in bilico.

rocklike /ˈrɒklaɪk/ a. simile alla roccia; roccioso: (*sport*) **r. defence**, difesa rocciosa (*o a catenaccio*).

rockslide /ˈrɒkslaɪd/ n. frana rocciosa.

rockstar, rock star /ˈrɒkstɑː(r)/ n. rockstar (f. inv.); star (f. inv.) del rock.

rocky① /ˈrɒkɪ/ a. **1** roccioso; pieno di rocce; sassoso; scoglioso: (*geogr.*) **the R. Mountains**, le Montagne Rocciose **2** (*fig.*) duro come la roccia; di pietra; saldo; irremovibile.

rocky② /ˈrɒkɪ/ a. **1** instabile; malfermo; traballante: *This stool is r.*, questo sgabello è traballante **2** (*fam. USA*) alticcio **3** intontito; stordito; giù di corda **4** (*fam.*) sfibrato; faticoso; travagliato: **to face a r. road ahead**, avere davanti a sé un futuro difficile.

rococo /rəˈkəʊkəʊ/ a. e n. (*arte, archit.*) rococò: **r. furniture**, mobili rococò.

rod /rɒd/ n. **1** verga; bastoncello (*anche anat.*); bacchetta: **glass rod**, bacchetta di vetro; **divining rod**, bacchetta da rabdomante; **the rods and cones of the retina**, i coni e i bastoncelli della retina **2** (*mecc.*) asta; barra; ferro (tondo o quadro); tondino: **a curtain rod**, un'asta per tendine; (*ind. petrolifera*) **boring rod**, asta di perforazione **3** (*sport*, = **fishing rod**) canna da pesca **4** (*mecc.*, = **connecting rod**) biella: **a piston rod**, una biella di pistone **5** (*misura di lunghezza*) pertica (*pari a cinque iarde e mezza, cioè a cinque metri circa*) **6** (*fis. nucl.*) barra **7** (*slang USA*) pistola **8** (*slang USA*, = **hot rod**) automobile con il motore truccato **9** (*volg.*) cazzo (*volg.*); verga (*pop.*); pene ● **rod mill**, laminatoio per tondini □ (*fig.*) **to have a rod in pickle for sb.**, tenere in serbo una grossa punizione per q. □ (*fig.*) **to kiss the rod**, accettare umilmente una punizione □ (*fig.*) **to make a rod for one's own back**, impiccarsi con le proprie mani (*fig.*); scavarsi la fossa (*fig.*) □ **to spare the rod**, risparmiare le botte; astenersi dal punire □ (*prov.*) **Spare the rod and spoil the child**, il medico pietoso fa la piaga purulenta.

rode /rəʊd/ pass. di **to ride**.

rodent /ˈrəʊdnt/ a. e n. (*zool.*) roditore ● (*med.*) **r. ulcer**, ulcus rodens; basalioma.

rodenticide /rəʊˈdɛntɪsaɪd/ n. ⓤⓒ (*chim.*) rodenticida; topicida.

rodeo /rəʊˈdeɪəʊ, USA ˈrəʊdɪəʊ/ n. (pl. **rodeos**) (*spec. USA*) **1** rodeo **2** rodeo; raduno del bestiame (*per la marcatura, ecc.*) **3** recinto per rodeo.

Roderick, Roderic /ˈrɒdərɪk/ n. Rodrigo.

rodomontade /rɒdəmɒnˈteɪd/ **A** n. rodomontata; spacconata **B** a. attr. rodomontesco; da rodomonte; da spaccone.

to **rodomontade** /rɒdəmɒnˈteɪd/ v. i. fare il rodomonte; dire spacconate.

to **rod up** /ˈrɒdʌp/ v. i. + avv. (*slang USA*) provvedersi di una pistola.

roe① /rəʊ/ n. ⓤ uova di pesce ● (*miner.*) **roe-stone**, oolite □ **hard roe**, uova di pesce □ **soft roe**, latte di pesce.

roe② /rəʊ/ n. (pl. **roe, roes**) (*zool., Capreolus capreolus*, = **roe deer**) capriolo.

roebuck /ˈrəʊbʌk/ n. (*zool.*) capriolo (*maschio*).

roentgen /ˈrɒntjən, USA ˈrɒntɡən/ e deriv. → **röntgen** e deriv.

ROFL sigla (*Internet*, **rolling on the foor, laughing**), che risate!; da morire dal ridere; da sbellicarsi dalle risa.

rogation /rəʊˈɡeɪʃn/ n. **1** (*stor. romana*)

rogazione **2** (pl.) (*relig.*) rogazioni ● (*relig.*) **R. days**, giorni delle rogazioni (*i tre giorni precedenti l'Ascensione*: *per propiziare il raccolto*).

rogatory /ˈrɒɡətrɪ/ a. (*leg.*) rogatorio ● (*leg.*) **r. letter**, rogatoria.

roger /ˈrɒdʒə(r)/ inter. **1** (*radio*) ricevuto! (*dal nome proprio* **Roger** *la cui iniziale sta per* **received**) **2** (*fam.*) bene!; d'accordo!

Roger /ˈrɒdʒə(r)/ n. Ruggero.

to **roger** /ˈrɒdʒə(r)/ **A** v. t. (*radio*) dare il 'ricevuto' di (*una chiamata*) **B** v. i. (*volg.*) chiavare; scopare (*volg.*).

rogue /rəʊɡ/ n. **1** (*antiq.*) vagabondo **2** briccone; canaglia; farabutto; furfante; mascalzone; mariolo **3** (*scherz.*) furfante; canaglia; birba; briccone: **a likeable r.**, una simpatica canaglia; *Tom, you old r.!*, ehi, Tom, vecchio briccone! **4** (*anche come* attr.) cosa o persona che si comporta fuori dalle regole **5** (*agric.*) pianta che traligna; erbaccia; malerba **6** cavallo bizzarro, scontroso **7** (*zool.*) animale (*elefante, bufalo, ecc.*) solitario ● (*comput.*) **r. dialer**, dialer illegale (*che cambia i parametri di connessione a Internet all'insaputa dell'utente*) □ **rogues' gallery**, schedario fotografico dei criminali; (*fig. spreg.*) parata di ceffi, banda, combriccola □ **a r. politician**, uno che fa parte per sé stesso; un indipendente □ (*comput.*) **r. site**, sito web che interferisce in modo illecito con le informazioni presenti sul pc dell'utente (*per es., per diffondere virus o raccogliere indirizzi*) □ (*polit.*) **r. states**, stati 'canaglia' (*quelli che ospitano o proteggono terroristi*)

to **rogue** /rəʊɡ/ v. t. **1** estirpare le erbacce da (*un terreno*); liberare dalla malerba **2** fregare; imbrogliare; truffare.

roguery /ˈrəʊɡərɪ/ n. ⓤⓒ **1** birbanteria; bricconeria; bricconata; furfanteria; mascalzonata **2** (*scherz.*) birichinata; marachella.

roguish /ˈrəʊɡɪʃ/ a. **1** bricconesco; furfantesco **2** (*scherz.*) birichino; scanzonato; malizioso; sbarazzino |**-ly** avv. |**-ness** n. ⓤ.

ROI sigla (**return on investment**) rendimento del capitale investito.

to **roil** /rɔɪl/ v. t. **1** intorbidare; intorbidire **2** (*fig.*) infastidire; irritare; seccare; scocciare.

roily /ˈrɔɪlɪ/ a. **1** (*spec. USA: di un liquido*) torbido; fangoso **2** (*fig.*) irascibile; irritabile.

Roland /ˈrəʊlənd/ n. (*anche letter.*) Rolando, Orlando ● (*fig., arc.*) **to give a R. for an Oliver**, rendere pan per focaccia; rifarsi (*o vendicarsi*) a usura.

◆**role, rôle** /rəʊl/ n. **1** (*teatr., cinem.*) ruolo; parte (*anche fig.*) **2** (*psic.*) ruolo **3** (*sport*) ruolo; posizione ● (*psic.*) **r. model**, modello di comportamento □ (*psic.*) **r.-playing**, il sostenere un ruolo; il recitare una parte □ **r.-playing** (*anche* **r. play**), giochi di ruolo, role play □ **r. reversal**, inversione dei ruoli □ **advisory r.**, funzione consultiva □ **to play the leading r.**, fare la parte del protagonista; avere il ruolo principale □ **the title r.**, la parte del personaggio che dà il nome al dramma (*per es., Amleto*).

◆**roll** /rəʊl/ n. **1** rotolo: **a r. of cloth** [**of wallpaper**], un rotolo di tela [di carta da parati]; **rolls of flesh** [**of fat**], rotoli di ciccia [di grasso] **2** (*fotogr.*) rullino; rotolo: **r. film**, pellicola in rollino; **a r. of film**, un rotolo di pellicola **3** rocchio **4** elenco; lista; registro; albo; (*leg.*) ruolo (*ad es., di cause*); matricola: **a long r. of heroes**, una lunga lista di eroi; **the r. of honour**, il ruolo d'onore; **the r. of saints**, la lista dei santi **5** (= **bread r.**) panino (*rotondo*): **a ham r.**, un panino di prosciutto; **r. and butter**, panino imburrato; *Can I have a cheese and pickle r., please, and a cup of tea?*, mi dà un panino con for-

maggio e sottaceti, per favore, e una tazza di tè? **6** (= **sweet r.**; *con marmellata*, **jam r.**) rotolo (*di pan di Spagna*); pasta, tortina (*di forma tonda o arrotolata*) **7** (*cucina*) rollè; involtino: **spring r.**, involtino primavera (*piatto cinese*) **8** (*di giacca*) revers; risvolto **9** (*archit.*) cartoccio (*di capitello ionico*) **10** (*di tamburi*) rullo; rullìo **11** (*naut., aeron., miss.*) rollio; rollata **12** (*di tuono, cannone*) rombo **13** (*aeron.*) frullo; vite orizzontale **14** ondeggiamento; andatura dondolante; dondolio **15** ondulazione (*del terreno, ecc.*) **16** (*mecc.*) rullo; cilindro: **finishing r.**, cilindro finitore **17** (*tipogr.*, = **printing r.**) cilindro per stampa **18** (*slang*) periodo fortunato; fase felice **19** (*slang*) rotolo di banconote; mazzetta; (*per estens.*) liquido, soldi (*di q.*) **20** (*sport: basket, pallavolo*) rullata **21** (*lotta*) rotolamento **22** (*ginnastica*) capovolta **23** (pl.) (*mecc.*) laminatoio: **breaking-down rolls**, laminatoio sbozzatore **24** – **the Rolls**, (*un tempo*) l'Archivio di Stato; (*ora*) l'Albo degli avvocati ● (*autom.*) **r.-bar** → **rollbar** □ (*autom.*) **r. cage**, scocca di protezione (*dell'abitacolo*) □ **r. call**, appello: **to have a r. call**, fare l'appello (*nominale*) □ (*slang, scherz.*) **a r. in the hay** (**o on the lawn, in the sack**), sesso; zicchete-zacchete □ **a r. of butter**, una scaglia curva di burro; un panetto (*cilindrico*) di burro □ (*archit.*) **r. moulding**, modanatura convessa □ (*basket*) **r. pass**, passaggio della palla rullata (*sul parquet*) □ **to be on a r.**, (*fam.*) passare un periodo buono; andare a gonfie vele □ **to be on the r.**, (*rif. a personale*) essere in organico □ (*fam.*) **to be on the rolls of fame**, essere famoso (*o celebre*) □ **to call the r.**, fare l'appello □ **to strike sb. off the roll**, radiare q. dall'albo (*professionale*); (*per estens.*) espellere q. da un'associazione.

◆to **roll** /rəʊl/ **A** v. i. **1** rotolare; rotolarsi; ruzzolare: *The ball rolled into the goal*, il pallone rotolò in porta; *The children rolled on the grass*, i bambini si rotolavano sull'erba **2** avvolgersi; avvilupparsi; (**r. up**) **into a ball**, appallottolarsi, raggomitolarsi **3** avvoltolarsi: *Pigs like to r. in the mud*, ai maiali piace avvoltolarsi nel fango **4** ruotare; roteare; girare; (*di titoli su schermo*) scorrere (dal basso in alto): *Planets r. on their courses*, i pianeti ruotano seguendo le loro orbite; *His eyes rolled with astonishment*, roteò gli occhi per lo stupore **5** lanciare (*o tirare*) i dadi **6** (*naut., aeron., miss.*) rollare: *The ship rolled heavily*, la nave rollava a più non posso **7** (*per estens.*) camminare dondolandosi; barcollare; ondeggiare: *The drunken sailor rolled back to his ship*, il marinaio ubriaco tornò a bordo barcollando **8** (*di un tamburo*) rullare **9** (*del tuono, della voce, ecc.*) rimbombare **10** (*del terreno, del paesaggio*) essere ondulato: *The plains r. (and dip) for miles*, la pianura è tutta un'ondulazione per miglia e miglia **11** (*di apparecchi, cinecamere, telecamere, ecc.*) cominciare a ronzare; essere (*o entrare*) in funzione: *The cameras were rolling*, le cineprese erano in funzione **12** (*per estens.: di un progetto, un'impresa*) funzionare; essere operativo; marciare (*fig.*); girare: *I hope our new venture will be rolling by the new year*, spero che con l'anno nuovo la nostra nuova impresa comincerà a marciare; (*sport*) *The team is rolling smoothly*, la squadra gira bene **13** (*fam.*) andarsene; muoversi; darsi una mossa (*fam.*): *Let's roll!*, diamoci una mossa! **14** (*slang USA*) mettersi in moto; cominciare; prendere il via **B** v. t. **1** rotolare; far rotolare; far ruzzolare: **to r. a hoop**, far ruzzolare un cerchio (*per gioco*); **to r. logs**, fare rotolare tronchi d'albero **2** arrotolare; avvolgere; appallottolare: **to r. one's trousers above one's knees**, arrotolarsi i calzoni fin sopra i ginocchi; **to r. a cigarette**, ar-

a b c d e f g h i j k l m n o p q r s t u v w x y z

rotolarsi una sigaretta **3** far ruotare; ruotare; roteare: *She rolled her eyes at us*, ci guardò roteando gli occhi **4** (*parlando*) arrotare (*la «r»*): *He rolls his r's*, arrota la erre **5** gettare, lanciare (*i dadi*) **6** (*aeron.*) fare rollare (*un aereo*) **7** (*tecn.*) rullare; spianare con un rullo; cilindrare: **to r. a road**, cilindrare una strada; **to r. a lawn**, spianare un prato con un rullo **8** (*cucina*) stendere, tirare (*la sfoglia*: *con un matterello*) **9** (*mecc.*) rullare **10** (*metall.*) laminare: **rolled gold**, oro laminato **11** (*tipogr.*) inchiostrare a rullo **12** (*ind. tess., ind. cartaria*) calandrare **13** (*slang USA*) derubare (*un ubriaco, uno che dorme, ecc.*) **14** (*slang USA*) rapinare ● **to r. a huge snowball**, fare un'enorme palla di neve □ (*fam.*: *a teatro, ecc.*) **to r. in the aisles**, rotolarsi (*o* sbellicarsi) dal ridere □ **to r. st. into a ball**, fare un gomitolo di qc.; aggomitolare qc. □ **to r. on one's back**, rotolarsi; fare le capriole □ (*fam.*) **to r. one's own**, farsi le sigarette da sé □ **to r. with the punch** (*o* **with the punches**), (*boxe*) accompagnare il colpo (*o* i colpi), assorbire il colpo con un arretramento o uno spostamento; (*fig.*) fare buon viso a cattiva sorte, adattarsi □ (*di cose o persone*) **rolled into one**, combinati; fusi insieme: **a sports programme and a quiz show rolled into one**, un programma sportivo combinato con un quiz □ **to be rolling in money** (*o* **in it**), avere soldi a palate; essere ricco sfondato □ (*fig. fam.*) **to start** (*o* **to set**) **the ball rolling**, dare l'avvio (*a un progetto, un lavoro*); dare inizio a qc.; iniziare qc.

■ **roll about** **A** v. i. + avv. **1** rotolare in giro (*o* liberamente) **2** (*fam.*) sbellicarsi dalle risa **B** v. t. + avv. **1** far rotolare qua e là **2** roteare (*gli occhi, ecc.*).

■ **roll against** v. i. + prep. (*del mare, delle onde*) battere contro, frangersi su: *The waves were rolling against the boat*, le onde si frangevano sui fianchi della barca.

■ **roll along** **A** v. i. + avv. **1** (*di un veicolo*) avanzare (*o* passare) (*come rotolando*): *The cart rolled along*, il carro passò con rumore di ruote **2** (*di un veicolo*) andare: *My old car is still rolling along*, la mia vecchia auto va ancora **3** (*di un fiume*) scorrere; fluire **B** v. t. + avv. spingere con rollio: *The waves rolled the ship along*, i flutti spingevano avanti la nave facendola rollare.

■ **roll around** → **roll about**, **A** e **B**, *def. 1* e **roll round**.

■ **roll away** **A** v. i. + avv. **1** rotolare via (*rugby*: *uscendo da una mischia*) **2** (*di nubi, nebbia, ecc.*) disperdersi **3** (*di monti*) perdersi in lontananza **B** v. t. + avv. tirare (*o* mettere) via (*arrotolando*); spazzare via (*fig.*): *The sun has rolled away the fog*, il sole ha spazzato via la nebbia.

■ **roll back** **A** v. t. + avv. **1** tirare (*o* mandare) indietro (*arrotolando*); arrotolare: **to r. back the edge of a carpet**, arrotolare l'orlo di un tappeto **2** far ripiegare, respingere (*il nemico, ecc.*); rintuzzare (*un attacco*) **3** (*rag.*) spostare indietro (*operazioni, ecc.*) **4** (*USA*) ridurre (*prezzi e sim.*) **5** (*hockey*) rimettere (*in gioco*): **to r. the ball back into play**, rimettere in gioco la palla (*dal fallo laterale*) **B** v. i. + avv. **1** (*della parte di un mobile*) ripiegarsi a rullo **2** (*del mare, delle onde*) ritirarsi **3** (*del tempo*) scorrere all'indietro; (*degli anni*) passare **4** (*mil. e fig.*) arretrare; ripiegare; battere in ritirata □ (*econ., market.*) **to r. back the price of**, calmierare (derrate, ecc.).

■ **roll by** v. i. + avv. **1** (*di un veicolo*) passare (*come rotolando*): *Lots of cars were rolling by*, passavano molte automobili **2** (*del tempo, degli anni*) passare (in fretta).

■ **roll down** **A** v. t. + avv. (o prep.) **1** far rotolare (*o* ruzzolare) giù (*una palla, un masso, ecc.*) **2** srotolare; tirare giù, abbassare (*srotolando, o con un rullo, ecc.*): **to r. down the shutters** [**the car windows**], abbassare le serrande [i vetri dei finestrini dell'automobile]; **to r. down one's shirt sleeves**, tirarsi giù le maniche della camicia **B** v. i. + avv. **1** rotolare giù; scendere (rotolando): *Tears rolled down my cheeks*, le lacrime mi scendevano sulle guance **2** (*di un veicolo*) scendere, venire giù: *The paddle boat rolled down the river*, il battello a pale scendeva il fiume.

■ **roll forward** v. t. + avv. spostare in avanti (*operazioni, ecc.*).

■ **roll in** **A** v. i. + avv. **1** (*del mare, delle onde*) giungere a riva; arrivare **2** (*della folla, ecc.*) affluire in massa; arrivare in gran numero: *Applications are rolling in*, le domande d'iscrizione (*o* di lavoro) stanno arrivando in gran numero **3** (*fam.*) arrivare a destinazione **4** (*fam.*: *di un veicolo*) arrivare **B** v. t. + avv. **1** far entrare (qc.) rotolando **2** (*mecc.*) mandrinare **3** (*sport*: *hockey*) rimettere (*la palla*) in gioco: **to r. the ball in**, effettuare la rimessa laterale.

■ **roll off** **A** v. i. + avv. (o prep.) **1** rotolare (giù): *The egg rolled off the table*, l'uovo è rotolato giù dal tavolo; **to r. off the bed**, rotolare giù dal letto **2** (*di veicoli*) scendere, uscire (*da una nave*) **B** v. t. + avv. **1** fare uscire (*veicoli da una nave*) **2** (*tipogr.*) tirare, fare (*copie, ecc.*) **3** (*fig.*) snocciolare, dire di fila: **to r. off a long list of names**, snocciolare una lunga lista di nomi.

■ **roll on** **A** v. i. + avv. **1** (*di un fiume*) scorrere; fluire **2** (*del tempo*) scorrere; passare **3** (*di un giorno, una data, ecc.*) arrivare presto; spicciarsi a venire: *R. on Saturday!*, speriamo che sabato arrivi presto! **4** (*di un veicolo*) entrare in una nave; salire a bordo **5** (*sport*: *della palla*) continuare a rotolare; scorrere: **to let the ball r. on**, lasciare scorrere la palla sul fondo **B** v. t. + avv. **1** mettersi (*arrotolando*); infilare: **to r. on one's stockings**, infilarsi le calze **2** applicare (*vernice*) con un rullo **3** prendere a bordo, far salire (*veicoli su una nave*).

■ **roll out** **A** v. i. + avv. **1** uscire rotolando; rotolare fuori **2** (*fam.*) buttarsi giù dal letto **B** v. t. + avv. **1** fare uscire (*rotolando, o a spinte*); spingere a mano fuori di: *The battery is dead; Let's r. the car out of the garage!*, la batteria è scarica; spingiamo l'automobile fuori del garage! **2** stendere (*un tappeto, ecc.*); spiegare (*una cartina*) srotolandola **3** (*cucina*) spianare (*la sfoglia, ecc.*); tirare con il matterello **4** dire, recitare ad alta voce **5** (*di tamburi*) annunciare rullando **6** (*mecc.*) spianare; laminare **7** esibire, esporre, presentare (*un aereo nuovo, un film, ecc.*) al pubblico **8** (*ind.*) produrre (*merce, articoli*) in grande quantità; produrre a getto continuo **9** (*sport*: *calcio*) (*del portiere*) rinviare (*o* passare) (*la palla*) a terra con le mani.

■ **roll over** **A** v. i. + avv. **1** rivoltarsi, girarsi sul fianco (*a letto, ecc.*) **2** rovesciarsi, fare una giravolta; (*di un automezzo*) cappottare; (*di un'imbarcazione*) scuffiare, fare scuffia **B** v. t. + avv. **1** rovesciare; rivoltare; mettere (*o* rovesciare) sul dorso: *Don't r. over the tortoise!*, non rovesciare sul dorso la tartaruga! **2** (*fin.*) rinnovare (*un credito*); reinvestire (*titoli rimborsati*).

■ **roll round** **A** v. i. + avv. **1** (*di palle, bilie, ecc.*) rotolare (*o* girare) in tondo **2** (*fam.*: *di una data, una festa, ecc.*) tornare **3** (*fam.*: *di visitatori*) arrivare (all'improvviso); saltare fuori **B** v. t. + avv. far rotolare, far girare in tondo.

■ **roll up** **A** v. i. + avv. **1** arrotolarsi; aggomitolarsi; appallottolarsi: *The hedgehog rolled up into a ball*, il porcospino si appallottolò **2** (*del fumo, ecc.*) salire in volute **3** (*di un veicolo*) arrivare, giungere: *A truck rolled up to the filling station*, al distributore arrivò un camion **4** arrivare all'improvviso (*o* inatteso); arrivare in massa **5** (*fam.*) accumularsi; gonfiarsi; aumentare: *Party membership is rolling up*, il numero degli iscritti al partito sta aumentando **B** v. t. + avv. **1** arrotolare; aggomitolare; avvolgere: **to r. up a child in a blanket**, avvolgere un bambino in una coperta; **to r. oneself up in warm clothes**, avvolgersi in panni caldi; **to r. up a carpet**, arrotolare un tappeto **2** tirare su (*arrotolando, o con un rullo*); alzare: **to r. up the car windows**, alzare i vetri dei finestrini dell'automobile; **to r. up one's sleeves**, rimboccarsi le maniche (*anche fig.*) **3** (*fam.*) accumulare, conquistare, guadagnare, ottenere (*consensi, voti, ecc.*): (*polit.*) *He rolled up large margins in rural areas*, conquistò notevoli margini (di voti) nelle zone rurali **4** (*mil.*) far ripiegare, costringere alla ritirata (*il nemico*) con una manovra avvolgente □ **to r. up one's umbrella**, chiudere l'ombrello.

rollable /ˈrəʊləbl/ a. **1** arrotolabile; avvolgibile **2** che si può far rotolare **3** spianabile (*con un rullo, ecc.*) **4** (*metall.*) laminabile.

rollaway /ˈrəʊləweɪ/ **A** n. (= **r. bed**) branda pieghevole, munita di rotelle **B** a. (*di mobile*) con rotelle; su rotelle.

rollback /ˈrəʊlbæk/ n. **1** UC (*mil.*) arretramento; ripiegamento; ritirata **2** (*econ.*) riduzione (*dei prezzi*: *ottenuta mediante intervento governativo*); azione di contenimento: **a r. of the prices of staple commodities**, una riduzione del prezzo dei generi di prima necessità **3** (*comput.*) 'rollback': **transaction r.**, rollback della transazione (*che non va a buon fine*: *il sistema viene riportato alla situazione iniziale*).

rollbar /ˈrəʊlbɑː(r)/ n. (*autom.*) roll-bar; barra di sicurezza.

rolled /rəʊld/ a. **1** arrotolato **2** (*metall.*) laminato: **r. gold**, oro laminato: *This watch is only r. gold*, questo orologio non è d'oro: è placcato **3** (*mecc.*) mandrinato **4** (*ind. vetro*) cilindrato; rullato ● **r. oats**, cereali (*avena, ecc.*) spulati e frantumati □ (*ling.*) **r. 'r'**, erre arrotata □ (*edil.*) **r.-steel joist**, trave di acciaio a I (*o* ad H) □ **a r.-up sleeve**, una manica rimboccata.

roller /ˈrəʊlə(r)/ n. **1** chi arrotola, chi rotola, ecc. (→ **to roll**) **2** rullo (*di legno, di metallo, ecc.*); rotella (*di carrello, ecc.*); (*mecc.*) cilindro; (*metall.*) laminatoio: **a garden r.**, un rullo per giardino; **a blind r.**, un rullo di persiana avvolgibile; **r. gear**, ingranaggio a rulli **3** compressore (*stradale*); rullo compressore: **a steam r.** → **steamroller** **4** (*di solito* **r. bandage**) benda arrotolata; rotolo di garza **5** (*naut.*) onda lunga **6** (*zool.*) piccione tomboliere **7** (*zool., Coracias garrulus*) ghiandaia marina **8** (= **hair r.**) bigodino **9** (*slang USA*) chi deruba uno che dorme o che è ubriaco **10** (*slang USA*) prostituta che deruba i clienti **11** (*slang ingl.*) Rolls-Royce (*la vettura*) **12** (*slang USA*) sbirro (*pop.*); poliziotto; guardia carceraria ● (*mecc.*) **r. bearing**, cuscinetto a rulli □ **r. blind**, tendina avvolgibile; avvolgibile □ **r. coaster**, montagne russe, otto volante (*in un parco divertimenti*); (*fig.*) altalena vertiginosa □ (*mecc.*) **r. conveyor**, trasportatore a rulli □ **r. door**, serranda, avvolgibile (*di negozio, ecc.*) □ **r. rink**, pista di pattinaggio a rotelle □ **r. shutter**, (persiana) avvolgibile; tapparella; saracinesca, serranda □ (*edil.*) **r. shutter box**, cassonetto □ (*edil.*) **r. shutter door**, porta a saracinesca □ **r.-skater**, pattinatore su rotelle; schettinatore □ **r.-skates**, pattini a rotelle; schettini □ **r.-skating**, pattinaggio su rotelle; schettinaggio □ **r. towel**, asciugamano a rullo; bandinella □ **r. window shutter**, (persiana) avvolgibile, tapparella (*di finestra*).

rollerball /ˈrəʊləbɔːl/ n. penna a sfera;

roller.

Rollerblade® /'rəʊləbleɪd/ n. Rollerblade; pattino con le rotelle disposte in linea; pattino in linea || **Rollerblader** n. (*sport*) pattinatore su Rollerblade.

to **rollerblade** /'rəʊləbleɪd/ (*sport*) v. i. andare (o correre) con i pattini in linea || **rollerblading** n. Ⓤ l'andare con i pattini in linea.

to **roller-coaster** /rəʊlə'kəʊstə(r)/ v. i. procedere con alti e bassi; procedere come sulle montagne russe.

rollerdrome /'rəʊlədrəʊm/ n. (*USA*) pista per pattinaggio a rotelle.

to **roller-skate** /'rəʊləskeɪt/ v. i. pattinare con i pattini a rotelle; schettinare; scattinare.

rollick /'rɒlɪk/ n. Ⓤ allegria; brio; gaiezza.

to **rollick** /'rɒlɪk/ v. i. essere allegro; divertirsi; far festa; scatenarsi (*fig.*); far baldoria.

rollicking /'rɒlɪkɪŋ/ Ⓐ a. allegro; brioso; gaio, spensierato Ⓑ n. (*fam.*) sgridata; lavata di capo (*fig.*); ramanzina; cicchetto ● **a r. fellow**, un buontempone.

roll-in /'rəʊlɪn/ n. (*hockey*) rimessa laterale.

rolling① /'rəʊlɪŋ/ n. **1** Ⓤ|Ⓒ (anche **lotta**) rotolamento **2** Ⓤ|Ⓒ arrotolamento; avvolgimento, arrotolatura **3** Ⓤ|Ⓒ (*naut., aeron.*) rollio: (*naut.*) **r. chamber**, cassa di rollio (o di assetto) **4** Ⓤ cilindratura (*di una strada*); rullatura, spianatura (*di un campo da gioco*) **5** Ⓤ (*metall.*) laminazione **6** Ⓤ (*ind. tess., ind. cartaria*) calandratura, calandraggio **7** Ⓤ|Ⓒ (*di tamburi*) rullio, rullo **8** Ⓤ|Ⓒ (*del tuono, del cannone*) rombo; il rombare **9** Ⓤ|Ⓒ (*slang USA*) furto ai danni di chi dorme (o di un ubriaco, o di un cliente di prostituta) ● (*cucina*) **r. board**, spianatoia □ (*metall.*) **r. mill**, laminatoio □ (*sport*) **r. over the bar**, scavalcamento dell'asticella con rotazione del corpo (*nei salti in alto*) □ **r. paper**, cartina per sigarette (*fatte a mano*) □ (*cucina*) **r. pin**, spianatoio; matterello □ (*ind.*) **r. press**, calandra.

rolling② /'rəʊlɪŋ/ a. **1** (*di una palla, ecc.*) che rotola **2** (*di un bimbo, un animale*) che si rotola **3** rotante; girevole; roteante: **r. eyes**, occhi roteanti **4** dondolante; oscillante: **a r. gait**, un'andatura dondolante (o barcollante) **5** (*di onde, di mare*) agitato; tumultuoso: **r. waters**, acque tumultuose **6** (*di nebbia, fumo, ecc.*) a spirali; a volute **7** ondulato: **r. land**, terreno ondulato **8** rombante; rimbombante; che brontola: **the r. thunder**, il tuono che brontola **9** ricorrente; che torna: **the r. seasons**, le stagioni che tornano **10** (*fig.*) che avanza a rullo; inarrestabile **11** (*banca: di un credito*) rinnovabile **12** (*fin.*) scorrevole **13** (*Borsa*) continuo: **r. account**, ciclo operativo continuo ● (*cinem., TV*) **r. credits**, titoli di coda □ **r. door**, porta scorrevole □ (*fam.: di un uditorio*) **r. in the aisles**, che si spancia dal ridere □ **r. in money** (o in it), ricco sfondato (*pop.*) □ (*mus.*) **a r. note**, una nota trillata □ (*lotta*) **r. overturn**, rovesciamento con rotolamento □ (*ferr.*) **r. stock**, materiale rotabile □ **r. strike**, sciopero a scacchiera □ (*prov.*) **A r. stone gathers no moss**, pietra mossa non fa muschio; chi non mette radici non fa fortuna; chi non mette radici vive senza pensieri.

rollmop /'rəʊlmɒp/ n. (*cucina*) filetto d'aringa arrotolato, marinato nell'aceto.

roll-neck /'rəʊlnɛk/ Ⓐ n. **1** collo alto (o a risvolto) **2** indumento a collo alto Ⓑ a. attr. (*anche* **roll-necked**) con il collo a risvolto; a collo alto.

roll-on /'rəʊlɒn/ Ⓐ n. **1** cosmetico dotato di pallina rotante **2** (*antiq.*) guaina elastica da donna Ⓑ a. attr. con pallina rotante: **a roll-on deodorant**, un deodorante con pallina rotante (o **roll-on**).

roll-on roll-off /rəʊlɒnrəʊl'ɒf/ a. (*trasp.*) roll-on, roll-off; RO-RO: **roll-on roll-off ferry**, traghetto RO-RO.

roll-out /'rəʊlaʊt/ n. **1** (*aeron., miss.*) esposizione al pubblico di un prototipo **2** (*ind.*) presentazione ufficiale di un nuovo prodotto.

rollover, roll-over /'rəʊləʊvə(r)/ n. **1** (*di un automezzo*) cappottata **2** (*di una barca*) scuffia **3** (*fin.*) rinnovo (*di un credito*) **4** (*lotta*) rotolamento ● **roll-over credit**, credito rinnovabile □ **roll-over loan**, mutuo a tasso variabile □ (*fisc., USA*) **roll-over treatment**, trattamento di distribuzione (*di entrate*) nelle annate fiscali successive.

roll-top desk /rəʊltɒp'dɛsk/ loc. n. scrittoio con alzata a scomparsa.

roll-up /'rəʊlʌp/ Ⓐ n. (*fam.*) sigaretta fatta (o arrotolata) a mano Ⓑ a. attr. avvolgibile: **roll-up blind**, tendina avvolgibile; **roll-up shutter**, serranda, tapparella.

roll-your-own /rəʊljə'rəʊn/ n. (*fam.*) sigaretta arrotolata a mano.

roly-poly /'rəʊlɪ'pəʊlɪ/ Ⓐ n. (pl. **roly-polys**, **roly-polies**) **1** (= **roly-poly pudding**) rotolo di sfoglia, pieno di marmellata, uva passa, ecc. **2** (*fam.*) tipo grasso e tozzo; tombolo (*fam.*); bambino paffuto Ⓑ a. (*fam.*) cicciotto; paffuto; grassottello.

Rom /rɒm/ n. rom; zingaro.

ROM /rɒm/ sigla (*comput.*, **read-only memory**) memoria a sola lettura.

Romaic /rəʊ'meɪɪk/ a. e n. (*ling.*) romaico.

Roman /'rəʊmən/ Ⓐ a. **1** romano: **the R. Empire**, l'impero romano; **R. law**, diritto romano; **a R. road**, una strada romana; **R. numerals**, numeri romani **2** romanesco: **the R. dialect**, il dialetto romanesco **3** (*relig.*, = **R. Catholic**) cattolico Ⓑ n. **1** romano; romana **2** (*relig.*) cattolico romano, cattolica romana **3** (*tipogr.*) (carattere) tondo; (carattere) romano **4** Ⓤ dialetto romanesco ● (*archit.*) **R. arch**, arco a tutto sesto □ **R. candle**, candela romana, candeletta (*fuoco d'artificio*) □ **R. Catholic**, cattolico romano; cattolico □ **R. Catholicism**, cattolicesimo romano; cattolicesimo □ (*tipogr.*) **R. letters**, caratteri latini □ **R. nose**, naso aquilino □ **R.-nosed**, dal naso aquilino □ (*stor.*) **R. salute**, saluto romano (*in Italia*) □ (*tipogr.*) **R. type**, carattere tondo.

romance /rəʊ'mæns/ n. **1** (*stor.*) romanzo cavalleresco: **the Arthurian romances**, i romanzi del ciclo arturiano **2** Ⓒ|Ⓤ romanzo sentimentale; romanzo rosa: **a historical r.**, un romanzo sentimentale di ambientazione storica; un romanzo storico sentimentale **3** Ⓒ|Ⓤ avventura; vita romanzesca; romanzo (*fig.*): **His life is like a r.**, la sua vita sembra un romanzo **4** Ⓤ atmosfera romantica; fascino **5** Ⓤ amore romantico; sentimenti romantici **6** avventura sentimentale; romantica storia d'amore; amore; idillio: **a holiday r.**, un'avventura estiva; **a whirlwind r.**, un innamoramento travolgente **7** (*mus.*) romanza ❶ **FALSI AMICI** ● **romance** *non significa* romanzo *nel senso generico di opera narrativa moderna.*

to **romance** /rəʊ'mæns/ Ⓐ v. i. **1** favoleggiare; esagerare; romanzeggiare **2** (*di una coppia*) fare i romantici Ⓑ v. t. **1** romanzare; esagerare **2** (*fam.*) avere un'avventura sentimentale con (q.).

Romance /rəʊ'mæns/ Ⓐ a. romanzo; neolatino: **R. languages**, lingue romanze Ⓑ n. Ⓤ lingua romanza.

romancer /rəʊ'mænsə(r)/ n. **1** autore di opere romanzesche (*nel Medioevo*) **2** chi inventa storie romanzesche; chi ama romanzare la realtà.

Romanesque /'rəʊmə'nɛsk/ Ⓐ a. **1** (*ar-*

te) romanico: **R. architecture**, architettura romanica **2** (*raro, ling.*) romanzo; neolatino Ⓑ n. Ⓤ arte (*spec.* architettura) romanica; stile romanico; (il) romanico ❶ **FALSI AMICI** ● **Romanesque** *non significa* romanesco.

Romanian /rəʊ'meɪnɪən/ Ⓐ a. romeno, rumeno Ⓑ n. **1** romeno, rumeno; abitante (o nativo) della Romania **2** Ⓤ romeno (*la lingua*).

Romanic /rəʊ'mænɪk/ Ⓐ a. **1** (*ling.*) romanzo; neolatino **2** (*stor.*) romanico Ⓑ n. pl. lingue romanze.

Romanicist /rəʊ'mænɪsɪst/ n. romanista; studioso di lingue e letterature romanze.

Romanism /'rəʊmənɪzəm/ n. Ⓤ **1** (*relig., arte, archit.*) romanismo **2** (*spreg.*) papismo.

Romanist /'rəʊmənɪst/ n. **1** (*spreg.*) cattolico; fautore del cattolicesimo; papista **2** romanista (*studioso di Roma antica e di cose romane*).

Romanity /rəʊ'mænɪtɪ/ n. Ⓤ romanità.

to **romanize** /'rəʊmənaɪz/ Ⓐ v. t. **1** latinizzare; rendere romano; romanizzare **2** – **to R.**, convertire al cattolicesimo **3** trascrivere in caratteri latini Ⓑ v. i. **1** latineggiare; fare il romano antico **2** – **to R.**, convertirsi al cattolicesimo || **romanization** n. Ⓤ **1** romanizzazione **2** – **Romanization**, conversione al cattolicesimo **3** trascrizione in caratteri latini.

Romansh, Romansch /rəʊ'mænʃ/ a. e n. Ⓤ (*ling.*) romancio; ladino.

♦**romantic** /rəʊ'mæntɪk/ Ⓐ a. **1** (*arte, letter., mus.*) romantico: **a r. poet**, un poeta romantico **2** romantico; sentimentale: **a r. place**, un luogo romantico; **a r. adventure**, un'avventura romantica; *It was very r.*, è stato molto romantico **3** romanzesco; fantastico; immaginario; fittizio: **a r. story**, una storia romanzesca; **a r. scheme**, un progetto fantastico (o utopistico) Ⓑ n. **1** individuo romantico; persona romantica **2** (*arte, letter.*) romantico; scrittore (o musicista, ecc.) romantico | **-ally** avv.

romanticism /rəʊ'mæntɪsɪzəm/ n. Ⓤ (*arte, letter., mus.*) romanticismo.

romanticist /rəʊ'mæntɪsɪst/ n. (*arte, letter., mus.*) romantico; scrittore (o pittore, musicista, ecc.) romantico.

to **romanticize** /rəʊ'mæntɪsaɪz/ Ⓐ v. i. (*raro*) fare il romantico; scrivere in modo romantico Ⓑ v. t. romanzare.

Romany /'rɒmənɪ/ Ⓐ n. **1** zingaro (*maschio*); rom **2** Ⓤ lingua zingaresca; zingaresco; lingua rom Ⓑ a. zingaresco; di (o da) zingaro; rom.

Rome /rəʊm/ n. (*geogr.*) Roma ● (*relig., stor.*) **R. penny**, obolo di San Pietro □ (*prov.*) **R. was not built in a day**, Roma non fu fatta in un giorno □ (*prov.*) **When in R., do as the Romans do**, non pretendere di imporre le tue regole in casa d'altri.

Romeo /'rəʊmɪəʊ/ n. **1** Romeo **2** (*radio, tel.*) (la lettera) r; Romeo.

Romish /'rəʊmɪʃ/ a. (*spreg.*) cattolico romano; papista, papistico (*spreg.*).

romp /rɒmp/ n. **1** gioco chiassoso; trambusto; (*fam.*) spasso, divertimento **2** birichino, birichina; monello, monella; ragazza vivace e allegra **3** (*equit. e fig.*) andatura sostenuta; scatto veloce **4** (*sport*) vittoria facile; passeggiata (*fig.*).

to **romp** /rɒmp/ v. i. **1** far chiasso; giocare; ruzzare **2** amoreggiare; spassarsela **3** (*equit.*) procedere ad andatura sostenuta ● (*sport*) **to r. to victory**, vincere facilmente.

■ **romp about** v. i. + avv. (*fam.*) fare chiasso; giocare in modo sfrenato, scatenarsi; sfrenarsi: *Children like to r. about in the open*, ai bambini piace scatenarsi all'aperto.

■ **romp away** v. i. + avv. (*fam.*) (*nelle corse, spec. di cavalli e ciclistiche*) andarsene alla grande (*fam.*); andare in fuga con facilità.

■ **romp home** v. i. + avv. (*sport: nelle corse*) tagliare il traguardo agevolmente; vincere facilmente: *He romped home well ahead of the others*, tagliò il traguardo con un bel vantaggio sugli altri.

■ **romp through** A v. i. + avv. **1** cavarsela, farcela bene, riuscire agevolmente (*in un test, ecc.*) **2** (*sport: nelle corse*) vincere facilmente (*o a mani basse*) B v. i. + prep. superare facilmente (*una prova, ecc.*).

romper /ˈrɒmpə(r)/ n. **1** (*arc.*) chi fa chiasso; bambino che ruzza **2** (pl.) (= **r. suit**) pagliaccetto; vestitino (*o tuta*) per giocare **3** (*sport, polit., ecc.*) vittoria facile, passeggiata (*fig.*).

rondeau /ˈrɒndəʊ/ (*franc.*) n. (pl. **rondeaux**) (*poesia*) rondò.

rondel /ˈrɒndl/ n. **1** (*poesia*) rondò **2** (*mus.*) «rondel» (*figura di danza scozz.*).

rondo /ˈrɒndəʊ/ n. (pl. **rondos**) (*mus.*) rondò.

rondure /ˈrɒndjʊə(r)/ n. (*poet.*) **1** globo, sfera **2** ⓤ rotondità.

roneo /ˈrəʊnɪəʊ/ n. (pl. **roneos**) ciclostilato ● **R. machine**®, ciclostile.

to **roneo** /ˈrəʊnɪəʊ/ v. t. ciclostilare.

röntgen /ˈrɒntjən/, *USA* /ˈrɒntgən/ a. e n. (*fis.*) röntgen ● (*med.*) **r. rays**, raggi X; raggi röntgen.

röntgenogram /rɒntˈɡɛnəɡræm/ n. (*med.*) röntgenogramma; radiografia; lastra (*fam.*).

röntgenography /rɒntɡəˈnɒɡrəfɪ/ n. ⓤ (*fis.*) röntgenografia.

roo /ruː/ n. (*Austral.*, abbr. *fam.* di **kangaroo**) canguro.

rood /ruːd/ n. **1** (*arc.*, = **r. tree**) croce (*su cui fu crocifisso Gesù*) **2** crocifisso (*spec. se collocato su una* «**r. screen**») ● (*relig.*) **r. cloth**, velo che ricopre il crocifisso durante la quaresima ☐ (*relig.*) **r. loft**, galleria sovrastante la «**r. screen**» (*archit.*) **r. screen**, parete divisoria in legno o marmo scolpiti, posta fra la navata e il coro; jubé (*franc.*).

♦**roof** /ruːf/ n. **1** tetto (*anche di una caverna e fig.*): *Mount Everest is called the r. of the world*, l'Everest è chiamato il tetto del mondo; **the r. of a car**, il tetto di un'automobile; **to be under sb.'s r.**, essere sotto il tetto di q.; essere ospite in casa di q. **2** (*autom.*, = **sunroof**) tettuccio **3** (*di un veicolo*) imperiale **4** (*della bocca*) palato **5** (*ind. min.*) cielo (*in galleria*) ● (*edil.*, *USA*) **R. deck** = **r. terrace** → *sotto* ☐ (*edil.*) **r. garden**, giardino pensile ☐ **r. light**, (*edil.*) lucernaio; (*autom.*) luce di cortesia; (*anche*) segnalatore luminoso (*sul tetto*) ☐ (*fig.*) **the r. of heaven**, la volta del cielo ☐ (*edil.*) **r. rack**, portabagagli (*sul tetto di un'automobile*) ☐ (*edil.*) **r. space**, sottotetto ☐ (*edil.*) **r. terrace**, terrazza sul tetto (*o edil.*) **r. truss**, capriata (*archit.*) **r. urn**, vaso acroteriale ☐ (*fam.*) **to go through the r.**, (*di prezzi, derrate, ecc.*) andare alle stelle; (*di persone*) andare su tutte le furie ☐ (*fam.*) **to hit the r.**, andare su tutte le furie ☐ (*fam.*) **to raise the r.**, spellarsi le mani a furia di applaudire; fare chiasso; fare cagnara.

to **roof** /ruːf/ v. t. **1** coprire (*con un tetto*); mettere il tetto a: **a hut roofed (over) with branches**, una capanna coperta di rami **2** dare un tetto a (q.); alloggiare; ospitare.

roofage /ˈruːfɪdʒ/ n. ⓤ (*edil.*) materiale di copertura.

roofed /ruːft/ a. coperto: **r.** (*o* **r. over**) **with corrugated iron**, coperto di lamiera ondulata ● **tile-roofed**, col tetto di tegole.

roofer /ˈruːfə(r)/ n. conciatetti; chi costruisce (*o ripara*) tetti.

roofing /ˈruːfɪŋ/ n. ⓤ (*edil.*) **1** copertura

con tetto; costruzione di tetti **2** riparazione dei tetti **3** (= **r. material**) materiale di copertura ● **r. contractor**, (titolare d') impresa di costruzione (e riparazione) dei tetti ☐ **r. felt**, carta catramata (*per i tetti*).

roofless /ˈruːfləs/ a. **1** senza tetto **2** (*fig.*) senza casa; senza un rifugio.

rooftop /ˈruːftɒp/ n. (*edil.*) coperto (*della casa*); tetto ● (*autom.*) **r. luggage rack**, portapacchi ☐ (*fig.*) **to shout st. from the rooftops**, proclamare qc. ai quattro venti.

rooftree, **roof-tree** /ˈruːftriː/ n. **1** (*edil.*) trave di colmo **2** (*fig.*) casa; tetto (*fig.*): **to be under one's r.**, essere in casa propria.

rook① /rʊk/ n. **1** (*zool.*, *Corvus frugilegus*) corvo nero; cornacchia **2** imbroglione; truffatore; (*spec.*) baro.

rook② /rʊk/ n. (*scacchi*) torre.

to **rook** /rʊk/ v. t. **1** truffare (q.) barando; spennare (*fig. pop.*) **2** far pagare prezzi esorbitanti a (q.); pelare (*fig. pop.*).

rookery /ˈrʊkərɪ/ n. **1** (gruppo d'alberi con) nidi di corvi neri o cornacchie; colonia di corvi neri **2** colonia di foche (*o di pinguini, di aironi*) **3** (*ecol.*, *zool.*) sito di nidificazione e riproduzione (*di uccelli*) **4** (*fig.*) agglomerato di casupole; gruppo di catapecchie.

rookie /ˈrʊkɪ/ n. **1** (*gergo mil.*, *USA*) recluta; coscritto; marmittone (*gergo*) **2** (*fam.*) novellino; principiante.

rooky /ˈrʊkɪ/ a. (*raro*) abitato da (*o pieno di*) corvi neri.

♦**room** /ruːm/ n. **1** stanza; camera; sala; (*edil.*) ambiente, vano: **double [single] r.**, camera doppia [singola]; *Would you prefer a double or a twin r.?*, preferisce una camera matrimoniale o doppia?; **spare r.**, camera degli ospiti; **dining r.**, sala da pranzo; *He lives in a furnished r.*, vive in una camera ammobiliata; *The whole r. was silent*, tutta la sala taceva **2** ⓤ spazio; posto: *This wardrobe takes up too much r.*, questo armadio occupa troppo spazio; (*anche sport*) **r. for manoeuvre**, spazio per manovrare; *Is there r. for me in the coach?*, c'è posto per me nel pullman?; *We have no r. here for idlers*, non c'è più posto qui per i fannulloni **3** ⓤ (*fig.*) adito; luogo; motivo; occasione; possibilità: *The situation leaves no r. for doubt*, la situazione non dà adito a dubbi; *There's ample r. for improvement*, ci sono ampie possibilità (*o ampi spazi*) di miglioramento **4** (pl.) camere, stanze; alloggio, appartamento ● (*tur.*) **r. and board**, vitto e alloggio ☐ (*ind. min.*) **r.-and-pillar**, coltivazione a camere e pilastri ☐ **r.-fellow** → **roommate** ● **r. service**, servizio in camera (*in albergo*) ☐ **r. temperature**, temperatura ambiente ☐ **a back r.**, una camera sul retro ☐ **a front r.**, una camera (che dà) sulla strada ☐ **to make r. for sb.** [*st.*], fare posto per q. [qc.] ☐ (*scherz.*) **no r. at the inn!**, non c'è più posto! (*al cinema, ecc.*) ☐ **standing r. only!**, posti a sedere esauriti; solo posti in piedi! ☐ **Make r.!**, fate largo! ☐ **There isn't r. to swing a cat**, non c'è spazio per rigirarsi.

to **room** /ruːm/ v. i. alloggiare; abitare (*spec. in una camera o in un appartamento mobiliato*) ● **to r. with another student**, dividere la stanza con un altro studente.

roomed /ruːmd/ a. (solo nei composti, per es.:) **a four-roomed flat**, un appartamento di quattro camere (*o di quattro vani*).

roomer /ˈruːmə(r)/ n. **1** (*USA*) affittuario d'appartamento (*o di camera ammobiliata*); pigionante; pensionante **2** (nei composti, per es.:) **a four-r.**, una casa di quattro stanze.

roomette /ruːˈmɛt/ n. (*ferr. USA*) scompartimento di vagone letto per una sola persona.

roomful /ˈruːmfʊl/ n. **1** stanza piena: **a r.**

of people, una stanza piena di gente **2** quanto (oggetti, ecc.) sta in una stanza.

roomie /ˈruːmɪ/ n. (*USA*) → **roommate**.

roominess /ˈruːmɪnəs/ n. ⓤ **1** ampiezza; spaziosità **2** abitabilità.

rooming house /ˈruːmɪŋhaʊs/ loc. n. (*USA e Canada*) casa albergo; residence.

roommate /ˈruːmmeɪt/ n. **1** compagno di stanza **2** (*USA*) persona con la quale si condivide un appartamento (*cfr. ingl.* **flat-mate**).

roomy /ˈruːmɪ/ a. ampio; spazioso; vasto.

roost /ruːst/ n. **1** (*d'uccelli o polli*) posatoio **2** pollaio, stia **3** (*fam.*) giaciglio; letto ● **to be at r.**, essere appollaiato; (*fam.*) essere a letto; essere a pollaio (*fig. pop.*) ☐ **to go to r.**, appollaiarsi; (*fam.*) andare a letto (*o a nanna*); andare a pollaio (*fig. pop.*) ☐ (*fam.*) **to rule the r.**, farla da padrone, spadroneggiare.

to **roost** /ruːst/ v. i. **1** (*d'uccelli*) appollaiarsi; (*di galline*) essere a pollaio (*per la notte*) **2** (*fam.*) andare a dormire; fare la nanna ● **to come home to r.**, (*di galline*) tornare al pollaio (*per la notte*); (*fig.: di azioni, ecc.*) ricadere sull'autore; ritorcersi su chi le fa: *Curses come home to r.*, le maledizioni ricadono sul capo di chi le scaglia.

rooster /ˈruːstə(r)/ n. (*USA*) **1** (*zool.*, *Gallus domesticus*) gallo **2** (*volg.*) uccello (*volg.*); pene.

♦**root** /ruːt/ A n. **1** radice; (*fig.*) origine, causa, fonte: **the r. of a tooth [of the tongue]**, la radice di un dente [della lingua]; *Love of money is the r. of all evil*, l'avidità di denaro è la fonte d'ogni male; **a r. of bitterness**, una causa (*o* fonte) d'amarezza **2** (*mat.*) radice: **square [cube] r.**, radice quadrata [cubica] **3** (pl.) radici commestibili **4** (*geol.*) radice (*di una falda*) **5** (*mus.*) nota fondamentale **6** (*mecc.*) fondo (*di una filettatura di vite, ecc.*) **7** (*slang USA*) sigaretta **8** (*slang USA*) spinello B a. attr. **1** (*anat.*) radicolare; della radice: (*anat.*) **r. canal**, canale radicolare (*di un dente*) **2** (*tecn.*, *scient.*) radicale: (*bot.*) **r. leaf**, foglia radicale; (*bot.*) **r. hair**, pelo radicale ● (*bot.*) **r. system**, apparato radicale ● (*fig.*) **r. and branch**, radicalmente; totalmente; del tutto ☐ **r. and branch reform**, riforma radicale ☐ (*USA*) **r. beer**, bevanda frizzante a base di estratti di radici ed erbe ☐ (*bot.*) **r.-bound**, fissato a terra da radici ☐ (*bot.*) **r. cap**, cuffia ☐ (*agric.*) **r. crop**, radice commestibile (*barbabietola, rapa, ecc.*) ☐ (*comput.*) **r. directory**, directory principale ☐ **r. idea**, idea basilare (*o fondamentale*) ☐ **r.-like**, a forma di radice; radiciforme ☐ (*mus.*, *USA*) **r. music**, musica tradizionale; musica country; root music ☐ (*mat.*) **r. sign**, segno di radice; radicale ☐ **r. vegetable**, radice commestibile ☐ (*ling.*) **r.-word**, parola-radice ☐ **to get to** (*o* **at**) **the r. of the matter**, andare al fondo della faccenda ☐ (*bot. e fig.*) **to grow roots**, mettere radici ☐ (*anche fig.*) **to pull up by the roots**, sradicare; estirpare ☐ (*fig.*) **to put down (new) roots**, mettere radici (*o ambientarsi*) in un posto nuovo ☐ (*anche fig.*) **to strike at the r.**, colpire alla radice ☐ (*anche fig.*) **to take** (*o* **to strike**) **r.**, radicarsi; mettere radice; attecchire ☐ **taking r.**, attecchimento ☐ (*ling.*) **a verb r.**, la radice di un verbo.

to **root**① /ruːt/ A v. t. radicare (*anche fig.*); fare attecchire; piantare; fissare B v. i. (*anche fig.*) radicarsi; attecchire; metter radice: *These plants r. freely*, queste piante attecchiscono facilmente dovunque ● (*anche fig.*) **to r. out** (*o* **up**), sradicare; estirpare; svellere: **to r. out prejudice**, sradicare i pregiudizi.

to **root**② /ruːt/ A v. t. (*del maiale, anche* **to r. up**) cavare (*o scavare*) col grugno B v. i. **1** (*del maiale*) grufolare **2** – (*fam. spec. USA*)

to r. for, tifare, fare il tifo per, parteggiare per (*una squadra, un giocatore*) ● **to r. about** (*o around*), grufolare; frugare con il grifo; frugacchiare □ (*fam.*) **to r. out** (*o up*), scovare; snidare; trovare.

rootage /'ru:tɪdʒ/ n. **1** luogo in cui mettere radici **2** apparato radicale (*d'una pianta*).

rooted /'ru:tɪd/ a. **1** radicato (*anche fig.*); saldo; profondo: **a r. belief**, un convincimento radicato; **a r. dislike**, una profonda avversione **2** basato; fondato: **obedience r. in fear**, obbedienza fondata sul timore ● **I stood r. to the spot**, restai inchiodato sul posto □ **Their devotion was deeply r.**, la loro devozione aveva profonde radici || **rootedness** n. ⓤ (*anche fig.*) l'esser radicato; radicamento.

rooter ① /'ru:tə(r)/ n. (*agric.*) estirpatore, sradicatore (*attrezzo*).

rooter ② /'ru:tə(r)/ n. (*fam.*, *spec. USA*) tifoso; sostenitore; fan ● (*sport*) **the rooters**, la tifoseria (*collett.*).

rootie /'ru:tɪ/ n. (*slang USA*) **1** persona ossessionata dalla ricerca delle proprie radici familiari (*o etniche*) **2** (*sport*) sportivo.

rooting /'ru:tɪŋ/ n. ⓤ **1** il grufolare (*del maiale*) **2** (*fam.*, *spec. USA*) (*sport*) tifo.

rootkit /ru:tkɪt/ n. (*comput.*) rootkit (*pacchetto di programmi che permettono varie funzioni di → hacking*).

to rootle /'ru:tl/ v. i. (*di solito*, **to r. about**) **1** grufolare; frugare col grifo **2** scavare; frugare.

rootless /'ru:tləs/ a. **1** privo (*o senza*) radice **2** infondato; privo di fondamento: **a r. theory**, una teoria infondata **3** (*di persona*) sradicato; che non ha radici | **-ness** n. ⓤ.

rootlet /'ru:tlət/ n. (*bot.*) radichetta; radicetta.

rootstock /'ru:tstɒk/ n. **1** (*bot.*) rizoma **2** (*agric.*) portainnesto **3** (*fig.*) origine, forma originaria; fonte, ceppo (*fig.*).

rooty /'ru:tɪ/ a. **1** pieno di radici: **r. soil**, terreno pieno di radici **2** simile a radice; che odora di radici.

♦**rope** /rəʊp/ n. **1** ⓤⒸ corda; fune; canapo: *The r. broke with a snap*, la fune si spezzò di schianto; **a r. bridge**, un ponte di corda (*o di liane*) **2** (*naut.*) cavo, cima, gomena, ralinga: **mooring r.**, cavo d'ormeggio; *Throw him a r.*, gettagli una cima **3** filo; filza: **a r. of pearls**, un filo di perle (*di cipolle, ecc.*), resta **4** (*di birra, vino, ecc.*) filamento; sedimento filamentoso **5** (*alpinismo*) cordata **7** ⓤ (*fig.*) (il) capestro; (la) forca **8** (*USA*) laccio **9** (pl.) ⓤ (*boxe*) corde (*del ring*) **10** ⓤ (*slang*) tabacco **11** (*slang USA*) sigaro **12** (*slang*) spinello **13** ⓤ (*slang*) marijuana ● **r. climbing**, (*alpinismo*) salita in cordata; (*ginnastica*) salita alla fune □ **r. dancer**, funambolo □ **r. dancing**, funambolismo □ **r.'s end** (*o r.-end*), pezzo di corda; (*stor.*) sferza (*soprattutto per punizioni inflitte a marinai*) □ **r. ladder**, scala di corda; (*naut.*) biscaglina □ **r.-maker**, cordaio; funaio □ **r.-making**, fabbricazione di funi □ (*fig.*) **a r. of sand**, un legame fragile □ (*ginnastica ritmica*) **r. skip** (*USA*, **r. jump**), salto con la corda □ **r. skipping**, il salto con la corda (*l'esercizio*) □ (*sport*) **r. tow**, sciovia; skilift □ **r. trick**, trucco della fune (*in India*) □ **r.-walker** → **ropewalker** □ **r.-walking**, funambolismo □ **r. yard**, corderia □ **r. yarn**, filato per funi; filaccia; (*fig.*) inezia, nonnulla □ (*fig.*) **to be at the end of one's r.**, essere allo stremo; essere alle strette; (*anche*) aver esaurito la pazienza □ (*fam.*) **to give sb. r.** (*o* **plenty of r.**), dar corda (*o spago*) a q.; lasciar fare q. □ (*fig.*) **to give sb. a little bit of r.**, dare un po' di corda a q. □ (*fig.*) **to know the ropes**, essere pratico del mestiere; saperla lunga (*di alpinisti*) **to be on the r.**, essere in cordata □ **to be on the ropes**, (*boxe*) essere alle corde;

(*fig. fam.*) essere con le spalle al muro, essere alle strette □ (*fig.*) **to put sb. up to the ropes**, insegnare a q. i segreti del mestiere □ (*naut.*) **tow r.**, cavo di rimorchio □ (*prov.*) **Give him enough r. and he'll hang himself**, dagli abbastanza corda e s'impiccherà da solo.

to **rope** /rəʊp/ Ⓐ v. t. **1** (*spesso* **to r. up**) legare con corde; assicurare con funi: **to r. up a trunk**, legare un baule **2** (*naut.*) incordare; ralingare (*le vele*) **3** (*alpinismo*) legare in cordata **4** (*di solito* **to r. in**, **to r. out**) cingere con corde; delimitare con funi **5** prendere (*un cavallo ecc.*) al lazo Ⓑ v. i. **1** (*di un liquido*) formare un filamento; diventare vischioso **2** (*alpinismo*) formare una cordata ● (*fam.*) **to r. sb. in**, coinvolgere, cooptare q.; (*USA*) imbrogliare, irretire q. □ **to r. off**, cintare, isolare (*una zona*) con funi □ (*alpinismo*) **to r. up** (*o* **together**), mettere (*o* mettersi) in cordata □ (*alpinismo*) **roped party**, cordata.

ropery /'rəʊpərɪ/ n. corderia.

ropewalk /'rəʊpwɔːk/ n. spiazzo di una corderia.

ropewalker /'rəʊpwɔːkə(r)/ (*USA*) n. funambolo || **ropewalking** n. ⓤ funambolismo.

ropeway /'rəʊpweɪ/ n. funivia; cabinovia; teleferica.

ropey /'rəʊpɪ/ → **ropy**.

ropiness /'rəʊpɪnəs/ n. ⓤ **1** (*di liquido*) l'esser filamentoso; vischiosità **2** (*di un dolce, ecc.*) appiccicosità.

roping /'rəʊpɪŋ/ n. ⓤ (*ind.*) cordame ● **r. needle**, ago per funi.

ropy /'rəʊpɪ/ a. **1** (*di liquido*) filamentoso; vischioso **2** (*di un dolce, ecc.*) appiccicaticcio; ispessito **3** simile a corda; a corda: (*geol.*) **r. lava**, lava a corda **4** (*slang*) (*di qualità*) scadente; scalcagnato; scalcinato **5** (*slang*) indisposto; non a posto; fuori fase, sfasato (*fig.*).

roquet /'rəʊkɪ, *USA* rəʊ'keɪ/ n. (*croquet*) colpo dato alla palla dell'avversario con la propria.

to **roquet** /'rəʊkɪ, *USA* rəʊ'keɪ/ v. t. e i. (*croquet*) colpire (la palla dell'avversario) con la propria.

ro-ro /'rəʊrəʊ/ sigla (**roll-on roll-off**) RO-RO.

rorqual /'rɔːkwəl/ n. (*zool.*, *Balaenoptera*) balenottera.

rorty /'rɔːtɪ/ a. (*slang*) **1** divertente; spassoso; comico **2** festaiolo **3** (*Austral.*) scatenato; sfrenato.

rosace /'rəʊzeɪs/ n. (*archit.*) rosone.

rosaceous /rəʊ'zeɪʃəs/ a. (*bot.*) rosaceo.

Rosalie /'rɒzəlɪ/ n. Rosalia.

Rosalind /'rɒzəlɪnd/ n. Rosalinda.

Rosamond /'rɒzəmənd/ n. Rosmunda.

rosaniline /rəʊ'zænɪliːn/ n. ⓤ (*chim.*) rosanilina.

rosarian /rəʊ'zeərɪən/ n. amante delle rose; coltivatore di rose; rosicoltore.

rosary /'rəʊzərɪ/ n. **1** (*relig.*) rosario; corona **2** (*bot.*) roseto; roseto.

♦**rose** ① /rəʊz/ Ⓐ n. **1** (*bot.*, *Rosa*) rosa **2** ⓤ color rosa; rosa **3** (*gioielleria*, = **r. diamond**) rosetta: **r. cut**, taglio a rosetta **4** cipolla bucherellata (*d'annaffiatoio*) **5** (pl., *poet.*) (la) rosa (*delle guance*); (il) colorito roseo **6** (*med.*) erisipela; risipola (*pop.*) **7** (*archit.*, = **r. window**) rosone **8** (*naut.*, = **compass r.**) rosa della bussola Ⓑ a. attr. rosa; color rosa ● (*fig.*) **roses all the way**, tutto rose e fiori □ (*bot.*) **r.-apple** (*Eugenia jambos*), melarosa; giambo □ (*bot.*) **r.-bay**, (*Nerium oleander*) oleandro; (*Rhododendron*) rododendro □ **r. bed**, roseto □ (*zool.*) **r.-beetle**, (*Cetonia aurata*) cetonia dorata □ (*tecn.*)

r. bit, punta a rosetta □ **r.-bush** (*o* **r.-tree**), pianta di rose; rosaio □ (*bot.*) **r.-campion** (*Lychnis coronaria*), cotonaria □ (*zool.*) **r.-chafer** = **r.-beetle** → *sopra* ● **r. colour**, rosa; color rosa □ **r.-coloured**, rosa; roseo □ (*bot.*) **r. gall**, galla di rosa canina □ **r. garden**, rosaio; roseto □ (*bot.*) **r. hip**, falso frutto della rosa □ (*fam.*) **r.-laurel**, oleandro □ **r. leaf**, petalo di rosa; foglia di rosa □ **r.-lipped**, dalle labbra color di rosa □ **r.** (*o* **r.-head**) **nail**, chiodo dalla capocchia a rosetta □ **r. oil**, olio essenziale (*o essenza*) di rosa □ **r. pink**, rosa; color rosa □ (*med.*) **r.-rash**, roseola □ (*tecn.*) **r. reamer**, allargatore a punta; svasatore □ **r.-red**, rosso come una rosa; vermiglio □ **r. vinegar**, aceto rosato; infuso di rose in aceto (*usato un tempo per il mal di testa*) □ **r. water**, acqua di rose □ (*fig.*) **a r.-water revolution**, una rivoluzione all'acqua di rose □ (*archit.*) **r. window**, rosone □ (*fig.*) **to come up roses**, andare a meraviglia; riuscire benissimo □ (*fig.*) **to see the world through r.-coloured** (*o* **r.-tinted**) **glasses**, vedere tutto rosa □ (*fig.*) **to take a r.-coloured view of things**, veder tutto rosa □ (*fig.*) **under the r.**, in confidenza; in gran segreto □ (*prov.*) **There's no r. without a thorn**, non c'è rosa senza spine ● Ⓒ CULTURA • **War of the Roses**: *la guerra delle Due Rose (1455-85) tra le Case di Lancaster (la rosa rossa) e York (la rosa bianca) ebbe inizio sotto il regno di Enrico VI (Lancaster) e si concluse con la sconfitta e morte di Riccardo III (York) nella battaglia di Bosworth Field e con l'ascesa al trono del vincitore, Enrico VII, che diede origine alla dinastia dei Tudor.*

rose ② /rəʊz/ pass. di **to rise**.

Rose /rəʊz/ n. Rosa.

rosé /'rəʊzeɪ/ (*franc.*) n. (vino) rosé.

roseate /'rəʊzɪət/ a. (*lett.*) roseo; rosa; color di rosa; (*fig.*) ottimistico.

rosebud /'rəʊzbʌd/ n. **1** (*bot.*) bocciolo di rosa **2** (*fig.*) bocciolo di rosa; bella ragazza ● **a r. mouth**, una bocca che è un bocciolo di rosa; una boccuccia di rosa.

roselike, **rose-like** /'rəʊzlaɪk/ a. di (*o da*, simile a una) rosa.

rosemary /'rəʊzmərɪ/ n. (*bot.*) **1** (*Rosmarinus officinalis*) rosmarino **2** (*Crysanthemum balsamita*) erba amara.

Rosemary /'rəʊzmərɪ/ n. Rosamaria.

roseola /rəʊ'ziːələ/ n. (*med.*) roseola.

rosery /'rəʊzərɪ/ n. rosaio; roseto.

rosette /rəʊ'zet/ n. **1** rosetta; nastrino d'onore; coccarda **2** (*archit.*) rosone **3** (*tur.*) stella: *This restaurant was awarded two rosettes*, questo ristorante ha ricevuto due stelle.

rosewood /'rəʊzwʊd/ n. ⓤ **1** legno rodio (*o di Rodi*) **2** (legno di) palissandro.

Rosicrucian /ˌrəʊzɪ'kruːʃn/ (*stor.*) Ⓐ n. Rosacroce; Rosacrociano Ⓑ a. dei Rosacroce; dei Rosacrociani || **Rosicrucianism** n. ⓤ movimento mistico dei Rosacroce, dei Rosacrociani (*che si dice fondato nel 1484 da C. Rosenkreuz*).

rosily /'rəʊzɪlɪ/ avv. in modo roseo.

rosin /'rɒzɪn/ n. ⓤ colofonia, pece greca || **rosiny** a. di colofonia; simile a colofonia; coperto di colofonia.

to **rosin** /'rɒzɪn/ v. t. strofinare con la colofonia; impeciare (*spec. corde e archetti di strumenti musicali*).

Rosinante /ˌrɒzɪ'nænti/ n. **1** Ronzinante (*il cavallo di Don Chisciotte*) **2** **r.**, (*fig.*) ronzino; ronzinante.

rosiness /'rəʊzɪnəs/ n. ⓤ **1** l'esser roseo (*o rosato*) **2** colorito roseo.

roster /'rɒstə(r)/ n. **1** elenco; lista; registro **2** (*mil.*) ruolino (*o* lista) dei turni di servizio **3** (*sport*: *calcio, ecc.*) organico (*di una squadra*); libro paga (*fig.*) ● **promotion r.**,

ruolo di promozione.

to roster /'rɒstə(r)/ v. t. **1** (*mil.*) mettere (q.) di turno (*o* di servizio) **2** (*sport*) mettere in organico (*o* in squadra); ingaggiare.

rostral /'rɒstrəl/ a. rostrale; rostrato: (*stor. romana*) **r. column**, colonna rostrata.

rostrum /'rɒstrəm/ n. (pl. **rostrums, rostra**) **1** (*zool.*) rostro; becco; **the r. of an eagle**, il rostro di un'aquila **2** rostro; tribuna (*del Foro Romano*) **3** (*naut., stor.*) rostro **4** podio (*di direttore d'orchestra, oratore, ecc.*) ‖ **rostrate, rostrated** a. rostrato.

rosy /'rəʊzɪ/ a. **1** roseo (*anche fig.*); rosato: **r. cheeks**, gote rosee; **a r. future**, un futuro roseo; **r. expectations**, rosee speranze **2** (*slang USA*) brillo; bevuto; allegro (*fig.*) ● **r.--cheeked**, dalle guance rosee.

rot /rɒt/ **A** n. **U 1** decomposizione; putrefazione **2** marciume; putredine; putridume **3** (*fig.*) corruzione; depravazione; malcostume; decadimento; sfacelo; **The government has promised to stop the rot**, il governo ha promesso di arrestare lo sfacelo **4** (*bot.*) carie del legno **5** (*vet.*) moria (*delle pecore*) **6** (*antiq., fam. ingl.*, = **tommy rot**) assurdità; sciocchezze; fesserie; cavolate: *Don't talk rot!*, non dire sciocchezze! **7** (*mil.*) serie di disfatte, di rovesci **B** inter. (*antiq., fam.*) che schifo!, che robaccia!; sciocchezze! ● (*tecn.*) **rot proofing**, trattamento anticorrosione □ (*fig.*) **The rot sets in**, le cose si guastano; la situazione si deteriora.

to rot /rɒt/ **A** v. i. **1** decomporsi; imputridire; putrefarsi; marcire (*anche fig.*): *The prisoner was left to rot in jail*, il prigioniero fu lasciato a marcire in carcere **2** (*dei denti*) cariarsi **3** (*fig.*) corrompersi; degenerare; guastarsi **4** (*slang USA*) fare schifo **B** v. t. **1** far marcire; far imputridire **2** (*ind.*) macerare (*il lino, ecc.*) **3** (*slang*) guastare; rovinare; sciupare ● **to rot away**, putrefarsi e cadere; (*di denti*) staccarsi per carie avanzata □ (*di foglia, ecc.*) **to rot off**, putrefarsi e cadere; cadere per il marciume.

rota /'rəʊtə/ n. **1** lista (*o* ruolino) dei turni di servizio; persone di turno; *We have a r. system for the housework*, abbiamo dei turni per le pulizie **2** – (*relig.*) **the R.**, la Sacra Rota (*tribunale ecclesiastico*) ● **on a r. basis**, a rotazione; facendo turni □ **the housework r. for the month**, i turni (*dei componenti la famiglia*) dei lavori domestici per il mese in corso.

rotal /'rəʊtəl/ a. (*relig.*) rotale.

Rotarian /rəʊ'tɛərɪən/ n. e a. rotariano; (membro) di un Rotary Club.

rotary /'rəʊtərɪ/ **A** a. (*scient., tecn.*) **1** rotante **2** rotatorio: **r. motion**, moto rotatorio: (*autom.*) **r. traffic**, traffico rotatorio **3** a rotazione; rotativo: **r. drill**, sonda a rotazione; **r. valve**, valvola rotativa **4** girevole **: a r. clothes line**, una corda del bucato girevole **B** n. **1** (*mecc.*) motore rotativo **2** macchina a rotazione **3** (*USA*, = **r. intersection**; *cfr. ingl.* **roundabout**) rotatoria; rondò (*per il traffico*) **4** – **R.**, Rotary (*associazione internazionale fra professionisti e uomini d'affari*) ● **r. carpet cleaner**, battitappeto a spazzole rotanti □ **r. clothes dryer**, asciugabiancheria a tamburo ruotante □ **R. Club**, Rotary Club □ (*tecn.*) **r. compressor**, rotocompressore □ (*autom., mecc.*) **r. engine**, motore rotativo; motore Wankel □ **r. plough**, erpice a dischi □ (*tipogr.*) **r. press**, rotativa □ (*tipogr.*) **printing**, stampa a rotativa □ **r. pump**, pompa rotativa; rotopompa □ (*ind. petrolifera*) **r. rig**, sonda rotary □ **r. shaver**, rasoio a testine rotanti □ (*ind. min.*) **r. table**, tavola di rotazione □ (*USA*) **r. tiller**, erpice a dischi; motozappa □ **r.-vane meter**, contatore a turbina (*per fluidi*) □ (*aeron.*) **r.-wing**, rotore.

rotatable /rəʊ'teɪtəbl/ a. (*spec. agric.*) avvicendabile.

rotate /'rəʊteɪt/ n. (*bot.*) rotato.

to rotate /rəʊ'teɪt, *USA* 'rəʊteɪt/ **A** v. i. **1** ruotare **2** succedersi regolarmente; avvicendarsi **3** (*anche sport*) compiere una rotazione **B** v. t. **1** (*agric.*) avvicendare, fare la rotazione di (*colture, raccolti*) **2** (*pallavolo*) far ruotare (*i giocatori*).

rotating /rəʊ'teɪtɪŋ, *USA* 'rəʊteɪtɪŋ/ a. **1** rotante; rotatorio **2** a rotazione: **the r. presidentship of the EU**, la presidenza a rotazione dell'UE; **r. shifts**, turni a rotazione (*in fabbrica, ecc.*).

rotation /rəʊ'teɪʃn/ n. **1** **U** (*mecc., astron.*) (movimento di) rotazione: **the r. of the earth**, il moto di rotazione della terra **2** (*mecc.*) giro; rotazione: **ten rotations a minute**, dieci rotazioni al minuto **3** **UC** avvicendamento; successione; rotazione (*delle cariche, delle sedi, ecc.*): **the r. of the seasons**, la successione delle stagioni **4** **UC** (*agric.*) rotazione agraria **5** **UC** (*sport*) rotazione: (*sci*) **body r.**, rotazione del corpo (*nello slalom*); (*pallavolo*) **r. of players**, la rotazione dei giocatori (*in senso orario*) ● (*agric.*) **crop r.**, avvicendamento delle colture □ (*USA*) **counter-clockwise r.**, rotazione in senso antiorario ● **in** (*o* **by**) **r.**, in successione; a turno; a rotazione.

rotational /rəʊ'teɪʃənl/ a. **1** di rotazione; in rotazione; rotatorio **2** (*mat., fis.*) rotazionale; di rotazione: **r. field**, campo rotazionale.

rotative /'rəʊtətɪv/ a. (*mecc.*) rotativo; rotatorio.

rotator /rəʊ'teɪtə(r)/ n. **1** (*anat.*) muscolo rotatorio **2** (*elettr.*) rotatore **3** (*mecc.*) motorino elettrico (*per far ruotare dischi, ecc.*) **4** (*TV*) motorino (*di antenna*).

rotatory /'rəʊteɪtrɪ, *USA* 'rəʊtətɔːrɪ/ a. (*mecc., fis.*) rotatorio; rotativo.

Rotavator® /'rəʊtəveɪtə(r)/ (*giardinaggio*) n. (contraz. di **rotary cultivator**) coltivatore (*o* frangizolle) a lame rotanti; motozappa ‖ **to rotavate** v. t. lavorare (*la terra*) con un → «rotavator» ‖ **rotavating** n. **U** lavori eseguiti con un → «rotavator» ● **rotavating clearance**, pulizia delle erbacce fatta con un → «rotavator».

ROTC sigla (*mil., USA*, **Reserve Officers' Training Corps**) Corpo di addestramento degli ufficiali della riserva.

rote /rəʊt/ n. **U** abitudine meccanica; routine ● **r. learning**, apprendimento meccanico □ **by r.**, a memoria; meccanicamente.

ROTFL sigla → **ROFL**.

rotgut /'rɒtgʌt/ n. (*slang scherz.*) liquore pessimo (*che brucia lo stomaco*); torcibudella.

rotifer /'rəʊtɪfə(r)/ n. (*zool.*, pl. *scient.* **Rotifera**) rotifero.

rotisserie /rəʊ'tiːsərɪ/ (*franc.*) n. **1** rosticceria **2** (*cucina*) forno con girarrosto.

rotogravure /ˌrəʊtəgrə'vjʊə(r)/ n. **1** **U** (*tipogr.*) rotocalcografia; rotocalco (*il procedimento*) **2** (*spec. USA*) rotocalco; foglio di rotocalco.

rotor /'rəʊtə(r)/ n. **1** (*mecc.*) girante (*di pompa*); girante, ruota (*di turbina*) **2** (*elettr.*) rotore; indotto **3** (*aeron.*) rotore (*di elicottero, ecc.*) **4** (*autom., elettr.*, = **r. arm**) distributore; spazzola rotante; spazzola (*fam.*) ● (*aeron.*) **r.-craft** → **rotorcraft** □ (*naut.*) **r.-ship**, rotonave.

rotorcraft /'rəʊtəkrɑːft/ n. **UC** (*aeron.*) aeromobile ad ala rotante; elicottero; autogiro.

rotovator /'rəʊtəveɪtə(r)/ e deriv. → **Rotavator**, e deriv.

rotten /'rɒtn/ **A** a. **1** marcio; fradicio; putrido; putrefatto; in decomposizione: **r. egg**, un uovo marcio; (*fig. USA*) un individuo spregevole: **a r. tomato**, un pomodoro marcio; **r. timber**, legno fradicio **2** (*fam.*: *di* dente) cariato **3** (*fig.*) corrotto; marcio: *'Something is r. in the state of Denmark'* W. SHAKESPEARE, 'c'è del marcio nello stato di Danimarca'; **r. to the core**, marcio fino alle midolla **4** (*slang*) disgustoso; seccante; sgradevole; pessimo: **a r. book**, un libro pessimo; un libraccio **5** (*slang*) mascalzone; sleale; disonesto; vigliacco: *What a r. thing to do!*, che mascalzonata! **B** avv. (*slang ingl.*) moltissimo; da pazzi; tremendamente: *They spoil their son r.*, viziano il figlio tremendamente ● (*fig.*) **r. apple**, mela marcia □ **a r. bastard**, un maledetto bastardo □ **a r. situation**, una situazione incasinata (*pop.*) □ **r. weather**, tempo pessimo; tempaccio □ (*fam.*) **to feel r.**, sentirsi a pezzi; stare poco bene □ **What r. luck!**, che scalogna!; che sfiga! (*pop.*) □ **-ly** avv. **-ness** n. **U**.

rottenstone /'rɒtnstəʊn/ n. **U** farina fossile; tripoli (*usata come abrasivo*).

rotter /'rɒtə(r)/ n. (*slang antiq.*) farabutto; fetente; cialtrone; mascalzone.

Rottweiler /'rɒtwaɪlə(r)/ n. (*zool.*) Rottweiler.

rotula /'rɒtjʊlə/ n. (pl. **rotulas, rotulae**) (*anat.*) rotula.

rotund /rəʊ'tʌnd/ a. (*form.*) **1** rotondo; tondo; paffuto; grassoccio: **a r. little man**, un ominio tutto tondo **2** (*fig.*) altisonante; magniloquente; pomposo: **r. style**, stile altisonante **3** (*di voce, di tono*) profondo; pieno **4** (*scient.*) rotondo | **-ly** avv.

rotunda /rəʊ'tʌndə/ n. (*archit.*) rotonda.

rotundity /rəʊ'tʌndɪtɪ/ n. **U 1** rotondità; l'esser grasso **2** (*fig.*) magniloquenza; pomposità **3** (*della voce*) profondità; pienezza.

rouble /'ruːbl/ n. rublo (*moneta russa*).

roué /'ruːeɪ, *USA* ruː'eɪ/ (*franc.*) n. (*arc. o scherz.*) debosciato; gaudente; libertino.

♦**rouge**① /ruːʒ/ n. **1** rossetto (*per le labbra e per il viso*); belletto; fard **2** (= **jeweller's r.**) rossetto, ossido di ferro (*per pulire metalli, ecc.*).

rouge② /ruːʒ/ n. **1** (*rugby: a Eton*) mischia **2** football canadese.

to rouge /ruːʒ/ **A** v. t. imbellettare; dare il rossetto alle (*labbra o guance*) **B** v. i. imbellettarsi; darsi il rossetto.

rouge-et-noir /ˌruːʒeɪ'nwɑː(r)/ (*franc.*) n. trenta e quaranta (*gioco di carte*).

♦**rough** /rʌf/ **A** a. **1** ruvido; scabro; scabroso; accidentato: *Cats have r. tongues*, i gatti hanno la lingua ruvida; **a r. surface**, una superficie scabra; **a r. road**, una strada accidentata; **r. hair**, capelli ruvidi **2** rude; rozzo; grossolano; sgarbato; aspro; ruvido: **a r. man**, un uomo ruvido, rozzo, sgarbato; uno zoticone; **a r. reply**, una risposta sgarbata; **r. words**, parole aspre; **a r. voice**, una voce aspra; **r. manners**, maniere rudi **3** rudimentale; grossolano; approssimativo; alla buona: **a r. sketch**, uno schizzo grossolano; un disegno schematico; **a r. estimate**, un calcolo approssimativo; **a r. rendering of a passage**, una traduzione approssimativa di un brano; **r. accommodation**, sistemazione alla buona **4** irsuto; ispido; villoso: **r. sheep**, pecore villose; *His face was r. with three days' beard*, aveva la faccia ispida, con la barba di tre giorni **5** agitato; ventoso; tempestoso: **r. seas**, mari agitati; **r. winds**, venti tempestosi; **a r. day**, una giornata ventosa (*e fredda*); **a r. crossing**, una traversata tempestosa (*con mare agitato*) **6** grezzo; greggio; allo stato naturale; non tagliato; non conciato: **r. jewels**, gioielli non tagliati; **a r. stone**, una pietra grezza; **r. leather**, cuoio greggio (*o* non conciato) **7** duro; difficile; brutto; gramo: **r. life**, vita grama; **to have a r. time**, passarsela brutta, passarsela male: **to be r. on sb.**, essere duro con q. **8** (*fam.*) indisposto: **to feel r.**, stare poco

bene **9** duro; pesante; violento: **r. play**, gioco pesante; **r. sports**, sport violenti **10** chiassoso; rumoroso; turbolento: **a r. child**, un bambino chiassoso, una bambina chiassosa **11** (*ling.*) aspro **12** (*slang USA*) osceno; salace; sporco **B** n. **1** Ⓤ (*spec. golf*) terreno accidentato **2** Ⓤ stato grezzo; stato naturale **3** pietra preziosa non tagliata **4** (*fam.*) giovinastro; scavezzacollo; teppista **5** Ⓤ (*tennis*) lato ruvido (*della racchetta*) **6** Ⓤⓒ (*fig.*) situazione difficile; difficoltà **C** avv. (*fam.*) **1** rudemente; duramente; con asprezza; in malo modo: **to treat sb. r.**, trattare q. duramente **2** (*sport e fig.*) duro; pesante: **to play r.**, fare un gioco pesante; andare più duro (*fam.*) ● **r. and ready**, semplice, elementare, sommario; approssimativo, grossolano, empirico; brusco, sbrigativo, spicciativo: **r. and ready calculations**, calcoli approssimativi; **r. and ready methods**, metodi empirici; **a r. and ready fellow**, un tipo brusco (*o* sbrigativo, che va per le spicce) □ **r.-and-tumble**, (agg.) disordinato, irregolare; violento, turbolento; (sost.) baruffa, rissa, mischia, parapiglia, zuffa □ (*fam.*) **r. around the edges**, grossolano; rozzo □ (*gramm. greca*) **r. breathing**, spirito aspro □ **r. coat**, (*edil.*) prima mano d'intonaco; rinzaffo; (*d'animale*) mantello (*o* pelame) irsuto □ (*edil.*) **r. coating**, materiale da rinzaffo □ **r. copy**, brutta copia; minuta □ **r. country**, terreno impervio, malagevole □ (*fig.*) **a r. customer**, un osso duro (*fig.*); un duro, un tipaccio □ (*tecn.*) **r. cut**, sbozzatura □ (*stat.*) **r. data**, dati grezzi (*non ancora elaborati*) □ **a r. diamond**, un diamante greggio; (*fig.*) un cuor d'oro sotto una ruvida scorza, un burbero benefico □ **r. draft**, abbozzo; minuta □ **r. drawing**, disegno appena abbozzato □ (*d'uccello*) **r.-footed**, dalle zampe coperte di penne □ (*pastorizia*) **r. grazings**, pascoli naturali; terreni da pascolo (*o* pascolativi) □ **r. handling**, maltrattamenti; violenza □ **r. justice**, giustizia sommaria; cosa ingiusta □ (*di cavallo*) **r.-legged**, dalle zampe pelose □ **r. luck**, sfortuna; malasorte; scalogna; iella (*fam.*); sfiga (*pop.*) □ (*tipogr.*) **r. proof**, bozza a mano □ **r. remedies**, rimedi drastici □ **r. rice**, riso non brillato; risone □ **r. rider**, domatore di cavalli selvatici; scozzone; (*mil.*) soldato irregolare di cavalleria □ **r.-spoken**, aspro, sgarbato, volgare, sboccato, villano (*nel parlare*) □ (*fam.*) **r. stuff**, modi sbrigativi, maniere forti; violenza; (*sport*) gioco pesante, gioco duro; (*USA*) oscenità, porcherie □ (*fig.*) **a r. tongue**, una persona linguacciuta □ (*slang*) **r. trade**, pratiche sessuali violente o sadiche; prostituzione maschile caratterizzata da tali pratiche; prostituti, marchette □ **r. usage**, maltrattamento (*di q.*); violenza (*contro q.*); cattivo uso (*di qc.*): **to get r. usage**, essere trattato senza riguardi □ **r. weather**, tempo cattivo, freddo e ventoso; tempo inclemente □ **r. wine**, vino aspro □ **r. work**, lavoro pesante, faticoso; (*anche*) lavoro preliminare □ (*ind.*) **r.-wrought**, grezzo; sbozzato □ **at a r. estimate**, a un calcolo approssimativo; all'ingrosso □ **at a r. guess**, grossomodo; a occhio e croce □ (*fig. fam.*) **to cut up r.**, arrabbiarsi; mostrare risentimento □ **in** (*o on*) **r.**, in brutta (copia) □ **in the r.**, (*spec. di gemma*) grezzo, non lavorato; (*di un progetto o sim.*) (appena) abbozzato □ (*di piante*) **to be in the r. leaf**, mettere le prime foglie □ **to lead a r. life**, condurre una vita disagiata (*o* dura) □ **to look rather r.**, avere una brutta cera □ **to plough the land r.**, arare il terreno in superficie □ (*fam.*) **to sleep r.**, dormire sul pavimento (*o* all'aperto) □ (*fig.*) **to take the r. with the smooth**, accettare il buono e il cattivo (*di una situazione, ecc.*); prendere la vita come viene □ (*naut.*) **very r. sea**, mare molto agitato; mare in tempesta □ **It was r. on him losing his job**,

è stato duro per lui perdere il lavoro.

to **rough** /rʌf/ v. t. **1** rendere ruvido; irruvidire **2** (*spesso* **to r. up**) maltrattare, malmenare; (*per intimidire*); (*sport*) fare un gioco pesante contro (*un avversario*); strapazzare (*fam.*) **3** (*mecc., falegn.*; *spesso* **to r. off**) sbozzare; sgrossare **4** (*di solito* **to r. in**, **to r. out**) abbozzare; delineare; schizzare (*o* tracciare) alla meglio: *R. out a scheme*, abbozza un progetto!; *R. them in with a pencil*, schizzali alla meglio con la matita! **5** ferrare a ramponi (*un cavallo*) ● **to r. it**, far vita dura; vivere senza alcuna comodità; arrangiarsi alla meglio.

■ **rough in** v. t. + avv. **1** → **to rough**, def. 4 **2** (*edil.*) incassare, mettere (qc.) sotto traccia.
■ **rough off** v. t. + avv. → **to rough**, def. 3.
■ **rough out** v. t. + avv. → **to rough**, def. 4.
■ **rough up** v. t. + avv. **1** → **to rough**, def. 2 **2** (*fam.*) attaccare; malmenare; ridurre (q.) a malpartito **3** (*fam.*) ferire (q.) leggermente; causare dei lividi a (q.) **4** arruffare (*i capelli*); (*di un uccello*) increspare (*le piume, ecc.*).

roughage /ˈrʌfɪdʒ/ n. Ⓤ **1** fibra alimentare; scorie **2** alimenti ricchi di fibre **3** crusca; paglia tritata (*come foraggio*).

roughcast /ˈrʌfkɑːst/ **A** n. **1** (*edil.*) intonaco rustico **2** (*fig.*) abbozzo; minuta **B** a. **1** (*edil.*) rinzaffato; a intonaco rustico **2** abbozzato.

to **roughcast** /ˈrʌfkɑːst/ (*pass. e p. p.* **roughcast**), v. t. **1** (*edil.*) intonacare (*muri*) a rustico **2** (*fig.*) abbozzare; sbozzare; fare lo schema di.

roughcasting /ˈrʌfkɑːstɪŋ/ n. Ⓤⓒ (*edil.*) intonacatura a intonaco rustico.

to **rough-dry** /ˈrʌfdraɪ/ v. t. asciugare (*panni*) senza stirarli.

to **roughen** /ˈrʌfn/ **A** v. t. **1** rendere ruvido; irruvidire **2** (*fig.*) rendere grossolano (*o* rozzo) **3** arruffare (*i capelli, le onde, ecc.*) **B** v. i. **1** irruvidirsi **2** (*fig.*) diventar grossolano (*o* rozzo) **3** (*di capelli, penne*) arruffarsi **4** (*del mare*) agitarsi; ingrossarsi.

to **rough-grind** /ˈrʌfgraɪnd/ (*pass. e p. p.* **rough-ground**), v. t. (*mecc.*) sgrossare (*o* sbozzare) alla mola ‖ **rough-grinding** n. Ⓤⓒ sgrossatura (*o* sbozzatura) alla mola.

to **rough-hew** /ˈrʌfˈhjuː/ (*pass.* **rough-hewed**, p. p. **rough-hewed**, **rough-hewn**), v. t. **1** digrossare, sgrossare (*legno*) **2** (*arte*) abbozzare; sbozzare **3** (*fig.*) dirozzare.

rough-hewn /ˈrʌfˈhjuːn/ **A** p. p. di **to rough-hew** **B** a. **1** tagliato con l'accetta; appena sgrossato **2** (*fig.*) grossolano; incolto; rozzo.

rough-house /ˈrʌfhaʊs/ n. (*fam.*) baraonda; rissa; baruffa; tafferuglio.

to **rough-house** /ˈrʌfhaʊs/ (*fam.*) **A** v. t. **1** malmenare; maltrattare **2** fare scherzi pesanti a (q.); essere manesco con (q.) **B** v. i. prendere parte a una rissa; azzuffarsi (*anche per gioco*); fare la lotta.

roughing /ˈrʌfɪŋ/ n. **1** Ⓤ violenza **2** Ⓤ (*sport e fig.*) gioco pesante **3** Ⓤⓒ (*edil.*) rinzaffatura **4** Ⓤⓒ (*mecc.*) sbozzatura; sgrossatura **5** Ⓤ (*anche* **r. it**) vita spartana (*dormire all'addiaccio, ecc.*) **6** Ⓤ (*hockey su ghiaccio*) eccessiva durezza del gioco (*fallo minore*) ● (*edil.*) **r.-in**, incassatura sotto traccia □ (*mecc.*) **r. mill**, treno sbozzatore □ (*metall.*) **r. rolls**, laminatoi □ (*mecc.*) **r. tool**, utensile per sbozzare.

roughish /ˈrʌfɪʃ/ a. **1** piuttosto ruvido, rozzo, rude **2** (*del mare*) alquanto agitato; mosso (→ **rough**).

♦ **roughly** /ˈrʌflɪ/ avv. **1** rudemente; rozzamente; sgarbatamente; aspramente; bruscamente **2** approssimativamente; all'in-

circa; pressappoco.

roughneck /ˈrʌfnɛk/ n. **1** (*fam.*) tipo manesco; attaccabrighe; bullo; teppista **2** (*ind. petrolifera*) operaio addetto alla trivellazione.

roughness /ˈrʌfnəs/ n. Ⓤ **1** ruvidità; rozzezza; rudezza; scabrosità; (*fig.*) asprezza (*della voce, di parole, del clima, ecc.*); sgarbatezza, villania **2** (*del mare*) l'essere agitato (*o* burrascoso) **3** (*del tempo*) inclemenza **4** stato grezzo; stato naturale **5** violenza; turbolenza (→ **rough**) **6** (*mecc. dei fluidi*) scabrezza.

roughshod /ˈrʌfʃɒd/ a. (*di cavallo*) ferrato a ramponi ● (*fig.*) **to ride r. over sb.** [st.], calpestare q. [pl.]; fare il prepotente con q.; bistrattare q.; non tenere conto di, mettersi sotto i piedi (qc.).

rough-turning /ˈrʌfˈtɜːnɪŋ/ (*mecc.*) n. Ⓤⓒ sbozzatura (*o* sgrossatura) al tornio.

roulade /ruːˈlɑːd/ (*franc.*) n. **1** (*mus.*) gorgheggio; trillo; vocalizzo **2** (*cucina*) rollè.

roulette /ruːˈlɛt/ n. **1** (*gioco d'azzardo*) roulette **2** rotellina dentata (*per dentellare francobolli, ecc.*) **3** (*geom.*) rolletta, rulletta **4** (*legatoria*) bulino ● **Russian r.**, roulette russa □ (*scherz.*) **Vatican r.**, metodo anticoncezionale Ogino-Knaus.

Roumanian /ruːˈmeɪnɪən/ → **Romanian**.

♦ **round** ① /raʊnd/ a. **1** rotondo; tondo; circolare; sferico; rotondeggiante; tondeggiante: **a r. table**, un tavolo rotondo; (*fig.*) una tavola rotonda; **r. cheeks**, gote tonde (*o* paffute); **r. shoulders**, spalle tonde (*o* spioventi); **r. brackets**, parentesi tonde; **in r. figures** (*o* **numbers**) (*o as a r. figure*), in cifra tonda; **a r. hand**, una calligrafia rotondeggiante **2** completo; intero; bello; buono: **a r. dozen**, un'intera dozzina; **a good r. sum**, una bella somma; **at a r. pace**, di buon passo **3** chiaro e tondo; bell'e buono: **a r. oath**, un'imprecazione bell'e buona **4** (*della voce, di suono*) sonoro; pastoso **5** (*di stile*) fluente; scorrevole; ben tornito **6** (*mat.*) arrotondato: **a r. sum**, una somma arrotondata; *'R. numbers are always false'* S. Johnson, 'i numeri arrotondati non dicono mai la verità' **7** (*fon.: di suono*) arrotondato; labiale **8** (*di un vestito*) ampio; che avvolge **9** (*arc.*) franco; schietto; sincero ● (*geom.*) **r. angle**, angolo giro (*archit.*) **r. arch**, arco a tutto sesto □ (*sport*) **r.-arm**, roteando il braccio: (*cricket*) **to bowl r.-arm**, lanciare la palla roteando il braccio □ **r.-backed**, dalla schiena ricurva (*equit.*) **r. corral**, recinto tondo; tondino (*fam.*) □ **r. dance**, ballo in tondo; (*anche*) valzer □ **r. estimate**, un preventivo (*o* un calcolo) approssimativo □ (*slang spreg.*) **r.-eye**, individuo di etnia caucasica; (un) occidentale (*per un orientale o un nero*) □ **r.-eyed**, con gli occhi spalancati □ **r. figure**, figura tondeggiante □ (*mat.*) cifra tonda □ (*zool.*) **r.-fish**, carpa □ **a r. game**, un gioco che si fa stando in circolo □ **r. jacket**, una giacca senza falde □ (*Borsa*) **r. lot**, unità di contrattazione; lotto (minimo) (*di titoli*) □ **r. robin**, (*stor.*) petizione con le firme poste in cerchio (*in modo da mantenere l'anonimato del primo firmatario*); (*ora*) denuncia ufficiale a più firme, lettera collettiva di protesta; (*sport*) girone, torneo all'italiana (*ogni partecipante incontra tutti gli altri*) □ **r.-shouldered**, dalle spalle tonde (*o* spioventi) □ (*leggenda*) **the R. Table**, la Tavola Rotonda (*dei Cavalieri di Re Artù*) □ **r.-table conference** (*o* **discussion**), tavola rotonda (*fig.*) □ **r. trip**, viaggio di andata e ritorno □ (*USA*) **r.-trip ticket**, biglietto di andata e ritorno (*cfr. ingl.* **return ticket**, *sotto* **return**, **A**, *def.* 7) □ (*aeron.*) **r. trip air fare**, (prezzo del) biglietto in aereo con il ritorno sulla stessa linea □ **r. tripper**, chi fa un viaggio di andata e ritorno □ (*fin.*) **r. tripping**, arbitraggio di interes-

si finanziari □ **to give sb. a r. hiding** [**scolding**], dare a qc. una bella bastonatura (*fam.*: suonata) [una bella sgridata].

♦**round** ② /raʊnd/ *n.* **1** tondo; tondello, tondino; cerchio; circolo; globo; sfera: **rounds of paper**, tondini di carta; (*poet.*) **this earthly r.**, il globo terrestre, la terra; **to dance in a r.**, danzare in cerchio **2** giro (*di consegne, di visite, di consumazioni, ecc.*): **milk r.**, giro di consegna del latte (*a domicilio*); **paper r.**, giro di consegna dei giornali (*a domicilio*); *The doctor is on his rounds*, il dottore è in giro per visite; **to go for a r. of the nightclubs**, andare a fare il giro dei locali notturni; *I'll get this r., what's everyone having?*, questo giro pago io, che prendete?; *This r. is on me*, questo giro è mio (*pago io*); **to serve out a r. of whisky**, offrire del whisky a tutti **3** (*cucina*) pezzo rotondo, tocco (*di carne*); fetta (*di pane*); panino imbottito, sandwich: **a r. of toast**, una fetta di pane tostato **4** piolo (*di una scala*) **5** tondello (*di una sedia*) **6** (*mil.*) colpo; salva; scarica; raffica; sparo: *We didn't fire a single r.*, non sparammo un sol colpo; *I'd only got three rounds left*, mi restavano solo tre colpi; *The guns fired 101 rounds in his honour*, i cannoni spararono 101 salve in suo onore; **a blank r.**, uno sparo a salve; **a live r.**, un colpo con proiettile (*non a salve*); una scarica a palla **7** scroscio; scoppio; salva (*fig.*): **a r. of applause**, uno scroscio di applausi **8** ballo in tondo; danza in cerchio **9** (*mus.*) canone **10** (*ind. min.*) volata (*di mine*) **11** (*macelleria*) girello; contronoce (*di bue*) **12** serie (*di colloqui, d'incontri, ecc.*); giro: **a long r. of talks**, una lunga serie di colloqui; un negoziato lungo; **a r. of formal consultations**, un giro di consultazioni ufficiali; **a r. of parties**, una serie di feste **13** (*polit.*: *di elezioni*) turno; tornata **14** (*a carte*) giro; mano; smazzata: **a r. of poker**, una mano (o un giro) di poker **15** (*sport*) turno (*di qualificazione*); (*calcio, ecc.*) girone (*eliminatorio*); (*di un torneo*) giornata (*di campionato*) **16** (*autom., ecc.*) manche **17** (*boxe, lotta*) round; ripresa: **a 12-r. match**, un incontro su 12 riprese **18** (*nelle corse*) giro (*di pista*) **19** (*equit.*) manche; percorso: **a clear r.**, un percorso senza errori **20** (*golf*) percorso, giro (*del campo*); partita (*di solito, di 18 buche*) **21** (*sci*) manche ● **a r. of days**, una successione di giorni □ **the r. of the seasons**, il ciclo delle stagioni □ **r. turn**, giro completo (*di una fune*: *intorno a qc.*) □ **the daily r.**, le occupazioni quotidiane; il solito tran tran □ **in all the r. of Nature**, in tutto il regno della natura □ (*scultura e fig.*) **in the r.**, a tutto tondo □ **to make** (o **do**) **the rounds of**, fare il giro di (*negozi, uffici, ecc.*) □ **to be doing** (o **making, going**) **the rounds**, fare il giro (*di*); girare; andare in giro (*per*); circolare; essere in giro: *I've been doing the rounds of the antique shops*, ho fatto il giro dei negozi di antiquariato; *There's a rumour about him doing the rounds*, circola una diceria su di lui; *Another virus is going the rounds*, c'è in giro un altro virus □ (*mecc.*: *di cilindro*) **out of r.**, ovalizzato □ **theatre in the r.**, teatro con palcoscenico centrale.

♦**round** ③ /raʊnd/ *avv.* **1** in tondo; in cerchio; in giro; attorno; intorno; all'intorno: *The earth goes r.*, la terra gira in tondo; *The news got r. quickly*, la notizia si diffuse presto; *The headmaster showed the foreign visitors r.*, il preside accompagnò gli ospiti stranieri nel giro di visita (*della scuola*); *The fields extended all r.*, i campi si stendevano tutt'intorno **2** vicino; nelle vicinanze: *He knew all the people r.*, conosceva tutti nelle vicinanze (*o tutto il vicinato*) **3** di ritorno: *Easter will soon be r. again*, la Pasqua tornerà presto; presto sarà di nuovo Pasqua **4** durante l'intero; per tutto: (**all**) **the year r.**,

per tutto l'anno **5** in circonferenza; alla vita: (*di una persona*) **to be thirty inches r.**, misurare trenta pollici (*75 cm circa*) alla vita; *The oak is three meters r.*, la quercia ha una circonferenza di tre metri **6** (*nei verbi frasali, è idiom.*: per es.:) *I'll be r. at six sharp tomorrow*, arriverò alle sei in punto domani; **to ask r.**, invitare a casa propria; **to come r.**, ritornare; riprendere conoscenza; ecc.; *A friend of mine is going to come r. and feed the cat*, una mia amica verrà qui a dare da mangiare al gatto; (*autom.*) **to go r.**, girare, svoltare (→ **to ask, to come, to go,** *ecc.*) ● **r. about**, qui attorno; qui (o lì) intorno; (*anche*) all'incirca: *He lives somewhere r. about here*, abita da qualche parte qui intorno; *It will cost r. about ten dollars*, costerà dieci dollari all'incirca □ **r. and about**, in giro; qua e là: *I meet him r. and about*, lo incontro qua e là □ **r. and r.**, più volte intorno; in giro, in tondo: *The last whisky made my head go r. and r.*, l'ultimo whisky mi fece girare la testa □ **all** (o **right**) **r.**, con un giro completo; tutt'in tondo □ **an all-r. man**, un uomo versatile □ **for a mile r.**, nel raggio di un miglio □ **to have a look r.**, dare un'occhiata in giro □ **the opposite** (o **the other**) **way r.**, dall'altra parte; in senso opposto; al contrario □ **to sleep the clock r.**, dormire dodici (o ventiquattro) ore □ **taking it all r.**, nell'insieme; tutto considerato □ **to turn r. and r.**, girare su sé stessi; continuare a girare in tondo □ **the wrong way r.**, nel senso sbagliato; a rovescio: *You've got your cap on the wrong way r.*, hai il berretto alla rovescia.

♦**round** ④ /raʊnd/ *prep.* **1** intorno a; tutt'intorno a; nelle vicinanze di: *The earth goes r. the sun*, la terra gira intorno al sole; **to build a wall r. a town**, costruire un muro tutt'intorno a una città; **to put a shawl r. one's shoulders**, mettersi uno scialle intorno alle spalle; **to travel r. the world**, viaggiare intorno al mondo; fare il giro del mondo; *They farm r. Cleveland*, fanno gli agricoltori nelle vicinanze di Cleveland **2** in; per: **to travel r. Europe**, viaggiare in tutta l'Europa; *The little boy was running r. the room*, il bambino correva per la stanza **3** verso; intorno a; circa; all'incirca: *He'll be back r. midnight*, sarà di ritorno verso mezzanotte ● **r. the back of the church**, dietro la chiesa □ **r. the clock**, 24 ore su 24; tutto il giorno e la notte: **a r.-the-clock patrol**, una pattuglia in servizio di ronda 24 ore su 24 □ **r. the corner**, girato l'angolo; dietro l'angolo; (*fig.*) vicino, a portata di mano, dietro l'angolo: *There's a post office r. the corner*, c'è un ufficio postale dietro l'angolo □ **r. here**, qui intorno; nei dintorni: *I'm not from r. here*, non sono di queste parti □ **r. one's neck**, al collo: *She wore a necklace r. her neck*, aveva al collo una collana □ **to argue r. and r. a subject**, discutere senza fine intorno a un argomento □ (*fig.*) **to drive sb. r. the bend**, fare ammattire q. □ (*autom.*) **to go r. a bend**, fare una curva □ (*fig.*) **to go r. the bend**, uscire di testa; andare fuori di testa; ammattire □ (*slang*) **to go r. the shops**, fare il giro dei negozi □ **to work r. the day**, lavorare tutto il (santo) giorno □ *We went r. the factory*, facemmo il giro della fabbrica ● **ɴᴏᴛᴀ**: *around, round, o about?* → **around**.

to **round** /raʊnd/ Ⓐ *v. t.* **1** (*mat.*) arrotondare: **to r. a figure**, arrotondare una cifra; **4.519 rounded to two decimals is 4.52**, 4,519 arrotondato a due decimali dà 4,52 **2** arricciare, sporgere (*le labbra*) **3** girare (*intorno a*); (*naut.*) doppiare: **to r. the corner**, girare l'angolo; scantonare; *The ship rounded the Cape of Good Hope*, la nave doppiò il Capo di Buona Speranza **4** (*fam., autom.*) prendere, fare (*una curva*): *The car rounded*

the bend at top speed, l'auto prese la curva a tutta velocità **5** (*falegn.*) arrotondare; smussare **6** (*editoria*) indorsare (*un libro*) Ⓑ *v. i.* **1** (*anche* **to r. out**) arrotondarsi; ingrassare: *Her body is rounding*, le sue forme si stanno arrotondando; sta ingrassando **2** girarsi; voltarsi; far dietro front ● **to r. the angles**, smussare gli angoli □ **to r. a dog's ears**, mozzare a tondo le orecchie a un cane □ (*fon.*) **to r. a vowel**, pronunciare una vocale con le labbra arrotondate; labializzare una vocale.

■ **round down** *v. t. + avv.* arrotondare (*una cifra*) per difetto: **to r. down prices to the nearest dollar**, arrotondare per difetto i prezzi al dollaro.

■ **round in** *v. t. + avv.* (*naut.*) recuperare l'imbando di (*una cima*); alare (*una vela*).

■ **round off** *v. t. + avv.* arrotondare (*una cifra*): **to r. off a figure to two decimals**, arrotondare una cifra a due decimali **2** smussare, levigare (*uno spigolo, ecc.*) **3** completare; finire; concludere; coronare: **to r. off a speech with a toast to sb.'s health**, concludere un discorso con un brindisi alla salute di q.; **to r. off the evening with a snack**, completare la serata con uno spuntino; **to r. off one's career**, coronare la propria carriera.

■ **round on** *v. t. + prep.* **1** rivoltarsi contro: *The wounded boar rounded on the hunter*, il cinghiale ferito si rivoltò contro il cacciatore **2** (*fig.*) scagliarsi a parole contro (q.); aggredire verbalmente.

■ **round out** Ⓐ *v. t. + avv.* **1** completare: (*un tempo*) **to r. out one's education by going on the grand tour**, completare la propria educazione facendo il giro dei paesi europei **2** perfezionare; migliorare (*un racconto, una relazione, ecc.*) **3** (*del vento*) gonfiare (*le vele*) Ⓑ *v. i. + avv.* **1** (*delle forme del corpo*) arrotondarsi; (*di una persona*) rimettersi in carne, ingrassare **2** (*delle vele, ecc.*) gonfiarsi **3** (*aeron.*) richiamare in fase di atterraggio.

■ **round to** *v. i. + avv.* (*naut.*) venire al vento; orzare.

■ **round up** *v. t. + avv.* **1** arrotondare (*una cifra*) per eccesso **2** radunare, riunire, raccogliere (*persone, il bestiame, ecc.*) **3** (*della polizia*) fare una retata di **4** (*naut.*) fermare (*una nave*) mettendola controvento **5** (*fam. USA*) riassumere (*notizie, ecc.*).

■ **round upon** → **round on**.

roundabout /'raʊndəbaʊt/ Ⓐ *a.* **1** indiretto; obliquo; traverso; tortuoso: **r. methods**, metodi indiretti; **a r. route**, un percorso tortuoso; **to go by a r. way**, prendere una via traversa **2** paffuto; tondo Ⓑ *n.* **1** giro in tondo; giro tortuoso (*o vizioso*) **2** giostra (*divertimento da luna park*) **3** (*autom.*) aiuola (*o rotonda*) spartitraffico con senso rotatorio; rotatoria; rondò ● (*autom.*) **r. circulation**, rotatoria (*senso rotatorio*); traffico rotatorio □ **a r. way of saying st.**, una circonlocuzione □ **to take a r. course**, fare una deviazione □ **to be told st. in a r. way**, apprendere qc. dopo un lungo giro di frasi.

roundaboutness /'raʊndəbaʊtnəs/ *n.* Ⓤ **1** obliquità; tortuosità **2** (*fig.*) il prenderla alla larga; il girarci attorno.

rounded /'raʊndɪd/ *a.* **1** arrotondato, tondeggiante **2** (*di spigolo, ecc.*) smussato **3** (*dello stile, ecc.*) ben tornito; fluente; scorrevole **4** (*fon.*: *di suono*) arrotondato; labializzato.

roundel /'raʊndl/ *n.* **1** (*archit.*) pannello di forma circolare; medaglione decorativo; tondo **2** (*letter., mus.*) rondello; rondò **3** (*aeron., mil.*) coccarda (*indica la nazionalità*).

roundelay /'raʊndɪleɪ/ *n.* (*letter., mus.*) rondello; rondò.

rounder /'raʊndə(r)/ *n.* **1** arnese che serve ad arrotondare **2** (*fam. USA*) gaudente; libertino; gozzovigliatore; festaiolo **3** (*pl.*)

(*sport*) «rounders» (*gioco simile al baseball, giocato dai bambini in GB*) ● (*boxe*) **a six-r.**, un incontro su sei riprese.

Roundheads /'raʊndhedz/ n. (*stor.*) teste rotonde; puritani; seguaci di Cromwell (*nella guerra civile del 1642-49; così detti perché, a differenza dei nobili, portavano i capelli tagliati corti*).

roundhouse /'raʊndhaʊs/ n. **1** (*ferr.*) deposito locomotive **2** (*naut.*) tuga di poppa **3** (*boxe*) sventola **4** (*stor.*) carcere; prigione.

rounding /'raʊndɪŋ/ **A** a. **1** tondeggiante **2** che gira in tondo **B** n. ⓤ **1** (*mat.*) arrotondamento **2** (*falegn.*) arrotondamento, smussatura **3** (*fon.*) labializzazione **4** (*editoria*) indorsatura ● (*mat.*) **r. down**, arrotondamento per difetto □ (*editoria*) **r. machine**, indorsatrice; dorsatrice □ (*mat.*) **r. off**, arrotondamento ● **r. tool**, arnese per arrotondare □ (*mat.*) **r. up**, arrotondamento per eccesso.

roundish /'raʊndɪʃ/ a. rotondetto; tondetto; tondeggiante.

roundly /'raʊndlɪ/ avv. **1** (*raro*) in forma tondeggiante; a sfera; in circolo; in tondo **2** di buona lena; vigorosamente **3** energicamente; severamente: *He was r. rebuked*, fu severamente sgridato **4** chiaro e tondo; esplicitamente; francamente: *I'll tell him r. he'd better leave*, gli dirò chiaro e tondo che farebbe bene ad andarsene **5** duramente; sonoramente: **to be r. defeated**, essere sonoramente battuto, subire una dura sconfitta.

roundness /'raʊndnəs/ n. ⓤ **1** rotondità; sfericità **2** (*della voce*) pienezza; sonorità **3** (*di stile*) l'esser tornito; scorrevolezza.

round-off □ /'raʊndɒf/ n. arrotondamento.

round-out /'raʊndaʊt/ n. (*aeron.*) richiamata in fase d'atterraggio.

roundsman /'raʊndzmən/ n. (pl. **roundsmen**) **1** fattorino (*di negozio*) **2** chi fa la ronda; chi fa giri d'ispezione **3** (*USA*) poliziotto di ronda **4** (*Austral.*) cronista.

round-up /'raʊndʌp/ n. **1** raccolta, raduno (*del bestiame*) **2** (*fam.*) riunione; adunata **3** (*spec. della polizia*) retata (*radio, TV*) riepilogo; riassunto; sommario ● (*USA, scherz.*) **the last round-up**, la morte.

roundworm /'raʊndwɔːm/ n. (*zool.*, *Ascaris lumbricoides*) ascaride.

roup ① /raʊp/ n. (*scozz.*) vendita all'asta.

roup ② /ruːp/ n. (*vet.*) difterite aviaria (*malattia dei polli*) ‖ **roupy** a. (*di pollo*) affetto da difterite.

to **roup** /raʊp/ v. t. (*scozz.*) vendere all'asta.

rouse /raʊz/ n. (*spec. USA*) (*mil.*) sveglia.

to **rouse** ① /raʊz/ **A** v. t. **1** levare; far alzare, stanare (*la selvaggina*) **2** destare, svegliare; risvegliare (*sentimenti*) (*fig.*) svegliare, scuotere: *I was roused by a knock at the door*, fui svegliato da q. che bussava alla porta; **to r. one's audience**, scuotere il proprio uditorio **3** incitare; spingere; spronare; stimolare: **to r. sb. to action**, spronare q. ad agire **4** eccitare; provocare; irritare: *He can be very dangerous when roused*, se lo si provoca, può essere molto pericoloso **5** (*naut.*) alare con forza **B** v. i. **1** (*della selvaggina*) alzarsi; uscire allo scoperto **2** (*di solito* **to r. up**) destarsi; svegliarsi **3** (*fig.*) ridiventare attivo; scuotersi; darsi da fare ● **to r. sb. to anger** (*o* **sb's anger**), fare arrabbiare q. □ (*fig.*) **to r. oneself**, ridiventare attivo; scuotersi; svegliarsi; darsi da fare.

to **rouse** ② /raʊz/ v. t. mettere sotto sale, salare (*spec. aringhe*).

rouseabout /'raʊsəbaʊt/ n. (*Austral.*) **1** bracciante agricolo **2** tosatore di pecore.

rouser /'raʊzə(r)/ n. **1** chi sveglia; (*fig.*) chi stimola; animatore; incitatore **2** (*fam.*

antiq.) bugia sfacciata; fandonia.

rousing /'raʊzɪŋ/ a. **1** eccitante; stimolante; trascinante; d'incitamento: **a r. speech**, un discorso d'incitamento **2** (*del fuoco*) che arde con fiamma viva; vivace ● **a r. cheer**, un'ovazione travolgente.

roust /raʊst/ n. (*fam. USA*) **1** arresto; retata **2** perquisizione; setacciamento **3** malmenata; strapazzata (*della polizia*).

to **roust** /raʊst/ v. t. **1** svegliare; scuotere **2** (*fam. USA*) arrestare; fare una retata di **3** (*fam. USA*) perquisire; setacciare **4** (*fam. USA: della polizia*) malmenare; strapazzare.

roustabout /'raʊstəbaʊt/ n. (*USA*) **1** scaricatore di porto **2** (*naut. USA*) marinaio di coperta **3** (*ind. petrolifera*) operaio non qualificato **4** (*Austral.*) → **rouseabout**.

rout /raʊt/ n. **1** (*mil. e sport*) rotta; disfatta, sconfitta; batosta: *The army was put to r.*, l'esercito fu messo in rotta **2** (*leg., arc.*) moltitudine tumultuante; assembramento sedizioso; sommossa; tumulto **3** (*arc., poet.*) riunione; festa; party.

to **rout** ① /raʊt/ v. t. (*mil. e sport*) mettere in rotta; sbaragliare; sgominare; travolgere.

to **rout** ② /raʊt/ v. i. e t. (*spesso* **to r. out, to r. up**) **1** fare uscire; scovare; snidare; stanare: *They were routed out of their hiding place*, furono stanati dal loro nascondiglio **2** scovare; trovare ● **to r. sb. out of bed**, buttar q. giù dal letto.

◆**route** /ruːt/ n. **1** itinerario; percorso; strada (*anche fig.*); linea (*di mezzo pubblico di trasporto*): *Which r. did you take?*, che strada hai preso?; **the r. to success**, la strada del successo **2** (*naut., aeron.*) rotta: **air r.**, rotta aerea **3** (*med.*) via: **oral r.**, via orale **4** (*comm.*) itinerario di vendita; giro **5** (*spec. USA*) (strada) statale: «Georgia – r. 75» (*cartello*), «statale N° 75 della Georgia» **6** (*mil.*) ordini di marcia: **to get the r.**, ricevere gli ordini di marcia **7** (*USA*) giro di consegne; giro di postino (*o di poliziotto*): **a paper r.**, un giro di consegne di giornali a domicilio ● (*autom.*) **r. chart** (*o* **r. map**), carta stradale □ (*mil.*) **r. march**, marcia d'addestramento □ (*autom.*) **r. markers**, segnaletica orizzontale □ (*ind. costr.*) **r. survey**, rilievo del tracciato (*d'una strada, ecc.*) □ (*mil.*) **column of r.**, formazione di marcia □ **en r.**, in cammino; in viaggio □ (*di una casa, ecc.*) **to be on a bus r.**, essere servito dall'autobus.

to **route** /ruːt/ v. t. **1** avviare, instradare; far passare (*merci, truppe, ecc.*) per **2** inoltrare, spedire (*merci, documenti, ecc.*).

routeing /'ruːtɪŋ/ n. ⓤ **1** (*anche comput.*) instradamento **2** spedizione; inoltro **3** (*market.*) determinazione degli itinerari di vendita.

router /'raʊtə(r)/ n. (*tecn.*) **1** fresatrice **2** (= **r. plane**) pialletto per scanalature **3** (*comput.*) router; instradatore.

routier /'ruːtɪeɪ/ n. (*ciclismo*) stradista.

◆**routine** /ruː'tiːn/ **A** n. **1** ⓤ routine; abitudine meccanica; trantran; procedura solita; ordinaria amministrazione (*fig.*): **a fixed r.**, una procedura stabilita; **parliamentary r.**, la solita procedura parlamentare; **a matter of r.**, un affare d'ordinaria amministrazione; **to go back to the old r.**, tornare al vecchio trantran **2** (*comput.*) routine; procedura **3** ⓤⓒ (*fam.*) discorso stereotipato; parole insincere; finzione; messa in scena; montatura **4** (*danza*) programma (*o passi*) di repertorio **B** a. attr. **1** routinario (*o* di routine; abituale; solito; ordinario: **r. duties**, doveri (*o compiti*) abituali; (*autom., mecc.*) **r. maintenance**, manutenzione ordinaria; (*med.*) **r. treatment**, terapia ordinaria **2** corrente; d'ordinaria amministrazione: **r. procedures**, procedure correnti; **a r. job**, un lavoro d'ordinaria amministrazione ● **r. work**, lavoro ripetitivo (*o* monotono).

routinely /ruː'tiːnlɪ/ avv. di routine; normalmente.

routing ① /'raʊtɪŋ/ n. ⓤ lo sgominare; sbaragliamento.

routing ② /'raʊtɪŋ/ n. ⓤ snidamento; lo stanare.

routing ③ /'ruːtɪŋ/ n. ⓤ (*spec. USA*) → **routeing**.

routinism /'ruːtiːnɪzəm/ n. ⓤ il seguire una routine ‖ **routinist** n. chi segue una routine; routiniero; abitudinario.

to **routinize** /ruː'tiːnaɪz/ v. t. routinizzare; rendere routinario ‖ **routinization** n. ⓤ routinizzazione.

roux /ruː/ n. ⓤ (*cucina*) addensante di burro e farina (*per le salse*).

rove ① /rəʊv/ n. (*raro*) gita senza meta; vagabondaggio ● (*fam*) **to be on the r.**, andare ramingo; vagabondare.

rove ② /rəʊv/ n. (*ind. tess.*) lucignolo; stoppino.

rove ③ /rəʊv/ n. **1** (*naut.*) doppino **2** (*mecc.*) rondella; rosetta; riparella.

rove ④ /rəʊv/ pass. e p. p. di **to reeve**.

to **rove** ① /rəʊv/ **A** v. i. **1** vagare; errare; girovagare; vagabondare: **to r. over sea and land**, vagare per mare e per terra **2** (*degli occhi, dello sguardo, degli affetti*) vagare; posarsi qua e là **3** (*fam., spec. dell'uomo*) correre la cavallina; essere infedele **B** v. t. errare per (*le strade, ecc.*); attraversare (*boschi, ecc.*) vagando.

to **rove** ② /rəʊv/ v. t. (*ind. tess.*) torcere (*il filo*) per fare il lucignolo.

rover ① /'rəʊvə(r)/ n. **1** (*lett.*) girovago; giramondo **2** (*tiro con l'arco*) bersaglio a grande distanza (scelto a caso) **3** (*un tempo*) «rover» (*capo di giovani esploratori*) **4** (*miss.*) veicolo di superficie telecomandato: **lunar r.**, veicolo lunare.

rover ② /'rəʊvə(r)/ n. (*stor.*) **1** corsaro; pirata **2** nave corsara.

rover ③ /'rəʊvə(r)/ n. (*ind. tess.*) banco a fusi.

roving /'rəʊvɪŋ/ **A** a. **1** girovago; errante; vagante; nomade: **a r. shepherd**, un pastore errante; **a r. tribe of gypsies**, una tribù nomade di zingari **2** itinerante: **a r. judge**, un giudice itinerante **3** (*della fantasia, della mente, ecc.*) che divaga; instabile **B** n. ⓤⓒ spostamento continuo; vagabondaggio; viaggio senza meta ● **r. assignment**, destinazione (*di funzionario, ecc.*) in trasferta; missione (*ufficiale*) □ **r. commission**, (*stor.: di nave corsara*) lettera di marca (*di un uomo: per correre il mare, cioè per commettere atti di pirateria*); (incarico di) missione: (*fig.*) **to have a r. commission**, avere carta bianca (*o* mano libera) □ (*fam.*) **r. eye**, «occhio malandrino»: **to have a r. eye**, guardare con interesse le donne (*o gli uomini*).

◆**row** ① /rəʊ/ n. **1** fila; riga; schiera: **a row of houses**, una fila (*o* una schiera) di case; **a row of seats**, una fila di posti (a sedere); *Why don't we sit in the back row?*, perché non ci sediamo nell'ultima fila? **2** filare (*di piante*) **3** via; strada (*con case su ambo i lati*) **4** (*mat.*) riga: **row vector**, vettore riga ● **the Row**, Rotten Row (*a Hyde Park, Londra*) □ (*USA*) **row house**, casa a schiera □ (*fig., antiq.*) **a hard** (*o* **tough**) **row to hoe**, un compito assai difficile; una (brutta) gatta da pelare (*fig.*) □ **in a row**, in riga; in fila; di fila: **to stand in a row**, stare in riga, essere schierati; **to sit in a row**, stare seduti in fila; **to win the championship twice in a row**, vincere il campionato due volte di fila □ **in rows**, in file; a file.

row ② /rəʊ/ n. **1** remata; vogata **2** gita in barca a remi ● **to go for a row**, andare a fare una vogata (*o* un giro in barca).

row ③ /raʊ/ n. (*fam.*) **1** baccano; chiasso;

rumore; strepito **2** baruffa; battibecco; bisticcio; lite; litigio; tafferuglio; rissa; zuffa: **to have a row with sb.**, avere un battibecco con q.; litigare con q.; azzuffarsi con q. **3** disputa; discussione: **a political row**, una disputa fra politici **4** severo rimprovero; strigliata ● **to get into a row**, ingaggiare una rissa; mettersi a litigare □ **to kick up** (o **to make) a row**, fare un gran chiasso; fare il diavolo a quattro; strepitare; protestare □ **What's all this row about?**, perché tutto questo chiasso?

to **row** ① /rəʊ/ (naut., sport) **A** v. i. **1** remare; vogare **2** (di barca) andare a remi **3** (canottaggio) far parte di un equipaggio (o di un armo): *He rows on the university eight*, fa parte dell'otto universitario **4** (sport) vogare (con un certo numero): *John rows No. 3 in our crew*, John è il terzo vogatore del nostro armo **B** v. t. **1** spingere coi remi; manovrare (una barca a remi) **2** trasportare (o attraversare) in barca (a remi): *I rowed him across the river*, lo trasportai dall'altra parte del fiume (o lo traghettai) in una barca a remi **3** (di barca) avere, essere equipaggiata con (un certo numero di remi) **4** (canottaggio) gareggiare contro (un altro armo): *Oxford row Cambridge every year*, ogni anno l'armo di Oxford gareggia contro quello di Cambridge ● **to row down**, raggiungere e superare (in una gara di canottaggio) □ **to row a fast stroke**, vogare a ritmo sostenuto; tenere una buona vogata □ **to row off course**, andare (o vogare) sulle boe (per errore) □ **to row over**, vincere con facilità (una gara di canottaggio) □ **to row a race**, fare (o disputare) una gara di canottaggio □ **to row stroke**, essere il capovoga □ (di un armo) **to be rowed out**, essere esausto a forza di remare.

to **row** ② /raʊ/ **A** v. i. (fam.) far chiasso; strepitare; litigare; altercare; bisticciare **B** v. t. rimproverare severamente; sgridare aspramente.

rowan /'rəʊən/ n. (bot.) **1** (Sorbus aucuparia, = **r. tree**) sorbo rosso; sorbo degli uccellatori **2** (= **r.-berry**) sorba selvatica.

rowboat /rəʊ/ n. (USA) barca a remi; (sport) canotto (cfr. ingl. **rowing boat**, sotto **rowing**).

rowdy /'raʊdɪ/ **A** a. (fam.) litigioso; facinoroso; turbolento; rissoso; violento **B** n. (slang) attaccabrighe; scalmanato; teppista | **-ily** avv. | **-iness** n.

rowdyism /'raʊdɪɪzəm/ n. ⓤ rissosità; litigiosità; condotta turbolenta.

rowel /'raʊəl/ n. **1** (equit.) rotella (di sperone) **2** (vet., stor.) setone.

to **rowel** /'raʊəl/ v. t. **1** spronare (un cavallo) **2** (vet., un tempo) applicare un setone a (un cavallo).

rowen /'raʊən/ n. (USA) guaime, secondo taglio (del fieno, ecc.).

rower /'rəʊə(r)/ n. **1** rematore; vogatore **2** (sport) canottiere **3** (ginnastica) vogatore (attrezzo).

rowing /'rəʊɪŋ/ n. ⓤ **1** il remare; voga di punta; il vogare **2** (sport) canottaggio ● **r. boat**, barca (o imbarcazione) a remi; (sport) canotto □ **r. club**, circolo dei canottieri □ **r. course**, bacino di regata; corsia □ **r. machine**, vogatore (attrezzo ginnico) □ **r. pin**, piolo di scalmo □ **r. place**, seggiolino di canotto □ **r. race**, regata; gara di canottaggio □ **r. regatta**, gara di canottaggio.

rowlock /'rʌlək/ n. (naut.) scalmo; scalmiera.

row-over /'rəʊəʊvə(r)/ n. (canottaggio) vittoria facile; passeggiata (fig.).

Roxana /rɒk'sɑːnə/ n. Rossana.

♦**royal** /'rɔɪəl/ **A** a. **1** reale; regale; regio; (fig.) maestoso; splendido; grandioso: **the r. family**, la famiglia reale; **of the blood r.**, di

sangue reale; *His R. Highness*, Sua Altezza Reale; **r. robes**, vestimenti regali, splendidi; **a r. welcome**, un'accoglienza splendida (o degna di un re) **2** (fam.) enorme; grandissimo; maiuscolo; emerito; di prima classe; di prim'ordine: **a r. mess**, un casino enorme; (volg.) *He's a r. pain in the arse*, è un emerito rompiballe **B** n. **1** (fam.) membro della famiglia reale: **the royals**, la famiglia reale **2** (di carta) formato reale **3** (zool., = **r. stag**) cervo maschio di otto o più anni di età **4** (naut.) controvelaccio **C** avv. (slang) in massimo grado; alla grande (fam.) ● **the Royals**, i reali, la famiglia reale (della GB); (mil.) i Dragoni della Regina (ipp.) R. Ascot, le corse di cavalli ad Ascot (quattro giorni, in giugno) □ (teatr.) **the R. Box**, il palco reale □ **r. blue**, blu reale; blu savoia □ **r. charter**, carta istitutiva (di un'associazione, di una società) concessa dal sovrano □ (USA) **r. color**, scala reale all'asso (nel gioco del poker, ecc.; cfr. ingl. **r. flush**) □ (in GB) R. Duke, duca della famiglia reale (è anche principe) □ (bot.) **r. fern** (Osmunda regalis) osmunda; felce palustre □ (nel poker) **r. flush**, scala reale all'asso □ (volg. USA) **r. fuck**, grande chiavata (volg.) □ (chim.) **r. gases**, gas nobili □ **the R. Household**, la Casa Reale (in GB) □ (cucina) **r. icing**, glassa di zucchero e chiara d'uovo □ **r. jelly**, pappa reale □ **r. magnanimity**, magnanimità degna d'un re □ (mil.) **the R. Marines**, la fanteria da sbarco (in GB) □ (naut.) **r. mast**, albero di controvelaccio □ **the R. Mint**, la Zecca di Stato □ (mil., in GB) **the R. Navy**, la Marina Militare □ (lotta libera) **r. rumble**, la rissa reale □ (naut.) **r. sail**, controvelaccio □ **r. standard**, stendardo quadrato, con le insegne del sovrano □ **r. tennis** = **court tennis** → **court** □ **the r. «we»**, il pluralis maiestatis □ (naut.) **r. yard**, pennone di controvelaccio □ **a battle r.**, una battaglia campale; (fig.) una violenta lite □ **to be in r. spirits**, essere d'ottimo umore.

royalist /'rɔɪəlɪst/ (polit.) n. e a. realista; monarchico; fautore della monarchia ● (stor.) **the Royalists**, i seguaci di re Carlo I (nella guerra civile del 1642-49) ‖ **royalism** n. ⓤ fede monarchica; attaccamento alla monarchia.

royally /'rɔɪəlɪ/ avv. **1** regalmente; (fig.) maestosamente; splendidamente **2** (slang) in massimo grado; alla grande (fam.).

royalty /'rɔɪəltɪ/ n. **1** ⓤ regalità; sovranità; dignità (o autorità) reale **2** ⓤ (collett.) i reali; la famiglia reale **3** (pl.) prerogative (o privilegi) reali **4** (pl.) diritti di sfruttamento (d'una miniera) **5** (pl.) diritti di brevetto (o di licenza) **6** (pl.) diritti d'autore.

rozzer /'rɒzə(r)/ n. (slang spreg.) poliziotto.

RP sigla (GB, **received pronunciation**) pronuncia standard (dell'inglese britannico).

RPG sigla **1** (comput., **report program generator**) generatore di report (linguaggio di programmazione) **2** (**role-playing game**) gioco di ruolo.

RPI sigla (**retail price index**) indice dei prezzi al dettaglio.

rpm /ɑːpiːˈem/ n. pl. (acronimo di **revolutions per minute**) (mecc.) giri al minuto; giri: *The engine is running at 5,000 rpm.*, il motore sta andando a 5000 giri.

rps sigla (mecc., **revolutions per second**) giri al secondo (giri/s).

rpt abbr. **1** (**repeat**) ripeti **2** (**report**) rapporto, relazione.

RR abbr. (USA, **railroad**) ferrovia.

RSA sigla **1** (**Republic of South Africa**) Repubblica del Sud Africa **2** (Nuova Zelanda, **Returned Services Association**) Associazione dei reduci **3** (GB, **Royal Society of Arts**) Reale società delle arti.

RSC sigla **1** (GB, **Royal Shakespeare Company**) Reale compagnia shakespearia-

na **2** (GB, **Royal Society of Chemistry**) Reale società di chimica.

RSI sigla (**repetitive strain injury**) lesione da sforzo ripetuto.

RSPB sigla (GB, **Royal Society for the Protection of Birds**) Reale società per la protezione degli uccelli.

RSPCA sigla (GB, **Royal Society for the Prevention of Cruelty to Animals**) Reale società per la protezione degli animali.

RSPCC sigla (GB, **Royal Society for the Prevention of Cruelty to Children**) Reale società per la protezione dei bambini.

RSS sigla (comput. **RDF Site Summary**; **Rich Site Summary**; **Really Simple Syndication**) RSS (descrizione di un sito web in formato → **RDF**).

RT sigla **1** (**radio telegraphy**) radiotelegrafia **2** (**radio telephony**) radiotelefonia.

RTF sigla (comput., **rich text format**) formato testo con attributi (per l'interscambio di documenti).

Rt Hon. abbr. (**Right Honourable**) molto onorevole.

Rt Rev. abbr. (relig., **Right Reverend**) reverendissimo (Rev.mo).

RU sigla (sport, **rugby union**) unione del rugby.

rub ① /rʌb/ n. **1** (= **rub-up**, **rub-down**) fregamento; strofinamento; fregata; fregatina; strofinata; stropicciata; lucidata; lustrata: *Give the silver a quick rub!*, da' una lucidatina all'argenteria! **2** (fam.) frizione; massaggio **3** (spec. a bocce) irregolarità del terreno; bozza **4** ⓤ (fig.) difficoltà; ostacolo; impedimento; inciampo **5** (fig.) critica; sarcasmo; scherno; rimprovero **6** (fig.) disappunto; delusione ● (slang USA) (**body**) **rub parlor**, salone per massaggi e prestazioni equivoche □ **rub stone**, pietra pomice (per affilare); mola □ **There's the rub!**, qui sta il guaio; qui sta il punto.

rub ② /rʌb/ → **rubber** ②.

♦to **rub** /rʌb/ v. t. e i. **1** fregare; sfregare; strofinare; stropicciare; strusciare: **to rub one's hands in glee**, fregarsi le mani per la contentezza; *The tyre rubs against the fender*, la gomma sfrega contro il paraurti; *He rubbed his sore elbow*, si strofinò il gomito che gli doleva; **to rub one's hands (together)**, stropicciarsi (o fregarsi) le mani **2** (med.) fare frizioni a (q.); massaggiare; frizionare **3** riprodurre (figure rilevate) su carta mediante sfregamento (con grafite, un carboncino e sim.) **4** spalmare, stendere (vernice, ecc.) strofinando **5** levigare, lucidare (strofinando) **6** abradere; togliere (strofinando) **7** (di stoffa, pelle) consumarsi, logorarsi (per l'attrito) **8** (di una scarpa troppo stretta e fig.) causare irritazione; fare male: *My left shoe is rubbing*, mi fa male la scarpa sinistra ● **to rub the blackboard clean**, pulire (o cancellare) la lavagna □ **to rub st. dry**, asciugare qc. strofinando □ **to rub st. through a sieve**, passar qc. al setaccio (sfregando) □ (fig.) **to rub sb.** (o **to rub sb. up**) **the wrong way**, irritare q.; prendere q. per il verso sbagliato; lisciare q. contropelo □ **to rub two sticks together to make fire**, strofinare due bacchetti per accendere il fuoco.

■ **rub along** v. i. + avv. **1** (fam.) tirare avanti; farcela; campare alla meglio; cavarsela: *They rub along quite well*, tirano avanti benissimo **2** (fam.) andare d'accordo: *I manage to rub along with the boss*, riesco ad andare d'accordo con il capo.

■ **rub away A** v. i. + avv. continuare a sfregare; strofinare e strofinare **B** v. t. + avv. **1** consumare, logorare, togliere, cancellare sfregando **2** (med.) eliminare con frizioni (o massaggi).

■ **rub down** v. t. + avv. **1** consumare, logorare strofinando: *The steps of the old stair-*

case had been rubbed down by thousands of feet, i gradini della vecchia scala erano stati logorati da migliaia di piedi **2** asciugare (q.) strofinando **3** pulire (qc.) strofinando **4** cartavetrare (*una superficie*).

■ **rub in** **A** v. t. + avv. **1** far penetrare, far assorbire (*strofinando*): *Rub the ointment in well!*, fai penetrare bene l'unguento (*sotto la pelle*)!; friziona in modo che l'unguento penetri bene! **2** (*fam.*) far entrare (qc.) nella testa (*a q.*); far recepire: **to rub information in**, far recepire (o inculcare) nozioni **B** v. t. + prep. far penetrare (qc.) strofinando in: *Do not rub the ointment in the wound!*, non far penetrare questo unguento nella ferita! □ (*fam.*) **to rub it in**, girare il coltello nella piaga (*fig.*) □ (*fam.*) **to rub sb.'s nose in it**, fare pesare qc. a q.: *I know I was wrong; but you needn't rub my nose in it*, so d'aver avuto torto; ma non occorre che tu me lo faccia pesare tanto □ (*fig.*) **to rub salt in a wound**, mettere sale sulle ferite; girare il coltello nella piaga.

■ **rub into** v. t. + prep. **1** far penetrare in, fare assorbire (*strofinando*): *I rubbed the cream into the chaps on my skin*, feci penetrare la crema nelle screpolature della pelle; **to rub the cream into one's face**, fare assorbire la crema al viso **2** (*fam.*) fare entrare nella testa di (q.); inculcare in.

■ **rub off** **A** v. t. + avv. **1** cancellare (*o togliere*) sfregando (*alla lavagna, ecc.*): **to rub off the paint**, togliere la vernice **2** (*di qc. di ruvido*) consumare, logorare, portare via, abradere (*strofinando*): *The sandpaper has rubbed the rust off*, la carta vetrata ha portato via la ruggine **B** v. i. + avv. **1** (*di vernice, ecc.*) andare via; scrostarsi **2** consumarsi; logorarsi; abradersi **3** (*fam.: di un ricordo, una sensazione piacevole, ecc.*) offuscarsi; ottundersi **C** v. t. + prep. abradere, togliere, cancellare da: *Rub the mud off your shoes!*, togliti il fango dalle scarpe! ; *Rub the words off the blackboard!*, cancella le parole dalla lavagna! **D** v. i. + prep. abradersi, togliersi, cancellarsi da: *This paint is still wet: it won't rub off the wall*, questa vernice è ancora fresca: non si stacca dalla parete.

■ **rub off on** (*o* **onto**) v. i. + avv. + prep. **1** (*di vernice, ecc.*) attaccarsi a (*dopo essersi staccata*): *Some of the paint of your car has rubbed off on mine*, si è attaccata alla mia auto un po' di vernice della tua **2** (*fam.*) attaccarsi a, trasmettersi a: *Let's hope some of your friend's good qualities will rub off onto you*, speriamo che ti si attacchi qualcuna delle buone qualità del tuo amico!

■ **rub on** v. t. + avv. mettere, applicare (*una crema, ecc.*) strofinando (*o frizionando*).

■ **rub out** **A** v. t. + avv. **1** togliere, eliminare (*una macchia, ecc.*) strofinando **2** cancellare (*con la gomma, ecc.*) **3** (*slang USA*) fare fuori (*fam.*); eliminare; uccidere; abbattere **B** v. i. + avv. togliersi, andare via (*strofinando*): *This stain won't rub out*, questa macchia non va via.

■ **rub through** v. i. + avv. (*fam.*) cavarsela alla meno peggio; farcela in qualche modo.

■ **rub up** v. t. + avv. **1** lucidare, lustrare, pulire (*strofinando*): **to rub the silver up**, pulire l'argenteria; *R. up your shoes!*, lustrati le scarpe! **2** (*fam.*) ripassare; rinfrescare; dare una ripassata (*o una rinfrescata*) a: *I must rub up my English before going to London*, prima d'andare a Londra, devo dare una rinfrescata al mio inglese □ (*fam.*) **to rub sb. up the right [the wrong] way**, prendere q. per il verso giusto [per il verso sbagliato].

■ **rub up against** v. i. + avv. + prep. **1** sfregare (o strofinarsi) contro: *Cats like to rub up against people's legs*, ai gatti piace strofinarsi contro le gambe della gente **2** (*fig.*) essere a contatto con; venire in contatto con;

incontrare; conoscere: *You'll rub up against some film producers if you go there*, se ci vai conoscerai dei produttori cinematografici.

■ **rub with** v. t. + prep. strofinare su: **to rub bread with garlic**, strofinare dell'aglio sul pane □ (*fam.*) **to rub elbows** (*o* **shoulders**) **with.**, essere a contatto di gomito con; trattare con familiarità (*spec. persone famose*).

rub-a-dub /'rʌbədʌb/ n. **U** rataplan; rullo di tamburo.

rubato /ru:'bɑːtəʊ/ (*ital.*), (*mus.*) **A** a. rubato **B** n. tempo rubato.

rubber① /'rʌbə(r)/ **A** n. **1** chi sfrega; chi strofina; strofinatore; lucidatore **2** massaggiatore; chi fa frizioni **3** **U** gomma; caucciù: *Tyres are made from r.*, i pneumatici si fanno con la gomma; **artificial r.**, gomma artificiale **4** gomma per cancellare; cancellino: **board r.**, cancellino di lavagna **5** (*autom., USA*) pneumatico; gomma **6** (pl.) (*USA*) soprascarpe di gomma; galosce **7** (pl.) scarpe da roccia **8** (*fam. USA*) guanto (*anticoncezionale*); preservativo **9** (*baseball*) pedana (*del lanciatore*) **10** → **rubberneck 11** (*hockey su ghiaccio*) disco **B** a. attr. **1** di gomma: **a r. ball**, una palla di gomma; **r. boots [gloves]**, stivali [guanti] di gomma **2** della gomma: **the r. industry**, l'industria della gomma ● **r. band**, elastico (*o* gomma) □ **r. boat**, battellino di gomma □ **r. bullet**, proiettile di gomma □ (*USA*) **r. cement**, adesivo rapido, a base di gomma □ (*fam.*) **r. cheque**, assegno scoperto (o a vuoto) □ (*fam. USA*) **r. chicken**, pollo dalla carne gommosa; (*per estens.*) pranzo o buffet con cibo standardizzato (*spec. in eventi ufficiali, politici, ecc.*) □ (*sport*) **r. cleat**, tacchetto di gomma (*sotto le scarpe*) □ **r.-coated fabric**, tessuto gommato □ (*naut.*) **r. dinghy**, canotto di gomma; gommone □ **r. ferrule**, puntale di gomma (*di un bastone*) □ (*nuoto*) **r. fin**, pinna di gomma □ **r. heel**, tacco di gomma □ (*slang*) **r.-heeler**, membro (*spec.* agente di polizia) della commissione d'indagine (*o della disciplinare*) □ **r. hose**, manichetta di gomma □ (*bot.*) **r. plant** (*Ficus elastica*), ficus □ **r. plantation**, piantagione di gomma □ (*mecc.*) **r. seal**, guarnizione di gomma □ **r. sheath**, preservativo □ **r. solution**, mastice (*per riparare pneumatici*) □ (*tecn.*) **r. sponge**, gomma espansa □ **r. stamp**, timbro a inchiostro; stampiglia; (*fig.*) chi (*o* ente che) approva a occhi chiusi (o si limita a mettere il timbro) □ **r.-stamp**, privo di potere reale: **a r.-stamp assembly**, un'assemblea priva di potere reale □ **r. stopper**, tappo di gomma (*per bottiglie*); piedino di gomma (*per le sedie*) □ (*bot.*) **r. tree** (*Hevea brasiliensis*), albero della gomma □ (*autom.*) **r. tyre**, pneumatico; gomma (*fam.*) □ (*mecc.*) **r. wheel**, mola con impasto di gomma □ (*autom., USA*) **to burn** (*o* **to lay, to peel**) **r.**, sgommare; partire sgommando.

rubber② /'rʌbə(r)/ n. **1** partita di tre (*alora cinque*) giochi a carte (*vinta da chi ne vince due su tre o tre su cinque*); (*bridge*) rubber **2** vincita di tale partita **3** (= **r. game**) partita di spareggio; partita decisiva; (la) bella ● **Game and r.!**, abbiamo vinto la bella!

to **rubber** /'rʌbə(r)/ v. t. ricoprire (o rivestire) di gomma; gommare.

rubberiness /'rʌbərɪnəs/ n. **U** gommosità.

to **rubberize** /'rʌbəraɪz/ v. t. rivestire di uno strato di gomma; gommare ‖ **rubberized a.** gommato; rivestito di gomma.

rubberneck /'rʌbənɛk/ (*fam.*) **1** ficcanaso; curiosone **2** turista che allunga il collo da tutte le parti (*seguendo con gli occhi le indicazioni della guida*); turista intruppato.

to **rubberneck** /'rʌbənɛk/ v. i. (*fam. USA*) **1** allungare il collo (*per vedere qc.*); curiosa-

re **2** comportarsi da turista intruppato.

rubber-out /'rʌbəraʊt/ n. (*slang USA*) assassino prezzolato; killer.

to **rubber-stamp** /'rʌbə'stæmp/ v. t. **1** timbrare; stampigliare **2** (*fig.*) approvare (*un progetto, ecc.*) a occhi chiusi; limitarsi a mettere il timbro a.

rubberware /'rʌbəwɛə(r)/ n. **U** articoli di gomma.

rubberwear /'rʌbəwɛə(r)/ n. **U** indumenti di gomma.

rubbery /'rʌbərɪ/ a. gommoso; duro come la gomma; tiglioso: **r. meat**, carne tigliosa.

rubbing /'rʌbɪŋ/ n. **U** **1** fregamento; sfregamento **2** (= **r. down**) frizione; massaggio **3** riproduzione (*su carta*) ottenuta mediante sfregamento; ricalcatura; ricalco; frottage (*franc.*) ● **r.-off**, abrasione □ **r. paper**, carta abrasiva.

♦**rubbish** /'rʌbɪʃ/ n. **U** **1** materiale di scarto; rifiuti; immondizie; spazzatura: *Can you put the r. out?*, puoi portare fuori la spazzatura? **2** merce di scarto; robaccia; ciarpame; porcheria; schifezza **3** (*edil.*) macerie; calcinacci **4** (*fig.*) sciocchezze; corbellerie: *This film is all r.*, questo film è un cumulo di sciocchezze; *Our keeper was complete r.*, il nostro portiere ha fatto proprio schifo ● **r. bin**, bidone della spazzatura; pattumiera □ **the r. cart**, il carro della spazzatura □ **r. collection**, la raccolta dei rifiuti urbani (o delle immondizie) □ **r. disposal**, smaltimento dei rifiuti □ **r. heap**, mucchio d'immondizie; discarica; (*fig.*) mucchio di porcherie (o di sciocchezze) □ **good riddance to bad r.!**, un bel repulisti!; una bella pulizia!

to **rubbish** /'rʌbɪʃ/ v. t. (*fam.*) criticare aspramente; stroncare; demolire; fare a pezzi (*fig.*) ‖ **rubbishing** **A** n. **U** stroncatura; aspra critica **B** a. (*fam.*) → **rubbishy**.

rubbishy /'rʌbɪʃɪ/ a. **1** coperto d'immondizia; sporco; lurido **2** dozzinale; scadente; senza valore; di scarto; infimo **3** (*fig.*) pieno di sciocchezze; stupido.

rubble /'rʌbl/ n. **U** **1** breccia; pietrisco; pietrame grezzo **2** pietra da sbozzare **3** (*geol.*) breccione; detriti grossolani **4** macerie; calcinacci; detriti: **a heap of r.**, un cumulo di macerie ‖ **rubbly a.** di (o simile a) breccia (o a pietrisco).

rubblestone /'rʌblstəʊn/ n. **U** (*geol.*) breccia.

rub-down, **rubdown** /'rʌbdaʊn/ n. **1** strofinata energica; stropicciata; bella asciugata; massaggio (*dopo il bagno, ecc.*) **2** strigliata (*di cavallo*) **3** pulitura; pulita; lucidata.

rube /ru:b/ n. (*slang USA*) **1** campagnolo; cafone; villico; burino; zoticone **2** babbeo; citrullo; tontolone.

rubefacient /ru:bɪ'feɪʃnt/ (*med.*) a. e n. rubefacente.

rubella /ru:'belə/ n. **U** (*med.*) rubeola; rosolia.

rubellite /ru:'belaɪt/ n. **U** (*miner.*) rubellite.

rubeola /ru:'biːələ/ n. **U** (*med.*) morbillo.

Rubicon /'ru:bɪkən/ n. (*geogr., stor.*) Rubicone ● (*fig.*) **to cross** (o **to pass**) **the R.**, passare il Rubicone.

rubicund /'ru:bɪkənd/ a. rubicondo ‖ **rubicundity** n. **U** aspetto rubicondo.

rubidium /ru:'bɪdɪəm/ n. **U** (*chim.*) rubidio.

rubied /'ru:bɪd/ a. di color rubino.

rubiginous /ru:'bɪdʒɪnəs/ a. **1** rugginoso **2** di color ruggine.

ruble /'ru:bl/ n. rublo.

rub-out /'rʌbaʊt/ n. (*slang USA*) assassinio; uccisione; eliminazione (*fra gangster rivali*).

a b c d e f g h i j k l m n o p q **r** s t u v w x y z

rubric /'ruːbrɪk/ n. **1** (*leg.*, *relig.*) rubrica **2** (*un tempo*) argilla rosso ocra ‖ **rubrical** a. **1** di rubrica **2** (*relig.*) prescritto dalle rubriche liturgiche **3** (*fig.*, *antiq.*) scritto (o segnato) in rosso.

to **rubricate** /'ruːbrɪkeɪt/ v. t. **1** provvedere (*un testo*) di rubriche **2** (*fig.*, *antiq.*) segnare in rosso; scrivere in lettere rosse ● (*un tempo*) **to r. a book**, miniare un libro in rosso ‖ **rubrication** n. ▣ (*un tempo*) rubricazione (*di un codice, un libro, ecc.*).

rubricist /'ruːbrɪsɪst/ n. (*relig.*) rubricista.

ruby /'ruːbɪ/ Ⓐ n. **1** (*miner.*) rubino (*anche d'orologio*) **2** ▣ color rubino; rosso cupo **3** (*fig.*) vino rosso **4** (*tipogr.*, *un tempo*) corpo 5 e mezzo **5** ▣ (*slang*) sangue Ⓑ a. color rubino; vermiglio: **r. lips**, labbra vermiglie ● **a r. necklace**, una collana di rubini.

RUC sigla (*stor.*, *GB*, **Royal Ulster Constabulary**) (*ora* **Police Service of Northern Ireland**) Corpo di polizia dell'Ulster.

ruche /ruːʃ/ (*franc.*) n. gala, volantino increspato (*d'abito femminile*) ‖ **ruched** a. guarnito di gale.

ruck① /rʌk/ n. **1** mucchio (*di cose o persone*) **2** – **the r.**, la massa (anonima); la folla; il gregge (*fig.*) **3** – (*in una gara*) **the r.**, il gruppo **4** (*rugby*) mischia spontanea; ruck (*con la palla a terra*) **5** (*slang ingl.*) lite; rissa **6** ▣ (*slang USA*) balle; fandonie; fesserie; stupidaggini ● (*fig.*) **to get** (o **to come**) **out of the r.**, farsi un nome; emergere dalla massa.

ruck② /rʌk/ n. grinza; piega, sgualcitura (*spec. di stoffa*).

to **ruck** /rʌk/, to **ruckle**① /'rʌkl/ Ⓐ v. t. raggrinzare; sgualcire; spiegazzare Ⓑ v. i. (*di solito* **to r. up**) raggrinzarsi; sgualcirsi; spiegazzarsi: *Your trousers are all rucked up*, hai i pantaloni tutti spiegazzati.

ruckle② /'rʌkl/ n. (*dial.*) rantolo.

to **ruckle** /'rʌkl/ v. i. (*dial.*) rantolare.

rucksack /'rʌksæk/ n. (*sport*) sacco da montagna; zaino da alpinista.

ruckus /'rʌkəs/ n. (*slang USA*) cagnara; chiasso; putiferio; finimondo; proteste; storie (*fam.*): **to raise a r.**, far delle storie; fare un gran casino (*pop.*).

ruction /'rʌkʃn/ n. (*fam.*) (*di solito al pl.*) putiferio; finimondo; parapiglia; tumulto; protesta.

rudd /rʌd/ n. (*zool.*, *Scardinius erythrophthalmus*) scardola.

rudder /'rʌdə(r)/ n. **1** (*naut. e fig.*) timone **2** (*aeron.*) timone di direzione; timone verticale **3** (*fig.*) guida; timone; governo **4** (*canottaggio*) timone **5** (*zool.*) penne timoniere (*di uccello*) ● (*naut.*) **r. angle indicator**, assiometro □ (*naut.*) **r. blade**, pala del timone □ (*naut.*) **r. brace**, femminella del timone □ (*naut.*) **r. control**, manovra del timone (*zool.*) **r.-fish**, pesce che segue le navi; (*Naucrates ductor*) pesce pilota □ (*naut.*) **r. head**, testa (dell'asta) del timone □ (*naut.*) **r. post** → **rudderpost** □ (*naut.*) **r. stock**, asta (o anima) del timone □ (*naut.*) **r. tiller**, barra del timone □ (*naut.*) **Right r.!**, timone a dritta!

rudderless /'rʌdələs/ a. **1** (*naut.*) senza timone **2** (*fig.*) senza guida; alla deriva (*fig.*): *The country was r.*, il paese era alla deriva.

rudderpost /'rʌdəpəʊst/ n. (*naut.*) dritto del timone; controruota di poppa.

ruddiness /'rʌdɪnəs/ n. ▣ **1** color vermiglio; colorito roseo **2** (*fig.*) aspetto florido; floridezza.

ruddle /'rʌdl/ n. ▣ ocra rossa (*spec. quella usata per marcare le pecore*).

to **ruddle** /'rʌdl/ n. tingere (o marcare) con ocra rossa (→ **ruddle**).

ruddock /'rʌdək/ n. (*dial.*; *zool.*, *Erithacus rubecola*) pettirosso.

ruddy /'rʌdɪ/ a. **1** rosso; roseo; rubicondo; rubizzo; vermiglio: **a r. sky**, un cielo rosso; **r. cheeks**, gote rubiconde; **r. lips**, labbra vermiglie **2** rossastro **a r. light**, una luce rossastra **3** fiorente; florido: **r. health**, fiorente salute; **a r. country girl**, una florida ragazza di campagna **4** (*slang ingl.*) grande; enorme; dannato; maledetto: **a r. nuisance**, una grande seccatura; **a r. liar**, un maledetto bugiardo | **-ily** avv.

to **ruddy** /'rʌdɪ/ Ⓐ v. t. arrossare; imporporare; invermigliare Ⓑ v. i. imporporarsi; diventar rubicondo (o rubizzo).

♦**rude** /ruːd/ a. **1** maleducato; sgarbato; scortese; villano; offensivo: *It's r. to point at strangers*, è maleducato puntare il dito verso gli sconosciuti; **a r. girl**, una ragazza sgarbata; **a r. answer**, una risposta scortese (o brusca); **r. remarks**, osservazioni offensive; *Don't be r. to me!*, non essere villano con me! **2** (*lett.*, *meno comune*; *cfr.* **rough**, def. 2) grossolano; incolto; rozzo; rude (*lett.*): **r. people**, gente rozza (o incolta); **r. drawings**, disegni grossolani **3** rozzo; rudimentale; informe; (fatto) alla buona: **a r. shelter**, un rozzo rifugio; **a r. steam engine**, una macchina a vapore rudimentale; **a r. plan**, un progetto informe; **a r. estimate**, un rozzo preventivo; un preventivo alla buona **4** aspro; duro; severo: **a r. path**, un aspro sentiero; **a r. shock**, un duro colpo (*fig.*); **r. tones**, toni aspri **5** (*fam.*) indecente; sconcio; osceno; volgare; sporco: **r. words**, parole oscene; **a r. joke**, una barzelletta sporca **6** grezzo; greggio: **rubber in its r. state**, la gomma allo stato greggio **7** brusco; improvviso: **a r. awakening**, un brusco risveglio **8** (*arc.*: *di persona*) forte; vigoroso; robusto **9** (*arc.*, *poet.*) semplice; umile ● (*form.*) **to be in r. health**, essere in ottima salute; avere una salute di ferro □ **to say r. things**, dire cose offensive; dire insolenze □ **to speak the r. truth**, dire la verità nuda e cruda Ⓘ FALSI AMICI • *nell'inglese non letterario* rude *non significa* rude | **-ly** avv. | **-ness** n. ▣.

ruderal /'ruːdərəl/ a. e n. (*bot.*) ruderale.

rudiment /'ruːdɪmənt/ n. **1** (pl.) rudimenti; primi elementi; prime nozioni: **the rudiments of art**, i (primi) rudimenti dell'arte **2** (pl.) fasi iniziali; stadi preliminari; abbozzi **3** (*biol.*) organo (o parte) rudimentale; rudimento ● (*biol.*) **the r. of a tail**, una coda rudimentale ‖ **rudimental** a. (*raro*) rudimentale.

rudimentary /ruːdɪ'mɛntrɪ/ a. **1** rudimentale; elementare: **a r. knowledge of physics**, una conoscenza rudimentale della fisica **2** (*biol.*) rudimentale: **r. legs**, zampe rudimentali | **-ily** avv. | **-iness** n. ▣.

rudist /ruː'dɪst/, **rudistid** /ruː'dɪstɪd/ n. (*paleont.*) rudista.

Rudolph /'ruːdɒlf/ n. Rodolfo.

rue① /ruː/ n. (*bot.*, *Ruta graveolens*) ruta.

rue② /ruː/ n. ▣ (*lett. o scozz.*) **1** pentimento; rammarico; rimpianto **2** compassione; pietà.

to **rue** /ruː/ v. t. (*lett.*) rammaricarsi; pentirsi di; deplorare: *She will live to rue it*, verrà giorno che se ne pentirà ● **I rue the day I met him**, vorrei non averlo mai conosciuto.

rueful /'ruːfl/ a. (*lett.*) **1** addolorato; afflitto; dolente; mesto; triste: **a r. grin**, un mesto sorriso **2** commovente; miserevole; pietoso | **-ly** avv.

ruefulness /'ruːflnəs/ n. ▣ afflizione; dolore; malinconia; mestizia.

ruff① /rʌf/ n. **1** collarino elisabettiano; gorgiera **2** (*zool.*) collare (*di piume o di pelo*) **3** (*zool.*) piccione dal collare **4** (*zool.*, *Philomachus pugnax*) pavoncella combattente; gambetta (*il maschio*; → **reeve**②) **5** (*USA*) bordo di pelliccia.

ruff② /rʌf/ n. (*zool.*) (*Acerina cernua*) acerina.

ruff③ /rʌf/ n. ▣ (*a carte*) il tagliare (*con una briscola o un atout*).

to **ruff** /rʌf/ v. t. e i. (*a carte*) tagliare, prendere (*con una briscola o un atout*).

ruffed /rʌft/ a. **1** (*di persona*) che porta la gorgiera **2** (*d'uccello o altro animale*) che ha un collare, dal collare (*di piume, di pelo*).

ruffian /'rʌfɪən/ (*spreg. antiq.*) n. briccone; canaglia; furfante; ribaldo; teppista Ⓘ FALSI AMICI • ruffian *non significa* ruffiano ‖ **ruffianism** n. ▣ bricconeria; furfanteria; malvagità; ribalderia; scelleratezza; teppismo ‖ **ruffianly** a. brutale; ribaldo; scellerato.

ruffle① /'rʌfl/ n. **1** (*di vestito*) gala; balza; guarnizione increspata **2** crespa; increspatura (*dell'acqua*) **3** (*d'uccello*, *d'animale*) collarino, collare (*di piume, di pelo*) **4** ▣ (*fig. raro*) agitazione (mentale); turbamento; sconvolgimento.

ruffle② /'rʌfl/ n. (*mil.*) sommesso rullio di tamburi.

to **ruffle**① /'rʌfl/ Ⓐ v. t. **1** increspare; agitare: *The wind ruffles the surface of the water*, il vento increspa la superficie dell'acqua; **to r. cloth**, increspare stoffa **2** (*anche* **to r. up**) arruffare; scompigliare: *The eagle ruffled up its feathers*, l'aquila arruffò le penne; *Don't r. my hair*, non scompigliarmi i capelli **3** (*fig.*) agitare; scomporre; sconcertare; infastidire; turbare: *Nothing seems to r. her*, sembra che niente la scomponga **4** pieghettare (*stoffa, ecc.*); ornare di crespe **5** sfogliare rapidamente (*un libro, ecc.*) **6** mescolare velocemente (*le carte da gioco*) Ⓑ v. i. **1** (*dell'acqua, del mare, ecc.*) incresparsi; agitarsi **2** (*fig.*) agitarsi; scomporsi; turbarsi **3** (*di penne*) arruffarsi; (*di un uccello*) arruffare le penne (*per l'ira*); drizzare le penne (*per esibizione*) ● (*fig. fam.*) **to r. sb.'s feathers**, fare arrabbiare q. (*di una persona*) **impossible to r.**, imperturbabile.

to **ruffle**② /'rʌfl/ v. i. (*di tamburi*) rullare sommessamente.

ruffled /'rʌfld/ a. **1** scompigliato; arruffato: **r. hair**, capelli arruffati **2** sgualcito; spiegazzato **3** (*fig.*) agitato; sconcertato; infastidito; turbato; perturbato **4** (*di un indumento*) a balze; increspato: **a blouse with a r. neck**, una camicetta con il collo increspato.

ruffler /'rʌflə(r)/ n. **1** chi increspa, arruffa, scompiglia, ecc. (*cfr.* **to ruffle**①) **2** (*di macchina da cucire*) piedino per fare balze o gale.

rufous /'ruːfəs/ a. (*spec. zool.*) rossastro; rossobruno.

rug /rʌg/ n. **1** tappeto; tappetino; pedana **2** coperta (*da viaggio, per un cavallo, ecc.*) **3** (= **bedside rug**) scendiletto **4** (*fam. USA*) parrucchino; toupet **5** (*volg. USA*) pelliccia, pelo pubico, pelo (*di donna*) ● (*pop. USA*) **rug ape** (o **rat**), bambinetto (*che va ancora carponi*) ● (*pop. USA*) **rug joint**, ristorante di lusso □ (*fig. fam.*) **to pull the rug out from under sb.**, far mancare il terreno sotto i piedi a q. (*fig.*); lasciare scoperto (o indifeso) q.

ruga /'ruːgə/ (*lat.*) n. (pl. **rugae**) (*anat.*) ruga; plica; piega.

rugate /'ruːgət/ a. (*anche bot.*) rugoso.

Rugbeian /rʌg'biːən/ n. e a. (alunno o ex alunno) della scuola di Rugby.

♦**rugby** /'rʌgbɪ/ n. ▣ (*sport*, = **r. football**) rugby; palla ovale, pallovale ● **r. ball**, palla da rugby; palla ovale □ **r. field** (o **pitch**), campo di rugby □ **r. league**, il rugby a tredici □ **r. player**, rugbista □ **a r. tackle**, un tackle da rugby □ **r. union**, a quindici.

rugged /'rʌgɪd/ a. **1** accidentato; aspro; frastagliato; irregolare; rugoso; ruvido; scabro; scabroso: **r. mountains**, aspre montagne; **r. ground**, terreno accidentato; **a r.**

coastline, una costa frastagliata; **a r. profile**, un profilo irregolare (o dai lineamenti marcati); **r. bark**, corteccia rugosa; **a r. surface**, una superficie scabrosa **2** rozzo; rude; brusco; rigido; austero; scontroso; burbero: **r. verse**, versi rozzi; **a r. countryman**, un rozzo contadino; **r. manners**, modi rudi (o bruschi); **r. honesty**, burbera onestà **3** irsuto; ispido: **a r. beard**, una barba ispida, incolta **4** aspro; duro; rigido; severo: **r. tones**, toni aspri; **r. life**, vita dura (o disagiata); **a r. climate**, un clima rigido **5** burrascoso; tempestoso: **r. weather**, tempo burrascoso **6** (di persona, ecc.) forte; gagliardo; rude; robusto: **a r. car**, un'automobile robusta ● **r. features**, tratti marcati (del volto) □ **r. good looks**, bellezza virile (o mascolina) □ (polit., USA) **r. individualism**, ruvido individualismo | **-ly** avv. | **-ness** n. Ⓤ.

ruggedized /'rʌgɪdaɪzd/ a. (di un oggetto) rinforzato; reso più resistente: **a r. computer**, elaboratore in custodia protettiva corazzata.

rugger /'rʌgə(r)/ n. (sport, fam.) rugby; palla ovale, pallovale: **r. match**, partita di rugby ● (volg. ingl.) **r.-bugger**, sportivo dai modi rozzi e aggressivi.

rugose /'ru:gəʊs/, **rugous** /'ru:gəs/ (bot.) a. rugoso ‖ **rugosity** n. Ⓤ rugosità.

ruin /'ru:ɪn/ n. Ⓤⓒ rovina (anche fig.); crollo; disastro; disgrazia; rudere: The cathedral has gone to r., la cattedrale è andata in rovina; Ambition was his r. (o the r. of him), l'ambizione fu la sua rovina; **the ruins of Roman Bath**, i ruderi della Bath romana ● **the r. of all my hopes**, la fine di tutte le mie speranze □ **to bring to r.**, mandare in rovina; rovinare □ **to fall into r.**, cadere in rovina □ **to lay in ruins**, abbattere; distruggere □ **to lie [to tumble] in ruins**, essere [cadere] in rovina.

♦to **ruin** /'ru:ɪn/ Ⓐ v. t. **1** rovinare; diroccare; distruggere, guastare; sciupare: The storm has ruined the crops, la tempesta ha rovinato i raccolti; **to r. one's hopes**, distruggere le proprie speranze; **to r. one's new suit**, sciupare l'abito nuovo **2** rovinare; dissestare; mandare in rovina: Gambling ruined him, il gioco d'azzardo lo mandò in rovina **3** (arc.) rovinare, sedurre (una ragazza) Ⓑ v. i. (poet.) andare in rovina; rovinare ● (fig. fam.) **to r. the party**, fare il guastafeste; rovinare tutto.

ruination /ru:ɪ'neɪʃn/ n. Ⓤ (fam.) rovina: You'll be the r. of the boy, tu sarai la rovina del ragazzo.

ruined /'ru:ɪnd/ a. **1** rovinato; gravemente danneggiato: **a r. picture**, un quadro rovinato **2** diroccato; in rovina: **a r. castle**, un castello diroccato **3** (di una persona) mandato in rovina; rovinato; dissestato.

ruinous /'ru:ɪnəs/ a. **1** rovinoso; disastroso; dannoso; catastrofico: **r. floods**, inondazioni catastrofiche; **r. expenditure**, spese rovinose; **r. proposals**, proposte dannose **2** rovinato; diroccato; in rovina | **-ly** avv. | **-ness** n. Ⓤ.

♦**rule** /ru:l/ n. **1** regola; norma; legge; regolamento; massima; precetto; principio informatore: **grammar rules**, regole di grammatica; (mat.) **the r. of three**, la regola del tre semplice; **rules of action**, norme di vita; precetti morali; **the r. of force**, la legge della forza; (relig.) **the Benedictine r.**, la regola (monastica) di San Benedetto; **to break the rules**, infrangere le regole; **to play by the rules**, rispettare le regole; attenersi alle regole; You know the rules, conosci le regole **2** costume; buona norma; consuetudine; abitudine: Large families were once the r., una volta le famiglie numerose erano la norma; He makes it a r. to go for a walk every day, è sua buona norma fare una pas-

seggiata tutti i giorni **3** Ⓤ dominio; governo; amministrazione; impero; regime; regno; signoria (stor., in Italia): **under British r.**, sotto il dominio britannico; (polit.) **direct r.**, amministrazione diretta (in Irlanda del Nord: da parte di Londra); (stor.) **the r. of Elizabeth I**, il regno di Elisabetta prima; Once we were under Florentine r., un tempo eravamo sotto la signoria di Firenze **4** riga (da disegno); regolo (calcolatore): **a foot-r.**, un regolo di un piede (circa trenta centimetri) **5** (leg.) decisione; ordine; ordinanza **6** (tipogr.) filetto: **dotted r.**, filetto punteggiato **7** (pl.) (sport) regolamento: **the rules of the game**, il regolamento (o le regole) del gioco ● **r. book →** rulebook □ (falegn.) **r. joint**, giunto a regolo □ **r.-making power**, potere normativo (del governo) □ (leg.) **rules of court**, norme procedurali □ **the r. of law**, il dominio della legge; il principio della legalità □ **the rule of the road**, (autom.) le regole di precedenza; (naut.) le regole per prevenire le collisioni in mare □ **r. of thumb**, regola empirica; regola pratica □ **r.-of-thumb**, approssimativo; empirico; pratico □ **to be against the rules**, essere contro le regole; essere vietato □ **as a r.**, generalmente; di regola; di norma; di solito □ **to bend** (o **to stretch**) **the rules for sb.**, fare uno strappo alle regole (o un'eccezione) per q. □ **by r.**, secondo le regole □ **by r. of thumb**, empiricamente; a lume di naso (fam.) □ (di operai) **to work to r.**, lavorare facendo ostruzionismo (applicando rigidamente i regolamenti); fare uno sciopero bianco.

to **rule** /ru:l/ v. t. e i. **1** dominare (anche fig.); governare; regnare (su); reggere (una nazione); tenere saldamente; tenere in pugno: R., Britannia, over the waves, domina i mari, o Britannia!; The Queen of England reigns but does not r., la regina dell'Inghilterra regna ma non governa; **to r. a country**, governare un paese; **to r. as an absolute monarch**, regnare da monarca assoluto; Don't be ruled by envy, non lasciarti dominare dall'invidia **2** guidare; regolare; moderare; frenare (fig.); tenere a freno: He was ruled by his friends, si lasciava guidare dagli amici; **to r. one's appetite**, regolare l'appetito; **to r. a horse**, tenere a freno un cavallo; **to r. one's passions**, moderare le proprie passioni **3** (leg., sport) decidere; deliberare; giudicare; dichiarare; decretare; ordinare; riconoscere: The court ruled the validity of the deed, il tribunale riconobbe la validità dell'atto; The judge ruled that the question was out of order, il giudice dichiarò che la domanda non era ammissibile; The court ruled his behaviour unlawful, la corte giudicò illegittimo il suo comportamento **4** rigare (carta, ecc.); tracciar righe su (un foglio, ecc.) **5** tracciare (una riga) col regolo **6** (comm.: dei prezzi) mantenersi (a un certo livello): Prices ruled high [low], i prezzi si mantenevano alti [bassi] **7** avere la meglio su, prevalere in: Profit taking ruled the stock market yesterday, le prese di beneficio hanno prevalso ieri nel mercato azionario **8** (sport: di una squadra) dominare; (di un giocatore) essere il migliore in campo ● **to r. sb. offside**, dichiarare q. in fuorigioco □ (sport) **to r. O.K.**, essere il più forte: (slogan) Man Utd rules O.K., il Manchester United è la squadra più forte □ **to r. the roost →** roost □ **to r. with an iron hand** (o **with a rod of iron**), avere il pugno di ferro con; governare (un paese, ecc.) con il pugno di ferro □ **to let one's heart r. one's head**, dare ascolto alle ragioni del cuore; lasciar guidare dal cuore (o non dalla ragione).

■ **rule against** v. i. + prep. (anche leg.) decidere, deliberare, (o pronunciarsi) contro (o a sfavore di): The judge ruled against the plaintiff, il giudice si pronunciò a sfavore dell'attore (cioè, gli diede torto); The manage-

ment has ruled against any wage rise, gli amministratori hanno deliberato di non concedere aumenti salariali.

■ **rule off** v. t. + avv. **1** tracciare una riga in fondo a (un esercizio, un compito, ecc.); chiudere (uno scritto) con una riga; separare con una riga **2** (sport) escludere; squalificare **3** (comm.) chiudere (i conti) per la giornata.

■ **rule on** v. i. + prep. (anche leg.) deliberare, decidere, prendere una delibera (o una decisione) su (una questione, ecc.): The court will r. on the matter, la corte deciderà in merito.

■ **rule out** v. t. + avv. **1** tirare una riga (o un frego) su (uno scritto) **2** (anche leg.) non ammettere (prove, ecc.); non riconoscere la validità di (richieste, pretese, ecc.); dichiarare (qc.) non ammissibile (o inaccettabile, impossibile, ecc.); escludere, scartare (un'idea, una possibilità, ecc.): **to r. out murder**, escludere che si tratti di un assassinio; **to r. out sb.'s guilt**, escludere che q. sia colpevole; The minister has ruled out tax cuts, il ministro ha escluso tagli alle imposte **3** decidere (o deliberare) di non concedere (aiuti, aumenti, finanziamenti, ecc.) **4** precludere (una possibilità); impedire; rendere (qc.) impossibile: The snowfall ruled the soccer match out, la nevicata rese impossibile lo svolgimento della partita di calcio □ (sport: dell'arbitro) **to r. out a goal**, annullare un gol.

■ **rule over** v. t. + prep. regnare su; reggere le sorti di: King Alfred ruled wisely over his people, re Alfredo resse saggiamente le sorti del suo popolo.

rulebook /'ru:lbʊk/ n. (spec. ind.) regolamento (di fabbrica, ecc.) ● (fam.) **to go by the r.**, stare alle regole; essere ligio ai regolamenti □ (fam.) **to throw the r. out of the window**, infischiarsene dei regolamenti; non stare (più) alle regole.

ruled /'ru:ld/ a. rigato; a righe: **r. paper**, carta rigata (o a righe); (geom.) **r. surface**, (superficie) rigata ● **r. out**, vietato, scartato, dichiarato inammissibile; (sport) inabile, inabilitato al gioco; che non può giocare: He's r. out with a knee injury, non può giocare per una lesione al ginocchio.

ruleless /'ru:ləs/ a. **1** privo di regole; irregolare; sregolato **2** senza legge; sfrenato; disordinato.

♦**ruler** /'ru:lə(r)/ n. **1** governante; re; sovrano: (polit.) **our elected rulers**, i governanti che abbiamo eletto; **a constitutional r.**, un sovrano costituzionale **2** (fig.) dominatore **3** riga (da disegno); righello; regolo **4** (tipogr.) rigatrice; macchina rigatrice ‖ **rulership** n. Ⓤ dominio; autorità suprema; sovranità.

♦**ruling** /'ru:lɪŋ/ Ⓐ a. **1** dominante; regnante: **the r. families**, le famiglie dominanti **2** (fig.) dominante; predominante; prevalente: **r. passion**, passione predominante **3** (comm.) corrente: **r. prices**, prezzi correnti; prezzi del giorno Ⓑ n. **1** Ⓤ esercizio dell'autorità (o del potere); dominio; governo **2** (leg.) delibera; decisione; decreto; ordinanza **3** Ⓤⓒ rigatura (di un foglio, ecc.) ● **the r. class**, la classe dirigente □ (polit.) **the r. coalition**, la coalizione di governo □ **the r. party**, il partito al potere (o al governo) □ (grafica, disegno) **r. pen**, tiralinee □ (calcio) **the Bosman r.**, la sentenza Bosman.

rum ① /rʌm/ n. Ⓤ **1** rum (liquore estratto dalla canna da zucchero) **2** (USA) liquore forte (in genere); superalcolico ● (fam. USA) **rum-chaser**, guardacoste □ (slang USA) **rum-hound**, alcolista □ **rum-runner**, contrabbandiere di liquori; nave per il contrabbando di liquori.

rum ② /rʌm/ a. (fam. antiq. o dial.) **1** bizzarro; strano; strambo; originale: **a rum customer**, un tipo strambo; un originale **2**

misterioso; inspiegabile: **a rum business**, una storia misteriosa; un fatto inspiegabile **3** cattivo; di cattivo gusto ● **to have a rum time**, passarsela male.

Rumanian /ruːˈmeɪnɪən/ → **Romanian**.

Rumansh /rʊˈmænʃ/ → **Romansh**.

rumba /ˈrʌmbə/ n. rumba (*la musica e la danza*).

rumble /ˈrʌmbl/ n. **1** rimbombo; rombo; brontolio (*del tuono, dello stomaco*); fracasso; frastuono (*fis., mus.*) rumore di fondo **2** mormorio; brontolio (*del tuono, dello stomaco*) mormorio di malcontento **3** (*fam. USA*) diceria; voce; pettegolezzo **4** (*un tempo: di carrozza*) sedile posteriore (*per i servitori, per il bagaglio*) **5** (*USA*, = **r. seat**) sedile (*esterno*) posteriore ribaltabile (*di vecchia automobile o di carrozza*); (*ora*) sedile di fortuna (*di una spider*) **6** (*slang USA*) sedere, natiche **7** (*slang USA*) rissa; tafferuglio; scontro, battaglia (*fra bande di teppisti*) **8** (*slang USA*) irruzione della polizia **9** (*slang USA*) informazioni alla polizia; spiata ● **r. strips**, bande sonore (*segnaletica stradale orizzontale sonora*) □ **r.-tumble**, forte rumore del traffico; (*anche*) veicolo pesante (*che si muove rumorosamente*).

to **rumble**① /ˈrʌmbl/ **A** v. i. **1** (*del tuono, dello stomaco*) brontolare; rimbombare; (*del cannone*) rombare **2** rintronare; rumoreggiare **3** borbottare; brontolare; bofonchiare **4** (*di carri, ecc.*) procedere con fracasso, con frastuono: *The lorry rumbled past the cyclists*, il camion superò con gran fracasso i ciclisti **5** – **r. on**, continuare; proseguire: *The debate over abortion rumbles on*, il dibattito sull'aborto prosegue **6** (*slang USA*) partecipare a una rissa; (*di bande avverse*) scontrarsi per la strada **B** v. t. **1** far rimbombare; far rintronare **2** dire (qc.) con voce sorda; borbottare, brontolare (*una scusa, ecc.*).

to **rumble**② /ˈrʌmbl/ v. t. **1** (*slang*) scoprire la vera natura (*o identità*) di; fiutare, subodorare; sgamare (*pop.*): *If they r. you, they'll do you in*, se scoprono chi sei, ti fanno fuori **2** (*dial.*) agitare, mescolare (*cibo che sta cuocendo*) **3** (*dial.*) schiacciare (*patate*).

rumbler /ˈrʌmblə(r)/ n. (*cucina*) schiacciapatate.

rumbling /ˈrʌmblɪŋ/ **A** a. **1** (*del tuono, dello stomaco*) che brontola **2** rimbombante; risonante; (*di un veicolo*) rumoroso; che sferraglia: **r. trams**, tram che sferragliano **B** n. **1** rombo; rullio (*di tamburi*) **2** rimbombo; brontolio; frastuono; rotolio rumoroso **3** (*pl.*) avvisaglie; segnali: **rumblings of popular discontent**, segnali dello scontento popolare **4** (*pl.*) dicerie; voci: **rumblings of dissent**, voci di dissenso.

rumbly /ˈrʌmblɪ/ a. rimbombante; risonante; rombante.

rumbustious /rʌmˈbʌstɪəs/ a. (*fam.*) chiassoso; rumoroso; turbolento.

rumdum, rumdumb /ˈrʌmdʌm/ n. (*slang USA*) **1** ubriacone; barbone alcolizzato **2** zuccone; tardo di comprendonio.

rumen /ˈruːmɛn/ n. (pl. **rumina, rumens**) (*zool.*) rumine.

ruminant /ˈruːmɪnənt/ **A** n. (*zool.*, pl. **ruminants**, pl. *scient.* **Ruminantia**) ruminante **B** a. **1** (*zool.*) dei ruminanti **2** (*fig.*) che rumina nella mente; cogitabondo; meditabondo; pensieroso.

to **ruminate** /ˈruːmɪneɪt/ **A** v. i. **1** (*zool.*) ruminare **2** (*fig.*) ruminare; rimuginare; cogitare; meditare: **to r. on** (*o over, about*) **the future**, meditare sull'avvenire **B** v. t. ruminare (*anche fig.*); (*fig.*) meditare, rimuginare ‖ **rumination** n. **1** ⊍ (*zool.*) ruminazione **2** ⊍⊍ (*fig.*) meditazione; cogitazione; elucubrazione.

ruminative /ˈruːmɪnətɪv/ a. **1** (*zool.*) della (*o relativo alla*) ruminazione **2** (*fig.*) meditabondo; cogitabondo; pensieroso | **-ly** avv.

ruminator /ˈruːmɪneɪtə(r)/ n. chi rumina (*fig.*); persona cogitabonda.

rummage /ˈrʌmɪdʒ/ n. **1** (*fam.*) frugata; rovistata; perquisizione □ cianfrusaglie; roba usata; oggetti spaiati; fondi di magazzino **3** (*dog., naut.*) visita doganale; perquisizione **4** (*USA*, = **r. sale**), vendita di roba usata; vendita di beneficenza; vendita di fondi di magazzino.

to **rummage** /ˈrʌmɪdʒ/ v. t. e i. **1** frugare; rovistare: **to r. through the attic**, rovistare da ogni parte in soffitta; **to r. in one's pockets**, frugarsi le tasche **2** (*dog., naut.*) perquisire: **to r. a ship**, perquisire una nave ● **to r. about**, mettere sottosopra; scompigliare □ **to r. out** (*o up*), trovare (*o scoprire, scovare*) rovistando.

rummager /ˈrʌmɪdʒə(r)/ n. **1** chi fruga o rovista **2** (*spec.*) funzionario (*o ispettore*) della dogana.

rummer /ˈrʌmə(r)/ n. bicchierone (*spec. da vino*).

rummy① /ˈrʌmɪ/ → **rum**②.

rummy② /ˈrʌmɪ/ n. ⊍ ramino (*gioco di carte*).

♦**rumour**, (*USA*) **rumor** /ˈruːmə(r)/ n. ⊍⊍ voce (*o notizia*) incontrollata; diceria: *Rumours of imminent devaluation are rife in the City*, la City è piena di voci su una imminente svalutazione; **to fuel rumours**, alimentare le voci incontrollate; **to spread rumours**, mettere in giro delle voci; *R. has it that...*, corre voce che...; **r.-monger**, chi sparge voci (*o dicerie*); malalingua ● (*fig.*) **r. mill**, fabbrica di dicerie; voci di corridoio ❶ **FALSI AMICI** ● rumour *non significa* rumore.

to **rumour**, (*USA*) to **rumor** /ˈruːmə(r)/ v. t. (*di solito, al passivo*) far correr voce; riferire come diceria: *It is rumoured that there will be a Cabinet reshuffle*, corre voce che ci sarà un rimpasto governativo ● **Mr Bush denied his rumoured visit to France**, Bush ha smentito le voci sulla sua possibile visita in Francia □ *He is rumoured to have run away with the boss's wife*, si dice in giro che sia fuggito con la moglie del capo.

rump /rʌmp/ n. **1** culatta (*di bestia*); groppa; parte posteriore **2** (*d'uccello*) codione; codrione **3** (*scherz.*) deretano; sedere **4** (*macelleria*) culaccio **5** (*cucina*) girello **6** (*fig.*) avanzo; rimasuglio **7** (*polit., ecc.*) gruppetto di superstiti (*dopo una scissione, ecc.*) (*stor.*) **the R.** (*Parliament*), quello che rimase del «Lungo Parlamento» dopo l'epurazione dei moderati (*operata dal colonnello Pride nel 1648*) □ (*anat., slang*) **r.-bone**, osso sacro; coccige □ (*cucina*) **r. steak**, bistecca di culaccio.

to **rumple** /ˈrʌmpl/ v. t. **1** raggrinzare; gualcire; sgualcire; spiegazzare **2** arruffare; scompigliare (*i capelli*).

rumpless /ˈrʌmpləs/ a. **1** (*di uccello e sim.*) senza codione **2** (*per estens.*) senza coda.

rumpot /ˈrʌmpɒt/ n. (*slang USA*) ubriacone; alcolista.

rumpus /ˈrʌmpəs/ n. (*fam.*, solo al sing.) **1** ⊍ chiasso; baccano; fracasso; sarabanda; putiferio **2** baruffa; lite; tafferuglio ● (*USA*) **r. room**, stanza (*nel seminterrato*) per giochi e feste; tavernetta □ **to kick up a r.**, fare il diavolo a quattro; fare un (gran) casino (*fam.*).

rumpy /ˈrʌmpɪ/ n. (*zool., Felis catus ecaudatus*) gatto senza coda (*dell'isola*) di Man.

rumpy-pumpy /rʌmpɪˈpʌmpɪ/ n. ⊍ (*fam., scherz., eufem.*) sesso; fotti-fotti; zicchete-zacchete.

♦**run**① /rʌn/ n. **1** corsa (*anche mecc.*); per-

corso; tragitto; traversata; gita, giro, giratina; scappata; passeggiata; breve viaggio; rapida visita, salto (*fig.*), capatina: **to go off at a run**, scappare di corsa; (*autom.*) **the run of a piston**, la corsa di un pistone; **to take a run (up) to London**, fare una scappata (*o un viaggetto, un salto*) a Londra; **to take the dog for a run**, portare il cane a correre; far fare una corsa al cane; *The bus has a new run*, l'autobus segue un nuovo percorso; *Let's go for a run in the car*, andiamo a fare una gita (*o in giro*) in macchina! **2** corso; andamento; svolgimento; direzione: (*sport*) **during the run of play**, nel corso della partita; durante il gioco; *The run of the market is against us*, l'andamento del mercato ci è sfavorevole; *The run of the range is northeast*, la catena montuosa si estende in direzione di (*o verso*) nordest **3** (*poesia*) ritmo: **the run of the metre**, il ritmo del verso **4** giro (*d'ispezione, di servizio, ecc.*): *The postman has finished his run*, il postino ha terminato il suo giro **5** periodo; serie; seguito; sequela; sequenza; successione; **a run of ill luck**, un periodo di sfortuna; una serie sfortunata; (*mil. e sport*) **an uninterrupted run of wins**, una serie ininterrotta di vittorie: *The Tories boasted of a long run in power*, i conservatori si vantavano di un lungo periodo di permanenza al potere **6** (*teatr., cinem.*) tenitura; periodo di programmazione; permanenza in cartellone: **the exceptional run of Oscar Wilde's plays in London**, la tenitura eccezionale delle commedie di Oscar Wilde a Londra **7** tratto (*di terreno, ecc.*); zona cintata; recinto: **a cattle run**, un tratto di terreno riservato al bestiame; **a chicken run**, un recinto per polli; un pollaio; **a sheep run**, un recinto per le pecore; un ovile **8** lunghezza; tratto: **a five-hundred-foot run of pipe**, un tratto di tubatura di cinquecento piedi (*circa 150 metri*); cinquecento piedi di tubatura **9** ⊍ classe; categoria; qualità: *He is above the ordinary run of mankind*, è un uomo di qualità superiore alla media **10** (*zool.*) branco (*di pesci che risalgono un fiume*); risalita (*dei pesci*): **a run of salmon**, un branco di salmoni **11** canaletto in cui scorre l'acqua; ruscelletto; abbeveratoio; vasca **12** ⊍ libero accesso; adito: *He has the run of my house*, ha libero accesso alla mia casa **13** (*di una calza*) smagliatura **14** (*ind.*) produzione; quantità prodotta; prodotto **15** (*comput.*) elaborazione; esecuzione; (*anche*) ciclo di operazioni **16** (*mus.*) volata **17** (*aeron., naut.*) distanza percorsa; linea (*di servizio*); viaggio; rotta: *The ferry was on the Calais-Dover run*, il traghetto faceva servizio tra Calais e Dover; *There will be more planes on the Milan-London run*, ci saranno più aerei sulla rotta Milano-Londra **18** (*aeron.*) corsa a terra; rullaggio **19** (*aeron. mil.*) missione; passaggio (*sull'obiettivo*); (*anche*) (= **run-in**, **run-up**) rotta d'approccio, volo d'avvicinamento al bersaglio (*di bombardiere*) **20** (*costr. navali, naut.*) stellato di poppa **21** (*geogr., USA*) corso d'acqua; torrente **22** (*fin.*) corsa; forte e insistente richiesta; forte domanda; assalto (*fig.*): **a run on the dollar**, una corsa all'acquisto di dollari; un assalto al dollaro; **a run on the bank**, una corsa agli sportelli, un assalto alla banca (*da parte dei clienti*) **23** (*editoria*, = **print run**) tiratura: *His last novel had an enormous run*, il suo ultimo romanzo ha avuto una tiratura enorme **24** (*a carte*) sequenza di carte dello stesso seme (*di solito, più di cinque*; *cfr.* **straight, B**, *def.* 4) **25** (*tecn.*) colatura, colaticcio (*di vernice*) **26** (*edil.*) pedata (*di un gradino*) **27** (*raro*) rampa (*di scale*) **28** (*polit., ecc.*) corsa (*fig.*); candidatura: **to make a run for the Presidency**, essere in corsa per la presidenza **29** (*sport: atletica*)

corsa; corsa a piedi: **a cross-country run**, una corsa campestre; **the mile run**, la corsa del miglio **30** (*autom.*, *ciclismo*, *ecc.*) andamento (*di una curva*) **31** (*baseball*, *cricket*) corsa, 'run'; punto fatto con un 'run': (*baseball*) **to make a run**, compiere un 'run' (*facendo il giro delle quattro basi*) **32** (*bob*) pista **33** (*calcio*, *ecc.*) corsa; scatto; puntata **34** (*canottaggio*) distanza coperta da una vogata; (*anche*) manche **35** (*equit.*) trotto veloce; galoppo **36** (*golf*) distanza coperta dalla palla sul terreno **37** (*sci*) pista; (*anche*) discesa, manche: **first run**, prima manche; *The lower runs were a bit slushy*, la neve sulle piste più basse era sciolta **38** (*caccia*) pista: **a buffalo run**, una pista di bufali **39** (*vela*) distanza percorsa in una bordata; tratto di rotta **40** – (pl.) (*fam.*) **the runs**, la diarrea ● (*fam.*) **run-around**, atteggiamento dilatorio (*o* evasivo): **to get the run-around**, essere tenuto sulla corda, essere menato per il naso; **to give sb. the run-around**, menare q. per il naso; tenere sulla corda q.; essere evasivo con q. □ **run-down** → **run-down** e **rundown** □ (*comput.*) **run time**, tempo di esecuzione (*di un programma*): **run time error**, errore in fase di esecuzione □ (*sport*) **against the run of play**, inaspettatamente; nonostante il predominio degli avversari: *Arsenal scored against the run of play*, l'Arsenal ha segnato nonostante l'iniziativa fosse in mano agli avversari □ **at a run**, di corsa; a passo di corsa: *The soldiers went past at a run*, i soldati sfilarono a passo di corsa □ (*comput.*) **at run time**, in fase di esecuzione; all'esecuzione □ **to break into a run**, mettersi a correre □ (*fam.*) **fun run**, corsa podistica a scopo di beneficenza □ **to give sb. the run of one's house**, mettere la propria casa a disposizione di q. □ (*Borsa*, *fin.*: *di titoli*) **to go against the run of the market**, essere in controtendenza □ **to go on the run**, darsi alla fuga (*o* alla latitanza, alla macchia) □ **to have had a run for one's money**, aver speso bene i propri quattrini; aver tratto qualche soddisfazione dalle proprie fatiche; vedere il frutto dei propri sforzi □ **in the day's run**, nel corso della giornata □ **in the long run**, a lungo andare; (*econ.*) nel lungo periodo; a lungo termine □ **in the short run**, a breve scadenza; (*econ.*) nel breve periodo; a breve termine □ **to make a run for it**, tentare la fuga □ **to be on the run**, fuggire, essere in fuga □ essere in moto (*o* in attività, in faccende): *The robbers are still on the run*, i rapinatori sono ancora in fuga (*o* latitanti); *I have been on the run all day*, sono stato in movimento (*o* affaccendato) tutto il giorno □ **to take a run**, fare una corsa □ (*antiq.*) **with a run**, improvvisamente; rapidamente; di colpo □ **This doctrine has had its run**, questa teoria ha fatto il suo tempo.

run② /rʌn/ **A** p. p. di **to run B** a. (nelle seguenti loc.) ● **run-of-the-mill**, comune; dozzinale; banale; mediocre; ordinario □ (*di un inserto pubblicitario*) **run-of-paper**, collocato sulla pagina (*di un giornale*) a discrezione della direzione □ **run on**, (*tipogr.*) stampato di seguito; (*poesia*: *di un verso*) la cui ultima parola si lega strettamente al verso successivo; che ha l'enjambement.

●**to run** /rʌn/ (pass. **ran**, p. p. **run**) **A** v. i. **1** correre; fare una corsa (*o* una scappata, una gita, un giro); accorrere: *A man came running along the street*, un uomo venne correndo (*o* di corsa) per la strada; *Let's run down to the beach*, facciamo una corsa (*o* un salto) alla spiaggia!; *They ran to my aid*, corsero (*o* accorsero) in mio aiuto; *I used to run when I was at Eton*, da studente correvo nella squadra (*di atletica*) di Eton; *Rumours ran through the village*, correvano (*o* circolavano) dicerie per il paese; *The road*

runs along a ridge, la strada corre lungo un crinale ❶ **NOTA**: *passive* (*progressive tenses*) → **passive 2** scorrere; fluire; defluire: *'Sweet Thames, run softly till I end my song'* T.S. ELIOT, 'dolce Tamigi, scorri lieve fin che io finisca il mio canto!'; *In northern Italy most streams run to the Po River*, nell'Italia settentrionale la maggior parte dei corsi d'acqua defluisce nel Po; *Tears were running down her cheeks*, le scorrevano lacrime sul viso; *Wait till the water runs hot*, aspetta che scorra l'acqua calda!; *Don't leave the tap running!*, non lasciare aperto il rubinetto! **3** trascorrere; passare: *Those summer days ran swiftly*, quei giorni d'estate trascorrevano in fretta **4** scorrere; passare; spirare: *A gentle breeze ran through the tall trees*, una lieve brezza spirava fra gli alberi alti **5** ricorrere; ritornare (*alla mente*): *That tune runs in my head*, quel motivo mi torna in mente; *The idea kept running through my mind*, quell'idea mi ricorreva (*o* mi si presentava) sempre alla mente **6** decorrere; essere pagabile da (*una certa data*): (*banca*, *ecc.*) *Interest runs from January 1st*, gli interessi decorrono dal 1° di gennaio **7** correr via; fuggire; scappare: **I had to run for my life**, dovetti scappare per aver salva la vita; (*anche*, *fig.*) **to run for one's life**, correre a più non posso **8** (*di veicoli*, *di navi*) circolare; effettuare corse (*o* viaggi); passare; transitare; fare servizio; far la spola: *Trains to the airport run every hour*, i treni per l'aeroporto partono (*o* passano) ogni ora; *The ferry runs between the two ports*, il traghetto fa la spola tra i due porti **9** andare (*in un certo senso*); avere una certa direzione: *'In New York the main streets run north and south so that there is usually a sunny side and a shady side'* J.H. UPDIKE, 'a New York le vie principali vanno da nord a sud sicché di solito c'è un lato al sole e uno all'ombra' **10** (*sport*) arrivare (*primo*, *secondo*, *ecc.*): *He ran second*, arrivò secondo (*nella corsa*); *My horse ran last*, il mio cavallo arrivò ultimo **11** (*di macchine*, *ecc.*) funzionare, andare; (*di motori*) andare, girare, essere in moto (*o* acceso): *Does the heating run on oil or gas?*, il riscaldamento va a gasolio o a gas?; *The engine of my car won't run properly*, il motore della mia auto non funziona bene; *Don't leave the engine running*, non lasciare acceso il motore!; *The sink isn't running*, il lavandino non funziona (*o* non scarica) **12** fondersi; sciogliersi; struggersi: *It was so hot that butter ran on the table*, era così caldo che il burro si scioglieva sulla tavola; *Be careful! Your ice cream is running!*, sta attento! ti si scioglie il gelato **13** (*di colore*) sbiadire; stingere: *The colours ran in the wash and everything came out pink*, i colori si sono stinti nel lavaggio e tutto è diventato rosa **14** (*delle calze*) sfilarsi; smagliarsi **15** (*polit.*, *ecc.*) correre; scendere in campo (*o* in lizza); candidarsi: *My cousin is going to run for Parliament*, mio cugino intende candidarsi per la Camera dei Comuni **16** gocciolare; sgocciolare; perdere (*l'acqua*): *This tap runs: it needs repairing*, questo rubinetto perde: bisogna farlo aggiustare; *The candle is running*, la candela sgocciola **17** gocciolare; colare: *The boy's nose was running*, il bambino aveva il naso che colava **18** durare; (*leg.*) essere valido (*o* in vigore): *The lease had ten years to run*, il contratto di affitto aveva una durata di dieci anni; *It's a long film: it runs for three hours*, è un film lungo: dura tre ore; *The lessons run till Christmas*, le lezioni si tengono fino a Natale **19** (*teatr.*, *cinem.*) essere in programmazione; tenere il cartellone: *Agatha Christie's «Mousetrap» has been running for many years in London*, la «Trappola per

topi» di Agatha Christie tiene il cartellone da molti anni a Londra **20** (*radio*, *TV*) essere trasmesso; essere in onda; essere programmato: *'I think he has a serial running somewhere'* B. BEHAN, 'credo che una qualche emittente stia trasmettendo un suo romanzo a puntate' **21** (*fig.*) andare; svolgersi; svilupparsi: *I cannot guess how the play will run*, non riesco a indovinare quali saranno gli sviluppi del gioco (*o* come andrà la partita); *After a period of strikes, everything is running smoothly at the factory*, dopo un periodo di scioperi, tutto sta andando bene in fabbrica **22** farsi; diventare: *Our food supplies are running low*, le nostre provviste di viveri si fanno scarse **23** (*di una malattia*, *di una caratteristica*, *ecc.*) essere ereditaria (*in una famiglia*, *ecc.*): *Madness runs in his family*, c'è un ramo di pazzia nella sua famiglia **24** essere concepito (*o* stilato); dire; fare: *The song runs like this*, la canzone fa così; *The document runs in these legal terms*, il documento è concepito in questi termini giuridici **25** (*zool.*) (*di selvatici*) migrare (*in cerca d'acqua*, *di pascoli*, *ecc.*) **26** (*di salmoni*, *ecc.*) risalire un fiume **27** (*fam.*) avere la sciolta (*o* la diarrea) **B** v. t. **1** far passare; conficcare; ficcare; infilare; infilzare; trafiggere: **to run a thorn into one's finger**, conficcarsi una spina nel dito; **to run one's sword into sb.**, trafiggere q. con la spada; **to run a rope through a karabiner**, far passare una corda in un moschettone **2** far funzionare; condurre; dirigere; amministrare; organizzare; (*comm.*) gestire, esercire; (*mecc.*) far girare (*un motore*): **to run a machine**, far funzionare, fare andare (*o* azionare) una macchina; **to run a car on gas**, fare andare a gas un'automobile; **to run a business**, condurre (*o* amministrare) un'azienda; **to run a shop**, gestire un negozio; *His mother-in-law runs the household*, è mia suocera che dirige la casa (*o* ha la direzione della casa); *Who is running the contest?*, chi organizza la gara?; **to run the engine at idle**, far girare il motore in folle (*o* al minimo) **3** correre (*un rischio*, *ecc.*); (*sport*) fare (*una corsa*): **to run the mile in five minutes**, correre il miglio in cinque minuti; **to run a race**, fare una corsa (*a piedi*); **to run risks** (*o* **hazards**), correre rischi; *He runs the risk of being failed*, corre il rischio di farsi bocciare **4** far correre; (*sport*) iscrivere a una corsa: **to run a horse**, far correre un cavallo (*o* farlo sgambare); **to run a horse in the Derby**, iscrivere un cavallo al Derby **5** (*trasp.*) fare, fare andare, effettuare corse di (*autobus*, *treni*, *ecc.*): **to run a special train**, fare (*o* mettere) un treno straordinario **6** seguire: *Things must run their course*, le cose devono seguire il loro corso naturale; (*caccia*) *The bloodhounds were running a scent*, i segugi seguivano l'usta (*di uno selvatico*) **7** inseguire (*selvaggina*, *spec. a cavallo*): *Wolves ran the reindeer in the woods*, nei boschi i lupi inseguivano le renne **8** far scorrere; tirare: **to run water into the bath tub**, far scorrere l'acqua nella vasca da bagno; **to run the water until it's hot**, tirare l'acqua finché non viene calda **9** versare; tirare: **run water into a glass**, versare acqua in un bicchiere **10** (*fam.*) accompagnare in macchina; portare (*in automobile*, *ecc.*): *I'll run you to the station*, ti porterò alla stazione (*in automobile*) **11** (*sport*) condurre; guidare: (*bob*) **to run a new sled**, guidare uno slittino nuovo **12** contrabbandare: **to run arms** [**liquor**], contrabbandare armi [liquori] **13** smagliare; sfilare: *She ran her stocking on a nail*, le si smagliò una calza con un chiodo **14** cucire a punti lenti; imbastire **15** percorrere (*una distanza*) **16** cacciare; espellere: *They ran the stranger out of*

town, cacciarono lo straniero dalla città **17** candidare; presentare come candidato: *We ran him for mayor*, lo candidammo come sindaco **18** (*di fonte o sorgente*) gettare; dare: *The fountain in the fable ran wine*, la fontana della favola dava vino **19** (*cinem.*, *teatr.*) rappresentare; proiettare; dare: **to run a film for two months**, dare un film per due mesi di seguito **20** pubblicare: **to run a story [an advertisement]**, pubblicare una storia [un annuncio pubblicitario] **21** fare scorrere; far passare su uno schermo: *The police ran his name and found that he had done time*, la polizia fece scorrere l'elenco, trovò il suo nome, e s'accorse che era stato in galera **22** (*comput.*) eseguire **23** (*di solito, al passivo*) regolare; dominare: *Don't try and run my life!*, non cercare di regolare la mia vita!; **to be run by sb.**, essere dominato da q. ● (*fam.*) **to run all out**, correre a tutto spiano; (*sport*) spingere a fondo □ **to run at full speed**, correre a tutta velocità (*fam.*: a tutta birra)□ **to run a bill at a shop**, avere un conto aperto con un negozio; pagare ogni settimana (*o* ogni mese) □ (*mil.*) **to run a blockade**, forzare un blocco □ **to run sb. breathless**, sfiancare q. in una corsa (*o* correndo) □ **to run a car**, guidare un'automobile; tenere l'automobile: *I can't afford to run a Bentley*, non posso permettermi (di tenere) una Bentley □ **to run cattle**, mandare bestiame al pascolo □ **to run sb. close**, (*sport*) incalzare q. alle spalle, tallonare q.; (*sport*) piazzarsi alle spalle di q.; (*fig.*) non essere da meno di q. □ (*dell'acqua corrente*) **to run cold**, venire fredda (*a forza di scorrere*) □ **to run the country**, governare il paese □ **to run the drug racket**, controllare il racket della droga □ **to run dry**, esaurirsi; prosciugarsi; seccarsi □ **to run errands** (*o* **messages**), fare commissioni; fare ambasciate; fare il fattorino □ (*ferr.*) **to run extra trains**, far viaggiare treni straordinari; effettuare corse straordinarie (*di metropolitana*) □ **to run one's eyes over st.**, dare un'occhiata (*o* una scorsa) a qc. □ **to run one's fingers over the keyboard**, far scorrere le dita sulla tastiera (*di un pianoforte*) □ **to run flat out** = **to run all out** → *sopra* □ (*sport*) **to run for oneself**, fare la propria corsa (*e non il gioco di squadra*) □ **to run a hot bath**, preparare un bagno caldo (*nella vasca*) □ (*fam.*) **to run it fine**, farcela a stento; cavarsela per un pelo (*o* per un soffio) □ **to run to meet sb.**, correre incontro a q. □ (*fam.*) **to run ragged**, fare a pezzi, stracciare (gli avversari, i nemici) □ **to run the rapids**, discendere le rapide (*in barca*) □ **to run rife**, abbondare; (*di una malattia*) essere diffusa (*o* epidemica); (*di una notizia*) circolare; (*di una diceria*) correre □ **to run riot** → **to run wild** → *sotto* □ (*naut.*: *del capitano*) **to run a ship to Boston**, portare una nave a Boston □ **to run short**, finire, venire a mancare, venire meno: *Petrol is running short*, sta finendo la benzina; *The gas supply will run short*, verrà a mancare il gas □ **to run short of**, rimanere a corto di, finire, restare senza: *I ran short of money*, restai senza soldi □ (*fam.*) **to run the show**, essere il capo; tenere le fila; comandare; (*sport*) arbitrare in modo plateale □ (*sci*) **to run slalom gates**, fare (*o* superare) le porte dello slalom □ **to run smoothly**, (*di un motore*) andare liscio, funzionare (*o* girare) bene; (*di un'impresa*) procedere senza scosse; (*fig.*) funzionare alla perfezione □ (*di ragazzi*) **to run the street**, vivere in mezzo alla strada □ (*fam.*) **to run a temperature**, avere la febbre □ **to run wild**, (*di piante*) inselvatichire, inselvatichirsi; (*fig.*: *di persone*) inselvatichirsi, diventare rozzo (*o* maleducato) □ (*sport*) **to run with the ball**, (*baseball, rugby, ecc.*) correre con la palla in mano; (*calcio*) correre con la palla al

piede □ **His blood ran cold**, gli si gelò il sangue nelle vene □ **His life has only a few hours to run**, ha poche ore di vita.

■ **run about** v. i. + avv. (o prep.) **1** andare in giro; correre qua e là; girovagare (per); scorrazzare: *The children are running about (in) the park*, i bambini scorrazzano nel parco **2** fare un giretto (*in automobile, ecc.*): **to run about town**, fare un giretto in città **3** (*sport*) correre avanti e indietro; fare la spola.

■ **run across** Ⓐ v. i. + prep. **1** attraversare di corsa (*la strada, ecc.*); (*sport*) tagliare (*il campo di gioco*) **2** (*dell'acqua, ecc.*) attraversare, scorrere attraverso (*un luogo*) **3** (*fam.*) portare (q.) in auto (in moto, ecc.) attraverso (*una città, ecc.*) **4** incontrare (q.) per caso; imbattersi in **5** (*sport*) tagliare la strada a (*un avversario*) Ⓑ v. i. + avv. attraversare Ⓒ v. t. + avv. (*fam.*) dare un passaggio a (q.); portare in auto (in moto, ecc.).

■ **run afoul of** → **run foul of**.

■ **run after** v. i. + prep. **1** correre dietro a; rincorrere: **to run after a pickpocket**, rincorrere un borsaiolo; **to run after the bus**, correre dietro all'autobus **2** (*fig.*) correre dietro, fare la corte a: **to run after girls**, correre dietro alle ragazze **3** (*fam.*) fare da servitore a: *I can't afford to run a Bentley*, non posso

■ **run against** Ⓐ v. i. + prep. **1** (*sport*: *nelle corse podistiche*) correre contro; gareggiare contro (*un avversario*) **2** andare a sbattere contro (*un muro, un palo, ecc.*); entrare in collisione (*o* scontrarsi) con (*un altro veicolo*) **3** (*spec. USA*) scendere in campo, entrare in lizza, candidarsi contro (q.: *alle elezioni politiche, ecc.*) Ⓑ v. t. + prep. **1** (*sport*) fare gareggiare (q.) contro **2** (*arc.*) sbattere (*la testa, ecc.*) contro.

■ **run aground** Ⓐ v. i. + avv. **1** (*naut.*) finire sulle secche, arenarsi; incagliarsi **2** (*fig.*: *di un progetto e sim.*) arenarsi; fallire Ⓑ v. t. + avv. (*naut.*) mandare (*una nave*) sulle secche; fare arenare; incagliare.

■ **run along** Ⓐ v. i. + avv. **1** correre: *The dog ran along beside my bike*, il cane correva accanto alla mia bicicletta **2** (*fam.*; spec. all'imper.*) andare via; andarsene: *Run along now!*, ora vattene! Ⓑ v. t. + avv. dare un passaggio a (q.); portare (q.) in auto (in moto, ecc.) Ⓒ v. i. + prep. correre lungo (qc.): (*sport*) **to run along the left wing**, correre (*o* involarsi) lungo la fascia sinistra.

■ **run around** Ⓐ v. i. + avv. **1** → **run about 2** (*fam.*) andare in giro (*con q.*); amoreggiare; fare il farfallone (*o* la farfallona): *Don't run around with those layabouts!*, non andare in giro con quei fannulloni! Ⓑ v. i. + prep. → **run round** □ (*fig.*) **to run around in circles**, girare a vuoto.

■ **run ashore** v. i. + avv. (*naut.*) **1** approdare, andare a riva (*per un'emergenza, ecc.*) **2** → **run aground**.

■ **run at** v. i. + prep. **1** correre verso **2** correre contro; assalire; attaccare: *The watchdog ran at me*, il cane da guardia mi corse contro **3** ammontare a; arrivare a (*una certa cifra*): *The debt was running at an enormous figure*, il debito ammontava a una cifra enorme □ (*fin.*: *di un'azienda*) **to be run at a deficit**, presentare una gestione passiva.

■ **run away** v. i. + avv. **1** andare via, andarsene; scappare; fuggire; (*dell'acqua*) defluire: *Don't run away!*, non andartene!; **to run away from home**, scappare di casa **2** correre via: *The dog ran away with a bone in his mouth*, il cane corse via con un osso in bocca □ **to run away from the facts**, chiudere gli occhi alla realtà.

■ **run away with** v. i. + avv. + prep. **1** (*di un cavallo, un veicolo*) sfuggire al controllo di, prendere la mano a: *The horse [the car] ran away with him*, il cavallo [la macchina] gli prese la mano **2** (*di sentimenti: ira, ecc.*)

prendere la mano a; impadronirsi di **3** portare via, ottenere (*premi, ecc.*); vincere facilmente (*una partita, ecc.*) **4** (*di un apparecchio*) consumare (*molto, poco, ecc.*) **5** fare spendere, impegnare (*denaro, ecc.*); richiedere (*tempo*) □ **to run away with the idea that...**, mettersi in testa (*o* illudersi) che... □ **to let one's feelings run away with one**, lasciare che i sentimenti prendano il sopravvento □ **His imagination ran away with him**, si lasciò trasportare dalla fantasia.

■ **run back** Ⓐ v. i. + avv. **1** tornare (*o* ritornare) di corsa **2** (*dell'acqua*) rifluire **3** (*di un evento*) risalire (*a un tempo, una data*) Ⓑ v. t. + avv. **1** riportare (q.) a casa in auto (in moto, ecc.) **2** fare scorrere indietro (*un nastro, una pellicola, ecc.*); rimettere indietro **3** riportare (*un avvenimento, ecc.*) al passato (*o* all'inizio) □ **to run back over**, riandare a; ritornare su; riconsiderare: *Let's run back over what we said before*, ritorniamo su quanto si diceva prima!

■ **run before** v. i. + avv. (o prep.) correre davanti (a) □ (*naut.*) **to run before the storm**, fuggire la tempesta □ (*naut.*) **to run before the wind**, navigare col vento in poppa.

■ **run behind** v. i. + avv. (o prep.) **1** correre dietro (a) **2** essere (*o* rimanere) indietro (rispetto a): **to be running behind time** (*o* **schedule**), essere in ritardo sul tempo prefissato (*o* sul programma).

■ **run by** Ⓐ v. i. + avv. passare accanto di corsa Ⓑ v. t. + prep. **1** passare di corsa accanto a (q.) **2** (*nelle corse*) sorpassare (*un avversario*).

■ **run down** Ⓐ v. i. + avv. **1** correre giù; scendere di corsa **2** (*dell'acqua*) fluire, defluire; (*di un fiume*) scorrere (*verso la foce*) **3** (*di una macchina, di un motore*) arrestarsi; fermarsi; guastarsi **4** (*di un orologio, una batteria, ecc.*) scaricarsi **5** (*fig.*) rallentare; affievolirsi; rallentare il ritmo; diminuire: *Oil production has run down lately*, la produzione di petrolio è diminuita di recente Ⓑ v. t. + avv. **1** inseguire e raggiungere; catturare, scovare (*evasi, fuggiaschi, ecc.*): 'They gave one deep howl, and settled down to the long, lobbing canter that can at the last run down anything that runs' R. KIPLING, 'fecero un profondo ululato, e si misero a quel piccolo galoppo, lungo e balzellante, con il quale alla lunga riescono a raggiungere chiunque corra' **2** trovare, scovare (*oggetti nascosti, ecc.*); rintracciare (*un articolo, una citazione, un libro, ecc.*) **3** (*autom.*) investire, travolgere; mettere sotto (*fam.*): *He ran down a man on a bicycle*, investì un ciclista **4** (*naut.*) entrare in collisione da poppavia con (*un'altra nave*) **5** scaricare (*una batteria, ecc.*) **6** denigrare; sparlare, parlare male di (q.) **7** ridurre (*scorte, prodotti finiti, ecc.*); rallentare l'attività (*o* ridurre il volume d'affari di (*un'azienda, ecc.*); ridimensionare: **to run down a military base**, ridimensionare una base militare **8** (*fig.*) indebolire; buttare giù (*fig.*); stancare; rendere (q.) esausto: *He feels run down*, si sente esausto (*o* depresso) **9** portare (q.) in auto (o in moto); dare un passaggio a **10** (*baseball*) intrappolare, tentare di eliminare (*un 'corridore'*): **to run down a base runner**, intrappolare uno che corre verso una base Ⓒ v. i. + prep. **1** correre per (*o* lungo), scendere di corsa per: **to run down the road**, correre per la strada; **to run down the stairs**, scendere di corsa le scale; *A shiver ran down his back*, un brivido di freddo gli corse lungo la schiena **2** (*di un liquido*) scorrere (*o* fluire) giù; scendere per (*o* lungo): *Tears were running down my cheeks*, le lacrime mi rigavano le guance **3** (*fig.*) passar per; trascorrere: *A murmur ran down the crowd*, un mormorio passò per la folla □ **to run a boat down to the water**, calare in acqua

una barca □ **to run one's eyes down a list**, dare un'occhiata a un elenco □ (*basket*) **to run down the floor**, fare una discesa a canestro (*letteralm.*, 'correre lungo il parquet') □ **to run one's forefinger down a column of figures**, controllare una colonna di cifre scorrendola con l'indice.

■ **run downstairs** v. i. + avv. scendere (*o* fare) le scale di corsa.

■ **run down to** Ⓐ v. i. + avv. + prep. **1** correre giù (*o* scorrere) fino a **2** estendersi; andare fino a Ⓑ v. t. + avv. + prep. (*fig.*) ricondurre, attribuire (qc.) a (q.).

■ **run for** v. i. + prep. **1** correre per prendere (*l'autobus, ecc.*) **2** correre in cerca di (*aiuto*) **3** (*di un accordo, ecc.*) essere in vigore da (*un certo tempo*) **4** (*cinem., teatr.*) essere programmato, tenere il cartellone per (*un certo tempo*) **5** (*spec. USA*) essere in lizza per essere candidato a (*una carica, la presidenza, ecc.*) □ (*fam.*) **to run for dear life** (*o* **for one's life**), darsi alla fuga; darsela a gambe: *Run for your life!*, si salvi chi può! □ (*fam.*) **Run for it!**, via!; scappate! (*arrivano i nemici, la polizia, ecc.*).

■ **run foul** v. i. + avv. **1** (*naut.*) entrare in collisione **2** impigliarsi.

■ **run foul of** v. i. + avv. + prep. **1** (*naut.*) entrare in collisione con (*un'altra nave*): *The two ships ran foul of each other*, le due navi entrarono in collisione **2** impigliarsi con **3** (*fig.*) trovare un ostacolo in, scontrarsi con (*opposizione, manovre avverse, ecc.*).

■ **run from** v. i. + prep. **1** fuggire (*o* scappare) da **2** sfuggire a.

■ **run hard** Ⓐ v. i. + avv. correre forte (*o* a più non posso) Ⓑ v. t. + avv. **1** (*sport*) correre a ridosso di, essere alle spalle (*o* a ruota) di (*un avversario*) **2** (*fig.*) tallonare (*un altro candidato*) dappresso.

■ **run high** v. i. + avv. **1** (*del mare*) gonfiarsi; farsi grosso (*o* agitato) **2** (*fig.*) crescere, aumentare, salire: *Racial hatred was running high*, l'odio razziale stava crescendo; *Prices are running high*, i prezzi salgono.

■ **run in** Ⓐ v. i. + avv. **1** correre dentro; entrare di corsa **2** (*di un liquido*) fluire dentro; entrare **3** (*nelle corse*) fare la volata finale **4** fare una corsa (*o* un salto) (*in automobile, ecc.*): *Run in and see me tomorrow*, fa' una capatina da me domani! Ⓑ v. t. + avv. **1** portare (q.) in automobile in città (*o* altro luogo); dare uno strappo a (*fam.*) **2** (*autom., mecc.*) rodare; fare il rodaggio a (*un autoveicolo*) **3** (*fam.*) assicurare l'elezione di (*un candidato*) **4** (*fam.*) arrestare, fermare; portare dentro (*fam.*): *The police ran him in for careless driving*, la polizia lo portò dentro per guida pericolosa **5** (*USA*) → **run on**, B.

■ **run into** Ⓐ v. i. + prep. **1** entrare di corsa (*o* in fretta) in; correre dentro: *The boy ran into the house*, il ragazzo corse dentro casa; *The ship ran into port*, la nave si rifugiò nel porto **2** (*di un liquido*) entrare, fluire dentro; (*di un fiume e sim.*) sfociare; sboccare: *The Po runs into the Adriatic Sea*, il Po sfocia nell'Adriatico **3** (*andare a*) sbattere contro; investire; entrare in collisione con: *The lorry ran into the lamppost*, il camion andò a sbattere contro il lampione **4** imbattersi in; incontrare: **to run into an old friend**, imbattersi in un vecchio amico; **to run into unexpected difficulties**, incontrare difficoltà impreviste; **to run into a patch of fog**, incontrare un banco di nebbia; **to run into a storm**, imbattersi in una tempesta **5** ammontare a; raggiungere (la cifra di); arrivare a: *The expense will run into thousands of pounds*, la spesa ammonterà a migliaia di sterline; *Inflation ran into double figures*, l'inflazione arrivò a un numero di due cifre (*cioè, del 10% e oltre*); *My book ran into five printings*, il mio libro raggiunse la quinta

edizione Ⓑ v. t. + prep. **1** → **to run**, **B**, *def. 1* **2** (mandare a) sbattere contro; far entrare in collisione con; urtare con: **to run one's car into a shop window**, mandare l'automobile a sbattere contro la vetrina di un negozio **3** portare (q.) in auto in (*città, campagna, ecc.*) **4** mettere, fare entrare (*un automezzo*): **to run the car into the garage**, mettere l'automobile in garage **5** (*fig.*) portare, mettere, cacciare; impegolare (*fig.*): *His behaviour ran us into serious difficulties*, il suo comportamento ci mise in gravi difficoltà (*o* ci cacciò in guai seri) □ (*fin.*) **to run two companies into one**, fondere due società □ **to run into debt**, indebitarsi; fare debiti □ (*sport: di un atleta*) **to run into form**, entrare in forma □ (*fig. fam.*) **to run oneself into the ground**, darsi l'anima □ (*fig. fam.*) **to run into a stone wall**, cozzare contro un muro; bloccarsi □ (*metall.*) **to run metal into a mould**, colare metallo in una forma □ **The days ran into weeks**, i giorni si fecero settimane.

■ **run low** v. i. + avv. (*di provviste, ecc.*) venire meno; scarseggiare.

■ **run off** Ⓐ v. i. + avv. **1** correre via; andarsene di corsa; andarsene: *The cat ran off with the meat*, il gatto corse via con la carne; *Off you run now*, e adesso, vattene! **2** scappare; fuggire: *He ran off with my money*, scappò con i miei soldi **3** (*dell'acqua, ecc.*) defluire; scaricarsi; vuotarsi **4** (*nelle corse*) disputare lo spareggio Ⓑ v. t. + avv. **1** fare scorrere via (*o* defluire); tirare (*acqua*); fare svuotare: *He ran off the bath water*, fece svuotare la vasca da bagno; *Don't run off all the hot water*, non tirare tutta l'acqua calda! **2** battere, scrivere (*a macchina*) **3** (*tipogr.*) tirare, stampare (*copie, ecc.*) **4** scrivere in fretta, buttare giù (*una lettera, un articolo*) **5** dire in fretta, snocciolare (*una poesia, ecc.*) **6** rubare (*bestiame*) **7** (*sport*) disputare, superare, decidere con lo spareggio (*una gara, una corsa*): *They ran off the preliminary heats*, superarono le eliminatorie **8** (*nelle corse*) concludere, portare a termine (*una corsa, una tappa*) Ⓒ v. i. + prep. **1** correre via, andarsene; abbandonare in fretta: *The losing team ran off the pitch*, la squadra perdente abbandonò in fretta il campo **2** (*dell'acqua, ecc.*) scorrere via, defluire da **3** (*autom., ecc.*) uscire di (*strada, ecc.*); uscire da: *My car ran off the road*, la mia auto uscì di strada; *The road was slippery and the rider ran off the bend*, la strada era viscida e il ciclista uscì dalla curva; *Two racing cars ran off the track*, due vetture da corsa uscirono di pista **4** (*fig.*) scivolare come acqua su; non avere alcun effetto su: *Your remarks just run off him*, le tue osservazioni non hanno alcun effetto su di lui Ⓓ v. t. + prep. **1** fare scappare (q.) da (*un luogo*) **2** cacciare; scacciare: *The Selfish Giant ran the children off his garden*, il Gigante Egoista scacciò i bambini dal suo giardino **3** (*autom., ecc.*) mandare (*un veicolo*) fuori di (*strada*) (*o* fuori pista): *The car-thief ran the stolen car off the road*, il ladro d'auto mandò fuori strada la macchina che aveva rubato □ (*di un treno*) **to run off the rails**, deragliare □ (*fam.*) **to have run one's legs** (*o* **feet**) **off**, essere stanco morto; non poterne più.

■ **run on** Ⓐ v. i. + avv. **1** continuare a correre; (*per estens.*) continuare senza sosta (*a funzionare, a parlare, ecc.*): *The old man ran on and on about his youth*, il vecchio non smetteva di raccontare della sua giovinezza **2** continuare, proseguire (*più del previsto*): *The meeting ran on longer than expected*, la riunione è andata avanti più a lungo del previsto **3** (*mecc.*) continuare a girare; fare autoaccensione: *The engine ran on after I'd removed the ignition key*, il motore continuò

a girare dopo che ebbi tolto la chiave dell'accensione **4** (*del tempo*) trascorrere; passare **5** (*tipogr.*) andare di seguito **6** (*del senso delle parole, di una frase, ecc.*) continuare di seguito; essere collegato (*con*) **7** (*naut.*) navigare, procedere (*col favore del vento*) Ⓑ v. t. + avv. **1** attaccare (lettere, parole, ecc.) **2** collegare (*frasi, ecc.*) **3** (*tipogr.*) stampare di seguito Ⓒ v. i. + prep. **1** correre su (*ruote, rotaie, ecc.*) **2** (*sport*) correre su (o in): **to run on a track**, correre in pista **3** (*mecc.*) funzionare con; andare a; consumare (*energia o carburante*): *Most cars run on unleaded petrol*, la maggior parte delle auto va a benzina verde; *This dishwasher runs on very little electricity*, questa lavastoviglie consuma pochissima elettricità **4** (*del pensiero e sim.*) andare a (*il passato, il futuro, ecc.*); riandare a; correre a **5** concernere; riguardare; trattare di; vertere su: *His speech ran upon the best way to deal with unemployment*, il suo discorso verteva sul modo migliore di affrontare la disoccupazione **6** (*naut.*) urtare contro; finire su: *The trawler ran on the rocks*, il peschereccio finì sugli scogli Ⓓ v. t. + prep. **1** mandare (*un veicolo*) su (o in mezzo a qc.): *I ran my canoe on the rocks*, mandai la canoa sugli scogli **2** stampare (*un libro*) su (*un certo tipo di carta*) □ (*di idee e sim.*) **to run on the same lines**, coincidere; collimare □ (*sport: degli spettatori*) **to run on to** (*o* **onto**) **the field**, fare un'invasione di campo □ **to run oneself on one's sword**, gettarsi sulla (propria) spada (*per uccidersi*) □ (*mecc.: di un motore*) **to run on three cylinders**, andare a tre cilindri.

■ **run out** Ⓐ v. i. + avv. **1** correre fuori; uscire di corsa: *The whole house was burning and everyone ran out*, tutta la casa era in fiamme e tutti uscirono di corsa **2** (*dell'acqua, ecc.*) defluire; uscire; (*in genere*) venire fuori; (*della marea*) rifluire: *The cable ran out smoothly*, il cavo venne fuori (*o* si srotolò) facilmente **3** esaurirsi; (*elettr.*) scaricarsi; finire: *Time is running out*, sta finendo il tempo; *Drinking water was running out*, si stava esaurendo l'acqua potabile; *My patience has run out*, la mia pazienza si è esaurita; *The battery has run out*, la batteria si è scaricata **4** (*di un contratto, un biglietto, un affitto, ecc.*) scadere **5** addentrarsi; spingersi; sporgere: *The wall runs out into the meadow*, il muro si spinge sul prato **6** essere rimasto senza: *I went to the baker's for some bread, but they had run out*, andai dal fornaio per del pane, ma erano rimasti senza **7** andare, fare un salto in auto (*in campagna, ecc.*) Ⓑ v. t. + avv. **1** far venire fuori; fare uscire (qc.) tirando; svolgere (*una fune, ecc.*); srotolare (*una manica da incendio, ecc.*); (*alpinismo*) **to run the rope out**, dare corda **2** portare (q.) in auto; dare uno strappo a (*fam.*): *Can you run me out to the old farm?*, puoi darmi un passaggio alla vecchia fattoria? **3** (*spec. USA*) → **run off**, D **4** (*cricket*) eliminare (*un battitore in corsa tra i due wicket*) colpendo il suo wicket con la palla (*cioè, 'abbattendolo'*) □ (*sport*) **to run out the clock**, tenere il pallone; fare melina (*fam.*) □ **to have run oneself out**, non poterne più dal correre; essere sfiancato (*o* spossato).

■ **run out at** v. i. + avv. + prep. ammontare a; arrivare a: *The total expense will run out at ten thousand pounds and over*, la spesa complessiva ammonterà a oltre diecimila sterline.

■ **run out of** Ⓐ v. i. + avv. + prep. **1** correre fuori di; uscire di corsa da: *We ran out of the burning house*, uscimmo di corsa dalla casa in fiamme **2** (*di un liquido*) sgorgare, defluire, scorrere da; (*di un fiume*) nascere da **3** esaurire, finire: *We've run out of milk and bread*, sono finiti il pane e il latte; *I've run*

out of stock, ho esaurito le scorte; *I've run out of petrol*, sono rimasto senza benzina; *I was running out of time when I got to the last question*, il tempo a mia disposizione era quasi finito quando sono arrivata all'ultima domanda **B** v. t. + avv. + prep. (*spec. USA*) mandare via, cacciare, scacciare (q.) da (*un luogo*) □ (*sport: della palla, di un giocatore*) **to run out of bounds**, uscire dal campo di gioco □ **to run out of control**, sfuggire di mano; (*di una persona, una situazione, ecc.*) diventare ingovernabile □ (*sport: della palla*) **to run out of play**, andare fuori campo □ (*fig. fam.*) **to have run out of steam**, averle spese tutte, aver finito la benzina (*fig.*).

▪ **run out on** v. i. + avv. + prep. (*fam.*) **1** abbandonare; lasciare: **to run out on one's family** [**an old friend**], abbandonare la famiglia [un vecchio amico] **2** tradire, non mantenere (*promesse e sim.*) **3** violare, non rispettare (*un contratto, ecc.*).

▪ **run over** **A** v. i. + avv. **1** (*di un liquido*) traboccare: *The milk has run over*, è traboccato il latte **2** (*fig.*) eccedere in; essere (troppo) pieno di: *Children tend to run over with excitement*, i bambini tendono a eccitarsi troppo **3** (*fig.*) passare il segno; andare (troppo) oltre (*con le spese, ecc.*) **4** fare un salto (*fam.*): andare: *Please run over to the baker's and buy some bread*, per favore, fai un salto dal fornaio e compra un po' di pane **B** v. t. + avv. **1** (*di un veicolo o un conducente*) investire; travolgere; mettere sotto (*fam.*): *My dog was run over by a lorry*, il mio cane fu investito da un camion; *The train ran over the coach*, il treno travolse il pullman **C** v. i. + prep. **1** correre su (*un prato, ecc.*) **2** (*di un fiume*) traboccare da, superare: *The river has run over its banks*, il fiume ha superato gli argini (*o* è straripato) **3** passare; fare scorrere: **to run one's fingers over a surface**, passare le dita su una superficie **4** scorrere (*un giornale*); dare una scorsa a: *I ran over the headlines*, diedi una scorsa ai titoli del giornale **5** ripassare, ripetere: *Let's run over our notes!*, ripassiamo i nostri appunti! **6** (*teatr.*) provare di nuovo; riprovare **7** (*di piante*) crescere sopra; ricoprire: *The ivy runs over the porch*, l'edera ricopre la veranda □ **to run over and see sb.**, fare un salto (*o* una capatina) da q. □ **to run over the time limit**, oltrepassare il tempo concesso (*o* consentito); (*sport: nelle corse*) arrivare fuori tempo massimo.

▪ **run round** **A** v. i. + avv. (*o* prep.) **1** correre in tondo (*o* in cerchio) **2** fare un salto (*al negozio, ecc.*); fare una capatina (*da q.*), una visitina (*a q.*): *Run round to the chemist's, will you?* fai un salto in farmacia, per favore! **B** v. t. + avv. (*fam.*) servire, fare da servitore a (q.) **C** v. i. + prep. **1** correre in tondo dentro (*una gabbia, ecc.*) **2** correre intorno a; circondare: *A tall fence runs round our garden*, un alto steccato circonda il nostro giardino.

▪ **run through** **A** v. i. + avv. **1** (*di un liquido*) defluire; uscire; scorrere **2** (*mil. e sport*) infilarsi; infiltrarsi **B** v. t. + avv. **1** fare scorrere (*o* srotolare, ecc.); proiettare (*un film*) **2** trafiggere, infilzare, trapassare (*con la spada, ecc.*); pungersi (*un dito, ecc.*) **C** v. i. + prep. **1** attraversare; (*fig.*) pervadere: *A feeling of sadness runs through this poem*, un senso di tristezza pervade questa poesia **2** (*di un liquido, un fiume, ecc.*) fluire, scorrere attraverso **3** (*fig.*) passare (*o* frullare) per; diffondersi in: *Lara's theme had been running through my head all day long*, era tutto il giorno che mi frullava nella testa il motivo di Lara; *The rumour ran through the little town*, la voce si diffuse in tutta la cittadina **4** (*mil. e sport*) infilarsi, infiltrarsi in; superare: **to run through the opposing defence**, superare la difesa avversaria **D** v. t.

+ prep. **1** fare scorrere, iniettare (*un liquido*) **2** far passare; passare: *He ran the rope through the hole*, fece passare (*o* infilò) la fune nel buco; *He ran his fingers through his hair*, si passò le dita fra i capelli; si ravviò i capelli con le dita **3** tirare un frego su, cancellare: *I ran my pen through the last words*, tirai un frego con la penna sulle ultime parole **4** scorrere, dare una scorsa a: *He ran through her letter and tore it to pieces*, diede una scorsa alla sua lettera e la fece a pezzi **5** trattare in fretta, sbrigare (*una faccenda, un lavoro, ecc.*) **6** ripassare (*una lezione, ecc.*); sfogliare (*appunti, ecc.*) **7** (*teatr.*) provare, riprovare (*una commedia, ecc.*) **8** scialacquare, sperperare (*fondi, denaro*): **to run through one's fortune**, sperperare le proprie sostanze □ (*fam.*) **to run a comb through one's hair**, darsi una pettinatina.

▪ **run to** v. i. + prep. **1** correre a (*o* da) (*anche fig.*): *The dog ran to his master*, il cane corse dal padrone; *Don't run to me for help!*, non correre (*o* venire) da me in cerca di aiuto! **2** fare una corsa (*o* un salto) a: *Run to the newsstand and get me a paper, will you?*, per favore, fa' un salto all'edicola e prendimi il giornale! **3** (*fig.*) arrivare a; ammontare a: *The crowd ran to thousands*, la folla arrivava a qualche migliaio di persone **4** (*di denaro*) bastare per, essere sufficiente per: *My pay doesn't run to designer clothes*, il mio stipendio non basta per (*o* non mi consente) dei vestiti firmati **5** arrivare a; permettersi: *I'm afraid I can't run to a house at the seaside*, temo di non potermi permettere una casa al mare **6** tendere a; propendere per **7** avere come caratteristica: *We run to black hair in my family*, i capelli neri sono una caratteristica della mia famiglia **8** seguire fino a; ricondurre: **to run a fact to its source**, ricondurre un fatto alla fonte □ (*fam.*) **to run oneself to death**, ammazzarsi dal lavoro □ **to run to earth** (*o* **to ground**), inseguire (*la volpe*) fino alla tana; (*fig.*) stanare, scovare (q.); scovare, trovare (qc.) □ **to run to extremes**, tendere agli estremi; andare troppo oltre □ **to run to fat**, ingrassare; appesantirsi □ (*di un edificio*) **to run to ruin**, andare in rovina □ **to run to seed**, (*di una pianta*) andare in semenza, sementire; (*fig. fam.*) lasciarsi andare, peggiorare, decadere □ **to run to waste**, andare in malora; (*di una risorsa e sim.*) sprecarsi, essere sprecato.

▪ **run together** **A** v. i. + avv. **1** correre insieme **2** (*fig.*) attaccarsi; fondersi: *The colours of the painting have run together*, i colori del quadro si sono fusi tra di loro **B** v. t. + avv. **1** (*sport*) far correre (*cavalli, cani, ecc.*) insieme **2** appiccicare, attaccare (*parole, ecc.*); fondere (*colori, ecc.*).

▪ **run up** **A** v. i. + avv. **1** correre su; salire di corsa; fare una corsa di sopra (*o* al piano di sopra); (*anche*) avvicinarsi di corsa **2** (*di prezzi*) balzare; impennarsi **3** (*di vendite, debiti, ecc.*) aumentare; crescere, salire **4** (*sport*) prendere (*o* fare) la rincorsa **5** (*sport: nelle corse, in un torneo, ecc.*) piazzarsi (*o* finire) al secondo posto **6** (*naut.*) procedere, avanzare (troppo) in fretta **B** v. t. + avv. **1** (*spec. naut.*) alzare, issare (*una bandiera*) **2** costruire in fretta; mettere su (*fam.*); improvvisare (*un rifugio, una tettoia, ecc.*) **3** cucire in fretta (*un abito*); farsi (*vestiti*) da solo **4** rincarare (*derrate*); far salire (*prezzi, ecc.*) **5** accumulare (*conti da pagare, debiti*) **6** sommare, addizionare (*numeri*) alla svelta **7** (*aeron., mecc.*) far girare al massimo (*i motori*) **C** v. i. + prep. **1** correre su per, salire di corsa (*un monte, ecc.*) **2** (*di un brivido, un dolore, ecc.*) andare (*o* salire) su (*per la schiena, le gambe, ecc.*).

▪ **run up against** v. i. + avv. + prep. **1** anda-

re a sbattere, urtare contro **2** (*fam.*) imbattersi in (q.); incontrare: **to run up against serious difficulties**, incontrare gravi difficoltà.

▪ **run upon** → **run on**, **C** e **D**.

▪ **run upstairs** v. i. + avv. salire (*o* fare) le scale di corsa.

▪ **run with** v. i. + prep. **1** correre con **2** (*sport*) correre contro (*un concorrente*) **3** essere inondato di; grondare; colare: **to run with sweat**, grondare sudore; *The walls are running with water*, le pareti colano acqua **4** farsela con (q.); frequentare.

runabout /ˈrʌnəbaʊt/ n. **1** girandolone; girellone; vagabondo **2** (*un tempo*) vettura leggera; calesse **3** (*autom.*) utilitaria; (*USA*) spider **4** (*naut.*) 'runabout'; piccolo motoscafo da diporto **5** aereo leggero **6** (pl.) (*Austral.*) bestiame allo stato brado.

run-and-gun /ˌrʌnənˈɡʌn/ n. (*comput., videogiochi*) (gioco) corri-e-spara, sparatutto a scorrimento.

runaway /ˈrʌnəweɪ/ **A** n. **1** chi è fuggito (*spec. da casa, da un istituto, ecc.*); fuggiasco; fuggitivo: **teenage r.**, adolescente scappato da casa **2** cavallo che ha preso la mano; cavallo imbizzarrito **3** (*miss., ecc.*) fuga: **r. speed**, velocità di fuga **4** fuga (*di materiale radioattivo*) **5** (*fam.*) vittoria facilissima; passeggiata (*fig.*) **B** a. **1** fuggiasco; evaso; in fuga: **r. slave**, schiavo fuggiasco **2** (*di veicolo*) fuori controllo **3** (*equit.: di un cavallo*) che ha preso la mano **4** fuori controllo; galoppante; sfrenato; scatenato: (*econ.*) **r. inflation**, inflazione galoppante; iperinflazione; (*fin.*) **a r. market**, un mercato in rapido rialzo; **r. prices**, prezzi fuori controllo **5** (*fam.*) travolgente; irrefrenabile; clamoroso: **a r. success**, un successo travolgente **6** facilissimo: **a r. victory**, una vittoria facilissima; una passeggiata ● **a r. couple**, una coppia d'innamorati scappati per sposarsi di nascosto □ (*mil.*) **r. gun**, arma a raffica spontanea □ **a r. match** (*o* **marriage**), un matrimonio clandestino □ (*econ.*) **r. shop**, azienda trasferitasi per sottrarsi alle leggi del luogo sul lavoro □ (*astron.*) **r. star**, stella ad alta velocità.

runback /ˈrʌnbæk/ n. **1** corsa a ritroso **2** (*chim., ind.*) tubo di ritorno **3** (*tennis*) zona del terreno tra la linea di base e il fondocampo.

runcible spoon /ˈrʌnsəblˈspuːn/ loc. n. forchetta che serve anche da coltello e cucchiaio (*avendo tre grossi rebbi concavi, di cui uno tagliente*): ● **CULTURA • runcible spoon:** **runcible** è una parola → **nonsense** *inventata da Edward Lear, che l'ha usata per la prima volta nella poesia* «The Owl and the Pussycat»: «They dined on mince, and slices of quince, / Which they ate with a runcible spoon». *Altrove Lear fornisce un'illustrazione del* **runcible spoon***, che non ha rebbi ma è semplicemente storto all'estremità. Lear ha usato l'aggettivo anche per un cappello, un gatto, un'oca e un muro e quindi probabilmente contava soprattutto sulla forza evocativa della parola, che fa venire in mente parole come* Roncevaux (*Roncisvalle*) e **fencible** (*che difende, difensivo*).

runcinate /ˈrʌnsɪnət/ a. (*bot.*) roncinato, runcinato.

rundle /ˈrʌndl/ n. **1** piolo (*di scala*) **2** rotella **3** ruota (*di carriola*) **4** (*bot.*) verticillo; ombrella.

run-down /ˈrʌndaʊn/ a. **1** esausto; spossato; sfinito; (*di cavallo*) sfiancato; stanco morto (*fam.*) **2** (*di batteria, orologio, ecc.*) scarico **3** (*di edificio*) cadente; fatiscente; in stato di abbandono; (*di quartiere*) degradato: **a run-down area**, una zona urbana degradata **4** (*fig.*) in decadenza; in declino; (*econ.*) decotto: **run-down industries**, industrie decotte.

rundown /ˈrʌndaʊn/ **A** a. → **run-down**
B n. **1** (econ.) riduzione dell'attività; ridimensionamento; contrazione: **the r. of a plan**, il ridimensionamento di un progetto **2** (fin.) riduzione: **a gradual r. of dollar balances**, una graduale riduzione dei saldi in dollari **3** resoconto; rapporto; riassunto; sintesi: *The coach gave us the customary r. on how the game was going*, (nell'intervallo) l'allenatore ci fece la consueta sintesi sull'andamento della partita **4** (baseball) 'rundown', intrappolamento (di un 'corridore') tra due basi: **r. play**, tattica d'intrappolamento.

rune /ruːn/ n. **1** runa; carattere runico **2** iscrizione runica **3** (fig.) segno misterioso; simbolo magico **4** (letter.) (parte di) antico poema finlandese (o scandinavo) ● **r.-staff**, bacchetta magica (con scritte runiche); antico calendario scandinavo o inglese ‖ **runic A** a. **1** runico **2** simile alle rune; a mo' di rune **B** n. (tipogr.) carattere di stampa modellato sul runico.

rung ① /rʌŋ/ n. **1** piolo (di scala, di sedia, ecc.) **2** (di ruota) raggio **3** (fig.) gradino; grado: **to start at the bottom r. of the ladder**, cominciare dal primo gradino (della carriera); cominciare dalla gavetta; **the bottom r. of the diplomatic career**, il grado più basso della carriera diplomatica.

rung ② /rʌŋ/ p. p. di **to ring** ②.

run-in /ˈrʌnɪn/ n. **1** aggiunta, inserimento (di un testo a stampa) **2** preludio; preliminare; fase preparatoria; avviamento **3** (aeron.) avvicinamento **4** (autom.) rodaggio **5** (teatr.) prova **6** (fam.) lite; litigio; alterco; battibecco; bisticcio; discussione animata; disputa: **to have a run-in with the police**, avere uno 'scontro' con un poliziotto; avere a che dire con la polizia **7** (nelle corse, = **run to finish**) parte conclusiva della corsa; tratto finale; (ciclismo) ultimi chilometri al traguardo **8** (slang) nascondiglio del malloppo (o della refurtiva) ● **the final run-in to the general elections**, l'ultima fase del periodo preelettorale.

runlet /ˈrʌnlət/ n. ruscelletto; torrentello.

runnel /ˈrʌnl/ n. **1** (lett.) rivo; ruscelletto; rigagnolo **2** canaletto di scolo **3** (geol.) canale di riflusso.

♦**runner** /ˈrʌnə(r)/ n. **1** chi corre; (sport) corridore; podista; cavallo da corsa **2** fattorino; messaggero; messo (spec. di una banca) **3** (comm.) piazzista; propagandista; sollecitatore (d'ordinazioni, ecc.) **4** chi fugge; chi scappa; fuggiasco **5** (mil.) staffetta; portaordini **6** contrabbandiere; nave contrabbandiera (spec. nei composti): **a gun r.**, un contrabbandiere di armi; un trafficante di armi **7** (sport) (sci, d'aliante) pattino; (di pattino) lama **8** striscia ornamentale (da porre su una tavola, una credenza) **9** striscia di tappeto (in un corridoio, in un salone); guida; passatoia; corsia **10** (bot.) stolone; rampollo: **strawberry runners**, stoloni di fragole **11** (mecc.) guida di scorrimento; scanalatura **12** (metall.) canale di colata **13** rullo di legno (per spostare oggetti pesanti) **14** anello (di corda, cinghia, ecc.) **15** (di un mulino) macina; mola **16** (zool.) uccello corridore (in genere); (spec., Rallus aquaticus) porciglione **17** (naut.) piccolo paranco mobile; amante; stricco **18** (tecn.: di turbina ad acqua) girante: **r. blade**, pala della girante **19** (ferr., USA) macchinista **20** (USA) smagliatura (di calza; cfr. ingl. **ladder**) **21** (alpinismo) gancio di sicurezza **22** (baseball) corridore: **the r. at second base**, il corridore in seconda base **23** (cricket) giocatore che effettua un 'run' (cioè, una corsa al wicket) al posto del battitore infortunato **24** (vela) paterazzo (o sartia) volante (di yacht) **25** (slang GB) fuga, evasione: **to do a r.**, squagliarsela; evadere; scappare ● (naut.) **r. and tackle**, stricco;

piccolo paranco mobile □ (bot.) **r. bean** (Phaseolus coccineus), fagiolo di Spagna □ (med.) **r.'s knee**, ginocchio del podista □ **r.--up**, (spec. sport) secondo arrivato, secondo in classifica; (comm.) chi rilancia a un'asta; (fig., anche polit.) (l') eterno secondo: *Hes a runner-up*, è l'eterno secondo.

running ① /ˈrʌnɪŋ/ a. **1** che corre: **a r. horse**, un cavallo che corre **2** corrente: **r. water**, acqua corrente **3** corsivo: **a r. hand** (o **handwriting**), un carattere corsivo; un carattere a mano (non stampatello) **4** (banca, rag., fin.) corrente: **r.-account credit**, credito in conto corrente; **r. costs** [**expenses**], costi [spese] correnti (di un motore) in marcia; che funziona; acceso **6** (di ferita, ecc.) purulento; in suppurazione **7** (di un rubinetto, ecc.) aperto **8** (posposto al nome) consecutivo; continuo; regolare: **for eight days r.**, per otto giorni consecutivi; **six times r.**, sei volte di seguito **9** incessante: **r. battle**, battaglia incessante **10** (di stile) scorrevole, fluente **11** (del naso) che cola; gocciolante **12** (sport) in corsa: **the r. cars**, le vetture in corsa **13** (sport) di corsa; (fatto) in corsa; al volo: (basket) **a r. fake**, una finta in corsa ● **r. account**, conto aperto presso un negoziante; (banca) conto corrente □ (football americano) **r. back**, corridore (attaccante che porta palla) □ (zool.) **r. bird** → **runner**, def. 16 □ (autom., un tempo) **r. board**, predellino; montatoio □ (radio, TV) **r. commentary**, radiocronaca (o telecronaca) in diretta □ **r. dog**, cane da corsa; levriere; (fig. spreg.) galoppino, lacché, portaborse □ (mil.) **r. fight**, arretramento eseguito combattendo □ (mil. e fig.) **r. fire**, fuoco di fila: **a r. fire of questions**, un fuoco di fila di domande □ (a poker) **r. flush**, scala reale □ (archit., arte) **r. freeze**, fregio continuo □ (mecc.) **r. gear**, (autom.) parti mobili della vettura (in moto il motore); (ferr.) rodaggio □ (giorn.) **r. head** (o **r. heading**), testata di pagina, testatina □ (sport) **r. jump**, salto con rincorsa □ **r. knot**, nodo scorsoio □ (Borsa) **r. margin**, margine corrente □ **r. noose**, cappio, capestro □ **r. order**, scaletta (di un concerto, spettacolo, ecc.) □ **r. ornament** → **r. freeze** □ (autom., ecc.) **r. repairs**, piccole riparazioni; manutenzione ordinaria □ (naut.) **r. rigging**, manovre correnti; sartiame mobile □ (cinem., TV) **r. shot**, carrellata □ **r. sore**, (med.) piaga purulenta; (fig.) seccatura continua □ (sport) **r. start**, partenza in corsa; partenza lanciata □ (mil. e ginnastica) **r. step**, passo di corsa □ (cucito) **r. stitch**, filza (per imbastire) □ (giorn.) **r. story**, articolo (racconto, ecc.) a puntate □ (sport) **r. take off**, stacco in corsa (dal trampolino dei tuffi) □ (giorn.) **r. title** → **r. head** (rag.) **r. total**, totale a riportare (o a nuovo) □ **to keep the bath r.**, fare scorrere l'acqua nella vasca da bagno □ (di meccanismo, ecc.) **smooth-r.**, scorrevole □ (slang) **Take a r. jump!**, vattene!; fila!; smamma!

♦**running** ② /ˈrʌnɪŋ/ n. **1** il correre; la corsa; (sport) podismo **2** (mecc.) marcia; funzionamento, moto (di un motore); (anche) manutenzione (di macchinario): **ahead** [**reverse**] **r.**, marcia avanti [indietro] **3** corso; flusso; scorrimento **4** corsa; fase di approccio (nei salti) **5** direzione, gestione, conduzione (di un'azienda, ecc.) **6** (autom.) percorso: **mixed r.**, percorso misto (in città e su strada) **7** (di ferita) suppurazione; piaga purulenta **8** (leg., comm.) decorrenza (d'un termine, ecc.) ● (naut.) **r. aground** (o **r. ashore**), incaglio □ (autom.) **r.-in**, rodaggio □ **r. mate**, cavallo di un tiro a due; (ipp.) cavallo che fa l'andatura al favorito; (sport) chi tira la corsa (a un compagno di squadra); (polit.) candidato alla meno importante di due cariche abbinate; (USA) candidato alla vicepresidenza □

(autom., mecc.) **r.-on**, autoaccensione □ (calcio, ecc.) **r. on the ball**, la caccia al pallone □ (sport) **r. shoes**, scarpe (o scarpette) da corsa (o da podismo) □ (trasp.) **r. time**, durata della corsa □ **r. track**, (sport) pista (per atletica leggera); (mecc.) rotaia di scorrimento (di una gru) □ (sport) **r. training**, allenamento alla corsa □ (sport e fig.) **to be in the r.**, essere (ancora) in corsa (o in gara); (fig.) avere probabilità di vittoria □ **to make the r.**, (sport) fare l'andatura, (fig.) imporre agli altri il proprio ritmo □ **to be out of the r.**, (sport: di concorrente) essere ormai fuori gara; (fig.) non aver probabilità di vittoria □ **to take up the r.**, (sport) condurre la corsa; (fig.) prendere la posizione di testa, mettersi in testa.

runny /ˈrʌnɪ/ a. **1** troppo liquido; acquoso; liquefatto; squagliato: **r. butter**, burro squagliato **2** (dell'occhio) lacrimoso **3** (del naso) che cola; gocciolante | **-iness** n. □.

run-off /ˈrʌnɒf/ n. **1** □ (idrologia: d'acqua piovana) ruscellamento; deflusso superficiale **2** liquido traboccato (da un recipiente) **3** □ (metall.) colataccio **4** (ind. min.) crollo (di un pilastro) **5** (polit., ecc.) ballottaggio **6** (sport) spareggio; gara (o partita) di spareggio ● (ind. min.) **run-off pit**, pozzetto di scarico.

run-on /ˈrʌnɒn/ n. **1** (autom., mecc.) autoaccensione **2** (tipogr.) parola aggiunta di seguito (senza andare a capo); sottolemma (di un dizionario) **3** (sport: calcio, ecc.) corsa in avanti; avanzata; spunto; prosecuzione dell'azione d'attacco.

run-out /ˈrʌnaʊt/ n. **1** (USA) fuga; diserzione: **to take a run-out on sb.**, abbandonare q. **2** (metall.) fuoriuscita del metallo (dalla forma); getto imperfetto **3** (sport) periodo di rodaggio (dopo un infortunio, ecc.) **4** (cricket) eliminazione (del battitore) durante la corsa tra i due wicket.

runt /rʌnt/ n. **1** bovino di razza piccola (spec. della Scozia o del Galles) **2** animale (o pianta) di misura inferiore al normale **3** il più piccolo di una figliata (spec. di maiali) **4** (spreg.) omuncolo; nanerottolo; mezza cartuccia (pop.); mezza sega (volg.) **5** grosso piccione domestico.

run-through /ˈrʌnθruː/ n. **1** ripasso, ripassata (per un esame, ecc.); rassegna (mentale): *'Jake did a quick run-through of women in his mind'* K. AMIS, 'Jake con la mente passò rapidamente in rassegna le donne che conosceva' **2** occhiata; scorsa; rapido sguardo (a un giornale, ecc.) **3** (teatr.) prova: *Let's give that scene another run-through!*, proviamo quella scena ancora una volta!

runty /ˈrʌntɪ/ a. più piccolo del (o inferiore al) normale; tracagnotto.

run-up /ˈrʌnʌp/ n. **1** periodo di preparazione (di un evento importante); fase preparatoria; preliminare; attività febbrile; avvicinamento: *The run-up to next year's elections has already started*, è già incominciata la marcia di avvicinamento alle elezioni del prossimo anno **2** (aeron., autom.) riscaldamento (del motore: che gira in folle) **3** (fig.) rapido aumento di valore; (fin., market.) balzo, impennata (di prezzi, quotazioni, ecc.) **4** (sport) rincorsa **5** (cricket) striscia di terreno dietro il wicket (per i lanci) **6** (golf) palla di avvicinamento alla buca.

runway /ˈrʌnweɪ/ n. **1** (mecc.) piano di scorrimento **2** rampa (di carico, ecc.) **3** (di fiume) alveo; letto **4** (di bestie selvatiche) pista **5** scivolo (per tronchi d'albero) **6** (aeron., deltaplano, ecc.) pista (d'atterraggio o di decollo); scivolo (per idrovolanti) **7** (sport) pista per la rincorsa (nei salti).

rupee /ruːˈpiː, USA ˈruːpiː/ n. rupia (unità monetaria dell'India, del Pakistan, del Nepal e dello Sri Lanka).

rupestrian /ruːˈpestrɪən/, **rupestral**

a b c d e f g h i j k l m n o p q r s t u v w x y z

/ruːˈpestrəl/ a. 1 (di pittura, incisione) rupestre 2 (bot.) rupestre.

rupicola /ruːˈpɪkələ/ n. (zool., Rupicola peruviana) rupicola; galletto di roccia.

rupture /ˈrʌptʃə(r)/ n. ⓤⓒ 1 (anche fig.) rottura; spaccatura (in un partito, ecc.) 2 (med.) rottura (di un'arteria, ecc.) 3 (med.) ernia (addominale).

to **rupture** /ˈrʌptʃə(r)/ Ⓐ v. t. 1 rompere; provocare la rottura di (una vena, un matrimonio, ecc.) 2 provocare un'ernia a (q.) Ⓑ v. i. 1 (anche med.) rompersi 2 (di un tendine, ecc.) strapparsi ● (med.) to r. a ligament, strappare un legamento ▫ (med.) to r. oneself, procurarsi (fam.: farsi venire) un'ernia ▫ (med.) to be ruptured, avere un'ernia ▫ (med.) ruptured appendix, appendice perforata.

♦**rural** /ˈrʊərəl/ a. rurale; agreste; campagnolo; campestre: **r. schools**, scuole rurali; **a r. landscape**, un paesaggio agreste; **r. housing**, edilizia rurale; **r. customs**, usanze campagnole; **a r. policeman**, una guardia campestre ● (ecologia) **the preservation of r. amenities**, la conservazione delle bellezze della natura || **-ly** avv.

rurality /rʊəˈrælɪtɪ/ n. ⓤ l'esser rurale; carattere agreste.

to **ruralize** /ˈrʊərəlaɪz/ Ⓐ v. t. ruralizzare Ⓑ v. i. 1 ruralizzarsi; diventare rurale 2 (fam.) (andare a) vivere (o a passare del tempo) in campagna || **ruralization** n. ⓤ ruralizzazione.

ruscus /ˈrʌskəs/ n. (bot.) 1 (Ruscus) rusco 2 (Ruscus aculeatus) rusco; pungitopo.

ruse /ruːz/ n. (form.) ⓤⓒ artificio; inganno; stratagemma; trucco; espediente.

rush① /rʌʃ/ n. 1 (bot., Juncus, Scirpus) giunco 2 ⓤ giunchi, vimini (per lavori in vimini); paglia (per sedie) 3 (fig.) bazzecola; inezia; nonnulla ● **r. bearing**, festa dei giunchi (con cui s'adornano le chiese nell'Inghilterra sett.) ▫ **r. candle** → **rushlight** ▫ **I don't care a r.**, non me ne importa un fico (secco) ▫ **It isn't worth a r.**, non vale nulla; non vale una cicca (pop.).

♦**rush**② /rʌʃ/ n. ⓤⓒ fretta; furia; eccitazione; traffico; trambusto: **the r. of big cities**, il trambusto delle grandi città; **What is all this r.?**, perché tutta questa fretta? 2 assalto; attacco; corsa impetuosa; impeto; forza impetuosa; slancio: **When the fire broke out, there was a r. for the emergency exits**, quando scoppiò l'incendio, le uscite di sicurezza furono prese d'assalto; **The citadel was carried with a r.**, la cittadella fu conquistata di slancio; **the r. of the river**, la forza impetuosa del fiume 3 afflusso (di gente); affollamento; ressa: **the Christmas r.**, la ressa natalizia (nei negozi) 4 (market.) grande richiesta; grande ricerca: **There is a r. for second-hand cars**, c'è una grande richiesta di automobili usate 5 corrente (d'aria); flusso; afflusso; movimento (d'acqua) 6 ⓤ (med.) afflusso, flusso (di sangue, ecc.) 7 (fam. USA) corteggiamento 8 (fam. USA) caccia alle matricole: **the r. week**, la settimana della festa della matricola 9 (ipp.) «rush» 10 (pl.) (cinem.) giornalieri, prime stampe (delle scene girate il giorno prima) ● (trasp.) **r.-hour traffic**, il traffico delle ore di punta; **I was late leaving and I got caught in the r. hour traffic**, sono partita tardi e mi sono ritrovata nel traffico dell'ora di punta ▫ **the r. hours**, le ore di punta (del traffico) ▫ **r. job**, un lavoro urgente; un lavoro fatto di fretta ▫ **a r. of blood to the head**, (med.) un flusso di sangue alla testa; una congestione cerebrale; (fig.) un colpo di testa ▫ **a r. of tenderness**, un impeto di tenerezza ▫ (comm.) **a r. order**, un'ordinazione urgente ▫ (comm., tur., ecc.) **the r. season**, l'alta stagione ▫ (pop.) **to give sb. the bum's r.**, sbat-

tere fuori q. ▫ (in USA) **the great r. of population to the West**, il grande movimento migratorio verso l'Ovest ▫ **in a r.**, in fretta e furia ▫ **with a r.**, di slancio; d'impeto.

to **rush**① /rʌʃ/ Ⓐ v. t. 1 rivestire di vimini (il fondo d'una sedia); impagliare (sedie) 2 coprire (un pavimento) di giunchi Ⓑ v. i. (di solito, **to go rushing**) raccogliere giunchi.

♦to **rush**② /rʌʃ/ Ⓐ v. i. 1 (anche **to r. by** o **past**) andare di gran carriera; correre a precipizio; passare a tutta velocità; sfrecciare; scorrere (o fluire) veloce: **A car rushed by**, un'automobile ci sfrecciò accanto; **The river rushes past**, il fiume scorre veloce 2 affrettarsi; accorrere; precipitarsi; lanciarsi: **I rushed to meet him**, m'affrettai ad andargli incontro; **He rushed to help me**, accorse in mio aiuto 3 affluire; salire; venire: **Blood rushed to my face**, mi salì il sangue al viso; **Tears rushed to her eyes**, le vennero le lacrime agli occhi Ⓑ v. t. 1 spingere; portare (o trascinare) d'urgenza; **She rushed the child to the doctor**, portò il bambino d'urgenza dal dottore 2 mandare (o portare, spedire) in tutta fretta; **I rushed him home**, lo portai a casa in tutta fretta 3 fare (qc.) in fretta; affrettare; accelerare; far fretta a (q.): **to r. one's work**, fare il proprio lavoro in fretta; **I refuse to be rushed**, non voglio che mi si faccia fretta 4 balzare su (q.); (mil.) irrompere in, prendere d'assalto 5 (sport) mettere sotto pressione (gli avversari) 6 (fam. USA) corteggiare; fare il filo a (q.) 7 (gergo studentesco, USA) contattare, sollecitare (q.) come potenziale socio di un circolo universitario 8 (slang ingl.) far pagare (q.) in eccesso; pelare, fregare (pop.) ● **to r. one's breakfast [dinner]**, fare colazione [pranzare] in fretta ▫ (fig.) **to r. one's fences**, essere precipitoso; essere avventato ▫ **to r. the gates**, forzare i cancelli (con un'automobile, ecc.) ▫ (basket, calcio, ecc.) **to r. the shot**, tirare troppo in fretta ▫ **to r. to conclusions**, balzare alle conclusioni ▫ **I've been rushing all day**, è tutto il giorno che corro (o che mi do da fare).

■ **rush along** v. i. + avv. (autom.) sfrecciare; saettare.

■ **rush asunder** v. i. + avv. rovinare al suolo (di una cosa); andare in pezzi di colpo: **'My brain reeled as I saw the mighty walls rushing asunder'** E.A. POE, 'ebbi un giramento di testa quando vidi le possenti mura rovinare al suolo infrante'.

■ **rush at** v. i. + prep. 1 avventarsi su (o contro); assalire, attaccare, caricare: **The buffalo rushed at the hunter**, il bufalo caricò il cacciatore 2 precipitarsi a; fare (qc.) in fretta.

■ **rush back** v. i. + avv. tornare indietro (o ritornare) in tutta fretta.

■ **rush down** v. i. + avv. scendere in fretta; precipitarsi giù: **to r. down the stairs**, scendere le scale a precipizio.

■ **rush for** v. i. + prep. affrettarsi, accalcarsi, precipitarsi per prendere (il treno, l'autobus, ecc.) ▫ **to be rushed for time**, avere poco tempo (a disposizione); non avere tempo.

■ **rush forward** v. i. + avv. precipitarsi avanti.

■ **rush in** v. i. + avv. andare (o venire) dentro, entrare in tutta fretta; precipitarsi.

■ **rush into** Ⓐ v. i. + prep. 1 entrare precipitosamente (o precipitarsi) in (un luogo) 2 fare (qc.) in fretta (o senza riflettere): **to r. into (signing) a contract**, firmare un contratto senza riflettere; **to r. into marriage**, sposarsi in fretta 3 (di un'idea, ecc.) venire all'improvviso: **A terrible thought rushed into my mind**, un pensiero terribile mi si presentò a un tratto alla mente Ⓑ v. t. + prep. far fare (qc.) a (q.); spingere (q.) a fare (qc.) in fretta: **My wife rushed me into taking a decision**, mia moglie mi spin-

se a prendere una decisione frettolosa ▫ **to r. into print**, dare alle stampe (un libro, ecc.) in fretta e furia.

■ **rush off** Ⓐ v. i. + avv. andarsene in tutta fretta; scappare (fig.) Ⓑ v. t. + avv. 1 mandare via, spedire via (q.); portare d'urgenza: **We rushed the injured man off to hospital**, portammo d'urgenza il ferito in ospedale 2 produrre, scrivere, stampare, tirare (copie) in tutta fretta ▫ (fig. fam.) **to r. sb. off his feet**, fare fuoco sotto i piedi a q. (fig.); fare trottare q. su e giù ▫ **I'm rushed off my feet**, non ho un attimo di tregua.

■ **rush out** Ⓐ v. i. + avv. uscire in fretta; precipitarsi fuori: **He rushed out of the burning car**, uscì in fretta e furia dall'auto in fiamme Ⓑ v. t. + avv. 1 (econ.) produrre (beni) in fretta e furia 2 pubblicare, stampare, tirare in fretta: **to r. out 10,000 copies of a novel**, tirare in fretta 10 000 copie di un romanzo.

■ **rush past** v. i. + prep. 1 (di un veicolo, ecc.) sfrecciare accanto a: **The ambulance rushed past us**, l'ambulanza ci sfrecciò accanto 2 (sport: autom., ecc.) sorpassare, superare (q.) in velocità.

■ **rush through** Ⓐ v. t. + avv. 1 (di un veicolo) attraversare a tutta velocità; sfrecciare per 2 far passare (o approvare) in fretta e furia; accelerare l'iter di (una legge): **They rushed the bill through the House of Commons**, fecero approvare il disegno di legge ai Comuni in fretta e furia 3 (market.) evadere sollecitamente, sbrigare (un ordinativo) Ⓑ v. i. + prep. compiere (o eseguire) in gran fretta; fare (qc.) precipitosamente: **to r. through one's daily chores**, fare le faccende domestiche in fretta e furia.

■ **rush up** Ⓐ v. i. + avv. salire in fretta; precipitarsi su: **to r. up the stairs**, salire le scale a precipizio Ⓑ v. t. + avv. far affluire in fretta: **Fresh troops were rushed up to the front**, truppe fresche furono rapidamente fatte affluire al fronte.

rushed /rʌʃt/ a. fatto in fretta; affrettato; frettoloso: (sport) **a r. shot**, un tiro affrettato.

rushing /ˈrʌʃɪŋ/ Ⓐ a. 1 impetuoso; violento: **a r. river**, un fiume impetuoso; **a r. mighty wind**, un vento di una violenza estrema 2 (di una persona) che s'affretta, frettoloso 3 (di un veicolo) che sfreccia; velocissimo 4 (sport) che attacca; che è all'attacco Ⓑ n. ⓤ 1 l'affrettarsi 2 l'attaccare; l'attacco.

rushlight /ˈrʌʃlaɪt/ n. 1 candela di giunco 2 (fig.) luce debole, fioca 3 (fig. spreg.) persona (o cosa) insignificante.

rushlike /ˈrʌʃlaɪk/ a. simile a un giunco; flessibile (come un giunco).

rushy /ˈrʌʃɪ/ a. 1 coperto (o folto, pieno) di giunchi 2 fatto di vimini 3 simile a un giunco; flessibile (come un giunco).

rusk /rʌsk/ n. fetta di pane biscottato; biscotto duro.

russet /ˈrʌsɪt/ Ⓐ n. 1 ⓤ color rossastro (o rossiccio); color ruggine 2 (bot.) mela ruggine 3 (stor., in GB) veste da contadino Ⓑ a. 1 rossastro; rossiccio; color ruggine 2 (arc.) rustico; rozzo; rusticano; casalingo.

Russia /ˈrʌʃə/ n. 1 (geogr.) Russia 2 (= R. leather) cuoio di Russia.

Russian /ˈrʌʃn/ Ⓐ a. russo Ⓑ n. 1 russo, russa 2 ⓤ russo (la lingua) ● **R. doll**, matrioska ▫ **R. dressing**, condimento per l'insalata russa ▫ **R. eggs**, uova alla russa ▫ **R. roulette**, roulette russa ▫ (cucina) **R. salad**, insalata russa ▫ **R.-speaker**, russofono (sost.) ▫ **R.-speaking**, russofono (agg.) ▫ (cucito) **r. stitch**, punto spiga; punto gallone ▫ **R. tea**, tè al rum servito con limone || **Russianism** n. (ling.) russismo || to **Russianize** v. t. russificare.

to **Russify** /ˈrʌsɪfaɪ/ v. t. russificare ||

Russification n. Ⓤ russificazione.
Russo-American /ˌrʌsəʊəˈmɛrɪkən/ a. russo-americano: *Russo-American trade*, il commercio russo-americano.
Russophil /ˈrʌsəʊfɪl/, **Russophile** /ˈrʌsəʊfaɪl/ a. e n. russofilo || **Russophilia** n. Ⓤ russofilia.
Russophobe /ˈrʌsəʊfəʊb/ n. russofobo || **Russophobia** n. russofobia || **Russophobic** a. russofobo.
rust /rʌst/ Ⓐ n. Ⓤ 1 ruggine: *R. corrodes iron*, la ruggine corrode il ferro 2 (*bot.*) ruggine (*delle piante*): *wheat r.*, la ruggine del grano 3 color ruggine 4 (*fig.*) deterioramento (*dovuto all'inattività*); inerzia, torpore mentale Ⓑ a. color ruggine; ruggine • (*in USA*) **the R. Belt**, la Zona della Ruggine (*gli Stati dell'Illinois e del Michigan*) □ **r.-coloured**, color ruggine □ **r.-eaten**, corroso dalla ruggine □ **r. preventer**, (*sostanza*) antiruggine □ **r. prevention** (*o* **r.-preventive treatment**), trattamento antiruggine □ **r.-proof** (*o* **r.-resistant**), inossidabile □ (*tecn.*) **r. proofing**, trattamento antiruggine □ (*autom.*) **r. protection**, protezione antiruggine □ **r. remover**, solvente per la ruggine.
to **rust** /rʌst/ Ⓐ v. i. 1 arrugginire; far la ruggine, arrugginirsi (*anche fig.*); indebolirsi 2 (*bot.: delle piante*) avere la ruggine 3 diventare color ruggine Ⓑ v. t. fare arrugginire (*anche fig.*) • **to r. away**, essere distrutto dalla ruggine; corrodere, logorare per corrosione: *The bolt has rusted away*, il bullone è stato corroso dalla ruggine □ **to rust in**, bloccarsi per la ruggine.
rustic /ˈrʌstɪk/ Ⓐ a. rustico; agreste; campagnolo; grossolano; rozzo; semplice; schietto; rusticano (*lett.*): **r. hospitality**, rustica ospitalità; **r. furniture**, mobili rustici; **r. dress**, abito campagnolo; **r. manners**, modi rusticani; modi rustici e sinceri Ⓑ n. campagnolo; contadino • **a r. bridge**, un ponticello rustico; una passerella di legno (*o* di pietra) □ **r. charm**, fascino della campagna; fascino agreste □ **r. orange**, color ruggine □ **a r. seat**, un sedile alla rustica (*di rozze pietre o di grossi rami*) □ (*edil.*) **r. work**, opera muraria (*muro, facciata, ecc.*) rustica.
rustically /ˈrʌstɪklɪ/ avv. rusticamente; rozzamente.
to **rusticate** /ˈrʌstɪkeɪt/ (*form.*) Ⓐ v. i. (*form.*) (andare a) vivere in campagna; condurre vita rustica Ⓑ v. t. 1 mandare (q.) in campagna; far vivere (q.) in campagna 2 sospendere temporaneamente (*uno studente*) dall'università 3 rendere rustico 4 (*edil.*) costruire (*un muro, ecc.*) alla rustica; bugnare • (*archit.*) **rusticated ashlar**, bugna; bozza.
rustication /ˌrʌstɪˈkeɪʃn/ n. Ⓤ 1 soggiorno in campagna; vita rurale 2 sospensione

temporanea (*dall'università*) 3 (*archit.*) bugnato.
rusticity /rʌˈstɪsətɪ/ n. Ⓤ (*form.*) rusticità; rustichezza.
rustily /ˈrʌstɪlɪ/ avv. in modo rugginoso; come una cosa arrugginita.
rustiness /ˈrʌstɪnəs/ n. Ⓤ rugginosità; l'esser arrugginito (*anche fig.*).
rusting /ˈrʌstɪŋ/ n. Ⓤ (*chim., metall.*) arrugginimento.
rustle /ˈrʌsl/ n. 1 fruscio (*di vesti, di carta, ecc.*); lo stormire (*delle fronde*); mormorio (*del vento, ecc.*) 2 (*della pioggia*) picchiettio 3 (*slang USA*) rapina; furto (*spec. di bestiame*).
to **rustle** /ˈrʌsl/ Ⓐ v. i. 1 (*di vesti, di carta*) frusciare 2 (*della pioggia*) picchiettare; picchierellare 3 (*del vento, ecc.*) mormorare 4 (*di foglie*) stormire 5 (*fam. USA*) essere attivo (*o energico*); darsi da fare Ⓑ v. t. 1 far frusciare; far stormire 2 (*slang USA*) rapinare; rubare (*spec. bestiame*) • **to r. along**, passare frusciando: *The maids of honour rustled along*, le dame di compagnia passarono con un fruscio di gonne □ (*di belva*) **to r. through the jungle**, strisciare nella giungla (*facendo frusciare le piante*) □ (*fam.*) **to r. up**, scovare, trovare, rimediare (*fam.*); preparare alla svelta, mettere insieme, improvvisare: **to r. up some money**, rimediare un po' di soldi; **to r. up some food**, preparare da mangiare alla meglio; mettere insieme qualcosa da mangiare.
rustler /ˈrʌslə(r)/ n. 1 (*fam. USA*) persona energica, attiva 2 (*slang USA*) rapinatore; ladro (*spec. di bestiame*).
rustless /ˈrʌstləs/ a. 1 senza ruggine 2 (*metall.*) inossidabile: **r. steel**, acciaio inossidabile.
rustling /ˈrʌslɪŋ/ Ⓐ a. frusciante; che stormisce Ⓑ n. 1 ⓤⓒ fruscio; lo stormire (*delle fronde*); mormorio (*del vento, ecc.*) 2 ⓤⓒ (*della pioggia*) picchiettio 3 Ⓤ (*fam. USA*) abigeato; furto di bestiame.
rustproof /ˈrʌstpruːf/ a. (*metall.*) resistente alla ruggine; inossidabile.
to **rustproof** /ˈrʌstpruːf/ v. t. (*metall.*) rendere inossidabile.
rusty /ˈrʌstɪ/ a. 1 rugginoso; arrugginito: **a r. sword**, una spada rugginosa; **a r. key**, una chiave arrugginita 2 (*di pianta*) affetto dalla ruggine 3 (*fig.*) arrugginito; antiquato: *My French is very r.*, il mio francese è proprio arrugginito 4 (*fig.: di persona*) non allenato; fuori esercizio; arrugginito: *I am a little r. at chess*, sono un po' fuori esercizio nel gioco degli scacchi 5 color ruggine 6 (*d'abito nero*) scolorito; stinto 7 (*della voce, di tono*) roco; rauco • **to become** (*o* **to get**) **r.**, arrugginire, arrugginirsi (*anche fig.*).
rustyback /ˈrʌstɪbæk/ n. (*bot., Ceterach of-*

ficinarum) cedracca; erba ruggine.
rusty-dusty /ˈrʌstɪˈdʌstɪ/ n. (*slang USA*) sedere; deretano; natiche.
rut① /rʌt/ n. 1 solco (*lasciato dalle ruote*); carreggiata; rotaia 2 (*fig.*) abitudine inveterata; consuetudine; routine; trantran • **to get into a rut**, farsi prendere dal trantran; cadere nella routine □ (*fig.*) **to sink** (*o* **to settle**) **into a rut**, fossilizzarsi (*fig.*).
rut② /rʌt/ n. Ⓤ (*d'animale maschio*) fregola; calore.
to **rut①** /rʌt/ v. t. solcare; far solchi in: **a deeply rutted road**, una strada profondamente solcata (*dal passaggio di veicoli*).
to **rut②** /rʌt/ v. i. (*d'animale maschio*) essere in fregola; essere in calore.
rutabaga /ˌruːtəˈbeɪɡə/ n. (*USA e Canada*) 1 (*bot., Brassica napobrassica*) rutabaga; navone a polpa gialla 2 (*fam. USA*) dollaro.
ruth /ruːθ/ n. (*arc.*) 1 compassione; pietà 2 rimorso; pentimento 3 angoscia; sofferenza; dolore.
Ruthenia /ruːˈθiːnɪə/ n. (*geogr.*) Rutenia || **Ruthenian** Ⓐ a. ruteno Ⓑ n. 1 ruteno, rutena 2 Ⓤ ruteno (*la lingua*).
ruthenium /ruːˈθiːnɪəm/ (*chim.*) n. Ⓤ rutenio.
rutherford /ˈrʌðəfəd/ n. (*fis.*) rutherford (*unità di misura di una radiazione ionizzante*).
ruthless /ˈruːθləs/ a. 1 spietato; crudele; implacabile; 2 fermo; deciso; inflessibile; risoluto | **-ly** avv. | **-ness** n. Ⓤ.
rutilant /ˈruːtɪlənt/ a. 1 (*lett.*) rutilante (*lett.*); fulgido; splendente 2 (*raro*) rossastro; che dà un bagliore rossastro.
rutile /ˈruːtaɪl/ n. Ⓤ (*miner.*) rutilo.
rutin /ˈruːtɪn/ n. Ⓤ (*chim.*) rutina.
rutting /ˈrʌtɪŋ/ a. (*d'animale maschio*) in calore; in fregola • (*zool.*) **the r. season**, la stagione degli amori.
ruttish /ˈrʌtɪʃ/ a. 1 (*d'animale maschio*) in fregola; in calore 2 (*di uomo*) libidinoso; lascivo; osceno; sboccato.
rutty /ˈrʌtɪ/ a. (*di strada, viottolo, ecc.*) pieno di solchi; solcato dalle ruote.
RV sigla 1 (*USA, recreational vehicle*) veicolo da vacanza (*camper, caravan*) 2 (*Bibbia, Revised Version*) versione riveduta (*della Bibbia Anglicana: 1881-95*).
Rwanda /ruˈændə/ n. (*geogr.*) Ruanda || **Rwandan** a. e n. ruandese.
Rwy abbr. (*o* **Ry**) (*railway*) ferrovia (*ferr.*).
rye① /raɪ/ n. 1 Ⓤ (*bot., Secale cereale*) segale, segala 2 (= **rye whiskey**) whisky di segale 3 (*USA*, = **rye bread**) pane di segale 4 (*USA*) bicchiere di whisky di segale • **rye bread**, pane di segale □ (*bot.*) **rye-grass** (*Lolium perenne*), loglio, loglierella.
rye② /raɪ/ n. (*zingaresco*) signore; uomo.

s, S

S①, s /ɛs/ n. (pl. **S's**, **s's**; **Ss**, **ss**) **1** S, s (*diciannovesima lettera dell'alfabeto ingl.*) **2** esse; oggetto a forma di S ● (= **S-bend**) curva a S; esse □ **s for Sierra**, s come Savona.

S② sigla **1** (**Saturday**) sabato (sab.) **2** (**school**) scuola **3** (*misura d'abiti*, **small**) piccolo **4** (*polit.*, **socialist**) socialista **5** (**society**) società **6** (*lat.*: *socius*) (*titolo*, **Fellow**) membro (di accademia) **7** (**south**) sud **8** (**southern**) meridionale **9** (**sun**) (il) sole **10** (**Sunday**) domenica (dom.).

S. abbr. 1 (**saint**) santo (S.) **2** (**sea**) mare (M.).

s. abbr. 1 (**section**) sezione **2** (**shilling**) scellino **3** (**sign**) segno **4** (**snow**) neve **5** (**son**) figlio.

's① /z/ desinenza del caso poss. (dei nomi al sing.; dei nomi pl., con pl. non uscente in «s»; di taluni pronomi; per es.): **the girl's father**, il padre della ragazza; **the boss's daughter**, la figlia del padrone; **the children's toys**, i giocattoli dei bambini; **one's relatives**, i propri parenti.

❶ **NOTA: 's: apostrofo e caso possessivo**
Quando viene utilizzato per indicare il caso possessivo (il cosiddetto "genitivo sassone"), l'apostrofo viene spesso messo nel posto sbagliato. Si può evitare di commettere errori se ci si pone la domanda "di chi è? a chi appartiene?" oppure "di chi sono? a chi appartengono?", perché l'apostrofo va messo immediatamente dopo la parola che costituisce la risposta a questa domanda. Per esempio: *the boy's computers*, i computer del ragazzo (vari computer che appartengono a un ragazzo); *the boys' computers*, i computer dei ragazzi (vari computer che appartengono a diversi ragazzi); *children's clothing*, abiti dei bambini; *women's rights*, diritti delle donne; *five years' experience*, esperienza di cinque anni; *one year's experience*, esperienza di un anno.
Un errore frequente anche da parte dei madrelingua è l'uso scorretto dell'apostrofo con *yours, hers, his, ours* e *theirs*, pronomi possessivi che non hanno mai bisogno dell'apostrofo del caso possessivo: *Is this ours or theirs?* questo è nostro o loro?

's② /z/ contraz. *fam.* di: **1** *is: He's here*, è qui **2** *has: He's gone away*, se n'è andato **3** *us: Let's go*, andiamo!; andiamocene! **4** *does* (dopo un pron. o un avv. interr.): *How's he play it?*, e come lo suona?

's③ /z/ desinenza del pl. (*di numeri e lettere*): **three 5's**, tre 5; **the roaring '20's**, i ruggenti anni venti; *Assess has 4 s's*, «assess» si scrive con quattro s.

SA sigla **1** (**Salvation Army**) Esercito della salvezza (*associazione di beneficenza*) **2** (**South Africa**) Sud Africa **3** (**South America**) America del Sud **4** (**South Australia**) Australia del Sud.

sabadilla /sæbə'dɪlə/ n. (*bot.*, *Schoenocaulon officinale*) sabadiglia.

Sabaean /sə'biːən/ a. e n. (*stor.*) sabeo (*di Saba, abitante di Saba*).

Sabaoth /sæb'eɪθ/, USA /seɪb-/ n. pl. (*Bibbia*) eserciti (soltanto nella loc.:) **the Lord of S.**, il Dio degli eserciti.

sabbatarian /sæbə'tɛərɪən/ (*relig.*) A a. dei sabbatari B n. sabbatario ‖ **sabbatarianism** n. ▣ dottrina dei sabbatari.

Sabbath /'sæbəθ/ n. **1** (*relig.*) giorno di riposo; sabato (*per gli ebrei*): **to keep** [**to break**] **the S.**, osservare [non osservare] il sabato **2** – s. (= **witches' s.**) sabba; tregenda di streghe e demoni **3** (*fig. raro*) giorno (*o periodo*) di riposo.

sabbatical /sə'bætɪkl/ A a. **1** (*relig.*) sabbatico: (*Bibbia*) **s. year**, anno sabbatico **2** (*università*) sabbatico: **s. leave**, congedo sabbatico; **s. year**, anno sabbatico B n. ▣c (*università*) (*anno*) sabbatico: **to be on s.**, essere in (*anno*) sabbatico; **to take a s.**, prendersi un anno sabbatico.

Sabean /sə'biːən/ a. e n. → **Sabaean**.

Sabellian① /sə'bɛlɪən/ a. e n. (*stor.*) sabellico.

Sabellian② /sə'bɛlɪən/ a. e n. (*relig.*) sabelliano.

saber /'seɪbə(r)/ e deriv. (*USA*) → **sabre**, e deriv.

Sabine /'sæbaɪn/ a. e n. (*stor. romana*) sabino.

sable① /'seɪbl/ n. **1** (*zool.*, *Martes zibellina*) zibellino **2** pelliccia di zibellino **3** pennello (*da pittore*) di peli di zibellino.

sable② /'seɪbl/ A n. ▣ (*arald.*) color nero; nero **2** (pl.) abito da lutto; lutto; gramaglie B a. (*poet.*, *retor.*) nero; fosco; scuro; tetro ● (*zool.*) **s. antelope** (*Hippotragus niger*), antilope nera.

sabot /'sæbəʊ/, USA /sæ'b-/ n. **1** zoccolo **2** scarpa con la suola di legno.

sabotage /'sæbətɑːʒ/ n. ▣ **1** sabotaggio (*anche fig.*) **2** rappresaglia economica.

to sabotage /'sæbətɑːʒ/ v. t. sabotare ● **to s. sb.'s plans**, guastare i piani di q.

saboteur /sæbə'tɜː(r)/ n. sabotatore.

sabra /'sæbrə/ (*ebraico*) n. sabra; cittadino nato in Israele.

sabre, (*USA*) **saber** /'seɪbə(r)/ n. **1** (*mil.*, *sport*) sciabola: **s. event**, gara di sciabola **2** (pl.) cavalleggeri; soldati di cavalleria ● **s.-cut**, sciabolata □ (*sport*) **s. fencing**, la sciabola (*la specialità*) □ (*fig.*) **s. rattling**, l'agitare la spada; (*fig.*) minacce di guerra, minacce di intervento armato □ (*mecc.*) **s. saw**, sega alternativa (*portatile*) □ (*paleont.*) **s.-toothed tiger** (*Smilodon*), tigre dai denti a sciabola.

to sabre, (*USA*) **to saber** /'seɪbə(r)/ v. t. sciabolare; colpire con la sciabola.

sabretache /'sæbətæʃ/ n. (*mil.*, *un tempo*) giberna (*d'ufficiale di cavalleria*).

sabreur /sə'brɜː(r)/ (*franc.*) n. (*scherma*) sciabolatore.

sabulous /'sæbjʊləs/ a. (*raro*) **1** sabbioso; arenoso **2** (*med.*) sabbioso; granuloso.

sac /sæk/ n. (*anat.*) sacco: **amniotic sac**, sacco amniotico.

saccade /sæ'kɑːd/ (*med.*) n. saccade ‖ **saccadic** a. saccadico.

saccate /'sækeɪt/, **saccated** /'sækeɪtɪd/ a. (*bot.*) a forma di sacco; otricolato.

saccharide /'sækəraɪd/ n. ▣ (*chim.*) saccaride; glucide.

saccharimeter /sækə'rɪmɪtə(r)/ n.

(*chim.*) saccarimetro.

saccharin, **saccharine**① /'sækərɪn/ n. ▣ (*chim.*) saccarina.

saccharine② /'sækərɪn/ a. **1** (*chim.*) zuccherino **2** (*fig.*) zuccheroso; sdolcinato; melato.

saccharometer /sækə'rɒmɪtə(r)/ n. (*chim.*) saccarometro.

Saccharomyces /sækərəʊ'maɪsiːz/ n. (*bot.*, *Saccharomyces*) saccaromicete.

saccharose /'sækərəʊs/ n. ▣ (*chim.*) saccarosio.

saccule /'sækjuːl/ (*anat.*, *biol.*) n. sacculo ‖ **saccular** a. sacciforme ● **saccular gland**, ghiandola alveolare ‖ **sacculated** a. sacculato; formato da (*o diviso in*) piccoli sacchi; vescica con diverticoli ‖ **sacculation** n. ▣ (*scient.*) sacculazione.

sacerdotal /sæsə'dəʊtl/ a. sacerdotale ‖ **sacerdotalism** n. ▣ **1** sacerdotalismo **2** (*spreg.*) clericalismo.

sachem /'seɪtʃəm/ n. **1** «sachem»; capo indiano (*d'America*) **2** (*fam. USA*) capopartito; capo; pezzo grosso (*fam.*).

sachet /'sæʃeɪ/, USA /sæ'ʃeɪ/ (*franc.*) n. **1** sacchetto profumato (*spec. per la biancheria*) **2** (= **s. powder**) polvere profumata (*in sacchetti*) **3** bustina (*di zucchero, ecc.*).

●**sack**① /sæk/ n. **1** sacco: **a jute s.**, un sacco di juta **2** sacco (*anche come unità di misura*): **a s. of coal** [**of potatoes**], un sacco di carbone [di patate] **3** (*fam.*) licenziamento; espulsione: *The s. is what I'm afraid of*, la paura che ho è di essere licenziato **4** (*slang*) letto; dormita: **to hit the s.**, andare a letto; **to get some s.**, fare una dormitina **5** (*baseball*) sacco, sacchetto (*di una base*); (*per estens.*) base **6** (*football americano*) placcaggio che atterra un quarterback **7** (*slang USA*) coraggio; fegato (*fig.*) ● (*slang USA*) **s. artist**, dormiglione; pigrone □ **s. race**, corsa nei sacchi □ **s. rat** = **s. artist** → *sopra* □ (*slang USA*) **s. time**, ora d'andare a letto; (*fam.*) (ora della) ritirata; tempo passato a dormire, dormita; periodo d'ozio □ (*slang USA*, *anche fig.*) **to climb into the s.**, andare a letto □ **to get the s.**, farsi licenziare (*o espellere*); essere licenziato □ **to give sb. the s.**, licenziare (*o espellere*) q.

sack② /sæk/ n. ▣ sacco (*lett.*); saccheggio: **the s. of Rome in 1527**, il sacco di Roma nel 1527; **to put a city to s.**, mettere a sacco una città.

sack③ /sæk/ n. (*stor.*) vino bianco secco (*spagnolo o delle Canarie*).

to sack① /sæk/ v. t. **1** metter in sacchi; insaccare **2** (*fam.*) licenziare; mandare a spasso (*fig.*) **3** (*football americano*) placcare e atterrare (*un quarterback*) **4** (*slang*) battere, sconfiggere; suonarle a ● (*slang USA*) **to s. out**, andare a dormire (*o a letto*); infilarsi nel letto □ (*slang USA*) **to s. up**, guadagnare, incassare, fare (su).

to sack② /sæk/ v. t. **1** (*di soldati, ecc.*) saccheggiare; mettere a sacco **2** (*di ladri*) svaligiare; saccheggiare.

sackbut /'sækbʌt/ n. (*stor.*, *mus.*) sorta di trombone (*in uso nel Medioevo*).

sackcloth /'sækklɒθ/ n. ⓤ tela da sacchi ● **in s. and ashes**, vestito di sacco e col capo cosparso di cenere; (*fig.*) col capo cosparso di cenere, con aria contrita.

sacker ① /'sækə(r)/ n. **1** chi insacca (*o* riempie sacchi) **2** fabbricante di sacchi **3** (*baseball*) base (*il giocatore*).

sacker ② /'sækə(r)/ n. saccheggiatore.

sackful /'sækfʊl/ n. **1** quanto sta in un sacco; saccata; sacco: **a s. of flour**, un sacco di farina **2** (*fam.*) sacco (*fig.*); mucchio, grande quantità: **by the s.**, a sacchi, a palate.

sacking /'sækɪŋ/ n. **1** ⓤ tela da sacchi **2** insaccamento **3** (*fam.*) licenziamento.

sackload /'sækləʊd/ → **sackful**.

sacque /sæk/ n. (*un tempo*) vestito a sacco (*da donna*).

sacral ① /'seɪkrəl/ a. (*relig.*) sacrale.

sacral ② /'seɪkrəl/ a. (*anat.*) Ⓐ a. sacrale Ⓑ n. nervo (*o* vertebra) sacrale.

to **sacralize** /'seɪkrəlaɪz/ (*relig., med.*) v. t. sacralizzare ‖ **sacralization** n. ⓤ sacralizzazione.

sacrament /'sækrəmənt/ n. **1** (*relig.*) sacramento: **the seven sacraments**, i sette sacramenti; **the Blessed [the Holy] S.**, il Santo [il Divin] Sacramento **2** sacramento (*lett.*); giuramento (*o* promessa) solenne **3** (*fig.*) cosa sacra (*o* misteriosa); simbolo sacro.

sacramental /sækrə'mentl/ (*relig.*) Ⓐ a. sacramentale; dei sacramenti; dell'Eucaristia: **s. wine**, il vino dell'Eucaristia Ⓑ n. sacramentale; rito sacramentale (*per es.*, *l'uso dell'acqua santa*) ‖ **sacramentality** n. ⓤ l'essere sacramentale ‖ **sacramentally** avv. sacramentalmente.

sacramentarian /sækrəmen'teərɪən/ Ⓐ a. (*relig.*) sacramentale; dei sacramenti Ⓑ n. (*stor., relig.*) → **sacramentary**.

sacramentary /sækrə'mentərɪ/ n. (*stor., relig.*) sacramentario.

sacrarium /sə'kreərɪəm/ n. (pl. *sacraria*) sacrario.

sacred /'seɪkrɪd/ a. **1** sacro; santo; inviolabile; solenne; venerato: **a s. place**, un luogo sacro; **s. history** [**music**], storia [musica] sacra; **a s. right**, un diritto inviolabile; **a s. memory**, una memoria venerata **2** consacrato; dedicato: **s. to the memory of**, dedicato alla memoria di ● **a s. cow**, (*relig.*) una vacca sacra; (*fig., spreg.*) un dogma intoccabile ‖ **-ly** avv.

sacredness /'seɪkrɪdnəs/ n. ⓤ carattere sacro; sacralità; santità.

◆**sacrifice** /'sækrɪfaɪs/ n. ⓒⓤ **1** sacrificio; (*fig.*) rinuncia; privazione; scapito: *They killed an ox as a s.*, immolarono un bue in sacrificio; **to make sacrifices for one's children**, far sacrifici (*o* sopportare privazioni) per i figli; **at some s. of accuracy**, a scapito della precisione **2** (*relig.*) santo sacrificio (*la crocifissione di Gesù*); sacrificio incruento (*l'Eucaristia*) **3** (*relig.*) fioretto **4** (*comm.*) perdita; scapito: **to sell at a s.**, vendere in perdita; **to sell goods at a large s.**, vendere merci con grave scapito ● (*baseball*) **s. fly**, volata di sacrificio □ (*fisc.*) **s. tax theory**, teoria fiscale del sacrificio □ **to give one's life as a s.**, fare olocausto della vita □ **self-s.**, sacrificio di sé; abnegazione.

to **sacrifice** /'sækrɪfaɪs/ Ⓐ v. t. **1** sacrificare; offrire in sacrificio; immolare; (*fig.*) sacrificare, rinunciare a: **to s. a lamb**, sacrificare un agnello (*agli dei*); **to s. one's life**, immolare la vita; **to s. one's holidays to get a promotion**, rinunciare alle vacanze per avere una promozione **2** (*comm.*) vendere (*merce*) sottocosto (*o* in perdita); svendere Ⓑ v. i. sacrificare; offrire sacrifici: *'Did they s. to God here?'* T. HARDY, 'offrivano sacrifici a

Dio qui?' ● **to s. oneself**, sacrificarsi; immolarsi.

sacrificer /'sækrɪfaɪsə(r)/ n. sacrificatore, sacrificatrice.

sacrificial /sækrɪ'fɪʃl/ a. sacrificale; del sacrificio; espiatorio; propiziatorio ‖ **-ly** avv.

sacrilege /'sækrəlɪdʒ/ n. ⓤⓒ sacrilegio (*anche fig.*) ‖ **sacrilegious** a. sacrilego ‖ **sacrilegiously** avv. sacrilegamente.

sacring /'seɪkrɪŋ/ n. ⓤ (*relig.*) consacrazione ● **s. bell**, campanello dell'elevazione.

sacrist /'seɪkrɪst/ n. (*relig.*) sacrista, sagrista.

sacristan /'sækrɪstən/ n. (*relig.*) sagrestano, sacrista, sagrista.

sacristy /'sækrɪstɪ/ n. (*relig.*) sagrestia, sacrestia.

sacroiliac /seɪkrəʊ'ɪlɪæk/ a. (*anat.*) sacroiliaco.

sacrosanct /'sækrəʊsæŋkt/ a. sacrosanto; inviolabile ‖ **sacrosanctity** n. ⓤ l'esser sacrosanto; inviolabilità.

sacrum /'seɪkrəm/ n. (pl. *sacra*) (*anat.*) osso sacro.

◆**sad** /sæd/ a. **1** triste; malinconico; mesto; addolorato; afflitto; dolente; doloroso: *Don't be so sad*, non esser così triste!; **a sad experience**, una dolorosa esperienza **2** (*di colore*) spento; smorto; neutro **3** senza valore; brutto; cattivo; scadente; misero; meschino; squallido; penoso: *The interest they pay on deposits is a sad 3%*, l'interesse che danno sui depositi è un misero 3% **4** (*di pane, pasta, ecc.*) mal lievitato; pesante; mal cotto ● (*slang USA*) **sad-ass**, scalcagnato; misero; squallido; sfigato □ **a sad day**, una giornata triste; un giorno di dolore □ (*fig.*) **a sad dog**, una canaglia □ **a sad fellow**, un povero diavolo; un poveraccio □ **sad iron**, pesante ferro da stiro □ (*slang USA*) **sad sack**, tipo depresso, tetro, scialbo, goffo; pasticcione; soldato scalcagnato; ragazza goffa, brutta □ **sad to say**, doloroso a dirsi; dispiace dirlo □ (*fam.*) **to be sadder but wiser**, avere imparato a proprie spese □ **to grow sad**, rattristarsi □ **in sad earnest**, proprio sul serio.

SAD sigla (*med.*, **seasonal affective disorder**) disturbo affettivo stagionale; depressione stagionale.

to **sadden** /'sædn/ v. t. e i. rattristare, rattristarsi.

saddle /'sædl/ n. **1** (*del cavallo, della bicicletta, ecc.*) sella **2** (*del cavallo*) sellino (*parte del finimento da tiro*) **3** (*geogr.*) sella; valico (*montano*) **4** (*cucina*) sella (*d'agnello, ecc.*) **5** (*mecc.*) slitta, carrello (*di tornio, ecc.*) ● (*USA*) **s. blanket**, sottosella □ (*med.*) **s. block**, anestesia a sella □ (*di bicicletta*) **s. cover**, coprisella □ **s. girth**, sottopancia □ **s. horse**, cavallo da sella □ (*anat.*) **s. joint**, articolazione a sella □ (*macelleria*) **s. of mutton**, sella di castrato □ **s. pad**, sottosella (*del cavallo*) □ (*mecc.*: *di bicicletta*) **s. pillar**, reggisella □ (*di bicicletta*) **s.-pin**, tubo reggisella □ (*edil.*) **s. roof**, tetto a due falde □ **s.-room**, selleria; (*anche*) bottega di sellaio □ **s. sore**, piaga causata (*al cavallo*) dalla sella □ **s.-sore**, col sedere indolenzito dalla sella; (*fig.*) col sedere indolenzito a forza di stare seduto □ **s.--tree**, fusto della sella □ **in the s.**, in sella, a cavallo; (*fig.*) in posizione di comando, al potere.

to **saddle** /'sædl/ v. t. **1** (*anche* **to s. up**) sellare (*un cavallo*) **2** (*fig.*) caricare; addossare; imporre; accollare; rifilare; appioppare a: **to s. sb. with a responsibility**, accollare una responsabilità a q.: *Tax-payers were saddled with a 3% rise in the basic rate*, ai contribuenti fu imposto un aumento dell'aliquota base pari al 3%; *Don't try to s. this task on me!*, non cercare di appiopparmi questo lavoro! ● **He saddled up and rode away**, sellò il cavallo e si allontanò.

saddleback /'sædlbæk/ n. **1** (*geogr.*) sella (*di monte*) **2** (*edil.*) tetto a due falde **3** (*zool.*) animale (*spec.* insetto) dal dorso ricurvo **4** (*med., slang*) lordosi.

saddlebacked, **saddle-backed** /'sædlbækt/ a. **1** (*di cavallo*) sellato **2** concavo; fatto a sella **3** (*di tetto*) a due falde.

saddlebag /'sædlbæg/ n. **1** bisaccia (*borsa da sella*) **2** borsa (*per bicicletta o motocicletta*).

saddlebow, **saddle-bow** /'sædlbəʊ/ n. arcione.

saddlecloth /'sædlklɒθ/ n. copertina (*della sella del cavallo*); gualdrappa.

saddler /'sædlə(r)/ n. sellaio.

saddlery /'sædlərɪ/ n. **1** ⓤ selleria; finimenti **2** selleria; bottega di sellaio **3** sellificio.

saddo /'sædəʊ/ n. (*GB, slang*) tipo patetico; povero disgraziato; sfigato.

Sadducee /'sædjuːsiː/ (*stor.*) n. sadduceo ‖ **Sadducean** a. sadduceo.

sadism /'seɪdɪzəm/ (*psic.*) n. ⓤ sadismo ‖ **sadist** n. sadico; persona sadica ‖ **sadistic** a. sadico.

sadly /'sædlɪ/ avv. **1** tristemente; mestamente **2** miseramente; meschinamente; male **3** gravemente; molto ● **He's s. mistaken**, si sbaglia di grosso; ha torto marcio.

sadness /'sædnəs/ n. ⓤ tristezza; malinconia; mestizia.

sadomasochism /seɪdəʊ'mæsəkɪzəm/ (*psic.*) n. ⓤ sadomasochismo ‖ **sadomasochist** n. sadomasochista ‖ **sadomasochistic** a. sadomasochistico.

SAE sigla (*anche* **SASE**) (**self-addressed (stamped) envelope**) Busta già affrancata e con scritto il proprio indirizzo (*per ricevere una risposta*).

safari /sə'fɑːrɪ/ n. (pl. *safaris*) **1** safari; spedizione di caccia grossa **2** (= **photo s.**) safari fotografico ● **s. park**, parco con selvatici in libertà; zoo naturale; zoosafari **s. participant**, safarista □ **s. suit**, tenuta da safari.

◆**safe** ① /seɪf/ a. **1** sicuro; salvo; fuor di pericolo; al sicuro; in salvo: *Now we are s.*, ora siamo salvi, al sicuro; **to put st. in a s. place**, metter qc. al sicuro, in un posto sicuro; **a s. method**, un metodo sicuro; (*polit.*) **s. seat**, un seggio (*o* un collegio) sicuro: *I live in a s. Labour seat, and I don't think there's much point voting*, abito in una circoscrizione che rappresenta un seggio sicuro dei laburisti, non ha molto senso votare; **a s. move**, una mossa sicura; **s. sex**, il sesso sicuro **2** cauto; prudente; che non fa correre rischi: **a s. economic policy**, una cauta politica economica; **a s. driver**, un guidatore prudente (*o* di cui ci si può fidare) **3** intatto; intero; incolume: *The parcel came s.*, il pacco arrivò intatto; *I saw her s. home*, l'accompagnai a casa incolume (*o* senza incidenti) **4** (*fin.*) sicuro: **a s. investment**, un investimento sicuro **5** accurato; attendibile; preciso; prudenziale: **a s. estimate**, un preventivo prudenziale **6** (*di un amico, ecc.*) fidato; fido **7** (*d'animale, ecc.*) innocuo; inoffensivo; non mordace; non pericoloso **8** (*baseball*) salvo **9** (*slang ingl.*) bello; giusto; sano ● **s. and sound**, sano e salvo □ **s.-conduct**, salvacondotto □ **s. custody**, (*leg.*) custodia; (*banca*) custodia in cassette di sicurezza □ (*banca*) **s.-deposit box**, cassetta di sicurezza □ **s.-deposit service**, servizio di cassaforte (*negli alberghi, ecc.*) □ (*di strumento*) **s. edge**, lato privo di taglio □ **s. haven**, (*fig.*) porto sicuro; rifugio sicuro; (*USA*) asilo politico □ **s. house**, rifugio, covo (*di latitante, ecc.*) □ (*di un criminale*) **s. in jail**, al sicuro; in carcere □ **s.-keeping**, custodia □ **s. passage**, passaggio sicuro □ (*demogr.*) **s. period**, periodo di sicurezza (*o* non fecon-

do) □ (*banca*) **s. room**, camera blindata □ (*banca*) **s. vault**, cella blindata □ **to be as s. as houses** (*o* **as the Bank of England**), essere in una botte di ferro ▪ **in s. keeping**, al sicuro; in buone mani □ (*fig.*) **to be on the s. side**, andare sul sicuro; non correre rischi: *Shall we say 11.30 to be on the s. side?*, facciamo alle 11:30 per essere sicuri? □ (*fam.*) **to play it s.**, essere cauto; stare sul sicuro; non rischiare affatto □ **He is a s. first**, arriverà certamente primo; ha il primo posto assicurato □ **It's s. to say that...**, si può dire con sicurezza che...

safe ② /seɪf/ n. **1** cassaforte **2** (= **meat s.**) moscaiola; armadietto arieggiato per cibi **3** (*slang USA*) preservativo ▪ **s. installer**, installatore di casseforti.

safebreaker /'seɪfbreɪkə(r)/ n. scassinatore di casseforti.

safecracker, **safe-cracker** /'seɪfkrækə(r)/ → **safebreaker**.

safeguard /'seɪfɡɑːd/ n. ⓊⒼ **1** salvaguardia; custodia; difesa; protezione; tutela **2** salvacondotto.

to **safeguard** /'seɪfɡɑːd/ v. t. salvaguardare; custodire; difendere; proteggere; tutelare.

safeguarding /'seɪfɡɑːdɪŋ/ n. Ⓤ salvaguardia; tutela: (*rag.*) **s. of assets**, salvaguardia delle attività ▪ (*econ.*) **s. of industry**, protezionismo.

safely /'seɪflɪ/ avv. **1** in salvo; al sicuro; felicemente: **to arrive s.**, arrivare sano e salvo **2** con sicurezza; senza pericolo; senza correre rischi ▪ **to drive s.**, guidare con prudenza.

safeness /'seɪfnəs/ n. Ⓤ **1** sicurezza (*di un investimento, ecc.*) **2** integrità; incolumità; l'essere intatto **3** accuratezza, precisione, attendibilità (*di un preventivo, ecc.*).

♦**safety** /'seɪftɪ/ n. **1** Ⓤ sicurezza; salvezza; incolumità; scampo: **s. in** (*o* **at**) **the workplace** (*o* **s. at work**), sicurezza sul lavoro; **s. appliance**, dispositivo di sicurezza; **coefficient** (*o* **factor**) **of s.**, coefficiente di sicurezza; **for s.'s sake**, per maggior sicurezza; *He sought s. in flight*, cercò scampo nella fuga **2** (*mecc.*, = **s. catch**) dispositivo di sicurezza; sicura (*anche d'arma da fuoco*) **3** (*fam. USA*) preservativo; profilattico **4** (*biliardo*) tecnica di dare all'avversario una bilia difficile (*rinunciando a fare punti*) **5** (*football americano*) salvataggio; autometa; (*anche*) estremo (*giocatore*) ▪ **s. belt**, (*aeron., autom., ecc.*) cintura di sicurezza; (*in mare*) cintura di salvataggio, salvagente □ **s. binding**, attacco di sicurezza (*degli sci*) □ **s. bolt**, catenaccio di sicurezza; chiavistello □ (*atletica*) **s. cage**, gabbia di protezione (*nei lanci*) □ **s. catch**, (*mecc.*) arresto di sicurezza; (*d'arma*) sicura □ (*teatr.*) **s. curtain**, sipario di sicurezza □ (*ind.*) **s. engineer**, tecnico d'antinfortunistica □ **s. equipment**, corredo antinfortunistico □ (*cinem.*) **s. film**, pellicola ininfiammabile □ **s.-first**, cauto; guardingo; prudente □ (*ind. min.*) **s. fuse**, miccia di sicurezza □ **s. glass**, vetro di sicurezza (*o* retinato, *o* temprato) □ (*autom.*) **s. harness**, seggiolino di sicurezza per bambini □ **s. helmet**, casco di sicurezza □ (*USA*) **s. island**, isola spartitraffico, salvagente (*per i pedoni*); *cfr.* ingl. **refuge** □ (*ind. min.*) **s. lamp**, lampada di sicurezza □ **s. lock**, serratura di sicurezza □ (*football americano*) **s. man**, estremo □ **s. match**, fiammifero di sicurezza (*o* svedese) □ **s. net**, rete di sicurezza (*in un circo equestre*); (*fig.*) ancora di salvezza □ **s. pin**, spilla di sicurezza, spilla da balia □ **s. rail**, guardavia; guardrail □ **s. razor**, rasoio di sicurezza □ (*aeron., ecc.*) **s. standards**, norme di sicurezza □ (*edil., elettr.*) **s. socket**, presa di sicurezza □ **s. stop**, (*dispositivo di*) arresto automatico □ **s. valve**, valvola di sicurezza

(*anche fig.*) ▪ **lessons in «s. first»**, lezioni di circolazione stradale; lezioni di «strada sicura» (*a ragazzi, studenti, ecc.*) □ **to play for s.**, giocare sul sicuro, camminare sul sicuro (*fig.*); non voler correre rischi □ **road s.**, sicurezza stradale.

safflower /'sæflaʊə(r)/ n. **1** (*bot.*, *Carthamus tinctorius*) cartamo; zafferanone; zafferano falso **2** Ⓤ (*chim.*) cartamina.

saffron /'sæfrən/ A n. **1** (*bot.*, *Crocus sativus*) zafferano **2** Ⓤ (= **s. yellow**) colore dello zafferano B a. color zafferano ▪ (*bot.*) **bastard s.** (*Carthamus tinctorius*), cartamo; zafferanone; zafferano falso.

safranine, **safranin** /'sæfrənɪn/ n. Ⓤ (*chim.*) safranina.

safrole /'sæfrəʊl/ n. Ⓤ (*chim.*) safrolo.

sag /sæg/ n. **1** abbassamento; incurvatura; cedimento; avvallamento (*di strada*); insellamento, insellatura (*di nave, d'aereo*); subsidenza (*di un edificio*) **2** inclinazione; piegamento **3** (*econ., fin.*) cedimento, flessione, calo, declino, diminuzione (*dei prezzi, delle quotazioni, ecc.*) **4** (*naut.*) deriva; scarroccio **5** (*teoria delle costruzioni*) freccia apparente.

to **sag** /sæg/ A v. i. **1** abbassarsi; cedere (*spec. nel mezzo*); (*di strada*) avvallarsi; insellarsi; (*di un edificio*) cedere per subsidenza: *The damaged bridge is sagging*, il ponte lesionato cede (*o* s'incurva) **2** (*del legno*) incurvarsi; imbarcarsi **3** (*di un indumento*) sformarsi; fare le borse (*fam.*) **4** (*econ., fin.*) calare; diminuire; cedere; subire una flessione: *Both output and prices are sagging*, cala la produzione e diminuiscono i prezzi; *Industrials have sagged*, i titoli industriali hanno subito una flessione **5** (*naut.: di nave*) andare alla deriva; scarrocciare **6** (*delle guance, di una rete, ecc.*) afflosciarsi **7** (*fig.*) afflosciarsi; perdere interesse: *The film sagged a bit at the end*, il film ha perso interesse verso la fine B v. t. far piegare; far cedere; avvallare; insellare ▪ (*naut.*) **to sag to leeward**, scarrocciare sottovento □ **a sagging net**, una rete floscia (*o* afflosciata).

saga /'sɑːɡə/ n. **1** (*anche fig.*) saga **2** (*letter.*, = **s. novel**) romanzo fiume **3** (*spreg.*) solfa; storia lunga e noiosa.

sagacious /sə'ɡeɪʃəs/ a. sagace; accorto; avveduto; scaltro | **-ly** avv.

sagacity /sə'ɡæsɪtɪ/ n. Ⓤ sagacia; accortezza; avvedutezza; scaltrezza.

sagamore /'sæɡəmɔː(r)/ n. (*USA*) capotribù indiano (*in America*).

sage ① /seɪdʒ/ n. **1** (*bot.*, *Salvia officinalis*) salvia **2** Ⓤ (*USA*) → **sagebrush** ▪ **s. cheese**, formaggio aromatizzato con salvia □ **s. cock** = **s. grouse** → *sotto* □ **s.-green**, verde salvia; grigioverde □ (*zool.*) **s. grouse** (*Centrocercus urophasianus*), gallinaceo delle pianure alcaline dell'ovest degli Stati Uniti (*grosso tetraonide che si ciba dell'artemisia tridentata*) □ **s. tea**, infuso di salvia.

sage ② /seɪdʒ/ A a. **1** saggio; savio; assennato: **s. advice**, saggi consigli **2** (*spesso iron.*) dall'aspetto saggio; dall'aria solenne B n. saggio: **the seven sages**, i sette savi (*dell'antica Grecia*) ‖ **sagely** avv. **1** saggiamente; assennatamente **2** con aria saggia; con aria solenne ‖ **sageness** n. Ⓤ saggezza.

sagebrush /'seɪdʒbrʌʃ/ n. **1** (*bot.*, *Artemisia tridentata*) artemisia tridentata **2** (*geogr.*, = **s. regions**) zona ricoperta di artemisia; pianure alcaline dell'ovest degli Stati Uniti.

saggar /'sæɡə(r)/ n. **1** (*ind. ceramica*) cassetta refrattaria **2** (*metall.*) cassetta di ricottura.

sagging /'sæɡɪŋ/ n. ⓊⒼ **1** abbassamento; incurvatura; cedimento; avvallamento; insellatura **2** inclinazione; piegamento **3** (*naut.*) scarroccio **4** (*anche fig.*) affloscia-

mento.

saggy /'sæɡɪ/ a. cascante; cedevole; floscio; che si piega; che s'incurva.

sagitta /sə'dʒɪtə/ n. (*geom.*) saetta.

sagittal /sə'dʒɪtl/ a. (*anat.*) sagittale: **s. suture**, sutura sagittale.

Sagittarian /sædʒɪ'teərɪən/ (*astrol.*) A n. persona nata sotto il segno del Sagittario B a. del Sagittario.

Sagittarius /sædʒɪ'teərɪəs/ A n. **1** (*astron., astrol.*) Sagittario (*costellazione e IX segno dello zodiaco*) **2** (*astrol.*: pl. *Sagittarii*) (un) sagittario; individuo nato sotto il segno del Sagittario B a. (*astrol.*) del Sagittario.

sagittate /'sædʒɪteɪt/ a. (*bot.*) sagittato.

sago /'seɪɡəʊ/ n. (pl. *sagos*) **1** Ⓤ (*cucina*) sago; sagù **2** (*bot.*, *Metroxylon rumphii*; = **s. palm**) palma da sagù.

saguaro /sə'ɡwɑːrəʊ/ (*spagn.*) n. (pl. *saguaros*) (*bot.*, *Carnegiea gigantea*) saguaro; cactus gigante.

Saharan /sə'hɑːrən/, **Saharian** /səhɑː'rɪən/ a. sahariano.

sahib /'sɑːhɪb, sɑːb/ n. (*in India*) sahib; signore; padrone.

said /sed/ A pass. e p. p. di **to say** B a. attr. predetto; suddetto ▪ **no sooner s. than done**, detto fatto.

sail /seɪl/ n. **1** (*naut., sport*) vela: **to hoist** [**to lower**] **the sails**, issare [calare] le vele; *There were several sails on the lake*, c'erano parecchie vele sul lago **2** Ⓤ (*naut.*, collett.) velatura: **to make more s.**, aumentare la velatura **3** (*di mulino a vento*) pala; ala **4** veleggiata; gita in mare; breve viaggio per mare; durata della traversata: **five days' s. from Genoa**, un viaggio (*per mare*) di cinque giorni da Genova **5** (*inv. al pl.*) veliero; nave: **a fleet of fifty s.**, una flotta di cinquanta velieri; *S. ho!*, nave in vista! **6** (*zool.*) pinna dorsale (*di pesce*) ▪ **s. area**, area di gara velica □ (*naut.*) **s. locker**, deposito delle vele □ (*naut.*) **s.-loft**, veleria □ **s. maker**, velaio □ (*sport*) **s. number**, numero velico □ (*naut.*) **s. room**, camera (*o* deposito) delle vele □ **to go for a s.**, andare in gita su una barca a vela □ (*di nave e fig.*) **in full s.**, a vele spiegate □ **to set s.**, far vela; salpare □ **to shorten s.**, terzarolare □ **to strike s.**, ammainare le vele; salutare ammainando le vele □ **to take in s.**, raccogliere le vele; ridurre la velatura □ **to take s. to**, fare vela (*o* salpare) per (*un luogo*) □ (*fig.*) **to take the wind out of sb.'s sails**, sgonfiare, smontare q. (*fig.*) □ **to trim one's sails**, (*naut.*) assettare la velatura; (*fig.*) agire secondo il vento che tira, adeguarsi al clima prevalente; (*anche*) tagliare le spese □ (*di nave*) **to be under s.**, essere alla vela □ **to unfurl the sails**, spiegare le vele.

♦to **sail** /seɪl/ A v. i. **1** veleggiare; navigare; (*sport*) fare della vela **2** far vela (*verso un luogo*); salpare; imbarcarsi: **to s. with the tide**, salpare con l'alta marea; *We s. next week*, salpiamo la settimana prossima **3** (*fig.*) veleggiare; volare; scivolare; (*spec. di donna*) incedere lievemente, muoversi con grazia: *White clouds are sailing in the sky*, bianche nubi veleggiano in cielo B v. t. **1** navigare; correre; percorrere; solcare: **to s. the Adriatic Sea**, navigare l'Adriatico; **to s. the seas**, correre il mare; **to s. the Atlantic Ocean**, solcare l'Oceano Atlantico **2** far navigare; governare (*una nave, una barca*) ▪ **to s. against the wind**, (*naut.*) navigare controvento, bordeggiare; (*fig.*) andare controcorrente □ **to s. along the coast**, costeggiare □ **to s. before the wind**, avere il vento in poppa □ **to s. close to** (*o* **near**) **the wind**, (*naut.*) stringere il vento, navigare di bolina; (*fig.*) camminare sul filo del rasoio, rasentare il codice; essere sull'orlo dell'illegalità; rischiare grosso □ **to go sailing**, andare in

barca a vela; (*sport*) fare della vela (*fam.*).

■ **sail back** v. i. + avv. (*di nave*) tornare; navigare (*o salpare*) verso il porto di partenza.

■ **sail down** v. i. + prep. discendere (*un fiume: a vela o a motore*).

■ **sail in** v. i. + avv. **1** (*di nave*) entrare (*o arrivare*) in porto **2** (*fam.: di persona*) entrare con disinvoltura (*o con slancio, con sicurezza*) **3** (*fam.*) interloquire con forza; intromettersi.

■ **sail into** A v. i. + prep. **1** (*di nave*) entrare in: **to s. into port**, entrare in porto **2** (*fam.: di persona*) entrare in (→ **sail in**, def. 2) **3** (*fam.*) attaccare a fare (a suonare, ecc.) di buona lena **4** (*fam.*) inveire contro (q.); aggredire; assalire □ **to s. into the food**, gettarsi sul cibo; attaccare a mangiare B v. t. + prep. fare entrare (*una nave*) in (*porto, ecc.*).

■ **sail out** v. i. + avv. **1** (*naut.*) uscire (*dal porto*) **2** (*sport*) finire fuori di parecchio (*tennis*) *Most of his returns sailed out*, per lo più, i suoi rinvii finivano fuori di parecchio.

■ **sail over** v. i. + prep. (*aeron.*) sorvolare.

■ **sail through** v. i. + avv. (*o prep.*) **1** (*di nave*) veleggiare, navigare attraverso (*uno stretto, ecc.*); passare (per) **2** (*fam.*) superare facilmente, passare senza difficoltà (*un esame, ecc.*) **3** (*fam.*) cavarsela, farcela; fare, sbrigare (*un lavoro, ecc.*) con grande facilità.

■ **sail up** v. i. + prep. risalire (*un fiume: a vela o a motore*) □ **to s. up the coast**, rimontare la costa.

sailable /'seɪləbl/ a. navigabile.

sailboard /'seɪlbɔːd/ (*sport*) n. tavola da windsurf ‖ **sailboarder** n. windsurfer; windsurfista ‖ **sailboarding** n. ⓤ il windsurf (*l'azione*).

sailboat /'seɪlbəʊt/ n. (*USA*) barca a vela.

sailcloth /'seɪlklɒθ/ n. ⓤ tela da vele; tela olona; olona.

sailer /'seɪlə(r)/ n. (*naut.*) veliero; nave a vela ● **a swift s.**, una nave (che naviga) veloce.

sailfish /'seɪlfɪʃ/ n. (*zool.*) **1** (*Istiophorus*) istioforo **2** (*Istiophorus gladius*) pesce spada imperiale **3** = **basking shark**; = **tope fish**.

sailing /'seɪlɪŋ/ n. (*naut.*) **1** ⓤ navigazione (a vela): **plain s.**, navigazione agevole; (*fig.*) compito facile, gioco (*fig.*) **2** partenza (*di nave*); imbarco: **the list of sailings from Naples**, la lista delle partenze da Napoli **3** ⓤ (*sport*) lo sport della vela; la vela; velismo ● **s. board**, quadro (*o tabella*) delle partenze (*di navi*) □ **a s. boat**, una barca a vela; una deriva □ **s.-boat race**, gara velica □ **s. club**, club velico □ **s. cruise**, crociera (*o viaggio*) su nave a vela; (*sport*) crociera di navigatore solitario □ **s. cruiser**, cabinato a vela □ **s. directions**, portolano □ **s. equipment**, attrezzatura per la vela □ **s. master**, ufficiale di rotta; pilota d'altura □ **a s. ship** (*o a s. vessel*), una grande nave a vela; un veliero.

sailor /'seɪlə(r)/ n. **1** marinaio; navigatore; navigante **2** (*sport*) velista **3** chi viaggia per mare **4** (*slang scherz.*) omosessuale: **hello, s.!**, ciao, marinaio! (*saluto di approccio tra due gay*) ● **s. hat**, cappello alla marinara □ **s. suit**, vestito alla marinara □ **s.-like**, marinaresco; di (*o da*) marinaio ● **I am a bad [a good] s.**, soffro [non soffro] il mal di mare ‖ **sailorly** a. **1** di (*o da*) marinaio **2** abile; destro; bravo.

sainfoin /'seɪnfɔɪn/ n. (*bot.*, *Onobrychis sativa*) lupinella; fieno santo.

♦**saint** /seɪnt, sənt/ n. **1** (*relig.*) santo, santa; beato, beata **2** (*fig.*) persona molto virtuosa; santo; sant'uomo; santa, santa donna: *Our grandmother was a real s.*, nostra nonna era proprio una santa ● **St Andrew's cross**, la croce di S. Andrea (*bandiera nazionale della Scozia*) □ (*med.*) **St Anthony's fire**,

il fuoco di S. Antonio; l'herpes zoster □ **St Bernard (dog)**, sanbernardo □ **s.'s day**, giorno in cui si celebra un santo ○ **one's s.'s day**, festa del proprio santo; (*giorno*) onomastico □ **St. George's cross**, la croce di S. Giorgio (*bandiera nazionale dell'Inghilterra*) □ (*naut.*) **St Elmo's fire**, il fuoco di S. Elmo □ **St James's** (*o the Court of St James's*), la corte di San Giacomo; la Corte inglese □ (*bot.*) **St John's wort** (*Hypericum*), erba di San Giovanni □ **St Patrick's Day**, la festa di S. Patrizio (17 marzo) □ **St Paul's**, la cattedrale di San Paolo (*a Londra*) □ **He would try the patience of a s.**, farebbe perdere la pazienza a un santo.

to **saint** /seɪnt/ v. t. **1** (*relig.*) santificare; beatificare; canonizzare **2** chiamare (*o giudicare, stimare*) santo; venerare.

sainted /'seɪntɪd/ a. **1** santo; pio **2** (*di luogo*) consacrato; sacro **3** (*relig.*) beatificato; (*di un beato*) canonizzato.

Saint Helena, **St Helena** /sənt'liːnə/ n. (*geogr.*) Sant'Elena.

sainthood /'seɪnthʊd/ n. ⓤ santità.

saintly /'seɪntlɪ/ a. da santo; santo; pio: **a s. life**, una vita da santo ● **a s. man**, un sant'uomo ‖ **saintliness** n. ⓤ santità.

saith /seθ/ (*arc.*) 3ª pers. sing. del pres. indic. di **to say**.

♦**sake**① /seɪk/ n. ⓤ (*soltanto in certe loc.*; per es.:) **for my s.**, per amor mio; per me; '*A man had died for her s.*' J. JOYCE, 'un uomo era morto per amor suo'; **for my own s. as well as yours**, nell'interesse mio e vostro; **for all our sakes**, nell'interesse di noi tutti; nell'interesse comune; **for the s. of freedom**, per la libertà; **for the s. of money**, per amor del denaro; a scopo di lucro; **for his name's s.**, per il suo buon nome; **for conscience' s.**, per scrupolo di coscienza; **for old times' s.**, in ricordo dei tempi passati; **to do st. for its own s.**, fare qc. per il gusto di farlo ● **for Christ's** (*o God's*) **s.!**, Cristo santo!; Dio santo! □ **for goodness'** (*o heaven's, pity's*) **s.!**, diamine!; perbacco!; perdinci!; insomma!

sake②, **sakè** /'saːkɪ/ n. ⓤⓒ sakè.

saker /'seɪkə(r)/ n. **1** (*zool.*, *Falco cherrug*) falco sacro (*spec. la femmina*) **2** (*mil.*) falconetto (*cannone dei secoli scorsi*).

saki① /'saːkɪ/ n. (pl. **sakis**) (*zool.*, *Pithecia*) pitecia.

saki② /'saːkɪ/ → **sake**②.

sal /sæl/ n. (*chim.*, *farm.*) sale: **sal volatile**, sale volatile ● **sal ammoniac**, sale ammoniaco; cloruro d'ammonio; clorammonio.

salaam /sə'lɑːm/ n. **1** salame (*saluto musulmano*) **2** salamelecco; riverenza.

to **salaam** /sə'lɑːm/ v. t. e i. salutare (→ **salaam**); far salamelecchi.

salable /'seɪləbl/ e deriv. (*USA*) → **saleable**, e deriv.

salacious /sə'leɪʃəs/ a. salace; lussurioso; lascivo; osceno | **-ly** avv.

salaciousness /sə'leɪʃəsnəs/, **salacity** /sə'læsətɪ/ n. ⓤ salacità; lascivia; oscenità.

♦**salad** /'sæləd/ n. ⓤⓒ (*cucina*) **1** (*anche fig.*) insalata: **mixed s.**, insalata mista; **chicken [crab] s.**, insalata di pollo [di granchi] **2** (*USA*) cibo (*pollo, tonno, uovo, ecc.*) tritato (*per sandwich*) **3** (*più comune*, **lettuce**) lattuga ● **s. bowl**, insalatiera □ **s. cream**, condimento (*o salsa*) dolce per le insalate □ (*fig. arc.*) **s. days**, anni verdi; anni d'inesperienza; giovinezza □ **s. dressing**, condimento per l'insalata □ **s. oil**, olio da tavola.

salamander /'sæləmændə(r)/ n. **1** (*mitol.*) salamandra **2** (*zool.*, *Salamandra*) salamandra **3** fornello portatile (*per muratori, ecc.*) ‖ **salamandrine** a. **1** simile a una salamandra **2** (*fig.*) insensibile (*o resistente*) al fuoco.

salami /sə'lɑːmɪ/ n. ⓤ **1** salame **2** (*volg. USA*) salame; cazzo (*volg.*).

Salamis /'sæləmɪs/ n. (*geogr.*, *stor.*) Salamina.

salaried /'sælərɪd/ a. stipendiato; retribuito; che percepisce uno stipendio: **s. employee**, impiegato stipendiato; **to be in s. employment**, svolgere un lavoro retribuito ❶ FALSI AMICI • salaried non significa salariato.

♦**salary** /'sælərɪ/ n. stipendio; retribuzione: **s. adjustment**, adeguamento di stipendio; **s. cut**, riduzione di stipendio; **s. demands**, richieste di miglioramento economico; **s.-earner**, stipendiato (sost.); **s. increase** (*o s. rise*), aumento di stipendio; **s. level**, livello retributivo; **s. scale**, scala (*o tabella*) retributiva; **s. structure**, struttura dello stipendio ❶ FALSI AMICI • salary non significa salario.

♦**sale** /seɪl/ n. **1** ⓒ (*comm.*) vendita; smercio: *Sales are down*, ci sono meno vendite **2** (*comm.*) liquidazione; svendita; saldo: *That shop is having a s.*, c'è una svendita in quel negozio; *They've got a s. on at the moment so the jacket was reduced from £55 to £30*, adesso hanno i saldi, quindi hanno abbassato il prezzo della giacca da £55 a £30; *January sales*, saldi di gennaio; *I think the sales are on until the end of the month*, credo che i saldi durino fino alla fine del mese **3** (pl.) (*rag.*) vendite; fatturato: *Our sales have slumped badly*, le nostre vendite hanno subìto una forte flessione; *Sales are off [up] 5% this year*, quest'anno le vendite sono in calo [in ripresa] del 5% **4** (*sport*) vendita, cessione (*di un giocatore*) ● (*rag.*) **sales account**, conto vendite □ **sales agent**, agente di vendita □ (*fin.*) **s. and leaseback**, leasing immobiliare □ **s. and return** ○ **s. or return** → *sotto* □ (*fin.*) **s. at best**, vendita al meglio □ **s. below cost**, vendita sottocosto □ (*rag.*) **sales book**, libro vendite; giornale delle vendite □ **s. by auction**, vendita all'asta (*o all'incanto*) □ **s. by candle**, vendita (*all'asta*) a candele vergini □ (*leg.*) **s. by the court**, vendita giudiziale □ **s. by description**, vendita (*della merce*) su descrizione □ **s. by instalments**, vendita a rate □ (*leg.*) **s. by private contract**, vendita a trattativa privata □ **s. by retail**, vendita al dettaglio (*o al minuto*) □ **s. by sample**, vendita su campione □ **s. by weight**, vendita a peso □ **sales campaign** (*o sales drive*), campagna di vendite □ **s. cash on delivery**, vendita contrassegno □ (*USA*) **sales clerk**, commesso, commessa (*di negozio*) □ **sales commission**, provvigione sulle vendite □ (*Borsa*) **s. confirmation**, fissato bollato □ **s. contract**, (*leg.*) contratto di vendita (*o di compravendita*); (*Borsa*) distinta di vendita □ **sales department**, reparto (*o ufficio*) vendite □ (*org. az.*) **sales engineer**, sales engineer □ (*leg.*) **s. excepted**, salvo venduto (*clausola*) □ (*Borsa*) **s. for the account** (*o for the settlement*), vendita a termine □ **s. for future delivery**, vendita per consegna futura (*o differita*) □ **sales forecast**, previsione delle vendite (*o market.*) □ **s. gimmick**, espediente per vendere un prodotto; specchietto per le allodole (*fig.*) □ (*rag.*) **sales invoicing**, fatturazione del venduto □ (*rag.*) **sales ledger**, partitario vendite □ (*pubbl.*) **sales literature**, materiale pubblicitario □ **sales manager**, sales manager; direttore commerciale □ (*org. az.*) **sales mix**, sales mix; composizione delle vendite □ (*market.*) **s. note**, distinta di vendita □ (*rag.*) **sales of assets**, smobilizzi e realizzi (*leg.*) **s. of goods**, compravendita commerciale; vendita di beni mobili □ (*leg.*) **s. of real property**, vendita immobiliare □ **s. of work**, vendita di beneficenza (*di abiti, dolci, ecc. fatti in casa*) □ **sales offices**, punti di vendita □ **sales officer**, addetto alle vendite

□ **s. on approval**, vendita salvo vista e verifica (*della merce*); vendita con riserva di gradimento □ (*leg.*) **s. on commission**, vendita per conto terzi □ **s. on credit**, vendita a credito □ **s. on trial = s. on approval** → *sopra* **s. or return**, vendita in conto deposito; «conto deposito» (*clausola*) □ **sales outlet**, centro (*o* punto) di vendita □ (*fam.*) **sales pitch**, discorsetto fatto a un cliente potenziale; imbonitura di venditore □ **sales policy**, politica delle vendite □ **sales potential**, potenziale di vendita □ **s. price**, prezzo di vendita; (*anche*) prezzo di saldo stagionale □ **s. proceeds**, ricavo di una vendita □ (*market.*) **sales promotion**, promozione (*o* sviluppo) delle vendite □ **sales register**, registratore di cassa □ **sales representative**, rappresentante (*di commercio*); informatore (*di farmaci, ecc.*) □ **sales resistance**, resistenza all'acquisto (*da parte della clientela*) □ **sales returns**, rese sulle vendite; (*rag.*) **sales returns account** [**book**], conto [giornale] rese su vendite □ **s. ring**, cricca di compratori (*a una vendita all'asta*); (*market.*) recinto di bestiame in vendita □ **sales slip**, (*market.*) talloncino di vendita (*sulle confezioni*); (*USA*) scontrino, ricevuta; (*banca*) = **sales voucher** → *sotto* □ **sales stagnation**, ristagno delle vendite □ **sales talk = sales pitch** → *sopra* □ (*fisc.*) **sales tax**, imposta (*locale*) sulle vendite (*cfr. ital. I.G.E., un tempo*) □ (*leg.*) **s. under execution**, vendita giudiziale (*o* forzata) □ (*banca*) **sales voucher**, distinta degli acquisti fatti (*con una carta di credito*); documento di spesa □ (*pubbl.*) **«for s.»**, «in vendita»; «vendesi» □ (*di un prodotto*) **to be on s.**, essere in vendita (*o* in commercio) □ **on a s. or return basis**, in conto deposito □ (*di un prodotto*) **to be out of s.**, essere esaurito (*o* fuori commercio) □ **to put st. up for s.**, mettere in vendita qc. □ **subject to s.**, salvo venduto □ **«This s.»** (*scritta su un distributore di benzina*), «importo» (*da pagare*).

saleable /'seɪləbl/ *a*. vendibile; smerciabile ● (*comm.*) **s. value**, valore venale ∥ **saleability** *n*. Ⓤ vendibilità; facilità di smercio.

salep /'sæləp/ *n*. Ⓤ «salep» (*farina di tuberi di orchidee*).

saleratus /sælə'reɪtəs/ *n*. (*chim.*) bicarbonato di potassio (*o* di sodio).

saleroom /'seɪlruːm/ *n*. (*spec. ingl.*) **1** sala delle vendite all'asta; sala aste **2** sala di esposizione e vendita.

salesclerk /'seɪlzklɑːk/ *n*. (*USA*) commesso, commessa (*di negozio*).

salesgirl /'seɪlzɡɜːl/, **saleslady** /'seɪlzleɪdɪ/ → **saleswoman**.

Salesian /sə'liːzɪən/ *a*. e *n*. (*relig.*) salesiano.

salesman /'seɪlzmən/ *n*. (pl. **salesmen**) **1** commesso (*di negozio*) **2** viaggiatore di commercio; commesso viaggiatore; piazzista **3** (*org. az.*) agente (*o* funzionario) di vendita ∥ **salesmanship** *n*. Ⓤ (*comm.*) arte del vendere; abilità nel vendere.

salespeople /'seɪlzpiːpl/ *n*. (collett.) personale addetto alle vendite; venditori.

salesperson /'seɪlzpɜːsn/ *n*. **1** persona addetta alle vendite; commesso, commessa (*di negozio*) **2** rappresentante.

salesroom /'seɪlzruːm/ (*USA*) → **saleroom**.

saleswoman /'seɪlzwʊmən/ *n*. (pl. **saleswomen**) **1** commessa (*di negozio*) **2** viaggiatrice di commercio; rappresentante; propagandista.

Salian ① /'seɪlɪən/ *a*. (*stor. romana*) saliare (*dei Salii, sacerdoti di Marte*).

Salian ② /'seɪlɪən/ (*stor.*) Ⓐ *a*. salico Ⓑ *n*. Franco Salico.

Salic /'sælɪk/ *a*. (*stor.*) salico: **the S. law**, la legge salica.

salicin /'sælɪsɪn/ *n*. Ⓤ (*chim.*) salicina.

salicyl /'sælɪsɪl/ *n*. Ⓤ (*chim.*) salicile.

salicylic /sælɪ'sɪlɪk/ (*chim.*) *a*. salicilico: **s. acid**, acido salicilico ∥ **salicylate** *n*. salicilato.

salience /'seɪlɪəns/, **saliency** /'seɪlɪənsɪ/ *n*. **1** Ⓤ l'esser saliente (*anche fig.*); importanza; rilevanza **2** parte sporgente; sporgenza; prominenza.

salient /'seɪlɪənt/ *a*. **1** saliente; sporgente; (*fig.*) importante, rilevante, notevole, prominente: **a s. point**, un punto saliente; **a s. feature**, un aspetto notevole; **the s. note**, la nota prominente **2** (*di animale*) che salta; saltatore: *Salmon is a s. fish*, il salmone è un pesce saltatore **3** (*arald.*) saliente **4** (*poet.*: *d'acqua, ecc.*) zampillante Ⓑ *n*. (*mil.*) saliente.

saliferous /sə'lɪfərəs/ *a*. (*geol., chim.*) salifero.

to **salify** /'sælɪfaɪ/ (*chim.*) *v. t.* salificare ∥ **salification** *n*. Ⓤ salificazione.

salina /sə'laɪnə/ *n*. **1** (*geol.*) salina **2** lago (*o* stagno) salato (*non collegato col mare*).

saline /'seɪlaɪn/ Ⓐ *a*. **1** (*chim.*) salino: **a s. solution**, una soluzione salina **2** salso **3** (*di sapore*) di sale; salato Ⓑ *n*. **1** sorgente d'acqua salsa **2** (*geogr.*) lago (*o* stagno) salato (*non collegato col mare*) **3** (*geol.*) salina; giacimento di sale **4** (*chim.*) soluzione salina **5** (*med.*) sale purgativo.

salinity /sə'lɪnətɪ/ *n*. Ⓤ **1** (*chim.*) salinità **2** (*dell'acqua, di sapore, ecc.*) salsedine.

salinometer /sælɪ'nɒmɪtə(r)/ *n*. (*chim.*) salinometro.

saliva /sə'laɪvə/ (*fisiol.*) *n*. Ⓤ saliva ∥ **salivary** *a*. salivare: **salivary gland**, ghiandola salivare.

to **salivate** /'sælɪveɪt/ Ⓐ *v. t.* far salivare; causare una salivazione eccessiva in (q.) Ⓑ *v. i.* salivare; produrre saliva ∥ **salivation** *n*. Ⓤ **1** (*fisiol.*) salivazione **2** (*med.*) ipersalivazione.

sallet /'sælət/ *n*. (*stor.*) celata.

Sallie Mae /sælɪ'meɪ/ loc. *n*. (*fam., in USA*) → **SLM**.

sallow ① /'sæləʊ/ Ⓐ *a*. giallastro; gialliccio; olivastro: **s. complexion**, colorito giallastro Ⓑ *n*. Ⓤ colore giallastro; colore olivastro ∥ **sallowness** *n*. Ⓤ colore giallastro; tinta giallastra.

sallow ② /'sæləʊ/ *n*. (*bot.*, *Salix caprea*) salicone.

to **sallow** /'sæləʊ/ Ⓐ *v. t.* rendere giallastro, olivastro Ⓑ *v. i.* diventar giallastro.

sally /'sælɪ/ *n*. **1** (*mil.*) sortita **2** escursione; gita; scappata **3** (*fig.*) botta; frecciata; frizzo **4** impeto; scoppio: **a s. of anger**, uno scoppio d'ira **5** (*archit.*) aggetto ● (*mil.*) **s. port**, porta per le sortite.

to **sally** /'sælɪ/ *v. i.* **1** (*mil.*) balzar fuori; fare una sortita **2** (*arc. o scherz.*; *di solito* **to s. forth**) andarsene, partire **3** (*arc. o scherz.*; *di solito* **to s. out**) andarsene, uscire: *We sallied out into the country*, ce ne andammo in campagna.

Sally /'sælɪ/ *n*. **1** dim. di **Sarah 2** (*fam., Austral. e NZ*) membro dell'Esercito della Salvezza **3** ostello gestito dall'Esercito della Salvezza □ (*fam.*) **S. army**, Esercito della Salvezza □ (*cucina*) **S. Lunn**, focaccia di farina, lievito, latte, burro e uova (*servita calda*).

salmagundi /sælmə'ɡʌndɪ/ *n*. ⓊⒸ (pl. **salmagundis**) **1** (*cucina*) piatto di carne tritata, acciughe, uova, cipolle, ecc. **2** (*fig.*) guazzabuglio; miscuglio.

salmi /'sælmɪ/ *n*. ⓊⒸ (pl. **salmis**) (*cucina*) salmì; cacciagione in salmì.

salmon /'sæmən/ Ⓐ *n*. **1** (pl. **salmon**, **salmons**) (*zool.*, *Salmo salar*) salmone **2** Ⓤ salmone: **smoked s.**, salmone affumicato **3** Ⓤ color salmone Ⓑ *a*. (= **s. pink**) rosa salmone ● **s.-coloured**, color salmone □ **s. ladder** (*o* **s. leap, s. stair**), gradinata (*o* scalinata) per consentire ai salmoni di superare una diga □ (*zool.*) **s. trout**, trota salmonata.

salmonella /sælmə'nɛlə/ *n*. Ⓤ (*biol.*) salmonella ∥ **salmonellosis** *n*. Ⓤ (*med.*) salmonellosi.

salmonoid /'sælmənɔɪd/ (*zool.*) Ⓐ *a*. di (*o* simile a) salmone Ⓑ *n*. salmonide.

Salome /sə'ləʊmɪ/ *n*. (*Bibbia*) Salomè.

salon /'sælɒn, *USA* sə'lɒn/ *n*. **1** salone; sala da ricevimenti (*o* per mostre d'arte) **2** negozio di lusso; boutique **3** salone di parrucchiere **4** (*un tempo*) salotto (*letterario o mondano*) ● **a beauty s.**, un salone di bellezza □ **s. music** (*slang USA*: **s. mush**), musica leggera di sottofondo (*in un bar, ecc.*).

Salonica /sə'lɒnɪkə/ *n*. (*geogr.*) Salonicco.

saloon /sə'luːn/ *n*. **1** sala (*d'albergo, ecc.*); salone **2** (*di teatro*) ridotto **3** (*USA*) bar del Far West; saloon **4** (*GB*, *autom.*, = **s. car**) berlina **5** (*GB* = **s. bar**) sala interna (*più elegante e costosa*) di un pub (*cfr.* **public bar**, *sotto* **public**) **6** (*naut.*) salone delle feste; sala di prima classe ● (*ferr.*) **s. car** (*o* **s. carriage**), vettura salone; carrozza salotto □ (*naut.*) **s. deck**, ponte di prima classe □ **s.-keeper**, gestore (*o* padrone) di saloon; barista □ (*ferr.*) **s.-passenger**, viaggiatore di prima classe.

Salopian /sə'ləʊpɪən/ *n*. e *a*. **1** (abitante) dello Shropshire **2** (membro) della scuola di Shrewsbury.

salpingitis /sælpɪn'dʒaɪtɪs/ *n*. Ⓤ (*med.*) salpingite.

salpinx /'sælpɪŋks/ (*anat.*) *n*. (pl. **salpinges**) salpinge (*uditiva o uterina*).

salsify /'sælsəfɪ/ *n*. (*bot.*, *Tragopogon porrifolius*) salsefica, salsefrica; barba di becco.

♦**salt** /sɔːlt/ Ⓐ *n*. **1** Ⓤ (*chim., farm.*) sale; sale marino (*o* da cucina); (*fig.*) criterio, senno; (*fig.*) sapore, succo: **table s.**, sale da tavola; **common s.**, sale comune; **cooking s.**, sale grosso; *Epsom s.*, sale inglese (*purgativo*); *Risk is the s. of life*, il rischio dà sapore alla vita **2** (*fam.*) marinaio: **an old s.**, un vecchio marinaio; un lupo di mare **3** (*slang*) eroina (*droga*) **5** (pl.) (*med.*) **salts**: **smelling salts**, sali da fiuto Ⓑ *a*. attr. **1** salato; salso: **s. pork**, carne salata di maiale; **s. water**, acqua salata (*o* di mare) **2** (*fig. raro*) amaro: **to weep s. tears**, piangere amare lacrime ● **s.-and-pepper**, pepe e sale (agg.); (*fam. USA*) interrazziale; (*slang*) auto della polizia; marijuana scadente □ **s.-and-pepper hair**, capelli brizzolati □ (*chim.*) **s. cake**, solfato di sodio □ (*GB*) **s. cellar**, saliera (*con il tappo perforato*) □ (*geogr.*) **s. desert**, deserto salato □ (*geol.*) **s. dome**, duomo salino; cupola salina □ (*geogr.*) **s. flat**, piana di sale; letto di lago salato prosciugatosi □ (*med.*) **s.-free diet**, dieta senza sale; dieta sodiopenica □ (*ind. ceramica*) **s. glaze**, smaltatura a sale □ (*geogr.*) **s. lake**, lago salato □ **s. lick**, terreno ricco di salgemma (*dove i selvatici vanno a leccare il sale*); blocco di sale per il bestiame domestico □ (*geogr.*) **s. marsh**, palude costiera salmastra □ **s. meadow**, prato ricco di salgemma □ **s.-mine**, miniera di sale; (*fig.*) *Back to the s.-mines!*, si torna al duro lavoro! □ (*Bibbia*) **the s. of the earth**, il sale della terra (*fig.*); i migliori; gli eletti; brava gente □ **s. pit**, miniera di salgemma; salina □ (*USA*) **s. rising**, lievito □ **s. spoon**, cucchiaino per il sale □ (*USA*) **s. truck**, camion spandisale □ **s. well**, pozzo d'acqua salata □ **s. wit**, spirito arguto, mordace □ (*di cibo*) **in s.**, sotto sale □ (*fig.*) **to take st. with a pinch** (*o* **a grain**) **of s.**, prendere qc. 'cum grano salis' (*o* con un po' di buonsenso).

SALT /sɔːlt/ sigla (**Strategic Arms Limitation Talks** (*o* **Treaty**)) Trattative (*o* Trat-

tato) per la limitazione delle armi strategiche.

to **salt** /sɔːlt/ v. t. **1** salare; aspergere (*o* cospargere) *di* sale; conservare sotto sale; mettere in salamoia: **to s. the hams**, salare i prosciutti; **to s. cod**, salare il merluzzo; **to s. the roads**, cospargere le strade di sale **2** (*fig.*) dar sapore a; rendere sapido: *He salted his conversation with wit*, rendeva sapida la sua conversazione con l'arguzia ● (*comm.*, *fam.*) **to s. the books**, falsare i conti; alterare (esagerando) le cifre della contabilità □ (*fam.*) **to s. a mine** [**an oil-well**], mettere minerale in una miniera [petrolio in un pozzo] per farli apparire più ricchi.

■ **salt away** v. t. + avv. **1** conservare, mettere sotto sale (*alimenti*) **2** (*fam.*) mettere via (*o* da parte); accantonare, risparmiare (*denaro*, *in modo segreto*).

■ **salt down** v. t. + avv. **1** → **salt away**, def. *1* **2** (*raro*) → **salt away**, def. 2.

■ **salt out** v. t. e i. + avv. (*chim.*) (far) precipitare con l'aggiunta di un sale.

saltation /sælˈteɪʃn/ n. ⓤ **1** salto; atto del saltare; il muoversi a salti **2** (*biol.*) forte mutazione genetica.

saltatorial /ˌsæltəˈtɔːrɪəl/ → **saltatory**.

saltatory /ˈsæltətrɪ/ a. saltatorio; (*zool.*) saltatore: **a s. animal**, un animale saltatore ● (*med.*) **s. spasm**, spasmo saltatorio.

saltbox /ˈsɔːltbɒks/ n. cassettina del sale.

saltbush /ˈsɔːltbʊʃ/ n. (*bot.*, *Atriplex*) atreplice, atriplice.

saltcellar /ˈsɔːltselə(r)/ n. **1** saliera **2** spargisale (*saliera bucherellata*).

salted /ˈsɔːltɪd/ a. **1** salato; conservato sotto (*o* col) sale: **s. peanuts**, noccioline salate **2** (*fam.*) esperto; pratico (*di un lavoro*, *ecc.*).

salter /ˈsɔːltə(r)/ n. **1** produttore di sale **2** venditore di sale **3** operaio di salina; salinaio **4** salatore.

saltern /ˈsɔːltən/ n. **1** salina **2** raffineria di sale.

saltigrade /ˈsæltɪɡreɪd/ a. (*zool.*) saltigrado.

saltiness /ˈsɔːltɪnəs/ n. ⓤ salsedine; l'essere salato; salinità.

salting /ˈsɔːltɪŋ/ n. **1** ⓤ salatura **2** palude costiera; salina.

saltire /ˈsɔːltaɪə(r)/ n. (*arald.*) decusse; croce di Sant'Andrea; croce decussata.

saltish /ˈsɔːltɪʃ/ a. salmastro.

saltless /ˈsɔːltləs/ a. senza sale; insipido.

saltmine /ˈsɔːltmaɪn/ n. miniera di salgemma; salina.

saltness /ˈsɔːltnəs/ n. ⓤ → **saltiness**.

saltpan /ˈsɔːltpæn/ n. (*geogr.*) bacino di sale; salina; stagno salato.

saltpetre, (*USA*) **saltpeter** /sɔːltˈpiːtə(r)/ n. ⓤ (*chim.*) **1** salnitro; nitrato di potassio **2** (= **Chile s.**) nitro del Cile; nitrato di sodio ● **s. rot**, incrostazione di salnitro.

saltshaker /ˈsɔːltʃeɪkə(r)/ n. (*USA*) spargisale; saliera (*bucherellata*).

saltwater /ˈsɔːltwɔːtə(r)/ a. attr. d'acqua salata; di mare: **s. fish**, pesce (*o* pesci) di mare ● **s. marsh**, palude d'acqua salata; palude marina.

saltworks /ˈsɔːltwɜːks/ n. salina; impianto per l'estrazione del sale.

saltwort /ˈsɔːltwɜːt/ → **glasswort**.

salty /ˈsɔːltɪ/ a. **1** salato; salino; salso: *The broth is too s.*, il brodo è troppo salato **2** (*fig.*) arguto; mordace; pungente **3** aggressivo; grintoso; tosto **4** (*fig. arc.*) piccante; spinto.

salubrious /səˈluːbrɪəs/ a. **1** (*form.*) salubre, sano: *This climate is very s.*, questo clima è molto sano **2** buono; rispettabile: **to live in a s. area**, abitare in una buona zona

| -ly avv.

salubriousness /səˈluːbrɪəsnəs/, **salubrity** /səˈluːbrətɪ/ n. ⓤ salubrità.

salutary /ˈsæljʊtrɪ/ a. salutare; benefico.

salutation /ˌsæljʊˈteɪʃn/ n. **1** ⓤⓒ (*form.*) saluto **2** (*nelle lettere*) formula introduttiva; vocativo (*per es.*, **Dear Sir**) ● (*relig.*) **the Angelic S.**, la salutazione angelica; l'Ave Maria □ **to raise one's hat in s.**, togliersi il cappello in segno di saluto.

salutatory /səˈluːtətrɪ/ Ⓐ a. (*form.*) di saluto; di benvenuto: **s. address**, parole di benvenuto Ⓑ n. (*USA*) orazione, discorso (*letti da uno studente alla cerimonia delle lauree o dei diplomi*).

to **salute** /səˈluːt/ n. **1** saluto; saluto militare **2** (*mil.*) salva (*di cannone*) **3** (*mil.*) saluto fatto abbassando la bandiera **4** (*equit.*, *lotta*, *scherma*) saluto ● (*mil.*) **s. with cheers**, saluto alla voce □ (*mil.*) **to fire a s.**, tirare una salva □ **in s.**, a mo' di saluto; per salutare □ (*mil.*) **a royal** (*o* **twenty-one-gun**) **s.**, una salva di ventun colpi di cannone □ (*mil.*) **to stand at the s.**, fare il saluto militare □ (*mil.*) *di un personaggio importante*) **to take the s.**, stare sull'attenti (*ricevendo il saluto di truppe che sfilano, ecc.*).

to **salute** /səˈluːt/ v. t. e i. **1** salutare (*anche fig.*); fare il saluto militare; rendere gli onori a: *Soldiers must s. when they pass an officer*, i soldati devono salutare quando passano vicino a un ufficiale; *Laughter saluted us*, fummo salutati (*o* accolti) da uno scoppio di risa **2** festeggiare (*un personaggio illustre*); onorare, rendere onore a (q.) **3** (*arc.*) baciare in segno di saluto ● **to s. each other**, salutarsi; scambiarsi il saluto □ (*mil.*) **to s. with cheers**, salutare alla voce □ (*mil.*) **saluting gun**, cannone per salve d'onore.

saluter /səˈluːtə(r)/ n. (*form.*) chi saluta.

salvable /ˈsælvəbl/ a. (*di nave, carico, ecc.*) salvabile; recuperabile.

Salvadorean, **Salvadorian**, **Salvadoran** /ˌsælvəˈdɔːr(ɪ)ən/ a. e n. salvadoregno.

salvage /ˈsælvɪdʒ/ n. ⓤ **1** (*naut.*) salvataggio (*della nave, del carico*): **s. dues**, diritti di salvataggio **2** (*naut.*) recupero; operazioni di salvataggio **3** (*comm.*, *naut.*) materiale recuperato (*da un naufragio, da un rottame*) **4** (*comm.*, *naut.*; = **s. money**) compenso pagato per il recupero marittimo **5** (*ind.*) materiale di recupero: **s. dealer**, commerciante in materiale di recupero ● **s. corps**, uomini addetti (*per conto di società d'assicurazioni*) al salvataggio di beni minacciati dal fuoco □ (*naut.*) **s. tug**, rimorchiatore □ (*ass.*) **s. value**, valore residuale (*o* di recupero).

to **salvage** /ˈsælvɪdʒ/ v. t. **1** (*naut.*) recuperare (*un relitto, un carico, ecc.*) **2** salvare; recuperare; mettere in salvo: *We managed to s. only a few things from the fire*, siamo riusciti a salvare solo poche cose dall'incendio; *There's little to s. from this article*, c'è poco da salvare in quest'articolo □ **to s. one's good name**, salvare il proprio buon nome ● **salvaged materials**, materiali di recupero.

♦**salvation** /sælˈveɪʃn/ n. ⓤ **1** salvezza; salvazione (*spec. dell'anima*); salute eterna **2** salvamento; salvataggio ● (*relig.*) **the S. Army**, l'Esercito della Salvezza □ (*relig.*) **to find s.**, salvarsi.

Salvationist /sælˈveɪʃnɪst/ n. (*relig.*) membro dell'Esercito della Salvezza.

salve① /sælv, saːv/ n. **1** ⓤⓒ balsamo (*anche fig.*); pomata; unguento **2** (*fig.*) lenimento; rimedio ● **lip s.**, pomata per le labbra.

salve② /ˈsælvɪ/ (*lat.*) Ⓐ n. (*relig.*, = **S. regina**) Salveregina Ⓑ inter. salve!

to **salve**① /sælv, saːv/ v. t. **1** lenire; placare; acquietare **2** (*arc.*) applicare un unguento su (*una ferita*) ● **to s. one's conscience**,

mettersi in pace la coscienza; attenuare il proprio senso di colpa.

to **salve**② /sælv/ → **to salvage**.

salver /ˈsælvə(r)/ n. vassoio (*di metallo*).

salvia /ˈsælvɪə/ n. (*bot.*, *Salvia splendens*) salvia splendida.

salvo /ˈsælvəʊ/ n. (pl. *salvos*, *salvoes*) **1** (*mil.*) salva (*d'artiglieria e fig.*): *There was a s. of applause*, ci fu una salva (*o* uno scroscio) d'applausi **2** (*aeron. mil.*) salva; grappolo (*di bombe*) **3** (*aeron. mil.*) gruppo di bombe sganciate contemporaneamente.

salvor /ˈsælvə(r)/ n. (*naut.*) **1** recuperatore; addetto ai recuperi marittimi **2** nave recuperi.

Sam /sæm/ n. **1** dim. di **Samuel** e di **Samantha 2** (*slang USA*; = **Uncle Sam**) il governo federale; la polizia federale **3** agente federale.

SAM sigla (*mil.*, **surface-to-air missile**) missile terra-aria.

samara /səˈmɑːrə/ n. (*bot.*) samara.

Samaritan /səˈmærɪtən/ a. e n. samaritano ● **the good S.**, il buon samaritano (*nel Vangelo*); (*fig.*) persona caritatevole.

samarium /səˈmɛərɪəm/ n. ⓤ (*chim.*) samario.

samba /ˈsæmbə/ n. (*mus.*) samba.

sambar /ˈsæmbə(r)/ n. (*zool.*, *Cervus unicolor*) sambar; cervo unicolore.

sambo /ˈsæmbəʊ/ n. (pl. *sambos*, *samboes*) **1** zambo (*figlio di un genitore indio e di un genitore negro di origine africana*) **2** (*soprannome offensivo*) negro.

Sam Browne (**belt**) /ˈsæmˈbraʊn(belt)/ loc. n. (*mil.*) cinturone da ufficiale.

sambur /ˈsæmbə(r)/ → **sambar**.

♦**same** /seɪm/ Ⓐ a. **1** stesso; medesimo; identico: *They died on the s. day*, morirono lo stesso giorno; *We went to the s. school*, frequentammo la medesima scuola; **that s. day**, lo stesso giorno; *He gave me the s. answer as before*, mi diede la stessa risposta di prima; *Is the e-mail address the s. as the one on the web site?*, l'indirizzo e-mail è lo stesso che c'è sul sito? **2** stesso; stesso; sempre uguale: *It's the s. old story*, è sempre la stessa storia (*o* la solita storia) Ⓑ pron. **1** (lo) stesso; (la) stessa cosa: *Whatever I do, the child tries to do the s.*, qualsiasi cosa io faccia, il bambino cerca di fare lo stesso; *Life can't ever stay the same*, la vita non può essere sempre la stessa cosa (*purtroppo, le cose cambiano*) **2** (*comm.*, *bur.*; senza l'articolo def.) lo stesso; il medesimo: *To repairing table, £75; to polishing s., £30*, per riparazione della tavola, 75 sterline; per lucidatura della stessa, 30 sterline Ⓒ avv. **1** allo stesso modo; nella medesima maniera: **to feel the s. about st.**, pensarla (*come*) allo stesso modo su qc. **2** (*fam.*) né più né meno; proprio (*come*): *I have my rights, s. as anyone*, ho i miei diritti anch'io, come chiunque ● **S. again**, lo stesso; faccio il bis; ancora un po'; dammene ancora (*di bevanda*) □ (*comm.*) **s.-day delivery**, consegna in giornata □ **S. here!**, lo stesso qui!; anche (*o* nemmeno) qui!; (*fam.*) lo stesso, io!; (sono) d'accordo!; anche (*o* nemmeno) io!: «*Glad to know you*» «*S. here*», «lieto di conoscerLa» «anch'io» □ (*fam.*) **S. difference!**, sai la differenza!; e che differenza fa?; se non è zuppa è pan bagnato □ (*fam.*) **the s. old, s. old**, la solita roba trita e ritrita; la stessa solfa □ **s.-sex marriage**, matrimonio tra persone dello stesso sesso □ **all** (*o* **just**) **the s.**, lo stesso; nondimeno; ugualmente: *It's a rainy day but I'll go for a walk all the s.*, è una giornata piovosa, ma farò lo stesso una passeggiata □ **at the s. time**, a un tempo, insieme; ciononostante, tuttavia, pure □ **to come to the s. thing**, equivalere; non fare differenza alcuna □ **much the s.**, quasi (*o* su per

giù) lo stesso; pressoché uguale; più o meno: *The patient is much the s. as yesterday*, il malato sta più o meno come ieri □ **not to feel the s.**, non provare gli stessi sentimenti □ **the very s.** (o **one and the s.**), proprio lo stesso, il medesimo: *This is the very s. man I met yesterday*, è proprio lo stesso uomo che incontrai ieri; *They belong to one and the s. class*, appartengono esattamente alla medesima categoria □ **It is all the s.** (o **just the s.**) **to me**, per me fa lo stesso; mi è del tutto indifferente □ **«A Happy New Year!» «The s. to you!»**, «Buon Anno!» «Altrettanto!» □ **She is the s. as ever**, è sempre la stessa; è quella di sempre □ **She looks the s. as ever**, di aspetto non è affatto cambiata.

sameness /'seɪmnəs/ n. ⓤ **1** identità; identicità; somiglianza assoluta **2** (*spreg.*) monotonia; uniformità **3** (*di lavoro, ecc.*) trantran, routine.

samey /'seɪmɪ/ a. (*fam.*) monotono; ripetitivo; noioso.

Sami /'sɑːmɪ/ n. pl. lapponi.

Samian /'seɪmɪən/ a. e n. (abitante) di Samo: **S. ware**, vasi di Samo.

samite /'sæmaɪt/ n. ⓤ (*stor.*) sciamito (*pesante drappo di seta*).

samizdat /'sæmɪzdæt/ (*russo*) n. samizdat.

samlet /'sæmlət/ n. (*zool.*) salmone giovane.

Sammy /'sæmɪ/ n. dim. di → **Samuel.**

Samnite /'sæmnaɪt/ (*stor.*) Ⓐ n. sannita Ⓑ a. sannitico.

Samoan /sə'məʊən/ Ⓐ a. samoano; delle isole Samoa Ⓑ n. **1** samoano, samoana **2** ⓤ lingua delle Samoa.

Samos /'seɪmɒs/ n. (*geogr.*) Samo.

samosa /sə'məʊsə/ n. (*cucina indiana*) samosa (*pasticcio triangolare ripieno di carne o verdura speziate*).

Samothrace /'sæməθreɪs/ n. (*geogr.*) Samotracia.

samovar /'sæməvɑː(r)/ (*russo*) n. samovar.

Samoyed /sæmɔɪ'ed, USA 'sæməjed/ a. e n. ⓤ samoiedo (*anche la lingua e il cane*).

Samoyedic /sæmɔɪ'edɪk/ n. ⓤ samoiedo (*la lingua*).

sampan /'sæmpæn/ n. (*naut.*) sampan, sampang (*piccola imbarcazione cinese*).

samphire /'sæmfaɪə(r)/ n. (*bot.*) **1** (*Crithmum maritimum*) finocchio marino; erba di San Pietro **2** (*Salicornia europea*) salicornia.

sample /'sɑːmpl/ n. **1** (*anche comm., stat.*) campione: *The goods are not up to s.*, la merce non è conforme (o è di qualità inferiore) al campione; **random s.**, campione casuale; *We'll get a s. off to you as soon as possible*, vi manderemo un campione appena possibile **2** (*metall.*) saggio **3** (*med.*) campione; prelievo: **a blood s.**, un campione di sangue **4** (*fig.*) esempio; esemplare; modello; saggio: *Give us a s. of your ability*, dateci un saggio delle vostre capacità ● **s. card**, cartella di campioni □ **s. collection**, campionario □ **s. fair**, fiera campionaria □ (*comm.*) **samples on collection**, campioni su richiesta □ (*comm.*) **«samples only»**, «campione senza valore» □ **s. rate**, tariffa postale per la spedizione di campioni; (*comput.*) frequenza di campionamento □ (*stat.*) tasso di campionamento □ **s. room**, sala di mostra dei campioni □ (*stat.*) **s. survey**, inchiesta campionaria □ (*stat.*) **s. unit**, unità campionaria □ (*comm.*) **as per s.**, come da campione □ (*di vendita*) **by s.**, su campione □ **to send st. by s. post**, spedire qc. come campione senza valore □ **a set of samples**, un campionario.

to **sample** /'sɑːmpl/ v. t. **1** (*comm., stat.*) campionare **2** provare; saggiare; assaggia-

re; gustare; degustare (*vini, ecc.*).

sampler /'sɑːmplə(r)/ n. **1** (*comm., stat.*) campionatore; campionarista **2** (*un tempo*) saggio di ricamo **3** (*ind. min., = soil s.*) sonda campionatrice.

sampling /'sɑːmplɪŋ/ n. ⓤ **1** (*comm., stat.*) campionatura; campionamento **2** assaggio; (*di vini, ecc.*) degustazione ● **s. bottle**, bottiglia per il prelievo di campioni □ (*stat.*) **s. error**, errore campionario □ (*stat.*) **s. frame**, base del sondaggio □ (*comm.*) **s. order**, ordine di prova; ordine di saggio □ (*stat.*) **s. theory**, teoria dei campioni □ **s. unit**, unità campionaria.

Samson /'sæmsn/, **Sampson** /'sæmpsn/ n. (*Bibbia*) Sansone (*anche fig.*).

Samuel /'sæmjʊəl/ n. Samuele.

samurai /'sæmərai/ (*giapponese*) n. (pl. **samurai, samurais**) samurai ● (*fin.*) **s. bond**, obbligazione in yen.

SAN sigla (*comput., storage area network*) SAN (*sottorete di dispositivi per salvataggio dati*).

san. abbr. (**sanitary**) sanitario.

sanative /'sænətɪv/ a. curativo; che risana; sanativo (*raro*).

sanatorium /sænə'tɔːrɪəm/ n. (pl. **sanatoriums, sanatoria**) **1** sanatorio; casa di salute (o di cura) **2** (*in GB*) infermeria (*di convitto e sim.*).

sanctified /'sæŋktɪfaɪd/ a. **1** santificato; consacrato **2** (*raro*) santocchio ● **s. airs**, santimonia; santocchieria (*raro*); arie di santità.

to **sanctify** /'sæŋktɪfaɪ/ v. t. **1** santificare; consacrare **2** sancire; sanzionare ‖ **sanctification** n. ⓤ santificazione ‖ **sanctifier** n. santificatore, santificatrice.

sanctimonious /sæŋktɪ'məʊnɪəs/ a. santocchio; ipocrita; bigotto ‖ **sanctimoniously** avv. ipocritamente; bigottamente ‖ **sanctimoniousness, sanctimony** n. ⓤ santimonia (*spreg.*); santocchieria (*raro*); ipocrisia.

♦**sanction** /'sæŋkʃn/ n. **1** (*anche polit.*) sanzione; approvazione; ratifica: **economic sanctions**, sanzioni economiche **2** (*leg. e sport*) sanzione; pena; punizione ● (*comm. est.*) **sanctions-busting**, violazione dell'embargo.

to **sanction** /'sæŋkʃn/ v. t. **1** sanzionare; approvare; ratificare; sancire **2** (*leg. e sport*) sanzionare; fare oggetto di sanzioni punitive.

sanctitude /'sæŋktɪtjuːd, USA -tuːd/ n. ⓤ santità.

sanctity /'sæŋktətɪ/ n. ⓤ **1** santità **2** carattere sacro; sacralità; inviolabilità **3** (pl.) affetti (diritti, doveri, principi, ecc.) sacri (o sacrosanti).

sanctuary /'sæŋktʃʊərɪ/ n. **1** ⓤⓒ (*anche stor.*) asilo; rifugio; immunità dall'arresto: (*stor.*) **to claim s.**, invocare il diritto d'asilo; (*stor.*) **right of s.**, diritto d'asilo; **to seek s.**, cercare rifugio; cercare asilo; **to take s.**, rifugiarsi; trovare asilo **2** riserva forestale: **wildlife s.**, una riserva per (la protezione degli) animali selvatici **3** (*relig.*) luogo sacro; tempio **4** (*relig.*) sagrato o parte interiore di un tempio; santuario ❶ FALSI AMICI ● **sanctuary** *significa santuario solo in ambito religioso*.

sanctum /'sæŋktəm/ n. (pl. **sanctums, sancta**) **1** santuario; luogo sacro **2** (*fig. fam.*) stanza privata; studio ● (*relig. e fig.*) **sanctorum**, sancta sanctorum.

♦**sand** /sænd/ n. **1** ⓤ sabbia; rena; arena **2** ⓤ color sabbia **3** (pl.) granelli di sabbia; terreno sabbioso; spiaggia **4** ⓤ (*med.*) sabbia **5** ⓤ (*slang USA*) zucchero **6** ⓤ (*slang USA*) coraggio; fermezza di carattere; tenacia ● **s. bar**, barra di sabbia; secca (*alla foce d'un fiume, all'entrata d'un porto*) □ **s.-bath**, (*chim.*)

bagno a sabbia; (*med.*) sabbiatura □ **s. bed**, strato di sabbia □ **s.-blind**, mezzo cieco □ **s. castle**, castello di sabbia □ (*vet.*) **s.-crack**, setola; malattia dello zoccolo dei cavalli □ (*fam. USA*) **s. dollar**, piastra di riccio di mare □ **s. dune**, duna di sabbia □ (*zool.*) **s. flea**, pulce della sabbia (*in genere*); (*anche*) → **chigoe** e **sandhopper** □ (*edil.*) **s. finish**, frattazzatura □ (*zool.*) **s.-fly** (*Phlebothomus*), flebotomo; pappataci □ **s. hill**, duna □ (*zool.*) **s.-martin** (*Riparia riparia*), rondine riparia; topino □ (*mecc.*) **s. mill**, mulino a sabbia □ **s. pie**, tortino di sabbia (*fatto da bambini per gioco*) □ **s.-spout**, tromba di sabbia □ **s. trap**, (*tecn.*) fermasabbia, separatore di sabbia; (*golf, USA*) bunker □ (*ind., tecn.*) **s. wash**, lavaggio di sabbia □ (*moda*) **s.-washed silk**, seta lavata □ (*sport*) **s. yacht**, barca su ruote, con una vela (*per correre sulle spiagge*) □ (*fig.*) **to kick s. in sb.'s face**, mortificare q.; umiliare q. □ (*fig.*) **to plough the sands**, fare un lavoro inutile.

to **sand** /sænd/ v. t. **1** cospargere di sabbia (*strade ghiacciate, ecc.*) **2** insabbiare; seppellire sotto la sabbia; coprire di sabbia **3** (*tecn.*) levigare (o pulire) con la sabbia; sabbiare **4** (*tecn.*) levigare con la cartavetrata; carteggiare; scartavetrare (*fam.*) **5** (*tecn.*) levigare con abrasivo; smerigliare ● (*edil.*) **to s. and polish**, levigare e lucidare (*pavimenti*).

sandal① /'sændl/ n. sandalo (*calzatura*) ‖ **sandalled**, (*USA*) **sandaled** a. calzato di sandali.

sandal② /'sændl/ n. **1** (= **sandalwood**) sandalo (*legno pregiato*) **2** (*bot., Santalum*) sandalo.

sandarac /'sændəræk/ n. ⓤ **1** (= **gum s.**) sandracca (*resina*) **2** (*miner.*) realgar; solfuro d'arsenico.

sandbag /'sændbæg/ n. (*anche mil.*) sacchetto di sabbia.

to **sandbag** /'sændbæg/ v. t. **1** proteggere (o rinforzare, zavorrare) con sacchetti di sabbia **2** colpire (o abbattere) con un sacchetto di sabbia **3** (*fam. USA*) costringere, forzare: **to s. sb. into doing st.**, costringere q. a fare qc. **4** (*pop. USA*) imbrogliare; fregare (*pop.*).

sandbank /'sændbæŋk/ n. banco di sabbia.

sandblast /'sændblɑːst/ n. ⓒ (*tecn.*) getto di sabbia; sabbiatura.

to **sandblast** /'sændblɑːst/ v. t. (*tecn.*) sabbiare (*una superficie*).

sandblasting /'sændblɑːstɪŋ/ n. ⓤ **1** (*tecn.*) sabbiatura **2** (*geol.*) abrasione da sabbia eolica ● (*tecn.*) **s. machine**, sabbiatrice.

sandbox /'sændbɒks/ n. **1** (*ferr.*) sabbiera **2** (*USA*) → **sandpit**, def. 2.

sander /'sændə(r)/ n. (*tecn.*) **1** levigatore (*operaio*) **2** chi smeriglia; smerigliatore **3** levigatrice (*macchina*) **4** (= **disk s.**) smerigliatrice a nastro **5** (*ferr.*) lanciasabbia.

sanderling /'sændəlɪŋ/ n. (*zool., Crocethia alba*) piovanello tridattilo.

to **sand-finish** /'sændfɪnɪʃ/ v. t. (*edil.*) frattazzare.

sandglass /'sændglɑːs/ n. clessidra.

S&H sigla (**shipping and handling**) spese di spedizione e trasporto.

sandhopper /'sændhɒpə(r)/ n. (*zool., Talitrus locusta*) pulce di mare.

sandiness /'sændɪnəs/ n. ⓤ l'essere sabbioso; arenosità.

sanding /'sændɪŋ/ n. ⓤⓒ **1** spargimento di sabbia (*su strade, ecc.*) **2** il coprire con sabbia; insabbiamento **3** (*tecn.*) sabbiatura **4** (*tecn.*) carteggiatura: **dry s.**, carteggiatura a secco **5** (*tecn.*) levigatura con abrasivi; smerigliatura ● (*edil.*) **s. and polishing**, le-

vigatura (*di pavimenti*) □ s. **disk** (*o* s. **drum**), disco abrasivo □ s. **machine**, levigatrice (*per marmi, parquet, ecc.*).

sandiver /'sændɪvə(r)/ n. ▣ (*ind.*) schiuma che si forma sul vetro in fusione.

sandman /'sændmæn/ n. (pl. *sandmen*) (*infant.*) omino del sonno (*che sparge sabbia sugli occhi per fare addormentare*).

sandpaper /'sændpeɪpə(r)/ n. ▣ carta vetrata.

to **sandpaper** /'sændpeɪpə(r)/ v. t. carteggiare; cartavetrare; scartavetrare (*fam.*).

sandpiper /'sændpaɪpə(r)/ n. (*zool.*, *Actitis, Tringa, Erolia, ecc.*) uccello dei Caradriformi (*in genere*); piovanello; piro piro; gambecchio.

sandpit /'sændpɪt/ n. **1** cava di sabbia (*o* di rena) **2** buca della sabbia (*per i giochi dei bambini*); sabbiera.

sandshoe /'sændʃuː/ n. (*ingl.*) scarpa da tennis; scarpa da ginnastica.

sandstone /'sændstəʊn/ n. ▣ (*geol.*) arenaria: **chalky s.**, arenaria calcarea.

sandstorm /'sændstɔːm/ n. tempesta di sabbia.

♦**sandwich** /'sænwɪdʒ/ n. **1** sandwich; panino imbottito; tramezzino **2** ▣ (*calcio, fam.*) due contro uno (*fallo*) ● s. **bar**, tavola calda in cui si servono tramezzini; paninoteca □ s. **board**, cartellone pubblicitario doppio (*portato sulle spalle da un uomo sandwich*) □ (*ind.*) s. **course**, corso d'istruzione universitaria che alterna periodi di studio a periodi di tirocinio □ (*cucina*) s. **maker**, tostatore per sandwich; tostapane □ s. **man**, uomo sandwich.

to **sandwich** /'sænwɪdʒ/ v. t. **1** serrare (*fra due persone o cose*); stringere in mezzo: *My car was sandwiched between two coaches*, la mia auto si trovava stretta tra due pullman **2** inserire; ficcare; far entrare (*a forza*) ● **to s. together**, unire (fissare, ecc.) intramezzando; unire come in un tramezzino (*strati di materiale, di torta, ecc.*).

sandwort /'sændwɜːt/ n. (*bot.*, *Arenaria*) arenaria (*pianta delle cariofillacee in genere*).

sandy /'sændɪ/ a. **1** sabbioso; arenoso **2** (*di capelli*) color sabbia; biondo rossiccio ● (*di persona*) color sabbia; biondo rossiccio.

sane /seɪn/ a. **1** sano di mente **2** equilibrato; posato **3** assennato; ragionevole; sensato; sano (*fig.*): **a s. economic policy**, una sana politica economica | **-ly** avv. | **-ness** n. ▣.

to **sanforize** /'sænfəraɪz/ (*ind. tess.*) v. t. sanforizzare.

sang /sæŋ/ pass. di **to sing**.

sangaree /sæŋgə'riː/ n. ▣ bevanda simile alla sangria.

sang-froid /sɒŋ'frwɑː/ (*franc.*) n. ▣ sangue freddo; imperturbabilità.

Sangraal, Sangrail, Sangreal /sæŋ'greɪl/ n. (*relig.*) Graal; Santo Graal.

sangria /sæn'griːə/ (*spagn.*) n. ▣ sangria (*bevanda*).

sanguinaria /sæŋgwɪ'neɪrɪə/ n. (*bot.*, *Sanguinaria*) sanguinaria.

sanguinary /'sæŋgwɪnərɪ/ a. **1** sanguinoso; cruento: **a s. war**, una guerra cruenta **2** sanguinario; assetato di sangue **3** (*med.*) del sangue; ematico; sanguigno ● (*fig.*) s. **laws**, leggi crudeli.

sanguine /'sæŋgwɪn/ **A** a. **1** sanguigno; rubicondo; che ha molto sangue: **a s. man**, un uomo sanguigno **2** fiducioso; ottimistico; speranzoso: *He is too s. about success*, è troppo fiducioso di farcela; **beyond one's s. hopes**, oltre le speranze più ottimistiche **3** rosso sangue **4** (*raro*) sanguinario; assetato di sangue **B** n. sanguigna (*matita o disegno*) ● **s. hopes**, vive speranze □ **to be of a s. disposition**, essere ottimista per natura | **-ly** avv. | **-ness** n. ▣.

sanguineous /sæŋ'gwɪnɪəs/ a. **1** (*fisiol.*) sanguigno; del sangue **2** (*spec. bot.*) rosso sangue; sanguigno **3** (*med.*) sanguigno; pletorico **4** → **sanguine** ● (*med.*) s. **apoplexy**, emorragia cerebrale.

Sanhedrim /'sænɪdrɪm/, **Sanhedrin** /'sænɪdrɪn/ n. (*stor. ebraica*) Sinedrio.

sanicle /'sænɪkl/ n. (*bot.*, *Sanicula*) sanicola; erba fragolina.

sanidine /'sænɪdiːn/ n. ▣ (*miner.*) sanidino.

sanitarian /sænɪ'teərɪən/ **A** a. sanitario; igienico; che concerne la sanità **B** n. sanitario; igienista.

sanitarium /sænɪ'teərɪəm/ n. (pl. *sanitariums, sanitaria*) (*USA*) → **sanatorium**.

sanitary /'sænɪtrɪ/ a. sanitario; igienico: s. **inspector**, ispettore (*o* ufficiale) sanitario; s. **towel** (*o* s. **napkin**), assorbente igienico ● s. **appliances**, impianti sanitari □ s. **cotton**, cotone idrofilo □ s. **engineer**, tecnico della sanità; installatore d'impianti igienico-sanitari; idraulico □ s. **fittings**, apparecchi igienico-sanitari □ s. **hygiene services**, servizi igienico-sanitari □ s. **sewer**, fogna per acque nere || **sanitarily** avv. igienicamente || **sanitariness** n. ▣ l'essere igienico; salubrità.

sanitaryware /'sænɪtrɪweə(r)/ n. ▣ (*articoli*) sanitari.

sanitation /sænɪ'teɪʃn/ n. ▣ **1** igiene; misure sanitarie **2** servizi igienici **3** fognature ● (*USA*) s. **worker**, operatore ecologico (*o* sanitario) (*eufem.*); netturbino.

to **sanitize** /'sænɪtaɪz/ v. t. **1** sanitizzare; rendere igienico (*sterilizzando o disinfettando*); igienizzare **2** (*fig.*) dare un aspetto sano a (qc.); risanare **3** (*fam. USA*) ritoccare, epurare (*un rapporto, ecc.*) || **sanitization** n. ▣ **1** sanitizzazione; igienizzazione **2** (*fig.*) risanamento.

sanitizer /'sænɪtaɪzə(r)/ n. sanitizzante; prodotto disinfettante (*o* sterilizzante).

sanity /'sænɪtɪ/ n. ▣ **1** sanità mentale **2** equilibrio; discernimento; buonsenso; giudizio (*fam.*) ● (*med.*) s. **test**, esame psichiatrico ❶ FALSI AMICI • *tranne che nel significato psicologico, sanity non significa sanità.*

sank /sæŋk/ pass. di **to sink**.

sans /sænz/ prep. (*arc.*) senza: *'S. teeth, s. eyes, s. taste, s. everything'* W. SHAKESPEARE, 'senza denti, senza occhi, senza gusto, senza niente' ● (*leg., comm.*) s. **frais**, senza spese □ (*leg., comm.*) **«s. recourse»**, «senza rivalsa, senza azione di regresso» (*clausola inserita dal girante su una cambiale*) □ (*tipogr.*) s. **serif**, bastone.

sans-culotte, sansculotte /sænzkjuː'lɒt/ (*franc.*) n. (*stor.*) sanculotto.

Sanskrit /'sænskrɪt/ n. ▣ e a. sanscrito || **Sanskritic** a. sanscrito || **Sanskritist** n. sanscritista; conoscitore del sanscrito.

Santa /'sæntə/, **Santa Claus** /'sæntəklɔːz/ n. «Santa Claus» (*corrisponde al Babbo Natale ital.*).

santonica /sæn'tɒnɪkə/ n. (*bot.*, *Artemisia pauciflora*) santonico ● (*med.*) s. **flower heads**, capolini di santonico; seme santo.

santonin /'sæntənɪn/ n. ▣ (*chim.*) santonina.

sap① /sæp/ n. **1** ▣ (*bot.*) linfa **2** ▣ (*fig.*) energia; forza; vigore: **the sap of youth**, il vigore della giovinezza **3** ▣ (= **sapwood**) alburno **4** (*slang USA*) bastone; randello; manganello.

sap② /sæp/ n. (*mil.*) scavo d'approccio; trincea di avvicinamento; galleria sotterranea.

sap③ /sæp/ n. **1** (*gergo studentesco*) sgobbone; secchione **2** (*slang*) imbecille; sempliciotto; stupido.

to **sap**① /sæp/ v. t. **1** privare della linfa **2** (*fig.*) indebolire; fiaccare; svigorire: *Over-*

work sapped his strength, l'eccesso di lavoro indebolì le sue forze **3** (*pop. USA*) bastonare; manganellare.

to **sap**② /sæp/ (*mil.*) **A** v. t. **1** scalzare; minare (*anche fig.*): *The besiegers sapped a wall of the city*, gli assedianti scalzarono un muro della città; *Science was sapping old beliefs*, la scienza minava le antiche credenze **2** (*fig.*) fiaccare; logorare; indebolire: **health sapped by hardships**, salute logorata dalle privazioni **B** v. i. **1** scavare trincee di avvicinamento **2** avvicinarsi (al nemico) scavando gallerie sotterranee.

to **sap**③ /sæp/ v. i. (*gergo studentesco*) sgobbare.

saphead① /'sæphed/ n. (*slang*) babbeo; citrullo; imbecille; sempliciotto; stupido.

saphead② /'sæphed/ n. (*mil.*) testa di trincea di avvicinamento.

saphena /sə'fiːnə/ (*anat.*) n. (pl. *saphenae*) (vena) safena || **saphenous** a. safeno: **saphenous nerve**, nervo safeno; **saphenous vein**, vena safena.

sapid /'sæpɪd/ a. **1** sapido; saporoso **2** piacevole; gradevole || **sapidity** n. ▣ sapidità; saporosità.

sapient /'seɪpɪənt/ a. **1** (*lett. o iron.*) sapiente; saggio **2** (*spreg.*) saccente || **sapience** n. ▣ **1** (*lett. o iron.*) sapienza; saggezza **2** (*spreg.*) saccenteria.

sapiential /seɪpɪ'enʃəl/ a. (*relig.*) sapienziale: (*Bibbia*) s. **books**, libri sapienziali.

sapindus /sə'pɪndəs/ n. (*bot.*, *Sapindus saponaria*) sapindo; albero del sapone.

sapless /'sæpləs/ a. **1** (*d'albero*) senza linfa; avvizzito; secco **2** (*fig.*) indebolito; senza vigore; fiacco **3** (*fig.*) insipido; insulso: **a s. story**, una storia insulsa.

sapling /'sæplɪŋ/ n. **1** (*bot.*) alberello; arboscello **2** (*fig.*) giovane inesperto, di primo pelo **3** levriero di un anno.

sapodilla /sæpə'dɪlə/ n. (*bot.*) **1** (*Achras sapota*) sapota; sapotilla **2** (= **s. plum**) sapotilla, sapotiglia (*il frutto*).

saponaceous /sæpə'neɪʃəs/ a. saponaceo; saponoso.

saponaria /sæpə'neərɪə/ n. (*bot.*) **1** (*Saponaria*) saponaria **2** (*Saponaria officinalis*) saponaria rossa.

to **saponify** /sə'pɒnɪfaɪ/ (*chim.*) **A** v. t. saponificare **B** v. i. saponificarsi; subire il processo di saponificazione || **saponifiable** a. saponificabile || **saponification** n. ▣ saponificazione.

saponin /'sæpənɪn/ n. ▣ (*chim.*) saponina.

sapper /'sæpə(r)/ n. (*mil.*) **1** zappatore; soldato del genio, geniere **2** (*USA*) sminatore.

Sapphic /'sæfɪk/ **A** a. (*stor.*) saffico; di Saffo **B** n. (*poesia*) verso saffico.

sapphire /'sæfaɪə(r)/ **A** n. **1** (*miner.*) zaffiro **2** ▣ blu zaffiro (*colore*) **B** a. del color dello zaffiro; blu zaffiro || **sapphirine** a. zaffirino; simile allo zaffiro; del color dello zaffiro.

sapphism /'sæfɪzm/ n. ▣ saffismo; lesbismo.

Sappho /'sæfəʊ/ n. (*stor., letter.*) Saffo.

sappiness /'sæpɪnəs/ n. ▣ **1** abbondanza di linfa; succosità **2** (*fig.*) energia; vigore **3** (*slang USA*) fatuità; stoltezza.

sappy /'sæpɪ/ a. **1** ricco di linfa; succoso **2** (*fig.*) energico; forte; vigoroso **3** (*slang USA*) fatuo; sciocco; stupido **4** (*slang USA*) sdolcinato; melenso; sentimentale.

sapropelic /sæprə'pelɪk/ a. sapropelico.

saprophyte /'sæprəfaɪt/ (*bot.*) n. saprofito; saprofita || **saprophytic** a. saprofitico; saprofita; saprofita || **saprophytism** n. ▣ saprofitismo.

sapwood /'sæpwʊd/ n. ▣ (*bot.*) alburno.

SAR sigla **1** (**search and rescue**) ricerca e soccorso **2** (*USA*, **Sons of the American Revolution**) Figli della rivoluzione americana **3** (*telef.*, *med.*, **specific absorption rate**) SAR (*tasso specifico di assorbimento delle radiazioni emesse dai telefoni cellulari*).

saraband, **sarabande** /'særəbænd/ n. (*stor.*, *mus.*) sarabanda.

Saracen /'særəsn/ (*stor.*) n. e a. saraceno ● (*agric.*) **S. corn**, grano saraceno □ (*arald.*) **S.'s head**, testa di moro ‖ **Saracenic** a. saraceno.

Sarah /'sɛərə/ n. Sara.

sarcasm /'sɑːkæzəm/ n. ⃞ sarcasmo.

sarcastic /sɑː'kæstɪk/ a. sarcastico.

sarcenet /'sɑːsnət/ n. ⃞ → **sarsenet**.

sarcoid /'sɑːkɔɪd/ n. (*med.*) sarcoide.

sarcoidosis /sɑːkɔɪ'dəʊsɪs/ n. ⃞ (*med.*) sarcoidosi.

sarcolemma /sɑːkəʊ'lemə/ n. ⃞ (*anat.*) sarcolemma.

sarcoma /sɑː'kəʊmə/ (*med.*) n. (pl. **sarcomas**, **sarcomata**) sarcoma ‖ **sarcomatosis** n. ⃞ sarcomatosi ‖ **sarcomatous** a. sarcomatoso.

sarcomere /'sɑːkəmɪə(r)/ n. (*anat.*) sarcomero.

sarcophagus /sɑː'kɒfəgəs/ n. (pl. **sarcophagi**, **sarcophaguses**) (*archeol.*) sarcofago.

sarcoplasm /'sɑːkəplæzəm/ n. ⃞ (*biol.*) sarcoplasma.

sarcous /'sɑːkəs/ a. (*anat.*) carnoso; muscolare.

sard /sɑːd/ n. ⃞ (*miner.*) sarda.

Sard /sɑːd/ a. e n. → **Sardinian**.

sardelle /sɑː'del/ n. (*zool.*, *Sardinella aurita*) sardella.

sardine ① /sɑː'diːn/ n. (pl. **sardines**, **sardine**) (*zool.*, *Sardina pilchardus*) sardina; sarda; sardella ● (*fig.*) **We were packed like sardines**, eravamo pigiati come acciughe (*o* sardine).

sardine ② /'sɑːdaɪn/ n. ⃞ (*miner.*) sarda.

Sardinia /sɑː'dɪnɪə/ n. (*geogr.*) Sardegna.

Sardinian /sɑː'dɪnɪən/ Ⓐ a. sardo Ⓑ n. **1** sardo, sarda **2** ⃞ sardo (*il dialetto*).

sardonic /sɑː'dɒnɪk/ a. sardonico; beffardo; maligno: **s. laugh**, riso sardonico | **-ally** avv.

sardonyx /'sɑːdənɪks/ n. ⃞ (*miner.*) sardonica; sardonice.

sargasso /sɑː'gæsəʊ/ n. (pl. **sargassos**) (*bot.*, *Sargassum bacciferum*) sargasso; uva di mare ● (*geogr.*) **S. Sea**, Mar dei Sargassi.

sarge /sɑːdʒ/ n. (*gergo mil.*) sergente.

sari /'sɑːɪ/ n. (pl. **saris**) sari (*veste delle donne indiane*).

sarin /'sæɪɪn/ n. ⃞ (*chim.*, *mil.*) Sarin.

sarking /'sɑːkɪŋ/ n. ⃞ (*scozz.*, *edil.*) strato d'assicelle (*o* feltro bituminoso) posto sotto il manto di copertura.

sarky /'sɑːkɪ/ a. (*slang*) sarcastico.

Sarmatia /sɑː'meɪʃɪə/ n. (*geogr.*, *stor.*) Sarmazia ‖ **Sarmatian** Ⓐ n. sarmata; della Sarmazia Ⓑ a. sarmatico.

sarmentose /'sɑːmentəʊs/, **sarmentous** /sɑː'mentəs/ a. (*bot.*) sarmentoso.

sarnie /'sɑːnɪ/ n. (*fam.*) sandwich.

sarong /sə'rɒŋ/ n. sarong (*veste dell'arcipelago malese*).

saros /'seərɒs/ n. (*astron.*) saros.

SARS /sɑːz/ sigla (*med.*, **severe acute respiratory syndrome**) grave sindrome respiratoria acuta; SARS.

sarsaparilla /sɑːsəpə'rɪlə/ n. **1** (*bot.*, *Smilax*) salsapariglia **2** (*med.*) radice secca di salsapariglia **3** gassosa aromatizzata con salsapariglia.

sarsenet /'sɑːsnət/ n. ⃞ tessuto leggero di

seta; ormisino; ormesino.

sartorial /sɑː'tɔːrɪəl/ a. di sarto; di sartoria ● (*scherz.*: *d'abito*) **a s. triumph**, un capolavoro d'eleganza.

sartorius /sɑː'tɔːrɪəs/ n. (pl. **sartorii**) (*anat.*) muscolo sartorio.

SAS sigla (*mil.*, *GB*, **Special Air Service**) Forza aerea speciale (*specializzata in operazioni clandestine*).

sash ① /sæʃ/ n. **1** sciarpa, fascia, fusciacca (*a tracolla o alla vita*) **2** (*judo*) cintura ‖ **sashed** a. che indossa (*o* completo di) una sciarpa (*o* una fascia).

sash ② /sæʃ/ n. **1** telaio (*di finestra a ghigliottina o porta a vetri*); telaio scorrevole **2** pannello vetrato scorrevole (*di finestra*) ● **s. bar**, listello fermavetro □ **s. cord** (*o* **s. line**), corda del contrappeso □ **s. pocket**, scanalatura del saliscendi □ **s. pulley**, puleggia del contrappeso □ **s. weight**, contrappeso per finestra a ghigliottina □ **s. window**, finestra a ghigliottina.

to **sashay** /'sæʃeɪ/ v. i. (*fam. USA*) camminare con disinvoltura (*o* con passo ondeggiante); passeggiare mettendosi in mostra; muoversi sinuosamente.

sashimi /sæ'ʃiːmɪ/ n. ⃞ (pl. inv.) (*cucina giapponese*) sashimi.

sasin /'sæsɪn/ n. (*zool.*, *Antilope cervicapra*) antilope cervicapra.

sass /sæs/ n. ⃞ (*fam. USA*) impertinenza; impudenza; sfacciataggine; faccia tosta.

to **sass** /sæs/ v. t. (*fam. USA*) essere insolente con (q.) ● **to s. back**, rispondere male a (q.).

sassaby /'sæsəbɪ/ n. (*zool.*, *Damaliscus lunatus*) damalisco di Sassaby.

sassafras /'sæsəfræs/ n. **1** (*bot.*, *Sassafras officinale*) sassofrasso, sassofrasso **2** ⃞ corteccia di sassofrasso **3** ⃞ (= **s. oil**) olio di sassofrasso.

Sassanian /sæ'seɪnɪən/, **Sassanid** /sə'sænɪd/ n. e a. (*stor.*) sasanide, sassanide.

Sassenach /'sæsənæk/ n. e a. (*scozz.*, *irl.*) anglosassone; (*per estens.*) inglese; (*anche*) scozzese della Scozia meridionale.

sassy /'sæsɪ/ a. (*fam. USA*) **1** impertinente; sfacciato; sfrontato; impudente **2** disinvolto; alla moda; elegante; vivace.

sat /sæt/ pass. e p. p. di **to sit**.

SAT sigla (*scuola*, *USA*, **Scholastic Assessment Test**) test di valutazione scolastica (*per l'ingresso al college*).

Sat. abbr. (**Saturday**) sabato (sab.).

SATA, **S-ATA** sigla (*comput.*, **Serial ATA**) SATA; S-ATA (*interfaccia per trasferimento seriale di dati da e verso dischi fissi*).

Satan /'seɪtn/ n. Satana.

satanic /sə'tænɪk/ a. satanico; diabolico; infernale ● (*letter.*) **the S. poets**, i poeti satanici.

satanical /sə'tænɪkl/ a. (*raro*) satanico | **-ly** avv. | **-ness** n. ⃞.

satanism /'seɪtənɪzəm/ n. ⃞ culto di Satana; satanismo (*anche letter.*) ‖ **satanist** n. adoratore (*o* adoratrice) di Satana.

satay /'sæteɪ/ n. ⃞ (*cucina*) satay (*piatto malese di carne alla griglia*).

satchel /'sætʃəl/ n. cartella; borsa (*di scolaro*); zainetto di cuoio (*che si porta su una spalla*).

satcom /'sætkɒm/ abbr. (*comun.*, **satellite communications**) comunicazioni via satellite.

to **sate** /seɪt/ v. t. (*form.*) **1** saziare; satollare; disgustare **2** (*fig.*) appagare, soddisfare (*un desiderio, ecc.*).

sated /'seɪtɪd/ a. sazio; satollo.

sateen /sæ'tiːn/ n. ⃞ (*ind. tess.*) raso di cotone; rasatello; rasato.

sateless /'seɪtləs/ a. (*arc. o poet.*) insazia-

bile; mai satollo.

◆**satellite** /'sætəlaɪt/ n. **1** (*astron.*) satellite **2** (*fig.*) satellite; seguace **3** (*urbanistica*) paese (quartiere, ecc.) satellite **4** (*miss.*) satellite: **unmanned s.**, satellite senza equipaggio umano ● (*TV*) **s. broadcasting**, trasmissione via satellite □ (*TV*) **s. dish**, piatto (*o* disco) di antenna parabolica; parabolica (*fam.*) □ (*polit.*) **a s. state**, uno stato satellite □ (*TV*) **s. system**, sistema satellitare □ (*TV*) **s. television**, televisione via satellite □ **s. town**, città satellite □ (*radio*, *TV*) **by s.**, via satellite.

satellitic /sætə'lɪtɪk/ a. (*raro*, *astron.*) di satellite.

satiable /'seɪʃəbl/ a. saziabile.

to **satiate** /'seɪʃɪeɪt/ v. t. **1** saziare; satollare **2** nauseare; disgustare ‖ **satiation** n. ⃞ (*form.*) appagamento; saziamento (*raro*).

satiate /'seɪʃɪeɪt/, **satiated** /'seɪʃɪeɪtɪd/ a. sazio; satollo.

satiety /sə'taɪətɪ/ n. ⃞ sazietà.

satin /'sætɪn/ n. ⃞ (*ind. tess.*) raso; satin ● **s. cloth**, tessuto di lana rasata □ (*mecc.*) **s. finish**, finitura satinata □ (*miner.*) **s. gypsum**, gesso fibroso e lucido □ **s. paper**, carta satinata □ (*miner.*) **s. spar** (*o* **s. stone**), spato satinato □ (*cucito*) **s. stitch**, punto raso ‖ **satiny** a. satinato; rasato (*anche fig.*): *The girl has satiny skin*, la ragazza ha la pelle satinata.

satinette, **satinet** /sætɪ'net/ n. ⃞ (*ind. tess.*) rasatello.

satinflower /'sætɪnflaʊə(r)/ n. (*bot.*, *Lunaria annua*) lunaria; medaglia.

satire /'sætaɪə(r)/ n. ⃞ (*anche letter.*) satira ‖ **satirist** n. satirico; scrittore di satire.

satirical, **satiric** /sə'tɪrɪkl/ a. satirico: **a s. play**, una commedia satirica; **s. remarks**, osservazioni satiriche | **-ly** avv.

to **satirize** /'sætəraɪz/ v. t. satireggiare.

◆**satisfaction** /sætɪs'fækʃn/ n. **1** ⃞ soddisfazione; soddisfacimento; appagamento; contentezza; gioia; piacere: **much to our s.**, con nostra grande soddisfazione **2** ⃞ soddisfazione; riparazione: **to demand s.**, chiedere soddisfazione; sfidare a duello; **to give s.**, dar soddisfazione; riparare un torto; **to obtain s.**, avere (*o* ricevere) soddisfazione **3** ⃞ (*relig.*) espiazione, riparazione: **to do st. as a s. for one's sins**, fare qc. in riparazione dei propri peccati **4** ⃞ (*leg.*) esecuzione, adempimento (*di un'obbligazione*); estinzione (*di un debito*) **5** (*leg.*) attestazione dell'avvenuta estinzione (*o* esecuzione, ecc.) ● (*leg.*) **to enter s.**, dichiararsi soddisfatto d'ogni proprio avere □ **in s. of**, a risarcimento di; in riparazione di □ **to make full s. to sb.**, risarcire in pieno q. □ **I can prove it to your s.**, posso dimostrartelo in modo che tu rimanga convinto.

◆**satisfactory** /sætɪs'fæktərɪ/ a. **1** soddisfacente; convincente; esauriente: **s. results**, risultati soddisfacenti; **s. proof**, prova soddisfacente; **a s. answer**, una risposta esauriente **2** buono; riuscito: **a s. marriage**, un buon matrimonio; **a s. expedition**, una spedizione riuscita **3** (*relig.*) riparatorio; espiatorio | **-ily** avv. | **-iness** n. ⃞.

satisfiable /'sætɪsfaɪəbl/ a. che si può soddisfare.

◆**satisfied** /'sætɪsfaɪd/ a. **1** soddisfatto; contento **2** (*leg.*: *d'obbligo, ecc.*) eseguito; adempiuto **3** (*leg.*: *di debito*) soddisfatto; estinto ● **a s. mortgage**, un'ipoteca estinta □ **to be s. of sb.'s innocence**, essere convinto dell'innocenza di q. □ **to be s. that sb. is telling the truth**, essere persuaso che q. dica la verità □ **to be s. with the little one has**, contentarsi di quel poco che si ha.

◆to **satisfy** /'sætɪsfaɪ/ v. t. **1** soddisfare; soddisfare a; adempiere; appagare; conten-

tare: *It's rather difficult to s. all the clients*, è alquanto difficile soddisfare tutti i clienti; **to s. an urgent need**, soddisfare a un bisogno urgente; **to s. an obligation**, soddisfare un impegno; adempiere (a) un dovere; **to s. sb.'s desires**, appagare i desideri di q.; **to s. one's creditors**, soddisfare (*o* tacitare) i creditori **2** saziare; soddisfare: **to s. one's appetite**, saziare l'appetito; sfamarsi **3** essere conforme a, rispondere a (*condizioni, regole, requisiti*): *The consignment does not s. all the conditions agreed upon*, la merce inviata non risponde a tutte le condizioni concordate **4** convincere; persuadere **5** risolvere, dissipare (*un dubbio*) **6** soddisfare (*sessualmente*): '*She makes hungry / Where most she satisfies*' W. SHAKESPEARE, 'ella vince l'uomo famelico quando più lo soddisfa' ● **to s. a debt**, pagare (*o* soddisfare, estinguere) un debito □ **to s. sb.'s hopes**, non venir meno alle speranze di q. □ **to s. oneself**, convincersi; persuadersi □ **hard to s.**, difficile da accontentare.

satisfying /'sætɪsfaɪɪŋ/ *a.* soddisfacente; convincente; esauriente | **-ly** *avv.*

satphone /'sætfəʊn/ *n.* telefono satellitare.

satrap /'sætrəp/ *n.* (*stor.*) satrapo (*anche fig.*).

satrapy /'sætrəpɪ/ *n.* (*stor.*) satrapia.

satsuma /sæt'suːmə/ *n.* **1** (*bot.*, *Citrus nobilis*) «satsuma» (*giapponese*) **2** (*spec. ingl.*: *il frutto*) mandarino (*senza semi*).

saturable /'sætʃərəbl/ *a.* saturabile.

saturant /'sætʃərənt/ *n.* (*chim.*) (sostanza) saturante.

saturate /'sætʃərət/ *a.* **1** (*poet.*) saturo; impregnato; inzuppato **2** (*di colore*) intenso; carico.

to **saturate** /'sætʃəreɪt/ *v. t.* **1** impregnare; inzuppare **2** rendere saturo; saturare: **to s. a market**, saturare un mercato **3** (*chim., fis.*) saturare.

saturated /'sætʃəreɪtɪd/ *a.* **1** (*chim., fis.*) saturo: **s. fats**, grassi saturi; **s. solution**, soluzione satura **2** saturo; colmo: **s. with oxygen**, saturo di ossigeno **3** → **saturate**.

saturation /sætʃə'reɪʃn/ *n.* ⓤ **1** saturazione (*anche mecc.*): **s. point**, punto di saturazione; **the s. of the domestic market**, la saturazione del mercato interno **2** (*del colore*) grado d'intensità ● **s. ad campaign**, campagna pubblicitaria a tappeto (*mil.*) **s. bombing**, bombardamento a tappeto (*econ.*) **market s.**, la saturazione del mercato.

saturator /'sætʃəreɪtə(r)/ *n.* (*chim., fis.*) saturatore.

♦**Saturday** /'sætədeɪ/ *n.* ⓤⓒ sabato. *Per gli esempi d'uso* → **Tuesday** ● **S. girl**, «ragazza del sabato» (*studentessa che fa la commessa il sabato*) □ **S. person**, giovane che studia, ma lavora il sabato □ **S.-to-Monday**, il fine settimana □ (*relig.*) **Holy S.**, Sabato Santo.

Saturn /'sætən/ *n.* (*mitol.*, *astron.*) Saturno.

Saturnalia /sætə'neɪlɪə/ *n. pl.* **1** (*stor. romana*) saturnali **2** – (*fig. lett.*) s., orgia || **Saturnalian** *a.* **1** – (*stor. romana*) saturnale **2** – (*fig. lett.*) **saturnalian**, orgiastico.

Saturnian /sæ'tɜːnɪən/ Ａ *a.* **1** (*mitol.*) saturnio; di Saturno: **the S. age**, l'età di Saturno; l'età dell'oro **2** (*astron.*) saturniano; di Saturno (*il pianeta*) Ｂ *n.* **1** (*poesia*) verso saturnio; saturnio **2** (*astron.*) saturniano.

saturnine /'sætənaɪn/ *a.* saturnino (*anche med.*); cupo; malinconico; tetro: **a s. fellow**, un tipo malinconico; (*med.*) **s. breath**, alito saturnino ● **a s. patient**, un paziente affetto da saturnismo.

saturnism /'sætənɪzm/ *n.* ⓤ (*med.*) saturnismo.

---

satyr /'sætə(r)/ *n.* (*mitol.*) satiro (*anche fig.*) || **satyric**, **satyrical** *a.* satiresco: **satyric drama**, dramma satiresco.

satyriasis /sætə'raɪəsɪs/ *n.* ⓤ (*psic.*) satiriasi.

♦**sauce** /sɔːs/ *n.* **1** ⓤⓒ salsa; sugo; intingolo: **tomato s.**, salsa di pomodoro **2** (*fig.*) cosa che dà sapore; gusto; condimento: *Competition is a s. of life*, la concorrenza dà sapore alla vita **3** ⓤ (*fam.*) impertinenza; sfacciataggine; faccia tosta; impudenza; sfrontatezza: *I'm fed up with your s.!*, sono stufo delle tue impertinenze! **4** (*slang USA*) liquore; alcolico: **s. parlor**, spaccio d'alcolici ● **s. boat**, salsiera □ (*prov.*) **What is s. for the goose is s. for the gander**, ciò che vale per l'uno vale anche per l'altro.

to **sauce** /sɔːs/ *v. t.* **1** (*raro*) condire con salsa **2** (*fig.*) dare gusto (*o* sapore) a (qc.); condire (*fig.*) **3** (*fam.*) fare l'impertinente con (q.); dire impertinenze a (q.); rimbeccare **4** (*slang USA*) ubriacare.

saucebox /'sɔːsbɒks/ *n.* (*fam.*) impertinente; sfacciatello, sfacciatella.

sauced /sɔːsd/ *a.* (*slang USA*) sbronzo; ubriaco.

saucepan /'sɔːspən/ *n.* (*cucina*) casseruola; tegame.

saucer /'sɔːsə(r)/ *n.* **1** sottocoppa; piattino **2** (= **flying s.**) disco volante ● **s.-eyed**, dagli occhi grandi e tondi.

saucy /'sɔːsɪ/ *a.* **1** impertinente; sfacciato; sfrontato; impudente **2** birichino; sbarazzino; vivace: **a s. smile**, un sorriso sbarazzino **3** (*fam.*) elegante; chic: **a s. little hat**, un cappellino elegante **4** (*fam.*) piccante; osé (*franc.*): **s. snaps**, foto piccanti | **-ily** *avv.* | **-iness** *n.* ⓤ.

Saudi /'saʊdɪ/ *a.* e *n.* saudita: **S. Arabia**, Arabia Saudita ● **a S. Arabian**, un saudita.

sauerkraut /'saʊəkraʊt/ (*ted.*) *n.* ⓤ (*cucina*) crauti; salcrauti, sarcrauti.

sauna /'sɔːnə, 'saʊnə/ *n.* (= **s. bath**) sauna (*il bagno e il locale*).

saunter /'sɔːntə(r)/ *n.* **1** passeggiata; giretto; quattro passi (*fam.*) **2** andatura comoda; passo lento.

to **saunter** /'sɔːntə(r)/ *v. i.* andare a zonzo; bighellonare; girovagare; gironzolare ● (*fig.*) **to s. through life**, prendere la vita come viene || **saunterer** *n.* chi va a zonzo; bighellone; girandolone.

saurian /'sɔːrɪən/ (*zool.*) Ａ *a.* dei sauri Ｂ *n.* **1** sauro **2** (*pl.*) (*Sauria*) sauri.

saury /'sɔːrɪ/ *n.* (*zool.*, *Scomberesox saurus*) costardella; luccio sauro.

♦**sausage** /'sɒsɪdʒ/ *n.* **1** ⓤⓒ salsiccia **2** (*pl.*) salsicce; salumi **2** (*aeron.*, *fam.*; = **s. balloon**) pallone frenato (*da osservazione*) **4** (*slang USA*) pugile suonato **5** (*slang antiq. USA*) (soldato) tedesco **6** (*volg.*) salsiccia; salame; cazzo (*volg.*) ● (*fam.*) **s. dog**, bassotto tedesco □ **s. factory**, salumificio □ **s.-filler**, insaccatrice (*per salsicce*) □ **s. manufacturer**, salsicciaio □ **s. roll**, rotolo di carne tritata, cotto dentro un involucro di pasta □ **Bologna s.**, mortadella □ (*fam. ingl.*) **not a s.!**, un bel niente; non un tubo!; macché!

sauté /'səʊteɪ, *USA* səʊ'teɪ/ (*franc.*) *a.* (*cucina*) saltato; sauté; rosolato in padella.

to **sauté** /'səʊteɪ, *USA* səʊ'teɪ/ (*pass. e p. p.* **sautéed**, **sautéd**), *v. t.* (*cucina*) saltare; rosolare in padella (a fuoco vivo).

savable, **saveable** /'seɪvəbl/ *a.* salvabile.

savage /'sævɪdʒ/ Ａ *a.* **1** selvaggio; barbaro; incivile; crudele; atroce; feroce; orrido; devastante: **s. tribes**, tribù selvagge ● **s. revenge**, vendetta crudele; **a s. dog**, un cane feroce; **a s. landscape**, un paesaggio selvaggio; **a s. murder**, un atroce assassinio **2** (*fam.*) adirato; fuori di sé; furibondo **3** (*slang USA*) splendido; ottimo; favoloso; ec-

---

cellente; fantastico; bestiale Ｂ *n.* **1** selvaggio; barbaro **2** individuo brutale **3** (*slang USA*) poliziotto zelante ● (*boxe*) **a s. punch**, un pugno demolitore □ (*fam.*) **to make sb. s.**, fare infuriare q.; far montare q. su tutte le furie.

to **savage** /'sævɪdʒ/ *v. t.* **1** (*di cane, ecc.*) attaccare con ferocia; rovinare (*un bambino, ecc.*) a morsi **2** (*di cavallo imbizzarrito*) mordere e calpestare **3** (*fig.*) attaccare (*o* criticare) violentemente.

savagely /'sævɪdʒlɪ/ *avv.* selvaggiamente.

savageness /'sævɪdʒnəs/, **savagery** /'sævɪdʒrɪ/ *n.* ⓤ **1** selvatichezza; barbarie; stato selvaggio **2** crudeltà; ferocia **3** atto di ferocia.

savannah, **savanna** /sə'vænə/ *n.* (*geogr.*) savana.

savant /'sævənt, *USA* sæ'vɑːnt/ (*franc.*) *n.* (*lett.*) sapiente; dotto; erudito.

savate /sə'væt/ (*franc.*) *n.* (*sport*) savate (*boxe che ammette i calci*).

save① /seɪv/ *n.* (*calcio, ecc.*) salvataggio; parata; respinta (*del portiere*).

save② /seɪv/ *prep.* eccetto; eccettuato; salvo; fuorché; tranne: **all s. one**, tutti tranne uno; **all s. me**, tutti eccetto me ● **s. and except**, eccetto; tranne; salvo □ **s. that**, eccetto che; salvo che.

♦to **save** /seɪv/ Ａ *v. t.* **1** salvare; scampare; preservare: **to s. sb. from a fire**, salvare q. da un incendio; *He saved my life*, mi salvò la vita; *God s. me from my friends*, Dio mi scampi (e liberi) dagli amici! **2** serbare; tenere in serbo; conservare: *S. some beer for tonight*, conserva un po' di birra per stasera! **3** risparmiare; far risparmiare: *S.* (**up**) *a lot of money*, risparmiare molto denaro; *It saves me time*, mi fa risparmiare tempo **4** evitare: *Stopping there overnight saved me driving in the dark*, fermandomi là per la notte evitai di dover guidare al buio **5** (*comput.*) salvare (*un file in memoria*): *Where shall I s. the document?*, dove devo salvare il documento? **6** (*calcio, ecc.*) parare: **to s. a penalty kick**, parare un rigore Ｂ *v. i.* **1** risparmiare; fare economie; economizzare **2** (*calcio, ecc.*) fare una parata; parare; salvarsi; respingere ● **to s. appearances**, salvare le apparenze □ (*volg. USA*) **to s. one's ass** (*o* **butt**), salvare il culo (*volg.*); cavarsela (*tennis*) **to s. a break point**, annullare (*o* neutralizzare) una palla break (*dell'avversario*) □ **to s. one's breath**, risparmiare il fiato; tacere □ (*mil. e fig.*) **to s. the day**, salvare la situazione □ (*fig.*) **to s. one's face**, salvare la faccia □ (*fam.*) **to s. (st.) for a rainy day**, risparmiare (qc.) per il futuro □ **to s. sb. from himself**, salvare q. da sé stesso (impedendogli di fare sciocchezze) □ (*fam.*) **to s. one's neck** (*o* **skin**), salvarsi la pelle; salvare una situazione disperata □ **to s. oneself**, salvarsi; risparmiarsi: *S. yourself for tomorrow's match*, risparmiati per l'incontro di domani; *I'll take notes to s. myself the trouble of remembering*, prenderò appunti per risparmiarmi il fastidio di ricordare □ **to s. the situation**, salvare la situazione □ **to s. one's strength**, risparmiare le forze, risparmiarsi □ **God s. the King [the Queen]!**, Dio salvi il Re [la Regina]! □ **saved by the bell**, (*di un pugile*) salvato dal suono del gong; (*fig.*) salvato in extremis (*o* per il rotto della cuffia).

■ **save on** *v. i. + prep.* risparmiare; economizzare: **to s. on fuel**, economizzare il combustibile.

■ **save up** *v. t. + avv.* risparmiare; mettere (*denaro, ecc.*) da parte.

save-all /'seɪvɔːl/ *n.* **1** (*tecn.*) raccoglitore (*oggetto adatto a mettere sotto qc.*) **2** (*naut.*) vela aggiuntiva **3** (*dial. ingl.*) grembiulino; tuta.

save as you earn /'seɪvəzjuːɜːn/ *loc.*

verb. (*fin.*, *in GB*; abbr. **SAYE**) risparmio individuale esentasse, fatto con ritenute sulla paga o piccoli versamenti alla Posta.

saveloy /'sævələɪ/ n. (*cucina*) salsiccia di maiale seccata e speziata.

saver /'seɪvə(r)/ n. **1** salvatore; liberatore **2** risparmiatore; economizzatore **3** cosa che fa risparmiare: *Machines are both labour-savers and time-savers*, le macchine fanno risparmiare sia tempo che fatica **4** (*ferr.*) biglietto a prezzo ridotto: **a weekend s. to Brighton**, un (biglietto a prezzo) ridotto del weekend per Brighton ● (*econ.*) **s.'s surplus**, rendita del risparmiatore.

savin, **savine** /'sævɪn/ n. (*bot.*) **1** (*Juniperus sabina*) sabina **2** (*Juniperus virginiana*) ginepro della Virginia.

saving ① /'seɪvɪŋ/ a. **1** che salva; che redime **2** parsimonioso; economo; frugale: **a s. housekeeper**, una massaia parsimoniosa **3** che fa risparmiare: **energy-s.**, che fa risparmiare energia ● (*leg.*) **a s. clause**, una riserva di legge; una clausola che stabilisce un'eccezione ● **s. grace**, buona qualità che salva q. (*o* che fa perdonare difetti, ecc.) □ (*relig.*) **the s. grace of God**, la grazia divina (*che salva l'anima*).

◆**saving** ② /'seɪvɪŋ/ n. **1** ☐ salvamento; salvezza: **the s. of souls**, la salvezza delle anime **2** risparmio; economia: **a 10% s. on the cost**, un risparmio del 10% sul costo **3** (*econ.*) risparmio: **personal s.**, il risparmio delle famiglie **4** (pl.) (*banca, fin.*) risparmi: **to invest one's savings**, investire i propri risparmi ● (*banca, USA*) **savings account**, conto di risparmio; conto di deposito fruttifero □ (*fin.*) **savings and loan (association)**, cooperativa di risparmiatori che concede mutui ai soci per l'acquisto o la costruzione di case ● **savings bank**, cassa di risparmio □ (*fin.*) **savings bonds**, buoni di risparmio □ (*fin.*) **savings certificates**, certificati di risparmio; buoni fruttiferi □ (*econ.*) **savings market**, mercato del risparmio □ (*banca*) **savings passbook**, libretto di risparmio □ **savings plan**, piano di risparmio □ (*fin.*) **savings rate**, tasso di risparmio □ (*econ., fin.*) **savings ratio**, indice di risparmio (*rapporto tra il reddito disponibile e quello risparmiato*) □ (*banca*) **savings scheme**, piano di risparmio.

saving ③ /'seɪvɪŋ/ prep. eccetto; tranne; salvo ● **s. your presence** (*o* **your reverence**), con rispetto parlando.

saviour, (*USA*) **savior** /'seɪvjə(r)/ n. salvatore; liberatore ● (*relig.*) **the S.**, il Salvatore; il Redentore.

savoir-faire /ˌsævwɑːˈfɛə(r)/ (*franc.*) n. ☐ savoir-faire; tatto; (il) saperci fare (*fam.*).

savor /'seɪvə(r)/ e *deriv.* (*USA*) → **savour**, e *deriv.*

savory /'seɪvərɪ/ n. (*bot.*, *Satureja hortensis*) satureia; santoreggia.

savour, (*USA*) **savor** /'seɪvə(r)/ n. ☐ **1** sapore (*anche fig.*); gusto: **the s. of victory**, il sapore della vittoria **2** (*raro*) aroma; profumo.

to **savour**, (*USA*) to **savor** /'seɪvə(r)/ A v. t. **1** assaporare (*anche fig.*); assaggiare; gustare: *He savoured the melon*, assaporò il melone; **to s. the pleasure of liberty**, assaporare il piacere della libertà **2** (*raro*) insaporire; dar sapore a B v. i. – **to s. of**, sapere di; aver sapore di: *His words s. of cynicism*, le sue parole sanno di cinismo.

savourless, (*USA*) **savorless** /'seɪvələs/ a. insipido; scipito.

savoury, (*USA*) **savory** /'seɪvərɪ/ A a. sapido; saporito; gustoso; appetitoso B n. piatto piccante (*servito al principio o alla fine d'un pranzo*); stuzzichino ● **s. herbs**, erbe aromatiche ‖ **savouriness**, (*USA*) **savoriness** n. ☐ saporosità.

savoy /sə'vɔɪ/ n. (*bot.*, *Brassica oleracea sabauda*) cavolo verzotto; cavolo verza.

Savoy /sə'vɔɪ/ (*stor.*, *geogr.*) n. Savoia ‖ **Savoyard** n. e a. savoiardo.

savvy /'sævɪ/ A n. ☐ (*slang USA*) **1** acume; comprendonio; buonsenso: «sale in zucca» (*pop.*): *He's got s.*, ha sale in zucca; ci sa fare **2** (il) saper fare; pratica; praticaccia (*fam.*) B a. (*slang USA*) **1** che ci sa fare; astuto; furbo; smaliziato; sveglio **2** (nei composti) che se ne intende (*di qc.*); esperto: **to be media-s.**, essere un esperto nel campo dei media.

to **savvy** /'sævɪ/ v. i. (*slang USA*) capire; comprendere: **no s.**, non capisco, non capisce, ecc.; **S.?**, capisci?; hai capito?

saw ① /sɔː/ n. sega: **chain saw**, sega a catena; **disk saw**, sega a disco (*zool.*) **saw-fly** (*Tenthredo*), tentredine □ **saw-frame**, telaio di sega □ **saw-gin**, sgranatrice di cotone con denti a sega □ **saw-horse**, cavalletto (*per segare la legna*) □ (*un tempo*) **saw-pit**, buca del segatore di tronchi □ **saw-set**, licciaiola □ **saw-toothed**, a denti di sega; seghettato.

saw ② /sɔː/ n. (*arc.*) adagio; detto; proverbio; massima: **an old saw**, un antico detto; un vecchio proverbio.

saw ③ /sɔː/ pass. di **to see**.

to **saw** /sɔː/ (pass. **sawed**, p. p. **sawn**, *USA* **sawed**) A v. t. segare: **to saw a log in two**, segare in due un tronco; **to saw wood for the fire**, segare legna da ardere B v. i. **1** segare; usare la sega: *You saw well*, sai usare la sega **2** segarsi: *This log saws smoothly*, questo tronco si sega bene **3** muoversi avanti e indietro (*come una sega*).

■ **saw down** v. t. + avv. abbattere (*un albero*, *ecc.*) con la sega; segare.

■ **saw off** v. t. + avv. (o prep.) **1** segare; tagliare via con la sega: **to saw a branch off a tree**, segare il ramo di un albero **2** (*fig.*) tagliare via (*con i denti*, *ecc.*).

■ **saw through** v. t. + avv. (o prep.) segare (da parte a parte); staccare con una sega (una lima, *ecc.*).

■ **saw up** v. t. + avv. fare a pezzi con la sega; segare: **to saw up timber into logs**, segare del legname facendone tronchetti.

sawbones /'sɔːbəʊnz/ n. (inv. al pl.) (*slang scherz.*) segaossa (*pop.*); chirurgo; medico.

sawbuck /'sɔːbʌk/ n. (*USA*) **1** cavalletto (*per segare la legna*) **2** (*slang*) biglietto da dieci dollari **3** (*slang*) condanna a dieci anni di carcere.

sawdust /'sɔːdʌst/ n. ☐ segatura (*polvere di legno*).

sawed /sɔːd/ p. p. (*USA*) di **to saw** ● **s.-off shotgun**, fucile a canne mozze; lupara.

sawfish /'sɔːfɪʃ/ n. (inv. al pl.) (*zool.*, *Pristis*) pesce sega.

sawing /'sɔːɪŋ/ n. ☐ il segare; segatura ● **s. machine**, sega meccanica; segatrice.

sawmill /'sɔːmɪl/ n. segheria.

sawn /sɔːn/ p. p. di **to saw** ● **s.-off shotgun**, fucile a canne mozze; lupara.

Sawney /'sɔːnɪ/ n. (*nomignolo*) **1** scozzese **2** sempliciotto; babbeo.

saw-wort /'sɔːwɜːt/ n. (*bot.*, *Serratula tinctoria*) serratula.

sawyer /'sɔːjə(r)/ n. **1** segatore; segantino; operaio di segheria **2** (*USA*) tronco sradicato, caduto nell'acqua di un fiume.

sax ① /sæks/ n. (*edil.*) utensile per pareggiare e forare tegole d'ardesia.

sax ② /sæks/ n. sassofono ● (*mus.*) **sax player**, sassofonista.

saxatile /'sæksətaɪl/ a. (*bot.*, *zool.*) che vive tra le rocce; sassatile (*arc.*).

saxhorn /'sækshɔːn/ n. (*mus.*) flicorno; saxhorn.

saxicoline /sæk'sɪkəlaɪn/, **saxicolous**

/sæk'sɪkələs/ a. (*bot.*, *zool.*) sassicolo; che vive tra le rocce.

saxifrage /'sæksɪfreɪdʒ/ n. (*bot.*, *Saxifraga*) sassifraga.

Saxon /'sæksn/ A n. **1** (*stor. ingl.*) sassone **2** ☐ sassone (*la lingua*) B a. **1** sassone **2** anglosassone: **S. words**, parole anglosassoni ● **S. blue**, blu di Sassonia.

saxony /'sæksnɪ/ n. ☐ (*ind. tess.*) (stoffa di) lana di Sassonia.

Saxony /'sæksənɪ/ n. (*geogr.*) Sassonia ● **S. wool**, lana di Sassonia.

saxophone /'sæksəfəʊn/ (*mus.*) n. sassofono ‖ **saxophonist** n. sassofonista.

say ① /seɪ/ n. ☐ **1** quel che si ha da dire; opinione **2** diritto di parlare (o di decidere); voce in capitolo ● **to have a say (in the matter)**, aver voce in capitolo (nella faccenda) □ **to have** (*o* **to say**) **one's say**, dire la propria; dare il proprio parere.

say ② /seɪ/ inter. (*fam. USA*) ehi!; di' un po'! senti (un po')!

◆to **say** /seɪ/ (pass. e p. p. **said**), v. t. e i. **1** dire; dichiarare; asserire; affermare; recitare: «*Move this table*,» Mary said, «sposta questo tavolo» disse Mary; *I said straightaway I wanted to buy it, but he told me to think it over*, io dissi subito che volevo comprarlo ma lui mi disse di rifletterci bene; *I'm only going to say a few words*, dirò solo poche parole; **to say «Good morning»**, dire «buongiorno»; dare il buongiorno; *Say after me:* «*I swear to speak the truth*», ripeti dopo di me: «Giuro di dire la verità»; **to say yes** [**no**], dire di sì [di no]; *People say* (*o* they say) *he's very wealthy*, dicono che sia molto ricco; *He is said to be extremely rich*, si dice che sia ricchissimo; *Say your prayers*, di' (*o* recita) le preghiere!; *He said he would run in the election*, ha dichiarato che si sarebbe candidato alle elezioni; *It's hard to say*, è difficile a dirsi; *I'd say I've been here about fifteen minutes*, direi che sono qui da quindici minuti; *What did he say about me?*, che cosa ha detto di me?; *What do you have to say about that?*, che cosa ne dici?; *Do as I say*, fai come dico io; *Let us say he is innocent*, diciamo che è (*o* supponiamo che sia) innocente; *Let's meet again tomorrow, say at 4*, ritroviamoci domani pomeriggio, diciamo alle 4 **2** (*di testo scritto*) dire; essere scritto: *What does her note say?*, che cosa dice il suo biglietto?; *It says on the label that it should be taken before your meals*, l'etichetta dice che lo si deve prendere prima dei pasti; *It is said in the Bible*, lo dice la Bibbia; sta scritto nella Bibbia **3** indicare; segnare; fare: *The tower clock says ten past four*, l'orologio della torre segna le 4 e 10 ● (*GB*) **I say, you do look smart!**, ehi, come sei elegante! □ **That says a lot about his reliability**, questo la dice lunga sulla sua affidabilità □ **What have you got to say for yourself?**, che cosa puoi dire a tua discolpa? □ **There is a lot to be said for their offer**, la loro offerta sembra assai vantaggiosa □ **It doesn't say much for his fitness to run the business**, non depone certo a favore della sua capacità di mandare avanti la ditta □ **to say a good word for sb.**, dire (o mettere) una buona parola per q. □ **to say nothing of**, per non dire (o parlare) di □ **What would you say** (*o* **do you say**) **to a glass of beer?**, che ne diresti (o che ne dici) di una birra? □ **to say to one-self**, dire fra sé; pensare □ (*fam. USA*) **to say uncle**, arrendersi; dire basta □ (*versando da bere a q.*) «**Say when!**» – «**When**», «Di' basta!» – «Basta così» □ **to say the word**, dare l'ordine; dare il via □ (*slang*) «**Says who?**» «**Says me!**», «e chi lo dice?» «lo dico io!» □ (*slang*) **Says you!**, lo dici tu!; figurati!; non ci credo; provaci (un po')! □ (*fam.*) **says I**, dico io; dissi io □ **So you say!**, ah sì?; davvero?;

cosa mi dici! □ **You can say that again** (o **You may well say so**)!, puoi dirlo forte!; altroché! □ (*fam. spec. USA*) **You said it**, l'hai detto!; verissimo! □ **You don't say (so)**!, ma no!; non è possibile!; pensa un po'! □ **It goes without saying that...**, va da sé che...; è ovvio che... □ (*rispondendo a un'offerta*) **I wouldn't say no**, grazie, sì; volentieri □ (*fam.*) **What do you say?**, che ne dici? che ne pensi?; che te ne pare? □ **Who can say?**, chi può dirlo?, chi lo sa? □ **You can't say fairer than that**, mi pare una proposta più che generosa; di più non si può pretendere □ **having said that**, detto questo; comunque □ **An excellent idea, if I may say so!**, ottima idea, se posso dire! □ **You may well say so**, puoi ben dirlo □ **There is no saying how he will react**, non si può sapere come la prenderà; la sua reazione è imprevedibile □ (*fam.*) **Say no more**, non dire altro!; non aggiungere altro!; ho (già) capito! □ **that is to say**, vale a dire; cioè; in altre parole □ **when all is said and done**, a conti fatti; tutto considerato.

🖙 **NOTA:** *to say (passive)*
Con verbi come **to say, to think, to believe** è possibile usare la costruzione passiva **to be said, to be thought, to be believed** + **to** + infinito, che si traduce in italiano con una forma impersonale: *He is said to be a good actor*, si dice (o dicono) che sia un bravo attore; ha fama di essere un bravo attore; *High speed is thought to have been the cause of the accident*, si pensa (o si ritiene) che l'incidente sia stato causato dall'elevata velocità; *The people arrested are believed to belong to a terrorist group*, si ritiene che gli arrestati appartengano a un gruppo terroristico; *John was believed to be innocent*, si credeva che John fosse innocente (o John era ritenuto innocente).

▪ **say on** v. i. + avv. (*fam.*) continuare (a parlare); andare avanti: *Say on!*, continua pure!; va avanti!

▪ **say out** v. t. + avv. – **to say out loud**, dire forte; dire ad alta voce; dichiarare apertamente.

▪ **say over** v. t. + avv. dire, recitare, ripetere (*preghiere, ecc.*) □ (*teatr.*) **to say over one's lines**, ripassare la parte.

SAYE sigla (**save-as-you-earn**) (sistema di risparmio ritenuto alla fonte.

♦**saying** /'seɪɪŋ/ n. **1** ⓤ il dire; le parole: **s. and doing**, il dire e il fare; le parole e i fatti **2** detto; adagio; motto; massima; proverbio; sentenza ● **as the s. is** (o **goes**), come dice il proverbio; come si suol dire.

say-so /'seɪsəʊ/ n. ⓤ (*fam.*) **1** affermazione non sostenuta da prove: *I'm not going to believe it on Tom's say-so*, non posso crederci solo perché lo dice Tom **2** diritto di parlare (o di decidere); voce in capitolo **3** permesso; autorizzazione: **on the teacher's say-so**, col permesso dell'insegnante.

SBA sigla (*USA*, **Small Business Administration**) Agenzia per le piccole imprese.

SBS sigla (*mil.*, *GB*, **Special Boat Service**) Forza speciale di marina (*specializzata in ricognizioni e sabotaggi*).

SC sigla **1** (*polizia*, **special constable**) agente speciale **2** (*anche* S.C.) (*USA*, **South Carolina**) Carolina del Sud.

sc. abbr. **1** (**scale**) scala **2** (**scene**) scena **3** (**scilicet**) cioè, vale a dire.

s.c. sigla (*tipogr.*, **small caps**) maiuscoletto.

scab /skæb/ n. **1** escara; crosta (*di ferita in via di guarigione*) **2** ⓤ (*bot.*, *vet.*) scabbia; rogna **3** (*fam.*) crumiro **4** (*metall.*) sfoglia (*difetto*).

to **scab** /skæb/ v. i. **1** (*di ferita*) fare la crosta; cicatrizzarsi **2** (*fam.*) fare il crumiro.

scabbard /'skæbəd/ n. (*mil.*) fodero; gua-

ina.

scabbed /skæbd/ → **scabby**.

to **scabble** /'skæbl/ v. t. sbozzare (*pietre*).

scabby /'skæbɪ/ a. **1** coperto di croste **2** (*med.*) rognoso; scabbioso ‖ **scabbiness** n. ⓤ **1** l'esser coperto di croste **2** l'essere scabbioso (o rognoso).

scabies /'skeɪbiːz/ n. ⓤ (*med.*) scabbia.

scabious① /'skeɪbɪəs/ a. (*med.*) rognoso; scabbioso.

scabious② /'skeɪbɪəs/ n. (*bot.*, *Scabiosa*) scabiosa, scabbiosa.

scabrous /'skeɪbrəs/ a. **1** scabroso (*anche fig.*); scabro **2** osceno; spinto: **s. jokes**, barzellette spinte | **-ly** avv. | **-ness** n. ⓤ.

scad /skæd/ n. (pl. ***scad***, ***scads***) (*zool.*) **1** pesce dei Carangidi (*in genere*) **2** (*Trachurus trachurus*) sugherello; scombro bastardo.

scads /skædz/ n. pl. (*slang USA*) (un) mucchio; (una) quantità; (un) sacco (*di cose*).

scaffold /'skæfəʊld/ n. **1** (*edil.*) ponteggio; impalcatura; incastellatura: **iron s.**, ponteggio di ferro **2** (*metall.*) ponte; volta **3** patibolo; forca: **to ascend the s.**, salire il patibolo **4** (*sci*) trampolino.

to **scaffold** /'skæfəʊld/ (*edil.*) v. t. innalzare un'impalcatura intorno a (*una casa*) ‖ **scaffolder** n. ponteggiatore.

scaffolding /'skæfəʊldɪŋ/ n. ⓤ (*edil.*) **1** ponteggio; impalcatura; armatura **2** materiale da impalcature ● **s. erector**, (titolare d') impresa per il montaggio d'impalcature (o di ponteggi) □ **s. pole**, palo principale, antenna (*di ponteggio*).

scag /skæg/ n. (*slang USA*) eroina.

scagliola /skæl'jəʊlə/ n. ⓤ (*edil.*) **1** scagliola **2** stucco a imitazione di marmo screziato.

scalability /skeɪlə'bɪlətɪ/ n. ⓤ (*comput.*) scalabilità (*cfr.* **scalable**②, *def.* 4).

scalable① /'skeɪləbl/ a. squamabile; scrostabile.

scalable② /'skeɪləbl/ a. **1** scalabile **2** graduabile **3** rappresentabile su scala **4** (*comput.*) scalabile (*le cui prestazioni possono essere incrementate in modo graduale*).

scalar /'skeɪlə(r)/ a. (*mat.*) scalare: **s. product**, prodotto scalare.

scalariform /skə'lærɪfɔːm/ a. (*bot.*, *zool.*) scalariforme.

scalawag /'skæləwæg/ n. (*USA*) → **scallywag**.

scald① /skɔːld/ n. scottatura; ustione.

scald② /skɔːld/ n. (*stor.*, *letter.*) scaldo (*poeta di corte*).

to **scald** /skɔːld/ v. t. **1** scottare (*con un liquido*); ustionare **2** (*tecn.*) portare quasi a temperatura di ebollizione (*latte, ecc.*) **3** sbollentare **4** (*di lacrime, ecc.*) bruciare
🖙 **FALSI AMICI** • to scald *non significa* scaldare.

scalding /'skɔːldɪŋ/ n. **1** ⓤ (*ind. tess.*) cottura; lisciviatura **2** ⓤ scottatura **3** (*cucina*) scottata 🅑 a. bollente; che scotta; scottante (*anche fig.*) ● **s. heat**, rovente; caldo (*del tempo*) torrido; (*d'acqua*) bollente □ **s. tears**, lacrime cocenti.

♦**scale**① /skeɪl/ n. **1** piatto della bilancia **2** (pl.) (**pair of scales**) bilancia; bascula: (*fig.*) **the scales of justice**, la bilancia della giustizia **3** (pl.) (*astron.*, *astrol.*) – **the Scales**, la Bilancia; la Libra ● **s. pan**, piatto della bilancia □ (*sport*) **to go to the scales**, andare al peso □ (*fig.*) **to hold the scales even**, essere giudice imparziale □ **to tip** (o **to turn**) **the scales**, far pendere la bilancia (*anche fig.*); essere decisivo □ **to tip the scales at**, pesare; raggiungere il peso di (*un certo numero di libbre, ecc.*).

scale② /skeɪl/ n. **1** scaglia; squama; lamella: **the scales of a snake** [**of a fish**], le squame d'un serpente [d'un pesce] **2**

(*bot.*) squama; brattea **3** (*di metallo*) scoria; scaglia **4** ⓤ tartaro; incrostazione (*di caldaia, ecc.*) **5** ⓤ placca dentaria; tartaro (*dei denti*) ● (*stor.*) **s.-armour**, armatura a piastre □ **s.-board**, piallaccio (*per impiallacciatura, ecc.*) □ (*tecn.*) **s. inhibitor**, anticalcare; disincrostante (*zool.*) **s. insect**, cocciniglia □ (*tecn.*) **s. remover**, disincrostante; anticalcare □ **s.-work**, disposizione (o sovrapposizione) a squame; (*arte*) lavorazione a squame □ (*fig.*) **to remove the scales from sb.'s eyes**, aprire gli occhi a q. (*fig.*).

♦**scale**③ /skeɪl/ n. **1** ⓤ ⓒ (*mus.*, *geogr.*, *mat.*, *ecc.*) scala; gamma; gradazione: **chromatic s.**, scala cromatica; *This map is on the s. of one inch to a mile*, questa cartina è su scala di un pollice a miglio; **the decimal s.**, la scala decimale; **to practise scales on the piano**, eseguire le scale sul pianoforte; (*econ.*) **s. of preference**, gamma delle preferenze (*dei consumatori*); **s. of priority**, scala di priorità; **a s. of values**, una scala di valori **2** regolo graduato; righello graduato **3** tariffario; tariffa: **union s.**, tariffa sindacale **4** ⓤ (*fig.*) dimensioni: *Nobody had realized the full s. of the scandal*, nessuno aveva colto le reali dimensioni dello scandalo ● **s. drawing** [**model**], disegno [modello] in scala □ **s. economies** (o **economies of s.**), economie di scala □ (*econ.*) **s. effect**, effetto di scala □ (*rag.*) **s. of depreciation**, tabella di ammortamento □ **s. rate**, tariffa scalare (*di servizi*) □ **to draw st. to s.**, disegnare qc. in scala □ **on a large s.**, su larga scala; (*se fig.*, *meglio*) in grande □ **out of s.**, non in scala; (*fig.*) sproporzionato □ (*fam.*) **to pay s.**, pagare la tariffa sindacale □ **a small-s. map**, una cartina in scala ridotta.

to **scale**① /skeɪl/ v. t. e i. (*spec. di un pugile o un fantino*) pesare: *He scales ten stone*, pesa sessantatré chili e mezzo.

to **scale**② /skeɪl/ 🅐 v. t. **1** squamare: **to s. a fish**, squamare un pesce **2** sfaldare (*vernice*) **3** coprire di croste; incrostare **4** scrostare; disincrostare: **to s. a boiler**, disincrostare una caldaia **5** (*med.*) togliere: **to s. tartar from the teeth**, pulire i denti dal tartaro **6** sgranare; sbucciare: **to s. peas**, sgranare piselli; **to s. almonds**, sbucciare mandorle 🅑 v. i. **1** perdere le squame; squamarsi **2** (*di vernice*) sfaldarsi **3** (*di caldaie, ecc.*) incrostarsi ● **to s. off**, squamare; sfaldare, scrostare; squamarsi; sfaldarsi, scrostarsi: *The plaster is scaling off*, l'intonaco si sta scrostando.

to **scale**③ /skeɪl/ 🅐 v. t. **1** scalare (*un monte, ecc.*); arrampicarsi su; scavalcare: **to s. a wall**, scalare un muro **2** disegnare in scala; rappresentare su scala **3** (*mecc.*, *fis.*) graduare; tarare (*uno strumento*) **4** (*comput.*) scalare (*incrementare in modo graduale le prestazioni di: un sistema*) 🅑 v. i. **1** arrampicarsi, salire (*con scale*) **2** (*mat.*: *di quantità, ecc.*) aumentare con un rapporto costante; essere commensurabile ● **to s. to**, commisurare a, rapportare a.

▪ **scale back** v. t. e i. + avv. (*USA*) → **scale down, A e B**.

▪ **scale down** 🅐 v. t. + avv. **1** ridurre gradualmente; scalare: **to s. down car production**, ridurre gradualmente la produzione di automobili **2** (*comput.*) scalare all'indietro (*diminuire in modo graduale le prestazioni di: un sistema*) 🅑 v. i. + avv. ridursi (o calare, diminuire) per gradi (o a poco a poco): *Real wages have scaled down by 5 percent*, i salari reali sono diminuiti del 5 percento.

▪ **scale up** 🅐 v. t. + avv. **1** aumentare gradualmente; alzare (o crescere) a poco a poco: **to s. up one's pay demands**, alzare un po' alla volta le proprie richieste di aumenti salariali **2** (*comput.*) scalare → **to scale**③, **A**, *def.* 4 🅑 v. i. + avv. aumentare (o crescere) per gradi: *The cost of living has scaled up*

again, il costo della vita è di nuovo cresciuto.

scaled /skeɪld/ a. **1** (*zool.*) squamoso; squamato; coperto di squame **2** squamato; privato delle squame **3** incrostato: **a heavily s. radiator**, un radiatore tutto incrostato **4** (*scient.*) embricato ● (*zool.*) **s. partridge** (*o* **s. quail**) (*Callipepla squamata*), quaglia squamosa.

scale-down /ˈskeɪldaʊn/ n. riduzione graduale: (*fin.*) **a scale-down of debts**, una riduzione graduale dell'indebitamento.

scalene /ˈskeɪliːn/ (*geom.*) **A** a. scaleno **B** n. triangolo scaleno.

scaler /ˈskeɪlə(r)/ n. **1** chi squama, disincrosta, ecc. **2** raschietto (*da dentista*) **3** (*elettron.*) demoltiplicatore.

scales /skeɪlz/ n. pl. bilancia; bascula (*anche* **pair of scales**).

scale-up /ˈskeɪlʌp/ n. aumento graduale: **a scale-up of wages**, un aumento graduale dei salari.

scaliness /ˈskeɪlɪnəs/ n. Ⓤ squamosità; scagliosità.

scaling ① /ˈskeɪlɪŋ/ n. (= **s.-off**) **1** incrostazione (*di caldaia, ecc.*) **2** disincrostazione; scrostamento **3** desquamazione **4** sfaldatura (*di vernice, ecc.*) **5** (*med.*) detartrasi; detartraggio.

scaling ② /ˈskeɪlɪŋ/ n. Ⓤ **1** scalata; lo scalare **2** graduazione; commisurazione; taratura ● (*mil., un tempo*) **s. ladder**, scala da assedio.

scallion /ˈskæljən/ n. (*bot.*) **1** (*Allium ascalonicum*) scalogno; scalogna **2** (*Allium porrum*) porro **3** (*USA*) = **spring onion** → **spring** ②.

scallop /ˈskɒləp/ n. **1** (*zool., Pecten*) pettine **2** (= **s.-shell**) conchiglia di pettine **3** (*cucina*) capasanta, cappasanta **4** (*cucina*) (*anche*) recipiente a forma di conchiglia (*per cuocere il pesce*) **5** (*su stoffa*) dentellatura; smerlo **6** → **escalope**.

to **scallop** /ˈskɒləp/ v. t. **1** cuocere (*ostriche, ecc.*) in conchiglie di pettine (*o cappesante*) **2** dentellare; smerlare: **a scalloped cuff**, un polsino smerlato.

scalloping /ˈskɒləpɪŋ/ n. Ⓤ dentellatura; smerlatura.

scally /ˈskælɪ/ n. (*ingl., spec. a Liverpool*) **1** giovane scanzonato; scapestrato **2** teppista; hooligan.

scallywag /ˈskælɪwæg/ n. (*ingl., generalm. scherz.*) bricconcello; scapestrato; birba.

scalp /skælp/ n. **1** (*anat.*) cuoio capelluto; cotenna (*del cranio dell'uomo*) **2** scalpo; (*fig.*) trofeo **3** (*fig.*) cima (*di un monte*) tondeggiante e brulla **4** toupet (*franc.*); posticcio **5** (*USA*) piccola speculazione di borsa ● (*un tempo*) **s. hunter**, cacciatore di scalpi o (*un tempo*) **s. lock**, ciocca di capelli sul cranio rasato di un pellerossa (*lasciata come sfida al nemico*) □ **s. wound**, ferita al cuoio capelluto □ (*fam.*) **to call for sb.'s s.**, domandare (*o volere*) la testa di q. (*fig.*) □ (*fig.*) **to be out for scalps**, essere sul sentiero di guerra.

to **scalp** /skælp/ **A** v. t. **1** scotennare (*i nemici*); privare dello scalpo; scalpare **2** (*fig.*) attaccare; criticare senza pietà; demolire, distruggere (*un avversario politico, ecc.*) **3** (*fam. USA*) comprare e rivendere (*merce, titoli, ecc.*) per un piccolo margine di guadagno **4** (*fam.*) incettare, fare bagarinaggio di (*biglietti*) **5** vagliare (*cereali o minerali*) **B** v. i. **1** (*fam. USA*) fare piccole speculazioni in Borsa **2** (*fam.*) fare bagarinaggio; fare il bagarino.

scalpel /ˈskælpl/ n. (*med.*) bisturi.

scalper ① /ˈskælpə(r)/ n. **1** vaglio; crivello **2** (*arte*) scalpello da incisore **3** (*ipp.*) paraglomo (*di un trottatore*).

scalper ② /ˈskælpə(r)/ n. **1** scotennatore

---

2 (*fam. USA*) piccolo speculatore di Borsa **3** (*fam. USA*) bagarino.

scalping /ˈskælpɪŋ/ n. Ⓤ scotennamento.

scaly /ˈskeɪlɪ/ a. **1** scaglioso; squamoso **2** incrostato; coperto d'incrostazioni **3** (*scient.*) embricato **4** (*fam. USA*) meschino, spregevole; gretto, spilorcio ● (*zool.*) **s. anteater** (*Manis*), pangolino.

scam /skæm/ n. (*slang*) **1** imbroglio; raggiro; frode; truffa; turlupinatura **2** notizia confidenziale; storia; diceria.

to **scam** /skæm/ (*slang*) **A** v. t. **1** imbrogliare; raggirare, turlupinare; truffare **2** fregare; portare via (qc.) con raggiri **3** trafficare in (*droga, ecc.*) **B** v. i. **1** vivere di truffe **2** bighellonare; fare il pelandrone.

scammer /ˈskæmə(r)/ n. (*slang*) imbroglione; truffatore; bidonatore (*pop.*).

scammony /ˈskæmənɪ/ n. (*farm., bot., Convulvulus scammonia*) scamonea, scammonea.

scamp /skæmp/ n. **1** birbante; briccone; furfante **2** (*scherz.*) bricconcello; birichino.

to **scamp** /skæmp/ v. t. (*USA raro*) abborracciare; acciarpare; raffazzonare.

scamper /ˈskæmpə(r)/ n. **1** corsa rapida (*o precipitosa*) **2** gitarella.

to **scamper** /ˈskæmpə(r)/ v. i. **1** correre; correr via; scappare; sgattaiolare: *The rabbit scampered off*, il coniglio scappò via **2** (*spesso* **to s. about**) scorrazzare; sgambettare; saltellare ● **to s. away**, svignarsela; scappare via.

scampi /ˈskæmpɪ/ (*ital.*) n. pl. (*col verbo al sing.*) (*cucina*) scampi.

scampish /ˈskæmpɪʃ/ a. **1** birbantesco; furfantesco **2** (*scherz.*) birichino; sbarazzino.

scan /skæn/ n. **1** attento esame **2** rapida occhiata; scorsa **3** (*elettron., TV*) scansione: **s. rate**, frequenza di scansione **4** (*comput.*) scansione (*di linee*); analisi (*di stringhe*): **s. line**, linea di scansione **5** (*med.*) esame diagnostico con apparecchio a scansione; esplorazione **6** (*radar, ecc.*) scansione; esplorazione **7** (*poesia*) scansione.

to **scan** /skæn/ **A** v. t. **1** esaminare, scrutare: *We closely scanned their faces*, scrutammo attentamente i loro volti **2** scorrere in fretta; dare una scorsa a: **to s. (through) the newspaper**, dare un'occhiata al giornale **3** (*elettron., TV, radar, ecc.*) scandire; analizzare; esplorare: *The radar scanned the horizon*, il radar esplorava l'orizzonte **4** (*comput.*) scandire (*linee*); analizzare (*stringhe, ecc.*) **5** (*med.*) esplorare, esaminare (*un tessuto, ecc.*) con un apparecchio a scansione **6** (*poesia*) scandire (*versi*) **B** v. i. **1** (*comput.*) eseguire una scansione **2** (*poesia*) potersi scandire: *This line doesn't s.*, questo verso non si può scandire (*o non è regolare*)

Ⓕ **FALSI AMICI** • to scan *non significa* scannare.

scandal /ˈskændl/ n. **1** scandalo **2** vergogna; obbrobrio; onta: *Those slum dwellings are a s.*, quelle catapecchie sono un obbrobrio **3** Ⓤ indignazione; ribellione (*o reazione*) morale; sdegno **4** Ⓤ maldicenza; pettegolezzi: **to talk s.**, fare della maldicenza; **to be the object of s.**, essere oggetto di pettegolezzi **5** scandalo; individuo (*discorso, ecc.*) scandaloso: *His conduct is a s.*, la sua condotta è scandalosa **6** (*leg.*) diffamazione ● **s.-plagued** (*o* **tainted by s.**), infestato di scandali □ **to give rise to s.**, fare scandalo; provocare uno scandalo □ **to hush up a s.**, soffocare uno scandalo □ **to make a s. out of st.**, sollevare uno scandalo (*o gridare allo scandalo*) per qc.

to **scandalize** /ˈskændəlaɪz/ v. t. scandalizzare; dare scandalo a ● **to be scandalized at st.**, scandalizzarsi per qc.

scandalmonger /ˈskændlmʌŋgə(r)/ n.

---

scandalista; malalingua ‖ **scandal-mongering**, **scandalmongering** n. Ⓤ scandalismo; maldicenza.

scandalous /ˈskændələs/ a. **1** scandaloso; vergognoso **2** diffamatorio; denigratorio: **a s. rumour**, una voce diffamatoria | **-ly** avv. | **-ness** n. Ⓤ.

Scandinavian /ˌskændɪˈneɪvɪən/ n. e a. scandinavo ● (*sci*) **S. specialities**, le specialità nordiche.

scandium /ˈskændɪəm/ n. Ⓤ (*chim.*) scandio.

scank /skæŋk/ n. (*slang USA*) scorfano (*fig.*); ragazza brutta.

scanner /ˈskænə(r)/ n. **1** chi scandisce versi **2** (*comput.*) scanner **3** (*TV, radar*) analizzatore d'immagini; esploratore ● **bar code s.**, lettore di codice a barre.

scanning /ˈskænɪŋ/ n. Ⓤ **1** (*poesia*) scansione **2** (*comput.*) scansione; lettura mediante scanner **3** (*TV, radar*) esplorazione, scansione (*dell'immagine*) **4** (*didattica*) lettura veloce ● (*TV*) **s. beam**, fascio esploratore □ (*elettron., med.*) **s. electron microscope**, microscopio elettronico a scansione □ (*elettron.*) **s. head**, testina d'esplorazione □ (*comput.*) **s. rate**, frequenza (*o velocità*) di scansione □ **s. sonar**, sonar esplorante (*o oscillante*).

scansion /ˈskænʃn/ n. Ⓤ (*poesia*) scansione.

scansorial /skænˈsɔːrɪəl/ a. (*zool.*) scansorio; rampicante (*detto del piede di taluni uccelli*).

scant /skænt/ **A** a. scarso; inadeguato; insufficiente; limitato; magro: **to pay s. attention**, prestare scarsa attenzione; *I earn a s. 25 pounds per day*, guadagno 25 sterline scarse al giorno; **s. consolation**, magra consolazione **B** avv. (*dial.*) → **scantly** ● **s. of breath**, dal fiato corto; benia.

to **scant** /skænt/ (*raro*) v. t. **1** limitare; risparmiare; lesinare su (qc.) **2** trattare (*un argomento, ecc.*) in modo sbrigativo.

scanties /ˈskæntɪz/ n. pl. (*fam.*) mutandine da donna; biancheria intima; slip.

scantling /ˈskæntlɪŋ/ n. **1** (*arc.*) piccola quantità; (il) necessario; quanto basta **2** (*edil.*) travicello **3** (*ind. costr.*) dimensioni, misure (*di materiale da costruzione*) **4** (*naut.*) dimensioni (*delle parti strutturali di una nave*) **5** (*per barile o botte*) cavalletto.

scantly /ˈskæntlɪ/ avv. scarsamente; inadeguatamente; appena.

scantness /ˈskæntnəs/ n. Ⓤ = **scantiness** → **scanty**.

scanty /ˈskæntɪ/ a. scarso; inadeguato; insufficiente; magro (*fig.*); manchevole; limitato: **a s. supply of food**, una scarsa provvista di cibo; **s. evidence**, prove insufficienti ● **a s. dress**, un vestito succinto ‖ **scantily** avv. scarsamente; appena; poco ● **scantily-clad**, vestito succintamente; seminudo ‖ **scantiness** n. Ⓤ scarsezza; inadeguatezza; insufficienza.

scape ① /skeɪp/ n. (*bot., archit.*) scapo.

scape ② /skeɪp/ n. (*fam.*) panorama; veduta; vista.

scapegoat /ˈskeɪpgəʊt/ n. capro espiatorio.

to **scapegoat** /ˈskeɪpgəʊt/ v. t. indicare (*o scegliere*) come capro espiatorio; trovare un capro espiatorio in (q. o qc.): *He claims he was scapegoated by the management to hide their mistakes*, dice di essere stato scelto come capro espiatorio dagli amministratori per coprire i loro errori.

scapegrace /ˈskeɪpgreɪs/ n. (*anche scherz.*) scapestrato; scavezzacollo; birichino; monello.

scapewheel /ˈskeɪpwiːl/ n. scappamento (*di un orologio: la ruota dentata*).

scaphoid /'skæfɔɪd/ (*anat.*) **A** a. scafoide **B** n. (osso) scafoide.

scapula /'skæpjʊlə/ (*lat.*) n. (pl. **scapulae, scapulas**) (*anat.*) scapola.

scapular /'skæpjʊlə(r)/ **A** n. **1** (*relig.*) scapolare **2** (*med.*) benda per la spalla **B** a. (*anat.*) scapolare: **s. arch**, arco scapolare.

scapulary /'skæpjʊlərɪ/ n. **1** (*relig.*) scapolare **2** (*di volatile*) penna scapolare.

scar ① /skɑː(r)/ n. **1** cicatrice (*anche fig.*); sfregio: **a nasty s.**, una brutta cicatrice **2** segno, graffio (*sulla carrozzeria, ecc.*) **3** (*fig.*) segno: **the scars of war**, i segni della guerra ● (*med.*) **s. tissue**, tessuto cicatriziale.

scar ② /skɑː(r)/ n. **1** balza; rupe scoscesa **2** scoglio isolato (*sommerso*).

to **scar** /skɑː(r)/ **A** v. t. **1** sfregiare **2** (*fig.*) deturpare; butterare: **a scarred face**, un viso deturpato; un viso butterato **3** (*fig.*) lasciare il segno su; segnare: *The experience scarred him for life*, l'esperienza lo segnò a vita **B** v. i. cicatrizzare, cicatrizzarsi.

scarab /'skærəb/ n. **1** (*zool.*, *Scarabaeus sacer*) scarabeo sacro **2** (*archeol.*) scarabeo (*l'amuleto egizio*) ● (*zool.*) **s. beetle**, scarabeo.

scarabaeid /skærə'biːɪd/ n. (*zool.*) scarabeide.

scarabaeus /skærə'biːəs/ n. (pl. **scarabaei, scarabaeuses**) → **scarab**, def. 2.

scarce /skeəs/ **A** a. **1** scarso; inadeguato; insufficiente; poco: *Food is s.*, il cibo è scarso **2** difficile da reperire; infrequente; raro: **a s. print**, una stampa rara **B** avv. (*arc. o poet.*) → **scarcely** ● **to be s.**, scarseggiare ● (*fam.*) **to make oneself s.**, andarsene, tagliare la corda, svignarsela; stare alla larga, farsi desiderare, non farsi vedere ‖ **scarceness** n. ⒰ scarsezza; scarsità; carenza; penuria.

scarcely /'skeəslɪ/ avv. **1** appena; a malapena; a stento; sì e no: *I s. know her*, la conosco appena; *He could s. stand up*, si reggeva a stento in piedi; *There were s. twenty of us*, eravamo sì e no in venti **2** quasi: **s. ever**, quasi mai; **s. anybody**, quasi nessuno ● **s. true**, ben poco vero ● **He can s. have said so**, è quasi impossibile (*o* è incredibile) che abbia detto ciò ❶ **FALSI AMICI** • scarcely *non significa* scarsamente.

❶ **NOTA**: *scarcely*
Quando *scarcely* significa "appena, da poco (tempo)", ha come correlativo *when*: *I had scarcely begun my speech when the fire alarm rang*, avevo appena iniziato il mio discorso, quando suonò l'allarme anti-incendio.

scarcity /'skeəsətɪ/ n. ⒰⒞ **1** scarsezza; scarsità; carenza; penuria **2** scarsità di viveri; carestia; periodo di carestia **3** rarità.

scare /skeə(r)/ n. spavento; sgomento; sbigottimento; panico; spaghetto, strizza (*fam.*) ● **s.-heading** (*o* **s. headline**), titolo allarmistico (*di giornale*) □ **s. moment**, momento di panico □ **s. story**, notizia (*o* voce) allarmistica □ **to give sb. a s.**, mettere (*o* fare) paura a q.

to **scare** /skeə(r)/ v. t. spaventare; atterrire; sbigottire; sgomentare; impaurire ● **to s. away** (*o* **off**), far fuggire (dallo spavento); mettere in fuga (spaventando); scoraggiare; far allontanare (*clienti, ecc.*): *The police scared away the kidnappers*, la polizia mise in fuga i rapitori □ (*fam.*) **to s. sb. stiff**, spaventare a morte q. □ (*fam.*) **to s. the hell out of sb.**, far prendere a q. una paura del diavolo □ (*volg.*) **to s. the shit out of sb.** (*o* **to s. sb. shitless**), fare in modo che q. se la faccia sotto per la paura; fare prendere una strizza a q. □ (*fam. USA*) **to s. up**, mettere insieme, improvvisare (*un pasto, ecc.*); raggranellare, racimolare (*soldi, ecc.*).

scarecrow /'skeəkrəʊ/ n. **1** spaventapasseri (*anche fig.*) **2** (*fig.*) spauracchio **3** (*fig.*) straccione **4** (*fig.*) (un) tipo pelle e ossa.

♦**scared** /skeəd/ a. impaurito; spaventato; sgomento ● (*volg.*) **s. shitless**, terrorizzato □ **s. stiff** (*o* **witless**), spaventatissimo □ **to be s. of doing st.**, avere paura di fare qc. □ **to be s. of mice**, avere paura dei topi □ **to be s. out of one's mind** (*o* **out of one's wits**), avere perso la testa (*o* essere fuori di sé) per la paura □ **to be s. to death**, essere spaventato a morte □ **to get s.**, impaurirsi; spaventarsi.

scaredy-cat /'skeədɪkæt/ n. (*fam. scherz.*) fifone, fifona; coniglio (*fig.*).

scaremonger /'skeəmʌŋgə(r)/ n. (*spec. rif. a giornalista*) allarmista ‖ **scaremongering** n. ⒰ allarmismo.

♦**scarf** ① /skɑːf/ n. (pl. **scarfs, scarves**) **1** sciarpa; (*mil.*) fascia **2** cravatta; cravattone **3** (*relig.*) stola ● (*judo*) **s. hold-down**, immobilizzazione a sciarpa □ **s.-pin**, spilla per cravatta □ **s.-ring**, anello per sciarpa.

scarf ② /skɑːf/ n. **1** (*falegn.*) ammorsatura **2** (= **s.-joint**) giunto ad ammorsatura **3** (*caccia alla balena*) incisione (*fatta longitudinalmente nella pelle d'una balena*).

to **scarf** ① /skɑːf/ v. t. **1** (*falegn.*) ammorsare; fare un giunto ad ammorsatura in (*un pezzo di legno*) **2** scuoiare (*una balena*) incidendo solchi nella pelle **3** (*metall.*) scriccare alla fiamma (*o col cannello ferruminatorio*).

to **scarf** ② /skɑːf/ v. t. (*slang USA*) **1** (*anche* **to s. down**) divorare; sbafare; ingurgitare; ingozzarsi di; papparsi **2** rubare; sgraffignare **3** sbarazzarsi di; mollare, piantare (*la ragazza, ecc.*).

scarfing /'skɑːfɪŋ/ n. ⒰⒞ **1** (*falegn.*) ammorsatura **2** scuoiamento (*d'una balena*) **3** (*metall.*) scriccatura alla fiamma (*o col cannello*).

scarf-skin /'skɑːfskɪn/ n. (*anat.*) epidermide.

scarification /skeərɪfɪ'keɪʃn/ n. ⒰ (*med., agric.*) scarificazione; scarificatura.

scarifier /'skeərɪfaɪə(r)/ n. (*med., agric.*) scarificatore.

to **scarify** /'skeərɪfaɪ/ v. t. **1** (*med., agric., ecc.*) scarificare **2** (*fig.*) biasimare aspramente; criticare severamente.

scarious /'skeərɪəs/ a. (*bot.*) scarioso.

scarlatina /skɑːlə'tiːnə/ n. ⒰ (*med.*) scarlattina.

scarlet /'skɑːlət/ **A** n. ⒰ **1** colore scarlatto **2** stoffa scarlatta **B** a. scarlatto ● (*med.*) **s. fever**, scarlattina □ **s. hat**, cappello da cardinale; (*fig.*) la porpora □ **the s. letter**, una «A» scarlatta (*marchio imposto un tempo alle adultere come segno di colpa*) □ (*bot.*) **s. oak** (*Quercus coccinea*), quercia americana □ (*bot.*) **s. pimpernel** (*Anagallis arvensis*), anagallide, mordigallina (a fiori rossi) □ (*letter., teatr.*) **the S. Pimpernel**, la Primula Rossa □ (*med.*) **s. rash**, eritema da scarlattina □ (*bot.*) **s. runner** (*Phaseolus coccineus*), fagiolo di Spagna □ (*arc. o scherz.*) **s. woman**, pubblica peccatrice; prostituta □ (*secondo Martin Lutero; spreg.*) **the S. Woman**, la Chiesa Cattolica; la Chiesa di Roma □ **dressed in s.**, vestito di scarlatto.

scaroid /'skeərɔɪd/ (*zool.*) **A** a. simile a scaride **B** n. scaride.

scarp /skɑːp/ n. **1** scarpa, scarpata (*anche geol.*) **2** pendio ripido (*edil.*) muraglia (*o* terrapieno) a scarpa; sperone (*di muro*).

to **scarp** /skɑːp/ v. t. **1** tagliare (*un pendio*) a scarpata **2** munire (*un fosso*) di terrapieno a scarpa **3** (*edil.*) rinforzare (*un muro*) con uno sperone.

to **scarper** /'skɑːpə(r)/ v. i. (*slang ingl.*) darsela a gambe; battersela; squagliarsela; filare (via).

scarred /skɑːd/ a. **1** segnato di cicatrici; sfregiato; deturpato **2** segnato; graffiato: *My mudguard is all s.*, ho il parafango pieno di graffi **3** segnato (*da un dolore, ecc.*).

Scart, SCART /skɑːt/ n. (*elettr., TV*) scart.

scarus /'skeərəs/ n. (*zool.*) **1** (*Sparisoma cretense*) scaro di Creta; pesce pappagallo **2** (*Scarus*) scaride.

scarves /skɑːvz/ pl. di **scarf** ①.

scary /'skeərɪ/ a. (*fam.*) **1** pauroso; timoroso; che si spaventa; fifone (*fam.*) **2** che incute paura; pauroso; terrificante **3** strano; inquietante.

scat /skæt/ n. ⒰ (*mus.* = **singing**) scat; esecuzione vocale improvvisata (*con sillabe prive di senso, nel jazz*).

to **scat** ① /skæt/ v. i. (generalm. all'imper.) (*fam.*) andarsene; filare via; smammare: *S.!*, fila via!; smamma!; pussa via!; sciò!

to **scat** ② /skæt/ v. i. (*mus.*) fare scat.

to **scathe** /skeɪð/ v. t. danneggiare; fare male a; offendere ‖ **scathe** n. danno; male; offesa.

scatheless /'skeɪðləs/ a. incolume; indenne; illeso.

scathing /'skeɪðɪŋ/ a. aspro; feroce; mordace; rovente (*fig.*); scottante; severo: **a s. attack on the reform bill**, un attacco feroce contro il progetto di riforma; **s. remarks**, osservazioni aspre (*o* mordaci) **s. criticism**, critiche sferzanti; stroncatura □ **to be s. about st.** [**sb.**], criticare in modo sferzante qc. [q.].

scatology /skæ'tɒlədʒɪ/ n. ⒰ scatologia ‖ **scatological** a. scatologico.

scatter /'skætə(r)/ n. **1** spargimento; sparpagliamento **2** dispersione (*stat., demogr.*) **s. of the population**, dispersione della popolazione **3** (*fam.*) piccola quantità; numero ridotto; manciata; pugno: **a s. of phone calls in the morning**, telefonate sparse nella mattinata ● (*radio, TV*) **s. band**, banda di dispersione □ (*stat.*) **s. chart**, nube di punti □ (*stat.*) **s. cushion**, cuscino decorativo □ (*stat.*) **s. diagram**, diagramma a dispersione (*o* a nube di punti) □ (*USA*) **s. gun**, fucile a pallettoni □ **s. rug**, plaid decorativo □ **s. plot** = **s. diagram** → *sopra*.

to **scatter** /'skætə(r)/ **A** v. t. **1** cospargere; spargere; sparpagliare; gettare; diffondere; disseminare: **to s. salt on a road in winter**, spargere sale su una strada d'inverno; **to s. seed**, gettare il seme; **to s. the fields with seed**, cospargere i campi di semente; **to s. light**, diffondere la luce **2** disperdere; sbaragliare; mettere in fuga: *The mounted police scattered the demonstrators*, la polizia a cavallo disperse i dimostranti; *The shouts scattered the birds*, le grida misero in fuga gli uccelli **B** v. i. **1** disperdersi; sparpagliarsi: *The threatening clouds are scattering*, le nubi minacciose si disperdono **2** dispersi; dividersi: *The escaped prisoners scattered at the crossroads*, all'incrocio gli evasi si divisero ● **to s. money about**, spendere e spandere □ **to s. to the four winds**, gettare (*o* volare) da tutte le parti.

scatterbrain /'skætəbreɪn/ n. individuo scervellato (*o* sventato) ‖ **scatterbrained** a. scervellato; sventato; sbadato; svampito: *'He was questioned by a thin, scatterbrained miss of fifty'* W. SAROYAN, 'fu interrogato da una zitella di cinquant'anni, magra e svampita'.

scattered /'skætəd/ a. **1** sparso; disseminato: **s. hamlets**, villaggi sparsi qua e là **2** sporadico: **s. instances**, casi sporadici (*del cielo*) poco nuvoloso ● **s. showers**, piogge sparse.

scattergram /'skætəgræm/ n. diagramma 'sparso' (o a nube di punti).

scattering /'skætərɪŋ/ Ⓐ n. (solo al sing.) 1 spargimento 2 dispersione; sparpagliamento 3 piccola quantità; numero ridotto; manciata; pugno: **a s. of freckles**, lentiggini sparse; una manciata di lentiggini: **a mere s. of fans**, pochissimi sostenitori 4 (fis., elettr.) diffusione; scattering: **s. angle**, angolo di diffusione 5 (anche stat.) dispersione Ⓑ a. 1 sparso; disperso 2 disperso (per es., di voti distribuiti fra vari candidati).

scattershot /'skætəʃɒt/ a. (USA) disordinato; fatto a casaccio.

scatty /'skætɪ/ a. (fam.) 1 matto; pazzo: **to drive sb. s.**, far diventare pazzo q.; fare ammattire q. 2 scervellato; svitato; scombinato.

scaup /skɔ:p/ n. (zool., Aythya) moretta: **greater s.**, (Aythya marila), moretta grigia; moretta maggiore; **lesser s.** (Aythya affinis), moretta minore.

to **scavenge** /'skævɪndʒ/ Ⓐ v. t. 1 spazzare; scopare (le strade, ecc.) 2 (mecc.) lavare, fare il lavaggio a (un motore) 3 ricavare (pezzi: da una vecchia auto) 4 scovare, trovare (roba vecchia ma utilizzabile) 5 (chim.) decontaminare 6 (metall.) degassare (il metallo fuso) Ⓑ v. i. 1 fare lo spazzino 2 (d'animali selvatici, ecc.) cercar cibo (fra i rifiuti) 3 cercare materiale utilizzabile.

scavenger /'skævɪndʒə(r)/ n. 1 (arc.) spazzino; netturbino 2 (zool.) animale che si ciba d'immondizie (o di carogne); animale saprofago 3 chi cerca tra i rifiuti 4 (mecc.) apparecchio per lavaggi 5 (chim.) (sostanza) decontaminante ● (zool.) **s. beetle** (Hydrophilus), idrofilo.

scazon /'skeɪzən/ n. (poesia) scazonte; coliambo.

scenario /sɪ'nɑ:rɪəʊ/ (ital.) n. (pl. **scenarios, scenari**) 1 (teatr., cinem.) sceneggiatura; scenario; canovaccio 2 piano d'azione; programma ● **s. writer**, sceneggiatore.

scenarist /sə'nɑ:rɪst/ n. (teatr., cinem.) sceneggiatore.

to **scend** /send/ → **to send** ②.

◆**scene** /si:n/ n. 1 scena (anche teatr.); luogo; teatro (fig.): Othello, Act I, s. II, Otello, atto I, scena II; **the balcony s. in «Romeo and Juliet»**, la scena del balcone in «Giulietta e Romeo»; **distressing scenes**, scene strazianti; The s. is laid in Rome, la scena è posta a Roma; **on (o at) the s. of the disaster**, sul luogo del disastro; Waterloo was the s. of a famous battle, Waterloo fu teatro d'una famosa battaglia; **the s. of the crime**, la scena del delitto 2 spettacolo; vista; veduta; panorama: **a beautiful s.**, una veduta magnifica 3 scenata; scena: Now don't make a s., via, non fare una scenata! 4 Ⓤ (fam.) ambiente; mondo: **the drug s.**, l'ambiente (o il mondo) della droga; I need a change of s., ho bisogno di cambiare ambiente 5 (fam.) cosa preferita; genere: Opera is not my s., l'opera lirica non è il mio genere 6 (arc.) palcoscenico (anche fig.) ● **s. bay** = **s. dock** → sotto □ (teatr.) **s.-cloth**, sipario; tela □ (teatr., cinem.) **s. designer**, scenografo □ (teatr.) **s. dock**, magazzino degli scenari □ (GB) **scene-of-crime officer**, primo poliziotto sul luogo del reato; poliziotto che svolge le prime indagini sul luogo del reato □ **s.-painter**, pittore di scene; scenografo □ **s.-painting**, scenografia □ (teatr.) **s.-shifter**, macchinista □ (teatr.) **s.-shifting**, cambiamento di scena □ (teatr.) **scenes painted by X.Y.**, scenografia di X.Y. □ (fam. USA) **a bad s.**, un'esperienza (o un episodio) spiacevole □ (spesso fig.) **behind the scenes**, dietro le scene; dietro le quinte (spesso fig.) □ **to come on the s.**, entrare in scena; comparire □ **to**

keep behind the scenes, stare dietro le quinte; (fig.) tenersi in disparte □ (fam. USA) **to make the s.**, fare la propria comparsa; essere presente, esserci □ (di cronista, inviato, ecc.) **on the s.**, sul luogo (di un avvenimento) □ (fig.) **to quit the s.**, uscire di scena □ **to set the s.**, (teatr.) montare la scena; (fig.) ricostruire (o descrivere) un ambiente; (anche) creare le premesse (per qc.) □ (fig.) **to steal the s. from sb.**, rubare la scena a q.

scenery /'si:nərɪ/ n. Ⓤ 1 (teatr.) scenario 2 (fig.) paesaggio, panorama, veduta: **lake s.**, paesaggio lacustre; The s. is imposing, il panorama è maestoso ● (cinem., teatr.) **to chew the s.**, gigioneggiare.

scenester /'si:nstə(r)/ n. (slang, mus., spesso spreg.) fricchettone; alternativo; scenester.

scenic /'si:nɪk/ a. 1 (teatr.) scenico: **s. performances**, rappresentazioni sceniche (o teatrali) 2 del paesaggio; del panorama; panoramico: **s. beauty**, bellezza del paesaggio; bellezze naturali; **s. route**, strada panoramica 3 (d'un quadro, di un racconto, ecc.) drammatico; icastico ● **s. railway**, trenino di un parco (o di uno zoo); montagne russe (a una fiera) | **-ally** avv.

scenographer /si:'nɒgrəfə(r)/ n. (teatr.) scenografo.

scenographic /si:nəʊ'græfɪk/ a. (teatr.) scenografico.

scenography /si:'nɒgrəfɪ/ n. Ⓤ 1 (teatr.) scenografia 2 (disegno) riproduzione prospettica.

scent /sent/ n. Ⓤ 1 profumo; odore; fragranza; aroma; olezzo: **the s. of flowers**, il profumo dei fiori 2 profumo; essenza: **a bottle of s.**, una boccetta di profumo 3 (caccia) odore della passata della selvaggina; usta; segnale olfattivo; scia, traccia, pista (anche fig.): The s. was weak, l'usta era debole; **to lose the s.**, perdere le tracce; The s. is hot, l'usta è recente; (fig.) la pista scotta 4 (anche fig.) fiuto; olfatto; odorato: He has a s. for young talent, ha molto fiuto per scoprire giovani di talento ● **s. bag**, sacchetto profumato □ (zool.) **s. gland**, ghiandola odorifera □ (anche fig.) **to follow a false s.**, seguire una pista sbagliata; essere fuori strada (fig.) □ **to get s. of st.**, aver sentore di qc. □ **to be off the s.** (o on a false s.), seguire una falsa pista □ **to be on the s. of**, essere sulle tracce di; (fig.) essere sul punto di (fare qc.) □ **to put** (o **to throw**) **sb. off the s.**, mettere q. su una falsa pista; depistare q.

to **scent** /sent/ Ⓐ v. t. 1 (d'animali) fiutare; (fig.) aver sentore di; subodorare: The dogs had scented a hare, i cani avevano fiutato una lepre; **to s. danger** [**a snare**], fiutare il pericolo [subodorare un'insidia] 2 profumare; olezzare: Flowers scented the air, i fiori profumavano l'aria Ⓑ v. i. 1 (d'animali, = **to s. the air**) fiutare; annusare 2 sapere, sentire (all'olfatto): This essence scents of vanilla, questa essenza sa di vaniglia ● **to s. out**, scoprire (selvaggina, ecc.) col fiuto; (fig.) scoprire, scovare.

scented /'sentɪd/ a. profumato; odoroso: **s. flowers**, fiori odorosi.

scentless /'sentləs/ a. 1 inodoro; senza profumo: **a s. rose**, una rosa senza profumo 2 (d'animale) privo di fiuto.

scepter /'septə(r)/ (USA) → **sceptre**.

sceptic /'skeptɪk/ (anche filos.) n. scettico || **scepticism** n. Ⓤ scetticismo.

sceptical /'skeptɪkl/ a. (anche filos.) scettico: Most scientists are s. about (o of) cold fusion, la maggior parte degli scienziati è scettica sulla fusione fredda | **-ly** avv.

sceptre, (USA) **scepter** /'septə(r)/ n. 1 scettro 2 (fig.) scettro; potere regale || **sceptred**, (USA) **sceptered** a. 1 scettrato (poet.); munito di scettro: 'This royal throne

of kings, this sceptred isle' W. SHAKE-SPEARE, 'questo regale trono di re, quest'isola scettrata' (ossia l'Inghilterra) 2 (fig.) che ha il potere regale.

sch. abbr. 1 (**scholar**) erudito, dotto 2 (**school**) scuola 3 (naut., **schooner**) goletta.

◆**schedule** /'ʃedjuːl, USA 'skedʒəl/ n. 1 elenco; lista; distinta; prospetto; scaletta; specchietto; tabella: (fin., banca) **s. of rates**, scaletta dei tassi; (naut.) **s. of freight rates**, tabella dei noli 2 programma, piano (di lavoro, delle consegne, ecc.): **s. of operations**, programma operativo 3 (trasp.) orario: **train s.**, orario ferroviario 4 (fisc.) categoria: **tax schedules**, categorie d'imposta 5 (stat.) questionario; scheda 6 (leg.) allegato; (spec.) inventario (della massa fallimentare) 7 (sport) programma; calendario: **the s. of matches**, il calendario delle partite 8 (spec. **Schedule**: leg. USA, rif. a droghe) classe; categoria: Abuse of drugs in S. II may lead to physical dependence, l'abuso di droghe appartenenti alla classe II può condurre alla dipendenza ● (ass.) **s. rate**, tariffa tabellare □ (**according**) **to s.**, secondo la tabella di marcia; rispettando i tempi (delle consegne, ecc.) □ **ahead of** [**behind**] **s.**, in anticipo [in ritardo] sulla tabella di marcia (o rispetto al previsto) □ **on s.**, in orario: The plane was on s., l'aereo era in orario □ **I've got a busy** (o **a tight**) **s. tomorrow**, domani ho una giornata piena d'impegni.

to **schedule** /'ʃedjuːl, USA 'skedʒəl/ v. t. 1 mettere in programma (o in calendario); programmare; fissare; stabilire: The meeting of creditors has been scheduled for next week, l'assemblea dei creditori è stata fissata per la prossima settimana 2 (trasp.) mettere in orario, istituire (corse di treni, ecc.) 3 mettere in lista; elencare; fare una lista di 4 studiare in anticipo, preparare (manovre, mosse, ecc.) 5 (comput.) schedulare; programmare (l'esecuzione di un processo) 6 (cronot.) tempificare.

scheduled /'ʃedjuːld, USA 'skedʒəld/ a. 1 fissato; in programma 2 (aeron., naut.) di linea: **to travel by s. flight**, viaggiare con un volo (o un aereo) di linea; **s. service**, servizio di linea 3 (ingl.: di un edificio, ecc.) dichiarato d'interesse architettonico e storico 4 (comput.) programmato: **s. down time**, periodo di arresto programmato; **s. task**, compito programmato ● **s. maintenance**, manutenzione ordinaria (o programmata) □ (comput.) **s. task**, compito schedulato (che si esegue a un orario prefissato) □ (fin.) **s. territories**, area della sterlina.

scheduler /'ʃedjuːlə(r), USA 'skedʒəl-/ n. (comput.) schedulatore; programmatore di processi.

scheduling /'ʃedjuːlɪŋ, USA 'skedʒəl-/ n. Ⓤ 1 programmazione 2 (trasp.) istituzione (di treni nuovi, ecc.) 3 inserimento in lista; elencazione 4 (comput.) schedulazione; programmazione 5 (cronot.) tempificazione.

schema /'skiːmə/ n. (pl. **schemata**) schema (anche comput.); diagramma; sinossi.

schematic /ski:'mætɪk/ a. schematico | **-ally** avv.

schematism /'skiːmətɪzəm/ n. Ⓤ schematismo.

to **schematize** /'skiːmətaɪz/ v. t. schematizzare; rendere schematico || **schematization** n. Ⓤ schematizzazione.

◆**scheme** /skiːm/ n. 1 piano; progetto; programma; disegno; combinazione; disposizione; schema: **a colour s.**, una combinazione di colori; **a furnishing s.**, una particolare disposizione dei mobili; uno schema d'arredamento 2 trucco; stratagemma: **a s. to dodge taxation**, un trucco per non paga-

re le tasse **3** intrigo; macchinazione; trama; congiura; complotto: **the schemes of the courtiers**, gli intrighi dei cortigiani **4** (*spec. ingl.*) piano governativo (*o* aziendale): **a hydroelectric s.**, un piano (governativo) idroelettrico **5** progetto impossibile (*o* illusorio) **6** (*sport*) schema (*o* piano) di gioco; dispositivo tattico; tema; modulo ● (*leg.*) **s. of composition**, proposta di concordato (*fallimentare*).

to **scheme** /ˈskiːm/ v. t. e i. **1** (*raro*) progettare; far progetti; disegnare; pianificare **2** intrigare; macchinare; ordire; tramare; complottare: *They were scheming against the queen*, tramavano contro la regina.

schemer /ˈskiːmə(r)/ n. **1** (*raro*) chi fa progetti; progettatore **2** macchinatore; intrigante; chi complotta.

scheming /ˈskiːmɪŋ/ a. intrigante; astuto; che trama ● **a s. fellow**, un intrigante.

scherzo /ˈskɛətsəʊ/ (*ital.*) n. (pl. *scherzos, scherzi*) (*mus.*) scherzo.

schilling /ˈʃɪlɪŋ/ (*ted.*) n. scellino austriaco.

schism /ˈskɪzəm, ˈsɪz-/ n. Ⓤ scisma (*anche fig.*).

schismatic /skɪzˈmætɪk, sɪz-/ a. e n. scismatico ‖ **schismatical** a. scismatico ‖ **schismatically** avv. scismaticamente.

schist /ʃɪst/ n. Ⓤ (*geol.*) scisto (*roccia*).

schistose /ˈʃɪstəʊs/ (*geol.*) a. scistoso ‖ **schistosity** n. Ⓤ scistosità.

schistosome /ˈʃɪstəˈsəʊm/ n. (*biol.*) schistosoma.

schistosomiasis /ˈʃɪstəsəʊˈmaɪəsɪs/ n. Ⓤ (*med.*) schistosomiasi.

schizo /ˈskɪtsəʊ/ (*fam.*) = **schizophrenic** → **schizophrenia**.

schizoid /ˈskɪtsɔɪd/ a. e n. (*psic.*) schizoide.

schizophrenia /ˌskɪtsəʊˈfriːnɪə/ (*psic.*) n. Ⓤ schizofrenia ‖ **schizophrenic** a. e n. schizofrenico (*anche fig.*).

schizotypal /ˌskɪtsəʊˈtaɪpəl/ a. (*psic.*) schizotipico: **s. disorder**, disturbo schizotipico.

schlemiel /ʃləˈmiːl/ n. (*slang USA*) babbeo; gonzo; credulone; fesso; tontolone.

schlep /ʃlep/ n. (*slang USA*) **1** balordo; stupido; tontolone **2** tragitto; viaggio: **a 5-mile s.**, tragitto di 5 miglia.

to **schlep** /ʃlep/ (*slang USA*) Ⓐ v. t. trasportare con difficoltà; trascinare; tirarsi dietro (*anche una persona*); strascicare Ⓑ v. i. trascinarsi; strascicarsi; procedere a stento.

schlepper /ˈʃlepə(r)/ n. (*slang USA*) **1** opportunista; scroccone; arraffone **2** rompiscatole; chi chiede sempre favori.

schleppy /ˈʃlepɪ/ a. (*slang USA*) balordo; stupido; tonto; fesso.

schlock /ʃlɒk/ n. (*slang USA*) cianfrusaglia; roba scadente; merce da due soldi ● **s. joint**, negozio di cianfrusaglie ‖ **schlocky** a. **1** scadente; da due soldi **2** vistoso; di cattivo gusto.

schlong /ʃlɒŋ/ n. (*volg. USA*) cazzo, uccello (*volg.*); pene.

schlub /ʃlʌb/ n. (*slang USA*) individuo rozzo, stupido, zoticone.

schlump /ʃlʌmp/ n. (*slang USA*) tardo di comprendonio; imbecille; cretino; stupido.

schmaltz /ʃmɔːlts/ (*slang USA*) n. **1** sdolcinatezza; svenevolezza; smanceria **2** musica sentimentale, sdolcinata ‖ **schmaltzy** a. sdolcinato; svenevole; smanceroso.

schmear /ʃmɪə(r)/ n. (*slang USA*) bustarella; pizzo; tangente.

to **schmear** /ʃmɪə(r)/ v. t. (*slang USA*) **1** ungere (*fig.*); comprare, corrompere **2** sviolinare (*fig. fam.*); adulare.

schmo, shmo /ʃməʊ/ n. (*slang USA*) **1**

---

gonzo; fesso; babbeo; credulone **2** tipo cocciuto, odioso **3** tipo; tizio; individuo **4** (*eufem.*) → **schlong**.

schmooze /ʃmuːz/ n. (*slang USA*) chiacchierata tra amici; bella chiacchierata; conversazione leggera.

to **schmooze** /ʃmuːz/ (*slang USA*) Ⓐ v. t. attaccare bottone a; usare la propria parlantina con; riempire di belle parole Ⓑ v. i. fare una chiacchierata; fare quattro chiacchiere ‖ **schmoozer** n. chiacchierone, chiacchierona; (*per estens.*) individuo estroverso, che sa socializzare ‖ **schmoozing** n. Ⓤ conversazione leggera; chiacchiere; (*per estens.*) il socializzare con facilità ‖ **schmoozy** a. **1** chiacchierone; dalla parlantina facile **2** (*di party, ecc.*) in cui si chiacchiera molto.

schmuck /ʃmʌk/ (*slang USA*) n. **1** individuo spregevole; bastardo; figlio di buona donna **2** stupido; fesso; tontolone **3** (*volg.*) → **schlong** ‖ **schmucky** a. **1** spregevole; sgradevole; bastardo **2** stupido; fesso; tonto.

schnapps /ʃnæps/, **schnaps** /ʃnæps/ (*ted.*) n. schnaps; superalcolico.

schnitzel /ˈʃnɪtsl/ (*ted.*) n. (*cucina*) cotoletta (di vitello).

schnockered /ˈʃnɒkəd/ a. (*slang USA*) ubriaco; sbronzo.

schnook /ʃnʊk/ n. (*slang USA*) babbeo; gonzo; credulone; tontolone.

schnorkel /ˈʃnɔːkl/ → **snorkel**.

schnorrer /ˈʃnɔːrə(r)/ n. sfruttatore; scroccone; parassita; chi vive a sbafo (*o a* ufo).

schnozzle /ˈʃnɒzl/, **schnozzola** /ʃnɒˈzəʊlə/ n. (*slang USA*) naso.

scholar /ˈskɒlə(r)/ n. **1** studioso, studiosa: **biblical s.**, biblista; **classical s.**, studioso dei classici; classicista; *French s.*, francesista; *Hebrew s.*, ebraista; *She is an eminent s.*, è un'eminente studiosa **2** (*antiq.*) persona che studia: **a good s.**, uno che riesce bene negli studi **3** borsista; vincitore, vincitrice di una borsa di studio: **a Fulbright s.**, vincitore di una borsa Fulbright; un borsista Fulbright **4** (*fam.*) persona colta, istruita **5** (*arc.*) scolaro, scolara ● ❶ **FALSI AMICI** ● *nell'inglese attuale scholar non significa* scolaro.

scholarly /ˈskɒləlɪ/ a. **1** dotto; erudito **2** dedito agli studi; studioso **3** da eruditi; accademico: **a s. journal**, una rivista accademica.

scholarship /ˈskɒləʃɪp/ n. **1** Ⓤ dottrina; erudizione; cultura; sapere: **a fine piece of s.**, una bella opera di erudizione **2** borsa di studio: **to award a s.**, assegnare una borsa di studio ● **s. holder**, borsista.

scholastic /skəˈlæstɪk/ Ⓐ a. **1** (*anche filos.*) scolastico: **s. life**, vita scolastica; **s. theology**, teologia scolastica **2** (*fig.*) pedantesco Ⓑ n. **1** (*filos.*) scolastico **2** (*fig.*) formalista; pedante ● **the s. profession**, la professione dell'insegnante; l'insegnamento ‖ **-ally** avv.

scholasticism /skəˈlæstɪsɪzəm/ n. Ⓤ **1** (*filos.*) scolastica **2** (*in didattica*) pedanteria; (*spreg.*) scolasticume.

scholiast /ˈskəʊlɪæst/ n. scoliaste; chiosatore; commentatore.

scholium /ˈskəʊlɪəm/ n. (pl. *scholia, scholiums*) (*lett.*) scolio; chiosa; commento.

◆**school** ① /skuːl/ Ⓐ n. **1** ⒸⓊ scuola; (*fig.*) lezioni, studi: *'We class schools, you see, into four grades: Leading S., First-rate S., Good S. and S.'* E. WAUGH, 'veda, le scuole le classifichiamo in quattro categorie: Scuola Ottima, Scuola di prim'ordine, Scuola Buona e Scuola'; **to go to s.**, andare a scuola; *I went*

---

to s. in Edinburgh, but I was born in Inverness, ho studiato a Edimburgo ma sono nato a Inverness; **to leave s.**, finire la scuola (*o* gli studi); **to stay after s.**, restare a scuola dopo la fine delle lezioni; **to quit s.**, abbandonare gli studi (*o* la scuola); *I wasn't very good at s.*, non ero molto bravo a scuola; *You are late again for s.*, sei di nuovo in ritardo per la scuola; *All the s. knows*, tutta la scuola lo sa; (*fig.*) **the hard s. of life**, la dura scuola della vita; **the Flemish s. of painting**, la scuola fiamminga (di pittura) **2** scuola di perfezionamento: **a s. of ophthalmology**, una scuola di perfezionamento in oculistica **3** (*spec. USA*) facoltà (*universitaria*); (*anche*) università: **a law s.**, una facoltà di giurisprudenza; (*USA*) **the s. of liberal arts**, la facoltà di lettere **4** corso di studi; istituto universitario: **the history s.**, il corso di studi storici; **the mathematical s.**, l'istituto di matematica **5** (pl.) esami di laurea (*a Oxford*) **6** (pl.) (*stor.*) – **the Schools**, le università medievali **7** aula (universitaria) (*spec. a Oxford*): **the chemistry s.**, l'aula di chimica **8** (*fam.*) combriccola (*di bevitori, giocatori, ecc.*); banda; ghenga Ⓑ a. attr. scolastico: **s. library**, biblioteca scolastica; **s. French**, francese scolastico ● **s.-age**, età scolare: **s.-age children**, i bambini in età scolare □ **s. bell**, campanella □ **s. board**, comitato scolastico locale (*in USA; non più in GB*) □ **s. books**, libri scolastici; libri di testo □ (*fam. USA*) **s.-book** (agg.), semplificato, elementare □ **s. bus**, scuolabus □ **s. cafeteria** (*o s. canteen*), mensa scolastica □ (*GB*) **s. crossing patrol** = **lollipop lady** (*o* **man**) → **lollipop** □ **s. day**, giorno di scuola □ **s. days**, i giorni di scuola; (*spec.*) il tempo in cui s'andava a scuola □ **s. dinner**, pranzo consumato a scuola □ **s. district**, distretto scolastico □ **s. doctor**, medico scolastico; (*filos.*) (filosofo) scolastico; (*stor.*) professore d'università medievale □ **s. fees**, tasse scolastiche □ (*pattinaggio artistico*) **s. figures**, figure obbligatorie □ **s. hours**, ore di lezione □ **s. inspector**, ispettore scolastico □ **s.-leaver**, chi ha assolto l'obbligo scolastico; diplomato □ **s.-leaving age**, età dell'adempimento dell'obbligo scolastico (*16 anni in GB*) □ (*arc.*) **s. miss**, educanda; ragazzina inesperta e timida □ **s. of dancing**, scuola di ballo □ (*fig.*) **the s. of hard knocks**, la dura scuola dell'esperienza personale □ (*autom.*) **s. of motoring**, scuola guida □ (*comm.*) **s. outfitter**, fornitore di articoli per la scuola □ (*fam.*) **s. night**, sera o notte che precede un giorno di scuola □ **s. record**, carriera scolastica; corso curriculare (*di un alunno*) □ **s. report**, pagella (scolastica) □ (*fam.*) **s. run**, il portare i figli a scuola □ (*naut.*) **s. ship**, nave scuola □ **s. song**, inno della scuola □ **s. sports**, gare sportive scolastiche □ **s. term**, trimestre; quadrimestre □ **s. tie**, cravatta della scuola (*a strisce, o con uno stemma*) □ **s.-time**, ore di lezione (*o di* studio) □ (*comm.*) **s. wear**, indumenti per uso scolastico (*uniformi, ecc.*) □ **s. welfare officer**, assistente sociale che si occupa degli studenti bisognosi o difficili □ **s. year**, anno scolastico □ (*fig.*) **to be hot from s.**, essere fresco di studi □ **to keep a s.**, gestire una scuola privata □ (*USA*) **to teach s.**, insegnare; essere un insegnante □ **That artist has created a s. [has left no s. behind him]**, quell'artista ha fatto [non ha fatto] scuola.

school ② /skuːl/ n. (*di pesci, delfini, balene*) banco; frotta: **a s. of mackerel**, un banco di sgombri.

to **school** ① /skuːl/ v. t. **1** istruire; ammaestrare; insegnare a **2** alfabetizzare; scolarizzare **3** disciplinare; dominare; frenare; tenere a freno **4** coltivare (*la mente*); esercitare (*una dote naturale*) **5** addestrare, ammaestrare (*anche un cavallo, un cane, ecc.*) **6** (*arc.*) mandare a scuola ● *He has been*

schooled by hardships, s'è formato alla scuola dei duri sacrifici.

to **school**② /sku:l/ v. i. (*di pesci, delfini, balene*) formare banchi; nuotare in frotte.

schoolable /'sku:ləbl/ a. **1** (*di bambino*) in età scolare **2** (*di un cavallo, ecc.*) che si può addestrare; ammaestrabile.

schoolbag /'sku:lbæg/ n. cartella; borsa dei libri.

schoolboy /'sku:lbɔɪ/ n. scolaro; scolaretto; studente ● **s. slang**, gergo studentesco.

schoolchild /'sku:ltʃaɪld/ n. (pl. *schoolchildren*) alunno, alunna; scolaro, scolara.

schoolfellow /'sku:lfeləʊ/ n. compagno (*o compagna*) di scuola.

schoolfriend /'sku:lfrend/ n. compagno (*o compagna*) di scuola.

schoolgirl /'sku:lgɜ:l/ n. scolara; scolaretta; studentessa.

schoolhouse /'sku:lhaʊs/ n. edificio scolastico; scuola.

schooling /'sku:lɪŋ/ n. ⓤ **1** istruzione; educazione (scolastica) **2** alfabetizzazione; scolarizzazione **3** addestramento (*anche di cavalli, cani, ecc.*).

schoolkid /'sku:lkɪd/ n. scolaretto, scolaretta.

schoolman /'sku:lmən/ n. (pl. *schoolmen*) **1** (*filos.*) scolastico; filosofo scolastico **2** (*stor.*) professore d'università medievale **3** (*USA*) uomo di scuola; docente; insegnante.

schoolmarm /'sku:lmɑ:m/ n. **1** (*spec. USA*) professoressa; maestra **2** (*spreg.*) donna all'antica; passatista **3** (*spreg.*) donna saccente (*o pedante*).

schoolmaster /'sku:lmɑ:stə(r)/ n. **1** insegnante; docente; professore (*spec. di una «public school» inglese;* → **public**) **2** gestore di scuola (privata).

schoolmastering /'sku:lmɑ:stərɪŋ/ n. ⓤ professione d'insegnante; insegnamento.

schoolmate /'sku:lmeɪt/ n. compagno (*o compagna*) di scuola.

schoolmistress /'sku:lmɪstrɪs/ n. **1** (*quasi arc.*) insegnante; docente; professoressa **2** gestrice di scuola (privata).

schoolroom /'sku:lru:m/ n. aula; classe (scolastica).

schoolteacher /'sku:lti:tʃə(r)/ n. insegnante; maestro; professore (*di scuola secondaria*) ‖ **schoolteaching** n. ⓤ insegnamento (scolastico).

schoolwork /'sku:lwɜ:k/ n. ⓤ lavoro (*o* compito) in classe (*cfr.* **homework**, *def.* 2).

schoolyard /'sku:ljɑ:d/ n. cortile (*di una scuola*); campetto da gioco.

schooner /'sku:nə(r)/ n. **1** (*naut.*) goletta; schooner **2** (*USA*) boccale da birra (*di solito, della capacità di una pinta*) **3** (*ingl.*) grosso bicchiere da sherry ● (*USA*) **prairie s.**, carro coperto (*usato dai pionieri nelle migrazioni*).

schorl /ʃɔ:l/ n. ⓤ (*miner.*) tormalina nera; sciorlo.

schtick /ʃtɪk/ n. (*slang USA*) numero (*di varietà*).

schuss /ʃʊs/ n. (*sci*) schuss; discesa libera veloce (*in linea retta*).

schwa /ʃwɑ:/ n. (*fon.*) «schwa»; 'e' capovolta (ə).

sciagraphy /saɪ'ægrəfɪ/ (*astron.*) n. ⓤ sciografia ‖ **sciagram**, **sciagraph** n. sciografia ‖ **sciagraphic** a. sciagrafico.

sciatic /saɪ'ætɪk/ a. **1** (*anat.*) sciatico; ischiatico: **s. nerve**, nervo sciatico **2** (*med.*) affetto da sciatica ● (*med.*) **s. pain**, sciatalgia.

sciatica /saɪ'ætɪkə/ n. ⓤ (*med.*) sciatica.

SCID sigla (*med.*, **severe combined immune deficiency**) SCID, immunodeficien-

za combinata grave.

◆**science** /'saɪəns/ n. ⓊⒸ **1** scienza; settore scientifico: **the progress of s.**, il progresso della scienza; **pure s.**, la scienza pura **2** tecnica; abilità: *In boxing, s. is more important than strength*, nel pugilato la tecnica vale più della forza ● **s. fiction**, fantascienza □ **s. of nutrition**, scienza dell'alimentazione □ **s. park**, centro di ricerca applicata; parco scientifico □ (*fam.*) **to have s. down to a s.**, saper fare qc. alla perfezione □ **a man of s.**, un uomo di scienza; uno scienziato.

scienter /saɪ'entə(r)/ (*lat.*) avv. (*leg.*) scientemente; intenzionalmente.

sciential /saɪ'enʃl/ a. **1** conoscitivo; che produce conoscenza **2** esperto; che possiede conoscenza.

◆**scientific** /saɪən'tɪfɪk/ a. **1** scientifico: **s. method**, metodo scientifico; **s. apparatus**, apparecchiature scientifiche; **s. instruments**, strumenti scientifici **2** tecnico; esperto; dotato di buona tecnica: **a s. boxer**, un pugile dotato di buona tecnica ● (*fam.*) **to be s. about st.**, trattare qc. in modo scientifico □ (*fam.*) **s. fair**, mostra della scienza □ **a s. thinker**, uno che pensa in termini scientifici ‖ **-ally** avv.

scientificity /saɪəntɪ'fɪsɪtɪ/ n. ⓤ scientificità.

scientism /'saɪəntɪzəm/ n. ⓤ **1** metodi scientifici; vedute caratteristiche degli scienziati **2** (*filos., relig.*) scientismo.

◆**scientist** /'saɪəntɪst/ n. **1** scienziato **2** (*filos., relig.*) scientista.

Scientology /saɪən'tɒlədʒɪ/ n. ⓤ (*relig.*) Scientology (*setta d'origine americana, fondata da L. Ron Hubbard*) ‖ **Scientologist** n. membro di Scientology.

sci-fi /'saɪfaɪ/ (*spec. USA*; acronimo *fam. di* **science fiction**) Ⓐ n. ⓤ fantascienza Ⓑ a. fantascientifico (*mus., radio, TV*) **sci-fi effect**, effetto (sonoro) fantascientifico.

scilicet /'saɪlɪset/ (*lat.*) avv. cioè; vale a dire.

scilla /'sɪlə/ n. (*bot., Scilla*) scilla.

Scillonian /sɪ'ləʊnɪən/ a. e n. (abitante, nativo) delle isole Scilly.

scimitar /'sɪmɪtə(r)/ n. scimitarra.

scintigram /'sɪntɪgræm/ n. (*med.*) scintigramma.

scintigraphy /sɪn'tɪgrəfɪ/ n. ⓤ (*med.*) scintigrafia.

scintilla /sɪn'tɪlə/ n. (pl. *scintillas*, *scintillae*) **1** (*scient.*) scintilla **2** (*fig.*) barlume; briciolo: *There's not a s. of truth*, non c'è un briciolo di verità.

scintillant /sɪn'tɪlənt/ a. (*form.*) scintillante.

to **scintillate** /'sɪntɪleɪt/ v. i. **1** (*spec. scient.*) scintillare **2** (*fig.*) fare scintille.

scintillating /'sɪntɪleɪtɪŋ/ a. scintillante (*anche fig.*): **s. conversation**, conversazione scintillante.

scintillation /sɪntɪ'leɪʃn/ n. ⓤ **1** (*scient.*) scintillamento **2** (*astron.*) scintillazione.

scintillator /'sɪntɪleɪtə(r)/ n. (*fis.*) scintillatore.

sciolist /'saɪəlɪst/ n. persona che ha una cultura superficiale; saccente ‖ **sciolism** n. ⓤ conoscenza superficiale; infarinatura (*fig.*); saccenteria ‖ **sciolistic** a. saccente; saputo.

scion /'saɪən/ n. **1** (*agric.*) marza; nesto; pollone **2** (*fig.*) rampollo, discendente (*di famiglia nobile*).

scirrhus /'sɪrəs/ (*med.*) n. (pl. *scirrhuses*) scirro ‖ **scirrhosity** n. ⓤ scirrosità ‖ **scirrhous** a. scirroso.

scissel /'sɪsl/ n. (*ind.*) ritagli metallici; sbavatura.

scissile /'sɪsaɪl/ a. (*scient.*) scissile; che si

sfalda facilmente.

scission /'sɪʒn/ n. ⓤ (*scient.*) scissione.

to **scissor** /'sɪzə(r)/ v. t. tagliare con le forbici; sforbiciare ● **to s. out**, ritagliare ‖ **scissoring** n. ⓤ sforbiciatura.

◆**scissors** /'sɪzəz/ n. pl. **1** forbici: **a pair of s.**, un paio di forbici **2** (col verbo al sing.) (*ginnastica*) forbice, sforbiciata (*al cavallo*); (*atletica*) forbice (*nel salto in alto*); (*lotta*) presa a forbice ● (*fig.*) **s.-and-paste job**, lavoro copiato (*o* abborracciato); lavoro di forbici e colla □ **s. case**, astuccio per forbici □ **s. cut**, forbiciata □ (*lotta*) **s. hold**, presa a forbice □ (*atletica*) **s. jump**, salto a forbice (*nel salto in alto*) **s. kick**, (*nuoto e calcio*) **s. kick**, forbice, sforbiciata.

scissorsbill /'sɪzəzbɪl/ n. (*zool., Rhyncops*) rincope; becco a forbice.

to **scissors-kick** /'sɪzəzkɪk/ v. t. e i. (*calcio*) sforbiciare (*il pallone*); fare una forbice (*o una sforbiciata*).

sciurine /'saɪjərɪn/ (*zool.*) Ⓐ a. della famiglia dello scoiattolo; degli Sciuridi Ⓑ n. scoiattolo.

sclera /'sklɪərə/ (*anat.*) n. (pl. *scleras*, *sclerae*) sclera; sclerotica ‖ **scleral** a. della sclera; sclerale.

sclerenchyma /sklə'reŋkɪmə/ n. (pl. *sclerenchymas*, *sclerenchymata*) (*bot.*) sclerenchima.

scleritis /sklə'raɪtɪs/ n. ⓤ (*med.*) sclerite.

scleroderma /sklɪərə'dɜ:mə/ n. (pl. *sclerodermas*, *sclerodermata*) (*med.*) scleroderma.

scleroma /sklə'rəʊmə/ n. (pl. *scleromas*, *scleromata*) (*med.*) scleroma.

to **sclerose** /'sklɪərəʊs/ v. t. e i. (*med.*) sclerotizzare, sclerotizzarsi.

sclerosing /sklɪə'rəʊsɪŋ/ a. (*med.*) sclerosante.

sclerosis /sklə'rəʊsɪs/ n. ⓊⒸ (pl. *scleroses*) (*med.*) sclerosi.

sclerotic /sklə'rɒtɪk/ Ⓐ a. (*med.*) sclerotico Ⓑ n. (*anat.*) sclerotica.

sclerotitis /sklɪərə'taɪtɪs/ n. ⓤ (*med.*) sclerite.

sclerotium /sklə'rəʊʃɪəm/ n. (pl. *sclerotia*) (*bot.*) sclerozio.

sclerotome /'sklɪərətəʊm/ n. **1** (*med.*) sclerotomo **2** (*anat.*) sclerotomo.

sclerotomy /sklə'rɒtəmɪ/ n. ⓊⒸ (*med.*) sclerotomia.

sclerous /'sklɪərəs/ a. (*anat., bot., med.*) duro; ispessito.

scoff① /skɒf/ n. **1** beffa; derisione; dileggio; scherno **2** oggetto di scherno; zimbello.

scoff② /skɒf/ n. ⓤ (*slang*) cibo; pappa; roba da mangiare (*fam.*).

to **scoff**① /skɒf/ v. i. farsi beffe; deridere; dileggiare; schernire: **to s. at sb.**, farsi beffe di q.; deridere q. ‖ **scoffer** n. derisore; dileggiatore; schernitore.

to **scoff**② /skɒf/ v. t. e i. (*slang*) mangiare avidamente; divorare, abbuffarsi; pappare; papparsi (*pop.*); ingozzare, ingozzarsi.

scoffing /'skɒfɪŋ/ Ⓐ a. beffardo; derisorio Ⓑ n. ⓤ derisione; dileggio; scherno ‖ **-ly** avv.

scofflaw /'skɒflɔ:/ n. (*fam. USA*) chi si fa beffe delle leggi; trasgressore ● **a traffic s.**, un automobilista indisciplinato.

scold /skəʊld/ n. (*arc.*) donna bisbetica; brontolona.

to **scold** /skəʊld/ v. t. e i. sgridare; rimproverare; rimbrottare (*spec. bambini*) ‖ **scolding** n. ⓤ sgridata; rimprovero; rimbrotto ● **You're in for a scolding**, ti farai sgridare; ti prenderai una sgridata.

scolecite /'skɒləsaɪt/ n. ⓤ (*miner.*) scolecite.

scolex /'skəʊleks/ n. (pl. *scolexes*, *scolices*, *scoleces*) (*zool.*) scolice.

scoliosis /ˌskɒlɪˈəʊsɪs/ (*med.*) n. ⓤ (pl. *scolioses*) scoliosi ‖ **scoliotic** a. affetto da scoliosi; scoliotico.

scollop, to **scollop** /ˈskɒləp/ → **scallop, to scallop**.

scolopendra /ˌskɒləˈpɛndrə/ (*zool.*) n. (*Scolopendra*) scolopendra; centopiedi.

scolopendrium /ˌskɒləˈpɛndrɪəm/ (*bot.*) n. scolopendrio; lingua cervina.

scolymus /ˈskɒlɪməs/ n. (*bot.*, *Scolymus hispanicus*) cardo scolimo; scardaccione.

scomber /ˈskɒmbə(r)/ n. (inv. al pl.) (*zool.*, *Scomber*) scombro; sgombro.

scombroid /ˈskɒmbrɔːɪd/ a. e n. (*zool.*) (relativo al) pesce degli scombridi.

sconce ① /skɒns/ n. **1** candeliere col manico **2** candelabro a muro; applique (*franc.*).

sconce ② /skɒns/ n. **1** (*mil.*) fortino; bastione; terrapieno **2** rifugio; riparo.

scone /skɒn, skəʊn/ n. (*cucina*) focaccina tonda (*solo farina, latte e un po' di grasso: si mangia a pezzetti, imburrata*).

scoop /skuːp/ n. **1** cucchiaione; ramaiolo; mestolo **2** paletta (*per zucchero, farina, ecc.*) **3** (*mecc.*) cucchiaia; secchia; tazza **4** cucchiaiata; ramaiolata; palettata: **three scoops of ice cream**, tre cucchiaiate di gelato **5** (*fam.*) scoop; scoperta (*di un campione sportivo, ecc.*); colpo giornalistico; notizia (in) esclusiva **6** (*fam.: spec. in affari*) colpo di fortuna; buon colpo; speculazione vantaggiosa; grosso affare: **to make a s.**, fare un buon colpo (*o un grosso affare*); *He earned ten thousand dollars at one s.*, guadagnò diecimila dollari in un sol colpo **7** (*autom., aeron.*) presa (*d'aria, ecc.*) a imbuto **8** (*naut.*) gottazza **9** (*pallavolo*) alzata (*della palla*) a mani aperte (*con le palme rivolte in su*) ● (*slang USA*) **s. and run**, ferito grave (in un incidente); caso da ricovero □ **s. dredger**, draga a secchie (*o a tazze*) (*moda*) **s. neck**, ampia scollatura; scollatura rotonda e profonda □ **s.-net**, rete da pesca a sacco; giacchio □ **to make a s. with one's hand and pick up st.**, raccogliere qc. usando la mano a mo' di mestolo □ **measuring s.**, cucchiaio dosatore.

to **scoop** /skuːp/ v. t. **1** (*di solito* **to s. up**) cavare (*col ramaiolo, ecc.*); tirar su; raccogliere: *He scooped up three balls of ice cream*, tirò su tre palline di gelato; **to s. up the water with a bucket**, tirare su l'acqua con un secchio **2** (*di solito* **to s. out**) scavare (*con una paletta, ecc.*): *The ostrich has scooped out a hole in the earth*, lo struzzo si è scavato un buco nella terra **3** scoprire (*un cantante nuovo, ecc.*); (*giorn.*) procurarsi (*una notizia*) prima degli altri (e pubblicarla) **4** battere (*un altro giornale*); farla in barba a (*un giornalista rivale*) **5** (*fam., spesso* **to s. in**) fare (*un grosso affare*); assicurarsi (*un forte guadagno*) **6** (*comm., fam.*) battere sul tempo (*la concorrenza, ecc.*) **7** (*calcio*) alzare da terra, come con un cucchiaio: **to s. the ball**, fare il 'cucchiaio' **8** (*hockey*) lanciare (*la palla*) in alto ● **to s. out the soup**, scodellare la zuppa □ **to s. up a child in one's arms**, prendere in braccio un bambino.

scooper /ˈskuːpə(r)/ n. **1** chi usa un mestolo; chi tira su (*liquidi*) **2** (*arte*) scalpello da intagliatore **3** (*zool., Recurvirostra avocetta*) avocetta; monachina.

scoopful /ˈskuːpfʊl/ n. cucchiaiata; ramaiolata; mestolata; palettata: **a s. of ice cream**, una cucchiaiata di gelato.

scoot /skuːt/ n. (*fam.*) ⓤ **1** corsa (o fuga) precipitosa **2** corsa, salto (*fig.*); scappata **3** (*slang USA*) dollaro **4** (*slang, pl.*) diarrea; cacarella (*pop.*).

to **scoot** /skuːt/ v. i. (*fam.*) **1** correre; fare in fretta; filare; fare una corsa (*a un negozio, ecc.*) **2** correr via; filar via; battersela; dar-

sela a gambe; scappare; svignarsela.

scooter /ˈskuːtə(r)/ n. **1** monopattino **2** (= **motor s.**) scooter; motoretta **3** (*USA*) scooter; barca a vela per slittare sul ghiaccio ‖ **scooterist** n. scuterista; scooterista.

to **scooter** /ˈskuːtə(r)/ v. i. andare in scooter (*o in motorino*) ‖ **scootering** a. che va in scooter (*o in motorino*).

scop /skɒp/ n. (*stor., letter.*) bardo; menestrello.

♦**scope** ① /skəʊp/ n. **1** ⓤ ambito; attribuzioni; campo (*d'azione*); portata, sfera (*fig.*): *That is beyond the s. of the inquiry*, ciò esula dall'ambito (*o dal campo*) dell'indagine; *That is outside my s.*, ciò è al di fuori delle mie attribuzioni; ciò non è di mia competenza; **an undertaking of wide s.**, un'impresa di grande portata **2** ⓤ libertà d'azione; opportunità; sfogo; sbocco: *There is ample s. for improvement*, ci sono ampie opportunità di miglioramento; *She is given little s. for initiative*, le viene data poca libertà d'iniziativa **3** (*comput.*) campo di visibilità (*di una variabile*) **4** (*naut.*) calumo; tratto di cavo (*o di catena dell'ancora*) non immerso: *The ship is riding to a long s.*, la nave è all'ancora con molto calumo ● **the s. of a missile**, la gittata d'un missile □ **to give full s. to**, dar campo libero a; dar libero sfogo a □ **within the s. of**, entro i limiti di □ **This job gives no s. to ability**, le capacità personali non sono chiamate in causa in questo lavoro ❶ **FALSI AMICI** ● scope *non significa* scopo.

scope ② /skəʊp/ n. (abbr. *fam. di*) **1** **microscope 2 periscope 3 telescope**.

to **scope** /skəʊp/ v. t. (*slang USA: di solito*, **to s. on, to s. out**) esaminare; guardare bene; studiare; esaminare; scrutare; squadrare.

scopolamine /skəˈpɒləmiːn/ n. ⓤ (*chim.*) scopolamina.

scorbutic /skɔːˈbjuːtɪk/ a. scorbutico.

scorch /skɔːtʃ/ n. **1** bruciatura superficiale; bruciacchiatura; scottatura **2** (*fam.*) corsa pazza; volata **3** (*agric.*) imbrunimento dei tessuti vegetali (*per malattia, parassiti, insetticidi*).

to **scorch** /skɔːtʃ/ Ⓐ v. t. **1** ardere; bruciare; bruciacchiare; abbrustolire; scottare; seccare; inaridire: *His face was scorched by the sun*, aveva il viso arso (*o bruciato*) dal sole **2** (*fig.*) ferire; offendere; urtare; (*spec.*) criticare aspramente Ⓑ v. i. **1** bruciarsi; bruciacchiarsi; scottarsi **2** (*fam. ingl.*) andare a tutta velocità; correre da matti; fare una volata (*in bicicletta, motocicletta, ecc.*) ● **to s. down the road**, sfrecciare (giù) per la strada □ (*mil.*) **scorched-earth policy**, strategia della terra bruciata.

scorcher /ˈskɔːtʃə(r)/ n. **1** chi brucia, scotta, ecc. (→ **to scorch**) **2** (*fam.*) giornata caldissima (*o torrida*) **3** (*fam.*) severo rimprovero; osservazione pungente **4** (*fam.*) automobilista (*o motociclista, ciclista*) troppo veloce; chi va a velocità eccessiva **5** (*fam. USA*) cosa che fa colpo; cosa straordinaria; tipo in gamba; cannonata; schianto **6** (*sport*) tiro imparabile.

scorching /ˈskɔːtʃɪŋ/ Ⓐ a. **1** bruciante; torrido; cocente: **a s. sun**, un sole cocente **2** (*fig.*) pungente; caustico; scottante: **a s. remark**, un'osservazione pungente Ⓑ n. **1** bruciatura superficiale; bruciacchiatura; scottatura **2** (*agric.*) imbrunimento dei tessuti vegetali Ⓒ avv. terribilmente; estremamente: **s. hot**, terribilmente caldo —**ly** avv.

♦**score** /skɔː(r)/ n. **1** frego; linea; segno; tacca; tratto (*di penna*); rigatura; (*geol.*) scanalatura, striatura; **to make a s. in the tally**, fare una tacca sulla taglia (*o sul legnetto*); **The rock was covered with scores**, la roccia era coperta di striature **2** conto; debito;

scotto: **to run up a s.**, far debiti; indebitarsi **3** (*sport*) score; punteggio; segnatura; punti; risultato: *The s. was four-nil*, il punteggio fu di quattro a zero; **to keep (the) s.**, segnare i punti; **the final s.**, il risultato finale **4** (*calcio, ecc.*) segnatura; marcatura; gol; rete **5** (*spec. USA: d'un esame, d'un test*) risultato, punteggio, votazione **6** ventina; gruppo di venti (*cose o persone*): **four s. men**, un'ottantina di uomini **7** (*mus.*) partitura; spartito; (*di film*) colonna sonora, musica: **full s.**, partitura d'orchestra; **short s.**, partitura per pianoforte **8** (*fam.*) punto a favore; stoccata (*fig.*) **9** (*fam.*) conto in sospeso (*fig.*): *He's got a s. to settle with her*, ha un (vecchio) conto in sospeso con lei **10** (*fam.*) colpo di fortuna; fortuna; colpo riuscito, colpaccio: *What a s.!*, che fortuna! **11** (*fam.*) successo (*di pubblico*): **a new s. on Broadway**, un nuovo successo a Broadway **12** (*fam.*) successo (*al gioco*): denaro vinto (*al gioco, alle corse*) **13** (*fam.*) denaro rubato; malloppo **14** (*fam.*) vittima (*di una truffa, di un furto*) **15** (*fam.*) colpo grosso (*della malavita*): **to make a good s.**, fare un colpo grosso **16** (*fam.*) nòcciolo della questione; come stanno le cose; conclusione: *I knew the s. from the start*, fin dall'inizio sapevo come stavano le cose; *The s. is that you've lost your job*, in conclusione, hai perso il lavoro **17** (*slang*) incontro segreto; rapporto sessuale **18** (*slang*) cliente (*di prostituta o di gigolo*); marchetta (*volg.*) **19** (*slang USA*) assassinio su commissione **20** (*slang USA*) pacchetto di droga; acquisto di droga ● (*boxe*) **s. cards**, cartellini dei giudici □ (*calcio*) **s. draw**, pareggio con segnatura di gol □ **s. line**, linea di demarcazione (*o di confine*) □ **s. mark**, frego; striscione (*fam.*): **s. marks on the floor**, striscioni (*segni di mobili spostati, ecc.*) sul pavimento □ **by the s.**, in gran numero □ **half a s.**, una decina □ **on the s. of**, a causa di; a motivo di □ **on more scores than one**, per più di un motivo □ **on that s.**, per quel motivo; sul quel punto, al riguardo: *You may be (o rest) easy on that s.*, puoi stare tranquillo al riguardo □ (*fig.*) **to quit scores with sb.**, fare i conti con q. □ **On what s.?**, per quale motivo? a che titolo?

♦to **score** /skɔː(r)/ Ⓐ v. t. **1** segnare; intaccare; far tacche in; graffiare; marcare; rigare; (*geol.*) striare: *The translation had been scored with a red ball-point pen*, la traduzione era stata segnata (*o corretta*) con una biro rossa; *His face was scored with anxiety*, aveva il viso segnato dall'ansia **2** (*spesso* **to s. up**) annotare; mettere in conto; registrare; tenere a mente (*un'offesa, ecc.*) **3** (*sport*) segnare (*una rete, un canestro, ecc.*); fare, realizzare (*un punto*); (*boxe, scherma*) mettere a segno, portare (*colpi, stoccate*); *They made some good chances in the first half but just couldn't s.*, hanno creato delle buone opportunità nel primo tempo ma non sono riusciti a segnare; *Did you see that goal England scored the other day?*, hai visto il gol che ha segnato l'Inghilterra l'altro giorno? **4** (*sport*) valere, contare (*un certo numero di punti*) **5** (*sport*) aggiudicare; assegnare (*un certo numero di*) punti a (*un pugile, ecc.*): *The Russian judge scored him 21 (o 21 to him)*, il giudice russo gli assegnò ventuno punti **6** (*fig.*) ottenere; riportare: **to s. an advantage [a success]**, ottenere un vantaggio [riportare un successo] **7** far guadagnare (*un punto a favore, ecc.*) a (q.) **8** (*mus.*) orchestrare; comporre la musica per (*un film, ecc.*) **9** (*USA*) correggere, valutare (*elaborati, compiti, ecc.*; cfr. *ingl.* **to mark**) **10** (*fam. USA*) criticare; biasimare; rimproverare **11** (*slang USA*) rubare **12** (*slang USA*) procurare, trovare (*droga*) **13** (*slang USA*) assassinare; uccidere Ⓑ v. i. **1** (*sport*) andare a segno; segnare; fare punti; andare a rete (*o a canestro*); andare in gol; centrare

la porta; insaccare (*fam.*): *Our team failed to s.*, la nostra squadra non riuscì a segnare **2** (*sport*) segnare i punti (o il punteggio); fare il segnapunti: *Will you s.?*, vuoi segnare tu i punti? **3** ottenere un punteggio; riportare un voto (o una votazione: *a un esame*): **to s. high** (o **well**), riportare voti alti; ottenere un buon punteggio **4** (*fam.*) aver successo; riuscire; fare centro, fare colpo (*fig.*): *That is where he scores*, è lì che ha successo; *The film scored with the critics*, il film ha incontrato il favore della critica **5** (*slang*) fare sesso; farsi una donna, scopare (*volg.*) **6** (*slang*) comprare (o trovare) droga ● (*calcio*) **to s. from the penalty spot**, trasformare dal dischetto □ **to s. a win**, ottenere una vittoria; vincere □ (*calcio e fig.*) **to s. an own goal**, fare autogol □ (*mecc.*) **scored cylinder**, cilindro rigato □ (*fig.*) **to s. points**, (*in un dibattito*) avere la meglio su q.; mettere sotto q. (*fam.*): *It's quite easy to s. off him in a debate*, in un dibattito è facilissimo metterlo sotto **B** v. t. + avv. → **score out**.

■ **score off** **A** v. t. + prep. **1** (*cricket*) segnare punti con (*una palla*); segnare punti su (*un battitore avversario*) **2** (*fig.*) battere; sconfiggere; avere la meglio su (q.); far fare una figura barbina a (q.); mettere (q.) sotto (*fam.*): *It's quite easy to s. off him in a debate*, in un dibattito è facilissimo metterlo sotto **B** v. t. + avv. → **score out**.
■ **score on** v. t. + prep. (*sport*) segnare contro (q.) □ **to be scored on**, subire un gol (o un canestro).
■ **score out** v. t. + avv. tirare un frego su; cancellare.
■ **score over** v. t. + prep. segnare un punto a proprio favore su (q.); essere superiore a, battere (q.) in un punto.
■ **score through** → **score out**.
■ **score under** v. t. + avv. sottolineare.
■ **score up** v. t. + avv. **1** addebitare, mettere in conto a (*un cliente, uno studente, ecc.*) **2** (*sport*) segnare, fare (*un certo numero di punti*) **3** ottenere, riportare (*una vittoria*).

scoreboard /'skɔːbɔːd/ n. (*sport*) **1** tabellone segnapunti; tabellone **2** (*scherma, tennis*) foglio di arbitraggio.

scorebook /'skɔːbʊk/ n. (*sport*) libretto segnapunti; score.

scorecard /'skɔːkɑːd/ n. (*sport*) **1** cartellino segnapunti; score **2** (*boxe*) cartellino **3** (*golf*) carta del punteggio **4** (*lotta*) bollettino dei punteggi.

scorekeeper /'skɔːkiːpə(r)/ n. (*sport*) segnapunti.

scoreless /'skɔːləs/ a. (*sport: di una partita*) a reti inviolate; zero a zero.

scoreline /'skɔːlaɪn/ n. (*sport*) gol segnati; risultato.

scorer /'skɔːrə(r)/ n. (*sport*) **1** chi segna i punti; segnapunti **2** chi segna; chi fa un punto (una rete, ecc.); marcatore; autore (*di un gol, ecc.*).

scoresheet /'skɔːʃiːt/ n. **1** foglio segnapunti; 'score' (*degli spettatori*) **2** (*basket, pallavolo*) referto ufficiale di gara **3** (*cricket*) foglio dei punteggi; tabellone.

scoretable /'skɔːteɪbl/ n. (*cricket, pallavolo, ecc.*) tavolo dei segnapunti.

scoria /'skɔːrɪə/ (*metall., geol.*) n. (pl. **scoriae**) scoria ‖ **scoriaceous** a. scoriaceo; bolloso: (*geol.*) **scoriaceous rock**, roccia scoriacea.

to scorify /'skɔːrɪfaɪ/ (*metall.*) v. t. scorificare; ridurre in scorie ‖ **scorification** n. ⓤ scorificazione.

scoring /'skɔːrɪŋ/ **A** a. attr. **1** che segna; che ha segnato: **the s. side**, la squadra che segna (o che ha segnato) **2** (*calcio, ecc.*) (*di un passaggio, ecc.*) che permette di segnare **3** (*di una posizione*) da cui si può segnare **4** (*boxe, ecc.*) che conta per il punteggio: **light but s. shots**, colpi leggeri ma che contano per il punteggio **B** n. ⓤⓒ **1** (*calcio, ecc.*) il se-

gnare, realizzazione (*di un gol, di un canestro*); marcatura, segnatura **2** calcolo (o computo) del punteggio fatto; assegnazione (*dei punti*) **3** (*mus.*) orchestrazione; arrangiamento **4** (*mecc.*) rigatura **5** (*geol.*) scoring; striatura **6** (*tecn.*) raschiatura **7** (*USA*) correzione, valutazione (*di compiti, temi, ecc.*) ● **s. board**, tabellone dei risultati □ (*scherma*) **s. bulb**, lampadina segnapunti □ (*boxe*) **s. card**, cartellino □ (*basket, calcio, ecc.*) **a s. chance**, una buona occasione da canestro (o da rete) □ (*scherma*) **s. lamp**, lampadina segnapunti □ (*scherma*) **s. light**, luce segnapunti □ (*calcio, ecc.*) **s. pass**, assist vincente □ (*tiro*) **s. rings**, anelli concentrici (*del bersaglio*).

scorn /skɔːn/ n. **1** ⓤ disprezzo; disdegno; sprezzo; spregio **2** oggetto di disprezzo; ludibrio **3** oggetto di dileggio; zimbello ● **to laugh to s.**, deridere; dileggiare; schernire □ (*lett.*) **to pour s. on sb.** [**on st.**], trattare q. in modo sprezzante [respingere sdegnosamente qc.].

to scorn /skɔːn/ v. t. **1** disprezzare; disdegnare; sprezzare; spregiare; sdegnare: *I would s. to do it*, sdegnerei di farlo **2** respingere sdegnosamente (*proposte, ecc.*) ‖ **scorner** n. spregiatore; schernitore.

scornful /'skɔːnfʊl/ a. sdegnoso; sprezzante ‖ **-ly** avv. ‖ **-ness** n. ⓤ.

Scorpio /'skɔːpɪəʊ/ **A** n. **1** (*astron., astrol.*) Scorpione (*costellazione e VIII segno dello zodiaco*) **2** (*astrol.: pl. Scorpios*) (uno) scorpione; individuo nato sotto il segno dello Scorpione **B** a. (*astrol.*) dello Scorpione.

scorpioid /'skɔːpɪɔɪd/ a. **1** (*zool.*) degli scorpioni **2** (*bot.*) scorpioide.

scorpion /'skɔːpɪən/ n. **1** (*zool., Scorpio, Buthus, ecc.*) scorpione **2** – (*astron., astrol.*) **the S.**, lo Scorpione (*costellazione e VIII segno dello zodiaco*) **3** (*Bibbia*) staffile con punte metalliche ● (*zool.*) **s. fish** (*Scorpaena*), scorpena; scorfano □ (*zool.*) **s. fly** (*Panorpa communis*), panorpa; mosca scorpione □ (*bot.*) **s. grass** → **forget-me-not**.

Scorpionic /skɔːpɪ'ɒnɪk/ (*astrol.*) **A** n. persona nata sotto il segno dello Scorpione **B** a. dello Scorpione.

scorzonera /skɔːzəʊ'nɪərə/ n. (*bot., Scorzonera*) scorzonera.

scot /skɒt/ n. (*stor.*) scotto; tassa ● (*stor. ingl.*) **s. and lot**, imposta locale (*fino al «Reform Bill» del 1832*) □ **s.-free**, impunito ● **to get off** (o **to go**) **s.-free**, farla franca, passarla liscia.

Scot /skɒt/ n. scozzese ● (*stor.*) **the Scots**, gli Scoti □ (*stor.*) **Mary, Queen of Scots**, Maria (Stuarda), regina di Scozia.

scotch /skɒtʃ/ n. cuneo; bietta; zeppa.

to scotch ① /skɒtʃ/ v. t. mettere una bietta a; bloccare (*una ruota, ecc.*) con un cuneo.

to scotch ② /skɒtʃ/ v. t. **1** far cessare; soffocare (*fig.*); stroncare sul nascere; mettere a tacere: **to s. an idea**, stroncare un'idea sul nascere; **to s. a rumour**, mettere a tacere una diceria **2** guastare; rovinare; mandare a monte: **to s. sb.'s plans**, mandare a monte i progetti di q.

Scotch /skɒtʃ/ **A** a. scozzese (**Scottish** e **Scots** sono termini preferiti, salvo per cose e prodotti della Scozia, dagli scozzesi stessi): **S. terrier**, terrier scozzese (*cane da caccia*); **S. whisky**, whisky scozzese **B** n. **1** – (*collett., parola sgradita agli scozzesi*) **the S.**, gli scozzesi **2** ⓤ dialetto scozzese **3** ⓤⓒ whisky scozzese; scotch: **S. and soda**, whisky con soda ● **S. barley**, orzo mondo □ **S. broth**, zuppa di manzo, orzo mondo e legumi □ **S. egg**, uovo sodo, cotto dentro un involucro di mollica, carne tritata, ecc. □ **S. elm** → **wych-elm** □ (*bot.*) **S. fir** (*Pinus sylvestris*), pino silvestre □ **S.-Irish**, di origini scozzesi e irlandesi □ **S. kale**, cavolo di Scozia □ **S. mist**,

nebbia fitta con pioggia leggera □ **S. pine** = **S. fir** → *sopra* □ (*spec. USA*) **S. tape**®, nastro adesivo (o autoadesivo); scotch □ **S. thistle**, cardo di Scozia (*emblema nazionale*).

Scotchman /'skɒtʃmən/ n. (pl. **Scotchmen**) (*parola sgradita agli scozzesi*) scozzese (*uomo*).

to scotch-tape /skɒtʃ'teɪp/ v. t. (*spec. USA*) fissare con nastro adesivo.

Scotchwoman /'skɒtʃwʊmən/ n. (pl. **Scotchwomen**) (*parola sgradita agli scozzesi*) scozzese (*donna*).

scoter /'skəʊtə(r)/ n. (pl. **scoters, scoter**) (*zool., Melanitta nigra*) orchetto marino.

scotia /'skəʊʃə/ n. (*archit.*) scozia (*modanatura concava*).

Scotism /'skəʊtɪzəm/ n. ⓤ (*filos.*) scotismo.

Scotland /'skɒtlənd/ n. (*geogr.*) Scozia: (*GB, polit.*) **S. Office**, Dipartimento degli affari scozzesi ● (**New**) **S. Yard**, (sede centrale della) polizia metropolitana di Londra; (*fig.*) polizia investigativa ❶ CULTURA • **Scotland**: la corona scozzese e quella inglese furono unite nel 1603 con l'ascesa al trono di Giacomo I (VI di Scozia), ma i due regni rimasero indipendenti fino al 1707, quando con l'Act of Union nacque il Regno Unito di Gran Bretagna. La Scozia tuttavia ha conservato un sistema legale e un ordinamento scolastico e universitario propri, nonché una propria chiesa ufficiale, la «Church of Scotland» (→ **church**). Dal 1999 esiste anche un parlamento scozzese che risiede a Edimburgo.

scotoma /skɒ'təʊmə/ n. (pl. **scotomas, scotomata**) (*med.*) scotoma.

Scots /skɒts/ **A** a. scozzese: **S. English**, dialetto scozzese; **S. law**, il diritto scozzese **B** n. ⓤ dialetto scozzese ● (*mil.*) **S. Greys**, reggimento di dragoni scozzesi □ (*bot.*) **S. pine** (*Pinus sylvestris*), pino silvestre □ **Ulster S.**, dialetto degli scozzesi dell'Irlanda del Nord.

Scotsman /'skɒtsmən/ n. (pl. **Scotsmen**) scozzese (*uomo*) ● (*ferr.*) **the Flying S.**, il treno espresso Londra-Edimburgo.

Scotswoman /'skɒtswʊmən/ n. (pl. **Scotswomen**) scozzese (*donna*).

Scotticism /'skɒtɪsɪzəm/ n. idiotismo (o espressione, pronuncia, ecc.) scozzese.

Scottish /'skɒtɪʃ/ **A** a. scozzese: a **S. poet**, un poeta scozzese; **S. rite**, rito scozzese (*della massoneria*) **B** n. **1** – (*collett.*) **the S.**, gli scozzesi **2** dialetto scozzese ● **S. Highers**, esami a livello superiore (per accedere a un'università scozzese) □ (*polit., in GB*) **the S. National Party**, il Partito Nazionale Scozzese.

Scotty /'skɒtɪ/ n. (*fam.*) terrier scozzese (*cane*).

scoundrel /'skaʊndrəl/ n. (*form.*) canaglia; briccone; farabutto; furfante; mascalzone ‖ **scoundrelism** n. ⓤ bricconeria; furfanteria; ribalderia; malvagità ‖ **scoundrelly** a. (*lett.*) furfantesco; infame; ribaldo; malvagio.

scour /'skaʊə(r)/ n. ⓤⓒ **1** lavatura; lavaggio; pulizia; lucidata, lucidatura (*di metalli*) **2** detersivo **3** (*geol.*) dilavamento; erosione **4** (pl.) (*vet.*) dissenteria del bestiame ● **the s. of the tide**, l'azione ripulitrice della marea.

to scour ① /'skaʊə(r)/ **A** v. t. **1** pulire sfregando; sfregare; lucidare (*con abrasivi, ecc.*); strofinare: *I scoured (out) the saucepans till they shone*, pulii i tegami fino a farli splendere; **to s. metalware**, lucidare oggetti metallici **2** pulire; lavare (*o s. to s. bottles*, stasare, sturare (*tubazioni*) con un getto d'acqua **3** stasare, sturare (*tubazioni*) con un getto d'acqua **4** pulire (*fossi*) **5** (*vet.*) purgare drasticamente (*bestiame*) **6** (*geol.: spec. dei ghiacciai*) dilavare; erodere **7** (*ind. tess.*) sgrassare (*lana*) **8** (*agric.*) mon-

dare, svecciare (*grano*) **9** (*mil.*, *arc.*) ripulire (*un territorio, ecc.*) **B** v. i. **1** pulirsi, lucidarsi: *These pots s. easily*, queste pentole si puliscono bene **2** (*vet.*: *del bestiame*) avere la dissenteria.

■ **scour away** (*o off*) v. t. + avv. togliere (*o* rimuovere) strofinando: **to s. away the rust**, togliere la ruggine; **to s. off a stain**, togliere una macchia; **to s. off the dirt**, rimuovere il sudiciume.

■ **scour out** v. t. + avv. **1** pulire (*o* lavare) bene (qc.) strofinando **2** (*dell'acqua*) portare via; rimuovere: *The tide has scoured out the mud*, la marea ha portato via il fango.

to **scour**② /'skaʊə(r)/ **A** v. t. **1** percorrere; perlustrare: *The marshal scoured the whole county for the bandit*, lo sceriffo perlustrò tutta la contea in cerca del bandito **2** mettere sottosopra; rovistare: *I scoured the library for that rare book*, rovistai la biblioteca per trovare quel libro raro **B** v. i. correre qua e là; scorrazzare; girovagare; vagabondare ● **to s. the country**, battere la campagna; correre il paese.

scourer /'skaʊərə(r)/ n. **1** chi (*o* sostanza che) pulisce, lucida, smaccia, ecc.; **Ⓤ** detersivo **2** (*cucina*) paglietta (*metallica o di plastica*) **3** chi stasa tubazioni **4** (*agric.*) svecciatoio.

scourge /skɜːdʒ/ n. **1** flagello (*anche fig.*); sferza; frusta; staffile: **the s. of war**, il flagello della guerra **2** (*fig.*) flagellatore, fustigatore (*dei costumi, ecc.*).

to **scourge** /skɜːdʒ/ v. t. **1** flagellare; sferzare; frustare **2** (*fig.*) castigare; punire; affliggere; opprimere; tormentare ‖ **scourger** n. (*stor. e fig.*) fustigatore ‖ **scourging** n. **Ⓤ** flagellazione; fustigazione.

scouring /'skaʊərɪŋ/ n. **Ⓤ** **1** lavaggio; lucidatura (*con abrasivi*) **2** pulitura; smacchiatura **3** stasatura; sturamento **4** pulitura (*dei fossi*) **5** (*geol.*) dilavamento; erosione **6** (*tecn.*) corrosione; azione corrosiva **7** (*ind. tess.*) sgrassaggio; purga (*della lana*) **8** (*agric.*) mondatura; svecciamento (*del grano*) ● (*ind. tess.*) **s. agent**, purgante.

scouse /skaʊs/ n. **1** (*arc.*) stufato di carne con patate e verdure **2** (*fam.*) abitante (*o* nativo) di Liverpool **3** **Ⓤ** (*fam.*) dialetto che si parla a Liverpool **4** (*fam. USA*) pietanza insipida; piatto povero.

scout /skaʊt/ n. **1** (*mil.*) esploratore **2** (*aeron.*, = **s. plane**) aereo da ricognizione; ricognitore **3** (*naut.*) nave vedetta; nave da ricognizione; esploratore **4** (= **boy s.**) giovane esploratore; scoutista; scout **5** (*USA*, = **girl s.**) giovane esploratrice **6** atto di cercare; sguardo; occhiata **7** (*mus.*, *cinem.*, = **talent s.**) scopritore di talenti; talent scout **8** (*in GB*) addetto al soccorso stradale (*per gli automobilisti in viaggio*) **9** (*fam.*, *antiq.*) tipo; tizio; uomo: **a good s.**, un brav'uomo **10** (*a Oxford, Harvard e Yale*) inserviente di un college **11** (*sport*) tecnico inviato a osservare il gioco di una squadra avversaria ● **s. car**, (*mil.*) blindato da ricognizione; auto di pattuglia della polizia (*ind. min.*) **s. hole**, sondaggio esplorativo □ (*med.*) **s. nurse**, assistente ferrista □ (*mil.*) **on the s.**, in ricognizione.

to **scout** /skaʊt/ **A** v. t. (*mil.*) esplorare; perlustrare; fare una ricognizione in **B** v. i. **1** (*mil.*) andare in ricognizione (*o* in esplorazione) **2** fare il talent scout ● **to s. about** (*o around*), andare in cerca; (*mil.*) perlustrare: *They scouted around for some firewood*, andarono in cerca di legna da ardere □ **to s. out**, esplorare, perlustrare (*il terreno, ecc.*); scovare, trovare, reperire (*attori, cantanti, ecc.*).

scouter /'skaʊtə(r)/ n. **1** (*mil.*) esploratore **2** (*aeron.*) ricognitore **3** capo di un gruppo di scout.

scouting /'skaʊtɪŋ/ **A** n. **Ⓤ** **1** (*mil.*) esplorazione; ricognizione: (*mil.*) **s. party**, reparto di esploratori **2** scoutismo, scautismo **B** a. attr. scoutistico, scautistico: **the s. movement**, il movimento scoutistico.

scoutmaster /'skaʊtmɑːstə(r)/ n. → **scouter**, *def. 3*.

scow /skaʊ/ n. (*naut.*) barcone a fondo piatto; chiatta.

scowl /skaʊl/ n. cipiglio; sguardo corrucciato (*o torvo*).

to **scowl** /skaʊl/ v. i. aggrottare le ciglia; acciagliarsi; imbronciarsi ● **to s. at sb.**, guardar torvo q.

scowling /'skaʊlɪŋ/ a. accigliato; imbronciato; minaccioso; torvo.

SCR sigla (*GB*, **senior common room**) sala comune dei docenti (*nelle università inglesi*).

scrabble /'skræbl/ n. **1** grattata; raspata **2** scarabocchio **3** (*fam.*) → **scramble 4** ® Scarabeo (*gioco da tavolo*) ● **s. board**, tabellone dello Scarabeo.

to **scrabble** /'skræbl/ v. t. e i. **1** grattare; raspare: *The dog is scrabbling at the door*, il cane raspa alla porta **2** scarabocchiare; scribacchiare **3** (*fam.*) → **scramble, A** ● **to s. about for st.**, cercare a tentoni qc. □ **to s. for a foothold**, cercare un appiglio per il piede □ (*fig.*) **to s. for a living**, darsi da fare per guadagnarsi da vivere.

scrag /skræg/ n. **1** persona (*o bestia*) molto magra; individuo allampanato; animale ossuto **2** (*macelleria*, = **s. end**) collo, collottola (*di montone*) **3** (*fam.*: *di persona*) collottola; collo: **to pull sb. by the s. (of one's neck)**, tirare q. per la collottola **4** (*slang USA*) racchia; racchiona.

to **scrag** /skræg/ v. t. **1** (*fam.*) torcere il collo a **2** (*rugby*) prendere (*un avversario*) per il collo **3** (*gergo studentesco*) serrare col braccio il collo a (q.; *per picchiarlo*) **4** malmenare; maltrattare **5** (*slang*) fare fuori; uccidere.

scraggly /'skrægli/ a. (*fam.*) **1** frastagliato; ispido; incolto: **a s. beard**, una barba incolta; **s. rocks**, rocce frastagliate **2** malformato; cresciuto male; (*tutto*) storto.

scraggy /'skrægi/ a. **1** magro; emaciato; smunto; ossuto; scheletrico: **a s. neck**, un collo ossuto **2** ruvido; scabro; scabroso.

scram /skræm/ (*slang USA*) **A** n. partenza frettolosa; fuga **B** inter. vattene!; fila!; battitela!; smamma! (*pop.*).

to **scram** /skræm/ v. i. (*slang*) andarsene; filare; tagliare la corda (*fig. fam.*); smammare (*pop.*).

scramble /'skræmbl/ n. **1** salita faticosa (*usando anche le mani*); arrampicata **2** gara scomposta (*per accaparrarsi qc.*); mischia; parapiglia: *There was a s. for the best seats*, ci fu una gara scomposta per accaparrarsi i posti migliori; (*calcio*) *There was an almighty s. in the penalty area*, ci fu una grande mischia in area di rigore **3** (*sport*, *ingl.*) gara di motocross **4** (*aeron.*) decollo rapido; decollo su allarme.

to **scramble** /'skræmbl/ **A** v. i. **1** arrampicarsi (*usando anche le mani*); inerpicarsi: *We scrambled up the steep slope*, ci inerpicammo su per il ripido pendio; **to s. over an obstacle**, scavalcare a fatica un ostacolo **2** (*seguito da prep.*) muoversi in fretta e goffamente: **to s. into one's clothes**, vestirsi in gran fretta; **to s. out of the car**, districarsi dall'auto; scendere in fretta dall'auto; **to s. out of the way**, sgattaiolare via; **to s. to one's feet**, alzarsi affrettatamente in piedi **3** (*con for*) precipitarsi disordinatamente; sgomitare; azzuffarsi; fare un pigia-pigia; fare una mischia: *The fans scrambled for the front seats*, i tifosi si precipitarono sgomitando a occupare i primi posti; *The beg-*

gars scrambled for the pennies, i mendicanti si azzuffarono per afferrare le monetine; (*sport*) **to s. for the ball**, fare una mischia per il possesso della palla **4** (con **for**) (*fig.*) gareggiare senza regole (per accaparrarsi qc.): **to s. for the best job**, cercare di accaparrarsi in tutti i modi il posto di lavoro migliore **5** (*aeron.*) decollare su allarme; decollare in tutta fretta **B** v. t. **1** mescolare senz'ordine; mischiare; confondere; scombinare **2** (*cucina*) strapazzare (*uova*) **3** (*telef.*, *radio*) rendere indecifrabile (*un messaggio*) alterando il segnale elettrico **4** (*aeron.*) far decollare (*un aereo, ecc.*) in tutta fretta.

scrambled /'skræmbld/ a. **1** confuso; scombinato; scombiccherato (*fam.*) **2** (*di comunicazione telef. o radio*) reso indecifrabile; distorto **3** (*cucina*: *di un uovo*) strapazzato.

scrambler /'skræmblə(r)/ n. **1** chi si arrampica, si azzuffa, ecc. (→ **to scramble**, *def. 1 e 3*) **2** (*bot.*) rampicante **3** (*sport*, *ingl.*) moto per motocross; scrambler **4** (*telef.*, *radio*) dispositivo per la cifratura di messaggi; cifrante digitale; rimescolatore.

scrambling /'skræmblɪŋ/ n. **Ⓤ** **1** arrampicata; inerpicata **2** (*sport*) motocross **3** (*telef.*, *radio*) distorsione del segnale (*per rendere indecifrabile un messaggio*).

scramjet /'skræmdʒet/ n. (*aeron.*) autoreattore (*o statoreattore*) supersonico.

scran /skræn/ n. (*slang*) **1** (*mil.*) cibo; razioni (pl.) **2** avanzi (*di cibo*); rimasugli.

scrap① /skræp/ n. **1** pezzo; pezzetto; frammento; brandello: *It's only a s. of paper*, non è che un pezzo di carta (*anche fig.*) **2** brano, passo (*di uno scritto*) **3** (*fig.*) briciolo; briciola; (un) po'; (un) poco: **not a s. of honesty**, neanche un briciolo di onestà **4** **Ⓤ** (*collett.*) cascami; rottami; scarti: **to collect s.**, raccogliere rottami **5** (pl.) avanzi (*di cibo*); rimasugli **6** (pl.) ritagli (*di giornale*); fotografie ritagliate **7** (pl.) ciccioli **8** (*fam.*) individuo minuto; cosino da nulla; affarino pelle e ossa ● **s.-heap**, mucchio di rottami; roba di scarto: **to be on the s.-heap**, (*di un'idea*) essere nel dimenticatoio; (*di persona*) essere inutile □ **s. iron** (o **s. metal**), rottami di ferro □ **s.-metal merchant**, rottamatore, rottamaio □ **scraps of news**, notizie frammentarie □ **s. paper**, carta straccia; foglietti (già scritti su un lato) per appunti □ **s. recovery**, recupero degli scarti □ **s. value**, valore di rottamazione □ **to sell st. for s.**, rottamare qc., vendere qualcosa come rottame □ (*fam.*) **I don't care a s.**, non me ne importa (un bel) niente.

scrap② /skræp/ n. (*fam.*) baruffa; alterco; lotta; mischia; rissa; zuffa: **to get into a s.**, gettarsi nella mischia, accettare lo scontro fisico.

to **scrap**① /skræp/ v. t. **1** gettar via; buttar fra i rottami; scartare **2** fare a pezzi; demolire; smantellare; rottamare: **to s. a ship**, demolire una nave **3** accantonare, scartare (*progetti, piani, ecc.*).

to **scrap**② /skræp/ v. i. (*fam.*) azzuffarsi; altercare; battagliare; lottare; rissare.

scrapbook /'skræpbʊk/ n. **1** album (*di ritagli di stampa, fotografie, ecc.*) **2** (*rag.*) brogliaccio; (*libro di*) prima nota.

scrape /skreɪp/ n. **1** **Ⓤ** raschiata; raschiatura **2** **Ⓤ** rumore stridulo; stridore; raschio: **the s. of chalk on the blackboard**, lo stridore del gesso sulla lavagna **3** scorticatura; spellatura; graffio; scalfittura; sbucciatura: *He had a nasty s. on his knee*, aveva una brutta scorticatura sul ginocchio **4** inchino goffo (*fatto strisciando i piedi*) **5** (*fig. fam.*) difficoltà; guaio; imbarazzo; imbroglio; impiccio **6** tratto (*di penna*); scarabocchio; firma **7** (*fam. scherz.*) rasatura **8** (*fam.*) raschiamento; aborto procurato ● **to get into ra-**

a s., cacciarsi nei guai; inguaiarsi □ **to get out of a s.**, uscire da una situazione difficile; trarsi d'impaccio; cavarsela.

to **scrape** /skreɪp/ v. t. e i. **1** raschiare; raspare; grattare; scrostare: **to s. the bottom of a boat**, raschiare il fondo d'una barca; **to s. the plaster from the wall**, scrostare l'intonaco dalla parete **2** scorticare: *The child has scraped his elbow*, il bambino s'è scorticato il gomito **3** sfregare; fregare; strofinare; strisciare (su *o* contro qc.): *The ship scraped (against) a rock*, la nave sfregò su uno scoglio; **to s. a greasy saucepan**, fregare un tegame sporco di grasso **4** scricchiolare; stridere; grattare: *The chalk scraped on the blackboard*, il gesso stridette sulla lavagna **5** (*spesso* **to s. up, to s. together**) racimolare; raggranellare: **to s. together the money for a trip**, raggranellare i soldi per fare una gita **6** fare economia; mettere da parte; risparmiare: **to s. and save**, risparmiare e mettere da parte **7** (*tecn.*) raschiettare; raschinare ● **to s. along the walls**, rasentare i muri (*camminando*) □ **to s. one's boots (clean)**, pulirsi i piedi; fregare le scarpe (*o* gli stivali) sul raschietto □ (*fig. fam.*) **to s. (the bottom of) the barrel**, raschiare il fondo del barile; prendere quel che c'è di peggio (*o* gli avanzi, ecc.) □ (*fam.*) **to s. one's chin**, radersi □ **to s. one's feet**, stropicciare i piedi; scalpitare □ **to s. a living**, sbarcare il lunario; tirare avanti □ **to s. (on) the fiddle**, strimpellare il violino □ **to s. one's plate**, pulire il piatto (*senza lasciarvi traccia di cibo*) □ (*calcio, ecc.: del pallone*) **to s. the post**, rasentare il palo; fare la barba al palo □ **to s. the skin of a potato**, pelare una patata.

■ **scrape along** v. i. + avv. (*fam.*) tirare avanti; sbarcare il lunario; farcela a malapena.

■ **scrape away** A v. i. + avv. grattare, scavare (*per terra*) B v. t. + avv. togliere, cavare grattando (*o* scavando): *The dog scraped away the snow and found the skier*, il cane grattò via la neve e trovò lo sciatore.

■ **scrape by** → **scrape along**.

■ **scrape down** v. t. + avv. **1** scrostare, sverniciare (*un mobile, ecc.*) **2** zittire (*un oratore*) strisciando i piedi sul pavimento.

■ **scrape in** (*into*) v. i. + avv. (*prep.*) (*fam.*) essere ammesso per il rotto della cuffia; passare (*o* essere promosso) a stento: **to s. into the army college**, essere ammesso per il rotto della cuffia all'accademia militare; *I just scraped in by two marks*, fui promosso per appena due punti.

■ **scrape off** v. t. + avv. (*o prep.*) **1** scrostare (*vernice, ecc.*): *Let's s. the paint off the table!*, scrostiamo la vernice della tavola! **2** nettare, pulire (*scarpe dal fango, ecc.*); raschiare **3** graffiare (*la pelle, ecc.*); scorticare; spellare **4** raschiare via (*il fango*).

■ **scrape out** v. t. + avv. **1** pulire raschiando (*stoviglie, ecc.*) **2** togliere raschiando; grattare via **3** scavare (*un buco*) grattando (*o* raschiando).

■ **scrape through** v. i. + avv. (*o prep.*) **1** passare a stento; infilarsi attraverso **2** (*fam.*) passare (*o* essere promosso) a stento (*o* per il rotto della cuffia): *At last I succeeded in scraping through the exam*, alla fine ce la feci a passare l'esame, ma a stento **3** → **scrape along**.

■ **scrape together** → **to scrape**, def. 5.

■ **scrape up** v. t. + avv. **1** → **to scrape**, def. 5 **2** cavare, togliere (*fango, ecc.*) raschiando **3** (*fam.*) inventare, trovare (*un pretesto, una scusa*).

scraper /'skreɪpə(r)/ n. **1** chi raschia (*mecc.*) raschietto; raschino; raschiatoio **3** (= shoe-s.) raschietto; puliscipiedi; zerbino **4** (*agric., mecc.*) ruspa; scraper **5** (*fam. spreg.*) barbiere (*fam. spreg.*) strimpellatore ● (*autom., mecc.*) **s. ring**, anello ra-

schiolio.

scraping /'skreɪpɪŋ/ n. ⓤ **1** raschiatura; raschiata; raschiamento **2** suono stridulo; stridore; raschio **3** scrostatura (*tecn.*) raschiettatura **4** (pl.) raschiature; ritagli **5** (pl.) (*fig.*) risparmi; economie.

scrapper /'skræpə(r)/ n. (*fam.*) **1** individuo rissoso; attaccabrighe **2** (*sport*) pugile combattivo.

scrappiness /'skræpɪnəs/ n. ⓤ frammentarietà; incoerenza.

scrapping /'skræpɪŋ/ n. ⓤ (*ind.*) rottamazione; rottamaggio.

scrappy ① /'skræpɪ/ a. frammentario; sconnesso; incoerente.

scrappy ② /'skræpɪ/ a. (*fam.*) **1** rissoso; litigioso **2** combattivo; pugnace; battagliero **3** (*di pugile*) che attacca di continuo.

scrapyard /'skræpjɑːd/ n. **1** (*naut.*) cantiere di demolizione **2** (*autom.*) autodemolizione (*il locale*).

scratch ① /skrætʃ/ n. **1** graffio; graffiatura; scalfittura; segno, segnaccio (*su un disco, la carrozzeria, ecc.*): *It's just a s. on your arm*, non è che un graffio sul braccio **2** grattata: **to give oneself a good s.**, darsi una bella grattata **3** stridio; scricchiolio; stridore: **the s. of the pens**, lo scricchiolio delle penne **4** segno frettoloso (*con la penna*); scarabocchio **5** (*sport*) linea di partenza **6** (*sport*, = **s. player**) giocatore senza abbuoni **7** (*nelle corse*) concorrente che si è ritirato **8** (*biliardo, USA*) punti 'regalati' all'avversario; bevuta (*fam.*) **9** ⓤ (*golf*) lo stare nella norma **10** livello accettabile (di qc.) **11** (*slang USA*) grano, grana (*pop.*); quattrini; soldi ● **'s. card'**, 'gratta e vinci' (*fig.*) **s.-cat**, bambino dispettoso; donna bisbetica (*edil.*) **s. coat**, rinzaffo □ (*comput.*) **s. file**, file provvisorio □ **s. knife**, sgarzino (*arnese*) □ (*sport*) **s. line**, linea di partenza; linea di battuta □ **s. of the pen**, poche parole scritte in fretta; uno scarabocchio per firma □ (*sport*) **s. race**, corsa senza abbuoni (*o* senza handicap) (*golf*) **s. score**, norma (*di un buca o di un percorso*) □ (*ipp., USA*) **s. sheet**, foglio di notizie e pronostici sui cavalli da corsa □ (*med.*) **s. test**, test di scarificazione □ (*fig.*) **from s.**, da zero □ **to start from s.**, cominciare da zero; partire dai componenti (*o* dagli ingredienti) di base □ (*fam.*) **to be up to s.**, (*di una persona*) essere all'altezza della situazione; (*di un lavoro, un'esecuzione, ecc.*) essere a un livello accettabile; essere ineccepibile □ **without a s.**, senza una scalfittura; indenne.

scratch ② /skrætʃ/ a. raccogliticcio; raffazzonato; eterogeneo; improvvisato; (*fatto*) alla meglio: **a s. collection**, una raccolta eterogenea (*sport*) **a s. team**, una squadra raccogliticcia; **a s. meal**, un pasto improvvisato.

to **scratch** /skrætʃ/ A v. t. **1** graffiare; scalfire; scorticare; segnare; fare un graffio (*o un segno*) su (*la carrozzeria, un disco, un tavolo, ecc.*): *Mind the cat doesn't s. you*, non farti graffiare dal gatto!; *I've scratched my knee badly*, mi sono fatto una brutta scorticatura al ginocchio; *I've scratched the side of my car*, ho fatto un graffio alla fiancata della macchina **2** grattare: **to s. one's head**, grattarsi la testa **3** sfregare; strofinare: *He scratched a match on the wall*, strofinò un fiammifero sul muro **4** incidere **5** cancellare (*un nome, q. da una lista, ecc.*) **6** scartare (*un progetto, un'idea*) **7** (*fam.*) scribacchiare, buttare giù **8** (*anche, sport*) ritirare (*un candidato, un concorrente, un cavallo*) **9** (*sport: tennis, ecc.*) eliminare (*un avversario*) **10** (*sport*) togliere: **to s. a player from the team because of injury**, togliere un giocatore dalla squadra per un infortunio **11** (*equit.*) spronare (*il cavallo*) col tallone B v.

i. **1** graffiare **2** grattare; raspare: *Fido is scratching at the door*, Fido gratta alla porta **3** grattarsi (*per il prurito, ecc.*) **4** grattare; scricchiolare; stridere **5** (*anche sport*) ritirarsi (*da una competizione*); abbandonare; dare forfait **6** (*biliardo*) bere (*fam.*) **7** (*di un disc jockey*) fare lo → «scratching» (*def. 4*) ● **to s. oneself**, graffiarsi; grattarsi (*fam.*) **to s. other people's back (if they s. yours)**, scambiarsi favori; intrallazzare □ **to s. each other**, grattarsi a vicenda □ (*fam.*) **to s. for oneself**, arrangiarsi; cavarsela da solo □ **to s. one's signature**, firmare con uno scarabocchio □ **to s. the surface**, (*agric.*) arare (*zappare, ecc.*) in superficie; (*fig.*) sfiorare appena: *The report doesn't even s. the surface of the issue*, la relazione non sfiora neanche l'argomento del problema □ (*di un oggetto*) **to get scratched**, graffiarsi; segnarsi □ (*modo prov.*) **You s. my back and I'll s. yours**, una mano lava l'altra.

■ **scratch about** (*o around*) v. i. + avv. razzolare.

■ **scratch along** (*o by*) v. i. + avv. (*fam.*) tirare avanti; vivacchiare; sbarcare il lunario; farcela a malapena.

■ **scratch away** A v. i. + avv. continuare a grattare; grattare di continuo B v. t. + avv. grattare via; scrostare (*vernice, ecc.*).

■ **scratch out** v. t. + avv. **1** togliere, cancellare grattando (*o* raschiando: con un coltello, ecc.); raschiare via **2** cancellare (con un frego) **3** (*fam.*) guadagnare a stento: **to s. out a living**, guadagnare a stento da vivere □ (*fam.*) **to s. sb.'s eyes out**, cavare gli occhi a q. (*fig.*).

■ **scratch together** v. t. + avv. mettere insieme; raffazzonare.

■ **scratch up** v. t. + avv. **1** tirare su, strappare (*con le unghie, ecc.*) **2** fare segnacci su (*una superficie*); segnare; rigare **3** (*fam.*) racimolare, raggranellare (*denaro e sim.*) **4** (*fam.*) raffazzonare; mettere insieme alla meglio.

Scratch /skrætʃ/ n. (*di solito* **Old S.**) il diavolo; il demonio.

scratchboard /'skrætʃbɔːd/ n. (*arte*) **1** tavoletta per graffiti **2** graffito (*la tecnica*).

scratchbrush /'skrætʃbrʌʃ/ n. (*tecn.*) grattapugia.

scratchiness /'skrætʃɪnəs/ n. ⓤ l'essere scarabocchiato; raffazzonato; stridulo, ecc. (→ **scratchy**).

scratching /'skrætʃɪŋ/ n. ⓤ **1** graffiatura; scalfittura **2** il grattare; strofinamento **3** rumore stridulo; vibrazione fastidiosa (*d'altoparlante, ecc.*) **4** (*di un disc jockey*) manipolazione di un disco mentre suona (*per ottenerne suoni particolari*) ● **s. post**, paletto (*o* ceppo) perché il gatto vi si affili le unghie.

scratch pad /'skrætʃpæd/ loc. n. blocchetto di carta per appunti; taccuino a fogli mobili.

scratch paper /'skrætʃpeɪpə(r)/ loc. n. carta per appunti (*o per brutta copia*).

scratchy /'skrætʃɪ/ a. **1** graffiato; scalfito; segnato **2** (*di uno scritto*) scarabocchiato; malfatto **3** stridulo; che scricchiola; che gratta: **a s. pen**, una penna che scricchiola **4** raffazzonato; improvvisato; male assortito: **a s. crew**, un equipaggio male assortito **5** ruvido; scabroso; che fora (*fam.*): **s. cloth**, stoffa ruvida **6** (*fam.*) misero; scadente ● **a s. signature**, uno scarabocchio di firma.

scrawl /skrɔːl/ n. **1** scarabocchio; sgorbio **2** biglietto (*o* appunto) buttato giù in fretta **3** scrittura illeggibile ‖ **scrawly** a. **1** scarabocchiato; pieno di scarabocchi **2** (*di scrittura*) illeggibile.

to **scrawl** /skrɔːl/ v. t. e i. scarabocchiare; fare scarabocchi; scrivere in fretta (*o* in modo illeggibile) ‖ **scrawler** n. chi scaraboc-

chia; (*fig.*) scribacchino, imbrattacarte.

scrawny /'skrɔːnɪ/ a. (*fam.*) **1** scheletrico; pelle e ossa **2** rado; scarso.

scray /skreɪ/ n. (*zool.*, *Sterna hirundo*) rondine di mare.

scream /skriːm/ n. **1** grido; strillo; urlo: **a s. of terror**, un grido di terrore **2** (*di vento, locomotiva, ecc.*) sibilo; fischio **3** (*di veicolo*) stridore; (*di aereo*) rombo **4** (*di sirena*) urlo **5** (*fam.*) persona (*o cosa*) spassosa; spasso: *That film is a s.*, quel film è uno spasso; *I had a s., I went out every night and met loads of people*, è stata uno spasso, sono uscito tutte le sere e ho conosciuto un sacco di gente ● (*fam.*) **an absolute s.**, una cosa da crepare dal ridere; una persona buffa, spassosissima.

♦to **scream** /skriːm/ Ⓐ v. i. **1** gridare; strillare; sbraitare; urlare: **to s. in fright**, gridare per la paura; *The baby screamed all night*, il bimbo strillò tutta la notte; **to s. with pain**, urlare dal dolore **2** (*del treno, del vento, ecc.*) fischiare; sibilare: *The wind screamed through the streets*, il vento fischiava per le strade **3** (*di un veicolo*) stridere; (*di un aereo*) rombare **4** (*di solito* **to s. with laughter**) ridere sguaiatamente (*o* istericamente); sbellicarsi dalle risa **5** (*fig.*) risaltare troppo; saltare agli occhi (*fig.*); (*di colori e sim.*) essere troppo vistoso (*o* chiassoso): *Your yellow necktie screams*, la tua cravatta gialla è un pugno nell'occhio Ⓑ v. t. **1** gridare; urlare; strillare (*un ordine, parole, ecc.*) **2** dare un gran rilievo a (*una notizia*); mettere in risalto (*un fatto*) **3** ridursi (*in un certo stato*) a forza di urlare: *The coach screamed himself hoarse*, l'allenatore perse la voce a furia di urlare ● **to s. the news all over the country**, diffondere la notizia con gran risalto in tutto il paese □ **This injustice screams to be remedied**, questa ingiustizia grida vendetta al cospetto di Dio.

■ **scream for** v. i. + prep. **1** chiedere (*aiuto, ecc.*) gridando: **to s. for help**, gridare aiuto **2** (*fig.*) richiedere; avere bisogno di; chiedere a gran voce (*fig.*): *This short story screams for a bit of humour*, questo racconto avrebbe bisogno di un po' di umorismo; *The new farms are screaming for water*, le nuove fattorie chiedono a gran voce acqua.

■ **scream out** Ⓐ v. t. + avv. gridare, urlare, strillare (*un ordine, parole, ecc.*) Ⓑ v. i. + avv. **1** gridare; lanciare un grido: *The wounded soldier screamed out in pain*, il soldato ferito lanciò un grido per il dolore **2** uscire urlando (*o* stridendo, rombando): *Two jets screamed out of the clouds*, due jet uscirono rombando dalle nubi.

screamer /'skriːmə(r)/ n. **1** chi grida; chi strilla; strillone, strillona **2** (*zool.*) uccello della famiglia degli Anhimidi **3** (*fam.*) cosa (*o persona*) spassosa; spasso ● (*fam.*) persona (*o cosa*) straordinaria; cannonata (*fam.*) **5** (*fam.*) titolo sensazionale (*di giornale*) **6** (*tipogr.*) punto esclamativo **7** (*slang USA*) film dell'orrore; libro giallo che fa paura **8** (*slang USA*) automobile con il motore truccato **9** (*sport*) colpo (*o tiro*) eccezionale (*o spettacolare*).

screaming /'skriːmɪŋ/ a. **1** strillante; stridulo **2** chiassoso; vistoso; sguaiato **3** assai divertente; buffissimo: **a s. farce**, una farsa assai divertente **4** (*di un gay*) clamoroso; che non si nasconde; inequivocabile ● **s. colours**, colori chiassosi □ **s. headlines**, titoli sensazionali □ **s. tyres**, pneumatici che stridono □ (*slang USA*) **s. gasser**, auto della polizia che fila a sirene spiegate □ (*pop. USA*) **s.-meemies**, attacco isterico.

screamingly /'skriːmɪŋlɪ/ avv. (*fam.*) straordinariamente; terribilmente: **s. funny**, straordinariamente buffo; buffissimo.

scree /skriː/ n. **1** breccia; pietrisco **2** Ⓤ

(*geol.*) detrito di falda.

screech /skriːtʃ/ n. **1** strillo; grido acuto **2** stridio; stridore: **the s. of brakes**, lo stridore dei freni **3** (*fig.*) lo stridere; stonatura ● (*zool.*) **s. owl** allocco, barbagianni, strige, gufo (*in genere*); (*in USA*, *Otus asio*) gufo comune americano: *'when s.-owls croak upon the chimney-tops'* J. WEBSTER, 'quando i gufi gracchiano in vetta ai comignoli'.

to **screech** /skriːtʃ/ Ⓐ v. i. strillare; stridere: *The monkey was screeching*, la scimmia urlava; *The tyres screeched*, le gomme stridettero Ⓑ v. t. dire con voce stridula ● **to s. to a halt** (*o* **to a stop**, **to a standstill**), (*autom.*) arrestarsi (*o* fermarsi) con uno stridio di freni (*o di gomme*); (*fig.*) fermarsi di colpo (*o di botto*).

screeching /'skriːtʃɪŋ/ Ⓐ a. **1** che stride; che strilla **2** stridente; stridulo Ⓑ n. ⓊⒸ **1** lo strillare **2** stridio; stridore ● **to come to a s. halt**, (*autom.*) fermarsi con stridore di gomme; (*fig.*) fermarsi di colpo (*o di botto*).

screechy /'skriːtʃɪ/ a. stridulo; stridente (*anche fig.*).

screed /skriːd/ n. **1** discorso (*o scritto*) lungo e noioso; tirata **2** (*edil.*) guida dell'intonaco (*o per pavimenti*).

screeding /'skriːdɪŋ/ n. Ⓤ (*edil.*) fissaggio delle guide (→ **screed**).

♦**screen** /skriːn/ n. **1** paravento: **a folding s.**, un paravento pieghevole **2** (= **fire-s.**) parafuoco **3** riparo; schermo; siepe di protezione; (*fig.*) copertura: **a s. of pines**, uno schermo (*o una siepe*) di pini; **to advance under a s. of tanks**, avanzare al riparo dei carri armati; *The club is a s. for a gambling house*, il circolo serve da copertura a una bisca **4** parete divisoria; tramezzo **5** (*relig.*) transenna (*fra la navata e il coro*) **6** (*cinem.*, *TV*) schermo: **a magnetic s.**, schermo magnetico **7** (*fig.*) schermo; cinematografo; cinema: **the small s.**, il piccolo schermo; il televisore; la televisione; **to adapt a novel for the s.**, adattare un romanzo per lo schermo; **a s. actor**, un attore cinematografico **8** (*naut.*) scorta, schermo; naviglio di scorta (*intorno a una portaerei, ecc.*) **9** crivello; vaglio: **a coal s.**, un vaglio per il carbone **10** (*fotogr.*, *tipogr.*) retino **11** zanzariera (*alle finestre*) **12** (*mil.*) reparti (*o navi*) di copertura **13** (*comput.*) schermo; schermata, videata: **s. definition**, definizione dello schermo; **touch s.**, 'touch screen' schermo tattile; schermo a sfioramento; *You've got a couple of screens open, can I close them?*, hai un paio di schermate aperte, posso chiuderle? **14** (*autom.*, = **windscreen**) parabrezza **15** (*sport*) velo, filtro; schermo, azione di copertura ● (*comput.*) **s. capture**, immagine di una schermata □ (*in un cinema*) **s. 1** [**2**, **3**], sala A [B, C] □ **s. cloth**, tela per crivelli □ **s. door**, porta a zanzariera; (*USA*) porta a libro (*o a soffietto*) □ (*comput.*) **s. dump**, stampa della schermata □ (*elettron.*) **s. grid**, griglia schermo □ **screens of trees**, quinte di verde □ (*arte*) **s. printing**, serigrafia □ (*comput.*) **s. saver** = **screensaver** □ (*ind. min.*) **s. size**, finezza granulometrica (*del minerale*) □ (*cinem.*, *TV*) **s. test**, provino □ (*edil.*) **s. wall**, muro di separazione (*in un giardino, ecc.*) □ **to put on a s. of indifference**, trincerarsi dietro un'aria d'indifferenza □ (*mil. e fig.*) **a smoke s.**, una cortina fumogena.

to **screen** /skriːn/ Ⓐ v. t. **1** difendere; proteggere; nascondere; riparare: **to s. one's skin from the sun**, proteggere la pelle dal sole; **to s. the doors and windows to keep out insects**, difendere (*con schermi*) le porte e le finestre dagli insetti; **to s. a villa with a row of cypresses**, nascondere una villa dietro un filare di cipressi **2** (*elettr.*, *fotogr.*, *mecc.*) schermare: **to s. a valve** [**a plug**], schermare una valvola [una candela di mo-

tore] **3** coprire (*fig.*); proteggere, far da schermo a (*q.*); sottrarre (*q. al biasimo, ecc.*): *He pleaded guilty to s. his son*, si dichiarò colpevole per coprire il figlio; **to s. sb. from punishment**, sottrarre q. alla punizione **4** (*cinem.*) adattare per lo schermo; sceneggiare (*un romanzo, ecc.*) **5** (*cinem.*) proiettare, programmare (*una pellicola*) **6** (*TV*) trasmettere; dare **7** vagliare, passare al vaglio, setacciare (*anche fig.*); fare una cernita di, selezionare: **to s. coal**, passare carbone al vaglio; **to s. refugees before admitting them into the country**, selezionare (*o* esaminare) i profughi prima di ammetterli nel territorio nazionale **8** (*biol.*, *med.*, *ecc.*) sottoporre a esame (*in laboratorio*); fare lo screening a (*q.*) **9** (*sport*) fare velo a (*un compagno di squadra*) Ⓑ v. i. (*cinem.*) **1** essere proiettato; essere in programmazione **2** (*di un romanzo, ecc.*) essere adattabile per lo schermo; essere sceneggiabile: *This story will screen well*, questo racconto si presterà bene a farne un film **3** (*di un attore*) figurare bene sullo schermo ● (*TV*: *di una partita, ecc.*) **to be screened live**, essere trasmessa in diretta □ (*tecn.*) **screening effect**, effetto schermante.

■ **screen off** v. t. + avv. separare con un divisorio (un tramezzo, ecc.); transennare.

■ **screen out** v. t. + avv. **1** tenere fuori (*la luce, il sole, ecc.*) con uno schermo (una tenda, ecc.): *The curtains screened out the sunlight*, le tendine riparavano la stanza dalla luce del sole **2** eliminare, scartare (*q.*) dopo una selezione: *A lot of candidates were screened out*, molti candidati furono scartati **3** (*fig.*) escludere, ignorare: *I'm trying to s. out the awful noise the children are making*, cerco di non sentire il rumore tremendo che fanno i bambini.

screening /'skriːnɪŋ/ n. ⓊⒸ **1** (*elettr.*, *fotogr.*, *mecc.*) schermatura; schermaggio **2** (*cinem.*, *TV*) proiezione **3** crivellatura; vagliatura **4** (*pl.*) materiale vagliato **5** (*pl.*) residui (*o scarti*) di vagliatura; mondiglia **6** (*biol.*, *med.*, *ecc.*) screening; esame di laboratorio; test diagnostico: **breast s.**, screening mammografico; mammografia **7** (*org. az.*) screening; controllo statistico della qualità **8** (*fig.*) vaglio; cernita; selezione: **the s. of candidates**, il vaglio dei candidati; **s. test**, test di selezione.

screenplay /'skriːnpleɪ/ n. (*cinem.*, *TV*) sceneggiatura.

screensaver /'skriːnseɪvə(r)/ n. (*comput.*) salvaschermo; screen saver.

screenshot /'skriːnʃɒt/ n. (*comput.*) (istantanea di una) schermata (*o* videata).

to **screen-test** /'skriːntest/ v. t. (*cinem.*, *TV*) fare un provino a (*q.*); sottoporre a un provino.

screenwriter /'skriːnraɪtə(r)/ n. (*cinem.*, *TV*) sceneggiatore.

screw /skruː/ n. **1** (*mecc.*, *falegn.*) vite: **clamping s.**, vite di fissaggio; **drive s.**, vite autofilettante; **wood s.**, vite da legno; **a turn of the s.**, un giro di vite (*anche fig.*) **2** (*aeron.*, *naut.*) elica **3** avvitata; giro (*di vite*) **4** (*biliardo*, *ping-pong*, *ecc.*) effetto: **to put a bit of s. on the ball**, dare un po' d'effetto alla bilia (*o alla palla*) **5** (*fam.*) avaro; spilorcio; taccagno; tirchio; strozzino **6** (*slang*) paga; salario; stipendio **7** (*slang*) ronzino **8** (*slang*) poliziotto **9** (*slang*) secondino; guardia carceraria **10** (*volg.*) chiavata, scopata (*volg.*); coito **11** (*volg.*) persona con cui si scopa; partner (sessuale) **12** (*slang ingl.*) busta paga **13** (*antiq.*) cartoccetto (*di tabacco o di tè*) ● **s. blade**, pala dell'elica □ **s.-bolt**, bullone □ **s. boss** (*o* **s. hub**), mozzo dell'elica □ **s. cap**, coperchio a vite; tappo metallico □ (*mecc.*) **s. coupling**, accoppiamento a vite; giunto a vite □ (*mecc.*) **s.-cutter** (*o* **s.--cutting machine**), filettatrice □ **s. eye**, oc-

chiello a vite □ (*mecc.*) **s. gear**, ingranaggio a vite senza fine □ **s. hook**, gancio a vite □ **s. jack**, cricco (*o martinetto*) a vite □ (*mecc.*) **s. machine**, tornio (automatico) da viteria □ (*ind. costr.*) **s.-pile**, palo metallico a vite □ **s. pitch**, passo di una vite □ **s. plug**, tappo a vite □ (*tipogr.*) **s. press**, pressa a vite, torchio a vite □ (*aeron., naut.*) **s. propeller**, propulsore a elica; elica □ (*ferr.*) **s. spike**, caviglia □ (*mecc.*) **s. spanner**, chiave a vite (*o a rollino*) □ (*edil.*) **s. stair**, scala a chiocciola □ (*mecc.*) **s. tap**, maschio per filettare (*arnese per fivi femmine*) □ (*mecc.*) **s. thread**, filettatura; filetto (*della vite*) □ **s. top**, tappo (*o coperchio*) a vite (*per bottiglie*) □ **s.-top opener**, svitatappi □ **s.-topped**, con coperchio (*o tappo*) a vite □ (*mecc., USA*) **s. wheel**, ruota (a dentatura) elicoidale □ (*mecc.*) **s. wrench** = **s. spanner** → *sopra* □ (*fam.*) **to have a s. loose**, avere una rotella fuori posto; essere svitato □ **left-handed s.**, vite sinistrorsa □ **to put the screws on sb.** (*o* to sb.), sottoporre q. a forti pressioni; usare le maniere forti con q. □ (*fig.*) **to tighten** (*o* to turn) **the s.**, aumentare la pressione.

to **screw** /skru:/ **A** v. t. **1** avvitare: **to s. a lock on a door**, avvitare una serratura su una porta **2** fissare, chiudere (*con viti o avvitando*): *She screwed the jar tight*, chiuse bene il barattolo **3** spremere; strizzare **4** (*fig.*) spremere; estorcere; strappare: **to s. money out of sb.** (*o* sb. out of money), estorcere denaro a q.; **to s. consent out of sb.**, strappare il consenso di q. **5** (*biliardo, ping-pong, ecc.*) dare l'effetto a (*una bilia o una palla*) **6** (*slang*) buggerare; fregare; fottere (*volg.*): *You're screwed!*, sei fottuto! **7** (*volg.*) chiavare, fottere, scopare, trombare **B** v. i. **1** avvitarsi **2** (*fam.*) essere avaro (*o* spilorcio) **3** (*biliardo, ping-pong, ecc.*) dare l'effetto a una bilia (*o a una palla*) **4** (*volg.*) chiavare; fottere; scopare; trombare ● (*volg.*) **S. you!**, vaffanculo!; fottiti! □ **to s. one's forehead into wrinkles**, corrugare la fronte □ **to s. one's head round**, girare il capo; voltare la testa (*per guardare*) □ **to s. a nut tight**, avvitare a fondo un dado.

■ **screw around** v. i. + avv. (*volg.*) **1** bighellonare; oziare; perdere tempo; non fare un cazzo (*volg.*) **2** andare a donne; avere molte avventure; divertirsi (*fam.*) □ **to s. around with**, avere una relazione amorosa con (q.); prendere (q.) in giro (*o* per i fondelli); scherzare, fare il fesso con, prendere sottogamba.

■ **screw back** **A** v. i. + avv. (*di una bilia, una palla*) tornare indietro per l'effetto **B** v. t. + avv. far tornare indietro (*una palla, ecc.*) per l'effetto.

■ **screw down** v. t. + avv. avvitare (*un coperchio, ecc.*).

■ **screw off** v. t. e i. + avv. **1** svitare, svitarsi **2** allentare (*un bullone*) **3** (*volg.*) → **screw around**, def. 1 **4** (*volg.*) filare via; squagliarsela; cavarsi dalle palle (*volg.*) **5** (*volg.*) masturbarsi; menarselo (*volg.*).

■ **screw on** v. t. e i. + avv. avvitare, avvitarsi: *Don't forget to s. on the cap!*, non scordarti di avvitare il cappuccio; *The lid screws on easily*, il coperchio si avvita bene **2** stringere, serrare (*un bullone, un dado*).

■ **screw together** v. t. + avv. avvitare insieme, fissare con viti (*due pezzi di legno, ecc.*).

■ **screw up** **A** v. t. + avv. **1** avvitare; fissare con viti (*un oggetto*) **2** distorcere; storcere: **to s. up one's face**, storcere il viso; fare una smorfia **3** strizzare: **to s. up one's eyes**, strizzare gli occhi **4** (*mus.*) tendere, tirare (*le corde di un violino, ecc.*) **5** (*fam.*) danneggiare, mettere nei guai (q.) **6** (*fam.*) guastare; rovinare; mandare a monte (*progetti, occasioni, ecc.*); incasinare (*pop.: un esame, ecc.*) **7** (*fam.*: di solito, al passivo) innervosire; mettere (q.) a disagio; sconvolgere; traumatizzare **B** v. i. + avv. **1** (*del viso, ecc.*) distor-

cersi; storcersi (*in una smorfia*) **2** (*fam.*) fare fiasco; fallire; incasinare tutto (*fam.*); smarronare (*pop.*); essere bocciato □ (*fam.*) **to s. up one's courage**, farsi coraggio; farsi animo □ **to s. up st. into a ball**, accartocciare, appallottolare qc. □ (*fam.*) **to s. it up**, incasinare tutto (*fam.*).

screwable /'skru:əbl/ a. avvitabile.

screwball /'skru:bɔ:l/ n. **1** (*baseball*) palla lanciata con effetto all'indietro; 'lancio a vite'; screwball **2** (*slang spec. USA*) individuo eccentrico, strambo; pazzoide; stravagante.

screwdriver /'skru:draɪvə(r)/ n. (*mecc.*) cacciavite; giravite.

screwed /skru:d/ **A** p. p. di **to screw** **B** a. **1** avvitato **2** (*mecc.*) filettato **3** (*slang*) buggerato; fregato; fottuto (*volg.*) **4** (*slang*) brillo; ubriaco; sbronzo (*fam.*) ● **s. up**, avviato, fissato con viti (*fam.*) nervoso; preoccupato; teso (*fig.*); incasinato (*pop.*) □ (*fam.*) **to have one's head s. on** (**the right way**), avere la testa sulle spalle.

screwing /'skru:ɪŋ/ n. **1** (*mecc.*) avvitamento; avvitatura **2** (*volg.*) chiavata, scopata, trombata (*volg.*).

screw-up /'skru:ʌp/ n. (*slang*) **1** guaio; pasticcio; sbaglio; incasinamento (*pop.*) **2** fiasco; insuccesso **3** pasticcione; casinista (*pop.*).

screwworm, **screw-worm** /'skru:wɜ:m/ n. (*med., vet.*) verme a vite (*larva*) ● (*zool.*) **s. fly** (*Callitroga macellaria*), moscone azzurro della carne.

screwy /'skru:ɪ/ a. **1** (*di cavallo*) bizzoso; capriccioso **2** (*fam.*) un po' tocco; pazzerello; un po' svitato; strambo; strampalato: **a s. idea**, un'idea strampalata.

scribal /'skraɪbl/ a. di scriba; di scrivano ● **a s. error**, un errore di scrittura; un lapsus calami.

scribble /'skrɪbl/ n. **1** scarabocchio; sgorbio **2** (*fig. spreg.*) scritto senza valore; opera da due soldi.

to **scribble**① /'skrɪbl/ v. t. e i. scribacchiare; scarabocchiare; fare lo scribacchino; scrivere in modo illeggibile ‖ **scribbler**① n. **1** chi scribacchia; chi scarabocchia **2** scribacchino; scrittorello; imbrattacarte.

to **scribble**② /'skrɪbl/ (*ind. tess.*) v. t. cardare in grosso ‖ **scribbler**② n. **1** cardatore in grosso **2** carda in grosso (*macchina*).

scribe /skraɪb/ n. **1** scriba; scrivano; copista; amanuense **2** (*Bibbia*) scriba; dottore della legge **3** (*spesso scherz.*) scribacchino; scrittore; giornalista **4** (*mecc.*) punta per tracciare; segnatoio.

to **scribe** /skraɪb/ v. t. (*tecn.*) **1** incidere (*legno, mattoni, metalli, ecc.*) con una punta metallica **2** tracciare (*una linea*) con un segnatoio ● (*mecc.*) **scribing block**, truschino □ **scribing compass**, compasso da tracciatore.

scriber /'skraɪbə(r)/ n. **1** (*mecc.*) punta per tracciare; segnatoio **2** (*falegn.*) graffietto.

scrillion /'skrɪlɪən/ n. (*scherz. USA*) 'fantastiliardo'; cifra astronomica.

scrim /skrɪm/ n. **1** (*ind. tess.*) tela rada (*di cotone o di lino, per tende, ecc.*) **2** trasparente (*per merletti*) **3** (*teatr.*) trasparente.

scrimmage /'skrɪmɪdʒ/ n. **1** parapiglia; rissa; tafferuglio; zuffa **2** (*sport: football americano*) mischia ● (*sport*) **line of s.**, linea d'inizio del gioco.

to **scrimmage** /'skrɪmɪdʒ/ **A** v. i. **1** azzuffarsi **2** (*sport*) prendere parte a una mischia **B** v. t. (*sport*) lanciare (*la palla*) in una mischia.

to **scrimp** /skrɪmp/ → to **skimp**.

to **scrimshank** /'skrɪmʃæŋk/ (*gergo mil.*) v. t. fare il lavativo ‖ **scrimshanker** n. lavativo.

scrimshaw /'skrɪmʃɔ:/ n. **⟦c⟧** **1** lavoro d'intaglio e di decorazione (*di conchiglie, pezzi d'avorio, ecc.*) **2** oggetto (*o oggetti*) di avorio intagliati; conchiglia (*o conchiglie*) decorate.

to **scrimshaw** /'skrɪmʃɔ:/ v. t. e i. (*spec. di marinai*) intagliare e decorare (*conchiglie, ossi di balena, avorio, ecc.*); fare lavori d'intaglio.

scrip① /skrɪp/ n. bisaccia; tascapane (*raro, salvo nella loc.:*) **a pilgrim's s.**, una bisaccia da pellegrino.

scrip② /skrɪp/ n. (*fin.*) **1** certificato provvisorio (*comprovante l'acquisto, il possesso d'azioni, ecc.*) **2** buono frazionario **3** (*collett.*) azioni gratuite assegnate **4** buono (*d'acquisto: ai dipendenti, da spendere nei negozi della ditta*) ● (*fin.*) **s. issue**, emissione di azioni gratuite.

●**script** /skrɪpt/ n. **1** (*raro*) scrittura (a mano) **2** **⟦u⟧** (*tipogr.*) corsivo inglese **3** **⟦u⟧** caratteri; scrittura: **Cyrillic s.**, caratteri cirillici **4** (*radio, TV*) copione; testo (*dell'annunciatore*) **5** (*cinem.*) sceneggiatura; copione **6** (*leg.*) documento originale **7** scaletta (*fig.*); abbozzo; schema **8** compito (*di un esaminando*); elaborato **9** (*comput.*) script (*insieme di istruzioni che sono eseguite senza interazione con l'utente*) ● **s. girl**, «script girl», segretaria di edizione (*o* di produzione).

to **script** /skrɪpt/ v. t. **1** preparare il testo (*o il copione*) di **2** (*cinem., TV*) sceneggiare: **to s. a novel into a film**, sceneggiare un romanzo per il cinema.

Script. abbr. (*relig., scripture*) la (Sacra) scrittura.

scripted /'skrɪptɪd/ a. (*radio, TV: di conferenze, ecc.*) da copione; letto da un testo scritto; preparato.

scripter /'skrɪptə(r)/ n. (*cinem., TV*) sceneggiatore; soggettista; «scripter».

scripting /'skrɪptɪŋ/ n. a. (*comput.*) di script: **s. language**, linguaggio di script (*cfr.* **script**, *def. 9*).

scriptorium /skrɪp'tɔ:rɪəm/ n. (*pl.* **scriptoria**, **scriptoriums**) sala di scrittura (*spec. in un monastero*); scrittorio.

scriptural /'skrɪptʃərəl/ a. scritturale; scritturistico; della Sacra Scrittura; della Bibbia.

scripturalism /'skrɪptʃərəlɪzəm/ (*relig.*) n. **⟦u⟧** scritturalismo ‖ **scripturalist** n. **1** scritturale **2** scritturista.

scripture /'skrɪptʃə(r)/ n. **1** – (*relig.*) **the S.** (= **the Holy Scriptures**) la Scrittura; le Sacre Scritture **2** testo sacro (*d'altra religione*) **3** (*raro*) passo della Bibbia **4** (*fig.*) vangelo; testo autorevole.

scriptwriter /'skrɪptraɪtə(r)/ (*cinem., TV*) n. sceneggiatore; soggettista ‖ **scriptwriting** n. **⟦c⟧** sceneggiatura.

scrivener /'skrɪvnə(r)/ n. (*stor.*) **1** scrivano; copista; scritturale **2** notaio ● (*med.*) **s.'s palsy**, crampo dello scrivano.

scrofula /'skrɒfjʊlə/ n. **⟦u⟧** (*med.*) scrofola ‖ **scrofulous** a. **1** (*med.*) scrofoloso **2** (*fig.*) malmesso; malconcio.

to **scrog** /skrɒg/ v. t. (*volg. USA*) chiavare, scopare (*volg.*).

scroll /skrəʊl/ n. **1** rotolo di carta (o di pergamena) **2** (*archit.*) spira ornamentale; cartoccio; cartiglio; voluta (*spec. di capitello ionico*) **3** arabesco; ghirigoro; svolazzo **4** (*arald.*) cartiglio **5** (*di violino*) riccio; chiocciola **6** (*mecc.*) chiocciola; coclea **7** (*ind. tess.*) lumaca ● (*comput.*) **s. bar**, barra di scorrimento □ (*naut.*) **s.-head**, voluta del tagliamare □ (*mecc.*) **s.-saw**, sega a svolgere.

to **scroll** /skrəʊl/ **A** v. t. **1** arrotolare; arricciare **2** ornare di arabeschi, di svolazzi, di volute **3** (*comput.*) fare scorrere (*un testo*) sul video **B** v. i. (*raro*) avvolgersi in volute;

arricciarsi; arrotolarsi.

scrolled /ˈskrəʊld/ a. **1** (*di ferro, ecc.*) a volute; arricciato **2** a spirale **3** (*di una firma, ecc.*) a svolazzi.

scrolling /ˈskrəʊlɪŋ/ n. Ⓤ **1** arricciamento **2** (*comput.*) scorrimento.

scrollwork /ˈskrəʊlwɜːk/ n. Ⓤ ornamento (*o decorazioni*) a volute, a ricci.

scrooge /skruːdʒ/ n. avaraccio; taccagno; spilorcio (*dal nome di un personaggio di un racconto di C. Dickens*) • **Uncle S.**, Paperon de' Paperoni (*nei fumetti*).

scrotum /ˈskrəʊtəm/ (*anat.*) n. (pl. ***scrota, scrotums***) scroto.

to **scrounge** /skraʊndʒ/ v. t. e i. (*fam.*) scroccare; sbafare: **to s. a cigarette off** (*o* **from**) **a friend**, scroccare una sigaretta a un amico • **to s. around for sb.** [st.], cercare q. [qc.] □ **to s. sb.** [st.] **up**, trovare, scovare q. [qc.]; rimediare qc.

scrounger /ˈskraʊndʒə(r)/ n. (*fam.*) scroccone, scroccona; parassita.

scrub ① /skrʌb/ n. **1** Ⓤ sterpaglia; boscaglia; macchia **2** (*anche pl.*) terreno coperto da boscaglia; terreno a macchia; sterpeto **3** arbusto atrofico; pianta stentata **4** (*USA*) animale domestico più piccolo del normale o di razza inferiore **5** (*fam.*) individuo piccolo o insignificante; tappeto; omuncolo **6** (*fam.*) individuo spregevole **7** (*fam. USA*) giocatore (*spec. di baseball*) di squadra secondaria **8** Ⓤ (*sport USA*) 'scrub' (*tipo di baseball in versione ridotta giocata dai bambini*) • (*bot.*) **s. pine**, pino nano (*o* (*sport, spec. USA*) **s. team**, squadretta; squadra di ripiego.

scrub ② /skrʌb/ n. **1** lavata; strofinata; ripulita: *He gave his face a good s.*, si diede una bella lavata alla faccia **2** (*cosmesi*) crema esfoliante **3** uomo (*o donna*) di fatica **4** (*ind. chim.*) lavaggio (*di un gas*) **5** (*naut.*) frettazzo, frettazza **6** (pl.) (*chir.*) divisa chirurgica • (*USA*) **s. brush**, spazzola dura; spazzolone; (*naut.*) frettazza □ (*chir.*) **s. gown**, camice chirurgico □ (*chir.*) **s. nurse**, infermiera (*o infermiere*) strumentista □ (*tecn.*) **s. plane**, pialletto sgrossatore □ (*chir., USA*) **s. suit**, divisa chirurgica (*camiciotto e calzoni*) □ (*chir.*) **s.-up**, lavaggio antisettico (*prima di un intervento*).

to **scrub** /skrʌb/ Ⓐ v. t. **1** pulire strofinando; lavare sfregando; sfregare; strofinare; (*naut.*) frettare: **to s. a saucepan clean**, strofinare una pentola finché non è pulita; pulire una pentola strofinandola **2** (*ind. chim.*) lavare (*un gas*) **3** (*fam.*) annullare; disdire; interrompere; cancellare; mandare a monte: **to s. a party**, annullare un party; **to s. the countdown**, interrompere il conteggio alla rovescia **4** (*tecn.*) sgrossare **5** (*ind. min.*) sfangare Ⓑ v. i. lavare pavimenti; fare lavori di fatica.

▪ **scrub at** v. i. + prep. cercare di togliere (*una macchia, ecc.*) strofinando (*o sfregando*).

▪ **scrub away** Ⓐ v. i. + avv. continuare a strofinare (*o a sfregare*) Ⓑ v. t. + avv. togliere (*portare via, staccare, ecc.*) sfregando (*o strofinando*): *Mind you don't s. away the paint!*, bada di non staccare la vernice!

▪ **scrub down** v. t. + avv. **1** strofinare, lavare con una spazzola **2** scrostare, pulire con una spazzola (*pareti e sim.*).

▪ **scrub out** v. t. + avv. **1** pulire, lavare a fondo (*sfregando, ecc.*): **to s. out the kitchen**, pulire (*o fare*) la cucina **2** togliere, cavare strofinando: **to s. out a stain**, togliere una macchia **3** (*fam.*) annullare; disdire; rinviare **4** (*fam.*) tirare un frego su; cancellare.

▪ **scrub round** v. t. + prep. (*fam.*) **1** interrompere, sospendere (*un incontro, una riunione, ecc.*) **2** evitare (*una difficoltà*); aggirare (*un ostacolo, una regolamento*).

▪ **scrub up** v. i. + avv. (*chir.*) lavarsi con antisettico (*le mani e gli avambracci prima di un*

intervento).

scrubber ① /ˈskrʌbə(r)/ n. (*Austral.*) animale domestico fuggito nella boscaglia.

scrubber ② /ˈskrʌbə(r)/ n. **1** chi strofina; chi pulisce strofinando; lavatore di pavimenti; (*per estens.*) persona di fatica **2** spazzola dura; spazzolone; (*naut.*) frettazza **3** (*ind. chim.*) gorgogliatore di lavaggio (*per i gas*); lavatore; scrubber **4** (*ind. min.*) macchina sfangatrice **5** (*slang ingl.*) donnaccia; puttana; zoccola **6** (*slang ingl.*) prostituta; puttana.

scrubbing /ˈskrʌbɪŋ/ n. Ⓤ **1** strofinatura; lavaggio energico **2** (*ind. chim.*) lavaggio (*di un gas*) **3** (*fam.*) annullamento; cancellazione **4** (*tecn.*) sgrossatura **5** (*ind. min.*) sfangatura • **s. board**, asse del bucato □ **s. brush**, spazzola dura; spazzolone; (*naut.*) frettazzo, frettazza.

scrubby /ˈskrʌbɪ/ a. **1** (*di terreno*) coperto d'arbusti; a macchia **2** (*di pianta, arbusto*) intisichito; nano; stentato **3** (*di animale*) piccolo; stentato; striminzito **4** striminzito; meschino; misero.

scrubland /ˈskrʌblænd/ n. Ⓤ terreno a macchia; boscaglia.

scruff ① /skrʌf/ n. Ⓤ (*di solito* **s. of the neck**) nuca; collottola: **to take sb. by the s. of the neck**, prendere q. per la collottola.

scruff ② /skrʌf/ n. (*slang*) individuo sporco, trasandato.

scruffy /ˈskrʌfɪ/ a. (*fam.*) sciatto; trasandato; sporco | **-iness** n. Ⓤ.

scrum /skrʌm/ n. **1** (*rugby*, abbr. di **scrummage**) mischia: **loose s.**, mischia spontanea; **set s.**, mischia chiusa (*o comandata*) **2** (*fam.*) pigia pigia; calca; ressa: *There was a s. for the tickets*, c'è stata ressa alla biglietteria.

scrum-half /ˈskrʌmhɑːf/ n. (*rugby*) mediano di mischia.

scrummage /ˈskrʌmɪdʒ/ n. (*rugby*) mischia.

to **scrummage** /ˈskrʌmɪdʒ/ (*rugby*) v. i. **1** (*di un giocatore*) entrare in una mischia **2** (*di un gruppo*) fare una mischia || **scrummager** n. uomo di mischia.

to **scrump** /skrʌmp/ v. t. e i. **1** (*slang*) rubacchiare, sgraffignare (*frutta*) dall'albero **2** (*volg. USA*) chiavare, scopare (*volg.*).

scrumptious /ˈskrʌmpʃəs/ a. (*fam.*) delizioso; succulento; eccezionale; ottimo; splendido: **a s. meal**, un pasto eccezionale.

scrumpy /ˈskrʌmpɪ/ n. Ⓤ sidro ad alta gradazione alcolica.

scrunch /skrʌntʃ/ n. **1** scricchiolio; scrocchio (*di passi sulla neve, ecc.*) **2** masticazione rumorosa; sgranocchiamento **3** accartocciamento; l'appallottolare **4** (*slang*) stritolamento.

to **scrunch** /skrʌntʃ/ Ⓐ v. t. **1** far scricchiolare; fare scrocchiare **2** masticare rumorosamente; sgranocchiare **3** (*spesso* **to s. up**) accartocciare; appallottolare **4** (*slang*) stritolare; fare a pezzi Ⓑ v. i. (*della ghiaia sotto i piedi, ecc.*) scricchiolare; scrocchiare.

scrunchy /ˈskrʌntʃɪ/ n. fermacapelli; cerchietto.

scrunge /skrʌndʒ/ (*slang USA*) n. sporco; sporcizia; sudiciume; porcheria; schifezza || **scrungy** a. sudicio; sporco; lercio; sozzo.

scruple /ˈskruːpl/ n. **1** scrupolo (*24ª parte di un'oncia, pari a g. 1,29*) **2** scrupolo; dubbio; esitazione; timore: *I make no s. to tell him*, non ho scrupolo a dirglielo; *He has no scruples about shoplifting*, non si fa scrupoli a rubare nei negozi • **without s.**, senza scrupoli.

to **scruple** /ˈskruːpl/ v. i. aver scrupoli; farsi scrupolo; esitare: *He would not s. to tell a lie*, non esiterebbe a mentire.

scrupulosity /skruːpjuˈlɒsətɪ/ n. Ⓤ scru-

polosità; meticolosità; precisione.

scrupulous /ˈskruːpjʊləs/ a. scrupoloso; meticoloso; preciso | **-ly** avv. | **-ness** n. Ⓤ.

scrutator /skruːˈteɪtə(r)/ n. scrutatore; osservatore (*termine usato spec. in lettere inviate ai giornali*: **a s.**, un osservatore).

scrutineer /skruːtɪˈnɪə(r)/ n. (*spec. polit.*) scrutatore; scrutinatore (*nelle votazioni*).

to **scrutinize** /ˈskruːtɪnaɪz/ v. t. scrutare; investigare; esaminare (*o osservare*) attentamente; vagliare: *He scrutinized the banknote*, esaminò attentamente la banconota • **to s. sb.'s face**, scrutare q. (in volto) || **scrutinizer** n. scrutatore, scrutatrice.

scrutiny /ˈskruːtɪnɪ/ n. Ⓤ **1** esame minuzioso; indagine accurata **2** (*polit.*) scrutinio; riscontro (*delle schede elettorali*) • '*He felt himself hot and red under this s.*' E. WAUGH, 'sentendosi osservato così minuziosamente, provò un gran caldo e si fece rosso in viso'.

SCSI /ˈskʌzɪ/ sigla (*comput.*, **small computer system interface**) interfaccia di sistema per piccoli elaboratori (*per unità a disco*).

scuba /ˈskuːbə/ n. (acronimo di **self-contained underwater breathing apparatus**) (*sport*) **1** autorespiratore **2** (= **s. diver**) subacqueo (con autorespiratore) • **s. diving**, immersione (con autorespiratore).

to **scuba-dive** /ˈskuːbədaɪv/ v. i. (*sport*) nuotare sott'acqua con l'autorespiratore.

scud /skʌd/ n. **1** corsa rapida **2** Ⓤ nebbia (*o nuvole*) spinta dal vento **3** (pl.) spruzzi di schiuma • **scuds of rain**, scrosci di pioggia (*spinti dal vento*).

to **scud** /skʌd/ v. i. **1** correr via; fuggire: *The wind sent the white clouds scudding across the sky*, il vento faceva correre le bianche nubi per il cielo **2** (*naut.*) correre in poppa; fuggire la tempesta.

scuff /skʌf/ n. **1** frego; segnaccio; segno da usura **2** (*USA*) pantofola; pianella.

to **scuff** /skʌf/ Ⓐ v. i. **1** camminare strasciando i piedi (*di scarpe*) consumarsi sfregando per terra Ⓑ v. t. **1** strasciare (*i piedi*) **2** stropicciare i piedi sopra (*il pavimento*); lasciare (*o fare*) freghi (*o striscioni*) su (*un pavimento, ecc.*) **3** consumare (*scarpe*) strasciando i piedi • **a badly scuffed (up) floor**, un pavimento tutto segnato.

scuffer /ˈskʌfə(r)/ n. (*slang ingl.*) poliziotto; sbirro.

scuffle /ˈskʌfl/ n. **1** baruffa; mischia; rissa; tafferuglio; zuffa **2** strascichio; stropiccio: **a s. of feet**, uno stropiccio di piedi.

to **scuffle** /ˈskʌfl/ v. i. **1** azzuffarsi; accapigliarsi; far baruffa; battersi; scontrarsi: **to s. with the police**, scontrarsi con la polizia **2** strascicare i piedi.

scull /skʌl/ n. (*naut.*) **1** palella **2** remo da bratto (*o di coda*) **3** imbarcazione a palelle; barca di coppia **4** remata a palelle **5** bratto (*la voga da poppa*) **6** (*per estens.*) gita in barca.

to **scull** /skʌl/ Ⓐ v. i. (*naut.*) **1** vogare (con remi a palelle); usare le palelle **2** vogare con remo da bratto; brattare Ⓑ v. t. spingere (*una barca*) con le palelle (*o con un remo da bratto*).

sculler /ˈskʌlə(r)/ n. (*naut.*) **1** rematore con palelle **2** vogatore con remo da bratto **3** barca da voga a bratto; barca di coppia.

scullery /ˈskʌlərɪ/ n. retrocucina • **s.-boy**, sguattero □ **s.-maid**, sguattera.

sculling /ˈskʌlɪŋ/ n. Ⓤ (*sport*) il remare con palelle; voga a bratto.

scullion /ˈskʌljən/ n. (*arc.*) sguattero.

sculpin /ˈskʌlpɪn/ n. (pl. ***sculpins, sculpin***) (*zool.*) **1** pesce dei Cottidi (*in genere*) **2** (*Callionymus lyra*) dragoncello **3** (*Scorpaena guttata*) scorpena californiana.

to **sculpt** /skʌlpt/ v. t. (abbr. *fam. di* to **sculpture**) scolpire.

sculptor /'skʌlptə(r)/ n. scultore, scultrice.

sculptress /'skʌlptrɪs/ n. scultrice.

sculptural /'skʌlptʃərəl/ a. scultorio; di (*o* simile a) scultura; statuario | **-ly** avv.

sculpture /'skʌlptʃə(r)/ n. ◍ scultura.

to **sculpture** /'skʌlptʃə(r)/ **A** v. t. scolpire **B** v. i. fare lo scultore ● (*archit.*) **sculptured columns**, colonne scolpite □ **sculpturing in wood**, lavoro di scultura del legno.

sculpturesque /skʌlptʃə'rɛsk/ a. scultorio; statuario.

scum /skʌm/ n. ◍ **1** schiuma, schiumaccia; strato di sporco, pellicola d'impurità (*su un liquido*); pellicola vischiosa (*su un solido*) **2** (*metall.*) scoria **3** (*fig. spreg.*) feccia; rifiuti (umani); gentaglia: **the s. of the earth**, i rifiuti della società; la feccia della terra **4** (*volg. USA*) sperma; sborra (*volg.*).

to **scum** /skʌm/ **A** v. t. togliere lo sporco a (qc.); levar via la pellicola vischiosa da (*cfr.* **scum**, *def. 1*) **B** v. i. **1** (*di liquido*) coprirsi di schiuma; coprirsi di una pellicola d'impurità **2** (*metall.*) produrre scorie.

scumbag /'skʌmbæg/ n. **1** (*volg. USA*) preservativo **2** (*slang ingl.*) individuo spregevole; tipaccio; canaglia; stronzo (*fig. volg.*) ● **s. journalism**, giornalismo da fogna.

scumble /'skʌmbl/ n. ◍◍ (*pitt.*) smorzatura delle tinte; sfumatura dei contorni; velatura opacizzante.

to **scumble** /'skʌmbl/ v. t. (*pitt.*) attenuare le tinte di (*una pittura a olio*) con un velo di colore opaco; sfumare i contorni di.

scummy /'skʌmɪ/ a. **1** simile a una pellicola d'impurità **2** coperto di una pellicola d'impurità **3** (*fig.*) abietto; basso; meschino; spregevole.

scunge /skʌndʒ/ n. (*slang Austral.*) **1** individuo spregevole **2** chi prende sempre denaro a prestito; debitore cronico.

scungy /'skʌndʒɪ/ a. (*slang Austral.*) meschino; spregevole; ripugnante.

scupper /'skʌpə(r)/ n. **1** (*edil.*) bocca di spurgo (*dell'acqua piovana*) **2** (*naut.*) ombrinale.

to **scupper** /'skʌpə(r)/ v. t. **1** affondare deliberatamente (*la propria nave*): (*mil., naut.*) to **s. one's ship**, autoaffondarsi **2** (*fam.*) mettere (q.) nei guai (*o* in difficoltà); mandare a monte, all'aria (*progetti, ecc.*).

scuppernong /'skʌpənɒŋ/ n. ◍ (*USA*) vino moscato americano.

scurf /skɜːf/ n. ◍ **1** scaglia; squama; crosta (*della pelle*) **2** forfora.

scurfy /'skɜːfɪ/ a. **1** scaglioso; squamoso **2** forforoso ● **to have s. hair**, avere la forfora.

scurrility /skə'rɪlətɪ/ n. **1** ◍ scurrilità; trivialità; volgarità **2** (pl.) scurrilità; atti (*o* parole) scurrili.

scurrilous /'skʌrɪləs/ a. scurrile; triviale; volgare | **-ly** avv. | **-ness** n. ◍.

scurry /'skʌrɪ/ n. **1** ◍ corsa veloce; fuga precipitosa **2** ◍ rumore di passi frettolosi; tramestio **3** (*sport*) corsa breve **4** folata; raffica (*di pioggia, nevischio*) **5** nuvola (*di polvere*).

to **scurry** /'skʌrɪ/ v. i. affrettarsi; correre velocemente; scappare; sgambare; sgambettare ● **a scurrying rabbit**, un coniglio in fuga.

scurvy[1] /'skɜːvɪ/ a. abietto; basso; gretto; meschino; spregevole; vile ● **a s. trick**, un tiro mancino.

scurvy[2] /'skɜːvɪ/ n. ◍ (*med.*) scorbuto ● (*bot.*) **s. grass** (*Cochlearia officinalis*), coclearia.

---

scut /skʌt/ n. **1** coda corta; codino (*di coniglio, lepre, ecc.*) **2** (*slang USA*) individuo spregevole; tipaccio **3** (*slang USA*) pivello; recluta: **s. work**, lavoro sgradevole, per pivelli.

scutage /'skjuːtɪdʒ/ n. (*stor., diritto feudale*) «scutagium» (*imposta pagata dal vassallo per l'esonero da prestazioni personali*).

scutch /skʌtʃ/ n. **1** (*ind. tess.*) gramola; scotola **2** (*edil.*) martellina.

to **scutch** /skʌtʃ/ (*ind. tess.*) v. t. gramolare; scotolare (*lino, canapa, ecc.*) ‖ **scutcher** n. gramola; scotola ‖ **scutching** n. ◍ gramolatura; scotolatura.

scutcheon /'skʌtʃən/ n. **1** stemma; scudo; arme gentilizia; blasone **2** bocchetta (*di serratura*) **3** targa metallica (*per il nome*) **4** (*naut.*) quadro (*o* scudo) di poppa ● (*fig.*) **a blot on the s.**, una macchia sul proprio onore.

scute /skjuːt/ n. (*bot., zool.*) scudo, scuto; piastra; squama.

scutellum /skjuː'tɛləm/ n. (pl. *scutella*) (*zool., bot.*) scutello; scudetto; piccola piastra.

scutter, to **scutter** /'skʌtə(r)/ → **scurry**, **to scurry**.

scuttle[1] /'skʌtl/ n. **1** (*di solito* **coalscuttle**) recipiente (*secchio, cassetta, ecc.*) per il carbone **2** cesta, cesto (*per cereali o verdura*).

scuttle[2] /'skʌtl/ n. **1** apertura, finestrino, botola (*muniti di coperchio, in un muro o sul tetto*) **2** (*naut.*) portellino; portello.

scuttle[3] /'skʌtl/ n. corsa precipitosa; fuga.

to **scuttle**[1] /'skʌtl/ v. t. **1** (*naut.*) affondare deliberatamente (*una nave*) aprendo i portelli (*o* delle falle) **2** (*fig.*) affossare; costringere (q.) ad abbandonare (*speranze, progetti, ecc.*): They scuttled the plan for good, affossarono definitivamente il progetto.

to **scuttle**[2] /'skʌtl/ v. i. (*anche* to **s. off**, to **s. away**) affrettarsi; correr via; scappare; squagliarsela (*pop.*) ● **to s. off**, sgattaiolare via.

scuttlebutt /'skʌtlbʌt/ n. ◍ (*slang USA*) confidenze; pettegolezzi; voci che corrono; dicerie.

scuttling /'skʌtlɪŋ/ n. ◍ (*mil., naut.*) autoaffondamento.

scutum /'skjuːtəm/ n. (pl. *scuta*) **1** (*stor. romana*) scudo (*di legionario*) **2** (*zool.*) scudo (*anche d'insetti*); scuto.

scuzz /skʌz/ (*slang USA*) n. **1** ◍ schifezza; sporcizia; sudiciume; porcheria **2** individuo spregevole; tipaccio; schifoso ‖ **scuzzy** a. **1** sporco; sozzo; disgustoso; schifoso **2** spregevole; sordido; abietto.

Scylla /'sɪlə/ n. (*geogr., mitol.*) Scilla ● (*fig.*) **between S. and Charybdis**, tra Scilla e Cariddi.

scyphus /'saɪfəs/ n. (pl. *scyphi*) (*archeol.*) scifo (*anche bot.*); coppa; cratere.

scythe /saɪð/ n. (*agric.*) falce fienaia.

to **scythe** /saɪð/ v. t. e i. **1** (*agric.*) falciare **2** (*fig., spesso* to **s. down**) falciare; abbattere ● **to s. through**, falciare (*fig.*): The car scythed through the crowd, l'automobile falciò la folla □ (*stor.*) **a scythed chariot**, un carro falcato (*o* armato di falci).

Scythia /'sɪðɪə/ n. (*geogr., stor.*) Scizia ‖ **Scythian A** n. (*stor.*) scita **B** a. scitico; della Scizia.

SD sigla **1** (*anche* **S.Dak.**) (*USA*, **South Dakota**) Dakota del Sud **2** (*comput.*, **secure digital**) memoria sicura digitale.

SDI sigla (*mil.*, *USA*, **Strategic Defense Initiative**) Iniziativa di difesa strategica (*lo «scudo spaziale»*).

SDR sigla (**special drawing right**) diritto speciale di prelievo.

SDRAM sigla (*comput.*, **synchronous dy-**

---

namic random-access memory) DRAM sincrona, RAM dinamica sincrona.

SE sigla **1** (*geogr.*, **south-east**) sud-est (SE) **2** (**south-eastern**) sudorientale.

◆**sea** /siː/ **A** n. ◍ **1** mare (*anche fig.*): The sea was smooth [rough], il mare era calmo [agitato]; He jumped into the sea, si gettò in mare; **the Mediterranean Sea**, il Mare Mediterraneo; (*astron.*) **the Sea of Tranquility**, il Mare della Tranquillità; **a sea of faces**, un mare di facce; **a sea of troubles**, un mare d'affanni (*o* di guai) **2** mare; colpo di mare; maroso: **high sea** (*o* **strong sea**, **heavy seas**), mare grosso; A high sea swept him overboard, un grosso maroso lo trascinò in mare (dal ponte della nave) **B** a. attr. marino; di mare; marittimo: **sea bottom**, fondo marino; **sea air**, aria di mare; **sea camp**, colonia marina; **sea passage**, passaggio marittimo; traversata ● (*naut.*) **sea abeam**, mare di traverso □ (*ass.*) **sea accident**, sinistro marittimo □ (*zool.*) **sea acorn** (*Balanus*), balano □ (*naut.*) **sea anchor**, ancora galleggiante □ (*zool.*) **sea anemone** (*Actinia*), attinia; anemone di mare □ (*zool.*) **sea bass**, pesce dei Perciformi (*in genere*); (*Labrax lupus*) branzino, spigola □ **sea-bathing**, bagni di mare □ (*zool.*) **sea bear**, (*Thalarctos maritimus*) orso polare; (*Arctocephalus*) arctocefalo; (*Callorhinus alascanus*) callorino dell'Alasca, foca orsina □ **sea bird**, uccello marino □ **sea biscuit**, galletta; biscotto □ (*zool.*) **sea bream**, pesce degli Sparidi (*in genere*); (*Pagellus centrodontus*) pagello □ **sea breeze**, brezza di mare □ (*zool.*) **sea calf** (*Phoca vitulina*), foca comune; vitello marino □ (*zool.*) **sea canary** (*Delphinapterus leucas*), delfino bianco; beluga □ (*naut.*) **sea captain**, capitano marittimo (*di un mercantile*); capitano di marina □ **sea change**, metamorfosi marina; (*fig. lett.*) inversione di rotta (*fig.*), svolta improvvisa (*o* radicale) □ **sea chest**, baule da marinaio □ **sea cliff**, scarpata costiera; scogliera □ (*zool.*) **sea cow**, (*Odobenus rosmarus*) tricheco; (*Dugong dugong*) dugongo; vacca marina (*o* di mare); (*Trichechus manatus*) manato, lamantino, vacca di mare; (*Hippopotamus amphibius*) ippopotamo □ (*zool.*) **sea crow**, (*Pyrrhocorax pyrrhocorax*) gracchio corallino; (*Phalacrocorax carbo*) cormorano, marangone □ (*zool.*) **sea cucumber** (*Holothuria*), cetriolo di mare; oloturia □ (*zool.*) **sea-devil** (*Manta birostris*), manta; diavolo di mare; razza cornuta □ **sea dog**, (*scherz.*) lupo di mare; (*stor.*) pirata, corsaro; (*zool.*, *Zalophus californianus*) leone marino della California; (*zool.*) = **sea calf** → *sopra* □ (*zool.*) **sea drum** (*Pogonias cromis*), borbottone (*delle coste atlantiche delle due Americhe*) □ (*zool.*) **sea eagle** (*Haliaetus*), aquila di mare □ (*zool.*) **sea-ear** (*Haliotis*), orecchia di mare □ (*zool.*) **sea elephant** (*Mirounga leonina*), elefante marino □ (*zool.*) **sea fan** (*Gorgonia*), gorgonia □ (*bot.*) **sea fennel** (*Crithmum maritimum*), finocchio marino □ (*zool.*) **sea fight**, battaglia navale □ **sea fire**, fosforescenza marina □ (*zool.*) **sea floor**, fondo marino □ (*zool.*) **sea-flower** (*Actinia*), attinia; anemone di mare □ **sea foam**, schiuma del mare; (*miner.*) schiuma di mare, sepiolite □ **sea fog**, nebbia marina □ (*mil.*) **sea forces**, forze di mare; effettivi navali; marina militare □ (*zool.*) **sea fowl**, uccello marino □ (*zool.*) **sea fox** (*Alopias vulpinus*), volpe di mare; pesce volpe □ (*lett.*) **sea-girt**, circondato dal mare □ (*mitol.*) **sea-god**, divinità marina; dio del mare □ **sea green**, colore verde mare; verdazzurro □ (*zool.*) **sea hare**, gastropode (*in genere*); (*Aplysia punctata*) lepre di mare □ (*zool.*) **sea hedgehog** (*Echinus*), riccio di mare □ (*zool.*) **sea hog**, (*Phocaena phocaena*) focena comune; (*Cephalorhynchus*) cefalorinco □ (*bot.*) **sea island** (*cotton*) (*Gossypium barbadense*), cotone delle Sea Islands (*in USA*); (*ind. tess.*) (tes-

suto di) cotone a fibra lunga □ (*zool.*) **sea jelly** (*Medusa*), medusa □ (*bot.*) **sea kale** (*Crambe maritima*), cavolo marino □ (*naut.*) **sea kindliness → seakeeping, B** □ (*naut.*) **sea kit**, corredo di bordo (*di marinaio*) □ (*naut.*) **sea ladder**, biscaglina □ **sea lane**, rotta marittima □ (*fam.*) **sea legs**, capacità di stare in equilibrio su un'imbarcazione; il non soffrire il mal di mare □ (*zool.*) **sea lemon** (*Doris*), doride □ (*zool.*) **sea leopard**, (*Hydrurga leptonyx*) foca leopardo; (*Leptonychotes weddelli*) foca di Weddell □ **sea level**, livello del mare: **above [below] sea level**, sul livello [sotto il livello] del mare □ **sea line**, linea dell'orizzonte (*sul mare*) □ (*zool.*) **sea lion**, (*Otaria*) leone marino, otaria; (= **Californian sea lion**; *Zalophus*) zalofo, leone marino della California □ (*naut.*) **Sea Lord**, alto ufficiale dell'Ammiragliato britannico □ (*poet.*) **sea-maid**, sirena; naiade (*fig.*) □ (*naut.*) **sea marker**, segnale con colorante (*per gli aerei di soccorso, ecc.*) □ (*ecol.*) **sea marsh** (*o* **sea meadow**), acquitrino salmastro □ (*zool.*) **sea melon** (*Holothuria*), cetriolo di mare; oloturia □ (*zool.*) **sea mew** (*Larus canus*), gavina □ **sea mile**, miglio marino (*o* nautico) □ **sea mist**, foschia del mare □ **sea monster**, mostro marino □ (*zool.*) **sea mouse** (*Aphrodite aculeata*), afrodite □ (*zool.*) **sea nettle**, medusa □ (*mitol.*) **sea-nymph**, ninfa marina; nereide □ (*fig.*) **seas of blood**, grande spargimento di sangue □ (*bot.*) **sea onion** (*Urginea maritima*), scilla □ (*zool.*) **sea otter** (*Enhydra lutris*), lontra marina □ (*zool.*) **sea parrot** (*Fratercula arctica*), pulcinella di mare □ (*zool.*) **sea pen** (*Pennatula*), penna di mare; pennatula □ **sea pie**, pasticcio di pesce e carne salata; (*zool.*, *Haematopus ostralegus*) beccaccia di mare □ (*arte*) **sea piece**, marina (*quadro*) □ (*zool.*) **sea pig**, (*Phocaena phocaena*) focena comune; (*Dugong*) dugongo; (*Delphinus delphis*) delfino comune □ (*zool.*) **sea pike**, luccio di mare; barracuda □ (*naut.*) **sea pilot**, pilota marittimo □ (*polit.*) **sea power**, potenza navale (*o* marittima) □ (*zool.*) **sea pumpkin** (*Holothuria*), cetriolo di mare; oloturia □ (*naut.*) **sea room**, spazio per manovrare □ **sea route**, rotta navale □ **sea rover**, corsaro, pirata; nave corsara □ **sea salt**, sale marino □ (*zool.*, *mitol.*) **sea serpent**, (*Pelamydrus*) serpente marino; (*Hydrophis*) idrofide □ (*zool.*) **sea sleeve** (*Sepia officinalis*), seppia □ (*zool.*) **sea snipe** (*Macrorhamphosus scolopax*), pesce trombetta; beccaccia (di mare) □ (*bot.*) **sea squill** (*Pancratium maritimum*), giglio (*o* narciso) marino; pancrazio □ (*zool.*) **sea squirt** (*Ciona, Phallusia, ecc.*), ascidia semplice; ascidia solitaria □ **sea star → starfish** □ (*naut.*) **sea stock**, provviste di bordo □ **sea storm**, tempesta di mare; mareggiata □ (*zool.*) **sea swallow** (*Sterna hirundo*), rondine di mare □ (*bot.*) **sea tangle** (*Laminaria*), laminaria □ (*zool.*) **sea toad** (*Lophius piscatorius*), rana pescatrice □ (*zool.*) **sea trout** (*Salmo trutta trutta*), trota di mare □ (*zool.*) **sea urchin** (*Echinus*), riccio di mare □ **sea water → seawater** □ **sea wind**, brezza di mare; vento dal mare □ **sea-wolf**, (*zool.*, *Zalophus*) zalofo; (*zool.*, *Anarrhichas lupus*) pesce lupo; (*fig.*) corsaro, pirata □ **to be at sea**, (*naut.*) essere in mare (*o* in navigazione); (*fig.*) essere confuso, disorientato, perplesso, in alto mare: *I was (all) at sea as to where to apply for information*, ero perplesso su dove rivolgermi per avere informazioni □ **at the bottom of the sea**, in fondo al mare □ **beyond (o across) the sea**, di là dal mare; oltremare □ **by sea**, per mare; via mare: **to send goods by sea**, spedire merce via mare □ **by the sea**, presso il mare, sulla riva del mare: **a cottage by the sea**, una villetta in riva al mare; *We live by the sea*, viviamo in riva al mare □ **to follow the sea**, fare il marinaio □ **to get (o to find) one's sea legs**, riuscire a mante-

nere l'equilibrio a bordo di una nave; non soffrir più il mal di mare □ **to go to sea**, farsi marinaio; imbarcarsi □ (*fig.*) **to be half seas over**, essere mezzo ubriaco; essere brillo □ (*naut.*) **to hold out at sea**, tenere il mare; reggere il mare □ (*naut.*) **to keep the sea**, tenere il mare; restare in mare □ (*fig.*) **to be lost in a sea of debt**, esser sommerso da un mare di debiti □ **on the sea**, sul mare; nel mare; in mare: *Boats were sailing on the sea*, barche veleggiavano nel mare; *We were on the sea*, eravamo in mare (*su una nave*); *Viareggio is on the sea*, Viareggio è sul mare (*in riva al mare*) □ (*naut.*) **to put (out) to sea**, salpare; prendere il mare □ (*naut.*) **to take to the open sea**, portarsi al largo.

seabed /'si:bed/ n. ⬚ fondo marino.

seaboard /'si:bɔːd/ **A** n. costa; fascia costiera; costiera; litorale; riviera; lido **B** a. costiero; marittimo; del litorale: **s. towns**, città marittime.

seaborne /'si:bɔːn/ a. **1** marittimo: **s. trade**, traffici marittimi **2** (*mil.*) navale: **s. attack**, attacco navale (*o* dal mare) **3** (*di merci, ecc.*) trasportato via mare.

seacoast /'si:kəʊst/ n. costa (del mare); litorale ● (*mil.*) **s. artillery**, artiglieria costiera.

seacraft /'si:krɑːft/ n. ⬚ (*naut.*) **1** arte navigatoria **2** (collett.) naviglio d'alto mare.

seadog /'si:dɒg/ n. (*meteor.*) → **fogdog**.

seafaring /'si:feərɪŋ/ **A** a. **1** che viaggia per mare; che fa vita di mare **2** da mare; da marinaio: **s. life**, vita di mare **B** n. ⬚ **1** mestiere del marinaio **2** navigazione; viaggi di mare ● **s. man**, marinaio; navigatore □ **a s. nation**, un popolo marinaro □ (*stor.*) **s. republic**, repubblica marinara ‖ **seafarer** n. **1** navigante; navigatore; uomo di mare **2** marinaio; marittimo: **seafarers' union**, sindacato dei marittimi.

seafood /'si:fuːd/ n. ⬚ **1** frutti di mare ● **s. cocktail**, cocktail di frutti di mare **2** (*slang USA*) whisky ● (*cucina*) **s. platter**, piatto di frutti di mare (misti) □ **s. salad**, insalata di mare.

seafront /'si:frʌnt/ n. **1** litorale **2** lungomare.

seagoing /'si:gəʊɪŋ/ a. (*naut.*) d'alto mare; di altura; di lungo cabotaggio: **s. craft**, naviglio d'alto mare; **s. fishing**, pesca d'altura.

seagull /'si:gʌl/ n. (*zool.*, *slang*; *Larus*), gabbiano.

seahorse /'si:hɔːs/ n. **1** (*zool.*, *Hippocampus*) cavalluccio marino; ippocampo **2** (*mitol.*) animale mezzo cavallo e mezzo pesce.

seakeeping /'si:kiːpɪŋ/ **A** a. (*di nave*) che tiene bene il mare **B** n. tenuta (*o* attitudine) al mare.

♦ **seal** ① /si:l/ n. **1** (*zool.*, *Phoca*) foca **2** ⬚ (= **sealskin**) pelle di foca ● **s. rookery**, colonia di foche □ (*zool.*) **eared s.** (*Otaria*), otaria.

♦ **seal** ② /si:l/ n. **1** sigillo; bollo; timbro; (*fig.*) suggello, simbolo, stemma, garanzia, pegno, promessa: **to affix the seals**, apporre i sigilli; **to set one's s. to st.**, mettere il proprio sigillo a qc.; (*fig.*) approvare qc.; (*relig.*) **under the s. (of confession)**, sotto il sigillo della confessione; *Our handshake was a s. of friendship*, la nostra stretta di mano fu una promessa d'amicizia; **s. of love**, pegno d'amore **2** (*fig.*) impronta; marchio; segno: *He had the s. of death on his face*, aveva sul volto il marchio (*o* il segno premonitore) della morte **3** (*mecc.*) guarnizione; dispositivo di tenuta; giunto a tenuta **4** (*nelle tubazioni*) sifone a tenuta idraulica □ **s. ring**, anello munito di sigillo □ (*leg.*) **deed under s.**, atto solenne, recante la firma e il sigillo di chi lo redige; (*spesso*) atto

notarile □ (*leg.*: *in calce a un documento*) *Given under my hand and s.*, redatto, firmato e sigillato (*da me notaio, ecc.*) □ (*fig.*) **to give one's s. of approval**, dare la propria approvazione □ (*fig. lett.*) **to set (o to put) the s. on**, suggellare.

to seal ① /si:l/ v. i. cacciare le foche; andare a caccia di foche.

to seal ② /si:l/ v. t. **1** sigillare; apporre i sigilli a (*anche leg.*); (*fig.*) suggellare, approvare, sancire; chiudere (ermeticamente): **to s. (up) an envelope [a door]**, sigillare (apporre i sigilli a) una busta [una porta]; *Windows must be sealed up*, bisogna chiudere ermeticamente le finestre; *Sleep sealed his eyes*, il sonno gli chiuse le palpebre; **to s. a pact**, suggellare un patto **2** fissare irrevocabilmente; segnare: *This decision sealed our fate*, questa decisione segnò il nostro destino **3** (= **to s. with lead**) piombare; sigillare con piombini **4** mettere un marchio su; segnare **5** fissare ● **to s. a bargain**, concludere un affare □ (*fig.*) **to s. sb.'s doom** (*o* **fate**), decidere la sorte di q.; firmare la condanna di q. □ (*fig.*) **to s. sb.'s lips**, mettere il sigillo alle labbra di q.; fare tacere q. □ (*sport*) **to s. the result**, chiudere la partita.

▪ **seal in** v. t. + avv. tenere (q. *o* qc.) rinchiuso; bloccare: *The whaler was sealed in by ice*, la baleniera era bloccata dai ghiacci.

▪ **seal off** v. t. + avv. **1** sigillare; chiudere a tenuta: **to s. off the gas main**, sigillare la tubazione principale del gas **2** (*della polizia, ecc.*) bloccare; isolare: *The area has been sealed off*, la zona è stata isolata.

▪ **seal up** v. t. + avv. sigillare; chiudere (*o* tappare) ermeticamente: **to s. up a hole**, tappare un buco.

sealant /'si:lənt/ n. ⬚ (*chim.*) sigillante; mastice.

sealed /si:ld/ a. **1** sigillato (*anche fig.*); chiuso ermeticamente; piombato: **a s. envelope**, una busta sigillata; (*ferr.*) **s. wagon**, vagone piombato **2** (*tecn.*) a chiusura ermetica; stagno: **s. compartment**, compartimento stagno ● (*fig.*) **s. bid** (*o* **tender**), offerta d'appalto sigillata (*o* in busta chiusa) □ (*fig.*) **a s. book**, un libro chiuso (*fig.*); una cosa misteriosa, di cui non si sa niente □ (*spec. mil.*) **to be under s. orders**, avere ricevuto ordini operativi sigillati (*da aprire al tempo e nel luogo prestabiliti*) □ *My lips are s.*, ho la bocca cucita (*fig.*); (prometto che) sarò una tomba.

sealer ① /'si:lə(r)/ n. **1** cacciatore di foche **2** imbarcazione attrezzata per la caccia alle foche; fochiera.

sealer ② /'si:lə(r)/ n. **1** sigillatore; chi sigilla **2** funzionario preposto al controllo e all'approvazione di pesi e misure **3** (*tecn.*) sigillante; turapori.

sealery /'si:ləri/ n. ⬚ caccia alle foche **2** luogo di caccia alle foche.

sealing ① /'si:lɪŋ/ n. ⬚ caccia alle foche ● **to go s.**, andare a caccia di foche.

sealing ② /'si:lɪŋ/ n. **1** ⬚ sigillatura; chiusura dei pori; piombatura **2** sigillo (*l'impronta*) ● (*chim.*) **s. compound**, sigillante; mastice □ **s. tape**, nastro adesivo grosso (*per imballaggi*) □ **s. wax**, ceralacca.

sealskin /'si:lskɪn/ **A** n. **1** ⬚ pelle di foca **2** indumento di pelle di foca **B** a. attr. di pelle di foca; di foca.

seam /si:m/ n. **1** linea (*o* segno) di giunzione; cucitura, costura (*di stoffa, cuoio, ecc.*) **2** (*med.*) cicatrice chirurgica; sutura **3** (*naut.*) comento; commessura **4** cicatrice; ruga; segno (*sul volto, ecc.*) **5** (*geol.*) livello; orizzonte **6** (*ind. min.*) filone; strato: **a s. of coal**, uno strato di carbone **7** (*metall.*) sgretolatura; giunto freddo; ripresa **8** (*mecc.*: *di lattine o barattoli*) aggraffatura ● (*mecc.*) **s.-folding machine**, aggraffatrice □ **s. lace**, gala (*che*

nasconde una cucitura □ s. **rent**, scucitura □ (*tecn.*) s. **weld**, saldatura continua □ s. **welding**, saldatura continua (*l'azione*) □ **to be bursting at the seams**, (*d'abito*) scucirsi; (*fig.: di persona*) scoppiare, essere pieno zeppo □ **to come apart at the seams**, scucirsi; (*fig.*) cadere a pezzi.

to **seam** /siːm/ v. t. **1** fare una costura a; cucire **2** (spec. al p. p.) segnare: *His face is seamed with scars*, ha il viso segnato da cicatrici **3** lavorare a punto costa **4** (*mecc.*) aggraffare.

seaman /'siːmən/ n. (pl. *seamen*) **1** marinaio **2** bravo uomo di mare; chi sa navigare **3** (*marina mil., in USA*) comune di 1ª classe (*cfr. ingl. able s., sotto able*) **4** (pl.) – **seamen**, marinai; (collett.) la bassa forza ● (*marina mil., in USA*) **s. apprentice**, comune di 2ª classe (*cfr. ingl. ordinary s., sotto ordinary*) □ (*marina mil., in USA*) **s. recruit**, 'aspirante marinaio' (*cfr. ingl. Junior S., sotto junior*) ‖ **seamanlike, seamanly** a. da (bravo) marinaio; marinaresco.

seamanship /'siːmənʃɪp/ n. ⓤ (*naut.*) arte della navigazione; arte marinaresca e manovra ● **a fine piece of s.**, una bella manovra; una manovra ben riuscita.

seamark /'siːmɑːk/ n. (*naut.*) **1** galleggiante di segnalazione; boa **2** (*arc.*) segnale fisso; dromo.

seamer /'siːmə(r)/ n. (*mecc.*) aggraffatrice.

seaminess /'siːmɪnəs/ n. ⓤ (*fig.*) sordidezza; squallore.

seaming /'siːmɪŋ/ n. ⓤ (*mecc.*) aggraffatura.

seamless /'siːmləs/ a. **1** senza giunti; senza cuciture; senza costure: **a s. gutter**, una fogna senza giunti; **s. stockings**, calze senza cucitura **2** (*tecn.*) senza saldatura **3** (*fig.*) impenetrabile: **a s. defence**, una difesa a tenuta stagna **4** (*comput.*) invisibile.

seamount /'siːmaʊnt/ n. (*geogr.*) montagna sottomarina.

seamstress /'siːmstrəs/ n. (*un tempo*) cucitrice; cucitrice di bianco.

to **seam-weld** /'siːmweld/ v. t. (*tecn.*) unire con saldatura continua.

seamy /'siːmɪ/ a. **1** provvisto di cuciture; che mostra le cuciture **2** sgradevole; squallido; orribile ● **the s. side**, (*fig.*) il lato brutto, sordido (*della vita, ecc.*).

séance /'seɪɑːns/ (*franc.*) n. **1** seduta; riunione **2** seduta spiritica.

seaplane /'siːpleɪn/ n. (*aeron.*) idrovolante.

seaport /'siːpɔːt/ n. porto di mare; porto marittimo; città portuale.

SEAQ sigla (*Borsa, GB*, **stock exchange automated quotation system**) sistema di quotazioni computerizzate dei titoli di borsa (*listino di Londra*).

seaquake /'siːkweɪk/ n. maremoto.

sear ① /sɪə(r)/ a. (*poet., lett.*) appassito; avvizzito; secco: **s. flowers**, fiori appassiti; **s. leaves**, foglie secche.

sear ② /sɪə(r)/ n. (*d'arma da fuoco*) dente d'arresto (*del percussore*).

to **sear** /sɪə(r)/ Ⓐ v. t. **1** disseccare; far appassire; far avvizzire **2** bruciare; ustionare **3** (*cucina*) cuocere (*carne*) a fuoco vivo **4** (*fig.*) inaridire; indurire (*l'animo, ecc.*) **5** (*med.*) cauterizzare Ⓑ v. i. appassire; avvizzire ● **seared conscience**, coscienza incallita □ (*med.*) **searing iron**, ferro per cauterizzare; cauterio.

◆**search** /sɜːtʃ/ n. **1** cerca; ricerca; indagine: *The explorer went off in s. of drinking water*, l'esploratore andò in cerca di acqua da bere; **the s. for a missing person**, la ricerca di una persona scomparsa **2** perquisizione; ispezione (*nel carcere, ecc.*) **3** visita doganale; (*naut.*) visita di controllo **4** (*com-*

put.) ricerca: **a computer s.**, una ricerca con il computer **5** consultazione, visura (*di pubblici registri*) ● **s. and rescue**, operazione di ricerca e soccorso; operazione di salvataggio □ (*leg.*) **s. and seizure**, perquisizione e sequestro □ (*radar*) **s. antenna**, antenna di ricerca □ (*comput.*) **s. engine**, motore di ricerca □ (*comput.*) **s. form**, maschera di ricerca □ (*elettron.*) **s. gate**, impulso di ricerca □ (*comput.*) **s. key**, chiave di ricerca □ **s. party**, squadra per le ricerche; squadra di soccorso □ (*comput.*) **s. path**, percorso di ricerca □ (*naut.*) **s. periscope**, periscopio d'esplorazione □ (*comput.*) **s. string**, stringa di ricerca □ (*leg.*) **s. warrant**, mandato di perquisizione.

◆to **search** /sɜːtʃ/ Ⓐ v. t. **1** perquisire; ispezionare: *The guards searched the prisoner for weapons*, le guardie perquisirono l'arrestato per vedere se avesse armi; **to s. a hide-out**, perquisire un nascondiglio; **to s. a ship**, perquisire una nave **2** perlustrare; rastrellare (*fig.*): *The police searched the whole city for the murderer*, la polizia perlustrò tutta la città in cerca dell'assassino **3** frugare; rovistare; cercare in (*o fra*): **to s. one's memory**, frugare nella memoria (*o fra i ricordi*); **to s. one's records**, rovistare il proprio archivio **4** penetrare in; frugare; insinuarsi in **5** esplorare (*col radar*) **6** (*comput.*) ricercare; esaminare: **to s. a text for errors**, esaminare un testo alla ricerca di errori Ⓑ v. i. (*spesso* **to s. for**) cercare; andare in cerca di; fare ricerche: **to s. for a reason**, cercare un motivo; **to s. for happiness**, cercare la felicità ● **to s. one's conscience**, fare un esame di coscienza □ **to s. one's heart**, mettersi una mano sul cuore (*fig.*); fare un esame di coscienza □ **to s. into a subject**, approfondire un argomento □ (*med.*) **to s. a wound**, sondare (*o esplorare*) una ferita □ (*fam.*) **S. me!**, che ne so?; mah!; boh!

■ **search about** v. i. + avv. cercare qua e là.

■ **search after** v. i. + prep. cercare; ricercare: **to s. after peace of mind**, cercare la pace dell'animo; **to s. after truth**, ricercare la verità.

■ **search out** v. i. + avv. **1** rintracciare; scovare; trovare: **to s. out a missing soldier**, rintracciare un disperso **2** scoprire; trovare: **to s. out a weak point in sb.'s testimony**, scoprire il punto debole nella testimonianza di q.

■ **search through** v. i. + prep. frugare, rovistare in: **to s. through one's pockets**, frugarsi in tasca.

searchable /'sɜːtʃəbl/ a. **1** ricercabile; indagabile **2** scopribile.

searcher /'sɜːtʃə(r)/ n. **1** ricercatore; indagatore **2** investigatore **3** perquisitore **4** doganiere che fa un controllo **5** (*med.*) sonda.

searching /'sɜːtʃɪŋ/ Ⓐ a. **1** penetrante; scrutatore; indagatore: **a s. look**, uno sguardo scrutatore **2** minuzioso; rigoroso: **a s. examination**, un esame minuzioso Ⓑ n. ⓤⓒ **1** ricerca; indagine **2** perquisizione; perlustrazione **3** (*med.*) esplorazione con la sonda; sondaggio (*anche fig.*) ● **searchings of the heart**, esame di coscienza; apprensioni; rimorsi □ **a s. question**, una domanda acuta (*o perspicace*) | **-ly** avv.

searchlight /'sɜːtʃlaɪt/ n. **1** (*spec. mil.*) proiettore; riflettore **2** fascio di luce (*di riflettore*) **3** fotoelettrica (sost.) ● (*mil.*) **s. station**, stazione di fotoelettriche.

searing /'sɪərɪŋ/ a. **1** che scotta; che brucia; scottante **2** (*fig. fam.*) ardente, bruciante (*di passione*); conturbante, eccitante **3** (*sport*) fulmineo; devastante ● **s. heat**, caldo rovente □ **s. pain**, dolore lancinante.

seascape /'siːskeɪp/ n. **1** panorama (*o* veduta) di mare; vista del mare **2** (*pitt.*)

marina (*quadro*).

seashell /'siːʃel/ n. conchiglia marina.

seashore /'siːʃɔː(r)/ n. ⓤ riva del mare; spiaggia; lido: **on the s.**, sulla riva del mare.

seasick /'siːsɪk/ a. che soffre il mal di mare ● **to be s.**, avere il mal di mare ‖ **seasickness** n. ⓤ mal di mare.

seaside /'siːsaɪd/ n. ⓤ spiaggia; lido; marina ● **a s. holiday**, una vacanza al mare □ **a s. home**, una seconda casa al mare □ **s. resort**, luogo di villeggiatura marina; stazione balneare □ **at** (*o by*) **the s.**, alla spiaggia; al mare □ **to go to the s.**, andare al mare (*per fare bagni, in villeggiatura*).

◆**season** /'siːzn/ n. **1** stagione; tempo adatto (*per qc.*); tempo; periodo di tempo; epoca: **the four seasons**, le quattro stagioni; **the strawberry s.**, la stagione delle fragole; **the soccer s.**, la stagione calcistica; **the rainy s.**, la stagione delle piogge; **the nesting s.**, la stagione dei nidi; l'epoca della nidificazione; (*market., tur.*) **high s.**, alta stagione; **dead s.** (*o* **off s.**), stagione morta; **the London s.**, la stagione di Londra; il periodo delle feste, dei concerti, ecc. (*al principio dell'estate*); **the theatre s.**, la stagione teatrale; **the harvest s.**, il periodo dei raccolti; la stagione delle messi **2** (*fam.*, = **s. ticket**) abbonamento (*ferroviario o teatrale*); tessera **3** (*sport*) stagione; (*di calcio, ecc.*) campionato ● (*sport*) **s. best**, il miglior risultato stagionale □ «**S.'s Greetings!**», «Buone feste!» (*augurio prima di Natale*) □ **the s. of good will** (*o cheer*), il periodo natalizio □ **s. ticket**, abbonamento; *Do you still have a s. ticket?*, hai ancora l'abbonamento? □ **s.-ticket holder**, abbonato □ (*di frutta*) **to come into s.**, diventare di stagione; maturare □ **in s.**, (*tur.*) in alta stagione; (*di selvaggina*) che si può cacciare; (*di frutta, ecc.*) di stagione; (*della femmina di un animale*) in calore □ **in and out of s.**, in tutte le stagioni; (*fig.*) in ogni momento; a proposito e a sproposito □ **in good s.**, al momento giusto □ (*market., tur.*) **low s.**, bassa stagione □ **out of s.**, (*di frutta, ecc.*) fuori stagione; (*tur.*) in bassa stagione; (*fig.*) intempestivo, a sproposito □ (*giorn.*) **the silly s.**, la stagione (*estiva*) in cui la stampa tratta soltanto argomenti frivoli.

to **season** /'siːzn/ Ⓐ v. t. **1** (*cucina e fig.*) condire; insaporire; rendere più gustoso (*o piccante*); dar sapore a (*cibi, conversazione, ecc.*): **to s. a dish with capers**, insaporire una pietanza con capperi; **to s. one's talk with humorous remarks**, condire il proprio discorso con osservazioni umoristiche **2** stagionare; far maturare; far invecchiare: **to s. timber**, stagionare il legname **3** (*spec. al passivo*) acclimatare (*coloni, atleti, ecc.*); addestrare; avvezzare; temprare: *He was seasoned to the hard life of pioneers*, era temprato alla dura vita dei pionieri **4** (*arc. o lett.*) temperare; mitigare: **justice seasoned by mercy**, giustizia mitigata dalla misericordia Ⓑ v. i. **1** (*del legno*) stagionarsi **2** (*del vino*) invecchiare.

seasonable /'siːznəbl/ a. **1** di stagione; normale: **s. weather**, tempo normale (*per la stagione in cui ci si trova*); clima di stagione **2** tempestivo: opportuno; a proposito; provvidenziale: **s. aid**, aiuto tempestivo; **s. advice**, consigli opportuni | **-ness** n. ⓤ | **-bly** avv.

❶ NOTA: *seasonable o seasonal?*
L'aggettivo *seasonable* significa "di stagione" nel senso di ciò che è normale o usuale in un certo periodo dell'anno: *seasonable November winds*, venti tipici del mese di novembre. *Seasonal* significa, invece, "stagionale" e si usa soprattutto in riferimento a ciò che si svolge in certi periodi dell'anno, in particolare nel contesto economico: *seasonal employ-*

ment, lavoro stagionale; *Allowing for seasonal factors, unemployment dropped slightly last month*, tenendo conto dei fattori stagionali, la disoccupazione si è abbassata leggermente il mese scorso.

seasonal /'si:zənl/ a. stagionale; di stagione: (*econ.*) **s. adjustment**, destagionalizzazione; (*med.*) **s. affective disorder**, disturbo affettivo stagionale; depressione stagionale; **s. employment**, occupazione (o lavoro) stagionale; **s. fruit**, frutta di stagione; **s. labour**, manodopera stagionale; **s. occupations**, lavori stagionali; **s. work**, lavoro stagionale; **s. worker**, (lavoratore) stagionale ‖ **seasonally** avv. stagionalmente; ogni stagione ● (*econ.*) **seasonally adjusted**, destagionalizzato ❶ NOTA: *seasonable o seasonal?* → **seasonable**.

seasoned /'si:znd/ a. **1** stagionato: **s. lumber**, legname stagionato **2** (*di vino*) vecchio; invecchiato **3** (*di cibo*) ben condito; saporito; piccante **4** addestrato; allenato; abituato; avvezzo; esperto: **s. troops**, truppe esperte; **a s. traveller**, un viaggiatore esperto; uno abituato a viaggiare ● (*sport*) **a s. player**, un giocatore di grande esperienza.

seasoner /'si:znə(r)/ n. **1** chi stagiona (*legno o altro*); stagionatore, stagionatrice **2** chi condisce; chi usa condimenti **3** condimento.

seasoning /'si:znɪŋ/ n. **1** ☐ stagionatura; invecchiamento (*del vino*) **2** ☐ (*fig.*) allenamento; acclimatazione; assuefazione **3** ☐ᴄ (*cucina*) condimento (*anche fig.*) **4** ☐ (*elettron.*) rodaggio.

◆**seat** /si:t/ n. **1** sedile; sedia; sgabello; posto (*a sedere*); stallo: **a comfortable s.**, un sedile comodo; *I couldn't find a s.*, non trovai un posto per sedermi; **to book seats**, prenotare posti (*a teatro, ecc.*); **folding s.**, sedia pieghevole; (*anche*) strapuntino; *He has a s. on the committee*, occupa un posto nella commissione (ne fa parte): *Would you prefer a window or an aisle s.?*, preferisce un posto al finestrino o di corridoio? **2** (*di una sedia, dei calzoni, ecc.*) fondo **3** (*d'una persona*) fondoschiena; bacino; sedere; deretano **4** sede: **the s. of government**, la sede del governo; **a s. of learning**, una sede di studi; un centro culturale; *The liver is the s. of his disease*, il fegato è la sede della sua malattia; (*fin.*) **the s. of a company**, la sede di una società **5** (*mecc.*) sede; alloggiamento: **to regrind the valve seats**, ripassare le sedi delle valvole **6** (*polit.*) seggio (*in parlamento*): **to win [lose] a s.**, conquistare [perdere] un seggio; **to give up** (*o* **to resign**) **one's s.**, rinunciare al seggio parlamentare; dimettersi da deputato **7** (*spec.* **country s.**) villa; residenza (di campagna) **8** sella (*di bicicletta, ecc.*); modo di stare in sella (*anche a cavallo*) **9** (*ipp.*) seggiolino (*di un sulky per il trotto*) ● (*aeron., autom.*) **s. belt**, cintura di sicurezza: **to fasten the seat belts**, allacciare le cinture di sicurezza; **to wear one's s. belts**, avere le cinture di sicurezza allacciate ☐ **s. of commerce**, centro commerciale ☐ (*aeron.*) **s. pitch**, pitch (*distanza tra due file consecutive di sedili*) ☐ **the s. of a king** [**of a bishop**], la residenza d'un sovrano [d'un vescovo] ☐ **the s. of the pants**, il fondo dei calzoni ☐ (*fig. fam.*) **s.-of-the-pants**, istintivo; spontaneo ☐ (*mil.*) **the s. of war**, il teatro delle operazioni belliche ☐ **s. pin** (*o* **s. post**), cannotto reggisella (*di bicicletta*) ☐ **s. tube**, piantone della sella (*di bicicletta*) ☐ (*fig.*) **to be in the driver's s.**, essere il capo; avere il comando ☐ **to keep one's s.**, rimanere al proprio posto; rimanere seduto ● **to lose one's s.**, perdere il posto (*a sedere*) ☐ (*di un funzionario, un diplomatico, ecc.*) **s.**, essere in sede (*e non in congedo, in trasferta*) ☐ **to take a s.**, prender posto, met-

tersi a sedere; *If you'd like to take a s., Mrs Green will be down to meet you in a few minutes*, se vuole accomodarsi, la signora Green sarà da lei tra qualche minuto ☐ **to take one's s.**, occupare il proprio posto (*a teatro, ecc.*); mettersi a sedere ☐ (*fam.*) **to take a back s.** (**to sb.**), mettersi in disparte (*o dietro le quinte*); accontentarsi di un ruolo secondario ☐ (*teatr.*) *I have two seats for «Macbeth»*, ho due biglietti per il «Macbeth» ☐ (*ferr.*) **Take your seats!**, in vettura! ☐ (*form.*) **Won't you take a s.?**, non volete accomodarvi?

to **seat** /si:t/ v. t. **1** mettere (*o* porre) a sedere; far sedere: *He seated the child on the table*, mise il bambino a sedere sulla tavola **2** avere (*un certo numero di*) posti a sedere: *The new stadium seats (o can s.) 80,000 people*, il nuovo stadio ha posti a sedere per 80 000 spettatori **3** mettere il fondo a (*una sedia, ecc.*); riparare il fondo dei (*pantaloni*) **4** (*mecc.*) collocare in sede; alloggiare; installare: **to s. a machine**, collocare una macchina in sede; installare un macchinario **5** (*mecc.*) mettere in sede (*una valvola*) **6** insediare; installare; mettere (q.) in un ufficio ● (*polit.*) **to s. a candidate**, mandare un candidato in parlamento ☐ **to s. oneself**, mettersi a sedere; accomodarsi (*per estens., fig.*) insediarsi; stabilirsi: *Please, s. yourself*, prego, s'accomodi!; *The Turks seated themselves on the Bosphorus*, i turchi si stabilirono sul Bosforo ☐ (*form.*) **Please be seated**, prego, si accomodi! ☐ **This saloon car seats six**, questa berlina ha sei posti (*o* è a sei posti).

seated /'si:tɪd/ a. **1** seduto: *I found him s. on a step*, lo trovai seduto su un gradino **2** dal fondo: **a hard-s. chair**, una sedia dal fondo duro ● **a deep-s. disease**, una malattia profondamente radicata.

seater /'si:tə(r)/ n. **1** chi mette il fondo (*alle sedie*) **2** (*nella frase e fondi* **2** (*d'automobile, aereo, ecc.*; solo nei composti) che ha (*un certo numero di*) posti a sedere: **a six-s.**, un'automobile a sei posti; una sei posti (*fam.*) ● (*aeron.*) **a single-s.**, un monoposto ☐ **a two-s.**, (*autom.*) una biposto; (*aeron.*) un biposto.

seating /'si:tɪŋ/ n. **1** ☐ (il) provvedere di posti a sedere **2** ☐ materiale di tappezzeria (*tessuto, ecc.*) per sedili **3** ☐ (= **s. capacity**, **s. room**) posti a sedere **4** ☐ (*market.*) sedie e poltrone **5** (*mecc.*) sede ● (*autom.*) **s. accommodation**, posti a sedere ☐ **s. arrangement** (*o* **plan**), assegnazione dei posti (*a un pranzo, ecc.*).

SEATO sigla (**South-East Asia Treaty Organization**) Organizzazione del trattato dell'Asia sudorientale.

seawall /si:'wɔ:l/ n. diga marittima (*o* frangionda); argine.

seaward /'si:wəd/ Ⓐ a. **1** diretto (*o* rivolto, situato) verso il mare **2** (*di vento*) proveniente dal mare Ⓑ avv. → **seawards**.

seawards /'si:wədz/ avv. **1** verso il mare **2** verso il largo.

seaware /'si:wɛə(r)/ n. ☐ alghe marine in secco (*usate come fertilizzante*).

seawater /'si:wɔ:tə(r)/ n. ☐ acqua di mare; acqua salata ● **s. bath**, piscina d'acqua di mare.

seaway /'si:weɪ/ n. **1** (*naut.*) rotta marittima **2** canale navigabile; via fluviale ● (*di nave*) **to make good s.**, procedere a una buona velocità.

seaweed /'si:wi:d/ n. ☐ᴄ (*bot.*) alga marina.

seaworthy /'si:wɜ:ðɪ/ (*naut.*) a. atto a tenere il mare; idoneo alla navigazione; navigabile ‖ **seaworthiness** n. ☐ capacità di tenere il mare; qualità nautiche; navigabilità (*di una nave*).

sebaceous /sə'beɪʃəs/ a. (*anat.*) sebaceo: **s. glands**, ghiandole sebacee ● (*med.*) **s. cyst**, cisti sebacea.

Sebastian /sə'bæstɪən/ n. Sebastiano.

seborrhoea, (*USA*) **seborrhea** /sɛbə'ri:ə/ (*med.*) n. ☐ seborrea ‖ **seborrhoeic**, (*USA*) **seborrheic** a. seborroico.

sebum /'si:bəm/ n. ☐ (*fisiol.*) sebo.

sec ① /sɛk/ (*franc.*) a. (*di vino*) secco.

sec ② /sɛk/ n. (abbr. *fam.* di **second**) secondo; (*fig.*) attimo: *Wait a sec*, aspetta un attimo!

SEC sigla (*USA*, **Securities and Exchange Commission**) Commissione di controllo sui titoli e la borsa.

sec. abbr. **1** (**section**) sezione (sez.) **2** (*fam.*, **secretary**) segretario; segretaria.

secant /'si:kənt/ a. e n. (*geom.*) secante.

secateurs /sɛkə'tɜ:z/ n. pl. cesoie (da giardiniere).

to **secede** /sɪ'si:d/ v. i. separarsi, staccarsi, uscire (*da un partito, ecc.*); fare una secessione ‖ **seceder** n. separatista; secessionista.

secession /sɪ'sɛʃn/ n. ☐ᴄ secessione; separazione ● (*stor. USA*) **the War of S.**, la guerra di Secessione (*1861-1865*) ‖ **secessionism** n. secessionismo; separatismo ‖ **secessionist** n. secessionista; separatista.

to **seclude** /sɪ'klu:d/ v. t. isolare; segregare; separare ● **to s. oneself**, isolarsi; appartarsi; ritirarsi; far vita solitaria: **to s. oneself from society**, isolarsi dalla società.

secluded /sɪ'klu:dɪd/ a. appartato; isolato; remoto; solitario: **in a s. valley**, in una valle remota; **a s. spot**, un luogo isolato; **to lead a s. life**, fare vita solitaria (*o ritirata*) ● (*relig.*) **s. nuns**, suore di clausura.

seclusion /sɪ'klu:ʒn/ n. **1** ☐ isolamento; solitudine; ritiro: **to live in s.**, vivere in solitudine; fare vita ritirata **2** luogo appartato; luogo isolato **3** ☐ (*relig.*) clausura.

seclusive /sɪ'klu:sɪv/ a. che ama l'isolamento; che vive in solitudine (*o isolato, appartato*) ‖ **-ness** n. ☐.

◆**second** /'sɛkənd/ Ⓐ a. **1** secondo; altro; nuovo; novello; aggiuntivo; supplementare: **the s. house in the row**, la seconda casa della fila; **the s. day of the week**, il secondo giorno della settimana; *My horse came in s.*, il mio cavallo arrivò secondo; *I took a s. helping*, presi un'altra porzione; *There has been no s. Shakespeare*, il mondo non ha avuto un altro Shakespeare; *He thinks he is a s. Solomon*, crede d'essere un novello Salomone **2** secondo; secondario; inferiore; di seconda qualità; subordinato: **s. cause**, causa secondaria; *He was s. to none as a novelist*, non fu secondo (*o inferiore*) a nessuno come romanziere Ⓑ n. **1** secondo; secondo arrivato: *You're the s. to apply for the job*, sei il secondo che ha chiesto il posto **2** secondo (*un 60° di minuto*): (*fig.*) *Wait a s.*, aspetta un secondo!; aspetta un momento! **3** (*in GB*) votazione buona, di secondo livello (*di una tesi di laurea*) **4** (*mus.*) seconda; intervallo di seconda **5** (*autom., mecc.*) seconda: *He changed into s. on the bend*, mise la seconda in curva **6** (*nelle corse*) secondo posto: **to take s.**, piazzarsi al secondo posto **7** (*boxe*) secondo: **Seconds out!**, fuori i secondi! **8** (*calcio, ecc.*) secondo gol **9** (*baseball*) seconda base **10** (pl.) (*fam.*, = **factory seconds**) merci di seconda scelta; articoli con piccoli difetti, venduti sottoprezzo **11** (pl.) (*fam.*) un'altra porzione (*di cibo*): **to have seconds**, fare il bis Ⓒ avv. **1** in secondo luogo **2** (seguito da un superl.) secondo; di riserva: **the s.-largest city in the world**, la seconda città del mondo (*per grandezza*); **my s. best pair of shoes**, il mio paio di scarpe di riserva ● (*polit.*) **s. ballot**, ballottaggio ☐ (*slang USA*) **s. banana**, spalla (*di un comico*);

(*fig.*) tirapiedi □ (*baseball*) s. base, seconda base (*la posizione*) □ (*baseball*) s. baseman, seconda base (*il giocatore*) □ s. best, (sost.) seconda cosa (*in una scala di valori*); soluzione (*o sistemazione*) di ripiego; (agg.) di seconda qualità (*o categoria*); (*d'indumento*) di riserva: s. best goods, merce di seconda qualità; to come off s.-best, doversi accontentare del secondo posto □ (*fin.*) s. bill of exchange, seconda di cambio □ (*leg.*) s.-born child, secondo nato □ s.-born daughter, secondogenita □ s.-born son, secondogenito □ (*leg.*, *fin.*) s. call, seconda convocazione (*di un'assemblea, ecc.*) □ (*polit.*) s. chamber, Camera alta □ s. childhood, la seconda infanzia; infantilismo senile; la senilità □ s. class, (sost.) seconda classe (*di treno, ecc.*); (*in GB*) servizio postale ordinario (*in USA*) posta per le stampe; (avv.) in seconda classe, (*in GB, rif. a posta*) come plico ordinario; (*in USA*) come stampe: *We travelled s. class*, viaggiammo in seconda (classe) □ s.-class, (agg.) di seconda classe; di seconda categoria; inferiore; scadente; (*in GB, rif. a posta*) di posta ordinaria, ordinario: a s.-class ticket, un biglietto di seconda classe; a s.-class citizen, un cittadino di seconda classe; a s.-class stamp, un francobollo di posta ordinaria □ (*relig.*) S. Coming, secondo avvento (*di Cristo*) □ s. cousin, secondo cugino; cugino di secondo grado □ s. cover, seconda di copertina (*di un libro, ecc.*) □ s. city, seconda città (*per importanza, in uno stato o in una regione*) □ (*naut.*) s. deck, ponte di coperta □ s.-degree, di secondo grado: (*med.*) s.-degree burns, ustioni di secondo grado □ (*in un paesaggio, un quadro*) s. distance, secondo piano □ (*calcio, ecc.*) s. division, seconda divisione; (*pressappoco*) serie C □ (*edil.*) s. floor, (*in GB*) secondo piano; (*in USA*) primo piano (*sopra il piano terreno*) □ (*autom.*) s. gear, seconda (marcia) □ (*calcio, ecc.*) s. goal, gol del raddoppio; raddoppio □ s.-guesser, chi giudica col senno di poi □ (*calcio, ecc.*) s. half, secondo tempo, ripresa (*di una partita*) □ the s. hand, la lancetta dei secondi (*di un orologio*) □ s.-hand, di seconda mano, usato; (*che tratta articoli di seconda mano; di seconda mano, non originale*: a s.-hand car, un'auto di seconda mano; the market of s.-hand goods, il mercato dell'usato; s.-hand books, libri usati; s.-hand opinions, opinioni non originali; *I bought it s.-hand*, l'ho comprato di seconda mano; a s.-hand shop, un negozio dell'usato; *I got this information s.-hand*, ho avuto questa informazione di seconda mano □ (*med.*) s.-hand smoke, fumo passivo □ s.-in command, (*mil.*) comandante in seconda, vicecomandante; (*naut.*) secondo □ s.-leg tie, partita eliminatoria di ritorno □ s. lieutenant, (*mil.*, *in GB e in USA*) sottotenente; (*aeron. mil.*, *in USA*) sottotenente (*cfr. ingl.* Pilot Officer, *sotto* pilot) □ (*su un orologio*) the s. mark, il segno dei secondi □ (*leg.*) s. mortgage, ipoteca di secondo grado □ s. name, cognome; secondo nome □ s. nature, seconda natura; abitudine inveterata (*o radicata*) □ (*fin.*) s. of exchange, seconda di cambio □ the s. of March, il 2 marzo □ (*fam. USA*) s. off, in secondo luogo; inoltre □ (*ind. tess.*) s. pieces, pezze di seconda scelta □ s.-rate, di seconda qualità; mediocre, scadente: a s.-rate novel, un romanzo scadente □ (*fam.*) s.-rater, individuo mediocre; schiappa, mezza cartuccia (*fam.*) □ (*pallavolo*) s. referee, secondo arbitro □ (*rugby*) s. row, seconda linea □ (*rugby*) s. row forward, seconda linea (*il giocatore*) □ (*basket*) seconds rule infraction, infrazione della regola dei secondi □ (*tennis*) s. service (*o* serve), secondo servizio; seconda di servizio □ s. shift, turno pomeridiano (*del personale*) □ s. sight, seconda vista; preveggenza □ (*USA*) s.-story man, ladro acrobata; gatto

(*fig. fam.*) □ (*sport*) s.-string player, (giocatore di) riserva, seconda linea □ (*calcio*) s.-string striker, seconda punta □ s. teeth, denti permanenti □ (*fig.*) s. wind, forza ritrovata, nuova energia, novello vigore: *He's got his s. wind*, ha ritrovato le forze □ to come in (*o to finish*) s., arrivare secondo (*in una gara*) □ to come in a good s., arrivare buon secondo; arrivare a spalla (*o a ruota*) □ every s. day [year], ogni due giorni [ogni due anni] □ in the s. place, in secondo luogo □ to learn st. s.-hand, venire a sapere in modo indiretto □ my s. self, un altro me stesso; il mio alter ego □ on s. thoughts (*USA* on s. thought), ripensandoci; dopo matura riflessione □ to play s. fiddle, (*mus.*) fare da secondo violino; (*fig.*) avere una parte di secondaria importanza, essere in secondo piano □ (*sport e fig.*) to run sb. a close s., seguire a ruota q.; essere di poco inferiore a q.

to **second** (/'sɛkənd/, *def.* 4 /sɪ'kɒnd/) v. t. 1 far da secondo (*o da padrino*) a (q., *in un duello, ecc.*); assistere 2 assecondare; secondare; aiutare; appoggiare; sostenere: to s. a motion [a resolution], appoggiare una mozione [una risoluzione]; *Will you s. me if I ask him?*, mi sosterrai se glielo chiedo? 3 essere secondo a; seguire (*nell'ordine*) 4 (*anche mil.*) comandare; distaccare: *He was seconded to headquarters*, fu distaccato presso il quartier generale 5 (*boxe*) fare da secondo a (*un pugile*).

♦**secondary** /'sɛkəndrɪ/ A a. secondario; accessorio; derivato; subordinato; subalterno: s. school, scuola secondaria: *He started s. school in September*, ha cominciato la scuola secondaria a settembre; s. colours, colori secondari; (*astron.*) s. planet, pianeta secondario; (*fon.*) s. accent, accento secondario; (*leg.*) s. evidence, prova accessoria (*o indiretta*) B n. 1 subordinato; subalterno 2 (*elettr.*) avvolgimento (*o circuito, o conduttore*) secondario 3 (*zool.*) penna secondaria 4 (*astron.*) pianeta secondario; satellite 5 – (*geol.*) the S., il secondario; l'era mesozoica ● s. education, istruzione di secondo grado □ (*metall.*) s. ingot, lingotto di seconda fusione □ (*in GB, un tempo*) s. modern (anche fam., s. mod), scuola secondaria a indirizzo tecnico □ s. smoke, fumo derivato dalla combustione spontanea della sigaretta □ (*econ.*) s. strike, sciopero secondario □ (*mil.*) s. target, obiettivo secondario □ a s. teacher, un docente di scuola secondaria; un professore, una professoressa □ (*comput.*) s. window, finestra secondaria | -iness n. ⓤ.

seconde /sɪ'kɒnd/ n. ⓤ (*scherma*) seconda.
seconder /'sɛkəndə(r)/ n. (*in un'assemblea*) chi appoggia una mozione; sostenitore.

to **second-guess** /'sɛkənd'gɛs/ v. t. 1 cercare di prevedere (*o di indovinare*) le intenzioni di 2 (*fam.*) giudicare (q., qc.) con il senno di poi.

♦**secondly** /'sɛkəndlɪ/ avv. in secondo luogo.

secondment /sɪ'kɒndmənt/ n. ⓒⓤ 1 (*mil.*) assegnazione, destinazione 2 (*bur.*) comando; assegnazione provvisoria; distacco.

secrecy /'siːkrəsɪ/ n. ⓤ 1 segretezza; discrezione; riserbo: *You can rely on his s.*, puoi contare sulla sua segretezza; the gift of s., il dono della discrezione 2 segreto: *The peace talks were held in great s.*, le trattative di pace avvennero in gran segreto ● to be sworn to s., aver prestato giuramento di mantenere il segreto.

♦**secret** /'siːkrət/ A a. 1 segreto; nascosto; occulto; a s. door, una porta segreta; a s. society, una società segreta; (*fin., leg.*) s. partner, socio occulto; (*rag.*) s. profits, profitti occulti 2 isolato; appartato; intimo;

tranquillo: a s. place, un luogo isolato 3 (*di persona*) riservato; discreto B n. 1 segreto (*anche fig.*) un segreto; the secrets of nature, i segreti della natura; the s. of success, il segreto del successo 2 (*relig.*) segreta, secreta ● s. agent, agente segreto □ s. police, polizia segreta □ the s. service, il servizio segreto; i servizi di sicurezza; i servizi □ (*fig.*) s. weapon, arma segreta; asso nella manica □ to have no secrets from sb., non avere segreti per q. □ in s., in segreto; in confidenza □ to be in the s., essere a parte di un segreto; conoscere le segrete cose □ to let sb. in on (*o into*) the s., mettere q. a parte del segreto □ an open s., il segreto di Pulcinella □ Keep it s.!, acqua in bocca! | -ly avv. | -ness n. ⓤ.

secretaire /sɛkrə'teə(r)/ n. scrittoio; secrétaire.

secretariat /sɛkrə'tɛərɪət/ n. segretariato; segreteria.

♦**secretary** /'sɛkrətrɪ/ n. 1 segretario, segretaria: private s., segretario privato; segretario particolare 2 (= s. of embassy) segretario d'ambasciata 3 – (*polit.*) S., Segretario di Stato; Ministro: *Education S.*, Ministro della Pubblica Istruzione 4 (*pallamano*) segnapunti □ (*zool.*) s.-bird (*Sagittarius serpentarius*), serpentario □ (*polit.*) s.-general, segretario generale □ S. of State, (*in USA e in Vaticano*) Segretario di Stato, Ministro degli Esteri; (*in GB*) Ministro □ s.'s office, segreteria || **secretarial** a. segretariale; di (*o da*) segretario; di segreteria: secretarial work, lavoro di segreteria ● secretarial services, servizi di segreteria; segretariato || **secretaryship** n. ⓤ segretariato.

to **secrete** /sɪ'kriːt/ v. t. 1 (*form.*) celare; nascondere; occultare 2 (*biol.*) secernere.

secreted /sɪ'kriːtɪd/ a. (*biol.*) secreto.

secretin /sɪ'kriːtɪn/ n. ⓤ (*biochim.*) secretina.

secretion /sɪ'kriːʃn/ n. ⓤ 1 occultamento 2 (*biol.*) secrezione.

secretive /'siːkrətɪv/ a. 1 segreto; riservato; poco comunicativo; reticente 2 (*biol.*) secretivo; secretore | -ly avv. | -ness n. ⓤ.

secretor /sɪ'kriːtə(r)/ A n. (*fisiol.*) ghiandola secretoria; dotto secretorio B a. (*biol.*) secretore: s. gene, gene secretore.

secretory /sɪ'kriːtərɪ/ a. (*biol.*) secretorio; secretivo; secretore ● (*med.*) s. product, secreto.

sect /sɛkt/ n. setta; (*spec.*) setta religiosa.

sectarian /sɛk'tɛərɪən/ A a. settario; fazioso; partigiano B n. 1 (*relig.*) membro di una setta 2 settario; fazioso; partigiano || **sectarianism** n. ⓤ settarismo; faziosità || **sectarianize** v. t. rendere settario (*o fazioso*).

sectary /'sɛktərɪ/ n. 1 (*spec. relig.*) settario 2 (*relig.*) dissidente.

sectility /sɛk'tɪlɪtɪ/ n. ⓤ settilità.

♦**section** /'sɛkʃn/ n. 1 sezione; divisione; spaccato; taglio; parte; riparto; scomparto; scompartimento; settore; (*geom.*) conic s., sezione conica; (*scient.*) microscopic s., sezione microscopica; a bookcase in four sections, una libreria in quattro scomparti; *The subject falls into five sections*, l'argomento si divide in cinque parti; a s. of the wool industry, un settore dell'industria della lana 2 gruppo (*di persone*); categoria; classe: the various sections of society, le diverse classi sociali 3 quartiere (*di città*); distretto; zona: postal s., distretto postale 4 (*giorn.*) sezione; pagine: the sports s. of a paper, la sezione sportiva di un giornale 5 (*leg., tipogr.*) paragrafo; (*anche*) segnatura 6 tronco (*di ferrovia*); tratto; tappa (*fig.*): the last s. of the journey, l'ultimo tratto del viaggio 7 (*ferr.*) scompartimento di vagone

letto **8** spicchio (*di arancia, ecc.*) **9** (*med.,* *biol.*) campione; prelievo **10** (*med.*) sezione; taglio **11** (*mil.*) plotone **12** (*metall.*) profilato **13** (*USA*) miglio quadrato (*di terreno*) ● (*metall.*) **s. bar**, profilato □ (*mil., USA*) **S. Eight**, congedo per disturbi psichici; (*fam.*) pazzoide, nevrotico □ (*ferr., USA*) **s.** **gang**, squadra dei lavori di manutenzione □ (*USA*) **s. house**, casello ferroviario □ (*grafica*) **s. line**, linea di tratteggio □ (*comm.*) **s. manager**, ispettore di reparto (*dì grande magazzino, ecc.*) □ (*tipogr.*) **s. mark**, segno di paragrafo (*rappresentazione grafica, e cioè §*) □ (*med.*) **Caesarean s.**, taglio cesareo □ **in s.**, in sezione □ (*di macchinario*) **built in sections**, costruito in pezzi.

to **section** /'sɛkʃn/ v. t. **1** sezionare; dividere in sezioni **2** (*med.*) sezionare **3** (*disegno industriale*) tratteggiare **4** (*leg.*) internare (q.) in una struttura psichiatrica.

■ **section off** v. t. + avv. separare; recintare.

sectional /'sɛkʃənl/ **A** a. **1** settoriale; locale; di una classe; di un gruppo; di una regione; campanilistico: **s. interests**, interessi settoriali (*o locali, campanilistici*) **2** a sezioni: **a s. boiler**, una caldaia a sezioni **3** (*di mobili, ecc.*) componibile: **a s. sofa**, un divano componibile **B** n. mobile componibile ● (*edil.*) **s. buildings**, prefabbricati □ **a s. garage**, un garage prefabbricato □ (*med.*) **s. radiography**, stratigrafia | **-ly avv.**

sectionalism /'sɛkʃənəlɪzəm/ n. Ⓤ settorialismo; spirito di parte; campanilismo ‖ **sectionalist** n. campanilista; settorialista.

to **sectionalize** /'sɛkʃənəlaɪz/ v. t. **1** dare un carattere locale (*o particolare*) a (qc.); rendere campanilistico **2** dividere in sezioni; sezionare.

◆**sector** /'sɛktə(r)/ n. **1** settore: (*econ.*) **the public s.**, il settore pubblico **2** (*geom.*) settore (circolare): **s. of sphere**, settore di sfera **3** (*Borsa*) settore; comparto **4** (*comput.*) settore **5** (*strumento*) compasso di proporzione □ (*econ.*) **s.-by-s. negotiations**, negoziati settoriali □ (*stat.*) **s. diagram**, diagramma a settori □ (*mecc.*) **s. gear**, settore dentato ‖ **sectoral** a. di settore; settoriale.

sectorial /sɛk'tɔːrɪəl/ **A** a. **1** di settore; settoriale **2** (*zool.*: *di dente*) premolare **B** n. (*zool.*) (dente) premolare (*dei carnivori*).

secular /'sɛkjʊlə(r)/ **A** a. **1** secolare; laico; terreno; mondano: **s. affairs**, affari secolari; **s. schools**, scuole laiche; (*stor.*) **the s. arm**, il braccio secolare; la magistratura civile; **the s. power**, il potere secolare (*dello Stato*) **2** secolare; di lunga durata: **s. fame**, fama secolare **B** n. secolare; membro del clero secolare ● **s. change**, trasformazione lenta ma continua □ **s. music** [**art**], musica [arte] profana (*non religiosa*) □ (*econ.*) **the s. trend of prices**, l'andamento a lungo termine dei prezzi | **-ly avv.**

secularism /'sɛkjʊlərɪzəm/ n. Ⓤ laicismo ‖ **secularist** **A** n. laicista; **B** a. laicistico; laico.

secularity /sɛkjʊ'lærəti/ n. Ⓤ **1** laicità; mondanità **2** laicismo.

to **secularize** /'sɛkjʊləraɪz/ v. t. **1** secolarizzare; laicizzare **2** incamerare (*beni della Chiesa*) **3** rendere profano ‖ **secularization** n. Ⓤ secolarizzazione.

secund /'sɪkʌnd/ a. (*bot., zool.*) unilaterale.

securable /sɪ'kjʊərəbl/ a. **1** assicurabile **2** garantibile **3** conseguibile; ottenibile.

◆**secure** /sɪ'kjʊə(r)/ **A** a. **1** sicuro; certo; al sicuro; fiducioso; tranquillo; saldo; salvo: **to be s. in one's beliefs**, essere sicuro delle proprie idee; **a s. belief**, una convinzione salda; **a s. job**, un lavoro sicuro; **to feel s. against attack**, sentirsi al sicuro dagli attacchi; *His success is s.*, la sua riuscita è

certa; **a quiet, s. existence**, una vita calma, tranquilla; *Is this lock s.?*, è sicura questa serratura?; **a s. grasp**, una presa salda **2** (*leg.*) garantito: (*comm.*) **a s. debt**, un debito garantito **3** (*mil.*) segreto; protetto **4** (*fin.*) sicuro: **s. investment**, investimenti sicuri ● **to be s. against assault** [**from surprise**], essere al riparo dagli assalti [dalle sorprese] □ (*in GB*) **s. tenancy**, locazione senza rischio di escomio □ (*Internet*) **s. transaction**, transazione sicura □ **s. unit**, unità di sicurezza (*in una prigione o un ospedale*) □ **to make st. s.**, assicurare qc.; fissare qc. | **-ly avv.** | **-ness n.** Ⓤ.

to **secure** /sɪ'kjʊə(r)/ **A** v. t. **1** assicurare; fermare; fissare; mettere al sicuro (*o al riparo*); chiudere; serrare; rafforzare; fortificare: **to s. valuables**, mettere al sicuro oggetti di valore; **to s. a city from floods**, mettere una città al riparo dalle alluvioni; *He secured the shelf to the wall*, fissò la mensola al muro; **to s. a door**, serrare una porta; **to s. a position against attack**, fortificare una posizione contro gli attacchi **2** (*leg.*) garantire: *The loan is secured on real property*, il prestito è garantito da beni immobili **3** (*form.*) assicurarsi; procurarsi; riuscire a ottenere; ottenere: **to s. good seats**, assicurarsi (*o procurarsi*) buoni posti a sedere; **to s. the win**, assicurarsi la vittoria; **to s. (oneself) a good job**, ottenere un buon impiego; (*comm.*) **to s. orders**, riuscire a ottenere ordinazioni **B** v. i. **1** assicurarsi; garantirsi; premunirsi **2** (*naut.*) ormeggiare; andare all'ormeggio ● **to s. one's ends**, raggiungere i propri fini; conseguire il proprio scopo □ **to s. oneself**, garantirsi; premunirsi (*da qc.*); rafforzarsi, fortificarsi (*in una posizione, ecc.*) □ **to s. a prisoner**, fare un prigioniero; (*anche*) rinchiudere un prigioniero □ **to s. a prize**, vincere un premio □ (*naut.*) **to s. a rope**, dar volta (*a una cavo*).

secured /sɪ'kjʊəd/ a. **1** assicurato; fissato; (ben) chiuso **2** (*leg.*) garantito: **a s. loan**, un prestito garantito ● (*banca*) **s. advance**, anticipazione su garanzia □ (*leg.*) **s. claim**, credito privilegiato.

to **securitize** /sɪ'kjʊərɪtaɪz/ (*econ., fin.*) v. t. cartolarizzare, titolarizzare (*debiti, ecc.*) ‖ **securitization** n. Ⓤ securitizzazione, cartolarizzazione, titolarizzazione (*dei crediti d'imposta vantati dal fisco, ecc.*): **debt securitization**, cartolarizzazione dei debiti.

◆**security** /sɪ'kjʊərəti/ n. **1** Ⓤ sicurezza: *Britain's s. depended on her navy*, la sicurezza dell'Inghilterra dipendeva dalla flotta; **for s. reasons**, per motivi di sicurezza; **s. of judgment**, sicurezza di giudizio; **s. forces** [**measures**], forze [misure] di sicurezza; **s. officer**, addetto alla sicurezza; **s. check**, controllo di sicurezza **2**–**S.**, il servizio di sicurezza (*nazionale; o di una banca, ecc.*); il servizio di controspionaggio: *You should get in touch with S. at once*, devi contattare subito il servizio di sicurezza **3** Ⓤ🄲 protezione; difesa: *Real estate is good s. against inflation*, i beni immobili costituiscono una buona difesa contro l'inflazione **4** Ⓤ (*senso di*) sicurezza: **the s. of a permanent job**, il senso di sicurezza che dà un lavoro fisso **5** Ⓤ🄲 (*leg.*) garanzia; cauzione; pegno: **s. on property**, garanzia immobiliare (*o reale*); (*banca*) **without s.**, senza garanzia; allo scoperto; **the s. given by an employee**, la cauzione versata da un dipendente; **to put up one's house as s. for a bank loan**, offrire la propria casa a garanzia di un mutuo bancario; **in s. of**, a garanzia di, in pegno di **6** (*comput.*) sicurezza; **s. violation**, violazione della sicurezza **7** (*spec. al pl.*) (*fin.*) valore (mobiliare); titolo; azione; obbligazione: (*banca*) **securities department** (**holding**), ufficio (portafoglio) titoli; **securities issue**, emissione di titoli; **government securities**,

titoli di stato; **s. exchange**, borsa valori; mercato mobiliare; **securities house**, società di collocamento di titoli **8** (*collett.*) i buttafuori (*collett.*: *di un locale notturno, ecc.*) **9** (*arc.*) eccessiva fiducia in sé; sicumera, temerità ● (*in USA*) **Securities and Exchange Commission** (*abbr.* **SEC**), Commissione per il controllo della borsa e dei titoli (*cfr. ital.* Consob) □ (*in GB*) **Securities and Investments Board** (*abbr.* **SIB**), Comitato di controllo dei titoli e degli investimenti mobiliari □ **s. blanket**, copertina (*che un bambino ama tenere stretta*); (*per estens.*) cosa che dà sicurezza, coperta di Linus; (*rif. alla polizia, ecc., in GB*) segretezza assoluta (*per proteggere q. o qc.*), copertura assoluta □ **s. clearance**, dichiarazione ufficiale che una persona non è un rischio per la sicurezza dello Stato; autorizzazione a usare materiale che costituisce segreto di Stato; nulla osta di sicurezza □ **the S. Council**, il Consiglio di Sicurezza (*dell'ONU*) □ **s. device**, dispositivo di sicurezza; sicura □ **s. door**, porta di sicurezza □ **s. fears**, timori per la propria sicurezza □ (*leg.*) **s. for costs**, cauzione per le spese di giudizio □ **s. guard**, guardia giurata □ (*anche comput.*) **s. key**, chiave di sicurezza □ **s. lock**, serratura di sicurezza □ **s. net**, rete di sicurezza, rete protettiva (*della polizia, ecc.*) □ **s. of employment**, sicurezza del lavoro □ (*leg.*) **s. of tenure**, sicurezza del locatario □ **s. printing**, la stampa di documenti segreti (*o riservati*) □ **s. risk**, persona o cosa che costituisce un pericolo per la sicurezza dello Stato □ (*in GB*) **the S. Service**, il Servizio di sicurezza interna (*o di controspionaggio*) □ **s. van**, furgone blindato; furgone portavalori □ **s. vault**, camera blindata □ (*econ.*) **lack of job s.**, precarietà nell'impiego; precariato □ (*leg.*) **maximum** (*o* **top**) **s. prison**, carcere di massima sicurezza.

sedan /sɪ'dæn/ n. **1** (= **s. chair**) portantina **2** (*autom., spec. USA*) berlina.

sedate /sɪ'deɪt/ a. composto; pacato; contegnoso; calmo; posato | **-ly avv.** | **-ness** n. Ⓤ.

to **sedate** /sɪ'deɪt/ v. t. **1** calmare; acquietare **2** (*med.*) dare un sedativo a (q.).

sedation /sɪ'deɪʃn/ n. Ⓤ (*med.*) **1** sedazione **2** somministrazione di sedativi ● **to be under s.**, essere sotto sedativi.

sedative /'sɛdətɪv/ a. e n. sedativo; calmante; tranquillante.

sedentary /'sɛdntrɪ/ a. **1** sedentario: **s. work**, lavoro sedentario; **s. tribes**, tribù sedentarie **2** (*zool.*) stanziale: **s. birds**, uccelli stanziali **3** (*ormai*) sistemato; che ha messo radici (*fig.*) ● **s. posture**, posizione (*o positura*) a sedere | **-ily avv.** | **-iness** n. Ⓤ.

sedge /sɛdʒ/ n. (*bot.*) **1** (*Carex*) falasco; carice **2** (*Acorus calamus*) calamo aromatico ● (*zool.*) **s.-warbler** (*Acrocephalus schoenobaenus*), forapaglie; forasiepe ‖ **sedgy** a. coperto di (*o fiancheggiato da*) falaschi.

sediment /'sɛdɪmənt/ n. Ⓤ🄲 sedimento; deposito; fondo (*di un liquido*) ‖ **sedimentation** n. Ⓤ (*anche geol.*) sedimentazione.

sedimentary /sɛdɪ'mɛntrɪ/ a. sedimentario: (*geol.*) **s. rocks**, rocce sedimentarie.

sedimentology /sɛdɪmən'tɒlədʒɪ/ (*geol.*) n. Ⓤ sedimentologia ‖ **sedimentological** a. sedimentologico ‖ **sedimentologist** n. sedimentologo.

sedition /sɪ'dɪʃn/ n. Ⓤ sedizione ‖ **seditionist** a. e n. (*raro*) sedizioso.

seditious /sɪ'dɪʃəs/ a. sedizioso: **s. speeches**, discorsi sediziosi | **-ly avv.**

to **seduce** /sɪ'djuːs, *USA* -'duːs/ v. t. **1** sedurre; allettare **2** corrompere; sviare; fuorviare **3** allontanare; distogliere: *They tried to s. him* (**away**) *from his duties*, cercarono di distoglierlo dai suoi doveri ● **to be seduced into doing st.**, essere indotto, con al-

lettamenti, a fare qc.

seducer /sɪˈdjuːsə(r), *USA* -ˈduːs-/ *n.* seduttore.

seducible /sɪˈdjuːsəbl, *USA* -ˈduːs-/ *a.* seducibile.

seduction /sɪˈdʌkʃn/ *n.* seduzione; allettamento; attrattiva.

seductive /sɪˈdʌktɪv/ *a.* seducente; allettante; attraente | **-ly** *avv.* | **-ness** *n.* ⊍.

seductress /sɪˈdʌktrɪs/ *n.* seduttrice.

sedulity /sɪˈdjuːlətɪ, *USA* -ˈduː-/ *n.* ⊍ assiduità; diligenza; solerzia.

sedulous /ˈsɛdjʊləs/ *a.* assiduo; diligente; solerte: **with s. care**, con assidue cure | **-ly** *avv.* | **-ness** *n.* ⊍.

sedum /ˈsiːdəm/ *n.* (*bot.*, *Sedum*) sedo; erba pignola.

see /siː/ *n.* (*relig.*) sede vescovile (*o* arcivescovile); diocesi; vescovado; arcivescovado ● **the Holy See** (*o* **the See of Rome**), la Santa Sede.

♦**to see** /siː/ (*pass.* **saw**, p. p. **seen**) 🄰 *v. t.* **1** vedere; scorgere; osservare: *Can you see that plane?*, vedi quell'aereo?; *I saw him packing up*, lo vidi che faceva le valigie; *Later, I saw him leave*, dopo, lo vidi partire; *I saw the spy arrested*, vidi arrestare la spia; *I couldn't see Music Weekly on the shelves*, non ho trovato Music Weekly sugli scaffali **2** capire; afferrare; rendersi conto di; accorgersi di; vedere: *Can't you see he's kidding you?*, non vedi (*o* non ti accorgi) che ti prende in giro?; *Do you see what I mean?*, capisci (quel che voglio dire)?; *I see what you mean*, capisco cosa vuoi dire **3** vedere; giudicare; considerare; reputare; ritenere; parere (*impers.*): *The boss doesn't see it that way*, il capo non la vede così (*o* in altro parere); *We'll see what we can do for you*, vedremo che cosa si può fare per te; *I see his actions as irresponsible*, giudico irresponsabili le sue azioni; *I can't see that it really matters*, non vedo che importanza abbia; non mi pare sia importante **4** andare da; andare a trovare; visitare; frequentare; vedere; consultare: *Come and see me soon*, vienimi a trovare presto!; *I must see my solicitor*, devo vedere (*o* consultare) l'avvocato; *You ought to see a doctor*, devi andare dal medico; devi farti vedere dal dottore; *I've been seeing her for a while now*, la frequento da un po' di tempo ormai; *He was seeing a married woman*, frequentava (*o* si vedeva con) una donna sposata; *I'm going to Wales for a few days to see my brother*, vado in Galles per qualche giorno a trovare mio fratello **5** accompagnare: *I saw him to the station*, lo accompagnai in stazione **6** vederci; trovarci; immaginare: *Can you see him getting married?*, ce lo vedi che si sposa?; *God only knows what the girl sees in him*, Dio solo sa che cosa la ragazza ci trovi in lui **7** ricevere; vedere: *I'll ask the chairman if he can see you*, chiedo al presidente se può riceverLa; *He refuses to see anyone*, non vuole vedere nessuno; *If you'd like to take a seat, someone will see you as soon as possible*, se volete accomodarvi, qualcuno vi riceverà appena possibile **8** assicurarsi, fare in modo (che); badare di: *See that the report is ready in ten minutes!*, fa' in modo che la relazione sia pronta fra dieci minuti!; *See you're back before dark!*, bada di tornare prima che faccia buio! **9** apprezzare; capire; essere d'accordo con; vedere: *I didn't see the joke*, non ho capito la battuta; *I can see your point*, capisco (*o* sono d'accordo con) il tuo punto di vista; *I can't see the point of learning Ancient Greek*, non vedo a che cosa serva studiare il greco antico **10** (*poker*) vedere 🄱 *v. i.* **1** vedere; vederci: *He doesn't see very well with his left eye*, ci ve-

de male dall'occhio sinistro **2** vedere; guardare: *Sit down, please; I'll see if the manager is in*, s'accomodi, prego; vedo se c'è il direttore; *See who's at the door, will you?*, guarda chi c'è (alla porta), per piacere! **3** capire; afferrare; accorgersi; rendersi conto: **as far as I can see**, per quello che posso capire io; a quanto capisco io; *Do you see?*, capisci?; vedi?; *I see*, capisco; vedo; *You can see for yourself*, te ne rendi conto da solo (*o* da te) **4** pensarla; avere un'opinione: *Unfortunately, the boss saw differently*, purtroppo, il capo la pensava diversamente (*o* era di tutt'altro parere) ● **to see the back** (*o* **the last**) **of sb.**, liberarsi (*o* sbarazzarsi) di q.; farla finita con q. □ (*fig.*) **to see daylight**, cominciare a capire; essere a buon punto col lavoro □ (*fig.*) **to see everything black**, vedere tutto nero □ **to see eye to eye with sb.**, vedere le cose allo stesso modo di q.; concordare, essere d'accordo con q. □ **to see the funny side of st.**, vedere il lato (*o* l'aspetto) buffo (*o* divertente) di qc. □ **to see good** (*o* **fit**) **to do st.**, giudicare conveniente (*o* reputare opportuno) fare qc. □ (*fig.*) **to see how the cat jumps**, stare a vedere come si mettono le cose □ **to see the last of st.**, mettere la parola fine a qc.; farla finita con qc. □ **to see the light**, vedere la luce; nascere; venire al mondo; (*anche*) cominciare a capire, accettare un'idea; ricevere l'illuminazione, convertirsi (*a una religione*) □ **to see oneself as a great actor**, credere d'essere un grande attore □ **to see the reason why**, capire il perché □ (*fig.*) **to see red**, veder rosso (*per la rabbia*); infuriarsi □ (*fam.*) **to see sb. right**, assicurarsi che sia resa giustizia a q.; badare agli interessi di q. □ **to see service**, (*di persona*) prestare servizio (*nelle forze armate*); (*di oggetto*) essere impiegato, essere usato □ **to see the sights**, fare il giro turistico d'una città □ (*fig.*) **to see stars**, veder le stelle (*per un dolore lancinante e improvviso*) □ **to see things**, vedere (*o* capire) le cose (*o* la situazione); (*anche*) avere le traveggole □ **to see a thing done**, veder fare una cosa; (*anche*) vedere che una cosa sia fatta □ **to see the town**, visitare la città □ **to see visions**, avere visioni; essere un veggente □ **to see one's way** (**clear**) **to doing st.**, essere disponibile a fare qc.; avere la possibilità di fare qc. □ **as I see it**, come la vedo io; come la penso io; a mio modo di vedere □ **You see**, vedi, capisci; ascolta, senti un po' (*parentetico, molto usato*) □ (*fam.*) **See?**, (hai) capito?; (è) chiaro? □ *See you*, ciao □ *See you later!*, arrivederci!; a fra poco! □ *See you Friday*, a venerdì □ (*fam.*) *See you soon!*, ci vediamo!; a presto!; arrivederci! □ (*fam.*) **Be seeing you**, ci vediamo; ci si vede! □ **He will never see forty** [**fifty**] **again**, ha passato da un pezzo i quaranta [i cinquanta] anni □ **Let me see**, fammi vedere; (*esitando prima di rispondere*) vediamo un po', lasciami pensare! □ **Let me see** (**now**), **what can I do for you?**, vediamo (un po'), che cosa posso fare per te? □ **Wait and see**, chi vivrà vedrà; stiamo a vedere □ **We have seen the day** (*o* **the time**) **when...**, è ormai passato il tempo che... □ *You can see it at a glance*, si vede a occhi chiusi.

❶ NOTA: *to see*
Per tradurre in inglese frasi italiane come "non ti vedo", "mi vedi?" (nel senso di "riuscire a vedere") bisogna usare il verbo *to see* insieme al modale *can*: *I can't see you*, non ti vedo; *Can you see me?*, mi vedi?

❶ NOTA: *to see*
I verbi di percezione come **to see, to hear** e **to watch** possono essere seguiti **1** dalla forma in **-ing** *o* **2** dall'infinito senza to.

1 Si usa la forma in **-ing** per riferirsi ad azioni o eventi visti, sentiti ecc. non nella loro interezza: *I saw her coming down the stairs*, la

vidi mentre scendeva le scale; *She watched the children playing in the sand*, guardò i bambini che giocavano nella sabbia; *I could hear my sister singing*, sentivo mia sorella cantare.

2 Si usa l'infinito senza **to** per riferirsi a eventi o azioni brevi o istantanee, oppure dei quali si è visto, sentito ecc. tutto lo svolgimento: *I saw him fall*, lo vidi cadere; *He watched them unload the truck*, li guardò scaricare il camion; *They heard the bell ring*, sentirono suonare il campanello.

Si confrontino:
a) *I heard her playing a piece by Mozart*;
b) *I heard her play a piece by Mozart*.

La a) significa che ho udito solo una parte del pezzo e può essere tradotta con l'ho sentita che suonava un brano di Mozart, la b) significa che ho sentito tutto il pezzo e si può rendere con l'ho sentita suonare (*o* eseguire) un brano di Mozart.

Si confrontino ancora:
c) *I saw Dorothy marching down the corridor*, ho visto Dorothy che percorreva a grandi passi il corridoio;
d) *I saw Dorothy march down the corridor, enter her room and slam the door shut*, ho visto Dorothy percorrere a grandi passi il corridoio, entrare nella sua stanza e sbattere la porta.

▪ **see about** *v. t.* + *prep.* **1** provvedere a; pensare a; cercare; occuparsi di; prendersi cura di: **to see about supper**, provvedere alla cena; *'You'd better see about some help'* D.H. LAWRENCE, 'faresti bene a cercare un po' d'aiuto'; *I'll see about it!*, ci penso io!; *I'll see about that when the time comes*, me ne occuperò a tempo debito **2** informarsi su (qc.); cercare: **to see about a good restaurant**, informarsi se c'è un buon ristorante; **to see about a good doctor**, cercare un bravo medico **3** contattare, incontrare (q.) per discutere (qc.); abboccarsi con (q.) su; parlare con (q.) di (qc.): *Remember to see the boss about your promotion*, per la tua promozione, ricordati di parlarne con il capo □ **We'll** (*o* **We'll have to**) **see about that**, ci penseremo su, vedremo; ne riparliamo; staremo a vedere □ (*fam.*) **We'll see about that!**, ti (gli, ecc.) faccio vedere io!; ci penso io! (*a farlo smettere, ecc.*); si vedrà!; la vedremo! □ **I cannot promise, but I'll see about it**, non prometto nulla, ma vedrò.

▪ **see across** *v. t.* + *avv.* (*o* *prep.*) far attraversare; accompagnare, scortare: *I saw the old lady across* (*the street*), feci attraversare la strada alla vecchietta.

▪ **see after** *v. t.* + *prep.* occuparsi di; pensare a: **to see after the guests**, occuparsi degli ospiti; **to see after the preparations**, pensare ai preparativi.

▪ **see ahead** *v. t.* e *i.* + *avv.* **1** vedere avanti (a sé): *The fog was so thick I could not see ahead more than a few yards*, la nebbia era così fitta che non si vedeva che per pochi metri **2** essere antiveggente (*o* preveggente).

▪ **see around** 🄰 *v. t.* + *avv.* vedere (q.) in giro (*o* nei dintorni) 🄱 *v. t.* + *prep.* **1** vedere (q.) in (*o* dietro): *I've seen him around*, l'ho visto in giro (*o* nei dintorni) **2** accompagnare (q.) in visita in (*un luogo*); fare vedere; far visitare; andare a vedere, visitare: *Who's going to see the visitors around the plant?*, chi accompagnerà i visitatori in giro per lo stabilimento.

▪ **see back** *v. t.* + *avv.* riaccompagnare; accompagnare a casa.

▪ **see beyond** *v. t.* + *prep.* **1** vedere oltre; vedere al di là di (*un limite*) **2** prevedere (*il tempo, ecc.*) oltre (*due giorni, ecc.*) **3** antivedere □ (*fam.*) **He cannot see beyond** (**the end of**) **his nose**, non vede al di là del naso.

▪ **see home** *v. t.* + *avv.* accompagnare (q.) a

casa; riaccompagnare.

■ **see in** A v. i. + avv. vedere dentro (o dentro casa: *dal di fuori*) B v. t. + avv. 1 accompagnare (q.) dentro; far entrare: *He saw the guests in*, fece entrare gli ospiti 2 aiutare (q.) a entrare (*con l'auto, ecc.*; *in un luogo stretto*) □ **to see the New Year in**, festeggiare il Capodanno.

■ **see into** v. t. + prep. 1 vedere dentro (*un posto buio*) 2 esaminare; indagare su; studiare (a fondo): **to see into a complaint**, esaminare un reclamo; *The police will see into the matter*, sulla faccenda indagherà la polizia 3 accompagnare, far entrare (q.) in (*un luogo*) 4 capire; comprendere; rendersi conto di (*una causa, un motivo, ecc.*) □ **to see into the future**, prevedere il futuro □ **to see into men's hearts**, leggere nel cuore degli uomini.

■ **see of** v. t. + prep. frequentare (*molto, poco, ecc.*); stare in compagnia di; vedere, incontrare: *I saw nothing of him for a year*, non lo vidi più per un anno; *We don't see much of each other*, ci vediamo poco; non ci frequentiamo molto.

■ **see off** v. t. + avv. 1 salutare (q.) alla partenza: *I saw her off at the airport*, la salutai alla partenza dall'aeroporto 2 cacciare; scacciare; mandare via: *The farmer saw the stranger off with a gun*, il colono scacciò col fucile lo sconosciuto 3 respingere, resistere a, rintuzzare (*un attacco, ecc.*); superare (*una difficoltà*); neutralizzare (*una minaccia*) □ **to see sb. off the premises**, accompagnare q. alla porta; mandare via q.

■ **see out** v. t. + avv. 1 vedere fuori; vederci: *The windscreen is so dirty that I can't see out*, il parabrezza è così sporco che non ci si vede; (*di una persona*) **to be seen out**, farsi vedere fuori (*di casa*; *o in giro*) 2 accompagnare (*un ospite*) alla porta 3 aiutare (*il conducente di un veicolo*) a uscire (*da un luogo ristretto*) 4 durare, bastare per: *The food supplies saw the winter out* (o *saw the hunters out for the winter*), le provviste di cibo bastarono (ai cacciatori) per l'inverno 5 superare: *The wounded soldier didn't see out the night*, il soldato ferito non superò la notte 6 resistere per la durata di; completare (*un corso di studi, ecc.*); vedere fino in fondo (*uno spettacolo, ecc.*): (*sport: di un giocatore, una squadra*) **to see the game out**, tenere duro fino alla fine della partita □ **to see oneself out**, uscire da solo (*senza essere accompagnato alla porta*) □ **to see the Old Year out**, festeggiare la vigilia del Capodanno.

■ **see over** A v. t. + prep. veder (o vederci) al di sopra di (o al di là di): *I can't see over the hedge*, non ci vedo sopra la siepe B v. t. + avv. esaminare a fondo; ispezionare; vedere bene: *I'd like to see over the flat before I rent it*, vorrei vedere bene l'appartamento prima di prenderlo in affitto.

■ **see round** → **see around**.

■ **see through** A v. i. + avv. vedere attraverso; vederci: *The windscreen is so dirty that I can't see through*, il parabrezza è così sporco che non ci vedo B v. t. + avv. 1 vedere (*uno spettacolo, una partita*) da cima a fondo (o dal principio) 2 (*fam.*) portare a termine (*un lavoro, ecc.*) 3 (*fam.*) essere d'aiuto, bastare a (q.): *It was his loan that saw me through*, fu il suo prestito che mi aiutò (a liberarmi dei debiti, ecc.); *A hundred pounds will see you through till I come back*, cento sterline ti basteranno fino al mio ritorno C v. t. + prep. 1 vedere attraverso: *Can you see through the rear window?*, ci vedi attraverso il lunotto? 2 essere d'aiuto, bastare a (q.) per: *Her husband's loving care saw her through his illness*, le premure del marito l'aiutarono a superare la malattia; *This money will see you through a weekend at the seaside*, questi soldi ti basteranno per un weekend al mare 3 (*fam.*) capire; intui-

re; indovinare: *Now I see through his real motives*, ora intuisco i suoi veri motivi □ **to see sb. through a difficulty** [a **scrape**], aiutare q. a superare una difficoltà [a cavarsi dai guai] □ **to see through sb.'s game**, scoprire qual è il gioco di q. (*fig.*) □ **to see through sb.'s tricks**, evitare di cadere nei tranelli di q.

■ **see to** v. i. + prep. 1 provvedere; occuparsi di; prendersi cura di; pensare a: **to see to the preparations**, prendersi cura dei preparativi; *I'll see to it!*, ci penso io; lascia fare a me!; *We'll see to him as quickly as we can*, ci occuperemo di lui il più velocemente possibile 2 badare a; stare attento a: *You must see to your pronunciation*, devi stare attento alla pronuncia 3 guardare (*fam.*); accomodare, riparare (*un apparecchio*); curare (*una ferita, una parte del corpo*): *Your swollen leg ought to be seen to*, la tua gamba gonfia ha bisogno d'essere curata 4 bastare, essere sufficiente a (q.) per arrivare a: *The petrol already in the tank will see me to the next filling station*, la benzina che c'è nel serbatoio mi basterà per arrivare al prossimo distributore □ **to see to it that...**, provvedere a che...; assicurarsi che...; badare a...: *See to it that you are not late again for your lessons*, bada di non fare di nuovo tardi a scuola □ **to see an end to st.**, (riuscire a) vedere la fine di qc. □ *You'd better see to it yourself!*, veditela (un po') tu!

■ **see up** A v. i. + avv. vedere in alto (o in su) B v. t. + avv. accompagnare (q.) su (o di sopra): *I'll see you up to the boss's office*, ti accompagno di sopra dal capo.

♦ **seed** /siːd/ n. [u.c.] (pl. **seeds**, **seed**) 1 seme; semenza; semente; (*fig.*) causa, germe, origine; progenie; stirpe: **to sow the seeds of discord**, gettare il seme della discordia; **the s. of Adam**, la stirpe (o la progenie) d'Adamo; **to plant the seeds of doubt in sb.**, insinuare il germe del dubbio in q.; **the seeds of revolt**, il germe della rivolta 2 (*biol.*) seme; sperma 3 (*sport, fam.*) = **seeded player** e **seeded team** → **seeded** □ (*bot.*) s.-ball, capsula □ s.-case = s.-vessel → *sotto* □ (*bot.*) **s. coat**, testa; tegumento seminale □ **s. corn**, (*agric.*) grano (*USA*: granturco) da semina, semente; (*fig., fin.*) germe, seme (*di profitti futuri*) □ (*agric.*) **s.-drill**, seminatrice (*macchina*) □ (*zool.*) **s.-eater**, uccello granivoro □ **s.-leaf**, foglia seminale; germoglio □ (*bot.*) **s.-lobe**, cotiledone □ **s. merchant**, commerciante di sementi □ (*fin.*) **s. money**, stanziamento iniziale; capitale (o fondi) d'avviamento di un'impresa □ **the s. of Abraham**, il seme d'Abramo; gli ebrei □ **s.-pearl**, perla minuta; perlina □ **s. plant**, pianta da semina □ **s.-plot**, semenzaio □ (*agric.*) **s.-plough**, aratro seminatore □ **s. potatoes**, patate per seme; patate da semina □ **s.-time**, tempo della semina □ (*bot.*) **s.-vessel**, pericarpo □ **to go** (o **to run**) **to s.**, far seme, produrre seme, sementire; (*fig.*) andare in malora, guastarsi, incuparsi.

to seed /siːd/ A v. i. 1 (*di pianta*) produrre seme; sementire 2 seminare; fare la semina B v. t. 1 piantare il seme di (*una pianta*); seminare 2 togliere i semi da; sgranare 3 bombardare (*le nuvole: per provocare la pioggia*) 4 (*sport*) abbinare (*giocatori o squadre*) in modo che i migliori non s'incontrino al primo turno (*di un torneo*); selezionare: (*tennis, ecc.*) **to s. players**, selezionare le teste di serie 5 (*tennis*) classificare (*un giocatore*) nella graduatoria mondiale.

seedbed /ˈsiːdbɛd/ n. 1 semenzaio; vivaio 2 (*fig.*) vivaio.

seedcake /ˈsiːdkeɪk/ n. (*cucina*) torta aromatizzata con semi di carvi e bucce di limone.

seeded /ˈsiːdɪd/ a. 1 (*sport*) classificato (*a un certo posto*) nella graduatoria mondiale;

testa di serie: (*calcio, ecc.*) **s. country**, testa di serie (*la nazione*); (*tennis, ecc.*) **s. player**, testa di serie (*giocatore*) 2 (*di frutta*) con semi: **s. grapes**, uva con semi.

seeder /ˈsiːdə(r)/ n. 1 seminatore, seminatrice 2 (*agric.*) seminatrice (*macchina*) 3 sgranatrice (*macchina*) 4 pesce pronto a deporre le uova.

seediness /ˈsiːdɪnəs/ n. [u] 1 l'esser pieno di semi 2 il fare i semi 3 l'essere consunto (o logoro); trasandatezza; sciatteria; squallore 4 (*fam.*) indisposizione; depressione.

seeding /ˈsiːdɪŋ/ n. [u.c.] 1 (*agric.*) semina; seminagione 2 (*sport*) selezione delle teste di serie: **to do the seedings**, fare le selezioni delle teste di serie ● **s. machine**, seminatrice (*macchina*).

seedless /ˈsiːdləs/ a. senza semi: **s. tangerines**, mandarini senza semi.

seedling /ˈsiːdlɪŋ/ n. 1 giovane pianta; pianticella 2 piantina di semenzaio ● (*agric.*) **s. nursery**, vivaio forestale.

seedsman /ˈsiːdzmən/ n. (pl. **seedsmen**) 1 venditore di sementi; commerciante di semi 2 (*agric.*) seminatore.

seedy /ˈsiːdɪ/ a. 1 pieno di semi; che contiene semi: *This orange is too s.*, quest'arancia ha troppi semi 2 (*bot.: di pianta*) che fa i semi 3 consunto; logoro; malandato; trasandato; sciatto; in cattivo stato; squallido: **s. clothes**, abiti logori 4 (*fam.*) indisposto; depresso; abbattuto; giù di morale: **to feel s.**, sentirsi indisposto; star poco bene; essere depresso ● **a s.-looking man**, un uomo male in arnese.

♦ **seeing** /ˈsiːɪŋ/ A n. [u] vista; capacità (o azione) di vedere B cong. - **s. that**, visto che; dato che; considerato che (*anche, fam.*: **s. as**, **s. as how**): *It worked out cheaper than staying in a hotel, s. as there were six of us*, ci costò meno che stare in albergo, visto che eravamo in sei ● (*slang ingl.*) **s.-to**, ripassata, percosse, botte; batosta (*fig.*), sconfitta; (*volg.*) ripassata, scopata (*volg.*) □ **to give sb. a good s.-to** on in TV discussion, dare una bella batosta a q. in un dibattito televisivo □ (*USA*) **S. Eye dog**, cane guida per non vedenti □ (*prov.*) **S. is believing**, per credere bisogna toccare con mano; non resta che accettare l'evidenza; vedere per credere.

seek /siːk/ n. (*comput.*) accesso (*ai dati*) ● **s. area**, area di ricerca; cilindro □ **s. time**, tempo di accesso (*ai dati, della testina*).

♦ **to seek** /siːk/ (pass. e p. p. **sought**), v. t. e i. 1 cercare; andare in cerca (o alla ricerca) di; ricercare; tentare: *He sought shelter from the snowstorm*, cercò riparo dalla bufera di neve; **to s. employment**, cercare impiego; **to s. one's fortune**, andare in cerca di fortuna; *They sought to climb Mont Blanc*, tentarono la scalata del Monte Bianco; *Two suspects are sought for murder*, sono ricercate due persone sospettate dell'omicidio 2 chiedere; richiedere: **to s. help from sb.**, chiedere aiuto a q., cercare l'aiuto di q.; *I'll s. advice from my lawyer*, chiederò un parere al (o consulterò il) mio legale; **to s. pollution damages**, chiedere i danni per l'inquinamento 3 andare a; darsi a: **to s. one's bed**, andare a letto; *He sought the woods for safety*, si diede alla macchia per salvarsi 4 (*d'elemento naturale, di strumento*) rivolgersi; tendere a: *Liquids s. their own level*, i liquidi tendono a livellarsi; *The compass needle seeks the magnetic north*, l'ago della bussola si rivolge al nord magnetico 5 (*mil.: di missile*) dirigersi verso (il bersaglio); autodirigersi ● (*lett.*) **to s. sb.'s life**, voler la morte di q. □ **to s. a quarrel**, cercare d'attaccare lite □ (*Bibbia*) **S., and ye shall find**, chi cerca trova (*prov.*).

■ **seek after** v. i. + prep. (*form., lett.*) ricer-

care; essere alla ricerca di; richiedere; aspirare a: **to s. after happiness**, aspirare alla felicità; **to s. after (the) truth**, essere alla ricerca della verità.

■ **seek for** v. i. + prep. (*form., lett.*) cercare; andare in cerca: **to s. for glory**, andare in cerca di gloria; **to s. for gold**, cercare l'oro; fare il cercatore d'oro.

■ **seek from** v. t. + prep. (*form., lett.*) **1** cercare da: *What is he seeking from you?*, che cosa cerca (o vuole) da te? **2** chiedere a: **to s. satisfaction from sb.**, chiedere soddisfazione a q.

■ **seek into** v. i. + prep. (*form., lett.*) indagare su; mettere il naso in (*fig.*).

■ **seek out** v. t. + avv. **1** cercare attentamente **2** trovare; rinvenire; scoprire; scovare.

seeker /'si:kə(r)/ n. **1** chi cerca; chi è in cerca; cercatore, cercatrice: **a s. after truth**, uno che cerca la verità; **asylum s.**, persona che cerca asilo; **job-s.**, chi è in cerca di lavoro; disoccupato; **publicity s.**, chi cerca di farsi pubblicità **2** (*miss., mil.*) ordigno (o congegno) autocercante.

♦to **seem** /si:m/ v. i. **1** sembrare; parere: *He seems glad to see us*, sembra contento di vederci; *It seems to me that it will rain*, mi pare che voglia piovere; *It seems (as if) there will be a new boom*, sembra che ci sarà un nuovo boom; *So it seems*, a quanto pare; così sembra; *I s. to hear voices*, mi sembra di udire voci; *I s. (to be) deaf today*, mi pare d'essere sordo, oggi; *There seems to be a problem*, sembra che ci sia un problema; *I don't s. to have a fork*, credo di non avere la forchetta **2** avere un (dato) aspetto: *You s. very tired*, hai proprio l'aria stanca ● **as it seems**, a quanto pare □ **It would s. so**, pare di sì □ **It would s. not**, pare (o parrebbe) di no □ (*fam.*) **I do not s. to like him**, non so perché, ma mi è antipatico □ **How does it s. to you?**, che te ne pare? □ **That's how it seems to me**, io la vedo così.

seeming /'si:mɪŋ/ a. apparente; finto; preteso: **s. indifference**, apparente indifferenza; **a s. friend**, un finto amico.

seemingly /'si:mɪŋlɪ/ avv. **1** apparentemente; in apparenza **2** evidentemente; a quanto pare ● **s. flat ground**, falsopiano.

seemly /'si:mlɪ/ a. **1** conveniente; decente; decoroso: **s. behaviour**, comportamento decoroso **2** (*arc.*) piacevole; di bell'aspetto || **seemliness** n. ⓤ convenienza; decenza; decoro.

seen /si:n/ p. p. di **to see**.

seep /si:p/ n. (*geol.*) zona di stillicidio; seep.

to **seep** /si:p/ v. i. **1** (*di liquidi*) colare; gocciolare; filtrare; stillare; infiltrarsi; trasudare **2** (*fig.*) (*di una notizia e sim.*) trapelare; diffondersi ● **to s. away**, (*di un liquido*) colare via; (*fig.*) svanire, dileguarsi, sfumare □ **to s. in**, filtrare, entrare □ **to s. through**, (*di un liquido*) filtrare attraverso; (*di significato, ecc.*) essere recepito: **The rain seeped through a crack in the roof**, la pioggia filtrava attraverso una crepa nel tetto.

seepage /'si:pɪdʒ/ n. ⓤⓒ gocciolamento; stillicidio; infiltrazione; trasudamento ● **s. lake**, lago di filtrazione.

seer /'si:ə(r)/ n. veggente; profeta.

seeress /'si:ərɪs/ n. veggente; profetessa.

seersucker /'siəsʌkə(r)/ n. ⓤ tessuto di cotone a strisce alterne crespe e lisce.

seesaw /'si:sɔ:/ n. **1** altalena (*asse in bilico su un fulcro*); dondolo **2** (*fig.*) movimento su e giù (o di va e vieni); fasi alterne: **the s. of a pitched battle**, le fasi alterne d'una battaglia campale ● (*mecc.*) **s. motion**, moto alternativo; va e vieni.

to **seesaw** /'si:sɔ:/ v. i. **1** fare l'altalena; giocare all'altalena **2** (*fig.*) vacillare; titu-

bare; esitare **3** (*mecc.*) muoversi con moto alternativo (o di va e vieni).

seesawing /'si:sɔ:ɪŋ/ a. altalenante; a fasi alterne.

to **seethe** /si:ð/ Ⓐ v. i. **1** bollire (*anche fig.*); ribollire: **to s. with rage**, bollire (o fremere) di rabbia; *The sea was seething under the cliffs*, il mare ribolliva sotto le scogliere **2** (*fig.*) essere in fermento (o in subbuglio): *The country was seething with unrest*, il paese era in fermento (di ribellione) Ⓑ v. t. (far) bollire; lessare.

seething /'si:ðɪŋ/ Ⓐ a. **1** in ebollizione; ribollente (*anche fig.*) **2** (*fig.*) arrabbiato; furioso; furibondo **3** (*fig.*) in fermento; in subbuglio Ⓑ n. ⓤ (*raro*) **1** ebollizione **2** (*fig.*) fermento; subbuglio.

see-through, seethrough /'si:θru:/ Ⓐ a. (*d'indumento, ecc.*) trasparente: **see-through bottom**, fondo trasparente (*di una barca*) Ⓑ n. **1** indumento (o capo) trasparente **2** ⓤ moda del trasparente.

♦**segment** /'sɛgmənt/ n. **1** (*geom., comput., zool.*) segmento: **a s. of a line**, un segmento di retta; **a s. of a sphere**, un segmento sferico; **the s. of a worm**, il segmento di un verme **2** settore; parte; fetta; sezione **3** (*di taluni frutti*) spicchio: **a s. of an orange**, uno spicchio d'arancia **4** (*ling.*) segmento ● (*metall.*) **s. die**, filiera scomponibile.

to **segment** /sɛg'mɛnt/ USA 'sɛgmənt/ (*scient.*) Ⓐ v. t. **1** segmentare; dividere in segmenti **2** dividere (*un frutto*) in spicchi **3** (*comput.*) segmentare Ⓑ v. i. **1** segmentarsi; dividersi in segmenti **2** (*biol.*) riprodursi per segmentazione **3** (*di un frutto*) dividersi in spicchi.

segmental /sɛg'mɛntl/, **segmentary** /sɛg'mɛntrɪ, USA 'sɛgmɛntɛrɪ/ a. (*scient.*) **1** di segmento; segmentale; segmentario: (*ling.*) **s. phoneme**, fonema segmentale **2** segmentato; costituito da segmenti ● (*archit.*) **s. arch**, arco scemo (o a sesto ribassato).

segmentation /sɛgmɛn'teɪʃn/ n. ⓤ **1** (*scient.*) segmentazione: (*econ.*) **the s. of the market**, la segmentazione del mercato **2** (*comput.*) segmentazione.

segregable /'sɛgrəgəbl/ a. segregabile.

segregate /'sɛgrəgət/ a. (*spec. scient.*) separato; a sé stante; semplice.

to **segregate** /'sɛgrəgeɪt/ Ⓐ v. t. segregare; isolare; separare Ⓑ v. i. segregarsi; isolarsi.

segregated /'sɛgrəgeɪtɪd/ a. **1** segregato; isolato **2** che applica la segregazione (razziale): (*stor. USA*) **s. schools**, scuole che applicavano la segregazione razziale.

segregation /sɛgrə'geɪʃn/ n. ⓤⓒ **1** segregazione; segregamento; isolamento; separazione **2** segregazione razziale **3** segregazionismo || **segregationist** Ⓐ n. segregazionista Ⓑ a. segregazionistico.

segregative /'sɛgrəgeɪtɪv/ a. che segrega; che tende a segregare.

seigneur /sɛn'jɜ:(r)/, **seignior** /'seɪnjə(r)/ (*stor.*) n. signore feudale; feudatario || **seigniorial, seignorial** a. signorile; di signore feudale; di feudatario.

seigniorage, seignorage /'seɪnjərɪdʒ/ n. ⓤ (*stor., econ.*) diritti della Corona (o d'un signore feudale) sulla moneta coniata; signoraggio.

seigniory, seigneury /'seɪnjərɪ/ n. ⓤⓒ (*stor.*) signoria; possesso feudale.

seine /seɪn/ n. (*pesca* = **s. net**) senna ● **beach s.**, scorticaria; rezzola.

to **seine** /seɪn/ v. t. e i. pescare con la senna.

Seine /seɪn/ n. (*geogr.*) Senna.

to **seise** /si:z/ v. t. (*leg., stor.*) investire (q.) di un bene immobile.

seisin /'si:zɪn/ n. ⓤ (*leg., stor.*) proprietà assoluta; possesso incondizionato.

seism /'saɪzəm/ n. (*geol.*) **1** sisma, sismo **2** scossa tellurica.

seismic, seismical /'saɪzmɪk(l)/ a. (*geol.*) sismico: **s. belt**, zona sismica; **s. wave**, onda sismica | **-ally avv.**

seismicity /saɪz'mɪsətɪ/ n. ⓤ sismicità.

seismogram /'saɪzməgræm/ n. (*scient.*) sismogramma.

seismograph /'saɪzməgru:f/ (*scient.*) n. sismografo || **seismographic, seismographical** a. sismografico || **seismography** n. ⓤ sismografia.

seismology /saɪz'mɒlədʒɪ/ (*scient.*) n. ⓤ sismologia || **seismological, seismologic** a. sismologico || **seismologist** n. sismologo.

seismometer /saɪz'mɒmɪtə(r)/ (*scient.*) n. sismometro || **seismometry** n. ⓤ sismometria.

seizable /'si:zəbl/ a. **1** afferrabile; che si può prendere **2** (*leg.*) confiscabile; pignorabile; sequestrabile: **s. chattels**, beni pignorabili.

♦to **seize** /si:z/ Ⓐ v. t. **1** afferrare (*anche fig.*); prendere; cogliere; pigliare; acciuffare; arrestare: **to s. a knife [one's hat]**, afferrare un coltello [il cappello]; **to s. a concept**, afferrare un concetto; **to s. an opportunity (o a chance)**, cogliere un'occasione; *He was seized with (o by) panic*, fu preso dal panico; *The policeman seized the pickpocket*, il poliziotto acciuffò il borsaiolo; **to s. sb. by the neck**, prendere q. per il collo **2** impadronirsi di; impossessarsi di; conquistare: **to s. power**, impadronirsi del potere; (*mil.*) **to s. a fortress**, impossessarsi d'una fortezza **3** (*leg.*) confiscare; sequestrare; pignorare: *His property was seized*, le sue proprietà furono messe sotto sequestro; **to s. a drugs haul**, sequestrare un carico di droga **4** (*leg.*) entrare in possesso di (qc.) **5** (*leg., stor., USA*) → **to seise 6** (*naut.*) legare; allacciare Ⓑ v. i. (*mecc., spesso* **to s. up**) grippare, gripparsi; bloccarsi ● **to s. a distinction**, afferrare una distinzione; capire una differenza □ **to s. on (o upon)**, afferrare, cogliere al volo, accettare subito; appigliarsi, fare ricorso a: **to s. on a good offer**, cogliere al volo un'offerta favorevole; **to s. on an excuse**, appigliarsi a una scusa □ **to s. the point**, afferrare l'idea; capire il punto essenziale □ **to s. up**, (*di parte del corpo*) bloccarsi; (*mecc.: di motore*) grippare; gripparsi; (*fig.*) bloccarsi, andare in tilt: *The traffic seized up*, il traffico andò in tilt □ **to s. upon a pretext**, appigliarsi a un pretesto □ (*med.*) **to be seized by apoplexy**, essere colpito dall'apoplessia □ **to be seized of st.**, (*leg.*) essere in possesso di qc.; (*fig.*) essere al corrente (o informato) di qc. □ (*med.*) **to be seized with pains**, essere colto da dolori.

seizin /'si:zɪn/ n. ⓤ (*USA*) → **seisin**.

seizing /'si:zɪŋ/ n. ⓤⓒ **1** l'afferrare; il prendere; cattura **2** (*leg.*) confisca; sequestro **3** (*mecc.*) grippaggio **4** (*naut.*) legatura.

seizure /'si:ʒə(r)/ n. **1** ⓤ il prendere; presa (*di una fortezza, ecc.*); cattura **2** ⓤ (*leg.*) confisca; sequestro; pignoramento **3** ⓤ (*leg.*) entrata in possesso (*di qc.*) **4** (*med.*) attacco (*spec. apoplettico*); accesso; crisi; colpo (*anche fig.*): *He'll have a s. when he hears that*, gli prenderà un colpo quando lo saprà **5** (*solo al sing.*) (*mecc.*) grippaggio.

sejant, sejeant /'si:dʒənt/ a. (*arald.*) sedente.

seldom /'sɛldəm/ avv. raramente; di rado; rare volte: *I s. go to the theatre*, vado a teatro di rado ● **s. or never**, quasi mai □ **not s.**, non di rado; spesso.

♦**select** /sə'lɛkt/ a. **1** scelto; selezionato;

eletto; distinto: **a s. group of students**, un gruppo di studenti scelti; **s. company**, eletta compagnia **2** esclusivo: **a s. club**, un circolo esclusivo **3** eccellente; pregiato: **s. wines**, vini pregiati ● **s. area**, zona residenziale (*polit.*). **s. committee**, comitato ristretto; commissione d'inchiesta.

to **select** /sə'lɛkt/ v. t. **1** scegliere; selezionare (*anche sport*): *He was selected to play for England*, fu selezionato per la nazionale inglese **2** scegliere (*con votazione*); eleggere: **to s. a candidate**, scegliere un candidato **3** (*comput.*) selezionare.

selectee /səlɛk'tiː/ n. (*mil., USA; un tempo*) coscritto; recluta.

selecting /sɪ'lɛktɪŋ/ n. ⊍ᴄ **1** scelta **2** (*sport*) selezione (*di giocatori*) ● **s. board**, comitato di selezione.

♦**selection** /sə'lɛkʃn/ n. ⊍ᴄ **1** selezione (*anche biol.*); scelta; raccolta: **natural [artificial] s.**, selezione naturale [artificiale] **2** assortimento: *We have a wide s. of first-rate articles*, abbiamo un vasto assortimento d'articoli di prima qualità **3** (*econ., sport, comput., ecc.*) selezione **4** (pl.) brani (o passi) scelti (*di un autore*) ● (*med.*). **s. abortion**, aborto selettivo (*per evitare un parto gemellare*) □ **s. commission**, commissione selezionatrice (*del personale*) □ **s. consultant**, selezionatore.

selective /sə'lɛktɪv/ a. **1** (*anche scient.*) selettivo: **s. absorption**, assorbimento selettivo **2** (*comm.: di cliente*) selettivo; esigente ● (*mil. e sport*) **s. fire**, fuoco automatico □ (*demogr.*) **s. immigration**, immigrazione selezionata □ (*USA, un tempo*) **s. service**, coscrizione; servizio militare obbligatorio □ (*econ.*) **s. strike**, sciopero a scacchiera | **-ly** avv. | **-ness** n. ⊍.

selectivity /səlɛk'tɪvəti/ n. ⊍ (*anche scient.*) selettività.

selectman /sə'lɛktmən/ n. (pl. **selectmen**) (*USA*) consigliere comunale (*in talune città della Nuova Inghilterra*).

selector /sə'lɛktə(r)/ n. **1** chi sceglie **2** (*spec. elettr., comput., radio, TV*) selettore **3** (*ferr.*) preselettore **4** (*autom.*) comando per la selezione (*delle marce*) **5** (*autom.*) selettore manuale (*di cambio automatico*) **6** (*tecn.*) macchina cernitrice **7** (*sport*) selezionatore ● (*d'arma da fuoco*) **s. lever**, selettore **2** (*elettr.*) **s. switch**, commutatore.

selenic /sə'liːnɪk/ a. (*chim.*) selenico: **s. acid**, acido selenico.

selenite /'sɛlənaɪt/ (*miner.*) n. ⊍ selenite ‖ **selenitic** a. selenitico.

selenium /sə'liːnɪəm/ n. ⊍ (*chim.*) selenio.

selenography /siːlə'nɒɡrəfɪ/ (*scient.*) n. ⊍ selenografia ‖ **selenographer** n. selenografo ‖ **selenographic** a. selenografico.

selenology /siːlə'nɒlədʒɪ/ (*scient.*) n. ⊍ selenologia.

Seleucid /sə'ljuːsɪd/ n. (pl. **Seleucids**, **Seleucidae**) (*stor.*) seleucide.

♦**self**① /sɛlf/ n. (pl. **selves**) **1** sé; sé stesso: *I put my whole s. in the effort*, misi tutto me stesso nell'impresa **2** interesse personale, tornaconto; (*per estens.*) egoismo; egocentrismo: **Service before s.**, il dovere prima dell'interesse personale **3** personificazione: **pride's s.**, la personificazione dell'orgoglio **4** (*anche filos.*) io: **one's true s.**, il proprio vero io **5** (*psic.*) Io; ego; Sé: **the development of the s.**, lo sviluppo del Sé **6** (*med.*) materiale autogeno **7** (*bot.*) pianta prodotta per autogamia (*o per autoimpollinazione*) ● **one's better s.**, la parte migliore di sé; i sentimenti migliori, gli impulsi più nobili □ (*comm.*) **a cheque drawn to s.**, un assegno pagabile al proprio nome (*o a sé medesimo*) □ **to feel one's usual s. again**, essere tornato in condizioni normali; stare bene come prima □ **to have lost one's former**

s., non esser più quello di prima (*o* d'una volta) □ **to be one's normal s.**, essere tornato quello di prima; stare bene come il solito; essere in normali condizioni di salute □ **to be one's old s. again**, essere tornato come prima; essere di nuovo quello di un tempo □ (*comm.: su un assegno*) **pay s.**, pagate a me medesimo (abbr. M.M.) □ **one's second s.**, il proprio alter ego; l'anima gemella; l'amico del cuore □ **the thought of s.**, il pensare solo a sé stessi; l'egoismo; l'egocentrismo □ **one's worse s.**, il lato peggiore di sé; i sentimenti peggiori; gli istinti più malvagi.

self② /sɛlf/ a. **1** monocromo; di tinta unita: **a s. flower**, un fiore monocromo, d'un solo colore **2** della stessa stoffa; dello stesso tessuto: **an overcoat with s. lining**, un soprabito con fodera della stessa stoffa (*dell'indumento*).

♦**self-** /sɛlf/ pref. auto-; di sé, in sé; di sé stesso, in sé stesso; personale; automatico; autonomo; naturale; spontaneo ● **self-abasement**, autoumiliazione; svilimento di sé stesso □ **self-abnegation**, abnegazione; spirito di rinuncia (*o di sacrificio*) □ **self-absorbed**, che pensa solo a sé stesso; assorbito dai propri affari; egocentrico, egoista □ **self-absorption**, l'essere assorbito dai propri affari; egocentrismo, egoismo; (*fis. nucl.*) autoassorbimento □ **self-abuse**, cattivo uso delle proprie capacità; (*anche, eufem.*) masturbazione □ (*leg.*) **self-accusation**, autoaccusa □ **self-acting**, automatico: **a self-acting door**, una porta automatica □ **self-action**, automatismo □ (*di congegno esplosivo*) **self-activating**, a innesco automatico □ (*psic.*) **self-actualization**, autorealizzazione □ **self-addressed**, con l'indirizzo del mittente; preindirizzato: *Please enclose a self-addressed envelope*, siete pregati di allegare una busta col vostro indirizzo □ **self-adhesive**, autoadesivo (agg.) □ (*tecn.*) **self-adjusting**, ad autoregolazione □ **self-admiration**, narcisismo □ **self-advancement**, arrivismo; carrierismo □ **self-aggrandizement**, affermazione (*o estensione*) della propria potenza □ (*psic.*) **self-analysis**, autoanalisi □ **self-applause**, l'elogiarsi da solo; autoincensamento □ **self-appointed**, autonominatosi □ **self-appreciation**, apprezzamento di sé; compiacimento □ (*tecn., comm.: di un oggetto*) **self-assembly**, da montare (*da parte dell'acquirente*) □ **self-asserting** (*o* **self-assertive**), che si fa valere; autoritario □ **self-assertion**, il farsi valere; il far valere i propri diritti; (*psic.*) autoaffermazione □ **self-assessment**, autovalutazione; (*fisc.*) autotassazione □ (*di titolo, ecc.*) **self-assumed**, assunto senz'averne il diritto □ **self-assurance**, sicurezza di sé; fiducia nelle proprie capacità □ **self-assured**, sicuro di sé □ **self-aware**, consapevole di sé ● **self-awareness**, autocoscienza □ **self-belief**, fiducia in sé stesso; sicurezza di sé □ **self-betrayal**, il tradirsi da solo □ (*agric.*) **self-binder**, mietitrice legatrice automatica; mietilega □ **self-catering**, con uso di cucina: **self-catering accommodation**, sistemazione (*senza pasti*) con uso di cucina; *Was the holiday self-catering?*, la vacanza era in appartamento con uso cucina? □ (*tur.*) **self-catering holidays**, vacanze in appartamento d'affitto (*o* in camping) □ (*mecc.*) **self-centering chuck**, mandrino autocentrante □ (*autom., mecc.*) **self-centering shoes**, ganasce autocentranti (*di freno a tamburo*) □ **self-centred**, egocentrico □ **self-centredness**, egocentrismo □ (*banca*) **self-cheque**, assegno pagabile all'emittente □ (*tecn.*) **self-cleaning**, autopulente □ **self-closing**, che si chiude da sé; a chiusura automatica □ **self-collected**, padrone di sé; calmo; dotato di sangue freddo □ **self-coloured**, monocromatico, a tinta unita; di colore naturale □ **self-combustion**,

autocombustione □ **self-command**, autocontrollo: *'Now am I learning self-command or losing self-respect?'* R. BOLT, 'ora sto imparando l'autocontrollo o perdendo la dignità?' □ **self-complacence**, **self-complacency**, autocompiacimento □ **self-complacent**, che si compiace di sé; borioso; vanitoso □ **self-composed**, calmo; padrone di sé □ **self-conceit**, presunzione □ **self-conceited**, presuntuoso; pieno di sé □ **self-condemnation**, autocondanna □ **self-confessed**, confesso, dichiarato: **a self-confessed thief**, un ladro confesso; **a self-confessed drug addict**, uno che ammette di drogarsi □ **self-confidence**, sicurezza di sé; fiducia in sé stesso; □ **self-confident**, sicuro di sé □ **self-congratulatory**, autocelebrativo □ **self-conscious**, imbarazzato, timido, impacciato; (*filos.*) cosciente di sé, autocosciente □ **self-consciousness**, timidezza, imbarazzo, impaccio; (*filos.*) autocoscienza □ **self-consistency**, coerenza □ **self-consistent**, coerente □ **a self-constituted judge**, una persona che s'arroga il diritto di giudicare □ (*econ.*) **self-consumption**, autoconsumo □ **self-contained**, (*di persona*) riservato; padrone di sé; indipendente; (*di oggetto*) autosufficiente, completo, autonomo, indipendente; (*mecc.*) autonomo: **a self-contained community**, una comunità autonoma; **a self-contained flat**, un appartamento indipendente □ **a self-contained electric lamp**, una lampada elettrica (*portatile*) a batteria □ **self-contempt**, disprezzo di sé □ **self-content**, il contentarsi □ **self-contented**, che s'accontenta della sua condizione □ **self-contradiction**, contraddizione in termini; mancanza di coerenza, incoerenza □ **self-contradictory**, che si contraddice da solo; contraddittorio; incoerente □ **self-control**, autocontrollo; padronanza (*o dominio*) di sé; imperturbabilità □ **self-controlled**, padrone di sé; imperturbabile □ (*tecn.*) **self-cooled**, autoraffreddato; a raffreddamento automatico □ (*ling.*) **self-correction**, autocorrezione □ **self-critical**, autocritico □ (*anche polit.*) **self-criticism**, autocritica □ **self-debasement**, autoumiliazione; svilimento di sé stesso □ **self-deceit** (*o* **self-deception**), l'illudersi; il lusingarsi; l'ingannare sé stesso; illusione □ **self-deceived**, illuso □ **self-declared** = **self-proclaimed** → *sotto* □ **self-defeating**, controproducente; autolesionistico (*fig.*) □ **self-defence**, autodifesa, difesa personale (*lotta, ecc.*); difesa di sé, dei propri interessi e beni; (*leg.*) legittima difesa: **in self-defence**, per legittima difesa □ **self-degradable**, biodegradabile □ **self-delusion** = **self-deceit** → *sopra* □ **self-denial**, abnegazione; rinuncia; altruismo □ **self-denying**, (agg.) pieno di abnegazione; che si impone (*o accetta*) rinunce; altruista; parco, frugale □ (*econ.*) **self-dependent**, autosufficiente □ **self-deprecating**, che disapprova sé stesso; di autocritica; troppo modesto □ (*tecn.*) **self-destroying**, che si autodistrugge □ **self-destruction**, autodistruzione (*anche mil.*); suicidio □ **self-destructive**, autodistruttivo; che tende a distruggersi; suicida □ **self-determination**, (*polit.*) autodeterminazione, autodecisione; (*filos.*) libero arbitrio □ **self-development**, lo sviluppo delle proprie capacità; (*econ.*) sviluppo autonomo □ **self-devotion**, abnegazione; dedizione □ (*telef.*) **self-dialled call**, telefonata in teleselezione □ **self-discipline**, autodisciplina □ **self-disciplined**, autodisciplinato; dotato di senso del dovere □ **self-distrust**, mancanza di fiducia in sé stesso □ **self-doubt**, dubbio sulle proprie capacità; mancanza di fiducia in sé; insicurezza □ **self-doubting**, irresoluto; incerto □ (*autom.*) **self-drive hire**, noleggio senza autista □ (*mecc.*) **self-driven**, semovente □ (*ind. min.*) **self-dumping car**, vagone a cassa inclinabi-

a b c d e f g h i j k l m n o p q r s t u v w x y z

le □ **self-educated**, autodidatta □ **self-effacement**, il tenersi nell'ombra; modestia □ **self-effacing**, che si tiene in disparte; schivo; che resta (o vive) nell'ombra □ **self-elected**, autoelettosi; che si è scelto liberamente: **a self-elected job**, un lavoro di propria libera scelta □ (*di un'assemblea*) **self-elective**, che elegge i propri membri; elettivo: **a self-elective body**, un organo elettivo □ **self-employed**, indipendente; che lavora in proprio; autonomo □ (*econ.*) **self-employed people** (o workers), gli (o i lavoratori) autonomi □ (*econ.*) **self-employment**, lavoro autonomo (o in proprio) □ **self-esteem**, stima di sé; amor proprio; (*spreg.*) presunzione □ **self-evident**, chiaro di per sé; ovvio; lampante; lapalissiano □ **self-examination**, esame di coscienza; introspezione □ (*elettr.*) **self-excited**, autoeccitato □ (*leg.: di un provvedimento, ecc.*) **self-executing**, precettivo; che si applica subito □ **self-explaining** (o **self-explanatory**), che si spiega da sé; ovvio □ (*arte, pedagogia*) **self-expression**, libera espressione della propria personalità □ **self-feeding**, (*mecc.*) alimentazione automatica; (*comput.*) autoavanzamento □ (*bot., zool.*) **self-fertilization**, autofecondazione □ (*econ.*) **self-financed**, autofinanziato □ (*econ.*) **self-financing**, (agg.) che si autofinanzia; (sost.) autofinanziamento: **self-financing ratio**, rapporto di autofinanziamento (*di un'azienda*) □ (*ottica*) **self-focusing**, autofocalizzante □ **self-forgetful**, dimentico di sé; disinteressato; altruista □ **self-forgetfulness**, disinteresse; altruismo □ **self-fulfilling** = **self-realizing** → *sotto* □ **self-fulfilment** = **self-realization** → *sotto* □ **self-funding** = **self-financing** → *sopra* □ (*polit.*) **self-governing**, indipendente; autonomo □ (*polit.*) **self-government**, autonomia; autogoverno □ (*med.*) **self-graft**, autotrapianto □ **self-harm**, lesioni (pl.) autoinflitte □ (*bot.*) **self-heal** (*Brunella vulgaris*), brunella □ **self-help**, (sost.) l'aiutarsi da solo, il contare sulle proprie forze, il risolvere da solo i propri problemi, self-help (*psic.*); (*leg.*) autotutela; (*med.: di un malato*) autosufficienza: **self-help books**, libri che insegnano a migliorare la propria vita; (*psic.*) **self-help group**, gruppo di self-help □ (*med.*) **self-hypnosis**, autoipnosi □ **self-ignition**, (*mecc.*) autoaccensione; (*fis., chim.*) accensione spontanea, autocombustione □ **self-importance**, alta opinione di sé; boria; presunzione □ **self-important**, borioso; presuntuoso □ **a self-imposed task**, un compito assunto volontariamente □ (*leg.*) **self-incrimination**, autoincriminazione □ (*elettr., mecc.*) **self-induced**, autoindotto □ (*elettr.*) **self-inductance**, autoinduttanza □ (*elettr.*) **self-induction**, autoinduzione □ **self-indulgence**, indulgenza verso sé stesso □ **self-indulgent**, indulgente con sé stesso; (*anche*) che indulge ai piaceri della vita □ **self-inflicted**, inflitto da sé □ **self-inflicted injury**, autolesione □ **self-injurer**, autolesionista □ **self-injury**, autolesione □ **self-instructed**, che ha imparato da solo: **a self-instructed man**, un autodidatta □ **self-instructor**, manuale; guida □ **self-insurance**, autoassicurazione □ **self-interest**, interesse personale; tornaconto; egoismo □ **self-interested**, egoistico □ **a self-interested man**, un egoista □ **self-invited**, che s'è invitato da solo; autoinvitatosi □ **self-justification**, il giustificarsi □ **self-justifying**, che si giustifica; (*tipogr.*) a giustificazione automatica □ **self-knowledge**, consapevolezza di sé; conoscenza di sé stesso □ (*di un debito*) **self-liquidating**, autoliquidantesi □ (*mecc.*) **self-loading**, a caricamento automatico; automatico: **a self-loading pistol**, una pistola automatica □ **self-locking**, che si chiude da sé; autobloccante □ **self-love**, amore di sé; egoismo; egocentrismo □ **self-made**, (che si è) fatto

da sé: **a self-made man**, un uomo che s'è fatto da sé □ (*di stampato, ecc.*) **self-mailer**, pieghevole (*che si spedisce per posta senza bisogno di busta*) □ **self-managed learning**, apprendimento autogestito □ (*econ.*) **self-management**, autogestione □ **self-mastery** = **self-control** → *sopra* □ **self-medication**, automedicazione □ **self-murder**, suicidio □ (*mecc.*) **self-moving**, semovente □ **self-neglect**, trascuratezza; trasandatezza □ **self-obsessed**, narcisistico □ **self-opinion**, boria, presunzione, arroganza; caparbietà, testardaggine □ **self-opinionated**, borioso, presuntuoso, arrogante; caparbio, testardo □ **self-perpetuating**, che si perpetua da solo: *The prices-wages spiral is self-perpetuating*, la spirale prezzi-salari si alimenta da sola □ **self-pity**, autocommiserazione; vittimismo; il piangersi addosso □ **self-pitying**, che si autocommisera; che si piange addosso; vittimista □ (*bot.*) **self-pollination**, autoimpollinazione; impollinazione diretta; autogamia □ **self-portrait**, autoritratto □ **self-possessed**, calmo; composto; padrone di sé □ **self-possession**, controllo dei propri nervi; calma; compostezza; padronanza di sé: **to lose one's self-possession**, perdere la calma □ **self-praise**, lode (o elogio) di sé; autoincensamento □ **self-preservation**, autoconservazione □ (*tecn.*) **self-priming**, autoadescante (*di una pompa*) □ **self-proclaimed**, autoproclamato; dichiarato: **a self-proclaimed racist**, un razzista dichiarato □ **self-promotion**, il farsi propaganda da solo; autopromozione □ (*mecc.*) **self-propelled**, a propulsione autonoma; autopropulso; motorizzato; semovente: (*mil.*) **self-propelled artillery**, artiglieria semovente; (*miss.*) **a self-propelled missile**, un missile autopropulso □ (*mecc.*) **self-propulsion**, autopropulsione □ **self-protection** = **self-defence** → *sopra* □ **self-publicist**, uno che si fa la pubblicità da solo; uno che si batte la grancassa (*fig.*) □ (*cucina*) **self-raising flour**, farina con l'aggiunta di bicarbonato di sodio; farina autolievitante □ **self-realization**, il realizzarsi (*nel lavoro, ecc.*) □ **self-realizing**, che si realizza; che appaga le proprie aspirazioni □ (*leg.*) **self-redress**, autotutela □ **self-regard**, (grande) considerazione di sé e dei propri interessi □ **self-regarding**, interessato, egocentrico; egoista; pieno d'amor proprio □ **self-registering**, a registrazione automatica □ (*mecc.*) **self-regulating**, a regolazione automatica; autoregolatore □ **self-regulatory**, autoregolamentato □ **self-reliance**, fiducia in sé □ **self-reliant**, che ha fiducia in sé □ (*leg.*) **self-remedy**, autotutela □ **self-renunciation** = **self-sacrifice** → *sotto* □ **self-reproach**, senso di colpa; rimorso □ (*elettr.*) **self-reset**, ripristino automatico □ **self-respect**, rispetto di sé; amor proprio; dignità □ **self-respecting** (o **self-respectful**), che ha amor proprio; dignitoso □ **self-restraint**, riserbo, riservatezza; dominio di sé, autocontrollo □ **self-restrained**, riservato; padrone di sé □ **self-righteous**, moralistico; che si crede più virtuoso degli altri; farisaico; ipocrita □ **self-righteousness**, moralismo; fariseismo; ipocrisia □ (*tecn.*) **self-righting**, (sost.) autoraddrizzamento; (agg.) di autoraddrizzamento, autoraddrizzante: **self-righting mechanism**, meccanismo di autoraddrizzamento □ (*USA*) **self-rising flour** → **self-raising flour** → *sopra* □ (*polit.*) **self-rule** = **self-government** → *sopra* □ (*polit.*) **self-ruling**, dotato di autogoverno □ **self-sacrifice**, sacrificio di sé; abnegazione; altruismo □ **self-sacrificing**, che si sacrifica per gli altri; pieno d'abnegazione; altruistico □ **self-satisfied**, compiaciuto di sé; tronfio; borioso □ **self-satisfaction**, autocompiacimento; boria □ (*elettron.*) **self-saturation**, autosaturazione □ (*tecn.*) **self-selection**, autoselezione □

self-seeker, egoista; chi cerca solo il proprio interesse □ **self-seeking**, (sost.) egoismo; (agg.) egoistico □ **self-service**, self-service: **self-service restaurant** [shop, petrol station], ristorante [negozio, pompa di benzina] self-service □ **self-serving**, egoista □ (*bot.*) **self-sown**, spontaneo: **self-sown vegetation**, vegetazione spontanea □ **self-starter**, (*autom., mecc.*) starter automatico, autostarter; (*fig. fam.*) chi si sa organizzare bene da solo (*nel lavoro, ecc.*), persona efficiente □ **self-study**, (sost.) studio di sé stessi; (*anche*) studio da autodidatta, autoapprendimento; (agg.) autodidattico, per autoapprendimento □ **self-styled**, sedicente □ **self-sufficiency**, (eccessiva) sicurezza di sé, sicumera, presunzione; (*econ.*) autosufficienza, autarchia □ **a self-sufficiency policy**, una politica autarchica □ **self-sufficient** (o **self-sufficing**), (troppo) sicuro di sé, presuntuoso, che si dà arie di sufficienza; (*econ.*) autosufficiente: **a self-sufficient country**, un paese autosufficiente □ **self-suggestion**, autosuggestione □ **self-supporting**, in grado di mantenersi da solo; (*econ.*) autosufficiente, indipendente, autonomo; (*tecn.*) autoportante, autoreggente: **self-supporting people**, persone autosufficienti (*non a carico*) □ **self-surrender**, arrendevolezza; accondiscendenza □ (*econ.*) **self-sustained**, autosostentato: **self-sustained growth**, sviluppo autosostentato □ **self-sustaining** = **self-supporting** → *sopra* □ **self-tanning cream**, crema autoabbronzante □ (*mecc.*) **self-tapping**, autofilettante: **a self-tapping screw**, una vite autofilettante □ **self-taught**, autodidatta: **a self-taught man**, un autodidatta □ (*fisc.*) **self-taxation**, autotassazione □ (*comput.*) **self-test**, prova automatica □ (*fotogr.*) **self-timer**, autoscatto □ **self-training**, autoaggiornamento (*di docenti, ecc.*) □ (*naut.*) **self-trimmer**, (nave) autostivante □ (*autom., mecc.*) **self-tuning**, (agg.) che si registra da solo; dotato di autoregistrazione; (sost.) autoregistrazione (*di un motore*) □ (*naut.*) **self-unloader**, (nave) autoscaricante □ **self-will**, caparbietà; ostinazione; il fare di testa propria □ **self-willed**, caparbio; ostinato; che fa di testa propria □ (*d'orologio*) **self-winding**, a carica automatica □ **self-worship**, egolatria; egotismo □ **self-worshipper**, egolatra; egotista □ **self-worth**, autostima.

to self-destruct /ˌsɛlfdɪˈstrʌkt/ v. i. (*tecn.*) autodistruggersi.

selfish /ˈsɛlfɪʃ/ a. egoista; egoistico; interessato ‖ **selfishly** avv. egoisticamente ‖ **selfishness** n. ☒ egoismo.

selfless /ˈsɛlfləs/ a. altruista; altruistico; disinteressato ‖ **selflessly** avv. altruisticamente; disinteressatamente ‖ **selflessness** n. ☒ altruismo; disinteresse.

selfsame /ˈsɛlfseɪm/ a. (*lett.*) (proprio) lo stesso; identico.

to self-select /ˌsɛlfsəˈlɛkt/ v. i. 1 autoselezionarsi; scegliere sé stessi 2 scegliere per sé stessi ‖ **self-select**, **self-selected** a. 1 autoselezionato 2 scelto per sé stessi ‖ **self-selecting** a. che si autoseleziona; autoselezionante ‖ **self-selection** n. 1 autoselezione; lo scegliere sé stessi 2 (*anche attr.*) scelta personale; lo scegliere per sé stessi.

sell /sɛl/ n. 1 ☒ (*comm.*) tecnica di vendita (*cfr.* hard s., *sotto* hard; soft s., *sotto* soft) 2 (*fam.*) imbroglio; turlupinatura; bidone, fregatura, fregata (*pop.*) ● (*di un prodotto preconfezionato*) **s.-by date**, data di scadenza: **to be past one's s.-by date**, (*di un prodotto*) essere scaduto; (*fig.: di una persona*) essere passé (*franc.*), non essere più tanto giovane □ (*Borsa*) **s. order**, ordine di vendita.

♦**to sell** /sɛl/ (pass. e p. p. *sold*) Ⓐ v. t. 1 vendere (*anche fig.*); smerciare; spacciare;

(*leg.*) alienare, cedere; (*fig.*) tradire: *Do you s. pet food?*, vendete alimenti per animari?; **to s. one's country**, venduti al nemico; tradire la patria; **to s. an estate**, alienare una proprietà; (*di merce*) **to be sold by weight**, essere venduta (*o* andare) a peso; **to s. one's life dearly**, vender cara la vita (*fam.*: la pelle) **2** far vendere: *It's quality that sells our goods*, è la qualità che fa vendere la nostra merce **3** (*fam.*) ingannare; imbrogliare; fregare (*pop.*) **B** v. i. **1** vendersi; trovare smercio: *His last CD sold well*, il suo ultimo CD ha (*o* si è) venduto bene **2** (*fam.*) essere accettato (*o* accolto bene); incontrare: *Do you think the idea will s.?*, pensi che l'idea incontrerà? ● **to s. at any price**, vendere (tanto) per vendere □ (*fin., comm.*) **to s. at best**, vendere al meglio □ **to s. at a loss**, vendere in perdita □ **to s. below cost**, vendere sottocosto □ **to s. by auction**, vendere all'asta (*o* all'incanto) □ **to s. by retail**, vendere al dettaglio (*o* al minuto) □ **to s. cash on delivery**, vendere contrassegno □ **to s. st. cheap [dear]**, vendere qc. a basso [a caro] prezzo □ (*fam.*) **to s. sb. down the river**, tradire q.; vendere q. (*fig.*) □ **to s. for cash**, vendere per contanti □ (*Borsa*) **to s. for a fall**, speculare al ribasso □ (*Borsa, comm.*) **to s. for forward** (*o* **future**) **delivery**, vendere per consegna futura (*o* differita) □ (*Borsa*) **to s. forward**, vendere a termine □ **to s. st. house-to-house**, vendere qc. porta a porta □ **to s. insurance**, stipulare contratti di assicurazione; vendere polizze □ **to s. like hot cakes**, andare a ruba □ **to s. oneself**, vendersi; prostituirsi (*anche fig.*); (*fam.*) saper vendere la propria merce (*anche fig.*) □ (*fig.*) **to s. the pass**, tradire la causa □ (*slang antiq.*) **to s. sb. a pup**, rifilare un bidone (*o* una patacca) a q. □ **to s. retail**, vendere al dettaglio □ (*Borsa*) **to s. short**, vendere allo scoperto (*titoli o merci*) □ (*fig.*) **to s. sb. [st.] short**, presentare q. [qc.] in cattiva luce; sminuire, sottovalutare q. [qc.] □ **to s. one's soul to the devil**, vendere l'anima al diavolo □ **to s. wholesale**, vendere all'ingrosso □ (*fam.*) **Sold again!**, me (*o* te) l'han fatta di nuovo!; ci sono (*o* ci sei) cascato di nuovo □ «**to be sold**» (*avviso o cartello*), «da vendere; in vendita».

■ **sell for** v. i. + prep. (*di merce*) vendersi a; costare: *These shoes s. for ninety pounds*, queste scarpe costano novanta sterline.

■ **sell off** v. t. + avv. **1** vendere alla svelta; svendere; smerciare: *We had to s. off the machinery*, dovemmo svendere i macchinari **2** (*fin.*) liquidare: *The firm had to s. off their soundest assets*, l'azienda ha dovuto liquidare le sue attività migliori.

■ **sell on** **A** v. t. + avv. vendere ad altri; rivendere: *They s. on cars at vast profits*, rivendono automobili traendone grossi profitti **B** v. t. + prep. (*fam.*) convincere (q.) della bontà di (*un progetto, ecc.*): *I'll try to s. the boss on my idea*, cercherò di fare accettare la mia idea al capo □ **to s. on the black market**, vendere a mercato nero □ **to s. on commission**, vendere su commissione (*o* per conto terzi) □ **to s. on credit**, vendere a credito □ **to s. on easy terms**, vendere concedendo facilitazioni di pagamento □ **to s. on hire purchase**, vendere a rate □ **to be completely sold on**, essere pienamente convinto della bontà, essere entusiasta di (*un'idea, ecc.*).

■ **sell out** **A** v. t. + avv. **1** vendere, esaurire: *The tickets are sold out*, i biglietti sono esauriti **2** (*fam.*) vendere (*fig.*), tradire; venir meno a; abdicare, rinunciare a: **to s. out one's accomplices**, tradire i complici; **to s. out one's principles**, abdicare ai propri princìpi **3** (*USA*) → **sell up**, **A B** v. i. + avv. **1** vendersi completamente; esaurirsi: *His novel sold out in no time*, il suo romanzo si esaurì in un batter d'occhio; *The new*

sweaters have sold out, i maglioni nuovi sono stati venduti tutti (*o* sono esauriti) **2** (*fam.*) vendersi, tradire (*fig.*): *The scientist was charged with selling out to Russia*, lo scienziato fu accusato d'essersi venduto alla Russia **3** (*fin.*) → **sell up**, **B** □ **to have sold out of**, avere esaurito: *Sorry, we have sold out of milk*, mi dispiace, abbiamo finito (*o* esaurito) il latte □ (*sport*) **a sold-out match**, una partita che fa registrare il tutto esaurito.

■ **sell up** **A** v. t. + avv. **1** vendere, svendere (*beni: per far fronte a debiti, ecc.*); (*leg.*) alienare, cedere **2** mettere in liquidazione i beni di (*un debitore, un fallito*) **B** v. i. + avv. (*fin.*) liquidare tutto; vendere l'azienda; cedere la ditta (*il negozio, ecc.*): *He sold up his firm and retired*, cedette l'azienda e si ritirò dall'attività.

sellable /ˈsɛləbl/ a. vendibile.

seller /ˈsɛlə(r)/ n. venditore; negoziante ● (*Borsa, comm.*) **sellers' market**, mercato favorevole alle vendite; mercato al rialzo □ (*Borsa*) **s.'s option**, opzione di vendita □ (*Borsa*) **s.'s option to double**, noch per consegnare □ (*market.*) **a good [a bad] s.**, un articolo che si vende bene [male].

sell-in /ˈsɛlɪn/ n. ⓤ (*market.*) sell-in (*strategie commerciali adottate dai produttori per la vendita dei prodotti ai distributori*).

selling /ˈsɛlɪŋ/ n. ⓤ vendita; cessione ● **s.-agent**, commissionario □ **s.-off** (*o* **s.-out**), liquidazione; vendita totale; svendita □ (*comm.*) **s. point**, qualità (*di un prodotto*) che lo rende appetibile; punto di forza □ **s. price**, (*comm.*) prezzo di vendita; (*Borsa*) prezzo lettera □ (*Borsa*) **s. short**, vendita allo scoperto □ (*fin.*) **s. syndicate**, sindacato di collocamento di titoli □ (*comm.*) **s. value**, valore venale.

sell-off /ˈsɛlɒf/ n. (*Borsa*) crollo dei prezzi dei titoli.

◆**Sellotape**® /ˈsɛləteɪp/ n. ⓤ (*ingl.*) nastro adesivo; scotch (*marchio*).

to **sellotape** /ˈsɛləteɪp/ v. t. accomodare (*o* attaccare) con lo scotch.

sell-out, **sellout** /ˈsɛlaʊt/ n. **1** (*comm.*) esaurimento delle scorte **2** liquidazione; svendita **3** (*fam.*) tradimento dei propri principi, dei propri ideali **4** (*sport, teatr.*) spettacolo (incontro, partita) che ha fatto segnare il tutto esaurito **5** (*market.*) sell-out (*strategie commerciali adottate dai produttori per la vendita dei prodotti dai distributori ai consumatori*).

seltzer /ˈsɛltsə(r)/ n. ⓤ (= **s. water**) seltz.

selvage, **selvedge** /ˈsɛlvɪdʒ/ n. **1** cimosa; vivagno **2** (*mecc.*) bocchetta (*di serratura*).

selves /sɛlvz/ pl. di **self**.

SEM sigla (*fis.*, **scanning electron microscope**) microscopio elettronico a scansione.

semanteme /səˈmæntiːm/ n. (*ling.*) semantema.

semantic /səˈmæntɪk/ a. (*ling.*) semantico | **-ally** avv.

semanticity /sɪmænˈtɪsəti/ n. ⓤ semanticità.

semantics /səˈmæntɪks/ n. pl. (col verbo al sing.) semantica || **semantician**, **semanticist** n. semantista.

semaphore /ˈsɛməfɔː(r)/ n. **1** (*ferr.*) semaforo **2** ⓤ (*mil.*) sistema di segnalazione a mano per mezzo di due bandierine ● (*ferr.*) **s. arm** [**s. blade**], braccio [ala] del semaforo || **semaphoric** a. semaforico.

to **semaphore** /ˈsɛməfɔː(r)/ (*mil.*) **A** v. i. segnalare con bandierine **B** v. t. trasmettere (*un segnale, un messaggio*) col semaforo (per mezzo di bandierine).

semasiology /səmeɪzɪˈɒlədʒɪ/ (*ling.*) n. ⓤ

semasiologia || **semasiological** a. semasiologico.

sematology /sɛmæˈtɒlədʒɪ/ n. ⓤ (*raro*) (*ling.*) semantica.

semblance /ˈsɛmbləns/ n. ⓤ **1** sembianze (*lett.*); aspetto; espressione; aria: **the s. of an angel**, angeliche sembianze **2** somiglianza; rassomiglianza **3** copia; immagine **4** apparenza, parvenza; finzione: *Life returned to a vague s. of normality*, la vita riprese una vaga parvenza di normalità ● **in s.**, apparentemente.

seme /siːm/ n. (*ling.*) sema.

semeiotics /siːmɪˈɒtɪks/ (*med.*) n. pl. (col verbo al sing.) semeiotica || **semeiotic** a. semeiotico.

sememe /ˈsiːmiːm/ n. (*ling.*) semema.

semen /ˈsiːmən/ n. ⓤ (*fisiol.*) sperma; seme.

semester /səˈmɛstə(r)/ n. semestre accademico (*non in GB*).

semi- /ˈsɛmɪ/ pref. semi-; mezzo; a metà (*di un periodo di tempo*) ● (*geogr.*) **semi-arid**, subdesertico □ **semi-barbarian**, semibarbaro □ (*edil.*) **semi-beam**, trave a sbalzo □ **semi-centennial**, cinquantenario □ **semi-detached** → **semidetached** □ (*mus.*) **semi-grand** (**piano**), pianoforte a mezza coda □ **semi-invalid**, seminvalido; seminfermo □ **semi-savage**, semibarbaro; semiselvaggio □ **semi-skimmed**, parzialmente scremato.

semi /ˈsɛmɪ/ n. (abbr. *fam.* di) **1** semidetached **2** semifinal **3** (*USA*) semitrailer.

semiannual /sɛmɪˈænjuəl/ a. semestrale: **a s. magazine**, una rivista semestrale | **-ly** avv.

semiautomatic /sɛmɪɔːtəˈmætɪk/ **A** a. semiautomatico: **s. gun**, fucile semiautomatico **B** n. arma semiautomatica; semiautomatico ● (*mecc.*) **s. transmission**, trasmissione semiautomatica.

semiaxis /sɛmɪˈæksɪs/ n. (pl. *semiaxes*) (*geom., mecc.*) semiasse.

semibreve /ˈsɛmɪbriːv/ n. (*mus.*) semibreve.

semichorus /sɛmɪˈkɔːrəs/ n. (*stor. teatr.*) semicoro.

semicircle /ˈsɛmɪsɜːkl/ n. (*geom.*) **1** semicerchio **2** semicirconferenza.

semicircular /sɛmɪˈsɜːkjʊlə(r)/ a. **1** (*geom.*) semicircolare **2** (*archit.*: *di un arco*) a tutto sesto.

semicircumference /sɛmɪsəˈkʌmfərəns/ n. (*geom.*) semicirconferenza.

semicivilized /sɛmɪˈsɪvəlaɪzd/ a. semicivilizzato.

◆**semicolon** /sɛmɪˈkəʊlən/ n. ⓤ punto e virgola.

semiconductor /sɛmɪkənˈdʌktə(r)/ n. (*elettr., elettron., fis.*) semiconduttore.

semiconscious /sɛmɪˈkɒnʃəs/ a. conscio solo in parte; semisvenuto | **-ly** avv. | **-ness** n. ⓤ.

semicylinder /sɛmɪˈsɪlɪndə(r)/ (*geom.*) n. semicilindro || **semicylindrical** a. semicilindrico.

semideponent /sɛmɪdɪˈpəʊnənt/ a. (*ling.*) semideponente: **s. verb**, verbo semideponente.

semidesert /sɛmɪˈdɛzət/ a. (*ecol.*) semidesertico.

semidetached /sɛmɪdɪˈtætʃt/ (*edil.*) **A** a. (*di casa*) con un muro divisorio in comune con un'altra **B** n. casa bifamiliare.

semidiameter /sɛmɪdaɪˈæmɪtə(r)/ n. (*geom.*) semidiametro.

semidome /ˈsɛmɪdəʊm/ n. (*archit.*) semicupola; semicatino.

semifinal, **semi-final** /sɛmɪˈfaɪnl/ (*sport*) a. e n. semifinale || **semifinalist**, **semi-finalist** n. semifinalista.

semifinished /ˌsɛmɪˈfɪnɪʃt/ a. (*mecc.*, *ind.*) semilavorato: **s. products**, prodotti semilavorati; semilavorati.

semifluid /ˌsɛmɪˈfluːɪd/ a. (*fis.*) semifluido.

semigroup /ˈsɛmɪɡruːp/ n. (*mat.*) semigruppo.

semiliterate /ˌsɛmɪˈlɪtərət/ n. semianalfabeta || **semiliteracy** n. ▫ semianalfabetismo.

semilunar /ˌsɛmɪˈluːnə(r)/ a. semilunare; che ha forma di mezzaluna: (*anat.*) **s. valve**, valvola semilunare.

semimonthly /ˌsɛmɪˈmʌnθlɪ/ A a. quindicinale: **a s. publication**, una pubblicazione quindicinale B avv. quindicinalmente.

seminal /ˈsɛmɪnl/ a. (*scient.*) 1 seminale 2 riproduttivo: **s. power**, capacità riproduttiva 3 embrionale (*anche fig.*): **in the s. state**, allo stato embrionale 4 (*fig. form.*) fecondo; influente: **a s. idea**, un'idea feconda ● (*fisiol.*) **s. fluid**, liquido seminale.

seminar /ˈsɛmɪnɑː(r)/ n. seminario (*d'università*).

seminary /ˈsɛmɪnərɪ/ n. 1 (*relig.*) seminario 2 (*un tempo*) scuola superiore; istituto; collegio; convitto: **a s. for young women**, un convitto femminile 3 (*fig.*) semenzaio, vivaio (*fig.*) 4 (*USA*) → **seminar** ● (*fig.*) **a s. of vice**, un covo del vizio || **seminarian** n. 1 chi frequenta un seminario (*di studio*) 2 (*relig.*) seminarista: **an ex-Jesuit seminarian**, un ex-seminarista dei gesuiti || **seminarist** n. (*relig.*) seminarista.

semination /ˌsɛmɪˈneɪʃn/ n. 1 (*bot.*) seminatura; spargimento del seme; disseminazione (*anche fig.*) 2 (*med.*) inseminazione 3 (*med.*) insemenzamento (*di batteri, ecc.*).

seminiferous /ˌsɛmɪˈnɪfərəs/ a. (*anat.*, *bot.*) seminifero.

seminoma /ˌsɛmɪˈnəʊmə/ n. (pl. *seminomas*, *seminomata*) seminoma.

semiofficial /ˌsɛmɪəˈfɪʃl/ a. semiufficiale; ufficioso.

semiology /ˌsiːmɪˈɒlədʒɪ/ n. ▫ 1 (*ling.*) semiologia 2 (*med.*) semiologia; semeiotica || **semiological** a. 1 (*ling.*) semiologico 2 (*med.*) semiologico; semeiotico || **semiologist** n. 1 (*ling.*) semiologo 2 (*med.*) semiologo; specialista in semeiotica.

semiotics /ˌsiːmɪˈɒtɪks/ (*ling.*) n. pl. (col verbo al sing.) semiotica || **semiotic** a. semiotico.

semiprecious /ˌsɛmɪˈprɛʃəs/ a. (*miner.*) duro; semiprezioso.

semiprivate /ˌsɛmɪˈpraɪvət/ a. semiprivato.

semi-pro, **semipro** /ˈsɛmɪprəʊ/ A n. (*fam.*, *sport*) semiprofessionista B a. semiprofessionistico.

semiprofessional /ˌsɛmɪprəˈfɛʃənl/ (*anche sport*) A n. semiprofessionista B a. semiprofessionistico.

semipublic /ˌsɛmɪˈpʌblɪk/ a. semipubblico.

semiquaver /ˈsɛmɪkweɪvə(r)/ n. (*mus.*) semicroma.

semirigid /ˌsɛmɪˈrɪdʒɪd/ a. semirigido: **s. airship**, dirigibile semirigido.

semiskilled /ˌsɛmɪˈskɪld/ a. semispecializzato: **s. labour**, manodopera semispecializzata.

semiskimmed /ˌsɛmɪˈskɪmd/ a. (*del latte*) parzialmente scremato.

semisolid /ˌsɛmɪˈsɒlɪd/ a. semisolido.

semisweet /ˌsɛmɪˈswiːt/ a. 1 semidolce 2 (*del vino*) amabile.

Semite /ˈsiːmaɪt/ n. semita.

Semitic /səˈmɪtɪk/ a. semitico.

Semitics /səˈmɪtɪks/ n. pl. (col verbo al sing.) semitistica || **Semitist** n. semitista.

Semitism /ˈsɛmɪtɪzəm/ n. ▫ semitismo.

semitone /ˈsɛmɪtəʊn/ (*mus.*, *fon.*) n. semitono.

semitrailer /ˌsɛmɪˈtreɪlə(r)/ n. (*autom.*) 1 autoarticolato 2 semirimorchio.

semitransparent /ˌsɛmɪtrænˈspærənt/ a. semitrasparente.

semitropical /ˌsɛmɪˈtrɒpɪkl/ a. (*geogr.*) subtropicale.

semivowel /ˈsɛmɪvaʊəl/ n. (*fon.*) semivocale.

semiyearly /ˌsɛmɪˈjɪəlɪ/ → **semiannual**.

semolina /ˌsɛməˈliːnə/ n. ▫ semolino (*di frumento*) ● (*cucina*) **s. pudding**, semolino (*la minestra*).

sempiternal /ˌsɛmpɪˈtɜːnl/ a. (*retor.*) sempiterno | **-ly** avv.

sempstress /ˈsɛmpstrɪs/ → **seamstress**.

Sen. abbr. 1 (*USA*, **Senate**) Senato 2 (**senator**) senatore (**Sen.**) 3 (**senior**) senior.

♦**senate** /ˈsɛnət/ n. ▫c 1 (*stor.*, *polit.*) senato 2 (*università*) senato accademico ● **S. House**, palazzo del senato ❶ CULTURA ● **The Senate**: *il Senato americano è uno dei due rami del Congresso (l'altro è la* House of Representatives) *ed è composto da 100 membri, due per ogni Stato, eletti a suffragio universale per un periodo di sei anni; ogni due anni un terzo dei senatori viene rinnovato con le* → «midterm elections» (→ **midterm**). *Il Senato ratifica i trattati firmati dal Presidente e le nomine presidenziali a cariche di importanza nazionale. È presieduto dal Vicepresidente degli Stati Uniti*.

♦**senator** /ˈsɛnətə(r)/ n. (*stor.*, *polit.*) senatore || **senatorial** a. 1 (*polit.*) senatoriale 2 (*stor.*) senatorio: **senatorial rank**, dignità senatoria ● (*in USA*) **senatorial district**, collegio elettorale che elegge un senatore || **senatorship** n. senatorato; dignità (*o carica, ufficio*) di senatore.

send /sɛnd/ n. (*naut.*) 1 spinta dell'onda 2 beccheggio.

♦**to send** ① /sɛnd/ (pass. e p. p. **sent**) A v. t. 1 mandare; inviare; spedire; rimettere (*denaro*); trasmettere; lanciare: **to s. the goods by rail**, spedimmo la merce per ferrovia; **to s. sb. to prison**, mandare qualcuno in prigione; *They sent me here to help you*, mi hanno mandato qui per aiutarvi; **to s. a radio signal**, trasmettere un segnale radio; (*comput.*) **to s. an e-mail**, inviare un messaggio di posta elettronica; mandare una mail; *The best thing is for you to s. us an e-mail with your contact details*, la cosa migliore è che tu ci mandi una mail con i tuoi recapiti 2 costringere; obbligare; fare (*seguito da un inf.*): *The breakdown sent him looking for help*, il guasto meccanico lo costrinse a cercare aiuto; **to s. the car into a spin**, far fare un testa-coda alla vettura 3 far diventare; rendere: *She'll s. me mad!*, mi farà diventare matto; mi farà impazzire!; **to s. sb. into a terrible temper**, fare imbestialire q. 4 (*fam.*) mandare in estasi (*o in visibilio*); fare impazzire: *This music really sends me*, questa musica mi fa impazzire 5 (*radio*) trasmettere B v. i. inviare un messaggio; mandare a dire: *He sent (to say) that he couldn't come*, mandò a dire che non poteva venire ● **to s. sb. about his business**, dire a q. di farsi i fatti suoi □ **to s. by book-post**, spedire in busta aperta (*come stampe*) □ **to s. by sample-post**, spedire come campione □ **to s. sb. flying**, mandar q. a gambe levate; mettere in fuga q. □ (*calcio, ecc.*) **to s. the goalkeeper the wrong way**, spiazzare il portiere □ (*fig. sport*) **to s. sb. to the showers**, mandare q. anzitempo negli spogliatoi □ (*fig.*) **to s. sb. packing**, mandare q. a farsi benedire; mandare q. a quel paese; (*sport*) espellere q. □ **to s. sb. sprawling**, mandare q. a gambe levate □ (*naut.*) **to**

s. to the bottom, colare a picco; affondare □ **to s. under cover**, spedire sotto fascia □ **to s. word**, mandare a dire; far sapere.

■ **send across** v. t. + avv. mandare (q.) dall'altra parte (*della strada, del fiume, ecc.*).

■ **send after** v. t. + prep. 1 mandare a cercare (q.) 2 spedire, inoltrare (*oggetti lasciati*) a (*q. che è partito*).

■ **send ahead** v. t. + avv. mandare avanti.

■ **send along** v. t. + avv. (*fam.*) mandare: *S. him along, and I'll talk to him*, mandamelo pure, e io gli parlerò.

■ **send around** v. t. + avv. mandare in giro, diffondere (*una circolare, un avviso, ecc.*).

■ **send away** v. t. + avv. 1 mandare via; licenziare; congedare 2 inviare, spedire (*una domanda, ecc.*) □ **to s. away for**, far venire, richiedere, mandare a prendere (*un catalogo, un dépliant, ecc.*); ordinare (*merce*).

■ **send back** v. t. + avv. 1 rimandare; restituire; mandare indietro: **to s. back the goods**, restituire la merce 2 rimandare; rispedire: *She sent back the parcel unopened*, rispedì il pacco senza aprirlo □ **to s. back for**, mandare (q.) indietro a prendere (qc.); mandare a chiedere (qc.); far venire; mandare a chiamare, chiedere l'intervento di: **to s. back for more policemen**, chiedere l'intervento di altri poliziotti; chiedere rinforzi.

■ **send down** v. t. + avv. 1 mandare (q. o qc.) giù (*o di sotto*) 2 far calare, far diminuire (*prezzi, quotazioni, la temperatura, ecc.*) 3 cacciare, espellere (*dall'università*) 4 (*fam. ingl.*) mandare (q.) in galera 5 (*sport*) retrocedere □ **to s. down for**, mandare a prendere (*qc. in un negozio*); farsi portare (*la colazione in camera, ecc.*) dalle cucine.

■ **send for** v. t. + prep. 1 mandare a chiamare (*o a prendere*); chiamare; far venire; far portare: *We sent for the doctor*, mandammo a chiamare il medico; *S. for coffee, will you?*, per favore, fai portare il caffè! *You sent for me, madam?*, mi ha mandato a chiamare, signora?; **to s. for the police**, chiamare la polizia 2 richiedere (*un catalogo, ecc.*); ordinare (*merce*) a mezzo posta: *Have you sent for the books yet?*, i libri, li hai ordinati?

■ **send forth** v. t. + avv. (*arc.*) 1 mandare, spedire (*uomini, reparti, ecc.*, spec. all'estero o in missione) 2 emettere (*luce, calore, un ordine, ecc.*) 3 (*di piante*) mettere (*le foglie*); gettare (*germogli*); dare, produrre (*frutti*) 4 emettere, esalare, mandare (*un odore*).

■ **send in** v. t. + avv. 1 mandare dentro, far entrare (q.) 2 (*mil.*) mandare (*truppe, ecc.*) di rincalzo 3 inviare; far pervenire; presentare: **to s. in a request [one's resignation]**, inviare una richiesta [presentare le dimissioni] 4 (*sport*) mettere (*o mandare*) in campo (*un giocatore*) 5 (*comm.*) fare (*un'ordinazione*) □ **to s. in one's card**, farsi precedere dal biglietto da visita.

■ **send off** v. t. + avv. 1 inviare (*per posta*); spedire: *I've sent the parcel off by registered mail*, ho spedito il pacco per assicurata 2 spedire, mandare (*q. al lavoro, a scuola, ecc.*) 3 salutare (q.) alla partenza: *I went to the airport to s. her off*, andai all'aeroporto per salutarla alla partenza 4 (*sport: calcio, ecc.*; = **to s. off the field**) espellere, mandare negli spogliatoi (*un giocatore*) 5 far perdere i sensi a (q.) □ **to s. off for** = **to s. away for** → **to send away**, def. 3 □ (*hockey su ghiaccio*) **to s. a player off the ice**, espellere un giocatore □ **to s. sb. off to sleep**, fare addormentare q.

■ **send on** A v. t. + avv. 1 mandare avanti; (*mil.*) mandare in avanscoperta; spedire prima: *We sent the Gurkhas on*, mandammo i Gurkha in avanscoperta; *S. on the trunks!*, spedisci prima i bauli! 2 (*teatr.*) mandare (*un attore, ecc.*) in scena 3 (*sport*) mettere (*un giocatore*) in campo 4 inoltrare

(*corrispondenza*) **5** trasmettere (*un ordine*) [B] **v. t. + prep.** mandare (q.) in (*o a*): **to s. sb. on holiday**, mandare q. in vacanza; **to s. a student on a summer course**, mandare uno studente a un corso estivo.

■ **send out** v. t. + avv. **1** mandare fuori; fare uscire **2** mandare (*lontano, all'estero, ecc.*) **3** mandare, inviare, spedire (*una circolare, merci, ecc.*) **4** far circolare, diramare (*istruzioni, inviti, ordini, ecc.*) **5** emettere (*calore, fumo, vapore, ecc.*) **6** mandare (*un suono, ecc.*) **7** (*di piante*) mettere (*foglie*); gettare (*germogli*) **8** (*sport*) mettere (*la palla*) fuori (*a lato o a fondocampo*) □ **to s. sb. out for st.**, mandare (fuori) q. a prendere qc. (*da bere, da mangiare, ecc.*); chiamare il servizio a domicilio □ (*fig.*) **to s. sb. out of his mind**, fare uscire di senno q.

■ **send over** v. t. + avv. mandare (q.); spedire, smistare (*merce*).

■ **send round** v. t. + avv. **1** mandare (q.); spedire (*merce*) **2** far circolare (*un avviso*); diramare (*istruzioni, ecc.*) □ (*fam.*) **to s. sb. round the bend**, fare impazzire q.

■ **send under** v. t. + avv. mettere sotto (*fam.*); sconfiggere; battere (*un concorrente, ecc.*).

■ **send up** [A] v. t. + avv. **1** mandare su (*o di sopra*); far salire: *When the nurse arrives, send him up*, quando arriva l'infermiere, fallo salire **2** mandare in alto (*o in cielo*); lanciare; mettere in orbita: **to s. up a column of smoke**, mandare in cielo una colonna di fumo; **to s. up a spacecraft**, mettere in orbita una navicella spaziale **3** far aumentare, far salire (*prezzi, quotazioni, la temperatura, ecc.*) **4** mandare, rinviare, inoltrare (*a un'autorità, un ufficio superiore, ecc.*) **5** far saltare in aria; distruggere **6** alzare; inarcare: *'Richard sent up his brows'* G. MEREDITH, 'Richard inarcò le sopracciglia' **7** (*fam.*) mandare (q.) in galera; mettere dentro (*fam.*) **8** (*fam.*) imitare; fare il verso a (q.); parodiare; fare la parodia di (q.); prendere in giro [B] v. t. + prep. mandare (q.) su per □ **to s. st. up in flames**, mandare in fiamme qc.

to **send**② /sɛnd/ (pass. e p. p. **sent**), v. i. (*naut.*) beccheggiare: *The ship sent violently*, la nave beccheggiava violentemente.

sendal /'sɛndl/ n. (*stor.*) zendado (*ricco drappo di seta*).

sender /'sɛndə(r)/ n. **1** (*anche comm.*) mittente; speditore: **«Return to s.»**, «(restituire) al mittente» **2** (*radio, telef.*) apparecchio trasmittente; trasmettitore **3** rimettitore (*di denaro*) **4** (*slang USA*) cantante pop che manda in visibilio; idolo (*fig.*).

sending /'sɛndɪŋ/ n. [U C] **1** (*spec. comm.*) invio; spedizione **2** (*radio, telef.*) trasmissione **3** rimessa (*di denaro*) ● (*calcio, ecc.*) **s. off**, espulsione (*di un giocatore*) □ **s. station**, stazione trasmittente; emittente.

send-off, sendoff /'sɛndɒf/ n. **1** commiato; saluto a chi parte: *His friends gave him a fine send-off*, gli amici gli fecero un caloroso saluto alla partenza **2** festa d'addio (*o per l'inizio di una nuova attività*) **3** inizio incoraggiante; buona accoglienza **4** (*giorn.*) recensione favorevole; soffietto **5** (*slang USA*) funerale.

send-up /'sɛndʌp/ n. (*fam.*) parodia; imitazione satirica.

senega /'sɛnɪgə/ n. (*bot., Polygala senega*) poligala.

Senegalese /sɛnɪgə'liːz/ a. e n. (inv. al pl.) senegalese.

senescence /sɪ'nɛsns/ n. [U] senescenza || **senescent** a. senescente.

seneschal /'sɛnɪʃl/ n. (*stor.*) siniscalco: *High S.*, Gran Siniscalco.

sengreen /'sɛngriːn/ n. (*bot.*) **1** (*Sedum*) sedo **2** (*Sempervivum tectorum*) semprevivo

---

3 (*Vinca minor*) pervinca.

senile /'siːnaɪl/ a. **1** senile: **s. apathy**, apatia senile; (*med.*) **s. dementia**, demenza senile **2** (*rif. a persone*) dall'aspetto senile; decrepito; rimbambito ● **s. decay**, decrepitezza; senilità || **senility** n. [U] senilità.

senilism /'siːnaɪlɪzəm/ n. [U] (*med.*) senilismo.

♦**senior** /'siːnɪə(r)/ [A] a. **1** più anziano; più vecchio; senior: *He is two years my s.* (*o my s. by two years*), ha due anni più di me; *Andrew Jones senior S.*, Andrew Jones senior **2** che ha maggiore anzianità di servizio; di grado più elevato: *Jack is s. to me, even if he's younger*, anche se è più giovane d'età, Jack ha più anzianità di me; **s. partner**, socio anziano; socio dirigente **3** (*mil.*) superiore: **s. officers**, gli ufficiali superiori; **my s. officer**, il mio superiore diretto **4** (*USA*) dell'ultimo anno (*di «high school» o di università*) **5** (*fin.*: *di un titolo*) che ha priorità; di primo grado [B] n. **1** anziano; decano (*in una scuola, ecc.*) **2** (*USA*) studente dell'ultimo anno (*di «high school» o di università*) **3** (la) persona più alta in grado ● (*marina mil., in USA*) **s. chief petty officer**, 'senior chief petty officer' (*grado intermedio di sottufficiale; non ha equivalente né in Italia né in Inghilterra*) □ (*eufem.*) **s. citizen**, anziano; pensionato; appartenente alla terza età □ (*ferr.*) **s. citizen railcard**, carta d'argento □ (*in un college*) **s. common room**, sala di ritrovo dei docenti; sala docenti; (*per estens.*) i docenti □ **s. editor**, curatore generale (*di un'opera collettiva*); caposervizio (*di un giornale*) □ (*USA*) **s. high school**, scuola secondaria superiore □ **s. lecturer**, 'senior lecturer' (*docente universitario non cattedratico di livello professorale*) □ (*aeron. mil., in USA*) **s. master sergeant**, maresciallo di 2ª □ (*fam. scherz.*) **s. moment**, momento di amnesia; attimo di Alzheimer □ (*in GB*) **the S. Service**, la Regia Marina (*la più antica delle tre armi*).

senioritis /siːnɪə'raɪtɪs/ n. [U] (*fam., USA*) perdita di motivazione nella fase finale di un ciclo di studi.

seniority /siːnɪ'ɒrətɪ/ n. [U] **1** maggiore età; maggiore anzianità **2** anzianità di servizio: **promotion through s.**, promozione per anzianità di servizio ● **s. list**, ruolo d'anzianità □ **s. rights**, diritto d'anzianità.

senna /'sɛnə/ n. [U] (*med., bot., Cassia*) sena, senna.

sennit /'sɛnɪt/ n. (*spec. naut.*) treccia (*di corda o paglia*); gaschetta.

sensation /sɛn'seɪʃn/ n. [C U] **1** sensazione; senso; sensibilità (fisica): **a s. of cold**, una sensazione di freddo; *He lost all s. in his right hand*, perse la sensibilità della mano destra **2** sensazione; scalpore; impressione; colpo (*fig.*): **to make a s.**, far impressione; far scalpore; far sensazione; **to cause** (*o* **create**) **a s.**, far colpo; destare scalpore **3** cosa che fa colpo; avvenimento sbalorditivo; fatto sensazionale: *Her TV show was an overnight s.*, il suo spettacolo TV ha avuto un immediato e strepitoso successo.

sensational /sɛn'seɪʃənl/ a. **1** sbalorditivo; che fa colpo; sensazionale; emozionante; impressionante; strabiliante; raccapricciante: **s. happening**, avvenimento sensazionale; **a s. trial**, un processo che fa scalpore **2** (*fam.*) fantastico; eccezionale **3** (*filos.*) sensoriale; delle sensazioni ● **a s. play**, un dramma a sensazione **| -ly** avv.

sensationalism /sɛn'seɪʃnəlɪzəm/ n. [U] **1** ricerca del sensazionale; tendenza a far colpo (*o a sbalordire*); sensazionalismo **2** (*filos.*) sensismo || **sensationalist** n. **1** chi vuol far colpo; chi tende a impressionare (*o a sbalordire*) **2** (*filos.*) sensista || **sensationalistic** a. **1** sbalorditivo; che vuol far colpo; sensazionalistico **2** (*filos.*) sensi-

---

stico.

to **sensationalize** /sɛn'seɪʃnəlaɪz/ v. t. sensazionalizzare.

sensationism /sɛn'seɪʃnɪzəm/ (*filos.*) n. [U] sensazionismo || **sensationist** n. sensazionista.

♦**sense** /sɛns/ n. **1** senso: **the five senses**, i cinque sensi; **the s. of hearing [of sight]**, il senso dell'udito [della vista] **2** sensazione; impressione; senso; sentimento: **a s. of helplessness**, una sensazione di impotenza; **a s. of shame**, un senso di vergogna **3** consapevolezza; capacità di riconoscere qc.; senso: **a s. of what is right**, il saper riconoscere ciò che è giusto; **a s. of timing**, la capacità di cogliere il momento giusto; tempismo; **a s. of humour**, il senso dell'umorismo; **moral s.**, senso morale; **a s. of achievement**, la consapevolezza di aver compiuto qualcosa di importante **4** [U] (= **good s.**) senso; buonsenso; senso comune; criterio; discernimento; giudizio: *He's a man of s.*, è una persona dotata di buonsenso; *What's the s. of* (*o where's the s. in*) *talking like that?*, che senso c'è a parlare così? **5** senso; significato: **a word with several senses**, una parola con vari significati; *I didn't grasp the s. of his remarks*, non afferrai il senso delle sue osservazioni; **in the best [in the full] s. of the word**, nel miglior [nel vero] senso della parola **6** [U] sentimento generale; indirizzo, orientamento; polso (*fig.*): *the s. of the audience*, l'orientamento del pubblico **7** (pl.) coscienza; conoscenza: **to lose one's senses**, perdere conoscenza; **to come back to one's senses**, riprendere conoscenza; riaversi; (*anche*) rinsavire, tornare in sé **8** (pl.) facoltà mentali: **to be in one's right senses**, essere nel pieno possesso delle proprie facoltà mentali ● (*filos.*) **s. datum**, dato sensoriale □ **s. of occasion**, sentimento di solennità; aria di festa (*percezione che qualcosa di speciale sta accadendo*) □ (*fisiol.*) **s. organ**, organo sensorio ● **s. perception**, percezione sensoria □ **to bring sb. to his senses**, far tornare in sé q.; far rinsavire q. ● **common s.**, buonsenso □ **to frighten sb. out of his senses**, terrorizzare, spaventare a morte q. □ **in a s.**, in un certo senso □ **to make s.**, aver senso: *This sentence doesn't make s.*, questa frase non ha senso □ **to make s.** (**out**) **of st.**, trovare un senso in, capire il senso di qc. □ (*fam.*) **not to have enough s. to come in out of the rain**, non avere un briciolo di buon senso □ (*antiq.*) **to be out of one's senses**, essere fuori di sé; esser matto □ (*antiq.*) **to take leave of one's senses**, uscire di senno; ammattire □ (*fam.*) **to talk s.**, parlare assennatamente; dire cose sensate; ragionare bene.

to **sense** /sɛns/ v. t. **1** sentire; accorgersi di; percepire; intuire; avvertire: *I sensed that he was hiding something*, sentii che mi nascondeva qualcosa; *I sensed his hostility*, avvertii la sua ostilità **2** (*di apparecchio*) rilevare; scoprire (*per mezzo di sensori*).

senseless /'sɛnsləs/ a. **1** inanimato; privo di sensi; senza conoscenza; tramortito: **to fall s. to the ground**, cadere a terra privo di sensi **2** insensato; assurdo; irragionevole; privo di buonsenso; sciocco; stupido: **a s. attack**, un attacco insensato; un'aggressione gratuita; un attentato assurdo; **a s. idea**, un'idea insensata **3** privo di facoltà sensorie ● **to knock sb. s.**, tramortire q. (*con uno o più colpi*) **| -ly** avv. **| -ness** [U].

sensibility /sɛnsə'bɪlətɪ/ n. **1** [U] sensibilità; impressionabilità: **s. to pain**, sensibilità al dolore; **artistic s.**, sensibilità artistica **2** (pl.) suscettibilità: **to wound sb.'s sensibilities**, urtare la suscettibilità di q. **3** l'esser sensibile a (qc.); sensitività; emotività.

♦**sensible** /'sɛnsəbl/ a. **1** assennato; ragionevole; saggio; sensato: *That's very s. of*

a b c d e f g h i j k l m n o p q r s t u v w x y z

him, è una cosa molto assennata da parte sua; **a s. compromise**, un compromesso ragionevole; *It's a s. idea*, è un'idea saggia; *She's a s. woman*, è una donna ragionevole; **a s. answer**, una risposta sensata **2** percepibile, percettibile; apprezzabile; notevole; ragguardevole; sensibile: **a s. impression**, un'impressione (chiaramente) percepibile; **a s. drop in prices**, un sensibile calo dei prezzi **3** conscio; consapevole: *I am s. of my shortcomings*, sono conscio dei miei difetti; *I'm s. of his danger*, sono consapevole del pericolo che corre ● **s. headgear**, copricapo pratico.

❶ Nota: *sensible o sensitive?*
Il significato primario dell'aggettivo *sensible* non è "sensibile", ma "sensato, assennato", specie in riferimento a decisioni basate più sul buonsenso che sui sentimenti (e a chi le prende): *It would be sensible to take an umbrella in case it rains*, sarebbe sensato portare un ombrello nel caso venga a piovere; *Lucy is growing up into a sensible young woman*, Lucy sta diventando una giovane donna assennata. L'aggettivo *sensitive* in genere vuol dire "sensibile" nei significati principali della parola italiana, cioè in riferimento a chi è permaloso o suscettibile: *to be very sensitive to any form of criticism*, essere molto sensibile a ogni forma di critica; a chi ha facilità a comprendere i sentimenti degli altri ed è gentile con loro: *He was a sensitive colleague who always listened sympathetically*, era un collega sensibile che ascoltava sempre con grande comprensione; a qualcosa che suscita forti emozioni: *Euthanasia is a sensitive issue*, l'eutanasia è una questione sensibile; a qualcosa o qualcuno che reagisce in modo intenso a uno stimolo: *Highly perfumed products may irritate sensitive skin*, i prodotti molto profumati possono irritare la pelle sensibile.

sensibleness /'sɛnsəblnəs/ n. Ⓤ assennatezza; buonsenso; ragionevolezza; giudizio.

sensibly /'sɛnsəblɪ/ avv. **1** assennatamente; ragionevolmente; saggiamente **2** notevolmente; sensibilmente; molto **3** intensamente; vivamente.

◆**sensitive** /'sɛnsətɪv/ Ⓐ a. **1** sensibile; delicato: **s. skin**, pelle sensibile, delicata; **a s. molar**, un molare sensibile (o che duole); **to be s. to beauty**, essere sensibile alla bellezza; **s. film**, pellicola sensibile; (*fotogr.*) **s. plate**, lastra sensibile; (*Borsa, comm.*) **a s. market**, un mercato sensibile **2** sensitivo; impressionabile; emotivo **3** sensibile; pietoso; tenero: *He's s. to other people's needs*, è sensibile alle esigenze degli altri **4** ombroso; permaloso; suscettibile; troppo sensibile **5** (*di documento, ecc.*) delicato; segreto: **s. information**, informazioni delicate Ⓑ n. (*psic.*) soggetto sensibile; sensitivo ● (*comput.*) **s. data**, dati significativi o (*fotogr.*) **s. paper**, carta sensibile (o impressionabile) □ **a s. performance**, un'esecuzione (o recitazione) raffinata □ **s. plant**, (*bot., Mimosa pudica*) sensitiva; (*fig.*) persona troppo sensibile (o delicata) | **-ly** avv. **❶ Nota: *sensible o sensitive?* → sensible**

sensitivity /sɛnsə'tɪvətɪ/ n. ⓊⒸ **1** sensibilità; sensitività: **s. to cold**, sensibilità al freddo **2** delicatezza di sentimenti; sensibilità; finezza **3** permalosità; ombrosità; suscettibilità **4** delicatezza (*di una questione, ecc.*) **5** estrema precisione (*di un apparecchio*) **6** (*fotogr.*) impressionabilità.

to **sensitize** /'sɛnsətaɪz/ (*fotogr., biol., med.*) v. t. sensibilizzare ● (*di persona*) **to become sensitized**, sensibilizzarsi || **sensitization** n. Ⓤ sensibilizzazione || **sensitizer** n. sensibilizzatore.

sensitometer /sɛnsɪ'tɒmɪtə(r)/ n. (*foto-*

gr.) sensitometro.

sensitometry /sɛnsɪ'tɒmətrɪ/ n. Ⓤ (*ottica*) sensitometria.

sensor /'sɛnsə(r)/ n. (*tecn.*) sensore.

sensorium /sɛn'sɔːrɪəm/ n. (pl. *sensoriums, sensoria*) (*fisiol.*) sensorio; complesso delle funzioni sensoriali || **sensorial** a. sensoriale; sensorio: **sensorial organs**, organi sensori.

sensory /'sɛnsərɪ/ a. (*fisiol., med.*) sensoriale; sensitivo: **s. area**, area sensoriale; **s. nerve**, nervo sensitivo; **s. paralysis**, paralisi sensoriale; (*psic.*) **s. deprivation**, deprivazione sensoriale.

sensual /'sɛnsʊəl/ a. **1** sensuale; carnale; voluttuoso: **s. pleasures**, piaceri sensuali **2** (*filos.*) sensualistico **3** sensoriale | **-ly** avv.

sensualism /'sɛnsʊəlɪzəm/ n. Ⓤ **1** sensualismo; carnalità; voluttuosità **2** (*filos.*) sensualismo || **sensualist** n. **1** persona sensuale **2** (*filos.*) sensualista || **sensualistic** a. (*filos.*) sensualistico.

sensuality /sɛnsʊ'ælətɪ/ n. Ⓤ sensualità.

sensuous /'sɛnsʊəs/ a. **1** piacevole ai sensi; sensuoso: **s. poetry**, poesia sensuosa **2** (*talora*) sensuale; voluttuoso; dei sensi | **-ly** avv. | **-ness** n. Ⓤ.

sent /sɛnt/ pass. e p. p. di **to send**.

◆**sentence** /'sɛntəns/ n. **1** (*leg.*) sentenza; giudizio: **a s. of the court**, una sentenza del tribunale **2** (*leg.*) condanna: **a heavy s.**, una grave condanna; **a death s.**, una condanna a morte **3** (*ling.*) frase; proposizione; periodo: **a simple [compound, complex] s.**, una frase semplice [composta, complessa]; **s.-word**, parola-frase **4** (*mus.*) frase musicale ● **to pass** (o **to pronounce**) **s.**, emettere una sentenza; condannare □ **to serve a s.**, scontare una condanna; scontare una pena detentiva □ **to be under s. of death**, essere stato condannato a morte.

to **sentence** /'sɛntəns/ (*leg.*) Ⓐ v. t. emettere sentenza contro (q.); condannare (*anche fig.*): **to s. sb. in default**, condannare q. in contumacia; *He was sentenced to death*, fu condannato a morte; *The old building was sentenced to destruction*, il vecchio edificio fu condannato alla demolizione Ⓑ v. i. (*leg.*) emettere la sentenza.

sentencing /'sɛntənsɪŋ/ n. (*leg.*) irrogazione della pena ● **s. process**, ultima fase del processo penale; sistema sanzionatorio penale.

sententious /sɛn'tɛnʃəs/ a. sentenzioso; aforistico; pomposo: **a s. writer [style]**, uno scrittore [uno stile] sentenzioso (o pomposo) ● (*spreg.*) **a s. man**, uno sputasentenze | **-ly** avv. | **-ness** n. Ⓤ.

sentience /'sɛnʃəns/, **sentiency** /'sɛnʃənsɪ/ n. Ⓤ facoltà di sentire; l'esser senziente; sensibilità.

sentient /'sɛnʃnt/ a. senziente; dotato di senso; sensibile; cosciente | **-ly** avv.

sentiment /'sɛntɪmənt/ n. ⓊⒸ **1** sentimento; senso: **a noble s.**, un nobile sentimento; **the s. of mercy**, il senso del perdono **2** (pl.) avviso; opinione; parere; modo di pensare (o di sentire): *I share your sentiments*, sono dello stesso avviso **3** Ⓤ (*spreg.*) sentimentalismo **4** (*form.*) augurio; formula augurale ● **to do st. for s.**, fare qc. per motivi sentimentali □ (*fam.*) **My sentiments exactly!**, sono perfettamente d'accordo!; la penso proprio così!

sentimental /sɛntɪ'mɛntl/ a. **1** sentimentale **2** delicato; romantico; tenero: **s. poems**, poesie delicate, tenere; **s. music**, musica romantica **3** (*spreg.*) sentimentale; sdolcinato; patetico: **a s. story**, un racconto patetico, sdolcinato ● (*comm.*) **s. value**, valore di affezione | **-ly** avv.

sentimentalism /sɛntɪ'mɛntəlɪzəm/ n.

Ⓤ sentimentalismo || **sentimentalist** n. sentimentalista; persona (troppo) sentimentale.

sentimentality /sɛntɪmɛn'tælətɪ/ n. ⓊⒸ sentimentalità; sentimentalismo.

to **sentimentalize** /sɛntɪ'mɛntəlaɪz/ Ⓐ v. i. fare il sentimentale Ⓑ v. t. **1** rendere sentimentale **2** fare del sentimentalismo (o del romanticismo) su (qc.).

sentinel /'sɛntɪnl/ n. (*lett. o arc.*) sentinella ● **to stand s.** (**over st.**), far la sentinella (a qc.).

to **sentinel** /'sɛntɪnl/ v. t. (*lett. o arc.*) **1** mettere (q.) di sentinella **2** mettere sentinelle a (qc.); vigilare (q.).

sentry /'sɛntrɪ/ n. (*mil.*) **1** sentinella; soldato di guardia; vedetta **2** Ⓤ guardia; sentinella (*l'azione*) ● **s. box**, garitta □ **to come off s.**, smontare di guardia □ **to be on s.-duty**, essere di sentinella □ **to be on s.-go**, far la sentinella camminando su e giù □ **to relieve a s.**, dare il cambio a una sentinella □ **to stand** (o **keep**) **s.**, essere di sentinella; montare la guardia.

Sep., Sept. abbr. (**September**) settembre (Sett.).

sepal /'sɛpl/ n. (*bot.*) sepalo.

separable /'sɛpərəbl/ a. separabile || **separability, separableness** n. Ⓤ separabilità || **separably** avv. in modo separabile.

◆**separate** /'sɛprət/ Ⓐ a. **1** separato; disgiunto; diviso; distinto: **s. tables**, tavoli separati; *Keep it s. from the others*, tienilo separato (o distinto) dagli altri; (*rag.*) **s. accounts**, conti distinti **2** diverso; vario; singolo: **the s. parts of the body**, le diverse parti del corpo; **the s. volumes**, i singoli volumi **3** individuale; personale: *Each teacher has a s. room*, ogni docente ha il suo studio personale **4** indipendente: **a flatlet with a s. entrance**, un appartamentino con l'ingresso indipendente Ⓑ n. **1** (*tipogr.*) pubblicazione a sé stante; monografia **2** (pl.) (*moda*) capi (di vestiario) separati; coordinati ● (*leg.*) **s. estate**, proprietà personale della moglie; beni parafernali □ (*leg.*) **s. maintenance**, alimenti (a un coniuge divorziato) □ (*bur., comm.*) **under s. cover**, in plico a parte.

◆to **separate** /'sɛpəreɪt/ Ⓐ v. t. **1** separare; disgiungere; dividere; suddividere; scindere; distinguere: *A wall separates the two gardens*, un muro separa i due giardini; **to s. two quarrellers**, dividere due litiganti; *The estate was separated into small lots*, la proprietà fu suddivisa in piccoli appezzamenti **2** scegliere; fare la cernita di (*cereali, frutta, ecc.*) Ⓑ v. i. separarsi; disgiungersi; dividersi; staccarsi; separarsi: **to s. from one's wife**, separarsi dalla moglie; *We separated at noon*, ci separammo a mezzogiorno ● (*fis.*) **to s. light**, scomporre la luce □ (*fig., scherz.*) **to s. the men from the boys**, scoprire in un gruppo chi è veramente in gamba □ **to s. milk**, scremare il latte.

separated /'sɛpəreɪtd/ a. separato ● **a legally s. husband**, un marito legalmente separato □ (*ind.*) **s. milk**, latte scremato | **-ness** n. Ⓤ.

separately /'sɛprətlɪ/ avv. disgiuntamente; separatamente; a parte.

separation /sɛpə'reɪʃn/ n. ⓊⒸ **1** separazione; disgiunzione; distacco **2** scomposizione; divisione: (*polit., leg.*) **the s. of powers**, la divisione dei poteri **3** (*leg.*) separazione (*tra coniugi*): **judicial** (o **legal**) **s.**, separazione legale **4** smistamento (*della corrispondenza*) **5** (*USA*) cessazione: **s. from employment**, cessazione del rapporto di lavoro; (*anche*) licenziamento dall'impiego ● (*di un lavoratore*) **the s. from the labour force**, l'uscita dalla vita attiva □ (*mecc.*)

into parts, scomposizione, smontaggio (*di una macchina*) □ (*leg.*) **s. of property**, separazione dei beni.

separationist /ˌsɛpəˈreɪʃnɪst/ → **separatist**.

separatism /ˈsɛpərətɪzəm/ n. Ⓤ **1** (*polit.*) separatismo **2** (*relig.*) dissidenza; tendenze scismatiche.

separatist /ˈsɛpərətɪst/ n. **1** (*polit.*) separatista **2** (*relig.*) scismatico ‖ **separatistic** a. **1** (*polit.*) separatistico **2** (*relig.*) scismatico.

separative /ˈsɛpərətɪv/ → **separatory**.

separator /ˈsɛpəreɪtə(r)/ n. **1** chi separa; separatore **2** (*tecn.*) separatore: **dust s.**, separatore di polvere; **centrifugal s.**, separatore centrifugo; centrifuga; **electrostatic [magnetic] s.**, separatore elettrostatico [magnetico] **3** (*autom.*) (banchina, barriera) spartitraffico **4** (= **cream s.**) scrematrice (*del latte*) **5** (*agric.*, USA) trebbia.

separatory /ˈsɛpərətrɪ/ a. separatorio; divisorio.

Sephardi /sɛˈfɑːdiː/ n. (pl. **Sephardim**) sefardita ‖ **Sephardic** a. sefardita.

sepia /ˈsiːpɪə/ n. **1** (*zool.*, *Sepia*) seppia **2** Ⓤ nero di seppia (*il liquido e il colore*): **s. drawing**, disegno a nero di seppia **3** (*arte*) disegno a nero di seppia **4** fotografia color seppia.

sepiolite /ˈsiːpɪəlaɪt/ n. Ⓤ (*miner.*) sepiolite; schiuma di mare.

sepoy /ˈsiːpɔɪ/ n. (*stor.*, *mil.*) sepoy (*soldato indiano dell'esercito britannico*) ● (*stor.*) **the s. mutiny**, la rivolta dei sepoy (*in India*).

seps /sɛps/ n. (*zool.*, *Chalcides chalcides*) luscengola.

sepsis /ˈsɛpsɪs/ n. Ⓤ (*med.*) sepsi.

sept① /sɛpt/ n. (*stor.*) gruppo di famiglie irlandesi (*o scozzesi*); clan; tribù.

sept② /sɛpt/ n. transenna; tramezzo.

septa /ˈsɛptə/ pl. di **septum**.

septal /ˈsɛptl/ a. (*anat.*, *zool.*, *bot.*) del setto; settale: **s. cartilage of the nose**, cartilagine del setto nasale.

septate /ˈsɛpteɪt/ a. (*biol.*) provvisto di setti; settato.

◆**September** /sɛpˈtɛmbə(r)/ Ⓐ n. Ⓤ Ⓒ settembre Ⓑ a. attr. di settembre; settembrino: **S. figs**, fichi settembrini; **on a clear S. day**, in una serena giornata settembrina. *Per gli esempi d'uso* → **April**.

septenarius /ˌsɛptɪˈnɛərɪəs/ n. (pl. **septenarii**) (*poesia latina*) settenario.

septenary /ˈsɛptɪnərɪ/ Ⓐ a. **1** del numero sette **2** (*poesia*) settenario Ⓑ n. (*poesia*) (*verso*) settenario.

septennial /sɛpˈtɛnɪəl/ a. settennale.

septentrional /sɛpˈtɛntrɪənl/ a. (*raro*) settentrionale.

septet, **septette** /sɛpˈtɛt/ n. **1** (*mus.*) settimino **2** (*fig.*) gruppo di sette cose (*o persone*).

septfoil /ˈsɛtfɔɪl/ n. (*bot.*, *Potentilla tormentilla*) tormentilla.

septic /ˈsɛptɪk/ (*med.*) Ⓐ a. settico Ⓑ n. (*spreg.*) americano ● (*edil.*) **s. tank**, fossa settica; (*spreg.*) americano □ (*med.*: *di ferita*, *ecc.*) **to go s.**, infettarsi ‖ **septicity** n. Ⓤ tendenza a infettarsi.

septicaemia, **septicemia** /ˌsɛptɪˈsiːmɪə/ (*med.*) n. Ⓤ setticemia ‖ **septicaemic**, **septicemic** a. setticemico.

septillion /sɛpˈtɪljən/ n. (*mat.*) **1** (*un tempo in GB*) (un) sestilione di sestilioni (*un 1 seguito da 42 zeri*) **2** (*in USA e spesso in GB*) settilione (*un 1 seguito da 24 zeri*).

septime /ˈsɛptiːm/ n. (*scherma*) settima.

septoplasty /ˈsɛptəplæstɪ/ n. Ⓤ Ⓒ (*chir.*) settoplastica.

septuagenarian /ˌsɛptjuːədʒəˈnɛərɪən/

a. e n. settuagenario; settantenne.

Septuagesima /ˌsɛptjuːəˈdʒɛsɪmə/ n. (*relig.*, = **S. Sunday**) (domenica di) settuagesima.

septum /ˈsɛptəm/ n. (pl. **septa**, **septums**) (*anat.*, *zool.*, *bot.*) setto.

septuple /ˈsɛptjupl/, USA -ˈtuːpl/ a. e n. settuplo.

sepulcher /ˈsɛplkə(r)/ (USA) → **sepulchre**.

sepulchral /səˈpʌlkrəl/ a. sepolcrale (*anche fig.*): **in a s. voice**, con voce sepolcrale ● **s. customs**, usanze funebri.

sepulchre, (USA) **sepulcher** /ˈsɛplkə(r)/ n. sepolcro; tomba ● **the Holy S.**, il Santo Sepolcro □ (*fig.*) **a whited s.**, un sepolcro imbiancato; un ipocrita.

sepulture /ˈsɛpltʃə(r)/ n. Ⓤ Ⓒ sepoltura; seppellimento; sepolcro.

seq. abbr. (**sequel**) seguito, conseguenza.

sequacious /sɪˈkweɪʃəs/ a. **1** (*raro*) seguace (*poet.*); pedissequo; poco originale; servile **2** conseguente; coerente | **-ly** avv.

sequacity /sɪˈkwæsətɪ/ n. Ⓤ **1** (*raro*) mancanza di originalità; servilità; servilismo **2** coerenza; consequenzialità.

sequel /ˈsiːkwəl/ n. **1** seguito; continuazione **2** conseguenza; effetto ● **in the s.**, in seguito; successivamente.

sequela /sɪˈkwiːlə/ n. (pl. **sequelae**) (*med.*) postumo (*di malattia*).

◆**sequence** /ˈsiːkwəns/ n. **1** Ⓤ Ⓒ sequela; serie (ininterrotta); successione; ordine; il susseguirsi: **the s. of events**, il susseguirsi degli avvenimenti; **to give the facts in historical s.**, dare i fatti in ordine cronologico; **a s. of calamities**, una sequela di disgrazie **2** (*mus.*, *relig.*, *cinem.*, *in certi giochi di carte*, *ecc.*) sequenza: **transitional s.**, sequenza di passaggio; **a s. of diamonds**, una sequenza di quadri (*carte da gioco*) **3** (*comput.*) sequenza: **s. check**, controllo di sequenza **4** (*mat.*) successione **5** (*geol.*) serie; sequenza **6** (*biochim.*) sequenza **7** (*cinem.*) episodio ● (*gramm.*) **the s. of tenses**, la consecutio temporum; la sintassi dei tempi.

to sequence /ˈsiːkwəns/ v. t. **1** sistemare in sequenza; ordinare (in successione) **2** (*biochim.*) sequenziare: **to s. a protein**, sequenziare una proteina.

sequencer /ˈsiːkwənsə(r)/ n. (*biol.*, *mus.*) sequenziatore.

sequencing /ˈsiːkwənsɪŋ/ n. Ⓤ **1** (*ind.*) il fissare l'ordine d'esecuzione (*dei lavori*) **2** (*ferr.*) il fissare l'ordine di precedenza (*dei treni*) **3** (*biol.*) sequenziazione; sequenziamento: **DNA s.**, sequenziamento del DNA.

sequent /ˈsiːkwənt/ a. **1** seguente; successivo **2** conseguente; consequenziale.

sequential /sɪˈkwenʃl/ a. **1** seguente; successivo **2** in successione; in serie ininterrotta **3** conseguente; derivante; risultante **4** (*mat.*, *stat.*, *comput.*) sequenziale: **s. access**, accesso sequenziale; **s. analysis**, analisi sequenziale; **s. file**, file sequenziale; **s. processing**, elaborazione sequenziale | **-ly** avv.

sequentiality /sɪˌkwenʃɪˈælətɪ/ n. Ⓤ sequenzialità.

to sequester /sɪˈkwestə(r)/ v. t. **1** (*leg.*; *in Scozia e in diritto internazionale*) sequestrare; mettere sotto sequestro; confiscare **2** (*leg.*) porre (*beni*) sotto sequestro giudiziario **3** appartare; isolare; segregare ● **to s. oneself**, appartarsi; isolarsi; ritirarsi □ **a sequestered cottage**, una casetta isolata □ **a sequestered spot**, un luogo appartato; un angolo tranquillo □ (*chim.*) **sequestering agent**, agente sequestrante.

sequestrant /ˈsiːkwəstrənt/ n. (*chim.*) (sostanza) sequestrante.

to sequestrate /ˈsiːkwəstreɪt/ (*leg.*) v. t.

1 → **to sequester**, Ⓐ, def. 1 **2** → **to sequester**, Ⓐ, def. 2 **3** (*in Scozia*) dichiarare (q.) fallito ‖ **sequestrator** n. **1** sequestrante **2** sequestratario (*di beni di un debitore*).

sequestration /ˌsiːkwəˈstreɪʃn/ n. Ⓤ **1** (*leg.*; *in Scozia e in diritto internazionale*) sequestro; confisca **2** (*chim.*) sequestrazione **3** (*raro*) isolamento; segregazione.

sequin /ˈsiːkwɪn/ n. **1** (*moda*) lustrino; paillette (*franc.*) **2** (*stor.*) zecchino (*moneta*).

sequoia /sɪˈkwɔɪə/ n. (*bot.*, *Sequoia*) sequoia ● (*bot.*) **giant s.** (*Sequoia gigantea*), sequoia gigante.

ser. abbr. **1** (**serial**) seriale, periodico, a puntate **2** (**series**) serie.

serac /ˈsɛræk, USA səˈræk/ n. seracco (*di ghiacciaio*).

seraglio /səˈrɑːlɪəʊ/ n. (pl. **seraglios**, **seragli**) serraglio; harem.

serai /sɛrˈaɪ/ n. (pl. **serais**) caravanserraglio.

seraph /ˈsɛrəf/ n. (pl. **seraphim**, **seraphs**) (*relig.*) serafino.

seraphic /səˈræfɪk/, **seraphical** /səˈræfɪkl/ a. (*relig.*) serafico (*anche fig.*): **a s. smile**, un sorriso serafico | **-ally** avv.

Serb /sɜːb/, **Serbian** /ˈsɜːbɪən/ Ⓐ a. serbo Ⓑ n. **1** serbo, serba **2** Ⓤ serbo (*la lingua*).

Serbo-Croat /ˌsɜːbəʊˈkrəʊæt/, **Serbo-Croatian** /ˌsɜːbəʊkrəʊˈeɪʃn/ Ⓐ a. serbo-croato Ⓑ n. Ⓤ serbo-croato (*la lingua*).

sere① /sɪə(r)/ → **sear**①.

sere② /sɪə(r)/ → **sear**②.

serenade /ˌsɛrəˈneɪd/ n. (*anche mus.*) serenata.

to serenade /ˌsɛrəˈneɪd/ Ⓐ v. t. cantare (*o fare*) una serenata a (q.) Ⓑ v. i. cantare (*o fare*) serenate ‖ **serenader** n. chi fa serenate.

serenata /ˌsɛrəˈnɑːtə/ (*ital.*) n. (pl. **serenatas**, **serenate**) (*mus.*) serenata.

serendipity /ˌsɛrənˈdɪpətɪ/ n. Ⓤ serendipità; capacità di fare felici scoperte, di trovar tesori (*parola coniata da H. Walpole ne «I tre principi di Serendip»*) ‖ **serendipitous** a. fortunatissimo.

serene /səˈriːn/ Ⓐ a. sereno (*anche fig.*); limpido; calmo; quieto; tranquillo: **a s. sky**, un cielo sereno, limpido; **a s. life**, una vita serena; **to have a s. expression on one's face**, avere un'aria serena (in volto) Ⓑ n. (*poet.*) **1** cielo sereno; (il) sereno **2** mare calmo ● (*stor.*) **Your S. Highness**, Vostra Serenità; Vostra Altezza Serenissima | **-ly** avv.

serenity /səˈrɛnətɪ/ n. Ⓤ serenità (*anche fig.*) ● (*stor.*) **Your S.**, Vostra Serenità.

serf /sɜːf/ n. **1** (*stor.*) servo della gleba **2** (*fig.*) servo; schiavo ‖ **serfdom**, **serfage** n. Ⓤ **1** (*stor.*) servitù della gleba **2** (*fig.*) servitù; servaggio; schiavitù.

Serg., **Sergt.** abbr. (*mil.*, **sergeant**) sergente (Serg.).

serge /sɜːdʒ/ n. Ⓤ (*ind. tess.*) serge.

sergeancy /ˈsɑːdʒənsɪ/ n. Ⓤ → (*mil.*) grado (*o ufficio*) di sergente.

sergeant /ˈsɑːdʒənt/ n. **1** (*mil.*, *in GB e in USA*) sergente **2** (*aeron. mil.*, *in GB*) sergente **3** (*di polizia*) sergente; brigadiere **4** → **serjeant** ● (*mil.*) **s.-drummer**, tamburo maggiore □ (*mil.*, *in USA*) **s. first class**, sergente maggiore capo □ (*zool.*) **s.-fish** (*Rachycentron canadum*), pesce sergente □ (*mil.*, *in USA*) **s.-major**, maresciallo ordinario.

serial /ˈsɪərɪəl/ Ⓐ a. **1** di serie; in serie; (*comput.*, *stat.*) seriale: **s. number**, numero di serie (*di banconote*, *ecc.*); **s. correlation**, correlazione seriale **2** (*di racconto*, *servizio*, *ecc.*) pubblicato a puntate **3** (*di pubblicazione*) a fascicoli; a dispense Ⓑ n. **1** racconto (*o romanzo*, *servizio*, *ecc.*) a puntate **2**

(*cinem.*, *radio*, *TV*) film (racconto, teleromanzo) a episodi; serial **3** pubblicazione periodica; periodico ● (*comput.*) **s. bus**, bus seriale □ **s. comma ○ comma □ s. killer**, serial killer, pluriomicida □ (*comput.*) **s. mouse**, mouse seriale □ **s. murders**, delitti a catena □ (*comput.*) **s. port**, porta seriale □ **s. rights**, diritti esclusivi per la pubblicazione a puntate.

serialism /'sɪərɪəlɪzəm/ (*mus.*) n. Ⓤ serialismo; dodecafonia ‖ **serialist** n. compositore di musica dodecafonica.

to **serialize** /'sɪərɪəlaɪz/ v. t. **1** pubblicare (*un racconto, un servizio, ecc.*) a puntate **2** (*radio*, *TV*) trasmettere a puntate **3** (*comput.*, *tecn.*) serializzare ‖ **serialization** n. Ⓤ **1** pubblicazione a puntate **2** (*radio*, *TV*) trasmissione (*o messa in onda*) a puntate **3** (*comput.*, *tecn.*) serializzazione.

serially /'sɪərɪəlɪ/ avv. **1** in serie **2** a puntate; a dispense.

seriate /'sɪərɪət/ a. **1** disposto (*o ordinato*) in serie **2** (*biol.*, *geol.*) seriato.

to **seriate** /'sɪərɪeɪt/ v. t. **1** disporre (*o ordinare*) in serie **2** (*stat.*) seriare ‖ **seriation** n. Ⓤ **1** disposizione (*o ordinamento*) in serie **2** (*stat.*) seriazione.

seriatim /sɪərɪ'eɪtɪm/ avv. in successione; successivamente; in ordine (regolare).

sericeous /sə'rɪʃəs/ a. **1** di seta; simile a seta **2** (*bot.*) sericeo; setoso.

sericulture /'sɛrɪkʌltʃə(r)/ n. Ⓤ sericoltura; bachicoltura ‖ **sericultural** a. sericolo; della bachicoltura ‖ **sericulturist** n. sericoltore; bachicoltore.

seriema /sɛrɪ'iːmə/ n. (*zool.*, *Cariama cristata*) seriema.

♦**series** /'sɪərɪːz/ n. (inv. al pl.) **1** serie; successione: **a s. of victories**, una serie di vittorie; **a new s. of documentaries**, una nuova serie di documentari; **a s. of stamps**, una serie di francobolli **2** collana (*di libri*); serie: **a TV s.**, una serie televisiva **3** (*elettr.*) serie; collegamento in serie **4** (*geol.*, *mat.*) serie **5** (*sport*) serie d'incontri (*o di partite*) **6** (*motociclismo*) classe; categoria ● (*elettr.*, *radio*) **s. connection**, collegamento in serie □ (*elettron.*) **s. feed**, alimentazione in serie □ (*di motore elettrico, ecc.*) **s.-wound**, (eccitato) in serie (*anche elettr.*) ‖ **in s.**, in serie.

serif /'sɛrɪf/ n. (*tipogr.*) grazia; terminazione.

serigraph /'sɛrɪgræf/ n. serigrafia (*la stampa ottenuta*) ‖ **serigraphic** a. serigrafico ‖ **serigraphy** n. Ⓤ serigrafia (*il metodo di stampa*).

serin /'sɛrɪn/ n. (*zool.*, *Serinus canarius*) crespolino; verzellino.

serine /'sɛriːn/ n. Ⓤ (*chim.*) serina.

seriocomic, **serio-comic** /sɪərɪəʊ'kɒmɪk/ a. semiserio; tra il serio e il faceto.

♦**serious** /'sɪərɪəs/ Ⓐ a. **1** serio; che fa (*o dice*) sul serio: **Are you s. about sacking him?**, fai sul serio a volerlo licenziare? **2** serio; impegnativo: **s. music**, musica seria **3** serio; preoccupato; triste: **She's looking s. today**, oggi ha un'aria seria; **a s. look**, uno sguardo serio; (*anche*) un aspetto triste (*o preoccupato*) **4** serio; scrupoloso: **a s. worker**, un lavoratore serio **5** serio; grave; preoccupante: **a s. illness**, una malattia grave; **s. damages**, danni gravi; **a s. crisis**, una crisi seria; **a s. offence**, (*leg.*) un reato grave; (*sport*) un fallo (*o un'infrazione*) grave; **a s. situation**, una situazione preoccupante **6** (*fam. scherz.*) vero e proprio; bello: **to do some s. swimming**, fare una bella nuotata Ⓑ avv. (*fam.*) sul serio: **to take things s.**, prendere le cose sul serio ● (*di persona*) **s.-minded**, serio; riflessivo □ **to give st. s. thought**, pensare a qc. sul serio.

♦**seriously** /'sɪərɪəslɪ/ avv. seriamente; sul serio; gravemente: **to take st. s.**, prendere qc. sul serio; **s. wounded**, gravemente ferito.

seriousness /'sɪərɪəsnəs/ n. Ⓤ serietà; gravità; importanza: **the s. of the situation**, la gravità della situazione ● **in all s.**, molto seriamente; in tutta serietà.

serjeant /'sɑːdʒənt/ n. (soltanto nelle loc.) **s.-at-arms**, (*stor.*) cortigiano armato, uomo d'armi; (*ora*) questore d'assemblea legislativa; probiviro (di un'associazione); (*leg.*, *stor.*) **s.-at-law**, avvocato di prima classe.

sermon /'sɜːmən/ n. (*relig.*) sermone, predica (*anche fig.*); predicozzo; paternale: **to preach a s.**, fare una predica ● (*dal Vangelo*) **the S. on the Mount**, il Discorso della Montagna ‖ **sermonic** a. sermoneggiante; moraleggiante.

to **sermonize** /'sɜːmənaɪz/ Ⓐ v. i. sermoneggiare; moraleggiare Ⓑ v. t. fare la predica (*o un predicozzo*) a (q.); ammonire ‖ **sermonizer** n. **1** predicatore **2** (*spreg.*) chi fa predicozzi.

serodiagnosis /sɪərəʊdaɪəg'nəʊsɪs/ n. (pl. **serodiagnoses**) (*med.*) sierodiagnosi.

serology /sɪ'rɒlədʒɪ/ (*med.*) n. Ⓤ sierologia ‖ **serologic**, **serological** a. sierologico.

seronegative /sɪərəʊ'negətɪv/ (*med.*) a. sieronegativo ‖ **seronegativity** n. Ⓤ sieronegatività.

seropositive /sɪərəʊ'pɒzɪtɪv/ (*med.*) a. sieropositivo ‖ **seropositivity** n. Ⓤ sieropositività.

serosity /sɪ'rɒsətɪ/ n. Ⓤ (*fisiol.*) sierosità.

serotherapy /sɪərəʊ'θerəpɪ/ n. Ⓤ (*med.*) sieroterapia.

serotine ① /'sɛrətaɪn/ a. (*di frutto, ecc.*) serotino; tardivo.

serotine ② /'sɛrətaɪn/ n. (*zool.*, *Eptesicus serotinus*) pipistrello serotino.

serotinous /sɪ'rɒtɪnəs/ → **serotine** ①.

serotonin /sɪərəʊ'təʊnɪn/ n. Ⓤ (*biochim.*) serotonina.

serotype /'sɪərətaɪp/ n. (*med.*) sierotipo.

serous /'sɪərəs/ a. sieroso ● **s. fluid**, liquido sieroso □ (*anat.*) **s. membrane**, membrana sierosa.

serpent /'sɜːpənt/ n. **1** (*lett. o dial.*) serpente; serpe (*anche fig.*) **2** (*stor.*, *mus.*) serpentone ● **s. charmer**, incantatore di serpenti □ (*zool.*) **s.-eater** (*Sagittarius serpentarius*), serpentario; sagittario □ (*zool.*) **s. lizard** (*Chalcides chalcides*), luscengola □ (*bot.*) **s.'s tongue** (*Ophioglossum*), ofioglossa □ (*relig.*) **the (old) S.**, il Serpente; il Diavolo.

serpentine /'sɜːpəntaɪn/ Ⓐ a. **1** serpentino; di (*o da*) serpe **2** serpeggiante; sinuoso: **a s. road [river]**, una strada [un fiume] serpeggiante **3** (*fig.*) astuto; infido; maligno; perfido Ⓑ n. **1** Ⓤ (*miner.*) serpentino **2** (*mat.*) serpentina **3** (*sport*: *equit.*, *sci*, *ecc.*) serpentina ● **the S.**, la Serpentina (*laghetto in Hyde Park, a Londra*) □ (*mat.*) **s. curve**, serpentina □ (*geol.*) **s. rock**, serpentina □ **s. windings**, serpentine (*tubi a spire*; *svolte di una strada*); sinuosità (*di un fiume, ecc.*).

serpent-like /'sɜːpəntlaɪk/ a. di (*o da*) serpente; serpentino.

serpiginous /sɜː'pɪdʒɪnəs/ a. (*med.*) serpiginoso.

serpula /'sɜːpjʊlə/ n. (pl. **serpulae**) (*zool.*, *Serpula*) serpula.

serrate /'sɛrət/, **serrated** /sə'reɪtɪd, USA 'sɛreɪ-/ (*anat.*, *bot.*, *zool.*, *mecc.*) a. dentellato; seghettato ❶ FALSI AMICI ● serrated *non significa* serrato ‖ **serration**, **serrature** n. **1** Ⓤ dentellatura; seghettatura ● (*mecc.*) **serrations**, denti.

serried /'sɛrɪd/ a. serrato; compatto; folto; fitto: **s. ranks of soldiers**, schiere serrate di soldati.

serrulation /sɛrʊ'leɪʃn/ n. Ⓤ fine dentellatura (*o seghettatura*).

serum /'sɪərəm/ n. ⓊⒸ (pl. **serums**, **sera**) **1** (*fisiol.*, *med.*) siero **2** (*bot.*) linfa ● (*med.*) **s. accident**, accidente da siero; sieroanafilassi; shock da siero □ **s. albumin**, sieroalbumina ● **s. globulin**, sieroglobulina.

serval /'sɜːvl/ n. (*zool.*, *Felis serval*) servalo; gattopardo africano.

♦**servant** /'sɜːvnt/ n. **1** (*termine in disuso*; = **domestic s.**) servitore; servo; domestico, domestica **2** (*fig.*) servo, servitore: *A minister is a s. of God*, un ministro del culto è un servo di Dio **3** (*econ.*) prestatore d'opera; dipendente **4** (= **civil s.**) funzionario statale; burocrate ● **s. girl** (*o* **s. maid**), domestica; fantesca (*lett.*) □ **servants' hall**, stanza della servitù □ **the s. question**, il problema delle persone di servizio.

serve /sɜːv/ n. ⓊⒸ **1** (*tennis, ping pong, ecc.*) servizio; battuta: *an accurate [a powerful] s.*, un servizio preciso [potente] **2** (*pallavolo*) battuta.

♦to **serve** /sɜːv/ v. t. e i. **1** servire; essere a servizio (di); servire (da); fare (da); giovare; servire (*o portare*) in tavola: *She has served the Joneses since she was a girl*, è al servizio dei Jones fin da ragazzina; *This box will s. for a table*, questa cassetta farà da tavola; *Are you being served, madam?*, La stanno servendo, signora?; *Dinner is served!*, il pranzo è servito (*o* è in tavola); *Breakfast is served between 7.00 and 9.00*, la colazione è servita dalle 7:00 alle 9:00; *This explanation will s. to make my theory clearer*, questa spiegazione servirà a rendere più chiara la mia teoria; *One pound of butter serves him for a week*, una libbra di burro gli basta per una settimana **2** trattare: *He served me badly*, mi trattò malissimo **3** fare, prestare (*servizio e sim.*); essere sotto le armi: **to s. one's apprenticeship**, fare il proprio apprendistato; *He served in the navy*, ha servito (ha prestato servizio) in marina; *He has served in the army for two years*, è nell'esercito da due anni **4** (*leg.*) intimare; notificare; presentare: **to s. a summons on sb.** (*o* **to s. sb. with a summons**), intimare a q. un mandato di comparizione; citare q. in giudizio; **to s. a warrant of arrest**, presentare un mandato di cattura; **to s. a paper**, notificare un atto **5** (*leg.*) espiare (*una pena*); scontare (*una condanna*): **a man serving life**, un uomo che sconta una condanna all'ergastolo; un ergastolano **6** (*tennis, pallavolo, ecc.*) battere; servire; effettuare il servizio: **to s. well [badly]**, avere un buon [un cattivo] servizio **7** (*naut.*) fasciare: **to s. a rope**, fasciare un cavo **8** servire a tavola: *I'll s.*, vi servo io **9** (*di bestiame*) montare; coprire: **to s. a mare**, coprire una cavalla **10** (*naut.*: *della marea*) essere favorevole ● (*mil.*) **to s. as an officer**, prestare servizio come ufficiale □ **to s. as a reminder [as a spoon]**, servire da promemoria [da cucchiaio] □ **to s. at table**, servire ai tavoli □ **to s. behind the counter**, servire (*o stare*) al banco (*in un negozio, ecc.*) □ (*mil.*) **to s. a gun**, servire un pezzo; caricare un cannone □ (*fig. fam.*) **to s. sb. hand and foot**, servire q. di barba e di capelli □ **to s. in the Armed Forces**, fare parte delle Forze Armate; essere un militare □ (*polit.*) **to s. in Parliament**, essere un membro del Parlamento □ (*relig.*) **to s. mass**, servire la messa □ **to s. on a committee**, fare parte di una commissione; essere membro di un comitato □ (*leg.*) **to s. on a jury**, fare parte di una giuria □ **to s. a purpose**, servire a uno scopo □ **to s. sb.'s purpose**, servire a q.; andare bene (lo stesso): *I haven't got a screwdriver, but a knife will s. my purpose*, non ho un cacciavite, ma un coltello va bene lo stesso □ **to s. sb. right**, trattare q. come si merita: (impers.)

meritarsi: *It served him right to lose his job: he was always taking time off for no reason*, il licenziamento se l'è meritato: faceva sempre assenze ingiustificate □ (*polit.*) **to s. a term** (**of office**), restare in carica per un mandato □ (*fam.*) **to s. time**, essere in carcere; stare al fresco (*fam.*) □ (*spesso fig.*) **to s. two masters**, servire due padroni □ (*polit.*: *di un presidente, ecc.*) **to s. two terms**, restare in carica per due mandati □ **to s. sb.'s wants**, soddisfare le necessità di q. □ **as occasion serves**, quando si presenta l'occasione; al momento opportuno □ **It serves my turn** (*o* **my need**), fa al caso mio; serve al mio scopo □ (*nelle ricette*) «**serves four**», «quattro porzioni»; dosi per quattro persone □ (*fam.*) **Serves you right!**, ben ti sta!

■ **serve out** **A** v. t. + avv. **1** servire, mettere in tavola (*vivande*) **2** distribuire (*razioni*) **3** finire, completare, portare a termine: **to s. out one's term of office**, portare a termine il proprio mandato; restare in carica fino alla fine **4** espiare (*o* scontare) fino in fondo: **to s. out ten years in jail**, scontare dieci anni di carcere **5** (*fam.*) farla scontare (*o* pagare) a (q.) **B** v. t. e i. + avv. (*tennis*) chiudere (*un set, la partita, con un game vinto al servizio*) □ **to have served out one's time**, (*di un soldato*) avere finito la ferma; (*di un carcerato*) avere scontato la pena.

■ **serve round** v. t. + avv. (*o* prep.) servire (a); fare un giro di (*bevande, vivande*): *She served cocktails round* (*her guests*), fece un giro di cocktail (ai suoi ospiti).

■ **serve under** v. i. + prep. **1** (*anche mil.*) servire sotto (q.); essere agli ordini di (q.) **2** avere (*o* ricoprire) una carica in sottordine a (q.); fare (*il segretario, il ministro, ecc.*) in (*un ufficio, un governo, ecc.*): *He has served as a foreign minister under several governments*, ha fatto il ministro degli esteri in vari governi.

■ **serve up** **A** v. t. + avv. **1** servire, scodellare (*una pietanza, ecc.*): *S. it up hot*, servitelo caldo **2** (*fig.*) servire; fornire, insegnare, comunicare (*e sim.*): *This teacher serves up the same old stuff*, questo docente insegna sempre le stesse cose rifritte (*o* rimasticate). **B** v. i. + avv. mettere in tavola; portare da mangiare.

■ **serve with** v. t. + prep. **1** servire a (q.) (*una vivanda, una bevanda*): **to s. sb. with soup**, servire la zuppa a q. **2** servire, dare (*merce*) a (*un cliente*) **3** (*spec. mil.*) prestare servizio in (*un reparto*); combattere con.

server /ˈsɜːvə(r)/ n. **1** (*relig.*) chi serve la messa; chierico **2** servitore; cameriere **3** (*tennis, pallavolo, ecc.*) battitore; chi ha la battuta; chi è al servizio **4** vassoio **5** carrello (*portavivande*) **6** (*comput.*) server: **s. side processing**, elaborazione lato server **7** (pl.) (*cucina*) posate: **fish servers**, posate per il pesce; **salad servers**, posate da insalata ● (*comput.*) **s. farm**, batteria di server (*su cui si suddivide un carico di lavoro*).

servery /ˈsɜːvərɪ/ n. **1** banco delle vivande (*di trattoria, self-service, ecc.*) **2** passavivande.

Servian ① /ˈsɜːvɪən/ a. e n. (*stor.*) Serbo.

Servian ② /ˈsɜːvɪən/ a. (*stor. romana*) di Servio Tullio; serviano: **the S. wall**, le mura serviane.

◆ **service** ① /ˈsɜːvɪs/ n. ⊍⊏ **1** servizio; impiego (*anche fig.*); servigio; favore; atto utile; prestazione professionale; funzione ecclesiastica; rito religioso; ufficio; culto: **to be in** [**out of**] **s.**, essere in [fuori] servizio; *His services to the country have been invaluable*, i servigi da lui resi alla patria sono stati preziosi; *You need a lawyer's services*, hai bisogno (delle prestazioni) di un avvocato; *The food is excellent but the s. is not so good*, il cibo è eccellente ma il servizio non

è molto buono; *Prices include s.*, il servizio è incluso (*nel prezzo*); **a silver tea s.**, un servizio da tè d'argento; **the diplomatic s.**, il servizio diplomatico; la diplomazia; (*relig.*) **divine s.**, servizio divino; funzione religiosa; **the burial s.**, il rito (*o* il servizio) funebre **2** (*comm., ind., mecc.*) servizio; assistenza; manutenzione; tagliando (*fam.*): (*ind.*) **s. engineer**, capo della manutenzione; (*comm.*) **s. department**, ufficio assistenza (*ai clienti*); **to provide s. to customers**, prestare assistenza ai clienti; *I must take my car in for its 5,000-mile s.*, devo fare il tagliando dei 10 000 (kilometri) alla macchina **3** (*leg.*) notificazione; notifica: **s. by publication**, notifica mediante pubblicazione (*sulla stampa*) **4** (*trasp.*) servizio; linea: *The train arriving at platform two is the 3.15 s. to Newcastle*, al binario due è in arrivo il treno delle 15:15 con destinazione Newcastle **5** (*naut.*) fasciatura (*di un cavo, ecc.*) **6** (pl.) (*econ.*) (i) servizi; (le) attività terziarie: **goods and services**, beni e servizi **7** (pl.) (*fam.*) **the Services**, le Forze armate **8** (al pl.) area di servizio: *How far are the next services?*, quant'è lontana la prossima area di servizio? **9** (*tennis, pallavolo, ecc.*) servizio; battuta **10** (*calcio, ecc.*) il servire (*un compagno*); rifornimento (*della palla*) **11** (*di bestiame*) monta ● (*autom.*) **s. area**, area di servizio □ (*mecc.*) **s. bay**, posto macchina (*in officina*) □ (*relig.*) **s. book**, rituale □ (*autom.*) **s. brake**, freno di stazionamento □ (*tennis*) **s. break**, break □ (*telef.*) **s. call**, chiamata di controllo □ (*ciclismo*) **s. car**, auto di servizio (*di una squadra*); ammiraglia □ (*aeron.*) **s. ceiling**, quota massima operativa □ **s. centre**, centro servizi □ **s. charge**, percentuale per un dato servizio; (*tur.*) servizio; (*banca*) commissione, competenza: *S. charge: 10%*, servizio: 10%; *No s. charge*, servizio incluso (*in un albergo, ecc.*) □ (*USA*) **s. club**, associazione di professionisti e uomini d'affari con scopi sociali, culturali e assistenziali; service club □ (*leg.*) **s. contract**, contratto di manutenzione □ **s. door**, porta di servizio □ (*mil.*) **s. dress**, divisa d'ordinanza; uniforme di servizio □ **s. entrance**, entrata di servizio □ **s. flat**, appartamento in residence □ **s. hatch**, passavivande □ (*econ.*) **the s. industry**, il settore dei servizi; il terziario □ (*tennis*) **s. judge**, giudice di battuta □ (*tennis*) **s. let**, servizio nullo □ **s. life**, vita militare □ **s. lift** (*USA*: **s. elevator**), ascensore di servizio; montacarichi □ (*tennis*) **s. line**, linea di servizio □ (*miss.*) **s. module**, modulo di servizio □ (*leg.*) **s. of process**, citazione in giudizio □ **s. pipe**, tubo d'alimentazione; condotto dell'acqua (*o* del gas) (*dalla tubatura stradale all'utente*) □ **s. record**, stato di servizio □ (*mil.*) **s. rifle**, fucile d'ordinanza □ **s. road**, controviale □ (*econ.*) **the services sector**, il settore dei servizi; il terziario □ (*naut.*) **s. speed**, velocità di crociera □ (*edil.*) **s. stairs**, scale di servizio □ (*autom.*) **s. station**, stazione di servizio □ (*econ.*) **the s. trades**, il settore terziario (*o* dei servizi) □ (*USA*) **s. uniform** = **s. dress** → *sopra* □ **after-sales s.**, servizio assistenza (*ai clienti*) □ **to do sb. a s.**, rendere un servigio (fare un favore) a q. □ **to go out to** (*o* **to go into**) **s.**, andare a servizio □ **to be in the services**, essere sotto le armi; essere nelle forze armate □ **to be of s. to sb.**, essere utile (*o* giovevole) a q. □ (*mil.*) **s. on** (*o* **in**) **the front line**, servizio in zona operazioni □ **on His** (*o* **Her**) **Majesty's S.** (abbr. **OHMS**), al servizio di Sua Maestà; (*stampato sulle buste della corrispondenza governativa*) servizio di Stato, in franchigia postale □ **train s.**, servizio di treni; servizio ferroviario □ **Can I be of s. to you?**, posso esserLe utile?; posso fare qualcosa per Lei? □ **I am at your s.!**, sono al tuo servizio!; sono a tua disposizione □ (*mil.*) **Which s. were you in?**, in quale arma (*o* corpo) hai prestato servizio?

service ② /ˈsɜːvɪs/ n. (*bot.*, *Sorbus domestica*; = **s. tree**) sorbo ● **s. berry**, sorba.

to **service** /ˈsɜːvɪs/ v. t. **1** mantenere in ordine, fare la manutenzione di, provvedere alla manutenzione di, riparare (*un'automobile, un televisore, ecc.*): *The car was serviced about a year ago*, la revisione alla macchina è stata fatta circa un anno fa **2** (*comm.*) prestare assistenza a: *to s. one's clients*, prestare assistenza ai propri clienti **3** servire; fornire d'energia, ecc.: *One power company services the whole region*, una sola società elettrica serve tutta la regione **4** (*fin.*) servire, pagare gli interessi su (*un debito*): **to s. an external debt**, servire un debito estero **5** (*comput.*) soddisfare (*richieste, ecc.*) **6** (*zootecnia*) montare.

serviceability /ˌsɜːvɪsəˈbɪlətɪ/ n. ⊍ **1** utilità; praticità; funzionalità; (*ind.*) utilizzabilità **2** (*di stoffa, ecc.*) durata, resistenza (*all'uso*) **3** (*mecc.*) stato di efficienza.

serviceable /ˈsɜːvɪsəbl/ a. **1** utile; pratico; funzionale; (*ind.*) utilizzabile **2** (*di stoffa, ecc.*) durevole; resistente **3** (*mecc.*) efficiente | **-bly** avv. | **-ness** n. ⊍.

serviceman /ˈsɜːvɪsmən/ n. (pl. **servicemen**) **1** membro delle forze armate; soldato; marinaio; aviere **2** tecnico; addetto alla manutenzione (*o* alle riparazioni).

servicewoman /ˈsɜːvɪswʊmən/ n. (pl. **servicewomen**) **1** soldatessa; soldato donna; appartenente (*f.*) alle forze armate **2** tecnico; addetta alla manutenzione (*o* alle riparazioni).

servicing /ˈsɜːvɪsɪŋ/ n. ⊍ **1** assistenza (*ai clienti*); manutenzione (*di macchine, veicoli, ecc.*): (*autom.*) **cost of s.** (*o* **s. cost**), costo di manutenzione **2** (*autom., comm.*) servizio (di) assistenza **3** (*fin.*) servizio: **the s. of external debt**, il servizio del debito estero.

serviette /ˌsɜːvɪˈet/ (*franc.*) n. tovagliolo.

servile /ˈsɜːvaɪl/ a. **1** servile; di servo; di schiavo: **s. condition**, condizione servile; **s. war**, guerra servile; **s. revolt**, rivolta degli schiavi **2** servile; abietto; basso: **s. spirit**, animo servile; **s. imitation**, imitazione servile (*o* pedissequa) ● (*relig.*) **s. works**, lavori manuali (*vietati la domenica*) | **-ly** avv.

servility /sɜːˈvɪlətɪ/ n. ⊍ **1** servilità; servilismo **2** servitù; schiavitù.

serving /ˈsɜːvɪŋ/ **A** a. **1** che serve; (fatto) per servire: **s. fork**, forchetta per servire (*a tavola*) **2** (*mil.*) (che è) in servizio: **s. officers**, gli ufficiali in servizio attivo **3** (*sport*) che serve; che batte **B** n. **1** ⊍ arte (*o* modo) di servire (*i pasti, ecc.*); porzione (*di cibo*); fetta (*di dolce, ecc.*) **3** ⊍ (*leg.*) notifica (*di un atto, ecc.*); notificazione **4** (*tecn.*) rivestimento; protezione **5** (*naut.*) fasciatura **6** ⊍ (*sport*) il servire (*la palla*); battuta; servizio ● (*pallavolo*) **s. area**, zona di battuta □ **the s. team**, la squadra alla battuta.

Servite /ˈsɜːvaɪt/ n. (*relig.*) servita.

servitude /ˈsɜːvɪtjuːd/, USA -tuːd/ n. ⊍⊏ **1** servitù; schiavitù; soggezione **2** (*leg., raro*) servitù.

servlet /ˈsɜːvlət/ n. (*comput.*, contraz. di **server** e **applet**) servlet (*programma eseguito da un server web*).

servo-assisted /ˈsɜːvəʊəsɪstɪd/ a. (*mecc.*) servoassistito.

servo-control /ˈsɜːvəʊkəntrəʊl/ n. (*mecc., aeron.*) servocomando.

to **servo-control** /ˈsɜːvəʊkəntrəʊl/ v. t. controllare con un servomeccanismo.

servomechanism /ˈsɜːvəʊmekənɪzəm/ n. (*mecc.*) servomeccanismo.

servomotor /ˈsɜːvəʊməʊtə(r)/ n. (*mecc., naut.*) servomotore.

servo-system /ˈsɜːvəʊsɪstəm/ n. (*mecc.*) servosistema.

sesame /ˈsesəmɪ/ n. (*bot.*, *Sesamum indi-*

cum) sesamo: **s. oil**, olio di sesamo ● **Open s.!**, apriti sesamo! (*formula magica*).

sesamoid /ˈsɛsəmɔɪd/ **a.** e **n.** (*anat.*) (osso) sesamoide.

sesquioxide /sɛskwɪˈɒksaɪd/ **n.** (*chim.*) sesquiossido.

sesquipedalian /sɛskwɪpɪˈdeɪlɪən/ **a.** sesquipedale; plurisillabo; lunghissimo: **s. words**, parole sesquipedali.

sessile /ˈsɛsaɪl/ **a.** (*bot.*, *zool.*, *med.*) sessile.

♦**session** /ˈsɛʃn/ **n.** **1** sessione; seduta (*del parlamento, di un tribunale, di una commissione*); (*leg.*) udienza; riunione: **to be in s.**, essere in seduta; *Parliament had a long s.*, la sessione parlamentare durò a lungo **2** (*spec. scozz. e USA*) trimestre; semestre: *The summer s. of our university is from April to July*, il trimestre estivo della nostra università va da aprile a luglio **3** sessione, «session»; seduta; riunione: **a jazz s.**, una jazz session; **a recording s.**, una seduta di registrazione **4** (*comput.*) sessione: **s. state**, stato della sessione **5** (*sport*: *autom.*, *ecc.*) prove: **qualifying s.**, prove (*o* sessione) di qualificazione ● **s. musician**, musicista che partecipa a registrazioni □ (*anche leg.*) **in closed s.**, a porte chiuse.

sessional /ˈsɛʃənl/ **a.** **1** di sessione; di seduta **2** che avviene a ogni seduta (*o* sessione).

sesterce /ˈsɛstɜːs/ → **sestertius**.

sestertius /sɛˈstɜːtɪəs/ **n.** (pl. ***sestertii***) (*stor. romana*) sesterzio.

sestet /sɛˈstɛt/ **n.** **1** (*mus.*) sestetto **2** (*poesia*) le due terzine finali di un sonetto (*di tipo italiano*).

♦**set**① /sɛt/ **n.** **1** assortimento; collezione; raccolta; complesso; insieme (*di cose affini*); serie; servizio (*di piatti, ecc.*); set; coordinato: **a set of medical instruments**, un assortimento di strumenti medicali; **a set of rare books**, una collezione di libri rari; **a carpentry set**, un complesso di arnesi da falegname; **a set of lectures**, una serie di conferenze; **a china set**, un servizio di porcellana; **a tea set**, un servizio da tè **2** gruppo (*di persone*); consorteria; cricca; squadra; ambiente, mondo (*fig.*): *'We were an odd little set, and have, I expect, changed history in the Near East'* T.E. LAWRENCE, 'eravamo un piccolo gruppo di gente d'ogni risma, eppure, credo di poter dire che abbiamo cambiato la storia del Vicino Oriente'; **a set of politicians**, una consorteria di politicanti; **a set of smugglers**, una cricca di contrabbandieri; **the political set**, gli ambienti politici; **the racing set**, l'ambiente delle corse ippiche; **the literary set**, gli ambienti letterari; **the smart set**, il bel mondo **3** (*radio*, *TV*) apparecchio; radio; televisore: **a radio set**, un apparecchio radio; **a television set**, un televisore **4** (solo al sing.) conformazione; portamento; positura, postura: (*geogr.*) **the set of the hills**, la conformazione delle colline; **the set of one's head**, il modo di tenere la testa (*alta, china, ecc.*); **the set of one's shoulders**, la positura delle spalle **5** (solo al sing.) direzione; corso; moto; tendenza; inclinazione; propensione: **the set of the current**, la direzione della corrente **6** (*teatr.*) set; scenario; allestimento scenico; (*cinem.*) set: *The actors are now on* (*the*) *set*, adesso gli attori sono sul set **7** (= **sett**; *costr. stradali*) blocchetto (*da pavimentazione*); quadrello **8** (*agric.*) pianticella (*da trapianto*); talea **9** (*caccia, spesso* **dead set**) punta, ferma (*di cane*) **10** [U] (*edil.*, *mecc.*) deformazione permanente **11** [UC] (*ind. costr.*) presa (*della malta o del cemento*); (*anche*) stabilitura **12** [UC] (*di sega*) allicciatura **13** (*ind. min.*) quadro; struttura di supporto (*d'una galleria*) **14** [U] (*tipogr.*) larghezza (*dei caratteri*) **15** (*zool.*) covata (*d'uovo*) **16** (*naut.*) orientamento (*delle vele*) **17** (*mat.*, *comput.*) insieme: **the theory of sets** (*o* **set theory**), la teoria degli insiemi **18** [U] (*cucina*) il rapprendersi; coagulamento **19** (*dei capelli*) messa in piega (*il risultato*) **20** (*sport*: *pallavolo*) alzata (*della palla*); (*anche*) set, ripresa **21** (*tennis*) set; partita **22** (*poet.*) tramonto; occaso (*poet.*) **23** (*slang USA*) festa; party **24** (*slang, mus.*) esibizione; pezzi eseguiti in uno spettacolo **25** (*slang*) seno; paio di tette **26** (*slang USA*) banda urbana; ganga ● (*cinem.*) **set decorator** (*o* **set designer**), scenografo □ (*comput.*) **set of characters**, insieme di caratteri □ **a set of diamonds**, una parure di diamanti □ (*mat.*) **a set of equations**, un sistema di equazioni □ (*comm.*, *fin.*) **set of exchange**, prima, seconda e terza di cambio □ **a set of horses**, un tiro (a due, a quattro) □ **the set of a jacket**, il taglio d'una giacca; il modo in cui cade una giacca □ **a set of pearls**, un vezzo di perle □ (*leg.*) **a set of rules**, un regolamento; una normativa □ (*naut.*) **a set of sails**, una muta (*o* un corredo) di vele □ (*comm.*) **set of samples**, campionario □ **a set of** (**false** *o* **artificial**) **teeth**, una dentiera □ **a set of** (**natural**) **teeth**, una dentatura □ (*autom.*) **a set of tyres**, un treno di gomme □ (*slang USA*) **a set of wheels**, un'automobile □ (*tennis*, *pallavolo*) **set point**, punto che decide un set; set point; palla set □ (*TV*) **set-top box**, set-top box; decodificatore (*di segnali di cavo o satellite*) □ **to change the set of a thermostat**, regolare un termostato in modo diverso □ (*fig.*) **to make a dead set at sb.**, fare una corte accanita a (*una donna, ecc.*) □ **a toilet set**, un set da bagno (*pettine, specchietto, ecc.*).

set② /sɛt/ **a.** **1** posto; collocato; situato: *The cottage is set back from the road*, la villetta è in posizione arretrata rispetto alla strada; *The village is set on a hill*, il paese è situato su una collina **2** fisso; fermo; saldo; reciso: **set rules**, regole fisse; **a set stare**, uno sguardo fisso; **set wages**, salario fisso; **a set purpose**, un saldo proposito; **a man of set opinions**, un uomo dalle idee ferme (*o* recise); un testardo **3** fisso; fissato; stabilito; prestabilito: **at set hours**, a ore fisse; **at the set time**, all'ora stabilita; (*comm.*) **set terms**, condizioni fisse; termini precisi (*di un accordo*) **4** preparato; studiato, stereotipato; fatto: **a set speech**, un discorso preparato; **a set smile**, un sorriso studiato (*o* stereotipato); **set phrases**, frasi fatte; luoghi comuni **5** deciso; risoluto; determinato: *He is set on leaving the country*, è deciso a emigrare; *He's dead set on marrying her*, è fermamente deciso a sposarla; *His mother is dead set against his marriage*, sua madre è decisamente contraria al suo matrimonio **6** (*tur.*: *di pasto o ristorante*) a prezzo fisso **7** (*tecn.*) inserito; attaccato: **«antitheft device set»** (*avviso*), «antifurto inserito» **8** (*di uno strumento, ecc.*) messo a punto; regolato; tarato **9** destinato; probabile: *The bill is* [*looks*] *set to cause controversy*, il progetto di legge è [sembra] destinato a creare polemiche; *The weather is set to change for the worse*, è probabile che il tempo peggiori **10** (*fam.*; *anche* **all set**) pronto: *Everything was set for the picnic*, tutto era pronto per il picnic; *All set?*, tutto pronto?; *I'm all set!*, sono pronto! ● (*pallavolo*) **set ball**, alzata □ (*mil.*) **a set battle**, una battaglia campale □ **set books**, libri da portare per l'esame; testi prescritti □ (*del tempo*) **set fair**, messo al bello; bello stabile □ **set hammer**, martello piano; butteruola □ **to be set in one's ways**, avere abitudini radicate □ **set lunch**, menù turistico □ **set piece**, (*arte*, *letter.*) lavoro convenzionale; (*anche fig.*) pezzo forte (*o* di bravura); (*teatr.*) scena fissa; fuochi d'artificio fissi; (*mil.*) operazione preparata a tavolino; (*sport*) manovra studiata, schema: (*calcio*) **set-piece specialist**, specialista nei tiri da fermo □ (*sport*) **set play**, gioco basato su schemi fissi □ (*basket*) **set-play offence**, attacco contro zona □ (*rugby*) **set scrum**, mischia chiusa (*o* comandata) □ (*teatr.*) **set scene**, scenario □ (*sport*) **set shot**, (*basket*) tiro da fermo; (*pallamano*) tiro a giavellotto □ (*disegno*) **set square**, squadra a triangolo □ (*del cielo*) **set with stars**, trapunto di stelle □ (*sport*: *nelle corse*) **«Get set! – go!»**, «pronti! – via!».

♦to **set** /sɛt/ (pass. e p. p. ***set***) **A** **v. t.** **1** mettere; porre; posare; disporre; collocare; preparare: *She set the bowl of milk before the kitten*, mise la ciotola di latte davanti al gattino; *He set his hand on my shoulder*, mi posò la mano sulla spalla; **to set a trap**, collocare (*o* preparare) una trappola; **to set a wheel on the axle**, collocare una ruota sull'asse; *Set your mind at ease*, mettiti l'animo in pace; *He set the men to dig a ditch*, mise gli uomini a scavare un fossato; *The barons set the pretender on the throne*, i baroni misero sul trono il pretendente; *We set pickets around the factory*, mettemmo picchetti intorno alla fabbrica; *They set a price on his head* (*o on his life*), misero una taglia sulla sua testa **2** conficcare; piantare: *I set the tent pole in the ground*, piantai (*o* conficcai) il palo della tenda nel terreno; **to set potatoes**, piantar patate **3** fissare; rendere fisso; assicurare **4** fissare; stabilire: *The price was set at 5,000 pounds*, il prezzo è stato fissato in cinquemila sterline; *The time of the meeting has not yet been set*, l'ora della riunione non è stata ancora stabilita **5** (*mecc.*) regolare; registrare; tarare, mettere a punto; sistemare; inserire, attaccare: **to set a clock** (*o* **a watch**), regolare un orologio; rimettere un orologio (all'ora giusta); **to set an alarm clock**, regolare (*o* mettere) una sveglia; **to set a burglar alarm**, inserire un antifurto **6** assegnare; dare; proporre: *The teacher set us five exercises*, l'insegnante ci assegnò cinque esercizi **7** fare rapprendere; rendere solido; seccare; solidificare; rassodare: **to set varnish**, seccare la vernice **8** contrarre; irrigidire; stringere; serrare: **to set one's lips**, stringere le labbra **9** (*tecn.*) fissare (*un colore*) **10** incastonare; montare (*gioielli, pietre preziose*) **11** affilare (*un coltello, un rasoio, ecc.*) **12** allicciare (*una sega*) **13** (*tipogr.*) comporre: **to set close** [**wide**], comporre con poca [con molta] spaziatura **14** (*mus.*) adattare (*musica a un testo, parole a una musica*) **15** (*letter.*, *cinem.*, *teatr.*, *ecc.*) ambientare (*una storia, un racconto, ecc.*): *The* (*action of the*) *film is set in Venice*, il film è ambientato a Venezia; l'azione del film si svolge a Venezia **16** (*med.*) aggiustare, mettere a posto (*un osso rotto, ecc.*): **to set a** (**broken**) **leg**, aggiustare una gamba rotta **17** (*leg.*) apporre (*un sigillo a un documento, ecc.*) **18** accostare; avvicinare; applicare **19** (*anche sport*) stabilire: **to set new rules**, stabilire regole nuove; **to set a record**, stabilire un primato **20** (*teatr.*) allestire, attrezzare (*il palcoscenico*); montare (*una scena*) **21** (*naut.*) issare, spiegare (*le vele*) **22** (*naut.*: *del vento, ecc.*) portare, spingere (*una nave*): *The tide set us towards the island*, la corrente della marea ci spinse verso l'isola **23** (*naut.*) dirigere, volgere (*un'imbarcazione*): *They set the trawler for shore*, diressero il peschereccio a riva **24** (*naut.*) tracciare (*la rotta*) **25** (*comput.*) posizionare **26** mettere (*una gallina, ecc.*) a covare (*o* alla cova) **27** far covare (*uova*) **28** (*caccia*: *del cane*) puntare (*la selvaggina*) **29** mettere in piega (*i capelli*) **30** (*pallavolo*) alzare (*la palla*) **B** **v. i.** **1** (*di un astro o pianeta*) tramontare; calare: *The sun sets in the west*, il sole tramonta a occidente; *The moon is setting*, sta calando la luna **2** (*fig.*) tramontare; essere in declino **3** indurirsi;

S

(*edil.*) fare presa; solidificare; rassodarsi; rapprendersi; coagularsi: *The mortar hasn't set yet*, la malta non ha ancora fatto presa; *This jam has set at last*, questa marmellata s'è finalmente rassodata; *The milk has set*, il latte s'è rappreso (*o* s'è coagulato) **4** (*fig.*) indurirsi; irrigidirsi; assumere un'espressione dura: *His face set and he hit back*, la faccia gli s'indurì ed egli colpì a sua volta **5** muoversi, fluire, scorrere; (cominciare a) spirare (*in una data direzione*): *The Gulf Stream sets eastwards*, la Corrente del Golfo fluisce verso est; '*When the wind set from the silver factories across the river the air of the fourfamily framehouse was choking all day with the smell of whaleoil soap*' J. Dos Passos, 'quando il vento cominciava a spirare dalle argentee fabbriche di là dal fiume, l'aria nella casa fatta di legno in cui vivevano quattro famiglie si faceva soffocante per tutto il giorno a causa del puzzo del sapone fatto con l'olio di balena' **6** volgersi (*o* voltarsi, orientarsi) verso; prendere posizione (*fig.*): *Public opinion has set hard against him*, l'opinione pubblica gli è nettamente avversa **7** (*med.*: *di un osso rotto*) saldarsi **8** (*di un colore*) fissarsi **9** (*di piante*) fiorire; germogliare; fruttificare **10** (*di fiori*) allegare **11** (*di gallina*) covare **12** (*di cane da caccia*) cadere in ferma **13** (*dei capelli*) prendere la piega **14** (*di un abito*) cadere; stare (*bene, male, ecc.*) ● **to set one's affairs in order**, mettere in ordine i propri affari □ **to set st. [the law] at defiance**, sfidare qc. [la legge] □ **to set sb. at (his) ease**, mettere q. a suo agio □ (*form.*) **to set (sb., st.) at naught**, non fare alcun conto di, non stimare affatto (q., qc.) □ (*fig.*) **to set one's cap at** (*USA:* **for**) **sb.**, (*di donna*) mettere gli occhi addosso a q.; cercar d'accalappiare q. □ **to set the ball rolling**, mettere le cose in moto; (*sport*) mettere in gioco la palla □ **to set eggs**, far covare le uova □ **to set one's face homeward**, prendere la via del ritorno □ **to set the fashion**, fare (*o* lanciare) la moda □ **to set sb. free**, mettere q. in libertà; lasciar libero, liberare q.; (*leg.*) rilasciare (*un detenuto*); (*sport*) smarcare (*un compagno*) □ (*mecc.*) **to set going**, mettere in moto; avviare □ **to set sb.'s heart** (*o* **mind**) **at rest**, tranquillizzare q. □ (*fig.*) **to set one's house in order**, fare ordine nella propria vita □ (*topogr.*) **to set a map**, orientare una carta □ **to set sb. laughing**, far ridere q. □ **to set the pace**, fare il passo; (*sport*) fare l'andatura; (*fig.*) fare da esempio, servir da modello □ (*a scuola*) **to set the papers**, preparare (*o* proporre) i temi d'esame □ **to set pen to paper**, metter mano alla penna; cominciare a scrivere □ **to set right**, accomodare, aggiustare (*un apparecchio, ecc.*); mettere a posto, correggere (*un errore, un conto, ecc.*); rimettere a posto (*o* in salute), rinvigorire: *A short holiday will set you right*, una breve vacanza ti rimetterà in sesto □ (*naut.*) **to set sail**, far vela; salpare □ **to set seed**, piantar semi; seminare □ **to set st. straight**, raddrizzare qc.; chiarire, spiegare qc. □ **to set sb. straight**, spiegare a q. come stanno le cose □ (*canottaggio*) **to set the stroke**, battere il tempo della voga; stabilire la vogata □ **to set the table**, apparecchiare (la tavola) □ **to set one's teeth**, serrare (*o* stringere) i denti; (*fig.*) tener duro □ **to set sb.'s teeth on edge**, (*di suono*) far rabbrividire q.; (*di cibo*) allegare i denti a q.; (*fig.*) irritare q., dare ai nervi a q. □ **to set sb. thinking**, fare pensare (*o* fare riflettere) q.; dare da pensare a q. □ **to set things going**, dare l'avvio; mettere le cose in moto; (*sport*) movimentare il gioco □ **to set the tone of st.**, dare il tono a qc. □ (*mil.*) **to set a watch**, piazzare le sentinelle □ **His eyes set**, sbarrò gli occhi (*per uno svenimento o in punto di morte*).

■ **set about** A v. t. + avv. mettere in giro; diffondere (*una diceria, una voce, ecc.*) B v. i. + **prep. 1** menare colpi intorno a: *He set about him with a sword*, menava gran colpi di spada **2** assalire; aggredire; attaccare: **to set about sb. with one's fists**, aggredire q. a pugni **3** cominciare, accingersi, mettersi a: **to set about looking for a job**, mettersi a cercare lavoro □ **I didn't know how to set about it**, non sapevo da dove cominciare (*o* come attaccare).

■ **set above** v. t. + prep. **1** mettere (qc.) sopra; attaccare sopra **2** (*fig.*) anteporre a: *You must set the good of the community above your personal interest*, devi anteporre il bene comune al tuo interesse personale.

■ **set adrift** v. t. + avv. (*naut.*) lasciare (q.) alla deriva, abbandonare (q.) in mare aperto.

■ **set afloat** v. t. + avv. **1** (*naut.*) far galleggiare, mettere in acqua (*un'imbarcazione*); varare (*una nave*) **2** (*fig.*) varare, lanciare (*un'impresa, un'azienda, ecc.*).

■ **set against** v. t. + prep. **1** mettere (q.) contro; aizzare, istigare contro: *Don't set the daughter against her mother!*, non istigare la figlia contro la madre! **2** mettere (qc.) sullo sfondo di; far risaltare contro (*l'orizzonte, ecc.*) **3** contrapporre a; paragonare con: **Set against its environmental costs, the economic benefits of the new plant are quite small**, se paragonati ai suoi costi ambientali, i benefici economici del nuovo impianto sono ben poca cosa; **to set the year's proceeds against those of 2002**, paragonare i ricavi dell'annata con quelli del 2002 **4** → **set off against** □ (*fig.*) **to set one's face against st.**, opporsi decisamente a qc.; ostacolare qc.

■ **set ahead** v. t. + avv. **1** mettere avanti: **to set the clocks ahead two hours**, mettere avanti gli orologi di due ore **2** anticipare (*una data, una riunione, una partita, ecc.*) **3** (*del tempo*) far maturare prima (*le messi, il raccolto*).

■ **set apart** v. t. + avv. **1** mettere da parte (*o* in serbo); risparmiare **2** serbare, riservare (*il proprio tempo*) **3** mettere (*o* tenere) in disparte (*o* da parte); tenere (q. *o* qc.) separato (*dagli altri*) **4** (*fig.*) distinguere; contraddistinguere □ **to feel set apart from the others**, sentirsi diverso dagli altri.

■ **set ashore** v. t. + avv. (*naut.*) sbarcare (*merci o passeggeri*).

■ **set aside** v. t. + avv. **1** mettere da parte; spostare, scansare; posare, mettere via; lasciare da parte, trascurare, non tener conto di: **to set aside a chair**, spostare una sedia; **to set aside the newspaper [one's work]**, posare (*o* mettere via) il giornale [il lavoro] *Let's set aside our differences!*, lasciamo da parte le nostre divergenze! **2** mettere da parte (*o* in serbo); riservare (*tempo*); risparmiare (*denaro*) **3** tenere da parte (*merce: per un cliente*) **4** (*rag.*) accantonare (*denaro, profitti, ecc.*) **5** (*leg.*) annullare, cassare, revocare (*una sentenza*); annullare, rescindere (*un contratto*) □ **setting aside**, astraendo da; a prescindere da.

■ **set back** v. t. + avv. **1** spostare indietro (*un mobile, un veicolo, ecc.*) **2** (*di un cane, ecc.*) piegare all'indietro, abbassare (*le orecchie, ecc.*) **3** impedire, ostacolare; rallentare; ritardare (*un progetto, ecc.*); far ritardare: **to set back economic growth**, impedire lo sviluppo economico; **to set back output**, rallentare la produzione; *The harvest was set back by bad weather*, il raccolto è stato ritardato dal cattivo tempo **4** posticipare (*una data, una riunione, ecc.*) **5** mettere indietro (*un orologio*): (*fig.*) **to set the clock back to cold war times**, riportare indietro l'orologio della storia ai tempi della guerra fredda **6** (*edil.*) arretrare (*un edificio: rispetto alla strada, ecc.*) **7** (*fam.*) costare (*una somma rilevante*) a (q.): *The new car has set me back a fair bit*, la macchina nuova mi è costata un bel po' (di soldi) □ (*fam.*) **to set sb. back on his heels**, lasciare q. di stucco.

■ **set before** v. t. + prep. **1** porre, collocare (qc.) davanti a (q.) **2** presentare, sottoporre (*una proposta, ecc.*) a (q.) **3** offrire, mettere davanti (*una scelta, ecc.*) a (q.) **4** (*fig.*) anteporre (qc.) a.

■ **set beside** v. t. + prep. **1** mettere (*o* collocare, posare) accanto a **2** mettere al fianco di (*fig.*); paragonare; contrapporre.

■ **set by** A v. t. + avv. → **set aside**, def. 1 e 2 B v. t. + prep. attribuire, dare (*valore, ecc.*) a: **to set great [little] store by st.**, dare grande [poca] importanza a qc. □ (*fig.*) **to set people by the ears**, fare litigare la gente.

■ **set down** v. t. + avv. **1** mettere giù; deporre; posare: **to set down one's case**, posare la valigia **2** (*trasp.*) fare scendere (*passeggeri*): *He asked to be set down at the bridge*, chiese d'essere fatto scendere al ponte **3** (*aeron.*) far atterrare, portare giù (*un aereo*) **4** fissare, stabilire, decidere (*norme, condizioni, limiti, ecc.*): **to set down the rules of the game**, fissare le regole del gioco **5** buttare giù (*fam.*); annotare; scrivere **6** segnare, tracciare (*su una cartina, una mappa, ecc.*) **7** (*volo a vela*) portare giù, far atterrare (*un aliante*) □ (*leg.*) **to set down a case for trial**, iscrivere a ruolo una causa □ **to set oneself down**, accomodarsi; sedersi.

■ **set down as** v. t. + avv. + prep. **1** iscrivere (*o* registrare) come (*o* in qualità di): **to set sb. down as a temporary worker**, registrare q. come lavoratore saltuario **2** considerare, pensare, ritenere; classificare (q. *o* qc.) come: *I set her down as an actress*, ritenni che fosse un'attrice.

■ **set down to** v. t. + avv. + prep. attribuire, ascrivere a.

■ **set forth** A v. i. + avv. (*arc.*) mettersi (in viaggio); partire: **to set forth on a journey**, mettersi in viaggio; *The knight set forth at dawn*, il cavaliere partì all'alba B v. t. + avv. **1** (*form.*) esporre (*motivi, ecc.*); spiegare, manifestare **2** (*arc.*) esporre; mettere in mostra.

■ **set forward** A v. t. + avv. **1** mettere (più) avanti; tirare avanti (*una sedia, ecc.*) **2** (*del tempo, ecc.*) fare maturare prima (*le messi, il raccolto*) **3** esporre, proporre, suggerire (*un'idea, un progetto, ecc.*); avanzare (*una proposta*) **4** anticipare (*una data, una riunione, ecc.*) **5** mettere avanti (*un orologio*) B v. i. (*arc.*) mettersi in viaggio; partire.

■ **set in** A v. t. + avv. **1** inserire; introdurre **2** (*sartoria*) attaccare (*una manica*); applicare (*un rinforzo*) (*una tasca, ecc.*): a **set-in pocket**, una tasca riportata **3** (*teatr.*) inserire (*una scena*) **4** (*tipogr.*) far rientrare (*una frase, un testo*) **5** (*naut.*) fare accostare (*una nave*) a riva B v. i. + avv. **1** mettersi; cominciare a: *The rain set in*, si mise a piovere; **before winter sets in**, prima che cominci l'inverno **2** farsi; diventare: *Darkness set in*, si fece buio; *Drizzle set in*, il tempo diventò piovigginoso **3** aversi; insorgere: *A violent reaction set in*, si ebbe (*o* ci fu) una violenta reazione; *Caries has already set in*, è già insorta la carie **4** instaurarsi; prendere piede (*fig.*) **5** (*della marea*) avanzare **6** (*del vento*) alzarsi, soffiare verso terra □ (*fig. fam.*) **The rot (has) set in**, la situazione è peggiorata.

■ **set off** A v. t. + avv. **1** far esplodere; accendere: **to set off a bomb**, far esplodere una bomba; **to set off a fuse [the fireworks]**, accendere una miccia [i fuochi d'artificio] **2** far sparare, scaricare (*un'arma da fuoco*): **to set off a gun**, sparare un colpo di cannone; (*anche*) sparare con una pistola **3** (*mecc.*) fare partire; lanciare; azionare (*un meccanismo, ecc.*): **to set off a rocket**, fare partire (*o* lanciare) un razzo; **to set**

off the burglar alarm, azionare l'allarme antifurto (*spec. inavvertitamente*) **4** (*fig.*) dare il via a, causare; provocare; scatenare: **to set off a violent reaction [a war]**, provocare una violenta reazione [scatenare una guerra] **5** far scoppiare (*q.: a ridere, piangere, ecc.*): *His funny remark set me off* (*laughing*), la sua buffa osservazione mi fece scoppiare a ridere **6** mettere in evidenza; far risaltare; esaltare (*fig.*): *Headwords are set off in bold type*, i lemmi sono evidenziati in neretto; *The girl's pale complexion set off her black eyes*, la carnagione pallida della ragazza faceva risaltare i suoi occhi neri **7** compensare, controbilanciare (*un debito, uno svantaggio, ecc.*) **8** (*sport*) mettere in movimento, lanciare (*un compagno*) **B** v. i. + avv. **1** mettersi in viaggio; partire; andare; muoversi; (*sport: nelle corse*) prendere il via: *It's time to set off*, è ora di muoversi; **to set off for work [on a holiday]**, andare al lavoro [in vacanza]; **to set off running**, partire di corsa **2** (*fig.*) intendere; proporsi di; partire con l'idea di: *I had set off to do it by myself*, ero partito con l'idea di farlo da solo **3** (*fig.*) mettersi, cominciare a: *If he sets off complaining, he'll never stop*, se si mette a lamentarsi, non la finisce più.

■ **set off against** v. t. + avv. + prep. **1** controbilanciare, compensare (*un debito, uno svantaggio, ecc.*) con (*un credito, un vantaggio, ecc.*) **2** (*fisc.*) mettere (*o portare*) in detrazione di: *Interest payments may be set off against income tax*, gli interessi passivi pagati possono essere messi in detrazione d'imposta □ **This car is expensive, but you can set off its cost against the fact that it is extremely safe**, quest'automobile è cara, ma in compenso offre la massima sicurezza.

■ **set on A** v. t. + avv. **1** aizzare; istigare; mettere su (*fam.*): *It's Freddie who sets on the other boys*, è Freddie che mette su gli altri ragazzi **2** (*ingl.*) assumere; prendere (q.) alle proprie dipendenze **B** v. t. + prep. **1** mettere (qc.) su; posare su; porre su: *Set the book on the desk!*, metti il libro sulla scrivania! **2** aizzare, istigare, mettere su (q.) contro: *He set his dog on the thief*, aizzò il cane contro il ladro **3** assalire; attaccare: *The muggers set on him and hurt his arm*, i rapinatori lo assalirono ferendogli il braccio **4** mettere (q.) a fare (*un lavoro*) □ (*anche fig.*) **to set one's cards on the table**, mettere le carte in tavola □ **to set eyes on sb.**, vedere q.: *I'd never set eyes on her*, non l'avevo mai vista prima □ (*fig.*) **to set a finger on**, toccare (q. *o* qc.) con un dito (*fig.*) □ **to set sb. on his feet**, rimettere in piedi q. (*anche fig.*) □ **to set a firm on its feet**, rimettere in piedi (o in sesto) un'azienda □ **to set st. on fire**, dare alle fiamme qc.; appiccare il fuoco a qc.; incendiare qc. □ **to set foot on**, mettere piede (o entrare) in □ (*fam.*) **to set hands on**, mettere le mani su (q. *o* qc.); impadronirsi di; arrestare, catturare □ **to set one's heart on st.**, desiderare ardentemente qc. □ (*fam.*) **to set sb. on his way**, mettere q. sulla strada giusta; accompagnare q. per un tratto.

■ **set out A** v. i. + avv. **1** → **set off, B**, *def. 1 e 2* **2** mettersi; cominciare, iniziare (*un'attività, ecc.*): *'The time had come for him to set out on his journey westwards'* J. JOYCE, 'per lui era giunta l'ora di mettersi in viaggio verso occidente'; **to set out in business**, mettersi in affari; **to set out as a freelance photographer**, mettersi a fare il fotografo freelance; **to set out on one's work**, cominciare il proprio lavoro **B** v. t. + avv. **1** disporre; collocare; sistemare bene; esporre, mettere in mostra (*merce in vendita*): *The young plants should be set out at regular intervals*, le pianticelle devono essere collocate (o piantate, disposte) a intervalli rego-

lari; **to set out goods for display**, mettere in mostra la merce **2** esporre; dichiarare; enunciare; spiegare: *He set out his programme in an election speech*, espose il suo programma in un discorso elettorale; **to set out a plan**, enunciare un progetto; **to set out one's reasons**, dichiarare (o spiegare) le proprie ragioni **3** mettere, disporre (*cibo*) sulla tavola **4** preparare, tirare fuori (*abiti e sim.*) **5** agghindare; abbellire: **to set out one's stall**, agghindare il proprio banco di vendita; (*fig.*) saper vendere la propria merce (*fig.*); saperla vendere **6** impostare (*un conto, un problema, ecc.*): (*sport*) **to set out the game**, impostare il gioco.

■ **set to A** v. i. + avv. **1** darsi da fare; mettersi al lavoro; metterci di buona lena; darci sotto (*fam.*) **2** gettarsi sul cibo; mettersi a mangiare (avidamente) **3** venire alle mani; azzuffarsi **4** (*mil.*) attaccare battaglia **B** v. t. + prep. mettere, portare, porre (qc.) a: *He set the flute to his lips*, si portò il flauto alla bocca; **to set one's hand to an important task**, porre mano a un lavoro importante □ **to set fire to**, appiccare (o dare) fuoco a □ **to set a good example to sb.**, dare il buon esempio a q. □ **to set one's hand to a document**, apporre la firma a un documento □ (*fig. lett.*) **to set one's hand to the plough**, mettersi all'opera □ **to set light to**, dare fuoco a □ **to set one's mind to**, dedicarsi a (*un lavoro, ecc.*) □ **to set to music**, mettere in musica, musicare (*un testo letterario, ecc.*) □ **to set to rights**, raddrizzare (*un torto*); porre rimedio a (*un sopruso*) □ (*naut.*) **to set sail to**, salpare per (*un porto*) □ **to set to work on**, mettersi al lavoro per fare (qc.) □ **to set sb. to work**, mettere al lavoro q.; mettere sotto q. (*fam.*).

■ **set up** v. t. + avv. **1** mettere su; alzare; erigere; piantare: **to set up a tent**, mettere su (o piantare) una tenda; **to set up a statue**, erigere una statua **2** mettere su; montare; installare; allestire; predisporre: (*teatr.*) **to set up the scenery**, montare l'apparato scenico; **to set up the machinery**, installare il macchinario; **to set up a stand**, allestire uno stand **3** mettere su; mettere in piedi (*fig.*); istituire; fondare; costituire; formare; aprire (*un ufficio*); avviare (*un'azienda*): **to set up a school**, mettere su una scuola; **to set up a new firm**, fondare una nuova ditta; **to set up a special committee**, istituire una commissione speciale; **to set up a business**, avviare un'attività (*o* un'impresa) **to set up one's practice**, aprire uno studio medico (*o* dentistico, ecc.) **4** sistemare; mettere (q.) in affari (o in politica, ecc.); aiutare (q.) finanziariamente (politicamente, ecc.) a fare carriera; lanciare (q.): **to set sb. up for life**, sistemare q. per tutta la vita **5** lanciare (*un grido*) **6** causare, provocare, dare l'avvio (o il via) a: **to set up a violent reaction**, causare una reazione violenta; **to set up inflammation**, provocare un'infiammazione **7** (*comput.*) impostare (*installare e configurare*) **8** (*sport*) stabilire (*un buon tempo, un primato*) **9** (*sport*) mettere in movimento, lanciare (*un compagno*) **10** (*tipogr.*) comporre **11** (*naut.*) tesare, arridare (*sartie, ecc.*) **12** (*fam.*) rimettere in salute (o in forze, in sesto); tirare su (*fam.*) **13** (*fam.*) montare un'accusa contro (q.); incastrare (*fig.*): *He claimed he had been set up by the police*, sosteneva d'essere stato incastrato dalla polizia □ **to set oneself up against sb.**, mettersi contro q.; prendere posizione contro q. □ **to set (oneself) up as**, mettersi a fare (*un mestiere*); impancarsi a (*giudice, ecc.*); pretenderla a, darsi arie di (*intenditore, ecc.*) □ **to set up home** (*o house*), metter su casa □ **to set up shop**, mettere su un negozio; aprire bottega (*anche fig.*) □ **to set up sb. with st.**, fornire, provvedere q. di qc. □ **to be well set up**, essere forte (*o* robusto, tarchia-

to) □ **to be well set up with st.**, essere ben fornito di qc.

■ **set upon** → **set on**.

setaceous /sɪˈteɪʃəs/ a. **1** setoloso **2** simile a una setola.

set-aside /ˈsɛtəsaɪd/ n. Ⓤ terreno agricolo lasciato a riposo (*per ridurre le eccedenze, secondo un programma dell'UE*).

setback /ˈsɛtbæk/ n. **1** arretramento; regresso; battuta d'arresto: **to suffer a s.**, subire una battuta d'arresto; *There's been a s. in negotiations*, c'è stata una battuta d'arresto nei negoziati **2** rovescio; scacco; ostacolo imprevisto; intoppo; contrattempo: **a financial s.**, un rovescio finanziario **3** caduta (*di malattia*) **4** (*econ.*) caduta (*dell'attività*); riduzione del volume d'affari; recessione; (*Borsa*) ribasso **5** (*edil.*) rientranza (*di un muro*); risega **6** (*mecc.*) concussione; rinculo **7** (*mil. e sport*) sconfitta; batosta.

set-down /ˈsɛtdaʊn/ n. (*fam.*) affronto; offesa; rimprovero.

Seth /sɛθ/ n. (*Bibbia*) Set; Seth.

SETI abbr. (**search for extraterrestrial intelligence**) ricerca di intelligenze extraterrestri.

setiferous /sɪˈtɪfərəs/, **setigerous** /sɪˈtɪdʒərəs/ a. (*biol.*) setoloso.

set-in sleeve /ˈsɛtɪnsliːv/ loc. n. (*moda*) manica a giro.

setline /ˈsɛtlaɪn/ n. (*pesca, USA*) palamito.

set-off, setoff /ˈsɛtɒf/ n. **1** compenso; contropartita **2** (*leg., rag.*) compensazione (*di un debito*) **3** (*fisc.*) compensazione (*delle perdite*) **4** cosa che mette in evidenza; in risalto; ornamento; decorazione **5** (*edil.*) risega; rientranza **6** (*leg.*) domanda riconvenzionale **7** (*tipogr.*) controstampa (*difetto*) **8** avvio; inizio; partenza.

seton /ˈsiːtn/ n. (*vet.*) setone.

setose /ˈsiːtəʊs/ a. (*biol.*) setoloso.

sett /sɛt/ n. **1** (*costr. stradali*) blocchetto (*da pavimentazione*); quadrello **2** (*agric.*) semenzale **3** tana di tasso **4** (*quadro di*) un disegno a tartan.

settee /sɛˈtiː/ n. divano; sofà (*per due o tre persone*).

setter /ˈsɛtə(r)/ n. **1** chi mette, fissa, stabilisce, ecc. (→ **to set**): **a s. of fashions**, uno che stabilisce (*o* detta) la moda **2** (*zool.*) setter; cane da ferma: **an Irish s.**, un setter irlandese **3** (*mecc.*) macchina per allicciare lame da sega **4** (*ind.*) montatore, incastonatore (*di pietre preziose*) **5** (*pallavolo*) alzatore; palleggiatore (*anche* **s. of the ball**) ● **a s. of rules**, uno che fissa regole □ (*fam.*) **bone s.**, ortopedico.

setterwort /ˈsɛtəwɜːt/ n. (*bot.*, *Helleborus foetidus*) elleboro puzzolente.

♦**setting** /ˈsɛtɪŋ/ n. Ⓤ Ⓒ **1** collocazione; installazione; messa in opera; posa; sistemazione **2** incastonatura, montatura (*d'un gioiello*) **3** ambientazione; sfondo; cornice (*fig.*); ambiente; scenario: **the exotic s. of the novel**, lo sfondo esotico del romanzo; **in a beautiful mountain s.**, in un incantevole scenario montano **4** (*teatr.*) messa in scena; scenario **5** (*mus.*) il musicare (*un testo*); adattamento, arrangiamento **6** (*di una chioccia*) covata **7** affilatura (*di strumenti da taglio*); allicciatura (*di una lama da sega*) **8** (*mecc.*) regolazione; messa a punto; regi-strazione; taratura **9** (*mecc.: di un apparecchio, ecc.*) posizione: *There are two settings: fast and slow*, ci sono due posizioni: veloce, e lento **10** (*ind. costr.*) indurimento; presa (*di malta, di cemento*); (*anche*) stabilitura **11** (*chim.*) coagulazione **12** (*tipogr.*) composizione **13** (*dei capelli*) messa in piega (*l'azione*) **14** (*med.*) riduzione (*di una frattura*) **15** (*comput.*) impostazione: **default settings**, impostazioni di default **16** (*di un astro*) tra-

monto: **the s. of the sun**, il tramonto del sole • **s. board**, tavoletta da entomologo □ (*edil.*) **s. coat**, ultima mano d'intonaco □ **s.-down**, fissazione (*di regole, ecc.*) □ **s.-free**, liberazione □ **s.-in**, inizio; principio □ (*cosmesi*) **s. lotion**, fissatore per capelli □ **s.-needle**, spillo per insetti (*da entomologo*) □ **s.-off**, partenza (*nelle corse*); il via □ **s.-out**, impostazione (*d'un problema, ecc.*) □ (*tipogr.*) **s. rule** (*o* **s. stick**), compositoio □ **s.-up**, costruzione, messa in opera, erezione (*di edifici, strutture, ecc.*); fondazione, istituzione, costituzione (*di enti, ecc.*); (*mecc.*) montaggio, messa a punto, registrazione; (*naut.*) tesatura, tesaggio (*di manovre, cime, ecc.*); (*pallavolo*, = **s. up the ball**) l'alzare la palla, palleggio (*per la schiacciata*) □ **s.-up cost**, costo di avviamento (*di un impianto*).

settle /'sɛtl/ *n.* panca (*con schienale alto*); cassapanca con dorsale.

♦to **settle** /'sɛtl/ **A** *v. t.* **1** decidere; determinare; fissare; stabilire: **to s. an argument**, decidere (*o dirimere*) una controversia; (*sport*) **to s. a match**, decidere un incontro; **to s. the day**, fissare la data; *That's settled then*, allora è deciso **2** definire; precisare: **to s. a few points before signing a contract**, definire alcuni punti prima di firmare un contratto **3** sistemare (*cose o persone*): **to s. one's affairs**, sistemare i propri affari **4** risolvere (*una faccenda*); comporre (*una disputa*): *The dispute has been settled in a friendly manner*, la vertenza è stata composta in via amichevole **5** mettere in ordine (*o a posto*); riordinare; riassestare; aggiustare: *A nice cup of tea will s. your stomach*, una bella tazza di tè ti metterà a posto lo stomaco **6** (*comm.*) pagare; regolare; saldare; estinguere: **to s. a bill [an account]**, saldare una fattura [pagare un conto]; **to s. sb.'s debts**, pagare i debiti di q. **7** popolare; colonizzare: *Canada was settled by the French*, il Canada fu colonizzato dai francesi **8** acquietare; calmare: **to s. one's nerves**, calmare i nervi **9** stabilizzare (*il tempo*) **10** far posare (*il sedimento*) **11** far sedimentare (*il caffè, ecc.*) **12** decantare (*un liquido*) **13** (*della pioggia*) ammorzare (*la polvere*) **14** (*leg.*) regolare (*una pendenza*); comporre (*una lite*); transigere: **to s. a dispute out of court**, comporre una vertenza in via stragiudiziale **15** (*leg.*) assegnare; intestare: *He settled his property on his son*, intestò i suoi beni al figlio **16** (*rag.*) conguagliare, chiudere (*conti, ecc.*) **17** (*fam.*) mettere a posto, sistemare (*q., sgridandolo, battendolo*); sbarazzarsi (*di* q.); liquidare, far fuori (*pop.*) **B** *v. i.* **1** (*spesso* **s. down**) sistemarsi; stabilirsi; insediarsi; andare a stare; domiciliarsi; metter su casa: *When he retired, he settled (down) in his native village*, quando andò in pensione, si stabilì nel suo paese natale; *It's time for you to marry and s. down*, è ora che ti sposi e ti sistemi; *The French settled in Canada*, i francesi si insediarono nel Canada **2** posarsi; fermarsi: *A fly settled on the plate*, una mosca si posò sul piatto; *Dust had settled on the furniture*, la polvere s'era posata sui mobili **3** (*della nebbia, delle tenebre*) calare; scendere **4** (*del terreno*) avvallarsi; (*anche di edificio*) abbassarsi per subsidenza **5** piantarsi, sprofondare: *The car settled in the soft ground*, l'automobile si piantò nel terreno molle **6** (*naut.*) affondare **7** (*del tempo*) diventare stabile; stabilizzarsi **8** (*di liquido*) decantare; sedimentare **9** (*di sedimento*) depositarsi **10** (*comm.*) pagare; saldare un conto (*o* un debito): *Will you s. for me?*, vuoi pagare per me? **11** accordarsi; giungere a un accomodamento; raggiungere un accordo: *It won't be easy to s. with our creditors*, non sarà facile giungere a un accomodamento con i

creditori; (*leg.*) **to s. out of court**, raggiungere un accordo stragiudiziale • (*leg.*) **to s. a fine out of court**, conciliare una multa □ **to s. one's eldest daughter**, sistemare (*o accasare*) la figlia maggiore □ (*slang*) **to s. sb.'s hash**, ridurre q. a più miti consigli; far abbassare la cresta a q. □ **to s. sb. in business**, avviare q. negli affari □ **to s. the issue**, decidere il punto in discussione; (*sport*) chiudere la partita (*determinarne il risultato*) □ **to s. a matter**, sistemare una faccenda; evadere una pratica (*bur.*) □ **to s. oneself** (**down**), accomodarsi; adagiarsi, sistemarsi; applicarsi, mettersi: *I settled myself down in an armchair*, m'accomodai in poltrona; *S. yourself down to work*, mettiti al lavoro □ **to s. the pillows**, sprimacciare i guanciali □ **to s. the succession to the throne**, regolare la successione al trono □ (*spesso fig.*) **to have an account** (*o* **a score**) **to s. with sb.**, avere un conto da regolare con q. □ **a liqueur to s. one's dinner**, un bicchierino di liquore come digestivo □ *He can't s. to anything*, è perennemente inquieto; è insoddisfatto di tutto □ **That settles it!**, ciò risolve la faccenda; (*fam.*) siamo sistemati (*iron.*); è fatta!

■ **settle back** *v. i. + avv.* mettersi comodo; adagiarsi: **to s. back in an armchair**, adagiarsi in poltrona.

■ **settle down** *v. i. + avv.* **1 → to settle, B**, *def. 1* **2** calmarsi; placarsi; acquietarsi; tranquillizzarsi: *The baby has settled down at last*, finalmente il bimbo si è calmato **3** mettersi comodo; adagiarsi: **to s. down in a deep armchair**, sprofondare in una comoda poltrona **4** darsi da fare; mettersi sotto: *You must s. down to doing your homework*, devi metterti sotto a fare il compito (a casa) **5** (*anche fin.: di prezzi, quotazioni, ecc.*) stabilizzarsi **6** (*di una nave*) affondare; posarsi (*sul fondo*) **B** *v. t. + avv.* **1** calmare; placare; acquietare **2** sistemare (*anche fig.*); far mettere la testa a posto a (q.) □ **to s. down for life**, sistemarsi (*fig.*); sposarsi □ **to s. down to dinner**, mettersi a tavola □ **to s. down to a job**, impegnarsi in un lavoro.

■ **settle for** *v. i. + prep.* **1** adattarsi a; contentarsi (*o accontentarsi*) di: **to s. for a life of sacrifices**, adattarsi a una vita di sacrifici; **to s. for the second prize**, contentarsi del secondo premio; (*sport*) **to s. for a draw**, accontentarsi di un pareggio **2** contentarsi di; accettare (*come pagamento*): *He won't s. for less than 10,000 pounds*, non accetterà meno di 10 000 sterline.

■ **settle in** *v. i. + avv.* **1** stabilirsi; sistemarsi (*in una casa nuova*): *We haven't settled in yet*, non ci siamo ancora sistemati **2** (*del tempo*) cominciare, mettersi a (*con l'aria di voler durare*): *The rain settled in at noon and lasted till midnight*, cominciò a piovere a mezzogiorno e durò fino a mezzanotte **3** ambientarsi: *He seems to have settled in okay now*, ora sembra essersi ambientato.

■ **settle into** *v. i. + prep.* abituarsi, adattarsi, assuefarsi a: *It takes some time to s. into life in London*, ci vuole un po' di tempo ad assuefarsi a vivere a Londra □ **to s. into a new job**, impratichirsi di un lavoro nuovo.

■ **settle on** *v. i. + prep.* **1** posarsi su (*un oggetto*) (→ **to settle, B**, *def. 2*) **2** decidere; fissare; stabilire: *Have you settled on where to spend your holidays?*, hai deciso dove passare le vacanze?; **to s. on doing st.**, decidere di fare qc.; **to s. on a date**, fissare una data **3** decidere per; scegliere (*una cosa*): *We have settled on a camera as a present for Ann*, abbiamo scelto una macchina fotografica come regalo per Ann.

■ **settle up** *v. i. + avv.* saldare un conto; pagare; regolare i conti: *I've settled up with the waiter*, ho pagato il conto al cameriere; *Let's s. up*, saldiamo il conto!; regoliamo i conti!

■ **settle with** **A** *v. i. + prep.* **1** regolare i conti con; saldare il conto a; pagare a saldo (*un creditore*) **2** (*fig.*) fare i conti con (q.); suonarle a (q.) **B** *v. t. + prep.* risolvere (*una lite*), sistemare (*una faccenda*), comporre (*una vertenza*) con (q.): *I'd like to s. my old quarrel with him*, vorrei rappacificarmi con lui.

settled /'sɛtld/ *a.* **1** fisso; sicuro; fermo; saldo: **s. price**, prezzo fisso (*stabilito dal fabbricante*); **a s. income**, un reddito sicuro; **s. principles**, principi consolidati (*della legge, ecc.*) **2** radicato; inveterato: **a s. habit**, un'abitudine radicata; **s. indolence**, indolenza inveterata **3** (*del tempo*) stabile; (*spec.*) messo al bello **4** (*comm.: di un debito, ecc.*) pagato; regolato; saldato; estinto: **settled in full**, pagato a saldo; saldato **5** (*di persona*) calmo; posato **6** (*di luogo*) abitato; popolato **7** (*di un popolo*) sedentario; stanziale: **a s. population**, una popolazione stanziale • **a s. government**, un governo stabile □ **s. habitation**, residenza stabile □ (*leg., polit.*) **s. order**, ordine costituito.

♦**settlement** /'sɛtlmənt/ *n.* ⓤ **1** sistemazione; composizione; appianamento (*di una disputa, ecc.*); (*leg.*) accordo, compromesso, transazione; accomodamento; concordato; soluzione; risoluzione; (*in cause di divorzio*) divisione dei beni e assegnazione degli alimenti: **wage settlements**, accordi salariali; *The terms of the s. are not clear*, le condizioni dell'accordo non sono chiare; *The labour dispute is nearing a s.*, la vertenza sindacale è vicina a una composizione; **to reach a s. with one's creditors**, giungere a una concordato con i creditori; (*leg.*) **s. out of court**, transazione stragiudiziale **2** riassestamento; riordino **3** (*comm.*) pagamento; regolamento di conti; estinzione (*di un debito*); saldo: **full s.**, pagamento a saldo; **partial s.**, pagamento in conto; **the s. of tax arrears**, il pagamento delle imposte arretrate; **the s. of an annuity on sb.**, la costituzione di un vitalizio a favore di q. **4** (*Borsa*) liquidazione (*quindicinale o mensile*); sistemazione: **the s. of accounts**, la sistemazione delle partite **5** (*rag.*) conguaglio, chiusura di conti **6** colonizzazione; insediamento (*di coloni*); stanziamento: **the s. of new lands**, la colonizzazione di nuovi territori **7** insediamento; stanziamento; stabilimento coloniale; colonia: **the first English settlements in the New World**, i primi insediamenti inglesi nel Nuovo Mondo **8** nuovo centro urbano; città satellite (*nei piani urbanistici di decentramento*) **9** (*un tempo*) centro (*o comitato*) d'assistenza sociale **10** (*del terreno*) avvallamento; assestamento; sistemazione **11** (*di edificio*) cedimento per subsidenza **12** (*leg.*) assegnazione, disposizione (*di un bene*); costituzione (*di rendita, ecc.*); assegno personale; rendita; vitalizio **13** (*Borsa*) liquidazione: **s. day**, giorno di liquidazione • (*comm.*) **s. discount**, sconto di cassa □ (*Borsa*) **s. price**, prezzo di chiusura (*di un titolo*) □ (*leg.*) **s. procedure**, procedura transattiva □ **the Bank for International Settlements** (abbr. **BIS**), la Banca dei Regolamenti Internazionali (abbr. **BRI**) □ (*comm.*) **in full [in part] s. of your account**, a saldo [in conto] del vostro avere.

settler /'sɛtlə(r)/ *n.* **1** chi sistema, decide, stabilisce, ecc. (→ **to settle**) **2** (*spec.*) colono; colonizzatore **3** (*fam.*) argomento decisivo; discorso che non ammette replica; fatto che taglia la testa al toro **4** (*tecn.*) decantatore (*nella vinificazione*).

settling /'sɛtlɪŋ/ *n.* ⓤ **1** sistemazione; accomodamento **2** (*fin.*) liquidazione **3** (*rag.*) chiusura (*di conti*); conguaglio **4** insediamento; colonizzazione **5** (*edil., geol.*) assestamento (*del terreno*); cedimento **6** (*anche ind.*) decantazione; sedimentazione **7** (pl.)

a b c d e f g h i j k l m n o p q r **s** t u v w x y z

deposito; sedimenti; feccia **8** (*Borsa*) liquidazione: **s. day**, giorno di liquidazione (*o dei compensi*) ● (*tecn.*) **s. pits**, pozzetti di decantazione □ **s. tank**, vasca di sedimentazione □ (*fin.*) **s.-up**, liquidazione; regolamento dei conti.

♦**set-to** /sɛ'tuː/ n. baruffa; alterco; rissa; colluttazione; zuffa.

♦**set-up, setup** /'sɛtʌp/ n. **1** portamento (*del capo, ecc.*); positura, postura (*delle membra*) **2** situazione; assetto; struttura: *It's a very strange set-up*, è una situazione molto strana; **the political set-up of the country**, l'assetto politico del paese **3** sistemazione, regolazione, messa a punto (*di macchine o motori*) **4** sistemazione, disposizione, impianto, organizzazione (*di un'azienda, ecc.*) **5** (*comm.*) azienda; impresa **6** (*comput.*) setup; installazione: **set-up file**, file di setup **7** (*fam.*) incastrata (*fam.*); inganno; raggiro; montatura; imbroglio; trappola (*fig.*) **8** (*pallavolo*) alzata (*della palla*); (*anche*) alzatore, palleggiatore **9** (*slang spec. USA, sport*) incontro truccato; (*anche*) pugile perdente in un incontro truccato; (*fig.*) passeggiata (*fig.*), cosa facile da ottenere **10** (*slang USA*) gonzo; merlo; pollo (*fig.*): *The would-be set-up turned out to be a cop*, saltò fuori che il presunto pollo era un poliziotto **11** (*slang USA*) appartamento (*o ufficio*) arredato; posto, sistemazione: *He's got a nice set-up*, ha un bel posticino; è sistemato proprio bene **12** (*slang USA*) servizio completo da tavola (*o da bar: bottiglie, bicchieri, soda, ecc.*) ● (*slang USA*) **set-up man**, grosso organizzatore di rapine.

setwall /'sɛtwɔːl/ n. (*bot., Valeriana officinalis*) valeriana.

♦**seven** /'sɛvn/ a. e n. sette ● (*basket*) s.-footer, giocatore alto sette piedi (*oltre due metri e dieci*) □ the **s.-league boots**, gli stivali delle sette leghe □ (*pallanuoto*) **s.-minute quarter**, tempo (*dei quattro di un incontro*) di sette minuti □ the **S. Sisters**, (*astron.*) le Pleiadi; (*econ., antiq.*) le Sette Sorelle (*le sette maggiori società petrolifere*) □ the **S. Sleepers**, i Sette Dormienti (*della leggenda cristiana*) □ (*astron.*) the **S. Stars**, le Pleiadi □ (*fam. scherz.*) the **s.-year itch**, la crisi del settimo anno (*in un matrimonio*) □ **by sevens**, sette alla volta □ **in sevens**, a gruppi di sette □ **It's s. o'clock**, sono le sette.

sevenfold /'sɛvnfəʊld/ **A** a. **1** composto di sette parti **2** settuplo **B** avv. sette volte (*tanto*).

sevens /'sɛvnz/ n. □ (*sport*) rugby a sette.

♦**seventeen** /sɛvn'tiːn/ a. e n. diciassette ● **The girl was s. last birthday**, la ragazza ha compiuto i diciassette anni || **seventeenth** a. e n. diciassettesimo; decimosettimo (*lett.*) ● the **seventeenth of June**, il 17 giugno □ **one seventeenth**, un diciassettesimo.

seventh /'sɛvnθ/ **A** a. settimo **B** n. **1** (*mat.*) settimo **2** (*mus.*) (*intervallo di*) settima: **s. chord**, accordo di settima ● (*relig.*) **the s. day**, la domenica (*nel linguaggio dei quaccheri*); il sabato (*per gli ebrei*) □ (*relig.*) **S.-Day Adventists**, Avventisti del settimo giorno, Sabbatari (*setta religiosa*) □ (*baseball*) **the s. inning**, il settimo inning □ (*baseball*) **s.-inning stretch**, tradizionale alzata in piedi del pubblico in onore della squadra di casa che va alla battuta □ the **s. of May**, il 7 maggio □ (*fig.*) **to be in** (*one's*) **s. heaven**, essere al settimo cielo □ (*mat.*) **one s.**, un settimo || **seventhly** avv. in settimo luogo; settimo.

♦**seventy** /'sɛvntɪ/ a. e n. settanta ● (*mus.*) **a s.-eight** (*o 78*), un (*disco a*) 78 giri (*non più in uso*) □ **in the seventies**, negli anni fra i 70 e gli 80 (*nella vita d'una persona*); negli anni '70, fra il '70 e l'80 (*in un secolo*): *He is in his seventies*, ha ormai passato i settanta □ **a**

man of s., un settantenne || **seventieth** a. e n. settantesimo.

to **sever** /'sɛvə(r)/ **A** v. t. **1** separare; dividere; staccare; disgiungere; recidere; tagliare; troncare: **to s. sb.'s head**, recidere il capo a q.; decapitare q.; **to s. a rope with a knife**, tagliare una corda con un coltello **2** troncare (*fig.*); interrompere; rompere: **to s. a connection [a friendship]**, troncare una relazione [un'amicizia]; **to s. diplomatic relations with China**, rompere le relazioni diplomatiche con la Cina **B** v. i. **1** separarsi; dividersi; staccarsi **2** spezzarsi; rompersi **3** (*leg.*) condurre un'azione legale separatamente (*in una causa comune*).

severable /'sɛvrəbl/ a. separabile; divisibile.

♦**several** /'sɛvrəl/ **A** a. e pron. alcuni; diversi; vari; parecchi: *S. of you have seen him*, alcuni di voi l'hanno visto; *I have s. friends here*, qui ho diversi amici; *S. boxes were broken*, diverse casse erano rotte; *I already have s.*, ne ho già parecchi **B** a. **1** separato; distinto; diverso; vario: **the s. opinions of different people**, i diversi pareri di più persone; (*leg.*) **an indictment on three s. charges**, un'incriminazione per tre distinti capi d'accusa **2** individuale; particolare; personale; singolo: **collective and s. responsibility**, responsabilità collettiva e individuale; responsabilità in solido; **the s. members of the committee**, i singoli membri del comitato **3** (*leg.*) parziario ● (*leg.*) **s. action**, azione separata, indipendente (*da altre*) □ (*leg.*) **s. estate**, proprietà personale (*non condivisa con altri*) □ (*leg.*) **s. inheritance**, eredità disgiunta □ **s. times**, diverse volte; più d'una volta.

severally /'sɛvrəlɪ/ avv. **1** separatamente; uno alla volta **2** individualmente; singolarmente; ognuno per conto suo: *In a general partnership, partners are s. liable*, in una società in nome collettivo, i soci sono responsabili individualmente (*o hanno una responsabilità solidale*).

severalty /'sɛvrəltɪ/ n. □ **1** (*leg.*) proprietà individuale di beni (*non condivisi con altri*) **2** (*arc.*) l'essere distinto; parziarietà.

severance /'sɛvərəns/ n. □ **1** separazione; disgiunzione; distacco; divisione; taglio **2** rottura (*di rapporti, relazioni diplomatiche, ecc.*) **3** (*leg.*) rescissione (*d'un contratto di lavoro, ecc.*) **4** (*leg.*) divisione di una proprietà in comune **5** (*leg.*) separazione (*di cause*) ● **s. pay**, indennità di licenziamento (*o di buonuscita*); liquidazione (*corrisposta in unica soluzione al dipendente licenziato senza sua colpa*).

♦**severe** /sɪ'vɪə(r)/ a. **1** severo, austero; disadorno; sobrio; rigoroso: **a s. referee**, un arbitro severo; **a s. style**, uno stile severo; **s. beauty**, austera bellezza; **a s. inspection**, un'ispezione rigorosa **2** (*di tempo*) duro; rigido: **a s. winter**, un inverno rigido **3** (*meteor.*) intenso; violento; forte: **a s. storm**, una perturbazione intensa; un forte temporale; una violenta tempesta **4** (*di dolore, ecc.*) acuto; forte; vivo; violento: **a s. pain**, un dolore acuto; **a s. cold**, un forte raffreddore; **a s. attack of gout**, un violento attacco di gotta **5** (*di malattia, ecc.*) grave: **s. injuries**, gravi ferite; *He received a s. setback*, subì un grave rovescio **6** duro; difficile; complicato: **a s. test**, un test (*o una prova*) difficile **7** (*di un giudizio, ecc.*) severo; aspro ● (*fig.*) **a s. blow**, un duro colpo □ (*leg.*) **a s. punishment**, una condanna severa | **-ly** avv. | **-ness** n. □.

severity /sɪ'vɛrɪtɪ/ n. □ **1** severità; austerità; sobrietà (*dello stile, ecc.*); rigore; rigorosità; inclemenza; durezza; rigidezza: **the s. of an examination**, la severità di un esame; **the s. of the climate**, l'inclemenza del clima **2** acutezza; gravità; violenza: **the**

s. of an illness, la gravità d'una malattia; **the s. of the storm**, la violenza della tempesta **3** durezza, difficoltà, complessità (*di un esame, ecc.*) **4** (pl.) (*form.*) difficoltà; rigori; condizioni dure (*della vita, ecc.*).

Seville /sə'vɪl/ n. (*geogr.*) Siviglia ● **S. orange**, arancia amara.

Sèvres /'seɪvrə/ n. **1** (*geogr.*) Sèvres **2** □ (= S. ware) porcellana di Sèvres.

to **sew** /səʊ/ (pass. **sewed**, p. p. **sewn, sewed**), v. t. e i. **1** cucire: **to sew a dress**, cucire un vestito; **to sew linen**, cucir tela; cucire in bianco **2** attaccare, rammendare (*cucendo*): **to sew a button on** (*o onto*) **a shirt**, attaccare un bottone a una camicia ● **to sew back on**, ricucire, riattaccare (*un bottone staccato, un arto tranciato, ecc.*) □ **to sew in a band**, attaccare un nastro (*cucendolo*) □ **to sew in a patch**, fare un rammendo □ **to sew up**, cucire, rammendare; (*med.*) cucire, ricucire; (*fam.*) portare a termine, concludere (*un affare, ecc.*); (*fam.*) assicurarsi, vincere (*un'elezione, ecc.*); (*fam.*) accaparrarsi, monopolizzare: **to sew up a wound**, cucire una ferita; *I've got the contract sewed up*, mi sono assicurato il contratto □ (*fam.*) **to be sewed up**, essere ubriaco fradicio.

sewage /'suːɪdʒ/ n. □ acque di scolo; acque luride; acque di rifiuto; liquami ● **s. disposal**, trattamento delle acque luride □ **s. disposal plant**, impianto di trattamento dei liquami (*o delle acque luride*) □ **s. farm**, azienda agricola che pratica la fertilizzazione con liquami □ **s. system**, (sistema di) fognatura □ **raw s.**, acque luride non trattate.

sewer① /'səʊə(r)/ n. cucitore, cucitrice.

sewer② /'suːə(r)/ n. fogna; cloaca ● **s. gas**, gas mefitico (*di fognatura*) □ **s. rat**, topo di fogna.

to **sewer** /'suːə(r)/ v. t. provvedere (*una città, ecc.*) di fogne.

sewerage /'suːərɪdʒ/ n. □ **1** fognatura; sistema di fognature; rete fognaria **2** rimozione (*o scarico*) delle acque luride; drenaggio **3** → **sewage**.

sewing /'səʊɪŋ/ n. □ **1** il cucire; cucitura **2** cucito; lavoro di cucito: *She was doing her s.*, stava facendo il cucito ● **s. awl**, punteruolo per lavori di cucito (*di cuoio, tende, vele, ecc.*) □ **s. cotton**, filo da cucire ● **s. machine**, macchina da cucire □ (*legatoria*) **s. press**, cucitrice ● **s. thread**, filo da cucire; cucirino.

sewn /səʊn/ p. p. di **to sew**.

♦**sex** /sɛks/ **A** n. **1** (*biol.*) sesso: *What sex is this chicken?*, di che sesso è questo pulcino?; *Sex does not matter*, non si fa distinzione di sesso; **both sexes**, ambo i sessi; *'I love the idea of there being two sexes, don't you?'* D. LESSING, 'l'idea che ci siano due sessi distinti a me piace proprio; e a Lei, no?' **2** □ rapporti sessuali: **to have sex with sb.**, avere rapporti sessuali con q. **B** a. attr. sessuale: (*zool.*) **s. organs**, organi sessuali; (*biol.*) **sex chromosome**, cromosoma sessuale ● **sex antagonism**, antagonismo fra i due sessi □ **sex appeal**, sex appeal; fascino sessuale; attrattiva fisica □ (*zootecnia*) **sex assesser**, sessatore □ (*fig.*) **sex bomb**, bomba del sesso; donna conturbante □ (*biol.*) **sex cell**, gamete □ **sex change**, cambiamento di sesso □ **sex discrimination**, discriminazione in base al sesso □ **sex drive** (*o sex urge*), impulso sessuale □ **sex education**, educazione sessuale □ (*fig.*) **sex goddess**, bomba sexy; diva sexy □ **sex industry**, industria del sesso □ (*fam.*) **sex kitten**, gatta (*fig.*); ninfetta □ **sex life**, vita sessuale □ **sex-linked**, legato al sesso □ (*biol.*) **sex-linked gene**, gene sesso-specifico □ **sex maniac**, maniaco sessuale □ **sex object**, oggetto (*del desiderio*) sessuale □ (*spec. di uomo*) **sex pest**, molestatore, tormentatore

(con fini sessuali) □ **sex romps**, orge; giochi audaci (eufem.) □ **sex shop**, sex shop □ **sex starved**, affamato di sesso □ (fam.) **sex swap** = **sex change** → sopra □ **sex symbol**, 'sex symbol'; simbolo erotico □ **sex tourism**, turismo sessuale □ **sex toy**, sex toy; giocattolo erotico □ **sex work**, prostituzione; lavoro che appartiene all'industria del sesso □ **sex worker**, prostituta; lavoratore del sesso (pornostar, ballerino di lap dance, spogliarellista, ecc.) □ **the fair sex**, il gentil sesso; le donne (collett.) □ **for sex**, per fare sesso; per andarci a letto insieme: The boss visits her regularly for sex, il boss va a trovarla a intervalli regolari per andarci a letto □ **to have sex**, fare sesso □ **the sterner sex**, il sesso forte; gli uomini (collett.) □ **the weaker sex**, il sesso debole; le donne (collett.) □ **She is the fairest of her sex**, è la donna più bella del mondo.

to **sex** /sɛks/ v. t. (zootecnia) accertare il sesso di (pulcini, ecc.); sessare.

sexagenarian /sɛksədʒəˈnɛərɪən/ a. e n. sessagenario (lett.) sessantenne.

sexagenary /sɛkˈsædʒɪnrɪ/ a. **1** sessagenario; sessantenne **2** (mat.) sessagesimale.

Sexagesima /sɛksəˈdʒɛsɪmə/ n. (relig., = S. Sunday) sessagesima; domenica di sessagesima.

sexagesimal /sɛksəˈdʒɛsɪml/ (mat.) **A** a. sessagesimale: **s. fractions**, frazioni sessagesimali **B** n. frazione sessagesimale.

sexcapade /sɛksəˈpeɪd/ n. (slang USA) avventura amorosa.

sexcentenary /sɛksɛnˈtiːnərɪ/ n. sesto centenario.

sexed /sɛkst/ a. **1** (biol.) sessuato **2** che ha una forte carica sessuale: **highly s.**, che ha forti impulsi sessuali **3** che ha molto sex appeal.

sexennial /sɛkˈsɛnɪəl/ a. sessennale (lett.); che dura sei anni.

sexer /ˈsɛksə(r)/ n. (tecn.) sessatore, sessatrice.

sexily /ˈsɛksɪlɪ/ avv. in modo provocante; in modo sexy.

sexiness /ˈsɛksɪnəs/ n. ⓤ attrattiva sessuale; fascino; capacità di sedurre; seduzione.

sexing /ˈsɛksɪŋ/ n. ⓤ (zootecnia) sessaggio.

sexism /ˈsɛksɪzəm/ n. ⓤ discriminazione (o pregiudizio) sessuale; sessismo ‖ **sexist** a. e n. sessista.

sexless /ˈsɛksləs/ a. **1** asessuato; neutro **2** (fam.) per niente sexy; privo di attrattiva sessuale ‖ **sexlessness** n. ⓤ **1** l'essere asessuato **2** (fam.) mancanza di attrattiva sessuale.

sexology /sɛkˈsɒlədʒɪ/ n. ⓤ sessuologia ‖ **sexological** a. sessuologico ‖ **sexologist** n. sessuologo.

sexpartite /sɛkˈspɑːtaɪt/ a. (scient.) diviso in sei parti; sestuplice.

sexpert /ˈsɛkspɜːt/ n. (slang USA) esperto in problemi sessuali; terapeuta del sesso.

sexploitation /sɛksplɔɪˈteɪʃn/ n. ⓤ (cinem., arte, ecc.) sfruttamento del sesso; erotismo deteriore ● **a s. film**, un film sfacciatamente erotico.

sexpot /ˈsɛkspɒt/ n. (slang) bomba del sesso; donna tutta sesso; donna conturbante.

sext /sɛkst/ n. ⓤ (relig.) sesta (ora canonica; uffizio).

sextan /ˈsɛkstən/ a. e n. (med.) (febbre) ricorrente ogni sei giorni.

sextant /ˈsɛkstənt/ n. **1** (naut., aeron., astron.) sestante **2** (geom.) sesta parte del cerchio.

sextet, **sextette** /sɛkˈstɛt/ n. (mus., sport) sestetto.

sextile /ˈsɛkstaɪl/ a. (astron., astrol.) sestile.

sextillion /sɛkˈstɪljən/ n. (mat.) **1** (un tempo in GB) (un) quintilione di quintilioni (un 1 seguito da 36 zeri) **2** (in USA e spesso in GB) (un) sestilione (un 1 seguito da 21 zeri).

sexto /ˈsɛkstəʊ/ n. (pl. **sextos**) (tipogr.) **1** ⓤ formato in sesto **2** (libro in) sesto.

sextodecimo /sɛkstəʊˈdɛsɪməʊ/ n. (pl. **sextodecimos**) (tipogr.) **1** ⓤ formato in sedicesimo **2** (libro in) sedicesimo.

sexton /ˈsɛkstən/ n. **1** sagrestano **2** becchino; necroforo ● (zool.) **s.-beetle** (Necrophorus), necroforo.

sextuple /ˈsɛkstjʊpl/ a. e n. sestuplo.

to **sextuple** /ˈsɛkstjʊpl/, USA -ˈtuː-/ v. t. e i. sestuplicare, sestuplicarsi.

sextuplet /ˈsɛkstjʊplət/, USA -ˈtuː-/ n. **1** uno di sei gemelli **2** (pl.) sei gemelli (a un parto).

◆**sexual** /ˈsɛkʃʊəl/ a. sessuale: **s. traits**, caratteri sessuali; **s. intercourse**, rapporti sessuali (o carnali) ● (leg.) **s. crime**, reato sessuale □ (anat.) **s. fold**, cresta genitale □ (leg.) **s. harassment**, molestie sessuali □ **s. orientation**, preferenze sessuali; gusti sessuali; orientamento sessuale ‖ **sexually** avv. (spec. med.) sessualmente; per via sessuale ● (med.) **sexually-transmitted disease**, malattia sessualmente trasmissibile (MST).

sexualism /ˈsɛkʃʊəlɪzəm/ n. ⓤ **1** lo spiegare tutto con motivi sessuali **2** erotismo ‖ **sexualist** n. chi riconduce tutto al sesso.

sexuality /sɛkʃʊˈælɪtɪ/ n. ⓤ sessualità.

to **sexualize** /ˈsɛkʃʊəlaɪz/ v. t. **1** (biol.) conferire i caratteri sessuali a (q.) **2** rendere (un amore, ecc.) sessuale ‖ **sexualization** n. ⓤ sessualizzazione.

to **sex up** /sɛksˈʌp/ v. t. + avv. (fam.) rendere più allettante o interessante; aggiungere un po' di mordente a.

sexy /ˈsɛksɪ/ **A** a. (fam.) **1** attraente; provocante; erotico; eroticamente conturbante; stuzzicante; sexy: **a s. voice**, una voce sexy **2** assai richiesto; alla moda: Forget gilt--edged – futures are s., scordatevi i titoli di stato – ora sono alla moda i 'futures' **3** arrapato; eccitato sessualmente: **to feel s.**, essere arrapato **B** avv. (fam.) in modo sexy: **to dress s.**, vestire in modo sexy.

SF sigla **1** (San Francisco) **2** (science fiction) fantascienza.

SFA sigla (sport, GB, Scottish Football Association) Associazione del calcio scozzese.

sfx abbr. (cinema, TV, special effects) effetti speciali.

SG sigla (leg., solicitor-general) vice procuratore generale.

sgd abbr. (signed) firmato (f.to).

SGML sigla (comput., standard generalized markup language) linguaggio di marcatura standard generalizzato.

Sgt abbr. (mil., sergeant) sergente (Serg.).

Sgt Maj abbr. (mil., sergeant major) sergente maggiore (Serg. Magg.).

◆**sh** /ʃ/ → ssh.

sh. abbr. **1** (Borsa, share) azione **2** (sheep) pecora **3** (shilling) scellino.

shabby /ˈʃæbɪ/ a. **1** in cattivo stato; frusto; logoro; malconcio; misero; sciupato; stracciato: **s. clothes**, abiti frusti, sciupati; **s. surroundings**, miseri dintorni **2** (di persona) male in arnese; trasandato; malvestito; scalcagnato **3** gretto; meschino; misero: **a s. offering**, un'offerta meschina; **s. treatment**, trattamento misero ● **s.-genteel**, (di vestito, abitazione, ecc.) malconcio e misero, ma con una parvenza di decoro; (di persona) che tenta di mantenere il decoro nonostan-

te la povertà □ **a s. trick**, un brutto scherzo; un tiro mancino; una birbonata: **to play sb. a s. trick**, giocare un tiro mancino a q. □ **to look s.**, avere un aspetto trasandato, scalcagnato; figurare male, sfigurare | **-ily avv.** | **-iness n.** ⓤ.

shabrack /ˈʃæbræk/ n. (stor.) gualdrappa.

shack /ʃæk/ n. capanna; baracca; bicocca; tugurio.

shackle /ˈʃækl/ n. **1** (mecc.) grillo; maniglia; anello di trazione **2** (naut.) maniglia, maniglione, grillo (della catena dell'ancora) **3** anello (delle manette) **4** gambo (di un lucchetto) **5** (pl.) ceppi; ferri; manette; catene **6** (pl.) (fig.) legami; impedimenti; pastoie; restrizioni: **the shackles of superstition**, le pastoie della superstizione ● (mecc.) **s. bolt**, perno di anello di trazione.

to **shackle** /ˈʃækl/ v. t. **1** mettere in ceppi; ammanettare; incatenare **2** (fig.) inceppare; impedire; ostacolare **3** (naut.) ammanigliare.

to **shack up** /ʃækˈʌp/ v. i. + avv. (slang) **1** convivere; vivere insieme (come coppia): He's shacking up with his girlfriend, convive con la sua fidanzata **2** (USA) passare la notte; alloggiare; dormire **3** (USA) andare a letto con qualcuno; passare la notte con q.; scopare (volg.).

shack-up /ˈʃækʌp/ n. (slang USA) **1** ragazza con cui si scopa (volg.); amante **2** convivenza; vita in comune (di due non sposati) **3** (volg.) chiavata; scopata (volg.).

shad /ʃæd/ n. (pl. **shad**, **shads**) (zool., Alosa) alosa.

shaddock /ˈʃædək/ n. (bot., Citrus grandis) pomelo (grande pompelmo con polpa verdastra).

◆**shade** /ʃeɪd/ n. ⓤ **1** ombra (anche fig.); oscurità; buio; tenebre; fantasma, spettro, spirito: **to sit [to park] in the s.**, sedere [parcheggiare] all'ombra; **the s. of Virgil in the «Divine Comedy»**, l'ombra di Virgilio nella Divina Commedia; **to put sb. in(to) the s.**, mettere in ombra; eclissare (q. o qc.) **2** gradazione; sfumatura; nuance (franc.); tonalità: **different shades of green**, diverse tonalità di verde; **delicate shades of meaning**, lievi sfumature di significato; **a lighter s.**, una nuance più chiara **3** schermo; (spec.) paralume **4** (pl.) luogo ombroso; recesso **5** (pl.) (slang) occhiali da sole **6** (pl.) (USA) avvolgibili; tendine avvolgibili; tapparelle **7** (slang USA, spreg.) negro ● **a s.**, un po'; leggermente; un tantino: I feel a s. better today, sto leggermente meglio oggi □ (poet.) **to go down to the shades**, andare nel regno delle ombre; scendere nell'Ade; morire □ (naut.) **s. deck**, ponte tenda □ **to keep in the s.**, restare all'ombra; (fig.) restare nell'ombra □ **without light and s.**, (di disegno) senza sfumature; (fig.) monotono, noioso, tetro.

❶ NOTA: *shade o shadow?*

Il sostantivo *shade* significa "ombra" soprattutto nel senso della protezione dalla luce diretta del sole: *The flowers need a little shade*, i fiori hanno bisogno di un po' di ombra; *to sit in the shade*, stare seduti all'ombra. Anche il sostantivo *shadow* significa "ombra", però prevalentemente nel senso della sagoma scura proiettata da un corpo esposto a una fonte di luce: *the deepening shadows of the approaching night*, le ombre della sera ormai vicina che si infittiscono.

to **shade** /ʃeɪd/ **A** v. t. **1** ombreggiare; far ombra a; fare schermo a; proteggere (dalla luce, dal sole); riparare: **trees that s. the road**, alberi che ombreggiano la strada; **a hat that shades one's eyes**, un cappello per proteggere gli occhi dal sole; I shaded my eyes with my hand, mi feci schermo dal sole con la mano **2** offuscare; oscurare; otte-

nebrare: *A sullen look shaded his face*, un'aria tetra gli offuscava il volto **3** (*far*) sfumare (*un colore in un altro*) **4** (*disegno*, *pitt.*) ombreggiare **5** (*mus.*) modulare il tono di (*una canna d'organo, ecc.*) **6** battere, superare, vincere di stretta misura: **to just s. the first half**, essere leggermente superiori alla fine del primo tempo **B** v. i. **1** (*di colore*) sfumare (*in un altro*): **yellow shading (off) into green**, giallo che sfuma nel verde **2** (*fig.*) cambiare per gradi; mutare lentamente **3** (*comm.*: *di prezzi*) diminuire leggermente ● **to s. the light**, riparare dalla luce; velare la luce.

shaded /'ʃeɪdɪd/ a. **1** ombreggiato; ombroso **2** (*di disegno*) ombreggiato; ombrato; sfumato.

shadeless /'ʃeɪdləs/ a. **1** senz'ombra; privo d'ombra **2** (*pitt.*) senza ombreggiatura.

shadily /'ʃeɪdəlɪ/ avv. **1** ombrosamente **2** in modo equivoco, sospetto; loscamente.

shadiness /'ʃeɪdɪnəs/ n. ⓤ **1** ombrosità; l'essere in ombra **2** (*fig. fam.*) disonestà; dubbia fama; ambiguità.

shading /'ʃeɪdɪŋ/ n. **1** ⓤⓒ (*pitt.*) ombreggiatura; ombreggiamento; sfumatura **2** riparo contro la luce **3** ⓤ gradazione; tonalità; sfumatura (*di un colore*) **4** ⓤ (*fig.*) sfumatura; lieve differenza (*di significato, ecc.*).

♦**shadow** /'ʃædəʊ/ **A** n. **1** ⓒ ombra: **to cast a s.**, proiettare un'ombra **2** ⓤ ombra; penombra: *The valley was already in s.*, la valle era già in ombra **3** (al pl.) oscurità (*sing.*); buio (*sing.*); ombre (*della sera*): *A figure emerged out of the shadows*, dall'oscurità emerse una figura **4** ombra; spettro; fantasma; parvenza **5** (*fig.*) ombra; accenno; traccia; parvenza *There isn't a s. of suspicion*, non c'è ombra di sospetto; **beyond the s. of a doubt**, senza ombra di dubbio **6** (*fig.*) ombra; minaccia; presagio **7** (*fig.*) compagno inseparabile; ombra (di q.) **8** (*fig.*) chi sta alle calcagna (di q.); pedinatore **9** (*slang USA, spreg.*) negro **B** a. attr. (*polit.*) (*del Governo*) ombra: **S. Cabinet**, il Gabinetto ombra; **S. Chancellor**, Cancelliere (*del Governo*) ombra ● **CULTURA** • **Shadow Cabinet**: *in Gran Bretagna è formato dal capo dell'opposizione e da un gruppo di parlamentari con incarichi paralleli a quelli dei ministri del governo* (**shadow ministers**). *Il suo compito è elaborare una politica alternativa a quella governativa* ● (*sport*) **s. boxing** → **shadow-boxing** □ **s. caster**, gnomone □ **the s. of a shade**, l'ombra di un sogno; una cosa illusoria, irreale □ (*econ., fin.*) **s. price**, prezzo ombra □ (*ricamo*) **s. stitch**, punto ombra □ (*med.*) **s. test**, retinoscopia □ (*teatr.*) **s. theatre**, teatro delle ombre □ (*ricamo*) **s work**, ricamo a punto ombra □ (*fam.*) **to be afraid** (*o frightened*) **of one's own s.**, avere paura della propria ombra □ (*fig.*) **to catch at shadows**, voler afferrare le ombre; correre dietro ai fantasmi □ **to be the s. of one's former self**, essere diventato l'ombra di sé stesso ❶ **NOTA:** *shade o shadow?* → **shade** □ **to have shadows round one's eyes**, avere gli occhi cerchiati □ **to live in the s.**, vivere nell'ombra; far vita ritirata □ (*fig.*) **to live in the s. of sb.**, vivere all'ombra di q. □ **to live under the s. of fear**, vivere sotto il segno della paura □ **to wear oneself to a s.**, ridursi all'ombra di sé stesso.

to **shadow** /'ʃædəʊ/ v. t. **1** ombreggiare; far ombra a **2** offuscare; oscurare; ottenebrare **3** pedinare; seguire le mosse di; spiare; tener d'occhio: *The police shadowed the suspected blackmailer*, la polizia pedinava il presunto ricattatore **4** (*pitt.*) ombreggiare; sfumare **5** (*sport*) marcare stretto; coprire; francobollare (*fam.*) ● (*lett.*) **to s. forth**, adombrare; preannunciare; prefigurare; simboleggiare

to **shadow-box** /'ʃædəʊbɒks/ v. i. **1** (*boxe*) allenarsi con l'ombra **2** (*fig.*) fare per finta; non fare (*o non dire*) sul serio; (*anche*) fare finta, fingere **3** (*fig.*) andarci piano, agire con prudenza (*con q.*).

shadow-boxing /'ʃædəʊbɒksɪŋ/ n. ⓤ (*boxe*) allenamento con l'ombra; boxe simulata.

shadowing /'ʃædəʊɪŋ/ n. ⓤⓒ **1** (*pitt.*) ombreggiatura; sfumatura **2** pedinamento **3** (*sport*) marcatura stretta.

shadowless /'ʃædəʊləs/ a. **1** (*di un corpo*) che non getta ombra; senz'ombra **2** (*di una superficie*) senza ombre; privo di ombre.

shadowy /'ʃædəʊɪ/ a. **1** ombroso; ombreggiato: **s. forests**, foreste ombrose **2** illusorio; irreale; chimerico: **a s. hope**, una speranza illusoria **3** vago; nebuloso; confuso; indistinto; oscuro: **a s. human form**, una forma umana indistinta **4** (*fig.*) confuso; nebuloso; vago; incerto: **the s. line between right and wrong**, l'incerta linea che separa il torto dalla ragione || **shadowiness** n. ⓤ **1** ombreggiatura; ombrosità **2** illusorietà; irrealtà **3** vaghezza; nebulosità; oscurità.

shady /'ʃeɪdɪ/ a. **1** ombroso; ombreggiato; in ombra: **s. leaves**, ombrose fronde; **s. lawn**, un prato ombreggiato; **the s. side of the courtyard**, il lato in ombra del cortile **2** (*fig.*) ambiguo; dubbio; disonesto; di dubbia fama; equivoco; losco; sospetto: **a man of s. reputation**, un uomo di dubbia fama; **a s. politician**, un politicante disonesto; **a s. character**, un losco figuro; un tipo losco; **a s. transaction**, un affare sospetto ● **to be on the s. side of fifty**, aver passato la cinquantina.

♦**shaft** /ʃɑːft/ n. **1** asta (*di lancia*); asticciola (*di freccia*); stelo; gambo: **the s. of a golf club**, l'asta di una mazza da golf; **the s. of a candlestick**, lo stelo di un candelabro **2** (*anat.*) diafisi: **metatarsal s.**, diafisi metatarsale **3** manico lungo (*d'arnese o strumento*); manico (*di piccozza*): **the s. of a hammer**, il manico di un martello **4** (*archit.*) albero; asse: **drive s.**, albero motore; **driven s.**, albero condotto **7** (*tecn.*) condotto; (*d'una colonna*) **5** (*di carro*) stanga **6** (*mecc.*) albero; asse: **drive s.**, albero motore; **driven s.**, albero condotto **7** (*tecn.*) condotto; sfiatatoio; (*ind. min.*) pozzo: **ventilating s.**, pozzo d'aerazione **8** (*mecc.*) asta; gambo **9** (*archit.*) stele; colonnina; obelisco **10** (*metall.*: *d'altoforno*) tino: **s. furnace**, forno a tino **11** (*golf*) asta (*flessibile*: *della mazza*) **12** (*atletica*) fusto (*del giavellotto*) **13** (*ipp.*) stanga (*del sulky*) **14** (*tennis*) fusto (*della racchetta*) **15** (*biliardo*) puntale (*della stecca*) **16** (*slang*) fregatura; truffa; raggiro **17** (*volg.*) pene; cazzo (*volg.*) **18** (*volg.*) chiavata, incannata, scopata (*volg.*) **19** (*volg.*) partner sessuale **20** (*slang USA*) gambe **21** (*arc.*) freccia; (*poet.*) dardo, saetta, strale (*anche fig.*): **the shafts of satire**, gli strali della satira □ (*mecc.*) **s. drive**, trasmissione ad alberi □ **s. horse**, cavallo da tiro □ (*mecc.*) **s. horsepower**, potenza all'asse □ **a s. of light**, un raggio di luce □ **a s. of lightning**, un fulmine □ (*anat.*) **s. of penis**, corpo del pene □ (*slang*) **to get the s.**, essere trattato male; farsi fregare (*pop.*) □ (*slang*) **to give sb. the s.**, trattare male q.; fregare q. (*pop.*).

to **shaft** /ʃɑːft/ v. t. **1** provvedere (qc.) di asta (*o manico, stanghe, ecc.*) **2** (*mecc.*) montare l'albero (*o l'asse*) in (*un motore*) **3** (*slang*) trattare male; fregare; fottere **4** (*slang volg.*) chiavare; fottere; incannare; scopare (*volg.*).

shafting /'ʃɑːftɪŋ/ n. ⓤ **1** (*mecc.*) (*sistema di*) trasmissione ad alberi **2** (*archit.*) colonnine ornamentali **3** (*tecn.*) sistema di condotti **4** (*ind. min.*) sistema di pozzi di ventilazione **5** (*slang*) fregatura; brutto tiro **6** (*volg.*) rapporti sessuali; chiavate, scopate (*volg.*).

shag ① /ʃæg/ n. ⓤ **1** intreccio, viluppo, intrico (*di capelli, erbacce, ecc.*) **2** tessuto peloso e ruvido (*spec. di lana*) **3** tabacco grossolano; trinciato **4** (*acconciatura*) taglio sfilato a ciocche asimmetriche **5** pelo irsuto, ispido.

shag ② /ʃæg/ n. (*zool.*, *Phalacrocorax aristotelis*) marangone dal ciuffo.

shag ③ /ʃæg/ n. (*volg. ingl.*) **1** chiavata, scopata (*volg.*) **2** partner sessuale: *Sally is a great s.*, Sally scopa alla grande ● **a quick s.**, una bottarella; una sveltina.

to **shag** ① /ʃæg/ v. t. rendere peloso (*o ispido*).

to **shag** ② /ʃæg/ **A** v. t. (*slang USA*) stare alle calcagna di (q.); pedinare; seguire **B** v. i. (*slang USA*; *spesso* **to s. off**) andarsene in fretta; filare via; smammare ● (*volg.*) **to s. ass**, alzare le chiappe (*volg.*); andarsene.

to **shag** ③ /ʃæg/ v. t. (*volg. ingl.*) chiavare, fottere, scopare (*volg.*) ● (*volg.*) **to s. around**, scopare con tutti (*volg.*); starci con tutti.

shagged /ʃægd/ → **shaggy** ● (*volg.*) **s.-off**, incazzato (*volg.*); incavolato □ (*slang*) **s. out**, stanco morto; distrutto; spompato (*pop.*).

shaggy /'ʃægɪ/ a. **1** dal pelo lungo; irsuto; ispido; velloso; villoso: **a s. dog**, un cane dal pelo lungo; **a s. beard**, una barba ispida **2** aspro; ruvido; scabro: **s. wool**, lana ruvida **3** (*di terreno*) coperto di erbacce; sterposo **4** (*bot.*) peloso; vellutato ● **a s.-dog story**, una lunga storiella comica, con finale paradossale; una barzelletta lunga e priva di senso || **shagginess** n. ⓤ **1** pelosità; ispidezza; villosità **2** asprezza; ruvidezza; scabrosità.

shagpile /'ʃægpaɪl/ n. (*anche* **shagpile carpet**) tappeto a pelo lungo e irregolare.

shagreen /ʃəˈɡriːn/ n. ⓤ zigrino: **a s. handbag**, una borsetta di zigrino.

shah /ʃɑː/ n. (*stor.*) scià.

shake /ʃeɪk/ n. **1** scossa; scrollata; scrollo; scrollone: *Give him a s.*, dagli una scossa (*o una scrollata*) *He gave the tree a good s.*, diede una scrollone all'albero; **s. of the head**, una scrollata di capo; un cenno di diniego **2** (= **handshake**) stretta di mano **3** (*fam.*) scossa di terremoto; terremoto **4** fenditura, fessura (*nel legno, nella roccia*) **5** (*fam.*) attimo; momento; istante: *I'll be back in a s.*, torno in un attimo; vado e vengo **6** (pl.) – **the shakes**, febbre con brividi; tremore; forte tremito (*da alcol o droga*); delirium tremens **7** (*fam.*) tremarella **8** spolverizzata; spruzzata: **a few shakes of pepper**, una spolverizzata di pepe **9** (= **milkshake**) frullato di latte; frappé **10** (*mus.*) trillo **11** shake (*ballo*) ● **s.-out**, (*econ.*) rallentamento dell'attività; ristagno; (*Borsa*) eliminazione dal mercato (*degli investitori più deboli*); (*metall.*) sformatura; = **s.-up**, rimescolamento; scossone (*fig.*); movimento (*di funzionari*); riorganizzazione, ristrutturazione, ridimensionamento (*di un'azienda*); rimpasto (*del personale, del governo, ecc.*); (*sport*) lotta, battaglia: **the title s.-up**, la lotta per il titolo □ **to be all of a s.**, tremare come una foglia □ (*fam. USA*) **fair s.**, trattamento equo; buona occasione; chance: **to give sb. a fair s.**, trattare q. con equità; **to get a fair s.**, essere trattato con giustizia; (*anche*) avere qualche chance □ (*fam.*) **to give sb. the shakes**, far venire la tremarella a q. □ (*fam.*) **in two shakes (of a lamb's tail)**, in un secondo; in un baleno; in un batter d'occhio □ (*fam.*) **no great shakes**, che non vale molto; non un gran che; niente di straordinario: *He's a good bowler, but he's no great shakes as batsman*, è un bravo lanciatore, ma come battitore non vale molto.

♦to **shake** /ʃeɪk/ (*pass.* **shook**, p. p. **shaken**) **A** v. t. **1** scuotere; agitare; scrollare;

fare sbattere: **to s. one's head**, scuotere il capo (*per disapprovare, ecc.*); *The wind shook the branches* [*the window-shutters*], il vento scuoteva i rami [faceva sbattere le imposte]; **to s. one's fist at sb.**, agitare il pugno contro q.; **to s. sb.'s faith**, scuotere la fede di q. **2** scuotere (*fig.*); turbare; impressionare: *He was badly shaken by the news*, fu molto scosso dalla notizia **3** far tremare; far vacillare: *The blast shook the house*, l'esplosione fece tremare la casa **4** (*fig.*) inficiare, infirmare (*una testimonianza, ecc.*) **5** (*fam.*) liberarsi di; distanziare; seminare (*fam.*); togliersi (*un'idea, ecc.*) dalla testa: *He succeeded in shaking his pursuers*, riuscì a seminare gli inseguitori; *I can't s. the feeling that I met him somewhere before*, non riesco a togliermi dalla testa la sensazione di averlo già incontrato da qualche parte **6** shakerare (*un cocktail*) **B** v. i. **1** tremare; tremolare; barcollare; traballare; vibrare: *The earth was shaking*, la terra tremava; *I was shaking like a leaf* (*o a jelly*), tremavo come una foglia; *He was shaking with rage*, tremava dalla rabbia; *The house shakes whenever a train passes by*, la casa vibra ogni volta che passa il treno; *His hands are shaking*, gli tremano le mani **2** (*mus.*) trillare **3** darsi (*o stringersi*) la mano: *Shake!*, datevi la mano! ● **to s. sb. by the hand**, dare (*o stringere*) la mano a q. □ **to s. sb.'s composure**, far perdere la calma a q. □ **to s. one's finger at sb.**, minacciare (*o rimproverare*) q. scuotendo l'indice □ **to s. hands**, darsi (*o stringersi*) la mano: *We shook hands*, ci stringemmo la mano; *They reached an agreement and shook hands on it*, si misero d'accordo e suggellarono l'intesa con una stretta di mano □ **to s. hands with sb.**, stringere (*o dare*) la mano a q. □ (*fam.*) **to s. a leg**, far quattro salti; ballare; sbrigarsi: *Shake a leg!*, sbrigati! □ (*mecc.*: di dado, ecc.) **to s. loose**, allentarsi per effetto delle vibrazioni □ (*fam.*) **to s. the money tree**, fare grossi guadagni □ **to s. oneself**, scuotersi; darsi una scossa: *'She stood up, shook herself, and went forward'* T. HARDY, 'si alzò in piedi, si diede una scossa, e proseguì' □ (*fam.*) **Let's s. on it!**, qua la mano! (*per suggellare un accordo*) □ (*fam.*) **to be shaking in one's shoes** (*o boots*), avere una gran fifa; essere mezzo morto dalla paura.

■ **shake down A** v. t. + avv. **1** far cadere (*frutti, ecc.*) scuotendo: **to s. down chestnuts**, far cadere le castagne dall'albero **2** (*fam.*) collaudare, provare (*un'auto, un'imbarcazione, ecc.*) **3** (*fam. USA*) estorcere (*o spillare*) denaro a (q.); mungere (*fig.*); taglieggiare; ricattare **4** (*fam. USA*) setacciare; perquisire da cima a fondo **B** v. i. + avv. **1** (*di oggetti*) cadere per le scosse **2** abituarsi; ambientarsi; impratichirsi: *Don't worry, you'll soon s. down*, non preoccuparti, ti ambienterai presto **3** (*di un'azienda*) assestarsi **4** sistemarsi alla meglio (*per la notte*); dormire: *I can s. down on the floor*, posso anche dormire per terra.

■ **shake off A** v. t. + avv. **1** scuotere (*anche fig.*): **to s. off the yoke**, scuotere il giogo **2** scuotersi (*di dosso*); scrollarsi di dosso; cacciare (*mosche, ecc.*: per es., agitando la coda): **to s. off the snow from one's shoes**, scuotersi la neve dalle scarpe; **to s. off the dust**, scuotersi di dosso la polvere **3** liberarsi, disfarsi, sbarazzarsi di; distanziare; seminare (*fig.*): *I wish I could s. him off*, vorrei proprio potermene sbarazzare; **to s. off a severe cold**, liberarsi di un brutto raffreddore; **to s. off the police**, seminare la polizia **B** v. t. + prep. **1** far cadere da; scuotere da: *The buffalo shook the lion off its back*, il bufalo si scosse di dosso il leone **2** (*lotta*) scrollarsi (di dosso): *He shook his opponent off his back*, si scrollò di dosso l'avversario.

■ **shake out A** v. t. + avv. **1** fare uscire (*o*

cadere) scuotendo; scrollare, scuotere fuori: **to s. out coins from one's pockets**, far cadere monete dalle tasche (*di un indumento che viene scosso*); **to s. out a duster**, scuotere la polvere da uno straccio **2** vuotare (qc.) scuotendo **3** spargere: **to s. out salt from the shaker**, spargere il sale dalla saliera **4** spiegare al vento (*una bandiera*); stendere (*un lenzuolo*) **5** (*fam.*) rimescolare (*fig.*); ristrutturare, ridimensionare, riorganizzare; fare un rimpasto di **6** (*naut.*) spiegare (*una vela*); mollare: **to s. out a reef**, mollare un terzarolo **7** (*Borsa, fin.*) eliminare (*concorrenti*) dal mercato **8** (*metall.*) sformare **B** v. i. + avv. (*mil.*) mettersi (*o avanzare*) in ordine sparso; sparpagliarsi.

■ **shake up A** v. t. + avv. **1** agitare; scuotere; mescolare (*liquidi, medicine, ecc.*) scuotendo: *S. up the bottle before pouring out the contents*, agita la bottiglia prima di versare il contenuto!; *Remember to s. up the ingredients properly*, ricordati di mescolare bene gli ingredienti! **2** sprimacciare (*un cuscino, ecc.*) **3** (*fig.*) turbare (q.); scioccare; dare una brutta scossa a (q.) **4** (*fig.*) dare una scossa, uno scossone a (q.); stimolare; scuotere (*fig.*): *The change has shaken up his life*, il mutamento ha dato uno scossone alla sua vita **5** (*fam.*) → **shake out, A**, def. 5 □ (*fam. USA*) **to s. it up**, darsi una mossa.

shakedown /ˈʃeɪkdaʊn/ **A** n. (*fam.*) **1** (*di un'azienda, ecc.*) assestamento (economico) **2** (*tecn.*) prova di affidabilità (*delle macchine di una nave, dei motori di un aereo*); collaudo finale; prova di addestramento (*dell'equipaggio*) **3** letto di fortuna **4** (*slang USA*) perquisizione accurata; setacciamento **5** (*slang USA*) lo spillare soldi; estorsione; taglieggiamento; ricatto **6** (*slang USA*) alloggio (*o letto*) di fortuna **7** (*slang USA*) dormita **B** a. attr. (*tecn.*) di collaudo; di prova finale: (*naut.*) **s. cruise**, crociera di collaudo; (*aeron.*) **s. flight**, volo di prova finale ● (*tecn.*: *di macchinario*) **s. test**, collaudo durante l'installazione.

shaken /ˈʃeɪkən/ **A** p. p. di **to shake B** a. scosso; scombussolato; sconvolto; turbato.

shake 'n bake /ˈʃeɪkənˈbeɪk/ a. e n. piatto pronto da cuocere in forno.

shaker /ˈʃeɪkə(r)/ n. **1** chi scuote, chi agita, ecc. (→ **to shake**) **2** (*ind.*) scuotitoio **3** (*ind.*) trasportatore a scosse **4** (*agric.*) scuotipaglia (*di trebbiatrice*) **5** shaker; sbattighiaccio (*per cocktail*) **6** contenitore per spargere (*sale, ecc.*) ● **pepper s.**, spargipepe; pepaiola □ **salt s.**, spargisale; saliera.

Shaker /ˈʃeɪkə(r)/ (*relig.*) n. (*da* **Shaking Quaker**, 'quacchero tremolante') membro di una setta di millenaristi americani (*fondata nel 1747*) ‖ **Shakerism** n. ⓤ dottrina degli «Shakers».

Shakespearian /ʃeɪkˈspɪərɪən/ a. shakespeariano; scespiriano.

shakiness /ˈʃeɪkɪnəs/ n. ⓤ **1** l'essere malfermo (*o barcollante, traballante*); instabilità **2** scarso affidamento; inattendibilità; incertezza; indecisione.

shaking /ˈʃeɪkɪŋ/ **A** a. **1** tremante; tremulo; vacillante: **in a s. voice**, con voce tremula **2** (*tecn.*) che agita (*o scuote*); scuotitore **B** n. **1** ⓤ scuotimento; scrollata; scossone; scossa **2** ⓤ tremito; tremore **3** sbattuta: *Give this blanket a good s.*, da' una bella sbattuta a questa coperta ● (*med.*) **s. palsy**, paralisi agitante; morbo di Parkinson □ (*relig.*) **s. Quaker** → **Shaker** □ **s. screen**, vaglio a scosse.

shako /ˈʃeɪkəʊ/ n. (pl. **shakos, shakoes**) (*mil., stor.*) sciaccò.

shaky /ˈʃeɪkɪ/ a. **1** malfermo; barcollante; traballante; tremante; tremolante; debole; vacillante: **a s. table**, una tavola traballante; **a s. old man**, un vecchio tremante; **a s.**

hand, una mano malferma (*o tremante*); (*mil. e sport*) **a s. defence**, una difesa debole; **a s. house**, una casa vacillante **2** infido; dubbio; inattendibile; incerto; indeciso; insicuro: **a s. character**, un carattere infido; **a s. argument**, un argomento dubbio; **s. evidence**, prove dubbie (*o poco attendibili*); *His French is rather s.*, il suo francese è piuttosto incerto (*o approssimativo*) ● **s. health**, salute malferma (*o precaria*) □ **to feel s.**, non stare in piedi (*dopo una malattia*) □ **to be s. on one's legs**, avere le gambe che tremano; avere la tremarella alle gambe.

shale /ʃeɪl/ n. ⓤ (*geol.*) argillite; scisto ● **s. clay**, argilla scistosa □ **s. oil**, olio di scisto □ (*ciclismo*) **s. track**, pista di scisto.

◆**shall** /ʃæl, ʃəl/ v. modale

> **shall**, come tutti i verbi modali, ha caratteristiche particolari:
> • non ha forme flesse (-s alla 3ª pers. sing. pres., -ing, -ed), non è mai usato con ausiliari e non ha quindi tempi composti; la forma del passato, solo per alcuni significati, è **should**;
> • non è mai usato con ausiliari e non ha quindi tempi composti;
> • forma le domande mediante la semplice posposizione del soggetto;
> • la forma negativa è **shall not**, spesso abbreviato in **shan't**;
> • l'infinito che segue non ha la particella *to*;
> • viene usato nelle *question tags*

❶ NOTA: *future* → **future 1** (*form. o antiq.*) (alla 1ª pers. sing. e pl.: *esprime il futuro di previsione o di certezza*) – *We s. overcome*, vinceremo; *Blessed are the pure in heart, for they s. see God*, beati i puri di cuore, perché essi vedranno Dio; *'I s. wear white flannel trousers, and walk upon the beach'* TS ELIOT, 'porterò pantaloni di flanella bianca e passeggerò sulla spiaggia'; *The real problems, as I s. explain in a moment, are quite different*, i veri problemi, come spiegherò tra breve, sono ben altri; *I doubt whether I s. see him again*, dubito che lo rivedrò; *I shan't let you down*, non ti deluderò; *We s. have finished by Friday*, avremo finito per venerdì; *We s. be shortly landing in Bonn*, tra pochi minuti atterreremo a Bonn **2** (alla 1ª pers. sing. e pl.: *nelle frasi interr.*, esprime suggerimento, offerta, richiesta) – *S. I leave the door open?*, lascio aperta la porta?; *S. I get you a drink?*, ti porto qualcosa da bere?; *S. we go?*, andiamo?; *S. we talk about something else?*, (che ne dite se) parliamo d'altro?; *What s. I answer?*, che risposta devo dare?; *What s. I do now?*, e adesso che faccio?; *What s. I cook tonight?*, che cosa preparo stasera?; *What s. we have for dinner?*, che vogliamo mangiare per cena?; *Let's have a cup of tea, s. we?*, beviamoci un tè, eh?; *'When s. we three meet again / In thunder, lightning, or in rain?'* W. SHAKESPEARE, 'Quando ci ritroveremo tutte e tre / Col tuono, col lampo o con la pioggia?' **3** (*form.*) (alla 3ª pers. sing.: *esprime un obbligo dettato da disposizione, norma, legge, ecc.*) – *Payments s. be made by cheque*, il pagamento deve essere effettuato (*o va fatto*) mediante assegno; (*Bibbia*) *Thou shalt not kill*, non uccidere **4** (*form.*) (alla 2ª pers.: *esprime una promessa o un ordine*) – *You s. be held responsible for what happens*, sarai ritenuto responsabile di quel che accade; *You shan't have your piece of cake, if you don't behave*, non avrai la tua fetta di torta se non ti comporti come si deve.

shallop /ˈʃæləp/ n. (*naut.*) scialuppa.

shallot /ʃəˈlɒt/ n. ⓤ (*bot.*, *Allium ascalonicum*) scalogno: *I don't like shallots*, lo scalogno non mi piace.

◆**shallow** /ˈʃæləʊ/ **A** a. **1** poco profondo; basso: **s. water**, acqua bassa; **a s. river**, un

fiume poco profondo; **the s. end**, la parte bassa (*della piscina*) **2** poco fondo; piano: **a s. dish** (*o* **a s. plate**), un piatto piano **3** (*fig.*) frivolo; futile; leggero; superficiale: **a s. debate**, un dibattito futile; **a s. mind**, una mente superficiale **4** (*di respiro*) corto; breve **B** n. (*generalm. al pl.*) bassofondo; secca (*di fiume, ecc.*) ● **s.-brained** (*o* **s.-pated**), frivolo; scervellato; vuoto (*fig.*) □ (*mil.*) **a s. bridgehead**, una testa di ponte poco profonda □ (*naut.*) **s. draught**, scarso pescaggio: *This boat has a s. draught*, questa barca pesca poco □ **the s. end of the lake**, la parte del lago dove si tocca □ **s.-water diver**, sommozzatore; **-ly** avv. | **-ness** n. Ⓤ.

to **shallow** /ˈʃæləʊ/ **A** v. i. **1** (*d'acqua*) abbassarsi; (*di fiume*) diventare meno profondo **2** (*fig.*) divenire frivolo (*o* superficiale) **B** v. t. ridurre la profondità di (*un corso d'acqua, ecc.*).

to **shallow-fry** /ˈʃæləʊfraɪ/ v. t. (*cucina*) friggere in poco grasso (*o* poco olio).

shalom /ʃæˈlɒm/ (*ebraico*) inter. shalom!; pace! (*saluto*).

shalt /ʃælt, ʃəlt/ 2ª pers. sing. pres. *arc. di* **shall**.

shaly /ˈʃeɪlɪ/ a. (*geol.*) argilloso; scistoso.

sham /ʃæm/ **A** n. **1** Ⓤ© oggetto imitato; imitazione; mistificazione **2** Ⓤ finzione; simulazione; finta; inganno; frode: *I hate s.*, detesto la finzione **3** ciarlatano; impostore; simulatore; ipocrita **4** (*spec. USA*) copriguanciale; fodera del cuscino **B** a. finto; simulato; fittizio; falso; posticcio: (*leg.*) **a s. contract**, un contratto simulato; **s. pearls**, perle finte (*o* false); (*fin.*) **s. dividends**, dividendi fittizi; **a s. fight**, una battaglia simulata; (*sport*) **s. injury**, infortunio simulato ● (*fin.*) **s. company**, società fittizia □ (*leg.*) **a s. plea**, un'eccezione defatigatoria.

to **sham** /ʃæm/ **A** v. t. fingere; simulare; mistificare: **to s. illness**, simulare una malattia; fingersi malato; (*sport*) **to s. an injury**, simulare un infortunio **B** v. i. fingere; far finta; fingersi; finger d'essere: *He isn't really ill; he is just shamming*, non è malato davvero, fa solo finta; **to s. dead** [**asleep**], fingersi morto [addormentato].

shaman /ˈʃæmən/ n. sciamano || **shamanism** n. Ⓤ sciamanismo || **shamanistic, shamanic** a. sciamanico.

shamateur /ˈʃæmətə(r)/ (*sport*) n. (contraz. *fam. ingl. di* **sham** e **amateur**) finto dilettante || **shamateurism** n. Ⓤ finto dilettantismo.

shamble /ˈʃæmbl/ n. Ⓤ andatura dinoccolata; passo strascicato.

to **shamble** /ˈʃæmbl/ v. i. camminare dinoccolato (*o* strascicando i piedi).

shambles /ˈʃæmblz/ n. pl. (spesso col verbo al sing.) **1** (*un tempo*) macello; mattatoio **2** (*fig.*) carneficina; macello; strage **3** (*fig. fam.*) confusione; gran disordine; macello; casino (*fam.*) ● **The children left the house a s.** (*o* **in a s.**), i bambini misero a soqquadro la casa.

shambling /ˈʃæmblɪŋ/ **A** a. **1** dinoccolato: **a s. gait**, un'andatura dinoccolata **2** (*poesia: di un verso*) zoppo; (*dello stile*) zoppicante **B** n. Ⓤ andatura dinoccolata; strascichio di piedi.

shambolic /ʃæmˈbɒlɪk/ a. (*fam. ingl.*) caotico; molto disordinato; (*che è*) sottosopra.

♦**shame** /ʃeɪm/ n. **1** Ⓤ vergogna; pudore; ritegno: **to feel no s. at doing st.**, non provare vergogna a fare qc.; **to blush** (*o* **to flush**) **with s.**, arrossire per la vergogna; *He has* [*he feels*] *no s. at all*, non ha [non sente] vergogna; ha perduto il pudore **2** vergogna; infamia; ignominia; vituperio: *He is a s. to his parents* è un'onta per i suoi genitori; *What a s. to treat you in that way!*, che

infamia trattarti in quel modo! **3** peccato: *That's a shame*, che peccato ● **to bring s. (up)on oneself** [**one's family**], disonorarsi [disonorare la propria famiglia] □ **to cry s. on sb.** [**st.**], disapprovare recisamente q. [qc.] □ (*fam. ingl.*) **a crying** (*o* **a stinking**) **s.**, un vero peccato; una grossa vergogna □ **out of s.**, per pudore □ **to put sb.** [**st.**] **to s.**, svergognare q.; (*fig.*) eclissare q.; oscurare, fare scomparire q. [qc.] □ **to take s. on oneself**, addossarsi una colpa □ **To my s., I couldn't answer**, con mia grande vergogna non seppi rispondere □ **S. on you!**, vergognati!; vergogna! □ **For s.!**, vergogna! □ **There's no s. in being poor**, non c'è da vergognarsi a esser povero.

to **shame** /ʃeɪm/ v. t. **1** svergognare; umiliare; far arrossire (*di vergogna*) **2** disonorare; recar onta a: **to s. one's family**, disonorare la propria famiglia **3** far sfigurare; eclissare; oscurare: *His honesty shames most of his competitors*, la sua onestà fa sfigurare la maggior parte dei suoi concorrenti ● **to s. sb. into** (**doing**) **st.**, indurre q. a (fare) qc. facendogli sentire vergogna: *They shamed me into apologizing*, facendomi sentire vergogna mi indussero a scusarmi □ **to s. sb. out of a prejudice**, liberare q. da un pregiudizio facendogliene provare vergogna.

shamefaced /ˈʃeɪmˈfeɪst/ a. **1** pudico; modesto; timido **2** vergognoso (*della propria colpa*); confuso; imbarazzato ● **in a s. way**, con grande imbarazzo | **-ly** avv. | **-ness** n. Ⓤ.

shameful /ˈʃeɪmfl/ a. vergognoso; ignominioso; infame; obbrobrioso; disonorevole: **s. behaviour**, condotta vergognosa | **-ly** avv. | **-ness** n. Ⓤ.

shameless /ˈʃeɪmləs/ a. **1** spudorato; impudente; sfacciato; sfrontato; svergognato **2** indecente; vergognoso | **-ly** avv. | **-ness** n. Ⓤ.

shammer /ˈʃæmə(r)/ n. simulatore, simulatrice; impostore, impostora.

shamming /ˈʃæmɪŋ/ n. Ⓤ simulazione; finzione; infingimento.

shammy /ˈʃæmɪ/ **A** n. Ⓤ© (= **s. leather**) pelle di camoscio; pelle scamosciata **B** a. scamosciato.

shampoo /ʃæmˈpuː/ n. Ⓤ© (pl. **shampoos**) **1** shampoo; sciampo; lavatura dei capelli: **to give oneself a s.**, fare lo shampoo **2** shampoo; preparato per lavare i capelli; detersivo (*per auto, moquette, ecc.*).

to **shampoo** /ʃæmˈpuː/ v. t. lavare con uno shampoo (*capelli, tappeti, ecc.*); fare lo shampoo a (q.) ● **to s. one's hair**, lavarsi i capelli □ **to have one's hair shampooed**, farsi fare lo shampoo || **shampooer** n. **1** shampista; shampoista **2** lavamoquette, lavatappeti (*macchina*) || **shampooing** n. Ⓤ shampooing; lavatura e frizione (*dei capelli*) con lo shampoo.

shamrock /ˈʃæmrɒk/ n. Ⓤ© (*bot.*) **1** (*Trifolium pratense*) trifoglio d'Irlanda (*è il simbolo del paese*) **2** (*Trifolium repens*) trifoglio bianco **3** (*Oxalis acetosella*) trifoglio acetoso; acetosella ● **the S. Isle**, l'Irlanda.

shamus /ˈʃeɪməs/ n. (*slang USA*) **1** piedipiatti; poliziotto; detective **2** poliziotto privato; guardia del corpo **3** spalla (*fig.*); tirapiedi (*di un politicante, ecc.*).

shandrydan /ˈʃændrɪdæn/ n. **1** (*un tempo*) calesse **2** (*raro*) carrozza decrepita; veicolo sgangherato; trabiccolo (*scherz.*).

shandy /ˈʃændɪ/ n. Ⓤ bibita che è per metà birra e per metà gazzosa o limonata.

to **shanghai** /ʃæŋˈhaɪ/ v. t. **1** (*gergo naut., stor.*) imbarcare (q.) come marinaio, drogandolo e portandolo a bordo a forza **2** (*fam.*) imbrogliare; ingannare ● (*slang*) **to s. sb. into doing st.**, costringere q. (con l'in-

ganno) a fare qc. (*di sgradito o rischioso*).

shank /ʃæŋk/ n. **1** (*anat., antiq.*) stinco; gamba; tibia **2** (*bot.*) gambo; stelo; peduncolo **3** (*mecc.*) gambo; codolo; stelo: **rivet s.**, gambo di un rivetto; **valve s.**, gambo di una valvola **4** codolo (*di cucchiaio, ecc.*) **5** fusto, canna (*di chiave*) **6** (*archit.*) fusto (*di colonna*) **7** (*naut.*) fuso (*dell'ancora*) **8** bocchino (*di una pipa*) **9** (*pesca*) gambo (*dell'amo*) **10** (*di una scarpa*) cambriglione (*tra suola e tacco*) **11** (*golf*) tacco dell'asta (*della mazza*) **12** (*cucina*) stinco: **veal shanks**, stinchi di vitello ● (*mecc.*) **s. cutter**, fresa frontale a codolo □ (*scherz.*) **to go on Shanks' mare** (*o* **pony**), andare sul cavallo di San Francesco; andare a piedi.

to **shank** /ʃæŋk/ **A** v. i. (*bot.*, *di solito* **s. off**) cadere per malattia del gambo (*o* del peduncolo); avvizzire **B** v. t. (*golf*) colpire (*la palla*) con il tacco dell'asta (*per errore*).

shanked /ʃæŋkt/ a. (nei composti) che ha un certo tipo di fusto (*di stelo, di canna, ecc.*); dalle gambe (*corte, lunghe, ecc.*): **a long-s. key**, una chiave dalla canna lunga; **a short-s. chap**, un tizio dalle gambe corte.

shan't /ʃɑːnt/ contraz. di **shall not**.

shantung /ʃænˈtʌŋ/ n. Ⓤ (*ind. tess.*) shantung; sciantung; seta grezza cinese.

shanty ① /ˈʃæntɪ/ n. **1** casupola; capanna; baracca; tugurio **2** (*Austral.*) osteria; bettola ● **s.-town**, quartiere di baracche; baraccopoli; bidonville.

shanty ② /ˈʃæntɪ/ n. (*un tempo*) canto dei marinai al lavoro.

shapable, shapeable /ˈʃeɪpəbl/ a. formabile; foggiabile; adattabile; plasmabile.

♦**shape** /ʃeɪp/ n. **1** Ⓤ© forma; foggia; fattezza; figura; ombra; fantasma; sagoma; aspetto; veste (*fig.*); modello; stampo; taglio (*d'abito*): **spherical in s.**, di forma sferica; **pebbles of different shapes**, ciottoli di fogge diverse; *The blurred s. of a liner appeared in the fog*, nella nebbia apparve la sagoma indistinta di un transatlantico; **an enemy in the s. of a friend**, un nemico in veste di amico; **hat s.**, forma del cappellaio; **a jelly s.**, uno stampo per la gelatina **2** Ⓤ struttura; **to change the s. of Italian society**, cambiare la struttura della società italiana **3** specie; sorta; genere; qualità: **dangers of every s.**, pericoli d'ogni sorta; *He made no offer in any s. or form*, non fece offerte d'alcun genere **4** Ⓤ (*fam.*) forma; condizione, stato (*di salute*): **to stay** (*o* **keep**) **in s.**, tenersi in forma; *The injured man was in bad s.*, il ferito era in cattive condizioni **5** figura; fattezza; personale: **to show one's shapes**, mostrare le proprie fattezze **6** Ⓤ (*sport*) forma: **to be in s.** (*o* **in good s.**), essere in forma; **to be out of s.**, essere giù di forma; *You're looking in good s.*, sembri in ottima forma **7** (*tecn.*) profilato ● **to cut st. to s.**, tagliare qc. su misura □ **to get** (*o* **to put**) **into s.**, allestire, disporre; ordinare; riordinare; **to get one's ideas into s.**, riordinare le idee □ **to get out of s.**, perdere la forma; deformarsi; sformarsi □ **in the s. of**, sotto forma di □ (*fam.*) **to knock** (*o* **to lick**) **into s.**, portare (*un atleta, ecc.*) alla forma ottimale; mettere in sesto, mettere in ordine (*dati, l'economia, ecc.*) □ **out of s.**, deformato; sformato; (*sport*) fuori forma □ **to take s.**, prendere forma; (*di progetto, ecc.*) concretizzarsi, essere attuato; (*d'idee, ecc.*) concretizzarsi, esprimersi, tradursi (*in qc.*).

to **shape** /ʃeɪp/ **A** v. t. **1** formare; foggiare; modellare; plasmare: **to s. rolls from dough**, foggiare la pasta in rotoli; **to s. clay**, modellare (*o* plasmare) la creta; **to s. sb.'s character**, plasmare il carattere di q. **2** adattare; regolare: **to s. one's plans according to one's abilities**, adattare i propri progetti alle proprie capacità **3** concepire; formulare; approntare; preparare: **to s. a**

plan, formulare un progetto **4** (di solito al passivo) foggiare; tagliare: *My new dress is shaped at the waist*, il mio vestito nuovo è tagliato in vita **5** (*tecn.*) sagomare; profilare **6** (*fig.*) lasciare un'impronta profonda (o un'orma indelebile) su (qc.); incidere profondamente su: *President Kennedy shaped the XX century*, il Presidente Kennedy ha lasciato un'orma indelebile sul XX secolo **B** v. i. **1** prender forma; concretarsi **2** svilupparsi; prendere una data piega; evolvere; andare, mettersi (*bene*, *male*): *Things are shaping right*, le cose si mettono bene **3** fare progressi, progredire (*in un lavoro*, *ecc.*) **4** (*sport*: *di giocatore*) apprestarsi (*a tirare*, *ecc.*).

■ **shape into** v. t. + prep. fare (qc.) foggiando (o dando una certa forma): **to s. clay into little statues**, foggiare la creta in statuette; fare statuette di creta; **to s. vague ideas into an essay**, dare forma a idee vaghe ricavandone un saggio.

■ **shape to** v. t. + prep. fare su misura per; adattare, adeguare a: *The new law will be shaped to the needs of the workers*, la nuova legge sarà fatta su misura per i bisogni dei lavoratori □ **to have one's hair shaped to one's head**, farsi fare un'acconciatura adatta alla propria testa.

■ **shape up** v. i. + avv. (*fam.*) **1** procedere; svilupparsi; venire, andare (*bene*, *male*, *ecc.*); cavarsela: *My new book is shaping up well*, il mio nuovo libro viene bene; *How is the new clerk shaping up?*, come va (o come se la cava) l'impiegato nuovo? **2** mettercisi di buzzo buono; darsi da fare; darci sotto (*fam.*): (*USA*, *fam.*) *S. up or ship out!*, O ti dai una regolata o te ne vai; *You'd better s. up!*, farai bene a darci sotto! □ **to s. up to a task**, affrontare con determinazione un compito.

SHAPE /ʃeɪp/ sigla (*NATO*, **Supreme Headquarters Allied Powers Europe**) Comando supremo delle potenze alleate in Europa.

♦**shaped** /ʃeɪpt/ a. **1** (*mecc.*) sagomato; modellato; plasmato; foggiato **2** (*nei composti*) a foggia di, a forma di: **pear-s.**, a forma di pera ● **ill-s.**, deforme; malformato □ **well-s.**, ben fatto; di belle forme; proporzionato.

shapeless /ʃeɪpləs/ a. **1** informe; confuso **2** deforme; sgraziato | **-ly** avv. | **-ness** n. Ⓤ.

shapely /ʃeɪplɪ/ a. (*spec. di donna*) benfatto; proporzionato; aggraziato; armonioso | **-iness** n. Ⓤ.

shaper /ʃeɪpə(r)/ n. **1** foggiatore; modellatore; plasmatore; sagomatore **2** (*mecc.*) piallatrice; limatrice ● (*mecc.*) **gear s.**, dentatrice.

shaping /ʃeɪpɪŋ/ n. ⓊⒸ **1** formazione; foggiatura; modellatura **2** (*mecc.*) sagomatura; piallatura; limatura.

shard /ʃɑːd/ n. **1** coccio; pezzo di coccio; frammento (*di vaso*, *ecc.*) **2** (*archeol.*) frammento **3** (*zool.*) elitra.

share① /ʃeə(r)/ n. **1** parte; porzione; quota; contributo: **a s. of the loot**, una parte del bottino; *I have paid my s.*, ho pagato la mia quota; **a s. of the market**, una quota del mercato; **a fair s.**, una giusta porzione; una parte equa; *He had a notable s. in the success of their enterprise*, egli ebbe una parte considerevole nella riuscita della loro impresa **2** (*fin.*) partecipazione; azione; titolo azionario: *I have a s. in the concern*, ho una partecipazione nell'azienda; **s. in the profits**, partecipazione agli utili; **a new issue of 20,000 shares**, una nuova emissione di ventimila azioni **3** (*fin.*) quota-parte, quota (*di un fondo d'investimento*) **4** (*naut.*) carato; caratura **5** (*polit.*) percentuale (*di voti ottenuti da un partito*) ● (*fin.*) **s. capital**, capitale azionario □ (*fin.*) **s. certificate**, certificato azionario □ (*Borsa*) **s. dealing**, contratta-

zioni di azioni □ (*agric.*, *in USA* e *in Australia*) **s. farmer**, mezzadro □ (*agric.*, *in USA* o *in Australia*) **s. farming**, colonia parziaria; mezzadria □ **s. hawking**, vendita di azioni porta a porta (*vietata in GB dal 1958*) □ (*fin.*, *stat.*) **s. index**, indice finanziario □ (*fin.*) **s. issue**, emissione di azioni □ (*Borsa*) **s. list**, listino valori; listino di Borsa □ **s.-out**, distribuzione (*di cibo o di sussidi*); ripartizione (*di utili*); spartizione (*del bottino*) □ **s. parcel**, pacchetto azionario □ (*fin.*) **s. premium**, sovrapprezzo azioni; premio di emissione □ (*fin.*) **s. prices**, i corsi azionari □ (*spreg.*) **s. pusher**, venditore di azioni di scarso valore □ (*spreg.*) **s. pushing**, vendita porta a porta di azioni di scarso valore (*o di quote di fondi d'investimento*) □ (*fin.*) **s. split**, frazionamento azionario □ (*comput.*) **s. ware** → **shareware** □ (*fin.*) **s. warrant**, certificato azionario al portatore □ **to go shares**, fare le parti giuste; dividersi le spese; fare alla romana (*fam.*) □ **to go shares in st.**, dividere qc. (equamente): *Let's go shares in the travelling expenses*, dividiamo le spese di viaggio! □ **We had our s. of laughs**, ci facemmo delle belle risate.

share② /ʃeə(r)/ n. (*agric.*, = **ploughshare**, *USA* **plowshare**) vomere.

♦to **share** /ʃeə(r)/ v. t. e i. **1** (*spesso* **to s. out**) dividere (*equamente*); distribuire (*in parti uguali*); ripartire; spartire; fare a metà (*fam.*): **to s. expenses**, dividersi le spese; *I will s. the petrol costs with you*, divideremo a metà il costo della benzina con te; faremo a metà per la benzina; *We'll have one grilled vegetables s. as a starter*, prendiamo un piatto di verdure grigliate in due come antipasto; **to s. (out) ten thousand dollars among four persons**, ripartire diecimila dollari fra quattro persone; **to s. out money to the poor**, distribuire denaro ai poveri **2** avere in comune; condividere; ripartirsi: *The two boys shared the bedroom*, i due ragazzi avevano la camera in comune; **to s. (in) the profits**, ripartirsi gli utili; **to s. losses**, ripartirsi le perdite **3** condividere; partecipare a: *I s. your opinion*, condivido la tua opinione; **to s. (in) sb.'s joy [sorrow]**, partecipare alla gioia [al dolore] di q. ● **to s. and s. alike**, prendere parti uguali; usare in comune (*facendo a turno*); dividersi qualcosa equamente □ (*comput.*) **shared resource**, risorsa condivisa □ **He doesn't s. his worries with anybody**, i suoi guai se li tiene (tutti) per sé.

sharebroker /ʃeəbrəʊkə(r)/ n. (*fin.*) intermediario di Borsa; agente di cambio.

sharecropper /ʃeəkrɒpə(r)/ (*in USA*) n. colono parziario; mezzadro || to **sharecrop** v. i. fare il mezzadro || **sharecropping** n. Ⓤ colonia parziaria; mezzadria.

shared /ʃeəd/ a. **1** diviso (*equamente*); ripartito **2** condiviso; in comune: (*comput.*) **s. file**, file condiviso □ (*in GB*) **s. care**, assistenza integrativa (*a un malato a casa*, *ecc.*) □ (*in GB*) **s. ownership**, proprietà parziale di un immobile (*per il quale si paga un affitto inferiore al normale*).

♦**shareholder** /ʃeəhəʊldə(r)/ n. (*fin.*) **1** azionista; socio (*di società per azioni*): *Shareholders can vote by proxy*, i soci possono votare per procura **2** (*in GB*) detentore di quote; socio (*di una «building society»*, → **building**) **3** (*naut.*) caratista; comproprietario (*di una nave*) **4** (pl.) (*collett.*) azionariato ● (*fin.*) **shareholders' equity**, capitale netto (*o proprio*) □ **shareholders' ledger**, libro mastro dei soci □ **shareholders' meeting**, assemblea degli azionisti.

shareholding /ʃeəhəʊldɪŋ/ n. (*fin.*) **1** azionariato **2** partecipazione azionaria.

sharer /ʃeərə(r)/ n. **1** partecipante; compartecipe **2** chi spartisce; chi fa le parti ● **to be a s. in st.**, partecipare a qc.; condivide-

re qc.

shareware /ʃeəweə(r)/ n. Ⓤ (contraz. *fam.* *USA* di **share** e **software**) (*comput.*) shareware (*programmi o software liberamente disponibili in prova*).

sharing /ʃeərɪŋ/ n. Ⓤ **1** compartecipazione; partecipazione: **profit s.**, partecipazione agli utili **2** distribuzione; ripartizione **3** (*comput.*) condivisione: **s. violation**, violazione della condivisione ● (*tra drogati*) **s. of needles**, scambio di siringhe □ (*econ.*) **s. the market**, divisione del mercato □ (*prov.*) **S. is caring**, la compartecipazione è coinvolgimento (*crea affezione, attaccamento, ecc.*).

shark /ʃɑːk/ n. **1** (*zool.*) squalo **2** (*zool.*, *Carcharodon*) pescecane **3** (*fig.*) imbroglione; avventuriero; truffatore; baro: **a loan s.**, uno strozzino **4** (*slang USA*) asso, maestro, fenomeno (*fig. fam.*): **a poolhall [a poker] s.**, un asso del biliardo [del poker] ● **s. net**, rete antisqualo.

to **shark** /ʃɑːk/ v. i. **1** andare a caccia di squali **2** fare il truffatore; imbrogliare il prossimo ● **to s. for a living**, vivere di truffe (*o d'espedienti*).

sharker /ʃɑːkə(r)/ → **shark**, def. 3.

sharkskin /ʃɑːkskɪn/ n. Ⓤ (*ind. tess.*) sagrì; sagrino; zigrino.

♦**sharp**① /ʃɑːp/ **A** a. **1** affilato; tagliente: **a s. knife**, un coltello affilato **2** acuto; acuminato; aguzzo: **a s. pin**, uno spillo acuminato; **a s. nose**, un naso affilato; **a s. stick**, un bastone appuntito; **s.-pointed**, dalla punta aguzza; acuminato **3** improvviso e forte; brusco; secco; netto; marcato; severo; drastico: **a s. bend**, una curva brusca (*o secca*); **a s. blow**, un colpo netto; **a s. incline** (*o slope*), un pendio ripido; **a s. rise in rates**, un brusco rialzo dei tassi; **a s. fall in prices**, una netta caduta dei prezzi; **s. measures**, provvedimenti drastici **4** nitido; netto; vivido; vivo: **in s. contrast (with)**, in netto contrasto (con); **a s. cut**, un taglio netto; **a s. distinction**, una netta distinzione; **a s. impression**, una viva impressione; **the s. outline of the mountains**, il nitido profilo dei monti; **a s. photo**, una foto nitida **5** sottile; acuto; fine; percepace; penetrante; sveglio: **s. eyes**, occhi attenti; occhi penetranti; **s. sight**, vista acuta; **a s. sense of hearing**, un fine senso dell'udito; **s. wit**, mente acuta; intelligenza viva; **s.-witted**, di mente acuta; sveglio; perspicace **6** astuto; furbo; disonesto; privo di scrupoli: **a s. operator**, un individuo privo di scrupoli; un intrallazzatore; **s. practice**, comportamento disonesto; intrallazzi **7** (*rif. a suono, rumore*) acuto; penetrante; secco: **a s. cry**, un grido acuto; **a s. crack**, un rumore secco; **a s. knocking at the door**, colpi secchi e urgenti alla porta; **a s. shot**, un colpo secco (*di fucile, ecc.*) **8** (*rif. a sensazione fisica*) acuto; penetrante; tagliente; pungente: **a s. frost**, un freddo pungente; **a s. pain**, un acuto dolore; **a s. wind**, un vento tagliente **9** (*rif. a emozione*) acuto; cocente: **a s. disappointment**, una delusione cocente **10** mordace; tagliente; pungente: **s. words**, parole pungenti (o mordaci); **to have a s. tongue**, avere la lingua tagliente **11** (*rif. a sapore*) dal gusto forte; aspro; agro; piccante: **s. cheese**, formaggio dal gusto forte **12** (*fam.*) elegante; alla moda: *He's a s. dresser*, è sempre elegante **13** (*mus.*) acuto; alto **14** (*posposto*) (*mus.*) diesis: *C s.*, do diesis; **key of F s.**, chiave di fa diesis **15** (*fon.*) sordo: **a s. consonant**, una consonante sorda **B** avv. **1** bruscamente; all'improvviso; di colpo; di botto: *The car in front of me pulled up s.*, la macchina davanti (a me) si fermò di botto; **to turn s. right**, svoltare stretto a destra **2** puntualmente; in punto: **at ten (o'clock) s.**, alle dieci precise; alle dieci in punto **3** (*mus.*) in una tonalità troppo alta ● (*sport*: *di un tiro*) **s.-angled**

a b c d e f g h i j k l m n o p q r s t u v w x y z

molto angolato □ **s.-cut**, chiaro; distinto; netto; preciso: **a s.-cut difference**, una netta differenza □ **s.-eared**, dalle orecchie aguzze; dall'udito fine □ **s.-edged**, affilato; tagliente (*anche fig.*) □ (*fig. fam.*) **the s. end**, la parte più impegnativa (*o più importante, più difficile*) (*di una situazione, un'impresa, ecc.*) □ **s.-eyed = s.-sighted** → *sotto* □ **s.-featured**, dal profilo marcato; dalla faccia angolosa □ (*sport*) **a s. player**, un giocatore efficiente, molto attivo □ **a s. run**, una corsa veloce □ (*geol.*) **s. sand**, sabbia a spigoli vivi; sabbia grossolana □ (*antiq.*) **s.-set**, affamato □ (*di cavallo*) **s.-shod**, ferrato a ghiaccio (*o con ramponi*) □ **s.-sighted**, dalla vista acuta; sveglio, perspicace □ **a s. temper**, un temperamento collerico □ **s.-tongued**, dalla lingua tagliente; linguacciuto; mordace; caustico; ipercritico □ (*radio*) **s. tuning**, sintonia acuta □ **at a s. angle**, ad angolo acuto; con una forte angolazione □ **to give sb. the s. edge of one's tongue**, trattare q. con asprezza; essere duro con q. □ **to keep a s. look-out**, star bene in guardia; stare all'erta □ **to keep a s. watch on sb.**, tenere d'occhio q.; tenere gli occhi addosso a q. □ (*fam.*) **to look s.**, stare all'erta, tenere gli occhi aperti (*fig.*); affrettarsi, sbrigarsi, fare in fretta: *Look s.!*, presto!; sbrigatevi!

sharp ② /ʃɑːp/ n. **1** (*mus.*) diesis (*nota e simbolo*): **sharps and flats**, diesis e bemolle **2** (*fon.*) consonante sorda **3** ago sottile (*per cucire*) **4** (*fam.*) baro; imbroglione; truffatore **5** (*pl.*) cruschello; tritello.

to **sharp** /ʃɑːp/ Ⓐ v. t. **1** (*mus., USA*) diesizzare; alzare (*una nota*) di un semitono **2** (*mus.*) diesare; diesizzare Ⓑ v. i. **1** (*fam.*) imbrogliare; truffare; barare **2** (*USA*) farsi bello; agghindarsi.

to **sharpen** /ʃɑːpən/ Ⓐ v. t. **1** aguzzare; affilare; arrotare; far la punta a; appuntire: **to s. a knife**, affilare un coltello; **to s. a pencil**, far la punta a (*o temperare*) una matita **2** (*fig.*) acuire; aguzzare (*l'appetito, l'ingegno*); inasprire (*un contrasto, una pena*); affinare (*un'abilità*) **3** (*mus.*) diesizzare; alzare (*una nota*) di un semitono **4** (*tecn.*) migliorare la messa a fuoco di (*un'immagine*); rendere più nitido Ⓑ v. i. **1** aguzzarsi; affilarsi; diventare acuminato (*o appuntito*) **2** (*fig.*) acuirsi; inasprirsi **3** (*mus.*) cantare in una tonalità troppo alta (*o più alta di quella indicata*).

■ **sharpen up** Ⓐ v. t. + avv. **1** migliorare; affinare; rendere più efficiente **2** (*tecn.*) mettere a fuoco (*un'immagine, una diapositiva*) Ⓑ v. i. + avv. migliorare; diventare più efficiente.

sharpener /ʃɑːpənə(r)/ n. **1** (*mecc.*) affilatrice; affilatoio **2** arrotino **3** (= **pencil s.**) temperamatite.

sharpening /ʃɑːpənɪŋ/ n. Ⓤ (*tecn.*) affilatura; l'appuntire ● **s. machine**, affilatrice.

sharper /ʃɑːpə(r)/ n. imbroglione; truffatore; baro.

sharpie /ʃɑːpɪ/ n. **1** (*naut.*) sharpie **2** imbroglione; truffatore; baro **3** (*fam.*) tipo sveglio **4** (*slang USA*) elegantone; damerino.

sharpish /ʃɑːpɪʃ/ Ⓐ a. **1** piuttosto aguzzo; abbastanza affilato **2** (*del vino, ecc.*) aspretto; asprigno Ⓑ avv. (*fam.*) in tutta fretta; alla svelta: *We got moving pretty s.*, ci mettemmo in moto alla svelta.

♦**sharply** /ʃɑːplɪ/ avv. **1** aspramente; in modo pungente (*o sarcastico, ecc.*) **2** bruscamente; seccamente **3** fortemente; drasticamente **4** chiaramente; nettamente **5** astutamente.

sharpness /ʃɑːpnəs/ n. Ⓤ **1** acutezza; acume; affilatezza; finezza; penetrazione; sottigliezza; perspicacia: **the s. of your sight**, l'acutezza della tua vista **2** bruschezza: **the s. of the curve**, la bruschezza della curva **3** chiarezza; nettezza; nitidezza; pre-

cisione: **the s. of the image**, la nitidezza dell'immagine **4** acredine; asprezza; mordacità; sarcasticità: **the s. of his words**, l'asprezza delle sue parole **5** astuzia; disonestà; mancanza di scrupoli **6** gravità; durezza; forza; intensità: **the s. of the pain**, l'intensità del dolore.

sharpshooter /ʃɑːpʃuːtə(r)/ n. tiratore scelto; cecchino.

shat /ʃæt/ pass. e p. p. di **to shit**.

to **shatter** /ʃætə(r)/ Ⓐ v. t. **1** fracassare; fare a pezzi; frantumare; spaccare; mandare in frantumi: *The explosion shattered dozens of windowpanes*, l'esplosione mandò in frantumi decine di vetri di finestre **2** (*fig.*) distruggere; rovinare: **to s. sb.'s hopes**, distruggere le speranze di q.; **shattered health**, salute rovinata Ⓑ v. i. andare in pezzi; farsi in pezzi; frantumarsi; spaccarsi; rompersi in frammenti; frammentarsi ● **shattered nerves**, nervi scossi; nervi a pezzi □ *I feel completely shattered*, mi sento proprio distrutto (*o a pezzi*).

shattering /ʃætərɪŋ/ a. **1** disastroso; rovinoso: **s. news**, notizie disastrose **2** (*fam.*) eccezionale; straordinario; strepitoso.

shatterproof /ʃætəpruːf/ a. infrangibile.

shave /ʃeɪv/ n. **1** Ⓒ rasatura; il radere; il radersi: **to have a s.**, radersi; farsi la barba **2** (*mecc.*, = **s. hook**) raschietto (*da idraulico e metall.*) **3** (*mecc.*) truciolo ● (*fam.*) **to have a close s.**, scamparla bella; cavarsela per un pelo (*o per un soffio*) □ *He needs a s.*, ha bisogno di una sbarbata.

♦to **shave** /ʃeɪv/ (p. p. **shaved, shaven**) Ⓐ v. t. **1** radere; sbarbare; fare la barba a; rasare: **to s. one's face**, radersi il viso; **to s. a patient for surgery**, rasare un paziente per un'operazione chirurgica **2** piallare; lisciare (*col raschietto*) **3** sfiorare; rasentare: (*autom.*) *The car shaved the barrier*, l'automobile rasentò la barriera **4** (*mecc.*) sbavare (*pezzi fucinati o stampati, tubi, ecc.*) **5** (*mecc.*) sbarbare (*ingranaggi*) **6** (*relig.*) tonsurare **7** (*comm.*) limare, ridurre (*prezzi*) **8** (*slang USA*) pelare (*fig.*); truffare **9** (*cucina*) fare (*qc.*) a fette; affettare **10** (*sport USA*) perdere apposta (*una partita*); non segnare (*punti*) (*per favorire un allibratore*) Ⓑ v. i. **1** radersi; sbarbarsi; farsi la barba: *I s. every other day*, mi faccio la barba ogni due giorni **2** (*di rasoio, ecc.*) radere; tagliare (*bene, male, ecc.*) **3** (*sport USA*) truccare il risultato di un incontro ● **to s. off**, radere, rasare; tagliare, eliminare; raschiare, scrostare: tagliare (*burro, ghiaccio, ecc.*) a scaglie (*o a riccioli*): *She got him to s. off his beard*, lo convinse a tagliarsi la barba; *She shaved her legs*, si depilò le gambe □ **to s. off one's hair**, raparsi a zero; (*relig.*) farsi la tonsura □ **to s. oneself**, sbarbarsi da solo: *I prefer shaving myself to going to the barber's*, preferisco farmi la barba da solo che andare dal barbiere □ **to get shaved**, farsi sbarbare; farsi fare la barba.

shaved /ʃeɪvd/ a. **1** rasato; sbarbato **2** (*relig.*) tonsurato **3** (*di cibo*) affettato; fatto a fette **4** (*slang USA*) sbronzo; ubriaco.

shaven /ʃeɪvn/ Ⓐ p. p. di **to shave** Ⓑ a. **1** rasato; sbarbato; senza barba: **a s. face**, una faccia rasata **2** (*relig.*) tonsurato ● **well-s.**, ben rasato.

shaver /ʃeɪvə(r)/ n. **1** chi rade; barbiere **2** rasoio: **electric s.**, rasoio elettrico **3** (*fam., di solito* **young s.**) giovanotto; sbarbatello.

Shavian /ʃeɪvɪən/ (*letter.*) Ⓐ a. caratteristico di (*o alla maniera di*) GB Shaw Ⓑ n. ammiratore (*o seguace*) di GB Shaw.

shaving /ʃeɪvɪŋ/ n. **1** Ⓤ rasatura; sbarbatura; il radersi **2** Ⓤ (*mecc.*) sbavatura (*cfr.* **to shave, A**, def. 4) **3** Ⓤ (*mecc.*) sbarbatu-

ra (*d'ingranaggi*) **4** (*pl.*) trucioli (*di legno o di metallo*) **5** scaglia; scheggia: **chocolate shavings**, scaglie di cioccolata ● **s. brush**, pennello da barba □ **s. cream**, crema da barba □ **s. foam**, schiuma da barba □ **s. horse**, cavalletto su cui sedersi mentre si pialla il legno □ **s. kit**, necessaire per la barba □ **s. lather**, schiuma da barba □ (*mecc.*) **s. machine**, sbarbatrice (*per ingranaggi*) □ (*USA*) **s. saloon**, bottega di barbiere; salone (*di barbiere*) □ **s. soap**, sapone da barba □ **s. stick**, sapone da barba (*a forma di bastoncino*); stick da barba.

Shavuot, Shavuoth /ʃəˈvuːəs/ n. (*relig.*) Shavuot.

shaw /ʃɔː/ n. (*poet.*) boschetto; bosco ceduo.

shawl /ʃɔːl/ n. scialle ● (*moda*) **s. collar**, collo sciallato (*o a scialle*).

shawm /ʃɔːm/ n. (*stor., mus.*) chiarina; cennamella.

shazam, shazzam /ʃəˈzæm/ inter. (*slang USA*) evviva!; voilà.

♦**she** ① /ʃiː, ʃɪ/ Ⓐ pron. pers. 3ª pers. sing. f. **1** ella, essa (*spesso sottinteso in ital.*); lei (*fam.*) (*rif. a persone, animali, e talora ad automobili, aerei, navi, strumenti, città, nazioni, ecc.*): «*Where is your mother?*» «*She's at home*», «dov'è tua madre?» «è a casa»; *He called her, but she didn't answer*, la chiamò, ma lei non rispose; «*Who is it?*» «*It's her*» (*form.*: «*It's she*»), «chi è?» «è lei»; (*form.*) *It's she who* (*fam. It's her that*) *did it*, è stata lei (a farlo); *Here she is!*, eccola!; *She's a fine mare*, è una bella cavalla; *She's a nice little bitch*, è una bella cagnetta; *My car is old but she's still running very well*, la mia auto è vecchia ma va ancora benissimo; *Venice was once so powerful that she was called the Queen of the Adriatic*, Venezia era un tempo così potente da essere chiamata la Regina dell'Adriatico; *She's a small but fast boat*, è una barca piccola ma veloce **2** (*lett.*) colei; la donna: *She who appeared on the threshold was a queer creature*, la donna che apparve sulla soglia era una strana creatura Ⓑ n. femmina; femminuccia; bambina; femmina: *Our dog is a she*, il nostro cane è una femmina; *Is it a he or a she?*, è un maschietto o una femminuccia?; è un bimbo o una bimba? Ⓒ a. attr. femmina (*spesso idiom.*): **a she-hyena**, una iena femmina; **a she-ass**, un'asina ● **she-bear**, orsa □ **she-cat**, gatta □ **she-devil**, diavolessa; indemoniata, (un) demonio (*fig., di donna*) □ **she-elephant**, elefantessa □ **she-goat**, capra □ (*slang*) **she-male**, travestito; omosessuale passivo □ (*scherz.*) **she who must be obeyed**, la (propria) moglie □ **she-wolf**, lupa ● **Anyone can do it if he or she** (*scrivendo:* **if he/she** *o* **if s/he**) **tries hard**, chiunque può farlo, purché s'impegni a fondo.

s(he) ② /ʃiː/ n. (*nei moduli, ecc.*) Ella / egli; lei / lui.

shea /ʃiː/ n. (*bot., Butyrospermum parkii*) albero del burro; shea ● **s. butter**, burro di shea.

sheaf /ʃiːf/ n. (*pl.* **sheaves**) **1** covone: **a s. of wheat**, un covone di grano **2** mannello (*di paglia, ecc.*); fascio; fastello: **a s. of documents**, un fascio di documenti **3** frecce contenute in una faretra **4** (*mat.*) fascio: **the s. theory**, la teoria dei fasci ● **s. binder**, macchina per legare il grano in covoni □ **s. catalogue**, catalogo (*di biblioteca*) a schede mobili.

to **sheaf** /ʃiːf/ v. t. **1** abbarcare, accovonare, legare (*il grano*) in covoni **2** affastellare; ammucchiare.

shear /ʃɪə(r)/ n. **1** (*pl.*) cesoie; forbici; forbicioni: **a pair of shears**, un paio di cesoie; **pinking shears**, forbici seghettate (*da sarto*); **pruning shears**, forbici da giardinaggio

2 (*mecc.*) cesoia: **power s.**, cesoia meccanica; **rotary s.**, cesoia circolare **3** Ⓤ (*fis., mecc.*, = **s. strain**) deformazione di taglio **4** Ⓤ (*geol.*) fessurazione; taglio: **s. folding**, piegamento per taglio; **s.-joint plane**, piano di diaclasi (di taglio) **5** Ⓤ (*naut.*) biga: **s. hulk**, pontone (a) biga **6** Ⓤ (*tecn.*) tosatura (*delle pecore*) ● (*bot.*) **s.-grass** (*Agropyron repens*), gramigna dei medici; dente canino □ (*mecc.*) **s. pin**, spina di sicurezza □ **s. plane**, piano di taglio; (*geol.*) piano di diaclasi □ (*mecc.*) **s. strength**, resistenza al taglio □ (*mecc.*) **s. stress**, sforzo di taglio □ **s. test**, prova di taglio □ (*Austral.*) **a sheep off shears**, una pecora appena tosata.

to **shear** /ʃɪə(r)/ (*pass.* **sheared**, p. p. **shorn**, **sheared**) Ⓐ v. t. **1** tosare: **to s. sheep** [**a hedge**], tosare le pecore [una siepe] **2** cimare (*stoffa, panno*) **3** (*tecn.*) cesoiare; troncare; tagliare; tranciare **4** (*fig.*) spogliare; privare: *The king was shorn of all his powers*, il re fu privato di ogni potere; **to be shorn of one's rights**, essere privato dei propri diritti **5** (*fis., mecc.*) sottoporre (*materiali*) a sforzo di taglio **6** (*poet.*) fendere; tagliare (*con la spada*) Ⓑ v. i. (*di materiali*) spezzarsi, torcersi (*sotto la sollecitazione di taglio*) ● **to s. away** (o **off**), tosare (*la lana*); tagliare via, eliminare; staccarsi: *The handle has sheared off*, si è staccato il manico □ **a closely shorn head**, una testa rasata a zero (o rapata) □ **a shorn lamb**, un agnello tosato; (*fig.*) un gonzo, uno che s'è fatto pelare.

shearer /ˈʃɪərə(r)/ n. **1** tosatore (*di pecore*) **2** (*macchina*) tosatrice **3** (*mecc.*) tranciatore **4** (*mecc.*) tranciatrice (*macchina*); trancia.

shearing /ˈʃɪərɪŋ/ n., Ⓒ Ⓤ **1** tosatura, tosa (*delle pecore*) **2** taglio; recisione: **the s. of a hedge**, il taglio di una siepe **3** (*fis., mecc.*) taglio: **s. stress**, sforzo di taglio **4** (*tecn.*) troncatura; tranciatura **5** cimatura (*di stoffa*) **6** (pl.) cimature (*della stoffa*); lana tosata; residui della tosatura ● (*mecc.*) **s. die**, stampo per tranciatura □ **s. machine**, tosatrice, macchina per tosare; (*mecc.*) cesoia meccanica; tranciatrice, trancia □ (*mecc.*) **s. punch**, tagliolo □ (*Austral.*) **s. shed**, stabilimento per la tosa delle pecore □ (*tecn.*) **s. tool**, utensile da troncatura.

shearling /ˈʃɪəlɪŋ/ n. **1** pecora tosata una sola volta; pecora di un anno **2** Ⓒ Ⓤ shearling; montone (*la pelle e il cappotto*).

shears /ʃɪəz/ n. pl. → **shear**.

shearwater /ˈʃɪəwɔːtə(r)/ n. (*zool.*) **1** (*Puffinus*) puffino; berta **2** uccello dei Rincopidi (*in genere*).

sheatfish /ˈʃiːtfɪʃ/ n. (*zool.*, *Silurus glanis*) siluro d'Europa; siluro comune.

sheath /ʃiːθ/ n. **1** fodero; (*anche bot.*) guaina (*in genere*) astuccio; rivestimento; custodia **3** (*edil.*) rivestimento (*di protezione*) **4** (*elettr.*) guaina (*del filo*) **5** (*zool.*) elitra (*di insetto*) ● **s.-dress** (o **s.-dress**) preservativo; contraccettivo ● **s.-dress**, abito aderente, che inguaina □ **s. knife**, coltello a lama fissa, con fodero; coltello da caccia □ (*zool.*) **s.-winged**, provvisto di elitre.

to **sheathe** /ʃiːð/ v. t. **1** rinfoderare; ringuainare: **to s. one's sword**, rinfoderare la spada (*anche fig.*) **2** foderare; rivestire; proteggere: *The reactor is sheathed with lead*, il reattore è rivestito di piombo **3** (*fig.*) rinfoderare, ritrarre (*le unghie, gli artigli*) **4** affondare (*la spada*); piantare (*le zanne, ecc.*) **5** inguainare: *She was sheathed in a lamé dress*, era inguainata in un abito di lamé.

sheathing /ˈʃiːðɪŋ/ n., Ⓒ Ⓤ **1** rivestimento; copertura; fodera (*anche naut.*) **timber s.**, rivestimento di legno; **bottom s.**, fodera della carena (*di nave*); **zinc s.**, fodera di zinco (*di una cassapanca, ecc.*) **2** (*elettr., mecc.*) guaina (*di) protezione; isolamento: **cable s.**, isolamento dei cavi; guaina per cavi **3** inguai-

namento ● (*edil.*) **s. board**, pannello di fibre (o di gesso) □ **s. hair**, borra □ **s. paper**, carta per rivestimenti isolanti.

sheave /ʃiːv/ n. (*mecc. e naut.*) puleggia a gola; carrucola.

to **sheave** /ʃiːv/ → **to sheaf**.

sheaves /ʃiːvz/ pl. di **sheaf**.

Sheba /ˈʃiːbə/ n. (*Bibbia*) Saba: **the Queen of S.**, la Regina di Saba.

shebang /ʃɪˈbæŋ/ n. (*slang USA*) affare; baracca; faccenda; cosa ● **the whole s.**, tutta la baracca; baracca e burattini: **to sell the whole s.**, vendere baracca e burattini.

♦**shed**① /ʃed/ n. **1** capannone; tettoia; rimessa: **a bicycle s.**, una rimessa per biciclette; **a cattle s.**, un capannone per il bestiame **2** baracca; capanna: **a tool s.**, una baracca per gli attrezzi **3** (*aeron.*) aviorimessa; hangar ● (*edil.*) **s. base**, pilastrino per recinzione.

shed② /ʃed/ n. **1** (*ind. tess.*) passo dell'ordito **2** (= *watershed*) spartiacque **3** (*dial.*) scriminatura (*dei capelli*).

to **shed**① /ʃed/ (*pass. e p. p.* **shed**) Ⓐ v. t. **1** spargere; versare: **to s. blood**, versare (o spargere) sangue; *'If you have tears, prepare to s. them now'* W. SHAKESPEARE, 'se avete lacrime, preparatevi a versarle ora' **2** respingere; non lasciar passare; essere impermeabile a: *Oilskin sheds water*, la tela cerata è impermeabile all'acqua **3** perdere; lasciar cadere: *The tree has shed its leaves*, l'albero ha perso le foglie; *The snake has shed its skin*, il serpente ha perso (o ha mutato) la pelle; (*di un animale*) **to s. hair**, perdere peli (o il pelo) **4** diffondere; effondere; emanare; ispirare: *The sun sheds light and warmth*, il sole emana luce e calore; *He sheds confidence wherever he goes*, dovunque vada, ispira fiducia **5** levarsi, togliersi (*indumenti*) **2** disfarsi, liberarsi di; perdere: *I hope to s. a few kilos before my holidays*, spero di perdere qualche kilo prima delle vacanze; *The company is planning to s. labour*, l'azienda è intenzionata a disfarsi di manodopera **7** (*ingl.: di un autocarro, ecc.*) perdere (*il carico: in un incidente, ecc.*) Ⓑ v. i. **1** perdere le foglie (o la pelle, il pelo, ecc.): *My dog is shedding badly*, il mio cane perde pelo a tutto andare **2** (*ind. tess.*) formare il passo dell'ordito ● **to s. one's clothes**, spogliarsi □ **to s. light**, diffondere luce; dare luce □ (*spec. fig.*) **to s. light on st.**, gettare (o fare) luce su qc. □ (*dial.*) **to s. one's hair**, farsi la scriminatura □ **to s. pounds**, perdere libbre (di peso); dimagrire molto.

to **shed**② /ʃed/ (*pass. e p. p.* **shed**), v. t. (*di cane da pastore*) separare (*una pecora, ecc.*) dal branco.

she'd /ʃiːd, ʃɪd/ contraz. di: **1** she had **2** she would.

shedder /ˈʃedə(r)/ n. **1** chi versa; spargitore **2** salmone che ha deposto le uova **3** serpente in muta **4** crostaceo che si libera del guscio.

shedding /ˈʃedɪŋ/ n. Ⓤ Ⓒ **1** spargimento; versamento: **without s. of blood**, senza spargimento di sangue **2** effusione, perdita (*di liquido*) **3** caduta (*delle foglie*) **4** (*di serpente, ecc.*) muta **5** (*di pesce*) deposizione (*delle uova*) **6** (*ind. tess.*) formazione del passo dell'ordito.

shedload /ˈʃedləʊd/ avv. (*slang*) – **a s. of**, un sacco di; un casino di (*pop.*).

sheen /ʃiːn/ n. Ⓤ lucentezza; splendore.

sheeny① /ˈʃiːnɪ/ a. lucente; lustro; splendente.

sheeny② /ˈʃiːnɪ/ n. (*slang spreg. USA*) **1** ebreo; giudeo **2** rigattiere **3** sarto **4** usuraio; strozzino.

♦**sheep** /ʃiːp/ n. (inv. al pl.; *zool.*, *Ovis aries*) pecora (*anche fig.*): **a flock of s.**, un gregge di pecore; *Jack is the black s. of the family*,

Jack è la pecora nera della famiglia; *They follow him like s.*, lo seguono come pecore; *Don't be a s.!*, non fare la pecora! **2** – (col verbo al pl.) **the sheep**, il gregge; (*fig.*) i parrocchiani, i fedeli **3** → **sheepskin** ● (*fig.*) **the s. and the goats**, le pecore bianche e le pecore nere; i buoni e i cattivi □ **s. dip**, liquido antiparassitario per le pecore; bagno di tale liquido □ **s. farm**, allevamento di pecore □ **s. farmer**, allevatore di pecore □ **s. farming**, allevamento di pecore; pastorizia □ (*USA*) **s.-herder**, pecoraio; pastore □ **s.-hook**, bastone da pastore; vincastro □ **s. run** → **sheepwalk** e = **s. station** → *sotto* □ **s.-shearing**, tosatura delle pecore = (*Austral. e NZ*) **s. station**, grosso allevamento di pecore □ **s. track**, tratturo □ **s. wash**, vasca per il bagno delle pecore □ (*fig. fam.*) **to cast** (o **to make**) **s.'s eyes at sb.**, fare l'occhio di triglia a q. □ (*fig.*) **a lost s.**, una pecorella smarrita.

sheepcote /ˈʃiːpkəʊt/ n. (*spec. ingl.*) → **sheepfold**.

sheepdip /ˈʃiːpdɪp/ n. Ⓤ Ⓒ = **sheep dip** → **sheep**.

sheepdog /ˈʃiːpdɒg/ n. **1** cane da pastore **2** (*spec.*) pastore scozzese; collie.

sheepfold /ˈʃiːpfəʊld/ n. ovile; recinto per le pecore.

sheepish /ˈʃiːpɪʃ/ a. timido; imbarazzato; confuso; impacciato | **-ly** avv. | **-ness** n. Ⓤ.

sheepshank /ˈʃiːpʃæŋk/ n. **1** (*naut.*) nodo a margherita **2** (*fig. scozz.*) cosa da nulla; bazzecola; inezia.

sheepskin /ˈʃiːpskɪn/ n. **1** Ⓒ pelle di pecora (o di montone) **2** Ⓤ cartapecora; pergamena **3** (*fam.*) documento su pergamena **4** (*scherz. spec. USA*) laurea; diploma; pezzo di carta (*fig. spreg.*) ● (*moda*) **a s. coat**, un montone □ **a s. rug**, un tappeto di pelle di montone.

sheepwalk /ˈʃiːpwɔːk/ n. (*spec. ingl.*) pascolo (o pastura) per le pecore.

sheer① /ʃɪə(r)/ Ⓐ a. **1** allo stato puro; puro e semplice; vero e proprio; bell'e buono; mero (*lett.*): **s. selfishness**, egoismo puro e semplice; *It's s. folly*, è una vera follia; **s. nonsense**, una sciocchezza bell'e buona **2** perpendicolare; a picco: **a s. cliff**, una scogliera a picco; una falesia **3** (*di tessuto o capo di vestiario*) sottile; diafano; trasparente: **s. stockings**, calze da donna sottilissime **4** (*di liquore*) liscio Ⓑ avv. **1** completamente; affatto **2** proprio **3** a picco; a perpendicolo: *The rock rises s. from the water*, la rupe sorge a picco dalle acque ● **a s. drop**, uno strapiombo □ **s. impossibility**, assoluta impossibilità □ (*alpinismo*) **a s. rock face**, una parete a strapiombo □ **I made it by s. luck**, ce l'ho fatta proprio per un pelo (o solo per fortuna).

sheer② /ʃɪə(r)/ n. **1** (*naut.*) cambio (o inversione) di rotta; virata **2** (*naut.*) straorzata; abbattuta: **a rank s.**, una straorzata violenta e improvvisa **3** (*per estens.*) inversione di rotta; cambiamento di direzione; deviazione **4** (*naut.*) posizione (*della nave all'ancora*) rispetto all'ormeggio; angolo di ormeggio **5** (*naut.*) curvatura, insellatura (*del ponte*) **6** (pl.) → **sheerlegs**.

sheer③ /ʃɪə(r)/ n. Ⓤ (*ind. tess.*) tessuto diafano (o trasparente): **a s. blouse**, una camicetta di tessuto trasparente.

to **sheer** /ʃɪə(r)/ Ⓐ v. i. **1** (*naut.*) cambiare rotta; invertire la rotta; virare **2** (*naut.*) straorzare; abbattersi: *The ship suddenly sheered towards the sandbank*, all'improvviso la nave si abbatté al traverso della secca **3** (*per estens.*) invertire la rotta (*fig.*); cambiare direzione; deviare Ⓑ v. t. **1** (*naut.*) straorzare; far virare; invertire la rotta di (*una nave*) **2** (*naut.*) governare: **to s. a ship to her anchor**, governare una nave

all'ancora **3** (*per estens.*) guidare, portare (*un veicolo*): *I sheered my car around the larger potholes*, guidai (la macchina) in modo da scansare le buche più grandi ● **to s. away** (*o* **to s. off**), (*naut.*) allontanarsi, scostarsi, largare; (*fig.*) girare alla larga, svicolare (*anche fig.*): *The boat sheered off to avoid a collision*, il battello si scostò per evitare una collisione; *He sheered off so as not to meet me*, girò alla larga per non incontrarmi □ **to s. off from sb.** [a subject], evitare, scansare q. [un argomento].

sheerlegs /'ʃɪələgz/ *n. pl.* (*naut.*) biga; capria; capra.

♦**sheet** /ʃiːt/ *n.* **1** lenzuolo: **as white as a s.**, bianco come un lenzuolo **2** foglio (*di carta, ecc.*): **fact s.**, foglio informativo **3** pubblicazione; giornale **4** lastra; lastrone: **a s. of glass**, una lastra di vetro; **a s. of ice**, un lastrone di ghiaccio **5** (*metall.*) lamiera; lamina; foglio; lamierino: **corrugated s.**, lamiera ondulata; **a s. of tin**, una lamina di latta; **a s. of copper**, un foglio di rame **6** (*naut.*) scotta **7** distesa; specchio d'acqua **8** (*geol.*) coltre; falda; copertura basaltica **9** (*geol.*) filone **10** (*filatelia*) foglio **11** lastra da forno **12** scroscio (*di pioggia*): *The rain came down in sheets*, pioveva a scrosci **13** (= **rap s.**) fedina penale; dossier di un delinquente; precedenti penali **14** (*slang*) biglietto da una sterlina (*o da un dollaro*) ● (*naut.*) **s. anchor**, ancora di tonneggio (*o di speranza*); (*fig.*) ancora di salvezza □ (*naut.*) **s. bend**, nodo di scotta □ **s. brass**, lamierino d'ottone □ **s. copper**, lamierino di rame □ (*tipogr.*) **s. feeder**, mettifoglio □ **s. glass**, lastra di vetro; cristallo in lastra □ **s. ice**, ghiaccio in lastre (*sulla strada*) □ (*naut.*) **s. lead**, passacotte □ **s. lightning**, lampo diffuso; bagliore di fulmini □ **s.-metal**, lamiera sottile; lamierino; lastra □ **s.-metal work**, fabbricazione di lamiere □ **s.-metal worker**, lamierista; battilastra; lattoniere □ **s.-metal works**, fabbrica di lamiere; lattoneria □ **s. music**, musica stampata su fogli sciolti (*o volanti*) □ **a s. of colour**, uno strato di colore □ **s. of flame**, cortina di fuoco □ (*edil.*) **s. piling**, palancolata □ **s. rubber**, gomma in fogli □ **s. steel**, lamiera d'acciaio □ (*legatoria*) **a book in sheets**, un libro non rilegato □ **clean s.**, pagina bianca; (*fig.*) **to start with a clean s.**, (ri)cominciare da zero; fare tabula rasa □ **to get between the sheets**, mettersi fra le lenzuola; (*fig.*) andare a letto □ (*fam.*) **to have three sheets to the wind**, essere ubriaco fradicio □ (*fam. USA*) **to hit the sheets**, andare a letto □ (*naut.*) **to let a s. fly**, mollare una scotta.

to **sheet** /ʃiːt/ **A** *v. t.* **1** avvolgere in (*o coprire con*) un lenzuolo **2** provvedere (*un letto, ecc.*) di lenzuola **3** (*tecn.*) foderare; rivestire; proteggere: **to s. a gallery with timber**, rivestire di legno una galleria **4** (*fig.*) coprire, rivestire, ricoprire: *Fog sheeted the valley*, la valle era coperta da una coltre di nebbia; *The pond was sheeted with ice*, una lastra di ghiaccio ricopriva lo stagno **5** (*naut.*) assicurare, fissare con una scotta **B** *v. i.* **1** (*della pioggia*) cadere a scrosci **2** (*della neve*) cadere fitta ● **to s. down**, piovere a dirotto; (*naut.*) alare abbasso, serrare (*le vele*) □ (*naut.*) **to s. home**, bordare (*o tesare*) a segno (*una scotta*); stringere il vento (*con una vela quadra*) alando le scotte; (*fam. USA*) far capire (*qc. di difficile*) □ (*naut.*) **to s. in**, alare abbasso, serrare (*una vela*).

sheeted /'ʃiːtɪd/ *a.* **1** avvolto in un lenzuolo **2** (*tecn.*) foderato; rivestito.

sheeting /'ʃiːtɪŋ/ *n.* **1** Ⓤ tela per lenzuola **2** (*tecn.*) rivestimento; copertura con fogli (*o con lamiere*) **3** Ⓤ materiale in fogli (*o da rivestimento*) **4** Ⓤ (*geol.*) esfoliazione; desquamazione.

Sheetrock, sheetrock® /'ʃiːtrɒk/ *n.* Ⓤ

(*edil., USA*) cartongesso.

Sheffield plate /'ʃefiːld'pleɪt/ *loc. n.* Ⓤ (*metall.*) sheffield.

sheikh, sheik /ʃeɪk/ *n.* **1** sceicco **2** (*fam.*) bell'uomo; rubacuori; dongiovanni ‖ **sheikhdom**, sheikdom *n.* sceiccato.

sheila /'ʃiːlə/ *n.* (*fam. Austral. e NZ*) donna; ragazza.

shekel /'ʃekl/ *n.* **1** (*stor.*) siclo (*moneta e misura di peso ebraica*) **2** sheqel (*unità monetaria d'Israele*) **3** (pl.) (*fam.*) denaro; quattrini.

sheldrake /'ʃeldreɪk/ *n.* (pl. **sheldrakes**, **sheldrake**) (*zool., Tadorna tadorna*) volpoca (*il maschio; per la femmina*, **shelduck**).

shelduck /'ʃeldʌk/ *n.* (*zool.*) volpoca (*la femmina; cfr.* **sheldrake**).

♦**shelf** /ʃelf/ *n.* (pl. **shelves**) **1** scaffale a muro; mensola **2** piano di scaffale (*di legno*); ripiano; scansia; palchetto (*di libreria*) **3** (*di roccia*) ripiano; sporgenza **4** (*di ghiaccio*) banco **5** (*geol.*) piattaforma: **continental s.**, piattaforma continentale ● (*edil.*) **s. angle**, angolare dormiente □ **s. ice**, banchisa □ (*market.*) **s. items**, prodotti da banco □ **s. life**, durata, scadenza (*di un prodotto deperibile*); durata del successo, 'tenuta' (*di una persona, un'idea, ecc.*); periodo della vita attiva (*o dell'età da marito*) □ **s. mark**, segnatura (*di un libro di biblioteca*) □ (*market.*) **s.-stacking**, allestimento ordinato (*della merce*) sugli scaffali □ (*comm.*) **an off-the-s. model**, un modello disponibile, già in negozio □ (*fig.*) **to be on the s.**, essere tenuto in disparte (*o in un canto*); essere nel dimenticatoio; (*di donna*) essere attempatella (*o passatella*); non essere più in età da marito □ (*fig.*) **to be put on the s.**, essere messo in disparte (*o a riposo*) □ **a set of shelves**, una scaffalatura; una libreria.

♦**shell** /ʃel/ *n.* **1** guscio; involucro; baccello (*di pianta*); conchiglia, corazza, esoscheletro (*d'animale*) **2** (*d'edificio, macchina, auto, nave, ecc.*) carcassa; ossatura; struttura; (*di una casa bruciata*) scheletro **3** Ⓤ (*fig.*) aspetto esteriore; parvenza; guscio vuoto (*fig.*): *He's the mere s. of a man*, è ridotto a una parvenza d'uomo **4** schema; schizzo (*d'un piano, d'un progetto*) **5** (*fis.*) strato: (*fis. nucl.*) **s. structure**, struttura a strati **6** (*comput.*) shell (*interfaccia, solitamente testuale, tra il sistema operativo e l'utente*) **7** (*mil.*) proiettile; granata; bomba **8** (*mil.*) bossolo; cartuccia **9** (*archit.*) struttura a guscio; volta sottile **10** (*mecc.*) cassa; cilindro cavo; incamiciatura, camicia: **the s. of a boiler**, la camicia di una caldaia **11** (*geol.*) crosta (*terrestre*) **12** (*metall.*) conchiglia; guscio: **s. core**, anima a guscio **13** (*metall.*) sbozzo cavo fucinato **14** granata (*fuoco d'artificio*) **15** indumento (*soprabito, tuta, ecc.*) con fodera amovibile (*sport*): **s. suit**, tuta impermeabile, a due strati **16** (*fis. nucl.*) guscio; strato: **s. model**, modello a strati **17** (*fin.*; = **s. company**) ♦scatola vuota♦; società fittizia **18** (*cucina*) involucro, fodera di pasta (*di flan, pasticcio di carne, ecc.*) **19** Ⓤ (= **tortoiseshell**) tartaruga (*il materiale*) **20** (*in talune scuole*) classe intermedia **21** (*cucina*) involucro di pasta **22** cassa interna (*di piombo: di un feretro*) **23** (*sport*) barca da competizione **24** (*sport: bob*) carena **25** (*poet.*) lira (*lo strumento musicale*) **26** (*arc.*) guardamano semicircolare (*di spada*) ● (*tecn.*) **s.-and-tube**, mantello, corpo (*di una caldaia*) □ (*USA*) **s. bean**, ortaggio da sgranare; fagiolo da sgranare; pisello; fava □ (*mecc.*) **s.-bit**, punta elicoidale; punta a sgorbia □ **s. button**, bottone ricoperto (*di stoffa o altro*) □ **s. case** (*o* **s. cylinder**), bossolo (*di cartuccia*) □ (*USA*) **s. game**, gioco dei bussolotti; (*fig., anche*) gioco delle tre carte □ **s. hole**, cratere di granata □ (*mil.*) **s. jacket**, giubba corta di bassa tenuta (*da ufficiale*)

□ (*geol.*) **s. limestone**, calcare fossilifero □ (*naut.*) **s. plating**, fasciame esterno in ferro □ (*med.*) **s. shock**, psicosi (*o nevrosi*) traumatica (*spec. dovuta a bombardamento*) □ **s.-shocked**, affetto da psicosi (*o nevrosi*) traumatica; (*fig.*) scioccato, traumatizzato; stravolto □ **s.-work**, decorazione (*o rivestimento*) di conchiglie □ **to come out of one's s.**, uscire dal proprio guscio (*anche fig.*); perdere la timidezza, diventare socievole □ **to go into one's s.**, chiudersi nel proprio guscio (*anche fig.*).

to **shell** /ʃel/ **A** *v. t.* **1** sgusciare; sbaccellare; sgranare: **to s. eggs**, sgusciare uova: **to s. peas**, sbaccellare piselli; **to s. corn**, sgranare il granturco **2** (*mil.*) bombardare; cannoneggiare **3** (*baseball, spec. al passivo*) battere pesantemente; travolgere **4** (*comput.*) aprire una shell; eseguire comandi da shell **B** *v. i.* sgranarsi; sgusciarsi; sbaccellarsi; (*d'ostriche, ecc.*) aprirsi: *Peanuts s. easily*, le noccioline americane si sgusciano bene ● **to s. off**, squamarsi; ridursi in scaglie □ **to s. out**, (*mil.*) sganciare (*bombe*); (*fam.*) pagare un sacco di soldi; sborsare, sganciare, tirar fuori (*denaro*) □ (*fam.*) **as easy as shelling peas**, facile come bere un bicchier d'acqua.

she'll /ʃiːl, ʃl/ *contraz. di*: **1 she will 2 she shall**.

shellac /ʃə'læk/ *n.* Ⓤ gommalacca.

to **shellac** /ʃə'læk/ *v. t.* **1** verniciare con gommalacca **2** (*fam. USA*) battere; sconfiggere; dare una batosta a (q.) **3** (*fam. USA*) battere; picchiare.

shellacking /ʃə'lækɪŋ/ *n.* Ⓤ (*fam. USA*) **1** bastonatura; botte (pl.); pestaggio **2** dura sconfitta; batosta; disfatta.

shellback /'ʃelbæk/ *n.* (*gergo naut.*) vecchio marinaio; lupo di mare.

shelled /ʃeld/ *a.* (nei composti; per es.) **soft-s.**, dal guscio tenero.

sheller /'ʃelə(r)/ *n.* (*agric.*) sgranatoio; sgusciatrice (*macchina*).

shellfire /'ʃelfaɪə(r)/ *n.* Ⓤ (*mil.*) fuoco di artiglieria; bombardamento; cannoneggiamento; colpi di mortaio: **to exchange s.**, scambiarsi cannonate.

shellfish /'ʃelfɪʃ/ *n.* (inv. al pl.) **1** (*zool.*) mollusco; crostaceo **2** (*cucina*) frutti di mare.

shelling /'ʃelɪŋ/ *n.* Ⓤ **1** sgusciatura; sgranatura **2** (*mil.*) bombardamento; cannoneggiamento; colpi di cannone; cannonate; fuoco d'artiglieria.

shelly /'ʃelɪ/ *a.* **1** conchiglifero; pieno di conchiglie **2** simile a una (*o fatto a*) conchiglia.

♦**shelter** /'ʃeltə(r)/ *n.* **1** Ⓤ ricovero; rifugio; riparo; asilo; difesa; protezione: **an air-raid s.**, un rifugio antiaereo **2** tettoia; pensilina: **a bus s.**, una pensilina alla fermata di un autobus ● (*mil., USA*) **s. tent**, tenda a due teli □ **to find s.**, trovare asilo (*o rifugio, riparo*) □ **to give s.**, riparare; proteggere □ **to take s.** (*o* **to seek s.**), rifugiarsi; cercare riparo □ **under s.**, al coperto; al riparo.

to **shelter** /'ʃeltə(r)/ **A** *v. t.* dare asilo a; ricoverare; riparare; proteggere; difendere: **to s. a wounded partisan**, dare asilo a un partigiano ferito; **to s. one's skin from the sun**, riparare la pelle dal sole; **to s. trade**, proteggere gli scambi (*dalla concorrenza straniera*) **B** *v. i.* ricoverarsi; rifugiarsi; ripararsi; mettersi al coperto.

sheltered /'ʃeltəd/ *a.* **1** riparato; protetto: **a house s. from the wind**, una casa riparata dal vento **2** (*spreg.*) troppo protetto; tenuto nella bambagia (*fig.*): **to lead a s. life**, fare una vita troppo protetta; vivere nella bambagia ● **s. accommodation for the elderly**, sistemazione degli anziani in case protette □ **s. housing**, ospitalità in casa protetta □ (*econ.*) **s. industries**, industrie

shelterer /'ʃeltərə(r)/ n. **1** chi offre riparo (o asilo); protettore, protettrice **2** chi cerca rifugio.

shelterless /'ʃeltələs/ a. privo di asilo (o di protezione); senza un rifugio (o un riparo).

sheltie /'ʃeltɪ/, **shelty** /'ʃeltɪ/ n. **1** (abbr. *fam. di* **Shetland pony**) cavallino delle isole Shetland **2** (abbr. *fam. di* **Shetland sheepdog**) piccolo cane da pastore delle Shetland.

to shelve ① /ʃelv/ v. t. **1** porre su una mensola; mettere su uno scaffale **2** provvedere (una credenza, ecc.) di ripiani **3** (fig.) mettere da parte, accantonare, rimandare, rinviare (un problema, una discussione); insabbiare (fig.) **4** (fig.) collocare a riposo, congedare, licenziare (un dipendente).

to shelve ② /ʃelv/ v. i. essere in declivio; digradare: *The land shelves (down) to (o towards) the shore*, il terreno digrada verso la riva.

shelved /ʃelvd/ a. provvisto di mensole; fornito di scaffali.

shelves /ʃelvz/ pl. di **shelf**.

shelving ① /'ʃelvɪŋ/ n. ⓤⓒ (collett.) scaffalatura; scaffali.

shelving ② /'ʃelvɪŋ/ Ⓐ n. declivio; pendenza Ⓑ a. in declivio; digradante.

Shem /ʃem/ n. (Bibbia) Sem.

shemozzle /ʃɪ'mɒzl/ n. (fam.) confusione; pandemonio; baraonda; putiferio; casino (fam.).

shenanigan /ʃɪ'nænɪgən/ n. (fam.) (di solito al pl.) **1** lazzo; buffonata; numero comico; gag **2** tiro mancino; scherzo gobbo; birbonata; intrigo; intrallazzo; papocchio (pop.) **3** ciarlataneria; sciocchezza.

shepherd /'ʃepəd/ n. pastore (anche fig.); pecoraio: **the Good S.**, il Buon Pastore; Gesù ● (bot.) **s.'s-club** (Verbascum thapsus), tassobarbasso; barbasso **s.'s crook**, bastone da pastore; vincastro □ **s. dog**, cane da pastore; pastore □ (cucina) **s.'s pie**, pasticcio di carne ricoperto di patate ● **s.'s pipe**, zampogna □ **s.'s-plaid**, tessuto a quadretti bianchi e neri □ (bot.) **s.'s-purse** (Capsella bursa-pastoris), borsa da pastore.

to shepherd /'ʃepəd/ v. t. condurre, guidare, custodire (pecore; ma anche fig.): **to s. pupils on a school trip**, guidare studenti in una gita scolastica.

shepherdess /ʃepə'des/ n. pastora, pecoraia: **a young s.**, una pastorella.

sherbet /'ʃɜːbət/ n. ⓤⓒ **1** (GB) polverina effervescente mangiata come dolce o diluita in acqua per fare una bibita **2** (spec. USA) sorbetto **3** (Austral., scherz.) birra ● (USA) **s. glass**, coppa da gelato.

sherd /ʃɜːd/ → **shard**.

shereef, **sherif**, **sharif** /ʃə'riːf/ n. sceriffo (discendente di Maometto; primo magistrato della Mecca).

sheriff /'ʃerɪf/ n. **1** – S., sceriffo (rappresentante del sovrano ingl. in una contea): **the S. of Nottingham**, lo sceriffo di Nottingham **2** (in Inghil. e nel Galles) «sceriffo» (funzionario statale a capo di una contea, ma con mansioni prevalentemente di mera rappresentanza) **3** (in Scozia) giudice; magistrato **4** (in USA) sceriffo (capo della polizia in una contea; carica elettiva, salvo nel Rhode Island) ● (leg., in Scozia) **s.-clerk**, cancelliere di tribunale □ **s. officer**, ufficiale giudiziario □ **deputy s.**, vicesceriffo.

Sherpa /'ʃɜːpə/ n. sherpa (portatore himalayano).

sherry /'ʃerɪ/ n. **1** Ⓦ sherry; vino di Xeres **2** (bicchierino di) sherry: *Two sherries, please!*, per favore, due sherry!

she's /ʃiːz, ʃɪz/ contraz. di: **1 she is 2 she has**.

Shetland /'ʃetlənd/ n. (geogr., spesso **the Shetlands**) isole Shetland □ **S. pony**, cavallino delle Shetland □ **S. wool**, lana Shetland ‖ **Shetlander** n. abitante (o nativo) delle isole Shetland.

to shew /ʃəʊ/ (raro) → **to show**.

shh /ʃ/ inter. sss, sssh, st; zitto!; zitti!

shibboleth /'ʃɪbəleθ/ n. **1** parola, pronuncia o comportamento usati per rivelare l'appartenenza etnica o la nazionalità di q. **2** particolarità linguistica che distingue un gruppo etnico **3** parola d'ordine; slogan; motto **4** (spreg.) idea diffusa ma superata; vecchia credenza.

shield /ʃiːld/ n. **1** (stor., mil., zool., geol.) scudo; (fig.) protezione, riparo, difesa **2** (ind., mecc.) riparo; schermo **3** (arald.) scudo; stemma **4** (USA) distintivo (di poliziotto) **5** (sport) scudetto **6** (fis. nucl.) schermo **7** (mil.) scudo (di cannone) ● (stor.) **s.-bearer**, scudiero.

to shield /ʃiːld/ v. t. **1** difendere; proteggere; riparare; far scudo a (q.): **to s. sb. with one's body**, fare scudo a q. col proprio corpo; **to s. one's eyes from the sun**, ripararsi gli occhi dal sole; (sport) **to s. the ball**, difendere (o proteggere) il pallone **2** coprire (fig.); evitare una punizione a (q.) **3** (elettr., radio, TV) schermare.

shielding /'ʃiːldɪŋ/ n. ⓤⓒ **1** il proteggersi (o ripararsi) **2** (tecn.) schermatura; schermaggio.

shift /ʃɪft/ n. **1** cambiamento; mutamento; avvicendamento; sostituzione; spostamento: **a s. in public opinion**, un cambiamento dell'opinione pubblica **2** turno (di lavoro): **to work the night s.**, fare il turno di notte; **to work in shifts**, lavorare a turni: *I work six-hour shifts*, faccio turni di sei ore; (USA) **graveyard s.**, (squadra del) turno di notte; *How long are your shifts?*, quanto durano i tuoi turni? **3** squadra di turno: **s. boss**, capo della squadra di turno **4** espediente; risorsa; stratagemma; sotterfugio; trucchetto: **to live by shifts**, vivere di espedienti **5** (del vento) **s. of meaning**, slittamento di senso □ (autom., USA) **s. stick**, leva del cambio □ **s. worker**, turnista □ **to make s.**, ingegnarsi; arrabattarsi: *We must make s. without him*, dobbiamo ingegnarci senza di lui (o fare da soli) □ **to make s. with st.**, fare lo stesso con qc.; accontentarsi di qc.

♦**to shift** /ʃɪft/ Ⓐ v. t. **1** spostare; cambiare; mutare; sostituire: **to s. the weight from one's back**, spostare il peso dalle proprie spalle; **to s. the cargo on the deck of a ship**, spostare il carico sul ponte di una nave; **to s. the scene**, cambiar la scena (a teatro, in un romanzo, ecc.); **to s. one's lodging**, mutar residenza; cambiare casa **2** trasferire; avvicendare (personale); (sport) spostare, dirottare (un giocatore) **3** togliere, mandare via (macchie e sim.) **4** (fam.) disfarsi di, piazzare, vendere: **to s. stolen goods**, piazzare merce rubata **5** (comput.) fare scorrere;

shiftare (angl.) **6** (fam.) ingurgitare; tracannare Ⓑ v. i. **1** spostarsi; muoversi; viaggiare continuamente; trasferirsi: *He shifted in his chair*, si spostò sulla sedia; *They shifted about for several years*, si trasferirono da una città all'altra per alcuni anni **2** cambiare; mutare: *The scene shifted*, la scena cambiò; *Tastes have shifted*, sono mutati i gusti; *'The sixth age shifts / Into the lean and slippered pantaloon'* W. SHAKESPEARE, 'la sesta età si muta (o scivola) / nello sparuto vecchio in brache e pantofole' **3** (del vento) cambiar direzione, voltarsi; (naut.) girare: *The wind has shifted to the south*, il vento ha girato verso sud **4** (di solito **to s. for oneself**) arrangiarsi; ingegnarsi: *I must s. as I can*, devo arrangiarmi alla meglio; *You must s. for yourself now*, devi ingegnarti da solo, ora **5** (naut.: del carico) spostarsi; scorrere **6** (autom., USA) cambiare (marcia) **7** (fam.) andare a tutta birra (raro arc.) usar sotterfugi; ingannare; truffare ● **to s. one's balance**, spostare il peso del corpo □ (naut.) **to s. berth**, cambiare ormeggio □ **to s. the blame onto sb. else**, gettare (o far ricadere) la colpa su un altro; dare la colpa a un altro □ (leg.) **to s. the burden of proof**, scaricare l'onere della prova sulla parte avversa □ **to s. for oneself**, fare da sé; cavarsela da solo; arrangiarsi □ (autom.) **to s. gears**, cambiare marcia; (fig.) cambiare tono (o atteggiamento, ecc.) all'improvviso □ (fig.) **to s. one's ground**, portare la questione su un terreno diverso □ (naut.) **to s. the helm**, cambiare la barra □ **to s. the hip**, spostare il bacino □ (autom., spec. USA) **to s. into second [third]**, inserire (o mettere) la seconda [la terza] □ (autom.) **to s. into top gear**, mettere (o inserire) la marcia più alta; ingranare la quinta; (fig.) accelerare il ritmo (del lavoro, ecc.) □ **to s. the responsibility**, scaricare la responsabilità; fare lo scaricabarile (fam.).

■ **shift about** v. i. + avv. **1** spostarsi di continuo; trasferirsi in continuazione **2** essere irrequieto.

■ **shift abroad** v. t. + avv. (fin.) trasferire (capitali) all'estero.

■ **shift away from** v. i. + avv. + prep. allontanarsi, scostarsi da (anche fig.): *My taste has shifted away from rock music*, i miei gusti si sono allontanati dalla musica rock.

■ **shift down** v. t. + avv. (autom., USA) scalare una marcia.

■ **shift off** v. t. + avv. spostare (un peso, ecc.).

■ **shift towards** v. t. + prep. **1** spostare verso **2** (fig.) far propendere per.

■ **shift up** v. i. + avv. (autom., USA) mettere (o innestare) una marcia più alta.

shiftable /'ʃɪftəbl/ a. spostabile; che si può spostare ● (fin.) **s. parity**, parità mobile.

shifter /'ʃɪftə(r)/ n. **1** chi sposta, cambia, ecc. (→ **to shift**); individuo evasivo (o elusivo) **2** (mecc.) dispositivo spostatore **3** (ling.) commutatore; shifter **4** (fam. USA) ricettatore **5** (USA) (autom., ciclismo) leva del cambio; cambio **6** (pl.) (di bicicletta) leva del cambio e leva del deragliatore ● (teatr.) **scene s.**, macchinista.

shiftiness /'ʃɪftɪnəs/ n. ⓤ **1** astuzia; furberia; scaltrezza **2** disonestà **3** accortezza; avvedutezza; ricchezza di risorse **4** mutevolezza.

shifting /'ʃɪftɪŋ/ Ⓐ n. ⓤⓒ **1** cambiamento; mutamento; spostamento; sostituzione **2** (autom.) cambio: **synchronized s.**, cambio sincronizzato **3** (naut.) spostamento, scorrimento (del carico) **4** (ling.) → **shift**, def. 11 **5** (fisc.) traslazione: **s. of taxation**, traslazione d'imposta Ⓑ a. **1** mobile; movibile **2** (fig.) incostante; instabile ● (autom.) **s. down**, passaggio a una marcia inferiore □ (fig.) **s. sands**, andamento mute-

vole (*di un fenomeno, della storia, ecc.*) □ (*autom.*) **s. up**, passaggio a una marcia più alta □ **s. wind**, vento variabile.

shiftless /'ʃɪftləs/ a. incapace; inconcludente; inefficiente; inetto | **-ly** avv. | **-ness** n. Ⓤ.

shiftwork /'ʃɪftwɜːk/ n. Ⓤ (*org. az.*) (sistema di) lavoro a turni.

shifty /'ʃɪftɪ/ a. **1** astuto; furbo; scaltro **2** ingannevole; furtivo: **a s. glance**, un'occhiata furtiva **3** accorto; avveduto; pieno di risorse **4** mutevole; variabile; incostante ● **a s. customer**, un tipo ambiguo □ **s.-eyed**, dallo sguardo sfuggente □ **s. eyes**, occhi sfuggenti.

Shiite, **Shi'ite** /'ʃiːaɪt/ (*relig.*) a. e n. sciita || **Shiism**, **Shi'ism** n. Ⓤ sciismo.

shiksa /'ʃɪksə/ n. (*iron. o spreg.*) ragazza non ebrea (*detto da un ebreo*).

shill /ʃɪl/ n. (*slang USA*) **1** compare, spalla, esca (*di giocatore d'azzardo, imbonitore, ecc.*) **2** imbonitore; banditore; venditore ambulante **3** (*spreg.*) pubblicitario; addetto stampa; 'pierre'.

to **shill** /ʃɪl/ v. t. e i. (*slang USA*) **1** fare da spalla (*o da compare, da esca*) **2** abbindolare; adescare; fare l'imbonitore; fare una pubblicità smaccata.

shillelagh /ʃɪ'leɪlə/ n. (*irl.*) bastone; randello.

shilling /'ʃɪlɪŋ/ n. **1** (*stor.*) scellino (*moneta inglese in uso fino al 1971, pari a 1/20 di una sterlina*) **2** scellino (*unità monetaria somala, keniota, ugandese, ecc.*) ● **to cut sb. off with a s.**, diseredare q. □ (*un tempo*) **to pay one shilling in the pound**, pagare il 5% □ (*stor.*) **to take the King's** (*o the Queen's*) **s.**, arruolarsi nell'esercito.

shilly-shally, **shillyshally** /'ʃɪlɪʃælɪ/ n. Ⓤ (*fam.*) esitazione; indecisione; incertezza; titubanza.

to **shilly-shally**, to **shillyshally** /'ʃɪlɪʃælɪ/ v. i. (*fam.*) esitare; titubare; nicchiare || **shilly-shallying**, **shillyshallying** a. esitante; indeciso; incerto; irresoluto; titubante.

shim /ʃɪm/ n. **1** zeppa; spessore **2** (*ind. del legno*) listello (*per fare il compensato*).

to **shim** /ʃɪm/ v. t. (*ind. costr., mecc.*) mettere una zeppa a; inserire uno spessore in; spessorare.

shimmer /'ʃɪmə(r)/ n. ⓊⒸ **1** bagliore; barlume; luccichio; scintillio **2** riflesso (*di luce, di calore, ecc.*) **3** (*meteor.*) scintillazione terrestre.

to **shimmer** /'ʃɪmə(r)/ v. i. brillare; luccicare; scintillare (*di luce tremula*).

shimmering /'ʃɪmərɪŋ/, **shimmery** /'ʃɪmərɪ/ a. brillante; luccicante; scintillante.

shimmy /'ʃɪmɪ/ n. ⓊⒸ **1** (*autom.*) shimmy; farfallamento (*delle ruote anteriori*); sfarfallamento **2** (*mus.*) shimmy (*ballo in voga fra il 1920 e il 1930*) **3** (*calcio*) finta; balletto (*di un giocatore in campo*).

to **shimmy** /'ʃɪmɪ/ v. i. **1** (*autom.*) fare lo shimmy; sfarfallare **2** ballare lo shimmy (→ **shimmy**) **3** (*fam.*) ancheggiare **4** (*calcio, ecc.*) fare una finta.

shin /ʃɪn/ n. **1** (*anat.*) cresta tibiale; stinco **2** (*cucina*) stinco: **a beef s.**, uno stinco di bue ● (*anat.*) **s. bone** → **shinbone** □ **s. boot**, stinchiera (*della bardatura del cavallo*) □ (*sport*) **s. guard** (*o* **s. pad**), parastinchi □ (*ind. tess.*) **s. wool**, lana degli stinchi.

to **shin** /ʃɪn/ v. t. e i. **1** arrampicarsi; arrampicarsi su (*un albero, ecc.; di solito* **to s. up**) **2** dare un calcio negli stinchi a (q.) ● **to s. down**, scendere, venire giù; calarsi da (*un albero, ecc.*): *He got away by shinning down a pipe*, fuggì calandosi da una doccia.

shinbone /'ʃɪnbəʊn/ n. (*anat.*) tibia.

shindig /'ʃɪndɪg/, **shindy** /'ʃɪndɪ/ n. (*fam.*) **1** baccano; chiasso; schiamazzo; baldoria **2** baruffa; alterco **3** festa rumorosa (*da ballo, ecc.*); ricevimento; party ● **to kick up a s.**, fare un gran baccano; far baruffa; far casino (*pop.*).

shine /ʃaɪn/ n. **1** splendore; fulgore; lucentezza **2** (*fam.*) lucidata; lustrata; pulita: *The car needs a good s.*, l'auto ha bisogno di una bella lucidata **3** Ⓤ bel tempo (*soltanto nella loc.*): **come rain or s.**, piova o faccia bel tempo; con qualunque tempo; (*fig.*) qualunque cosa accada **4** Ⓤ (*fam.*) chiaro di luna **5** (*slang USA, spreg.*) negro ● (*fig.*) **to take the s. off** (st.), tarpare le ali a qc.; togliere smalto a qc. □ (*fam.*) **to take a s. to sb.**, prendere q. in simpatia (*a prima vista*); (*anche*) prendersi una cotta per q.

♦to **shine** /ʃaɪn/ (pass. e p. p. **shone**; **shined**, nel sign. B, def. 2) Ⓐ v. i. brillare (*anche fig.*); splendere; risplendere; rifulgere; (*fig.*) essere brillante, fare una bella figura; riuscire bene; fare scintille (*fig.*): *The sun was shining brightly*, splendeva un sole luminoso; *Her eyes shone with joy*, gli occhi le brillavano di gioia; *He doesn't s. at official dinner parties*, non brilla nella conversazione ai pranzi ufficiali; *He shines at maths* [*at all kinds of sports*], riesce bene in matematica [in tutti gli sport] Ⓑ v. t. **1** far luce con: *S. your torch over there*, fa luce laggiù con la torcia **2** (*fam.*) lucidare; lustrare; pulire: **to s. shoes**, lustrare le scarpe.

▪ **shine on** Ⓐ v. i. + prep. splendere, brillare su: *The moon was shining on us*, la luna splendeva su di noi Ⓑ v. t. + prep. **1** fare (*luce*) su; illuminare: *He shone his light on the sleeping girl*, fece luce sulla ragazza che dormiva **2** (*fam. USA*) ignorare; snobbare; evitare.

▪ **shine out** v. i. + avv. **1** brillare; splendere; apparire brillando: *The evening star shone out*, vespero apparve nel suo splendore **2** (*fig.*) brillare; spiccare: *His last novel shines out among his many works*, il suo ultimo romanzo spicca fra le molte opere che ha scritto.

▪ **shine over** → **shine on**.

▪ **shine through** v. i. + avv. (o prep.) **1** (*di una luce*) trasparire (attraverso qc.) **2** (*fig.*) trasparire; vedersi (*o capirsi*) chiaramente (attraverso, da): *A faint light shone through the curtains*, dalle tendine traspariva una luce fioca; *Her competence shines through*, la sua competenza traspare chiaramente □ **to s. a torch through the mist**, forare la nebbia con una torcia.

▪ **shine under** → **shine on**.

▪ **shine up to** v. i. + avv. + prep. (*fam. USA*) cercare di ingraziarsi (q.) adulandolo; blandire; lisciare; insaponare, sviolinare (*fam.*).

shiner /'ʃaɪnə(r)/ n. (*fam.*) **1** moneta; (*spec.*) moneta d'oro **2** (pl.) denaro; quattrini **3** occhio nero; occhio pesto **4** (*slang; zool.*, Scomber scombrus) sgombro.

shingle ① /'ʃɪŋgl/ n. Ⓤ ghiaia; ciottoli (*di spiaggia*) **2** (= **s. beach**) spiaggia di ciottoli || **shingly** a. ghiaioso; coperto di ciottoli; ciottoloso.

shingle ② /'ʃɪŋgl/ n. **1** assicella, scandola (*per copertura di tetti*) **2** (*fam. USA*) targa (*di legno*); insegna: **to hang out one's s.**, appendere l'insegna; metter fuori la targa (*detto di dottore, d'avvocato, ecc.*); (*fig.*) intraprendere l'attività professionale **3** (*taglio di*) capelli alla garçonne (*o alla maschietta*) ● (*mecc.*) **s. lap**, embricatura.

to **shingle** ① /'ʃɪŋgl/ v. t. **1** ricoprire (*un tetto*) d'assicelle **2** tagliare (*i capelli*) alla garçonne (*o alla maschietta*).

to **shingle** ② /'ʃɪŋgl/ v. t. (*metall.*) disincrostare al maglio (*dopo il puddellaggio*).

shingles /'ʃɪŋglz/ n. pl. (col verbo al sing.)

(*med.*) herpes zoster; fuoco di Sant'Antonio.

shininess /'ʃaɪnɪnəs/ n. Ⓤ splendore; lucentezza; lustro.

shining /'ʃaɪnɪŋ/ a. **1** brillante; lucente; splendente; risplendente; fulgido: **a s. example of generosity**, un fulgido esempio di generosità **2** splendido; eccellente.

shinny /'ʃɪnɪ/ n. Ⓤ (*USA*) → **shinty**.

to **shinny** /'ʃɪnɪ/ (*fam. USA*) → **to shin**.

Shinto /'ʃɪntəʊ/, **Shintoism** /'ʃɪntəʊɪzəm/ (*relig.*) n. Ⓤ scintoismo || **Shintoist** n. scintoista.

shinty /'ʃɪntɪ/ n. Ⓤ (*sport*) varietà di hockey (*popolare in Scozia*).

shiny /'ʃaɪnɪ/ a. **1** brillante; lucente; luccicante; splendente; splendido; fulgido **2** lucido; lustro: **s. boots**, scarpe lucide; **a s. nose**, naso lucido **3** (*di indumento*) lucido; frusto; logoro; liso.

♦**ship** /ʃɪp/ n. **1** (*naut.*) nave; bastimento; vascello; naviglio: **a sailing s.**, una nave a vela; un veliero; **a merchant s.**, una nave mercantile: **a s. lying** (*o* **riding**) **at anchor**, una nave alla fonda **2** (*naut.*, = **steamship**) piroscafo **3** (*miss., fam.* = **spaceship**) astronave; nave spaziale **4** (*spec. USA*, = **airship**) dirigibile; aereo **5** (*fam.*) barca; battello ● **s.'s agency**, agenzia di raccomandazione marittima □ **s.'s agent**, raccomandatario □ **s.'s articles**, contratto d'imbarco; clausole d'ingaggio □ (*stor.*) **s.'s biscuit**, pan biscotto; galletta □ **s.-boy**, mozzo □ **s.-breaker**, demolitore di navi □ **s. canal**, canale navigabile □ **s.'s carpenter**, carpentiere navale □ **s. chandler**, fornitore marittimo; provveditore navale □ **s. chandlery**, forniture navali □ **s.'s company**, equipaggio; effettivi di bordo □ **s.'s doctor**, medico di bordo □ (*med.*) **s.-fever**, tifo epidemico □ **s.'s husband**, raccomandatario; capitano d'armamento □ **s.'s manifest**, manifesto di bordo (*o di carico*) □ **s.'s papers**, carte (*o documenti*) di bordo □ **s.'s protest**, testimoniale (*o dichiarazione*) d'avaria □ **s. repairs**, riparazioni navali; raddobbi □ **s.'s stores**, provviste di bordo; forniture navali □ (*zool.*) **s.-worm** (*Teredo navalis*), teredine □ (*trasp.*) **ex s.**, sotto paranco; F.O.B. destino □ **to fit out a s.**, armare (*o allestire*) una nave □ **to jump s.**, abbandonare la nave; (*di un marinaio*) disertare; (*in genere*) abbandonare (*un'organizzazione*), defilarsi □ (*fig.*) **to run a tight s.**, dirigere (*un'impresa, ecc.*) con grande polso; mantenere la disciplina □ **to take s.**, imbarcarsi □ (*trasp.*) **under s.'s tackle** = **ex ship** → *sopra* □ (*fig. fam.*) **When my s. comes home** (*o* **in**), quando farò fortuna; quando i miei sogni s'avvereranno.

to **ship** /ʃɪp/ Ⓐ v. t. **1** spedire, inviare, trasportare (*merci su nave, per mare*) **2** spedire, inviare, trasportare (*con qualsiasi mezzo*): *We'll s. the cattle by rail*, spediremo il bestiame per ferrovia **3** armare, montare, fissare (*l'albero, il timone, ecc.*) sulla nave **4** imbarcare, mettere a bordo (*una ciurma, ecc.*) **5** (*canottaggio*) rientrare, ritirare, disarmare: **to s. oars**, rientrare i remi **6** (*naut.*) imbarcare: **to s. water** (*o* **a heavy sea**), imbarcare acqua (*da una falla, ecc.*) Ⓑ v. i. imbarcarsi (*spec. come marinaio*); viaggiare per nave: *He shipped as a purser*, s'è imbarcato come commissario di bordo ● **to s. oars**, disarmare i remi □ (*fam.*) **to s. off**, mandare, spedire, trasferire (*su nave o con altro mezzo*); (*fig.*) mandare, spedire: **to s. off fresh troops to the front**, mandare al fronte truppe fresche; **to s. off a boy to boarding school**, spedire un ragazzo in collegio □ **to s. out**, spedire (*o partire*) in nave; salpare.

shipboard /'ʃɪpbɔːd/ n. Ⓤ – nella loc. (*naut.*) **on s.**, a bordo ● **a s. encounter**, un incontro a bordo di una nave.

shipbroker /'ʃɪpbrəʊkə(r)/ n. agente (*o*

sensale) marittimo; mediatore di noleggi marittimi (*si occupa anche di assicurazione della nave*).

shipbuilder /'ʃɪpbɪldə(r)/ n. costruttore navale; ingegnere navale ‖ **shipbuilding** n. ⓤ costruzioni navali; ingegneria navale.

shipload /'ʃɪpləʊd/ n. (*naut.*) **1** carico completo (*di una nave*) **2** capacità di carico.

shipmaster /'ʃɪpmɑːstə(r)/ n. (*naut.*) capitano (*di mercantile*).

shipmate /'ʃɪpmeɪt/ n. (*naut.*) **1** compagno di bordo **2** compagno di viaggio

shipment /'ʃɪpmənt/ n. ⓤⓒ **1** imbarco (*di merci*); operazioni di carico; caricazione **2** spedizione (*di merce via mare; la merce così spedita*); carico: **a large s. of coal**, un grosso carico di carbone **3** spedizione (*di merce in genere; la merce spedita*).

shipowner /'ʃɪpəʊnə(r)/ n. (*naut.*) armatore ● **shipowners' company**, società armatrice.

shipper /'ʃɪpə(r)/ n. **1** spedizioniere marittimo **2** proprietario della merce trasportata; destinatario (*del carico, via mare*) **3** spedizioniere (*in genere*) ● **s.'s papers**, documenti d'imbarco.

shipping /'ʃɪpɪŋ/ n. ⓤ **1** spedizione marittima **2** spedizione (*di merce, in genere*) **3** (*naut.*) naviglio; marina mercantile **4** traffico marittimo; navigazione ● **s. agent**, spedizioniere marittimo; spedizioniere (*in genere*) □ **s. articles**, contratto d'imbarco; clausole d'ingaggio □ (*dog.*) **s. bill**, bolletta di sortita □ **s. brokerage**, brokeraggio marittimo □ **s. charges**, spese (*o diritti*) d'imbarco; (*anche*) spese di spedizione □ **s. clerk**, addetto alle spedizioni □ **s. commissioner**, funzionario addetto all'arruolamento, ingaggio e pagamento dei marinai □ **s. company**, società di navigazione □ **s. costs**, costi di spedizione □ **s. department**, ufficio spedizioni □ **S. Exchange**, Borsa dei Noli □ (*in GB*) **S. Federation**, Federazione degli Armatori □ **s. forecast**, bollettino per i naviganti □ **s. industry**, industria dell'armamento; cantieristica □ (*leg.*) **s. law**, diritto marittimo □ **s. line**, compagnia (*o linea*) di navigazione □ **s. market**, mercato dei noli marittimi □ (*USA*) **s. master = s. commissioner** → *sopra* □ **s. ton**, tonnellata 'volume'; tonnellata di noleggio □ **s. trade**, commercio marittimo; (*anche*) armamento, industria dell'armamento □ **s. weight**, peso all'imbarco.

shipshape /'ʃɪpʃeɪp/ a. pred. e avv. (= **s. and Bristol fashion**) ben assettato; in perfetto ordine.

shipway /'ʃɪpweɪ/ n. (*naut.*) **1** scalo di costruzione **2** canale navigabile.

shipwreck /'ʃɪprek/ n. **1** naufragio; (*fig.*) rovina, fallimento **2** relitto (*di nave*) ● **to suffer the s. of one's hopes**, assistere al naufragio delle proprie speranze.

to shipwreck /'ʃɪprek/ Ⓐ v. i. naufragare; far naufragio Ⓑ v. t. far naufragare (*per lo più fig.*); mandare in rovina; far fallire ● **to be shipwrecked**, far naufragio □ **a shipwrecked person**, un naufrago.

shipwright /'ʃɪpraɪt/ n. (*naut.*) maestro d'ascia; carpentiere navale.

shipyard /'ʃɪpjɑːd/ Ⓐ n. (*naut.*) **1** cantiere navale **2** (= **naval s.**) arsenale Ⓑ a. attr. cantieristico: **s. activities**, attività cantieristiche ● **s. worker**, arsenalotto.

shire /'ʃaɪə(r)/ n. **1** (*stor., in GB*) contea (*divisione amministrativa; termine non più usato, tranne che nei toponimi; cfr.* **county**) **2** (al pl.) – (*geogr.*) **the Shires** (*o* **the shire counties**), le contee dell'Inghilterra centrale **3** (= **s.-bred horse** *o* **s.-horse**) grosso cavallo da tiro.

shirk /ʃɜːk/, **shirker** /'ʃɜːkə(r)/ n. lavativo; scansafatiche; (*mil.*) imboscato.

to shirk /ʃɜːk/ Ⓐ v. t. evitare; scansare;

schivare; sottrarsi a (*un dovere, una responsabilità, ecc.*) Ⓑ v. i. tirarsi indietro; sottrarsi agli obblighi; (*mil.*) imboscarsi ● **to s. a question**, eludere una domanda □ **to s. school**, marinare (*o bigiare*) la scuola.

shirr /ʃɜː(r)/ n. ⓤ filze d'elastico inserite nel tessuto; tessuto elasticizzato.

to shirr /ʃɜː(r)/ v. t. increspare (*stoffa*) con filze d'elastico parallele ‖ **shirring** n. ⓤ → **shirr**.

♦**shirt** /ʃɜːt/ n. **1** camicia (*da uomo*) **2** camicetta di foggia maschile (*da donna*; *spesso* **shirtwaist** *in USA*) **3** (*sport*) maglietta (*di calciatore, ecc.*); maglia; casacca ● **s. collar**, collo di camicia; colletto □ **s.-front**, sparato (*della camicia*) □ **s. manufacturer**, industriale della camiceria; camiciaio □ **s. manufacturing**, camiceria □ (*fig.*) **s.-sleeve diplomacy**, diplomazia informale □ **s. tail**, lembo posteriore della camicia □ **to bet one's s.**, scommetterci la camicia □ **to be in one's s.-sleeves**, essere in maniche di camicia □ (*slang*) **to lose one's s.**, rimetterci anche la camicia □ (*slang*) **to put one's s. on st.**, scommettere fino all'ultima lira (*o giocarsi la camicia*) su qc. □ (*fig. fam.*) **stuffed s.**, tipo borioso (*o tronfio*); pallone gonfiato, trombone (*fig.*) □ (*slang*) *Keep your s. on!*, stai calmo!, non agitarti!

shirtdress /'ʃɜːtdres/ n. (*moda*) chemisier (*franc.*).

shirting /'ʃɜːtɪŋ/ n. ⓤ stoffa per camicie.

shirtlifter /'ʃɜːtlɪftə(r)/ n. (*spreg.*) frocio; finocchio; checca.

shirtsleeve /'ʃɜːtsliːv/ n. manica di camicia (→ **shirt**).

shirtwaist /'ʃɜːtweɪst/ n. (*USA*) **1** camicetta di foggia maschile (*da donna*) **2** → **shirtwaister**.

shirtwaister /'ʃɜːtweɪstə(r)/ n. (*moda*) chemisier (*franc.*).

shirty /'ʃɜːtɪ/ a. (*slang*) arrabbiato; irascibile; incollerito; seccato.

♦**shit** /ʃɪt/ (*volg.*) Ⓐ n. **1** ⓤ merda, cacca (*volg.*) **2** cacata, cagata (*volg.*): **to have** (*o* **take**) **a s.**, fare una cacata; cacare **3** ⓤ (*spreg.*) roba; faccenda; stronzate **4** ⓤ stronzate, cazzate (*volg.*); fesserie; balle: **to be full of s.**, dire un sacco di stronzate **5** (*fig.*) stronzo, (pezzo di) merda (*volg.*): *You are a s.!*, sei uno stronzo! **6** ⓤ (*fig.*) marijuana; hashish; eroina; merda (*volg.*) **7** ⓤ (*USA*) niente, un accidente; un cazzo (*di niente*) (*volg.*): **not to know s. about st.**, non sapere un cazzo di qc. (*volg.*); **not to be worth s.**, non valere un cazzo (*volg.*); non valere un accidente (*o un fico secco*) **8** (pl.) – **the shits**, la cacarella; la diarrea Ⓑ inter. merda! ● **s.-face**, faccia di merda (*o da culo*); idiota, cretino □ **s.-faced**, ubriaco; sbronzo □ (*USA*) **s.-fit**, incazzatura (*volg.*) □ (*USA*) **s. fuck**, inculata, inchiappettata (*volg.*) □ **s.-hot**, straordinario; fortissimo; fichissimo (*pop.*) □ (*fam.*) **S. happens**, succede; capita (*riferito a eventi spiacevoli*) □ **s.-house**, cesso; (*fig.*) posto schifoso □ **s.-stirrer**, rompiballe, rompicoglioni (*volg.*) □ **to be in deep s.**, essere nella merda fino al collo (*volg.*) □ **to be in the s.**, essere nei guai; essere nella merda (*volg.*) □ **to beat** (*o* **to kick, to knock) the s. out of sb.**, ammazzare q. di botte; picchiare q. a sangue □ (*USA*) **to give sb. s.**, raccontare balle, cazzate a q.; cercare di fregare q.; insultare q. □ **to give sb. the shits**, fare schifo a q.; stare sulle palle a q.; fare incazzare q. □ **not to give a s.**, fottersene (*volg.*); fregarsene, sbattersene (*pop.*): *I don't give a s. about it*, me ne fotto; *I don't give a s. who did it*, me ne sbatto di chi è stato □ (*USA*) **to have s. for brains**, essere una testa di cazzo (*volg.*) □ **to scare** (*o* **to frighten) the s. out of sb.**, farla fare sotto a q. dalla paura (*pop.*) □ **to take s. from**

sb., sopportare qualsiasi cosa da q.; farsi prendere a pesci in faccia da q. □ **The s. hit the fan**, è scoppiato il casino □ (*USA*) **No s.!**, cazzo!; ma va?, davvero?; (*anche*) non è una balla! □ **Tough s.!**, cazzi neri!; cazzi tuoi (suoi, ecc.)! (*volg.*); cavoli tuoi (suoi, ecc.)!; cavoli neri! (*pop.*).

to shit /ʃɪt/ (pass. e p. p. **shit**, **shitted** *o* **shat**), (*volg.*) Ⓐ v. i. cacare (*volg.*) Ⓑ v. t. **1** cacare (*volg.*) **2** immerdare, smerdare **3** (*USA*) raccontare balle a (q.); prendere (q.) per i fondelli ● (*USA*) **to s. all over sb.**, smerdare, svergognare, strigliare q. □ (*volg.*) **to s. bricks**, cagarsi sotto; essere nervoso □ (*volg.*) **to s. on sb.**, trattare male q.; trattare q. di merda □ (*anche fig.*) **to s. oneself**, cacarsi sotto; farsela addosso, farsela sotto (*anche, fig., per la paura*) □ (*USA*) *Go s. in your hat!*, va a cacare! (*volg.*) □ (*scherz.*) *Do bears s. in the woods?*, occorre chiederlo?; che domanda! □ (*fig., USA*) *S. or get off the pot!*, deciditi!; datti una mossa!

shitass /'ʃɪtæs/ n. (*volg. USA*) individuo spregevole; farabutto; egoista; stronzo (*volg.*).

to shitcan /'ʃɪtkæn/ v. t. (*volg. USA*) buttare via; scartare; eliminare.

shithead /'ʃɪthed/ n. (*volg. USA*) **1** testa di cazzo (*volg.*); idiota; cretino; confusionario; testone **2** → **shitass**.

shithole /'ʃɪthəʊl/ n. (*volg. USA*) cesso (*fig.*); posto schifoso.

shitless /'ʃɪtləs/ a. (*volg.*, solo nelle loc.:) – **to be scared s.**, farsela addosso per lo spavento; **to be bored s.**, averne due palle; **to beat sb. s.**, dare un fracco di botte a q.; massacrare q. di botte.

shitlist /'ʃɪtlɪst/ n. (*volg. USA*) lista nera; lista di persone sgradite.

shitload /'ʃɪtləʊd/ avv. (*volg.*) → **shedload**.

shitter /'ʃɪtə(r)/ n. (*volg.*) **1** caccone; merdone (*volg.*) **2** buco del culo (*volg.*).

shittiness /'ʃɪtɪnəs/ n. ⓤ (*volg.*) stronzaggine (*volg.*).

shitty /'ʃɪtɪ/ a. **1** (*volg.*) merdoso (*volg.*); disgustoso; schifoso **2** odioso; del cazzo (*volg.*) **3** noioso; palloso (*fam.*) ● **to feel s.**, stare male (*di salute*); stare da cani.

shitwork /'ʃɪtwɜːk/ n. ⓤ (*volg.*) lavoro noioso e degradante; lavoro di merda (*volg.*).

shivaree /ʃɪvəˈriː/ (*USA*) → **charivari**.

shiver① /'ʃɪvə(r)/ n. **1** tremore; tremito **2** (pl.) brividi; tremarella (*fam.*): **to get** (*o* **to have) the shivers**, avere i brividi; rabbrividire; **to give sb. the shivers**, far venire la tremarella a q.; fare rabbrividire q.

shiver② /'ʃɪvə(r)/ n. (generalm. al pl.) frammento; pezzetto; scheggia: **shivers of glass**, frammenti di vetro ● **to break into shivers**, andare in frantumi.

to shiver① /'ʃɪvə(r)/ Ⓐ v. i. **1** rabbrividire; tremare; battere i denti: **to s. with cold** [**with fear**], tremare di freddo [di paura] **2** (*naut.: di vele*) fileggiare; sbattere Ⓑ v. t. **1** far tremare; scuotere; far rabbrividire **2** (*naut.*) fare sbattere (*le vele*) stringendo il vento ● (*fam.*) **to be shivering in one's shoes**, avere la tremarella; tremare dalla paura.

to shiver② /'ʃɪvə(r)/ (*raro*) Ⓐ v. t. fare a pezzi; frantumare; fracassare Ⓑ v. i. andare in pezzi; frantumarsi ● (*arc. o scherz.*) **S. my timbers!**, accidenti!; maledizione!

shivering /'ʃɪvərɪŋ/ Ⓐ a. tremante Ⓑ n. ⓤⓒ tremito; tremore; brivido ● **s. fit**, (accesso di) brividi.

shivery① /'ʃɪvərɪ/ a. **1** che ha i brividi; tremante **2** che dà i brividi; agghiacciante; spaventoso: **s. threats**, minacce spaventose **3** (*del tempo*) gelido; freddissimo ● **to feel s.**,

avere i brividi.

shivery② /ˈʃɪvərɪ/ *a.* che va in frammenti facilmente; fragile.

shlemiel /ʃləˈmiːl/ → **schlemiel**.

(to) **shlep** /ʃlɛp/ e *deriv.* → (**to**) **schlep**, e *deriv.*

shlock /ʃlɒk/ e *deriv.* → **schlock**, e *deriv.*

shlong /ʃlɒŋ/ → **schlong**.

shlub /ʃlʌb/ → **schlub**.

shmaltz /ʃmɔːlts/ e *deriv.* → **schmaltz**, e *deriv.*

shmo /ʃməʊ/ → **schmo**.

(to) **shmooze** /ʃmuːz/ e *deriv.* → (**to**) **schmooze**, e *deriv.*

shmuck /ʃmʌk/ e *deriv.* → **schmuck**, e *deriv.*

shnook /ʃnʊk/ → **schnook**.

shoal① /ʃəʊl/ *n.* **1** (*di pesci, ecc.*) branco; banco; frotta **2** branco; folla; moltitudine; gran quantità: **shoals of tourists**, branchi (*o* frotte) di turisti.

shoal② /ʃəʊl/ **A** *n.* (*naut.*) bassofondo; secca **B** *a.* (*dell'acqua*) bassa; poco profonda ● **the shoals**, (*naut.*) le secche; (*fig.*) le insidie, i pericoli nascosti (*naut.*) **s. mark**, segnale che indica una secca.

to **shoal**① /ʃəʊl/ *v. i.* (*dei pesci*) **1** raggrupparsi; riunirsi in banchi **2** nuotare a frotte.

to **shoal**② /ʃəʊl/ *v. i.* (*del mare o di un corso d'acqua*) diminuire di profondità ● **The lake shoals here**, qui il lago è poco profondo.

shoaly /ˈʃəʊlɪ/ *a.* **1** poco profondo **2** pieno di secche.

♦**shock**① /ʃɒk/ *n.* **1** colpo; cozzo; urto: **the s. of a fall**, il colpo di una caduta; **the s. of the waves against the rocks**, l'urto delle onde contro gli scogli; **s. waves**, onde d'urto (*di un'esplosione o di un terremoto*); (*fig.*) ripercussioni **2** (*fig.*) colpo; forte impressione; violenta emozione; choc; shock: *The news was* (*o came as*) *a terrible s. to us*, la notizia fu per noi un colpo terribile; **to recover from a s.**, riprendersi da uno shock; *It came as a complete s.*, è stato un vero shock **3** (*elettr.*) scossa **4** (*geol.*) scossa (*di terremoto*) **5** Ⓤ (*med.*) shock; choc; collasso: **traumatic s.**, shock traumatico **6** (*mil.*) assalto; attacco: **s. troops**, truppe d'assalto **7** (*econ.*) scossone; crollo (*fig.*); crisi: **oil s.**, crisi petrolifera; **shock petrolifero 8** (pl. *USA*) ammortizzatori ● **s. absorber**, ammortizzatore □ (*elettr.*) **s. excitation**, eccitazione a impulso □ (*sport*) **s. goal**, gol beffa □ ● **s.-horror show** [story], spettacolo [racconto] orripilante □ (*fam.*, *USA*) **s. jock**, dee-jay radiofonico provocatorio (*che esprime opinioni sui fatti del giorno*) □ (*econ.*) **s. model**, modello econometrico con funzioni affette da errori casuali □ **s.-resistant**, resistente agli urti □ (*mil. e sport*) **s. tactics**, tattica d'urto (*cariche di cavalleria, impiego di carri armati, ecc.*) □ (*psic.*) **s. therapy** (*o* **s. treatment**), shockterapia, terapia d'urto □ ● **s. workers**, lavoratori d'assalto; stacanovisti □ (*med.*) **to die of s.**, morire in seguito a un collasso □ **to get a bit of a s.**, rimanere un po' impressionato □ (*med.*) **to be in s.**, essere in stato di shock □ (*fig.*) **to send s. waves through**, gettare lo scompiglio in; mettere sottosopra.

shock② /ʃɒk/ *n.* bica, barca, mucchio (*di covoni di grano*).

shock③ /ʃɒk/ *n.* Ⓤ (*generalm.* **s. of hair**) massa di capelli arruffati; folta chioma, zazzera ● **s.-head**, testa piena di capelli (*o dai capelli arruffati*) □ **s.-headed**, zazzeruto; dai capelli arruffati.

♦to **shock**① /ʃɒk/ **A** *v. t.* **1** urtare; scuotere; impressionare vivamente; shoccare, shockare, scioccare; indignare; scandalizzare; sconvolgere; traumatizzare: *I was shocked by* (*o at*) *his behaviour*, rimasi

sciocato dal suo comportamento; *The news of the riots shocked the financial world*, la notizia dei tumulti sconvolse il mondo della finanza **2** dare la scossa (elettrica) a (q.) **3** (*med.*) provocare uno shock a (q.) □ **B** *v. i.* **1** scontrarsi; urtarsi; collidere **2** (*fig.*) scandalizzarsi; rimanere scioccato; essere sconvolto: *That girl shocks easily*, quella ragazza si scandalizza con poco ● **to get shocked**, prendere la scossa (elettrica).

to **shock**② /ʃɒk/ *v. t.* abbicare, abbarcare, ammucchiare (*il grano*).

shockable /ˈʃɒkəbl/ *a.* shoccabile; shockabile; scandalizzabile.

♦**shocked** /ʃɒkt/ *a.* **1** shockato; scandalizzato; sconvolto; traumatizzato **2** (*elettr.*) che ha preso la scossa **3** (*med.*) in preda a uno shock ● **a s. person**, un traumatizzato (*fig.*).

shocker /ˈʃɒkə(r)/ *n.* (*spesso scherz.*) **1** persona (*o cosa*) che scuote, sconvolge, traumatizza, ecc. (→ **to shock**①) **2** (*fam.*) racconto (*o romanzo*) scandalistico, sensazionale; film dell'orrore.

♦**shocking** /ˈʃɒkɪŋ/ **A** *a.* **1** disgustoso; indecente; irritante; scandaloso; sconveniente; indecente; osceno: **s. conduct**, comportamento disgustoso, sconveniente; **s. language**, linguaggio osceno **2** shockante; shockizzante; sconvolgente; traumatizzante; terribile; spaventoso; traumatizzante: **the s. news of his death**, la terribile (*o* sconvolgente) notizia della sua morte; **a s. experience**, un'esperienza traumatizzante **3** (*fam.*) pessimo; orribile; infame: **s. weather**, tempo orribile **B** *avv.* (*fam.*) assai; molto; estremamente: **s. bad**, molto cattivo; pessimo ● **s. pink**, rosa shocking (*il colore*).

shockingly /ˈʃɒkɪŋlɪ/ *avv.* **1** scandalosamente; (*per estens.*) esageratamente, eccessivamente: **s. expensive**, eccessivamente costoso **2** (*fam.*) malissimo; in modo orribile (*o orrendo*); in maniera infame: *You sing s.*, canti malissimo; canti che è uno schifo (*pop.*).

shockproof /ˈʃɒkpruːf/ *a.* (*tecn.*) antishock; antiurto; a prova d'urto: **a s. watch**, un orologio antiurto.

shod /ʃɒd/ **A** *pass.* e *p. p.* di **to shoe B** *a.* **1** (*di cavallo*) ferrato **2** (*d'uomo*) calzato; provvisto di scarpe **3** ricoperto; rivestito.

shoddy /ˈʃɒdɪ/ **A** *n.* Ⓤ **1** (*ind. tess.*) lana rigenerata; cascame **2** (*fig.*) roba di scarto; articolo scadente **B** *a.* **1** (*ind. tess.*) fatto di lana rigenerata **2** (*fig.*) scadente; di scarto: **s. goods**, merci scadenti **3** (*fig.*) meschino; gretto ● **a s. trick**, uno scherzo da prete; un tiro mancino □ **-ily** *avv.* □ **-iness** *n.* Ⓤ.

♦**shoe** /ʃuː/ *n.* **1** scarpa ● **down-at-heel shoes**, scarpe scalcagnate; **to put on** [**to take off**] **one's shoes**, mettersi [togliersi] le scarpe **2** ferro di cavallo; ferro **3** (*di legno*) zoccolo **4** (*mecc.*) ceppo; ganascia **5** (*di bastone o canna*) puntale **6** (*di slitta, treno elettrico*) pattino **7** (*ind. costr.*) scarpa di appoggio (*di un ponte*) **8** (*autom.*) copertone (*di pneumatico*); pneumatico: **white shoes**, pneumatici con la fascia bianca **9** cuneo; zeppa; fermo: **a ladder s.**, un fermo per una scala a pioli **10** (*mecc.*) sagoma (*di piegatrice*) **11** (*ginnastica*) piede (*di un attrezzo*) **12** (*naut.*) scarpa (*dell'ancora*) **13** (*slang USA*) passaporto falso **14** (*nei casinò*) sabot **15** (*slang USA*) piedipiatti; poliziotto in borghese ● (*mecc.*) **s. brake**, freno a ceppo □ **s. brush**, spazzola per tomaia □ **s. buckle**, fibbia di scarpa □ **s.-care kit**, kit pulisciscarpe □ **s. cream**, crema per calzature; lucido da scarpe □ **s. cupboard**, scarpiera (*armadietto*) □ **s.-knife**, trincetto (*di calzolaio*) □ **s. leather**, cuoio per tomaia; (*fig.*) scarpe: **to save** (**on**) **s. leather**, fare economia di scarpe; evitare di muoversi □ **s.-lift**, rialzo (*ortopedico, per calzatura*) □ **s. manufacturer**, indu-

striale delle calzature (*o calzaturiero*) □ **s. manufacturing**, industria calzaturiera □ **s. paste**, lucido da scarpe □ **s. polisher**, sciscarpe (*elettrico*) □ **s. rack**, scarpiera (*aperta*) □ **s. repairer**, calzolaio; ciabattino □ **s. shop**, calzoleria; negozio di calzature □ **to die in one's shoes**, morire con le scarpe ai piedi; morire di morte violenta □ (*fam.*) **to fill sb.'s shoes**, occupare il posto di q.; sostituire (*degnamente*) q. □ (*fig.*) **to be in sb.'s shoes**, essere nei panni di q. □ (*fig.*) □ (*fig.*) **to know where the s. pinches**, sapere cosa c'è che non va; conoscere la causa dei guai (*o delle difficoltà*) □ (*fig.*) **to put oneself in sb.'s shoes**, mettersi nei panni di q. □ (*fig.*) **to shake in one's shoes**, tremare di paura; aver la tremarella □ **square-toed shoes**, scarpe a punta quadra □ **to step into sb.'s shoes** = **to fill sb.'s shoes** → *sopra* □ **to take off one's shoes and socks** (*o and stockings*), scalzarsi; mettersi a piedi nudi (*fig. USA*) **to wait for the other s. to drop**, aspettare il seguito di qc.; attendere gli sviluppi di qc. □ (*fig.*) **That's another pair of shoes**, è un altro paio di maniche; è tutt'altra cosa □ (*fam.*) **The s. is on the other foot**, la situazione si è capovolta □ (*fam. USA*) **If the s. fits, wear it**, se l'osservazione è calzante, non te la devi prendere! (devi accettarla!); prendi su e porta a casa (*fam.*)!

to **shoe** /ʃuː/ (*pass. e p. p. shod*), *v. t.* **1** ferrare (*un cavallo*) **2** (*spec. al p. p.*) provvedere di scarpe; calzare: **neatly shod feet**, piedi ben calzati **3** coprire; rivestire ● **an iron-shod stick**, un bastone ferrato (*con un puntale di ferro*).

shoebill /ˈʃuːbɪl/ *n.* (*zool., Balaeniceps rex*; *anche* **s. stork**) becco a scarpa (*uccello di palude*).

shoeblack /ˈʃuːblæk/ *n.* lustrascarpe; sciuscià.

shoebox /ˈʃuːbɒks/ *n.* **1** scatola da scarpe **2** (*fig.*) stanzino; bugigattolo.

shoehorn /ˈʃuːhɔːn/ *n.* corno (*da scarpe*); calzatoio; calzascarpe.

to **shoehorn** /ˈʃuːhɔːn/ *v. t.* (*fam.*) infilare a stento; far entrare (q. *o* qc.) a viva forza.

shoeing /ˈʃuːɪŋ/ *n.* **1** Ⓤ calzatura; scarpe **2** Ⓤ ferratura (*dei cavalli*) ● **s.-forge**, fucina (*o bottega*) di maniscalco; mascalcia □ **s.-smith**, maniscalco.

shoelace /ˈʃuːleɪs/ *n.* laccio da scarpe; laccetto; stringa (*per scarpe*).

shoeless /ˈʃuːləs/ *a.* **1** senza scarpe; scalzo **2** (*di cavallo*) non ferrato.

shoemaker /ˈʃuːmeɪkə(r)/ *n.* calzolaio ● **s.'s shop**, bottega di calzolaio; calzoleria ‖ **shoemaking** *n.* Ⓤ arte del calzolaio; lavoro di calzolaio.

shoeplate /ˈʃuːpleɪt/ *n.* pedivella (*di bicicletta*).

shoer /ˈʃuːə(r)/ *n.* maniscalco.

shoeshine /ˈʃuːʃaɪn/ *n.* **1** lustratura, lucidatura, lustrata (*di scarpe*) **2** (*fam.*) lustrascarpe ‖ **shoeshiner** *n.* lustrascarpe; sciuscià.

shoestring /ˈʃuːstrɪŋ/ **A** *n.* **1** stringa per scarpe; laccio; laccetto (*fam.*) **2** (*fam.*) piccola somma; pochi soldi (*fam.*); piccolo gruzzolo; gruzzoletto **B** *a. attr.* **1** (*USA*) lungo e sottile **2** risicato; stentato **3** limitato; ristretto **4** (*geol.*) filiforme ● (*fam.*) **a s. budget**, un bilancio striminzito (*o all'osso*) □ (*USA*) **s. potatoes**, patatine a bastoncino (*fritte*) □ **to live on a s.**, vivere di poco □ (*fam.*) **to start a business on a s.**, avviare un'azienda con scarsi capitali.

shoetree /ˈʃuːtriː/ *n.* forma per scarpe; tendiscarpe.

shogun /ˈʃəʊɡʌn/ (*stor. giapponese*) *n.* shogun ‖ **shogunate** *n.* shogunato.

shone /ʃɒn/ *pass.* e *p. p.* di **to shine**.

shonker /'ʃɒŋkə(r)/ n. (*slang*) **1** naso grosso; nasone **2** (*spreg.*) ebreo; giudeo.

shoo /ʃuː/ inter. sciò; via!

to **shoo** /ʃuː/ Ⓐ v. i. far sciò Ⓑ v. t. (*spesso* to s. away, to s. off) allontanare (*galline, uccelli, ecc.*) facendo sciò ● (*ipp.*) to s. in, far vincere (*un cavallo mediocre*).

shoo-fly /'ʃuːflaɪ/ n. (*slang USA*) agente della disciplinare; poliziotto (in borghese) che indaga su altri poliziotti sospettati di essere poco «puliti».

shoo-in /'ʃuːɪn/ n. **1** cosa sicura; vittoria scontata **2** (= shoo-in candidate) candidato (o concorrente) dato per vincente; favorito; sicuro vincitore; (*ipp.*) My horse is a shoo-in, il mio cavallo è il favorito.

shook① /ʃʊk/ pass. di to shake.

shook② /ʃʊk/ n. **1** fascio di doghe e fondi (*per fare un barile*) **2** bica, barca (*di covoni di grano*).

shoot /ʃuːt/ n. **1** (*bot.*) germoglio; getto; virgulto; pollone; (*anche*) parte aerea (di una pianta) **2** partita di caccia; battuta; riserva di caccia **3** gara di tiro (al bersaglio) **4** rapida (*di fiume*) **5** getto d'acqua; zampillo **6** scivolo: a coal s., uno scivolo per il carbone **7** fitta; puntura (*di dolore*) **8** (*ind. min.*) filone **9** (*edil.*) spinta (*di un arco*) **10** (*sport*) gara di tiro a segno ● (*sport*) s.-off, spareggio (*nel tiro*) □ s.-out, conflitto (o scontro) a fuoco; sparatoria; regolamento di conti (*tra due bande*); (*calcio*) i rigori (*dopo i tempi supplementari finiti in pareggio*) □ (*bot.*) s. production, germogliazione □ (*slang*) s.-up, buco (*pop.*); iniezione di droga.

♦to **shoot** /ʃuːt/ (*pass. e p. p.* shot) Ⓐ v. t. **1** sparare; sparare a (o con); tirare; scaricare (*un'arma da fuoco*); (*di un fucile, ecc.*) to s. real bullets, sparare proiettili veri (*non a salve*); sparare sul serio; to s. a gun, sparare con la pistola (o con il cannone); to s. one's rifle, scaricare il fucile; to s. sb. dead, sparare a q. uccidendolo; He shot a pheasant and killed it, sparò (o tirò) a un fagiano e lo uccise; Don't s. this revolver: it's rusty, non sparare con questa rivoltella: è arrugginita **2** andare a caccia di, cacciare, abbattere (*col fucile*): He's in Kenya shooting buffaloes [big game], è in Kenya a caccia di bufali [a caccia grossa] **3** colpire, ferire, uccidere (*con un'arma da fuoco*); (*caccia*) cacciare, abbattere: He shot a deer, uccise un cervo; The soldier was shot in the leg, il soldato fu ferito (o colpito) alla gamba; The killer was shot by the police, il killer fu abbattuto dalla polizia; to s. pheasants, cacciare i fagiani **4** (*mil.*) fucilare: The spy was shot at dawn, la spia fu fucilata all'alba **5** (*ind. min.*) brillare, sparare (*una mina*) **6** gettare; lanciare; scagliare; sbalzare; proiettare: to s. dice, gettare i dadi; to s. the anchor [a net], gettare l'ancora [una rete]; to s. sb. a glance, lanciare un'occhiata a q.; to s. a stone from a sling, lanciare una pietra con la fionda; The driver was shot over the fence, il conducente fu sbalzato al di là della siepe; The elevator shot me to the top of the skyscraper, l'ascensore mi proiettò in cima al grattacielo **7** scoccare: to s. an arrow from one's bow, scoccare una freccia (dall'arco) **8** buttare giù lungo uno scivolo; scaricare (*fig.*); sbattere: to s. coal into the cellar, scaricare il carbone in cantina; to s. rubbish, scaricare l'immondizia **9** (*bot.*) mettere (*foglie*); buttare fuori (*germogli*) **10** (*fotogr., cinem., TV*) riprendere; girare; filmare: to s. a film, girare un film; to s. a scene, riprendere una scena **11** (*sport nautici*) superare, scendere rapidamente; bruciare (*fam.*): to s. the lights, bruciare il semaforo; passare con il rosso **13** (*astron.*) determinare l'altezza di (*un astro*) **14** (al passivo) striare; (*fig.*) intridere: The ocean was a deep blue shot with violet, l'oceano era di un blu cupo con striature viola; The «Canterbury Tales» are shot with humour, i Racconti di Canterbury sono intrisi di umorismo **15** (*falegn.*) piallare a misura; piallare bene: shot edges, margini piallati bene **16** (*mecc.*) fare scorrere; azionare; tirare: to s. the bolt, tirare il catenaccio **17** (*fam.*) fulminare **18** (*sport: calcio, ecc.*) fare, segnare, mettere a segno, realizzare (*una rete, punti, ecc.*): to s. twenty baskets, fare venti canestri; Jones shot the winning goal, Jones ha segnato il gol della vittoria **19** (*slang*) iniettarsi (*droga*): to s. heroin, iniettarsi eroina **20** (*USA*) fare una partita di (*biliardo*) Ⓑ v. i. **1** sparare; tirare (*con un'arma da fuoco*): This gun won't s., questo fucile non spara; Don't s.!, non sparate!; He shoots indifferently, spara così e così; è un mediocre tiratore; to s. on sight, sparare a vista; to s. to kill, sparare sul serio; sparare per uccidere; to s. straight, sparare diritto; tirare bene **2** andare a caccia (*col fucile*): He's shooting in the Highlands, è a caccia nelle Highland **3** (*fig. fam.*) sparare; parlare: «I must talk to you» «S.!», «Devo parlarti» «Spara!»; S.!, fuori!; sputa il rospo! **4** (*cinem., TV*) girare: When will they begin to s.?, quando cominciano a girare? **5** (*bot.: di piante*) mettere le foglie; germogliare; (*di germogli*) spuntare **6** (*fam.*) andare a rotta di collo; passare velocemente; saettare; sfrecciare; balzare: The rocket shot across the sky, il razzo attraversò il cielo a tutta velocità; An ambulance shot past us, un'ambulanza ci sfrecciò accanto; A squirrel shot into the air, uno scoiattolo balzò in aria **7** (*sport*) tirare in porta (o a rete); tirare a canestro **8** (*slang USA*) rigettare; vomitare **9** (*volg.*) eiaculare ● (*fam. USA*) to s. the breeze (o the bull), parlare del più e del meno; fare quattro chiacchiere □ to s. from the hip, (*di un pistolero*) sparare dall'anca (*senza mirare*); (*fig.*) agire (o parlare) per impulso; reagire (o rispondere) di scatto □ (*fig.*) to s. one's last arrow, sparare l'ultima cartuccia; usare l'ultima risorsa □ to s. oneself, spararsi: He shot himself in the head, si sparò alla testa (o un colpo in testa) □ (*fig. fam.*) to s. oneself in the foot, darsi la zappa sui piedi (*fig.*) □ (*di un disco, un album, ecc.*) to s. to the top of the charts, balzare (o schizzare) in testa alla classifica □ (*slang USA*) S., accidenti!; caspita!; porca miseria! □ to be shot dead, essere ucciso da un colpo d'arma da fuoco □ I'll be shot if..., ch'io possa essere impiccato se... □ (*fam.*) to have shot one's bolt (USA: one's wad), avere sparato tutte le cartucce (*fig.*); (*volg.*) essere venuto □ The sun is shooting its rays on the plain, il sole dardeggia la pianura.

▪ **shoot ahead** v. i. + avv. (*nelle corse*) andare di scatto al comando; balzare in testa.

▪ **shoot at** v. t. e i. + prep. **1** sparare a (o contro); tirare a: He shot at the pheasant but missed it, tirò al fagiano ma lo mancò; Don't s. at me, non sparatemi! **2** lanciare (*uno sguardo, ecc.*) a (o a) **3** (*sport*) tirare a (o in): to s. at the basket, tirare a canestro; to s. at goal, tirare a rete (o in porta); concludere **4** (*fig. spec. USA*) mirare a, avere come obiettivo: He's shooting at the chairmanship, mira alla presidenza □ (*fam.*) to s. questions at sb., tempestare q. di domande.

▪ **shoot away** Ⓐ v. i. + avv. **1** continuare a sparare; fare fuoco a volontà: S. away!, fuoco a volontà! **2** balzare via; scappare; (*via*); andarsene di corsa: The hare shot away, la lepre scappò **3** (*calcio, ecc.: della palla*) schizzare via Ⓑ v. t. + avv. **1** (*mil.*) distruggere a cannonate **2** asportare, portare via (*con un colpo d'arma da fuoco*).

▪ **shoot down** v. t. + avv. **1** (*mil., aeron.*) abbattere (*sparando*): The plane [the pilot] was shot down over the Channel, l'aereo [il pilota] fu abbattuto sulla Manica **2** (*fam.*) respingere (*un'idea*); bocciare (*una proposta*) □ to s. down in flames, abbattere (*un aereo*) in fiamme; (*fig.*) bocciare (*una proposta*); stroncare (*un'idea, ecc.*).

▪ **shoot for** → **shoot at**, def. 3 e 4.

▪ **shoot in** Ⓐ v. t. + avv. **1** sparare dentro **2** entrare di volata: When I opened the door, the dog shot in, quando aprii la porta, il cane entrò di corsa Ⓑ v. t. + avv. (*mil.*) coprire sparando (*soldati che attaccano*).

▪ **shoot off** Ⓐ v. t. + avv. **1** (*mil.*) distruggere a cannonate **2** asportare, portare via sparando **3** scaricare (*armi*) in aria; sparare in aria Ⓑ v. i. + avv. **1** partecipare a una gara di tiro a segno **2** andarsene di volata; balzare via; scappare (via) □ (*fam.*) to s. one's mouth off, spifferare tutto; (*slang USA*) spararle grosse; sparare cazzate (*volg.*).

▪ **shoot out** Ⓐ v. i. + avv. **1** sparare fuori **2** uscire di corsa; balzare (o saltare) fuori: A rabbit shot out of the bush, dal cespuglio balzò fuori un coniglio Ⓑ v. t. + avv. **1** sbalzare fuori: Some passengers were shot out of the coach, qualche viaggiatore fu sbalzato fuori dal pullman **2** cacciare (o tirare) fuori; far guizzare: The pupil shot out his tongue, lo scolaro tirò fuori la lingua (o fece una linguaccia); The adder shot out its forked tongue, la vipera fece guizzare la lingua biforcuta **3** tirare fuori; tendere: The beggar shot out his hand for the coins, il mendicante tese la mano per prendere i soldi **4** spegnere (*sparando*): He shot out all the lights in the saloon, a colpi di pistola spense tutte le luci del saloon **5** dire con forza; lanciare; prorompere in: He shot out a stream of abuse, proruppe in una sfilza di parole offensive **6** (*fam.*) eliminare; fare fuori (*fam.*); sbarazzarsi di (q.) □ (*fam. USA*) to s. it out, regolare i conti con una sparatoria; (*fig.*) farla finita (*con q.*).

▪ **shoot through** Ⓐ v. i. + avv. (*fam.*) andarsene; filarsela; squagliarsela Ⓑ v. t. + prep. **1** trapassare: He was shot through the heart, un colpo (*di fucile, ecc.*) gli trapassò il cuore **2** (spec. al passivo) striare; (*fig.*) intridere, impregnare: His poems are shot through with tenderness, le sue poesie sono piene di tenerezza.

▪ **shoot to** v. t. + avv. tirare, mettere (*il catenaccio: alla porta*).

▪ **shoot up** Ⓐ v. i. + avv. **1** sparare verso l'alto **2** balzare (o saltare) in piedi; balzare su (o al piano di sopra): The girl shot up out of the armchair, la ragazza balzò in piedi dalla poltrona **3** (*delle fiamme, ecc.*) alzarsi di botto; divampare **4** (*di prezzi, ecc.*) salire di colpo; balzare (alle stelle): Petrol shot up at the news, alla notizia la benzina salì di colpo **5** (*di un giovane*) crescere a vista d'occhio: He's shot up recently, è cresciuto tutto d'un colpo **6** (*slang: di drogato*) farsi; bucarsi Ⓑ v. t. + avv. **1** danneggiare a cannonate; crivellare di colpi: The houses are badly shot up, le case sono crivellate di colpi **2** colpire, ferire (*con un'arma da fuoco*) **3** (*fam.: di armati*) seminare il terrore in (*una città, ecc.*) sparando **4** (*slang*) iniettarsi (*droga*); farsi (*una dose*) □ to s. up the place, sparare all'impazzata (*in un luogo*) □ The pain shot up my leg, ebbi una fitta di dolore alla gamba.

shoot-'em-up /'ʃuːtəmʌp/ n. (*fam.*) **1** storia o film a base di sparatorie **2** (*comput.*) (gioco) sparatutto; spara-spara.

shooter /'ʃuːtə(r)/ n. **1** chi spara, tira, ecc. (→ to shoot) **2** tiratore; cacciatore **3** pistola, rivoltella: a six-s., una pistola a sei colpi **4** (*cricket*) palla rasoterra (*dopo il rimbalzo*).

shooting /'ʃuːtɪŋ/ **A** n. ⓤⓒ **1** caccia: **to go s.**, andare a caccia **2** lo sparare; spari (collett.); sparatoria; scontro a fuoco; tiro (con arma da fuoco); tiro al bersaglio: I heard s., sentii degli spari **3** fucilazione; (spec.) assassinio, attentato (con un'arma da fuoco) **4** riserva di caccia **5** terreno di caccia; bandita **6** (cinem.) il girare (una scena); ripresa **7** (bot.) il germogliare; germoglio **8** (nel biathlon) prova di tiro **B** a. attr. **1** che spara **2** di (o da) caccia: **s. boots**, stivali da caccia; **s. box** (o **s. cabin**), capanno da caccia; **s. jacket**, giacca da caccia; (giacca alla) cacciatore; **s. party**, partita di caccia; (anche) comitiva di cacciatori **3** (di dolore) lancinante: **s. pain**, dolore lancinante; fitta **4** che si muove rapidamente • (autom. antiq.) **s. brake**, familiare □ **s. butt**, bersaglio; sagoma di (sport) **s. chance**, occasione di tiro a rete □ **s. competition** (o **s. contest**), gara di tiro al bersaglio (o di tiro a segno) □ **s. gallery**, sala di tiro; (nei luna park) tiro a segno; (slang USA) covo di drogati □ (slang USA) **s. iron**, arma da fuoco (fucile, rivoltella, ecc.) □ **s. lodge**, casino di caccia □ **s. match**, gara di tiro □ (biathlon) **s. penalty**, penalità per il tiro □ **s. platform**, piattaforma di tiro □ **s. position**, (calcio, ecc.) posizione buona per poter tirare; (tiro) posizione di tiro □ **s. pocket**, carniere □ (calcio) **s. practice**, esercitazioni di tiro in porta (o a rete) □ **s. range** (o **s. ground**), tiro a segno; poligono di tiro □ (sport) **s. the rapids**, torrentismo □ (USA) **s. saloon**, tiro a segno □ (cinem.) **s. script**, sceneggiatura □ **the s. season**, la stagione della caccia; la stagione venatoria □ (astron.) **s. star**, stella cadente, stella filante (meteora) □ **s. stick**, bastone trasformabile in sedile □ (slang) **s.-up**, iniezione di droga in vena; buco (pop.) □ (fam.) **s. war**, guerra calda.

♦**shop** /ʃɒp/ n. **1** bottega; negozio; esercizio; spaccio (cfr. USA **store**): **to set up s.**, metter su bottega; aprire un negozio; iniziare un'attività; **to shut up s.**, chiuder bottega; (fig.) smettere di far qualcosa, cessare un'attività; **to keep a s.**, avere un negozio; fare il bottegaio; I need to get to the shops before they close, devo andare a fare la spesa prima che chiuda tutto **2** (= **workshop**) officina; stabilimento; reparto (di fabbrica): (autom.) **body s.**, reparto carrozzeria; (metall.) **pattern s.**, reparto modellisti **3** (fam.) azienda; ufficio **4** (fam.) spesa: **the weekly s.**, la spesa per la settimana **5** (fam. antiq.) scuola; istituto; ufficio (spec. in): **the other s.**, la scuola rivale; l'istituto che ci fa concorrenza • (ind.) **s. assembly**, montaggio in officina □ **s. assistant**, commesso, commessa □ **s. bell**, campanello di bottega (antiq.) **s. boy**, giovane (o ragazzo) di negozio □ (USA) **s. class**, (a scuola) (ora di) educazione tecnica □ (ind.) **s. committee**, commissione interna (d'una fabbrica) □ (autom.) **s. creeper**, carrello sottovettura □ **s. fascia**, insegna di negozio □ (ingl.) **s. the floor**, (ind.) la zona dove avviene la produzione (di contro all'amministrazione), l'officina; (fig.) la base operaia, la componente operaia, le maestranze: **s.-floor worker**, operaio; The manager started on the s. floor, il direttore ha cominciato come semplice operaio □ **s. foreman**, capo officina □ **s. front** → **shopfront** □ **s. girl**, commessa (di negozio) □ **s. hours**, orario di negozio (o d'apertura) □ **the s. management**, la direzione dello stabilimento □ (market.) **s. paper**, carta da incarto; carta per fare cartocci □ (GB) **s.-soiled**, (di un articolo) logoro; sciupato; stinto (perché in negozio da troppo tempo); (fig.) logoro; stantio; vecchio; trito □ (ind.) **s. steward**, membro d'una commissione interna; rappresentante dei sindacati in un reparto di fabbrica; delegato sindacale □ (ind.) **s. supplies**, materiali di consumo □ **s. window**, vetrina (di negozio) □ (USA) **s.-worn = s.-soiled** → sopra □

(slang) **all over the s.**, dappertutto; (anche) nel caos, sottosopra, a soqquadro □ (fam.) **to come** (o **to go**) **to the wrong s.**, rivolgersi alla persona meno adatta (per aiuto, informazioni, ecc.): You've come to the wrong s., sei cascato male; hai sbagliato porta □ **to talk s.**, parlare di lavoro.

to shop /ʃɒp/ **A** v. i. **1** andare in giro per negozi: **to shop for a new dress**, fare il giro dei negozi in cerca di un vestito nuovo **2** fare acquisti (o compere, spese): **to go shopping**, andare a fare spese; fare lo shopping **B** v. t. **1** esaminare (merce da acquistare, un catalogo, ecc.) **2** mandare in officina, fare riparare (una macchina, ecc.) **3** (dial.) arrestare, incarcerare (q.) **4** (slang, anche **to s. on**) fare una spiata a (q.); denunciare (alla polizia) • **to s. around**, fare il giro dei negozi (per confrontare i prezzi); (fig. fam.) prendere in considerazione varie possibilità; guardarsi attorno (fig.) □ **to s. around for information**, chiedere informazioni in giro □ **to s. around for a new manager**, essere alla ricerca di un nuovo direttore □ (USA) **to s. the main shops**, fare il giro dei negozi principali □ **to s. round = to s. around** → sopra.

shopaholic /ʃɒpə'hɒlɪk/ a. e n. (fam.) che (o chi) ha la mania di fare acquisti (anche non necessari) nei negozi; fanatico dello shopping.

shopfitter /'ʃɒpfɪtə(r)/ n. arredatore di negozi ‖ **shopfitting** n. ⓤ arredamento di negozi.

shopfront /'ʃɒpfrʌnt/ n. (il) davanti di un negozio; facciata di negozio; vetrine (anteriori) di negozio: **s. glass**, vetro per vetrine; **s. protection**, protezione delle vetrine.

shophouse /'ʃɒphaʊs/ n. shophouse (costruzione tipica delle città dell'Sud-est asiatico, costituita da un negozio sovrastato da un'abitazione).

shopkeeper /'ʃɒpkiːpə(r)/ n. bottegaio; negoziante; esercente • **a nation of shopkeepers**, una nazione di bottegai; l'Inghilterra (secondo Napoleone) ‖ **shopkeeping** n. ⓤ commercio al dettaglio; vendita al minuto.

shoplifting /'ʃɒplɪftɪŋ/ n. ⓤ taccheggio; furto in un negozio ‖ **to shoplift** v. t. e i. taccheggiare; rubare nei negozi ‖ **shoplifter** n. tacchegiatore, taccheggiatrice.

shopman /'ʃɒpmən/ n. (pl. **shopmen**) **1** bottegaio; negoziante **2** commesso (di negozio) **3** operaio (d'officina).

shoppe /ʃɒp/ n. (arc. o nelle insegne) negozio; bottega: **a gift s.**, un negozio di articoli da regalo.

shopper /'ʃɒpə(r)/ n. **1** chi va in giro a far compere; chi fa la spesa; acquirente; compratore, compratrice; cliente **2** carrello della spesa **3** giornale locale gratuito ❶ FALSI AMICI • shopper non significa shopper nel senso italiano di sacchetto di plastica.

shopping /'ʃɒpɪŋ/ n. ⓤ **1** acquisti; compere; spese; shopping: I have some s. to do today, oggi devo fare delle compere (o delle spese); **to do one's s.**, fare lo shopping **2** (la) spesa (acquisto di alimentari e alimenti acquistati): **to do the s.**, fare la spesa; I'll carry your s., la (borsa della) spesa te la porto io; I paid for the s. at the supermarket by credit card, ho pagato la spesa al supermercato con la carta di credito • **s. bag**, borsa della spesa; (nei negozi) sacchetto di carta, borsina di plastica; (fig. fam.) rete □ **a very expensive s. bag**, il caro spesa □ (USA) **s. cart**, carrello di supermercato □ **s. centre**, shopping centre, centro commerciale; area suburbana di empori, zona dei negozi □ **s. channel**, canale televisivo dedicato alle televendite □ **s. list**, lista della spesa □ **s. mall**, centro commerciale (al chiuso) □ **s. precinct**, centro commerciale pedonalizzato (con parcheggio annesso) □ **a s. spree**, una «scorpac-

ciata» di acquisti □ **a s. street in London**, una via di bei negozi a Londra □ (ingl.) **s. trolley**, carrello di supermercato.

shoptalk /'ʃɒptɔːk/ n. ⓤ il parlare di lavoro; discorsi sul proprio lavoro.

shopwalker /'ʃɒpwɔːkə(r)/ n. (comm., ingl.) capo reparto; ispettore di reparto, sorvegliante (in un grande negozio).

shopworn /'ʃɒpwɔːn/ (USA) → **shopsoiled**.

♦**shore**① /ʃɔ(r)/ n. **1** spiaggia; riva; lido; sponda (anche di lago): **on the s.**, sulla riva (o sulla spiaggia); (naut.) **on s.**, a terra **2** costa; litorale; sponda (lett.): **a rocky s.**, una costa rocciosa (cfr. **beach**); **the shores of Ireland**, le coste dell'Irlanda **3** battigia; bagnasciuga (improprio, ma com.) **4** (pl.) (lett.) lidi; terre; paesi: **to visit foreign shores**, visitare paesi stranieri • (zool.) **s. bird**, uccello di ripa; piviere □ (naut.) **s. boat**, battellino per andare a terra □ **s. crab**, granchio ripario □ (naut.) **s. fast**, cima d'ormeggio □ (naut.) **s. leave**, permesso di scendere a terra; franchigia □ (mil.) **s. party**, squadra controllo della testa di sbarco □ (geol.) **s. platform**, piattaforma costiera □ (naut.) **to go on s.**, andare a riva; sbarcare □ (naut.) **to hug the s.**, tenersi a riva; costeggiare □ (naut.) **in s.**, vicino alla riva; sottocosta □ (naut.) **off** (**the**) **s.**, al largo; in acque profonde.

shore② /ʃɔː(r)/ n. (ind. costr., spec. navali) puntello.

to shore /ʃɔ(r)/ v. t. (di solito to s. up) **1** (edil., ind. costr. navali) puntellare: **to s. up a wall**, puntellare un muro **2** (fig.) sostenere, tenere alto; (econ.) **to s. up prices** [**the economy**], sostenere i prezzi [l'economia].

shoreless /'ʃɔːləs/ a. (poet., di mare, ecc.) sconfinato; immenso.

shoreline /'ʃɔːlaɪn/ n. linea di costa; costiera.

shoreward /'ʃɔːwəd/ **A** a. che si muove (o volto) verso la spiaggia **B** avv. (= **shorewards**) verso la spiaggia; verso riva.

shoring /'ʃɔːrɪŋ/ n. ⓤ **1** (edil., ind. costr. navali) puntellamento **2** (fig.) sostegno (di prezzi, ecc.).

shorn /ʃɔːn/ p. p. di **to shear**.

♦**short**① /ʃɔːt/ a. **1** corto; breve; conciso; di breve durata: He has s. legs, ha le gambe corte; This jacket is s. on you, questa giacca ti è corta; **a s. journey**, un viaggio breve; **a s. answer**, una risposta breve; **s. hair**, capelli corti; **s. wind**, fiato corto; (aeron.) **s. landing**, atterraggio corto; **s. dash**, breve scatto; volata; (elettr.) **a s. circuit**, un corto circuito; un cortocircuito; (radio) **s. waves**, onde corte; **a s. speech** [**style**], un discorso [uno stile] conciso; **S., weak governments**, governi deboli, di breve durata **2** basso; piccolo (di statura): He's too s. to play volleyball, è troppo basso per giocare a pallavolo **3** scarso; insufficiente: **s. weight**, peso scarso; **s. measure**, misura insufficiente; **a s. ten miles**, dieci miglia scarse; meno di dieci miglia **4** brusco; rude; secco; sgarbato: **a s. reply**, una brusca risposta; Don't be s. with me!, non essere sgarbato con me! **5** friabile; frollo: **s. coal**, carbone friabile; **s. pastry**, pasta frolla **6** (metall.) fragile: **s. iron**, ferro fragile **7** (comm.) a breve scadenza: **a s. bill**, una cambiale a breve scadenza **8** (rag.: di somma, ecc.) parziale **9** (Borsa) corto; allo scoperto: **s. position**, posizione corta; **s. sale** [**seller**], vendita [venditore] allo scoperto; **s. selling**, il vendere (o vendite) allo scoperto **10** (market.: di un prodotto, una derrata, ecc.) che scarseggia; non disponibile **11** (trasp.) incompleto; in meno (di quanto pattuito): **s. delivery**, consegna in meno; **s. shipment**, spedizione incompleta **12** (fon.:

short | to short-circuit 1129

di vocale) breve **13** (pred.) mancante, privo; che si trova qc. in meno; a corto di: *We are two cases [200 dollars] s.*, (ci) mancano due casse [200 dollari]; *He's s. on brains*, è corto di cervello; *I was s. of breath*, ero senza fiato; *I'm s. of money*, sono a corto di quattrini; *They are a mile s. of their goal*, manca loro un miglio alla meta **14** (*fam.*) a corto di soldi: *I'm a bit s.*, sono un po' a corto di soldi **15** (*fam.*: *di liquore*) liscio ● (*med.*) **s.-acting**, ad azione breve □ (*d'oratore, di un discorso*) **to be s. and to the point**, essere conciso e pertinente □ (*fam.*: *di un discorso*) **s. and sweet**, (piacevolmente) conciso; essenziale, stringato □ (*tennis*) **a s.-angled volley**, una volée molto angolata □ **s.-armed**, dalle braccia corte □ (*giorn.*) **s. article**, trafiletto □ (*fin.*) **s. bond**, titolo di stato a breve (termine) □ (*elettr.*) **s.-contact switch**, interruttore cortocircuitante □ (*Borsa*) **s. covering**, copertura di una posizione corta; il coprirsi da una vendita allo scoperto □ **a s. cut**, una scorciatoia; (*fig.*) un mezzo rapido, spiccio (*d'ottenere qc.*) □ (*comm.*: *di cambiale, ecc.*) **s.-dated**, a breve scadenza □ **a s. drink**, una bevanda (*o* una bibita) servita in un bicchiere piccolo; un bicchierino (*di liquore*); (*spec.*) un aperitivo □ (*cinem.*) **a s. film**, un cortometraggio □ **s. for**, abbreviazione di; diminutivo di: **Sam, s. for Samuel**, Sam, diminutivo di Samuele □ **s. fuse**, miccia corta; (*fig. fam.*) irascibilità, eccitabilità □ **s.-haired**, dai capelli corti; (*d'animale*) dal pelo corto □ **to be s.-handed**, essere a corto di manodopera, essere sotto organico; (*naut.*: *di nave*) avere l'equipaggio incompleto □ (*trasp.*) **s.-haul**, a breve distanza; a breve raggio: **a s.-haul run**, un viaggio a breve distanza; **a s.-haul plane**, un aereo a breve raggio □ (*ipp.*) **a s. head**, mezza testa, meno d'una incollatura: **to win by a s. head**, (*di cavallo*) vincere per una mezza testa; (*fig.*) vincere per un pelo □ (*comm.*) **to be s. in one's payments**, essere in arretrato coi pagamenti; essere moroso □ **s.-legged**, dalle gambe corte □ **s. list**, lista ristretta (*o* dei favoriti); rosa dei candidati □ **s.-lived**, che ha breve vita; (*biol.*) che ha la vita corta; (*fig.*) di breve durata, passeggero: **s.-lived enthusiasm**, entusiasmo passeggero □ **s. loan**, mutuo a breve termine; prestito a breve scadenza □ (*fam.*) **a s. one**, un bicchierino di liquore; un cicchetto □ (*econ.*) **s. period** (*o* **s. range**), breve periodo; breve termine: **in the s. period**, nel breve periodo □ **s.-range**, (*econ.*, *meteor.*) a breve (termine); (*tecn.*) a corto raggio, a corta gittata (*o* portata): **s.-range forecast**, previsione a breve termine; **a s.-range missile**, un missile a corto raggio; **s.-range plans**, progetti a breve termine; **a s.-range rifle**, un fucile a corta gittata (*o* portata) □ (*anat.*) **s. ribs**, costole mobili □ **s. run**, (*econ.*) breve periodo, breve termine; (*giorn.*) piccola tiratura □ **s.-run** (agg.), (*econ.*) a breve termine, nel breve periodo; (*editoria*: *di un libro, ecc.*) stampato in un numero limitato di copie: (*econ.*) **s.-run planning**, programmazione a breve termine □ (*naut.*) **a s. sea**, mare corto; maretta □ (*tennis*) **s. serve** (*o* **s. service**), servizio corto; battuta corta □ (*sport*) **s. shot**, tiro corto; palla corta; (*anche*) tiro da vicino □ **s. sight**, vista corta, miopia; (*fig.*) imprevidenza, miopia □ **s.-sighted**, corto di vista, miope; (*fig.*) miope, imprevidente □ **s.-sightedness**, vista corta, miopia; (*fig.*) imprevidenza, miopia □ **s. sharp shock**, incarcerazione dei delinquenti minorili a scopo di dissuasione; punizione severa e senza preavviso; maniere forti □ **s.-spoken**, di poche parole; laconico □ **s.-staffed**, a corto di personale; sotto organico □ **a s. story**, un racconto; una novella: **a s. s. story**, un racconto cortissimo □ (*a carte*) **s. suit**, sequela corta; meno di quattro carte dello stesso seme □ **s. supply**, scarsità (*di merce e fig.*): *Good teachers are in s. supply*, c'è scarsità di bravi insegnanti □ (*aeron.*) **s. take-off and landing** (abbr. **STOL**), decollo e atterraggio corto □ **s. temper**, irascibilità: *He has a s. temper*, è irascibile □ **s.-tempered**, collerico; irascibile; stizzoso □ **s.-term**, (*econ.*, *fin.*) a breve scadenza, a breve (termine); (*econ.*) congiunturale: **s.-term action**, interventi a breve (*sull'economia*); **s.-term bank debt**, indebitamento a breve verso le banche; **s.-term borrowing**, indebitamento a breve; **s.-term economic policy**, politica congiunturale; **s.-term financing**, finanziamento a breve; **s.-term fluctuations of demand**, fluttuazioni congiunturali della domanda; **s.-term paper**, titolo di credito a breve termine □ **s.-term saving**, risparmio a breve termine □ (*fig.*) **s.-termism**, il progettare a breve, in vista di un vantaggio immediato; miopia (*spec. in politica, economia e finanza*) □ (*sport*) **a s. throw**, un lancio corto □ (*ind.*) **s. time**, orario ridotto: **to be on s. time** (*o* **to work s. time**), lavorare a orario ridotto: *The workers were put on s. time*, gli operai furono messi a orario ridotto □ (*ind.*) **s.-time working**, lavoro a orario ridotto □ **a s. time ago**, poco tempo fa □ (*spec. USA*) **s. ton**, tonnellata americana (*pari a 2000 libbre, cioè a 907 kg circa*) □ **s. waist**, vita (troppo) alta (*in un vestito*) □ **s.-waisted**, che ha la vita (troppo) alta □ **s. walk**, passeggiata breve; (*equit.*) passo corto (*del cavallo*) □ (*radio*) **a s.-wave broadcast**, una trasmissione sulle onde corte □ **a s.-wave radioset**, un apparecchio radio a onde corte □ **s.-winded**, dal fiato corto, bolso, sfiatato; (*fig.*) conciso, stringato □ **s.-windedness**, fiato corto; bolsaggine; (*fig.*) concisione, stringatezza □ **s.-witted**, di poco cervello; stupido; tonto □ **at s. notice**, con breve preavviso; entro breve termine □ **at s. range**, a breve distanza; a corto raggio □ **to cut a long story s.**, per farla corta (*o* breve) □ **to get s.**, abbreviarsi, accorciarsi: *The days are getting shorter and shorter*, le giornate si accorciano sempre più □ **to give s. weight**, dare il peso scarso; rubare sul peso □ **to make s. work of st.**, consumare (*o* finire, distruggere) qc. rapidamente; liquidare (*o* sbrigare, divorare, fare fuori) qc. in quattro e quattr'otto; (*sport*) liquidare, sbarazzarsi facilmente di (*un avversario*) □ **to make a long story s.**, per farla breve; per tagliar corto; volendo essere conciso □ **to take s. views**, guardare solo al presente; non pensare al futuro; vivere alla giornata.

short② /ʃɔːt/ n. **1** (*fon.*) vocale (*o* sillaba) breve; (una) breve **2** (*prosodia*) segno di breve **3** (*cinem.*, *TV*) short; cortometraggio; corto **4** (*pubbl.*, *TV*) short pubblicitario; spot **5** (*giorn.*) trafiletto **6** (*rag.*) somma parziale **7** (pl.) (*ind.*) sfridi; ritagli **8** (pl.) (*ind.*) cruschello **9** (pl.) (*tecn.*) sopravaglio **10** (pl.) (*Borsa*) titoli di stato a breve termine **11** ammanco (*di denaro*) **12** (*Borsa*) = **s. sale [seller]** → **short**①, *def. 9* **13** (*fam.*) cortocircuito; corto (*fam.*) **14** (*fam.*) bicchierino di liquore **15** (pl., *slang USA*) – **the shorts**, l'essere a corto di soldi: *Mine is a case of the shorts*, sono proprio in bolletta ● **for s.**, per brevità: *They call him Sam for s.*, per brevità, lo chiamano Sam (abbr. di **Samuel**); il suo diminutivo è Sam □ **in s.**, in breve; in poche parole □ **the long and the s. of it**, tutto quel che c'è da dire.

short③ /ʃɔːt/ avv. **1** bruscamente; di botto; di colpo; improvvisamente; tutt'a un tratto: *'She stops s. and catches her breath'* T. Williams, 'si arresta di colpo e trattiene il respiro'; *The car stopped s.*, l'automobile s'arrestò bruscamente; **to stop st. s.**, fermare bruscamente qc.; **to stop sb. s.**, interrompere q. (*che parla*) **2** bruscamente; rudemente; in modo sgarbato: *He talks s. with everybody*, parla in modo brusco con tutti **3** (*Borsa*) allo scoperto: **to sell s.**, vendere (*titoli, ecc.*) allo scoperto **4** (*sport, ecc.*) corto: **to play s.**, giocare corto ● **s. of**, all'infuori di; tranne; ad esclusione di; eccetto: *S. of going on strike, I don't see how we can get a pay rise*, all'infuori di uno sciopero, non vedo come si possa ottenere un aumento salariale □ **s. of actually stealing**, pur senz'arrivare al furto vero e proprio □ (*fam.*) **to be caught s.** = **to be taken s.** → *sotto* □ **to cut s.**, farla corta, tagliar corto; abbreviare (*la procedura, ecc.*); interrompere (*uno che parla*) □ **to cut the matter** (*o* **it**) **s.**, (per) farla corta; (per) tagliar corto; alle corte □ **to fall** (*o* **to come**) **s. of**, non raggiungere, restare indietro a; rimanere al di sotto di, essere inadeguato (*o* insufficiente); venir meno a, deludere: *This poem falls s. of perfection*, questa poesia non raggiunge la perfezione; *His action fell s. of the occasion*, la sua azione fu inadeguata al caso; *The result has come s. of our expectations*, il risultato ha deluso le nostre speranze □ (*fam.*) **to go s. of st.**, restare a corto di qc. □ **to let sb. go s.**, lasciare q. senza (qc.); far mancare (qc.) a q. □ **nothing s. of**, a dir poco; addirittura; senz'altro: **a victory nothing s. of miraculous**, una vittoria a dir poco miracolosa □ (*di un veicolo*) **to pull up s.**, fermarsi di botto; arrestarsi bruscamente □ **to run s.**, venir meno; scarseggiare; esaurirsi: *Our supplies ran s.*, ci vennero meno le provviste □ **to run s. of st.**, restare a corto di qc., rimanere senza qc.: *We've run s. of bread*, siamo rimasti senza pane □ **to sell a crop s.**, vendere un raccolto anzitempo; vendere il grano in erba □ **a shot that falls s.**, un tiro corto (*di fucile, ecc.*) □ **to stop s. of doing st.**, fermarsi prima di fare qc. □ **to take sb. up s.**, interrompere bruscamente q. □ (*fam.*) **to be taken** (*o* **caught**) **s.**, essere messo in difficoltà; sentire un improvviso bisogno corporale; dover scappare in bagno (*fam.*).

to **short** /ʃɔːt/ (*fam.*) **A** v. t. **1** causare un cortocircuito in (*un impianto*); mettere in cortocircuito; cortocircuitare **2** (*USA*, = **to shortchange**) dare il resto sbagliato a (q.) **3** (*USA*) far mancare qc. a (q.); lesinare a (q.): *I shorted him on beer, his favorite drink*, gli lesinai la birra, la sua bevanda preferita **B** v. i. (*elettr.*) andare in corto (circuito): *Mind that the battery connections don't s.*, bada che i collegamenti della batteria non vadano in corto! ● (*USA*) **to s. sb. at the scales**, rubare a q. sul peso □ **to s. out**, (*elettr.*) andare in corto; (*fig. USA*) andare su tutte le furie; esplodere (*fig.*); infuriarsi.

♦**shortage** /ˈʃɔːtɪdʒ/ n. **1** [UC] deficienza; scarsità; carenza; penuria; insufficienza; mancanza: **s. of personnel**, penuria di personale; **food s.**, carenza di cibo; **s. of small change**, mancanza di spiccioli; *There is a s. of raw materials*, c'è scarsità di materie prime **2** (*econ.*, *fin.*, *rag.*) ammanco; deficit: **a s. in cash**, un ammanco di cassa; **to make up the s.**, ripianare il deficit.

shortbread /ˈʃɔːtbred/ n. [U] pasta frolla ● **a piece of s.**, un biscotto di pasta frolla; un frollino.

shortcake /ˈʃɔːtkeɪk/ n. **1** pasticcino (*o* tortino) di pasta frolla **2** tortino ricoperto di frutta: **strawberry s.**, tortino ricoperto di fragole.

to **short-change** /ˈʃɔːtʃeɪndʒ/ v. t. **1** dare il resto sbagliato a (q.); fregare (q.) sul resto (*fam.*) **2** (*slang*) imbrogliare; truffare; fregare.

to **short-circuit** /ʃɔːtˈsɜːkɪt/ **A** v. t. **1** (*elettr.*) causare un cortocircuito in (*un impianto*); mettere in cortocircuito; cortocircuitare **2** (*fig.*) aggirare (*una difficoltà, un ostacolo*); fare a meno di, passare sopra a (*formalità, regole, ecc.*) **3** (*fig.*) guastare; frustrare; ostacolare **B** v. i. (*elettr.*) andare in

a b c d e f g h i j k l m n o p q r s t u v w x y z

cortocircuito; andare in corto (*fam.*).

shortcoming /'ʃɔːtkʌmɪŋ/ n. **1** deficienza; difetto; manchevolezza **2** insufficienza; mancanza; scarsità **3** (pl.) difetti; manchevolezze; imperfezioni; limiti.

shortcrust pastry /'ʃɔːtkrʌst 'peɪstrɪ/ loc. n. (*GB, cucina*) pastafrolla.

shortcut /'ʃɔːtkʌt/ n. (*comput.*) **1** collegamento **2** scelta rapida: **s. key**, tasto di scelta rapida.

to **short-cut** /'ʃɔːtkʌt/ (pass. e p. p. **short-cut**), v. i. prendere una (*o* la) scorciatoia.

to **shorten** /'ʃɔːtn/ **A** v. t. **1** accorciare; abbreviare; ridurre; scorciare: (*alpinismo*) **to s. the rope**, scorciare la corda; **to s. one's life**, accorciarsi la vita; **to s. a visit**, abbreviare una visita; *They are planning to s. the course*, pensano di abbreviare il percorso (*o* la rotta) **2** (*comm.*) diminuire, ribassare, ridurre (*i prezzi*) **3** (*naut.*) serrare (*le vele*); ridurre (*la velatura*) **4** (*cucina*) rendere frollo (*o* friabile) **B** v. i. **1** accorciarsi; abbreviarsi; scorciarsi: *The days begin to s. towards the end of June*, le giornate cominciano ad accorciarsi verso la fine di giugno **2** diminuire; ridursi; calare ● (*mil.*) **to s. step**, accorciare il passo (*marciando*).

shortening /'ʃɔːtnɪŋ/ **A** n. **1** [U] accorciamento; accorciatura; abbreviamento; riduzione **2** (*comm.*) diminuzione, contrazione, riduzione (*di prezzi*) **3** [U] (*cucina*) ingredienti per rendere frolla la pasta (*grasso, burro, ecc.*); grasso (*usato in pasticceria*) **4** (*ling.*) troncamento **B** a. che si accorcia; che diminuisce; che cala.

shortfall /'ʃɔːtfɔːl/ n. **1** [U] (il) non essere all'altezza di; inadeguatezza **2** diminuzione (*sul previsto*); caduta (*fig.*): **a s. in oil output**, una caduta della produzione di petrolio **3** (*econ., fin., rag.*) ammanco; deficit: **a substantial s. in the balance of payments**, un pesante deficit della bilancia dei pagamenti.

shorthand /'ʃɔːthænd/ **A** n. [U] **1** stenografia **2** abbreviazione; eufemismo **B** a. attr. stenografico: **a s. record**, un verbale stenografico ● **s. and typing**, stenodattilografia □ **s. typist**, stenodattilografo; stenodattilografa □ **s. writer**, stenografo, stenografa □ **to take st. down in s.**, stenografare qc.

to **shorthand** /'ʃɔːthænd/ v. t. stenografare.

shorthorn /'ʃɔːthɔːn/ n. (*zootecnia*) bue dalle corna corte ● **s. cattle**, bovini dalle corna corte.

shortie /'ʃɔːtɪ/ → **shorty, B, def. 1.**

shorting /'ʃɔːtɪŋ/ n. [U] (*Borsa*) vendita allo scoperto.

to **short-list** /'ʃɔːtlɪst/ v. t. **1** mettere (q.) nella rosa dei candidati **2** (*leg.*) includere (q.) nella lista dei favoriti.

♦**shortly** /'ʃɔːtlɪ/ avv. **1** presto; in breve tempo; tosto **2** in breve; in poche parole; concisamente **3** bruscamente; seccamente ● **s. after**, poco dopo; dì lì a poco □ **s. before**, poco prima.

shortness /'ʃɔːtnəs/ n. [U] **1** brevità; cortezza (*raro*) **2** piccolezza; bassa statura **3** bruschezza; rudezza **4** mancanza; scarsità; deficienza: **s. of memory**, mancanza di memoria **5** (*metall.*) fragilità **6** (*fon.*) brevità (*di una vocale, ecc.*) ● (*med.*) **s. of breath**, respiro affannoso; mancanza di fiato; bolsaggine.

♦**shorts** /ʃɔːts/ n. pl. **1** shorts; calzoncini corti; (*sport*) calzoncini (*da calciatore, ecc.*) **2** (*USA*) mutandine, slip (*da uomo*).

to **short-sheet** /ʃɔːt'ʃiːt/ v. t. (*fam. USA*) **1** fare il sacco a letto a (q.) **2** (*per estens.*) fregare; buggerare; fare un tiro mancino a (q.).

shortstop /'ʃɔːtstɒp/ n. (*baseball*) inter-base (*la posizione e il giocatore*).

to **short-weight** /'ʃɔːt'weɪt/ v. i. (*comm.*) dare il peso scarso; rubare sul peso.

shorty /'ʃɔːtɪ/ **A** a. (*d'indumento*) corto: **a s. nightdress**, una camicia da notte corta **B** n. **1** (*fam.*) piccoletto; tappo; tappetto; bassotto **2** [U] (*scozz.*) → **shortbread**.

♦**shot**① /ʃɒt/ n. **1** colpo (*d'arma da fuoco*); sparo; tiro; tentativo di colpire: *I heard three shots in quick succession*, udii tre spari in rapida successione; *Let's take one more s. at the target*, facciamo un altro tentativo di colpire il bersaglio; **a blank s.**, uno sparo a salve; una salva; **a bad s.**, un tiro sbagliato **2** (*fig.*) tentativo (*di cogliere nel segno, ecc.*); congettura; supposizione; ipotesi: *He had several shots at it, but all in vain*, fece parecchi tentativi (*di riuscirci, d'indovinare, ecc.*), ma invano **3** (*sport: calcio, ecc.*) tiro; calcio; colpo; conclusione: **a s. at goal**, (*calcio, ecc.*) un tiro a rete (*o* in porta); (*basket*) un tiro a canestro; **a s. at basket**, un tiro a canestro **4** (*boxe*) colpo; pugno: *Lovely s.!*, bel colpo!; buon pugno! **5** (*sport, caccia, ecc.*) tiratore: *He's a dead s.*, è un tiratore infallibile **6** tiro; portata (*di fucile*): *The quail was within rifle s.*, la quaglia era a tiro (*o* a portata di fucile) **7** (*stor.*) palla (*di cannone*); pallottola; proiettile (*non esplosivo*); cfr. **shell**, def. 7) **8** [U] pallini di piombo; munizione da caccia: **s. cartridge**, cartuccia a pallini **9** (*ind. min.*) carica esplosiva; sparo (*di mina*); mina: **s. hole**, foro da mina **10** (*fotogr.*) foto; istantanea: *'I didn't take the camera. I knew it was too risky. I was after bigger game than just a street-shot'* J. FOWLES, 'Non presi la macchina fotografica. Sapevo che era troppo pericoloso. Andavo in caccia di ben altro che una semplice istantanea scattata in strada'; **to take a s.**, fare una foto **11** (*cinem., TV*) ripresa; inquadratura; sequenza; fotogramma **12** (*fam.*) iniezione (*di vaccino, droga, ecc.*); vaccinazione; buco (*pop.*): **a s. in the arm**, un'iniezione in un braccio; (*fig.*) un incoraggiamento, una boccata di ossigeno (*fig.*) **13** (*fam.*) dose, misurino; sorso, goccio; cicchetto; bicchierino (*o* correzione) di liquore: *I can give you a s., if you want*, ne posso dare un goccio (*o* posso darti da bere), se ti va; *He poured a couple of shots*, riempì un paio di bicchierini di liquore; *With a s. of gin please*, corretto con gin, per favore! **14** (*fam.*) probabilità; possibilità: **a 5 to 3 s.**, una probabilità di 5 a 3; *He's a good s. to win the race*, ha buone possibilità di vincere la corsa **15** (*miss.*) lancio: **a moon s.**, un lancio sulla luna **16** [U] (*mecc.*) granaglia (*sferica*) di acciaio: (*ind. min.*) **s. drill**, sonda a granaglia **17** (*fonderia*) iniezione: **s. capacity**, capacità di iniezione **18** (*ind. tess.*) trama; lunghezza del filo di trama: **a two-s. carpet**, un tappeto a doppia trama **19** (*atletica*) peso (*palla di metallo*): **putting the s.**, lancio del peso **20** fitta; dolore improvviso **21** (*volg.*) eiaculazione ● **s. across the bows**, (*naut., mil.*) colpo di cannone rasente di prua; (*fig.*) serio avvertimento □ (*mecc.*) **s. blasting**, sabbiatura metallica; pallinatura □ **s. in the dark**, uno sparo nel buio; (*fig.*) un tentativo alla cieca, una cosa detta tirando a indovinare; un'ipotesi azzardata □ (*tecn.*) **s. peening**, pallinatura □ (*atletica*) **s. put**, lancio del peso □ (*sport*) **s. putter**, pesista; lanciatore di peso □ (*sport*) **s. putting**, lancio del peso (*la specialità*) □ (*calcio*) **s. stopper**, portiere capace nelle parate (*ma non con i traversoni*) (*un tempo*) □ **s. tower**, torre per la fabbricazione di pallini da caccia □ **at a s.**, con un solo colpo; (*fig.*) d'acchito □ (*fam.*) **to call the shots**, dire quello che si deve fare; dirigere; essere il capo; comandare □ (*fam. USA*) **to give it one's**

best s., fare del proprio meglio; mettercela tutta □ **to have** (*o* **to take**) **a s. at**, tirare a (*con l'arco, la fionda, ecc.*); sparare un colpo a; (*fig.*) fare un tentativo di: *I'll have a s. at it*, ci provo io □ **like a s.**, immediatamente, all'istante, subito; come un fulmine, di volata; senza esitazione: **to do st. like a s.**, fare qc. immediatamente; *He was off like a s.*, scappò come un fulmine □ **to make a bad s.**, fare un tiro sbagliato, tirare male; (*fig.*) non saper indovinare; sbagliare □ (*fig.*) **to make a good s.**, fare un buon tiro, tirare bene; cogliere nel segno; indovinàre □ **It's your s.**, tocca a te tirare (*o* sparare); (*fig.*) tocca a te provare.

shot② /ʃɒt/ **A** pass. e p. p. di **to shoot** **B** a. **1** striato: **s. sky**, cielo striato **2** (*di tessuto*) cangiante; screziato: **s. silk**, seta cangiante **3** (*fam.*) esausto; sfinito; distrutto; rovinato ● **to be s. dead**, essere ucciso a fucilate (*o* a colpi di pistola, ecc.) □ (*aeron. mil.*) **s.-down**, abbattuto: **s.-down air crews**, equipaggi di aerei abbattuti □ (*di film*) **s. on location**, girato in esterni (*o* sul luogo) □ (*fam.*) **to be** (*o* **to get**) **s. of**, essersi sbarazzato di; essere libero da □ **s. through with**, intriso di (*fig.*) □ (*fam.*) **s. to hell**, annientato; a pezzi; in briciole; distrutto; disintegrato □ (*fam. USA*) **My nerves are s.**, ho i nervi a pezzi.

shot③ /ʃɒt/ n. parte; quota.

to **shot** /ʃɒt/ v. t. **1** caricare (*un fucile*) a pallini da caccia **2** appesantire (qc.) con pallini di piombo.

to **shot-blast** /'ʃɒtblɑːst/ v. t. (*mecc.*) pallinare.

shotgun /'ʃɒtgʌn/ n. **1** schioppo (*per lo più a due canne*); doppietta; fucile da caccia **2** (*fam. USA*) (come escl.) siedo io davanti (*in macchina*) ● (*USA*) **s. house**, casa con tutte le stanze sullo stesso asse □ **s. wedding**, matrimonio riparatore (*sotto minaccia delle armi*) □ (*USA*) **to ride s.**, fare da scorta; scortare.

to **shot-peen** /'ʃɒtpiːn/ v. t. (*ind.*) pallinare.

shotten /'ʃɒtn/ a. (*di aringa, ecc.*) che ha finito di deporre le uova.

shotting /'ʃɒtɪŋ/ n. [U] **1** (*mecc.*) granaglia (di acciaio) **2** fabbricazione di pallini.

♦**should** /ʃʊd, ʃəd/ v. modale

should, come tutti i verbi modali, ha caratteristiche particolari:
● ha significato di condizionale;
● non ha forme flesse (-s alla 3ª pers. sing. pres., -ing, -ed), non è mai usato con ausiliari e non ha quindi tempi composti;
● forma le domande mediante la semplice posposizione del soggetto;
● la forma negativa è **should not**, spesso abbreviato in **shouldn't**;
● l'infinito che segue non ha la particella *to*;
● viene usato nelle *question tags*

1 (*esprime dovere, raccomandazione, opportunità*) – *Matches s. be kept out of the reach of children*, i fiammiferi dovrebbero essere tenuti fuori della portata dei bambini; *Wrongdoers s. be punished*, chi fa del male dovrebbe (*o* deve) essere punito; *I s. eat less*, dovrei mangiare di meno; *You s. go to bed*, dovresti andare a letto; *Perhaps I s. first explain that...*, forse per prima cosa dovrei spiegare (*o* è bene che io spieghi) che...; *Why shouldn't I say what I think?*, perché non dovrei dire quello che penso?; *«I'm so sorry» «So you s. be»*, «mi dispiace molto» «direi!» **2** (*seguito da inf. pass., esprime rammarico o rimprovero per qc. di non avvenuto*) – *We shouldn't have gone*, non saremmo dovuti andare; *You s. have let me know*, avresti dovuto informarmi; *A present for me? Oh, you shouldn't have!*, un regalo per me? oh, ma non dovevi (*o* non era il caso)!; *«I do not know if I s. tell Your Grace»* «*Then tell*

me and I will tell you if you s. have told»' R. BOLT, '«non so se dovrei dirlo a Vostra Grazia» «Allora ditemelo e io vi dirò se avreste dovuto dirlo»' **3** (alla 2ª e 3ª pers. sing. o pl.: esprime consiglio, suggerimento) – You s. be more careful, dovresti stare più attento; Shouldn't you tell her you're sorry?, non dovresti chiederle scusa?; I think your wife s. know, penso che tua moglie dovrebbe saperlo; He shouldn't drink so much, non dovrebbe bere tanto **4** (alla 1ª pers. sing. o pl.: nelle frasi interr., esprime richiesta di consiglio, informazione, ecc.) – S. I tell James?, devo dirlo a James?; I asked him whether I s. sell my shares, (rif. al futuro) gli ho chiesto se è bene che venda le mie azioni; (rif. al passato) gli chiesi se avrei fatto bene a vendere le mie azioni; What s. I wear for the interview?, come devo vestirmi per il colloquio? **5** (esprime probabilità) – We s. be there by ten, dovremmo essere là per le dieci; It shouldn't cost you more than a hundred pounds, non dovrebbe costarti più di cento sterline; There shouldn't be any difficulty, non dovrebbero esserci difficoltà; They s. have heard about it, dovrebbero esserne stati informati; You s. know, dovresti saperlo; How s. I know?, come faccio a saperlo?; che ne so io? **6** (form. o antiq.) (alla 1ª pers. sing. e pl.: nel periodo ipotetico) – I s. be surprised if I found out that it isn't so, sarei sorpreso se scoprissi che le cose non stanno così; I shouldn't sleep easy if I had so much money in the house, non dormirei tranquillo se avessi in casa tanto denaro; I s. refuse if I were you, se fossi in te rifiuterei; I shouldn't worry about it, io non me ne preoccuperei; We should be pleased to meet her, saremmo lieti di conoscerla **7** (form.) (esprime eventualità) – If something s. happen to you, I don't know how I could bear it, se ti dovesse succedere qualcosa, non so come lo sopporterei; If anyone s. see us, they'd think we were crazy, se qualcuno ci vedesse, penserebbe che siamo matti; I don't think he'll come, but if he s., give him this note, non credo che verrà, ma se per caso venisse, dàgli questo biglietto; S. the committee decide against the proposal, we would have to think of something else, se la commissione dovesse bocciare la proposta, dovremmo escogitare qualcos'altro; S. the opportunity arise..., se si presentasse l'occasione... **8** (nelle subordinate rette da verbi di pensiero, opinione, timore, speranza, ecc., o da espressioni impersonali) – He proposed that the meeting s. be held the following Monday, propose che la riunione si tenesse il lunedì seguente; I was afraid he s. come back, avevo paura che ritornasse; (It's) funny you s. mention her, è curioso che tu faccia il suo nome **9** (dopo verbi di giudizio, esprime un dovere in base a regola o legge) – The Court has ruled that I s. receive compensation, il tribunale ha sentenziato che io debba essere (o che io sia) risarcito **10** (form.) (alla 1ª pers. sing. o pl.: davanti a verbi di gradimento, piacere, ecc.) – I s. like to read it, mi piacerebbe leggerlo; I s. be happy to see some change here, sarei lieto di vedere qualche cambiamento in questo posto; But of course, I s. be delighted!, ma certo, ne sarei lietissima!; I s. like to make an announcement, desidero fare un annuncio **11** (alla 2ª pers.: davanti all'inf. pass. di un verbo di percezione, sottolinea meraviglia, divertimento, indignazione, ecc.) – You s. have seen her face!, avresti dovuto vedere la sua faccia!; You s. have heard the language he used!, avresti dovuto sentire che razza di linguaggio ha tirato fuori! **12** (dopo **so that**: esprime finalità) – We moved to the end of the room so that we shouldn't be heard, ci spostammo in fondo alla sala per non essere sentiti; 'What have I ever done to you that you s.

shoot me?' B. BEHAN, 'che cosa ti ho mai fatto perché tu debba spararmi?' **13** (nelle domande retoriche con **who** e **what**, esprime sorpresa divertita) – Who s. I meet at the airport but Jack?, e chi t'incontro all'aeroporto? Jack!; What s. happen then but that the telephone rang?, e a quel punto non comincia a squillare il telefono? ● **as it s. be**, come deve essere; come è normale che sia; com'è giusto; a posto; che va bene □ **I s. hope not**, mi auguro di no □ **I s. hope so**, lo spero bene; me lo auguro □ **I should say so**, direi □ **I s. think**, immagino; suppongo □ **I s. think not**, spero proprio di no; direi; vorrei vedere □ **I s. think so**, immagino (o direi) di sì; (anche, enfatico) direi !, ci credo! □ **I s. have thought that...**, avrei detto che... □ **So it s. seem**, così pare; parrebbe; a quanto pare.

♦**shoulder** /'ʃəʊldə(r)/ n. **1** (anat.) spalla (anche fig.): **to dislocate one's s.**, slogarsi una spalla; **broad shoulders**, spalle larghe (anche fig.); **round shoulders**, spalle curve; (fig.) **the s. of a bastion**, la spalla d'un bastione **2** □ (cucina) spalla: **a s. of lamb**, una spalla d'agnello **3** (pl.) spalle (anche fig.): **to carry st. on one's shoulders**, portare qc. sulle spalle; **to shift the responsibility onto other shoulders**, gettare la responsabilità sulle spalle altrui **4** (tipogr.) spalla (di un carattere) **5** (mecc.) spallamento: **s. gear**, ingranaggio con spallamento **6** (di strada) margine; bordo; banchina **7** (alpinismo) spalla (di un monte) ● **s. bag**, borsa a tracolla □ **s. belt**, bandoliera, tracolla; cintura di sicurezza a bretella □ (anat.) **s. blade**, scapola □ **s. brace**, busto per raddrizzare la schiena (a un bambino, ecc.) □ (calcio, ecc.) **s. charge**, contrasto di spalla □ **s. flash**, mostrina (di divisa militare) □ (sport) **s. guard** (o **s. harness**), paraspalle □ **s. knot**, cordone (di militare o di servo in livrea); cinghia (di zaino, ecc.) □ **s.-length**, all'altezza delle spalle: **s. length hair**, capelli che arrivano alle spalle □ (USA, di esercito e aeron.) **s. loop**, spallina □ (USA, della marina) **s. mark**, spallina □ (sartoria) **s. pad**, spallina (imbottitura); (sport) paraspalle □ (sartoria) **s. padding**, imbottitura della spalla □ **s. strap**, spallina, bretella (d'abito femminile o d'impermeabile); (mil.) spallina (di uniforme); cinghia a tracolla (per portare una sacca, ecc.); (golf) tracolla □ (lotta, judo) **s. throw**, proiezione di spalla □ **s. to s.**, spalla a spalla; (fig.) aiutandosi reciprocamente □ (mil.) **s. weapon**, arma da spalla □ **across the s.**, a spalla; a tracolla □ **to bring a rifle to one's s.**, imbracciare un fucile □ (fig. fam.) **from the s.**, (detto) a muso duro (o fuori dai denti) □ (fig.) **to give sb. the cold s.**, trattare q. con freddezza □ **to lay the blame on the right shoulders**, addossare la colpa a chi ce l'ha □ (to need) **a s. to cry on**, (avere bisogno di) una spalla su cui piangere □ **over the s.** = **across the s.** → sopra □ (fig., antiq.) **to put (to set) one's s. to the wheel**, mettersi al lavoro di buona lena; darci dentro (fam.) □ (fig.) **to rub shoulders with sb.**, frequentare q.; essere in amicizia con q. □ **to shrug one's shoulders**, alzare le spalle; stringersi nelle spalle; fare spallucce □ (fig.) **to stand head and shoulders above sb.** [st.], superare q. [qc.] di gran lunga; valere assai più di q. [qc.] □ **straight from the s.**, (di un pugno) portato con la spalla, ben assestato; (di parole) a muso duro, fuori dai denti; (di critica, consiglio, ecc.) franco, esplicito, leale.

to **shoulder** /'ʃəʊldə(r)/ Ⓐ v. t. **1** prendere sulle spalle; caricarsi di; (fig.) accollarsi, addossarsi, assumersi, sobbarcarsi: He shouldered all the liabilities of the firm, si addossò tutto il passivo dell'azienda; **to s. the entire responsibility**, assumersi tutta la responsabilità **2** spingere con le spalle Ⓑ v. i. lavorare di spalle; farsi largo a spallate ● (mil.) **to s. arms**, mettere il fucile in posizio-

ne di bracci'arm (USA: di spall'arm): S. arms!, bracci'arm!; (USA) spall'arm! □ (calcio, ecc.) **to s. aside**, spostare (un avversario) con una spallata □ **to s. out**, spingere (o cacciare) a spallate: 'The weaker buffaloes [were] shouldered out to the sides of the ravine' R. KIPLING, 'i bufali più deboli furono spinti a spallate sui fianchi del burrone' □ **to s. one's way through the crowd**, farsi largo a spallate tra la folla.

♦**shouldn't** /'ʃʊdnt/ vc. verb. (contraz. di) **should not**.

shouldst /ʃʊdst/ vc. verb. 2ª pers. sing. pass. arc. di **should**.

shout /ʃaʊt/ n. **1** grido; urlo; strillo: The poor girl gave a s., la povera ragazza cacciò un urlo; **shouts of joy**, grida di gioia **2** (fam.) turno di pagare da bere: It's my s., tocca a me offrire; offro io!; pago io! **3** (fam.) saluto (alla radio, in discoteca, ecc.) ● **shouts of laughter**, scrosci di risa □ **to give sb. a s.**, avvertire q.; chiamare q.: If I'm not up before 7.30, could you give me a s.?, se non sono in piedi per le 7:30, mi chiameresti?

♦to **shout** /ʃaʊt/ v. i. e t. **1** gridare; urlare; strillare; parlare ad alta voce; schiamazzare; vociare: **to s. for help**, gridare aiuto; **to s. with pain**, gridare dal dolore; Don't s.!, non urlare!; **to s. to sb.**, gridare a q.; chiamare q. a gran voce **2** (slang) pagare un giro di bevute (o di consumazioni): Next time I'll s. you a beer, la prossima volta ti offro io una birra ● **to s. one's approbation**, esprimere la propria approvazione con alte grida; acclamare □ **to s. at sb.**, alzare la voce con q.; inveire contro q.; I'm sorry, I didn't mean to s. at you, mi dispiace, non volevo alzare la voce con te □ **to s. sb. down**, far tacere q. a forza di grida; zittire (un oratore, ecc.) □ **to s. fire**, gridare al fuoco □ **to s. for joy**, esultare di gioia □ (mil. e sport) **to s. instructions**, dare istruzioni ad alta voce □ **to s. oneself hoarse**, perdere la voce a furia di urlare; sgolarsi □ **to s. one's orders**, dare ordini gridando (o a gran voce, a squarciagola) □ **to s. with laughter**, ridere rumorosamente □ He shouted to (o for) me to go, mi gridò di andare.

shouter /'ʃaʊtə(r)/ n. **1** chi grida, urla, ecc.; strillone, strillona **2** (di un cantante) urlatore.

shouting /'ʃaʊtɪŋ/ n. Ⓤ grida; gridio; clamore; vocio; acclamazioni; schiamazzo ● **s. match**, baruffa; litigata (con urla e strepiti) □ **within s. distance**, a portata di voce □ (fam., sport) **It's all over bar (o but) the s.**, la partita (o la gara, ecc.) è ormai decisa; c'è solo da aspettare il fischio finale.

shove /ʃʌv/ n. (anche sport) spinta; urto; spintone: **to give sb. a s.**, dare una spinta a q. (anche, fig., per aiutarlo a partire); (fam.) **to get the s.**, ricevere il benservito; (fam.) **to give sb. the s.**, dare il benservito a q.

♦to **shove** /ʃʌv/ Ⓐ v. t. **1** spingere; sospingere: The hunted man shoved the furniture against the door, l'uomo braccato spinse i mobili contro la porta **2** (fam.) gettare; mettere; cacciare; ficcare: S. it in the drawer, mettilo nel cassetto; He shoved the money into his pocket, si cacciò i soldi in tasca **3** (spec. sport) strattonare Ⓑ v. i. **1** spingere; dare spinte; farsi largo a spintoni **2** spostarsi ● (fam.) **S. it!**, piantala!; smettila!; va a quel paese! (volg.).

■ **shove about** v. t. + avv. **1** spintonare (q.) **2** (fig.) mandare (q.) in giro; comandare (q.) a bacchetta; tiranneggiare (q.).

■ **shove along** Ⓐ v. t. + avv. spingere (un carretto e sim.) Ⓑ v. i. + avv. (fam.) andarsene; partire □ **S. along!**, (farsi) avanti!; (nell'autobus, ecc.) avanti c'è posto!

■ **shove around** → **shove about**.

■ **shove aside** v. t. + avv. spostare di lato;

a b c d e f g h i j k l m n o p q r s t u v w x y z

spingere da parte.

■ **shove at** v. t. e i. + prep. **1** spingere (qc.) verso (q.): *He shoved the dish at me*, spinse verso di me il piatto **2** spingere **3** (*fig.*) gettare in faccia a (*fig.*); imporre (*qc. di spiacevole*) all'attenzione di (q.).

■ **shove away** A v. t. + avv. **1** spingere via; allontanare; spostare (*un oggetto*) **2** respingere, allontanare da sé (q.) B v. i. continuare a spingere (*o a spintonare*).

■ **shove back** v. t. + avv. **1** spingere indietro **2** rimettere a posto (*un oggetto*) spingendo **3** (*mil.*) respingere, ricacciare (*il nemico*).

■ **shove by** A v. i. + avv. spingere, spintonare (*in una ressa, ecc.*) B v. i. + prep. spingere (q.) da parte; spintonare (q.).

■ **shove down** v. t. e i. + avv. **1** spingere (giù); pestare, ammaccare (*l'erba, ecc.*) **2** distruggere, abbattere (qc.) spingendo **3** (*fam.*) buttare giù, scrivere (*appunti, ecc.*); annotare; prendere giù (*fam.*) □ (*fig. fam.*) **to s. st. down sb.'s throat**, imporre, appioppare qc. a q.

■ **shove forward** v. i. + avv. **1** spingersi avanti **2** (*mil.*) avanzare **3** (*fam.*) continuare a camminare (*o a lavorare, ecc.*) □ **to s. forward with a plan**, portare avanti un progetto.

■ **shove in, shove into** → **push in, push into**.

■ **shove off** A v. t. + avv. **1** spingere, sospingere: *He didn't fall accidentally; he was shoved off*, non è caduto per disgrazia; l'hanno spinto (giù) **2** (*naut.*) spostare (*una barca*) dalla riva; far prendere il largo a B v. i. + avv. **1** (*fam.*) andarsene; partire; andare via; filare; smammare: *S. off!*, vattene!; fila!; smamma! **2** (*fam.: di uno spettacolo, ecc.*) cominciare **3** (*naut.*) staccarsi dalla riva; salpare; prendere il largo □ (*fig.*) **to s. st. off on sb.**, rifilare, affibbiare, ecc.) qc. a q.

■ **shove on** A v. i. + prep. **1** spingere su (*un oggetto*) **2** (*fig. fam.*) imporre, affibbiare (qc.) a (q.) B v. i. + avv. continuare a camminare (*a lavorare, ecc.*); andare avanti C v. t. + avv. (*fam.*) spingere, forzare (q.).

■ **shove out** v. t. + avv. **1** spingere fuori; far uscire (*il gatto, un fermo, un beccuccio, ecc.*) **2** (*fam.*) buttare fuori; licenziare.

■ **shove over** A v. t. + avv. rovesciare; abbattere (*un muro, ecc.*) con una spinta; buttare (q.) a terra B v. i. + avv. muoversi; spostarsi (*per fare posto*); farsi in là: *S. over!*, fatti (più) in là!

■ **shove past** → **shove by**.

■ **shove through** → **push through**.

■ **shove up** v. i. + avv. farsi avanti; fare posto (*a quelli che si accalcano*): *S. up, will you?*, fatti (più) in là!

shove halfpenny /ʃʌv'heɪpnɪ/ n. gioco (*nei pub e in qualche club*) consistente nello spingere monetine (*o dischetti metallici*) dentro le caselle disegnate su un apposito tabellone di legno.

shovel /'ʃʌvl/ n. **1** badile; pala; pala da neve **2** paletta **3** (*mecc.*) escavatore a cucchiaia; pala meccanica **4** → **shovelful** ● **s. hat**, cappello di feltro nero dall'ampia tesa rialzata (*portato dal clero anglicano*) □ (*mecc.*) **s. loader**, pala caricatrice; caricatore.

to shovel /'ʃʌvl/ v. t. **1** spalare: **to s. the snow**, spalare la neve **2** aprire con la pala (*o col badile*) □ **to s. food into one's mouth**, ingozzarsi; mangiare a quattro palmenti.

shovelboard /'ʃʌvəlbɔːd/ n. ⓤ → **shuffleboard**.

shovelful /'ʃʌvlful/ n. palata; badilata (*quanto sta in una pala o in un badile*).

shoveller, (*USA*) **shoveler** /'ʃʌvələ(r)/ n. **1** spalatore; chi adopera la pala **2** (*zool.*, *Anas clypeata*) mestolone ● **mechanical s.**, spalatrice meccanica.

shovelling, (*USA*) **shoveling** /'ʃʌvəlɪŋ/ n. ⓤⓒ spalatura.

shoving /'ʃʌvɪŋ/ n. ⓤ **1** lo spingere; urtoni **2** (*sport*) spinta, spinte (*fallo*).

show /ʃəʊ/ n. **1** esposizione; mostra; fiera; esibizione; salone ● **a s. of paintings**, un'esposizione di quadri; **a flower s.**, una mostra di fiori; **a dog [cattle] s.**, una mostra canina (*di bovini*); **a sample s.**, una fiera campionaria; **the Motor [the Boat] S.**, il salone dell'automobile [della nautica] **2** ⓒⓤ mostra; esibizione; ostentazione; dimostrazione; sfoggio: **a s. of affection**, una dimostrazione d'affetto; (*mil., polit., ecc.*) **a s. of force**, un'ostentazione di forza **3** ⓒⓤ apparenza; finzione; mostra; finta: *It's all s!*, è tutta una finta!; **to do [to say] st. for s.**, fare [dire] qc. per mostra **4** ⓤ aspetto esteriore; esteriorità; parvenza: *After all, it's your s.!*, dopotutto, è affar tuo!; *He wants to run (o to boss) the s.*, vuole essere a capo dell'azienda; vuole comandare lui; *You're in charge of the whole s.*, sei tu il capo della baracca! **8** (*fam.*) affare; cosa; faccenda: **a disgraceful s.**, un brutt'affare; una cosa vergognosa; **to give the (whole) s. away**, mettere a nudo la faccenda; svelare le magagne; scoprire gli altarini **9** (*fam., spec. USA*) occasione; opportunità: *Give him a fair s.*, dategli l'occasione di mostrare quel che vale (*o quel che sa fare*) **10** (*fam.*) prova di sé; prestazione; comportamento **11** (*gergo mil.*) prova di forza; battaglia; operazione; l'impegnarsi il nemico **12** (*ipp., USA*) piazza d'onore, terzo posto (*in una corsa*) ● (*teatr.*) **s. bill**, cartellone, manifesto □ **s.-box**, scatola che contiene foto piccanti (*che si vedono attraverso un foro*) □ **s. business** → **showbusiness** □ (*USA*) **s. biz** → **showbiz** □ **s. card** → **showcard** □ **s. ground**, zona fiera (*o fieristica*) □ (*comm.*) **s.-how**, dimostrazione (*di un metodo, ecc.*) □ (*nelle votazioni*) **s. of hands**, alzata di mano: **to vote by (a) s. of hands**, votare per alzata di mano □ (*fig.*) **s.-off**, ostentazione, esibizionismo; (*fam.*) esibizionista, mattatore □ (*fam. GB: di persona o personaggio vistosi*) **s. pony**, primadonna; primattore □ (*leg.*) **s.-up**, confronto (*tra l'imputato e la vittima o un testimone*); confronto all'americana □ **s. stopper**, (*teatr.*) canzone (numero, ecc.) che scatena gli applausi; (*fig.*) cosa eccezionale; capolavoro □ **s. trial**, processo politico (*per dimostrare il potere del governo*) □ (*USA*) **s.-window**, vetrina; mostra (*di negozio*) □ **for s.**, per mostra; per salvare le apparenze □ (*USA*) **to get a fair s.**, essere trattato con lealtà (*o con equità*) □ (*fig. USA*) **to get the s. on the road**, dare inizio ai lavori (al progetto, alla campagna) □ (*fam. antiq.*) **Good s.!**, bel lavoro!; bravo!; benissimo! □ **to make a s. of**, far mostra di; fingere di; mettere in mostra; ostentare: *He made a s. of interest [of accepting my offer]*, fece finta di essere interessato [di accettare la mia offerta] □ **to make a s. of indifference**, ostentare indifferenza □ **to make a fine s.**, fare un bell'effetto; far figura □ **a s. of solidarity**, un gesto di solidarietà □ **to be on s.**, essere in mostra; essere esposto; (*di merce*) essere in vetrina □ (*fam.*) **to put up a good [a poor] s.**, dare una buona [una cattiva] prova di sé; fare una bella [una misera] figura; figurare bene [male] □ (*fam.*) **to steal the s.**, monopo-

lizzare (*o prendersi tutti*) gli applausi; fare un successone; essere la star (*di un evento mondano*) □ (*fam.*) **Let's get this s. on the road!**, cominciamo!

◆**to show** /ʃəʊ/ (pass. **showed**, p. p. **shown**) A v. t. **1** mostrare; far vedere; esibire; mettere in mostra; esporre; presentare a una mostra; dimostrare; indicare; additare; segnare: *S. us the garden*, mostraci il giardino; *I was shown a specimen*, mi mostrarono un esemplare; *S. me how to do it*, fammi vedere come si fa; *All passengers are to s. their passports*, tutti i passeggeri devono esibire i passaporti; **to s. one's goods**, mettere in mostra (*o esporre*) la propria merce; **to s. paintings**, esporre quadri (a un mostra); *We are going to s. the new spring collection*, esporremo la nuova collezione primaverile; *He showed neither joy nor sorrow*, non dimostrò né gioia né dolore; *He shows his age*, dimostra gli anni che ha; *Please s. me the way*, per favore, indicami la strada!; *A barometer shows air pressure*, il barometro segna la pressione atmosferica; (*sport: dell'arbitro*) **to s. the red [the yellow] card**, mostrare il cartellino rosso [giallo] **2** dimostrare; provare; rivelare: *This shows you how difficult it is*, questo ti dimostra quanto sia difficile; *This goes to s. that you can do it*, ciò sta a dimostrare che sei capace di farlo; *The report shows that he did it on purpose*, il rapporto prova che l'ha fatto di proposito **3** accompagnare; condurre; guidare; portare: **to s. sb. to the door**, accompagnare q. alla porta; *I'll just get someone to s. you to your room*, chiamo qualcuno che vi accompagni alla camera **4** (*econ., fin., comm.*) far registrare; presentare; accusare: **to s. a big increase in exports**, far registrare un forte aumento delle esportazioni; **to s. a deficit**, presentare un deficit; (*di conti*) essere in rosso; *The stock market showed a heavy fall yesterday*, ieri la borsa ha accusato una forte flessione **5** (*cinem.*) proiettare; (*teatr.*) rappresentare; programmare; dare (*fam.*): *They're showing a famous film of the 1920s*, danno un famoso film degli anni venti B v. i. **1** apparire; vedersi: *The buds are just showing*, appaiono i primi germogli **2** (*fam. USA*) farsi vedere; mostrarsi; fare atto di presenza; comparire: *Her husband never shows at her at-homes*, il marito non si fa mai vedere ai ricevimenti della moglie **3** vedersi; essere visibile: *The mend doesn't s. at all*, il rammendo non si vede affatto; *Does the scar still s.?*, si vede ancora la cicatrice? **4** (*cinem.*) essere in programma; essere proiettato: *What's showing tonight?*, che cosa danno stasera? **5** essere in mostra; (*anche arte*) fare una mostra; partecipare (*a una mostra, un concorso, ecc.*) ● **to s. one's class**, fare sfoggio di classe □ (*fig.*) **to s. a clean pair of heels**, darsela a gambe □ (*fig.*) **to s. the cloven hoof**, rivelare un'indole malvagia, diabolica □ **to s. sb. the door**, mostrare la porta a q.; mettere q. alla porta □ **to s. one's face (o head)**, mostrare la faccia; farsi vedere □ **to s. fight**, mostrarsi bellicoso; accettare il combattimento (*o lo scontro*); opporre resistenza □ (*sport*) **to s. good play**, esprimere un bel gioco □ **to s. one's hand**, scoprire il proprio gioco; (*fig.*) mettere le carte in tavola, rivelare le proprie intenzioni □ **to s. a leg**, mettere giù una gamba dal letto; alzarsi: *S. a leg!*, giù dal letto! □ (*lett.*) **to s. mercy on (o upon) sb.**, aver pietà di q. □ **to s. oneself**, mostrarsi in pubblico, farsi vedere; dimostrarsi, dar prova d'essere: *He showed himself to be clever [a clever student]*, dimostrò d'essere bravo [un bravo studente] □ **to s. sb. the sights**, far vedere a q. le cose più notevoli (*monumenti, ecc.*) d'una città (*o d'un luogo*); fare da cicerone a q. □ **to s. signs of**, dar segno di; dimostrare di □ (*an-*

che fig.) **to s. one's teeth**, mostrare i denti □ (*fig. lett.*) **to s. the way**, indicare il cammino; aprire la strada (*fig.*) □ **to have nothing to s. for all one's efforts [for one's life's work]**, non avere niente in mano dopo tutti gli sforzi compiuti [dopo una vita di lavoro]; stringere un pugno di mosche (*fig.*) □ **That dress shows your underwear**, con quel vestito ti si vede quello che porti sotto □ (*in treno, ecc.*) **S. your tickets, please**, biglietti, prego! □ **I'll s. you!**, ti faccio vedere io! □ (*prov.*) **Time will s.**, chi vivrà vedrà.

▪ **show around** v. t. + avv. (o prep.) **1** accompagnare in (una) visita; portare in giro (q.); fare da guida a (q.): *My wife will s. you around*, mia moglie ti accompagnerà in giro per la casa (*ve la farà visitare*); *Could you s. Martin around for me?*, ti dispiacerebbe fare da guida a Martin al posto mio?; *S. the party around*, porta in giro la comitiva! **2** far visitare (qc.): *I'll s. the foreign visitors around the factory*, farò visitare la fabbrica agli ospiti stranieri.

▪ **show down** v. t. + avv. mettere in tavola (*le carte*); (*fig.*) scoprire (*le carte*).

▪ **show downstairs** v. t. + avv. accompagnare (q.) da basso (*o di sotto*); fare scendere (q.).

▪ **show home** v. t. + avv. accompagnare (q.) a casa.

▪ **show in** v. t. + avv. accompagnare (q.) dentro; introdurre, far accomodare, far entrare (q.): *S. in the visitors, please*, per favore, fai entrare i visitatori!

▪ **show into** v. t. + prep. far entrare, introdurre, far accomodare (q.) in (*un luogo*).

▪ **show off** [A] v. t. + avv. **1** mettere in evidenza (o in risalto); far risaltare; sottolineare (*fig.*); valorizzare: *Her black dress showed off her blond hair*, l'abito nero metteva in risalto i suoi capelli biondi **2** mettere in mostra; fare sfoggio di; sfoggiare; ostentare: *He enjoyed showing off his new motorbike to his friends*, con grande piacere sfoggiava davanti agli amici la sua moto nuova [B] v. i. + avv. mettersi in mostra; darsi delle arie; pavoneggiarsi; fare la ruota (*fig.*).

▪ **show out** v. t. + avv. accompagnare (q.) alla porta; far uscire: *I'll s. you out*, l'accompagno all'uscita; *You needn't s. me out; I know my way*, non importa che mi accompagni; so la strada.

▪ **show over** v. t. + prep. far visitare (*un luogo*); fare da guida a (q.) nella visita a: *The landlady will s. you over the house*, la padrona vi farà vedere la casa; *He showed us over the show*, ci fece visitare la mostra.

▪ **show round** → **show around**.

▪ **show through** v. i. + avv. (o prep.) vedersi (attraverso); trasparire (anche *fig.*): *He's so thin that the ribs s. through*, è così magro che gli si vedono le costole; *His joy showed through his eyes*, la gioia che provava gli traspariva dagli occhi.

▪ **show up** [A] v. t. + avv. **1** accompagnare (q.) di sopra; far salire: *S. him up!*, fallo salire! **2** rivelare; far apparire; mettere in luce (anche *fig.*); dimostrare: *The light showed up the wrinkles on his face*, la luce rivelava le rughe del suo viso; *His failure showed up the weakness of his plan*, il fallimento dimostrò la debolezza del suo progetto **3** svelare, mettere a nudo (*un inganno, ecc.*); smascherare (q.): **to s. up a swindler**, smascherare un imbroglione **4** (*spec. ingl.*) far fare una brutta figura (*o una figuraccia*) a (q.); far vergognare (q.); mettere (q.) in imbarazzo: *He showed me up by getting drunk at my boss's party*, mi ha fatto fare una figuraccia ubriacandosi alla festa del mio capo [B] v. i. **1** apparire; comparire; saltare fuori: *New words are showing up all the time*, compaiono di continuo parole nuove **2** (*di un difetto, ecc.*) vedersi; notarsi **3** (*fam.*) farsi vede-

re; farsi vivo; arrivare; presentarsi; intervenire: *Only the bigger shareholders showed up for the general meeting*, all'assemblea generale intervennero soltanto gli azionisti maggiori.

▪ **show upstairs** v. t. + avv. accompagnare (q.) di sopra; far salire (q.).

showbiz /ˈʃəʊbɪz/ n. [U] (*fam.*) industria dello spettacolo; mondo dello spettacolo.

showboat /ˈʃəʊbəʊt/ n. **1** (*spec. USA; un tempo*) showboat; battello fluviale adibito a locale di spettacolo **2** (*fam. USA*) mattatore; istrione; mattatrice; prima donna.

to **showboat** /ˈʃəʊbəʊt/ v. i. (*fam. USA*) **1** mettersi in mostra; dare spettacolo **2** (*sport*) fare dell'accademia: **to do a bit of showboating**, fare un po' di accademia **3** (*teatr.*) gigioneggiare; fare il mattatore (*o la prima donna*).

showbusiness /ˈʃəʊbɪznɪs/ n. [U] industria dello spettacolo; mondo dello spettacolo.

showcard /ˈʃəʊkɑːd/ n. **1** (*market.*) cartello (*da vetrina*) **2** (*pubbl.*) cartello pubblicitario **3** (*teatr.*) cartellone.

showcase /ˈʃəʊkeɪs/ n. **1** bacheca; vetrinetta **2** (*fig.*) vetrina (*fig.*); occasione (*modo, ecc.*) di mettere in mostra qc.

showdown /ˈʃəʊdaʊn/ n. **1** (*poker*) il mettere le carte in tavola **2** (*fig.*) resa dei conti; confronto diretto; prova di forza; faccia a faccia (*alla televisione, ecc.*): **to call for a s.**, richiedere un confronto; esigere una presa di posizione; **to come to a s.**, mettere le carte in tavola (*fig.*); venire al dunque (*fig.*); **to force a s.**, costringere l'avversario a mettere le carte in tavola (*fig.*).

shower① /ˈʃəʊə(r)/ n. **1** chi mostra, indica, ecc. (→ **to show**) **2** (*comm.*) espositore.

◆**shower**② /ˈʃaʊə(r)/ n. **1** acquazzone; rovescio, scroscio (*di pioggia*): **a heavy s.**, un forte acquazzone; un diluvio (*fig.*) **2** (*fig.*) pioggia, gragnola; nugolo; raffica; scarica, tempesta, valanga: **a s. of gifts**, una pioggia di doni; **a s. of snowballs**, una gragnola (*o una tempesta*) di palle di neve; **a s. of insults**, una tempesta d'insulti; **a s. of arrows**, un nugolo di frecce; **a s. of letters**, una valanga di lettere **3** (*USA*) festa con consegna di doni: **a wedding s.**, una festa di matrimonio, con doni alla sposa; **a baby s.**, una festa con doni per il neonato **4** (= **s.-bath**) doccia: **s. cubicle** (*o* **s. stall**), box doccia; **s. tray**, piatto della doccia **5** (*astron.*) sciame; pioggia: **meteor s.**, sciame meteorico; pioggia meteorica **6** (*fis. nucl.*) sciame **7** (*fam. spreg. ingl.*) branco di stupidi (*o d'imbecilli*); gentaglia ● **s. gel**, gel per la doccia □ **a s. of dust**, una nube di polvere; un polverone □ **a s. of hail**, una grandinata □ **a s. of honours**, un cumulo d'onori; onori in quantità.

to **shower** /ˈʃaʊə(r)/ [A] v. t. **1** inondare (anche *fig.*); coprire, riempire, colmare di: *The newly-married couple was showered with rice*, gli sposini furono inondati di riso; **to s. gifts on sb.** (*o* **to s. sb. with gifts**), colmare q. di doni; **to s. blessings upon sb.**, coprire q. di benedizioni **2** lanciare (*o rovesciare, scagliare*) in gran quantità: *They showered stones on the besiegers*, rovesciarono una grandinata di pietre sugli assedianti [B] v. i. **1** piovere a rovesci; diluviare **2** fare la doccia.

showerproof /ˈʃaʊəpruːf/ a. impermeabile.

showery /ˈʃaʊərɪ/ a. (*del tempo*) piovoso; temporalesco; a piovaschi.

showgirl /ˈʃəʊɡɜːl/ n. ballerina di rivista; ragazza del balletto; girl.

showiness /ˈʃəʊɪnəs/ n. [U] fasto; ostentazione; pompa; sfarzo; vistosità; appariscenza (*raro*).

showing /ˈʃəʊɪŋ/ n. **1** esposizione; presentazione: **the s. of a new car model**, la presentazione di un nuovo modello d'automobile **2** (*teatr.*) spettacolo; rappresentazione; (*cinem.*) proiezione, spettacolo: **late night s.**, ultimo spettacolo; *Which s. do you want to go to?*, a quale spettacolo vuoi andare? **3** (*comm., fin.*) stato degli affari; situazione: *They make a poor financial s.*, la loro situazione finanziaria è brutta **4** (*anche sport*) prestazione; prova di sé; risultato: **a good s.**, una buona prestazione; **to make a poor s.**, dare una prestazione scadente; ottenere scarsi risultati; fare una magra figura ● (*leg.*) **s. of evidence**, esibizione delle prove □ **s.-off**, esibizionismo; ostentazione □ **on any s.**, sotto ogni aspetto; da tutti i punti di vista □ **on your own s.**, per tua stessa ammissione.

showjumping /ˈʃəʊdʒʌmpɪŋ/ (*equit.*) n. [U] gare di salto; concorsi ippici ● **s. competition**, concorso ippico ‖ **showjumper** n. cavaliere (*o cavallo*) che partecipa a un concorso ippico.

showman /ˈʃəʊmən/ n. (pl. **showmen**) **1** (*in genere*) organizzatore di spettacoli; (*di un circo, ecc.*) impresario **2** uomo di spettacolo; showman **3** (*a una fiera*) imbonitore ‖ **showmanship** n. [U] **1** abilità d'impresario; bravura nell'organizzare spettacoli; arte dello showman **2** (*fig.*) comunicativa; capacità propagandistica; (il) saper vendere la propria merce.

shown /ʃəʊn/ [A] p. p. di **to show** [B] a. che appare; che si vede: **the number s. on the ticket**, il numero che appare sul biglietto.

show-off /ˈʃəʊɒf/ n. esibizionista; chi si pavoneggia; sbruffone.

showpiece /ˈʃəʊpiːs/ n. **1** oggetto in mostra; pezzo (esposto) **2** (*fig.*) pezzo raro; fiore all'occhiello (*fig.*) **3** pezzo di bravura, pezzo forte (*del proprio repertorio*) ● **a s. factory**, una fabbrica modello.

showplace /ˈʃəʊpleɪs/ n. luogo (*o edificio, monumento*) di grande interesse turistico.

showroom /ˈʃəʊruːm/ n. sala (*o salone*) d'esposizione: **a car s.**, un salone dell'automobile (*di vendita*).

showtime /ˈʃəʊtaɪm/ n. (*teatr., cinem., TV*) ora di inizio (*di uno spettacolo, un programma, ecc.*).

showup /ˈʃəʊʌp/ n. = **show-up** → **show**.

showy /ˈʃəʊɪ/ a. appariscente; fastoso; pomposo; sfarzoso; vistoso: **a s. furcoat**, una pelliccia vistosa; **a s. present**, un dono appariscente.

shpt abbr. (*comm., shipment*) spedizione.

shr. abbr. (*borsa, share*) azione.

shrank /ʃræŋk/ pass. di **to shrink**.

shrapnel /ˈʃræpnl/ n. [U] (*mil.*) **1** granata a pallette; shrapnel **2** schegge; frammenti di proiettile esploso.

shred /ʃred/ n. brandello; brindello; briciolo (*fig.*); rimasuglio; frammento; pezzetto; straccio (*fig.*): *There is not a s. of evidence*, non c'è uno straccio di prova ● **to cut st. to shreds**, tagliare (o fare) a strisce qc. □ **to tear to shreds**, fare a brandelli; sbrindellare (*fig.*) □ **to tear an argument to shreds**, fare a pezzi un argomento; confutare (o stroncare) un argomento □ **without a s. of clothing on him**, senza neanche uno straccio addosso.

to **shred** /ʃred/ v. t. **1** fare a brandelli; sbrindellare; stracciare; tagliuzzare **2** (*cucina*) sminuzzare (*verdure, ecc.*) **3** (*fig. USA*) fare a pezzi; sbaragliare; stracciare: **to s. the opponents' defence**, fare a pezzi la difesa avversaria ● **to s. documents**, distruggere documenti.

shredder /ˈʃredə(r)/ n. **1** chi sbrindella, straccia, ecc. **2** (*ind.*) spezzettatrice; trin-

ciatrice (*macchina*) **3** (*cucina*) sminuzzatrice; tritaverdure; grattugia (*per verdure, ecc.*) **4** (*giardinaggio*) trinciatrice **5** tritadocumenti; distruggidocumenti; macchina per fare a brandelli documenti segreti.

shredding machine /'ʃrɛdɪŋməʃiːn/ → **shredder**, *def.* 3 e 5.

shrew /ʃruː/ n. **1** (*antiq.*) bisbetica; brontolona **2** (*zool.*, *Sorex*; = **s.-mouse**) toporagno; sorcide (*in genere*).

shrewd /ʃruːd/ a. **1** accorto; acuto; perspicace; avveduto; sagace; scaltro: **a s. politician**, un accorto uomo politico; **a s. business sense**, un acuto senso degli affari; **a s. observer**, un acuto osservatore; **a s. comment**, un commento sagace **2** (*lett.*) penetrante; pungente: **a s. wind**, un vento penetrante; **s. cold**, freddo pungente ● **a s. guess**, un'ipotesi valida (e forse azzeccata) □ **a s. knock**, un duro colpo □ **a s. plan**, un piano abile □ **a s. suspicion**, un sospetto fondato **| -ly** avv. **| -ness** n. ⓤ.

shrewish /'ʃruːɪʃ/ a. bisbetico; brontolone; petulante **|| shrewishly** avv. bisbeticamente; petulantemente **|| shrewishness** n. ⓤ indole bisbetica; acredine; petulanza.

shriek /ʃriːk/ n. **1** grido; strillo; urlo: **a s. of pain**, un grido di dolore; **a s. of terror**, un urlo di terrore **2** (*di treno*) fischio.

to shriek /ʃriːk/ v. i. e t. gridare; strillare; urlare: **to s. in pain**, gridare dal dolore ● **to s. out**, gridare; strillare; urlare; dire con voce alta e stridula: **to s. out a warning**, lanciare a gran voce un avvertimento □ **to s. with laughter**, fare una risata stridula; ridere in tono stridulo.

shrievalty /'ʃriːvltɪ/ n. ⓤ carica (*o* giurisdizione, ufficio) di sceriffo.

shrift /ʃrɪft/ n. ⓤ **1** (*arc.*) confessione (*spec. in punto di morte*) **2** (*arc.*) assoluzione (*spec. data a un condannato a morte*) ● **to get short s.**, essere trattato bruscamente, non essere tenuto in conto, essere liquidato in fretta □ **to give sb.** [**st.**] **short s.**, trattare q. in modo spiccio; essere brusco (*o* sbrigativo) con q. [fare poco conto di qc., non dare importanza a qc.] □ (*econ.*) **Consumption is getting short s.**, i consumi fanno la parte di Cenerentola (*fig.*).

shrike /ʃraɪk/ n. (*zool.*) **1** (*Lanius*) averla; uccello dei Lanidi (*in genere*) **2** (*Lanius excubitor*) averla maggiore.

shrill /ʃrɪl/ a. **1** acuto; lacerante; stridulo: **a s. voice**, una voce acuta; una voce stridula; **a s. laugh**, una risata stridula **2** insistente; petulante: **s. demands**, richieste insistenti e fastidiose **3** (*poet.*) acuto; lancinante; pungente: **a s. pain**, un dolore lancinante **| shrillness** n. ⓤ **| shrilly** avv.

to shrill /ʃrɪl/ v. i. emettere un suono stridulo; stridere; strillare ● **to s. out**, dire (*o* cantare) con voce stridula.

shrimp /ʃrɪmp/ n. **1** (*zool.*, *Crangon*: pl. **shrimps**, **shrimp**) gamberetto **2** (*fig.*) nanerottolo; omiciattolo; tappo (*fig.*); donnino.

to shrimp /ʃrɪmp/ v. i. (*spec.* **to go shrimping**) pescare gamberetti; andare a pesca di gamberetti **|| shrimping** n. ⓤ pesca dei gamberetti ● **shrimping net**, gamberana.

shrimper /'ʃrɪmpə(r)/ n. **1** pescatore di gamberetti **2** barca per la pesca di gamberetti.

shrine /ʃraɪn/ n. **1** reliquiario; teca; tomba di un santo **2** sacrario; santuario **3** luogo sacro; tempio (*anche fig.*).

to shrine /ʃraɪn/ (*poet.*) → **to enshrine**.

shrink /ʃrɪŋk/ n. **1** contrazione; restringimento **2** (*tecn.*) ritiro: **s. forming**, formazione di ritiro **3** (*slang*) psichiatra; strizzacervelli (*fam.*) ● (*mecc.*) **s. fit**, calettamento forzato a caldo ● **s.-resistant**, irrestringibile □ (*mecc.*) **s. ring**, anello di forzamento □

(*edil.*) **non-s. grout**, malta senza ritiro.

to shrink /ʃrɪŋk/ (pass. **shrank**, p. p. **shrunk**) Ⓐ v. i. **1** restringersi; contrarsi (*anche fig.*); accorciarsi; rimpicciolire, ritirarsi: *This cloth won't s. in the wash*, questa stoffa non si restringe al lavaggio; *This jacket has shrunk*, questa giacca s'è accorciata; *Alice began to s. again*, Alice cominciò a rimpicciolire di nuovo (*nel classico di letteratura fantastica di Lewis Carroll*); *The number of the unemployed is shrinking*, il numero dei disoccupati si sta contraendo **2** indietreggiare; rinculare; ritrarsi; tirarsi (*o* farsi) indietro; essere riluttante; rifuggire: *I shrank at the sight*, a quella vista indietreggiai (*o* mi ritrassi); *They do not s. from danger*, non si tirano indietro di fronte al pericolo **3** ridursi; diminuire; assottigliarsi; calare: *Our profits are shrinking*, i nostri profitti diminuiscono (*o* calano); (*sport*) *The gap has shrunk to two minutes*, il distacco si è ridotto a due minuti **4** torcersi; contorcersi: **to s. with pain**, torcersi dal dolore Ⓑ v. t. **1** far restringere; far ritirare: *This soap won't s. woollen clothes*, questo sapone non fa restringere i capi di lana **2** (*ind. tess.*) rendere (*un tessuto*) irrestringibile **3** (*fig., di costi, ecc.*) ridurre; diminuire; contrarre: **to s. the bills**, ridurre le bollette ● **to s. into a corner**, rincantucciarsi □ **to s. into oneself**, chiudersi in sé; chiudersi nel riserbo.

■ **shrink away** v. i. + avv. **1** tirarsi (*o* farsi) indietro; ritrarsi; indietreggiare; staccarsi: *He shrank away in terror*, indietreggiò atterrito; *The child shrank away from her*, il bambino si ritrasse da lei **2** restringersi **3** scomparire; svanire.

■ **shrink back** v. i. + avv. **1** → **shrink away**, *def.* 1 **2** (*fig.*) tirarsi indietro; arretrare (*anche fig.*) **3** rifuggire; essere alieno (*da qc.*): *He shrinks back from violence*, rifugge dalla violenza.

■ **shrink on** v. t. + avv. (*mecc.*) calettare a caldo: **to s. on a tyre**, calettare un cerchione (*di ruota*).

■ **shrink up** v. i. + avv. **1** (*di una cosa*) restringersi, ritirarsi **2** (*di una persona*) farsi (più) piccolo; ritrarsi in sé (*per timidezza, timore, ecc.*).

shrinkable /'ʃrɪŋkəbl/ a. restringibile.

shrinkage /'ʃrɪŋkɪdʒ/ n. ⓤ **1** contrazione (*anche fig.*); restringimento: **a s. in prices**, una contrazione dei prezzi; **the s. of cloth**, il restringimento della stoffa **2** diminuzione; riduzione: **a s. in sales**, una diminuzione delle vendite; (*fin.*) **a s. in the public budget**, una riduzione del bilancio statale **3** (*comm.*) calo: *The goods have suffered a 10 per cent s. in transit*, la merce ha subito un calo del 10% durante il trasporto **4** (*mecc., tecn.*) ritiro (*del materiale*).

shrinker /'ʃrɪŋkə(r)/ n. **1** (*tecn.*) operaio (*o* macchina) per calettamento a caldo **2** chi si tira indietro; chi indietreggia **3** (*slang*) strizzacervelli; psichiatra.

shrinking /'ʃrɪŋkɪŋ/ Ⓐ n. ⓤ **1** restringimento; contrazione (*anche fig.*) **2** diminuzione; riduzione; calo **3** (*tecn.*) ritiro (*di materiale*) Ⓑ a. **1** che si restringe, che si ritira **2** che cala; in diminuzione **3** (*fig.*) che si ritrae in sé; timido **4** (*fig.*) riluttante ● (*mecc.*) **s.-on**, calettamento (*o* calettatura) a caldo □ (*fin.*) **s. profits**, utili in diminuzione □ **s. violet**, mammola; mammoletta.

shrinkingly /'ʃrɪŋkɪŋlɪ/ avv. con esitazione; con riluttanza; con ritrosia; timidamente.

shrink-wrap /'ʃrɪŋkræp/ n. ⓤ (*tecn.*) pellicola di plastica (*per confezioni*); pellicola termoretrattile; cellophane; cellofan.

to shrink-wrap /'ʃrɪŋkræp/ (*tecn.*) v. t. termosaldare; confezionare (*un prodotto*) in pellicola termoretrattile; cellofanare; avvolgere (*un prodotto*) nel cellofan **|| shrink-**

-wrapped a. cellofanato **|| shrink-wrapping** n. ⓤ cellofanatura.

to shrive /ʃraɪv/ (*arc. o relig. cattolica*) (pass. **shrived**, **shrove**, p. p. **shrived**, **shriven**) v. t. confessare; assolvere ● **to s. oneself**, confessarsi.

to shrivel /'ʃrɪvl/ Ⓐ v. i. (*spesso* **to s. up**) contrarsi; aggrinzarsi; raggrinzarsi; accartocciarsi; avvizzire Ⓑ v. t. **1** aggrinzare; raggrinzare; accartocciare **2** (*spesso* **to s. up**) fare avvizzire; disseccare: *The hot wind shrivelled up the plants*, il vento caldo fece avvizzire le piante **3** (*fig.*) guastare; rovinare; sciupare **|| shrivelled** a. **1** avvizzito; inaridito **2** (*fig.*) avvizzito; grinzoso: **a shrivelled old sailor**, un vecchio marinaio pieno di grinze.

shriven /'ʃrɪvn/ p. p. di **to shrive**.

shroff /ʃrɒf/ n. (*in Estremo Oriente*) **1** banchiere **2** cambiavalute **3** saggiatore di monete.

to shroff /ʃrɒf/ v. t. (*in Estremo Oriente*) saggiare (*monete*).

shroud /ʃraʊd/ n. **1** (*stor., relig.*) sindone; lenzuolo funebre: **the S. of Turin**, la Sacra Sindone **2** (*fig.*) velo; manto; coltre: *'And the great s. of the sea rolled on as it rolled five thousand years ago'* H. MELVILLE, 'e il grande manto del mare continuò a ondeggiare come faceva cinquemila anni fa'; **a s. of dust** [**of secrecy**], un velo di polvere [di mistero]; **a s. of snow**, un manto di neve; **a s. of fog**, una coltre di nebbia **3** (*naut.*) sartia; sartiola **4** (*tecn.*) copertura protettiva.

to shroud /ʃraʊd/ v. t. **1** avvolgere (*un cadavere*) nel sudario **2** (*fig.*) avvolgere; coprire; celare; nascondere: *Her past was shrouded in mystery*, il suo passato era avvolto nel mistero; *The mountains were shrouded in mist*, i monti erano avvolti nella nebbia.

shrove /ʃraʊv/ pass. di **to shrive**.

Shrovetide /'ʃraʊvtaɪd/ n. gli ultimi tre giorni di carnevale.

Shrove Tuesday /ʃraʊv'tjuːzdeɪ/ loc. n. martedì grasso.

shrub① /ʃrʌb/ n. **1** (*bot.*) arbusto; arboscello: **ornamental shrubs**, arbusti ornamentali **2** cespuglio: **s. roses**, rose a cespuglio **|| shrubby** a. **1** coperto d'arbusti; cespuglioso **2** simile a un arbusto; arbustivo.

shrub② /ʃrʌb/ n. ⓤ bevanda di succo di agrumi e liquore.

shrubbery /'ʃrʌbərɪ/ n. ⓤ piantagione d'arbusti; boschetto.

shrug /ʃrʌg/ n. **1** alzata di spalle; (il) far spalluccce; spallucciata: *He answered with a s.*, rispose con un'alzata di spalle **2** (*moda*) coprispalle; bolero.

♦**to shrug** /ʃrʌg/ Ⓐ v. i. alzare le spalle; stringersi nelle spalle; far spalluccce Ⓑ v. t. alzare, scrollare (*le spalle*) ● (*fig.*) **to s. one's shoulders at**, infischiarsene di.

■ **shrug aside** v. t. + avv. **1** respingere, rintuzzare (*un attacco, un placcaggio nel rugby, ecc.*) **2** → **s. off**, *def.* 2.

■ **shrug away** → **shrug off**, *def.* 2.

■ **shrug off** v. t. + avv. **1** cavarsi, togliersi (*un indumento*) contorcendosi (*o* divincolandosi); scrollarsi di dosso: *He shrugged off his fur coat and let it fall*, si scrollò di dosso la pelliccia e la lasciò cadere **2** (*fig.*) scrollarsi di dosso; non dare peso a; prendere alla leggera; minimizzare: **to s. off one's troubles**, scrollarsi di dosso i propri guai; **to s. off the pain**, non dare peso al dolore che si prova; **to s. off criticism**, non dare peso alle critiche; prendere le critiche alla leggera; **to s. off a problem**, minimizzare un problema **3** (*fig.*) ignorare; passare sopra a (*un'offerta, un torto, ecc.*) **4** (*fig.*) cavarsi, togliersi d'attorno; seminare (*fam.*).

shrunk /ʃrʌŋk/ p. p. di **to shrink**.

shrunken /'ʃrʌŋkən/ a. avvizzito; accar-

tocciato; contratto; rattrappito; rinsecchito: **s. leaves**, foglie accartocciate; **s. limbs**, membra rattrappite ● **s. heads**, teste rinsecchite (*dei nemici: recise e fatte seccare*) □ **Italy's s. car industry**, l'industria automobilistica italiana, alquanto ridimensionata.

shtick /ʃtɪk/ → **schtick**.

shuck /ʃʌk/ n. **1** guscio; baccello; buccia **2** conchiglia (*d'ostrica, ecc.*) **3** (pl.) (*fam. USA*) nonnulla; niente; un fico secco (*fig.*) **4** ꀆ (*slang USA*) imbroglio; truffa; fregatura (*fam.*); (*anche*) bugie; balle; frottole; panzane **5** (*slang USA*) bugiardo; ipocrita; impostore ● (*fam.*) **It isn't worth shucks**, non vale un fico secco.

to **shuck** /ʃʌk/ Ⓐ v. t. **1** sgusciare; sbaccellare; sbucciare; sgranare: **to s. peanuts**, sgusciare le noccioline **2** (*USA, spesso* **to s. off**) levare; togliere: *He shucked his clothes*, si tolse gli abiti; si svestì **3** (*slang USA*) imbrogliare; truffare; fregare (*fam.*) **4** (*slang USA*) sfottere; prendere in giro Ⓑ v. i. **1** (*slang USA*) dire bugie; contare balle **2** fare il buffone; scherzare ● (*USA*) **to s. off** → **shuffle off, A.**

shucks /ʃʌks/ inter. (*fam. USA*) uffa!; puah!; acciderba!; accipicchia!

shudder /'ʃʌdə(r)/ n. **1** brivido; fremito d'orrore (*o di disgusto*) **2** (*di un motore*) vibrazione.

to **shudder** /'ʃʌdə(r)/ v. i. **1** rabbrividire; raccapricciare; fremere (*d'orrore, di disgusto, di paura*): *I s. to think what might happen*, rabbrividisco al pensiero di quel che potrebbe accadere; **to s. at the sight of the earthquake victims**, raccapricciare alla vista delle vittime del terremoto **2** (*di un motore, ecc.*) vibrare ● **to s. to a halt**, (*di auto, ecc.*) arrestarsi con un sobbalzo; (*fig.*) bloccarsi, interrompersi ‖ **shudderingly** avv. rabbrividendo; con raccapriccio.

shuffle /'ʃʌfl/ n. **1** strascicamento (*o stroficcio*) dei piedi; andatura strascicata **2** (*ballo*) striscio; passo strisciato **3** mescolata (*di carte da gioco*): *It's your s.*, tocca a te mescolare **4** rimescolamento; rimpasto **5** scompiglio; trambusto **6** (*fig.*) espediente; inganno; sotterfugio; tergiversazione; trucco ● (*USA*) **to give sb. the s.**, voltare le spalle a q.; snobbare q.

to **shuffle** /'ʃʌfl/ Ⓐ v. i. **1** (*spesso* **to s. along**) muoversi a fatica; trascinarsi a stento; strascinarsi **2** striscire i piedi per terra; strascicare i piedi **3** ballare con lo striscio **4** (*fig.*) usare sotterfugi; essere evasivo; tergiversare; nicchiare **5** (*slang USA: di bande rivali*) fare a pugni; scazzottarsi; fare una gran rissa Ⓑ v. t. **1** strascicare (*i piedi*) **2** mescolare, rimescolare: **to s. the cards**, mescolare le carte (*anche fig.*) **3** mescolare, mischiare (*in genere*); gettare (*o mettere*) alla rinfusa; scompigliare: *He shuffled his clothes into the suitcase*, gettò i suoi vestiti alla rinfusa nella valigia **4** (*sport*) fare un rimpasto (*di una squadra*); (*anche*) cambiare di posto, far ruotare (*giocatori*).

■ **shuffle across** v. i. + prep. attraversare (*una stanza, ecc.*) strascicando i piedi.

■ **shuffle away** → **shuffle off, B.**

■ **shuffle off** Ⓐ v. t. + avv. (*fig.*) liberarsi, sbarazzarsi di (*un peso, una responsabilità, una persona sgradita, ecc.*); abbandonare (*un'abitudine e sim.*) Ⓑ v. i. + avv. andarsene (*un luogo*) strascicando i piedi (*o ciabattando*) □ (*fig.*) **to s. off the load of responsibility onto sb.**, scaricare sulle spalle di q. la responsabilità.

■ **shuffle out of** v. i. + avv. + prep. **1** togliersi, cavarsi (*un indumento*) con difficoltà **2** uscire da (*un luogo*) strascicando i piedi **3** (*fig.*) trarsi di (*impaccio*) a stento; togliersi alla meno peggio da (*guai, difficoltà, ecc.*).

shuffleboard /'ʃʌflbɔːd/ n. ꀆ **1** «shuffleboard» (*gioco, in origine americano, spesso giocato a bordo di una nave in crociera, consistente*

nello spingere, con apposite stecche, dischi di legno dentro figure geometriche numerate) **2** tabellone per lo «shuffleboard».

shuffler /'ʃʌflə(r)/ n. **1** chi si trascina a stento, chi strascica i piedi, ecc. (→ **to shuffle**) **2** chi mescola le carte **3** (*fig.*) furbacchione; tergiversatore.

shuffling /'ʃʌflɪŋ/ Ⓐ a. **1** (*di passo*) strascicato; (*d'andatura*) dinoccolata, trasandata **2** (*fig.*) evasivo; che tergiversa Ⓑ n. ꀆ **1** strascichio (*di piedi*) **2** (*delle carte*) mescolata.

shufti /'ʃʊftɪ/, **shufty** /'ʃʊftɪ/ n. (*slang antiq.*) occhiata; scorsa: **to have** (*o* **to take**) **a s. at st.**, dare un'occhiata a qc.

shun /ʃʌn/ inter. (*mil.*, abbr. di **attention**) attenti!

to **shun** /ʃʌn/ v. t. evitare; sfuggire; scansare; schivare; rifuggire da: **to s. publicity**, evitare la pubblicità; **to s. worldly pleasures**, rifuggire dai piaceri mondani.

to **shunpike** /'ʃʌnpaɪk/ (*autom., USA*) v. i. non prendere l'autostrada; preferire le strade ordinarie (*alle autostrade*); preferire i percorsi alternativi ‖ **shunpiking** n. ꀆ guida su strada ordinaria; preferenza data alle strade ordinarie.

shunt /ʃʌnt/ Ⓐ n. ꀆ **1** (*ferr.*) deviazione, smistamento, instradamento (*di un treno*) **2** (*ferr.*) scambio **3** (*elettr.*) derivazione, derivatore; shunt: **magnetic s.**, derivatore magnetico **4** (*med.*) derivazione; shunt **5** (*autom., slang ingl.*) tamponamento; scontro Ⓑ a. attr. (*elettr.*) **1** shuntato; derivato; in derivazione; in parallelo: **s. reactor**, reattore in parallelo **2** shunt; eccitato in derivazione: **s. motor**, motore shunt (*o eccitato in derivazione*) ● **s.-fed antenna**, antenna alimentata in parallelo □ **a s.-wound generator**, un generatore con gli avvolgimenti in derivazione.

to **shunt** /ʃʌnt/ Ⓐ v. t. **1** (*spesso* **to s. off**) deviare, instradare, smistare (*un treno, un vagone, ecc.*) **2** (*elettr., radio*) shuntare; collegare (*o inserire*) in derivazione (*o in parallelo*) **3** (*fam.*) mettere da parte, accantonare, abbandonare, scartare (*un progetto*) **4** (*fam.*) spostare (q.) da parte; mettere in disparte; spostare, trasferire (*un dipendente, ecc.*) **5** (*med.*) shuntare **6** (*slang*) sfasciare (*un'auto da corsa*) Ⓑ v. i. **1** (*ferr.: di treno, vagone*) essere smistato; cambiare binario **2** (*fig.*) fare la spola; andare avanti e indietro.

shunter /'ʃʌntə(r)/ n. (*ferr.*) **1** deviatore; manovratore di scambi; scambista **2** locomotiva da manovra.

shunting /'ʃʌntɪŋ/ n. ꀆ **1** (*ferr.*) smistamento; instradamento; manovra **2** (*elettr.*) derivazione; inserzione in parallelo; shuntaggio: **field s.**, derivazione di campo ● (*ferr.*) **s. engine**, locomotiva da manovra □ (*ferr.*) **s. lines**, binari di smistamento.

shush /ʃʊʃ/ inter. st!; sst!

to **shush** /ʃʊʃ/ v. t. e i. zittire (*facendo «st»*).

shut /ʃʌt/ Ⓐ a. chiuso; serrato Ⓑ n. **1** porta; portello; sportello **2** ꀆ atto del chiudere **3** (*mecc.*) linea della saldatura; saldatura ● **s.-down** → **shutdown** Ⓒ **s.-in**, (*di un posto*) isolato, segregato; (*psic.*) introverso, schizoide; (*USA*) malato che non può uscire □ (*slang*) **to get s. of**, sbarazzarsi di.

♦to **shut** /ʃʌt/ (pass. e p. p. **shut**) Ⓐ v. t. chiudere; serrare: **to s. a door** [**a window, a drawer**], chiudere una porta [una finestra, un cassetto]; **to s. one's eyes**, chiudere gli occhi; **to s. one's teeth**, serrare i denti; **to s. a knife**, chiudere un coltello (*a serramanico*); *S. your books!*, chiudete i libri!; *The girl shut herself in her room*, la ragazza si chiuse in camera Ⓑ v. i. chiudersi; chiudere: *This drawer doesn't s. properly*, questo cassetto non chiude bene; *The door shut with a bang*, la porta si chiuse fragorosamente ● **to**

s. one's ears to st., non voler ascoltare qc.; fingere di non sentire qc.; tapparsi le orecchie (*fig.*) □ **to s. one's eyes to st.**, chiudere gli occhi (*alla realtà, ecc.*); non voler vedere qc.; fingere di non vedere qc.; chiudere un occhio su qc. □ **to s. sb.'s mouth**, chiuder la bocca a q.; far tacere q.

■ **shut away** v. t. + avv. rinchiudere; chiudere; segregare: *He was shut away in a mental hospital*, fu rinchiuso in manicomio □ **I shut myself away in my cottage in the country**, mi ritirai nella mia casetta in campagna.

■ **shut down** Ⓐ v. t. + avv. **1** chiudere bene: *S. the lid down!*, chiudi bene il coperchio! **2** chiudere (*un'azienda, una fabbrica, ecc.*): *I had to s. down my firm for lack of orders*, dovetti chiudere la ditta per mancanza di ordinativi **3** interrompere, sospendere l'erogazione di (*gas, elettricità, ecc.*) **4** (*comput.*) arrestare (*il sistema*); chiudere (*una sessione*) Ⓑ v. i. + avv. chiudere bottega (*o i battenti*); cessare l'attività: *Some plants shut down entirely*, alcune fabbriche chiusero del tutto.

■ **shut in** v. t. + avv. **1** chiudere (q.) dentro **2** racchiudere; circondare: **a house shut in by tall trees**, una casa circondata da alti alberi **3** (*sport: nelle corse*) chiudere (*un avversario*).

■ **shut off** Ⓐ v. t. + avv. **1** interrompere il funzionamento (*o l'erogazione*) di; chiudere; togliere; spegnere: **to s. off the power supply**, togliere la corrente elettrica (*fam.: la luce*); *Remember to s. off the gas*, ricordati di chiudere il gas; *S. off the engine!*, spegni il motore! **2** racchiudere; circondare: **a valley shut off by high mountains**, una valle racchiusa da alte montagne **3** (*fig.*) escludere; isolare; estraniare; tagliare fuori (*fig.*): *We were shut off from civilization*, eravamo tagliati fuori dal mondo civile; *He shut himself off from his family*, si isolò (*o si estraniò*) dalla famiglia Ⓑ v. i. + avv. chiudersi; bloccarsi; fermarsi; spegnersi: *In an emergency, the machine shuts off automatically*, in un'emergenza, la macchina si ferma automaticamente.

■ **shut on** v. t. + prep. chiudersi in: *I shut the door on my finger* [*coat*], mi sono chiuso un dito [il cappotto] nella porta □ (*fig.*) **to s. the door on**, chiudere la porta a (*un'opportunità, ecc.*).

■ **shut out** v. t. + avv. **1** chiudere (q.) fuori **2** tenere fuori (*o lontano*); riparare da (*luce, rumore, ecc.*); escludere, non fare entrare; precludere; impedire: **to s. out the noise**, riparare dal rumore; **to s. out daylight**, non far passare la luce; **to s. sb. out of one's life**, escludere q. dalla propria vita; **to s. out immigrants**, impedire l'accesso agli (*o escludere dal paese gli*) immigranti; **to s. out the view**, impedire la vista (*del paesaggio*); **to s. out unpleasant thoughts**, tenere lontani i pensieri molesti **3** (*a carte, o sport; spec. USA*) neutralizzare (*un avversario*); dare cappotto a, sconfiggere pesantemente (*una squadra, ecc.*): *We shut them out six-nil yesterday*, ieri li abbiamo stracciati sei a zero.

■ **shut up** v. t. + avv. **1** chiudere (bene); rinchiudere; serrare; imprigionare: *We shut up the house for the holidays*, chiudemmo casa per le vacanze; **to s. sb. up in prison**, rinchiudere in carcere q.; *S. up all the windows*, serra tutte le finestre!; *She was shut up in the Tower* (*of London*), fu imprigionata nella Torre di Londra **2** (*fam.*) far tacere (*o stare zitto*); ridurre al silenzio; chiudere la bocca a: *S. the children up!*, fa stare zitti i bambini!; *The politicians are trying to s. him up*, i politici cercano di ridurlo al silenzio Ⓑ v. i. + avv. **1** (*di azienda, negozio, ecc.*) chiudere; cessare l'attività **2** (*fam.*) tacere; stare zitto: *S. up!*, sta zitto!; zitti!; chiudi (*o chiudete*) il becco (*fam.*)! **3** (*sport*) chiuder-

a b c d e f g h i j k l m n o p q r s t u v w x y z

si (*in difesa*) □ **to s. up like a clam**, chiudersi a riccio □ (*fam.*) **to s. up like an oyster**, non aprire bocca; restare a bocca chiusa (*o muto come un pesce*) □ **to s. up shop**, chiudere bottega (*anche fig.*); cessare l'attività; smettere (*di lavorare, ecc.*).

shutdown /'ʃʌtdaʊn/ n. **1** (*econ.*, *ind.*) arresto del lavoro (*in fabbrica, ecc.*); sospensione dell'attività: **the s. of plants**, la chiusura degli stabilimenti **2** (*elettr.*, *elettron.*, *ecc.*) arresto: **s. circuit**, circuito d'arresto ● **s. device**, dispositivo d'arresto.

shut-eye /'ʃʌtaɪ/ n. ⓤ sonno: *I need a bit of shut-eye*, ho bisogno di fare un pisolino.

shutoff, **shut-off** /'ʃʌtɒf/ n. **1** arresto; cessazione **2** (*tecn.*) chiusura, arresto (*di un forno: automatico*) **3** (*aeron.*, *miss.*) arresto della combustione.

shutout /'ʃʌtaʊt/ n. **1** (*econ.*) serrata (*più comune* **lock-out → lock**②) **2** (*sport*, *spec. USA*) cappotto (*fam.*).

shutter /'ʃʌtə(r)/ n. **1** chi chiude (→ **to shut**) **2** imposta; persiana; scuretto; serranda, saracinesca (*di negozio*) **3** (*naut.*) portello **4** (*fotogr.*) otturatore: **diaphragm s.**, otturatore a diaframma; otturatore centrale **5** (*mil.*) sicura (*di spoletta*) ● (*fotogr.*) **s. speed**, velocità dell'otturatore; tempo di esposizione □ **to put up the shutters**, mettere su gli scuretti (*cfr. ital.* abbassare le serrande); chiudere (*alla fine del giorno, per le ferie, o per sempre*); (*fig.*) chiudere bottega, chiudere i battenti.

to **shutter** /'ʃʌtə(r)/ v. t. **1** provvedere d'imposte; munire di persiane **2** chiudere le imposte di (*una finestra*); abbassare la saracinesca di (*un negozio*) ● **The shops were all shuttered**, i negozi avevano tutti le serrande abbassate.

shutterbug /'ʃʌtəbʌg/ n. (*slang USA*) appassionato (*o patito*) di fotografia.

shuttering /'ʃʌtərɪŋ/ n. (*edil.*) cassaforma: **s. for concrete**, cassaforma per cemento.

shuttle /'ʃʌtl/ n. **1** moto di va e vieni **2** navetta; autobus (*o treno, aereo*) che fa la spola **3** (*ind. tess.*) spola; spoletta; navetta **4** (*miss.*, = **space s.**) shuttle; navetta (*o navicella*) spaziale **5** → **shuttlecock** ● (*mecc.*) **s. box**, cassetta per navetta □ (*mecc.*) **s. conveyor**, trasportatore a va e vieni □ (*polit.*) **s. diplomacy**, diplomazia navetta; diplomazia pendolare □ (*ferr.*) **s. service**, servizio locale (*fra due stazioni*); servizio navetta □ (*ferr.*) **s. train**, treno navetta.

to **shuttle** /'ʃʌtl/ Ⓐ v. i. far la spola; andare avanti e indietro Ⓑ v. t. far fare la spola a (*passeggeri*); muovere (*qc.*) avanti e indietro.

shuttlecock /'ʃʌtlkɒk/ n. **1** volano **2** gioco del volano; badminton.

shuttlecraft /'ʃʌtlkrɑːft/ n. (*USA*) navetta spaziale.

shwa /ʃwɑː/ n. (*ling.*) schwa.

♦**shy**① /ʃaɪ/ a. **1** pauroso; timoroso; schivo (*lett.*); timido: **a shy little girl**, una ragazzina timorosa; **a shy approach**, un timido approccio **2** cauto; diffidente; guardingo; esitante; titubante: **a shy beast**, una bestia diffidente **3** (*di cavallo*) ombroso **4** (*di animale o animale*) poco produttivo; sterile ● **shy of**, a (*un certo tempo*) da: *I was one month shy of retirement*, ero a un mese dalla pensione □ (*fam. USA*) **to be shy of** (*o on*), essere a corto di (*quattrini, ecc.*) □ **to be shy of doing st.**, esitare (*o essere riluttante*) a far qc. □ **to fight shy of**, evitare; esitare (*o girare*) alla larga da □ **to be gun-shy**, aver paura di toccare (*o di sparare con, del rumore di*) un fucile □ **to make sb. shy**, intimidire q. □ **to be shy of women**, avere paura delle donne; esserne intimidito □ (*fam. USA*) **I'm three bucks shy**, mi mancano tre dollari (*per paga-*

re un debito, una scommessa, ecc.) □ (*fam. USA*) **We are ten votes shy**, ci mancano dieci voti (*per vincere*) □ (*fam. USA*) **It's just shy of ten**, manca poco alle dieci.

shy② /ʃaɪ/ n. scarto, scartata (*di un cavallo*).

shy③ /ʃaɪ/ n. (*fam. antiq.*) **1** lancio; getto; colpo; tiro **2** tentativo; prova **3** frecciata; stoccata; motto pungente: **to have a shy at sb.**, lanciare una frecciata a q.; schernire q. ● **to have a shy at st.**, tentare d'ottenere qc.; cercare di colpire qc.

to **shy**① /ʃaɪ/ v. i. **1** (*di cavallo*) adombrarsi; fare uno scarto: *His horse shied at the fence*, il suo cavallo fece uno scarto davanti all'ostacolo **2** (*fig.*) essere riluttante; esitare; tirarsi indietro ● **to shy away from st.**, rifuggire da qc.; evitare di, guardarsi (*bene*) dal fare qc. □ **to shy off**, schivare; scansare; tirarsi indietro, rifiutare.

to **shy**② /ʃaɪ/ (*fam. antiq.*) v. t. gettare; lanciare; tirare; scagliare: *The boy shied a stone over the fence*, il ragazzo tirò un sasso oltre lo steccato.

Shylock /'ʃaɪlɒk/ n. (*fig.*) creditore esoso; strozzino, usuraio (*dal nome del protagonista del «Mercante di Venezia» di W. Shakespeare*); cravattaro (*pop.*).

shyly /'ʃaɪlɪ/ avv. **1** timidamente; con ritrosia **2** cautamente; con diffidenza.

shyness /'ʃaɪnəs/ n. ⓤ **1** ritrosia; timidezza; vergogna **2** diffidenza; cautela; titubanza; esitazione.

shyster /'ʃaɪstə(r)/ n. (*fam. USA*) **1** imbroglione; truffatore **2** (*spec.*) avvocato privo di scrupoli; azzeccagarbugli.

si /siː/ n. (pl. *sis*) (*mus.*) si (*nota*).

SI sigla **1** (**Shetland Isles**) Isole Shetland **2** (*franc.*: **Système International**) (**International System (of Units)**) Sistema internazionale (*di unità di misura*).

sial /'saɪəl/ n. (*geol.*) sial.

Siamese /saɪə'miːz/ Ⓐ a. siamese Ⓑ n. (inv. al pl.) **1** siamese; abitante (*o nativo*) del Siam **2** ⓤ siamese (*la lingua*) ● **S. cat**, gatto siamese □ **S. twins**, fratelli siamesi.

SIB sigla (*stor.*, *GB*, **Securities and Investment Board**) Comitato di controllo sui titoli e gli investimenti.

Siberian /saɪ'bɪərɪən/ a. e n. siberiano: **S. husky**, husky; cane siberiano (*da slitta*).

sibilant /'sɪbɪlənt/ Ⓐ a. sibilante (*anche fon.*) Ⓑ n. (*fon.*) sibilante ‖ **sibilance** n. **1** sibilo **2** ⓤ (*fon.*) l'essere sibilante **3** (*fon.*) suono sibilante.

to **sibilate** /'sɪbɪleɪt/ (*fon.*) v. t. e i. sibilare; pronunciare (*una lettera*) come sibilante ‖ **sibilation** n. **1** ⓤ il pronunciare come sibilante **2** suono sibilante **3** sibilo.

sibling /'sɪblɪŋ/ n. **1** germano **2** (*fam.*) fratello; sorella (*in genere*) ● (*psic.*) **s. rivalry**, rivalità tra fratelli.

sibyl /'sɪbl/ n. (*anche fig.*) sibilla: **the Cumaean S.**, la Sibilla cumana.

Sibyl /'sɪbl/ n. Sibilla.

sibylline /'sɪbəlaɪn/ a. sibillino (*fig.*) misterioso, profetico.

sic /sɪk/ (*lat.*) avv. sic (*di solito, fra parentesi tonde*).

siccative /'sɪkətɪv/ a. e n. (*ind.*) essiccativo; (*sostanza*) essiccante; (*composto*) siccativo.

Sicel /sɪkl, sɪsl/ (*stor.*) n. ⓤ siculo (*anche la lingua*) ‖ **Siceliot** n. siceliota.

Sicily /'sɪsəlɪ/ n. (*geogr.*) Sicilia ‖ **Sicilian** Ⓐ a. siciliano Ⓑ n. **1** siciliano, siciliana **2** ⓤ siciliano (*il dialetto*).

♦**sick** /sɪk/ Ⓐ a. **1** (attr. in GB, anche pred. in USA) ammalato; malato; infermo; indisposto; sofferente: **a s. man**, un uomo malato; un malato; (*USA*) *He has been s. since he was a child*, è malato da quand'era bambino; (*fig.*) **a s. economy**, un'economia mala-

ta **2** (pred.) con la nausea; sul punto di vomitare: *I am feeling s.*, ho la nausea; sono sul punto di vomitare **3** (pred., *fig.*) disgustato; seccato; stanco; stufo: *I am s. of waiting*, sono stanco d'aspettare; *We were s. of their complaints*, eravamo stufi delle loro lamentele **4** (attr.) di (*o da*) malato; per malati: **s. diet**, dieta per ammalati **5** (*di odore, ecc.*) nauseabondo; disgustoso **6** (*fig.*) malato; morboso; di cattivo gusto: **a s. mind**, una mente malata; **s. thoughts**, pensieri morbosi **7** (*fam.*) → **sickly** Ⓑ n. (collett.) **the s.**, i malati; gli infermi ● **to be s.**, aver la nausea; aver conati di vomito; vomitare; (*USA*) essere malato □ (*fam.*) **to be (as) s. as a dog**, stare malissimo; vomitare anche l'anima □ (*scherz.*) **to be s. as a parrot**, essere abbattuto, abbacchiato □ (*fam.*) **to be s. at** (*o about*) **st.**, essere dispiaciuto (*o amareggiato*) a causa di qc.: *I'm s. at having to say «no»*, mi spiace dover dire di no □ **to be s. at heart**, essere amareggiato; essere molto deluso (*o rattristato*) □ **s. benefit**, sussidio per malattia □ (*med.*) **s. building syndrome**, sindrome dell'edificio 'malato'; malessere dovuto al lavoro svolto in locali dotati di aria condizionata □ (*mil.*, *USA*) **s. call** = **s. parade** → *sotto* □ **s. fear**, paura che dà la nausea: *'An overwhelming grenade of s. fear burst in his stomach'* A. SILLITOE, 'la devastante bomba di una paura che gli dava la nausea gli esplose dentro lo stomaco' □ **a s. feeling**, un senso di disgusto □ (*naut.*) **s. flag**, bandiera di quarantena □ (*fam.*) **to be s. for**, sentir nostalgia per; desiderare ardentemente; non veder l'ora di □ **s. headache**, emicrania; (*spec.*) mal di testa accompagnato da nausea □ **s. humour**, umore nero □ **s. insurance**, assicurazione contro le malattie □ **s. leave**, congedo (*o licenza*) per malattia □ (*anche mil.*) **s. list**, elenco degli ammalati: **to be on the s. list**, essere assente (*o in congedo*) per malattia □ (*GB, fam.*) **s. note**, certificato di malattia (*da presentare al datore di lavoro*); (*a scuola*) giustificazione: *Where's your s. note from your parents?*, dov'è la giustificazione dei genitori? □ **s.- nurse**, infermiera, infermiere □ (*ind.*) **s.- out**, assenteismo di protesta (*col pretesto della malattia*) □ (*mil.*) **s. parade**, appello dei soldati che marcano visita; (ora *o* locale della) visita medica: **to go on s. parade**, marcare visita ● **s. pay**, retribuzione per il periodo di congedo per malattia □ **to be s. to one's stomach**, essere disgustato; (*USA*) avere la nausea □ (*USA*) **to be s. with flu**, aver l'influenza □ **to fall s.**, ammalarsi □ (*anche mil.*) **to go** (*o* **to report**) **s.**, mettersi in malattia; darsi ammalato; marcare visita (*fam.*) □ **to make sb. s.**, dar la nausea a q.; far stare male q.; (*fig.*) disgustare q.: *It makes me s. to think of it*, solo a pensarci mi vien la nausea; il solo pensiero mi disgusta □ (*di un dipendente*) **to be off s.**, essere a casa per malattia □ (*GB, fam.*) **to be on the s.**, essere in malattia; prendere il sussidio di malattia □ **to take s.**, ammalarsi □ **to turn s.**, sentirsi venire la nausea; aver conati di vomito □ *I am s. and tired* (*o* **I am s. to death**) *of him*, sono arcistufo (*o non ne posso più*) di lui.

to **sick**① /sɪk/ v. t. (*fam. ingl.*, *di solito* **to s. up**) vomitare; rigettare.

to **sick**② /sɪk/ v. t. (*fam.*) aizzare: **to sick a dog on sb.**, aizzare un cane contro q.

sickbay /'sɪkbeɪ/ n. (*naut.*) infermeria.

sickbed /'sɪkbed/ n. ⓤ letto (*di dolore*): *I visited him in* (*o on*) **his s.**, andai a trovarlo che era a letto (*malato*); andai al suo capezzale.

to **sicken** /'sɪkən/ Ⓐ v. i. **1** ammalarsi **2** sentir nausea; essere disgustato: *I sickened at the sight of the blood*, mi sentii prendere dalla nausea alla vista del sangue **3** (*lett.*)

seccarsi, stancarsi, stufarsi: *In the end Ann sickened of her husband*, alla fine Ann si stancò del marito **B** v. t. 1 far ammalare 2 fare star male; dar la nausea a: *The sight of blood sickens me*, la vista del sangue mi dà la nausea 3 (*fig.*) nauseare, disgustare ● **to be sickened by a virus**, ammalarsi per un virus □ **to be sickened with**, ammalarsi di; stufarsi di: **to be sickened with an unknown illness**, ammalarsi di una malattia sconosciuta; *I'm sickened with your complaints*, sono stufo delle tue lamentele.

sickener /ˈsɪkənə(r)/ n. (*ingl.*) cosa che disgusta; cosa seccante, disgustosa; fatto duro da mandare giù; boccone che va giù storto (*fig.*).

sickening /ˈsɪkənɪŋ/ a. 1 nauseabondo; nauseante; che fa vomitare: **a s. stink**, un puzzo nauseabondo 2 (*fam.*) disgustoso; ripugnante; sgradevole: **a s. sight**, uno spettacolo disgustoso.

sickie /ˈsɪkɪ/ n. 1 (*slang USA*) nevropatico; psicopatico; pazzoide 2 (*fam. GB*) giorno di malattia (*preso quando in realtà non si è malati*): **to take a s.**, darsi (per) malato.

sickish /ˈsɪkɪʃ/ a. 1 indisposto; malaticcio 2 alquanto nauseato 3 → **sickening**.

sickle /ˈsɪkl/ n. 1 (*agric.*) falce (*corta*); falcetto 2 (*polit., stor.*) falce: **hammer and s.**, falce e martello (*simbolo dei comunisti*) ● (*med.*) **s. cell**, eritrocita falciforme; drepanocita □ (*med.*) **s.-cell anemia** [**disease**], anemia [malattia] falciforme (*o* drepanocitica) □ (*zool.*) **s.-feather**, penna falciforme (*per es., della coda del gallo*).

sickly /ˈsɪklɪ/ a. 1 di salute malferma; malaticcio; debole; delicato: **a s. child**, un bambino delicato, malaticcio; **a s. look**, un aspetto malaticcio; **a s. smile**, un debole sorriso 2 pallido; malsano: **a s. complexion**, una carnagione pallida (*o* malsana) 3 insalubre; malsano: **a s. climate**, un clima insalubre 4 nauseabondo; nauseante: **s. food**, cibo nauseabondo 5 insulso; melenso; scipito; svenevole ‖ **sickliness** n. ⓤ 1 salute cagionevole, malferma 2 aspetto malaticcio; pallore 3 (*del clima, ecc.*) insalubrità 4 insulsaggine; melensità; scipitezza; svenevolezza.

sickness /ˈsɪknəs/ n. ⓤ 1 malattia; male; malanno 2 nausea; conati di vomito 3 (*fig.*) malessere: *Russia's economic s.*, il malessere economico della Russia ● **s. benefit**, sussidio (*o* indennità) di malattia (*o* di invalidità) (*pagabile in GB per 28 settimane*).

sicko /ˈsɪkəʊ/ → **sickie**.

sickroom /ˈsɪkruːm/ n. 1 camera dell'ammalato 2 (*a scuola, ecc.*) infermeria.

♦**side** /saɪd/ **A** n. 1 lato; fianco; banda; canto; parte; faccia (*fig.*): **the four sides of a box**, i quattro lati di una cassa; **the sides of a house**, i lati (*o* i fianchi) di una casa; *He was hit in the left s.*, fu colpito al fianco sinistro; **the s. of a hill**, il fianco d'un colle; **the two sides of a cassette**, i due lati di una cassetta; **s. by s.**, fianco a fianco; *They rushed up from all sides*, accorsero da ogni parte; **on this s.**, da questa parte; per di qua; **great-grandfather on my mother's s.**, il bisnonno dalla parte (*o* dal lato) di mia madre; **the other s. of the moon**, l'altra faccia della luna 2 (*fig.*) lato; aspetto; faccia: **on** (*o* **from**) **every s.**, da ogni lato; sotto ogni aspetto; **the ugly s. of sb.'s character**, il lato brutto del carattere di q.; **to study all sides of an issue**, studiare tutti gli aspetti di una questione; *Let's consider the other s. of the question*, vediamo un po' l'altra faccia del problema! 3 (*geom.*) lato; faccia: **the sides of a triangle**, i lati di un triangolo; *A cube has six sides*, il cubo ha sei facce 4 sponda; riva; margine; orlo: **by the s. of a river**, in riva a un fiume; **the s. of the road**, il ciglio della strada; **by the s. of the lake**, in riva al lago 5 (*geogr.*) versante: **on this s. of the Alps**, su questo versante delle Alpi 6 lato; facciata (*di un foglio di carta, di un documento, ecc.*) 7 (*anche naut.*) fiancata (*di una nave, di un veicolo, di un edificio, ecc.*); (*di nave*) banda, bordo, fianco, murata: *There's a big dent on the right s. of your car*, c'è un bel bollo sulla fiancata destra della tua auto 8 parte; parte in causa; fazione; partito: **the winning s.**, il partito vincente; **the losing s.**, la parte soccombente; il partito che ha perso; *He is on our s.*, è dalla nostra parte; è dei nostri; (*anche leg.*) **to hear both sides**, ascoltare entrambe le parti in causa; sentire le due campane (*fam.*); **to change sides**, cambiare partito 9 (*rag.*) lato; sezione: **credit** [**debit**] **s.**, lato (*o* sezione) avere [dare] 10 (*sport*) squadra; formazione; compagine 11 (*sport*) fascia, lato 12 (*biliardo*) sponda; (*anche*) effetto dato alla bilia colpendola di lato 13 (*di occhiali*) susta; stanghetta 14 (*macelleria*) mezzena (*di animale macellato*): **a s. of beef**, una mezzena di bue; un mezzo bue 15 (*sport: tennis, ecc.*) = **side spin** → *sotto* 16 (*fam. TV*) canale: *What's on on the other s.?*, che cosa danno sull'altro canale? 17 ⓤ (*fam. ingl.*) alterigia; boria; arie (*di superiorità*): *He likes to put on s.*, gli piace darsi delle arie; *I like that girl; there is no s. to her*, quella ragazza mi piace: non si dà arie **B** a. attr. 1 laterale; di fianco: **s. door**, porta laterale; **s. chapel**, cappella laterale 2 collaterale; marginale; secondario: (*econ.*) **s. business**, attività collaterale; **a s. issue**, una questione marginale ● (*mil.*) **s. arms**, armi da fianco □ **s. bet**, scommessa secondaria □ (*a teatro*) **a s. box**, un palco di lato □ (*chim.*) **s. chain**, catena laterale □ (*edil.*) **a s.-cut brick**, un mattone tagliato ad angolo □ **a s. dish**, un contorno (*d'insalata, ecc.*): **a s. dish of salad**, insalata per contorno □ (*mus.*) **s. drum**, piccolo tamburo a doppia membrana □ **s. effect**, (*med.*) effetto collaterale; (*fig.*) effetto secondario (*spec. indesiderato*) □ **s. face**, profilo: **a s.-face portrait**, un ritratto di profilo □ (*naut.*) **s. fender**, parabordo □ (*autom.*) **s. frame**, fiancata □ **a s. glance**, uno sguardo di traverso; un'occhiata in tralice □ (*ginnastica*) **s. horse**, cavallo con maniglie □ (*fam. USA*) **s. meat**, carne di maiale salata □ (*calcio*) **s. netting**, esterno della rete □ **s. note**, nota a margine (*di pagina*) □ **s.-on**, (agg.) laterale; (avv.) lateralmente, di lato: (*autom.*) **a s.-on crash**, uno scontro laterale; **to crash s.-on**, scontrarsi di lato □ (*al ristorante*) **s. order**, ordinazione aggiuntiva (*o* di un extra) □ (*sport: pallavolo*) **s. out**, cambio palla □ (*autom.*) **s. panel**, fiancata □ (*edil.*) **s. post**, stipite □ **s. road**, (strada) laterale; traversa □ (*sport*) **s. roll**, (*lotta*) rotolamento su un fianco; (*pallavolo*) rullata laterale □ (*al ristorante*) **s. salad**, insalata come contorno; piccola porzione d'insalata □ (*trasp.*) **s. seat**, sedile laterale □ (*sport: tennis, ecc.*) **s. spin**, effetto (*dato alla palla colpendola di lato*) □ **s.-splitting**, che fa sbellicare dalle risa; divertentissimo □ **s. step**, passo a lato; (*boxe*) schivata laterale; (*calcio*) salto, scarto (*di un avversario*); (*sci*) passo a scaletta □ **side-stream smoke**, fumo prodotto dalla combustione spontanea della sigaretta □ **s. street** = **s. road** → *sopra* □ **s. table**, tavolo (*o* tavolino) di servizio □ (*tur.*) **s. trip**, viaggetto, deviazione □ (*mecc.*) **s.-valve engine**, motore a valvole laterali □ (*geogr.*) **s. vent**, cono avventizio (*di vulcano*) □ **s. view**, veduta di fianco (*o* di profilo) □ (*lotta*) **s. waist hold**, presa laterale in cintura □ (*naut.*) **s.-wheeler**, piroscafo a ruote laterali □ **s. whiskers**, basette; fedine; favoriti □ **s. wind**, (*naut. e sport*) vento laterale, vento di lato, vento di traverso; (*fig.*) influsso indiretto □ **by sb.'s s.**, a fianco di; a petto di, al confronto di □ **from s. to s.**, da un capo all'altro; da un'estremità all'altra □ **to join the winning s.**, schierarsi con il vincitore □ (*fam.*) **to let the s. down**, deludere gli amici (i compagni di squadra, ecc.) □ (*fig.*) **to look on the bright s. of things** (*o* **of life**), veder tutto rosa; essere ottimista □ (*fig.*) **to look on the dark** (*o* **gloomy**) **s. of things** (*o* **of life**), veder tutto nero; essere pessimista □ **on every s.**, su (*o* da) ogni lato; da tutte le parti □ (*fam.*) **to be on the high** [**long, low, short**] **s.**, essere piuttosto alto [lungo, basso, corto]: *The sauce was a little on the greasy s.*, la salsa era un po' troppo unta; *His offer was on the low s.*, la sua offerta era un po' bassa □ **on one s.**, da una parte; in disparte □ **on one's s.**, dalla propria: *He's got experience on his s.*, dalla sua ha l'esperienza □ **to be on the right s. of forty**, essere sotto la quarantina □ **to be on the safe s.**, (per) stare sul sicuro; (per) non correre rischi □ **on the s.**, per arrotondare lo stipendio; (*di amore, ecc.*) clandestino; (*di piatto*) di contorno □ **to be on the s. of**, stare dalla parte di; simpatizzare, fare il tifo per (q.) □ **on the south s. of**, a sud di □ **to be on the wrong s. of the door**, esser rimasto chiuso fuori □ **to be on the wrong s. of forty**, aver passato (*o* essere sopra) la quarantina □ (*fig.*) **the other s. of the coin**, il rovescio della medaglia □ **to put st. to one s.**, mettere da parte (*o* in serbo) qc.; accantonare qc. □ (*fig.*) **to shake** (*o* **to split**) **one's sides**, sbellicarsi dalle risa; ridere a crepapelle □ **to stand by sb.'s s.**, stare a lato (*o* a fianco) di q.; (*fig.*) appoggiare, sostenere q. □ **to take sb.'s s.**, prendere le parti di q. □ (*fig.*) **to take sides**, prendere posizione; schierarsi □ (*fig.*) **to take sides with sb.**, parteggiare per q.; prendere le difese di q. □ **to take sb. on one s.**, prendere in disparte q. (*per parlargli*) □ (*fam.*) **this s. of**, senza dover arrivare a; dopo quello che; prima di: **this s. of next month**, prima del mese prossimo; *This is the best curry this s. of India*, questo è il curry migliore del mondo dopo quello che fanno in India □ **Which s. of the coin is up?**, è venuta testa o croce? □ (*su una cassa, un collo, ecc.*) **This s. up**, Alto! □ **The Lord is on our s.**, il Signore è dalla nostra parte; Dio è con noi.

to **side** /saɪd/ v. i. 1 schierarsi (*con*); prendere le parti (*di q.*); prender partito; parteggiare (*per*); appoggiare, sostenere: *John always sides with his mother*, John prende sempre le parti di sua madre; *I don't want to s. with either of them*, non voglio parteggiare né per l'uno né per l'altro 2 (*sport*) tifare; fare il tifo (*per una squadra, ecc.*).

sidearm /ˈsaɪdɑːm/ a. e avv. (*sport: baseball, ecc.; di tiro, ecc.*) (effettuato) con il braccio tenuto di fianco (*al di sotto della spalla*) ● (*boxe*) **a s. blow** (*o* **punch**), un colpo largo al corpo.

sideband /ˈsaɪdbænd/ n. (*radio, ecc.*) banda laterale.

sidebar /ˈsaɪdbɑː(r)/ **A** n. 1 barra laterale; stanga (*di calessino*) 2 (*naut.*) verga piatta laterale (*di chiglia*) 3 (*giorn.*) servizio con notizie integrative **B** a. (*fam. USA*) aggiuntivo; supplementare.

sideboard /ˈsaɪdbɔːd/ n. 1 credenza; buffè, buffet; contro buffet 2 (*di un carro*) sponda laterale.

sideboards /ˈsaɪdbɔːdz/ n. pl. basette; basettoni.

sideburns /ˈsaɪdbɜːnz/ (*USA*) → **sideboards**.

sidecar /ˈsaɪdkɑː(r)/ n. (*trasp.*) motocarrozzetta; motocarrozzino; sidecar.

sided /ˈsaɪdɪd/ a. (nei composti; per es.) **many-s.**, che ha molti lati; che ha molte facce; poliedrico; **one-s.**, unilaterale; (*geom.*) **a four-s. figure**, un quadrilatero.

sidefoot /ˈsaɪdfʊt/ n. (*calcio*) tiro d'interno ● **s. pass**, passaggio (*o* tocco) d'interno.

to **sidefoot** /'saɪdfʊt/ **A** v. t. (*calcio*) colpire (*la palla*) d'interno: *He sidefooted a second*, segnò d'interno il secondo gol **B** v. i. (*calcio*) calciare con l'interno del piede.

sidekick /'saɪdkɪk/ n. (*fam.*, *spec. USA*) **1** amico intimo; compagno; seguace fedele **2** assistente; aiuto; compare; spalla **3** (*fam.*) attacco indiretto.

sidelight /'saɪdlaɪt/ n. **1** (*autom.*) luce d'ingombro; luce di posizione **2** (*naut.*, *aeron.*) fanale di via: **green s.**, fanale (di via) verde; **red s.**, fanale (di via) rosso **3** luce proveniente di lato; illuminazione laterale **4** (*naut.*) portellino di murata; oblò **5** (*fig.*) informazione aggiuntiva; chiarimento.

sideline /'saɪdlaɪn/ n. **1** linea laterale **2** (*market.*) linea di prodotti secondaria **3** (*fin.*, *org. az.*) attività secondaria; ramo d'affari meno importante **4** (*sport: calcio*, *basket*, *tennis*, *ecc.*) linea laterale **5** (pl.) (*sport*) bordi del campo; bordo campo **6** (pl.) (*sport*, *fig.*) panchina: (*di un giocatore*) **to stay on the sidelines**, stare in panchina; fare panchina (*basket*, *calcio*, *ecc.*) **s. pass**, passaggio lungo linea; lungolinea **•** (*basket*) **s. throw-in**, rimessa laterale □ **as a s.**, come attività secondaria; per arrotondare lo stipendio □ (*fig.*) **to put sb. on the sidelines**, costringere q. all'inattività.

to **sideline** /'saɪdlaɪn/ v. t. (*spec. USA*) **1** tenere (*un giocatore*) a bordo campo (*o* in panchina) **2** (*fig.*) mettere fuori causa; tagliare fuori: *He was sidelined by a strain*, uno stiramento gli impedì di giocare.

sidelong /'saɪdlɒŋ/ **A** avv. **1** obliquamente; a sghembo; di traverso: **to move s.**, camminare a sghembo **2** con la coda dell'occhio; di sottecchi: **to look s. at sb.**, guardar q. di sottecchi **B** a. **1** obliquo; laterale; di fianco; di traverso **2** furtivo: **a s. glance**, uno sguardo furtivo **3** indiretto: **a s. remark**, un'osservazione indiretta.

sidereal /saɪ'dɪərɪəl/ a. (*astron.*) sidereo; siderale: **s. day** [**year**], giorno [anno] siderale.

siderite /'saɪdəraɪt, *USA* 'sɪ-/ (*miner.*) n. ꭒꞔ siderite.

siderostat /'saɪdərəstæt, *USA* 'sɪ-/ n. (*astron.*) siderostato; celostata.

sidesaddle /'saɪdsædl/ (*equit.*) **A** n. sella da amazzone (*o* da donna) **B** avv. all'amazzone: **to ride s.**, cavalcare all'amazzone.

sideshow /'saɪdʃəʊ/ n. **1** spettacolo secondario (*in un circo*, *ecc.*); attrazione (*in un luna park*) **2** evento di secondaria importanza.

sideslip /'saɪdslɪp/ n. **1** (*autom.*) sbandata laterale **2** (*aeron.*) scivolata d'ala **3** (*sci*) slittamento laterale: **s. turn**, svolta con slittamento laterale **4** (*fig.*) sbandata.

to **sideslip** /'saɪdslɪp/ v. i. **1** (*autom.*) sbandare a lato **2** (*aeron.*) scivolare d'ala **3** (*sci*) slittare di traverso.

sidesman /'saɪdzmən/ n. (pl. **sidesmen**) (*relig. anglicana*) **1** fabbriciere aggiunto **2** aiuto sagrestano (*che fa la raccolta delle offerte in chiesa e distribuisce i libri delle preghiere*).

sidestep /'saɪdstep/ n. **1** passo laterale (*o* obliquo) **2** (*boxe*) schivata laterale **3** (*fig.*) schivata **4** (*calcio*, *ecc.*) dribbling con un passo laterale.

to **sidestep** /'saɪdstep/ **A** v. i. **1** fare un passo di lato; tirarsi in disparte **2** svicolare (*fig.*) **3** (*sci*) salire a scaletta **B** v. t. **1** (*anche boxe*) schivare, scansare (*un colpo*, *ecc.*) **2** (*calcio*, *ecc.*) dribblare (q.); scartare (q.) **3** (*fig.*) eludere; sottrarsi a, evitare (*una domanda*, *ecc.*).

sidestroke /'saɪdstrəʊk/ n. ꭒ nuoto alla marinara.

sideswipe /'saɪdswaɪp/ n. **1** (*anche autom.*) strisciata; colpo di striscio **2** (*boxe*) sventola larga **3** (*fig. fam.*) frecciata, stoc-

cata (*contro q.*).

to **sideswipe** /'saɪdswaɪp/ v. t. **1** colpire (*o* urtare) di striscio **2** (*boxe*) colpire (q.) con una sventola larga **3** (*fig. fam.*) lanciare una frecciata contro, dare una stoccata a (q.).

sidetrack /'saɪdtræk/ n. **1** (*ferr.*, *USA*) binario di raccordo; binario morto **2** (*fig.*) digressione; sviamento (*delle indagini*); depistaggio.

to **sidetrack** /'saɪdtræk/ **A** v. t. **1** (*ferr.*, *USA*) smistare, instradare (*un treno*) su un binario morto **2** (*fig.*) distogliere (q.) dal suo proposito; sviare (q.) dall'argomento principale **3** (*fig.*) sviare (*indagini*); depistare **4** (*slang USA*) arrestare; catturare **B** v. i. perdere il filo; divagare.

sidewalk /'saɪdwɔːk/ n. (*USA*) marciapiede (*cfr. ingl.* **pavement**) **•** **s. artist** = **pavement artist** → **pavement** □ **s. superintendent**, spettatore curioso (*di lavori stradali*, *ecc.*); critico (*in genere*).

sidewall /'saɪdwɔːl/ n. **1** parete (*di galleria*) **2** (*autom.*) fianco, spalla (*di pneumatico*).

sideward /'saɪdwəd/ **A** avv. → **sidewards B** a. di lato; a lato; (in direzione) laterale; obliquo: **s. motion**, moto laterale.

sidewards /'saɪdwədz/ avv. lateralmente; obliquamente; di fianco; di traverso.

sideways /'saɪdweɪz/ **A** avv. lateralmente; obliquamente; di fianco; di traverso; a sghembo: **to look s.**, guardar di traverso; **to walk s.**, camminare a sghembo **B** a. di fianco; di lato; laterale; obliquo; diretto a lato: **a s. jump**, un balzo di lato; un salto laterale **•** (*calcio*, *ecc.*) **s. pass**, passaggio laterale (*o* orizzontale); passaggio in diagonale **•** **s. promotion**, promozione di facciata; caso di «promoveatur ut amoveatur».

sidewinder /'saɪdwaɪndə(r)/ n. **1** (*zool.*, *Crotalus cerastes*) crotalo cornuto **2** (*boxe*, *USA*) forte sventola **3** (*miss.*, *USA*) «sidewinder» (*missile aria-aria a raggi infrarossi*) **4** (*fig. USA*) tipo pericoloso; individuo infido.

sidewise /'saɪdwaɪz/ → **sideways**.

siding /'saɪdɪŋ/ n. **1** (*ferr.*) binario di raccordo (*o* di deposito) **2** ꭒꞔ (*edil.*) rivestimento per pareti esterne (*di legno o metallo*) **3** ꭒ faziosità; parzialità; partigianeria **•** **dead-end s.**, binario morto □ **private s.**, binario di raccordo privato (*di una fabbrica*, *ecc.*).

to **sidle** /'saɪdl/ v. i. **1** camminare a sghembo; andare storto (*come un granchio*) **2** camminare furtivamente; procedere con cautela; muoversi furtivamente **•** **to s. away from sb.**, allontanarsi furtivamente da q. □ **to s. up to sb.**, avvicinarsi timidamente a q.

Sidon /'saɪdn/ (*stor.*) n. Sidone ‖ **Sidonian** a. e n. (abitante) di Sidone.

SIDS sigla (*med.*, **sudden infant death syndrome**), sindrome della morte improvvisa del lattante; morte in culla (*fam.*).

siege /siːdʒ/ n. **1** ꭒꞔ (*mil.*) assedio **2** (*fig.*) insistenza; pressioni **3** (*fig.*) lungo periodo (*di degenza*, *malattia*, *ecc.*) **4** (*arc.*) seggio; trono **•** **s. artillery**, artiglieria da assedio □ **s. gun**, pezzo (*o* cannone) da assedio □ (*fig.*) **s. mentality**, mentalità da assediati □ **s. train**, equipaggiamento da assedio □ (*mil.*) **s. warfare**, guerra d'assedio □ (*mil.*) **s. works**, opere d'assedio □ (*fig.*) **to lay s. to sb.**, fare una corte insistente a q. □ **to lay s. to a town**, stringere d'assedio una città □ **to push the s.**, rafforzare l'assedio; (*fig.*) farsi più insistente (*o* pressante) □ **to stand a long s.**, subire (*o* resistere a) un lungo assedio.

to **siege** /siːdʒ/ v. t. (*mil. e fig.*) assediare.

siemens /'siːmənz/ n. (*elettr.*) siemens.

Sienese, **Siennese** /sɪɛ'niːz/ a. e n. (inv. al pl.) senese **•** (*pitt.*) **the S. school**, la Scuo-

la senese.

sienna /sɪ'ɛnə/ n. ꭒ (*arte*) **1** terra di Siena **2** color terra di Siena **•** **burnt s.**, terra di Siena bruciata; ocra bruciata.

sierra /sɪ'ɛrə/ n. **1** (*geogr.*) sierra; catena di monti **2** (*radio*, *tel.*: S.) la lettera 's'; Sierra.

siesta /sɪ'ɛstə/ n. ꭒꞔ siesta **•** **to take a s.**, fare la siesta.

sieve /sɪv/ n. **1** setaccio; staccio; crivello; buratto; vaglio **2** (*fig. raro*) colabrodo (*fig.*); persona che non sa tenere un segreto; chiacchierone, chiacchierona **•** (*bot.*) **s. cell**, cellula cribrosa □ (*ind.*, *chim.*) **s. plate** (*o* **tray**), piatto forato □ **s. shaker**, apparecchio stacciatore □ **to have a memory** (*o* **a head**, **a mind**) **like a s.**, non avere memoria; essere smemorato.

to **sieve** /sɪv/ v. t. setacciare, stacciare; passare al crivello; abburattare (*la farina*).

sievert /'siːvət/ n. (*fis.*) sievert.

to **sift** /sɪft/ **A** v. t. **1** setacciare (*anche fig.*); stacciare; passare al crivello; abburattare (*farina*); vagliare (*anche fig.*); passare allo staccio, al vaglio: (*leg.*) **to s. the evidence**, vagliare le prove **2** cospargere; spolverare; spolverizzare (*zucchero e sim.*) **3** (*fig.*) distinguere; separare; cernere: **to s. fact from fable**, separare i fatti reali da quelli leggendari **B** v. i. **1** usare un setaccio **2** passare attraverso un setaccio; filtrare: *The flour has sifted through*, la farina è passata (attraverso il setaccio); **to s. through a heap of documents**, setacciare (*o* spulciare) un mucchio di documenti **3** (*fig.*) infiltrarsi; filtrare **4** (*fig.*) fare un esame scrupoloso.

■ **sift out** v. t. + avv. scartare: *The weaker candidates were sifted out before the interview stage*, i candidati più deboli sono stati scartati prima del colloquio.

sifter /'sɪftə(r)/ n. **1** setaccio; staccio; crivello; buratto; vaglio **2** spolverizzatore **3** chi setaccia **4** (*fig.*) chi vaglia; selezionatore.

sifting /'sɪftɪŋ/ n. ꭒꞔ **1** setacciatura; stacciatura; vagliatura; crivellatura **2** (*fig.*) attento esame; vaglio, cernita (*fig.*) **3** (pl.) mondiglia **•** **siftings of snow beside the door**, uno spolvero di neve accanto alla porta.

♦**sigh** /saɪ/ n. sospiro: **to heave** (*o* **to let out**, **to breathe**) **a s. of relief**, tirare un sospiro di sollievo; **to draw a deep s.**, fare un profondo sospiro.

to **sigh** /saɪ/ **A** v. i. **1** sospirare; (*fig.*) stormire: **to s. for a lost friend**, sospirare per la morte d'un amico; *The trees were sighing in the wind*, gli alberi stormivano al vento **2** (*del vento*) gemere **B** v. t. (*di solito* **to s. out**) esprimere (*o* dire) con un sospiro **•** **to s. for**, sospirare; rimpiangere; avere nostalgia di; desiderare ardentemente □ **to s. over sb.** [**st.**], struggersi per q. [qc.].

sighing /'saɪɪŋ/ **A** a. che sospira; sospiroso **B** n. ꭒ il sospirare; sospiri.

♦**sight** /saɪt/ n. **1** ꭒ vista: **to have good** [**bad**] **s.**, aver la vista buona [cattiva]; **long s.**, vista lunga; (*med.*) ipermetropia; **short** (*o* **near**) **s.**, vista corta; (*med.*) miopia **2** ꭒꞔ vista; veduta: **a wonderful s.**, una magnifica veduta; **a sad s.**, un triste spettacolo; *There was nobody in s.*, non c'era nessuno in vista; *Victory is in s.*, la vittoria è in vista **3** ꭒ giudizio; opinione; parere; punto di vista: *He can do no wrong in your s.*, a parer tuo (*o* ai tuoi occhi), è incapace di far del male **4** (pl.) curiosità in un luogo; cose da vedere; luoghi d'interesse turistico: **the sights of Rome**, le cose da vedere a Roma; *We went to see the sights*, andammo a fare il giro turistico della città (a visitare i monumenti, ecc.) **5** (al sing. con l'art. indef.) (*fam.*) cosa ridicola; spettacolo (comico); or-

rore (*scherz.*): *What a s. you are in that old nightgown!*, con quella vecchia camicia da notte sei un orrore! **6** (al sing. con l'art. indef.) (*fam.*) mucchio; quantità; sacco: *It costs a s. of money*, costa un occhio della testa! **7** (*di strumento ottico*) mirino **8** (*d'arma da fuoco*; = **front s.**) mirino **9** (*d'arma da fuoco*; = **rear s.**) mira; tacca di mira e alzo **10** (pl.) – **sights**, tacca di mira e mirino; congegno di puntamento: **to line up the (front and rear) sights on one's rifle**, traguardare la mira e il mirino della propria carabina; (*di un nemico, ecc.*) **to be in** (*o* **within**) **sb.'s sights**, essere sotto tiro; (*fig.*: *di un oggetto*) essere ben visibile **11** (*topogr.*) traguardo ● **s. adjuster**, regolatore del mirino (*d'arma da fuoco*) □ (*anche mil.*) **s. aperture**, diottra □ (*comm.*) **s. bill**, cambiale a vista □ **s. blade**, piastra dell'alzo □ (*banca*) **s. deposit book**, libretto di deposito libero □ (*comm.*) **s. draft**, tratta a vista □ **a s. for sore eyes**, una piacere a vedersi; un balsamo per gli occhi (*fig.*); una consolazione (*fig.*), un sollievo □ **s.-impaired**, non vedente; ipovedente □ (*d'arma da fuoco*) **s. leaf**, foglia dell'alzo; (*per estens.*) alzo: **to raise [to set] the s. leaf**, tirare su [regolare] l'alzo □ (*mus.*) **s.-reader**, chi suona (*o* canta) a prima vista □ **s.-reading**, il suonare, il cantare (*una partitura*) a prima vista □ **a s. to see** (*o* **to behold**), una cosa da vedere; uno spettacolo meraviglioso □ (*d'arma da fuoco*) **s. setter** = **s. adjuster** → *sopra* □ (*mil.*) **s. standard**, congegno di mira □ (*med.*) **s. test** (*o* **s. testing**), esame della vista □ **s. unseen**, senza averci potuto dare un'occhiata: **to buy st. s. unseen**, comprare qc. a scatola chiusa □ **at s.**, a vista; a prima vista: **to shoot at s.**, sparare a vista; (*fin.*) **a draft payable at s.**, una tratta pagabile a vista; *She plays music at s.*, suona (musica) a prima vista □ **at the s. of**, alla vista di; al vedere; vedendo □ **at first s.**, a prima vista; immediatamente: **love at first s.**, amore a prima vista □ **by s.**, di vista: **to know sb. by s.**, conoscere q. di vista □ **to catch** (*o* **to get, to have**) **s. of**, scorgere; avvistare; vedere per un momento; intravedere □ **to come in s.** (*o* **within s.**) **of**, giungere in vista di (*una città, un luogo*) □ **to come into s.**, presentarsi alla vista, apparire: *A ship came into s. on the horizon*, all'orizzonte apparve una nave □ **to find favour in sb.'s s.**, riuscir gradito (*o* bene accetto) a q.; acquistar favore agli occhi di q. □ (*anche fig.*) **to have in one's sights**, avere nel mirino (*anche fig.*); tenere sotto tiro: *I had the hare in my sights*, avevo la lepre nel mirino; *He had the first prize in his sights*, mirava al primo premio □ **to heave in s.** = **to come into s.** → *sopra* □ **to keep in s.**, mantenersi in vista □ **to keep out of s.**, tenersi nascosto □ **to lose one's s.**, perdere la vista □ **to lose s. of**, non vedere più; perdere di vista: *I have lost s. of him*, l'ho perso di vista □ **to make a s. of oneself**, rendersi ridicolo; vestire in modo stravagante, buffo □ (*fam.*) **not by a long s.**, nient'affatto; neanche un po'; per niente □ **on s.** = **at s.** → *sopra* □ **out of s.**, fuori di vista; lontano; (*fam.*) in alto, alle stelle; (*slang*) eccezionale, favoloso: *The plane was soon out of s. among the clouds*, l'aereo ben presto scomparve (alla vista) fra le nuvole; *Prices have gone out of s.*, i prezzi sono andati alle stelle □ **to put out of s.**, celare, nascondere; fare come se q. (*o* qc.) non esistesse □ (*mil.*) **to set the s.**, regolare l'alzo (*di un'arma da fuoco*) □ (*fig.*) **to set one's sights on st.**, puntare (tutto) su qc.; mirare decisamente a qc.; mettere l'occhio su qc.: *He'd set his sights on university* [*on becoming an actor, etc.*], puntava tutto sull'università [voleva a ogni costo fare l'attore, ecc.] □ **I hate the s. of him**, non posso vederlo; non posso soffrirlo; lo detesto □ (*fam.*) **He's a long s. better**, è assai migliorato (*di salute*) □ **Out of my s.!**, ch'io non ti veda più!; sparisci! □ (*prov.*) **Out of s., out of mind**, lontano dagli occhi, lontano dal cuore.

to **sight** /saɪt/ **A** v. t. **1** avvistare; giungere in vista di: **to s. land**, avvistare terra **2** scorgere: *Suddenly I sighted her face in the crowd*, improvvisamente scorsi il suo viso tra la folla **3** (*astron., naut.*) traguardare **4** aggiustare la mira di; prender la mira con; mirare a: **to s. a gun**, prendere la mira col fucile; **to s. a target**, mirare a un bersaglio **5** provvedere (*un fucile, ecc.*) di mirino **B** v. i. prendere la mira; puntare.

sighted /ˈsaɪtɪd/ a. **1** (nei composti; per es.:) **long-s.**, che ha la vista lunga; (*med.*) presbite, ipermetrope; (*fig.*) oculato, previdente, preveggente; **short-s.**, che ha la vista corta; (*med.*) miope; (*fig.*) imprevidente, improvvido, miope (*fig.*) **2** (*di fucile, ecc.*) provvisto di mirino.

sighting /ˈsaɪtɪŋ/ n. **1** avvistamento: **eye s.**, avvistamento a occhio nudo **2** (*d'arma da fuoco*) puntamento **3** (*tiro*) mira: **s. mistake**, errore di mira **4** (*tiro*) aggiustamento della mira **5** (*naut.*) avvistamento **6** (*astron., naut.*) rilevamento ● **s. shot**, colpo sparato per aggiustare la mira; tiro di prova □ (*mil.*) **s. station**, centrale di tiro □ **s. telescope**, collimatore di puntamento.

sightless /ˈsaɪtləs/ a. **1** non vedente; cieco **2** (*poet.*) invisibile | **-ly** avv. | **-ness** n. ⓤ.

sightly /ˈsaɪtlɪ/ a. **1** avvenente; attraente; di bell'aspetto; piacevole a vedersi **2** (*USA*: *di posizione, punto*) che offre una bella vista; panoramico | **-iness** n. ⓤ.

to **sight-read** /ˈsaɪtriːd/ (pass. e p. p. ***sight-read*** /ˈsaɪtrɛd/), v. t. (*mus.*) suonare a prima vista.

sightseeing /ˈsaɪtsiːɪŋ/ n. ⓤ visita ai monumenti (*o* alle bellezze) di un luogo ● **s. tour**, giro turistico □ **to go s.**, visitare un luogo, una città; vederne le bellezze artistiche (*o* naturali) ‖ to **sightsee** (pass. ***sightsaw***, p. p. ***sightseen***), (*fam.*) **A** v. i. fare il turista; essere un turista **B** v. t. fare il giro turistico di (*un luogo, una città*): *There wasn't much time for sightseeing*, non c'è stato molto tempo per fare giri turistici ‖ **sightseer** n. visitatore; turista.

sightworthy /ˈsaɪtwɜːðɪ/ a. degno d'esser visto.

sigil /ˈsɪdʒɪl/ n. **1** (*raro*) sigillo; suggello **2** (*astrologia*) sigillo; segno misterioso.

Sigismund /ˈsɪgɪsmənd/ n. (*stor.*) Sigismondo.

sigma /ˈsɪgmə/ n. **1** sigma (*diciottesima lettera dell'alfabeto greco*) **2** (*zool.*) spicola tipo sigma.

sigmate /ˈsɪgmət/ a. a forma di sigma (*o* di «s»); sigmoide.

sigmoid /ˈsɪgmɔɪd/ a. e n. (*anat.*) sigmoideo: **s. colon**, colon sigmoideo.

Sigmund /ˈsɪgmənd/ n. (*mitol.*) Sigismondo.

♦**sign** /saɪn/ n. **1** segno; cenno; contrassegno; simbolo; presagio; indizio; sintomo: **the s. of the cross**, il segno della croce; **the signs of the zodiac**, i segni dello zodiaco; **a s. of approval**, un cenno d'approvazione; **to show signs of tiredness**, dare segni di stanchezza; (*mat.*) **positive** [**negative**] **s.**, segno positivo [negativo]; **a s. of the times**, un segno dei tempi; *The dove is a s. of peace*, la colomba è il simbolo della pace; **a s. of spring**, un presagio di primavera; **the s. of a disease**, il sintomo di una malattia **2** impronta; traccia: *Deer signs were plentiful*, c'erano molte impronte di cervi; *There's no s. of John*, di John non c'è traccia **3** cartello (*stradale, ecc.*): *Follow the signs for Hucknall*, segui i cartelli per Hucknall; insegna (*di negozio, ecc.*): **inn s.**, insegna di locanda; **to put up at the s. of the White Hart**, alloggiare all'insegna del Cervo Bianco **4** (*autom.*) segnale: **road signs**, segnali stradali (*verticali*; *cfr.* **markers**, *sotto* **marker**, *def. 12*); (collett.) segnaletica (*verticale*); **warning signs**, segnali di pericolo (*per lo più triangolari*); **signs giving orders**, segnali di prescrizione (*o* di divieto: *per lo più circolari*) **5** (pl.) (*autom.*) segnaletica (*verticale*) **6** (*arc.*) miracolo; portento: (*Bibbia*) *He did signs and wonders*, operò miracoli e portenti ● (*mil.*) **s. and countersign**, parola d'ordine (*domanda e risposta*) □ (*autom.*) **s. bridge**, tabellone segnalatore (*posto in alto, attraverso le corsie di marcia di un'autostrada*) □ **s.-in**, registrazione (*in un albergo, ecc.*); raccolta di firme (*per petizioni, ecc.*) □ **s. language**, lingua dei segni, linguaggio gestuale, linguaggio mimico dei sordomuti □ **s. maker**, fabbricante (*o* pittore) d'insegne □ (*leg.*) **s. manual**, firma autografa (*spec. di un sovrano*) □ **s. painter**, pittore d'insegne (*di scritte su negozi, ecc.*) □ **s.-up**, di adesione; di arruolamento; (*sport*) d'ingaggio: **s.-up money**, premio d'ingaggio □ **s. writer**, grafico pubblicitario □ **s. writing**, grafica pubblicitaria □ **to give sb. a s. to withdraw**, far cenno a q. di ritirarsi □ **to show signs**, dare segni: *The economy is showing signs of recovery*, l'economia sta dando segni di ripresa.

♦to **sign** /saɪn/ **A** v. t. **1** firmare; ratificare; sottoscrivere: **to s. a letter** [**a contract**], firmare una lettera [un contratto]; **to s. a petition**, sottoscrivere una petizione; *Can you s. here please?*, può firmare qui per favore? **2** indicare con un gesto: **to s. one's approval (with a nod)**, fare un cenno d'approvazione **3** (*spec. sport*) ingaggiare; assumere; prendere (*fam.*) **4** (*relig.*) fare il segno della croce su (*q., spec. un battezzando*) **B** v. i. **1** firmare: *S. here, please*, firmi qui! **2** fare un cenno; fare un gesto; dare un segnale: *He signed for me to go in*, mi fece cenno di entrare ● **to s. one's autograph**, fare l'autografo □ **to s. oneself**, firmarsi; (*relig.*) segnarsi, farsi il segno della croce □ **to s. a road intersection**, mettere la segnaletica a un incrocio stradale □ (*sport*: *di un giocatore*) **to be signed**, essere ingaggiato.

■ **sign away** v. t. + avv. **1** alienare, cedere, trasferire per iscritto: **to s. away an estate**, firmare il contratto di cessione di un bene immobile; **to s. away one's control of a territory**, cedere il controllo di un territorio **2** rinunciare a (*fam.*: giocarsi) con una firma: *'Oh Madam, you will s. away your life!'* R. Bolt, 'Ahimé, Signora: con questa firma Vi giocate la vita!' □ (*fig.*) **to s. away one's freedom**, rinunciare alla libertà.

■ **sign for** v. i. + prep. **1** firmare per (*o* in segno di ricevuta di): *You should s. for the parcel*, (Lei) deve firmare per il pacco; *I'll s. for it*, firmo io per la consegna **2** (*sport*: *di un giocatore*) andare (per contratto) a giocare in.

■ **sign in** **A** v. i. + avv. **1** firmare il registro, registrarsi (*in un circolo, un albergo, ecc.*) **2** fare la firma di presenza; timbrare il cartellino all'entrata (*in ufficio, ecc.*) **3** iscriversi (*a un circolo, ecc.*): *When you s. in you get a password to play online*, quando ti registri ricevi una password per giocare online **B** v. t. + avv. **1** registrare il nominativo di (*ospiti invitati a un circolo, ecc.*) **2** (*org. az.*) firmare la ricevuta di carico di (*merci*) **3** iscrivere (q.) a un circolo.

■ **sign off** **A** v. i. + avv. **1** chiudere una lettera (*firmandola*) **2** licenziarsi **3** (*radio, TV*) chiudere le trasmissioni; dare la sigla di chiusura **4** (*fam. USA*) smettere di parlare; smetterla **5** (*comput.*) → **log off** **B** v. t. + avv. **1** licenziarsi da (*un posto*); abbandonare (*un lavoro*) **2** (*di un medico*) dichiarare (q.) inabile al lavoro.

■ **sign on** **A** v. i. + avv. **1** fare la firma; sot-

toscrivere un contratto; farsi assumere **2** (*mil.*) arruolarsi; fare la firma (*fam.*); (*naut.*) imbarcarsi **3** (*ingl.*) iscriversi nelle liste di collocamento; essere disoccupato: *How long has he been signing on?*, da quanto tempo è disoccupato?; *I'm looking for work and would like to s. on with your agency*, sto cercando lavoro e vorrei iscrivermi alle liste della vostra agenzia **4** (*radio, TV*) iniziare le trasmissioni; dare la sigla d'apertura **5** (*comput.*) → **log on** B v. t. + avv. **1** assumere (*personale, candidati, ecc.*) **2** (*mil.*) arruolare; (*naut.*) imbarcare (*marinai*) **3** (*sport*) ingaggiare (*giocatori*) □ **to s. on the dotted line**, fare la firma sulla riga tratteggiata; (*fig. fam.*) accettare subito, incondizionatamente.

■ **sign out** A v. i. + avv. **1** registrarsi alla partenza (*in albergo*) **2** firmare all'uscita (*da un luogo*); timbrare il cartellino all'uscita (*dal lavoro*) B v. t. + avv. **1** (*org. az.*) firmare la ricevuta di scarico di (*merce*) **2** annotare l'uscita di: *All items must be signed out when taken out of the warehouse*, si deve prendere nota di tutti gli articoli che lasciano il magazzino □ **to s. out books from the library**, segnare i libri della biblioteca dati in prestito.

■ **sign over** → **sign away**.

■ **sign to** v. i. + prep. fare cenno a (q.): *He signed to his secretary to hand over the contract to the customer*, fece cenno alla segretaria di passare il contratto al cliente.

■ **sign up** A v. i. + avv. **1** fare la firma; impegnarsi per iscritto **2** (*mil.*) arruolarsi (*anche nella polizia*), mettere la firma (*fam.*); firmare il documento di rafferma; (*naut.*) imbarcarsi: **to s. up for the army** [navy], arruolarsi nell'esercito [in marina] **3** (*anche sport*) firmare l'ingaggio **4** iscriversi (*a un corso, una scuola, ecc.*) B v. t. + avv. **1** assumere; ingaggiare: **to s. up a singer** [a footballer], ingaggiare un cantante [un calciatore] **2** iscrivere (*studenti, ecc.*) **3** impegnare (*un cliente, un oratore, un personaggio*) per iscritto **4** (*mil.*) arruolare (*anche nella polizia*); (*naut.*) imbarcare (*marinai*).

signable /ˈsaɪnəbl/ a. **1** che si può firmare **2** da firmare; alla firma.

signage /ˈsaɪnɪdʒ/ n. (*USA*) segnaletica (*spec. stradale o commerciale*).

♦**signal** ① /ˈsɪɡnəl/ n. **1** segnale (*anche fig.*); segno d'intesa: **a danger s.**, un segnale di pericolo; *He gave the s. to advance*, diede il segnale dell'avanzata; **stop s.**, segnale d'arresto; (*autom.*) **stop 2** (pl.) (*autom.*) segnaletica (*verticale*) **3** semaforo (*stradale*) **4** (*radio., TV*) segnale **5** (*sport*) segnalazione (*dell'arbitro, ecc.*) ● (*autom.*) **signals above lanes**, segnaletica verticale (*in autostrada*) **2** (*mil., naut.*) **s. book**, codice dei segnali ● (*ferr.*) **s. box**, cabina di manovra □ (*mil., USA*) **S. Corps**, Genio Radiotelegrafisti e Segnalatori □ (*calcio*) **s. from the linesman**, sbandieramento □ (*naut.*) **s. lamp**, fanale di segnalazione □ **s. light**, segnalazione luminosa □ **s. rocket**, razzo di segnalazione **2** (*naut.*) **s. station**, semaforo □ (*radio, TV*) **s. strength**, potenza del segnale □ (*ferr., USA*) **s. tower** = **s. box** → *sopra* □ **to display signals**, fare segnalazioni.

signal ② /ˈsɪɡnəl/ a. **1** (*form.*) segnalato; cospicuo; famoso; insigne; notevole; esemplare: **s. virtue**, segnalata virtù; **a s. success**, un notevole successo; **a s. punishment**, una punizione esemplare **2** (usato) per segnalazioni: **s. fires**, fuochi (di segnalazione).

to **signal** /ˈsɪɡnəl/ A v. t. **1** segnalare; fare segnalazioni, fare segnali a (q.) **2** trasmettere (*un messaggio*) mediante segnali **3** (*fig.*) essere il segno di; segnare (*la fine di qc., ecc.*) **4** (*sport*) fischiare: **to s. the end of the match**, fischiare la fine dell'incontro B

v. i. **1** fare segnali; fare segnalazioni **2** fare un cenno (*con la mano*): *He signalled to me to advance*, mi fece cenno di farmi avanti.

to **signalize** /ˈsɪɡnəlaɪz/ v. t. **1** segnalare; distinguere; rendere illustre **2** mettere in evidenza; celebrare ● **to s. oneself**, distinguersi.

signaller /ˈsɪɡnələ(r)/ n. **1** (*tecn.*) segnalatore (*strumento*) **2** → **signalman**.

signalling, (*USA*) **signaling** /ˈsɪɡnəlɪŋ/ n. U **1** (*mil., ferr., naut.*) segnalazione; sistema di segnalazione: **visual s.**, segnalazione ottica **2** (*autom.*) segnaletica ● (*tecn.*) **s. device**, segnalatore (*strumento*).

signally /ˈsɪɡnəli/ avv. (*form.*) segnatamente; cospicuamente; notevolmente ● **to fail s.**, fallire clamorosamente.

signalman /ˈsɪɡnəlmən/ n. (pl. **signalmen**) (*ferr., mil., naut.*) segnalatore.

signalment /ˈsɪɡnəlmənt/ n. U (*USA*) (descrizione dei) dati segnaletici (*per es., di un ricercato dalla polizia*).

signatory /ˈsɪɡnətri/ a. e n. (*leg., comm., polit.*) firmatario.

♦**signature** /ˈsɪɡnətʃə(r)/ n. **1** firma: **to affix one's s. to** (o **on**) **st.**, apporre la propria firma a, firmare, sottoscrivere qc. **2** (*radio, TV*, = **s. tune**) sigla musicale (*d'una trasmissione*) **3** (*tipogr.*) segnatura **4** (*leg.*) vidimazione **5** (*mus.*) armatura: **key s.**, armatura di chiave **6** (*elettron.*) configurazione propria; forma caratteristica **7** (*mil.*) impronta **8** (*arc.*) segno; marchio ● (*leg.*) **s. by mark**, firma col segno di croce □ (*cucina*) **s. dish**, piatto forte; cavallo di battaglia (*di un cuoco, di un ristorante, ecc.*) □ (*comput.*) **s. file**, file contenente la firma elettronica (*allegato in calce a messaggi e-mail*) □ **to honour one's s.**, far onore alla propria firma □ **to put one's s. on** (o **to**) **st.**, firmare qc.; (*fig.*) accettare volentieri (o subito) qc.; fare la firma a qc.

signboard /ˈsaɪnbɔːd/ n. **1** cartello (pubblicitario), cartellone; insegna (*di negozio, ditta, ecc.*) **2** (*USA*) cartello stradale.

signer /ˈsaɪnə(r)/ n. chi firma; firmatario, firmataria.

signet /ˈsɪɡnət/ n. **1** sigillo **2** (*stor.*) – **the s.**, il sigillo reale ● **s. ring**, anello con sigillo □ (*in Scozia*) **writer to the s.**, avvocato patrocinante nella «Court of Session» (*la più alta corte civile*).

♦**significance** /sɪɡˈnɪfɪkəns/ n. U 2 **1** significato; senso: *The s. of his behaviour was very clear*, il significato del suo comportamento era chiarissimo; **a glance of deep s.**, un'occhiata molto significativa **2** importanza; peso; portata; rilievo: **a decision of great s.**, una decisione di grande importanza; *The true s. of the new measures cannot be overestimated*, non si può sopravvalutare la reale portata dei nuovi provvedimenti **3** elemento significativo; aspetto significativo.

♦**significant** /sɪɡˈnɪfɪkənt/ a. **1** significativo: **a s. remark**, un'osservazione significativa; (*mat.*) **to the third s. figure**, alla terza cifra significativa **2** significante; eloquente; espressivo: **a s. look**, uno sguardo espressivo, eloquente **3** importante: **a s. event**, un avvenimento importante ● (*fam.*) **s. other**, partner; dolce metà.

♦**significantly** /sɪɡˈnɪfɪkəntli/ avv. **1** sensibilmente; considerevolmente: *Productivity has s. increased during the last quarter*, la produttività è sensibilmente aumentata nell'ultimo trimestre **2** in modo significativo; significativamente: *He glanced s. in my direction*, lanciò uno sguardo significativo verso di me.

signification /ˌsɪɡnɪfɪˈkeɪʃn/ n. (*form.*) significato; senso.

significative /sɪɡˈnɪfɪkətɪv/ a. significativo | **-ly** avv.

signified /ˈsɪɡnɪfaɪd/ n. (*ling.*) significato.

signifier /ˈsɪɡnɪfaɪə(r)/ n. (*ling.*) significante.

to **signify** /ˈsɪɡnɪfaɪ/ v. t. e i. **1** significare; voler dire; annunciare; comunicare; esprimere; far sapere: *What does that s.?*, che cosa significa ciò?; *The chairman signified his intention to resign*, il presidente annunciò la sua intenzione di dimettersi; **to s. one's consent**, esprimere il proprio consenso **2** significare; avere importanza; importare: *It doesn't s. much*, non ha molta importanza; non importa granché **3** essere un segno di; dimostrare; denotare; rivelare: *His rags s. his poverty*, gli stracci di cui va vestito sono un segno della sua miseria **4** (*slang USA*) fingere d'essere al corrente (o d'essere importante); darsi arie **5** (*slang USA*) far casino; offendere; insultarsi a vicenda.

signifying /ˈsɪɡnɪfaɪɪŋ/ part. pres. di **to signify**, che significa ● **s. nothing**, privo di significato: *[Life] is a tale / Told by an idiot, full of sound and fury, / s. nothing'* W. SHAKESPEARE, 'La vita è un racconto / fatto da un idiota, pieno di rumore e di furia, / e privo di significato'.

signing /ˈsaɪnɪŋ/ n. **1** firma; atto della firma **2** (*sport*) giocatore ingaggiato; ingaggio; acquisto: **our latest s.**, il nostro ultimo ingaggio; il nostro nuovo acquisto ● (*spec. sport*) **s.-on**, ingaggio; firma d'ingaggio: **s.-on fee**, premio d'ingaggio □ (*sport*) **s.-up**, ingaggio.

sign-off /ˈsaɪnɒf/ n. (*USA*) osservazione finale; ultima battuta.

signpost /ˈsaɪnpəʊst/ n. **1** (*autom.*) cartello indicatore, cartello stradale su palo; indicatore stradale **2** (*fig.*) indicazione; guida.

to **signpost** /ˈsaɪnpəʊst/ v. t. **1** fornire (*una strada*) di cartelli **2** segnalare, indicare (*una località, ecc.*) con un cartello: *It's not very well signposted*, non è chiaro dai cartelli come ci si arriva **3** (*fig.*) indicare (*la strada da fare, il metodo da seguire, ecc.*); indirizzare (q.).

Sikh /siːk/ a. e n. sikh.

Sikhism /ˈsiːkɪzəm/ n. U sikhismo.

silage /ˈsaɪlɪdʒ/ n. U (*agric.*) foraggio insilato ● **s. blower**, insilatrice.

to **silage** /ˈsaɪlɪdʒ/ v. t. (*agric.*) insilare.

♦**silence** /ˈsaɪləns/ n. U silenzio: **in the s. of night**, nel silenzio della notte; *He listened in s.*, ascoltò in silenzio; **to keep** [to break] **the s.**, mantenere [rompere] il silenzio ● **a dead s.**, un silenzio di tomba □ **to pass into s.**, (*di un fatto, ecc.*) esser passato sotto silenzio; cadere nell'oblio; (*di suoni, ecc.*) spegnersi, tacere □ **to pass over st. in s.**, passare qc. sotto silenzio □ **to put sb. to s.**, far tacere q. □ **to reduce sb. to s.**, ridurre al silenzio q. □ (*prov.*) **S. gives consent**, chi tace acconsente.

to **silence** /ˈsaɪləns/ v. t. far tacere; zittire; ridurre al silenzio; (*fig.*) far cessare, reprimere, metter fine a: **to s. one's opposers**, ridurre i propri oppositori al silenzio; **to s. complaints**, metter fine alle lagnanze.

silenced /ˈsaɪlənst/ a. (*tecn.: di un'arma, un motore*) munito di silenziatore.

silencer /ˈsaɪlənsə(r)/ n. **1** silenziatore (*di arma da fuoco*) **2** (*autom.*) silenziatore; marmitta.

♦**silent** /ˈsaɪlənt/ A a. **1** silenzioso; silente (*poet.*); taciturno; tacito; zitto: *He is always s.*, è sempre silenzioso; **s. longing**, tacito desiderio **2** (*fig., anche fon.*) muto: **a s. prayer**, una muta preghiera; **a s. film**, un film muto; **a s. letter**, una lettera muta (*che non si pronuncia*) **3** (*fig.*) silenzioso: (*polit.*) **the s. majority**, la maggioranza silenziosa B n. (*fam.*) **1** film muto **2** (pl.) – **the si-**

lents, il cinema muto; i film muti ● **to be s.**, tacere; far silenzio □ **to be s. about** (*o* **on**, **upon**), passar sotto silenzio; non parlare di; non toccare (*fig.*): *The report was s. on this matter*, la relazione non toccò (*o* sorvolò su) questo argomento □ (*fin.*, *USA*) **s. partner**, socio accomandante; socio non operante (*che dà soltanto un apporto di capitale*) □ (*fam.*) **the S. Service**, l'Arma sottomarina □ (*leg.*) **s. vote**, voto segreto □ **to fall s.**, azzittirsi; tacere □ **to keep s.**, tacere; stare zitto □ **Keep s.!**, silenzio!; zitti! □ (*leg.*, *di un indagato*) **the right to remain s.**, il diritto di non parlare | **-ly** avv. | **-ness** n. Ⓤ.

Silenus /saɪˈliːnəs/ n. (pl. *Sileni*) (*mitol.*) Sileno.

silesia /saɪˈliːzɪə/ n. Ⓤ (*ind. tess.*) silesia (*tessuto per fodere*).

Silesia /saɪˈliːzɪə/ n. (*geogr.*) Slesia ‖ **Silesian** a. e n. (abitante, nativo) della Slesia.

silex /ˈsaɪlɛks/ n. Ⓤ **1** vetro termoresistente; pirex **2** (*miner.*) silice.

silhouette /sɪluˈɛt/ n. silhouette; contorno; profilo; sagoma: **a car with a low s.**, un'automobile dal profilo basso ● **in s.**, di profilo, in controluce.

to silhouette /sɪluˈɛt/ Ⓐ v. t. **1** (*anche fotogr.*) disegnare (*o* rappresentare, ritrarre) di profilo e controluce **2** proiettare su uno sfondo Ⓑ v. i. stagliarsi; profilarsi.

silica /ˈsɪlɪkə/ (*chim.*, *miner.*, *geol.*) n. Ⓤ silice; anidride silicica ● (*chim.*) **s. gel**, gel di silice; silicagel □ **s. glass**, vetro di quarzo ‖ **siliceous**, **silicious** a. siliceo.

silicate /ˈsɪlɪkeɪt/ n. Ⓤ Ⓒ (*chim.*, *miner.*) silicato.

silicic /sɪˈlɪsɪk/ a. (*chim.*) silicico: **s. acid**, acido silicico.

to silicify /sɪˈlɪsɪfaɪ/ (*geol.*) v. t. e i. silicizzare, silicizzarsi ‖ **silicification** n. Ⓤ silicizzazione.

silicon /ˈsɪlɪkən/ n. **1** Ⓤ (*chim.*) silicio **2** (= **s. chip**) chip di silicio; chip ● (*elettron.*) **s. diode**, diodo di silicio □ **s. dioxide**, anidride silicica ● **s. steel**, acciaio al silicio.

❶ NOTA: *silicon o silicone?*
Silicon significa "silicio", uno dei principali componenti di quasi tutti i minerali rocciosi. Un *silicon chip* è un chip di silicio, ovvero un piccolo pezzo di silicio con minuscoli circuiti elettronici. Per parlare del "silicone", un composto di silicio che si usa per esempio in oli e vernici e anche nella chirurgia estetica, si usa la parola *silicone*: *silicone rubber*, gomma al silicone.

silicone /ˈsɪlɪkəʊn/ n. Ⓤ (*chim.*, *ind.*) silicone ● (*chir.*) **s. implant**, protesi al silicone □ **s. rubber**, gomma al silicone ‖ **siliconed** a. siliconato: **siliconed breast**, seno siliconato
❶ NOTA: *silicon o silicone?* → **silicon**.

to siliconize /ˈsɪlɪkənaɪz/ v. t. **1** (*metall.*) silicizzare **2** rivestire di silicone; trattare con silicone; siliconare.

silicosis /sɪlɪˈkəʊsɪs/ n. Ⓤ (*med.*) silicosi.

siliqua /ˈsɪlɪkwə/ n. (pl. *siliquae*, *siliquas*) (*bot.*) siliqua.

silique /sɪˈliːk/ n. → **siliqua**.

silk /sɪlk/ Ⓐ n. Ⓤ **1** seta: **artificial s.**, seta artificiale; **raw s.**, seta greggia; **shot s.**, seta cangiante; **spun s.**, seta filata **2** tessuto di seta **3** (pl.) abiti di seta; sete **4** (pl.) (*ipp.*) colori di scuderia (*di un fantino*) **5** filo (*di ragnatela*) **6** (*bot.*) barba (*del granturco*) **7** (*slang USA*) donna bianca Ⓑ a. attr. di seta: **s. stockings**, calze di seta ● (*econ.*) **s. district**, regione sericola □ **s. flowers**, fiori finti □ **s. goods**, seterie □ **s. hat**, cappello a cilindro; cilindro □ **s. mill**, setificio; filanda □ **s. moth**, farfalla del baco da seta (*o* baco) □ **s. reeling**, filatura della seta □ (*stor.*) **the s. road**, la via della seta □ **s. screen**, matrice per serigrafia □ **s.-screen**, serigrafico: **s.-screen**

printing, stampa serigrafica; serigrafia □ **s. spinner**, filatore di seta; setaiolo □ **s. thrower**, torcitore (del filato) di seta □ **s. waste**, cascami di seta □ **s. weaver**, tessitore di seta; setaiolo □ (*leg.*, *in GB*) **to take s.**, diventare «King's (*o* Queen's) Counsel» (*titolo onorifico di avvocati patrocinanti, che indossano una toga di seta*) □ (*prov.*) **You can't make a s. purse out of a sow's ear**, non si può cavar sangue da una rapa.

silken /ˈsɪlkən/ a. **1** serico; di seta: **a s. veil**, un velo di seta **2** vestito di seta **3** (*fig.*) di seta; soffice; delicato; morbido; insinuante; suadente: **s. hair**, capelli di seta; **a s. caress**, una carezza delicata; **a s. touch**, un tocco delicato; **s. flattery**, adulazione insinuante.

to silk-screen /ˈsɪlkskriːn/ v. t. serigrafare.

silkworm /ˈsɪlkwɜːm/ n. (*zool.*, *Bombyx mori*) baco da seta; filugello ● **s. breeder**, bachicoltore; sericoltore □ **s. breeding**, bachicoltura; sericoltura □ **s. house** (*o* **s. nursery**), bigattiera □ **s. rot**, calcino (*malattia*).

silky /ˈsɪlkɪ/ a. **1** di seta; serico: **s. wisps**, ciocche di seta **2** (*fig.*) delicato; liscio; lucente; morbido; soave: **s. manners**, maniere delicate; delicatezza di modi **3** (*fig. spreg.*) insinuante; mellifluo; insincero: **a s. voice**, una voce melliflua ● **s. wool**, lana setosa ‖ **silkily** avv. **1** con lucentezza; morbidamente **2** con voce melliflua ‖ **silkiness** n. Ⓤ **1** aspetto serico; apparenza di seta **2** (*fig.*) delicatezza; lucentezza; morbidezza **3** (*fig. spreg.*) mellifluità; insincerità.

sill /sɪl/ n. **1** (*di finestra*) davanzale **2** (*di porta*) soglia **3** (*edil.*) soglia; soletta (*di cemento, ecc.*) **4** (*geol.*) sill; filone-strato **5** (*geol.*) soglia sottomarina **6** (*ind. min.*) suola (*della galleria o del quadro*).

sillabub /ˈsɪləbʌb/ n. Ⓤ Ⓒ → **syllabub**.

♦**silly** /ˈsɪlɪ/ Ⓐ a. **1** sciocco; stupido; imbecille; scemo: **a s. remark**, un'osservazione sciocca **2** futile; frivolo; fatuo; inutile **3** (*fam.*) fuori di sé; stordito: **to knock sb. s.**, stordire q. con un pugno **4** folle: **silly prices**, prezzi stracciati **5** (*cricket*) in posizione avanzata e vicina al battitore **6** ridicolo; stupido; assurdo: *Don't be s.!*, non essere ridicolo! Ⓑ n. (= **s.-billy**) (*fam.*) sciocco; sciocchino ● **the s. season**, la stagione (*estiva*) in cui la stampa tratta spesso argomenti frivoli □ **to bore sb. s.**, stufare a morte q. □ **to drink [laugh] oneself s.**, bere [ridere] a crepapelle □ (*volg. ingl.*) **to play s. buggers**, fare lo scemo (*o* il buffone, il pagliaccio) □ **Don't be s.!**, non dire scemenze!; non fare lo stupido! | **-ily** avv. | **-iness** n. Ⓤ.

silo /ˈsaɪləʊ/ n. (pl. *silos*) **1** (*agric.*) silo **2** (*mil.*) silo; base sotterranea (*di missili teleguidati*)

silt /sɪlt/ n. Ⓤ (*geol.*) silt; limo; sedimento di sabbia (*o* fango).

to silt /sɪlt/ Ⓐ v. t. (*di solito* **to s. up**) insabbiare; ostruire Ⓑ v. i. (*di un porto, ecc.*) insabbiarsi; ostruirsi ‖ **silting** n. Ⓤ (*geogr.*) interramento ‖ **silting-up**, insabbiamento; ostruzione (*di un porto, ecc.*).

siltstone /ˈsɪltstəʊn/ n. Ⓤ (*geol.*) siltite.

silty /ˈsɪltɪ/ a. limaccioso; melmoso; fangoso.

Silurian /saɪˈlʊərɪən/, *USA* sɪ-/ a. (*geol.*) siluriano ● **the S.**, il Siluriano.

silvan /ˈsɪlvən/ a. (*lett.*) silvano; silvestre.

♦**silver** /ˈsɪlvə(r)/ Ⓐ n. **1** Ⓤ (*chim.*) argento **2** Ⓤ argenteria; posate d'argento; oggetti d'argento: **table s.**, argenteria da tavola **3** Ⓤ monete d'argento: **a bag of s.**, un sacchetto di monete d'argento **4** Ⓤ color argento **5** Ⓤ (*fotogr.*) sale d'argento **6** (*sport*) l'argento; medaglia d'argento Ⓑ a. attr. d'argento; argenteo; argentino: **a s. coin**, una moneta d'argento; **the s. moon**, l'argentea luna; **the**

s. age, l'età argentea (*della letteratura latina*); **a s. voice**, una voce argentina ● **s. anniversary** = **s. wedding** → *sotto* □ (*fotogr.*) **s. bath**, bagno di nitrato d'argento □ (*bot.*) **s. birch** (*Betula pendula*), betulla bianca □ (*pop. USA*) **s. bullet**, soluzione miracolosa; toccasana □ (*econ.*) **s. bullion**, argento monetabile □ **s. cleaner**, apparecchio (*o* sostanza) per pulire l'argenteria □ (*bot.*) **s. fir** (*Abies alba*), abete bianco □ **s. foil**, foglia (*o* lamina) d'argento; (*anche*) stagnola □ (*zool.*) **s. fox** (*Vulpes fulva*), volpe argentata □ **s. frost** = **s. thaw** → *sotto* □ **s. gilt**, argento dorato □ **s.-grey**, grigio argento □ (*miner.*) **s. glance**, argentite □ **s. hair**, capelli argentei □ **s.-haired**, dai capelli argentei (*metall.*) **s. iron**, ghisa grigia □ **s. jubilee**, 25° anniversario (*di regno, ecc.*) □ **s. leaf**, foglia (*o* lamina) d'argento □ (*fig.*) **s. lining**, motivo di ottimismo; aspetto positivo (→ **cloud**) □ **s. medal**, medaglia d'argento □ (*sport*) **s. medallist**, medaglia d'argento (*il giocatore o la squadra*) □ **s. paper**, stagnola □ **s. plate**, silverplate; oggetti (*vasellame, ecc.*) placcati in argento □ **s.-plated**, placcato d'argento □ **s.-plating**, argentatura; placcatura d'argento □ (*cinem.*) **s. screen**, schermo argentato; il cinema □ (*econ.*) **s. standard**, monometallismo argenteo □ (*Canada*) **s. thaw**, ghiaccio vetroso argenteo □ (*fig. lett.*) **s. tongue**, eloquenza □ (*lett.*) **s.-tongued**, assai eloquente □ (*bot.*) **s. wattle** (*Acacia dealbata*), acacia argentata □ **s. wedding**, nozze d'argento □ (*fig.*) **to be born with a s. spoon in one's mouth**, essere nato con la camicia □ (*fig.*) **to sell the family s.**, vendere i gioielli di famiglia (*fig.*).

to silver /ˈsɪlvə(r)/ Ⓐ v. t. **1** argentare **2** (*fig.*) inargentare: **trees silvered with snow**, alberi inargentati di neve Ⓑ v. i. inargentarsi (*anche dei capelli*) ‖ **silvering** n. Ⓤ Ⓒ **1** argentatura **2** (*fig.*) inargentatura.

silverfish /ˈsɪlvəfɪʃ/ n. (*zool.*) **1** pesciolino d'argento; lepisma (*vive nei libri vecchi*) **2** (*Carassius auratus*) carassio dorato (*pesce*) **3** (*Tarpon atlanticus*) tarpone atlantico (*pesce*).

to silver-plate /ˈsɪlvəpleɪt/ v. t. placcare d'argento; argentare.

silverpoint /ˈsɪlvəpɔɪnt/ n. Ⓤ Ⓒ (*arte*) punta secca, puntasecca (*la tecnica e l'incisione eseguita*).

silversmith /ˈsɪlvəsmɪθ/ n. argentiere.

silverware /ˈsɪlvəweə(r)/ n. Ⓤ argenteria; vasellame d'argento.

silverweed /ˈsɪlvəwiːd/ n. (*bot.*, *Potentilla anserina*) argentina; anserina.

silvery /ˈsɪlvərɪ/ a. **1** argenteo **2** argentino: **a s. voice**, una voce argentina.

silviculture /ˈsɪlvɪkʌltʃə(r)/ n. Ⓤ selvicoltura, silvicoltura ‖ **silvicultural** a. della selvicoltura ‖ **silviculturist** n. selvicoltore, silvicoltore.

SIM sigla (*telef.*, **subscriber identity module**) SIM, modulo identificativo dell'abbonato.

sim /sɪm/ n. (*comput.*, abbr. di **simulation**) videogioco di simulazione; simulazione; simulatore.

sima /ˈsaɪmə/ n. **1** (*geol.*) sima **2** (*archit.*) sima.

simar /sɪˈmɑː(r)/ n. (*moda*: *un tempo*) zimarra.

simian /ˈsɪmɪən/ (*zool.*) Ⓐ a. scimmiesco; simile a scimmia Ⓑ n. scimmia.

♦**similar** /ˈsɪmələ(r)/ Ⓐ a. simile; similare; analogo Ⓑ n. (*raro*) cosa (*o* persona) simile | **-ly** avv.

♦**similarity** /sɪməˈlærətɪ/ n. **1** Ⓤ somiglianza; rassomiglianza; similarità; analogia: **s. of tastes**, somiglianza di gusti **2** analogia; caratteristica comune.

simile /ˈsɪmɪlɪ/ n. (*retor.*) similitudine.

a b c d e f g h i j k l m n o p q r s t u v w x y z

similitude /sɪˈmɪlɪtjuːd/ n. **1** Ⓤ somiglianza; rassomiglianza; similarità **2** (retor., mat.) similitudine.

simmer /ˈsɪmə(r)/ n. (solo al sing.) lenta ebollizione; sobbollimento ● (cucina) **to bring to a s.**, far sobbollire □ **to keep the water at a s.**, far bollire l'acqua lentamente.

to **simmer** /ˈsɪmə(r)/ Ⓐ v. i. **1** bollire lentamente; sobbollire **2** (fig.) ribollire; fremere: **to s. with anger**, ribollire di rabbia ● (fam.) scoppiare dal caldo Ⓑ v. t. far bollire lentamente; far sobbollire ● **to s. down**, smettere di bollire; (di una zuppa, ecc.) ridursi a forza di sobbollire; (fig.) sbollire, calmarsi; darsi una calmata.

simnel /ˈsɪmnl/, **simnel cake** /ˈsɪmnlkeɪk/ n. dolcetto con canditi, uva passa, ecc., e con uno strato interno di marzapane (per Natale, Pasqua, ecc.).

Simon /ˈsaɪmən/ n. Simone.

simony /ˈsaɪmənɪ/ n. Ⓤ (relig., stor.) simonia ‖ **simoniac** n. simoniaco ‖ **simoniacal** a. simoniaco.

simoom /sɪˈmuːm/, **simoon** /sɪˈmuːn/ n. simun (vento del deserto caldo e secco).

simp /sɪmp/ n. (fam. USA) sempliciotto; stupidotto; imbranato; babbeo; tonto.

simper /ˈsɪmpə(r)/ n. sorriso affettato (o melenso, sciocco).

to **simper** /ˈsɪmpə(r)/ v. i. sorridere affettatamente (o in modo melenso, scioccamente) ‖ **simperingly** avv. leziosamente.

♦**simple** /ˈsɪmpl/ Ⓐ a. **1** semplice; sobrio; disadorno; sincero; schietto; ingenuo; spontaneo; naturale; facile; alla buona; umile: **a s. problem**, un problema semplice; **a s. soldier**, un soldato semplice; **s. tastes**, gusti semplici; **s. folk**, gente semplice (o alla buona); **s. clothes**, vestiti semplici, disadorni; (gramm.) **s. sentence**, frase semplice; (mat.) **a s. fraction**, una frazione semplice; **by a s. majority**, a maggioranza semplice **2** (spreg.) semplice; ignorante; inesperto; poco accorto; credulone; sciocco; stolto: He's so s. that he believes everything he is told, è così sciocco da credere a tutto quello che gli si dice **3** (= **pure and s.**) puro e semplice; vero e proprio: It's s. madness!, è pura e semplice follia **4** (chim.) elementare **5** (mat.) lineare: **s. equation**, equazione lineare (o di primo grado) **6** (med.) semplice: **a s. fracture**, una frattura semplice Ⓑ n. **1** sempliciotto; sprovveduto **2** (antiq.) semplice; erba medicinale ● (leg.) **s. contract**, contratto semplice, scrittura privata □ (fin.) **s. debenture**, obbligazione non garantita □ **s.-hearted**, candido; schietto; sincero; onesto □ **s.-heartedness**, candore; schiettezza; sincerità; onestà □ (fin., rag.) **s. interest**, interesse semplice □ (fam.) **the s. life**, la vita semplice □ (fam.) **a s. lifer**, uno che cerca di vivere con semplicità □ (mecc.) **s. machine**, macchina semplice □ **s. manners**, modo di fare semplice; maniere alla buona □ **s.-minded**, credulone, ingenuo, sprovveduto, sempliciotto; = **s.-hearted** → sopra □ **s.-mindedness**, credulità, ingenuità, sprovvedutezza; candore, schiettezza □ **s.-natured**, d'indole semplice; semplice (non complicato) □ **s. soap**, sapone da bucato □ **a s. soul**, un'anima candida; uno spirito semplice □ (fam.) **It's that s.!**, è semplice!; le cose stanno così!

simpleton /ˈsɪmpltən/ n. (antiq.) semplicione; sempliciotto; credulone; babbeo; grullo.

simplex /ˈsɪmpleks/ Ⓐ n. **1** (mat.) simplesso **2** (ling.) parola semplice Ⓑ a. attr. (tecn., scient.) simplex: **s. channel**, canale simplex.

simplicity /sɪmˈplɪsətɪ/ n. Ⓤ Ⓒ **1** semplicità; sobrietà (nel vestire, ecc.); candore; schiettezza; naturalezza: **s. of**

style, semplicità di stile **2** (spreg.) ingenuità eccessiva; credulità, stoltezza ● (fam.) **It is s. itself**, è la cosa più semplice del mondo.

to **simplify** /ˈsɪmplɪfaɪ/ v. t. semplificare ‖ **simplification** n. Ⓤ Ⓒ semplificazione.

simplism /ˈsɪmplɪzəm/ n. Ⓤ semplicismo.

simplistic /sɪmˈplɪstɪk/ a. semplicistico ‖ **-ally** avv.

♦**simply** /ˈsɪmplɪ/ avv. **1** semplicemente; con semplicità; sobriamente; schiettamente: She was dressed s., era vestita in modo semplice (o sobrio) **2** proprio; del tutto; veramente: I'm s. not interested, non mi interessa proprio; His English is s. awful, il suo inglese è veramente pessimo **3** soltanto: I did it s. because I couldn't help it, l'ho fatto solo perché non potevo farne a meno.

simulacrum /sɪmjʊˈleɪkrəm/ n. (arc.) (pl. **simulacra**, **simulacrums**) simulacro (anche fig.): **a s. of virtue**, un simulacro di virtù.

simulant /ˈsɪmjʊlənt/ a. (biol.) simile (a): **stamens s. of petals**, stami simili a petali (o petaliformi).

to **simulate** /ˈsɪmjʊleɪt/ v. t. **1** simulare; fingere **2** imitare; assumere l'aspetto di; mimetizzarsi con: This material simulates leather, questo materiale imita il cuoio; The insect simulated a twig, l'insetto assunse l'aspetto di un ramoscello **3** (tecn.) simulare, riprodurre (un rumore, condizioni di vita, ecc.) ‖ **simulated** a. simulato; finto: **simulated sale**, vendita simulata.

simulation /sɪmjʊˈleɪʃn/ n. Ⓤ Ⓒ **1** simulazione; finzione; finta: (leg.) **s. of crime**, simulazione di reato **2** (comput., mat., ric. op., stat.) simulazione: **s. language** [**techniques**], linguaggio [tecniche] di simulazione.

simulator /ˈsɪmjʊleɪtə(r)/ n. **1** (aeron., miss.) simulatore (di volo) **2** (autom.) simulatore (del traffico).

simulcast /ˈsɪmlkaːst/ n. (radio, TV) trasmissione (in) simultanea.

to **simulcast** /ˈsɪmlkaːst/ (pass. e p. p. **simulcast**), v. t. (radio, TV) trasmettere in simultanea.

simultaneous /sɪmlˈteɪnɪəs, USA saɪm-/ a. simultaneo: **s. translation**, traduzione simultanea; (a scacchi) **s. games**, partite simultanee ● (radio, TV) **s. broadcast**, trasmissione simultanea ‖ **simultaneity**, **simultaneousness** n. Ⓤ simultaneità ‖ **simultaneously** avv. simultaneamente.

♦**sin** /sɪn/ n. **1** peccato (anche fig.); fallo, colpa: (relig.) **original** [**venial**] **sin**, peccato originale [veniale]; **the seven deadly sins**, i sette peccati capitali; **the sin of gluttony**, il peccato di gola **2** (fig.) offesa; errore; peccato (fig.): **a sin against good taste**, un'offesa al buongusto ● (sport: hockey, rugby, ecc.) **sin bin**, 'sin bin'; (panchina dei) giocatori penalizzati □ **sin-offering**, sacrificio espiatorio □ (fam.) **sin tax**, imposta sugli alcolici, sul tabacco (e su altri 'vizi', come le scommesse) □ (scherz.) For my sins, purtroppo, per scontare i miei peccati (fig.) □ **to forgive sins**, rimettere i peccati □ (arc.) **to live in sin**, vivere nel peccato (in concubinaggio; di due amanti) essere pubblici peccatori □ (as) **ugly** [**miserable**] **as sin**, brutto come il peccato [triste come la morte].

to **sin** /sɪn/ v. i. peccare; macchiarsi d'una colpa ● **to sin against God**, peccare contro Dio □ **to sin against good taste**, offendere il buongusto.

Sinaitic /saɪnɪˈɪtɪk/ a. (geogr., relig.) sinaitico; del monte Sinai.

sinanthropus /sɪnˈænθrəpəs/ n. (antrop.) sinantropo.

sinapism /ˈsɪnəpɪzəm/ n. (med.) senapismo.

to **sin-bin** /ˈsɪnbɪn/ v. t. (rugby, hockey, ecc.) espellere (un giocatore) temporaneamente.

♦**since** /sɪns/ Ⓐ avv. **1** da allora; da allora in poi; dopo; di poi: He left last Monday and I haven't seen him s., è partito lunedì scorso e da allora non l'ho più visto; He was injured a year ago but he's s. fully recovered, rimase ferito un anno fa ma si è poi completamente ristabilito **2** (raro) fa; or sono: He disappeared many years s., scomparve molti anni fa Ⓑ prep. (di tempo) da; da quando; a partire da: I've been working s. six o'clock, lavoro dalle sei; I've known him s. 1992, lo conosco dal 1992; We've been going out s. we met at the Christmas party, usciamo insieme da quando ci siamo conosciuti alla festa di Natale; It's a long time s. dinner, è passato un bel po' di tempo dal pranzo; I've eaten nothing s. yesterday, non ho mangiato (nulla) da ieri; non mangio da ieri; **s. your last letter**, dalla tua ultima lettera; **s. seeing you**, da quando ti vidi; dall'ultima volta che ti ho visto ● Ⓘ NOTA: da → **s** (sezione italiana) Ⓒ cong. **1** da quando; dacché: What have you been doing s. we met?, che cosa hai fatto da quando (o dall'ultima volta che) c'incontrammo?; **s. we parted**, da quando ci siamo lasciati **2** poiché; dacché; giacché; siccome: S. you have come late, you'll have to wait longer, poiché sei arrivato in ritardo, dovrai aspettare di più; S. he was tired, he reported sick, siccome era stanco, si dette per malato ● **s. that is so**, stando così le cose □ **s. then**, da allora □ **s. now**, da adesso (in avanti) □ **ever s.**, da allora; da allora in poi: We met in 1992 and have been friends ever s., ci siamo conosciuti nel 1992 e da allora siamo rimasti amici □ **long s.**, molto tempo fa; da molto tempo, da un pezzo: I've long s. forgiven him, l'ho perdonato da un pezzo □ **not long s.**, non molto tempo fa; poc'anzi □ **How long is it s. you last saw her?**, quant'è che non la vedi? □ (iron.) S. when have you been a moralist?, da quando in qua sei un moralista? □ **The 1899-1901 famine in India was unlike any other famine, before or s.**, la carestia del 1899-1901 in India fu la peggiore di tutte, quelle precedenti e le successive.

sincere /sɪnˈsɪə(r)/ a. sincero; schietto; franco; genuino: **s. affection**, affetto sincero; **a s. statement**, una dichiarazione franca ‖ **sincerity** n. Ⓤ sincerità; schiettezza; franchezza; onestà: 'Sincerity is the only written thing which time improves' T.E. LAWRENCE, 'la sincerità è la sola cosa scritta che migliora col tempo' ● **in all sincerity**, in tutta sincerità; francamente.

sincerely /sɪnˈsɪəlɪ/ avv. sinceramente; francamente; onestamente ● (nelle lettere) **Yours s.**, cordiali saluti.

sinciput /ˈsɪnsɪpʌt/ n. (pl. **sinciputs**, **sincipita**) (anat.) sincipite.

sine① /saɪn/ n. (mat.) seno ● (mat.) **s. curve**, sinusoide □ (mat.) **s. function**, funzione sinusoidale □ **s.-shaped**, sinusoidale □ (fis.) **s. wave**, onda sinusoidale.

sine② /ˈsaɪnɪ/ (lat.) avv. senza ● **s. die**, si ne die; a tempo indeterminato; a data da stabilirsi □ **s. qua non**, sine qua non; condizione essenziale.

sinecure /ˈsɪnɪkjʊə(r)/ n. sinecura ‖ **sinecurism** n. Ⓤ consuetudine (o pratica, sistema) di conferire sinecure ‖ **sinecurist** n. chi gode di una sinecura.

sinew /ˈsɪnjuː/ n. **1** (anat.) tendine; nervo **2** (spesso pl.) (fig.) nerbo; energia; forza; vigore; gagliardia: **the sinews of Caesar's army**, il nerbo dell'esercito di Cesare; **moral s.**, vigore morale **3** (di carne d'animale macellato; o lett.) muscolo.

to **sinew** /ˈsɪnjuː/ v. t. (poet.) rafforzare; fortificare; sostenere.

sinewy /'sɪnjuːɪ/ a. **1** nerboruto; muscoloso; gagliardo; forte; vigoroso: s. **shoulders**, spalle muscolose; a s. **style**, uno stile vigoroso **2** (di carne d'animale macellato) fibroso; tiglioso.

sinful /'sɪnfl/ a. peccaminoso; colpevole; immorale; vizioso | **-ly avv.** | **-ness** n. ꒐.

♦to **sing** /sɪŋ/ (pass. **sang**, p. p. **sung**), v. t. e i. **1** cantare; celebrare; descrivere in versi: to s. **a song [the national anthem]**, cantare una canzone [l'inno nazionale]; The birds [the crickets, the frogs] were singing, gli uccelli [i grilli, le rane] cantavano; to s. **the praises of**, cantare le lodi di **2** (di un bollitore) fischiare; (di un bricco, ecc.) borbottare, brontolare: The pressure cooker is singing, la pentola a pressione fischia **3** (di insetti) ronzare **4** (delle orecchie) ronzare; fischiare: My ears are singing, mi ronzano le orecchie **5** (del vento, ecc.) fischiare: The bullet sang past my head, la pallottola mi fischiò vicino alla testa (o mi passò accanto sibilando) **6** (di parole, ecc.) risuonare; echeggiare: His words are still singing in my ears, le sue parole mi risuonano ancora nelle orecchie **7** (relig.) cantare: to s. **mass**, cantare messa **8** (slang spec. USA) cantare (fig.); spifferare, soffiare, fare una soffiata (pop.) ● (fig.) to s. **a different song** (o **tune**), cambiar registro; cambiare atteggiamento □ to s. **by ear**, cantare a orecchio □ to s. **in tune** [**out of tune**], cantare intonato [stonato] □ to **make sb.'s heart s.**, far esultare q.; mandare q. in visibilio.

■ **sing along** v. i. + avv. mettersi a cantare (con il cantante); unirsi al canto; fare coro.

■ **sing away** Ⓐ v. i. + avv. cantare; continuare a cantare Ⓑ v. t. + avv. scacciare, liberarsi (di qc.) cantando: to s. **away one's troubles**, scacciare i pensieri cantando.

■ **sing in** v. t. + avv. salutare (o celebrare) con canti: to s. **the New Year in**, salutare con canti l'anno nuovo.

■ **sing out** Ⓐ v. i. + avv. **1** cantare a squarciagola (o ad alta voce) **2** chiamare; chiedere: If you need anything else, s. out!, se hai bisogno di qualcos'altro, chiedi! Ⓑ v. t. + avv. gridare (dire, annunciare, ecc.) ad alta voce: to s. **out a warning**, gridare un avvertimento; The butler sang out the names of the guests, il maggiordomo annunciava gli ospiti a gran voce □ to s. **one's heart out**, cantare gioiosamente e a gran voce □ to s. **the Old Year out**, salutare con canti la fine dell'anno (o l'anno vecchio).

■ **sing to** v. i. + prep. **1** (mus.) cantare accompagnandosi con (uno strumento); cantare a: to s. **to the piano**, cantare al pianoforte **2** cantare davanti a: to s. **to a lot of people**, cantare davanti a molta gente □ to s. **sb. to sleep**, fare addormentare q. cantando □ to s. **a baby to sleep**, ninnare un bimbo.

■ **sing together** v. i. + avv. cantare insieme (o in coro).

■ **sing up** v. i. + avv. cantare più forte (o in tono più alto).

singable /'sɪŋəbl/ a. cantabile; facile da cantare.

sing-along /'sɪŋəlɒŋ/ n. coro (del pubblico che si unisce al cantante).

Singaporean /ˌsɪŋəpɔːˈriːən/ a. e n. singaporeano; singaporese.

singe /sɪndʒ/ n. bruciacchiatura; bruciatura superficiale; strinatura.

to **singe** /sɪndʒ/ (part. pres. **singeing**) Ⓐ v. t. **1** bruciacchiare; bruciare (superficialmente); strinare: You've singed your jacket, ti sei bruciato la giacca; to s. **a fowl**, strinare un pollo; to **have one's hair singed**, farsi bruciare le punte dei capelli (per eliminare le doppie punte) **2** (fig.) intaccare; rovinare: (la reputazione, ecc.) Ⓑ v. i. bruciarsi (superficialmente); bruciacchiarsi; strinarsi ● (fig.) to s. **one's feathers** (o wings), scottarsi; la-

sciarci le penne.

♦**singer** /'sɪŋə(r)/ n. **1** cantante; cantore; cantatore, cantatrice **2** uccello canoro **3** (arc. o lett.) cantore; poeta **4** (slang USA) canarino (fig.); spione; spia; informatore della polizia ● s.-**songwriter**, cantautore, cantautrice.

Singhalese /ˌsɪŋɡəˈliːz/ (inv. al pl.) → **Sinhalese**.

singing /'sɪŋɪŋ/ n. **1** ꒐ canto **2** ronzio: I have a s. in my ears, sento un ronzio nelle orecchie **3** (del vento, ecc.) fischio ● s. **bird**, uccello canoro □ s. **lesson**, lezione di canto □ s. **teacher**, maestro di canto □ s. **tuition**, insegnamento del canto.

♦**single** /'sɪŋɡl/ Ⓐ a. **1** singolo; solo; semplice; individuale; unico; solitario: (bot.) s. **flower**, fiore semplice; a s. **tree**, un solo albero; un albero solitario; I didn't understand a s. word, non capii una sola (o neppure una) parola; a s.-**track railway**, una ferrovia a binario unico (o a un solo binario); (econ.) **the European S. Market**, il Mercato Unico Europeo **2** celibe; scapolo; single **3** nubile; single **4** (fig. raro) schietto; sincero; leale; onesto **5** (fig.) deciso; determinato; saldo; sicuro: a **man of s. purpose**, un uomo di saldi propositi; un uomo che sa quello che vuole **6** (ferr.: di biglietto) d'andata semplice Ⓑ n. **1** persona non sposata; single: a **singles bar**, un bar ritrovo di persone non sposate **2** (ferr., ecc.) biglietto semplice; biglietto d'andata: I'd like a s. to Brighton please, vorrei un biglietto di sola andata per Brighton **3** (in GB) banconota da una sterlina **4** (in USA) banconota da un dollaro **5** (mus.) disco singolo (disco a 45 giri, del diametro di 18 cm) **6** single; uomo (che vive da) solo; scapolo; divorziato **7** single; donna sola; nubile; divorziata **8** (tur.) singola (camera): We have rooms available for those nights, but we don't have any singles, abbiamo delle camere libere per quelle notti ma non abbiamo nessuna singola **9** (baseball) Single: If a batter stops at first base, he has collected a s., se un battitore si ferma in prima base, ha fatto un singolo **10** (cricket) singolo; colpo con cui si realizza un 'run' **11** (golf) singolo (la partita giocata da solo) **12** (tennis; pl. col verbo al sing.) – **singles**, singolo, singolare (la partita): The women's singles is very popular, il singolare femminile è molto seguito **13** (fam. USA) (mus.) solista; esibizione solistica **14** (fam. USA) individuo (spec. criminale) che lavora da solo (o senza complici) ● (mecc.) (di motore) s.-**acting**, a semplice effetto □ (pattinaggio artistico) s. **axel**, axel singolo □ (di fucile) s.-**barrelled**, a una canna □ a s. **bed**, un letto a una piazza; un letto a un posto □ (scherz.) s. **blessedness**, vita da scapolo; celibato □ s. **bond**, (chim.) legame semplice; (fin.) obbligazione semplice □ (di giacca o cappotto) s.-**breasted**, a un petto; monopetto □ (autom.) s.-**carriageway road**, strada ordinaria (a una sola carreggiata) □ (biol.) s.-**cell protein**, bioproteina □ s. **combat**, corpo a corpo; singolar tenzone (lett.) □ (aeron.) s.-**control**, a un solo comando; monocomando □ (econ.) s. **cost**, costo unitario □ s. **cream**, panna light (o a basso contenuto di grassi) □ (agric.) s.-**crop farming**, monocoltura □ (mecc.) s.-**cut**, a taglio semplice □ (mecc.: di motore) s.-**cylinder**, monocilindrico □ (motociclismo) s.-**cylinder class**, categoria delle monocilindriche □ (trasp.) s.-**deck bus**, autobus a un (solo) piano □ s.-**decker**, autobus a un piano; (naut.) nave a un ponte □ (demogr.) s. **delivery**, parto semplice □ (mecc.) s.-**engined**, monomotore □ (rag.) s. **entry**, partita semplice; s.-**entry bookkeeping**, contabilità in partita semplice □ s.-**eye cutting**, talea a un solo bottone

(di una pianta) □ s.-**eyed**, monocolo, guercio; (fig.) equanime, leale □ (econ.) s.-**figure inflation**, inflazione a una cifra sola □ **in s. file**, in fila indiana; in fila: a s. **file of cars**, una fila di automobili; to **walk s. file**, camminare in fila indiana □ (tennis, ecc.) **singles game**, partita di singolo □ s.-**handed**, che ha una mano sola, monco; (mecc.) che si usa (o si manovra) con una mano sola; (fig.: di un viaggio, ecc.) solitario; (fatto) da solo; da sé; senz'aiuto: (tennis) s.-**handed backhand**, rovescio con una mano sola; **by his s.-handed efforts**, con gli sforzi compiuti da lui solo; Cavour knew that Piedmont could not defeat Austria s.-handed, Cavour sapeva che il Piemonte non poteva sconfiggere l'Austria da solo □ s.-**hearted**, sincero; schietto; devoto; leale □ s.-**heartedness**, sincerità; schiettezza; devozione; lealtà □ s. **income**, monoreddito □ s. **issue**, numero unico (di una rivista) □ s. **life**, vita da scapolo, celibato; vita da nubile, nubilato (raro) □ (telef.) s. **line**, linea singola; singolo □ (autom.) s.-**line traffic**, (traffico a) corsia unica □ s. **loader**, arma da fuoco (spec. fucile) a un solo colpo □ (polit.) s.-**member constituency**, collegio uninominale □ s.-**minded**, che va dritto allo scopo; determinato, deciso, risoluto; = s.-**hearted** → sopra □ s. **parent**, genitore non sposato □ s.-**parent family**, famiglia monoparentale □ (polit.) s.-**party government**, (governo) monocolore □ (elettr.) s.-**phase system**, sistema monofase □ (autom., mecc.) s.-**plate clutch**, frizione monodisco □ (sport) **singles player**, giocatore di singolo; singolarista □ (elettr.) s.-**pole**, monopolare □ (market.) s. **price**, prezzo unico □ (boxe) s.-**punch hitter**, pugile che ha il colpo risolutivo dell'incontro (fam.: che ha la castagna) □ a s. **room**, una camera a un letto; una camera singola □ (naut.) s.-**screw**, monoelica □ (canottaggio) s. **scull**, singolo di coppia, singolo □ (canottaggio) s. **sculler**, singolo (l'uomo) □ (autom., aeron.) s.-**seater**, monoposto □ s.-**sex**, monosessuato: a s.-**sex school**, una scuola monosessuata (non mista) □ (tennis) **singles sideline**, linea (laterale) del singolo □ (econ.) s. **standard**, monometallismo □ s. **state**, (d'uomo) celibato; (di donna) l'esser nubile □ (calcio) s. **striker**, punta unica □ (stat.) s.-**tail test**, criterio unilaterale □ (cinem.) s. **take**, piano sequenza □ (ferr., ecc.) a s. **ticket**, un biglietto d'andata □ (fig.) a s.-**track mind**, una mente ristretta (o limitata) □ (autom.) s. **track road**, strada per un solo veicolo alla volta □ (autom., in GB) s. **yellow line**, riga gialla (divieto di parcheggio e di sosta) □ (fig.) to **judge with a s. eye**, dare un giudizio equo (o leale); essere equanime □ **not a s. one**, non uno; nemmeno uno □ to **pay in a s. sum**, pagare per contanti (o in un'unica soluzione) □ I **couldn't see a s. soul**, non si vedeva anima viva.

to **single** /'sɪŋɡl/ Ⓐ v. t. **1** (anche to s. **out**) scegliere; selezionare; distinguere: He was singled out for a special mention, fu scelto per una menzione d'onore **2** (baseball) segnare (un 'run') con un singolo Ⓑ v. i. (baseball) effettuare un singolo ● (baseball) to s. **a base runner to third base**, fare avanzare un corridore fino a raggiungere la terza base □ to s. **sb. out for punishment**, destinare q. a essere punito.

to **single-file** /ˈsɪŋɡlˈfaɪl/ v. i. procedere in fila indiana.

singleness /'sɪŋɡlnəs/ n. ꒐ **1** semplicità; singolarità; unicità **2** (fig. raro) sincerità; schiettezza; onestà; lealtà **3** (d'uomo) celibato **4** (di donna) l'esser nubile ● s. **of mind**, unicità d'intenti; risolutezza □ **with great s. of purpose**, con grande determinazione.

singlestick /'sɪŋɡlstɪk/ n. (stor.) **1** bastone da combattimento **2** ꒐ combattimento

singlet /'sɪŋglət/ n. **1** maglietta; canottiera **2** (sport) maglietta.

singleton /'sɪŋltən/ n. **1** (a carte) singleton; carta unica (di un dato seme; in mano a un giocatore) **2** individuo (o oggetto) singolo; persona (o cosa) unica nel suo genere **3** (biol.) unico nato; figlio unico **4** (mat.) singoletto; singleton.

Singlish /'sɪŋglɪʃ/ n. ▢ varietà di inglese parlata a Singapore.

singly /'sɪŋglɪ/ avv. **1** singolarmente; individualmente; separatamente; a uno a uno; uno alla volta: 'S., they betrayed their inferiority, but grouped together they represented «New York»' E. WHARTON, 'presi uno per uno, tradivano la loro inferiorità, ma raggruppati insieme rappresentavano «New York»' **2** da solo; da sé; senz'aiuto.

singsong /'sɪŋsɒŋ/ Ⓐ n. **1** cantilena; canto monotono **2** (fam.) concerto vocale improvvisato; riunione canora; cantatina tra amici Ⓑ a. attr. monotono; cantilenante; noioso; tedioso.

to **singsong** /'sɪŋsɒŋ/ Ⓐ v. i. cantilenare; parlare (cantare, ecc.) in modo monotono Ⓑ v. t. dire, recitare (versi, ecc.) in modo monotono.

◆**singular** /'sɪŋgjʊlə(r)/ Ⓐ a. **1** singolare; unico; solo; straordinario; insolito; bizzarro; strano: **s. beauty**, bellezza singolare (o straordinaria); **a man of s. tastes**, un uomo di gusti singolari; **a s. specimen**, un solo esemplare; **s. clothes**, abiti bizzarri; vestiti strani **2** (gramm.) singolare: **a s. noun**, un sostantivo singolare **3** (mat.) singolare: **s. matrix**, matrice singolare Ⓑ n. (gramm.) singolare: **a noun in the s.**, un nome al singolare.

singularity /sɪŋgjʊ'lærətɪ/ n. **1** ▢ singolarità; unicità **2** ▢ singolarità; stranezza; particolarità **3** (mat.) singolarità; punto singolare.

to **singularize** /'sɪŋgjʊləraɪz/ v. t. **1** (gramm.) singolarizzare (raro); mettere (una parola) al singolare **2** singolarizzare; specificare; mettere in risalto (o in evidenza).

singularly /'sɪŋgjʊləlɪ/ avv. **1** singolarmente; uno alla volta **2** (gramm.) al singolare.

Sinhalese /sɪnhə'li:z/ Ⓐ a. e n. (inv. al pl.) singalese; (abitante o nativo) di Ceylon (ora Sri Lanka) Ⓑ n. ▢ singalese (la lingua).

sinister /'sɪnɪstə(r)/ a. **1** sinistro; di cattivo augurio; funesto; bieco; minaccioso: **a s. smile**, un sorriso sinistro; **a s. man**, un uomo sinistro; **a s. omen**, un presagio funesto **2** cattivo; malvagio: **a s. design**, un disegno malvagio **3** (araldica) sinistro ● **s.-looking**, (di una persona) dall'aspetto sinistro; (di un oggetto) minaccioso; pauroso || **-ly** avv.

sinistral /'sɪnɪstrəl/ Ⓐ a. **1** (raro) sinistro; a (o sulla) sinistra **2** (geol., biol.) sinistrorso: **s. fold**, piega sinistrorsa **3** (zool.: di conchiglia) con spire sinistrorse **4** (fisiol.) mancino Ⓑ n. (tecn.) (un) mancino || **sinistrality** n. ▢ (fisiol.) mancinismo.

sinistrorse /'sɪnɪstrɔ:s/ a. **1** (biol.) sinistrorso **2** (zool.: di conchiglia) con spire sinistrorse.

◆**sink** /sɪŋk/ n. **1** acquaio; secchiaio (dial.); lavello: **a double s.**, un lavello a due vasche **2** (USA) lavandino; lavabo **3** (raro) scarico; scolo **4** (fig.) sentina; ricettacolo: **a s. of vice**, una sentina di vizi **5** (geogr.) foiba; dolina **6** (edil.) pozzo nero **7** (geogr.) avvallamento; (spesso) lago salato **8** (fis.) pozzo **9** (teatr.) botola ● (GB) **s. estate**, quartiere abbandonato al degrado □ (edil.) **s. unit**, lavello.

◆to **sink** /sɪŋk/ (pass. **sank**, p. p. **sunk**) Ⓐ v. i. **1** andare a fondo; affondare; andare (o colare) a picco; sommergersi: Cork won't s.;

it floats, il sughero non va a fondo; galleggia; The cargo ship sank after striking an iceberg, il mercantile affondò dopo aver urtato un iceberg; We sank knee-deep in the snow, affondavamo nella neve fino alle ginocchia **2** sprofondare; cedere; avvallarsi: The ceiling has sunk, il soffitto ha ceduto **3** abbassarsi; calare; digradare; scendere; tramontare; scomparire: The lake has sunk ten inches, il lago s'è abbassato di dieci pollici (25 cm circa); The wind has sunk, è calato il vento; The flood waters are sinking, l'inondazione sta calando; The land sinks gradually to the lake, il terreno digrada verso il lago; The moon sank behind a cloud, la luna scomparve dietro una nuvola; The sun is sinking, il sole sta calando; The balloon sank to earth, il pallone (aerostatico) scese al suolo **4** cadere (anche fig.); lasciarsi cadere: **to s. to one's knees**, cadere in ginocchio; **to s. into a deep sleep**, cadere in un sonno profondo; **to s. into disuse [into oblivion]**, cadere in disuso [in oblio]; 'She stepped in the car, sank in the seat. «Sorry, driver. Let's go»' T. CAPOTE, 'lei salì in macchina, si lasciò cadere sul sedile. «Mi scusi, tassista. Andiamo pure!»' **5** penetrare; internarsi; filtrare; (fig.) imprimersi **6** incavarsi; infossarsi: His cheeks [his eyes] have sunk after his illness, gli si sono incavate le guance [infossati gli occhi] dopo la malattia **7** decadere; peggiorare; deperire; indebolirsi: He sank in social prestige, decadde in prestigio sociale; The patient is sinking fast, il malato peggiora a vista d'occhio **8** calare; diminuire; ridursi; scendere: The population has sunk, la popolazione è calata; (econ.) Output has sunk to a new low, la produzione è scesa a un nuovo minimo **9** (fig.) affondare (fig.); essere sconfitto; sparire; uscire dalla scena: We must win or s., dobbiamo vincere o sparire **10** (slang USA) crepare; morire Ⓑ v. t. **1** affondare; (mil., naut.) colare a picco: **to s. a ship**, affondare una nave; (pallanuoto) **to s. one's opponent**, affondare l'avversario (è fallo) **2** abbassare; chinare; calare; ribassare; ridurre; far calare: **to s. one's voice**, abbassare la voce; **to s. one's head on one's chest**, chinare il capo sul petto; **to s. prices**, calare (o ribassare) i prezzi **3** scavare; perforare: **to s. a mine**, scavare una miniera; **to s. a well**, perforare un pozzo **4** affondare; piantare: **to s. a pole into the soil**, piantare un palo nel terreno **5** celare; nascondere; dimenticare; affogare (fig.); seppellire (fig.); passar sopra a; passar sotto silenzio: **to s. one's identity**, celare la propria identità; (fig.) annullare la propria identità; The poor girl sank her head in her hands, la poverina si nascose il capo fra le mani; **to s. one's worries in whisky**, affogare nel whisky i propri guai; Let's s. our differences, dimentichiamo i (o passiamo sopra ai) nostri dissapori! **6** (mecc.) incidere (un conio, un punzone) **7** (fin.) investire (denaro); perdere (denaro) in investimenti azzardati; dilapidare (un patrimonio) **8** (fin.) ammortare, ammortizzare (un debito, un mutuo) **9** (edil.) incassare; mettere sotto traccia **10** (biliardo) mettere (una bilia) in buca; imbucare (una palla) **11** (golf) mettere (una palla) in buca; imbucare **12** (basket) infilare (la palla) nel canestro; fare, realizzare: **to s. a shot from long range**, fare canestro con un tiro da lontano; **to s. two free throws**, realizzare due tiri liberi **13** (sport, ecc.) sgominare, travolgere; stracciare (gli avversari) **14** (slang) buttare giù; ingollare; ingurgitare; tracannare ● (golf) **to s. a hole in one**, fare una buca in uno □ (naut.) **to s. into decay [into ruin]**, cadere in sfacelo [in rovina] □ **to s. into grief**, abbandonarsi al dolore □ **to s. into sb.'s mind**, entrare in testa a q. □ **to s. one's teeth into**, affondare i denti in (una mela,

ecc.); (fig.) affrontare (un problema); fare (un lavoro) con soddisfazione □ (fig.) **to s. through the floor**, sprofondare dalla vergogna; sprofondare □ (fig.) **to leave sb. to s. or swim**, lasciar che q. si tragga d'impaccio da solo □ **My courage is sinking**, mi viene meno il coraggio □ **My heart sank (to my boots)**, mi sentii mancare (il cuore) □ His life is sinking, è agli estremi □ His eyes sank, abbassò gli occhi (per imbarazzo o vergogna) □ It's a case of s. or swim, o bere o affogare; ne va della vita (o della riuscita, ecc.) □ (fig.) **to be left to s. or swim by oneself**, essere lasciato nelle peste, a cavarsela da solo □ (sport) **s.-or-swim match**, partita della salvezza (in campionato).

■ **sink back** v. i. + avv. **1** lasciarsi cadere all'indietro: He sank back into an armchair, si lasciò cadere su una poltrona **2** (fig.) accasciarsi.

■ **sink below** v. i. + prep. tramontare dietro: The moon sank below the mountains, la luna tramontò dietro i monti □ (naut.) **to s. below the surface**, immergersi.

■ **sink down** v. i. + avv. **1** cadere (giù); (della testa, ecc.) abbassarsi; cadere sul petto: I sank down in a faint, caddi svenuto **2** (del sole, ecc.) calare; tramontare.

■ **sink in** v. i. + avv. **1** (di un liquido) penetrare: The glue hasn't sunk in yet, la colla non è ancora penetrata (o non ha fatto presa) **2** sprofondare; affondare **3** (di strada, ecc.) cedere; avvallarsi **4** (delle guance, ecc.) incavarsi; infossarsi **5** (fig.: di un concetto, un suggerimento, ecc.) essere recepito; andare a segno, fare presa (fig.); The news hasn't sunk in yet, I'm still in shock, non ho ancora realizzato la notizia, sono ancora sotto shock.

■ **sink low** v. i. + avv. **1** abbassarsi; calare **2** (fig.) cadere in basso; degenerare; mutare in peggio.

■ **sink to** v. i. + prep. **1** cadere a: He sank to the ground in a faint, cadde a terra svenuto **2** (di un aeromobile) scendere a (terra) **3** (di un natante) posarsi su (il fondo) **4** (del terreno) digradare verso **5** (fig.) scendere a; abbassarsi in; calare, diminuire fino a diventare: Her voice sank to a whisper, la voce le si abbassò in un sussurro; The gale sank to a breeze, il ventaccio diminuì fino a diventare una brezza **6** (fig.): abbassarsi a; cadere in basso fino a (fig.): I didn't think he would s. to stealing, non credevo che si sarebbe abbassato a rubare; He sank to a life of debauchery, cadde in basso dandosi a una vita dissoluta □ (della testa) **to s. to one's chest**, cadere sul petto □ **to s. to rest**, (del sole) tramontare; (di una persona) morire.

■ **sink under** v. i. + prep. **1** afflosciarsi, cadere sotto (un peso) **2** venire meno a (q.); cedere a (q.): My legs sank under me, mi cedettero le gambe.

■ **sink up** v. i. + avv. piantarsi, sprofondare, affondare (nel fango, ecc.).

sinkable /'sɪŋkəbl/ a. **1** affondabile **2** (fin.: di un debito) ammortabile; ammortizzabile.

sinker /'sɪŋkə(r)/ n. **1** (mecc., = die-s.) incisore (di coni o punzoni) **2** scavatore, perforatore (di pozzi, ecc.) **3** (ind. min.) pompa per prosciugare cantieri di scavo **4** (naut., sport) peso, piombo (di scandaglio o galleggiante di una lenza) **5** (fam. USA) ciambellina fritta; frittella; bombolone.

sinkhole /'sɪŋkhəʊl/ n. **1** pozzo di scarico; pozzo nero **2** (geol.) inghiottitoio; foiba; dolina **3** (fig.) pozzo di San Patrizio; pozzo senza fondo **4** (USA) buco (o scarico) dell'acquaio.

sinking /'sɪŋkɪŋ/ n. ▢ **1** (naut.) affondamento (di una nave) **2** abbassamento; calo improvviso; diminuzione **3** scavo, trivellazione (d'un pozzo) **4** (geol.) sprofondamen-

to; avvallamento; subsidenza **5** (*edil.*) scavo; sterro **6** (*mecc.*) incisione (*di punzoni*) **7** (*fin.*) investimento (*di denaro, spec. se azzardato*) **8** (*fin.*) ammortamento (*di un debito*): **s. fund**, fondo di ammortamento; **s. plan**, piano di ammortamento ● (*naut.*) **s. below the surface**, immersione □ **s. pump → sinker**, *def. 3* □ **to have a s. feeling**, avere un senso di vuoto alla bocca dello stomaco (*per fame, paura, ecc.*).

sinless /'sɪnləs/ *a.* senza peccato; innocente; puro | **-ly** *avv.* | **-ness** *n.* Ⓤ.

sinner /'sɪnə(r)/ *n.* peccatore, peccatrice ● (*fisc., fam.*) **sinners' taxes**, imposte su alcolici, tabacco (*e scommesse, ecc.*).

Sinn Fein /'ʃɪn'feɪn/ *n.* (*stor., polit.*) Sinn Fein; movimento indipendentista irlandese
🌐 **CULTURA ● Sinn Fein**: (*in gaelico «noi da soli»*) *è un'organizzazione politica nazionalista il cui scopo principale è l'unione dell'Irlanda del Nord con il resto dell'Irlanda* (Eire). *Fondato nel 1905, è l'ala politica dell'***Irish Republican Army (IRA)**.

Sino- /'saɪnəʊ-/ *pref.* cino-: **the Sino-Japanese war**, la guerra cino-giapponese.

sinology /saɪ'nɒlədʒɪ, *USA* sɪ-/ *n.* Ⓤ sinologia || **sinologist, sinologue** *n.* sinologo.

sinter /'sɪntə(r)/ *n.* **1** (*geol.*) sedimento da precipitazione chimica **2** (*spec.*) geyserite **3** (*metall.*) agglomerato per sinterizzazione.

to **sinter** /'sɪntə(r)/ (*metall.*) *v. t.* sinterizzare || **sintered** *a.* sinterizzato: **sintered steel**, acciaio sinterizzato || **sintering** *n.* Ⓤ sinterizzazione.

sinuate /'sɪnjʊət/ *a.* **1** sinuoso **2** (*bot.*) sinuato.

sinuosity /sɪnjʊ'ɒsɪtɪ/ *n.* **1** Ⓤ sinuosità **2** Ⓤ agilità; snellezza **3** curva; svolta **4** (*di fiume*) meandro.

sinuous /'sɪnjʊəs/ *a.* **1** sinuoso; serpeggiante; tortuoso **2** agile; snello | **-ly** *avv.*

sinus /'saɪnəs/ *n.* (*pl.* **sinuses, sinus**) **1** (*anat.*) seno; cavità **2** (*med.*) fistola **3** (*bot.*) seno (*fra due lobi di foglia*).

sinusitis /saɪnə'saɪtɪs/ *n.* Ⓤ (*med.*) sinusite.

sinusoid /'saɪnəsɔɪd/ *n.* **1** (*mat.*) sinusoide **2** (*anat.*) sinusoide || **sinusoidal** *a.* **1** (*mat.*) sinusoidale: **sinusoidal curve**, curva sinusoidale **2** (*anat.*) sinusale.

sip /sɪp/ *n.* sorso; centellino.

to **sip** /sɪp/ *v. t. e i.* centellinare; sorseggiare; bere a sorsi.

siphon /'saɪfn/ *n.* (*idrologia, geol., zool.*) sifone: **a soda s.**, un sifone del seltz ● **s. barometer**, barometro a sifone □ **s. bottle**, sifone del seltz □ **s. gauge**, manometro a sifone □ **s. spillway**, sfioratore a sifone || **siphonal, siphonic** *a.* di sifone; a forma di sifone.

to **siphon** /'saɪfn/ Ⓐ *v. t.* (*di solito* **to s. out, to s. off**) **1** travasare per mezzo di un sifone **2** cavare, togliere (*un liquido*) con un sifone; (*fig.*) deviare; dirottare: **to s. off traffic from the town centre**, deviare il traffico dal centro cittadino **3** rubare (*benzina*) da un serbatoio (*aspirandola*) Ⓑ *v. i.* **1** sgorgar fuori da un sifone **2** (*per estens.*) sgorgare ● **to s. off company funds into one's bank account**, appropriarsi di fondi aziendali trasferendoli sul proprio conto in banca.

siphonage /'saɪfənɪdʒ/ *n.* Ⓤ sifonaggio; sifonamento; travaso per mezzo di un sifone.

siphuncle /'saɪfəŋkəl/ *n.* (*zool.*) **1** sifone, sifoncino **2** codicola (*degli afidi*).

sipper /'sɪpə(r)/ *n.* **1** chi sorseggia **2** beone **3** (*USA*) cannuccia.

sippet /'sɪpɪt/ *n.* crostino di pane tostato o fritto (*inzuppato o da inzuppare*).

◆**sir** /sɜː(r), sə(r)/ *n.* **1** (al vocat.) signore (*detto da un inferiore, cameriere, ecc.*): *Is every-*

thing all right, sir?, tutto bene, signore?; *May I leave now, sir?*, posso andare, signore?; *Yes, sir*, sì, signore; sissignore; signorsì; (*fam. USA*) di sicuro, certamente; (*nelle lettere*) *Dear Sir*, Egregio Signore **2** (*titolo che spetta a un baronetto o a un cavaliere: non precede mai il solo cognome*) Sir: **Sir Walter Scott**, Sir Walter Scott **3** (*fam. ingl.*) il professore: *Sir scolded me for cheating*, il professore mi ha rimproverato perché copiavo ● (*nelle lettere comm.*) **Dear Sirs**, Spettabile Ditta □ **No, Sir!**, nossignore, signornò!; (*fam. USA*) certo che no!, no e poi no!

sire /'saɪə(r)/ *n.* **1** (al vocat.) (*arc.*) sire; maestà **2** (*poet.*) antenato; padre **3** (*spec. di stallone*) progenitore.

to **sire** /'saɪə(r)/ *v. t.* (*spec. di stallone*) generare; essere il progenitore di (*un cavallo*).

siren /'saɪərən/ Ⓐ *n.* **1** (*mitol.*) sirena (*anche fig.*) **2** sirena (*apparecchio acustico*): **a ship's s.**, la sirena d'una nave; **the police s.**, la sirena della polizia **3** (*pallanuoto*) sirena (*acustica*) **4** (*zool.*, *Siren lacertina*) sirena Ⓑ *a.* **attr.** (*o da*) sirena; allettante; tentatore ● **s. suit**, tuta da lavoro intera.

sirenian /saɪ'riːnɪən/ (*zool.*) Ⓐ *a.* dell'ordine dei Sirenidi Ⓑ *n.* (*pl.* **sirenians**) sirenide (*dugongo, tricheco, ecc.*).

Sirius /'sɪrɪəs/ *n.* (*astron.*) Sirio.

sirloin /'sɜːlɔɪn/ *n.* Ⓤ Ⓒ (*cucina*) lombo di manzo; lombata; controfiletto ● **s. steak**, bistecca di lombo; lombata.

sirocco /sɪ'rɒkəʊ/ *n.* (*pl.* **siroccos**) scirocco.

sirrah /'sɪrə/ *n.* (*arc., spreg.*) messere (usato al vocat.).

sirree /sɪ'riː/ *inter.* – (*fam. USA*) nelle loc.: *No, s.!*, no e poi no!; *Yes, s.!*, sì, eccome!; altroché!

sirup /'sɪrəp/ *n.* (*USA*) → **syrup**.

sirvente /sə'vɛnt/ (*franc.*) *n.* (*stor., letter.*) sirventese.

sis /sɪs/ *n.* (abbr. *fam. di* **sister**) sorella.

sisal /'saɪsl/ *n.* **1** (*bot.*, *Agave sisalana*) agave sisalana; sisal **2** Ⓤ (= **s. hemp**) fibra di agave; sisal.

siskin /'sɪskɪn/ *n.* (*zool.*, *Carduelis spinus*) lucherino.

sissy /'sɪsɪ/ Ⓐ *n.* (*fam.*) **1** ragazzo (*o uomo*) effeminato **2** donnicciola; vigliacco; fifone (*fam.*) Ⓑ *a.* di (*o da*) donnicciola; effeminato ● (*motociclismo*) **s. bar**, maniglia per la persona trasportata || **sissified** *a.* (*fam.*) **1** effeminato **2** vile; pauroso.

◆**sister** /'sɪstə(r)/ *n.* **1** sorella (*anche fig.*): *They are like sisters*, sono come sorelle **2** (*relig.*) suora; sorella; monaca **3** (*med.*, = **ward s.**) (infermiera) caposala **4** compagna, socia (*di un circolo, ecc.*) **5** (*fig.*) cosa affine; gemello (*fig.*) **6** (vocat. *amichevole*) sorella; ragazza; donna **7** (*per le femministe*) compagna **8** (*per le nere*) sorella; donna nera **9** (*per i gay*) amica lesbica; amico gay ● (*fin.*) **s. company**, (società) consorella □ (*mecc.*) **s.-hook**, gancio doppio □ **s.-in-law**, cognata □ **the Sisters of Mercy**, le Sorelle della Misericordia □ (*aeron.*) **s. plane**, aereo gemello □ (*naut.*) **s. ships**, navi gemelle.

sisterhood /'sɪstəhʊd/ *n.* Ⓤ **1** sorellanza; l'essere sorelle **2** associazione femminile **3** comunità di suore; congregazione religiosa **4** (*fig.*) fratellanza.

sisterly /'sɪstəlɪ/ *a.* di sorella; sororale (*lett.*); fraterno: **s. love**, amor di sorella; amore fraterno || **sisterliness** *n.* Ⓤ atteggiamento (*o affetto*) di (*o da*) sorella.

Sistine Chapel /sɪstiːn'tʃæpl/ *loc. n.* (*arte, relig.*) Cappella Sistina.

sistrum /'sɪstrəm/ *n.* (*pl.* **sistrums, sistra**) (*stor., mus.*) sistro.

Sisyphean /sɪsɪ'fiːən/ *a.* di Sisifo: **a S. task**, una fatica di Sisifo.

Sisyphus /'sɪsɪfəs/ *n.* (*mitol.*) Sisifo.

sit /sɪt/ *n.* **1** seduta; attesa (a sedere): **a long sit in the waiting room**, una lunga attesa in sala d'aspetto **2** (*d'indumento*) modo di cadere (*alle spalle, in vita, ecc.*) **3** avvallamento; cedimento; subsidenza.

◆to **sit** /sɪt/ (*pass. e p. p.* **sat**) Ⓐ *v. i.* **1** sedere; essere (*o stare*) seduto: **to sit on a chair** [**in an armchair, on the sofa**], sedere (*o essere seduto*) su una sedia [in poltrona, sul divano]; **to sit at table** [**at one's desk**], sedere a tavola [alla scrivania]; *She was sitting next to me*, era seduta accanto a me; *The cat was sitting under the table*, il gatto era seduto sotto la tavola; *He just sat there watching*, se ne stava seduto a guardare; *They were sitting round the camp fire*, erano seduti intorno al fuoco dell'accampamento **2** sedersi; mettersi a sedere: *He came into the room and sat beside me*, entrò nella stanza e mi si sedette accanto; *Sit over there!*, siediti laggiù; (*a un cane*) *Sit!*, seduto! (*cfr.* **sit down**, per le persone) **3** (*di uccelli, polli, ecc.*) appollaiarsi, posarsi (*su un ramo, ecc.*); esserci, essere appollaiato: *The thrush was sitting on the tallest branch*, il merlo era appollaiato sul ramo più alto **4** (*di uccelli*) covare: *Hens sit in late spring*, le galline covano nella tarda primavera **5** posare (*per una foto, un ritratto*); (*pitt.*) fare da modello: *She sat for a famous painter*, fece la modella per un pittore famoso **6** (*polit.*) avere un seggio; essere in carica: **to sit in Parliament**, avere un seggio in parlamento; essere un deputato; **a sitting member**, un deputato in carica **7** essere in seduta; tenere udienza; essere riunito: *Parliament is sitting now*, il parlamento è in seduta; (*leg.*) *The court was sitting yesterday*, ieri il tribunale ha tenuto udienza **8** (*d'abito e fig.*) stare; cadere (*bene, ecc.*): *The dress sat beautifully on her*, il vestito le stava magnificamente **9** (*di un oggetto*) stare; rimanere; restare: *My car sat unused in the garage for a month*, la mia auto rimase ferma in garage per un mese **10** (*poet.*) essere situato; trovarsi: *The cottage sits next to a little creek*, la casetta si trova presso un ruscello **11** (*del vento*) spirare; tirare **12** (*sport*: *di un giocatore in campo*) essere posizionato (*o piazzato, situato*) Ⓑ *v. t.* **1** far sedere; mettere a sedere: *Sit the baby in the high-chair!*, metti il bambino a sedere sul seggiolone!; *Sit yourself down and tell me what's been going on*, mettiti a sedere e raccontami come vanno le cose **2** (*equit.*) stare in sella a (*un cavallo*); cavalcare: *He cannot sit his horse properly*, non sa stare in sella come si deve **3** (*di uccelli*) covare (*le uova*) **4** (*di un veicolo, ecc.*) aver posti a sedere per: *This bus can sit forty people*, in questo autobus ci sono quaranta posti a sedere **5** sostenere, dare (*un esame scritto*): **to sit maths**, dare l'esame di matematica **6** (nei composti) assistere; badare a: **to baby-sit**, badare ai bambini; **to granny-sit**, assistere la nonnina **7** (*USA, sport*) destinare alla (*o tenere in*) panchina ● (*autom.*) **to sit again at the wheel**, rimettersi al volante □ (*fig.*) **to sit at sb.'s feet**, pendere dalle labbra di q. (*spec. un insegnante*); essere allievo di q. □ **to sit at home**, starsene (a casa) in ozio; essere disoccupato □ (*fig.*) **to sit in judgment**, impancarsi a giudice □ **to sit tight**, star seduto senza muoversi; non fare nulla, non prendere iniziative; star fermo al proprio posto; (*fam.*) tener duro, non mollare; resistere, essere tetragono □ **to be sitting on a fortune**, avere un sacco di soldi; avere un oggetto preziosissimo □ (*fam.*) **to be sitting pretty**, passarsela bene (*a soldi*); (*di un'azienda*) andare bene (*o a gonfie vele*); prosperare □ **We were sitting at tea** [**at dinner**], stavamo prendendo il tè [eravamo a tavola].

■ **sit about** (*o around*) *v. i.* + *avv.* (*o prep.*)

starsene seduto in ozio; bighellonare; oziare; stare senza far niente: *I hate sitting around (the house) all day long*, detesto bighellonare (in casa) tutto il santo giorno.
■ **sit back** v. i. + avv. **1** spostarsi indietro (*sulla sedia*); mettersi comodo **2** (*fig.*) rilassarsi; essere in souplesse; prendere fiato (*fig.*) **3** (*di un edificio*) essere in posizione arretrata (*rispetto alla strada*) **4** (*fam.*) restare inerte (*o* passivo, impassibile); stare a guardare (*o* alla finestra) (*fig.*).
■ **sit by** **A** v. i. + avv. stare con le mani in mano: *We can't just sit by while they ruin the country*, non dobbiamo stare a guardare mentre rovinano il paese **B** v. i. + prep. sedere (*o* sedersi) accanto (*o* vicino) a: *Sit by me!*, siediti accanto (a me)!; *They used to sit by the fire*, di solito stavano seduti vicino al fuoco.
■ **sit down** **A** v. i. + avv. **1** sedersi; mettersi a sedere; accomodarsi: *Sit down!*, siediti!; mettiti a sedere!; (*come comando in classe, ecc.*) seduti!; *Sit down, please!*, prego, si accomodino!; *He sat down on the bench*, si sedette sulla panchina **2** (*nella forma progressiva*) essere a sedere; essere (*o* stare) seduto: *I delivered my speech sitting down*, pronunciai il mio discorso stando (*o* da) seduto; *How many guests were sitting down?*, quanti degli ospiti erano a sedere? **3** sedersi in terra (*per protesta*) **4** (*mil.*) prendere posizione; accamparsi **5** (*fam.*) starsene buono e zitto; abbozzare **B** v. t. + avv. **1** far sedere; far accomodare: *He sat me down on a sofa*, mi fece accomodare su un divano **2** mettere a sedere □ **to sit oneself down**, mettersi a sedere □ (*di un hovercraft*) **to sit down on the ground**, atterrare.
■ **sit down on** v. i. + avv. + prep. (*fig. fam.*) opporsi a, bocciare (*una proposta e sim.*).
■ **sit down to** v. i. + avv. + prep. **1** sedersi (*o* accomodarsi) a: *Would you like to sit down to table, please?*, volete accomodarvi a tavola, prego? **2** accingersi a (*mangiare, ecc.*): *They sat down to a good meal*, si accinsero a fare un bel pranzetto **3** (*fig.*) acconciarsi, rassegnarsi a.
■ **sit down under** v. i. + avv. + prep. (*fam.*) sopportare, tollerare; mandare giù (*fam.*) (*un affronto, un'offesa, ecc.*).
■ **sit for** v. i. + prep. **1** posare per (*un ritratto, ecc.*) **2** sostenere, dare (*un esame scritto*) **3** concorrere per (*una borsa di studio*) **4** (*polit.*) rappresentare (*un collegio*) in parlamento **5** (*fam.*) fare da baby-sitter a (*un bambino*); assistere (*un anziano*).
■ **sit in** v. i. + avv. **1** fare da (*o* la) baby-sitter; badare ai bambini (*degli altri*) **2** fare (*o* partecipare) a un sit-in; occupare un luogo pubblico per protesta **3** assistere (*alle lezioni, ecc.*): *I'd rather sit in for a while*, per un po', preferisco assistere (*prima di cominciare a insegnare*) **4** (*ciclismo*) stare a ruota; farsi tirare □ **to sit in on rehearsals**, assistere alle prove (*di una commedia, ecc.*).
■ **sit in for** v. i. + avv. + prep. rimpiazzare, prendere il posto di (q.).
■ **sit on** v. i. + prep. **1** sedere, essere seduto su (*o* a, per): *He was sitting on the grass*, era seduto sull'erba **2** (*di un oggetto*) stare; essere collocato sopra: *These letters have been sitting on your desk for a week*, è una settimana che queste lettere stanno sulla tua scrivania **3** (*di cibo ingerito*) pesare, essere rimasto, essersi piantato su (*lo stomaco*) **4** (*di un indumento*) cadere, stare (*bene, male, ecc.*) a (q.) **5** (*fig.*) stare, andare a (q.) **6** fare parte di (*un comitato, una giuria, ecc.*): *I don't want to sit on any more committees*, non voglio far parte di altre commissioni; *Which judge is sitting on this case?*, chi fa parte del collegio giudicante?; qual è il giudice di questa causa? **7** (*della polizia, ecc.*) indagare su (*un caso, ecc.*) **8** trattenere, aspettare a vendere (*merce, ecc.*); tenere nel cassetto (*una lettera, ecc.*) **9** tenere nel cassetto, non evadere (*una pratica*); non esaminare (*un reclamo*); bloccare, insabbiare (*un provvedimento, un'inchiesta*) **10** (*fig.*) gravare su, opprimere: *All the cares of the world are sitting on his mind*, è oppresso da mille preoccupazioni **11** (*fam.*) mettersi (q.) sotto i piedi; trattare (q.) con durezza; fare il prepotente con (q.): *Even if he is my elder brother, I won't stand his sitting on me like that*, anche se è il mio fratello maggiore, non sono disposto a sopportare che mi metta sotto i piedi in questo modo **12** (*fam.*) tenere sotto stretto controllo; tenere d'occhio **13** (*fam.*) mettere a sedere, mettere a posto (*fig.*); sistemare □ (*fig. fam.*) **to sit on the fence**, restare indeciso (*o* neutrale); restare alla finestra (*fig.*) □ (*fam.*) **to sit on one's hands**, restare con le mani in mano; restare inerte; non prendere alcuna iniziativa; (*anche*) restare freddo (*fig.*); non partecipare, non applaudire □ **to sit heavy on sb.**, gravare, pesare su q. □ **to sit lightly on sb.**, non pesare a q.; non angustiare, non preoccupare: *Money matters sit lightly on your son*, i problemi di soldi non angustiano tuo figlio □ (*di un uccello*) **to sit on the nest**, restare nel nido per la cova.
■ **sit out** **A** v. i. + avv. **1** stare seduto di fuori; sedere all'aperto: *We used to sit out in summer*, d'estate stavamo seduti all'aperto **2** (*a un ballo*) restare a sedere; fare tappezzeria (*fig.*) **3** (*in barca*) stare seduto all'infuori (*con parte del corpo fuori del bordo*) **B** v. t. + avv. **1** saltare, non fare (*un ballo*) **2** resistere (*fam.*: tener botta) fino alla fine di (*uno spettacolo, un discorso, ecc.*); guardare (ascoltare, ecc.) fino in fondo **3** restare (*a una festa, ecc.*) più a lungo di (q.): *He decided he would sit out the other guests*, decise di rimanere finché tutti gli altri se ne fossero andati.
■ **sit over** v. i. + prep. starsene seduto a (*fare qc.*): **to sit over a book**, starsene seduto a leggere un libro.
■ **sit through** → **sit out**, **B**, *def. 2*.
■ **sit under** v. i. + prep. (*USA*) **1** studiare con (*fam.*: sotto) (*un insegnante*); essere studente di **2** essere parrocchiano di (*un sacerdote*).
■ **sit up** **A** v. i. + avv. **1** tirarsi su a sedere (*da sdraiato*): *The patient cannot sit up yet*, il malato non riesce ancora a tirarsi su **2** stare dritto (*con la schiena*); sedere a schiena eretta: *Sit up!*, sta dritto! (*a tavola, ecc.*) **3** (*di un cane*) sedersi e sollevare le zampe anteriori: *Sit up!*, su con le zampe! **4** (*fam.*) trasalire, avere un soprassalto, sobbalzare (*per lo stupore, ecc.*): *The news of the killer's release made me sit up*, la notizia del rilascio del killer mi fece sobbalzare **5** (*fam.*) rimettersi in riga (*fig.*); darsi una regolata: *I think it's time for you to sit up*, credo che sarebbe ora che vi deste una regolata **6** stare alzato, rimanere in piedi (*la notte*): *'He could sit up as late as he pleased'* M. Twain, 'poteva restare alzato la notte quanto gli pareva'; *Don't sit up for me!*, non stare alzata ad aspettarmi! **7** (*ginnastica*) alzarsi sul tronco **B** v. t. + avv. tirare su, mettere a sedere (*un ammalato, ecc.*) □ (*di un cane*) **to sit up and beg**, sedersi tenendo le zampe davanti sollevate e ripiegate (*come per chiedere cibo, ecc.*) □ (*fig. fam.*) **to sit up and take notice**, farsi molto attento; prestare di colpo attenzione; mostrare interesse all'improvviso; drizzare le orecchie (*fig.*) □ **to make sb. sit up and take notice**, imporsi all'attenzione di q.
■ **sit upon** → **sit on**.
■ **sit with** v. i. + prep. **1** stare seduto (*a tavola, ecc.*) con (q.) **2** assistere, stare al capezzale di (*un malato, un anziano*) **3** (*fig.*) andare, stare (*bene, ecc.*) con (*o* per): *I agree to your proposal, if it sits well with the other shareholders*, io sono d'accordo con la tua proposta, se va bene agli altri azionisti.

sitar /sɪˈtɑː(r)/ n. (*mus.*) sitar.

sitcom /ˈsɪtkɒm/ n. (contraz. *fam.*) (*radio, TV*) = **situation comedy** → **situation**.

sit-down /ˈsɪtdaʊn/ **A** n. **1** sit-in; raduno di protesta (*occupando, seduti, un luogo pubblico*) **2** (= **sit-down strike**) sciopero con occupazione (*della fabbrica*) **3** (*fam.*) il mettersi (*o* stare) a sedere; sedutina: *Let's have a sit-down!*, facciamoci una sedutina!; mettiamoci un po' a sedere! **4** (*eufem.*) seduta al gabinetto; seduta al cesso **B** a. attr. (*di un pasto*) a sedere; a tavola: **a sit-down dinner**, un pranzo a tavola (*non in piedi*).

♦**site** /saɪt/ n. **1** sito; luogo; posto; località: **a good s. for a picnic**, un posto adatto per un picnic; **an archeological s.**, un luogo di scavi archeologici; **a s. for a missile base**, una località per una base missilistica **2** (*comput.*) sito: *Internet s.*, sito Internet; *Web s.*, sito Web; **s. map**, mappa del sito; *There are a lot of job sites on the net you should look at*, ci sono tantissimi siti di annunci di lavoro che dovresti guardare **3** (*edil.*) area **4** scena (*di un delitto*) **5** teatro (*di una battaglia*) ● (*edil.*) **s. investigation**, esame geologico (*del terreno*) □ (*edil.*) **s. office**, ufficio presso il cantiere □ (*baseball*) **s. umpire**, arbitro capo □ (*edil.*) **on s.**, nel (*o* sul) cantiere; sul lavoro; sul posto □ (*market.*) **on-s. demonstration**, dimostrazione a domicilio.

to **site** /saɪt/ v. t. **1** collocare; porre; situare (*una casa, ecc.*) **2** (*econ., ind.*) localizzare, trovar sede a.

sit-in /ˈsɪtɪn/ n. **1** raduno di protesta (*occupando, seduti, un luogo pubblico*); sit-in; occupazione (*di una facoltà, un ospedale, ecc.*) **2** → **sit-down**, **A**, *def. 2*.

siting /ˈsaɪtɪŋ/ n. [U] **1** ubicazione (*di una casa*) **2** (*econ., ind.*) localizzazione (*di una fabbrica, ecc.*).

sitter /ˈsɪtə(r)/ n. **1** chi siede; chi sta seduto **2** (*arte*) chi posa; modello, modella **3** chioccia; gallina che cova **4** (*USA*) = **s.-in** → *sotto* **5** (*fam.*) colpo facile (*a caccia e nello sport*); cosa facilissima (*in genere*); (*calcio, ecc.*) gol già fatto **6** (*slang*) preda facile; occasione d'oro ● **s.-in**, baby-sitter; (*anche*) chi si prende cura di una casa (di un animale domestico, ecc.) in assenza dei padroni; (*anche*) chi partecipa a un → «sit-in» (*def. 1*).

sitting /ˈsɪtɪŋ/ **A** n. **1** seduta; adunanza; tornata (*di lavori*); (*leg.*) udienza: **an all-night s. of the House of Commons**, una seduta della Camera dei Comuni che è durata tutta la notte; **s. in camera**, udienza a porte chiuse **2** (*arte*) posa; seduta: *He made my portrait in ten sittings*, mi fece il ritratto in dieci sedute **3** cova (*di uccelli*) **4** (*al ristorante*) turno (*per i pasti*) **5** posto riservato (*a teatro, ecc.*) **6** banco riservato o privato (*in chiesa*) **B** a. **1** seduto; che occupa (*un posto, ecc.*) **2** (che è) in seduta **3** (*polit.*) in carica: **the s. MP**, il deputato in carica; *Clinton was the first s. US President to visit Bulgaria*, Clinton è stato il primo Presidente in carica degli Stati Uniti a visitare la Bulgaria **4** (*di un uccello*) che cova ● **s. accommodation**, (disponibilità di) posti a sedere □ (*stor. USA*) **S. Bull**, Toro Seduto (*capo indiano*) □ (*fig. fam.*) **s. duck**, facile bersaglio, facile preda □ **s. hen**, chioccia; gallina che cova □ **s. in**, babysitteraggio; sorveglianza dei bambini in assenza dei genitori (*o* di una casa, un cane, ecc., in assenza del padrone) □ **s. room** (stanza di) soggiorno; salotto (*fam.*) □ (*fam.*) **s. target** = **s. duck** → *sopra* □ (*leg.*) **the s. tenant**, l'attuale affittuario (*o* inquilino); l'occupante (*di un locale*) con diritto di non essere sfrattato □ **to give a s. to a painter**, posare per un pittore □ **to read a novel at** (*o* **in**) **one s.**, leggere un romanzo tutto di un fiato.

situate /ˈsɪtjʊeɪt/ a. (*arc. o leg.*) sito; ubi-

S

cato.

to **situate** /'sɪtjʊeɪt/ v. t. **1** situare; ubicare **2** collocare (*in un contesto, in un periodo*); inquadrare.

situated /'sɪtʃʊeɪtɪd/ a. **1** situato; collocato; posto: *The fort is s. on a hilltop*, il forte è situato in cima a un colle **2** (*di persona*) sistemato (*bene, male, ecc.*).

♦**situation** /ˌsɪtʃʊ'eɪʃn/ n. **1** situazione; condizione; stato delle cose; complesso di circostanze: *The political s. is difficult*, la situazione politica è difficile; **in a crisis s.**, in una condizione di crisi **2** (*econ.*) situazione; congiuntura: **s. analysis**, analisi della situazione; **the current economic s.**, l'attuale congiuntura economica **3** (*econ., fin.*) posizione: **s. rent**, rendita di posizione (*di un immobile*); **debt s.**, posizione debitoria **4** (*econ.*) posto; lavoro; occupazione; impiego: *Dozens of people have applied for this s.*, decine di persone hanno fatto domanda per questo posto; *He found a s. as an accountant*, trovò lavoro come contabile; (*pubbl.*) «Situations vacant», «offerte di lavoro»; «cercasi»; «Situations wanted», «domande di lavoro»; «offresi» **5** (*form.*) situazione; ubicazione: *The house is in a magnificent s.*, la casa ha un'ubicazione splendida (*o* è in un sito splendido) **6** (*fam.*) problema; guaio; brutta situazione: *You've got quite a s. there!*, per te è un bel problema!; *What a s.!*, che guaio! ● (*radio, TV*) **s. comedy**, sceneggiato con personaggi che devono affrontare problemi della vita quotidiana; situation comedy □ **s. room**, (*mil., USA*) sala operativa (*nel sottosuolo della Casa Bianca*); (*fig.*) stanza dei bottoni.

situational /ˌsɪtʃʊ'eɪʃnl/ a. situazionale ● (*spec. aeron.*) **s. awareness**, consapolezza della situazione circostante.

sit-up /'sɪtʌp/ n. (*ginnastica*) flessione in avanti (*da supino*).

sit-upon /'sɪtəpɒn/ n. (*antiq. o scherz.*) sedere; deretano; sederino.

sitz-bath /'sɪtsbɑ:θ/ n. semicupio.

♦**six** /sɪks/ **A** a. **1** sei: **six books**, sei libri; **six years**, sei anni **2** (pred.) seienne (*raro*); di sei anni (*d'età*): **the boy isn't six yet**, il bambino non ha ancora sei anni **B** n. **1** sei (*carta da gioco*): **the six of hearts**, il sei di cuori **2** (*sport: canottaggio*) armo a sei **3** (*cricket*) sei (*colpo che vale sei punti, mandando la palla fuori campo senza rimbalzo*) **4** (*pallavolo, hockey su ghiaccio*) squadra (*di sei*) ● (*equit.*) **six bars**, sei barriere (*prova*) □ (*stor.*) **the Six-Day War**, la Guerra dei Sei Giorni □ (*fam.*) **to be six feet under**, essere sottoterra; essere (già) morto e sepolto □ (*fam.*) **six-footer**, persona alta (*o* cosa lunga) sei piedi (*oltre m 1,80*) □ **six-gun**, revolver a sei colpi □ (*rugby*) **the Six Nations**, le Sei Nazioni (*il torneo*) □ (*fam. antiq.*) **six of the best**, sei frustigate (*a uno scolaro: per punizione*) □ **six-pack**, confezione da sei bottiglie (*o* lattine di birra, ecc.); (*fam.*) muscoli addominali ben sviluppati □ **six-shooter**, revolver a sei colpi □ (*calcio*) **six-yard box**, area piccola; area di porta □ (*fam.*) **to be at sixes and sevens**, essere sottosopra (*o* in disordine); essere indeciso sul da farsi □ **It's six o'clock**, sono le sei □ **It's six by my watch**, il mio orologio fa le sei □ (*fig. fam.*) **It's six of one and half a dozen of the other**, è praticamente la stessa cosa; se non è zuppa è pan bagnato □ (*mat.*) **Twice six is twelve**, sei per due fa dodici.

sixain /'sɪkseɪn/ n. (*poesia*) sestina.

sixer /'sɪksə(r)/ n. **1** (*scoutismo*) capo sestiglia **2** (*cricket*) → **six, B, def. 3**.

sixfold /'sɪksfəʊld/ **A** a. **1** sestuplo **2** sestuplice **B** avv. sei volte (*tanto*).

sixpence /'sɪkspəns/ n. (*stor.*) monetina d'argento del valore di sei penny; mezzo

scellino (*non più in circolazione dal 1980 circa*).

sixpenny /'sɪkspənɪ/ a. **1** che vale sei penny; da sei penny: **a s. stamp**, un francobollo da sei penny **2** (*fig.*) di poco prezzo; da pochi soldi.

sixte /sɪkst/ n. (*scherma*) sesta.

♦**sixteen** /sɪk'sti:n/ a. e n. sedici.

sixteenmo /sɪk'sti:nməʊ/ n. (pl. *sixteenmos*) (*editoria*) formato (*o* volume) in sedicesimo.

sixteenth /sɪk'sti:nθ/ a. e n. sedicesimo ● (*biblioteconomia*) **s.-century book**, cinquecentina □ **on the s. of October**, il sedici ottobre □ (*mat.*) **one s.**, un sedicesimo (1/16).

sixth /sɪksθ/ **A** a. sesto: *He came in s.*, arrivò sesto **B** n. **1** sesto: **one s.**, un sesto (1/6) **2** (*mus.*) sesta **3** (*nelle scuole inglesi e del Galles*, = **s. form**) biennio (*dal 16° al 18° anno di età*) in preparazione per l'esame di ammissione all'università (detto 'A Levels') ● **s. former**, alunno di un «sixth form» □ (*autom.*) **s. gear**, sesta marcia, sesta □ **s. sense**, sesto senso; intuito □ **on the s. of May**, il sei maggio ‖ **sixthly** avv. in sesto luogo (*nelle enumerazioni*).

♦**sixty** /'sɪkstɪ/ a. e n. sessanta ● **in the sixties**, negli anni sessanta (*di un secolo*); negli anni fra i 60 e i 69 (*della vita di un uomo*) □ (*fam. USA*) **like s.**, a gran velocità; a tutta birra (*fam.*); con grande forza; a più non posso □ **a man of s.**, un sessantenne ‖ **sixtieth** a. e n. sessantesimo.

sixty-four /ˌsɪkstɪ'fɔ:(r)/ a. e n. sessantaquattro ● (*fam.*) **sixty-four-thousand-dollar question**, domanda da un milione di dollari.

sixty-nine /ˌsɪkstɪ'naɪn/ a. e n. sessantanove (*anche in senso volg.*).

sizable /'saɪzəbl/ a. → **sizeable**.

sizar /'saɪzə(r)/ n. (*a Cambridge o al Trinity College di Dublino*) detentore di borsa di studio; borsista ‖ **sizarship** n. borsa di studio universitaria.

♦**size** ① /saɪz/ n. **1** ⓤⓒ dimensione, dimensioni; grandezza; statura; taglia: *It was about the s. of a pill*, era all'incirca della grandezza d'una pillola; **a man of his s.**, un uomo della sua taglia; **the s. of the business [market]**, le dimensioni dell'azienda [del mercato] **2** taglia (*di un indumento*); misura; numero (*di scarpe, ecc.*): *What is your s.?*, che taglia porti?; *I take s. 9 shoe*, di scarpe porto il (numero) 43; *Do you have them in the next s. up, a 34?*, li ha della taglia più grande, la 34?; *Do you have half a s. smaller?*, ha una mezza taglia in meno?; *How are those for s.?*, come va la taglia?; *Can I try these shoes on in a s. ten please?*, posso provare il dieci di quelle scarpe? (*fam.*) **children's sizes**, misure per bambini **3** formato (*di carta, ecc.*): **commercial s.**, formato commerciale; (*di sigarette, ecc.*) **king s.**, formato maggiore (*o* grande) **4** (*comm.: del carbone, ecc.*) pezzatura **5** (*tecn.*) calibro; spessore **6** volume; valore; numero: **the s. of exports**, il volume delle esportazioni; **the s. of the reading public**, il numero dei lettori ● **the s. of a bank account**, l'ammontare di un conto in banca □ (*tipogr.*) **s. of type**, corpo del carattere □ **s.-stick**, arnese di calzolaio per prendere la misura del piede □ **to cut sb. down to s.**, ridimensionare q. □ (*d'abito, ecc.*) **a s. too big**, di una taglia in più; che sta (*o* va) largo di una misura □ **to try st. on for s.**, provarsi (*un abito, ecc.*) per vedere se va bene (*come misura*); (*fig.*) assaggiare (qc.) tanto per cominciare □ (*fam.*) **That's about the s. of it**, le cose stanno più o meno così.

size ② /saɪz/ n. ⓤ (*ind. tess.*) colla; bozzima ● (*pittura*) **s. colour**, colla a colla.

to **size** ① /saɪz/ v. t. **1** raggruppare (*o* classificare, graduare) secondo la misura **2** (*mecc.*) ridurre a misura; ridimensionare **3**

selezionare secondo grandezza, calibrare (*uova, frutta, ecc.*) ● **to s. up**, calcolare la grandezza, valutare le dimensioni di (*un oggetto*); (*fam.*) indovinare (*una probabilità*); inquadrare, valutare, farsi un'idea di (*una persona*).

to **size** ② /saɪz/ v. t. (*ind.*) imbozzimare; incollare (*tessili, cuoio, carta*).

sizeable /'saɪzəbl/ a. di considerevoli dimensioni; piuttosto grande; ragguardevole: **a s. income**, un reddito ragguardevole: *We'd be interested in placing a s. order for some fabrics*, saremmo interessati a fare un ordine piuttosto grande di alcuni tessuti.

sized /saɪzd/ a. **1** classificato in base alle dimensioni; (*di un frutto, ecc.*) calibrato **2** (*nei composti*) di una data grandezza (*o* taglia): **large-s.**, grande; **medium-s.**, medio; di mezza taglia.

sizer ① /'saɪzə(r)/ n. **1** chi fa la cernita; cernitore **2** (*ind. min.*) pezzatore (*di minerali*).

sizer ② /'saɪzə(r)/ n. (*ind. tess.*) **1** imbozzimatore **2** imbozzimatrice (*macchina*).

sizing ① /'saɪzɪŋ/ n. ⓤ **1** controllo delle dimensioni; calibratura (*di frutta, ecc.*) **2** (*tecn.*) classificazione granulometrica (*o* volumetrica).

sizing ② /'saɪzɪŋ/ n. ⓤ (*ind. tess.*) incollatura; imbozzimatura ● **s. machine**, imbozzimatrice.

sizzle /'sɪzl/ n. ⓤ **1** sfrigolio; friggio **2** caldo intenso.

to **sizzle** /'sɪzl/ v. i. **1** sfrigolare, sfriggere **2** (*fig.*) friggere (*per la rabbia*) **3** (*fam.*) fare molto caldo **4** (*slang USA*) 'friggere'; morire sulla sedia elettrica.

sizzler /'sɪzlə(r)/ n. (*fam.*) **1** giornata caldissima; giorno afoso (*o* soffocante) **2** (*sport*) tiro bruciante; bolide; cannonata **3** (*fig.*) film porno.

sizzling /'sɪzlɪŋ/ a. **1** sfrigolante **2** caldissimo; bollente.

SJ sigla (**Society of Jesus**) Compagnia di Gesù (*i Gesuiti*).

SJC sigla (*USA*, **Supreme Judicial Court**) Suprema Corte di giustizia.

ska /skɑ:/ n. (*mus.*) ska.

skag /skæg/ n. (*slang USA*) **1** cosa (*o* persona) sgradevole; (uno) schifo **2** sigaretta; cicca (*pop.*) **3** eroina.

to **skag** /skæg/ v. i. (*slang USA*) fumare.

skald /skɔ:ld/ n. (*stor., letter.*) scaldo.

skank /skæŋk/ n. skank (*tipo di danza e musica reggae*) **2** (*slang USA*) racchia; scorfano; racchiona.

to **skank** /skæŋk/ v. i. **1** ballare (*lentamente al ritmo della musica reggae*) **2** muoversi in modo provocante.

skanky /'skæŋkɪ/ a. (*slang USA*) orribile; repellente; schifoso.

skate ① /skeɪt/ n. (pl. *skates*, *skate*) (*zool., Raja*) razza.

skate ② /skeɪt/ n. (*sport*) **1** pattino (*da ghiaccio*) **2** (= roller-s.) pattino a rotelle; scattino; schettino **3** pattinata ● **s. guard**, coprilama (*di pattino*) □ (*fig. fam.*) **to get** (*o* **to put**) **one's skates on**, affrettarsi; sbrigarsi □ **roller-s.**, pattino a rotelle.

to **skate** /skeɪt/ v. i. **1** (*sport*) pattinare (*sul ghiaccio; talora, a rotelle*); schettinare, scattinare **2** (*slang USA*) inchiodare un creditore; piantare (*o* lasciare) un chiodo (*pop.*) **3** (*slang USA*) andarsene in fretta; battersela; filare **4** (*slang USA*) cavarsela; scansare una condanna ● (*sport*) **to s. to music**, pattinare al suono della musica □ (*fam. ingl.*) **to s. it**, farcela facilmente; riuscirci bene.

■ **skate around = skate round**.

■ **skate on** v. i. + prep. pattinare su: **to s. on a frozen lake**, pattinare su un lago ghiacciato □ (*fig. fam.*) **to s. on thin ice**, cammi-

nare sul filo del rasoio (*fig.*).

■ **skate over** **A** v. i. + prep. percorrere con i pattini (ai piedi) **B** v. t. + avv. eludere (*una domanda*); evitare, glissare su (*un argomento*).

■ **skate round** **A** v. i. + avv. pattinare in tondo (*o in cerchio*) **B** v. t. + avv. **1** → **skate over**, **B** **2** (*fam.*) aggirare (*una difficoltà, ecc.*): **to s. round the tax laws**, aggirare le norme fiscali; eludere il fisco.

■ **skate through** v. i. + prep. (*fig. fam.*) superare facilmente (*una prova, un esame, ecc.*).

skateboard /'skeɪtbɔːd/ n. skateboard; monopattino a quattro rotelle.

to **skateboard** /'skeɪtbɔːd/ v. i. (*sport*) fare lo skateboard; correre su uno skateboard ‖ **skateboarder** n. chi pratica lo skateboard ‖ **skateboarding** n. ⓤ skateboard (*lo sport*); (il) correre su uno skateboard.

skatepark /'skeɪtpɑːk/ n. (*sport*) pista per skateboard.

skater /'skeɪtə(r)/ n. (*sport*) **1** pattinatore, pattinatrice **2** scattinatore, scattinatrice; schettinatore, schettinatrice.

skating /'skeɪtɪŋ/ n. ⓤ (*sport*) **1** pattinaggio **2** (= **roller s.**), pattinaggio a rotelle; schettinaggio; scattinaggio ● **s. in pairs**, pattinaggio a coppie □ **s. rink**, pattinatoio; pista di pattinaggio (*anche a rotelle*) □ **s. step**, passo di pattinaggio (*pattinaggio artistico*) **s. to music**, pattinaggio al suono della musica.

skean /'skiːən/ n. pugnale irlandese (*o scozzese*) ● **s.-dhu**, pugnale del costume nazionale scozzese (*infilato in un calzettone*).

sked /skɛd/ n. (*abbr. fam. USA di* **schedule**) orario; tabella di marcia.

skedaddle /skɪ'dædl/ n. ⓤ (*fam.*) fuga precipitosa.

to **skedaddle** /skɪ'dædl/ v. i. (*fam.*) scappare; svignarsela; darsela a gambe; filare (*fam.*); smammare (*pop.*).

skeet ① /skiːt/ n. ⓤ (*sport*) piattello; skeet ● **s. event**, competizione (*o gara*) di tiro al piattello □ **s. shooter** → **skeet** □ **s. shooting**, tiro al piattello da otto posizioni; skeet.

skeet ② /skiːt/ n. (*naut.*) gottazza; sassola.

skeeter /'skiːtə(r)/ n. (*tiro*) tiratore al piattello.

skeevy /'skiːvɪ/ a. (*fam.*) schifoso; nauseante.

skeg /skɛg/ n. **1** (*surf*) pinna di deriva **2** (*naut.*) deriva; calcagnolo **3** (*windsurf*) pinna di deriva.

skein /skeɪn/ n. **1** matassa **2** stormo d'oche selvatiche ● **tangled s.**, matassa arruffata; (*fig.*) confusione, pasticcio.

skeletal /'skɛlɪtl/ a. **1** (*anat.*) scheletrico; dello scheletro **2** (*fig.*) magrissimo; scheletrico **3** (*fig.*) schematico; scheletrico; ridotto all'essenziale.

skeleton /'skɛlɪtn/ **A** n. **1** (*anat.*) scheletro; (*fig.*) individuo magrissimo (*o pelle e ossa*) **2** ossatura; intelaiatura; scheletro: **building s.**, ossatura muraria; **steel s.**, intelaiatura d'acciaio **3** schema; schizzo; abbozzo; progetto schematico **4** (*sport*) skeleton; slittino monoposto **B** a. attr. ridotto al minimo: **a s. crew**, un equipaggio ridotto al minimo; (*ferr., ecc.*) **a s. service**, un servizio ridottissimo (*o all'osso*) ● (*fig.*) **a s. at the feast**, uno spettro al banchetto; un guastafeste □ (*edil.*) **s. framing**, ossatura a scheletro; (il) rustico □ (*fig.*) **a s. in the cupboard** (*USA*: **in the closet**), uno scheletro nell'armadio (*fig.*) □ **s. key**, chiave universale; comunella; passe-partout □ (*geogr.*) **s. map**, carta muta.

to **skeletonize** /'skɛlɪtənaɪz/ v. t. **1** scheletrire; ridurre (*un corpo*) a uno scheletro **2** (*fig.*) schematizzare; abbozzare; delineare; ridurre all'essenziale **3** (*fig.*) ridur-

re al minimo; ridurre all'osso (*il personale d'ufficio, ecc.*) ‖ **skeletonization** n. ⓤⓒ **1** riduzione a uno scheletro **2** (*fig.*) schematizzazione.

skep /skɛp/ n. **1** cesta di vimini; paniere **2** alveare (*di paglia o vimini*).

skeptic /'skɛptɪk/ e deriv. (*USA*) → **sceptic**, e deriv.

sketch /skɛtʃ/ n. **1** schizzo; disegno; abbozzo; schema; breve e rapida trattazione; profilo: **a free-hand s.**, uno schizzo a mano libera; **a charcoal s.**, uno schizzo a carboncino; **a biographical s.**, un profilo biografico **2** bozzetto; scenetta (*di teatro di varietà*); sketch **3** (*fam.*) tipo ridicolo; macchietta ● **s.-block** = **s. pad** → *sotto* □ **s. map**, mappa schematica □ **s. pad**, album per schizzi; blocco da disegno □ **s. writer**, bozzettista □ **s. writing**, bozzettistica □ **to draw a s.**, buttar giù uno schizzo □ **a rough s.**, un primo abbozzo.

to **sketch** /skɛtʃ/ **A** v. t. **1** schizzare; disegnare; abbozzare: **to s. a landscape**, schizzare un paesaggio **2** delineare; descrivere per sommi capi; abbozzare; tratteggiare: **to s. a plan**, abbozzare un piano **B** v. i. (*arte*) fare schizzi; fare bozzetti ● **to go (out) sketching**, andare a fare degli schizzi (*spec. del paesaggio*).

■ **sketch in** v. t. + avv. **1** (*pitt.*) aggiungere (*disegnando*); introdurre, inserire: **to s. in a few more flowers**, inserire degli altri fiori (*in un bozzetto, un quadro, ecc.*) **2** (*fig.*) aggiungere (*particolari, ecc.: a una descrizione*).

■ **sketch out** v. t. + avv. **1** (*arte, disegno*) abbozzare **2** (*fig.*) abbozzare, delineare, tratteggiare, descrivere in linea di massima (*un progetto, ecc.*) **3** fare lo schizzo di (*una casa e sim.*).

sketchbook /'skɛtʃbʊk/ n. **1** (*pitt.*) album per schizzi **2** (*lett.*) raccolta di bozzetti.

sketcher /'skɛtʃə(r)/ n. disegnatore di schizzi; bozzettista.

sketchpad /'skɛtʃpæd/ n. (*arte*) blocco da disegno; blocco per schizzi.

sketchy /'skɛtʃɪ/ a. **1** abbozzato; approssimativo; impreciso; incompiuto; incompleto; vago **2** superficiale **3** (*arte, letter.*) bozzettistico ‖ **sketchily** avv. per sommi capi; sommariamente ‖ **sketchiness** n. ⓤ **1** approssimazione; imprecisione; incompiutezza; incompletezza **2** superficialità.

skew /skjuː/ **A** a. **1** obliquo; sghembo; sbilenco; storto; fuori squadra: **s. bridge**, ponte fuori squadra; **s. chisel**, scalpello storto; **s. wheel**, ruota a denti obliqui **2** (*stat.*) asimmetrico: **s. distribution**, distribuzione asimmetrica **B** n. ⓤ **1** direzione (*o posizione*) obliqua **2** (*archit.*) cimasa; copertina **3** (*comput.*) disallineamento: **s. failure**, errore di disallineamento **4** (*elettron.*) inclinazione; obliquità **C** avv. di sbieco; a sghembo ● (*fam.*) **s.-eyed**, strabico □ (*mecc.*) **s. gear**, ingranaggio obliquo □ (*mat.*) **s.-symmetric**, antisimmetrico □ (*edil.*) **s. wall**, parete sbieca □ (*fam.*) **s.-whiff**, storto, di sghembo; (*di cappello*) sul le ventitré □ **on the s.**, di sghembo; obliquamente.

to **skew** /skjuː/ **A** v. t. **1** collocare (*o mettere*) di traverso **2** rendere obliquo (*o sghembo*); deflettere; far deviare **3** (*fig.*) distorcere, travisare (*un risultato, ecc.*) **B** v. i. **1** mettersi di sghembo (*o di traverso*) **2** deviare; cambiare direzione.

skewback /'skjuːbæk/ n. (*archit.*) rene dell'arco; concio d'imposta (*di un arco*).

skewbald /'skjuːbɔːld/ a. (*di cavallo*) ubero.

skewer /'skjuːə(r)/ n. **1** schidione; spiedo; spiedino **2** (*scherz.*) spada; spadone.

to **skewer** /'skjuːə(r)/ v. t. **1** infilzare (*car-*

ne, ecc.*) in uno spiedo (*o spiedino*) **2** (*fam.*) infilzare; trafiggere; forare ‖ **skewered** a. (*cucina*) allo spiedo: **skewered chicken**, pollo allo spiedo.

skewerwood /'skjuːəwʊd/ n. (*bot.*) (*fam. ingl.*) = **spindle tree** → **spindle**.

skewness /'skjuːnəs/ n. ⓤ l'essere obliquo; asimmetria (*anche stat.*).

♦ **ski** /skiː/ n. (pl. *skis, ski*) (*sport*) sci ● **ski bindings**, attacchi da sci □ **ski boots**, scarponi da sci □ **ski card**, skipass; pass □ **ski centre**, centro sciistico □ **ski course**, pista di sci □ **ski flyer**, sciatore acrobatico □ **ski flying**, lo sci acrobatico □ **ski gloves**, guanti da sci □ **ski goggles**, occhiali da sciatore ● **ski holidays**, vacanze sulla neve □ **ski instructor**, maestro di sci □ **ski jacket**, giacca da sci □ **ski jump**, salto con gli sci; trampolino □ **ski jumper**, saltatore con gli sci □ **ski-mountaineering**, lo sci alpinismo □ **ski pants**, pantaloni da sci □ **ski plane**, aereo provvisto di sci □ **ski-pole**, racchetta da sci; bastoncino □ **ski resort**, stazione sciistica □ **ski run**, pista di sci □ **ski-scooter**, gatto delle nevi (*veicolo*) □ **ski slide**, pista di sci □ **ski slope**, campo di sci □ **ski stick**, racchetta da sci □ **ski suit**, completo da sci □ **ski tourer**, sci escursionista □ **ski touring**, sci escursionismo □ **ski tow**, sciovia □ **ski wax**, sciolina.

to **ski** /skiː/ (*pass. e p. p.* **skied**), v. i. (*sport*) sciare ● **to go skiing**, andare a sciare: *I'm going skiing for a week in the French Alps*, vado a sciare per una settimana sulle Alpi francesi.

ski-bob /'skiːbɒb/ (*sport*) n. ski-bob (*l'attrezzo*); guidoslitta ‖ **ski-bobber** n. chi pratica lo ski-bob; bobbista ‖ **ski-bobbing** n. ⓤ lo ski-bob (*l'azione*).

skid /skɪd/ n. **1** slittata; slittamento; sbandata: (*autom.*) **to go into a s.**, fare una slittata; slittare **2** freno a scarpa; martinicca **3** (*aeron.*) pattino **4** asse (*o trave*) usata come piano inclinato (*o sostegno*) **5** (*ind. min.*) slitta (*di macchina*) **6** (*aeron., autom. e sci*) derapata; sbandata controllata; dérapage **7** (*naut.*) parabordi d'accosto **8** (*aeron.*) pattino (*di elicottero, ecc.*) ● (*autom.*) **s. chain**, catena da neve □ (*pop. USA*) **to go on the skids**, andare alla malora (*o in rovina*) □ (*pop. USA*) **to be on the skids**, essere in declino (*o in crisi*) □ (*pop.*) **to put the skids under**, affossare, far cadere (*fig.*) (*un piano, una persona, ecc.*) □ (*autom.*) **side-s.**, sbandamento; sbandata □ (*aeron.*) **tail s.**, pattino di coda.

to **skid** /skɪd/ **A** v. i. **1** scivolare; slittare; sbandare: *The car skidded on the wet road*, l'automobile slittò sulla strada bagnata **2** (*aeron., autom. e sci*) derapare **B** v. t. **1** provvedere (*una ruota*) di freno a scarpa (*o di martinicca*) **2** (*aeron.*) provvedere di pattini **3** (*spec. autom.*) far derapare **4** (*USA*) trascinare.

skidding /'skɪdɪŋ/ n. ⓤⓒ **1** (*spec. autom.*) slittamento; sbandata **2** (*aeron., autom. e sci*) sbandata controllata; derapaggio; dérapage **3** (*USA*) trascinamento (*di tronchi, ecc.*).

(to) **skiddoo** /skɪ'duː/ → (**to**) **skidoo**.

skid-lid /'skɪdlɪd/ n. (*fam.*) casco da motociclista.

skidoo /skɪ'duː/ n. (pl. *skidoos*) gatto delle nevi (*veicolo*).

to **skidoo** /skɪ'duː/ v. i. (*slang USA*) squagliarsela; tagliare la corda (*fig.*).

skidpan /'skɪdpæn/ n. (*autom., sport*) pista scivolosa (*per le sbandate controllate*).

skid row /'skɪd'rəʊ/ loc. n. (*fam. USA*) quartiere povero, malfamato ● **skid row bum**, barbone; vagabondo.

skidway /'skɪdweɪ/ n. **1** piano inclinato; scivolo (*per tronchi d'albero*) **2** (*naut.*) scivolo.

skier /'skiːə(r)/ n. (*sport*) sciatore, sciatrice.

skiff /skɪf/ n. **1** barca a remi; barchetta **2**

(*canottaggio*) skiff; singolo.

skiffle /'skɪfl/ n. ⓤ (*mus.*) «skiffle» (*con chitarra e strumenti a percussione di fortuna; popolare negli anni '50*).

skiing /'skiːɪŋ/ n. (*sport*) **1** ⓤ (lo) sciare; lo (sport dello) sci **2** sciata, sciate ● s. **kit**, equipaggiamento da sciatore □ s. **resort**, stazione sciistica.

to **ski-jump** /'skiːdʒʌmp/ (*sport*) v. i. fare il salto con gli sci ‖ **ski-jumping** n. ⓤ salto dal trampolino (*la specialità sciistica*).

skilful, (*USA*) **skillful** /'skɪlfl/ a. **1** abile; bravo; destro; esperto; pratico; provetto: **to be s. at** (*o* **in**) **doing st.**, essere abile a fare qc. **2** fatto con abilità ‖ **-ly** avv. ‖ **-ness** n. ⓤ.

skilift /'skiːlɪft/ n. (*sport*) skilift; sciovia; seggiovia.

♦**skill** /skɪl/ n. **1** ⓤ abilità; bravura; destrezza; perizia **2** mestiere; professione **3** (*econ.*, collett.) manodopera qualificata ● s. **centre**, centro di riqualificazione professionale (*in GB*).

skillcentre /'skɪlsəntə(r)/ = **skill centre** → **skill**.

skilled /skɪld/ a. **1** → **skilful 2** (*ind.*) qualificato; specializzato: **a** s. **worker**, un operaio specializzato; s. **labour**, manodopera qualificata; s. **work**, lavoro specializzato ● (*econ.*) s. **jobs**, posti di lavoro specializzato □ s. **tradesman**, artigiano finito.

skilless /'skɪlləs/→ **unskilled**.

skillet /'skɪlɪt/ n. (*cucina*) **1** casseruola col manico lungo **2** (*USA*) padella.

skillful /'skɪlfl/ a. (*USA*) → **skilful**.

skilly /'skɪlɪ/ n. ⓤ (*cucina*) brodo lungo; brodaglia; zuppa diluita (*di farina d'avena*).

skim /skɪm/ n. **1** strato sottile; pellicola **2** scorsa; rapida occhiata **3** (*agric.*) coltello superiore dell'aratro **4** (*fam. USA*) reddito sottratto al fisco; entrate (*spec. di casa da gioco*) non dichiarate ● s. **coulter**, avanvomere □ (*spec. USA*) s. **milk**, latte scremato □ (*market.*) s. **strategy**, scrematura.

to **skim** /skɪm/ ◼ v. t. **1** schiumare; scremare; spannare (*il latte*): *He skimmed the milk* (*of its cream*), scremò il latte **2** sfiorare; rasentare: *The plane was skimming the roofs*, l'aereo sfiorava i tetti; (*tennis: della palla*) to s. **the net**, sfiorare la rete **3** leggere rapidamente; scorrere: **to** s. **a book**, scorrere un libro **4** trattare in modo sommario (*un argomento*) **5** far saltellare; far balzellare: **to** s. **stones** (**across the water**), lanciare sassi facendoli rimbalzare sulla superficie dell'acqua **6** (*fam. USA*) sottrarre (*reddito*) al fisco; (*anche*) rubacchiare a poco a poco ◼ v. i. **1** (*generalm.* to s. **along**) passare rasente **2** coprirsi di un velo (*di schiuma, di ghiaccio, ecc.*) ● **skimmed milk**, latte scremato □ (*slang*) **skimming dish**, motoscafo veloce; panfilo dal fondo piatto.

◼ **skim down** v. i. + avv. scendere rasoterra.

◼ **skim off** v. t. + avv. schiumare: **to** s. **off the broth**, schiumare il brodo; **to** s. **off the fat from the soup** (*o* **to** s. **the fat off the soup**), schiumare il grasso dalla minestra **2** scremare (*il latte*) **3** (*fig.*, *anche* **to** s. **the cream off**) scremare, trascegliere (*cose o persone*): **to** s. **off the best students**, scremare gli studenti migliori □ (*slang USA*) **to** s. **off the top**, sottrarre al fisco una parte del reddito (*o dei profitti*).

◼ **skim over** v. i. + prep. **1** rasentare; sfiorare: *The gulls were skimming over the water*, i gabbiani rasentavano l'acqua **2** (*fam.*) dare una scorsa (*o un'occhiata*) a (*un libro, ecc.*) □ **to** s. **over the ground**, volare rasoterra.

◼ **skim past** v. i. + prep. (*di una palla, un veicolo, ecc.*) passare rasente (*un palo, una persona, ecc.*); sfiorare, rasentare.

◼ **skim through** v. i. + prep. (*fam.*) dare una scorsa (*o un'occhiata*) a; scorrere veloce-

mente: **to** s. **through the newspaper**, dare una scorsa al giornale.

skimmer /'skɪmə(r)/ n. **1** scrematrice; spannatoia **2** schiumaiola, schiumarola **3** (*tecn.*) skimmer (*per depurare l'acqua delle piscine*) **4** (*USA*) cappello con cocuzzolo basso e tesa larga **5** (*zool.*) uccello dei Rincopidi (*in genere*); (*Rhynchops nigra*), rincope nero.

skimming /'skɪmɪŋ/ n. **1** ⓤ⃝ scrematura; spannatura **2** ⓤ lo sfiorare; il rasentare **3** (*market.*) scrematura **4** (pl.) (*metall.*) scorie di affioramento ● (*market.*) s. **price**, prezzo esclusivo □ s.**-through**, lettura rapida, scorsa (*data a un libro, ecc.*).

to **skimp** /skɪmp/ ◼ v. t. **1** lesinare; fare economia di **2** tenere (q.) a stecchetto **3** fare in fretta e furia, abborracciare (*un lavoro*) ◼ v. i. essere tirchio; lesinare; fare economie: **to** s. **on health and education budgets**, fare economie sui bilanci della sanità e dell'istruzione.

skimping /'skɪmpɪŋ/ a. parsimonioso; avaro; spilorcio; tirchio.

skimpy /'skɪmpɪ/ a. **1** insufficiente; scarso; striminzito **2** avaro; spilorcio; tirchio **3** (*di abito*) striminzito; (*per estens.*) succinto.

♦**skin** /skɪn/ ◼ n. ⓤ⃝ **1** pelle; cute; epidermide; (*fig.*) vita: *He is only s. and bone*, è tutto pelle e ossa; **to save one's s.**, salvare la pelle; **fair** [**dark**] s., pelle chiara [scura]; **to change one's s.**, mutar pelle; (*fig.*) fare un cambiamento radicale **2** pelle (*d'animale*); pellame; cuoio: **calf s.**, pelle (*o cuoio*) di vitello **3** otre (*di pelle*) **4** buccia; scorza: **a banana s.**, la buccia d'una banana **5** (*metall.*) crosta (*di metallo fuso*) **6** (*naut.*) fasciame **7** (*aeron.: di un'ala*) rivestimento **8** (*del latte, ecc.*) pellicola; tela **9** (pl.) (*fam.*) → «skinheads» **10** (*slang USA*) mano **11** (*slang USA*) biglietto da un dollaro **12** (*volg.*) guanto; preservativo **13** (*comput.*) skin; rivestimento (*elementi decorativi personalizzabili di un programma*) ◼ a. attr. **1** cutaneo; da cute: (*med.*) s. **clip**, grappa da cute; s. **graft**, innesto cutaneo **2** (*USA*) che mette in mostra corpi nudi; porno: s. **flick**, film porno ● (*cosmesi*) s. **care products**, prodotti per la pelle □ s.**-deep**, superficiale; epidermico: **a** s.**-deep wound** [**impression**], una ferita [un'impressione] superficiale □ (*med.*) s. **disease**, malattia cutanea □ s.**-diver**, apneista; (*anche*) subacqueo, sub (*che usa l'autorespiratore ma non indossa la muta*) □ s.**-diving**, nuoto subacqueo (*senza muta, in apnea o con l'autorespiratore*); (*anche*) pesca subacquea □ (*elettr.*) s. **effect**, effetto pelle (*aeron., naut.*) s.**-friction**, resistenza di attrito □ (*slang*) s. **game**, gioco di destrezza; truffa; (*anche*) industria della pornografia □ s. **merchant**, commerciante in pellami □ s. **search**, perquisizione eseguita denudando il soggetto □ s. **specialist**, dermatologo □ s.**-tight**, molto aderente: s.**-tight jeans**, jeans attillatissimi □ **by the** s. **of one's teeth**, per il rotto della cuffia; per un pelo (*o* per un soffio) □ (*fam.*) **to get under sb.'s s.**, colpire profondamente q.; affascinare q.; irritare (*o* infastidire) moltissimo q. □ (*anche fig.*) **to have a thick s.**, aver la pelle dura; essere insensibile □ (*fig.*) **to have a thin s.**, esser troppo delicato (*o* ipersensibile, suscettibile) □ (*fig.*) **to the** s., fino alle ossa: **soaked to the s.**, bagnato fradicio □ (*fig.*) **under the** s., in fondo; nell'animo □ (*fig.*) **with** (*o* **in**) **a whole** s., illeso; senza nemmeno un graffio □ (*fam.*) **It's no s. off my nose**, la cosa non mi turba; per me non è un problema □ (*slang USA*) **Give me some s.!**, qua la mano!; dammi un cinque! (*pop.*).

to **skin** /skɪn/ ◼ v. t. **1** scorticare; scuoiare; spellare: **to** s. **an ox**, scuoiare un bue **2** sbucciare; pelare **3** (*fam.*) strappare, togliere (*un abito aderente*) **4** (*fam.*) imbrogliare; truffare; pelare **5** (*fam.*) → **to skin-pop**

6 (*slang USA*) dare la mano a (q.) ◼ v. i. (*spesso* **to** s. **over**) **1** ricoprirsi di una pellicola **2** (*di ferita*) cicatrizzarsi ● **to** s. **sb. alive**, scorticare q. vivo; (*fig. fam.*) mangiarsi vivo q.; punire (*o* sgridare) severamente q. □ (*fam. antiq.*) **to** s. **a flint**, essere tirchio □ (*slang USA*) **to** s. **through**, passare a stento (*o a* malapena: *da un buco, ecc.*); (*fig.*) superare a stento (*un esame, ecc.*); farcela per un pelo □ (*fam.*) **to keep one's eyes skinned**, tener gli occhi bene aperti; stare in guardia.

skinflint /'skɪnflɪnt/ n. avaro; spilorcio; taccagno; tirchio.

skinful /'skɪnfʊl/ n. **1** quanto sta in un otre di pelle; otre **2** (*fam.*) scorpacciata **3** (*fam.*) grossa bevuta ● (*fam.*) **to have had a** s. **of beer**, avere fatto il pieno di birra.

skinhead /'skɪnhed/ n. **1** teppista dalla testa rapata; testa rasata; skinhead **2** (*fam.*) testa rapata; pelatone **3** (*mil., fam., USA*) recluta dei marines.

skink /skɪŋk/ n. (*zool., Scincus*) scinco.

skinless /'skɪnləs/ a. **1** senza pelle **2** senza buccia.

skinnable /'skɪnəbl/ a. (*comput., di programma il cui aspetto grafico è configurabile*) personalizzabile; skinnabile (*fam.*).

skinned /skɪnd/ a. **1** scorticato **2** (nei composti) dalla pelle: **dark-s.**, dalla pelle scura.

skinner /'skɪnə(r)/ n. **1** conciatore di pelli; conciapelli **2** pellaio **3** (*USA*) carrettiere **4** (*slang*) truffatore.

♦**skinny** ① /'skɪnɪ/ a. **1** macilento; magro; scarno; pelle e ossa **2** di pelle; simile a pelle **3** (*fig.*) gretto; meschino; taccagno ● (*fam. USA*) s.**-dip**, bagno senza costume □ (*fam.*) s.**-dipper**, chi fa il bagno senza costume □ (*fam.*) s.**-dipping**, il fare il bagno nudi (*al mare, spec. di notte*) ‖ **skinniness** n. ⓤ **1** macilenza; magrezza **2** (*fig.*) grettezza; meschinità.

skinny ② /'skɪnɪ/ n. (*slang USA*, = **hot s.**) informazioni riservate.

to **skinny-dip** /'skɪnɪdɪp/ v. i. (*fam.*) fare il bagno (*o* nuotare) nudo.

skinny-ski /'skɪnɪskiː/ n. (*slang USA*) sci di fondo.

to **skin-pop** /'skɪn'pɒp/ (*fam.*) ◼ v. t. iniettare, iniettarsi (*la droga*) ◼ v. i. bucarsi, farsi (*gergo*).

to **skin-search** /'skɪnsɜːtʃ/ v. t. (*slang USA*) perquisire (q.) a fondo (*facendolo denudare*).

skinsuit /'skɪnsuːt/ n. (*ciclismo*) pantacalza (*da corse in pista*).

skint /skɪnt/ a. (*slang*) senza una lira; al verde.

skip ① /skɪp/ n. **1** salto; saltello; balzo **2** omissione **3** (*comput.*) salto: s. **flag**, indicatore di salto **4** (*ginnastica*) saltello con la corda **5** (*nuoto*) skip ● (*fin.*) s. **day settlement**, liquidazione ritardata □ (*radio*) s. **distance**, lunghezza della zona di silenzio.

skip ② /skɪp/ n. **1** (*ind. min.*) benna di caricamento; secchia; tazza **2** (*edil.*) cassone per materiali di rifiuto o macerie ● (*mecc.*) s. **hoist**, elevatore a secchia.

skip ③ /skɪp/ n. (*bocce, curling*) capitano (*di una squadra*).

to **skip** /skɪp/ ◼ v. i. **1** saltare; saltellare; balzare: *The little girls skipped gaily by*, le ragazzine passarono saltellando allegramente; *He skipped out of the way*, si scostò con un balzo (*dal centro della strada, dal cammino altrui, ecc.*) **2** (*di solito* **to** s. **rope**) saltare la corda **3** saltare di palo in frasca (*fig.*); cambiare discorso (*o* argomento) **4** (*fig. fam.*) fare un salto; fare un viaggetto **5** (*fam., di solito* **to** s. **off**) balzare via; scappare; svignarsela; tagliare la corda **6** saltare

una classe (*a scuola*) **7** (*ginnastica*) saltare con la corda **B** v. t. **1** saltare (*un ostacolo*) **2** saltare; omettere; tralasciare: **to s. a meal**, saltare un pasto; *I skipped the sports pages of the paper*, saltai le pagine sportive del giornale **3** (*comput.*) saltare: **to s. an instruction**, saltare un'istruzione ● (*fig. fam.*) **to s. over**, saltare, trascurare (*cose, nomi in una lista, ecc.*); sorvolare su (*errori, difetti, ecc.*) □ **to s. school**, marinare (o bigiare) la scuola □ **to s. (with) a rope**, saltare la corda.

skipjack /'skɪpdʒæk/ n. (*zool.*) **1** pesce volante; (*spec.*, *Pomatomus saltator*) ballerino **2** (*Katsuwonus pelamis*) tonno striato; bonita **3** (*Elater*) elatere, elateride (*coleottero*).

skipper ① /'skɪpə(r)/ n. (*zool.*) **1** (*Hesperia*) esperia; esperidio **2** (*Scomberesox saurus*) luccio sauro; costardella.

skipper ② /'skɪpə(r)/ n. **1** (*naut.*) skipper; capitano (*spec. di piccolo mercantile o di peschereccio*) **2** (*aeron.*) comandante (*di un aereo*) **3** (*sport: calcio, cricket, ecc.*) capitano (*d'una squadra*) **4** (*sport*) commissario tecnico, manager (*d'una squadra*) **5** (*fam.*) capo; padrone **6** (*sport: vela*) skipper; timoniere ● (*gergo naut.*) **s.'s daughters**, grandi cavalloni; onde dalla cresta bianca.

to **skipper** /'skɪpə(r)/ v. t. **1** (*sport*) essere il capitano di (*una squadra*) **2** dirigere; guidare.

skipping /'skɪpɪŋ/ n. ⓤ **1** il saltellare; saltelli **2** il saltare la corda **3** (*comput.*) salto: **s. operation**, operazione di salto ● (*ginnastica*) saltelli con la corda ● **s. rope**, corda per saltare; corda (*attrezzo ginnico*).

skirl /skɜːl/ n. (solo al sing.) suono di cornamuse; suono acuto e stridulo.

to **skirl** /skɜːl/ v. i. (*di cornamusa*) suonare; mandare un suono acuto e stridulo.

skirmish /'skɜːmɪʃ/ n. **1** (*mil. e fig.*) scaramuccia **2** (*fig.*) schermaglia **3** (*calcio, ecc.*) zuffa; rissa.

to **skirmish** /'skɜːmɪʃ/ v. i. far scaramucce; scaramucciare (*raro*) ‖ **skirmisher** n. chi prende parte a una scaramuccia ‖ **skirmishing** n. ⓤⓒ (*mil. e fig.*) scaramuccia; scaramucce.

skirret /'skɪrət/ n. (*bot.*, *Sium sisarum*) sisaro.

♦**skirt** /skɜːt/ n. **1** gonna; sottana: **ra-ra s.**, gonna plissettata assai corta **2** falda (*di vestito*); lembo; orlo; margine: **on the skirts of the desert**, ai margini del deserto **3** (*slang*) sottana (*fam.*); donna; ragazza: **to chase after a bit** (*o a piece*) **of s.**, correre dietro a una sottana **4** (*slang*) bella donna **5** (pl.) sobborghi; periferia **6** (pl.) (*di un'auto, un hovercraft, ecc.*) gonne **7** (*tennis*) gonnellino (*per tennista donna*) **8** (*equit.*) quartierino (*della sella*) ● (*slang*) **s. chaser**, donnaiolo □ (*edil.*) **s. roof**, marcapiano.

to **skirt** /skɜːt/ v. t. e i. costeggiare; rasentare: *The path skirts* (*along*) *the edge of the pond*, il sentiero costeggia l'orlo dello stagno ● (*fam.*) **to s. around** (*o* **round**), girare attorno a (*un problema*); aggirare, scansare (*una difficoltà*) □ (*autom.*) **to s. round the town centre**, evitare il centro (*aggirandolo*).

skirtboard /'skɜːtbɔːd/ n. (*edil.*) zoccolo; battiscopa.

to **skirt-chase** /'skɜːtʃeɪs/ v. i. (*slang*) correre dietro alle gonnelle; essere un donnaiolo.

skirting /'skɜːtɪŋ/ n. **1** ⓤ stoffa per sottane **2** orlatura; bordo **3** ⓒⓤ (*edil.*) zoccolatura ● (*edil.*) **s. board**, zoccolo; battiscopa.

skit /skɪt/ n. burla; caustica; presa in giro; bozzetto comico; scenetta (*di teatro di varietà*): **a s. on sb.**, una parodia di q.

to **skitter** /'skɪtə(r)/ v. i. **1** (*di un animaletto*) correre velocemente **2** (*di un uccello*) svolazzare sull'acqua **3** (*di un pescatore*) pescare trascinando l'esca a fior d'acqua.

skittish /'skɪtɪʃ/ a. **1** (*di cavallo*) ombroso **2** civettuolo; lezioso; smorfioso **3** capriccioso; incostante; volubile **4** (*di un micio, ecc.*) giocherellone ‖ **-ly** avv. ‖ **-ness** n. ⓤ.

skittle /'skɪtl/ n. **1** birillo **2** (pl.) (col verbo al sing.) gioco dei birilli; i birilli: **to play skittles**, giocare ai birilli ● **s.-alley** (o **s.-ground**), campo per giocare ai birilli □ **s.-pins**, birilli.

to **skittle** /'skɪtl/ **A** v. i. giocare ai birilli **B** v. t. **1** (*fam.*, **to s. away**) sciupare; sprecare **2** (*cricket*, **to s. out**) eliminare in rapida successione (*tutti i battitori di una squadra*).

skive ① /skaɪv/ n. (*tecn.*) disco rotante, mola (*per pulire gemme*).

skive ② /skaɪv/ n. (*slang ingl.*) soluzione facile, comoda; scappatoia ● **to be on the s.** (*o* **to have a s.**), evitare un lavoro sgradito; imboscarsi (*pop.*); fare il lavativo.

to **skive** ① /skaɪv/ v. t. **1** tagliare (*cuoio, gomma, ecc.*) in strati sottili **2** radere il pelo a, raschiare, ripulire, scarnire (*pelli, ecc.*) **3** (*tecn.*) molare (*una gemma*).

to **skive** ② /skaɪv/ v. i. (*slang*) fare flanella (*pop.*); fare il lavativo; fare lo scansafatiche ● **to s. off**, squagliarsela (*dal lavoro, da scuola, ecc.*); fare il lavativo.

skiver ① /'skaɪvə(r)/ n. **1** chi raschia (o ripulisce) pelli **2** (*tecn.*) fiore (*di una pelle*) **3** trincetto.

skiver ② /'skaɪvə(r)/ n. (*slang*) **1** lavativo; scansafatiche **2** studente che marina la scuola.

skivvy /'skɪvɪ/ n. **1** (*slang*) serva; sguattera **2** (*fam. USA*) camiciola; maglietta intima (*da uomo*) **3** (al pl.) (*fam. USA*) maglietta e mutande; biancheria (sing.) (intima).

to **skivvy** /'skɪvɪ/ v. i. (*slang*) **1** stare a servizio; fare la sguattera **2** fare un lavoro umile e sottopagato.

skiwear /'skiːweə(r)/ n. ⓤ (*sport*) abbigliamento da sci; indumenti (o scarponi) da sci.

skua /'skjuːə/ n. (*zool.*, *Stercorarius*) skua; stercorario maggiore.

skulduggery /skʌl'dʌgərɪ/ n. ⓤ (*fam.*) loschi traffici; imbrogli; malaffare; disonestà.

skulk /skʌlk/, **skulker** /'skʌlkə(r)/ n. **1** tipo sospetto **2** scansafatiche; lavativo; imboscato.

to **skulk** /skʌlk/ v. i. **1** muoversi furtivamente **2** appostarsi; rimpiattarsi; nascondersi; rintanarsi **3** (*fig.*) sottrarsi al proprio dovere; imboscarsi (*fig.*); tirarsi indietro; fare lo scansafatiche (*fam.*); fare il lavativo.

skull /skʌl/ n. **1** (*anat.*) cranio; teschio **2** (*fig.*) testa; zucca: **an empty s.**, una zucca vuota (*fig.*); *Get it into your s.!*, ficcatelo in testa! ● **s. and crossbones**, teschio e tibie incrociate (*emblema dei pirati*) □ (*slang USA*) **s. buster**, rompicapo; esame difficile; poliziotto □ (*edil.*) **s. cracker**, berta per demolizioni □ (*slang USA*) **s. session**, riunione informativa; discussione di gruppo; seminario intensivo; (*sport*) lezione di tattica; 'lavagna' □ (*fig.*) **to have a thick s.**, essere uno zuccone □ (*slang*) **to be out of one's s.**, essere fuori di testa; (*anche*) essere sbronzo.

skullcap /'skʌlkæp/ n. **1** papalina; zucchetto **2** (*anat.*) calotta cranica **3** (*bot.*, *Scutellaria*) scutellaria.

skullduggery /skʌl'dʌgərɪ/ n. → skulduggery

skunk /skʌŋk/ n. (pl. **skunks**, **skunk**) **1** (*zool.*, *Mephitis mephitis*) moffetta **2** pelliccia di moffetta; skunk **3** (*fam.*) farabutto; fetente (*pop.*); individuo spregevole; furfante; canaglia ● (*slang USA*; *tecn., econ.*) **s. works** → **skunkworks** □ (*slang USA*) **Don't get into a pissing contest with a s.**, non metterti a discutere con gente di bassa lega!; cerca d'essere superiore!

to **skunk** /skʌŋk/ v. t. (*slang USA*) **1** (*anche* *sport*) dare cappotto a (q.); lasciare (q.) a zero punti **2** fregare; buggerare; truffare; imbrogliare.

skunked /skʌŋkt/ a. (*slang USA*) **1** (*anche* *sport*) lasciato a zero punti; stracciato **2** sbronzo duro; ubriaco fradicio.

skunkworks /'skʌŋkwɜːks/ n. pl. (col verbo al sing.) *fam. USA, tecn. econ.*; in un'organizzazione) gruppo interno che lavora su un progetto innovativo o segreto.

♦**sky** /skaɪ/ n. **1** cielo: **clear** [**overcast, starry**] **sky**, cielo sereno [coperto, stellato] **2** (pl.) cieli; clima; tempo: **warmer skies**, climi più caldi; **the grey skies of Britain**, i cieli grigi dell'Inghilterra ● **sky blue**, celeste; azzurro (sost.) □ **sky-blue**, celeste; azzurro (agg.) □ (*scherz.*) **sky-blue pink**, color cane che fugge (*colore che non esiste*) □ (*fotogr.*) **sky camera**, macchina fotografica per riprese dall'aereo □ **sky-high**, (agg.) altissimo, che arriva al cielo, fino al cielo; (avv.) molto in alto: **sky-high prices**, prezzi alle stelle □ (*USA*) **sky marshal**, agente speciale per la repressione della pirateria aerea; 'sceriffo dell'aria' (*guardia armata su aerei civili*) □ **sky pilot**, (*aeron.*) pilota con brevetto; (*pop.*) prete; (*naut.*) cappellano di bordo □ (*tecn.*) **sky-pointing**, puntato verso il cielo □ **sky-sign**, insegna (*pubblicitaria, luminosa*) su un edificio; (*anche*) messaggio scritto da un aereo □ (*sport*) **sky surfer**, surfista aereo □ **sky marshal**, guardia armata a bordo di un aereo □ **sky surfing**, surf aereo ● **sky wave**, onda spaziale (o ionosferica) □ **to blow st. sky-high**, far saltare qc. in aria □ **out of a clear blue sky**, all'improvviso; di punto in bianco □ **to praise sb. to the skies**, portare q. alle stelle □ **to be raised to the skies**, essere portato alle stelle □ **under the open sky**, all'aperto; all'aria libera: **to sleep under the open sky**, dormire all'aperto (o sotto le stelle) □ (*fam.*) **The sky's the limit**, non c'è limite (*alla spesa, ai guadagni, alle puntate, ecc.*); nessuno ci ferma più.

to **sky** /skaɪ/ **A** v. t. (*fam.*) **1** lanciare, scagliare (*una palla*) molto in alto: (*sport*) **to sky the ball**, fare un (tiro a) campanile **2** appendere (*un quadro*) molto in alto **B** v. i. (*slang USA*) viaggiare (o andare) in aereo; volare ● (*sport: della palla*) **to be skied**, alzarsi a campanile.

skycap /'skaɪkæp/ n. (*fam. USA*) portabagagli di aeroporto.

skydiving /'skaɪdaɪvɪŋ/ n. ⓤ paracadutismo acrobatico ‖ to **skydive** v. i. fare paracadutismo acrobatico ‖ **skydiver** n. paracadutista acrobatico.

skyer /'skaɪə(r)/ n. (*sport: calcio*) campanile; tiro a campanile (*o a candela*); parabola alta.

Skye terrier /'skaɪ'tɛrɪə(r)/ loc. n. terrier dell'isola di Skye.

skyjack /'skaɪdʒæk/ n. **1** = **skyjacking** → to **skyjack 2** = **skyjacker** → to **skyjack**.

to **skyjack** /'skaɪdʒæk/ v. t. dirottare (*un aereo*) ‖ **skyjacker** n. dirottatore; pirata dell'aria ‖ **skyjacking** n. ⓤⓒ dirottamento; pirateria aerea.

Skylab /'skaɪlæb/ n. (*miss.*) Skylab, laboratorio spaziale (*lanciato dagli USA nel 1973*).

skylark /'skaɪlɑːk/ n. (*zool.*, *Alauda arvensis*) allodola.

to **skylark** /'skaɪlɑːk/ v. i. (*fam. antiq.*) far chiasso; far cagnara; far baldoria.

skylight /'skaɪlaɪt/ n. **1** (*edil.*) lucernario **2** (*naut.*) osteriggio; spiraglio.

skyline /'skaɪlaɪn/ n. **1** orizzonte; linea dell'orizzonte **2** profilo; sagoma della città (*contro il cielo*): **the s. of New York**, il profilo di New York (*con i suoi grattacieli*); **the misty s. of the mountains**, la sagoma annebbiata delle montagne.

skyrocket /'skaɪrɒkɪt/ n. razzo (*fuoco d'ar-*

tificio).

to **skyrocket** /'skaɪrɒkɪt/ **A** v. i. (*spec. di prezzi*) andare alle stelle; salire all'improvviso **B** v. t. far salire (*o mandare*) alle stelle.

skysail /'skaɪseɪl/ n. (*naut.*) decontrovelaccio; decontrovelaccino; decontrobelvedere.

skyscape /'skaɪskeɪp/ n. **1** vista del cielo **2** (*pitt.*) paesaggio in cui il cielo ha parte prevalente.

skyscraper /'skaɪskreɪpə(r)/ n. (*edil.*) grattacielo.

skyward /'skaɪwəd/ **A** a. volto (*o diretto*) verso il cielo **B** avv. verso il cielo.

skywards /'skaɪwədz/ avv. verso il cielo.

skyway /'skaɪweɪ/ n. **1** (*aeron.*) aerovia; corridoio aereo **2** (*autom.*) autostrada sopraelevata.

skywriting /'skaɪraɪtɪŋ/ n. [U] scrittura aerea (*pubblicità mediante scritte tracciate da un aereo per mezzo dell'emissione di fumo*).

slab /slæb/ n. **1** lastra; lastrone; piastra **2** (*grossa*) fetta: **a s. of cheese**, una bella fetta di formaggio **3** (*edil.*) soletta: **a concrete s.**, una soletta di calcestruzzo **4** (*di tronco d'albero*) fetta esterna (*tolta per squadrarlo*); sciavero **5** (*elettron.*) piastrina **6** (*metall.*) «slab»; slebo **7** – (*fam.*) **the s.**, il tavolo dell'obitorio ● (*fam. USA*) **s.-sided**, lungo e sottile; alto e magro.

to **slab** /slæb/ v. t. **1** tagliare (*una pietra*) in lastre **2** squadrare (*tronchi d'albero*) **3** (*edil.*) lastricare.

slabber, to **slabber** /'slæbə(r)/ → **slobber**, to **slobber**.

slabbing /'slæbɪŋ/ n. **1** [U] (*edil.*) sistemazione di lastricati; lastricatura **2** [U[C]] squadratura (*di tronchi d'albero*) **3** [U] sciaveri (*collett.*) ● **s. gang**, gruppo di segantini addetti a squadrare tronchi.

slack① /slæk/ a. **1** lento; allentato: **a s. rope**, una corda lenta **2** fiacco; flaccido; debole; indolente; inerte; negligente; pigro; trasandato; trascurato: *The market is s.*, il mercato è fiacco; **s. muscles**, muscoli flaccidi; **a s. workman**, un operaio indolente, pigro; **s. bookkeeping**, contabilità trasandata **3** (*mecc.*) lasco **4** (*naut.*) lasco; non tesato ● **s.-baked bread**, pane cotto male □ **s.-dried hops**, luppoli essiccati male □ **s.-jawed**, a bocca aperta □ **s. lime**, calce spenta □ (*econ.*) **a s. period**, un periodo di ristagno □ (*comm., tur.*) **the s. season**, la stagione morta □ (*ind. tess.*) **s. silk**, seta floscia; seta da ricamo □ (*naut.*) **s. water**, stanca di marea □ (*anche fig.*) **to keep a s. hand** (*o rein*), allentare le redini.

slack② /slæk/ n. **1** [U] lentezza; mollezza (*di un cavo, una fune, ecc.*) **2** [U] (*naut.*) imbando (*di una cima, di una fune*) **3** [U] (*geogr.*) morta (*di un fiume*); acqua morta; morta gora (*lett.*) **4** [U] (*econ., fin.*) stasi; periodo di inattività (*o di ristagno*) **5** [U] (*mecc.*) gioco **6** [U] (*naut.*) stanca **7** (*comput.*) spazio inutilizzato alla fine di un cluster **8** (pl.) pantaloni sportivi ● (*naut.*) **s. of high** [of low] **water**, stanca d'alta [di bassa] marea □ (*naut.*) **to pull in the s. of a rope**, tendere una cima; tesare un cavo □ **to take up the s.**, recuperare l'imbando (*fig.*) controbilanciare (*un calo, una crisi, ecc.*) □ **There's too much s. in the wire**, il filo (elettrico) è troppo lento.

slack③ /slæk/ n. [U] polverino (*di carbone*).

to **slack** /slæk/ v. t. **1** (*spesso* **to s. off**) allentare (*una corda, ecc.*); mollare (*un cavo*) **2** spegnere (*calce*) **3** (*fig.*) allentare (*la disciplina*); diminuire, ridurre (*uno sforzo, ecc.*) **4** (*naut.*) allentare; allascare; lascare **B** v. i. **1** (*spesso* **to s. off, to s. up**) rallentare; diminuire la velocità; rallentare il ritmo (*di lavoro, di studio, di gioco*); (*sport*) sedersi (*fig.*); rilassarsi **2** (*fam.*) essere pigro (*o indolente*); battere la fiacca **3** (*della calce*) spe-

gnersi ● **to s. away**, allentare (*una fune, ecc.*); (*naut.*) filare adagio, allascare (*un cavo*).

to **slacken** /'slækən/ **A** v. t. **1** diminuire; ridurre; rallentare; calare; scemare: **to s. one's efforts**, diminuire gli sforzi; **to s. speed**, ridurre la velocità; rallentare; **to s. one's pace**, rallentare il passo (*o il ritmo*) **2** allentare (*una corda, la disciplina, ecc.*): **to s. the reins**, allentare le redini **3** (*naut.*) allascare; mollare: **to s. the sails**, mollare le vele **B** v. i. **1** diminuire; calare; scemare; ridursi: *Trade has slackened considerably*, il volume degli affari s'è ridotto di molto **2** rilassarsi; rallentare il ritmo; battere la fiacca **3** (*di corda, ecc.*) allentarsi **4** (*mecc.*) diventare lasco **5** (*econ.*) ristagnare: *Output is slackening*, la produzione ristagna.

■ **slacken away** → **slacken off, A**.

■ **slacken off A** v. t. + avv. allentare (*una corda*); (*naut.*) mollare, filare, allascare (*un cavo, ecc.*) **B** v. i. + avv. **1** (*delle vendite, ecc.*) calare; diminuire **2** (*degli affari, ecc.*) ristagnare **3** (*di studenti, operai, ecc.*) rallentare il ritmo di studio (*di lavoro, ecc.*); battere la fiacca.

■ **slacken up A** v. t. + avv. **1** ridurre, diminuire (*la velocità, uno sforzo, ecc.*) **2** ridurre il ritmo di (*un lavoro, ecc.*) **B** v. i. + avv. **1** rallentare **2** ridurre il ritmo del lavoro; rilassarsi; prendersela comoda.

slackening /'slækənɪŋ/ n. [U[C]] **1** allentamento (*dell'attenzione, ecc.*); diminuzione, riduzione (*d'intensità, ecc.*); rallentamento; calo (*del ritmo, ecc.*) **2** allentamento (*di una cima*) **3** (*naut.*) allascamento **4** (*econ.*) ristagno; stasi.

slacker /'slækə(r)/ n. (*fam.*) **1** scansafatiche; fannullone; battifiacca; lavativo **2** giovane non motivato.

slackness /'slæknəs/ n. [U] **1** lentezza (*d'una fune*) **2** fiacchezza (*nel lavoro, del gioco, ecc.*); debolezza; indolenza; inerzia; negligenza; rilassatezza; trasandatezza; trascuratezza **3** (*econ., = s. in business*) ristagno degli affari; inattività; stasi.

slag /slæg/ n. **1** [U] (*metall.*) scorie; loppa **2** [U] (*geol.*) scoria vulcanica **3** (*slang spreg.*) donnaccia; donna di malaffare; prostituta; sgualdrina **4** (*slang spreg.*) farabutto; mascalzone; canaglia **5** (*slang*) giovinastro; teppistello ● (*edil.*) **s. cement**, cemento di scoria □ (*ind. min.*) **s. heap**, cumulo di scorie; collinetta formatasi per accumulo delle scorie.

to **slag** /slæg/ (*metall.*) **A** v. i. formare scorie; scorificarsi **B** v. t. trasformare in scorie; scorificare ● (*slang*) **to s. off**, criticare aspramente, sparlare di (q.); attaccare duramente; stroncare.

slagging /'slægɪŋ/ n. **1** (*metall.*) formazione di scorie; scorificazione **2** (*slang ingl.*) duro attacco; critiche feroci; stroncatura.

slaggy /'slægɪ/ a. di scoria; simile a scoria.

slain /sleɪn/ p. p. di **to slay**.

to **slake** /sleɪk/ **A** v. t. spegnere; estinguere; smorzare; (*fig.*) appagare, soddisfare: **to s. lime**, spegnere la calce; **to s. one's thirst**, estinguere la propria sete; (*fig.*) **to s. one's desire for revenge**, appagare il proprio desiderio di vendetta **B** v. i. **1** (*della calce*) spegnersi **2** (*fig.*) estinguersi; smorzarsi ● (*chim.*) **slaked lime**, idrato di calce; calce spenta.

slalom /'slɑːləm/ n. (*sport*) slalom; discesa obbligata (*con gli sci o in canoa*) ● **s. racer**, slalomista □ **s. ski racing**, lo slalom (*l'attività*) □ **s. ski**, sci da slalom □ **s. skier**, slalomista.

to **slalom** /'slɑːləm/ v. i. (*sci, canoa*) fare lo slalom.

slam① /slæm/ n. **1** sbattuta; sbatacchiamento **2** colpo secco; forte colpo (*di porta*

sbattuta, *ecc.*) **3** (*fam.*) critica aspra; stroncatura **4** (*sport e nei giochi di carte: bridge, ecc.*) slam: **grand s.**, grande slam; cappotto; **little s.**, piccolo slam; stramazzo ● (*fam. USA*) **s.-bang**, d'impeto, di colpo; avventatamente, sprovvedutamente; proprio, esattamente: **s.-bang in the middle**, proprio nel centro □ **s. dancing**, pogata; il pogare (*ballo in cui si salta e ci si urta a vicenda*).

slam② /slæm/ **A** v. avv. **1** con un colpo secco; di botto: *S. went the front door*, la porta di casa si chiuse con un colpo secco **2** del tutto; proprio; esattamente **B** inter. slam! ● **The blow got him s. across the face**, la botta lo prese in pieno viso.

to **slam** /slæm/ **A** v. t. **1** sbattere; sbatacchiare; chiudere con forza: *Don't s. the door*, non sbattere la porta! **2** (*anche sport*) gettare (*o lanciare*) con forza; scagliare; scaraventare: *The batsman slammed the ball into the river*, il battitore scaraventò la palla nel fiume **3** (*fam.*) criticare aspramente; stroncare; fare a pezzi; stigmatizzare: *His plan was slammed by the press*, il suo progetto fu stroncato dalla stampa **B** v. i. (*di porta, finestra, ecc.*) chiudersi fragorosamente; sbattere ● (*anche fig.*) **to s. the door in sb.'s face** (*o on sb.*), sbattere la porta in faccia a q. □ (*fig.*) **to s. the door on a proposal**, respingere con decisione una proposta □ **to s. the door shut**, chiudere la porta (*o la portiera, lo sportello*) sbattendola.

■ **slam against** v. i. e t. + prep. → **slam into**, sotto.

■ **slam down** v. t. + avv. **1** mettere giù con violenza; sbattere giù; gettare a terra: *He angrily slammed down the fax on the table*, sbatté giù il fax sul tavolo con rabbia **2** (*basket*) infilare di forza; insaccare: *He slammed the ball down through the basket*, infilò di forza la palla nel canestro; fece canestro di prepotenza □ (*autom.*) **to s. down on the brake(s)**, schiacciare il pedale del freno con forza; frenare bruscamente □ (*telef.*) **to s. down the phone on sb.**, sbattere il telefono in faccia a q.

■ **slam into A** v. i. + prep. andare a sbattere contro: *The car aquaplanned and slammed into a tree*, l'auto slittò sul bagnato e andò a sbattere contro un albero **B** v. t. + prep. scaraventare contro: *She slammed a brick into the window and run away*, scaraventò un mattone contro la vetrina e corse via.

■ **slam on** v. t. + avv. **1** indossare, infilare (*o mettersi*) in fretta: *He slammed on his hat and ran away*, s'infilò il cappello e corse via **2** (*autom.*) azionare; agire su: *I slammed on the brakes but couldn't stop in time*, schiacciai il freno ma non riuscii a fermarmi in tempo.

■ **slam to A** v. i. + avv. (*di un uscio, ecc.*) chiudersi sbattendo **B** v. t. + avv. chiudere sbattendo.

SLAM sigla (*mecc., **simultaneous localization and mapping***), localizzazione e mappatura simultanee.

to **slam-dance** /'slæmdɑːns/ v. i. pogare (*ballare saltando e urtandosi a vicenda*).

slamdunk /slæm'dʌŋk/ n. (*basket*) schiacciata a canestro.

to **slamdunk** /slæm'dʌŋk/ (*basket*) **A** v. t. schiacciare (*la palla*) nel canestro a viva forza **B** v. i. effettuare una schiacciata a canestro.

slammer /'slæmə(r)/ n. (*slang USA*) **1** carcere; prigione; gattabuia (*pop.*) **2** uscio; porta.

slander /'slɑːndə(r)/ n. **1** atto diffamatorio; denigrazione; calunnia; maldicenza: *His words are a s. on the trade unions*, le sue parole sono una denigrazione dei sindacati **2** [U] (*leg.*) diffamazione, calunnia (*cfr.*

libel): an action for s., una querela per diffamazione ● (*leg.*) **s. of goods**, denigrazione dei prodotti della concorrenza.

❶ Nota: *slander o libel?*
Sia *slander* che *libel* si riferiscono ad affermazioni diffamatorie. La differenza tra loro è che *slander* si riferisce a una diffamazione orale, verbale, *libel* ad una diffamazione scritta.

to **slander** /ˈslɑːndə(r)/ v. t. (*anche leg.*) calunniare; diffamare ‖ **slanderer** n. calunniatore; diffamatore.

slanderous /ˈslɑːndərəs/ a. **1** calunnioso; diffamatorio: **a s. statement**, un'affermazione calunniosa **2** maldicente | **-ly** avv.

slang /slæŋ/ Ⓐ n. Ⓤ slang; gergo; linguaggio convenzionale: **soldiers' s.**, gergo militare; **thieves' s.**, gergo dei ladri; lingua furbesca Ⓑ a. attr. gergale: **s. words**, parole gergali.

to **slang** /slæŋ/ Ⓐ v. i. **1** parlare in gergo **2** usare un linguaggio ingiurioso Ⓑ v. t. (*fam.*) ingiuriare; insultare; vituperare ● **slanging match**, scambio d'insulti.

slangy /ˈslæŋɪ/ a. **1** gergale; di gergo **2** che parla il gergo; che usa il gergo ‖ **slangily** avv. gergalmente ‖ **slanginess** n. Ⓤ carattere gergale (*di un'espressione, ecc.*).

slant① /slɑːnt/ n. **1** inclinazione; pendenza; pendio; declivio **2** punto di vista; modo di vedere; angolazione; taglio (*fig.*): **a new s. on the matter**, un modo nuovo di vedere la faccenda **3** (*fam. USA*) occhiata; rapido sguardo **4** raggio obliquo (*di sole*) **5** (*ind. min.*) rimonta **6** (*tipogr.*) barra obliqua ● (*naut.*) **a s. of wind**, una brezza favorevole □ (*di un articolo di giornale*) **to have an anti-union s.**, essere prevenuto contro i sindacati □ **on** (*o* **at**) **a s.**, obliquamente; di traverso.

slant② /slɑːnt/ Ⓐ a. inclinato; obliquo; sghembo Ⓑ n. (*spreg. USA*) = **s.-eye** → *sotto* ● (*spreg. USA*) **s.-eye**, mongolide; orientale; asiatico □ **s.-eyed**, dagli occhi a mandorla □ **s. wind**, vento di lato.

to **slant** /slɑːnt/ Ⓐ v. i. **1** inclinarsi; deviare **2** pendere; essere in pendenza **3** propendere; essere incline (a) Ⓑ v. t. **1** inclinare; far pendere; rendere obliquo; dare una pendenza a **2** presentare (*notizie, una legge, ecc.*) in modo tendenzioso; svisare; distorcere; deformare: **to s. facts**, distorcere i fatti; **to s. a story**, deformare una storia; *The report is slanted towards* (*o in favour of*) *the company's interests*, il rapporto presenta i fatti in modo da favorire gli interessi dell'azienda **3** (*calcio, ecc.*) passare in diagonale; crossare; traversare.

slanting /ˈslɑːntɪŋ/ a. inclinato; obliquo; in pendenza: **a s. roof**, un tetto inclinato (*o* in pendenza) ● **s. eyes**, occhi a mandorla.

slantwise /ˈslɑːntwaɪz/ a. e avv. obliquamente; a sghembo; di traverso.

slap① /slæp/ n. **1** schiaffo; ceffone; manata; pacca (*fam.*) **2** (*fig.*) schiaffo; smacco; umiliazione **3** (*mecc.*) scampanamento (*di un pistone*) **4** Ⓤ (*slang*) trucco eccessivo; cerone in abbondanza **5** (*mus.*) tecnica per suonare gli strumenti a corda (*spec. il basso*) slap ● (*fam.*) **a s. in the face**, uno schiaffo in pieno viso; (*fig.*) un affronto; un rimprovero; uno smacco □ **a s. on the back**, una pacca sulla spalla; (*fig.*) approvazione; congratulazione □ (*fig.*) **a s. on the wrist**, una tiratina d'orecchi; una lieve punizione.

slap② /slæp/ avv. (*fam.*) **1** improvvisamente; di colpo: *He hit me s. in the eye*, improvvisamente mi colpì nell'occhio **2** dritto; in pieno; proprio: *The thief ran s. into the policeman*, il ladro andò a sbattere proprio contro il poliziotto ● (*fam.*) **s.-bang**, d'impeto; di colpo; violentemente; (*anche*) proprio, esattamente □ (*fam.*) **s.-up**, eccellente;

ottimo; di prim'ordine; coi fiocchi: **a s.-up dinner**, un pranzo coi fiocchi.

♦ to **slap** /slæp/ Ⓐ v. t. **1** schiaffeggiare; prendere a ceffoni; dare una pacca a: **to s. sb. on the back**, dare una pacca sulle spalle a q.; (*fig.*) congratularsi con q. **2** mettere a casaccio; buttare, gettare; sbattere: **to s. clothing into a trunk**, gettare indumenti alla rinfusa in un baule **3** (*fam.*) applicare; aggiungere; appioppare (*fam.*); stendere, spalmare alla meglio: **to s. paint on a wall**, stendere la vernice su una parete; **to s. new taxes on the farmers**, applicare nuove tasse agli agricoltori; **to s. a fine on sb.**, appioppare una multa a q.; **to s. butter on the bread**, spalmare burro sul pane **4** (*fam.*) emettere (*un'ordinanza contro q.*); (*leg.*) intimare, fare: **to s. sb. with a summons**, fare una citazione a q. **5** (*fam.*) rimproverare; sgridare Ⓑ v. i. sbattere; battere: *The flags were slapping in the wind*, le bandiere sbattevano al vento; *The sea was slapping against the pier*, le onde battevano contro il molo ● (*di una lavandaia: un tempo*) **to s. clothes**, battere i panni (*lavandoli*) □ (*fig.*) **to s. sb.'s face**, schiaffeggiare q. □ **to s. sb. in the face**, dare un bello schiaffo a q.; (*fig.*) umiliare q. □ **to s. one's knee**, battersi la mano sul ginocchio □ **to s. the table**, dare una gran manata sul tavolo □ **to s. sb.'s wrist** (*o* **sb. on the wrist**), fare una ramanzina, dare una sgridatina (*o una tiratina d'orecchie*) a q. □ **to s. a writ on sb.**, fare una denuncia contro q.; querelare q. □ **to get slapped**, essere preso a schiaffi; farsi schiaffeggiare.

■ **slap around** v. t. + avv. riempire (q.) di schiaffi (*o* di bòtte): *When he is drunk, he slaps his wife around*, quando è ubriaco, riempie la moglie di schiaffi.

■ **slap at** v. t. + prep. battere contro: *The rain slapped at the windowpanes*, la pioggia batteva sui vetri delle finestre.

■ **slap down** v. t. + avv. **1** posare con violenza; sbattere: *He slapped the briefcase down on the desk*, sbatté la borsa sulla scrivania **2** (*fam.*) mettere a posto (*fig.*); mettere in riga (*fig.*); zittire con un rimprovero; dare una bella lezione a **3** (*fam.*) interrompere bruscamente, tagliare corto con, zittire (q.) **4** (*fam.*) respingere, bocciare (*una proposta e sim.*).

■ **slap in** v. i. + avv. (*fam.*) rimpiazzare (qc.) con; sbattere dentro (*fam.*); inserire in fretta e furia.

■ **slap on** v. i. + avv. mettersi, indossare in fretta e furia; buttarsi addosso: **to s. on one's hat**, mettersi il cappello in testa alla svelta.

■ **slap together** v. t. + avv. mettere insieme; costruire alla meglio; raffazzonare.

■ **slap up** v. t. + avv. preparare in fretta, improvvisare (*un pasto, ecc.*).

slap and tickle /ˈslæpənˈtɪkl/ loc. n. Ⓤ (*fam.*) amoreggiamento; toccatine; pomiciata, pomiciatina (*fam.*).

slapdash /ˈslæpdæʃ/ Ⓐ a. **1** precipitoso; sventato; avventato; frettoloso **2** (*di lavoro*) trasandato; fatto in fretta, malfatto Ⓑ avv. frettolosamente; avventatamente; a casaccio; sventatamente □ a casaccio Ⓒ n. **1** lavoro fatto in fretta, a casaccio **2** Ⓤ trasandatezza.

slaphappy /ˈslæphæpɪ/ a. (*fam.*) **1** euforico; allegramente irresponsabile; incurante **2** stordito; suonato (*fam.*) **3** (*USA*) un po' eccentrico; strambo; svampito.

slaphead /ˈslæphed/ n. (*scherz., rif. a persona calva*) crapa pelata.

slapjack /ˈslæpdʒæk/ n. (*USA*) frittella.

slapper /ˈslæpə(r)/ n. (*spreg. ingl.*) baldracca; sgualdrina; puttanella.

slapping /ˈslæpɪŋ/ a. (*fam.*) eccellente; ottimo; buono: **at a s. pace**, di buon passo; a tutta velocità.

slapshot /ˈslæpʃɒt/ n. (*hockey su ghiaccio*) forte tiro a sventola; fendente (*fig.*).

slapstick /ˈslæpstɪk/ n. **1** (*teatr.*) spatola di Arlecchino **2** (*fig.*) farsa alla buona; scherzi maneschi ● **a s. comedy**, una commedia grossolana; una farsa manesca □ **s. humour**, umorismo grossolano.

slash /slæʃ/ n. **1** colpo (*di spada, coltello, ecc.*); fendente **2** frustata; sferzata; scudisciata; staffilata **3** gran taglio; squarcio; sfregio **4** (*in un abito*) spacco; apertura; taglio ornamentale **5** (*fig.*) taglio; abbattimento (*di prezzi*); riduzione drastica **6** (*anche comput.*) slash; (*tipogr., mat.*) **/** (= **s. mark**) barra (*segno di frazione*): **5/4 can be read as five s. 4**, 5/4 si legge cinque barra quattro **7** (*USA*) radura (*coperta di resti d'alberi recisi o bruciati*) **8** (*USA*) gocce, gocciolìo, sorso (*di liquore*) **9** (*hockey, lacrosse*) colpo col bastone (*fallo*) **10** (*slang*) goccio d'acqua (*pop.*); pipì; pisciatina (*di un uomo*): **to have a s.**, fare un goccio d'acqua **11** (*volg.*) fessura; fessa (*merid., volg.*) ● (*sartoria*) **s. pocket**, tasca tagliata (*non a toppa*).

to **slash** /slæʃ/ Ⓐ v. t. **1** tagliare; squarciare; sfregiare; fare un gran taglio (*o* uno squarcio) a (*o* in): **to s. the undergrowth**, tagliare gli arbusti del sottobosco; *I fell on the broken glass and slashed my arm*, caddi sul vetro rotto e mi feci un gran taglio al braccio; **to s. sb.'s throat**, tagliare la gola a q. **2** frustare; fustigare; sferzare **3** far schioccare (*la frusta*) **4** (*fig.*) tagliare; apportare tagli a; abbattere; ridurre drasticamente: *Our budget has been slashed*, il nostro budget ha subìto tagli considerevoli; **to s. expenses**, tagliare le spese; **to s. prices**, abbattere i prezzi **5** (*fig.*) criticare aspramente; stroncare Ⓑ v. i. (*di solito* **to s. at**) **1** menar colpi (*col coltello, la spada, ecc.*) **2** dar frustate **3** (*mil.*) fare un rapido attacco (*a linee di comunicazione, ecc.*) **4** (*fig.*) criticare violentemente; attaccare a fondo **5** abbattersi con violenza; (*del vento, delle onde, ecc.*) infuriare, imperversare **6** (*volg.: di un uomo*) fare pipì; pisciare ● **to s. about**, menar colpi all'impazzata, a casaccio □ **to s. across**, battere di traverso □ **to s. against**, battere con forza contro: *The rain slashed against the windows*, una pioggia scrosciante batteva contro le finestre □ **to s. one's wrists**, tagliarsi le vene (*dei polsi*) □ **«Prices slashed»** (*cartello*), «prezzi imbattibili», «prezzi all'osso».

slash-and-burn /ˈslæʃənˈbɜːn/ a. **1** (*agric.*) relativo alla tecnica agricola consistente nel bruciare la vegetazione (*spec. boschiva*) di un terreno per poi coltivarlo **2** (*fig.*) aggressivo; spietato.

slasher /ˈslæʃə(r)/ n. **1** chi taglia, squarcia, ecc. **2** (*Austral. e NZ*) decespugliatore **3** (*tecn.*) taglierina **4** (= **slash-saw**) sega circolare (*per fare legna da ardere*) ● (*slang*) **s. movie**, film con scene di vittime, spec. giovani, fatte a pezzi; film trucido (*region.*).

slashing① /ˈslæʃɪŋ/ a. **1** tagliente; sferzante (*anche fig.*); violento: **to make a s. attack on sb.** [*st.*], fare un violento attacco contro q. [*qc.*]; **s. criticism**, critiche sferzanti **2** (*di persona*) pieno di vita; vivace; impetuoso **3** (*fam.*) enorme; magnifico; splendido; strepitoso: **a s. success**, un successo strepitoso **4** (*di colore*) vivace; vistoso ● **s. rain**, pioggia battente ● **the s. review of a book**, la stroncatura di un libro □ **a s. wind**, un vento pungente; un ventaccio.

slashing② /ˈslæʃɪŋ/ n. **1** Ⓤ il menar colpi di taglio (→ **to slash**) **2** Ⓤ uso di (*o* ferite provocate da*) armi da taglio **3** (*in un abito*) inserto (*di colore diverso*) **4** (*USA*) tratto di foresta tagliata **5** Ⓤ (*hockey, lacrosse*) colpi con il bastone (*fallo*).

slat /slæt/ n. **1** assicella; stecca (*anche metallica o di plastica; spec. di veneziana*) **2**

(*aeron.*) alula; aletta ipersostentatrice; slat **3** (pl.) (*slang USA*) costole.

to **slat**① /slæt/ v. t. provvedere di stecche (o di assicelle).

to **slat**② /slæt/ (*dial.*) **A** v. i. (*di vele, panni stesi, ecc.*) sbattere; sbatacchiare **B** v. t. scagliare; sbattere (*fam.*).

slate /sleɪt/ **A** n. **1** Ⓤ (*geol.*) argilloscisto; ardesia; lavagna **2** tegola d'ardesia **3** lavagna portatile; lavagnetta **4** (*spec. USA*) lista di candidati **5** Ⓤ conto aperto (*presso un bar, un negozio, ecc.*) **B** a. attr. **1** d'ardesia: **s. roofs**, tetti d'ardesia **2** (= s.-coloured) del colore dell'ardesia; color ardesia ● **s. black**, nero ardesia □ **s. grey**, grigio ardesia □ **s. quarry**, cava d'ardesia □ (*fig.*) **to clean the s.**, passare una spugna sul passato; cominciare una nuova vita □ (*fig.*) **to have a clean s.**, aver la fedina penale pulita; avere un ruolino immacolato □ (*slang ingl.*) **on the** (o **on one's**) **s.**, a credito; senza pagare subito □ (*fig.*) **to start with a clean s.**, rifarsi da capo; partire da zero □ **Let's wipe the s. clean**, mettiamoci una pietra sopra! (*fig.*); dimentichiamo il passato!

to **slate**① /sleɪt/ v. t. **1** (*edil.*) coprire (*un tetto*) di tegole d'ardesia **2** (*spec. USA*) mettere in lista; portare (q.) candidato; proporre per una carica **3** mettere in programma (*uno spettacolo, ecc.*); prevedere: *The meeting is slated for tomorrow*, la riunione è programmata per domani; *The film is slated to be a great success*, si prevede che il film avrà un grande successo.

to **slate**② /sleɪt/ v. t. (*fam.*) **1** criticare aspramente; stroncare; fare a pezzi (*fig.*) **2** rimproverare severamente; sgridare; dare una lavata di capo a (q.).

slater① /'sleɪtə(r)/ n. **1** (*edil.*) conciatetti (*che usa lastre d'ardesia*) **2** (*ind.*) fabbricante di lastre d'ardesia.

slater② /'sleɪtə(r)/ n. (*fam.*) critico molto severo; stroncatore.

to **slather** /'slæðə(r)/ v. t. (*slang USA*) **1** sciupare; sprecare; buttare via (*fig.*) **2** spalmare alla meglio (o in eccesso); impiastrare **3** (*slang*) demolire, stracciare, battere, sconfiggere duramente.

slather /'slæðə(r)/, **slathers** /'slæðəz/. pl. (*USA, fam.*) grande quantità; (un) sacco (*fam.*); (una) caterva: **s. of friends**, un sacco d'amici.

slating① /'sleɪtɪŋ/ n. Ⓤ **1** (*edil.*) copertura (*di tetti*) con lastre d'ardesia; posa in opera di tegole d'ardesia **2** lastre d'ardesia per tetti.

slating② /'sleɪtɪŋ/ n. ⓊⒸ **1** (= s. criticism) aspra critica; stroncatura **2** lavata di capo; sgridata **3** (*slang*) fracco di bòtte; dura punizione; sacco di legnate.

slatted /'slætɪd/ a. a stecche; ad assicelle.

slattern /'slætn/ n. (*antiq.*) **1** sciattona; sudiciona; donna trasandata **2** (*USA*) donna frivola; sciacquetta ‖ **slatternliness** n. Ⓤ sciatteria; sudiceria; sporcizia; trasandatezza ‖ **slatternly** a. sciatto; sudicio; sporco; trasandato.

slaty /'sleɪtɪ/ a. **1** simile all'ardesia **2** color ardesia; ardesiaco **3** (*geol.*) che contiene ardesia: **s. soil**, terreno che contiene ardesia.

slaughter /'slɔːtə(r)/ n. Ⓤ **1** macellazione; mattazione (*raro*) **2** (*fig.*) macello; carneficina; massacro; strage: **the s. of the innocents**, la strage degli innocenti ● (*fig.*) **the weekend s. on the roads**, la strage del week-end dovuta agli incidenti stradali.

to **slaughter** /'slɔːtə(r)/ v. t. **1** macellare (*buoi, ecc.*) **2** (*fig.*) far macello di; far strage di; massacrare; trucidare **3** (*fam.*) fare a pezzi (*fig.*); stracciare; sconfiggere pesantemente **4** (*fam.*) fare a pezzi; stroncare; criticare aspramente.

slaughterer /'slɔːtərə(r)/ n. **1** macellatore; macellaio **2** (*fig.*) massacratore.

slaughterhouse /'slɔːtəhaʊs/ n. **1** macello; mattatoio **2** (*fig.*) luogo di una carneficina.

slaughterous /'slɔːtərəs/ a. (*lett.*) sanguinoso; micidiale; mortale: **a s. battle**, una battaglia sanguinosa.

Slav /slɑːv/ n. e a. slavo.

slave /sleɪv/ n. **1** (*anche fig.*) schiavo, schiava: *He's a s. to tobacco* [*to duty*], è schiavo del fumo [del dovere] **2** (*comput.*) slave (*computer controllato da un altro computer detto 'master'*) ● **s.-born**, nato in schiavitù □ **s. driver**, (*stor.*) negriero; (*fig.*) schiavista □ **s. holder**, padrone di schiavi; schiavista □ **s. labour**, lavoro fatto da schiavi; (*fig.*) lavoro ingrato □ (*stor., naut.*) **s. ship**, nave negriera; nave schiavista □ (*stor., in USA*) **the S. States**, gli Stati schiavisti □ (*stor.*) **s. trade** (o **s. traffic**), tratta degli schiavi □ (*stor.*) **s. trader**, mercante di schiavi; negriero □ (*fig.*) **to be an office s.**, essere un travet (o un passacarte).

to **slave** /sleɪv/ v. i. **1** (*spesso s. away*) lavorare come uno schiavo; sgobbare **2** (*stor.*) trafficare in schiavi; fare il mercante di schiavi.

slaver① /'sleɪvə(r)/ n. (*stor.*) **1** mercante di schiavi; negriero **2** padrone di schiavi **3** (*naut.*) nave negriera.

slaver② /'slævə(r)/ n. Ⓤ **1** bava; saliva **2** (*fam.*) sciocchezze; stupidaggini.

to **slaver** /'sleɪvə(r)/ **A** v. i. **1** sbavare; fare la bava **2** (*fig.*) – **to s. over sb.**, adulare servilmente q.; sbavare per (*una donna, ecc.*) **B** v. t. bagnare di saliva; sbavare.

slavery /'sleɪvərɪ/ n. Ⓤ **1** schiavitù (*anche fig.*); servaggio (*lett.*): *They were reduced to s. by the Romans*, furono ridotti in schiavitù dai romani **2** schiavismo **3** lavoro da schiavo; lavoro pesante e mal retribuito ● **to sell sb. into s.**, vendere q. come schiavo.

slavey /'sleɪvɪ/ n. (*fam. spreg.*) schiavetta (*fig.*) **2** (*fam.*) cameriera, servetta (*spec. in una pensione*).

Slavic /'slɑːvɪk/ a. e n. slavo ● **s. studies**, slavistica.

slavish /'sleɪvɪʃ/ a. **1** servile; abietto; basso **2** (*fig.*) pedissequo: *Art cannot be a s. imitation of nature*, l'arte non può essere un'imitazione pedissequa della natura **3** faticoso; da schiavo; duro; pesante (*fig.*) | **-ly** avv.

slavishness /'sleɪvɪʃnəs/ n. Ⓤ **1** servilità; abiezione; bassezza **2** (*fig.*) imitazione pedissequa; mancanza di originalità.

Slavism /'slɑːvɪzəm/ n. Ⓤ (*anche ling.*) slavismo.

Slavist /'slɑːvɪst/ n. slavista.

Slavonian /slə'vəʊnɪən/ a. e n. (abitante, nativo) della Slavonia.

Slavonic /slə'vɒnɪk/ a. → **Slavic**.

Slavophile /'slɑːvəʊfaɪl/ (*polit.*) a. e n. slavofilo ‖ **Slavophilism** n. Ⓤ slavofilia; slavofilismo.

slaw /slɔː/ n. (*spec. USA*) → **coleslaw**.

to **slay** /sleɪ/ (pass. **slew**, p. p. **slain**), v. t. e i. **1** (*lett. o arc.*) uccidere; trucidare; ammazzare **2** (*fam.*) far colpo su (*una persona dell'altro sesso*) **3** (*fam.*) far crepare (q.) dal ridere.

slayer /'sleɪə(r)/ n. (*arc. o lett.*) uccisore; assassino; omicida.

SLBM sigla (*mil.*, **submarine-launched ballistic missile**) missile balistico lanciato da sottomarino.

sleaze /sliːz/ n. Ⓤ **1** fango (*fig.*); malcostume; marcio; marciume; porcherie; spazzatura (*fig.*) **2** → **sleazebag** (*polit., USA*) **the s. factor**, il fattore «fango» (*l'uso dello scandalo privato nella lotta politica, spec. sotto le elezioni*).

sleazebag /'sliːzbæg/ n. (*slang USA*) individuo sordido e schifoso; verme (*fig.*).

sleazeball /'sliːzbɔːl/ n. (*slang USA*) → **sleazebag**.

sleazy /'sliːzɪ/ a. **1** (*spec. di tessuto*) sottile; privo di consistenza **2** (*fam.*) sporco; sciatto; sudicio; sordido; trasandato; squallido: **a s. part of the town**, un quartiere squallido; **s. deals**, sordidi intrallazzi **3** (*fam.*) losco; equivoco ● **a s. excuse**, una magra scusa | **-iness** n. Ⓤ.

sledge /sledʒ/, (*USA*) **sled** /sled/ n. **1** slitta; slittino (*anche da bob*) **2** (*agric.*) treggia; traino ● **s. dog**, cane da slitta.

to **sledge** /sledʒ/, to **sled** /sled/ **A** v. t. trasportare su slitta **B** v. i. andare in slitta.

sledgehammer /'sledʒhæmə(r)/ n. martello da fabbro; mazza ● **s.- blow**, colpo di mazza; mazzata; (*fig.*) fattaccio violento □ (*letter.*) **s. style**, stile violento □ (*fig.*) **to use a s. to crack a nut**, agire in modo sproporzionato alle circostanze; andare troppo oltre.

to **sledgehammer** /'sledʒhæmə(r)/ **A** v. i. usare la mazza (o il martello da fabbro) **B** v. t. **1** battere con la mazza **2** (*fig.*) prendere (q.) a mazzate.

sledging /'sledʒɪŋ/, (*USA*) **sledding** /'sledɪŋ/ n. Ⓤ **1** l'andare in slitta **2** Ⓤ trasporto su slitta **3** (*sport*) corse sullo slittino; lo slittino **4** pendio innevato (*per slitte*).

sleek /sliːk/ a. **1** (*dei capelli, del pelo*) liscio; lucente; lucido; lustro **2** (*fig.*) untuoso; mellifluo; insincero; strisciante **3** (*fig.*) bello; elegante; pulito (*fig.*): **the s. lines of a Ferrari**, le linee pulite di una Ferrari **4** tirato a lustro (*fig.*); florido; dall'aria sana: **a s. dog**, un cane tirato a lustro | **-ly** avv. | **-ness** n. Ⓤ.

to **sleek** /sliːk/ v. t. lisciare; stirare (*i capelli*) ● **to s. back** (o **down**) **one's hair**, lisciarsi i capelli.

sleeker /'sliːkə(r)/ n. **1** lisciatoio **2** bussetto; bisegolo.

♦**sleep** /sliːp/ n. Ⓤ Ⓒ **1** sonno: **light** [**sound**] **s.**, sonno leggero [profondo]; **broken s.**, sonno interrotto; *He talks in his s.*, parla nel sonno; *She fell into a deep s.*, cadde in un sonno profondo; (*med.*) **s. disorders**, disturbi del sonno **2** dormita: **a nine-hour s.**, una dormita di nove ore; *Try and get a good night's s.*, cerca di farti una bella dormita; **to have a short s.**, fare una dormitina **3** (*fig.*) quiete; riposo **4** (*zool.*) letargo: **winter s.**, letargo invernale; ibernazione ● **s.-in**, (agg.) che dorme nel posto di lavoro, che ha l'alloggio di servizio; (sost.) occupazione di luogo pubblico di notte (*per protesta*) □ **s. learning**, apprendimento mediante ipnopedia □ **the s. of the just**, il sonno del giusto □ (*comput.*) **s. mode**, sleep mode (*modalità in cui si pone un dispositivo per ridurre i consumi energetici*) (*moda*) **s. shirt**, camicia da notte con spacchi laterali (*da donna*) □ **s. teaching**, ipnopedia □ **to get little s.**, dormire poco □ **to get some s.**, fare una dormita; dormire □ **to get to s.**, prender sonno: *I cannot get to s.*, non riesco a prender sonno □ **to go to s.**, addormentarsi, prendere sonno; (*fam.*) intorpidirsi, addormentarsi: *My foot has gone to s.*, mi si è addormentato un piede; *I always read a few chapters of something before I go to s.*, leggo sempre un paio di capitoli di qualcosa prima di addormentarmi □ **to lose any s. over st.**, perdere il sonno per qc.: *I'm certainly not going to lose any s. over it*, di sicuro non ci perderò il sonno □ **to be overcome with s.**, essere preso (o vinto) dal sonno □ **to put to sleep**, far dormire; addormentare; (*fam.*) addormentare (*un paziente prima di un intervento*); sopprimere (*una bestia*) senza farla soffrire □ **to rouse sb. from his s.**, svegliare q. □ **to**

walk in one's s., essere sonnambulo □ **I haven't had a wink of s. all night**, non ho chiuso occhio tutta la notte □ (*fig.*) **I could do it in my s.**, saprei farlo ad occhi chiusi.

♦**to sleep** /sliːp/ (*pass. e p. p. slept*) **A** v. i. **1** dormire: *I've slept very well*, ho dormito benissimo; **to s. soundly**, dormire profondamente **2** passare la notte; dormire: *We slept at Scotch Corner on our way to Edinburgh*, andando a Edimburgo, passammo la notte a Scotch Corner **3** (*di defunto*) dormire; riposare: *He sleeps under this stone*, dorme (*o* riposa) sotto questa pietra **B** v. t. **1** dormire: *He slept a deep sleep*, dormì un sonno profondo **2** (*fam.*) dar da dormire a (q.); potere ospitare: *The new motel sleeps two hundred*, il nuovo motel può ospitare duecento persone (*o* ha duecento letti) ● **to s. the clock round**, dormire dodici ore di fila □ **to s. one's last sleep**, dormire il sonno eterno □ **to s. late**, dormire fino a tardi □ **to s. like a log** (*o* **a top**), dormire come un ghiro (*o* un macigno); avere il sonno duro □ **to s. right through the night**, dormire filato tutta la notte □ **to s. rough**, dormire alla meglio; adattarsi per la notte □ **I didn't s. a wink all night**, non ho chiuso occhio tutta la notte □ (*fam.*) **to s. with sb.**, andare a letto, fare l'amore con q. □ **to s. with one eye open**, dormire con un occhio solo (*eufem.*) ● **to put to s.**, sopprimere (*un animale malato o ferito*, spec. *con un'iniezione*); fare addormentare.

■ **sleep around** v. i. + avv. (*fam. spreg.*) andare a letto con tutti; essere promiscuo.

■ **sleep away A** v. i. + avv. continuare a dormire; essere ancora addormentato **B** v. t. + avv. **1** passare a letto (*la domenica mattina, ecc.*) **2** farsi passare (*o* dimenticare: *angosce, guai, preoccupazioni, ecc.*) dormendoci sopra.

■ **sleep in** v. i. + avv. **1** dormire fino a tardi: *Excuse me for being late; I slept in*, scusate il ritardo; sono rimasto addormentato **2** (*di un domestico*) dormire in casa (*dei padroni*); avere l'alloggio di servizio.

■ **sleep off** v. t. + avv. smaltire, farsi passare (qc.) dormendoci sopra: **to s. off one's hangover** [**lunch**], smaltire una sbornia [un pranzo] con una dormita □ **to s. it off**, dormirci sopra; farsela passare con una dormita.

■ **sleep on A** v. i. + avv. continuare a dormire **B** v. i. + prep. dormire sopra (*una decisione, ecc.*): *You'd better s. on it before deciding*, prima di decidere, faresti bene a dormirci sopra.

■ **sleep out A** v. i. + avv. **1** dormire fuori (*o* all'aperto) **2** dormire fuori di casa; passare fuori la notte **3** (*di un domestico*) non dormire in casa (*dei padroni*); lavorare solo di giorno **B** v. t. + avv. passare (*il tempo*) dormendo.

■ **sleep through** v. i. + prep. (riuscire a) dormire a dispetto di: *How can you s. through this noise?*, come fai a dormire con tutto questo baccano?

■ **sleep together** v. i. + avv. **1** dormire insieme **2** (*fam.*) andare a letto insieme; fare l'amore.

sleeper /ˈsliːpə(r)/ n. **1** chi dorme; dormiente; persona addormentata **2** (con agg.) persona che dorme in un dato modo: **a good s.** (*o* **a sound s.**), uno che dorme bene; **a heavy s.**, uno che dorme sodo; uno che ha il sonno duro; **a late s.**, uno che dorme fino a tardi; un dormiglione; **a light s.**, uno che ha il sonno leggero **3** (*ferr.*) vagone letto **4** (*ferr.*) treno di cui sui vagoni letto **5** (*fam.*) sonnifero; sedativo **6** (pl.) (*USA*) pigiamino per bambino **7** (*USA*) divano letto; poltrona letto **8** (*edil.*) dormiente **9** (*ferr.*) traversina (*di binario*) **10** (*comm.*) articolo che si vende con difficoltà **11** (*fam.*) opera (libro, film, ecc.) che ha un successo tardivo o inaspet-

tato **12** cerchietto, barretta, ecc., portato in un foro all'orecchio (*per impedire che si chiuda*) **13** (*fam.* = **s. agent**) agente segreto in attesa di entrare in azione; agente dormiente (*o* in sonno) **14** (*fam.*) terrorista in attesa dell'ordine di agire; terrorista dormiente (*o* in sonno) ● **s. cab**, cuccetta (*su un camion*).

sleepily /ˈsliːpəlɪ/ avv. in modo sonnolento; con aria assonnata.

sleepiness /ˈsliːpɪnəs/ n. ⓤ sonnolenza; sopore.

sleeping /ˈsliːpɪŋ/ **A** n. ⓤ sonno; riposo **B** a. **1** dormiente; addormentato: **S. Beauty**, la Bella Addormentata; (*fig.*) uno che sta dormendo beatamente **2** per dormire; relativo al sonno: **s. arrangements**, sistemazione per la notte; distribuzione dei letti; **s. draught**, pozione per dormire; **s. pill** (*o* **tablet**), pillola per dormire; (pillola di) sonnifero; **s. quarters**, dormitori, camerate ● **s. bag**, sacco a pelo (*trasp.*) **s. berth**, cuccetta; posto letto □ (*ferr.*) **s. car** (*o* **s. carriage**), vagone letto □ (*fin. ingl.*) **s. partner**, socio accomandante, socio non operante (*che dà soltanto un apporto di capitale*) □ (*autom.*) **s. policeman**, dissuasore di velocità; dosso artificiale (*sulla strada*) □ (*econ.*) **s. rent**, rendita fissa □ (*med.*) **s. sickness**, malattia del sonno; tripanosomiasi africana; (*USA*) encefalite letargica (*cfr. ingl.* **sleepy sickness** *sotto* **sleepy**) □ **s. suit**, pigiama (a tuta) □ (*prov.*) **Let s. dogs lie**, non svegliare il can che dorme!

sleepless /ˈsliːpləs/ a. **1** insonne; in bianco: **a s. night**, una notte insonne (*o* in bianco) **2** insonne; che non riesce a prender sonno; che soffre d'insonnia **3** instancabile; attivo **4** senza riposo; senza sosta; febbrile (*fig.*): **s. activity**, attività febbrile **5** senza posa; irrequieto: **the s. wind**, il vento che non ha mai posa | **-ly** avv. | **-ness** n. ⓤ.

sleepover /ˈsliːpəʊvə(r)/ n. (*fam.*, spec. *USA*) il passare la notte a casa di amici.

to **sleepwalk** /ˈsliːpwɔːk/ v. i. essere sonnambulo ‖ **sleepwalker** n. sonnambulo, sonnambula ‖ **sleepwalking** n. ⓤ sonnambulismo.

sleepy /ˈsliːpɪ/ a. **1** assonnato; insonnolito: **to feel s.**, essere assonnato; essere insonnolito; avere sonno; **s. eyes**, occhi pesanti; occhi pieni di sonno **2** soporifero; sonnolento: **a s. song**, una canzone soporifera **3** tranquillo; quieto: **a s. little town**, una tranquilla cittadina **4** indolente; pigro; letargico; monotono ● (*med. ingl.*) **s. sickness**, encefalite letargica ‖ **sleepily** avv. assonnatamente; con voce insonnolita.

sleepyhead /ˈsliːpɪhed/ n. (*fam.*) dormiglione, dormigliona; pigrone, pigrona.

sleet /sliːt/ n. ⓤ **1** nevischio **2** grandine mista a pioggia; pioggia ghiacciata **3** (*USA*) sottile strato di ghiaccio ‖ **sleety** a. (in forma) di nevischio; simile a nevischio.

to **sleet** /sliːt/ v. i. (impers.) nevischiare; venir giù nevischio.

sleeve /sliːv/ n. **1** manica (*d'abito*): **to turn up one's sleeves**, rimboccarsi (*o* tirarsi su) le maniche **2** (*mecc.*) manicotto **3** (*mus.*) copertina, custodia (*di disco*) **4** cofanetto, custodia (*di un libro*) **5** (*aeron.*) manica a vento **6** (*elettr.*) tubetto isolante **7** (*ginnastica*) impugnatura (*di bilanciere*) **8** (pl.) (*slang USA*) manette ● (*mecc.*) **s. bearing**, cuscinetto a manicotto □ **s.-board**, stiramaniche □ (*mecc.*) **s. coupling** (*o* **s. joint**), giunto a manicotto □ (*USA*) **s. links**, gemelli; bottoni da polso □ (*GB*) **s. notes**, scritte sulla copertina di un cd □ (*mecc.*) **s. valve**, valvola a fodero □ (*fig.*) **to have a card** [**an idea, a plan, ecc.**] **up one's s.**, avere un asso nella manica (*un'idea, un progetto, ecc. di riserva*) □ (*fig.*) **to laugh up one's s.**, ridere sotto i baffi (*anche fig.*) □ **to roll up one's**

sleeves, rimboccarsi le maniche □ (*fig.*) **to wear one's heart on one's s.**, parlare col cuore in mano □ *'What's up your s. now?'* A. CHRISTIE, 'a che pensi di nascosto?; che cos'hai per la testa?'.

to **sleeve** /sliːv/ v. t. (*sartoria*) mettere le maniche a (*una giacca, ecc.*) ‖ **sleeved** a. (spec. nei composti) con le maniche; dalle maniche: **a short-sleeved shirt**, una camicia con le maniche corte.

sleeveless /ˈsliːvləs/ a. senza maniche: **a s. sweater**, una maglietta senza maniche.

sleigh /sleɪ/ n. slitta (spec. tirata da cavalli) ● **s. bells**, campanelli di slitta; sonagli □ **s. ride**, corsa in slitta; (*slang*) sniffata, assunzione di cocaina.

to **sleigh** /sleɪ/ **A** v. i. andare in slitta **B** v. t. trasportare su una slitta ‖ **sleighing** n. ⓤ l'andare in slitta.

sleight /slaɪt/ n. ⓤ **1** abilità; destrezza **2** stratagemma; trucco ● **s. of hand**, destrezza di mano; gioco di destrezza (*o* di prestigio); (*fig.*) inganno, trucco.

slender /ˈslendə(r)/ a. **1** esile; snello; sottile; magro; smilzo: **a s. girl**, una ragazza esile; **a s. waist**, una vita snella; **s. legs**, gambe snelle (*o* sottili); **a man of s. build**, un uomo smilzo **2** fragile; esiguo; lieve; scarso; tenue; magro (*fig.*): **s. hopes**, tenui speranze; **s. health**, salute fragile; **a s. salary**, uno stipendio esiguo; (nelle corse) **a s. lead**, un lieve vantaggio; **s. means**, mezzi scarsi; scarsezza di mezzi; **a s. acquaintance with a subject**, una scarsa conoscenza di un argomento | **-ly** avv.

to **slenderize** /ˈslendəraɪz/ **A** v. t. far dimagrire **B** v. i. dimagrire (*volutamente*); mantenere la linea (*fam.*).

slenderness /ˈslendənəs/ n. ⓤ **1** esilità; snellezza; sottigliezza; magrezza **2** esiguità; scarsezza; tenuità.

slept /slept/ pass. e p. p. di **to sleep**.

sleuth /sluːθ/, **sleuth-hound** /ˈsluːθhaʊnd/ n. **1** segugio; cane poliziotto **2** (*fig. fam.*) investigatore; detective; segugio (*fig.*).

slew ① /sluː/ pass. di **to slay**.

slew ② /sluː/ n. ⓤⓒ **1** girata (*sull'asse*); rapida rotazione **2** (*autom.*) testa-coda **3** (*naut.*) rotazione dell'albero (*nella scassa*); imbardata; straorzata; virata brusca ● (*elettron.*) **s. rate**, velocità di variazione; slew rate.

slew ③ /sluː/ n. (*fam. USA*) grande quantità; mucchio; sacco: **a s. of admirers**, un mucchio di ammiratori; **a s. of troubles**, un sacco di guai.

to **slew** /sluː/ **A** v. i. **1** girarsi, ruotare (di 180 gradi) **2** (*autom.*) sbandare **3** (*naut.*: di nave) straorzare **B** v. t. **1** girare **2** far girare, far ruotare (*sull'asse*) **3** (*autom.*) far sbandare (*la vettura*) **4** (*tecn.*) brandeggiare (*un cannone, una gru, ecc.*) ● (*autom.*) **to s. across the track**, mettersi di traverso alla pista per una sbandata □ **to s. around** (*o* **round**), girare, girarsi; far girare, far ruotare (*una banderuola, un'insegna, ecc.*); (*autom.*) fare un testa-coda; (*naut.*) straorzare, far virare bruscamente (*una nave*).

slewed /sluːd/ a. (*slang*) ubriaco; sbronzo (pop.).

slewing /ˈsluːɪŋ/ n. ⓤⓒ **1** rapida rotazione **2** (*naut.*) brusca virata; straorzata **3** (*autom.*) sbandata **4** (*tecn.*) brandeggio ● (*mecc.*) **s. crane**, gru girevole.

♦**slice** /slaɪs/ n. **1** fetta; (*fig.*) porzione, parte; trancia: **a s. of bread**, una fetta di pane; **a large s. of territory**, una grossa fetta di territorio; **a s. of the profits** (*o, fig.*, **of the cake, of the pie**), una parte dei profitti **2** spatola; paletta: **a fish s.**, una spatola per il pesce **3** (*ind. min.*) fetta **4** (*geol.*) scaglia; lamina **5** (*golf, tennis, pallavolo, ping-pong, ecc.*) colpo sfalciato; colpo che taglia la pal-

la; palla tagliata; effetto; 'slice' ● **a s. of good luck**, un pizzico di fortuna □ (*fig.*) **a s. of life**, una «tranche de vie» (*franc.*) □ (*tennis, ecc.*) **s. service**, servizio slice; servizio tagliato □ (*fig.*) **to cut (oneself) a s.**, prendersi una fetta (*o* una parte) dei profitti □ **«Pizza slices»** (*cartello*), «pizza al taglio».

to **slice** /slaɪs/ v. t. **1** affettare; fare a fette; tagliare a fette: **to s. onions**, affettare cipolle; **to s. a melon**, tagliare un melone **2** incidere; tagliare; fendere: *The plough sliced the ground*, l'aratro tagliava le zolle **3** (*golf, tennis, pallavolo, ping-pong, ecc.*) tagliare (*la palla*); colpire (*la palla*) d'effetto **4** (*calcio, ecc.*) colpire (*il pallone*) di striscio; svirgolare; lisciare, pizzicare, sbucciare, sporcare (*fig.*) **5** (*ind. min.*) coltivare per fette **6** (*fig.*) tagliare (*spese, ecc.*); eliminare; ridurre (*la produzione, ecc.*) ● (*fam. USA*) **any way you s. it...**, girala come vuoi...; comunque tu la metta...

▪ **slice into** v. i. + prep. **1** farsi un taglio in (*una mano, ecc.*); tagliarsi: *Mind you don't s. into your hand*, bada di non tagliarti la mano! **2** tagliare: *The knife sliced into his leg*, il coltello gli fece un taglio nella gamba **3** cominciare a tagliare.

▪ **slice off** v. t. + avv. tagliare; recidere: *He sliced off a big chunk of meat*, tagliò un gran pezzo di carne; *The machine sliced his finger off*, la macchina gli recise un dito.

▪ **slice through** v. t. + prep. **1** tagliare in due; fare in due pezzi **2** → **slice into**, *def. 1*.

▪ **slice up** v. t. + avv. fare a fette; affettare: **to s. up apples**, fare a fette delle mele; **to s. up ham**, affettare il prosciutto.

to **slice and dice** /slaɪsən'daɪs/ v. t. (*comput., fin., ecc.*) suddividere (*qc., spec. dati*) in parti sempre più piccole (*per facilitare l'analisi*).

sliced /slaɪst/ a. **1** a fette; affettato: **a s. pineapple**, un ananas a fette **2** al taglio **3** (*sport*) tagliato: (*tennis*) **s. backhand**, rovescio tagliato.

slicer /'slaɪsə(r)/ n. affettatrice (*macchina*).

slicing machine /'slaɪsɪŋməʃiːn/ loc. n. affettatrice.

slick① /slɪk/ a. **1** liscio; lucido; levigato **2** scivoloso; sdrucciolevole: **a s. road**, una strada sdrucciolevole **3** untuoso; falso; insincero; viscido: **s. manners**, modo di fare untuoso; ipocrisia **4** (*fam.*) abile; ingegnoso; furbo; astuto; ben congegnato; ben costruito; collaudato (*fig.*): **a s. alibi**, un alibi ingegnoso; (*comm.*) **a s. sales trick**, un collaudato trucco da venditore **5** (*fam.*: *di linguaggio, stile, ecc.*) agile; scorrevole; sciolto; spigliato **6** (*fam.*) eccellente; ottimo; superlativo: **a s. dinner**, un ottimo pranzo **7** (*fam.*) superficiale; leggero (*fig.*) **8** (*autom., sport*) liscio (*per la guida sull'asciutto*): **a s. tyre**, un pneumatico liscio; uno 'slick' ● (*slang USA*) **a s. chick**, una bella pollastrella (*fig.*); una bella ragazza □ **to play it s.**, giocare d'astuzia | **-ly** avv. | **-ness** n. Ⓤ.

slick② /slɪk/ n. **1** (*naut.*) zona priva di onde capillari **2** (= **oil s.**) macchia di petrolio grezzo sul mare (*per collisione o incaglio di petroliere*) **3** (*tecn.*) → **slicker**, *def. 1* e *2* **4** (*autom., sport*) pneumatico liscio; 'slick' (*per la guida sull'asciutto*) **5** (*fam. USA*) rivista in carta patinata (*con belle foto, ecc.*) **6** (*slang*) tipo in gamba, sicuro di sé; individuo smaliziato; furbacchione.

to **slick** /slɪk/ v. t. lisciare; lucidare; lustrare.

▪ **slick down** v. t. + avv. lisciare (*con il gel, ecc.*); impomatare: **to s. down one's hair**, impomatarsi i capelli.

▪ **slick up** v. t. + avv. **1** lustrare; tirare a lucido: *He slicked up his car before putting it on sale*, tirò a lucido la macchina prima di metterla in vendita **2** agghindare; fare bello; mettere in ghingheri.

slickenside /'slɪkənsaɪd/ n. (*geol.*) liscione (*o* specchio) di faglia.

slicker /'slɪkə(r)/ n. **1** lisciatoio **2** bussetto; bisegolo (*da calzolaio*) **3** (*fam. USA*) impermeabile di tela cerata (*o* di plastica) **4** (*USA, spesso* **city s.**) tipo di città; furbacchione; imbroglione dalla parola facile; truffatore ben vestito (*o* azzimato); (*ingl.*) uomo che lavora nella City di Londra.

to **slicker** /'slɪkə(r)/ v. t. (*fam. USA*) imbrogliare; fregare (*fam.*).

slide /slaɪd/ n. **1** scivolata; scivolone; sdrucciolone **2** scivolo (*anche per bambini*); sdrucciolo (*su ghiaccio, ecc.*); piano inclinato **3** (*mecc.*) scorrimento **4** (*scient.*) vetrino (*da microscopio*) **5** (*fotogr.*) diapositiva: **a lecture with slides**, una conferenza con proiezione di diapositive; **s. projector**, proiettore per diapositive; diascopio **6** (= **landslide**) frana; lavina; slavina **7** (= **snow slide**) valanga **8** (*mecc.*, = **slideway**) guida di scorrimento **9** (*di strumento*) corsoio; cursore: **s. bed**, guida di corsoio **10** (*mecc.*) slitta; parte scorrevole; corsoio **11** carrello (*d'arma da fuoco automatica*) **12** (*per capelli*, = **hair s.**) forcina; molletta; fermacapelli **13** (*autom., bob, ecc.*) sbandata: **to go into a s.**, sbandare **14** (*fig.*) scivolata, scivolone (*di una moneta*); slittamento (*di prezzi*); tracollo: (*Borsa*) **big s.**, scivolone; **to halt the economic s.**, frenare il tracollo dell'economia **15** (*mus.*) elemento mobile (*di una tromba, ecc.*) **16** (*mus., di chitarra*) slide **17** (*lotta, scherma*) scivolamento **18** (*sci*) discesa; (*anche*) pista di discesa **19** (*canottaggio*) sedile scorrevole **20** (*per barche*) scivolo; rampa di messa in acqua **21** (pl.) (*mus.*) note scivolate ● (*mecc.*) **s. bar**, asta di guida □ **s. caliper**, calibro a corsoio □ (*sport*) **s. defence**, difesa scorrevole □ **s. fastener**, chiusura lampo; (la) lampo (*fam.*) □ **s. knot**, nodo scorsoio □ (*canottaggio*) **s. rail**, guida di scorrimento □ (*pesca*) **s. rod**, canna con anima metallica regolabile □ **s. rule**, regolo calcolatore □ **s.-rule precision**, precisione millimetrica □ **s. runner** = **s. rail** → *sopra* □ (*calcio, ecc.*) **s. tackle**, entrata (*o* intervento) in scivolata □ **s. tray**, caricatore (*di diascopio*) □ (*mecc.*) **s. valve**, valvola a cassetto, cassetto di distribuzione; valvola a saracinesca □ (*autom.*) **to go into a s.**, prendere una sbandata; sbandare (*sul bagnato, ecc.*): *The car went into a s. on the ice*, sul ghiaccio la macchina sbandò □ **to be on the s.**, essere in discesa (*o* in diminuzione, in calo).

♦to **slide** /slaɪd/ (pass. e p. p. **slid**) **A** v. i. **1** scivolare (*anche fig.*); sdrucciolare: *Mr Pickwick's friends were sliding on the ice*, gli amici di Mr Pickwick scivolavano sul ghiaccio; *The sword slid from his hand*, la spada gli scivolò di mano **2** scorrere: *The piston slides up and down*, il pistone scorre su e giù **3** (*anche* **to s. in**) infilarsi; entrare di soppiatto **4** (*autom., ecc.*) slittare; sbandare: *The car slid on the ice*, l'auto slittò sul ghiaccio **5** (*canottaggio, vela*) (*di manovre, ecc.*) scivolare; scorrere **B** v. t. **1** far scivolare; far scorrere: *Gently s. the cartridge out*, sfila delicatamente la cartuccia; **to s. a coin into sb.'s hand**, far scivolare una moneta in mano a q. **2** infilare: **to s. a coin into a slot-machine**, infilare una moneta in un distributore automatico; *She slid the key into her bag*, s'infilò la chiave nella borsetta **3** (*calcio, ecc.*) infilare; far filtrare ● (*mus.*) **to s. from one note to another**, eseguire note scivolate □ **to s. on one's back**, cadere sulla schiena scivolando □ **to let st. s.**, lasciare peggiorare (*o* deteriorare) qc.; lasciare andare a rotoli qc.

▪ **slide away** v. i. + avv. scivolare via; (*di un veicolo*) allontanarsi silenziosamente.

▪ **slide in** v. i. + avv. **1** infilarsi; entrare di soppiatto (*in un luogo*) **2** (*baseball*) entrare in scivolata (*su una base*) **3** (*calcio*) entrare in scivolata, intervenire in scivolata (*sulla palla*); arrivare in scivolata **4** (*calcio, ecc.*) (*della palla*) infilarsi dentro; insaccarsi.

▪ **slide into** **A** v. i. + prep. **1** infilarsi in; entrare furtivamente in: *I slid into the car*, m'infilai in macchina; *The burglar slid into the house*, il ladro entrò furtivamente nella casa **2** (*autom.*) slittare andando a sbattere contro: *My car slid into a wall*, la mia macchina slittò andando a sbattere contro un muro **3** (*econ., fin.*) scivolare, slittare in: *The economy is sliding into recession*, l'economia sta scivolando nella recessione **4** (*baseball*) entrare in scivolata in, raggiungere (*una base*): *He slid into third*, entrò in scivolata in terza base **B** v. t. + prep. → **to slide**, **B** □ (*leg.*) **to s. into crime again**, recidivare; diventare recidivo □ **to s. into a bad habit**, prendere a poco a poco una cattiva abitudine □ **to s. into vice**, scivolare nel vizio.

▪ **slide off** **A** v. i. + prep. scivolare, cadere da: *The newspaper slid off my knee*, il giornale mi cadde dalle ginocchia **B** v. t. + prep. far scivolare da; liberare; tirare indietro da: *'He slid the safety catch off the Lüger'* R. Chandler, 'liberò la sicura della (pistola) Lüger'.

▪ **slide out of** **A** v. i. + avv. + prep. **1** scivolare fuori da **2** uscire furtivamente da (*un locale*): *She slid out of the room*, uscì furtivamente dalla stanza **3** (*fig. fam.*) sottrarsi a, scansare, evitare (*una punizione, una responsabilità, ecc.*) **B** v. t. + avv. + prep. far scivolare, tirare fuori da; sfilare: *I slid the drawer out of the cabinet*, tirai fuori il cassetto dallo stipo.

▪ **slide over** **A** v. i. + prep. scivolare su (*anche fig.*): *The ballet dancer seemed to s. over the stage*, pareva che la ballerina scivolasse sul palcoscenico **B** v. t. + prep. **1** far scivolare, passare su: *S. your hand over the surface!*, passa la mano sulla superficie! **2** (*fig. fam.*) sorvolare (*o* glissare) su (*un argomento*) **C** v. i. + avv. (*di un infisso, ecc.*) essere a scomparsa verticale: *The garage door slides over*, la porta del garage è a scomparsa verticale.

▪ **slide round** v. i. + prep. **1** scivolare (*o* sdrucciolare) su (*un pavimento liscio, ecc.*) **2** (*fig. fam.*) girare intorno a (*un problema, ecc.*); aggirare (*un ostacolo, una difficoltà*).

slider /'slaɪdə(r)/ n. **1** chi scivola; chi sdrucciola **2** (*elettr.*) contatto scorrevole; cursore **3** (*mil.*) sicura a slitta **4** (*USA*) fermaglio di chiusura lampo **5** (*USA*) slitta per carichi pesanti **6** (*fam.*) mattonella (*gelato*) **7** (*baseball*) slider (*lancio veloce e angolato*) **8** (*comput.*) cursore (*della barra di scorrimento*).

to **slide-tackle** /slaɪd'tækl/ v. t. (*calcio*) entrare (*o* intervenire) in scivolata su (*un avversario*).

sliding /'slaɪdɪŋ/ **A** n. Ⓤ **1** lo scivolare; lo sdrucciolare **2** (*mecc.*) scorrimento **3** (*econ., polit.*) slittamento **4** (*autom., bob, ecc.*) sbandata **B** a. scorrevole; mobile ● (*sport*) **s. defence**, difesa scorrevole □ **s. door**, porta scorrevole □ (*mecc.*) **s. fit**, collegamento scorrevole □ (*autom.*) **s. glass**, vetro scorrevole (*o* abbassabile) □ **s. panel**, pannello scorrevole □ **s. roof**, tetto apribile □ **s. rule**, regolo calcolatore □ (*econ.*) **s. scale**, scala mobile (*dei salari, ecc.*) □ **s. seat**, sedile scorrevole (*di canotto, ecc.*) □ **s. shutter**, persiana scorrevole □ **s. surface**, piano di scorrimento □ (*calcio*) **s. tackle**, tackle scivolato; entrata (*o* intervento) in scivolata □ (*mecc.*) **s. valve**, valvola a saracinesca □ (*mecc.*) **s. vector**, cursore □ (*econ.*) **s. wage-scale**, scala mobile dei salari.

♦**slight**① /slaɪt/ a. **1** esile; snello; smilzo; sottile; magro: **a s. figure**, una figurina esile **2** debole; delicato; fragile: **on s. founda-**

tions, su deboli fondamenta **3** esiguo; leggero; lieve; scarso; tenue; piccolo: **a s. cold**, un lieve raffreddore; *He spoke with a s. American accent*, parlava con un lieve accento americano; **to pay s. attention**, prestare scarsa attenzione; *There isn't the slightest excuse for it*, non c'è al riguardo la minima giustificazione; *I haven't the slightest idea*, non ne ho la benché minima idea **4** di scarsa importanza; di poco peso (*fig.*); inconsistente; *There's a s. problem*, c'è un piccolo problema **5** (*naut.: del mare*) leggermente mosso ● **s. breeze**, lieve brezza; bava di vento □ **in the slightest**, minimamente; affatto: *I didn't take it amiss in the slightest*, non me la sono presa affatto! □ **Not in the slightest!**, neanche a dirlo!; nemmeno per sogno!

slight ② /slaɪt/ n. **1** affronto; ingiuria; offesa; mancanza di rispetto (*o di riguardo*); sprezzo: **to put a s. upon sb.**, far un affronto a q. **2** negligenza; trascuratezza.

to **slight** /slaɪt/ v. t. **1** disdegnare; sdegnare; sprezzare **2** far poco conto di; mancar di rispetto a; ingiuriare; offendere **3** trascurare; negligere (*lett.*): **to s. one's duties**, trascurare i propri doveri.

slighting /'slaɪtɪŋ/ a. offensivo; scortese; sprezzante: **a s. remark**, un'osservazione offensiva | **-ly** avv.

♦**slightly** /'slaɪtlɪ/ avv. **1** esilmente; sottilmente; debolmente **2** leggermente; lievemente; un po': **s. drunk**, un po' ubriaco; brillo; *He's feeling s. better*, sta leggermente (*o un pochino*) meglio ● (*di persona*) **s. built**, di costituzione delicata; esile.

slightness /'slaɪtnəs/ n. Ⓤ **1** esilità; snellezza; sottiglezza; magrezza **2** debolezza; fragilità **3** leggerezza; tenuità **4** inconsistenza.

♦**slim** /slɪm/ a. **1** esile; magro; smilzo; snello; slanciato: **a s. boy**, un ragazzino esile; **a s. girl**, una ragazza slanciata; **s. hips**, fianchi snelli; **s. legs**, gambe snelle **2** sottile; fino: **a s. volume**, un volume sottile; un volumetto **3** scarso; tenue; magro (*fig.*): **s. pickings**, scarsi guadagni; **a s. excuse**, una magra scusa ● **s. fingers**, dita affusolate □ **to keep s.**, mantenersi in forma; restare snello | **-ly** avv.

to **slim** /slɪm/ Ⓐ v. i. (*cercare di*) dimagrire; calare di (*perdere*) peso: *No, thank you; I'm slimming*, no, grazie; sto cercando di dimagrire Ⓑ v. t. far dimagrire; snellire; snellire.
■ **slim down** Ⓐ v. i. + avv. → **to slim**, A Ⓑ v. t. + avv. **1** → **to slim**, B **2** ridurre; ridimensionare; snellire: **to s. down the workforce**, ridurre le maestranze; *The Commission has been slimmed down to 12 members*, la commissione è stata ridotta a 12 membri.

slime /slaɪm/ n. Ⓤ **1** limo; fanghiglia; melma **2** poltiglia; viscidume **3** bava; mucillagine ● (*slang USA*) **s. bucket** → **slimebag** □ (*zool.*) **s. gland**, ghiandola mucosa □ (*ind. miner.*) **s. pit**, cava di bitume.

to **slime** /slaɪm/ v. t. **1** coprire di limo, di melma **2** (*spec. di lumaca*) ricoprire di bava.

slimebag /'slaɪmbæg/ n. (*slang USA*) individuo ripugnante, schifoso; verme (*fig.*).

sliminess /'slaɪmɪnəs/ n. Ⓤ **1** melmosità **2** vischiosità; viscosità; viscidità **3** (*fig.*) untuosità; viscidità; servilità.

slimline /'slɪmlaɪn/ a. **1** snello; dalla linea snella; sottile; di poco ingombro: **a s. pen**, una penna sottile; **a s. camera**, una macchina fotografica dalla linea snella **2** (*fig.*) ridotto; scarno **3** a basso contenuto calorico; dietetico; dimagrante.

slimmer /'slɪmə(r)/ n. chi cerca di dimagrire; chi fa una cura dimagrante; chi sta a dieta.

slimming /'slɪmɪŋ/ Ⓐ a. dimagrante; che fa dimagrire: **s. diet** [**pill**], dieta [pillola] di-

magrante Ⓑ n. Ⓤ **1** (*anche* **s. down**) dimagramento (*voluto*); perdita di peso; snellimento **2** lo stare a dieta; il seguire una cura dimagrante **3** (*fig., di solito* **s. down**) snellimento (*fig.*); riduzione (*del personale, ecc.*); ridimensionamento ● **s. club**, centro di cure dimagranti.

slimness /'slɪmnəs/ n. Ⓤ **1** esilità; snellezza; sottiglezza **2** esiguità; scarsezza; tenuità.

slimy /'slaɪmɪ/ a. **1** limaccioso; fangoso; melmoso: **s. water**, acqua limacciosa **2** vischioso; viscoso; viscido; sdrucciolevole **3** (*fig.*) untuoso; viscido; servile: **s. manners**, modo di fare untuoso; servilismo **4** (*fig.*) disgustoso; ripugnante | **-ily** avv.

sling ① /slɪŋ/ n. **1** (*anche stor., mil.*) fionda; frombola **2** colpo (*o tiro*) di fionda **3** braca; imbraca; imbracatura (*per sollevar pesi*) **4** (*med.*) fascia, benda (*ad armacollo, per sospendere un braccio ferito*) **5** (*del fucile, ecc.*) cinghia ● **s. hook** (*o* **s. dog**), gancio di sollevamento □ **s. pump** → **slingback** □ **to place a barrel in a s.**, imbracare un barile (*per sollevarlo*) □ (*fig.*) **slings and arrows**, avversità (*della sorte, ecc.*); strali (*della critica, ecc.*) □ **to wear** (*o to have*) **one's arm in a s.**, portare un braccio al collo.

sling ② /slɪŋ/ n. Ⓤ bevanda composta di liquore (*spec. gin*), zucchero, acqua e limone.

to **sling** /slɪŋ/ (pass. e p. p. **slung**), v. t. e i. **1** gettare; scagliare; tirare: *Don't s. stones at the cat*, non tirar sassi al gatto! **2** lanciare (*o scagliare*) con la fionda; fiondare (*anche fig.*); frombolare **3** sospendere; attaccare: **to s. a hammock**, sospendere un'amaca **4** (*fam.*) buttare, cacciare, gettare (*con forza, a casaccio*): *S. me the car key!*, buttami la chiave dell'automobile!; *She slung her fur on the sofa*, gettò la pelliccia sul divano; **to s. everything in the bin**, cacciare tutto nella pattumiera **5** portare (*qc.*) a tracolla **6** imbracare; issare (*con una braca*): **to s. (up) a barrel**, imbracare un barile **7** (*fam.*) allungare; dare; passare: *Can you s. me over that lighter?*, puoi passarmi quell'accendino? ● (*slang USA*) **to s. hash**, fare il cameriere (*al ristorante*) □ (*slang*) **to s. one's hook**, tagliare la corda, fare tela, filare (*fig. fam.*) □ (*fam.*) **to s. ink**, scrivere; fare lo scrittore (*o il giornalista*) □ (*fam.*) **to s. mud at sb.**, gettare fango su q. (*fig.*) □ **to s. st. over one's shoulders**, gettarsi (*o portare*) qc. ad armacollo □ **slung shot**, palla di metallo attaccata al polso (*usata come arma dai teppisti*).
■ **sling out** v. t. + avv. **1** buttare via; gettare via; disfarsi di (*roba vecchia, ecc.*) **2** buttare (*q.*) fuori; mettere (*un inquilino*) sulla strada; licenziare.
■ **sling up** v. t. + avv. **1** appendere; attaccare; sospendere **2** (*fig. fam.*) rinfacciare, rivangare (*cose spiacevoli*).

slingback /'slɪŋbæk/ n. scarpa scollata, con cinturino sul calcagno.

slinger /'slɪŋə(r)/ n. **1** (*stor.*) fromboliere; frombolatore (*raro*) **2** imbracatore (*operaio*) **3** (*slang USA*) cameriere (*di ristorante economico*) **4** (pl.) pane bagnato nel tè.

slinging /'slɪŋɪŋ/ n. Ⓤ (*naut., trasp.*) **1** imbracatura **2** spese d'imbracatura.

slingshot /'slɪŋʃɒt/ n. **1** (*anche stor.*) colpo di frombola; colpo di fionda **2** (*USA*) fionda.

slink /slɪŋk/ Ⓐ n. animale (*spec. vitello*) nato prematuramente Ⓑ a. attr. (*d'animale*) prematuro; abortito.

to **slink** /slɪŋk/ (pass. e p. p. **slunk**) Ⓐ v. i. **1** camminare furtivamente; strisciare; sgattaiolare Ⓑ v. t. (*di animali*) partorire (*un piccolo*) prematuramente; perdere (*un figlio*) ● **to s. about**, aggirarsi furtivo; strisciare □ **to s. away** (*o off, out*), filar via; squagliarsela; svignarsela □ **to s. back**, ritirarsi in silenzio

(*dopo uno scacco, ecc.*); (*di un animale*) arretrare per la paura.

slinky /'slɪŋkɪ/ a. **1** furtivo **2** flessuoso: **her s. little figure**, la sua figurina flessuosa **3** (*fam.: di vestito*) attillato; aderente; provocante | **-ily** avv. **-iness** n. Ⓤ.

slip ① /slɪp/ n. **1** striscia (*di carta, stoffa, ecc.*): **a s. of land**, una striscia di terra; **a s. of wood**, una striscia di legno; una stecca **2** (*d'abito, ecc.*) bordo; orlo; falda; lembo **3** scontrino; talloncino; tagliando: **receipt s.**, scontrino di ricevuta; **contents s.**, tagliando di controllo (*di merce imballata*) **4** (*banca*) distinta: **paying-in s.**, distinta di versamento **5** (*ass.*) polizzetta; contratto provvisorio **6** (*bot.*) innesto; pollone per innesto; marza **7** (*tipogr.*) bozza in colonna **8** (*fig.*) discendente; rampollo **9** (*zool.*) sogliolina **10** (*fam., antiq.*) cosino, cosina; esserino; bimbetto, bimbetta ● **a** (**mere**) **s. of a boy**, un ragazzino esile ❶ **FALSI AMICI** ● **slip** *non significa* slip *nel senso italiano di mutandina corta*.

slip ② /slɪp/ n. **1** scivolata, scivolone (*anche fig.*): **a s. on the ice**, uno scivolone sul ghiaccio **2** errore; sbaglio; svista; lapsus (*lat.*); passo falso: **a s. of the pen**, un lapsus calami; **a s. of the tongue**, un lapsus linguae; **to make a s.**, fare uno sbaglio **3** federa (*di guanciale*) **4** sottabito; sottoveste: *Your s. is showing!*, ti si vede la sottoveste!; (*fig.*) se fai (*o se dici*) così ti tradisci! **5** guinzaglio a sgancio rapido (*per cani*) **6** smottamento (*di terra*), slavina; frana **7** (*elettr., mecc.*) slittamento; scorrimento **8** (*elettron.*) distorsione da scorrimento **9** (*naut.*) → **slipway 10** (*naut., USA e Canada*) darsena **11** (*autom.*) slittata, sbandata laterale; (*anche*) slittamento (*della frizione*) **12** (*boxe*) schivata laterale **13** (*vet.*) aborto **14** (pl.) (*teatr.*) quinte **15** (pl.) (*antiq.*) calzoncini da bagno **16** (*cricket*) difensore (*che si posiziona dietro il battitore accanto al ricevitore*) ● (*autom.*) **s. road**, svincolo (*autostradale*); rampa di accesso □ (*fam.*) **to give sb. the s.**, sfuggire a q. (*che insegue*); seminare q. (*fam.*); sottrarsi a q. □ (*prov.*) **There's many a s. 'twixt (the) cup and (the) lip**, non dir quattro se non l'hai nel sacco; non vendere la pelle dell'orso prima di averlo ucciso ❶ **FALSI AMICI** ● **slip** *non significa* slip *nel senso italiano di mutandina corta*.

♦to **slip** /slɪp/ Ⓐ v. i. **1** scivolare; sdrucciolare; slittare (*anche fig.*): *The child slipped off my knee*, il bambino mi scivolò dalle ginocchia; *I slipped in the mud and fell*, sdrucciolai nel fango e caddi; *The car slipped on the slimy road*, l'auto slittò sulla strada viscida **2** sguisciare (*via*); (*anche fig.*) sfuggire: *Here is a chance you mustn't allow to s.*, ecco un'occasione che non ti devi lasciar sfuggire; *The eel slipped through* (*o out of*) *my fingers*, l'anguilla mi sgusciò di fra le dita **3** andare furtivamente; passare inosservato (*o a poco a poco*); scivolare: *The days slipped past* (*o by, away*), a poco a poco i giorni passavano; i giorni scivolavano via **4** sbagliare; sbagliarsi; commettere un errore: *He slips now and then in his pronunciation*, di quando in quando commette errori di pronuncia **5** (*fig.*) essere in declino; decadere; perdere di qualità; peggiorare; perdere colpi (*fig.*): *The market has slipped*, il mercato è peggiorato; *I'm afraid you're slipping*, temo che tu perda colpi **6** (*fig.*) calare; diminuire: **sales are slipping**, le vendite sono in calo **7** (*mecc.: della frizione, ecc.*) slittare Ⓑ v. t. **1** far scivolare; far scorrere; far passare; infilare: *He slipped the bolt through the hole*, fece scorrere il catenaccio nel suo foro **2** sciogliere; liberare; liberarsi di: *The slave has slipped his chains*, lo schiavo s'è liberato delle catene; **to s. the greyhounds**, sciogliere i levrieri, liberare i levrieri dal guinzaglio (*alle corse, ecc.*) **3**

sfuggire a; sfuggire da; sottrarsi a; semina-re (*fam.*): *This matter has slipped my no-tice*, questa faccenda m'è sfuggita; *His tele-phone number has slipped my mind*, il suo numero telefonico m'è sfuggito dalla mente; *The prisoner slipped his guards*, l'arrestato si sottrasse alle guardie; *I slipped my pursu-ers*, seminai i miei inseguitori **4** (*boxe*) schi-vare (*un colpo*) di lato **5** (*fam.*) allungare; dare: *I slipped the porter a ten-dollar bill*, allungai al facchino un biglietto da dieci dol-lari **6** (*naut.*) filare (*un cavo, una scotta, ecc.*); mollare (*l'ancora*) **7** (*d'animali*) partorire prematuramente ● **to s. across the border**, passare il confine clandestinamente □ (*di un cane*) **to s. one's collar**, sfilarsi il collare; perdere il collare □ (*naut.*) **to s. one's moor-ings**, disormeggiarsi, levare gli ormeggi □ (*lavori a maglia*) **to s. a stitch**, lasciar cadere una maglia; saltare un punto senza lavorar-lo □ **to s. one's trolley**, (*di un tram*) perdere il contatto del trolley; (*slang USA*) perdere le staffe ● **to let s.**, lasciarsi sfuggire (*una paro-la, una frase, ecc.*); lasciarsi scappare (*un'oc-casione, ecc.*); (*lett.*) sciogliere, liberare: *He let s. that he was going to resign*, si lasciò sfuggire che intendeva dimettersi □ (*poet.*) **to let s. the dogs of war**, scatenare la guer-ra □ (*slang*) **S. it!**, lascia perdere!; fregatene! □ **She has slipped in my opinion**, ho perso stima in lei; ha perso punti (*fam.*).

■ **slip along** v. i. + avv. (*di un veicolo*) scivola-re via; andare liscio (*fam.*).

■ **slip away** v. i. + avv. **1** andar via alla che-tichella; squagliarsela; svignarsela: *I slip-ped away before the end of the lecture*, me la svignai prima della fine della conferenza **2** (*del tempo*) passare in fretta (*o in un bale-no*) **3** (*anche eufem., nel senso di 'morire'*) ve-nir meno, scomparire.

■ **slip back** v. i. + avv. **1** (*di un veicolo, ecc.*) slittare indietro; rinculare slittando **2** (*fam.: di una persona*) andare indietro; retro-cedere **3** rientrare furtivamente: *'Blanche catches her breath again and slips back in-to the flat'* T. WILLIAMS, 'Blanche trattiene il respiro e rientra furtivamente nel-l'appartamento' **4** (*fig.*) arretrare **5** (*fam.: del lavoro, ecc.*) peggiorare; regredire.

■ **slip by** v. i. + avv. **1** scivolare (*o passa-re*) accanto (*inosservato, ecc.*) senza far ru-more **2** (*del tempo*) passare in fretta; scorre-re via **3** (*di un'occasione, ecc.*) sfuggire: *Never let a good chance s. by!*, non ti lasciar sfuggire (*o non perdere*) mai una buona oc-casione! **B** v. t. + prep. **1** (*di un errore*) pas-sare inosservato da (q.) **2** → **slip past**, **B C** v. t. + prep. → **slip past**, **C**.

■ **slip down** v. i. + avv. **1** scivolare per ter-ra; cadere scivolando **2** (*fam.*) scendere; andare di sotto: *I'll s. down to the butcher's*, faccio un salto di sotto, dal macellaio **3** (*fig.: del rendimento, ecc.*) calare; diminuire; scadere.

■ **slip in A** v. i. + avv. infilarsi, intrufolarsi; infiltrarsi; sgusciare, sgattaiolare dentro: *He slipped in without being seen*, s'infilò dentro senza farsi vedere; **to s. in among the guests**, intrufolarsi tra gli invitati **B** v. t. + avv. **1** far entrare (q.); infilare dentro (*fam.*); intrufolare, infiltrare (q.); iscrivere, mettere in lista (q.): *Then s. the cartridge back in and turn the lever back*, poi infila di nuovo la cartuccia dentro e riporta la leva indietro **2** aggiungere, inserire (*una parola, ecc.*): *He slipped in a cutting remark*, ag-giunse un'osservazione pungente **3** (*calcio, ecc.*) infilare, mettere dentro, insaccare: **to s. the ball in**, (*anche*) toccare la palla in rete.

■ **slip into A** v. i. + prep. **1** infilarsi dentro (*o* in) ; entrare in silenzio in: *He slipped into bed*, s'infilò nel letto; *He slipped into the house by the back door*, entrò nella casa dal-la parte di dietro **2** scivolare in; andare a sbattere in (*slittando*): *I slipped into the*

water, scivolai in acqua; *The motorbike slip-ped into the wall*, la motocicletta slittò e an-dò a sbattere contro il muro **3** infilarsi, mettersi in fretta (*un indumento*): *She slip-ped into her nightdress*, s'infilò la camicia da notte **4** (*fig.*) entrare per caso; introdur-si: *A lot of misprints have slipped into the article*, l'articolo è stato stampato con un mucchio di refusi **5** (*fig.*) scivolare in; cade-re a poco a poco in: **to s. into vice**, scivola-re nel vizio **B** v. t. + prep. **1** infilare, intru-folare in; **to s. a letter into a letterbox [a coin into a slot machine]**, infilare una let-tera nella cassetta [una moneta in un distri-butore automatico] **2** aggiungere; inserire; infilare dentro (*fam.*): *S. a mention of my book into your talk, will you?*, nel tuo di-scorso, infilaci dentro un accenno al mio li-bro, per favore **3** (*fig.*) fare scivolare; met-tere furtivamente: *He slipped a bank note into my pocket*, mi fece scivolare in tasca una banconota.

■ **slip off A** v. i. + avv. **1** scivolare: *My foot slipped off*, mi scivolò un piede **2** andarse-ne alla chetichella; svignarsela; squagliarsel-la **B** v. t. + avv. sfilarsi, togliersi (*un indumen-to*): **to s. off one's stockings**, sfilarsi le cal-ze □ (*lavori a maglia*) **to s. off a stitch**, lasciar cadere una maglia.

■ **slip on** v. t. + avv. infilarsi, mettersi in fret-ta (*un indumento*): **to s. on one's shoes**, infi-larsi le scarpe.

■ **slip out** v. i. + avv. **1** scivolare, cadere (*sci-volando*): *The key has slipped out of your pocket*, la chiave ti è caduta dalla tasca **2** andarsene alla chetichella; svignarsela; squagliarsela **3** (*di un segreto, un nome, ecc.*) sfuggire; scappare: *It just slipped out*, mi è scappata (*la parola, l'osservazione, ecc.*).

■ **slip out of** v. i. + avv. + prep. **1** sfilarsi, to-gliersi in fretta (*indumenti*) **2** (*fig. fam.*) evi-tare, scansare (*una punizione, ecc.*); sottrarsi a (*un dovere, una responsabilità*).

■ **slip over** v. i. + prep. **1** scivolare su: *The gondola slipped over the still waters of the lagoon*, la gondola scivolava sulle acque immobili della laguna **2** (*di un indumento, una fodera*) infilarsi su; entrare da: *This jumper won't s. over my head*, questo golf non mi entra dalla testa **B** v. t. + prep. **1** in-filare (*una fodera*) a (*una poltrona, ecc.*) **2** get-tarsi (*un indumento*) su (*le spalle, ecc.*) (*fam. USA*) **to s. one over on sb.**, farla in barba a q.; fare fesso q. (*fam.*): *He's slipped one over on me!*, me l'ha fatta!

■ **slip past A** v. i. + avv. → **slip by**, A **B** v. i. + prep. **1** scivolare (*o passare inosservato*) accanto a (q.) **2** scivolare (*o passare inos-servato*) da **C** v. t. + prep. (*fig.*) far accetta-re, far passare (*un'idea, un suggerimento, ecc.*).

■ **slip through A** v. i. + avv. (*o prep.*) **1** pas-sare inosservato (*o senza fare rumore*): *The boat slipped through* (*the strait*) *in the dark*, il battello passò (lo stretto) col favore delle tenebre **2** (*mil. e sport*) filtrare attra-verso; infiltrarsi in **3** (*fig.: di una proposta, una legge, ecc.*) passare; essere approvato **B** v. t. + avv. **1** far passare (q. *o* qc.) inosser-vato **2** introdurre (*immigranti, merci, ecc.*) clandestinamente; far scorrere entro (*una guida, ecc.*) **2** (*fig.*) intrufolare, infiltrare attraverso: *They managed to s. ten partisans through the enemy defences*, riuscirono a infiltrare dieci partigiani attraverso le difese nemiche □ **to s. through sb.'s fingers**, scivolare di tra le dita a q.; (*fig.*) sfuggire a q. □ **to s. through the net**, (*di pesce*) scappare di tra le maglie (*della rete*); (*fig.*) (riuscire a) passare attraverso, superare (*controlli, misure di sicu-rezza, ecc.*).

■ **slip up** v. i. + avv. **1** scivolare **2** (*di un in-dumento*) montare; andare su (*fam.*): *Your cuffs have slipped up; pull them down*, ti so-

no andati su i polsini; tirali giù! **3** (*fam.*) fa-re uno sbaglio; fare una gaffe (*o un passo falso*) **4** (*fam.: di un progetto, ecc.*) fare fiasco (*o cilecca*); fallire.

slipcase /'slɪpkeɪs/ n. custodia, cofanetto (*per libri*).

slipcover /'slɪpkʌvə(r)/ n. **1** (*editoria*) so-praccoperta, sovraccoperta (*di libro*) **2** (*USA*) fodera lavabile, foderina (*di poltrona o divano*; cfr. ingl. **loose cover**, sotto **cover**, def. 2).

slip-hook /'slɪphʊk/ n. (*naut.*) gancio a scocca.

slipknot /'slɪpnɒt/ n. nodo scorsoio; cap-pio.

slip-on /'slɪpɒn/ **A** a. (*d'indumento o calza-tura*) da infilare semplicemente; senza bot-toni (*o* lacci, ecc.) **B** n. **1** indumento che ci si infila (*senza bottoni*) **2** scarpa senza lacci; mocassino **3** fascetta elastica.

slipover /'slɪpəʊvə(r)/ **A** n. pullover sen-za maniche; golfino **B** a. attr. (*di un capo di vestiario*) che s'infila facilmente dalla testa.

slippage /'slɪpɪdʒ/ n. **uc** **1** calo di valore; arretramento; diminuzione: (*fin.*) **the s. of the euro**, l'arretramento dell'euro **2** ritar-do, rallentamento (*di un piano, un programma*) **3** (*mecc.*) scorrimento; slittamento; scivola-mento.

slipped disc /'slɪpt'dɪsk/ loc. n. (*med.*) er-nia del disco.

slipper /'slɪpə(r)/ n. **1** pantofola; ciabatta; pianella **2** freno a scarpa; martinicca **3** (*mecc.*) pattino **4** chi scioglie i levrieri (*alle corse*) ● **s. brake**, (*mecc.*) rallentatore; (*ferr.*) freno sulla rotaia □ **s. chair**, poltroncina da camera da letto □ **s. dealer**, venditore di pantofole; pantofolaio □ **s. factory**, fabbrica di pantofole; pantaferia □ **s. maker**, fab-bricante di pantofole; pantofolaio.

to **slipper** /'slɪpə(r)/ v. t. (*fam.*) picchiare (q.) con una pantofola; prendere (q.) a cia-battate.

slippered /'slɪpəd/ a. in pantofole; che porta le pantofole: *'The sixth age shifts / In-to the lean and s. pantaloon'* W. SHAKE-SPEARE, 'nella sesta età / l'uomo si muta in un vecchio sparuto, in brache e pantofole'.

slipperette® /slɪpə'ret/ n. (*USA*) pantofo-lina (*spec. usa e getta, offerta ai passeggeri di un aereo*).

slipperiness /'slɪpərɪnəs/ n. **U** **1** l'essere sdrucciolevole; scivolosità; viscidità **2** (*fam.*) evasività; disonestà; ingannevolezza; mancanza di scrupoli.

slipperwort /'slɪpəwɜːt/ n. (*bot., Calceola-ria*) calceolaria.

slippery /'slɪpəri/ a. **1** sdrucciolevole; sci-voloso; viscido (*anche fig.*): **a s. pavement**, un marciapiede sdrucciolevole **2** (*fam.*) evasivo; sfuggente; disonesto; ingannevole; infido; privo di scrupoli; subdolo: **a s. cus-tomer**, un tipo infido **3** (*fam.*) precario; in-certo; instabile: **a s. situation**, una situazio-ne incerta (*o* precaria) ● (*Austral.*) **s. dip**, scivolo (*gioco infantile*) □ (*autom.*) «**S. road**» (*cartello*), «attenzione con pioggia e gelo» □ **a s. subject**, un argomento scabroso □ **as s. as an eel**, sfuggente come un'anguilla **□** (*fig.*) **s. slope**, brutta strada; brutta china: *The Earth is on the s. slope to ecological disaster*, la Terra sta scivolando lungo la china che porta al disastro ecologico.

slipping /'slɪpɪŋ/ **A** a. che slitta; che scivo-la: (*autom.*) **s. clutch**, frizione che slitta **B** n. **1** scivolata; scivolone **2** (*autom.*) (*della fri-zione*) slittamento **3** (*boxe*) schivata laterale **4** (*sci*) slittamento: **s. action**, azione di slit-tamento.

slippy /'slɪpi/ a. (*fam. o dial.*) → **slippery** ● (*fam.*) **Be s.!** (*o* **Look s.!**), sbrigati!; spicciati!

slip-road /'slɪprəʊd/ n. (*autom.*) bretella

(o raccordo) autostradale; svincolo; corsia d'accesso; rampa (*d'accesso*).

slip sheet /'slɪpʃiːt/ loc. n. (*tipogr.*) scartino; interfoglio.

to **slip-sheet** /'slɪpʃiːt/ v. t. (*tipogr.*) scartinare; interfogliare.

slipshod /'slɪpʃɒd/ a. **1** (*di persona*) in ciabatte; (*fig.*) scalcagnato **2** (*per estens.*) trascurato; trasandato; disordinato; sciatto.

slip-stich /'slɪpstɪtʃ/ n. ⓤⓒ (*cucito*) soppunto; sottopunto.

slipstream /'slɪpstriːm/ n. **1** (*aeron.*) flusso (*o scia*) dell'elica **2** (*autom.*, *ciclismo*, *ecc.*) scia.

to **slipstream** /'slɪpstriːm/ **A** v. i. (*autom.*) stare nella scia; tenere la scia; sfruttare la scia (*di chi sta davanti*) **B** v. t. (*autom.*) sfruttare la scia di (*un concorrente*).

slip-up /'slɪpʌp/ n. (*fam.*) errore; sbaglio; svista.

slipway /'slɪpweɪ/ n. **1** (*naut.*) scalo di costruzione (*o di alaggio*); invasatura **2** scivolo di carico (*di baleniera*) **3** (*aeron.*) scivolo (*di idrovolante*) ● (*di nave al varo*) **to leave the s.**, scendere in mare.

slit /slɪt/ **A** n. **1** taglio longitudinale; incisione; squarcio; fenditura **2** fessura; fenditura; apertura (*lunga e stretta*): *The s. under the door lets light in*, la fessura sotto la portacia filtrare la luce **3** feritoia **4** (*moda*) spacco **5** (*volg.*) fessa (*merid.*, *volg.*); vagina, vulva; (*per estens.*) fica (*fig.*, *volg.*), ragazza **B** a. **1** spaccato; fenduto **2** (*moda*) con lo spacco: **s. skirt**, gonna con lo spacco ● **s. eyes**, occhi stretti come fessure; occhi socchiusi □ **s.-eyed**, con gli occhi a mandorla □ (*sartoria*) **s. pocket**, tasca tagliata.

to **slit** /slɪt/ (pass. e p. p. *slit*) **A** v. t. tagliare (*per il lungo*); fendere; spaccare: **to s. st. into strips**, tagliare qc. a strisce **B** v. i. fendersi; spaccarsi ● **to s. one's eyes**, socchiudere gli occhi □ **to s. sb.'s throat**, tagliare la gola a q. □ **to s. up**, tagliare (qc.) per il lungo; (*fam.*) dare una coltellata a q. □ (*mecc.*) **slitting machine**, macchina tagliatrice; cesoia per taglio a strisce.

slither /'slɪðə(r)/ n. **1** scivolata; scivolone **2** lo strisciare; striscio **3** fruscio (*delle onde*, *ecc.*); chiacchiericcio (*di una fontana*) ‖ **slithery** a. scivoloso; sdrucciolevole: **a slithery path**, un sentiero sdrucciolevole.

to **slither** /'slɪðə(r)/ **A** v. i. scivolare; sdrucciolare **2** strisciare; muoversi serpeggiando **B** v. t. fare strisciare; far scivolare.

slitter /'slɪtə(r)/ n. (*mecc.*) taglierina.

sliver /'slɪvə(r)/ n. **1** frammento; scheggia **2** residuo di legno incombusto **3** (*fig.*) pezzetto: **a s. of land**, un pezzettino di terra **4** (*ind. tess.*) nastro; stoppino; teletta.

to **sliver** /'slɪvə(r)/ **A** v. t. spezzare; fare a pezzi; scheggiare **B** v. i. spezzarsi; scheggiarsi; andare in pezzi.

SLM sigla (*USA*, **Student Loan Marketing (Corporation)**) associazione per la gestione del prestito studentesco.

Sloane /sləʊn/ n. (*anche* **S. Ranger**) (*GB*, *fam.*) giovane (*spec. donna*) altoborghese londinese (*che fa intensa vita sociale*).

slob /slɒb/ n. **1** (*spreg.*, spesso con agg. spreg.) individuo sciatto e sporco; sciattone; sciamannato: *He's such a disgusting s.*, è proprio un sudicione **2** ⓤ (*irl.*) terreno fangoso.

to **slob about** /'slɒbəbaʊt/ v. i. + avv. (*fam.*) ciondolare; bighellonare.

slobber /'slɒbə(r)/ n. ⓤ **1** bava; sbavatura; saliva **2** (*fig.*) sentimentalismo; svenevolezza.

to **slobber** /'slɒbə(r)/ v. i. e t. **1** sbavare, sbavarsi; bagnare di saliva: *The baby slobbered over his bib*, il bimbo ha sbavato sul bavaglino **2** sbavare; dare baci pieni di sa-

liva a (q.) **3** (*fig.*) fare il sentimentale; fare lo svenevole: **to s. over sb.** [st.], fare lo svenevole con q.; profondersi in manifestazioni d'affetto (*o d'ammirazione*) per q. [qc.]; sbavare per q. ● **to s. water all over the floor**, fare del bagnato sul pavimento ‖ **slobberer** n. sbavone, sbavona.

slobbery /'slɒbərɪ/ a. **1** bavoso **2** (*fig.*) sentimentale; svenevole.

slobbism /'slɒbɪzəm/ n. ⓤ (*slang*) sciattezza; rozzezza.

to **slob out** /slɒb'aʊt/ v. i. + avv. (*fam.*) **1** trascurarsi (*nell'aspetto*); essere sciamannato **2** poltrire; spaparanzarsi (*su un divano*, *ecc.*): *Today I just want to slob out and watch TV*, oggi voglio solo poltrire davanti alla tele.

sloe /sləʊ/ n. (*bot.*) **1** prugnola; susina di macchia **2** (*Prunus spinosa*) prugnolo; susino di macchia ● **s.-eyed**, dagli occhi scuri; dagli occhi a mandorla □ **s. gin**, liquore di prugnole; prunella.

slog /slɒg/ n. (*fam.*) **1** colpo violento **2** camminata lunga e faticosa; scarpinata (*fam.*) **3** duro lavoro; faticata; sfacchinata; sgobbata: *That was a hard s.!*, è stata una bella sfacchinata! **4** lunga camminata; scarpinata; sfacchinata (*fig.*) **5** (*boxe*) forte pugno; colpo violento; mazzata (*fig.*) **6** (*cricket*) colpo forte ma senza molta precisione.

to **slog** /slɒg/ v. i. e t. (*fam.*) **1** picchiar forte; colpire con violenza **2** procedere a fatica; arrancare: **to s. uphill**, arrancare in salita **3** faticare; sgobbare **4** (*boxe*) tempestare di pugni **5** (*cricket*) battere (*la palla*) con forza ma senza precisione ● **to s. it out**, fare una sgobbata (*o una sfacchinata*); (*anche*) competere duramente.

■ **slog along** v. i. + avv. procedere a stento; arrancare; scarpinare.

■ **slog at** v. i. + prep. sgobbare a, faticare in (*un lavoro*, *un compito*, *ecc.*).

■ **slog away** v. i. + avv. sfacchinare; sgobbare; **to s. away at one's homework**, sgobbare sui compiti a casa.

■ **slog on** v. i. + avv. continuare a sgobbare.

■ **slog through** v. i. + prep. fare una sgobbata su (*un autore*, *una materia di studio*, *ecc.*).

slogan /'sləʊgən/ n. **1** slogan; motto pubblicitario (*o propagandistico*) **2** motto; parola d'ordine **3** (*stor.*) grido di guerra (*in Scozia*).

sloganeer /sləʊgə'nɪə(r)/ n. (*USA*) ideatore di slogan.

to **sloganeer** /sləʊgə'nɪə(r)/ v. i. coniare slogan; inventare motti.

slogger /'slɒgə(r)/ n. (*fam.*) **1** (*sport*) chi colpisce forte ma senza precisione; picchiatore (*nella boxe*) **2** lavoratore accanito; sgobbone.

sloop /sluːp/ n. (*naut.*) **1** sloop (*imbarcazione da diporto*) **2** (*stor.*, *mil.*; = **s. of war**) corvetta ● (*naut.*: *d'imbarcazione*) **s.-rigged**, armata a sloop, a un albero, con un solo fiocco.

slop /slɒp/ n. **1** ⓤ acqua sporca; risciacquatura di piatti **2** ⓤ liquido poco sostanzioso; brodaglia; sbobba (*pop.*) **3** ⓤ avanzi (*o fondi*) di tè **4** (*di solito al pl.*) beverone, pastone, brodaglia (*per maiali*) **5** ⓤ fanghiglia; neve sporca **6** ⓤ (*fig.*) sdolcinatezza; svenevolezza; moine; smancerie **7** ⓤ (*fig.*) balle; fesserie; cavolate (*pop.*) ● **s. basin** (*USA*: **s. bowl**), recipiente per gli avanzi del tè o del caffè □ **s. bucket** (*o* **s. pail**), secchio per l'acqua sporca; bugliolo.

to **slop** /slɒp/ **A** v. i. **1** (*di liquido*; *spesso* **to s. over**) traboccare; spandersi; versarsi **2** (*spesso* **to s. about**, **to s. around**) squazzare; diguazzare: *The boys were slopping about in the pond*, i ragazzi sguazzavano nello stagno **3** fare moine **B** v. t. **1** spandere; versare; rovesciare: **to s. tea on the table-**

cloth, versare il tè sulla tovaglia **2** bagnare, sporcare, imbrattare (*il pavimento*, *il vestito*, *ecc.*) **3** alimentare (*o nutrire*) con brodaglia.

■ **slop about** (*o* **around**) v. i. (o v. t.) + avv. **1** (*di liquido*) sciaguattare (*dentro un recipiente*) **2** (*fig. fam.*) oziare; stare senza far niente; bighellonare: **to s. around the house all day long**, bighellonare in casa tutto il santo giorno **3** → **to slop**, **A**, def. 2.

■ **slop out** **A** v. t. + avv. (*slang*) vuotare (*il bugliolo*: *in prigione*) **B** v. i. + avv. vuotare il bugliolo.

■ **slop over** **A** v. t. + prep. buttarsi addosso; sbrodolarsi: **to s. wine over one's shirt**, sbrodolarsi la camicia col vino; buttarsi il vino sulla camicia **B** v. i. + avv. → **to slop**, **A**, def. 1.

◆**slope** /sləʊp/ n. **1** pendio; china; declivio; pendice; versante; rampa; scarpata: **a gentle s.**, un leggero pendio; **a steep s.**, una china ripida; un forte pendio; **on the mountain slopes**, sulle pendici del monte; (*geol.*) **continental s.**, scarpata continentale **2** pendenza; inclinazione: **a s. of 15 degrees**, una pendenza di 15 gradi **3** (*geom.*) pendenza; coefficiente angolare **4** (*aeron.*) inclinazione **5** (*econ.*) fase recessiva; recessione **6** (*mil.*) posizione inclinata (*del fucile*) **7** (*sci*) pista; campo: **ski slopes**, campi di sci ● (*mil.*) **at the s.**, in posizione di spall'arm □ (*mil.*) **to come to the s.**, inclinare il fucile; mettere il fucile a spall'arm.

to **slope** /sləʊp/ **A** v. i. **1** essere inclinato; pendere **2** inclinarsi; prendere una direzione obliqua **B** v. t. inclinare; far pendere; dare una pendenza a ● (*mil.*) **to s. arms**, mettere il fucile a spall'arm □ (*mil.*) **S. arms!**, spall'arm! □ (*del terreno*, *di strada*, *ecc.*) **to s. down**, scendere; essere in discesa □ (*fam.*) **to s. off**, scappare; svignarsela □ (*del terreno*, *di strada*, *ecc.*) **to s. up**, salire; essere in salita.

sloping /'sləʊpɪŋ/ a. inclinato; in pendenza: **a s. road**, una strada in pendenza ● **s. handwriting**, calligrafia inclinata.

sloppy /'slɒpɪ/ a. **1** bagnato (*d'acqua sporca*, *ecc.*); fangoso; coperto di fanghiglia; sdrucciolevole; viscido; umido: **a s. road**, una strada coperta di fanghiglia; **s. weather**, tempo umido (*o piovoso*); **a s. floor**, un pavimento bagnato (d'acqua sporca), viscido **2** (*fam.*) sciatto; trasandato; trascurato; sformato; sudicio: **a s. dresser**, un individuo sciatto, trasandato nel vestire; **s. slippers**, pantofole sformate **3** (*fam.*) sentimentale; smanceroso; sciropposo; svenevole; sdolcinato **4** (*di cibo*) brodoso **5** (*d'indumento*) a sacco; molto largo **6** (*di uno scritto*) abborracciato; sciatto **7** (*di un lavoro*) sciatto; malfatto; tirato via ● **s. food**, brodaglia; sbobba (*pop.*) □ (*fam.*) **a s. joe**, un maglione a sacco □ (*fam. USA*) **s. Joe**, panino con hamburger e salsa piccante; (*fig.*) poliziotto, piedipiatti; cameriere di ristorante economico (*detto* **s. Joe's**) ‖ **-ily** avv. | **-iness** n. ⓤ.

slosh /slɒʃ/ n. **1** ⓤ fango; fanghiglia **2** ⓤ sciabordio (*delle onde*); sciacquio; sciaguattio **3** goccio, gocciolo, sorso (*di liquido*) **4** ⓤ (*fam.*) brodaglia; sbobba (*pop.*); bevanda allungata **5** ⓤ (*fam.*) sdolcinatezza; smanceria; svenevolezza **6** (*slang*) colpo violento; pugno.

to **slosh** /slɒʃ/ **A** v. t. **1** (*slang*) percuotere; picchiare; colpire; prendere (q.) a pugni **2** (*di solito* **to s. about**) agitare, mescolare (*un liquido o ciò che vi è immerso*) **3** spruzzare; bagnare; gettare (*acqua*, *fango*, *ecc.*) **4** applicare (*vernice*, *ecc.*) **B** v. i. (*spesso* **to s. about**, **around**) **1** (*di liquido*) sciaguattare; sciabordare **2** (*di una persona o di un animale*) sguazzare.

sloshed /slɒʃt/ a. (*slang*) ubriaco; sbronzo (*fam.*).

sloshy /'slɒʃɪ/ a. **1** umido e molle; mollic-

cio; fangoso; pantanoso **2** → **sloppy**, *def. 3.*

slot ① /slɒt/ *n.* **1** apertura (*lunga e stretta*); fessura (*di distributore automatico, ecc.*); fenditura; asola (*per monete o gettoni*) **2** (*mecc.*) scanalatura; guida; (*di una vite*) taglio **3** (*comput.*) slot; alloggiamento (*per le schede*); fessura (*in cui inserire una scheda*): **expansion s.**, slot di espansione **4** (*fig.*) posto (*in un'organizzazione, ecc.*) **5** (*radio, TV*) spazio (*per un programma, ecc.*); fascia oraria: **advertising s.**, spazio pubblicitario **6** (*sport*) posto libero; posto vacante; ruolo libero (*in una squadra*) ● **s. car**, automobilina elettrica (*su pista*) □ **s. machine**, slot-machine; distributore automatico (*a gettoni o a monete*) (*USA*) macchinetta mangiasoldi □ **s.-meter**, contatore (*del gas, ecc.*) a gettoni (*o a monete*)□ **s. racing**, (*il*) far correre automobiline elettriche (*su pista: gioco*).

slot ② /slɒt/ *n.* (*caccia*) pesta, traccia (*spec. di cervo*) ● **s.-hound**, segugio (*cane*).

to **slot** /slɒt/ *v. t.* **1** introdurre (*o inserire*) in una fessura **2** fare un'apertura in; aprire una fessura in; fare un taglio in **3** introdurre (*monete*) in un distributore automatico **4** (*mecc.*) scanalare; stozzare **5** (*calcio, ecc.*) infilare, insaccare (*la palla*) in rete.

■ **slot in** Ⓐ *v. t.* + *avv.* **1** infilare (*per es. monete: in un distributore automatico*) **2** inserire; programmare; mettere (qc.) in agenda Ⓑ *v. i.* + *avv.* inserirsi; ambientarsi; collocarsi: *The newcomer has slotted in very quickly*, il nuovo arrivato si è ambientato prestissimo.

■ **slot into** → **slot in**.

sloth /sləʊθ/ *n.* **1** Ⓤ (*relig.*) accidia (*uno dei sette peccati mortali*); indolenza; ignavia; infingardaggine; pigrizia **2** (*zool., Bradypus*) bradipo ● (*zool.*) **s.-bear** (*Melursus ursinus*), orso giocoliere □ (*zool.*) **s.-monkey** (*Loris gracilis*), lori gracile.

slothful /ˈsləʊθfl/ *a.* accidioso; indolente; ignavo; infingardo; pigro | **-ly** *avv.* | **-ness** *n.* Ⓤ.

slotted /ˈslɒtɪd/ *a.* provvisto di fenditura (*o taglio, ecc.*): **s. screw**, vite col taglio ● (*USA*) **s. spatula**, spatola (*o paletta*) per il pesce.

slotter /ˈslɒtə(r)/ *n.* **1** stozzatore **2** stozzo (*utensile*).

slotting /ˈslɒtɪŋ/ *n.* Ⓤ (*mecc.*) stozzamento; stozzatura ● **s. machine**, stozzatrice □ **s.-machine operator**, stozzatore □ **s. tool**, stozzo.

slouch /slaʊtʃ/ *n.* **1** atteggiamento dinoccolato; andatura goffa (*o dinoccolata*) **2** inclinazione (*della tesa del cappello*) **3** (*fam.*) pigrone; fannullone; ciondolone **4** (*fam.*) incompetente; scalzacane; schiappa: *He's no s. at tennis*, come tennista non è niente male ● **s. hat**, cappello a cencio; cappello floscio □ (*fam.*) **The show was no s.**, lo spettacolo non è stato affatto male.

to **slouch** /slaʊtʃ/ Ⓐ *v. i.* **1** stare scomposto (*o stravaccato*); stravaccarsi; stare come un sacco di patate: *'Mary, sit up and don't s.!'* M. SPARK, 'Mary, su con la schiena, e non stare come un sacco di patate!' **2** penzolare **3** camminare (*o muoversi*) dinoccolato Ⓑ *v. t.* **1** piegare la tesa del (*cappello*) **2** piegare, curvare (*le spalle*) ● **to s. about** (*o around*), bighellonare; oziare; gironzolare □ **to s. one's hat over one's eyes**, tirarsi il cappello sugli occhi.

slouching /ˈslaʊtʃɪŋ/ *a.* scomposto; dinoccolato; trasandato.

slouchy /ˈslaʊtʃɪ/ *a.* scomposto; dinoccolato; trasandato.

slough ① /slaʊ/ *n.* **1** pantano; palude **2** (*USA*) acqua stagnante (*separata dalla corrente di un fiume o dal mare*); depressione, avvallamento (*del terreno, spesso con acqua stagnante*) **3** (*ind. min.*) cedimento, franamento; materiale franato **4** (*fig.*) abisso; fondo;

pozzo: **the s. of self-pity**, il pozzo dell'auto-commiserazione.

slough ② /slʌf/ *n.* **1** spoglia, scaglia (*spec. delle serpi*) **2** (*med.*) escara; crosta; squama (*di pelle, ecc.*) **3** (*bridge*) scarto.

to **slough** ① /slʌf/ *v. i.* (*ind. min.*) cedere; franare.

to **slough** ② /slʌf/ Ⓐ *v. t.* **1** (*delle serpi, ecc.*) mutare (*la pelle*) **2** spogliarsi di; abbandonare; smettere; perdere **3** (*bridge*) scartare Ⓑ *v. i.* **1** (*med.: di tessuto, ecc.*) staccarsi; distaccarsi; squamarsi **2** (*di serpi*) mutar pelle; fare la muta; spogliarsi ● **to s. off**, (*di serpi, ecc.*) mutare (*la pelle*) (*fig.*) disfarsi di, abbandonare, perdere (*abitudini, ecc.*).

sloughy ① /ˈslaʊɪ/ *a.* pantanoso; melmoso; fangoso.

sloughy ② /ˈslʌfɪ/ *a.* **1** squamoso; pieno di squame **2** che si squama.

Slovak /ˈsləʊvæk/ Ⓐ *a.* slovacco Ⓑ *n.* **1** slovacco, slovacca **2** Ⓤ slovacco (*la lingua*).

Slovakia /sləˈvækɪə/ *n.* (*geogr.*) Slovacchia ‖ **Slovakian** → **Slovak**.

sloven /ˈslʌvn/ *n.* sciattone, sciattona; sudicione, sudiciona.

Slovene /sləʊˈviːn/ Ⓐ *a.* sloveno Ⓑ *n.* **1** sloveno, slovena **2** Ⓤ sloveno (*la lingua*).

Slovenia /sləˈviːnɪə/ *n.* (*geogr.*) Slovenia ‖ **Slovenian** → **Slovene**.

slovenly /ˈslʌvnlɪ/ *a.* sciatto; sudicio; trasandato; trascurato | **-iness** *n.* Ⓤ.

◆ **slow** /sləʊ/ Ⓐ *a.* **1** lento; tardo; pigro; indolente; (*fig.*) tardo di mente, ottuso: **a s. journey**, un viaggio lento; **to walk at a s. pace**, camminare a lenti passi; **a s. fire**, fuoco lento; *He's s. of comprehension*, è tardo di comprendonio; **s. of speech**, lento nel parlare **2** (*pred.*) indietro; in ritardo: *My watch is two minutes s.*, il mio orologio è in ritardo (*o è indietro*) di due minuti **3** monotono; noioso: **a s. afternoon [party]**, un pomeriggio [un party] noioso **4** (*del terreno, ecc.*) pesante; poco scorrevole: **a s. track**, una pista pesante; **a s. billiard table**, un biliardo poco scorrevole **5** (*econ.*) fiacco: *Business is s.*, gli affari sono fiacchi Ⓑ *avv.* (*fam.*) lentamente; piano; adagio: *Please, read s.*, leggi adagio, per favore! ● **a s. answer**, una risposta che tarda a venire □ (*baseball*) **s. ball**, palla tenuta lenta (*dal lanciatore*); palla in ritardo □ **s. bowler**, lanciatore lento □ **s. cooker**, pentola per cottura lenta (*con termostato elettrico o intercapedine per acqua*) □ **s.-combustion stove**, parigina (*vecchio tipo di stufa*) □ (*autom.*) **s. corner**, curva da prendere piano □ (*mus.*) **s. foxtrot**, slow (*ballo*) □ **s. handclap**, battimano scandito (*in segno di impazienza, disapprovazione o incitamento*) □ (*autom.*) **s. lane**, corsia per veicoli lenti □ **a s. match**, una miccia a lenta combustione □ (*comm.*) **a s. month**, un mese morto (*per gli affari*) □ (*cinem., TV*) **s. motion**, rallentamento delle immagini: **s.-motion replay**, replay alla moviola; ralenti (*franc.*); ripresa al rallentatore; (*cinem.*) **a s.-motion scene**, una scena al rallentatore; **a s.-motion shot**, una ripresa al rallentatore □ (*cinem., TV*) **s.-motion viewer**, moviola □ **s.-moving**, lento: **s.-moving traffic**, traffico lento (*market.*) **s.-moving items**, prodotti a lenta rotazione □ **to be s. off the mark** (*o on the uptake*), essere duro di comprendonio; essere lento a capire (*una barzelletta, ecc.*) □ (*autom.*) **s. running**, marcia lenta; minimo □ **s.-spoken**, che parla lentamente □ **a s. starter**, (*sport*) chi parte piano, chi è lento alla partenza; (*fig.*) uno che va piano all'inizio (*di un lavoro, ecc.*) □ **to be s. to anger [enthusiasm]**, non arrabbiarsi [entusiasmarsi] tanto facilmente □ (*di un lavoro, una partita, ecc.*) **to be s. to start** (*o to take off*), stentare a decollare (*fig.*) □ (*ferr.*) **s.**

train, treno regionale; (*un tempo*) treno accelerato □ **a s. village**, un paese in cui la vita procede a ritmo lento □ **s.-witted**, tardo di mente; duro di comprendonio □ **s.-wittedness**, durezza di comprendonio; ottusità □ **to go s.**, andar piano; (*fig.*) essere (*o andare*) cauto; (*ind.*) lavorare a rilento, rallentare il lavoro (*per protesta*): (*fig.*) *Go s.!*, vacci piano! □ (*cartello stradale*) **Go s.!**, rallentare! □ (*naut.*) **S. speed ahead!**, avanti adagio □ (*prov.*) **S. but** (*o and*) **sure**, chi va piano va sano e va lontano □ (*prov.*) **S. and steady wins the race**, chi la dura la vince.

to **slow** /sləʊ/ Ⓐ *v. i.* **1** rallentare; ridurre, diminuire la velocità **2** ridurre il ritmo di lavoro; rallentare l'attività; prendersela calma **3** (*del traffico, dell'attività economica, ecc.*) rallentare; ridursi Ⓑ *v. t.* **1** ridurre la velocità di (*un veicolo, ecc.*) **2** (*fig.*) rallentare, frenare: (*econ.*) *The railway strike will s. down production*, lo sciopero delle ferrovie rallenterà la produzione; (*fin.*) *Investors are slowing the market*, gli investitori stanno frenando il mercato.

■ **slow down** Ⓐ *v. t.* + *avv.* rallentare (*il ritmo, ecc.*); ridurre (*la velocità*): **to s. down production**, rallentare la produzione; **to s. down one's pace**, rallentare il passo (*o il ritmo*) Ⓑ *v. i.* + *avv.* **1** rallentare; ridurre la velocità **2** rilassarsi; prendersela comoda; prendersela calma □ **to s. down a car [a motorbike]**, ridurre la velocità di un'auto [di una moto] □ (*fam.*) **to s. things down**, rallentare il gioco (*il lavoro, ecc.*).

■ **slow up** *v. t.* e *i.* + *avv.* → **slow down**.

to **slow-clap** /ˈsləʊklæp/ Ⓐ *v. i.* applaudire in modo ritmato (*in segno di impazienza, disapprovazione o incitamento*); fare un battimano scandito: *The crowd started slow-clapping with the song*, la folla cominciò un battimano sul ritmo della canzone Ⓑ *v. t.* contestare con un applauso ritmato.

slowcoach /ˈsləʊkəʊtʃ/ *n.* (*fam.*) **1** posapiano; lumaca (*fig.*); pigrone **2** individuo tardo di mente; testone; zuccone **3** persona d'idee arretrate; retrogrado.

slowdown /ˈsləʊdaʊn/ *n.* **1** rallentamento (*spec. dell'attività, del ritmo di lavoro*) **2** sciopero bianco (*con rallentamento del lavoro*) ● (*econ.*) **a s. in economic activity**, un rallentamento congiunturale.

slow food /ˈsləʊfuːd/ *loc. n.* Ⓤ slow food (*orientamento gastronomico contrapposto al fast food*).

to **slow-handclap** /sləʊˈhændklæp/ → **to slow-clap**.

◆ **slowly** /ˈsləʊlɪ/ *avv.* lentamente; adagio; piano; a poco a poco ● (*boxe: dell'arbitro*) **to count s.**, contare lentamente (*fino a 10*).

slow-mo /ˈsləʊməʊ/ *a.* e *n.* = **slow motion** → **slow**.

slowness /ˈsləʊnəs/ *n.* Ⓤ **1** lentezza; indolenza; pigrizia **2** (*fig.*) ottusità mentale **3** monotonia; noiosità **4** (*dell'orologio*) l'essere in ritardo.

slowpoke /ˈsləʊpəʊk/ (*USA*) → **slowcoach**.

slow-worm /ˈsləʊwɜːm/ *n.* (*zool., Anguis fragilis*) orbettino.

slub /slʌb/ *n.* (*ind. tess.*) **1** ringrosso (*di un filato*) **2** Ⓤ tessuto a ringrossi.

to **slub** /slʌb/ (*ind. tess.*) *v. t.* torcere (*lo stoppino*).

sludge /slʌdʒ/ *n.* Ⓤ **1** fango; melma; limo **2** acque di scolo **3** (*mecc.*) morchia; feccia dell'olio **4** (*chim., ind.*) melme; residui ● (*chim.*) **s. acid**, melme acide ‖ **sludgy** *a.* (*chim.*) **s. acid**, fangoso; limaccioso **o** morchioso; vischioso.

slue, to **slue** /sluː/ (*USA*) → **slew** ②, **to slew**.

slug ① /slʌɡ/ *n.* **1** (*zool.*) limaccia; lumacone **2** (*fig. slang USA*) lumaca (*fig.*); pigrone, pigrona.

slug ② /slʌɡ/ *n.* **1** (*metall.*) pezzo tondeg-

giante di metallo; spezzone; sfrido **2** (*ind. min.*) pepita **3** (*ind. min.*) massa di minerale arrostito a metà **4** (*slang*) pallottola; proiettile **5** (*USA*) oggetto tondo (*disco metallico, ecc.*) inserito in luogo di una moneta (*in una slot-machine*) **6** (*tipogr.*) interlinea **7** (*giorn.*) tappabuco; zeppa **8** (*fam.*) goccio; sorso: *Give me a s. of whisky*, dammi un goccio di whisky! **9** (*slang USA*) dollaro.

slug ③ /slʌg/ → **slog**.

to **slug** ① /slʌg/ v. i. (*fam.*) poltrire a letto.

to **slug** ② /slʌg/ → **to slog**.

to **slug** ③ /slʌg/ v. t. caricare a palla (*un fucile, ecc.*).

slugabed /ˈslʌgəbɛd/ n. (*fam.*) dormiglione, dormigliona.

slugfest /ˈslʌgfɛst/ n. (*USA*) **1** (*boxe*) incontro violento **2** (*baseball*) partita combattutissima **3** discussione accanita; scontro violento.

sluggard /ˈslʌgəd/ n. fannullone, fannullona; pigrone, pigrona; poltrone, poltrona (*fam.*).

slugged /slʌgd/ a. (*slang USA*) sbronzo; ubriaco.

slugger /ˈslʌgə(r)/ n. (*fam.*) **1** (*boxe*) picchiatore **2** (*baseball, cricket*) battitore che colpisce forte la palla.

sluggish /ˈslʌgɪʃ/ a. **1** indolente; infingardo; inerte; pigro; lento: **s. temper**, carattere indolente; **a s. stream**, un corso d'acqua pigro (o lento); **s. digestion**, digestione lenta **2** (*fig.*) fiacco; fermo; in ristagno: **a s. market**, un mercato fiacco ● (*fig.*) **to get s.**, andare a rilento; perdere colpi | **-ly** avv. | **-ness** n. ⓤ.

sluice /sluːs/ n. **1** (= **sluicegate**) chiusa; paratoia; cateratta **2** massa d'acqua controllata da una chiusa **3** (= **sluiceway**) canale con chiusa **4** (canale) scolmatore **5** (*ind. min.*) canale di lavaggio **6** (*fam.*) sciacquata, lavata (*nell'acqua corrente*) ● (*econ.*) **s.-gate prices**, prezzi saracinesca; prezzi limite.

to **sluice** /sluːs/ Ⓐ v. t. munire di paratoie (o di chiuse) **2** inondare (*aprendo le paratoie*); allagare **3** risciacquare Ⓑ v. i. (*dell'acqua, spesso* to **s. out**) erompere; sgorgare da (o come da) una chiusa ● **to s. st. down**, lavare qc. in acqua corrente (o con un getto d'acqua): (*naut.*) **to s. the decks**, lavare i ponti □ **to s. out**, sturare (*un tubo*) con un getto d'acqua.

sluiceway /ˈsluːsweɪ/ → **sluice**, *def. 3 e 4.*

slum /slʌm/ n. **1** (= **s. dwelling**) casupola; catapecchia; tugurio; topaia **2** viuzza sudicia; vicolo; angiporto **3** quartiere degradato; quartiere povero; corea (*fam.*); slum **4** (pl.) bassifondi (*d'una città*) ● (*urbanistica*) **s. area**, zona degradata □ **s. clearance**, risanamento edilizio; bonifica dei bassifondi □ **s. dwellers**, abitanti dei quartieri poveri.

to **slum** /slʌm/ v. i. (*di solito* **to go slumming**) visitare i quartieri poveri (*per curiosità, per beneficenza, ecc.*); fare scorrerie negli slum; (*anche*) frequentare gente socialmente inferiore ● **to s. it**, vivere senza comodità (o alla meglio); adattarsi.

slumber /ˈslʌmbə(r)/ n. ⓤ ⓒ (spesso pl.) sonno; dormita; sonnellino ● **s. cap**, cuffia da notte □ (*USA*) **s. party**, pigiama party, notte di festa (*spec. di ragazzine*) passata mangiando, chiacchierando, ecc.

to **slumber** /ˈslʌmbə(r)/ v. i. **1** dormire; dormire beatamente; dormirsela **2** sonnecchiare (*anche fig.*); assopirsi **3** oziare; poltrire ● **to s. away one's time**, passare il tempo sonnecchiando.

slumberer /ˈslʌmbərə(r)/ n. chi dorme; chi è assopito.

slumbering /ˈslʌmbərɪŋ/ Ⓐ a. addormentato; assopito; sonnecchiante Ⓑ n. ⓤ

sonno; dormita.

slumberous /ˈslʌmbərəs/, **slumbrous** /ˈslʌmbrəs/ a. **1** assonnato; sonnolento; preso da torpore: **a s. little town**, una cittadina sonnolenta **2** addormentato; assopito **3** soporifero; che fa dormire.

slumlord /ˈslʌmlɔːd/ n. (*fam.*) esoso padrone d'abitazioni indecenti (o di tuguri).

slummer /ˈslʌmə(r)/ n. visitatore (o abitante) dei quartieri poveri.

slumming /ˈslʌmɪŋ/ n. ⓤ visita agli slum di una città (*a scopo di beneficenza o per curiosità*).

slummy /ˈslʌmɪ/ a. **1** dei bassifondi; dei quartieri poveri; squallido **2** (*fig.*) in disordine; sporco.

slump /slʌmp/ n. **1** (*econ.*) caduta dei prezzi; ribasso improvviso; crollo: **a s. in prices**, (*comm.*) un crollo dei prezzi; (*Borsa*) una flessione nei corsi azionari; (*fin.*) **stock s.**, caduta del valore dei titoli azionari **2** (*econ.*) crisi; recessione; depressione; congiuntura bassa: *There's a s. on the stock exchange*, la Borsa è in crisi; **the booms and slumps of the business cycle**, i boom e le recessioni del ciclo economico **3** (*fig.*) calo d'interesse; apatia; disinteresse improvviso **4** (*geol.*) frana sottomarina **5** (*sport: baseball, ecc.*) serie negativa ● (*econ.*) **s. symptoms**, sintomi recessivi; nodi congiunturali.

to **slump** /slʌmp/ v. i. **1** (*econ.: dei prezzi*) ribassare all'improvviso; subire una forte flessione; crollare **2** (*econ.: dei traffici, ecc.*) contrarsi (o ridursi) d'un tratto; entrare in crisi **3** abbandonarsi; lasciarsi cadere; accasciarsi; crollare: *He slumped* (*down*) *onto the sofa*, si lasciò cadere sul divano **4** cadere pesantemente **5** (*di interesse, energia, ecc.*) calare fortemente ● **to s. over**, andare a gambe all'aria.

slung /slʌŋ/ pass. e p. p. di **to sling**.

slunk /slʌŋk/ pass. e p. p. di **to slink**.

slur /slɜː(r)/ n. **1** macchia (*fig.*); onta; taccia; discredito **2** (*fon.*) pronuncia indistinta; dizione difettosa; farfugliamento **3** (*mus.*) legatura **4** denigrazione; ingiuria; osservazione offensiva ● **to cast a s. on sb.'s reputation**, denigrare q.; macchiare la reputazione di q.

to **slur** /slɜː(r)/ v. t. e i. **1** (*fon.*) pronunciare in modo indistinto; articolare male (*un suono*); farfugliare (*parole*) **2** (*mus.*) legare (*note*); (*di note*) legarsi **3** (*arc.*) parlare male di (q.); denigrare ● (*fig.*) **to s. over**, passar sopra a; sorvolare su.

slurb /slɜːb/ n. (*urbanistica, USA*) zona di edilizia popolare; quartiere a sviluppo caotico.

slurp /slɜːp/ Ⓐ n. **1** rumore prodotto bevendo **2** sorsata rumorosa Ⓑ inter. lappe!; buono!

to **slurp** /slɜːp/ v. t. e i. (*fam.*) mangiare (o bere) rumorosamente; tranguggiare; tracannare.

slurring /ˈslɜːrɪŋ/ n. ⓤ **1** farfugliamento; pronuncia indistinta **2** (*mus.*) legatura **3** denigrazione; maldicenza; calunnie **4** (*tipogr.*) doppia stampa (difetto).

slurry /ˈslʌrɪ/ n. ⓤ **1** fanghiglia; melma **2** (*edil.*) impasto refrattario semiliquido.

slush /slʌʃ/ n. ⓤ **1** fanghiglia; neve sciolta; fango misto a neve **2** (*fig.*) sentimentalismo; svenevolezza; romanticume (*spreg.*); smancerie **3** grasso antiruggine; lubrificante **4** (*edil.*) malta **5** ciac, ciacchete (*rumore di passi sul fango, ecc.*) Ⓢ sbobba; brodaglia **6** (*metall.*) **s. casting**, colata a rigetto □ **s. fund**, fondo nero; fondo segreto □ **s. money**, fondi neri □ (*editoria*) **s. pile**, mucchio dei manoscritti non richiesti.

to **slush** /slʌʃ/ Ⓐ v. i. **1** (*di solito* to **s. along**) avanzare (o procedere) a fatica (*sul-*

la fanghiglia, nella neve, nell'acqua profonda); diguazzare; sguazzare **2** (*delle scarpe, ecc.*) fare ciac (o ciacchete) Ⓑ v. t. **1** schizzare di fango (o di fanghiglia) **2** (*mecc.*) ingrassare; lubrificare; proteggere contro la ruggine **3** (*edil.*) riempire di malta; stuccare (*un muro, un pavimento, ecc.*) **4** (*spec. naut.*) lavare, pulire (*il ponte, ecc.*) con getti d'acqua ● **slushing compound**, antiruggine.

slushy /ˈslʌʃɪ/ a. **1** fangoso, coperto di fanghiglia; melmoso; viscido **2** (*fig.*) sentimentale; svenevole; sdolcinato; sciropposo.

slut /slʌt/ n. (*spreg.*) **1** sciattona; sudiciona; cialtrona **2** donnaccia; sgualdrina **3** ragazza sfacciata; sfacciatella **4** puttana; troia (*fig.*) **5** (*arc.*) cagna.

sluttish /ˈslʌtɪʃ/ a. **1** sciatto; trasandato; sporco; sudicio **2** sguaiato; volgare | **-ness** n. ⓤ.

sly /slaɪ/ a. **1** astuto; furbo; scaltro; malizioso **2** furtivo; sornione; allusivo; d'intesa: **a sly look**, un'occhiata d'intesa; **a sly remark**, un'osservazione allusiva **3** birichino; sbarazzino; scherzoso ● (*fig.*) **a sly dog**, un furbacchione; un sornione □ (*fig.*) **a sly old fox**, una vecchia volpe □ **on the sly**, alla chetichella; di nascosto; in segreto; di soppiatto | **-ly** avv. | **-ness** n. ⓤ.

slyboots /ˈslaɪbuːts/ n. pl. (col verbo al sing.) (*scherz.*) furbacchione; drittone (*fam.*).

SM sigla **1** (**sadomasochism**) sadomasochismo **2** (*mil.*, **sergeant major**) sergente maggiore.

smack ① /smæk/ n. **1** gusto; sapore; aroma **2** (*fig.*) pizzico; sentore; parvenza; traccia: *He has a s. of recklessness in him*, c'è un pizzico d'avventatezza in lui; *There's a s. of corruption*, c'è sentore di corruzione.

smack ② /smæk/ n. **1** ceffone; sventola; scapaccione; scappellotto; schiaffo; pacca (*fam.*): **a s. on the jaw**, una sventola alla mascella **2** smack, schiocco (*della frusta, delle labbra*) **3** bacio con lo schiocco; bacione: **a s. on the cheek**, un bacione sulla guancia ● (*fig.*) **a s. in the eye**, uno smacco, una delusione; un'offesa; un'umiliazione □ (*fig.*) **a s. in the face**, uno schiaffo (*fig.*); un'umiliazione □ (*sport*) **to give the ball a hard s.**, colpire forte la palla □ (*fam.*) **to have a s. at st.** [**sb.**], provare a fare qc.; provarcisi [con q.].

smack ③ /smæk/ avv. (*fam.*) dritto; in pieno; di colpo: *The car went s. into the pylon*, l'automobile andò a sbattere (in pieno) contro il traliccio; *He ran s.* (*bang*) *into trouble*, si cacciò di colpo nei guai ● (*fam. USA*) **s.-dab**, proprio; giusto; esattamente.

smack ④ /smæk/ n. (*naut.*) peschereccio.

smack ⑤ /smæk/ n. **1** (*slang*) eroina (*droga*) **2** (*slang USA*) diavolo; diamine; inferno.

to **smack** ① /smæk/ v. i. saper (di); sentire (di); (*fig.*) puzzare (di): *This jam smacks of preservatives*, questa marmellata sa di conservanti; *The whole matter smacks of corruption*, l'intera faccenda puzza di corruzione.

to **smack** ② /smæk/ Ⓐ v. t. **1** dare un ceffone a; schiaffeggiare **2** (far) schioccare (*le labbra*); far schioccare (*la frusta*): (*fig.*) **to s. one's lips**, avere l'acquolina in bocca **3** sbattere; sbatacchiare: **to s. the shopping bag on the table**, sbattere la borsa della spesa sulla tavola **4** schioccare baci a (q.); baciare (q.) con lo schiocco Ⓑ v. i. **1** (*delle labbra, della frusta*) schioccare **2** schioccare baci.

smacked out /ˈsmæktaʊt/ a. (*slang: di un drogato*) (che si è appena) fatto.

smacker /ˈsmækə(r)/ n. **1** (*fam.*) bacio con lo schiocco; bacione **2** (*fam.*) schiaffo sonoro; schiaffone **3** (*slang*) sterlina **4** (*slang USA*) dollaro **5** (*slang USA*) faccia.

smackhead /'smækhɛd/ n. (*slang USA*) eroinomane.

smacking ① /'smækɪŋ/ n. percosse; botte; busse; strigliata (*fig.*).

smacking ② /'smækɪŋ/ a. **1** schioccante; sonoro **2** (*del vento*) vivace; teso.

♦**small** ① /smɔːl/ a. **1** piccolo, piccino; esiguo; lieve; minuto; ristretto; scarso; basso, umile; insignificante; gretto, meschino: **a s. animal**, un piccolo animale; un animaletto; **a s. boy**, un ragazzino; **a s. man**, un uomo piccolo; un uomo basso (o insignificante, umile, meschino); (*econ.*) **a s. business**, una piccola azienda (o impresa); **s. savers**, i piccoli risparmiatori; **s. rain**, pioggia minuta; pioggerella; **a s. audience**, scarso pubblico; **a s. matter**, una faccenda insignificante; una faccenduola; una cosa da poco **2** (*di suono, voce*) basso; sommesso: **in a s. voice**, a bassa voce; con voce sommessa; con un filo di voce **3** (*della birra*) debole; di scarsa gradazione; (*di una carta da gioco*) bassa: **a s. heart**, una carta bassa di cuori ● **s. ads**, piccola pubblicità □ (*mil.*) **s. arms**, armi leggere (o portatili) □ (*fig.*) **s. beer**, persona insignificante, senza importanza; inezie; piccolezze □ **to be s. beer**, non avere importanza; essere poca cosa □ **s.-bore**, (*di pistola, ecc.*) di piccolo calibro; (*fig.*) insignificante, insulso, da quattro soldi □ (*tipogr.*) **s. capitals** (*o* **s. caps**), maiuscoletto □ **a s. car**, un'automobile piccola; un'utilitaria □ **s. change**, moneta spicciola; spiccioli; (*fig.*) roba da poco, insulsaggini □ **s. coal**, carbone minuto □ (*naut.*) **s. craft**, naviglio leggero; barche □ **s.-denomination notes**, banconote (o biglietti) di piccolo taglio □ (*mecc., autom.*) **a s.-engined car**, un'automobile di piccola cilindrata □ (*agric., econ.*) **a s. farmer**, un piccolo proprietario; un colono; un coltivatore diretto □ **a s. fortune**, una piccola fortuna □ **s. fry**, pesci minuti, pesciolini; (*fig.*) persone di nessun conto □ **s. gravel**, ghiaietto; ghiaino □ (*comm.*) **s. gross**, dieci dozzine □ **s. hand**, scrittura ordinaria □ **the s. hours**, le ore piccole □ (*anat.*) **s. intestine**, intestino tenue □ (*tipogr.*) **s. letters**, lettere minuscole; minuscole □ **a s. mind**, una mente gretta (o meschina, ristretta) □ **s.-minded**, gretto; meschino; piccino (*fig.*) □ **s.-mindedness**, grettezza; meschinità; piccineria □ **s. people**, gente di bassa condizione; gente comune (o ordinaria); gli umili □ **s. print**, caratteri minuti (*di stampa*); (*fig.*) clausole (*di un contratto, ecc.*) stampate in caratteri minutissimi (o poco leggibili) □ (*grafica*) **s. scale**, scala ridotta □ **s.-scale**, piccolo; modesto; su piccola scala: **s.-scale industry**, piccola industria □ (*fam.*) **the s. screen**, il piccolo schermo; la televisione □ **s. shot**, pallini piccoli (*da caccia*) □ (*stor.*) **s. sword**, spadino; fioretto (*da duello*) □ **s. talk**, chiacchiere; insulsaggini □ (*fam.*) **s.-time**, di minore importanza; banale □ **a s.-time criminal**, un piccolo delinquente □ **s. timer**, individuo insignificante; mezza tacca, mezza cartuccia □ **s. town**, cittadina; città di provincia □ (*spec. USA*) **s.-town**, provinciale □ **s. wonder!**, non c'è da stupirsene □ **to feel s.**, sentirsi insignificante; farsi piccolo per la vergogna (o l'umiliazione) □ (*fig.*) **in a s. way**, in piccolo; nel proprio piccolo (*fam.*): *He's in business in a s. way*, fa qualche affare, ma in piccolo; è un piccolo commerciante □ **to live in a s. way**, far vita semplice; vivere modestamente □ **to look s.**, apparire insignificante; avere un'aria dimessa □ **on the s. side**, piuttosto modesto: *My income is on the s. side*, il mio reddito è piuttosto modesto □ **to think no s. beer of oneself**, avere un alto concetto di sé □ **It was s. of him to tell you**, è stato ingeneroso da parte sua dirtelo.

small ② /smɔːl/ n. **1** la parte (più) sottile (*di qc.*): **the s. of the leg**, la parte sottile del-la gamba **2** carbone di piccola pezzatura; carbone minuto **3** (pl.) (*fam.*) biancheria minuta (o intima) ● (*fam.*) **the s. of the back**, il fondo della schiena; le reni.

small ③ /smɔːl/ avv. **1** piccolo; minutamente **2** (*fig.*) modestamente ● (*fig. raro*) **to sing s.**, diventar umile; abbassare la cresta □ **to write s.**, scrivere a caratteri minuti; scrivere piccolo.

smallage /'smɔːlɪdʒ/ n. (*bot.*, *Apium graveolens*) sedano (selvatico).

smallholding /'smɔːlhəʊldɪŋ/ (*agric., econ.*) n. Ⓤ piccola azienda agricola; poderino ‖ **smallholder** n. piccolo proprietario (o affittuario); coltivatore diretto.

smallish /'smɔːlɪʃ/ a. piuttosto piccolo; piccoletto; piccolino.

smallness /'smɔːlnəs/ n. Ⓤ **1** piccolezza; esiguità; scarsezza **2** bassa condizione; umiltà **3** piccineria; grettezza; bassezza; meschinità; piccineria (→ **small** ①).

smallpox /'smɔːlpɒks/ n. (*med.*) vaiolo.

smallwares /'smɔːlwɛə(r)z/ n. pl. (collett.) **1** chincaglieria **2** (*ingl.*) mercerie **3** minuteria: **metal s.**, minuteria metallica.

smalt /smɔːlt/ n. (*ind.*) **1** vetro blu scuro (*al cobalto*) **2** smaltino (*pigmento e colore*); azzurro di cobalto.

smaltite /'smɔːltaɪt/ n. Ⓤ (*miner.*) smaltina; smaltite.

smarm /smɑːm/ n. Ⓤ (*fam.*) adulazione servile; servilismo; untuosità.

to **smarm** /smɑːm/ (*fam.*) Ⓐ v. t. **1** (*di solito* **to s. down**) impiastrare; ungere; impomatare (*i capelli*) **2** adulare sfacciatamente Ⓑ v. i. essere untuoso, servile ● **to s. up to sb.**, adulare q.; cercare d'ingraziarsi q.; sviolinare q. (*fam.*).

smarmy /'smɑːmɪ/ a. (*fam.*) smanceroso; mellifluo; untuoso; servile; strisciante.

smart ① /smɑːt/ n. Ⓤ dolore acuto; acuta sofferenza; bruciore (*fig.*): *The s. of the defeat still rankles*, il dolore della sconfitta brucia ancora.

♦**smart** ② /smɑːt/ a. **1** elegante; ben vestito; alla moda; bello: **a s. hotel**, un albergo elegante; **s. clothes**, abiti eleganti; **a s. car**, una bella automobile; **s. appearance**, bella presenza **2** intelligente; sveglio; in gamba: **a s. young girl**, una ragazzina sveglia **3** (*tecn., comput.*) intelligente: (*mil.*) **s. bomb**, bomba intelligente; **s. card**, (*comput.*) scheda contenente una memoria magnetica o un chip; (*banca*) carta di credito intelligente **4** abile; accorto; astuto; destro; scaltro; dritto (*fam.*): **a s. move**, una mossa abile (o scaltra); **a s. talker**, un abile parlatore; un oratore brillante; uno che la sa lunga; **a s. answer**, una risposta abile, accorta; **a s. deal**, un buon affare; un affarone; un affare vantaggioso (*ma non del tutto onesto*); **a s. profiteer**, un astuto affarista; **a s. fellow**, un furbacchione; un drittone (*fam.*) **5** impertinente; linguacciuto: *Don't you get s. with me, young man!*, non essere impertinente, giovanotto! **6** veloce; rapido; scattante: **a s. salute**, un saluto (*militare*) scattante; **at a s. pace**, con passo rapido; di buon passo **7** forte; acuto; aspro; doloroso; cocente; pungente; severo: **a s. blow**, un forte colpo; **a s. pain**, un acuto dolore **8** (*fam.*) notevole; grande; bello: **a s. distance**, una bella distanza ● (*fam.*) **s. alec** (*o* **aleck**), sapientone; saccente; saputello; cacasenno; sputasentenze □ (*fam.*) **s.-alecky**, saccente □ (*slang USA*) **s. apple**, tipo in gamba □ (*fam.*) **s.-arse** (*USA* **s.-ass**), = **s. alec** □ *sopra* □ **s. money**, investimenti, scommesse, ecc., fatti da chi se ne intende; (*per estens.*) gli esperti, quelli che se ne intendono; i bene informati □ (*fam. USA*) **s. mouth**, insolenza; impertinenza; (*anche*) insolente, impertinente □ (*comput.*) **s. quotes**, virgolette inglesi; virgo-

lette intelligenti □ **the s. set**, il bel mondo □ **to look s.**, avere un aspetto elegante; (*anche*) sbrigarsi, spicciarsi; *You look s.!*, che eleganza! □ **to make oneself s.**, farsi bello; mettersi in ghingheri.

to **smart** /smɑːt/ v. i. **1** bruciare; far male; dolere: *The smack made his face s.*, lo schiaffo gli fece bruciare la faccia; *My hand is smarting*, mi fa male una mano; ho un dolore a una mano **2** soffrire; patire; provar dolore: *She's still smarting from* (o **over**) *that disappointment*, soffre ancora per quella delusione ● **to s. for**, pagare il fio di; scontare: *You shall s. for this*, la sconterai; te ne farò pentire; me la pagherai cara.

to **smarten** /'smɑːtn/ Ⓐ v. t. (*spesso* **to s. up**) **1** abbellire; rendere elegante; adornare; azzimare **2** ravvivare; rendere brioso (o vivace); sveltire; svegliare (*fig.*) Ⓑ v. i. (*di solito* **to s. up**) **1** farsi bello; attillarsi; azzimarsi; mettersi in ghingheri **2** ravvivarsi; diventar brioso (o vivace); diventare più brillante; sveltirsi (*nel lavoro, ecc.*); svegliarsi (*fig.*) ● **to s. oneself up**, agghindarsi; farsi bello □ **to s. up the house**, rimettere in ordine la casa.

smartie /'smɑːtɪ/ n. (*fam.*) sapientone; furbacchione; drittone (*fam.*).

smarting /'smɑːtɪŋ/ a. acuto; doloroso; cocente; pungente; vivo.

smartish /'smɑːtɪʃ/ Ⓐ a. **1** piuttosto elegante; piuttosto alla moda **2** considerevole; grande; grosso; notevole: **at a s. distance**, a una distanza considerevole Ⓑ avv. velocemente; in fretta.

smartly /'smɑːtlɪ/ avv. **1** abilmente; astutamente; con grande acume (o accortezza, intelligenza); brillantemente **2** rapidamente; velocemente; prontamente; di buon passo **3** elegantemente; con eleganza: *She was s. dressed*, era vestita con eleganza.

smartness /'smɑːtnəs/ n. Ⓤ **1** bravura; intelligenza **2** abilità; accortezza; astuzia; destrezza; scaltrezza **3** arguzia; brio; mordacità; impertinenza **4** eleganza (→ **smart** ②).

smartphone /'smɑːtfəʊn/ n. (*tecn., telef.*) smartphone (*telefono cellulare con sistemi di gestione dati*).

smarts /smɑːts/ n. Ⓤ (*slang USA*) acume; acutezza; accortezza; intelligenza: *That boy has lots of s.*, quel ragazzo è molto sveglio.

smartweed /'smɑːtwiːd/ n. (*bot.*, *Polygonum hydropiper*) pepe d'acqua; erba pepe.

smarty /'smɑːtɪ/ n. → **smartie** ● (*fam.*) **s.-boots** (*o* **s.-pants**), saccente; sapientone; chi crede di saperla lunga.

smash /smæʃ/ n. **1** fracasso; fragore; l'andare in frantumi; sconquasso; schianto **2** (= **s.-up**) collisione; scontro grave **3** (*fig.*) disastro; crollo; rovina; catastrofe: **to go to s.**, andare in rovina **4** (*fin.*) crollo; tracollo; fallimento; bancarotta **5** (*fam.*, = **s. hit**) un successo strepitoso; un successone; un attore (uno spettacolo, ecc.) di grande successo **6** (*tennis, pallavolo, ecc.*) smash; schiacciata **7** Ⓤ (*fam. USA*) moneta falsa; (*anche*) moneta metallica, spiccioli **8** (*slang USA*) vino ● **the s.-and-grab gang**, la «banda del mattone» □ **s.-and-grab raid**, spaccata (*furto con effrazione di vetrina, ecc.*) □ **s.-up**, crollo, rovina; (*autom.*) collisione, scontro grave; (*ferr.*) disastro, scontro □ **to go s.**, andare a sbattere in pieno; scontrarsi violentemente.

♦to **smash** /smæʃ/ Ⓐ v. t. **1** fracassare; frantumare; mandare in frantumi; spaccare; spezzare; rompere: *The hooligans smashed everything in sight*, i teppisti fracassarono tutto ciò che si trovava a tiro; **to s. the china**, rompere la porcellana; **to s. one's knee**, spaccarsi un ginocchio **2** (*fam.*) assestare un forte colpo a; percuotere; picchiare **3** scagliare; scaraventare **4**

annientare; schiacciare: **to s. the opposition**, annientare l'opposizione **5** (*mil. e sport*) stroncare; respingere: **to s. the enemy's attack**, stroncare l'attacco (del) nemico **6** (*fin.*) far fallire; mandare in rovina **7** (*tennis, pallavolo, ecc.*) schiacciare (*la palla*) **8** (*fig.*) sconfiggere; annientare **9** (*fam. USA*) spacciare (*moneta falsa*) **10** (*sport*) frantumare, polverizzare, battere (*un primato*) **B** v. i. **1** fracassarsi; frantumarsi; andare in frantumi: *The vase fell and smashed to smithereens*, il vaso cadde e andò in frantumi **2** (*fin.*) andare in rovina; far bancarotta; fallire **3** (*tennis, pallavolo, ecc.*) eseguire lo smash; fare una schiacciata ● (*fis. nucl.*) **to s. the atom**, scindere l'atomo □ **to s. down**, abbattere; buttar giù; sfondare: *The police smashed down the door*, la polizia sfondò la porta □ **to s. sb.'s face in**, spaccare la faccia a q. □ **to s. in**, fare irruzione (*abbattendo la porta, ecc.*); abbattere (*un ostacolo*); sfondare (*una porta, ecc.*); ammaccare (*una lamiera, ecc.*) □ **to s. into**, sbattere contro; urtare con forza; andare a sbattere: *The coach smashed into the guardrail*, il pullman andò a sbattere contro il guardrail □ **to s. open**, sfondare (*una porta, una finestra*) □ **to s. through**, sfondare (*una parete, ecc.*) □ **to s. up**, fracassare; distruggere; ridurre (q.) a malpartito; ferire (q.) gravemente: *My car was smashed up in the accident*, nell'incidente la mia auto rimase distrutta □ (*econ.*) **to s. (up) a monopoly**, distruggere un monopolio.

smashed /smæʃt/ a. (*fam.*) **1** ubriaco fradicio; sbronzo (*fam.*) **2** (*di drogato*) fatto; sballato.

smasher /'smæʃə(r)/ n. **1** chi fracassa, frantuma, ecc. (→ **to smash**) **2** forte colpo **3** (*fam.*) cosa (*o persona*) straordinaria; cannonata (*fam.*); (*di ragazza*) splendore, schianto; (*di uomo*) bellone, fusto **4** spaccapietre **5** (= **smashing machine**) pressa; pressoio **6** (*fam. USA*) ricettatore; (*anche*) spacciatore di monete false.

smashing① /'smæʃɪŋ/ a. (*fam., antiq.*) eccellente; straordinario; favoloso; fantastico; stupendo; strepitoso ● (*legatoria*) **s. machine**, pressa; pressoio.

smashing② /'smæʃɪŋ/ n. **1** [U] frantumazione; rottura **2** [U] (*tipogr.*) battitura.

smatterer /'smætərə(r)/ (*antiq.*) n. saccente; saputello.

smattering /'smætərɪŋ/ n. **1** (un) po' (*di qc.*); pizzico (*di sale, ecc.*); numero esiguo **2** conoscenza superficiale; infarinatura (*fig.*): **a s. of French**, un'infarinatura di francese.

SME sigla (*econ.*, **small and medium enterprise**) piccola e media impresa (PMI).

smear /smɪə(r)/ n. **1** macchia (*d'unto e sim.*); pataccа (*fam.*) **2** (*fig.*) calunnia; diffamazione; denigrazione **3** (*med.*) striscio ● **s. campaign**, campagna diffamatoria □ (*med.*) **s. test**, citodiagnosi; striscio (*fam.*): **to have a s. test**, fare lo striscio □ **s. word**, parola offensiva; epiteto.

to **smear** /smɪə(r)/ **A** v. t. **1** imbrattare; macchiare; ungere **2** spalmare; ungersi con **3** (*fig.*) calunniare; diffamare; denigrare **4** (*pop. USA*) sconfiggere; stracciare (*fig.*) **5** (*med.*) fare uno striscio di **B** v. i. **1** imbrattarsi; macchiarsi **2** macchiare: *Wet paint smears*, la vernice fresca macchia **3** spalmarsi: *This ointment smears easily*, questo unguento si spalma bene **4** (*di parole scritte, ecc.*) sbiadirsi.

smeary /'smɪərɪ/ a. **1** imbrattato; macchiato **2** untuoso; che imbratta; grasso.

smegma /'smɛgmə/ n. [U] (*fisiol.*) smegma.

♦**smell** /smɛl/ n. **1** [U] odorato; olfatto; fiuto: *S. is keener in most animals than in man*, la maggioranza degli animali ha un olfatto più fine di quello dell'uomo; **to have a quick sense of s.**, aver buon fiuto **2** odore; olezzo; fragranza; profumo: **the s. of gas [of petrol]**, l'odore del gas [della benzina]; **a sweet s.**, un buon profumo; **a s. of cooking**, un odor di cucina **3** cattivo odore; fetore; puzzo; puzza: **s. of burning**, puzzo di bruciato **4** annusata; fiutata: *Take a s. of this wine: it's sour!*, da' una fiutatina a (annusa, fiuta) questo vino: è acido! **5** (*fig.*) sentore; indizio; puzzo ● **a bad s.**, cattivo odore; (*fig.*) qualcosa che puzza: *There's a bad s. about the whole affair*, c'è qualcosa che puzza in tutta la faccenda □ **sense of s.**, senso dell'odorato; olfatto.

♦to **smell** /smɛl/ (pass. e p. p. **smelt**, o **smelled** ❶ NOTA: *participle → participle*) **A** v. t. **1** odorare; sentire: *S. this: what is it?*, odora questa roba: che cos'è?; *I don't (o I can't) s. anything*, non sento nessun odore; non sento nulla; **to s. st. burning**, sentire odore di bruciato **2** annusare; fiutare (*anche fig.*); sentire l'odore di; subodorare: *They smelled danger and ran*, fiutarono il pericolo e fuggirono; *S. the milk and tell me if it's sour*, senti l'odore del latte e dimmi se è acido!; *I think I can s. gas*, mi pare di sentire odore di gas **B** v. i. **1** (in senso assoluto, o seguito da un agg.) avere profumo; odorare; mandar odore; avere un certo odore; sapere di: *These flowers don't s.*, questi fiori non hanno profumo; *This cake smells good*, questa torta manda un buon odore; *This milk smells sour*, questo latte sa di acido; *It smells nice*, ha un odore gradevole **2** aver l'odorato; sentire gli odori: *With this cold, I can't s. at all*, con questo raffreddore, non sento proprio nulla **3** (in senso assoluto, o seguito da un avv.) mandare cattivo odore; puzzare: *His breath smells*, gli puzza l'alito; *This fish smells*, questo pesce puzza **4** (*fig.*) puzzare (d'imbroglio) ● **to s. badly**, puzzare ● **to s. blood**, sentire l'odore del sangue (*anche fig.*) □ (*fam.*) **to s. fishy**, puzzare d'imbroglio; essere sospetto: *It smells fishy (to me)*, la cosa mi puzza! □ (*iron., USA*) **to s. like a rose**, profumare di violette; essere una mammoletta □ (*fam.*) **to s. old**, sapere di vecchio (*al fiuto*) □ (*fam.*) **to s. a rat**, fiutare un imbroglio; mangiare la foglia (*fig.*) □ (*slang*) **to s. the stuff**, sniffare (*la droga*) □ (*di una stanza, ecc.*) **to s. stuffy**, sapere di chiuso □ (*fam.*) **to s. to high heaven**, puzzare tremendamente; (*fig.*) puzzare d'imbroglio lontano un chilometro □ (*fam.*) **I s. a rat!**, gatta ci cova!

■ **smell about** (*o around*) v. i. + avv. **1** annusare in giro; fiutare qua e là **2** (*fig.*) fiutare (*fig.*); cercare di ottenere informazioni; indagare.

■ **smell at** v. i. + prep. annusare; fiutare; sentire (*col naso*).

■ **smell of** v. i. + prep. **1** odorare, profumare di: *The air smelt of the sea*, l'aria odorava di mare; **to s. of lavender**, profumare di lavanda **2** puzzare di: **to s. of garlic**, puzzare d'aglio **3** (*fig.*) sapere di; puzzare di: *His proposal smells of treachery*, la sua proposta puzza d'imbroglio □ (*fig., arc. o lett.*: *di un'opera, un lavoro, ecc.*) **to s. of the lamp**, essere stantìo (libresco, ecc.); sapere di lavoro a tavolino □ **This room smells of smoke**, in questa stanza si sente odore di fumo.

■ **smell out** v. t. + avv. **1** scoprire (*droga, ecc.*) con il fiuto **2** (*fig.*) scoprire, fiutare (*un segreto, ecc.*) **3** riempire di puzza; appuzzare: *Your cigar has smelt out the compartment*, il tuo sigaro ha appestato lo scompartimento.

■ **smell up** (*USA*) → **smell out**, def. 3.

smeller /'smɛlə(r)/ n. **1** chi odora, annusa, fiuta (→ **to smell**) **2** (*slang*) naso **3** (*slang*) forte colpo (*spec. sul naso*).

smelling /'smɛlɪŋ/ **A** n. **1** odorato; olfat-

to; fiuto **2** l'annusare; il fiutare; fiutata **B** a. **1** odoroso; odorifero **2** da fiutare ● **s. bottle**, boccetta dei sali □ **s. salts**, sali (ammoniacali).

smelly /'smɛlɪ/ a. (*fam.*) **1** puzzolente; maleodorante; che puzza; fetente: **s. feet**, piedi che puzzano **2** poco chiaro; sospetto; che puzza (*fig.*).

smelt① /smɛlt/ n. (pl. **smelts**, **smelt**) (*zool.*) **1** (*Osmerus eperlanus*) sperlano **2** (*Osmerus mordax*) osmero americano.

smelt② /smɛlt/ pass. e p. p. di **to smell**.

to **smelt** /smɛlt/ v. t. (*metall.*) **1** fondere (*un metallo*) **2** separare (*il metallo*) dalle scorie; scorificare; ridurre; affinare.

smelter /'smɛltə(r)/ n. (*metall.*) **1** fonditore **2** forno fusorio **3** fonderia.

smeltery /'smɛltərɪ/ n. fonderia.

smelting /'smɛltɪŋ/ n. [U] (*metall.*) fusione ● **s. furnace**, forno fusorio □ **s. works**, fonderia.

smew /smjuː/ n. (*zool.*, *Mergus albellus*) smergo bianco; pesciaiola; monaca bianca.

smidgen /'smɪdʒən/ n. (*slang USA*) (un) po'; (un) pezzettino; (un) pizzico.

smilax /'smaɪlæks/ n. (*bot.*, *Smilax*) smilace; salsapariglia.

♦**smile** /smaɪl/ n. sorriso (*anche fig.*); aspetto ridente: **with a faint s.**, con un lieve sorriso; **a wry s.**, un sorriso ironico ● **s. pockets**, taschini di camicia stile 'country' □ **to be all smiles**, essere tutto sorridente; essere arcicontento □ **He enjoys the smiles of fortune**, gli arride la fortuna.

♦to **smile** /smaɪl/ **A** v. i. sorridere: *He smiled at me bitterly*, mi sorrise amaramente; *She smiled indulgently at her son's escapades*, ella sorrideva con indulgenza delle scappatelle del figlio **B** v. t. **1** esprimere con un sorriso: **to s. one's thanks**, esprimere la propria gratitudine con un sorriso; ringraziare con un sorriso **2** fare (*un sorriso*): **to s. a knowing smile**, fare un sorriso d'intesa; sorridere con l'aria di saperla lunga □ **to s. at sb.'s claims**, ridere delle pretese di q. □ **to s. at a joke**, sorridere d'una facezia □ **to s. away sb.'s grief**, alleviare con un sorriso il dolore di q. □ **to s. back**, sorridere di ritorno; rispondere sorridendo al sorriso di q.: *'He put his arm around her waist and smiled at her. She smiled back'* D. LESSING, 'Le passò il braccio intorno alla vita e le sorrise. Anche lei gli sorrise' □ **to s. one's consent**, dare il proprio consenso sorridendo □ **to s. on** (*o upon*), arridere a: *Fortune smiled on him*, gli arrideva la fortuna □ **to s. sweetly**, avere un sorriso dolce; sorridere con dolcezza □ **to s. one's welcome**, dare il benvenuto con un sorriso.

smiler /'smaɪlə(r)/ n. chi sorride; persona sorridente.

smiley /'smaɪlɪ/ **A** a. sorridente; che sorride **B** n. (*spec. comput.*, *Internet, ecc.*) faccina (*sorridente*); (*per estens.*) emoticon; faccina.

smiling /'smaɪlɪŋ/ a. sorridente; ridente: **s. eyes**, occhi sorridenti; **a s. landscape**, un paesaggio ridente | **-ly** avv.

smirch /smɜːtʃ/ n. macchia (*spec. fig.*); onta; disonore.

to **smirch** /smɜːtʃ/ v. t. macchiare (*anche fig.*); insozzare; imbrattare; sporcare: **to s. one's good name**, macchiare il proprio buon nome.

smirk /smɜːk/ n. **1** ghigno; sogghigno; sorriso affettato (*o sciocco*) **2** sorriso furbesco; sorrisetto compiaciuto.

to **smirk** /smɜːk/ v. i. **1** ghignare; sogghignare; sorridere con affettazione (*o scioccamente*) **2** sorridere furbescamente; fare un sorrisetto compiaciuto.

smite /smaɪt/ n. (*lett. o scherz.*) forte colpo; percossa.

to **smite** /smaɪt/ (pass. *smote*, p. p. *smitten*, *smit*), v. t. e i. (*lett. o scherz.*) **1** battere; colpire, percuotere; picchiare **2** castigare; punire: *God shall s. thee*, Dio ti castigherà; *In 1666 London was smitten by plague*, nel 1666 Londra fu colpita dalla peste **3** far soffrire; tormentare: *The culprit was smitten with remorse*, il colpevole era tormentato dal rimorso **4** sconfiggere; sbaragliare; debellare; sgominare ● (*lett.*) **to s. one's breast**, battersi il petto □ **to s. off**, tagliare, recidere (*con un colpo di spada, ecc.*): *The executioner smote off his head*, il boia gli recise la testa con un colpo (*fig.*) □ **to s. sb.'s ear**, percuotere (*o ferire*) l'orecchio di q. ● (*fam.*) **to be smitten by** (*o* **with**) **a girl**, essere innamorato cotto d'una ragazza □ **to be smitten with sb.'s charms**, essere preso dal fascino di q.; essere affascinato da q. □ **to be smitten with dread**, esser preso dal terrore □ **I was smitten with a desire to run away**, fui preso dal desiderio improvviso di fuggire.

smith /smɪθ/ n. fabbro; (*spec.*) fabbro ferraio.

smithereens /ˌsmɪðə'riːnz/, **smithers** /'smɪðəz/ n. pl. (*fam.*) frammenti; frantumi; pezzetti: **to smash** (*o* **to blow**) **st. to** (*o* **into**) **s.**, mandare in frantumi qc.; ridurre in briciole qc.

smithery /'smɪθərɪ/ n. **1** fucina; officina del fabbro **2** Ⓤ arte del fabbro; lavoro del fabbro.

smithsonite /'smɪθsənaɪt/ n. Ⓤ (*miner.*) smithsonite.

smithy /'smɪθɪ/ n. fucina; officina del fabbro.

smitten /'smɪtn/ Ⓐ p. p. di **to smite** Ⓑ a. (*fam. scherz.*) innamorato cotto (*di q.*).

smock /smɒk/ n. **1** grembiule **2** (*arc.*) camicetta; camiciola ● **s. frock**, camiciotto da contadino.

to **smock** /smɒk/ v. t. (*moda*) plissettare.

smocking /'smɒkɪŋ/ n. Ⓤ **1** (*moda*) plissé (*franc.*) **2** (*ricamo*) nido d'ape.

smog /smɒg/ n. Ⓤ🄲 (contraz. di **smoke** e **fog**) smog; nebbia commista a fumi di fabbrica e residui di combustione ‖ **smoggy** a. pieno di smog; avvolto nello smog.

smogless /'smɒgləs/ a. **1** senza smog **2** che non inquina l'ambiente; pulito; ecologico: **s. car**, un'automobile ecologica.

smokable, **smokeable** /'sməʊkəbl/ a. che si può fumare; fumabile.

◆**smoke** /sməʊk/ n. **1** Ⓤ fumo: **a column** [**a cloud**] **of s.**, una colonna [una nuvola] di fumo **2** fumata (*anche di droga*); fumatina; pipata: *I must have a s.*, devo fare una fumatina **3** (pl.) (*fam.*) sigarette; sigari **4** (*slang*) (sigaretta di) marijuana **5** (*slang*) (*spreg. USA*) negro **6** (*fam.*) – **the S.**, la grande città; (*spec.*) Londra **7** (*slang USA*) chiacchiere; balle ● **s. alarm = s. detector** → *sotto* □ (*fig. USA*) **s. and mirrors**, fumisterie; operazione di facciata □ **s. ball**, candelotto fumogeno □ **s. black**, nerofumo □ (*mil.*) **s. bomb**, bomba fumogena □ **s. break**, pausa 'sigaretta'; intervallo per fare una fumatina □ (*mil.*) **s. candle**, candelotto fumogeno □ (*ecol.*) **s. control**, controllo dei fumi industriali e domestici (*in GB*) □ (*tecn.*) **s. detector**, rivelatore del fumo (*in un impianto antincendio*) □ **s.-dried**, affumicato (*rif. ad alimenti*) □ **s.-filled room**, stanza fumosa; (*fig.*) stanza delle decisioni; stanza dei complotti (*o delle cospirazioni*) □ (*mil., ecc.*) **s. grenade**, bomba fumogena □ **s.-hole**, foro di uscita del fumo; (*geol.*) fumarola □ **s.-house**, affumicatoio (*per alimenti*); camera di fumigazione (*di conceria*) □ **s.-in**, raduno pubblico in cui si fuma la marijuana (*per chiederne la legalizzazione*) □ **s. pipe**, tubo da stufa (*o* **s. pot**, bidone fumogeno □ **s. ring**, anello di fu-

mo: **to blow s. rings**, fare anelli in aria (*fumando*) □ (*ingl.*) **s. room**, sala per fumatori □ **s. screen**, (*mil.*) cortina di fumo (*anche fig.*); cortina fumogena; (*slang USA*) dispositivo elettronico contro l'Autovelox □ (*edil.*) **s. shelf**, voltino del focolare □ **s. shop**, tabaccheria e negozio di articoli per fumatori (*o* **s. signal**, segnale di fumo; fumata □ (*miner.*) **s.-stone**, quarzo affumicato □ **a s. trail**, un filo di fumo □ (*bot.*) **s. tree** (*Rhus continus*), scotano □ (*volg.*) **to blow s. up sb.'s arse** (*USA*: **up sb.'s ass**), raccontare balle a q.; montare la testa a q. □ (*fig.*) **to end up in s.**, finire in niente; andare in fumo; sfumare □ **to go up in s.**, bruciarsi completamente; (*fig.*) andare in fumo, finire in niente: *Our plans went up in s.*, i nostri progetti andarono in fumo □ (*slang*) **like s.**, rapidamente; in un baleno □ (*prov.*) **There's no s. without fire** (*o* **Where there's s., there's fire**), non c'è fumo senza arrosto.

◆to **smoke** /sməʊk/ Ⓐ v. i. **1** fumare; far fumo; emettere fumo: *Does he s.?*, fuma?; *Sorry, I don't s.*, mi dispiace, non fumo; *The chimneypots were smoking*, i comignoli fumavano; *The camp stove smokes awfully*, la cucina da campo fa un fumo maledetto; **to s. like a chimney**, fumare come un turco **2** (*di pipa, ecc.*) tirare (*bene, male, ecc.*) **3** (*fig.*) emettere vapore; fumare: *The horse's sides smoked after the race*, dopo la corsa i fianchi del cavallo fumavano **4** (*fam.*) fumare la marijuana Ⓑ v. t. **1** fumare: *I used to s. a pipe*, fumavo la pipa **2** affumicare; conservare col fumo; riempire (*o annerire*) di fumo: **to s. fish**, affumicare il pesce; **a smoked ceiling**, un soffitto annerito dal fumo (*o affumicato*) ● **to s. bees**, affumicare le api (*cioè*, un alveare) □ **to s. heavily**, essere un forte fumatore □ **to have smoked oneself sick**, star male per aver fumato troppo □ (*USA*) **to s. up**, affumicare (*una stanza, ecc.*); (*fam.*) fumare la marijuana.

■ **smoke out** v. t. + avv. **1** fare uscire (q.) affumicandolo: **to s. a badger out of his den**, fare uscire un tasso dalla tana affumicandolo **2** (*fig.*) stanare: **to s. out a terrorist**, stanare un terrorista.

smokebox /'sməʊkbɒks/ n. (*mecc.*) cassa a fumo.

smoked /sməʊkt/ a. **1** affumicato: **s. mackerel**, sgombro affumicato **2** che sa di fumo: *This soup is s.*, questa zuppa sa di fumo.

to **smoke-dry** /'sməʊkdraɪ/ v. t. affumicare (*alimenti*).

smokeless /'sməʊkləs/ a. senza fumo; che non fa fumo; infume (*tecn.*): **s. coal**, carbone che non fa fumo ● **a s. city**, una città senza i fumi delle fabbriche □ **s. fuels**, combustibili ecologici □ (*tecn.*) **s. powder**, polvere senza fumo □ **s. zone**, zona disinquinata.

smoker /'sməʊkə(r)/ n. **1** fumatore, fumatrice: **a heavy s.**, un forte fumatore □ (*ferr.*) carrozza (*o* scompartimento) per fumatori **2** (= **smoking concert**) concerto in cui è permesso fumare **4** (*fam. raro*) festicciola per soli uomini ● (*med.*) **s.'s heart**, tachicardia dei fumatori □ (*market.*) **s.'s requisites**, articoli per fumatori.

smokery /'sməʊkərɪ/ n. affumicatoio (*per alimenti*).

smokestack /'sməʊkstæk/ n. **1** ciminiera **2** (*USA*) fumaiolo (*di nave, ecc.*; *cfr.* ingl. **funnel**) (*USA*) **the s. industries**, l'industria pesante, a tecnologia matura.

smokiness /'sməʊkɪnəs/ n. Ⓤ fumosità.

◆**smoking** /'sməʊkɪŋ/ Ⓐ a. **1** fumante; che fa fumo: **a s. fireplace**, un camino che fa fumo; **s. gun**, pistola fumante; (*fig.*) prova incontrovertibile di un delitto, prova inconfutabile, prova schiacciante **2** (per fumatori): *Would you like a s. or non-s. room?*, vuole una camera per fumatori o per non fumato-

ri? Ⓑ n. ● **1** (il) fumo; il fumare **2** (*tecn.*) affumicatura; fumigazione (*di alimenti*) ● **s. ban**, divieto di fumare □ (*ferr.*) **s. car** (*o* **s. carriage**), carrozza fumatori □ (*ferr.*) **s. compartment**, scompartimento per fumatori □ **s. concert**, concerto in cui è permesso fumare □ (*antiq.*) **s. jacket**, giacca da casa (*o* da camera; *di solito*, *di velluto*) □ **s. mixture**, miscela di tabacco da pipa □ **s. room**, sala per fumatori □ **s. stand**, portacenere a stelo □ **s. tobacco**, tabacco da fumo (*spec. da pipa*) □ **«No s. (allowed)»** (*cartello*), «vietato fumare» ❶ FALSI AMICI ● smoking *non significa* smoking *nel senso italiano di abito maschile da sera*.

smoko /'sməʊkəʊ/ n. (*Austral.*) pausa (*sul lavoro*) per fumare una sigaretta.

smoky /'sməʊkɪ/ a. **1** fumoso; che fa fumo; che è pieno di fumo: **a s. room**, una stanza fumosa; **a s. fire**, un fuoco che fa fumo **2** affumicato; sporco di fumo: **a s. ceiling**, un soffitto sporco di fumo; (*geol.*) **s. quartz**, quarzo affumicato **3** del colore del fumo; (*di vetro*) affumicato, fumé **4** che sa di fumo **5** (*slang spreg. USA*) negro; dei negri ● **s. grey**, grigio fumo (*il colore*).

smolder, to **smolder** /'sməʊldə(r)/ (*USA*) → **smoulder**, **to smoulder**.

smolt /sməʊlt/ n. (*zool.*) salmone di circa due anni che scende dal fiume al mare.

smooch /smuːtʃ/ n. (*fam.*) **1** sbaciucchiamento; pomiciata (*fam.*) **2** ballo lento **3** (*slang USA*) bacio.

to **smooch** /smuːtʃ/ Ⓐ v. i. (*fam.*) **1** sbaciucchiarsi; pomiciare (*fam.*) **2** ballare guancia a guancia; stringere (*ballando*) Ⓑ v. t. **1** (*USA*) imbrattare; sporcare **2** (*slang USA*) sgraffignare; rubare ‖ **smoocher** n. (*fam.*) pomicione, pomiciona (*fam.*).

◆**smooth** /smuːð/ a. **1** liscio; levigato; piano: **s. skin**, pelle liscia; **a s. tyre**, un copertone liscio, consumato; **a s. surface**, una superficie levigata; **a s. road**, una strada piana **2** (*fig.*) liscio; scorrevole; facile; calmo; tranquillo; ben congegnato; bello; benfatto: **s. verse**, versi scorrevoli (*o* lisci); *We had a s. crossing*, avemmo una traversata facile; il viaggio di mare andò liscio; **s. sea**, mare calmo; **a s. disposition**, un carattere tranquillo **3** sdolcinato; mellifluo; insinuante; incensero; untuoso: **to have a s. tongue**, parlare in modo mellifluo, insinuante; **a s. manner**, un modo di fare sdolcinato, untuoso; **s. words**, parole mellifue, insincere **4** (*cucina*) omogeneo; bene amalgamato: *Beat until s.*, amalgamare bene! (*qc. che si sta sbattendo*) **5** glabro; liscio; senza peli: **s. chin**, mento imberbe; (*anche*) mento ben rasato **6** (*fig.*) monotono; uniforme **7** (*del vino*) amabile **8** (*di tabacco*) dolce ● (*d'arma da fuoco*) **s. bore**, anima (*o* canna) liscia □ **a s.-bore** (**gun**), un fucile a canna liscia □ (*gramm. greca*) **s. breathing**, spirito dolce □ **a s. dancer**, uno che balla con scioltezza □ (*zool.*) **s. dogfish** (*Mustelus mustelus*), palombo □ **a s. face**, una faccia liscia, glabra, imberbe □ **s.-faced**, liscio in faccia; glabro, imberbe □ **a s.-faced tile**, una tegola dalla superficie liscia (*di un cane, ecc.*) **s.-haired**, a pelo liscio □ (*zool.*) **s. hound** (*Mustelus mustelus*), palombo □ **s. operator** → **smoothie** □ (*cucina*) **s. paste**, pasta bene amalgamata □ (*autom.*) **a s. ride**, una corsa senza scosse: *This car has a s. ride*, questa macchina va liscia come l'olio □ (*mecc.*) **s. running**, funzionamento regolare (*di un motore*) □ (*mecc.*) **s.-running**, che funziona regolarmente □ **s.-spoken** (*o* **s.-tongued**), insinuante; mellifluo □ **s. stones**, ciottoli di fiume □ (*Bibbia*) **s. talk**, parole mellifue, insinuanti □ **s.-tempered**, di carattere mite; affabile; conciliante; bonario □ (*fig.*) **s. things**, adulazione; parole insinuanti, lusinghiere, melate □ **to make things s. for sb.**, spianare la via a q.

□ **to run s.**, andar liscio; non incontrare difficoltà.

smooth② /smuːð/ n. **1** lisciata; lisciatura; lisciatina **2** parte liscia; spianata **3** (*tennis, squash, ecc.*) (il) diritto (*della racchetta*).

to **smooth** /smuːð/ **A** v. t. **1** lisciare; spianare; ravviare: **to s. (down) one's hair**, ravviarsi i capelli **2** appianare; spianare: **to s. away** (*o* over) **differences**, appianare le divergenze; **to s. sb.'s way**, spianare la strada a q. **3** rimettere in sesto; dare un'aggiustatina a: **to s. (down) one's dress**, rimettersi in sesto il vestito **4** agevolare; facilitare **5** calmare; confortare; tranquillizzare **6** limare (*anche fig.*); rifinire **7** (*stat.*) perequare (*dati*) **B** v. i. (*di solito* **to s. down**) appianarsi; calmarsi: *The waves smoothed down*, le onde si calmarono.

■ **smooth away** v. t. + avv. **1** spianare, stirare, eliminare (*pieghe, ecc.*) **2** (*fig.*) appianare, eliminare, rimuovere (*ostacoli, difficoltà, ecc.*) **3** raddrizzare, eliminare (*una curva nella strada, ecc.*).

■ **smooth down** **A** v. t. + avv. **1** spianare (*un'asse di legno, ecc.*) **2** lisciare, ravviare (*i capelli*) **3** rimettere in sesto, rassettare (*un abito, ecc.*) **4** (*fig.*) calmare, placare (*q., un sentimento, ecc.*) **B** v. i. + avv. (*delle onde e fig.*) calmarsi; placarsi □ **to s. down one's dress over one's knees**, tirarsi giù il vestito sui ginocchi.

■ **smooth in** v. t. + avv. spalmare; far penetrare (*una sostanza*) strofinando.

■ **smooth on** v. t. + prep. spalmare su: *I smoothed the cream on my face*, mi spalmai la crema sul viso.

■ **smooth out** v. t. + avv. **1** spianare (*stoffa, lenzuola, ecc.*) **2** distendere (*le rughe*) **3** (*fig.*) appianare, sistemare (*una faccenda*); rendere più agevole (*un rapporto*); facilitare (*un'amicizia*); risolvere (*una difficoltà*).

■ **smooth over** v. t. + avv. **1** appianare, risolvere (*una lite, una vertenza, ecc.*) **2** (*fig.*) minimizzare: **to s. over a fault**, minimizzare una colpa.

smoothie, **smoothy** /smuːðɪ/ n. (*fam.*) **1** individuo lisciato (*o* leccato, garbato, cerimonioso) **2** individuo troppo gentile (*o* untuoso, subdolo) **3** frullato di frutta fresca (*anche con l'aggiunta di yogurt*).

smoothing /smuːðɪŋ/ n. ⓤⓒ **1** spianatura; lisciatura **2** ravviata (*ai capelli*) **3** aggiustatina (*all'abito*) **4** (*fig.*) appianamento (*di una vertenza, ecc.*) **5** (*tecn.*) rifinitura **6** (*mat., stat.*) perequazione (*di dati*) ● **s. iron**, ferro da stiro □ (*tecn.*) **s. plane**, pialletto finitore.

smoothly /smuːðlɪ/ avv. **1** pianamente; scorrevolmente; facilmente; senza sforzo: **to pedal s.**, pedalare senza sforzo **2** tranquillamente; con calma **3** in modo mellifluo, insinuante **4** senza interruzioni; senza difficoltà **5** (*mecc.*) in modo regolare; bene: (*di un motore*) **to run s.**, funzionare bene.

smoothness /smuːðnəs/ n. ⓤ **1** levigatezza **2** agevolezza; facilità; scorrevolezza **3** (*del mare, ecc.*) calma **4** (*del carattere*) dolcezza; mitezza; affabilità; bonarietà.

to **smooth-talk** /smuːθtɔːk/ v. t. convincere (q.) con parole dolci (*o* mellifue); essere persuasivo con (q.).

smorgasbord /smɔːɡəsbɔːd/ n. **1** buffet di antipasti freddi e caldi **2** (*fig.*) larga gamma; vasto assortimento; ampia scelta; abbondanza.

smote /sməʊt/ pass. di **to smite**.

smother /smʌðə(r)/ n. ⓤⓒ **1** fumo (*o* vapore) soffocante **2** nuvolo di polvere; polverone.

to **smother** /smʌðə(r)/ **A** v. t. **1** soffocare (*anche fig.*); asfissiare: *He smothered his wife with a pillow*, soffocò la moglie con un guanciale; *We were smothered by smoke*,

eravamo soffocati dal fumo; *He smothered the girl with kisses*, soffocò la ragazza di baci; **to s. a yawn**, soffocare uno sbadiglio **2** spegnere; estinguere: **to s. a fire with sand**, estinguere un incendio con la sabbia **3** celare; nascondere; reprimere; mettere a tacere: **to s. one's rage**, reprimere l'ira; *The facts were smothered up*, la cosa fu messa a tacere **4** ricoprire; colmare: *The steak was smothered with mushrooms*, la bistecca era ricoperta di funghi; *They smothered me with gifts*, mi colmarono di doni **5** (*fig., calcio, ecc.*) attutire, smorzare (*un tiro*) **B** v. i. **1** soffocare; respirare a fatica **2** soffocare; morire asfissiato ● **to s. the fire**, spegnere (*o* coprire di cenere) il fuoco □ (*a scacchi*) **smothered mate**, scacco matto affogato (*dato con il cavallo*) □ (*cucina*) **strawberries smothered in cream**, fragole affogate nella panna.

smothering /smʌðərɪŋ/ a. **1** soffocante: **s. heat**, caldo soffocante **2** (*fig.*) opprimente | **-ly** avv.

smothery /smʌðərɪ/ a. soffocante; asfissiante ● **a s. attic**, una soffitta in cui si soffoca dal caldo.

smoulder, (*USA*) **smolder** /sməʊldə(r)/ n. ⓤⓒ **1** combustione senza fiamma **2** fuoco che cova sotto la cenere.

to **smoulder**, (*USA*) to **smolder** /sməʊldə(r)/ v. i. **1** bruciare senza fiamma **2** (*fig.*) covare sotto la cenere; covare (*fig.*): *Hatred was smouldering in his heart*, nel suo cuore covava l'odio ● (*del fuoco e fig.*) **to s. out**, spegnersi □ **to s. with jealousy**, ardere di gelosia repressa □ **smouldering passions**, passioni represse □ **smouldering revolt**, rivolta che serpeggia (fra il popolo) □ *His eyes smouldered with indignation*, i suoi occhi erano accesi d'indignazione repressa.

SMS /esem'es/ n. (*tel.*, abbr. di **short message service**) SMS; messaggino.

SMTP sigla (*comput.*, **simple mail transfer protocol**) SMTP (*protocollo standard per la spedizione di e-mail dal client al server o fra server*)

smudge /smʌdʒ/ n. **1** macchia (*anche fig.*); chiazza; macchia d'inchiostro, sgorbio; (*di colore, rossetto, ecc.*) sbavatura, sbaffo (*fam.*) **2** (*fig.*) ombra; sagoma indistinta **3** (*spec. USA*) fuoco all'aperto; falò con fumo soffocante (*per tener lontani gli insetti, ecc.*) **4** (*agric.*) fumigazione; fuoco di protezione dal gelo (*nei frutteti*) **5** ⓤ (*bot.*) antracnosi **6** (*slang*) foto di un paparazzo ● **s. oil**, olio fumogeno □ **s.-proof lipstick**, rossetto indelebile (*o* che non fa sbaffi).

to **smudge** /smʌdʒ/ **A** v. t. **1** macchiare (*anche fig.*); imbrattare; scarabocchiare; sgorbiare; sbaffare: **to s. sb.'s reputation**, macchiare il buon nome di q.; **to s. one's fingers with paint**, imbrattarsi le dita di vernice **2** impiastrare; spalmare **3** (*spec. USA*) affumicare (*piante, ecc.*) contro gli insetti (*o* contro il gelo) **B** v. i. **1** macchiarsi; imbrattarsi; sporcarsi **2** macchiare; (*dell'inchiostro*) spandersi; (*del rossetto, ecc.*) sbaffare: *This lipstick doesn't s.*, questo rossetto non sbaffa.

smudged /smʌdʒd/ a. macchiato; imbrattato; sbaffato ● **a badly s. page**, una pagina piena di sbaffi □ **to get s.**, macchiarsi; imbrattarsi; sbaffarsi: *She got s. with lipstick*, si è sbaffata di rossetto.

smudger /smʌdʒə(r)/ n. (*slang*) paparazzo; fotografo di strada.

smudgy /smʌdʒɪ/ a. macchiato; imbrattato; impiastrato; sporco | **-iness** n. ⓤ.

smug /smʌɡ/ a. **1** compiaciuto; soddisfatto di sé: **a s. grin**, un sorriso compiaciuto **2** (*antiq.*) compito; lindo; rispettabile: **a s. little town**, una cittadina linda; **a s. lady**, una

signora compìta || **smugly** avv. con aria soddisfatta di sé; in tono compiaciuto || **smugness** n. ⓤ compiacimento; aria di soddisfazione.

to **smuggle** /smʌɡl/ **A** v. t. contrabbandare; esportare (*o* importare) di contrabbando: **to s. arms [liquors, drugs]**, contrabbandare armi [liquori, droghe]; **to s. cigarettes into France**, introdurre sigarette di contrabbando in Francia **B** v. i. fare il contrabbando; fare il contrabbandiere ● **to s. in**, importare di contrabbando; introdurre di frodo □ **to s. out**, esportare di contrabbando; fare uscire illegalmente: **to s. weapons out of the country**, esportare armi illegalmente □ **smuggled goods**, merce di contrabbando || **smuggler** n. **1** contrabbandiere **2** nave contrabbandiera || **smuggling** n. ⓤ contrabbando.

smugly /smʌɡlɪ/ avv. in modo compiaciuto; con aria soddisfatta.

smugness /smʌɡnəs/ n. ⓤ mediocrità soddisfatta di sé; sciocca vanità.

smurf /smɜːf/ n. **1** puffo (*personaggio dei fumetti*) **2** (*slang*) corriere della droga che ricicla denaro sporco.

smut /smʌt/ n. **1** macchia (*spec. di fuliggine*) **2** granellino di fuliggine **3** ⓤ (*bot.*) carbone (*malattia*); fuliggine; golpe **4** ⓤ (*fig.*) oscenità; linguaggio turpe; sconcezze; materiale pornografico.

to **smut** /smʌt/ **A** v. t. **1** imbrattare di fuliggine; annerire **2** infettare (*cereali*) col carbone **B** v. i. (*di cereali*) esser colpito dal carbone.

smutty /smʌtɪ/ a. **1** fuligginoso; nero; sporco **2** (*di cereale*) colpito dal carbone **3** (*fig.*) osceno; sconcio; sboccato; indecente; pornografico | **-ily** avv. | **-iness** n. ⓤ.

♦**snack** /snæk/ n. **1** spuntino; boccone (*fig.*): **to have a s.**, fare uno spuntino; mangiare un boccone **2** (pl.) stuzzichini ● **s. bar** (*o* **s. counter**), snack-bar; tavola calda □ **s. machine**, distributore automatico di panini (e altre cibarie).

to **snack** /snæk/ v. i. fare uno spuntino: **to s. on fruit and yogurt**, fare uno spuntino a base di frutta e yogurt.

snaffle /snæfl/ n. (*equit.*: *della bardatura del cavallo*) morso snodato ● **s. bit**, filetto □ **s. reins**, redini del filetto.

to **snaffle** /snæfl/ **A** v. t. **1** tenere a freno (*un cavallo*) col morso snodato **2** (*fam.*) arraffare; rubare; grattare (*pop.*) **3** (*sport*) agguantare, afferrare, prendere, impossessarsi di (*una palla*).

snafu /snæ'fuː/ (acronimo di **situation normal, all fouled up**) (*slang USA*) **A** a. pred. in gran disordine; caotico **B** n. **1** confusione; disordine; caos; casino (*pop.*) **2** grosso sbaglio; fiasco (*fig.*).

to **snafu** /snæ'fuː/ (*slang USA*) **A** v. t. guastare; rovinare, incasinare (*pop.*): **to s. the whole thing up again**, incasinare di nuovo tutto quanto **B** v. i. rovinarsi; andare storto; incasinarsi.

snag /snæɡ/ n. **1** protuberanza; spuntone; troncone; ostacolo sommerso **2** pezzo **3** ceppo; radice puntuta; tronco d'albero, trave spezzata (*anche confitti nel letto di un fiume*) **4** filo tirato (*in una calza, ecc.*); smagliatura **5** (*med.*) dente sporgente (*o* rotto); radice (*da cavare*) **6** (*fig.*) impedimento; intoppo; insidia nascosta; ostacolo imprevisto **7** (*slang*) racchia; racchiona; ciospo.

to **snag** /snæɡ/ v. t. **1** spingere (*un'imbarcazione*) contro un ostacolo sommerso **2** liberare di travi (*o* tronchi, ecc.); sommersi (*un canale navigabile, ecc.*) **3** ripulire (*un tronco*) dai mozziconi di rami **4** impigliare (*qc., in una sporgenza, un chiodo, ecc.*); tirare un filo (*di una calza, ecc.*) **5** smagliare (*fam. USA*) prendere al volo (*un taxi, ecc.*) **6** (*sport*) in-

tercettare, prendere (*il passaggio di un avversario*) **7** (*fig.*) impedire; ostacolare; intralciare **8** (*slang USA*) acciuffare; acchiappare; afferrare; portare via; fregare; rubare; rimediare; procacciarsi: **to s. a rich wife**, acchiappare una moglie ricca ● (*fam. USA*) **to s. a nice profit**, ricavare un bell'utile.

snaggletooth /'snægltu:θ/ n. (pl. *snaggleteeth*) dente sporgente (*o rotto*) ‖ **snaggletoothed a.** dai denti sporgenti (*o rotti*).

snaggy /'snægɪ/ a. pieno di protuberanze; pieno di spuntoni.

snail /sneɪl/ n. **1** (*zool.*) lumaca; chiocciola **2** (*fig.*) persona lenta (*o pigra*); lumaca; lumacone ● (*mecc.*) **s. cam**, camma a chiocciola □ (*scherz.*, *comput.*) **s. mail**, posta ordinaria (*contrapposta alla posta elettronica*) □ (*fig.*) **s.-paced** (*o* **s.-slow**), lento come una lumaca; lentissimo □ **at a s.'s pace**, a passo di lumaca.

♦**snake** /sneɪk/ n. **1** (*zool.*) serpente, serpe (*anche fig.*); biscia **2** (*tecn.*) mandrino flessibile piegatubi (*da idraulico*) **3** (*fin.*, *stor.*; = **s. in the tunnel, monetary s.**) serpente monetario **4** (*volg.*) biscia, anguilla (*fig. volg.*); pene: **to drain the s.**, sgrollare (*o scrollare*) la biscia; orinare ● **snakes and ladders**, il gioco dell'oca □ **s. bite → snakebite** □ (*fig. slang USA*) **s.-bitten**, sfortunato; scalognato; iellato (*pop.*) □ **s. charmer**, incantatore di serpenti □ **s. eyes**, (*nei dadi*) lancio di due; (*fig.*) insuccesso completo, buco nell'acqua □ (*USA*) **s.(-rail) fence**, staccionata di tronchi d'albero disposti a zigzag □ (*zool.*, *Raphidia*) **s. fly**, rafidia □ (*fig.*) **a s. in the grass**, un traditore; una serpe □ (*fam.*) **s. oil**, olio di serpente; rimedio miracoloso per tutti i mali; panacea □ (*fig.*) **s. pit**, manicomio; fossa dei serpenti (*fig.*) □ (*fig.*) **to cherish a s. in one's bosom**, allevare una serpe in seno □ (*fig.*) **to wake snakes**, fare il diavolo a quattro.

to **snake** /sneɪk/ v. i. **1** serpeggiare: *The path snakes up the mountain*, il sentiero s'inerpica serpeggiando sul fianco del monte **2** strisciare: *The patrol snaked through the undergrowth*, la pattuglia avanzava strisciando nel sottobosco **3** (*di veicolo*) procedere a zigzag **4** (*slang USA*) complottare; tramare ● **to s. one's way**, (*di veicolo*) procedere a zigzag; (*di persona*) insinuarsi (*tra la folla, ecc.*).

snakebird /'sneɪkbɜːd/ n. (*zool.*, *Anhinga*) uccello serpente.

snakebite /'sneɪkbaɪt/ n. **1** morso di serpente **2** (*slang USA*) bevanda alcolica; liquore; whisky **3** (*GB*) miscela di sidro e birra chiara.

snakeboard /'sneɪkbɔːd/ n. snakeboard (*tipo di skateboard con due tavole unite da una barra centrale mobile*).

snakehead /'sneɪkhɛd/ n. **1** (*zool.*, *Ophicephalidae*) pesce dal corpo cilindrico e dalla testa grossa e squamosa **2** (*slang*) organizzatore di espatri clandestini (*spec. dalla Cina*).

snakeroot /'sneɪkruːt/ n. (*bot.*) **1** (*Aristolochia serpentaria*) radice colubrina **2** (*Polygala senega*) poligala; poligala virginiana **3** → **snakeweed 4** ⑭ (*farm.*) preparato a base di una di queste erbe.

snake's-head /'sneɪkshɛd/ n. (*bot.*, *Fritillaria meleagris*) meleagride.

snakeskin /'sneɪkskɪn/ n. ⑭ pelle di serpente; serpente (*il materiale*): **a s. bag**, una borsetta di serpente.

snakeweed /'sneɪkwiːd/ n. (*bot.*, *Polygonum bistorta*) bistorta; serpentaria.

snaky /'sneɪkɪ/ a. **1** serpeggiante; sinuoso; lungo e tortuoso **2** serpentino; infestato dai serpenti (*fig.*) serpentino; malefico; maligno; perfido; sleale | **-ily avv.** | **-iness n.** ⑭.

snap /snæp/ **A** n. **1** colpo secco; scatto; schiocco; schianto: *The branch broke with a s.*, il ramo si spezzò di schianto; **the s. of a whip**, lo schiocco di una frusta **2** brusca rottura; lo spezzarsi (*di un ramo, ecc.*) **3** morso; atto di mordere (*o d'azzannare*): **to make a s. at sb.**, tentare d'azzannare q. **4** fermaglio; fibbia; gancio **5** ⑭ (*fig. fam.*) brio; vivacità; verve (*franc.*): *He lacks s.*, manca di brio, di vivacità **6** rubamazzo (*gioco di carte*) **7** (abbr. *fam. di* **snapshot**) istantanea; foto: **my holiday snaps**, le mie foto delle vacanze **8** biscotto croccante; croccantino: **ginger snaps**, croccantini aromatizzati con zenzero **9** (*USA*) = **s. fastener** → *sotto* **10** ⑭ (*fam.*) energia; spinta (*fig.*); **Put a bit of s. in it!**, mettici un po' di energia!; datti un po' di spinta! **11** (*fam. USA*) cosa facilissima; bazzecola **12** (*ingl. sett.*) pasto nel paniere; pasto in fabbrica **B** attr. **1** (*di congegno, fermaglio*) a scatto; a molla; automatico **2** improvviso; repentino: **a s. decision**, una decisione improvvisa (*o repentina*) (*polit.*) **a s. vote**, una votazione indetta a tamburo battente **C** inter. (*fam.*) ma guarda; che coincidenza; anch'io; tale e quale! ● (*elettr.*) **s.-action switch**, interruttore a scatto rapido □ **s. closure**, chiusura a scatto □ **s. fastener**, bottone automatico; automatico □ **s. hook**, gancio a molla; moschettone □ (*aeron.*) **s. roll**, mulinello; tonneau (*franc.*) □ **s. judgement**, giudizio dato su due piedi; giudizio avventato □ **a s. lock**, una serratura a scatto □ **s. reaction**, reazione immediata (*o istintiva*) □ **s. ring** (*o* **s.-shackle**), (*mecc.*) anello elastico; (*alpinismo*) moschettone □ **s.-shot**, colpo sparato senza prendere la mira; tiro veloce (*con la pistola, ecc.*); (*calcio, ecc.*) tiro improvviso □ (*elettr.*) **s.-switch → s.-action switch** □ **to call sb. with a s. of one's fingers**, chiamare q. schioccando le dita □ **to speak with a s.**, parlare in tono brusco.

♦**to snap** /snæp/ v. t. e i. **1** afferrare coi denti; addentare; azzannare; fare l'atto di mordere: *Your dog is vicious: he snarls and snaps*, il tuo cane è cattivo: ringhia e fa l'atto di mordere **2** rompere, rompersi; spezzare, spezzarsi (*con uno schiocco*): *He pulled at the rusty handle until he snapped it*, tirò la maniglia arrugginita finché la ruppe; *The branch snapped and I fell*, il ramo si spezzò e io caddi **3** schioccare; far schioccare: **to s. a finger** (*o* **one's fingers**), schioccare le dita; **to s. a whip**, far schioccare una frusta **4** scattare (*fig.*): saltare (*anche fig.*): *'A door lock snapped and the door fell ajar'* B. MALAMUD, 'saltò la serratura di uno sportello, che si spostò tanto da restare semiaperto'; *My nerves snapped*, mi saltarono i nervi **5** scoppiettare: *The fire is snapping*, il fuoco scoppiettà **6** chiudere (*o chiudersi*) di scatto; scattare; serrare: *Ann snapped the bag shut*, Anna chiuse la borsetta di scatto; **to s. a clasp**, chiudere una fibbia; *The door snapped shut* (*o* to), *la porta si chiuse di scatto* **7** battere; colpire: **to s. one's teeth together**, battere i denti; *Tom snapped the girl with a rubber band*, Tom colpì la ragazza con un elastico (*tendendolo e poi lasciandolo andare*) **8** (*fam.*) fare (*o scattare*) un'istantanea a (q. *o* qc.); fotografare: *The tourists were snapping* (*the dancers*), i turisti scattavano foto (ai danzatori) ● (*zool.*) **snapping turtle** (*Chelydra serpentina*), tartaruga azzannatrice □ **S. the safety before putting the revolver away**, metti la sicura prima di riporre la rivoltella! □ *Make sure the lever makes a snapping sound*, assicurati che la leva faccia uno scatto □ *His eyes snapped open*, i suoi occhi si aprirono di scatto □ **The pistol snapped**, la pistola lasciò partire un colpo; (*anche*) la pistola fece cilecca □ **The soldiers snapped to attention**, i soldati scattarono sull'attenti □ (*fam.*) **S. to it!**, sbrigati!; spicciati!; scattare!; dacci sotto!

■ **snap at** v. i. + prep. **1** cercare di mordere (*o di addentare*); tentare di azzannare: *My Alsatian always snaps at the postman*, il mio pastore tedesco tenta sempre di azzannare il postino **2** (*fig.*) gridare contro (q.); trattare (q.) con durezza; dire, esclamare con durezza (*o in malo modo*); aggredire (q.) verbalmente **3** (*anche fig.*) afferrare, cogliere al volo; agguantare: *The cat snapped at the meat*, il gatto aguantò la carne; **to s. at a chance**, cogliere al volo un'occasione □ (*di un pesce e fig.*) **to s. at the bait**, abboccare; (*fig.*) rispondere a una provocazione □ (*fam.*) **to s. one's fingers at sb.** [st.], non mostrare alcun rispetto per, infischiarsene di [qc.] □ **to s. at an invitation**, non farsi ripetere un invito due volte □ (*calcio, ecc.*) **to s. at sb.'s heels**, stare alle calcagna (*o alle costole*) di q.

■ **snap back** v. i. + avv. **1** (*di un elastico*) scattare indietro, tornare di scatto; (*di un meccanismo, ecc.*) rinculare **2** (*fig.*) rispondere male; ribattere; dare una risposta **3** riprendersi; recuperare le forze **4** (*fig. fam.: dell'economia, del mercato*) recuperare, riprendersi all'improvviso; (*di prezzi, ecc.*) avere un inatteso miglioramento.

■ **snap down** v. t. + avv. sbattere giù; chiudere di botto: *He snapped the trapdoor down*, sbatté giù la botola.

■ **snap into it** v. i. + prep. (*fam.*) scattare (*fig.*), darci sotto: *S. into it!*, scattare!

■ **snap off** **A** v. t. + avv. **1** spezzare (*un ramo, ecc.*); staccare (*con un morso, ecc.*): *The shark snapped his arm off*, il pescecane gli staccò un braccio con un morso; *He snapped off a chunk of bread*, con un morso staccò un pezzo dalla pagnotta **2** (*fig.*) spegnere (*la luce*) all'improvviso **B** v. i. + avv. (*di un ramo, ecc.*) spezzarsi; rompersi □ (*fig. fam.*) **to s. sb.'s head off**, mangiare la faccia a q.; rispondere a q. in malo modo.

■ **snap on** **A** v. t. + avv. **1** chiudere di scatto; mettere (*un coperchio, ecc.*) **2** (*fig.*) accendere (*la luce*) all'improvviso **B** v. i. + avv. chiudersi; attaccarsi; agganciarsi; affibbiarsi.

■ **snap out** v. t. + avv. dire, gridare (*parole*) dare (*un ordine, ecc.*) seccamente (*o bruscamente*): **to s. out a warning**, gridare un avvertimento; **to s. out an order**, dare seccamente un ordine.

■ **snap out of** v. i. + avv. + prep. (*fam.*) scuotersi da (*torpore, sonnolenza, ecc.*); liberarsi di, scuotersi di dosso (*una depressione, ecc.*): *S. out of it!*, tirati su!; smettila di piangerti addosso (*di lamentarti, ecc.*)!; reagisci!

■ **snap to** v. i. + avv. **1** (*mil.*) scattare sull'attenti **2** (*fam. USA*) fare di colpo attenzione; riscuotersi; scuotersi.

■ **snap up** v. t. + avv. (*fam.*) assicurarsi; portare via, prendersi, comprare al volo; non lasciarsi sfuggire: **to s. up the rights of a film [of a novel, etc.]**, assicurarsi i diritti di un film [di un romanzo, ecc.] □ **to s. up a bargain**, concludere al volo un buon affare □ **The offer is very good; s. it up!**, l'offerta è ottima; prendi l'occasione al volo! □ (*fam. USA*) **S. it up!**, forza!; scattare!; dacci sotto!

snapback /'snæpbæk/ n. **1** svolta repentina; inversione di rotta (*fig.*) **2** (*econ.*, *fin.*) ripresa (*improvvisa*); inatteso miglioramento: **a s. of the market**, una ripresa del mercato.

snapdragon /'snæpdrægən/ n. **1** (*bot.*, *Antirrhinum majus*) bocca di leone; antirrino **2** ⑭ gioco natalizio che consiste nell'afferrare chicchi d'uva passita da un vassoio pieno di brandy acceso e mangiarli anche se scottano.

snap-off /'snæpɒf/ a. che si sgancia (*o si stacca*) con uno scatto.

snap-on /'snæpɒn/ a. che si attacca (*con bottoni, ecc.*); agganciabile; distaccabile: **a**

snap-on collar, un colletto distaccabile.

snapper /'snæpə(r)/ n. **1** individuo stizzoso; chi dà rispostacce **2** risposta mordace; clou (*franc.*); battuta finale (*di una barzelletta, ecc.*); argomento conclusivo, colpo finale **3** (*fam.*) fotografo (*dilettante*) **4** (*fam. USA*) bottone automatico **5** (*slang USA*) bocca **6** (*slang ingl.*) bimbo; marmocchio **7** (*spreg.*) fotografo **8** (pl.) (*slang*) denti; dentatura **9** (*zool.*) lutianide **10** (*zool., Chelydra serpentina*) chelidra ● **s.-up**, chi coglie al volo le occasioni □ **a s.-up of bargains**, uno che è abilissimo a concludere buoni affari.

snapping /'snæpɪŋ/ a. che addenta; che azzanna ● (*zool.*) **s. turtle** (*Chelydra serpentina*), tartaruga azzannatrice.

snappish /'snæpɪʃ/ a. **1** (*di un cane, ecc.*) mordace **2** (*fig.*) aspro; brusco; rude; sgarbato **3** (*fig.*) arcigno; bisbetico; irritabile | **-ly** avv. | **-ness** n. Ⓤ.

snappy /'snæpɪ/ a. **1** brillante; scattante; brioso; vivace: **s. dialogues**, dialoghi brillanti **2** energico; vigoroso **3** (*fam.*) elegante; alla moda **4** rapido; convulso; improvviso **5** fragile; che si spezza facilmente **6** → **snappish** ● **a s. dresser**, un elegantone; un damerino □ (*fam.*) **Look s.!**, (*USA* anche: **Make it s.!**), sbrigati!; spicciati! | **-ly** avv. | **-iness** n. Ⓤ.

snapshot /'snæpʃɒt/ n. **1** fotografia istantanea; istantanea **2** (pl.) (*fig.*) lineamenti; elementi; descrizione sommaria.

to **snapshot** /'snæpʃɒt/ v. t. fare (*o scattare*) un'istantanea a (q.); fotografare.

snare /sneə(r)/ n. **1** laccio (*d'uccellatore*); trappola; (*fig.*) insidia, tranello **2** (*mus.*) timbro (*di tamburo*) **3** (*med.*) ansa metallica ● **s. drum**, tamburo militare (*a doppia membrana*) □ (*anche fig.*) **to fall into a s.**, cadere nel laccio (*o in trappola*) □ **to lay a s.**, tendere un laccio (*o un'insidia*).

to **snare** /sneə(r)/ v. t. prendere al laccio (*o in trappola*); accalappiare; intrappolare (*anche fig.*) □ **to s. rabbits**, prendere conigli in trappola; **to s. a rich husband**, accalappiare un marito ricco ● (*fig.*) **to s. a good job**, procurarsi un buon posto (*di lavoro*) | **snarer** n. tenditore di trappole (*anche fig.*).

to **snarf** /snɑːf/ v. t. (*slang USA*) (*anche* **to s. up**) abbuffarsi; ingozzarsi di; spazzare via, spazzolare, far fuori (*cibo*).

snark /snɑːk/ n. animale immaginario (*parola coniata da L. Carroll, nella poesia «La caccia allo snark»; da* **snake** + **shark**).

snarky /'snɑːkɪ/ a. (*slang USA*) bisbetico; irritabile; stizzoso.

snarl① /snɑːl/ n. **1** ringhio (*del cane*) **2** tono (*di voce*) stizzito; voce arrabbiata; ghigno.

snarl② /snɑːl/ n. **1** groviglio; garbuglio **2** confusione; disordine; scompiglio ● **My hair is full of snarls**, ho i capelli tutti aggrovigliati.

to **snarl**① /snɑːl/ Ⓐ v. i. **1** (*del cane*) ringhiare **2** parlare con acredine (*o rabbiosamente*); ringhiare (*fig.*) Ⓑ v. t. (*di solito* **to snarl out**) esprimere (*o manifestare, sfogare*) con parole aspre, stizzose; grugnire (*fam.*): **to s. (out) one's contempt [discontent]**, manifestare il proprio disprezzo [sfogare la propria scontentezza] con parole aspre, stizzose.

to **snarl**② /snɑːl/ Ⓐ v. t. **1** aggrovigliare; arruffare; ingarbugliare: **a snarled skein**, una matassa arruffata **2** (*spesso* **to s. up**) mettere in disordine; gettare nello scompiglio; intasare; ingorgare: *The pile-ups snarled up traffic on the M6*, i tamponamenti a catena intasarono il traffico sull'autostrada M6 Ⓑ v. i. **1** aggrovigliarsi; arruffarsi; ingarbugliarsi **2** (*del traffico, spesso* **to s. up**) ingorgarsi; intasarsi.

snarler /'snɑːlə(r)/ n. **1** cane che ringhia;

cane ringhioso **2** persona ringhiosa (*o stizzosa*).

snarling /'snɑːlɪŋ/ a. ringhioso; (*fig.*) stizzoso, collerico; scorbutico.

snarl-up /'snɑːlʌp/ n. (*fam.*) groviglio (*di automobili*); ingorgo, intasamento (*del traffico*).

snarly① /'snɑːlɪ/ → **snarling**.

snarly② /'snɑːlɪ/ a. aggrovigliato; confuso; ingarbugliato.

snatch /snætʃ/ n. **1** atto del ghermire; tentativo d'afferrare; tentativo di presa; stretta: **to make a s. at st.**, cercar d'afferrare qc. **2** breve periodo (*di tempo, di lavoro, ecc.*): **snatches of time off**, brevi periodi di ferie; ferie a bocconi **3** frammento; brano; pezzetto; squarcio: **snatches of a tale**, frammenti di un racconto; **a s. of a song**, un pezzetto di una canzone **4** (*fam.*) boccone; spuntino **5** (*slang*) rapimento; sequestro di persona **6** (*slang*) scippo **7** (*sport: sollevamento pesi*) strappo **8** (*volg. USA*) fica (*volg.*); vulva; passera (*fig.*) ● (*naut.*) **s. block**, pastecca □ **a s. of sleep**, una dormitina □ (*in GB*) **S. squad**, reparto antisommossa; (*fam.*) squadra di poliziotti che fa un arresto □ **to sleep in snatches**, dormire a intervalli □ **to work in snatches**, lavorare a strappi.

to **snatch** /snætʃ/ v. t. **1** afferrare; agguantare; carpire; ghermire; dar di piglio a: **to s. the first opportunity**, afferrare la prima occasione; **to s. a kiss**, carpire (*o rubare*) un bacio **2** strappare a viva forza; strappare (*anche fig.*); portar via; cogliere a stento: *The wind snatched my hat off*, il vento mi portò via il cappello; *He was snatched from my arms [from the flames]*, fu strappato dalle mie braccia [alle fiamme]; **to s. victory**, strappare (*cogliere a stento*) la vittoria; (*sport*) **to s. a draw**, strappare il pareggio **3** (*slang*) rapire; sequestrare (*un bambino, ecc.*) **4** (*slang*) rubare; scippare ● **to s. at**, fare l'atto d'afferrare, cercar di strappare; afferrare, agguantare, (*fig.*) accettare al volo, con entusiasmo (*un'offerta, un invito*): *The drowning man snatched at the lifebelt*, l'uomo sul punto d'annegare cercò d'afferrare il salvagente; *The thief snatched at my purse*, il ladro cercò di strapparmi la borsa □ **to s. at the chance**, cogliere il destro; non farsi sfuggire l'occasione □ **to s. away**, portare via (*anche, fig., speranze, ecc.*); rapire: *He was snatched away by premature death*, fu rapito da morte prematura □ (*basket, ecc.*) **to s. the ball**, rubare palla □ **to s. sb. from the jaws of death**, strappare q. alla morte □ **to s. a meal**, rimediare un pasto □ (*calcio*) **to s. one's shot**, sbucciare il pallone; colpirlo male □ **to s. up**, prendere su, raccogliere, afferrare in fretta e furia (*q. o qc.*): *The thug snatched up a knife*, il malvivente afferrò un coltello.

snatcher /'snætʃə(r)/ n. **1** chi afferra; chi agguanta **2** (*slang*) rapitore **3** (*slang*) scippatore ● (*un tempo*) **body s.**, disseppellitore di cadaveri.

snatchy /'snætʃɪ/ a. (*di lavoro, ecc.*) fatto a strappi (*o a balzi*); a spizzichi; a bocconi; frammentario; discontinuo; intermittente.

snazz /snæz/ n. Ⓤ (*slang USA*) eleganza; sciccheria.

to **snazz** /snæz/ v. t. (*slang USA*) rendere più elegante (*o più alla moda*); rimodernare; svecchiare.

snazzy /'snæzɪ/ a. (*fam. USA*) elegante; chic; sciccoso; all'ultima moda; raffinato | **-ily** avv.

sneak /sniːk/ n. **1** individuo doppio (*o spregevole*); sornione; trappolone (*pop.*) **2** (*gergo studentesco*) spia; spione ● (*mil. e sport*) **s. attack**, attacco di sorpresa □ (*cinem., USA*) **s. preview**, anteprima non

preannunciata □ **s. thief**, ladruncolo □ **on the s.**, di soppiatto, alla chetichella.

to **sneak** /sniːk/ (*pass. e p. p. regolari, USA* **snuck**) Ⓐ v. i. **1** muoversi furtivamente; strisciare: *The burglar sneaked into the house*, il ladro s'introdusse furtivamente nella casa **2** (*gergo studentesco*) fare la spia **3** usare inganni; agire (*o lavorare*) sott'acqua (*fig.*) Ⓑ v. t. **1** portare di nascosto; trasportare di frodo; contrabbandare: *He sneaked the jewels across the border*, portò i gioielli di frodo oltre il confine **2** (*fam.*) rubare; rubacchiare ● **to s. away**, andarsene di soppiatto; svignarsela; **to s. behind sb.**, arrivare di soppiatto alle spalle di q. □ **to s. in**, infilarsi dentro (*senza pagare, ecc.*); introdurre, inserire (qc.) di soppiatto □ **to s. a look at st.**, dare un'occhiata di nascosto a qc. □ **to s. off** = **to s. away** → *sopra* □ **to s. out**, (fare) uscire (*o scappare*) di soppiatto □ **to s. information**, far passare informazioni (*eludendo i controlli, ecc.*) □ **to s. up on sb.**, arrivare di soppiatto alle spalle di q.; (*fig.: del buio, ecc.*) calare, scendere addosso a q.

sneaker /'sniːkə(r)/ n. **1** chi si muove furtivamente; chi striscia **2** individuo doppio (*o spregevole*) **3** (pl.) (*fam. USA*) scarpe da tennis; scarpe da ginnastica **4** (*slang USA*) debole nascosto (*che si ha per una persona*).

sneaking /'sniːkɪŋ/ a. **1** abietto; basso; meschino; spregevole; strisciante; vile **2** inconfessato; furtivo; celato; nascosto; segreto: *Jack has a s. liking for her*, Jack ha una simpatia inconfessata per lei; *I have a s. fondness for jazz*, ho una passioncella segreta per il jazz ● **a s. suspicion**, un sospetto strisciante | **-ly** avv.

sneaky /'sniːkɪ/ a. abietto; basso; meschino; spregevole; strisciante; vile.

sneer /snɪə(r)/ n. **1** ghigno; sogghigno; riso di scherno **2** tono di scherno (*nella voce*) **3** Ⓤ dileggio; espressione beffarda; parola derisoria; sarcasmo.

to **sneer** /snɪə(r)/ v. i. ghignare; sogghignare; sghignazzare ● **to s. at**, deridere; dileggiare; schernire □ **to s. one's contempt**, manifestare con un ghigno il proprio disprezzo □ *The proposal was sneered down*, la proposta fu respinta fra lo scherno generale.

sneerer /'snɪərə(r)/ n. beffatore, beffatrice; dileggiatore; derisore; schernitore, schernitrice.

sneering /'snɪərɪŋ/ a. beffardo; derisorio; di scherno | **-ly** avv.

sneeze /sniːz/ n. starnuto, sternuto.

to **sneeze** /sniːz/ v. i. starnutire, starnutare; sternutire; fare uno starnuto ● (*fam.*) **not to s. at st.**, non arricciare il naso davanti a qc. □ (*fam.*) **not to be sneezed at**, non disprezzabile; degno di considerazione; da non prendere sottogamba (*fam.*).

snell /snɛl/ n. (*pesca, USA*) finale; setale; bava.

snick /snɪk/ n. **1** tacca; incisione; piccolo taglio **2** (*cricket*) colpo di taglio che fa deviare la palla; (*anche*) palla sbucciata (*per errore*).

to **snick** /snɪk/ v. t. **1** intaccare; incidere; fare un piccolo taglio in **2** (*cricket*) colpire (*la palla*) in modo da farla deviare leggermente; sbucciare (*la palla*) per errore.

snicker /'snɪkə(r)/ n. **1** nitrito **2** (*spec. USA*) risatina repressa.

to **snicker** /'snɪkə(r)/ v. i. **1** nitrire **2** (*spec. USA*) ridacchiare; ridere sotto i baffi; reprimere una risatina.

snide /snaɪd/ Ⓐ a. **1** contraffatto; falso; fasullo **2** malizioso; maligno: **a s. remark**, un'osservazione maliziosa **3** sprezzante; beffardo; sarcastico Ⓑ n. (*slang*) **1** individuo maligno **2** Ⓤ gioielli falsi; monete false **3** Ⓤ malignità; ipocrisia; maldicenza; pettegolezzi cattivi.

S

sniff /snɪf/ n. **1** annusata; fiutata; sniffata (*pop.*: *spec. di droga*) **2** ciò che si fiuta (*o si annusa*) **3** quantità d'aria aspirata col naso: **to take a deep s.**, inspirare profondamente **4** odore; profumo; sentore **5** (*fig.*) sentore; accenno; indizio; allusione: *They ran away at the first s. of trouble*, sono scappati al primo sentore di violenza **6** (*spec. sport*) piccola possibilità; piccola chance: *He didn't even get a s. at goal*, non ha avuto la benché minima possibilità di segnare **7** segno di disprezzo **8** singhiozzo (*di pianto*) **9** (*slang*) sniffo (*pop.*); dose di cocaina.

to **sniff** /snɪf/ v. i. e t. **1** annusare; aspirare; fiutare; sniffare (*pop.*); inalare; respirare rumorosamente (*o tirar su*) col naso: *Don't s.!*, non tirar su col naso!; **to s. medicine**, inalare una medicina; **to s. cocaine**, fiutare (*o sniffare*) cocaina; **to s. the sea air**, aspirare (*o fiutare*) l'aria marina **2** (*fig., anche* **to s. out**) fiutare; subodorare: **to s. danger**, fiutare il pericolo **3** singhiozzare (*piangendo*) **4** (*comput.*) osservare e analizzare il traffico di una rete ● **to s. around**, (*di cani, ecc.*) fiutare qua e là; (*fig.*) indagare di nascosto □ **to s. at st.**, annusare, fiutare qc.; (*fig.*) arricciare il naso per qc.; mostrare disprezzo per qc., disapprovare qc. □ (*dei cani*) **to s. out illicit drugs**, fiutare la droga abusiva (*negli aeroporti, ecc.*) □ **to s. out information**, scovare informazioni □ **to s. up**, tirar su col naso, aspirare; annusare, fiutare □ **That offer is not to be sniffed at**, quell'offerta non è affatto disprezzabile (*o da disprezzare*).

sniffer /'snɪfə(r)/ n. **1** annusatore; fiutatore; sniffatore (*pop.*: *spec. di droga*) **2** (*tecn.*) rivelatore di sostanze nocive (*o tossiche*) **3** (*comput.*) sniffer (*programma in grado d'intercettare i pacchetti d'informazione che viaggiano sulla rete*) **4** (*slang*) naso ● **s. dog**, cane da fiuto; cane antidroga (*della polizia*).

sniffle /'snɪfl/ n. **1** atto di tirar su col naso **2** singhiozzo (*di pianto*) **3** (pl.) (*fam.*) **- the sniffles**, raffreddore (di testa); naso che cola.

to **sniffle** /'snɪfl/ v. i. **1** tirar su col naso; aspirare rumorosamente **2** singhiozzare; piangere con singhiozzi ‖ **sniffler** n. chi tira su col naso.

sniffy /'snɪfɪ/ a. (*fam.*) **1** sdegnoso; sprezzante; superbo; altezzoso **2** maleodorante; puzzolente **3** (*slang USA*) schizzinoso; che arriccia il naso (*davanti a qc.*).

snifter /'snɪftə(r)/ n. **1** napoleone; bicchiere da cognac **2** (*fam.*) bicchierino (*o goccio*) di liquore; cicchetto ● (*mecc.*) **s.-valve**, valvola a doppio effetto; valvola di sfogo.

snigger /'snɪgə(r)/ n. risatina repressa (*o irrispettosa*); risolino malizioso.

to **snigger** /'snɪgə(r)/ v. i. ridacchiare; ridere sotto i baffi.

sniggle /snɪgl/ n. (*pesca*) amo per le anguille.

to **sniggle** /'snɪgl/ v. i. e t. (= **to s. for eels**) pescare (anguille) infilando l'amo nelle tane.

sniglet /'snɪglət/ n. (*fam. USA*) parola buffa; termine scherzoso (*di nuovo conio*).

snip /snɪp/ Ⓐ n. **1** taglio; forbiciata; sforbiciata; colpo (di forbici): **a s. of the shears**, un colpo di cesoie **2** ritaglio; pezzetto; scampolo **3** (*scherz.*) vasectomia **4** (*gergo ippico*, = **dead s.**) cavallo vincente (*o sicuro*) **5** (*fam.*) (buon) affare; affarone; buona occasione; articolo venduto a prezzo d'occasione (*o, fam.,* 'regalato') **6** (*fam.*) cosa facile; passeggiata; scherzo (*fig.*) **7** (*fam. USA*) persona (*o cosa*) da poco; nonnulla **8** (*fam. USA*) persona piccola di statura; ometto; donnina (*anche* **s. of a boy**) ragazzetto; (*an-*

che **s. of a girl**) ragazzina **9** (*fam. USA*) insolente; sfacciato; persona sfacciata **10** (*slang antiq.*) sarto **11** (pl.) forbici da lattoniere **12** (pl.) (*slang*) manette Ⓑ inter. zac!; zacchete!

to **snip** /snɪp/ v. t. e i. **1** tagliare con le forbici (*o le cesoie*); tagliuzzare: **to s. paperboard**, tagliuzzare del cartone **2** (*spesso* **to s. off**) tagliare; recidere: **to s. off the thread after sewing on a button**, recidere il filo dopo aver attaccato un bottone; **to s. off the dead roses**, tagliare le rose avvizzite **3** (*fig.*) tagliare; ridurre: **to s. one's budget**, fare dei tagli nel proprio bilancio ● **to s. at st.**, (far l'atto di) tagliuzzare qc. □ **to s. a cigar**, spuntare un sigaro □ **to s. a hedge**, rifilare una siepe ● **to s. off the ends**, tagliare le estremità (*o le punte*).

snipe /snaɪp/ n. **1** (inv. al pl.; *zool.*, *Capella gallinago*) beccaccino **2** colpo sparato da un nascondiglio; colpo di cecchino **3** (*slang USA*) cicca; mozzicone di sigaro (*o di sigaretta*).

to **snipe** /snaɪp/ Ⓐ v. i. **1** andare a caccia di beccaccini **2** (*mil.*) sparare da un nascondiglio, da un riparo **3** (*fig.*) criticare con (grande) malevolenza; stroncare; sparare a zero Ⓑ v. t. (*mil.*) colpire (*o uccidere*) sparando da un nascondiglio ● **to s. at**, sparare a (q.) da un nascondiglio; (*fig.*) criticare aspramente, sparare a zero su: *The critics sniped at his latest novel*, i critici hanno sparato a zero sul suo ultimo romanzo.

snipefish /'snaɪpfɪʃ/ n. (*zool.*) pesce trombetta; trombetta di mare.

sniper /'snaɪpə(r)/ n. **1** (*mil.*) franco tiratore; cecchino **2** criminale che spara da un nascondiglio.

sniping /'snaɪpɪŋ/ n. Ⓤ (*mil.*) cecchinaggio.

snippet /'snɪpɪt/ n. **1** frammento; pezzetto; ritaglio **2** (pl.) informazioni frammentarie; zibaldone **3** (*fam. USA*) individuo insignificante; mezza cartuccia (*fam.*) ‖ **snippety, snippy** a. **1** frammentario; a pezzetti **2** (*fam.*) sprezzante; brusco; secco.

snips /snɪps/ n. pl. (*metall.*, = **tin s., pair of s.**) cesoie (*per lamiere*); forbici da lattoniere.

snit /snɪt/ n. (*fam. USA*) arrabbiatura; stato di agitazione; attacco d'ira ● **to be in a s.**, essere agitato (*o arrabbiato*).

snitch ① /snɪtʃ/ n. (*slang*) spia; informatore.

snitch ② /snɪtʃ/ n. (*fam. scherz.*) naso; becco (*fig. fam.*).

to **snitch** /snɪtʃ/ (*slang*) Ⓐ v. t. rubare; rubacchiare; sgraffignare; grattare (*pop.*) Ⓑ v. i. fare la spia: **to s. on a schoolmate**, fare la spia a un compagno di scuola.

snivel /'snɪvl/ n. **1** Ⓤ moccio **2** (*spreg.*) frignio; piagnisteo; piagnucolamento.

to **snivel** /'snɪvl/ v. i. **1** avere il moccio al naso; moccicare **2** (*per estens., spreg.*) frignare; piagnucolare ‖ **sniveller**, (*USA*) **sniveler** n. **1** moccione; moccioso **2** (*spreg.*) frignone; piagnucolone; piagnone.

snivelling, (*USA*) **sniveling** /'snɪvəlɪŋ/ /'snɪvəlɪ/ a. **1** moccioso **2** (*spreg.*) piagnucoloso; che frigna.

snob /snɒb/ n. snob; grande ammiratore (*o imitatore servile*) delle persone di classe sociale superiore; chi affetta distinzione e gusti raffinati; chi disprezza gli umili; amante dell'esteriorità ● **an intellectual s.**, un intellettualoide □ (*di un oggetto*) **to have a certain s. value**, essere apprezzato dalle persone snob ‖ **snobbery** n. **1** snobismo **2** la classe degli snob ‖ **snobbism** n. Ⓤ snobismo ‖ **snobby** a. snobistico.

to **snob** /snɒb/ → **to snub**.

snobbish /'snɒbɪʃ/ a. snobistico ‖ **-ly** avv. ‖ **-ness** Ⓤ.

Sno-Cat® /'snəʊkæt/ n. (*sport*) gatto del-

le nevi (*veicolo*).

snockered /'snɒkəd/ a. (*slang USA*) ubriaco; sbronzo.

snog /snɒg/ n. (*fam.*) sbaciucchiamento.

to **snog** /snɒg/ (*fam.*) v. i. baciarsi; sbaciucchiarsi; pomiciare ‖ **snogging** n. Ⓤ sbaciucchiamento; pomiciata.

snood /snu:d/ n. **1** rete (*o retina*) per chignon **2** nastro per i capelli **3** (*pesca*) setale, finale (*di lenza*).

snook /snu:k/ n. – (*fam.*) **to cock** (*o* **to cut**) **a s.** (**at sb.**), fare uno sberleffo, far marameo (a q.).

snooker /'snu:kə(r)/ n. Ⓤ (*biliardo*) gioco (*o partita*) a sei buche e con 21 bilie colorate e una bilia battente bianca ● **s. table**, biliardo (*il tavolo*).

to **snooker** /'snu:kə(r)/ v. t. **1** (*biliardo*) spallare (*l'avversario*) **2** (*fig.*) ostacolare; danneggiare; intralciare ● **to be snookered**, spallare, avere la palla cui si mira coperta (da un'altra); (*fig. fam.*) trovarsi nell'impossibilità di fare qc.

snookums /'snu:kəmz/ n. (*slang USA*) tesoro; gioia; amor mio (*a, o detto di, un bimbo, una donna, un animaletto, ecc.*).

snoop /snu:p/ n. Ⓤ (*fam.*) il ficcanasare; il curiosare.

to **snoop** /snu:p/ v. i. (*fam.*) curiosare; indagare; ficcare il naso nei fatti altrui; spiare ● **to s. around**, andare in giro a spiare; ficcanasare □ **to s. into**, ficcanasare in, curiosare dentro: *It was the Police Patrol, snooping into people's windows'* G. OR-WELL, 'era la Pattuglia della Polizia, che curiosava dentro le finestre della gente' □ **to s. on sb.** [st.], spiare q. [qc.].

snooper /'snu:pə(r)/ n. (*fam.*) **1** curiosone; ficcanaso; spione **2** detective privato **3** (*ingl.*) ispettore del lavoro.

snooperscope /'snu:pəskəʊp/ n. (*mil., USA*) visore a raggi infrarossi.

snoopy /'snu:pɪ/ a. che ficca il naso; curioso ● **a s. chap**, un ficcanaso.

snoot ① /snu:t/ n. (*fam.*) **1** naso; becco (*fam.*) **2** faccia; grugno; muso **3** Ⓤ boria; spocchia **4** uno con la puzza sotto il naso; tipo altezzoso.

snoot ② /snu:t/ a. (*fam.*) elegante; raffinato.

to **snoot** /snu:t/ v. t. (*fam.*) disdegnare; snobbare; guardare (q.) dall'alto in basso.

snooty /'snu:tɪ/ a. (*fam.*) altezzoso; sprezzante; sdegnoso; borioso; spocchioso ‖ **-ily** avv. ‖ **-iness** Ⓤ.

snooze /snu:z/ n. (*fam.*) **1** dormitina; pisolino; sonnellino: *I was having a s. when he came in*, facevo un pisolino (*o ero appisolato*) quando entrò lui **2** (*fig.*) (una) barba, (una) pizza (*fig.*); una cosa noiosissima.

to **snooze** /snu:z/ v. i. (*fam.*) dormicchiare; sonnecchiare; fare un pisolino.

snore /snɔ:(r)/ n. **1** Ⓤ il russare; russamento (*raro*) **2** → **snooze**, def. 2.

to **snore** /snɔ:(r)/ v. i. russare ● **He snored himself awake**, fu svegliato dal rumore che egli stesso faceva russando ‖ **snorer** n. chi russa ‖ **snoring** Ⓐ a. russante; che russa Ⓑ n. Ⓤ il russare; russamento (*raro*).

snorkel /'snɔ:kl/ n. **1** (*naut. mil.*) snorkel; presa d'aria per sommergibili **2** (*sport*) respiratore (*tubo con boccaglio: per un nuotatore*).

to **snorkel** /'snɔ:kl/ (*sport*) v. i. nuotare sott'acqua con il respiratore ‖ **snorkelling**, (*USA*) **snorkeling** n. Ⓤ nuoto con il respiratore.

snort /snɔ:t/ n. **1** sbuffo; sbuffata; lo sbuffare **2** (*naut. mil.*) → **snorkel**, def. 1 **3** (*slang*) sniffata (*di droga*) **4** (*slang*: *dose inalata*) sniffo (*pop.*).

to **snort** /snɔ:t/ Ⓐ v. i. sbuffare; soffiare:

snorting horses, cavalli che sbuffano B v. t. 1 (*spesso* to s. out) esprimere (*o* manifestare, dire) sbuffando 2 (*slang*) fiutare, sniffare (*droga*).

snorter /'snɔːtə(r)/ n. 1 chi sbuffa 2 (*fam.*) vento impetuoso 3 (*fam.*) cosa eccezionale; fatto straordinario 4 (*fam.*) grossa difficoltà; rompicapo 5 (*fam.*) lavata di capo; ramanzina 6 (*slang*) sniffatore (*di cocaina*) 7 (*slang*) naso 8 (*slang*) pugno sul naso.

snorty /'snɔːtɪ/ a. 1 che sbuffa; sbuffante 2 (*fam.*) impaziente; irascibile; collerico; di cattivo umore.

snot /snɒt/ n. (*volg.*) 1 moccio; muco nasale 2 individuo spregevole ● s. rag, mocchichino; fazzoletto da naso; individuo insignificante e presuntuoso; stronzetto (*volg.*).

snotnose /'snɒtnəʊz/ n. (*fam.*) 1 moccioso; pivellino 2 individuo insignificante e presuntuoso; stronzetto (*volg.*).

snotty /'snɒtɪ/ A a. 1 (*fam.*) moccioso: s. nose, naso moccioso (*o* che cola) 2 (*slang*) spregevole 3 (*slang*, = s.-nosed) sprezzante; altezzoso; petulante; supponente B n. (*gergo naut.*) aspirante di marina.

snout① /snaʊt/ n. 1 (*d'animale*) muso; grugno; grifo 2 (*slang spreg.*: *di persona*) naso 3 (*tecn.*) beccuccio; cannello 4 (*geol.*) lingua glaciale 5 (*slang*) informatore della polizia; spione ● (*zool.*) s. beetle (*Curculio*), curculione, punteruolo (*del grano, ecc.*) □ (*geol.*) the s. of a glacier, la lingua d'un ghiacciaio.

snout② /snaʊt/ n. (*slang*) 1 tabacco 2 sigaretta; cicca (*pop.*).

♦**snow** /snəʊ/ n. 1 ∪ neve: *We were knee-deep in s.*, la neve ci arrivava alle ginocchia; powdery s., neve farinosa; the snows of Kilimanjaro, le nevi del Kilimangiaro 2 (*fig., poet.*) bianchezza; candore 3 (*chim.*) neve carbonica; ghiaccio secco 4 (*radar, TV*) effetto neve 5 (*slang*) neve; cocaina 6 (*slang*) imbonimento; lisciata; belle parole; sviolinata ● (*bot.*) s.-berry, (*Symphoricarpos albus*) sinforicarpo bianco □ s.-blind, accecato dal riverbero della neve □ s.-blindness, cecità (*temporanea*) da neve; (*med.*) fotofobia da neve □ s. blink, riflesso della neve □ s.-boots, scarpe (*o* scarponi) da neve □ (*alpinismo*) s. bridge, ponte di neve □ (*zool.*) s. bunting (*Plectrophenax nivalis*), zigolo delle nevi □ s. cannon, cannone sparaneve □ s.-capped, incappucciato di neve □ (*autom.*) s. chains, catene da neve □ s.-clad (*o* s.-covered), coperto (*o* ammantato) di neve; innevato □ (*sci*) s. conditions, condizioni della neve; innevamento (*delle piste, ecc.*) □ s. fence, steccato antineve □ s. gaiter, paraneve (*su scarpe o scarponi*) □ s. gauge, nivometro □ s. goggles, occhiali da neve □ (*zool.*) s.-goose (*Chen hyperboreus*), oca delle nevi □ (*zool.*) s.-grouse (*Lagopus mutus*), pernice bianca □ (*autom.*) s. guard, paraneve (*sul veicolo*) □ s. havoc, disastri provocati dalla neve (*alpinismo*) s. hole, buca nella neve (*come ricovero*) □ s.-ice, neve ghiacciata □ (*fam. USA*) s. job, imbroglio, inganno; presa in giro; balla; frottola □ (*zool.*) s. leopard (*Felis uncia*), leopardo delle nevi □ s. line, limite delle nevi perpetue □ (*zool.*) s.-owl (*Nyctea nyctea*), civetta delle nevi □ s. pellets, neve tonda; neve pallottolare □ (*bot.*) s.-plant (*Sarcodes sanguinea*), sarcode (*cucina*) s. pudding, budino di albumi montati a neve e di una gelatina al limone □ (*sci*) s. report, bollettino della neve □ s. shovel, badile (*o* pala) da spalatore □ s.-slide, valanga; slavina □ (*autom.*) s. tyre (*USA*: s. tire), pneumatico antineve; gomma da neve □ s.-white, bianco come la neve; niveo □ fall of s., nevicata.

to **snow** /snəʊ/ A v. i. (*impers.*) nevicare; cader la neve: *It is snowing*, nevica; sta nevicando; cade la neve B v. t. 1 (*fig.*) dare (*o* distribuire) a piene mani; gettare (*o* spar-

gere) in abbondanza 2 (*slang USA*) riempire (q.) di belle parole; fare colpo su (q.) (*raccontandogli balle*); lavorarsi, raccontare balle a (q.) ● (*fig.*) to s. in, piovere da ogni parte □ (*USA*) to s. under, coprire di (*o* sommergere sotto) la neve; (*fig.*) sopraffare, sbaragliare, sconfiggere □ (*di persone*) to be snowed in, essere bloccato dalla neve (*in un rifugio alpino, ecc.*) □ (*di un avvenimento*) to be snowed off, essere impedito dalla neve (*o* rinviato per neve) □ (*fig.*) to be snowed under with, essere sommerso da (*inviti, reclami, ecc.*); essere sopraffatto da (*lavoro, ecc.*); essere subissato di (*richieste, ecc.*); *I won't be able to do it this evening, I'm still snowed under*, non riuscirò a farlo stasera, sono ancora pieno di lavoro fino al collo; (*USA*) essere clamorosamente battuto □ to be snowed up, (*di un luogo*) essere sommerso dalla neve; (*del traffico, ecc.*) essere bloccato dalla neve.

snowball /'snəʊbɔːl/ n. 1 palla di neve 2 (*bot., Viburnum opulus*; = s.-tree) palla di neve; pallone di maggio 3 budino di mele (*o* altra frutta) e riso 4 (*fig.*) valanga: s. effect, effetto valanga ● (*fam.*) a s.'s chance in hell, nessuna probabilità.

to **snowball** /'snəʊbɔːl/ A v. i. 1 lanciar palle di neve, far a pallate 2 (*fig.*) aumentare vorticosamente; crescere a valanga B v. t. 1 colpire (q.) con una palla di neve; prendere (q.) a pallate 2 (*fig.*) far aumentare vorticosamente; far crescere a valanga ‖ **snowballing** n. ∪ 1 il fare a pallate 2 (*fig.*) effetto a valanga.

snowbird /'snəʊbɜːd/ n. 1 (*zool.*; *in USA*) fringuello 2 (*zool., Plectrophenax nivalis*) zigolo delle nevi 3 (*slang USA*) vagabondo; lavoratore stagionale 4 (*slang USA*) turista stagionale (*spec. in Florida*) 5 (*slang USA*) cocainomane; eroinomane.

snowblade /'snəʊbleɪd/ n. snowblade (*tipo di sci corto usato senza bastoncini*) ‖ **snowblading** n. ∪ snowblade (*lo sport*) ‖ **snowblader** n. chi pratica lo snowblade.

snowblower /'snəʊbləʊə(r)/ n. spartineve (*o* spazzaneve, sgombraneve) a turbina.

snowboard /'snəʊbɔːd/ (*sport*) n. snowboard, monoscì (*l'attrezzo*) ‖ **snowboarder** n. chi pratica lo snowboard; surfista della neve ‖ **snowboarding** n. ∪ monoscì (*l'attività*).

snowbound /'snəʊbaʊnd/ a. bloccato dalla neve (*o* dalle nevicate).

snowdrift /'snəʊdrɪft/ n. 1 cumulo di neve (*ammucchiata dal vento*) 2 raffica di neve.

snowdrop /'snəʊdrɒp/ n. (*bot.*) 1 (*Galanthus nivalis*) bucaneve 2 *Anemone quinquefolia*.

snowfall /'snəʊfɔːl/ n. 1 nevicata 2 (*meteor.*) quantità di neve caduta (*in una zona*); (*sci*) innevamento.

snowfield /'snəʊfiːld/ n. campo di neve; nevaio.

snowflake /'snəʊfleɪk/ n. 1 fiocco di neve; falda 2 (*bot.*) varietà di bucaneve.

snowiness /'snəʊɪnəs/ n. ∪ 1 nevosità 2 (*fig.*) candore.

snowline /'snəʊlaɪn/ n. (*geogr.*) linea delle nevi perenni.

snowmaker /'snəʊmeɪkə(r)/ n. (*sport*) = snowmaking machine → snowmaking, B.

snowmaking /'snəʊmeɪkɪŋ/ (*sport, tur.*) A n. ∪ innevamento: artificial s., l'innevamento artificiale (*delle piste da sci*) B a. attr. per fare la neve: a s. machine, una macchina per fare la neve artificiale; un cannone sparaneve.

snowman /'snəʊmæn/ n. (pl. *snowmen*) 1 pupazzo (*o* fantoccio) di neve (*fatto dai bambini per gioco*) 2 (*slang USA*) imbonitore; adulatore; imbroglione ● the Abominable

S., l'abominevole Uomo delle nevi (*creatura favolosa della catena dell'Himalaya*).

snowmobile /'snəʊməbiːl/ n. (*sport*) cingolato munito di sci; gatto delle nevi; motoneve.

snowplough /'snəʊplaʊ/ n. 1 spazzaneve; spartineve 2 (*sci*) spazzaneve ● (*sci*) s. turn, curva a spazzaneve.

snowplow /'snəʊplaʊ/ (*USA*) → snowplough.

snowshed /'snəʊʃed/ n. (*autom., ferr.*) paraneve (*a protezione della strada o della ferrovia*).

snowshoe /'snəʊʃuː/ n. racchetta da neve.

to **snowshoe** /'snəʊʃuː/ v. i. camminare con le racchette da neve (*ai piedi*).

snowstorm /'snəʊstɔːm/ n. 1 tempesta di neve; tormenta 2 (*radar, TV*) effetto neve.

Snow-White /snəʊ'waɪt/ n. (*nella favola*) Biancaneve.

snowy /'snəʊɪ/ a. 1 nevoso; coperto di neve: s. weather, tempo nevoso 2 niveo; candido come neve; immacolato: s. hair, capelli candidi ● (*zool.*) s. owl (*Nyctea nyctea*), civetta delle nevi □ in the s. season, nella stagione della neve.

snub① /snʌb/ n. 1 affronto; offesa; umiliazione: to suffer a s., subire un affronto 2 atteggiamento sprezzante; alterigia 3 (*naut.*) arresto improvviso di una nave (*spec. con un cavo*).

snub② /snʌb/ a. 1 corto; basso; tozzo 2 (*di naso*) schiacciato e all'insù ● s.-nosed, dal naso schiacciato e all'insù; (*d'arma da fuoco*) a canna corta.

to **snub** /snʌb/ v. t. 1 fare un affronto a (q.); trattare (q.) con malagrazia; ignorare, non rispondere al saluto di (q.); snobbare 2 (*naut.*) frenare l'abbrivo di (*una nave, spec. con un cavo*) ● (*naut.*) snubbing post, palo d'ormeggio.

snuba /'snuːbə/ n. (contraz. *fam. USA di* snorkel e scuba) (*sport*) respiratore (*per subacqueo*) collegato da un tubo con un'imbarcazione sovrastante.

snuck /snʌk/ pass. e p. p. (*USA*) di to sneak.

snuff① /snʌf/ n. ∪ 1 → sniff 2 tabacco da fiuto: a pinch of s., una presa di tabacco ● s.-and-butter, giallo-marrone □ s.-coloured, color tabacco □ s.-taker, chi fiuta tabacco □ s.-taking, il prendere (*o* fiutare) tabacco □ (*slang*) to take s., prendere (*o* fiutare) tabacco □ (*fam.*) to be up to s., essere in buone condizioni; aver buon fiuto; saperla lunga.

snuff② /snʌf/ n. 1 moccolaia; fungo (*di candela che arde*) 2 smoccolatura ● (*fam.*) s. film (*o* s. movie), film pornografico con scene di uccisione delle vittime dal vero.

to **snuff**① /snʌf/ A v. t. → to sniff B v. i. 1 → to sniff 2 fiutare tabacco.

to **snuff**② /snʌf/ A v. t. 1 smoccolare (*una candela*) 2 (*spesso* to s. out) spegnere (*una candela*) 3 (*slang USA*) eliminare; ammazzare; fare fuori; uccidere B v. i. (*fam.*, to s. out) spegnersi; morire ● (*slang*) to s. it, morire; tirare le cuoia □ (*fig.*) to s. out, estinguere; spegnere (*una sigaretta*); por fine a; reprimere; domare: *The rebellion was snuffed out*, la rivolta fu domata.

snuffbox /'snʌfbɒks/ n. tabacchiera.

snuffer① /'snʌfə(r)/ n. 1 spegnitoio 2 (pl.) (= a pair of snuffers) smoccolatoio.

snuffer② /'snʌfə(r)/ n. chi fiuta tabacco; (*spreg.*) tabaccone, tabaccona.

snuffle /'snʌfl/ n. 1 respiro rumoroso; il tirar su col naso 2 voce nasale 3 (pl.) the snuffles, raffreddore (*di testa*); catarro nasale ● to have the snuffles, avere il naso chiuso.

a

b

c

d

e

f

g

h

i

j

k

l

m

n

o

p

q

r

s

t

u

v

w

x

y

z

to **snuffle** /'snʌfl/ v. i. **1** respirare rumorosamente; tirar su col naso **2** parlare col naso; parlare in tono lamentoso **3** fiutare rumorosamente; annusare ● **to s. out**, dire (o pronunciare) con voce nasale ‖ **snuffler** n. **1** chi tira su col naso **2** chi parla con voce nasale **3** chi fiuta; chi annusa.

snuffy /'snʌfɪ/ a. **1** tabaccoso; sporco di tabacco **2** che fiuta tabacco **3** color tabacco da fiuto **4** (fig.) scontroso; stizzoso **5** sgradevole.

snug /snʌg/ ▣ a. **1** comodo; accogliente; confortevole; intimo; raccolto; riparato; sicuro; tranquillo: **in a s. corner**, in un comodo cantuccio; **a s. cottage**, una villetta confortevole; una bella casetta; **to be s. at home**, essere tranquillo a casa propria **2** (d'abito) aderente; attillato; comodo: Is this dress too s.?, è troppo attillato questo vestito? **3** (di indumento) che tiene caldo; che fa caldo **4** discreto; sufficiente: **a s. salary**, un discreto stipendio **5** (di natante) pronto per affrontare il mare grosso **6** celato; nascosto: The burglar kept s. behind the curtains, il ladro se ne stava nascosto dietro le tende ▣ n. comodo cantuccio; séparé (in un pub) ● **a s. dinner**, un buon pranzetto □ **a s. fortune**, un bel gruzzolo; un discreto patrimonio □ **a s. income**, un buon reddito; una bella rendita □ (fig.) **to be as s. as a bug in a rug**, stare comodissimo; stare da papa ‖ **-ness** n. ▣

to **snug** /snʌg/ ▣ v. i. **1** mettersi al coperto (o al riparo) **2** coricarsi; sdraiarsi; mettersi comodo **3** rannicchiarsi **4** (naut.) prepararsi per affrontare il mare grosso ▣ v. t. **1** mettere in ordine **2** (naut., di solito, **to s. down**) preparare (una nave) per affrontare il mare grosso.

snuggery /'snʌgərɪ/ n. **1** stanzetta accogliente, tranquilla; cantuccio appartato; posto comodo **2** salottino privato, séparé (di pub, alberghi, ecc.).

to **snuggle** /'snʌgl/ ▣ v. i. stare accoccolato; stare accucciato; accoccolarsi; rannicchiarsi; mettersi comodo (fam.): **to s. up to the fire**, rannicchiarsi vicino al fuoco ▣ v. t. **1** stringere a sé (un bambino, ecc.); tener vicino; tener stretto a sé; coccolare; vezzeggiare ● **to s. down**, mettere (o mettersi) comodo □ **to s. up (together)**, rannicchiarsi, raggomitolarsi.

snugly /'snʌglɪ/ avv. **1** comodamente; tranquillamente **2** in un posto sicuro.

SO sigla **1** (USA, **significant other**) partner; lui, lei **2** (GB, polit., **Scotland Office**) Dipartimento degli affari scozzesi.

♦**so**① /səʊ, sə/ ▣ avv. **1** così; in questo modo; in questa maniera; tanto; talmente: I didn't know it was so far, non sapevo che fosse così lontano; You mustn't behave so, non ti devi comportare in questa maniera; It isn't so cold today as yesterday, oggi non fa tanto freddo quanto ieri (è meno freddo di ieri); He was so fortunate as to escape, fu così fortunato da salvarsi; He's so tired that he cannot walk, è così stanco che non riesce più a camminare **2** (fam., = **so much**) tanto: Why did you laugh so?, perché ridevi tanto?; She talks so!, chiacchiera tanto!; è una tale chiacchierona! **3** (fam.) assai; molto; davvero: I'm so happy to hear the good news, sono davvero felice di apprendere la buona notizia **4** anche; pure: Yes, I denied it, but so did you, è vero, io lo negai, ma anche tu (ma tu pure); «I'm fed up» «So am I», «sono stufo» «anch'io» **5** (idiom.) **Do you really think so?**, lo credi davvero?; **Why do you say so?**, perché dici questo?; **I told you so**, te l'avevo detto!; **I think [am afraid, hope] so**, credo [temo, spero] di sì; «I didn't know about it» – «You did so!», «non ne sapevo niente» «lo sapevi, eccome!» (o «altroché se lo sapevi»); «Look, it's snow-ing!» «So it is!», «guarda, nevica!» «davvero!»; «I'm so sorry!» «So you should be!», «me ne dispiace tanto» «lo credo bene!» ▣ cong. **1** perciò; di conseguenza; quindi; così: It was late, so I went home, era tardi, perciò andai a casa; So you are back again, e così, sei di ritorno (o sei di nuovo qui) **2** (fam., = **so that**) cosicché; affinché; perché: They died so we might live, sono morti affinché noi potessimo vivere; hanno dato la vita per noi ● **so and so**, così e cosà: Tell him to do so and so, digli di far così e cosà □ (fam.) **so-and-so**, (sost.: pl. **so-and-sos**), qualcuno, un tizio, un tale; (eufem.) tipo odioso, sgarbato, villano: Don't be afraid so-and-so may laugh at you, non temere che qualcuno rida di te □ **so as**, così da; in modo (tale) da: Put it so as not to offend him, esprimiti (o metti la cosa) in modo (tale) da non offenderlo □ **so-called**, cosiddetto □ **so far**, finora; fin qui; fino a questo punto: What do you think of it so far?, cosa ne pensi fino ad ora?; Business has been good so far, finora gli affari sono andati bene; So far you're right, fin qui, hai ragione; Did they go so far?, sono arrivati fino a questo punto (o a tanto)? □ **so far as**, per quanto: **so far as I know**, per quanto io sappia □ **so far from**, lungi da; invece di □ **so far so good**, fin qui, tutto (va) bene □ **So kind of you!**, molto gentile da parte tua! □ (fam.) **So long!**, arrivederci!; ciao! □ **so long as**, purché; a patto che; a condizione che □ **so much** [**so many**], tanto, tanta [tanti, tante] □ **so much the better**, tanto meglio! □ **so much for this matter**, e di ciò, basta; questo è tutto □ **so much so that**, (così) tanto che: She insisted on going to the party, so much so that her mother had to give in, insistette tanto per andare al party che sua madre dovette cedere □ **so much the worse**, tanto peggio! □ (fam.) **so so**, così così; mediocre; passabile; passabilmente: «How is business?» «Oh, only so so», «come vanno gli affari?» «Mah! così così» □ **so that**, affinché; cosicché; acciocché; poiché; perché □ **so that... not**, affinché... non □ **so to say** (o **so to speak**), per così dire □ (fam.) **So what?**, e con ciò?; e allora?; che me ne importa? □ **and so on** (o **and so forth**), e così via; eccetera ● **at so much a week**, a un tanto la settimana □ (fam.) **ever so**, molto; assai: She's ever so nice, è così graziosa □ **how so?**, ma come? □ **if so**, se è così; se le cose stanno così □ **just so**, (avv.) (di oggetti) al suo (al loro) posto, in ordine; (cong., fam.) **just so!** o **quite so!**), proprio così!; esattamente; davvero! □ (fam.) **like so**, così; in questa maniera □ **Mr So-and-So**, il Signore Tal dei Tali □ **not so much as**, neanche; nemmeno; neppure: He didn't so much as thank me, non mi ringraziò neppure □ **not so much... as**, non tanto... quanto: I was not so much tired as fed up, non ero tanto stanco quanto stufo □ **or so**, circa; a un dipresso; giù di lì: Give me a dozen or so, me ne dia una dozzina o giù di lì □ **Why so?**, perché?; e perché mai? □ **Be it so!**, e sia, e così pure; così sia, amen □ **But it's so!**, ma è così!; le cose stanno così, te l'assicuro □ **I consider it so much lost time**, a mio avviso è tutto tempo perso □ **I regard it as so much nonsense**, mi sembra tutto un mucchio di sciocchezze □ (anche relig.) **So be it**, così sia; amen □ **So help me God!** (nelle formule di giuramento), così m'assista Iddio! □ (fam.) **So that's that**, così è; ecco tutto; così stan le cose; è andata a punto così □ **You don't say so!**, davvero?; ma no!; è incredibile!

so② /səʊ/ n. (mus.) sol (nota).

So. abbr. **1** (**south**) sud (S) **2** (**southern**) meridionale.

soak /səʊk/ n. **1** bagnata; bagno (anche ind.); inzuppata; inzuppamento **2** ammollamento; immersione; ammollo: **to give st. a s.**, mettere qc. a mollo **3** (fam. USA) trincata; bevuta; sbornia **4** (fam., antiq., spesso **old s.**) beone; ubriacone; spugna (fam.) **5** (fam.) pioggia torrenziale; diluvio (fam.) ● **to have a nice long s. in the bath**, crogiolarsi a lungo dentro la vasca da bagno.

♦to **soak** /səʊk/ ▣ v. t. **1** bagnare; infradiciare; ammollare; mettere a mollo (o a bagno); inzuppare; tuffare: The sudden downpour soaked us, l'improvviso acquazzone c'infradiciò; Do I have to s. the chickpeas before cooking them?, devo mettere a bagno i ceci prima di farli cuocere? **2** imbevere; impregnare: Don't s. the brush with paint!, non impregnare di vernice il pennello! **3** (fis.) saturare **4** (fam.) colpire; percuotere; picchiare **5** (fam.) tartassare; gravare (con prezzi o imposte esorbitanti); pelare, spremere, mungere (fig. fam.): **to s. the taxpayers**, tartassare i contribuenti; **to s. the rich**, spremere (o mungere) i ricchi; **to s. tourists**, pelare i turisti ▣ v. i. **1** imbeversi; ammollarsi; impregnarsi; inzupparsi **2** (fis.) saturarsi **3** filtrare; infiltrarsi; penetrare; (fig. fam.) entrare: Blood had soaked through his shirt, il sangue era filtrato attraverso la camicia; The idea soaked into his head at last, finalmente l'idea gli entrò in testa **4** (fam.) bere smodatamente; bere come una spugna ● **to s. oneself**, immergersi; mettersi a mollo; fare il bagno; (fig.) imbeversi; fare studi profondi: **to s. oneself in a doctrine**, imbeversi d'una dottrina; **to s. oneself in philosophy**, fare studi profondi di filosofia □ **to be soaked to the skin**, esser tutto bagnato; esser fradicio (o zuppo) □ Leave the linen to s. in warm water for one hour, lasciate in ammollo la biancheria in acqua tiepida per un'ora.

■ **soak away** v. i. + avv. (di un liquido) assorbirsi; scomparire per assorbimento.

■ **soak in** v. i. + avv. **1** assorbirsi; penetrare per assorbimento: The rain has soaked in only a few inches, la pioggia è penetrata nel terreno soltanto per pochi centimetri **2** (fig. fam.: di un'idea, un concetto, ecc.) essere recepito (o capito) a poco a poco.

■ **soak off** v. t. + avv. (o prep.) togliere (o staccare) mettendo a bagno (o a mollo): **to s. the label off a bottle**, staccare l'etichetta da una bottiglia mettendola a bagno.

■ **soak out** ▣ v. t. + avv. **1** togliere (una macchia) con l'ammollo **2** smacchiare (indumenti, ecc.) mettendoli a mollo ▣ v. i. + avv. (di macchia, ecc.) andare via con l'ammollo.

■ **soak through** ▣ v. i. + avv. (di un liquido, della pioggia, ecc.) penetrare; passare; causare infiltrazioni ▣ v. t. + avv. bagnare, infradiciare (di pioggia); bagnare fradicio ▣ v. i. + prep. **1** filtrare da; infiltrarsi attraverso: The rain is soaking through the roof, la pioggia filtra dal tetto **2** infradiciare, inzuppare: The snow has soaked through my shoes, la neve mi ha infradiciato le scarpe.

■ **soak up** v. t. + avv. **1** assorbire (un liquido) **2** asciugare, tirare su (fam.): **to s. up water [spilt milk] with a sponge [a cloth]**, asciugare l'acqua [il latte versato] con una spugna [uno straccio] **3** (fig.) assorbire (idee e sim.); imbeversi di; recepire □ **to s. up the sunshine**, bearsi al sole; fare un bagno di sole **4** (sport) assorbire; alleggerire: **to s. up the pressure**, alleggerire la pressione.

soakage /'səʊkɪdʒ/ n. **1** ▣ ammollamento; inzuppamento **2** ▣ assorbimento; (scient.) imbibizione **3** ▣ infiltrazione; liquido assorbito (o che è filtrato).

soaked /səʊkt/ a. **1** imbevuto; impregnato; inzuppato **2** bagnato fradicio **3** (pop.) ubriaco; sbronzo (pop.) ● (di un luogo o di una giornata) **s. in sunshine**, pieno di sole; soleggiato □ **s. to the skin**, bagnato fino alle

ossa □ (*fig.*) **a house s. in childhood memories**, una casa piena di ricordi dell'infanzia.

soaker /'səʊkə(r)/ n. **1** chi ammolla; chi inzuppa **2** (*fam.*) acquazzone; rovescio di pioggia; diluvio (*fig.*) **3** (*fam.*) beone; ubriacone; spugna (*fam.*).

soaking ① /'səʊkɪŋ/ n. **1** ammollamento; ammollo; immersione; inzuppamento; bagnata; (*tecn.*) bagno **2** 回 assorbimento; (*scient.*) imbibizione **3** (*ind.*) macerazione; rinverdimento (*del cuoio*) **4** (*fam.*) acquazzone; rovescio di pioggia ● (*metall.*) **s. pit**, fossa di permanenza (*di lingotti*) □ **s. vat**, vasca di macerazione (*o di rinverdimento*).

soaking ② /'səʊkɪŋ/ a. (*di pioggia, ecc.*) dirotto; scrosciante ● (*di persona*) **s. wet**, zuppo; bagnato fradicio.

♦**soap** /səʊp/ n. **1** 回 sapone: **a bar** (*o a cake, a tablet*) **of s.**, un pezzo di sapone; una saponetta; **scented s.**, sapone profumato; **mottled s.**, sapone marezzato; **washing s.**, sapone da bucato; (*chim.*) **insoluble soaps**, saponi insolubili **2** 回 (*fam.*) adulazione; insaponata, saponata (*fam.*) **3** (*fam.*) = soap opera → *sotto* **4** (*slang USA*) denaro che serve per corrompere; bustarella ● **s. boiler**, saponaio, saponiere (*operaio*); recipiente per fare il sapone □ (*anche fig.*) **s. bubble**, bolla di sapone □ **s. case**, saponiera □ **s. dish**, portasapone □ **s. dispenser**, macchinetta del sapone (*liquido o in polvere*) □ **s. factory**, saponificio; saponeria □ **s. flakes**, sapone in scaglie; scaglie di sapone □ **s. manufacturer**, fabbricante di sapone; saponiere ● (*radio, TV, fam.*) **s. opera**, soap opera; telenovela; sceneggiato sentimentale a puntate; serie radiofonica (*o televisiva*) sulla storia di una famiglia e le sue traversie □ **s. powder**, sapone in polvere □ **s.-works**, saponificio; saponeria □ (*fam. USA*) **No s.!**, niente da fare!; non attacca (*fig.*)! □ **soft s.** = *def. 2* → *sopra*.

to **soap** /səʊp/ v. t. **1** (*spesso* **to s. down**) insaponare: **to s. oneself down**, insaponarsi **2** (*fig.*, = **to soft-s.**) adulare; lisciare; lusingare; insaponare (*fam., fig.*) **3** (*slang USA*) ungere (*fig.*); corrompere.

soapbox /'səʊpbɒks/ n. **1** cassa per sapone (*imballaggio*) **2** (*scatola*) portasapone **3** (*fam.*) palco improvvisato; podio di fortuna: (*fig.*) **to get on one's s.**, salire sul pulpito; mettersi a concionare **4** go-kart; carretto; carriolo.

soapiness /'səʊpɪnəs/ n. 回 **1** l'essere saponaceo (*o saponoso*) **2** (*fig.*) l'essere adulatorio; untuosità.

soapstone /'səʊpstəʊn/ n. 回 (*miner.*) steatite; talco.

soapsuds /'səʊpsʌdz/ n. pl. saponata (*la schiuma*).

soapwort /'səʊpwɜːt/ n. (*bot.*, *Saponaria officinalis*) saponaria.

soapy /'səʊpɪ/ a. **1** insaponato: **s. hands**, mani insaponate **2** saponaceo; saponoso; di sapone **3** (*fig.*) adulatorio; insinuante; untuoso: **a s. appeal to brotherhood**, un untuoso appello alla fratellanza **4** (*fig.*) sentimentale; sdolcinato; insulso ● **s. water**, saponata; acqua con sapone.

to **soar** /sɔː(r)/ v. i. **1** volare in alto; alzarsi in volo; levarsi in alto; librarsi (*anche fig.*) **2** (*aeron.*) veleggiare; librarsi in aria **3** (*di monti, grattacieli, ecc.*) elevarsi; svettare **4** (*fig.*: *di pensieri, ecc.*) elevarsi **5** (*fig.*) aumentare (*o crescere, salire*) vertiginosamente; andare alle stelle: *Oil prices have soared*, i prezzi del petrolio sono andati alle stelle.

soaraway /'sɔːrəweɪ/ a. in crescita esponenziale; travolgente; straordinario: **s. sales**, vendite alle stelle; **s. success**, successo travolgente.

soaring /'sɔːrɪŋ/ **A** a. **1** che vola; che si leva in alto; che si libra **2** (*fig.*) altissimo; svettante; eccelso; elevato; sublime: **a s. spire**, una guglia altissima; **s. skyscrapers**, grattacieli svettanti; **s. ideals**, ideali sublimi **B** n. 回 **1** l'alzarsi (in volo) **2** (*fig.*) aumento vertiginoso **3** (*aeron.*) volo librato (*o planato*) (*d'aliante*) **4** (*zool.*) volo planato ● **s. ambition**, ambizione sconfinata.

sob /sɒb/ n. singhiozzo; singulto ● (*fam.*) **sob sister**, cronista (*donna*) che fa servizi su casi patetici (*o pietosi*); (*anche*) attrice che interpreta ruoli sentimentali □ (*fam.*) **sob story**, storia strappalacrime (*fam.*) □ (*fam.*) **sob stuff**, sentimentalismo eccessivo; discorso (*o scritto, film, ecc.*) sentimentale (*o melodrammatico*).

to **sob** /sɒb/ **A** v. i. **1** singhiozzare **2** (*fig.*: *del vento, ecc.*) lamentarsi; gemere **B** v. t. dire, raccontare (qc.) singhiozzando ● **to sob one's heart out**, piangere dirottamente (*o a calde lacrime*); scoppiare in singhiozzi disperati □ **to sob out**, dire (*o raccontare*) tra i singhiozzi ‖ **sobbing** **A** a. singhiozzante **B** n. 回 singhiozzio; il singhiozzare; singhiozzi (collett.) ‖ **sobbingly** avv. singhiozzando; fra i singhiozzi.

SOB sigla (*anche* **s.o.b.**) (*slang, volg.*, **son of a bitch**) figlio di puttana.

sober /'səʊbə(r)/ a. **1** astemio; che non beve; non su di giri; sobrio; non ubriaco: *I have never seen him s.*, non l'ho mai visto che non fosse ubriaco **2** sobrio; parco; temperante; moderato (*spec. nel bere, nel mangiare*): **a s. man**, un uomo sobrio; **a s. colour**, una tinta sobria, seria **3** assennato; equilibrato; savio; serio; composto; calmo; tranquillo; sereno: **a s. youth**, un giovane assennato (*o serio, tranquillo*) ● **s.-minded**, serio; posato; giudizioso; ragionevole; saggio ● (*scherz.*) **s.-sides**, persona molto seria e contegnosa □ **the s. truth**, la pura verità □ **to be as s. as a judge**, essere perfettamente sobrio □ **to get s.**, calmarsi, rinsavire; smaltire la sbornia □ **in s. fact**, in realtà; in effetti; stando ai fatti □ **in s. earnest**, sul serio; a onor del vero | **-ly** avv.

to **sober** /'səʊbə(r)/ **A** v. t. **1** (*spesso* **s. down**) calmare; far rinsavire; mettere (q.) tranquillo (*fam.*) **2** (*spesso* **to s. up**) far passare la sbornia a (q.) **B** v. i. **1** (*di solito* **to s. down**) calmarsi; metter giudizio; rinsavire; mettersi tranquillo (*fam.*) **2** (*di solito* **to s. up**) smaltire la sbornia: *You mustn't drive if you don't s. up*, se non ti passa la sbornia, non devi guidare.

sobering /'səʊbərɪŋ/ a. che fa riflettere: **a s. thought**, un pensiero che fa riflettere.

soberness /'səʊbənəs/ n. 回 → sobriety.

sobriety /sə'braɪətɪ/ n. 回 **1** l'essere sobrio (*non ubriaco*) **2** sobrietà; moderazione; temperanza **3** assennatezza; equilibrio; calma; serietà.

sobriquet /'səʊbrɪkeɪ/ (*franc.*) n. **1** nomignolo; soprannome **2** pseudonimo.

Soc. abbr. **1** (**social**) sociale **2** (*polit.*, **socialist**) socialista **3** (**society**) società.

socage, **soccage** /'sɒkɪdʒ/ n. 回 (*stor.*) possesso di beni feudali soggetto a canone d'affitto o a prestazione di servizi civili.

♦**so-called**, **so called** /saʊ'kɔːld/ a. **1** cosiddetto (*anche in senso iron.*): **the so-called experts**, i cosiddetti esperti **2** così detto; così chiamato: **the summit of the world's eight leading market economies, the so-called G8**, il vertice delle otto potenze economiche mondiali, il così detto G8.

♦**soccer** /'sɒkə(r)/ **A** n. (*sport, spec. USA, Canada, Austral.*) (gioco del) calcio (deriva, per contraz., dal termine ufficiale **association football**) **B** a. attr. calcistico ● **s. ball**, pallone da calcio □ **s. manager**, allenatore di calcio; commissario tecnico (abbr. CT) □ **s.**

match, partita di calcio; incontro di calcio □ (*USA, polit.*) **s. mom**, tipica mamma bianca di classe agiata, che abita nella periferia residenziale e dedica tutto il suo tempo ai figli (*che giocano a calcio piuttosto che al più popolare football americano*) □ **s. player**, giocatore di calcio; calciatore □ **s. shoes**, scarpette da calcio.

sociability /səʊʃə'bɪlətɪ/ n. 回 **1** socievolezza; sociabilità (*lett. o tecn.*) **2** affabilità; cordialità.

sociable /'səʊʃəbl/ **A** a. **1** socievole; sociabile (*lett. o tecn.*) **s. animals**, animali socievoli **2** affabile; cordiale; socievole; amichevole **3** piacevole; passato in buona compagnia: **a s. evening**, una serata piacevole (*o animata*) **B** n. **1** (*stor.*) giardiniera (*carrozza*) **2** (*stor.*) triciclo a due posti affiancati **3** amorino, vis-à-vis (*divano settecentesco a due posti, a forma di «S»*) **4** (*fam. USA*) festa serale (*senza formalità*) | **-ness** n. 回 | **-bly** avv.

♦**social** /'səʊʃl/ **A** a. **1** sociale: **s. class**, classe sociale; ceto; **s. reforms**, riforme sociali; **the s. contract**, (*filos.*) il contratto sociale; (*polit., econ.*) il patto sociale; **s. problems**, problemi sociali; **s. insurance**, previdenza sociale **2** socievole; affabile; amichevole; cordiale: **a s. nature**, un carattere socievole **3** (*zool.*) socievole; gregario: *The ant is a s. creature*, le formiche sono animali gregari **4** sociale; mondano: **s. club**, club sociale; **a s. evening**, una serata mondana; **s. happenings**, avvenimenti mondani; mondanità **B** n. **1** (*antiq.*) evento mondano; serata; festa pubblica; trattenimento; raduno sociale **2** (*fam. ingl.*) **- the s.**, la previdenza e assistenza sociale ● **s. anthropology**, antropologia sociale □ **s. benefits**, provvidenze sociali; prestazioni sociali □ **a s. climber**, un arrivista; un arrampicatore sociale □ **s. climbing**, (sost.) arrivismo; (agg.) arrivistico, da arrivista □ **s. customs**, usanze sociali; comportamento in società □ **s. dancing**, danze in sale pubbliche □ (*polit.*) **s. democracy**, socialdemocrazia □ (*polit.*) **a s. democrat**, un socialdemocratico □ (*polit.*) **s. democratic**, socialdemocratico (agg.) □ **one's s. equal**, una persona del proprio ceto □ **s. exclusion**, emarginazione □ **s. intercourse**, rapporti sociali □ **s. justice**, giustizia sociale □ **s. kissing**, il baciarsi come forma di saluto □ **s. medicine**, medicina sociale □ **s. mobility**, mobilità sociale □ **s. networking**, creazione di una rete di contatti personali (*spec. attraverso il web*) □ (*Internet*) **s. networking site**, sito web che permette la creazione di una rete di contatti personali □ **s. science**, scienze sociali; scienza sociale □ **s. scientist**, scienziato sociale □ **s. security**, previdenza sociale □ **s. security agencies**, enti di assistenza sociale; istituti di previdenza sociale □ **s. security card**, tessera della previdenza sociale (*in Italia, dell'INPS*) □ **s. security contributions**, contributi (*o oneri*) sociali; contributi previdenziali □ (*in GB e USA*) **s. security number**, (numero di) codice della previdenza sociale (*funge anche da «codice fiscale» per i lavoratori dipendenti*) □ **s. security plan**, sistema previdenziale □ **s. services**, servizi sociali □ **s. status**, posizione sociale □ **s. students**, studiosi di scienze sociali □ **s. studies**, (studi di) scienze sociali □ (*econ., stat.*) **s. survey**, indagine sociologica □ **s. system**, ordinamento sociale □ **s. work**, servizi sociali; assistenza sociale ● **a s. worker**, un assistente sociale □ **to have s. tastes**, essere socievole; aver gusti mondani; essere un uomo (*o una donna*) di mondo.

socialism /'səʊʃəlɪzəm/ (*polit.*) n. 回 socialismo.

♦**socialist** /'səʊʃəlɪst/ n. e a. (*polit., filos.*) socialista: **the S. Party**, il partito socialista ●

(arte, lett., mus.) **s. realism**, realismo socialista. || **socialistic** a. socialistico; socialista

socialite /'səʊʃəlaɪt/ n. (fam. spreg.) **1** persona mondana; uomo di mondo **2** (USA) personaggio noto (o in vista) dell'alta società.

sociality /ˌsəʊʃɪˈælətɪ/ n. ▢ **1** socialità **2** socievolezza.

to **socialize**, to **socialise** /'səʊʃəlaɪz/ **A** v. t. **1** (polit., econ.) socializzare **2** (psic.) adattare (q.) alla società e alle sue norme; socializzare **B** v. i. intrattenere rapporti sociali; socializzare ● (USA) **socialized medicine**, assistenza medica da parte dello stato || **socialization** n. ▢ **1** (polit., econ.) socializzazione **2** (psic.) integrazione (spec. di un bambino) nella società; socializzazione.

socially /'səʊʃəlɪ/ avv. socialmente ● **s. excluded**, emarginato.

societal /sə'saɪətl/ a. societario; della società; della comunità | **-ly** avv.

♦**society** /sə'saɪətɪ/ n. **1** ▢ società; comunità sociale; collettività; consorzio civile: **a danger to s.**, un pericolo per la società **2** società; comunità: **the consumer s.**, la società dei consumi; **industrial societies**, le società industriali **3** associazione (anche leg.); istituzione; compagnia: **a charitable s.**, un'associazione di beneficenza; **a learned s.**, un'associazione culturale; (relig.) **the S. of Jesus**, la Compagnia di Gesù; i Gesuiti; (relig.) **the S. of Friends**, la Società degli Amici (nome ufficiale dei Quaccheri) **4** ▢ (form.) compagnia: He avoids s., fugge la compagnia (dei suoi simili); 'Yes, gentlemen, I cannot go for long without the s. of my likes' S. BECKETT, 'sì, o signori, io non posso fare a meno, a lungo, della compagnia dei miei simili' **5** (= **high s.**) (l') alta società; (il) bel mondo: At eighteen she was introduced into s., a diciott'anni fece il suo ingresso in società **6** (ecol.) società ● **s. column**, rubrica di cronaca mondana ▢ **s. gossip**, pettegolezzi del bel mondo ▢ (geogr.) **S. Islands**, Isole della Società ▢ **a s. man** [**woman**], un uomo [una donna] di mondo ▢ **s. verse**, versi di circostanza; poesia giocosa, leggera ▢ **in polite s.**, nella buona società; fra la gente bene.

Socinian /səʊ'sɪnɪən/ (stor., relig.) a. e n. sociniano || **Socinianism** n. ▢ socinianismo.

sociobiology /ˌsəʊsɪəʊbaɪˈɒlədʒɪ/ n. ▢ sociobiologia || **sociobiological** a. sociobiologico || **sociobiologist** n. sociobiologo.

socio-cultural /ˌsəʊʃɪəʊ'kʌltʃərəl/ a. socioculturale.

sociodrama /'səʊʃɪəʊdrɑːmə/ n. (teatr.) sociodramma.

socioeconomic /ˌsəʊsɪəʊiːkəˈnɒmɪk/ a. socioeconomico | **-ally** avv.

sociogenic /ˌsəʊʃɪəʊ'dʒɛnɪk/, **sociogenetic** /ˌsəʊʃɪəʊdʒə'nɛtɪk/ a. sociogenetico.

sociogram /'səʊʃɪəʊgræm/ n. sociogramma.

sociolect /'səʊʃɪəʊlɛkt/ n. (ling.) socioletto.

sociolinguistics /ˌsəʊsɪəʊlɪŋ'gwɪstɪks/ n. pl. (col verbo al sing.) sociolinguistica || **sociolinguist** n. sociolinguista || **sociolinguistic** a. sociolinguistico.

sociologism /ˌsəʊsɪ'ɒlədʒɪzəm/ n. ▢ sociologismo.

sociology /ˌsəʊsɪ'ɒlədʒɪ/ n. ▢ sociologia || **sociological** a. sociologico || **sociologically** avv. sociologicamente || **sociologist** n. sociologo.

sociomedical /ˌsəʊʃɪəʊ'mɛdɪkl/ a. sociosanitario.

sociometry /ˌsəʊsɪ'ɒmɪtrɪ/ n. ▢ sociometria || **sociometric** a. sociometrico: **sociometric test**, test sociometrico.

sociopath /'səʊsɪəʊpæθ/ (psic.) n. sociopatico || **sociopathic** a. sociopatico || **sociopathy** n. ▢ sociopatia.

sociopolitical /ˌsəʊsɪəʊpə'lɪtɪkl/ a. sociopolitico.

♦**sock**① /sɒk/ n. **1** calza (da uomo); calzino **2** (di scarpa) soletta **3** (aeron., = **windsock**) manica a vento **4** (letter.) socco; calzare basso (usato dai comici antichi); (fig.) la commedia **5** (pl., sport) calzettoni ● (slang USA) **s. hop**, ballo senza scarpe ▢ **s. puppet**, burattino (fatto con un calzino o simili); (fig., Internet) identità fittizia ▢ **s. suspenders**, giarrettiere (da uomo) ▢ (fam.) **to ... one's socks off**, (fare qc.) a tutto spiano, a più non posso, come un pazzo: **to laugh one's socks off**, ridere a più non posso; **to work one's socks off**, lavorare come un pazzo; sgobbare ▢ **to blow** (o **to knock**) **the socks off sb.**, battere q.; sorpassare q.; (anche) sbalordire q., lasciare secco q., stendere q. ▢ (fig.) **to pull one's socks up**, mettersi sotto; rimboccarsi le maniche ▢ (fam.) **to put a s. in it**, chiudere il becco (fam.).

sock② /sɒk/ **A** n. (slang) colpo (di pietra, ecc.); percossa; pugno; cazzotto **B** avv. (slang) dritto; in pieno; proprio.

to **sock** /sɒk/ v. t. (slang) **1** gettare, lanciare, scagliare (un sasso, una palla) **2** colpire; scazzottare: dare un pugno a (q.) **3** (boxe) colpire forte: He socked the champ on the jaw, assestò al campione un gran colpo alla mascella ● (fam. USA) **to s. away**, mettere da parte, risparmiare ▢ (fam. USA) **to s. it to sb.**, far vedere a q. chi si è; fare vedere i sorci verdi a q. (fig.); (anche) suonarle a q., dare un fracco di bòtte a q. (fam. USA) **to be socked in**, essere bloccato dal maltempo; (di aereo) essere costretto a terra.

sockdolager /sɒk'dɒlədʒə(r)/ n. (slang, spec. USA) **1** colpo decisivo; argomento che taglia la testa al toro **2** cosa (o persona) straordinaria; cannonata (fig.).

socket /'sɒkɪt/ n. **1** (in genere) incavatura; incavo; cavità: **the s. of the hip**, l'incavo dell'anca **2** (= **eyesocket**) orbita (dell'occhio); occhiaia **3** (dei denti) alveolo **4** (di candeliere) bocciolo **5** (elettr.) portalampada; zoccolo (di lampadina): **bayonet s.**, portalampada a baionetta **6** (elettr., = **s. outlet**) connettore; attacco; presa (di corrente); presa luce; punto luce: **flush s.**, presa incassata **7** (comput.) socket (insieme di un indirizzo e un numero di porta che identificano un servizio); connettore **8** (di tubo) manicotto; bicchiere: **a s.-pipe**, un tubo (di conduttura) a bicchiere ● **s. cover**, copripresa ▢ (mecc.) **s. joint**, giunto a incastro; manicotto ▢ (mecc.) **s. punch**, fustella ▢ (mecc.) **s. spanner** (USA: **s. wrench**), chiave fissa a tubo; chiave a bussola.

to **socket** /'sɒkɪt/ v. t. mettere in un incavo; incassare; provvedere di un incavo.

sockette /sɒ'kɛt/ n. calzino corto.

sockeye /'sɒkaɪ/ n. (zool., Oncorhynchus nerka) salmone rosso.

socking /'sɒkɪŋ/ avv. (slang ingl.) molto; assai; enormemente: **a s. large sum of money**, un'enorme somma di denaro.

socko /'sɒkəʊ/ (slang USA) **A** a. eccezionale; straordinario; formidabile; strepitoso; di gran successo **B** n. **1** grande successo, successone (di uno spettacolo, ecc.) **2** (boxe) forte pugno; cazzottone.

sockpuppet /'sɒkpʌpɪt/ n. → **sock puppet** → **sock**.

socle /'sɒkl/ n. (archit.) zoccolo; plinto.

SOCO sigla (GB, **scene-of-crime officer**) primo poliziotto sul luogo del reato; poliziotto che svolge le prime indagini sul luogo del reato.

Socrates /'sɒkrətiːz/ n. (stor.) Socrate.

Socratic /sə'krætɪk/ a. e n. (filos.) socrati-

co | **-ally** avv.

sod① /sɒd/ n. **1** zolla erbosa; piota **2** ▢ tappeto erboso ● (fig.) **to be under the sod**, essere nella tomba; esser morto e sepolto ▢ **sod cabin**, capanna di zolle di terra ▢ **sod house**, capanna di zolle e sterpi.

sod② /sɒd/ n. (slang volg.) **1** fottuto, fottutaccio, stronzo, rompicazzo (volg.); bastardo; scocciatore **2** seccatura; scocciatura; rottura (pop.) **3** (scherz.) tipo; tale; tizio ● (iron. ingl.) **Sod's law**, legge per cui se è probabile che qualcosa vada storto, andrà sicuramente storto; la legge di Murphy; la solita sfiga (pop.) ▢ **a poor sod**, un poveraccio; un disgraziato ▢ **I don't care** (o **I don't give**) **a sod**, non me ne frega niente (pop.).

to **sod**① /sɒd/ v. t. ricoprire (il terreno) con zolle erbose; piotare.

to **sod**② /sɒd/ v. t. (volg.) mandare al diavolo; mandare (q.) affanculo (volg.): Sod the TV set!, al diavolo il televisore! ● **Sod it!**, cacchio!; merda! (volg.) ▢ **to sod off**, andare affanculo, cavarsi dal cazzo (volg.): Sod off!, vaffanculo!

soda /'səʊdə/ n. **1** ▢ (chim.) soda (carbonato di sodio) **2** ▢ (chim.) bicarbonato di sodio **3** ▢ (chim.) idrossido di sodio; soda caustica **4** (USA, = **ice-cream s.**) bevanda di gelato, sciroppo e soda **5** (= **s. water**) acqua di selz; soda: **whisky and s.**, whisky e soda **6** (USA, = **s. pop**) bevanda aromatica gassata ● **s. ash**, soda ▢ **s. biscuit** (o **s. cracker**), biscotto fatto lievitare col bicarbonato; galletta ▢ (USA) **s. fountain**, banco (o mescita) di bevande non alcoliche (vende anche gelati, ecc.) ▢ (slang USA) **s. jerk**, chi lavora in un → «soda fountain» (sopra) ▢ **s. lime**, calce sodata ▢ **s. siphon**, sifone (per acqua di selz) ▢ **baking s.**, bicarbonato di sodio ▢ **caustic s.**, soda caustica; idrossido di sodio ▢ **washing s.**, soda (per lavare); carbonato di sodio.

sodalite /'səʊdəlaɪt/ n. ▢ (miner.) sodalite.

sodality /səʊ'dælətɪ/ n. sodalizio; confraternita.

sod-all /'sɒdɔːl/ (volg.) **A** n. non... un cazzo (volg.); un tubo (di niente): He knows sod-all about soccer, di calcio non ne sa (o non ne capisce) niente **B** a. nessuno, nessunissimo.

sodden /'sɒdn/ a. **1** bagnato fradicio; inzuppato; zuppo **2** (di pane, ecc.) molle e umido; pesante **3** (fig.) abbrutito, reso ottuso, istupidito (spec. per il troppo bere) **4** (fig.) privo di fantasia; spento (fig.) **5** (sport: del terreno di gioco) allentato || **soddenness** n. ▢ **1** l'esser fradicio (o zuppo) **2** (del pane) l'essere molle e umido; pesantezza **3** (fig.) stato di abbrutimento (per il troppo bere).

to **sodden** /'sɒdn/ **A** v. t. impregnare d'acqua; inzuppare; infradiciare **B** v. i. impregnarsi d'acqua; inzupparsi; infradiciarsi.

sodding /'sɒdɪŋ/ a. (slang volg.) stramaledetto; schifoso; fottuto, stronzo (volg.); seccante; scocciante; merdoso; di merda (volg.).

soddy /'sɒdɪ/ **A** a. fatto di zolle; erboso **B** n. (USA) capanna di zolle e sterpi.

sodium /'səʊdɪəm/ (chim.) n. ▢ sodio ● **s. bicarbonate**, bicarbonato di sodio ▢ **s. carbonate**, carbonato di sodio; soda (per lavare) ▢ **s. chloride**, cloruro di sodio; sale da cucina ▢ **s. hydroxide**, idrossido di sodio; soda caustica ▢ **s. lamp = s.-vapour lamp** → sotto ▢ **s. nitrate**, nitrato di sodio ▢ **s. perborate**, perborato di sodio ▢ **s. sulphate**, solfato di sodio ▢ **s.-vapour lamp**, lampada a vapori di sodio || **sodic** a. sodico.

Sodom /'sɒdəm/ n. (stor., geogr.) Sodoma.

sodomite /'sɒdəmaɪt/ n. sodomita || **sodomitical** a. sodomitico.

to **sodomize** /'sɒdəmaɪz/ v. t. sodomizza-

re ‖ **sodomization** n. Ⓤ sodomizzazione.

sodomy /'sɒdəmɪ/ n. Ⓤ sodomia.

soever /səʊ'evə(r)/ suff. (talvolta a sé stante, di solito apposto a pron. e agg. relat.) che sia; -unque: **whosoever**, chiunque; **wheresoever**, dovunque ● **how great s. it may be**, per quanto grande esso sia □ **no help s.**, nessuna sorta d'aiuto.

♦**sofa** /'səʊfə/ n. sofà; divano; canapé ● **s. bed**, divano letto □ (slang USA) **s. spud**, teledipendente.

soffit /'sɒfɪt/ n. (archit.) intradosso (parte superiore interna di arco o architrave) ● **archway s.**, intradosso.

♦**soft** /sɒft/ Ⓐ a. **1** molle; soffice; morbido; cedevole; tenero; (fig.) debole; fiacco; (del cappello) floscio; (di un muscolo) flaccido: **s. ground**, terreno molle; (anat.) **the s. palate**, il palato molle; **s. wool**, lana soffice; **a s. bed**, un letto morbido; **s. skin**, pelle morbida; **a s. pencil**, una matita morbida; **s. wheat**, grano tenero; **a s. hat**, un cappello floscio; *He has a s. heart*, ha il cuore tenero **2** mite; dolce; delicato; soave; tenue: **s. air**, aria dolce, mite; **a s. winter**, un inverno mite; **a s. breeze**, una dolce brezza; **a s. voice** [music], una voce [una musica] dolce (o delicata, soave); **s. colours**, colori tenui; tinte delicate **3** conciliante; gentile; blando; troppo indulgente; tenero (fig.): **a s. answer**, una risposta conciliante; **to be s. on sb.**, avere del tenero per q.; *He was accused of being s. on terrorism*, fu accusato d'essere troppo tenero con il terrorismo **4** (di suono) basso; quieto; sommesso; calmo; pacato: **in a s. voice**, a voce bassa; in tono pacato; **a s. murmur**, un mormorio sommesso **5** (= s.-headed) sciocco; scemo; stupido **6** lieve; facile; agevole; leggero: **s. rain**, pioggia leggera; pioggerella; **a s. tap**, un colpo lieve; un colpetto; un colpettino (alla porta, ecc.); **a s. job**, un lavoro facile; un compito agevole **7** (fon.) dolce; palatalizzato; molle; sonoro: *«G» is s. in «gentle», but hard in «gift»*, la «g» è dolce nella parola «gentle», ma dura in «gift» **8** (autom.: di pneumatico) poco gonfio; sgonfio; basso **9** analcolico: **s. drinks**, bevande analcoliche; bibite **10** (di detersivo) biodegradabile **11** (di stupefacente) leggero: **s. drugs**, droghe leggere **12** (chim.) dolce: **s. water**, acqua dolce **13** (metall.) dolce: **s. steel**, acciaio dolce; **s. solder**, lega per brasatura dolce; stagno per saldare; **s. soldering**, brasatura dolce; saldatura a stagno **14** agile (nuoto) **a s. beat**, una battuta agile **15** (calcio, ecc.: del terreno) allentato **16** (fam.) = **s. in the head** → sotto Ⓑ n. **1** Ⓤ (il) molle; (le) parti molli **2** semplicione; stolto; stupido Ⓒ avv. **1** (arc. o poet.) adagio; piano **2** delicatamente; sommessamente: **s.-whispering**, che sussurra sommessamente ● (cucina) **s.-boiled eggs**, uova alla coque □ (gramm. greca) **s. breathing**, spirito dolce □ **s. coal**, carbone bituminoso □ **s.-core film**, film spinto; film erotico (ma non pornografico) □ (comput.) **s. copy**, copia soft □ (med.) **s. corn**, durone □ (econ.) **s. currency**, valuta debole; moneta non convertibile (in oro) □ **a s. day**, una giornata piovosa (in banca) **s. financing**, finanziamento agevolato □ **s.-footed**, che ha il passo leggero; dal passo felpato □ **s. fruit**, frutti di bosco (fragole, mirtilli, ecc.) □ **s. furnishings**, tessuti per arredamento (tende, copertine, tappeti, ecc.) □ **s. goods**, (econ.) beni non durevoli; (comm.) stoffe, tessuti □ **s.-headed**, sciocco; scemo; stupido □ **s.-headedness**, stupidità □ **s.-hearted**, dal cuore tenero; compassionevole; sensibile; pietoso □ **s.-heartedness**, tenerezza; sensibilità; pietà □ (fam.) **s. in the head**, debole di cervello; scemo; stupido; picchiato; tocco □ (miss.) **s. land** (o s. landing), atterraggio morbido □ (miss.) **s.-lander**, veicolo spaziale in grado di fare un atter-

raggio morbido □ **s. lens**, lente a contatto morbida □ **s. light**, luce smorzata □ (polit.) **s. line**, atteggiamento moderato; linea morbida: **to take a s. line with sb.**, adottare un atteggiamento di moderazione verso q. □ (sport) **a s. lob**, un pallonetto morbido □ (polit.) **s.-liner**, moderato □ (econ.) **s. money**, moneta cartacea (non metallica), (anche) moneta debole; (polit., in USA) denaro donato dai lobbisti a un partito politico □ (di proiettile) **s.-nosed**, deformabile □ (sport) **a s. pass**, una palla morbida; un passaggio liscio (o pulito) □ (fig.) **the s. option**, la soluzione più facile (o comoda): **to take the s. option**, seguire la linea di minor resistenza □ **a s. outline**, un profilo confuso, incerto □ (mus.) **s. pedal**, sordina (di pianoforte) □ **s. porn**, materiale pornografico leggero ● **s. roe**, latte di pesce □ (bot.) **s. rot**, marciume batterico □ **s. sawder**, adulazione; lusinghe; insaponata, sviolinata (fam.) □ (comm.) **s. sell**, tecnica di vendita che usa la persuasione (o la suggestione) □ **s. slumbers**, sonni tranquilli □ (fam. USA) **s. snap**, lavoro facilissimo; cosa da nulla; passeggiata, scherzetto (fig.) □ (sci) **s. snow**, neve soffice □ **s. soap**, sapone liquido; (fig. fam.) adulazione, lusinghe; saponata (fam.) □ (un tempo) **the softer sex**, il sesso debole □ **s.-spoken**, dalla voce dolce; affabile; cordiale □ (fig.) **a s. spot**, un debole: **to have a s. spot for**, avere un debole per □ (metall.) **s. steel**, acciaio dolce □ **s. stone**, pietra tenera □ (fig. fam.) **s. thing**, individuo molle; mollaccione; rammollito □ (autom.) **s. top**, decapottabile (sost.) □ (fig.) **s. touch**, (fig.) tatto; facile preda, gonzo; pollo, piccione (fig.); persona che non sa dire di no (a richieste di aiuto o di denaro) □ (autom.) **«s. verge»** (cartello), «banchina non transitabile» □ **s. wheat**, grano tenero □ **s. wine**, vino pastoso □ **s.-witted**, sciocco; scemo; stupido □ **to get s.**, rammollire, rammollirsi; (fig.) rimbecillire, rimbecillirsi □ (fam.) **to have a s. time of it**, passarsela bene ● **to have a s. tongue**, parlare con dolcezza.

softback /'sɒftbæk/ n. (GB) libro in brossura (o in edizione economica).

softball /'sɒftbɔːl/ n. Ⓤ (sport) **1** softball; (in Italia, detto anche) baseball femminile **2** palla da softball ● (fig. USA) **to play s.**, usare la dolcezza; andarci con le buone; avere la mano leggera.

softbound /'sɒftbaʊnd/ a. (di libro) in brossura.

softcover /'sɒftkʌvə(r)/ n. (USA) → **softback**.

to **soften** /'sɒfn/ Ⓐ v. t. **1** ammollire; ammorbidire (anche fig.); infiacchire; indebolire; rammollire: **to s. one's stand**, ammorbidire la propria posizione **2** raddolcire; intenerire; lenire; calmare; mitigare; placare; alleviare; attenuare: *She was softened by his words*, le sue parole la raddolcirono; *Her smile softened his heart*, il suo sorriso gl'intenerì il cuore; *The curtains softened the sunlight*, le tende attenuavano la luce del sole; **to s. sb.'s grief**, alleviare il dolore di q.; **to s. one's claims**, mitigare le proprie pretese **3** (tecn.) ammorbidire (una sostanza) **4** (metall.) stemperare (un metallo) Ⓑ v. i. **1** ammollirsi; ammorbidirsi (anche fig.); infiacchirsi; indebolirsi; rammollirsi: *The ice cream will s. if you don't eat it*, se non lo mangi, il gelato si rammollisce; *His position on the question has softened considerably*, sulla questione la sua posizione si è notevolmente ammorbidita **2** raddolcirsi; intenerirsi; attenuarsi; placarsi; calmarsi: *The weather is softening*, il tempo si sta raddolcendo; *The light softened in the late afternoon*, nel tardo pomeriggio la luce si attenuò; *He softened at the sight of the puppy*, vedendo il cagnolino s'intenerì **3** (econ.: del-

la domanda) indebolirsi; (del mercato) diventare fiacco, subire una flessione; (dei prezzi) flettersi, calare, diminuire, andare giù (fam.) ● (fig.) **to s. the blow**, attutire il colpo □ (fig.) **to s. up**, ammorbidire (fig.: una persona); rendere docile, malleabile; lavorarsi (fam.); (mil.) fiaccare la resistenza di, indebolire: **to s. up the enemy's defences**, indebolire le difese del nemico (con bombardamenti, ecc.) □ **to s. one's voice**, abbassare la voce □ **to s. water**, rendere dolce (o potabile) l'acqua.

softener /'sɒfnə(r)/ n. **1** chi (o cosa che) attenua, infiacchisce, addolcisce, ecc. (→ **to soften**) **2** addolcitore dell'acqua (per renderla potabile); depuratore **3** (cosmesi) emolliente; (anche) pennello morbido **4** (tecn.) ammorbidente (per tessuti).

softening /'sɒfnɪŋ/ Ⓐ a. emolliente; che rende molle Ⓑ n. ⓊⒸ **1** ammollimento; ammorbidimento (anche fig.); indebolimento **2** addolcimento (anche dell'acqua); mitigazione; alleviamento; attenuazione; intenerimento **3** (fon.) raddolcimento **4** (econ.) flessione (dei prezzi, ecc.) ● (ind.) **s. agent**, ammorbidente; emolliente □ **s. of the brain**, (med.) encefalomalacia, rammollimento cerebrale; (fam.) rimbambimento □ **the s. of water** l'addolcimento dell'acqua □ **s.-up**, l'ammorbidire, il lavorarsi (q.); (mil.) indebolimento (delle difese nemiche).

softie /'sɒftɪ/ → **softy**.

softish /'sɒftɪʃ/ a. molliccio; piuttosto soffice; ecc. (→ **soft**).

to **soft-land** /sɒft'lænd/ (miss.) Ⓐ v. t. far compiere un atterraggio morbido a (un'astronave, ecc.) Ⓑ v. i. fare un atterraggio morbido.

softly /'sɒftlɪ/ avv. **1** sofficemente; morbidamente **2** tenuemente; lievemente; sommessamente **3** delicatamente; dolcemente; teneramente **4** adagio; piano piano ● **S., please!**, adagio, per favore!; (anche) senza rumore, prego!; silenzio, prego!; fate piano! □ **s.-s.**, piano piano; pian pianino: **s.-s. approach**, atteggiamento (o approccio) morbido.

softness /'sɒftnəs/ n. Ⓤ **1** mollezza; morbidezza; tenerezza; debolezza; fiacchezza; **2** mitezza; dolcezza; delicatezza; soavità **3** (fam.) imbecillità; stupidità ● **s. of manner**, gentilezza di modi; affabilità.

to **soft-pedal** /sɒft'pedl/ v. t. **1** (mus.) suonare con la sordina; mettere la sordina a (uno strumento) **2** (fam.) smorzare; attutire; minimizzare; sminuire.

to **soft-soap** /sɒft'səʊp/ v. t. (fam.) adulare; lisciare; lusingare; insaponare, sviolinare (fig.) ● **to soft-soap sb. into doing st.**, convincere q. a fare qc. con lusinghe (o adulandolo).

to **soft-solder** /sɒft'səʊldə(r)/ v. t. (mecc.) saldare a dolce (o a stagno).

♦**software** /'sɒftweə(r)/ n. Ⓤ (comput.) software ● **s. architect**, architetto di software (chi progetta sistemi software) □ **s. architecture**, architettura software □ **s. bug**, errore di programmazione, baco (fig.) □ **s. developer**, programmatore □ **s. engineering**, ingegneria del software □ **s. house**, società di software □ **s. package**, pacchetto software □ **s. piracy**, pirateria informatica □ **s. writer**, creatore di software.

softwood /'sɒftwʊd/ n. Ⓤ (tecn.) legno dolce; legno di conifere.

softy /'sɒftɪ/ n. (fam.) **1** persona debole; rammollito; individuo senza carattere **2** sciocco; tonto **3** persona scioccamente sentimentale; individuo dal cuore tenero; tenerone (fam.).

soggy /'sɒgɪ/ a. **1** bagnato; fradicio; inzuppato; zuppo **2** (di pane, ecc.) molle e umido; pesante **3** (fin.) debole; fiacco **4**

(*fig.*) pesante; monotono; noioso **5** (*sport*: *del terreno di gioco*) allentato; pesante | **-ily** avv. | **-iness** n. ⓤ.

soh /səʊ/ n. (*mus.*) sol (*nota*).

soigné /'swɑːnjeɪ, *USA* swɑːn'jeɪ/ (*franc.*) a. soigné; elegante; curato.

♦**soil** ① /sɔɪl/ n. ⓤⓒ suolo; terreno (*anche fig.*); terra: **one's native s.**, il patrio suolo; la terra natia; **foreign s.**, terra straniera; **barren s.**, suolo sterile; **rich s.**, terreno ricco; suolo fertile; (*fig.*) terreno fertile ● **s.-bound**, attaccato alla terra □ **s. engineer**, geologo che fa prospezioni del terreno □ **s. rig**, sonda da geologo □ **s. science**, pedologia □ **s. survey**, prospezione del terreno □ **a man of the s.**, un uomo di campagna; un agricoltore.

soil ② /sɔɪl/ n. **1** ⓤ sporco; sporcizia; sudiciume **2** ⓤⓒ atto di sporcare; macchia di sporco; (*fig.*) difetto morale, magagna **3** ⓤ sterco; escrementi (*umani o d'animali*); bottino: **night s.**, bottino che viene (*o veniva*) portato via di notte **4** ⓤ (*agric.*) concime organico; letame ● (*edil.*) **s. pipe**, tubo di scarico (*dei gabinetti*).

to **soil** /sɔɪl/ Ⓐ v. t. **1** sporcare; insudiciare; imbrattare; lordare; insozzare; macchiare (*anche fig.*): **to s. one's name** [**reputation**], sporcarsi il nome [la reputazione]; *I don't want to s. my hands with it*, non mi ci voglio sporcare le mani **2** (*agric.*) concimare Ⓑ v. i. **1** sporcarsi; insudiciarsi; imbrattarsi; insozzarsi; macchiarsi; lordarsi: *It soils easily*, si sporca facilmente **2** (*med.*: *di malato*; *anche* **to s. one's bed**) sporcare il letto ● (*di un bambino*) **to s. one's pants**, farsela addosso.

soiled /sɔɪld/ a. sporco; macchiato (*anche fig.*): **s. linen**, biancheria sporca ● (*comm.*) **s. goods**, merci deteriorate □ **s. reputation**, reputazione guasta.

soirée /'swɑːreɪ, *USA* swɑː'reɪ/ (*franc.*) n. serata; trattenimento; festa mondana.

sojourn /'sɒdʒɜːn/ n. (*lett.*) soggiorno; dimora.

to **sojourn** /'sɒdʒɜːn/ (*lett.*) v. i. soggiornare; dimorare || **sojourner** n. ospite; residente temporaneo.

sol ① /sɒl/ n. (*mus.*) sol (*nota*).

sol ② /sɒl/ n. (*chim.*) sol; soluzione colloidale.

Sol. abbr. (**solicitor**) avvocato.

solace /'sɒləs/ n. ⓤⓒ conforto; consolazione; sollievo.

to **solace** /'sɒləs/ v. t. confortare; consolare; recare sollievo a ● **to s. oneself with st.** [*sb.*], consolarsi con qc. [trovar conforto in q.].

solan /'səʊlən/ n. (*zool.*, *Sula bassana*; = **s.-goose**) sula bassana.

solanaceous /sɒlə'neɪʃəs/ a. (*bot.*) solanaceo.

solanine /'səʊləniːn/ n. ⓤ (*chim.*) solanina.

solanum /sə'leɪnəm/ n. (*bot.*, *Solanum*) solanum (*qualunque pianta delle Solanacee*: *patata, melanzana, ecc.*).

solar /'səʊlə(r)/ a. (*astron.*, *fis.*, *anat.*) solare: **the s. year** [**day**], l'anno [il giorno] solare; **the s. system**, il sistema solare; **s. battery**, batteria solare; **s. cell**, cella solare; **s. collector**, collettore solare; **s. energy**, energia solare; (*anche miss.*) **s. panel**, pannello solare; (*geofisica*) **s. wind**, vento solare ● **s.-cell system**, impianto solare □ (*mecc.*) **s. engine**, eliomotore; motore a energia solare □ (*astron.*) **s. flare**, eruzione solare □ **s. heating**, riscaldamento a pannelli solari □ (*edil.*) **s. house**, casa solare □ **s. plexus**, (*med.*) plesso solare; (*fig.*) parte del corpo sotto lo stomaco, bocca dello stomaco □ **s. water heater**, scaldaacqua a pannelli.

solarium /sə'leərɪəm/ n. (pl. **solaria**, **so-**

lariums) **1** solarium; solario **2** lettino solare; solarium **3** centro per abbronzatura; solarium **4** stabilimento elioterapico.

to **solarize**, to **solarise** /'səʊləraɪz/ (*foto-gr.*, *fis.*) v. t. e i. sottoporre a (*o subire*) la solarizzazione; solarizzare; solarizzarsi || **solarization** n. ⓤ solarizzazione.

solatium /səʊ'leɪʃɪəm/ n. (pl. **solatia**) (*leg.*, *spec. USA*) compenso, risarcimento (*per danni morali*).

sold /səʊld/ Ⓐ pass. e p. p. di **to sell** Ⓑ a. venduto ● (*comm.*) **s. ledger**, partitario vendite □ **s. note**, (*comm.*) conto vendite (*a provigione*); (*Borsa*) fissato bollato □ (*comm.*: *di un articolo*) **s. off**, svenduto □ (*comm.*) **s. out**, esaurito.

soldanella /sɒldə'nelə/ n. (*bot.*, *Soldanella alpina*) soldanella.

solder /'sɒldə(r)/ n. **1** (*tecn.*) lega per saldature **2** (*fig.*) cemento; legame; vincolo ● **hard s.**, lega per brasatura forte (*con ottone*) □ **soft s.**, lega per brasatura dolce (*con stagno*).

to **solder** /'sɒldə(r)/ v. t. **1** (*tecn.*) brasare; saldare **2** (*fig.*) cementare (*fig.*); unire || **solderable** a. saldabile || **solderer** n. saldatore (*operaio*) □ **soldering** n. ⓤⓒ (*tecn.*) brasatura; saldatura ● **soldering gun**, saldatore a pistola □ **soldering iron**, saldatoio; saldatore (*attrezzo*).

♦**soldier** /'səʊldʒə(r)/ n. **1** soldato (*anche fig.*); militare; milite: (*stor. e fig.*) **soldiers of fortune**, soldati di ventura; (*relig.*) **a s. of Christ**, un soldato di Cristo; **the Unknown S.**, il Milite Ignoto **2** (*zool.*, = **s.-ant**) formica soldato **3** (*USA*) soldato (*della Mafia*); picciotto **4** (*slang USA*) bottiglia vuota (*di birra, ecc.*); sigaretta ● (*zool.*) **s. crab** (*Pagurus*), paguro, Bernardo l'eremita □ **to come the old s.**, darsi arie da veterano; darsi l'aria di saperla lunga □ (*mil.*) **common s.** (*o* **private s.**), soldato semplice □ **to play at soldiers**, giocare ai soldati □ **tin soldiers** (*o* **toy soldiers**), soldatini di piombo.

to **soldier** /'səʊldʒə(r)/ v. i. fare il soldato **2** (*fam.*) fingersi malato; fare il lavativo (*fam.*) ● (*fig.*) **to s. on**, tener duro; continuare a darci dentro (*o sotto*; *fam.*) □ **to go soldiering**, andar soldato.

soldierly /'səʊldʒəlɪ/ a. **1** soldatesco; marziale; militaresco **2** coraggioso; valoroso.

soldiery /'səʊldʒərɪ/ n. ⓤ **1** (*collett.*) soldatesca; truppa; soldati (*collett.*) **2** arte militare.

sole ① /səʊl/ n. **1** (*anat.*) pianta (*del piede*) **2** (*di scarpa, ecc.*) suola **3** (*in genere*) base; fondo **4** (*edil.*) suola; soletta **5** (*elettron.*) base; suola **6** (*geogr.*) fondovalle **7** (*golf*) suola (*della mazza*) ● **s. leather**, cuoio per risuolature □ **s. plate**, (*edil.*) piastra di fondazione; (*mecc.*) basamento; piastra di supporto; incastellatura (*di una macchina, ecc.*).

sole ② /səʊl/ n. (*zool.*, *Solea*) sogliola.

♦**sole** ③ /səʊl/ a. solo; singolo; unico; esclusivo: **the s. culprit**, il solo colpevole; **on my own s. responsibility**, sotto la mia esclusiva responsabilità; (*comm.*) **s. agent**, rappresentante esclusivo ● (*comm.*) **s. distributor**, concessionario □ (*leg.*) **s. heir**, erede universale □ (*leg.*) **s. owner**, proprietario unico □ **s. proprietorship**, ditta personale (*o individuale*); azienda in proprio; impresa individuale □ **s. right**, diritto esclusivo □ **s. selling rights**, esclusiva di vendita □ (*comm.*) **s. trader**, imprenditore individuale.

to **sole** /səʊl/ v. t. mettere le suole a (*un paio di scarpe*); risuolare.

solecism /'sɒlɪsɪzəm/ n. **1** (*ling.*) solecismo; barbarismo; grammaticatura **2** ⓤ atto (*o comportamento*) scorretto; scorrettezza || **solecistic** a. scorretto; errato; sgrammaticato.

solely /'səʊlɪ/ avv. **1** solamente; soltanto; unicamente; esclusivamente **2** da solo; senza aiuto ● **s. because of...**, per il solo motivo che...

solemn /'sɒləm/ a. solenne; importante; grave; serio: **a s. oath**, un solenne giuramento; **s. ceremonies**, cerimonie solenni; **s. quiet**, quiete solenne ● **a s. fool**, un grande imbecille □ (*leg.*) **a s. will**, un testamento pubblico □ **to look s.**, avere un'aria solenne □ **to put on a s. face**, assumere un'aria solenne (*o sussiegosa*) | **-ly** avv. | **-ness** n. ⓤ.

solemnity /sə'lemnətɪ/ n. **1** ⓤ solennità; importanza; gravità; serietà; pompa; sussiego **2** cerimonia solenne; festa solenne; solennità.

to **solemnize** /'sɒləmnaɪz/ v. t. **1** solennizzare; celebrare solennemente **2** celebrare (*coi dovuti riti*) **3** rendere grave (*o serio, solenne*) || **solemnization** n. ⓤ solennizzazione; celebrazione solenne.

solenoid /'səʊlənɔɪd/ (*elettr.*) n. solenoide ● (*autom.*) **starter s.**, relè del motorino d'avviamento || **solenoidal** a. solenoidale.

sol-fa /sɒl'fɑː/ n. (*mus.*, *USA*) solfeggio.

to **sol-fa** /sɒl'fɑː/ v. t. e i. (*mus.*) solfeggiare.

solfatara /sɒlfə'tɑːrə/ (*ital.*) n. (*geol.*) solfatara.

solfeggio /sɒl'fedʒɪəʊ/ (*ital.*) n. (pl. **solfeggios**, **solfeggi**) (*mus.*) solfeggio.

solferino /sɒlfə'riːnəʊ/ Ⓐ n. ⓤ solferino; color solferino Ⓑ a. attr. color solferino.

Sol-Gen abbr. (*leg.*, **solicitor general**) vice procuratore generale.

to **solicit** /sə'lɪsɪt/ Ⓐ v. t. **1** sollecitare; chiedere (*con insistenza*): **to s. favours**, sollecitare favori; *He solicited them for* (*their*) *help*, sollecitò il loro aiuto **2** (*leg.*) adescare **3** (*leg.*) istigare **4** (*leg.*) agire come procuratore legale di (q.) Ⓑ v. i. **1** usare sollecitazioni; fare richieste insistenti **2** (*di prostituta*) offrirsi **3** (*leg.*) fare il procuratore legale ● **to s. sb. to commit a crime**, istigare q. a delinquere || **solicitation** n. ⓤⓒ **1** sollecitazione; richiesta insistente **2** (*leg.*) invito; adescamento **3** (*leg.*) istigazione: **solicitation to commit a crime**, istigazione a delinquere || **soliciting** n. ⓤ adescamento.

♦**solicitor** /sə'lɪsɪtə(r)/ n. **1** (*leg.*, *GB*) procuratore legale; avvocato; legale; notaio ● **CULTURA ● solicitor**: *è un legale che dà pareri, si occupa di trasferimenti di proprietà* (**conveyancing**), *testamenti, eredità e questioni fiscali; agisce da tramite tra il cliente e il* → «**barrister**» *ed è abilitato a patrocinare solo nelle corti inferiori, ma dal 1990 può ottenere la qualifica per il patrocinio anche in quelle superiori* **2** (*leg. USA*) legale (*di una città, un ministero, ecc.*) **3** (*comm.*, *USA*) procacciatore d'affari **4** (*USA*) venditore porta a porta; propagandista **5** (*USA*) galoppino elettorale ● (*leg.*) **S. General**, (*in GB*) magistrato di grado inferiore all'«Attorney General»; (*in Scozia*) magistrato di grado inferiore al «Lord Advocate»; (*in USA*) magistrato di grado inferiore all'«Attorney General» ● **CULTURA ● Solicitor General**: *in Gran Bretagna è il secondo Law Officer della Corona, è scelto fra i deputati della maggioranza e svolge le funzioni di vice* **Attorney General**; *negli USA è la seconda carica giudiziaria federale e rappresenta il governo davanti alla Corte Suprema* □ **s.'s office**, studio legale.

solicitous /sə'lɪsɪtəs/ a. **1** sollecito; premuroso **2** ansioso; preoccupato ● **to be s. about sb.'s health**, preoccuparsi della salute di q. □ (*tur.*) **to be s. of the wellbeing of guests**, preoccuparsi del benessere dei clienti | **-ly** avv. | **-ness** n. ⓤ.

solicitude /sə'lɪsɪtjuːd, *USA* -tuːd/ n. ⓤ **1** sollecitudine; premura **2** ansia; preoccupazione.

a b c d e f g h i j k l m n o p q r s t u v w x y z

solid /'sɒlɪd/ **A. a. 1** solido; forte; resistente; stabile; massiccio; (*fig.*) ben fondato, concreto, serio: **s. learning**, cultura solida; **furniture made of s. oak**, mobili di quercia massiccia; **a man of s. build**, un uomo di corporatura forte (*o* massiccia); (*comm.*) **a s. firm**, una ditta solida; **s. reasoning**, ragionamenti concreti; **s. gold**, oro massiccio; **a s. gold watch**, un orologio d'oro massiccio **2** compatto; uniforme; unanime; unito: (*USA*) **the S. South**, il Sud compatto (*che vota compatto per i democratici*); **s. white line**, linea bianca uniforme (*o* continua); **a s. vote**, un voto unanime **3** pieno (*non cavo*): (*autom.*) **s. tyre**, gomma piena; (*mecc.*) **a s. shaft**, un albero pieno **4** (*fam.*, pred.) ininterrotto; di fila; di seguito: *I've been waiting for two hours s.*, ho aspettato due ore di fila; aspetto da ben due ore **5** (*geom.*) cubico; solido: **s. geometry**, geometria solida; **s. inch**, pollice cubico (*misura*); **a s. figure**, una figura solida **6** (*fig.*) fidato; sicuro; (*comm.*) solvibile **7** a tinta unita; di un solo colore: **s. colours**, colori uniformi; tinte unite; **a s. red dress**, un vestito tutto rosso **8** (*sport*) buono; valido: **a s. performance**, un buon rendimento **9** (*equit.*: *di un ostacolo*) fisso **10** (*slang USA*) eccellente; magnifico; perfetto **B. n. 1** (*geom.*) solido **2** (*fis.*) sostanza solida **3** (pl.) alimenti solidi; cibo solido **4** tessuto (*o* vestito) a tinta unita **5** (*falegn.*) legno massiccio **6** (*slang USA*) amico fidato ● (*mecc.*) **s. box**, bussola □ (*di persone*) **to be s. against** [**for**] **st.**, essere solidali (prendere la stessa posizione) contro [in favore di] qc. □ **a s. citizen**, un buon cittadino; un sicuro patriota □ (*comm.*) **s. consideration**, garanzia solida; contropartita di valore concreto □ (*metall.*) **s.-drawn**, trafilato da massello □ (*autom.*, *mecc.*) **s. head**, monoblocco □ **a s. man**, un uomo di buonsenso; un uomo con una solida posizione finanziaria □ **s. measures**, misure per solidi; misure cubiche (*tipogr.*) **s. printing**, stampa compatta; composizione senza interlineatura □ (*miss.*) **s. propellant**, propellente solido □ **s. reasons**, motivi concreti (*o* validi) □ **the s. rock**, la roccia viva □ (*autom.*, *ecc.*) **s. rubber tyre**, gomma piena □ **s. sense**, buonsenso □ (*mil.*) **s. square**, quadrato □ (*fis.*, *elettron.*) **s.-state**, dello (*o* allo) stato solido: **s.-state physics**, fisica dello stato solido; (*fis. nucl.*) **s.-state counter**, contatore allo stato solido □ **s.-state computer**, elaboratore con componenti allo stato solido □ (*metall.*) **s.-state welding**, saldatura a freddo □ (*equit.*) **s. vertical fence**, palizzata □ **to become s.**, solidificarsi □ **to have s. grounds for supposing that...**, avere buoni (*o* fondati) motivi di supporre che... □ **to be on s. ground**, essere su terreno solido (*anche fig.*) | **-ly** avv.

solidarism /'sɒlɪdərɪzəm/ n. ▣ solidarismo.

solidarity /sɒlɪ'dærətɪ/ n. ▣ **1** solidarietà **2** – (*polit.*, *stor.*) S., Solidarnosc (*in Polonia*).

solidary /'sɒlɪdrɪ/ a. solidale.

solidifiable /sə'lɪdɪfaɪəbl/ a. solidificabile.

solidification /sɒlɪdɪfɪ'keɪʃn/ n. ▣ (*fis.*) solidificazione.

to solidify /sə'lɪdɪfaɪ/ **A v. t. 1** solidificare; indurire **2** coagulare (*il sangue*) **3** (*fig.*) rafforzare: **to s. the opposition**, rafforzare (*o* consolidare) l'opposizione **B v. i. 1** (*fis.*) solidificarsi **2** (*del sangue*) coagularsi **3** (*fig.*) consolidarsi; rafforzarsi; compattarsi.

solidity /sə'lɪdətɪ/, **solidness** /'sɒlɪdnəs/ n. ▣ **1** solidità; (*fig.*) fondatezza; concretezza **2** compattezza; uniformità **3** unanimità **4** (*comm.*) solvibilità.

solidus /'sɒlɪdəs/ (*lat.*) n. (pl. **solidi**) (*mat.*) segno di frazione.

solifluction /ˌsɒlɪ'flʌkʃn/ n. ▣ (*geol.*) soliflussione; soliflusso.

soliloquy /sə'lɪləkwɪ/ n. soliloquio; monologo ‖ **soliloquist** n. chi fa un soliloquio ‖ **to soliloquize** v. i. fare un soliloquio; monologare; parlare tra sé e sé.

soliped /'sɒlɪpɛd/ a. e n. (*zool.*) solipede.

solipsism /'sɒlɪpsɪzəm/ n. ▣ **1** (*filos.*) solipsismo **2** (*fam.*) egocentrismo ‖ **solipsist** n. **1** (*filos.*) solipsista **2** (*fam.*) egocentrista ‖ **solipsistic** a. **1** (*filos.*) solipsistico **2** (*fam.*) egocentrico; che pensa solo a sé.

solitaire /sɒlɪ'tɛə(r), USA 'sɒl-/ (*franc.*) n. **1** solitario (*brillante*) **2** (*USA*) solitario (*gioco di carte*).

solitary /'sɒlɪtrɪ/ **A a. 1** solitario; solingo; appartato; isolato: **a s. existence**, un'esistenza solitaria; **a s. place**, un luogo solitario; **a s. house**, una casa isolata **2** che ama la solitudine; solitario **3** solo; singolo; unico; isolato: **a s. case of typhus**, un caso isolato di tifo **B n. 1** eremita; anacoreta **2** (*slang*) segregazione cellulare; cella di rigore ● (*leg.*) **s. confinement**, segregazione cellulare; isolamento ‖ **solitarily** avv. solitariamente; da solo; tutto solo; in solitudine ‖ **solitariness** n. ▣ solitudine; isolamento.

solitude /'sɒlɪtjuːd, USA -tuːd/ n. **1** ▣ solitudine; isolamento **2** luogo solitario.

solmization /sɒlmaɪ'zeɪʃn, USA -mɪ'z-/ n. ▣▣ (*mus.*) solmisazione; solfeggio.

solo /'səʊləʊ/ (*ital.*) **A n.** (pl. **solos**, **soli**) **1** (*mus.*) assolo; a solo; solo **2** (*aeron.*) volo compiuto da solo (*o* in solitario) **3** (*alpinismo*) (scalata) solitaria **4** (*nei giochi di carte*) gioco senza compagno **B a. 1** (*mus.*) solista; da (*o* per) solista: **a s. violin**, un violino solista; **a s. voice**, una voce da solista **2** solitario: **a s. climb**, una scalata solitaria **3** (*sport*) individuale: **s. skating**, pattinaggio individuale **C avv. 1** da solo **2** (*mus.*) senza accompagnamento **3** (*alpinismo*, *naut.*, *aeron.*) in solitario: **a s. climb**, una scalata in solitario ● (*naut.*) **s. across the Atlantic**, traversata solitaria dell'Atlantico □ (*aeron.*) **a s. flight**, un volo da solo (*senza istruttore*) □ (*mus.*) **a s. pianist**, un solista di pianoforte □ (*aeron.*) **to fly s.**, fare un volo da solo (*senza istruttore*).

to solo /'səʊləʊ/ v. i. **1** (*mus.*) fare un assolo **2** (*aeron.*) volare da solo (*senza l'istruttore*) **3** (*alpinismo*) fare una (scalata) solitaria.

soloist /'səʊləʊɪst/ n. (*mus. e sport*) solista.

Solomon /'sɒləmən/ (*Bibbia*) n. Salomone (*anche fig.*): *He is no S.*, non è davvero un Salomone □ (*bot.*) **S.'s seal** (*Polygonatum multiflorum*), sigillo di Salomone ‖ **Solomonic** a. salomonico (*anche fig.*).

Solomon Islands /'sɒləmən'aɪləndz/ loc. n. (*geogr.*) Isole Salomone.

Solon /'səʊlɒn/ n. (*stor.*) Solone (*anche fig.*).

solstice /'sɒlstɪs/ (*astron.*) n. solstizio: **summer** [**winter**] **s.**, solstizio d'estate [d'inverno] ‖ **solstitial** a. solstiziale: **solstitial point**, punto solstiziale.

solubility /sɒljʊ'bɪlətɪ/ n. ▣ **1** (*fis.*, *chim.*) solubilità **2** (*anche mat.*) risolvibilità.

to solubilize /'sɒljʊbɪlaɪz/ v. t. solubilizzare ‖ **solubilization** n. ▣ solubilizzazione.

soluble /'sɒljʊbl/ a. **1** (*fis.*, *chim.*) solubile **2** (*anche mat.*) risolubile; risolvibile ● **s. glass**, vetro solubile; silicato di sodio (*o* di potassio) □ **to make s.**, rendere solubile.

solute /'sɒljuːt/ n. (*fis.*, *chim.*) soluto; sostanza sciolta.

solution /sə'luːʃn/ n. ▣▣ **1** (*chim.*, *mat.*, *ecc.*) soluzione: **a sugar s.**, una soluzione di zucchero; **a chemical s.**, una soluzione chimica; **the s. to a problem**, la soluzione di un problema **2** risoluzione; spiegazione (*di un mistero*, *ecc.*) **3** (*med.*) risoluzione; crisi risolutiva ● (*ind. petrolifera*) **s. gas**, gas discioltto

to □ (*med.*) **s. of continuity**, soluzione di continuità (*anche fig.*) □ (*mat.*) **s. set**, insieme risolvente.

solutive /'sɒljʊtɪv/ n. (*med.*) solutivo; lassativo.

solvable /'sɒlvəbl/ a. **1** (*chim.*) solubile **2** (*anche mat.*) risolvibile **3** (*mat.*) risolubile **4** (*comm.*) solvibile ‖ **solvability** n. ▣ **1** (*chim.*) solubilità **2** (*anche mat.*) risolvibilità; risolubilità **3** (*comm.*) solvibilità.

solvate /'sɒlveɪt/ n. (*chim.*, *fis.*) solvato.

to solvate /'sɒlveɪt/ (*chim.*) v. t. solvatare ‖ **solvation** n. ▣▣ solvatazione.

to solve /sɒlv/ v. t. **1** risolvere: **to s. a problem**, risolvere un problema; (*fig.*) risolvere; spiegare; chiarire: **to s. a murder case**, risolvere un caso d'omicidio **2** (*arc.*) liquidare (*un debito*) ● **to s. a riddle**, sciogliere un enigma; risolvere un indovinello.

solvency /'sɒlvənsɪ/ n. ▣ (*leg.*, *comm.*) solvibilità.

solvent /'sɒlvənt/ **A a. 1** (*leg.*, *comm.*) solvibile; solvente: **a s. debtor**, un debitore solvibile **2** (*chim.*) solvente; capace di sciogliere: **s. naphtha**, nafta solvente **B n.** (*chim.*) solvente ● (*leg.*) **s. abuse**, inalazione di vapori di colla □ (*chim.*, *ind.*) **s. refining**, raffinazione con solventi.

solver /'sɒlvə(r)/ n. chi risolve; risolutore (*di enigmi*, *problemi*, *ecc.*).

Somali /sə'mɑːlɪ/ **A a.** (pl. **Somalis**, **Somali**) somalo (*anche la lingua*) **B a.** somalo.

Somaliland /sə'mɑːlɪlænd/ n. (*geogr.*) Somalia.

somatic /səʊ'mætɪk/ a. (*scient.*) somatico: (*biol.*) **s. cell**, cellula somatica ‖ **-ally** avv.

to somatize /'səʊmətaɪz/ (*psic.*) v. i. somatizzare ‖ **somatization** n. ▣ somatizzazione.

somatology /səʊmə'tɒlədʒɪ/ (*scient.*) n. ▣ somatologia.

somatostatin /səʊmətə'stætɪn/ n. ▣ (*biochim.*) somatostatina.

somatotropin /səʊmətə'trəʊpɪn/ n. ▣▣ (*biochim.*) somatotropina.

somber /'sɒmbə(r)/ e *deriv.* (*USA*) → **sombre**, e *deriv.*

sombre /'sɒmbə(r)/ a. cupo; fosco; oscuro; scuro; tetro; tenebroso; triste: **a s. sky**, un cielo scuro; **a man of s. character**, un uomo di carattere cupo (*o* tetro); **s. alleys**, vicoli oscuri | **-ly** avv. | **-ness** n. ▣.

sombrero /sɒm'brɛərəʊ/ (*spagn.*) n. (pl. **sombreros**) sombrero.

some /sʌm, səm/ **A a. e pron. 1** qualche; del; dello, degli, dei; della, delle; un po' di; ne; alcuni, alcune; certuni, certune; taluni, talune; certi, certe; diversi, diverse; parecchi, parecchie: *S. boys were reading*, qualche ragazzo leggeva; alcuni ragazzi leggevano; *S. money will be needed*, ci vorrà del denaro; *I took s., but not all*, ne presi un po' (*o* alcuni), non tutto (*o* non tutti); *I like it, but s. don't*, a me piace, ma a certuni no; *I stayed there for s. time* [*s. weeks*], rimasi là un certo tempo [diverse settimane] **2** uno; una; un certo, una certa; una specie, una sorta di: *We'll do that s. other time*, lo faremo un'altra (*o* qualche altra) volta; *It seemed to be s. inn or hotel*, aveva l'aria d'essere una (specie di) locanda o un albergo; **s. day** (**or other**), un giorno (o l'altro); *I read it in s. paper* (**or other**), l'ho letto in un (qualche) giornale **3** (*fam.*) grande; considerevole; raguardevole; grosso; notevole: *That was s. battle*, fu una grossa battaglia, quella; quella sì che fu una battaglia! **4** (*fam.*, *iron.*, in frasi escl.) bello: *S. friend you are!*, bell'amico che sei!; *It will take s. doing!*, ce ne vorrà del bello e del buono!; ci sarà un bel po' da fare! **5** (*fam.*, esprimendo ammirazione, disprezzo, stupore, ecc.; è idiom.

per es.:) *S. car!*, accidenti che automobile!; *S. party!*, che festa!; *S. people!*, che gente!; *'«In three weeks England will have her neck wrung like a chicken» – «S. chicken! S. neck!»'* W. CHURCHILL, '«in tre settimane tireremo il collo all'Inghilterra, come si fa con un pollo» – «Che pollo! e che collo!»'; (*iron.*) *S. hope of that!*, vacci a sperare! ❶ NOTA: *any* / *some* → *any* **B** avv. **1** circa; pressappoco; all'incirca; a un dipresso: **s. fifty miles away**, a circa cinquanta miglia di distanza **2** (*fam. USA*) alquanto; piuttosto; abbastanza; un po': *The snow is s. deeper than yesterday*, la neve è alquanto più alta di ieri; *I'm feeling s. better now*, adesso sto un po' meglio **3** (*fam. USA*) molto; un bel po': *You'll have to travel s. to get there*, dovrai viaggiare un bel po' per arrivarci ● **s. more**, dell'altro; degli altri; ancora: *Have s. more biscuits*, prendi degli altri biscotti!; *Can I have s. more?*, ne posso prendere ancora? □ **s. people**, alcuni; taluni; certuni □ **s. time**, per un po'; un po' di tempo ❶ NOTA: *sometime, sometimes o some time?* □ **sometime** □ **s. time around noon**, verso mezzogiorno □ (*fam.*) **and then s.**, e molti altri ancora; e più ancora.

♦**somebody** /'sʌmbədɪ, *USA* sʌm'bɒdɪ/ **A** pron. qualcuno; qualcheduno; uno: *S. is ringing the doorbell*, qualcuno sta suonando il campanello; *It takes s. younger to do this work*, ci vuole uno più giovane per fare questo lavoro ❶ NOTA: *they* → *they* **B** n. qualcuno; (una) persona importante: *He thinks he's* (a) *s., but he's* (a) *nobody*, crede di essere qualcuno, ma è una nullità ● **s. else**, qualcun altro □ **This sort of work needs a mechanic or s.**, per questo genere di lavoro ci vuole un meccanico o qualcosa di simile □ **There's s. on the phone for you**, sei desiderato (*o* ti vogliono) al telefono.

someday /'sʌmdeɪ/ **avv.** un giorno o l'altro; in futuro; prima o poi.

♦**somehow** /'sʌmhaʊ/ **avv. 1** in qualche modo; in un modo o nell'altro; per qualche motivo; per un motivo o per l'altro: *They have solved the problem s.*, in qualche modo hanno risolto il problema; *S. or other I'll make it*, in un modo o nell'altro ce la farò; *S. I don't feel completely at ease with him*, per qualche motivo non mi sento del tutto a mio agio con lui **2** a ogni modo; a tutti i costi.

♦**someone** /'sʌmwʌn/ pron. → **somebody**. ❶ NOTA: *they* → *they*.

someplace /'sʌmpleɪs/ (*fam. USA*) → **somewhere**.

somersault /'sʌməsɔːlt/, **somerset** /'sʌməsɪt/ **n. 1** capriola; salto mortale: **to turn** (*o* **to do, to throw**) **a s.**, fare una capriola; **double s.**, doppio salto mortale **2** (*autom.*, *aeron.*) ribaltamento; capottamento **3** (*tuffi*) salto mortale.

to **somersault** /'sʌməsɔːlt/, to **somerset** /'sʌməsɪt/ **v. i. 1** fare una capriola; fare un salto mortale **2** (*autom.*, *aeron.*) ribaltarsi; rovesciarsi; capottare.

♦**something** /'sʌmθɪŋ/ **A** pron. **1** qualche cosa; qualcosa: *I have s. to tell you*, ho qualcosa da dirti; *Have s. before you leave*, mangia qualcosa prima di partire!; *Ask me s. easier*, chiedimi qualcosa di più facile; *There's s. nice about him*, c'è qualcosa di simpatico in lui **2** qualcos'altro; o che so io; qualcosa d'interessante (*o* di vero, di giusto): *'Would you like some more tea, or an aspirin or s.?'* J. OsBORNE, 'vuoi dell'altro tè, o un'aspirina o qualcos'altro?'; *You should use a knife or a chisel or s.*, dovresti usare un coltello o uno scalpello o qualcosa del genere; *There is s. in what he says*, c'è del vero in quel che dice **3** e qualcosa; e rotti: **the nine s. bus**, l'autobus delle nove e rotti **4** cosa (*o* persona) eccezionale; cannonata; schianto

(*fam.*): *He's really s.!*, è una cannonata! **B** n. **1** qualcosa; (un) non so che: *His poems have a certain s.*, le sue poesie hanno un certo non so che **2** (*fam.*) cosa meravigliosa, fantastica, splendida: *It's really s.!*, magnifico!; splendido! **C** avv. **1** alquanto; piuttosto **2** un po': **s. under ten miles**, un po' meno di dieci miglia **3** (*fam.*) molto; tremendamente: *It hurt s. terrible*, mi faceva un gran male ● **s. else**, qualchecos'altro; qualche altra cosa; (*fam.*) qualcosa di diverso, tutt'altra cosa □ **s. like**, circa, pressappoco; più o meno, grossomodo; (*fam.*) grande, eccellente, magnifico, ottimo; straordinario: *The UFO was shaped s. like a saucer*, il disco volante aveva grossomodo la forma di un piatto (*o* somigliava a un piatto); **s. like six weeks**, circa (*o* qualcosa come) sei settimane; **s. like that**, qualcosa del genere; *The song goes s. like this*, la canzone fa più o meno così; (*fam.*) *That was s. like a dinner!*, fu davvero un pranzo eccellente!; quello fu un pranzo! □ **Is s. the matter** (*o* **s. wrong**)?, c'è qualcosa che non va? □ **s. or other**, qualcosa; non so che cosa □ (*fam.*) **to do s. for sb.**, imbellire, ringiovanire; migliorare l'aspetto di q.: *I think the new dress does s. for her*, con quel vestito nuovo fa figura □ (*di persona o cosa*) **to be s. to do with**, avere (qc.) a che fare con (*un fatto, ecc.*), essere collegato con (qc.) □ (*fam. USA*) **and then s.**, e più ancora: *I had to wait for an hour and then s.*, dovetti aspettare per un'ora e più □ (*di cosa*) **to have s. to do with**, avere a che fare con □ (*fam.*) **to have s. going**, avere qc. per le mani; (*anche*) avere una relazione sentimentale con q. □ (*fam. USA*) **to have s. on the ball**, avere le idee chiare, avere sale in zucca, essere in gamba □ **a little s.**, una cosetta; una cosuccia: *Here's a little s. for your trouble*, questa è una piccola ricompensa per il disturbo □ **to see s. of sb.**, vedere q. ogni tanto □ **to have seen s. of the world**, aver visto un po' di mondo □ *He's s. in the City*, ha una posizione importante nella City □ **He thinks himself s.**, crede di essere qualcuno; si crede importante ● **I'm s. of a mechanic**, m'intendo un po' di meccanica; non sono proprio un meccanico, ma insomma! □ **He's called Mick s.**, si chiama Mick Vattelapesca (*non ricordo il cognome*) □ (*fam. ingl.*) **You've got s. there!**, forse hai ragione!; c'è del vero in quel che dici! □ **It must be s. of importance**, deve trattarsi d'una cosa importante □ **S. or other prevented him from coming**, una cosa o l'altra gli impedì di venire o (*avanzando una proposta, ecc.*) **Do you know s.?**, sai una cosa?; senti un po'!

sometime /'sʌmtaɪm/ **A** avv. **1** una volta o l'altra; presto o tardi; prima o poi: *I'll be seeing you s.* (*or other*), ti verrò a trovare una volta o l'altra **2** un (*qualche*) giorno: *I saw her s. last week*, la vidi un giorno della scorsa settimana; *I'll be coming up by car s. in the afternoon*, vengo in macchina nel pomeriggio **3** una volta; un tempo: *He was s. mayor of X*, fu un tempo il sindaco di X **B** a. attr. **1** antico; ex; già: **my s. teacher**, il mio antico insegnante; **the s. sheriff**, l'ex sceriffo **2** (*arc. o USA*) saltuario; occasionale.

❶ NOTA: *sometime, sometimes o some time?*

Sometime è un avverbio che significa principalmente "prima o poi, a un certo punto, un giorno" in riferimento al futuro o al passato: *Shall we meet up sometime soon?* ci incontreremo presto? *Some time* (due parole) significa "un po' di tempo": *Please give me some time to think through all the issues*, per favore, dammi un po' di tempo per pensare a tutte le questioni. L'avverbio *sometimes*, infine, significa "a volte, talvolta": *Sometimes I get awful headaches*, a volte mi vengono dei tremendi mal di testa;

Sometimes I travel by bus into work, sometimes I drive, a volte vado al lavoro in autobus, a volte ci vado in auto.

♦**sometimes** /'sʌmtaɪmz/ **avv.** qualche volta; talvolta; talora; di quando in quando: *S. I feel depressed*, qualche volta mi sento depresso; *He s. needs encouragement*, talvolta ha bisogno d'esser spronato.

someway /'sʌmweɪ/ **avv.** (*fam. USA*) in qualche modo; in qualche maniera.

♦**somewhat** /'sʌmwɒt/ **avv.** alquanto; piuttosto; un po': **s. difficult**, alquanto difficile; *He is s. lazy*, è piuttosto pigro ● **s. of**, piuttosto; più che altro: *The party was s. of a failure*, la festa riuscì piuttosto male □ **more than s.**, oltremodo; assai.

♦**somewhere** /'sʌmweə(r)/ **A** avv. in qualche luogo; in qualche posto; in qualche parte: *I've seen it s.*, l'ho visto da qualche parte; *He is s. about the house*, è in qualche parte della casa; è in giro per la casa; *It must be s.!*, dev'essere da qualche parte! **B** n. un posto qualsiasi; un posto in cui: *I'm looking for s. to keep my old car in the winter*, sto cercando un posto dove tenere la mia vecchia auto l'inverno ● **s. about ten o'clock**, verso le dieci ● **s. else**, in qualche altro posto; da qualche altra parte: *Let's go s. else*, andiamo da qualche altra parte □ (*fig.*) **to be getting s.**, fare qualche passo avanti; (*d'indagine, della polizia, ecc.*) fare qualche progresso, ottenere qualche risultato □ **I will see him s. first** (*s. è qui eufem. per hell, «inferno»*), vorrei vederlo sulla forca piuttosto (*che fare quello che mi chiede, e sim.*) □ **He's s. in his sixties**, ha di poco passato i sessant'anni.

sommelier /sɒ'melɪə, *USA* sʌml'jeɪ/ (*franc.*) n. sommelier.

somnambulance /sɒm'næmbjʊləns/ n. Ⓤ sonnambulismo.

somnambulism /sɒm'næmbjʊlɪzəm/ n. Ⓤ sonnambulismo ‖ **somnambulant** a. sonnambulo ‖ **somnambulist** n. sonnambulo, sonnambula ‖ **somnambulistic** a. sonnambolico.

somniferous /sɒm'nɪfərəs/ a. soporifero; sonnifero.

somnolence /'sɒmnələns/ n. Ⓤ sonnolenza.

somnolent /'sɒmnələnt/ a. **1** sonnolento; assonnato **2** che dà il sonno; che fa venire sonno; soporifero | **-ly** avv.

♦**son** /sʌn/ n. **1** figlio (*anche fig.*); figliolo: *I have a son and a daughter*, ho un figlio e una figlia; **the sons of freedom**, i figli della libertà **2** (*fam.*, al vocat.) ragazzo **3** (*relig.*) – **the Son**, il Figlio (*Gesù Cristo, la seconda persona della Trinità*) ● **son-in-law**, genero □ (*fig.*) **the sons of Abraham**, i figli d'Abramo; gli ebrei □ (*volg. USA*) **son of a bitch**, figlio di puttana (*volg.*); figlio di un cane; figlio di buona donna (*eufem.*); (*anche*) lavoraccio, faticaccia, compito ingrato; rogna; (*anche*) cosa stupenda, straordinaria, meravigliosa □ (*relig.*) **the Son of God** (*o* **of Man**), il figlio di Dio; il Figlio dell'Uomo; Gesù Cristo □ (*fam.*) **son of a gun**, (*di solito scherz.*) briccone, furfante; (*anche*) bricconcello, drittone, tipo in gamba □ (*fig.*) **a son of Mars**, un guerriero □ (*fig.*) **the sons of men**, gli uomini; l'umanità □ **every mother's son**, tutti quanti □ **He is his father's son**, è proprio figlio di suo padre; è tutto suo padre; è degno di suo padre.

sonagram /'səʊnəgræm/ n. (*ling.*) sonogramma.

sonant /'səʊnənt/ **A** a. **1** (*fon.*) sonante **2** (*raro*) sonoro **B** n. (*fon.*) sonante; fonema sonante.

sonar /'səʊnɑː(r)/ n. (acronimo di **sound navigation and ranging**) (*naut.*) sonar; ecogoniometro.

sonata /sə'nɑːtə/ (*ital.*) n. (*mus.*) sonata.

sonatina /sɒnəˈtiːnə/ (*ital.*) n. (*mus.*) sonatina.

sonde /sɒnd/ (*franc.*) n. (*meteor.*) pallone sonda; sonda atmosferica (*o* meteorologica).

son et lumière /sɒneɪˈluːmjɛə(r)/ (*franc.*) loc. n. spettacolo «son et lumière»; suoni e luci.

♦**song** /sɒŋ/ n. canto; canzone; cantico; aria; romanza; (*fig.*) poesia: **a love s.**, una canzone d'amore; **the S. of Songs**, il Cantico dei Cantici; **the s. of the lark**, il canto dell'allodola; **celebrated in s.**, celebrato in poesia; cantato dai poeti ● (*fig. fam.*) **s. and dance**, agitazione; diavolo a quattro; casino (*pop.*); (*USA*) balla, discorso lungo ed evasivo; spiegazione contorta □ **s. book**, canzoniere □ **s. contest**, festival della canzone □ **s. sheet**, spartito musicale (*con il testo delle canzoni*): (*polit., org. az.*) **to sing from the same s. sheet**, fare gioco di squadra (*spec. ripetendo le stesse cose*) □ (*zool.*) **s. thrush** (*Turdus ericetorum*), tordo bottaccio □ **to burst into s.**, mettersi a cantare □ (*fig.*) **to buy [to sell] st. for a s.** (*o for an old s.*), comprare [vendere] qc. per una cifra irrisoria (*o per quattro soldi*) □ (*fig.*) **to be on s.**, essere all'unisono; (*di un gruppo, ecc.*) essere affiatato; (*anche*) essere in gran forma, essere in forma smagliante □ (*fig.*) **The s. remains the same**, la musica non cambia □ (*fig.*) **It's nothing to make a s. (and dance) about**, non c'è da farne una questione; è cosa da nulla □ (*fig. fam.*) **You're singing my s.**, mi hai tolto le parole di bocca!; sono pienamente d'accordo con te.

songbird /ˈsɒŋbɜːd/ n. uccello canoro.

songless /ˈsɒŋləs/ a. che non canta; (*di un uccello*) muto.

songster /ˈsɒŋstə(r)/ n. **1** cantante (*uomo*) **2** autore di canzoni **3** (*fig.*) cantore; poeta **4** uccello canoro.

songstress /ˈsɒŋstrɪs/ n. **1** cantante (*donna*) **2** autrice di canzoni **3** (*fig.*) poetessa.

songwriter /ˈsɒŋraɪtə(r)/ n. autore di canzoni; compositore; canzoniere.

sonic /ˈsɒnɪk/ a. **1** (*fis.*) del suono; sonico **2** (*aeron.*) sonico: **s. boom**, bang sonico ● (*aeron.*) **s. barrier**, muro del suono; barriera del suono □ (*mecc.*) **s. cleaning**, pulitura ultrasonica (*o con ultrasuoni*) □ (*naut.*) **s. depth finder**, scandaglio acustico; ecoscandaglio □ (*naut.*) **s. mine**, mina acustica □ (*naut.*) **s. sounding gear**, fonoscandaglio.

sonnet /ˈsɒnɪt/ n. (*letter.*) sonetto ● **s. sequence**, raccolta di sonetti; canzoniere.

sonneteer /sɒnɪˈtɪə(r)/ n. (*letter.*) sonettista; scrittore di sonetti.

sonny /ˈsʌnɪ/ n. (*fam.*, al vocat.) figlio mio; ragazzo mio; piccino mio.

sonobuoy /ˈsəʊnəʊbɔɪ/ n. (*naut., aeron.*) boa sonar; boa radioacustica (*per scoprire i sommergibili*).

sonograph /ˈsəʊnəɡrɑːf/ n. (*ling.*) sonografo.

sonometer /səʊˈnɒmɪtə(r)/ n. **1** (*geol.*) sonometro **2** (*fis., med.*) audiometro.

sonority /səˈnɒrətɪ/ n. ⒰Ⓒ (*anche fon.*) sonorità.

sonorous /ˈsɒnərəs, səˈnɔːrəs/ a. sonoro: **s. metal**, metallo sonoro; **a s. voice**, una voce sonora ● **s. rhetoric**, retorica altisonante □ **a s. sound**, un suono pieno, profondo □ **a s. waterfall**, una cascata rumorosa | **-ly avv.** | **-ness n.** ⒰.

♦**soon** /suːn/ avv. **1** presto; fra breve; fra poco; di lì a poco; di buonora: It will s. be Christmas, presto sarà Natale; He will be back s., sarà di ritorno fra poco; We were s. to know the result, di lì a poco avremmo conosciuto il risultato **2** piuttosto; di preferen-

za: I would as s. stay at home, piuttosto resto a casa; I would sooner do it myself, preferirei farlo io stesso (o da me); I would sooner die than surrender, preferirei la morte alla resa; I'd just as s. (not), preferisco (di no) ● **s. after**, subito dopo; poco dopo □ sooner, più presto; prima: He got there sooner than we expected, arrivò là prima di quel che credevamo □ **the sooner the better**, quanto prima, tanto meglio; più presto è, meglio è □ **sooner or later**, presto o tardi; prima o poi □ **as s. as**, appena; non appena; (così) presto come: As s. as he saw her, he ran away, appena la vide, corse via; The goods won't arrive as s. as we hoped, la merce non arriverà presto come speravamo □ (*fam.*) **as s. as look at you**, senza pensarci due volte; come niente fosse □ **as s.** (o **as s. as not**), indifferentemente: I would as s. go as stay (o I would go as s. as not), mi è indifferente andare o restare □ **as s. as possible**, non appena possibile; al più presto; il più presto possibile □ **as s. as you can**, appena puoi; appena potrai □ **at the soonest**, al più presto; prima di: The new update won't be released until July at the soonest, il nuovo aggiornamento non sarà distribuito prima di luglio □ **how s.?**, fra quanto tempo?; quando? □ **just as s.**, volentieri: I'd just as s. walk there, ci vado volentieri anche a piedi □ **no sooner... than**, appena; non appena: No sooner had he received my message than he left by car, non appena ricevette il mio messaggio partì in auto □ **too s.**, troppo presto; anzitempo; in anticipo: **to speak too s.**, parlare troppo presto; dire gatto prima che sia nel sacco □ (*fam.*) **See you s.!**, a presto!; a tra poco! □ **No sooner said than done**, detto fatto □ (*prov.*) **Least said, soonest mended**, meno si parla, meglio è.

soot /sʊt/ n. ⒰ fuliggine; nerofumo.

to soot /sʊt/ v. t. (*spesso* **to s. up**) coprire (o sporcare) di fuliggine.

sooth /suːθ/ n. (*arc. o lett.*) verità ● **in (good) s.**, in verità; davvero; veramente.

to soothe /suːð/ v. t. **1** calmare; lenire; consolare; mitigare; placare; attenuare: **to s. a frightened child**, calmare un bambino spaventato; **to s. a pain**, lenire un dolore **2** blandire; lusingare: **to s. sb.'s vanity**, lusingare la vanità di q.

soother /ˈsuːðə(r)/ n. **1** chi calma, consola, placa, ecc. (→ **to soothe**) **2** lusingatore, lusingatrice **3** ciucciotto; tettarella.

soothing /ˈsuːðɪŋ/ a. **1** calmante; consolatorio; lenitivo; di conforto: **s. words**, parole di conforto **2** che fa piacere; lusinghiero | **-ly avv.**

soothsayer /ˈsuːθseɪə(r)/ n. (*arc. o lett.*) indovino; divinatore.

sooty /ˈsʊtɪ/ a. **1** fuligginoso; coperto (o sporco) di fuliggine **2** (*fig.*) nero; oscuro ● (*bot.*) **s. mould**, fumaggine, nero (*delle piante*) □ **s. smoke**, fumo nero | **-iness n.** ⒰.

sop /sɒp/ n. **1** pezzo di pane (o biscotto) inzuppato (*nel latte, nel brodo, ecc.*); boccone **2** (*fig.*) offa; concessione; dono propiziatorio; contentino (*fam.*): The government's offer was just a sop to the strikers, l'offerta del governo non era che un contentino per gli scioperanti ● **sop in the pan**, pane fritto.

to sop /sɒp/ Ⓐ v. t. inzuppare; immergere;

intingere (*pane o altro: nel latte, ecc.*) Ⓑ v. i. inzupparsi; infradiciarsi; diventar fradicio: We are sopping with rain, ci siamo inzuppati di pioggia ● **to sop up**, assorbire; asciugare; tirar su (*fam.*): I sopped up the water with a sponge, asciugai l'acqua con una spugna.

soph /sɒf/ n. abbr. fam. di **sophomore**.

Sophia /səʊˈfiːə/ n. Sofia.

sophism /ˈsɒfɪzəm/ n. ⒰Ⓒ sofisma.

sophist /ˈsɒfɪst/ n. sofista ‖ **sophistic, sophistical** a. sofistico: **a sophistic argument**, un argomento sofistico ● (*stor.*) **sophistic teaching**, l'insegnamento dei sofisti ‖ **sophistically avv.** sofisticamente.

to sophisticate /səˈfɪstɪkeɪt/ Ⓐ v. t. **1** rendere sofisticato; rendere troppo ricercato; privare della naturalezza **2** complicare; rendere complesso **3** (*leg.*) sofisticare; adulterare Ⓑ v. i. sofisticare; cavillare; usare sofismi.

♦**sophisticated** /səˈfɪstɪkeɪtɪd/ a. **1** sofisticato; raffinato: **s. cuisine**, cucina raffinata **2** artefatto; affettato; innaturale; sofisticato **3** sofisticato; complicato; complesso: **s. technology**, tecnologia sofisticata **4** (*leg.: di cibo, vino, ecc.*) sofisticato; adulterato.

sophistication /səfɪstɪˈkeɪʃn/ n. **1** ⒰ sofisticazione; raffinatezza; gusti raffinati **2** ⒰ affettazione; mancanza di naturalezza **3** (*leg.*) sofisticazione; adulterazione **4** ⒰ artificiosità **5** ragionamento sofistico; sofisma.

sophistry /ˈsɒfɪstrɪ/ n. **1** ⒰Ⓒ sofisticheria **2** (*filos.*) sofistica.

Sophocles /ˈsɒfəkliːz/ n. (*stor., letter.*) Sofocle.

sophomore /ˈsɒfəmɔː(r)/ n. (*USA*) studente del secondo anno (*di università, «college» o «high school»*); fagiolo (*gergo studentesco*).

soporific /sɒpəˈrɪfɪk/ Ⓐ a. **1** soporifico; soporifero **2** (*fig.*) al cloroformio; da sbadigli: **a s. match**, una partita da sbadigli Ⓑ n. (*farm., = s. drug*) sonnifero.

sopping /ˈsɒpɪŋ/ a. (*fam.*, = **s. wet**), bagnato fradicio.

soppy /ˈsɒpɪ/ a. **1** bagnato fradicio; inzuppato; zuppo **2** (*fam.*) sentimentale; lacrimoso; svenevole ● **s. weather**, tempo umido | **-iness n.** ⒰.

soprano /səˈprɑːnəʊ/ (*ital.*), (*mus.*) Ⓐ n. (pl. **sopranos**) **1** voce di soprano **2** soprano Ⓑ a. attr. di (o da, per) soprano: **a s. voice**, una voce di soprano ● (*mus.*) **s. saxophone**, sassofono soprano.

sora /ˈsɔːrə/ n. (*zool., Porzana carolina*) voltolino americano (*rallide dal becco corto*).

sorb /sɔːb/ n. (*bot.*) **1** (*Sorbus domestica*) sorbo **2** (*Sorbus aucuparia*) sorbo degli uccellatori **3** (= **s. apple**) sorba.

sorbent /ˈsɔːbənt/ a. e n. (*chim.*) assorbente.

sorbet /ˈsɔːbeɪ/ (*franc.*) n. sorbetto; gelato alla frutta.

sorbic /ˈsɔːbɪk/ a. (*chim.*) sorbico: **s. acid**, acido sorbico.

sorbitol /ˈsɔːbɪtɒl/ n. ⒰ (*chim.*) sorbitolo.

sorcerer /ˈsɔːsərə(r)/ n. mago; stregone; (*fig.*) incantatore.

sorceress /ˈsɔːsərɪs/ n. strega; fattucchiera; (*fig.*) maliarda.

sorcery /ˈsɔːsərɪ/ n. ⒰Ⓒ magia; stregoneria; (*fig.*) malia.

sordid /ˈsɔːdɪd/ a. **1** sordido (*anche fig.*); basso; gretto; meschino; sporco; sozzo; squallido: **s. blue**, blu sporco; **a s. background**, un ambiente sordido; **s. avarice**, gretta avarizia **2** (*zool., bot.*) scuro; opaco | **-ly avv.** | **-ness n.** ⒰.

♦**sore** /sɔː(r)/ Ⓐ a. **1** (*di parte del corpo*) dolente; infiammato; irritato; che fa male: I have a s. throat, ho la gola irritata; ho mal

di gola; **a s. finger**, un dito che fa male **2** (*lett.*) addolorato; dolente; rattristato; triste **3** (*fam. USA*) adirato; irritato; seccato: **to feel s. about st.**, essere irritato per qc.; *I was s. that nobody would listen to me*, mi seccava che nessuno volesse darmi ascolto **4** (*fam.*) permaloso; suscettibile **5** doloroso; sgradito: **a s. subject**, un argomento delicato (*o* sgradito) **6** (*poet.*) grave; duro; crudele; severo; estremo: **a s. struggle**, una dura lotta; **to be in s. straits**, trovarsi in una situazione grave; **to be in s. need of help**, avere estremo bisogno di aiuto **B** n. **1** piaga; ferita; infiammazione; male; ulcera **2** (*fig.*) ricordo doloroso; cosa spiacevole; seccatura, fastidio; scocciatura (*fam.*) **C** avv. (*lett.*) gravemente; dolorosamente; severamente; assai; molto: **s. afflicted**, assai afflitto; **s. afraid**, spaventatissimo ● **a s. point**, un punto dolente (*anche fig.*) □ **a s. spot**, un punto debole, un tasto delicato □ **to be s. at sb.**, avercela con q. □ **to be s. at heart**, essere desolato □ (*fam. USA*) **to get s.**, avversela a male; prendersela □ **to be like a bear with a s. head**, essere collerico (*o* irascibile, di cattivo umore) □ **to make sb. s.**, fare male a q.; addolorare q.; irritare q. □ **to make sb.'s throat s.**, far venire il mal di gola a q. □ **running s.**, piaga purulenta; (*fig.*) ferita aperta, piaga persistente □ (*fig.*) **to touch on a s. point**, toccare (*o* pungere) sul vivo; mettere il dito sulla piaga.

sorehead /'sɔːhɛd/ n. (*fam. USA*) **1** tipo irritabile; individuo irascibile, scorbutico **2** piagnone; lagnone; chi non si rassegna alla sconfitta.

sorely /'sɔːlɪ/ avv. **1** gravemente; dolorosamente; duramente; severamente **2** estremamente; assai; molto ● **to feel s. tired**, sentirsi stanco morto □ **Help was s. needed**, c'era urgente bisogno d'aiuto □ **My patience was s. tried**, la mia pazienza fu messa a dura prova.

soreness /'sɔːnəs/ n. ⓤ **1** dolore; male **2** rammarico; tristezza **3** (*fam.*) irritazione; rancore.

sorgho, sorgo /'sɔːgəʊ/ → **sorghum**.

sorghum /'sɔːgəm/ n. ⓤ (*bot.*, *Sorghum vulgare*) sorgo; saggina; melica.

sorites /sə'raɪtiːz/ n. (*filos.*) sorite.

soroptimist /sɔː'rɒptɪmɪst/ n. «soroptimist»; aderente a un'associazione internazionale di circoli femminili.

sorority /sə'rɒrətɪ/ n. **1** comunità di donne (*spec. per fini religiosi*) **2** (*USA*) associazione (*o* club) di studentesse universitarie (*cfr.* **fraternity**, *def.* 4).

sorption /'sɔːpʃn/ n. ⓤ (*chim.*, *fis.*) assorbimento.

sorrel ① /'sɒrəl/ n. (*bot.*) **1** (*Rumex acetosa*) acetosa **2** (*Oxalis acetosella*) acetosella.

sorrel ② /'sɒrəl/ **A** a. **1** (*di cavallo*) sauro **2** rosso-castagno **B** n. cavallo sauro.

sorrily /'sɒrɪlɪ/ avv. **1** tristemente; con aria afflitta; in tono dolente **2** miseramente; penosamente; meschinamente.

sorriness /'sɒrɪnəs/ n. ⓤ (*raro*) **1** afflizione; tristezza **2** meschinità.

sorrow /'sɒrəʊ/ n. **1** ⓤ dolore; affanno; afflizione; cordoglio; pena; tristezza: **a life-long s.**, il dolore di tutta una vita; **a secret s.**, una pena segreta **2** ⓤ rammarico; rincrescimento; pentimento: *He expressed s. for what he had done*, espresse il suo rammarico per quel che aveva fatto **3** doglianza; lamentazione; lamento: *The woman's s. was loud and long*, la donna uscì in alti, prolungati lamenti ● **s.-stricken**, addolorato; afflitto □ **to drown one's sorrows**, affogare i dispiaceri nel bere □ (*relig.*) **the Man of Sorrows**, Gesù Cristo; il Crocifisso □ **to my great s.**, con mio grande dolore; con mio vivo rammarico.

to **sorrow** /'sɒrəʊ/ v. i. (*lett.*) addolorarsi; affliggersi; dolersi; rattristarsi: **to s. at** (*o* **over, for) a misfortune**, affliggersi per una sventura.

sorrowful /'sɒrəʊfl/ a. **1** addolorato; afflitto; abbattuto; triste; infelice **2** doloroso; penoso: **a s. sight**, uno spettacolo doloroso / **-ly** avv. / **-ness** n. ⓤ.

sorrowing /'sɒrəʊɪŋ/ **A** a. dolente; afflitto; addolorato **B** n. ⓤ l'addolorare; l'addolorarsi; il dolersi.

♦**sorry** /'sɒrɪ/ **A** a. **1** (*pred.*) addolorato; dolente; afflitto; spiacente; dispiaciuto; rammaricato: *I feel very s. for the widow*, sono assai addolorato per la vedova; (*I'm so s.*), *but I can't help you*, spiacente (*o* mi dispiace tanto), ma non posso aiutarti; *I'm terribly s. madam, there's been a mix up with the bills*, mi dispiace, signora, ma c'è stata un po' di confusione con i conti **2** (*pred.*) pentito; rammaricato: *If you're s. for your action, I'll forgive you*, se sei pentito della tua azione, ti perdonerò **3** (*attr.*) meschino; misero; miserando; penoso; pietoso; sgradevole; scadente: **a s. excuse**, una misera scusa; **a s. place**, un luogo sgradevole; **a s. sight**, uno spettacolo penoso; una cosa da fare pena; una scena pietosa **B** inter. **1** – *S.*, scusa!; scusate!; scusi! **2** – *S.?* (*o I'm s.?*), come?; che cosa?; prego?; Le spiace ripetere?; (*anche*) è possibile?; davvero? ● **I'm s.**, scusa (*o* scusate!; scusi!); (*anche*) mi dispiace davvero!; condoglianze! □ **to be** (*o* **to feel) s.**, dolersi; rammaricarsi (*di qc., per q.*); dispiacere, rincrescere (impers.); pentirsi (*di qc.*): *I am s. for you*, mi rincresce per te; *I felt s. to have missed him*, mi dispiacque di non averlo incontrato; (*minaccia*) *You'll be s.* (*for it)!*, te ne pentirai! □ **to be s. about sb.** [**st.**], dolersi, dispiacersi, essere dispiaciuto per q. [qc.]: *S. about that*, mi dispiace; *I'm very s. about all this*, mi dispiace dell'accaduto; *I'm very s. about your mother*, sono dispiaciuto per tua madre; *I'm very sorry, so-no desolata; mi dispiace molto* □ **a s. meal**, un magro pasto; un pasto scadente □ **a s. mess**, un pasticciaccio; un gran casino (*fam.*): *You've made a s. mess of it*, hai incasinato tutto □ **a s. state of affairs**, una brutta situazione; un grosso inconveniente □ **the s. truth**, l'amara verità □ **to cut a s. figure**, fare una magra figura (*fam.*: una magra) □ **to feel s. for oneself**, commiserarsi; piangersi addosso □ **to make sb. s. for st.**, fare pentire q. di qc.

♦**sort** /sɔːt/ n. **1** sorta; genere; specie; classe; categoria; tipo: *What s. of book is it?*, che genere di libro è?; **people of every s.**, gente d'ogni sorta; **biscuits of all sorts**, biscotti di tutti i tipi (*o* assortiti); *John is the s. of person you cannot rely on*, John è quel genere di persona su cui non si può fare affidamento; *This s. of thing happens all the time*, una cosa del genere capita di continuo **2** (*fam. ingl.*) tizio; tipo; uomo; individuo; persona: *He's a good s.*, è un buon uomo; è un bonaccione; *He's not such a bad s.*, non è poi così cattivo; *He's a really decent s.*, è proprio un brav'uomo **3** (*Austral.*) donna; ragazza; tipa; tizia **4** (pl.) (*tipogr.*) assortimento completo (*di caratteri*) **5** (*comput.*) ordinamento (*di schede*); programma di ordinamento: **s. algorithm**, algoritmo di ordinamento; **s. key**, chiave per l'ordinamento; **s. order**, metodo di ordinamento ● (*fam.*) **s. of**, alquanto, piuttosto; un po', quasi; in un certo modo: *I was s. of tired*, ero piuttosto stanco; *I s. of expected it*, in un certo modo me l'aspettavo □ **a s. of**, una sorta (*o* una specie) di: *I felt a s. of fear*, provavo una sorta di timore; *He wore a s. of hat*, portava una specie di cappello □ **after a s.**, in un certo modo; fino a un certo punto □ **in a s.**, → *sopra* □ (*spreg.*) **of a s.** (*o* **of**

sorts), per così dire; cosiddetto; una specie di; mediocre: **his kindness of a s.**, la sua cosiddetta gentilezza; *He's a writer of sorts*, è, per così dire, uno scrittore □ **to be out of sorts**, (*tipogr.*) aver finito l'assortimento, essere a corto di caratteri; (*fig. ingl.*) essere indisposto (*o* depresso, abbattuto, di malumore, fuorifase, sfasato); essere irritato (*o* seccato, scocciato) □ (*prov.*) **It takes all sorts (to make a world)**, il mondo è bello perché è vario; tutti i gusti son gusti.

♦to **sort** /sɔːt/ v. t. **1** classificare; ordinare; assortire; selezionare: **to s. books according to their size**, assortire i libri secondo l'altezza; **to s. colours**, classificare le tinte; *Fruit is sorted before packaging*, la frutta viene selezionata prima d'essere confezionata **2** smistare (*lettere, pacchi, ecc.*) **3** (*comput.*) ordinare **4** (*fam., spec. scozz.*) aggiustare; accomodare; riparare.

■ **sort out** v. t. + adv. **1** mettere in ordine; riordinare: **to s. out important papers**, mettere in ordine documenti importanti; **to s. out one's thoughts**, riordinare i propri pensieri **2** cernere; vagliare; selezionare: **to s. out the best applicants**, selezionare i candidati migliori; **to s. out the most suitable books**, scegliere i libri più adatti **3** dividere; separare: **to s. out fact from fiction**, separare la realtà dalle invenzioni **4** appianare (*difficoltà*); risolvere (*problemi*); mettere a posto: *Let's hope the new government will get things sorted out*, speriamo che il nuovo governo metta a posto le cose! **5** (*fam.*) far stare (*q.*) meglio; rimettere in sesto: *This medicine will s. you out*, questa medicina ti rimetterà in sesto **6** (*fam.*) mettere a posto (*q.*); sistemare (*q.*) per le feste: *I'll s. him out!*, lo sistemo io! **7** (*volg.*) farsi (*una donna*) □ **to s. itself out**, andare a posto; sistemarsi: *Things will s. themselves out eventually*, alla fine tutto andrà a posto da solo □ **to s. oneself out**, rimettersi in sesto (*con la salute*); mettere la testa a posto □ **to s. it out with**, vedersela, fare i conti con.

■ **sort with** v. i. + prep. **1** (*form.*) accordarsi, andare (*bene, male, ecc.*) con: **to s. well with st.**, accordarsi (bene), essere in armonia con qc. **2** (*arc. o dial.*) fare lega con (q.); frequentare.

sorta /'sɔːtə/ (*slang USA*) = **sort of** → **sort**.

sortable /'sɔːtəbl/ a. classificabile; ordinabile; selezionabile.

sorter /'sɔːtə(r)/ n. **1** classificatore; selezionatore; cernitore **2** chi smista lettere (pacchi, ecc.).

sortie /'sɔːtiː/ n. **1** (*mil.*) sortita **2** (*aeron.*) volo (*o* missione) di un solo apparecchio **3** (*fig.*) sortita (*fig.*); spedizione; primo tentativo (*o* viaggio, ecc.): **a s. abroad**, un viaggio all'estero.

sortilege /'sɔːtɪlɪdʒ/ n. ⓤ sortilegio.

sorting /'sɔːtɪŋ/ n. ⓤ **1** classificazione; selezione; cernita **2** (*comm.*) assortimento **3** smistamento (*di lettere, pacchi, ecc.*): **s. office**, ufficio smistamento ● (*ind.*) **s. machine**, classificatrice, selezionatrice (*macchina*) □ **s. table**, tavolo (*o* banco) di cernita.

sortition /sɔː'tɪʃn/ n. ⓤ sorteggio; estrazione a sorte.

sort-out /'sɔːtaʊt/ n. (*fam.*) rimessa in ordine; riordinata; rassettata.

sorus /'sɔːrəs/ n. (pl. **sori**) (*bot.*) soro.

SOS /ɛsəʊˈɛs/ n. (*naut., aeron.*, e *fig.*) S.O.S.; richiesta di soccorso.

so-so /səʊˈsəʊ/ a. pred. e avv. (*fam.*) così così; mediocre; passabile: *Business is just so-so*, gli affari vanno così così.

sot /sɒt/ n. (*spreg. antiq.*) ubriacone, ubriacona; beone, beona.

to **sot** /sɒt/ v. i. ubriacarsi; essere un beone.

soteriology /səʊtɪərɪˈɒlədʒɪ/ (*relig.*) n. ⓤ soteriologia ‖ **soteriological** a. soteriolo-

a b c d e f g h i j k l m n o p q r s t u v w x y z

gico.

sotto voce /'sɒtəʊ'vəʊtʃi/ (*ital.*) **a.** e **avv.** (*mus. e fig.*) sotto voce.

sou /su:/ (*franc.*) **n.** soldo ● (*fam.*) He hasn't got a sou, non ha il becco di un quattrino.

soubrette /su:'brɛt/ (*franc.*) **n. 1** (*teatr.*) soubrette **2** (*fig.*) ragazza sfacciata o civetta.

soubriquet /'su:brɪkeɪ/ → **sobriquet**.

Soudan /su:'dɑːn/ **n.** (*geogr., raro*) Sudan ‖ **Soudanese a.** e **n.** (inv. al pl.) sudanese.

souffle /'su:fl/ (*franc.*) **n.** (*med.*) soffio.

soufflé /'su:fleɪ, USA su:'f-/ (*franc.*), (*cucina*) **A** a. gonfio; rigonfio: **omelette s.**, omelette rigonfia **B** n. ⊡ soufflé.

sough /saʊ, sʌf/ **n. 1** mormorio, sussurro, fremito, gemito (*del vento, ecc.*) **2** sospiro profondo.

to **sough** /saʊ, sʌf/ **v. i.** (*lett.*) mormorare; sussurrare; fremere; gemere.

sought /sɔːt/ *pass.* e *p. p.* di **to seek** ● s.-after, richiesto; ricercato; apprezzato: **a much s.-after article**, un articolo assai richiesto (*dai clienti*); **a s.-after singer**, un cantante apprezzato.

souk /su:k/ **n.** suk.

soul /səʊl/ **A** n. **1** anima; spirito; (*fig.*) essenza; creatura; persona; uomo: **the souls in paradise**, le anime dei beati; **the departed souls**, le anime dei defunti; *That man has no s.*, quell'uomo è senz'anima; *He was the (life and) s. of the enterprise*, egli era l'anima dell'impresa; *There was not a s. in the street*, nella strada non c'era anima viva; **a village of three hundred souls**, un paese di trecento anime **2** ⊍ (*fig.*) anima; calore: *His pictures lack s.*, non c'è anima nei suoi quadri; *The performance was lacking in s.*, l'esecuzione mancava di calore **3** (*mus.*) = **s. music** ⇒ *sotto* **B** a. attr. **1** nero; dei neri (d'America): **s. food**, cibo tipico dei neri (*del sud degli USA*) **2** (*mus.*) soul: **a s. singer**, un cantante soul ● **s. bell**, campana a morto ● (*slang USA*) **s. brother**, fratello nero □ **a dear old s.**, un caro vecchietto, una cara vecchietta □ **s.-destroying**, che abbrutisce □ **s.-felt**, profondamente sentito □ **s. mate**, anima gemella □ **s. music**, musica soul (*che fonde elementi di blues, jazz e pop con canti dal Vangelo*) □ **s.-searching**, (sost.) esame di coscienza; (agg.) che va in fondo all'anima □ (*slang USA*) **s. sister**, sorella nera □ **s.-stirring**, commovente; toccante □ **to be the s. of**, essere un campione di; essere un perfetto esempio di □ (al vocat.) **my good s.**, buonuomo; buona donna □ **poor little s.!**, poverina, poverino! □ **to sell one's s.**, vendere l'anima □ **He cannot call his s. his own**, non è padrone di sé; si fa dominare dagli altri □ **Bless my s.!**, santo cielo!; Dio mio!

soulful /'səʊlfl/ a. **1** appassionato; pieno di sentimento; profondo (*fig.*) **2** (*spreg.*) sentimentale | -**ly** avv.

soulfulness /'səʊlflnəs/ n. ⊍ **1** passione; sentimento **2** (*spreg.*) sentimentalismo.

soulless /'səʊləs/ a. **1** senz'anima; egoista; crudele **2** privo d'ispirazione; senza sentimento; prosaico **3** (*di un lavoro, ecc.*) monotono; noioso; ripetitivo | -**ly** avv. | -**ness** n. ⊍.

soulmate /'səʊlmeɪt/ n. anima gemella.

sound /saʊnd/ a. **1** sano (*anche fig.*); buono; in buone condizioni fisiche; solido; valido; efficace; fondato (*fig.*): **a s. mind in a s. body**, mente sana in corpo sano; **s. peaches**, pesche sane (*non guaste*); **s. lungs**, polmoni sani; **a s. economic policy**, una sana politica economica; **s. advice**, buoni consigli; consigli validi; **a s. ship**, una nave in buone condizioni; **a s. bank**, una banca solida; **a s. method**, un metodo valido; **s.**

criticism, critiche efficaci, fondate **2** accurato; completo: **a s. investigation**, un'accurata indagine **3** (*del sonno*) profondo; tranquillo **4** (*comm.*) solvibile **5** (*di persona*) integro; onesto; fidato: **a s. friend**, un amico fidato **6** (*leg.*: *di un titolo di proprietà, ecc.*) valido **7** (*fam.*) buono; bravo; capace: **a s. player**, un bravo giocatore **8** (*fam.*) forte; sonoro; bello (*fam.*): **a s. defeat**, una bella batosta; **a s. slap**, un sonoro ceffone, un bello schiaffo ● **to be s. asleep**, dormir della grossa; dormire profondamente □ **s.-headed**, equilibrato (*fig.*) □ (*fam.*) **s. in life and limb**, in buona salute; in forma □ (*fin.*) **a s. investment**, un investimento sicuro □ (*fin.*) **s.-minded**, dotato di buonsenso □ (*fin.*) **s. money**, moneta stabile □ **s. sense**, buonsenso □ **a s. thrashing**, una bella bastonatura; un fracco di botte (*pop.*) □ **s. views**, vedute giuste; idee sane □ (*fam.*) **as s. as a bell**, (*di persona*) sano come un pesce; (*di cosa*) in perfette condizioni □ **safe and s.**, sano e salvo.

sound /saʊnd/ **A** n. ⊍ **1** suono (*anche fig.*); rumore; rombo; rimbombo; rintocco: (*fon.*) **vowel sounds**, suoni vocalici; *What was that s.?*, cosa è stato quel rumore?; *the s. of footsteps*, il rumore dei passi; *The s. of aircraft landing*, il rombo degli aerei che atterrano; **the s. of bells**, il rintocco delle campane **2** tono: *I like the s. of her voice*, mi piace il tono della sua voce **3** (*radio*) suono; voce (*fam.*) **4** (*cinem.*) (il) sonoro **5** (*TV*) (il) sonoro; audio: **loss of s.**, scomparsa del sonoro; *Turn down the s., will you?*, abbassa l'audio (o il volume), per favore! **6** (*fig.*) modo in cui si mettono le cose: *From the s. of it, I'm afraid the strike may go on for weeks*, da come si mettono le cose, temo che lo sciopero vada avanti per delle settimane **B** a. attr. **1** (*fis.*) acustico: **s. absorption**, assorbimento acustico **2** (*mus., cinem., TV*) sonoro: **a s. film**, un film sonoro; **s. effects**, effetti sonori **3** (*ling.*) fonetico: **s. law**, legge fonetica; **s. system**, sistema fonetico ● (*aeron.*) **s. barrier**, muro del suono: **to break the s. barrier**, superare il muro del suono □ (*fam.*) **s. bite → sound-bite** □ (*mus.*) **s. body → soundbox** □ (*cinem., TV*) **s. by...**, tecnico del suono... (*seguito dal nome*) □ (*comput.*) **s. card**, scheda audio □ (*tecn.*) **s. check**, controllo dell'audio □ **s. conditioned**, insonorizzato □ (*tecn.*) **s. deadener**, materiale fonoassorbente □ **s. engineer**, tecnico del suono; (*cinem.*) fonico □ (*comm.*) **s. equipment**, attrezzature acustiche □ (*mus.*) **s. grill**, griglia sonora (*di fisarmonica*) □ (*fis.*) **s.-level meter**, fonometro □ **s. library**, fonoteca □ **s. meter = s.-level meter → sopra** □ **s. mixer**, apparecchio per il missaggio (*di un film, ecc.*), mixer; tecnico addetto al missaggio □ (*mus.*) **s. post**, anima (*di un violino, ecc.*) □ **s. projector**, proiettore sonoro □ (*anche mil.*) **s. ranging**, fonotelemetria □ (*tecn.*) **s.-ranging altimeter**, altimetro acustico □ **s. recorder**, fonoregistratore □ (*slang USA*) **s. sheet**, disco fonografico inserito in una rivista; dischetto (*da pochi soldi*) □ (*ling.*) **s. shift**, cambiamento fonetico; rotazione consonantica □ (*cinem., radio, TV*) **s. technician** (o **recordist**), fonico; tecnico del suono □ (*cinem.*) **s. track**, colonna sonora □ (*USA*) **s. truck**, furgone con altoparlante □ (*fis.*) **s. wave**, onda sonora □ **by the s. of it**, a quanto pare □ **out of s.**, fuori del campo uditivo □ **to be within s. of st.**, essere in grado di udire qc.; essere a portata di orecchio □ *We liked the s. of his report*, il tenore della sua relazione ci fece piacere.

sound /saʊnd/ n. sonda (*anche med.*); scandaglio.

sound /saʊnd/ n. (*geogr.*) **1** braccio di mare; stretto **2** (*USA*) laguna.

sound /saʊnd/ n. (*zool.*) vescica natato-

ria (*dei pesci*).

to **sound** /saʊnd/ **A** v. i. **1** suonare (*anche fig.*); echeggiare; rimbombare; risuonare; squillare: *His last words sounded in my ears*, le sue ultime parole mi risuonavano nelle orecchie; *The bugles sounded*, squillarono le trombe; *This sentence doesn't s. well*, questa frase suona male **2** sembrare, apparire, parere (*al suono*): *His idea sounds like a good one*, la sua idea pare buona; *That sounds good*, buona idea; *His voice sounded troubled*, la sua voce appariva turbata **B** v. t. **1** suonare; (*dell'orologio*) battere: (*mil.*) **to s. the alarm [the retreat]**, suonare l'allarme [la ritirata]; *The clock sounds the hour*, l'orologio batte l'ora **2** far risuonare; battere su (*qc. per controllarne il suono*): **to s. the wheels of a railway carriage**, battere sulle ruote di una carrozza ferroviaria **3** (*med.*) auscultare **4** (*fon.*) pronunciare: *The «h» in «heir» is not sounded*, l'«h» in quella parola «heir» non si pronuncia (o è muta) **5** (*lett.*) celebrare; proclamare; cantare (*fig.*): **to s. sb.'s praises**, cantar le lodi di q. ● **to s. as if** (o **as though**), sembrare che: *It sounds as if the economic situation is getting worse and worse*, sembra che la congiuntura peggiori sempre più □ **to s. hollow**, dare un suono cupo (o sordo); (*di scusa, pretesto, ecc.*) suonare falso (o fasullo) □ (*autom.*) **to s. one's horn**, suonare (il clacson) □ (*fig.*) **to s. a note of warning**, far squillare un campanello d'allarme □ **to s. off**, (*mil.*) suonare; dare un segnale suonando; (*di soldati in marcia*) cadenzare il passo ad alta voce; (*fig. fam.*) cantarla chiara, parlare apertamente; (*fam. USA*) concionare, pontificare; (*anche*) lagnarsi, protestare, fare rimostranze □ **to s. sb.'s praises far and wide**, fare lodi sperticate a q.; portare q. alle stelle □ **Your cough sounds better**, sembra che la tosse ti stia passando.

to **sound** /saʊnd/ **A** v. t. **1** sondare; (*naut.*) scandagliare; (*med.*) esaminare con la sonda: **to s. the bottom of the sea**, scandagliare il fondo del mare; **to s. the depth of a channel**, sondare la profondità d'un canale marittimo; (*med.*) **to s. the bladder**, esaminare la vescica con la sonda **2** (*fig., spesso* **to s. out**) scandagliare; sondare; indagare su; sondare l'animo a; tastare il terreno (*fig.*): **to s. sb.'s feelings**, sondare i sentimenti di q.; *Did you s. him out on (o about) the subject?*, hai tastato il terreno con lui in proposito? **B** v. i. **1** (*naut.*) affondare lo scandaglio; misurare la profondità dell'acqua **2** (*delle balene e di alcuni pesci*) immergersi; puntare verso il fondo.

soundable /'saʊndəbl/ a. sondabile.

sound-bite, soundbite /'saʊndbaɪt/ n. frase a effetto; slogan; battuta tratta da un'intervista (*un discorso, ecc.*).

soundboard /'saʊndbɔːd/ n. **1** (*mus.*) cassa (o tavola) armonica **2** tettuccio, paracielo (*del pulpito*).

soundbox /'saʊndbɒks/ n. **1** cassa (o tavola) armonica (*di un violino, ecc.*) **2** fonorivelatore (*di un grammofono*).

soundcard /'saʊndkɑːd/ n. (*comput.*) scheda audio.

sounder /'saʊndə(r)/ n. **1** chi suona, fa risuonare, ecc. (→ **to sound**) **2** (*telegr.*) ricevitore acustico.

sounder /'saʊndə(r)/ n. (*naut.*) **1** scandagliatore **2** scandaglio (*lo strumento*).

soundhole /'saʊndhəʊl/ n. (*mus.: di strumenti a corda*) effe; foro di risonanza.

sounding /'saʊndɪŋ/ **A** a. **1** sonante; risonante; sonoro **2** altisonante; reboante: **s. rhetoric**, retorica reboante; **s. titles**, titoli altisonanti **B** n. **1** ⊍ suono; risonanza; l'echeggiare; rimbombo **2** (*mil.*) segnale (*di trombe, ecc.*) **3** ⊍ (*med.*) auscultazione ● **s.**

board, pannello insonorizzante; (*mus.*) tavola (*o* cassa) armonica; (*fig.*) cassa di risonanza □ (*fig.*) **s. brass**, parole vuote, senza senso.

sounding ② /'saʊndɪŋ/ n. **1** ☐ (*naut.*) scandagliamento; scandagliata (*raro*); scandaglio: **to take soundings**, fare scandagli; **to call the soundings**, gridare scandagli **2** (*naut.*, *anche* **s. apparatus**, **s. gear**) scandaglio: **s. machine**, scandaglio meccanico; **sonic s. gear**, fonoscandaglio **3** ☐ (*oceanografia*) batimetria **4** (pl.) (*naut.*) fondali bassi (*meno di 100 braccia*) **5** (pl.) sondaggio d'opinione **6** (*med.*) sondaggio □ (*meteor.*) **s. balloon**, pallone sonda □ (*naut.*) **s. lead**, piombino (dello scandaglio); (*anche*) scandaglio a sagola (*o* a mano) □ (*naut.*) **s. line**, sagola dello scandaglio; scandaglio a sagola □ (*meteor.*) **s. rocket**, razzo sonda □ (*naut.*) **to be off soundings**, essere su fondali alti (*più di 100 braccia*) □ (*naut.*) **to strike soundings**, trovare il fondo con lo scandaglio.

soundless ① /'saʊndləs/ a. senza suono; senza rumore; muto; silenzioso.

soundless ② /'saʊndləs/ a. **1** (*naut.*) insondabile; non scandagliabile **2** (*fig.*) insondabile; senza fondo.

soundly /'saʊndlɪ/ avv. **1** sanamente; giustamente; efficacemente; bene: **a s.-based argument**, un argomento che poggia su basi solide **2** profondamente; della grossa: *He was sleeping s.*, dormiva della grossa **3** gravemente; severamente: *They were s. defeated*, furono severamente (*o* sonoramente) sconfitti.

soundness /'saʊndnəs/ n. ☐ **1** sanità; vigore; buono stato (*di salute*); buone condizioni fisiche: **s. of body and mind**, sanità di corpo e di mente **2** completezza; accuratezza **3** efficacia; validità; bontà; solidità: **the s. of his arguments**, la validità (*o* bontà) dei suoi argomenti **4** integrità; onestà **5** (*comm.*) solidità (*di un commerciante, di un'azienda*) **6** (*leg.*) validità (*di un titolo*).

soundproof /'saʊndpruːf/ a. (*tecn.*) insonorizzato; isolato acusticamente.

to soundproof /'saʊndpruːf/ (*tecn.*) v. t. insonorizzare; isolare acusticamente ‖ **soundproofing** Ⓐ n. ☐ insonorizzazione; isolamento acustico Ⓑ a. insonorizzante ● **soundproofing and lagging material**, isolante termoacustico □ (*autom.*) **soundproofing paint**, antirombo.

♦**soup** /suːp/ n. **1** ☐ (*cucina*) zuppa; minestra; crema: **fish s.**, zuppa di pesce; **tomato s.**, crema di pomodoro; **chicken s.**, brodo di pollo; **thick s.**, minestra densa, sostanziosa **2** ☐ (*fam.*) nebbia fitta **3** ☐ (*slang*) nitroglicerina; dinamite **4** ☐ (*slang*) carburante; benzina (*per vetture da corsa*) ● (*slang USA*) **s.-and-fish**, abito da sera (*da uomo*) □ **s. kitchen**, (*USA*) mensa gratuita per i poveri; (*mil.*) cucina da campo □ **s. ladle**, cucchiaione; mestolo □ **s. plate**, piatto fondo; scodella □ **s. spoon**, cucchiaio □ **s. tureen**, zuppiera □ (*fam. USA*) **from s. to nuts**, dall'A alla Z; da cima a fondo □ (*fam.*) **to be in the s.**, essere nei pasticci; trovarsi nei guai.

soupçon /'suːpsɒn/ (*franc.*) n. pizzico; tantino; un po' (*di qc.*).

souped-up /'suːptˈʌp/ a. **1** (*autom.: di una vettura*) con il motore truccato **2** (*fig.*) gonfiato; esagerato; enfatizzato; elaborato.

to soup up /'suːpˈʌp/ v. t. (*slang*) **1** (*autom.*) truccare (*un motore*) **2** (*fig.*) gonfiare, esagerare, arricchire troppo (*un romanzo, una narrazione, ecc.*) **3** (*fig.*) esagerare, enfatizzare (*un'idea, ecc.*).

soupy /'suːpɪ/ a. **1** simile alla zuppa; (*spesso, di nebbia*) denso **2** (*fam. USA*) sentimentale; svenevole; lacrimoso; strappalacrime.

sour /saʊə(r)/ Ⓐ a. **1** acido (*anche fig.*); agro; aspro; acerbo; inacidito; bisbetico;

scontroso; stizzoso: **s. milk**, latte acido; **s. cream**, panna acida; **s. wine**, vino agro (*o* acido); **s. apples**, mele acerbe; **a s. temper**, un carattere aspro, bisbetico **2** (*del terreno*) acido; sterile (*per l'acidità*) **3** (*chim.: d'olio, gas, ecc.*) che contiene troppo zolfo **4** (*fam.*) sgradevole; spiacevole: **a s. experience**, un'esperienza spiacevole Ⓑ n. **1** (*chim.*) soluzione acida **2** bevanda acida **3** (*USA*) bevanda alcolica: **a whiskey s.**, un whisky al succo di limone **4** (*fig.*) ricordo sgradevole; esperienza spiacevole ● **s. breath**, alito cattivo □ (*bot.*) **s. dock** (*Rumex acetosa*), acetosa □ **s. grapes**, uva acerba; (*fig.*) disprezzo dettato dall'invidia (*dalla favola della volpe e dell'uva*) □ (*fin.*) **a s. investment**, un investimento sbagliato □ (*bot.*) **s. orange** (*Citrus aurantium*), melangolo; arancio amaro; arancia amara □ **s.-sweet**, agrodolce (*anche fig.*) **a s.-sweet smile**, un sorrisetto agrodolce □ **to make s.**, inacidire; (*fig.*) inacerbire, inasprire: *Failure made him s.*, l'insuccesso lo inasprì □ **to smell s.**, avere un odore acre, aspro; saper d'acido (*all'olfatto*) □ **to taste s.**, saper d'agro, d'acido (*al gusto*) □ **to turn** (*o* **to go**) **s.**, inacidire; (*fig.*) andare a rotoli, finire male; deludere □ **to turn st. s.**, fare inacidire qc.

to sour /'saʊə(r)/ Ⓐ v. t. **1** inacidire (*il latte, ecc.*) **2** (*fig.*) guastare; far andare a male **3** (*fig.*) inacerbire; inasprire; inacidire (*fig.*) Ⓑ v. i. **1** inacidirsi **2** (*fig.*) guastarsi: *The relations with our neighbours have soured*, i rapporti con i nostri vicini si sono guastati **3** (*fig.*) inacerbirsi; inasprirsi ● **to sb.'s life**, avvelenare la vita a q. □ (*fam. USA*) **to s. sb. on st.**, far passare per sempre a q. la voglia di fare qc.

♦**source** /sɔːs/ n. **1** sorgente; fonte; (*fig.*) origine, causa: **the sources of the Tiber**, le sorgenti del Tevere; **the s. of all our woes**, la causa di tutti i nostri affanni **2** (*fis.*) sorgente **3** (*comput.*) sorgente **4** (*giorn.*) fonte: **a reliable s.**, una fonte sicura, attendibile ● **s. book**, raccolta di documenti originali (*su un argomento*) □ (*comput.*) **s. code**, codice sorgente; sorgente □ **s. material**, materiale originale (*documenti, ecc.*) □ (*anche fin.*) **at s.**, alla fonte.

to source /sɔːs/ v. t. **1** rintracciare (la fonte di qc.) **2** (*tecn.*) fare la diagnosi di **3** procurarsi; approvvigionarsi; fare arrivare (*prodotti, materie prime, ecc.*) ● (*org. az.*) **sourcing system**, sistema di approvvigionamento.

sourdine /sʊəˈdiːn/ (*franc.*) n. (*mus.*) sordina.

sourdough /'saʊədəʊ/ n. (*USA*) **1** lievito naturale **2** (*un tempo*) pioniere (*o* cercatore d'oro) negli Stati dell'Ovest (*o anche in Canada o in Alaska*).

sourish /'saʊərɪʃ/ a. **1** acidulo; acidino; aspretto **2** (*fig.*) piuttosto aspro; alquanto bisbetico.

sourly /'saʊəlɪ/ avv. acidamente (*anche fig.*); acerbamente; aspramente; bisbeticamente; stizzosamente.

sourness /'saʊənəs/ n. ☐ acidità (*anche fig.*); acredine; asprezza.

sourpuss /'saʊəpʊs/ n. (*fam.*) **1** individuo tetro; imbronciato; musone (*fam.*) **2** tipo incontentabile; brontolone; mugugnone.

sourwood /'saʊəwʊd/ → **sorrel** ①.

souse /saʊs/ n. **1** ☐ salamoia **2** carne (*spec. orecchie e piedini di maiale*) in salamoia **3** immersione; tuffo **4** (*fam.*) sbornia; ubriacone; beone **5** (*dial.*) bagno.

to souse /saʊs/ Ⓐ v. t. **1** mettere in salamoia **2** marinare (*nell'aceto*) **3** bagnare; immergere; tuffare Ⓑ v. i. **1** tuffarsi (*fam.*) ubriacarsi; sbronzarsi (*fam.*).

soused /saʊst/ a. **1** in salamoia: **s. herrings**, aringhe in salamoia **2** (*fam.*) ubria-

co; sbronzo (*fam.*).

soutache /suːˈtaʃ/ n. gallone ornamentale.

soutane /suːˈtɑːn/ (*franc.*) n. (*relig.*) sottana, tonaca (*di prete cattolico*).

♦**south** /saʊθ/ Ⓐ n. ☐ **1** sud; mezzogiorno; parte meridionale: *Italy is in the s. of Europe*, l'Italia è nella parte meridionale dell'Europa; *Malta is to the s. of Italy*, Malta si trova a sud dell'Italia **2** (*geogr.*) – **the S.**, (*in Inghil.*) il Sud; (*in USA*) il Sud, gli Stati del Sud; (*stor.*) il Sud, gli Stati sudisti; (*in genere*) i paesi del Sud (*nel mondo*) Ⓑ a. attr. **1** del sud; del mezzogiorno; meridionale: **S. America**, l'America del Sud; **s. wind**, vento del sud; **the s. coast of France**, la costa meridionale della Francia **2** (situato a) sud: **the s. entrance**, l'entrata sud; **the s. side of the house**, il lato sud della casa **3** (esposto, rivolto, che guarda) a sud (*o* a mezzogiorno): **a s. window**, una finestra (che guarda) a sud; una finestra a mezzogiorno Ⓒ avv. a sud; verso (il) sud; a mezzogiorno: *The house faces s.*, la casa è esposta a mezzogiorno; *The swallows go s. in winter*, d'inverno le rondini migrano verso il sud ● **S. Africa**, il Sud Africa □ **S. African**, sudafricano □ **S. American**, sudamericano □ **the S. Atlantic**, l'Atlantico meridionale □ (*in USA*) **S. Carolina**, la Carolina del Sud □ **South Dakota**, il Sud Dakota □ **the S. of Italy**, l'Italia meridionale; il Mezzogiorno; il Meridione □ **the S. Pole**, il polo sud; il polo australe (*o* antartico) □ **the S. Seas**, i mari del Sud □ **S. Tyrol**, l'Alto Adige (*ted.*: Südtirol) □ (*fam.*) **down s.**, nel Sud.

southbound /'saʊθbaʊnd/ a. diretto a sud; che va verso sud ● (*autom.*) **the s. carriageway**, la corsia sud (*dell'autostrada*).

Southdown /'saʊθdaʊn/ n. pecora inglese dalla lana corta (*originaria delle* **South Downs**, *le colline del Dorset e dell'Essex*).

♦**southeast** /saʊθˈiːst/ Ⓐ n. ☐ sud-est: (*in Inghil.*) **the S.**, il sud-est; la regione londinese Ⓑ a. di sud-est; sudorientale.

southeaster /saʊθˈiːstə(r)/ n. **1** forte vento di (*o* da) sud-est; (*in Italia*) scirocco **2** (*naut.*) burrasca (*o* mareggiata) da sud-est; (*nel Tirreno*) scirocco.

southeasterly /saʊθˈiːstəlɪ/, **southeastern** /saʊθˈiːstən/ a. di sud-est; sudorientale.

southeastward /saʊθˈiːstwəd/ Ⓐ a. **1** (*spec. del vento*) di (*o* da) sud-est **2** a sud-est; rivolto a sud-est Ⓑ n. ☐ (direzione di) sud-est.

southeastwards, **southeastward** /saʊθˈiːstwəd(z)/ avv. verso sud-est.

souther /'saʊðə(r)/ n. forte vento del sud; vento di meridione.

southerly /'sʌðəlɪ/ Ⓐ a. del sud; del meridione; meridionale: **a s. wind**, un vento del sud Ⓑ avv. **1** verso sud **2** (*del vento*) da sud: *The wind blew s.*, il vento soffiava da sud Ⓒ n. vento del sud ● (*geogr.*) **s. latitude**, latitudine australe □ **to sail in a s. direction**, navigare verso sud.

♦**southern** /'sʌðn/ Ⓐ a. **1** del sud; del meridione; del mezzogiorno; meridionale; australe: **a s. wind**, un vento del sud; (*astron.*) **the S. Cross**, la Croce del Sud; **the S. States of the USA**, gli Stati del Sud degli USA; (*geogr.*) **the s. hemisphere**, l'emisfero meridionale (*o* australe); **the s. lights**, l'aurora australe **2** esposto (rivolto, che guarda) a sud (*o* a meridione, a mezzogiorno): **a s. window**, una finestra a mezzogiorno **3** (*USA*) – **S.**, degli Stati del Sud; (*stor.*) sudista Ⓑ n. **1** (*USA*) abitante (*o* nativo) di uno Stato del Sud **2** ☐ dialetto del Sud.

southerner /'sʌðənə(r)/ n. **1** meridionale; abitante (*o* nativo) di un paese del sud **2** – S., abitante (*o* nativo) dell'Inghilterra me-

ridionale **3 – S.** (*USA*), abitante (*o nativo*) di uno Stato del Sud; (*stor.*) sudista.

southernmost /'sʌðənməʊst/ a. (il) più a sud; (il) più meridionale; dell'estremo sud.

southernwood /'sʌðənwʊd/ n. (*bot.*, *Artemisia abrotanum*) abrotano maschio.

southing /'saʊðɪŋ/ n. **1** (*naut.*) avanzamento (*o deviazione*) (*dalla rotta*) verso sud **2** (*naut.*) distanza coperta navigando verso sud **3** (*astron.*) declinazione sud; moto apparente (*di una stella*) verso sud.

Southland /'saʊθlænd/ n. (*spec. USA*) (il) Sud.

southpaw /'saʊθpɔː/ (*fam.*) **A** a. mancino **B** n. **1** (*sport: baseball, boxe*) giocatore (*o pugile*) mancino **2** (*baseball*) lanciatore mancino **3** (*boxe*) (un) guardiadestra: **s. stance**, posizione da guardiadestra.

Southron /'sʌðrən/ **A** n. **1** (*scozz.*) meridionale; (*spec.*) inglese **2** (*dial. USA*) meridionale; sudista **B** a. (*scozz.*) meridionale; inglese.

southward /'saʊθwəd/ **A** a. diretto (*o rivolto*) a sud **B** avv. verso sud **C** n. (*raro*) direzione sud ● **The ship sailed to the s.**, la nave fece rotta verso sud ‖ **southwardly A** a. **1** diretto (*o rivolto*) a sud; verso (*o da*): **the southwardly flight of the geese**, il volo delle oche verso il sud **2** che spira verso sud: **a southwardly wind**, un vento che spira verso sud **B** avv. verso sud.

southwards /'saʊθwədz/ avv. verso sud.

♦**southwest** /saʊθ'wɛst/ **A** n. ☐ sud-ovest: (*in GB*) **the S.**, il Sud-ovest (*la Cornovaglia, il Devon e il Somerset*) **B** a. di sud-ovest; sudoccidentale.

southwester /saʊθ'wɛstə(r)/ n. **1** forte vento (*o da*) sud-ovest; (*in Italia*) libeccio **2** (*naut.*) burrasca (*o mareggiata*) da sud-ovest; (*nel Tirreno*) libecciata.

southwesterly /saʊθ'wɛstəlɪ/, **southwestern** /saʊθ'wɛstən/ a. di sud-ovest; sudoccidentale.

southwestward /saʊθ'wɛstwəd/ **A** a. **1** (*spec. del vento*) di sud-ovest **2** a sud-ovest; rivolto a sud-ovest **B** n. ☐ (direzione di) sud-ovest.

southwestwards /saʊθ'wɛstwədz/, **southwestward** /saʊθ'wɛstwəd/ avv. verso sud-ovest.

souvenir /suːvə'nɪə(r)/ (*franc.*) n. souvenir; ricordo; ricordino.

to **souvenir** /suːvə'nɪə(r)/ v. t. (*slang USA*) rubare; grattare, sgraffignare (*pop.*).

sou'wester /saʊ'wɛstə(r)/ n. **1** forte vento di sud-ovest **2** (*naut.*) burrasca (*o mareggiata*) da sud-ovest **3** sudovest; cappello impermeabile a gronda (*da marinaio*).

sovereign /'sɒvrɪn/ **A** a. sovrano; sommo; supremo: **a s. state**, uno stato sovrano; **s. power**, potere supremo; **a s. remedy**, un rimedio sovrano **B** n. **1** sovrano, sovrana; re, regina **2** (*stor.*) sovrana (*sterlina d'oro*): **half s.**, mezza sovrana ● **s. legislation**, legislazione formale (*o fin.*) **s. risk**, rischio che un governo ripudi un prestito | **-ly** avv.

sovereigntist /'sɒvrəntɪst/, **sovereignist** /'sɒvrənɪst/ a. e n. **1** (*in Quebec*) sostenitore del movimento per la sovranità del Quebec **2** (*in Francia*) antieuropeista.

sovereignty /'sɒvrəntɪ/ n. **1** ☐ sovranità; potere supremo; autorità: **national s.**, sovranità nazionale **2** Stato sovrano.

soviet /'səʊvɪət/ (*polit.*, *stor.*) **A** n. soviet (*consiglio rivoluzionario di operai, contadini e soldati russi*) **B** a. attr. sovietico: **the S. Union**, l'Unione Sovietica (USSR; *in ital.* URSS) ‖ **sovietism** n. ☐ sistema sovietico; comunismo sovietico.

to **sovietize** /'səʊvɪətaɪz/ (*polit.*, *stor.*) v. t. sovietizzare; bolscevizzare ‖ **sovietization** n. ☐ sovietizzazione; bolscevizzazione.

Sovietologist /səʊvɪə'tɒlədʒɪst/ (*polit.*) n. sovietologo ‖ **Sovietology** n. ☐ sovietologia.

sow /saʊ/ n. **1** (*zool.*, *Sus*) scrofa; troia, maiala (*pop.*) **2** (*metall.*) grosso lingotto (*spec. di ferro*); (*anche*) canale di colata per lingotti **3** (*slang spreg.*) maiala (*fig.*); trippona; grassona ● (*zool. USA*) **sow bug**, (*Oniscus murarius*) onisco, porcellino di terra (*o delle cantine*); ☐ (*bot.*) **sow thistle** (*Sonchus oleraceus*), crespigno; cicerbita ● **as drunk as a sow**, ubriaco fradicio ● (*fig.*) **to get the wrong sow by the ear**, prendere una cantonata (*o un granchio*).

to **sow** /səʊ/ (pass. **sowed**, p. p. **sown**, **sowed**), v. t. e i. seminare (*anche fig.*); fare la semina; disseminare; spargere; cospargere: **to sow wheat**, seminare il grano; **to sow a field with wheat**, seminare un campo a grano; **to sow (the seeds of) suspicion**, seminare il sospetto; **to sow (the seeds of) dissension**, seminare discordia (*o zizzania*); **to sow the floor with playing cards**, seminare carte da gioco sul pavimento ● (*fig.*) **to sow one's wild oats**, correre la cavallina; sfogare i bollori giovanili ☐ (*prov.*) **As you sow, so shall you reap**, si raccoglie quel che si semina; chi la fa l'aspetti ☐ (*prov.*) **He that sows the wind will reap the whirlwind**, chi semina vento, raccoglie tempesta.

sowable /'səʊəbl/ a. (*agric.*) seminabile; sativo.

sowback /'saʊbæk/ n. (*geogr.*) stretta dorsale con pareti scoscese e burroncelli (*morfologia a dorso di suino*).

sowbread /'saʊbred/ n. (*bot.*, *Cyclamen europaeum*) ciclamino; panporcino (*pop.*).

sower /'səʊə(r)/ n. seminatore, seminatrice.

sowing /'səʊɪŋ/ n. ☐☐ (*agric.*) semina; seminagione ● **s. machine**, seminatrice (*macchina*) ☐ **s. seed**, semente; semenza ☐ **s. time**, stagione della semina.

sown /səʊn/ p. p. di to **sow**.

sox /sɒks/ n. pl. (*spec. USA*) calzini.

soy /sɔɪ/ n. ☐ **1** (= **soy sauce**) salsa di semi di soia **2** → **soya**.

soya /'sɔɪə/ n. **1** (*bot.*, *Glycine max*) (pianta di) soia **2** (= **s. sauce**) salsa di semi di soia ● **s.-bean**, seme di soia ☐ **s.-bean oil**, olio di soia ☐ **s. meal** [**milk**], farina [latte] di soia.

soybean /'sɔɪbiːn/ n. (*USA*) seme di soia.

soymilk /'sɔɪmɪlk/ n. ☐ (*USA*) latte di soia.

sozzled /'sɒzld/ a. (*slang*) ubriaco fradicio; sbronzo (*fam.*).

sp. abbr. **1** (**special**) speciale **2** (**species**) specie **3** (**specimen**) campione, esemplare, saggio.

spa /spɑː/ n. **1** fonte d'acque termali; sorgente termale **2** stazione termale; terme: **to go to a spa**, andare alle terme ● **spa town**, località termale ☐ **spa water**, acqua termale.

SPA sigla (*ecol.*, *amm.*, **Special Protection Area**) Zona di protezione speciale (ZPS).

♦**space** /speɪs/ **A** n. ☐☐ **1** spazio: **the conquest of s.**, la conquista dello spazio **2** spazio; spazio di tempo; intervallo: **in the s. of a month**, nello spazio di un mese; **after a short s.**, dopo un breve intervallo **3** spazio; area; posto: *Leave a wide s. between the rows*, lascia molto spazio fra una fila e l'altra!; **advertising s.**, spazio pubblicitario **4** (*tipogr.*) spazio; spaziatura; interlinea; battuta **5** (*pubbl.*, *radio*, *TV*) tempo a disposizione; spazio **6** (*comput.*) spazio; carattere spazio **7** (*mus.*) spazio; intervallo **B** a. attr. spaziale: **the s. age**, l'era spaziale; **s. probe**, sonda spaziale, cosmosonda; **s. research**, ricerche spaziali ● **s. bar**, barra spaziatrice (*di macchina da scrivere o di tastiera di computer*) ☐ (*fam. USA*) **s. barrel**,

stanziamento per le ricerche spaziali ☐ (*miss.*) **s. capsule**, capsula spaziale ☐ **s. fiction**, fantascienza ☐ (*miss.*) **s. flight**, volo spaziale ☐ (*edil.*) **s. frame**, struttura controvento ☐ (*fam. USA*) **s. girl** → **spacewoman** ☐ **s. heater**, convettore termico ☐ **s. helmet**, casco spaziale ☐ **s.-key**, barra spazio (*di macchina da scrivere*) ☐ (*miner.*) **s. lattice**, reticolo spaziale (*di un cristallo*) ☐ (*tipogr.*) **s.-line**, interlinea ☐ (*miss.*) **s. navigation**, navigazione spaziale ☐ **s. rocket**, missile spaziale ☐ **s.-saving**, poco ingombrante ☐ **s. shuttle**, space shuttle; navetta spaziale ☐ **s. sickness**, male di spazio (*anche fig.*) ☐ **s. station**, stazione spaziale (*astron.*, *miss.*) ☐ **s. telescope**, telescopio spaziale ☐ (*fis.*, *filos.*) **s.-time** (*o* **s.-time continuum**), spazio-tempo; cronotopo; spazio quadridimensionale ☐ **s. travel**, navigazione nello spazio ☐ **s. traveller**, astronauta ☐ (*miss.*) **s. walk**, passeggiata spaziale ☐ (*mil.*) **s. weapon**, arma spaziale ☐ **s. writer**, pubblicista pagato a un tanto la riga ☐ **Let's rest (for) a s.**, riposiamoci un poco!

to **space** /speɪs/ v. t. **1** spaziare; disporre a intervalli; distanziare; scaglionare **2** (*tipogr.*) spaziare: **to s. the lines**, spaziare le righe **3** (*mecc.*) distanziare; separare con un distanziatore.

■ **space out A** v. t. + avv. **1** spaziare; distanziare; diradare: **to s. out one's visits**, diradare le visite **2** scaglionare; frazionare; disporre a intervalli: **to s. out payments**, scaglionare i pagamenti (*farli a rate*) **3** (*tipogr.*) interlineare, spazieggiare (*parole; per evidenziarle*) **4** (*anche mil.*) sparpagliare **5** (*slang*, *di solito al passivo*) mandare in estasi, rendere euforico; (*anche*) disorientare, mandare in trance; 'intrippare' (*pop.*) **B** v. i. + avv. **1** distanziarsi; diradarsi **2** (*anche mil.*) sparpagliarsi **3** (*slang*) andare in estasi; (*anche*) andare in trance, farsi un trip, 'intripparsi' (*pop.*).

spacecraft /'speɪskrɑːft/ n. (inv. al pl.) veicolo spaziale; astronave.

spaced /speɪst/ a. **1** spaziato; distanziato; scaglionato **2** (*di pagamento*) frazionato; rateale ● (*slang*) **s. out**, reso euforico dalla droga, in 'viaggio', 'intrippato'; (*anche*) stralunato, in trance; imbranato; strambo, svaporato, sciroccato (*pop.*).

spacefarer /'speɪsfɛərə(r)/ n. (*miss.*) viaggiatore nello spazio.

spacelab /'speɪslæb/ n. (contraz. di **space laboratory**) laboratorio spaziale.

spaceless /'speɪsləs/ a. **1** illimitato; infinito **2** senza spazio; che non occupa spazio.

spaceman /'speɪsmən/ n. (pl. **spacemen**) **1** astronauta; cosmonauta **2** extraterrestre.

spacer /'speɪsə(r)/ n. **1** (*tipogr.*) barra spaziatrice **2** (*mecc.*) distanziatore; distanziale ● (*metall.*) **s. strip**, striscia distanziatrice.

spaceship /'speɪsʃɪp/ n. (*spec. nella fantascienza*) astronave; nave spaziale.

spacesuit /'speɪsuːt/ n. tuta spaziale.

to **space-walk**, to **spacewalk** /'speɪswɔːk/ v. i. fare una passeggiata spaziale ‖ **space-walker**, **spacewalker** n. astronauta che fa una passeggiata spaziale ‖ **space-walking**, **spacewalking** n. ☐ (il fare) passeggiate spaziali.

spacewoman /'speɪswʊmən/ n. (pl. **spacewomen**) **1** astronauta, cosmonauta (*donna*) **2** extraterrestre (*donna*).

spacey /'speɪsɪ/ a. (*slang*) **1** reso euforico dalla droga; in 'viaggio'; 'intrippato' **2** stralunato; in trance **3** imbranato; strambo; svaporato, sciroccato (*pop.*).

spacial /'speɪʃl/ → **spatial**.

spacing /'speɪsɪŋ/ n. ☐☐ **1** (*tipogr.*) spazieggiatura; spaziatura; interlineatura:

double s., spaziatura doppia; spaziatura due **2** (*comput.*) spaziatura; interlinea **3** spaziamento; scaglionamento; distanziamento **4** (*fin.*) frazionamento **5** (*mecc.*) distanza; intervallo ● (*mecc.*) **s. collar**, manicotto distanziatore.

spacious /'speɪʃəs/ a. spazioso; ampio; vasto | **-ly** avv. | **-ness** n. Ⓤ.

Spackle, **spackle**® /spækl/ n. Ⓤ (*edil.*, *USA*) stucco; gesso.

spacy /'speɪsɪ/ → **spacey**.

spade① /speɪd/ n. **1** (*agric.*) vanga **2** → **spadeful 3** (*delle carte da gioco*) (carta di) picche; (pl.) (seme di) picche: **the Jack of spades**, il fante di picche **4** (*spreg.*) negro ● **blow with a s.**, colpo di vanga; vangata □ (*fam.*) **to call a s. a s.**, dir pane al pane (e vino al vino) □ (*USA*) **in spades**, in abbondanza; a iosa.

to **spade**② /speɪd/ v. t. (*agric.*) vangare ● **to s. up**, vangare (*un giardino, ecc.*) ‖ **spader** n. **1** vangatore **2** (*agric.*) vangatrice (*macchina*).

spadeful /'speɪdfʊl/ n. vangata; quanto sta in una vanga.

spadework /'speɪdwɜːk/ n. Ⓤ **1** vangatura **2** (*fig.*) faticoso lavoro preliminare.

spading /'speɪdɪŋ/ n. ⒸⓊ (*agric.*) vangata; vangatura.

spadix /'speɪdɪks/ (*bot.*) n. (pl. **spadices**) spadice ‖ **spadiceous** a. simile a uno spadice; spadiceo.

spag /spæɡ/ n. **1** Ⓤ (*fam.*) spaghetti **2** (*slang Austral.*, *spreg.*) mangiaspaghetti; italiano.

spaghetti /spə'ɡetɪ/ (*ital.*) n. Ⓤ spaghetti (pl.) ● (*spreg. Austral.*) **s. bender**, mangiaspaghetti, italiano □ (*comput.*) **s. code**, programma scarsamente organizzato □ (*in GB*) **s. house**, spaghetteria □ (*autom.*) **s. junction**, raccordo autostradale (*o stradale*) a più livelli; svincolo □ (*fam.*, *cinem.*) **s. western**, western all'italiana.

spahi /'spɑːhɪ/ n. (pl. **spahis**) (*stor.*) spahi.

Spain /speɪn/ n. (*geogr.*) Spagna.

spake /speɪk/ (*arc.*, *poet.*) pass. di to **speak**.

spall① /spɔːl/ n. frammento; scheggia (*spec. di pietra*).

to **spall**② /spɔːl/ A v. t. **1** sbozzare (*col martello*) **2** frantumare, scheggiare (*spec. minerale metallifero*) B v. i. **1** frantumarsi; scheggiarsi **2** (*ind. min.*) frantumare il minerale.

spallation /spɔː'leɪʃn/ n. Ⓤ (*fis. nucl.*, *med.*) spallazione.

Spam® /spæm/ n. (contraz. di **spiced ham**; anche minuscolo) carne in scatola da poco prezzo (*spec. di maiale: da mangiare fredda*).

spam /spæm/ n. Ⓤ (*comput.*) spam; massa di messaggi indesiderati (*spec. pubblicitari*) inviati per e-mail: **s. filter**, filtro antispam.

to **spam** /spæm/ (*comput.*) v. t. inondare tramite e-mail (*le caselle di altri utenti*) di messaggi indesiderati (*spec. pubblicitari*) ‖ **spamming** n. Ⓤ inondazione (*delle caselle di altri utenti*) con messaggi indesiderati (*pubblicità, ecc.*).

spammer /'spæmə(r)/ n. (*comput.*) spammer; chi invia → «spam».

span① /spæn/ n. **1** spanna (*pari, come misura, a 23 cm circa*); palmo **2** (*di arco, ponte, ecc.*) luce; campata: **the s. of an arch**, la luce d'un arco; **a bridge of four spans**, un ponte a quattro campate **3** breve tratto; breve intervallo: *Our life is but a s.*, la vita dell'uomo ha breve durata **4** (= **time s.**) periodo (*di tempo*); tratto di tempo; arco di tempo: **attention s.**, capacità di concentrazione (*o di attenzione*); *He has a limited attention s.*, si distrae facilmente **5** distanza fra due estremità; lunghezza; larghezza **6**

(*aeron.*, = **wing s.**) apertura alare ● (*edil.*) **s. roof**, tetto a due spioventi.

span② /spæn/ n. **1** pariglia (*di cavalli*) **2** coppia, giogo (*di buoi*) **3** (*naut.*) patta d'oca; penzolo.

to **span**① /spæn/ A v. t. **1** misurare a spanne; misurare **2** attraversare; stendersi attraverso: *A bridge spans the river at the mouth*, un ponte attraversa il fiume alla foce **3** (*fig.*) abbracciare: *The Roman Empire spanned five centuries*, l'Impero Romano abbracciò cinque secoli B v. i. muoversi a scatti (*come certi bruchi*) ● **to s. a river with a bridge**, gettare un ponte su un fiume.

to **span**② /spæn/ v. t. **1** apparigliare (*cavalli*) **2** aggiogare (*buoi*) a coppie **3** (*naut.*) assicurare (*o imbrigliare*) con un penzolo.

spandrel /'spændrəl/ n. (*edil.*) parapetto (*di finestra*) ● **s. wall**, timpano di volta.

spangle /'spæŋɡl/ n. **1** lustrino; paillette **2** (*bot.*, = **oak-s.**) galla (*di quercia*).

to **spangle** /'spæŋɡl/ A v. t. guarnire (*o ornare*) di lustrini B v. i. luccicare; brillare ● **The Star-Spangled Banner**, la bandiera degli Stati Uniti; l'inno nazionale degli Stati Uniti.

Spanglish /'spæŋɡlɪʃ/ n. Ⓤ (*ling.*, *spec. in USA*) spagnolo con molte parole inglesi; inglese (*o americano*) ispanizzato.

spangly /'spæŋɡlɪ/ a. luccicante; coperto di lustrini.

Spaniard /'spænjəd/ n. spagnolo.

spaniel /'spænjəl/ n. **1** (*zool.*) spaniel (*cane*) **2** (*fig.*) individuo servile, strisciante; adulatore.

Spanish /'spænɪʃ/ A a. **1** spagnolo; di Spagna **2** (*spec. USA*) ispanico (*d'origine messicana, ecc.*) B n. **1** Ⓤ spagnolo (*la lingua*) **2** (collett.) the S., gli spagnoli ● (*geogr.*) **S. America**, America Latina □ (*stor.*) **the S. Armada**, l'Invincibile Armata (*la flotta spedita da Filippo II contro l'Inghilterra nel 1588*) □ (*pitt.*) **S. black**, nero di Spagna □ (*zool.*) **S. fly** (*Lytta vescicatoria*), cantaride □ (*stor.*, *geogr.*) **the S. Main**, il Mar dei Caraibi □ (*cucina*) **S. omelette**, frittata □ (*bot.*) **S. onion**, cipolla dolce dal grosso bulbo □ (*bot.*) **S. potato**, (*Ipomoea batatas*) batata, patata americana □ (*pitt.*) **S. red**, rosso di Spagna; cinabro □ (*a Roma*) **the S. Steps**, la scalinata di Trinità dei Monti.

spank① /spæŋk/ n. sculacciata; sculaccione.

to **spank**② /spæŋk/ A v. t. schiaffeggiare; (*spec.*) sculacciare; battere (*con una pianella, ecc.*) B v. i. (*di solito con* **s. along**) **1** muoversi con sveltezza; (*autom.*) filare, andare forte **2** (*di cavallo*) filare di buon trotto; trottare serrato **3** (*di nave*) filare.

spanker /'spæŋkə(r)/ n. **1** chi sculaccia **2** cavallo veloce **3** (*fam.*) persona (*o cosa*) eccezionale; cannonata (*fam.*) **4** (*naut.*) randa; randa di poppa.

spanking① /'spæŋkɪŋ/ n. Ⓤ **1** sculacciate; dose di sculacciate **2** pestaggio; bòtte **3** (*eufem.*) pratiche sadomasochistiche.

spanking② /'spæŋkɪŋ/ a. **1** rapido; veloce **2** (*di vento*) forte **3** (*fam.*) eccellente; magnifico; ottimo; straordinario ● **s. new**, nuovo di zecca □ **to go at a s. pace**, (*di cavallo*) trottare serrato; (*fig.*) camminare in fretta ● (*fam.*) **to have a s. time**, divertirsi un mondo.

spanner /'spænə(r)/ n. **1** (*mecc.*) chiave (*cfr. USA* **wrench**): **adjustable s.**, chiave a rullino; chiave inglese; **open-ended s.**, chiave a bocca; chiave fissa semplice; **ring s.**, chiave poligonale (*o a stella*); **socket s.**, chiave a bussola **2** (*mecc. USA*) chiave a settore **3** (*tecn.*) collegamento orizzontale **4** (*zool.*) bruco misuratore; geometride ● (*fig.*) **to throw a s. in the works**, mettere il bastone fra le ruote (*fig.*); sabotare.

spansule® /'spænsjuːl/ n. (*farm.*) capsula 'retard'; capsula a lento rilascio.

spanworm /'spænwɜːm/ n. (*zool.*) geometride; bruco misuratore.

spar① /spɑː(r)/ n. **1** (*naut.*) albero; pennone; asta **2** (*aeron.*) longherone ● (*naut.*) **s. buoy**, boa a palo □ (*naut.*) **s. deck**, controcoperta.

spar② /spɑː(r)/ n. **1** (*sport*) incontro di allenamento (*della boxe, ecc.*) **2** combattimento di galli **3** (*fig.*) diverbio; litigio; battibecco.

spar③ /spɑː(r)/ n. Ⓤ (*miner.*) spato: **Iceland s.**, spato d'Islanda ● **fluor s.**, fluorite.

to **spar** /spɑː(r)/ v. i. **1** (*sport*) allenarsi (*o esercitarsi*) nel pugilato (*o in un'arte marziale*) **2** (*di galli*) combattere (*con sproni naturali o aggiunti alle zampe*) **3** (*fig.*) disputare; litigare; beccarsi (*fig. fam.*).

sparable /'spærəbl/ n. chiodo senza capocchia (*usato dai calzolai*).

♦ **spare** /speə(r)/ A a. **1** di ricambio; di scorta; di riserva; (*naut.*) di rispetto: (*autom.*) **s. wheel**, ruota di scorta; **s. hands**, operai di riserva; **s. bow anchor**, ancora di rispetto **2** d'avanzo; libero; disponibile: *I've got a s. room you can have*, ho una camera in più dove puoi stare **3** frugale; magro; parco; scarso: **a s. breakfast**, una colazione frugale **4** scarno; sparuto; esile; smilzo **5** sobrio; essenziale: **a s. style**, uno stile sobrio **6** (*sport*) di rincalzo: **s. man**, giocatore di rincalzo; riserva B n. (*mecc.*) pezzo (*o parte*) di ricambio; ricambio: **car spares**, ricambi per auto ● **a s. bed**, un letto in più □ (*sport*, *autom.*) **s. car**, auto di riserva; (*anche*) muletto (*fam.*) □ (*fin.*) **s. cash**, denaro disponibile; riserva di denaro □ (*mecc.*) **s. engine**, motore di riserva □ (*mecc.*) **s. parts**, pezzi di ricambio; ricambi □ (*fam.*) **s.-part surgery**, chirurgia sostitutiva (*trapianti, innesti*) □ **s. rib** → **sparerib** □ (*naut.*) **s. sails**, vele di rispetto; vele di ricambio □ **s. time**, tempo libero (*dal lavoro*) □ (*USA*) **s. tire**, (*autom.*) ruota di scorta; (*slang*) lavativo, scansafatiche, ospite sgradito □ (*autom.*) **s. tyre**, ruota di scorta, pneumatico di ricambio; (*fig. fam.*) rotolo di ciccia in vita, salvagente (*fig.*) □ (*slang ingl.*) **to go s.**, arrabbiarsi; agitarsi; perdere le staffe (*fig.*) □ **in one's s. moments**, nei ritagli di tempo | **-ly** avv. | **-ness** n.

to **spare** /speə(r)/ v. t. e i. **1** risparmiare; economizzare; lesinare; aver riguardo per; salvaguardare: *s. me (my life)!*, risparmiami (la vita)!; fammi grazia della vita!; *I've spared you the trouble*, ti ho risparmiato il fastidio; **to s. sb.'s feelings**, aver riguardo per i sentimenti di q. **2** offrire: *Can you s. me a sweet?*, hai una caramella da darmi? (*senza che tu debba privartene o rimanere senza*) **3** dedicare (*tempo, ecc.*): *Can you s. me two minutes?*, puoi dedicarmi due minuti? **4** privarsi; fare a meno di: *I cannot s. him just now*, non posso fare a meno di lui proprio ora ● **to s. one's efforts**, risparmiarsi □ **to s. no efforts**, non risparmiarsi □ **to s. no expense**, non badare a spese □ **to s. no pains**, non badare a sacrifici; fare ogni sforzo □ **to have enough and to s.**, avere ogni ben di Dio □ **to have nothing to s.**, avere lo stretto necessario □ **a moment to s.**, un momento di libertà; un ritaglio di tempo □ **not to s. oneself**, non risparmiarsi; mettercela tutta □ **to s.**, d'avanzo: **with two pounds to s.**, con due sterline d'avanzo (*o in più*) □ **I have no time to s.**, non ho tempo (*libero*); sono occupato □ **S. me!**, non farmela lunga!; basta con questa solfa!; lascia perdere! □ **We have paper enough and to s.**, abbiamo carta in abbondanza (*o d'avanzo, da vendere*) □ (*prov.*) **S. the rod and spoil the child**, il medico pietoso fa la piaga purulenta.

sparerib /'speərɪb/ n. (*cucina*) costoletta di

maiale; costina.

sparger /'spɑːdʒə(r)/ n. (*ind.*) spruzzatore, innaffiatore (*spec.*, *nella fabbricazione della birra*).

sparing /'speərɪŋ/ a. **1** frugale; parco; parsimonioso; economo **2** scarso; limitato; magro ● **s. of speech**, parco di parole | **-ly** avv. | **-ness** n. ⃞.

♦**spark**① /spɑːk/ n. **1** scintilla (*anche fig.*); favilla: **an electric s.**, una scintilla elettrica; **the s. of genius**, la scintilla del genio **2** (*fig.*) barlume; traccia; sprazzo; (un) po': *Not a s. of life remained in her*, non v'era più traccia di vita in lei; **if you had a s. of intelligence in you**, se ci fosse un barlume d'intelligenza in te **3** (pl.) (*slang*) (*cinem.*) elettricista; (*naut.*) marconista, radiotelegrafista ● (*mecc.*) **s. arrester**, parascintille ⃞ (*elettr.*, *autom.*) **s. coil**, bobina d'accensione; rocchetto d'induzione ⃞ (*elettr.*) **s. gap**, spinterometro ⃞ (*mecc.*) **s. knock**, detonazione normale (*di motore*) ⃞ (*autom.*, *elettr.*) **s. lead**, anticipo dell'accensione ⃞ (*fig.*) **s. out**, svenuto, senza conoscenza; (*anche*) che dorme della grossa ⃞ (*autom.*, *elettr.*; *USA*) **s. plug**, candela (d'accensione) (cfr. ingl. **sparking plug**, sotto **plug**, def. 4) ⃞ (*mecc.*) **to advance** [**to retard**] **the s.**, anticipare [ritardare] l'accensione ● **not a s.**, neanche un po'; neppure un pizzico ⃞ (*fig.*) **to strike sparks off each other**, stimolarsi a vicenda ⃞ **Whenever the two teams meet, sparks fly**, ogni volta che le due squadre si affrontano, sono scintille.

spark② /spɑːk/ n. **1** elegantone; damerino; tipo alla moda **2** (*arc.*) corteggiatore; innamorato **3** (*di solito* **bright s.**; *spesso iron.*) tipo in gamba; furbacchione, furbo; drittone (*fam.*).

to **spark**① /spɑːk/ **A** v. i. scintillare; mandare (*o* sprizzare) scintille **B** v. t. **1** incitare; stimolare; infiammare **2** (*USA*) = **to s. off** → *sotto* ● **to s. off**, accendere, dar fuoco a; (*fig.*) scatenare; provocare; far esplodere (*tumulti, ecc.*) ⃞ (*slang USA*) **to s. up**, accendere (*una sigaretta, uno spinello*).

to **spark**② /spɑːk/ (*raro*) **A** v. i. fare il damerino **B** v. t. corteggiare; far la corte a.

sparking /'spɑːkɪŋ/ n. ⃞ (*elettr.*) **1** scintillamento **2** accensione mediante scintilla (*autom.*, *elettr.*) ● **s. plug**, candela (d'accensione) ⃞ (*mecc.*) **s.-plug point**, puntina di candela.

sparkle /'spɑːkl/ n. **1** ⃞⃞ scintillio; sfavillio; lucicchio; lustro; splendore **2** scintilla; favilla ⃞ (*di vino*) effervescenza **4** ⃞ (*fig.*) brio; vivacità; estro; animazione.

to **sparkle** /'spɑːkl/ v. i. **1** (*del fuoco*) far scintille **2** scintillare; sfavillare; luccicare: *The jewels sparkled in the moonlight*, i gioielli scintillavano al chiaro di luna; *Her eyes sparkled with joy*, gli occhi le sfavillavano di gioia **3** (*del vino*) spumeggiare *o* mussare **4** (*fig.*) essere brioso (*o* vivace).

sparkler /'spɑːklə(r)/ n. **1** oggetto scintillante, luccicante; persona brillante **2** (*fam.*) brillante; diamante **3** fuoco d'artificio a scintille (*o* a stelline); stella filante **4** (*fam.*) vino frizzante **5** (pl.) (*fam.*) gioielli **6** (pl.) (*fam.*) occhi sfavillanti.

sparkling /'spɑːklɪŋ/ a. **1** scintillante; sfavillante; che brilla; raggiante; splendente: **s. eyes**, occhi che brillano **2** (*di vino*) spumeggiante; spumante **3** (*fig.*) spumeggiante; brioso; vivace; animato: **s. conversation**, conversazione spumeggiante **4** (*d'acqua*) effervescente ● **s. wine**, spumante.

sparkly /'spɑːklɪ/ a. **1** brillante; luccicante; scintillante **2** (*di persona*) vivace; esuberante **3** (*di bibita*) effervescente; frizzante.

sparling /'spɑːlɪŋ/ n. (pl. **sparlings**, **sparling**) (*zool.*, *Osmerus eperlanus*) sperlano.

sparring /'spɑːrɪŋ/ n. ⃞ **1** (*boxe*) sparring; pugilato fatto per allenamento **2** (*arti marziali*) allenamento **3** (*fig.*) discussione amichevole ● **s. gloves**, guantoni da allenamento ⃞ **s. partner**, (*boxe*) sparring partner, allenatore; (*fig.*) persona con cui si discute amichevolmente.

sparrow /'spærəʊ/ n. (*zool.*, *Passer*) passero ● (*dial.*) **s.-grass**, asparago ⃞ (*zool.*) **s.-hawk** (*Accipiter nisus*), sparviero, sparviere ⃞ **house-s.**, passero comune ⃞ **young s.**, passerotto.

sparry /'spɑːrɪ/ a. (*miner.*) spatico; simile a spato; ricco di spato.

sparse /spɑːs/ a. sparso; rado; scarso: **s. population**, popolazione sparsa; **s. hair**, capelli radi; **s. information**, scarse informazioni; **s. vegetation**, vegetazione rada | **-ly** avv.

sparseness /'spɑːsnəs/, **sparsity** /'spɑːsətɪ/ n. ⃞ scarsità; radezza.

Spartacist /'spɑːtəsɪst/ (*stor.*) n. spartachista.

Spartan /'spɑːtən/ a. e n. (*stor.*) spartano (*anche fig.*): **S. endurance**, resistenza (*o* forza di sopportazione) spartana | **-ly** avv.

spasm /'spæzəm/ n. **1** (*med.*) spasmo; crampo **2** accesso; attacco: **a s. of anger**, un accesso d'ira; **a s. of coughing**, un accesso di tosse ● **a s. of pain**, un dolore acuto ⃞ (*med.*) **to go** [**to send sb.**] **into s.**, avere [provocare a q.] uno spasmo ⃞ **muscle s.**, contrazione muscolare; crampo.

spasmodic /spæz'mɒdɪk/, **spasmodical** /spæz'mɒdɪkl/ a. **1** (*med.*) spasmodico: **asthma**, asma spasmodica **2** convulso; intermittente: **s. efforts**, sforzi convulsi | **-ally** avv.

spasmolytic /spæzmə'lɪtɪk/ a. e n. (*farm.*) spasmolitico.

spastic /'spæstɪk/ **A** a. **1** (*med. antiq.*) spastico; affetto da paralisi spastica: **s. paralysis**, paralisi spastica **2** (*spreg.*, *spec. infant.*) stupido; imbranato; spastico **B** n. **1** (*med. antiq.*) spastico **2** (*spreg.*, *spec. infant.*) stupido; imbranato; spastico ‖ **spasticity** n. ⃞ (*med. antiq.*) spasticità.

spat① /spæt/ n. (collett.) uova di molluschi (*spec. di ostriche*).

spat② /spæt/ n. (di solito al pl.) ghetta; uosa corta.

spat③ /spæt/ n. **1** (*fam.*) bisticcio; battibecco; litigio **2** scappellotto; schiaffetto **3** spruzzo; schizzo **4** picchiettio.

spat④ /spæt/ pass. e p. p. di **to spit**.

to **spat**① /spæt/ v. i. (*dei molluschi*) deporre le uova.

to **spat**② /spæt/ v. i. e t. **1** (*fam.*) bisticciare; battibeccare; litigare **2** schiaffeggiare; dare uno scappellotto (*a q.*) **3** picchiettare; crepitare.

spatchcock /'spætʃkɒk/ n. (*cucina*) pollo (*o altro volatile domestico*) alla diavola.

to **spatchcock** /'spætʃkɒk/ v. t. **1** cuocere alla diavola **2** (*fam.*) inserire frettolosamente (*parole in un telegramma, ecc.*); frammezzare, interpolare (*spec. a vanvera*).

spate /speɪt/ n. **1** inondazione; piena: *The river is in (full) s.*, il fiume è in piena **2** acquazzone **3** flusso continuo; ondata: **a s. of words**, un flusso continuo (*o* un profluvio) di parole: **to be in full s.**, dire un diluvio di parole; sproloquiare **4** grande quantità; fiume (*fig.*); sacco (*fam.*): **a s. of road accidents**, incidenti stradali a catena.

spathe /speɪð/ n. (*bot.*) spata.

spathic /'spæθɪk/ a. (*miner.*) spatico.

spatial /'speɪʃl/ a. spaziale; di (*o* dello) spazio ● **s. ability**, abilità spaziale ⃞ **s. awareness**, capacità di orientamento spaziale ⃞ (*demogr.*) **s. distribution**, distribuzione territoriale ⃞ **s. economics**, economia regionale | **-ly** avv.

spatialism /'speɪʃlɪzəm/ (*arte*) n. ⃞ spazialismo ‖ **spatialist** n. spazialista.

spatiality /speɪʃɪ'ælətɪ/ n. ⃞ (*scient.*) spazialità.

spatio-temporal /speɪʃəʊ'tempərəl/ a. spaziotemporale.

spatter /'spætə(r)/ n. **1** schizzo; spruzzo: **a s. of mud**, uno schizzo di fango **2** pillacchera; zacchera **3** picchiettio: **the s. of the rain**, il picchiettio della pioggia ● (*edil.*, *USA*) **s. dash**, intonaco rustico ⃞ **a s. of bullets**, una grandine di proiettili ⃞ **a s. of rain**, due (*o* quattro) gocce d'acqua (*o* di pioggia).

to **spatter** /'spætə(r)/ **A** v. t. **1** schizzare; spruzzare; cospargere; inzaccherare: **to s. paint over st.**, spruzzare vernice su qc.; *A lorry spattered us with mud as it passed by*, un autocarro, passando, ci inzaccherò di fango **2** macchiare (*fig.*); diffamare; denigrare **B** v. i. **1** (*di liquido in ebollizione*) borbottare; schizzare (fuori) **2** gocciolare; cadere a gocce; (*di pioggia*) battere, picchiettare, scrosciare; (*di grandine, di pallottole, ecc.*) crepitare: *The rain was spattering down on my umbrella*, la pioggia batteva sul mio ombrello.

spatterdashes /'spætədæʃɪz/ n. (pl.) (*stor.*) gambali da cavaliere; uose lunghe.

spatula /'spætjʊlə/ n. **1** (*arte*, *cucina*, *ecc.*) spatola **2** (*med.*) abbassalingua ● (*USA*) **slotted s.**, spatola per il pesce.

spatulate /'spætjʊlət/ a. (*biol.*) a forma di spatola; spatolato.

spavin /'spævɪn/ n. ⃞ (*vet.*) spavenio ‖ **spavined** a. (*di cavallo*) affetto da spavenio; zoppo; azzoppato.

spawn /spɔːn/ n. **1** ⃞ (*zool.*: *di pesci, di molluschi, di rane, ecc.*) uova **2** (*bot.*: *di funghi*) micelio **3** ⃞ (*fig. spreg.*) discendenza; progenie; stirpe: **s. of the devil**, progenie del demonio.

to **spawn** /spɔːn/ **A** v. t. **1** (*zool.*: *di pesci, molluschi, ecc.*) deporre (*le uova*) **2** (*spreg.*) generare; mettere al mondo **3** (*slang*) produrre in gran quantità **B** v. i. **1** (*zool.*: *di pesci, ecc.*) deporre uova **2** (*spreg.*) figliare; procreare; moltiplicarsi.

spawner /'spɔːnə(r)/ n. (*zool.*) pesce (*o* mollusco) che depone le uova.

spawning /'spɔːnɪŋ/ n. ⃞ (*zool.*) fecondazione (*delle uova di pesci, ecc.*) ● **s. time**, periodo della fregola.

to **spay** /speɪ/ v. t. asportare le ovaie a; castrare (*una femmina d'animale*).

spaz, **spazz** /spæz/ n. (*slang USA*) **1** (abbr. *spreg.* di **spastic**) idiota; stupido; imbranato; spastico **2** (abbr. di **spasm**) reazione incontrollata (*di gioia, ira, ecc.*): **to have a s.**, andare fuori di testa; fare una scenata.

to **spaz out**, **spazz out** /'spæzaʊt/ v. i. + avv. (*slang USA*) dare fuori di matto; dare i numeri; andare in tilt; sbarellare.

♦to **speak** /spiːk/ (pass. **spoke**, p. p. **spoken**), v. i. e t. **1** parlare; discorrere; conversare; tenere (*o* fare) un discorso: *He speaks Chinese fluently*, parla correntemente il cinese; *He spoke for ten minutes*, parlò per dieci minuti; *I spoke to my course tutor about the problem*, ho parlato del problema con il responsabile del mio corso; *I'll s. to him about it*, gliene parlerò io; (*fam.*) *I'll s. to you tomorrow*, ci sentiamo domani; **to s. on the phone**, parlare al telefono; *They're not speaking to each other*, non si parlano (più); (*al telefono*) «*Can I speak to Patricia Wright please?*» «*Speaking.*», «Posso parlare con Patricia Wright per favore?» «Sono io» **2** dire; esprimere; pronunciare: **to s. the truth**, dire la verità; **to s. one's mind**, dire quel che si pensa; parlar chiaro; *He only spoke a few words*, pronunciò soltanto poche parole; *He speaks the*

feelings of us all, egli esprime i sentimenti di tutti noi **3** contare; valere; esser probante: *Actions s. louder than words*, i fatti contano più delle parole **4** dimostrare; esser prova di: *His conduct speaks a generous heart*, la sua condotta dimostra la sua generosità **5** (*lett.*: *di strumento musicale*) emettere un suono; suonare; (*di un orologio*) battere le ore **6** (*di animali, armi da fuoco, ecc.*) far sentire la propria voce **7** (*naut.*) comunicare con; fare segnali a: **to s. a passing ship**, comunicare (*per mezzo di segnali*) con una nave che s'incrocia **8** (*teatr.*) recitare: **to s. a piece**, recitare una pièce (teatrale) ● **to s. by the card**, essere preciso nel parlare; parlare in punta di forchetta (*fig.*) □ **to s. in tongues**, (*relig.*) avere il dono delle lingue; (*parapsicologia*) parlare in lingue sconosciute, manifestare doti di xenoglossia; (*fig. scherz.*) parlare in gergo incomprensibile □ **to s. like a book**, parlare come un libro stampato □ **to s. of**, degno del nome; vero e proprio: *No crisis to s. of, only a few quarrels*, non una crisi vera e propria, soltanto qualche litigio □ **to s. sense**, parlare sensatamente □ **to s. without book**, citare (*fatti, cifre, ecc.*) a memoria □ **speaking of**, a proposito di □ **English (is) spoken (here)**, qui si parla inglese □ **generally speaking**, in generale; in senso lato □ **a good speaking voice**, una bella voce; una voce piacevole ● **legally speaking**, dal punto di vista legale □ **nothing to s. of**, niente degno d'esser menzionato; nulla d'importante □ **roughly speaking**, all'incirca; pressappoco □ **so to s.**, per così dire □ **strictly speaking**, a rigore; per essere precisi; (*parlando*) in senso stretto.

■ **speak against** v. i. + prep. parlare contro (q. *o* qc.); esprimersi contro (qc.); prendere la parola contro.

■ **speak for A** v. i. + prep. **1** parlare per (*o* a nome di): *I s. for my husband as well*, parlo anche a nome di mio marito **2** parlare (*o* esprimersi) in favore di; esprimere parere favorevole a: *I'll s. to the headmaster for the students*, parlerò al preside in favore degli studenti; **to s. for a plan**, esprimere parere favorevole a un progetto **3** (*leg.*) rappresentare (*un imputato*) in giudizio **B** v. t. + prep. dire (*qualche parola, ecc.*) in favore di (q.) □ **to be spoken for**, (*di una donna*) essere fidanzata, già promessa; (*di un posto, un oggetto*) essere (già) prenotato □ (*di un fatto, un'azione, ecc.*) **to s. volumes**, essere (ampia) prova di, dimostrare (*una qualità, ecc.*): *His silence speaks volumes*, il suo silenzio è molto eloquente □ **to s. for oneself**, parlare per sé (*o* per conto proprio): *S. for yourself!*, parla per te! □ **speaking for myself**, per me; secondo me □ **The facts s. for themselves**, i fatti parlano da soli.

■ **speak from** v. i. + prep. parlare leggendo (qc.): *He spoke from notes*, parlò leggendo appunti □ **to s. from the heart**, parlare con il cuore in mano □ **to s. from memory**, parlare (*o* dire) a memoria.

■ **speak of** v. i. + prep. **1** parlare di (*un argomento*) **2** essere prova di; dimostrare, testimoniare: *His present speaks of his generosity*, il regalo dimostra la sua generosità □ **to s. ill [well, highly] of sb.**, parlare male [bene, benissimo] di q. □ (*fam.*) **S. of the devil...**, lupus in fabula... (*all'arrivo della persona di cui si sta parlando*).

■ **speak on A** v. i. + prep. parlare di; tenere un discorso su **B** v. i. + avv. continuare a parlare.

■ **speak out** v. i. + avv. **1** parlare a voce alta; alzare la voce: *S. out, please!*, voce (*o* più forte), per favore! **2** parlare chiaro (*o* schietto, francamente): *I spoke out to him*, gliel'ho cantata chiara □ **to s. out against** (*una legge, ecc.*).

■ **speak to** v. i. + prep. **1** parlare, tenere un discorso a (*una folla, ecc.*) **2** parlare con, rivolgere la parola a (q.) **3** (*fam.*) sgridare, rimproverare (q.) **4** parlare in favore di, appoggiare (*una proposta, ecc.*) **5** (*form.*) dire la propria idea, fare una dichiarazione su (qc.) □ **to s. to the point**, restare in argomento.

■ **speak up** v. i. + avv. **1** → **speak out**, def. *1* **2** parlare fuori dei denti; dirne quattro, farsi sentire (*fam.*) □ **to s. up for sb.**, prendere la parola in favore di q.

■ **speak upon** → **speak on**, **A**.

speakeasy /'spiːkiːzɪ/ n. (*slang USA*; *un tempo*) spaccio (d'alcolici) clandestino (*durante il proibizionismo*).

◆**speaker** /'spiːkə(r)/ n. **1** chi parla; parlatore; dicitore; oratore: **a good s.**, un buon oratore **2** – (*polit.*, *in GB*) **the S.**, il Presidente della Camera dei Comuni; (*in USA*) il Presidente della Camera dei Rappresentanti (al vocat., **Mr S.**, Signor Presidente) **3** (= **loudspeaker**) altoparlante; diffusore; cassa acustica **4** (*ling.*) parlante; locutore: **a native s. English**, un parlante madrelingua inglese ● **Speakers' Corner**, l'angolo degli oratori improvvisati (*a Hyde Park, Londra*) ❶ FALSI AMICI • speaker *non significa* speaker *nel senso italiano di annunciatore*.

speakership /'spiːkəʃɪp/ n. Ⓤ **1** (*polit.*) presidenza; carica (*o* ufficio) di presidente (*della Camera*) **2** arte oratoria.

speaking /'spiːkɪŋ/ **A** n. Ⓤ **1** il parlare; parola; discorso **2** eloquenza; arte oratoria **B** a. parlante (*anche fig.*); che parla: *She's got s. eyes*, ha occhi che parlano; **a s. portrait**, un ritratto parlante □ (*telef.*) **the s. clock**, (il servizio dell') ora esatta (*in GB*) □ **s. trumpet**, cornetto acustico □ (*spec. naut.*) **s. tube**, portavoce; megafono □ **to have a s. acquaintance with sb.**, conoscere q. tanto da parlargli (non soltanto di vista) □ **not to be on s. terms with sb.**, conoscere q. solo di vista; (*anche*) non essere più in buoni rapporti con q., non rivolgergli la parola: *They are no longer on s. terms*, non si parlano più ● **within s. range**, a portata di voce.

spear /'spɪə(r)/ n. **1** (*mil.*, *stor.*) lancia; asta; alabarda **2** (= **fishing s.**) arpione; fiocina **3** (pl.) (*bot.*) spine **4** (*poet.*) → **spearman 5** (*zool.*) pungiglione; aculeo ● **s.-carrier**, (*stor. mil.*) lanciere, astato; (*teatr.*) comparsa; (*fig.*) persona di scarso rilievo, figurante □ **s. gun**, fucile subacqueo □ (*fig. lett.*) **s. side**, linea (genealogica) maschile: **on the s. side**, da parte di padre □ (*pesca*) **fishing s.**, fiocina.

to **spear** /'spɪə(r)/ v. t. **1** colpire (*o* ferire, uccidere) con la lancia; trafiggere **2** fiocinare, arpionare (*un pesce*) **3** infilare; infilzare **4** (*cucina*) infilzare (*carne, ecc.*) in uno spiedo.

spearfish /'spɪəfɪʃ/ n. (*zool.*, *Tetrapturus*) «spearfish» (*nei mari tropicali*).

spearhead /'spɪəhɛd/ n. **1** punta della lancia **2** (*mil.*) reparto d'assalto; avanguardia **3** (*fig.*) gruppo d'assalto; punta avanzata **4** (*fig.*) uomo di punta; capo.

to **spearhead** /'spɪəhɛd/ v. t. **1** (*mil.*) essere in testa a; condurre; esser la testa di colonna di (*un esercito*): *The marines spearheaded the attack*, la fanteria da sbarco condusse l'attacco **2** (*fig.*) capeggiare; fare da punta avanzata a: *He spearheaded the opposition*, capeggiava l'opposizione **3** (*mil.*, *sport*) guidare (*un attacco, ecc.*).

spearman /'spɪəmən/ n. (pl. **spearmen**) (*stor.*) milite astato; soldato armato di lancia; lanciere.

spearmint /'spɪəmɪnt/ n. **1** (*bot.*, *Mentha spicata*) menta verde **2** Ⓤ menta; essenza di menta **3** caramella alla menta; mentina ● **s. chewing gum**, gomma da masticare alla menta.

spearwood /'spɪəwʊd/ n. **1** (*bot.*, *Acacia doratoxylon*) acacia australiana **2** Ⓤ legno d'acacia australiana.

spec /spɛk/ n. (abbr. *fam. di* **speculation**) speculazione; affare ● **on s.**, alla ventura; sperando nella buona sorte: *All the tickets were sold so we went to the theatre on s.*, i biglietti erano tutti venduti, perciò andammo a teatro sperando di trovare posto.

spec. abbr. **1** (**special**) speciale **2** (**specially**) specialmente **3** (**specific**) specifico **4** (**specification**) specifica **5** (**specimen**) campione, esemplare, saggio.

◆**special** /'spɛʃl/ **A** a. **1** speciale; particolare; straordinario: **a s. correspondent**, un inviato speciale; (*ferr.*) **a s. train**, un treno straordinario; **a s. favour**, un favore particolare; **s. edition**, edizione straordinaria; **s. instructions**, istruzioni particolari; *Is there anything s. you want to ask me?*, hai qualche domanda particolare da farmi?; *What's so s. about her?*, che cos'ha lei di tanto speciale? **2** (*comm.*: *di un modello*) fuori serie **3** (*leg.*) condizionale; condizionato: **s. acceptance**, accettazione condizionata **B** n. **1** edizione straordinaria (*di un giornale*) **2** (*ferr.*) treno speciale **3** tutore (volontario) dell'ordine **4** esame speciale **5** (*radio*, *TV*) special: **a TV s.**, uno special televisivo **6** (*fam. USA*; *market.*) offerta speciale: *Yogurt is on s. this week*, questa settimana lo yogurt è in offerta speciale **7** (*tur.*: *al ristorante*) piatto del giorno ● (*cinem.*) **s. appearance**, partecipazione straordinaria (*di uno o più attori*) □ (*in GB*) **S. Branch**, i servizi di sicurezza (*si occupano dei crimini contro lo Stato*) □ (*trasp.*) **s. carrier**, vettore privato □ (*comput.*) **s. character**, carattere speciale □ **s. constable**, tutore volontario dell'ordine (*non retribuito*) □ (*banca*) **s. crossing**, sbarratura particolare (*di un assegno*) □ (*USA*) **s. delivery**, servizio postale espresso; (*anche*) espresso (*la lettera*) (*posta*) □ **s.-delivery letter**, espresso □ (*market.*) **s. discount offer**, offerta con sconto speciale □ (*fin.*) **Special Drawing Rights** (abbr. **SDRs**), diritti speciali di prelievo □ **s. education**, istruzione speciale □ (*cinem.*) **s. effects**, effetti speciali □ **a s. friend of mine**, uno dei miei amici più cari □ (*radio*, *TV*) **s. guest**, ospite d'onore □ **s. hospital**, clinica specializzata □ **s. interest group**, gruppo di pressione; lobby □ (*relig.*) **s. legislation**, leggi speciali □ (*relig.*) **s. licence**, licenza speciale □ **s. needs**, esigenze particolari (*di persone con handicap*); insegnamento differenziato □ **s. number**, (*banca*) numero segreto (*di Bancomat, ecc.*); (*giorn.*) numero unico □ (*sport*) **S. Olympics**, Olimpiadi speciali (*per persone con ritardo mentale*) □ (*fin.*) **s. partner**, socio accomandante □ (*fin.*) **s. partnership**, società in accomandita □ **s. pleading**, argomentazione che omette considerazioni sfavorevoli alla propria tesi; richieste di trattamento di favore □ (*comm.*) **s. price**, prezzo di favore (*in GB*) □ (*ecol.*, *amm.*) **S. Protection Area** (abbr. **SPA**), Zona di protezione speciale (abbr. **ZPS**) □ **s. school**, scuola speciale (*per ragazzi con handicap*) □ (*sci*) **s. slalom**, slalom speciale □ (*cinem.*: *nei titoli*) **s. star...**, con la partecipazione straordinaria di... (*segue il nome dell'attore o dell'attrice*) □ **as a s. favour**, in via del tutto eccezionale □ (*market.*) **on s. offer**, in offerta speciale.

◆**specialist** /'spɛʃəlɪst/ **A** n. **1** specialista: (*med.*) **an ear s.**, uno specialista delle malattie delle orecchie; un otorinolaringoiatra **2** (*Borsa*, *USA*) operatore in proprio e su commissione **B** a. attr. di (*o* da) specialista; specializzato; specialistico: **s. skills**, abilità specialistiche; (*med.*) **a s. examination**, una visita specialistica; (*Borsa*, *USA*) **a s. broker**,

un operatore specializzato ● **a** s. **in gynae-cology**, un ginecologo □ **a heart** s., un cardiologo ‖ **specialism** n. **1** Ⓤ l'essere uno specialista; specializzazione **2** specialità; ramo specifico (*di lavoro, ecc.*) ‖ **specialistic** a. specialistico.

speciality /ˌspɛʃɪˈælətɪ/ n. **1** specialità; piatto tipico; prodotto tipico: **the** s. **of the house**, la specialità della casa **2** studio speciale; oggetto di specializzazione; settore di competenza **3** specialità caratteristica; particolarità.

♦to **specialize** /ˈspɛʃəlaɪz/ Ⓐ v. t. **1** specializzare **2** (*raro o leg.*) specificare; esporre nei particolari; dettagliare **3** (*anche biol.*) adattare, trasformare, modificare (*per un uso particolare*) Ⓑ v. i. **1** specializzarsi, essere specializzato (*in qc.*) **2** (*biol.*) adattarsi; differenziarsi ‖ **specialization** n. Ⓤ/Ⓒ (*anche biol.*) specializzazione.

specialized /ˈspɛʃəlaɪzd/ a. **1** specializzato (*anche biol.*); specialistico: s. **language**, linguaggio specialistico **2** speciale; straordinario ● (*telef.*) s. **services**, servizi ausiliari e speciali.

♦**specially** /ˈspɛʃəlɪ/ avv. **1** specialmente **2** appositamente; espressamente; apposta: *She's come* s. *to see you*, è venuta apposta per vederti ● (*nelle risposte*) **not** s., non proprio; non molto: «*Do you like coffee?*» «*Not* s.», «ti piace il caffè?» «non molto».

❶ **NOTA**: *specially o especially?*
L'avverbio *specially* significa "specialmente" nel senso di "appositamente, per un fine particolare": *a car specially designed for handicapped people*, un'auto creata specificatamente per portatori di handicap; *specially trained workers*, operai appositamente addestrati. L'avverbio *especially* di solito esprime "specialmente, particolarmente" in senso più lato: *People often find it difficult to occupy themselves and this is especially true of the old and unemployed*, le persone hanno difficoltà a trovare lavoro, e questo è particolarmente vero per gli anziani e i disoccupati; *We have many visitors here, especially in the summer*, abbiamo molti turisti qui, specialmente in estate.

specialty /ˈspɛʃltɪ/ n. **1** (*USA*) → **speciality 2** (*leg.*) contratto in atto pubblico ● s. **dealer**, rivenditore specializzato □ s. **goods**, specialità; prodotti speciali □ s. **shops**, negozi specializzati.

speciation /ˌspiːʃɪˈeɪʃn/ n. Ⓤ/Ⓒ (*biol.*) speciazione.

specie /ˈspiːʃɪ/ n. Ⓤ (*fin.*) moneta metallica; numerario metallico ● (*econ., fin.*) s. **points**, punti dell'oro; punti metallici □ **in** s., (*fin.*) in moneta metallica; (*leg.*) in senso stretto, nel modo specificato (*fin., comm.*) **payment in** s., pagamento in moneta metallica.

♦**species** /ˈspiːʃiːz/ n. (inv. al pl.) **1** (*biol., filos., relig.*) specie (*anche*): sorta; genere; qualità; tipo: **various** s. **of people**, gente d'ogni qualità; **the human** s. (*o* **our** s.), la nostra specie; il genere umano; **an odd** s. **of humour**, uno strano genere di umorismo ‖ **speciesism** n. Ⓤ specismo.

specifiable /ˈspɛsəfaɪəbl/ a. specificabile.

♦**specific** /spəˈsɪfɪk/ Ⓐ a. **1** specifico (*anche fis.*); preciso; esatto: **Could you be more** s.?, potresti essere più preciso?; (*mecc.*) s. **weight**, peso specifico; **a** s. **remedy** (*o* **a** s. **medicine**), un rimedio specifico; s. **orders**, ordini precisi, tassativi; **for no** s. **reason**, senza un preciso motivo; **the** s. **name of a plant**, il nome esatto (*o* scientifico) di una pianta **2** caratteristico; peculiare; particolare: **a writer with a** s. **style**, uno scrittore con uno stile caratteristico; **a style** s. **to that school of painters**, lo stile peculiare di

quella scuola di pittura Ⓑ n. **1** (*farm.*) (rimedio) specifico **2** (pl.) particolari; dettagli ● (*rag.*) s. **cost**, costo specifico □ (*leg.*) s. **devise**, legato di specie (*di beni immobili*) □ (*biol.*) s. **difference**, caratteristica che differenzia una specie da un'altra □ (*mecc.*) s. **gravity**, densità relativa □ (*fis.*) s. **heat**, calore specifico □ (*leg.*) s. **legacy**, legato di specie □ (*leg.*) s. **lien**, privilegio speciale □ (*comm.*) s. **order**, commessa □ s. **rate**, (*ass.*) tariffa tabellare; (*demogr.*) quoziente specifico.

specifical /spəˈsɪfɪkl/ a. (*raro*) → **specific**.

♦**specifically** /spəˈsɪfɪklɪ/ avv. **1** specialmente; appositamente: *Cutlery s. designed for children*, posate pensate appositamente per i bambini **2** specificatamente; particolarmente; in modo particolare **3** precisamente; chiaramente; chiaro e tondo: *I told him s. not to do it*, glielo ho detto chiaro e tondo di non farlo.

specification /ˌspɛsɪfɪˈkeɪʃn/ n. Ⓤ/Ⓒ **1** specificazione; descrizione particolareggiata; (*comm.*) specifica, distinta (*di merce spedita, spese sostenute, ecc.*) **2** (pl.) (*ind., edil., ecc.*) specifiche; norme (*di capitolato*); capitolato **3** (*leg.*) specificazione (*modo di acquisto della proprietà: in Italia, Francia, ecc.; ma non in Inghilterra*) **4** (*leg.*) descrizione dell'invenzione (*in un brevetto*) **5** (pl.) istruzioni, spiegazioni (*per costruire qc., ecc.*) **6** (pl.) (*di macchinario, ecc.*) norme di funzionamento **7** (pl.) (*di una macchina, un'automobile, ecc.*) caratteristiche; dati caratteristici; scheda tecnica **8** (*naut.*) dichiarazione doganale di uscita **9** (*stat.*) specificazione ● (*econ.*) s. **cost**, costo standard □ **the** s. **of materials**, la distinta (*o* descrizione quantitativa) dei materiali □ (*di una casa*) **built to one's own** s., costruita su richiesta del committente.

specificity /ˌspɛsɪˈfɪsətɪ/ n., **specificness** /spəˈsɪfɪknəs/ n. Ⓤ (*anche econ., med., ecc.*) specificità.

♦to **specify** /ˈspɛsɪfaɪ/ v. t. **1** specificare; descrivere (*o* dichiarare, menzionare) nei particolari; particolareggiare; indicare esattamente: *He specified the reasons for their failure*, indicò esattamente le cause dei loro insuccesso **2** (*edil.*) indicare (*o* includere) nel capitolato: *The hand-rail had not been specified*, il mancorrente non era stato incluso nel capitolato **3** (*leg.*) fissare, stabilire (*in contratto*).

specimen /ˈspɛsɪmən/ n. **1** campione; esemplare; modello; saggio; specimen: **a** s. **of iron ore**, un campione di minerale ferroso; **insect specimens**, esemplari d'insetti; **a** s. **of his skill**, un saggio della sua abilità; (*med.*) **to take a** s. **of sb.'s blood**, prelevare un campione di sangue a q. **2** (*banca*) cartellino delle firme **3** (*fam.*) (tipo) originale **4** (*fam. spreg.*) individuo; tipo: *He's a queer* s., è un tipo strano **5** (*tecn., scient.*) provino ● s. **copy**, copia (*di libro*) in saggio □ (*tipogr.*) s. **page**, pagina di prova □ (*banca*) s. **signature**, firma di paragone; specimen; firma depositata.

speciosity /ˌspiːʃɪˈɒsətɪ/ n. Ⓤ speciosità; aspetto ingannevole; capziosità.

specious /ˈspiːʃəs/ a. specioso; capzioso: **a** s. **argument**, un argomento specioso | **-ly** avv. | **-ness** n. Ⓤ.

speck① /spɛk/ n. **1** macchia; macchiolina; puntino; piccolo segno: **specks of blood**, macchioline di sangue; *The tower was a* s. *on the horizon*, la torre era un puntino all'orizzonte **2** corpuscolo; particella; granello: **a** s. **of dust**, un granello di polvere **3** (*fig.*) briciolo; pezzetto; pizzico; filo: **not a** s. **of truth**, non un briciolo di verità **4** (*fig.*) macchia; difetto.

speck② /spɛk/ n. Ⓤ (*slang USA*) **1** carne salata di maiale; speck **2** grasso di balena.

to **speck** /spɛk/ v. t. macchiettare; chiazzare; screziare; segnare con puntini.

speckle /ˈspɛkl/ n. chiazza; macchietta; macchiolina; puntino; ticchio.

to **speckle** /ˈspɛkl/ v. t. chiazzare; macchiettare; picchiettare ● **a speckled cat**, un gatto dal pelo maculato □ **a speckled egg**, un uovo screziato □ **speckled wood**, legno venato (*o* marezzato).

speckless /ˈspɛkləs/ a. (*spesso fig.*) senza macchia; immacolato.

specky /ˈspɛkɪ/ a. e n. (*slang*) (individuo) occhialuto.

specs /spɛks/ n. pl. (abbr. *fam. di*:) **1 spectacles** → **spectacle**, def. 2 **2 specifications** → **specification**, def. 5, 6 e 7.

spectacle /ˈspɛktəkl/ n. **1** spettacolo; vista; scena: *The northern lights made quite a* s., l'aurora boreale era uno spettacolo magnifico; **a sad** s., una vista dolorosa; **a horrible** s., una scena orribile **2** (pl.) (*form.*) occhiali: **a pair of spectacles**, un paio di occhiali ● **spectacles case**, astuccio per occhiali □ **to make a** s. **of oneself**, dare spettacolo di sé; farsi ridere dietro □ **to put on one's spectacles**, inforcare gli occhiali □ (*fig.*) **to see everything through rose-coloured spectacles**, veder tutto rosa; essere ottimista.

spectacled /ˈspɛktəkld/ a. che porta gli occhiali; occhialuto ● (*zool.*) s. **cayman**, caimano dagli occhiali □ (*zool.*) s. **snake**, serpente dagli occhiali.

♦**spectacular** /spɛkˈtækjʊlə(r)/ Ⓐ a. spettacoloso; spettacolare; straordinario Ⓑ n. **1** rappresentazione (*o* film, ecc.) spettacolare; show, spettacolo **2** grande tabellone pubblicitario | **-ly** avv.

spectator /spɛkˈteɪtə(r)/ n. spettatore; astante ● s. **sport**, sport che attira il pubblico (che riempie gli stadi, ecc.) ❶ **NOTA**: *public, audience, spectators* → **public**.

specter /ˈspɛktə(r)/ (*USA*) → **spectre**.

spectral /ˈspɛktrəl/ a. **1** spettrale; di spettro; fantomatico **2** (*fis.*) dello spettro; spettrale: **the** s. **colours**, i colori dello spettro ● (*stat.*) s. **analysis**, analisi spettrale □ (*nei racconti del terrore*) s. **ship**, nave fantasma | **-ly** avv.

spectre, (*USA*) **specter** /ˈspɛktə(r)/ n. **1** spettro; fantasma **2** (*fig.*) spettro: **the** s. **of war**, lo spettro della guerra ● (*zool.*) s.**-bat** (*Vampyrum spectrum*), vampiro □ (*zool.*) s.**-lemur** (*Tarsius*), tarsio; (*Tarsius filippinensis*) tarsio spettro delle Filippine.

spectrochemistry /ˌspɛktrəʊˈkɛmɪstrɪ/ n. Ⓤ spettrochimica.

spectrocolorimeter /ˌspɛktrəʊkʌləˈrɪmɪtə(r)/ n. (*fis.*) spettrocolorimetro.

spectrogram /ˈspɛktrəgræm/ n. (*fis.*) spettrogramma.

spectrograph /ˈspɛktrəɡrɑːf/ (*fis.*) n. spettrografo (*strumento*) ‖ **spectrographic** a. spettrografico ‖ **spectrography** n. Ⓤ spettrografia.

spectroheliogram /ˌspɛktrəʊˈhiːlɪəgræm/ n. (*astron.*) spettroeliogramma.

spectroheliograph /ˌspɛktrəʊˈhiːlɪəɡrɑːf/ (*astron.*) n. spettroeliografo ‖ **spectroheliographic** a. spettroeliografico.

spectrometer /spɛkˈtrɒmɪtə(r)/ (*fis.*) n. spettrometro ‖ **spectrometric** a. spettrometrico ‖ **spectrometry** n. Ⓤ spettrometria.

spectrophotometer /ˌspɛktrəfəʊˈtɒmɪtə(r)/ (*fis.*) n. spettrofotometro ‖ **spectrophotometric** a. spettrofotometrico ‖ **spectrophotometry** (*fis.*) n. Ⓤ spettrofotometria.

spectroscope /ˈspɛktrəskəʊp/ n. (*fis.*) spettroscopio.

spectroscopy /spɛkˈtrɒskəpɪ/ (*fis.*) n. Ⓤ

spettroscopia ‖ **spectroscopic, spectro-scopical** a. spettroscopico ‖ **spectro-scopically** avv. spettroscopicamente.

spectrum /'spɛktrəm/ n. (pl. *spectra*, *spectrums*) **1** (*fis.*) spettro: **solar s.**, spettro solare; **infrared s.**, spettro infrarosso **2** (*mat.*) spettro **3** (*fig.*) spettro; gamma; arco: **a broad s. of knowledge**, un ampio spettro di conoscenze; **the political s.**, l'arco dei partiti politici ● **s. analysis**, analisi spettrale □ **diffraction s.**, spettro di diffrazione □ **visible s.**, spettro del visibile; spettro visibile.

specular /'spɛkjʊlə(r)/ a. (*anche scient.*) speculare: **s. surface**, superficie speculare; (*ottica*) **s. reflector**, riflettore speculare.

◆to **speculate** /'spɛkjʊleɪt/ v. i. **1** (*fin.*) speculare; fare speculazioni: **to s. in stocks**, speculare in titoli; **to s. on the stock exchange**, fare speculazioni in Borsa **2** congetturare; fare ipotesi: *We can only s. about what the future holds*, possiamo fare solo ipotesi per quanto riguarda il futuro **3** speculare; considerare; meditare; riflettere.

speculation /ˌspɛkjʊ'leɪʃn/ n. ꟷ **1** (*fin.*) speculazione: *He was ruined by an unlucky s.*, andò in rovina per una speculazione sbagliata **2** speculazione; meditazione; illazione; congettura; ipotesi: **philosophical speculations**, speculazioni filosofiche; *There has been a lot of speculation on the matter*, si sono fatte molte illazioni al riguardo ● (*Borsa*) **s. for a fall [for a rise]**, speculazione al ribasso [al rialzo].

speculative /'spɛkjʊlətɪv/ a. **1** (*fin.*) speculativo; speculatorio; (*d'affare*) rischioso: **s. manoeuvres**, manovre speculative **2** ipotetico; congetturale **3** speculativo; di speculazione; meditativo ● (*filos.*) **s. philosophy**, filosofia teoretica □ (*fin.*) **a s. trader**, uno speculatore | **-ly** avv. | **-ness** n. ꟷ.

speculator /'spɛkjʊleɪtə(r)/ n. **1** speculatore **2** (= **s. on the Stock Exchange**) chi gioca in Borsa; speculatore.

speculum /'spɛkjʊləm/ n. (pl. *specula*, *speculums*) **1** (*med.*) specolo; speculum **2** (*astron.*) specchio (*spec. per telescopi*) **3** (*zool.*) ocello (*metall.*) **s. alloy**, bronzo per specchi.

sped /spɛd/ pass. e p. p. di **to speed**.

◆**speech** /spiːtʃ/ n. **1** ꟷ capacità o facoltà di parlare; dono della parola; linguaggio; favella: *Animals are incapable of s.*, gli animali non hanno il dono della parola; **freedom of s.**, libertà di parola; **s. impediment**, disturbo del linguaggio (*balbuzie e simili*); impedimento nel parlare; **slow of s.**, lento nel parlare **2** ꟷ modo di parlare; parlata: **clear s.**, un modo di parlare comprensibile; **Southern s.**, la parlata (o l'accento) del sud **3** discorso; orazione; tirata (*fam.*); (*leg.*) arringa; (*teatr.*) monologo: **a set [an extempore] s.**, un discorso preparato [improvvisato]; **to make [to deliver, to give] a s.**, fare [tenere] un discorso; fare un'orazione (o un'arringa) **4** ꟷ (*ling.*) «parole» (*franc.*) **5** ꟷ (*gramm.*) discorso: **reported s.**, discorso indiretto ● (*ling.*) **s. act**, atto linguistico; atto comunicativo □ (*anat.*) **s. area** (o **centre**), area del linguaggio (*nel cervello*) □ **s. community**, comunità linguistica (*nelle scuole inglesi*) **s. day**, giorno di chiusura (*con discorso di un ex alunno*); giorno della distribuzione dei diplomi e dei premi □ (*med.*) **s. defect**, difetto di pronuncia □ (*fis., radio*) **s. frequency**, frequenza vocale □ (*polit., nei Paesi del Commonwealth*) **S. from the Throne**, discorso della Corona (*all'apertura del nuovo parlamento*) □ (*med.*) **s.-impaired**, logopatico □ (*elettron.*) **s. machine**, macchina parlante □ **s. maker**, oratore □ (*anat.*) **s. organs**, organi della fonazione □ **s. pathologist**, patologo del linguaggio; foniatra □ **s. pathology**, patologia del linguaggio; foniatria □ **s.-**

-reading, labiolettura □ (*comput.*) **s. recognition**, riconoscimento vocale □ (*tecn.*) **s. synthesizer**, sintetizzatore della voce □ (*med.*) **s. therapist**, foniatra; logopedista □ (*med.*) **s. therapy**, foniatria; logopedia □ **s. training**, esercizio di dizione □ (*prov.*) **S. is silver; silence is golden**, la parola è d'argento, il silenzio è d'oro.

to **speechify** /'spiːtʃɪfaɪ/ v. i. (*per lo più iron.*) far discorsi in pubblico; concionare; sproloquiare; pontificare ‖ **speechification** n. **1** ꟷ (*per lo più iron.*) il fare discorsi in pubblico **2** concione; sproloquio ‖ **speechifier** n. chi ha la mania di far discorsi in pubblico; oratore da strapazzo.

speechless /'spiːtʃləs/ a. **1** che non ha il dono della favella; che non parla **2** senza parola; ammutolito; muto: **to be struck s.**, restare senza parola; ammutolire; *He was s. with fear*, era muto per il terrore **3** indicibile; inesprimibile ● **s. rage**, collera muta | **-ly** avv.

speechlessness /'spiːtʃləsnəs/ n. ꟷ **1** l'essere senza la parola **2** il restare senza parola; l'ammutolire **3** mutismo.

speechwriter /'spiːtʃraɪtə(r)/ n. chi scrive discorsi (*spec. per politici*).

◆**speed** /spiːd/ n. ꟷ **1** velocità; celerità; rapidità; destrezza; sveltezza: **the s. of light**, la velocità della luce; *What was your s.?*, che velocità tenevi (*in auto, ecc.*)?; (*autom.*) **s. limit**, limite (massimo) di velocità; *at full s.*, a tutta velocità **2** (*mecc.*) velocità; marcia: *Most cars have five forward speeds*, per lo più le auto hanno cinque marce avanti; **a ten-s. bike**, una bicicletta con il cambio a dieci marce **3** (*fotogr.*) = **shutter s.**) velocità dell'otturatore; tempo d'esposizione **4** (*fotogr.*) sensibilità (*di una pellicola*) **5** (*slang*) droga stimolante (*amfetamina, metamfetamina, ecc.*) ● (*autom.*) **s. bump**, dissuasore di velocità; rallentatore □ **s. camera** = **s.-trap device** (→ *sotto*) □ (*mecc.*) **s.-counter**, contagiri □ (*sci*) **s. event**, gara di velocità □ (*slang*) **s. freak**, chi fa abuso di amfetamine □ (*autom.*) **s. hump** = **s. bump** → *sopra* □ **s. indicator**, tachimetro □ (*ciclismo*) **s. racer**, velocista; pistard (*franc.*) □ (*sport*) **s. record**, record di velocità □ (*sport*) **s. skating**, pattinaggio di velocità □ (*sport*) **s. track**, pista, circuito (*spec. per motociclette*) □ (*autom.*) **s. trap**, tratto (della strada) a velocità controllata □ (*autom.*) **s.-trap device**, Autovelox® □ **s.-up**, un'accelerazione; uno sveltimento (*nella lavorazione, nella produzione, ecc.*) □ **at top s.**, a rotta di collo; di gran carriera; di volata □ (*naut., aeron.*) **cruising s.**, velocità di crociera □ (*autom., USA*) «**End (of) s. zone**» (*cartello*), «fine del limite di velocità» □ (*naut.*) **full s.**, a tutta forza □ **to gather** (o **to pick**) **up s.**, prendere (o acquistare) velocità □ (*fig.*) **up to s.**, al livello desiderato; (*di persone*) informato, aggiornato: *I'm not up to s. on the new operating system*, non sono aggiornato sul nuovo sistema operativo □ **up to s.**, alla massima velocità (*fam.*) aggiornato; al corrente: *I'm not up to s. on the issues involved*, non sono aggiornato sui temi in questione □ **with all s.**, in tutta fretta; a gran velocità.

to **speed** /spiːd/ (pass. e p. p. **sped**, nelle def. 2 e 3 **speeded**), v. t. e i. **1** andare a tutta velocità (o a velocità eccessiva) (*in automobile, ecc.*); superare il limite: *Was I really speeding?*, ho davvero superato il limite (di velocità)? **2** (*anche* **to s. up**) sbrigarsi; affrettarsi, affrettare il passo: (*lett.*) *The traveller sped down the street*, il viandante affrettò il passo lungo la strada **3** (*anche* **to s. up**) accelerare; aumentare la velocità; sveltire: **to s. up the engine**, accelerare la velocità del motore; **to s. up traffic**, sveltire il traffico ● (*autom.*) **to s. round a bend**, prendere una curva in velocità.

■ **speed away** → **speed off**.

■ **speed off** v. i. + avv. (*autom., ecc.*) allontanarsi a tutta velocità; prendere il largo (*fig.*).

■ **speed up** Ⓐ v. t. + avv. **1** (*autom., ecc.*) accelerare **2** sveltire; velocizzare: **to s. up production**, sveltire la produzione Ⓑ v. i. + avv. **1** affrettarsi; affrettare il passo **2** (*autom., ecc.*) accelerare.

speedball /'spiːdbɔːl/ n. (*slang*) miscela di cocaina ed eroina.

speedboat /'spiːdbəʊt/ n. (*sport*) motoscafo veloce, da competizione ● **s. racing**, motonautica (*agonistica*).

speeder /'spiːdə(r)/ n. **1** chi guida a velocità eccessiva **2** (*mecc.*) regolatore della velocità **3** (*ferr.*) carrello di servizio **4** (*ind. tess.*) banco a fusi **5** (*fam. USA*) multa per eccesso di velocità.

speedily /'spiːdəlɪ/ avv. velocemente; celermente; rapidamente.

speediness /'spiːdɪnəs/ n. ꟷ **1** velocità; celerità; rapidità; sveltezza **2** prontezza; premura; sollecitudine.

speeding /'spiːdɪŋ/ n. ꟷ **1** (l') andare forte; guida veloce **2** (*autom., leg.*) eccesso di velocità: *The motorist was fined for s.*, l'automobilista fu multato per eccesso di velocità ● (*leg.*) **s. charge**, accusa d'infrazione dei limiti di velocità □ (*autom.*) **s. ticket** (o **s. fine**), multa per eccesso di velocità.

speedo /'spiːdəʊ/ n. (*fam.*) **1** → **speedometer 2** (*USA*)® costume da bagno.

speedometer /spɪ'dɒmɪtə(r)/ n. (*autom., mecc.*) **1** tachimetro **2** contakilometri.

speedster /'spiːdstə(r)/ n. **1** chi guida a velocità eccessiva **2** auto veloce (o sportiva).

speedway /'spiːdweɪ/ n. **1** (*autom., motociclismo*) (*anche* **s. track**) circuito di terra battuta o di ghiaccio; pista di cenere (o di ghiaccio) **2** (*autom., motociclismo*) (*anche* **s. racing**) (o **speedway**) le corse su circuito di terra battuta (o di ghiaccio) **3** (*USA*) autostrada; superstrada.

speedwell /'spiːdwɛl/ n. (*bot., Veronica officinalis*) veronica.

speedy /'spiːdɪ/ a. veloce; celere; rapido; svelto: **a s. close**, una rapida conclusione **2** pronto; sollecito; spiccio: **a s. reply**, una risposta sollecita; **a s. recovery**, una pronta guarigione.

speleology, spelaeology /ˌspiːlɪ'ɒlədʒɪ/ n. ꟷ speleologia ‖ **speleological** a. speleologico ‖ **speleologist** n. speleologo.

spell① /spɛl/ n. **1** formula magica; parola magica **2** influsso magico; incantesimo; sortilegio; (*anche fig.*) fascino, malia, incanto: **to be under a s.**, essere sotto un influsso magico; **to be under sb.'s s.**, subire il fascino di q.; **to break the s.**, rompere l'incantesimo (o l'incanto) ● **to cast a s. on sb.**, fare un incantesimo a q.; (*anche*) affascinare q.

spell② /spɛl/ n. **1** turno (*di lavoro, di servizio, ecc.*): *His s. as a sentry was a short one*, il suo turno di sentinella fu breve **2** intervallo; (breve) periodo (di tempo): **a fine s.**, un periodo di bel tempo; *I had a s. as a teacher before setting up on my own*, prima di mettermi in proprio, per un certo periodo ho fatto l'insegnante **3** (*fam.*) accesso; attacco; indisposizione; malessere: **a coughing [dizzy] s.**, un attacco di tosse [di vertigini] **4** (*fam.*) breve distanza ● **Wait (for) a s.!**, aspetta un momento!

◆to **spell**① /spɛl/ (pass. e p. p. **spelt**, *spec. USA* **spelled**) Ⓐ v. t. **1** compitare; pronunciare, scrivere (*lettera per lettera*): *How do you s. this word?*, come si scrive questa parola?; *Could you s. that for me?*, può dettarmelo lettera per lettera?; *I'll s. it for you*, te

la compiterò; te la scomporrò in lettere **2** (*di lettere*) formare, dare (*una certa parola*): *D-O-G spells «dog»*, le lettere D-O-G danno la parola «dog» **3** (*fig.*) comportare; significare; voler dire; avere come risultato: *That change spelled ruin for him*, quel cambiamento significò (*o* fu) la sua rovina **B** v. i. scrivere (*lettera per lettera*); (*spec.*) scrivere correttamente: *I wish you would learn to s.*, vorrei proprio che tu imparassi a scrivere correttamente (*senza errori ortografici*).
■ **spell backward** v. t. + avv. **1** compitare (*una parola*) a rovescio; leggere dal fondo lettera per lettera **2** (*fig.*) capire a rovescio; fraintendere.
■ **spell down** v. t. + avv. (*fam. USA*) battere (*gli altri studenti*) in una gara di spelling.
■ **spell out** v. t. + avv. **1** compitare **2** leggere con difficoltà; decifrare a stento **3** (*fig.*) dichiarare, spiegare in dettaglio (*o* in modo chiaro); esporre per filo e per segno.
to **spell** ② /spɛl/ **A** v. t. **1** (*spec. USA*) sostituire (*q. nel lavoro*): **to s. sb. on duty**, dare il cambio a (*q.*) **2** (*Austral.*) dare un periodo di riposo a (*q.*) **B** v. i. **1** lavorare a turno **2** (*Austral.*) riposare un poco.
to **spellbind** /'spɛlbaɪnd/ (*pass.* e *p. p. **spellbound***), v. t. affascinare; incantare; ammaliare ‖ **spellbinder** n. (*fam.*) oratore che affascina l'uditorio; incantatore, incantatrice ‖ **spellbinding** a. affascinante; incantevole.
spellbound /'spɛlbaʊnd/ a. affascinato; incantato; ammaliato.
spell check, **spellcheck** /'spɛlt∫ɛk/ n. (*comput.*) **1** controllo ortografico **2** controllore ortografico.
to **spell-check**, to **spellcheck** /'spɛlt∫ɛk/ v. t. controllare l'ortografia di (*un testo*) usando il controllore ortografico; eseguire il controllo ortografico di.
spell checker, **spellchecker** /'spɛlt∫ɛkə(r)/ n. (*comput.*) controllore ortografico.
speller /'spɛlə(r)/ n. **1** chi compita **2** sillabario ● **a bad s.**, uno che fa molti errori d'ortografia.
♦**spelling** /'spɛlɪŋ/ n. **1** (*ling.*) spelling; scomposizione in lettere; compitazione **2** grafia; scrittura **3** ortografia ● **s. bee**, gara di spelling □ **s. book**, sillabario; abbecedario □ **s. mistake**, errore d'ortografia □ **another s. of the same word**, una variante ortografica □ **I'll give you the s.**, ora vi detterò la parola pronunciando una lettera alla volta □ **His s. is rather weak**, è un po' debole in ortografia.

❶ NOTA: *spelling*

Esistono alcune piccole differenze tra le regole ortografiche britanniche e quelle americane. Nell'elenco che segue sono elencate le principali, con alcuni esempi significativi (la prima forma è quella britannica, la seconda quella americana):

1 GB -our / USA -or: colour / color, honour / honor, labour / labor, glamour / glamor;

2 GB -re / USA -er: centre / center, theatre / theater, metre / meter, fibre / fiber;

3 GB -ce / USA -se: licence / license, defence / defense, offence / offense;

4 GB -ll- / USA -l- (in parole derivate da altre terminanti in -l): travelled / traveled, quarrelled / quarreled, woollen / woolen, jewellery / jewelry;

5 GB -ise o -ize / USA -ize (in molti verbi): to realise o to realize / to realize, to baptise o to baptize / to baptize, to criticise o to criticize / to criticize; la differenza sussiste anche nei sostantivi derivati: realisation o realization / realization, organiser o organizer / organizer;

6 GB -ae-, -e- / USA -e- (in parole derivate dal greco): anaesthetic / anesthetic, encyclopaedia o encyclopedia / encyclopedia;

7 altre differenze di grafia non sono riconducibili a regole precise: cheque / check (= assegno), draught / draft, mould / mold, plough / plow, programme / program (ma nel significato informatico si scrive **program** anche nell'inglese britannico), storey / story (= piano di edificio), tyre / tire.

spelt ① /spɛlt/ pass. e p. p. di **to spell** ①.
spelt ② /spɛlt/ n. (*bot.*, *Triticum spelta*) spelta; farro.
spelter /'spɛltə(r)/ n. zinco commerciale (*spec. in lingotti*).
spelunking /spɪ'lʌŋkɪŋ/ (*sport USA*) n. esplorazione di caverne; speleologia ‖ **spelunker** n. esploratore di caverne; speleologo (dilettante).
spencer /'spɛnsə(r)/ n. (*moda*) spencer; giacchetta (*per lo più di lana*).
Spencerian /spɛn'sɪərɪən/ a. (*filos.*) spenceriano (→ **Spencerianism**).
♦to **spend** /spɛnd/ (*pass.* e *p. p.* **spent**) v. t. **1** spendere; (*fig.*) adoperare, consumare, impiegare: *She spends all her money on clothes*, spende tutto il suo denaro in vestiti; *You could s. your time in a better way*, potresti spendere meglio il tuo tempo; *He spends his energy quickly*, consuma in fretta le sue energie; *I spent too much time answering the other questions*, ho impiegato troppo tempo a rispondere alle altre domande **2** passare; trascorrere: *I spent my holidays in Greece*, passai le vacanze in Grecia; *We spent most of the time relaxing on the beach*, abbiamo trascorso la maggior parte del tempo rilassandoci in spiaggia **3** (*naut.*) perdere (*un albero, il timone, ecc.*) ● **to s. itself**, consumarsi, esaurirsi; finire: *The tornado soon spent itself*, il tornado finì in breve tempo □ (*del vento, ecc.*) **to s. one's force**, esaurire la propria violenza; placarsi □ (*fam., eufem.*) **to s. a penny**, andare al gabinetto; fare pipì □ **to s. profusely**, spendere e spandere; sperperare □ (*fig.*) **to be spent**, essere esaurito, esausto; (*di persona*) essere esausto; finire □ (*di cosa*) esaurirsi, finire, placarsi: *His fury was soon spent*, la sua furia non tardò a placarsi.
spendable /'spɛndəbl/ a. spendibile.
spendaholic /spɛndə'hɒlɪk/ **A** n. spendaccione **B** a. (*fam.*) che fa spese sconsiderate.
spender /'spɛndə(r)/ n. **1** chi spende **2** (*spec.* **big s.**) spendaccione, spendacciona; scialacquatore, scialacquatrice.
spending /'spɛndɪŋ/ n. **1** lo spendere; l'essere speso; spesa; spese: *'Riches are for s.'* F. BACON, 'la ricchezza è fatta per essere spesa' **2** (*econ., fin.*; = **government s.**) spesa pubblica ● **s. cut-backs**, riduzione nelle spese □ **s. money**, denaro per le piccole spese; paghetta (*fam.*) □ (*econ.*) **s. power**, capacità di spesa; potere d'acquisto (*del consumatore*).
spendthrift /'spɛndθrɪft/ **A** n. spendaccione, spendacciona; scialacquatore, scialacquatrice **B** a. spendereccio; prodigo.
Spenserian /spɛn'sɪərɪən/ a. (*letter.*) spenseriano (*di E. Spenser, ?1552-1599*): **S. sonnet**, sonetto spenseriano (*ababbcbccdcdee*); **S. stanza**, strofe (*o stanza*) spenseriana (*un'ottava più un alessandrino: ababbcbcc*).
spent /spɛnt/ **A** pass. e p. p. di **to spend** **B** a. **1** esausto; stremato; sfinito; (*di un atleta, ecc.*) spompato, svuotato, che le ha spese tutte **2** esaurito; consumato **3** (*di proiettile*) esploso **4** (*zool.*) svuotato (*delle uova*) ● **s. force**, forza ininfluente □ (*zool.*) **a s. herring**, un'aringa che ha deposto le uova □ (*sport*) **a s. runner**, un corridore esausto (*fam.*: spompato, che le ha spese tutte) □

The storm is s., la tempesta è passata.
sperm ① /spɜːm/ n. (*biol.*) **1** sperma **2** (pl. ***sperms*, *sperm***) spermatozoo; spermio ● **s. bank**, banca dello sperma (*o* del seme) □ (*biol.*) **s. cell**, cellula spermatica; gamete maschile; spermatozoo □ (*med.*) **s. count**, conta degli spermatozoi.
sperm ② /spɜːm/ n. **1** (*zool.*, *Physeter macrocephalus*; = **s. whale**) capodoglio **2** spermaceti; bianco di balena ● **s. oil**, olio di spermaceti.
spermaceti /spɜːmə'sɛtɪ/ n. spermaceti; bianco di balena.
spermary /'spɜːmərɪ/ n. (*biol.*) organo produttore di sperma; gonade maschile.
spermatic /spɜː'mætɪk/ a. (*biol.*) spermatico: **s. fluid**, fluido spermatico ● (*anat.*) **s. cord**, funicolo spermatico.
spermatocyst /'spɜːmətəsɪst/ n. (*med.*) spermatocisti.
spermatocyte /'spɜːmətəsaɪt/ n. (*biol.*) spermatocito.
spermatogenesis /spɜːmətə'dʒɛnəsɪs/ n. (*biol.*) spermatogenesi.
spermatophyte /'spɜːmətəfaɪt/ n. (*bot.*) spermatofita.
spermatozoon /spɜːmətə'zəʊɒn/ n. (pl. ***spermatozoa***) (*biol.*) spermatozoo; spermio.
spermicide /'spɜːmɪsaɪd/ (*demogr., med.*) n. spermicida ‖ **spermicidal** a. spermicida.
spew /spjuː/ n. vomito; cibo rigettato.
to **spew** /spjuː/ **A** v. i. **1** sgorgare; fuoriuscire **2** scaturire; zampillare **3** (*pop., di solito* **to s. up**) vomitare **B** v. t. **1** (*di solito* **to s. out**) emettere; schizzare **2** (**to s. up**, *anche fig.*) vomitare; rigettare **3** (*fig.*: *di un vulcano, ecc.*) eruttare.
SPF sigla (**sun protecting factor**) fattore di protezione solare.
sphagnum /'sfægnəm/ n. (*bot.*, *Sphagnum*) sfagno ● **s. bog**, sfagneto.
sphalerite /'sfæləraɪt/ n. (*miner.*) sfalerite; blenda.
sphene /sfiːn, sfiːn/ n. (*miner.*) sfeno; titanite.
sphenoid /'sfiːnɔɪd/ (*anat.*) **A** a. sfenoidale **B** n. (= **s. bone**) sfenoide ‖ **sphenoidal** a. sfenoidale.
sphenoiditis /sfiːnɔɪ'daɪtɪs/ n. (*med.*) sfenoidite.
sphere /sfɪə(r)/ n. **1** (*geom.*) sfera; globo; (*fig.*) ambiente, ceto, mondo; campo, limite: (*astron.*) **celestial s.**, sfera celeste; *Egypt was then within the British s. of influence*, allora l'Egitto era nella sfera d'influenza britannica; **one's s. of life**, l'ambiente in cui si vive; il proprio mondo sociale; *He moves in quite another s.*, si muove in tutt'altro ambiente **2** (*poet.*) sfera celeste; astro; pianeta: **the harmony of the spheres**, l'armonia delle sfere celesti.
to **sphere** /sfɪə(r)/ v. t. **1** racchiudere in una sfera; inglobare **2** rendere sferico **3** (*poet.*) elevare alle sfere celesti; portare alle stelle.
spheric /'sfɛrɪk/ a. **1** (*poet.*) delle sfere celesti; celestiale **2** (*raro*) → **spherical** ‖ -**ally** avv.
spherical /'sfɛrɪkl/ a. (*geom., scient.*) sferico: **s. polygon**, poligono sferico; **s. trigonometry**, trigonometria sferica.
sphericity /sfə'rɪsɪtɪ/ n. (*geom., scient.*) sfericità.
spherics /'sfɛrɪks/ n. pl. (col verbo al sing.) geometria (*o* trigonometria) sferica.
spheroid /'sfɪərɔɪd/ n. **1** (*geom.*) sferoide **2** (*mat.*) ellissoide di rotazione ‖ **spheroidal** a. (*geom.*) sferoidale ‖ **spheroidicity** n. (*geom.*) forma sferoidale.
spherometer /sfɪə'rɒmɪtə(r)/ n. (*fis.*,

spherule /'sferu:l/ n. piccola sfera; sferetta.

sphincter /'sfɪŋktə(r)/ (*anat.*) n. sfintere ‖ **sphincteric** a. dello sfintere; sfinterico.

sphingosine /'sfɪŋgəsɪn/ n. ⓤ (*biochim.*) sfingosina.

sphinx /sfɪŋks/ n. (pl. **sphinxes**, **sphinges**) **1** (*mitol. e archeol.*) sfinge **2** (*fig.*) sfinge; individuo enigmatico **3** (*zool.*, = s. **moth**) sfinge.

sphinx-like /'sfɪŋkslaɪk/ a. di (o da) sfinge; enigmatico.

sphragistics /sfrə'dʒɪstɪks/ n. pl. (spesso col verbo al sing.) sfragistica, sigillografia (*studio dei sigilli antichi*) ‖ **sphragistic** a. sfragistico.

sphygmic /'sfɪgmɪk/ a. (*med.*) sfigmico.

sphygmomanometer /ˌsfɪgməʊmə'nɒmɪtə(r)/ n. (*med.*) sfigmomanometro.

spic /spɪk/ n. (*slang spreg. USA*) portoricano; (*anche*) latino-americano (*in genere*).

spica /'spaɪkə/ (*lat.*) n. (pl. **spicae**, **spicas**) **1** (*bot.*, *raro*) spiga **2** (*med.*) fasciatura a spiga.

spic-and-span /'spɪkən'spæn/ → **spick--and-span**.

spicate /'spaɪkeɪt/ a. (*bot.*) a forma di spiga; spigato.

spice /spaɪs/ n. **1** ⓤ spezie; droga: *Nutmeg, cinnamon, pepper are spices*, la noce moscata, la cannella, il pepe sono spezie; **a s. box**, una cassettina per le spezie (o le droghe) **2** ⓤ (*fig.*) gusto; sapore; interesse: *Variety is the s. of life*, la varietà dà sapore alla vita **3** (*fig.*) pizzico; punta; tantino; tocco: **a s. of humour [envy]**, un pizzico di umorismo [una punta di invidia].

to **spice** /spaɪs/ v. t. **1** condire con spezie; aromatizzare **2** (*fig.*) rendere gustoso; dar sapore a; rendere interessante (o piccante).

spicebush /'spaɪsbʊʃ/ n. **1** (*bot.*, *Lindera benzoin*) benzoino **2** ⓤ benzoino (*il legno*).

spiced /spaɪst/ a. **1** condito con spezie; aromatizzato; drogato **2** (*fig.*) gustoso; pepato (*fig.*).

spicery /'spaɪsərɪ/ n. (collett., *antiq.*) spezie; droghe; spezierie.

spick /spɪk/ n. (*spreg. USA*, = spic, spik) chi parla spagnolo; portoricano; latino-americano (*in genere*).

spick-and-span, **spick and span** /'spɪkən'spæn/ a. **1** nuovo di zecca; nuovo fiammante **2** attillato; azzimato; elegante **3** pulitissimo; lindo; splendente.

spicule /'spɪkju:l/ n. **1** (*zool.*) spicola (*delle spugne*) **2** (*bot.*) spiga secondaria; spighetta ‖ **spicular**, **spiculate** a. **1** (*zool.*) che ha spicole **2** (*bot.*) aghiforme; aguzzo.

spicy /'spaɪsɪ/ a. **1** pepato; aromatizzato; piccante **2** (*fig.*) vivace **3** (*fig.*) piccante; salace; spinto: **a s. story**, una storiella piccante ‖ **spiciness** n. ⓤ **1** sapore piccante; aroma **2** (*fig.*) vivacità **3** (*fig.*) salacità.

♦**spider** /'spaɪdə(r)/ n. **1** (*zool.*) ragno **2** (*USA*) treppiedi; padella di ghisa (*in origine, con piedini*); griglia, bistecchiera **3** (*comput.*) spider (*programma che analizza periodicamente i contenuti dei siti Web per indicizzarli nei motori di ricerca*) **4** (*mecc.*) crociera **5** (*metall.*) comando degli espulsori (*dello stampo*); (*anche*) raggiera (*del mandrino*) **6** (*elettr.*) lanterna **7** (*stor.*, = s. **phaeton**) phaeton; carrozza con grandi ruote • (*zool.*) **s. catcher** (*Certhia brachydactyla*), rampichino □ (*zool.*) **s. crab** (*Maja squinado*), grancevola; maia □ (*mil.*) **s. hole**, piccola buca in cui si apposta un cecchino □ (*zool.*) **s. wasp**, vespa che uccide i ragni (*per cibarne le sue larve*) □ **s.'s web**, ragnatela.

spiderweb /'spaɪdəweb/ n. ragnatela.

spiderwort /'spaɪdəwɜːt/ n. (*bot.*, *Trade-*

scantia) tradescanzia; miseria.

spidery /'spaɪdərɪ/ a. **1** simile a un ragno; di (o da) ragno **2** infestato da ragni • **s. handwriting**, grafia (o scrittura) filiforme.

spiegeleisen /'spiːgəlaɪzən/ n. ⓤ (*metall.*) ghisa speculare.

spiel /spiːl/ n. (*slang*) lunga tirata; tiritera; (*spec.*) imbonimento.

to **spiel** /spiːl/ (*slang*) Ⓐ v. i. fare una tirata (*pop.*: una menata); (*spec.*) fare propaganda (o discorsi stravaganti) Ⓑ v. t. (*di solito* to s. **off**) dire; raccontare; snocciolare ‖ **spieler** n. chiacchierone; imbonitore.

spiffing /'spɪfɪŋ/ a. (*GB*, *fam.*, *antiq.*) fantastico; favoloso.

to **spifflicate**, to **spiflicate** /'spɪflɪkeɪt/ v. t. (*slang*) **1** bastonare; picchiare; malmenare **2** ridurre a malpartito; annientare; distruggere ‖ **spifflication**, **spiflication** n. **1** bastonatura; botte; percosse **2** annientamento; distruzione.

to **spiff up** /'spɪf 'ʌp/ v. t. (*fam.*) **1** agghindare; azzimare; tirare a lustro (*fig.*) **2** rammodernare, abbellire, rassettare (*una stanza, ecc.*) • to **spiff oneself up** (o to get spiffed up), farsi bello; mettersi in ghingheri.

spiffy /'spɪfɪ/ a. (*slang USA*) **1** attillato; azzimato; elegante **2** splendido; stupendo.

spignel /'spɪgnəl/ n. (*bot.*, *Meum athamanticum*) finocchio alpino; finocchiello.

spigot /'spɪgət/ n. **1** tappo; zaffo; zipolo **2** (*USA*) rubinetto **3** (*mecc.*) **s.-and-socket joint**, giunto a manicotto.

spike /spaɪk/ n. **1** punta; chiodo; lancia: **the spikes of running shoes**, i chiodi delle scarpe da corsa; **the spikes of an iron fence**, le lance d'una cancellata **2** (*ferr.*) arpione (*per fissare le rotaie*) **3** (*bot.*) spiga (*di cereale*) **4** (pl.) (*fam.*) scarpe chiodate (*da corsa*) **5** (*di un grafico, un'onda, ecc.*) picco **6** (*pallavolo*) schiacciata **7** (*fam.*) ago; siringa **8** (*slang*) iniezione (*di droga*); buco (*fam.*) **9** (*slang*) liquore aggiunto (*a una bevanda*); correzione **10** (pl.) (*slang USA*) tacchi a spillo • (*USA*) **s. heels**, tacchi a spillo □ (*bot.*) **s. lavender** (*Lavandula latifolia*), spigo • **s. oil**, olio essenziale (o essenza) di spigo □ (*agric.*) **s.-tooth harrow**, erpice a denti rigidi.

to **spike** /spaɪk/ v. t. **1** armare di punte; munire di chiodi; chiodare; ferrare **2** infilare; infilzare **3** (*ferr.*) arpionare **4** (*fig.*) bloccare; frustrare; vanificare, bocciare (*un progetto, ecc.*) **5** (*fam.*, *spec. USA*) correggere di nascosto (*una bevanda*) **6** (*fam.*, *giorn.*) bocciare (*un articolo*) **7** (*pallavolo*) schiacciare (*la palla*) **8** (*fam.*) mettere microspie in • (*stor.*, *mil.*) to **s. a gun**, inchiodare un cannone □ (*fig.*) to **s. sb.'s guns**, frustrare (o mandare all'aria, o a monte) i piani di q. □ (*fig.*) to **s. a rumour**, porre fine a una diceria.

spiked /spaɪkt/ a. **1** pieno di punte; pieno di spunzoni; (*sport*) chiodato: **s. shoes**, scarpe chiodate (o con tacchetti di gomma) **2** (*di bevanda*) corretto di nascosto (*con sonnifero, droga, ecc.*).

spikelet /'spaɪklət/ n. (*bot.*) spighetta; spiga secondaria.

spikenard /'spaɪkna:d/ n. ⓤ (*bot.*, *Nardostachys jatamansi*) nardo indiano (*la pianta e l'olio*).

spiker /'spaɪkə(r)/ n. (*pallavolo*) schiacciatore; martello (*fig.*).

spiky /'spaɪkɪ/ a. **1** armato di punte; munito di chiodi; chiodato **2** appuntito; a punta; acuminato **3** (*fig.*) intransigente; rigido (*spec. di anglicano aderente alla «High Church»*) **4** (*fig. fam.*) scontroso; intrattabile.

spile /spaɪl/ n. **1** piccolo tappo; zaffo; zipolo **2** (*ind. costr.*) cavicchio; palo; palafitta **3** (*ind. min.*) palancola; marciavanti.

to **spile** /spaɪl/ v. t. **1** fare un foro per lo zi-

polo in (*una botte*) **2** spillare (*un liquido*) **3** turare (*un buco*) con un tappo (o uno zipolo); zaffare (*un tino, ecc.*).

spill ① /spɪl/ n. **1** il versare o versarsi (*di un liquido*); spargimento; versamento **2** (*fam.*) caduta; capitombolo: to **have** (o to **take**) **a s.**, fare un capitombolo (una caduta da cavallo, dalla bicicletta, ecc.) **3** (*tecn.*) perdita; fuoriuscita: **toxic s.**, fuoriuscita di liquidi tossici **4** (pl.) gocce: **tea spills**, gocce di tè versato **5** → **spillway** • (*stat.*) **a s. of population**, un travaso di popolazione.

spill ② /spɪl/ n. **1** striscia di carta per appiccare il fuoco; legnetto **2** cartina (*per fare sigarette*) **3** (*USA*) → **spile**, def. 1.

♦to **spill** /spɪl/ (pass. e p. p. **spilt**, **spilled**) ❶ NOTA: *participle → participle* Ⓐ v. t. **1** versare; spargere; spandere; rovesciare: to **s. blood**, spargere sangue; *I've spilt the coffee*, ho rovesciato il caffè **2** far cadere; gettare a terra; disarcionare **3** (*fam.*) spiattellare (*fam.*) **4** (*di un veicolo*) scaricare, far scendere (*i passeggeri, ecc.*) Ⓑ v. i. versarsi; spargersi; rovesciarsi • (*fam.*) to **s. the beans** (o to s. it), svelare un segreto; spifferare (o spiattellare) tutto: *Come on, s. the beans!*, avanti, vuota il sacco! □ to **s. sb.'s blood**, versare il sangue di q.; ucciderе q.

■ **spill out** Ⓐ v. i. + avv. **1** (*di un liquido*) spargersi; spandersi; versarsi; fuoriuscire: *The wine has spilled out*, il vino è fuoriuscito **2** (*fig.*: *di una folla, ecc.*) riversarsi Ⓑ v. t. + avv. **1** (*di una persona, un veicolo, ecc.*) rovesciare; far cadere: *The coach turned over spilling us out into the ditch*, il pullman capottò rovesciandoci nel fosso **2** (*fam.*) raccontare; spifferare.

■ **spill over** v. i. + avv. **1** (*di un liquido*) versarsi; traboccare: *The milk has spilled over*, è traboccato il latte **2** (*fig.*: *della popolazione, ecc.*) traboccare; espandersi: *The crowd spilled over into the surrounding streets*, la folla si è riversata nelle strade circostanti **3** (*fig.*) trasformarsi in (*qc. di diverso*): *The ethnic tension spilled over into violence*, la tensione tra etnie diverse si è trasformata in violenza.

spillage /'spɪlɪdʒ/ n. **1** ⓤ il versare (*un liquido*); spargimento **2** ⓤⓒ quantità versata; fuoriuscita; perdita.

spiller /'spɪlə(r)/ n. (*pesca*) **1** rete a imbuto (*per nassa*) **2** lenza a più ami; palamite.

spillikin /'spɪlɪkɪn/ n. **1** bastoncino; stecco; ossicino **2** (pl.) sciangai (*gioco che si fa con appositi bastoncini*).

spillover /'spɪləʊvə(r)/ n. ⓤⓒ **1** traboccamento **2** il riversarsi **3** (*radio*) sfioramento **4** (*stat.*) eccesso (*di popolazione*) **5** (pl.: *econ.*, *ecc.*) effetti diffusivi • (*econ.*) **s. inflation**, inflazione «traboccante».

spillway /'spɪlweɪ/ n. canale di scarico (*di una chiusa*); sfioratore (*di diga*).

spilt /spɪlt/ pass. e p. p. di **to spill**.

spim, **spIM** /spɪm/ n. ⓤ (*comput.*, acronimo di *messaging spam*) spam di messaggi; messaggi indesiderati(*nelle applicazioni di instant messaging*).

spin /spɪn/ n. ⓤⓒ **1** (*mecc.*) rotazione (*intorno al proprio asse*); moto rotatorio **2** (*fis. nucl.*) spin; movimento a trottola; moto rotatorio spontaneo (*di una particella*) **3** (*sport*) rotazione (*della palla o della bilia*); effetto; spin: to **put s. on the ball**, colpire d'effetto (o tagliare) la palla **4** (*fig.*) angolazione; taglio; interpretazione: **to put a positive s. on st.**, dare un'interpretazione positiva di qc. **5** (*aeron.*, *autom.*) avvitamento; vite **6** (*fam. antiq.*) giro, giretto (*in auto*) **7** (*pattinaggio artistico*) spin; piroetta **8** (*sci*) avvitamento • (*mecc.*) **s. compensation**, correzione della rotazione • (*fam.*) **s. doctor**, persona incaricata di presentare i fatti e le notizie in

una luce favorevole a un politico o al governo □ (*tennis*) s. **serve** (*o* s. **service**), servizio con rotazione della palla □ (*nuoto*) s. **turn**, virata a capriola □ **to go into a s.**, (*aeron.*) cadere in (*o a*) vite; (*autom.*) avvitarsi, fare un testa-coda; (*fig. fam.*) essere preso dal panico □ **to go into** (*o* **to be in**) **a flat s.**, (*aeron.*) cadere (*o* essere) in vite piatta; (*fig. fam.*) entrare (*o* essere) in tilt (*o* in stato confusionale).

♦to **spin** /spɪn/ (*pass.* **spun** *o* **span**, p. p. **spun**) Ⓐ v. t. **1** filare: **to s. wool** [**silk**], filare la lana [la seta] **2** far girare; far ruotare: *The kid was spinning the top*, il bambino faceva girare la trottola **3** (*mecc.*) imbutire su (*o* formare al) tornio **4** (*fig., spesso* **to s. out**) comporre (*un articolo*); scrivere (*un racconto*); raccontare (*una storia*) **5** (*sport: biliardo, ecc.*) colpire d'effetto, tagliare (*una bilia, una palla*) **6** (*sport*) pescare col cucchiaino (*o col mulinello*) in (*un fiume, uno stagno*) **7** (*slang antiq.*) bocciare (*uno studente*) Ⓑ v. i. **1** (*anche del filugello*) filare; (*del ragno*) fare la tela **2** girare; girare vorticosamente; ruotare: *My head was spinning*, mi girava la testa **3** (*sport*) pescare col cucchiaino (*o col mulinello*) **4** (*aeron., autom.*) avvitarsi **5** (*pattinaggio artistico*) piroettare ● (*del filugello*) **to s. the cocoon**, fare il bozzolo □ **to s. a coin**, gettare in aria una moneta (*per fare a testa o croce*) □ **to s. full circle**, fare un giro completo su se stessi; (*autom.*) sbandare rigirandosi del tutto □ **to s. a yarn**, tessere un racconto; raccontare una storia (*lunga e spesso improbabile*) □ (*fig.*) **to send sb. spinning**, mandare q. a gambe all'aria.
■ **spin along** v. i. + avv. (*di un veicolo*) andare liscio; filare; sfrecciare.
■ **spin off** v. i. + avv. **1** (*di qc. che ruota*) sfilarsi; (*di una ruota*) scappare: *A rear wheel span off*, mi scappò una delle ruote di dietro **2** (*autom.: di una vettura da corsa*) uscire di pista in un testa-coda **3** (*fig.*) derivare, essere uno sviluppo (*o un'evoluzione*) **4** (*fin., USA: di un'azienda*) creare una nuova società Ⓑ v. t. + avv. **1** allargare il campo di applicazione di (*una scoperta, ecc.*) **2** (*fin., USA*) scorporare (*una società*).
■ **spin out** Ⓐ v. t. + avv. **1** allungare (*la lana*) filando **2** (*fig.*) tirare in lungo (*o per le lunghe*) (*un discorso, ecc.*) **3** (*fig.*) far durare (*denaro, ecc.*); prolungare (*un'esperienza piacevole, ecc.*) **4** (*fam.*) sconcertare, confondere (q.) Ⓑ v. i. + avv. (*USA: di un veicolo*) uscire di strada in un testa-coda; (*di una vettura da corsa*) uscire di pista facendo un testa-coda.
■ **spin round** v. i. + avv. **1** ruotare; girare in tondo **2** (*di una persona*) girarsi **3** (*di un veicolo*) fare un testa-coda.

spina bifida /ˌspaɪnəˈbɪfɪdə/ (*lat.*) loc. n. (*med.*) spina bifida; rachischisi.

spinach /ˈspɪnɪtʃ/, **spinage** /ˈspɪnɪdʒ/ n. **1** (*bot., Spinacia oleracea*) spinacio **2** Ⓤ (*cucina*) spinaci.

spinal /ˈspaɪnl/ a. (*anat.*) spinale; dorsale; vertebrale: **the s. column**, la colonna vertebrale; la spina dorsale ● s. **cord**, (*anat.*) midollo spinale; (*zool.*) corda nervale, notocorda □ (*med.*) **s. curvature**, deviazione della colonna vertebrale.

spindle /ˈspɪndl/ n. **1** fuso **2** (*mecc.*) asse; alberino; mandrino (*di tornio*): **dead s.**, mandrino fisso; **live s.**, mandrino girevole **3** (*di cd-rom*) torre **4** asta metallica (*su cui infilzare fogli*); infilzacarte **5** (*raro*) idrometro (*strumento*) **6** (*fig.*) persona esile, smilza; spilungone; stanga (*fig. fam.*) **7** (*autom.*) perno a via **8** «spindle» (*misura di lunghezza, di circa 14 iarde e mezzo per il lino e di 15 iarde per il cotone*) **9** (*bot.*) = **s. tree** → sotto ● (*di sedia*) **s.-back**, con lo schienale a colonnine di legno □ **s.-shanked** (*o* **s.-legged**), dalle gambe lunghe e sottili □ **s.-shanks** (*o*

s.-legs), persona dalle gambe lunghe e sottili □ **s.-shaped**, fusiforme; affusolato □ (*fig.*) **s. side**, linea (genealogica) femminile: **on the s. side**, da parte di madre □ (*bot.*) s. **tree** (*Evonymus europaeus*), evonimo; fusaggine; berretta da prete (*pop.*).

to **spindle** /ˈspɪndl/ Ⓐ v. t. infilzare (*un foglio, ecc.*) su un'asta metallica Ⓑ v. i. affusolarsi; assottigliarsi.

spindly /ˈspɪndlɪ/ a. affusolato; lungo e sottile; malfermo.

spin-doctoring /ˈspɪndɒktərɪŋ/ n. Ⓤ (*spec. polit.*) presentazione di un fatto (una notizia, ecc.) in una luce favorevole a un politico o al governo.

spindrift /ˈspɪndrɪft/ n. Ⓤ spuma delle onde del mare trasportata dal vento; spruzzaglia ● s. **clouds**, nuvolaglia.

to **spin-dry** /ˈspɪndraɪ/ v. t. centrifugare (*il bucato*) ‖ **spin dryer** n. centrifuga (*per strizzare il bucato*).

spine /spaɪn/ n. **1** (*anat.*) spina dorsale (*anche fig.*); colonna vertebrale: *He's the s. of his team*, è la spina dorsale della sua squadra **2** (*di pianta*) spina **3** (*d'animale*) aculeo; (*anche*) lisca **4** (*di libro*) costola; dorso ● s.-**chilling**, agghiacciante; terrificante □ s. **tingling**, che fa venire i brividi □ (*med.*) s. **pad**, corsetto rigido; busto ortopedico.

spined /spaɪnd/ a. **1** pieno di spine; spinoso **2** (*raro, anat.*) vertebrato.

spinel /spɪˈnɛl/ n. Ⓤ (*miner.*) spinello.

spineless /ˈspaɪnləs/ a. **1** senza spina dorsale; (*fig.*) fiacco, debole, molle, smidollato **2** (*bot.*) senza spine **3** (*zool.*) senza aculei; (*anche*) senza lische.

spinet /spɪˈnɛt, USA ˈspɪnɪt/ n. (*mus.*) **1** spinetta **2** (*USA*) piccolo pianoforte.

spinnaker /ˈspɪnəkə(r)/ n. (*naut.*) fiocco pallone; spinnaker.

spinner /ˈspɪnə(r)/ n. **1** filatore, filatrice **2** (*ind. tess.*) filatoio **3** tornitore (*di vasi, ecc.*) **4** (*fig.*) chi la tira per le lunghe; narratore, narratrice **5** (*mecc.*) tavola rotante **6** (*radar*) antenna rotativa **7** (*pesca*) esca rotante; cucchiaino **8** (*zool.*) ragno filatore **9** (*cricket*) lanciatore che dà l'effetto alla palla.

spinnerbait /ˈspɪnəbeɪt/ n. (*pesca*) esca rotante; cucchiaino.

spinneret /ˈspɪnərɛt/ n. **1** (*zool.*) filiera (*del ragno e del baco da seta*) **2** → **spinnerette**.

spinnerette /ˌspɪnəˈrɛt/ n. (*ind. tess.*) filiera.

spinnery /ˈspɪnərɪ/ n. filanda.

spinney /ˈspɪnɪ/ n. boschetto.

spinning /ˈspɪnɪŋ/ Ⓐ n. Ⓤ **1** (*ind. tess.*) filatura: **wool s.**, la filatura della lana **2** (*mecc.*) imbutitura su tornio; repussaggio **3** rotazione; moto rotatorio **4** (*tecnica di pesca sportiva*) spinning; pesca al lancio **5** (*ginnastica*) spinning ● s. **cycle**, cyclette per spinning Ⓑ a. rotante; girevole ● (*stor., tecn.*) s. **jenny**, giannetta; filatoio multiplo □ s. **machine**, (*ind. tess.*) filatoio meccanico; (*mecc.*) tornio per imbutire □ s. **mill**, filanda □ (*pesca*) s. **reel**, mulinello □ (*pesca*) s. **rod**, canna da lancio □ s. **top**, trottola □ (*stor.*) s. **wheel**, filatoio a mano; filarello.

spin-off /ˈspɪnɒf/ n. **1** (*tecn.*) applicazione allargata (*di un'invenzione, ecc.*) **2** (*econ.*) sottoprodotto; prodotto secondario; derivato **3** (*fig.*) effetto; conseguenza **4** (*fin., USA*) → **hiving-off**.

spinor /ˈspɪnə(r)/ n. (*mat.*) spinore.

spinose /ˈspaɪnəʊs/ a. spinoso.

spinous /ˈspaɪnəs/ a. **1** (*bot.*) spinoso **2** (*zool.*) aculeato.

spin-out /ˈspɪnaʊt/ n. **1** (*autom.*) sbandata di coda; scodata (*fam.*); testa-coda **2** → **spin-off**.

Spinozism /spɪˈnəʊzɪzəm/ (*filos.*) n. Ⓤ

spinozismo ‖ **Spinozist** n. spinozista (*seguace di B. Spinoza*) ‖ **Spinozistic** a. spinoziano.

spinster /ˈspɪnstə(r)/ n. (*antiq. o spreg.*) zitella; nubile (*leg.*) ‖ **spinsterhood** n. Ⓤ stato (*o* condizione) di zitella; condizione di nubile, nubilato (*leg.*).

spinule /ˈspɪnjuːl/ n. (*bot., zool.*) piccola spina.

spin-up /ˈspɪnʌp/ n. (*astron.*) spin-up; accelerazione.

spiny /ˈspaɪnɪ/ a. spinoso; (*fig.*) difficile, fastidioso, imbarazzante ● (*zool.*) s. **anteater** (*Tachyglossus aculeatus*), echidna □ (*zool.*) s. **dogfish** (*Squalus acanthias*), spinarolo, spinello □ (*zool.*) s. **lobster** (*Palinurus*), aragosta.

spiracle /ˈspaɪərəkl/ (*zool.*) n. orifizio per la respirazione; (*dei cetacei*) sfiatatoio; (*degli insetti*) stimma, stigma ‖ **spiracular** a. di sfiatatoio; di stimma.

spiraea /spaɪəˈriːə/ n. (*bot., Spiraea*) spirea.

spiral /ˈspaɪərəl/ Ⓐ a. **1** spirale; a spirale; a spire: **a s. spring**, una molla a spirale; (*astron.*) s. **nebula**, nebulosa a spirale **2** spiroidale; spiroide **3** (*mecc.*) elicoidale; a dentatura elicoidale: s. **chute**, scivolo elicoidale; s. **gear**, ingranaggio a dentatura elicoidale Ⓑ n. **1** (*geom.*) spirale; spira; elica **2** (*fig., econ., ecc.*) spirale: **inflationary s.**, spirale inflazionistica; **the vicious s. of war**, la rovinosa spirale della guerra **3** (*pattinaggio artistico*) spirale **4** (*ginnastica*) spirale (*eseguita con il nastro*) ● s. **balance**, bilancia a molla □ (*edil.*) **a s. staircase**, una scala a chiocciola □ s. **valve**, valvola spirale.

to **spiral** /ˈspaɪərəl/ Ⓐ v. i. **1** muoversi a spirale **2** girare a spirale Ⓑ v. t. **1** far muovere a spirale **2** (*raro*) dar forma di spirale a (qc.) ● (*econ.: di prezzi, salari, ecc.*) **to s. downward** [**upward**], calare rapidamente [aumentare vertiginosamente].
■ **spiral down** v. i. + avv. **1** (*di un aereo, un uccello, ecc.*) scendere a spirale **2** (*fig.: di prezzi, ecc.*) calare rapidamente; scendere a precipizio; precipitare.
■ **spiral up** v. i. + avv. **1** (*di un aereo, ecc.*) prendere quota salendo a spirale **2** (*del fumo*) salire in volute **3** (*fig.: di prezzi, ecc.*) salire rapidamente (*o vertiginosamente*); andare alle stelle **4** (*fig.*) salire, ascendere (a una posizione di prestigio, ecc.).

spiralling, (*USA*) **spiraling** /ˈspaɪərəlɪŋ/ a. (*di prezzi, ecc.*) in vertiginosa ascesa.

spirally /ˈspaɪərəlɪ/ avv. a spirale.

spirant /ˈspaɪərənt/ (*fon.*) a. e n. spirante ‖ **spirantization** n. Ⓤ spirantizzazione.

spire① /ˈspaɪə(r)/ n. **1** guglia; cuspide; pinnacolo **2** (*bot.*) stelo appuntito; lamina appuntita.

spire② /ˈspaɪə(r)/ n. spira; avvolgimento d'una spirale.

to **spire** /ˈspaɪə(r)/ Ⓐ v. i. **1** innalzarsi a guglia; elevarsi a pinnacolo; svettare **2** germogliare; spuntare Ⓑ v. t. munire di guglie.

spirea /spaɪˈriːə/ (*USA*) → **spiraea**.

spirillum /spaɪˈrɪləm/ n. (pl. **spirilla**) (*biol.*) spirillo.

♦**spirit** /ˈspɪrɪt/ n. **1** Ⓤ spirito; anima: **the Holy S.**, lo Spirito Santo; (*Bibbia*) *The s. is willing but the flesh is weak*, lo spirito è forte ma la carne è debole; *I'll be with you in s. if not in body*, sarò con voi in ispirito se non fisicamente; **choice spirits**, spiriti eletti; **the poor in s.**, i poveri di spirito; **one of the leading spirits of the French Revolution**, uno degli spiriti animatori della rivoluzione francese **2** spirito; spettro; fantasma: **the abode of spirits**, la dimora degli spiriti; il regno delle ombre; **to raise a s.**, evocare uno spirito; **an evil s.**, uno spirito maligno **3** Ⓤ spirito; ardore; forza d'animo; vigore;

brio: *Show a little s.!*, mostra un po' di forza d'animo!; fatti coraggio! **4** (pl.) condizione di spirito; stato d'animo; umore; morale: **to keep up one's spirits**, tenersi su di morale; non perdersi d'animo; **to be in high spirits**, essere su di morale; essere di buonumore (*o* pieno d'entusiasmo); **to be in poor** (*o* **low**) **spirits** (*o* **to be out of spirits**), essere giù di morale; essere abbattuto (*o* depresso) **5** (pl.) energia; vitalità; carica: **animal spirits**, carica vitale; vitalità **6** ☒ spirito; significato; intendimento; essenza; sostanza: **the s. of the law**, lo spirito della legge; **the s. of the times**, lo spirito del tempo **7** ☒ spirito; alcol: **s. of wine**, alcol etilico **8** (pl.) superalcolici; liquori: **wines and spirits**, vini e liquori ● (*chim.*) **s. blue**, blu di anilina □ **s. lamp**, lampada a spirito □ (*edil., ecc.*) **s. level**, livella a bolla d'aria □ **spirits of ammonia**, ammoniaca (*in soluzione*) □ **spirits of camphor**, olio essenziale (*o* essenza) di canfora □ (*econ.*) **s. of enterprise**, spirito d'impresa; intraprendenza □ **spirits of hartshorn**, ammoniaca liquida □ **spirits of salt**, acido cloridrico □ **spirits of turpentine**, essenza di trementina; acquaragia □ **s. paint**, vernice a spirito □ **s. rapper**, evocatore di spiriti; spiritista □ (*occultismo*) **s. rapping**, tiptologia; il dare colpi (*del tavolino a tre gambe*); spiritismo □ **s. stove**, fornello a spirito □ **the s. trade**, il commercio dei liquori □ **s. varnish** = **s. paint** → *sopra* □ **to raise sb.'s spirits**, confortare q.; incoraggiare q. □ **to recover one's spirits**, rianimarsi; riprendere coraggio □ **to take st. in the wrong s.**, prendere qc. in mala parte.

to **spirit** /'spɪrɪt/ v. t. (*di solito* **to s. up**) **1** animare; incoraggiare; spronare; incitare **2** rallegrare; rianimare; ravvivare **3** fare apparire (*o* sparire) come per magia; fare entrare (*o* uscire) di nascosto ● **to s. off** (*o* **away**), far sparire (come) per incanto; rapire; trafugare; portare via all'insaputa di tutti.

spirited /'spɪrɪtɪd/ a. (spec. nei composti) animato; brioso; vivace; ardente; coraggioso; focoso; pieno d'energia, di vita; vigoroso: **a s. discussion**, una discussione animata; **a s. translation**, una traduzione briosa (*o* spigliata); **a s. defence**, una difesa vigorosa | **-ly** avv. | **-ness** n. ☒.

spiritism /'spɪrɪtɪzəm/ n. ☒ spiritismo ‖ **spiritist** n. spiritista ‖ **spiritistic** a. spiritico.

spiritless /'spɪrɪtləs/ a. **1** abbattuto; accasciato; avvilito; depresso **2** debole; fiacco **3** pusillanime; vile | **-ly** avv. | **-ness** n. ☒.

♦**spiritual** /'spɪrɪtʃʊəl/ **A** a. spirituale: **s. life**, vita spirituale **B** n. (= **negro s.**) spiritual; canto religioso dei neri americani ● (*stor.*) **s. courts**, tribunali ecclesiastici □ **one's s. home**, la propria patria spirituale | **-ly** avv.

spiritualism /'spɪrɪtʃʊəlɪzəm/ n. ☒ **1** (*filos.*) spiritualismo **2** spiritismo ‖ **spiritualist** n. **1** (*filos.*) spiritualista **2** spiritista ‖ **spiritualistic** a. **1** (*filos.*) spiritualistico **2** spiritistico.

spirituality /ˌspɪrɪtʃʊ'ælətɪ/ n. **1** ☒☒ spiritualità **2** (pl.) (*leg., stor.*) beni spirituali; proprietà ecclesiastiche.

to **spiritualize** /'spɪrɪtʃʊəlaɪz/ v. t. spiritualizzare ‖ **spiritualization** n. ☒ spiritualizzazione.

spirituel /ˌspɪrɪtʃʊ'ɛl/ (*franc.*) a. (f. **spirituelle**) (spec. di donna) delicato; fine; etereo; raffinato.

spirituous /'spɪrɪtʃʊəs/ a. (*tecn.*) spiritoso (*raro*); alcolico: **s. liquors**, bevande alcoliche; alcolici; liquori.

spiritus /'spɪrɪtəs/ (*lat.*) n. (*gramm. greca*) spirito.

spirochaete /ˌspaɪərəʊ'kiːt/ n. (*biol.*, **Spi-**

rochaeta) spirocheta.

spirograph /'spaɪərəgrɑːf/ n. (*med.*) spirografo.

spirometer /spaɪ'rɒmɪtə(r)/ (*med.*) n. spirometro ‖ **spirometry** n. ☒ spirometria.

spirt, to **spirt** /spɜːt/ → **spurt**, **to spurt**.

spiry /'spaɪərɪ/ a. **1** simile a guglia; cuspidato; slanciato; sottile **2** pieno di guglie (*o* di pinnacoli).

spit ① /spɪt/ n. ☒ **1** sputo; saliva; lo sputare **2** (*d'insetti*) schiuma **3** (*fam.: di piante*) sputo ● **s. and polish**, (*fam.*) pulizia accuratissima; (*mil., naut.*) mania dell'ordine e del tirare a lucido (*fig.*) □ (*fam.*) **She is the (dead) s.** (*o* **the s. and image**) **of her mother**, è tutta (*o* è tale e quale) sua madre; è sua madre nata e sputata.

spit ② /spɪt/ n. **1** spiedo; schidione **2** (*geogr.*) punta; lingua di terra **3** (*naut.*) banco di sabbia sommerso.

spit ③ /spɪt/ n. **1** fitta; profondità raggiunta da un colpo di vanga **2** vangata; badilata ● (loc. avv.) **one s. deep**, alla profondità cui può giungere un colpo di vanga.

to **spit** ① /spɪt/ (pass. e p. p. **spat**, USA **spit**), **v. i. e t.** **1** sputare; mandare fuori dalla bocca **2** (*del gatto*) soffiare minaccioso **3** (*del fuoco, d'una candela*) scoppiettare; mandar faville **4** (*di penna*) spruzzare inchiostro; spandere **5** (*della pioggia*) cadere leggera; piovigginare ● **to s. blood**, sputare sangue; (*fig.*) parlare con ira; sputare veleno □ (*fig.*) **to s. in sb.'s eye** (*o* **face**), sputare in un occhio (*o* in faccia) a q.; trattare q. con grande disprezzo (*o* insolenza) □ (*slang ingl.*) **to be spitting** (**blood**, *o* **feathers**), essere furibondo; essere fuori di sé.

■ **spit at** v. i. + prep. **1** sputare addosso a (q.) **2** (*fam.*) sputare su: *It's an offer I wouldn't s. at*, è un'offerta sulla quale non sputerei.

■ **spit on** v. i. + prep. **1** sputare su: *Don't s. on the floor!*, non sputate sul pavimento (*o* per terra)! **2** (*fig. fam.*) sputare su, disprezzare.

■ **spit out** v. t. + avv. **1** sputare (fuori) **2** (*fig. fam.*) sputar fuori; dire con violenza, esclamare, lanciare (*una maledizione, ecc.*): *S. it out!*, sputa fuori!; sputa il rospo!; racconta!

■ **spit up** v. t. + avv. **1** sputare (*sangue, ecc.*) **2** (*fam.*) vomitare.

■ **spit upon** → **spit on**.

to **spit** ② /spɪt/ v. t. **1** schidionare; infilzare sullo spiedo **2** (*fig.*) infilzare, trafiggere (*con la spada, ecc.*).

spitball /'spɪtbɔːl/ n. (*fam. USA*) **1** pallottola di carta masticata (*da lanciare contro q. o su qc.*) **2** (*fig.*) piccola cattiveria; punzecchiatura.

spitchcock /'spɪtʃkɒk/ n. ☒ (*cucina*) anguilla spaccata in due e arrostita sulla graticola (*o* fritta).

to **spitchcock** /'spɪtʃkɒk/ v. t. arrostire (*anguille, pesci, ecc.*) sulla graticola.

♦**spite** /spaɪt/ n. ☒ **1** dispetto; picca; ripicca; spregio (*lett.*): *He did it from (o out of) s.*, lo fece per dispetto (*o* per ripicca) **2** rancore; livore; ruggine (*fig.*) ● **from pure s.**, per pura cattiveria □ **in s. of**, a dispetto di; nonostante; malgrado □ **in s. of oneself**, proprio malgrado; senza volerlo: *He started laughing, in s. of himself*, suo malgrado (*o* senza volerlo) si mise a ridere.

to **spite** /spaɪt/ v. t. fare un dispetto a (q.); contrariare; tormentare; vessare: *He does it only to s. me*, lo fa apposta per contrariarmi ● (*fig.*) **to cut off one's nose to s. one's face**, darsi la zappa sui piedi (*fig.*).

spiteful /'spaɪtfl/ a. dispettoso; astioso; malevolo; maligno | **-ly** avv.

spitefulness /'spaɪtflnəs/ n. ☒ astiosità; malignità; cattiveria; malvagità; rancore.

spitfire /'spɪtfaɪə(r)/ n. **1** persona irascibile (*o* stizzosa); persona (*spec.* ragazza) focosa **2** (*aeron., mil., stor.*) «spitfire» (*aereo da caccia della R.A.F.*).

spitter /'spɪtə(r)/ n. chi sputa; sputatore (*raro*).

spitting /'spɪtɪŋ/ n. ☒ lo sputare ● (*fig.*) **the s. image of sb.**, il ritratto di q. (*fig.*); q. nato e sputato □ (*fam.*) **to be within s. distance**, essere vicinissimo; essere a due passi.

spittle /'spɪtl/ n. ☒ **1** sputo; saliva **2** (*d'insetti*) schiuma.

spittoon /spɪ'tuːn/ n. sputacchiera.

spitz /spɪts/ n. (*zool.*, = **s.-dog**) (cane) pomero.

spiv /spɪv/ n. (*slang antiq.*) individuo che vive d'espedienti (*spec. esercitando traffici illeciti*); maneggione; intrallazzatore (*pop.*); traffichino; trafficone.

splanchnic /'splæŋknɪk/ a. (*anat.*) splancnico.

splash ① /splæʃ/ n. **1** schizzo; spruzzo **2** (= **s. of mud**) zacchera **3** sciaguattio; sciabordio; tonfo **4** chiazza; macchia: **a s. of colour**, una macchia di colore **5** (*fam.*) colpo; grande effetto; sensazione; furore (*fig.*): **to make a s.**, far sensazione **6** (*fam.*) spruzzo d'acqua di seltz (*per diluire il whisky, ecc.*): **whisky and a s.**, whisky e soda **7** (*slang*) amfetamine (*droga*) ● **s. headline**, titolo (*di giornale*) a caratteri cubitali □ (*fam. USA*) **s. party**, festa (*o* ricevimento) che si tiene ai bordi di una piscina □ **s. pool**, piscinetta; piccola piscina per bambini □ (*tecn.*) **s.-resistant**, che resiste agli spruzzi d'acqua.

splash ② /splæʃ/ avv. splash; plaff; plaffete; con un (gran) tonfo.

to **splash** /splæʃ/ v. t. e i. **1** schizzare; sprizzare; spruzzare; far spruzzare **2** infangare; inzaccherare: **to s. one's pants**, inzaccherarsi i calzoni **3** diguazzare; sguazzare; sciabordare; sciaguattare: *We splashed through the mud*, procedevamo diguazzando nel fango **4** (*fam.*) dare (*una notizia*) con grande rilievo; sparare, sbattere (*fam.*): **to s. sb.'s name all over the front page**, sbattere il nome di q. in prima pagina ● **to s. into the water**, gettarsi (*o* cadere) in acqua con un tonfo □ **splashed all over**, tutto inzaccherato □ **a street splashed with sunlight**, una strada chiazzata di sole.

■ **splash about** (*o* **around**) **A** v. i. + avv. diguazzare, sguazzare (*nell'acqua, nel fango, ecc.*) **B** v. t. + avv. **1** schizzare, spruzzare (*acqua, ecc.*) tutt'intorno **2** (*fam.*) scialacquare, sperperare, spendere (*denaro, ecc.*).

■ **splash down** v. i. + avv. **1** (*di un liquido*) cadere a grosse gocce **2** (*miss.*) (*di un veicolo spaziale*) ammarare.

■ **splash out** v. t. + avv. (*fam. ingl.*) scialacquare, sperperare, spendere (*denaro*).

■ **splash over A** v. i. + prep. (*dell'acqua*) fluire, scorrere su: *The torrent splashed over the rocks*, l'acqua del torrente scorreva sulle rocce **B** v. t. + prep. **1** spargere, gettare (*acqua, ecc.*) su; cospargere di **2** (*fam., giorn.*) dare (*una notizia*) con grande rilievo in (*prima pagina, ecc.*).

■ **splash up** v. t. + avv. schizzare, spruzzare □ **to s. up with mud**, inzaccherare di fango; infangare.

■ **splash with** v. t. + prep. schizzare, spruzzare, imbrattare di.

splashback /'splæʃbæk/ n. paraspruzzi (*sopra un lavandino*).

splashboard /'splæʃbɔːd/ n. **1** paraspruzzi; paraschizzi **2** (*autom.*) parafango.

splashdown /'splæʃdaʊn/ n. (*miss.*) ammaraggio, splashdown (*di veicolo spaziale, ecc.*).

splasher /'splæʃə(r)/ n. **1** chi schizza,

spruzza, ecc. (→ **to splash**) **2** (*ferr.*) parafango (*di locomotiva*) **3** paraspruzzi.

splashguard /'splæʃgɑːd/ n. (*USA*) parafango; paraspruzzi.

splashy /'splæʃɪ/ a. **1** fangoso; limaccioso; melmoso **2** pieno di pozzanghere **3** (*fig. fam.*) sgargiante; vistoso; sensazionale; clamoroso; spettacolare.

splat /splæt/ n. (*fam.*) lo spiaccicarsi; spiaccichio (*anche il rumore*); ciac.

to splat /splæt/ **A** v. i. (*fam.*) spiaccicarsi; fare ciac **B** v. t. spiaccicare.

splatter /'splætə(r)/ n. (*cinem., lett.*, = **s. movie**, **s. novel**, *ecc.*) (film, romanzo) splatter.

to splatter /'splætə(r)/ v. t. e i. schizzare; spruzzare.

splay /spleɪ/ **A** n. (*archit.*) sguancio; strombo; strombatura **B** a. largo e piatto; aperto verso l'esterno: **s.-foot**, piede piatto e volto all'infuori; **s.-footed**, dai piedi piatti e volti all'infuori.

to splay /spleɪ/ **A** v. t. **1** (*archit.*) sguanciare; strombare **2** slogare (*spec. la spalla di un cavallo*); spallare (*un cavallo*) **3** divaricare (*le gambe*) **4** (*naut.*) impiombare (*cavi, ecc.*) **B** v. i. **1** (*archit.*) essere sguanciato (o strombato) **2** (*med.: di un ginocchio, ecc.*) essere valgo ● (*tecn.*) **to s. out**, far divergere, divaricare □ **a splayed window**, una finestra strombata.

splayfoot /'spleɪfʊt/ a. e n. = **splay-foot, splay-footed** → **splay**.

splaying /'spleɪɪŋ/ n. ⓤⓒ **1** (*ginnastica*) divaricamento (*delle gambe*) **2** (*naut.*) impiombatura (*di cavi, ecc.*).

spleen /spliːn/ n. **1** (*anat.*) milza; splene **2** ⓤ (*fig.*) spleen; malumore; bile; fiele: **a fit of s.**, un accesso di malumore; **to vent one's s. on sb.**, sfogare il proprio malumore su q. **3** ⓤ (*arc.*) ipocondria; malinconia; umor nero ● (*med.*) **s. rate**, tasso splenico.

spleenwort /'spliːnwɜːt/ n. (*bot., Asplenium*) asplenio.

splendid /'splendɪd/ a. splendido; magnifico; sontuoso; stupendo; (*fam.*) eccellente; ottimo: **a s. gift**, un dono splendido; **a s. victory**, una magnifica vittoria ● (*stor. e fig.*) **s. isolation**, splendido isolamento | **-ly** avv. | **-ness** n. ⓤ.

splendiferous /splen'dɪfərəs/ a. (*spesso iron. o scherz.*) splendido; magnifico; favoloso; stupendo.

splendour, (*USA*) **splendor** /'splendə(r)/ n. ⓤ **1** splendore; fulgore; magnificenza; sontuosità **2** (*spesso al pl.*) grandezza; gloria.

splenectomy /splɪ'nektəmɪ/ n. ⓤⓒ (*med.*) splenectomia.

splenetic /splɪ'netɪk/ **A** a. **1** (*anat.*) splenico; della milza **2** (*med.*) splenetico; malato alla milza **3** bilioso; irritabile; stizzoso **B** n. **1** (*med.*) persona splenetica; splenico **2** persona stizzosa.

splenial /'spliːnɪəl/ a. **1** (*anat.*) spleniale; dello splenio **2** (*zool.*) spleniale.

splenic /'spliːnɪk/ a. (*anat., med.*) splenico: **s. vein**, vena splenica ● (*vet., med.*) **s. fever**, antrace maligno; carbonchio.

splenitis /splɪ'naɪtɪs/ n. ⓤ (*med.*) splenite; infiammazione della milza.

splenius /'spliːnɪəs/ n. (pl. *splenii*) (*anat.*) splenio (*muscolo*).

splenomegaly /spliːnəʊ'megəlɪ/ n. ⓤ (*med.*) splenomegalia.

splice /splaɪs/ n. **1** (*naut.*) impiombatura; congiunzione (*di due cavi*) mediante intreccio dei capi **2** (*ind. costr.*) giunzione **3** (*di nastro magnetico, ecc.*) giuntura **4** (*elettr.*) impiombatura; giunto **5** (*fam.*) matrimonio; unione.

to splice /splaɪs/ v. t. **1** (*naut.*) impiomba-

re; collegare, unire (*cime, cavi*) intrecciandone i capi **2** accoppiare; congiungere; fare un giunto a ganasce in (*pezzi di legno, rotaie, ecc.*) **3** giuntare (*un nastro magnetico, una pellicola, ecc.*); (*cinem.*) montare (*un film*) **4** (*arti grafiche*) incollare **5** (*fam.*) sposare; unire in matrimonio ● **to s. the mainbrace**, (*naut.*) impiombare il braccio del pennone di maestra; (*fig.*) fare una gran bisboccia □ (*fam. antiq.*) **to get spliced**, unirsi; sposarsi.

splicer /'splaɪsə(r)/ n. (*cinem., mus.*) giuntatrice; macchina per giuntare (*pellicola o nastro magnetico*).

splicing /'splaɪsɪŋ/ n. ⓤⓒ **1** (*naut.*) impiombatura (*di cavi*) **2** (*tecn.*) giuntatura **3** (*cinem.*) giuntaggio; montaggio.

spliff /splɪf/ n. (*slang USA*) sigaretta alla marijuana; spinello, canna (*pop.*).

spline /splaɪn/ n. **1** (*falegn.*) listello; linguetta **2** (*mecc.*) linguetta; chiavetta **3** (*mecc.*) scanalatura d'accoppiamento **4** (*disegno*) curvilineo flessibile **5** (*geom.*, = **s. curve**) 'spline'.

to spline /splaɪn/ v. t. (*mecc.*) **1** montare una linguetta in (*un albero, ecc.*); bloccare con una linguetta; inchiavettare **2** (*falegn.*) giuntare con una linguetta **3** scanalare ● (*mecc.*) **splined shaft**, albero scanalato.

splint /splɪnt/ n. **1** (*anche med.*) assicella, stecca (*per far camminare, immobilizzare ossa fratturate, ecc.*) **2** (*raro, anat.*, = **s. bone**) fibula; perone **3** (*vet.*) soprosso ● **to put a broken leg in splints**, steccare una gamba rotta.

to splint /splɪnt/ v. t. (*med.*) steccare; immobilizzare con stecche.

splinter /'splɪntə(r)/ n. **1** scheggia; frammento (*di legno, pietra, metallo, osso, ecc.*) **2** = **s. group** → *sotto* ● (*di carrozza, calesse*) **s.-bar**, bilancino □ (*polit.*) **s. group** (o **s. party**), ala scissionista, corrente, fazione (*di un partito*) □ **s.-proof**, (*di rifugio antiaereo, ecc.*) a prova di schegge; (*di vetro*) infrangibile.

to splinter /'splɪntə(r)/ **A** v. t. scheggiare; frantumare; fare a pezzi **B** v. i. scheggiarsi; frantumarsi; andare in pezzi.

splintery /'splɪntərɪ/ a. **1** che si scheggia facilmente **2** simile a scheggia **3** scheggiato; pieno di schegge.

split /splɪt/ **A** n. **1** divisione; separazione; scissione; scisma; frattura, spaccatura (*fig.: tra dirigenti, politici, ecc.*) **2** fessura, fenditura (*anche geol.*); crepa; spaccatura **3** spacco; strappo **4** (*fin.*) frazionamento azionario (*con aumento del capitale*) **5** (*raro*) scheggia; frammento **6** assicella; listello **7** striscia di pelle (*tagliata nello spessore della pelle intera*) **8** (*fam.*) bottiglia piccola (*di acqua di seltz o d'acqua minerale*) **9** (*fam.*) bicchierino; mezza porzione (*di whisky, ecc.*) **10** (pl.) (*ginnastica artistica, danza*) spaccata: **to do the splits**, fare la spaccata **11** (= **banana s.**) banana tagliata longitudinalmente e coperta di gelato, panna, ecc.; banana split **12** (*bowling*) split **13** (*canoa, nuoto, ecc.*; = **s. time**) tempo parziale; intertempo **14** (*volg. ingl.*) fessa, fica (*volg.*); donna **B** a. **1** fenduto; spaccato **2** diviso, spaccato in due; scisso; separato **3** strappato; stracciato; lacerato **4** (*fig.*) diviso; in disaccordo: **a s. home**, una famiglia divisa, in disaccordo ● (*med.*) **s. brain**, emisezione cerebrale □ (*boxe*) **s. decision**, verdetto ai punti, emesso a maggioranza (*due giudici su tre*) □ (*metall.*) **s. die**, filiera aperta □ **s. ends**, doppie punte (*dei capelli*) □ (*mecc.*) **s. hub**, mozzo diviso; semimozzo □ (*gramm. ingl.*) **s. infinitive**, infinito preceduto da un avverbio che lo separa dalla particella «to» (*per es.*, **to gradually change**, «mutare per gradi») (*da alcuni considerato scorretto*) ● **ⓘ Cultura • split infinitive**: *questa struttura è abbastanza comune in inglese, specialmente in un contesto informale,*

anche se alcuni la considerano scorretta e cercano di evitarla □ (*sport*) **s. jump**, spaccata □ (*ginnastica*) **s. leap**, salto con spaccata □ (*edil.*) **a s.-level floor**, un pavimento a due livelli sfalsati (*o su due quote*) □ **s. link**, anello doppio (*di metallo*), portachiavi; (*pesca*) anello di congiunzione (*di esca rotante*) □ **s. peas**, piselli secchi spaccati □ (*psic.*) **s. personality**, personalità dissociata; (*antiq.*) schizofrenia □ (*mecc.*) **s. pin**, copiglia □ (*autom.*) **s. rear seats**, sedili posteriori sdoppiabili □ **s. ring**, (*mecc.*) anello elastico; (*per chiavi, ecc.*) anello doppio (*di metallo*), portachiavi □ (*mecc.*) **s. rivet**, rivetto spaccato □ **s. screen**, a schermo diviso □ **s. second**, attimo, baleno (*fig.*) □ **s.-second decision**, decisione presa in un baleno □ **s.-second timing**, precisione cronometrica; tempismo perfetto □ (*polit., in USA*) **s. ticket**, voto (*di un elettore*) per due o più candidati di liste diverse □ (*sport*) **s. time**, tempo intermedio; intertempo □ **in a s. second**, in una frazione di secondo; in un attimo; in un baleno.

♦**to split** /splɪt/ (*pass. e p. p. split*) **A** v. t. **1** fendere; spaccare: **to s. logs**, spaccare tronchi d'albero **2** dividere (in due); spartire; spaccare in due (*un gruppo, un partito, ecc.*); scindere; separare ● **to s.** (**up**) **a cake into parts**, dividere una torta facendo le parti; *The sum was split* (*up*) *among us*, ci dividemmo la somma; *We split the cost of the trip*, ci dividemmo le spese della gita; (*fin.*) **to s. the profits**, spartirsi gli utili; *The referendum split the country*, il referendum divise il paese; (*fis. nucl.*) **to s. the atom**, scindere l'atomo **3** strappare; stracciare; lacerare (*l'aria, le orecchie, ecc.*): *You've split your sleeve*, ti sei strappato la manica **4** (*polit.*) provocare la scissione di (*un partito*) **B** v. i. **1** fendersi; spaccarsi: *Ash doesn't s. easily*, il frassino non si spacca facilmente; *My jacket split down the back*, mi si spaccò la giacca sulla schiena **2** dividersi; separarsi: *The party split* (*up*) *into several factions*, il partito si divise in varie fazioni **3** strapparsi; lacerarsi; stracciarsi **4** (*anche* **to s. one's sides**) sbellicarsi dalle risa **5** (*fig.*) rompere; farla finita: **to s. with one's boyfriend**, rompere con il proprio ragazzo **6** (*slang*) andar via; filarsela; battersela ● **to s. the difference**, fare un compromesso equo; fare a metà; tagliare a mezzo; (*anche comm.*) dividere la differenza (*fra il prezzo richiesto e la somma offerta*) □ **to s. four ways**, separarsi andando in quattro direzioni; (*anche*) dividere in quattro parti □ (*fig.*) **to s. hairs**, spaccare in quattro un capello; cavillare □ **to s. on a rock**, (*naut.*) infrangersi su uno scoglio; (*fig.*) trovarsi in gravi difficoltà, arenarsi □ **to s. open**, aprire, aprirsi (*mediante spaccatura*) □ (*fin.*) **to s. shares**, frazionare le azioni □ (*polit.*) **to s. one's vote**, dividere il proprio voto fra due liste di candidati □ **My head is splitting**, mi scoppia la testa (*per il mal di testa*).

■ **split away** → **split off**

■ **split off A** v. i. + avv. **1** staccarsi, distaccarsi; (*di un coperchio*) venir via; separarsi **2** (*fig.*) derivare **3** (*fig.*) scindersi; spaccarsi in due; (*polit.*) fare una scissione **B** v. t. + avv. **1** staccare; separare; distaccare **2** (*fig.*) scindere; dividere.

■ **split on** v. i. + prep. (*fam.*) fare la spia a, tradire (*i compagni di scuola, ecc.*).

■ **split up A** v. t. + avv. **1** spaccare, fendere: **to s. up a piece of wood**, spaccare un pezzo di legno **2** dividere; suddividere: **to s. up the sweets**, dividere le caramelle; **to s. up a class into smaller groups**, suddividere una classe in gruppi più piccoli **3** (*fig.*) far separare, provocare la separazione di (*una coppia, ecc.*) **B** v. i. + avv. **1** spaccarsi (in due): *The ship split up in the storm*, nella tempesta, la nave si spaccò in due **2** (*di una coppia, di soci in affari, ecc.*) distaccarsi;

separarsi; rompere i rapporti; lasciarsi; divorziare: *We split up last year*, ci siamo separati l'anno scorso **3** dividersi; separarsi: *We can s. up and take two cabs*, possiamo dividerci e prendere due taxi ● (*ferr.*) **to s. up a train**, scomporre un treno.

splitter /'splɪtə(r)/ n. **1** chi fende, spacca, ecc. (→ **to split**) **2** arnese per fendere (*o* spaccare); cuneo **3** (*ind. petrolifera*) torre di frazionamento ● **side-s.**, persona (*o* barzelletta, ecc.) che fa sbellicare dalle risa.

splitting /'splɪtɪŋ/ **A** n. ⓤ **1** divisione; separazione; scissione; scisma; spaccatura (*anche fig.*) **2** (*fis. nucl.*) fissione (*dell'atomo*) **3** (*elettron.*) sdoppiamento **4** (*fisc.*) splitting (*non esiste in Italia*) **5** (*fin.*) ripartizione; frazionamento: **share s.**, frazionamento azionario **B** a. **1** che spacca, che fende **2** che si spacca **3** (*fig.*) intenso; forte; acuto: **a s. headache**, un forte mal di testa ● **side-s.**, che fa sbellicare dalle risa.

split-up /'splɪtʌp/ n. **1** rottura dei rapporti; separazione; divorzio **2** (*fin.*) frazionamento azionario.

splodge /splɒdʒ/ → **splotch**.

splosh /splɒʃ/ n. **1** (*fam.*) quantità d'acqua che cade improvvisamente; sciabordio; tonfo **2** (*slang*) quattrini; soldi.

to **splosh** /splɒʃ/ v. i. (*fam.*) diguazzare, sguazzare nell'acqua.

splotch /splɒtʃ/ (*USA*) n. chiazza; macchia (*spec. di liquido*) ‖ **splotchy** a. chiazzato; macchiato.

to **splotch** /splɒtʃ/ v. t. (*USA*) macchiare; chiazzare.

splurge /splɜ:dʒ/ n. (*fam.*) **1** esibizione; ostentazione; sfoggio (*spec. di denaro*): **to make a s.**, fare sfoggio **2** colpo di vita; pazzia (*fig.*); spesa pazza; festa (pranzo, ecc.) eccezionale **3** (*fig.*) massa, sacco, valanga; profluvio: **a s. of Christmas presents**, una valanga di doni natalizi.

to **splurge** /splɜ:dʒ/ v. i. (*fam.*) **1** mettersi in mostra; fare sfoggio (*spec. spendendo denaro a palate*) **2** fare un colpo di vita (*o* una spesa pazza) ● **to s. on**, spendere un sacco di soldi per (qc.).

splutter /'splʌtə(r)/ n. **1** biascicamento; borbottamento; discorso confuso; farfuglio **2** crepitio; sfrigolio; scoppiettio **3** sbruffo; sbruffata **4** (*autom.: del motore*) tosse.

to **splutter** /'splʌtə(r)/ v. i. e t. **1** biascicare; borbottare; farfugliare: **to s. out an apology**, borbottare una scusa **2** sbruffare; schizzare; spruzzare **3** sputacchiare parlando **4** sfrigolare; crepitare; scoppiettare **5** (*autom.: del motore*) tossire.

spod /spɒd/ n. (*fam. ingl.*) **1** individuo goffo e poco socievole **2** (*comput.*) individuo che socializza solo attraverso il computer; computer-dipendente.

spoil /spɔɪl/ n. **1** (di solito al pl.) spoglie; bottino; preda; (*fig.*) guadagno, profitto, utile, vantaggio: **the spoils of war**, le prede di guerra **2** ⓤ materiale di sterro; detriti di roccia **3** (*zool.*) spoglia (*di serpente*) ● (*polit., spec. USA*) **the spoils system**, il sistema di distribuire cariche (*o* uffici, ecc.) ai seguaci del partito che ha vinto le elezioni.

◆to **spoil** /spɔɪl/ (pass. e p. p. **spoilt, spoiled**) ❶ **Nota**: *participle* → **participate A** v. t. **1** guastare; deteriorare; rovinare; sciupare: **to s. one's appetite**, guastarsi l'appetito; *Incessant rain spoiled my holidays*, la pioggia incessante mi guastò le vacanze; (*sport*) **to s. a match**, rovinare una partita; *I won't s. the story for you*, non voglio rovinarti la storia **2** viziare: *Don't s. your children*, non viziare i figlioli!; **a spoilt child**, un bambino viziato **3** annullare; vanificare; neutralizzare **4** (*lett.*) spogliare; depredare; saccheggiare **B** v. i. **1** guastarsi; deteriorarsi; andare a male; (*di cibo*) deperire; rovinarsi;

sciuparsi **2** (*fam.*) morire dalla voglia, non vedere l'ora (*di fare qc.*): *They are spoiling for a fight*, muoiono dalla voglia d'azzuffarsi (*o* di menare le mani) **3** (*lett.*) far bottino; predare; rubare ● (*polit., ecc.*) **to s. one's vote** (*o* **one's ballot**), sprecare il voto; annullare la scheda (*deliberatamente*); votare scheda nulla □ **to s. oneself with st.**, concedersi (il lusso) di qc. □ (*fam. ingl.*) **to be spoilt for choice**, avere l'imbarazzo della scelta.

spoilage /'spɔɪlɪdʒ/ n. ⓤ **1** deterioramento; deperimento (*di cibo*) **2** (*lett.*) spoliazione; saccheggio **3** (*tipogr.*) carta sciupata nel processo di stampa; fogli di scarto; scarto.

spoiled /spɔɪlt/ a. **1** guasto; deteriorato; rovinato **2** (*di un bambino, ecc.*) viziato ● **a s. priest**, un prete spretato.

spoiler /'spɔɪlə(r)/ n. **1** (*di persona o cosa*) chi (*o* che) guasta, sciupa, ecc. **2** (*aeron.*) diruttore; spoiler **3** (*autom.*) spoiler; alettone **4** (*elettr.*) intercettatore **5** (*polit.*) candidato di minoranza che sottrae voti ai candidati principali; candidato «di disturbo» **6** anticipazione rivelatrice (*di un particolare della trama di un film, romanzo, ecc., che rovina l'effetto sorpresa*) **7** (*giorn., TV, ecc.*) rivista (trasmissione, ecc.) che esce in contemporanea (*e così danneggia le concorrenti*) **8** (*sport*) concorrente che non può vincere ma impedisce a un altro di farlo ● (*spec. Internet*) **s. warning**, «spoiler warning» (*avviso che un articolo, un messaggio, ecc., contiene anticipazioni sulla trama o sul finale di un film, un romanzo, ecc.*).

spoilsman /'spɔɪlzmən/ n. (pl. **spoilsmen**) (*polit., USA*) fautore dello → «spoils system» (→ **spoil**).

spoilsport /'spɔɪlspɔ:t/ n. (*fam.*) guastafeste.

spoilt /spɔɪlt/ pass. e p. p. di **to spoil**.

spoke① /spəʊk/ n. **1** raggio, razza (*di ruota*) **2** piolo (*di scala*) **3** (*naut.: della ruota del timone*) caviglia; manizza ● **s. protector**, disco salvaraggi (*di bicicletta*) ○ (*fig. fam.*) **to put a s. in sb.'s wheel**, mettere il bastone fra le ruote a q.

spoke② /spəʊk/ pass. di **to speak**.

to **spoke** /spəʊk/ v. t. **1** provvedere (*una ruota*) di raggi **2** bloccare (*le ruote di un carro*) ● (*ciclismo*) **spoked wheel**, ruota a raggi.

spoken /'spəʊkən/ p. p. di **to speak** ● **s. for** → **speak for** □ (*ling.*) **s. terms**, termini della lingua parlata □ **s. word**, lingua parlata □ **well-s.**, che parla bene; eloquente; raffinato.

spokeshave /'spəʊkʃeɪv/ n. (*falegn.*) coltello (*o* raschietto) americano.

◆**spokesman** /'spəʊksmən/ n. (pl. **spokesmen**) portavoce ❶ **Nota d'uso** ● *L'uso del termine al plurale per indicare la categoria e quindi entrambi i sessi non è accettato da tutti. Cfr.* **press officer**, **spokeswoman**.

spokesperson /'spəʊkspɜ:sn/ n. (pl. **spokespersons, spokespeople**) portavoce (m. e f.).

spokeswoman /'spəʊkswʊmən/ n. (pl. **spokeswomen**) portavoce (*donna*).

to **spoliate** /'spəʊlieɪt/ v. t. (*raro*) spogliare; depredare; saccheggiare.

spoliation /spəʊlɪ'eɪʃn/ n. ⓤ **1** spoliazione; saccheggio (*spec. di nave neutrale*) **2** (*leg.*) distruzione (*di un documento*).

spoliator /'spəʊlieɪtə(r)/ n. saccheggiatore; predatore.

spoliatory /'spəʊlɪətrɪ/ a. di (*o* da) saccheggio; piratesco.

spondaic /spɒn'deɪɪk/, **spondaical** /spɒn'deɪɪkl/ a. (*poesia*) spondaico: **s. hexameter**, esametro spondaico.

spondee /'spɒndi:/ n. (*poesia*) spondeo.

spondulicks /spɒn'dju:lɪks/, *USA* -'du:-/

n. pl. (*slang*) svanziche (*fam.*); quattrini; soldi; cocuzze, grana (*pop.*).

spondylitis /spɒndɪ'laɪtɪs/ n. ⓤ (*med.*) spondilite.

spondylosis /spɒndɪ'ləʊsɪs/ n. ⓤ (*med.*) spondilosi.

sponge /spʌndʒ/ n. **1** (*zool.*) spugna (*anche lo scheletro, impiegato per vari usi*) **2** (*med.*) tampone di garza **3** (*mil. stor.*) scovolo (*per cannone*) **4** = **s. cake** → *sotto* **5** (*fig. fam.*) parassita; scroccone **6** → **s. bath 7** (*fam.*) spugna (*fig.*); beone, beona **8** (*cucina*) parte soffice (*di una torta*) ● **s. bag**, borsa per oggetti da toeletta □ **s. bath**, spugnatura □ (*cucina*) **s. cake**, pan di Spagna: *We've got a chocolate s. cake*, abbiamo un pan di Spagna al cioccolato □ **s. cloth**, tessuto di spugna; spugna □ **s.-diver** (*o* **s.-fisher**), pescatore di spugne □ (*metall.*) **s. iron**, spugna di ferro □ **s. rubber**, gomma-spugna; gomma spugnosa □ **to have a s.-down**, fare una spugnatura (*anche fig.*) □ **to pass the s. over st.**, passar la spugna su qc. □ **to throw in** (*o* **up**) **the s.**, (*boxe*) gettare la spugna; (*fig.*) arrendersi, darsi per vinto.

to **sponge** /spʌndʒ/ **A** v. t. **1** asciugare (*o* inumidire, pulire, ecc.) con una spugna; passare la spugna su (qc.); spugnare (*coralli, ecc.*) **2** (*ind. tess.*) decatizzare **3** (*fam.*) scroccare; sbafare: **to s. a drink from sb.**, scroccare una bevuta a q. **B** v. i. **1** pescare spugne **2** (*fam.*) vivere a scrocco; fare lo scroccone.

■ **sponge away A** v. t. + avv. mandare via, togliere, asciugare (*una macchia, sangue, ecc.*) con una spugna **B** v. i. + avv. andare via (pulirsi, asciugarsi, ecc.) con una spugna.

■ **sponge down** v. t. + avv. passare la spugna su (q. *o* qc.) □ **to s. oneself down**, farsi una bella spugnatura.

■ **sponge off A** v. t. + avv. → **sponge away**, A **B** v. t. + prep. (*fam.*) scroccare (qc.) a q.(); vivere alle spalle di (q.).

■ **sponge on** v. i. + prep. (*fam.*) vivere alle spalle di (q.); viver a scrocco di (q.): **to s. on one's relatives**, vivere alle spalle dei parenti.

■ **sponge out** → **sponge away**.

■ **sponge up** v. t. + avv. tirare su, assorbire, asciugare (*liquido*) con una spugna.

sponger /'spʌndʒə(r)/ n. **1** pescatore di spugne **2** barca per la pesca delle spugne **3** (*fig.*) parassita; scroccone.

spongiform /'spʌndʒɪfɔ:m/ a. (*med.*) spongiforme (*med.*) **bovine s. encephalopathy**, encefalopatia spongiforme bovina.

sponging /'spʌndʒɪŋ/ n. **1** (*anche edil.*) pulitura con la spugna; spugnatura **2** (*ind. tess.*) decatissaggio **3** ⓤ pesca delle spugne **4** ⓤ parassitismo; lo scroccare.

spongy /'spʌndʒɪ/ a. spugnoso; poroso; assorbente; morbido; soffice: **s. cheese**, formaggio poroso; **s. soil**, terreno soffice ‖ **sponginess** n. ⓤ spugnosità.

sponsion /'spɒnʃn/ n. **1** (*leg., stor.*) garanzia; malleveria **2** promessa solenne.

sponson /'spɒnsən/ n. **1** (*marina mil.*) piattaforma sporgente (*spec. per cannoni*) **2** (*naut.*) pinna stabilizzatrice **3** (*aeron.*) cassa d'aria stabilizzatrice (*attaccata allo scafo di un idrovolante*).

◆**sponsor** /'spɒnsə(r)/ n. **1** (*leg.*) garante; mallevadore **2** (*relig.*) padrino, madrina; compare, comare (*di battesimo*) **3** patrocinatore; fautore **4** (*radio, TV*) ditta che finanzia un programma (*in parte dedicato alla pubblicità*); finanziatore, sponsorizzatore, sponsor **5** (*polit.*) presentatore (*di un disegno di legge*) **6** (*sport*) sponsor; patrono.

to **sponsor** /'spɒnsə(r)/ v. t. **1** (*leg.*) garantire; far da mallevadore a (q.) **2** patrocinare; sostenere: *This scheme is sponsored by the British Council*, questo progetto è pa-

trocinato dal British Council **3** (*radio*, *TV*) finanziare; sponsorizzare; offrire (un programma) **4** (*polit.*) presentare (un disegno di legge) **5** (*sport*) sponsorizzare (una squadra, ecc.).

sponsorial /spɒn'sɔːrɪəl/ a. **1** (*leg.*) di (o da) garante; di malleveria **2** di (o da) padrino; di (o da) patrocinatore, ecc. (→ **sponsor**).

sponsorship /'spɒnsəʃɪp/ n. ⓤ **1** (*leg.*) garanzia; malleveria **2** ufficio di padrino (o di madrina) **3** (*radio*, *TV*) sponsorizzazione; il patrocinare (o il finanziare) programmi **4** (*sport*) sponsorizzazione; patrocinio ● **to seek s.**, cercare uno sponsor.

spontaneity /spɒntə'neɪətɪ/ n. ⓤ spontaneità.

spontaneous /spɒn'teɪnɪəs/ a. **1** spontaneo; istintivo: **a s. offer**, un'offerta spontanea **2** (*anche biol.*) automatico; involontario ● (*chim.*) **s. combustion**, accensione spontanea □ **s. ignition** → **s. combustion** | **-ly** avv. | **-ness** n. ⓤ.

spontoon /spɒn'tuːn/ n. (*stor.*, *mil.*) spuntone; grossa alabarda (o picca).

spoof /spuːf/ ⒜ n. **1** parodia; presa in giro **2** burla; beffa ⒝ a. fatto per prendere in giro; fatto per burla: **a s. documentary on the Abominable Snowman**, un documentario-burla sull'Abominevole Uomo delle nevi.

to **spoof** /spuːf/ (*fam.*) v. t. **1** parodiare; fare la parodia di; prendere in giro **2** farsi beffe di; prendersi gioco di; beffare **3** (*tel.*) disturbare (un segnale, una trasmissione, volutamente); interferire con || **spoofer** n. **1** imitatore; parodista **2** beffatore.

spook /spuːk/ n. **1** (*fam.*) fantasma; spettro **2** (*fig.*) individuo losco, sinistro **3** (*slang USA*) spia; spione; agente della C.I.A. **4** (*spreg. USA*) negro ● (*scherz. USA*) **the s. factory**, la C.I.A.

to **spook** /spuːk/ ⒜ v. t. (*fam.*) **1** spaventare; impaurire **2** spaventare, fare imbizzarrire (un cavallo, ecc.) **3** (*di uno spettro*) frequentare, infestare (un luogo) ⒝ v. i. spaventarsi; imbizzarrirsi: (*di un cavallo*) **to s. at a fence**, rifiutare un ostacolo perché impaurito.

spookiness /'spuːkɪnəs/ n. ⓤ l'essere spettrale (o sinistro); carattere (o aspetto) inquietante.

spooky /'spuːkɪ/ a. (*fam.*) **1** di (o da) fantasma **2** spettrale; sinistro; che mette i brividi; inquietante **3** (*USA*: di cavallo, ecc.) ombroso; nervoso ● **a s. castle**, un castello infestato dai fantasmi.

spool /spuːl/ n. **1** (*ind. tess.*) rocchetto; bobina; spola, spoletta (*di cucirino*): **a thread s.**, un rocchetto per cucirino **2** (*mecc.*) tamburo (*di argano*) **3** modano (per fare le maglie delle reti da pesca) **4** (*cinem.*, *fotogr.*) bobina.

to **spool** /spuːl/ v. t. **1** avvolgere (su rocchetto, spola, ecc.); bobinare **2** (*ind. tess.*) incannare **3** (*comput.*) accodare; effettuare un'operazione di → «spooling» (*def. 3*) ● **to s. off**, svolgere; sbobinare □ **to s. up**, avvolgere; bobinare.

spooler /'spuːlə(r)/ n. **1** (*ind. tess.*) bobinatore, bobinatrice; incannatore (*operai*) **2** (*ind. tess.*) bobinatrice, spolatrice, roccatrice, incannatoio (*macchine*) **3** (*ind. tess.*) cascame d'incannatura **4** (*comput.*) spooler; gestore di code.

spooling /'spuːlɪŋ/ n. ⓤⓒ **1** avvolgimento; bobinatura **2** (*ind. tess.*) bobinatura; incannatura; roccatura **3** (*comput.* acronimo *di* **simultaneous peripheral operations on-line**) spooling, accodamento (*memorizzazione di dati in attesa di essere elaborati*).

♦**spoon**① /spuːn/ n. **1** cucchiaio **2** (*pesca*) = **spoonbait**) cucchiaino **3** (*golf*) spoon (*legno numero 3 dall'asta più corta*) **4** (*mecc.*) cuc-

chiaia **5** (*med.*) cucchiaio (da chirurgo) **6** → **spoonful** ● **s.-bender**, chi finge di piegare i cucchiai con la sola energia psichica □ (*scult.*) **s. blade**, lama a cucchiaio □ **s.-fed** → **to spoon-feed** □ (*fig. fam.*) **to count the spoons**, non fidarsi; essere sospettoso □ **dessert s.**, cucchiaio per dolci □ (*fam.*) **greasy s.**, trattoria (o ristorante) senza pretese □ **soup s.**, cucchiaio da minestra.

spoon② /spuːn/ n. (*scherz. raro*) cascamorto.

to **spoon**① /spuːn/ ⒜ v. t. **1** (*anche to s. up*) pigliar su col cucchiaio **2** (*anche to s. out*) prendere (o versare, servire) col cucchiaio **3** (*sport*: *cricket*, *golf*, *ecc.*) colpire (o sollevare) debolmente (la palla) ⒝ v. i. (*pesca*) pescare col cucchiaino.

to **spoon**② /spuːn/ v. i. (*antiq.*, *fam.*) amoreggiare; sbaciucchiarsi; farsi le coccole; limonare; pomiciare (*pop.*) || **spooner** n. (*fam.*) chi amoreggia; chi fa le coccole; pomicione (*pop.*).

spoonbill /'spuːnbɪl/ n. (*zool.*) **1** trampoliere dal becco a spatola (in genere) **2** (*Polyodon spathula*) spatola (*pesce*) ● **common s.** (*Platalea leucorodia*), spatola □ **roseate s.** (*Ajaia ajaja*), spatola rosa.

spoonerism /'spuːnərɪzəm/ n. scambio delle iniziali di due parole (per es., **blushing crow**, «cornacchia che arrossisce», invece di **crushing blow**, «colpo tremendo»).

to **spoon-feed** /'spuːnfiːd/ (*pass. e p. p.* **spoon-fed**), v. t. **1** nutrire (un bambino) col cucchiaio **2** (*fig. fam.*) imboccare, imboccare; istruire meccanicamente **3** (*fig. fam.*) viziare; coccolare; essere troppo indulgente con (q.) ● **to spoon-feed one's students**, far trovare la pappa pronta ai propri studenti (*fig.*).

spoonful /'spuːnfʊl/ n. cucchiaiata; cucchiaio: **four spoonfuls of flour**, quattro cucchiai di farina.

spoonwort /'spuːnwɜːt/ n. (*bot.*, *Cochlearia officinalis*) coclearia.

spoony /'spuːnɪ/ (*slang*) a. sentimentale; svenevole ● (*antiq.*) **to be s. on** (o **over**) **sb.**, essere innamorato cotto di q.

spoor /spɔː(r), spʊə/ n. (*caccia*) traccia; orma; pesta; pista.

to **spoor** /spɔː(r), spʊə/ v. t. (*caccia*) seguir la traccia di (un selvatico).

sporadic /spə'rædɪk/ a. sporadico; occasionale; isolato || **sporadically** avv. sporadicamente; occasionalmente.

sporangium /spə'rændʒɪəm/ n. (pl. **sporangia**) (*bot.*) sporangio.

spore /spɔː(r)/ n. **1** (*bot.*, *zool.*) spora **2** (*fig.*) seme; germe; origine ● (*bot.*) **s. case**, sporangio.

sporidium /spə'rɪdɪəm/ n. (pl. **sporidia**) (*bot.*) sporidio.

sporoblast /'spɒrəʊblɑːst/ n. (*biol.*) sporoblasto.

sporogenesis /spɒrə'dʒɛnəsɪs/ (*bot.*) n. ⓤ sporogenesi || **sporogenous** a. sporogeno.

sporogony /spə'rɒɡənɪ/ n. ⓤ (*bot.*, *zool.*) sporogonia.

sporophore /'spɒrəfɔː(r)/ n. (*bot.*) sporofora.

sporophyte /'spɒrəfaɪt/ n. (*bot.*) sporofito.

sporozoa /spɒrə'zəʊə/ n. pl. (*zool.*) → **sporozoan**.

sporozoan /spɒrə'zəʊən/ n. e a. (*zool.*) (di) sporozoo.

sporran /'spɒrən/ n. borsa ricoperta di pelo (del costume nazionale scozzese).

♦**sport** /spɔːt/ ⒜ n. **1** ⓤ gioco; divertimento; passatempo; scherzo; svago: **to make s. of sb.**, farsi gioco di q.; **to say st. in s.**, dire qc. per scherzo; *It was great s. to play in the*

garden, era un gran divertimento giocare in giardino **2** sport: *He's very fond of s.*, è un vero appassionato dello sport; **winter sports**, gli sport invernali **3** (*fig. form.*) zimbello; trastullo: *He was the s. of fate*, era lo zimbello del fato **4** (pl.) gare atletiche; incontri sportivi: **inter-university sports**, gare sportive interuniversitarie **5** (*biol.*) mutante; animale (o pianta) che subisce una mutazione **6** (*fam.*, *spesso* **good s.**) persona che sta allo scherzo; tipo in gamba; persona che sa perdere **7** (*fam. Austral.*, al vocat.) amico; compagno ⒝ a. attr. (*USA*) → **sports**, **B ● s. bra**, reggiseno per sport □ (*USA*) (*autom.*) **s. car**, granturismo (sost. f.); vettura sportiva □ **s.-loving**, sportivo (agg.); che ama lo sport; che pratica lo sport □ (*fig.*) **the s. of kings**, l'ippica □ (*autom.*) **s.-utility vehicle** (abbr. **SUV**), autoveicolo per lo sport e il lavoro □ **athletic sports**, l'atletica □ **to be a bad s.**, non essere di spirito; non saper stare al mondo □ **to have good s.**, divertirsi, spassarsela; (*spec.*) far buona caccia, far buona pesca □ (*fam.*) **Be a s.!**, sta' al gioco!; sii di spirito!; non prendertela!; (*chiedendo un favore*) su, da bravo!

to **sport** /spɔːt/ ⒜ v. i. **1** divertirsi; giocare; scherzare; spassarsela; svagarsi; trastullarsi **2** fare dello sport; praticare sport **3** (*biol.*) essere un mutante; subire una mutazione ⒝ v. t. (*fam.*) mettere in mostra; sfoggiare; ostentare: *She was sporting a new hat*, sfoggiava un cappellino nuovo ● **to s. with sb.'s feelings**, scherzare con i sentimenti di q.

sporting /'spɔːtɪŋ/ a. **1** sportivo **2** (*fig.*) leale; cavalleresco; corretto; equo; giusto; sportivo: **s. spirit**, spirito sportivo; **s. conduct**, condotta leale; **a s. proposal**, una proposta equa ● **s. calendar**, calendario sportivo □ **s. daily**, quotidiano sportivo □ **s. dog**, cane da caccia □ **s. event**, avvenimento sportivo; gara □ **s. gun**, fucile da caccia □ **s. house**, (*eufem. USA*) casa di malaffare; (*arc.*) casa da gioco □ **a s. man**, uno sportivo □ **the s. press**, la stampa sportiva □ **to give sb. a s. chance**, dare a q. una possibilità di successo (o di rivalsa, ecc.) | **-ly**, avv.

sportive /'spɔːtɪv/ a. **1** allegro; gaio; gioviale; faceto; scherzoso **2** (*di bimbo*, *gattino*, *ecc.*) giocherellone **3** sportivo; dello sport | **-ly** avv. | **-ness** n. ⓤ.

sports /spɔːts/ ⒜ n. pl. gli sport ⒝ a. attr. sportivo; dello sport; per lo sport: **s. equipment**, attrezzi sportivi; attrezzature sportive; **s. medicine**, medicina sportiva (o dello sport); **s. enthusiast**, appassionato dello sport; grande sportivo; **s. goods**, articoli sportivi (o per lo sport) ● **s. association**, associazione sportiva □ **s. calendar**, calendario sportivo □ (*autom.*) **s. car**, vettura sportiva; granturismo (sost. f.) □ **s. centre**, centro sportivo □ **s. club**, club sportivo; società sportiva; polisportiva (sost. f.) □ **s. commentator**, commentatore sportivo □ (*a scuola*) **s. day**, giornata di gare sportive □ **s. doctor**, medico sportivo □ **s. dress**, tenuta sportiva □ **s. event**, avvenimento sportivo; manifestazione sportiva □ **s. facilities**, impianti sportivi □ **s. federation**, federazione sportiva □ **s. fixtures**, avvenimenti (o appuntamenti) sportivi; manifestazioni sportive □ **s. ground**, campo sportivo □ **s. hall**, palazzo dello sport □ **s. hygiene**, igiene dello sport □ **s. implement**, attrezzo sportivo □ **s. injury**, trauma sportivo □ **s. magazine**, rivista dello sport □ **s. manager**, manager sportivo (o dello sport) □ **s. medical check**, controllo medico sportivo □ **s. meeting**, raduno sportivo □ **s. (news)paper**, giornale sportivo □ **the s. pages**, le pagine sportive (di un giornale) □ **s. palace**, palazzo dello sport; palasport □ (*USA*) **s. physician**, medico sportivo □ **the s. press**, la stampa sportiva □ **s. psy-**

chology, psicologia dello sport □ **s. reporter**, cronista sportivo (*di giornale*) □ **s. science**, discipline sportive (*di studio*) □ **s. suit**, tenuta sportiva □ **s. team**, squadra sportiva □ **s. writer**, giornalista sportivo.

sportscast /'spɔːtskɑːst/ (*radio*, *TV*) n. notiziario sportivo; cronaca sportiva ‖ **sportscaster** n. radiocronista (*o* telecronista) sportivo.

sports-dom /'spɔːtsdəm/ n. Ⓤ il mondo dello sport.

sportsman /'spɔːtsmən/ n. (pl. ***sportsmen***) **1** sportivo; chi pratica uno (*o* più) sport **2** (*fig.*) uomo cavalleresco, corretto, leale ● **a real s.**, un vero sportivo ‖ **sportsmanlike** a. **1** sportivo; degno d'uno sportivo **2** (*fig.*) corretto; leale ‖ **sportsmanship** n. Ⓤ **1** amore dello sport **2** bravura (*o* abilità) nello sport **3** sportività; (*fig.*) correttezza; lealtà.

sportsperson /'spɔːtspɜːsn/ n. persona sportiva (*uomo o donna*).

sportswear /'spɔːtswɛə(r)/ n. Ⓤ (*comm.*) articoli d'abbigliamento (e calzature) per lo sport; indumenti sportivi.

sportswoman /'spɔːtswʊmən/ n. (pl. ***sportswomen***) donna sportiva.

sporty /'spɔːtɪ/ a. (*fam.*) **1** sportivo; amante dello sport; bravo nello sport **2** (*d'abito, automezzo, ecc.*) sportivo.

sporulation /ˌspɔrjʊ'leɪʃn/ n. Ⓤ (*bot.*) sporulazione.

sporule /'spɔruːl/ n. (*bot., zool.*) sporula; piccola spora.

♦**spot** /spɒt/ Ⓐ n. **1** punto; posto; luogo: *This is the very s. where the accident happened*, questo è il punto esatto in cui accadde l'incidente; **a nice s. for a swim**, un bel posticino per fare una nuotata; **a bald s. on one's head**, un punto della testa dove sono caduti i capelli; una chierica (*scherz.*) **2** chiazza; macchia; macchiolina; puntolino; pallino: **the spots on a leopard**, le chiazze sul manto di un leopardo; *There's a s. of grease on your tie*, hai una macchia d'unto sulla cravatta; **a blue tie with yellow spots**, una cravatta blu a pallini gialli **3** piccolo foruncolo; brufolo **4** (*fig.*) macchia; neo: *There is no s. on his character* (*o good name, reputation*), la sua reputazione è senza macchia **5** (*nel biliardo*) segno (o punto) d'acchito **6** (*fam., antiq.*) (un) po'; (una) piccola quantità; (un) sorso, (un) goccio: *Will you have a s. of whisky?*, volete un goccio di whisky?; **a s. of rain**, un po' di pioggia; **a s. of bother**, qualche piccolo guaio; **s. of lunch**, qualcosa da mangiare; un po' di pranzo **7** (pl.) (*comm.*) merce venduta a contanti **8** (*fam. USA*) locale (*notturno, ecc.*) **9** (*radio, TV*) spazio pubblicitario; spot **10** (*astron., di solito* **sunspot**) macchia solare **11** (*teatr.,* = **spotlight**), riflettore orientabile, proiettore **12** (*teatr.*) breve apparizione, breve numero (*in uno show*) **13** (*calcio,* = **penalty spot**) dischetto (*del rigore*) **14** (*nelle corse*) posto (*all'arrivo, o in classifica*): **a disappointing second s.**, un deludente secondo posto **15** (*fam.*) guaio; pasticcio: **to be in a** (**tight**) **s.**, essere nei guai; essere in difficoltà Ⓑ a. attr. **1** (*market.: di merce*) per consegna immediata; (*di consegna*) pronto: **s. delivery**, consegna pronta (*o immediata*); **s. goods**, merci per consegna immediata **2** (*Borsa, fin.*) per contanti; a pronti; spot; a pronta cassa: **s. exchange**, cambio a pronti (*o a vista*); **the s. market**, il mercato (*borsistico: merci e valute*) a pronti; **s. payment**, pagamento a pronta cassa; **s. price**, (*market.*) prezzo a pronti, prezzo spot; (*Borsa merci*) corso a contanti; (*fin.*) **s. rate**, tasso (*di cambio*) a pronti (*o a vista*); **s. trading** (*o* **s. transactions**), operazioni a pronti; **s. cash**, denaro contante; contanti; (*fin.*) **s. against forward**, pronti contro termine ● (*radio, TV*)

s. announcement, spot; comunicato commerciale □ (*radio, TV*) **s. broadcast**, emissione locale □ **s. check**, controllo saltuario; controllo a sorpresa □ **s. coverage**, servizio speciale giornalistico (*redatto sul luogo di un avvenimento*) □ (*tur.*) **s. height**, altitudine (*di un punto segnato su una cartina*); punto quotato □ (*sport: calcio*) **s.-kick**, tiro dal dischetto; calcio di rigore □ **s. news**, notizie recentissime; ultimissime □ **s. on time**, all'ora esatta; puntuale □ (*basket, ecc.*) **s. pass**, passaggio in un punto preciso □ (*mecc.*) **s. welding**, saldatura a punti □ **to have a soft s. for sb.** (st.), avere un debole per q. (qc.) □ **on the s.**, sul posto; subito, lì per lì, su due piedi; a tamburo battente □ **to be killed on the s.**, restare ucciso sul colpo □ **the people on the s.**, la gente del posto; quelli che sono al corrente dei fatti □ (*fam.*) **to put sb. on the s.**, mettere q. in difficoltà, cacciare q. nei guai; (*slang USA*) uccidere, fare fuori.

to **spot** /spɒt/ Ⓐ v. t. **1** schizzare; macchiare (*anche fig.*): **a floor spotted with paint**, un pavimento macchiato di vernice; **to s. sb. with mud**, schizzare q. di fango; **to s. one's character**, macchiare il proprio buon nome **2** picchiettare; punteggiare; fare un segno su (qc.) **3** (*fam.*) riconoscere; scoprire; indovinare; distinguere; vedere; individuare; identificare: *I spotted him at once as an Irishman*, lo riconobbi subito per irlandese; **to s. a mistake** [**the difference**], scoprire un errore [la differenza]; **to s. the winner**, indovinare il vincitore d'una gara; *The policeman couldn't s. the pickpocket in the crowd*, il poliziotto non riuscì a individuare il borsaiolo tra la folla; *She's fairly easy to s.*, è molto facile da individuare **4** determinare; localizzare; rilevare **5** (*mil.*) individuare, localizzare (*il bersaglio*) **6** piazzare (*guardie, poliziotti, ecc.*) **7** (*USA, di solito* **to s. out**, **to s. up**) smacchiare **8** (*fam. USA, sport*) concedere un vantaggio (*o un handicap*) a (*un avversario*): **to s. one's opponent ten points**, dare all'avversario dieci punti di vantaggio **9** (*ginnastica*) assistere, sorreggere (*un atleta*) **10** (*fam. USA*) prestare (*denaro*) Ⓑ v. i. **1** chiazzarsi; macchiarsi: *This material won't s. in the rain*, questa stoffa non si macchia con la pioggia **2** (*fam., impers.; di solito,* **to be spotting with rain**) piovigginare; piovere a tratti.

to **spot-check** /'spɒtˌtʃɛk/ v. t. **1** fare un controllo saltuario (*o su campione casuale*) di (*contribuenti, denunce di reddito, ecc.*) **2** fare un controllo a sorpresa.

spotless /'spɒtləs/ a. senza macchia (*anche fig.*); immacolato: **a s. shirt**, una camicia immacolata; **s. reputation**, reputazione senza macchia ‖ **-ly** avv. ‖ **-ness** n. Ⓤ.

spotlight /'spɒtlaɪt/ n. **1** (*cinem., teatr.*) luce della ribalta; (*anche fotogr.*) riflettore orientabile; proiettore (*in genere*); faretto **2** (*autom.*) faro orientabile (*o direzionale*) **3** (*fig.*) luce, ribalta (*fig.*): **to be in the s.**, essere alla ribalta ● **to hold the s.**, trovarsi alla ribalta □ **That year in Rome was his s.**, quell'anno a Roma fu il suo gran momento □ (*anche fig.*) **under the s.**, sotto i riflettori; al centro dell'attenzione.

to **spotlight** /'spɒtlaɪt/ (*pass. e p. p.* **spotlit** e **spotlighted**), v. t. **1** (*cinem., fotogr., teatr.*) illuminare con un riflettore (*o con un proiettore*); puntare i riflettori su (*anche fig.*) **2** (*fig.*) mettere in evidenza, attirare l'attenzione su (q. *o* qc.).

spot-on /spɒt'ɒn/ Ⓐ a. (*fam.*) preciso; esatto; corretto; giusto; accurato: *Your directions were spot-on*, le tue indicazioni erano giuste Ⓑ avv. con precisione; esattamente; accuratamente.

spotted /'spɒtɪd/ a. **1** chiazzato; maculato; picchiettato: **s. skin**, pelle chiazzata **2** (*di cravatta, ecc.*) a pallini; a pois ● (*med.*) **s.**

bones, osteopecilia □ (*zool.*) **s. crake** (*Porzana porzana*), voltolino □ (*cucina*) **s. dick**, budino con uva passa □ **s. dog**, cane dalmata; = **s. dick** → *sopra* □ (*med.*) **s. fever**, febbre esantematica □ (*zool.*) **s. woodpecker**, picchio rosso | **-ness** n. Ⓤ.

spotter /'spɒtə(r)/ n. **1** (*fam. USA*) agente investigatore (*in una banca, in un'azienda*) **2** chi osserva; (*mil.*) osservatore: **bird s.**, chi osserva gli uccelli **3** (*aeron.,* = **s. plane**) ricognitore; aereo da ricognizione **4** chi identifica targhe automobilistiche (*per hobby*) **5** chi conta i treni che passano (*o le navi, ecc.; per hobby*) **6** (*ferr.*) dispositivo che segnala le irregolarità del binario **7** (*in tempo di guerra*) volontario della difesa antiaerea **8** (*cinem.*) assistente di regia **9** = **talent scout** → **scout**, def. 7.

spotty /'spɒtɪ/ a. **1** chiazzato; maculato; coperto di macchioline; picchiettato: **s. skin**, pelle coperta di macchioline **2** ineguale; irregolare: **a s. piece of music**, un brano musicale ineguale **3** (*fam.*) foruncoloso; brufoloso; in età da avere i foruncoli: **a s. face**, un viso pieno di foruncoli ‖ **spottily** avv. **1** a macchie; a chiazze **2** irregolarmente ‖ **spottiness** n. Ⓤ **1** chiazzatura; picchiettatura **2** irregolarità (*del disegno, ecc.*) **3** (*elettron.*) immagine macchiata.

spouse /spaʊs/ n. (*form.*) sposo, sposa; consorte.

spout /spaʊt/ n. **1** becco; beccuccio; cannella: **the s. of a teapot**, il beccuccio d'una teiera **2** (*edil.,* = **waterspout, downspout**) tubo di scarico; grondaia **3** getto, colonna (*d'acqua, di vapore*); zampillo **4** (*un tempo*) montacarichi (*al monte dei pegni*) **5** (*anche* **waterspout**) tromba marina **6** sorgente (*d'acqua*); fonte **7** (*zool.,* = **s. hole**) sfiatatoio (*d'una balena, ecc.*) ● **to be up the s.**, (*arc.: di un oggetto*) essere al monte dei pegni; (*slang: di una persona, un progetto, ecc.*) essere rovinato; andare in malora; (*di una donna*) essere incinta.

to **spout** /spaʊt/ Ⓐ v. i. **1** scaturire; sgorgare; schizzare: *Blood spouted from the wound*, il sangue sgorgò dalla ferita **2** (*fam.*) concionare; declamare; parlare a getto continuo **3** (*della balena o altro cetaceo*) soffiare Ⓑ v. t. **1** gettare; lanciare; schizzare; far sgorgare **2** (*fam., spesso* **to s. off**) sbrodolare; dire una sfilza di; declamare; blaterare; sputare (*sentenze, ecc.*): *Stop spouting nonsense!*, smettila di dire una sfilza di sciocchezze!

spouter /'spaʊtə(r)/ n. **1** (*naut.*) (capitano di) baleniera **2** (*fam. spreg.*) oratore da strapazzo.

sprag /spræg/ n. **1** (*di veicolo*) puntone d'arresto **2** (*di miniera*) puntello.

sprain /spreɪn/ n. (*med.*) distorsione; storta; slogatura; strappo muscolare; stiramento.

to **sprain** /spreɪn/ v. t. (*med.*) distorcere; storcere; slogare; prendere una storta a (*un polso, una caviglia, ecc.*): **to s. one's ankle**, slogarsi la caviglia; *The ankle isn't broken but it's severely sprained*, la caviglia non è rotta ma ha una grave distorsione.

sprang /spræŋ/ pass. di **to spring**.

sprat /spræt/ n. **1** (*zool., Clupea sprattus*) spratto **2** (*scherz. arc.*) bimbetto gracile; ragazzetto mingherlino ● (*fig.*) **to throw a s. to catch a herring** (*o* **a mackerel**, **a whale**), dare un uovo per avere una gallina.

to **sprat** /spræt/ v. i. pescare spratti.

sprawl /sprɔːl/ n. Ⓤ **1** atteggiamento scomposto **2** movimento scomposto **3** massa disordinata; gruppo (*o sviluppo*) irregolare (*o incontrollato*): **the urban s.**, lo sviluppo incontrollato delle città.

to **sprawl** /sprɔːl/ Ⓐ v. i. **1** abbandonarsi; sedere (*o sdraiarsi*) in modo scomposto;

stravaccarsi (*fam.*) **2** (*di città, ecc.*) crescere (*o estendersi*) disordinatamente: *New suburbs sprawled in all directions*, nuovi sobborghi si estendevano disordinatamente in ogni direzione **3** (*di scrittura*) essere grande e irregolare **B** v. t. **1** distendere, allungare (*le braccia, le gambe*) in modo scomposto **2** buttare giù (*una firma, ecc.*); scarabocchiare **3** (*mil.*) spiegare (*truppe*) a ventaglio; disporre (*soldati*) in ordine sparso ● **to be sprawled out**, essere stravaccato (*fam.*) □ **to send sb. sprawling**, mandar q. a gambe levate.

sprawling /'sprɔːlɪŋ/ a. **1** (*urbanistica*) a sviluppo incontrollato; diffuso: **s. suburbs**, periferia diffusa **2** disordinato: **s. handwriting**, grafia disordinata.

spray① /spreɪ/ n. **1** frasca; ramoscello **2** ramoscello, spiga (*di gioielli*).

spray② /spreɪ/ n. **1** Ⓤ spruzzo; spruzzi; spruzzaglia; spruzzata: **the s. of a waterfall**, gli spruzzi d'una cascata; **sea s.**, spruzzaglia delle onde marine **2** Ⓤ liquido (*profumo, disinfettante, insetticida, ecc.*) da spruzzare (*o vaporizzare*) **3** Ⓤ getto vaporizzato; spray **4** (= **sprayer**) spruzzatore; vaporizzatore; spray ● (*mecc.*) **s. carburettor**, carburatore a getto (*o a iniettore*) □ **s. gun**, pistola a spruzzo (*per verniciatura*) (*agric.*) **s. irrigation**, irrigazione a pioggia □ (*mecc.*) **s. nozzle**, atomizzatore; nebulizzatore □ (*mil.*) **a s. of gunfire**, una sventagliata di fucileria (*di mitra, ecc.*) □ **a s. of sparks**, un fascio di scintille □ **s. paint**, vernice a spruzzo □ (*ind.*) **s. painting**, verniciatura a spruzzo.

♦to **spray** /spreɪ/ v. t. e i. **1** spruzzare; irrorare; vaporizzare: **to s. paint**, spruzzare vernice; **to s. the vines**, irrorare le viti; **to s. flies**, spruzzare insetticida contro le mosche **2** (*ind.*) verniciare a spruzzo **3** (*fig.*) scagliare; sventagliare: **to s. with bullets**, sventagliare (*o crivellare*) di proiettili.

sprayer /'spreɪə(r)/ n. **1** spruzzatore; vaporizzatore; spray **2** (*agric.*) irroratore; irroratrice **3** (*ind.*) pistola a spruzzo.

sprayey① /'spreɪɪ/ a. **1** a forma di ramoscello **2** fatto di ramoscelli.

sprayey② /'spreɪɪ/ a. **1** simile a uno spruzzo **2** pieno (*o carico*) di spruzzi.

spraying /'spreɪɪŋ/ n. Ⓤ **1** (*agric.*) irrorazione: **crop s.**, irrorazione delle piantagioni **2** (*ind.*) verniciatura a spruzzo.

spray-on /'spreɪɒn/ a. applicato (*o da applicare*) a spruzzo.

spread① /spred/ n. Ⓤ (*raramente al pl.*) **1** diffusione; espansione; propagazione; trasmissione; divulgazione; propalazione (*di una notizia, ecc.*): **the s. of Christianity**, la diffusione del Cristianesimo; **the s. of a city**, l'espansione di una città **2** ampiezza; estensione; larghezza; (*anche aeron.*) apertura d'ala: *The bird's wings had a s. of over three feet*, le ali dell'uccello avevano un'apertura di quasi un metro **3** coperta; tovaglia: **a bed-s.**, una coperta da letto; un copriletto **4** (*cucina*) crema; pasta: **anchovy s.**, pasta d'acciughe **5** (*fam.*) banchetto; festino; desinare; tavola imbandita: *What a beautiful s.!*, che bella tavola! **6** (*giorn.*) servizio (*o intestazione, avviso pubblicitario, ecc.*) su due pagine contigue (*o su due o più colonne*) **7** (*ass.*) ripartizione (*del rischio*) **8** (*Borsa*) scarto (*tra denaro e lettera*) **9** (*Borsa, USA*) stellage; contratto a doppio premio; opzione doppia (*cfr. ingl.* **straddle**) **10** (*fin.*) diversificazione (*degli investimenti*); giardinetto **11** (*econ., market.*) utile lordo; ricarico **12** (*stat.*) dispersione; scarto **13** (*sport*) divario, scarto (*di punteggio, ecc.*) **14** (*equit.*, = **s. obstacle**) ostacolo largo **15** (*USA*) grande fattoria; grande ranch **16** (*rag.*) registrazione analitica ● **cold s.**, cena fredda.

spread② /spred/ **A** pass. e p. p. di **to spread B** a. **1** sparso; diffuso **2** disteso; allungato **3** (*di vela*) spiegata: **with sails s.**, a vele spiegate **4** (*di mensa*) apparecchiata; imbandita: **a table s. with every luxury**, una tavola imbandita con ogni ben di Dio ● **s. betting**, spread betting (*scommessa che riguarda il risultato di una gara o di un evento piuttosto che il vincitore*) □ **s.-out**, distanziato, scaglionato, a intervalli, intervallato.

♦to **spread** /spred/ (pass. e p. p. **spread**) **A** v. t. **1** spargere; diffondere; disseminare; propagare; propalare; trasmettere: **to s. manure over a field**, spargere concime su un campo; **to s. salt on the roads**, spargere il sale sulle strade; **to s. rumours**, diffondere voci; *Malaria is spread by the anopheles mosquito*, la malaria è trasmessa dalla zanzara anofele; **to s. knowledge**, diffondere il sapere; *The anopheles spreads malaria*, l'anofele trasmette la malaria; **to s. news**, propagare (*o propalare*) notizie **2** (*spesso* **to s. out**) stendere; spiegare; aprire: **to s. a carpet**, stendere un tappeto; **to s. the sails**, spiegare le vele; **to s. out a newspaper**, aprire (*o spiegare*) un giornale; **to s. one's hands to the fire**, stendere le mani al fuoco; *The eagle spread its wings ready for flight*, l'aquila aprì le ali per volar via **3** cospargere; spalmare: **to s. jam on a slice of bread** (*o* **to s. a slice of bread with jam**), spalmare marmellata su una fetta di pane; **fields spread with flowers**, campi cosparsi di fiori **4** distribuire; scaglionare (*nel tempo*); protrarre: *The bank spread the payments over a year*, la banca distribuì i pagamenti entro il periodo di un anno **5** coprire; ricoprire: **to s. the table with a cloth**, coprire la tavola con una tovaglia **6** (*naut.*) spiegare, bordare (*le vele*) **B** v. i. **1** spargersi; diffondersi; disseminarsi; propagarsi; spargliarsi: *The news spread in no time*, la notizia si sparse in un baleno; *The settlers spread over a vast territory*, i coloni si spargliarono su un vasto territorio **2** stendersi; estendersi; spaziare; aprirsi; spiegarsi: *This margarine spreads easily*, questa margarina si spalma bene; *On every side spread the lonely ocean*, da ogni lato si stendeva il mare deserto; *A wonderful view spread (out) before us*, davanti a noi s'apriva un magnifico paesaggio **3** (*stat.*) distribuirsi: **to s. about an average value**, disporsi intorno a un valore medio ● **to s. the board**, apparecchiare (*la tavola*) □ **to s. oneself**, distendersi; allungarsi; sdraiarsi; dilungarsi, diffondersi (*su un argomento*); (*fig.*) lasciarsi andare; largheggiare; essere molto generoso (*fam.*) darsi da fare; farsi in quattro (*fam.*) □ (*fig.*) **to s. oneself (too) thin**, mettere troppa carne al fuoco □ **to s. the table**, apparecchiare (*la tavola*) □ (*detto da un poliziotto a un fermato*) **S. them!**, allarga le gambe! □ **to s. the word**, diffondere la notizia □ (*fig.*) **to s. one's wings**, spiccare il volo (*fig.*).

■ **spread about** (*o* **around**) v. t. + avv. (o prep.) **1** spargere, sparpagliare (in, su): **to s. sand around the track**, spargere sabbia sulla pista **2** diffondere, mettere in giro, divulgare (*notizie, voci, ecc.*) in (*un luogo*).

■ **spread abroad** v. t. + avv. diffondere; divulgare; propalare.

■ **spread apart** v. t. + avv. divaricare: **to s. one's legs apart**, divaricare le gambe.

■ **spread out A** v. t. + avv. **1** stendere; spiegare; aprire: **to s. out a map**, stendere una cartina; **to s. out one's arms**, stendere (*o allargare*) le braccia; *The bird spread out its wings*, l'uccello spiegò le ali **2** spargere; sparpagliare: **to s. out documents on the table**, sparpagliare documenti sul tavolo **3** mettere a intervalli; intervallare; distanziare: **to s. out payments**, intervallare pagamenti **B** v. i. + avv. **1** stendersi; distender-

si; allungarsi; allargarsi; estendersi (*anche fig.*) *The plain spread out before us*, la pianura si stendeva dinanzi a noi **2** (*di persone, soldati, ecc.*) allargare i ranghi; distanziarsi; sparpagliarsi **3** (*di un'azienda e sim.*) espandersi.

■ **spread over A** v. t. + avv. **1** scaglionare **2** differire, rinviare (*una decisione, ecc.*) **B** v. i. + avv. essere rinviato (*o distribuito, scaglionato*) nel tempo **C** v. t. + prep. **1** stendere su: **to s. a blanket over the grass**, stendere una coperta sull'erba **2** coprire di: **to s. paint over a stain**, coprire di vernice una macchia **3** distribuire (*un lavoro, ecc.*) per (*un certo periodo*) **4** dilazionare, frazionare (*un pagamento*) per (*settimane, mesi, ecc.*).

■ **spread to A** v. i. + prep. (*di un incendio, una malattia, ecc.*) diffondersi fino a colpire (*q.*); attaccarsi a **B** v. t. + prep. diffondere, attaccare (*una malattia*) a (*q.*).

spread eagle /'spred iːgl/ loc. n. **1** (*arald.*) aquila spiegata (*con le ali spiegate*) (*anche l'emblema degli USA*) **2** (*fam. spreg. USA*) (*cucina*) pollo alla diavola (*cfr. ingl.* **spatchcock**) **3** cosa che ricorda un'aquila con le ali spiegate; (*per es.*) persona a braccia e gambe divaricate **4** (*ginnastica*) posizione con braccia e gambe divaricate **5** (*pattinaggio artistico, sci*) passo a volo d'aquila ● (*polit., USA, antiq.*) **spread-eagle patriotism**, patriottismo sfrenato; sciovinismo.

spread-eagled /'spred iːgld/ a. a braccia e gambe divaricate: **to lie spread-eagled on the sand**, stare sdraiato a braccia e gambe divaricate sulla sabbia.

spreader /'spredə(r)/ n. **1** diffusore; divulgatore; propagatore **2** coltello per spalmare burro, marmellata, ecc.; spatola **3** (*mecc.*) spanditore **4** (*agric.*, = **manure s.**) concimatrice; spandiletame **5** (*elettr.*) separatore **6** (*d'ombrello*) controstecca **7** (*naut.*) buttafuori di crocetta.

spreading /'spredɪŋ/ n. Ⓤ **1** diffusione; propagazione; divulgazione **2** spargimento (*di sale, ecc.*) **3** (*mil. e sport*) allargamento (*dei ranghi*); scaglionamento **4** (*ass.*) ripartizione (*del rischio*) ● **s. one's legs**, divaricazione delle gambe.

spreadsheet /'spredʃiːt/ n. **1** (*comput.*) spreadsheet; foglio di calcolo elettronico **2** (*rag.*) documento di analisi contabile.

spree /spriː/ n. **1** baldoria; festa; bisboccia; bagordo; gozzoviglia: **to go on a s.**, far baldoria; gozzovigliare **2** attività svolta freneticamente o sfrenatamente; frenesia: (*sport*) **goal s.**, goleada; **killing s.**, mattanza; **spending** (*o* **shopping**) **s.**, spese (pl.) folli; **wrecking s.**, vandalismo selvaggio; **to go on a spending s.**, spendere senza freni.

to **spree** /spriː/ v. i. far baldoria; gozzovigliare.

sprig /sprɪg/ n. **1** ramoscello; rametto: **a s. of holly**, un rametto di agrifoglio **2** (*agric., bot.*) stolone **3** chiodo senza testa **4** fantasia (*o disegno su stoffa*) a fiorami (*o a foglie*) **5** (*spreg. raro*) giovanotto; giovinastro **6** (*fig. scherz. raro*) discendente; rampollo **7** (*sport*) chiodo senza testa (*di scarpetta*).

to **sprig** /sprɪg/ v. t. **1** stampare (*una stoffa, ecc.*) a fiorami (*o a foglie*) **2** fissare con (*o munire di*) chiodi senza testa.

sprigged /sprɪgd/ a. (*stampato*) a fiorami: **s. muslin**, mussola a fiorami.

sprightly /'spraɪtlɪ/ a. allegro; animato; gaio; brioso; vivace ‖ **sprightliness** n. Ⓤ allegria; animazione; gaiezza; brio.

♦**spring**① /sprɪŋ/ n. **1** balzo; salto; scatto: **to make a s. at sb.**, fare un balzo contro q.; *He rose with a s.*, s'alzò di scatto **2** sorgente; fonte; (*fig.*) causa, motivo, origine: **hot springs**, sorgenti termali; **mineral springs**, sorgenti d'acqua minerale; **the springs of**

human **behaviour**, i motivi del comportamento umano **3** (*mecc.*) molla (*anche fig.*): **the s. of a watch**, la molla di un orologio; **return s.**, molla di richiamo **4** (*mecc.*, *autom.*; = **leaf s.**) balestra **5** ⓤⒸ (*anche fig.*) elasticità: *There's a new s. in his step*, c'è una elasticità nuova nel suo passo **6** ⓤ il tornare a posto (*di qc., per elasticità*); rinculo **7** (*archit.*) linea (*o piano*) d'imposta **8** (*nel legno*) fessura; incrinatura; spaccatura **9** (*naut.*) traversino; cavo d'ormeggio ● **s. balance**, bilancia a molla □ **s. bed**, letto a molle □ **s. binder**, raccoglitore a molla □ (*mecc.*) **s. bolt**, chiavistello a scatto □ **s. carriage**, carrozza molleggiata □ (*elettr.*) **s. clip**, molletta di fissaggio □ (*mecc.*) **s. frame**, telaio molleggiato □ (*mecc.*) **s. hammer**, maglio a balestra □ (*mecc.*) **s. hook**, gancio a molla; (*alpinismo*) moschettone □ **s. knife**, coltello a molla, a scatto □ (*naut.*) **s. line**, 'spring', cavo d'ormeggio (*d'acciaio*) □ (*mecc.*) **s.-loaded**, a molla; caricato a molla □ **s. lock**, serratura a scatto □ **s. manufacturer**, fabbricante di molle □ **s. mattress**, materasso a molle □ (*mecc.*) **s. rate**, flessibilità: (*autom.*) **wheel s. rate**, flessibilità della ruota (*USA*) **s. scale** = **s. balance** → *sopra* □ **s. water**, acqua sorgiva.

♦**spring** ② /sprɪŋ/ *n.* ⓤⒸ (*anche fig.*) primavera: **the s. of her life**, la primavera della sua vita ● (*GB*) **s. bank holiday**, festa nazionale di primavera ❶ Cultura ● **spring bank holiday**: *l'ultimo lunedì di maggio* = **bank holiday** → **bank** ② □ (*in USA*) **s. break**, vacanze scolastiche di primavera □ **s. chicken**, pollo novello; pollastrino; (*colloq.*) persona giovane, giovincello: *My husband is no s. chicken*, mio marito non è un giovincello □ **s.-clean** (*o* **s.-cleaning**), pulizie di Pasqua; grandi pulizie □ **a s. day**, un giorno di primavera □ (*fam. USA*) **s. fever**, smania □ (*bot.*) **s. onion** (*Allium fistulosum*), cipolla fresca; cipollotto □ (*cucina cinese*) **s. roll**, involtino primavera (*fritto: con ripieno di carne, verdura, gamberetti, ecc.*) □ (*naut.*) **s. tide**, marea di plenilunio; marea equinoziale; marea sigiziale.

to **spring** /sprɪŋ/ (*pass.* **sprang** (*USA, anche*) **sprung**, *p. p.* **sprung**) Ⓐ *v. i.* **1** saltare; balzare; scattare: *I sprang to my feet*, scattai in piedi; *The leopard sprang on its prey*, il leopardo balzò sulla preda; *The watchdog sprang at his throat*, il cane da guardia gli saltò alla gola; (*equit.*) **to s. into the saddle**, balzare in sella **2** (*spesso* **to s. up**) sorgere; nascere; alzarsi; spuntare; crescere: *Cities and towns sprang up*, sorsero città grandi e piccole; *A doubt sprang up in my mind*, un dubbio mi sorse nella mente; *A gale has sprung up*, s'è alzato un forte vento; *Mushrooms were springing up under the oaks*, i funghi spuntavano sotto le querce **3** (*fig.*) derivare; provenire; venire; discendere; nascere (*fig.*): *This error springs from a false conviction*, questo errore deriva da una convinzione sbagliata; *'Virtue is the fount whence honour springs'* C. Marlowe, 'la virtù è la fonte da cui nasce l'onore' **4** (*d'acqua*) scaturire; sgorgare; zampillare **5** (*di legno, ecc.*) spaccarsi; fendersi; curvarsi; incrinarsi; storcersi **6** (*di selvaggina*) levarsi (*in volo*) **7** (*mil.: di una mina*) esplodere; brillare Ⓑ *v. t.* **1** saltare: *The boy sprang the hedge*, il ragazzo saltò la siepe **2** (*caccia*) alzare, levare (*selvaggina*) **3** far scattare; azionare (*chiudere, aprire, ecc.*) con una molla; mettere in moto: **to s. a lock**, far scattare una serratura; **to s. a trap**, far scattare una trappola (*anche fig.*) **4** spaccare; fendere; curvare; incrinare; storcere **5** comunicare; dire (*qc. a q.*) all'improvviso (*o senza preavviso*); dare notizia (*di qc. a q.*): *How will she s. her marriage on her father?*, come farà a dare notizia del matrimonio a suo padre? **6** (*mil.*) far saltare (*una mina*) **7** (*fig.*) creare; produrre; lanciare; tirar fuori **8** provvedere

di molle; molleggiare **9** (*slang*) far evadere (*dal carcere*); (*anche*) ottenere la liberazione (*o il rilascio*) di ● (*archit.*) **to s. an arch**, impostare un arco □ (*sport*) **to s. free**, liberarsi; sganciarsi; smarcarsi □ **to s. into action**, entrare in azione; attivarsi □ **to s. into life**, nascere (*o germogliare*) all'improvviso; (*di motore e fig.*) accendersi, mettersi in moto □ (*naut.*) **to s. a leak**, accusare una falla: *The ship sprang a leak*, si aprì una falla nella nave □ (*naut.*) **to s. a mast**, drizzare un albero □ **to s. open [shut]**, aprirsi [chiudersi] di scatto □ **to s. st. open**, aprire qc. di scatto (*o azionando una molla, uno scatto*) □ **to s. a surprise on sb.**, fare una sorpresa a q.; cogliere di sorpresa q. □ (*mil.*) **to s. to attention**, scattare sull'attenti □ **Blood sprang to my cheeks**, il sangue mi salì al viso □ **A curse sprang to his lips**, un'imprecazione gli salì alle labbra.

■ **spring back** *v. i.* + *avv.* **1** balzare indietro; rinculare **2** tornare a posto (chiudersi, ecc.) di scatto: *The bolt sprang back*, il catenaccio si chiuse di scatto **3** (*di un'arma da fuoco*) rinculare.

■ **spring from** *v. i.* + *prep.* **1** → **to spring**, A, *def. 3* **2** (*fam.*) provenire; sbucare; spuntare; saltar fuori da: *Where did you s. from?*, da dove salti fuori?

■ **spring out** *v. i.* + *avv.* saltar fuori; sbucare; uscire (*da un nascondiglio, ecc.*).

■ **spring to** *v. i.* + *avv.* chiudersi di scatto.

■ **spring up** *v. i.* + *avv.* **1** balzare su; saltar su (*o in piedi*): *He sprang up out of the armchair*, saltò su dalla poltrona **2** (*fig.: di una pianta, un bambino, ecc.*) crescere in fretta; farsi grande (*fam.*) **3** (*di piante*) spuntare; germogliare; nascere; venir fuori (*fam.*) **4** (*del vento*) alzarsi; levarsi **5** (*di un problema, una difficoltà, ecc.*) sorgere; verificarsi **6** (*di luci, ecc.*) accendersi: *'It was growing dusk, and lights were springing up here and there'* T. Dreiser, 'scendeva il crepuscolo, e qua e là si accendevano le luci'.

springback /'sprɪŋbæk/ *n.* ⓤ (*metall.*) ritorno elastico.

springboard /'sprɪŋbɔːd/ *n.* **1** (*atletica*) pedana di salto **2** (*ginnastica*) asse (*o pedana*) elastica; pedana di battuta **3** (*tuffi*) trampolino: **3-metre s.**, trampolino dei 3 metri **4** (*fig.*) trampolino di lancio ● (*tuffi*) **s. diver**, tuffatore dal trampolino; trampolinista □ (*tuffi*) **s. diving**, i tuffi dal trampolino; il trampolino (*fig.*).

springbok /'sprɪŋbɒk/ *n.* (*pl.* **springboks**, **springbok**) (*zool.*, *Antidorcas marsupialis*) antidorcade; antilope saltante ● the **Springboks**, (*sport*) la squadra di rugby (*o di cricket*) del Sud Africa.

to **spring-clean** /'sprɪŋ'kliːn/ Ⓐ *v. i.* fare le pulizie di Pasqua Ⓑ *v. t.* pulire a fondo.

springe /sprɪndʒ/ *n.* trappola; laccio; cappio (*per uccelli, ecc.*).

to **springe** /sprɪndʒ/ *v. t.* accalappiare (*spec. uccelli*).

springer /'sprɪŋə(r)/ *n.* **1** chi balza; chi salta; saltatore **2** (*archit.*) imposta (*dell'arco*) **3** (*zool.*) «springer spaniel» **4** (*zool.*, *Antidorcas marsupialis*) antidorcade; antilope saltante **5** (*zool.*, *Orcinus orca*) orca **6** (*zool.*, *Grampus griseus*) grampo grigio **7** = **spring chicken** → **spring** ② **8** (= **springing cow**) mucca che sta per figliare.

springhead /'sprɪŋhed/ *n.* sorgente (*di un fiume*).

springiness /'sprɪŋɪnəs/ *n.* ⓤ elasticità.

springing /'sprɪŋɪŋ/ *n.* **1** ⓤ (*mecc.*, *autom.*) molleggio **2** (*archit.*) linea (*o piano*) d'imposta (*di un arco*).

springlike /'sprɪŋlaɪk/ *a.* primaverile.

springtide /'sprɪŋtaɪd/ *n.* ⓒⓤ (*geogr.*, *naut.*) marea sigiziale; grande marea **2** (*lett.*) → **springtime**, def. 1.

springtime /'sprɪŋtaɪm/ *n.* ⓤ **1** (tempo di) primavera; stagione primaverile **2** (*fig.*) anni verdi; giovinezza; albori; principio.

springy /'sprɪŋɪ/ *a.* **1** elastico; molleggiato: **s. step**, passo elastico **2** ricco di sorgenti.

sprinkle /'sprɪŋkl/ *n.* **1** spruzzata; aspersione **2** spruzzatina (*fig.*); pioggerella **3** (*fig.*) pizzico: **a s. of pepper**, un pizzico di pepe.

to **sprinkle** /'sprɪŋkl/ Ⓐ *v. t.* **1** spruzzare; spargere; aspergere; cospargere; annaffiare: **to s. water**, spruzzare acqua; **to s. sugar over** (*o* **on**) **a fruit salad**, spargere zucchero su una macedonia; **to s. the road with water**, annaffiare la strada **2** sparpagliare; disseminare; spargere qua e là **3** (*cucina*) spolverizzare (*un dolce*): **'S. with icing sugar'** (*istruzione o ricetta*), 'spolverizzate con lo zucchero a velo' **4** (*fig.*) disseminare: **to s. a speech with quotations from the Bible**, disseminare un discorso di citazioni bibliche Ⓑ *v. i.* **1** (*di liquido*) cadere a piccole gocce **2** piovigginare.

sprinkler /'sprɪŋklə(r)/ *n.* **1** spruzzatore **2** annaffiatoio **3** innaffiatrice (*automezzo*) **4** (*relig.*) aspersorio **5** (*tecn.*) sprinkler (*valvola con fusibile, ugello e campanello d'allarme*): = **s. system**) → **s. system**, impianto antincendio a sprinkler; impianto per annaffiare (*il giardino, il prato*); (*agric.*) impianto d'irrigazione a pioggia.

sprinkling /'sprɪŋklɪŋ/ *n.* **1** spruzzo; spruzzatina; spruzzaglia: **a s. of snow**, una spruzzatina di neve **2** (*fig.*) infarinatura: **to have a s. of physics**, avere un'infarinatura di fisica **3** (*fig.*) piccolo numero; piccola quantità; (un) po'; pizzico.

sprint /sprɪnt/ *n.* **1** sprint; guizzo; scatto; (*nelle corse*) volata; spunto, volata: **s. for the finish**, volata finale; *He made* (*o put on*) *a s. to catch the train*, fece uno scatto (*o una corsa*) per prendere il treno **2** (*atletica*) corsa veloce **3** (*ciclismo*) la velocità (*in pista*); (*anche, su strada*) traguardo volante ● (*atletica*) **s. distances**, distanze veloci (*i cento metri, ecc.*) □ **s. finish**, arrivo in volata □ (*ciclismo*) **s. lap**, giro con lo sprint (*1 su 4: in pista*) □ **s. racing**, (*canoa*) le gare di velocità; (*ciclismo*) la velocità (*la specialità: in pista*) □ (*ciclismo*) **s. racing specialist**, velocista (*in pista*).

to **sprint** /sprɪnt/ *v. i.* (*nelle corse, ecc.*) scattare; sprintare; guizzare via; fare (*o attaccare*) la volata: (*atletica*) *The runners sprinted down the home stretch*, i corridori attaccarono la volata nella dirittura d'arrivo.

■ **sprint again** *v. i.* + *avv.* (*nelle corse*) scattare di nuovo; riscattare.

■ **sprint past** *v. i.* + *prep.* (*nelle corse*) battere in volata; **to s. past a rival**, battere un avversario in volata.

sprinter /'sprɪntə(r)/ *n.* (*nelle corse*) velocista; sprinter; scattista ● (*ciclismo*) **sprinters' line**, la linea dei velocisti; gli ultimi duecento metri (*della corsa*).

sprinting /'sprɪntɪŋ/ *n.* **1** (*nelle corse*) sprint; scatto; spunto **2** (*atletica*) corsa veloce (*la specialità*).

sprit /sprɪt/ *n.* (*naut.*) balestrone; livarda; struzza; perticone.

sprite /spraɪt/ *n.* **1** folletto; genietto; spiritello **2** (*comput.*) sprite; elemento grafico.

spritsail /'sprɪtseɪl/ *n.* (*naut.*) tarchia; vela a tarchia.

spritzer /'sprɪtsə(r)/ *n.* spritz (*aperitivo composto da vino bianco e soda*).

sprocket /'sprɒkɪt/ *n.* (*mecc.*) **1** dente (*di ruota dentata*) **2** (= **s. wheel**) ruota dentata (*collegata con una catena*); rocchetto a denti (*di macchina fotografica, cinecamera, ecc.*) ● **s. chain**, catena articolata.

sprog /sprɒg/ *n.* (*slang*) **1** bambino; marmocchio **2** (*mil.*) recluta; marmittone

(pop.).

sprout /spraʊt/ n. **1** germoglio; getto **2** (pl.) (= **Brussels sprouts**) cavoletti di Bruxelles **3** (fam.) rampollo; giovane discendente.

to **sprout** /spraʊt/ **A** v. i. **1** germogliare; germinare; rampollare **2** (fig.) spuntare; crescere all'improvviso (o in fretta) **B** v. t. far crescere; mettere (la barba, i baffi).

spruce ① /spruːs/ a. attillato; azzimato; elegante; lindo | -ly avv. | -ness n. ⓤ.

spruce ② /spruːs/ n. **1** (bot., Picea) picea; abete rosso **2** ⓤ abete rosso (il legno).

to **spruce** /spruːs/ v. t. (fam., spec. **to spruce up**) attillare; azzimare; agghindare ● **to s. (oneself) up**, agghindarsi; attillarsi; mettersi in ghingheri; farsi bello (fam.) □ to **get spruced** → **to s. (oneself) up**.

sprue ① /spruː/ n. (metall.) **1** canale di colata **2** ⓤ colame (metallo che si è solidificato nel canale).

sprue ② /spruː/ n. ⓤ (med.) sprue; diarrea di Cocincina.

sprung /sprʌŋ/ **A** p. p. di **to spring** **B** a. molleggiato; a molle: **a s. mattress**, un materasso a molle ● (mecc., autom.) **s. axle**, assale posteriore.

spry /spraɪ/ a. animato; attivo; energico; vivace ● **to look s.**, apparire vivace, brioso; (anche) far presto, sbrigarsi, spicciarsi | -ly avv. | -ness n. ⓤ.

spud /spʌd/ n. **1** (agric.) zappetta; sarchio; sarchiello **2** (mecc.) punta (o utensile) a lancia **3** (med.) spatola **4** (fam.) patata **5** (spreg.) mangiapatate; irlandese ● **s.-bashing**, pelatura delle patate (spesso assegnata come punizione).

to **spud** /spʌd/ v. t. (spesso **to s. up, to s. out**) sarchiare (erbacce, ecc.); estirpare col sarchiello.

to **spue** /spjuː/ → **to spew**.

spume /spjuːm/ n. ⓤ spuma; schiuma || **spumous, spumy** a. spumoso.

to **spume** /spjuːm/ v. i. spumare; spumeggiare; schiumare.

spumoni, (USA) **spumone** /spuːˈməʊnɪ/ (ital.), n. (cucina) spumone (gelato o meringa).

spun /spʌn/ **A** pass. e p. p. di **to spin** **B** a. **1** (di seta, oro, ecc.) filato **2** (di lana, nylon) filato **3** (mecc.) imbutito al tornio **4** (sport) con effetto; tagliato ● **s. glass**, vetro filato □ **s. out**, tirato per le lunghe; prolisso □ **s. sugar**, zucchero filato.

spunk /spʌŋk/ n. ⓤ **1** (fam.) coraggio; ardimento; fegato (fig.) **2** (USA) brio; vivacità **3** esca (di funghi o di legno secco); fungo da esca **4** (volg.) sperma; sborra (volg.).

spunky /ˈspʌŋkɪ/ a. (fam.) **1** coraggioso; ardimentoso; che ha fegato **2** (USA) brioso; vivace.

spur /spɜː(r)/ n. **1** sprone; sperone (di gallo; di monte, di roccia, ecc.); contrafforte **2** (equit.) sperone, sprone: **to put (o to set) spurs to a horse**, dar di sprone a un cavallo **3** (fig.) pungolo; stimolo; incitamento; sprone: **the s. of need**, lo stimolo del bisogno **4** (fis.) traccia **5** (bot.) sperone; getto; cornetto **6** (ferr. = **s. track**) binario di raccordo; raccordo **7** (autom.) raccordo: **a motorway s.**, un raccordo autostradale ● (mecc.) **s. gear**, ingranaggio cilindrico (a denti dritti) □ (mecc.) **s. gearing**, trasmissione con ingranaggi cilindrici □ **s. rowel**, rotella dentata di sperone □ (ferr.) **s. track**, raccordo ferroviario □ **on the s. of the moment**, su due piedi; lì per lì; d'impulso: (fam.) **s.-of-the-moment** (agg.), estemporaneo, improvvisato; spontaneo □ (mecc.) **s. wheel**, ruota dentata cilindrica (a denti dritti) □ **to win one's spurs**, (stor.) ottenere gli speroni di cavaliere; (fig.) affermarsi; ac-

♦to **spur** /spɜː(r)/ **A** v. t. **1** spronare: **to s. one's horse**, spronare il cavallo **2** (fig.) incitare, stimolare; spronare: **Ambition spurred him on**, lo spronava l'ambizione **3** munire (o provvedere) di speroni **B** v. i. **1** spronare il cavallo; dar di sprone **2** (anche **to s. on, to s. forward**) andare a spron battuto; correre a tutta velocità.

spurge /spɜːdʒ/ n. (bot., Euphorbia) euforbia ● **s. laurel** (Daphne laureola), erba laurina.

spurious /ˈspjʊərɪəs/ a. **1** spurio; apocrifo; falso: **a s. coin**, una moneta falsa **2** (leg., raro) illegittimo; spurio; bastardo **3** (elettron., ottica, ecc.) spurio | -ly avv. | -ness n. ⓤ.

spurn /spɜːn/ n. **1** (arc.) spinta col piede, calcio (dato per allontanare q. o qc. con sdegno) **2** ⓤⓒ rifiuto sdegnoso; ripulsa; disprezzo; disdegno.

to **spurn** /spɜːn/ v. t. **1** (arc.) respingere (col piede, a calci); spingere indietro **2** rigettare; rifiutare; respingere; sdegnare **3** (fam.) sprecare.

spurner /ˈspɜːnə(r)/ n. sprezzatore, sprezzatrice.

spurred /spɜːd/ a. **1** che porta gli speroni **2** (di gallo, ecc.) speronato.

spurrey /ˈspɜːrɪ/ → **spurry**.

spurrier /ˈspɜːrɪə(r)/ n. (un tempo) chi fabbrica (o vende) speroni.

spurry /ˈspɜːrɪ/ n. (bot., Spergula arvensis) spergola; renaiola.

spurt /spɜːt/ n. **1** sprizzo; zampillo; getto **2** sforzo breve e intenso; scatto; volata **3** impeto; scatto: **to do st. in spurts**, fare qc. a scatti **4** (Borsa, econ.) balzo; ripresa **5** (comm.) **a s. in sales**, un improvviso aumento delle vendite □ (telef.) **s. tone**, impulso di selezione; scatto □ (fam.) **to put on a s.**, fare uno scatto; (anche) affrettarsi, darsi una mossa.

to **spurt** /spɜːt/ **A** v. i. **1** sprizzare; zampillare; sgorgare **2** fare uno sforzo breve ma intenso **3** (sport) scattare; sprintare; fare uno scatto (o una volata) **B** v. t. far sprizzare; far zampillare; far sgorgare.

sputnik /ˈspʊtnɪk/ (russo) n. (miss.) **1** – S., Sputnik (1° satellite artificiale nello spazio: 4 ottobre 1957) **2** (per estens.) sputnik; satellite artificiale.

sputter /ˈspʌtə(r)/ n. **1** schizzo; spruzzo (spec. di saliva) **2** borbottio; farfugliamento **3** crepitio; scoppiettio; sfrigolio.

to **sputter** /ˈspʌtə(r)/ v. i. e t. **1** schizzare; spruzzare; sputacchiare (parlando) **2** biascicare; borbottare; farfugliare **3** crepitare; scoppiettare; sfrigolare.

sputtering /ˈspʌtərɪŋ/ n. ⓤⓒ **1** spruzzamento **2** biascicamento; farfugliamento **3** crepitio; sfrigolio **4** (elettron.) spruzzamento catodico.

sputum /ˈspjuːtəm/ n. (pl. **sputa, sputums**) (med.) sputo; espettorato; escreato.

spy /spaɪ/ n. spia; spione; agente segreto; delatore; informatore; confidente (della polizia) ● (fam. USA) **spy in the sky**, elicottero della polizia; satellite spia □ (aeron. mil.) **spy plane**, aereo spia □ **spy story**, storia di spie.

to **spy** /spaɪ/ **A** v. i. spiare; fare la spia **B** v. t. scorgere; scoprire; vedere (guardando attentamente): **I spied a rider approaching**, scorsi un cavaliere che s'avvicinava ● **to spy into**, investigare; indagare; scrutare: **to spy into a secret**, indagare su un segreto □ **to spy out**, esplorare; investigare; scoprire; trovare □ (fig.) **to spy out the land**, tastare il terreno □ **to spy upon (o on) sb.** [sb.'s movements], spiare q. [le mosse di q.] □ (alla Camera dei Comuni, quando si chiede un dibattito a porte chiuse) **I spy strangers!**, noto la

presenza di estranei! □ **«I spy (with my little eye...)»**, (gioco simile a) «è arrivato un bastimento (carico di...)».

spyglass /ˈspaɪɡlɑːs/ n. cannocchiale.

spyhole /ˈspaɪhəʊl/ n. (edil.) spia; spioncino.

spying /ˈspaɪɪŋ/ **A** a. che spia; che fa la spia **B** n. ⓤ spionaggio.

spymaster /ˈspaɪmɑːstə(r)/ n. capo di un'organizzazione spionistica.

spyware /ˈspaɪwɛə(r)/ n. ⓤ (comput.) spyware (software che raccoglie e inoltra informazioni sull'utente a sua insaputa).

Sq. abbr. **1** (anche **Sqn**) (mil., **squadron**) squadrone; (aeron.) squadriglia **2** (**square**) piazza (P.za).

SQL sigla (comput., **structured query language**) linguaggio di interrogazione strutturato (per i database).

squab /skwɒb/ **A** a. **1** (di piccione, ecc.) implume **2** basso e grasso; grassoccio; grassottello; paffuto **B** n. **1** piccione di nido; piccioncino **2** persona grassoccia; bombolotto **3** cuscino imbottito **4** divano; sofà **C** avv. (raro) di peso; pesantemente; di schianto ● (cucina) **s. pie**, pasticcio di piccione arrosto.

squabble /ˈskwɒbl/ n. alterco; lite; battibecco; litigio; disputa.

to **squabble** /ˈskwɒbl/ **A** v. i. altercare; litigare; bisticciare; disputare: **to s. with sb. about (o over) st.**, litigare con q. su qc. **B** v. t. (tipogr.) scomporre, disfare, spaginare (righe già composte) || **squabbler** n. attaccabrighe; persona litigiosa.

squabby /ˈskwɒbɪ/ a. tozzo; grassoccio; grassottello.

squacco heron /ˈskwækəʊˈhɛrən/ loc. n. (zool., Ardeola ralloides) sgarza ciuffetto.

♦**squad** /skwɒd/ n. **1** squadra; reparto specializzato; drappello (di soldati o poliziotti); nucleo: **the drugs s.**, il nucleo antidroga **2** squadra, gruppo (di operai, ecc.): **a bomb s.**, una squadra (o un reparto) di artificieri (o contro gli ordigni esplosivi) **3** (calcio, ecc.) squadra (comprese le riserve); rosa di giocatori ● (USA) **s. car**, automobile della polizia; pantera (fig.).

squaddie /ˈskwɒdɪ/, **squaddy** /ˈskwɒdɪ/ n. (slang ingl.) soldato semplice; marmittone (pop.).

squadron /ˈskwɒdrən/ n. **1** (mil.) squadrone (di cavalleria, truppe corazzate, esploratori, ecc.) **2** (naut.) squadra; flottiglia **3** (aeron.) squadriglia **4** gruppo organizzato (di persone); comitiva ● (aeron. mil., in GB) **s. leader**, maggiore (comandante di squadriglia).

squalene /ˈskwɛɪliːn/ n. ⓤ (chim.) squalene.

squalid /ˈskwɒlɪd/ a. squallido; misero; povero; sordido; sudicio | -ly avv.

squalidity /skwɒˈlɪdətɪ/, **squalidness** /ˈskwɒlɪdnəs/ n. ⓤ squallidezza; squallore; sordidezza; sudiciume.

squall ① /skwɔːl/ n. **1** grido; strillo; urlo **2** strepito; schiamazzo: **the s. of the seagulls**, lo schiamazzo dei gabbiani.

squall ② /skwɔːl/ n. **1** raffica; groppo, turbine (di vento) **2** (fig.) burrasca; baruffa; baraonda; scompiglio ● **s. cloud**, nube di groppo □ **arched s.**, temporale delle zone equatoriali, con cumuli neri □ (fig.) **to look out for squalls**, stare in guardia; tenere gli occhi aperti || **squally** a. burrascoso; tempestoso (anche fig.).

to **squall** ① /skwɔːl/ v. i. e t. gridare; sbraitare; strillare; schiamazzare; urlare; vociare: **The hungry baby was squalling**, il bambino affamato strillava.

to **squall** ② /skwɔːl/ v. i. far tempesta; far burrasca.

squalor /ˈskwɒlə(r)/ n. ⓤ squallore; squal-

lidezza; sordidezza.

squama /'skweɪmə/ n. (pl. **squamae**) (*bot.*, *zool.*) squama.

squamate /'skweɪmeɪt/ a. (*bot.*, *zool.*) squamato.

squamose /'skweɪməʊs/, **squamous** /'skweɪməs/ a. (*bot.*, *zool.*) squamoso.

to **squander** /'skwɒndə(r)/ v. t. squanare; dilapidare; sperperare; sprecare; sciupare; scialacquare: **to s. a fortune on gambling**, sperperare una fortuna al gioco ‖ **squanderer** n. dissipatore; dilapidatore; sperperatore; sprecone; scialacquatore ‖ **squandering** n. ⓤ dissipazione; dilapidazione; sperpero; spreco; sciupio; scialacquio.

♦**square** ① /skweə(r)/ n. **1** (*geom.*, *mat.*, *mil.*, *ecc.*) quadrato: **9 is the s. of 3**, 9 è il quadrato di tre **2** piazza (*spec. a quattro lati*); piazzetta; piazzale; (*anche*) cortile **3** squadra (*strumento da disegno*) **4** isolato, blocco (*di case*); (*USA*) lunghezza di un intero isolato **5** (*metall.*) barra quadra **6** (*in certi giochi*) casella; (*negli scacchi*) scacco **7** (*fam.*) pasto abbondante; buon pasto **8** (*slang antiq.*) passatista; tradizionalista; conformista **9** (*mil.*) cortile, piazza (*di caserma*) **10** (*Borsa*) posizione bilanciata **11** (*slang*) sigaretta (*di tabacco; non di droga*) ● (*gergo mil.*) **s.-bashing**, esercitazione militare; esercizi di marcia □ **s. one**, la prima casella: (*fig.*) **to be back to s. one**, essere al punto di partenza; essere punto e a capo □ **on the s.**, (*agg.*) corretto, leale, equo, giusto, onesto; (*avv.*) correttamente, lealmente, onestamente; (*geom.*) ad angolo retto: **to act on the s.**, essere leale; comportarsi onestamente; **cut on the s.**, tagliato ad angolo retto □ **out of s.**, fuori di squadra.

♦**square** ② /skweə(r)/ a. **1** quadrato (*anche geom.*, *mat.*); quadro: **a s. jaw**, una mascella quadrata; **s. measures**, misure quadrate (*di superficie*); (*naut.*) **a s. sail**, una vela quadra; (*mat.*) **a s. root**, una radice quadrata; **one s. metre**, un metro quadrato **2** tarchiato; tozzo: **a man of s. frame**, un uomo di corporatura tarchiata **3** allineato; in assetto; a posto; in ordine; sistemato; pari e patta: **to get things s.**, mettere a posto le cose; sistemare le cose; *We are not s. yet*, non abbiamo ancora saldato i conti; non siamo ancora pari e patta **4** assoluto; completo; deciso; netto; secco: *I got a s. refusal*, ricevetti un secco rifiuto **5** (*fam.*) giusto; leale; onesto: *His play is not always s.*, il suo gioco non è sempre leale; **a s. deal**, un affare onesto; un trattamento equo **6** (*fam.*) soddisfacente; buono; abbondante: **a s. meal**, un pasto abbondante (*o come Dio comanda*) **7** (*slang*) passatista; tradizionalista; conformista **8** (*sport*) alla pari; in parità (*o in pareggio*): **to end the first half all s.**, chiudere il primo tempo in parità ● **s. bracket**, parentesi quadra □ **s.-built**, tarchiato; tozzo □ **s. cap**, tocco accademico □ (*USA*) **s. dance**, danza in quattro coppie (*quadriglia, ecc.*) □ «**S. Deal**», «All'Onestà» (*insegna di negozio*) □ (*mecc.*) **s. engine**, motore quadro □ (*mecc.*) **s.-headed bolt**, bullone a testa quadra □ **s. inch**, pollice quadrato (*misura di superficie*) □ **s. mile**, miglio quadrato (*pari a km² 2,59*) □ (*fig.*) **the S. Mile**, la City di Londra □ (*sport*) **a s. pass**, un passaggio laterale □ (*fig.*) **a s. peg in a round hole**, una persona sbagliata (*per un dato lavoro*); un pesce fuor d'acqua □ (*naut.*) **s. port**, portello □ (*naut.*) **s.-rigged**, attrezzata con vele quadre □ (*naut.*) **s.-rigger**, nave con attrezzatura a vele quadre □ (*fam. USA*) **s. shooter**, tipo onesto (*o leale*); galantuomo □ (*ingl.*) **s. tin**, pane in cassetta; cassetta di pane □ **s.-toed**, (*di scarpa*) dalla punta quadrata; (*fig.*) pedante; pignolo; all'antica; tradizionalista □ (*fig.*) **s.-toes**, formalista; tradizionalista; pi-

gnolo; pedante □ **to get s. with sb.**, saldare i conti con q. (*anche fig.*): **to get s. with one's creditors**, pagare i debiti; saldare i propri creditori.

square ③ /skweə(r)/ avv. **1** ad angolo retto; a squadra **2** dritto: **to look sb. s. in the eye**, guardare q. dritto negli occhi **3** esattamente; proprio: *I hit him s. on the nose*, lo colpii proprio sul naso ● (*fig.*) **He plays fair and s.**, agisce lealmente.

to **square** /skweə(r)/ v. t. **1** quadrare (*anche fig.*); fare la quadratura di: *Are you trying to s. the circle?*, stai cercando di fare la quadratura del cerchio?; (*fig.*) vuoi forse la luna nel pozzo? **2** squadrare: **to s. timber [a marble slab]**, squadrare legname da costruzione [una lastra di marmo] **3** aggiustare; adattare; mettere in squadra; raddrizzare; drizzare; regolare; mettere a punto: *S. your shoulders*, drizza le spalle!; **to s. an instrument**, regolare uno strumento **4** (*mat.*) quadrare; elevare al quadrato: **to s. a number**, elevare al quadrato un numero **5** (*comm.*) regolare; saldare; pagare; pareggiare; far quadrare: *We have squared our accounts*, abbiamo regolato i conti; **to s. figures**, far quadrare le cifre **6** (*fam.*) corrompere (*con denaro, mance, ecc.*); comprare; ungere: (*fig.*): *Can't you s. the night porter?*, non puoi ungere il portiere di notte? **7** (*mecc.*) regolare (*punterie, valvole, ecc.*); mettere a punto **8** (*naut.*) bracciare (*pennoni, ecc.*) in croce (*o ad angolo retto*) **9** (*sport*) mettere in parità; portare al pareggio ▣ v. i. **1** quadrare (*fig.*); accordarsi, essere coerente; tornare (*fig.*): *His version of the facts doesn't s. with yours*, la sua versione dei fatti non quadra con la tua **2** assumere un atteggiamento bellicoso (*o di sfida*) ● (*anche fig.*) **to s. accounts with sb.**, regolare (*o* saldare) i conti con q.; fare i conti con q. □ (*calcio, ecc.*) **to s. the ball for a teammate**, fare un passaggio diagonale (*o traversare*) per un compagno di squadra □ (*anche fig.*) **to s. the circle**, trovare la quadratura del cerchio □ **to s. matters**, mettere tutti d'accordo; sistemare la faccenda □ (*sport*) **to s. the score**, pareggiare.

▪ **square away** ▣ v. t. + avv. **1** mettere a posto, riassettare, riordinare (*documenti, ecc.*) **2** (*naut.*) bracciare a croce (*le vele*); mettere al vento (*una nave*) ▣ v. i. + avv. **1** riassettarsi; riordinarsi **2** (*naut.*) mettersi al vento (*fam. USA*) affrontarsi; fronteggiarsi.

▪ **square off** ▣ v. t. + avv. **1** rendere quadrato; squadrare **2** quadrettare; dividere in quadri (*o in quadratini*) **3** (*fam.*) riassettare; riordinare ▣ v. i. + avv. **1** riassettarsi; rimettersi in ordine **2** (*fam. USA*) affrontarsi; fronteggiarsi **3** (*boxe*) mettersi in guardia.

▪ **square up** ▣ v. t. + avv. **1** disporre in quadro, ordinare, spianare (*documenti, libri, ecc.*) **2** pareggiare (*differenze*); rimborsare (*danni*); saldare (*conti, ecc.*) ▣ v. i. + avv. **1** pagare (*o saldare*) il conto: **to s. up with the baker**, saldare i conti con il fornaio **2** (*fam.*) affrontarsi; fronteggiarsi **3** (*boxe*) → **square off, B**, *def. 3*.

▪ **square up to** v. i. + avv. + prep. far fronte a, fronteggiare, affrontare (*un avversario, un problema, ecc.*).

▪ **square with** ▣ v. i. + prep. **1** → **to square, B**, *def. 1* **2** (*fam.*) fare i conti con, saldare (q.) **3** (*fam. USA*) essere onesto con (q.); dire la verità a (q.) ▣ v. t. + prep. appianare, sistemare (*le cose, ecc.*) con (q.) □ *I'd like to call in sick, but I can't s. it with my conscience*, vorrei darmi malato, ma la mia coscienza non me lo permette.

squared /'skweəd/ a. **1** squadrato **2** (*comm.*) pareggiato; saldato **3** (*di carta*) a quadri; a quadretti; quadrettato **4** (*mat.*)

(*elevato*) al quadrato ● **s. away**, sistemato; in ordine; a posto □ (*fam.*, *boxe*) **the s. circle** (*o ring*), il quadrato.

squarehead /'skweəhed/ n. (slang USA) «testa quadra»; tonto; persona di origine scandinava o tedesca (*spreg.*).

squarely /'skweəli/ avv. **1** ad angolo retto; in squadro **2** lealmente; correttamente; onestamente: **to deal s.**, comportarsi correttamente **3** esattamente; in pieno; diritto: *The bullet hit him s. on the forehead*, il proiettile lo colpì in piena fronte.

squareness /'skweənəs/ n. ⓤ **1** forma quadrata **2** (*fig.*) lealtà; correttezza; onestà **3** (*mat.*) quadraticità.

squarer /'skweərə(r)/ n. squadratore.

squaring /'skweərɪŋ/ n. ⓤⓒ **1** (*mat.*) quadratura (*anche fig.*): **s. the circle**, la quadratura del cerchio **2** squadratura ● (*mecc.*) **s. shear**, cesoiatrice a ghigliottina.

squarish /'skweərɪʃ/ a. quasi quadrato; più o meno quadrato.

squarrose /'skwærəʊs/ a. (*bot.*, *zool.*) scaglioso; squamoso.

squash ① /skwɒʃ/ n. (per lo più al sing.) **1** poltiglia; cosa spiaccicata **2** spiaccichio; tonfo **3** calca; folla; pigia pigia; ressa **4** bibita a base di succo di frutta: **lemon s.**, limonata; **orange s.**, aranciata **5** ⓤ (*sport*, = **s. rackets**) squash **6** (*tennis*, *pallavolo*) schiacciata **7** (*fam.*) ricevimento affollato ● (*sport*) **s. court**, campo di gioco per lo squash □ **s. hat**, cappello floscio □ **s. racket**, racchetta da squash.

squash ② /skwɒʃ/ n. (inv. al pl.; *bot.*, *Cucurbita*) zucca; zucchina.

to **squash** /skwɒʃ/ ▣ v. t. **1** schiacciare; spremere; pigiare; pestare; spiacciacare: *She accidentally sat on her bag and squashed it*, per sbaglio si sedette sulla sua borsa e la schiacciò **2** (*fig.*) domare; soffocare: **to s. a rebellion**, domare una rivolta; **to s. a rumour**, soffocare una diceria **3** (*fig. fam.*) far tacere; ridurre al silenzio; zittire; sconcertare ▣ v. i. **1** schiacciarsi; spiacciarsi; ridursi in poltiglia **2** pigiarsi; spingere; fare ressa; accalcarsi: **to s. into a room**, accalcarsi in una stanza **3** aprirsi un varco a forza: **to s. through the gates**, irrompere attraverso i cancelli **4** cadere con un tonfo ● **to s. in**, entrare a forza; cacciarsi; infilarsi; pigiare; far entrare a forza.

squashy /'skwɒʃi/ a. **1** floscio; molle; molliccio **2** acquitrinoso; pantanoso ‖ **squashiness** n. ⓤ l'essere floscio; mollezza.

squat /skwɒt/ ▣ a. **1** (*pred.*) accosciato; accoccolato; accovacciato; rannicchiato **2** tarchiato; tozzo; atticciato: **a s. house**, una casa tozza ▣ n. **1** posizione accovacciata, accucciata **2** ⓤ occupazione abusiva (*di suolo o case*) **3** individuo tarchiato (*o tozzo*) **4** casa occupata **5** (*slang USA*) niente; nulla: **little more than s.**, poco o nulla ● (*slang USA*) **the hot s.**, la sedia elettrica □ (*volg.*) **to take a s.**, accovacciarsi; defecare; (*di donna*, *anche*) urinare.

to **squat** /skwɒt/ v. i. **1** (*anche* **to s. down**) accosciarsi; accoccolarsi; accovacciarsi; rannicchiarsi; stare accovacciato (*o rannicchiato*) **2** (*d'animale*) acquattarsi; accucciarsi; stare a cuccia **3** (*fam.*) sedersi; mettersi a sedere **4** occupare abusivamente suolo pubblico (*o case altrui*); essere uno → «squatter» (*def. 2*) ● **to s. oneself**, accosciarsi; accoccolarsi; accovacciarsi.

squatter /'skwɒtə(r)/ n. **1** uomo (*o animale*) accosciato, accovacciato, ecc. (→ **to squat**) **2** squatter; occupante abusivo di suolo pubblico (*o di case destinate ad altri*) **3** (*in Australia, stor.*) ex galeotto datosi alla pastorizia (*su suolo pubblico*) **4** (*Austral.*) grande allevatore di bestiame (*spec. di peco-*

re) **5** (*zool.*, *Phaps elegans*) piccione australiano ● **squatters' camp**, campo di squatter □ (*leg. USA*) **squatters' right(s)**, usucapione □ (*leg. ingl.*) **squatters' title**, usucapione.

squatting /'skwɒtɪŋ/ n. ⓤ **1** l'accovacciarsi, l'accucciarsi **2** occupazione abusiva (*di suolo o di case*) **3** (*Austral.*) occupazione di terreno pubblico per adibirlo a pascolo.

squatty /'skwɒtɪ/ a. → **squat**, **A**.

squaw /skwɔː/ n. **1** (*antiq. o offensivo*) donna indiana; moglie di un pellerossa **2** (*offensivo*, *USA*) moglie.

squawk /skwɔːk/ n. **1** strido rauco (*spec. d'uccello*) **2** (*fam.*) lagnanza (*o lamentela*, protesta) rumorosa; strillo (*fig.*): **the squawks of taxpayers**, gli strilli dei contribuenti.

to **squawk** /skwɔːk/ v. i. **1** (*d'uccelli, ecc.*) fare un verso roco; emettere strida rauche **2** (*fam.*) lagnarsi (*o lamentarsi*) rumorosamente **3** (*fam.*) cantare (*fig.*); fare una soffiata; vuotare il sacco (*fig.*); confessare.

squawker /'skwɔːkə(r)/ n. **1** chi emette strida rauche **2** chi si lagna (*o si lamenta*) rumorosamente **3** (*slang*) telefono cellulare; telefonino **4** (*slang*) walkie-talkie (*della polizia*).

squeak /skwiːk/ n. **1** squittio; stridio; guaito; pigolio; strillo: **the s. of a mouse**, lo squittio d'un topo **2** cigolio; scricchiolio: **the s. of an unoiled hinge**, il cigolio di un cardine non oliato ● (*fam.*) **to have a close** (*o narrow*) **s.**, salvarsi per il rotto della cuffia; scamparla per un pelo.

to **squeak** /skwiːk/ **A** v. i. **1** (*d'animale*) squittire; stridere; guaire; pigolare; strillare **2** (*di cosa*) cigolare; scricchiolare: *The floorboards squeaked*, le assi del pavimento scricchiolarono **3** (*fam.*) fare la spia; cantare, soffiare, spifferare (*fam.*) **B** v. t. dire con voce stridula; strillare ● (*fam.*) **to s. by**, (*fam.*) **to s. through**, cavarsela per un soffio; scamparla per un pelo.

squeaker /'skwiːkə(r)/ n. **1** animale che squittisce; maialino, lattonzolo **2** uccello che pigola; uccellino implume **3** giocattolo (*orsacchiotto, pupazzo, ecc.*) che fa un verso stridulo **4** (*fam.*) spia; delatore; soffiatore, spifferone (*fam.*) **5** (*zool.*) pescegatto d'acqua dolce (*in Africa*).

squeaky /'skwiːkɪ/ a. **1** stridulo; che guaisce, che squittisce, che pigola **2** cigolante; scricchiolante ● (*fam.*) **s. clean**, pulitissimo; immacolato ‖ **squeakily** avv. squittendo; pigolando; guaendo ‖ **squeakiness** n. ⓤ l'essere stridulo, ecc.

squeal /skwiːl/ n. **1** strillo acuto; strido; squittio: **the squeals of a child**, gli strilli di un bambino; **the s. of a pig**, lo strido di un maiale **2** (*autom.: delle gomme*) stridore.

to **squeal** /skwiːl/ **A** v. i. **1** strillare, stridere (*con un verso più forte e lungo di quello indicato da* **to squeak**); guaire; pigolare; squittire **2** (*fam.*) lagnarsi (*o lamentarsi*) rumorosamente **3** (*fam.*) fare la spia; cantare, soffiare, spifferare (*fam.*) **4** (*autom.: delle gomme*) stridere **B** v. t. gridare con voce stridula ● (*slang*) **to make sb. s.**, far cantare q.; fare confessare q.; (*anche*) ricattare q.

squealer /'skwiːlə(r)/ n. **1** animale che stride **2** uccello di nido; piccioncino **3** (*fam.*) piagnucolone, piagnucolona; chi strilla sempre **4** (*fam.*) spia; delatore; soffiatore, spifferone (*fam.*).

squealing /'skwiːlɪŋ/ n. ⓤ **1** stridio; pigolio; squittio **2** (*autom.*) stridore (*di gomme*) **3** (*elettron.*) fischio; sibilo.

squeamish /'skwiːmɪʃ/ a. **1** schifiltoso, schizzinoso **2** troppo delicato; troppo scrupoloso **3** che si scandalizza facilmente; prude (*franc.*) ‖ **-ly** avv. ‖ **-ness** n. ⓤ.

squeegee /'skwiːdʒiː/ n. **1** (*autom., ecc.*) tergivetro (*manuale: a forma di T*) **2** (*naut., fotogr.*) seccatoio ● (*fam., spreg.*) **s. bandit**, lavavetri abusivo (*ai semafori*).

to **squeegee** /'skwiːdʒiː/ v. t. **1** asciugare, pulire (*un parabrezza, ecc.*) con un tergivetro **2** (*fotogr.*) seccare, asciugare (*fotografie, ecc.*).

squeezable /'skwiːzəbl/ a. **1** compressibile; comprimibile; che si può premere (*o spremere*) **2** (*fig.*) tartassabile; spremibile (*dal fisco*).

squeeze /skwiːz/ n. **1** ⓤⒸ compressione (*anche fis.*); schiacciamento; pigiata; pressione (*anche fig.*) **2** (*= s. of the hand*) stretta di mano **3** stretta; abbraccio **4** Ⓒⓤ spremuta; strizzata; poche gocce; schizzo: **with a s. of lemon**, con uno schizzo di limone **5** (*spesso* **tight s.**) calca; folla; ressa; pigia pigia **6** (*fam.*) estorsione; denaro estorto (*o sottratto*) **7** calco, impronta (*di moneta, ecc.*) **8** (*econ.*) difficoltà economica (*o finanziaria*); compressione (*degli utili*) **9** (*econ., fin.*) severe restrizioni; giro di vite (*fig.*); stretta; crisi: **a s. on imports**, severe restrizioni alle importazioni; **the recent credit s.**, la recente stretta creditizia; **the everlasting housing s.**, l'eterna crisi degli alloggi **10** (*fam. USA*) situazione difficile **11** (*fig.*) drastica riduzione (*di un bilancio*) **12** (*a bridge*) «squeeze»; compressione **13** (*slang USA*; = main s.) il proprio ragazzo, l'amico; la propria ragazza, l'amica ● (*fam.*) **s.-box**, fisarmonica □ (*fin., USA*) **s.-out**, fusione per eliminare gli azionisti di minoranza □ **s. roller**, (*fotogr.*) rullo asciugatore; (*ind. tess.*) cilindro spremitore □ **a close** (*o narrow*) **s.**, un brutto rischio; l'essersi salvato a stento □ (*fam.*) **to put the s. on sb.**, fare (*o esercitare*) forti pressioni su q. □ **to be in a tight s.**, essere pigiati come le sardine; (*fig.*) essere in un grosso guaio, essere alle strette.

♦to **squeeze** /skwiːz/ **A** v. t. **1** spremere (*anche fig.*); stringere; comprimere; premere; pigiare; strizzare; (*fig.*) estorcere, spillare: **to s. oranges**, spremere arance; **to s. money out of sb.**, spremere denaro da q.; **to s. sb.'s hand**, stringere vigorosamente la mano a q.; **to s. the trigger**, premere il grilletto; **to s. a wet cloth**, strizzare un panno bagnato **2** far passare a forza; infilare: *I squeezed my hand through the bars*, infilai la mano tra le sbarre **3** comprimere; schiacciare; pigiare: *They squeezed their guests into a small room*, pigiarono i loro ospiti in una stanzetta; *He was squeezed to death in the crowd*, morì schiacciato dalla folla **4** forzare; mettere alle strette; esercitare (*o fare*) pressioni su: **to s. the government**, esercitare pressioni sul governo **5** prendere l'impronta (*o il calco*) di (*una moneta, ecc.*) **6** (*fig.*) mettere (q.) in difficoltà finanziarie **7** (*econ.*) comprimere, far diminuire (*i profitti*) **8** (*fisc.*) spremere, tartassare (*i contribuenti*) **9** (*fig.*) ridurre drasticamente (*un bilancio e sim.*) **10** (*sport: nelle corse*) stringere (*un avversario*) **11** (*bridge*) costringere (*un avversario*) a giocare carte importanti **B** v. i. **1** essere compressibile; lasciarsi spremere **2** (*di solito*, **to s. in**) farsi largo a forza; cacciarsi; infilarsi; aprirsi un varco **2** (*econ.*) esercitare una pressione economica ● (*rugby*) **to s. the ball over the goal line** (*o over the line*), schiacciare la palla in meta □ **to s. into a room**, pigiarsi per entrare in una stanza □ **to s. (out) a tear**, spremere una lacrimuccia □ **to s. one's way through the demonstrators**, farsi avanti a spinte fra i dimostranti □ (*Borsa*) **squeezed bear**, ribassista messo alle strette (*o con le spalle al muro*).

■ **squeeze by** v. i. + avv. **1** passare stringendosi; passare a stento **2** (*fig.*) farcela a stento (*o a malapena*); tirare avanti alla me-

glio.

■ **squeeze home** v. i. + avv. (*sport, fam.*) portare a casa il risultato; vincere per un pelo (*o a stento, a fatica*): *We squeezed home by one point*, vincemmo a fatica per un punto.

■ **squeeze in** **A** v. i. + avv. **1** infilarsi dentro; entrare a forza: *He managed to s. in*, riuscì a entrare a forza **2** (*fig.*) farcela per un pelo; essere ammesso (accettato, ecc.) per miracolo **B** v. t. + avv. **1** cacciare dentro; far entrare a forza **2** (*fig.*) infilare (*fam.*) (riuscire a) trovar posto (tempo, ecc.) per (q. o qc.): *There's no chance you could s. it in this morning at all?*, non riusciresti a trovare un buco per farlo stamattina?

■ **squeeze out** v. t. + avv. **1** spremere (*succo, una spugna, ecc.*) **2** (*fig.*) spremere (*denaro e sim.*); cavare, ricavare (*profitti, utili, ecc.*) **3** (*fig.*) estromettere, cacciare (*di casa, dal posto di lavoro, dal mercato, ecc.*): *The competition is squeezing us out of the market*, la concorrenza ci sta cacciando dal mercato **4** (*fig.*) richiamare alla mente (*spremendo le meningi*): 'He tried to s. out some childhood memory that should tell him whether London had always been quite like this' G. ORWELL, 'tentò di richiamare alla mente qualche ricordo d'infanzia che gli dicesse se Londra era sempre stata proprio così' □ **to s. toothpaste out of the tube**, far uscire il dentifricio dal tubetto (*schiacciandolo*).

■ **squeeze through** v. i. + avv. (*o prep.*) **1** passare a stento (*o a malapena*) (attraverso qc.): *Can you s. through the hole?*, ce la fai a passare attraverso il buco? **2** (*fig.*) farcela a malapena (*o per il rotto della cuffia*) □ (*sport: nelle corse*) **to s. through between two rivals**, infilarsi tra due concorrenti.

■ **squeeze up** **A** v. t. + avv. stringere; schiacciare: *I was squeezed up between two giants*, ero schiacciato tra due giganti **B** v. i. + avv. stringersi (*per fare posto*): *Will you s. up a little, please?*, volete stringervi un po', per favore?

squeezer /'skwiːzə(r)/ n. **1** (*cucina*) spremitoio; spremiagrumi; spremilimoni; spremifrutta **2** chi spreme, strizza, pigia, ecc. (→ **to squeeze**) **3** (*mecc.*) strettoio; torchio **4** (*metall.*) formatrice a compressione **5** (*pl.*) (*fam.*) carte da poker.

squeezing /'skwiːzɪŋ/ n. ⓤ **1** compressione; pressione; lo schiacciare **2** (*fig.*) contrazione; riduzione drastica **3** estorsione (*di denaro*).

squelch /skwelʧ/ n. **1** rumore del fango appiccicaticcio; cic ciac; splash **2** poltiglia; cosa spiaccicata **3** (*fam.*) critica; rabbuffo **4** (*elettron.*) silenziatore.

to **squelch** /skwelʧ/ **A** v. t. **1** schiacciare; spiaccicare **2** (*fam.*) far tacere; ridurre al silenzio **3** mettere a tacere, soffocare (*una protesta*) **4** (*elettron.*) silenziare (*raro*) **B** v. i. **1** fare il rumore del fango appiccicaticcio; fare cic ciac; fare splash **2** diguazzare, sguazzare nel fango.

squib /skwɪb/ n. **1** piccolo razzo; petardo **2** (*mil.*) carica d'accensione **3** pasquinata; satira **4** (*slang USA*) annuncio pubblicitario; articolo riempitivo; trafiletto.

to **squib** /skwɪb/ **A** v. t. attaccare; satireggiare **B** v. i. scrivere satire; far pasquinate ● (*slang USA*) **to s. off**, fare fuori, fare secco, freddare.

squid① /skwɪd/ n. **1** (*zool.*, *Loligo*; pl. *squid, squids*) calamaro **2** (*pesca*) calamaro usato come esca; esca artificiale **3** (*aeron.*) calotta di paracadute.

squid② /skwɪd/ n. **1** (*naut., mil.*) istrice (*dispositivo per lanciare cariche antisommergibili*) **2** (*cinem.*) piccola carica esplosiva (*che fa scoppiare una vescichetta di tinta rossa*).

to **squid** /skwɪd/ v. i. **1** andare a pesca di calamari **2** pescare usando calamari come

esca.

squidgy /'skwɪdʒɪ/ a. (*fam. ingl.*) molle; pastoso; umidiccio.

squiffy /'skwɪfɪ/ a. (*slang antiq.*) brillo; alticcio; un po' sbronzo.

squiggle /'skwɪgl/ n. **1** ghirigoro; svolazzo **2** scarabocchi; scrittura indecifrabile ‖ **squiggly** a. **1** pieno di ghirigori (*o* di svolazzi); a svolazzi **2** pieno di scarabocchi; illeggibile.

to **squiggle** /'skwɪgl/ **A** v. i. **1** contorcersi; dimenarsi **2** fare ghirigori (*o* svolazzi) **3** fare scarabocchi; scrivere in modo illeggibile **B** v. t. scarabocchiare; fare uno scarabocchio per (*firma*).

squilgee /'skwɪldʒiː/ → **squeegee**.

squill /skwɪl/ n. **1** (*bot., Urginea maritima*) scilla marittima **2** (*zool., Squilla mantis*) canocchia; cicala di mare; squilla.

squinch /skwɪntʃ/ n. (*archit.*) pennacchio.

squint /skwɪnt/ **A** n. **1** (*med.*) strabismo **2** (*fam. USA*) rapida occhiata; sguardo furtivo: *Let's have (o take) a s. at it*, diamoci un'occhiata! **3** (*fig.*) inclinazione; propensione; tendenza **B** a. **1** strabico **2** (*fam.*) sghembo; storto ● **s.-eyed**, strabico; (*fig.*) maligno, malevolo □ **He has a s.**, è affetto da strabismo; è strabico □ **He has a bad s.**, è molto strabico.

to **squint** /skwɪnt/ **A** v. i. **1** essere strabico **2** guardare di traverso; guardare socchiudendo gli occhi; dare uno sguardo furtivo: **to s. at sb.**, guardare q. di traverso **3** (*fig.*) tendere; inclinare **B** v. t. socchiudere; tener (*gli occhi*) socchiusi.

squinter /'skwɪntə(r)/ n. strabico.

squinty /'skwɪntɪ/ a. strabico; guercio: **s. eyes**, occhi strabici.

squire /'skwaɪə(r)/ n. **1** (*un tempo*) gentiluomo di campagna; signorotto; possidente **2** (*stor.*) scudiero; valletto d'arme **3** cavalier servente; cavaliere; chi accompagna una signora **4** (*USA*) giudice locale; giudice di pace ● (*spec. stor.*) **the s.**, il più grosso proprietario terriero (*in un villaggio*).

to **squire** /'skwaɪə(r)/ v. t. far da cavaliere a (*una signora*).

squirearchy, squirarchy /'skwaɪərɑːkɪ/ n. ⏚ **1** ceto dei gentiluomini di campagna **2** (*stor.*) governo sostenuto (*o* influsso esercitato*) dai possidenti terrieri (*prima della riforma elettorale del 1832*).

squireen /skwaɪə'riːn/ n. (*stor., in Irlanda*) piccolo possidente.

squirm /skwɜːm/ n. contorcimento; contorsione.

to **squirm** /skwɜːm/ v. i. ● contorcersi; torcersi; dimenarsi **2** (*fig.*) essere imbarazzato; star sulle spine **3** (*fig.*) vergognarsi; sentirsi in colpa ● (*calcio: della palla*) passare (*o* schizzare via) a stento ● **to s. out of st.**, liberarsi da qc. (*un impegno, ecc.*) □ **to s. with shame**, vergognarsi come un ladro.

squirrel /'skwɪrəl/ n. (pl. **squirrels**, **squirrel**) **1** (*zool., Sciurus*) scoiattolo **2** (*slang USA*) eccentrico; pazzoide; squilibrato; svitato (*pop.*) **3** (*volg. USA*) bella fica (*volg.*); bella donna ● (*anche elettr.*) **s. cage**, gabbia di scoiattolo □ **s.-hawk**, falco predatore (*che si ciba di scoiattoli*) □ **s. monkey**, uistitì (*o altra piccola scimmia*) □ (*slang USA*) **s. tank**, manicomio □ (*zool.*) **barking s.**, cane della prateria.

to **squirrel away** /'skwɪrələweɪ/ v. t. + avv. (*fam. USA*) mettere da parte; mettere via; accumulare.

squirt /skwɜːt/ n. **1** (*anche med.*) schizzetto; siringa **2** schizzo; zampillo; getto d'acqua; spruzzo **3** (*fam.*) giovane di belle speranze (*iron.*); persona insignificante e boriosa; saccentone; saputello **4** (pl.) (*dial.*) – **the squirts**, la diarrea; la cacarella (*pop.*). ●

(*USA*) **s. can**, oliatore col fondo flessibile □ **s. gun**, (*mecc.*) spruzzatore; (*anche*) schizzetto (*giocattolo*); pistola ad acqua.

to **squirt** /skwɜːt/ **A** v. t. **1** schizzare; sprizzare; spruzzare **2** iniettare (*con uno schizzetto*) **B** v. i. (*spesso* **to s. out**) schizzare; zampillare.

squirter /'skwɜːtə(r)/ n. **1** schizzetto; siringa **2** pistola ad acqua.

squirting cucumber /'skwɜːtɪŋ-'kjuːkʌmbə(r)/ loc. n. (*bot., Ecballium elaterium*) cocomero asinino.

squish /skwɪʃ/ n. **1** splash; cic ciac; rumore di fango appiccicaticcio (*d'un frutto maturo che cade, ecc.*) **2** (*fam.*) marmellata (*spec. d'arance*).

to **squish** /skwɪʃ/ **A** v. t. schiacciare; spremere; strizzare **B** v. i. fare cic ciac; fare splash; fare il rumore del fango appiccicaticcio.

squishy /'skwɪʃɪ/ a. **1** molle; soffice; fangoso; appiccicaticcio **2** sciaguattante; che fa cic ciac.

squit /skwɪt/ n. (*slang*) ometto insignificante; donnicciola, donnetta.

squiz /skwɪz/ n. (*slang USA*) occhiata veloce; scrutatina.

Sr abbr. **1** (**senior**) senior **2** (**sister**) sorella (*infermiera*).

SRAM sigla (*comput.*, **static random access memory**) memoria RAM statica.

Sri Lankan /sriː'læŋkən/ a. e n. (abitante) dello Sri Lanka (*ex Ceylon*).

SRN sigla (*stor., GB*, **state registered nurse**) infermiere diplomato (*uomo o donna*).

SS sigla **1** (*relig., saints*) santi (SS.) **2** (*anche S/S*) (**steamship**) piroscafo.

SSB sigla (*radio*, **single-sideband (transmission)**) (trasmissione) a banda laterale unica.

SSE sigla (*geogr.*, **south-south-east**) sud-sud-est (SSE).

♦**ssh** /ʃ/ inter. sss!; st!; zitti!

SSI sigla (*comput.*, **server side includes**) SSI, estensioni lato server (*direttive inseribili in pagine HTML ed eseguite dal server Web*).

SSL sigla (*comput.*, **secure socket layer**) SSL (*protocollo per la comunicazione sicura di dati*).

SSP sigla (*GB*, **statutory sick pay**) retribuzione per malattia (*erogata dallo stato*).

SSRI sigla (*farm.*, **selective serotonin reuptake inhibitor**) inibitori selettivi della ricaptazione della serotonina.

SSSI sigla (*GB*, **site of special scientific interest**) luogo di particolare interesse scientifico.

SSW sigla (*geogr.*, **south-south-west**) sud-sud-ovest (SSO).

St① abbr. **1** (*geogr.* **straits**) stretto **2** (**street**) strada.

St② /sən(t)/ e composti → **saint**.

stab /stæb/ n. **1** pugnalata (*anche fig.*); coltellata; stilettata: (*anche fig.*) **a s. in the back**, una pugnalata alla schiena **2** ferita di pugnale, di coltello; (*fig.*) offesa **3** fitta di dolore **4** (*fig.*) fitta; sensazione dolorosa: **a s. of remorse**, una fitta di rimorso **5** (*calcio, ecc.*) forte calcio; sciabolata, stoccata (*fig.*) **6** (*fam.*) prova, tentativo ● **s. wound**, ferita di punta □ (*fam.*) **I'll have (o make) a s. at it**, ci proverò; proverò a farlo.

to **stab** /stæb/ **A** v. t. **1** pugnalare; accoltellare; colpire con uno stiletto: **to s. sb. in the chest**, pugnalare q. al petto; **to s. sb. to death**, pugnalare q. a morte **2** conficcare; infilzare **3** (*fig.*) dare una pugnalata a; ferire (*i sentimenti di q.*); (*della coscienza*) rimordere **4** (*edil.*) martellinare (*un muro, prima d'intonacarlo*) **B** v. i. **1** menar colpi di pu-

gnale; tirare stilettate: **to s. at sb.**, menar colpi di pugnale contro q. **2** (*del dolore*) dare fitte ● (*fig.*) **to s. at sb.'s reputation**, cercar di denigrare q. □ **to s. one's finger at sb.** [**st.**], additare q. [qc.] □ (*anche fig.*) **to s. sb. in the back**, pugnalare q. alle spalle □ **a stabbing pain**, un dolore acuto (*o* lancinante); una fitta.

stabber /'stæbə(r)/ n. **1** pugnalatore; accoltellatore **2** pugnale; stiletto.

stability /stə'bɪlətɪ/ n. ⏚ stabilità; fermezza; saldezza: **s. of character**, fermezza di carattere **2** (*scient., ecc.*) stabilità: (*aeron.*) **directional s.**, stabilità di rotta; (*elettron. e fig.*) **s. factor**, fattore di stabilità ● (*polit.*) **S. Pact**, Patto di stabilità (*dell'UE*).

to **stabilize** /'steɪbəlaɪz/ **A** v. t. stabilizzare; rendere stabile; consolidare: (*naut.*) **to s. a ship**, stabilizzare una nave; (*econ., fin.*) **to s. a currency**, rendere stabile una moneta **B** v. i. stabilizzarsi ‖ **stabilization** n. ⏚ stabilizzazione (*anche scient., tecn.*); consolidamento: (*econ.*) **the stabilization of prices [of wages]**, la stabilizzazione dei prezzi [dei salari] ‖ **stabilized** a. stabilizzato: (*aeron.*) **stabilized flight**, volo stabilizzato.

stabilizer /'steɪbəlaɪzə(r)/ n. **1** (*chim., ind., tecn., econ.*) stabilizzatore **2** (*naut.*) stabilizzatore **3** (*autom.*) barra stabilizzatrice **4** (*sport*) banda stabilizzatrice (*di parapendio*) ● (*naut.*) **s. fin**, pinna stabilizzatrice □ (*aeron.*) **horizontal s.**, stabilizzatore □ (*aeron., USA*) **vertical s.**, deriva, stabilizzatore verticale (*cfr. ingl.* **fin**).

stabilizing /'steɪbəlaɪzɪŋ/ a. **1** (*chim., metall., ecc.*) stabilizzante **2** (*tecn.*) stabilizzatore: (*miss.*) **s. fin**, pinna stabilizzatrice (*di razzo*).

♦**stable**① /'steɪbl/ a. **1** stabile; fermo; saldo; fisso; solido: (*fis.*) **s. equilibrium**, equilibrio stabile; **s. employment**, occupazione stabile; **a s. economy**, un'economia solida; **a s. government**, un governo stabile; **a s. job**, un lavoro fisso; *This building is not s.*, questo edificio non è solido **2** stabile nei propositi; determinato; deciso **3** (*fin.: di prezzo, ecc.*) stabile: **a s. currency**, una moneta stabile; **s. sales**, vendite stabili **4** (*med.*) stabile: **s. angina**, angina stabile ● (*med.*) **a patient in s. condition**, un malato stazionario.

stable② /'steɪbl/ n. **1** stalla (*spec. per cavalli*); scuderia (*di cavalli da corsa*); allevamento **2** (pl.) (*mil.*) servizio di stalla; governo dei cavalli **3** (pl.) (*mil.*) = **s. call** → sotto **4** (*autom. e boxe*) scuderia: **a racing s.**, una scuderia di vetture da corsa; **the Ferrari s.**, la scuderia della Ferrari **5** (*fig.*) catena (*di giornali, negozi, ecc.*); gruppo (*spec. di artisti o scrittori*) ● **s.-boy**, mozzo di stalla; boy □ (*mil.*) **s. call**, segnale (*di tromba*) per il governo dei cavalli □ **s. companion** → **stablemate** □ **s.-hand**, stalliere □ **s. lad** = **s. boy** → sopra □ **s.-mate** → **stablemate**.

to **stable** /'steɪbl/ **A** v. t. mettere (*un cavallo*) nella stalla; tenere nella scuderia **B** v. i. stare nella stalla; stare nella scuderia.

stableman /'steɪblmən/ n. (pl. **stablemen**) (*USA*) addetto alle scuderie; stalliere.

stablemate /'steɪblmeɪt/ n. (*sport, spec. ipp.*) compagno di scuderia; (*per estens.*) della stessa organizzazione (*o casa editrice, ecc.*).

stabling /'steɪblɪŋ/ n. ⏚ **1** stallaggio **2** (collett.) stalle; scuderie.

stably /'steɪblɪ/ avv. stabilmente; in maniera fissa.

staccato /stə'kɑːtəʊ/ (*ital.*) a., avv. e n. (pl. **staccatos**, **staccati**) (*mus.*) staccato.

stack /stæk/ n. **1** (*di grano, ecc.*) bica **2** (*di fieno, paglia*) pagliaio **3** (*di legna, ecc.*) catasta; pila; mucchio; ammasso; (*fig.*) gran quantità: **a s. of dishes**, una pila di piatti;

He has stacks of homework to do, ha un mucchio di compiti da fare **4** (*di fucili accatastati*) fascio **5** (= **smokestack**) camino; ciminiera; fumaiolo **6** (*edil.*) gruppo di camini **7** (spesso pl.) scaffalatura (*o* scansia) per libri (*in una biblioteca*) **8** «stack» (*misura per legname e carbone, pari a 3 m³ circa*) **9** (*mecc., USA*) tubo di scappamento (*o* di scarico) **10** (*geogr.*) faraglione **11** (*comput.*) stack (*struttura in cui vengono impilati i dati durante la fase di elaborazione*) **12** (*aeron.*) scaglionamento a quote diverse (*di aerei in attesa di atterraggio*) ● **s. stand**, base rialzata di bica (*o* di pagliaio) □ (*fig. fam.*) **to blow one's s.**, perdere la pazienza; esplodere □ (*fam.*) **to make stacks of money**, far soldi a palate.

to **stack** /stæk/ **A** v. t. **1** accatastare; ammassare; ammucchiare **2** abbicare (*il grano*) **3** (*aeron.*) assegnare diverse altezze d'attesa a (*aerei in attesa di atterrare*) **4** caricare **5** (*fam.*) truccare (*le carte da gioco, ecc.*) **6** (*comput.*) impilare (*i dati*) durante la fase di elaborazione **B** v. i. **1** accatastarsi, ammucchiarsi, ammassarsi (*bene, male, ecc.*) **2** formare una pila di (*una certa altezza*) ● (*mil.*) **to s. arms**, disporre i fucili a piramide □ **to s. the cards** (*o* **the deck**), truccare le carte; (*fig.*) imbrogliare □ (*leg.*) **to s. a jury**, manomettere la composizione di una giuria □ (*fig.*) **The cards** (*o* **the chips, the odds**) **are stacked against me**, tutto congiura contro di me; sono svantaggiato in partenza.

■ **stack up** **A** v. t. + avv. **1** accatastare; ammucchiare; impilare; abbicare (*covoni di grano, ecc.*) **2** (*fig. fam.*) accumulare, guadagnare (*denaro*); realizzare (*un profitto*) **3** (*aeron.*) → **to stack**, **A**, *def. 3* **B** v. i. + avv. (*fam. USA*) cavarsela; andare (*bene, male, ecc.*): **Here's how it stacks up**, ecco come stanno le cose.

■ **stack up against** (*o* **with**) v. i. + avv. + prep. (*fig.*) reggere il confronto con: *How do our washing machines s. up against theirs?*, le nostre lavatrici come reggono il confronto con le loro?

■ **stack up to** v. i. + avv. + prep. ammontare a (*una certa somma*).

stackable /ˈstækəbl/ a. **1** accatastabile; sovrapponibile **2** (*del grano*) abbicabile **3** (*comput.*) impilabile.

stacked /stækt/ a. **1** accatastato **2** (*del grano*) abbicato **3** (*comput.*) impilato **4** (*slang*, = **well-s.**) messo bene (*pop.*); che ha un bel corpo, una bella figura ● (*comput.*) **s.-job processing**, gestione sequenziale dei lavori □ (*fam. USA*: *di una donna*) **well-s.**, ben messa; ben carrozzata □ **My desk is s. with dictionaries**, la mia scrivania è stracolma di dizionari.

stacker /ˈstækə(r)/ n. **1** chi accatasta; chi ammucchia **2** (*mecc.*) carrello elevatore **3** (*comput.*) stacker (*zona di memoria in cui vengono impilati i dati in fase di elaborazione*).

stacking /ˈstækɪŋ/ n. [U C] **1** accatastamento; ammasso **2** abbicamento (*del grano*) **3** (*aeron.*) scaglionamento verticale **4** (*comput.*) impilamento (*di dati*) durante la fase di elaborazione ● **s. truck**, carrello elevatore.

stack-up /ˈstækʌp/ n. (*autom., USA*) tamponamento a catena; groviglio d'auto.

stadia /ˈsteɪdɪə/ n. (*topogr.*, = **s. rod**) stadia graduata.

♦**stadium** /ˈsteɪdɪəm/ n. (pl. ***stadiums***, ***stadia***) **1** (*sport*) stadio **2** (*stor.*) stadio (*misura greca di lunghezza*) **3** (*med.*) stadio (*di una malattia*).

stadtholder, **stadholder** /ˈstæthəʊldə(r)/ n. (*stor.*) statolder (*governatore di città o provincia, supremo magistrato dei Paesi Bassi*).

staff① /stɑːf/ n. (pl. ***staffs***, ***staves***) **1** bastone (*anche come insegna di comando*); (*di pellegrino*) bordone **2** asta (*di bandiera, ecc.*) **3** (*tecn.*) asta graduata; biffa **4** (*med.*) catetere guida; sonda scanalata **5** (*fig.*) appoggio; sostegno; bastone: *Bread is the s. of life*, il pane è il sostegno della vita; **the s. of one's old age**, il bastone della propria vecchiaia (*detto di un figlio*) ● (*edil.*) **s. angle**, paraspigolo □ (*edil.*) **s. bead**, coprigiunto □ (*tecn.*) **s. gauge**, asta idrometrica □ (*relig.*) **pastoral s.**, pastorale (*bastone di vescovo*).

♦**staff**② /stɑːf/ **A** n. (pl. ***staffs***) **1** personale, organico, pianta, staff; funzionari, dipendenti, impiegati (collett.): **to be on the s.**, fare parte del personale; **medical** [**nursing, diplomatic**] **s.**, personale sanitario [paramedico, diplomatico]; **to be on the permanent s.**, essere in organico; essere di ruolo; *We might be looking for new s. soon*, presto avremo bisogno di personale nuovo; *We're not looking for s. at the moment, but I'll take your CV*, al momento non cerchiamo personale ma prendo comunque il suo curriculum **2** (*org. az.*) gruppo di consulenti (*o* di specialisti); ufficio studi: **the s. personnel**, il personale dell'ufficio studi **3** (*mil.*) stato maggiore: **s. officer**, ufficiale di stato maggiore **4** (*sport*) organico (*anche*: **s. of regular players**) **5** (= **teaching s.**) corpo insegnante; personale docente **B** a. attr. **1** del personale; dello staff: **s. cards**, schede del personale; **s. manager**, direttore del personale; **s. rating**, valutazione del personale **2** aziendale: **s. association**, associazione aziendale; **s. restaurant**, mensa aziendale ● (*mil.*) **s. car**, automobile dello stato maggiore □ (*mil.*) **s. college**, scuola militare □ **s. employee**, impiegato di concetto □ (*med.*) **s. nurse**, vice caposala □ **s. secretary**, segretario (*o* segretaria) di redazione (*di un giornale*) □ **s. sergeant** (*mil., in GB e in USA*) sergente maggiore; (*aeron. mil., in USA*) sergente □ (*org. az.*) **s. turnover**, rotazione del personale □ **s. work**, lavoro organizzativo □ **s. writer**, editorialista □ **those** (**who are**) **not on the regular s.**, i precari; il precariato.

staff③ /stɑːf/ n. (pl. ***staffs***, ***staves***) (*mus.*) pentagramma; rigo ● **s. notation**, notazione musicale.

staff④ /stɑːf/ n. (*edil., USA*) materiale da rivestimento o da decorazione, composto di gesso, sostanze fibrose, ecc.

to **staff** /steɪvz/ v. t. **1** provvedere (*un'azienda, ecc.*) di personale **2** assegnare insegnanti a (*una scuola*) **3** fare l'organico di (*un esercito*) ● (*di un ente, uno stabilimento, ecc.*) **over-staffed**, con eccedenza di personale; surdimensionato □ **under-staffed**, con personale insufficiente; carente di personale; sottodimensionato.

staffer /ˈstɑːfə(r)/ n. **1** membro del personale; chi fa parte di uno staff **2** membro dello staff redazionale, redattore (*di un giornale*).

Staffs /stæfs/ abbr. (**Staffordshire**) la Contea di Stafford.

stag /stæg/ **A** n. **1** (*zool.*: pl. ***stags***, ***stag***) cervo maschio (*spec. di cinque o più anni*) **2** (*zootecnia*) animale adulto castrato **3** (*Borsa*) speculatore che compra nuovi titoli per rivenderli subito; aumentista; premista **4** (*fam.*) uomo solo (*a un trattenimento, a un party*) **5** (*slang*) spione; delatore **B** a. attr. **1** (*di un animale*) maschio: **s. turkey**, tacchino maschio **2** (*di cavallo*) non domato **3** per soli uomini **4** (*spreg.*) pornografico; osceno; spinto ● (*zool.*) **s.-beetle** (*Lucanus cervus*), cervo volante □ **s. books** [**films**], libri [film] per soli adulti □ (*fam.*) **s. line**, fila di uomini soli (*a un ballo*) □ (*fam.*) **s. night** (*o* **s. party**), riunione per soli uomini; (*anche*) festa d'addio al celibato □ (*fam.*) **s. show**, festa con spettacolino spinto, per soli uomini.

to **stag** /stæg/ **A** v. i. **1** (*Borsa*) fare il premista (*o* l'aumentista) **2** (*fam.*: *di un uomo*) andare da solo (*a un party, ecc.*) **B** v. t. **1** (*Borsa*) acquistare (*azioni di nuova emissione*) speculando al rialzo **2** (*pop. arc.*) spiare.

♦**stage** /steɪdʒ/ **A** n. **1** piattaforma; palco; palchetto; impalcatura; ponteggio: **a hanging s.**, un'impalcatura volante (*per imbianchini*) **2** (*teatr.*) palcoscenico; scena: *'All the world is a s., / And all the men and women merely players'* W. SHAKESPEARE, 'tutto il mondo è un palcoscenico, / e uomini e donne non sono che attori'; **to be on s.**, (*di un attore*) essere in scena **3** (*teatr.*: **the s.**) il teatro, le scene: **the French s.**, le scene francesi; **to go on the s.**, calcare le scene; fare del teatro; **to leave the s.**, abbandonare il teatro **4** (*fig.*) scena; teatro: *Europe has been the s. of many wars*, l'Europa è stata teatro di molte guerre **5** stadio; stato; fase; periodo: *This insect is in the larval s.*, questo insetto è nello stadio larvale; **in the early stages of**, nelle fasi iniziali di; nel periodo iniziale di; **to reach a critical s.**, raggiungere una fase critica; *It's just a s. he's going through*, è solo una fase, non è sempre così **6** luogo di sosta (*in un viaggio*); tappa (*anche sport.*); (*stor.*) posta: **by easy stages**, a piccole tappe; (*fig.*) per gradi **7** piano (*di un edificio*) **8** (*scient.*) piatto portaoggetti (*per esame al microscopio*) **9** (*miss.*) stadio: **a three-s. rocket**, un razzo a tre stadi **10** (*geol.*) fase; stadio; (*anche*) piano stratigrafico **11** (*idrologia*: *di un fiume*) livello **12** (*ind. min.*) venetta; filone sottile **13** (*elettron.*) stadio **14** (*naut.*) = landing s. → **landing** **15** (*arc.* = **stagecoach**) diligenza **B** a. attr. **1** (*teatr.*) di teatro; teatrale; scenico: **s. effects**, effetti scenici; **s. presence**, presenza scenica **2** che si vede solo a teatro (*e non nella realtà*); macchiettistico: **a s. Irishman**, il cliché (*o* lo stereotipo) dell'irlandese; un irlandese-macchietta ● (*teatr.*) **s. box**, palco di proscenio □ (*teatr.*) **s. designer**, scenografo □ (*teatr.*) **s. direction**, didascalia (*in un lavoro teatrale*) □ (*teatr.*) **s. door**, ingresso artisti □ **s. fright**, paura del pubblico; paura di parlare in pubblico □ (*teatr.*) **s. hand**, macchinista □ (*teatr.*) **s. left**, a, da, sulla sinistra (*del palcoscenico, per l'attore*) □ (*teatr.*) **s. manager**, direttore di scena; direttore artistico □ **s. name**, nome d'arte (*di un attore*) □ **s. play** (*o* **s. production**), lavoro teatrale (*o* produzione teatrale) (*di contro a lavoro televisivo o radiofonico*) □ (*teatr.*) **s. properties**, arredi scenici □ (*teatr.*) **s. right**, a, da, sulla destra (*del palcoscenico, per l'attore*) □ (*leg.*) **s. rights**, diritti di rappresentazione teatrale □ **s.-struck**, che sogna di fare l'attore □ **s. whisper**, (*teatr.*) 'a parte'; parole sussurrate, ma in modo udibile; (*per estens.*) sussurro (volutamente) udibile: **to speak in a s. whisper**, mormorare in modo da essere intesi □ **s. writer**, autore drammatico; drammaturgo □ (*fig.*) **to hold the s.**, dominare la scena (*in un dibattito, ecc.*) □ (*teatr.*) **to keep the s.**, tenere il cartellone □ (*fig.*) **to set the s. for**, preparare la strada a ❶ **FALSI AMICI** • stage *non significa* stage (*franc.*) *nel senso di periodo di addestramento professionale non retribuito*.

to **stage** /steɪdʒ/ **A** v. t. **1** mettere in scena (*un dramma*); rappresentare; inscenare (*anche fig.*): **to s. a public demonstration**, inscenare una manifestazione pubblica **2** allestire; preparare; organizzare: **to s. a charity soccer match**, organizzare una partita di calcio di beneficenza **3** mettere in atto; effettuare; fare; esibirsi in: *The enemy staged a counterattack*, il nemico effettuò un contrattacco; **to s. a comeback**, fare un rilancio; fare una rentrée; (*di un pugile*) tornare sul ring; (*mil. e sport*) **to s. an all-out attack**, attaccare in forze; affondare i colpi (*fig.*) **4** (*med.*) stadiare (*una malattia*) **B** v. i. **1** (*di dramma*) essere adatto alla rappresentazione: *This tragedy stages well* [*badly*], questa tragedia è molto [poco] adatta alla

rappresentazione **2** (*un tempo*) viaggiare in diligenza ● (*aeron.*) **staged crew**, equipaggio di rincalzo.

stagecoach /'steɪdʒkəʊtʃ/ *n.* (*stor.*) diligenza; corriera.

stagecraft /'steɪdʒkrɑːft/ *n.* ⓤ scenotecnica; arte scenica; tecnica teatrale.

to **stage-dive**, to **stagedive** /'steɪdʒdaɪv/ *v. i.* fare stagediving; tuffarsi dal palco (*sul pubblico, durante un concerto*) ‖ **stage--diving** *n.* ⓤ stagediving; il tuffarsi dal palco.

stagehand /'steɪdʒhænd/ *n.* (*teatr.*) macchinista.

to **stage-manage** /'steɪdʒmænɪdʒ/ *v. t.* **1** (*teatr.*) allestire, mettere in scena (*uno spettacolo*) **2** (*fig. fam.*) dirigere da dietro le quinte; essere il cervello di (*una rapina, ecc.*).

stager /'steɪdʒə(r)/ *n.* (*fam.*) esperto del mestiere; praticone ● (*fig.*) **an old s.**, una vecchia volpe (*fig.*); uno che la sa lunga.

stagey /'steɪdʒɪ/ (*USA*) → **stagy**.

stagflation /stæg'fleɪʃn/ *n.* ⓤ stagflazione; combinazione di stagnazione e inflazione ‖ **stagflationary** *a.* stagflazionistico; recessivo e inflattivo a un tempo.

stagger /'stægə/ *n.* **1** (solo al sing.) barcollamento; ondeggiamento; vacillamento; andatura barcollante **2** scaglionamento **3** (pl.) (*med.*) vertigini **4** ⓤ (*vet.*) (= **blind staggers**) capogatto; vermocane; capostorno **5** (*mecc.*) sfalsamento **6** (*aeron.*) scalamento.

to **stagger** /'stægə(r)/ **A** *v. i.* **1** barcollare; traballare; vacillare: *He staggered out of the room*, uscì barcollando dalla stanza **2** esitare; ondeggiare; titubare **B** *v. t.* **1** far barcollare; far vacillare: **a staggering blow**, un colpo da far vacillare **2** scuotere (*anche fig.*); far vibrare; commuovere; impressionare; sconcertare; sbalordire; mettere nell'imbarazzo: *He was staggered by the news*, la notizia lo sconcertò **3** (*fig.*) scaglionare; distribuire nel tempo: *The vacation periods have been staggered*, i periodi delle ferie sono stati scaglionati **4** (*mecc.*) sfalsare **5** (*aeron.*) scalare (*le ali di un biplano*) **6** (*atletica*) sfalsare (*i corridori sulla pista; per es., nei 400 metri*) ● **to s. about** (*o* **around**), camminare barcollando □ **to s. along**, avanzare barcollando ● (*di un pugile atterrato, ecc.*) **to s. up**, alzarsi barcollando.

staggered /'stægəd/ *a.* **1** sconcertato; sbalordito; scosso (*fig.*) **2** scaglionato; a turni **3** (*mecc.*) sfalsato **4** (*aeron.*) scalato; ad ali scalate ● **s. holidays**, ferie scaglionate □ (*sport*) **s. start**, partenza sfalsata □ (*econ.*) **s. strike**, sciopero a scacchiera.

staggerer /'stægərə(r)/ *n.* **1** chi scuote; sconcerta, ecc. (→ **to stagger**) **2** avvenimento sconcertante; domanda (*o obiezione*) imbarazzante.

staggering /'stægərɪŋ/ *a.* **1** barcollante; traballante; vacillante **2** sbalorditivo; sconcertante; stupefacente: **s. news**, notizie sconcertanti ‖ **-ly** *avv.*

stagging /'stægɪŋ/ *n.* ⓤ (*Borsa*) maggiorazione (*cfr.* **to stag**, **A**, *def. 1*).

staghound /'stæghaʊnd/ *n.* grosso cane per la caccia al cervo.

staginess /'steɪdʒɪnəs/ *n.* ⓤ **1** teatralità **2** (*spreg.*) artificiosità.

staging /'steɪdʒɪŋ/ *n.* ⓤ **1** (*edil.*) impalcatura; ponteggio **2** (*teatr.*) messa in scena; allestimento **3** (*miss.*) separazione di stadio **4** (*med.*) stadiazione (*di una malattia*) **5** (*un tempo*) il viaggiare in diligenza (*con cavalli di posta*) ● (*mil.*) **s. area** = **s. post** → *sotto* □ **s. base**, (*mil., aeron.*) base provvisoria; (*mil., naut.*) ancoraggio □ **s. post**, (*aeron.*) scalo tecnico; (*mil.*) luogo (*o zona*) di raccolta di mezzi e soldati; (*fig.*) passaggio obbligato, fase preparatoria (indispensabile).

Stagirite /'stædʒɪraɪt/ *n.* (*stor.*) stagirita (*abitante o nativo di Stagira*) ● **the S.**, lo Stagirita (*Aristotele*).

stagnancy /'stægnənsɪ/ *n.* ⓤ (*econ.*) stagnazione; ristagno; stasi.

stagnant /'stægnənt/ *a.* stagnante (*anche fig.*); in ristagno; inattivo; fermo: **s. water**, acqua stagnante; (*econ., fin.*) **a s. market**, un mercato stagnante; *Trade is s.*, il commercio è in ristagno; *'Venice is very lovely to look at, but very s. as regards life'* D.H. LAWRENCE, 'Venezia è molto bella a vedersi, ma la vita vi ristagna del tutto ● (*fig.*) **a s. mind**, una mente pigra ‖ **-ly** *avv.*

to **stagnate** /stæg'neɪt/, *USA* 'stægneɪt/ **A** *v. i.* (*dell'acqua* e *fig.*) stagnare; ristagnare; essere inattivo: *Production often stagnates*, la produzione spesso ristagna **B** *v. t.* far ristagnare; rendere inattivo ‖ **stagnating** *a.* (*anche fig.*) stagnante; che ristagna: **stagnating consumer loyalty**, la fedeltà del consumatore che ristagna.

stagnation /stæg'neɪʃn/ *n.* ⓤⓒ **1** (*geol.*) stagnazione; ristagno **2** ristagno; inattività; stasi **3** (*econ.*) stagnazione **4** (*med.*) arresto; stasi; ristagno: **s. of blood**, ristagno di sangue **5** (*fig.*) torpore.

stagy /'steɪdʒɪ/ *a.* **1** teatrale **2** (*spreg.*) artefatto; istrionico.

staid /steɪd/ *a.* **1** posato; serio; calmo; contegnoso; grave **2** scialbo; noioso; privo di brio ‖ **-ly** *avv.* ‖ **-ness** *n.* ⓤ.

stain /steɪn/ *n.* **1** macchia (*anche fig.*); chiazza; (*fig.*) onta, taccia, vergogna, sfregio: **a blood s.**, una macchia di sangue; **without a s. on one's reputation** [**character, good name**], senza macchia sulla propria reputazione [onorabilità, buon nome] **2** ⓤⓒ colorante; colore; tinta **3** ⓤⓒ (*tecn.*) mordente ● **s. remover**, smacchiatore.

to **stain** /steɪn/ **A** *v. t.* **1** macchiare, sporcare (*anche fig.*); disonorare; sfregiare: **to s. st. with blood**, macchiare qc. di sangue **2** colorare; inscurire; tingere **3** (*tecn.*) trattare (*il legno*) con un mordente; mordenzare (*tessuti*) **4** (*biol.*) colorare (*un vetrino*) **B** *v. i.* **1** macchiare: *Coffee stains awfully*, il caffè macchia tremendamente **2** macchiarsi; tingersi: *This cloth won't s. easily*, questa stoffa non si macchia facilmente.

stainable /'steɪnəbl/ *a.* **1** macchiabile **2** colorabile.

stained /steɪnd/ *a.* **1** macchiato: **s. with wine**, macchiato di vino **2** (*di vetro*) colorato ● (*arte*) **s. glass painter**, disegnatore di vetrate □ **s.-glass window**, vetrata istoriata (*di una chiesa, ecc.*) □ **teeth s. with nicotine**, denti gialli di nicotina.

stainer /'steɪnə(r)/ *n.* **1** chi macchia **2** colorante; pigmento **3** tintore **4** (*tecn.*) mordenzatore.

staining /'steɪnɪŋ/ *n.* ⓤⓒ **1** colorazione; tintura **2** (*tecn.*) mordenzatura.

stainless /'steɪnləs/ *a.* **1** senza macchia; candido; (*fig.*) immacolato: **a s. character**, una reputazione immacolata **2** antimacchia; che non si macchia: **s. cloth**, stoffa antimacchia **3** (*metall.*) inossidabile: **s. steel**, acciaio inossidabile; **a s.-steel sink**, un lavello di acciaio inossidabile **4** d'acciaio inossidabile: **s. cutlery**, posate d'acciaio inossidabile.

♦**stair** /steə(r)/ *n.* **1** gradino; scalino: **on the top s.**, sull'ultimo gradino (*salendo*) **2** (*edil.*) scala; scalinata; gradinata: **to go up and down the stairs**, fare su e giù per le scale; **winding stairs**, scala a chiocciola; *I like to take the stairs when I can*, mi piace fare le scale quando posso ● **s. carpet**, guida; passatoia □ (*ginnastica*) **s. climber**, simulatore di salita di scala (*attrezzo*) □ (*edil.*) **s. nosing**, aggetto di uno scalino □ **s. rail**, ringhiera delle scale □ **s. rod**, asta metallica

per fissare le passatoie; fermatappeto □ (*edil.*) **s. tread**, pedata (*di scalino*) □ **at the head of the stairs**, in cima alle scale □ **below stairs**, nel seminterrato; (*un tempo*) nei quartieri della servitù.

staircase /'steəkeɪs/ *n.* **1** (*edil.*) scala; scalone: **corkscrew s.** (*o* **spiral s.**, **winding s.**), scala a chiocciola **2** (*edil.*) tromba (*o vano*) delle scale **3** (*archit.*) scalea.

stairhead /'steəhed/ *n.* (*edil.*) capo della scala; cima delle scale.

stairlift /'steəlɪft/ *n.* montascale.

stairway /'steəweɪ/ *n.* (*edil.*) scala; scalone; scalinata.

stairwell /'steəwel/ *n.* (*edil.*) pozzo (*o* tromba) delle scale.

♦**stake** /steɪk/ *n.* **1** palo; paletto; piolo; picchetto **2** (*stor.*) (palo del) rogo: **to be condemned to the s.**, essere condannato al rogo; *Joan of Arc was burnt at the s.*, Giovanna D'Arco fu bruciata sul rogo **3** posta; puntata; scommessa: **to play for high stakes**, fare puntate assai alte **4** (*fin.*) partecipazione; quota di partecipazione; interesse: **to acquire a s. in a business**, acquisire una partecipazione in un'azienda **5** (*topogr.*) palina; biffa **6** (*fam. USA*) grossa somma di denaro; aiuto finanziario; soldi per l'avviamento; (*anche*) risparmi **7** ⓤ rischio **8** (*ipp.*) – **stakes**, 'stakes', corsa a premi (*di cavalli, detti* **s. horses**) ● (*sport*) **s. boat**, battello meda, barca che funge da boa di virata □ **s. net**, rete da pesca a graticola; gradella □ **at s.**, (*sport*) in palio, in gioco; (*fig.*) in pericolo, a repentaglio, in ballo (*fam.*) □ (*fin.*) **to have a s. in an enterprise**, avere un interesse in un'impresa; esservi cointeressato □ (*fin.*) **a s. in a company**, una partecipazione azionaria □ (*fig. fam.*) **to pull up stakes**, andarsene; far fagotto; traslocare □ **to win all the stakes**, vincere tutte le poste; far saltare il banco □ **There's a lot at s.!**, la posta è alta! □ **Life (itself) is at s.**, ne va della vita (stessa).

to **stake** /steɪk/ *v. t.* **1** fissare (*o sostenere*) con pali; puntellare **2** legare (*un cavallo, ecc.*) a un palo **3** (*spesso* **to s. off**, **to s. out**) delimitare (*o segnare*) con picchetti; picchettare; palinare (*tecn.*): **to s. out an estate**, delimitare con picchetti una proprietà **4** puntare; scommettere; rischiare: *He staked his winnings on the next race*, puntò la vincita sulla corsa successiva; *I'd s. my life on it!*, ci scommetterei la testa!; **to s. everything**, rischiare il tutto per tutto **5** (*fin.*) sostenere (q.) finanziariamente; finanziare; fare credito a (q.) **6** (*un tempo*) impalare (*un condannato a morte*) **7** (*conceria*) passare (*pelli*) all'orbello ● (*slang*) **to s. out**, controllare, tenere (qc.) sotto controllo (*di polizia*); tenere d'occhio (*un luogo sospetto, ecc.*) □ **to s. out a** (*o* **one's**) **claim**, piantare picchetti in segno di possesso di un terreno; (*fig.*) accampare diritti, avanzare una pretesa □ (*fam. USA*) **to s. sb. to st.**, comprare (*o pagare, offrire, regalare*) qc. a q.

stakeholder /'steɪkhəʊldə(r)/ *n.* **1** chi tiene le poste delle scommesse **2** (*fin.*) chi possiede una quota di partecipazione azionaria **3** (*leg.*) fiduciario (*nella vendita di immobili*) **4** (*fig.*) partecipante; compartecipe.

stakeout /'steɪkaʊt/ *n.* (*fam.*) **1** sorveglianza (*della polizia*); appostamento **2** zona (*casa, ecc.*) tenuta sotto sorveglianza **3** poliziotto di guardia ● **s. duty**, servizio di guardia; il tenere d'occhio (*un luogo sospetto*).

Stakhanovite /stə'kænəvaɪt/ (*spec. stor.*) *n.* stacanovista, stakanovista ‖ **Stakhanovism** *n.* ⓤ stacanovismo, stakanovismo.

staking /'steɪkɪŋ/ *n.* ⓤⓒ (*tecn.*) picchettamento; palinatura.

stalactic /stə'læktɪk/, **stalactical** /stə-

a b c d e f g h i j k l m n o p q r **s** t u v w x y z

'læktɪkl/ a. (geol.) stalattitico.

stalactiform /stə'læktɪfɔːm/ a. (geol.) a forma di stalattite.

stalactite /'stæləktaɪt, USA stə'læk-/ (geol.) n. stalattite.

stalagmite /'stæləgmaɪt, USA stə'læg-/ (geol.) n. stalagmite ‖ **stalagmitic** a. stalagmitico.

stale ① /steɪl/ a. **1** stantio; passato; vecchio; vieto; vizzo; trito: These biscuits are too s. to eat, questi biscotti sono così stantii che non si riesce a mangiarli; **s. news**, notizie vecchie, passate; **a s. joke**, una barzelletta vecchia; **a s. phrase**, una locuzione trita **2** (di atleta, musicista, ecc.) spento (fig.); spompato (fam.); spossato; in superallenamento **3** (leg.) prescritto; caduto in prescrizione: **a s. debt**, un debito caduto in prescrizione **4** (di un amore, un rapporto sentimentale) barboso; noioso; che si trascina (banca: di un conto) inattivo; che non si muove ● **s. air**, aria viziata □ (banca) **a s. cheque**, un assegno bancario scaduto □ (leg.) **s. claim**, azione in giudizio tardiva □ **s. water**, acqua stagnante □ (fig. fam.) **I'm getting s. here!**, sto facendo la muffa qui! □ **This room smells s.**, c'è odore di chiuso qui dentro.

stale ② /steɪl/ n. U urina (di cavalli, di buoi).

to **stale** ① /steɪl/ A v. t. rendere stantio (o vieto, trito) B v. i. diventare stantio (o vieto, trito).

to **stale** ② /steɪl/ v. i. (di cavalli e buoi) orinare.

stalely /'steɪllɪ/ avv. in modo stantio; vietamente; tritamente.

stalemate /'steɪlmeɪt/ n. UC **1** (scacchi) stallo **2** (fig.) punto morto; stallo; situazione di stallo: **a s. in the peace process**, uno stallo nel processo di pace; The negotiations have come to a s., le trattative sono giunte a un punto morto.

to **stalemate** /'steɪlmeɪt/ v. t. **1** (a scacchi) mettere (l'avversario) in stallo **2** (fig.) portare a un punto morto; mettere in una situazione di stallo.

staleness /'steɪlnəs/ n. U l'essere stantio; vecchiezza; insipidezza; banalità; l'esser vieto, trito (→ **stale** ①).

Stalinism /'stɑːlɪnɪzm/ (polit., stor.) n. U stalinismo ‖ **Stalinist** n. e a. stalinista.

stalk ① /stɔːk/ n. **1** (bot.) gambo; stelo; peduncolo; picciolo; (di ortaggi) caule, fusto **2** (di bicchiere a calice) gambo; stelo **3** (di fabbrica, ecc.) ciminiera **4** (anat., zool.) peduncolo **5** (volg.) verga, pene **6** (fam., autom.) leva del cambio ● (zool.) **s.-eyed**, con gli occhi posti alla sommità dei peduncoli □ (ind. tess.) **s. fiber**, fibra di stelo.

stalk ② /stɔːk/ n. UC **1** andatura altezzosa, imponente **2** caccia in appostamento **3** (per estens.) pedinamento furtivo.

to **stalk** /stɔːk/ A v. t. **1** avvicinarsi di soppiatto a (selvaggina, nemici, ecc.) **2** (anche fig.) percorrere a gran passi; correre per: Predators s. the forest, animali da preda percorrono la foresta; Terror stalked the country, il terrore correva per tutto il paese **3** seguire con insistenza; perseguitare (spec.) con profferte sessuali B v. i. **1** (con avv. o prep.) muoversi con passo impettito o iroso; camminare a grandi passi: **to s. away** (o off), andarsene tutto impettito (o arrabbiato): He stalked out of the room, uscì dalla stanza a grandi passi **2** (di malattia, timore, ecc.) diffondersi lentamente; propagarsi a poco a poco ● **stalking horse**, cavallo dietro il quale si apposta il cacciatore; (fig.) pretesto, sotterfugio, paravento; (polit.) candidato di comodo, candidato civetta.

stalker /'stɔːkə(r)/ n. **1** cacciatore all'agguato **2** chi avanza furtivamente **3** (leg.) chi molesta una donna seguendola o telefo-

nandole continuamente; molestatore; persecutore.

stalking /'stɔːkɪŋ/ n. UC (leg.) il molestare una donna seguendola o telefonandole continuamente.

stalkless /'stɔːkləs/ a. (bot.) senza gambo; senza stelo; sessile.

stalky /'stɔːkɪ/ a. **1** (bot.) a forma di stelo **2** lungo e sottile; esile | **-iness** n. U.

♦**stall** ① /stɔːl/ n. **1** stalla; scuderia **2** posta (spazio assegnato a un cavallo nella scuderia); box **3** (autom.) box; posto macchina (al coperto) **4** chiosco; edicola (di giornali); bancarella; posteggio: **a flower s.**, un chiosco di fioraio **5** (relig.) stallo; scanno: **canons' stalls**, stalli dei canonici **6** (teatr., = orchestra s.) poltrona di platea **7** (= finger s.) dito (di un guanto); ditale, salvadito (per un dito ferito) **8** (ind. min.) reparto, recesso (di una miniera) **9** (aeron.) stallo **10** (autom.) perdita di potenza; piantata (fam.) ● **s. board**, banco di esposizione (di un negozio) □ (d'animale) **s.-fed**, ingrassato nella stalla □ **s. keeper**, bancarellista □ **s. shower**, doccia a cabina □ (aeron.) **s. speed**, velocità di stallo.

stall ② /stɔːl/ n. **1** complice di ladro, di borsaiolo; palo (gergo) **2** (fam. USA) espediente; preteso; sotterfugio; stratagemma; trucco; (anche) storia falsa (per corroborare un alibi).

to **stall** ① /stɔːl/ A v. t. **1** mettere, tenere (bestiame) nella stalla (spec. per l'ingrasso) **2** (relig.) fornire di scanni (un coro) **3** (aeron.) stallare **4** (autom.) causare l'arresto del motore di (una macchina) B v. i. **1** (di cavallo, carro, ecc.) piantarsi nel fango (o nella neve); impantanarsi **2** (mecc.: di motore) arrestarsi; fermarsi; spegnersi; piantarsi: My car keeps stalling, mi si spegne il motore di continuo; When I'm stopped at lights it cuts out and stalls, quando sono ferma al semaforo si spegne e si pianta **3** (aeron.) andare in stallo; stallare.

to **stall** ② /stɔːl/ (fam.) A v. i. **1** cercare di guadagnar tempo; menare il can per l'aia; temporeggiare **2** (sport, spec. USA) giocare (o combattere) sottotono; essere passivo B v. t. **1** impedire; ostacolare; tirar per le lunghe; procrastinare **2** tenere a bada (con sotterfugi, ecc.); tenere a distanza; sbarazzarsi di (con l'inganno): He could no longer s. off his creditors, non riusciva più a tenere a bada i creditori ● **to s. for time**, cercare di guadagnar tempo; temporeggiare.

stallage /'stɔːlɪdʒ/ n. UC **1** spazio per (o diritto di occupare suolo pubblico con) baracche, chioschi, bancarelle **2** (fisc.) tassa che si paga per acquisire tale diritto; plateatico.

to **stall-feed** /'stɔːlfiːd/ (pass. e p. p. **stall-fed**) v. t. ingrassare (bestiame) nella stalla (per la macellazione).

stallholder /'stɔːlhəʊldə(r)/ n. (market.) bancarellista; posteggiatore.

stalling /'stɔːlɪŋ/ n. U (autom.) piantata; perdita di potenza; arresto del motore.

stallion /'stæljən/ n. (zool. e fig.) stallone.

stalwart /'stɔːlwət/ A a. **1** forte; gagliardo; nerboruto; robusto; vigoroso **2** animoso; coraggioso; deciso; risoluto: **s. followers**, animosi seguaci B n. **1** persona vigorosa (o coraggiosa, risoluta) **2** (spec. polit.) sostenitore di sicura fede; colonna (fig.); membro della vecchia guardia | **-ly** avv. | **-ness** n. U.

stamen /'steɪmən/ (bot.) n. (pl. **stamens**, **stamina**) stame ‖ **staminal** a. staminale; stamineo.

stamina /'stæmɪnə/ n. U **1** capacità di resistenza; capacità di sopportazione; fibra; robustezza; vigore **2** (sport) tenuta; fondo; doti di fondo: **to have great s.**, avere buone

doti di fondo ● **to lose one's s.**, infiacchirsi; indebolirsi.

staminate /'stæmɪnət/ a. (bot.) stamineo; che ha stami.

staminiferous /stæmɪ'nɪfərəs/ a. (bot.) staminifero.

stammer /'stæmə(r)/ n. UC **1** balbuzie **2** balbettamento.

to **stammer** /'stæmə(r)/ v. t. e i. balbettare; tartagliare; farfugliare: The boy stammered out an excuse, il ragazzo balbettò una scusa ‖ **stammerer** n. balbuziente; tartaglione ‖ **stammering** A a. che balbetta; balbuziente B n. UC **1** balbettamento; balbettio; farfugliamento **2** balbuzie ‖ **stammeringly** avv. balbettando; farfugliando.

♦**stamp** /stæmp/ n. **1** UC impronta; marchio; stampo (per metalli e fig.); (fig.) segno: **to leave one's s. on st.**, lasciare la propria impronta su qc.; I don't like men of his s., gli uomini del suo stampo non mi piacciono; **the s. of genius**, l'impronta del genio; **the s. of hunger**, i segni della fame **2** bollo (anche fig.); timbro; stampigliatura **3** (comm.) marchio di fabbrica; marca: **insurance s.**, marca assicurativa **4** (= postage s.) francobollo: **a first-class s.**, un francobollo di posta prioritaria: **to stick a s. on a letter**, attaccare un francobollo a una lettera; affrancare una lettera; (su una busta) No s. needed, non affrancare; Please affix a s., pregasi affrancare **5** (= revenue s.) marca da bollo **6** timbro, stampiglia, stampigliatore (strumento) **7** (comm., = trading s.) bollo premio; bollino **8** (ind. min.) mazza battente (per frantumare minerali) **9** (fam. ingl.; un tempo) marchetta della mutua, marchetta (assicurativa: da applicare sul libretto, ecc.) **10** pestata; forte colpo di piede: He replied angrily, with a s. of his right foot, rispose arrabbiato, battendo il piede destro **11** (ind. min.) pestello ● **s. battery**, batteria di pestelli ● (stor.) **S. Act**, legge parlamentare sulla tassa di bollo (introdotta nel 1765 nelle colonie del Nord America) □ **s. album**, album per francobolli □ **s. booklet**, bustina di francobolli □ **s. collecting**, filatelia □ **s. collector**, collezionista di francobolli; filatelico; filatelista □ **s. dealer**, commerciante di francobolli (da collezione) □ **s. duty**, tassa (o diritto) di bollo □ **s. machine**, distributore automatico di francobolli □ **s. mill**, mulino a pestelli (per macinare minerali) □ **s. office**, ufficio del bollo □ **s. pad**, tampone per timbri □ **s. paper**, carta da bollo □ **s. rack**, portatimbri (da scrivania) □ (comm.) **s. trading**, vendite fatte mediante bolli premio (o bollini) □ **to bear the s. of truth**, essere credibile ❶ **FALSI AMICI** ● stamp non significa stampa.

to **stamp** /stæmp/ A v. t. **1** bollare; imprimere (anche fig.); marcare; marchiare; timbrare; stampigliare: **to s. a document**, bollare un documento; **to s. a passport**, timbrare un passaporto; **to s. metal [butter, paper]**, marcare metallo [burro, carta]; **to s. one's initials on st.**, imprimere le proprie iniziali su qc.; **to s. the date on a document**, stampigliare la data su un documento; **stamped in gold**, impresso a lettere d'oro; The incident was stamped in his memory, l'incidente era impresso nella sua mente **2** (mecc.) punzonare **3** (mecc.) stampare (lamiere, carrozzerie di veicoli, ecc.) **4** affrancare (una lettera, ecc.) **5** (ind. min.) frantumare, polverizzare, macinare con un pestello (minerali, ecc.) **6** pestare; battere (i piedi) su; calpestare: He stamped the floor, batté i piedi sul pavimento **7** caratterizzare, contrassegnare; contraddistinguere **8** – **to s. as**, etichettare; dimostrare: **to s. sb. as a liar**, etichettare q. come un bugiardo B v. i. battere (o pestare) i piedi; scalpitare: **to s. in anger**, battere i piedi per la rabbia ● **to s. out**,

down (*o flat*), schiacciare (*o pestare, comprimere con i piedi*) qc. □ **to s. on sb.'s foot**, pestare i piedi a q. □ **to s. on an insect**, schiacciare un insetto (con i piedi) □ **to s. out**, schiacciare; spegnere; sopprimere; distruggere, soffocare; battere il tempo (*della musica*) con i piedi; (*mecc.*) stampare (*carrozzerie, ecc.*): **to s. out a cigarette**, schiacciare un mozzicone di sigaretta; spegnere con i piedi una sigaretta; **to s. out crime**, sopprimere la delinquenza; **to s. out a fire**, spegnere un fuoco (coi piedi); **to s. out a rebellion**, soffocare una rivolta □ **to s. upstairs**, salire le scale con passo pesante □ **stamped earth**, terra battuta □ **stamped paper**, carta bollata (*o da bollo*) ❶ **FALSI AMICI** • **to stamp** *non significa* stampare *nel senso tipografico o editoriale.*

stampede /stæmˈpiːd/ n. **1** fuga precipitosa (*spec. d'animali spaventati*); fuggifuggi; serra serra **2** (*fig.*) assalto, corsa (*fig.*): **a s. to buy up foodstuffs**, una corsa all'accaparramento di generi alimentari **3** (*USA e Canada*) rodeo.

to **stampede** /stæmˈpiːd/ **A** v. i. darsi a fuga precipitosa; fuggire in disordine; correr via tumultuosamente **B** v. t. **1** mettere (*o volgere*) in fuga precipitosa; far fuggire in disordine **2** (*fig.*) atterrire; spaventare ● **to s. sb. into doing st.**, far fare qc. a q. spaventandolo.

stamper /ˈstæmpə(r)/ n. **1** bollatore; timbratore **2** (*ind.*) stampatore: **a metal s.**, uno stampatore di metalli **3** (*ind.*) master, matrice (*per incidere dischi*) **4** (*ind. min.*) frantumatrice (*macchina*) **5** (*mecc.*) punzone; stampo **6** (*in un ufficio*) macchina per bollare; bollatrice.

stamping /ˈstæmpɪŋ/ n. **1** ⓤⓒ impressione; bollatura; timbratura **2** ⓤ affrancatura (*di lettere*) **3** (*mecc.*) punzonatura **4** ⓤ (*ind. min.*) frantumatura; macinazione con pestello **5** ⓤⓒ (*mecc.*) stampaggio (*di lamiere, carrozzerie, ecc.*) **6** (*elettron.*) lamierino magnetico **7** ⓤⓒ calpestio; scalpitio; rumore di piedi ● (*fam.*) **s. ground**, luogo di ritrovo, di raduno □ **s. machine**, affrancatrice postale; stampigliatrice; punzonatrice □ (*ind. min.*) **s. mill**, mulino (*o impianto di macinazione*) a pestelli.

stance /stɑːns/ n. **1** (*boxe, golf, cricket, ecc.*) posizione (*del corpo del pugile o del giocatore nell'atto di colpire la palla*): **correct s.**, posizione corretta **2** atteggiamento (*del corpo*); posizione **3** (*fig.*) atteggiamento, presa di posizione: *The government has adopted a tough s. on corruption*, il governo ha assunto una posizione rigida sulla corruzione.

stanch /stɑːntʃ/ → **staunch.**

to **stanch** /stɑːntʃ/ (*spec. USA*) → **to staunch.**

stanchion /ˈstænʃn/ n. **1** appoggio; puntello; pilastro; sostegno **2** (*ind. costr.*) montante (*in ferro*) **3** (*costr. navali*) puntale **4** sbarra, coppia di sbarre (*per tenere una bestia ferma nella posta*) **5** (*naut.*) candeliere (*asta metallica*); (*anche*) scalmotto.

to **stanchion** /ˈstɑːnʃn/ v. t. **1** provvedere di montanti; sostenere con puntelli; puntellare **2** tener fermo (*un animale*) con sbarre, nella posta.

stand /stænd/ **A** n. **1** arresto; fermata; pausa; sosta: *Our work was brought to a s.*, il nostro lavoro subì una battuta d'arresto **2** resistenza; decisa opposizione: **to make a s. against sb.**, opporre resistenza a q. **3** posto; posizione (*anche fig.*); presa di posizione: *He took his s. at the rear*, prese posto in coda (s'accodò); **to make a s. for justice**, prendere posizione per una causa giusta; schierarsi dalla parte della giustizia; *What's your s. on the issue?*, qual è la tua posizione in merito alla faccenda? **4** posteggio, stazionamento (*per carrozze o taxi*) **5** palco;

impalcatura; tavolato; stand; podio; (*sport, ecc.*; spesso al pl.) tribuna (*d'ippodromo, stadio, ecc.*): *My seat's down the front of the west s. just to the right of the halfway line*, il mio posto è nelle prime file in basso della tribuna ovest, appena a destra della linea del metà campo; pubblico delle tribune: (*mil.*) **a reviewing s.**, una tribuna per passare in rivista truppe, ecc. **6** (*comm.*) banco d'esposizione; stand: **s. designer**, disegnatore di stand; standista **7** (*mecc.*) cavalletto; sostegno; supporto **8** (*market.*) chiosco; edicola; bancarella: **a fruit s.**, una bancarella di fruttivendolo; **a news-s.**, una edicola di giornalaio **9** mobile (*o oggetto*) fatto per posarvi (*o mettervi dentro*) qc. (*per lo più in parole composte*); supporto; sostegno; piedistallo; (*mus.*) leggio **10** (*ecol.*) stazione **11** (*naut.*) livello medio di marea; (*anche*) stanca: **high water s.**, stanca d'alta marea; **low water s.**, stanca di bassa marea **12** (*leg., USA*) banco dei testimoni: **to take the s.**, presentarsi al banco dei testimoni; testimoniare **13** bosco; boschetto: **a s. of pines**, una pineta **14** (*agric.*) distesa; coltivazione; area coltivata: **a good s. of wheat**, una bella distesa di grano **15** (*teatr.*) esecuzione; rappresentazione; recita; spettacolo: **one-night s.**, rappresentazione unica, serata unica; (*fig. fam.*) avventura sessuale di una sola notte **16** (*mil.*) dotazione (*di armi*); armamento personale **17** (*caccia*) ferma (*del cane*); postazione (*del cacciatore*) **18** (*volg.*) erezione **B** a. **attr.** (*comm.*) di stand; standistico: **s. space**, superficie standistica **s** (*comm.*) **s. attendant**, standista (*impiegato*) □ **s. camera**, macchina fotografica su cavalletto □ (*mil.*) **s. of colours**, bandiere del reggimento □ **s. rest**, sgabello per pittori □ (*fig.*) **to take a s.**, prendere posizione (*fig.*); prendere partito; puntare i piedi (*fig.*) □ **to take one's s.**, alzarsi in piedi □ **three-legged s.**, treppiede.

♦to **stand** /stænd/ (pass. e p. p. **stood**) **A** v. i. **1** stare in piedi; star ritto; reggersi (*o tenersi*) in piedi: *I had to s. during the whole trip*, dovetti stare in piedi per tutto il viaggio; *Can you s.?*, riesci a stare in piedi? **2** (*di solito* **to s. up**) alzarsi; rizzarsi; alzarsi in piedi: *Everyone stood* (*up*) *when the headmaster came in*, tutti si alzarono quando entrò il preside; *S. up, please*, alzatevi, prego!; per favore, in piedi; **3** stare; essere; farsi; trovarsi; essere messo (*fam.*): *The benches stood by the wall*, le panche stavano presso il (*o erano addossate al*) muro; *How do we s. as regards money?*, come stiamo a quattrini?; *That player stands five feet four*, quel giocatore è (*alto*) cinque piedi e quattro pollici; *John stands first on the list*, John è il primo in elenco; *Don't s. there fiddling*, non star lì a gingillarti! **4** durare; resistere; rimanere in piedi (*fig.*); essere (*ancora*) valido: *The castle has been standing for six centuries*, il castello resiste (*o è in piedi*) da sei secoli; *His record stood for twenty years*, il suo record resistette per vent'anni; *My offer still stands*, la mia offerta è ancora valida **5** (*di un colore*) essere solido: *This colour will s.*, questo colore è solido (*o indelebile*) **6** (*di liquido*) ristagnare; posare, stare in infusione; depositarsi: *Let it s. for five minutes*, lascialo posare per cinque minuti **7** (*polit.*) candidarsi; entrare in lizza (*fig.*): **to s. as an independent**, candidarsi come indipendente **8** (*spec. USA*) fermarsi; sostare: *A taxi was standing at the rank*, c'era un taxi fermo al posteggio; **Don't s. on the tracks**, vietato sostare sui binari **B** v. t. **1** mettere (*in piedi, ritto*); collocare; appoggiare: *I stood the bicycle against the wall*, appoggiai la bici contro il muro **2** sopportare; soffrire; resistere a; tollerare: *I cannot s. the pain*, non riesco a sopportare il dolore; *I cannot s. that man* (*o the sight of that man*), non posso soffrire quell'uomo; *I won't s.

any rude behaviour in class!*, non tollero comportamenti scorretti in classe!; *My nerves could not s. the strain*, i miei nervi non resistettero alla tensione **3** sostenere; subire (*mil.*): **to s. a siege**, sostenere un assedio; **to s. trial**, subire un processo **4** (*fam.*) sostenere la spesa di (*un pranzo, ecc.*); offrire: **to s. a round**, pagare da bere a tutti **5** (*di un locale, un autobus, ecc.*) avere posti in piedi per (*un certo numero di persone*) ● **to s. alone**, essere solo, essere senza amici; essere unico, essere senza pari □ **to s. aloof** (*o* **to s. apart**), tenersi da parte, stare in disparte, non immischiarsi □ (*mil.*) **to s. and fight**, attestarsi e accettare il combattimento □ **to s. a chance**, avere una probabilità: *You s. a good chance of winning*, hai buone probabilità di vincere □ (*leg.*) **to s. convicted of an offence**, essere riconosciuto colpevole di un reato □ **to s. corrected**, accettare una correzione; riconoscere il proprio errore □ (*mil.*) **to s. fire**, sostenere il fuoco nemico senza indietreggiare; resistere sotto il fuoco □ **to s. firm**, tener duro; non cedere; non cambiare idea □ **to s. godfather to sb.**, fare da padrino a q. □ **to s. good**, essere vero; valere; esser valido: *The same remark stands good*, la stessa osservazione vale in questo caso □ (*anche fig.*) **to s. one's ground**, stare saldo, tener duro; non cedere terreno; tenere il campo (*o la posizione*); difendersi bene; fare resistenza: *The bear turned round and stood its ground*, l'orso si voltò e fece resistenza □ (*mil.*) **to s. guard**, fare la guardia □ **to s. sb. in good stead**, essere assai utile a q.; rendere un buon servizio a q. □ **to s. in need of help**, aver bisogno d'aiuto □ **to s. in the way**, stare tra i piedi (*fig.*); essere d'ingombro, d'impaccio □ **to s. opposed to**, essere contrario a; combattere; osteggiare □ (*sport*) **to s. the pace**, tenere l'andatura (*del gruppo, ecc.*); reggere il ritmo □ **to s. pat**, (*poker*) essere servito; darsi servito; (*fig.*) restare fermo alla propria idea; non cambiare (*piano, parere, ecc.*), tener duro □ **to s. still**, non muoversi, stare fermo; non reagire; (*fig.*) rimanere fermo, fermarsi: *S. still!*, (*sta*) fermo! □ (*leg.*) **to s. surety for sb.**, farsi garante per q.; pagare la cauzione per q. □ **to s. treat**, offrire (*o pagare*) da bere (*o da mangiare, ecc.*) □ (*mil.*) **to s. watch**, essere di sentinella □ **to s. to win** [**to lose**] **st.**, avere buone probabilità di vincere [correre serio rischio di perdere] qc. □ (*arc.*) **S. and deliver**, o la borsa o la vita! □ **S. clear!**, largo!; indietro! □ **not to s. a chance**, non avere la ben che minima possibilità □ **to know where one stands**, conoscere la propria situazione; sapere che cosa aspettarsi □ **to know where one stands with sb.**, sapere che cosa aspettarsi da q.; sapere come la pensa q.

■ **stand aside** v. i. + avv. **1** farsi da parte; mettersi in disparte; scansarsi; fare largo **2** (*fig.*) farsi da parte; ritirarsi (*da una competizione, ecc.*) **3** (*fig.*) restare in disparte; stare a guardare; non intervenire.

■ **stand at** v. i. + prep. **1** rimanere, stare (in piedi) a: *I stood at the bus stop for ten minutes*, rimasi alla fermata dell'autobus per dieci minuti **2** (*di un liquido, un prezzo, ecc.*) essere (arrivato) a: *The water level now stands at two metres*, l'acqua è arrivata al livello di due metri **3** (*sport*) stare, essere, trovarsi a (*in classifica, ecc.*): (*tennis*) **to s. at 5-3 in the final set**, trovarsi a 5 a 3 nell'ultimo set □ (*mil., ginnastica*) **to s. at attention**, stare sull'attenti □ **to s. at ease**, stare in posizione di riposo: *S. at ease!*, riposo! □ (*fin.: di un titolo*) **to s. at a premium**, essere sopra la pari.

■ **stand back** v. i. + avv. **1** tirarsi indietro; arretrare; indietreggiare: *S. back!*, indietro!; fatevi indietro! **2** (*fig.*) fare un passo indietro; (*boxe*) allontanarsi (*dall'avversario*

che è a terra); prendere le distanze (*da qc.*) **3** (*fig.*) tirarsi indietro; stare a guardare; non intervenire **4** (*di un edificio, ecc.*) essere in posizione arretrata: *The school stands well back from the road*, la scuola è in posizione assai arretrata rispetto alla strada.

■ **stand between** v. i. + prep. frapporsi tra; interporsi tra.

■ **stand by** Ⓐ v. i. + avv. **1** stare (*o* essere) vicino; essere sul luogo (*o* presente) **2** (*fig.*) restare in disparte; stare a guardare; non intervenire: *How could you s. by and do nothing?*, come hai potuto stare a guardare senza fare niente **3** (*di persone*) tenersi pronto; stare all'erta (*anche mil.*); (*anche sport*) essere pronto a intervenire; restare in appoggio: *S. by for firing!*, pronti a far fuoco! **4** (*di cose*) essere a disposizione; essere di riserva **5** (*telef.*) restare in linea Ⓑ v. i. + prep. **1** stare accanto a (q.); essere vicino di (q.) **2** stare vicino (*o* presso) a: *S. by the wall!*, stai vicino al muro! **3** (*di un edificio, ecc.*) essere situato accanto a: *The village stands by a lake*, il paese è situato in riva a un lago **4** (*fig.*) appoggiare, sostenere, aiutare, proteggere; (*sport*) essere in appoggio a (q.): *His parents will always s. by him*, i genitori lo appoggeranno sempre **5** (*fig.*) stare a; tener fede a, mantenere (*una promessa, ecc.*): *Why won't you s. by the terms?*, perché non vuoi stare ai patti?; *He never stands by his word* [*promise*], non mantiene mai la parola [la promessa]; **Bad politicians don't s. by their guns** (*o principles*), i politicanti non si attengono ai princìpi che proclamano □ (*naut.*) **to s. by the anchor**, tenersi pronti a salpare □ (*naut.*) **to s. by a ship in distress**, restare al fianco di una nave in difficoltà.

■ **stand clear** v. i. + avv. **1** stare alla larga; stare lontano: *S. clear of the train!*, state lontani (*o* allontanatevi) dal treno! **2** (*naut.*) restare al largo.

■ **stand down** Ⓐ v. i. + avv. **1** ritirarsi; cedere il posto; abbandonare (il campo): *He stood down in favour of the party candidate*, si ritirò per favorire il candidato del partito **2** (*leg.*) lasciare il banco dei testimoni: *You may s. down*, può andare; con Lei abbiamo finito **3** (*mil.*) smontare di guardia; rompere le righe **4** (*ginnastica*) rompere le righe **5** (*sport*) stare giù (*fam.*); non partecipare (*a una gara*); non presentarsi (alla partenza) Ⓑ v. t. + avv. (*mil.*) far rompere le righe a (*un reparto*); sciogliere (*una formazione*); far smontare di guardia.

■ **stand fast** v. i. + avv. tener duro; resistere, non cedere.

■ **stand for** v. i. + prep. **1** alzarsi in piedi in segno di rispetto per (q. *o* qc.): *The crowd stood for the national anthem*, la folla si alzò in piedi per l'inno nazionale **2** stare per; rappresentare; significare: *MD stands for Doctor of Medicine*, MD significa dottore in medicina **3** essere in favore di (*o* un fautore di); appoggiare, sostenere: *He stands for free trade*, è un fautore del liberismo **4** (*polit.*) presentarsi, essere candidato, candidarsi per (*un seggio in parlamento*): *He intends to s. for a parliamentary seat*, vuole candidarsi al parlamento **5** (*fam.*) sopportare; tollerare: *I won't s. for this!*, non sono disposto a tollerare questo! **6** (*naut.*) dirigere, fare rotta verso (*un luogo*).

■ **stand in** v. i. + avv. **1** fare il sostituto; supplire **2** (*cinem.*) fare la controfigura.

■ **stand in for** v. i. + avv. + prep. **1** sostituire; rimpiazzare: *He stood in for me at the meeting*, mi sostituì alla riunione **2** (*cinem.*) fare da controfigura per (*un attore*).

■ **stand in with** v. i. + avv. + prep. (*fam.*) **1** essere alle buone (*o* in buoni rapporti) con (q.); andare d'amore e d'accordo con (q.) **2** dividere le spese con (q.).

■ **stand off** Ⓐ v. i. + avv. (*o* prep.) **1** stare al-

la larga (da q.) **2** (*naut.*) restare al largo (di) Ⓑ v. t. + avv. **1** tenere (q.) lontano, a distanza; girare al largo (da q.) **2** lasciare a casa, sospendere, licenziare (*un dipendente*) **3** (*sport*) tenere a bada (*un avversario*) □ **to s. off a creditor**, tenere a bada un creditore □ (*naut.*) **to s. off and on**, bordeggiare.

■ **stand on** Ⓐ v. i. + avv. (*naut.*) mantenere la rotta Ⓑ v. i. + prep. **1** star ritto su; (*di un oggetto*) rimanere (ritto) su: *Can you s. on one leg?*, sei capace di stare (o di reggerti) su una gamba sola? **2** montare (*o* salire) su: *The little boy had to s. on a chair*, il ragazzino dovette salire su una sedia **3** (*fig.*) basarsi su (*un principio, ecc.*); tener fede a (*una versione data, ecc.*); insistere su: **to s. on one's rights**, insistere sui propri diritti **4** mettersi in (*una posizione*); farsi: *Please s. on one side*, favorite farvi da parte! Ⓒ v. t. + prep. mettere (*o* posare) ritto su: *S. the books on the shelf, will you?*, vuoi mettere i libri ritti sullo scaffale? □ **to s. on ceremony**, fare complimenti □ **to s. on end**, (*di un oggetto*) essere rovesciato; (*dei capelli*) essere ritti: **to make sb.'s hair s. on end**, far rizzare i capelli a q. (*per la paura, ecc.*) □ **to s. on an equal footing**, essere su un piano di parità □ (*fig.*) **to s. on one's (own) two feet**, essere indipendente, fare da sé □ **to s. st. on its head**, rivoltare (*un oggetto*); (*fig.*) rivoltare come un guanto (*un'idea, una proposta, ecc.*).

■ **stand out** v. i. + avv. **1** sporgere: *The front of my house stands out from the rest of the buildings*, la facciata della mia casa sporge rispetto agli altri edifici **2** restare fuori; essere escluso (*da un gruppo, dal gioco, ecc.*) **3** essere in evidenza; risaltare; spiccare; essere in vista; eccellere; (*fig.*) emergere: *The policeman stood out among the demonstrators*, il poliziotto spiccava in mezzo ai dimostranti; *His work stands out from that of lesser poets*, la sua opera emerge da quella di poeti minori **4** resistere; essere fermo; tener duro; tener botta (*fam.*): *The strikers are standing out for a better salary*, gli scioperanti tengono duro nella richiesta di un aumento di salario **5** (*naut.*) salpare; prendere il largo □ (*fig.*) **It stands out a mile!**, si vede lontano un miglio!

■ **stand out against** v. i. + avv. + prep. prendere posizione contro (q. *o* qc.); essere fermamente contrario a.

■ **stand out of** v. i. + avv. + prep. fare un passo fuori (*una fila*) □ **My eyes stood out of my head**, mi uscivano gli occhi dalla testa (*per lo stupore, ecc.*).

■ **stand over** Ⓐ v. i. + avv. **1** essere rinviato; essere rimandato: *The final decision had to s. over till the next meeting*, la decisione finale dovette essere rinviata alla riunione successiva **2** (*di un pagamento, ecc.*) essere in sospeso Ⓑ v. i. + prep. stare addosso a (q.); tenere d'occhio; controllare: *Don't s. over me while I'm writing*, non starmi addosso mentre scrivo!

■ **stand to** Ⓐ v. i. + prep. **1** essere in (*una certa posizione*): *He was standing to my right*, era alla mia destra **2** mettersi in (*una posizione*); farsi: *Please s. to one side!*, favorite farvi da parte! **3** stare a; attenersi a; tener fede a, mantenere; restare fedele a Ⓑ v. i. + avv. (*mil.*) stare pronti per l'azione; stare all'erta □ (*mil.*) **to s. to attention**, mettersi sull'attenti □ (*mil.*) **to s. to one's post**, non abbandonare il posto (*o* la posizione, il posto di guardia) □ **to s. to reason**, essere cosa del tutto ragionevole; non fare una grinza (*fam.*) □ **It stands to reason that...**, è ovvio (*o* è logico, naturale) che...; c'è da aspettarsi che...

■ **stand together** v. i. + avv. restare insieme (*o* uniti); rimanere compatti: *We must s. together against injustice*, dobbiamo restare compatti contro l'ingiustizia □ **We s. or**

fall together, siamo nella stessa barca (*fig.*).

■ **stand up** Ⓐ v. i. + avv. **1** alzarsi (in piedi) **2** restare in piedi; tenersi ritto **3** (*di un edificio*) elevarsi; restare in piedi **4** (*di macchine, ecc.*) resistere; durare **5** (*di un racconto, una testimonianza, ecc.*) reggere **6** (*fig.*) opporsi; fare resistenza; reagire Ⓑ v. t. + avv. **1** mettere (*o* rimettere) in piedi; tirare su (*fam.*): *S. me up!*, tirami su! **2** collocare (*o* mettere: *un oggetto*) ritto **3** (*pop.*) fare un bidone a, tirare il bidone a (q.): **my girlfriend stood me up again**, la mia ragazza mi ha di nuovo tirato il bidone □ (*fig.*) **to s. up and be counted**, uscire allo scoperto (*fig.*); prendere posizione senza avere paura delle conseguenze.

■ **stand up against** v. i. + avv. + prep. → **stand up to**, def. 1.

■ **stand up for** v. i. + avv. + prep. **1** essere favorevole a; prendere le parti di; affermare; sostenere: *I stood up for him*, presi le sue parti **2** rivendicare: **to s. up for one's rights**, rivendicare i propri diritti **3** (*leg.*) difendere, rappresentare (*un imputato*) **4** (*fam.*) fare da testimone per le nozze di (q.) □ (*fig.*) **to s. up for oneself**, essere autonomo (*o* indipendente); fare da sé.

■ **stand upon** → **stand on**, B.

■ **stand up to** v. i. + avv. + prep. **1** prendere posizione contro; opporsi, fare resistenza a (q.): *You should s. up to your mother-in-law and tell her to mind her own business*, dovresti tener testa a tua suocera e dirle di farsi i fatti suoi **2** resistere a; sopportare; superare: *These shoes have stood up to a lot of wear*, queste scarpe hanno resistito a un uso prolungato e senza riguardi **3** sostenere (*un confronto, la concorrenza, ecc.*); superare (*un esame*); reggere il confronto con: *Our products continue to s. up to the competition*, i nostri prodotti continuano a reggere il confronto con quelli (*o* continuano a essere all'altezza di quelli) della concorrenza.

■ **stand with** v. i. + prep. **1** stare con (q.); stare accanto a (q.) **2** (*fig.*) essere in un certo rapporto con (q.): *I need to be sure how I s. with him*, ho bisogno di sapere con certezza in che rapporti sto con lui; *How well do you s. with the boss?*, vai d'accordo (*fam.*: come sei messo) con il capo?

stand-alone /'stændələʊn/ *a.* (*comput.*: di un gruppo, un'unità, ecc.*) stand-alone; non connesso a rete: **stand-alone terminal**, terminal non connesso a rete.

♦**standard** /'stændəd/ Ⓐ *n.* **1** stendardo (*anche fig.*); bandiera; insegna; vessillo: **the s. of liberty**, il vessillo della libertà; *Julius Caesar's standards*, le insegne di Giulio Cesare **2** campione; modello; misura; tipo: (*econ.*) **s. of value**, misura di valore; **standards of weight and measure**, pesi e misure tipo; **standards of purity for drugs**, norme per stabilire la purezza dei prodotti medicinali **3** criterio; norma; principio; regola; (*fig.*) metro, parametro (*con cui giudicare*): *Everyone has his own s. of judgement*, ciascuno ha il suo criterio (*o* metro) di giudizio **4** grado; livello; qualità; tenore: *The s. of play has risen considerably*, il livello del gioco è assai migliorato; *These goods are not up to s.*, la qualità di questa merce non è soddisfacente (*o* è scadente); **work of (a) low s.**, lavoro di qualità scadente; (*econ., stat.*) **a high** [**a low**] **s. of living** (*o of life*), un alto [un basso] tenore di vita **5** (pl.) princìpi, valori morali: *That man has no standards*, è un uomo senza princìpi **6** (*fis.*) campione di misura **7** sostegno; supporto; montante; piedistallo **8** (*fin.*) titolo (*di una moneta*) **9** (*econ., fin.*) sistema (*o* tipo) monetario: **the gold s.**, il sistema (*o* nometallico) aureo **10** (*giardinaggio*) pianta (fatta crescere) ad alberello **11** (*comput.*)

standard: **open s.**, standard aperto; **proprietary s.**, standard proprietario **12** (*antiq. o NZ*) classe (*delle scuole elementari*) **13** (*tecn.*) tubo verticale **B a. attr. 1** standard; comune; corrente; normale; ordinario; unificato; modello; tipo; base: (*leg.*) **s. agreement** (*o* **contract**), contratto tipo; **s. prices**, prezzi normali; (*market.*) **s. sizes**, misure normali; (*econ.*) **s. cost**, costo standard, costo modello, costo guida; (*stat.*) **s. deviation**, deviazione standard, scarto tipo, scarto quadratico medio; (*stat.*) **s. error**, errore standard; **s. gauge**, (*ferr.*) scartamento normale; (*cinem.*) passo normale; (*market.*) **s. grade**, qualità tipo; (*ass.*) **s. policy**, polizza tipo; (*market.*) **s. quality**, qualità corrente; (*fisc.*) **s. rate**, aliquota base; (*market.*) **s. sample**, campione unificato **2** (*ind.*) di serie: **the s. model of a car**, il modello di serie di un'automobile **3** (*fin.*) in titolo legale: **s. gold**, oro in titolo legale **4** di base; fondamentale; autorevole; classico; che fa testo: **a s. text**, un testo di base; **the s. work on the subject**, l'opera fondamentale sull'argomento; **s. novels**, romanzi classici **5** (*ling.*) standard; corrente; corretto: **s. English**, l'inglese standard; **s. spelling**, grafia corrente; **s. pronunciation**, pronuncia corretta **6** (*di un oggetto*) che ha una base (un piedistallo, uno stelo): **s. lamp**, lampada a stelo (*o a piantana*) **7** (*giardinaggio*) ad alberello: **a s. rose**, una rosa ad alberello ● **s. bearer**, (*stor.*) vessillifero, vessillario; (*mil.*) alfiere, portabandiera (*anche fig.*) □ **s. charge**, tariffa fissa (*o forfettaria*) □ (*rag.*) **s. costing**, valutazione a costi standard □ (*fin.*) **s. currency unit**, modulo monetario, unità monetaria □ (*fisc.*) **s. deduction**, detrazione forfettaria □ **s. form**, modulo tipo □ (*in Scozia*) **S. Grades**, esami finali della scuola dell'obbligo; esame di diploma □ (*fin.*) **s. money**, moneta base (*o* tipo); valuta legale (*o* ufficiale) □ (*econ.*) **s.-of-life curve**, curva reddito-consumo □ (*demogr.*) **s. population**, popolazione tipo □ (*golf*) **s. scratch score**, norma (*di una buca o di un percorso*) □ (*fisc.*) **s. state**, stato standard □ **s. time**, (*econ., ind.*) tempo di lavorazione standard; (*geogr.*) ora locale: **British s. time**, (*in GB*) ora di Greenwich; ora locale del meridiano centrale del fuso □ **to be above s.**, essere superiore alla media; (*di merce*) essere di prima qualità □ **to be below s.**, essere sotto il livello desiderato; (*di merce*) essere scadente (*o di seconda qualità*) □ (*fig.*) **by the same s.**, con lo stesso metro (*o* criterio) □ **by any standards**, quale che sia il metro di giudizio; comunque lo si giudichi □ (*econ., fin.*) **by European standards**, giudicando in base ai livelli europei □ **to have a double s.**, avere due pesi e due misure (*fig.*) □ **to reach a high s. of efficiency**, raggiungere un alto grado di efficienza □ **to set a high s. for st.**, fissare requisiti elevati per qc. □ **to be up to s.**, essere al livello desiderato; (*di un lavoro*) essere soddisfacente; (*di merce*) essere conforme al campione.

Standardbred /'stændədbrɛd/ n. (*equit. USA*) Standardbred; trottatore di razza; ambiatore di razza.

standardization /stændədaɪ'zeɪʃn, *USA* -dɪ'z-/ n. Ⓤ **1** normalizzazione; tipificazione; unificazione; standardizzazione: **the s. of products**, la standardizzazione dei prodotti; **the s. of the basis for assessment of VAT**, l'unificazione della base imponibile dell'IVA **2** (*ind.*) costruzione in serie **3** (*comput.*) standardizzazione **4** (*chim.*) ricerca del titolo (*di una soluzione*).

to standardize /'stændədaɪz/ v. t. **1** normalizzare; tipificare; unificare; standardizzare: **to s. English spellings**, normalizzare l'ortografia inglese; (*econ.*) **to s. production**, standardizzare la produzione **2** (*ind.*) costruire in serie **3** (*chim.*) titolare, trovare

il titolo di (*una soluzione*) **4** (*comput.*) standardizzare: **to s. a language**, standardizzare un linguaggio **5** (*autom.*) **standardized road signs**, segnaletica (verticale) unificata (*in Europa, ecc.*).

standby, stand-by /'stændbaɪ/ **A** n. (pl. **standbys**) **1** (persona, cosa di) scorta; riserva; surrogato; sostituto; cosa di ripiego, ripiego: *Tinned beef is a good s. in an emergency*, la carne (di bue) in scatola è un buon surrogato per un'emergenza; (*moda*) *Brown is a boring s.*, il marrone è un noioso colore di ripiego **2** cibo (*o* alimento) preferito: **pork and mutton are old English standbys**, carne di maiale e castrato sono alimenti tradizionali della cucina inglese **3** persona fidata, su cui contare; cosa su cui fare affidamento **4** (*USA*) controfigura **5** (*aeron.*) lista di attesa per viaggiatori privi di prenotazione; (*anche*) passeggero in lista d'attesa; = **s. ticket** → *sotto* B, *def.* 4 **6** (*fin.*) credito (*o* prestito) stand by **7** (*comput.*) attesa **B a. attr. 1** di scorta; di riserva; d'emergenza: (*elettr.*) **s. generator**, generatore d'emergenza **2** (*spec. fin.*) di sostegno; stand by: **s. agreement**, accordo stand by; **s. credit**, (linea di) credito stand by; **s. letter of credit**, lettera di credito confermata **3** (*aeron.*) di riserva: **s. altimeter**, altimetro di riserva **4** (*aeron.*) stand by; di (*o* in) attesa: **s. ticket**, biglietto stand by ● (*elettr.*) **s. battery**, batteria tampone □ (*fin.*) **s. credit**, credito stand by □ (*ind., org. az.*) **s. equipment**, attrezzature momentaneamente inutilizzate □ **on s.**, (*di forze d'ordine, ecc.*) di pronto intervento; in stato di preallarme; (*aeron.: di passeggeri*) in lista d'attesa.

standee /stæn'diː/ n. **1** spettatore in piedi (*a teatro, ecc.*) **2** viaggiatore (che sta) in piedi.

stand-in /'stændɪn/ **A** n. **1** sostituto; interino; supplente; rimpiazzo **2** (*teatr.*) attore (*o* cantante lirico) di rimpiazzo; sostituto **3** (*cinem.*) controfigura **B a. attr.** di rimpiazzo; supplente: **a stand-in teacher**, un supplente (*a scuola*).

standing /'stændɪŋ/ **A** n. **1** Ⓤ lo stare; lo stare fermo (*o* in piedi): *I'm fed up with s.*, sono stufo di stare in piedi **2** Ⓤ posizione; condizione; situazione; grado; (buona) reputazione: *He is a man of high s.*, è una persona di condizione elevata; **financial s.**, situazione finanziaria; **to be in good [poor] s.**, godere di buona [cattiva] reputazione **3** Ⓤ durata: **a custom of long s.**, una consuetudine di antica data **4** Ⓤ (*banca, fin.*) posizione finanziaria; standing **5** (*USA*) fermata; sosta: (*autom.*) **'No s.'** (*cartello*), 'divieto di sosta' **6** (pl.) (*sport, ecc.*) classifica: **overall standings**, classifica generale **B a. 1** eretto; dritto; verticale: **in a s. position**, in posizione eretta; (*legatoria*) **s. press**, pressa verticale **2** (*edil.*) in piedi; intatto: *The monastery is still s.*, il convento è ancora in piedi **3** fisso; permanente; stabile; stabilito: (*org. az., polit.*) **s. committee**, comitato permanente; commissione permanente; (*econ.*) **s. costs**, costi fissi (*o* costanti); **s. expenses**, spese fisse; **a s. rule**, una regola fissa; **a s. army**, un esercito permanente **4** (*mecc.*) inoperoso; inattivo; fermo **5** (*tipogr.: di composizione*) in piedi **6** (*tecn., scient.*) stazionario: (*fis.*) **s. wave**, onda stazionaria **7** (*sport: del pallone*) fermo; inattivo ● (*arti marziali*) **s. bow**, saluto in piedi, con cenno d'inchino □ **s. bowl**, coppa a calice □ (*agric.*) **s. corn**, grano in erba (*non mietuto*) □ (*boxe*) **s. count**, conteggio in piedi □ **a s. dish**, un piatto giornaliero; la pietanza di tutti i giorni □ **a s. invitation to dinner**, un invito a pranzo valido in qualunque occasione □ **a s. joke**, una barzelletta: *My habit of being late has become a s. joke*, il fatto che io sia sempre in ritardo è diventato (ormai) una bar-

zelletta □ (*sport*) **s. jump**, salto senza rincorsa □ (*leg., USA*) **s. mute**, rifiuto (*dell'imputato*) di dichiararsi colpevole o innocente □ **s. order**, (*comm.*) ordinazione fatta una volta per sempre (*che si rinnova tacitamente*); (*banca*) ordine (*o* disposizione) permanente d'addebito (*su conto corrente*) □ **s. orders**, (*leg.*) norme procedurali; (*polit.*) norme permanenti (di procedura parlamentare); (*mil.*) disposizioni permanenti □ **s. ovation**, standing ovation; applausi dell'uditorio che si alza in piedi □ (*naut.*) **s. rigging**, sartiame permanente; manovre fisse □ **s. room**, posti in piedi (*in un autobus, ecc.*) □ (*basket*) **s. shot**, tiro da fermo; tiro piazzato □ (*nelle corse*) **s. start**, partenza da fermo □ (*ciclismo*) **s.-start lap**, giro di pista da fermo □ (*archeol.*) **s. stone**, menhir □ (*tuffi*) **s. takeoff**, stacco da fermo □ **s. water**, acqua stagnante □ (*leg., USA*) **s. to sue [to be sued] doctrine**, dottrina della legittimazione processuale attiva [passiva] □ (*di socio, iscritto, tesserato, ecc.*) **to be in good s.**, essere in regola □ **a long-s. friend**, un amico di vecchia data.

standoff /'stændɒf/ n. **1** situazione di stallo; punto morto: *We've reached a s.*, siamo a un punto morto **2** (*naut., mil.*) scontro alla pari; battaglia senza vinti né vincitori: *Two of the sea battles were standoffs*, in due delle battaglie navali nessuno ebbe la meglio **3** (*rugby*) → **stand-off half 4** (*USA*) baccarà, punto banco) égalité (*franc.*); pareggio.

stand-off half /stændɒf'hɑːf/ loc. n. (*rugby*) mediano d'apertura.

standoffish /stænd'ɒfɪʃ/ a. altero; altezzoso; freddo; riservato; scostante | **-ly** avv. | **-ness** n. Ⓤ.

stand-on /'stændɒn/ n. (*volg.*) erezione.

stand-out /'stændaʊt/ (*fam. USA*) **A** n. persona (*o* cosa) eccezionale; cannonata, schianto (*fam.*) **B a. attr.** di rilievo; di primo piano; eccezionale.

standover /'stændəʊvə(r)/ a. (*fam.*) aggressivo; minaccioso; prepotente.

standpipe /'stændpaɪp/ n. **1** (*mecc.*) «standpipe»; tubo verticale (*dell'acqua, ecc.*) **2** (*idraul.*) serbatoio piezometrico (*di forma cilindrica*).

standpoint /'stændpɔɪnt/ n. **1** posto da cui osservare; punto di osservazione **2** (*fig.*) punto di vista; visuale; angolazione; prospettiva: **from his s.**, dal suo punto di vista.

standstill /'stændstɪl/ n. **1** arresto; fermata; sosta (*di un veicolo*) **2** battuta d'arresto; inazione; ristagno; punto morto: *Trade is now at a s.*, il commercio adesso è in ristagno **3** (*ciclismo*) surplace (*franc.*) ● (*comm. est.*) **s. agreements**, accordi di congelamento temporaneo dei crediti □ **to bring a vehicle to a s.**, arrestare (*o* fermare) un veicolo □ **to come to a s.**, arrestarsi, fermarsi; (*fig.*) giungere a un punto morto: *The peace talks have come to a s.*, le trattative di pace sono giunte a un punto morto.

stand-to /'stændtuː/ n. (*mil.*) preallarme; parata dei reparti; rassegna in assetto di guerra.

stand-up /'stændʌp/ **A** n. **1** sostegno; appoggio; supporto; piedistallo **2** (*USA*) resistenza (*all'uso*); tenuta; durata **3** (*fam. USA*) il mancare a un appuntamento; bidone (*fig. fam.*): *Last night I got the stand-up by my new date*, la mia nuova ragazza iersera mi ha tirato il bidone **4** (*TV*) ripresa fatta in piedi **5** (= **stand-up meal**) pasto consumato in piedi **6** (= **stand-up collar**) colletto duro; colletto rigido **7** tavola calda; rosticceria **B a. attr. 1** in piedi: **a stand-up lunch**, una colazione in piedi **2** (*di un colletto*) duro; rigido; a listino **3** (*fig.*) accanito; violento; senza sosta: **a stand-up brawl**, una rissa

accanita **4** (*teatr.*) che tiene la scena da solo: **a stand-up comedian**, un attore che fa monologhi comici; un cabarettista; un mattatore (*fig.*) **5** (*boxe: di un pugile*) fermo sulle gambe **6** (*fam. USA*) franco, schietto, onesto, fidato; su cui si può contare; in gamba: **a stand-up guy**, un tipo in gamba; un tipo tosto ● **stand-up bar**, bar dove si consuma solamente al banco □ **stand-up battle**, battaglia senza quartiere □ (*teatr.*) **stand-up comedy**, monologhi comici; cabaret □ (*boxe*) **a stand-up fight**, un incontro combattuto (*o* duro, tirato).

stank /stæŋk/ *pass.* di **to stink**.

Stanley knife® /'stænlı naıf/ *n.* (*pl.* **Stanley knives**) taglierino.

stannary /'stænərı/ *n.* **1** (*ind. min.*) miniera di stagno **2** regione stannifera.

stannic /'stænık/ *a.* (*chim.*) stannico: **s. acid**, acido stannico.

stannite /'stænaıt/ *n.* ⚏ **1** (*miner.*) stannite; stannina **2** (*chim.*) stannito.

stannous /'stænəs/ *a.* (*chim.*) stannoso.

stanza /'stænzə/ *n.* (*poesia*) strofa; stanza.

staphylococcus /stæfılə'kɒkəs/ *n.* (*pl.* **staphylococci**) (*biol.*) stafilococco.

staple① /'steıpl/ *n.* **1** (*mecc.*) chiodo a U; grappa; gancio; forcella; (*falegn.*) cambretta **2** (*di serratura*) staffa; toppa **3** (*per cucire fogli di carta*) graffa; graffetta; punto metallico ● **s. gun**, (*pistola*) sparapunti.

staple② /'steıpl/ **A** *n.* **1** (*econ.*) prodotto principale (*di un luogo*): **the staples of British industry**, i prodotti principali dell'industria britannica **2** ingrediente (*o* alimento) base; (*fig.*) nutrimento principale (*fig.*) **3** (*econ.*) materia prima **4** (*ind. tess.*) fiocco (*della lana*); fibra (*del cotone*); qualità della fibra (*in genere*) **5** (*market.*) merce a domanda costante **6** (*fig.*) argomento principale (*di conversazione, ecc.*); pezzo forte; *Soccer is the s. of our sports section*, il calcio è il pezzo forte delle nostre pagine sportive **7** (*stor.*) fondaco **B** *a. attr.* **1** (*econ.*) principale; più importante: *Sugar is the s. product of Cuba*, lo zucchero è il prodotto principale di Cuba **2** (*ind. tess.*) di fiocco **3** (*fig.*) tipico; standard; solito ● **s. commodities**, merci di prima necessità □ **a s. diet of rice**, una dieta alimentare (*o* un'alimentazione) a base di riso □ **s. food**, alimento base □ **s. foodstuffs**, prodotti alimentari principali □ (*econ.*) **s. industry**, industria di base; industria fondamentale.

to **staple**① /'steıpl/ *v. t.* **1** (*mecc.*) assicurare con una grappa (*o* un gancio, una forcella) **2** cucire (*fogli di carta*) con punti metallici; graffare; graffettare; spillare.

to **staple**② /'steıpl/ *v. t.* (*ind. tess.*) classificare, cernere secondo la qualità della fibra (*o* del fiocco).

stapler① /'steıplə(r)/ *n.* **1** cucitrice (*a punti metallici*) **2** (*tecn.*) graffatrice; martello per graffette.

stapler② /'steıplə(r)/ *n.* **1** commerciante in prodotti caratteristici (*di una regione*) **2** (*ind. tess.*) classificatore, cernitore (*di cotone, lana, ecc.*) **3** (*stor.*) mercante di un fondaco.

stapling① /'steıplıŋ/ *n.* ⚏ **1** cucitura (*a punti metallici*) **2** (*tecn.*) graffatura ● **s. machine**, cucitrice; graffatrice.

stapling② /'steıplıŋ/ *n.* ⚏ (*ind. tess.*) classificazione secondo la qualità della fibra (*o* del fiocco).

♦**star** /stɑː(r)/ **A** *n.* **1** (*astron.*) stella; astro: **fixed stars**, stelle fisse; **double stars**, stelle doppie; **shooting s.**, stella cadente (*o* filante) **2** (*fig.*) celebrità; stella, astro; (*cinem.*) diva, divo: **a rising film s.**, una stella del cinema in ascesa; **a literary s.**, una celebrità del mondo letterario **3** (*sport*) campione; asso; fuoriclasse: **a basketball s.**, un asso

del basket **4** (*fis. nucl.*) stella nucleare **5** (*tipogr.*) stelletta; stelletta; asterisco: (*tur.*) **a four-s. hotel**, un albergo a quattro stelle **6** (*mil.*) stelletta; stella: **a three-s. general**, un generale a tre stelle **B** *a. attr.* **1** (*astron.*) stellare; sidereo **2** (*elettr.*) a stella: **s. network**, rete (*o* connessione) a stella **3** di prim'ordine; ottimo; il più importante; principale: **the s. part**, il ruolo principale (*in un film, ecc.*) ● *You're a s.!*, sei grande!; (*fig.*) **the Stars and Stripes**, la bandiera nazionale americana (*degli USA*) □ **s.-bright**, lucente come una stella □ (*stor.*) **S. Chamber**, tribunale speciale della Corona inglese (*abolito nel 1641 dal Parlamento*); (*fig.*) tribunale sommario, ingiusto □ (*astron.*) **s. cluster**, ammasso stellare □ (*elettr.*) **s.-connected**, collegato a stella □ (*lett.*) **s.-crossed**, sfortunato □ (*astron.*) **s. drift**, corrente stellare □ **s. map**, carta celeste □ (*bot.*) **s. of Bethlehem** (*Ornithogalum umbellatum*), latte di gallina; cipollone bianco □ **s. performance**, (*cinem.*, *teatro, ecc.*) interpretazione di prim'ordine; (*mus.*) esecuzione di prim'ordine; (*sport*) grandissima esecuzione (*o* realizzazione) □ **s. performer**, (*cinem.*, *teatr.*) grandissimo interprete; (*mus.*) grandissimo esecutore; (*sport*) grande esecutore (*o* realizzatore) □ (*sport*) **s. player**, giocatore di primo piano □ (*gioielleria*) **s. sapphire**, zaffiro asteria □ **s.-shaped**, a forma di stella; stellato □ (*mil.*) **s. shell**, bengala, razzo, proiettile illuminante □ **s. sign**, segno dello zodiaco: *What is your s. sign?*, di che segno sei? □ (*mus.*) **s. singer**, star della canzone; cantante celebre □ **s.-spangled**, trapunto di stelle, stellato □ **the S.-Spangled Banner**, l'inno nazionale americano; (*anche*) la bandiera nazionale americana (*degli USA*) □ (*astron.*) **s. spot**, macchia stellare □ (*astron.*) **s. streaming**, flusso stellare □ (*calcio*) **s. striker**, attaccante di primo piano; punta formidabile; capocannoniere (*fig.*) □ **s.-studded**, (*del cielo*) pieno (*o* trapunto) di stelle; (*di una notte*) stellata; (*di un film, un evento, ecc.*) pieno di divi □ **s. system**, (*astron.*) sistema stellare; (*fig.*, *cinem.*) star system □ (*teatr.*) **the s. turn**, il numero d'attrazione; il numero del mattatore □ **s. wars**, (*fantascienza*) guerre stellari; (*fig.*, *mil.*) scudo spaziale (*sistemi elettronici di difesa nello spazio*) □ **s. wheel**, (*mecc.*) ruota di arpionismo; crociera □ (*sport*) **an all-s. soccer team**, una squadra di calcio tutta di campioni □ **to be born under a lucky [an evil] s.**, esser nato sotto una buona [una cattiva] stella (*o* fortuna) □ (*autom.*) **four-s. petrol**, benzina super □ **to have stars in one's eyes**, essere ingenuo (*o* idealista); essere romantico □ (*fig.*) **to see stars**, vedere le stelle, sentire cantare gli uccellini (*per un colpo ricevuto*) □ **to sleep under the stars**, dormire sotto le stelle.

to **star** /stɑː(r)/ **A** *v. t.* **1** ornare di stelle **2** (*per estens.*) tempestare di stelle; costellare **3** apporre una stelletta (*o* un asterisco) a (*un nome, una parola*) **4** (*cinem.*, *teatr.*, *TV*) dare una parte di primo piano a (*un attore, un'attrice*) **B** *v. i.* (*cinem.*, *teatr.*, *TV*) **1** essere una stella; fare il divo (*o* la diva) **2** essere fra gli interpreti principali: **to s. in a film**, essere il protagonista di un film □ (*cinem.*, *TV, ecc.*) **starring...**, con (*seguono i nomi degli attori principali*); *cfr.* **co-starring**, *sotto* **to co-star** □ (*cinem.*, *TV*) **also starring...**, e con la partecipazione di.

starboard /'stɑːbəd/ (*naut.*, *aeron.*) **A** *n.* ⚏ dritta; destra; tribordo (*termine in disuso*) **B** *a.* di dritta; (*un tempo*) di tribordo **C** *avv.* a dritta; (*un tempo*) a tribordo ● (*canottaggio*) **s. oar**, vogatore di dritta □ **s. side**, dritta; tribordo □ **s. tack**, mure a dritta □ **to row to s.**, vogare a dritta.

to **starboard** /'stɑːbəd/ *v. i. e t.* (*naut.*, *aeron.*) mettere a dritta; (*un tempo*) virare a

tribordo ● **to s. the helm**, volgere il timone a dritta.

starburst /'stɑːbɜːst/ *n.* **1** (struttura a) raggiera: **s. pattern**, motivo a raggiera **2** esplosione che produce un effetto a raggiera **3** (*fotogr.*) oculare che produce un effetto di luce a raggiera **4** (*astron.*) intensa attività di formazione stellare (*in una galassia*); starburst: **s. galaxy**, galassia starburst.

starch /stɑːtʃ/ *n.* ⚏ **1** (*chim.*) amido **2** (*per inamidare*) appretto; salda **3** (*fig.*) rigidezza; formalismo; sostenutezza **4** (*fam. USA*) energia; vigore ● (*tecn.*) **s. finish**, inamidatura; apprettatura □ (*chim.*) **s. gum**, destrina □ **s. paste**, colla d'amido.

to **starch** /stɑːtʃ/ *v. t.* **1** inamidare; insaldare; apprettare: **to s. a shirt**, insaldare una camicia **2** (*fig.*) rendere rigido, formalistico, sostenuto **3** (*boxe*, *USA*) stendere; mandare al tappeto; mettere kappaò.

starched /'stɑːtʃt/ *a.* **1** inamidato; insaldato; apprettato: **a s. collar**, un colletto inamidato **2** (*fig.*) rigido; sostenuto; impettito ● **s. manners**, modo di fare sostenuto; formalismo.

starcher /'stɑːtʃə(r)/ *n.* **1** chi inamida; apprettatore, apprettatrice **2** apprettatrice (*macchina*).

starchiness /'stɑːtʃınəs/ *n.* ⚏ **1** l'essere inamidato □ (*fig.*) rigidità; formalismo; sostenutezza.

starching /'stɑːtʃıŋ/ *n.* ⚏ inamidatura; insaldatura; apprettatura.

starchy /'stɑːtʃı/ *a.* **1** (*chim.*) amidaceo; amidoso **2** inamidato; insaldato; apprettato **3** (*fig.*, *spreg.*) rigido; sostenuto; freddo | **-ily** *avv.*

stardom /'stɑːdəm/ *n.* ⚏ (*teatr.*, *cinem.*) **1** grande celebrità; divismo **2** (*collett.*) gruppo di stelle; dive, divi ● **to rise to s.**, diventare una stella (*o* un divo, una diva).

stardust /'stɑːdʌst/ *n.* ⚏ **1** (*fam.*) polvere cosmica **2** (*fig.*) polvere di stelle; atmosfera di sogno; senso magico.

stare /steə(r)/ *n.* sguardo fisso; occhiata di stupore.

♦to **stare** /steə(r)/ **A** *v. i.* **1** guardar fisso; fissare **2** sbarrare (*o* sgranare) gli occhi: **to make sb. s.**, far sbarrare gli occhi a q.; far restare q. a bocca aperta; sbalordire q. **B** *v. t.* fissare; squadrare: *He stared the stranger up and down*, squadrò ben bene lo sconosciuto ● **to s. sb. in the face**, guardar fisso q.; fissare in faccia q.; (*di un oggetto*) essere proprio sotto gli occhi (*o* sotto il naso) di q.; (*di una cosa*) saltare agli occhi; essere imminente, apparire inevitabile, incombere, sovrastare: *Disaster stared us in the face*, il disastro appariva imminente (*o* incombeva su di noi) □ **to s. into the distance**, guardare in lontananza □ **to s. sb. into silence** (*o to* **s. sb. dumb**), far tacere q. con un'occhiataccia □ **to s. into space**, guardare fisso nel vuoto; fissare il vuoto.

■ **stare after** *v. i. + prep.* seguire (q.) con lo sguardo, intensamente.

■ **stare at** *v. i. + prep.* **1** guardare fisso; fissare: *Why is he staring at me?*, perché mai mi fissa? **2** (*fig.*) essere evidente a; saltare agli occhi di; essere sotto gli occhi di: *The solution to the problem had been staring at me all the time*, avevo la soluzione del problema sotto gli occhi da chissà quando, e non me n'ero accorto.

■ **stare back at** *v. i. + avv. + prep.* ricambiare lo sguardo di (q.) fissandolo in viso.

■ **stare down** (*USA*) → **stare out**, B.

■ **stare out A** *v. i. + avv.* guardare fisso fuori (*della finestra, ecc.*): *The climber stared out over the valley*, l'alpinista guardava fisso la vallata sottostante **B** *v. t. + avv.* far abbassare lo sguardo a (q.) fissandolo intensamente.

■ **stare up** v. i. + avv. alzare gli occhi sbarrandoli; guardare fisso in alto: *He stared up at the ceiling*, guardava fisso il soffitto.

starer /'steərə(r)/ n. chi guarda fisso; scrutatore, scrutatrice.

starfish /'stɑːfɪʃ/ n. (pl. *starfish*, *starfishes*) (zool., *Asterias*) stella di mare.

stargazer /'stɑːgeɪzə(r)/ n. 1 (*scherz.*) astronomo; astrologo 2 (*fig.*) chi sogna a occhi aperti; chi ha la testa fra le nuvole; sognatore; idealista ‖ **stargaze** v. i. 1 osservare le stelle (*per trarre auspici*) 2 (*fig. fam.*) sognare a occhi aperti; fantasticare ‖ **stargazing** n. Ⓤ 1 (*scherz.*) astronomia; astrologia 2 (*fig.*) il sognare a occhi aperti; fantasticherie (pl.).

staring /'steərɪŋ/ Ⓐ a. 1 che guarda fisso; che fissa: **the s. owl**, il gufo che guarda fisso 2 (*di sguardo*) sbalordito; stupefatto 3 (*d'occhio*) sbarrato 4 chiassoso; vistoso; che dà nell'occhio Ⓑ n. Ⓤ il guardare fisso; sguardo fisso ● (*fam.*) **s. mad**, matto da legare.

stark /stɑːk/ a. 1 duro; nudo; crudo: **the s. truth**, la cruda verità; **s. realism**, crudo realismo 2 desolato; aspro; selvaggio: **the s. landscapes of the Highlands**, i desolati paesaggi delle Highlands 3 (*arc. o poet.*) rigido; stecchito: **s. discipline**, disciplina rigida; **to lie s. in death**, essere morto (stecchito) 4 (*poet.*) forte; gagliardo; robusto 5 (*poet.*) duro; inflessibile; risoluto 6 assoluto; completo; bell'e buono; puro e semplice; vero e proprio: **s. nonsense**, fesserie bell'e buone ● (*fam.*) **s. (raving o staring) mad**, matto da legare □ (*fam.*) **s. naked**, completamente nudo | **-ly** avv. **-ness** n. Ⓤ.

starkers /'stɑːkəz/ a. pred. e avv. (*fam. scherz.*) completamente nudo; nudo come un verme; nato nato.

starless /'stɑːlɪs/ a. senza stelle.

starlet /'stɑːlət/ n. 1 (*astron.*) piccola stella; stellina 2 (*cinem.*) attricetta; stellina; starlet.

starlight /'stɑːlaɪt/ Ⓐ n. Ⓤ luce delle stelle; chiarore stellare Ⓑ a. attr. illuminato dalle stelle; stellato: **a s. night**, una notte stellata.

starlike /'stɑːlaɪk/ a. 1 luminoso come una stella; brillante; lucente 2 fatto a stella; stellato.

starling ① /'stɑːlɪŋ/ n. (zool., *Sturnus vulgaris*) storno.

starling ② /'stɑːlɪŋ/ n. (ind. costr.) palizzata di protezione (*intorno al pilone d'un ponte, ecc.*).

starlit /'stɑːlɪt/ a. illuminato dalle stelle; stellato.

starred /stɑːd/ a. 1 (*lett.*) ornato (o tempestato) di stelle; (*fig.*) costellato 2 (nei composti) influenzato dalle stelle; sotto l'influsso degli astri; che ha la buona (o la mala) sorte: **ill-s.**, dalla sorte avversa; sfortunato; nato sotto cattiva stella 3 (*tipogr.*) contrassegnato da un asterisco; asteriscato.

starring /'stɑːrɪŋ/ a. attr. (cinem., teatr., TV) di (o da) stella; di primo piano: **a s. role**, un ruolo di primo piano.

starry /'stɑːrɪ/ a. 1 stellato; fulgido di stelle; pieno di stelle: **s. sky**, cielo stellato; **a s. night**, una notte piena di stelle 2 luminoso come una stella; brillante; fulgente; stellante: **s. eyes**, occhi stellanti ● (*fam.*) **s.-eyed**, sognante; ingenuo; idealista; romantico; di (o da) sognatore ‖ **starriness** n. Ⓤ fulgore di stelle; radiosità; splendore.

starscape /'stɑːskeɪp/ n. veduta del cielo stellato.

starship /'stɑːʃɪp/ n. (fantascienza) nave stellare; astronave.

starstruck /'stɑːstrʌk/ a. (spreg.) fanatico dei divi del cinema; che stravede per le stelle del cinema.

◆ **start** /stɑːt/ n. 1 avvio; inizio; principio; primo passo: **s. point**, punto di avvio; **s. date**, data d'inizio; **at the s. of the game**, all'inizio della partita; **from s. to finish**, dal principio alla fine 2 partenza; punto (o segnale) di partenza: (*sport*) **to give the s.**, dare il segnale della partenza (o il via); **to make a false s.**, (*sport*) fare una falsa partenza; (*fig.*) cominciare con il piede sbagliato; **to make a good s.**, (*sport*) fare una partenza valida; (*fig.*) partire col piede giusto, cominciare bene; **flying s.**, partenza volante; **a quick s.**, una partenza veloce 3 (*spec. sport*) vantaggio: *They have a twenty-minute s. on us*, hanno un vantaggio di venti minuti su di noi; **head s.**, vantaggio iniziale 4 balzo; sobbalzo; scatto; sussulto; trasalimento: *He sprang up with a s.*, balzò in piedi di scatto (o con un sussulto) 5 (*mecc.*) avviamento: (*di motocicletta*) **kick s.**, avviamento a pedale 6 (*tecn.*) parte che s'è allentata (o staccata) 7 (*fam.*) incidente imprevisto; fatto strano 8 (*comput.*) start; pulsante di avvio ● (*nelle corse*) **s. line**, linea di partenza □ **'s. list'**, 'lista dei partenti'; 'concorrenti', 'partenze' □ (*vela*) **s. number**, numero di partenza □ (*nuoto*) **s. wall**, muro di partenza □ **by fits and starts**, a sbalzi; a intervalli; saltuariamente □ **for a s.**, tanto per cominciare; in primo luogo □ **to get a s. on sb.**, avvantaggiarsi su q.; mettere q. in svantaggio □ **to give a s.**, sussultare; sobbalzare; trasalire □ **to give sb. a s. in life**, avviare q. in una carriera (o in una professione) □ **to have a good s. in life**, partire avvantaggiato nella corsa della vita □ **to make an early s.**, partire di buon'ora □ **to make a fresh s. in life**, rifarsi una vita; ricominciare da capo □ **to wake with a s.**, svegliarsi di soprassalto.

◆ **to start** /stɑːt/ Ⓐ v. i. 1 balzare; fare un balzo; sobbalzare; sussultare; trasalire: *A hare started from the bush*, dal cespuglio balzò fuori una lepre; *They started at the roar of a lion*, trasalirono al ruggito di un leone 2 partire; avviarsi; mettersi in viaggio; prendere le mosse: *We are going to s. at dawn*, ci metteremo in viaggio all'alba 3 cominciare; aver inizio; mettersi a: **to s. by doing st.**, cominciare col fare qc.; **to s. to do** (*o doing*) **st.**, cominciare a fare qc.; *The child started crying* (o *to cry*), il bambino si mise a piangere; *How did the quarrel s.?*, come cominciò (o ebbe inizio) la lite?; *Would you like anything to drink before we get started?*, vuole qualcosa da bere prima di cominciare?; *A new guy's starting work tomorrow*, domani comincia a lavorare un ragazzo nuovo 4 (*di assi, fasciame, ecc.*) disgiungersi; staccarsi 5 (*mecc.: di un motore*) avviarsi; mettersi in moto; partire (*fam.*): (*autom.*) *The engine won't s.*, il motore non parte 6 (*sport*) figurare nella formazione di partenza Ⓑ v. t. 1 cominciare; principiare; iniziare; porre mano a; intraprendere: **to s. a journey**, iniziare (o intraprendere) un viaggio; *We must s. work at once*, dobbiamo cominciare subito il lavoro; **to s. university**, cominciare gli studi universitari 2 avviare; impostare; impiantare; fondare: **to s. the fire**, avviare (o accendere) il fuoco; **to s. a business**, avviare (o aprire) un'attività; **to s. a new political party**, fondare un nuovo partito politico 3 (*caccia*) levare, scovare, stanare (selvaggina) 4 disgiungere, far staccare, allentare (assi, fasciame, ecc.) 5 (*sport*) dare la partenza (o il via) a (cavalli, corridori, ecc.) 6 (*autom., mecc.*): mettere in moto; avviare; accendere: **'S. your engines!'**, 'avviate i motori!'; *Do you want to s. her up for me?*, vuoi metterla in moto? 7 sollevare (*una questione*); introdurre (*un argomento*); aprire: **to s. a controversy**, sollevare una polemica; **to s. a discussion**, aprire un di-

battito ● **to s. all over (again)**, ricominciare da capo □ **to s. as a worker**, cominciare la carriera da operaio □ **to s. a counterattack**, (*mil.*) andare al contrattacco, contrattaccare; (*sport*) andare (o partire) in contropiede □ (*fig.*) **to s. from scratch**, partire da zero; cominciare dalla gavetta (*fam.*) □ (*fam.*) **to s. something**, attaccare lite, cercare la rissa □ (*nelle corse*) **to s. the sprint**, attaccare la volata □ **to s. young**, cominciare da giovane (*a fare qc.*) □ (*autom.: di motore*) **when starting**, in fase d'avviamento □ **The cold water started me shivering**, l'acqua fredda mi fece rabbrividire □ **They're trying to s. a family**, cercano di mettere su famiglia □ «*Prices s. at two pounds*» (*cartello*) «*prezzi a partire da due sterline*» ● **NOTA: begin, start o commence? → to begin**.

■ **start afresh → start again**.

■ **start again** v. i. + avv. 1 ricominciare; cominciare da capo 2 (*fig.*) rifarsi una vita 3 (*sport: nelle corse*) ripetere la partenza □ (*fam.*) **Are you starting again?**, ricominci (a dar noia)?; ci risiamo, eh?

■ **start away** v. i. + avv. 1 balzare via; scappare (via).

■ **start back** v. i. + avv. 1 fare un balzo indietro: *The cat started back*, il gatto fece un balzo indietro 2 ripartire; cominciare il viaggio di ritorno.

■ **start for** v. i. + prep. partire per: *When do you s. for Rome?*, quando parti per Roma?

■ **start in** v. i. + avv. cominciare; iniziare; principiare: *Let's s. in at once!*, cominciamo subito!

■ **start in on** v. i. + avv. + prep. (*fam.*) 1 incominciare, mettersi a: **to s. in on the food**, mettersi a mangiare 2 mettersi a inveire contro (q.); attaccare; prendersela con (q.): *He always starts in on me*, se la prende sempre con me.

■ **start off** Ⓐ v. i. + avv. 1 balzare via; scappare: *The hare started off*, la lepre scappò 2 partire; andarsene; andare; (*di nave*) salpare; (*di aereo*) decollare: **to s. off walking**, andarsene a piedi; **to s. off for work**, partire per andare al lavoro 3 incominciare, cominciare (*a fare, col dire, ecc.*); aver avuto l'intenzione di; partire (*fig.*): *I started off wanting to write the book all by myself, but then I realized that was an impossible task*, ero partito per scrivere il libro da solo, ma poi capii che era un compito impossibile; *He started off by attacking the Labour Party*, cominciò il discorso con un attacco ai laburisti 4 (*sport: nelle corse*) partire; prendere il via Ⓑ v. t. + avv. 1 far incominciare; dare il via a (q.); avviare: *I started off my son on the violin when he was ten*, ho fatto incominciare mio figlio a studiare il violino quando aveva dieci anni; **to s. sb. off as a doctor**, avviare q. alla professione medica 2 fare in modo che (q.) dia la stura a: *Don't s. grandpa off on his angling exploits*, evita che il nonno attacchi a raccontare le sue imprese di pesca □ **to s. sb. off crying [laughing]**, far scoppiare q. a piangere [a ridere] □ (*equit.*) **to s. off a horse at a gallop**, mettere un cavallo al galoppo □ (*fig.*) **to s. off on the right [wrong] foot**, cominciare con il piede giusto [sbagliato].

■ **start on** v. i. + prep. 1 cominciare a (fare, mangiare, bere, ecc.); affrontare; aprire: *Let's s. on a new case*, affrontare un caso nuovo!; *We'd already started on a second bottle of wine*, avevamo già aperto la seconda bottiglia di vino 2 (*fam.*) mettersi a inveire contro (q.); attaccare; prendersela con (q.) □ (*aeron.*) **to s. on a flight**, decollare □ **to s. on a journey**, cominciare un viaggio □ **to s. on a new enterprise**, imbarcarsi in una nuova impresa.

■ **start out** Ⓐ v. i. + avv. 1 balzare fuori (*da un cespuglio, ecc.*); scappare (via) 2 svegliarsi di botto (o di soprassalto) 3 → **start off**,

a
b
c
d
e
f
g
h
i
j
k
l
m
n
o
p
q
r
s
t
u
v
w
x
y
z

A, *def. 2 e 3* **4** mettersi (*a fare qc.*): **to s. out in business**, mettersi in affari **B** v. t. + avv. **1** → **start off**, **B**, *def. 1* **2** svegliare (q.) bruscamente □ **to s. out as a doctor**, cominciare a fare il medico □ **to s. sb. out of his sleep**, svegliare bruscamente q. □ **He had started out with the idea of reforming the world**, era partito con l'idea di riformare il mondo □ **His eyes were starting out of his head**, aveva gli occhi fuori della testa (*o* delle orbite).

■ **start over** v. i. + avv. (*USA*) ricominciare; cominciare da capo.

■ **start up** **A** v. i. + avv. **1** balzare su (*o* in piedi); saltare fuori; levarsi: *A pheasant started up*, si levò un fagiano **2** sussultare; sobbalzare: *A knock at the door made him s. up*, un colpo alla porta lo fece sobbalzare **3** (*autom., ecc.: di un motore*) mettersi in moto; avviarsi; partire **4** (*fig.*) mettersi (*in un'attività*): **to s. up in insurance**, mettersi a fare l'assicuratore **5** (*fig.: di un dubbio, una moda, ecc.*) sorgere; venir fuori (*fam.*) **B** v. t. + avv. **1** far alzare, stanare, levare (*la selvaggina*) **2** (*autom., mecc.*) mettere in moto, avviare (*il motore*) **3** (*fig.*) avviare, instradare (*q. in una professione, ecc.*); avviare (*un'attività, un'azienda, ecc.*) **4** fondare; costituire; mettere su (*fam.*): **to s. up a tennis club**, fondare un circolo tennistico **5** (*ipp.*) far correre, iscrivere (*un cavallo*) a una corsa □ **to s. up a conversation with sb.**, attaccare discorso con q.

■ **start with** v. i. + prep. **1** cominciare con: *The lunch started with appetizers*, il pranzo cominciò con gli antipasti; *The day started with rain*, la giornata cominciò con la pioggia **2** sussultare, sobbalzare per: *The old woman started with fright*, la vecchia sobbalzò per lo spavento □ **to s. with**, tanto per cominciare, in primo luogo, per dirne una; all'inizio, in principio: *To s. with, I haven't the slightest idea what to do*, tanto per cominciare, non ho la più pallida idea di che cosa fare; *We had a capital of £10,000 to s. with*, all'inizio avevamo un capitale di diecimila sterline □ **starting with you**, a cominciare da te.

START /stɑːt/ abbr. (**Strategic Arms Reduction Talks** (*o* **Treaty**)) Trattative (*o* trattato) per la riduzione delle armi strategiche.

starter /'stɑːtə(r)/ n. **1** chi comincia; iniziatore **2** (*sport*) partente: *Of ten starters only four finished the race*, su dieci partenti, ne arrivarono solo quattro **3** (*sport: nelle corse, ipp.*) starter; mossiere **4** (*atletica*) blocco di partenza **5** (*canottaggio, nuoto*) starter; giudice di partenza **6** (*calcio, ecc.*) giocatore in campo fin dall'inizio **7** (*elettr., elettron.*) avviatore; starter **8** (*autom., mecc.*; = **self-s.**) starter; motore (*o* motorino) d'avviamento: *The s. is jammed*, il motorino d'avviamento s'è bloccato **9** (*fam.*) prima portata; primo piatto: *Do you fancy a s.?*, ti andrebbe un primo?; *I'll have the tomato soup as a s.*, come primo prendo la zuppa di pomodoro **10** (*caccia*) cane che stana la preda ● (*autom., elettr.*) **s. battery**, batteria d'avviamento □ (*canottaggio*) **s.'s bell**, campana della partenza □ (*edil.*) **s. home**, casa (*o* casetta) per una persona (*o* per una coppia) giovane □ (*autom.*) **s. motor**, motorino d'avviamento □ (*sport*) **s.'s pistol**, pistola del (*o* da) mossiere □ (*autom.*) **s. shaft**, alberino (*del motore d'avviamento*) □ (*fam.*) **for starters**, tanto per cominciare; come inizio □ **to be under s.'s orders**, (*ipp.*: *dei cavalli, dei fantini*) essere al palo (*o* ai cancelli) di partenza, essere alle mosse; (*fig.*) non vedere l'ora di cominciare.

startgate /'stɑːtɡeɪt/ n. (*sci: nei salti*) cancello di partenza.

starting /'stɑːtɪŋ/ **A** n. **1** ᴜᴄ inizio; avvio;

partenza (*anche sport*) **2** (*mecc.*) avviamento (*anche fig.*); messa in moto **3** (*econ.*) avviamento (*di un'azienda*); lancio (*di un prodotto*) **B** a. iniziale; d'inizio: **s. salary**, stipendio iniziale ● (*nuoto*) **s. bar**, barra di partenza (*nel dorso*) □ (*atletica, nuoto*) **s. blocks**, blocchi di partenza □ (*autom.*) **s. device**, starter; dispositivo d'avviamento ● **s. gate**, (*canottaggio*) barriera di partenza, (*ipp.*) cancello di partenza, barriera mobile; (*sci*) cancelletto di partenza; (*nei cinodromi*) gabbia di partenza □ (*autom.*) **s. grid**, griglia di partenza □ (*nuoto*) **s. grip**, maniglia di partenza □ (*atletica*) **s. gun**, pistola dello starter □ (*ciclismo*) **s. intervals**, intervalli di partenza □ **s. line**, (*nelle corse*) linea di partenza; (*hockey su ghiaccio*) linea d'inizio (*della partita*) □ **s. line-up**, (*nelle corse*) allineamento (*o* formazione) di partenza; (*calcio, ecc.*) formazione iniziale (*all'inizio della partita*) □ (*autom.*) **s. motor**, motorino d'avviamento □ **s. point**, punto di partenza; (*fig.*) punto iniziale, inizio □ **s. position**, (*ginnastica, tuffi*) posizione di partenza; (*pallavolo*) posizione (*dei giocatori*) all'inizio del gioco □ **s. post**, (*nelle corse*) palo di partenza, palo; (*ipp.*) palo, mossa □ (*ipp. e nei cinodromi*) **s. price**, prezzo di partenza (*a un'asta*) □ (*sport*) **s. prices**, quotazioni di cavalli alla partenza; ultime puntate □ (*ferr. e nelle corse*) **s. signal**, segnale di partenza □ (*ipp.*) **s. stalls**, poste (*dei cavalli*) alla partenza; box di partenza □ **s. trap**, gabbia di partenza (*nei cinodromi*) □ **s.-up**, avviamento (*mecc. e fig.*).

startle /'stɑːtl/ n. sussulto; sobbalzo; trasalimento; soprassalto.

to **startle** /'stɑːtl/ **A** v. t. **1** far sussultare; far trasalire; allarmare; sbigottire; spaventare; sgomentare: *The hare was startled by the hounds*, la lepre fu spaventata dai cani **2** svegliare (q.) di soprassalto **B** v. i. sussultare; sobbalzare; trasalire: **to s. at a sudden noise**, trasalire a un rumore improvviso ● **to s. sb. out of his wits**, sconcertare, spaventare q. (a morte).

startled /'stɑːtld/ a. sbigottito; spaventato; allarmato ● **a s. cry**, un grido d'allarme.

startler /'stɑːtlə(r)/ n. **1** chi spaventa; chi sgomenta; allarmista **2** notizia che mette in allarme; fatto allarmante.

startling /'stɑːtlɪŋ/ a. sorprendente; allarmante: **s. news**, notizie allarmanti; **a s. discovery**, una scoperta sorprendente | **-ly** avv.

start-up /'stɑːtʌp/ n. **1** (*econ.*) avviamento (*di un'azienda*); start-up **2** (*econ.*) lancio (*di un prodotto*) **3** (*comput.*) (operazione di) avvio **4** (*fig.*) inizio; primi passi ● (*fin.*) **start-up company**, società in fase d'avviamento □ (*fin.*) **start-up costs**, costi iniziali (*o* d'avviamento) □ (*fin.*) **start-up loan**, mutuo per l'avviamento.

starvation /stɑː'veɪʃn/ n. ᴜ **1** inedia; fame: **to die of s.**, morire d'inedia **2** morte d'inedia; morte per fame: *Millions are at risk of s.*, milioni di persone rischiano di morire di fame **3** (*fig.*) mancanza di risorse ● (*econ.*) **s. wages**, salario da fame.

♦ to **starve** /stɑːv/ **A** v. i. **1** (*anche* **to s. to death**) morire di fame **2** essere affamato; languire; (*fam.*) avere una fame da lupo: *I'm starving*, ho una fame da lupo **3** (*di una pianta*) deperire; intristire **B** v. t. **1** affamare; far morire di fame **2** (*fig.*) ridurre all'osso: (*fin.*) **to s. one's reserves**, ridurre all'osso le riserve ● **to s. a city into submission**, costringere una città alla resa per fame; prendere una città per fame □ **to s. for**, avere un gran desiderio di; essere assetato di; struggersi di: *The boy is starving for friendship*, il ragazzo è assetato d'amicizia □ **to s. sb. out**, costringere q. alla resa per fame (*o* anche, rifiutando un aiuto finanziario); prendere q. per fame □ **to be starved**, morir

di fame □ **to be starved for love**, avere un bisogno estremo di affetto □ **to be starved of all resources**, essere privato d'ogni risorsa □ (*autom.*) **The engine is starved of petrol**, la benzina non arriva al motore.

starveling /'stɑːvlɪŋ/ n. morto di fame (*fig.*); uomo (*o* animale) famelico (*o* malnutrito).

starving /'stɑːvɪŋ/ a. affamato; famelico.

stash /stæʃ/ n. (*fam.*) **1** scorta nascosta (*di qc.*); gruzzolo: **emergency s.**, gruzzolo per le emergenze **2** droga per uso personale **3** nascondiglio **4** (*slang USA*) baffi.

to **stash** /stæʃ/ v. t. (*fam., anche* **to s. away**) mettere da parte; riporre; nascondere: **to s. away the loot**, nascondere il bottino.

stasis /'steɪsɪs/ n. (pl. *stases*) (*med. e fig.*) stasi.

stat① /stæt/ n. (*fam.*) termostato.

stat② abbr. (*lat.: statim*) (**immediately**) immediatamente, al più presto.

stat. abbr. **1** (**stationary**) stazionario **2** (**statute**) statuto.

♦ **state** /steɪt/ **A** n. **1** (solo al sing.) stato; condizione; disposizione; grado; situazione: **s. of health**, stato di salute; **mental s.**, stato di mente; **s. of mind**, disposizione (*o* stato) d'animo; **a s. of melancholy**, uno stato d'animo malinconico; *She is in no s. to travel*, ella non è in condizioni di viaggiare; **financial s.**, situazione finanziaria; (*fis.*) **to be in a solid [liquid, gaseous] s.**, essere allo stato solido [liquido, gassoso] **2** (*fam.*) condizioni penose: *When I last saw her she was in a complete state*, l'ultima volta che l'ho vista era messa malissimo; **to be in a real (*o* in quite a) s.**, essere ridotto male; essere tutto agitato, turbato; **Look what a s. you're in!**, guarda come ti sei ridotto! **3** (*polit.*) stato; paese; nazione: **affairs of s.**, affari di Stato; *Church and S.*, la Chiesa e lo Stato; **the United States of America**, gli Stati Uniti d'America **4** ᴜ cerimonia; pompa; parata; gala: **to dine [receive sb.] in s.**, pranzare [ricevere q.] in pompa magna; **robes of s.**, abiti da parata **5** ᴜᴄ dignità; posizione sociale; alto rango; pompa regale; pretesa; pretenziosità; stile di vita: **luxuries befitting his s.**, lussi che si addicono al suo alto rango; '*This was a large, square chamber, arranged with some s. as a bedroom*' H. James, 'era una grande stanza quadrata, trasformata in camera da letto non senza qualche pretesa' **6** (pl.) (*fam. USA*) – **the States**, gli Stati Uniti **7** (*arc.*) trono; baldacchino **B** a. attr. **1** di (*o* dello) stato; statale; pubblico: **s. visit**, visita di stato; **s. papers**, documenti di stato; **s. pension**, pensione statale (*di un lavoratore*); **s. schools**, scuole statali; scuole pubbliche **2** di (*o* da) cerimonia; di gala; di lusso: **s. coach**, carrozza di gala **3** di rappresentanza; ufficiale: **s. apartments**, appartamenti di rappresentanza; **a s. reception**, un ricevimento ufficiale **4** (*USA*) – **S.**, dello (*o* di uno) Stato (*dei 50 che formano l'Unione*): **the S. Senate**, il Senato dello Stato (*di cui si scrive o si parla*) ● **s. agency**, ente pubblico; azienda statale; impresa pubblica □ (*econ.*) **s.-aided**, sovvenzionato dallo stato □ (*leg., USA*) **S.** (*o* **S.'s**) **Attorney**, Procuratore dello Stato (*di uno dei 50 stati*; *e non federale*) □ **a s. ball**, un ballo a corte □ (*fin., USA*) **a s. bank**, una banca di un singolo Stato (*non una «national bank»*) □ (*fin.*) **s. bond**, titolo di stato □ **s. border**, confine di stato; (*in USA*) confine di uno Stato □ (*naut.*) **s. cabin**, cabina di lusso; (*marina mil.*) cabina del comandante □ (*econ.*) **s. capitalism**, capitalismo di stato □ (*fin.*) **s. conglomerate**, conglomerata pubblica □ (*econ.*) **s.-controlled**, a controllo (*o* a partecipazione) statale; parastatale; dirigistico: **s.-controlled enterprise**, azienda a parte-

cipazione statale; **s.-controlled body**, ente parastatale; **s.-controlled economy**, economia dirigistica □ (*econ.*) **S.-controlled price**, prezzo di calmiere □ (*in USA*) **the S. Department**, il Dipartimento di Stato (*il Ministero degli Esteri*) □ (*leg., USA*) **S.'s evidence**, testimonianza a carico dei complici (*nel processo penale*); collaboratore di giustizia; pentito: **to turn S.'s evidence**, testimoniare a carico dei complici (*cfr. ingl.* **Queen's evidence**, *sotto* **evidence**); diventare collaboratore di giustizia (*o un pentito*) □ (*econ.*) **s. finance**, finanza pubblica □ (*agric.*) **s. forest**, foresta demaniale (*fin.*) **s. holding company**, finanziaria pubblica; ente di gestione □ (*in USA*) **S. line**, confine di (uno) Stato □ (*econ.*) **s. monopoly**, monopolio di stato □ **the s. of the art**, il livello cui è giunta la tecnica (*nel lavoro, nello sport, ecc.*) □ **s.-of-the-art**, aggiornato; all'avanguardia; il più avanzato, modernissimo □ (*stor.*) **the States of the Church** (*o* **the Papal States**), lo Stato Pontificio □ **the s. of play**, (*sport*) la situazione del gioco, come si mette la partita; (*fig.*) la situazione attuale, il quadro della situazione □ **s. of war**, stato di guerra □ (*in GB*) **S. Opening of Parliament**, (cerimonia di) apertura ufficiale del nuovo parlamento □ (*econ.*) **s.-owned**, di proprietà dello stato; pubblico: **s.-owned agencies**, enti pubblici; **s.-owned enterprise**, azienda di stato □ (*econ.*) **s.-planned economy**, economia pianificata □ (*econ.*) **s. planning**, pianificazione statale □ (*leg., USA*) **S. prison**, prigione per rei di crimini gravi □ **s. property**, beni dello stato; demanio □ **s. religion**, religione di stato □ **s. schooling**, istruzione in scuole statali (*o* pubbliche) □ (*polit.*) **S. Secretary**, Segretario di Stato (*Ministro degli Esteri*) □ (*polit.*) **s. socialism**, socialismo reale □ (*fisc., USA*) **S. tax**, imposta statale (*o* locale) □ (*econ.*) **s.-trading countries**, paesi a commercio di Stato □ **s. trial**, processo politico □ (*USA*) **S. trooper**, agente della polizia di (un singolo) Stato □ **s. university**, università statale (*fam.*) **to get into a s.**, agitarsi; innervosirsi □ (*relig. e fig.*) **to be in a s. of grace**, essere in stato di grazia □ **to lie in s.**, essere esposto solennemente nella camera ardente (*nei funerali di stato*) □ (*stor. USA*) **a slave s.**, uno Stato schiavista □ **His affairs are in a bad s.**, gli affari gli vanno male □ **The house is in a good s. of repair**, la casa non ha bisogno di riparazioni.

♦**to state** /steɪt/ v. t. **1** dichiarare; affermare; asserire; esprimere; esporre; formulare; spiegare; specificare: *I've stated my opinion*, ho espresso la mia opinione; *The witness stated the facts very clearly*, il teste espose i fatti con grande chiarezza; **to s. full particulars**, specificare tutti i particolari; *He did not s. why*, non specificò il motivo **2** determinare; fissare; stabilire: *No precise time had been stated*, non era stata fissata un'ora esatta **3** (*leg.: di un contratto, ecc.*) stabilire; prevedere **4** – **to s. terms and conditions**, stabilire le condizioni **5** (*mat.*) esprimere in simboli (*o* con formule): *un problema, ecc.*) **6** (*fin.*) esprimere: **to s. an account in dollars**, esprimere un conto in dollari ● **to s. one's case**, esporre le proprie ragioni; (*leg.*) esporre i fatti □ (*bur.*) **to s. one's name and address**, declinare le generalità e dare il proprio indirizzo □ (*leg.*) **to s. reasons for a judgment**, motivare una sentenza □ (*nelle offerte di lavoro*) «S. salary required», «indicare le pretese economiche».

statecraft /ˈsteɪtkrɑːft/ n. ⒰ (*polit.*) arte di governare; abilità politica.

stated /ˈsteɪtɪd/ a. **1** determinato; fissato; stabilito; fisso: **the s. amount**, la somma fissata (*o* stabilita) **2** asserito; dichiarato; accampato: **his s. motive**, il motivo da lui accampato ● **s. age**, età dichiarata □ (*fin.*) **s.**

capital, capitale dichiarato □ (*polit.*) **s. platform**, piattaforma programmatica; (*fig.*) punto fermo.

statehood /ˈsteɪthʊd/ n. ⒰ (*polit.*) **1** condizione di stato: (*stor. USA: di un territorio*) **to achieve s.**, diventare uno Stato dell'Unione **2** entità statuale; stato (*di una Federazione*).

Statehouse /ˈsteɪthaʊs/ n. (*USA*) sede dell'assemblea legislativa di uno Stato.

stateless /ˈsteɪtləs/ a. **1** senza nazionalità; apolide **2** (*comput.*) senza stato: **s. protocol**, protocollo senza stato ● **a s. person**, un apolide.

statelet /ˈsteɪtlət/ n. staterello; piccolo stato (*spec. che ha appena raggiunto l'indipendenza*).

stately /ˈsteɪtlɪ/ a. grandioso; imponente; maestoso; nobile; solenne: **s. bearing**, portamento maestoso; **a s. ceremony**, una cerimonia solenne ● (*archit.*) **s. home**, dimora signorile; villa (*o* palazzo) monumentale (*o* d'interesse storico e artistico) ‖ **stateliness** n. ⒰ grandiosità; importanza; maestà; nobiltà.

♦**statement** /ˈsteɪtmənt/ n. **1** dichiarazione; affermazione; asserzione: *The s. is unfounded*, l'asserzione è infondata **2** esposizione (*di un'opinione, ecc.*) **3** formulazione: *A more precise s. is needed*, ci vuole una formulazione più precisa **4** (*banca, comm.*) rendiconto; estratto conto: **quarterly statements**, rendiconti trimestrali; **annual s.**, rendiconto di gestione **5** comunicato: **an official s.**, un comunicato ufficiale **6** (*comput.*) istruzione; frase; enunciato **7** (*leg.*) dichiarazione; relazione; rapporto; verbale (*fatto alla polizia*) **8** (*org. az.*) rapporto; resoconto ● (*banca, rag.*) **s. of account**, estratto conto □ (*rag.*) **s. of accumulated profits**, conto economico □ (*leg.*) **s. of the accused**, dichiarazioni dell'imputato □ **s. of affairs** (*rag.*) rendiconto dell'attivo e del passivo; (*leg.*) bilancio del fallimento □ (*rag.*) **s. of assets and liabilities**, stato patrimoniale (*di un'azienda*) □ (*leg.*) **s. of claim**, dichiarazione dell'attore, denuncia (*nel processo civile*) □ (*leg.*) **s. of defence**, replica del convenuto, difesa (*nel processo civile*) □ **s. of expenses**, conto spese, nota spese □ (*ass.*) **s. of loss**, dichiarazione del danno, denuncia di sinistro □ (*rag.*) **s. of net proceeds**, conto del ricavo netto □ (*rag.*) **s. of operations**, conto economico □ (*rag.*) **s. of profit and loss**, conto profitti e perdite; conto economico □ **s. of reasons**, motivazione (*di una sentenza*) □ (*leg.*) **s. made by a witness**, deposizione testimoniale □ (*leg.*) **to make false statements**, dichiarare il falso.

stater /ˈsteɪtə(r)/ n. (*stor.*) statere (*moneta greca*).

stateroom /ˈsteɪtruːm/ n. **1** sala di rappresentanza; salone per cerimonie **2** (*naut.*) cabina privata **3** (*ferr.*) scompartimento riservato.

Stateside /ˈsteɪtsaɪd/ (*slang USA*) **A** a. degli (*o* negli) Stati Uniti: **a S. magazine**, una rivista americana **B** avv. negli (*o* verso gli) Stati Uniti (*visti dal di fuori, o dall'Alaska o dalle Hawaii*).

statesman /ˈsteɪtsmən/ n. (pl. **statesmen**) uomo di stato; statista ‖ **statesmanlike** a. di statista, da statista; da uomo di stato ‖ **statesmanship** n. ⒰ (*polit.*) arte di governare; grandezza di statista; saggezza politica.

stateswoman /ˈsteɪtswʊmən/ n. (pl. **stateswomen**) statista (*donna*).

statewide /ˈsteɪtwaɪd/ (*USA*) **A** a. esteso a tutto il territorio nazionale; (*che avviene*) su scala nazionale **B** avv. su tutto il territorio nazionale; su scala nazionale.

static /ˈstætɪk/ **A** a. statico (*anche scient.*); stazionario: **s. electricity**, elettricità statica;

(*fis.*) **s. balance**, equilibrio statico; (*mecc.*) **s. load**, carico statico; (*econ.*) **s. equilibrium**, equilibrio statico; *The situation is s.*, la situazione è stazionaria **B** n. ⒰ **1** elettricità statica **2** (*radio, TV*) interferenze; scariche; disturbi atmosferici **3** (*slang USA*) commenti ostili; critiche; proteste; rimostranze ● (*mecc. dei fluidi*) **s. head**, altezza piezometrica □ **s. nature**, staticità □ (*stat.*) **a s. population**, una popolazione stabile (*o* stazionaria) □ (*fisiol.*) **s. reflex**, riflesso posturale ‖ **-ness** n. ⒰.

statical /ˈstætɪkl/ a. statico; stazionario (→ **static**) ‖ **-ly** avv.

statice /ˈstætəsɪ/ n. (*bot., Statice armeria*) statice.

statics /ˈstætɪks/ n. pl. (col verbo al sing.) (*fis.*) statica.

statin /ˈstætɪn/ n. (*farm.*) statina.

♦**station** /ˈsteɪʃn/ n. **1** (*trasp.*) stazione; scalo: **bus s.**, stazione degli autobus; **boat s.**, stazione d'imbarco; **railway s.**, stazione ferroviaria; **goods s.**, scalo merci; (*naut.*) **boarding s.**, scalo doganale **2** (*econ., scient., mil., ecc.*) stazione; centrale; impianto; base; posto operativo: **coaling s.**, stazione di carbonamento; (*naut.*) **naval s.**, stazione (*o* base) navale; **space s.**, stazione spaziale; (*naut.*) **range-finding s.**, stazione telemetrica; (*USA*) **central s.**, centrale elettrica; **police s.**, posto di polizia **3** (*mil.*) guarnigione: **to be on s.**, essere di guarnigione **4** (*polit.*) seggio: **polling s.**, seggio elettorale **5** (*radio, TV*) stazione; emittente: **to get** (*o* **to pick up**) **a s.**, prendere una stazione; **radio s.**, stazione radiofonica; *TV s.*, emittente televisiva **6** (*relig.*) stazione (*della Via Crucis*) **7** posto assegnato; posto di manovra; postazione; (*naut.*) posto (*di navi in formazione*): **to take up s. in**, prendere posto, stabilirsi in; **to be out of s.**, non essere al proprio posto; *The ship was out of s.*, la nave non era al suo posto nel convoglio; (*naut.*) *Take your stations!*, ai posti di combattimento!; (*naut.*) *Every man to his s.!*, tutti ai posti di manovra! **8** (*biol.*) habitat; ambiente **9** (*topogr.*) posto (*o* punto) di rilevamento **10** (*USA*) ufficio postale **11** (*telef., USA*) (numero) interno **12** (*Austral.*) grosso allevamento; grande fattoria: **a sheep s.**, un grande allevamento di pecore **13** (*arc.*) posizione (*o* condizione) sociale; ceto; rango; grado: **men of** (*exalted*) **s.**, uomini d'alto rango; **the duties of one's s.**, i doveri inerenti al proprio grado ● (*ferr., USA*) **s. agent**, capostazione □ (*mil.*) **s. bill**, ruolo delle destinazioni □ (*ferr.*) **s. calendar**, tabella delle partenze dei treni □ **s. house**, guardina; camera di sicurezza; (*ferr.*) stazione secondaria, stazioncina; (*USA*) stazione (*o* posto) di polizia; caserma dei pompieri □ (*ferr.*) **s. manager**, capostazione □ (*relig.*) **the Stations of the Cross**, le stazioni della Via Crucis; le stazioni del Calvario (*topogr., naut.*) **s. pointer**, staziografo; rapportatore a tre aste □ **s. rod**, stadia □ (*ferr.*) **s. roof**, pensilina □ (*autom., USA*) **s. wagon**, familiare; station wagon ● **Action stations!**, (*mil.*) ai posti di combattimento!; (*fig.*) pronti tutti!, tutti a posto □ (*mil.*) **to be at action stations**, essere sul piede di guerra □ **to take up one's s.**, prendere il proprio posto; (*mil.*) montare di guardia.

to station /ˈsteɪʃn/ v. t. collocare; assegnare (*a un posto*); appostare; posizionare; disporre; mettere: *The captain stationed his men by the river*, il capitano appostò i suoi uomini presso il fiume □ **to s. oneself**, collocarsi; posizionarsi; appostarsi; mettersi □ (*mil.*) **to s. sentries**, mettere sentinelle □ (*mil.*) **to be stationed at**, essere di guarnigione a.

stationariness /ˈsteɪʃnrɪnəs/ n. ⒰ stazionarietà.

stationary /'steɪʃənrɪ/ a. **1** fermo; immobile: **a s. target**, un bersaglio fermo; **a s. object**, un oggetto fermo (o immobile); **to crash into a s. vehicle**, andare a sbattere contro un veicolo fermo; **to remain s.**, restar fermo; restare immobile, non muoversi **2** stazionario (*stat.*) **s. population**, popolazione stazionaria; *The patient's condition is s.*, le condizioni del paziente sono stazionarie; *Oil prices are s.*, i prezzi del petrolio sono stazionari **3** fisso: **s. engine**, motore fisso; (*mil.*) **a s. gun**, un cannone fisso; (*ind.*) **s. machinery**, macchinario fisso **4** (*aeron.*, *miss.*) stazionario: **s. flight**, volo stazionario; **s. orbit**, orbita stazionaria; orbita geostazionaria **5** (*sport*, *del gioco*, *ecc.*) statico: **a s. defence**, una difesa statica **6** (*mil.*, *arc.*) di stanza: **s. troops**, truppe di stanza ● **s. bicycle** (*o s. bike*), cyclette □ (*med.*) **s. diseases**, malattie endemiche □ (*fis.*) **s. field**, campo costante □ (*mat.*) **s. point**, punto stazionario □ (*ginnastica*) **s. rings**, anelli fissi □ (*basket*) **s. screen**, velo fisso (*fatto in difesa*) □ (*fis.*) **s. wave**, onda stazionaria.

❶ **NOTA:** *stationary o stationery?*
Queste due parole si pronunciano allo stesso modo, ma hanno significati molto diversi. L'aggettivo *stationary* significa "fermo, che non si muove": *The van ploughed into the back of a stationary lorry*, il furgoncino andò a tamponare un camion fermo; *Do not use the toilet while the train is stationary*, non usate i servizi mentre il treno è fermo; *a stationary target*, un obiettivo fisso. *Stationery*, invece, è un sostantivo che si riferisce a oggetti di cancelleria come carta, penne, buste: *The company specializes in supplying office stationery*, la ditta è specializzata nella fornitura di articoli di cancelleria per gli uffici.

stationer /'steɪʃnə(r)/ n. cartolaio ● **Stationers' Hall**, palazzo della Corporazione dei Librai (*con ufficio di tutela dei diritti d'autore*) □ **s.'s shop**, cartoleria.

stationery /'steɪʃnərɪ/ n. Ⓤ **1** articoli di cancelleria; cancelleria **2** carta da lettere ● **s. department**, reparto cancelleria □ **s. rack**, portacarte □ (*in GB*) **Her Majesty's S. Office** (abbr. **HMSO**), Istituto poligrafico dello stato.

stationmaster /'steɪʃnmɑːstə(r)/ n. (*ferr.*) capostazione.

statism /'steɪtɪzəm/ n. Ⓤ (*polit.*) statalismo || **statist** Ⓐ n. **1** (*polit.*) statalista **2** → **statistician** Ⓑ a. attr. (*polit.*) statalista.

statistic ① /stə'tɪstɪk/ a. statistico.

♦**statistic** ② /stə'tɪstɪk/ n. **1** statistica (*raccolta di dati*) **2** costante campionaria.

statistical /stə'tɪstɪkl/ a. statistico: **s. findings**, rilevazioni statistiche; **s. data**, dati statistici; statistiche; **s. sample**, campione statistico | **-ly** avv.

statistician /stætɪ'stɪʃn/ n. studioso di statistica; statistico.

statistics /stə'tɪstɪks/ n. pl. **1** (col verbo al sing.) statistica (*la scienza*) **2** statistiche: **on home ownership**, statistiche sul numero dei proprietari di case.

stative /'steɪtɪv/ a. (*ling.*) stativo: *See is a s. verb*, «to see» è un verbo stativo.

stator /'steɪtə(r)/ n. (*elettr.*) statore (*di un motore elettrico*) ● **s. armature**, indotto fisso.

statoscope /'stætəʊskəʊp/ n. (*fis.*, *aeron.*) statoscopio.

stats /stæts/ n. pl. (*slang USA*) statistiche; dati statistici.

statuary /'stætʃʊərɪ/ Ⓐ a. statuario: **s. art**, arte statuaria; statuaria; **s. marble**, marmo statuario Ⓑ n. **1** arte statuaria; statuaria **2** Ⓤ collezione di statue; statue **3** statua; gruppo scultoreo **4** (*arc.*) scultore.

statue /'stætʃuː/ n. (*arte*) statua: **equestrian s.**, statua equestre || **statued** a. (*raro*) **1** ornato di statue **2** raffigurato in statua; scolpito.

statuesque /stætʃʊ'esk/ a. scultorio; di statua; statuario: **s. beauty**, bellezza statuaria.

statuette /stætʃʊ'et/ (*franc.*) n. statuetta; statuina.

stature /'stætʃə(r)/ n. Ⓒ statura (*anche fig.*); altezza: **moral s.**, statura morale ● **to be short of s.**, essere basso (di statura).

♦**status** /'steɪtəs/ n. Ⓤ **1** condizione sociale; classe; ceto; grado; posizione: **his s. among novelists**, la sua posizione fra i romanzieri **2** stato; punto; situazione: *What's the s. of the peace talks?*, a che punto sono le trattative di pace? **3** (*leg.*) stato giuridico ● (*banca*) **s. inquiry**, indagine sulla solvibilità (*di un cliente*) □ **the s. quo**, lo status quo □ **s. seeker**, chi cerca di migliorare la sua condizione sociale; arrampicatore sociale □ **s. seeking**, (agg.) arrivista; (sost.) arrivismo □ **s. symbol**, simbolo di successo; status symbol □ **to confer s. on sb.**, conferire prestigio a q.

statutable /'stætʃʊtəbl/ a. → **statutory**.

statute /'stætʃuːt/ n. (*leg.*) **1** statuto (*di un ente*) **2** legge (*scritta*) ● **statutes at large**, leggi parlamentari nel testo integrale □ (*leg.*: *di un diritto*) **s.-barred**, caduto in prescrizione □ (*leg.*) **s. book** (*o s. roll*), raccolta di leggi (*di una disposizione*, *ecc.*) **to be on the s. book**, essere in vigore □ (*leg.*) **s. law**, legge scritta; diritto legislativo ❶ **CULTURA • statute law**: *è la legge scritta emanata da un organo legislativo*, *soprattutto dal Parlamento*, *di contro alla legge non scritta della* → «**common law**» (→ **common**) □ **s. mile**, miglio terrestre (*pari a m 1610 circa*) □ (*leg.*) **s. of limitations** (*o s. of repose*), legge sulla prescrizione.

statutory /'stætʃʊtrɪ/ a. (*leg.*) **1** statutario; fissato (*o prescritto*, *autorizzato*) dalla legge scritta; legale: **s. provisions**, norme fissate dalla legge; **s. holiday**, giorno festivo legale **2** (*di reato*) punibile a norma di legge ● (*fisc.*) **s. allowance**, detrazione ammessa □ (*fin.*) **s. books**, libri contabili obbligatori □ **s. instruments**, leggi delegate □ (*leg.*) **s. lien**, privilegio legale □ (*leg.*, *fin.*) **s. meeting**, prima assemblea generale degli azionisti □ (*USA*) **s. rape**, corruzione di minorenne □ (*fin.*) **s. report**, relazione finanziaria della prima assemblea degli azionisti (*fin.*) **s. reserve**, riserva legale (*o statutaria*, *obbligatoria*).

staunch /stɔːntʃ/ a. **1** fedele; fidato; fido; devoto; leale ● **s. supporter**, un fido sostenitore; **a s. friend**, un amico devoto **2** solido; resistente; robusto: **a s. wall**, un muro solido **3** (*naut.*) solido; in buone condizioni | **-ly** avv. | **-ness** n. Ⓤ.

to staunch /stɔːntʃ/ Ⓐ v. t. **1** arrestare il flusso di (*un liquido*); stagnare: **to s. the blood from a wound**, stagnare il sangue d'una ferita **2** (*med.*) tamponare (*una ferita*) Ⓑ v. i. (*del sangue*) stagnare.

❶ **NOTA:** *staunch o stanch?*
To *stanch* e to *staunch* si possono usare entrambi con il significato di "arrestare o fermare il flusso di qualcosa"; to *staunch* è preferito nell'uso britannico, mentre to *stanch* è più diffuso nell'inglese americano: *to staunch the flow of blood*, arrestare il sanguinamento; *staunch your tears*, smetti di piangere. Tuttavia, per l'aggettivo, che significa "fermo, leale", la forma più corretta è *staunch*: *a staunch ally*, un alleato fidato; *a staunch union supporter*, un fermo sostenitore del sindacato.

staurolite /'stɔːrəlaɪt/ n. Ⓤ (*miner.*) staurolite.

stave /steɪv/ n. **1** (*di botte*) doga **2** bastone; verga; asta di legno **3** (*di scala di legno*) piolo **4** (*mus.*) rigo; pentagramma **5** (*poesia*, *arc.*) strofa; stanza ● (*letter.*) **s. rhyme**, allitterazione.

to stave /steɪv/ (pass. e p. p. **staved**, **stove**) Ⓐ v. t. **1** (*di solito to s. in*) sfondare; schiacciare; deformare (*un cappello*, *ecc.*): **to s. the top of a box in**, sfondare il coperchio d'una scatola **2** fornire (*una botte*, *ecc.*) di doghe Ⓑ v. i. sfondarsi; schiacciarsi; deformarsi: *Our boat stove in as we hit the rock*, quando urtammo lo scoglio, la barca si sfondò ● **to s. off**, allontanare; tenere alla larga (*importuni*, *ecc.*); evitare; scansare; sottrarsi a: **to s. off a disaster**, evitare un disastro; **to s. off arrest**, sottrarsi all'arresto (*con la fuga*) (*slang USA*) **to be stove up**, essere stanco morto; non poterne più; essere sfinito; essere messo male (*o malconcio*, *malandato*).

staves /steɪvz/ pl. di **staff** ① e (**3**).

stavesacre /'steɪvzeɪkə(r)/ n. Ⓤ (*bot.*, *Delphinium staphysagria*) stafisagria; erba dei pidocchi.

stay ① /steɪ/ n. **1** soggiorno; permanenza; sosta; degenza: **a long s.**, una lunga permanenza; **a short s.**, un breve soggiorno; *He had a long s. in hospital*, fece una lunga degenza in ospedale; *Enjoy your s.* (*o Have a good s.*), buona permanenza **2** (*leg.*) sospensione, rinvio; cancellazione (*di una causa*); innammissibilità (*di un'azione*): *The offender was granted a s. of execution*, al colpevole fu concessa una sospensione dell'esecuzione della condanna **3** (*lett.*) freno; ostacolo; impedimento; remora **4** (*fam.*) resistenza; durata ● (*leg.*) **s. law**, moratoria □ (*med.*) **long-s. patients**, lungodegenti.

stay ② /steɪ/ n. **1** (*anche fig.*) appoggio; sostegno; puntello: **the s. of my old age**, il sostegno (*o il bastone*) della mia vecchiaia **2** (*naut.*) strallo, straglio **3** (*edil.*, *mecc.*) cavo; strallo; tirante **4** montante posteriore (*di una bicicletta*) **5** (pl.) busto; corsetto (*indossato un tempo dalle donne*) ● (*mecc.*) **s. bar** (*o s. rod*), montante; tirante □ (*mecc.*) **s. bolt**, bullone passante; bullone tenditore □ **s. lace**, laccio per busto (*un tempo*) **s. maker**, bustaia □ (*naut.*) **s. tackle**, paranco di strallo □ (*mecc.*) **s. tube**, tubo tenditore □ (*naut.*) **to miss stays**, non riuscire a virare; mancare una virata □ **The ship is in stays**, la nave è in ralinga (*in procinto di virare di bordo in prua*).

♦**to stay** ① /steɪ/ Ⓐ v. i. **1** stare; restare; rimanere; soggiornare; dimorare; alloggiare; fermarsi; trattenersi: **to s. at home**, restare in casa; **to s. in bed**, rimanere a letto; *S. here till I return*, rimani qui finché non torno!; *I'm in a hurry; I have no time to s.*, ho fretta; non posso trattenermi; *Can you s. for (o to) dinner?*, ti fermi a cena da noi?; **to s. at (o in) a hotel**, alloggiare in albergo; **to s. with relatives**, stare da (*o essere ospite di*) parenti ❶ **NOTA:** go to / go and → to go **2** aspettare; arrestarsi; fermarsi; indugiare: *Get him to s. a minute*, fallo aspettare un minuto!; *S. a little longer*, rimani ancora un po'! **3** rimanere in carica; (*sport*: *di un giocatore*) restare in squadra; permanere; continuare: **to s. as the sales manager**, restare in carica come direttore alle vendite; **to s. in teaching**, continuare a fare l'insegnante; restare nell'insegnamento **4** (*fam.*) resistere; reggere; farcela **5** (*a poker*) starci; giocare Ⓑ v. t. **1** (*lett.*) arrestare; fermare: **to s. the bloodshed**, arrestare lo spargimento di sangue **2** (*spec. leg.*) differire; rimandare; rinviare; ritardare; sospendere: **to s. a decision**, rimandare una decisione; **to s. an order** [*sb.'s execution, a judgment*], sospendere un'ordinanza [l'esecuzione di q., un giudizio]; **to s. proceedings**, rinviare un procedimento **3** calmare; soddisfare: *A*

glass of milk stayed my hunger, un bicchiere di latte mi calmò la fame **4** reggere a; resistere a: *He couldn't s. the course*, non riuscì a resistere sino alla fine del percorso; (*fig.*) dovette cedere (o arrendersi) ● (*sport*) **to s. at the front**, restare in testa (o nelle posizioni di testa) □ **to s. clear of**, stare alla larga da; evitare; scansare □ (*fig.*) **to s. cool**, restare calmo; mantenere la calma □ **to s. one's hand**, astenersi (o trattenersi) dal fare qc. □ (*sport*) **to s. in the game** (o **in the match**), restare in partita; poter vincere □ (*di un professionista*) **to s. in practice**, continuare a esercitare la professione; rimanere in servizio □ (*fig.*) **to s. in the wings**, restare dietro le quinte □ (*sport*) **to s. on the bench**, restare in panchina; fare panchina □ (*fam.*) **to s. put**, restare al proprio posto; restar fermo; rimaner fisso; tenere □ **to s. the same**, non cambiare mai □ (*fig. fam.*) **to be here** (o **to come**) **to s.**, prendere piede; affermarsi: *This fashion has come to s.*, questa moda si è ormai affermata.

■ **stay ahead** v. i. + avv. (*spec. sport*) restare in testa; rimanere al comando; mantenere un vantaggio.

■ **stay away** v. i. + avv. stare via; stare lontano; restare (o essere) assente; assentarsi: *He stayed away for two weeks*, stette via due settimane; *Lots of students have stayed away (from school)*, molti studenti si sono assentati (da scuola).

■ **stay away from** v. i. + avv. + prep. **1** assentarsi da (*scuola, lavoro, ecc.*) **2** tenersi lontano, stare alla larga da (o qc.); non toccare (qc.): *S. away from that boy!*, sta alla larga da quel ragazzo!; *S. away from guns!*, non toccare armi da fuoco! **3** evitare: *You must s. away from wine*, devi evitare il vino.

■ **stay back** v. i. + avv. **1** stare indietro; tenersi a distanza **2** rimanere indietro; non partire.

■ **stay behind** Ⓐ v. i. + avv. **1** stare dietro: *S. close behind!*, stammi dietro!; seguimi da vicino! **2** restare; non partire; rimanere **3** (*nelle corse*) restare nelle retrovie; essere nella retroguardia Ⓑ v. i. + prep. (*anche sport*) seguire, stare dietro a (q.) □ (*autom.*) **to s. a safe distance behind**, tenere la distanza di sicurezza.

■ **stay down** v. i. + avv. **1** stare giù; tenere la testa bassa: *S. down, or you'll be seen*, stai giù, se no ti farai vedere **2** (*di prezzi, della febbre, ecc.*) rimanere basso; restare giù **3** (*del vento*) non soffiare **4** (*del cibo*) restare nello stomaco: *Nothing I eat will s. down*, non riesco a tenere niente nello stomaco **5** (*ingl.*) non essere bocciato; ripetere (*una classe: a scuola*) **6** (*boxe*) restare a terra; non rialzarsi (*dal tappeto*) **7** (*di minatori in agitazione*) restare nelle gallerie; occupare la miniera.

■ **stay in** v. i. + avv. **1** rimanere in casa; non uscire; *We can't s. in all day!*, non possiamo rimanere in casa tutto il giorno! **2** (*di uno studente, una classe*) rimanere a scuola (*per punizione*) **3** (*di una vite, un bullone, ecc.*) starci; restare a posto **4** (*del fuoco*) restare acceso **5** (*di operai, studenti, ecc.*) occupare (*per protesta*) **6** (*mil.*) essere consegnato **7** (*a poker*) giocare; starci **8** (*cricket: di un battitore*) restare in gioco; non farsi eliminare.

■ **stay indoors** v. i. + avv. restare in casa; non uscire.

■ **stay off** v. i. + prep. **1** stare lontano (o alla larga) da: *S. off the road, children!*, bambini, via dalla strada! **2** restare assente; non andare a: *The doctor said I should s. off work for a week*, il medico ha detto che devo stare a casa dal lavoro per una settimana **3** evitare: *You'd better s. off wine*, faresti bene a evitare il vino.

■ **stay on** v. i. + avv. **1** rimanere a posto; starci; non muoversi: *The lid of the box won't s. on*, il coperchio della scatola sta a

---

posto **2** restare in sella **3** restare; trattenersi; fermarsi (*sul posto di lavoro, ecc.*); rimanere in servizio; rimanere in carica: **to s. on after working hours**, trattenersi sul posto di lavoro oltre l'orario **4** (*della luce elettrica, ecc.*) restare acceso: *The oil warning light shouldn't s. on*, la spia dell'olio non dovrebbe restare accesa.

■ **stay out** Ⓐ v. i. + avv. **1** stare fuori; restare fuori (o all'aperto); non rientrare: *I want to s. out in the sun*, voglio stare fuori al sole; *The cat stayed out all night*, il gatto è restato fuori tutta la notte; *Don't s. out late*, non rientrare tardi! **2** (*di lavoratori*) scioperare **3** (*sport: autom.*) non fermarsi ai box; continuare a correre (*in pista*) Ⓑ v. t. + avv. passare fuori (o fuori di casa): **to s. the night out**, passare fuori la notte □ *Get out and s. out!*, vai fuori e restaci!

■ **stay over** v. i. + avv. passare la notte; dormire: *We stayed over at a little hotel*, passammo la notte in un alberghetto.

■ **stay together** v. i. + avv. **1** rimanere insieme (o uniti, vicini) **2** (*mus.*) cantare (o suonare) all'unisono.

■ **stay under** v. i. + avv. (o prep.) stare sotto (o sott'acqua); restare sotto (qc.): *How long can you s. under?*, quanto tempo riesci a stare sott'acqua?

■ **stay up** Ⓐ v. i. + avv. **1** stare su; stare in piedi; stare ritto: *I wonder how the old bridge manages to s. up*, mi chiedo come faccia a stare in piedi il vecchio ponte **2** restare alzato; non andare a letto: *He stayed up late to study for his finals*, restò alzato fino a tardi per prepararsi per gli esami di fine corso **3** (*di prezzi, della febbre, ecc.*) rimanere alto; restare su; non calare **4** (*sport: di una squadra*) salvarsi dalla retrocessione; salvarsi (*fam.*) Ⓑ v. t. + avv. far stare su; tenere ritto (o in piedi).

■ **stay with** v. i. + prep. **1** stare con; rimanere presso; essere ospite di (q.): (*radio, TV*) 'Thank you for staying with us', 'grazie d'essere stati con noi!' **2** (*spec. sport*) restare con (o al fianco di); tenere la ruota (o il passo o il ritmo, ecc.) di (q.) **3** mantenere, continuare a usare (*un metodo, ecc.*); non abbandonare; rimanere fedeli a.

■ **stay within** v. i. + prep. stare dentro (*fig.*); rispettare: **to s. within the speed limit**, rispettare il limite di velocità □ (*fig.*) **to s. within bounds**, stare nei limiti; non eccedere.

to **stay②** /steɪ/ v. t. **1** (*spesso* **to s. up**) rinforzare; strallare; puntellare: **to s. up a wall**, puntellare un muro **2** (*naut.*) strallare.

stay-at-home /ˈsteɪəθəʊm/ Ⓐ a. casalingo Ⓑ n. persona casalinga; tipo sedentario; (*di un uomo*) pantofolaio.

staybolt /ˈsteɪbəʊlt/ n. (*mecc.*) bullone tenditore.

stayed-cable bridge /steɪdkeɪblˈbrɪdʒ/ loc. n. (*ind. costr.*) ponte strallato.

stayer /ˈsteɪə(r)/ n. **1** chi resta; chi rimane **2** persona (o animale) resistente alla fatica **3** ospite (*in casa o pensione*).

staying /ˈsteɪɪŋ/ n. **1** soggiorno; permanenza **2** (*leg., sport*) sospensione (*di una punizione*); rinvio ● **s. power**, capacità di resistere; resistenza; tenuta; doti di fondo.

stay-in strike /ˈsteɪɪnstraɪk/ loc. n. (*GB*) sciopero bianco; sciopero con occupazione del posto di lavoro.

staysail /ˈsteɪseɪl/ n. (*naut.*) vela di strallo: **main s.**, vela di strallo di maestra ● **fore s.**, trinchettina.

stay-up /ˈsteɪʌp/ Ⓐ a. autoreggente: **stay-up stockings**, calze autoreggenti Ⓑ n. (al pl.) calze autoreggenti.

St Bernard /sənt'bɜːnəd/ n. sanbernardo (*cane*).

STD sigla **1** (*med.*, **sexually transmitted disease**) malattia sessualmente trasmissibile (MST) **2** (*telef.*, **subscriber trunk dialling**) teleselezione: **STD code number**, prefisso per la teleselezione; **STD rate**, tariffa di chiamata in teleselezione.

std. abbr. (**standard**) standard, tipo.

stead /stɛd/ n. **1** luogo; posto: *I'll send him in my s.*, manderò lui al mio posto (o in mia vece) **2** utilità; vantaggio: **to stand sb. in good s.**, tornare assai utile a q.; rendere un buon servizio a q.

steadfast /ˈstɛdfɑːst/ a. costante; fermo; deciso; risoluto; saldo; tenace: **to be s. in love**, essere costante in amore; **a s. gaze**, uno sguardo fermo; **a s. policy**, una politica risoluta | **-ly** avv. | **-ness** n. Ⓤ.

steadily /ˈstɛdɪlɪ/ avv. **1** fermamente; saldamente; stabilmente: **to refuse s.**, rifiutare fermamente **2** costantemente; assiduamente; con diligenza; in modo regolare: **to work s. at st.**, lavorare assiduamente a qc. **3** intensamente: **to look at sb. s.**, guardare intensamente q. ● **to get s. worse**, continuare a peggiorare.

steadiness /ˈstɛdɪnəs/ n. Ⓤ **1** fermezza; stabilità; solidità **2** costanza; regolarità; continuità (*del lavoro, del gioco, ecc.*) **3** serietà; industriosità; sobrietà **4** condotta equilibrata; saggezza **5** (*dello sguardo*) fissità.

steading /ˈstɛdɪŋ/ n. **1** (*scozz., ingl. sett.*) casa colonica; fattoria **2** (*USA*) lotto edificabile.

♦**steady** /ˈstɛdɪ/ Ⓐ a. **1** fermo; fisso; saldo; solido; stabile: *He isn't s. on his feet*, non è saldo sulle gambe; **to have a s. hand**, avere la mano ferma; **a s. job**, un lavoro fisso; un'occupazione stabile; **s. foundations**, solide fondamenta; **s. nerves**, nervi saldi; **to make a tottering chair s.**, rendere stabile una sedia traballante (*aggiustandone le gambe*) **2** costante; continuo; saldo (*fig.*); sicuro; affidabile; regolare; uniforme: **s. speed**, velocità costante; **a s. breeze**, una brezza costante; **a s. rise in prices**, un continuo (o costante) aumento dei prezzi; *He is s. in his principles*, è costante nei suoi principi; è di saldi principi; (*alpinismo*) **s. foothold**, un appiglio sicuro per il piede; (*med.*) **s. pulse**, polso regolare; **at a s. pace**, ad andatura regolare; di buon passo; **a s. light**, una luce uniforme **3** giudizioso; serio; sobrio; industrioso; posato: **a s. young man**, un giovane serio, posato **4** (*fis.*) stazionario: **s. state**, stato stazionario **5** (*econ., fin.*) stabile: **a s. market**, un mercato stabile; **s. prices**, prezzi stabili; *Wall Street was s. at the close*, in chiusura Wall Street era stabile **6** (*del trotto*) sostenuto Ⓑ inter. **1** (*sollevando qc.*) piano! **2** (= **s. on!**) calma!; attenzione!; (tieni la) testa a posto! **3** (*naut.*, = **keep her s.**!) avanti così!; via!; alla via! **4** (*mil.*) fissi! Ⓒ n. (*fam.*) ragazzo fisso, ragazza fissa; innamorato, innamorata ● (*naut.*) **s. bearing**, rilevamento costante □ **a s. boyfriend**, un ragazzo fisso □ (*cinem., TV*) **s. camera**, macchina da presa (o telecamera) fissa □ (*comm.*) **a s. customer**, un cliente abituale; un cliente fisso □ **s.-state economics**, economia senza fluttuazioni □ (*econ.*) **s.-state growth**, crescita a tasso costante □ (*fis., astron.*) **s.-state theory**, teoria dello stato stazionario □ **s. wind**, vento costante (o stabilizzato) □ (*fam.*) **to go s.**, fare coppia fissa: *She's going s. with Tom*, Tom è il suo ragazzo (fisso) □ (*fam.*) **to go s. with**, andarci piano (o non esagerare) con: *Go s. with the salt!*, vacci piano con il sale!

to **steady** /ˈstɛdɪ/ Ⓐ v. t. **1** consolidare; rafforzare; rinsaldare; rinforzare; rendere (più) saldo (o fermo); tenere fermo: **to s. the domestic market**, rafforzare il mercato interno; **to s. sb.'s nerves**, rinsaldare (o distendere) i nervi di q.; **to s. one's hands**,

fermare (o tenere ferme) le mani (che tremavano); *The experience will s. him*, l'esperienza renderà più saldo (o temprerà) il suo carattere **2** rendere stabile: **to s. the dollar exchange rate**, stabilizzare il tasso di cambio del dollaro **3** (*naut.*) tenere (o mantenere) (*una barca, una nave*) in rotta **B v. i. 1** consolidarsi; rafforzarsi; diventare (più) saldo (o fermo): *His trembling hand steadied*, la mano che tremava gli si fece (più) ferma (o gli si fermò) **2** stabilizzarsi: *Share prices are steadying quickly*, i corsi azionari si stanno stabilizzando rapidamente ● **to s. down**, (far) mettere giudizio (a q.); (far) mettere la testa a posto (a q.); (fare) calmare: *He'll s. down in time*, col tempo metterà giudizio □ **to s. oneself**, riprendere (o ritrovare) l'equilibrio; riprendersi (*fam.*).

steak /steɪk/ n. [uc] **1** fetta di carne (*spec. di manzo*); bistecca: *S. has become expensive*, le bistecche sono diventate care; *I'll have the lamb s.*, prendo la bistecca di agnello **2** fetta (o trancia) di pesce **3** [u] (*cucina*; = **stewing s.**) (carne da) spezzatino ● (*cucina, GB*) **s. and kidney pie**, pasticcio di manzo e rognone, cotto al forno dentro un involucro di pasta.

steakhouse /ˈsteɪkhaʊs/ n. ristorante specializzato in carne alla griglia; «casa della bistecca».

steal /stiːl/ n. (*fam.*) **1** furto **2** cosa rubata **3** (*spec. USA*) (buon) affare; occasione; bazza (*fam.*): *It's a s.!*, è regalato! **4** (*basket*) palla rubata **5** (*baseball*) base rubata; (una) rubata: **a s. of home**, una rubata di casa base.

◆**to steal** /stiːl/ (pass. **stole**, p. p. **stolen**) **A v. t. 1** rubare (*anche fig.*); portare via; sottrarre; trafugare: *My bag has been stolen*, mi hanno rubato la borsa; **to s. a secret formula**, rubare una formula segreta **2** (*fig.*) rubare; accattivarsi; ottenere (o procurarsi) con arti (o con l'astuzia): **to s. a kiss**, rubare un bacio; **to s. sb.'s heart**, accattivarsi l'affetto (o la simpatia) di q. **B v. i. 1** rubare; fare il ladro **2** muoversi furtivamente; andare alla chetichella ● (*baseball*) **to s. a base**, rubare una base □ (*fig.*) **to s. a march on sb.**, battere q. sul tempo □ **to s. oneself out of st.**, perdere qc. per aver rubato □ (*fam.*) **to s. the scene (o the show)**, attirare l'attenzione di tutti su di sé; monopolizzare l'attenzione; far il mattatore □ (*fam.*) **to s. sb.'s thunder**, rubare un'idea (o un'invenzione, una notizia) a q.; battere sul tempo q. □ (*Bibbia*) **Thou shalt not s.**, non rubare! □ **Time steals on**, il tempo passa senza che ce ne accorgiamo.

■ **steal along A** v. i. + avv. camminare (o procedere) furtivamente; andare quatto quatto **B v. i. + prep.** andarsene lungo: *'She stole furtively along house-fronts, patting the walls and looking over her shoulder'* V. NABOKOV, 'se ne andò furtivamente rasentando le facciate delle case, dando colpetti sui muri e guardandosi alle spalle'.

■ **steal at** v. i. + prep. gettare (lanciare, ecc.) furtivamente a q.): *He stole a glance at the woman*, lanciò un'occhiata furtiva alla (o guardò di soppiatto, di sottecchi, sbirciò la) donna.

■ **steal away A** v. t. + avv. portare via; rubare (*anche fig.*): *'I come not, friends, to s. away your hearts'* W. SHAKESPEARE, 'amici, io non vengo a voi per rubarvi il cuore' **B v. i. + avv. 1** andarsene furtivamente (o alla chetichella); svignarsela quatto quatto **2** (*del tempo*) passare; scorrere lentamente: *The weeks stole away*, le settimane scorrevano lentamente.

■ **steal from** v. i. + prep. **1** rubare da: *Somebody stole the radio from my car*, qualcuno m'ha rubato l'autoradio dalla macchina **2** rubare a (*anche fig.*); derubare: **to s. a**

kiss from a girl, rubare un bacio a una ragazza; *He is said to have stolen from the rich to give to the poor*, si dice rubasse ai ricchi per dare i soldi ai poveri **3** andarsene alla chetichella da (*un luogo*).

■ **steal in** (**into**) v. i. + avv. (o prep.) **1** entrare alla chetichella (o di soppiatto) (in): *The burglar stole into the room*, il ladro entrò di soppiatto nella casa **2** (*calcio, ecc.*) inserirsi, infiltrarsi con l'astuzia (o abilmente): *He stole in to score*, s'inserì con l'astuzia riuscendo a segnare.

■ **steal out** v. i. + avv. uscire alla chetichella (o di soppiatto): *The soldiers stole out of the trench*, i soldati uscirono alla chetichella dalla trincea.

■ **steal over** v. i. + prep. **1** scendere (o calare) furtivo su: *The mist stole over the valley*, la nebbia calò furtiva sulla valle **2** (*fig.*) scendere su; impossessarsi di: *Fear stole over me*, la paura s'impossessò di me; **Sleep was stealing over me**, a poco a poco mi stavo addormentando.

■ **steal up on** (**o to**) v. i. + avv. + prep. **1** avvicinarsi furtivo (o di soppiatto) a: *A tiger stole up on him*, una tigre gli si avvicinò di soppiatto **2** venire a poco a poco a (q.); assalire (*fig.*): *A doubt stole up on her about his identity*, l'assalì un dubbio su chi realmente egli fosse □ (*autom., ecc.*) **to s. up on sb.'s outside**, superare di soppiatto q. all'esterno (*della pista*).

stealer /ˈstiːlə(r)/ n. ladro (nei composti): **a sheep-s.**, un ladro di pecore ● (*fig.*) **a s. of hearts**, un rubacuori.

stealing /ˈstiːlɪŋ/ n. **1** [u] furto, furti; ruberia **2** (pl.) oggetti rubati; refurtiva ● (*leg.*) **s. children**, sottrazione (o ratto) di minorenni □ (*leg.*) **cattle s.**, abigeato.

stealth /stelθ/ **A** n. [u] furtività; modo d'agire segreto **B a. attr.** (= **by s.**) fatto con l'inganno (o di sotterfugio; di soppiatto): **s. tax**, tassa nascosta, che passa inosservata ● (*aeron. mil.*) **s. bomber** (o **s. plane**), aereo 'stealth', aereo invisibile (*che si sottrae al radar*) □ **by s.**, furtivamente; di nascosto; di soppiatto.

stealthy /ˈstelθɪ/ a. clandestino; furtivo; nascosto; segreto: **a s. glance**, un'occhiata furtiva; un'occhiataina || **stealthily** avv. furtivamente; di nascosto; di soppiatto || **stealthiness** n. [u] clandestinità; furtività; segretezza.

◆**steam** /stiːm/ n. [u] **1** vapore; (*spec.*) vapore acqueo: **dry s.**, vapore secco; **wet s.**, vapore umido; **saturated s.**, vapore saturo; **superheated s.**, vapore surriscaldato **2** (*fam.*) energia; forza; vigore; (*anche*) sentimenti repressi: **to let off** (o **to work off**) **s.**, dare sfogo alla propria energia; sfogarsi; (*fam.*) **to run out of s.**, esaurire l'energia; perdere l'entusiasmo ● **s. bath**, bagno di vapore, bagno turco; = **s. room** → *sotto* □ **s. boiler**, caldaia a vapore □ (*mecc.*) **s.-box** (o **s.-chest**), camera (di distribuzione) del vapore □ (*autom.*) **s. cleaning**, lavaggio a vapore □ **s. coal**, carbone per caldaie (o da centrale termica) □ **s. colour**, colore fissato a vapore □ **s. crane**, gru a vapore □ **s. engine**, motore (o macchina) a vapore; (*ferr.*) locomotiva a vapore □ **s. gauge**, manometro (*di caldaia*) □ **s. hammer**, maglio a vapore □ **s.-heated**, riscaldato a vapore □ **s. heating**, riscaldamento a vapore □ **s. iron**, ferro (*da stiro*) a vapore □ (*mecc.*) **s. jacket**, camicia di riscaldamento a vapore □ **s. navigation**, navigazione a vapore □ **s. plough**, aratro a vapore □ **s. power**, forza motrice del vapore □ **s. room**, stanza per bagno turco (o dei bagni di vapore); sauna (*il locale*) □ (*USA*) **s. shovel**, escavatore, escavatrice; pala meccanica (*cfr. ingl.* **excavator**) □ (*naut.*) **s. tug**, rimorchiatore a vapore □ (*mecc.*) **s. turbine**, turbina a vapore □ **s. whistle**, sirena a vapo-

re □ **at full s.**, a tutto vapore □ **to blow off s.** (o **to let off s.**), (*di locomotiva*) scaricare vapore; (*fig.*) scaricarsi; dare sfogo alla propria energia; sfogarsi □ **to get up s.**, (*di locomotiva*) aumentare la pressione (del vapore); (*ferr.*) mettere una locomotiva sotto pressione; (*fig.*: *di un progetto, un'attività*) mettersi in moto, ingranare, prendere l'abbrivo (*fig.*); (*anche*) raccogliere le proprie forze; infuriarsi, arrabbiarsi □ **under one's own s.**, (*naut.*) con i propri mezzi; (*fig.*) da solo, senz'aiuto □ **to work off s.** = **to blow off s.** → *sopra* □ **to work up s.** → **to get up s.** □ (*naut.*) **Full s. ahead!**, avanti a tutto vapore!

to steam /stiːm/ **A** v. t. **1** (*ind., tecn.*) esporre al vapore; vaporizzare; passare al vapore; trattare col vapore: **to s. timber**, trattare legname col vapore **2** (*cucina*) cuocere a vapore: **to s. a pudding**, cuocere a vapore un budino **3** (*slang: di teppisti*) picchiare; menare **4** (*slang USA*) mandare in bestia; irritare; fare infuriare **B** v. i. **1** fumare; fumigare; esalare (o emettere) vapore: (*di un cavallo*) **to be steaming with sweat**, fumare dal sudore **2** produrre vapore **3** (*mecc.*) essere azionato dal vapore; andare a vapore **4** (*naut.*: *di nave*) navigare a vapore; procedere; avanzare **5** (*fam.*) = **to get steamed up** → *sotto* ● (*fam.*) **to s. ahead**, (*di nave a vapore, ecc.*) avanzare; (*fig.*) lavorar sodo □ **to s. away**, evaporare; (*di nave a vapore, ecc.*) partire □ (*fig.*) **to s. in**, arrivare in gran fretta; entrare di furia □ (*naut.*) **to s. into the harbour**, entrare in porto □ (*ferr.*) **to s. into the station**, entrare in stazione □ **to s. off**, staccare (*un francobollo, ecc.*) con il vapore □ **to s. a letter open**, aprire una lettera con il vapore □ (*naut.*) **to s. out**, partire, salpare □ **to s. over**, appannarsi; appannare □ **to s. up**, appannarsi; coprirsi di vapore; (*fam.*) stimolare, gasare, entusiasmare; (*slang*) mandare in bestia, infuriare □ (*fam. USA*) **to get steamed up**, infuriarsi; arrabbiarsi □ **The boat steamed down the river**, il vaporetto discese il fiume.

steamboat /ˈstiːmbəʊt/ n. (*naut.*) piroscafo; (battello a) vapore; vaporetto.

steamer /ˈstiːmə(r)/ n. **1** (*naut.*) piroscafo; vapore; vaporetto **2** (*mecc.*) veicolo a vapore **3** (*cucina*) pentola a pressione **4** (*med.*) autoclave **5** (*un tempo*) pompa da incendio (*azionata a vapore*) **6** (*ind.*) generatore di vapore.

to steam-heat /ˈstiːmhiːt/ v. t. riscaldare a vapore || **steam-heat** n. [u] calore generato da vapore.

steaminess /ˈstiːmɪnəs/ n. [u] **1** umidità di vapore; appannamento **2** l'essere avvolto in vapori **3** (*fam.*) sensualità.

steaming /ˈstiːmɪŋ/ a. **1** fumigante; fumante: **s. broth [coffee]**, brodo [caffè] fumante **2** (*slang ingl.*) furioso; furibondo **3** (*slang ingl.*) sbronzo; ubriaco fradicio.

steamroller /ˈstiːmrəʊlə(r)/ n. **1** compressore stradale (a vapore); rullo stradale **2** (*fig.*) rullo compressore; forza travolgente.

to steamroller /ˈstiːmrəʊlə(r)/ v. t. **1** comprimere con un rullo a vapore; spianare **2** (*fig.*) schiacciare (*l'opposizione, la resistenza, ecc.*); distruggere; spianare al suolo □ (*fig.*) **to s. sb. into doing st.**, costringere q. a fare qc. esercitando violenza □ (*polit.*) **to s. a measure through (Parliament)**, fare approvare un provvedimento (in parlamento) stroncando la resistenza dell'opposizione.

steamship /ˈstiːmʃɪp/ n. (*naut.*) piroscafo; nave a vapore ● **s. line**, linea di navigazione a vapore □ **turbine s.**, turbonave.

steamy /ˈstiːmɪ/ a. **1** coperto di vapore; pieno di vapore; appannato **2** fumigante; umido: **the s. heat of the jungle**, il calore umido della giungla **3** (*fam.*) sensuale; ero-

tico; spinto: **the s. scenes of the film**, le scene erotiche del film ● (*autom.*) **a s. wind-screen**, un parabrezza appannato.

stearic /stɪˈærɪk/ (*chim.*) a. stearico: **s. acid**, acido stearico ‖ **stearate** n. stearato.

stearin /ˈstɪərɪn/, **stearine** /ˈstɪəriːn/ n. ⓤ (*chim.*) stearina.

steatite /ˈstiːətaɪt/ (*miner.*) n. ⓤ steatite ‖ **steatitic** a. di (o simile a) steatite.

steatosis /stiːəˈtəʊsɪs/ n. ⓤ (*med.*) steatosi.

steed /stiːd/ n. (*lett. o scherz.*) destriero; cavallo.

♦**steel** /stiːl/ **A** n. 1 ⓤⓒ (*metall.*) acciaio (*anche fig.*): **high** (*o* **hard**) **s.**, acciaio duro; **soft** (*o* **mild**, **low**) **s.**, acciaio dolce; **bar s.**, acciaio in barre; **high-grade steels**, acciai ad alta resistenza; **a grip of s.**, una stretta (*o una presa, una morsa*) d'acciaio; **muscles of s.**, muscoli d'acciaio 2 acciaiolo (*arnese d'acciaio per affilare coltelli, ecc.*) 3 acciarino 4 (*un tempo*) stecca d'acciaio (*per busto o sottana*) 5 (*poet.*) arma bianca; spada; pugnale; acciaro (*poet.*) 6 ⓤ (*fig.*) volontà di ferro; grande tenacia **B** a. attr. 1 di acciaio; in acciaio: **s. casting**, getto d'acciaio; **s. casing**, involucro protettivo in acciaio; rivestimento d'acciaio 2 (= **iron-and-s.**) dell'acciaio; siderurgico: **s. industry**, industria siderurgica; industria dell'acciaio 3 (*econ.*) del settore dell'acciaio; dei siderurgici: **a s. strike**, uno sciopero dei siderurgici ● (*mus.*) **s. band**, gruppo che suona barili d'acciaio □ (*ginnastica*) **s. bar**, barra d'acciaio □ **s. blue**, blu acciaio □ (*metall.*) **s. bronze**, bronzo navale □ **s. cap**, elmetto d'acciaio □ (*econ., ind.*) **s. centre**, centro siderurgico □ **s.-clad**, rivestito d'acciaio; corazzato □ (*grafica*) **s. engraving**, incisione su acciaio; stampa fatta da un'incisione su acciaio □ **s. founder**, fonditore di acciaio □ (*edil.*) **s.-frame building**, edificio dalla struttura in acciaio □ (*fig.*) **s.-hearted**, dal cuore di pietra □ **s. manufacturer**, siderurgico (*industriale dell'acciaio*) □ (*metall.*) **s. mill**, acciaieria □ **a s. pen**, un pennino d'acciaio □ **a s. plate**, una lastra di acciaio □ **s.-plated**, ricoperto d'acciaio, acciaiato; blindato, corazzato □ **s.-plate worker**, lamierista □ **s. tube**, tubo d'acciaio □ **s. wool**, lana d'acciaio; paglietta di ferro □ (*ind.*) **s. workers**, (operai) metallurgici.

to **steel** /stiːl/ v. t. 1 ricoprire (*o rivestire*) d'acciaio; corazzare; acciaiare 2 (*fig.*) fortificare; temprare; indurire; rendere spietato; corazzare (*fig.*) ● **to s. oneself**, diventare insensibile (*o spietato*); indurirsi; farsi coraggio; farsi animo: **to s. oneself for the enemy attack**, farsi animo in previsione dell'attacco nemico; prepararsi all'attacco nemico; **to s. oneself to do st.**, prepararsi (*o disporsi*) a fare qc.

steeliness /ˈstiːlɪnəs/ n. ⓤ 1 l'essere d'acciaio 2 (*fig.*) durezza; inflessibilità.

steelmaking /ˈstiːlmeɪkɪŋ/ n. ⓤ (*ind.*) fabbricazione dell'acciaio; siderurgia.

steelwork /ˈstiːlwɜːk/ n. ⓤ 1 (*collett.*) oggetti d'acciaio 2 (*edil.*) struttura in acciaio: **the s. of a bridge**, la struttura in acciaio di un ponte.

steelworking /ˈstiːlwɜːkɪŋ/ n. ⓤ lavorazione dell'acciaio; siderurgia.

steelworks /ˈstiːlwɜːks/ n. (*inv. al pl.*) acciaieria ‖ **steelworker** n. siderurgico (*operaio*).

steely /ˈstiːlɪ/ a. 1 (fatto) d'acciaio 2 del colore dell'acciaio 3 (*fig.*) d'acciaio; duro; inflessibile; ferreo: **s. eyes**, occhi d'acciaio; **a s. glance**, uno sguardo duro.

steelyard /ˈstiːljɑːd/ n. stadera ● **s. maker**, staderaio.

steenbok /ˈstiːnbɒk/ n. (pl. **steenboks**, **steenbok**) (*zool.*, *Raphicerus campestris*) rafficero campestre.

♦**steep** ① /stiːp/ **A** a. 1 erto; ripido; scosceso: **a s. hill**, un erto colle; una salita ripida; **a s. descent**, una discesa ripida 2 (*fig.*) forte; considerevole; notevole: **a s. drop in attendance**, un forte calo della frequenza 3 (*fam.*) eccessivo; esorbitante: **a s. price**, un prezzo esorbitante (*o salato*): «*What's the total?*» «£65? *That's a bit s.!*», «Quant'è il totale?» «£65? Ma è un po' troppo!» 4 (*fam.*) assurdo; esagerato; illogico; inverosimile: **a s. statement**, un'affermazione esagerata; *It seems a bit s. that...*, mi sembra davvero assurdo (*fam.*: mi pare grossa) che... **B** n. erta; china; pendio; precipizio ● **s. fall**, scoscendimento □ (*autom., USA*) «**s. hill 15%**» (*cartello*), «pendenza del 15%» □ **a s. incline**, una forte pendenza; un'erta 2 (*fin.*) **a s. rate of interest**, un altissimo tasso d'interesse | **-ly** avv.

steep ② /stiːp/ n. ⓤⓒ 1 bagno; immersione 2 (*del tè, ecc.*) infusione 3 macerazione 4 bagno (*o liquido*) di macerazione 5 (*raro*) ammollo.

to **steep** ② /stiːp/ **A** v. t. 1 bagnare; immergere (*anche fig.*); inzuppare; tuffare: *S. the vegetables in water*, tuffa la verdura nell'acqua!; *The square was steeped in moonlight*, la piazza era immersa nel chiarore lunare; **steeped in slumber**, immerso nel sonno 2 imbevere (*anche fig.*); impregnare; saturare: *He was steeped in Indian philosophy*, era imbevuto di filosofia indiana (*ind.*) macerare **B** v. i. 1 essere in macerazione; macerarsi 2 (*del tè*) essere in infusione 3 (*di panni*) essere in ammollo.

to **steepen** /ˈstiːpn/ **A** v. i. diventare scosceso; farsi più ripido; inerpicarsi **B** v. t. rendere più ripido; rendere scosceso.

steeper /ˈstiːpə(r)/ n. 1 chi tuffa, immerge, macera, ecc. (→ **to steep**) 2 (*ind.*) recipiente (*o vasca*) di macerazione; maceratoio.

steeping /ˈstiːpɪŋ/ n. ⓤⓒ 1 bagnatura; immersione; inzuppamento 2 infusione (*del tè, ecc.*) 3 (*ind.*) macerazione.

steeple /ˈstiːpl/ n. 1 campanile; torre campanaria 2 guglia (*di torre*) ● **s.-crowned hat**, cappello a pan di zucchero □ (*mecc.*) **s.-head**, a testa conica ‖ **steepled** a. 1 pieno di campanili; turrito 2 ornato di guglie.

steeplechase /ˈstiːpltʃeɪs/ n. (*sport*) 1 (*ipp.*) steeplechase; corsa siepi 2 (*atletica*) corsa podistica a ostacoli (*di solito, su 3000 metri*); corsa siepi.

to **steeplechase** /ˈstiːpltʃeɪs/ v. i. (*sport*) partecipare a una steeplechase (*o a una corsa siepi*) ‖ **steeplechaser** n. 1 (*ipp.*) fantino (*o cavallo*) che corre in una steeplechase; ostacolista 2 (*atletica*) podista di corsa siepi; siepista ‖ **steeplechasing** n. ⓤ le corse siepi; le corse siepi.

steeplejack /ˈstiːpldʒæk/ n. riparatore (*o pulitore*) di campanili (*o di alti camini, ecc.*).

steepling /ˈstiːplɪŋ/ a. diretto verso l'alto; che ricade dall'alto.

steepness /ˈstiːpnəs/ n. ⓤ 1 ripidezza; ripidità 2 inclinazione; pendenza.

steer ① /stɪə(r)/ n. (*zool.*) giovenco; manzo.

steer ② /stɪə(r)/ n. (*fam. USA*) indicazione; informazione; consiglio; dritta (*fam.*): **to give sb. a bum s.**, dare a q. un'indicazione sbagliata; tirare un bidone a q. (*fig. fam.*).

to **steer** /stɪə(r)/ **A** v. t. 1 (*naut.*) governare; pilotare: **to s. a ship**, governare una nave; (*naut.*) **to s. the course**, governare in rotta 2 (*autom.*) guidare; condurre; pilotare: **to s. a car**, guidare un'automobile 3 (*canottaggio*) pilotare 4 (*fig.*) dirigere; indirizzare; rivolgere: *He steered my efforts in the right direction*, indirizzò i miei sforzi nella giusta direzione 5 (*fig.*) guidare; accompagnare: *Who's steering Russia now?*, chi guida la Russia ora?; *The usher-*

ette steered me to my seat, la maschera mi accompagnò al mio posto **B** v. i. 1 governare una nave; stare al timone: **to s. by the wind**, governare una nave secondo il vento 2 (*autom.*) guidare; stare al volante 3 (*di nave, ecc.*) fare rotta; governarsi; manovrarsi; rispondere al timone: **to s. westing**, fare rotta verso ovest; *This boat steers well*, questa barca risponde bene al timone 4 (*d'automobile, ecc.*) rispondere allo sterzo: *This car steers easily*, quest'automobile possiede una buona sterzatura 5 (*fig.: di persone*) dirigersi; andare verso; incamminarsi: *We steered for the pub*, c'incamminammo verso il pub ● (*autom.*) **to s. the car round a corner**, prendere una curva; fare una curva □ **to s. one's course**, (*naut.*) fare rotta; (*fig.*) volgere il corso (*o il cammino*), dirigersi; (*anche*) muoversi con destrezza, destreggiarsi bene □ (*fig.*) **to s. a middle course**, tenere (*o seguire*) una via di mezzo.

■ **steer away from** v. i. + avv. + prep. 1 (*naut., autom., ecc.*) tenersi (*o girare*) alla larga da 2 (*fig.*) sviare: **to s. the conversation away from personal matters**, sviare la conversazione da questioni di carattere personale.

■ **steer clear of A** v. i. + avv. + prep. 1 (*naut.*) tenersi al largo di; manovrare in franchia da 2 (*fig.*) tenersi (*o stare, girare*) alla larga da: **to s. clear of trouble**, stare alla larga dai guai 3 (*sport*) scansare, evitare (*un avversario*) **B** v. t. + avv. + prep. (*naut.*) governare (*una nave*) evitando (*scogli, ecc.*).

■ **steer for A** v. i. + prep. 1 (*naut.*) fare rotta per (*un porto, ecc.*) 2 (*fig.*) dirigersi verso (*un luogo*) **B** v. t. + prep. (*naut.*) dirigere, governare (*una nave*) verso.

■ **steer in** → **steer home**.

■ **steer into A** v. t. + prep. 1 pilotare, mettere, far entrare (*un'imbarcazione, un'automobile, ecc.*) in (*un luogo*) 2 (*fig.*) pilotare, guidare, accompagnare (q.) in (*un luogo*): *He steered the visitors into the dungeons*, accompagnò i visitatori in un giro delle prigioni sotterranee 3 (*fig.*) far adottare (*una linea d'azione, ecc.*) a (q.); indurre, orientare (q.) verso: *His parents tried to s. him into becoming a lawyer*, i genitori cercavano d'indurlo a studiare da avvocato **B** v. i. + prep. (*di una persona o un veicolo*) andare a, entrare in (*manovrando*): *I taught him to s. into the berth [the garage]*, gli insegnai ad andare all'ormeggio [a entrare in garage].

■ **steer through** v. t. + avv. (o prep.) 1 (*naut.*) governare, pilotare (*una nave*) attraverso (*uno stretto, ecc.*) 2 (*fig.*) guidare, dirigere, pilotare (attraverso); trarre d'impaccio; portare (q.) fuori di (*fig.*): *The solicitor steered me through*, mi ha tratto d'impaccio l'avvocato; *Roosevelt steered the US through the Great Depression*, Roosevelt portò gli Stati Uniti fuori dalla Grande Depressione □ (*polit.*) **to s. a bill through Parliament**, riuscire a far approvare un disegno di legge in parlamento.

■ **steer towards A** v. i. + prep. 1 (*naut.*) fare rotta verso (*un porto, ecc.*) 2 (*fig.*) dirigersi verso **B** v. t. + prep. 1 (*naut.*) governare, pilotare (*una barca, ecc.*) in direzione di 2 (*fig.*) → **steer into, A, def. 3**.

steerable /ˈstɪərəbl/ a. 1 (*naut.*) governabile; che risponde al timone 2 (*aeron.*) dirigibile: **s. balloon**, pallone dirigibile 3 (*elettr.*) orientabile: **s. antenna**, antenna orientabile.

steerage /ˈstɪərɪdʒ/ n. (solo al sing.) (*naut.*) 1 ⓤ governo del timone; effetto del timone; rispondenza della nave al timone 2 ⓤ (*autom.*) effetto dello sterzo 3 (*naut.: un tempo*) ponte di terza classe; interponte; stiva, stiriggio ● (*naut.*) **s. class**, terza classe □ **s. passengers**, passeggeri di terza classe □ **s. way**, velocità minima di governabilità; abbrivo sufficiente per governare con il ti-

mone □ (*naut.*) **to travel s.**, viaggiare sul ponte.

steerer /'stɪərə(r)/ n. (*naut.*) **1** timoniere; pilota **2** apparecchio di governo.

steering /'stɪərɪŋ/ n. ☐ **1** (*naut.*) governo (*della nave*) **2** (*autom.*) meccanismo di sterzo; sterzo: **easy s.**, sterzo dolce; **hard s.**, sterzo duro **3** (*autom.*) sterzatura; sterzata **4** (*di una slitta*) guida **5** manovrabilità: **good [bad] s.**, buona [cattiva] manovrabilità • (*autom.*) **s. box**, scatola dello sterzo □ (*autom.*) **s. column**, piantone dello sterzo □ **s. committee**, comitato direttivo □ (*naut.*) **s. compartment**, timoniera □ (*naut.*) **s. compass**, bussola di governo (*o di rotta*) □ **s. gear**, (*naut.*) agghiaccio, dispositivo di comando del timone; (*autom.*) meccanismo dello sterzo, (comando) sterzo □ (*autom.*) **s. lock**, angolo massimo di sterzo, raggio di sterzata; (*anche*) bloccasterzo (*antifurto*) □ (*autom., mecc.*) **s. system**, (meccanismo dello) sterzo □ (*di bicicletta*) **s. tube**, tubo dello sterzo □ **s. wheel**, (*naut.*) ruota del timone; (*autom.*) volante.

steersman /'stɪəzmən/ n. (pl. **steersmen**) (*naut.*) timoniere.

steeve ① /stiːv/ n. (*naut.*) argano (*o barra*) di stivaggio.

steeve ② /stiːv/ n. (*naut.*) inclinazione del bompresso (*angolo del bompresso con l'orizzonte*).

to steeve ① /stiːv/ v. t. (*naut.*) stivare (*il carico*).

to steeve ② /stiːv/ n. (*naut.*) Ⓐ v. t. inclinare (*il bompresso*) ad angolo con l'orizzonte Ⓑ v. i. (*del bompresso*) fare angolo con l'orizzonte.

steganography /stɛgə'nɒgrəfɪ/ n. ☐ steganografia.

stegosaur /'stɛgəsɔː(r)/ n. (*paleont.*) stegosauro.

stein /staɪn/ n. boccale di ceramica dipinta (*per birra*).

steinbock /'staɪnbɒk/ (*ted.*) n. (pl. **steinbocks**, **steinbock**) **1** (*zool., Capra ibex*) stambecco **2** → **steenbok**.

steinbok /'staɪnbɒk/ → **steenbok**.

stele /'stiːliː/ n. (pl. **stelae**) (*archit.*) stele.

stellar /'stɛlə(r)/ a. **1** (*astron.*) stellare: **s. light**, luce stellare **2** a stella; fatto a stella; stellato **3** (*fam.*) di (*o da*) stella (*o diva*) **4** (*fam. USA*) straordinario; stupendo • (*fam.*) **the s. role in a play**, la parte principale di un dramma.

stellate /'stɛlət/, **stellated** /'stɛleɪtɪd/ a. (*scient.*) stellato; fatto a stella; radiale; a raggera.

stelliform /'stɛlɪfɔːm/ a. stelliforme; stellato; fatto a stella.

stellular /'stɛljʊlə(r)/ a. **1** stellato; fatto in forma di una piccola stella **2** cosparso di (*o trapunto di*) stelline.

♦**stem** /stɛm/ n. **1** (*bot.*) gambo; picciolo; peduncolo; stelo (*di pianta*) **2** (*bot.*) ceppo; fusto; tronco (*d'albero*) **3** (*di bicchiere*) gambo; stelo **4** (*mus.: di nota*) gamba; asta **5** (*di pipa*) cannuccia; cannello **6** (*lett.*) ceppo; stirpe; (*di famiglia*) ramo: **an ancient s.**, un'antica stirpe **7** (*gramm.*) tema (*di una parola*) **8** (*naut.*) dritto di prora; ruota di prora; (*anche*) prua; prora **9** (*autom.*) asta (*nel motore*) **10** (*ciclismo*) piantone del manubrio (*di bicicletta*) **11** (*sci*) spazzaneve **12** (*slang USA*) pipa per oppio **13** (pl.) (*slang USA*) gambe (*di donna*) • (*biol.*) **s. cell**, cellula staminale □ (*naut.*) **s. post**, ruota di prora □ (*sci*) **s. turn**, cristiania (*o cucito*) **s. stitch**, punto erba □ **s.-winder**, (*antiq.*) orologio che si carica ruotando un perno; (*fam. USA*) persona (*o cosa*) eccellente; (*anche*) oratore che trascina l'uditorio; discorso entusiasmante, travolgente □ **s.-winding**, (*di orologio*) con caricamento a perno □ (*naut.*) **from**

---

s. to stern, da prua a poppa; da un capo all'altro della nave □ (*di orologio*) **winding s.**, albero di carica.

to stem ① /stɛm/ Ⓐ v. t. **1** staccare il gambo a: **to s. tobacco leaves**, staccare il gambo alle foglie del tabacco **2** fornire di gambo (*fiori artificiali, ecc.*) **3** (*naut.*) procedere contro (*la marea, il vento*) **4** (*fig.*) andare contro; contrastare il passo a: **to s. the tide of barbarism**, contrastare il passo alla marea della barbarie Ⓑ v. i. derivare; discendere; provenire; esser causato da: *All his problems s. from drink*, tutti i suoi problemi derivano dal bere troppo.

to stem ② /stɛm/ Ⓐ v. t. **1** arginare (*un fiume*) **2** arrestare; fermare; contenere: **to s. the bleeding**, arrestare il sanguinamento; **to s. the enemy's attack**, contenere l'attacco del nemico Ⓑ v. i. (*sci*) fare il cristiania.

stemless /'stɛmləs/ a. (*bot.*) senza gambo; senza stelo; sessile.

stemma /'stɛmə/ n. (pl. **stemmas**, **stemmata**) **1** albero genealogico **2** (*zool.*) ocello.

stemmed /stɛmd/ a. (*bot.*) fornito (*o provvisto*) di gambo (*o di stelo*); peduncolato • **a thin-s. goblet**, un calice dal gambo sottile.

stemmer /'stɛmə(r)/ n. lavorante che stacca i gambi: **fruit s.**, lavorante che stacca i gambi alla frutta.

stemple /'stɛmpl/ n. (*ind. min.*) puntello.

stench /stɛntʃ/ n. puzzo; fetore; tanfo • (*edil.*) **s.-trap**, sifone intercettatore (*di fogna*); pozzetto (*fam.*).

stencil /'stɛnsl/ n. **1** stampino; mascherina; stencil (*lastra con lettere o con disegno a traforo*) **2** disegno stampinato; stampinatura **3** matrice (*per ciclostile*) • **s. cutter**, fabbricante di stampini □ **s. cutting**, fabbricazione di stampini.

to stencil /'stɛnsl/ v. t. **1** stampinare; riprodurre (*disegni, lettere*) con uno stampino **2** (*fam.*) ciclostilare || **stenciller**, (*USA*) **stenciler** n. stampinatore || **stencilling**, (*USA*) **stenciling** n. ☐ stampinatura.

Sten gun /'stɛngʌn/ n. (*mil.*) Sten (*fucile mitragliatore*); mitra Sten.

stenograph /'stɛnəgrɑːf/ n. (*arc. o USA*) **1** segno stenografico; stenogramma **2** macchina per stenografare.

to stenograph /'stɛnəgrɑːf/ v. t. (*arc. o USA*) stenografare.

stenography /stə'nɒgrəfɪ/ n. ☐ (*USA*) stenografia || **stenographer** n. (*arc. o USA*) **1** stenografo, stenografa (*cfr. ingl.* **shorthand writer**, *sotto* **shorthand**) **2** stenodattilografo, stenodattilografa (*cfr. ingl.* **shorthand typist**, *sotto* **shorthand**) || **stenographic**, **stenographical** a. (*USA*) stenografico || **stenographically** avv. stenograficamente.

stenosis /stɛ'nəʊsɪs/ (*med.*) n. (pl. **stenoses**) stenosi || **stenosed** a. affetto da stenosi.

stenothermal /stɛnə'θɜːml/ a. (*biol.*) stenotermo.

stenotypy /'stɛnətaɪpɪ/ n. ☐ stenotipia (*il metodo*) || **stenotyping** n. ☐ stenotipia (*lo scrivere*) || **stenotypist** n. stenotipista.

stent /stɛnt/ n. (*med.*) stent; protesi usata per conservare la pervietà di un corpo cavo.

stentorian /stɛn'tɔːrɪən/ a. stentoreo: **in a s. voice**, con voce stentorea.

♦**step** /stɛp/ n. **1** ☐ passo (*anche fig.*); orma; pedata; andatura **2** (*fig.*) mossa, misura, provvedimento; accorgimento, cosa da fare: *He took a s. forward [backward]*, fece un passo avanti [indietro]; **to walk with a quick s.**, andare di buon passo; camminare con passo spedito; *Don't move a s.!*, non fare un passo!; *resta fermo!*; **to retrace one's steps**, tornare sui propri passi; **s. by s.**, pas-

---

so a passo; per gradi; **a rash s.**, un passo avventato; **the next s.**, la prossima mossa; **steps in the wet sand**, orme sulla sabbia bagnata; **to be one s. ahead of sb.**, essere un passo avanti a q. (*anche fig.*); **to follow in sb.'s steps**, calcare le orme di q.; seguire l'esempio di q.; *I heard a heavy s.*, sentii un passo pesante; *There's no mistaking his s.*, il suo passo è inconfondibile; **to take steps to do st.**, prendere provvedimenti per fare qc.; *We shall take the necessary steps*, faremo i passi (*o le pratiche, ecc.*) necessari **2** gradino; scalino (*anche fig.*): **a staircase of thirty steps**, una scalinata di trenta gradini; *It is another s. in my career*, è un altro scalino nella mia carriera **3** (*di scala di legno*) piolo **4** (*di veicolo*) montatoio; predellino **5** (pl.) (= **s. ladder**, **pair of steps**) scala a libro (*o a libretto*) **6** (*fig.; spesso* **s. up**) promozione; avanzamento **7** (= **doorstep**) soglia **8** (pl.) scalinata: **the Spanish steps**, la scalinata di piazza di Spagna (*o della Trinità dei Monti: a Roma*) **9** (*elettr.*) fase: **alternators in s.**, alternatori in fase (*o sincronizzati*) **10** (*mus.*) passo: *I've learnt a new s.*, ho imparato un passo nuovo **11** (*mil.*) passo: **the goose s.**, il passo dell'oca **12** (*geogr.*) terrazza (*di collina*); cengia (*di montagna*); (*alpinismo*) gradino (*in parete*) **13** (*geol.*) gradino **14** (*comput.*) passo; fase di elaborazione **15** (*med.*) momento; fase **16** (*mus.*) intervallo (*tra due note*) **17** (*naut.*) scassa **18** (*di termometro*) grado; (*atletica*) falcata **19** (*atletica*) secondo balzo (*nel salto triplo*) **20** (pl.) (*boxe*) scaletta (*del ring*) • **s. aerobics**, step □ **s. aside**, passo a lato; passo laterale □ (*mecc.*) **s. bearing**, supporto di base; reggispinta (*di un albero*) □ (*comput.*) **s. counter**, contatore di passi □ (*mat.*) **s. function**, funzione a gradini □ (*fig.*) **a s. in the Peerage**, una nomina a Pari d'Inghilterra □ **s. meter rate**, tariffa differenziale (*di un contatore*) □ (*mecc.*) **s. pulley**, puleggia a gradini; cono-puleggia □ **s. stool**, sgabello con gradini, scaletta (*per biblioteca, ecc.*) □ (*archeol.*) **s. trench**, scavo a gradini □ (*sci*) **s. turn**, svolta fatta girando uno sci □ **to bend** (*o* **to direct**) **one's steps [towards a place, home]**, volgere i passi, dirigersi [verso un luogo, a casa] □ **to break s.**, rompere il passo □ **to change s.**, cambiare il passo □ **to fall into s. with sb.**, mettersi al passo con q. (*anche fig.*) □ **to fall out of step**, perdere il passo, andar giù di passo □ **in s.**, (*mil.*) al passo; (*mus.*) in tempo; (*fig.*) in accordo, all'unisono □ **to be in s.**, andare al passo (*con gli altri*) □ **to keep s.**, (*mil.*) stare (*o andare*) al passo; (*mus.*) tenere il tempo □ (*mil.*) **to keep in s.**, andare al passo; marciare al passo □ (*fig.*) **to keep in s. with fashion**, tenere dietro alla moda □ (*fig.: dei salari*) **to keep in s. with the cost of living**, tener dietro all'aumento del costo della vita □ **to mind one's s.** = **to watch one's s.** → *sotto* □ **to be out of s.**, essere giù di passo (*marciando*); non essere al passo (*anche fig.*): *Grandpa is completely out of s. with modern life*, il nonnino non è per nulla al passo con la vita di oggigiorno □ (*fig.*) **quite a s. up** (*o* **a s. up in the world**), una bella promozione; un bel salto (*fig.*) □ (*leg.*) **to take legal steps**, adire le vie legali □ **to turn one's steps = to bend one's steps** → *sopra* □ **to watch one's s.**, guardare dove si mettono i piedi, fare attenzione; (*fig.*) essere cauto, guardingo: *Watch your s.!*, sta attento (*a dove metti i piedi, ecc.*)!; bada (*a quello che fai*)!; attenzione!

to step /stɛp/ Ⓐ v. i. **1** fare un passo; camminare; andare; venire (*spec. seguito da prep. o avv. che indicano direzione*): **to s. forward**, fare un passo avanti; *Sheila stepped out of the room*, Sheila uscì dalla stanza **2** mettere il piede (*o i piedi*): **to s. in the mud**, mettere i piedi nel fango Ⓑ v. t. **1** ballare

(*una danza*) **2** misurare (*una distanza*) a passi **3** (*edil.*) provvedere di gradini **4** tagliare (*il terreno*) a terrazze; scavare (*o* intagliare) scalini in: *He stepped the slope leading to his cottage*, intagliò dei gradini nel pendio che portava alla sua casetta **5** (*naut.*) sistemare (*l'albero*) nella scassa ● **to s. high**, alzare molto i piedi (*camminando*); (*di cavallo*) alzare bene gli zoccoli (*trottando*) □ (*fam.*) **to s. lively**, affrettarsi; fare in fretta; far presto □ **to s. short**, camminare a brevi passi; fare tre passi su un mattone □ **S. this way**, da questa parte!; venga (*o* venite) qua!; per di qua!

■ **step across** v. i. + avv. attraversare: **to s. across the road**, attraversare la strada.

■ **step aside** v. i. + avv. **1** fare un passo di fianco; farsi da parte; scansarsi **2** (*fig.*) farsi da parte; tirarsi in disparte; ritirarsi (*da una competizione, una gara*) **3** (*polit., ecc.*) ritirare la propria candidatura.

■ **step back** v. i. + avv. **1** (*anche boxe*) fare un passo indietro; arretrare di un passo **2** (*fig.*) tirarsi indietro; astenersi dall'intervenire **3** (*fig.*) prendere le distanze.

■ **step down** ⒶA v. i. + avv. **1** scendere; discendere **2** calare; diminuire **3** (*fig.*) farsi da parte, ritirarsi; rinunciare; dimettersi: *The party leader stepped down after losing the election*, il segretario del partito si è dimesso dopo la sconfitta elettorale; **to s. down from a good position**, rinunciare a un buon posto **4** (*fig.*) calare di grado **5** (*fig.: in una discussione*) arrendersi; cedere le armi (*fig.*) ⒷB v. t. + avv. abbassare; calare; diminuire; ridurre: (*elettr.*) **to s. down the voltage**, abbassare la tensione; **to s. down the output of cars**, ridurre la produzione di automobili.

■ **step forward** v. i. + avv. **1** fare un passo avanti; avanzare di un passo **2** (*fig.*) farsi avanti; presentarsi; mettersi a disposizione: *No witness to the accident has yet stepped forward*, non si è ancora fatto avanti alcun testimone dell'incidente.

■ **step in** v. i. + avv. (*fig.*) intromettersi; intervenire: *The chairman will have to s. in*, dovrà intervenire il presidente □ **to s. in for sb.**, sostituire, rimpiazzare q.

■ **step inside** v. i. + avv. (*o* prep.) entrare (in): *S. inside the waiting room!*, entri in sala d'aspetto!

■ **step into** v. i. + prep. **1** entrare dentro (*un luogo*) **2** (*autom.*) salire: *He stepped into the car*, salì in macchina.

■ **step off** ⒶA v. i. + avv. (*o* prep.) **1** uscire, scendere (da): *I stepped off the plane*, scesi dall'aereo; **to s. off a ladder**, scendere da una scala a pioli **2** partire **3** (*mil.*) andarsene (*o* partire) a passo di marcia **4** togliere il piede da: (*autom.*) **to s. off the accelerator** (*o* the gas), togliere il piede dall'accelerato-re ⒷB v. t. + avv. misurare a passi: **to s. off ten metres**, misurare a passi dieci metri □ (*fam.*) **to s. off on the right [wrong] foot**, partire col piede giusto [sbagliato].

■ **step on** v. i. + prep. **1** mettere i piedi su; pigiare su; calpestare; pestare: **to s. on sb.'s foot**, pestare i piedi a q.; **to s. on the accelerator**, pigiare sull'accelleratore **2** (*fig. fam.*) calpestare, ferire, urtare (*i sentimenti di q., ecc.*) **3** (*fig. fam.*) dare addosso a, sgridare (q.) **4** (*slang*) diluire, tagliare (*droga*) (*fig.*) □ **to s. on sb.'s corns** (*o* toes), pestare i calli (*o* i piedi) a q. (*fig.*) □ **to s. on the gas**, (*autom.*) schiacciare l'accelleratore; (*fig. fam.*) sbrigarsi, spicciarsi □ (*fig. fam.*) **to s. on it**, sbrigarsi, spicciarsi; (*autom.*) schiacciare l'accelleratore □ (*basket*) **to s. on the side-line**, mettere il piede sulla linea laterale.

■ **step out** ⒶA v. i. + avv. **1** uscire; andare fuori **2** (*autom.*) scendere (*da una macchina*) **3** allungare il passo; affrettarsi **4** (*fam.*) divertirsi; spassarsela; uscire (*fig.*); fare vita di società ⒷB v. t. + avv. → **step off**, B □

(*fam.*) **to s. out on sb.**, tradire, fare (*o* mettere) le corna a (q.) □ (*fig.*) **to s. out of line**, non rigare dritto; comportarsi male.

■ **step outside** v. i. + avv. **1** andare fuori; uscire **2** (*fam.*) venire fuori: *S. outside, if you dare*, vieni fuori, se hai coraggio!

■ **step over** ⒶA v. i. + prep. **1** scavalcare: **to s. over heaps of rubbish**, scavalcare cumuli di rifiuti **2** (*fig.*) oltrepassare; superare **3** portarsi oltre; superare: **to s. over the centre line**, superare la linea di centro (*o* il centrocampo: *avanzando*); (*pallavolo*) commettere fallo d'invasione **4** (*nei salti*) scavalcare (*l'asticella*) ⒷB v. i. + avv. (*fam.*) fare un salto (*o* una visitina): **to s. over to one's next--door neighbours**, fare un salto dai vicini di casa.

■ **step round** → **step over**, B.

■ **step up** ⒶA v. i. + avv. **1** salire su **2** (*del ritmo, della velocità, ecc.*) aumentare; crescere; (*del gioco, ecc.*) vivacizzarsi **3** crescere di grado; fare carriera **4** (*calcio, ecc.*) farsi avanti; incaricarsi (*di un tiro*); **He stepped up to take the penalty kick**, s'incaricò del calcio di rigore ⒷB v. t. + avv. **1** aumentare; accrescere; elevare; intensificare: (*elettr.*) **to s. up the voltage**, elevare la tensione; (*econ.*) **to s. up production**, intensificare la produzione; **to s. up savings**, aumentare i risparmi **2** fissare, issare (*un palo, ecc.*) □ **to s. up one's game**, alzare il tono (*o* il ritmo) del proprio gioco; crescere (*come rendimento, ecc.*) □ **to s. up a gear**, mettere una marcia in più (*fig.*).

■ **step upon** → **step on**.

stepbrother /'stɛpbrʌðə(r)/ n. fratellastro.

stepchild /'stɛptʃaɪld/ n. (pl. **stepchildren**) figliastro, figliastra.

stepdaughter /'stɛpdɔːtə(r)/ n. figliastra.

step-down /'stɛpdaʊn/ n. calo; diminuzione; riduzione: **a step-down in production**, un calo della produzione ● (*elettr.*) **step-down transformer**, trasformatore abbassatore (*di tensione*).

step-family /'stɛpfæmlɪ/ n. (*USA*) (*demogr.*) famiglia «allargata»; famiglia in senso lato.

stepfather /'stɛpfɑːðə(r)/ n. patrigno.

Stephen /'stiːvn/ n. Stefano.

step-in /'stɛpɪn/ n. **1** (*sci*) dispositivo di attacco automatico **2** (pl.) (*fam.*) mutandine da donna ● (*sci*) **step-in binding**, attacco automatico □ (*canottaggio*) **step-in board**, pedana; tavoletta □ **a step-in garment**, un indumento che s'infila, senza laccetti o bottoni.

stepladder /'stɛplædə(r)/ n. scala a libro (*o* a libretto).

stepmother /'stɛpmʌðə(r)/ n. matrigna.

stepparent /'stɛppeərənt/ n. patrigno, matrigna.

steppe /stɛp/ n. ꟲ (*geogr.*) steppa.

stepped /stɛpt/ a. a gradini; a scalini.

stepping /'stɛpɪŋ/ n. ꟲ andatura ● **s. back**, arretramento; indietreggiamento □ (*USA*) **s.-out agency**, agenzia che procura compagnia a persone sole □ (*nei salti, ecc.*) **s. over**, scavalcamento □ (*pallavolo*) **s. over the centre line**, invasione (*fallo*) □ **s. stone**, passatoia, pietra per passare un guado; (pl.) passatoio, guado; (*fig.*) gradino, passo, trampolino di lancio (*fig.*): *That was the first s. stone to victory*, quello fu il primo passo per la vittoria.

stepsister /'stɛpsɪstə(r)/ n. sorellastra.

stepson /'stɛpsʌn/ n. figliastro.

step-up /'stɛpʌp/ n. aumento; accrescimento: *a step-up in sales*, un aumento delle vendite ● (*elettr.*) **step-up transformer**, trasformatore elevatore (*della tensione*).

stepwise /'stɛpwaɪz/ ⒶA avv. a guisa di scala; a mo' di scalinata ⒷB a. attr. graduale: (*econ.*) **s. inflation**, inflazione graduale.

steradian /stə'reɪdɪən/ n. (*geom.*) steradiante.

stercoraceous /stɜːkə'reɪʃəs/ a. (*med.*) stercoraceo; stercorario.

stere /stɪə(r)/ n. stero (*unità di misura della legna, pari a un metro cubo*).

♦**stereo** /'stɛrɪəʊ/ (*fam.*) ⒶA a. **1** stereofonico; stereo: **s. effect**, effetto stereofonico; **s. tape recording**, registrazione stereofonica su nastro **2** stereoscopico ⒷB n. (pl. **stereos**) **1** (= s. set) stereo; impianto stereo **2** stereoscopio **3** (**stereophony**) stereofonia **4** → **stereotype** ● **s. system**, impianto stereo □ **to broadcast in s.**, trasmettere in stereo.

stereobate /'stɛrɪəʊbeɪt/ n. (*archit.*) stereobate.

stereochemistry /stɛrɪəʊ'kemɪstrɪ/ n. ꟲ stereochimica.

stereogram /'stɛrɪəgræm/ n. **1** (*fis.*) stereogramma **2** (*topogr.*) stereofotogramma **3** stereografo.

stereography /stɛrɪ'ɒgrəfɪ/ (*geom.*) n. ꟲ stereografia ∥ **stereograph** n. stereografo ∥ **stereographic**, a. stereografico: **stereographic map**, proiezione stereografica.

stereoisomer /stɛrɪəʊ'aɪsəmə(r)/ (*chim.*) n. stereoisomero ∥ **stereoisomerism** n. ꟲ stereoisomeria.

stereometry /stɛrɪ'ɒmətrɪ/ n. ꟲ (*geom.*) stereometria.

stereophonic /stɛrɪə'fɒnɪk/ (*acustica*) a. stereofonico ∥ **stereophony** n. ꟲ stereofonia.

stereoscope /'stɛrɪəskəʊp/ (*ottica*) n. stereoscopio ∥ **stereoscopic**, **stereoscopical** a. stereoscopico ∥ **stereoscopy** n. ꟲ stereoscopia; visione stereoscopica.

stereospecific /stɛrɪəspə'sɪfɪk/ a. (*chim.*) stereospecifico.

stereotype /'stɛrɪətaɪp/ n. **1** (*tipogr.*) stereotipia; lastra stereotipica **2** (*ling., psic.*) stereotipo.

to **stereotype** /'stɛrɪətaɪp/ v. t. **1** (*tipogr.*) stereotipare **2** (*fig.*) rendere stereotipato (*o* convenzionale) ∥ **stereotyped** a. (*anche fig.*) stereotipato; stereotipo: **stereotyped ideas**, idee stereotipe ∥ **stereotyper** n. (*tipogr.*) stereotipista.

stereotypical /stɛrɪəʊ'tɪpɪkl/ a. = **stereotyped** → **to stereotype**.

stereotypy /'stɛrɪətaɪpɪ/ n. ꟲ (*tipogr.*) stereotipia (*il processo*).

stereoviewing /'stɛrɪəʊvjuːɪŋ/ n. ꟲ stereovisione.

steric /'stɛrɪk/ a. (*chim.*) sterico: **s. hindrance**, impedimento sterico.

sterile /'stɛraɪl/ a. **1** sterile (*anche fig.*); infecondo; inutile; vano: **a s. cow**, una vacca sterile; **s. land**, terreno sterile; **a s. debate**, un dibattito sterile; **s. efforts**, sforzi vani **2** monotono; noioso; privo d'interesse: **a s. style**, uno stile monotono; **a s. lecture**, una conferenza priva d'interesse **3** (*med.*) sterile; asettico ∥ **sterility** n. ꟲ sterilità; infecondità.

to **sterilize** /'stɛrɪlaɪz/ v. t. **1** (*med., ind.*) sterilizzare: **to s. water**, sterilizzare l'acqua **2** (*fig.*) isterilire; sterilire; rendere sterile; sterilizzare: (*fin.*) **to s. the monetary effects of an overvalued dollar**, sterilizzare gli effetti monetari di un dollaro sopravvalutato ∥ **sterilization** n. ꟲ **1** (*med., ind.*) sterilizzazione **2** (*fig.*) isterilimento.

sterilizer /'stɛrɪlaɪzə(r)/ n. (*med., ind.*) sterilizzatore, sterilizzatrice.

sterlet /'stɜːlət/ n. (*zool.*, *Acipenser ruthenus*) sterletto, sterlatto.

♦**sterling** /'stɜːlɪŋ/ ⒶA a. **1** genuino (*anche*

fig.); puro; di buona lega: **of s. gold**, d'oro puro; **s. merit**, merito genuino **2** (*oreficeria*) «sterling»: **s. silver**, argento sterling; argento al (titolo del) 92,5% **3** eccellente; ottimo; buonissimo: **s. qualities**, ottime qualità 🅱 n. ⓤ **1** (*fin.*) moneta inglese a corso legale **2** (*fin.*) (lira) sterlina: *What's the value of s. today?*, quanto vale la sterlina oggi? **3** (*collett.*) lire sterline; sterline: *Payment should be made in £s by means of Eurocheque*, il pagamento va fatto mediante eurocheque in sterline britanniche **4** (*chim., elettron.*) sterling (*vernice*) ● (*econ.*) **the s. area** (*o* **the s. bloc**), l'area (*o* il blocco) della sterlina □ (*fin.*) **s. balances**, saldi in sterline □ (*fin.*) **s. bonds**, obbligazioni in sterline □ **s. character**, un carattere schietto □ (*oreficeria*) **s. gold**, oro a 22 carati □ (*fin.*) **a pound s.**, una lira sterlina; una sterlina.

stern① /stɜːn/ a. **1** austero; severo; duro; rigido: **s. virtue**, austera virtù; **a s. father**, un padre severo; **s. reality**, la dura realtà; **s. measures**, provvedimenti rigidi **2** arcigno; aspro: **a s. look**, uno sguardo arcigno; **s. criticism**, critiche aspre **3** inflessibile; fermo; saldo: **a s. ruler**, un governante inflessibile; **a man of s. purpose**, un uomo di saldi propositi ● **the sterner sex**, il sesso forte | **-ly** avv.

stern② /stɜːn/ n. **1** (*naut., aeron.*) poppa **2** (*per estens.*) parte posteriore; coda (*spec.* di cane da caccia) **3** (*fam., scherz.*) fondoschiena; didietro; deretano; sedere ● (*naut.*) **s. boat**, barchetta di poppa (*a rimorchio*) □ (*mil., stor.*) **s.-chaser**, cannoncino di poppa □ **s. end**, parte poppiera □ **s.-fast**, cima per ormeggio di poppa; codetta □ (*di bastimento*) **s.-heavy**, appoppato □ (*naut.*) **s. light**, fanale di poppa (*naut.*) **s.-on**, di poppa: **to be moored s.-on**, essere ormeggiato di poppa □ **s. sheets**, spazio poppiero, camera di poppa (*di barca*) □ **s.-tube**, (*naut.*) tubo dell'elica; (*mil.*) tubo lanciasiluri poppiero □ (*naut.*) **s.-wheeler**, piroscafo a ruota poppiera a pale □ (*naut.*: *di bastimento*) **down by the s.**, appoppato.

sternal /'stɜːnl/ a. (*anat.*) sternale.

sternness /'stɜːnnəs/ n. ⓤ **1** austerità; severità; durezza; rigidità **2** inflessibilità; fermezza; saldezza.

sternpost /'stɜːnpəʊst/ n. (*naut.*) dritto di poppa; ruota di poppa.

sternum /'stɜːnəm/ n. (pl. **sternums**, **sterna**) (*anat.*) sterno.

sternutation /ˌstɜːnjuˈteɪʃn/ n. **1** ⓤ starnutazione **2** starnuto.

sternway /'stɜːnweɪ/ n. ⓤ (*naut.*) abbrivo indietro; moto retrogrado ● (*naut.*) **to make s.**, abbrivare all'indietro; retrocedere; andare per poppa.

steroid /'stɪərɔɪd/ (*biochim.*) 🅰 n. (*chim.*) steroide 🅱 a. steroideo.

sterol /'stɛrɒl/ n. (*biochim.*) sterolo.

stertor /'stɜːtə(r)/ n. (*med.*) stertore; rantolo.

stertorous /'stɜːtərəs/ (*med.*) a. stertoroso; (*di respiro*) rumoroso; (*di malato*) dalla respirazione rumorosa.

stet /stɛt/ (*lat.*) vc. verb. (*tipogr.*) vive (*formula convenzionale per annullare una correzione*).

to stet /stɛt/ v. t. (*tipogr.*) annullare la correzione di (*una parola o una frase*).

stethoscope /'stɛθəskəʊp/ (*med.*) n. stetoscopio || **stethoscopic, stethoscopical** a. stetoscopico || **stethoscopy** n. ⓤ stetoscopia.

stetson ® /'stɛtsn/ n. cappello da cowboy; cappello a larghe tese (*e a cupola alta*).

stevedore /'stiːvədɔː(r)/ n. (*naut.*) stivatore.

Steven /'stiːvən/ n. Stefano.

stew① /stjuː, USA stuː/ n. **1** ⓒ (*cucina*) stufato: *Irish s.*, stufato irlandese (*di castrato, patate e cipolle*) **2** (*fam.*) ansia; apprensione; agitazione; forte preoccupazione; patema d'animo: **to be in a (fine) s.**, essere in grande agitazione; stare sulle spine (*fig.*) **3** (*fam.*) caos; casino **4** (*fam.*) bisboccia **5** (*fam.*) ubriacone **6** (*aeron., slang USA*) steward; hostess.

stew② /stjuː, USA stuː/ n. **1** vivaio di pesci; peschiera **2** vivaio per la coltura delle ostriche.

to stew /stjuː, USA stuː/ 🅰 v. i. **1** (*cucina*) (del cibo) cuocere in umido **2** (*fig.*) soffrire per il caldo afoso; soffocare **3** (*fam.*) cuocere nel proprio brodo (*fig.*); essere in ansia; preoccuparsi 🅱 v. t. (*cucina*) cuocere (qc.) in umido; stufare ● (*fig.*) **to let sb. s. in his own juice**, lasciar cuocere q. nel suo brodo.

steward /stjʊəd, USA stuəd/ n. **1** (*un tempo*) maggiordomo **2** fattore agricolo (*di una grande tenuta*) **3** (*di collegio, ecc.*) dispensiere; economo; amministratore; soprintendente **4** (*naut.*) cambusiere; dispensiere; addetto ai viveri **5** (*naut., aeron.*) assistente (m.) di bordo; assistente (m.) di volo; steward **6** cerimoniere; (*sport, festeggiamenti*) membro del comitato organizzatore (*o* del servizio d'ordine) **7** (= **shop s.**) rappresentante sindacale; delegato di fabbrica; membro della commissione interna **8** (*sport*) commissario di gara || **stewardship** n. ⓤ ufficio (*o* grado, mansioni) di steward.

to steward /stjʊəd, USA stuəd/ v. i. fare lo → «steward» (*def. 5*); fare la hostess.

stewardess /stjʊəˈdes, USA 'stuədɪs/ n. **1** economa; dispensiera **2** (*naut.*) assistente di bordo **3** (*aeron.*) hostess; assistente di volo ❶ **NOTA D'USO** · *Per riferirsi sia agli uomini sia alle donne oggi si può usare* **flight attendant**.

stewed /stjuːd, USA stuːd/ a. **1** (*cucina*) stufato; in umido **2** (*di frutta*) cotta **3** (*di tè*) troppo carico **4** (*slang*) accaldato **5** (*slang antiq.*) ubriaco; sbronzo (*pop.*).

stewing /'stjuːɪŋ, USA 'stuː-/ 🅰 n. (*cucina*) **1** ⓤ lo stufare; il cuocere in umido **2** stufato (*la pietanza*) 🅱 a. attr. **1** per stufato: **s. beef**, manzo per stufato **2** da cuocere: **s. apples**, mele da cuocere.

stewpan /'stjuːpæn, USA 'stuː-/ n. tegame per stufato; casseruola.

stg abbr. (**sterling**) «sterling».

Sth abbr. (**south**) sud (S).

St Helena /sɛntɪˈliːnə/ n. (*geogr.*) Sant'Elena (*l'isola dove morì Napoleone*).

sthenic /'sθenɪk/ a. **1** (*med.*) stenico **2** forte; vigoroso.

stibnite /'stɪbnaɪt/ n. ⓤ (*miner.*) stibnite.

stichometry /stɪˈkɒmɪtrɪ/ n. ⓤ sticometria.

•stick /stɪk/ n. **1** bastone, bacchetta (*anche fig.*): *The old man walks with a s.*, il vecchio cammina col bastone; **walking s.**, bastone da passeggio; (*fig.*) **the s. and the carrot**, il bastone e la carota; **to get the s.**, assaggiare il bastone; (*anche fig.*) essere bacchettato **2** bastoncino; (*cosmesi*) stick; candelotto: stecca (*di cioccolata, ecc.*); (*cucina*) gambo: **a s. of chalk**, un pezzetto di gesso; **a celery s.**, un gambo di sedano; **an incense s.**, un bastoncino d'incenso; **a s. of dynamite**, un candelotto di dinamite; **a s. of sealing wax**, una stecca di ceralacca **3** bastoncello; legnetto; stecco: *Let's look for dry sticks to build a fire*, cerchiamo degli stecchi asciutti per fare il fuoco; *The bird built its nest with sticks*, l'uccello s'è fatto il nido con degli stecchi **4** (*mus.*) bacchetta: **the conductor's s.**, la bacchetta del direttore d'orchestra **5** (*sport*) bastone; mazza: **a hockey s.**, una mazza da hockey **6** (*tipogr.*, = **composing**

s.) compositoio **7** (*mil.*, = **drumstick**) bacchetta di tamburo **8** (*aeron.*) barra di comando; cloche **9** (*autom.*) leva del cambio **10** ⓤ (*fam. ingl.*) aspri rimproveri; dure critiche; severa punizione: **to take a lot of s.**, ricevere molte aspre critiche; ricevere una bella lezione (*fig.*); **to give sb. (the) s. about st.**, dare a q. una bella lezione per qc.; rimproverare (*o* criticare) q. aspramente **11** (*mecc.*) braccio (*della benna*) **12** (*mecc.*) lima abrasiva (*o* a smeriglio) **13** (*fam.*, = **s. of furniture**) mobile: *There were only a few sticks of furniture*, c'erano solo quattro mobili in croce **14** (*gergo naut.*) albero; pennone: **the sticks**, l'alberatura **15** (*fam.*) tipo; individuo; uomo: **a dry** (*o* **dull**) **old s.**, un vecchio babbeo (*o* barboso); *He's quite a good old s.*, è proprio un buon uomo **16** (pl.) bacchetti, stecchi, legna minuta: *An old woman was gathering sticks*, una vecchia raccoglieva la legna **17** (*sci*) racchetta; bastoncino **18** (*equit.*) frustino **19** (pl.) (*fam.*) zona rurale; campagna: *They live way out in the sticks*, abitano in mezzo alla campagna (*o* in un posto sperduto) **20** (pl.) (*fam., sport*) ostacoli: (*di una corsa*) **over the sticks**, a ostacoli **21** (*volg.*) verga; pene ● (*autom., ecc.*) **s. gauge**, asta indicatrice di livello □ (*zool.*) **s. insect**, insetto-stecco (*che somiglia a uno stecco*) □ (*cucina*) **a s. of asparagus**, un asparago □ (*USA*) **s. of butter**, panetto di burro (*da 4 once = 113 gr*) □ (*fam., autom.*) **s. shift**, cambio a mano (*o* manuale); **s.-shift car**, vettura con il cambio manuale □ (*fig.*) **to get the short** (*o* **the dirty, the rough**) **end of the s.**, restare con il cerino acceso (*fig.*); essere fregato; restare buggerato (*pop.*) □ (*fig.*) **to get hold of the wrong end of the s.**, fraintendere; prendere un abbaglio; prendere lucciole per lanterne □ (*fam.*) **to be in a cleft s.**, essere tra due fuochi (*fig.*); non sapere che pesci prendere □ **to take a s. to sb.**, prendere q. a bacchettate.

•to stick① /stɪk/ (pass. e p. p. **stuck**) 🅰 v. t. **1** conficcare; ficcare; cacciare; infilare; infilzare; piantare; pungere; trafiggere; trapassare; colpire (*con un pugnale, ecc.*): **to s. a pin under one's skin**, conficcare uno spillo sotto la pelle; **to s. a bayonet into sb.**, infilzare q. con la baionetta; **to s. insect specimens**, infilzare esemplari d'insetti (*o fissarli con spilli*); *He stuck the knife in the tree*, piantò il coltello nell'albero; *S. a thumbtack in the board*, pianta una puntina di disegno sul cartellone!; **to s. sb. in the back**, colpire q. alla schiena (*con un coltello e sim.*) **2** attaccare; affiggere; appiccicare; incollare; ingommare: **to s. a stamp on a letter**, attaccare un francobollo a una lettera; *S. the poster on the wall*, affiggi il manifesto sul muro!; **to s. pictures in an album**, incollare fotografie su un album **3** (*fam.*) mettere; porre; cacciare; posare; piazzare: *He stuck the rose in his buttonhole*, si mise la rosa all'occhiello; *He stuck the pencil behind his ear*, si mise la matita dietro l'orecchio; *S. it in your pocket*, cacciatelo in tasca!; (*calcio, ecc.*) **to s. a man up front**, piazzare un giocatore sotto rete **4** (*fam.*) resistere a; sopportare: *I can't s. this darn job any longer*, non riesco più a sopportare questo maledetto lavoro **5** (*fam.*) spennare (*fig.*); fregare; rifilare; far pagare a: *He stuck me for* (*o* *with*) *all the drinks*, mi rifilò il conto di tutto quello che avevamo bevuto **6** (*slang USA*) accoltellare; pugnalare **7** (*volg.*) mettere (qc.) in quel posto (*eufem.*): *Tell him he can s. his invitation!*, digli che si può invito se lo metta in quel posto! 🅱 v. i. **1** conficcarsi; infilzarsi; piantarsi; restar conficcato (*o* infisso): *The sliver stuck in my finger*, la scheggia mi si conficcò in un dito; *The arrow stuck in the bull's-eye*, la freccia si conficcò nel centro del bersaglio; *The car stuck*

in the mud, l'automobile si piantò nel fango **2** attaccarsi; aderire; appiccicarsi; restare attaccato (*o* appiccicato); tenere: *These stamps won't s.*, questi francobolli non si attaccano; *The nickname stuck to him*, il nomignolo gli restò appiccicato; *This glue won't s.*, questa colla non tiene **3** (*fam.*) restare; rimanere: *They s. at home*, restano sempre a casa; non si muovono mai; *Friends should s. together*, gli amici dovrebbero restare uniti **4** (*mecc.*) incepparsi; bloccarsi: *The car door has stuck*, lo sportello della macchina s'è bloccato **5** (*in genere*) arrestarsi; fermarsi: *He got up to the third form, and there he stuck*, arrivò fino alla terza classe e poi si fermò **6** (*fam.*) reggere (*in tribunale*); portare un'incriminazione; stare in piedi (*fig.*): *The charge against him won't s.*, l'accusa che gli muovono non sta in piedi **7** (*di una nomea, un nomignolo, ecc.*) restare appiccicato, restare addosso (a q.) **8** (*a poker, ecc.*) stare; non prendere carte ● **to s. in sb.'s mind**, rimanere impresso nella mente a q. □ (*fig.*) **to s. in one's throat** (*o* **craw**), (*di parole*) rimanere in gola, non venire fuori; (*fig.*) non andare giù; essere difficile da mandar giù □ **to s. like a burr** (*o* **like a leech**), stare attaccato come una lappola (*o* come una sanguisuga); (*fig.*) stare appiccicato, essere appiccicaticcio □ **to s. one's nose into st.**, ficcare il naso in qc. □ **to s. a pig**, ammazzare un maiale (*trafiggendolo alla gola*) □ **to s. through thick and thin**, resistere nella buona e nell'avversa sorte; tener duro □ **a coat stuck with medals**, una giubba coperta di medaglie □ **«S. no bills!»** (*cartello*), «divieto d'affissione!».
■ **stick about** (*o* **around**) v. i. + avv. (*fam.*) restare, rimanere; trattenersi; restare vicino, non allontanarsi: **to s. around waiting for a friend**, trattenersi in attesa di un amico; *S. around!*, non andartene!
■ **stick at** v. i. + prep. **1** stare attaccato (*o* incollato) a; perseverare in; continuare a: **to s. at one's work**, stare incollato al lavoro; **to s. at one's studies**, perseverare nello studio; *S. at it!*, non mollare! **2** fermarsi, indietreggiare (*fig.*) davanti a: **to s. at nothing**, non indietreggiare davanti a nulla; non avere remore; essere privo di scrupoli □ (*fam.*) **to s. at home**, starsene a casa; restare in casa.
■ **stick by** v. i. + prep. **1** essere fedele a (*q. o* qc.); restare al fianco di (q.): *She stuck by her husband during the election campaign*, restò al fianco del marito nella campagna elettorale **2** restare attaccato a (qc.); tener fede a; mantenere: **to s. by one's ideals**, tener fede ai propri ideali; **to s. by one's promises**, mantenere le promesse.
■ **stick down** v. t. + avv. **1** incollare; chiudere (*o* ripiegare) incollando: *The strip had been stuck down*, la striscia era stata incollata; *Don't s. down the envelope!*, non chiudere la busta! **2** (*fam.*) mettere giù; posare: *S. it down anywhere!*, mettilo dove ti garba! **3** buttare giù (*fig.*); annotare; scrivere: **to s. down a few ideas**, buttare giù qualche idea; **to s. st. down in one's diary**, annotare qc. nella propria agenda.
■ **stick fast** v. i. + avv. **1** rimanere preso (*o* impigliato); restare bloccato: *My car had stuck fast in the mud*, la mia auto era rimasta bloccata nel fango **2** (*fig.*) restare della stessa idea; tener duro.
■ **stick in** Ⓐ v. t. + avv. **1** infilare (dentro): *I stuck my hand in*, ci infilai la mano **2** cacciare (*o* conficcare, piantare) dentro: *S. the pole in well!*, pianta bene il palo! **3** mettere dentro; inserire: *I'll s. my head in and see if he is there*, metto dentro la testa (*o* faccio una capatina) per vedere se c'è Ⓑ v. i. + avv. → **stick indoors** □ (*fam.*) **to s. one's heels in**, piantare i piedi (*fig.*) □ **to s. one's nose in sb.'s business**, ficcare il naso negli affari di q. (*fig.*).

■ **stick indoors** v. i. + avv. (*fam.*) restare (inchiodato) in casa; non uscire mai.
■ **stick in with** v. i. + avv. + prep. (*fam.*) fare comunella con, andare a stare con (q.); fare vita in comune con (q.).
■ **stick on** Ⓐ v. t. + avv. **1** incollare, attaccare: *Don't forget to s. the stamps on!*, non scordarti di attaccare (*o* mettere) i francobolli! **2** (*fam.*) aggiungere (*una tassa, un extra al conto, una corsa supplementare di treni, ecc.*) **3** (*fam.*) accendere (*la luce, ecc.*); attaccare (*la radio, la TV, ecc.*) Ⓑ v. i. + avv. **1** restare incollato (*o* attaccato) **2** (*per estens.*) restare fisso (*o* al suo posto); restare in sella; non spostarsi; non cadere **3** (*fam.*) restare fermo (*o* fisso) in un posto; non muoversi Ⓒ v. t. + prep. **1** incollare, attaccare (qc.) su: **to s. wallpaper on the walls**, attaccare la carta da parati alle pareti **2** (*fam.*) mettere, posare su **3** (*fam.*) aggiungere a: **to s. an additional charge on the bill**, aggiungere un extra al conto **4** (*fam.*) imporre, mettere (*una nuova tassa*) su Ⓓ v. i. + prep. **1** stare (*o* essere) incollato (*o* attaccato) su **2** (*fig.*) essere attaccato a (*fig.*); tener duro su; non mollare su: *The strikers are sticking on the question of safety*, gli scioperanti non mollano sulla questione della sicurezza □ (*fam.*) **to s. it on**, esagerare, andar giù della grossa; andar giù pesante; fare prezzi esorbitanti (*o* salati).
■ **stick out** Ⓐ v. i. + avv. **1** sporgere; essere sporgente; venire in fuori; protrudere: *His head stuck out (of the water)*, la sua testa sporgeva (dall'acqua); *His ears s. out*, ha le orecchie sporgenti **2** distinguersi; spiccare; saltare agli occhi, essere ben visibile (*o* chiaro): *This sticks out a mile*, è lampante; salta subito agli occhi **3** (*fam.*) tener duro; resistere; non mollare: **to s. out against the government's pension plan**, tener duro contro il progetto pensionistico governativo Ⓑ v. t. + avv. **1** cacciare (*o* tirare) fuori; sporgere; protrudere: *S. out your tongue!*, tira fuori la lingua! **2** mettere fuori: **to s. out a flag** [**one's nose**], mettere fuori una bandiera [il naso] **3** (*fam.*) continuare ad asserire (*o* a sostenere) □ **to s. out one's chest**, gonfiare il petto □ (*fam.*) **to s. it out**, tener duro; tener botta (*fam.*); resistere □ (*fig. fam.*) **to s. one's neck out**, prendere posizione apertamente; esporsi (fin troppo); rischiare grosso □ **to s. one's tongue out at sb.**, fare la lingua (*o* le linguacce) a q.
■ **stick out for** v. i. + avv. + prep. (*fam.*) cercare di ottenere (qc.); battersi, tener duro per: **to s. out for a pay rise**, battersi per un aumento di salario; **to s. out for a higher price** [**better terms**], cercare di strappare un prezzo più alto [condizioni migliori].
■ **stick to** Ⓐ v. i. + prep. **1** attaccarsi, appiccicarsi, incollarsi a: *This stamp won't s. to the postcard*, questo francobollo non s'attacca alla cartolina; *My wet shirt stuck to my skin*, la camicia bagnata mi si appiccicò alla pelle **2** stare attaccato (*o* vicino) a: *S. (close) to me!*, stammi vicino!; (*naut.*) **to s. to the shore**, stare vicino alla spiaggia; navigare sotto costa **3** (*autom.*) seguire, non allontanarsi da: **to s. to the main roads**, seguire la strada maestra; **to s. to the motorway**, restare in autostrada **4** attenersi, stare, limitarsi a: *S. to the facts!*, stai ai fatti!; **to s. to the point** [**to the rules**], attenersi all'argomento [alle regole] **5** tenersi stretto; non mollare: **to s. to the ball** [**to one's opponent**], non mollare il pallone [l'avversario] **6** tener fede a; restare fedele a; mantenere: **to s. to one's principles** [**to a promise**], tener fede ai propri princìpi [a una promessa]; **to s. to a decision**, restare fedele a una decisione; **to s. to one's word**, mantenere la parola Ⓑ v. t. + prep. attaccare, appiccicare, incollare a: **to s. postcards on the wall**, attaccare cartoline alla parete

□ **to s. to one's business** [**task, work**], badare assiduamente ai propri affari [al proprio compito, al proprio lavoro]; darci sotto (*fam.*) □ (*fig. fam.*) **to s. to one's guns**, tenere duro; non mollare; restare della propria idea; essere irremovibile □ (*fam.*) **S. to it!**, tieni duro!; tieni botta! (*fam.*); non mollare! □ (*fam.*) **to s. to one's last**, fare ciò per cui si è tagliati; limitarsi a fare quel che si sa fare bene □ (*mil. e fig.*) **to s. to one's post**, restare al proprio posto.
■ **stick together** Ⓐ v. i. + avv. **1** incollarsi, attaccarsi; essere (*o* stare) attaccato, appiccicato, incollato: *The sheets of paper have stuck* [*are sticking*] *together*, i fogli di carta si sono incollati [stanno attaccati] **2** (*fam.*) restare insieme; rimanere uniti: *The family must s. together*, la famiglia deve rimanere unita Ⓑ v. t. + avv. attaccare, incollare, appiccicare insieme; riattaccare: *Can you s. the pieces of the broken jug together?*, ce la fai a riattaccare i pezzi della brocca rotta?
■ **stick up** Ⓐ v. t. + avv. **1** attaccare; affiggere; appiccicare: **to s. up posters all over the town**, affiggere manifesti in tutta la città; **to s. up pictures on the wall**, attaccare fotografie alla parete; **to s. up the exam results on the bulletin board**, affiggere in bacheca i risultati dell'esame **2** alzare: **to s. up one's hand**, alzare la mano (*per rispondere, ecc.*); (*fam.*) *S. 'em up!*, mani in alto! **3** (*fam.*) rizzare: **to s. up a target**, rizzare un bersaglio **4** (*fam.*) assaltare; rapinare: **to s. up a stagecoach**, assaltare una diligenza; **to s. up a bank** [**the train passengers**], rapinare una banca [i viaggiatori del treno] **5** (*fig.*) confondere; sconcertare Ⓑ v. i. + avv. **1** sporgere in su; spuntare: *Only his head stuck up in the quicksand*, gli spuntava solo la testa dalle sabbie mobili **2** alzarsi; rizzarsi; levarsi: *My feet stuck up in the air*, andai a gambe levate □ (*volg.*) **to s. up one's arse** (*USA*: **ass**) (*o* **backside**), infilarsi qc. su per il culo (*fig., volg.*) □ *His hair sticks straight up*, ha i capelli irti sulla testa.
■ **stick up for** v. i. + avv. + prep. (*fam.*) **1** prendere le parti di (q.); parteggiare per; prendere le difese di; appoggiare; sostenere: **to s. up for a friend**, prendere le difese di un amico **2** (*anche leg.*) rivendicare: **to s. up for one's rights**, rivendicare i propri diritti.
■ **stick with** Ⓐ v. t. + prep. **1** attaccare, incollare (qc.) con (*una sostanza, ecc.*) **2** (*spec. al passivo*) infilzare, infilare (qc.) in; trafiggere, trapassare con: *The martyr's body was stuck with dozens of arrows*, il corpo del martire era trafitto da decine di frecce **3** (*fam. USA*) appiccicare, appioppare (*un nomignolo, ecc.*) a (q.) Ⓑ v. i. + prep. **1** attenersi a; seguire (*un metodo, un progetto, ecc.*) **2** (*fam.*) badare assiduamente, dedicarsi anima e corpo a (*un lavoro, ecc.*) **3** (*fam.*) badare a, stare attento a (q.) **4** (*fam.*) → **stick to**, **A**, *def. 6*.
■ **stick within** v. i. + prep. restare dentro (*fig.*): *We won't be able to s. within budget*, non riusciremo a restare dentro il budget.
to stick ② /stɪk/ (*pass. e p. p.* **sticked**) Ⓐ v. t. **1** provvedere di bastoni (*o* di pali di sostegno); puntellare: **to s. a vine**, puntellare una vite **2** (*tipogr.*) disporre (*i caratteri*) sul compositoio **3** (*hockey su ghiaccio*) colpire, spingere (*il disco*) con il bastone; effettuare, eseguire (*tiri*): *He sticked home several shots*, effettuò vari tiri in porta Ⓑ v. i. (*hockey su ghiaccio*) portare la mazza sopra la spalla (*è fallo*) ● **to go sticking**, andare a fare legna minuta.
stickability /stɪkə'bɪlətɪ/ n. Ⓤ (*fam.*) tenacia; perseveranza; costanza; persistenza.
to stick-check /'stɪktʃɛk/ v. t. (*hockey su ghiaccio*) arrestare, stoppare (*il disco*) col ba-

stone.

♦**sticker** /'stɪkə(r)/ n. **1** chi conficca, attacca, ecc. (cfr. **stick**) **2** attacchino **3** (fig.) persona tenace; chi tiene duro **4** ospite che si trattiene troppo a lungo; visitatore sgradito **5** etichetta adesiva; tagliando gommato; (comm.) cartellino; adesivo; patacchino (pop.): **s. price**, prezzo di cartellino **6** (bot.) lappola **7** (pesca) arpione; gaffa **8** (fam.) coltellaccio; pugnale **9** (fig. fam.) cosa sconcertante; faccenda difficile.

stickily /'stɪkəlɪ/ avv. **1** appiccicosamente **2** (fam.) sgradevolmente **3** (fam.) con riluttanza ● **s. hot**, caldo soffocante; afoso.

stickiness /'stɪkɪnəs/ n. Ⓤ **1** l'essere appiccicaticcio; viscosità; vischiosità **2** afosità; umidità (del tempo) **3** (econ.) vischiosità, rigidità (di domanda, prezzo, ecc.) **4** (fam.) riluttanza; scarsa disponibilità.

sticking /'stɪkɪŋ/ Ⓐ a. **1** appiccicoso; adesivo; che s'attacca **2** (tecn.) bloccato; che non si vuole aprire: **s. hinges**, cardini bloccati Ⓑ n. Ⓤ **1** l'incollarsi; incollatura; l'aderire; adesività **2** (tecn.) bloccaggio; grippaggio ● (med.) **s. plaster**, cerotto; (fig.) toppa: **to put a s. plaster on st.**, mettere una toppa a qc. □ **s. point**, (tecn.) punto di arresto (o di bloccaggio); (fig.) punto d'arresto, punto morto, blocco (delle trattative e sim.).

stick-in-the-mud /'stɪkɪnðə'mʌd/ Ⓐ a. lento; tardo; retrogrado Ⓑ n. **1** posapiano; trottapiano **2** individuo arretrato; retrogrado; passatista.

stickjaw /'stɪkdʒɔː/ n. (slang) caramella gommosa.

stickleback /'stɪklbæk/ n. (zool.) **1** (Gasterosteus aculeatus) spinarello **2** gasterosteide (in genere).

stickler /'stɪklə(r)/ n. **1** individuo pedante, rigido; pignolo **2** strenuo fautore, accanito sostenitore (di qc.) ● **to be a s. for discipline** [**propriety**], tener molto alla disciplina [alle buone maniere].

stickman /'stɪkmən/ n. (pl. **stickmen**) (fam.) **1** giocatore di hockey (o di hockey su ghiaccio) **2** giocatore di lacrosse.

stick-on /'stɪkɒn/ a. attr. adesivo; gommato; da incollare: **stick-on label**, etichetta adesiva; **stick-on bra**, reggiseno adesivo; coppette reggiseno adesive.

stick-out /'stɪkaʊt/ n. (econ., fam.) sciopero.

stickpin /'stɪkpɪn/ n. (USA) spilla da cravatta (cfr. ingl. **tie-pin**).

sticks /stɪks/ inter. (hockey) 'bastone alto!' (grido con cui l'arbitro segnala questo fallo).

stick-up /'stɪkʌp/ n. (fam., spec. USA; anche **stick-up job**) assalto (alla diligenza, ecc.); rapina a mano armata.

stickwork /'stɪkwɜːk/ n. Ⓤ **1** (baseball) abilità di battitore **2** (hockey, ecc.) uso del bastone.

sticky /'stɪkɪ/ Ⓐ a. **1** appiccicaticcio; attaccaticcio; appiccicoso; gommoso; colloso; viscoso: **s. mud**, fango attaccaticcio; The road was s., la strada era appiccicosa; **s. toffees**, caramelle gommose; Soft sweets are s., le caramelle tenere sono appiccicose; **to have s. fingers**, avere le dita appiccicose; (fig.) avere le mani lunghe, essere un ladro **2** gommato; adesivo; autoadesivo; che s'incolla: **a s. label**, un'etichetta gommata; **s. tape**, nastro autoadesivo **3** impiastrato: **fingers s. with jam**, dita impiastrate di marmellata **4** (econ.) rigido; vischioso: Domestic demand is rather s., la domanda interna è piuttosto rigida; **s. prices**, prezzi vischiosi **5** (market.: di un prodotto) difficile da vendere **6** (fam.) poco accomodante; poco disponibile; riluttante; restio; che fa tante storie (fam.): The bank was very s. about our loan, la banca fece un sacco di storie per concederci il mutuo **7** (fam. ingl.) sgra-

devole; spiacevole; difficile; brutto: The boss put me in a s. position, il capo mi mise in una situazione difficile **8** (fam.: del tempo) umido e caldo; afoso Ⓑ n. (fam.) foglietto adesivo; giallino (fam.) ● **a s. customer**, un cliente difficile (o di difficile contentatura); (fig.) un bastian contrario □ (fam.) **s. end**, brutta fine: He'll come to a s. end if he goes on like this, se va avanti così, farà una brutta fine □ **s.-fingered**, che ha le mani lunghe (fig.); ladro □ **a s. wicket**, (cricket) un wicket appiccicoso; (fig.) un brutto affare; una situazione difficile: **to be on a s. wicket**, trovarsi a mal partito.

stickybeak /'stɪkɪbiːk/ n. (fam. Austral. e NZ) ficcanaso; impiccione, impiccona.

♦**stiff**① /stɪf/ a. **1** rigido; duro; irrigidito; indolenzito; (fig.) austero, freddo, rigoroso, severo: He has a s. arm, ha un braccio rigido; **a s. collar**, un colletto duro; **to feel s. after climbing a mountain**, sentirsi indolenzito dopo una scalata; **s. manners**, maniere rigide; modi sostenuti; The lock is s., la serratura è dura; The steering is s., lo sterzo è duro; **a s. sentence**, una dura condanna; **a s. punishment**, una severa punizione **2** compatto; denso; spesso; sodo (cucina) consistente: **s. paste**, pasta densa, spessa; **s. soil**, terreno compatto, sodo; **to beat egg whites until s.**, montare a neve chiare d'uovo **3** forte; gagliardo; violento: I could do with a s. drink, mi ci vorrebbe qualcosa di forte (o un bicchiere di roba forte); **a s. wind**, un vento gagliardo; **a s. dose of medicine**, una forte dose di medicina **4** difficile; arduo; erto; scosceso: **a s. assignment**, un compito difficile; **a s. climb**, un'ardua scalata; un'arrampicata difficile; (in bicicletta) una salita dura; **a s. subject**, una disciplina difficile; **a s. slope**, un erto pendio **5** (fam.) eccessivo; assurdo: It's a bit s. to expect him to apologize, è un po' eccessivo pensare che chieda scusa **6** (fam.: di prezzo) esorbitante; salato: **a s. price**, un prezzo salato **7** (fin.) sostenuto; tendente al rialzo; **a s. market**, un mercato sostenuto, tendente al rialzo **8** (fam.) pieno zeppo; affollato **9** (sport: di un atleta) legnoso **10** (slang) ubriaco; sbronzo (pop.) ● (rugby, ecc.) **s.-arm**, respinta (dell'avversario) a braccio teso □ **s.-backed**, dalla schiena rigida; (fig.) tutto di un pezzo □ (di cavallo) **s. bit**, morso rigido (non snodato) □ (comm.) **s. competition**, concorrenza dura □ **s. conditions**, condizioni dure, sfavorevoli □ **a s. denial**, un netto diniego; un secco rifiuto □ (med.) **s. joint**, anchilosi □ (med.) **s. neck**, torcicollo □ (fig.) **s.-necked**, cocciuto, ostinato, testardo; (anche) altezzoso, superbo □ **a s. salute**, un saluto compassato □ **a s. shirtfront**, uno sparato inamidato □ **a s. smile**, un sorriso agro, a labbra strette □ (slang) **a s. 'un**, un veterano; (anche) un cadavere □ (fig.) **a s. upper lip**, impassibilità; fermezza di carattere □ (fam.) **s.-upper-lipped**, chiuso (fig.); riservato; introverso; che sta sulle sue (fam.) □ **a s. whisky**, un whisky liscio □ (fam.) **to bore sb. s.**, annoiare q. a morte □ **to drive a s. bargain**, fare un contratto difficile; (fig.) battersi con le unghie e con i denti □ **to go s.**, irrigidirsi □ (fam.) **to have a s. job**, avere un bel da fare: I had a s. job to convince (o convincing) him, ce ne volle (del bello e del buono) per convincerlo □ (fig.) **to keep a s. upper lip**, restare impassibile; stare saldo; tener duro; resistere alla difficoltà; stringere i denti; non perdersi di coraggio (o d'animo) □ (fam.) **to scare sb. s.**, far morire q. di spavento.

stiff② /stɪf/ n. **1** (fam.) cadavere **2** (fam. USA) persona rigida (o fredda, compassata); mummia (fig.); musone **3** (fam. USA, = **big stiff**) buono a nulla; idiota; imbecille; stronzo (volg.) **4** (slang USA) titolo di credito; cam-

biale falsa; assegno falso; banconota; denaro **5** (slang USA) biglietto passato clandestinamente (in carcere) **6** (gergo: ipp.) cavallo dato perdente.

to **stiff** /stɪf/ v. t. (slang USA) **1** fregare (fam.); imbrogliare; truffare **2** lasciare (q.) senza mancia **3** inchiodare (pop.); non pagare (un creditore) **4** fare (q.) secco; uccidere; ammazzare **5** ignorare; snobbare.

to **stiff-arm** /'stɪfɑːm/ v. t. (rugby, ecc.) respingere (un avversario) a braccio teso.

to **stiffen** /'stɪfn/ Ⓐ v. t. **1** irrigidire (anche fig.); indurire; intirizzire; intorpidire: **to be stiffened by back trouble**, essere irrigidito dal mal di schiena; **to s. fabric** [**paper**], irrigidire stoffa [carta]; (econ.) **to s. the market**, irrigidire il mercato; His joints are stiffened by old age, la vecchiaia gli ha indurito le giunture **2** apprettare (un tessuto); inamidare: **to s. a shirtfront**, inamidare lo sparato di una camicia **3** (cucina) montare a neve: **to s. egg whites**, montare a neve chiare d'uovo (fig.) consolidare; rafforzare; rinforzare: (mil. e sport) **to s. the defence**, rafforzare la difesa; **to s. an army with fresh troops**, rinforzare un esercito con truppe fresche; **to s. one's resolve**, rafforzare la propria determinazione; irrigidirsi (fig.) **5** (fig.) rincuorare; sollevare: **to s. sb.'s morale**, sollevare il morale di q. **6** (fig.) inasprire (una legge, ecc.) **7** rendere più arduo, più difficile **8** (fin.) aumentare, alzare, crescere (prezzi, ecc.) **9** (fam.) rinforzare (con aggiunta d'alcol); correggere (una bevanda) Ⓑ v. i. **1** irrigidirsi (anche fig.); indurirsi; (di muscoli e sim.) indolenzirsi; intorpidirsi **2** rassodarsi; (di una sostanza) diventare consistente **3** (fig.: di una decisione, ecc.) rafforzarsi **4** (del vento) rinforzare: The wind is stiffening, il vento rinforza **5** (di un provvedimento) inasprirsi; (di un esame, ecc.) diventare più duro, più difficile **6** (fin.) aumentare, crescere: Retail prices have stiffened lately, di recente i prezzi al dettaglio sono aumentati.

stiffener /'stɪfnə(r)/ n. **1** chi inamida, chi dà l'appretto (a tessuti, ecc.); appretto **2** sostanza che indurisce, rinforza (→ **stiffening**) **3** (fam.) stimolante; tonico **4** (edil.) elemento di rinforzo (o irrigidimento).

stiffening /'stɪfnɪŋ/ n. **1** Ⓤ irrigidimento (anche fig.); indurimento; intorpidimento (delle membra, ecc.); (econ.) **the s. of the market**, l'irrigidimento del mercato **2** apprettatura; inamidatura (di una camicia, ecc.) **3** Ⓤ rassodamento; acquisto di consistenza (di una sostanza) **4** Ⓤ consolidamento; rafforzamento (di una decisione, ecc.) **5** Ⓤ inasprimento (di leggi, pene, ecc.) **6** Ⓤ (fin.) aumento (di prezzi) **7** (tecn.) rinforzo: (mecc.) **s. plate**, lamiera di rinforzo **8** (sartoria) rinforzo; teletta.

stiffie /'stɪfɪ/ n. **1** cartoncino d'invito **2** (volg., scherz.) erezione.

stiffish /'stɪfɪʃ/ a. alquanto rigido; piuttosto duro, ecc. (→ **stiff**①).

stiffly /'stɪflɪ/ avv. **1** rigidamente; duramente; severamente **2** cocciutamente; ostinatamente **3** in modo rigido, compassato, altezzoso **4** (fam.) eccessivamente; troppo.

stiffness /'stɪfnəs/ n. Ⓤ **1** rigidezza (anche mecc.); durezza; indolenzimento (di un muscolo) **2** (fig.) austerità; freddezza; rigore; severità **3** compattezza (del terreno); consistenza; densità; sodezza **4** forza, violenza (del vento, ecc.) **5** asperità; difficoltà (di un argomento, ecc.).

stiffy /'stɪfɪ/ n. → **stiffie**.

stifle /'staɪfl/ n. **1** (zool., = **s. joint**) grassella (articolazione della zampa posteriore dei quadrupedi) **2** Ⓤ (vet.) malattia della grassella ● **s.-bone**, rotula (o patella) del cavallo.

to **stifle** /'staɪfl/ **A** v. t. soffocare (*anche fig.*); reprimere; spegnere; trattenere: **to s. a yawn**, soffocare uno sbadiglio; **to s. a fire** [**a rebellion**], soffocare (*o* domare) un incendio [una rivolta]; **to s. one's anger**, reprimere l'ira; **to s. one's sobs**, reprimere (*o* trattenere) i singhiozzi **B** v. i. soffocare (*anche fig.*); morir soffocato; sentirsi mancare il respiro ● **to s. one's grief**, mettere a tacere il proprio dolore □ **to s. a rumour**, mettere a tacere una diceria □ **to s. sb. to death**, uccidere q. per soffocamento; far morire q. soffocato.

stifling /'staɪflɪŋ/ a. soffocante; afoso; opprimente: **s. heat**, caldo soffocante ● **It's a s. (hot) day**, è una giornata afosissima.

stigma ① /'stɪɡmə/ n. (pl. **stigmas**, **stigmata**) **1** (*bot.*, *zool.*) stigma **2** (*fig.*) stigma; marchio (*d'infamia*); disonore.

stigma ② /'stɪɡmə/ n. (pl. **stigmata**) **1** (*med.*) stigma **2** (pl.) (*relig.*) stimmate, stigmate: *St. Francis' stigmata*, le stigmate di San Francesco.

stigmatic /stɪɡˈmætɪk/ a. **1** (*bot.*, *zool.*) stigmatico; di stigma; provvisto di stigmi **2** (*med.*, *relig.*) che ha le stigmate **3** (*ottica*) stigmatico.

stigmatism /'stɪɡmətɪzəm/ n. ⓤ (*fisiol.*, *med.*) stigmatismo.

stigmatist /'stɪɡmətɪst/ n. (*relig.*) persona che ha le stigmate.

to **stigmatize** /'stɪɡmətaɪz/ v. t. **1** stigmatizzare; marchiare; bollare (*fig.*) **2** (*relig.*) produrre le stigmate su (*una persona*) ‖ **stigmatization** n. ⓤⓒ **1** stigmatizzazione; biasimo **2** (*relig.*) stigmatizzazione.

stilbite /'stɪlbaɪt/ n. (*miner.*) stilbite.

stile ① /staɪl/ n. **1** cavalcasiepe; gradini (*o* scaletta) per superare un muretto, uno steccato (*per es.*, *di un campo, un recinto di bestiame*) **2** (= **turnstile**) tornello; tornella.

stile ② /staɪl/ n. (*edil.*) montante verticale (*di porta, di finestra, ecc.*).

stiletto /stɪˈlɛtəʊ/ (*ital.*) n. (pl. **stilettos**, **stilettoes**) **1** stiletto; pugnale **2** punteruolo **3** (*fam.*) scarpa (*da donna*) con tacco a spillo **4** (*elettron.*) stiletto ● (*moda*) **s. heels**, tacchi a spillo □ **s. thrust**, stilettata.

to **stiletto** /stɪˈlɛtəʊ/ v. t. dare una stilettata a (q.); pugnalare.

♦**still** ① /stɪl/ **A** a. **1** calmo; quieto; cheto; immobile; fermo; silenzioso; tranquillo: *Keep (o Stand) s.!*, sta' fermo!; sta' quieto!; **s. air**, aria ferma; aria calma; **a s. night**, una notte tranquilla, senza vento; **the s. water of the lake**, le chete acque del lago; **s. streets**, strade silenziose **2** (*d'acqua minerale*) liscia; non gassata **3** (*di vino*) fermo; non spumante; non effervescente **4** (*sport*: *del pallone*) fermo; inattivo **B** n. ⓤ (*poet.*) calma; silenzio; quiete: **in the s. of the night**, nella quiete notturna; nel silenzio della notte **2** (*fam.*) fotografia fissa; posa **3** (*di un film*) fermo immagine; fotogramma (*pubblicitario*) ● (*naut.*) **s. bugle**, squillo di attenti □ (*arte*) **s. life** (pl. **s. lifes**), natura morta: **a s.-life painting**, una natura morta (*il quadro*) □ (*ginnastica*) **s. rings**, anelli fissi □ (*fig.*) **the s. small voice**, la voce della coscienza □ **as s. as the grave**, muto come una tomba □ **The storm was s. at last**, finalmente il temporale si placò □ (*prov.*) **S. waters run deep**, le acque chete rovinano i ponti.

♦**still** ② /stɪl/ **A** avv. **1** ancora; tuttora: *He is s. in bed*, è ancora a letto; *Was the doctor s. there when you came?*, c'era ancora il dottore quando arrivasti lì?; *He's s. working at over 70*, a settant'anni suonati, lavora ancora; *Have you s. got the same e-mail address?*, hai ancora lo stesso indirizzo e-mail?; *Is the kitchen s. open?*, la cucina è ancora aperta? **2** (con un compar.) anche; persino; ancora: *It was hot yesterday, but*

today it's s. hotter, faceva caldo ieri, ma oggi è anche più caldo **B** cong. tuttavia; eppure; pure; nondimeno: *He was very tired, s. he did not want to stop*, era molto stanco, e tuttavia non voleva fermarsi ● (*fam. ingl.*) **s. and all**, però; tuttavia □ (*sport*) **s. in the game** (*o* **in the match**), ancora in partita □ **s. less**, ancor meno □ **s. more**, ancor più.

still ③ /stɪl/ n. **1** (*chim.*, *ind.*) alambicco; storta; distillatore **2** (*ind.*) distilleria ● (*USA*) **s. house**, distilleria □ (*ind.*) **s. room**, sala di distillazione; cantina; dispensa.

to **still** ① /stɪl/ **A** v. t. **1** calmare; chetare; acquietare; placare: **to s. a baby's cries**, calmare un bimbo che piange **2** far tacere; zittire **B** v. i. calmarsi; acquietarsi; placarsi: *When the storm stills*, quando la tempesta si placherà.

to **still** ② /stɪl/ v. t. (*raro*) distillare, fabbricare (*liquori*).

stillage /'stɪlɪdʒ/ n. **1** asse; mensola; sostegno; supporto **2** ⓤ (*agric.*) trebbie (pl.) (*residuo di distillazione di cereali*) **3** (*trasp.*) pallet; contenitore **4** cavalletto, sedile (*per botti*).

stillbirth /'stɪlbɜːθ/ n. **1** ⓤⓒ (*med.*) parto di feto morto; nascita di un bambino morto **2** bambino nato morto ● (*demogr.*) **s. rate**, natimortalità.

stillborn /stɪl/ a. **1** (*di un bambino*) nato morto **2** (*fig.*: *di un progetto e sim.*) fallito in partenza; abortito.

stillness /'stɪlnəs/ n. ⓤ calma; quiete; immobilità; silenzio; tranquillità.

stilly /'stɪli/ a. (*poet.*) calmo; cheto; silente.

stilt /stɪlt/ n. **1** trampolo: **to walk on stilts**, camminare sui trampoli **2** palo; palafitta **3** (*zool.*, *Himantopus himantopus*; = **s.-bird**, **s.-plover**, **s.-walker**) cavaliere d'Italia; trampoliere ● **on stilts**, sui trampoli; (*fig.*) affettato, ampolloso, pomposo, artefatto, innaturale.

to **stilt** /stɪlt/ v. t. (*edil.*) erigere su pali; costruire su palafitte.

stilted /'stɪltɪd/ a. **1** montato su trampoli **2** (*edil.*) costruito su pali (*o* palafitte) **3** (*fig.*) affettato; ampolloso; pomposo; artificioso; innaturale: *His English sounds s.*, parla un inglese artificioso | **-ly** avv. | **-ness** n. ⓤ.

Stilton /'stɪltən/ n. (= **S. cheese**) «stilton» (*formaggio piccante, con venature bluastre*).

stimulant /'stɪmjʊlənt/ **A** a. stimolante; eccitante **B** n. **1** (*sostanza*) stimolante; eccitante: *He never takes stimulants*, non fa mai uso di eccitanti (*caffeina, ecc.*) **2** (*fig.*) stimolo, sprone, incentivo; incitamento.

♦to **stimulate** /'stɪmjʊleɪt/ v. t. **1** stimolare (*anche scient.*); incitare; incentivare: **to s. a country's economy**, stimolare l'economia di un paese; **to s. sb. to greater efforts**, incitare q. a compiere sforzi maggiori; (*econ.*) **to s. production**, incentivare la produzione **2** corroborare; rinvigorire ‖ **stimulating**, **stimulative** a. **1** stimolante; eccitante **2** corroborante; tonificante ‖ **stimulation** n. ⓤⓒ **1** stimolazione; stimolo; incitamento; incentivazione **2** (*scient.*) stimolazione, eccitazione.

stimulator /'stɪmjʊleɪtə(r)/ n. **1** (*anche med.*) stimolatore **2** (*farm.*) sostanza eccitante.

stimulus /'stɪmjʊləs/ (*lat.*) n. ⓒⓤ (pl. **stimuli**) stimolo (*anche scient.*); pungolo; incitamento; incentivo; impulso: **the s. of hunger**, lo stimolo della fame; **a s. to competition**, un incentivo alla concorrenza; **to give s. to industry**, dare impulso all'industria.

sting /stɪŋ/ n. **1** (*zool.*) pungiglione; aculeo: **the s. of the bee**, il pungiglione dell'ape **2** (*bot.*) aculeo; pelo urticante **3** puntura (*anche fig.*); pungolo; pungiglione; tormen-

to: **a wasp s.**, la puntura di una vespa; **the s. of satire**, il pungiglione (il veleno) della satira; **the stings of conscience**, il pungolo della coscienza; **the sting of envy**, il tormento dell'invidia **4** fitta di dolore; dolore acuto, pungente: **the s. of a cut**, il dolore acuto di un taglio **5** (*fig.*) pungolo; stimolo; sprone **6** (*fam.*) mordente; vigore **7** ⓤ (*fam.*) asprezza; acredine; veleno (*fig.*), velenosità; l'amaro: **the s. of sb.'s criticism**, la velenosità delle critiche di q.; **to take the s. out of defeat**, togliere di bocca l'amaro della sconfitta **8** (*fam.*) stangata (*fig.*); truffa all'americana **9** (*slang*) manovra per incastrare un criminale; operazione (*della polizia*) sotto copertura; trappola (*fig.*) **10** (*slang*) truffa; fregata; bidone (*fig.*) ● (*fig.*) **the s. of her tongue**, la sua lingua tagliente □ (*zool.*) **s.-ray → stingaree** □ **He felt the s. of the wind**, sentiva il soffio gelido del vento □ (*di consiglio, progetto, racconto, ecc.*) **It has a s. in its tail**, «in cauda venenum» (*lat.*).

to **sting** /stɪŋ/ (pass. e p. p. **stung**) **A** v. t. **1** pungere; (*fig.*) ferire, offendere, irritare, tormentare: *A bee has stung me on the neck*, un'ape mi ha punto sul collo; *The nettles stung her legs*, le ortiche le pungevano le gambe; *He was stung to the quick*, è stato punto sul vivo; **to be stung with envy** [**desire**], essere punto dall'invidia [dal desiderio]; *His conscience stings him sharply*, la coscienza lo tormenta dolorosamente **2** (*di serpente*) mordere (*fig.*) pungolare; incitare; stimolare; spingere: *My words stung him into action*, le mie parole lo spinsero ad agire **4** (*slang*) portar via; far pagare; spillare; fregare (*pop.*): *The seller stung me for 200 pounds*, il venditore mi ha fregato duecento sterline **B** v. i. **1** pungere; avere il pungiglione: *Drones don't s.*, i fuchi non pungono **2** dare fitte di dolore; dolere; bruciare (*fig.*): *My eyes are stinging from the smoke*, mi bruciano gli occhi per il fumo ● (*fam.*) **to be stung**, farsi imbrogliare (raggirare, fregare): *He got stung on that deal*, s'è fatto fregare in quell'affare.

stingaree /'stɪŋəriː/ n. (*zool.*, *Dasyatis pastinaca*) pastinaca comune.

stinger /'stɪŋə(r)/ n. **1** (*zool.*) insetto provvisto di pungiglione **2** (*bot.*) pianta munita d'aculei **3** (*zool.*) organo pungitore; aculeo; pungiglione **4** (*fam.*) colpo doloroso; forte percossa; gran botta **5** (*fam.*) osservazione pungente; frecciata; risposta pepata **6** (*slang USA*) inghippo; trucco.

stinging /'stɪŋɪŋ/ a. **1** pungente (*anche fig.*); mordace: **a s. thorn**, una spina pungente; **a s. remark**, un'osservazione pungente **2** doloroso; forte; grave: **a s. blow**, un forte colpo; una gran botta; **a s. insult**, un grave insulto **3** (*bot.*) urticante: **s. hair**, pelo urticante (*per es., dell'ortica*) ● (*bot.*) **s. nettle** (*Urtica dioica*), ortica | **-ly** avv.

stingless /'stɪŋləs/ a. **1** senza pungiglione; senza aculeo **2** (*fam.*) privo di mordente; senza vigore.

stingray /'stɪŋreɪ/ n. → **stingaree**.

stingy /'stɪndʒi/ a. **1** avaro; gretto; spilorcio; taccagno; tirchio **2** scarso; insufficiente; da poco: **a s. meal**, un pasto insufficiente ● **to be s. with one's money**, lesinare i soldi ‖ **stingily** avv. avaramente; con tirchieria; con taccagneria ‖ **stinginess** n. ⓤ **1** avarizia; grettezza; spilorceria; taccagneria; tirchieria **2** scarsità; insufficienza.

stink /stɪŋk/ n. **1** fetore; cattivo odore; puzzo; tanfo **2** (*slang*) casino; putiferio; can can; polverone; pandemonio **3** (pl.) (*gergo studentesco, antiq.*) chimica ● **s. bomb**, bombetta (*o* fialetta) puzzolente □ (*bot.*) **s.-horn** (*Phallus impudicus*), satirione; piscacane □ (*geol.*) **s.-stone**, roccia maleodorante □ **s.-trap**, sifone trattenitore (*di fogna*) □

◆to **stink** /stɪŋk/ (pass. **stank**, **stunk**, p. p. **stunk**), v. i. **1** puzzare; essere fetido; mandare cattivo odore: *The kitchen stank of fish*, la cucina puzzava di pesce **2** (*slang*) fare schifo; essere uno schifo: *The whole idea stinks*, la cosa fa proprio schifo **3** (*slang: di persona*) essere odioso; essere schifoso, fetente (*pop.*) **4** (*slang*) essere poco chiaro; essere sospetto; puzzare (*fig.*): *His latest scheme stinks*, c'è qualcosa che puzza nel suo ultimo progetto ● (*fig.*) **to s. of corruption**, puzzare di corruzione □ (*fam.*) **to s. of money**, essere ricco da far schifo; essere ricco sfondato □ **to s. sb. out**, costringere q. a uscire all'aperto per via del fetore □ **to s. st. out** (*o* **up**), riempire qc. di puzzo; impuzzolire; ammorbare; appestare: *His cigar has stunk the compartment out*, il suo sigaro ha appestato lo scompartimento □ (*fam.*) **to s. to high heaven**, fare un puzzo da soffocare □ (*fam.*) **I can s. it a mile off**, ne sento il puzzo a un miglio di distanza.

stinkard /'stɪŋkəd/ n. (*spreg.*) puzzone, puzzona; animale che puzza.

stinker /'stɪŋkə(r)/ n. **1** (*fam.*) persona (*o* animale) puzzolente **2** (*slang*) lettera offensiva; letteraccia **3** (*slang*) individuo spregevole; fetente; carogna (*fig.*) **4** (*slang*) (una) schifezza; (uno) schifo; (una) porcheria **5** (*slang*) osso duro; cosa difficile; brutta grana **6** (*zool., fam.*) procellaria; uccello delle tempeste.

stinking /'stɪŋkɪŋ/ a. **1** puzzolente; fetente; fetido **2** (*slang*) disgustoso; sgradevole; spiacevole; che fa schifo; schifoso ● (*fam.*) **a s. cold**, un terribile raffreddore □ (*fam.*) **s. rich**, ricco sfondato □ **to cry s. fish**, deprezzare la propria merce (*fig.*).

stinkpot /'stɪŋkpɒt/ n. **1** (*stor.*) pentola piena di zolfo acceso (*che veniva scagliata sul ponte d'una nave nemica*) **2** (*slang*) puzzone, puzzona; fetente; carogna **3** (*slang USA*) automezzo (*o* imbarcazione) che produce forti fumi di scarico; nave a vapore che emette fumi.

stint① /stɪnt/ n. **1** 🔤 limite; restrizione: **without s.**, senza limite; senza restrizione **2** compito prefisso; lavoro assegnato: **one's daily s.**, il proprio lavoro quotidiano **3** periodo di lavoro: *I did a s. as a door-to-door seller*, ho lavorato per un certo tempo come venditore porta a porta.

stint② /stɪnt/ n. (*zool., Erolia alpina*) piovanello pancianera.

to **stint** /stɪnt/ Ⓐ v. t. **1** tenere a stecchetto **2** lesinare; limitare; razionare; dare a malincuore; fare a stento: **to s. money**, lesinare il denaro Ⓑ v. i. imporsi restrizioni; stare a stecchetto ● **to s. oneself**, stare a stecchetto, tirare la cinghia; privarsi: **to s. oneself for one's family**, sottoporsi a privazioni per la propria famiglia; **to s. oneself of necessities**, privarsi del necessario □ **to s. (on) the sugar**, fare economia di zucchero (*offrendo qc.*) **Don't s. yourself!**, non fare (*o* non faccia) complimenti!; serviti (*o* si serva) pure!

stipe /staɪp/ n. **1** (*bot.*) stipite; gambo **2** (*zool.*) peduncolo.

stipel /'staɪpl/ (*bot.*) n. stipola (*di fogliolina*) ‖ **stipellate a.** stipolato.

stipend /'staɪpɛnd/ n. **1** stipendio; retribuzione **2** (*USA*) borsa di studio o di addestramento **3** (*spec., relig.*) congrua.

stipendiary /staɪˈpɛndɪərɪ/ a. **1** stipendiato; retribuito **2** (*di prete*) che riceve la congrua ● (*leg.*) **s. magistrate**, giudice, magistrato di carriera (*nominato dal Ministro del-*)

l'Interno; la carica di magistrato è per lo più onoraria in GB; cfr. **justice of the peace**, *sotto* **justice**).

stipes /'staɪpiːz/ n. (pl. **stipites**) (*zool.*) peduncolo.

stipple /'stɪpl/ n. **1** (*arte, edil.*) disegno (*o* dipinto) a puntini (*l'opera*) **2** (*pitt.*) puntinismo **3** (*tipogr.*) incisione a retino.

to **stipple** /'stɪpl/ v. t. **1** (*arte, edil.*) disegnare (*o* dipingere) a puntini; punteggiare; ombreggiare **2** (*tipogr.*) incidere a retino.

stippling /'stɪplɪŋ/ n. **1** 🔤 (*pitt.*) disegno (incisione, ecc.) a puntini; ombreggiatura (*la tecnica*); puntinismo **2** (*tipogr.*) incisione a retino.

stipulate /'stɪpjʊlət/ a. (*bot.*) stipolato.

to **stipulate** /'stɪpjʊleɪt/ v. t. e i. stabilire (*per contratto*); pattuire; convenire; accordarsi su; (*leg.*) stipulare; esigere come condizione essenziale: **to s. a price**, accordarsi su un prezzo; **to s. a guarantee**, pattuire una garanzia; *The contract stipulates that the buyer shall pay all freight charges*, il contratto stabilisce che tutte le spese di nolo siano a carico del compratore ❶ FALSI AMICI ● *nell'inglese attuale* to stipulate *non significa* stipulare.

stipulated① /'stɪpjʊleɪtɪd/ a. (*leg.*) convenuto; pattuito; stabilito ● (*ass.*) **s. damages**, danni la cui liquidazione è stabilita da una clausola; (*anche*) penale.

stipulated② /'stɪpjʊleɪtɪd/ a. (*bot.*) stipolato.

stipulation /stɪpjʊ'leɪʃn/ n. (*leg.*) **1** 🔤 stipulazione; stipula **2** condizione (*o* clausola) essenziale: **on the s. that…**, a condizione che…

stipule /'stɪpjuːl/ n. (*bot.*) stipola.

stir① /stɜː(r)/ n. **1** rimescolata; rimestata **2** (*fig.*) movimento; animazione; agitazione; confusione; eccitazione; scompiglio; subbuglio; trambusto: *The crowd was in a s.*, la folla era in agitazione; *There was a great s. in the town*, la città era tutta in subbuglio **3** (*econ., fin.*) gran movimento (*di prezzi, corsi azionari, ecc.*) ● **It** (*o* **he**) **has made a great s.**, ha fatto una gran sensazione; ha fatto colpo □ **Give the fire a s.**, attizza un po' il fuoco!

stir② /stɜː(r)/ n. 🔤 (*slang*) carcere; prigione; gattabuia: **to be in s.**, essere in gattabuia ● (*slang USA*) **s.-crazy**, fuori di testa per la lunga prigionia; (*per estens.*) che dà i numeri (*perché è obbligato a stare a casa, ecc.*).

◆to **stir** /stɜː(r)/ Ⓐ v. t. **1** agitare; increspare; muovere; scuotere; rimescolare; rimestare: *A light breeze stirred the curtains*, una leggera brezza muoveva le tendine; **to s. (up) tea [the soup]**, rimescolare il tè [rimestare la zuppa]; *Not a breath stirred the lake*, non un alito di vento increspava il lago; *He stirred the log*, mosse (*o* spostò) il ceppo **2** (*spesso* **to s. up**) eccitare; incitare; irritare; fomentare; suscitare; scuotere (*fig.*): **to s. sb.'s imagination [interest]**, eccitare la fantasia [suscitare l'interesse] di q.; **to s. sb. to action**, incitare q. ad agire; **to s. up a rebellion**, fomentare una rivolta **3** attizzare (*il fuoco; anche fig.*): *He stirred (up) hatred in the natives for the colonialists*, attizzò l'odio degli indigeni per i colonialisti Ⓑ v. i. **1** agitarsi; muoversi; spostarsi; mutar di posto: *'The people stirred restlessly in their beds and wanted the morning'* J. STEINBECK, 'la gente a letto era irrequieta e non vedeva l'ora che si facesse giorno'; *New forces are stirring in our society*, nuove forze si agitano nella nostra società **2** essere in piedi; esser già alzato; essere attivo: *He is not stirring yet*, non s'è ancora alzato (dal letto) **3** (*fam.*) soffiare sul fuoco (*fig.*); spargere pettegolezzi; fare il mestatore; seminare zizzania (*sparlando di q.*) ● **to s. sb.'s**

blood, far bollire (*o* rimescolare) il sangue a q.; eccitare q.; entusiasmare q. □ (*fam.*) **to s. one's stumps**, affrettarsi; sbrigarsi; spicciarsi; muovere le gambe □ **to s. sb. to the depths**, commuovere profondamente q. □ **to s. sb.'s wrath**, suscitare l'ira di q.; mandare q. in collera □ **not to s. an eyelid**, restare impassibile; non muover ciglio □ **not to s. a finger**, non muovere un dito (*per aiutare q.*).

■ **stir about** v. t. + avv. agitare, mescolare, rimescolare (*un impasto, ecc.*).

■ **stir abroad** v. i. + avv. muoversi di casa; andare fuori (*o* in giro).

■ **stir around** → **stir about**.

■ **stir in** v. t. + avv. aggiungere mescolando: *S. in the egg whites!*, aggiungete gli albumi e rimescolate!

■ **stir into** v. t. + prep. aggiungere in, mescolando; (*cucina*) incorporare in: **'S. the beaten eggs into the flour'** (*istruzione*), 'incorporare le uova sbattute nella farina'.

■ **stir up** v. t. + avv. **1** muovere; smuovere; sollevare: **to s. up the mud in a river**, sollevare il fango di un fiume **2** agitare; mescolare; rimestare: **to s. up the eggs with the milk**, rimestare le uova con il latte **3** (*fig.*) eccitare; incitare; sobillare; fomentare (*la volta, ecc.*); attizzare (*l'odio, ecc.*) (→ **to stir**, Ⓐ, def. 2 e 3) □ (*fig. fam.*) **to s. it up**, fare il mestatore; agitare le acque (*fig.*); mettere zizzania □ (*fig. fam.*) **to s. up a hornet's nest**, sollevare un vespaio □ (*fam.*) **to s. up mud**, sollevare del fango (*fig.*); sollevare uno scandalo □ **to s. up support**, creare consenso (*nel popolo, ecc.*).

stirabout /'stɜːrəbaʊt/ n. **1** persona indaffarata **2** (*cucina*) porridge.

stir-fry /stɜː'fraɪ/ (*cucina*) Ⓐ a. saltato in padella Ⓑ n. pl. – **stir-fries**, piatti di cose saltate in padella.

to **stir-fry** /stɜː'fraɪ/ (*cucina*) v. t. saltare (*alimenti*) in olio bollente ‖ **stir-frying** n. 🔤 frittura al salto.

stirps /stɜːps/ n. (pl. **stirpes**) **1** (*leg.*) progenitore (*d'una famiglia*); capostipite **2** (*biol.*) famiglia.

stirrer /'stɜːrə(r)/ n. **1** chi agita; chi rimescola **2** eccitatore; incitatore; provocatore **3** (*tecn.*) agitatore (*arnese*) **4** (*fam.*) malalingua; mestatore; seminatore di zizzania ● **an early s.**, uno che si alza di buon mattino.

stirring /'stɜːrɪŋ/ Ⓐ a. **1** eccitante; emozionante; commovente; stimolante; che tocca l'anima: **s. events**, avvenimenti emozionanti; **s. music**, musica che tocca l'anima **2** attivo; energico: **to lead a s. life**, far vita attiva Ⓑ n. 🔤 **1** agitazione; scuotimento **2** (= **s. up**) rimescolamento ● **a s. speech**, un discorso elettrizzante □ **s. times**, tempi agitati.

stirrup /'stɪrəp/ n. **1** (= **s. iron**) staffa (*della bardatura del cavallo*) **2** (*edil.*) staffa **3** (*ind. min.*) staffa d'arresto **4** (*alpinismo, USA*) staffa (*cfr. ingl. étrier*) ● (*equit.*) **s. bar**, panca della staffa □ (*anat.*) **s. bone**, staffa (*dell'orecchio*) □ (*spec. fig.*) **s. cup**, bicchiere della staffa □ **s. eye**, occhio della staffa □ (*equit.*) **s. iron**, staffa □ **s. leather**, staffile; cinghia della staffa □ **s. pump**, piccolo estintore portatile (*provvisto di staffa per infilarvi un piede con il tuo tenerlo fermo*) □ (*baseball*) **s. sock**, calza con reggicalze □ **s. strap** = **s. leather** *sopra*.

stitch /stɪtʃ/ n. **1** punto (*di cucito, di ricamo, dato da un medico, ecc.*): *She's learning a new s.*, sta imparando un punto nuovo; *The doctor put stitches in his leg*, il medico gli diede dei punti nella gamba **2** maglia (*fatta sferruzzando*): **to add a s.**, aumentare una maglia; **to drop a s.**, lasciar cadere (*o* calare) una maglia (*per errore*); diminuire (*o* scalare) una maglia; **to take up a s.**, riprendere una maglia **3** (*legatoria*) cucitura (*di un libro*): **thread s.**, cucitura a filo di refe **4** (*so-*)

lo al sing.) puntura al fianco; fitta di dolore al fianco: *I've got a s.*, ho una fitta al fianco **5** (*fam.*) straccio; cencio; indumento: *He wasn't wearing a s.*, non aveva un cencio addosso **6** (*slang USA*) persona buffa; cosa divertente; persona (*o* cosa) che fa morire dal ridere; (uno) spasso ● (*tecn.*) **s. rivet**, chiodatura □ (*metall.*) **s. welding**, saldatura a punti sovrapposti □ **s. wheel**, ruota da sellaio (*per aprire fori nel cuoio*) □ (*fam.*) **to be in stitches**, ridere a crepapelle; sbellicarsi dal ridere □ (*fam. USA*) **not to have a s. to one's back**, non avere il becco di un quattrino □ (*fam.*) **He hasn't done a s. of work**, non ha fatto neanche tanto così di lavoro □ **He didn't have a dry s. on him**, era bagnato fradicio; era bagnato fino alle ossa □ (*prov.*) **A s. in time saves nine**, un punto in tempo ne risparmia cento.

to **stitch** /stɪtʃ/ **v. t. e i. 1** cucire (*stoffa, ecc.*) **2** impuntire (*materassi, cuoio, ecc.*) **3** (*med.*) suturare ● **to s. a button on a shirt**, attaccare un bottone a una camicia.

■ **stitch on** v. t. + avv. **1** attaccare (con l'ago); mettere su (*fam.*): *The collar hasn't been stitched on properly*, il colletto è stato messo su male **2** (*sartoria*) applicare, riportare (*una tasca, ecc.*).

■ **stitch onto** v. t. + prep. attaccare (con l'ago) a: **to s. the buttons onto a pair of trousers**, attaccare i bottoni a un paio di calzoni.

■ **stitch up** v. t. + avv. **1** chiudere cucendo; rammendare (*un buco, uno strappo, ecc.*) **2** (*med.*) dare dei punti a, suturare (*una ferita, ecc.*) **3** (*fig.*) ricucire, rimediare a (*una lite, ecc.*) **4** (*fig.*) combinare, coprire, insabbiare; concludere in modo soddisfacente (*un accordo, un affare, ecc.*) **5** (*slang*) incastrare (*un innocente, ecc.*) **6** (*slang*) fregare; bidonare; tirare il bidone a (q.) **7** (*slang*) sgominare; sconfiggere □ **to s. up on the machine**, rammendare a macchina.

stitcher /'stɪtʃə(r)/ **n. 1** chi cuce; cucitore, cucitrice **2** (*legatoria*) cucitrice (*macchina*).

stitchery /'stɪtʃərɪ/ **n.** [U] lavoro di cucito.

stitching /'stɪtʃɪŋ/ **n.** [U] **1** cucitura (*di una scarpa, ecc.*); impuntura **2** (*med.*) sutura **3** (*tecn.*) saldatura a tratti.

stitch-up /'stɪtʃʌp/ **n.** (*slang*) **1** incastrata; trappola (*della polizia*); manovra subdola; montatura **2** fregata; bidone (*fig.*).

stitchwork /'stɪtʃwɜːk/ **n.** [U] lavoro di cucito; ricamo.

stitchwort /'stɪtʃwɜːt/ **n.** (*bot., Stellaria*) stellaria.

stithy /'stɪðɪ/ **n.** (*poet.*) **1** incudine **2** fucina; bottega di fabbro ferraio.

stiver /'staɪvə(r)/ **n.** (*stor.*) «stuiver» (*antica moneta olandese, di scarso valore*).

STN sigla (*comput.*, **supertwist nematic**) STN (→ **supertwist**).

stoa /'stəʊə/ **n.** (pl. *stoas*, *stoae*) (*stor., archit.*) stoa; portico d'Atene.

stoat /stəʊt/ **n. 1** (*zool., Mustela erminea*) ermellino **2** (*fig., spreg.*) uomo infido; tipo sleale; traditore **3** (*spreg.*) satiro (*fig.*); tipo sempre arrapato.

stochastic /stɒ'kæstɪk/ **a. 1** (*stat.*) stocastico; aleatorio; casuale: **s. variable**, variabile stocastica **2** (*mus.*) stocastico.

♦**stock** /stɒk/ [A] **n. 1** ceppo; ciocco; fusto; tronco (*d'albero*) **2** (*agric.*) pianta che ha subito un innesto; pianta da cui si prelevano gli innesti **3** (*di fucile, ecc.*) calcio; (*di cannone*) affusto **4** (*della frusta*) manico; impugnatura **5** (*dell'aratro, dell'ancora*) ceppo **6** (*in genere*) base; sostegno; supporto: **the s. of the anvil**, la base (*o* il ceppo) dell'incudine **7** (*della pialla*) corpo **8** (*di una ruota*) mozzo **9** ceppo d'una famiglia; capostipite; (*leg.*) progenitore **10** [U] discendenza; famiglia; etnia; razza; schiatta; stirpe; origine: *He comes of good* [*poor*] *s.*, è di buona famiglia [di famiglia povera]; **of Roman Catholic s.**, d'origine cattolica; **of Scottish s.**, di stirpe scozzese **11** [U] (*ind.*) materia prima; materiale grezzo: **paper s.**, materia prima per la fabbricazione della carta (*stracci, ecc.*) **12** [CU] brodo ristretto (*di carne o di verdura*): **chicken s.**, brodo di pollo **13** provvista; scorta; riserva; (*fig.*) bagaglio (*di idee, ecc.*): *They laid in stocks of food for the winter*, fecero provviste di cibo per l'inverno; *He has a good s. of brandy*, ha una buona riserva di brandy **14** [U] (*econ.*) fondo di beni; patrimonio: **s. of money**, massa monetaria (*del sistema economico*) **15** [U] (*econ.*, = **livestock**) scorte vive; bestiame **16** [UC] (*comm., org. az.*) stock; giacenza, provvista, scorta; merce in magazzino; (= **s. left**, **stocks**) rimanenze: *We don't have these goods in s.*, non abbiamo scorte di questa merce; questa merce non è disponibile; *All the sizes in s. are on display*, tutte le scarpe disponibili sono in esposizione; **a large s. of goods on hand**, un grosso stock di merce a disposizione; **average s.**, giacenza media; **old s.**, fondi di magazzino **17** [U] (*fin.*, = **joint s.**) capitale azionario (*o* sociale); (collett.) azioni, obbligazioni, titoli, valori mobiliari: *Last year this s. gained ten per cent*, l'anno scorso questo capitale azionario ebbe una plusvalenza del dieci per cento; **voting s.**, azioni con diritto di voto; **to buy s.**, comprare azioni (*o* titoli); **government s.**, titoli di stato; **marketable s.**, titoli negoziabili; titoli quotati in Borsa **18** [U] (*fig.*) credito; popolarità: *The government's s. fell sharply*, la popolarità del governo calò drasticamente **19** (*fin., ingl.*) quota sociale; partecipazione azionaria **20** (*fin., USA*) azione (*cfr. ingl.* **share**①, *def. 2*): **capital s.**, azione ordinaria; **preferred s.**, azione privilegiata **21** (*market.*) stock, blocco, partita (*di merce*); *They are selling the whole s.*, vendono tutto in blocco **22** (al pl.) (*fin.*) azioni (completamente versate); titoli di stato; valori mobiliari; obbligazioni; buoni del tesoro **23** (al pl.) (*fin., fam. ingl.*) – **the stocks**, le rendite vitalizie **24** (al pl.) (*stor.*) ceppi; gogna, berlina (*anche fig.*): *The thief was put in the stocks*, il ladro fu messo alla gogna (*o* alla berlina) **25** (al pl.) (*naut.*) intelaiatura; taccate: *The ship was on the stocks*, la nave era sulle taccate (*o* in cantiere di costruzione o di raddobbo) **26** (*stor., mil.*) collare rigido (*di cuoio, ecc.*) **27** (*teatr., pubbl., TV*) repertorio: **a s. play**, un dramma di repertorio **28** (*tipogr.*) (tipo o quantità di) carta **29** [U] (*ferr.*) materiale; impianti (pl.): **rolling s.**, materiale rotabile **30** (*mecc.*) portacuscinetti; portafiliere **31** (*bot., Matthiola incana*) violaciocca **32** [U] (*a carte*) mazzo (*delle carte dopo la distribuzione*) [B] **a. 1** comune; usuale; abituale; standard: **a s. greeting**, un saluto usuale; **a s. size**, una misura standard **2** banale; scontato; trito: **a s. excuse**, una scusa scontata **3** (*comm.*) di formato (*o* misura) normale; di tipo corrente **4** (*fin.*) azionario; sociale: **s. capital**, capitale azionario (*o* sociale) **5** (*zootecnia*) da riproduzione: **a s. mare**, una cavalla da riproduzione ● (*fin.*) **s. account**, conto capitale □ (*rag.*) **s. accounting**, contabilità di magazzino □ (*fin.*) **stocks and bonds**, azioni e obbligazioni □ (*fin.*) **stocks and shares**, valori mobiliari; titoli □ (*Borsa*) **s. arbitrage**, arbitraggio su titoli □ **s.-blind**, del tutto cieco □ **s. bonus**, gratifica in azioni (*ai dipendenti*) □ (*rag.*) **s. book**, libro magazzino (*o* di carico e scarico) □ (*sport*) **s. car**, stock car: **s.-car racing**, gare di stock car □ **s. card**, scheda di magazzino □ (*fin.*) **s. certificate**, certificato azionario □ **s. clerk**, magazziniere □ **s. company**, (*fin.*) società per azioni; (*teatr.*) compagnia di repertorio □ (*org. az.*) **s. control**, controllo del livello delle scorte □ (*fin., USA*) **s. corporation**, società per azioni □ **s. cube**, dado da brodo □ (*banca*) **s. department**, ufficio titoli □ (*zool.*) **s. dove** (*Columba oenas*), colombella □ (*fin.*) **s. exchange**, borsa valori: (*in GB*) **to be on the S. Exchange**, essere un membro della Borsa Valori di Londra □ (*fin.*) **s. exchange account**, ciclo operativo della borsa □ (*fin.*) **S. Exchange Automated Quotations system** (abbr. **SEAQ**), sistema computerizzato di quotazioni di borsa (*a Londra*) □ (*fin.*) **s. exchange index** [**list, operator, quotation**], indice [listino, operatore, quotazione] di borsa □ **s. farm**, fattoria per l'allevamento del bestiame □ **s. farmer**, allevatore di bestiame □ **s. farming**, allevamento del bestiame □ (*cinem.*) **s. film sequence**, sequenza di repertorio □ (*cinem., TV*) **s. footage**, materiale d'archivio; materiale di repertorio □ (*fin.*) **s. fund**, fondo (comune d'investimento) azionario □ **s.-in-trade**, (*org. az.*) merce in magazzino, scorte mercantili; (*rag.*) capitale d'esercizio, attrezzature e impianti, beni strumentali; (*fig.*) armamentario, ferri del mestiere, attributo essenziale □ (*fin.*) **s. issue**, emissione di azioni □ **s. list**, (*fin., USA*) listino di Borsa; listino valori; (*org. az.*) elenco delle scorte □ (*org. az.*) **s. management**, gestione delle scorte □ **s. market**, (*fin.*) mercato azionario (*o* mobiliare); mercato dei titoli finanziari; borsa valori; (*market.*) mercato del bestiame: **s. market crash**, crollo delle quotazioni di Borsa □ (*fin.*) **s. market tendency** (*o* **trend**), andamento borsistico □ (*fin.*) **s. option**, diritto di opzione, opzione di sottoscrizione □ (*giorn.*) **s. photo**, foto d'archivio □ **s. phrase**, frase fatta; formula; espressione stereotipata □ (*di un recinto*) **s.-proof**, a prova di bestiame □ (*Borsa*) **a s. plunge**, un crollo (*o* un calo repentino) dei titoli □ (*fin.*) **s. right**, diritto di opzione □ **s. room**, magazzino □ (*market.*) **s. rooms**, sale di esposizione □ (*USA*) **s. saddle**, sella da cowboy □ **a s. speech**, un discorso di circostanza □ (*fin.*) **s. split** (*o* **splitting**), frazionamento azionario □ **s.-still**, fermo; impalato; immobile □ (*lavori a maglia*) **s. stitch**, punto calza; punto rasato: *Alternate rows of plain and purl are called s. stitch*, file alterne di punti diritti e punti a rovescio si chiamano 'punto calza' □ (*Borsa*) **s. ticker**, teleborsa □ (*fin.*) **s. transfer**, trasferimento (*o* cessione) di titoli □ (*org. az.*) **s. turnover**, (indice di) rotazione delle scorte □ (*fin.*) **s. warrant**, certificato azionario; certificato di diritto di opzione □ (*fin.*) **s. watering**, annacquamento del capitale □ **s. whip**, frusta dal manico corto □ (*market.: di merce*) **in s.**, in magazzino; disponibile □ (*fig.*) **to be on the stocks**, essere in allestimento; essere in preparazione □ (*market.*) **out of s.**, esaurito: *This article is out of s.*, questo articolo è esaurito □ (*org. az.*) **to take s.**, fare l'inventario □ **to take s. in**, (*fin.*) acquistare azioni di (*una società*); (*fig.*) aver fiducia in, dare importanza a □ (*fig.*) **to take s. of a person**, studiare il carattere di una persona □ (*fig.*) **to take s. of the situation**, valutare attentamente la situazione; fare il punto della situazione.

to **stock** /stɒk/ [A] **v. t. 1** approvvigionare; fornire; rifornire; provvedere; (*org. az.*) stoccare: *We are well stocked with printing paper*, siamo ben riforniti di carta da stampare; **a well-stocked larder**, una dispensa ben fornita **2** (*comm.*) esser provvisto di, tenere, avere (*certa merce, ecc.*): *We don't s. outsizes*, non teniamo le taglie forti **3** (*fin.*) emettere azioni di (*una società*) **4** munire (*un cannone*) d'affusto; collocare (*il vomere*) sul ceppo; provvedere (*qc. in genere*) di base (*o* di sostegno, di supporto) **5** provvedere (*una fattoria*) di bestiame **6** (*agric.*) seminare (*il terreno*) a erba (*o* a foraggio) **7** (*stor.*) mettere in ceppi (*o* alla gogna) [B] **v. i.** (*di pianta*) germogliare ● **to s. up**, riempire, rifornire; (*comm.*) riapprovvigionarsi, rinno-

vare lo stock (o le scorte): **to s. up the fridge**, riempire il frigo □ **to s. up on** (o **with**), fare provvista di; (di un negozio) rinnovare le scorte di (articoli da vendere) □ (comm.) **to be well stocked up with st.**, avere una buona scorta di qc.; (di un negozio, ecc.) avere un buon assortimento di qc.

stockade /stɒˈkeɪd/ n. **1** staccionata; palizzata; steccato; stecconata **2** (USA) prigione militare.

to **stockade** /stɒˈkeɪd/ v. t. difendere (fortificare) con una palizzata; recingere con uno steccato; stecconare.

stockbreeder /ˈstɒkbriːdə(r)/ n. allevatore di bestiame ‖ **stockbreeding** n. ⒰ allevamento di bestiame.

stockbroker /ˈstɒkbrəʊkə(r)/ (fin.) n. mediatore di borsa; agente di cambio; operatore di borsa; scambista ● **s. belt**, periferia residenziale di gente danarosa ‖ **stockbrokerage, stockbroking** n. ⒰ intermediazione mobiliare; attività (o lavoro) di mediatore di borsa.

stockcar /ˈstɒkkɑː(r)/ n. (ferr., USA) carro bestiame.

stockfish /ˈstɒkfɪʃ/ n. **1** (zool.) (pl. **stockfish, stockfishes**) nasello del Sud Africa **2** ⒰ stoccafisso; baccalà.

stockholder /ˈstɒkhəʊldə(r)/ n. **1** (fin.) azionista **2** (Austral.) grosso allevatore di bestiame ● (fin.) **stockholders' committee**, comitato esecutivo (di una società).

Stockholm /ˈstɒkhəʊm/ n. (geogr.) Stoccolma.

stockiness /ˈstɒkɪnəs/ n. ⒰ robustezza; l'essere tarchiato (o tozzo).

stockinet, stockinette /stɒkɪˈnɛt/ n. **1** ⒰ (ind. tess.) tessuto elastico a maglia **2** ⒰ (cucito) punto a maglia rasata **3** indumento di tessuto elastico a maglia.

stocking /ˈstɒkɪŋ/ n. **1** calza (lunga): **a pair of stockings**, un paio di calze; **nylon stockings**, calze di nailon **2** (calcio, scherma) calzettone **3** (del cavallo) balzana **4** (USA) **s. cap**, berretto di lana a cono con pompon □ **s. filler**, piccolo regalo da mettere nella calzetta di Babbo Natale □ **s. foot**, piede della calza □ **s. frame** (o **s. loom**), telaio per maglieria □ **s. mask**, maschera formata da una calza di nailon (indossata da malviventi) □ (cucito) **s. stitch**, punto calza □ (USA) **s. stuffer** = **s. filler** → sopra □ (fig. spreg.) **blue s.**, donna intellettuale, intellettualoide ● **He is** (o **stands**) **six feet in his stockinged feet**, è alto sei piedi (m 1,82 circa) senza scarpe.

stockinged /ˈstɒkɪŋd/ a. che porta le calze.

stockingless /ˈstɒkɪŋləs/ a. senza calze; a piedi nudi.

stockist /ˈstɒkɪst/ n. (comm.) **1** blocchista; grossista **2** fornitore, venditore, distributore (di un prodotto).

stockjobber /ˈstɒkdʒɒbə(r)/ n. **1** (Borsa, ingl., stor.) «stockjobber» (intermediario di Borsa fino al 1986; sostituito dal 'market maker') **2** (Borsa, USA, spreg.) agente di Borsa poco serio ‖ **stockjobbing** n. ⒰ (Borsa, stor.) attività (o lavoro) di uno «stockjobber».

stockless /ˈstɒkləs/ a. **1** (mil.: di cannone) senz'affusto **2** (naut.: di ancora) senza ceppo.

stockman /ˈstɒkmən/ n. (pl. **stockmen**) **1** allevatore di bestiame **2** (Austral.) mandriano **3** (USA) magazziniere.

stockmarket /ˈstɒkmɑːkɪt/ = **stock market** → **stock**.

stockpile /ˈstɒkpaɪl/ n. riserva, scorta (di merci, di materie prime, ecc.); (org. az.) stock.

to **stockpile** /ˈstɒkpaɪl/ v. t. accumulare riserve (di merci, materie prime, ecc.); (org.

az.) stoccare (materie prime da lavorare) ‖ **stockpiling** n. ⒰ l'accumulare riserve; accaparramento; (org. az.) stoccaggio.

stockpot /ˈstɒkpɒt/ n. (spec. ingl.) pentola per il brodo; marmitta.

stockroom /ˈstɒkruːm/ n. magazzino.

stocktaking /ˈstɒkteɪkɪŋ/ n. ⒰ **1** (org. az.) inventario; operazioni d'inventario; ricognizione fisica delle scorte **2** (fig.) inventario (fig.); riconoscimento, valutazione (di uno stato di cose, una situazione, ecc.) ‖ **stocktake** n. (org. az.) inventario ‖ **stocktaker** n. (org. az.) chi fa un inventario.

stockwhip /ˈstɒkwɪp/ n. frusta per il bestiame; scudiscio.

stocky /ˈstɒkɪ/ a. tarchiato; tozzo; tracagnotto.

stockyard /ˈstɒkjɑːd/ n. grande recinto per il bestiame.

stodge /stɒdʒ/ n. (fam.) **1** cibo pesante e poco digeribile **2** (fig.) argomento noioso; mattone (fig.) **3** individuo noioso, barboso.

to **stodge** /stɒdʒ/ v. i. (fam.) ingozzarsi; mangiare avidamente; rimpinzarsi.

stodgy /ˈstɒdʒɪ/ a. **1** pesante; grossolano; indigesto: **s. food**, cibo pesante, grossolano **2** noioso; tedioso; barboso: **a s. book**, un libro noioso; **a s. style**, uno stile tedioso **3** convenzionale; senza spirito; ottuso ‖ **stodginess** n. ⒰ pesantezza.

stogie, stogy /ˈstəʊgɪ/ n. (USA) **1** sigaro ordinario (lungo e sottile) **2** scarpone; scarpaccia.

stoic /ˈstəʊɪk/ n. e a. (filos.) stoico (anche fig.): **s. philosophy**, filosofia stoica; *That man is a s.*, quell'uomo è uno stoico.

stoical /ˈstəʊɪkl/ a. (filos.) stoico (anche fig.) | **-ly** avv.

stoichiometry /stɔɪkɪˈɒmɪtrɪ/ (chim.) n. ⒰ stechiometria ‖ **stoichiometric** a. stechiometrico.

stoicism /ˈstəʊɪsɪzəm/ n. ⒰ (filos.) stoicismo (anche fig.).

to **stoke** /stəʊk/ Ⓐ v. t. **1** alimentare, attizzare (il fuoco); tenere acceso, caricare (un forno, una caldaia) **2** attendere a, alimentare (una caldaia, ecc.) **3** (fam., di solito **to s. up**) aizzare (odio, ecc.); fomentare (una rivolta); sollevare (opposizione) Ⓑ v. i. **1** fare il fuochista **2** (**to s. up**) caricare la caldaia; mettere su la legna (in una stufa, ecc.) **3** (fam., di solito **to s. up**) rimpinzarsi; abbuffarsi; fare una bella mangiata.

stoked /stəʊkt/ a. (slang) gasato (pop.); entusiasta ● **s. out**, sfinito; stanco morto.

stokehold /ˈstəʊkhəʊld/ n. (naut.) locale (o sala) delle caldaie.

stokehole /ˈstəʊkhəʊl/ n. (anche naut.) bocca del forno (della caldaia).

stoker /ˈstəʊkə(r)/ n. **1** fuochista (di locomotiva, nave, ecc.) **2** (= **mechanical s.**) griglia di focolaio; alimentatore meccanico (di combustibile, per caldaia).

STOL /stɒl/ n. (acronimo di **short take-off and landing**) (aeron.) decollo e atterraggio corto: **STOL aircraft**, aeromobile a decollo e atterraggio corto.

stole ① /stəʊl/ n. (stor., relig., ecc.) stola.

stole ② /stəʊl/ pass. di **to steal**.

stolen /ˈstəʊlən/ p. p. di **to steal**.

stolid /ˈstɒlɪd/ a. flemmatico; distaccato; impassibile; imperturbabile ❶ FALSI AMICI • stolid non significa stolido | **-ly** avv. | **-ness** n. ⒰.

stolidity /stəˈlɪdɪtɪ/ n. ⒰ flemma; impassibilità; imperturbabilità.

stolon /ˈstəʊlɒn/ n. (bot.) stolone ‖ **stoloniferous** a. stolonifero.

stoma /ˈstəʊmə/ n. (pl. **stomas, stomata**) (scient.) stoma.

♦**stomach** /ˈstʌmək/ n. **1** (anat.) stomaco:

to have a delicate s., essere delicato di stomaco; **to have a pain in the s.**, avere mal di stomaco; *My s. is growling* (o *rumbling*), mi brontola lo stomaco **2** (fam.) pancia; ventre; addome: *What a s. he's got!*, che pancia ha messo!; **to crawl on one's s.**, strisciare sulla pancia **3** ⒰ (fig.) appetito; fame: **to stay one's s.**, calmare la fame **4** ⒰ (fig.) animo; cuore; fegato; desiderio; voglia: **to have no s. for st.**, non avere il coraggio (o il fegato) di fare qc. ● **s.-ache → stomach-ache** □ **s.-churning**, stomachevole; vomitevole □ (med.) **s. clamp**, pinza gastrica □ (med.) **s. pump**, pompa per lavaggio gastrico □ (judo) **s. throw**, rovesciata all'indietro □ **s. tooth**, canino di latte (inferiore; che, quando spunta, provoca disturbi intestinali) □ (med.) **s. tube**, sonda gastrica □ (zool.) **s. worm**, verme intestinale □ (vet.) **s. worm disease**, strongiloidosi □ **on an empty s.**, a stomaco vuoto; a digiuno □ **on a full s.**, a stomaco pieno □ **to settle sb.'s s.**, rimettere a posto lo stomaco a q. □ **to turn sb.'s s.**, rivoltare lo stomaco a q.; stomacare q.

to **stomach** /ˈstʌmək/ v. t. **1** riuscire a mangiare; digerire, tollerare (un cibo): *I cannot s. this food*, non riesco a mangiare questo cibo; *I can't s. onions*, le cipolle non le digerisco **2** (fig.) digerire; tollerare; sopportare: *I cannot s. it*, questa non riesco a digerirla; questa non mi va giù; *I cannot s. cruelty to animals*, non tollero che gli animali siano fatti soffrire.

stomachache /ˈstʌməkeɪk/ n. ⒰ mal di stomaco.

stomacher /ˈstʌmətʃə(r)/ n. (stor.) pettorina; pettino.

stomachful /ˈstʌməkfʊl/ n. **1** quanto sta nello stomaco; scorpacciata **2** (fam.) (il) pieno (fig.): **to have (had) a s. of**, avere fatto il pieno di; non poterne più di.

stomachic /stəʊˈmækɪk/ Ⓐ a. **1** (anat.) gastrico; stomacale (raro) **2** (farm.) stomachico; digestivo Ⓑ n. (farm.) stomachico.

stomatal /ˈstəʊmətl/ a. (bot.) stomatico.

stomatitis /stəʊməˈtaɪtɪs/ n. ⒰ (med.) stomatite.

stomatology /stəʊməˈtɒlədʒɪ/ (med.) n. ⒰ stomatologia ‖ **stomatological** a. stomatologico ‖ **stomatologist** n. stomatologo.

stomatoscope /ˈstəʊmətəskəʊp/ n. (med.) stomatoscopio.

stomp /stɒmp/ n. (mus.) musica fortemente ritmata (o sincopata); ballo sincopato.

to **stomp** /stɒmp/ Ⓐ v. i. **1** (anche **to s. about**) camminare a passi pesanti **2** ballare al ritmo di musica sincopata Ⓑ v. t. calpestare ● (slang USA) **to s. (on) sb.**, massacrare di bòtte, picchiare forte q.; (fig.) suonarle a q., batterlo tremendamente.

♦**stone** /stəʊn/ Ⓐ n. ⒰ **1** pietra; sasso; ciottolo: **as hard as s.**, duro come la pietra; *He has a heart of s.*, ha il cuore di pietra; **worked s.**, pietra lavorata; **within** (o **at**) **a s.'s throw**, a un tiro di schioppo; a breve distanza **2** (= **precious s.**) pietra preziosa; gemma **3** (di frutta) nocciolo; osso (fam.): **to remove the stones from plums**, cavare il nocciolo alle prugne; **a cherry s.**, l'osso di una ciliegia **4** (d'uva) seme; vinacciolo **5** (med.) calcolo; calcoli: *He was operated on for stones*, fu operato di calcoli **6** (= **hailstone**) chicco (di grandine) **7** (= **gravestone**) pietra tombale **8** (= **milestone**) pietra miliare **9** (tipogr.) pietra (o lastra) litografica **10** (spesso inv. al pl.) «stone» (misura di peso ingl., pari a 14 libbre o a kg 6,350 circa): *He weighs ten s.* (o *stones*), pesa 63 chilogrammi e mezzo **11** ⒰ (= **s. grey**) grigio pietra Ⓑ a. **1** di pietra; pietroso: **a s. surface**, una superficie di pietra **2** (di frutta) col nocciolo: **s. fruit**, frutta col nocciolo **3** (di colore) grigiastro: **s. paint**, vernice grigia ● **the S.**

Age, l'età della pietra □ **s.-axe**, mazza da spaccapietre □ (*zool.*) **s.-bass**, cernia di scoglio □ **s.-blind**, cieco come una talpa; (*slang USA*) sbronzo □ (*zool.*) **s.-borer** (*Lithophaga lithophaga*), litofaga □ (*bot.*) **s.-break** (*Saxifraga*), sassifraga □ **s.-breaker**, spaccapietre; (*mecc.*) frantoio di pietre (*macchina*) □ (*fam. USA*) **s.-broke**, rovinato; spiantato □ (*zool.*) **s.-buck** → **steenbok** □ (*tecn.*) **s. china**, litoceramica; gres bianco per pavimentazione □ (*edil.*) **s. cladding**, rivestimento in pietra □ (*edil.*) **s. cleaning**, ripulitura delle pareti esterne □ (*miner.*) **s.-coal**, antracite □ **s.-cold**, freddo come il marmo; gelido □ (*fam.*) **s.-cold sober**, lucidissimo; del tutto sobrio □ (*zool.*) **s.-curlew** (*Burhinus oedicnemus*), occhione □ **s.-cutter**, scalpellino; tagliapietre; macchina per tagliare la pietra □ **s.-cutting**, lavorazione della pietra □ **s.-dead**, morto stecchito □ **s.-deaf**, sordo come una campana □ **s.-dresser**, operaio (*o macchina*) che squadra le pietre (*per l'edilizia*) □ (*zool.*) **s.-eater** = **s.-borer** → sopra □ (*zool.*) **s. falcon** (*o s. hawk*) (*Falco columbarius*) smeriglio □ **s. fence**, muretto di pietra; (*USA*) miscela di whisky e cedrata □ **s.-ground**, di grano macinato (*con le macine di pietra*) □ (*edil.*) **s. hammer**, martellina □ **a s. jar**, una brocca di porcellana dura □ (*zool.*) **s. marten**, faina □ **s. merchant**, commerciante in pietre e marmi (*per giardini, ecc.*); marmista □ (*ind. costr.*) **s. pavement**, lastrico; lastricato □ (*bot.*) **s.-pine**, (*Pinus pinea*) pino domestico (*o da pinoli*); (*Pinus cembra*) (pino) cembro □ **s. pit** (*o s. quarry*), cava di pietre □ **s.-pitch**, pece dura □ (*zool.*) **s.-plover**, piviere, occhione (*o altro uccello che vive in zone pietrose*) □ (*geol.*) **s. ring**, anello di pietre □ **s. saw**, sega da pietre □ **s. wall**, (*edil.*) muro di pietra; (*equit.*) muro di pietre; (*fig.*) ostacolo insuperabile □ (*di denim*) **s.-washed**, stone-washed; effetto consumato □ (*di cibo*) **baked on s.**, cotto sulla pietra □ (*fig.*) **to cast the first s.**, scagliare la prima pietra (*anche fig.*) □ **to harden into s.**, pietrificare; pietrificarsi □ (*fig.*) **to leave no s. unturned**, non lasciar nulla d'intentato; provarle (*o tentarle*) tutte □ **to pelt sb. with stones**, prendere q. a sassate □ (*fig.*) **to throw stones at sb.**, attaccare (*o criticare*) aspramente q. □ **to throw stones at each other**, fare a sassate □ (*fig.*) **Stones will out**, si rivolteranno persino le pietre.

to **stone** /stəʊn/ v. t. **1** prendere a sassate; scagliare pietre contro (q.) **2** lastricare; pavimentare; rivestire di pietra: **to s. a road**, lastricare una strada; **to s. a well**, rivestire di pietra un pozzo **3** togliere il nocciolo a; snocciolare: **to s. cherries**, togliere il nocciolo alle ciliegie **4** affilare (*con una mola*); molare; levigare **5** (*un tempo*) lapidare (*le adultere, ecc.*) ● **to s. sb. to death**, lapidare q. a morte.

stoneboat, **stone boat** /'stəʊnbəʊt/ n. (*ind. min.*) lizza.

stonechat /'stəʊntʃæt/ n. (*zool.*, *Saxicola torquata*) saltimpalo.

stonecrop /'stəʊnkrɒp/ n. ⓤ (*bot.*, *Sedum acre*) erba pignola; borracina.

stoned /stəʊnd/ a. **1** senza nocciolo; snocciolato **2** (*fam.*) sbronzo, sborniato **3** (*fam.*) fatto (*di droga*); fumato ● (*slang USA*) **s. out** = def. 2 e 3 → sopra.

stoneless /'stəʊnləs/ a. **1** senza pietre **2** (*di frutto*) senza nocciolo **3** (*d'uva*) senza semi; senza vinaccioli.

stonemason /'stəʊnmeɪsn/ n. (*edil.*) **1** muratore **2** scalpellino (*che squadra le pietre da costruzione*); squadratore di pietre ‖ **stonemasonry** n. ⓤ **1** (*edil.*) muratura in pietra **2** arte dello scalpellino.

stoner /'stəʊnə(r)/ n. **1** (*USA*) scalpellino; tagliapietre **2** snocciolatoio (*arnese*) **3** (*ind. alimentare*) spietratore (*per chicchi di caffè, ecc.*) **4** (*slang, USA*) fumatore accanito di marijuana **5** (*un tempo*) lapidatore.

to **stonewall** /'stəʊnwɔːl/ v. i. **1** (*cricket*: *di un battitore*) fare un gioco di difesa **2** (*polit.*) fare dell'ostruzionismo (*anche fig.*) ‖ **stonewaller** n. **1** (*cricket*) battitore che fa un gioco prudente, di difesa **2** (*polit. e fig.*) ostruzionista ‖ **stonewalling** n. ⓤ **1** (*cricket*) gioco prudente, di difesa (*di un battitore che non tenta di fare 'run'*) **2** (*polit. e fig.*) ostruzionismo.

stoneware /'stəʊnweə(r)/ n. ⓤ (*ind.*) porcellane dure; litoceramica; gres.

stonework /'stəʊnwɜːk/ n. ⓤ **1** lavorazione della pietra **2** arte lapidaria **3** (*edil.*) muratura in pietra (a vista): *The first storey is in s.*, il primo piano è in muratura di pietra ‖ **stoneworker** n. (*edil.*) scalpellino; squadratore di pietre.

stonewort /'stəʊnwɜːt/ n. (*bot.*, *Nitella*) nitella.

stonily /'stəʊnəlɪ/ avv. duramente; impassibilmente; insensibilmente; gelidamente.

stoniness /'stəʊnɪnəs/ n. ⓤ **1** l'essere pietroso (*o sassoso*) **2** (*fig.*) durezza; insensibilità; crudeltà; spietatezza.

stonk /stɒŋk/ n. ⓤ (*gergo mil.*) bombardamento d'artiglieria con fuoco concentrato.

to **stonk** /stɒŋk/ v. t. (*gergo mil.*) bombardare con fuoco concentrato; cannoneggiare.

stonker /'stɒŋkə(r)/ n. (*slang ingl.*) cannonata (*fig.*); cosa eccezionale (*o straordinaria*); sballo (*fam.*).

stonkered /'stɒŋkəd/ a. (*slang Austral.*) **1** spompato (*pop.*); distrutto (*fig.*); esausto; sfinito **2** ubriaco fradicio; sbronzo.

stonking /'stɒŋkɪŋ/ ⒜ a. (*slang ingl.*) eccezionale; straordinario; fantastico; formidabile ⒝ avv. (*slang ingl.*) enormemente: **a s. good lunch**, un pranzo eccezionale.

stony /'stəʊnɪ/ a. **1** pietroso; sassoso: **s. ground**, terreno sassoso **2** (*fig.*) duro; impietrito; insensibile; gelido; crudele; spietato: **a s. heart**, un cuore di pietra; **a s. glance**, uno sguardo impietrito; un'occhiata gelida **3** (*slang, di solito* **s. broke**) rovinato; spiantato; in bolletta (*pop.*) ● **a s. face**, un volto inespressivo □ **s.-hearted**, dal cuore di pietra; crudele; insensibile; spietato.

stood /stʊd/ pass. e p. p. di **to stand**.

stooge /stuːdʒ/ n. **1** (*teatr.*) attore che fa da spalla; spalla **2** (*fam. spreg.*) pesce piccolo (*fig.*); tirapiedi; scagnozzo **3** (*fam.*) fantoccio; burattino; zimbello **4** (*gergo aeron.*) allievo pilota.

to **stooge** /stuːdʒ/ v. i. **1** (*teatr.*) fare da (*o la*) spalla **2** (*fam. USA*) fare lo scagnozzo (*o il tirapiedi*) □ **to s. about** (*o around*), girellare, gironzolare; (*gergo aeron.*) volare in tondo (*in attesa del nemico, ecc.*).

stool /stuːl/ n. **1** sgabello; scanno; seggiolino: **folding s.**, seggiolino pieghevole; **a three-legged s.**, uno sgabello a tre piedi **2** (= **footstool**) poggiapiedi; sgabello per i piedi **3** (*relig.*) inginocchiatoio **4** (*archit.*) davanzale (*di finestra*) **5** sedile del water **6** (*fisiol.*) evacuazione; stronzo (*volg.*); feci: **to go to s.**, andare di corpo **7** (*caccia*) palo del richiamo **8** (*bot.*) ceppo (*o radice*) che mette polloni **9** = **s.-pigeon** → sotto ● **s.-pigeon**, piccione da richiamo; (*fig.*) chi fa da esca; (*fam.*) spia, informatore (*della polizia*) □ (*fig.*) **to fall between two stools**, fare la fine dell'asino di Buridano; avere due occasioni e perderle entrambe per non saper quale scegliere.

to **stool** /stuːl/ v. i. **1** (*di ceppo, radice*) germogliare; mettere polloni **2** (*fisiol.*) evacuare; defecare; andar di corpo **3** (*fam.*) fare da esca; fare la spia, il confidente (*della polizia*); tradire i complici.

stoolie /'stuːlɪ/ n. (*slang USA*) confidente (*o spia*) della polizia; informatore.

stoop① /stuːp/ n. **1** curvatura; inclinazione (*del capo, del corpo in avanti*) **2** (*fig.*) condiscendenza; atto di umiltà, di sottomissione **3** ⓤ il piombar giù; picchiata (*del falco, ecc.*) ● **to walk with a s.**, camminar curvo.

stoop② /stuːp/ n. (*USA*) **1** piccola veranda; portico (*sul davanti della casa*) **2** scaletta esterna (*di accesso alla porta di una casa*).

stoop③ /stuːp/ → **stoup**.

to **stoop** /stuːp/ ⒜ v. i. **1** chinarsi; curvarsi; piegarsi **2** abbassarsi (*anche fig.*); umiliarsi; accondiscendere, adattarsi (*a qc. di spregevole, di disonesto*); darsi (a): *He'd never stoop to stealing* (*o stoop so low as to steal*), non si abbasserebbe mai a rubare **3** andare a capo chino; essere (*o camminare*) curvo: *The old man stoops a good deal*, il vecchio è (*o va*) molto curvo **4** (*di falco e fig.*) gettarsi (*sulla preda*); piombar giù ⒝ v. t. chinare; curvare; piegare; tenere (*il capo, ecc.*) chino ● (*fig.*) **to s. to conquer**, umiliarsi per salire in alto; piegarsi per raggiungere il proprio scopo □ **to s. down**, chinarsi, abbassarsi (*per raccattare qc., ecc.*).

stooping /'stuːpɪŋ/ a. curvo; incurvato: **s. shoulders**, spalle incurvate.

♦**stop** /stɒp/ ⒜ n. **1** arresto; fermata, interruzione; pausa; sosta; (*mecc.*) fermo, ritegno: **the s. of play**, l'arresto del gioco; *There are only two stops between London and Brighton*, ci sono solo due fermate fra Londra e Brighton; «*Next stop Oxford*», «prossima fermata Oxford»; *Which s. is it for the British Museum?*, qual è la fermata per il British Museum?; **to come to a s.**, fare una fermata (*o un'interruzione*); fermarsi; arrestarsi **2** (*aeron., naut.*) scalo **3** (*gramm.*) segno di punteggiatura; (*spec.*) punto: **a full s.**, un punto; un punto fermo **4** (*mus.*) registro (*d'organo*); (*di strumento a fiato*) chiave **5** (*fig.*) tono: *He can pull out the pathetic s. at will*, sa assumere il tono patetico a piacer suo **6** (*mecc.*) stop; dispositivo di arresto; fermo; **s. valve**, valvola d'arresto **7** (*ottica, fotogr.*) pupilla, foro del diaframma (*dell'obiettivo*) **8** (*di finestra*) fermascuretti **9** (*edil.*: *di stipite di porta*) battente, battuta **10** (*fon.*) consonante occlusiva; suono occlusivo (*‹p, b, k, g, d, t›*) **11** (*nei telegrammi, nella segnaletica*) stop **12** (*boxe*) arresto; stop **13** (*calcio, ecc.*) blocco, parata **14** (*scherma*) arresto **15** (*autom.*) stop; obbligo di arresto **16** (*slang USA*) ricettatore ⒝ inter. **1** – *S.!*, stop!; alt!; alto là! **2** (*comput.*) arresta (*o interrompi: un processo*)! □ (*fotogr.*) **s. bath**, bagno d'arresto (*edil.*) **s. bead**, battuta d'arresto (*di telaio di finestra*) □ (*mecc.*) **s. collar**, collare di fermo □ **s.-gate**, saracinesca d'arresto □ (*mecc.*) **s. drill**, trapano ad arresto □ (*comput.*) **s. instruction**, istruzione di arresto □ (*mus.*) **s. key** (*o s. knob*), tasto di registro; tasto □ (*Borsa*) **s.-loss order**, ordine debordant; ordine con limite di prezzo □ (*mecc.*) **s. nut**, dado di bloccaggio; dado autobloccante □ **s. on request**, fermata facoltativa (*o a richiesta*) □ **s. order**, (*banca*) ordine di fermo (*di un assegno*); (*Borsa*) ordine con limite di prezzo, ordine debordant □ **s.-press** (*news*), recentissime; notizie dell'ultima ora (*nella segnaletica*) **s. sign**, segnale di stop □ **s. street**, strada con il segnale di stop □ (*tennis*) **s. volley**, stop volée, volée stoppata, smorzata al volo □ **to be at a s.**, essere fermo; non poter andare avanti □ **to bring to a s.**, arrestare; fermare □ (*fig.*) **to come to a full s.**, far punto e basta; arrestarsi; non saper proseguire □ **to come to a sudden s.**, arrestarsi, fermarsi bruscamente □ (*fig.*) **to pull out all the stops**, fare l'impossibile (*per fare qc.*); mettercela tutta □ **to put a s. to st.**, metter fine, porre termine a qc. □ **to put in the stops**,

mettere la punteggiatura (*in un testo*).

♦to **stop** /stɒp/ **A** v. t. **1** arrestare; fermare; bloccare; far fermare: (*econ.*) to s. **production**, arrestare (*o* bloccare) la produzione; to s. a thief, arrestare un ladro; to s. traffic, fermare il traffico; (*naut.*) S. engines!, ferma le macchine!; (*comm.*) to s. (the payment of) a cheque, fermare (il pagamento di) un assegno; bloccare un assegno **2** cessare; smettere; interrompere; sospendere; far cessare; metter fine a: S. talking!, smetti di parlare!; S. it!, smettila!, piantala!; to s. sb.'s salary, sospendere q. dallo stipendio; trattenere lo stipendio a q.; S. that noise!, fa' cessare quel rumore! **3** far smettere a (q.); impedire a; ostacolare; trattenere: to s. children from playing on the street, far smettere ai bambini di giocare in strada; Nothing shall s. me from doing it, niente m'impedirà di farlo; nulla potrà trattenermi **4** chiudere; ostruire; otturare; sbarrare; turare; tappare: to s. a leak in a roof, chiudere una falla in un tetto; to s. a passage [a road], ostruire un passaggio [sbarrare una strada]; (*med.*) to s. a decayed tooth, otturare un dente guasto; to s. a bottle, tappare una bottiglia; (*naut.*) to s. a leak, turare una falla **5** (*med.*) fermare; stagnare (*una ferita*): to s. the bleeding, arrestare l'emorragia **6** (*mus.*) premere, schiacciare la corda di (*uno strumento*); chiudere (*un foro*) con il polpastrello **7** (*gramm.*) punteggiare; mettere la punteggiatura in (*una frase, ecc.*) **8** intercettare (*una lettera, un messaggio*) **9** (*naut.*) abbozzare (*un cavo*) **10** (*boxe*) bloccare (*un colpo*) **11** (*calcio, ecc.*) (*del portiere*) bloccare, parare **B** v. i. **1** arrestarsi; fermarsi; fermare; (*aeron., naut.*) fare scalo: The bus stopped, l'autobus s'arrestò; He didn't s. at a red light, non s'è fermato al rosso; Does this train s. at Martin Mill?, questo treno ferma a Martin Mill?; This bus stops in Thornhill, questo autobus ferma a Thornhill; My watch has stopped, mi s'è fermato l'orologio; We stopped to admire the landscape, ci fermammo per ammirare il paesaggio; He stopped to talk to me, si fermò per parlare con me ● NOTA: go to / go and → to go **2** cessare; smettere; finire; interrompersi: The snow stopped in the evening, la neve cessò a sera; He stopped talking, smise di parlare; He stopped to welcome me, s'interruppe per salutarmi (*o* per darmi il benvenuto) **3** (*fam.*) restare; rimanere; stare; fermarsi; trattenersi: to s. at home [in bed], rimanere a casa [a letto]; to s. for (*o* to) dinner, rimanere a pranzo; We'll s. at the next restaurant, ci fermeremo al prossimo ristorante; They didn't s. long, non si trattennero molto **4** chiudersi; otturarsi; intasarsi ● (*fig.*) to s. at nothing, non fermarsi davanti a nulla □ (*scherz.*) to s. a blow with one's head, ricevere una botta in testa □ (*boxe*) (*dell'arbitro*) to s. the bout (*o* the contest), arrestare il combattimento; fermare l'incontro □ to s. a bullet, essere colpito da una pallottola □ (*basket, ecc.*) to s. the clock, fermare il cronometro □ to s. dead (in one's tracks), fermarsi di colpo □ to s. one's ears, turarsi le orecchie; (*fig.*) fare orecchie da mercante □ (*mecc.*) to s. the engine, fermare (*o* spegnere) il motore □ (*basket, calcio, ecc.*) to s. a fast break, stoppare un contropiede □ to s. for horses, fermarsi per cambiare i cavalli □ to s. a gap, turare una falla; (*fig.*) colmare una lacuna □ to s. sb.'s holidays, sospendere le ferie a q. □ to s. in one's spot, restare fermo al proprio posto; non muoversi □ to s. in one's tracks, fermarsi di colpo □ to s. sb.'s mouth, tappare la bocca a q.; (*fig.*) comprare il silenzio di q.; corrompere q. perché taccia □ (*autom., USA*) to s. on a dime, arrestarsi su un francobollo; fermarsi di botto □ to s. short, arrestarsi (*o* fermarsi) improvvisa-

mente □ to s. short of doing st., evitare di fare qc. □ to s. still, stare fermo; (*del tempo*) fermarsi □ to s. the way, ostruire il passaggio; (*fig.*) sbarrare la strada, impedire il progresso □ to s. work, smettere di lavorare; smontare, staccare (*fam.*) □ Why has our gas [light, water] been stopped?, perché ci hanno tolto (*o* tagliato) il gas [la luce, l'acqua]? □ (*autom.*) «S. here!» (*cartello*), «stop» □ Be sure I'll s. it!, sta certo che metterò fine a tutto ciò! □ S., thief!, al ladro! □ Fog stopped play, la partita fu sospesa per la nebbia.

■ **stop away** v. i. + avv. **1** stare via, restare assente (*da scuola, dall'ufficio, ecc.*); non partecipare (*a una riunione, ecc.*) **2** (*fam.*) stare (*o* girare) alla larga (*da q.*).

■ **stop behind** v. i. + avv. **1** restare indietro **2** fermarsi, trattenersi (*dopo la chiusura, dopo gli altri, ecc.*).

■ **stop by** v. i. + avv. (*o* prep.) (*fam. spec. USA*) fare un salto da, fare una visitina a; fermarsi un attimo: Please s. by on your way home, fermati un attimo da noi quando torni a casa; to s. by the chemist's, fare un salto in farmacia.

■ **stop down** v. i. + avv. **1** restare acquattato; stare basso **2** (*del vento*) essere costante; non rinforzare **3** (*della temperatura, della febbre, ecc.*) restare bassa; non salire **4** (*del cibo*) restare (*o* essere trattenuto) nello stomaco: Nothing I eat stops down, non tengo niente nello stomaco **5** (*fotogr.*; *anche*, v. t., to s. down the lens) ridurre l'apertura dell'obiettivo.

■ **stop in** v. i. + avv. **1** stare fermo; restare a posto **2** fermarsi, trattenersi (*dopo la chiusura, ecc.*) **3** restare in casa **4** (*a scuola*) restare in classe (*per punizione, ecc.*) **5** → **stop by 6** (*del fuoco*) rimanere acceso, durare (*fino al mattino, ecc.*).

■ **stop indoors** v. i. + avv. restare in casa; non uscire.

■ **stop off** **A** v. i. + avv. **1** interrompere il viaggio; fare tappa; fare una sosta, fermarsi: On our wedding trip we stopped off in Dublin for a few days, durante il viaggio di nozze ci siamo fermati a Dublino per qualche giorno **2** (*fam.*) fermarsi, fare un salto (*da q.*) **3** restare assente **B** v. i. + prep. stare via, essere assente, assentarsi da (*scuola, ecc.*): I'll s. off the office until I'm better, resterò assente dall'ufficio finché non starò meglio.

■ **stop on** v. i. + avv. **1** restare fermo (*o* fisso); restare a posto **2** (*equit.*) restare in sella **3** (*della luce elettrica, della radio, del televisore, ecc.*) restare acceso **4** (*di una persona*) restare al lavoro; non andare in pensione; rimanere in carica (*o* al proprio posto).

■ **stop out** v. i. + avv. **1** restare fuori (casa) fino a tardi; rimanere fuori (*per la notte, ecc.*); (*di un'automobile*) restare all'aperto **2** (*di operai e sim.*) restare in sciopero; continuare a scioperare.

■ **stop out of** **A** v. i. + avv. + prep. restare fuori di (*casa, ecc.*) **B** v. t. + avv. + prep. trattenere (*denaro*) su: Income tax is stopped out of our pay, l'IRPEF viene trattenuta in busta paga.

■ **stop over** v. i. + avv. **1** fare tappa (*spec. per la notte*); fermarsi (*interrompendo il viaggio*): We stopped over in a good hotel, passammo la notte in un buon albergo **2** (*aeron.*) fare scalo (*per la notte*): Our plane stopped over at Chicago, il nostro aereo fece scalo a Chicago.

■ **stop round** (*USA*) → **stop by**.

■ **stop under** v. i. + avv. (*di un nuotatore*) restare sott'acqua.

■ **stop up** **A** v. t. + avv. **1** chiudere; otturare; tappare: to s. up a hole, tappare un buco **2** (*fam.*) ostruire: Mud has stopped up the pipe, il fango ha ostruito la tubazione **B** v. i. + avv. **1** (*di un quadro, ecc.*) restare fisso;

rimanere attaccato **2** (*fam.*: di una persona*) restare alzato, restare in piedi: Don't s. up for me!, non restare alzato ad aspettarmi! □ to s. up late, andare a letto tardi.

❶ NOTA: to stop
a to stop doing st. indica l'interruzione di azioni ed eventi in svolgimento, o di azioni abituali: Stop crying!, smettila di piangere!; We stopped dealing with that firm, smettemmo di fare affari con quell'azienda.
b to stop to do st. indica invece che il soggetto interrompe ciò che sta facendo per fare altro: He stopped to silence the audience, si interruppe per zittire il pubblico; She didn't stop to think what she was doing, non si fermò a riflettere su ciò che stava facendo.

stop-and-go /stɒpənd'gəʊ/ a. intermittente; a singhiozzo: (*autom.*) **stop-and-go traffic**, traffico a singhiozzo.

stopcock /'stɒpkɒk/ n. (*mecc.*) rubinetto d'arresto (*o* di regolazione).

stope /stəʊp/ n. (*ind. min.*) cantiere di coltivazione in sotterraneo; abbattaggio ● (*ind. min.*) s. pillar, pilastro abbandonato.

to **stope** /stəʊp/ v. t. e i. (*ind. min.*) coltivare (*un giacimento, un minerale*) in sotterraneo.

stopgap /'stɒpgæp/ n. **1** ripiego; soluzione provvisoria **2** sostituto temporaneo; tappabuchi.

stop-go /stɒp'gəʊ/ a. e n. (*econ.*) 'frena e accelera'; 'frena e spingi' ● (*autom.*) **stop-go lights**, semaforo; **stop-go policy**, politica alterna, di freni e stimoli (*della produzione, ecc.*); politica del semaforo.

stoping /'stəʊpɪŋ/ n. Ⓤ (*ind. min.*) coltivazione in sotterraneo ● s. drill, martello perforatore.

stoplight /'stɒplaɪt/ n. **1** luce di stop (*o* d'arresto); luce rossa; semaforo rosso **2** (*autom.*) stop; fanalino d'arresto o di frenata **3** (*USA*) semaforo (*cfr. ingl.* **traffic lights**, *sotto* **traffic**).

stop-out /'stɒpaʊt/ n. (*fam. ingl.*) tiratardi; nottambulo.

stopover /'stɒpəʊvə(r)/ n. sosta; fermata ● (*ferr.*) s. ticket, biglietto che consente fermate intermedie.

stoppage /'stɒpɪdʒ/ n. **1** arresto; fermata; interruzione; sospensione; sosta; **traffic s.**, interruzione del traffico **2** impedimento; ostacolo; ostruzione; intasatura: the s. of a pipe, l'ostruzione di una tubazione **3** (*fin.*) trattenuta, ritenuta (*sulla paga*) **4** (*econ.*) sciopero; interruzione del lavoro **5** (*leg.*) fermo: s. in transit, fermo durante il viaggio (*della merce: da parte del venditore, se l'acquirente è insolvibile*) **6** (*sport*) interruzione (*del gioco*) **7** (*basket*) stoppata **8** (*boxe*) arresto del combattimento: s. victory, vittoria per arresto ● (*comm.*) s. dues, diritti di giacenza (*della merce*) □ (*mil.*) s. of leave, consegna □ (*fisc.*) s. at source, esazione alla fonte □ s. of pay, sospensione dallo stipendio □ (*calcio, ecc.*) s. time, recupero; zona (*o* minuti*) di recupero.

stopper /'stɒpə(r)/ n. **1** chi arresta, ferma, ostruisce, ecc. (→ to stop) **2** tappo; turacciolo (*spec. per bottiglie, vasetti di vetro, ecc.*); zaffo, zipolo (*di una bótte, ecc.*): Put the s. back in the bottle, rimetti il tappo alla bottiglia!; screw s., tappo a vite **3** (*autom.*) **4** (*naut.*) bozza **5** (*calcio*) stoppatore; stopper **6** (*baseball*) stopper ● (*fig.*) to put a s. on st., mettere fine (*o* porre termine) a qc.

to **stopper** /'stɒpə(r)/ v. t. **1** tappare; tamponare; turare: to s. a bottle, tappare una bottiglia **2** (*ind.*) stuccare; dare lo stucco a (*un'automobile, ecc.*).

stopping /'stɒpɪŋ/ **A** n. **1** arresto, fermata (*di un veicolo*); sosta **2** ostruzione; intasa-

mento **3** ⓤⓒ tamponamento; otturazione; chiusura: (*med.*) **the s. of a tooth**, l'otturazione di un dente **4** ⓤ (*med.*) cemento (*per denti*); amalgama **5** (*banca*, *comm.*) cessazione, sospensione (*di pagamenti, ecc.*) **6** ⓤ (*gramm.*) punteggiatura **7** (*ind.*) stuccatura **8** (*fis. nucl.*) rallentamento: **s. power**, potere di rallentamento **Ⓑ a. attr.** (*ferr.*) che ferma spesso: **a s. train**, un treno che si ferma (*in una stazione*) (*anche*) un treno che fa molte fermate, treno regionale ● (*mecc.*) **s. brake**, freno d'arresto □ (*autom.*) **s. distance**, distanza d'arresto (*per la frenata*) □ **s. knife**, spatola per stucco □ (*ferr.*) **s. station**, stazione di fermata □ (*autom., ecc.*) **s. time**, tempo d'arresto □ (*autom.*) «**No s.**» (*cartello*), «divieto di fermata».

stopple /'stɒpl/ *n.* tappo; turacciolo; zaffo; zipolo.

to **stopple** /'stɒpl/ *v. t.* tappare; tamponare; turare.

stopwatch /'stɒpwɒtʃ/ *n.* cronografo; contasecondi.

storable /'stɔːrəbl/ *a.* **1** che si può conservare; conservabile **2** che si può immagazzinare ‖ **storability** *n.* ⓤ conservabilità (*di frutta, verdura, ecc.*).

♦**storage** /'stɔːrɪdʒ/ *n.* ⓤ **1** (*comm.*) l'immagazzinare; magazzinaggio: **s. charges**, spese di magazzinaggio; (*anche*) spese di custodia (*di un'auto rimossa dalla polizia*) **2** ammasso; deposito; *We've put quite a lot of stuff into s. while the builders are here*, abbiamo messo un bel po' di cose in deposito mentre ci sono i muratori **3** capienza di un magazzino **4** prezzo del magazzinaggio **5** (*elettr.*) carica (*di una batteria*); riserva, accumulazione (*di energia*) **6** (*comput.*) immagazzinamento (*di dati*); memorizzazione **7** (*comput.*) memoria (*cfr. ingl.* **store**): **s. area**, area di memoria; **s. unit**, unità di memoria esterna ● (*elettr.*) **s. battery**, batteria di accumulatori □ (*agric.*) **s. bin**, silo □ (*elettr.*) **s. cell**, elemento di accumulatore □ **s. heater**, calorifero ad accumulo di calore □ **s. tank**, serbatoio (*per gasolio, nafta, ecc.*) □ (*ferr., USA*) **s. track**, binario di deposito □ **s. vault**, deposito sotterraneo ● **in cold s.**, nelle celle frigorifere; (*fig.*) accantonato, in sospeso; (*anche*) messo dentro, in galera; al fresco (*fig.*): *My plan was put into cold s.*, il mio piano fu accantonato □ **to put goods in s.**, mettere merci in magazzino.

storax /'stɔːræks/ *n.* **1** (*bot., Styrax officinalis*) storace **2** ⓤ (= **liquid s.**) ambra liquida; storace.

♦**store** /stɔː(r)/ *n.* **1** provvista; riserva; scorta: *Squirrels lay in stores of nuts for the winter*, gli scoiattoli fanno provviste di nocciole per l'inverno; **a s. of food**, una riserva di cibo; **a good s. of wines**, una buona scorta di vini; (*fig.*) **a good s. of anecdotes**, una riserva inesauribile di aneddoti **2** (= **storehouse**) deposito; magazzino **3** (*anche pl., col verbo al sing.*) (*spec. USA*) bottega; negozio (*cfr. ingl.* **shop**): **the village s.**, il negozio del villaggio; **a small general store**, un negozietto che vende un po' di tutto **4** (= **department s.**) grande magazzino; emporio **5** (*pl.*) depositi di magazzino; rifornimenti; scorte di materie prime; (*naut.*, = **ship's stores**) dotazioni (*o provviste, scorte*) di bordo: **military stores**, rifornimenti militari **6** (*comput., ingl.*) → **storage**, def. 7 (*econ.*) riserva di valore: *Money is a s. of value*, il denaro è una riserva di valore (*o accumula il valore*) ● (*market.*) **s. card**, carta di credito di un grande magazzino □ **s. detective**, detective, ispettore di sala (*di grande magazzino*) □ (*org. az.*) **stores control**, controllo del livello delle scorte □ (*market.*) **s. credit**, credito di banco □ **s. detective**, detective, ispettore di sala (*di grande magazzino*) □ **s.-door delivery**, consegna a domicilio □ (*USA*) **s. hours**, orario di apertura dei ne-

gozi □ (*naut.*) **stores list**, manifesto delle provviste di bordo □ (*market.*) **s. loyalty**, fedeltà al negozio □ **s. price**, prezzo all'ingrosso □ **s. sign**, insegna di negozio (*o di grande magazzino*) □ (*fam. USA*) **to give away the s.**, spifferare tutto □ **in s.**, in magazzino; (*fig.*) da parte, in serbo: *My furniture is still in s.*, i miei mobili sono ancora in magazzino; **to have st. in s.** (**for sb.**), avere in serbo qc. (per q.); *There's a big surprise in s. for you!*, c'è una grossa sorpresa per te (*o ti aspetta una grossa sorpresa*)! □ (*fam. USA*) **to mind the s.**, mandare avanti la baracca; badare ai propri affari □ **to set great s. by sb.**, tenere in gran conto q.; stimare molto q.

♦to **store** /stɔː(r)/ *v. t.* **1** mettere in magazzino; immagazzinare; depositare; riporre: **to s. furniture**, mettere mobili in un magazzino; *The harvest has been stored* (*up*), il raccolto è stato immagazzinato (messo al coperto) **2** (*anche* **to s. away**, **to s. up**) mettere via; accumulare; ammassare; far provvista di; metter da parte; conservare: **to s. one's summer clothes**, mettere via gli abiti estivi; *In summer squirrels s. away nuts for the winter*, d'estate gli scoiattoli fanno provvista di nocciole per l'inverno; *Farmers s.* (*up*) *fodder to feed their cattle in the winter*, i contadini ammassano il foraggio per alimentare il bestiame d'inverno **3** fornire; provvedere; riempire; (*fig.*) imbottire; **to s. one's memory with facts and dates**, imbottirsi la memoria di fatti e date **4** (*comput.*) memorizzare; registrare (*dati, ecc.*) in memoria ● (*fig.*) **to s. up**, accumulare (*rancore, risentimento, ecc.*) nell'animo; (*anche*) far tesoro di: **to s. up a saying in one's heart**, far tesoro d'una massima.

storefront /'stɔːfrʌnt/ *n.* facciata di negozio.

storehouse /'stɔːhaʊs/ *n.* **1** magazzino; deposito **2** (*fig.*) miniera; pozzo: *An encyclopaedia is a s. of information*, un'enciclopedia è una miniera d'informazioni; *He's a s. of erudition*, è un pozzo di erudizione.

storekeeper /'stɔːkiːpə(r)/ *n.* **1** (*spec. mil.*) magazziniere **2** (*spec. USA*) bottegaio; negoziante; esercente.

storeman /'stɔːmən/ *n.* (*pl.* **storemen**) magazziniere.

storeroom /'stɔːruːm/ *n.* **1** magazzino; deposito **2** dispensa **3** (*naut.*) cambusa.

storey /'stɔːrɪ/ *n.* piano (*di una casa vista in sezione*): **a house of four storeys**, una casa di quattro piani; *He fell from a third-s. window*, cadde da una finestra del terzo piano ● (*edil.*) **s. post**, pilastro; colonna di sostegno □ (*scherz.*) **He is a little weak in the upper s.**, è un po' tocco; gli manca un venerdì ‖ **storeyed a.** (nei composti, per es.:) **a forty-storeyed skyscraper**, un grattacielo di quaranta piani.

storiated /'stɔːrɪeɪtɪd/ *a.* **1** istoriato **2** → **storied**②, *def. 1 e 2*.

storied① /'stɔːrɪd/ (*USA*) = **storeyed** → **storey**.

storied② /'stɔːrɪd/ *a.* **1** celebrato nella storia; storico **2** celebrato nella leggenda; leggendario; mitico **3** → **storiated**, *def. 1.*

storing /'stɔːrɪŋ/ *n.* ⓤ **1** (*comm.*) magazzinaggio; immagazzinamento **2** (*comput.*) memorizzazione ● **s. charges** (*o* **s. expenses**), spese di magazzinaggio.

stork /stɔːk/ *n.* (*zool., Ciconia*) cicogna ● (*bot.*) **s.'s-bill**, (*Erodium cicutarium*) erba cicutaria, becco d'airone; (*Pelargonium*) geranio; (*nelle favole*) **King S.**, il Re Cicogna; (*fig.*) un re dispotico.

♦**storm** /stɔːm/ *n.* **1** (*meteor.*) perturbazione (atmosferica); tempesta; bufera; temporale; (*naut.*) burrasca, fortunale: **a s. at sea**, una burrasca; un fortunale **2** (*fig.*) pioggia;

scroscio; scoppio; esplosione; uragano: **a s. of cheers**, uno scroscio d'applausi; **a s. of rage**, uno scoppio d'ira; **a s. of criticism**, un'esplosione di critiche; **a s. of protest**, un uragano di proteste **3** ⓤ (*mil.*) assalto; attacco (improvviso e violento): **to take by s.**, prendere d'assalto; (*fig.*) conquistare di colpo, trascinare (*l'uditorio, gli spettatori, ecc.*) **4** (*med.*) crisi ● **s.-beaten**, (*di litorale*) flagellato dalla bufera; (*di bastimento*) sbattuto dalla tempesta □ (*geogr.*) **s. belt**, zona dei cicloni □ (*zool.*) **s. bird** = **s. petrel** → *sotto* □ (*USA*) **s. cellar**, rifugio contro i cicloni □ **s. centre**, centro della perturbazione; (*fig.*) focolaio dei disordini □ **s. cloud**, nuvola temporalesca; nube minacciosa (*anche fig.*); nembo □ (*zool.*) **s.-cock**, (*Turdus viscivorus*) tordela; (*Turdus pilaris*) cesena □ **s. collar**, colletto (*di giacca, ecc.*) rialzabile e abbottonabile □ (*naut.*) **s. cone**, cono di burrasca □ **s. cuff**, polsino interno (*di giacca, ecc.*) □ (*spec. USA*) **s. door**, controporta; porta doppia □ (*edil.*) **s. drain**, canale di scolo delle acque piovane □ **s. flap**, falda contro la pioggia (*di tenda o indumento*) □ (*fig.*) **a s. in a teacup**, una tempesta in un bicchier d'acqua □ **s. lantern**, lampada antivento □ (*zool.*) **s. petrel**, (*Hydrobates pelagicus*), uccello delle tempeste, procellaria □ (*naut.*) **s. sail**, vela di fortuna; vela di cappa; (al pl., collett.) velatura di cappa □ (*edil.*) **s. sewage**, acque bianche; acqua piovana □ (*naut.*) **s. signal**, segnale di burrasca □ **s. surge**, onda di tempesta; mareggiata □ **s. tide**, onda che precede o accompagna un uragano □ **s.-tossed**, sballottato dalla burrasca □ (*mil.*) **s. trooper**, soldato dei reparti d'assalto; (*stor., nella Germania nazista*) soldato delle 'Sturmabteilungen', camicia bruna □ (*mil.*) **s. troops**, truppe d'assalto; reparti d'assalto; (*stor., nella Germania nazista*) (le) 'Sturmabteilungen'; (le) camicie brune □ (*naut.*) **s. warning**, avviso di burrasca □ **s. wave** = **s. surge** → *sopra* □ **s. wind**, vento di tempesta □ (*edil., spec. in USA*) **s. window**, controfinestra esterna (*contro cicloni, uragani, ecc.*).

to **storm** /stɔːm/ **Ⓐ v. t. 1** (*mil.*) prendere d'assalto; espugnare **2** (*fig.*) tempestare: *They stormed him with questions*, lo tempestarono di domande **Ⓑ v. i. 1** (*del vento, della pioggia, ecc.; anche fig.*) scatenarsi; infuriare; imperversare **2** (*fig.*) dare in escandescenze; inferire **3** (*fig.*) lanciarsi; precipitarsi: *He stormed into* [*out of*] *the office*, si precipitò in [uscì dall']ufficio come una furia ● **to s. at sb.**, fare una scenata a q. □ **to s. away** (*o* **out**), andarsene (*o* uscire) in tutta furia; andare via infuriato.

stormbound /'stɔːmbaʊnd/ *a.* (*naut.*) **1** (*di un porto*) bloccato dalla tempesta **2** (*di un bastimento, un passeggero, ecc.*) immobilizzato, trattenuto dalla tempesta.

stormer /'stɔːmə(r)/ *n.* **1** (*mil.*) soldato di un reparto d'assalto **2** chi dà in escandescenze **3** (*slang ingl.*) cosa straordinaria; bomba, cannonata (*fig.*).

stormily /'stɔːmɪlɪ/ *avv.* tempestosamente, burrascosamente (*anche fig.*).

storminess /'stɔːmɪnəs/ *n.* ⓤ **1** tempestosità; burrascosità **2** (*fig.*) foga; furia; violenza.

storming /'stɔːmɪŋ/ **Ⓐ a. 1** che imperversa **2** (*spec. sport*) scatenato; energico; vigoroso; (*anche*) che appassiona; travolgente; trascinante: **a s. finish to the race**, un finale di corsa travolgente **Ⓑ n.** ⓤ (*mil.*) espugnazione; presa ● (*mil.*) **storming party**, reparto d'assalto.

stormproof /'stɔːmpruːf/ *a.* a prova di tempesta; (*spec. in USA*) a prova di ciclone (*o di uragano*): **a s. shelter**, un rifugio a prova di ciclone.

stormy /'stɔːmɪ/ *a.* **1** tempestoso, burrascoso (*anche fig.*); temporalesco: **s. seas**,

mari tempestosi; **a s. night**, una notte tempestosa; *We're expecting it to be quite s. later*, prevediamo che arrivi un bel temporale più tardi; **a s. debate**, una discussione burrascosa **2** (*fig.*) appassionato; focoso; furioso; violento: **a s. temper**, un temperamento focoso; **s. passions**, passioni violente ● **a s. life**, una vita fortunosa □ **s. petrel** (*zool.*, *Hydrobates pelagicus*), uccello delle tempeste, procellaria □ **a s. sunset**, un tramonto che minaccia tempesta □ **s. weather**, tempo di burrasca □ **It's s. today**, oggi fa burrasca.

◆**story**① /'stɔːrɪ/ *n.* **1** storia; storiella; racconto; narrazione; fiaba; favola; aneddoto; versione dei fatti: **the s. of the discovery of America**, la storia della scoperta dell'America; **a funny s.**, un aneddoto divertente; *Tell me a s.!*, raccontami una favola!; *This is the inside s.*, questa è la verità sulla vicenda; questa è la storia vera!; **according to his own s.**, secondo la sua versione dei fatti **2** (*letter.*) intreccio; trama: *The s. is the least interesting part of this novel*, l'intreccio è quello che conta meno in questo romanzo **3** voce; diceria: *The s. goes that...*, corre voce che...; dicono (*o* raccontano) che... **4** (*fam.*) bugia; fandonia; frottola; storia: *Now, don't tell me stories!*, su, non raccontarmi fandonie (*o* storie)! **5** (*giorn.*) servizio; articolo: **a cover s.**, un articolo annunciato (*o* con foto) in prima pagina; (*anche*) un racconto inventato; una copertura; un alibi ● (*letter.*, *cinem.*) **s. arc**, intreccio (*di un testo che tende ad avere molti alti e bassi*) □ (*letter.*, *cinem.*) **s. line**, trama, intreccio □ **to make a long s. short**, per farla breve; in poche parole □ **It's the same old s.!**, è sempre la stessa storia! □ **That's (quite) another s.**, questa è un'altra storia; questo è un altro paio di maniche (*fig.*) ❶ NOTA: *history o story? →* **history.**

story② /'stɔːrɪ/ (*USA*) → **storey.**

to **story** /'stɔːrɪ/ *v. t.* istoriare; decorare con scene storiche.

storyboard /'stɔːrɪbɔːd/ *n.* (*cinem.*, *TV*, *ecc.*) diario di lavorazione (*di un film*); prime bozze (*di un programma TV*); sviluppo (*di un video*, *un'animazione*, *ecc.*).

storybook /'stɔːrɪbʊk/ *n.* libro di fiabe (*o* di novelle, di racconti) ● **a s. ending**, un finale lieto (*o* da fiaba) □ **a s. romance**, una storia d'amore fiabesca.

storyteller /'stɔːrɪtelə(r)/ *n.* **1** novelliere; narratore; cantastorie **2** (*fam.*) raccontafavole; bugiardo, bugiarda.

storytelling /'stɔːrɪtelɪŋ/ *n.* ⓤ il raccontare storie; il narrare; narrazione.

stoup /stuːp/ *n.* (*relig.*) acquasantiera; pila dell'acqua santa.

stout /staʊt/ Ⓐ *a.* **1** forte; gagliardo; robusto; solido; resistente: **to make** (*o* **to put up**) **a s. resistance**, opporre una forte resistenza; **a s. man**, un uomo robusto; **a s. wall**, un muro solido **2** forte; tenace; risoluto: *a s. supporter of the Liberal Party*, un tenace sostenitore del partito liberale **3** coraggioso; risoluto; valoroso: **a s. warrior**, un guerriero valoroso **4** grande e grosso; corpulento; grasso; pingue Ⓑ *n.* ⓤⓒ birra forte e scura (*fatta con malto tostato*) ● **s.-hearted**, coraggioso; intrepido; risoluto □ **s.-heartedness**, coraggio; risolutezza □ **a s. opponent**, un fiero avversario □ **a s. stick**, un robusto bastone; un grosso bastone □ **to grow s.**, ingrassare; ingrossarsi | **-ly** *avv.* | **-ness** *n.* ⓤ.

stoutish /'staʊtɪʃ/ *a.* alquanto grasso; piuttosto corpulento.

stove① /stəʊv/ *n.* **1** stufa; fornello; (*spec. USA*) batteria di fornelli **2** (*ind.*) essiccatoio **3** (*agric.*) serra riscaldata: **s. plants**, piante da serra riscaldata **4** scaldapiedi **5** (*tecn.*) vernice a fuoco ● **s. top**, piastra (*da cucina*); piano di cottura □ **s.-wood**, legna da ardere □ **cooking s.**, fornello da cucina □ **gas s.**, cu-

cina (*o* stufa) a gas.

stove② /stəʊv/ *pass. e p. p.* di **to stave.**

to **stove** /stəʊv/ *v. t.* **1** (*tecn.*) essiccare **2** cuocere (*ceramiche*) **3** asciugare nella stufa **4** (*ingl.*) coltivare (*piante*) in serra riscaldata **5** (*scozz.*) (*cucina*) stufare.

stovepipe /'stəʊvpaɪp/ *n.* **1** tubo di stufa **2** (*pl.*) (*fam.*) pantaloni a tubo ● (*fam.*) **s. hat**, cappello a cilindro.

to **stow** /stəʊ/ *v. t.* **1** assettare; collocare; metter via; riporre; stipare: **to s. old papers in a drawer**, riporre (*o* stipare) vecchi documenti in un cassetto **2** (*naut.*, *aeron.*) stivare: **to s. goods in bulk**, stivare merci alla rinfusa □ (*naut.*) **to s. the anchor**, traversare l'ancora □ **to s. away**, metter via, riporre; (*fam.*) rimpinzarsi di; (*naut.*, *aeron.*) imbarcarsi clandestinamente, viaggiare da clandestino □ (*naut.*) **to s. the sails**, ammainare le vele □ (*fam.*) **S. it!**, chiudi il becco! (*fig. fam.*).

stowage /'stəʊɪdʒ/ *n.* ⓤ **1** assettatura; collocazione; il riporre **2** (*naut.*) stivaggio: **s. in bulk**, stivaggio alla rinfusa **3** (*naut.*) spese di stivaggio **4** (*naut.*) capacità di stivaggio: **to have ample s.**, avere una grande capacità di stivaggio.

stowaway /'stəʊəweɪ/ *n.* (*naut.*, *aeron.*) (passeggero) clandestino.

Str. *abbr.* **1** (**strait**) stretto **2** (**street**) strada **3** (**stroke** (**oar**)) capovoga.

strabismus /strə'bɪzməs/ (*med.*) *n.* ⓤ strabismo || **strabismic** *a.* strabico.

Strad /stræd/ *n.* (*mus.*, *abbr. fam.* di **Stradivarius**) stradivario.

straddle /'strædl/ *n.* **1** ⓤⓒ posizione di gambe divaricate; lo stare (*o* il mettersi) a cavalcioni **2** ⓤⓒ posizione d'incertezza; (*fig.*) esitazione; titubanza; tentennamento; il barcamenarsi **3** (*Borsa*, *USA*) opzione doppia; stellage; stellaggio; contratto a doppio premio (*cfr. ingl.* put and call, *sotto* put①) **4** (*poker*) raddoppio della puntata di apertura ● (*atletica*) **s. jump**, salto ventrale □ **s.-legged**, a gambe divaricate; a cavalcioni □ (*ginnastica*) **s. vault**, volteggio a gambe divaricate.

to **straddle** /'strædl/ Ⓐ *v. i.* **1** stare a gambe divaricate; stare a cavalcioni; camminare a gambe larghe **2** mettersi a cavalcioni **3** (*fig.*) essere incerto (*o* titubante); esitare (*fra due linee di condotta*); tentennare; barcamenarsi; tenere il piede in due staffe **4** (*lotta*) scavalcare (*l'avversario*) Ⓑ *v. t.* **1** essere in sella; mettersi (*o* stare) a cavalcioni di; inforcare; calvalcare; montare (*un cavallo*): **to s. a chair**, stare a cavalcioni d'una sedia **2** (*fig.*) essere a cavalcioni di; essere situato su ambo i lati di: *The little town straddles the border*, la cittadina è tagliata in due dal confine ● (*sci: slalom*) **to s. a gate**, inforcare (una porta) □ (*fig.*) **to s. an issue**, non prendere partito; dare un colpo al cerchio e uno alla botte □ **to s. one's legs**, divaricare le gambe.

straddling /'strædlɪŋ/ *n.* (*lotta*) scavalcamento.

Stradivarius /strædɪ'veərɪəs/ *n.* (*pl.* **Stradivarii**, **Stradivariuses**) (*mus.*) stradivario.

strafe /streɪf/ *n.* (*mil.*, *aeron.*) attacco a bassa quota con armamento di lancio (*mitragliatrici*, *razzi*, *e sim.*).

to **strafe** /streɪf/ *v. t.* **1** (*mil.*, *aeron.*) colpire (*con razzi*, *ecc.*); mitragliare a bassa quota (*da un aereo*) **2** (*fig.*) sgridare aspramente; rimproverare; punire.

to **straggle** /'strægl/ *v. i.* **1** disperdersi; sbandarsi; sparpagliarsi: *Then the onlookers straggled off*, poi gli astanti si dispersero **2** (*anche sport*) rimanere indietro; farsi staccare **3** errare; girovagare; vagabondare; muoversi in ordine sparso; andare alla

spicciolata: *The crowd straggled along* [*in*, *away*], la folla avanzava [arrivava, se ne andava] alla spicciolata **4** (*di piante*, *ecc.*) crescere in modo disordinato; svilupparsi (*o* estendersi) disordinatamente ● **to s. over the fields**, buttarsi (*o* tagliare) per i campi.

straggler /'stræglə(r)/ *n.* **1** chi è rimasto indietro; ritardatario; fanalino di coda (*fig.*) **2** (*anche mil.*) sbandato **3** (*bot.*) succhione.

straggling /'stræglɪŋ/ *a.* **1** disperso; sbandato **2** sparpagliato; sparso ● **s. houses**, case sparpagliate ● **s. weeds**, erbacce rigogliose.

straggly /'stræglɪ/ *a.* **1** sparpagliato; sparso qua e là **2** disordinato: **s. line of ants**, una fila disordinata di formiche ● **a s. plant**, una pianta cresciuta male.

◆**straight** /streɪt/ Ⓐ *a.* **1** diritto; dritto; ritto; eretto; retto; corretto; giusto; onesto; perbene: **a s. road**, una strada diritta; **s. legs**, gambe diritte; **a s. back**, una schiena dritta, eretta; (*geom.*) **s. line**, linea retta; **a s. player**, un giocatore corretto; **a s. man**, un uomo retto; *Is my tie s.?*, ho la cravatta dritta?; **s. thinking**, modo di pensare retto, giusto; **s. dealings**, affari onesti **2** diretto: **s. course**, itinerario diretto **3** franco; diretto; leale; schietto; perbene; bravo: **s. speaking**, parlar franco e leale; *He is well-known for his s. manner*, è noto a tutti per il suo leale modo di fare; **a s. answer**, una risposta franca, schietta; **to be s. with sb.**, comportarsi lealmente con q.; (*anche*) essere franco con q.; *I just wish they'd been s. with us in the first place*, avrei preferito che fossero stati franchi con noi da subito **4** assettato; ordinato; in ordine; a posto; in sesto: *The accounts are s.*, i conti sono in ordine; *Get your bedroom s.*, metti in ordine la tua camera! **5** (*fam.*) di fonte sicura; sicuro; attendibile; giusto; vero: **a s. tip**, un'informazione attendibile; un suggerimento sicuro (*circa un cavallo vincente*, *un investimento*, *ecc.*) **6** puro; schietto; liscio; secco: **s. whisky**, whisky schietto (*o* liscio) **7** (*autom.*, *mecc.*) in linea: **a s.-six (engine)**, un motore a sei cilindri in linea **8** (*del viso*) serio: **to keep a s. face**, fare la faccia seria; rimanere serio, impassibile; riuscire a trattenere il riso **9** (*anche teatr.*) serio; convenzionale **10** consecutivo; di fila, di seguito: **four s. wins**, quattro vittorie di fila **11** (*di motore*) in linea **12** (*fam.*) che non devia dalla norma; «sano» (*eterosessuale*, *o che non si droga*); (*spreg.*) convenzionale **13** (*boxe*) diretto: **a s. left**, un diretto sinistro; **a s. right**, un diretto destro **14** (*cricket*) (*del braccio*) teso: **s.-arm bowling**, lanci a braccio teso (*la posizione normale*) **15** (*cricket*) (*della mazza*) tenuta ad angolo retto (*rispetto al terreno*) **16** (*equit.*, *ecc.*) a piombo; verticale: **a s. obstacle** (*o* **s. jump**), un ostacolo verticale **17** (*ginnastica*) teso; disteso: **s. legs**, gambe distese **18** (*fig.*) consecutivo; in fila: *After five s. wins they finally lost to us*, dopo cinque vittorie consecutive, alla fine con noi persero Ⓑ *n.* **1** l'esser dritto; l'essere a piombo **2** rettifilo; rettilineo; (*sport*) dirittura (*d'arrivo*): *They were even as they reached the s.*, entrarono in dirittura d'arrivo appaiati **3** (*ginnastica*, *tuffi*) posizione eretta (*a gamba distesa*) **4** (*poker*) scala; sequenza: **highest** [**lowest**] **s.**, scala massima [minima] **5** (*fam.*) chi non devia dalla norma; eterosessuale; persona «sana» (*che non si droga*, *ecc.*); (*spreg.*) tipo convenzionale **6** (*boxe*) diretto **7** (*slang: di un drogato*) «viaggio» ben riuscito (*senza allucinazioni*) Ⓒ *avv.* **1** diritto; rettilineo; dritto: **to go s. on**, andar sempre diritto; tirar diritto; *This hat comes s. from Paris*, questo cappellino viene direttamente da Parigi; (*calcio*) *A goal cannot be scored s. from a throw-in*, non si può fare gol direttamente su rimessa latera-

le **2** dritto; ritto; in posizione eretta: **to stand (up) s.**, star ritto; stare eretto **3** correttamente; bene: *The old man cannot see s.*, il vecchio non ci vede bene **4** correttamente; lealmente **5** schiettamente; francamente; esplicitamente; chiaro e tondo: *I told him s. (out)*, glielo dissi chiaro e tondo ● (*fam.*) **the s. and narrow**, la retta via; la vita onesta: **to keep to** (*o* **on**) **the s. and narrow**, vivere rettamente; seguire la retta via □ (*geom.*) **a s. angle**, un angolo piatto □ (*archit.*) **s. arch**, piattabanda □ (*sport*) **s.-arm**, (agg.) a braccio teso; (sost.) (*football americano, rugby*) respinta (*di un avversario*) a braccio teso □ (*rugby*) **s.-arm tackle**, placcaggio a braccio teso □ (*fam. USA*) **s. arrow**, persona onesta, perbene; (*anche*) persona che si attiene alle convenzioni □ **as s. as a die**, diritto come un fuso; (*fig.*) fidatissimo, onestissimo □ **s. away**, subito; senz'indugio; difilato; lì per lì; su due piedi: *I'll change it s. away*, lo cambio subito; *I cannot tell you s. away*, non posso dirtelo su due piedi □ (*boxe*) **a s. blow**, un colpo che va dritto al segno; un diretto □ (*fin.*) **s. bond**, obbligazione ordinaria □ **a s. choice**, una scelta obbligata □ (*poker, USA*) **s. color**, scala reale (*cfr. ingl.* **s. flush**, *sotto* **flush**④) □ **s.-cut**, tagliato per il lungo; (*del tabacco*) trinciato; (*fig.*) onesto, fidato, serio □ **s.-cut tobacco**, trinciato (sost.) □ (*mecc.*) **s.-eight (engine)**, (motore a) otto cilindri in linea □ (*fig.*) **s.--faced**, impassibile; serio; solenne □ **a s. fight**, una lotta accanita; (*polit.*) una competizione diretta (*fra due candidati*) □ (*poker*) **s. flush**, scala reale □ **s. from**, (direttamente) da: *He came home s. from the office*, venne a casa direttamente dall'ufficio; **to learn st. s. from the horse's mouth**, apprendere qc. direttamente dalla fonte; **to drink s. from the bottle**, bere dalla bottiglia; bere a collo □ (*sport*) **s. from the shoulder**, (*di un lancio, ecc.*) (effettuato) dalla spalla; (*boxe: di un pugno*) portato con la spalla; (*fig. fam.*) senza circonlocuzioni, chiaro e tondo: *I'll give it to you s. from the shoulder*, te lo dirò chiaro e tondo □ (*slang USA*) **s. goods** (*o* **s. dope**), la verità: *I want the s. goods*, voglio sapere la verità □ **s. hair**, capelli lisci □ **straight-jacket** → **straitjacket** □ (*aeron.*) **s. jet**, aereo a reazione senz'elica □ **straight--laced** = **strait-laced** → **strait**① □ (*ass.*) **s. life annuity**, vitalizio; assegno vitalizio □ (*ass.*) **s. life insurance**, assicurazione vita intera □ **s.-line**, (*geom.*) in linea retta, rettilineo; (*rag.*) a quote costanti: **s.-line depreciation**, ammortamento a quote costanti □ **s.-line rate**, tariffa fissa (*dell'elettricità, ecc.*) □ **s.-lined**, rettilineo □ (*teatr.*) **s. man**, spalla □ **s. off**, sùbito; immediatamente; su due piedi; lì per lì □ **s. out**, in modo chiaro (*o* esplicito); chiaro e tondo (*fam.*) □ (*fin.*) **s. paper**, titolo di credito firmato (*o* girato) da una persona sola □ (*sci*) **s. plough**, discesa a spazzaneve □ **s. poker**, poker con una sola distribuzione di carte (*ora in disuso, salvo fra professionisti e con poste elevate*) □ (*equit.*) **s. post and rail**, dritto; barriera □ (*sport*) **a s. race**, una corsa «tirata» □ (*chim.*) **s. run**, distillato primario (*o* vergine) □ (*nelle corse*) **s. stretch**, dirittura; rettilineo; rettifilo □ (*polit., USA*) **s. ticket**, lista completa di candidati di un partito □ **s. through**, da cima a fondo: **to read a novel s. through**, leggere un romanzo da cima a fondo (*o* tutto d'un fiato) □ (*scherma*) **s. thrust**, stoccata diritta □ **s. time**, orario lavorativo normale (*esclusi gli straordinari, ecc.*) □ (*fam. USA*) (agg.) **s.-up**, onesto, retto, perbene; (*di whisky, ecc.*) liscio; (*di uovo*) (cotto) all'occhio di bue: *I like my eggs s.-up*, le uova mi piacciono all'occhio di bue; (avv., *ingl.*) sul serio, davvero, proprio così □ **to come s. to the point**, venir subito al punto, al dunque; entrare subito in argomento □ (*fam.*) **to get s.**, rimettere (rimettersi) in sesto; raddrizzare (*un'azienda, ecc.*); raddrizzarsi □ (*fam.*) **to get st. s.**, capire bene qc. □ **to go s.**, andare (sempre) diritto; (*fig. fam.*) comportarsi onestamente, rigare diritto □ **to have a s. eye**, avere «occhio»; saper distinguere una deviazione dalla linea retta □ **to hit s. from the shoulder**, (*boxe*) portare i colpi dalla spalla; colpire di diritto □ (*mecc., edil.*) **out of the s.**, storto; fuori squadra □ (*fam.*) **to play it s.**, mettere giudizio; rigare dritto □ **to put sb. s.**, chiarire le idee a q.; dire a q. come stanno le cose □ **to put st. s.**, raddrizzare qc. □ **to put one's hair s.**, rassettarsi, mettersi a posto i capelli □ **to put the record s.**, dire (*o* per dire) le cose come stanno; (per) mettere tutto in chiaro □ **to put things s.**, metter le cose a posto; sistemare le cose □ **to ride s.**, cavalcare in linea retta (*saltando siepi, steccati, ecc.*) □ **to set sb. s. about it**, chiarire la cosa a q.; accertarsi che q. abbia capito bene □ **to set the record s.** = **to put the record s.** → *sopra* □ **to shoot s.**, sparar diritto; sparare bene; avere la mira buona □ (*polit., USA*) **to vote the s. ticket**, votare l'intera lista dei candidati, senza fare aggiunte o modifiche □ **Keep s. on!**, andate sempre dritto!

❶ Falsi amici • straight *non significa* stretto.

❶ Nota: *straight o strait?*

Straight significa "diritto" e si può usare in funzione di aggettivo, avverbio o sostantivo, con diversi significati: *a straight line*, una linea diritta, *go straight home*, vai dritto a casa, *to enter the final straight*, imboccare il rettilineo finale. *Strait* si pronuncia come *straight*, ma ha un significato molto diverso; si trova generalmente come sostantivo dal significato di "stretto, canale": *the Straits of Dover*, lo stretto di Dover.

to **straight-arm** /ˈstreɪtɑːm/ v. t. (*football americano, rugby*) respingere, allontanare (*un avversario*) a braccio teso.

straightaway /ˈstreɪtəweɪ/ **A** a. **1** diritto; dritto; rettilineo **2** diretto: **a s. flight**, un volo diretto **B** n. rettifilo; rettilineo; (*sport, USA*) dirittura **C** avv. **1** direttamente **2** immediatamente; subito.

straight-edge /ˈstreɪtɛdʒ/ n. riga (*da disegno*); righello; regolo ‖ **straight-edged** a. tirato col righello.

to **straighten** /ˈstreɪtn/ **A** v. t. **1** raddrizzare; drizzare: **to s. one's hat**, raddrizzare il cappello; **to s. a bent bar**, raddrizzare una sbarra piegata **2** (*mecc.*) spianare: **to s. a sheet of iron**, spianare una lamiera **B** v. i. raddrizzarsi; diventare diritto: *After the bend the road straightens (out)*, dopo la curva la strada si fa dritta ● **to s. one's face**, ricomporre il viso □ **to s. oneself out** (*o* **up**), rimettersi a posto, sistemarsi, ricomporsi: *You'll have to s. yourself out (o up), young man, if you want to marry my daughter!*, dovrà rimettersi in riga, giovanotto, se vuole sposare mia figlia! □ **to s. oneself up**, drizzarsi, raddrizzarsi, tirarsi su: *S. up very slowly and raise your hands!*, tirati su e alza le mani! □ (*ginnastica*) **straightened legs**, gambe in estensione.

■ **straighten out** **A** v. i. + avv. **1** raddrizzarsi; diventare diritto; riprendere l'andamento rettilineo **2** (*dei capelli*) stirarsi **3** (*aeron.*) raddrizzarsi (*dopo una virata*); riprendere il volo orizzontale **4** (*fig.*) appianarsi; aggiustarsi; accomodarsi; sistemarsi: *I'm pretty sure everything will s. out*, sono sicuro che tutto si aggiusterà **B** v. t. + avv. **1** raddrizzare (*anche fig.*); rimettere in sesto; rimettere (q.) sulla retta via **2** stirare (*i capelli*) **3** (*aeron.*) richiamare, rimettere (*un aereo*) in linea di volo **4** (*fig.*) regolare; sistemare; mettere in ordine: **to s. out one's accounts**, mettere in ordine i propri conti **5** (*fig.*) mettere in chiaro, chiarire (*un fraintendimento*); appianare (*una divergenza*); dare una raddrizzata a (q.) **6** (*mecc.*) spianare.

■ **straighten up** **A** v. i. + avv. **1** (*di una persona*) raddrizzarsi; drizzarsi: *My backache prevents me from straightening up*, il mal di schiena m'impedisce di drizzarmi **2** (*aeron.*) raddrizzarsi, riprendere quota (*dopo una picchiata*) **3** → **straighten out**, **A**, *def. 4* **B** v. t. + avv. **1** rimettere a posto; riassettare; riordinare: **to s. up the house**, riordinare la casa **2** (*aeron.*) richiamare, rimettere (*un aereo*) in linea di volo (*dopo una picchiata*).

♦**straightforward** /streɪtˈfɔːwəd/ a. **1** lineare; semplice; diretto: **a s. case**, un caso semplice **2** retto; onesto; franco; aperto; schietto; leale: **a s. report**, un franco resoconto **3** chiaro; facile; elementare; ovvio: **s. responsibility**, responsabilità chiara **4** netto: **a s. refusal**, un netto rifiuto | **-ly** avv. | **-ness** n. **U**.

straightness /ˈstreɪtnəs/ n. **U** **1** l'esser diritto (*o* rettilineo) **2** dirittura morale; rettitudine; onestà; lealtà; franchezza; schiettezza.

strain① /streɪn/ n. **1** **CU** sforzo; strappo; tensione (*anche fig.*): *The chain broke under the s.*, la catena si spezzò sotto lo sforzo; *He gave a great s. and lifted the rock*, diede un grande strappo e sollevò il masso; *The s. in our relations is increasing*, la tensione nelle nostre relazioni è in aumento; (*econ.*) *We must combat the s. due to the pressure of home demand*, dobbiamo reprimere la tensione provocata dalla pressione della domanda interna **2** **CU** (*med.*) tensione nervosa; esaurimento; stress; (*fig.*) logorio: **the s. of business life**, il logorio degli affari **3** (*med.*) distorsione; slogatura; strappo muscolare: *I have a s. in my leg*, ho uno strappo muscolare alla gamba **4** (*ind. costr.*) sollecitazione **5** **U** (*ind. costr., mecc.*) deformazione: **elastic s.**, deformazione elastica ● (*tecn.*) **s. gauge**, estensimetro □ (*metall.*) **s. hardening**, incrudimento □ **to be on the s.**, esser teso all'estremo □ **to put a great s. on sb.**, sottoporre q. a un grosso sforzo □ **to be under great s.**, essere sotto pressione (*per il lavoro, lo studio, ecc.*) □ **That is a great s. on my imagination**, è uno sforzo eccessivo per la mia fantasia.

strain② /streɪn/ n. **1** discendenza; lignaggio; schiatta; stirpe; razza; famiglia: *He comes of a noble s.*, discende da una famiglia nobile; *This dog is of a good s.*, questo cane è di (buona) razza **2** (*biol.*) ceppo: **a new s. of bacterium**, un batterio di un ceppo nuovo **3** (*bot.*) varietà: **a new s. of corn**, una varietà nuova di granturco **4** indizio; segno; traccia; vena (*fig.*): *There is a s. of ferocity [madness] in him*, c'è in lui una vena di ferocia [di pazzia] **5** (spesso al pl.) (*poet., retor.*) motivo musicale; ritmo; canto; melodia: **the strains of the harp**, le melodie dell'arpa; **a moving s.**, un motivo commovente **6** tono; modo: *He spoke in an angry s.*, parlò in tono irato.

♦to **strain** /streɪn/ **A** v. t. **1** tendere (*anche fig.*); sforzare; affaticare; ferire (*fig.*); mettere a dura prova; mettere (q.) sotto pressione: **to s. the barbed wire of a fence**, tendere il filo spinato di un recinto; **to s. one's ears**, tendere le orecchie; *The sunlight was straining my eyes*, la luce del sole mi feriva gli occhi; **to s. one's eyes**, affaticarsi la vista; **to s. sb.'s patience**, mettere a dura prova la pazienza di q. **2** distorcere; storcere; slogare; forzare; stiracchiare (*fig.*); forzare il significato (*o* l'interpretazione) di: **to s. the truth**, distorcere la verità; svisare i fatti; *He fell and strained his ankle*, cadde e si storse (*o* si slogò) la caviglia; **to s. the sense of a sentence [of other people's words]**, forzare il senso d'una frase [delle parole altrui]; **to s. the law**, stiracchiare la legge; for-

zarne l'interpretazione **3** eccedere; oltrepassare; andare oltre; abusare di: **to s. one's powers**, eccedere i propri poteri; **to s. one's authority**, abusare della propria autorità **4** danneggiare; deformare; sformare: *The excessive weight has strained the springs*, il peso eccessivo ha deformato le molle **5** colare; filtrare: **to s. coffee**, filtrare il caffè **6** (*cucina*) passare: **to s. vegetables**, passare la verdura **B** *v. i.* **1** sforzarsi; affaticarsi; arrancare; essere sotto sforzo: *He was straining to win*, si sforzava di vincere; **straining horses**, cavalli sotto sforzo, affaticati **2** tirare; dare strattoni: *The dog was straining at the leash*, il cane tirava al guinzaglio **3** (*di liquido, spesso* **to s. off**, **to s. away**) colare; filtrare ● (*lett.*) **to s. every nerve**, fare ogni sforzo; mettercela tutta □ (*med.*) **to s. a muscle**, prodursi uno strappo muscolare □ **to s. oneself**, sforzarsi, affaticarsi: (*iron.*) *Don't s. yourself!*, non ammazzarti di fatica!; non scomodarti! □ (*fig.*) **to s. a point in sb.'s favour**, fare uno strappo (alla regola) in favore di q. □ **to s. one's voice**, sforzare la voce.

■ **strain after** *v. i.* + *prep.* sforzarsi di raggiungere; ricercare a tutti i costi: *This poet incessantly strains after effect* (*o effects*), questo poeta è alla continua ricerca dell'effetto.

■ **strain against** *v. i.* + *prep.* (*lett.*) fare forza, premere; scagliarsi contro: *The prisoner strained against the iron bars of his cell*, il detenuto premeva forte contro le sbarre di ferro della sua cella.

■ **strain at** *v. i.* + *prep.* **1** tirare con forza, fare forza su: *We strained at the rope to rescue the climber*, tirammo la fune a tutta forza per salvare l'alpinista; **to s. at the oars**, fare forza sui remi **2** (*fig.*) agitarsi, arrovellarsi, prendersela, fare difficoltà per: **to s. at a gnat**, prendersela per una nonnulla; **to s. at sb.'s decision**, fare delle difficoltà per accettare la decisione di q. □ (*fig. fam.*) **to s. at the leash**, mordere il freno (*fig.*); essere impaziente.

■ **strain away → strain off**.

■ **strain off** *v. t.* + *avv.* **1** colare; filtrare: **to s. off the fat in the broth**, filtrare il grasso che è nel brodo **2** (*cucina*) scolare (*la pasta, l'insalata, ecc.*).

■ **strain on → strain at**.

■ **strain through** **A** *v. t.* + *prep.* (*anche cucina*) filtrare, passare attraverso (*un colino, ecc.*) **B** *v. i.* + *prep.* filtrare attraverso: *Water strains through sand*, l'acqua filtra attraverso la sabbia.

strained /streind/ *a.* **1** teso; difficile; sgradevole: **s. relations**, rapporti tesi **2** sforzato; stiracchiato; innaturale: **a s. interpretation**, un'interpretazione forzata; **a s. smile**, un sorriso forzato **3** affaticato; stressato; teso; tirato: **a s. face**, un viso tirato (*o stanco*) **4** (*med.*) affaticato; indebolito: **a s. heart**, un cuore affaticato **5** filtrato; colato; (*cucina*) passato ● **to look a bit s.**, avere l'aria un po' stanca.

strainer /'streinə(r)/ *n.* **1** filtro; colino; passino: **a tea-s.**, un colino per il tè **2** (*mecc.*) dispositivo per stringere (*o per tendere*) ● **centrifugal s.**, depuratore centrifugo □ **a fence s.**, un apparecchio per tendere il filo metallico; un tendifilo.

straining /'streiniŋ/ *n.* UC **1** sforzo; tensione **2** forzatura, stiracchiamento (*del significato, ecc.*); distorsione; travisamento **3** colatura; filtrazione **4** (*fig.*) tensione; atmosfera tesa ● (*ind. costr.*) **s. beam** (*o* **s. piece**), controcatena.

strait ① /streit/ *a.* (*arc.*) **1** stretto; angusto; ristretto **2** severo; rigido; pieno di scrupoli; inflessibile ● **s.-handed**, spilorcio; tirchio ● **s.-laced**, rigido; severo; pieno di scrupoli; troppo pudico □ (*med.*) **s. waistcoat**, cami-

cia di forza | **-ly** *avv.* | **-ness** *n.* U.

strait ② /streit/ *n.* (*spesso al pl.*) **1** (*geogr.*) stretto; braccio di mare; canale: **the S. of Messina**, lo stretto di Messina; **the Straits of Dover**, lo stretto di Dover **2** (*spesso pl.*) (= **dire straits**, **desperate straits**) strette; strettezze; difficoltà: **to be in** (*dire*) **straits**, essere in (*gravi*) strettezze (*o difficoltà*); **to be in** (**desperate**) **financial straits**, trovarsi in (*gravissime*) difficoltà finanziarie ● **NOTA:** *strait o strait? → straight*.

to straiten /'streitn/ *v. t.* **1** restringere; limitare **2** (*di solito al passivo*) mettere in difficoltà (*finanziarie*) ● **to be straitened for st.**, essere scarsamente provvisto di qc. ● **to be in straitened circumstances**, trovarsi in ristrettezze; essere caduto in miseria.

straitjacket /'streitdʒækit/ *n.* **1** (*med.*) camicia di forza **2** (*fig.*) costrizione; catene; ceppi (*fig.*).

to straitjacket /'streitdʒækit/ *v. t.* mettere la camicia di forza a (*anche fig.*).

strake /streik/ *n.* **1** settore del cerchione (*della ruota di un carro*) **2** (*costr. navali*) corso di fasciame.

stramonium /strə'məʊniəm/ *n.* **1** (*farm.; bot., Datura stramonium*) stramonio **2** U (*farm.*) (olio di) stramonio.

strand ① /strænd/ *n.* **1** (*poet.*) lido; sponda; spiaggia; riva **2** (*geol.*) spiaggia marina.

strand ② /strænd/ *n.* **1** (*di fune o cavo*) trefolo **2** (*ind. tess.*) filo di base **3** tratta (*di cavo, ecc.*) **4** filo, giro (*di collana*) **5** (*fig.*) elemento; filo (*conduttore*).

to strand ① /strænd/ **A** *v. t.* **1** (*naut.*) arenare; mandare in secca; incagliare **2** (*trasp.*) lasciare (q.) a terra (*o a piedi*) **3** (*fig.*) lasciare nei guai **B** *v. i.* **1** (*di nave*) arenarsi; incagliarsi **2** (*ecol.: di balene, delfini, ecc.*) spiaggiarsi.

to strand ② /strænd/ *v. t.* **1** fare (*una fune*) intrecciando i trefoli **2** spezzare un trefolo (*o più trefoli*) di (*una fune*); sfilacciare (*una fune*).

stranded /'strændid/ *a.* **1** (*naut.*) arenato; incagliato; in secca **2** (*ecol.: di cetaceo, ecc.*) spiaggiato: *There were three whales s. on the island*, c'erano tre balene spiaggiate sull'isola **3** (*trasp.*) a piedi, appiedato, bloccato (*dalla neve, da uno sciopero, ecc.*); lasciato a terra: *The taxi driver left us s. in the dead of night*, il tassista ci lasciò a piedi nel cuore della notte; *There were lots of s. passengers at the airport*, nell'aeroporto c'erano tanti viaggiatori lasciati a terra **4** (*fig.*) in difficoltà; abbandonato da tutti: *I found myself s. in a foreign country, with no friends or money*, mi trovai abbandonato in un paese straniero, senza denaro né amici ● (*elettr.*) **s. wire**, corda; treccia; trecciola.

stranding /'strændiŋ/ *n.* UC **1** (*naut.*) arenamento; incaglio **2** (*ecol.: di balene, delfini, ecc.*) spiaggiamento.

◆**strange** /streindʒ/ *a.* **1** strano; insolito; curioso; singolare; bizzarro; strambo; stravagante; straordinario: **a s. experience**, una strana esperienza; *He's very s. in his manner*, il suo contegno è assai strano; **a s. story**, una storia curiosa, singolare; *It feels s. to fly for the first time*, è una sensazione curiosa volare per la prima volta; **s. clothes**, abiti bizzarri, stravaganti; **with s. persistency**, con straordinaria tenacia **2** sconosciuto; che non si conosce; estraneo; ignoto: **a s. face**, una faccia sconosciuta; *The place is s. to me*, il luogo mi è ignoto **3** (*raro*) forestiero; straniero: **s. gods**, divinità forestiere **4** non abituato; non pratico; nuovo: *He was s. to the job*, era nuovo a quel genere di lavoro ● **s. to say!**, strano a dirsi! □ **to feel s.**, sentirsi sperduto, essere come un pesce fuor d'acqua □ **to feel a bit s.**, non sentirsi bene, (*spec.*) avere giramenti di testa □ *How*

s.!, che strano!; che strana combinazione!

strangely /'streindʒli/ *avv.* stranamente; in modo insolito; bizzarramente; singolarmente ● **s. enough**, stranamente; sorprendentemente.

strangeness /'streindʒnəs/ *n.* U **1** stranezza; singolarità; bizzarria; stravaganza; straordinarietà **2** (*fis. nucl.*) stranezza (*numero quantico*).

◆**stranger** /'streindʒə(r)/ *n.* **1** estraneo; sconosciuto: *Country people were very suspicious of strangers*, i campagnoli guardavano con grande sospetto gli sconosciuti **2** forestiero; straniero: *I'm a s. here*, sono forestiero; non conosco il luogo (*la città, ecc.*) **3** (*leg.*) estraneo; terzo in causa ● (*polit.*) **the Strangers' Gallery**, la galleria per i visitatori (*alla Camera dei Comuni, fino al 2004*) □ **to be a s. to court intrigues**, essere estraneo agli intrighi di corte □ **to make a s.** [**no s.**] **of sb.**, trattare q. da estraneo [trattar q. amichevolmente] □ **He's no s. to love**, ha conosciuto l'amore □ **He is a s. to hate**, non conosce l'odio □ (*fam.*) **You are quite a s. now**, non ti si vede più □ **He is a s. to me**, non lo conosco affatto □ **He is no s. to me**, lo conosco; non mi è sconosciuto □ (*fam.*) **Hello, s.!**, chi si rivede!; guarda chi c'è!

to strangle /'stræŋgl/ **A** *v. t.* **1** strangolare; strozzare (*anche fig.*): *That collar is too tight: it may s. the dog*, quel collare è troppo stretto: può strozzare il cane; **to s. a country's foreign trade**, strangolare il commercio estero di un paese **2** (*anche fig.*) soffocare; reprimere: *The rioters were strangled by the tear gas*, i rivoltosi erano soffocati dai gas lacrimogeno; **to s. an impulse**, soffocare un impulso **B** *v. i.* soffocare; sentirsi soffocare || **strangler** *n.* strangolatore; strozzatore || **strangling** *n.* UC strangolamento; strozzatura; soffocazione.

stranglehold /'stræŋglhəʊld/ *n.* **1** stretta alla gola **2** (*lotta libera*) presa di strangolamento **3** (*fig.*) stretta mortale; morsa opprimente; oppressione ● (*fig.*) **to put a s. on economic activity**, strangolare l'attività economica.

strangles /'stræŋglz/ *n.* U (*vet.*) adenite equina; stranguglione (*pop.*).

to strangulate /'stræŋgjʊleit/ *v. t.* **1** (*med.*) strozzare **2** (*raro*) strangolare ● (*med.*) **strangulated hernia**, ernia strozzata.

strangulation /stræŋgjʊ'leiʃn/ *n.* U **1** (*med.*) strozzatura; strozzamento erniario **2** strangolamento.

strangury /'stræŋgjərı/ *n.* U (*med.*) stranguria.

strap /stræp/ *n.* **1** cinghia (*anche fig.*); correggia; nastro; striscia (*di cuoio o d'altro*): **a book s.**, una cinghia per i libri; (*fig.*) **to get the s.**, assaggiare la cinghia; prendere una razione di cinghiate **2** cinturino: **a watch s.**, un cinturino d'orologio **3** fascetta metallica (*per scarpe, ecc.*); reggetta; moietta; piatina **4** (*sartoria*) staffa (*dei pantaloni*) **5** maniglia a pendaglio (*d'autobus, ecc.*) **6** (*edil.*) staffa (*per grondaie, ecc.*) **7** (= **shoulder-s.**) spallina, bretella (*d'abito da donna*) **8** (*bot.*) ligula; linguetta **9** (*Borsa*) strap; contratto a premio **10** (*naut.*) stroppo **11** (*slang USA*) atleta; tipo sportivo; sportivone **12** (*ginnastica*) lacciolo (*degli anelli*) **13** (*gergo della malavita*) pistola ● (*mecc.*) **s. bolt**, bullone a staffa □ (*mecc.*) **s. brake**, freno a nastro (*di corda*) **s.-laid**, a trefoli piatti; fatta a nastro (*coi trefoli accostati, non intrecciati*) □ (*fig.*) **s. oil**, cinghiate; percosse date con la cinghia; mezzi persuasivi (*iron.*).

to strap /stræp/ *v. t.* **1** legare (*o assicurare*) con una cinghia **2** fissare con una fascetta metallica (*o con una reggetta*) **3** battere con la cinghia; prendere a cinghiate;

frustare **4** affilare (*un rasoio*) con la coramella **5** (*naut.*) stroppare **6** (*equit.*) affibbiare (*il sottopancia del cavallo*).

■ **strap down** v. t. + avv. assicurare (qc.) con cinghie (*o* con moiette, reggette, ecc.); legare (q.) come un salame.

■ **strap in** v. t. e i. + avv. (*autom., aeron.*) assicurare (*o* assicurarsi) con la cintura (*di sicurezza*): **to stay strapped in for the whole flight**, tenere la cintura di sicurezza durante tutto il volo.

■ **strap on** v. t. + avv. (o prep.) assicurare, fissare, legare (a): **to s. crampons on one's boots**, legarsi i ramponi alle scarpe.

■ **strap up** v. t. + avv. **1** fissare; legare; assicurare **2** (*med.*) incerottare; fasciare, bendare.

straphanger /'stræphæŋə(r)/ n. **1** (*fam.*) passeggero in piedi (*che si regge alla maniglia, in tram o in autobus*) **2** (*spreg.*) pendolare.

strap-hanging /'stræphæŋɪŋ/ n. ⓤ **1** (*fam.*) il viaggiare in piedi (*su un mezzo pubblico*), reggendosi alla maniglia **2** (*spreg.*) pendolarismo.

strapless /'stræpləs/ a. (*d'abito da donna o di reggiseno*) senza spalline; senza bretelle.

strappado /strə'peɪdəʊ/ n. (pl. *strappados*, *strappadoes*) (*stor.*) **1** ⓤ supplizio della corda; tratti di corda **2** corda per il supplizio.

to **strappado** /strə'peɪdəʊ/ v. t. (*stor.*) dar la corda a (q.); sottoporre (q.) al supplizio della corda.

strapped /stræpt/ a. **1** assicurato (*o* legato) con una cinghia (con una bretella, ecc.) **2** (*tecn.*) reggettato **3** (*slang, = s. for money*) al verde; senza una lira; in bolletta (*dura*) ● **s. trousers**, calzoni da cavallerizzo □ (*di un braccio, ecc.*) **s. up**, fasciato; bendato.

strapper /'stræpə(r)/ n. **1** (*tecn.*) reggettatrice; reggiatrice **2** (*fam.*) persona ben piantata; pezzo d'uomo **3** (*fam.*) donnona **4** (*slang*) novellino; principiante.

strapping ① /'stræpɪŋ/ a. (*fam.*) forte; robusto; grande e grosso; ben piantato; aitante: **a s. fellow**, un omone grande e grosso; un tipo robusto ● **a s. girl**, una ragazzona.

strapping ② /'stræpɪŋ/ n. ⓤ **1** fissaggio con cinghie (*o* moiette, reggette, ecc.) **2** (*collett.*) cinghiate; staffilate **3** (*collett.*) bretelle (*da donna*); spalline; cinturini; linguette **4** (*med.*) cerotto; applicazione di cerotto; incerottatura **5** moietta; reggetta; piattina.

strass /stræs/ n. ⓤ strass; cristallo per gioielli artificiali: **a s. brooch**, una spilla di strass.

stratagem /'strætədʒəm/ n. stratagemma.

◆**strategic** /strə'tiːdʒɪk/, **strategical** /strə'tiːdʒɪkl/ a. (*mil.*) strategico (*anche fig.*): **a s. move** [**position**], una mossa [una posizione] strategica **a s. target**, un obiettivo strategico | **-ally** avv.

strategics /strə'tiːdʒɪks/ n. pl. (col verbo al sing.) (*mil.*) strategia.

strategist /'strætədʒɪst/ n. (*mil.*) stratego; stratega: (*spreg.*) **armchair s.**, stratega da tavolino.

◆**strategy** /'strætədʒɪ/ n. ⓤ (*mil. e fig.*) strategia: **a master of s.**, un grande stratega; **marketing strategies**, strategie di marketing; **to work out a s.**, elaborare una strategia.

strath /stræθ/ n. **1** (*scozz.*) ampia valle: '*Farewell to the straths and green valleys below*' R. BURNS, 'addio alle vallate e alle verdi vallette sottostanti' **2** (*geol.*) fondovalle degradato **3** (*geol.*) depressione nella scarpata continentale.

strathspey /stræθ'speɪ/ n. (*mus.*) danza scozzese simile al → «reel» (→ **reel**②), ma più lenta.

stratification /strætɪfɪ'keɪʃn/ n. ⓤ (*spec. geol., econ., stat.*) stratificazione: **the s. of society**, la stratificazione della società.

stratified /'strætɪfaɪd/ a. (*geol., stat., ecc.*) stratificato: **s. rocks**, rocce stratificate; **s. sample**, campione stratificato.

stratiform /'strætɪfɔːm/ a. (*scient.*) stratiforme.

to **stratify** /'strætɪfaɪ/ v. t. e i. stratificare, stratificarsi.

stratigraphy /strə'tɪgrəfɪ/ n. ⓤ **1** (*geol.*) stratigrafia **2** (*med.*) stratigrafia; tomografia || **stratigrapher** n. (*scient.*) stratigrafo || **stratigraphic, stratigraphical** a. (*geol., med.*) stratigrafico || **stratigraphically** avv. stratigraficamente.

stratocumulus /strætəʊ'kjuːmjʊləs/ n. (pl. *stratocumuli*) (*meteor.*) stratocumulo.

stratopause /'strætəʊpɔːz/ n. ⓤ (*meteor.*) stratopausa.

stratosphere /'strætəsfɪə(r)/ n. ⓤ stratosfera || **stratospheric, stratospherical** a. stratosferico.

stratum /'streɪtəm/ n. (pl. *strata*, *stratums*) **1** (*geol.*) strato; falda **2** (*anche econ., stat.*) strato sociale; ceto; classe.

stratus /'streɪtəs/ n. (pl. *strati*) (*meteor.*) strato.

◆**straw** /strɔː/ Ⓐ n. ⓤⒸ **1** paglia; pagliuzza; filo di paglia; fuscello; festuca: **a load of s.**, un carico di paglia **2** cannuccia (*per bere*): **to drink st. through a s.**, bere qc. con la cannuccia Ⓑ a. attr. **1** (*anche fig.*) di paglia: **a s. hat**, un cappello di paglia; una paglietta; **a s. rope**, una corda di paglia **2** (= s.-coloured) color della paglia; paglierino: **s. oil**, olio paglierino ● (*USA*) **s. ballot** = **s. poll** → sotto □ **s. blonde**, donna dai capelli color paglia □ **s.-bottomed**, col fondo di paglia; impagliato: **s.-bottomed chairs**, sedie impagliate □ (*agric.*) **s.-chopper**, trinciapaglia □ (*fig.*) **a s. in the wind**, un segno premonitore; un indizio; un'avvisaglia □ **s.-mat**, stuoia; stuoino □ **s. mattress**, pagliericcio □ **s. plait** (*o* **plaiting**), treccia di paglia □ (*polit., USA*) **s. poll** (*o* **s. vote**), sondaggio preelettorale; sondaggio dell'opinione pubblica □ (*fig.*) **the s. that breaks** (*o* **broke**) **the camel's back**, la goccia che fa traboccare il vaso □ (*agric.*) **s.-walker**, scuotipaglia (*di mietitrebbia*) □ **s. wine**, vino d'uva passita □ **s.-yard**, pagliaio, ricovero di paglia (*per il bestiame*) □ (*fig.*) **to catch** (*o* **to grab, to clutch**) **at straws**, appigliarsi a qualunque cosa; (*anche*) arrampicarsi sugli specchi □ **to draw straws**, tirare a sorte (*usando pagliuzze di diversa lunghezza*) □ **to draw the short s.**, prendere la pagliuzza corta; tirare a sorte e perdere; essere sfortunato □ **I don't care** (*o* **give**) **a s. for it**, non me ne importa nulla □ **It isn't worth a s.**, non vale nulla (*fam.*: un fico) □ (*prov.*) **A drowning man will catch** (*o* **clutch, grasp**) **at a s.**, chi sta per affogare s'afferra anche a una paglia; la speranza è l'ultima a morire.

◆**strawberry** /'strɔːbrɪ/ n. **1** (*bot., Fragaria*) fragola **2** (*anat.*) = **s. mark** → sotto ⓤ color fragola ● **s.-bed**, fragoleto □ **s. blonde**, biondo tiziano □ (*slang fig.*) **s. fields**, l'LSD □ (*USA*) **s. lemonade**, bevanda aromatizzata alla fragola □ **s. leaves**, (simbolo del) titolo di duca (*o* di marchese, *o* di earl) (*dalle foglie che decorano la corona ducale*); corona ducale, ecc. □ **s. mark**, neo angiomatoso; voglia di fragola (*fam.*) □ (*bot.*) **s. sedge**, carice □ (*bot.*) **s. tomato**, (*Physalis*) pianta delle Fisalidi (*in genere*); alchechengi □ (*bot.*) **s. tree** (*Arbutus unedo*), corbezzolo.

strawy /'strɔːɪ/ a. di paglia; simile a paglia; fatto di paglia.

stray /streɪ/ Ⓐ a. attr. **1** disperso; smarrito; randagio; sperso; vagante: **a s. cat** [**dog**], un gatto [un cane] randagio; *He was*

hit by a s. bullet, fu colpito da un proiettile vagante **2** casuale; fortuito; sporadico; sparso: **a s. customer or two**, qualche cliente casuale; **in a few s. instances**, in qualche caso sporadico **3** isolato; sparso qua e là: **some s. cottages**, alcune casette sparse qua e là **4** (*elettr., radio*) vagante; parassita: **s. current**, corrente vagante (*o* parassita) Ⓑ n. **1** animale randagio **2** persona derelitta; (*spec.*) bambino smarrito **3** (pl.) (*radio*) interferenza atmosferica; scariche **4** (*fam.*) cosa fuori posto: *This book must be a s.*, questo libro dev'essere fuori posto ● (*elettr.*) **s. field**, campo di dispersione □ (*naut.*) **s. line**, sagola morta.

to **stray** /streɪ/ v. i. **1** deviare; allontanarsi (*da*); fuorviare; disperdersi; smarrirsi; sviarsi; sbandarsi: *The children strayed from the playground*, i bambini si allontanarono dal parco giochi **2** (*del pensiero*) distrarsi **3** (*elettr.*) disperdersi ● **to s. from the point**, divagare; uscire fuori tema □ (*sport*) **to s. offside**, finire in fuorigioco.

streak /striːk/ n. **1** riga; stria; striscia (*spec. irregolare*); striatura; banda (*di colore*): **a s. of light above the horizon**, una striscia di luce all'orizzonte; **blue with red streaks**, blu a striature rosse **2** strato (*anche di minerale*); vena; filone: **bacon with thick, red streaks of lean**, pancetta affumicata con spessi strati rossi di magro; **a gold s.**, una vena d'oro **3** (*fig.*) vena; traccia; tocco: *He has a mean s. in him*, c'è una vena di cattiveria in lui **4** (*fam.*) momento; periodo; serie: **a losing** [**winning**] **s.**, una serie negativa [positiva]; (*sport*) una serie di sconfitte [di vittorie] **5** (*miner.*) striscio; colore di sfregamento **6** (*batteriologia*) strisciamento **7** (*fam.*) streaking; corsa veloce fatta da nudi in un luogo pubblico ● **s. lightning**, fulmine dritto □ (*scient.*) **s. plate**, coltura a striscia □ **like a s.** (**of lightning**), come un lampo; in un baleno □ (*fam.*) **He has a yellow s. in him**, è un vigliacco.

to **streak** /striːk/ Ⓐ v. t. **1** striare; screziare; rigare: *Tears streaked her face*, le lacrime le rigavano il viso **2** venare (*marmo, ecc.*) Ⓑ v. i. **1** (*fam.*) andare come un lampo: *He streaked off*, se ne andò di corsa **2** (*fam.*) fare lo streaking; correre velocemente, e nudo, in un luogo pubblico (*spec. per protesta*).

streaked /striːkt/ a. **1** striato; screziato **2** (*di marmo*) venato **3** (*di capello*) brizzolato.

streaker /'striːkə(r)/ n. chi fa lo streaking (*cfr.* **to streak**, B, *def. 2*).

streaking /'striːkɪŋ/ n. ⓤⒸ striatura **2** streaking (*cfr.* **to streak**, B, *def. 2*).

streaky /'striːkɪ/ a. **1** striato; screziato; (*di marmo, ecc.*) venato **2** (*fig.*) di diverse qualità; disuguale; vario ● **s. bacon**, pancetta affumicata a strisce (*di grasso e magro*); lardo venato || **streakiness** n. ⓤ l'essere striato; striatura.

◆**stream** /striːm/ n. **1** corso d'acqua; ruscello; torrente: **mountain streams**, torrenti montani; (*fig.*) **a s. of lava**, un torrente di lava **2** corrente; flusso: (*geogr., naut.*) **the Gulf S.**, la Corrente del Golfo; **a s. of hot air**, una corrente d'aria calda; (*fis.*) **a s. of neutrons**, una corrente di neutroni **3** (*fig.*) fiotto; fiume; flusso; afflusso; profluvio; fiumana; mare; marea: **a s. of blood**, un fiotto di sangue; **a s. of words**, un fiume di parole; **a steady s. of cars** [**of traffic**], un flusso continuo d'automobili [di traffico]; *There's a broad s. of American capital reaching Europe*, in Europa c'è un forte afflusso di capitali americani; **a s. of tears**, un profluvio di lacrime; **a s. of students**, una marea di studenti **4** (*fig.*) corso; serie; successione: **the s. of events**, il corso degli eventi **5** gruppo scolastico; gruppo di studenti (*dello stesso livello di rendimento*) **6** (*comput.*) flusso di da-

a b c d e f g h i j k l m n o p q r **s** t u v w x y z

ti **7** (*fin.*) – **the s.**, il dopoborsa: **s. price**, prezzo (*o corso*) del dopoborsa ● (*naut.*) **s. anchor**, ancora di corrente (*o* di tonneggio) □ (*naut.*) **s. cable**, cavo di corrente □ **s. days**, giorni lavorativi □ (*psic., letter.*) **s. of consciousness**, flusso di coscienza □ **the s. of thought**, l'opinione corrente □ (*geol.*) **s. terrace**, terrazzo fluviale □ **down s.**, secondo la corrente; in giù (*in un fiume*); verso la foce □ **to go with the s.**, andare secondo la corrente; (*fig.*) seguire la corrente □ (*econ.*: *di beni*) **to be** (*o* **to have come**) **on s.**, essere in produzione □ **up s.**, controcorrente; in su (*in un fiume*); verso la sorgente.

to **stream** /striːm/ **A** v. i. **1** scorrere; fluire; grondare; colare: *Tears streamed down her cheeks*, le lacrime le scorrevano sulle guance; *His arm was streaming with blood* (*o Blood was streaming from his arm*), il suo braccio grondava sangue **2** fluttuare; ondeggiare; (*di bandiere*) sventolare, garrire (al vento): *The skull and cross-bones was streaming from the main yard*, la bandiera della pirateria ondeggiava al vento dal pennone di maestra **3** (*ind. min.*) lavare il minerale; fare il lavaggio **B** v. t. **1** far fluire; emettere; versare; grondare: **to s. blood**, grondar sangue; **to s. tears**, versare lacrime **2** spiegare (*una bandiera*) **3** selezionare e dividere (*gli studenti: secondo il grado di preparazione*) **4** (*comput*) trasmettere in → **streaming**.

■ **stream along** v. i. + avv. (*o* prep.) scorrere, fluire, passare: *The crowd streamed along* (*the road*), la folla fluiva (lungo la strada).

■ **stream down** v. i. + avv. (*o* prep.) **1** colare, fluire (su): *The rain was streaming down* (*the windscreen*), la pioggia colava a fiotti (sul parabrezza) **2** inondare.

■ **stream in** v. i. + avv. entrare a fiotti; (*della folla, ecc.*) riversarsi dentro, sciamare dentro (*accalcandosi*): *The water of the flooded river was streaming in*, l'acqua del fiume in piena entrava a fiotti; *The spectators streamed in through the gates*, gli spettatori entrarono accalcandosi ai cancelli.

■ **stream out** v. i. + avv. **1** uscire a fiotti; (*della folla, ecc.*) riversarsi fuori, sciamare fuori (*accalcandosi*): *The soldiers streamed out of the barracks*, i soldati sciamarono dalla caserma **2** (*del sangue, ecc.*) sgorgare; scaturire.

■ **stream up** v. i. + avv. (*o* prep.) **1** (*di un liquido*) salire a fiotti **2** (*fig.*) levarsi (*o* salire) impetuoso: *The flames streamed up the front of the houses*, le fiamme salivano al cielo lambendo le facciate delle case.

streamer /ˈstriːmə(r)/ n. **1** bandiera al vento; banderuola; pennone **2** (*naut.*) fiamma; pennello **3** stella filante; striscia (*o* festone) di carta colorata **4** (pl.) aurora boreale **5** (*giorn.*, = **s. headline**) titolo a tutta pagina **6** (*comput*.) streamer; unità a nastro streaming **7** studente che appartiene a un dato gruppo omogeneo **8** (*poet.*) striscia di luce.

streaming ① /ˈstriːmɪŋ/ a. grondante; bagnato: **a s. umbrella**, un ombrello grondante (di pioggia) ● (*med.*) **s. cold**, raffreddore con abbondante secrezione di muco.

streaming ② /ˈstriːmɪŋ/ n. ⓤ📄 **1** (*nelle scuole*) selezione degli studenti e loro divisione in gruppi omogenei (*di rendimento*) **2** (*comput*.) emissione (*di dati*) in continuo; registrazione e lettura in continuo ● (*comput*.) **s. tape drive** → **streamer**, def. 6.

streamline /ˈstriːmlaɪn/ n. **1** (*fis.*) linea di corrente (*o* di flusso) **2** (*tecn*.) linea (*o* forma) aerodinamica.

to **streamline** /ˈstriːmlaɪn/ v. t. **1** (*tecn*.) dare forma aerodinamica a (*un'automobile, ecc.*) **2** (*fig.*) sveltire; rendere più efficiente; ottimizzare: **to s. a manufacturing proc-ess**, ottimizzare un processo di fabbricazione ‖ **streamlined** a. **1** aerodinamico; affusolato: **a streamlined car** [**boat**], un'automobile [un'imbarcazione] aerodinamica **2** (*fig.*) svelto, semplificato, efficiente; dinamico: **a streamlined office**, un ufficio efficiente ‖ **streamlining** n. ⓤ📄 **1** (*tecn*.) il rendere aerodinamico **2** (*fig.*) snellimento; ottimizzazione: (*econ.*) **the streamlining of production**, l'ottimizzazione della produzione.

♦**street** /striːt/ **A** n. strada (*spec. di città*); via: **main s.**, via principale; corso; **side s.**, via traversa; **a one-way s.**, una strada a senso unico; **to cross the s.**, attraversare la strada **B** a. (*slang USA*) → **streetwise** ● **the S.** (*a Londra*: → «*Fleet Street*», → **fleet** ②; *a New York*: → **Wall Street**), strada che designa per antonomasia un'attività che in essa si svolge □ (*spreg.*) **s. Arab**, ragazzo di strada; monello □ (*fin.*) **s. broker**, agente di cambio che lavora fuori della Borsa; operatore del mercato ristretto (*o* di un borsino) □ **s. child**, bambino (*o* ragazzo) di strada □ **s. cleaner**, spazzino; netturbino □ **s. cred** (*o* **s. credibility**), aderenza (*da parte dei giovani*) alle maniere e alle mode della controcultura urbana □ (*fam.*) **s. credible**, che gode il favore dei giovani; che è al passo con i tempi □ **s. cries**, grida di venditori ambulanti □ **s. door**, porta di strada; portone □ **s. drug**, droga illegale (*che si vende per strada*) □ **s. fighting**, scontri di piazza □ **s. furniture**, arredo urbano □ (*urbanistica*) **s. grid**, reticolato urbano □ **s. index**, stradario □ **s. island**, isola pedonale; salvagente □ **s. lamp**, lampione (*in una casa*) **s. level**, pianterreno □ **s. light**, lampione □ **s. lighting**, illuminazione stradale □ **s. map**, piantina stradale (*di città*); stradario (*fin.*) **s. market**, dopoborsa; fuoriborsa; mercato ristretto; borsino □ **s. orderly**, spazzino □ **s. photo** (*o* **s. shot**), fotografia scattata per strada □ **s. sign**, insegna stradale □ **s. sweeper**, spazzatrice (*macchina*); spazzino, netturbino □ **s. theatre**, teatro popolare all'aperto □ (*comm.*) **s. trader**, ambulante □ **s. value**, prezzo (*spec. della droga*) in strada □ **s.-watering vehicle**, innaffiatrice (*automezzo*) □ **s. worker**, operatore di strada (*assistente sociale*) □ (*fam. USA*) **to hit the s.**, uscire di casa □ (*fam.*) **not in the same s. as sb.**, di gran lunga inferiore a q. □ (*polit.*) **to take to the streets**, scendere in piazza; tumultuare □ **to turn sb. out into the s.**, gettare q. sul lastrico □ **a two-way s.**, una strada a doppio senso; (*fig.*) un rapporto che funziona nei due sensi □ (*fam.*) **up my s.**, di mio gradimento; di mia competenza □ (*fig.*) **to walk** (*o* **to work**) **the streets**, battere il marciapiede □ (*di due persone*) **to be streets apart**, essere del tutto diversi; essere lontani le mille miglia □ (*fam.*) **He is streets ahead of me**, mi è di gran lunga superiore.

streetcar /ˈkɑː(r)/ n. (*USA*) tram; vettura tranviaria.

streetscape /ˈstriːtskeɪp/ n. aspetto che ha una strada; look di una strada.

streetsmart, **street smart** /ˈstriːtsmɑːt/ a. (*USA*) → **streetwise**.

streetwalker /ˈstriːtwɔːk/ n. donna di strada; peripatetica; passeggiatrice (*eufem.*); battona (*spreg.*) ‖ **streetwalking** n. ⓤ il battere il marciapiede; prostituzione.

streetward /ˈstriːtwəd/ **A** a. che dà sulla strada **B** avv. verso la strada.

streetwise /ˈstriːtwaɪz/ a. **1** scafato; tosto; in gamba; che conosce l'arte di arrangiarsi **2** (*di un assistente sociale*) che ha esperienza della vita di strada; che conosce bene gli abitanti di un quartiere.

strelitzia /streˈlɪtsɪə/ n. (*bot.*, *Strelitzia reginae*) strelitzia.

♦**strength** /streŋθ/ n. **1** ⓤ forza; energia; potenza; resistenza; robustezza; solidità; vigore: *That is beyond human s.*, ciò supera le forze umane; **the s. of a belt**, la resistenza (*o* la solidità) d'una cinghia; **s. of body**, forza fisica; **s. of mind** (*o* **s. of spirit**), forza d'animo; **the s. of a cup of coffee**, la forza d'una tazza di caffè **2** ⓤ (*fis., mecc.*) resistenza: **breaking s.**, resistenza alla rottura; **elastic s.**, resistenza elastica **3** ⓤ (*chim.*) concentrazione, titolo (*d'una soluzione*) **4** ⓤ (*fis.*) intensità (*della luce, del suono, ecc.*) **5** ⓤ (*econ.*) vigore (*della domanda*); tendenza dei prezzi al rialzo **6** (*anche mil.*) forze; potenziale; organico; effettivi, quadri: *Their s. on the battlefield s. was greater than ours*, sul campo di battaglia le loro forze erano superiori alle nostre ● **at full s.**, con gli effettivi al completo; a pieno organico; **below s.**, con gli effettivi ridotti; sotto organico □ **to get one's s. up**, rimettersi in forze □ **on the s. of**, in forza di; in base a; contando su: *I did it on the s. of your promise*, lo feci contando sulla tua promessa □ **to regain s.**, riacquistare le forze; rimettersi; ristabilirsi □ (*mil.*) **to strike sb. off the s.**, radiare q. dai ranghi □ (*mil.*) **to be taken on the s.**, esser preso in forza □ (*mil.*) **up to s.**, con gli effettivi al completo.

♦to **strengthen** /ˈstreŋθn/ **A** v. t. **1** fortificare; rafforzare; rinforzare; potenziare; corroborare; rinvigorire **2** (*chim.*) rinforzare, concentrare di più (*una soluzione*) **3** (*mil., org. az.*) potenziare **B** v. i. **1** rafforzarsi; rinforzarsi; potenziarsi; corroborarsi; rinvigorirsi **2** (*del vento, ecc.*) rinforzare; aumentare.

strengthener /ˈstreŋθnə(r)/ n. **1** cosa che dà forza (*in genere*) **2** (*med.*) corroborante; tonificante; tonico.

strengthening /ˈstreŋθnɪŋ/ **A** a. fortificante; corroborante **B** n. ⓤ📄 **1** rafforzamento; rinforzo **2** (*mil., org. az.*) potenziamento.

strenuous /ˈstrenjʊəs/ a. **1** strenuo; energico; molto attivo; efficace; intenso; gagliardo; vigoroso: **a s. man**, un uomo energico, attivo; **a s. supporter of peace**, uno strenuo sostenitore della pace **2** arduo; duro; faticoso; difficile; stancante; che richiede molta energia: **s. work**, lavoro duro; **a s. sport**, uno sport faticoso; **a s. climb** [**examination**], una scalata [un esame] difficile ‖ **-ly** avv. ‖ **-ness** n.

strep /strep/ n. (abbr. *fam.* di **streptococcus**) streptococco ● (*fam. USA*) **s. throat**, gola infetta; gola malata.

streptococcus /ˌstreptəˈkɒkəs/ (*biol.*) n. (pl. *streptococci*) streptococco ‖ **streptococcal** a. streptococcico; di (*o* da) streptococco.

streptomycete /ˌstreptəˈmaɪsiːt/ n. (pl. *streptomycetes*) (*biol.*) streptomicete.

streptomycin /ˌstreptəˈmaɪsɪn/ n. ⓤ (*chim., farm.*) streptomicina.

♦**stress** /stres/ n. ⓤ📄 **1** (*anche mecc., scienza costr.*) sollecitazione; sforzo; tensione; carico; spinta: **to exert s.**, esercitare una spinta; **to be subject to constant s.**, essere costantemente sotto sforzo (*o* sotto tensione); **to apply s. to**, sottoporre a tensione; **compressive s.**, sollecitazione di compressione; **impact s.**, sollecitazione d'urto; **maximum s.**, carico di rottura; (*fis.*) **s. analysis**, analisi delle sollecitazioni; (*metall.*) **s. corrosion**, tensiocorrosione **2** emozione; pressione; spinta: **under the s. of need**, sotto la spinta del bisogno **3** (*anche psic., med.*) tensione; stress; logoramento; logorio: **continued s.**, tensione prolungata; stress prolungato; **emotional s.**, stress emotivo; **s. on the nerves**, lo stress (nervoso); il logorio dei nervi; *We were constantly under s.*, eravamo costantemente sotto pressione; **to be under financial s.**, avere difficoltà finanzia-

rie; **to take the s.**, resistere alla pressione (*di un'attività*) **4** (*med.*) stress; sforzo: **s. incontinence**, incontinenza urinaria da stress; **s. fracture**, frattura da stress; **s. test**, test sotto sforzo **5** (*fon.*) accento (tonico): *The s. is on the first syllable*, l'accento cade sulla prima sillaba; **main s.**, accento principale; **primary s.**, accento primario; **secondary s.**, accento secondario; **s. mark**, segno grafico dell'accento; accento (grafico) ● NOTA: *compounds → compound*① **6** (*fig.*) accento; enfasi; rilievo; risalto: **to lay** (*o* **to put**) **particular s. on st.**, porre l'accento su qc.; mettere in risalto qc.; sottolineare qc.; **a course in computing, with particular s. on the use of the Internet**, un corso di informatica, con particolare attenzione all'uso di Internet **7** (*mus.*) accento ● (*naut.*) **s. of weather**, violenza del tempo; fortunale □ (*metall.*) **s. raiser**, intaglio.

to **stress** /strɛs/ Ⓐ v. t. **1** sottoporre (q.) a tensione (*o* a stress); stressare **2** metter l'accento su; accentuare; sottolineare; mettere in rilievo; evidenziare: *He stressed the importance of the changes*, sottolineò l'importanza dei cambiamenti **3** (*fon.*) accentare; mettere l'accento su (*una parola*) **4** (*comput.*) stressare; sottoporre (*un'applicazione*) a parecchie elaborazioni Ⓑ v. i. (*fam. USA*) stressarsi; agitarsi.

stressed /strɛst/ a. **1** stressato; teso; esausto **2** (*fis.*) sollecitato; sottoposto a pressione **3** (*fon.*) accentato; tonico: **s. syllable**, sillaba tonica ● (*fam.*) **s. out**, stressato; esausto; logorato; (*anche*) sconvolto.

stressful /ˈstrɛsfʊl/ a. pieno di stress; stressante | **-ly** avv. | **-ness** n. Ⓤ.

stressing /ˈstrɛsɪŋ/ a. stressante.

stressless /ˈstrɛsləs/ a. **1** (*fon.*) privo di accento tonico **2** (*fig.*) privo di enfasi; non enfatizzato **3** (*scienza costr.*) senza tensione; non sottoposto a sforzo (*o* a sollecitazione).

stretch /strɛtʃ/ n. **1** stiramento (*anche med.*); allungamento; stiracchiamento **2** stiracchiata; stiracchiatina: *The dog got up and had a good s.*, il cane si alzò e si diede una stiracchiata **3** estensione; distesa; spazio; tratto: **a s. of rolling country**, una distesa di terreno ondulato; **a long s. of road**, un lungo tratto di strada **4** periodo ininterrotto; tirata (*di tempo*): **over a s. of six months**, in un periodo di sei mesi **5** (*sport*) rettilineo; dirittura: **the final** (*o* **finishing**, *o* **home**) **s.**, la dirittura d'arrivo **6** (*mecc.*) stiratura: **s. forming**, formatura (*di elementi, di lamiera*) mediante stiratura; stiro-imbutitura **7** (*slang*) detenzione; periodo di tempo passato in prigione **8** (*naut.*) bordata **9** (*ferr.*) tratta **10** Ⓤ (*di tessuto, ecc.*) elasticità **11** (*slang USA*) spilungone; stanga; pertica (*fig.*) **12** = **s. limo** ∼ *sotto* ● (*autom.*) **s. limo**, limousine con carrozzeria allungata □ **s. marks**, smagliature □ (*ind. tess.*) **s.-nylon**, filanca a ● **s. of the imagination**, uno sforzo d'immaginazione ● **s. socks**, calzini elasticizzati □ **at a s.**, di seguito; di fila: **to drive a car for five hours at a s.**, guidare l'automobile per cinque ore di seguito (*o* filate) □ **at full s.**, teso al massimo; (*fig.*) a pieno regime; al massimo delle proprie possibilità: **to work at full s.**, lavorare a pieno regime □ **by a s. of language**, in senso lato ● **by no s. of the imagination**, neanche per sogno □ **to obtain st. by a s. of one's authority**, ottenere qc. abusando della propria autorità.

♦to **stretch** /strɛtʃ/ Ⓐ v. t. **1** tendere; tirare; stirare; distendere; stendere; allargare; allungare (*tirando*) ● **to s. a wire**, tendere un filo metallico; *Don't s. the material or you'll rip it*, non tirare la stoffa se non vuoi lacerarla; **to s. a pullover**, allargare un pullover (*tirandolo, per indossarlo*); **to s. one's neck**, allungare il collo **2** (*fig.*) forzare; sforzare;

fare uno strappo a; abusare di: **to s. the truth**, forzare la verità; svisare i fatti; **to s. an argument to its very limit**, sforzare un'argomentazione fino all'estremo; **to s. the law [the rules]**, fare uno strappo alla legge [alle regole]; **to s. one's powers**, abusare del proprio potere; **to s. one's principles**, fare uno strappo ai propri principi **3** (*fig.*) gonfiare; esagerare: *'There was things which he stretched, but mainly he told the truth'* M. TWAIN, 'c'erano cose che esagerava, ma nel complesso diceva la verità' **4** (*fam.*) gettare a terra; stendere: **to s. sb. on the floor**, stendere q. con un pugno **5** (*fam.*) far bastare: **to s. one's salary to meet expenses**, far bastare il proprio stipendio; riuscire a far fronte alle spese **6** (*naut.*) distendere, bordare (*una vela*) **7** (*slang o arc.*) impiccare Ⓑ v. i. **1** stendersi; estendersi; spaziare; spiegarsi; (*di strada*) snodarsi: *The desert stretches as far as the Atlas Mountains*, il deserto si stende fino alle montagne dell'Atlante **2** durare (*nel tempo*); protrarsi **3** allargarsi, allungarsi, cedere (*sotto tensione*): *Rubber will s. but wood won't*, la gomma si allunga ma il legno no **4** stirarsi; stiracchiarsi: *He yawned and stretched*, fece uno sbadiglio e si stirò ● **to s. one's arms**, distendere le braccia; stirarsi □ (*fin.*) **to s. a budget**, stiracchiare un bilancio, fare bastare uno stanziamento □ **to s. one's credit**, abusare del credito di cui si gode □ (*fam.*) **to s. it a bit**, esagerare alquanto; fare la cosa più grande di quello che è □ (*anche fig.*) **to s. one's legs**, sgranchirsi le gambe □ (*med.*) **to s. a muscle**, prodursi uno strappo muscolare □ **to s. oneself**, stirarsi; stiracchiarsi; (*anche*) sforzarsi; spingersi al massimo □ **to s. a point**, fare uno strappo alla regola; fare un'eccezione.

■ **stretch away** v. i. + avv. (*del tempo e sim.*) estendersi; protrarsi; prolungarsi.

■ **stretch forth** (*arc.*) → **stretch out**, A, *def. 2.*

■ **stretch on** v. t. + avv. prolungare, protrarre, tirare in lungo (*un progetto e sim.*).

■ **stretch out** Ⓐ v. t. + avv. **1** tendere; tirare: **to s. out a rubber band**, tendere un nastro di elastico **2** tendere; stendere; allungare: **to s. out one's arm**, tendere il braccio; **to s. out one's hand**, stendere la mano (*per prendere qc.*); **to s. out one's legs**, allungare le gambe **3** prolungare, tirare in lungo: *He tried to s. out the meeting*, cercò di tirare per le lunghe la riunione **4** far bastare: **to s. out food supplies till the end of the winter**, far bastare le provviste di cibo sino alla fine dell'inverno Ⓑ v. i. + avv. **1** allungarsi; sporgersi **2** stirarsi; stiracchiarsi **3** distendersi; stendersi: **to s. out in the sun**, stendersi al sole □ **to s. oneself out**, allungarsi; stendersi.

stretchable /ˈstrɛtʃəbl/ a. allungabile; estensibile; elastico ‖ **stretchability** n. Ⓤ elasticità.

stretched /strɛtʃt/ a. **1** disteso; sdraiato; lungo disteso **2** allungato: (*aeron.*) **s. fuselage**, fusoliera allungata **3** (*di un cavo, ecc.*) teso **4** (*sport*) allungato; lungo: *The opposition is now s.*, ora la squadra avversaria è lunga ● (*geol.*) **s. pebbles**, ciottoli deformati.

stretcher /ˈstrɛtʃə(r)/ n. **1** chi tende, tira, stira, ecc. (→ **to stretch**) **2** barella; lettiga **3** dispositivo per allargare (o tendere); tenditore; stenditore; forma: **a glove s.**, un allargaguanti; **a shoe s.**, una forma per scarpe; un allungascarpe **4** (*edil.*) mattone per piano **5** (*naut.*) puntapiedi; pedagna; pedaliera (*di canotto*) **6** (*pitt.*) telaio (*per tendere la tela*) **7** (*di tavolo a cancello*) traversa del cancello **8** (*fam.*) balla (*fig.*); esagerazione; bugia ● **s.-bearer** (*med.*) barelliere; (*mil.*) portaferiti; portantino (*fam.*) □ (*mil.*) **s.-**

party, reparto di portaferiti □ **canvas s.**, telaio di quadro (*per tendere la tela*).

to **stretcher off** /ˈstrɛtʃə(r)ɒf/ v. t. + avv. (*sport*) portare via (*un giocatore infortunato*) in barella.

stretching /ˈstrɛtʃɪŋ/ n. Ⓤ **1** stiramento; allargamento; allungamento **2** deformazione; tensione **3** (*mecc.*) stiratura **4** (*atletica*) stretching; estensione **5** (*ginnastica correttiva*) allungamento ● (*leg.*) **s. of one's power**, abuso di potere.

stretchmarks /ˈstrɛtʃmɑːks/ n. pl. smagliature.

stretchy /ˈstrɛtʃɪ/ a. **1** elastico **2** deformabile ‖ **stretchiness** n. Ⓤ **1** elasticità **2** deformabilità.

to **strew** /struː/ (*pass.* **strewed**, p. p. **strewed**, **strewn**), v. t. **1** spargere; sparpagliare; disseminare **2** cospargere; ricoprire; coprire: *The streets were strewn with flowers*, le strade erano ricoperte di fiori; *The pavement was strewn with litter*, il marciapiede era cosparso di rifiuti.

stria /ˈstraɪə/ n. (pl. **striae**) **1** (*scient.*) stria: **s. olfactoria**, stria olfattiva **2** (*archit.*) stria; scanalatura **3** (*med.: della pelle*) smagliatura.

striate /ˈstraɪət/, **striated** /straɪˈeɪtɪd/ a. (*scient.*) striato.

to **striate** /straɪˈeɪt/ v. t. striare ‖ **striation** n. Ⓤ striatura.

stricken /ˈstrɪkən/ Ⓐ p. p. *raro* di to **strike** Ⓑ a. **1** colpito; ferito: **s. with paralysis [fever]**, colpito dalla paralisi [dalla febbre] **2** affranto; provato (*dal dolore, ecc.*); straziato: **a s. heart**, un cuore affranto (*o* straziato) ● **s. in years**, carico d'anni; debole e vecchio □ (*naut.*) **a s. ship**, una nave in disarmo □ (*med.*) **s. with polio**, colpito dalla poliomielite; poliomielitico □ **panic-s.**, atterrito; in preda al panico.

strickle /ˈstrɪkl/ n. **1** rasiera (*con cui togliere il colmo d'una misura di cereali*) **2** affilatoio; pietra per affilare **3** (*metall.*) sagoma.

♦**strict** /strɪkt/ a. **1** stretto (*fig.*); severo; rigoroso; rigido; austero: (*med.*) **to be on a s. diet**, essere a dieta stretta; **s. medical supervision**, stretto controllo medico; *The teachers are very s.*, gli insegnanti sono molto severi; **s. rules**, regole rigide; **s. discipline**, disciplina rigorosa; **s. morals**, morale austera **2** stretto; esatto; preciso: **in the s. sense of the word**, nel senso stretto della parola; (*mus.*) **s. time**, tempo esatto; **to give s. orders**, dare ordini precisi (*o* rigorosi, severi) **3** completo, assoluto; totale: **a s. vegetarian**, un vegetariano assoluto **4** (*arc.*) stretto: **a s. embrace**, uno stretto abbraccio ● (*leg.*) **a s. construction**, un'interpretazione restrittiva (*della legge*) □ (*leg.*) **s. law**, diritto positivo □ (*leg.*) **s. liability**, responsabilità assoluta; (*anche*) presunzione di colpa □ **the s. truth**, la pura verità □ **s. watch**, stretta sorveglianza □ **in s. confidence** (*o* secret), in confidenza; in gran segreto □ **to keep s. watch on sb.** [*st.*], far buona guardia a q. [a qc.].

strictly /ˈstrɪktlɪ/ avv. **1** severamente; rigorosamente; categoricamente: **s. forbidden**, severamente proibito **2** esattamente; con gran precisione; strettamente: **s. confidential**, strettamente confidenziale ● **s. speaking**, in senso stretto; a rigor di termini.

strictness /ˈstrɪktnəs/ n. Ⓤ **1** severità; rigore; rigidezza; austerità **2** esattezza; precisione.

stricture /ˈstrɪktʃə(r)/ n. Ⓤ **1** (*med.*) restringimento; stenosi; strozzatura **2** limitazione, restrizione (*della libertà, ecc.*) **3** (*spesso al pl.*) critica; censura; biasimo; stroncatura ● **to pass strictures on sb.**, trovare da ridire su q.

stride /straɪd/ n. **1** passo lungo; buon passo; andatura: **to make great strides**, procedere di buona andatura (o a gran passi); (fig.) far notevoli progressi **2** andatura (di podista o marciatore) **3** distanza coperta con un passo **4** (canottaggio) distanza coperta tra due battute **5** (equit.) tratto di avvicinamento all'ostacolo; tempo di galoppo **6** (ginnastica) posizione a gambe divaricate **7** (pl.) (slang) pantaloni ● **s. length**, lunghezza della falcata □ (basket) **s. shot**, tiro in corsa; tiro in entrata □ **to get into one's s.**, prendere l'andatura consueta; trovare il ritmo giusto (di lavoro, ecc.) □ (fig.) **to take st. in one's s.**, fare qc. con grande calma; adattarsi facilmente a qc. (di difficile).

to **stride** /straɪd/ (pass. **strode**, p. p., **stridden**) Ⓐ v. i. **1** camminare a grandi passi **2** procedere a grandi passi: The giant strode over mountains and plains, il gigante scavalcò a grandi passi montagne e pianure Ⓑ v. t. **1** percorrere a gran passi: They strode (along) the streets, percorrevano a gran passi le strade **2** scavalcare con un gran passo (un ostacolo) **3** (arc. o poet.) stare a cavalcioni di (qc.) ● **to s. away**, andarsene a grandi passi □ **to s. into a room**, entrare in una stanza a grandi passi □ **to s. up to sb.**, accostarsi a q. camminando a grandi passi.

strident /'straɪdnt/ a. stridente; stridulo ‖ **stridency** n. Ⓤ l'essere stridente (o stridulo).

striding /'straɪdɪŋ/ n. Ⓤ buona andatura; falcate (pl.) ● (atletica) **s. action**, falcata.

stridor /'straɪdə(r)/ n. (spec. med.) stridore (respiratorio).

to **stridulate** /'strɪdjʊleɪt/ (di certi insetti) v. i. stridulare ‖ **stridulation** n. Ⓤ stridulazione.

strife /straɪf/ n. Ⓤ **1** conflitto; contesa; lotta; lite; litigio: **family s.**, lite in famiglia **2** (anche polit., sindacalismo) conflittualità ● **a s.-torn country**, un paese in preda alla guerra civile.

strigil /'strɪdʒɪl/ n. (archeol.) strigile.

strigose /'straɪgəʊs/ a. (bot., zool.) setoloso; ispido.

strike /straɪk/ n. **1** (econ.) sciopero: **to be on s.**, essere in sciopero; **to go on s.**, scendere in sciopero; scioperare; **general s.**, sciopero generale; **s. to the last**, sciopero a oltranza; **a wave of strikes**, un'ondata di scioperi **2** rasiera (per cereali) **3** (ind. min.) scoperta di un giacimento (minerario); (fig.) colpo di fortuna, buon colpo (anche in Borsa, ecc.) **4** (mil.) attacco; (spec.) attacco aereo, incursione **5** (geol.) direzione (di uno strato, di una vena) **6** (baseball) 'strike': Three strikes put the batter out, dopo tre strike il battitore viene eliminato **7** (bowling) 'strike' (abbattimento di tutti i birilli al primo colpo) **8** (calcio) tiro a rete (o in porta); botta, staffilata, stangata, zampata, mazzata (fig.); gol di prepotenza **9** (calcio, ecc.) attacco; incursione; percussione **10** (canottaggio, nuoto) battuta (il battere con i remi o con le gambe) **11** (golf) tentativo di colpo **12** (rugby) 'strike' (l'impossessarsi della palla nel corso di una mischia) **13** (pesca) strappo (dato dal pescatore alla lenza): I just got a s., ho dato soltanto uno strappo (ma il pesce non ha abboccato) ● (mil.) **s. aircraft**, aereo da combattimento □ **all-out s.**, sciopero totale □ **s. ban**, proibizione di scioperare; precettazione □ **s. benefit = s. pay** → sotto □ **s. call**, proclamazione d'uno sciopero □ **s. epidemics**, conflittualità permanente □ (geol.) **s. fault**, faglia longitudinale □ (mil.) **s. force**, forza d'urto; (calcio, ecc.) capacità di percussione, potenza d'attacco □ **s. pay**, sussidio (pagato dai sindacati) durante uno sciopero □ (geol.) **s.-slip fault**, faglia trascorrente □ (fam. USA, dal baseball) **to have two strikes against one,**

avere due punti a sfavore (o due handicap); (anche) avere già subìto due gravi condanne: I have two strikes against me for getting the job: I don't have much experience and I haven't finished school, vorrei ottenere questo lavoro ma ho due punti a sfavore, la poca esperienza e la mancanza di un diploma; (polit., leg. USA) Three strikes and you're out, alla terza condanna, ti becchi l'ergastolo ❶ **CULTURA** ● **three strikes**: in alcuni Stati americani alla terza condanna per reati commessi con la violenza è obbligatorio l'ergastolo. Il nome popolare di queste leggi, **three strikes and you're out** oppure la **three-strikes law**, è ripreso dal baseball, nel quale alla terza palla sbagliata (**strike**) il battitore viene eliminato.

◆to **strike** /straɪk/ (pass. **struck**, p. p. **struck**, raro **stricken**) Ⓐ v. t. **1** battere; colpire; percuotere; picchiare; (fig.) impressionare: **to s. a nail with the hammer**, battere un chiodo col martello; He struck his fist on the desk, batté il pugno sulla scrivania; The tree was struck by lightning, l'albero fu colpito dal fulmine; What struck me was her generosity, ciò che mi colpì (o mi fece impressione) fu la sua generosità **2** assestare; appioppare: I struck him a violent blow, gli assestai (o diedi) un forte colpo **3** sbattere; urtare: **to s. one's foot against a stone**, sbattere un piede contro un sasso; inciampare in un sasso; I struck my elbow against the table, urtai la tavola col gomito **4** battere, suonare (le ore): The tower clock was striking midnight, l'orologio della torre batteva la mezzanotte **5** coniare; stampare: (fin.) battere: **to s. a new coin [a medal]**, coniare una moneta nuova [una medaglia]; The Royal Mint strikes coins, la Zecca Reale batte moneta **6** accendere; strofinare; far sprizzare (battendo o strofinando): **to s. a match**, accendere (strofinare) un fiammifero; **to s. a light**, accendere una luce; far luce (con una candela, lampada, ecc.); **to s. fire out of flint**, accendere il fuoco battendo sulla pietra focaia **7** arrivare a; raggiungere: I struck the highway late in the morning, nel tardo mattino arrivai alla strada maestra **8** (spec. med. min.) scoprire; trovare: **to s. a coal seam**, scoprire uno strato di carbone; **to s. gold [water]**, trovare l'oro [l'acqua]; 'If I s. oil, I'll send you a check. Meantime, forget I'm alive' A. MILLER, 'se trovo il petrolio, vi mando un assegno. Nel frattempo, dimenticatevi della mia esistenza' **9** (mil., naut.) abbassare; ammainare: **to s. one's flag**, ammainare la bandiera; (fig.) arrendersi; **to s. sails**, ammainare le vele **10** abbattere; levare; togliere: **to s. the tents**, levar le tende **11** investire; urtare contro; (naut.) urtare (uno scoglio, ecc.) con la chiglia: The car struck a lamppost, l'automobile urtò contro un lampione; The landing plane struck the tree-tops, l'aereo in atterraggio urtò contro le cime degli alberi **12** configgere; conficcare; infiggere; piantare **13** venire in mente; passare per la testa a (q.): A doubt struck me, mi venne un dubbio; Suddenly it struck me that he had left no message for me, all'improvviso mi venne fatto di pensare che non aveva lasciato alcun messaggio per me **14** fare una certa impressione a (q.); sembrare, parere a (q.) (impers.): Her plan struck me as extremely complicated, il suo piano mi parve assai complicato; How does that s. you?, che impressione ti fa?; che ne pensi?; How does the idea s. you?, che te ne pare dell'idea? **15** pareggiare (cereali, ecc.) con la rasiera; rasierare **16** (mus.) toccare (un tasto); pizzicare (una corda) **17** (calcio, ecc.) colpire; calciare (il pallone); battere (una punizione, un rigore) **18** (baseball, cricket) battere (la palla) **19** (tennis, ecc.) colpire (la palla) **20** (slang USA) rivolgersi a (q.) Ⓑ v. i. **1** asse-

star colpi; menar botte **2** (mil.) attaccare: The enemy struck at dawn, il nemico attaccò all'alba **3** batter le ore; suonare: The clock is striking, l'orologio batte l'ora; Four o'clock had just struck, erano appena suonate le quattro **4** colpire; cozzare; urtare; sbattere contro: The ball struck against the wall [the goalpost], la palla colpì il muro [il palo della porta] **5** (di fiammiferi e sim.) accendersi; prendere fuoco: This match won't s., questo fiammifero non si accende **6** (econ.) scioperare: The railwaymen have been striking for two weeks, i ferrovieri scioperano da due settimane; **to s. for higher wages**, scioperare per ottenere un aumento di salario **7** filtrare; infiltrarsi; penetrare; inoltrarsi: We struck into the forests of the interior, ci inoltrammo nei boschi dell'interno **8** prendere (una direzione); dirigersi, volgere i passi; voltare; uscire: **to s. for the borderline**, dirigersi verso il confine; Go straight on and then s. to the right, va' dritto e poi volta a destra! **9** (mil.) ammainare la bandiera; (fig.) arrendersi **10** (di pianta) attecchire; metter radici **11** (naut.) andare in secco; incagliarsi **12** (sport) dare una bracciata (o un colpo di gambe; nuotando) **13** (canottaggio) dare (un certo numero di battute) al minuto: Oxford were striking 38, l'armo di Oxford stava facendo 38 battute al minuto **14** (geol.) essere orientato verso ● **to s. an attitude**, assumere un atteggiamento □ **to s. an average**, fare una media □ (rag.) **to s. a balance**, (rag.) fare il bilancio, far quadrare i conti; (fig.) raggiungere un accordo, fare un compromesso □ **to s. a bargain**, concludere un affare; fare un buon affare □ **to s. blind**, accecare q. (con un colpo o fig.) □ **to s. blows**, assestare (o portare) colpi □ (fig.) **to s. (a blow) for freedom**, combattere (una battaglia) per la libertà; battersi per la libertà □ (naut.) **to s. the bottom**, arenarsi; incagliarsi □ (mil., ecc.) **to s. camp**, levare il campo □ (agric.) **to s. a cutting**, piantare una talea □ **to s. sb. dead**, fulminare q.; fare schiattare q. □ **to s. sb. deaf**, assordare q. (con un colpo o di colpo) □ **to s. a deal**, concludere (o fare) un affare; raggiungere un accordo; fare un patto (o un compromesso) □ (boxe e fig.) **to s. the decisive blow**, assestare il colpo decisivo □ **to s. sb. for his (o her) autograph**, chiedere un autografo a q. (di un atleta, ecc.) □ **to s. form**, entrare in piena forma □ **to s. st. from sb.'s hand**, far saltar qc. di mano a q. (con un sol colpo); strappare qc. a q. □ (fig.) **to s. it rich**, arricchire di colpo; trovare l'America (fig.) □ (fam. ingl.) **to s. it lucky**, avere un colpo di fortuna □ (leg.) **to s. a jury**, formare una giuria (cancellando nomi, ecc.) □ (fig.) **to s. a note of caution**, far squillare il campanello d'allarme □ **to s. oil**, trovare il petrolio; (fig.) arricchire di colpo, trovare l'America □ **to s. a pose**, assumere una posa (anche fig.) □ **to s. the right track**, trovare la pista buona (o la strada giusta) □ (bot. e fig.) **to s. root(s)**, attecchire; metter radici □ (naut.) **to s. soundings**, fare degli scandagli □ (mus.) **to s. a tone**, far vibrare una nota □ (fig.) **to s. a warning note**, far squillare il campanello d'allarme □ (pesca) **to s. a whale**, colpire (o arpionare) una balena □ (calcio, ecc.) **to s. the woodwork**, colpire il legno (della porta); colpire un palo (o la traversa) □ (fam.) **to be struck all of a heap**, rimanere sbigottito; restar di sale □ **to be struck dumb**, ammutolire; restare senza parola □ (fam.) **to be struck on sb.**, essere (innamorato) cotto di q. □ (fig.) **to be struck with**, esser colpito da; ricevere una forte impressione da □ **to be struck with dizziness**, avere un improvviso capogiro □ The wind struck cold, tirava un vento freddo e tagliente □ (anche fig.) **The hour has struck**, l'ora è suonata □ (slang) **S. me dead!**, peste

mi colga; mi venga un accidente! possa morire (*se non è vero, ecc.*) □ (*prov.*) **S. while the iron is hot**, bisogna battere il ferro finché è caldo.

■ **strike at** v. i. + avv. **1** fare l'atto di colpire; tentare di colpire; (*boxe*) tirare un pugno a (*un avversario*): *I struck at the ball but missed it*, tentai di colpire la palla ma la mancai **2** (*fig.*) colpire; attaccare; danneggiare: **to s. at the heart of the State**, colpire lo Stato al cuore **3** (*fig.*) criticare; attaccare.

■ **strike back** **A** v. i. + avv. **1** restituire un colpo; ribattere colpo su colpo (*anche fig.*); replicare alle critiche **2** (*boxe*) boxare di rimessa **B** v. t. + avv. restituire un colpo a (q.); colpire (q.) di rimando □ **to s. back at**, colpire alla propria volta: *We struck back at the enemy defences*, abbiamo risposto agli attacchi del nemico colpendo le sue linee difensive.

■ **strike down** v. t. + avv. **1** abbattere; mettere a terra; atterrare (*con un pugno, ecc.*) **2** (*autom.*) gettare a terra; investire: *He was struck down by a lorry*, fu investito da un camion **3** (*fig.*) colpire: *He was struck down by a heart attack*, fu colpito da un attacco cardiaco **4** (*fig.*) uccidere; falciare (*fig.*): *She was struck down in her prime*, fu falciata nel fiore degli anni **5** (*boxe*) atterrare; mettere (q.) al tappeto.

■ **strike home** v. i. + avv. **1** (*di un colpo e fig.*) andare a segno **2** (*fig.*: *di un consiglio, un ammonimento, ecc.*) essere recepito (capito, inteso, ecc.).

■ **strike in** v. i. + avv. intervenire; interloquire; interrompere: *He struck in with the proposal that the meeting should be adjourned*, interloquì per proporre il rinvio della riunione.

■ **strike into** **A** v. i. + prep. intervenire; interporsi; immischiarsi in **B** v. t. + prep. **1** conficcare, configgere, infiggere, piantare in: **to s. a knife into sb.'s chest**, piantare un coltello in petto a q. **2** (*bot.*) mettere (*radici*) in **3** (*fig.*) infondere, incutere in: **to s. fear [terror] into sb.**, incutere paura [terrore] a q. □ **to s. alarm into sb.**, allarmare q. □ (*equit.*) **to s. into a gallop**, mettersi al galoppo.

■ **strike off** **A** v. t. + avv. **1** mozzare; tagliare con un colpo; recidere: *S. off his head!*, mozzategli il capo!; tagliategli la testa!; **to s. off flowers**, recidere fiori **2** cancellare (*con un frego, ecc.*): *S. off his name!*, cancellalo dalla lista! **3** (*tipogr.*) tirare, stampare (*un certo numero di copie*) **4** espellere; estromettere; radiare (*anche, sport: un giocatore*): *He was struck off for immoral conduct*, fu radiato per immoralità **5** escludere (*da un'eredità, ecc.*) **6** (*fam.*) scrivere con facilità; buttare giù (*fig.*) **7** segnare (*un numero: su una cartella della tombola*) **B** v. t. + prep. depennare, radiare da: *The ship has been struck off the Lloyd's Register*, la nave è stata radiata dal Registro dei Lloyd's **C** v. i. + avv. partire; andarsene; prendere una scorciatoia; tagliare: *We struck off through the woods*, tagliammo per i boschi.

■ **strike on** **A** v. t. + prep. **1** battere, colpire su (*o* in): **to s. sb. on the head**, colpire q. sulla testa; **to s. sb. on the face**, dare un colpo in faccia a q. **2** battere, sbattere (*la testa, ecc.*) su (*o* contro) **B** v. i. + prep. **1** battere su **2** sbattere su (*o* contro); urtare: *The ship struck on the rocks*, la nave urtò gli scogli **3** (*fam.*) trovare, scoprire: *At last Jack struck on a silver mine*, alla fine Jack scoprì una miniera d'argento □ **to s. on a plan**, escogitare un piano.

■ **strike out** **A** v. t. + avv. **1** cancellare; fare una croce su; eliminare: *S. out the last sentence!*, cancella l'ultima frase! **2** (*raro*) architettare, escogitare (*un piano, ecc.*) **3** (*baseball*) eliminare (*un battitore*) dopo tre strike; eliminare (q.) al piatto **B** v. i. + avv. **1** (*anche boxe*) menare colpi; tirare pugni; colpire **2** farsi strada, dirigersi risolutamente; partire: *We struck out at dawn*, partimmo all'alba **3** (*fam.*) mettersi in proprio; cominciare un'attività indipendente: *He left the firm and struck out on his own*, lasciò la ditta e si mise in affari per conto suo **4** (*baseball*) essere eliminato; uscire di campo **5** (*fig. fam., USA*) fallire; fare fiasco; non farcela □ **to s. out across the fields**, tagliare per i campi □ **to s. out at sb.**, dare un sacco di botte a q. □ **to s. out at random**, dare colpi a casaccio; colpire alla cieca □ **to s. out for oneself**, prendere una posizione originale; non conformarsi alla morale corrente: *'He instinctively felt that in this respect it would be troublesome – and also rather bad form – to s. out for himself'* E. WHARTON, 'd'intuito capì che su questo punto sarebbe stato pericoloso – e anche poco corretto – se avesse assunto una posizione diversa da quella degli altri'.

■ **strike over** v. t. + avv. ribattere (*lettere, parole*) a macchina.

■ **strike through** v. t. + avv. **1** tirare un frego su; cancellare **2** fendere; tagliare: *A dim light struck through the mist*, una luce fioca fendeva la nebbia.

■ **strike up** **A** v. t. + avv. attaccare (*a parlare, a suonare, ecc.*); cominciare; fare: *The band struck up a waltz*, la banda attaccò un valzer; **to s. up a conversation with sb.**, attaccare discorso con q.; **to s. up a friendship**, fare amicizia **B** v. i. + avv. cominciare a suonare; attaccare: *Then the band struck up*, poi la banda attaccò a suonare □ **S. up the band!**, musica, maestro!; attacca banda!; taca banda! (*dial.*)

■ **strike upon** → **strike on**.

strike-back /'straɪkbæk/ a. attr. **1** (*mil.*) di rappresaglia; di ritorsione **2** (*boxe*) di rimessa.

strikebound /'straɪkbaʊnd/ a. (*di stabilimento, ecc.*) fermo per sciopero; bloccato dallo sciopero.

strikebreaker /'straɪkbreɪkə(r)/ n. crumiro ‖ **strikebreaking** n. ◊ crumiraggio.

strike-out /'straɪkaʊt/ n. (*baseball*) strike-out; eliminazione al piatto (*eliminazione di un battitore che ha subìto tre strike*).

striker /'straɪkə(r)/ n. **1** scioperante **2** (*d'arma da fuoco*) percussore **3** (*di campana*) battaglio; batacchio **4** (*calcio*) attaccante, avanti, punta, bomber: *I thought the manager made a mistake substituting our s.*, penso che l'allenatore abbia sbagliato a sostituire il nostro attaccante **5** (*biliardo*) chi colpisce (*o* ha colpito) la bilia con la stecca **6** orologio a suoneria.

♦ **striking** /'straɪkɪŋ/ **A** a. **1** impressionante; sorprendente; singolare; sensazionale; straordinario: **a s. feature**, una caratteristica singolare; **a s. goal**, un gol sensazionale **2** (*di persona*) bello; che fa colpo **B** n. ◊ **1** il colpire; il tirare **2** (*canottaggio*) voga; vogata; palata ● (*hockey*) **s. circle**, cerchio di tiro a rete □ **s. clock**, orologio a suoneria □ **s. contrast**, contrasto stridente □ **s. hammer**, mazza battente □ **a s. idea**, un'idea brillante □ (*elettr.*) **s. potential**, potenziale d'innesco □ (*calcio*) **s. role**, ruolo di attaccante □ **within s. distance of**, a due passi da (*anche fig.*).

strikingly /'straɪkɪŋlɪ/ avv. sorprendentemente; in modo stupefacente; singolarmente; straordinariamente.

Strimmer® /'strɪmə(r)/ n. tagliasiepi.

Strine /straɪn/ (*slang, scherz.*) **A** n. inglese parlato in Australia **B** a. australiano.

♦ **string** /strɪŋ/ n. **1** cordellina; stringa; cordoncino; spago; laccetto; legaccio: **a ball of s.**, un gomitolo di spago; **the strings of a wind jacket**, i cordoncini di un K-way; **apron strings**, legacci del grembiule **2** filza; resta (*di cipolle, ecc.*); filo (*di perle, ecc.*); catena (*fig.*) **3** (*fig.*) fila; sfilza; filza; sequela; serie: **a s. of pearls**, un filo di perle; **a s. of curses [lies]**, una filza d'imprecazioni [di menzogne]; **a s. of houses [cars]**, una fila di case [d'automobili]; **a long s. of failures**, una lunga sequela di fallimenti; **a s. of accidents**, una catena d'incidenti **4** (*mus.*) corda: **the strings of a violin**, le corde d'un violino **5** (pl.) (collett.) (*mus.*) strumenti a corda; archi **6** filo: **nylon s.**, filo di nailon; **to work puppets by strings**, tirare i fili delle marionette **7** (*econ.*) catena (*di negozi, ecc.*) **a s. of newspapers**, una catena di giornali; **a s. of motels**, una catena di motel **8** (*comput.*) stringa; sequenza di caratteri **9** (*ling.*) sequenza **10** (*geol.*) vena filiforme **11** (pl.) (*leg., USA*) condizioni accessorie; clausole restrittive **12** (*ipp.*) (collett.) (cavalli da corsa d'una) scuderia **13** (*sport*) scuderia (*di atleti, ecc.*) **14** (*biliardo*) tavoletta per segnare i punti (*fatta a mo' di pallottoliere*); punti segnati; tiro per stabilire l'ordine di gioco **15** (*archit., edil.*) = **s. course →** sotto **16** (*calcio, ecc.*) giocatore che si specializza in un ruolo; (collett.) gruppo di tali giocatori **17** (*tennis*) corda (*della racchetta*) **18** (*tiro con l'arco*) corda **19** sindacato di venditori **20** (*arc.*) tèndine; nervo ● **s. alphabet**, alfabeto per ciechi □ (*ling.*) **s. analysis**, analisi in catena □ **s. bag**, borsa a rete; rete per la spesa □ (*mus.*) **s. band**, orchestrina d'archi □ (*USA*) **s. bean**, fagiolino (verde); (*fig.*) spilungone, stanga (*fig.*) □ (*giorn.*) **s. correspondent**, corrispondente pagato a un tanto la riga □ (*archit., edil.*) **s. course**, marcapiano □ **a s. of beads**, una collana; (*relig.*) un rosario □ (*mus.*) **s. orchestra**, orchestra d'archi (o di strumenti a corda) □ (*fig.*) **s. pulling**, manovre dietro le quinte, maneggi, intrallazzi (pl.) □ (*mus.*) **s. quartet**, quartetto d'archi (*fis.*) **s. theory**, teoria delle stringhe □ **s. tie**, cravattino □ (*comput.*) **s. variable**, variabile di tipo stringa □ **s. vest**, canottiera a rete (*spec. per uomini*); canotta; top □ (*fig.*) **to harp on one s.** (*o* **on the same s.**), battere sempre sullo stesso tasto □ (*fig.*) **to have sb. on a s.**, tirare q. per i fili (*come un burattino*); tenere q. in pugno □ (*fig.*) **to have two strings** (*o* **a second s.**, **another s.**) **to one's bow**, aver due (*più spesso: molte*) corde al proprio arco □ (*fam.*) **no strings attached**, senza restrizioni, senza condizioni (*spesso rif. a offerta d'aiuto finanziario*) □ (*fig.*) **to play second s.**, avere una parte in sottordine □ (*fig.*) **to pull (a few) strings**, manovrare; brigare; darsi da fare, lavorare nell'ombra □ **to pull the strings**, (*del burattinaio*) tirare i fili (*stando nascosto, dietro le quinte*); (*fig.*) tirare le fila, manovrare dietro le quinte □ (*fig.*) **the purse strings**, i cordoni della borsa □ (*fig.*) **to be tied to one's mother's apron strings**, essere attaccato alle gonne della mamma □ (*fig.*) **to touch a s.**, toccare un tasto; far vibrare una corda del cuore □ (*mus.*) **to touch the strings**, toccare le corde (*d'uno strumento*); suonare.

to string /strɪŋ/ (*pass. e p. p. **strung***) **A** v. t. **1** legare con spago **2** mettere la corda (*o* le corde) a; fornire di corda: **to s. a bow**, fornire un arco di corda; (*anche*) tendere un arco; **to s. a tennis racket**, mettere le corde a (*o raccordare*) una racchetta da tennis **3** infilare; infilzare: **to s. beads**, infilzare perline **4** togliere il filo a (*fagiolini verdi, ecc.*) **5** tendere; appendere; attaccare; posare: **to s. lights across the lawn**, appendere luci lungo il prato; **to s. cables**, posar cavi **6** collegare, connettere, mettere insieme (*parole, ecc.*) **7** (*mus.*) incordare (*uno strumento*): **to s. a violin**, incordare un violino **8** (*tennis*) incordare (*una racchetta*) **9** (*slang USA*) prendere (q.) in giro; menare (q.) per il naso:

prendere per i fondelli (*pop.*) **B** v. i. **1** diventare filamentoso, fibroso; viscoso **2** (*biliardo*) tirare per stabilire l'ordine di gioco.

■ **string along A** v. i. + avv. **1** aggregarsi; unirsi: **to s. along with sb.**, aggregarsi a q. **2** (*autom.*) accodarsi **3** (*fig.*) fingere di essere d'accordo; accodarsi (*fig.*) **B** v. t. + avv. tenere (q.) sulla corda; menare (q.) per il naso.

■ **string out A** v. i. + avv. mettersi (*o* disporsi) in fila; andare in fila (*lungo un sentiero, ecc.*) **B** v. t. + avv. **1** disporre (*o* mettere) in fila; far procedere (*soldati, bestie, ecc.*) in fila **2** appendere, attaccare al filo (*fazzoletti ad asciugare, ecc.*).

■ **string together** v. t. + avv. **1** infilare, infilzare (*perline, grani, ecc.*) **2** mettere insieme, attaccare, fare una sfilza di (*parole, ecc.*).

■ **string up** v. t. + avv. **1** appendere, attaccare (in alto): **to s. up the decorations on the Christmas tree**, attaccare all'albero le decorazioni natalizie **2** (*fam.*) impiccare: *S. him up!*, impiccatelo! **3** (di solito al passivo) rendere teso (*o* agitato, inquieto).

stringboard /'strɪŋbɔːd/ n. (*edil.*) longarina (*di scala fissa*).

stringed /strɪŋd/ a. (*mus.*) a corda: **s. instruments**, strumenti a corda; archi ● **s. music**, musica di strumenti a corda.

stringency /'strɪndʒənsɪ/ n. [U C] **1** severità; rigore **2** urgenza; impellenza **3** (*fin.*) penuria; scarsità: **s. of money**, penuria di denaro; scarsità di circolante **4** difficoltà; ristrettezza: (*fin.*) **cash s.**, difficoltà di cassa; mancanza di contante **5** (*raro*) forza di persuasione (*di un oratore, ecc.*).

stringent /'strɪndʒənt/ a. **1** severo; rigido; rigoroso: **s. laws**, leggi severe; disposizioni rigide; *Monetary policy is more s. now*, adesso la politica monetaria è più rigorosa **2** urgente; impellente **3** (*fin.: di mercato, ecc.*) difficile, sostenuto (*per scarsità di denaro*) **4** (*raro: di oratore, ecc.*) convincente; persuasivo | **-ly** avv.

stringer /'strɪŋə(r)/ n. **1** chi mette le corde (*a uno strumento musicale, ecc.*); incordatore; chi infila perle, ecc. (→ **to string**) **2** (*edil.*) traversa orizzontale di legno; corrente orizzontale; longherina **3** (*ferr.*) traversina; longherina **4** (*costr. navali*) corrente; trincarino **5** (*edil.*) → **stringboard**, def. 1 **6** (*ind. min.*) vena filiforme **7** (*metall.*) venatura **8** (*giorn.*) corrispondente pagato a un tanto la riga.

stringiness /'strɪŋɪnəs/ n. [U] **1** fibrosità **2** viscosità.

stringing /'strɪŋɪŋ/ n. [U C] (*mus., tennis, ecc.*) incordatura (*della racchetta, ecc.*).

stringy /'strɪŋɪ/ a. **1** fibroso; filamentoso; filaccioso (*raro*): **s. meat**, carne fibrosa **2** viscoso **3** (*di muscolo*) allungato e floscio **4** (*di capelli*) lunghi e radi ● (*bot.*) **s. bark**, tipo di eucalipto australiano con corteccia filamentosa.

♦ **strip** /strɪp/ n. **1** striscia; lista di carta; pezzetto di terreno: **a s. of paper** [**of cloth, of land**], una striscia di carta [di stoffa, di terra]; (*geogr.*) **the Gaza S.**, la Striscia di Gaza (*in Palestina*) **2** listello (*di legno*); assicella **3** (*mecc.*) reggetta; nastro **4** (= **airstrip**) pista d'atterraggio **5** (= **comic s.**) strip; striscia (di fumetti); fumetto **6** (*fam.*) strip; spogliarello: **full s.**, strip integrale; **part s.**, strip parziale; **to do a s.**, fare uno spogliarello **7** (*calcio, GB*) maglia, colori (pl.) (*di una squadra*): *AC Milan have a black and red s.*, la squadra del Milan indossa una maglia rossonera; **full s.**, divisa completa **8** (*autom., ecc.*) pista **9** (*scherma*) pedana **10** (*Borsa*) → **strap**, def. 9 **11** (*slang USA*) – **the S.**, il corso, la via principale (*di una città*); (*spec.*) la strada dei casinò (*a Las Vegas*) ● **s. artist**, spogliarellista □ **s. cartoons**, fumetti; strisce

□ **s. club**, night con spogliarello □ (*agric.*) **s. cropping**, coltivazione a terrazze □ (*USA*) **s. joint**, night con spogliarello □ **s. light**, tubo fluorescente □ (*aeron.*) **s. lighting**, illuminazione con tubi fluorescenti □ (*aeron.*) **s. lights**, luci di pista d'atterraggio □ (*ind. min.*) **s. mine**, miniera a cielo aperto □ (*ind. min.*) **s. mining**, coltivazione a cielo aperto previo sbancamento □ **s. poker**, poker in cui chi perde si toglie un capo di vestiario □ **s. show**, spogliarello □ (*fam. ingl.*) **to tear a s. off sb.**, dare una strigliata a q.

to **strip** /strɪp/ **A** v. t. **1** strappare; togliere: *He stripped the clothes from* (*o off*) *his body*, si tolse i vestiti di dosso; si spogliò; *'Then will he s. his sleeve and show his scars'* W. SHAKESPEARE, 'poi si strapperà la manica per mostrare le ferite' **2** denudare; svestire; spogliare (*anche fig.*); privare, derubare: *They stripped him to the skin*, lo denudarono; **to s. sb. of all his property**, spogliare q. d'ogni suo avere **3** sbucciare; scartocciare; pelare **4** vuotare (*un contenitore*); (*edil.*) svuotare (*un edificio*) **5** (*mil.*) degradare **6** (*mecc., mil.*) smontare; privare (*un'automobile, ecc.*) degli accessori: **to s. a motor** [**a rifle**], smontare un motore [un fucile] **7** (*mecc., mil., naut.*) smantellare; disarmare: **to s. a gun** [**a ship**], smantellare un cannone [disarmare una nave] **8** sfrondare, scortecciare (*un albero*) **9** (*elettr.*) spelare (*un filo elettrico*) **10** (*mecc.*) spanare (*una vite*) **11** (*ind. min.*) sbancare **12** (*metall.*) degalvanizzare elettroliticamente **B** v. i. (*anche* **to s. down, to s. off**) **1** spogliarsi; svestirsi; denudarsi **2** (*mecc.: d'una vite*) spanarsi **3** fare lo spogliarello; fare la spogliarellista ● **to s. the bark from a tree**, scortecciare un albero □ **to s. a bed**, disfare un letto □ **to s. a door**, sverniciare una porta □ **to s. a house of all its valuables**, svuotare una casa di tutte le cose di valore che vi sono □ **to s. to one's bathing suit**, mettersi in costume da bagno □ **to s. tobacco**, togliere il gambo alle foglie del tabacco □ **to s. (paper off) a wall**, staccare la carta da parati da un muro □ **The locusts stripped the fields**, le locuste lasciarono i campi spogli di vegetazione □ *Was your motorbike stolen or stripped?*, t'hanno rubato la moto o soltanto gli accessori?

■ **strip away** v. t. + avv. **1** togliere via, staccare, distaccare (*vernice, un dipinto, ecc.*) **2** (*fig.*) eliminare; grattare via, raschiare: *If you s. away his false smile, you'll realize what he's really like*, se gratti via il suo sorriso finto, ti accorgerai di che tipo è davvero.

■ **strip down A** v. i. + avv. spogliarsi; svestirsi; denudarsi: **to s. down to one's pants**, spogliarsi rimanendo in mutande **B** v. t. + avv. **1** denudare; spogliare; svestire **2** (*autom., mecc.*) smontare (*un motore, una macchina, una bicicletta*) **3** (*ind.*) semplificare (*un modello*) **4** (*fam.*) rimproverare; sgridare.

■ **strip off A** v. t. + avv. **1** sbucciare; togliere, cavare (*la vernice, ecc.*) **2** → **strip down**, **B**, def. 1 e **strip away**, def. 2 **B** v. i. + avv. → **strip down**, **A C** v. t. + prep. → **to strip**, **A**, def 1

♦ **stripe** /straɪp/ n. **1** striscia (*di colore, ecc.*), riga; stria; lista; banda: **red with white stripes**, rosso con bande bianche **2** (pl.) (*mil.*) galloni: **corporal's stripes**, i galloni da caporale; (*anche fig.*) **to get** (*o* **to earn**) **one's stripes**, guadagnarsi i galloni; dimostrare quello che si vale; essere promosso; (*anche fig.*) **to lose one's stripes**, perdere i galloni; essere degradato **3** (*fam.*) genere; tipo; specie: **people of every s.**, persone d'ogni genere **4** (pl.) divisa a strisce dei carcerati: (*gergo carcerario*) **to wear the stripes**, vedere il sole a scacchi; essere in galera **5** (pl.) (*fam.*) tigre **6** (*un tempo*) fru-

stata; scudisciata (*come punizione*): **twenty stripes on the back**, venti frustate sulla schiena ● (*fam. ingl., scherz.*) **to have the stripes**, essere al comando; sostituire il capo.

to **stripe** /straɪp/ v. t. listare; rigare; striare.

striped /straɪpt/ a. **1** rigato; listato; a strisce: **a s. tie**, una cravatta a strisce; **s. trousers**, pantaloni a righe **2** (*mil.*) gallonato ● (*zool.*) **s. drum**, (*Equetus pulcher*), borbottone striato (*delle coste atlantiche del Nord America*) □ (*anat.*) **s. muscle**, muscolo striato.

striper /'straɪpə(r)/ n. (*gergo mil., spec. naut.*) ufficiale ● **a three-s.**, un ufficiale con tre galloni; un tenente di vascello.

striping /'straɪpɪŋ/ n. [U] il fare a strisce; rigatura.

stripling /'strɪplɪŋ/ n. adolescente; ragazzo.

stripped /strɪpt/ a. spogliato; svestito; nudo ● **s.-down**, spogliato, svestito; (*mecc.*) smontato; smantellato; (*naut.*) in disarmo; (*ind.*) semplificato, di base: **a s.-down model**, un modello semplificato (*o* di base) □ (*fam.*) **s. to the buff**, nudo nato; in costume adamitico.

stripper /'strɪpə(r)/ n. **1** chi spoglia, sveste, sfronda, ecc. (→ **to strip**) **2** spogliarellista **3** sverniciatore **4** (*mecc., chim.*) estrattore **5** (*elettr.*) spelafili (*strumento*) **6** (*slang USA*) svaligiatore; ladro ● (*metall.*) **s. punch**, estrattore.

strippergram /'strɪpəɡræm/ n. (*in GB*) servizio d'invio di auguri in cui il fattorino (*uomo o donna*) ha il compito di fare uno spogliarello al cospetto del destinatario.

stripping /'strɪpɪŋ/ n. [U] **1** spogliamento; spogliazione **2** (*mecc.*) smontaggio **3** (*mecc., mil.*) smantellamento **4** (*ind. min.*) sbancamento **5** (*tecn.*) sverniciatura: **door s.**, sverniciatura delle porte **6** (*ind. petrolifera*) stripping; strippaggio; distillazione frazionata in corrente di vapore **7** (*fin.* = **asset stripping**, **dividend stripping**) distribuzione di utili (*agli azionisti*) con elusione fiscale **8** (*metall.*) degalvanizzazione elettrolitica ● (*ind. tess.*) **s. agent**, decolorante □ (*ind. min.*) **s. shovel**, escavatore per sbancamento.

to **strip-search** /'strɪpsɜːtʃ/ v. t. perquisire a fondo (*denudando il perquisito*) | **strip-searching**. [U] perquisizione integrale.

striptease /'strɪptiːz/ n. [U C] spogliarello: **to do a s.**, fare uno spogliarello ● **s. artist**, spogliarellista.

stripteaser /'strɪptiːzə(r)/ n. spogliarellista.

stripy /'straɪpɪ/ a. rigato; listato; a strisce; zebrato.

to **strive** /straɪv/ (pass. **strove**, p. p. **striven**), v. i. **1** sforzarsi; fare sforzi; ingegnarsi: *They strove hard to win*, fecero ogni sforzo per vincere **2** battersi; lottare; combattere: **to s. against oppression**, battersi contro l'oppressione ● **to s. after** (*o for*) **st.**, cercare di ottenere qc.; sforzarsi di ottenere qc. □ **to s. over st.**, disputare, litigare per qc. □ (*arc.*) **to s. with sb.**, battersi (*con le armi*) con q.

striver /'straɪvə(r)/ n. **1** chi si sforza, chi s'ingegna (*di fare qc.*) **2** persona attiva, energica; lottatore (*fig.*).

striving /'straɪvɪŋ/ **A** a. che si sforza; che lotta, che si batte: **s. hard to succeed**, che fa ogni sforzo per riuscire **B** n. [U C] **1** sforzo; sforzi **2** contesa; lotta; gara.

strobe /strəʊb/ n. **1** (*elettron.*) impulso (*o* traccia) di riferimento **2** (*abbr. fam. di* **stroboscope**) stroboscopio ● **s. circuit**, circuito generatore d'impulsi □ **s. light**, luce stroboscopica □ **s. lighting** (*o* **lights**), luci stroboscopiche; luci psichedeliche (*da discoteca*).

strobile /'strəʊbaɪl/ n. (*bot.*, *zool.*) strobilo.

stroboscope /'strəʊbəskəʊp/ (*scient.*) n. stroboscopio ‖ **stroboscopic, stroboscopical** a. stroboscopico ‖ **stroboscopy** n. Ⓤ stroboscopia.

strode /strəʊd/ pass. di **to stride**.

◆**stroke** ① /strəʊk/ n. **1** colpo (*anche fig.*); botta; percossa: **with a s. of the hammer**, con un colpo di martello; **strokes of the birch**, colpi di verga; vergate; **sword s.**, colpo di spada; **a s. of luck**, un colpo di fortuna **2** tratto (*di penna, ecc.*); asta (*di scrittura*): **with a s. of the pen**, con un tratto di penna; **thin strokes**, aste sottili **3** colpo di pennello; pennellata: *He dashed off the portrait with a few bold strokes*, buttò giù il ritratto con poche, sicure pennellate **4** battuta (*a macchina da scrivere*): **strokes per minute**, battute (*dattilografiche*) al minuto **5** (*fisiol.*) battito (*del cuore*); pulsazione **6** (*med.*) colpo apoplettico; colpo (*fam.*); accidente (*fam.*); apoplessia; ictus (apoplettico) cerebrale: *The old man suffered a s.*, al vecchio venne un colpo **7** (*fam.*) azione ostile; attacco; brutto tiro: **to pull a s.**, fare un tiro mancino; fare uno scherzo da prete (*fam.*) **8** (*fig.*) quantità soddisfacente; (un) po' di: *He hasn't done a s. of work up to now*, finora non ha fatto neanche un po' di lavoro **9** (*fig.*) buon colpo; mossa azzeccata; buona mossa **10** suono (*dell'orologio*); il battere dell'ora; rintocco; (*fig.*) lo scadere: **on the s. of midnight**, al rintocco della mezzanotte; (*calcio, ecc.*) **on the s. of half time**, allo scadere del primo tempo **11** (*baseball, cricket, golf, tennis, ecc.*) colpo; giocata: *I won the golf round by three strokes*, vinsi la partita di golf per tre colpi; (*golf*) **approach s.**, colpo di approccio (*alla buca*) **12** (*baseball, cricket*) battuta **13** (*canottaggio*) colpo di remo; palata; vogata; voga: (*di un armo*) **to row under 40 strokes**, essere sotto i 40 colpi (*al minuto*); **to row a fast s.**, tenere una buona vogata; **to row a long s.**, fare la voga lunga; vogare lungo **14** (*canottaggio*) capovoga: **to be** (*o* **to row**) **s.**, essere il capovoga **15** (*mecc.*) corsa (*del pistone*); tempo (*del motore*): **a four-s. engine**, un motore a quattro tempi **16** (*nuoto*) bracciata; colpo (*del braccio*); nuotata; stile **17** (*scherma*) colpo ● (*canottaggio*) **s. oar**, capovoga □ **a s. of genius**, un'idea geniale; un lampo di genio □ **a s. of lightning** (*o* **a lightning s.**), un fulmine □ **a s. of wit**, una battuta spiritosa □ (*canottaggio*) **s. rate**, numero di colpi; ritmo delle battute; cadenza (*di un nuotatore*) □ (*baseball, cricket*) **s. selection**, scelta dei colpi (*da parte del battitore*) □ (*canottaggio*) **s. timer**, contacolpi □ **at a s.**, d'un tratto; di botto □ **a good s. of business**, un buon affare; un affarone; un bel colpo □ (*naut.*) **to keep s.**, vogare in cadenza; tenere il tempo □ (*fig. fam.*) **to be off one's s.**, essere giù di forma □ **on the s.**, puntualmente; in perfetto orario.

stroke ② /strəʊk/ n. carezza; lisciata; liscio ● (*USA, fam.*) **s. magazine**, rivista pornografica.

to stroke ① /strəʊk/ Ⓐ v. i. (*canottaggio*) **1** remare; vogare: *The crew was stroking at 30*, l'equipaggio vogava a trenta battute al minuto **2** essere il capovoga Ⓑ v. t. (*canottaggio*) fare da capovoga per (*un'imbarcazione, un armo*).

to stroke ② /strəʊk/ v. t. **1** lisciare; accarezzare; passare la mano su: *The girl was stroking the cat*, la ragazza accarezzava il gatto **2** (*fam. USA*) adulare; lusingare **3** (*fig., calcio*) calciare appena (*il pallone*); toccare **4** (*golf, tennis, ecc.*) tirare (*la palla*) accompagnando il colpo con il corpo ● (*fig.*) **to s. sb. down**, lisciare; cercare di rabbonire q. □ (*fig.*) **to s. sb. the wrong way**, prendere q. per il verso sbagliato.

strokemaker /'strəʊkmeɪkə(r)/ n. (*cricket, tennis*) giocatore positivo e creativo; fantasista.

strokesman /'strəʊksmən/ n. (pl. **strokesmen**) (*canottaggio*) capovoga.

stroking /'strəʊkɪŋ/ n. ⒸⓊ **1** carezza; lisciata; (*fig.*) adulazione **2** (*mecc.*) movimento (*dello stantuffo*); funzionamento (*di motore*): **four-s.**, funzionamento a quattro tempi.

stroll /strəʊl/ n. giro; giretto; passeggiatina: **to go for** (*o* **to take**) **a s.**, andare a fare una passeggiatina; fare quattro passi.

to stroll /strəʊl/ Ⓐ v. i. andare a zonzo; passeggiare; girellare; gironzolare; bighellonare Ⓑ v. t. andare a zonzo per; vagabondare per: *They strolled the countryside*, vagabondavano per la campagna ● (*fam. ingl.*) **S. on!**, ma dai!; ma va là!

stroller /'strəʊlə(r)/ n. **1** girandolone; bighellone **2** attore girovago **3** (*un tempo*) vagabondo **4** (*USA*) passeggino **5** (al pl., *fam.*) scarpe casual.

strolling /'strəʊlɪŋ/ a. ambulante; errante; girovago; vagante: **s. players** (*o* **s. company**), attori girovaghi; comici ambulanti.

stroma /'strəʊmə/ (*anat.*) n. (pl. **stromata**) stroma ‖ **stromatic** a. stromatico.

stromatolite /strə'mætəlaɪt/ n. (*geol.*) stromatolite.

◆**strong** /strɒŋ/ Ⓐ a. **1** forte (*anche fig.*); gagliardo; energico; robusto; vigoroso; solido; saldo; potente; valido; duro; resistente: **a s. man**, un uomo forte; *He is s. in the arms*, è forte di braccia; ha braccia forti; (*sport*) **a s. kick**, un forte calcio; *He's s. in maths*, è forte in matematica; (*anche polit.*) **a s. contender**, un candidato forte; **a s. will**, una forte volontà; **an army 100,000 s.**, un esercito forte di centomila uomini; **s. affection**, forte affetto; **a s. body**, un corpo robusto; **a s. handshake**, un'energica stretta di mano; **a s. smell of gas**, un forte odore di gas; **s. tea**, tè forte; tè carico; *He has s. nerves*, ha i nervi saldi; **s. beliefs** [**opinions**], salde credenze [opinioni]; **a s. wind**, un forte vento; **a s. wall**, un muro solido (*o* resistente); **s. measures**, provvedimenti energici; **a s. army**, un potente esercito; **a s. telescope**, un telescopio potente; **in a s. voice**, con forte voce; **a s. advocate**, un valido patrono **2** (*chim.*) concentrato, forte; (*di liquore*) alcolico: **s. acids**, acidi forti; **s. drinks**, bevande alcoliche **3** (*di cibo*) rancido; (*per estens.*) maleodorante: **s. butter**, burro rancido **4** (*di formaggio*) piccante **5** (*econ., comm.*) alto; sostenuto: **s. prices**, prezzi alti; *The market has not been s. lately*, ultimamente, il mercato non è stato sostenuto **6** (*econ.*) forte; solido; pesante: **a s. currency**, una valuta forte; una moneta pesante; **a s. balance of payments**, una solida bilancia dei pagamenti **7** (idiom., nei composti) di un certo numero; composto di: **an anticipated million-s. crowd**, una folla che si prevede sarà di un milione di persone; *The group is now 20-s.*, il gruppo ora conta venti membri; *How s. is the enemy?*, qual è la forza del nemico? **8** (*fam.*) in salute: *He's quite s. again*, s'è rimesso bene Ⓑ avv. **1** energicamente; vigorosamente; con forza: (*sport, ecc.*) **to come on s.**, farsi avanti con forza (*o* in forze) **2** forte; alla grande (*fam.*): (*sport*) **to come back s.**, rientrare (*o* riprendere) alla grande ● **a s. argument**, un argomento convincente, persuasivo □ **s. arm**, pugno di ferro (*fig.*); (*slang USA*) = **s.-arm man** → *sotto* □ **s.-arm man** (*o* **boy, guy**), scagnozzo □ **s.-arm methods**, metodi energici; la maniera forte: **to use s.-arm methods**, ricorrere alla maniera forte □ **s.-arm tactics**, il pugno di ferro: **to use s.-arm tactics against the strikers**, usare il pugno di ferro con gli scioperanti □ **s. breath**, alito cattivo □ (*naut.*) **s. breeze**, vento fresco □ (*Borsa*) **a s. buy**, un titolo da comprare assolutamente; un ottimo acquisto □ **a s. candidate**, un candidato favorito; un concorrente temibile □ (*USA*) **a s. Democrat**, un democratico per la pelle □ (*anche leg.*) **s. evidence**, prove ben fondate □ **s. eyes**, vista acuta □ (*nelle corse*) **a s. finish**, un finale in rimonta □ (*naut.*) **s. finisher**, chi finisce la corsa a velocità sostenuta; sprinter; velocista □ (*naut.*) **s. gale**, burrasca forte □ **s.-headed**, cocciuto; caparbio; ostinato; testardo □ **s. language**, parole grosse; ingiurie; imprecazioni; bestemmie □ **a s. light**, una luce vivida □ **s.-limbed**, tarchiato; nerboruto □ (*fig.*) **s. meat**, roba «pesante»; vista (*o* spettacolo) che richiede uno stomaco forte (*fig.*): *This is s. meat for me*, non è pane per i miei denti! □ **a s. memory**, una buona memoria; una memoria di ferro □ **a s. mind**, un forte ingegno; una mente acuta; un animo forte, virile □ **s.-minded**, d'animo forte e virile; deciso; risoluto □ **s.-mindedness**, risolutezza; determinazione; forza di carattere □ (*fig.*) **one's s. point**, il (punto) forte di q.: *Maths isn't his s. point*, la matematica non è il suo forte □ **s. reasons**, fondati motivi □ **a s. situation**, un episodio commovente; una situazione drammatica □ **s. suit**, (*a carte*: bridge, ecc.) mano buona; (*fig.*) il forte (*di q.*): *Pity isn't his s. suit*, la pietà non è il suo forte □ **a s. town**, una città inespugnabile □ (*gramm. ingl.*) **s. verbs**, verbi forti □ **s.-willed**, deciso; risoluto; tenace □ **to be as s. as a horse**, essere forte come un toro □ **by the s. hand**, con la forza; con la violenza □ (*fam.*) **to come** (*o* **to go**) **it rather s.**, esagerare; passare il segno; strafare (*fam.*) **to come on s.**, andar giù di peso (*fig.*); non fare complimenti □ (*fam.*) **to be going s.**, essere ancora in gamba; procedere (andare, funzionare) bene; andar forte, tirare (*fam.*): *He's over eighty and still going s.*, a ottant'anni suonati, è ancora in gamba □ **to have s. feelings about** (*o* **on**) **st.**, essere inflessibile su qc.; non transigere su qc. □ (*fig.*) **to have a s. hold on sb.**, esercitare un forte ascendente su q. □ **to smell s.**, odorare di rancido; **-ness** n. Ⓤ.

to strong-arm /'strɒŋɑːm/ v. t. (*USA*) costringere (q.) con la forza; minacciare; intimidire: **to strong-arm sb. into doing st.**, costringere q. a fare qc. minacciandolo.

strongbox /'strɒŋbɒks/ n. forziere; cassaforte portatile.

stronghold /'strɒŋhəʊld/ n. (*mil.*) fortezza; (*anche fig.*) roccaforte.

strongish /'strɒŋɪʃ/ a. alquanto forte; piuttosto robusto, ecc. (→ **strong**).

strongly /'strɒŋlɪ/ avv. **1** fortemente; energicamente; vigorosamente **2** solidamente: **a s.-built wardrobe**, un armadio di solida fattura **3** forte; a voce alta **4** forte: **to smell s. of wine**, puzzare forte di vino **5** vivamente; saldamente; calorosamente: *I s. advise you not to accept the offer*, ti raccomando vivamente di non accettare l'offerta.

strongman /'strɒŋmæn/ n. (pl. **strongmen**) **1** (*spec. nel circo*) uomo forzuto **2** (*spec. polit.*) uomo forte; dittatore.

strongpoint /'strɒŋpɔɪnt/ n. (*mil.*) caposaldo.

strongroom /'strɒŋruːm/ n. camera blindata (*di una banca, ecc.*).

strontia /'strɒnʃɪə/ n. Ⓤ (*miner.*) ossido di stronzio.

strontianite /'strɒnʃɪənaɪt/ n. Ⓤ (*miner.*) stronzianite.

strontium /'strɒntɪəm/ n. Ⓤ (*chim.*) stronzio ● (*fis. nucl.*) **s. -90**, stronzio 90.

strop /strɒp/ n. **1** coramella; cuoio per affilare il rasoio **2** (*naut.*) stroppo ● (*fam.*) to

be in a s., essere di cattivo umore; essere incavolato (*fam.*).

to **strop** /strɒp/ v. t. affilare (*un rasoio*) sulla coramella.

strophanthin /strəʊˈfænθɪn/ n. ᵁ (*med.*) strofantina.

strophe /ˈstrəʊfɪ/ (*poesia*) n. strofe; strofa ‖ **strophic** a. strofico.

stroppy /ˈstrɒpɪ/ a. (*fam.*) ribelle; intrattabile; indisponente; dispettoso; riottoso | **-iness** n. ᵁ

strove /strəʊv/ pass. di **to strive**.

struck /strʌk/ pass. e p. p. di **to strike**.

structural /ˈstrʌktʃərəl/ a. strutturale: (*mecc.*) **s. deflections**, deformazioni strutturali; (*geol.*) **s. geology**, geologia strutturale (*econ.*) **s. unemployment**, disoccupazione strutturale; **s. linguistics**, linguistica strutturale ● (*mecc.*) **s. arrangement**, schema costruttivo □ (*edil.*) **s. beam**, profilo portante □ **s. chemistry**, strutturistica □ **s. engineer**, strutturista; tecnico delle costruzioni; ingegnere civile □ **s. engineering**, scienza (*o* tecnica) delle costruzioni □ (*edil.*) **s. fault**, difetto strutturale □ (*metall.*) **s. iron**, profilati di ferro □ (*edil.*) **s. steel**, profilato di acciaio; acciaio da costruzioni edili □ **s. steelwork**, strutture in acciaio (*per edifici, ecc.*) | **-ly** avv.

structuralism /ˈstrʌktʃərəlɪzəm/ (*ling.*, *antrop., ecc.*) n. ᵁ strutturalismo ‖ **structuralist** Ⓐ n. strutturalista Ⓑ a. strutturalistico; strutturalista.

♦**structure** /ˈstrʌktʃə(r)/ n. 1 ᵁ struttura; conformazione; (*fig.*) impalcatura, ossatura: **the s. of a house** [**of the atom, of society**], la struttura d'una casa [dell'atomo, della società] 2 ᵤᴄ assetto: **the political s.**, l'assetto politico; **the financial s. of a firm**, l'assetto finanziario di un'azienda 3 (*edil.*) fabbricato; edificio 4 (*ind. costr.*) opera d'arte; opera; costruzione.

to **structure** /ˈstrʌktʃə(r)/ v. t. strutturare; dare forma compiuta a (*idee, ecc.*) ‖ **structured** a. strutturato ● (*market.*) **structured interview**, intervista «strutturata» (*con risposte di «sì», «no», e «non so»*) □ (*comput.*) **structured programming**, programmazione strutturata.

structureless /ˈstrʌktʃələs/ a. senza struttura; privo di struttura.

to **structurize** /ˈstrʌktʃəraɪz/ v. t. strutturare ‖ **structurization** n. ᵁ strutturazione.

strudel /ˈstruːdl/ (*ted*) n. ᴄᵁ (*cucina*) torta di frutta ● **apple s.**, strudel.

♦**struggle** /ˈstrʌgl/ n. 1 ᴄᵁ lotta; contesa; combattimento: **armed s.**, lotta armata; **the s. for existence**, la lotta per l'esistenza; **the s. to survive** (*o* **for survival**), la lotta per la sopravvivenza 2 (*fig.*) grande sforzo: **with a s.**, con grande sforzo.

♦to **struggle** /ˈstrʌgl/ v. i. 1 lottare; combattere; battersi: **to s. with an illness**, lottare contro una malattia; *We struggled against superior numbers*, combattemmo contro forze preponderanti 2 dibattersi; dimenarsi; divincolarsi 3 sforzarsi; fare ogni sforzo: *I struggled to control my feelings*, mi sforzavo di tenere a freno i miei sentimenti.

■ **struggle along** v. i. + avv. 1 procedere a fatica; avanzare a stento; trascinarsi (*con un bastone, sulle grucce, ecc.*) 2 (*fig.*) tirare avanti (*alla meno peggio*); farcela a stento; stentare; arrangiarsi alla meglio.

■ **struggle for** v. i. + prep. 1 battersi, lottare per (*la vita, la libertà, ecc.*): **to s. for independence**, lottare per l'indipendenza 2 lottare per afferrare, per impossessarsi di (qc.): *They struggled for the knife*, lottarono per afferrare (*o* prendere) il coltello 3 contendersi: **to s. for a prize**, contendersi un premio.

■ **struggle in** Ⓐ v. i. + prep. lottare, battersi: **to s. in the water**, lottare nell'acqua Ⓑ v. i. + avv. entrare a stento (*o* a fatica): *Light struggled in through the dirty panes*, la luce penetrava a stento dai vetri sporchi della finestra □ **to s. in life**, avere la vita difficile.

■ **struggle on** → **struggle along**, def. 2.

■ **struggle out** v. i. + avv. uscire a stento (*o* a fatica).

■ **struggle out of** v. i. + avv. + prep. uscire a stento da; liberarsi, sbarazzarsi a fatica di: *He struggled out of the wreckage*, uscì a fatica dai rottami.

■ **struggle through** v. i. + avv. (*o* prep.) 1 farsi strada a fatica attraverso: *The explorers struggled through the jungle*, gli esploratori si aprirono a fatica un varco nella giungla 2 (*fig.*) superare a stento (*una prova, un esame, ecc.*).

■ **struggle up** v. i. + avv. (*o* prep.) salire a fatica (*o* a stento); arrancare (per): **to s. up the steep stairs**, salire a fatica le ripide scale.

struggler /ˈstrʌglə(r)/ n. 1 chi lotta; chi si batte 2 chi si dibatte.

struggling /ˈstrʌglɪŋ/ a. che lotta; in lotta: **s. factions**, fazioni in lotta ● **a s. writer**, uno scrittore che fatica ad affermarsi.

strum /strʌm/ n. ᵤᴄ 1 strimpellamento; strimpellata; strimpellio (*di una chitarra, ecc.*) 2 (*fig.*) ticchettio: **the s. of the typewriter**, il ticchettio della macchina da scrivere.

to **strum** /strʌm/ v. i. e t. 1 strimpellare: **to s. (on) a guitar**, strimpellare la chitarra 2 (*fig.*) ticchettare; tambureggiare.

struma /ˈstruːmə/ n. (pl. **strumae**) (*med.*) 1 struma; tumore (*della tiroide, ecc.*) 2 gozzo.

strummer /ˈstrʌmə(r)/ n. strimpellatore; strimpellatrice.

strumous /ˈstruːməs/ a. (*med.*) 1 strumoso; gozzuto 2 scrofoloso.

strumpet /ˈstrʌmpɪt/ n. (*arc. o scherz.*) meretrice; prostituta; sgualdrina.

strung /strʌŋ/ Ⓐ pass. e p. p. di **to string** Ⓑ a. 1 appeso 2 (*mus.: di strumento*) incordato ● (*fam.*) **s. out**, teso, con i nervi logori; (*anche*) fatto; sotto l'effetto (*di una droga o dell'alcol*); tossico(dipendente): **s. out on heroin**, fatto di eroina; sotto l'effetto dell'eroina □ (*fam. USA*) **to be s. on sb.**, essere (innamorato) cotto di q. □ **s. up**, dai nervi logori; assai preoccupato, teso (*fig.*): *He's always so s. up*, è sempre così teso!; **to get s. up before an exam**, diventare teso (*o* emozionarsi) prima di un esame □ **highly** (*USA* **high**) **s.**, eccitabile; ipersensibile; con i nervi a fior di pelle.

strut ① /strʌt/ n. andatura impettita; incedere tronfio; portamento solenne.

strut ② /strʌt/ n. 1 (*ind. costr.*) puntone: **s. of truss**, puntone di capriata 2 (*ind. min.*) puntello 3 (*aeron.*) montante 4 (*naut.*) madiere; montante.

to **strut** ① /strʌt/ v. i. andare impettito; camminare con boriosa gravità; incedere tronfio; pavoneggiarsi; gigioneggiare (*fam.*) ‖ **strutter** n. chi si pavoneggia; chi cammina impettito; gigione (*gergo teatr.*).

to **strut** ② /strʌt/ v. t. puntellare; rinforzare (*o* sostenere) con puntoni.

struthious /ˈstruːθɪəs/ a. (*zool.*) simile allo struzzo; della famiglia dello struzzo.

strychnine /ˈstrɪkniːn/, *USA* -aɪn/ n. ᵁ (*chim.*) stricnina.

Stuart /stjʊət/ n. (*stor.*) Stuardo.

stub /stʌb/ n. 1 ceppo, ciocco (*d'albero*); ceppaia; spuntone 2 troncone; mozzicone: **a pencil s.**, un mozzicone di matita; **the s. of a cigar**, un mozzicone di sigaro 3 moccolo (*di candela*) 4 radice (*di un dente*) 5 moncherino (*della coda di un cane*) 6 matrice; madre (*di biglietto, di libretto d'assegni*

bancari) 7 (*elettr.*) stub; tronco di linea ● (*mecc., autom.*) **s. axle**, fuso a snodo □ **s. end**, testa di biella; (*anche*) mozzicone, cicca □ **s. tag**, cartellino a madre e figlia □ **s. tube**, tubo di raccordo □ **cigarette s.**, cicca.

to **stub** /stʌb/ v. t. 1 sradicare, strappare, estirpare (*erbacce, ecc.*) 2 (*anche* **to s. up**) liberare (*il terreno*) dai ceppi (*o* dai ciocchi); dicioccare 3 sbattere, urtare (*il piede, ecc.*) contro qc. 4 (*anche* **to s. out**) schiacciare; spegnere (*la sigaretta, il sigaro: schiacciandoli*) ● **to s. one's toe** (**against st.**), inciampare (in qc.).

stubbing /ˈstʌbɪŋ/ n. ᵤᴄ (*agric.*) diciocca-mento; dicioccatura (*anche* **s. up**).

stubble /ˈstʌbl/ n. 1 (*agric.*) stoppia 2 (*fig.*) capelli a spazzola 3 (*fig.*) barba corta e ispida ● (*agric.*) **s. plough**, aratro stoppiatore ‖ **stubbly** a. 1 coperto di stoppie 2 (corto e) ispido.

stubborn /ˈstʌbən/ a. 1 caparbio; cocciuto; ostinato; testardo; pervicace: **a s. boy**, un ragazzo cocciuto 2 duro; inflessibile; pertinace; tenace; saldo: **s. resistance**, tenace resistenza; **s. opinions**, opinioni salde 3 (*tecn.*) che si lavora male; di difficile trattamento: **s. ore**, minerale difficile a trattarsi 4 (*med.*) persistente; cronico; ribelle: **a s. fever**, una febbre ribelle ● **a s. fight**, un combattimento accanito (*o* all'ultimo sangue) □ **as s. as a mule**, testardo come un mulo □ **Facts are s. things**, i fatti non si discutono; sono i fatti che contano! | **-ly** avv.

stubbornness /ˈstʌbənnəs/ n. ᵁ 1 caparbietà; cocciutaggine; ostinatezza; ostinazione; testardaggine; pervicacia 2 durezza; inflessibilità; pertinacia; tenacia; saldezza 3 (*tecn.: di una sostanza*) il lavorarsi male; difficoltà di trattamento 4 (*med.*) persistenza, cronicità (*di una malattia*).

stubby /ˈstʌbɪ/ a. 1 (*d'albero, ecc.*) troncato; mozzo 2 (*del terreno*) coperto di ceppi (*o* di ciocchi, di ceppaie) 3 corto e ispido; irsuto: **s. bristles**, setole corte e ispide 4 (*fam.*) tozzo; tarchiato: **s. fingers**, dita tozze.

stucco /ˈstʌkəʊ/ (*ital.*) n. ᴄᵁ (pl. **stuccos**, **stuccoes**) (*edil.*) stucco ● **s. worker**, stuccatore.

to **stucco** /ˈstʌkəʊ/ v. t. stuccare; decorare a stucco.

stuccoer /ˈstʌkəʊə(r)/, **stuccoist** /ˈstʌkəʊɪst/ n. stuccatore.

stuccowork /ˈstʌkəʊwɜːk/ n. ᵁ decorazione a stucco; stucco.

stuck /stʌk/ Ⓐ pass. e p. p. di **to stick** Ⓑ a. 1 bloccato; inceppato: *The lock is s.*, la serratura è inceppata 2 appiccicato; attaccato; incollato (*anche fig.*): **to be s. in front of the TV set**, essere incollato al televisore; *I'm not s. in the same office all day*, non sono bloccato nello stesso ufficio tutto il giorno 3 (*fig.*) perplesso; confuso; imbarazzato 4 (*fam. USA*) nei guai; inguaiato ● (*nelle corse*) **to be s. behind a rival**, non riuscire a sorpassare un concorrente, essere piantato dietro un altro corridore □ **to be s. for an answer**, non sapere cosa rispondere □ **to be s. in bed**, essere costretto a letto (*per una malattia, un incidente, ecc.*) □ (*fam.*) **to be s. on sb.**, essere (innamorato) cotto di q. □ (*fam.*) **s.-up**, pieno di sé; sussiegoso; borioso; presuntuoso □ (*fam.*) **to be s. with an old aunt**, rimanere incastrato con una vecchia zia; avere una vecchia zia sempre tra i piedi □ **to get s.**, bloccarsi; incepparsi; (*autom.*) rimanere piantato (*nel fango, ecc.*) □ (*fam. ingl.*) **to get s. in**, mettersi sotto; mettercisi di buzzo buono; darci sotto □ (*fam.*) **to get s. with**, ritrovarsi con (qc.) sul gobbo; avere (q.) sulle braccia □ (*fam.*) **Get s. in!**, attacca! (*a mangiare, ecc.*).

stud ① /stʌd/ n. 1 (= **collar s.**) bottoncino da colletto; bottone doppio 2 chiodo da tap-

pezziere; borchia: **the studs of a door**, le borchie d'una porta **3** (*mecc.*) perno; colonnetta **4** (*mecc.*, = **s.-bolt**) vite prigioniera; prigioniero **5** (*edil.*) montante; trave verticale **6** (*sport*) tacchetto, bullone (*di scarpa da football*) ● (*edil.*) **s. partition**, parate divisoria di montanti di legno □ (*edil.*) **s. wall**, parete di cartongesso (*con un'intelaiatura* di legno) □ (*calcio, ecc.*) **to go in studs first**, entrare (*o* intervenire) a gamba tesa su un avversario.

stud ② /stʌd/ n. **1** Ⓤ (*collett.*) cavalli da allevamento (*o* da corsa); allevamento di cavalli; scuderia **2** (= **s. horse**) stallone; cavallo da monta **3** (*fig. volg.*) stallone (*fig.*); gran scopatore (*volg.*): (*di un uomo*) **s. for hire to moneyed matrons**, stallone (da monta) per anziane signore danarose **4** (*fam. USA*) fico (*fig.*); bel ragazzo **5** (= **s. poker**) telesina; poker in cui le carte sono distribuite così: una coperta (*detta* → *«hole card»*, → **hole**) e le restanti quattro scoperte ● **s. farm**, stazione di monta (*per equini*); scuderia di allevamento (*di cavalli*) □ **s. muffin** → **studmuffin** □ (*zootecnia*) **s. mare**, fattrice (*cavalla*).

to stud /stʌd/ v. t. **1** ornare (*o* guarnire) di borchie **2** (*mecc.*) fissare con viti prigioniere **3** (*edil.*) provvedere (*un edificio*) di montanti **4** (*fig.*) costellare; punteggiare; tempestare.

studbook, **stud book** /'stʌdbʊk/ n. libro genealogico; registro dei purosangue; registro di un allevamento di cavalli.

studded /'stʌdɪd/ a. **1** coperto; guarnito; decorato (*di borchie, ecc.*): **a door s. with nails**, una porta coperta di borchie **2** costellato; punteggiato; tempestato; trapunto: *The wide, barren plain was s. with patches of vegetation*, l'ampia pianura sterile era punteggiata di ciuffi di vegetazione; **a translation s. with mistakes**, una traduzione costellata d'errori; **a star-studded sky** (*o* **a sky s. with stars**), un cielo trapunto di stelle ● **s. crossing**, passaggio pedonale segnato da chiodi □ (*sport*) **s. shoe**, scarpa con i tacchetti.

studding /'stʌdɪŋ/ n. Ⓤ (*ind. costr.*) montanti (collett.); legname per montanti.

studding-sail /'stʌdɪŋseɪl/ n. (*naut.*) (vela di) coltellaccio; (vela di) coltellaccino.

◆**student** /'stju:dnt, *USA* 'stu:-/ n. **1** studente, studentessa (*di università o scuola media superiore*): **a university s.**, uno studente universitario; **a s. of archaeology** (*o* **an archaeology s.**), uno studente d'archeologia **2** studioso; indagatore; ricercatore: **a s. of wild life**, uno studioso della vita degli animali selvatici; **a s. of human behaviour**, un indagatore del comportamento dell'uomo **3** (*in talune università*) borsista **4** (*spec. USA*) allievo; scolaro; alunno (*di scuola inferiore*) ● **s. council**, comitato studentesco; (comitato) interfacoltà □ **s. lamp** (*o* **s.'s lamp**), lampada da tavolo (*o* a braccio mobile) □ **s. loan**, prestito a studenti per mantenersi all'università □ **s. nurse**, allieva infermiera □ **s. power**, potere studentesco □ **s. teacher**, insegnante tirocinante □ (*USA*) **s. teaching**, tirocinio come insegnante (*cfr. ingl.* **teaching practice**, *sotto* **teaching**) □ **students' union**, **s. union**, associazione degli studenti; (*anche*) centro sociale studentesco.

studentship /'stju:dntʃɪp, *USA* 'stu:-/ n. Ⓤ **1** borsa di studio **2** condizione di studente.

studenty /'stju:dəntɪ, *USA* 'stu:-/ a. (*fam.*, *anche spreg.*) da (*o* per) studenti; studentesco.

studhorse /'stʌdhɔːs/ n. = **stud horse** → **stud** ②.

studied /'stʌdɪd/ a. **1** studiato; calcolato; deliberato; meditato; voluto: **a s. insult**, un

insulto deliberato; **with s. indifference**, con calcolata indifferenza **2** ricercato; affettato; manierato: **s. gestures**, gesti affettati | **-ly avv.** | **-ness** n. Ⓤ

◆**studio** /'stju:dɪəʊ, *USA* 'stu:-/ n. (pl. **studios**) **1** studio (*d'artista o professionista*) **2** (*cinem., TV*) teatro di posa; studio **3** (*radio*) auditorio **4** (*fotogr.*) studio **5** scuola (*di danza, ecc.*) **6** (pl.) (*cinem.*) casa di produzione ● (*USA*) **s. apartment**, monolocale □ (*radio, TV*) **s. audience**, pubblico in sala □ **s. couch**, grande divano letto □ (*edil.*) **s. flat**, monolocale.

studious /'stju:dɪəs, *USA* 'stu:-/ a. **1** studioso: **a s. girl**, una ragazza studiosa **2** attento; diligente; meticoloso; preciso; premuroso; riguardoso; sollecito; zelante: **with s. care**, con diligente cura; **s. attention**, sollecita attenzione **3** (*raro*) studiato; calcolato; deliberato ● (*lett.*) **being s. of brevity**, avendo a cuore la concisione; desiderando esser conciso | **-ly avv.** | **-ness** n. Ⓤ

studmuffin /'stʌdmʌfɪn/ n. (*fam.*) bel pezzo di ragazzo; bonazzo, strafico (*pop.*).

studwork /'stʌdwɔːk/ n. Ⓤ **1** ornamentazione con borchie; borchiatura **2** (*edil.*, *USA*) intelaiatura di sostegno (*di parete*).

◆**study** /'stʌdɪ/ n. **1** ⓊⒸ studio; esame, indagine, ricerca; saggio; monografia: **to take up the s. of philosophy**, intraprendere lo studio della filosofia; **after careful s. of the matter**, dopo attento esame della faccenda; **a s. of working conditions**, un'indagine sulle condizioni di lavoro; **humanistic studies**, studi umanistici; **a s. by sector**, una ricerca di carattere settoriale; **to write a s. on Dante's numerology**, scrivere un saggio sulla numerologia dantesca **2** studio; stanza da studio **3** (*mus.*) studio: **a s. by Chopin**, uno studio di Chopin **4** (*pitt., scult.*) studio; bozzetto; schizzo; abbozzo **5** oggetto degno di attenzione; vista insolita: *The girl's face was a perfect s.*, il viso della ragazza era interessantissimo **6** Ⓤ (*form., lett.*) studio (*lett.*); cura; premura: *It shall be my s. to please him*, sarà mia cura compiacerlo (*o* accontentarlo) ● **s. group**, gruppo di studio □ **s. leave**, congedo per studio □ (*org. az.*) **s. office**, ufficio studi □ **a s. in st.**, un perfetto (*o* un classico) esempio di qc.: *His article is a s. in intellectual snobbery*, il suo articolo è un perfetto esempio di snobismo intellettuale □ (*teatr.*) **to be a good [a slow] s.**, essere bravo [lento] a imparare la parte □ **to be in a brown s.**, essere assorto nei propri pensieri □ **to make a s. of st.**, fare uno studio su (indagare attentamente) qc.; darsi da fare per ottenere qc.

◆**to study** /'stʌdɪ/ Ⓐ v. t. **1** studiare; esaminare; indagare; investigare: **to s. Latin [English, chemistry, economics]**, studiare il latino [l'inglese, la chimica, economia]; **to s. a book**, studiare un libro; leggere attentamente un libro; **to s. the violin**, studiare il violino; *He studied the inscription on the wall*, esaminò l'iscrizione sulla parete **2** (*lett.*) attendere a; curarsi di; ricercare: *He studies only his family's welfare*, ha cura soltanto del benessere della sua famiglia **3** (*form.*) studiarsi, ingegnarsi, sforzarsi (*di fare qc.*) Ⓑ v. i. **1** studiare; essere studente **2** (*arc.*) meditare; ponderare ● **to s. sb.'s face**, scrutare la faccia di q. □ **to s. for the bar** (*o* **for a law degree**), studiare legge □ (*teatr.*) **to s. one's part**, studiare la (propria) parte □ **to s. under a good teacher**, avere un bravo insegnante □ **to s. up**, studiare bene; approfondire.

◆**stuff** /stʌf/ n. Ⓤ **1** materia; materiale; roba; sostanza: *'We are such s. / As dreams are made on, and our little life / Is rounded with a sleep'* W. SHAKESPEARE, 'siamo della stessa materia / di cui sono fatti i sogni, e la nostra breve vita / finisce in un sonno'; *What's*

this s.?, che cos'è questa roba?; *This is good s.*, questa è roba buona; *They've got some really nice s. in that shop*, hanno della roba veramente carina in quel negozio **2** stoffa (*fig., ma arc. in senso concreto*); tessuto (*spec. di lana*): **a s. gown**, una toga di lana (*indossata dagli avvocati che non vestono la seta*) **3** (*fig.*) pasta; stampo: *The two are of the same s.*, i due sono dello stesso stampo **4** (*fam.*) cosa; cose (pl.): **my swimming s.**, le mie cose da nuoto **5** (*spreg.*) cosa senza valore; robaccia; (*fig.*) sciocchezze: *Take that s. away!*, porta via quella robaccia!; *What s. he writes!*, che sciocchezze scrive! **6** faccenda; storia: *What's this s. about you giving up college?*, che cos'è questa storia che vuoi lasciare l'università? **7** (*ind. cartaria*) pasta **8** (*fig.*) qualità fondamentale; essenza: **the s. of life**, l'essenza della vita **9** (*fam.*) campo; materia; ramo: *Our teacher knows his s.*, il nostro insegnante conosce bene la sua materia **10** (*sport USA*) effetto (*dato a una palla*) **11** (*slang*) droga (*marijuana, eroina*); roba (*gergo*) ● (*leg., in Inghil.*) **s.-gown barristers**, avvocati patrocinanti «ordinari» (*sono la quasi totalità; cfr.* **to take silk**, *sotto* **silk**) □ (*fam. ingl.*) **a bit of s.**, un bel pezzo di roba; una bella donna □ (*fam.*) **to do one's s.**, fare quello che si deve fare; fare la propria parte; (*anche*) esibirsi; far vedere quel che si sa fare: (*fam.*) *Do your s.!*, fa' vedere quel che sai fare! □ (*fam.*) **doctor's s.**, medicine □ **to know one's s.**, sapere il fatto proprio: *That boy knows his s.*, quel ragazzo sa il fatto suo (*o* ha tutti i numeri) □ (*fam.*) **to be short of s.**, essere a corto di quattrini □ **S. and nonsense!**, balle!; fesserie!; sciocchezze! □ **the hard s.**, il liquore forte; (*pop.*) la droga pesante □ **That's the s.!**, bravo!; proprio così!; ben fatto!; ben detto! □ (*spreg.*) **political s.**, cose della politica; (la) politica: *I don't know much about political s.*, di politica non me ne intendo □ (*fam.*) **That's the s. to give them!**, questo è quello che ci vuole per loro! □ **This book is good s.**, questo è un buon libro □ **This wine is sorry s.**, questo vino è una porcheria □ *He is made of sterner s. than his brother*, ha più forza di carattere che suo fratello.

to stuff /stʌf/ Ⓐ v. t. **1** riempire; imbottire (*anche fig.*); turare: **to s. a bag with straw**, riempire di paglia un sacco; **to s. a cushion with down**, imbottire di piume un cuscino; **to s. one's ears with cotton wool**, turarsi le orecchie con la bambagia; **to s. sb.'s head with nonsense**, imbottire di sciocchezze la testa a q. **2** impagliare; imbalsamare: **to s. owls**, impagliare gufi **3** (*cucina*) farcire; infarcire: **to s. a turkey**, farcire un tacchino **4** rimpinzare; ingrassare: **to s. a child with sweets**, rimpinzare un bambino di dolci; **to s. a goose**, ingrassare un'oca **5** cacciare; ficcare; comprimere: *He stuffed a handkerchief into his pocket*, si cacciò un fazzoletto in tasca **6** riempire (*un contenitore*) **7** (*polit., USA*) riempire (*un'urna*) di schede fasulle **8** (*fam.*) battere; sconfiggere, sgominare; suonarle a (*un avversario*) **9** (*volg.*) chiavare, scopare, fottere (*volg.*) Ⓑ v. i. rimpinzarsi; ingozzarsi; abbuffarsi: *He stuffed with crisps*, si abbuffò di patatine ● **to s. dates into one's mind**, riempirsi la testa di date □ **to s. food into one's mouth**, riempirsi la bocca di cibo; (*anche*) ingozzarsi di cibo □ (*slang*) **to s. it**, abbozzare; mandare giù (*fig.*) □ **to s. oneself**, rimpinzarsi; ingozzarsi; abbuffarsi.

■ **stuff down** v. t. + prep. infilare giù per: *He stuffed the banknotes down his chest to hide them*, si infilò le banconote giù per il petto per nasconderle □ **to s. st. down sb.'s throat**, cacciare qc. in gola a q.; (*fig.*) fare credere (insegnare, ecc.) a q. per forza.

■ **stuff up** v. t. + avv. **1** tappare; otturare; turare: **to s. up a hole**, turare un buco **2** ot-

turare; ostruire; intasare: *The pipe has been stuffed up by silt*, il tubo s'è intasato per il deposito di sabbia □ **to s. up one's ears**, tapparsi le orecchie □ (*slang*) **to s. things up**, combinare casini; incasinare tutto (*pop.*).

stuffed /stʌft/ *a.* **1** imbottito: **a head stuffed with nonsense**, un cervello imbottito di sciocchezze **2** (*cucina*) farcito; ripieno: **s. olives**, olive farcite; **s. chicken**, pollo ripieno **3** impagliato ● **a s. owl**, un gufo impagliato **4** pieno zeppo: *The drawer is s. with papers*, il cassetto è pieno zeppo di documenti ● (*fig.*) **s. shirt**, pallone gonfiato (*fig.*); stupido borioso; formalista impettito □ **s.-up**, (*del naso, ecc.*) intasato, chiuso (*per il raffreddore, ecc.*); (*di una persona*) col naso intasato, raffreddato, che ha il raffreddore □ (*fig.*) **a head stuffed with information**, una testa piena di nozioni □ (*volg. ingl.*) **Get s.!**, fatti fottere! (*volg.*); va al diavolo!

stuffer /'stʌfə(r)/ *n.* **1** imbalsamatore; impagliatore **2** (*fam.*) mangione; chi si rimpinza.

stuffily /'stʌfɪlɪ/ *avv.* **1** senz'aria fresca; in modo soffocante **2** (*fam.*) ottusamente **3** (*fam.*) facendo il borioso; permalosamente.

stuffiness /'stʌfɪnəs/ *n.* ① **1** mancanza d'aria fresca; odor di chiuso **2** (*fam.*) arretratezza; ottusità **3** (*fam.*) broncio; cattivo umore **4** (*fam.*) permalosità; sdegnosità; broncio.

stuffing /'stʌfɪŋ/ *n.* ① **1** imbottitura; borra; stoppa **2** (*cucina*) ripieno; farcitura: **the s. for a chicken**, il ripieno per un pollo **3** impagliatura; imbalsamatura **4** ingrasso (*di polli, ecc.*) **5** chiusura, otturazione (*di una tubazione, ecc.*) **6** invio di materiale pubblicitario a stampa **7** (*mecc.*) tenuta a premistoppa **8** (*del naso*) intasamento; chiusura **9** (*in un romanzo, ecc.*) riempitivo; materiale aggiuntivo **10** (*polit. USA*) inserimento di schede fasulle (*in un'urna elettorale*) ● (*mecc.*) **s. box**, premistoppa; manicotto di tenuta (*del motore*) □ (*mecc.*) **s. nut**, dado del premistoppa □ (*fam.*) **to knock the s. out of sb.**, smontare, sgonfiare q. (*fig.*); (*di una malattia, una sconfitta, ecc.*) indebolire, mettere a terra, demoralizzare, buttar giù q.; (*anche*) sgominare, sconfiggere, battere di gran lunga, stracciare q. (*pop.*).

stuffy /'stʌfɪ/ *a.* **1** senz'aria; mal ventilato; che sa di rinchiuso; soffocante: **a s. room**, una stanza che sa di rinchiuso; *It's a bit s. in here*, si soffoca qui dentro **2** (*del naso*) chiuso, intasato; (*di una persona*) raffreddato; col naso intasato: *Have you got a s. nose?*, hai il naso chiuso? **3** (*fam.*) antiquato; ottuso; di mente ristretta; di idee arretrate **4** (*fam. antiq.*) borioso; pieno di sé **5** (*fam. USA*) imbronciato; di cattivo umore; indispettito ● **s. air**, aria viziata □ **to smell s.**, sapere di rinchiuso.

stull /stʌl/ *n.* (*edil., ind. min.*) sbatacchio; puntello; piattaforma di legno; palchetto.

to stultify /'stʌltɪfaɪ/ *v. t.* **1** (*form.*) mettere in ridicolo; dimostrare l'illogicità di **2** rendere vano (*o inutile*); vanificare; invalidare; infirmare **3** (*di un lavoro monotono, ecc.*) istupidire; rimbambire **4** (*leg.*) dichiarare (q.) infermo di mente ● **to s. oneself**, contraddirsi; cadere nel ridicolo ‖ **stultification** *n.* ① **1** (*arc.*) il mettere in ridicolo; l'essere messo in ridicolo **2** vanificazione; invalidazione **3** istupidimento; rimbambimento **4** (*leg.*) dichiarazione d'infermità mentale.

stum /stʌm/ *n.* ① (*enologia*) **1** mosto muto **2** vino conciato (*con aggiunta di mosto muto*).

to stum /stʌm/ *v. t.* (*enologia*) conciare, rinvigorire (*vino, con l'aggiunta di mosto muto*).

stumble /'stʌmbl/ *n.* **1** inciampata; passo falso **2** (*fig.*) errore; passo falso; sbaglio.

to stumble /'stʌmbl/ *v. i.* **1** inciampare; incespicare; dare un'inciampata: *'Then Rama tripped, stumbled, and went over again over something soft'* R. KIPLING, 'poi Rama incespicò, inciampò, e continuò la corsa calpestando qualcosa di soffice'; **to s. on a stone**, inciampare in un sasso **2** (*fig.*) fare un passo falso; errare; sbagliare **3** (*lett.*) cadere: **to s. into sin**, cadere nel peccato ● (*fig.*) **to s. at st.**, esitare (*o titubare*) di fronte a qc.; avere degli scrupoli davanti a qc. □ **to s. in one's speech**, impappinarsi.
■ **stumble across** *v. i. + prep.* **1** imbattersi in, incontrare per caso (*una persona*) **2** trovare per caso, rinvenire (*una cosa*).
■ **stumble along** *v. i. + avv.* procedere incespicando; avanzare barcollando.
■ **stumble on** → **stumble across**.
■ **stumble over** *v. i. + prep.* **1** inciampare, incespicare su (*o in*): **to s. over a branch**, inciampare in un ramo **2** (*fig.*) esitare (*o titubare*) davanti a (qc.) □ **to s. over one's words**, impuntarsi nel parlare; impaperarsi.
■ **stumble through** *v. i. + prep.* dire (pronunciare, recitare, ecc.) incespicando a ogni parola (*o impaperandosi*): **to s. through a long speech**, pronunciare un lungo discorso che è tutto una papera; **to s. through a poem**, recitare una poesia impaperandosi a ogni verso.
■ **stumble upon** → **stumble across**.

stumblebum /'stʌmblbʌm/ *n.* (*slang USA*) **1** ubriaco che non sta in piedi **2** buono a nulla; schiappa (*fig.*); pasticcione; imbranato.

stumbler /'stʌmblə(r)/ *n.* **1** chi incespica **2** chi s'impapera.

stumbling /'stʌmblɪŋ/ *n.* ① l'incespicare; inciampata ● **s. block**, pietra d'inciampo; intoppo; impedimento; ostacolo; scoglio (*fig.*); (*anche, fam.*) handicap, difetto fisico; croce (*fig.*) ‖ **stumblingly** *avv.* **1** inciampando; incespicando; con passo malfermo **2** esitando; titubando.

stumer /'stjuːmə(r), *USA* 'stuː-/ *n.* (*slang*) **1** assegno falso (*o a vuoto*); banconota (*o moneta*) falsa **2** (*sport*) cavallo perdente (*perché drogato, ecc.*) **3** oggetto senza valore; patacca **4** crac finanziario; fallimento.

stump /stʌmp/ *n.* **1** ceppo (*d'albero*); base tagliata; troncone **2** moncone; moncherino (*della coda, ecc.*); mozzicone (*di matita, ecc.*); radice (*di dente*); dente rotto: **the s. of a pencil**, il mozzicone d'una matita **3** individuo tozzo **4** (*polit.*) piattaforma (*o tribuna*) per comizi; podio **5** (*cricket*) piolo, paletto: **at stumps**, a fine giornata **6** matrice (*di registro, libretto, ecc.*) **7** (*arte*) sfumino **8** (*slang USA*) giro; viaggetto ● **s. orator**, oratore da piazza; comiziante □ **s. removal**, rimozione dei ceppi (*degli alberi*) □ **s. speeches**, discorsi estemporanei; discorsi fatti a braccio □ (*fam.*) **to go on the s.**, salire sul podio; fare un comizio □ (*fam.*) **to be on the s.**, tenere un comizio; parlare a braccio □ (*fam. USA*) **to be up a s.**, essere perplesso; non sapere che pesci pigliare.

to stump /stʌmp/ Ⓐ *v. t.* **1** ridurre a un mozzicone; mozzare; troncare **2** sgombrare (*il terreno*) dai ceppi d'albero **3** (*polit., spec. USA*) tenere comizi in (*una regione*): *He stumped the whole district*, tenne comizi in tutta la regione **4** (*arte*) passare lo sfumino su (*un quadro, ecc.*) **5** (*fam.*) mettere in imbarazzo; sconcertare; imbarazzare; sbalordire **6** (*cricket*) (*spec. del ricevitore*) eliminare (*un battitore*) abbattendo il suo wicket (*con la palla o con la mano*) Ⓑ *v. i.* **1** (*di solito* **to s. along**, **to s. about**) camminare pesantemente, con andatura rigida **2** (*polit., spec. USA*) andare in giro a tenere comizi **3** (*slang USA*) andare in giro (*in genere*) ●

(*fam.*) **to s. up**, sborsare, sganciare, tirar fuori (*una somma di denaro*); pagare in contanti □ (*fam.*) **to be stumped**, essere imbarazzato, interdetto, perplesso; non saper che pesci pigliare.

stumpage /'stʌmpɪdʒ/ *n.* ① (*USA e Canada*) **1** legname da abbattere **2** valore del legname **3** (*leg.*) diritto di far legna **4** (*fisc.*) tassa pagata per il taglio d'alberi (*su terreno pubblico*).

stumped /stʌmpt/ *a.* **1** (*cricket*) (*di un battitore*) eliminato per wicket abbattuto **2** (*fig.*) confuso; perplesso.

stumper /'stʌmpə(r)/ *n.* (*fam.*) **1** domanda (*o problema*) difficile **2** (*cricket*) ricevitore, portiere (*più com.* **wicketkeeper**.

stumping /'stʌmpɪŋ/ *n.* (*cricket*) eliminazione (*del battitore*) ottenuta abbattendo i paletti del suo wicket o colpendolo.

stumpy /'stʌmpɪ/ *a.* **1** (*del terreno*) pieno di ceppi d'albero **2** corto; tozzo; tarchiato: **a s. tail**, una coda corta, un mozzicone di coda; **a s. pencil**, una matita corta; un mozzicone di matita ‖ **stumpiness** *n.* ① l'esser tozzo (*o tarchiato*).

stun /stʌn/ *n.* ① stordimento; intontimento; assordamento ● (*biliardo*) **s. and stab**, bilia battente ferma (*dopo l'impatto con un'altra palla*) □ **s. gun**, pistola (*o fucile*) per stordire animali o aggressori; storditore elettrico.

to stun /stʌn/ *v. t.* **1** (*di suono*) assordare; intronare (*fam.*) **2** stordire; intontire; sbalordire; istupidire; far restare (q.) di sasso: *They were stunned by the sight*, rimasero sbalorditi a quella vista **3** tramortire; stordire; far perdere i sensi a (*una persona o un animale*).

stung /stʌŋ/ *pass. e p. p.* di **to sting**.

stunk /stʌŋk/ *pass. e p. p.* di **to stink**.

stunned /stʌnd/ *a.* **1** stordito; intontito; sbalordito; istupidito; intronato (*fam.*) **2** affascinato; incantato: **s. by the girl's beauty**, incantato dalla bellezza della ragazza.

stunner /'stʌnə(r)/ *n.* **1** cosa che assorda, stordisce, ecc. (→ **to stun**) **2** (*fam.*) persona (*o cosa*) meravigliosa, che lascia a bocca aperta; cannonata; schianto (*fig.*): *She's a real s.*, (quella ragazza) è proprio uno schianto.

stunning /'stʌnɪŋ/ *a.* **1** (*di suono*) assordante **2** (*fam.*) sbalorditivo; meraviglioso; magnifico; splendido; straordinario **3** che stordisce; che tramortisce: **a s. blow**, un colpo che stordisce **4** (*fam.: di una donna*) che è uno schianto (*fam.*); stupenda; favolosa (*fam.*) | **-ly** *avv.*

stunsail /'stʌnseɪl/, **stuns'l** /'stʌnsl/ *n.* (*naut.*) (vela di) coltellaccio; (vela di) coltellaccino.

stunt① /stʌnt/ *n.* **1** ① (*biol.*) arresto della crescita; nanismo **2** (*zool.*) animale nano (*o rachitico*) **3** (*bot.*) pianta nana.

stunt② /stʌnt/ *n.* (*fam.*) **1** impresa rischiosa; numero pericoloso; numero acrobatico: **to pull a s.**, fare un numero acrobatico **2** trovata pubblicitaria **3** (*aeron.*) acrobazia **4** (*cinem.*) = **s. man** → *sotto* ● **s. flying**, volo acrobatico ● (*USA*) **s. jumper**, paracadutista acrobatico □ (*USA*) **s. jumping**, paracadutismo acrobatico □ (*cinem.*) **s. man**, cascatore; stuntman □ (*cinem.*) **s. woman**, cascatrice; stuntwoman.

to stunt① /stʌnt/ *v. t.* rendere stentato; arrestare lo sviluppo di.

to stunt② /stʌnt/ *v. i.* (*fam.*) **1** fare un numero acrobatico; eseguire un numero pericoloso **2** (*aeron.*) fare acrobazie aeree.

stunted /'stʌntɪd/ *a.* (*bot., zool.*) stentato; striminzito; nano; rachitico: **s. pinetrees**, pini nani (*o rachitici*) ‖ **-ness** *n.* ①

stupe① /stjuːp, *USA* stuːp/ *n.* (*med.*) fo-

mento; impacco caldo.

stupe② /stjuːp, USA stuːp/ n. (slang USA) stupido; imbecille; tonto; cretino.

to **stupe** /stjuːp, USA stuːp/ v. t. (med.) applicare fomenti a; fare impacchi caldi su.

stupefacient /stjuːpɪˈfeɪʃənt, USA stuː-/ **A** a. stuporoso; che istupidisce **B** n. (farm.) stupefacente; narcotico.

to **stupefy** /stjuːpɪfaɪ, USA ˈstuː-/ v. t. **1** istupidire; intontire; stordire; intorpidire: He was stupefied with narcotics [grief], era intontito dai narcotici [stordito dal dolore] **2** stupefare; sbalordire; stupire ‖ **stupefaction** n. ☺ **1** stordimento; torpore **2** stupefazione; sbalordimento; stupore ‖ **stupefier** n. chi (o cosa che) istupidisce; intontisce, stordisce, ecc. ‖ **stupefying** a. **1** che stordisce; che istupidisce **2** stupefacente; che sbalordisce.

stupendous /stjuːˈpɛndəs, USA stuː-/ a. **1** stupefacente; sorprendente; enorme; immenso: **s. costs**, costi enormi; **s. efforts**, sforzi tremendi **2** sbalorditivo; stupendo; mirabile: **a s. view**, una vista stupenda | **-ly** avv. | **-ness** n. ☺

♦**stupid** /ˈstjuːpɪd, USA ˈstuː-/ **A** a. **1** stupido; scemo; cretino; ottuso; sciocco; stolto; melenso; scimunito: **a s. person**, una persona ottusa; uno scimunito; What a s. idea!, che idea stupida!; **a s. trick**, uno scherzo sciocco; Don't be s.!, non fare il cretino!; Do you think I'm completely s.?, credi che sia tutto scemo? **2** scialbo; noioso; uggioso; seccante: **a s. party**, un trattenimento noioso; **a s. place**, un luogo uggioso **3** (raro) istupidito; intontito **B** n. (fam.) stupido; sciocco; scimunito ● **a s. thing (to do, to say, etc.)**, una stupidaggine; una sciocchezza □ **to become s.**, istupidirsi □ **to drive sb. s.**, intontire q. | **-ly** avv. | **-ness** n. ☺

stupidity /stjuːˈpɪdətɪ, USA stuː-/ n. **1** ☺ stupidità; ottusità (fig.); scemenza **2** sciocchezza; atto stupido.

stupor /ˈstjuːpə(r), USA ˈstuː-/ n. **1** (med.) stupore; stordimento; torpore **2** (raro) stupore; meraviglia ‖ **stuporous** a. (med.) in stato di stupore; stordito.

sturdily /ˈstɜːdəlɪ/ avv. **1** vigorosamente; gagliardamente **2** solidamente **3** risolutamente.

sturdiness /ˈstɜːdɪnəs/ n. ☺ **1** robustezza; resistenza; solidità; gagliardia; forza; vigore **2** solidità **3** fermezza; risolutezza; decisione.

sturdy① /ˈstɜːdɪ/ a. **1** robusto; resistente; vigoroso; forte; gagliardo: **a s. man**, un uomo robusto, vigoroso; **a s. plant**, una pianta resistente **2** solido: **a s. defence**, una difesa solida **3** saldo; fermo; risoluto; deciso: **s. courage**, saldo coraggio □ (metall.) **s. bar**, lingotto □ (ind. tess.) **s. fabric**, tessuto sostenuto.

sturdy② /ˈstɜːdɪ/ n. ☺ (vet.) capostorno; capogatto.

sturgeon /ˈstɜːdʒən/ n. (zool., Acipenser sturio) storione.

stutter /ˈstʌtə(r)/ n. **1** balbuzie **2** balbettamento; tartagliamento ● **to have a s.**, essere balbuziente.

to **stutter** /ˈstʌtə(r)/ v. i. e t. **1** balbettare; tartagliare; essere balbuziente **2** (autom., mecc.: di un motore) tossire (fig.); funzionare a singhiozzo ● **to s. out**, balbettare; dire balbettando: He stuttered out an excuse, balbettò una scusa ‖ **stutterer** n. balbuziente; tartaglione, tartagliona ‖ **stuttering** **A** a. balbuziente **B** n. ☺ balbuzie ● (autom., mecc.) **a stuttering start**, un avviamento a singhiozzo ‖ **stutteringly** avv. balbettando; tartagliando.

sty① /staɪ/ n. **1** (= pigsty) porcile **2** (fig.) porcile; tugurio.

sty②, **stye** /staɪ/ n. (med.) orzaiolo.

to **sty** /staɪ/ **A** v. t. **1** mettere in un porcile **2** (fig.) alloggiare (o sistemare) in un tugurio **B** v. i. (anche fig.) stare in un porcile.

Stygian /ˈstɪdʒɪən/ a. **1** (mitol.) stigio; dello Stige **2** (fig. lett.) cupo; scuro; tetro **3** (lett.: di giuramento) inviolabile; sacro.

♦**style** /staɪl/ n. ☺ **1** stile (anche fig.); maniera: This author lacks s., questo scrittore non ha stile; Baroque [Renaissance] s., stile barocco [rinascimentale]; There are different styles of rowing, vi sono diverse maniere di remare; **in the s. of Shakespeare**, alla maniera di Shakespeare; I'd never do it; that's not my s., non lo farei mai; non è nel mio stile; **bad [good] s.**, brutte [buone] maniere; cattiva [buona] educazione **2** ☺ eleganza; stile; distinzione; tono; classe: **to dress in s.**, vestire con eleganza; **to have s.**, avere stile **3** genere; qualità; sorta; specie; tipo: What s. of music do you listen to?, che genere (o tipo) di musica ascolti?; **4** moda; foggia; linea; taglio: **shoes in the latest s.**, scarpe all'ultima moda; **the new spring s.**, la nuova linea (della moda) per la primavera **5** modello; capo di vestiario alla moda: We are stocked with the latest styles in raincoats, siamo forniti degli ultimi modelli d'impermeabili **6** titolo; nome; appellativo; qualifica: A priest takes the s. «Reverend», l'appellativo di un sacerdote è «reverendo» **7** (comm.: di ditta) ragione sociale; nome commerciale **8** gnomone (di meridiana) **9** puntina (di giradischi) **10** (bot., zool.) stilo **11** (stor.) stilo (per scrivere) **12** (come suffisso) alla moda (o alla maniera) di: French-s., alla francese; **punk-s.**, alla maniera dei punk; **a leather-s. bag**, una borsa di similpelle ● **a gentleman of the old s.**, un gentiluomo di vecchio stampo; un signore all'antica □ **in s.**, in grande stile; alla grande: They celebrated their silver wedding in s., hanno celebrato in grande stile le loro nozze d'argento □ (fam.) **That's the s.!**, così va bene!; ecco, si fa così!

to **style** /staɪl/ v. t. **1** appellare; chiamare; designare; dare il titolo (o la qualifica) di: He is styled king, ha il titolo di re **2** (ind.) disegnare; progettare; modellare: **to s. children's wear**, disegnare abiti per bambini **3** fare l'acconciatura (o l'acconciatore) per: She has her hair styled by the best hairdresser in town, si fa fare i capelli dalla miglior pettinatrice della città ● **to s. oneself**, (spec. con un appellativo fasullo, dandosi arie, ecc.) chiamarsi.

stylebook /ˈstaɪlbʊk/ n. **1** manuale di stile **2** manuale di uniformazione tipografica.

stylesheet /ˈstaɪlʃiːt/ n. (comput.) foglio (di) stile.

stylet /ˈstaɪlət/ n. **1** stilo; stiletto **2** (med.) specillo; stiletto; (anche) mandrino (per sonda) **3** (grafica) bulino.

styling /ˈstaɪlɪŋ/ n. ☺ (ind.) **1** styling; progettazione; modellazione **2** (di un'auto, ecc.) linea; stile **3** acconciatura (di capelli) ● **s. mousse**, fissatore (per capelli).

stylish /ˈstaɪlɪʃ/ a. **1** elegante; distinto; alla moda **2** (di persona) che ha stile | **-ly** avv. | **-ness** n. ☺

stylist /ˈstaɪlɪst/ n. **1** stilista: That writer is a good s., quello scrittore è un buon stilista **2** (moda) stilista; disegnatore; figurinista **3** (ind.) stilista; disegnatore di carrozzerie (per automobili) ● **hair s.**, stilista in capelli; parrucchiere (o parrucchiera) alla moda.

stylistic /staɪˈlɪstɪk/, **stylistical** /staɪˈlɪstɪkl/ a. stilistico | **-ally** avv.

stylistics /staɪˈlɪstɪks/ n. pl. (col verbo al sing.) stilistica.

stylite /ˈstaɪlaɪt/ n. (stor., relig.) stilita.

to **stylize** /ˈstaɪlaɪz/ v. t. stilizzare ‖ **stylization** n. ☺ stilizzazione ‖ **stylized** a. stilizzato.

stylo /ˈstaɪləʊ/ n. (pl. **stylos**) (abbr. fam. di **stylograph**) (penna) stilografica.

stylobate /ˈstaɪləbeɪt/ n. (archit.) stilobate.

stylograph /ˈstaɪləgrɑːf/ n. (penna) stilografica ‖ **stylographic** a. stilografico.

stylus /ˈstaɪləs/ n. (pl. **styluses**, **styli**) **1** stilo (anche stor.); bulino **2** puntina di giradischi **3** punta di registrazione (o di incisione) (per dischi) **4** (bot., zool.) stilo **5** (comput.) stilo **6** gnomone (di meridiana).

stymie /ˈstaɪmɪ/ n. **1** (golf) 'stymie' (un tempo: blocco della palla dell'avversario da parte di una palla che si frappone tra essa e la buca; ora è lecito toglierla e mettere un segno) **2** (fig.) ostacolo; impedimento; difficoltà.

to **stymie** /ˈstaɪmɪ/ v. t. **1** (golf) ostacolare (un avversario) impedendogli con la palla di andare in buca **2** (fig.) ostacolare; impedire; disturbare; intralciare; mettere il bastone fra le ruote a (q.).

styptic /ˈstɪptɪk/ (med.) a. e n. (sostanza) astringente, coagulante, antiemorragico, emostatico: **s. pencil**, matita emostatica.

styrax /ˈstaɪræks/ n. (bot., Styrax officinalis) storace.

styrene /ˈstaɪriːn/ n. ☺ (chim.) stirene; stirolo.

Styria /ˈstɪrɪə/ n. (geogr.) Stiria ‖ **Styrian** a. e n. stiriano.

styrofoam® /ˈstaɪrəfəʊm/ n. ☺ (USA) polistirolo.

Styx /stɪks/ n. (mitol.) Stige ● **to cross the S.**, attraversare lo Stige; (fig.) morire.

suable /ˈsuːəbl/ (leg.) a. perseguibile; processabile ‖ **suability** n. ☺ l'esser perseguibile (o processabile).

suasion /ˈsweɪʒn/ n. ☺ (lett., spesso **moral s.**) persuasione.

suasive /ˈsweɪzɪv/ a. (lett.) suasivo, suadente (lett.); persuasivo.

suave /swɑːv/ a. (generalm. di uomo) raffinato e cortese; dai modi studiatamente garbati; affabile | **-ly** avv.

suavity /ˈswævətɪ/ n. ☺ garbo; cortesia; affabilità.

♦**sub**① /sʌb/ n. (abbr. fam.) **1** (mil.) ufficiale subalterno **2** (ingl.) sussidio; anticipo (sul salario) **3** subordinato **4** (abbr. di **submarine**) sottomarino; sommergibile **5** abbonamento; prenotazione; somma sottoscritta; quota associativa (a un club) **6** sostituto; vice; supplente **7** (di giornale) vicedirettore; redattore aggiunto; revisore di testi **8** (sport) sostituto; rimpiazzo; riserva: **the subs' bench**, la panchina delle riserve **9** (slang USA) grosso sandwich di carne, formaggio, pomodori, lattuga, ecc.

sub② /sʌb/ (lat.) prep. sotto ● (leg.) **sub judice**, in corso di giudizio; in discussione; sub iudice □ **sub rosa**, in confidenza; segretamente; di nascosto □ (nei dizionari) **sub voce** (abbr. **s.v.**), sotto la voce; cfr.; vedi.

to **sub** /sʌb/ **A** v. i. (fam.) fare il sostituto; fare le veci; supplire **B** v. t. **1** essere il vicedirettore di (un giornale) **2** revisionare (un articolo, un testo, ecc.) **3** (fam.) dare un anticipo di salario a (q.) **4** — **to sub for**, fare le veci di; fare il supplente di: I subbed in a couple of high school classes last year, l'anno scorso ho fatto il supplente in un paio di classi.

subaccount /ˈsʌbəkaʊnt/ n. (rag.) sottoconto.

subacid /sʌbˈæsɪd/ a. **1** (chim.) subacido **2** leggermente acido; acidetto; acidulo ‖ **subacidity** n. ☺ (chim.) l'essere subacido; subacidità (raro).

subacute /sʌbəˈkjuːt/ a. (med.) subacuto.

subaerial /sʌbˈɛərɪəl/ a. (geogr.) subaereo.

subagency /sʌbˈeɪdʒənsɪ/ (comm.) n. su-

bagenzia || **subagent** n. subagente.

subalpine /sʌb'ælpaɪn/ a. (*geogr.*) subalpino.

subaltern /'sʌbltən/ **A** a. (*mil.*, *gramm.*, *filos.*, *ecc.*) subalterno: **a s. proposition**, una proposizione subalterna **B** n. **1** (*mil.*) ufficiale subalterno **2** (*filos.*) proposizione subalterna (*o* secondaria).

subantarctic /sʌbæn'tɑːktɪk/ a. (*geogr.*) subantartico.

sub-aqua /sʌb'ækwə/ (*sport*) **A** a. relativo agli sport subacquei: **sub-aqua club**, circolo di sport subacquei **B** n. **uc** **1** nuoto subacqueo **2** esplorazione subacquea.

sub-aquatic /sʌbə'kwætɪk/ a. (*scient.*) **1** parzialmente acquatico **2** subacqueo.

subaqueous /sʌb'eɪkwɪəs/ a. (*scient.*) subacqueo; sottomarino.

subarctic /sʌb'ɑːktɪk/ a. (*geogr.*) subartico.

subarid /sʌb'ærɪd/ a. (*geogr.*) subarido.

subastral /sʌb'æstrəl/ a. (*lett.*) sotto le stelle; terrestre.

subatomic /sʌbə'tɒmɪk/ a. (*fis.*) subatomico.

subaudition /sʌbɔː'dɪʃn/ n. **u** (*raro*) il capire ciò che è sottinteso; il leggere fra le righe.

sub-base /'sʌbbeɪs/ n. **1** (*archit.*) sottobase **2** (*ind. costr.*, *edil.*) sottofondo.

subbing /'sʌbɪŋ/ n. **u** (*fam.*) = **subediting** → **to subedit**.

sub-branch /'sʌbbrɑːntʃ/ n. (*banca*) agenzia; sportello (*fam.*).

subcaudal /sʌb'kɔːdl/ a. (*zool.*) subcaudale.

subcellular /sʌb'seljələ(r)/ a. (*biol.*) subcellulare.

subchaser /'sʌbtʃeɪsə(r)/ n. (*naut.*, *mil.*) cacciasommergibili.

subclass /'sʌbklɑːs/ n. (*scient.*) sottoclasse.

to subclassify /sʌb'klæsɪfaɪ/ v. t. sottoclassificare || **subclassification** n. **u** sottoclassificazione.

subclavian /sʌb'kleɪvɪən/ a. (*anat.*) succlavio: **s. artery**, arteria succlavia.

subclinical /sʌb'klɪnɪkl/ a. (*med.*) subclinico; che non manifesta ancora sintomi.

subcommittee /'sʌbkəmɪtɪ/ n. sottocomitato; sottocommissione.

subcompact /sʌbkəm'pækt/ n. (*autom.*, *USA*; = **s. car**) utilitaria a due porte.

subconscious /sʌb'kɒnʃəs/ (*psic.*) **A** a. subcosciente; subconscio: **a s. wish**, un desiderio subcosciente; **on a s. level**, a livello del subconscio **B** n. **u** (la) subcoscienza; il subconscio || **subconsciously** avv. subcoscientemente; subconsciamente || **subconsciousness** n. **u** la subcoscienza; il subcosciente.

subcontinent /sʌb'kɒntɪnənt/ n. (*geogr.*) subcontinente: *India is a s.*, l'India è un subcontinente.

subcontract /'sʌbkɒntrækt/ n. (*leg.*) subappalto; subaccollo • **s. work**, lavoro in subappalto.

to subcontract /sʌbkən'trækt/ v. t. (*leg.*) subappaltare.

subcontractor /sʌbkən'træktə(r)/ n. (*leg.*) subappaltatore; subaccollatario.

subcontrary /sʌb'kɒntrərɪ/ a. (*filos. antica*) subcontrario.

subcortical /sʌb'kɔːtɪkl/ a. (*anat.*) subcorticale.

subcritical /sʌb'krɪtɪkl/ a. (*fis. nucl.*) ipocritico; subcritico: **s. mass**, massa subcritica.

subculture /'sʌbkʌltʃə(r)/ (*sociol.*) n. subcultura; sottocultura || **subcultural** a. subculturale; di una sottocultura.

subcutaneous /sʌbkjuː'teɪnɪəs/ a. (*anat.*, *med.*) sottocutaneo; ipodermico • (*anat.*) **s. connective tissue**, tessuto sottocutaneo; ipoderma.

subdeacon /sʌb'diːkən/ (*relig.*) n. suddiacono (*prima del Concilio Ecumenico Vaticano Secondo*).

subdiaconate /sʌbdaɪ'ækənət/ n. **uc** (*relig.*) suddiaconato.

subdirectory /sʌbdaɪ'rektərɪ/ n. (*comput.*) sottodirectory.

to subdivide /sʌbdɪ'vaɪd/ v. t. e i. **1** suddividere, suddividersi **2** (*USA*) lottizzare (*un terreno*).

subdivisible /sʌbdɪ'vaɪzəbl/ a. suddivisibile.

subdivision /sʌbdɪ'vɪʒn/ n. **1** **uc** suddivisione **2** (*USA*) lotto (*di terreno*) **3** (*USA*) terreno lottizzato **4** (*org. az.*) sottodivisione; reparto.

subdominant /sʌb'dɒmɪnənt/ n. (*mus.*) sottodominante.

subduable /sʌb'djuəbl/ a. **1** soggiogabile; domabile; reprimibile; vincibile **2** attenuabile; riducibile.

subdual /səb'djuəl/ n. **uc** **1** soggiogamento; sottomissione; conquista; asservimento; repressione **2** attenuamento; riduzione.

to subdue /səb'djuː, *USA* -'duː/ v. t. **1** soggiogare; sottomettere; assoggettare; vincere; conquistare: **to s. a territory**, conquistare un territorio; **to s. one's enemies**, vincere i propri nemici; **to s. nature**, assoggettarsi le forze della natura **2** frenare; dominare; tenere a freno; reprimere: **to s. an unreasonable fear**, dominare un timore irragionevole; **to s. one's desires**, tenere a freno i propri desideri **3** attenuare; abbassare; mitigare; ridurre: **to s. the light**, attenuare la luce; **to s. one's voice**, abbassare la voce • (*agric.*) **to s. rough land**, coltivare terra vergine.

subdued /səb'djuːd, *USA* -'duːd/ a. **1** assoggettato; soggiogato; sottomesso; soggetto: **a s. people**, un popolo soggetto **2** (*troppo*) calmo; mogio; buono buono (*fam.*) **3** attenuato; mitigato; smorzato; tenue; in tono minore: **s. lighting**, illuminazione attenuata; **s. light**, luce smorzata; **a s. colour**, un colore tenue; **the s. performance of a musician [of a player, etc.]**, la performance in tono minore di un musicista [di un giocatore, ecc.] **4** pacato; sommesso; smorzato: **in a s. tone**, in tono pacato (*o* sommesso) | **-ness** n. **u**.

subdural /sʌb'djuərəl/ a. (*anat.*) subdurale.

to subedit /sʌb'edɪt/ v. t. **1** essere il vicedirettore di (*un giornale*) **2** revisionare; fare la revisione di (*scritti altrui*) || **subediting** **u** preparazione di testi per la stampa; lavoro redazionale || **subeditor** n. **1** redattore (*che prepara un testo per la stampa*) **2** (*di giornale*) vicedirettore; redattore aggiunto.

subequatorial /sʌbekwə'tɔːrɪəl/ a. (*geogr.*) subequatoriale.

suberic /suː'berɪk/ a. (*chim.*) suberico: **s. acid**, acido suberico.

suberin /'suːbərɪn/ n. **u** (*chim.*) suberina.

to suberize /'sjuːbəraɪz/ (*bot.*) v. t. suberificare || **suberization** n. **u** suberificazione || **suberized** a. suberizzato • **to be suberized**, suberificarsi.

subfamily /'sʌbfæmɪlɪ/ n. (*scient.*) sottofamiglia.

subfusc /'sʌbfʌsk/ **A** a. **1** scuro; brunastro **2** (*fig.*) oscuro; misero; meschino **B** n. **1** **u** color scuro **2** **uc** (*a Oxford*) tenuta accademica (*toga, tocco, ecc.*).

subgenus /'sʌbdʒiːnəs/ n. (pl. *subgenera*, **subgenuses**) (*scient.*) sottogenere.

subglacial /sʌb'gleɪʃl/ a. (*geol.*) subglaciale.

subglossal /sʌb'glɒsəl/ a. (*anat.*) sublinguale.

subgroup /'sʌbgruːp/ n. (*chim.*, *mat.*) sottogruppo.

subhead /'sʌbhed/ n. **1** → **subheading** **2** (*nelle scuole*) vicedirettore; vicepreside.

subheading /'sʌbhedɪŋ/ n. (*giorn.*, *tipogr.*) sottotitolo.

subhuman /sʌb'hjuːmən/ a. subumano; disumano; bestiale.

sub-hunter /sʌb'hʌntə(r)/ a. attr. (*mil.*) cacciasommergibili.

subintrant /sʌb'ɪntrənt/ a. (*med.*) subentrante: **a s. disease**, una malattia subentrante.

subirrigation /sʌbɪrɪ'geɪʃn/ n. **u** (*agric.*) subirrigazione.

subj. → **subject**.

subjacent /sʌb'dʒeɪsnt/ a. **1** sottostante; inferiore **2** (*geol.*) soggiacente; non affiorante.

subject ① /'sʌbdʒɪkt/ a. **1** soggetto; assoggettato; sottomesso; soggetto; esposto: **s. nations**, nazioni soggette; **s. tribes**, tribù sottomesse; *Even foreigners are s. to the laws of the country*, anche gli stranieri sono soggetti alle leggi del paese; *I'm s. to tremendous headaches*, vado soggetto a tremende emicranie; **to be s. to envy**, essere esposto all'invidia **2** (*leg.*) subordinato (*a condizioni, restrizioni, ecc.*) • **s. to**, salvo: *S. to correction, these are the facts*, salvo errore, i fatti sono questi □ (*comm.*: *di un prodotto*) **s. to availability**, se disponibile; salvo venduto □ (*banca, fin.*) **s. to collection**, salvo incasso; salvo buon fine (abbr. S.B.F.) □ (*comm.*) **s. to sale** (*o* **s. to goods being unsold**), salvo venduto □ (*di un popolo, ecc.*) **to be held s.**, essere assoggettato; essere tenuto in sudditanza □ (*comm.*) **All prices (are) s. to alteration**, tutti i prezzi sono suscettibili di variazione.

♦**subject** ② /'sʌbdʒɪkt/ n. **1** soggetto (*anche gramm.*); argomento; oggetto (*di esame, esperimento, ecc.*): **the s. of the speech [of the book]**, il soggetto del discorso [del libro]; (*gramm.*) *Every verb has a s.*, ogni verbo ha un soggetto; **to change the s.**, cambiare argomento; **to drop the s.** (*o* **to let the s. drop**), lasciar cadere l'argomento; *He's a s. for ridicule*, è oggetto di scherno **2** materia (*di studio*); disciplina: *Chemistry is my favourite s.*, la chimica è la mia materia preferita; *History's my weakest s., and I'm worried, that's all*, la storia è la materia in cui vado peggio e sono preoccupata, questo è tutto; *What subjects did you have at school today?*, che materie avevi oggi a scuola? **3** suddito; cittadino: **rulers and subjects**, governanti e sudditi; *He is a British s.*, è cittadino britannico **4** (*form.*) causa; motivo; occasione: **a s. for great sorrow**, una causa di grande dolore; *I'll give you no s. for complaint*, non vi darò motivo di lagnarvi di me **5** (*bot.*, *zool.*) esemplare **6** (*med.*) cadavere (*per sala anatomica*) **7** (*med.*, *psic.*) soggetto: **a nervous s.**, un soggetto nervoso **8** (*mus.*) tema (*di una sonata, ecc.*) • **s. catalogue**, catalogo per soggetto (*in una biblioteca*) □ (*fisc.*) **a s. for taxation**, un soggetto d'imposta □ **s.-heading**, voce di indice □ **s. matter**, argomento; contenuto; oggetto; tema; materia □ (*ass.*) **the s. matter insured**, la cosa assicurata □ **one's fellow-subjects**, i propri concittadini □ **on the s. of money**, a proposito di denaro.

to subject /səb'dʒekt/ v. t. **1** assoggettare; soggiogare; sottomettere: **to s. a nation to one's rule**, assoggettare una nazione al proprio potere; soggiogare una nazione **2** (*anche tecn.*) sottoporre; esporre: *Iron must*

be subjected to a special process to become steel, il ferro deve essere sottoposto a un processo speciale per diventare acciaio; **to s. sb. to ill-treatment**, sottoporre q. a maltrattamenti **3** (*med.*) predisporre: *His weakness subjected him to many diseases*, la sua debolezza lo predisponeva a molte malattie ● **to s. oneself**, esporsi; sottomettersi: *Don't s. yourself to ridicule* [*to criticism*], non esporti al ridicolo [alle critiche].

subjection /səb'dʒɛkʃn/ n. ⓤ soggezione; sottomissione; assoggettamento; sudditanza: **to be in a state of s.**, essere in stato di soggezione ● **to bring sb. into s.**, assoggettare, soggiogare q.

subjective /səb'dʒɛktɪv/ a. **1** soggettivo; personale; individuale **2** (*gramm.*) del soggetto; soggettivo: **s. genitive**, genitivo soggettivo ● (*gramm.*) **s. case**, nominativo □ (*econ.*) **s. utility**, utilità soggettiva | **-ly** avv. | **-ness** n. ⓤ.

subjectivism /səb'dʒɛktɪvɪzəm/ (*filos.*) n. ⓤ soggettivismo ‖ **subjectivist** n. soggettivista ‖ **subjectivistic** a. soggettivistico.

subjectivity /ˌsʌbdʒɛk'tɪvətɪ/ n. ⓤⓒ soggettività.

subjectless /'sʌbdʒɛktləs/ a. **1** privo d'argomento **2** (*gramm.*) senza soggetto.

to subjoin /sʌb'dʒɔɪn/ v. t. soggiungere; aggiungere.

to subjugate /'sʌbdʒəgeɪt/ v. t. soggiogare; assoggettare; domare; sottomettere; ridurre in soggezione ‖ **subjugable** a. soggiogabile; assoggettabile ‖ **subjugation** n. ⓤ soggiogamento; assoggettamento; conquista; sottomissione ‖ **subjugator** n. soggiogatore.

subjunctive /səb'dʒʌŋktɪv/ a. e n. (*gramm.*) congiuntivo; soggiuntivo (*meno com.*): **s. mood**, modo congiuntivo.

❶ Nota: *subjunctive*

Il congiuntivo è usato in inglese molto meno frequentemente che in italiano e presenta due soli tempi, il presente e il passato.

Il congiuntivo presente del verbo **to be** (anche come ausiliare) è **be**: *If I really have to, so be it*, se proprio devo, così sia!; *We recommend that his ideas be taken into account*, raccomandiamo che si prendano in considerazione le sue idee.

Il congiuntivo presente di tutti gli altri verbi si distingue dall'indicativo solo nella terza persona singolare, priva di -s (nel caso di **to have**, **has** diventa **have**):

I suggest that we decide now, suggerisco che decidiamo ora (indicativo o congiuntivo);

I suggest that he decide now, suggerisco che egli decida ora (congiuntivo);

It is important that no-one have any doubts about this matter, è importante che nessuno nutra dubbi su questa faccenda (congiuntivo).

Il congiuntivo passato sopravvive solo per il verbo **to be**, alla prima e terza persona singolare e ha la forma **were**: *If he were younger, I'd marry him*, se fosse più giovane, lo sposerei.

1 Il congiuntivo presente è usato nei seguenti casi:

a dopo verbi come **to insist**, **to demand**, **to prefer**, **to request**, **to suggest**, **to recommend**, aggettivi come **necessary**, **desirable**, **advisable**, **important** e nomi come **decision**, **suggestion**, **requirement**, **advice**. Questo uso è piuttosto formale (la scelta più normale è l'indicativo) e riguarda soprattutto l'inglese americano, *He demands that John attend the meeting*, pretende che John partecipi alla riunione; *It is necessary that all the employees be involved in the decision*, è necessario che tutti i dipendenti partecipino alla decisione; *Our advice is that the case be dismissed*, il nostro parere è che il caso venga archiviato.

Anche quando il verbo della reggente è al passato, il congiuntivo resta al presente: *He demanded that John attend the meeting*, pretese che John partecipasse alla riunione.

Per la forma negativa non si usa l'ausiliare **to do**, ma si antepone semplicemente **not** al verbo: *I recommend that you not play football any more*, Le consiglio di non giocare più a calcio.

In tutti questi casi, nel registro formale britannico il congiuntivo è generalmente sostituito dalla costruzione **should** + infinito senza **to**: *He demands* / *demanded that John should attend the meeting* ecc.

b Con **lest**, per indicare ciò che si intende evitare o che si teme: *He hid all the documents lest someone find them*, nascose tutti i documenti per paura che qualcuno li trovasse. Anche in questo caso, al posto del congiuntivo l'inglese britannico usa più spesso **should**: *He hid all the documents lest someone should find them*.

c In alcune espressioni fisse, come ad esempio *God save the Queen!*, Dio salvi la regina!; *God forbid*, (che) Dio non voglia; *Come what may*, accada quel che accada; *Suffice it to say that...*, basti dire che...; *Be that as it may*, sia come sia.

d In contesti formali, nel periodo ipotetico e nelle subordinate concessive: *If that be the answer*, se questa è (o fosse) la risposta ...; *His income, high though it be* ..., il suo reddito, per quanto alto sia ...

2 Il congiuntivo passato, che come si è detto riguarda solo il verbo **to be**, è usato nel periodo ipotetico, nelle proposizioni concessive e con verbi quali **to wish** (→ **to wish**) e **to suppose**: *If I were rich I would buy a country house*, se fossi ricco acquisterei una casa in campagna; *I wish I were 10 years younger*, vorrei avere dieci anni di meno; *Suppose I were in danger, what would you do?*, mettiamo che io sia in pericolo, tu che cosa faresti?; *He behaved as though he were already a famous actor*, si comportava come se fosse già un attore famoso.

Nel parlato e in contesti informali **were** è spesso sostituito dall'indicativo **was**. Rimane in ogni caso la forma prevalente nell'espressione **If I were you**, se fossi in te ed è obbligatorio nell'espressione **as it were**, per così dire.

subkingdom /sʌb'kɪŋdəm/ n. (*zool.*, *bot.*) sottoregno.

sublacustrine /ˌsʌblə'kʌstraɪn/ a. (*geogr.*) sublacustre.

sublease /'sʌbliːs/ n. ⓒⓤ subaffitto; sublocazione.

to sublease /sʌb'liːs/ v. t. subaffittare; sublocare; prendere (*un appartamento, ecc.*) in subaffitto.

sublessee /ˌsʌblɛ'siː/ n. subaffittuario; sublocatario.

sublessor /ˌsʌblɛ'sɔː/ n. subaffittante.

sublet /'sʌblɛt/ n. (*fam. spec. USA*) → **sublease**.

to sublet /sʌb'lɛt/ (pass. e p. p. **sublet**), v. t. **1** subaffittare; sublocare **2** subappaltare.

sublevel /'sʌblɛvl/ n. (*ind. min., fis. nucl., ecc.*) sottolivello.

sublicence /'sʌblaɪsəns/ n. (*leg.*) sublicenza.

to sublicense /'sʌblaɪsəns/ v. t. (*leg.*) sublicenziare.

sublicensee /ˌsʌblaɪsən'siː/ n. (*leg.*) sublicenziatario.

sub-lieutenant, **sublieutenant** /ˌsʌblɛf'tɛnənt/ (*marina mil., in GB*) n. sottote-

nente di vascello ‖ **sub-lieutenancy**, **sublieutenancy** n. ⓤ grado (*o mansioni, doveri*) di sottotenente di vascello.

sublimate /'sʌblɪmət/ n. (*chim.*) sublimato.

to sublimate /'sʌblɪmeɪt/ **Ⓐ** v. t. **1** (*chim., fis.*) sublimare **2** (*fig.*) elevare, idealizzare, purificare **3** (*psic.*) sublimare **Ⓑ** v. i. (*psic.*) sublimarsi ‖ **sublimation** n. ⓤ **1** (*chim., fis.*) sublimazione **2** (*fig.*) sublimazione, elevazione, idealizzazione **3** (*psic.*) sublimazione.

sublime /sə'blaɪm/ **Ⓐ** a. **1** sublime; altissimo; eccelso; elevato; maestoso; nobilissimo: **with a s. spirit of sacrifice**, con sublime spirito di sacrificio; **a s. thought**, un pensiero sublime **2** (*iron.*) supremo; sovrano: **s. ignorance**, suprema ignoranza; **with a s. disregard of conventions**, con sovrano disprezzo delle convenzioni **Ⓑ** n. ⓤ **– the s.** (*arte, letter.*) il sublime: **from the s. to the ridiculous**, dal sublime al ridicolo; dalle stelle alle stalle (*fig.*) ● (*stor.*) **the S. Porte**, la Sublime Porta; l'Impero ottomano | **-ly** avv.

to sublime /sə'blaɪm/ **Ⓐ** v. t. **1** rendere sublime; sublimare; elevare **2** (*chim.*) sublimare **Ⓑ** v. i. **1** diventare sublime; sublimarsi; elevarsi **2** (*chim.*) sublimarsi.

subliminal /sʌb'lɪmɪnl/ a. (*psic., fisiol.*) subliminale ● **s. advertising**, pubblicità subliminale □ (*psic.*) **the s. self**, il subconscio te | **-ly** avv.

sublimity /səb'lɪmətɪ/ n. ⓤ (*arte, letter., ecc.*) sublimità; elevatezza; maestosità; nobiltà.

sublingual /sʌb'lɪŋɡwəl/ a. (*anat.*) sublinguale; sottolinguale.

sublittoral /sʌb'lɪtərəl/ a. (*geogr.*) sublittorale; sublitoraneo.

sublunar /sʌb'luːnə(r)/, **sublunary** /sʌb'luːnərɪ/ a. (*astron.*) sublunare.

sub-machine gun /ˌsʌbmə'ʃiːngʌn/ loc. n. (*mil.*) fucile mitragliatore; mitra.

subman /'sʌbmæn/ n. (pl. **submen**) uomo minorato (*per sviluppo o capacità mentali*).

submarine /ˌsʌbmə'riːn, USA 'sʌb-/ **Ⓐ** a. sottomarino; suboceanico; subacqueo: **a s. cable**, un cavo sottomarino; **s. tunnel**, tunnel sottomarino; **s. shooting**, ripresa subacquea (*cinematografica, ecc.*); **a s. mine**, una mina subacquea **Ⓑ** n. **1** (*marina mil.*) sottomarino; sommergibile **2** (*slang USA*) immigrante clandestino **3** (*slang USA*) grosso sandwich (*con molti ingredienti*; → **sub**①, def. 9) ● **s. base**, base per sommergibili ● **s.-chaser**, cacciasommergibili □ **s. earthquake**, maremoto □ **s. pen**, base sotterranea per sommergibili.

submariner /sʌb'mærɪnə(r)/ n. (*marina mil.*) sommergibilista.

submatrix /sʌb'meɪtrɪks/ n. (*mat.*) sottomatrice.

submaxillary /ˌsʌbmæk'sɪlərɪ/ a. (*anat.*) sottomascellare.

submenu /'sʌbmɛnjuː/ n. (*comput.*) sottomenù; menu secondario.

to submerge /səb'mɜːdʒ/ **Ⓐ** v. t. **1** sommergere; immergere; inondare; allagare; far andare sott'acqua **2** (*fig.*) cancellare; reprimere: **to s. all sense of pity**, reprimere ogni senso di pietà **Ⓑ** v. i. (*spec. di sottomarino*) sommergersi; immergersi.

submerged /səb'mɜːdʒd/ a. **1** (*geol.*) sommerso: **s. lands**, terre sommerse **2** (*bot.*) sommerso; subacqueo; che cresce sott'acqua **3** (*fig.*) sommerso: **s. economy**, economia sommersa **4** (*marina mil.: di sottomarino*) in immersione: **s. navigation**, navigazione in immersione; **s. speed**, velocità in immersione (*di un sottomarino*) ● (*fig.*) **I'm s. in work**, sono sommerso dal lavoro.

a b c d e f g h i j k l m n o p q r **s** t u v w x y z

submergence /səb'mɜːdʒəns/ n. ⓤ **1** (*geol.*) sommersione **2** (*naut.*) immersione.

submergible /səb'mɜːdʒəbl/ a. sommergibile.

to **submerse** /səb'mɜːs/ → **to submerge**.

submersible /səb'mɜːsəbl/ a. e n. sommergibile ● (*mecc.*) **s. pump**, pompa (*o* motopompa) sommersa.

submersion /səb'mɜːʃn/ n. ⓤⒸ sommersione; immersione.

subminiature /səb'mɪnɪtʃə(r)/ a. attr. (*tecn.*) subminiaturizzato; microminiaturizzato ● (*fotogr.*) **s. camera**, microcamera.

◆**submission** /səb'mɪʃn/ n. **1** ⓤ sottomissione; assoggettamento; resa: **complete s.**, completa sottomissione; **resa incondizionata 2** ⓤ sottomissione; docilità; obbedienza; umiltà; deferenza; rispetto: **with all due s.**, con tutto il dovuto rispetto **3** presentazione; inoltro (*di domande, reclami, ecc.*); trasmissione: **the s. of entries for the race**, la presentazione delle iscrizioni alla corsa **4** ⓤ il sottoporre (*qc. a q., perché esamini, decida, ecc.*): *He demands the s. of the signature to an expert*, richiede che la firma sia sottoposta all'esame di un perito **5** contributo (*a una rivista scientifica, ecc.*) **6** (*lett.*) suggerimento; consiglio; proposta **7** ⓤ (*leg.*) deferimento; rimessione: **s. to arbitration**, rimessione all'arbitrato **8** (*leg.*) argomentazione; tesi **9** (*sport*) capitolazione; resa.

submissive /səb'mɪsɪv/ a. **1** sottomesso; remissivo; obbediente; docile **2** deferente; umile; rispettoso | **-ly avv.** | **-ness n.** ⓤ.

◆to **submit** /səb'mɪt/ Ⓐ v. t. **1** sottoporre; affidare; rimettere; (*leg.*) demandare, deferire: **to s. st. to sb.'s inspection**, sottoporre qc. all'esame di q.; (*leg.*) **to s. a case to the court**, demandare (*o* deferire) una causa al tribunale **2** presentare; inoltrare (*domande, reclami, ecc.*); trasmettere: **to s. a transfer request**, presentare una domanda di trasferimento; *The architect submitted his plans to the city council*, l'architetto presentò i progetti al consiglio comunale; (*comm.*) **to s. samples** [**an offer, a tender for a contract**], presentare campioni [fare un'offerta, un'offerta per una gara d'appalto] **3** (*form.*) affermare; far presente: *He submitted that no evidence of his guilt had been found*, fece presente che non era stata trovata alcuna prova della sua colpevolezza Ⓑ v. i. **1** sottomettersi; fare atto di sottomissione; cedere; piegarsi: *They refused to s. to slavery*, non vollero sottomettersi alla schiavitù; *We must s. to God's will*, dobbiamo sottometterci alla volontà di Dio **2** sottoporsi; accettare di fare: **to s. to a medical examination**, sottoporsi a una visita medica **3** rimettersi (*alla decisione, al giudizio altrui*); chinare il capo (*fig.*); ubbidire: **to s. to arbitration**, rimettersi all'arbitrato ● **to s. a claim**, sporgere reclamo; (*leg.*) presentare una richiesta □ **to s. oneself**, sottomettersi; cedere; piegarsi.

submitting /səb'mɪtɪŋ/ n. ⓤⒸ **1** presentazione; inoltro; trasmissione **2** (*anche leg. e sport*) deferimento; rinvio (*di una questione, un caso, ecc.*).

submontane /sʌb'mɒnteɪn/ a. (*geogr.*) submontano.

submultiple /sʌb'mʌltɪpl/ n. (*mat., raro*) sottomultiplo.

subnet /'sʌbnet/ n. (*comput.*) sottorete ● **s. mask**, maschera di sottorete (*identificatori un sottoinsieme degli host di una rete*).

subnetting /'sʌbnetɪŋ/ n. ⓤ (*comput.*) il creare sottoreti (*spec. usando maschere*).

subnormal /sʌb'nɔːml/ Ⓐ a. **1** inferiore al normale; sotto la norma **2** (*med., psic.*) subnormale Ⓑ n. (*med., psic.*) subnormale.

subnormality /ˌsʌbnɔː'mælɪtɪ/ n. ⓤ (*med., psic.*) subnormalità.

subnuclear /sʌb'njuːklɪə(r)/ a. (*fis. nucl.*) subnucleare.

suboceanic /sʌbəʊʃɪ'ænɪk/ a. (*geogr.*) suboceanico.

suborbital /sʌb'ɔːbɪtl/ a. (*aeron., miss.*) suborbitale.

suborder /'sʌbɔːdə(r)/ n. (*zool., bot.*) sottordine.

subordinate /sə'bɔːdɪnət/ Ⓐ a. subordinato; soggetto; dipendente; subalterno; sottoposto: (*gramm.*) **a s. clause**, una proposizione subordinata; **to be s. to sb.**, esser soggetto a q.; dipendere da q. Ⓑ n. subordinato; dipendente; subalterno; sottoposto | **-ly avv.**

to **subordinate** /sə'bɔːdɪneɪt/ v. t. **1** subordinare; mettere su un piano secondario: **to s. one's own needs to those of the family**, subordinare i propri bisogni a quelli della famiglia **2** assoggettare; tenere in sottordine.

subordinating /sə'bɔːdɪneɪtɪŋ/ a. subordinativo; subordinante: (*gramm.*) **a s. conjunction**, una congiunzione subordinante.

subordination /səbɔːdɪ'neɪʃn/ n. ⓤ **1** secondarietà; minore importanza; inferiorità di grado **2** subordinazione; dipendenza; sottomissione **3** (*gramm.*) subordinazione.

subordinative /sə'bɔːdɪnətɪv/ a. subordinativo: (*gramm.*) **s. conjunction**, congiunzione subordinativa.

to **suborn** /sə'bɔːn/ v. t. **1** (*leg.*) subornare; corrompere (*testimoni, ecc.*) **2** (*per estens.*) istigare; sobillare | **subornation n.** ⓤ **1** (*leg.*) subornazione (*di testi*) **2** (*per estens.*) istigazione; sobillazione ● (*leg.*) **subornation of perjury**, istigazione a giurare il falso || **suborner n.** (*leg.*) subornatore; subornatrice.

subplot, **sub-plot** /'sʌbplɒt/ n. (*lett.*) intreccio secondario.

subpoena /sə'piːnə/ n. (*leg.*) mandato di comparizione (*nel processo civile; cfr.* **summons**); citazione (*di un teste, ecc.*) ● **to be served a s.** (*o* **a writ of s.**), essere citato in giudizio; ricevere una citazione.

to **subpoena** /sə'piːnə/ v. t. (*leg.*) citare (q.) a comparire in giudizio (*civile*); citare (q.) come teste; notificare un mandato di comparizione a (q.).

subpolar /sʌb'pəʊlə(r)/ a. (*geogr.*) subpolare.

sub-post master /sʌb'pəʊstmɑːstə(r)/ loc. n. (*in GB*) agente postale (**mistress** se donna).

subprefect /sʌb'priːfekt/ n. sottoprefetto; viceprefetto (*in Francia, in Italia*) || **subprefecture n.** ⓤⒸ sottoprefettura.

subprogram /sʌb'prəʊgræm/ n. (*elettron.*) sottoprogramma.

subregion /'sʌbriːdʒən/ n. (*geogr.*) subregione.

subreption /səb'repʃn/ n. ⓤ (*leg., raro*) surrezione.

subring /'sʌbrɪŋ/ n. (*mat.*) sottoanello.

subrogation /sʌbrə'geɪʃn/ n. ⓤ surrogazione || to **subrogate** v. t. surrogare.

subroutine /'sʌbruːtiːn/ n. (*comput.*) subroutine; sottoprogramma.

subsample /sʌb'sɑːmpl/ n. (*stat.*) sottocampione.

to **subsample** /sʌb'sɑːmpl/ v. t. (*stat.*) sottocampionare.

subsatellite /sʌb'sætəlaɪt/ n. **1** (*astron.*) subsatellite **2** (*miss.*) oggetto messo in orbita da un satellite **3** (*polit.*) satellite di un satellite.

to **subscribe** /səb'skraɪb/ Ⓐ v. t. e i. **1** (*fin.*) sottoscrivere: **to s. stock**, sottoscrivere capitale azionario; **to s. a loan**, sottoscrivere un prestito; **to s. for 5,000 shares**, sot-

toscrivere cinquemila azioni **2** fare donazioni (*a un ente, una causa, ecc.*): **to s. to UNICEF**, fare donazioni all'UNICEF; *They s. large sums to charities*, versano grosse somme in beneficenza **3** (*ingl.*) contribuire con; tassarsi (*for*) ten pounds, contribuì con (*o* si tassò per) dieci sterline; **to s. towards a wedding present**, contribuire a un regalo di nozze Ⓑ v. i. **1** condividere; aderire (a); approvare; sottoscrivere: **to s. to a theory**, condividere una tesi; *I don't s. to such measures*, non approvo siffatti provvedimenti **2** essere abbonato: *I s. to 'The Economist'*, sono abbonato all'Economist'; *S. now and get this book free!*, abbonatevi ora e riceverete questo libro gratis! **3** prenotarsi (*per una pubblicazione*): **to s. for a book**, prenotarsi per l'acquisto di un libro; *The first run has been fully subscribed*, la prima tiratura è tutta prenotata **4** (*comput.*) iscriversi; abbonarsi: **to s. to a mailing list**, iscriversi a una mailing list Ⓒ v. t. (*form.*) **1** firmare; apporre la propria firma a; sottoscrivere: **to s. a will**, firmare un testamento **2** apporre (*la propria firma, il proprio nome*).

subscribed /səb'skraɪbd/ a. **1** scritto in calce: **the s. names**, i nomi scritti in calce; le firme apposte **2** (*fin.*) sottoscritto: **s. capital**, capitale sottoscritto.

subscriber /səb'skraɪbə(r)/ n. **1** (*fin.*) sottoscrittore, sottoscrittrice (*di titoli mobiliari*) **2** (*anche comput.*) abbonato, abbonata: **telephone s.**, abbonato al telefono ● **the s.**, il sottoscritto ● (*telef., in GB*) **s. trunk dialling**, teleselezione.

subscript /'sʌbskrɪpt/ Ⓐ a. (*gramm. greca, mat.*) sottoscritto; scritto sotto: **iota s.**, iota sottoscritto Ⓑ n. (*mat., scient.*) deponente; pedice.

subscription /səb'skrɪpʃn/ n. **1** abbonamento (*a un giornale, a teatro, ecc.*): **to receive a paper on s.**, ricevere un giornale in abbonamento; **to take out a s. to**, abbonarsi a; **s. fee**, canone di abbonamento; **s. rates**, quote di abbonamento **2** quota associativa: **annual s.**, quota annuale; (**trade**) **union s.**, quota sindacale **3** ⓤ (*fin.*) sottoscrizione (*di azioni, ecc.*): **s. to an issue**, sottoscrizione di un'emissione **4** contributo (*a un ente benefico, una causa, ecc.*); donazione: **to give a s. to Oxfam**, fare una donazione a Oxfam **5** sottoscrizione; colletta: **to raise a s.**, fare una colletta **6** prenotazione (*di una pubblicazione*): **s. price**, prezzo di prenotazione; **s. edition**, edizione riservata a chi ha prenotato il libro **7** (*comput.*) iscrizione; abbonamento **8** (*form.*) approvazione; consenso; adesione **9** sottoscrizione; firma ● **s. concert**, concerto in abbonamento □ (*fin.*) **s. right**, diritto di opzione □ (*fin., in GB*) **s. shares**, quote-parti di sottoscrizione (*di una* → **building society**) → **building** □ (*TV*) **s. television**, pay-tv; televisione à pagamento □ (*fin.*) **s. warrant**, certificato di diritto di sottoscrizione; buono di opzione.

subsection /'sʌbsekʃn/ n. **1** paragrafo (*di una relazione, un rapporto*); comma (*di una legge, ecc.*) **2** (*di un testo in genere*) alinea; capoverso.

subsequence /'sʌbsɪkwəns/ n. ⓤ l'essere susseguente; susseguenza (*raro*).

◆**subsequent** /'sʌbsɪkwənt/ a. susseguente; seguente; successivo; ulteriore ● **s. events**, gli avvenimenti successivi ● (*leg.*) **s. buyer**, terzo acquirente □ **s. to**, in seguito a; (*comm., bur.*) facendo seguito a (*una lettera, ecc.*).

◆**subsequently** /'sʌbsɪkwəntlɪ/ avv. in seguito; successivamente; poi: *The book was s. translated into Chinese*, il libro fu successivamente tradotto in cinese.

to **subserve** /səb'sɜːv/ Ⓐ v. i. essere subordinato; essere soggetto (a q.) Ⓑ v. t.

(*form.*) giovare a; servire a; contribuire a; favorire; promuovere: **to s. a purpose** [**an end**], servire a uno scopo [un fine].

subservience /səb'sɜːvɪəns/, **subserviency** /səb'sɜːvɪənsɪ/ n. ⓤ **1** eccessiva sottomissione; arrendevolezza; ossequiosità; remissività; servilismo **2** (*raro*) il giovare; utilità.

subservient /səb'sɜːvɪənt/ a. **1** arrendevole; remissivo; ossequioso; (troppo) servizievole; servile **2** (*raro*) giovevole; utile | **-ly avv.**

subset /'sʌbset/ n. **1** (*mat.*) sottoinsieme **2** (*telef.*: abbr. di **subscriber set**) telefono d'abbonato.

to **subside** /səb'saɪd/ v. i. **1** (*dell'acqua, di un'alluvione*) abbassarsi; calare; decrescere **2** (*del terreno, di un edificio*) abbassarsi; avvallarsi; sprofondare **3** (*di una nave*) affondare **4** calmarsi; diminuire; calare; cessare; placarsi: *The wind subsided*, il vento calò; *The sea* [*the tumult*] *subsided*, il mare [il tumulto] si placò **5** (*di una soluzione*) precipitare; sedimentare **6** (*fam., scherz.*) lasciarsi cadere; lasciarsi andare; sprofondarsi: *Back home, I subsided into the sofa*, rientrato, mi lasciai andare sul divano.

subsidence /səb'saɪdns/ n. ⓤ **1** abbassamento; calo (*delle acque, ecc.*); decrescita **2** abbassamento; cedimento; avvallamento; sprofondamento del suolo; (*geol., ind. costr.*) subsidenza **3** diminuzione; cessazione **4** il calmarsi, il placarsi (*di passioni, ecc.*); caduta (*del vento*).

subsidiarity /səbsɪdɪ'ærətɪ/ n. ⓤ **1** l'essere sussidiario **2** (*polit.*) (principio di) sussidiarietà.

subsidiary /səb'sɪdɪərɪ/ Ⓐ a. **1** sussidiario; ausiliario; di riserva; supplementare **2** sussidiato; sovvenzionato **3** (*di un fiume*) tributario; affluente Ⓑ n. **1** aiuto; assistente; ausiliario **2** (*fin.*) società affiliata (*o* controllata); consociata ● (*rag.*) **s. account**, sottoconto □ (*fin.*) **s. coins**, monete sussidiarie □ **s. subject**, materia complementare (*all'università*) □ (*ferr.*) **s. track**, binario morto □ (*mil.*) **s. troops**, truppe ausiliarie; truppe mercenarie || **subsidiarily avv.** sussidiariamente; secondariamente.

to **subsidize** /'sʌbsɪdaɪz/ v. t. sussidiare; sovvenzionare: *Some courses are subsidized for local residents, and French is one of them*, alcuni corsi sono sovvenzionati per i residenti della zona e francese è tra questi || **subsidization** n. ⓤ il sussidiare; sovvenzionamento || **subsidized** a. sussidiato; sovvenzionato: **subsidized industries**, le industrie sovvenzionate ● (*fin., banca*) **subsidized credit**, credito agevolato || **subsidizer** n. chi sussidia; sovvenzionatore.

♦**subsidy** /'sʌbsɪdɪ/ n. **1** ⓤ sussidio; aiuto finanziario; sovvenzione; premio: (*econ.*) **subsidies to farmers**, premi all'agricoltura **2** (*stor., in Inghil.*) assegno concesso dal Parlamento al Sovrano; appannaggio.

to **subsist** /səb'sɪst/ v. i. **1** vivere; sostenersi; tenersi in vita: **to s. on odd jobs**, vivere facendo lavoretti saltuari; **to s. on meat**, sostenersi (*o* sostentarsi) mangiando carne; *One cannot s. on bread alone*, non si può vivere di solo pane **2** consistere (in) **3** (*filos.*) esistere; sussistere; essere.

subsistence /səb'sɪstəns/ n. ⓤ **1** esistenza; vita **2** mezzi di sussistenza; sussistenza **3** (*econ., mil.*) sussistenza **4** (*econ., stat.*) minimo vitale ● **s. allowance**, indennità di trasferta; diaria □ (*agric.*) **s. crop**, raccolto per uso proprio □ (*econ.*) **s. economy**, economia di sussistenza □ **s. level**, livello di sussistenza □ **s. money**, indennità di trasferta (*o* di missione) □ (*mil.*) **s. stores**, scorte della sussistenza □ (*econ.*) **s. wages**, salario di mera sussistenza.

subsoil /'sʌbsɔɪl/ n. ⓤ **1** (*geol.*) suolo inerte **2** (*agric.*) sottosuolo ● (*agric.*) **s. plough**, aratro di profondità; ripuntatore.

to **subsoil** /'sʌbsɔɪl/ (*agric.*) v. t. arare in profondità || **subsoiling** n. ⓤ aratura in profondità; ripuntatura.

subsoiler /'sʌbsɔɪlə(r)/ n. (*agric.*) aratro di profondità; ripuntatore.

subsolar /sʌb'səʊlə(r)/ a. (*astron.*) subsolare.

subsonic /sʌb'sɒnɪk/ a. (*aeron.*) subsonico: **s. flight**, volo subsonico; **s. speed**, velocità subsonica.

subspace /'sʌbspeɪs/ n. (*mat.*) sottospazio.

subspecies /'sʌbspiːʃiːz/ n. (inv. al pl.; *zool., bot.*) sottospecie.

♦**substance** /'sʌbstəns/ n. **1** ⓤⓒ sostanza (*anche chim.*); materia; contenuto; essenza: *Iron is a hard s.*, il ferro è una materia dura; **illegal substances**, sostanze illecite; **radioactive substances**, sostanze radioattive; **to sacrifice s. for appearance**, sacrificare la sostanza per l'apparenza; *The s. is good, but the style repellent*, il contenuto è buono, ma lo stile è repellente; **the s. of religion**, l'essenza della religione; *This is the s. of his remarks*, questa è la sostanza delle sue osservazioni **2** ⓤ consistenza; solidità; corpo; nerbo: *This claim is not lacking in s.*, questo reclamo non è privo di consistenza; **to take the shadow for the s.**, scambiar l'ombra per il corpo; **a style of little s.**, uno stile privo di nerbo **3** ⓤ (*form.*) sostanza; averi; beni; patrimonio: **a woman of s.**, una donna agiata ● (*med.*) **s. abuse**, uso di sostanze (psicoattive); abuso di sostanze □ **in s.**, in sostanza; in realtà; sostanzialmente □ (*di una diceria, ecc.*) **to be without s.**, essere inconsistente; essere privo di fondamento.

substandard /sʌb'stændəd/ a. **1** sotto lo standard (*linguistico, ecc.*); al di sotto della norma; sotto la norma **2** (*comm.: di merce*) di qualità inferiore; di seconda scelta; scadente ● **s. English**, inglese non standard.

♦**substantial** /səb'stænʃl/ a. **1** sostanziale; essenziale; effettivo; concreto; reale; vero *e* proprio: **a s. difference**, una differenza sostanziale; **the s. point**, il punto essenziale; **a s. contribution**, un contributo concreto; **to make s. progress**, fare progressi effettivi; **a s. success**, un successo vero *e* proprio **2** consistente; solido (*anche fig.*): **a s. building**, un edificio solido; **a s. firm**, una ditta solida **3** considerevole; notevole; ragguardevole; importante; non indifferente: (*comm.*) **s. orders**, ordinazioni ragguardevoli; **s. concessions**, importanti concessioni; **a s. fortune**, un patrimonio non indifferente **4** sostanzioso: **a s. meal**, un pasto sostanzioso **5** (*form.*) benestante; agiato; ricco: **a s. man**, un uomo agiato, ricco ● **a s. argument**, un argomento assai valido □ (*ass.*) **s. damages**, risarcimento sostanziale dei danni □ (*leg.*) **s. evidence**, prove sufficienti □ (*leg.*) **s. performance**, adempimento sostanziale □ (*leg.*) **s. proof**, prova convincente □ (*leg.*) **s. right**, diritto materiale □ **the s. truth**, la verità dei fatti | **-ly avv.**

substantialism /səb'stænʃəlɪzəm/ (*filos.*) n. ⓤ sostanzialismo || **substantialist** n. sostanzialista.

substantiality /səbstænʃɪ'ælətɪ/ n. ⓤ **1** (*anche filos.*) sostanzialità; concretezza; realtà **2** consistenza; solidità **3** sostanziosità (*di un pasto, ecc.*) **4** importanza; effettivo valore.

to **substantialize** /səb'stænʃəlaɪz/ v. t. rendere sostanziale (*o* reale); concretare.

to **substantiate** /səb'stænʃɪeɪt/ v. t. **1** provare; comprovare; addurre valide prove per; dar fondamento a; convalidare: (*leg.*) **to s. a charge**, provare (*o* dimostrare la fon-

datezza di) un'accusa; **to s. a statement**, convalidare un'asserzione; (*leg.*) **to s. a claim**, provare la validità di un diritto **2** rendere sostanziale; dare sostanza a (qc.); concretare || **substantiation** n. ⓤ **1** prova; convalida; convalidazione **2** il rendere sostanziale; concretazione ● (*leg.*) **the substantiation of a claim**, la prova della validità di un diritto (*di cui si chiede il riconoscimento*).

substantival /sʌbstæn'taɪvl/ a. (*gramm.*) di (*o* che funge da) sostantivo; sostantivale: **a s. clause**, un'espressione che funge da sostantivo.

substantive /'sʌbstəntɪv, səb'stæn-/ Ⓐ a. **1** effettivo; concreto; reale; sostanziale: (*mil.*) **s. rank**, grado effettivo; **s. discussions**, discussioni concrete **2** indipendente; autosufficiente: **s. nations**, nazioni autosufficienti Ⓑ n. (*gramm.*) sostantivo; nome ● (*leg.*) **s. law**, diritto sostanziale □ (*leg.*) **s. plea**, eccezione nel merito □ **to make a s. of an adjective**, sostantivare un aggettivo | **-ly avv.** | **-ness n.** ⓤ.

substation /'sʌbsteɪʃn/ n. **1** (*elettr.*) sottostazione; stazione di trasformazione **2** (*ferr.*) stazione sussidiaria.

substellar /sʌb'stelə(r)/ a. (*astron.*) substellare; subastrale.

substituent /sʌb'stɪtjʊənt/ n. (*chim.*) sostituente.

♦**substitute** /'sʌbstɪtjuːt/ n. **1** sostituto; supplente **2** surrogato; succedaneo: *Margarine is a s. for butter*, la margarina è un surrogato del burro **3** (*sport*) sostituto; riserva; rimpiazzo; rincalzo **4** (*calcio, ecc.*) (il) subentrante; chi è entrato in campo ● (*econ.*) **s. demand**, domanda alternativa (*o* concorrenziale) □ (*fin.*) **s. money**, moneta scritturale (*giroconti bancari, assegni, ecc.*).

to **substitute** /'sʌbstɪtjuːt/ v. t. **1** sostituire; mettere al posto di; usare invece di: **to s. cotton for wool** (*o* **wool with cotton**), sostituire il cotone alla lana (*o* la lana con il cotone) **2** (*sport*) sostituire; rimpiazzare; rilevare (*un compagno, un giocatore*) ● **to s. for**, sostituire; supplire; prendere il posto di: *I had to s. for the head clerk who was absent*, dovetti sostituire il capufficio che mancava □ (*leg.*) **substituted service**, notificazione (*di un atto*) non in mani proprie.

substitution /sʌbstɪ'tjuːʃn/ n. ⓤ **1** sostituzione; uso (alternativo): **the s. of outdated selling techniques**, la sostituzione di tecniche di vendita obsolete; **the s. of milk for water**, l'uso (*o* il consumo) del latte invece dell'acqua **2** (*sport*) sostituzione; rimpiazzo; (*anche*) richiamo in panchina **3** (*mat.*) sostituzione **4** (*leg.*) surrogazione ● (*econ.*) **s. effect**, effetto di sostituzione (*di un bene*).

substitutional /sʌbstɪ'tjuːʃənl/, **substitutionary** /sʌbstɪ'tjuːʃənrɪ/ a. **1** che sostituisce; supplente **2** sostitutivo; di sostituzione.

substitutive /'sʌbstɪtjuːtɪv/ a. **1** (*anche ling.*) sostitutivo; di sostituzione **2** che sostituisce; supplente; che fa da surrogato.

substrate /'sʌbstreɪt/ n. (*scient.*) substrato; sostrato.

substratum /sʌb'strɑːtəm, -'streɪ-/ n. (pl. **substrata**, **substratums**) **1** (*geol., agric.*) substrato; sostrato **2** (*ling.*) substrato; sostrato **3** (*fig.*) fondo: *There is a s. of reality in it*, c'è un fondo di realtà in ciò.

substring /'sʌbstrɪŋ/ n. (*comput.*) sottostringa.

substruction /səb'strʌkʃn/ n. (*edil.*) sostruzione; fondazioni.

substructure /'sʌbstrʌktʃə(r)/ n. **1** sottostruttura (*in genere*) **2** (*edil.*) → **substruction 3** (*ferr.*) piano di posa della massicciata **4** (*fig.*) base, fondamento (*della socie-*

a b c d e f g h i j k l m n o p q r s t u v w x y z

tà, ecc.).

to **subsume** /səb'su:m/ (*filos.*) v. t. classificare; includere (*in una categoria, ecc.*) ‖ **subsumption** n. ⓤ classificazione; inclusione (*in una categoria, in un gruppo, ecc.*).

subsurface /'sʌbsɜ:fɪs/ n. ⓤ (*geol.*) primo strato del sottosuolo.

subtangent /sʌb'tændʒənt/ n. (*mat.*) sottotangente.

subtenant /sʌb'tɛnənt/ (*leg.*) n. subaffittuario; sublocatario ‖ **subtenancy** n. ⓊⒸ subaffitto; sublocazione.

to **subtend** /səb'tɛnd/ v. t. (*geom.*) sottendere.

subtense /səb'tɛns/ n. (*geom.*) corda che sottende un arco.

subterfuge /'sʌbtəfju:dʒ/ n. ⒸⓊ sotterfugio; raggiro; stratagemma.

subterranean /sʌbtə'reɪnɪən/, **subterraneous** /sʌbtə'reɪnɪəs/ a. sotterraneo; (*fig.*) celato; nascosto: **s. stream**, corso d'acqua sotterraneo.

subtext /'sʌbtɛkst/ n. (*letter., teatr.*) significato (o senso) sottinteso di un testo.

to **subtilize** /'sʌtɪlaɪz/ Ⓐ v. i. sottilizzare; cavillare Ⓑ v. t. **1** sottilizzare su; discutere sottilmente di; analizzare finemente **2** rendere acuto, acuire (*un senso*); affinare (*la mente*) ‖ **subtilization** n. **1** ⓤ sottilizzazione **2** sottigliezza; cavillo.

subtitle /'sʌbtaɪtl/ n. **1** (*raro*) sottotitolo (*in un libro, dramma, ecc.*) **2** (*cinem.*) sottotitolo; didascalia (*di film*): **an English film with Italian subtitles**, una pellicola inglese con sottotitoli in italiano.

to **subtitle** /'sʌbtaɪtl/ v. t. (*spec. cinem.*) sottotitolare.

subtle /'sʌtl/ a. **1** sottile; fine; fino; tenue; acuto; penetrante; sagace; ingegnoso: **s. air**, aria sottile; **a s. perfume**, un tenue profumo; **a s. distinction**, una distinzione sottile; **s. diplomacy**, diplomazia sottile; **a s. mind**, una mente acuta (o sottile); **a s. policy**, una linea politica sagace; **a s. device**, una trovata ingegnosa **2** astruso; oscuro; indefinibile: **a s. problem**, un problema astruso **3** abile; astuto; scaltro: **a s. enemy**, un nemico astuto; **s. fingers**, dita abili ● **a s. difference**, una differenza impercettibile □ **a s. poison**, un veleno insidioso □ **a s. wink**, un'ammiccatina d'intesa | **subtleness** n. ⓤ | **subtly** avv.

subtlety /'sʌtltɪ/ n. ⓊⒸ **1** sottigliezza; finezza; acume; capacità di penetrazione; sagacia; ingegnosità **2** astruseria; oscurità; indefinibilità **3** impercettibilità **4** astuzia; scaltrezza **5** sottigliezza; finezza: the **subtleties of the text**, le finezze del testo.

subtopia /sʌb'təʊpɪə/ n. (contraz. di **suburban utopia**) (*urbanistica*) caotico agglomerato (abitativo) in periferia.

subtotal /'sʌbtəʊtl/ n. (*mat., rag.*) subtotale; somma parziale.

to **subtract** /səb'trækt/ (*spec. mat.*) Ⓐ v. t. **1** sottrarre **2** detrarre; defalcare Ⓑ v. i. fare una sottrazione.

subtraction /səb'trækʃn/ n. ⓊⒸ (*spec. mat.*) sottrazione ● **a s. sign**, un segno di sottrazione; un meno.

subtractive /səb'træktɪv/ a. (*scient.*) sottrattivo.

subtrahend /'sʌbtrəhɛnd/ n. (*mat.*) sottraendo; diminutore.

subtributary /sʌb'trɪbjətrɪ/ n. (*geogr.*) subaffluente.

subtropics /sʌb'trɒpɪks/ n. pl. (*geogr.*) regioni subtropicali ‖ **subtropical** a. (*geogr.*) subtropicale.

subulate /'su:bjʊlət/ a. (*zool., bot.*) subulato; a forma di lesina.

suburb /'sʌbɜ:b/ n. **1** sobborgo **2** (pl.) sobborghi; periferia: **in the suburbs**, nei

sobborghi; in periferia ● **inner suburbs**, semiperiferia.

suburban /sə'bɜ:bən/ a. **1** suburbano; della periferia **2** in periferia: **s. car parks**, parcheggi (per auto) in periferia **3** (*fig. spreg.*) gretto; provinciale; di mentalità ristretta ‖ **suburbanite, suburban** n. (*fam., talora spreg.*) abitante dei sobborghi residenziali; chi vive nella periferia elegante.

suburbia /sə'bɜ:bɪə/ n. ⓤ (*talora spreg.*) **1** periferia elegante; sobborghi residenziali **2** usi e costumi tipici di chi vive nei sobborghi (o in periferia).

subvariety /'sʌbvəraɪətɪ/ n. (*bot., zool.*) sottovarietà.

to **subvent** /sʌb'vɛnt/ v. t. (*lett.*) sovvenzionare; sovvenire a (*lett.*).

subvention /səb'vɛnʃn/ n. sovvenzione; sussidio.

subversive /səb'vɜ:sɪv/ a. e n. sovversivo; sovvertitore: **s. ideas**, idee sovversive | **-ly** avv. | **-ness** n. ⓤ.

to **subvert** /səb'vɜ:t/ v. t. **1** sovvertire; rovesciare (*le istituzioni, ecc.*) **2** corrompere; minare (*credenze, ecc.*) **3** (*raro*) incitare alla rivolta ‖ **subversion** n. ⓤ sovversione; sovvertimento; rovesciamento dell'ordine costituito; eversione ‖ **subverter** n. sovvertitore, sovvertitrice; eversore.

sub-waiting room /'sʌb'weɪtɪŋru:m/ loc. n. sala d'aspetto interna (*in un ambulatorio o un ospedale, dove sostano i pazienti già sottoposti a esami*).

subway /'sʌbweɪ/ n. **1** sottopassaggio pedonale; sottopasso **2** (*USA*) ferrovia sotterranea; metropolitana.

subzero /sʌb'zɪərəʊ/ a. attr. (*di temperatura*) sotto zero ● **in s. conditions**, con la temperatura sotto lo zero.

succedaneum /sʌksɪ'deɪnɪəm/ n. (pl. **succedaneums, succedanea**) succedaneo; surrogato ‖ **succedaneous** a. succedaneo.

♦to **succeed** /sək'si:d/ Ⓐ v. i. **1** riuscire; aver successo; prosperare: *I didn't s. in convincing him*, non riuscii a persuaderlo; *The Gunpowder Plot of Nov. 5, 1605 didn't s.*, la Congiura delle polveri del 5 novembre 1605 non ebbe successo; *He succeeded as a businessman* (o *in business*), ebbe successo negli affari **2** succedere; subentrare: *His eldest son succeeded him to the throne*, il figlio maggiore gli succedette sul trono; **to s. to the chairmanship**, subentrare alla presidenza; (*in USA*) *The vice-president succeeds in case of the president's death*, in caso di morte del presidente, subentra il vicepresidente Ⓑ v. t. succedere a; subentrare a: *Queen Elizabeth I succeeded Mary the Catholic*, la regina Elisabetta I succedette a Maria la Cattolica ● (*prov.*) *If at first you don't s., try, try, try again*, se non riesci al primo colpo, continua a tentare □ **to s. in life**, affermarsi nella vita □ **to s. to a title**, ereditare un titolo.

succeeder /sək'si:də(r)/ n. successore.

succeeding /sək'si:dɪŋ/ a. successivo; seguente; susseguente: the **s. laws**, le leggi successive; the **s. ages**, le età seguenti | **-ly** avv.

succentor /sʌk'sɛntə(r)/ n. (*relig., mus.*) vice del maestro del coro.

♦**success** /sək'sɛs/ n. ⓊⒸ **1** successo; riuscita; fortuna; affermazione: *He had* (o *He met with*) *great s. in business*, ebbe grandi successi (riuscì assai bene) negli affari; *He was spoilt by s.*, fu guastato dal successo; **military successes**, successi militari; vittorie **2** persona di successo; cosa di successo: **s. story**, storia di successo (*spesso inaspettato*); storia fortunata □ **to be a s.**, (*di persona*) affermarsi, aver successo; (*di cosa*) aver suc-

cesso, riuscire; (*comm.: di un prodotto*) incontrare: *The play was a great s.*, la commedia ebbe un grande successo; *He was a great s. as a doctor*, si affermò splendidamente come medico □ **without s.**, senza successo; senza riuscirci; invano □ (*prov.*) **Nothing succeeds like s.**, un successo ne chiama un altro.

♦**successful** /sək'sɛsfl/ a. **1** coronato da successo; di successo; fortunato; prospero; riuscito; vittorioso: **a s. mission**, una missione coronata da successo (o riuscita); **a s. film**, un film di successo; **a s. career**, una carriera fortunata; **a s. campaign**, una campagna vittoriosa **2** (*sport*) valido; buono; che riesce, riuscito, realizzato: **a s. basket**, un canestro valido; **a s. actor**, un attore popolare (*delle offerte di lavoro*) il candidato vincitore; **the s. candidate**, il candidato ideale □ **to be s.**, avere successo; riuscire; (*comm.: di un prodotto*) incontrare; andare in porto: *He was very s. as a novelist*, come romanziere, riuscì benissimo (o ebbe un grande successo) □ *Your application has been s.*, la tua domanda è stata accolta ‖ **successfully** avv. con successo; in modo riuscito ‖ **successfulness** n. ⓤ l'aver (avuto) successo; riuscita.

♦**succession** /sək'sɛʃn/ n. **1** successione; serie; sequela: **a s. of disasters**, una serie di disastri **2** ⓤ successione, subentro (*in una carica, ecc.*); il susseguirsi (*delle stagioni, dei mesi, dei giorni*) **3** ⓤ (*leg.*) successione; diritto di successione: **the laws regulating s.**, le leggi che regolano il diritto di successione; (*stor.*) **War of the Spanish Succession**, Guerra di successione spagnola **4** ⓤ (*leg.*) discendenti; eredi: *The estate was left to him and his s.*, la proprietà fu lasciata a lui e ai suoi discendenti; **the s. to the throne**, la successione al trono **5** (*ecol.*) successione ● (*fisc.*) **s. duty**, imposta di successione ● (*agric.*) **s. of crops**, avvicendamento (o rotazione) delle colture □ (*fisc., USA*) **s. tax**, imposta di successione □ **in s.**, in successione; in serie; di seguito □ **in close s.**, in rapida successione; uno dopo l'altro.

successional /sək'sɛʃənl/ a. **1** consecutivo; successivo **2** (*leg.*) successorio; di (o della) successione.

successive /sək'sɛsɪv/ a. successivo; consecutivo: *This is our third s. victory*, questa è la nostra terza vittoria consecutiva | **-ly** avv. | **-ness** n. ⓤ.

successor /sək'sɛsə(r)/ n. **1** successore **2** (*leg.*) successore; erede **3** avvenimento successivo; cosa che segue un'altra ● (*fin.*) **s. company**, società subentrante (o rilevante).

successorship /sək'sɛsəʃɪp/ n. ⓤ l'essere un successore.

succinct /sək'sɪŋkt/ a. succinto; breve; conciso | **-ly** avv. | **-ness** n. ⓤ.

succinic /sʌk'sɪnɪk/ (*chim.*) a. succinico: **s. acid**, acido succinico ‖ **succinate** n. succinato.

succor, to **succor** /'sʌkə(r)/ (*USA*) → **succour, to succour**.

succory /'sʌkərɪ/ n. ⓤ (*bot., Cichorium intybus*) cicoria selvatica.

succotash /'sʌkətæʃ/ n. ⓤ (*USA*) contorno di granturco e fagioli bolliti (*spesso servito con carne di maiale salata*).

Succoth /'sʊkəs/ n. (*relig. ebraica*) Succoth (*festa delle capanne o dei tabernacoli*).

succour, (*USA*) **succor** /'sʌkə(r)/ n. ⓤ (*lett.*) soccorso; assistenza; aiuto.

to **succour**, (*USA*) to **succor** /'sʌkə(r)/ v. t. (*lett.*) soccorrere; assistere; aiutare.

succuba /'sʌkjʊbə/ n. (pl. **succubae**) (*mitol.*) succube, succuba.

succubus /'sʌkjʊbəs/ n. (pl. **succubi**) (*mitol.*) succube.

succulence /'sʌkjələns/ n. ▣ succulenza; succosità.

succulent /'sʌkjulent/ ◧ a. **1** (*anche fig.*) succulento; succoso; gustoso; saporito **2** (*bot.*) succulento: **s. plants**, piante succulente (*fam.*: grasse) **3** (*di foglia*) carnosa ◨ n. (*bot.*) (pianta) succulenta | **-ly** avv.

to **succumb** /sə'kʌm/ v. i. **1** soccombere; cedere; soggiacere: **to s. to temptation**, cedere alla tentazione **2** (*fig.*) morire: *He succumbed to cancer*, morì di cancro □ **to s. to one's enemies**, essere sopraffatto dal nemico.

succursal /sʌ'kɜːsl/ a. (*di chiesa, di convento*) succursale; sussidiario.

to **succuss** /sə'kʌs/ (*med.*) v. t. scuotere; provocare succussione in (*un organo cavo*) ‖ **succussion** n. succussione; scuotimento.

♦**such** /sʌtʃ, sətʃ/ ◧ a. **1** tale; siffatto; simile; di questo (*o quel*) genere: **s. a man**, un tale uomo; **s. a day**, un giorno simile; *I wouldn't go out in s. weather*, io non uscirei con un tempo simile (*o con un tempo così*); *I don't like s. books* (*as these*), libri siffatti non mi piacciono; *S. food is very heavy*, alimenti del genere sono poco digeribili; **s. flowers as you never saw**, fiori che non s'erano mai visti (i) simili; **in s. a way**, in tal modo; *I never expected s. an honour*, non m'aspettavo davvero un tale onore; *His sorrow was s. that everybody pitied him*, il suo dolore era tale che tutti ne avevano compassione; *His wound was not s. as to disable him*, la sua ferita non era tale da renderlo inabile **2** (*fam.*) così; tanto: *I don't want s. big apples*, non le voglio delle mele così grosse; *We had never had s. a pleasant time*, non c'eravamo mai divertiti tanto; *He was s. a good man!*, era un così buon uomo! ◨ pron. tale, tali; questo, questi: *S. was his nature*, tale era la sua natura; *S. are the results*, questi sono i risultati ◧ avv. così; talmente: *S. filthy language is intolerable*, un linguaggio così osceno è intollerabile ● **s. and s.** (*o* **s.-and-s.**), tale; certo; determinato (*ma non specificato*): *He made s.-and-s. payments to s.-and-s. customers*, fece determinati pagamenti a determinati clienti □ **s.-and-s. a person**, un tale; un tizio □ **s. as**, come; per esempio: **languages coming from Latin, s. as French, Italian and Spanish**, lingue d'origine latina, come il francese, l'italiano e lo spagnolo; **a tradesman, s. as a baker or a shopkeeper**, un commerciante, per esempio un fornaio o un negoziante □ **S. as?**, per esempio? □ **s. as it is** (*as they are*), così com'è (*come sono*); per quel che vale (*che valgono*) □ **s. being the case**, stando così le cose □ **s. a lot**, tanto; tanti: *There were s. a lot of people*, c'era (*così*) tanta gente ● **and s.**, e cose del genere; e così via: **tools, instruments and s.**, attrezzi, strumenti e così via □ **as s.**, come tale; appunto perché tale: *He is the boss, and as s. must be obeyed*, è il padrone, e come tale gli si deve obbedienza □ **or some s. remark** (**o word, etc.**), o qualcosa di simile: *He said: «You're a fool», or some s. remark*, disse: «Sei un cretino», o qualcosa di simile □ **tears s. as angels weep**, lacrime pari a quelle degli angeli □ **I saw just s. another yesterday**, ne ho visto uno proprio uguale ieri □ **«Can I speak to Mark Smith?» «No s. person lives here»**, «posso parlare con Mark Smith?» «qui non c'è nessuno che risponda a questo nome» □ (*prov.*) **S. master, s. servant**, quale il padrone, tale il servo □ (*prov.*) **S. as live by the sword shall perish by the sword**, chi di spada ferisce, di spada perisce.

suchlike /'sʌtʃlaɪk/ (*fam.*) ◧ a. di tal sorta; simile; siffatto; del genere ◨ pron. **1** persone simili **2** cose del genere; simili: *I don't go in for balls, parties and s.*, detesto

i balli, le feste e simili.

suck /sʌk/ n. **1** succhiata; succhiatina; poppata: **to take a s. at st.**, dare una succhiatina a qc. **2** gorgoglio; rumore fatto succhiando **3** (*fam.*) sorso (*d'acqua, di liquore, ecc.*) **4** (*fam.*) boccata, tirata (*di sigaretta o di sigaro*) **5** aspirazione, forza d'attrazione (*di un gorgo, ecc.*); risucchio **6** ▣ (*slang USA, per* **suction**) influenza; autorità **7** (*slang USA*) liquore; vino ● (*fam.*) **s.-up**, leccapiedi; adulatore □ (*slang*) **What a s.!**, che fiasco!; che insuccesso!

♦to **suck** /sʌk/ ◧ v. t. **1** succhiare; suggere (*poet.*); poppare: **to s. milk**, succhiare il latte; poppare; *Hundreds of bees were sucking nectar from the flowers*, centinaia d'api suggevano il nettare dai fiori; **to s. one's mother's breast**, succhiare il latte materno; **to s. toffees**, succhiare caramelle **2** sorbire: **to s. a milk shake through a straw**, sorbire un frappé con la cannuccia **3** (*fig.*) assorbire; imbeversi di; sorbire: **to s. (in) culture**, assorbire cultura; imbeversi di sapere **4** aspirare; inalare; inspirare: *The pump was sucking the water from the hold*, la pompa aspirava l'acqua della stiva; *He sucked air into his lungs*, inspirò aria nei polmoni **5** (*slang USA*) fregare; imbrogliare; truffare; gabbare; spillare (*soldi*) *'Rex meditated over the fascinating though quite simple problem of how to s. some more cash out of him'* V. NABOKOV, 'Rex meditò sul problema affascinante benché semplicissimo di come fare a fregargli un altro po' di soldi' **6** (*volg.*) succhiare ◨ v. i. **1** succhiare; poppare **2** (*mecc.: di pompa*) aspirare aria **4** (*slang USA*) rompere (*pop. fig.*); essere fastidioso (*o sgradevole*); fare schifo: *It sucks*, che rottura! **5** (*volg.*) fare del sesso orale ● **to s. at one's pipe**, succhiare la pipa □ **to s. away at a lollipop**, succhiare un lecca lecca □ (*fig.*) **to s. sb.'s brains**, sfruttare le idee di q. □ **to s. dry**, succhiare sino in fondo; assorbire (qc.) completamente; (*fig.*) esaurire, sfiancare, spossare □ **to s. an egg**, bere un uovo □ (*slang USA*) **to s. eggs**, essere di cattivo umore; arrabbiarsi facilmente □ **to s. one's teeth**, pulirsi i denti con la lingua; (*fig.*) fare una smorfia di perplessità, dubbio o incertezza □ **to s. one's thumb**, succhiarsi il pollice □ (*fig.*) **a sucked orange**, un limone spremuto; una cosa svuotata d'ogni contenuto, senza valore.

■ **suck back** v. t. + avv. (*delle onde, dell'acqua*) risucchiare.

■ **suck down** v. t. + avv. (*dell'acqua*) risucchiare; tirare giù (*o sotto*) (*fam.*) inghiottire: *He was sucked down by the whirlpool*, fu risucchiato dal gorgo.

■ **suck in** v. t. + avv. **1** sorbire; assorbire; (*fig.*) attirare: *Our high rates of interest s. in a lot of dollars*, i nostri alti tassi d'interesse attirano una quantità di dollari **2** inspirare (*aria fresca, ecc.*) **3** tirare in dentro (*inspirando o espirando*): **to s. in one's cheeks** [**one's stomach**], tirare in dentro le guance [lo stomaco] **4** (*fam.*) bere (*fig.*): **to s. in sb.'s words**, bere le parole di q. **5** (*slang*) fregare; buggerare; imbrogliare; gabbare.

■ **suck off** v. t. + avv. (*volg.*) succhiare; spompinare (*volg.*).

■ **suck under** → **suck down**.

■ **suck up** ◧ v. t. + avv. **1** asciugare; assorbire **2** aspirare; prosciugare: *The pump will s. up the water in no time*, la pompa prosciugherà l'acqua in un baleno **3** (*fig. fam.*) assorbire, recepire, imparare (*nozioni e sim.*) ◨ v. i. + avv. (*slang*) adulare; essere servile; leccare i piedi (*fig.*): **to s. up to the teacher**, leccare i piedi all'insegnante □ (*slang USA*) **to s. a few up**, bere una bevutina; fare bisboccia □ (*slang USA*) **to s. it up**, darci dentro (*o sotto*); darsi da fare; fare sul serio.

suckass /'sʌkæs/ n. (*volg. USA*) leccaculo

(*volg.*); leccapiedi.

sucker ① /'sʌkə(r)/ n. **1** succhiatore; succhiatrice; (*fam. USA*) parassita, sfruttatore **2** porcellino di latte; lattonzolo **3** (*mecc.*) tubo d'aspirazione **4** (*mecc.*) pistone, stantuffo (*di pompa o di siringa*) **5** (*med.*) ventosa **6** (*mecc.*, = **sucking disk**) ventosa **7** (*zool.: d'insetto*) succhiatoio; proboscide **8** (*bot.*) succhione; pollone; rampollo **9** (*fam. USA*) lecca lecca; (*anche*) caramella dura (*da succhiare*) **10** (*fam.*) babbeo; cretino; gonzo; semplicione; credulone; vittima predestinata: **s. list**, lista di persone da fregare; *There's a s. born every minute*, la madre dei cretini è sempre incinta **11** (*fam.*) patito; chi ha un debole (*per qc. o q.*) **12** (*slang USA*) tipo; individuo **13** (*slang USA*) affare; aggeggio; coso **14** (*slang USA*) abitante (*o nativo*) dell'Illinois ● **a s. for beautiful girls**, uno che si fa infinocchiare dalle belle ragazze □ **a s. for chocolates**, uno che va matto per i cioccolatini.

sucker ② /'sʌkə(r)/ n. (*slang USA*) abitante (*o nativo*) dell'Illinois.

to **sucker** /'sʌkə(r)/ ◧ v. t. **1** (*agric.*) togliere i succhioni (*o i polloni*) a (*una pianta*) **2** (*slang USA*) fregare; buggerare; gabbare; truffare ◨ v. i. (*bot.: di pianta*) mettere polloni (*o succhioni*).

suckerfish /'sʌkəfɪʃ/ n. (pl. **suckerfish**, **suckerfishes**) (*zool.*, *Echeneis*) remora.

sucking /'sʌkɪŋ/ ◧ a. **1** poppante; lattante: **a s. child**, un (bambino) lattante **2** (*fig.*) inesperto; novellino; alle prime armi ◨ n. ▣ il succhiare; il poppare; suzione ● **s. bottle**, poppatoio □ (*mecc.*) **s. disk**, ventosa (*zool.*) **s. fish** → **suckerfish** □ **a s. pig**, un porcellino di latte; un lattonzolo □ (*fam.*) **s.-up**, il leccare i piedi; arruffianamento.

to **suckle** /'sʌkl/ ◧ v. t. allattare; dare il latte a (*un poppante*) ◨ v. i. poppare.

suckling /'sʌklɪŋ/ n. **1** lattante; poppante **2** animale da latte; lattonzolo **3** (*fig.*) persona inesperta; novellino.

sucks /sʌks/ inter. (*slang*) accidenti; mannaggia; al diavolo: *S. to you!*, va al diavolo!; alla faccia tua!; (*anche*) chi se ne frega!

sucky /'sʌkɪ/ a. **1** ossequioso; strisciante; scodinzolante (*fig.*); servile **2** sdolcinato; smanceroso **3** (*slang USA*) brutto; disgustoso; schifoso; pessimo.

sucrase /'suːkreɪz/ n. ▣ (*biochim.*) invertasi; saccarasi.

sucrose /'suːkrəus/ n. ▣ (*chim.*) saccarosio.

suction /'sʌkʃn/ n. ▣ **1** (*scient.*) suzione; succhiamento **2** (*mecc.*) aspirazione **3** (*fig., USA*) influenza; peso (*fig.*) ● (*mecc., med.*) **s. cup**, ventosa □ (*mecc.*) **s. pipe**, tubo d'aspirazione □ (*med.*) **s. plate**, palato di dentiera □ (*mecc.*) **s. pump**, pompa aspirante □ (*mecc.*) **s. stroke**, corsa d'aspirazione □ (*mecc.*) **s. valve**, valvola d'aspirazione.

suctorial /sʌk'tɔːrɪəl/ a. (*zool.*) **1** (*d'organo*) succhiatore; atto a succhiare **2** (*d'animale*) dotato di succhiatoio (*o di ventosa).

Sudanese /suːdə'niːz/ a. e n. (inv. al pl.) sudanese.

sudarium /suː'deərɪəm/ n. (pl. *sudaria*) **1** sudario **2** → **sudatorium**.

sudatorium /sʌdə'tɔːrɪəm/ n. (pl. *sudatoria*) (*archeol.*) sudatorio.

♦**sudden** /'sʌdn/ a. improvviso; repentino; subitaneo; inatteso; inaspettato; imprevisto: **a s. change**, un mutamento repentino; **a s. bend in the river**, una curva improvvisa del fiume; **a s. spurt**, uno scatto improvviso; **s. death**, morte improvvisa; (*sport*) gioco a oltranza (*in cui, al termine di una partita conclusa in parità, chi passa per primo in vantaggio vince*) □ **all of a s.**, improvvisamente; a un tratto; di colpo □ **He is very s. in his movements**, si muove a scatti | **-ness** n. ▣.

a
b
c
d
e
f
g
h
i
j
k
l
m
n
o
p
q
r
s
t
u
v
w
x
y
z

◆**suddenly** /'sʌdnlɪ/ avv. improvvisamente; all'improvviso; ad un tratto; di colpo; inaspettatamente: *S. I realized that Rebecca was right*, all'improvviso mi resi conto che Rebecca aveva ragione.

sudoriferous /suːdəˈrɪfərəs/ a. (anat.) sudorifero; sudoriparo: **s. glands**, ghiandole sudorifere.

sudorific /suːdəˈrɪfɪk/ a. e n. (med.) sudorifero; (medicamento) diaforetico.

suds /sʌdz/ n. pl. 1 (spesso soap s.) saponata; acqua saponata 2 schiuma di sapone 3 (fam. USA) birra: **to suck some s.**, farsi una birra.

sudser /'sʌdzə(r)/ n. (fam. USA) = **soap opera → soap**.

sudsy /'sʌdzɪ/ a. 1 saponoso; pieno di schiuma di sapone 2 insaponato per bene: **s. dishes**, piatti ben insaponati ● **s. water**, saponata.

to **sue** /suː/ Ⓐ v. t. 1 (leg.) convenire (q.) in giudizio; citare; intentar causa a: *We shall sue you for libel*, vi citeremo per diffamazione; *He was sued for libel*, fu citato per diffamazione 2 (lett.) supplicare; implorare Ⓑ v. i. 1 (leg.) far causa; intentar causa: **to sue for divorce**, intentar causa di divorzio 2 (lett.) presentare una supplica ● (leg.) **to sue at law**, adire le vie legali □ **to sue for peace**, sollecitare la pace □ (leg.) **to sue sb. for damages**, costituirsi parte civile contro q.; citare q. per danni □ (fig. fam.) **to sue the pants off sb.**, ridurre q. in mutande facendogli causa; ridurre q. sul lastrico per le spese e i danni che deve pagare □ (leg.) **to sue out pardon**, impetrare il perdono giudiziale □ (fam. USA) **So sue me!**, e con ciò?; e allora?; embè? (letteralm. 'cosa vuoi, farmi causa?').

Sue /suː/ n. dim. di **Susan**.

suede /sweɪd/ Ⓐ n. Ⓤ camoscio; suede; pelle scamosciata Ⓑ a. di pelle scamosciata: **s. shoes**, scarpe di pelle scamosciata.

suet /'suːɪt, sjuːt/ n. Ⓤ sugna; grasso di rognone (di bue o di pecora) ‖ **suety** a. grasso; sugnoso.

Suez /'suːɪz, USA suːˈɛz/ n. (geogr.) Suez ● **the S. Canal**, il Canale di Suez.

suff. abbr. (**sufficient**) sufficiente (suff.).

◆to **suffer** /'sʌfə(r)/ v. t. e i. 1 soffrire; patire; subire: **to s. from asthma**, soffrire di asma; (med.) essere affetto dall'asma; **to s. from depression**, soffrire di (o avere la) depressione; **to s. from hunger**, soffrire la fame; **to s. heavy losses**, subire gravi perdite; **to s. the consequences**, patire (o subire, pagare) le conseguenze; *Trade has suffered from the war*, i traffici hanno sofferto a causa della guerra 2 (form.) sopportare; tollerare: *He cannot s. criticism*, non sopporta (o non tollera) le critiche 3 (lett. o arc.) permettere; lasciare; tollerare: *I will not s. them to be insulted*, non permetterò che vengano insultati 4 (arc.) esser punito; pagare il fio: *You will s. for it*, ne pagherai il fio; ci andrai di mezzo tu 5 (arc.) essere giustiziato 6 (Bibbia: di Dio) consentire; permettere ● **not to s. fools gladly**, non sopportare le persone stupide.

sufferable /'sʌfərəbl/ a. (form.) sopportabile; tollerabile.

sufferance /'sʌfərəns/ n. Ⓤ 1 sopportazione; capacità di sopportazione 2 (form.) tolleranza; acquiescenza; tacito assenso 3 (arc.) sofferenza ● **on s.**, (di persona, ecc.) tollerato; sopportato; con riluttanza o di malavoglia.

sufferer /'sʌfərə(r)/ n. 1 sofferente; chi soffre 2 vittima; chi ci rimette: *I'm the s. in this matter*, in questa faccenda, sono io che ci rimetto ● **fellow s.**, compagno di sventura.

suffering /'sʌfərɪŋ/ Ⓐ n. ⓊⒸ sofferenza; dolore; patimento: **the sufferings of the poor**, le sofferenze dei poveri Ⓑ a. sofferente; dolorante.

to **suffice** /səˈfaɪs/ v. i. e t. bastare (a); essere sufficiente (per): *A hint will s.*, basterà un cenno; *S. it to say that...*, basti dire che...; *Half-a-dozen sufficed me*, me ne bastò una mezza dozzina.

sufficiency /səˈfɪʃnsɪ/ n. (form.) 1 Ⓤ sufficienza; bastevolezza; adeguatezza 2 quantità sufficiente: **a s. of food**, una quantità sufficiente di cibo; cibo a sufficienza.

◆**sufficient** /səˈfɪʃnt/ a. 1 sufficiente; bastevole; adeguato: *My salary is no longer s.*, il mio stipendio non è più adeguato ai miei bisogni 2 (arc.) solvibile: *'My meaning in saying he is a good man, is to have you understand me that he is s.'* W. SHAKESPEARE, 'quando dico che è un brav'uomo, voglio che si capisca che lo considero solvibile' ● (stat.) **s. estimator**, stimatore esaustivo □ **more than s.**, più che abbastanza | **-ly** avv.

suffix /'sʌfɪks/ (ling.) n. suffisso ‖ **suffixal** a. suffissale.

to **suffix** /səˈfɪks/ v. t. (ling.) aggiungere come suffisso a.

suffixation /sʌfɪkˈseɪʃn/ n. (ling.) 1 aggiunta come suffisso 2 Ⓤ aggiunta di un suffisso; suffissazione.

to **suffocate** /'sʌfəkeɪt/ v. t. e i. soffocare (anche fig.); asfissiare; sentirsi soffocare: *The smoke suffocated ten people*, il fumo soffocò dieci persone; *Ten people suffocated inside the burning house*, dentro la casa in fiamme soffocarono dieci persone; *I'm suffocating in here*, qua dentro si soffoca; (fig.) *He felt suffocated by his parents*, si sentiva soffocato dai genitori; **to s. with anger**, soffocare dalla rabbia; (fig.) **to s. the press**, soffocare la libertà di stampa ‖ **suffocating** a. soffocante; asfissiante ‖ **suffocation** n. soffocamento; soffocazione; asfissia.

suffragan /'sʌfrəgən/ (relig.) Ⓐ a. suffraganeo Ⓑ n. (= s. bishop) (vescovo) suffraganeo.

suffrage /'sʌfrɪdʒ/ n. Ⓤ 1 (polit.) suffragio; diritto di voto: **universal s.**, suffragio universale 2 (relig.) suffragio 3 (lett.) suffragio; voto favorevole.

suffragette /sʌfrəˈdʒɛt/ n. (polit., stor.) suffragetta.

suffragist /'sʌfrədʒɪst/ n. (polit.) suffragista.

to **suffuse** /səˈfjuːz/ v. t. cospargere; bagnare; coprire; soffondere: *The sunset suffused the sky with red*, il tramonto soffuse il cielo di rosso ‖ **suffused** a. soffuso; asperso; bagnato; coperto: **eyes suffused with tears**, occhi bagnati di lacrime ‖ **suffusion** n. Ⓤ 1 cospargimento; diffusione; spargimento 2 (med.) soffusione.

◆**sugar** /'ʃʊgə(r)/ n. Ⓤ 1 zucchero: **white s.**, zucchero raffinato; **brown s.**, zucchero scuro; **cane s.**, zucchero di canna 2 (fig.) lusinghe; paroline dolci, zuccherate 3 (vezzegg. spec. USA; al vocat.) tesoro; dolcezza; bellezza (mia) 4 (slang USA) soldi; grana (pop.) 5 (slang USA) droga in polvere; (spec.) eroina ● **s. almond**, confetto □ **s. bowl**, zuccheriera □ (bot.) **s. beet** (Beta vulgaris), barbabietola da zucchero □ **s. candied**, confettato □ **s. candy**, caramella, zucchero caramellato □ **s.-coated** = **sugarcoated → to sugarcoat** □ (fam.) **s. daddy**, vecchio danaroso che mantiene l'amante giovane □ (fam.) **s. diabetes**, diabete mellito □ **s. drop**, caramella □ **s. factory**, zuccherificio □ (bot.) **s.-gum**, (Eucalyptus corynocalyx ed Eu-

calyptus gunnii), albero del sidro □ **s. loaf**, pan di zucchero; (fig.) collina (o montagna, ecc.) a pan di zucchero □ **s. lump**, zolletta di zucchero □ (bot.) **s. maple** (Acer saccharinum), acero da zucchero (o del Canada) □ (chim.) **s. of milk**, lattosio □ **s. orchard**, terreno coltivato ad aceri (da zucchero) □ (USA) **s. paper**, cartoncino leggero colorato □ (ind.) **s. refinery**, raffineria di zucchero □ **s. refining**, raffinazione dello zucchero □ (fam.) **s. test**, test glicemico □ **s. tongs**, mollette per lo zucchero □ **s.-works**, zuccherificio.

to **sugar** /'ʃʊgə(r)/ Ⓐ v. t. 1 zuccherare; inzuccherare: *Please, don't s. my coffee*, per favore, non zuccherarmi il caffè 2 coprire, spolverare di zucchero 3 (fig.) addolcire: **to s. the pill**, addolcire (o indorare) la pillola Ⓑ v. i. 1 fabbricare zucchero (spec. dall'acero) 2 (slang) battere la fiacca; oziare.

sugarcane /'ʃʊgəkeɪn/ n. (bot., Saccharum officinarum) canna da zucchero.

to **sugarcoat** /'ʃʊgəkəʊt/ v. t. 1 rivestire di zucchero 2 (fig.) inzuccherare, addolcire; rendere gradevole: **to s. the facts**, addolcire i fatti ‖ **sugarcoated** a. 1 rivestito di zucchero 2 (fig.) inzuccherato; addolcito; edulcorato; insinuante; mellifluo ‖ **sugarcoating** n. Ⓤ 1 rivestimento di zucchero 2 (fig.) addolcimento; lusinghe.

sugared /'ʃʊgəd/ a. 1 inzuccherato; zuccherato 2 ricoperto di zucchero 3 (fig.) addolcito; edulcorato; insinuante; mellifluo.

sugarplum /'ʃʊgəplʌm/ n. (un tempo) 1 prugna rivestita di zucchero; prugna caramellata 2 caramella 3 (fig.) zuccherino (fig.); complimento.

sugary /'ʃʊgərɪ/ a. 1 zuccherino; molto dolce 2 edulcorato (fig.); melato; mellifluo; insinuante; sdolcinato ‖ **sugariness** n. Ⓤ 1 l'essere zuccherino; dolcezza 2 (fig.) mellifluità; sdolcinatezza.

◆to **suggest** /səˈdʒɛst/ v. t. 1 suggerire; consigliare; far venire (o richiamare) alla mente; proporre: **to s. an idea [a plan]**, suggerire un'idea [un piano]; *What does this shape s. to you?*, che cosa ti richiama alla mente questa forma (o questa figura)?; **to s. a course of study**, consigliare un corso di studi; **to s. a new theory**, proporre una nuova teoria 2 indicare; esser un segno di; lasciar intendere; rivelare: *His haggard features s. bad health*, i suoi lineamenti tirati sono forse un segno di cattiva salute; *His expression suggests fear [anger]*, la sua espressione lascia intendere che ha paura [che è arrabbiato] 3 (leg.) asserire; sostenere; alludere; insinuare: *I s. that you had a secret meeting with them*, sostengo che Lei (detto dal giudice all'imputato o al testimone) ebbe un incontro segreto con loro ● (di pensiero, idea, ecc.) **to s. itself**, presentarsi; venire in mente □ **I s. you leave**, ti consiglio d'andartene.

Ⓘ **NOTA: to suggest**

1 Quando regge una proposizione oggettiva, **to suggest** può essere seguito da:

a un verbo alla forma in **-ing**, quando il soggetto dell'oggettivo non è espresso: *He suggested buying the tickets in advance*, consigliò di comprare i biglietti in anticipo;

b that + una proposizione esplicita: *I suggest that he invites his boss as well*, suggerisco che inviti anche il suo capo. In contesti formali il verbo della subordinata, soprattutto nell'inglese americano, può essere al congiuntivo anziché all'indicativo: *The committee suggested that the government make substantial changes to the bill*, la commissione ha suggerito che il governo apporti consistenti modifiche al progetto di legge. Nell'inglese britannico è prevalente invece in questi casi l'uso di should: *The committee suggested*

that the government should make substantial changes to the bill. → **subjunctive**

2 Quando **to suggest** regge un complemento oggetto, spesso il complemento di termine, a differenza dell'italiano, non viene espresso, perché il contesto in genere basta a far capire a chi è rivolto il consiglio o il suggerimento: *Can you suggest a good hotel?*, puoi consigliarci (o consigliarmi) un buon albergo? Se viene espresso, segue normalmente il complemento oggetto ed è preceduto dalla preposizione **to**: *Can you suggest a good hotel to us?* (non ~~Can you suggest us a good hotel?~~).

suggestible /sə'dʒɛstəbl/ a. 1 (*psic.*) suggestionabile 2 suggeribile; consigliabile; proponibile ‖ **suggestibility** n. ⓤ 1 (*psic.*) suggestionabilità 2 l'esser suggeribile (o consigliabile).

♦**suggestion** /sə'dʒɛstʃn/ n. 1 suggerimento; consiglio; proposta: **to make a s.**, dare un suggerimento; fare una proposta 2 cenno; lieve traccia; sfumatura: *There was a s. of boredom in his voice*, c'era una traccia di noia nella sua voce 3 (in frasi interr. e neg.) ben che minima possibilità: *There's never been any s. of his being appointed chairman*, non è mai passato per il capo a nessuno di nominarlo presidente 4 ⓤ (*psic.*) suggestione: **hypnotic s.**, suggestione ipnotica ● **s. box** (o **s. case**), cassetta dei suggerimenti ▢ (*org. az.*) **s. committee**, comitato con funzioni propositive ❶ FALSI AMICI • sug-gestion *significa* suggestione *solo in ambito psicologico*.

suggestive /sə'dʒɛstɪv/ a. 1 che fa pensare (a qc.); che suggerisce (qc.); evocativo (di): *music s. of a calm summer evening*, una musica che fa pensare a (o che evoca) una tranquilla sera estiva 2 sessualmente allusivo; ammiccante; invitante: **a s. look**, un'occhiata invitante ❶ FALSI AMICI • suggestive *non significa* suggestivo ‖ **-ly** avv. | **-ness** n. ⓤ.

suicidal /suːɪ'saɪdl/ a. 1 suicida; di suicidio: (*psic.*) **s. mania**, mania suicida 2 che pensa al suicidio; che ha idee suicide 3 (*fig.*) suicida; fatale; rovinoso; funesto: **a s. policy**, una politica rovinosa ‖ **suicidally** avv. in modo suicida ● **to drive suicidally**, guidare come chi si vuole suicidare.

♦**suicide** /'suːɪsaɪd/ Ⓐ n. 1 ⓊⒸ suicidio: **to attempt s.**, tentare il suicidio; **to commit s.**, suicidarsi; uccidersi; **mass s.**, suicidio collettivo 2 suicida 3 (*fig.*) suicidio: **political s.**, suicidio politico Ⓑ a. suicida: **s. attack**, attacco suicida; **s. pact**, patto suicida ● **s. bomb**, bomba indossata da un attentatore suicida ▢ **s. bomber**, attentatore suicida; uomo-bomba; kamikaze ▢ **s. note**, biglietto del suicida ▢ **s. pact**, patto suicida (o (*slang*) **s. seat**, posto a fianco del guidatore (*di un'automobile*).

to suicide /'suːɪsaɪd/ v. i. (*fam. USA*) suicidarsi; uccidersi.

♦**suit** /suːt, sjuːt/ n. 1 abito completo (*da uomo*); giacca e cravatta 2 abito da donna; tailleur; completo (*in più pezzi*): **a two-piece s.**, un abito in due pezzi; un duepezzi; **three-piece s.**, un tre pezzi (*giacca, pantaloni e gilet*) 3 (*judo, lotta*) tenuta (*di un atleta*) 4 (*sci*) completo (*da sci*) 5 (= **diving s.**) muta (*da subacqueo*) 6 (*form.*) domanda; petizione; richiesta; istanza; supplica: **to grant** [**to make**] **a s.**, accogliere [presentare] una richiesta 7 (*leg., anche* **s. at law, lawsuit**) azione legale; causa; lite; processo: **civil s.**, causa civile; **criminal s.**, causa penale; **to bring** (o **to file**) **a s. against sb.**, far causa a q. 8 (*a carte*) seme; colore; sequenza di più carte dello stesso colore: **long s.**, seme di cui un giocatore ha più carte; quattro (o più) carte dello stesso seme; (*fig.*) (punto) forte; **plain s.**, seme che non è atout; **short s.**, tre

(*o due*) carte dello stesso seme **9** (*fam.*) uomo in grisaglia; manager; funzionario; amministratore **10** (*lett. o arc.*) proposta di matrimonio; corte; corteggiamento: **to plead** (*o* **to press**) **one's s.**, fare una proposta di matrimonio ● (*stor., mil.*) **a s. of armour**, un'armatura (*naut.*) **s. of sails**, corredo di vele; serie completa di vele ▢ **to follow s.**, (*a carte*) rispondere a colore, rispondere; (*fig.*) far lo stesso, fare altrettanto (*seguendo l'esempio di q.*) ▢ **in one's birthday s.**, nudo nato; in costume adamitico ▢ (*fig.*) **one's strong** (*o* **strongest**) **s.**, il proprio (punto) forte: *My strongest s. was maths*, la matematica era il mio forte.

❶ NOTA: *suit o suite?*

Il significato più importante della parola *suit* è "abito completo da uomo" e fa rima con le parole *boot* e *cute*: *to wear a smart pin-stripe suit*, indossare un bel completo gessato. *Suite* significa principalmente "appartamento" o un "complesso, insieme di oggetti": *to stay in the hotel's honeymoon suite*, stare nella suite luna di miele dell'hotel; *a bathroom suite*, arredo per il bagno (lavandino, vasca, WC, ecc.); *a suite of programs*, un pacchetto di programmi informatici. La parola *suite* si pronuncia allo stesso modo di *sweet* e fa rima con *beat* e *feet*.

♦**to suit** /suːt, sjuːt/ Ⓐ v. t. 1 addirsi; essere adatto (o conveniente) per; convenire, andare (o stare) bene a; fare al caso di; fare per; contentare; soddisfare; piacere a (impers.): *Mercy suits a king*, ai re si addice la misericordia; *This colour doesn't suit you at all*, questo colore non ti sta bene (o non ti dona) per niente; *Is there a French course to s. you?*, c'è un corso di francese che potrebbe andarti bene?; *Would 6 o'clock s. you?*, ti andrebbe bene alle 6?; *That suits me just fine*, ciò mi conviene perfettamente; ciò mi fa proprio comodo; *The six o'clock bus will s. him perfectly*, l'autobus delle sei fa proprio al suo caso; *This job doesn't s. me*, questo lavoro non fa per me; *Nothing suits him today*, oggi non gli va bene nulla; *The flat's not particularly big but it suits me*, l'appartamento non è molto grande ma è adatto a me 2 intonarsi con: *Red suits her black hair*, il rosso s'intona con i suoi capelli neri; *Your hat doesn't s. your dress*, il tuo cappellino non s'intona con l'abito 3 adattare; aggiustare; adeguare: *Public speakers should s. their style to their audience*, gli oratori dovrebbero adeguare lo stile al proprio uditorio Ⓑ v. i. addirsi; andar bene; convenire: *Will that time* [*that date*] *s.?*, va bene a quell'ora [quella data]? ● **to s. the action to the word**, far seguire alle parole i fatti; dar corso a una minaccia; mantenere una promessa ▢ **to s. sb. down to the ground**, fare proprio al caso di, andare benissimo a (q.) ▢ (*fam.*) **to s. oneself**, fare a modo proprio; fare come si vuole; fare il proprio comodo: *S. yourself!*, fa' come ti pare!; fa' pure ▢ (*fam.*) **to s. to a T**, andare a pennello; stare alla perfezione ▢ (*teatr., cinem.*) **That part suits him perfectly**, quella parte gli sta a pennello (o pare scritta proprio per lui).

suitability /suːtə'bɪlətɪ, sjuː-/ n. ⓤ adeguatezza; appropriatezza; idoneità; congruità; convenienza; opportunità ● (*letter., arte*) **s. of style**, proprietà di stile.

♦**suitable** /'suːtəbl, 'sjuː-/ a. adeguato; appropriato; adatto; congruo; idoneo; conveniente; opportuno: **a s. answer**, una risposta adeguata (o che ci voleva, che ci voleva); **s. boots for climbing**, scarponi adatti ad arrampicare; **a very s. match**, un partito (*q. da sposare*) assai conveniente; **at a s. moment**, in un momento opportuno; *'He was a member of various s. golf and tennis clubs'* D. LESSING, 'era iscritto a vari appropriati

circoli di golf e di tennis'.

suitableness /'suːtəblnəs, 'sjuː-/ n. ⓤ → **suitability**.

suitably /'suːtəblɪ, 'sjuː-/ avv. come si conviene; adeguatamente; opportunamente; doverosamente: **s. treated material**, materiale opportunamente trattato; *He looked s. ashamed of himself*, aveva tutta l'aria di vergognarsi, e ne aveva ben donde.

♦**suitcase** /'suːtkeɪs, 'sjuː-/ n. valigia.

suite /swiːt/ n. 1 seguito; corteo: **the monarch and his s.**, il monarca e il suo seguito 2 arredo; mobilio, mobilia (*per una stanza*): **a drawing-room s.**, il mobilio per un salotto 3 (= **s. of rooms**) appartamento; (*tur.*) suite: **a four-room s.**, una suite di quattro stanze; **a hotel s.**, un appartamento in un albergo; una suite 4 (*mus.*) suite; sequenza 5 (*comput.*) pacchetto; insieme di programmi 6 (*tecn.*) complesso; insieme: **a bathroom s.**, un complesso per il bagno (*lavandino, vasca, WC, ecc.*); **a three-piece s.**, un salotto di tre pezzi (*sofà e due poltrone*) ❶ NOTA: *suit o suite?* → **suit**.

suited /'suːtɪd, 'sjuː-/ a. adeguato; adatto; conveniente; applicabile (a): *You aren't s. for teaching* (*o* **to be a teacher**), non sei adatto a fare l'insegnante; *Is she suited for* (*o* **to**) *the job?*, è adatta a questo lavoro? ● **a well-s. couple**, una coppia ben assortita.

suiting /'suːtɪŋ, 'sjuː-/ n. ⓤ stoffa (*di lana*) da abiti; tessuto per vestiti (*da uomo*).

suitor /'suːtə(r), 'sjuː-/ n. 1 richiedente; postulante 2 (*lett.*) pretendente; corteggiatore 3 (*leg.*) attore; chi promuove un giudizio.

sulcate /'sʌlkeɪt/ a. (*anat., biol.*) solcato; scanalato.

sulcus /'sʌlkəs/ n. (pl. *sulci*) (*anat., biol.*) solco.

sulfate /'sʌlfeɪt/ e deriv. (*USA*) → **sulphate**, e deriv.

sulfur /'sʌlfə(r)/ n. ⓤ (*USA*) → **sulphur**.

to sulk /sʌlk/ v. i. essere di cattivo umore; essere accigliato (o imbronciato); fare lo scontroso; tenere il broncio ‖ **sulker** n. individuo accigliato; musone, musona (*persona di cattivo umore*).

sulk /sʌlk/ n. (*spesso* **the sulks**, pl.) malumore; broncio; muso; pive: **in a s.**, col broncio; col muso; con le pive; **to have** (o **to be in**) **a fit of the sulks**, essere di malumore; avere il muso; **to go into a s.**, mettere su il broncio.

sulky① /'sʌlkɪ/ a. 1 accigliato; imbronciato; d'umor nero; ingrugnito; intrattabile; scontroso 2 cupo; fosco; tetro; scuro: **a s. day**, una giornata tetra ‖ **sulkily** avv. con aria imbronciata; di malumore; tetramente ‖ **sulkiness** n. ⓤ 1 broncio; malumore; musoneria 2 tetraggine.

sulky② /'sʌlkɪ/ n. (*ipp.*) sulky; sediolo (*calessino del trotto*).

sullage /'sʌlɪdʒ/ n. ⓤ 1 rifiuti; spazzatura; sudiciume 2 melma; fanghiglia 3 (*metall.*) scorie.

sullen /'sʌlən/ a. 1 arcigno; astioso; burbero; malevolo; maligno 2 accigliato; imbronciato; astioso 3 cupo; fosco; tetro: **s. clouds**, fosche nubi 4 lento; pigro | **-ly** avv.

sullenness /'sʌlənnəs/ n. ⓤ 1 l'essere arcigno; astiosità 2 broncio; astio 3 tetraggine 4 lentezza.

to sully /'sʌlɪ/ v. t. (*anche fig.*) macchiare; insudiciare; sporcare: **to s. one's good name**, macchiare la propria reputazione ● **to s. one's victory**, offuscare la propria vittoria.

sulphamide /sʌl'fæmaɪd/ n. ⓤ (*chim.*) sulfamide.

sulphanilamide /sʌlfə'nɪləmaɪd/ n. ⓤ (*chim.*) sulfanilammide, solfanilammide.

a b c d e f g h i j k l m n o p q r s t u v w x y z

sulphate /'sʌlfeɪt/ (*chim.*) n. ⓤ solfato: **s. of copper** (*o* **copper s.**), solfato di rame; **s. of magnesium**, solfato di magnesio; sale inglese ‖ **sulphation** n. ⓤ solfatazione.

sulphide /'sʌlfaɪd/ n. ⓤ (*chim.*) solfuro: **zinc s.**, solfuro di zinco; blenda ● **hydrogen s.**, idrogeno solforato; acido solfidrico.

sulphite /'sʌlfaɪt/ n. ⓤ (*chim.*) solfito: **sodium s.**, solfito di sodio.

sulphonamide /sʌl'fɒnəmaɪd/ n. (*chim.*) solfonammide.

to **sulphonate** /'sʌlfəneɪt/ (*chim.*) v. t. solfonare ‖ **sulphonation** n. ⓤ solfonazione.

sulphone /'sʌlfəʊn/ n. (*chim.*) solfone.

sulphonic /sʌl'fɒnɪk/ a. (*chim.*) solfonico: **s. acid**, acido solfonico.

sulphonyl /'sʌlfənɪl/ n. ⓤ (*chim.*) solfonile.

sulphur /'sʌlfə(r)/ ◀A▶ n. 1 ⓤ (*chim.*) zolfo: **flowers of s.**, fiori di zolfo 2 ⓤ (*anche* **s. yellow**) giallo zolfo 3 (*zool.*, *Colias*) colias (*farfalla gialla*) ◀B▶ a. attr. color zolfo; color verde-giallo ● (*geol.*) **s. ball**, palla di zolfo ● **s. bath**, bagno di zolfo ● (*zool.*) **s.-bottom** (**whale**) (*Balaenoptera sulfurea*), balenottera dal ventre giallo ● (*chim.*) **s. dioxide**, anidride solforosa; diossido di zolfo □ **s. match**, zolfanello ● **a s. mine** (*o* **s. pit**), una miniera di zolfo; una solfatara □ **s. miner**, solfataio; solfataro □ (*miner.*) **s. ore**, pirite di ferro; ferro solforato □ **s. spring**, sorgente sulfurea (*o* solforosa).

to **sulphur** /'sʌlfə(r)/, to **sulphurate** /'sʌlfjʊəreɪt/ (*chim.*, *agric.*) v. t. solforare ‖ **sulphuration** n. ⓤ solforazione.

sulphureous /sʌl'fjʊərɪəs/ a. 1 (*chim.*) sulfureo 2 color zolfo.

sulphuretted /'sʌlfjərɛtɪd/ (*chim.*) solforato: **sulphuretted hydrogen**, idrogeno solforato; acido solfidrico.

sulphuric /sʌl'fjʊərɪk/ a. (*chim.*) solforico: **s. acid**, acido solforico ● **s. ether**, etere solforico; etere etilico.

to **sulphurize** /'sʌlfjʊəraɪz/ (*chim.*, *agric.*) v. t. solforare ‖ **sulphurization** n. ⓤ solforazione.

sulphurous /'sʌlfərəs/ a. 1 (*chim.*) solforoso: **s. acid**, acido solforoso 2 (*fig.*) focoso; infuocato; ardente ● **a s. speech**, un discorso infuocato 3 (*fig.*) che puzza di zolfo; diabolico; infernale 4 blasfemo; profano 5 di color giallo zolfo.

sulphury /'sʌlfərɪ/ a. (*chim.*) sulfureo; simile allo zolfo.

sultan /'sʌltən/ n. 1 sultano 2 (*zool.*, *Porphyrio porphyrio*) pollo sultano ‖ **sultanate** n. sultanato ‖ **sultanic** a. sultanale, sultaniale.

sultana /sʌl'tɑːnə/ n. 1 (= **sultaness**) sultana 2 (*spec. al pl.*) sultanina; uva sultanina 3 (*zool.*) gallina sultana.

sultriness /'sʌltrɪnəs/ n. ⓤ 1 afa; caldo soffocante 2 (*fig.*) passionalità; sensualità.

sultry /'sʌltrɪ/ a. 1 afoso; caldo e umido; soffocante: **s. weather**, tempo afoso 2 (*fig.*) focoso; passionale; appassionato; sensuale ‖ **-ily** avv.

◆**sum** /sʌm/ n. 1 somma; (*mat.*) addizione; totale; importo; ammontare; somma di denaro: **to learn to do sums**, imparare a fare le addizioni; **a considerable sum**, una somma ragguardevole; **a good sum**, una bella somma; **sums allocated**, somme stanziate 2 ⓤ complesso; insieme; quantità complessiva; sintesi: **the sum of our experience**, il complesso delle nostre esperienze 3 ⓤ essenza; conclusione; sostanza; succo (*fig.*): *The sum (and substance) of his objections is this*, questo è il succo delle sue obiezioni 4 compendio; sunto; somma 5 (pl.) (*fam.*) calcolo; aritmetica; numeri (*fam.*): *to be good at sums*, essere bravo in aritmetica 6 (*fig.*) calcolo: *He did a rapid sum in his head*, fece un rapido calcolo mentale ● (*ass.*) **the sum insured**, il capitale assicurato □ **the sum total**, la somma; il totale; la totalità □ **in sum**, in breve; insomma □ (*mat.*) **to work out a sum**, fare una somma; fare un calcolo.

to **sum** /sʌm/ v. t. 1 (*mat.*) sommare; addizionare 2 compendiare; ricapitolare; riassumere ● **to sum into** (*o* **to sum to**), assommare a; ammontare a □ **to sum up**, (*mat.*) addizionare; (*spec. leg.*) riassumere, ricapitolare, riepilogare; valutare, farsi un'idea di (q.): *At the end of a trial the judge sums up for the benefit of the jury*, alla fine di un processo il giudice riepiloga la causa a beneficio della giuria □ **to sum up to**, ammontare a (*una certa somma*) □ (*fig.*) **I summed him up in two minutes**, gli ho preso le misure in due minuti.

sumac, sumach /'ʃuːmæk, suː-/ n. ⓤ (*bot.*, *Rhus coriaria*) sommacco.

Sumerian /suː'mɪərɪən/ (*stor.*) ◀A▶ a. e n. sumero ◀B▶ n. ⓤ sumero (*la lingua*).

Sumerology /suːmɪə'rɒlədʒɪ/ n. ⓤ sumerologia ‖ **Sumerologist** n. sumerologo.

summable /'sʌməbl/ a. sommabile ‖ **summability** n. ⓤ sommabilità.

summa cum laude /sʌməkʌm'lɔːdɪ/ (*lat.*) loc. avv. e a. (*USA*) con (la) lode: **to graduate summa cum laude**, laurearsi con lode; **a summa cum laude degree**, una laurea con la lode.

to **summarize** /'sʌməraɪz/ v. t. compendiare; ricapitolare; riassumere.

◆**summary** /'sʌmərɪ/ ◀A▶ a. sommario; compendioso; per sommi capi; sbrigativo: **a s. account**, una relazione sommaria; (*leg.*) **s. procedure**, procedura sommaria; **s. justice**, giustizia sommaria ◀B▶ n. compendio; riassunto; sunto; scaletta (*fig.*) ● (*leg.*) **s. conviction**, condanna emessa da un giudice (*di primo grado*) in assenza di giuria □ (*leg.*) **s. offence**, reato minore □ (*comput.*) **s. record**, record di riepilogo □ (*banca*, *rag.*) **s. sheet**, riepilogo ‖ **summarily** avv. 1 sommariamente; per sommi capi 2 (*leg.*) con procedura sommaria ‖ **summariness** n. ⓤ sommarietà (*raro*); carattere sommario (*di qc.*).

summat /'sʌmət/ n. (*slang ingl.*) → **something**.

summation /sə'meɪʃn/ n. 1 (*mat.*, = **s. notation**) sommatoria 2 sunto; riassunto; sommario 3 (*leg.*, *USA*) arringa finale.

◆**summer**① /'sʌmə(r)/ ◀A▶ n. ⓤ ⓒ 1 estate: *It happened in s.*, accadde in estate (*o* d'estate) 2 (pl.) (*poet.*) anni: **a maid of twelve summers**, una fanciulla di dodici anni ◀B▶ a. attr. d'estate; estivo: **the s. season**, la stagione estiva; **s. camp**, campo estivo; colonia estiva; **s. school**, scuola estiva (*presso un'università*, *ecc.*); **s. course**, corso estivo (*di studi*, *di conferenze*) ● (*fam.*) **s. complaint**, diarrea estiva □ **s. house**, casa di campagna (*per l'estate*) □ **s. lightning**, lampeggi lontani; lampi d'estate □ (*tur.*) **s. resort**, località di villeggiatura estiva ● **s. solstice**, solstizio d'estate □ **s. sports**, sport che si praticano d'estate □ **s. time**, ora legale; ora estiva □ (*di un abito*) **s.-weight**, leggero; estivo.

summer② /'sʌmə(r)/ n. (*edil.*, *anche* **s. tree**) architrave; trave principale.

to **summer** /'sʌmə(r)/ ◀A▶ v. i. passare l'estate ◀B▶ v. t. far pascolare (*bestiame*) durante l'estate; estivare.

summerhouse /'sʌməhaʊs/ n. chiosco, padiglione (*in un giardino*).

summering /'sʌmərɪŋ/ n. ⓤ estivazione (*del bestiame*); monticazione; alpeggio.

summerless /'sʌmələs/ a. senza estate; che non conosce l'estate.

summersault /'sʌməsɔːlt/ (*rari*) → **som-ersault**.

summertime /'sʌmətaɪm/ n. ⓤ estate; stagione estiva.

summery /'sʌmərɪ/ a. estivo; dell'estate.

summing-up /'sʌmɪŋ'ʌp/ n. 1 (*leg.*) conclusioni (*del giudice*); riepilogo (*del dibattimento*) 2 riepilogo; riassunto.

◆**summit** /'sʌmɪt/ n. 1 sommità; apice; colmo; massimo: **at the s. of one's fame**, all'apice della fama 2 cima; vetta; sommità: **the icy summits of the Alps**, le cime ghiacciate delle Alpi 3 (*polit.*, *anche* **s.-meeting**) (incontro al) vertice; summit: **the NATO s.**, il vertice (della) Nato; **s. conference**, conferenza al vertice.

summiteer /sʌmɪ'tɪə(r)/ n. 1 chi partecipa a un incontro al vertice 2 (*alpinismo*) chi ha scalato una montagna.

summitry /'sʌmɪtrɪ/ n. ⓤ (*polit.*) il tenere incontri al vertice.

to **summon** /'sʌmən/ v. t. 1 (*leg.*) chiamare a comparire; citare (in giudizio) (*nel processo penale*; *cfr.* **to subpoena**): *They were summoned to appear in court*, furono chiamati a comparire in giudizio; **to s. witnesses**, citare i testimoni 2 convocare; chiamare a raccolta; adunare; radunare: **to s. a meeting**, convocare (*o* indire) una riunione; **to s. Parliament**, convocare il Parlamento 3 (*arc.*) invitare; intimare: *They summoned the enemy to surrender*, invitarono il nemico ad arrendersi; intimarono la resa al nemico 4 (*spesso* **to s. up**) fare appello a; raccogliere: *He summoned (up) his energy*, fece appello a tutte le sue energie; *S. (up) your strength*, raccogli le forze! ● **to s. to arms**, chiamare alle armi (*fig.*): *'Helen, whose beauty summoned Greece to arms'* C. MARLOWE, 'Elena, la cui beltà chiamò i greci alle armi' □ **to s. st. up**, richiamare alla mente (*o* evocare) qc. □ **to s. up one's courage**, farsi coraggio; farsi animo; prendere il coraggio a due mani.

❶ NOTA: *summon o summons?*

To summon significa genericamente "convocare": *to be summoned to the manager's office*, essere convocato nell'ufficio del direttore; *I eventually summoned up the courage to ask her to marry me*, alla fine feci appello al mio coraggio per chiederle di sposarmi. Ha anche un'accezione di ambito legale, col significato di "citare in giudizio": *I was summoned to appear in court*, fui citata in giudizio. Il verbo *to summons*, invece, ha esclusivamente questo significato legale, quindi *summonsed* vuol dire "citato in giudizio": *I was summonsed to appear before the magistrates' court*, fui citato in giudizio davanti alla corte dei magistrati. Il sostantivo *summons* significa "mandato di comparizione, citazione in tribunale": *He had been served with a summons to appear in the High Court*, gli fu ingiunto un mandato di comparizione davanti all'Alta Corte di giustizia.

summoner /'sʌmənə(r)/ n. 1 chi chiama a raccolta, chi convoca, ecc. (→ **to summon**) 2 (*stor.*, *leg.*) usciere di tribunale; ufficiale giudiziario.

summons /'sʌmənz/ n. (pl. **summonses**) 1 (*leg.*) mandato di comparizione; citazione: **to serve a s. on sb.**, notificare un mandato di comparizione a q.; **to issue a s.**, emettere un mandato di comparizione 2 convocazione; appello; chiamata; invito: **a s. to arms**, una chiamata alle armi ● (*USA*) **s. book**, libretto delle contravvenzioni (*di un poliziotto*).

to **summons** /'sʌmənz/ v. t. (*leg.*) citare (in giudizio); chiamare a comparire.

sumo /'suːməʊ/ n. ⓤ sumo (*lotta giapponese tra atleti assai corpulenti*).

sump /sʌmp/ n. 1 (*edil.*) pozzo di drenag-

gio; pozzetto **2** (*edil.*) pozzo nero; fossa biologica **3** (*ind. min.*) pozzo di scarico; bacino di pompaggio **4** (*mecc., autom.*) coppa (*dell'olio*); carter: **s. gasket**, guarnizione della coppa.

sumptuary /'sʌm(p)tʃʊərɪ/ *a.* suntuario: **s. law**, legge suntuaria ● (*fin.*) **s. tax**, imposta restrittiva dei consumi; tassa suntuaria.

sumptuous /'sʌm(p)tʃʊəs/ *a.* sontuoso; fastoso; sfarzoso: **a s. dinner**, un pranzo sontuoso | **-ly avv.**

sumptuousness /'sʌm(p)tʃʊəsnəs/ *n.* ⓤ sontuosità; sfarzo.

♦**sun** /sʌn/ *n.* ⓊⒸ (*astron.*) sole (*anche fig.*); luce del sole; astro, stella (*in genere*); (*poet., retor.*) giorno, anno: *The sun is rising*, sorge il sole; *The sun is down*, il sole è tramontato; **to sit in the sun**, star seduto al sole; **to catch the sun**, prendere il sole: *You've certainly caught the sun!*, certo che hai preso un po' di sole!; *I have the sun in my eyes*, ho il sole negli occhi; *I've had too much sun*, ho preso troppo sole; **to rise with the sun**, levarsi col sole; alzarsi di buonora; (*astron.*) **the midnight sun**, il sole di mezzanotte; (*fig.*) *His sun is set*, la sua stella è tramontata ● (*mecc.*) **sun-and-planet gear** (*o* **wheels**), rotismo epicicloidale; treno planetario □ **sun-baked**, cotto (*o* riarso) dal sole; (*anche*) pieno di sole, assolato □ **sun-bath**, bagno di sole □ **sun-blind**, tenda, telone (*a una finestra*) □ **sun bonnet**, cappellino da sole □ (*naut.*) **sun compass**, bussola solare □ (*cosmesi*) **sun cream**, crema abbronzante □ **sun cure**, cura del sole; elioterapia □ (*di carne, ecc.*) **sun-cured**, seccato al sole □ **sun dance**, danza del sole (*degli Indiani d'America*) □ **sun deck**, (*naut.*) ponte scoperto, ponte sole, solarium; (*USA, Austral.*) terrazza per prendere il sole □ (*di frutta, ecc.*) **sun--dried**, seccato al sole □ **sun filter** → **sunscreen** □ **sun furnace**, forno solare □ (*mecc.*) **sun gear**, ruota planetaria □ **sun god**, dio del sole; il Sole (*come divinità*) □ **sun hat**, cappello da sole □ **sun helmet**, casco coloniale □ **sun-kissed**, baciato dal sole □ **sun lounge** (*o, USA,* **sun parlour, sun porch**), veranda; stanza a vetrate (*esposta al sole*) □ **sun power**, energia solare □ **sun rays**, raggi del sole □ (*elettron.*) **sun sensor**, sensore solare □ (*fam.*) **sun-up**, levar del sole; aurora; alba □ **sun visor**, (*di cappello*) visiera; (*autom.*) aletta parasole □ **sun worship**, (*relig.*) culto (*o* adorazione) del sole; (*fam.*) mania del bagno di sole □ **sun worshipper**, adoratore del sole; (*fam.*) fanatico dei bagni di sole □ **against the sun**, controluce; (*scient., naut.*) in senso antiorario □ **to bask in the sun**, crogiolarsi al sole □ (*fig.*) **to hail** (*o* **to adore**) **the rising sun**, rendere omaggio all'astro nascente; cercare d'ingraziarsi un nuovo potente □ (*fig.*) **to hold a candle to the sun**, portar acqua al mare (*o* vasi a Samo); fare un lavoro inutile □ **to let in the sun**, lasciar entrare il sole □ (*poet.*) **to see the sun**, vedere la luce del sole; essere tra i vivi □ (*naut.*) **to take** (*o* **to shoot**) **the sun**, fare il punto prendendo l'altezza del sole □ (*scient., naut.*) **with the sun**, in senso orario □ (*prov.*) **Nothing new under the sun**, niente di nuovo sotto il sole.

to **sun** /sʌn/ Ⓐ *v. t.* soleggiare; esporre al sole; asciugare al sole: **to sun oneself**, prendere il sole; crogiolarsi al sole Ⓑ *v. i.* prendere il sole; crogiolarsi al sole.

Sun. *abbr.* (**Sunday**) domenica (Dom.).

sunbath /'sʌnbɑːθ/ *n.* bagno di sole: **to take a s.**, fare un bagno di sole; prendere il sole.

to **sunbathe** /'sʌnbeɪð/ *v. i.* fare la cura del sole; prendere il sole ‖ **sunbather** *n.* chi fa bagni di sole; chi prende il sole ‖ **sunbathing** *n.* ⓤ bagni di sole; cura del sole; elioterapia.

sunbeam /'sʌnbiːm/ *n.* **1** raggio di sole **2** (*fam. scherz.*) persona allegra, felice; bambino contento come una Pasqua **3** (*al vocat.*) tesoro; bellezza.

sunbed /'sʌnbɛd/ *n.* lettino per l'esposizione ai raggi ultravioletti; solarium.

sunbelt /'sʌnbɛlt/ *n.* (*geogr.*) (la) zona del sole (*il sud-ovest degli USA*).

sunblock /'sʌnblɒk/ *n.* ⓊⒸ crema solare.

sunbow /'sʌnbəʊ/ *n.* arcobaleno (*negli spruzzi di una cascata d'acqua e sim.; cfr.* **rainbow**).

sunbreak /'sʌnbreɪk/ *n.* **1** squarcio di sereno **2** ⓤ alba; lo spuntare del giorno.

sunburn /'sʌnbɜːn/ *n.* ⓤ **1** (*med.*) eritema solare; scottatura (*da eccessiva esposizione al sole*) **2** abbronzatura ‖ **sunburned, sunburnt** *a.* **1** arso dal sole; bruciato (*o* scottato) dal sole **2** abbronzato; annerito dal sole ● **to get sunburned**, scottarsi, prendere una scottatura.

sunburst /'sʌnbɜːst/ *n.* **1** sprazzo di sole; improvviso apparire del sole (*per es., fra le nubi*) **2** gioiello (*o* fuoco d'artificio, ecc.) in forma di sole raggiante.

to **sun-cure** /'sʌnkjʊə(r)/ *v. t.* seccare (*alimenti*) al sole.

sundae /'sʌndeɪ/ *n.* gelato con pezzetti di frutta, panna montata, ecc.

♦**Sunday** /'sʌndeɪ/ *n.* ⓊⒸ domenica: *I go to church on Sundays*, vado in chiesa la domenica. *Per gli esempi d'uso* → **Tuesday** ● **one's S. clothes** (*fam.* **one's S. best**), il vestito della domenica; l'àbito da festa; il vestito buono (*fam.*) □ **S. driver**, guidatore della domenica □ (*in GB, cucina*) **the S. joint** (*o* **roast**), l'arrosto della domenica (*tipico delle case inglesi*) □ **S. painter**, pittore della domenica; pittore dilettante □ **S. paper**, giornale della domenica (*assai più grosso*) □ **S. school**, scuola domenicale di catechismo; la dottrina (*fam.*) □ **S. supplement**, supplemento domenicale (*di un giornale*) □ **Easter S.**, domenica di Pasqua □ (*relig.*) **to keep S.**, osservare la domenica.

Sundays /'sʌndeɪz/ *avv.* (*fam.*) di domenica; ogni domenica.

to **sunder** /'sʌndə(r)/ (*poet.*) Ⓐ *v. t.* disgiungere; disunire; scindere; separare Ⓑ *v. i.* dividersi; separarsi.

sundew /'sʌndjuː, USA -duː/ *n.* (*bot., Drosera*) drosera ● (*bot.*) **common** (*o* **round-leaved**) **s.** (*Drosera rotundifolia*), rosolida.

sundial /'sʌndaɪl/ *n.* meridiana; orologio solare.

sundog, sun dog /'sʌndɒg/ *n.* (*astron., meteor.*) parelio.

sundown /'sʌndaʊn/ *n.* ⓤ (*spec. USA*) tramonto: **at s.**, al tramonto; *'It was just s. when we cast anchor in a most beautiful land-locked spot'* R.L. STEVENSON, 'era appena il tramonto quando gettammo l'ancora in un bellissimo golfo circondato da terre'.

sundowner /'sʌndaʊnə(r)/ *n.* **1** (*fam.*) aperitivo serale **2** (*Austral.*) vagabondo scroccone (*che arriva al calar del sole*).

sundrenched /'sʌndrɛntʃt/ *a.* inondato di sole; assolato.

sundress /'sʌndrɛs/ *n.* prendisole (*indumento*).

sundries /'sʌndrɪz/ *n. pl.* **1** oggetti di vario genere **2** (*comm.*) articoli vari **3** (*rag.*) spese diverse; creditori diversi; «diversi»: **s. account**, conto creditori diversi.

sundry /'sʌndrɪ/ *a.* diversi; vari: **s. items of clothing**, diversi capi di vestiario ● **all and s.**, tutti quanti; tutti indistintamente.

sunfast /'sʌnfɑːst/ *a.* (*USA*) (*di un colore*) resistente al sole; che non sbiadisce.

sunfish /'sʌnfɪʃ/ *n.* (pl. **sunfish, sunfishes**) (*zool.*) **1** pesce dei Molidi (*in genere*) **2** (*Mola mola*) pesce mola; pesce luna; pesce tamburo **3** (*Eupomotis gibbosus*) persico sole.

sunflower /'sʌnflaʊə(r)/ *n.* (*bot., Helianthus annuus*) girasole.

sung /sʌŋ/ *p. p. di* **to sing**.

sunglasses /'sʌnɡlɑːsɪz/ *n. pl.* occhiali da sole.

sunk /sʌŋk/ Ⓐ *p. p. di* **to sink** Ⓑ *a.* **1** immerso; sprofondato: **to be s. in thought**, essere immerso nei pensieri (*o* meditabondo) **2** (*fam.*) rovinato; spacciato; fritto (*fam.*): *If we can't get a loan, we're s.*, se non ci fanno un prestito, siamo fregati ● (*rag.*) **s. costs**, costi sommersi.

sunken /'sʌŋkən/ *a.* **1** affondato: **a s. ship**, una nave affondata **2** sommerso: **a s. wreck**, un relitto sommerso **3** sprofondato: **a s. road**, una strada sprofondata **4** incavato; infossato: **s. eyes**, occhi incavati; **s. cheeks**, guance infossate ● **a s. garden**, un giardino incassato (*artificiale: con rocce, ecc.; in GB*) □ (*edil.*) **s. storey**, interrato; seminterrato.

sunlamp /'sʌnlæmp/ *n.* lampada solare (*o* a raggi ultravioletti); lampada abbronzante.

sunless /'sʌnləs/ *a.* **1** senza sole **2** (*fig.*) cupo; tetro ‖ **sunlessness** *n.* ⓤ assenza di sole; mancanza di sole.

sunlight /'sʌnlaɪt/ *n.* ⓤ luce del sole; luce solare.

sunlit /'sʌnlɪt/ *a.* soleggiato; assolato; illuminato dal sole.

sunn /sʌn/ *n.* (*bot., Crotalaria juncea; = s. hemp*) canapa di Calcutta.

Sunna, Sunnah /'sʌnə/ *n.* (*relig.*) Sunna (*tradizione orale maomettana*).

sunnies /'sʌnɪz/ *n. pl.* (*Austral.*) occhiali da sole.

sunniness /'sʌnɪnəs/ *n.* ⓤ **1** esposizione al sole; l'essere soleggiato **2** (*fig.*) allegria; felicità; gioia.

Sunnite /'sʌnaɪt/ *n.* (*relig.*) sunnita.

♦**sunny** /'sʌnɪ/ *a.* **1** soleggiato; solatio; aprico (*lett.*); esposto al sole; assolato: **the s. side of a house**, il lato d'una casa esposto al sole; **a s. room**, una stanza soleggiata; **a s. country**, una terra solatia; **s. skies**, cieli assolati **2** (*fig.*) allegro; felice; gioioso; radioso: **a s. temper**, un carattere allegro; **a s. smile**, un sorriso radioso ● **the s. side of the matter**, il lato buono della faccenda □ (*di un uovo*) **s.-side up**, (*cotto*) all'occhio di bue □ (*meteor.*) **a s. spell**, uno sprazzo di sole; un po' di sole □ **to be in a s. mood**, essere allegro, euforico □ (*meteor.*) **s. patches**, squarci di sereno □ (*fig.*) **to look on the s. side of things**, vedere il lato buono delle cose; essere ottimista □ **to be on the s. side of forty**, non avere ancora passato i quarant'anni □ **It's s. today**, oggi c'è il sole □ | **-ily avv.**

sunproof /'sʌnpruːf/ *a.* che non sbiadisce al sole; resistente ai raggi del sole.

sunrash /'sʌnræʃ/ *n.* (*med.*) eritema solare.

sunray /'sʌnreɪ/ *n.* **1** raggio solare **2** (*fis.*) raggio ultravioletto: **s. lamp**, lampada a raggi ultravioletti.

sunrise /'sʌnraɪz/ *n.* ⓊⒸ levar del sole; aurora; alba ● **s. industry**, industria avanzata (*o* dell'avvenire).

sunroof /'sʌnruːf/ *n.* **1** (*edil.*) lastrico solare; solarium **2** (*autom.*) tettuccio apribile.

sunscreen /'sʌnskriːn/ *n.* **1** schermo solare **2** (*cosmesi*) crema (*o* lozione) solare.

sunseeker /'sʌnsiːkə(r)/ *n.* chi va in cerca di luoghi assolati per villeggiare; turista che va al sud.

sunset /'sʌnsɛt/ *n.* ⓊⒸ (*anche fig.*) tramonto: **the s. of life**, il tramonto della vita ● (*USA*) **s. home**, casa di riposo per anziani; casa protetta.

sunshade /'sʌnʃeɪd/ *n.* **1** parasole; om-

brellino da sole **2** tenda; telone (*di bottega, ecc.*) **3** visiera **4** (pl.) (*slang*) occhiali da sole.

sunshield /'sʌnʃiːld/ n. parasole.

♦**sunshine** /'sʌnʃaɪn/ n. ⓤ **1** luce del sole; splendore del sole; sole; bel tempo: **to walk in the s.**, passeggiare al sole, in pieno sole; **quite strong s.**, sole assai potente **2** (*fig.*) allegria; letizia; felicità; gioia **3** (al vocat.) tesoro; bellezza ● (*meteor.*) **s. recorder**, eliografo □ (*autom.*) **s. roof**, tettuccio apribile □ (*med.*) **s. treatment**, elioterapia || **sunshiny** a. **1** assolato; soleggiato; solatio; pieno di sole: **a sunshiny day**, una giornata (piena) di sole **2** (*fig.*) allegro; felice; gioioso: **a sunshiny smile**, un sorriso gioioso.

sunspot /'sʌnspɒt/ n. **1** (*astron.*) macchia solare **2** (*tur.*) luogo (*o paese*) del sole.

sunstone /'sʌnstəʊn/ n. (*miner.*) pietra del sole; eliolite.

sunstroke /'sʌnstrəʊk/ n. ⓤ (*med.*) colpo di sole; insolazione.

sunsuit /'sʌnsuːt, -sjuːt/ n. (*USA*) prendisole (*indumento*).

suntan /'sʌntæn/ n. abbronzatura; tintarella (*fam.*): **a deep s.**, una bella tintarella ● **s. centre**, centro solare (*per il trattamento con la lampada abbronzante*) □ **s. cream**, crema abbronzante; crema solare || **suntanned** a. abbronzato (dal sole): **suntanned face**, viso abbronzato.

suntrap /'sʌntræp/ n. (*fam.*) luogo (*o paese*) pieno di sole.

sunward /'sʌnwəd/ Ⓐ a. esposto al sole; volto verso il sole Ⓑ avv. → **sunwards**.

sunwards /'sʌnwədz/ avv. verso il sole; in direzione del sole.

sunwise /'sʌnwaɪz/ avv. (*scient., naut.*) nella direzione del moto apparente del sole; in senso orario.

sup /sʌp/ n. (*scozz. e ingl. sett.*) sorso: **with neither bite nor sup**, senza né un boccone né un sorso; a bocca asciutta; a stomaco vuoto.

to **sup**① /sʌp/ v. t. e i. (*scozz. e ingl. sett.*) bere a piccoli sorsi; sorseggiare: **to sup tea**, sorseggiare il tè.

to **sup**② /sʌp/ Ⓐ v. t. dare il pasto serale a (*cani da caccia, ecc.*) Ⓑ v. i. (*arc.*) cenare ● **to sup off (o on) st.**, cenare con qc.; fare una cena a base di qc.

sup. abbr. (**superior**) superiore (sup.).

♦**super** /'suːpə(r)/ (*fam.*) Ⓐ n. **1** (*cinem., teatr.*) comparsa **2** sovrintendente (*spec. di polizia*) **3** (*comm.*) qualità superiore **4** (*comm.*) prodotto eccellente; prodotto di qualità superiore **5** (*di stufa a gas, ecc.*) (posizione di) massimo **6** (benzina) super; supercarburante (*raro*) **7** (*USA*) custode di un condominio **8** (*USA*) caposquadra (di operai) Ⓑ a. **1** (*fam., antiq.*) favoloso (*fam.*); stupendo; eccellente; (*spesso iron.*) grande: **a s. party**, una festa stupenda **2** (*comm.*) super; di prima qualità Ⓒ inter. (*fam. ingl.*) formidabile!; ottimo!; benissimo! ● (*USA, sport*) **S. Bowl**, il Superbowl ❶ **CULTURA ● Super Bowl:** *è la partita di coppa della* **NFL** (**National Football League**). *Viene disputata tra le squadre vincitrici del campionato dell'AFC* (**American Football Conference**) *e del* **NFC** (**National Football Conference**) *in una domenica di fine gennaio, detta* **Super Bowl Sunday**, *ed è forse l'avvenimento sportivo e televisivo più seguito degli Stati Uniti* □ (*autom.*) **s. touring car**, granturismo (sost. f.).

super. abbr. **1** (**superior**) superiore **2** (**supernumerary**) soprannumerario.

superable /'suːpərəbl/ a. superabile || **superability** n. ⓤ superabilità.

to **superabound** /superə'baʊnd/ v. i. sovrabbondare; abbondare.

superabundant /superə'bʌndənt/ a. sovrabbondante; assai abbondante; eccessivo || **superabundantly** avv. sovrabbondantemente; eccessivamente || **superabundance** n. ⓤ sovrabbondanza.

to **superadd** /suːpər'æd/ v. t. aggiungere in più || **superaddition** n. ⓤ aggiunta in più; sopraggiunta.

superalloy /suːpər'ælɔɪ/ n. (*metall.*) superlega.

superaltar /'suːpərɔːltə(r)/ n. (*relig.*) **1** pietra consacrata (*posta su un altare non ancora consacrato*) **2** dossale (*di altare*).

to **superannuate** /suːpər'ænjʊeɪt/ Ⓐ v. t. **1** mettere (*un impiegato, ecc.*) in pensione; collocare a riposo (*per raggiunti limiti d'età*); pensionare; giubilare **2** scartare (*un oggetto, macchinario, ecc.*) perché antiquato **3** rendere (qc.) antiquato (*o superato*) **4** chiedere il ritiro dalla scuola di (*un alunno che ha superato il limite d'età o il cui profitto è troppo scarso*) Ⓑ v. i. **1** raggiunger l'età pensionabile **2** diventare antiquato (*o obsoleto*).

superannuated /suːpər'ænjʊeɪtɪd/ a. **1** pensionato; collocato a riposo; giubilato (*fam.*) **2** (*d'idee, di macchinario, ecc.*) antiquato; obsoleto; troppo vecchio; superato.

superannuation /suːpərænjʊ'eɪʃn/ n. ⓤ **1** collocamento a riposo; andata in pensione (*per limiti d'età*) **2** pensione (*per raggiunti limiti d'età*) **3** (*di macchinario, ecc.*) l'essere antiquato; obsolescenza **4** (*in talune scuole*) raggiungimento del limite massimo di età (*di uno studente*) ● **s. fund**, fondo pensioni □ **s. payment**, contributo pensionistico.

♦**superb** /suː'pɜːb/ a. **1** eccellente; splendido; magnifico; superbo: **s. food**, cibo eccellente; **a s. specimen**, un magnifico esemplare; **a s. performance**, un'esecuzione superba; **a s. voice**, una voce stupenda; *She looked s.*, era splendida **2** magnifico; grandioso; sfarzoso; superbo: **a s. palace**, un palazzo magnifico ● **❶ FALSI AMICI ● superb** *non significa* **superbo** *nel senso di altezzoso o fiero* | **-ly** avv. | **-ness** n. ⓤ.

superbike /'suːpəbaɪk/ n. **1** bicicletta superattrezzata **2** maximoto.

superbomb /'suːpəbɒm/ n. (*mil.*) superbomba.

superbug /'suːpəbʌg/ n. (*fam., med.*) supervirus (*resistente agli antibiotici*).

supercalender /suːpə'kæləndə(r)/ n. (*ind.*) calandra a più rulli || **supercalendered** a. (*di tessuto*) lavorato con una calandra a più rulli ● (*ind. carta*) **supercalendered paper**, carta superpatinata || **supercalendering** n. ⓤ (*tecn.*) calandratura a più rulli.

supercargo /'suːpəkɑːgəʊ/ n. (pl. **supercargos**, **supercargoes**) (*naut.*) rappresentante dell'armatore che sovrintende alle operazioni di carico e di vendita della merce.

supercharge /'suːpətʃɑːdʒ/ n. **1** (*mecc.*) carica di sovralimentazione **2** (*slang*) crack (*droga*).

to **supercharge** /'suːpətʃɑːdʒ/ v. t. **1** (*mecc.*) sovralimentare (*un motore*) **2** (*fig.*) sovraccaricare; rendere (*un ambiente, ecc.*) carico di emozione (di tensione, ecc.).

supercharged /'suːpətʃɑːdʒd/ a. **1** (*di un motore*) sovralimentato **2** (*fig.*) teso; appassionato; carico d'emozione **3** (*fig.: di persona*) pieno di vita; su di giri (*fam.*); gasato (*pop.*).

supercharger /'suːpətʃɑːdʒə(r)/ n. (*mecc.*) compressore; sovralimentatore.

supercharging /'suːpətʃɑːdʒɪŋ/ n. (*mecc.*) sovralimentazione.

superciliary /suːpə'sɪlɪərɪ/ a. (*scient.*) sopracciliare.

supercilious /suːpə'sɪlɪəs/ a. altezzoso; altero; arrogante; borioso; sdegnoso; sprez-

zante | **-ly** avv. | **-ness** n. ⓤ.

supercity /'suːpəsɪtɪ/ n. (*urbanistica*) megalopoli.

supercompressed /suːpəkəm'prest/ a. (*mecc.: di un motore*) surcompresso.

supercompression /suːpəkəm'preʃn/ n. ⓤ (*mecc.*) surcompressione.

supercomputer /'suːpəkəmpjuːtə(r)/ n. (*comput.*) supercomputer.

superconductivity /suːpəkɒndʌk'tɪvətɪ/ (*fis.*) n. ⓤ superconduttività || **superconducting** a. superconduttore || **superconductive** a. superconduttivo.

superconductor /suːpəkən'dʌktə(r)/ n. (*fis.*) superconduttore.

supercool /suːpə'kuːl/ a. (*slang USA*) calmissimo; rilassato; impassibile.

to **supercool** /suːpə'kuːl/ (*fis., chim.*) v. t. sopraraffreddare; sottoporre a sopraffusione || **supercooling** n. ⓤ sopraffusione; sopraraffreddamento.

supercritical /suːpə'krɪtɪkl/ a. (*fis. nucl.*) supercritico; ipercritico.

superdominant /suːpə'dɒmɪnənt/ n. (*mus.*) sopraddominante.

superduper /suːpə'duːpə(r)/ a. (*slang*) favoloso; meraviglioso; stupendo; straordinario; super.

superego /'suːpəregəʊ/ n. (pl. **superegos**) (*psic.*) super-io; super-ego.

superelevation /suːpərelɪ'veɪʃn/ n. **1** (*costr. stradali, ferr.*) soprelevazione, sopraelevazione **2** (*mil.*) sopraelevazione; alzo (*di cannone, ecc.*).

supereminent /suːpər'emɪnənt/ a. sovreminente || **supereminently** avv. sovreminentemente || **supereminence** n. ⓤ sovreminenza.

supererogation /suːpərerə'geɪʃn/ n. ⓤ **1** (*spec. relig.*) supererogazione **2** zelo eccessivo || **supererogatory** a. **1** supererogatorio **2** troppo zelante.

superette /suːpə'ret/ n. (*market.*) piccolo supermercato.

superexcellent /suːpər'eksələnt/ a. sovraeccellente.

superfamily /suːpə'fæmlɪ/ n. (*biol.*) superfamiglia.

superfeatherweight /suːpə'feðəweɪt/ n. (*boxe*) (peso) piuma super.

superfecundation /suːpəfekən'deɪʃn/ n. (*fisiol.*) superfecondazione.

superfetation /suːpəfiː'teɪʃn/ n. (*biol. e fig.*) superfetazione.

superficial /suːpə'fɪʃl/ a. **1** superficiale: **a s. wound**, una ferita superficiale; **a s. person**, una persona superficiale **2** (*di misura*) di superficie; quadrato: **a s. foot**, un piede quadrato | **-ly** avv. | **-ness** n. ⓤ.

superficiality /suːpəfɪʃɪ'ælətɪ/ n. ⓤⓒ superficialità.

superficies /suːpə'fɪʃiːz/ n. (inv. al pl.) superficie.

superfine /suːpə'faɪn/ a. **1** (*di merce*) sopraffino; finissimo **2** (*di persona*) troppo raffinato; troppo elegante; affettato ● **a s. distinction**, una distinzione fin troppo sottile □ (*comm.*) **s. flour**, farina finissima; farina doppio zero.

superfluidity /suːpəfluː'ɪdətɪ/ (*chim., fis.*) n. ⓤ superfluidità || **superfluid** n. superfluido.

superfluity /suːpə'fluːətɪ/ n. ⓤⓒ (*form.*) **1** superfluità; eccesso **2** superfluo; soprappiù; cosa superflua.

superfluous /suː'pɜːfluəs/ a. superfluo; eccessivo; in eccesso || **superfluously** avv. superfluamente || **superfluousness** n. ⓤ eccesso; eccessività.

superfood /'suːpəfuːd/ n. ⓤⓒ alimento naturale ad alto contenuto nutritivo; superali-

mento.

supergiant /'su:pədʒaɪənt/ *n.* (*astron.*) (stella) supergigante.

superglue® /'su:pəglu:/ *n.* Ⓤ supercolla.

supergrass /'su:pəɡrɑ:s/ *n.* (*slang ingl.*) superinformatore, prezioso collaboratore (*della polizia*); (*in Italia*) superpentito.

supergroup /'su:pəɡru:p/ *n.* (*mus.*) superband (*gruppo musicale di grande successo spesso formato da componenti famosi di diversi gruppi*).

to **superheat** /'su:pəhi:t/ *v. t.* surriscaldare ‖ **superheater** *n.* surriscaldatore (*apparecchio*) ‖ **superheating** *n.* Ⓤ surriscaldamento.

superheavy /su:pə'hɛvɪ/ *a.* (*chim.*) superpesante: **s. element**, elemento superpesante.

superhero /'su:pəhɪərəʊ/ *n.* (pl. *superheroes*) (*TV, cinem., fumetti, ecc.*) supereroe.

superhet /'su:pəhɛt/ *n.* abbr. *fam. di* **superheterodyne receiver**.

superheterodyne /su:pə'hɛtərədaɪn/ *n.* (*elettron.*) supereterodina ● (*radio*) **s. receiver**, ricevitore a supereterodina.

superhigh /'su:pəhaɪ/ *a.* (*tecn.*) superalto: (*elettron.*) **s. frequency**, altezza superalta; banda 10.

superhighway /'su:pəhaɪweɪ/ *n.* **1** superstrada **2** (*USA*) autostrada (*in genere*).

superhuman /su:pə'hju:mən/ *a.* sovrumano | **-ly** *avv.*

to **superimpose** /su:pərɪm'pəʊz/ *v. t.* sovrapporre; sovrimporre ‖ **superimposed** *a.* sovrapposto; sovrimposto; sovrimposto ● (*geol.*) **superimposed glacier**, ghiacciaio sovrapposto ‖ **superimposition** *n.* Ⓤ sovrapposizione.

superincumbent /su:pərɪn'kʌmbənt/ *a.* sovrastante; incombente.

to **superinduce** /su:pərɪn'dju:s/ *USA* -'du:s/ *v. t.* aggiungere, introdurre (*un elemento, un fattore nuovo, ecc.*).

superinfection /su:pərɪn'fɛkʃn/ *n.* Ⓤ (*med.*) superinfezione.

superintelligent /su:pərɪn'tɛlɪdʒənt/ *a.* superintelligente; ultraintelligente.

to **superintend** /su:pərɪn'tɛnd/ *v. t. e i.* soprintendere (a); dirigere; sorvegliare; controllare: **to s. the works**, dirigere i lavori ‖ **superintendence** *n.* Ⓤ soprintendenza, sovrintendenza; direzione; sorveglianza ‖ **superintendency** *n.* Ⓤ sovrintendenza (*spec. l'ufficio*).

superintendent /su:pərɪn'tɛndənt/ *n.* **1** soprintendente, sovrintendente; direttore; supervisore; sorvegliante **2** (*nella polizia*) sovrintendente (*in GB; cfr. ital. «commissario»*) **3** (*USA: nella polizia*) sovrintendente (*cfr. ital. «questore»*) **4** (*spec. USA;* = **building s.**) custode (*di un condominio*).

◆**superior** /su:'pɪərɪə(r)/ Ⓐ *a.* **1** superiore: **s. rank**, grado superiore; (*mil.*) **s. officers**, ufficiali superiori; **animals belonging to a s. order**, animali che appartengono a un ordine superiore; (*zool.*) **the s. wings of an insect**, le ali superiori di un insetto **2** (*anche market.*) di qualità superiore; eccellente; ottimo; di prima qualità: *These are s. goods*, questa merce è di prima qualità; **a class of s. pupils**, una classe di scolari eccellenti **3** (*che si dà arie*) di superiorità; arrogante; altezzoso; borioso; sprezzante: **a s. smile**, un sorrisetto di superiorità **4** (*fig.*) superiore; che è al di sopra: *He is s. to bribery*, è superiore a ogni tentativo di corruzione; è incorruttibile **5** (*bot.*) supero (*detto di ovario*) Ⓑ *n.* **1** superiore: *He is deferential to his superiors*, è rispettoso coi i superiori **2** (*relig.*) superiore (*di convento*): **the Father S.**, il padre superiore ● (*leg.*) **s. court**, tribu-

nale di seconda istanza □ (*leg., in GB*) **the s. courts**, l'Alta Corte, la Corte d'Appello e la Camera dei Lord □ (*tipogr.*) **s. figures** [**letters**], cifre [lettere] stampate sopra la riga □ (*ottica*) **s. mirage**, miraggio superiore □ (*mil.*) **s. numbers**, superiorità numerica; forze preponderanti □ **s. persons**, persone colte; uomini superiori; (*iron.*) saccenti, sapientoni; gente che si dà arie di superiorità □ (*astron.*) **s. planet**, pianeta superiore □ **s. to**, superiore a, migliore di: *Her first novel is s. to this one*, il suo primo romanzo è migliore di questo □ **by s. wisdom**, con grande saggezza □ (*fig.*) **to rise s. to**, essere (o mostrarsi) superiore a; non dar peso a □ **with a s. air**, con aria di superiorità □ **You are my s. in technical ability**, come tecnico sei più bravo di me □ **He has no s. in courage**, quanto a coraggio, nessuno lo supera.

superiority /su:pɪərɪ'ɒrətɪ/ *n.* Ⓤ superiorità ● (*psic.*) **s. complex**, complesso di superiorità.

superiorly /su:'pɪərɪəlɪ/ *avv.* **1** superiormente; a un grado (o a un livello) più alto **2** di più **3** meglio **4** con aria di superiorità.

superjacent /su:pə'dʒeɪsnt/ *a.* sovrastante; incombente.

◆**superlative** /su:'pɜ:lətɪv/ Ⓐ *a.* superlativo; eccellente; sommo: (*gramm.*) **s. degree**, grado superlativo; **s. beauty**, bellezza superlativa, **s. goodness**, somma bontà Ⓑ *n.* (*gramm.*) superlativo: **to speak in superlatives**, usare un linguaggio iperbolico | **-ly** *avv.* ❶ NOTA: *comparative* → **comparative**

superlativeness /su:'pɜ:lətɪvnəs/ *n.* Ⓤ l'essere superlativo; eccellenza; massimo grado; perfezione.

superlunary /su:pə'lu:nərɪ/ *a.* **1** situato al di là della luna; translunare **2** celeste; celestiale.

superman /'su:pəmæn/ *n.* (pl. *supermen*) superuomo (*anche filos.*).

◆**supermarket** /'su:pəmɑ:kɪt/ *n.* supermercato; grande emporio; grande magazzino.

supermiddleweight /su:pə'mɪdlweɪt/ *n.* (*boxe*) supermedio.

supermodel /'su:pəmɒdəl/ *n.* (*moda*) supermodel.

supermundane /su:pə'mʌndeɪn/ *a.* **1** ultramondano; ultraterreno **2** fantastico; irreale.

supernal /su:'pɜ:nl/ *a.* (*lett.*) superno; celeste; etereo; divino.

supernatant /su:pə'neɪtənt/ *a.* (*tecn.*) galleggiante; che sta alla superficie dell'acqua ● (*chim., ind.*) **s. liquor**, supernatante.

supernational /su:pə'næʃnəl/ *e deriv.* → **supranational**, *e deriv.*

supernatural /su:pə'nætʃrəl/ *a.* soprannaturale: **a s. being**, un essere soprannaturale ● **the s.**, il soprannaturale □ **s. strength**, forza sovrumana | **-ly** *avv.* | **-ness** *n.* Ⓤ

supernaturalism /su:pə'nætʃrəlɪzəm/ (*filos., relig.*) *n.* Ⓤ soprannaturalismo; fede nel soprannaturale ‖ **supernaturalist** *n.* chi crede nel soprannaturale.

supernormal /su:pə'nɔ:ml/ *a.* superiore alla norma; più che normale.

supernova /su:pə'nəʊvə/ *n.* (pl. *supernovas*, *supernovae*) (*astron.*) supernova.

supernumerary /su:pə'nju:mrərɪ/ Ⓐ *a.* **1** soprannumerario; in eccesso **2** aggiuntivo; extra Ⓑ *n.* **1** impiegato soprannumerario; soprannumerario **2** cosa superflua **3** (*cinem., teatr.*) comparsa.

supernutrition /su:pənju:'trɪʃn/ *n.* Ⓤ (*med.*) supernutrizione; ipernutrizione.

superorder /'su:pərɔ:də(r)/ *n.* (*biol.*) superordine.

superphosphate /su:pə'fɒsfeɪt/ *n.*

(*chim.*) perfosfato; superfosfato.

superposable /su:pə'pəʊzəbl/ *a.* sovrapponibile.

to **superpose** /su:pə'pəʊz/ *v. t.* (*spec. geom.*) sovrapporre ‖ **superposition** *n.* Ⓤ sovrapposizione.

superposed /su:pə'pəʊzd/ *a.* (*geom., bot.*) sovrapposto ● (*radio, TV*) **s. circuit**, circuito supplementare.

superpower /'su:pəpaʊə(r)/ *n.* (*polit.*) superpotenza.

to **supersaturate** /su:pə'sætʃəreɪt/ (*fis., chim.*) *v. t.* soprassaturare, sovrassaturare ‖ **supersaturated** *a.* soprassaturo, sovrassaturo ‖ **supersaturation** *n.* Ⓤ soprassaturazione, sovrassaturazione.

to **superscribe** /su:pə'skraɪb/ *v. t.* **1** scrivere (*o incidere*) in cima a (o sopra) **2** scrivere l'indirizzo su (*una busta, un pacco*).

superscript /'su:pəskrɪpt/ Ⓐ *a.* soprascritto; scritto in alto Ⓑ *n.* (*scient., tecn.*) esponente; apice.

superscription /su:pə'skrɪpʃn/ *n.* **1** soprascritta; iscrizione; (*spec.*) iscrizione funebre **2** (*di busta o lettera*) indirizzo; intestazione.

to **supersede** /su:pə'si:d/ *v. t.* **1** soppiantare; prendere il posto di; rimpiazzare: *Aeroplanes have superseded trains in international travel*, gli aeroplani hanno soppiantato i treni nei viaggi internazionali **2** scartare; sostituire (*macchinari antiquati, ecc.*) ● **to be superseded**, essere antiquato; essere passato di moda.

supersensible /su:pə'sɛnsəbl/ *a.* soprasensibile; non percepibile dai sensi.

supersensitive /su:pə'sɛnsətɪv/ *a.* ipersensibile ● (*elettr.*) **s. relay**, relè galvanometrico ‖ **supersensitivity** *n.* Ⓤ ipersensibilità.

supersensual /su:pə'sɛnʃʊəl/ *a.* **1** soprasensibile **2** molto sensuale **3** spirituale.

supersession /su:pə'sɛʃn/ *n.* ⓊⒸ sostituzione; rimpiazzo.

to **supersize** /'su:pəsaɪz/ Ⓐ *v. i.* aumentare notevolmente di dimensioni Ⓑ *v. t.* far aumentare notevolmente le dimensioni di.

supersonic /su:pə'sɒnɪk/ *a.* **1** (*fis.*) personico; ultrasonoro: **s. speed**, velocità supersonica **2** (*aeron.*) supersonico; ultrasonico: **a s. aircraft**, un aereo supersonico | **-ally** *avv.*

supersonics /su:pə'sɒnɪks/ *n. pl.* (col verbo al sing.) **1** (*fis.*) studio degli ultrasuoni **2** (*aeron.*) scienza del volo supersonico.

superspace /'su:pəspeɪs/ *n.* Ⓤ (*fis.*) iperspazio.

superstar /'su:pəstɑ:(r)/ *n.* **1** (*astron., fis.*) superstella **2** (*fig.*) persona senza pari **3** (*fig.*) superstar; divo, diva (*fig.*) **4** (*sport*) campionissimo.

superstate /'su:pəsteɪt/ *n.* (*polit.*) superstato.

superstition /su:pə'stɪʃn/ *n.* ⓊⒸ **1** superstizione **2** pregiudizio; preconcetto.

superstitious /su:pə'stɪʃəs/ *a.* superstizioso | **-ly** *avv.* | **-ness** *n.* Ⓤ

superstore /'su:pəstɔ:(r)/ *n.* (*market.*) grande supermercato; ipermercato.

superstratum /su:pə'strɑ:təm/ *n.* (pl. *superstrata*, *superstratums*) (*geol.*) strato sovrastante.

superstructure /'su:pəstrʌktʃə(r)/ *n.* **1** (*ind. costr., naut.*) sovrastruttura (*anche fig.*): **the economic s. of a country**, la sovrastruttura economica di un paese **2** (*ferr.*) armamento ‖ **superstructural** *a.* di sovrastruttura; che forma la sovrastruttura (*di qc.*).

supertanker /'su:pətæŋkə(r)/ *n.* (*naut.*) superpetroliera.

supertax /'su:pətæks/ n. (*fisc.*) sovrimposta; imposta addizionale; addizionale; soprattassa.

supertonic /su:pə'tɒnɪk/ n. (*mus.*) sopratonica.

Super-Tuesday /su:pə'tju:zdeɪ, *USA* -'tu:-/ n. (*polit.*, *in USA*) martedì in cui si vota (*per le elezioni primarie presidenziali*) in 11 Stati dell'Unione.

supertwist /'su:pətwɪst/ n. (*comput.*) supertwist (*tecnica costruttiva di schermi LCD per aumentarne il contrasto*).

superuser /'su:pəju:zə(r)/ n. (*comput.*) superutente, amministratore (*di un sistema informatico, spec. Unix*).

to **supervene** /su:pə'vi:n/ v. i. sopravvenire; sopraggiungere || **supervenient** a. che sopravviene; seguente || **supervention** n. 1 sopravvenienza; sopravvenuta 2 avvenimento inatteso.

to **supervise** /'su:pəvaɪz/ v. t. soprintendere a; dirigere; sorvegliare: **to s. the works**, dirigere i lavori; **to s. workers**, sorvegliare gli operai || **supervision** n. 1 soprintendenza, sovrintendenza; supervisione; sorveglianza; direzione ● (*leg.*) **supervision order**, ordine di affidamento (*di un delinquente minorile*) alla vigilanza || **supervisor** n. 1 soprintendente, sovrintendente; supervisore; direttore; sorvegliante 2 (*USA*) funzionario direttivo || **supervisory** a. direttivo; di sorveglianza: **supervisory personnel**, personale direttivo ● (*leg.*, *in GB*) **supervisory jurisdiction**, giurisdizione di controllo ❶ NOTA: *-ise o -ize?* → **-ise**.

superwoman /'su:pəwʊmən/ n. (pl. *superwomen*) superdonna (*anche iron.*).

to **supinate** /'su:pɪneɪt/ v. t. rovesciare (*la mano, la palma della mano*) verso l'alto || **supination** n. (*anat.*) supinazione.

supinator /'su:pɪneɪtə(r)/ n. (*anat.*) muscolo supinatore.

supine① /'su:paɪn, *USA* su'paɪn/ a. 1 supino; sdraiato 2 (*fig.*) indolente; inerte; passivo; apatico | **-ly** avv.

supine② /'su:paɪn/ n. (*gramm. lat.*) supino.

supineness /'su:paɪnnəs/ n. 1 posizione supina 2 (*fig.*) indolenza; inerzia; passività; apatia.

supp., suppl. abbr. 1 (**supplement**) supplemento 2 (**supplementary**) supplementare.

supper /'sʌpə(r)/ n. cena (*spec.* leggera): *You haven't eaten much s.*, non hai mangiato molto a cena ● **to have s.**, cenare □ (*relig.*, *pitt.*) **the Last S.**, l'Ultima Cena □ (*relig.*) **the Lord's S.**, l'Eucarestia.

supperless /'sʌpələs/ a. senza cena: *The boy was sent to bed s.*, il ragazzo fu mandato a letto senza cena.

suppertime /'sʌpətaɪm/ n. ora di cena.

to **supplant** /sə'plɑ:nt/ v. t. soppiantare; prendere il posto di (q.); rimpiazzare; fare lo sgambetto a (q.) (*fig.*) || **supplantation** n. sostituzione; rimpiazzo || **supplanter** n. soppiantatore, soppiantatrice.

supple /'sʌpl/ a. 1 flessibile; pieghevole: **a s. cane**, una canna flessibile 2 agile (*anche fig.*); duttile: **a s. body**, un corpo agile; *He has a s. mind*, ha la mente duttile 3 (*fig.*) arrendevole; cedevole; docile 4 (*fig.*) ossequioso; servile.

to **supple** /'sʌpl/ v. t. rendere flessibile (*o* arrendevole, docile).

supplejack /'sʌpldʒæk/ n. 1 (*bot.*) pianta palustre (*in genere*) 2 (*USA*) bastone da passeggio; canna 3 (*slang USA*) marionetta; burattino.

supplement /'sʌplɪmənt/ n. 1 supplemento; aggiunta; integrazione 2 (*geom.*) supplemento; angolo supplementare 3 supplemento (*di un giornale*) 4 (*d'enciclopedia, ecc.*) volume d'aggiornamento 5 (*ferr.*) supplemento; sovrapprezzo || **supplemental** a. supplementare; integrativo.

to **supplement** /'sʌplɪmənt/ v. t. completare; integrare; fare aggiunte a: **to s. one's diet**, integrare la dieta ● **to s. one's income**, arrotondare lo stipendio (*o il salario*) || **supplementation** n. ⓤⓒ completamento; integrazione.

supplementary /sʌplɪ'mentrɪ/ a. supplementare; addizionale; integrativo; suppletivo: (*geom.*) **a s. angle**, un angolo supplementare; **a s. calculation**, un calcolo suppletivo; (*leg.*) **s. provisions**, disposizioni integrative ● (*in GB, fino al 1988*) **s. benefit**, assegno integrativo (*ai salari più bassi*) □ (*rag.*) **s. budget**, bilancio suppletivo ● **s. pension**, integramento di pensione di reversibilità | **-ily** avv.

suppleness /'sʌplnəs/ n. ⓤ 1 flessibilità; pieghevolezza 2 agilità (*anche fig.*); duttilità; souplesse (*franc.*) 3 (*fig.*) arrendevolezza; docilità 4 (*fig.*) ossequiosità; servilismo.

suppletion /sə'pli:ʃn/ (*ling.*) n. ⓤ suppletivismo || **suppletive** a. suppletivo.

suppletory /'sʌplɪtərɪ/ a. suppletivo; suppletorio; supplementare: (*leg.*) **s. oath**, giuramento suppletorio.

suppliant /'sʌplɪənt/ Ⓐ a. supplichevole; supplice Ⓑ n. supplicante; supplice | **-ly** avv.

to **supplicate** /'sʌplɪkeɪt/ v. t. e i. supplicare; scongiurare; implorare || **supplicant** n. supplicante; supplice || **supplication** n. ⓤⓒ supplica; implorazione || **supplicatory** a. supplichevole; implorante.

supplier /sə'plaɪə(r)/ n. 1 fornitore; approvvigionatore; rifornitore: *We went to see that s. we've been having problems with*, abbiamo incontrato quel fornitore con il quale abbiamo avuto problemi 2 (*econ.*) paese fornitore (*o produttore*) ● (*market.*) **s. concentration**, concentrazione di venditori □ (*econ.*) **s. power**, potere del venditore.

♦**supply** /sə'plaɪ/ n. 1 ⓤⓒ approvvigionamento; fornitura; rifornimento; (*della luce, del gas, ecc.*) erogazione: *Some oil-producing countries threatened to stop their supplies*, alcuni paesi produttori di petrolio minacciarono di bloccare le forniture 2 provvista; scorta; riserva: **an inexhaustible s. of coal**, una riserva inesauribile di carbone; **a large s. (large supplies) of goods**, un'ampia provvista di merci; *Food supplies were running short*, le scorte di cibo si stavano esaurendo 3 ⓤ (*econ.*) offerta: **the law of s. and demand**, la legge della domanda e dell'offerta 4 (*spesso al pl.*) (*fin.*, *polit.*) stanziamento 5 (*pl.*) provviste; viveri 6 (*pl.*) (*mil.*) rifornimenti; viveri 7 sostituto; supplente (*spec. insegnante*) 8 (*elettr.*) alimentazione ● (*market.*) **s. chain**, supply chain; catena logistica □ (*econ.*) **s. conditions**, la situazione dell'offerta □ **s. contract**, contratto di fornitura □ (*econ.*) **s. curve**, curva dell'offerta □ **s. department**, ufficio approvvigionamenti; (*mil.*) sussistenza □ (*mil.*) **s. dump**, deposito □ (*mil.*) **s. line** = **s. route** → *sotto* □ (*comm.*) **s. on hand**, scorta di magazzino □ **s. price**, (*econ.*) prezzo di offerta; (*market.*) prezzo di fornitura □ (*mil.*) **s. routes**, linee di rifornimento □ **s.-side economics**, economia dell'offerta □ **s. sources**, fonti d'approvvigionamento □ **s. station**, centrale elettrica □ **s. teacher**, (insegnante) supplente □ (*elettr.*) **s. voltage**, tensione d'alimentazione ● **to lay in a s. of**, far provvista di; approvvigionarsi di □ (*bur.*: *d'impiegato e sim.*) **to be on s.**, supplire □ (*econ.*) **Raw materials are in short s.**, le materie prime scarseggiano.

♦to **supply** /sə'plaɪ/ Ⓐ v. t. 1 approvvigionare; fornire; provvedere; rifornire: *We can s. you with the goods you require*, possiamo fornirvi la merce che vi occorre; **to s. all the materials needed**, provvedere tutto il materiale necessario 2 provvedere a; soddisfare; compensare: **to s. a need**, soddisfare un bisogno; **to s. a loss**, compensare una perdita 3 completare; colmare; occupare: **to s. a deficiency**, colmare una deficienza; **to s. a vacancy**, occupare un posto vacante 4 erogare: **to s. gas**, erogare il gas Ⓑ v. i. fare da sostituto ● (*comm.*) **to s. an order**, evadere un ordinativo ● **to s. sb. with funds**, rifornire q. di fondi; finanziare q. □ **to be well supplied with food**, essere ben provvisto di viveri.

♦**support** /sə'pɔ:t/ n. 1 ⓤ (*anche fig.*) appoggio; sostegno; puntello; aiuto: *He is the sole s. of (o for) his family*, è l'unico sostegno della sua famiglia; **moral s.**, sostegno morale 2 ⓤ sostentamento; mantenimento; nutrimento: *They are without means of s.*, sono privi di mezzi di sostentamento 3 (*mecc.*) supporto 4 (*mat.*, *comput.*) supporto 5 (*polit.*) seguito: *His s. was weaker in the large cities*, il suo seguito (elettorale) era minore nelle grandi città 6 ⓤ finanziamento; sostegno; aiuto finanziario 7 ⓤ (*sport*) (la) tifoseria 8 (*mus.*) sottofondo; accompagnamento 2 (*cinem.*) attore (*o film*) secondario ● (*econ.*) **s. arrangements**, meccanismi d'intervento □ (*ciclismo*) **s. car**, ammiraglia (*auto*) = scorta, gruppo di supporto □ (*econ.*) **s. measures**, interventi (*del governo, ecc.*) □ (*sport*) **s. play**, gioco in appoggio □ (*agric.*, *econ.*) **s. price**, prezzo di sostegno, prezzo sostenuto (*spec. dalla UE*) □ (*econ.*) **s. tariffs**, tariffe di sostegno □ (*mil.*) **s. trench**, seconda trincea □ (*mil.*) **s. weapon**, arma d'appoggio □ (*econ.*) **price supports**, sussidi governativi (*all'agricoltura, ecc.*) □ **to speak in s. of sb.**, prendere le difese di q. □ **to speak in s. of a measure**, caldeggiare un provvedimento □ (*mil.*) **to be stationed in s.**, essere di rincalzo.

♦to **support** /sə'pɔ:t/ v. t. 1 sostenere; appoggiare; reggere; sorreggere; difendere; patrocinare; essere favorevole a: *The foundations s. the house*, le fondamenta sorreggono la casa; **to s. a cause [a candidate]**, appoggiare (*o sostenere*) una causa [un candidato]; (*econ.*) **to s. prices**, sostenere i prezzi; **to s. a motion**, appoggiare una mozione; **to s. birth control**, essere favorevole al (*o un fautore del*) controllo delle nascite 2 (*form.*) sopportare; tollerare: *I cannot s. your insolence any longer*, non posso più tollerare la tua insolenza 3 mantenere; sostentare; nutrire; sfamare: *He has a wife and five children to s.*, ha moglie e cinque figli da mantenere 4 sovvenzionare; mantenere; aiutare finanziariamente: **to s. a hospital**, sovvenzionare un ospedale 5 confermare; convalidare; corroborare; rafforzare; suffragare: (*leg.*) **to s. a charge**, convalidare un'accusa; **to s. a theory**, confermare una teoria; **to s. a statement with evidence**, suffragare un'affermazione con prove 6 (*teatr.*) fare da spalla a (*un attore*) 7 (*polit.*) essere un sostenitore (*o un simpatizzante*) di: **to s. the labour party**, essere un sostenitore del partito laburista 8 (*sport*) essere un sostenitore di; tifare, fare il tifo per (*una squadra, ecc.*): *Which team do you s.?*, per quale squadra fai il tifo? 9 (*comput.*) essere compatibile con ● **to s. an institution**, sottoscrivere a beneficio di un'istituzione □ **to s. life**, creare le condizioni per la vita: *Can Mars s. life?*, potrebbe esserci vita su Marte? □ **to s. one's needs**, soddisfare i propri bisogni □ **to s. oneself**, sostentarsi; guadagnarsi la vita; (*anche*) reggersi (in piedi): *She has supported herself since she was eighteen*, si mantiene da sola da quando aveva diciotto anni; *The elderly man supported himself with a stick*, l'anziano si reggeva con un bastone □ **to s. a resolution**, prendere la parola in favore d'una deci-

sione.

supportability /səpɔːtəˈbɪləti/ n. ⓤ **1** sostenibilità **2** sopportabilità.

supportable /səˈpɔːtəbl/ a. **1** sostenibile; che si può appoggiare **2** sopportabile; tollerabile.

◆**supporter** /səˈpɔːtə(r)/ n. **1** sostenitore; difensore; aderente; fautore; patrocinatore: **a s. of free trade**, un fautore del liberismo **2** sovvenzionatore; donatore; patrono **3** sostentatore; mantenitore **4** (*sport*) sostenitore; tifoso (*fam.*) **5** (*polit.*) fiancheggiatore **6** fascia elastica; giarrettiera **7** (*anche med.*) sospensorio; panciera **8** (pl.) – **supporters** (collett.) la tifoseria, i tifosi (collett.) **9** (*arald.*) sostegno.

supporting /səˈpɔːtɪŋ/ Ⓐ a. di appoggio; di sostegno; (*edil.*) portante: **s. beam**, trave portante; **s. wall**, muro di sostegno Ⓑ n. ⓊⒸ sostegno; rinforzo ● (*mil.*) **s. artillery**, artiglieria d'appoggio □ (*leg.*) **s. documents**, documenti giustificativi; pezze d'appoggio (*fam.*) □ (*cinem.*) **s. film**, pellicola secondaria, d'appoggio (*fuori programma*) □ (*mil.*) **s. fire**, fuoco d'appoggio □ (*calcio, ecc.*) **s. foot**, piede d'appoggio □ (*cinem., teatr.*) **s. part** (*o* **role**), particina; parte (*o* ruolo) di secondo piano □ (*edil.*) **s. post** (*o* **tower**), pilone di sostegno □ (*cinem., TV*) **s. programme**, programma di contorno □ (*tecn.*) **s. rib**, nervatura di rinforzo □ (*mil.*) **s. troops**, truppe di rincalzo.

supportive /səˈpɔːtɪv/ a. d'appoggio; d'aiuto; di sostegno ● (*fin.*) **s. efforts**, contributi finanziari (aggiuntivi) □ (*med.*) **s. therapy**, terapia di supporto | **-ness** n. ⓤ.

supposable /səˈpəʊzəbl/ a. supponibile.

supposably /səˈpəʊzəblɪ/ avv. come è facile supporre; come si può supporre; in via d'ipotesi.

supposal /səˈpəʊzl/ n. ⓒⓤ **1** supposizione; il supporre **2** supposizione; ipotesi; congettura.

◆to **suppose** /səˈpəʊz/ Ⓐ v. t. **1** supporre; immaginare; ipotizzare; credere; pensare: (*mat.*) *S. A equals B*, supponiamo che A sia uguale a B; *You won't fail to appear in court, I s.*, immagino che non mancherai di comparire in giudizio; *Let's s. a new war*, ipotizziamo una nuova guerra; *I s. so*, credo di sì (o mi pare, direi); *Well, let us s. it was so*, bene, supponiamo che le cose stessero così; *What do you s. he meant?*, che cosa pensi abbia voluto dire?; *I don't s. anyone's handed in a scarf today, have they?*, immagino che nessuno abbia ritrovato una sciarpa oggi, vero? **2** presupporre: *A sound economic policy supposes an efficient tax system*, una sana politica economica presuppone un efficiente sistema tributario Ⓑ v. i. congetturare; fare supposizioni ● **to be supposed to**, essere creduto (*o* ritenuto); avere il dovere di, essere tenuto a (*fare qc.*): *He is supposed to be very rich*, si ritiene che sia ricchissimo; *I am supposed to be at work at nine*, sono tenuto a essere in ufficio alle nove; *There's a little bistro further up the road which is supposed to be quite good*, c'è un piccolo bistrot un po' più avanti su questa strada che pare sia piuttosto buono □ **S. I write to him first**, e se gli scrivessi io per primo?; mettiamo (*o* poniamo) che gli scriva io per primo □ **S. we change the subject**, e se cambiassimo discorso?

◆**supposed** /səˈpəʊzd/ a. supposto; immaginario; ipotetico; putativo: **his s. wealth**, la sua ipotetica ricchezza; **his s. brother**, suo fratello putativo ● (*leg.*) **the s. culprit**, il presunto colpevole.

supposedly /səˈpəʊzɪdlɪ/ avv. **1** per supposizione; secondo le supposizioni; presumibilmente **2** apparentemente; stando alle apparenze; a quanto pare.

supposing (that) /səˈpəʊzɪŋ(ðæt)/ cong. supponendo che; nel caso che; ammesso che: *Supposing (that) he doesn't turn up, what shall I do?*, nel caso che non si faccia vivo, che devo fare?

supposition /sʌpəˈzɪʃn/ n. ⓤ **1** supposizione; il supporre **2** supposizione; congettura; ipotesi.

suppositional /sʌpəˈzɪʃənl/, **suppositious** /sʌpəˈzɪʃəs/ a. ipotetico; presunto; supposto.

supposititious /səpɒdzɪˈtɪʃəs/ a. **1** falso; contraffatto; spurio: (*leg.*) **a s. child**, un figlio spurio **2** ipotetico; presunto; supposto | **-ly** avv. | **-ness** n. ⓤ.

suppository /səˈpɒzɪtrɪ/ n. (*farm.*) supposta; suppositorio.

to **suppress** /səˈpres/ v. t. **1** sopprimere; abolire; annullare; omettere; tenere nascosto; occultare; insabbiare (*fig.*); tacere: *Trade unions and newspapers were suppressed*, furono soppressi i giornali e i sindacati; **to s. monasteries**, abolire i monasteri; **to s. some details**, omettere (di proposito) alcuni particolari; **to s. evidence**, occultare prove; **to s. scandals**, insabbiare gli scandali; **to s. the truth**, tenere nascosta (o tacere) la verità **2** reprimere; domare; soffocare; trattenere; tenere a freno: **to s. a rebellion**, reprimere (o domare) una rivolta; (*econ.*) **to s. inflation**, domare l'inflazione; **to s. a smile**, trattenere un sorriso; **to s. freedom**, soffocare la libertà; **to s. one's anger**, tenere a freno la rabbia **3** (*med.*) arrestare (*un'emorragia, ecc.*) **4** (*biol.*) inibire **5** (*psic.*) reprimere: **to s. one's impulses**, reprimere i propri impulsi **6** (*elettron.*) sopprimere; eliminare ● **to s. a book**, proibire la pubblicazione di un libro □ (*med.*) **to s. a severe cough**, sedare una brutta tosse □ (*med.*) **to s. a haemorrhage**, arrestare un'emorragia □ **to s. a rumour**, far tacere una diceria.

suppressant /səˈpresənt/ Ⓐ a. inibitore; che inibisce Ⓑ n. (*farm.*) (farmaco) inibitore.

suppressed /səˈprest/ a. **1** soppresso; abolito **2** represso; soffocato; trattenuto: **s. anger**, ira repressa; **a s. laugh**, una risata soffocata ● (*econ.*) **s. inflation**, inflazione tenuta a bada.

suppressible /səˈpresəbl/ a. **1** sopprimibile **2** reprimibile; (*di rivolta, ecc.*) domabile; soffocabile.

suppression /səˈpreʃn/ n. ⓤ **1** soppressione; abolizione; omissione **2** repressione; soffocamento (*di una rivolta, ecc.*) **3** (*psic.*) repressione **4** (*elettron.*) soppressione **5** il mettere a tacere, il soffocare (*uno scandalo, ecc.*).

suppressive /səˈpresɪv/ a. **1** che tende a sopprimere; soppressivo **2** (*anche polit.*) repressivo ● (*fam.*) **a s. cough medicine**, un calmante per la tosse.

suppressor /səˈpresə(r)/ n. **1** (*radio, telef.*) soppressore; filtro antidisturbi **2** repressore **3** (*elettron.*, = **s. grid**) griglia di soppressione; soppressore **4** chi soffoca (*uno scandalo, ecc.*).

to **suppurate** /ˈsʌpjʊəreɪt/ (*med.*) v. i. suppurare || **suppurant** Ⓐ a. suppurante Ⓑ n. agente suppurante || **suppuration** n. ⓤ suppurazione || **suppurative** a. suppurativo.

supraliminal /suːprəˈlɪmɪnl/ a. (*fisiol.*) sopraliminale.

supramaxillary /suːprəˈmæksɪlərɪ/ a. (*anat.*) sopramascellare.

supranational /suːprəˈnæʃənl/ (*polit.*) a. supernazionale; soprannazionale || **supranationalism** n. ⓤ sopranazionalità; sopranazionalismo.

supraorbital /suːprəˈɔːbɪtl/ a. (*anat.*) so-praorbitale.

suprarenal /suːprəˈriːnl/ a. (*anat.*) surrenale: **s. glands**, ghiandole surrenali.

suprasegmental /suːprəsegˈmentl/ a. (*scient.*) soprasegmentale.

supremacist /suːˈpreməsɪst/ n. (*polit.*) chi crede nella supremazia (*di q. o qc.*) ● **a white s.**, uno che crede nella supremazia della razza bianca.

supremacy /suːˈpreməsɪ/ n. ⓤ **1** supremazia; primato **2** (*mil. e sport*) predominio; prevalenza.

Suprematism /suːˈpremətɪzəm/ (*arte*) n. ⓤ suprematismo || **Suprematist** n. suprematista.

◆**supreme** /suːˈpriːm/ a. supremo; altissimo; massimo; sommo: **the s. sacrifice**, il sacrificio supremo; **s. happiness**, felicità suprema; (*relig.*) **the S. Pontiff**, il Sommo Pontefice ● **the S. Being** (*o* **the S.**), l'Ente Supremo; Dio; l'Altissimo □ (*leg.*) **the S. Court**, la Corte Suprema ❶ CULTURA • **Supreme Court**: *con questo nome negli USA viene indicata: la corte suprema federale composta da nove giudici nominati a vita dal Presidente, che è la più alta corte d'appello del paese e si pronuncia sulla legittimità costituzionale delle leggi federali e statali; la corte suprema dei singoli Stati* □ (*leg., in Inghil. e Galles*) **the S. Court of Judicature**, la Suprema Corte di Giustizia ❶ CULTURA • **Supreme Court of Judicature**: *è la corte più alta dopo la House of Lords ed è formata dalla Court of Appeal (Corte d'appello), dalla High Court of Justice (Alta corte di giustizia) e dalla Crown Court nella loro funzione di corti d'appello* □ **a s. fool**, il più grande degli stupidi | **-ly** avv.

supremo /suːˈpriːməʊ/ n. (*fam. ingl.*) (il) capo supremo; (il) gran capo.

sura① /ˈsʊərə/ (*anat.*) n. sura; polpaccio || **sural** a. surale; del polpaccio: **sural artery**, arteria surale.

sura②, **surah**① /ˈsjʊərə/ n. (*relig.*) «sura» (*capitolo del Corano*).

surah② /ˈsjʊərə/ n. ⓤ (*ind. tess.*) surah; diagonale di seta o rayon.

surcharge /ˈsɜːtʃɑːdʒ/ n. **1** sovraccarico; carico eccessivo **2** (*fisc.*) sovrimposta; soprattassa; dazio addizionale **3** (*su un francobollo*: *per mutarne il valore*) sovrastampa **4** (*comm.*) soprapprezzo; supplemento; maggiorazione **5** (*ass.*) sovrappremio; addizionale **6** (*dog.*) sopraddazio **7** (*trasp.*) sovraccarico.

to **surcharge** /ˈsɜːtʃɑːdʒ/ v. t. **1** sovraccaricare **2** (*fisc.*) applicare una soprattassa (un sovrappremio, un sopraddazio) a (q., qc.) **3** far pagare di più; maggiorare il prezzo di (qc.) **4** sovrastampare (*francobolli*) **5** (*trasp.*) sovraccaricare.

surcharged /sɜːˈtʃɑːdʒd/ a. sovraccaricato ● (*edil.*) **s. wall**, muro sovraccaricato.

surcingle /ˈsɜːsɪŋgl/ n. **1** sopraccinghia (*della sella del cavallo*) **2** cinghia, cintura (*di veste talare*).

to **surcingle** /ˈsɜːsɪŋgl/ v. t. mettere la sopraccinghia a (*un cavallo*).

surcoat /ˈsɜːkəʊt/ n. (*stor.*) **1** sopravveste **2** (*mil.*: *indossata sulla cotta d'armi*) sorcotto.

surd /sɜːd/ Ⓐ a. **1** (*mat.*) irrazionale: **a s. number**, un numero irrazionale **2** (*fon.*) sordo: **a s. consonant**, una consonante sorda Ⓑ n. **1** (*mat.*) numero irrazionale **2** (*fon.*) consonante sorda.

◆**sure** /ʃʊə(r), ʃɔː(r)/ Ⓐ a. **1** sicuro; certo; fermo; saldo; fidato; fido: *I'm s. he will come*, sono sicuro che verrà; *I'm not s.*, non ne sono sicuro; *Don't be too s.*, non essere troppo sicuro!; *You can be s. of an early answer*, puoi star certo che riceverai una sollecita risposta; **a s. footing**, un saldo appiglio (*per il piede*); *Put it in a s. place*, riponilo in

un luogo sicuro; **to paint st. with a s. hand**, dipingere qc. con mano ferma (*o* sicura); **a s. foundation**, una salda base; **a s. friend**, un amico fidato; **with a s. step**, con passo fermo, sicuro **2** abile; esperto; provetto; infallibile: *He is a s. shot*, è un tiratore provetto; **a s. aim**, una mira infallibile **3** destinato: *He's s. to win*, è destinato a vincere **B** *avv.* (*fam. USA*) certo; senza dubbio; davvero: *It s. was cold*, non c'è dubbio che faceva freddo!; *S. I'll come!*, certo che vengo!; vengo volentieri! **C** *inter.* sicuro!; senza dubbio!; (*anche*) senz'altro!; volentieri! ● (*fig.*) **a s. card**, una carta sicura □ (*fam.*) **s. enough**, certamente, di sicuro, senza dubbio; infatti: *He will come s. enough*, verrà di sicuro; *I thought he would cheat you, and, s. enough, he did*, pensavo che ti avrebbe imbrogliato, e infatti è andata così □ (*fam.*) **s.-enough** (agg.), vero; vero e proprio □ **s. of oneself**, sicuro di sé □ **s. strokes (of the brush)**, pennellate sicure □ (*fam.*) **s. thing**, cosa certa; cosa dal risultato scontato (*fig.*); cosa su cui si può contare □ (*fam. USA*) **S. thing!**, certamente!; sicuro! □ **as s. as fate**, com'è vero Iddio; immancabilmente □ (*fam.*) **as s. as a gun** (*o* **as s. as eggs is eggs**), com'è vero che due e due fanno quattro □ **for s.**, sicuro, certo; (*anche*) con sicurezza, per certo □ **to be s.**, a dire il vero, questo è vero, certo, è vero che...; (*escl.*) davvero, in verità: *He's not a university graduate, to be s., but he's very clever*, certo non è un laureato, ma è molto intelligente; *What a generous woman she is, to be s.!*, è davvero una donna generosa! □ **Be s. not to tell anybody**, bada bene di non dirlo a nessuno □ **Be s. to come**, non mancare, mi raccomando! □ **They are s. to come**, verranno di sicuro □ **He is s. to lose**, perderà di sicuro; non può vincere □ **It's s. to rain**, pioverà di sicuro □ **Well, I'm s.!**, accidenti!; davvero?; però! □ **to make s.**, accertarsi, assicurarsi, verificare; fare in modo (di): *There should be a bus at 8 but you'd better make s.*, ci dev'essere un autobus alle otto, ma faresti bene ad accertartene; *Make s. that you get there in time*, fa' in modo d'arrivarci in tempo utile; *Make s. you answer the question being asked*, fa' attenzione a rispondere alla domanda che ti viene rivolta □ **to make s. of a fact**, assicurarsi di un fatto; appurare un fatto □ **to make s. of the time**, accertarsi della (*o* fare in modo di sapere l') ora esatta (*di una riunione, ecc.*).

● **NOTA:** *sure to / sure that*

Quando **sure** e **certain** sono seguiti dall'infinito con **to**, si riferiscono al punto di vista di chi pronuncia la frase e non a quello del soggetto della frase stessa: *My sister is sure to find a job soon*, sicuramente mia sorella troverà presto un lavoro (non mia sorella è sicura di trovare presto un lavoro); *We're sure to win*, vinceremo di sicuro, sicuramente vinceremo (non siamo sicuri di vincere); *They are certain to make it*, certamente ce la faranno, ce la faranno di certo (non sono certi di farcela). Analogamente: *It's sure to rain in the next three days*, nei prossimi tre giorni pioverà di sicuro; *Negotiators look certain to reach an agreement by Friday*, appare certo che i negoziatori raggiungeranno un accordo entro venerdì.

Per dire invece che il soggetto della frase è sicuro o certo che accadrà qualcosa, si usano rispettivamente le strutture **sure** o **certain that** + proposizione, oppure **sure** o **certain of** + **-ing**:

We're sure that we will win (o *We're sure of winning*), siamo sicuri di vincere; *My sister feels sure that she will find a job soon*, mia sorella è sicura di trovare presto un lavoro; *I'm sure that I warned him*, sono sicuro di averlo avvertito; *They are certain that they*

will make it (o *They are certain of making it*), sono certi di farcela; *Negotiators are certain that they will reach* (o *of reaching*) *an agreement by Friday*, i negoziatori sono certi di raggiungere un accordo entro venerdì.

surefire /'ʃʊəfaɪə(r), 'ʃɔː-/ *a. attr.* (*fam.*) **1** immancabile: **a s. winner**, un vincitore immancabile **2** infallibile: **a s. treatment**, una cura infallibile **3** a effetto sicuro; garantito: **a s. joke**, una barzelletta a effetto sicuro (*o* che funziona sempre).

surefooted /'ʃʊəfʊtɪd, 'ʃɔː-/ *a.* **1** che ha il piede fermo; saldo sulle gambe **2** (*fig.*) che non fa passi falsi; sicuro | **-ness** n. ⓤ.

♦**surely** /'ʃʊəlɪ, 'ʃɔːlɪ/ *avv.* **1** certo; di certo; naturalmente; senza dubbio; non è che... (*esprimono un'opinione, una speranza, ecc.*): *It s. cannot have been Jack*, certo non può essere stato Jack; *He s. doesn't expect me to accept his offer*, di certo non s'aspettara che accetti la sua offerta; *You know her, s.?*, naturalmente, la conosci, è vero?; *S. we have met before?*, non è che ci siamo già conosciuti? **2** (*anche*) certamente; sicuro!; senz'altro!; volentieri! (*cfr. ingl.* **certainly**) **3** con sicurezza; in modo sicuro: *The pianist played skilfully and s.*, la pianista suonò con grande perizia e sicurezza ● (*prov.*) **Slowly but s.**, chi va piano va sano e va lontano.

sureness /'ʃʊənəs, 'ʃɔː-/ *n.* ⓤ **1** sicurezza; certezza; fermezza **2** infallibilità: **the s. of his aim**, l'infallibilità della sua mira.

surety /'ʃʊərətɪ, 'ʃɔː-/ *n.* ⓒⓤ **1** (*leg.*) cauzione; garanzia; malleveria **2** (*leg.*) garante; mallevadore (*pressappoco*) fideiussore: **to stand s. for sb.**, farsi garante per q.; pagare la cauzione per q. **3** (*arc.*) sicurezza; certezza ● (*leg.*) **s. bond**, cauzione, garanzia (*scritta*); (*pressappoco*) fideiussione □ (*arc.*) **of a s.**, di sicuro; certamente ‖ **suretyship** n. ⓤ (*leg.*) l'essere garante; garanzia; malleveria.

surf /sɜːf/ *n.* ⓤ **1** frangente (*del mare*); risacca; cresta dell'onda **2** spuma dei frangenti **3** (*mus.*) surf (*ballo*) ● (*sport*) **s.-rider**, surfista □ (*sport*) **s.-riding**, surfing.

to **surf** /sɜːf/ **A** *v. i.* (*sport*) praticare il surfing; fare il surfing (*o* il surf) **B** *v. t.* (*comput.*) navigare in: **to s. the Net**, navigare in rete.

♦**surface** /'sɜːfɪs/ **A** *n.* **1** (*geom.*) superficie; faccia: *The s. of the lake was quite smooth*, la superficie del lago era calmissima; **the six surfaces of a die**, le sei facce di un dado **2** (*fig.*) apparenza; aspetto esteriore; esteriorità: *He only looks at the s. of things*, si ferma all'aspetto esteriore delle cose **3** (*d'acqua*) specchio **4** (*di strada*) piano stradale; manto: **wearing s.**, manto d'usura **5** (*mecc.*) superficie; piano: **bearing s.**, superficie portante; **sliding s.**, piano di scorrimento **6** (*aeron.*) superficie: **lifting s.**, superficie portante **7** (*naut.*) superficie del mare **B** *a. attr.* **1** superficiale; di superficie: **a s. wound**, una ferita superficiale; (*mecc. dei fluidi*) **s. tension**, tensione superficiale **2** (*fig.*) superficiale; apparente; a fior di pelle (*fig.*): **a s. judgement**, un giudizio superficiale; **s. kindness**, gentilezza a fior di pelle **3** (*naut.*) in superficie; in emersione: **s. navigation**, navigazione in emersione **4** (*tecn.*) in superficie: **s. temperature**, temperatura in superficie **5** (*mecc.*) in superficie: **s. carburettor**, carburatore a superficie **6** (*ind. min.*) a cielo aperto: **s. mining**, coltivazione a cielo aperto (*o* a giorno) **7** (*chim.: di un detergente, ecc.*) **s.-active**, tensioattivo (agg.) □ (*chim.*) **s.-active agent**, tensioattivo (sost.) □ (*chim.*) **s.-activity**, tensioattività □ (*meteor.*) **s. chart**, carta al suolo □ (*nuoto*) **s. dive**, tuffo in superficie □ (*USA*) **s.-effect ship**, veicolo su

cuscino d'aria (*cfr. ingl.* **hovercraft**) □ (*cucina*) **s. element**, piastra (*dei fornelli*) □ (*edil.*) **s. finish**, rifinitura di superfici (*mecc.*) **s. gauge**, truschino (*mecc.*) **s. grinder**, rettificatrice per piani □ **s. mail**, posta normale (*non aerea*) □ **s. man**, (*ferr.*) operaio addetto alla manutenzione della linea; (*ind. min.*) minatore che lavora in superficie □ **s. mine**, miniera a cielo aperto □ (*elettron.*) **s. noise**, rumore di superficie (*o* della puntina) □ (*mecc.*) **s. plate**, piatto (*o* piano) di riscontro □ (*naut.*) **s. speed**, velocità in emersione (*di un sottomarino*) □ (*ling.*) **s. structure**, struttura superficiale (*di missile*) **s.-to-air**, terra-aria □ (*di missile*) **s.-to-s.**, terra-terra □ (*USA*) **s. transportation system**, rete dei trasporti di superficie □ **s. water**, acqua piovana (*mil.*) **s. zero**, punto zero (*di un'esplosione atomica*) □ (*fig.*) **below the s.**, al fondo: *One never gets below the s. with him*, non si può mai andare al fondo delle cose con lui □ (*naut.*) **to break s.**, affiorare, venire a galla (*di sommergibile*) □ **on the s.**, in superficie; (*fig.*) in apparenza □ (*di un pesce, un sommergibile, ecc.*) **to rise to the s.**, venire a galla; affiorare; emergere.

to **surface** /'sɜːfɪs/ **A** *v. t.* **1** rifare il manto a (*una strada*); pavimentare **2** (*falegn., mecc.*) spianare; levigare (*o* lucidare) la superficie di (qc.); rifinire; lisciare **3** (*naut.*) far emergere (*un sottomarino*) **B** *v. i.* **1** (*naut.*) venire a galla; affiorare; emergere **2** (*fam. scherz.*) alzarsi da letto; levarsi; comparire **3** (*fig. fam.*) venire a galla.

surfacer /'sɜːfɪsə(r)/ *n.* (*tecn.*) spianatrice (*macchina*).

surfacing /'sɜːfɪsɪŋ/ *n.* **1** ⓤ rifacimento del manto, pavimentazione (*di una strada*) **2** ⓤ (*tecn.*) spianatura **3** ⓤⓒ (*naut.*) emersione; affioramento.

surfactant /sɜː'fæktənt/ *n.* (*chim.*) tensioattivo; sostanza tensioattiva; surfattante.

surfboard /'sɜːfbɔːd/ *n.* **1** (*sport*) tavola da surf; surf **2** (*slang*) ragazza piatta come una tavola ‖ **surfboarding** n. ⓤ (*sport*) il surf (*l'attività*).

surfboat /'sɜːfbəʊt/ *n.* (*naut.*) surf-boat.

surfcasting /'sɜːfkɑːstɪŋ/ *n.* ⓤ (*pesca*) surfcasting.

surfeit /'sɜːfɪt/ *n.* (*form.*) **1** ⓤⓒ eccesso (*spec. nel bere e nel mangiare*); rimpinzamento **2** ⓤ sazietà; indigestione; senso di nausea ● **to have a s. of**, fare un'indigestione di.

to **surfeit** /'sɜːfɪt/ **A** *v. t.* **1** rimpinzare; saziare; satollare **2** (*fig.*) disgustare; nauseare **B** *v. i.* rimpinzarsi; satollarsi ● **to s. oneself**, rimpinzarsi; satollarsi.

surfer /'sɜːfə(r)/ *n.* **1** (*sport*) surfista **2** (*comput.*) navigatore in Internet ● (*med.*) **s.'s knob** (*o* **knot**), nodulo del surfista.

surfing /'sɜːfɪŋ/ *n.* ⓤ **1** (*sport*) surfing; surf. **2** (*comput.*) navigazione in Internet ● **to go s.**, fare surf.

to **surf-ride** /'sɜːfraɪd/ (*pass.* **surf-rode**, *p. p.* **surf-ridden**) *v. i.* (*sport*) fare il surfing.

surfy /'sɜːfɪ/ **A** *a.* **1** (*del mare*) pieno di frangenti **2** simile a un frangente; spumeggiante **B** *n.* (*gergo*) appassionato di surf.

surg. *abbr.* **1** (**surgeon**) chirurgo **2** (**surgery**) chirurgia **3** (**surgical**) chirurgico.

surge /sɜːdʒ/ *n.* **1** ⓤ (*naut.*) forte moto ondoso **2** (*naut.*) cavallone; maroso **3** (*fig.*) impeto; slancio; impulso; ondata: **a s. of wrath**, un impeto d'ira; **a s. of interest**, un'ondata d'interesse **4** (*elettr.*) colpo di corrente; sovratensione momentanea **5** rialzo di livello, rigurgito (*di liquidi*) **6** (*naut.*) strappo (*d'un cavo mollato*) **7** (*Borsa, fin.*) impennata: **the dollar's s.**, l'impennata del dollaro ● (*tecn.*) **s. tank**, cassone di ritenuta.

to **surge** /sɜːdʒ/ **A** v. i. **1** (*delle onde e fig.*) agitarsi; ondeggiare; rifluire; rifluire; sollevarsi; (*del mare*) gonfiarsi: *The crowd surged out of the stadium*, la folla rifluì dallo stadio **2** (*di ruota di veicolo*) girare a vuoto **3** (*elettr.*) aumentare improvvisamente d'intensità **4** (*naut.: di cima o cavo*) allentarsi; allascarsi **5** (*Borsa, fin.*) impennarsi **B** v. t. **1** far fluttuare; fare ondeggiare **2** (*naut.*) allentare; mollare; allascare.

■ **surge forward** v. i. + avv. **1** (*dell'acqua*) avanzare a fiotti **2** (*fig.*) fare un balzo in avanti.

■ **surge in** v. i. + avv. **1** (*di un liquido*) entrare a fiotti; irrompere **2** (*fig.*) irrompere: *As soon as the gate was opened, the besiegers surged in*, appena la porta della città fu aperta, gli assedianti irruppero.

■ **surge into** v. i. + prep. **1** (*dell'acqua*) riversarsi, irrompere in **2** (*fig.*) riversarsi, affluire in massa, irrompere in: *The rebels surged into the palace*, i rivoltosi irruppero nel palazzo.

■ **surge out** v. i. + avv. **1** (*di un liquido*) uscire a fiotti; erompere **2** (*fig.*) uscire a frotte; accalcarsi all'uscita: *A crowd of workers surged out of the factory*, dalla fabbrica uscì accalcandosi una frotta di operai.

■ **surge past** **A** v. i. + prep. (*fig.*) passare a frotte vicino a **2** (*fig.*) fare un balzo in avanti *A crowd of protesters surged past me*, una folla di dimostranti mi passò accanto tumultuando **B** v. i. + avv. (*del traffico*) passare accanto tumultuoso (*o intenso*).

■ **surge through** v. i. + prep. **1** irrompere, riversarsi attraverso (*o da*): *The fans surged through the gates*, i tifosi si riversarono nello stadio dai cancelli **2** (*fig.: di un sentimento*) pervadere.

■ **surge up** v. i. + avv. **1** (*dell'acqua*) salire a fiotti **2** (*del mare*) sollevarsi; gonfiarsi **3** (*fig.*) montare; salire: *Incontrollable anger surged up within him*, un'ira incontenibile salì dentro di lui.

surgeon /ˈsɜːdʒən/ n. **1** (*med.*) chirurgo **2** (*mil.*) ufficiale medico **3** (*naut.*) medico di bordo ● (*zool.*) **s.-fish** (*Acanthurus chirurgus*), pesce chirurgo □ the **S. General**, (*in USA*) il Direttore Generale Federale della Sanità; (*mil.*) il Capo del Servizio Medico di una delle tre Forze Armate □ **brain s.**, (*med.*) neurochirurgo; (*fig., fam.*) genio, aquila (*fig.*).

♦**surgery** /ˈsɜːdʒərɪ/ n. **1** Ⓤ chirurgia **2** (*USA*) sala operatoria (*d'ospedale*) **3** gabinetto medico; ambulatorio; dispensario **4** Ⓤ intervento: *He may need (o require) s.*, può darsi che occorra un intervento (*o che debba essere operato*) ● (*di medico*) **s. hours**, orario di visita (*o di ricevimento*).

surgical /ˈsɜːdʒɪkl/ a. chirurgico: **a s. operation**, un'operazione chirurgica; **s. instruments**, strumenti chirurgici ● **s. boot**, scarpa ortopedica □ **s. fever**, febbre postoperatoria □ **s. needle**, ago chirurgico □ **s. spirit**, alcol denaturato □ **s. store**, negozio di strumenti chirurgici □ (*mil., aeron.*) **s. strike**, incursione aerea mirata; attacco 'chirurgico' | **-ly** avv.

surging /ˈsɜːdʒɪŋ/ **A** a. **1** agitato; ondeggiante; ondoso **2** (*fig.*) impetuoso **B** n. **1** Ⓤ (*naut.*) forte moto ondoso; flutti impetuosi **2** Ⓤ (*elettr.*) sovratensione momentanea **3** Ⓤ (*mecc.: di valvole*) farfallamento.

suricate /ˈsʊərɪkeɪt/ n. (*zool., Suricata tetradactyla*) suricata (*piccola mangusta*).

Surinam, **Suriname** /sʊərɪˈnæm/ n. (*geogr.*) Suriname.

surjection /sɜːˈdʒekʃn/ (*mat.*) n. suriezione ‖ **surjective** a. suriettivo: **surjective mapping**, applicazione suriettiva.

surly /ˈsɜːlɪ/ a. **1** arcigno; burbero; scontroso; sgarbato; rozzo **2** (*del tempo*) imbronciato; corrucciato | **-ily** avv. | **-iness** Ⓤ.

surmise /səˈmaɪz/ n. Ⓤ (*lett.*) congettura;

ipotesi; supposizione.

to **surmise** /səˈmaɪz/ v. t. e i. congetturare; supporre; presumere ❶ Nota: *-ise o -ize?* → **-ise**.

to **surmount** /səˈmaʊnt/ v. t. (*form.*) sormontare; superare; valicare; vincere: *The steeple is surmounted by a spire*, il campanile è sormontato da una guglia; **to s. a difficulty** [**an obstacle**], superare una difficoltà (*un ostacolo*); **to s. a height**, valicare un'altura ● **peaks surmounted with snow**, vette ricoperte di neve.

surmountable /səˈmaʊntəbl/ a. sormontabile; superabile.

surmullet /sɜːˈmʌlət/ n. (pl. **surmullets**, **surmullet**) (*zool., Mullus*) triglia.

♦**surname** /ˈsɜːneɪm/ n. **1** cognome; nome di famiglia; casato **2** (*un tempo*) appellativo; soprannome ● **My s. is Jones**, (*di cognome*) mi chiamo Jones.

to **surname** /ˈsɜːneɪm/ v. t. **1** soprannominare **2** dare il cognome a (q.).

to **surpass** /səˈpɑːs/ v. t. **1** sorpassare; superare; far meglio di: *The result surpassed his wildest hopes*, il risultato superò le sue più audaci speranze **2** oltrepassare; essere superiore a ● **to s. belief**, essere incredibile □ **to s. comprehension**, essere incomprensibile □ **to s. sb. in wit**, essere più spiritoso di q.

surpassable /səˈpɑːsəbl/ a. sorpassabile; superabile.

surpassing /səˈpɑːsɪŋ/ a. eccellente; superiore; senza pari; ineguagliato: **s. beauty**, bellezza senza pari | **-ly** avv.

surplice /ˈsɜːplɪs/ (*relig.*) n. cotta; rocchetto ‖ **surpliced** a. (*di sacerdote*) che indossa la cotta; in cotta.

♦**surplus** /ˈsɜːpləs/ **A** n. Ⓤ **1** soprappiù; eccesso; eccedenza; sovrappiù: **to be s. to requirements**, essere di soprappiù (*o in più del necessario*) **2** (*econ.*) surplus; eccedenza; esubero; supero; avanzo: *The USA has a huge s. of foodstuffs*, gli Stati Uniti d'America hanno un'enorme eccedenza di generi alimentari **3** (*econ.*) = **s. value** → *sotto* **4** (*fin., rag.*) surplus; eccedenza; avanzo; supero; residuo (*o saldo*) attivo: **s. on visible trade** (*o* **trade**), eccedenza della bilancia commerciale; **s. on current account**, saldo attivo della bilancia dei pagamenti; **a s. of assets over liabilities**, un'eccedenza delle attività sulle passività **5** (*mil.*, = **s. war material**) residuati bellici **B** a. attr. **1** in eccesso; in più: *I've offered our s. cherries to our next-door neighbours*, ho offerto ai vicini di casa le ciliege che abbiamo in più (*del nostro fabbisogno*) **2** (*econ., fin.*) in eccedenza; eccedentario: **s. wheat**, grano in eccedenza; **s. labour**, manodopera eccedentaria; **s. country**, paese eccedentario; (*demogr., stat.*) **s. population**, popolazione eccedentaria; eccesso di popolazione ● (*rag.*) **s. account**, conto eccedenze □ (*fin.*) **s. budget**, bilancio eccedentario □ (*econ.*) **s. produce**, eccedenze agricole; prodotti agricoli eccedentari □ (*econ.*) **s. products**, prodotti eccedentari dell'industria; eccedenze industriali □ (*fin.*) **s. profit**, sovrapprofitto □ (*rag.*) **s. reserve**, riserva straordinaria □ (*fin.*) **s. revenues**, plusvalenze □ (*market.*) **s. stocks**, rimanenze, fondi di magazzino, scampoli: **publishers' stocks**, rimanenze librarie, copie di libri in magazzino □ **s. store**, negozio di rimanenze □ (*econ.*) **s. value**, plusvalore; (*anche*) rendita: **consumer's** [**producer's**] **value**, rendita del consumatore [del produttore].

surplusage /ˈsɜːpləsɪdʒ/ n. Ⓤ (*raro*) **1** soprappiù; sovrappiù; eccesso; eccedenza **2** (*leg.*) argomentazioni irrilevanti.

surprint /ˈsɜːprɪnt/ n. (*grafica*) sovrastampa.

♦**surprise** /səˈpraɪz/ n. ⓊⒸ sorpresa; meraviglia; stupore: *I have a s. for you*, ho una sorpresa per te; *His visit caused great s.*, la sua visita provocò grande stupore; *He gasped in s.*, restò senza fiato per lo stupore; *They recovered from their s.*, si riebbero dalla sorpresa ● (*mil. e sport*) **s. attack**, attacco di sorpresa □ **s. packet**, regalo a sorpresa □ **s. party**, festa (*spesso di compleanno*) organizzata all'insaputa del festeggiato □ **a s. visit**, una visita inattesa □ (*mil.*) **to attempt a s.**, tentare un attacco di sorpresa □ **on a s. basis**, di sorpresa; senza preavviso □ **to take sb. by s.**, prendere q. di sorpresa; cogliere q. alla sprovvista □ **to my great s.**, con mia grande sorpresa □ **It's no s. to me**, (la cosa) non mi sorprende affatto □ *That's a s.*, che sorpresa; *That's a bit of a s.!*, questa sì che è una sorpresa!

to **surprise** /səˈpraɪz/ v. t. **1** sorprendere; meravigliare; stupire: *His generosity surprised me*, la sua generosità mi sorprese **2** sorprendere; cogliere alla sprovvista; prendere di sorpresa: *They surprised him in the act*, lo sorpresero sul fatto; lo colsero in flagrante; *The merchant ship was surprised by the enemy*, il mercantile fu sorpreso dal nemico ● **to s. sb. into doing st.**, strappare (*o far fare*) qc. a q. prendendolo alla sprovvista □ **to be surprised**, sorprendersi; stupirsi; meravigliarsi: *I'm not surprised at it*, non me ne stupisco; *I'm surprised at you*, mi meraviglio di te! □ *I'm surprised to hear you say so*, mi sorprende sentirtelo dire □ **There's nothing to be surprised at**, non c'è da stupirsi ❶ Nota: *-ise o -ize?* → **-ise**.

♦**surprised** /səˈpraɪzd/ a. sorpreso; stupito; meravigliato: *He looked s. to see you in that shop*, sembrava sorpreso di vederti in quel negozio.

surprisedly /səˈpraɪzɪdlɪ/ avv. con aria stupita; con (grande) stupore.

♦**surprising** /səˈpraɪzɪŋ/ a. sorprendente; stupefacente.

♦**surprisingly** /səˈpraɪzɪŋlɪ/ avv. sorprendentemente, imprevedibilmente; inaspettatamente: **a s. easy exam**, un'esame sorprendentemente semplice.

surreal /səˈrɪəl/ a. **1** surreale **2** surrealistico.

surrealism /səˈrɪəlɪzəm/ n. Ⓤ (*letter., arte*) surrealismo ‖ **surrealist** n. (*letter., arte*) surrealista ‖ **surrealistic** a. **1** (*letter., arte*) surrealistico **2** surreale.

surrebutter /sʌrɪˈbʌtə(r)/ n. (*leg.*) seconda controreplica dell'attore.

surrejoinder /sʌrɪˈdʒɔɪndə(r)/ n. (*leg.*) controreplica dell'attore.

surrender /səˈrendə(r)/ n. ⓊⒸ **1** resa; capitolazione: **unconditional s.**, resa incondizionata **2** (*leg.*) cessione; abbandono: **the s. of an estate**, la cessione d'una proprietà **3** (*ass.*) riscatto (*di una polizza*): **the s. value of a life policy**, il valore di riscatto di una polizza vita **4** (*sport: judo*) resa.

♦to **surrender** /səˈrendə(r)/ **A** v. t. **1** cedere; consegnare; abbandonare; lasciare; rinunciare a: *They surrendered the city to the enemy*, consegnarono la città al nemico; *We surrendered all hope*, abbandonammo ogni speranza; **to s. an office**, lasciare una carica (*pubblica, ecc.*); **to s. one's freedom**, rinunciare alla libertà **2** (*form.*) rendere; restituire; riconsegnare: *You must s. this permit when you leave the country*, quando lasciate il paese, dovete restituire questo permesso **3** (*leg.*) cedere, abbandonare (*un diritto, ecc.*) □ **to s. a privilege**, cedere un privilegio **4** (*ass.*) riscattare (*una polizza d'assicurazione*) **5** perdere; (*sport*) **to s. a lead**, perdere un vantaggio **B** v. i. **1** arrendersi; capitolare: *'We shall never s.'* W. CHURCHILL, 'non ci arrenderemo mai' **2** cedere, abban-

donarsi: **to s. to despair**, abbandonarsi alla disperazione ● (*leg.*) **to s. to bail**, comparire in giudizio dopo aver goduto del rilascio su cauzione □ **to s. oneself**, arrendersi; (*fig.*) abbandonarsi, darsi (*al dolore, alla disperazione, ecc.*): *The bandits surrendered themselves to the marshal*, i banditi si arresero allo sceriffo □ (*leg.*) **to s. oneself to justice**, costituirsi (*all'autorità giudiziaria*).

surreptitious /ˌsʌrəpˈtɪʃəs/ a. **1** clandestino; furtivo; subdolo: **a s. edition**, un'edizione clandestina (*di un libro*) **2** (*di uno scritto*) spurio **3** (*leg.*) surrettizio | **-ly** avv. | **-ness** n. Ⓤ.

surrey /ˈsʌrɪ/ n. (*un tempo*) carrozza leggera a quattro ruote e a due posti.

surrogacy /ˈsʌrəgəsɪ/ n. Ⓤ **1** (*leg.*) funzione (*o ufficio*) di delegato **2** (*med., in GB*) maternità surrogata; prestito dell'utero (*è legale*).

surrogate /ˈsʌrəgeɪt/ Ⓐ n. **1** sostituto; delegato (*spec. di un vescovo*) **2** (*leg., USA*) magistrato che omologa testamenti ❶ **FALSI AMICI** ● surrogate *non significa* surrogato Ⓑ a. surrogato: **s. mother**, madre surrogata ● **s. baby**, bimbo nato da madre in affitto □ **s. birth**, nascita per surrogazione della madre.

surround /səˈraʊnd/ n. bordo, bordura, orlo (*fra il tappeto e le pareti*).

♦to **surround** /səˈraʊnd/ v. t. circondare; cingere; accerchiare; attorniare: *A wall surrounds the city*, un muro cinge la città; *We were surrounded by the enemy*, eravamo circondati dal nemico; **to s. a fort**, accerchiare (*o assediare*) un forte; *She was surrounded by her grandchildren*, era attorniata dai nipotini.

surrounding /səˈraʊndɪŋ/ a. **1** circostante; circonvicino: **the s. territory**, il territorio circostante **2** che circonda; che cinge.

surroundings /səˈraʊndɪŋz/ n. pl. **1** dintorni: **picturesque s.**, dintorni pittoreschi **2** ambiente: **cultured s.**, un ambiente colto.

surround sound /səˈraʊnd saʊnd/ loc. n. Ⓤ (*stereofonia*) surround sound; suono avvolgente.

surtax /ˈsɜːtæks/ n. (*fisc.*) **1** sovrimposta; soprattassa; (*imposta*) addizionale: **a s. on incomes above a certain amount**, un'addizionale sui redditi superiori a una certa cifra **2** (*in GB*) addizionale sul reddito (*fortemente progressiva*) **3** (*in USA*) imposta aggiuntiva.

to **surtax** /ˈsɜːtæks/ v. t. soprattassare; gravare con soprattassa; applicare l'addizionale a (*contribuenti, redditi, ecc.*).

surtitle /ˈsɜːtaɪtl/ n. (*teatr., opera*) sottotitolo (*proiettato su uno schermo sopra il palcoscenico*).

surveillance /sɜːˈveɪləns/ n. Ⓤ sorveglianza; vigilanza, v. **s. camera**, telecamera di controllo □ (*aeron. mil.*) **s. airplane**, aereo spia □ (*miss.*) **s. satellite**, satellite spia □ **under s.**, sotto sorveglianza; (*leg.*) in libertà vigilata.

surveillant /sɜːˈveɪlənt/ a. e n. sorvegliante.

to **surveille** /səˈveɪl/ v. t. (*USA*) sorvegliare.

♦**survey** /ˈsɜːveɪ/ n. **1** veduta; vista; colpo d'occhio; scorsa; occhiata: *He gave the flat a quick s.*, diede un'occhiata veloce all'appartamento **2** esame; indagine; rassegna; studio; compendio: **a s. of American literature**, una rassegna della letteratura americana **3** ispezione; verifica; perizia; stima; valutazione **4** (*topogr.*) rilevamento; rilievo; prospezione: **geological s.**, rilevamento geologico **5** (= **s. map**) mappa catastale; carta topografica **6** (*demogr., stat.*) inchiesta; indagine ● **to make** (*o* **to carry out**) **a s. of**, fare la rassegna di; esaminare, studiare;

fare un sondaggio su; fare la perizia di; (*topogr.*) fare i rilievi di (*un terreno*) □ (*ass.*) **s. of the damage** (*o* **damage s.**), perizia (*o stima*) del danno.

to **survey** /səˈveɪ/ v. t. **1** osservare; contemplare; guardare attentamente; esaminare; scrutare; squadrare (*con l'occhio*): *The Foreign Secretary surveyed the problems of international cooperation in his speech*, il Ministro degli Esteri esaminò nel suo discorso i problemi della collaborazione internazionale **2** ispezionare; studiare; visitare **3** (*comm.*) fare la perizia di; periziare; stimare; valutare: **to s. a real estate**, valutare un immobile; **to s. the goods to determine damages**, periziare la merce per stabilire i danni **4** (*topogr.*) misurare; rilevare; levare i piani di (*un terreno, ecc.*) **5** (*demogr., stat.*) fare un'inchiesta (*o un'indagine, un sondaggio*) su: *We are surveying population growth*, stiamo facendo un'indagine sullo sviluppo demografico.

surveying /səˈveɪɪŋ/ n. Ⓤ **1** agrimensura **2** rilevamento topografico **3** l'osservare, l'indagare, ecc. (→ **to survey**) ● **s. instruments**, strumenti topografici.

surveyor /səˈveɪə(r)/ n. **1** geometra; agrimensore; topografo **2** ispettore; controllore: **a s. of roads**, un ispettore (*dell'azienda*) delle strade; **a customs s.**, un ispettore doganale; **a s. of weights and measures**, un controllore dei pesi e delle misure **3** (*ass.*) perito; periziatore **4** (*USA*) doganiere ● **s.'s compass**, bussola topografica □ **s.'s level**, livella a cannocchiale □ (*ass., naut.*) **marine s.**, perito marittimo ‖ **surveyorship** n. □ ufficio di controllore; ispettorato.

survivable /səˈvaɪvəbl/ (*spec. mil.*) a. che è in grado (*o capace*) di sopravvivere ‖ **survivability** n. Ⓤ capacità di sopravvivenza.

♦**survival** /səˈvaɪvl/ n. **1** Ⓤ sopravvivenza: (*biol.*) **the s. of the fittest**, la sopravvivenza del più adatto; la selezione naturale **2** Ⓤ (*fig.*) permanenza: (*calcio*) *They bank on s. in the Premiership*, contano sulla loro permanenza in Serie A **3** credenza (*o consuetudine, usanza*) d'altri tempi; reliquia; pezzo da museo (*fig.*) ● **s. kit**, corredo di sopravvivenza □ (*ass., stat.*) **s. rate**, tasso di sopravvivenza.

survivalism /səˈvaɪvəlɪzəm/ n. Ⓤ survivalismo ‖ **survivalist** Ⓐ n. survivalista Ⓑ a. attr. survivalistico.

♦to **survive** /səˈvaɪv/ Ⓐ v. i. **1** (*anche ass.*) sopravvivere; essere ancora in vita **2** (*sport*) permanere, rimanere (*in Serie A, ecc.*) Ⓑ v. t. **1** sopravvivere a: **to s. one's children**, sopravvivere ai propri figli **2** scampare a; uscire indenne da: **to s. a plane crash [all perils]**, scampare a un incidente aereo [a ogni pericolo] ‖ **surviving** a. (*anche ass.*) sopravvissuto; superstite.

survivor /səˈvaɪvə(r)/ n. (*anche ass.*) sopravvissuto; superstite: *She was the sole s. of the shipwreck*, fu la sola superstite del naufragio □ (*demogr., stat.*) **s. life curve**, curva di sopravvivenza □ (*ass.*) **s. policy**, polizza di sopravvivenza.

survivorship /səˈvaɪvəʃɪp/ n. Ⓤ **1** il sopravvivere; l'esser superstite **2** (*ass., stat.*) sopravvivenza **3** (*leg.*) diritto (*del comproprietario superstite*) alla quota del defunto ● **s. annuity**, (*ass.*) vitalizio (*al beneficiario*) in caso di morte (*dell'assicurato*); (*anche*) pensione di reversibilità.

sus /sʌs/ n. (*leg., abbr. fam. di* **suspect**) sospetto ● (*slang ingl.*) **the sus law**, la legge che consente l'arresto delle persone sospette (*revocata nel 1981*) □ **to arrest sb. on sus**, arrestare q. sulla base di un sospetto.

Susan /ˈsuːzn/, **Susanna**, **Susannah** /suːˈzænə/ n. Susanna.

susceptance /səˈsɛptəns/ n. Ⓤ (*fis.*) su-

scettanza.

susceptibility /səˌsɛptəˈbɪlətɪ/ n. Ⓤ Ⓒ **1** suscettibilità **2** ombrosità; permalosità; suscettibilità **3** sensibilità; impressionabilità; emotività **4** (*med.*) predisposizione (*a una malattia*) **5** (pl.) suscettibilità; emozioni; sentimenti: **to offend sb.'s susceptibilities**, offendere la suscettibilità di q. **6** (*mil.*) vulnerabilità (*di armamento, ecc.*) **7** (*fis.*) suscettibilità.

susceptible /səˈsɛptəbl/ a. **1** suscettibile; soggetto a: **s. of improvement**, suscettibile di miglioramento; **to be s. to change**, essere soggetto a mutamento (*o a variazione*) **2** (*med.*) predisposto; soggetto: **to be s. to flu**, andare soggetto all'influenza **3** permaloso; suscettibile; sensibile: **s. to criticism**, sensibile alle critiche | **-bly** avv.

susceptive /səˈsɛptɪv/ a. **1** suscettivo; suscettibile **2** (*filos., psic.*) ricettivo: **the s. faculties**, le facoltà ricettive.

sushi /ˈsuːʃɪ/ n. Ⓤ (*cucina*) sushi (*piatto giapponese a base di pesce crudo, riso e alghe*).

suspect /ˈsʌspɛkt/ Ⓐ n. persona sospetta; sospetto; indiziato: *The police arrested all the suspects*, la polizia arrestò tutte le persone sospette Ⓑ a. pred. sospetto; che dà motivo di sospettare; che desta diffidenza: *The burglar's statement is s.*, la dichiarazione dello scassinatore è sospetta ● **the usual suspects**, le solite facce; i soliti (*nomi*) noti.

♦to **suspect** /səˈspɛkt/ v. t. e i. **1** sospettare; nutrire sospetti (*su*); essere sospettoso; diffidare (*di*); sospettare: *I s. him of stealing* (*o of the theft of*) *the silverware*, lo sospetto d'aver rubato l' (*o del furto dell'*) argenteria; *I s. danger*, subodoro un pericolo; **to s. a plot**, sospettare che si stia macchinando qualcosa; *He is suspected of murder*, lo sospettano d'aver commesso un assassinio **2** credere; immaginare; congetturare; presumere; supporre; reputare; avere il sospetto che: *I s. him to be* (*o that he is*) *the man we are looking for*, ho il sospetto che sia lui l'uomo che cerchiamo; *I s. you don't care at all*, immagino che non te ne importi nulla ● (*leg.*) **the suspected killer**, il presunto assassino □ (*leg.*) **a suspected criminal**, una persona sospetta; un sospetto; un indiziato.

suspectable /səˈspɛktəbl/ a. sospettabile.

♦to **suspend** /səˈspɛnd/ v. t. **1** sospendere; attaccare; appendere: **to s. a chandelier from the ceiling**, sospendere (*o appendere*) un lampadario al soffitto **2** sospendere; differire; interrompere; tenere in sospeso: *The bus service has been suspended*, il servizio degli autobus è stato sospeso; (*comm., banca*) **to s. payment**, sospendere i pagamenti; **to s. judgement**, sospendere il giudizio **3** (*leg.*) sospendere (*la pena*) **4** sospendere; allontanare (*dal lavoro, dal gioco, da una partita, ecc.*): **to s. sb. from office [school]**, sospendere q. dall'ufficio [dalle lezioni] **5** (*Borsa*) sospendere: **to s. the list**, sospendere le quotazioni **6** (*chim.*) tenere (*una sostanza*) in sospensione ● **to s. one's indignation**, trattenere la propria indignazione □ (*leg.*) **to s. punishment**, sospendere la pena □ (*leg.*) **Sentence to be suspended** (*formula*), con il beneficio della sospensione condizionale.

suspended /səˈspɛndɪd/ a. sospeso (*anche dal lavoro*); differito, interrotto: **to be s. in the air [in a liquid]**, essere sospeso in aria [in un liquido] ● (*med.*) **s. animation**, stato comatoso □ (*boxe*) **s. ball**, pallone (*o sacco*) sospeso □ (*edil.*) **s. ceiling**, controsoffitto □ (*leg.*) **s. sentence**, sospensione condizionale della pena □ (*ind. costr.*) **s. span**, campata sospesa (*di un ponte*).

suspender /səˈspɛndə(r)/ n. **1** giarrettie-

ra **2** (pl.) (*USA*) bretelle ● **s. belt**, reggicalze.

suspense /sə'spɛns/ n. Ⓤ sospensione d'animo; ansia; apprensione; suspense; incertezza; indecisione: *There was great s. for the outcome of the election*, c'era grande ansia per il risultato delle elezioni ● (*comm.*) **s. account**, conto delle partite in sospeso; conto d'ordine □ (*filos., relig.*) **s. of judgement**, sospensione di giudizio (*di un agnostico*) □ **to hold a decision in s.**, tenere una decisione in sospeso □ **to keep sb. in s.**, tenere q. in suspense; tenere q. sulla corda, sulle spine (*fig.*) □ (*di una questione*) **to remain in s.**, restare in sospeso.

suspenseful /sə'spɛnsfl/ a. pieno di → «suspense».

suspension /sə'spɛnʃn/ n. Ⓤ **1** sospensione (*anche dal lavoro*); dilazione; differimento; interruzione: (*comm.*) **the s. of payments**, la sospensione dei pagamenti; (*leg.*) **s. of punishment**, sospensione della pena **2** (*chim., fis.*) sospensione **3** (*tecn.*) sospensione: **cardanic s.**, sospensione cardanica; (*mecc.*) **rigid s.**, sospensione rigida; (*autom.*) **fourwheel s.**, sospensione sulle quattro ruote **4** (*ind. min.*) ancoraggio ● **s. bridge**, ponte sospeso □ (*aerostatica*) **s. cable**, cavo di sospensione (*parapendio*) **s. line**, cordino di sospensione □ (*leg.*) **s. of decision**, aggiornamento della decisione (*o della sentenza*) □ (*mil.*) **s. of hostilities**, sospensione delle ostilità □ **s. of driving licence**, sospensione (*o ritiro*) della patente □ (*leg. e fig.*) **s. of judgement**, sospensione di giudizio □ (*ferr.*) **s. railway**, ferrovia sospesa (*o pensile*) □ (*edil.*) **s. roof**, tetto sospeso.

suspensive /sə'spɛnsɪv/ a. **1** sospensivo; dilatorio: **a s. sentence**, un decreto sospensivo **2** ansioso; apprensivo; esitante **3** pieno di suspense | **-ly** avv. | **-ness** n. Ⓤ.

suspensory /sə'spɛnsərɪ/ Ⓐ a. (*anat.*) sospensorio Ⓑ n. **1** (*med.*, = **bandage**) sospensorio **2** (*sport, USA*) sospensorio.

◆**suspicion** /sə'spɪʃn/ n. Ⓤ◊ **1** sospetto: *The club treasurer is above s.*, il cassiere del circolo è al di sopra di ogni sospetto; **to have suspicions**, nutrire sospetti **2** traccia; punta; pizzico; (un) po'; (un) tantino: *There was a s. of rust on the tableware*, c'era una lieve traccia di ruggine sulle posate **3** (*leg.*) suspicione ● **to be arrested on s. of fraud**, essere arrestato per sospetta frode □ **to be under s. of murder**, essere sospettato di omicidio.

◆**suspicious** /sə'spɪʃəs/ a. **1** sospettoso; diffidente: **a s. look**, uno sguardo sospettoso; *I am s. of strangers*, sono diffidente con gli sconosciuti **2** sospetto; ambiguo; losco: **a s. caller**, un visitatore sospetto (*prima che avvenga un furto in una casa, ecc.*); un tipo losco; **a s. noise**, un rumore sospetto; **under** (*o in*) **s. circumstances**, in circostanze sospette; *If you see anything s.*, dial 999, se vedete qualcosa di sospetto, chiamate il 999 (*in GB*) **3** (*di persona*) sospettabile ● **a s. character**, un losco figuro □ **to become s.**, insospettirsi □ **to look s.**, avere un'aria sospetta | **-ly** avv. | **-ness** n. Ⓤ.

suss /sʌs/ n. (*slang ingl.*) **1** Ⓤ sospetto (*di un delitto, ecc.*) **2** sospetto; persona sospettata **3** Ⓤ intuizione; astuzia.

to **suss** /sʌs/ v. t. (*slang ingl.*) sospettare; accorgersi di; intuire; mangiare la foglia (*pop.*) ● **to s. out**, accertarsi di; scoprire: **to s. out things for oneself**, scoprire tutto da solo.

sussed /sʌst/ a. (*GB, fam.*) **1** bene informato su qc.; che se ne intende **2** scafato; disinvolto; ganzo (*gergale*).

◆to **sustain** /sə'steɪn/ v. t. **1** sostenere; reggere; sopportare; subire: *The roof is sus-*

tained by four pillars, il tetto è retto (*o sostenuto*) da quattro pilastri; **to s. a defeat** [**a heavy loss**], subire una sconfitta [una grave perdita]; **to s. a debate**, sostenere un dibattito; (*teatr.*) **to s. a part** (*o a role*), sostenere una parte **2** sostenere; sostentare; mantenere: *Food sustains life*, il cibo sostiene il corpo (*o ci mantiene in vita*) **3** (*leg.*) appoggiare; approvare; accogliere; pronunciarsi in favore di: **to s. a claim**, appoggiare una rivendicazione; accogliere un ricorso; **to s. an objection**, accogliere un'eccezione: *The judge sustained the plaintiff*, il giudice si pronunciò in favore dell'attore **4** confermare; convalidare; rafforzare; corroborare: **to s. a charge**, confermare un'accusa; **to s. a statement**, convalidare un'asserzione; **to s. a theory**, corroborare una teoria **5** sostenere; sorreggere: *She was sustained by her faith in God*, era sorretta dalla fede in Dio **6** (*fis.*) sostentare (*nell'aria, nell'acqua, nello spazio*) **7** (*mus.*) sostenere; tenere a lungo; filare: **to s. a note**, tenere a lungo (*o filare*) una nota ● (*leg.*: *in un processo*) *Objection sustained!* (*formula*), obiezione (*o eccezione*) accolta!

sustainable /sə'steɪnəbl/ a. **1** (*fis., ecol., econ.*) sostenibile: **s. development**, sviluppo sostenibile; **s. growth**, crescita sostenibile **2** difendibile; sostenibile ‖ **sustainability** n. Ⓤ sostenibilità.

sustained /sə'steɪnd/ a. sostenuto; prolungato: **a s. effort**, uno sforzo prolungato (*o intenso*).

sustainer /sə'steɪnə(r)/ n. **1** sostenitore, sostenitrice **2** (*miss.*) sustainer (*razzo che si accende dopo il distacco dei booster*).

sustaining /sə'steɪnɪŋ/ a. che sostiene; di sostegno ● **s. food**, cibo nutriente (*di un'accademia e sim.*) **s. member**, socio sostenitore □ (*mus.*) **s. pedal**, pedale di prolungamento del suono.

sustainment /sə'steɪnmənt/ n. Ⓤ (*raro*) sostegno; appoggio; mantenimento.

sustenance /'sʌstɪnəns/ n. Ⓤ **1** sostentamento; nutrimento; cibo **2** sostanza (*nutritiva*): *There is no s. in this food*, questo cibo non ha sostanza.

sustentation /ˌsʌstɛn'teɪʃn/ n. Ⓤ (*raro*) sostentazione; nutrimento; sostentamento.

susurration /ˌsuːsə'reɪʃn/ n. Ⓤ (*raro*) susurro; mormorio; fruscio.

sutler /'sʌtlə(r)/ n. (*un tempo*) vivandiere (*al seguito di un esercito*).

suttee /'sʌtɪ/ (*stor., in India*) n. **1** sati; sacrificio volontario d'una vedova alla morte del marito (*sul rogo funebre*) **2** sati; vedova che si sacrificava sul rogo.

suture /'suːtʃə(r)/ n. **1** (*anat.*) sutura **2** (*med.*) sutura (*anche il suturare*) **3** (*zool., bot.*) sutura **4** (*med.*) materiale (*filo, ecc.*) per suturare ● **s. needle**, ago per suture ‖ **sutural** a. (*anat., med.*) di sutura; suturale.

to **suture** /'suːtʃə(r)/ v. t. (*med.*) suturare.

SUV sigla (*autom.*, **sport utility vehicle**) sport utility.

suzerain /'suːzərən/ n. **1** (*stor.*) signore feudale; grande feudatario **2** (*polit.*) stato che ha diritti di sovranità su un altro ‖ **suzerainty** n. Ⓤ **1** (*stor.*) signoria; potere di signore feudale **2** (*polit.*) sovranità.

svelte /svɛlt/ (*franc.*) a. **1** (*spec. di figura femminile*) svelto; snello; slanciato **2** elegante; sofisticato; chic.

SVGA sigla (*comput.*, **super video graphics array**) super VGA (*tipo di scheda grafica*) (*cfr.* **VGA**).

SVQ sigla (*GB*, **Scottish Vocational Qualification**) qualifica rilasciata dalle scuole professionali scozzesi.

SW abbr. (*comput.*, **software**) software.

SW sigla **1** (**south-west**) sud ovest (SO) **2**

(**south-western**) sudoccidentale.

swab /swɒb/ n. **1** strofinaccio, straccio (*per pulire pavimenti, ecc.*); (*naut.*) radazza **2** (*med.*) tampone (*per prelievi*); materiale prelevato con un tampone **3** (*med.*) campione prelevato con un tampone **4** (*ind. min., mil.*) scovolo (*per pulire la canna di un fucile, ecc.*) **5** (*slang*) individuo goffo (*o rozzo, maldestro*) **6** (*gergo mil., naut.*) spallina da ufficiale; (*per estens.*) ufficiale.

to **swab** /swɒb/ v. t. **1** pulire (*pavimenti, ecc.*) con lo straccio; strofinare **2** (*naut.*, *spesso* **to s. down**) radazzare: **to s. down the deck**, radazzare il ponte **3** (*med.*) medicare (*o prelevare*) con un tampone **4** (*tecn.*) pulire (*un foro o un tubo*) ● **to s. out**, pulire a fondo (*una stanza, una ferita, ecc.*) □ **to s. up**, raccogliere (*un liquido*) con uno straccio; tirare su (*fam.*).

swabber /'swɒbə(r)/ n. **1** chi pulisce (chi asciuga, ecc.) con uno straccio **2** (*slang*) individuo goffo (*o rozzo, maldestro*) **3** (*gergo naut.*) marinaio; mozzo.

Swabia /'sweɪbɪə/ (*stor.*) n. Svevia ‖ **Swabian** a. e n. svevo: **the Swabian emperors**, gli imperatori svevi (*o della Casa di Svevia*).

to **swaddle** /'swɒdl/ v. t. (*un tempo*) avvolgere in fasce; fasciare (*un neonato*) ● (*un tempo*) **swaddling clothes** (*o* **swaddling bands**), fasce (*per neonati*).

swag /swæg/ n. (*slang*) **1** bottino; refurtiva; malloppo (*gergo*) **2** (*Austral.*) fagotto, fardello (*di vagabondo, minatore, ecc.*).

swage /sweɪdʒ/ n. (*metall.*) stampo; forma ● **s. block**, chiodaia; tasso; tassello a fori □ (*mecc.*) **s. bolt**, bullone a zanche.

to **swage** /sweɪdʒ/ v. t. (*metall.*) stampare a caldo; foggiare nello stampo.

swagger /'swægə(r)/ Ⓐ n. Ⓤ◊ **1** andatura sussiegosa (*o spavalda*); il pavoneggiarsi **2** vanteria; boria; spavalderia; millanteria; sbruffonata (*fam.*) Ⓑ a. attr. dall'eleganza vistosa; alla moda ● (*arte*) **s. portrait**, ritratto che vuole rappresentare l'importanza sociale del soggetto □ **s. cane** (*o* **s. stick**), bastoncino (*o frustino*) da ufficiale.

to **swagger** /'swægə(r)/ v. i. **1** camminare con aria sussiegosa; pavoneggiarsi **2** gloriarsi; vantarsi; fare lo spaccone; millantarsi; fare lo sbruffone (*fam.*) ● **to s. along**, camminare pavoneggiandosi ‖ **swaggerer** n. fanfarone; spaccone; smargiasso; sbruffone (*fam.*).

swagman /'swægmæn/ n. (pl. **swagmen**) (*Austral. e NZ*) **1** operaio stagionale; lavoratore itinerante **2** vagabondo.

Swahili /swɑː'hiːlɪ/ a. e n. Ⓤ Swahili (*spec. la lingua*).

swain /sweɪn/ n. (*arc. o scherz.*) **1** contadinello; pastorello **2** corteggiatore; innamorato.

swallow① /'swɒləʊ/ n. **1** inghiottimento; deglutizione **2** boccone (*di cibo*); sorso, sorsata (*d'acqua, ecc.*) **3** gola; esofago e faringe **4** (*naut.*) gola (*di una puleggia*) ● (*geol.*) **s. hole**, inghiottitoio.

swallow② /'swɒləʊ/ n. (*zool., Hirundo*) rondine ● (*sport*) **s. dive**, tuffo semplice in avanti □ (*zool.*) **s.-fish** (*Trigla hirundo*), cappone imperiale; pesce gallinella □ **s.-tail**, coda forcuta; marsina, frac □ (*zool.*) **s.-tail (butterfly)** (*Papilio machaon*), macaone □ **s.-tailed**, a coda di rondine: **a s.-tailed coat**, una giacca a coda di rondine; una marsina; un frac □ (*bot.*) **s.-wort**, (*Vincetoxicum officinale*) vincetossico; (*Chelidonium majus*) celidonia □ (*prov.*) **One s. does not make a summer**, una rondine non fa primavera.

◆to **swallow** /'swɒləʊ/ v. t. e i. **1** inghiottire (*anche fig.*); deglutire; ingoiare (*anche fig.*); trangugiare; mandar giù; ingollare (*pop.*): **to s. one's breakfast**, trangugiare la colazione; **to s. an insult**, ingoiare un insul-

to **2** frenare; tenere a freno; trattenere; reprimere: **to s. one's anger**, trattenere l'ira; *S. your pride*, frena il tuo orgoglio! **3** (*fig.*) ringoiare; rimangiare; ritirare: **to s. one's tears**, ringoiarsi le lacrime; **to s. one's promise**, rimangiarsi una promessa **4** (*fam.*) credere; bere (*fam.*): *He'll s. anything you tell him*, crede qualsiasi cosa gli si dica; beve qualsiasi fandonia ● (*gergo naut.*) **to s. the anchor**, lasciare il mare; sbarcare per sempre □ (*anche fig.*) **to s. the bait**, abboccare all'amo □ **to s. down**, tranguggiare; ingozzare; mandar giù (*anche fig.*): **to s. down a pill**, mandare giù una pillola □ **to s. st. whole**, inghiottire qc. senza masticare; mandare qc. giù in un (sol) boccone □ (*anche fig.*) **to s. up**, inghiottire; assorbire (*entrate, guadagni, ecc.*): *He was swallowed up by the waves*, fu inghiottito dalle onde; *The rent swallows up half his salary*, l'affitto gli inghiotte metà dello stipendio □ (*del terreno*) **to s. up the rain**, assorbire la pioggia □ (*slang USA*) (*di donna*) **to s. a watermelon seed**, restare incinta □ **to s. one's words**, rimangiarsi quel che s'è detto; ritrattare.

swallowable /'swɒləʊəbl/ a. che si può inghiottire.

swallower /'swɒləʊə(r)/ n. **1** chi inghiotte **2** (*raro*) credulone, credulona.

swallowing /'swɒləʊɪŋ/ n. ⊍ inghiottimento; deglutizione: (*fisiol.*) **s. reflex**, riflesso della deglutizione.

swam /swæm/ *pass.* di **to swim**.

swamp /swɒmp/ Ⓐ n. palude; pantano; acquitrino Ⓑ a. attr. di palude; palustre ● **s. boat**, idroscivolante □ (*med.*) **s. fever**, febbre malarica; malaria ‖ **swampy** a. **1** paludoso; pantanoso; acquitrinoso **2** (*del terreno, ecc.*) bagnato e molle; soffice.

to **swamp** /swɒmp/ Ⓐ v. t. **1** (*anche fig.*) sommergere; inondare; allagare; travolgere: *The water of the flooded river swamped the house*, l'acqua del fiume in piena inondò la casa; *The raft was swamped by the waves*, la zattera fu sommersa dalle onde; **to be swamped with orders [with letters]**, essere sommerso dalle ordinazioni [dalla corrispondenza]; *They were swamped by debts*, furono travolti dai debiti **2** affondare, colare a picco (*una barca, lasciando entrare l'acqua*) **3** (*mil. e sport*) attaccare in forze Ⓑ v. i. **1** affondare; sprofondare; impantanarsi **2** (*di battello*) imbarcare acqua ● **to be swamped with (telephone) calls**, essere tempestati di telefonate.

swamphen /'swɒmphen/ n. (*zool.*, *Porphyrio porphyrio*) pollo sultano; porfirione.

swan /swɒn/ n. (pl. **swans**, **swan**) (*zool.*, *Cygnus*) cigno; (*fig.*) poeta, cantore: **the S. of Avon**, il Cigno di Avon; Shakespeare ● (*sport*, *USA*) **s. dive**, tuffo semplice in avanti □ **s.'s down**, piume di cigno (*per piumini da cipria*); (*ind. tess.*) vigogna, mollettone □ **s. mark**, marchio impresso sulla pelle o sul becco dei cigni □ **s. neck**, collo di cigno; (*mecc.*) collo d'oca □ (*fig.*) **s. song**, canto del cigno □ (*in GB*) **s.-upping**, cerimonia annuale della raccolta dei cigni del Tamigi (*presso Windsor*) e apposizione del contrassegno (*piccoli tagli sul becco: cinque ai cigni della Corona*) □ **a black s.**, un cigno nero; (*fig.*) una mosca bianca.

to **swan** /swɒn/ v. i. (*fam.*) **1** gironzolare; girellare; vagare qua e là **2** muoversi con passo disinvolto e rilassato ● **to s. off**, andare via; andarsene; tagliare la corda (*fig.*).

swank /swæŋk/ Ⓐ n. **1** ● (*fam.*) boria; vanagloria; vanteria; ostentazione; esibizione sfacciata **2** ⊍ (*fam. spec. USA*) eleganza (*spec. vistosa*) Ⓑ **swanker → to swank** Ⓑ a. (*spec. USA*) → **swanky**.

to **swank** /swæŋk/ (*fam.*) v. i. gloriarsi; vantarsi; darsi delle arie; pavoneggiarsi; fa-

re lo spaccone ‖ **swanker** n. **1** borioso; spaccone; chi si dà delle arie; sbruffone **2** elegantone.

swanky /'swæŋkɪ/ a. (*fam.*) **1** borioso; pieno di arie **2** elegante; vistoso; sgargiante; chic **3** alla moda; in grande stile; sciccoso; in grande (*fam.*): **a s. party**, un ricevimento in grande | **-ily** avv. | **-iness** n. ⊍.

swanlike /'swɒnlaɪk/ a. **1** di (*o da*) cigno; simile a un cigno **2** aggraziato (*o bianco*) come un cigno **3** che ha un collo di cigno.

swannery /'swɒnərɪ/ n. allevamento di cigni.

swansdown /'swɒnzdaʊn/ n. ⊍ = **swan's down → swan**.

swap /swɒp/ n. **1** (*fam.*) cambio; scambio; baratto **2** (*fam.*) oggetto barattato (*o scambiato*) **3** (*econ.*) baratto **4** (*banca*, *fin.*) swap; riporto in cambio (*o su divise*); riporto cambiario (*o valutario*); 'pronti contro termine': **mirror s.**, swap speculare **5** (*fin.*) linea reciproca di crediti (*tra banche centrali*) **6** (*med.*) trapianto: **a heart s.**, un trapianto di cuore ● (*fin.*) **s. agreements**, accordi di swap □ (*a Londra*) **swaps market**, mercato degli swap (*dal 1982*) □ (*fin.*) **s. rates**, saggi di riporto valutario.

●to **swap** /swɒp/ (*fam.*) Ⓐ v. t. barattare; scambiare; dare in cambio Ⓑ v. i. **1** far scambi (*o baratti*) **2** (*slang*) fare lo scambio dei partner ● **to s. stories**, raccontarsela (*fam.*) □ (*prov.*) **Never s. horses when crossing a stream**, mai fare mutamenti in un momento critico; (*letteralm.*) non si fa il cambio dei cavalli in mezzo a un guado.

■ **swap around → swap round**.

■ **swap for** v. t. + prep. barattare, scambiare con: *They swapped the hostage for the policeman*, scambiarono l'ostaggio col poliziotto.

■ **swap over → swap round**.

■ **swap round** v. i. + avv. scambiare il posto; fare uno scambio di posto.

■ **swap with** v. t. + prep. **1** scambiare (q. *o* qc.) con **2** fare a cambio con (q.): *Will you s. with me?*, vuoi fare a cambio con me? □ **to s. places with sb.**, scambiare il posto con q.

swapping /'swɒpɪŋ/ n. ⊍ **1** (*fam.*) il fare cambio; baratto **2** (*comput.*) trasferimento temporaneo dei dati (*dalla memoria centrale a una ausiliaria*).

sward /swɔːd/ n. ⊍ **1** distesa erbosa; erba; tappeto verde (*fig.*) **2** zolla erbosa; piota (*lett.*).

sware /sweə(r)/ *pass. arc.* di **to swear**.

swarf /swɔːf/ n. ⊍ (*metall.*) sfrido.

swarm /swɔːm/ n. sciame; (*fig.*) folla, frotta, moltitudine; nugolo (*d'insetti, ecc.*): **a s. of bees**, uno sciame d'api; **a s. of children**, una frotta di bambini ● (*biol.*) **s. cell** (*o* **s. spore**), zoospora.

to **swarm** ① /swɔːm/ v. i. **1** (*delle api e fig.*) sciamare **2** (*fig.*) affollarsi; accalcarsi **3** (*fig.*) brulicare; pullulare; essere numerosi (*o fitti*) ● **to s. out**, uscire a frotte; sciamare: *The crowd swarmed out of the theatre*, la folla sciamò dal teatro □ **to s. over** (*o* **through**), sciamare per (*i campi, le strade, ecc.*) □ **to s. round sb.**, affollarsi (*o stringersi*) intorno a q. □ **to s. with**, formicolare (*o pullulare*) di: *The place was swarming with soldiers*, il luogo formicolava di soldati.

to **swarm** ② /swɔːm/ v. i. e t. arrampicarsi (*con le mani e le gambe*): *The boy swarmed (up) the tree*, il ragazzo si arrampicò sull'albero.

swarthy /'swɔːðɪ/ a. bruno; scuro di carnagione ‖ **swarthily** avv. con tinta bruna ‖ **swarthiness** n. ⊍ tinta bruna; carnagione scura.

swash /swɒʃ/ n. **1** ⊍ sciabordio: **the s. of the waves**, lo sciabordio delle onde **2** ⊍ (*oceanografia*) flutto montante; getto di riva

3 (*geogr.*) secca semisommersa **4** ⊍ (*arc.*) vanteria, boria; millanteria **5** (*arc.*) → **swashbuckler** ● (*geol.*) **s. mark**, impronta di battigia □ (*naut.*) **s. plate**, lamiera di rollio (*o di beccheggio*).

to **swash** /swɒʃ/ Ⓐ v. i. **1** (*dell'acqua*) sciabordare; sciaguattare **2** (*di una persona*) sguazzare **3** agitare la spada Ⓑ v. t. **1** agitare (*un liquido in un recipiente*); sciabordare **2** schizzare ● **to s. against**, (*delle onde*) infrangersi contro; (*della pioggia*) battere, scrosciare contro (*le finestre, ecc.*).

swashbuckler /'swɒʃbʌklə(r)/ n. bravaccio; fanfarone; gradasso; smargiasso.

swashbuckling /'swɒʃbʌklɪŋ/ Ⓐ a. borioso; prepotente; da smargiasso; da spaccone Ⓑ n. ⊍ fanfaronata, fanfaronate; bravata, bravate; smargiassata, smargiassate ● **s. films [novels]**, film [romanzi] di cappa e spada □ (*autom.*) **a s. manoeuvre**, una manovra rischiosa e strabiliante.

swastika /'swɒstɪkə/ n. svastica; croce uncinata.

swat /swɒt/ n. (*fam.*) **1** colpo secco; schiaffo; pacca (*fam.*) **2** schiacciamosche.

to **swat** /swɒt/ v. t. **1** (*fam.*) colpire (*di piatto*); schiacciare: **to s. a fly**, schiacciare una mosca **2** (*baseball*) battere (*la palla*).

swatch /swɒtʃ/ n. (*comm.*) campione (*di stoffe, ecc.*) ● **s. book**, campionario (*spec. di stoffe*).

swath /swɔːθ/, **swathe** /sweɪð/ n. (*agric.*) **1** falciata **2** fila di spighe di grano falciate **3** vuoto lasciato dal grano (*o altro cereale*) falciato **4** (*fig.*) zona; area ● (*fig.*) **to cut a s. in**, aprire un varco in, fare il vuoto in (*le file del nemico, ecc.*).

swathe /sweɪð/ n. (*raro*) fascia; benda.

to **swathe** /sweɪð/ v. t. avvolgere; fasciare; avviluppare; coprire ● **to be swathed in furs**, essere tutto impellicciato.

swatter /'swɒtə(r)/ n. (= **fly-s.**) schiacciamosche.

sway /sweɪ/ n. ⊍ **1** oscillazione; ondeggiamento; dondolio; fluttuazione **2** inclinazione; pendenza **3** (*arc. o lett.*) influsso; controllo; dominio; potere: *The country is under the s. of a dictator*, il paese è sotto il dominio di un dittatore **4** influsso; influenza: **to be under the s. of sb.**, essere sotto l'influenza di q. **5** impeto; forza: *He was moved by the s. of passion*, era mosso dall'impeto delle passioni **6** (*naut.*) oscillazione laterale (*del baricentro*) ● **to hold s. over sb.**, tenere q. sotto il proprio dominio; dominare q.

to **sway** /sweɪ/ Ⓐ v. i. **1** ondeggiare; oscillare; dondolare; fluttuare: *The tallest buildings swayed in the earthquake*, gli edifici più alti oscillarono al terremoto **2** pendere; pencolare; inclinarsi Ⓑ v. t. **1** agitare; far oscillare; far ondeggiare; dondolare; sballottare: *The wind is swaying the trees*, il vento fa ondeggiare gli alberi **2** (*arc. o lett.*) dominare; controllare; tenere sotto di sé; dirigere; reggere: *He is swayed by ambition*, è dominato dall'ambizione **3** influenzare; esercitare il proprio influsso su; spostare a proprio favore: **to be swayed by false prospects**, farsi influenzare da false prospettive; *Their door-to-door canvassing swayed thousands of votes*, la loro propaganda capillare spostò migliaia di voti **4** far recedere da un proposito; smuovere: *His threats will not s. us*, le sue minacce non ci smuoveranno ● **to s. one's hips**, ancheggiare □ (*lett.*) **to s. the sceptre**, reggere lo scettro □ (*lett.*) **to s. the sword**, brandire (*o impugnare*) la spada □ (*naut.*) **to s. up**, issare, ghindare (*un albero, ecc.*).

swayback /'sweɪbæk/ n. **1** (*med.*) lordosi **2** (*vet.*) «swayback» (*dei cavalli*); insellatura ‖ **swaybacked**, **sway-backed** a. **1** (*med.*) lordotico **2** (*vet.*: *di cavallo*) dalla

schiena troppo insellata.

swaying /'sweɪɪŋ/ n. ⓊⒸ **1** oscillazione; ondeggiamento; dondolio; fluttuazione **2** (*basket*) flottaggio.

♦**swear** /sweə(r)/ n. (*fam.*) **1** giuramento formale **2** imprecazione; bestemmia; parolaccia ● **s. box** (o, USA, **s. jar**), 'cassetta (barattolo) delle parolacce' (chi le dice vi mette un pegno in denaro).

to **swear** /sweə(r)/ (pass. **swore**, p. p. **sworn**), v. t. e i. **1** giurare; prestare giuramento: *He swore he would never do it again*, giurò che non l'avrebbe fatto mai più; *Would you s. it on the Bible?*, lo giureresti sulla Bibbia?; *The witness swore to tell the truth*, il testimone giurò di dire la verità **2** (*fam.*) assicurare; proclamare; asserire; sostenere: *I s. it was too bad of him*, t'assicuro che non poteva comportarsi peggio; *I s. the man's a fool!*, sostengo che è un imbecille! **3** far giurare; sottoporre a giuramento: (*leg.*) *The witnesses were sworn* (*in*), i testimoni furono fatti giurare (o prestarono giuramento) **4** imprecare; bestemmiare: *'When angry, count four; when very angry, s.'* M. TWAIN, 'quando sei arrabbiato, conta fino a quattro; quando sei molto arrabbiato, impreca!' ● (*leg.*) **to s. an affidavit**, fare una dichiarazione giurata □ **to s. allegiance**, giurare fedeltà (*alla patria, ecc.*) □ (*leg.*) **to s. a charge against sb.**, muovere un'accusa formale (o sotto giuramento) contro q. □ **to s. falsely**, spergiurare; giurare il falso □ **to s. like a trooper**, bestemmiare come un turco □ **to s. an oath**, fare (o prestare) giuramento, giurare; (*anche*) lanciare un'imprecazione, dire una bestemmia □ *I could have sworn it*, l'avrei giurato; me lo sentivo; lo sapevo.

■ **swear at** v. i. + prep. **1** imprecare contro (q.) **2** imprecare, bestemmiare per: *He started swearing at missing the train*, si mise a imprecare per aver perso il treno.

■ **swear by** v. i. + prep. **1** giurare su (o in nome di): **to s. by (the name of)** God, giurare su Dio **2** (*fig.*) aver cieca fiducia in; credere ciecamente in (o nella bontà di): *He swears by these pills*, ha cieca fiducia in queste pillole.

■ **swear for** v. i. + prep. (*USA*) **1** giurare sulla bontà (la validità, ecc.) di (*un metodo, ecc.*) **2** promettere, assicurare, garantire (che): *I'll s. for his meeting his obligations*, sono sicuro che farà fronte ai suoi impegni.

■ **swear in** v. t. + avv. insediare (q.) facendogli prestare giuramento; far giurare: **to s. in a jury**, insediare una giuria (*previo giuramento*); *The President has been sworn in*, il Presidente ha giurato assumendo il suo alto ufficio.

■ **swear off** v. t. + avv. giurare di smettere di; rinunciare solennemente a: *He swore off drink and tobacco*, giurò di smettere di bere e di fumare.

■ **swear out** v. t. + avv. (*leg., USA*) ottenere (*un mandato d'arresto*) giurando sulla colpevolezza dell'indiziato: *How many warrants of arrest have been sworn out?*, quanti mandati di cattura sono stati emessi su giuramento?

■ **swear to** Ⓐ v. i. + prep. **1** giurare di (*aver fatto, detto, ecc. qc.*): *I'd s. to have given you back your lighter*, giurerei di averti ridato l'accendino **2** giurare su: *I s. to God I'm innocent*, giuro su Dio d'essere innocente; **to s. to the truth of one's report**, giurare sulla veridicità del proprio rapporto Ⓑ v. t. + prep. far giurare (q.) di fare (qc.): **to s. sb. to secrecy**, far giurare a q. di mantenere il segreto □ **I couldn't s. to it**, non ci giurerei.

swearer /'sweərə(r)/ n. **1** chi impreca; bestemmiatore **2** (*anche leg.*) chi presta giuramento ● **false s.**, spergiuro.

swearing /'sweərɪŋ/ n. ⓊⒸ **1** il giurare; giuramento **2** l'imprecare; il bestemmiare ● (*polit., USA*) **s.-in**, il giuramento (*del Presidente neoeletto*): **the s.-in ceremony**, la cerimonia del giuramento.

swearword /'sweəwɜːd/ n. imprecazione; parolaccia.

sweat /swet/ n. **1** Ⓤ sudore; traspirazione: *He was wet* (o *dripping*, *running*) *with s.*, era bagnato (o grondante) di sudore **2** sudata; sudatina: **to have a good s.**, fare una bella sudata **3** Ⓤ (*fig. fam.*) sudore della fronte (*fig.*); fatica; lavoro duro **4** Ⓤ condensa; umidità condensata; trasudamento **5** (*metall.*) essudazione **6** Ⓤ (*tecn.*) condensazione **7** (*sport, USA*) sgambata (*di cavallo da corsa*) ● (*anat.*) **s. glands**, ghiandole sudoripare □ **s. room**, stanza per sudare; bagno turco (*il locale*) □ **s. shirt**, felpa □ (*metall.*) **s. soldering**, brasatura dolce a strofinamento □ (*sport*) **s. suit**, tuta (da ginnastica) □ **s. trousers**, pantaloni felpati □ (*fig.*) **by the s. of one's brow**, col sudore della (propria) fronte □ **to be in a s.** (o **all of a s.**), essere in un bagno di sudore; (*fig.*) sudar freddo □ **to be in a cold s.**, sudar freddo □ (*slang spec. USA*) **No s.!**, roba da ridere!; bazzecole!; non c'è problema! □ (*fam.*) **an old s.**, un veterano; (*anche*) uno vecchio del mestiere.

to **sweat** /swet/ (pass. e p. p. **sweated**, **sweat**) Ⓐ v. i. **1** sudare; traspirare; trasudare: *He was sweating with excitement*, sudava per l'emozione; *The outside of the wall sweats*, l'esterno della parete trasuda; *A ripening cheese sweats*, un formaggio in maturazione trasuda **2** (*fig.*) sudare; penare; soffrire; essere in ansia; stare sulle spine: *I was really sweating before the interview*, ero molto in ansia prima del colloquio; *Let him s. a bit before telling him*, fallo stare un po' sulle spine prima di dirglielo! **3** (*fig.*) affaticarsi; sfacchinare; sgobbare **4** (*del tabacco, delle pelli*) fermentare Ⓑ v. t. **1** trasudare; sudare: **to s. blood**, sudar sangue; *The walls are sweating damp*, i muri trasudano umidità **2** (*anche med.*) far sudare (*un paziente*); far fare una sudata a (q.) **3** bagnare, inzuppare di sudore: **a sweated shirt**, una camicia bagnata di sudore **4** (*fig.*) sfruttare (*i dipendenti, le maestranze*) **5** (*tecn.*) far fermentare (*foglie di tabacco, ecc.*) **6** (*metall.*) far colare (*metallo fuso*) tra due pezzi (*per saldarli*); saldare con brasatura dolce a strofinamento **7** (*metall.*) estrarre mediante riscaldamento (*del minerale*) **8** (*cucina*) far cuocere a fuoco basso (*carne, verdure, ecc., per estrarne i succhi*) **9** (*slang*) pelare, tosare, salassare (*fig.*) **10** (*fam. USA*) fare di tutto per ottenere (qc.) **11** (*slang USA*) sottoporre (q.) a un interrogatorio di terzo grado; strappare una confessione a (q.) ● (*slang USA*) **to s. bullets**, stare in ansia; stare sulle spine (*fig.*) □ (*stor., leg.*) **to s. coins**, tosare monete □ **to s. a horse**, (*sport, spec. USA*) far fare una sgambata a un cavallo; (*anche*) asciugare (o strigliare) un cavallo □ (*USA*) **to s. the small stuff**, stressarsi per le piccole cose □ **sweated goods**, merce prodotta da maestranze sfruttate □ **sweated labour**, manodopera sfruttata □ **sweated workers**, operai sfruttati.

■ **sweat off** v. t. + avv. perdere (*peso*) sudando: *He sweated off two pounds in an hour*, ha perso quasi un chilo in un'ora.

■ **sweat out** Ⓐ v. t. + avv. farsi passare (*un malanno*) con una sudata; curare sudando: **to s. out a bad cold**, farsi passare un brutto raffreddore con una bella sudata Ⓑ v. i. + avv. (*metall.*) trasudare □ (*fam.*) **to s. one's guts out**, darci della pelle, darci dentro (*fig.*); sgobbare duro □ (*fam.*) **to s. it out**, resistere, tenere duro; tener botta (*fam.*).

sweatband /'swetbænd/ n. **1** nastro interno (*di cappello*); inceratino **2** (*sport, ecc.*) fascia elastica (*sulla fronte, ecc.*).

♦**sweater** /'swetə(r)/ n. **1** chi suda **2** sfruttatore; padrone esoso **3** sweater; maglione sportivo; maglietta (*spec. di lana*) **4** (*farm.*) sudorifero; diaforetico.

sweatiness /'swetɪnəs/ n. Ⓤ l'essere sudato.

sweating /'swetɪŋ/ n. Ⓤ **1** il sudare; sudore; traspirazione **2** (*fig. fam.*) l'affaticarsi, fatica **3** (*chim., metall.*) essudazione; trasudamento **4** (*fig.*) sfruttamento (*degli operai*) ● **s. bath**, bagno a vapore; bagno turco □ **s. iron**, striglia □ (*med.*) **s. sickness**, febbre miliare.

sweatpants /'swetpænts/ n. pl. pantaloni di tuta.

sweatshirt /'swetʃɜːt/ n. (*moda*) camicia sportiva; felpa.

sweatshop /'swetʃɒp/ n. azienda che sfrutta i dipendenti.

sweaty /'swetɪ/ a. **1** sudato; coperto di sudore **2** che puzza di sudore; sudaticcio **3** che fa sudare; (*fig.*) faticoso, duro: **a s. piece of work**, un lavoro faticoso | **-ily** avv.

swede /swiːd/ n. (*bot.*, *Brassica napobrassica*) navone.

Swede /swiːd/ n. svedese.

Sweden /'swiːdn/ n. (*geogr.*) Svezia.

Swedish /'swiːdɪʃ/ Ⓐ a. svedese Ⓑ n. Ⓤ svedese (*la lingua*); (*collett.*) **the S.**, gli Svedesi □ **S. drill**, ginnastica svedese □ (*bot.*) **S. turnip** → **swede**.

sweeny /'swiːnɪ/ n. Ⓤ (*vet.*) atrofia del muscolo della spalla (*del cavallo*).

sweep /swiːp/ n. **1** (= **s.-up**, **s.-out**) spazzata; scopata: *Give the house a thorough s.*, da' una bella spazzata alla casa! **2** ampio gesto; movimento rapido; colpo (*con rotazione*): **with a s. of his arm**, con un ampio gesto del braccio; **with a s. of the oars**, con un colpo di remi, con una remata; **at one s.**, con un sol colpo **3** Ⓤ flusso; il fluire; lo scorrere: **the s. of the tide**, il flusso della marea **4** Ⓤ (*fig.*) campo; ambito; portata: *They came within the s. of our guns*, vennero a portata di tiro delle nostre armi **5** distesa; tratto: **a long s. of meadows**, una lunga distesa di prati; **a s. of mountain country**, un tratto di terreno montagnoso **6** ampia curva; viale d'accesso che fa un'ampia curva: *The house is approached by a fine s.* (o *carriage s.*), un bel viale ad ampie curve dà accesso alla casa; *The river makes a great s. to the right*, il fiume descrive un'ampia curva a destra **7** pala, vela (*di mulino a vento*) **8** (*naut.*) dragaggio (*di mine*); cavo di dragaggio; (*anche*) remo sensile **9** (*aeron.*) angolo di freccia (*delle ali*) **10** mazzacavallo (*di pozzo*) **11** strascico (*d'abito*) **12** (= **chimney-sweep**) spazzacamino: **as black as a s.**, nero come uno spazzacamino **13** perlustrazione; ricerca (*di dispersi, ecc.*) **14** (spesso al pl.) (*TV, USA*) rilevazione periodica dei dati di ascolto (*per determinare le tariffe pubblicitarie*) **15** (*mil., aeron.*) penetrazione (*in territorio nemico*); operazione su vasta scala; rastrellamento; bombardamento a tappeto **16** Ⓤ (*elettron.*) deflessione; deviazione; scansione (*della TV*): **horizontal s.**, scansione orizzontale **17** (*metall.*) sagoma **18** (*fam.*) vittoria completa; grande successo **19** (*canottaggio*) ritmo di voga; cadenza; palata (*di lotta*) movimento circolare (*del braccio*) **21** (*hockey su ghiaccio*) colpo a falce **22** (*cricket*) tiro orizzontale (*all'altezza del terreno*): **reverse s.**, colpo alla (*simile allo «sweep», ma eseguito con il rovescio della mazza*) **23** (*fam.*) → **sweepstake** ● (*pesca*) **s. net**, rete a strascico □ **s. of one's eyes**, occhiata (o sguardo) intorno; colpo d'occhio □ **the s. of a scythe**, un colpo di falce; una falciata □ **s.-out** (o **s.-up**) = *def. 1* → *sopra* □ **to**

make a clean s., far piazza pulita; fare un repulisti (*fam.*).

♦to **sweep** /swiːp/ (pass. e p. p. **swept**) Ⓐ v. t. 1 spazzare (*anche fig.*); scopare; spazzar via, portar via; eliminare; distruggere; liberare; fare piazza pulita di (*fam.*): to **s. the floor**, spazzare il pavimento; to **s. a room**, spazzare una stanza; *The upper deck was swept by a billow*, il ponte superiore fu spazzato da un maroso; *The machine-guns swept the ground before the trenches*, le mitragliatrici spazzavano il terreno davanti alle trincee; *Dust storms swept the barren plain*, tempeste di sabbia spazzavano l'arido piano; to **s. the seas of pirates**, liberare il mare dai pirati; *The Great Fire of 1666 swept the City*, il Grande Incendio del 1666 distrusse la City 2 scorrere (su); percorrere; scorrere (*lett.*); sfiorare; toccare leggermente; strisciare su: *She swept her hand through her hair*, si passò la mano fra i capelli; *His fingers swept the keyboard of the organ*, le sue dita scorrevano sulla tastiera dell'organo; to **s. the strings of a guitar**, sfiorare le corde d'una chitarra; *Armed bands swept the countryside*, bande armate scorrevano la campagna; *Her skirt swept the floor*, la gonna le strisciava sul pavimento 3 (*fig.*) diffondersi, dilagare in: *A new craze swept the country*, una nuova moda dilagò nel paese 4 sospingere; sballottare; trascinare 5 spaziare su; scorrere con lo sguardo; scrutare: to **s. the horizon**, scrutare l'orizzonte 6 trascinare; portare via 7 (*mil.*) battere, spazzare (*col tiro*) 8 (*anche naut.*) scandagliare; dragare 9 (*fam.*) vincere facilmente; stravincere: *The Democrats swept the election*, i Democratici vinsero le elezioni con un largo margine di voti 10 setacciare (*un locale*) alla ricerca di microspie Ⓑ v. i. 1 stendersi; estendersi; allargarsi: *The shore sweeps to the south in a wide arc*, la spiaggia descrive un ampio arco verso il sud; *The plain sweeps away to the sea*, la pianura si stende verso il mare 2 incedere (*o camminare*) maestosamente; entrare (uscire, ecc.) con passo altero (*o* maestoso): *The leading lady swept onto the stage*, la primadonna entrò in scena con passo maestoso ● (*fig.*) to **s. all before one**, conseguire un successo travolgente □ (*fig.*) to **s. the board**, vincere tutte le poste (*del gioco*), far saltare il banco; (*fig.*) avere un grande successo, fare piazza pulita; trionfare □ to **s. sb. a bow**, fare un inchino (o una riverenza) a q. □ to **s. the chimneys**, sbrattare (*o* pulire) i camini □ (*polit.*) to **s. a constituency**, conquistare un collegio elettorale con largo margine di voti □ (*polit.: di un partito*) to **s. the country**, vincere le elezioni politiche □ (*fig.*) to **s. everything into one's net**, fare piazza pulita; arraffare tutto □ to **s. one's hand over sb.'s hair**, passare la mano sui capelli di q. □ to **s. a path**, aprire un sentiero (*nella giungla, ecc.*) □ (*naut., mil.*) to **s. the seas**, battere i mari □ to **s. a space**, fare spazio; sgombrare □ (*naut.*) **swept way**, rotta di sicurezza □ **The road sweeps up the hill**, la strada sale a larghe curve sino alla cima del colle □ (*prov.*) **A new broom sweeps clean**, scopa nuova spazza bene.

■ **sweep across** v. t. + avv. spazzare (*fig.*): *The waves swept across the deck*, le onda spazzavano il ponte della nave.

■ **sweep along** Ⓐ v. i. + avv. (*di un veicolo, una barca, ecc.*) essere trascinato (*dal vento, ecc.*); procedere; navigare Ⓑ v. t. + avv. 1 sospingere; trascinare: *The wind swept us along to the island*, il vento ci sospingeva verso l'isola 2 (*fig.*) trascinare: *The speaker swept the audience along with him*, l'oratore riuscì a trascinare l'uditorio.

■ **sweep aside** v. t. + avv. 1 spingere da parte: to **s. aside papers lying on one's desk [people standing before one]**, spin-

gere da parte documenti che stanno sulla scrivania [gente che ci sta davanti] 2 tirare: to **s. aside the curtains**, tirare le tende 3 (*fig.*) mettere da parte; rimuovere; non tener conto di: to **s. aside all doubts**, rimuovere ogni dubbio; to **s. aside all difficulties**, non tener conto di nessuna difficoltà.

■ **sweep away** v. t. + avv. 1 spazzare via; togliere: to **s. away the dirt [the snow]**, togliere lo sporco [spazzare via la neve] 2 (*fig.*) spazzare via; trascinare via; portare via; eliminare; distruggere: *The wind has swept the clouds away*, il vento ha spazzato via le nuvole; *He was swept away by the strong current*, fu trascinato via dalla forte corrente; *The old bridge was swept away by the flood*, il vecchio ponte fu distrutto dall'inondazione.

■ **sweep back** Ⓐ v. t. + avv. 1 spingere indietro, tirare indietro (*i capelli, ecc.*); ravviarsi 2 (*aeron.*) dare freccia positiva a (*un'ala*) Ⓑ v. i. + avv. (*aeron.: di un'ala*) avere freccia positiva.

■ **sweep in** Ⓐ v. t. + avv. 1 (*del vento*) trascinare dentro; portare dentro (*foglie, ecc.*) 2 (*polit.*) riportare al potere, rieleggere (*un candidato, un partito*) 3 (*fam.*) accumulare, ammassare (*soldi vinti al gioco*) Ⓑ v. i. + avv. 1 (*di foglie, ecc.*) entrare portato dal vento (dall'acqua, ecc.) 2 (*della polizia e sim.*) irrompere; fare irruzione 3 (*polit.*) tornare al potere; essere rieletto: *The Labour party swept in on the tide of universal discontent*, i laburisti tornarono al potere sull'onda dello scontento generale 4 (*fig.: di un illustre personaggio, ecc.*) entrare maestosamente □ (*di un sentimento*) to **s. in on sb.**, saltare addosso, venire a: *Terror swept in on me*, mi venne un grande spavento.

■ **sweep into** v. t. + prep. 1 spazzare in; accumulare in: to **s. the dirt into a corner**, accumulare il sudiciume in un angolo (*spazzando*) 2 (*della polizia e sim.*) irrompere in (*una casa, ecc.*) 3 (*polit.*) rieleggere, far tornare a: to **s. a party into power**, far tornare al potere un partito Ⓑ v. i. + prep. 1 (*polit.*) essere rieletto in (*una carica*) 2 (*fig.*) entrare maestosamente in (*un luogo*).

■ **sweep off** Ⓐ v. t. + avv. 1 spazzare via (*anche fig.*): *We were swept off by a high wind*, fummo spazzati via dal forte vento 2 (*fig.*) portarsi via; uccidere: *The plague swept off thousands*, la peste si portò via migliaia di persone Ⓑ v. i. + prep. spazzare via da (*anche fig.*): *Two cars were swept off the bridge*, due auto furono spazzate via dal ponte; *The sailor was swept off the lower deck*, il marinaio fu spazzato via dal ponte inferiore ● to **s. sb. off his feet**, mandare q. a gambe levate; (*fig.*) fare una grande impressione a q.; conquistare q.; suscitare l'ammirazione sconfinata di q.; travolgere q. (*di passione, ecc.*) □ to **be swept off one's feet**, andare a gambe levate (*o* all'aria); (*fig.*) essere sopraffatto dall'emozione; essere trasportato dall'entusiasmo.

■ **sweep out** Ⓐ v. t. + avv. 1 spazzare, scopare (*bene*): to **s. out the house**, scopare (a fondo) la casa 2 spazzare via; eliminare (*lo sporco, ecc.*) Ⓑ v. i. + avv. (*fig.*) uscire maestosamente: *The queen swept out of the hall*, la regina uscì maestosamente dalla sala □ to **be swept out to sea**, essere trascinato in mare aperto.

■ **sweep over** v. t. + prep. 1 (*di un uragano, ecc.*) devastare 2 (*mil. e sport*) travolgere: to **s. over the enemy defences**, travolgere le difese del nemico 3 (*fig.*) travolgere; sopraffare: *Despair swept over them*, la disperazione li sopraffece; furono travolti dalla disperazione.

■ **sweep past** v. i. + prep. (*autom., ecc.*) superare (*o* sorpassare) velocemente.

■ **sweep through** Ⓐ v. i. + prep. 1 fendere,

falciare (*la folla, ecc.*) 2 superare agevolmente (*una prova, un esame, ecc.*) 3 (*del vento, ecc.*) passare, scorrere attraverso (qc.) 4 (*di una notizia, un'epidemia, ecc.*) diffondersi rapidamente tra (*la gente, una popolazione, ecc.*) 5 (*di un incendio*) divampare in (*un quartiere, ecc.*) 6 (*sport*) liberarsi di (*un avversario, un tackle, ecc.*); sganciarsi da (*un avversario*) Ⓑ v. i. + avv. passare (*o* sorpassare) agevolmente Ⓒ v. t. + prep. far scorrere, passare (*una mano, ecc.*) su: *I swept my hand through her hair*, le passai la mano tra i capelli.

■ **sweep under** v. t. + prep. spazzare sotto: to **s. under the furniture**, spazzare sotto i mobili □ (*fig.*) to **s. st. under the carpet** (*o*, *USA*, **the rug**), nascondere, celare qc.; cercare di far passare qc. inosservato.

■ **sweep up** v. t. e v. i. + avv. 1 spazzare, scopare (bene): *The kitchen needs sweeping up every day*, bisogna spazzare la cucina tutti i giorni 2 raccogliere, tirare su (*vetri rotti, ecc.*) spazzando 3 prendere su, prendere in braccio: *He swept up the child and took him to bed*, prese in braccio il bimbo e lo portò a letto.

sweepback /'swiːpbæk/ n. (*aeron.*) angolo di freccia positivo.

sweeper /'swiːpə(r)/ n. 1 spazzino; netturbino 2 spazzatrice (*macchina*) 3 (*naut.*) dragamine 4 (*sport: calcio*) libero.

sweeping ① /'swiːpɪŋ/ n. ⑩ 1 spazzatura, scopatura 2 (*anche naut.*) scandagliatura; dragaggio 3 (pl.) spazzatura; rifiuti.

sweeping ② /'swiːpɪŋ/ a. 1 ampio; vasto: a **s. plain**, un'ampia pianura; **s. plans**, ampi progetti 2 assoluto; completo; pieno; radicale; schiacciante; travolgente: a **s. victory**, una vittoria schiacciante, travolgente; **s. reforms**, riforme radicali 3 di carattere generale; generico: a **s. remark**, un'osservazione generica 4 impetuoso; irresistibile 5 (*di un tiro, ecc.*) a ventola 6 a largo raggio; a tutto campo: (*calcio, ecc.*) a **s. attack**, un attacco a tutto campo ● (*judo*) **s. hip throw**, spazzata d'anca □ (*judo*) **s. throw**, spazzata | -ly avv. | -ness n. ⑩.

sweepstake /'swiːpsteɪk/ n. (*ipp.*) 1 corsa in cui il cavallo che arriva primo (e talora il secondo) riceve un premio in denaro dal monte premi dei biglietti d'ingresso, delle quote dei cavalli ritirati, ecc. 2 corsa con biglietti che portano il nome dei cavalli 3 corsa di cavalli (*in genere*) 4 scommessa abbinata alle corse.

sweepstakes /'swiːpsteɪks/ n. (inv. al pl.) → **sweepstake**.

♦**sweet** ① /swiːt/ a. 1 dolce; amabile; piacevole; caro; gradito; gentile; mite; soave; melodioso; zuccherino: **s. wine**, vino dolce; **s. pears**, pere zuccherine; to **taste s.**, saper di dolce; avere un dolce sapore; *I like my coffee s.*, il caffè mi piace dolce; **s. temper**, carattere dolce, mite; a **s. person**, una cara persona; una persona dolce, gentile; **s. praise**, elogi graditi; a **s. smell**, un dolce (*o* soave) profumo; **in a thin, s. voice**, con una vocina dolce; **s. water**, acqua dolce (*o* potabile); **s. love**, dolce amore; a **s. song**, una dolce canzone 2 fragrante; profumato; odoroso: *The air was s. with magnolia*, l'aria era profumata di magnolia; **s. violet**, violetta odorosa 3 fresco; (*di cibo*) buono, non andato a male: **s. milk**, latte fresco; **s. breath**, alito fresco 4 (*fam.*) bello; attraente; grazioso: *What a s. kitten!*, che grazioso gattino! 5 (*spreg.*) (*troppo*) dolce; sdolcinato 6 (*USA*) maneggevole; scorrevole: a **s. boat**, una barca maneggevole 7 (*sport*) delizioso; di buona fattura; felice; morbido (*fig.*) 8 (*fam. USA*) abile; capace (*rif. a persona*) ● **s. air**, aria pura □ (*cucina*) **s.-and-sour**, agrodolce □ **s.-and-sour pork**, carne di maiale in agrodolce □ (*bot.*) **s. bay**, alloro; (*Magnolia*

glauca) varietà di magnolia americana (*a fiori bianchi*) □ (*bot.*) s. **cicely**, finocchiella □ s. **cider**, sidro dolce (*non fermentato*) □ (*bot.*) s. **clover** (*Melilotus officinalis*) meliloto; erba da cavalli □ **S. dreams!**, sogni d'oro! □ s. **herbs**, erbe aromatiche □ s. **idleness**, il dolce far niente □ (*bot.*) s. **marjoram → marjoram** (*fam.*) s. **nothings**, paroline dolci □ s. **oil**, olio d'oliva □ (*fam.*) **to be s. on sb.**, essere innamorato di q.; essere cotto di q. □ (*al* *vocat.*) s. **one**, dolce amore; tesoro □ (*bot.*) s. **pea** (*Lathyrus odoratus*), pisello odoroso □ (*cucina*) s. **pepper**, peperone dolce (*o verde*) □ (*cucina*) s. **pickle**, sottaceti dolci □ s. **potato**, (*bot.*, *Ipomoea batatas*) patata americana, batata (*fam.*, *mus.*) ocarina □ (*bot.*) s.-**root** (*Glycyrrhiza glabra*), liquirizia □ (*bot.*) s. **rush** (*Acorus calamus*), calamo aromatico □ s.--**scented**, fragrante; profumato; odoroso □ s. **sleep**, sonno tranquillo, riposante □ s.--**smelling** = **s.-scented → sopra** □ (*cricket*, *golf*, *tennis*, *ecc.*) s. **spot**, punto 'buono' (*su una mazza, una racchetta, ecc.*: *per poter colpire o battere bene la palla*) □ s. **stuff**, roba dolce; dolci; dolciumi □ (*fam. USA*) s. **talk**, moine; lusinghe; belle parole □ s.-**tempered**, dal carattere dolce (*o mite*) □ s.-**tongued**, amabile; gentile □ s. **tooth**, (un) debole per i dolci □ s.-**toothed**, che ha un debole per i dolci □ (*bot.*) s.-**water**, uva bianca dolce □ (*bot.*) s. **william** (*Dianthus barbatus*), garofano a mazzetti (*o dei poeti*) □ **at one's own s. will**, con comodo; a piacer proprio; tranquillamente □ (*fam.*) **to go one's s. way**, fare a modo proprio; seguire la propria strada □ **to be** (*o* **have**) **a s. tooth**, essere goloso, ghiotto (*di dolci*) (*di cibo*) **to keep s.**, conservarsi bene □ (*fam.*) **to keep sb. s.**, tenersi buono q. □ **to smell s.**, avere un buon profumo □ **to sound s.**, avere un dolce suono □ **That's very s. of her**, è molto gentile (*o carino*) da parte sua.

◆**sweet** ② /swiːt/ *n.* **1** (*spec. ingl.*) caramella; confetto; zuccherino; cioccolatino; chicca (*fam.*) (*cfr. USA candy*) **2** ⊆ dolce; dessert **3** (*spesso al pl.*) (il) dolce; dolcezza; (*fig.*) gioia, piacere, soddisfazione: **to taste the sweets of life**, gustare i piaceri della vita; **the sweets of office**, le soddisfazioni derivanti dall'esercizio del potere **4** (*spec. al* *vocat.*) cara, caro; tesoro **5** (*fam. USA*) patata americana; batata ● **s. shop**, negozio di dolciumi (*e, spesso, di giornali e tabacchi*).

sweetbread /ˈswiːtbrɛd/ *n.* (*cucina*) animella (*di bestia macellata*) ● **belly s.** (*o* **stomach s.**), pancreas ■ **neck s.** (*o* **throat s.**), timo.

sweetbrier /ˈswiːtbraɪə(r)/ → **eglantine**.

sweetcorn /ˈswiːtkɔːn/ *n.* **1** ⊆ granturco ad alto contenuto di zucchero (*prodotto per uso dell'uomo*) **2** (*pl.*) granelli di granturco commestibile.

to **sweeten** /ˈswiːtn/ **A** *v. t.* **1** addolcire (*anche fig.*); dolcificare; zuccherare, inzuccherare; (*fig.*) ingentilire, mitigare **2** depurare, purificare, rendere potabile (*l'acqua*) **3** dissalare; desalificare (*l'acqua marina*) **4** (*fin.*) aumentare il numero dei titoli a garanzia di (*un prestito*); migliorare le condizioni di emissione di (*titoli*) **5** (*fam.*) rabbonire, tenersi buono (*con promesse, ecc.*) **6** (*slang*) aumentare, rilanciare, rialzare (*giocando a carte*) **B** *v. i.* addolcirsi; ingentilirsi; mitigarsi.

sweetener /ˈswiːtnə(r)/ *n.* **1** (*ind.*) dolcificante; edulcorante **2** (*fam.*) cosa (*oggetto, promessa, ecc.*) che serve a rabbonire **3** (*pop.*) contentino; tangente; pizzo; bustarella.

sweetening /ˈswiːtnɪŋ/ *n.* ⊆ **1** addolcimento; dolcificazione **2** dolcificante; edulcorante (*sostanza*) **3** depurazione, purificazione (*dell'acqua, ecc.*) **4** dissalazione (*dell'acqua marina*).

sweetheart /ˈswiːthɑːt/ *n.* **1** innamora-

to, innamorata; amoroso, amorosa; amichetto, amichetta **2** (*al vocat.*) caro, cara; tesoro ● (*econ.*) **s. agreement**, (*USA*) accordo sindacale che favorisce solo una parte dei lavoratori (*a volte raggiunto con la complicità di sindacalisti corrotti*); (*Austral.*) accordo sindacale raggiunto in via amichevole □ (*moda*) **s. neckline**, scollatura a forma di cuore.

sweetie /ˈswiːtɪ/ *n.* (*fam.*) **1 → sweet-heart 2** persona dolce, mite; tipo che fa tenerezza **3** caramella; dolce.

sweetie-pie /ˈswiːtɪpaɪ/ *n.* (*fam.*) tesoro; caro, cara.

sweeting /ˈswiːtɪŋ/ *n.* varietà di mela dolce.

sweetish /ˈswiːtɪʃ/ *a.* dolcigno; dolciastro.

sweetly /ˈswiːtlɪ/ *avv.* **1** dolcemente; amabilmente; piacevolmente; soavemente **2** (*mecc.*) in modo regolare; liscio (*fam.*): *The engine of my car runs s.*, il motore della mia macchina funziona in modo regolare (*o va liscio*) ● (*calcio, ecc.*) **a s.-timed tackle**, un tackle fatto con buon anticipo.

sweetmeat /ˈswiːtmiːt/ *n.* **1** dolce; torta; caramella; confetto **2** ⊆ frutta candita **3** ⊆ dolciumi.

sweetness /ˈswiːtnəs/ *n.* ⊆ **1** dolcezza; amabilità; gentilezza; grazia; mitezza; soavità **2** sapore dolce **3** fragranza; aroma; profumo **4** (*fig.*) delicatezza; leggerezza; grazia: **the s. of a dancer's movements**, la grazia con cui si muove una ballerina.

to **sweet-talk** /ˈswiːttɔːk/ *v. t.* e *i.* (*fam.*) adulare; lusingare; sviolinare (*fam.*); fare moine.

sweety /ˈswiːtɪ/ → **sweetie**.

swell ① /swɛl/ *n.* **1** ⊆ (il) gonfio; (il) rigonfio; (il) grosso; protuberanza: **the s. of the forearm**, il grosso dell'avambraccio **2** (*solo al sing.*) moto ondoso (*del mare*); (*poet.*) flutti: **out of the s. of the sea**, lontano dai flutti del mare **3** (*naut.*) onda morta; mare lungo **4** (*geol.*) cupola sottomarina **5** (*anche fig.*) aumento; crescita; ingrossamento **6** (*mus.*) crescendo (*seguito da diminuendo*): **the s. of the organ**, il crescendo dell'organo **7** (*fam. antiq.*) elegantone; damerino **8** (*fam. USA*) tipo in gamba; pezzo grosso ● (*mus.*) **s.-box**, cassa (*d'organo*) □ (*naut.*) **s. direction**, direzione delle onde □ **a s. of the ground**, un'altura □ (*mus.*) **s. pedal**, pedale (*dell'organo*) per aumentare il volume del suono.

swell ② /swɛl/ *a.* **1** (*fam.*) eccellente; ottimo; grande; meraviglioso; straordinario: **That's a s. idea!**, è una grande idea! **2** (*fam. antiq.*) elegante; alla moda.

to **swell** /swɛl/ (*pass.* **swelled**, *p. p.* **swollen**, **swelled**) **A** *v. i.* **1** (*spesso* **to s. out**) gonfiarsi; dilatarsi; enfiarsi; inturgidire; tumefarsi; (*del mare*) farsi grosso: *'The breeze now freshened, the sea began to s.'* H. MEL-VILLE, 'ora la brezza rinforzava; il mare si faceva grosso'; *The sails swelled out*, le vele si gonfiarono; *Cardboard swells in water*, il cartone si dilata nell'acqua; *His hand began to s.*, gli si cominciò a enfiare la mano **2** (*fig.*) (*spesso* **to s. up**) essere gonfio; andar tronfio; gonfiarsi; insuperbirsi; inorgoglirsi: *He is swollen with pride*, è gonfio d'orgoglio; **to s. like a turkey-cock**, andar tronfio (*o gonfiarsi*) come un tacchino **3** (*anche fig.*) aumentare; crescere; ingrossare; montare; salire: *The murmur swelled into a roar*, il mormorio crebbe fino a diventare un frastuono; *Anger swelled in him*, la collera gli salì dentro; (*naut.*) **the swelling tide**, la marea che sale **4** (*di prezzi*) gonfiarsi; lievitare **5** (*di un suono*) crescere di volume; farsi più forte **6** (*med.*) tumefarsi **B** *v.*

t. **1** (*spesso* **to s. up**) gonfiare; dilatare; enfiare; tumefare: *The recent rains have swollen the river*, le piogge recenti hanno gonfiato il fiume **2** ingrossare; aumentare; accrescere; far salire; gonfiare; (*fig.*): **to s. the ranks of the jobless**, ingrossare le file dei disoccupati ● (*del mare*) **to s. into an estuary**, gonfiare un estuario; entrare impetuoso in un estuario □ (*fam.*) **to s. one's pockets**, riempirsi le tasche (*di denaro*); fare (un po' di) soldi □ (*del vento*) **to s. the sails**, gonfiare le vele.

swelled /swɛld/ *a.* (*raro*) gonfio ● (*geol.*) **s. ground**, terreno rigonfiato □ (*fam.*) **s. head**, boria; presunzione □ **to get a s. head**, montarsi la testa.

swellfish /ˈswɛlfɪʃ/ *n.* (*zool.*) pesce palla (*in genere*).

swellhead /ˈswɛlhɛd/ *n.* (*fam.*) pallone gonfio (*fig.*); persona tronfia.

swelling /ˈswɛlɪŋ/ **A** *n.* ⊆ **1** gonfiore; enfiagione; rigonfiamento; protuberanza: **a s. on the face**, un gonfiore al viso; *Every hour or so, apply an ice pack to keep the s. down*, ogni ora circa fai un'applicazione con il ghiaccio per ridurre il gonfiore **2** aumento; ingrossamento **3** (*med.*) tumefazione **B** *a.* **1** gonfio; rigonfio: **with a s. heart**, col cuore gonfio; (*naut.*) **with s. sails**, a gonfie vele **2** curvo; ricurvo **3** (*del terreno*) ondulato ● (*edil.*) **s. clay**, argilla rigonfiante.

swelter /ˈswɛltə(r)/ *n.* ⊆ caldo soffocante; afa: **in the s. of the tropical night**, nell'afa della notte tropicale.

to **swelter** /ˈswɛltə(r)/ *v. i.* **1** essere oppresso dal caldo; soffocare (*dal caldo*): *The city sweltered in the large plain*, la città era oppressa dal caldo nella grande pianura **2** sudare abbondantemente ● **sweltering horses**, cavalli madidi di sudore ● **under a sweltering sky**, sotto un cielo infuocato.

swept /swɛpt/ *pass.* e *p. p.* di **to sweep** ● (*aeron.*) **s. wing**, ala a freccia positiva □ (*autom., mecc.*) **total s. area**, area (complessiva) d'attrito (*dei freni*).

swept-back /ˈswɛptbæk/ *a.* **1** (*di capelli*) raccolti sulla nuca **2** (*aeron.: d'ala*) a freccia positiva: **swept-back wing**, ala a freccia positiva.

swept-forward /ˈswɛptfɔːwəd/ *a.* (*aeron.: d'ala*) a freccia negativa.

swerve /swɜːv/ *n.* **1** deviazione (*della palla, ecc.*) **2** (*autom., ecc.*) scarto, sterzata; (*anche*) sbandata in curva **3** (*calcio*) scarto (*di un avversario*) **4** (*equit.*) scarto (*del cavallo*).

to **swerve** /swɜːv/ **A** *v. i.* **1** deviare; curvare: *The ball swerved to the right of the goalkeeper*, il pallone deviò alla destra del portiere **2** (*autom.*) sterzare; (*anche*) sbandare in curva, imbarcarsi **3** (*equit.*) (*del cavallo*) fare uno scarto **4** (*fig.*) deviare (*dalla retta via*); allontanarsi (*da un obiettivo*); tralignare **B** *v. t.* **1** far deviare; deviare ● **to s. a ball**, far deviare un pallone; deviare un tiro **2** (*boxe*) deviare (*un colpo*) ● (*autom., ecc.*) **to s. to avoid a collision**, sterzare per evitare uno scontro □ (*autom., ecc.*) **to s. from one's course**, sterzare all'improvviso; fare uno scarto.

swerving /ˈswɜːvɪŋ/ *a.* (*calcio, ecc.*) d'effetto ● **a s. shot**, un tiro d'effetto.

swift ① /swɪft/ **A** *a.* **1** celere; rapido; veloce; lesto: **a s. runner**, un veloce corridore; **a s. movement**, un rapido movimento; **with a s. glance**, con una rapida occhiata **2** agile; svelto: **s. feet**, piedi agili, svelti **3** (*lett.*) pronto; immediato; repentino: **a s. revenge**, una vendetta immediata; *He's s. to anger*, è pronto all'ira **B** *avv.* (= **swiftly**) **1** celermente; rapidamente; velocemente **2** prontamente; subito: *He answered s.*, rispose prontamente ● **s.-footed**, dal piede veloce □ **s.-handed**, svelto di mano □ **to be s. to take**

offence, offendersi subito; essere permaloso □ **s.-tongued**, dalla risposta pronta □ **s.--winged**, dal volo veloce.

swift ② /swɪft/ n. **1** (*zool.*, *Apus apus*) rondone **2** (*zool.*, *Sceloporus*) sceloporo **3** (*zool.*, *Triturus*) tritone **4** (*zool.*, *Triturus cristatus*) salamandra acquaiola **5** (*ind. tess.*) tamburo (*di cardatrice*) **6** (*ind. tess.*) aspo; arcolaio.

swifter /'swɪftə(r)/ n. (*naut.*) **1** sartia basterda **2** cavo di ritenuta delle aspe; passerino **3** cintura (*d'imbarcazione*).

swiftly /'swɪftlɪ/ avv. → **swift**①, **B**.

swiftness /'swɪftnəs/ n. Ⓤ **1** celerità; rapidità; velocità **2** agilità; sveltezza; prontezza.

swifty, swiftie /'swɪftɪ/ n. **1** (*slang spec. Austral.*) fregatura; imbroglio; truffa **2** persona che pensa o agisce rapidamente **3** (*GB, fam.*) bevanda alcolica bevuta al volo: *Let's pop out for a s.*, usciamo a farci un bicchiere al volo.

swig /swɪg/ n. (*fam.*) gran sorso; sorsata: *He took a s. of brandy*, bevve un gran sorso di brandy.

to **swig** /swɪg/ (*fam.*) Ⓐ v. i. bere a gran sorsi (o a garganella) Ⓑ v. t. **1** trincare; sbevazzare: **to s. beer**, trincare birra **2** (*di solito*, **to s. down**, **to s. off**) tracannare; bere tutto d'un fiato: *'She hummed to herself, swigged brandy'* T. CAPOTE, 'canticchiò fra di sé, e buttò giù il brandy d'un fiato'.

swill /swɪl/ n. **1** lavata; risciacquata: *Give it a s.* (*out*), dagli una risciacquata **2** Ⓤ lavatura di piatti; risciacquatura; broda per maiali **3** Ⓤ (*spreg.*) broda; brodaglia **4** (*fam.*) abbondante bevuta; trincata (*fam.*).

to **swill** /swɪl/ Ⓐ v. t. **1** lavare; risciacquare: **to s. a pail**, lavare un secchio **2** (*fam.*) bere avidamente; tracannare Ⓑ v. i. (*fam.*) bere smodatamente; sbevazzare; attaccarsi alla bottiglia (*fam.*) ● **to s. down**, lavare (*la strada, il garage, ecc.*); buttare giù, trincare, tracannare (*birra, vino, ecc.*) □ **to s. out**, lavare a fondo (*un locale*); sciacquare bene (*una bottiglia, ecc.*).

swiller /'swɪlə(r)/ n. (*fam.*) beone, beona; chi sbevazza.

swilling /'swɪlɪŋ/ n. **1** lavaggio **2** risciacquatura **3** Ⓤ sbevazzamento **4** (pl.) brodaglia; sbobba **5** (pl.) acque di rifiuto; acque reflue ● **s. tank**, vasca di lavaggio.

swim /swɪm/ n. **1** nuoto; il nuotare **2** nuotata; nuotatina; bagno (*al mare, in un lago, ecc.*): *Let's go for a s.*, andiamo a fare una nuotata! **3** (*gergo dei pescatori*) zona (o buca) (*in un fiume*) ricca di pesce **4** (*fam.*) giramento di testa; capogiro **5** (*fam.*) giro (*fig.*) ● (*zool.*) **s. bladder**, vescica natatoria □ **s. fin**, pinna da sommozzatore □ (*fig. fam.*) **to be in the s.**, essere nel giro (*fam.*); essere sulla cresta dell'onda (*fig.*); essere aggiornato, essere al corrente □ (*fig. fam.*) **to be out of the s.**, essere fuori del giro (*fam.*); non essere al corrente □ **My head was in a s.**, mi girava la testa.

◆to **swim** /swɪm/ (pass. **swam**, p. p. **swum**) Ⓐ v. i. **1** nuotare (*anche fig.*); fare il bagno (*in mare, nel lago, ecc.*); **I cannot s.**, non so nuotare; **Shall we go swimming?**, andiamo a nuotare (o a fare il bagno)? **2** (*fig.*) essere immerso; (*di cose; spec. cucina*) galleggiare; nuotare (*fig.*): *'The steeples swim in amethyst, / The news like squirrels ran'* E. DICKINSON, 'i campanili erano immersi nell'ametista, / le notizie correvano come scoiattoli'; **to s. in riches**, nuotare nella ricchezza; **potatoes swimming in oil**, patate che galleggiano (o nuotano) nell'olio **3** (*fig.*) muoversi silenziosamente; scivolare: *She swam into the room*, scivolò dentro la stanza **4** essere bagnato (o coperto, soffuso, inondato): *Her eyes were swimming with tears*, aveva gli occhi inondati di lacrime;

The floor was swimming in blood, il pavimento era coperto di sangue **5** girare; roteare: *The room began to s. around me* (*o before my eyes*), la stanza cominciò a girare intorno a me (o a girarmi davanti agli occhi); *My head is swimming*, mi gira la testa Ⓑ v. t. **1** attraversare (o percorrere, fare) a nuoto: **to s. a river**, attraversare a nuoto un fiume **2** far nuotare; fare attraversare a nuoto: **to s. one's cattle across a river**, far passare a nuoto un fiume al proprio bestiame **3** (*sport*) nuotare; fare: **to s. freestyle [crawl]**, nuotare a stile libero; **to s. backstroke**, nuotare a dorso ● **to s. against the tide** (*o the stream*), nuotare contro corrente; (*fig.*) andare controcorrente □ (*fam.*) **to s. for it**, salvarsi a nuoto □ **to s. for the shore**, nuotare verso la riva □ (*scherz.*) **to s. like a brick**, nuotare come un mattone, come il piombo □ **to s. like a fish**, nuotare come un pesce □ (*scherz.*) **to s. like a stone** (*o like a tailor's goose*), nuotare come un mattone, come il piombo □ (*sport*) **to s. a race**, partecipare a una gara di nuoto □ **to s. a stroke**, dare una bracciata □ (*pallanuoto*) **to s. with the ball**, accompagnare la palla (*a nuoto*) □ **to s. with the tide** (*o with the stream*), andare con la corrente (*anche fig.*); far quel che fan tutti □ **I cannot s. a stroke**, non so dare neanche una bracciata; non so nuotare affatto □ **My heart swam with joy**, il cuore mi traboccava di gioia □ (*prov.*) **Sink or s.**, o bere o affogare.

■ **swim across** v. i. + prep. attraversare, traversare a nuoto: **to s. across the Channel**, attraversare la Manica a nuoto.

■ **swim back** Ⓐ v. i. + avv. tornare a nuoto Ⓑ v. t. + avv. far tornare a nuoto.

■ **swim in** v. i. + prep. (*fig.*) crogiolarsi in □ (*fam.*) **to be swimming in money**, avere soldi a palate.

■ **swim into** v. i. + prep. **1** entrare in (a nuoto): *The dolphins swam into the bay*, i delfini entrarono nella baia **2** (*fig.*) venire in (*mente*); affiorare a (*la coscienza*): *A good idea swam into my mind*, mi venne (in mente) una buona idea.

■ **swim out** v. i. + avv. uscire (a nuoto): *The whales swam out of the bay*, le balene uscirono dalla baia □ **to s. out to sea**, andare a nuoto al largo; nuotare al largo.

■ **swim round** v. i. + avv. (o prep.) **1** nuotare in tondo (o intorno a): *The sharks were swimming round their prey*, gli squali nuotavano intorno alla preda **2** (*fig.*) girare: *My head was swimming round*, mi girava la testa.

swimmer /'swɪmə(r)/ n. **1** nuotatore, nuotatrice **2** (*zool.*) uccello acquatico (*in genere*) **3** → **swimmeret** ● (*med.*) **s.'s ear**, orecchio del nuotatore.

swimmeret /'swɪmərɛt/ n. (*zool.*) arto addominale; pleopodio (*dei crostacei*).

◆**swimming** /'swɪmɪŋ/ Ⓐ n. Ⓤ nuoto Ⓑ a. attr. **1** che nuota **2** (*sport*) da nuoto; da bagno **3** (*dell'occhio*) lacrimoso ● (*sport*) **s. bath**, piscina pubblica (coperta) □ (*zool.*) **s. bell**, ombrello (*di meduse, ecc.*) □ **s. belt**, cintura di salvataggio; salvagente a cintura □ **s. bird**, un uccello nuotatore □ (*zool.*) **s. bladder**, vescica natatoria □ **a s. brain**, la testa che gira □ **s. cap**, cuffia (da bagno) □ **s. costume**, costume da bagno (*da donna*) □ **s. event**, gara di nuoto □ **s. eyes**, occhi umidi, bagnati di pianto □ **s. goggles**, occhialini da nuoto □ **s. in the head**, giramento di testa; capogiro; vertigine □ **s. lane**, corsia di nuoto □ (*sport*) **s. pool**, piscina (all'aperto) □ (*miner.*) **s. stone**, quarzo poroso e spugnoso □ **s. trunks**, slip da bagno; costume da bagno (*da uomo*); mutandine da bagno □ **s. with flippers** (*USA*: **with fins**), nuoto pinnato ● **eyes s. with tears**, occhi pieni di lacrime; occhi lacrimosi.

swimmingly /'swɪmɪŋlɪ/ avv. benissimo; a meraviglia; a gonfie vele (*fig.*): **to go on s.**, andare a gonfie vele (*fig.*).

swimsuit /'swɪmsuːt/ n. costume da bagno (*da donna*); costume a un pezzo.

swimwear /'swɪmweə(r)/ n. Ⓤ indumenti da bagno; abbigliamento da spiaggia (*costumi da bagno, ecc.*).

swindle /'swɪndl/ n. **1** frode; imbroglio; raggiro; truffa: **a big tax s.**, una grossa frode fiscale **2** (*fam.*) fregatura; bidone (*fig.*): *This gadget is a real s.*, questo aggeggio è una vera fregatura; *What a s.!*, che bidone! ● (*slang*) **s. sheet**, nota spese.

to **swindle** /'swɪndl/ Ⓐ v. t. frodare; imbrogliare; raggirare; truffare; turlupinare Ⓑ v. i. usare la frode (o l'inganno); essere un truffatore ● **to s. money out of sb.**, estorcere denaro a q. con l'inganno; fregare soldi a q. (*fam.*) || **swindler** n. imbroglione; truffatore; turlupinatore; farabutto; mariolo; bidonista (*fam.*).

swine /swain/ n. **1** (inv. al pl.; di solito collett.) porco; maiale; suino **2** (*fig. spreg.*) porco; maiale ● **s.-backed**, a dorso di porco; arcuato □ (*bot.*) **s. bread** (*Bunium bulbocastanum*) castagna di terra; (*Tuber*) tartufo □ (*zool.*) **s.-fish** = **sea-wolf** → **sea** □ (*vet.*) **s. plague** (*o s. fever*), peste suina □ (*bot.*) **s.'s snout** (*Taraxacum officinale*), dente di leone; soffione; tarassaco.

swineherd /'swainhɜːd/ n. porcaro; guardiano di porci.

swinery /'swainərɪ/ n. **1** porcile; porcilaia **2** Ⓤ (collett.) porci **3** Ⓤ (*fig.*) sozzura; stato bestiale.

◆**swing** /swɪŋ/ n. **1** oscillazione; dondolio; dondolamento; fluttuazione; ancheggiamento: **the s. of the pendulum**, l'oscillazione del pendolo; (*fig.*) gli alti e bassi della pubblica opinione; lo spostamento radicale (*di posizioni ideologiche, ecc.*); **the s. of prices**, la fluttuazione dei prezzi; **to give a rope a s.**, far dondolare una corda; **to walk with a s.**, camminare dondolandosi (o ancheggiando) **2** (solo al sing.) movimento rotatorio del braccio; (*sport*) modo di battere, battuta: **to take a s. at a tree with an axe**, ruotare il braccio per assestare un colpo di scure a un albero; *That golfer's s. is too short*, la battuta di quel giocatore di golf è troppo corta **3** (= swinging gait) andatura spedita (o sciolta); buon passo **4** (*mus., poesia*) ritmo sostenuto; ritmo: *His songs always go with a s.*, le sue canzoni hanno sempre un ritmo sostenuto **5** Ⓤ (*mus.*, = **s. music**) swing (*varietà di jazz*) **6** altalena (*del tipo sospeso tra due alberi o simili*); (*anche*) giro in altalena: *Let's have a s.!*, facciamo un po' l'altalena! **7** (*fig.*) mutamento, spostamento (*dell'opinione pubblica, ecc.*) **8** (*mecc.*) brandeggio **9** Ⓤ (*elettr.*) escursione **10** (*boxe*) swing; sventola **11** (*cricket*) swing (*movimento laterale della palla in aria*) **12** (*ginnastica ritmica*) slancio **13** Ⓤ (*fig.*) corso; svolgimento: *The party is in full s.*, la festa è in pieno svolgimento **14** (*fig.*) andamento; ordine: **to get into the s. of things**, capire come vanno le cose; entrare nell'ordine di idee **15** (*econ.*) fluttuazione periodica **16** (*fam. USA*) intervallo (*tra due turni normali di lavoro*): **s. shift**, turno pendolare; turno dal-le 16 alle 24 (*in una fabbrica che lavora 24 ore su 24*) **17** (*fam. USA*) giro (*spec. elettorale, in una città o regione*) con frequenti soste ● (*fam. ingl.*) **swings and roundabouts**, pro e contro: **a swings and roundabouts situation**, una situazione che ha i suoi pro e i suoi contro □ **s.-arm clamp light**, lampada a braccio regolabile, con base a pinza □ (*ind. costr.*) **s. bridge**, ponte girevole □ **s. door**, porta a battente (*con ritorno automatico dei battenti*); porta a vento ● **s. of the hips**, an-

cheggiamento □ **the s. of the sea**, il moto altalenante del mare □ (*polit.*) **s.-over**, mutamento repentino, svolta □ (*mecc.*) **s. pipe**, tubo snodato □ (*ind.*, *USA*) **s. shifter**, operaio che fa il turno dalle 16 alle 24 □ (*polit.*, *USA*) **s. state**, Stato incerto (*nelle elezioni presidenziali*) □ (*polit.*) **a s. to the right**, una svolta autoritaria □ (*polit.*) **s. vote**, voto incerto (*degli elettori indecisi*); voti che si spostano □ (*polit.*) **s. voter**, (elettore) indeciso □ (*mecc.*) **s. wheel**, bilanciere □ (*aeron.*) **s. wing**, ala a geometria variabile; aereo con ali a geometria variabile □ (*raro*) **to give sb. full s. in the matter**, dare a q. piena libertà d'azione; dare a q. carta bianca □ **to go with a s.**, (*di musica*) avere un ritmo sostenuto; (*fig.*) andare a gonfie vele, avere successo □ **in full s.**, in piena attività; in pieno fervore: *Work is in full s.*, il lavoro è in pieno fervore □ **lawn s.**, dondolo (*da giardino*) □ (*fig.*) **Let it have its s.**, lascia che la cosa abbia (*o faccia*) il suo corso!

to **swing** /swɪŋ/ (pass. e p. p. **swung**) **A** v. i. 1 dondolare; oscillare (*anche fig.*); altalenare; dondolarsi; far l'altalena; penzolare; star penzoloni; ciondolare: *A sword swung from his waist*, una spada gli pendeva (*o dondolava*) dalla cintura; *The pendulum is swinging*, il pendolo oscilla; *Swinging on a gate can be very dangerous*, può essere molto pericoloso dondolarsi su un cancello; *The Stock Exchange is swinging between ask and bid*, la Borsa valori presenta un'altalena tra lettera e denaro 2 girare (*su cardini*, *ecc.*); ruotare: *The road swings around an Alpine lake*, la strada gira intorno a un laghetto alpino 3 buttarsi; gettarsi: *She swung (herself) down from the top of the tower*, si buttò giù dalla vetta della torre 4 andar spedito; camminar di buon passo (*o con passo sciolto*): *We watched the marching band s. down the road*, stemmo a guardare la banda musicale che marciava spedita lungo la strada 5 passare rapidamente: **to s. from laughter to tears**, passare rapidamente dal riso alle lacrime 6 (*mil.*) fare una conversione: *The soldiers swung into line*, i soldati fecero una conversione e si misero in riga 7 (*fig.*) volgere, girare, pendere (*fig.*); spostarsi (*dalla parte di*); andare (*verso*): (*boxe*) *The match swings dramatically in favour of the challenger*, l'incontro volge drammaticamente in favore dello sfidante; *With the Lib-Lab pact of 1977, the Liberals swung towards the Labour party*, col patto «Lib-Lab» del 1977, i liberali si spostarono dalla parte dei laburisti 8 camminare dondolandosi (*o ancheggiando*) 9 (*mus.*) suonare lo swing; suonare al ritmo dello swing 10 (*fam.*) suonare con un ritmo veloce (*o sincopato*); (*della musica*) avere un ritmo veloce 11 (*fig. fam.*: *di una festa*, *ecc.*) animarsi; andare su di giri (*fig.*) 12 (*slang*) essere «in» (*o alla moda*) 13 (*slang*) darsi da fare (*con le donne*, *ecc.*); praticare sesso di gruppo; fare scambio di partner 14 (*slang USA*) spassarsela un mondo; fare follie; fare baldoria 15 (*slang antiq.*) essere (*o morire*) impiccato; finire sulla forca: *He shall s. for it*, finirà impiccato per quel che ha fatto 16 (*eufem.*) avere un certo orientamento sessuale; pendere (*da una parte*, *fam.*): **to s. both ways**, essere bisessuale; **to s. that way**, avere gli stessi gusti in fatto di sesso, pendere da quella parte; **to s. the other way**, avere gusti diversi in fatto di sesso, pendere dall'altra parte **B** v. t. 1 dondolare; far oscillare; ciondolare: *He sat on the table swinging his legs*, stava seduto sulla tavola dondolando le gambe (*o con le gambe dondoloni*) 2 agitare; brandire; maneggiare; roteare (*la mazza, il bastone da golf*, *ecc.*): **to s. a weapon**, brandire un'arma; **to s. an axe**, roteare un'ascia 3 sollevare; gettare (*con un movimento di rotazione*): *He*

swung the bag onto his back, si gettò il sacco (*o lo zaino*) in spalla; *The crane swung the goods onto the ship*, la gru sollevò la merce a bordo della nave 4 appendere; sospendere: *I swung the hammock between two trees*, appesi l'amaca fra due alberi 5 (*mil.*) far fare una conversione a: *The officer swung his company into line*, l'ufficiale fece fare una conversione alla sua compagnia e la mise in riga 6 (*mecc.*) brandeggiare 7 (*aeron.*) far girare, avviare (*un'elica*) 8 (*fig.*) tirare (q.) dalla propria parte; portare (q.) sulle proprie posizioni 9 (*fam.*) riuscire a fare (*o a ottenere*); riuscire a concludere: *How did you s. that?*, come hai fatto?; come ci sei riuscito?; **to s. a deal**, riuscire a concludere un affare; **to s. it**, sistemare le cose 10 (*slang antiq.*) impiccare ● **to s. aboard a bus [a train]**, saltare su un autobus [un treno] in corsa; prenderlo al volo □ **to s. one's hips**, ancheggiare □ (*fam. antiq.*) **to s. the lead**, oziare; marcare visita, battere la fiacca; fare il lavativo (*pop.*) □ **to s. open**, (*di una porta*) spalancarsi di scatto; spalancare: '*He unlocked the heavy iron door and swung it open*' G. GREENE, 'disserrò la pesante porta di ferro e la spalancò' □ (*naut.*) **to s. ship**, eseguire i giri di bussola □ **to s. shut**, (*di una porta*) chiudersi di scatto; chiudere (*una porta*): *The door has swung shut*, la porta si è chiusa di scatto □ (*polit.*) **to s. votes**, manovrare (*o disporre di*) voti □ (*naut.*) **to s. to the anchor**, ruotare facendo perno sull'ancora □ (*fig.*) **to s. weight**, esercitare un influsso; aver peso (*fig.*): *He swings a lot of weight in local politics*, esercita un peso considerevole sulla politica locale □ (*fig.*) **There is no room to s. a cat in here**, qui non c'è spazio per rigirarsi; si sta pigiati come acciughe.

■ **swing across** v. i. + prep. (*di un veicolo*) mettersi di traverso a (qc.), facendo una brusca sterzata; tagliare (*la strada a q.*) sterzando: *A lorry suddenly swung across the road*, un camion ci tagliò la strada con una sterzata improvvisa.

■ **swing around → swing round, A**.

■ **swing at** v. i. + prep. 1 fare l'atto di colpire (*con un movimento rotatorio del braccio*): **to s. at the ball**, fare l'atto di colpire la palla (*con un bastone da golf*, *ecc.*) 2 (*calcio*, *ecc.*) fare l'atto di calciare □ (*naut.*: *della nave*) **to s. at anchor**, girare sull'ancora.

■ **swing away** v. i. + avv. (*di una palla*) schizzare via: *The ball swung away from* (*o off*) *my bat*, la palla schizzò via dalla mia mazza.

■ **swing into** v. i. + prep. entrare in, facendo una brusca sterzata; immettersi in; infilare: *The robbers' car swung into a blind alley*, con una brusca sterzata, l'auto dei rapinatori infilò un vicolo cieco □ **to s. into action**, entrare rapidamente (*o risolutamente*) in azione □ (*autom. e fig.*) **to s. into reverse**, far fare retromarcia (*o marcia indietro*) a (*un automezzo*).

■ **swing out** v. i. + avv. lanciarsi fuori: '*Arthur swung out of the door*' K. AMIS, 'Arthur si lanciò fuori dalla porta'.

■ **swing round** **A** v. i. + avv. 1 girare (*su cardini*) 2 girare (su sé stesso); girare (*o voltarsi*) di scatto: *The wind is swinging round*, sta girando il vento; *The bear swung round*, l'orso si voltò di scatto 3 (*fig.*) cambiare idea; fare una giravolta (*fig.*) **B** v. t. + avv. 1 far voltare (q.) di scatto 2 (*autom.*) far curvare, sterzare (*un veicolo*) all'improvviso 3 (*fig.*) far cambiare idea a (q.); tirare, portare (q.) dalla propria parte (*o sulle proprie posizioni*) 4 (*calcio*, *ecc.*: *di un giocatore*, *ecc.*) girarsi di scatto; avvitarsi: **to attempt to s. round**, cercare l'avvitamento 5 (*autom.*) girarsi velocemente; fare una rapida inversione di marcia □ (*fig.*) **to s. round the circle**, fare un giro di propaganda politica nel di-

stretto □ (*autom.*) **to s. round the corner**, svoltare di colpo; prendere bruscamente la curva.

■ **swing through** **A** v. i. + prep. entrare violentemente, irrompere attraverso (*o da*): *The crowd swung through the gates*, la folla irruppe dai cancelli **B** v. t. + prep. lanciare (*un veicolo*) attraverso; sfondare con: *I swung the car through the door*, sfondai la porta con la macchina.

■ **swing to** v. i. + avv. (*di una porta*, *ecc.*) chiudersi; rinchiudersi.

■ **swing up** v. i. + avv. balzare su; saltare su □ (*equit.*) **to s. up into the saddle**, balzare in sella.

swingbin /'swɪŋbɪn/ n. cassonetto (*dell'immondizia*) a chiusura automatica.

swingboat /'swɪŋbəʊt/ n. barchetta (*che dondola: su una giostra*).

swingeing /'swɪndʒɪŋ/ a. 1 duro; forte; violento; drastico; severo: **a s. blow**, un colpo violento; una forte percossa; **s. cuts in public spending**, drastici tagli alla spesa pubblica 2 (*fam.*) stragrande; enorme: **s. majority**, stragrande maggioranza; maggioranza schiacciante; **s. damages**, danni enormi.

swinger /'swɪŋə(r)/ n. (*slang*) 1 persona che tiene il passo con i tempi; chi è alla moda 2 chi fa scambio di partner; scambista; (*anche*) chi pratica sesso di gruppo.

swinging /'swɪŋɪŋ/ **A** n. [CU] 1 oscillazione; dondolio; dondolamento; fluttuazione 2 (*radio*) fluttuazione (*della frequenza*); evanescenza; affievolimento 3 (*fam.*) (il) darsi da fare (*in amore*) **B** a. 1 oscillante; fluttuante; girevole 2 rapido; spedito; veloce; (*di ritmo*) sostenuto: **s. gait**, passo spedito; buona andatura 3 (*mus.*) cadenzato; ritmico: **a s. chorus**, un coro cadenzato 4 (*fam.*) animato; brioso; vivace: **a s. party**, una festa animata 5 (*fam.*) pieno di vita; brillante: **s. London**, la Londra piena di vita (*degli anni '60*) 6 (*slang*) sessualmente disinibito; che ha un'intensa vita sessuale ● (*atletica*) **s. arm**, braccio libero (*nei lanci*) □ (*naut.*) **s. boom**, asta di posta (*dim. min.*) □ **s a claim**, rettifica dei confini (*di una concessione*) □ **s. door**, porta a battente; porta a vento □ (*atletica*) **s. leg**, gamba libera (*nei salti*) □ (*baseball, cricket*) **s. shot**, colpo a sventola □ (*mil.*) **s. target**, bersaglio ruotante □ (*equit.*) **s. trot**, trotto serrato.

swingle /'swɪŋɡl/ n. 1 (*ind. tess.*) maciulla; stigliatrice; gramola; scotola 2 (*agric.*, *stor.*) parte mobile del correggiato.

to **swingle** /'swɪŋɡl/ v. t. (*ind. tess.*) scotolare, stigliare (*il lino, la canapa*) ● **swingling machine**, stigliatrice □ **swingling tow**, tiglio del lino.

swingling /'swɪŋlɪŋ/ n. [U] (*ind. tess.*) scotolatura, stigliatura (*del lino, della canapa*) ● **s. tow**, stoppa.

swingometer /swɪŋ'ɒmɪtə(r)/ n. (*polit.*, *TV*) strumento che misura gli spostamenti dei voti.

swinish /'swaɪnɪʃ/ a. (*spreg.*) maialesco; da maiale; bestiale; brutale; disgustoso; sozzo | **-ly** avv. | **-ness** n. [U].

swipe /swaɪp/ n. 1 forte colpo; botta; (*sport*) **a s. at the ball**, un forte colpo alla palla 2 (*fig.*) attacco (*verbale*); aspra critica □ (*banca*, *ecc.*) **s. card**, carta intelligente (*di plastica*).

to **swipe** /swaɪp/ **A** v. t. 1 (*fam.*) battere con forza; colpire forte; dare un forte colpo a (*una palla*, *ecc.*) 2 (*slang*) fregare; rubare; arraffare; grattare (*pop.*): *Who's swiped my lighter?*, chi m'ha fregato l'accendino? 3 passare (*in lettore magnetico*); riuscire a leggere (*una carta magnetica*): *I'm having trouble swiping your card, I'll try again*, non si riesce a leggere la sua carta, ci

riprovo **B** v. i. (*fam.*) picchiar forte; menar botte da orbi ● **to s. at**, cercare di colpire (*una persona, una palla, ecc.*).

swiper /'swaɪpə(r)/ n. **1** (*fam.*) chi batte con forza (*spec. a golf e cricket*) **2** (*slang*) ladro; ladruncolo.

swirl /swɜːl/ n. **1** turbine; vortice; mulinello: **a s. of dust**, un mulinello di polvere **2** voluta; riccio; spirale: **swirls of smoke**, volute di fumo **3** ⓤ (*mecc.*) turbolenza (*di un motore*): **s. chamber**, camera di turbolenza **4** ⓤ (*fig.*) turbolenza; confusione; tumulto.

to swirl /swɜːl/ **A** v. i. **1** turbinare; girare vorticosamente: *The snowflakes swirled in the air*, i fiocchi di neve turbinavano nell'aria **2** (*del fumo, ecc.*) avvolgersi a spirale; arricciarsi **3** (*fig.: della testa*) girare **B** v. t. **1** far girare; far turbinare **2** (*del vento, ecc.*) trasportare (*foglie secche, ecc.*) con moto vorticoso.

■ **swirl about** v. i. + avv. **1** (*della polvere, ecc.*) mulinare; turbinare **2** (*fig.: di una folla, ecc.*) sciamare.

■ **swirl around** **A** v. i. + avv. **1** (*dell'acqua*) fare un mulinello (*o un gorgo*) **2** (*della polvere*) mulinare; turbinare **3** (*fig.*) andare qua e là senza meta; sciamare **B** v. t. + avv. (*fig.*) travolgere: *The corruption scandal swirled around the government*, lo scandalo della corruzione travolse il governo.

swirly /'swɜːlɪ/ a. turbinoso; vorticoso.

swish ① /swɪʃ/ n. **1** fruscio; sibilo; fischio: *I heard the s. of the waves* [*of the whip*], sentii il fruscio delle onde [il sibilo della frusta] **2** canna; sferza; verga **3** sferzata; scudisciata **4** colpo (*di coda, ecc.*) **5** (*slang spreg. USA*) frocio, finocchio.

swish ② /swɪʃ/ a. attr. (*fam.*) **1** elegante; alla moda **2** (*USA*) effeminato; omosessuale.

to swish /swɪʃ/ **A** v. t. **1** far sibilare; far frusciare; far vibrare: **to s. a cane**, far sibilare una canna; far vibrare una canna (*agitandola*) **2** agitare; scuotere (*agitando*): *The cow swished its tail*, la mucca agitò la coda **3** sferzare; fustigare; frustare **B** v. i. (*di canna, ecc.*) frusciare; vibrare; sibilare; fischiare (*nell'aria*) ● **to s. off**, tagliare; recidere (*con un colpo di bacchetta e sim.*): **to s. off the flower heads**, decapitare i fiori.

swishing /'swɪʃɪŋ/ a. frusciante; sibilante.

Swiss /swɪs/ a. e n. (*inv. al pl.*) svizzero: (*collett.*) **the S.**, gli svizzeri □ **S. watch**, un orologio svizzero ● (*cucina*) **S. chard**, bietola, bieta da coste □ **S. cheese**, formaggio svizzero; emmenthal □ **S. guards**, guardie svizzere; soldati del papa (*fam.*) □ (*cucina*) **S. roll**, fagottino di pasta tenera farcito di panna o marmellata.

◆ **switch** /swɪtʃ/ n. **1** bacchetta; verga; verghetta (*spec. usata per frustare*); frustino, frusta **2** bacchettata; vergata; frustata **3** treccia di capelli posticci; posticcio; parrucchino **4** (*elettr., radio*) interruttore; chiavetta; commutatore: **lever s.**, interruttore a leva; **band s.** (*o* **wave-change s.**), commutatore d'onda **5** (*elettron.*) commutatore **6** (*comput.*) commutatore; deviatore **7** (*fin.*) scambio di titoli; transazione triangolare **8** (*ferr., USA*) scambio; deviatoio: **interlocked s.**, scambio a blocco di sicurezza **9** cambiamento; mutamento (*d'orario, ecc.*) **10** (*anche sport*) cambio: (*basket*) **s. of hands**, cambio di mano (*in palleggio*) **11** (*sport*) cambio di ruolo; spostamento **12** (*USA*) = **s.-blade knife** → *sotto* ● (*USA*) **s.-blade knife**, coltello a serramanico □ **s.-hitter**, (*baseball*) battitore ambidestro; (*slang USA*) ambidestro, bisessuale, bisex □ (*market.*) **s. selling**, vendite effettuate facendo uso di articoli civetta (*illegale in GB*) □ (*ferr., USA*) **s. signal**, segnale dello scambio □ (*ferr., USA*) **s. tongue**, ago dello scambio.

◆ **to switch** /swɪtʃ/ **A** v. t. **1** battere con una

verga; sferzare; frustare (*il cavallo, ecc.*) **2** agitare; dimenare; scuotere; sferzare l'aria con: *The cat switched its tail in anger*, il gatto dimenava stizzosamente la coda **3** girare l'interruttore di (*un circuito elettrico, ecc.*) **4** (*ferr., USA*) smistare, instradare (*un treno*) **5** cambiare; mutare; spostare; volgere (*il pensiero, ecc.*) in un'altra direzione: *We switched the conversation*, cambiammo discorso; (*tennis, ecc.*) **to s. one's line of attack**, cambiare linea di attacco **6** afferrare; agguantare; strappare **7** scambiare; fare il cambio di: **to s. places**, scambiarsi il posto **B** v. i. **1** (*ferr., USA: di treno*) cambiar binario; essere smistato (*o instradato*) **2** spostarsi; passare: *They switched from one subject to another*, passarono da un argomento a un altro **3** (*bridge*) dichiarare un colore diverso da quello dichiarato precedentemente ● **to s. one's allegiance**, cambiare partito; passare al nemico □ **to s. hats**, passare da un ruolo a un altro, da un'attività a un'altra (*temporaneamente*); cambiare ruolo □ **to s. into overdrive**, (*autom.*) inserire l'overdrive; (*fig.*) accelerare il ritmo, mettere la quarta (*fig.*) □ (*fig.*) **to s. things**, cambiare le carte in tavola; fare un imbroglio □ (*in pista*) **to s. tracks**, cambiare corsia.

■ **switch around** → **switch round**.

■ **switch away** v. t. + avv. tirare via (*o indietro*); ritirare.

■ **switch back to** v. i. + avv. + prep. (*fam.*) tornare a (*cambiando*); riprendere: **to s. back to one's previous plan**, tornare al (*o riprendere il*) progetto precedente.

■ **switch from** v. i. + prep. allontanarsi da, abbandonare (*un progetto, i vecchi amici, ecc.*: per q. o qc. di nuovo).

■ **switch off** **A** v. i. + avv. **1** spegnere (*la luce elettrica, ecc.*); disinserire il contatto; staccare **2** (*telef.*) interrompere la comunicazione; mettere giù (*fam.*) **3** (*fig. fam.*) smettere di parlare (*o di ascoltare*); staccare (*fam.*): *I s. off when he starts talking about computers*, mi chiudo le orecchie quando si mette a parlare di computer **B** v. t. + avv. **1** (*elettr.*) disinserire (*un contatto*); interrompere (*un circuito*); staccare (*fam.*): *S. off the electricity!*, stacca la corrente!; togli la luce! **2** spegnere (*la luce, il televisore, la radio, ecc.*): (*autom.*) **to s. off the engine**, spegnere il motore **3** disinserire, staccare (*un allarme, ecc.*) **4** (*fig. fam.*) far perdere interesse a (*q.*); rendere (*q.*) esausto; stancare, stufare (*fig.*): **to s. one's students off**, stufare i propri studenti □ **to s. off by itself**, spegnersi da solo.

■ **switch on** **A** v. i. + avv. **1** accendere (*la luce, ecc.*); inserire il contatto **2** (*fig. fam.*) acquistare interesse; svegliarsi (*fig.*); eccitarsi: **to use drugs to s. on**, usare la droga per eccitarsi **3** (*fam. USA*) farsi vivo; (*anche*) aggiornarsi, svegliarsi (*fig.*); mettersi al passo con i tempi **B** v. t. + avv. **1** (*elettr.*) inserire (*un contatto*); chiudere (*un circuito*); attaccare (*fam.*): *S. on the electricity!*, attacca la corrente!; dai la luce! **2** accendere (*la luce, il televisore, la radio, ecc.*): (*autom.*) **to s. on the engine**, accendere il motore **3** inserire, attaccare (*un allarme, ecc.*) **4** (*fig. fam.*) interessare; eccitare; stimolare: **to s. one's students on**, interessare i propri studenti □ (*di un forno elettrico, ecc.*) **to s. on by itself**, accendersi da solo □ (*autom.*) **to s. on the ignition**, inserire l'accensione; mettere in moto □ (*telef.*) **to s. sb. on to s. else**, mettere q. in comunicazione con q. altro.

■ **switch out** v. t. + avv. spegnere (*la luce elettrica, il gas, e sim.*); staccare (*la corrente elettrica*).

■ **switch over** **A** v. i. + avv. **1** (*elettr.*) commutare **2** invertire l'ordine di (*parole in una lista, ecc.*) **3** trasformare; convertire: *We are going to s. our factory over to the produc- tion of household appliances*, convertiremo

la nostra fabbrica in uno stabilimento per la produzione di elettrodomestici **4** scambiare: **to s. over seats**, scambiarsi di posto (*a sedere*) **B** v. i. + avv. **1** (*del vento*) girare **2** (*radio*) cambiare stazione **3** (*TV*) cambiare canale **4** cambiare posto (*o lavoro, ecc.*): *I'd like to s. over*, vorrei cambiare posto (*o lavoro*) **5** cambiare posto (*o ruolo*); passare (*cambiando*); cominciare a (*fare qc.*): *He switched over to teaching*, passò all'insegnamento; **to s. over to a shorter working week**, passare alla (*o adottare la*) settimana corta.

■ **switch round** **A** v. i. + avv. cambiare posto **B** v. t. + avv. **1** cambiare (*q.*) di posto (*anche di lavoro*); spostare; trasferire: **to s. an employee round to another office**, spostare un dipendente in un altro ufficio **2** spostare, cambiar posto a (*mobili e sim.*) **3** invertire l'ordine di (*parole, ecc.*) □ **to s. one's head round**, voltare di scatto la testa.

■ **switch to** v. i. + prep. passare a (*un altro argomento, la produzione di beni diversi, ecc.*) □ (*del semaforo*) **to s. to green**, diventare verde.

switchback /'swɪtʃbæk/ **A** n. **1** strada (*o ferrovia*) a rampe (*o a stretti tornanti, a zig-zag*) **2** (*divertimento*) ottovolante; montagne russe **3** (*autom., USA*) tornante; tourniquet (*franc.*) **B** a. attr. a rampe; a stretti tornanti; a zigzag.

switchblade /'swɪtʃbleɪd/ n. (*USA*, = **s. knife**) coltello a serramanico.

switchboard /'swɪtʃbɔːd/ n. **1** (*elettr.*) quadro di comando (*o di distribuzione*) **2** (*telef.*) centralino manuale (*d'albergo, ecc.*) ● **s. operator**, centralinista.

switched-off /swɪtʃtʃɒf/ a. **1** (*elettr.*) disinserito; scollegato **2** (*di un televisore, un allarme, un forno elettrico, ecc.*) staccato; spento **3** (*telef., ecc.*) interrotto **4** (*slang USA*) fuori moda; non al corrente; non aggiornato; tradizionale; all'antica.

switched-on /'swɪtʃtɒn/ a. **1** (*elettr.*) inserito; collegato **2** (*di un televisore, un allarme, un forno elettrico, ecc.*) attaccato; acceso **3** (*fam.*) alla moda; al corrente; aggiornato; al passo con i tempi **4** (*fam.*) sveglio (*fig.*); in gamba **5** (*slang USA*) sotto l'effetto della droga (*o dell'alcol*); drogato; sbronzo.

switchgear /'swɪtʃɡɪə(r)/ n. ⓤ (*elettr.*) interruttori elettrici (collett.); apparecchiatura di manovra.

switch-hitter /'swɪtʃhɪtə(r)/ → **switch**.

switching /'swɪtʃɪŋ/ n. ⓤⓒ **1** (*elettr., elettron.*) commutazione **2** (*ferr., USA*) manovra; smistamento: **s. yard**, piazzale di smistamento **3** (*sport*) cambio **4** (*Borsa, fin.*) cambiamento degli investimenti; variazione di portafoglio ● (*elettron.*) **s. gate**, porta logica □ (*telef.*) **s. substation**, sottostazione di smistamento.

switchman /'swɪtʃmən/ n. (pl. **switchmen**) (*ferr., USA*) deviatore; scambista.

switch-off /'swɪtʃɒf/ n. **1** cosa che distoglie; cosa che fa perdere interesse **2** (*elettr.*) spegnimento (*del motore, ecc.*).

switch-on /'swɪtʃɒn/ n. (*elettr.*) accensione (*del motore, ecc.*).

switchover, switch-over /'swɪtʃəʊvə(r)/ n. **1** (*elettr.*) commutazione **2** (*radio, TV*) cambio (*di stazione o di canale*) **3** (*fig.*) svolta; passaggio (*a un altro partito*).

switchyard /'swɪtʃjɑːd/ n. (*ferr., USA*) piazzale di manovra (*o di smistamento*).

Switzerland /'swɪtsələnd/ n. (*geogr.*) Svizzera.

swivel /'swɪvl/ n. (*mecc.*) **1** parte girevole (*in genere*); perno **2** (*di catena*) anello girevole; anello imperniato **3** piattaforma girevole (*di un cannone, ecc.*) **4** (*ind. petrolifera*) testa d'iniezione (*o di adduzione*) **5** (*calcio, ecc.*) (*di un giocatore*) giro su sé stesso; avvi-

tamento 6 (*canottaggio*) scalmiera **7** (*pesca*) girella (*di galleggiante o di cucchiaino rotante*) **8** (*naut.*) anello girevole; mulinello, tornichetto (*della catena dell'ancora*) ● (*naut.*) **s. block**, bozzello a mulinello □ (*ind. costr.*) **s. bridge**, ponte girevole □ **s. chair**, sedia girevole □ (*fig. fam.*) **s.-eyed**, subdolo; disonesto □ (*mil.*) **s. gun**, cannone girevole (*su affusto a piedistallo*) □ (*mecc.*) **s. hook**, gancio a mulinello □ (*canottaggio*) **s. rowlock**, scalmo a forcella □ (*med.*) **s. stirrup**, staffa di trazione □ **s. stool**, sgabello girevole.

to **swivel** /'swɪvl/ **A** v. i. **1** far perno; girare su (*un perno*) **2** (*di un perno*) ruotare su sé stesso **3** (*fig.*) girarsi, voltarsi **4** (*sport: di un giocatore*) avvitarsi; girarsi: *He quickly swivelled and let fly*, si girò di scatto e tirò **B** v. t. **1** (*mecc.*) imperniare **2** (*far*) ruotare; (*far*) girare.

■ **swivel round** v. i. + avv. **1** girarsi: **to s. round in one's chair**, girarsi sulla sedia **2** (*calcio, ecc.*) girarsi di scatto, facendo perno su un piede (*è una finta*).

swivet /'swɪvɪt/ n. (*fam. USA*) agitazione; panico: **to get into a s.**, entrare in agitazione; farsi prendere dal panico.

swizz, swiz /swɪz/ n. (*fam. ingl.*) **1** inganno; imbroglio; fregatura; bidone (*fig.*): *What a complete s.!*, che grande fregatura! **2** delusione; disappunto.

swizzle /'swɪzl/ n. (*fam.*) cocktail con ghiaccio ● **s. stick**, bastoncino per mescolare cocktail.

swollen /'swəʊlən/ **A** p. p. di **to swell B** a. **1** gonfio: **a s. ankle**, una caviglia gonfia; **a river s. with rain**, un fiume gonfio per la pioggia **2** (*fig.*) enfatico; reboante **3** (*med.*) tumefatto ● (*fin.*) **s. estimates**, preventivi esagerati (*o gonfiati ad arte, a bella posta*) □ (*fig.*) **s. head**, boria; presunzione □ **s.-headed**, borioso; presuntuoso □ (*fig.*) **to get a s. head**, montarsi la testa □ **to have a s. opinion of oneself**, presumere di sé.

swoon /swu:n/ n. **1** (*raro, lett.*) svenimento; deliquio **2** (*fam.*) estasi; rapimento.

to **swoon** /swu:n/ v. i. **1** (*raro lett.*) svenire; venir meno; perdere i sensi: *I swooned with pain*, svenni per il dolore **2** (*fig.: di musica, ecc.*) smorzarsi pian piano; svanire **3** (*fam.*) andare in estasi (*fam.: in brodo di giuggiole*); delirare (*per q.*) ● **to s. for joy**, sentirsi venir meno dalla gioia.

swoop /swu:p/ n. **1** attacco (*d'uccello rapace*); calata a precipizio; balzo **2** incursione, raid (*della polizia, ecc.*): **a night s.**, un raid notturno **3** (*fig.*) impeto; slancio **4** (*mil. e sport*) incursione; attacco repentino **5** retata della polizia ● **at** (*o* **in**) **one** (*fell*) **s.**, in un sol colpo; di colpo.

to **swoop** /swu:p/ v. i. **1** (*di rapace, ecc.*) piombare; precipitarsi; avventarsi; slanciarsi: *The hawk swooped down on the rabbit*, il falco piombò sul coniglio; *The police swooped on the gang*, la polizia piombò sulla banda **2** (*fam.*) gettarsi, buttarsi (*sul cibo, ecc.*) ● (*fig.*) **to s. on**, attaccare; fare un'incursione, piombare su (*il nemico, ecc.*) □ (*fam.*) **to s. up**, afferrare (al volo); arraffare

swoosh /swu:ʃ/ n. rumore prodotto da un'improvviso fiotto d'acqua o da una corrente d'aria; forte sibilo; forte fruscio.

to **swoosh** /swu:ʃ/ v. i. sfrecciare producendo un forte sibilo o fruscio.

swop, to **swop** /swɒp/ → **swap, to swap**.

sword /sɔ:d/ n. **1** spada; ferro (*poet.*): **to wear a s.**, portare la spada **2** – (*fig.*) **the s.**, le armi; la forza militare; la guerra □ (*cinem.*) **s.-and-sandals movie**, film storico ambientato nell'antica Roma (*spec. sui gladiatori*) □ (*letter.*) **s.-and-sorcery**, genere fantasy □ (*scherma*) **s. arm**, braccio armato □ (*mil.*) **s.-bayonet**, spada baionetta □ **s.-bearer**, portatore di spada (*ufficiale che por-*

ta la spada innanzi al sovrano, ecc.) □ (*mil.*) **s. belt**, cinturone □ (*zool.*) **s.-bill** (*Ensifera ensifera*), colibrì dal becco a spada □ **s. blade**, lama (*della spada*) □ **s.-cane = s.-stick** → *sotto* □ **s. cut**, colpo col taglio della spada; ferita di spada □ **s. cutler**, fabbricante di spade (*o di lame per spada*) □ (*in Scozia*) **the s. dance**, la danza delle spade □ **s. dancer**, chi fa la danza delle spade □ (*bot.*) **s.-grass**, (*Gladiolus*) gladiolo; (*Phalaris arundinacea*) falaride a foglie maculate (*e altre piante le cui foglie hanno forma di spada*) □ **s. guard**, guardia della spada □ **s. hilt**, elsa (*della spada*) □ (*mil.*) **s.-knot**, dragona □ (*bot.*) **s.-lily** (*Gladiolus*), gladiolo (*anche fig.*) **the S. of Damocles**, la spada di Damocle □ (*fig.*) **the s. of justice**, la spada della giustizia □ **the s. of State**, la spada delle cerimonie (*portata innanzi al sovrano*) □ **s.-rattling**, aggressivo, minaccioso, che vuole intimidire, violento □ **s.-side**, linea paterna; linea di discendenza maschile □ **s.-stick**, bastone da stocco; bastone animato □ **s. swallower**, mangiatore di spade □ **at the point of the s.**, con la minaccia della spada □ (*di due armati*) **to be at swords' points**, stare per battersi; essere ai ferri corti □ **to cross swords with sb.**, (*stor.*) incrociare la spada con q.; battersi con q.; (*fig.*) discutere accanitamente con q. □ **to draw one's s.**, sguainare la spada; (*fig.*) dare inizio alle ostilità, far guerra □ **to put sb. to the s.**, passare q. a fil di spada; trucidare q. □ **to sheathe the s.**, rinfoderare (*o ringuainare*) la spada; (*fig.*) porre termine alle ostilità, far pace □ **two-handed s.**, spadone (*da brandire*) a due mani □ (*prov.*) **He that liveth by the sword shall perish by the sword**, chi di spada ferisce di spada perisce.

swordfish /'sɔ:dfɪʃ/ n. (*zool., Xiphias gladius*) pesce spada.

swordplay /'sɔ:dpleɪ/ n. **1** arte della scherma **2** abilità di schermitore **3** (*fig.*) schermaglia (*verbale*).

swordsman /'sɔ:dzmən/ n. (pl. **swordsmen**) spadaccino; schermitore || **swordsmanship** n. arte della scherma; maestria di spadaccino.

swore /swɔ:(r)/ pass. di **to swear**.

sworn /swɔ:n/ **A** p. p. di **to swear B** a. **1** giurato; irriducibile: **s. enemies**, nemici giurati **2** (*leg.*) giurato; sotto giuramento: **s. statement**, dichiarazione giurata (*o sotto giuramento*) □ (*leg.*) **s. evidence**, testimonianza giurata □ **s. friends**, amici per la pelle □ (*relig.*) **to be s. to God**, aver fatto voto di sé a Dio.

swot /swɒt/ (*fam.*) n. **1** sgobbata; studio intenso **2** sgobbone; secchione (*fam.*) || **swotty** a. di (*o da*) sgobbone; dall'aria di secchione (*fam.*).

to **swot** /swɒt/ (*fam.*) v. i. sgobbare; studiare sodo: **to s. for an examination**, sgobbare per un esame ● **to s. up a subject**, sgobbare su una materia □ **to s. up some dates for the history class**, imparare a fatica delle date per la lezione di storia.

swum /swʌm/ p. p. di **to swim**.

swung /swʌŋ/ pass. e p. p. di **to swing**.

Sybaris /'sɪbərɪs/ n. (*stor., geogr.*) Sibari.

sybarite /'sɪbəraɪt/ n. sibarita.

Sybarite /'sɪbəraɪt/ n. (*stor.*) sibarita.

sybaritic /ˌsɪbə'rɪtɪk/, **sybaritical** /ˌsɪbə'rɪtɪkl/ a. sibaritico.

Sybil /'sɪbɪl/ n. Sibilla.

sycamine /'sɪkəmaɪn/ n. (*Bibbia*; *bot., Morus nigra*) gelso nero.

sycamore /'sɪkəmɔ:(r)/ n. (*bot.*) **1** (*in Africa settentrionale e Asia occidentale: Ficus sycomorus*) sicomoro **2** (*in Eurasia: Acer pseudoplatanus*) acero platano **3** (*in America: Platanus occidentalis*) platano d'America.

syconium /saɪ'kəʊnɪəm/ n. (pl. **syconia**)

(*bot.*) siconio.

sycophant /'sɪkəfænt/ n. **1** adulatore; piaggiatore; individuo servile **2** (*stor. greca*) sicofante ❶ **FALSI AMICI** • *nell'inglese attuale* sycophant *non significa* sicofante || **sycophancy** n. **1** adulazione; piaggeria; servilismo **2** (*stor. greca*) sicofantia || **sycophantic** a. adulatorio; servile.

Sycorax /'sɪkəræks/ n. (*letter., astron.*) Sycorax; Sicorace.

sycosis /saɪ'kəʊsɪs/ n. (*med.*) sicosi.

syenite /'saɪɪnaɪt/ (*geol.*) n. sienite || **syenitic** a. sienitico.

syllabary /'sɪləbərɪ/ n. **1** sillabario **2** tavola di simboli sillabici.

syllabic /sɪ'læbɪk/ a. **1** sillabico **2** diviso in sillabe; sillabato || **syllabically** avv. sillaba per sillaba; in sillabe.

to **syllabicate** /sɪ'læbɪkeɪt/ → **to syllabify**.

syllabication /sɪˌlæbɪ'keɪʃn/, **syllabification** /sɪˌlæbɪfɪ'keɪʃn/ n. (*ling.*) sillabazione; divisione in sillabe.

to **syllabify** /sɪ'læbɪfaɪ/, to **syllabize** /'sɪləbaɪz/ v. t. sillabare; dividere in sillabe.

♦**syllable** /'sɪləbl/ n. sillaba ● (*ling.*) **s. boundary**, frontiera sillabica □ **Not a s.!**, non una sillaba!; non una parola!; taci!

to **syllable** /'sɪləbl/ v. t. **1** sillabare **2** (*poet.*) pronunciare; dire || **syllabled** a. (nei composti, per es.:) **a four-syllabled word**, una parola quadrisillaba; un quadrisillabo.

syllabub /'sɪləbʌb/ n. **1** latte caldo, con vino o liquori e spezie **2** (*ingl.*) dessert freddo di latte o panna, con vino, zucchero e limone **3** (*fig. fam.*) balle; chiacchiere; aria fritta.

syllabus /'sɪləbəs/ n. (pl. **syllabi, syllabuses**) **1** catalogo; compendio; sommario **2** programma di un corso di studi **3** (*relig.*) sillabo ● **s. design**, preparazione dei programmi di studio.

syllepsis /sɪ'lepsɪs/ (*ling.*) n. (pl. **syllepses**) sillessi || **sylleptic** a. di sillessi.

syllogism /'sɪlədʒɪzəm/ n. **1** (*filos., mat.*) sillogismo **2** ragionamento deduttivo **3** (*per estens.*) ragionamento sottile; sofisma || **syllogistic, syllogistical** a. (*filos.*) sillogistico || **syllogistically** avv. sillogisticamente.

to **syllogize** /'sɪlədʒaɪz/ v. i. e t. (*filos.*) sillogizzare.

sylph /sɪlf/ n. **1** (*mitol.*) silfide (*anche fig.*) **2** (*mitol.*) silfo **3** (*fig.*) silfide **4** (*zool., Aglaiocercus knigi*) trochilo coda verde.

sylphlike /'sɪlflaɪk/ a. di (*o da*) silfide; grazioso e snello.

sylvan /'sɪlvən/ **A** a. (*lett.*) silvano; silvestre **B** n. **1** (*lett.*) abitante dei boschi **2** (*mitol.*) divinità silvana.

Sylvester /sɪl'vestə(r)/ n. Silvestro.

Sylvia /'sɪlvɪə/ n. Silvia.

sylvite /'sɪlvaɪt/ n. (*miner.*) silvite.

sym. abbr. **1** (**symmetrical**) simmetrico **2** (**symphony**) sinfonia.

symbiont /'sɪmbɪɒnt/ n. (*biol.*) simbionte.

symbiosis /ˌsɪmbaɪ'əʊsɪs/ (*biol.*) n. simbiosi (*anche fig.*) || **symbiotic, symbiotical** a. simbiotico (*anche fig.*) || **symbiotically** avv. simbioticamente.

♦**symbol** /'sɪmbl/ n. **1** simbolo; emblema: *The dove is a s. of peace*, la colomba è il simbolo della pace **2** (*mat., chim., pubbl., ecc.*) simbolo: **s. usage**, l'uso di simboli.

symbolic /sɪm'bɒlɪk/, **symbolical** /sɪm'bɒlɪkl/ a. simbolico: (*mat.*) **s. logic**, logica simbolica || **-ally** avv.

symbolism /'sɪmbəlɪzəm/ n. **1** (*letter., arte*) simbolismo **2** (*tecn.*) sistema (*o complesso*) di simboli || **symbolist** n. **1** (*letter., arte*) simbolista **2** studioso di simbologia ● (*letter.*) **symbolist movement**, movimento

simbolista ‖ **symbolistic** a. (letter., arte) simbolistico.

to **symbolize** /'sımbəlaız/ v. t. 1 simboleggiare 2 dare un carattere simbolico a (qc.); interpretare simbolicamente ‖ **symbolization** n. Ⓤ simbolizzazione; simboleggiamento.

symbology /sım'bɒlədʒı/ n. Ⓤ simbologia.

symmetric /sı'metrık/, **symmetrical** /sı'metrıkl/ a. simmetrico: (stat.) s. **distribution**, distribuzione simmetrica | **-ally** avv.

to **symmetrize** /'sımətraız/ v. t. simmetrizzare; rendere simmetrico ‖ **symmetrization** n. Ⓤ il rendere simmetrico.

symmetry /'sımətrı/ n. Ⓤ Ⓒ 1 (anche mat.) simmetria 2 armonia di proporzioni.

♦**sympathetic** /sımpə'θetık/ a. 1 comprensivo; sensibile; solidale; amichevole; affettuoso; cordiale; tenero: a s. **gesture**, un gesto amichevole; s. **expressions**, espressioni affettuose; (econ.) a s. **strike**, uno sciopero di solidarietà; s. **words**, parole di solidarietà; His colleagues were all very s., i suoi colleghi si mostrarono tutti molto comprensivi; to **find a** s. **ear**, trovare chi è disposto ad ascoltarci con comprensione; to **lend sb. a** s. **ear**, mostrarsi disposto ad ascoltare 2 congeniale; piacevole; gradevole; in armonia (con): a s. **atmosphere**, un'atmosfera congeniale; s. **to the surrounding environment**, in armonia con l'ambiente circostante 3 che approva (qc.); che è d'accordo (con); favorevole (a); bendisposto (verso): to **be** s. **to**, approvare; essere d'accordo con; He was quite s. to my proposal, era (o si mostrò) del tutto bendisposto verso la mia proposta 4 (anat.) simpatico: s. **nerve**, nervo simpatico; s. **nervous system**, sistema nervoso simpatico 5 che agisce o si verifica per simpatia o per affinità: s. **magic**, magia per affinità; (med.) s. **pain**, dolore riflesso; (mus.) s. **string**, corda di simpatia (o di risonanza) 6 –. s. **ink**, inchiostro simpatico ❶ **FALSI AMICI** • sympathetic non significa simpatico nel senso di divertente, che desta simpatia.

sympathetically /sımpə'θetıklı/ avv. 1 con grande comprensione; con molta simpatia; cordialmente 2 favorevolmente.

sympathique /sæmpæ'tiːk/ (franc.) a. simpatico; che piace.

to **sympathize** /'sımpəθaız/ v. i. 1 andare d'accordo; essere in armonia; intendersi bene; essere in comunione d'idee (o di sentimenti) 2 – **to** s. **with**, apprezzare; comprendere; (spec.) condolersi con, commiserare, compatire; aver compassione (o provar pietà) per: I quite s. with your motives, apprezzo pienamente i tuoi motivi; I s. with him in his sorrow, mi condolgo con lui; sono partecipe del suo dolore; It isn't enough to s. with poor people, non basta provare pietà per i poveri 3 – **to** s. **with**, approvare; esser d'accordo con; veder di buon occhio: His wife doesn't s. with his plan to set up his own business, sua moglie non vede di buon occhio il suo progetto di mettersi in proprio ● **to** s. **with sb.'s point of view**, condividere il punto di vista di q. ❶ **FALSI AMICI** • to sympathize non significa simpatizzare.

sympathizer /'sımpəθaızə(r)/ n. 1 persona comprensiva; chi partecipa dei sentimenti di q. 2 (spec. polit.) sostenitore; fautore; simpatizzante.

♦**sympathy** /'sımpəθı/ n. Ⓤ Ⓒ 1 comprensione; sensibilità (ai problemi altrui); partecipazione; solidarietà; compassione: He has no s. for my problems, non ha comprensione per i miei problemi; He fully deserves our s., merita tutta la nostra solidarietà; (econ.) **to come out in** s. **with**, scendere in sciope-

ro per solidarietà con; (econ.) s. **strike**, sciopero di solidarietà; (anche fig., scherz.) s. **vote**, voto di solidarietà; I don't want your s.!, non voglio la tua compassione! 2 (anche al pl.) condoglianze; cordoglio: **a letter of** s., una lettera di condoglianze; **to send one's sympathies**, fare (o mandare) le proprie condoglianze; You have my deepest sympathies, le porgo le mie più sentite condoglianze 3 Ⓤ accordo; sintonia; armonia; comunione d'idee, di sentimenti: **to be in** s. **with**, essere in sintonia con 4 approvazione; atteggiamento bendisposto: He has no s. with (o for) idle students, non approva gli studenti pigri 5 (pl.) simpatie; affinità ideale: My sympathies lie with the Labour Party, le mie simpatie vanno al Partito Laburista 6 simpatia; affinità: **to react in** s., reagire per simpatia ❶ **FALSI AMICI** • sympathy non significa simpatia nel senso di attrazione istintiva o di qualità di chi è simpatico.

sympetalous /sım'petələs/ a. (bot.) simpetalo.

symphonic /sım'fɒnık/ a. (mus.) sinfonico | **-ally** avv.

symphonism /'sımfənızəm/ n. Ⓤ (mus.) sinfonismo.

symphonist /'sımfənıst/ n. (mus.) sinfonista.

symphony /'sımfənı/ n. 1 (mus.) sinfonia 2 (fig.) sinfonia; armonia ● **the London S. Orchestra**, l'orchestra sinfonica di Londra.

symphysis /'sımfısıs/ n. (pl. **symphyses**) (anat.) sinfisi.

sympodium /sım'pəudıəm/ n. (pl. **sympodia**) (bot.) simpodio.

symposium /sım'pəuzıəm/ n. (lett.) (pl. **symposia**, **symposiums**) 1 simposio; convito 2 (fig.) convegno; simposio 3 raccolta di saggi su un argomento; rassegna di critiche.

♦**symptom** /'sımptəm/ n. (med.) sintomo; (fig.) indizio, segno.

symptomatic /sımptə'mætık/, **symptomatical** /sımptə'mætıkl/ a. (med.) sintomatico; (fig.) indicativo (di qc.) | **-ally** avv.

symptomatology /sımptəmə'tɒlədʒı/ n. Ⓤ (med.) 1 sintomatologia 2 semeiotica.

synaeresis, (USA) **syneresis** /sı'nıərəsıs/ n. 1 (pl. **synaereses**) (ling., poesia) sineresi 2 Ⓤ (chim.) sineresi 3 Ⓤ (med.) sineresi.

synaesthesia, (USA) **synesthesia** /sınıs'θiːzıə/ n. 1 (ling.) sinestesia 2 Ⓤ (psic.) sinestesia; sinestesi.

synagogue /'sınəgɒg/ (relig.) n. sinagoga ‖ **synagogical** a. di (o da) sinagoga; sinagogale.

synalepha, **synaloepha** /sınə'liːfə/ n. (ling.) sinalefe.

synallagmatic /sınəlæg'mætık/ a. (leg.) sinallagmatico; bilaterale: a s. **contract**, un contratto sinallagmatico.

synapse /'saınæps, USA 'sın-/ n. (anat.) sinapsi; giunzione sinaptica.

synapsis /saı'næpsıs, USA sı'n-/ n. (pl. **synapses**) 1 (biol.) sinapsi 2 (anat.) → **synapse**.

synaptic /saı'næptık, USA sı'n-/ a. (biol., anat.) sinaptico: s. **cleft**, fessura sinaptica.

sync, **synch** /sıŋk/ n. Ⓤ (abbr. fam. di **synchronization**) sincronizzazione ● s. **signal**, segnale di sincronizzazione □ **in** s., in sincronia, sincronizzato; (fig.) sintonizzato, sulla stessa lunghezza d'onda □ **out of** s., non in sincronia; non sincronizzato; (fig.) non sintonizzato, non in armonia.

to **sync** /sıŋk/, to **synch** /sıŋk/ v. t. (abbr. fam. di **to synchronize**) sincronizzare.

syncarp /'sınkɑːp/ (bot.) n. sincarpio ‖ **syncarpous** a. sincarpo.

synchro /'sıŋkrəu/ Ⓐ n. 1 (elettr.) synch-

ro; trasduttore angolare 2 (sport, fam.) nuoto sincronizzato: **the** s. **final**, la finale del nuoto sincronizzato Ⓑ a. attr. (fam.) sincronizzato: s. **diving**, tuffi sincronizzati.

synchrocyclotron /sıŋkrəu'saıklətrɒn/ n. (fis. nucl.) sincrociclotrone.

synchromesh /'sıŋkrəumeʃ/ (autom.) n. Ⓤ sistema di sincronizzazione ● s. **gear**, cambio sincronizzato.

synchronal /'sıŋkrənl/ → **synchronous**.

synchronic /sıŋ'krɒnık/, **synchronical** /sıŋ'krɒnıkl/ a. 1 sincrono 2 (ling.) sincronico | **-ally** avv.

synchronicity /sıŋkrə'nısətı/ n. Ⓤ sincronicità.

synchronism /'sıŋkrənızəm/ n. Ⓤ (scient., tecn.) sincronismo; sincronia ‖ **synchronistic** a. sincronistico ‖ **synchronistically** avv. sincronisticamente.

to **synchronize** /'sıŋkrənaız/ Ⓐ v. t. sincronizzare Ⓑ v. i. essere sincrono, simultaneo; essere in sincronia (anche fig.) ‖ **synchronization** n. Ⓤ sincronizzazione.

synchronized /'sıŋkrənaızd/ a. sincronizzato: (autom.) s. **shifting**, cambio sincronizzato ● (mecc.) s. **stop**, arresto in fase □ (sport) s. **swimming**, nuoto sincronizzato.

synchronizer /'sıŋkrənaızə(r)/ n. (comput., cinem., aeron.) sincronizzatore.

synchronous /'sıŋkrənəs/ a. 1 (scient., tecn.) sincrono: (elettr.) s. **alternator**, alternatore sincrono; (comput.) s. **transmission**, trasmissione sincrona (di dati) 2 (miss.) sincrono; geostazionario: s. **satellite**, satellite sincrono 3 sincrono (lett.); simultaneo: s. **events**, eventi sincroni ● (comput.) s. **mode**, modalità sincrona □ s. **speed**, velocità di sincronismo | **-ly** avv.

synchrony /'sıŋkrənı/ n. Ⓤ 1 sincronismo; sincronia 2 (ling.) sincronia.

synchrotron /'sıŋkrəutrɒn/ n. (fis. nucl.) sincrotrone.

syncline /'sıŋklaın/ (geol.) n. sinclinale ‖ **synclinal** a. di sinclinale.

to **syncopate** /'sıŋkəpeıt/ (gramm., mus.) v. t. sincopare ‖ **syncopated** a. sincopato ‖ **syncopation** n. Ⓤ il sincopare; sincopatura.

syncope /'sıŋkəpı/ n. (gramm., mus., med.) sincope ‖ **syncopal** a. (med.) sincopale.

syncretism /'sıŋkrətızəm/ n. (filos., ling.) n. Ⓤ Ⓒ sincretismo ‖ **syncretic** a. sincretico ‖ **syncretist** n. sincretista ‖ **syncretistic** a. sincretistico.

to **syncretize** /'sıŋkrətaız/ v. t. e i. fondere insieme (dottrine o religioni diverse).

syndeton /'sındiːtən/ (ling.) n. sindesi ‖ **syndetic** a. sindetico.

syndic /'sındık/ n. 1 curatore d'interessi materiali 2 direttore amministrativo (d'università) 3 sindaco (non in GB o USA) 4 (leg.) amministratore fiduciario 5 (nello Stato della Louisiana) curatore fallimentare.

syndicalism /'sındıkəlızəm/ (polit.) n. Ⓤ sindacalismo rivoluzionario ‖ **syndicalistic** a. relativo al sindacalismo rivoluzionario.

syndicate /'sındıkət/ n. 1 (fin.) sindacato finanziario; associazione di banchieri, finanzieri, ecc. 2 (econ., fin.) sindacato industriale; gruppo monopolistico; cartello 3 (giorn.) agenzia di stampa 4 catena di giornali 5 (stor.: nell'Italia fascista) sindacato corporativo.

to **syndicate** /'sındıkeıt/ Ⓐ v. t. 1 (fin.) associare in sindacato (→ **syndicate**) 2 (giorn.) vendere (articoli, ecc.) per la pubblicazione contemporanea su più testate 3 (econ.) controllare (un certo numero di giornali) 4 (USA) vendere (programmi televisivi) direttamente a emittenti private Ⓑ v. i. (fin.) costituirsi in sindacato (→ **syndicate**).

syndicated /'sɪndəkeɪtɪd/ a. 1 sindacato; consortile; consorziale 2 (giorn.) pubblicato contemporaneamente su più giornali: *He's the most widely s. film critic*, è il critico cinematografico più pubblicato 3 (TV) trasmesso da più reti televisive.

syndication /sɪndɪ'keɪʃn/ n. Ⓤ costituzione in sindacato finanziario o industriale (→ **syndicate**).

syndrome /'sɪndrəʊm/ n. 1 (med.) sindrome 2 (fig.) comportamento sintomatico.

syne /saɪn/ avv. (scozz.) 1 → **since** 2 → **ago**.

synecdoche /sɪ'nɛkdəkɪ/ n. (retor.) sineddoche.

synechia /sɪ'niːkɪə/ n. (pl. **synechiae**) (med.) sinechia.

synecology /sɪnɪ'kɒlədʒɪ/ n. Ⓤ (scient.) sinecologia.

syneresis /sɪ'nɪərəsɪs/ → **synaeresis**.

synergism /'sɪnədʒɪzəm/ n. Ⓤ (scient.) sinergismo.

synergist /'sɪnədʒɪst/ n. 1 (anat.) sinergista; muscolo sinergista 2 (med.) farmaco sinergico || **synergistic** a. (med.) sinergico.

synergy /'sɪnədʒɪ/ n. Ⓤ Ⓒ sinergia || **synergetic** a. sinergico; sinergetico || **synergetically** avv. sinergicamente.

syngenesis /sɪn'dʒɛnəsɪs/ (scient.) n. Ⓤ singenesi || **syngenetic** a. singenetico.

synkinesis /sɪnkɪ'niːsɪs/ (med.) n. Ⓤ sincinesia || **synkinetic** a. sincinetico.

synod /'sɪnəd/ n. 1 (relig.) sinodo 2 (fig.) convegno; riunione.

synodal /'sɪnədl/ a. (relig.) sinodale.

synodic /sɪ'nɒdɪk/, **synodical** /sɪ'nɒdɪkl/ a. 1 (relig.) sinodale 2 (astron.) sinodico: **s. month**, mese sinodico | **-ally** avv.

synonym /'sɪnənɪm/ (ling.) n. sinonimo || **synonymic, synonymical** a. sinonimico || **synonymity** n. Ⓤ sinonimia.

synonymous /sɪ'nɒnɪməs/ a. (ling.) sinonimo • (fig.) **to be s. with**, equivalere a; essere la stessa cosa di | **-ly** avv. | **-ness** n. Ⓤ.

synonymy /sɪ'nɒnɪmɪ/ n. Ⓤ 1 (ling.) sinonimia 2 studio dei sinonimi 3 (raro) raccolta di sinonimi.

synopsis /sɪ'nɒpsɪs/ n. (pl. **synopses**) sinossi; sommario; compendio; sunto; specchietto.

synoptic /sɪ'nɒptɪk/, **synoptical** /sɪ'nɒptɪkl/ a. sinottico • (meteor.) **s. chart**, carta sinottica □ (relig.) **the s. Gospels**, i Vangeli sinottici; i Sinottici | **-ally** avv.

synoptist /sɪ'nɒptɪst/ n. (relig.) autore di un Vangelo sinottico.

synovia /saɪ'nəʊvɪə/ (anat.) n. Ⓤ sinovia; liquido sinoviale || **synovial** a. sinoviale: **synovial liquid**, liquido sinoviale.

synovitis /saɪnə'vaɪtɪs/ n. Ⓤ (med.) sinovite.

syntactic /sɪn'tæktɪk/, **syntactical** /sɪn'tæktɪkl/ a. (ling.) sintattico | **-ally** avv.

syntagm /'sɪntægəm/, **syntagma** /sɪn'tægmə/ n. (pl. **syntagms, syntagmata**) (ling.) sintagma.

syntagmatic /sɪntæg'mætɪk/ a. (ling.) sintagmatico.

syntax /'sɪntæks/ n. Ⓤ (ling., comput.) sintassi: **s. error**, errore di sintassi.

synth /sɪnθ/ abbr. (mus., **synthesizer**) sin-

tetizzatore.

synthesis /'sɪnθəsɪs/ n. (pl. **syntheses**) sintesi.

to **synthesize** /'sɪnθəsaɪz/ v. t. sintetizzare (anche chim.); riunire in sintesi.

synthesizer /'sɪnθəsaɪzə(r)/ n. 1 sintetizzatore; chi sintetizza 2 (acustica, elettron., ling., ecc.) sintetizzatore.

synthetic /sɪn'θɛtɪk/, **synthetical** /sɪn'θɛtɪkl/ Ⓐ a. 1 sintetico: **s. method**, metodo sintetico 2 (chim.) sintetico: (tess.) **s. fleece**, pile; **s. resin**, resina sintetica; **s. rubber**, gomma sintetica; **s. wool**, lana sintetica 3 (ling.) sintetico 4 (spreg.) artificiale; privo di originalità (o di schiettezza): **s. enthusiasm**, entusiasmo artificiale; **s. style**, stile privo di originalità Ⓑ n. (ind.) prodotto sintetico • **s. biology**, biologia sintetica | **-ally** avv. • **FALSI AMICI** • synthetic non significa sintetico nel senso di conciso.

to **synthetize** /'sɪnθətaɪz/ → **to synthesize**.

syntonic /sɪn'tɒnɪk/ a. (scient.) sintonico.

syphilis /'sɪfɪlɪs/ (med.) n. Ⓤ sifilide; lue || **syphilitic** a. e n. sifilitico; luetico.

syphon /'saɪfn/ → **siphon**.

Syracuse /'saɪərəkjuːz, USA 'sɪr-/ n. (geogr.) Siracusa || **Syracusan** a. e n. siracusano.

syren /'saɪərən/ → **siren**.

Syria /'sɪrɪə/ n. (geogr.) Siria || **Syrian** a. e n. siriano.

Syriac /'sɪrɪæk/ Ⓐ a. (stor.) siriaco Ⓑ n. Ⓤ siriaco (la lingua).

syringa /sɪ'rɪŋgə/ n. (bot.) 1 (Syringa) siringa; lillà; serenella 2 (Philadelphus) filadelfo.

syringe /sɪ'rɪndʒ/ n. 1 (spec. med.) siringa: **hypodermic s.**, siringa per iniezioni ipodermiche 2 (tecn.) schizzetto; siringa; spruzzatore.

to **syringe** /sɪ'rɪndʒ/ v. t. 1 (med.) siringare; fare un'iniezione a (q.) 2 (med.) iniettare con una siringa 3 spruzzare; irrorare || **syringing** n. Ⓤ Ⓒ (med.) siringatura.

syringeal /sɪ'rɪndʒɪəl/ a. (zool.) della siringe.

syringitis /sɪrɪn'dʒaɪtɪs/ n. Ⓤ (med.) infiammazione delle trombe di Eustachio.

syrinx /'sɪrɪŋks/ n. (pl. **syringes, syrinxes**) 1 (zool.) siringe 2 (mus.) siringa (antico strumento pastorale) 3 (med.) fistola, siringe 4 (anat.) tuba uditiva, tromba d'Eustachio 5 (archeol.) stretta galleria (di tomba egizia).

syrtis /'sɜːtɪs/ n. (geogr.) n. (pl. **syrtes**) sirti.

syrup /'sɪrəp/ n. (anche farm.) sciroppo • **golden s.**, melassa.

syrupy /'sɪrəpɪ/ a. (anche fig.) sciropposo.

sysadmin /sɪs'ædmɪn/ n. (comput.) amministratore di sistema.

sysop /'sɪsɒp/ n. (comput., contraz. di **system operator**) operatore di sistema; amministratore.

systaltic /sɪ'stæltɪk/ a. (med.) sistaltico; pulsante.

♦**system** /'sɪstəm/ n. 1 sistema; metodo; ordine: (mecc.) **a s. of pulleys**, un sistema di carrucole; **a philosophic s.**, un sistema filosofico; (astron.) **the solar s.**, il sistema solare; (fisiol.) **the nervous s.**, il sistema nervoso; (polit.) **a s. of government**, un sistema di governo; **to lack s.**, mancare di metodo; *What s. do you go on?*, che metodo segui? 2

(geogr., ferr., telef., telegr.) rete: **the railway s.**, la rete ferroviaria; **a river s.**, una rete fluviale; **telephone s.**, rete telefonica 3 (elettr., mecc.) impianto: **the electrical s. of a car**, l'impianto elettrico di un'automobile; **heating s.**, impianto di riscaldamento 4 (anat.) apparato: **reproductive s.**, apparato riproduttore 5 (fam.) (il) corpo umano; (l') organismo: *Tobacco is bad for the s.*, il tabacco fa male all'organismo; **to get it out of one's s.**, togliersi un peso di dosso; sfogarsi 6 (mat., comput.) sistema: **the decimal s.**, il sistema decimale 7 (mus.) i righi della partitura (collett.) 8 – (polit.) **the s.**, il sistema: **to be against the s.**, essere contro il sistema 9 (calcio) modulo; formazione: **to play the 4-4-2 s.**, adottare il modulo 4-4-2; giocare nella formazione 4-4-2 • (comput.) **s. administrator**, sistemista; amministratore del sistema □ (comput., org. az.) **systems analysis**, analisi dei sistemi (aziendale, amministrativo, ecc.) □ **systems analyst**, specialista dell'analisi dei sistemi; sistemista □ (comput.) **s. architecture**, architettura di sistema □ (comput.) **s. configuration**, configurazione del sistema □ (comput.) **systems design**, progettazione di sistemi □ **systems designer**, progettista di sistemi □ **systems ecology**, ecologia di sistemi □ **systems engineering**, ingegneria dei sistemi □ (comput.) **s. error**, errore di sistema □ (comput.) **s. file**, file di sistema □ (comput.) **s. flowchart**, diagramma di flusso □ (comput.) **s. log**, log di sistema □ (comput.) **s. operator**, system operator, amministratore di sistema □ (calcio, ipp., roulette, ecc.) **s. player**, sistemista (al totocalcio o al TOTIP) □ (comput.) **s. settings**, impostazioni di sistema □ (comput.) **s. software**, software di base □ (calcio, ipp.) **s. play the system**, giocare un sistema; essere un sistemista (al totocalcio o al TOTIP).

systematic /sɪstə'mætɪk/, **systematical** /sɪstə'mætɪkl/ a. 1 sistematico; metodico; ordinato; regolare: **s. opposition**, opposizione sistematica; **a s. worker**, un lavoratore metodico, regolare 2 (biol.) sistematico; tassonomico • **a s. liar**, uno che mente di continuo (o per sistema) 3 (stat.) **s. sampling**, campionatura sistematica | **-ally** avv.

systematicity /sɪstəmə'tɪsətɪ/ n. Ⓤ sistematicità.

systematics /sɪstə'mætɪks/ n. pl. (col verbo al sing.) 1 sistematica 2 (biol.) tassonomia; sistematica.

systematism /'sɪstəmətɪzəm/ n. Ⓤ il seguire un sistema.

systematist /'sɪstəmətɪst/ n. 1 chi segue un sistema 2 (biol.) tassonomista; sistematico 3 chi costruisce sistemi.

to **systematize** /'sɪstəmətaɪz/ v. t. sistematizzare; rendere sistematico; ridurre a sistema; ordinare secondo un sistema || **systematization** n. Ⓤ sistematizzazione; riduzione a sistema; ordinamento secondo un sistema.

systemic /sɪ'stɛmɪk/ a. 1 sistematico; ordinato 2 (fisiol., ling.) sistemico: **s. circulation**, circolazione sistemica (o generale); **s. linguistics**, linguistica sistemica □ (agric.) **s. insecticides**, insetticidi ad azione diffusa.

systemless /'sɪstəmləs/ a. 1 privo di sistema 2 (biol.) privo di struttura organica.

systole /'sɪstəlɪ/ (fisiol.) n. Ⓒ Ⓤ sistole || **systolic** a. di sistole; sistolico.

syzygy /'sɪzədʒɪ/ (astron.) n. sizigia.

a b c d e f g h i j k l m n o p q r **s** t u v w x y z

t, T

T ①, t /tiː/ n. **1** (pl. *T's, t's; Ts, ts*) T, t (*ventesima lettera dell'alfabeto ingl.*) **2** oggetto a forma di T **3** (*fig.*) sette, incrocio: (*tennis: della palla*) **on the** T, sull'incrocio di due righe ● **a T-bar**, un profilato a (forma di) T □ (*sport*) **T-bar lift** (*o* **tow**), sciovia ad àncora □ (*cucina*) **T-bone** (**steak**), bistecca con l'osso (*o* col filetto); fiorentina □ **t for Tango**, t come Torino □ **T-junction**, (*elettron., mecc.*) giunzione a T; (*autom.*) incrocio a T; bivio □ **a T-pipe**, un tubo a T □ (*moda*) **a T-shirt**, una T-shirt; una maglietta a girocollo □ **T-shirt printer**, stampatore di T-shirt □ **a T-square**, una riga a T □ (*fig.*) **to cross one's t's**, essere minuzioso, pedante, pignolo; mettere i punti sulle i □ (*cucina: dell'arrosto, ecc.*) **done to a T**, cotto a puntino □ **It suits me to a t**, mi va a pennello; mi sta alla perfezione.

T ② sigla **1** (*nelle ricette*, **tablespoonful, tablespoon**) un cucchiaio (*circa 15 ml*) **2** (**telephone**) telefono **3** (**temperature**) temperatura **4** (**trainer**) aereo da addestramento (*seguito dal numero di modello*) **5** (**Tuesday**) martedì (mart.).

t. abbr. **1** (*comm.*, **tare**) tara **2** (*nelle ricette*, **teaspoonful, teaspoon**) un cucchiaino (*circa 5 ml*) **3** (*mus.*, **tempo**) tempo **4** (*mus.*, **tenor**) tenore.

● **ta** /tɑː/ inter. (*fam. ingl.*) grazie.

TA sigla (*mil., GB*, **Territorial Army**) Esercito territoriale.

tab ① /tæb/ n. **1** striscetta, etichetta (*di carta, di stoffa, di cuoio, ecc.*); cartellino **2** aletta (*di berretto, ecc.*) **3** linguetta (*di scarpa, d'oggetto metallico, ecc.*) **4** aghetto, punta (*di laccio da scarpe*) **5** segnalibro **6** (*mil.*) mostrina (*d'ufficiale di stato maggiore*) **7** (*aeron.*) aletta di compensazione; compensatore: **trim tab**, correttore di assetto **8** (*fam. USA*) conto (*spec. di ristorante*) **9** (*fam.*) prezzo; costo: *The tab for motorways will be very high*, il costo delle autostrade sarà altissimo **10** (*equit.*) riscontro (*della sella*) **11** (*slang*) pasticca di LSD **12** (*slang ingl.*) cicca; sigaretta ● (*fam.*) **to keep tabs** (*o* **a tab**) **on**, registrare, segnare (qc.); sorvegliare, tener d'occhio, controllare (qc.) □ (*fam. USA*) **to pick up the tab**, pagare il conto; offrire (*da bere, da mangiare, ecc.*).

tab ② /tæb/ n. **1** (*fam.*) → **tabulator 2** (*fam.*) → **tablet 3** (*fam.*) → **tabloid 4** (*comput.*) tabulazione **5** (*comput.*) scheda (*in una finestra di dialogo*) ● (*comput.*) **tab key**, tasto tab.

to tab ① /tæb/ v. t. **1** fornire di etichetta, linguetta, ecc. **2** mettere il cartellino a **3** (*fig.*) etichettare; selezionare **4** (*fam. USA*) identificare, riconoscere (q.).

to tab ② /tæb/ v. t. (*comput.*) tabulare; incolonnare.

TAB sigla (**typhoid-paratyphoid A and B**) vaccino tifo-paratifo A e B.

tabard /'tæbəd/ n. (*stor.*) **1** tabarro **2** cotta d'arme **3** (*moda*) indumento chiuso davanti e aperto ai lati, simile a una cotta d'arme (*da indossare sopra una camicia o un golf*).

tabaret /'tæbərət/ n. ⓤ tessuto a righe alterne di seta marezzata e raso (*per tappezzerie*).

tabby /'tæbɪ/ **A** n. **1** ⓤ (*stor.*) tabì (*tessuto di seta marezzata*) **2** (*ind. tess.*) (armatura a) tela **3** (= **t. cat**) gatto soriano; gatto tigrato **4** vecchia zitella **5** donna ciarlona; pettegola **6** (*slang*) bella ragazza **B** a. **1** a strisce; tigrato **2** (*di tessuto*) marezzato.

to tabby /'tæbɪ/ v. t. (*ind. tess.*) marezzare.

tabernacle /'tæbənækl/ n. **1** (*relig.*) tabernacolo (*anche fig.*) **2** (*archit.*) cappelletta; nicchia; ciborio **3** (*naut.*) supporto scatolato (*di un albero*).

to tabernacle /'tæbənækl/ **A** v. t. mettere in un tabernacolo **B** v. i. (*raro*) abitare, dimorare, risiedere temporaneamente.

tabes /'teɪbiːz/ (*med.*) n. ⓤ tabe: **dorsal t.**, tabe dorsale ∥ **tabetic** a. e n. tabetico; tabico; affetto da tabe.

tablature /'tæblətʃə(r)/ n. **1** ⓤ (*stor., mus.*) intavolatura **2** (*raro*) tavola; lapide.

♦**table** /'teɪbl/ **A** n. **1** tavola; tavolo; tavolino: **kitchen t.**, tavolo da cucina; **dining** t., tavolo; tavolo da pranzo; *Good evening, a t. for two please*, buona sera, un tavolo per due per favore; **card** t., tavolo da gioco; **drawing t.**, tavolo da disegno; (*med.*) **operating t.**, tavolo operatorio; **tea-t.**, tavolino da tè; **dressing t.**, tavolino da toeletta; **to be at** t., essere a tavola; **to sit down to t.**, sedersi a tavola **2** tavola; tavoletta; lastra (*di pietra, bronzo, ecc.*); tabella; tabellina: (*stor. romana*) **the twelve tables**, le dodici tavole; **the Knights of the Round T.**, i cavalieri della Tavola Rotonda; **a t. of weights and measures**, una tabella dei pesi e delle misure; (*relig.*) **the tables of the Law**, le tavole della legge mosaica; i dieci Comandamenti; **multiplication tables**, tavole pitagoriche; (*fam.*) **the (times) tables**, le tabelline (*fam.*) **3** tavola; elenco; prospetto; (*comput.*) tabella (*di database, ecc.*) **4** (*pitt.*) tavola; quadro **5** (*geogr.*, = **tableland**) tavolato; plateau **6** (*di legno*) asse; tavola **7** (*sport*, = **t. of results**) tabella della classifica; tabellone; classifica: (*di una squadra*) **to be top of the t.**, essere in testa alla classifica (*o* al comando) **8** (*fig.*) i commensali; tavolata **9** (*fig.*) tavolo: **a poker t.**, un tavolo di poker; **at the peace t.**, al tavolo della pace **10** (*anat.*) tavola; lamina (*o* piastra) ossea **11** (*mecc.*) tavola portapezzi (*di macchina utensile*) **12** (*oreficeria*) (faccia superiore di) gemma tagliata in quadrato **13** (pl.) tavola reale; trictrac **B** a. attr. **1** da tavolo: **a t. lamp**, una lampada da tavolo **2** da tavola: **t. wine**, vino da tavola (*o* da pasto) ● **t. board**, pensione con il solo vitto □ **t. clamp**, morsetto; attacco a morsetto; molletta; pinzetta (*per la tovaglia*), fermatovaglia □ **t. companion**, commensale □ **t. cover**, copritavolo □ **t. cream** = **light cream** → **light** □ **t. flap**, ribalta (*o* piastra) □ **t. fork**, forchetta da tavola □ **t. knife**, coltello da tavola □ **t. leaf**, prolunga (*di tavolo*) □ **t.-lifting**, il sollevamento del tavolino (*spiritismo*) □ **t. linen**, biancheria da tavola; tovagliato □ **t. manners**, buone maniere a tavola: **to have no t. manners**, non saper stare a tavola □ (*comput.*) **t. look-up**, ricerca in tabella □ (*mil.*) **t. money** indennità di mensa □ **t. napkin**, tovagliolo □ **t. of contents**, indice (*del contenuto di un libro*) □ (*org. az.*) **t. of organization**, organigramma □ **t. salt**, sale da tavola; sale fino □ **t. soccer**, calciobalilla; calcetto □ **t. talk**, conversazione a tavola □ **t. tennis**, tennistavolo; tennis da tavolo; ping-pong □ **t.-tennis** (agg.), pongistico: **a t.-tennis match**, un incontro pongistico □ **t.-tennis ball**, pallina da ping-pong □ **t.-tennis bat**, racchetta da ping-pong □ **t.-tennis player**, giocatore di ping-pong; pongista □ **t. top**, piano di un tavolo (*talora di vetro*) □ **t.-turning**, il ballare del tavolino (*spiritismo*) □ **to clear the t.**, sparecchiare (la tavola) □ **to keep a good t.**, mangiar bene; dar da mangiare bene □ **to lay the t.**, apparecchiare (la tavola) □ (*fig.*) **to lay a measure [a report] on the t.**, mettere un provvedimento [un rapporto] in discussione; (*USA*) rinviare un provvedimento [un rapporto] a tempo indeterminato □ (*di legge, progetto, ecc.*) **to lie on the t.**, essere in discussione; (*USA*) essere rinviato a tempo indeterminato □ (*fig.*) **to put one's cards on the t.**, mettere le carte in tavola; giocare a carte scoperte □ **to turn the t.**, far ballare il tavolino (*spiritismo*) □ (*fig.*) **to turn the tables (on sb.)**, capovolgere la situazione (a danno di q.) □ **under the t.**, sotto la tavola; ubriaco (*dopo un pranzo*); (*anche, fig.*) (avv.) sottobanco; (agg.) illecito; illegale: **to sell goods under the t.**, vendere merce sottobanco; **under-the-t. procedures**, procedure illegali.

to table /'teɪbl/ v. t. **1** mettere su un tavolo; mettere in tavola **2** ordinare (*dati, ecc.*) su una tabella; tabulare; elencare; classificare **3** (*spesso polit., spec. USA*) rinviare (*una mozione, un disegno di legge, ecc.*) a tempo indeterminato **4** (*polit.*) presentare, proporre (*una mozione, ecc.*) **5** giocare, buttare (*una carta*) in tavola **6** (*falegn., arc.*) incastrare; congiungere a incastro.

tableau /'tæbləʊ/ n. (pl. **tableaux, tableaus**) **1** (= **t. vivant**) quadro plastico; tableau **2** (*fig.*) scena (*o* situazione) drammatica; incidente □ (*teatr.*) **t. curtains**, sipario a tende laterali.

♦**tablecloth** /'teɪblklɒθ/ n. tovaglia.

table d'hôte /ˌtɑːblˈdəʊt/ (*franc.*) loc. n. (pl. **table d'hôtes**) (*negli alberghi e ristoranti*) menu (*o* pasto) a prezzo fisso ● **a table d'hôte dinner**, una cena a prezzo fisso.

tableful /'teɪblfʊl/ n. tavolata.

to table-hop /'teɪblhɒp/ v. i. (*fam. USA*) girare fra i tavoli (*per chiacchierare: al ristorante*).

tableland /'teɪblænd/ n. (*geogr.*) tavolato; altopiano; plateau (*franc.*).

tablemat /'teɪblmæt/ n. sottopiatto.

tablespoon /'teɪblspuːn/ n. **1** cucchiaio da tavola **2** cucchiaiata; cucchiaio: **a t. of flour**, un cucchiaio di farina ∥ **tablespoonful** n. cucchiaiata.

tablet /'tæblət/ n. **1** tavoletta; tavola **2** targa: **a votive t.**, una targa votiva **3** blocchetto di carta da scrivere **4** (*med.*) compressa; pasticca; pastiglia **5** (*archit.*) cornicione ● **a soap t.**, una saponetta □ (*comput.*) **t. PC**, PC tavoletta; 'tablet PC'.

tableware /'teɪblweə(r)/ n. ⓤ stoviglie da tavola; vasellame.

tabloid /'tæblɔɪd/ **A** n. **1** (*med.*) compressa; pasticca **2** giornale in formato ridotto; tabloid **3** (*spreg.*) giornale popolare, di tipo scandalistico (*con molte fotografie e poche notizie condensate*) **B** a. attr. condensato; succinto; per sommi capi ● (*spreg.*) **t. journalism**, giornalismo popolare; giornalismo scandalistico.

taboo /tə'buː/ **A** n. (pl. **taboos**) tabù; cosa proibita (*o vietata*); proibizione, interdizione (*in genere*) **B** a. pred. **1** interdetto; proibito; vietato **2** (*relig.*) sacro; intoccabile ● **t. words**, parole oscene (*o offensive*) □ **to be (a) t.**, essere tabù; essere proibito (*o vietato*).

to **taboo** /tə'buː/ v. t. interdire; proibire; vietare: *That subject was tabooed*, quell'argomento era proibito (*o non si poteva toccare*).

tabor /'teɪbə(r)/ n. (*stor.*, *mus.*) piccolo tamburo; tamburello.

tabouret /'tæbərət, USA tæbə'rɛt/ n. **1** sgabello **2** piccolo telaio per ricamo; tamburello **3** (*mus.*) tamburello.

tabu /tə'buː/ → **taboo**.

tabular /'tæbjʊlə(r)/ a. **1** tabellare; tabulare; di tabella; calcolato secondo tavole (*mat.*) **t. difference**, differenza tabulare; **t. values**, valori desunti dalle tabelle **2** classificato in tavole; disposto in tabelle **3** (*bot.*, *geol.*, *miner.*) tabulare ● **a t. rock**, una roccia tabulare ● **a t. statement**, un prospetto sinottico □ **t. surface**, superficie piatta.

tabulate /'tæbjʊlət/ a. disposto in tabelle; tabellare.

to **tabulate** /'tæbjʊleɪt/ v. t. **1** disporre in tavole; disporre (*o ordinare*) (*cifre, ecc.*) in tabelle; catalogare; classificare **2** (*mat.*, *stat.*) tabulare **3** levigare; spianare ‖ **tabulation** n. **1** disposizione in tavole sinottiche; classificazione **2** (*mat.*, *stat.*) tabulazione.

tabulator /'tæbjʊleɪtə(r)/ n. **1** tabulatrice (*per dati, cifre, ecc.*) **2** tabulatore (*di macchina da scrivere*) ● **t. key**, tasto incolonnatore.

tachograph /'tækəgrɑːf/ n. (*autom.*) tachigrafo (*spec. per i T.I.R.*).

tachometer /tæ'kɒmɪtə(r)/ n. (*mecc.*, *autom.*) **1** contagiri **2** tachimetro.

tachycardia /tækɪ'kɑːdɪə/ n. ⓤ tachicardia ‖ **tachycardiac** a. tachicardico.

tachygraphy /tæ'kɪɡrəfɪ/ n. ⓤ tachigrafia; stenografia ‖ **tachygraphic** a. (*un tempo*) tachigrafico; stenografico.

tachymeter /tæ'kɪmɪtə(r)/ n. **1** (*topogr.*) tacheometro **2** (*mecc.*) tachimetro.

tachyon /'tækɪɒn/ n. (*fis.*) tachione.

tacit /'tæsɪt/ a. tacito; implicito; sottinteso: **t. consent**, tacito consenso; **t. agreement**, tacito accordo | **-ly avv.**

taciturn /'tæsɪtɜːn/ a. taciturno; di poche parole ‖ **taciturnly** avv. taciturnamente ‖ **taciturnity** n. ⓤ taciturnità.

tack ① /tæk/ n. **1** bulletta; chiodino; puntina (*da disegno, ecc.*) **2** (*nel cucito*) punto lungo: **to take out the tacks**, togliere i punti lunghi; togliere l'imbastitura **3** (*naut.*) mura (*cavo per orientare la vela*) **4** (*naut.*) bordata; virata **5** movimento a zigzag (*sulla terra*) **6** (*fig.*) linea di condotta; strada; via; rotta, direzione; pista (*fig.*): **to be on the right [wrong] t.**, essere sulla strada buona [aver sbagliato strada]; (*fig.*) essere sulla pista giusta [sbagliata]; *We must change t.*, dobbiamo mutar rotta **7** ⓤ adesività, viscosità (*d'una vernice rappresa*) **8** (*fam.*) alimenti; cibo **9** (*polit.*) codicillo, articolo aggiunto ● **t. claw**, estrattore di bullette □ (*mecc.*) **t.-driver**, macchina per piantare bullette; bullettatrice □ **t.-hammer**, martelletto da tappezziere □ **t. puller**, estrattore per bullette □ (*me-*

tall.*) t. weld, saldatura a punti; puntatura □ (*fig.*) **to get down to brass tacks**, venire al sodo □ (*naut.*) **on the opposite t.**, di controbordo □ (*naut.*) **to be on the port t.**, essere con le mure a sinistra □ (*naut.*) **to be on the starboard t.**, essere con le mure a dritta □ (*naut.*) **to steer on the starboard t.** [**on the port t.**], virare a dritta [a sinistra].

tack ② /tæk/ n. ⓤ (*equit.*) bardatura; finimenti.

tack ③ /tæk/ n. ⓤ (*USA*) **1** pacchianeria; volgarità **2** oggetti pacchiani; ciarpame.

to **tack** /tæk/ **A** v. t. **1** (*anche* **to t. down, up**) fissare con bullette (*o con chiodini*); imbullettare: **to t. a stairway carpet down**, fissare a terra una guida con bullette; **to t. (up) a notice**, attaccare un avviso (*con le puntine*) **2** imbastire; attaccare (*un nastro, ecc.*) con punti lunghi **3** (*polit.*) aggiungere: **to t. an amendment to a finance bill**, aggiungere un emendamento a un disegno di legge finanziaria **4** (*naut.*) far virare di bordo (*in prua*), far bordeggiare (*una nave*) **B** v. i. **1** (*anche* **to t. about**) (*naut.*) virare di bordo (*in prua*); cambiare le mure; bordeggiare **2** (*in genere*) procedere a zigzag **3** (*fig.*) cambiar condotta all'improvviso; mutar tattica ● **to t. on**, aggiungere; attaccare; (*sartoria*) attaccare, imbastire: **to t. the collar on to a jacket**, imbastire il colletto su una giacca; **to t. on a joke to one's speech**, finire un discorso con una barzelletta.

tacker /'tækə(r)/ n. **1** imbullettatore **2** chi imbastisce; imbastitore **3** imbullettatrice; bullettatrice (*macchina*).

tackiness /'tækɪnəs/ n. ⓤ **1** adesività; viscosità **2** (*slang USA*) l'essere malandato **3** (*slang USA*) volgarità, cattivo gusto (→ **tacky**).

tacking /'tækɪŋ/ n. ⓤ **1** l'imbullettare **2** (*nel cucito*) imbastitura **3** (*naut.*) bordeggio; virata **4** (*leg.*) priorità (*di una terza ipoteca quando la seconda non è stata notificata*) **5** (*metall.*) puntatura ● **t. stitch**, punto d'imbastitura.

tackle /'tækl/ n. **1** (*spec. naut.*) paranco: **double t.**, paranco doppio **2** ⓤ attrezzatura; equipaggiamento; arnesi; attrezzi: **fishing t.**, attrezzatura da pesca **3** (*sport*) carica, contrasto; intervento; tackle: **sliding t.**, tackle scivolato; entrata in scivolata **4** (*sport: rugby, football americano, ecc.*) placcaggio **5** ⓤ (*naut.*) manovre correnti; (*anche*, = **block and t.**) apparecchio, taglia ● (*naut.*) **t. block**, bozzello; puleggia □ **t. box**, scatola portaesche □ (*naut.*) **t. fall**, cavo dei bozzelli.

◆to **tackle** /'tækl/ v. t. e i. **1** afferrare; abbrancare: *The policeman tackled the thief*, il poliziotto afferrò il ladro **2** affrontare; fronteggiare; venire alle prese con (*una difficoltà, un problema, ecc.*); rispondere a: *Authorities should t. the epidemics without delay*, le autorità dovrebbero fronteggiare l'epidemia senza indugi **3** intraprendere (*un lavoro, ecc.*) **4** (*naut.*) fissare a un paranco; parancare **5** (*naut.*) fornire (*una nave*) di paranchi **6** (*sport: calcio*) contrare; contrastare; intervenire su (*un avversario*) **7** (*sport: rugby, football americano, ecc.*) placcare ● **to t. sb. over** (*o about*) **a matter**, confrontarsi con q. su un argomento □ (*fam.*) **to t. to**, mettersi all'opera di buona lena □ **I think I can t. it**, credo di farcela.

tackler /'tæklə(r)/ n. (*sport*) chi contrasta o placca l'avversario.

tackling /'tæklɪŋ/ n. **1** ⓤ attrezzatura; equipaggiamento; attrezzi **2** ⓤⓒ (*sport: calcio*) contrasto **3** ⓤⓒ (*rugby*) placcaggio.

tacky /'tækɪ/ a. **1** adesivo; colloso; appiccicaticcio; viscoso **2** (*fam.*) vistoso; volgare; di cattivo gusto **3** (*slang USA*) malandato; trasandato; male in arnese.

taco /'tækəʊ/ (*spagn.*) n. **1** (*cucina*) tortilla di farina gialla arrotolata, imbottita di carne, formaggio, ecc. e fritta (*piatto messicano*) **2** (*slang USA*) messicano.

tact /tækt/ n. ⓤ tatto (*fig.*); accortezza; avvedutezza; riguardo; garbo.

tactful /'tæktfl/ a. pieno di tatto; accorto; avveduto; premuroso, riguardoso | **-ly avv.** | **-ness** n. ⓤ.

◆**tactic** /'tæktɪk/ **A** n. **1** (*mossa*) tattica; espediente; stratagemma **2** → **tactics** **B** a. (*mil.*) tattico ● (*chim.*) **t. polymer**, polimero tattico ‖ **tactician** n. (*mil. e sport*) tattico **2** (*fig.*) persona abile, scaltra.

tactical /'tæktɪkl/ a. (*anche fig.*) tattico: **t. bombing**, bombardamento tattico; **t. withdrawal**, ritirata tattica ● (*basket*) **t. foul**, fallo tecnico □ **t. switch**, cambiamento di tattica □ (*polit.*) **t. voting**, voto tattico; voto utile.

tactics /'tæktɪks/ n. pl. (col verbo al pl. o al sing.) (*mil. e sport*) tattica (*anche fig.*): **surprise t.**, la tattica della sorpresa; *I disapprove of these t.*, disapprovo questa tattica (*o questi stratagemmi*).

tactile /'tæktaɪl/ (*scient.*) a. **1** tattile; del tatto: **t. organ**, organo tattile **2** dotato di tatto **3** tangibile ‖ **tactility** n. ⓤ **1** tattilità **2** tangibilità.

tactless /'tæktləs/ a. privo di tatto; indiscreto; importuno: **a t. remark**, un'osservazione indiscreta | **-ly avv.** | **-ness** n. ⓤ.

tactual /'tækt∫ʊəl/ a. (*scient.*) tattile.

tad /tæd/ n. (*fam. USA*) **1** pezzetto; pezzettino; (un) po': *Give me a tad more*, dammene un altro po' **2** ragazzino; topolino (*fig. fam.*).

tadpole /'tædpəʊl/ n. (*zool.*) girino.

ta'en /teɪn/ contraz. *poet.* di **taken**.

taenia /'tiːnɪə/ n. **1** (*zool.*, *Taenia*: pl. **taenias**) tenia (*Taenia solium*) verme solitario **2** (*anat.*: pl. **taeniae**, **taenias**) verme (*del cervelletto*) **3** (*archit.*: pl. **taeniae**, **taeniae**) tenia; fascia di architrave dorico.

taffeta /'tæfɪtə/ n. ⓤ (*ind. tess.*) taffettà; taffetà.

taffrail /'tæfreɪl/ n. (*naut.*) **1** coronamento **2** ringhiera del coronamento.

taffy /'tæfɪ/ n. (*USA*) → **toffee**.

Taffy /'tæfɪ/ n. (*fam.*) gallese; abitante del Galles.

tafia /'tæfɪə/ n. ⓤ rum scadente (*ricavato da melassa di scarto*).

tag ① /tæg/ n. **1** puntale, aghetto (*di un cordoncino, un laccio da scarpe, ecc.*) **2** cartellino; segnaprezzo; etichetta mobile (*per valigie, bottigliette, ecc.*); fustella (*su un medicinale*): **price tag**, cartellino del prezzo; segnaprezzo **3** (*di scarpone o stivale*) tirante **4** targhetta (*applicata a selvatici*); piastrina; medaglietta (*per un cane, ecc.*): **dog tag**, medaglietta del cane; (*gergo mil. USA*) piastrina (*di riconoscimento*) **5** punta della coda (*di un animale*) **6** (*fig.*) appendice; aggiunta; discorsetto di chiusura (*rivolto al pubblico*); pistolotto finale **7** (*fig.*) citazione: **a Latin tag**, una citazione in latino **8** (*spreg.*) frase fatta; luogo comune **9** (*fig.*) etichetta (*fig.*); nomignolo (*appiccicato a q.*); soprannome; epiteto **10** (*mus.*) ritornello (*di canzonetta*) **11** (*gramm. ingl.* = **question tag** o **tag question**) breve domanda in coda alla frase principale (*cfr. sotto* **question**) **12** (*USA*) targa (*di automobile, ecc.*) **13** (*USA*) multa (*messa su un veicolo*) **14** (*comput.*) tag; etichetta; marcatore **15** (*biol.*, *med.*) isotopo radioattivo; tracciante; marcatore **16** (*leg.* = **electronic tag**) dispositivo elettronico di sorveglianza; braccialetto elettronico **17** tag; firma (*o sigla*) di un graffitista **18** (*slang USA*) nome proprio **19** (*slang USA*) forte colpo; pugno **20** (*slang USA*) mandato di cattura **21** (*slang USA*) pedinatore **22** (*sport: baseball*) toccata (→ **tag out**) **23** (*ciclismo*) cartellino

di plastica **24** (*lotta libera*) tocco di mano (*per il cambio a un compagno*) **25** (*di una pecora*) fiocco di lana sporca ● (*USA*) **tag day**, giorno di colletta (*o di pubblica sottoscrizione*) □ **tag end**, parte finale; rimanente; resto: **at the tag end of the month**, alla fine del mese □ (*USA*) **tag line**, motto pubblicitario; slogan; battuta finale (*di una barzelletta*) □ **tag team**, (*sport*) squadra di lottatori; (*fam., USA*) coppia che lavora in tandem □ (*sport*) **tag wrestling**, lotta a squadre (*di solito a coppie*).

tag ② /tæg/ n. ⓤ chiapparello; il giocare a rincorrersi.

tag ③ /tæg/ n. (*zootecnia*) pecora di due anni.

to **tag** ① /tæg/ v. t. **1** mettere il puntale a (*una corda, un laccio da scarpe, ecc.*) **2** applicare un cartellino (*un segnaprezzo, un contrassegno*) a; mettere un'etichetta mobile a (*una valigia, ecc.*); fustellare (*un medicinale*) **3** (*fig.*) etichettare (*fig.*); dare a (q.) il soprannome (*o il nomignolo*) di: *They immediately tagged him «Lefty»*, gli misero subito il soprannome di «Mancino» **4** (*autom., USA*) multare; mettere un avviso di multa su (*un veicolo*) **5** (*biol., med.*) marcare (*una sostanza*) con un isotopo radioattivo; **tagged compounds**, composti marcati con un isotopo **6** (*comput.*) marcare; inserire un tag in **7** (*leg.*) mettere un dispositivo elettronico di sorveglianza a (q.) **8** tagliare i fiocchi sporchi a (*pecore*) **9** (*slang USA*) colpire (q.) con un pugno **10** (*slang USA*) incriminare; arrestare; incastrare (*fig.*): *The police tagged him*, la polizia l'incastrò **11** (*baseball*) toccare (*un 'corridore': con la palla o con la mano guantata*) **12** (*baseball*) battere **13** (*baseball*) (*del battitore*) battere, sconfiggere (*il lanciatore*) **14** (*boxe*) toccare forte, colpire **15** (*lotta libera*) toccare la mano di (*un compagno di squadra*) per dargli il cambio.

■ **tag along** v. i. + avv. (*fam.*) **1** seguire passo a passo; andare dietro (a q.); seguire da vicino: *The little girl was tagging along behind her mother*, la bimba seguiva la madre passo a passo **2** aggregarsi (a un gruppo); accodarsi.

■ **tag on** Ⓐ v. t. + avv. (*fam.*) aggiungere, inserire: **to tag on an extra clause**, inserire una clausola aggiuntiva Ⓑ v. i. + avv. (*fam.*) aggregarsi; accodarsi.

■ **tag out** v. t. + avv. (*baseball*) eliminare (*un avversario che corre verso una base*) toccandolo con la palla (*o con la mano guantata*).

■ **tag together** v. t. + avv. **1** mettere (*o attaccare*) insieme; appicciccare **2** (*spreg.*) raffazzonare.

to **tag** ② /tæg/ v. t. toccare (*un compagno di gioco*) rincorrendosi (*o a chiapparello*).

Tagalog /tə'gɑːlɒɡ/ n. **1** Tagalog (*popolo delle Filippine*) **2** ⓤ tagal (*la lingua*).

tagger /'tægə(r)/ n. **1** chi fissa un puntale, chi attacca un'etichetta, ecc. (→ **to tag** ①) **2** (*nel gioco del chiapparello*) chi insegue (*detto anche «it»*) **3** (*fam.*) graffitista; graffitaro (*region.*); chi imbratta muri (*con bombolette, ecc.*) **4** (*pl.*) (*metall.*) fogli di lamiera sottile.

tagging /'tægɪŋ/ n. ⓤⓒ **1** applicazione di cartellini (*o segnaprezzi, ecc.*); etichettatura (*anche fig.*); fustellatura **2** (*biol., med., leg.*) marcatura con un tracciante **3** (*USA*) applicazione di un avviso di multa; il multare **4** (*leg.*) applicazione di un dispositivo elettronico di sorveglianza a (q.) **5** ⓤ (*fam.*) graffitismo; l'imbrattare i muri con scritte (*disegni, ecc.*) che vengono firmati.

tagmeme /'tægmiːm/ n. (*ling.*) tagmema.

Tagus /'teɪɡəs/ n. (*geogr.*) Tago.

Tahitian /tə'hiːʃn/ Ⓐ a. tahitiano Ⓑ n. **1** tahitiano, tahitiana **2** ⓤ tahitiano (*la lingua*).

tahr /tɑː(r)/ n. (*zool., Hemitragus jemlahicus*)

---

emitrago.

Taig /taɪɡ/ n. (*Irlanda del Nord*) nomignolo offensivo dato dai protestanti ai cattolici.

taiga /'taɪɡə/ n. (*geogr.*) taiga.

◆**tail** ① /teɪl/ n. **1** coda (*anche fig.*); estremità, fine; (*d'abito*) falda: **the peacock's t.**, la coda del pavone; **the t. of a comet**, la coda d'una cometa; **the t. of a shirt**, l'estremità inferiore d'una camicia; **the t. of a car**, l'estremità posteriore d'un'auto; *He watched me out of the t. of his eye*, mi guardò con la coda dell'occhio **2** codazzo; seguito: *The President was followed by a t. of attendants*, il Presidente era seguito da un codazzo di collaboratori **3** ⓤ (*di moneta*, spesso al pl.) rovescio; croce: **Head or tails?**, testa o croce?; *Tails I win*, per me, croce! **4** (*pl.*) (= **tailcoat**) giacca a coda di rondine; marsina; frac: *The men were all in tails*, gli uomini erano tutti in frac **5** (*zool.*) pinna caudale **6** (*tipogr.*) piede (*della pagina*) **7** codino, treccia (*di capelli*) **8** (*fam.*) pedinatore **9** (*fam.*) pedinamento **10** (*slang USA*) deretano; sedere; chiappe **11** (*volg.*) coda; pene **12** (*volg.*) scopata **13** (*volg.*) fica (*volg.*); donna; pezzo di fica (*volg.*) ● (*aeron.*) **t. assembly**, piani di coda; impennaggio verticale □ **t.-braid**, rinforzo dell'orlo (*della camicia*) □ (*autom.*) **t. chase**, inseguimento ravvicinato: *'A spurt, a t.-chase, nervous speeding between the huge yellow side of the trolley and the jagged row of motors'* S. LEWIS, 'uno sprint, un inseguimento ravvicinato, accelerazione nervosa tra il fianco giallo dell'enorme tram e l'irsuta fila di automobili' □ **t. end**, fine, coda (*fig.*); (*fam.*) sedere, deretano: **the t. end of a procession**, la coda d'un corteo □ **the t. end of a speech**, la chiusa di un discorso (*sport e fig.*) □ **t.-ender**, fanalino di coda (*fig.*) □ **t. fin**, (*zool.*) pinna caudale; (*aeron.*) deriva di coda □ **t. gate**, cateratta inferiore (*di una chiusa*) □ (*aeron.*) **t.-heavy**, appoppato □ (*fam. USA*) **t. job**, pedinamento (*di un detective privato*) □ (*cricket*) **the t.**, i giocatori poco abili con la mazza (*e quindi vanno a battere per ultimi*) □ **the t. of a «g»**, la gamba di una «g» □ (*sport*) **the t. of the field**, la coda della corsa □ (*meteor.*) **the t. of a gale**, la coda di una burrasca □ (*aeron.*) **t. rotor**, rotore di coda (*di elicottero*) □ (*aeron.*) **t. slide**, scivolata di coda □ (*aeron.*) **t. surface**, impennaggio □ (*fig.: di persona*) **tails up**, di buon umore; su di morale □ (*fig.*) **the t. wagging the dog**, una cosa o persona insignificante che condiziona la sorte di cose o persone assai più importanti □ (*aeron.*) **t. wheel**, ruota di coda; ruotino □ **t. wind**, (*naut.*) vento di poppa; (*aeron.*) vento di coda □ **to have one's t. down**, avere la coda bassa; (*fam.*) essere giù di giri □ **to have one's t. up**, avere la coda dritta; (*fam.*) essere su di giri (*o di morale*) □ (*anche fig.*) **to put one's t. between one's legs**, mettere la coda fra le gambe □ (*fam.: della polizia, ecc.*) **to put a t. on sb.**, far pedinare q. □ (*slang USA*) **to sit on one's t.**, stare seduto sulle chiappe □ (*autom., fam.*) **to sit on sb.'s t.**, tallonare q. dappresso □ **to turn t.**, fare dietrofront (*e scappare*) □ (*fig.*) **to twist sb.'s t.**, pestare i piedi a q.; infastidire q. □ (*fig.*) **to twist the lion's t.**, pestare la coda al leone; tirar la coda al diavolo □ (*del cane*) **to wag one's t.**, scodinzolare □ **I can make neither head nor t. of it**, non riesco a venirne a capo; non ci capisco un acca.

tail ② /teɪl/ n. (*leg.*) proprietà limitata a una persona e ai suoi eredi in linea diretta ● **estate t.** (*o* **estate in t.**), beni soggetti a proprietà limitata.

to **tail** /teɪl/ v. t. **1** munire (*un aquilone, ecc.*) di coda **2** (*fam.*) staccare il gambo a (*frutta*); pulire (*fragole, ecc.*) **3** essere in coda a (*un corteo, una processione, ecc.*) **4** (*fam., anche* **to t. after**) seguire dappresso; stare alle calca-

---

gna di; pedinare: *The thief was being tailed by a policeman*, il ladro aveva un poliziotto alle calcagna **5** congiungere, attaccare, unire (*una cosa a un'altra, per le estremità*) **6** collegare, connettere (*mattoni, pietre*) nel muro **7** mozzar la coda a (*un cane, un agnello, ecc.*) **8** (*volg.*) chiavare, fottere, scopare (*volg.*).

■ **tail after** v. t. + prep. seguire dappresso; stare alle calcagna di (q.); pedinare.

■ **tail away** → **tail off**.

■ **tail back** v. i. + avv. (*autom.: del traffico, di veicoli*) formare una coda; incolonnarsi: *Traffic tailed back for ten miles*, si formò una coda di 16 chilometri.

■ **tail in** v. t. + avv. fissare (qc.) per un'estremità.

■ **tail off** v. i. + avv. **1** diminuire; calare; scemare a poco a poco: *Sales have tailed off*, le vendite sono calate a poco a poco; *Membership has tailed off*, sono diminuite le iscrizioni **2** (*di un suono*) affievolirsi, smorzarsi a poco a poco: *His voice tailed off*, la sua voce si affievolì pian piano **3** (*elettr.*) disperdersi.

■ **tail up** v. i. + avv. (*USA*) mettersi in coda; fare la fila.

tailback /'teɪlbæk/ n. **1** (*autom.*) lunga coda (*di veicoli*); incolonnamento; fila **2** (*football americano*) estremo; giocatore arretrato (*della squadra in attacco*) più lontano di tutti dalla linea di mischia.

tailboard /'teɪlbɔːd/ n. **1** (*autom.*) sponda posteriore ribaltabile (*di camion*) **2** (*autom.*) portellone posteriore a ribalta (*che si tira giù: di una familiare*) **3** (*ferr.*) sponda posteriore (*di pianale*).

tailcoat /'teɪlkəʊt/ n. (*moda*) frac; marsina.

tailed /teɪld/ a. (spec. nei composti) fornito di coda; caudato ● (*di animale*) **bob-t.**, dalla coda mozza □ **a short-t. dog**, un cane dalla coda corta.

tailgate /'teɪlɡeɪt/ n. **1** → **tailboard**, def. 2 **2** (*USA*) → **tailboard**, def. 1 e 3 **3** (*di canale*) paratoia della chiusa inferiore ● (*fam.*) **t. party**, pasto consumato usando il portellone posteriore (*di una familiare*) come tavolo; pasto alla buona (*spesso consumato in un parcheggio*).

to **tailgate** /'teɪlɡeɪt/ Ⓐ v. t. (*autom., fam. USA*) tallonare, andare troppo sotto a (*un altro veicolo*); stare incollato a (q.) Ⓑ v. i. (*fam. USA*) fare un «tailgate party» (→ **tailgate**).

tailgating /'teɪlɡeɪtɪŋ/ n. **1** (*autom.*) lo stare troppo sotto alla vettura che precede **2** (*USA*) assembramento di tifosi (*che mangiano, bevono, ecc.*) fuori dei cancelli dello stadio.

tailing /'teɪlɪŋ/ n. **1** ⓤ l'accodarsi; il mettersi in coda **2** (*edil.*) parte incastrata di un mattone (*o di una pietra, una trave, ecc.*) in aggetto **3** (*fam.*) pedinamento **4** residuo; scampolo; parte finale **5** (*pl.*) (*ind. min.*) sterile di laveria **6** (*pl.*) (*ind.*) residui di scarto.

tailless /'teɪlləs/ a. senza coda: **a t. cat**, un gatto senza coda ● (*aeron.*) **t. aeroplane**, (aereo) tuttala.

tailleur /tɑː'jɜː(r)/ (*franc.*) n. (*moda*) tailleur; completo (*da donna*).

taillight /'teɪllaɪt/ n. **1** (*autom.*) luce posteriore **2** (*aeron.*) fanalino di coda **3** (*ferr.*) fanale di coda **4** (*naut.*) fanale di coronamento.

tailor /'teɪlə(r)/ n. sarto ● (*zool.*) **t.-bird** (*Orthotomus sutorius*), uccello sarto □ **t.'s chair**, sgabello da sarto □ **t.'s chalk**, pietra da sarto; gesso (*fam.*) □ **t.-made**, (*d'abito*) confezionato (*o fatto*) su misura; (*d'articolo*) fatto su ordinazione □ (*fig.*) fatto su misura, personalizzato, adattato □ **t.'s shop**, sartoria □ **t.'s twist**, cordoncino per occhielli.

to **tailor** /'teɪlə(r)/ Ⓐ v. i. fare il sarto Ⓑ v.

t. 1 (*sartoria*) confezionare; fare su misura **2** (*fig.*) fare su misura; adattare; personalizzare: *His novels are tailored to popular taste*, i suoi romanzi sono fatti su misura per soddisfare i gusti del grosso pubblico; **to t. one's policy to meet market reaction**, modificare la propria politica secondo le reazioni del mercato.

tailored /'teɪləd/ **a. 1** (*di abito, ecc.*) di sartoria; (*per estens.*) di buon taglio, elegante **2** fatto su misura (*per uno scopo*); personalizzato: *We provide a service t. to your specific requirements*, offriamo un servizio che risponde alle vostre specifiche esigenze; **a t. training programme**, un programma di addestramento appositamente strutturato.

tailoress /'teɪlərɪs/ **n.** sarta da uomo.

tailoring /'teɪlərɪŋ/ **n.** Ⓤ **1** sartoria; lavoro di sarto **2** abilità di sarto; sartorialità.

tailpiece /'teɪlpiːs/ **n. 1** appendice; poscritto **2** (*tipogr.*) finalino; vignetta **3** (*mus.*) cordiera **4** (*fig.*) conclusione; pezzo aggiunto; coda (*fig.*).

tailpipe /'teɪlpaɪp/ **n. 1** (*mecc.*) tubo di aspirazione (*di pompa*) **2** (*fis.*) tubo barometrico **3** (*aeron.*) ugello di uscita (*di un motore*) **4** (*autom., USA*) tubo di scappamento.

tailplane /'teɪlpleɪn/ **n.** (*aeron.*) stabilizzatore orizzontale.

tailrace, tail race /'teɪlreɪs/ **n.** canale di scarico (*di una turbina, di un mulino, ecc.*).

tailshaft, tail shaft /'teɪlʃɑːft/ **n. 1** (*naut.*) estremità poppiera dell'albero portaelica **2** (*aeron.*) codolo (*dell'albero motore*).

tailskid, tail skid /'teɪlskɪd/ **n.** (*aeron.*) pattino di coda.

tailslide /'teɪlslaɪd/ **n.** (*aeron.*) scivolata di coda.

tailspin /'teɪlspɪn/ **n. 1** (*aeron.*) avvitamento; vite: **to go into a t.**, entrare in vite; avvitarsi **2** (*fig. fam.*) confusione; crollo; collasso; tilt: *After the accident, the man went into a t.*, dopo l'incidente l'uomo entrò in confusione.

tailstock /'teɪlstɒk/ **n.** (*mecc.*) contropunta (*di un tornio*).

tailwater /'teɪlwɔːtə(r)/ **n.** Ⓤ acqua di scolo ● (*agric.*) **t. ditch**, canale di scolo.

taint /teɪnt/ **n. 1** Ⓒ macchia (*fig.*); ombra; ramo, traccia; corruzione, contaminazione: *There was a t. of madness in the royal family*, c'era un ramo di pazzia nella famiglia reale; **moral t.**, corruzione morale; **a reputation without t.**, una reputazione senza macchia **2** (*med.*) infezione **3** (*med.*) tara ereditaria.

to taint /teɪnt/ **A v. t. 1** contaminare; corrompere; guastare, infettare; lordare, macchiare: *He taints everything he touches*, contamina (*o* sporca) tutto ciò che tocca **2** (*ecol.*) inquinare **B v. i.** corrompersi; guastarsi; infettarsi: *Meat taints easily in hot weather*, la carne col caldo si guasta facilmente ‖ **tainted a. 1** contaminato; corrotto; guasto; infetto: **tainted water**, acqua contaminata **2** (*ecol.*) inquinato.

taintless /'teɪntləs/ **a.** incontaminato; senza macchia; puro; immacolato.

taipan /'taɪpæn/ **n.** (*zool., Oxyuranus scutellatus*) taipan (*il serpente più velenoso dell'Australia*).

takable, takeable /'teɪkəbl/ **a.** prendibile; che si può prendere.

take /teɪk/ **n. 1** il prendere; presa **2** quantità di selvaggina (*di pesce, ecc.*) presa; carniere (*fig.*): *It was an excellent t.*, tornammo (tornarono, ecc.) col carniere pieno; **a great t. of fish**, una pesca eccezionale **3** incasso, introito (*di cinema, teatro, ecc.*) **4** (*cinem., TV*) ripresa **5** (*fam.*) guadagno; profitto; ricavo **6** (*fisc.*) gettito: **the tax t.**, il gettito delle imposte **7** (*fam.*) bottino; parte

(*del bottino, del malloppo*) **8** (*fam.*) bustarella; pizzo; tangente **9** (*fam. USA*) punto di vista; interpretazione; teoria; opinione ● (*fam.*) **to be on the t.**, prendere la bustarella (*o* il pizzo); farsi corrompere.

♦**to take** /teɪk/ (*pass. **took**, p. p. **taken***) Ⓐ **v. t. 1** prendere; pigliare; afferrare; cogliere, sorprendere; catturare; conquistare, impadronirsi di; conquistare; guadagnare; ricevere; comprare; sottrarre; togliere; rubare: *Will you t. a glass of wine?*, prendi (*o* vuoi) un bicchiere di vino?; **to t. st. (up) with one's hands**, prendere qc. con le mani; **to t. sb.'s hand**, prendere (*o* afferrare) la mano a q.; *Let me t. your coat!*, prendo il tuo cappotto? (*lo metto a posto io, ecc.*); *I took the flat for a year*, presi l'appartamento (in affitto) per un anno; *T. what you like*, piglia quello che vuoi; *He was taken in the act*, fu colto (*o* preso) in flagrante; *The fortress was taken by the enemy*, la fortezza fu conquistata (*o* presa) dal nemico; **to t. a Senate seat**, conquistare un seggio al Senato (*in Italia, ecc.*); *He takes three hundred pounds a month*, guadagna (*o* prende) trecento sterline al mese; *The thief took all the silver*, il ladro rubò tutta l'argenteria; *The shopkeeper took 10 p off the price*, il negoziante tolse dieci penny dal prezzo; *We t. two newspapers daily*, compriamo due giornali tutti i giorni **2** prendere con sé; portar via; portare; condurre; accompagnare: *T. your umbrella with you*, prenditi l'ombrello!; *T. these parcels to the post office, will you?*, mi porti questi pacchi alla posta?; *This path will t. you to the river*, questo sentiero ti porterà al fiume; *I took my guest home*, accompagnai a casa l'ospite; *T. the children for a walk*, porta i bambini a fare una passeggiata! *Do you t. credit cards?*, accettate le carte di credito?; *Which credit cards do you t.?*, quali carte di credito accettate?; **to t. holy orders**, prendere gli ordini sacri; **to t. one's degree**, prendere la laurea; *They won't t. our advice*, non accettano i nostri consigli; *He took the job*, accettò il posto; *They cannot t. defeat*, non riescono ad accettare la sconfitta; **to t. the blame**, accollarsi (*o* assumersi) la colpa **4** prendere; assumere; ingerire: **to t. a medicine**, prendere una medicina; **to t. one's meals at a restaurant**, prendere i pasti (*o* mangiare) al ristorante; **to t. drugs**, assumere droga; drogarsi **5** prendere; prendere in esame; considerare; giudicare; ritenere; reputare; valutare; supporre: **to t. sb. at his word**, prendere q. in parola; **to t. as done**, considerare qc. come già fatto; **to t. sb. as a swindler**, prendere q. per un imbroglione; *Let's t. John, for instance*, prendiamo John, per esempio; **to t. sb. at his face value**, valutare q. per quello che sembra; *I t. it you're the person in charge here*, se non sbaglio è lei che comanda qui; *I t. it she said yes then?*, suppongo che abbia detto di sì, quindi **6** comprendere, intendere: *Do you t. my meaning?*, intendi quel che voglio dire? **7** portare: *T. him another glass of wine*, portagli un altro bicchiere di vino! **8** fare: **breakfast [a walk, a bath]**, far colazione [una passeggiata, un bagno]; **to t. a nap**, fare un sonnellino; **to t. a picture (o a photograph)**, fare una fotografia; **to t. an exam**, fare (*o* dare, sostenere) un esame; (*stat.*) **to t. a census**, fare un censimento; *The horse took the jump*, il cavallo fece il salto (*non rifiutò l'ostacolo*) **9** attirare; attrarre; trasportare (*fig.*); incantare; cattivars; affascinare: *I was not much taken by (o with) his behaviour*, fui tutt'altro che attratto dal suo comportamento; *This author takes his readers with him*, quest'autore affascina (*o* trasporta) i lettori **10** (*spesso impers.*) impiegare;

metterci; volerci; richiedere; occorrere: *I took three days to finish my work*, impiegai tre giorni per finire il mio lavoro; *The builders said the job would t. six to eight weeks, max*, i muratori dicono che per i lavori ci vorranno da sei a otto settimane al massimo; *How long did it t. you to go there?*, quanto tempo ci hai messo per andare là?; *These things t. time*, ci vuol tempo per queste cose; *It takes a lot of patience*, ci vuole molta pazienza **11** resistere a; reggere (a); sostenere; sopportare: **to t. a thrust**, reggere una spinta **12** (*cinem., TV*) riprendere; girare: **to t. a scene**, riprendere una scena **13** prendere; possedere (*una donna*) **14** (*comm., leg.*) prendere; accettare (*in pagamento*) **15** (*gramm.*) reggere; prendere: *Transitive verbs t. a direct object*, i verbi transitivi reggono il complemento oggetto **16** provare; sentire: **to t. pleasure in st. [in doing st.]**, provare piacere in qc. [a fare qc.] **17** misurare; rilevare; prendere: **to t. sb.'s temperature**, misurare la temperatura (*fam.*: la febbre) a q. **18** afferrare; cogliere: **to t. an opportunity**, cogliere un'occasione **19** (*di un recipiente, un locale, un veicolo*) contenere; portare: *This bottle only takes half a litre*, questa bottiglia contiene solo mezzo litro; *The hall can t. 200 people*, la sala può contenere 200 persone; *The coach takes (up) 50 passengers*, il pullman porta 50 passeggeri **20** tirare, sferrare; dare: **to t. a shot at a bird**, tirare un colpo (*o* sparare) a un uccello; **to t. a punch at sb.**, tirare (*o* sferrare) un pugno a q. **21** portare (*una misura d'indumento*): *What size do you t., madam?*, che misura (*o* numero) porta, signora? **22** (*sport*) vincere (*boxe*) **to t. nearly every round**, vincere quasi tutte le riprese; (*tennis*) **to t. the set**, vincere il set **23** (*a dama, a scacchi*) mangiare (*una pedina, un pezzo*) **24** (*fam.*) darle (*o* suonarle) a (q.); battere (q.) (*a pugni, o in una gara*): *The champion took the challenger in the first round*, il detentore del titolo battè lo sfidante nel primo round **25** (*boxe*) incassare (*colpi*): *He can t. blows well*, incassa bene i colpi; è un buon incassatore **26** (*calcio, ecc.*) fare, effettuare, eseguire (*un tiro, una rimessa, ecc.*); dare (*un calcio*); battere; segnare (*un gol, un canestro*): **to t. a penalty**, tirare (*o* battere) un rigore; (*cricket*) **to t. a run**, effettuare una corsa (*verso il wicket*); **to t. a free kick**, battere (*o* tirare) una punizione **27** (*fam.*) imbrogliare; truffare; fregare (*fam.*): *The salesman tried to t. me*, il commesso ha cercato di fregarmi **28** (*fam.*; al passivo) defraudare; derubare: *The old lady was taken for all her money*, la vecchia signora fu derubata di tutti i soldi Ⓑ **v. i. 1** (*anche mecc.*) prendere; far presa; attaccare: *This gear won't t.*, quest'ingranaggio non prende (*o* non fa presa); *The fire took rapidly*, il fuoco prese subito; *This paint takes well*, questa vernice attacca bene **2** aver successo; attecchire: **I don't think it will t.**, non credo che attecchirà **3** agire; funzionare; avere effetto: *The vaccine did not t.*, il vaccino non ha agito **4** (*fam.*) riuscire fotogenico; venire bene: *She does not t. well*, non viene bene (*in fotografia*) **5** (*di pesce*) abboccare (*all'amo*) ● **to t. advantage of**, approfittare di; sfruttare □ (*mil.*) **to t. aim**, prendere la mira; mirare; puntare □ **to t. all the fun out of st.**, guastare la festa; rovinare tutto □ **to t. sb.'s arm**, prendere il braccio di q.; prendere q. per il braccio □ **to t. st. as read**, dare qc. per letto □ (*fig.*) **to t. a back seat**, occupare un posto di scarsa importanza; accontentarsi di un ruolo secondario □ (*leg.*) **to t. bankruptcy**, accettare di essere messo in fallimento □ (*autom., ecc.*) **to t. a bend**, prendere una curva: **to t. a bend as tightly as possible**, stringere una curva al massimo □ **to t.**

bets, accettare scommesse □ □ **(fig.) to t. the bit between one's teeth**, stringere i denti (*fig.*) □ **to t. breath**, prendere (*o* ripigliare) fiato □ **to t. by surprise**, cogliere di sorpresa; prendere (*o* conquistare) di sorpresa; **to t. care**, stare attento; fare attenzione; badare; guardarsi: *T. care what you say*, fa' attenzione a quel che dici!; *T. care not to break it*, bada di non romperlo! □ **to t. care of**, badare a; prendersi cura di, aver cura di; (*fam. eufem.*) sistemare, eliminare, uccidere: *Who will t. care of the baby?*, chi si prenderà cura del bambino?; *T. care of yourself!* abbi cura di te!; riguardati! □ (*fig.*) **to t. the chair**, assumere la presidenza; presiedere una seduta □ **to t. a chair**, prendere posto; accomodarsi; sedersi □ **to t. a chance**, correre un rischio; tentare la sorte □ **to t. one's chances**, correre il rischio; arrischiare, azzardare; tentare la sorte; stare al gioco (*fig.*) □ **to t. no chances**, non volere correre rischi; andare sul sicuro □ **to t. charge of st.**, prendere in consegna qc.; occuparsi di qc.; assumere il comando (la direzione) di qc.: *The new commander took charge of the garrison*, il nuovo comandante assunse (*o* prese) il comando della guarnigione □ **to t. command**, prendere il comando □ (*relig.*) **to t. communion**, fare la comunione □ **to t. courage**, farsi coraggio; farsi animo □ **to t. a deep breath**, tirare un lungo respiro □ **to t. a different view**, essere di tutt'altro avviso; essere di parere contrario □ **to t. effect**, (*di una medicina, ecc.*) avere (*o* fare) effetto; (*di una legge e sim.*) entrare in vigore; essere attuato; andare in porto (*fig.*): *The new law takes effect as of July 1st*, la nuova legge entra in vigore dal primo di luglio □ **to t. a fever**, contrarre una febbre (*malarica, ecc.*) □ **to t. fright**, prendersi paura; spaventarsi □ **to t. hold of sb.**, impadronirsi di q.: *A great tenderness took hold of him*, una grande tenerezza s'impadronì di lui □ **to t. hold of st.**, afferrare qc.: *He took hold of the bar*, afferrò la sbarra □ **to t. a holiday**, andare in vacanza □ **to t. st. in hand**, prendere in mano qc. (*fig.*); intraprendere qc. □ **to t. an interest in st.**, interessarsi a qc. □ **to t. into account**, tener presente; tener conto di; prendere in considerazione: *We must t. his youth into account*, dobbiamo tener conto della sua giovinezza □ **to t. sb. into one's confidence**, concedere a q. la propria fiducia; mettere q. a parte dei propri segreti □ (*fam.*) **to t. it**, tener duro; non batter ciglio □ **to t. it easy**, prendersela comoda, non strapazzarsi; (*anche*) non prendersela, restare calmo □ **to t. it into one's head** (*o* **mind**), mettersi in testa, figgersi in capo (*un'idea, ecc.*) □ **to t. a joke in earnest**, prender sul serio uno scherzo □ **to t. a leap** (*o* **a jump**), fare un salto □ **to t. leave of sb.**, prendere congedo (*o* commiato) da q.; accomiatarsi da q. □ **to t. leave of one's senses**, impazzire □ (*leg.*) **to t. legal action**, adire le vie legali □ **to t. legal advice**, consultare un avvocato; rivolgersi a un legale per un parere □ **to t. a letter**, (*anche*) battere una lettera sotto dettatura □ **to t. sb.'s life**, togliere la vita a q.; uccidere q. □ (*fam.*) **to t. one's life in one's hands**, rischiare la vita □ **to t. a look at st.**, dare un'occhiata a qc. □ **to t. a look round**, dare un'occhiata in giro; guardarsi attorno (*o* intorno) □ (*fam.*) **to t. the mickey out of sb.**, prendere in giro q.; sfottere q. (*fam.*) □ **to t. minutes**, mettere a verbale; verbalizzare □ **to t. the nonsense out of sb.**, togliere i grilli dalla testa a q. □ **to t. notes**, prendere appunti □ **to t. notice of st.**, fare attenzione a qc.; occuparsi (*o* interessarsi) di qc.; rendersi conto di qc. □ **to t. an oath**, fare (*o* prestare) un giuramento □ **to t. offence**, offendersi □ **to t. other people's ideas**, appropriarsi

delle idee altrui □ **to t. pains**, darsi (*o* prendersi) pena (*di fare qc.*); sforzarsi; darsi da fare; fare il possibile: **to t. pains to do a job well**, sforzarsi di fare bene un lavoro □ **to t. part in st.**, prendere parte, partecipare a qc. □ **to t. place**, aver luogo; accadere; avvenire; verificarsi □ (*polit.*) **to t. power**, salire al potere; andare al governo □ **to t. pride in st.**, andare orgoglioso di qc. □ (*mil.*) **to t. sb. prisoner**, far prigioniero q. □ (*boxe*) **to t. punishment**, subire una punizione; incassare colpi durissimi □ (*fam.*) **to t. the rap**, essere incolpato (*spec. per colpe altrui*); prendersi la colpa □ **to t. refuge**, trovar rifugio; rifugiarsi; riparare □ **to t. a seat**, prendere posto; mettersi a sedere; accomodarsi □ **to t. sides with sb.**, parteggiare per q.; schierarsi con q. □ **to t. stock**, (*comm.*) fare l'inventario; (*fig.*) valutare la situazione (*e sim.*) □ **to t. things as they are**, prendere il mondo come viene □ **to t. things coolly**, conservare il sangue freddo; mantenere la calma; non agitarsi □ **to t. things easy**, prender le cose alla leggera; tirare a campare; fare il proprio comodo; prendersela comoda □ **to t. things seriously**, prender le cose sul serio □ **to t. one's time**, prendersela comoda; andare adagio; *He took his time over the job*, se la prese comoda col lavoro □ **to t. its toll on sb.** [st.], farsi sentire su q. [qc.] (*in senso negativo*) □ **to t. the train**, prendere il treno; servirsi del treno (*e non dell'autobus, ecc.*): *I usually t. the bus, but sometimes I go by train*, di solito prendo l'autobus, ma a volte vado in treno □ **to t. the trouble to do st.**, prendersi il disturbo di fare qc.; darsi la pena di fare qc. □ **to t. turns**, fare a turno, alternarsi: (*autom.*) **to t. turns at the wheel**, alternarsi al volante □ **to t. a vow**, fare un voto □ **to t. a wife**, prender moglie □ **to t. wing**, levarsi a volo: *'In long Indian file, as when herons t. wing, the white birds were now all flying towards Ahab's boat'* H. MELVILLE, 'in lunga fila indiana, come aironi che s'involino, i bianchi uccelli volavano tutti verso la barca di Ahab' □ **to be taken ill**, ammalarsi; sentirsi male □ (*fam.*) **to be taken short**, avere un bisogno (*un bisogno impellente*) □ **It took a lot of doing**, ci volle del bello e del buono □ **T. your seats!**, seduti!, a posto! (*anche, ferr.*) in carrozza! □ **How old do you t. me to be?**, quanti anni mi dai? □ (*fam.*) **I can t. him or leave him**, non mi è né simpatico né antipatico; mi lascia indifferente □ **T. it or leave it!**, prendere o lasciare! □ (*fam.*) **I am not taking any**, grazie, no!; (*anche*) non ci sto!

■ **take aback** v. t. + avv. cogliere (q.) di sorpresa; prendere alla sprovvista; sconcertare: *His defection from the party took us aback*, il suo abbandono del partito ci prese alla sprovvista.

■ **take aboard** v. t. + avv. (*o* prep.) (*naut., aeron.*) **1** prendere a bordo; far salire (a bordo); imbarcare: *We were taken aboard at Milan*, ci fecero salire in aereo a Milano **2** portare a bordo: *Firearms cannot be taken aboard* (*the plane*), non si possono portare a bordo (dell'aereo) le armi da fuoco.

■ **take about** **A** v. t. + avv. portare (q.) in giro (*o* qua e là); accompagnare: **to t. sb. about seeing the sights**, accompagnare (*o* portare) q. a visitare una città; portare q. in un giro turistico **B** v. t. + prep. (*in varie loc.; per es.:*) **to t. action about st.**, prendere provvedimenti per (*o* intervenire su) qc. □ **to t. one's time about it**, prendersela comoda.

■ **take across** v. t. + avv. (*o* prep.) portare (*o* trasportare) di là; far attraversare: *The hovercraft takes you across* (*the Channel*) *in forty minutes*, l'hovercraft ti trasporta di là (della Manica) in quaranta minuti.

■ **take after** v. i. + prep. **1** darsi all'inseguimento di (q.) **2** prendere da; somigliare a:

The girl takes after her father, la ragazza è tutta suo padre.

■ **take again** v. t. + avv. **1** prendere di nuovo; riprendere **2** vincere di nuovo; riconquistare.

■ **take against** v. i. + prep. prendersela con; prendere in antipatia: *I don't know why he's taken against me from the start*, non so perché mi abbia preso in antipatia fin dall'inizio.

■ **take along** v. t. + avv. portare (con sé); prendere: *Why don't you t. along your guitar (with you)?*, perché non porti (*o* prendi) la chitarra?; *T. your whole family along*, porta tutta la famiglia!

■ **take amiss** v. t. + avv. prendere (qc.) in mala parte; aversene a male di (qc.).

■ **take apart** **A** v. t. + avv. **1** prendere (q.) in disparte (*o* da parte) **2** fare a pezzi; smontare: *The boy took the electric train apart*, il ragazzo smontò il trenino **3** (*fig.*) fare a pezzi; criticare aspramente; demolire (*fig.*): *His novel was taken apart by the critics*, la critica ha fatto a pezzi il suo romanzo **4** (*fam.*) battere duramente; infliggere una severa punizione a; stracciare (*fig.*): *Our team simply took them apart*, la nostra squadra li ha semplicemente stracciati **B** v. i. + avv. (*di un oggetto*) smontarsi; essere smontabile.

■ **take around** → **take round**.

■ **take ashore** v. t. + avv. (*naut.*) portare a riva; sbarcare; far sbarcare.

■ **take aside** v. t. + avv. prendere (q.) in disparte (*o* da parte).

■ **take away** v. t. + avv. **1** portare via; togliere; levare; strappare (*di mano, ecc.*); sparecchiare: **to t. the dirty dishes away**, portare via (*o* sparecchiare) i piatti sporchi; **to t. away one's hand**, levare la mano; *I was struggling to t. his knife away*, lottavo per strappargli il coltello **2** eliminare, far passare (*un dolore e sim.*) **3** distogliere (*l'attenzione, ecc.*) **4** portare via, asportare (*cibo cotto*) **5** (*fig.*) levare; sopprimere (*un diritto*); abolire (*la libertà, ecc.*) **6** (*mat.*) sottrarre: **to t. away 5 from 20**, sottrarre 5 da 20; **20 t. away 5 leaves 15**, 20 meno 5 fa 15 □ (*fam.*) **to t. sb.'s breath away**, far restare q. senza fiato (*o* di stucco) □ **to t. st. away from sb.**, portare via qc. a q.; privare q. di qc. □ (*fig.*) **not to t. away from st.**, non diminuire il valore di qc.

■ **take back** v. t. + avv. **1** prendere indietro; ripigliare; riprendere; ritirare (*anche fig.*): **to t. back defective goods**, prendere indietro la merce difettosa; *Stock not bought in the market is taken back by the Bank of England*, i titoli di stato invenduti in borsa sono ritirati dalla Banca d'Inghilterra **2** portare indietro; riportare; restituire: **to t. goods back to a shop**, riportare merce a un negozio; *T. it back where you found it!*, riportalo dove l'hai trovato!; *T. it back to its owner!*, restituiscilo al proprietario! **3** riportare; riaccompagnare: *This bus will t. you back to the town centre*, quest'autobus ti riporta in centro; *T. Mary back (home), will you?*, riaccompagna a casa Mary, per favore! **4** (*fig.*) ritirare; ritrattare; rimangiarsi (*fam.*): *I t. back what I said*, ritiro quel che ho detto; **to t. back one's promise**, rimangiarsi la promessa **5** (*fig.*) riportare (q.) al passato; far ritornare (*all'infanzia, ecc.*); (*far*) ricordare il passato: *This tune takes me back to my youth*, questo motivo mi fa tornare agli anni della giovinezza **6** → **take aback 7** (*USA*) accettare (*un'ipoteca: per un mutuo*).

■ **take before** v. t. + prep. **1** portare (q.) davanti a (*un superiore, un giudice, ecc.*) **2** presentare (*una proposta e sim.*) a (*una commissione, ecc.*).

■ **take below** v. t. + avv. **1** accompagnare

(q.) di sotto **2** (*naut.*) accompagnare (q.) sotto coperta; portare (q.) in cabina.

■ **take down** Ⓐ v. t. + avv. **1** calare dall'alto; tirare giù; prendere giù (*fam.*): **to t. a book down from the shelf**, tirare giù un libro dallo scaffale **2** abbassare, calare; ammainare (*una bandiera e sim.*): **to t. down one's trousers**, calarsi i pantaloni **3** portare giù (*o da basso*): *Please, t. down these papers to the assistant manager*, La prego di portare giù questi documenti al vicedirettore **4** smontare; smantellare: **to t. down the scaffolding**, smantellare l'impalcatura **5** abbattere; demolire: **to t. down an old house** [**a tottering bridge**], abbattere una vecchia casa [demolire un ponte traballante] **6** annotare; prendere nota di; scrivere; prendere giù (*fam.*); trascrivere: *The constable took down my name and address*, il poliziotto prese nota del mio nome e dell'indirizzo; **to t. down an interview in shorthand**, fare la trascrizione stenografica di un'intervista; (*leg.*) **to t. down a statement**, verbalizzare una dichiarazione **7** (*fig. fam.*) ridimensionare (q.); umiliare; far abbassare la cresta a (q.): *He is too conceited and needs taking down a bit (o a peg or two)*, è troppo presuntuoso: bisogna fargli abbassare un po' la cresta **8** (*lotta*) atterrare (*l'avversario*) **9** (*slang USA*) ammazzare; stendere; fare fuori (*fam.*) Ⓑ v. i. + avv. (*di un oggetto*) smontarsi; essere smontabile.

■ **take for** v. t. + prep. **1** prendere, scambiare (q.) per: *What do you t. me for?*, per chi mi prendi?; *Do you t. me for a fool?*, mi prendi per fesso?; *She enjoys being taken for her daughter*, le fa piacere che la gente la prenda per sua figlia; *I took the house for an inn*, ho scambiato la casa per una locanda **2** (*di un supposto venditore*) voler prendere (*un certo prezzo*) di; volere di (*fam.*): *How much will you t. for this old car?*, quanto vuoi (prendere) di questa macchina vecchia? □ **to t. st. for granted**, dare qc. per scontato.

■ **take from** Ⓐ v. t. + prep. **1** prendere (qc.) da; tirar fuori, staccare, estrarre da: **a quotation taken from Homer**, una citazione presa da Omero; *He took the rifle from the rack*, staccò il fucile dalla rastrelliera; **to t. a record from its sleeve**, estrarre un disco dalla copertina **2** portare via, prendere, strappare (qc.) a: *I tried to t. the gun from the robber's hand*, cercai di strappare pistola di mano al rapinatore **3** (*fig.*) togliere (qc.) a (q.); privare (q.) di (qc.) **4** riprendere (*una lezione, una poesia, ecc.*) da (*l'inizio, un certo punto, ecc.*) **5** accettare, sopportare (*insulti, maltrattamenti e sim.*) da (q.) **6** (*mat.*) sottrarre (*un numero*) da (*un altro*) Ⓑ v. i. + prep. **1** far diminuire, ridurre, indebolire (*un effetto, un'impressione, una qualità*): *An excessive use of irony takes from the sublimity of his poetry*, l'abuso dell'ironia indebolisce la sublimità della sua poesia **2** (spec. in frasi neg.) andare a discapito di; costituire un demerito per: **to t. heart from**, trarre coraggio da □ **to t. it from**, capire, intuire da; apprendere, sentire da: *I took it from her blushes that she was taken aback*, dal suo rossore capii che era sconcertata; *I t. it from the headmaster that you're leaving the school*, sento dal preside che vuoi lasciare la scuola □ **T. it from me!**, credimi!; da' retta! □ **You can t. it from here**, Puoi andare avanti (*con il lavoro, lo studio, ecc.*) da questo punto.

■ **take home** v. t. + avv. **1** accompagnare, portare (q.) a casa **2** portare (qc.) a casa (propria) □ (*fig. fam.*) **T. it home (and think about it)**!, prendi su e porta a casa (e pensaci su)!

■ **take ill** Ⓐ v. t. + avv. prendere (qc.) male; prendere (qc.) in mala parte; aversene a

male di (qc.). Ⓑ v. i. + avv. (*fam.*) ammalarsi □ **to be taken ill**, ammalarsi.

■ **take in** v. t. + avv. **1** portare (*o mettere*) dentro; accompagnare dentro; fare entrare in casa; arrestare: *We'd better t. the hay in*, sarebbe bene portare dentro il fieno; *T. the lady in*, accompagna la signora dentro!; *The marshal took him in*, lo sceriffo lo mise dentro **2** accogliere; prendere in casa; ospitare; prendere (q.) a pensione: **to t. in an orphan**, prendere in casa un orfano; **to t. in travellers**, ospitare viandanti **3** prendere (*lavoro*) a domicilio: **to t. in sewing**, prendere lavoro di cucito da fare a casa **4** assumere, prendere (*fam.*) (*dipendenti e sim.*) **5** comprendere; includere; ricoprire (*fig.*): *The Roman Empire once took in most of the known world*, un tempo l'impero romano comprendeva la maggior parte del mondo allora conosciuto; *This tour takes in a visit to the Vatican Museums*, questo tour include una visita ai Musei Vaticani **6** osservare; esaminare; guardare con attenzione; studiare (*fig.*): *The boy took in the scene with great interest*, il ragazzo osservò la scena con grande interesse **7** assimilare; assorbire (*fig.*); bere (*fam.*): **to t. in new ideas**, assimilare idee nuove; **to t. in sb.'s lies**, bere le fandonie dette da q. **8** comprendere; intendere; capire; afferrare: *I cannot t. in what he is saying*, non afferro (*o non riesco a capire*) quello che sta dicendo **9** stringere; restringere (*un indumento*): *This skirt needs taking in at the waist*, questa gonna va ristretta in vita **10** ricevere regolarmente (*una pubblicazione*); essere abbonato a: *We t. in «The Times»*, siamo abbonati al «Times» **11** imbrogliare; ingannare; fregare (*fam.*): *The old man was taken in by the two conmen*, l'anziano fu ingannato dai due imbroglioni **12** (*naut.*) ammainare (*le vele*); ridurre (*la velatura*) **13** (*fam. USA*) visitare, vedere (*una mostra e sim.*) □ (*naut.*) **to t. in ballast**, imbarcare zavorra; zavorrare □ **t. in a breath of fresh air**, respirare un po' d'aria fresca □ **to t. in a false statement**, prestar fede a una dichiarazione falsa □ **to t. in a play**, vedere una commedia; andare a teatro □ (*naut.*) **to t. in a reef**, prendere un terzarolo □ (*naut.*) **to t. in stores**, rifornirsi di provviste; imbarcare viveri □ (*naut.*) **to t. in water**, imbarcare acqua.

■ **take off** Ⓐ v. t. + avv. **1** togliere, cavare, levare (*indumenti*): *T. your raincoat off!*, togliti l'impermeabile!; *T. off your hat!*, cavati il cappello!; giù il cappello!; *He took off his clothes*, si levò i vestiti; si spogliò **2** togliere; cavare; levare; staccare: *T. the lid off!*, leva il coperchio!; *T. off the rust!*, cava (*o stacca*) la ruggine!; **to t. off the receiver**, staccare il ricevitore (*del telefono*) **3** cavare (*fam.*); tagliare; amputare: *They had to t. his arm off*, dovettero amputargli il braccio **4** portare (via); accompagnare (fuori); condurre via: *The injured passengers were taken off immediately*, i passeggeri feriti furono portati via subito; *We took him off to the station*, lo portammo alla stazione; **to t. sb. off to jail**, portare q. in prigione **5** (*trasp.*) trasbordare: *The stranded passengers were taken off by helicopter*, i passeggeri rimasti a piedi furono trasbordati in elicottero **6** togliere; eliminare; abolire; cancellare; sopprimere: *Two morning trains have been taken off*, sono stati soppressi due treni del mattino; **to t. off a tax**, eliminare un'imposta; abolire una tassa **7** togliere (*uno spettacolo*) dal cartellone; ritirare (*un film, ecc.*) **8** togliere (*un piatto*) dal menu; sopprimere **9** perdere (*peso*): *You should t. off all that weight*, dovresti perdere tutti quei chili che hai di troppo **10** (*market.*) detrarre; scontare: *All these articles have 20% taken off*, tutti questi articoli hanno uno sconto del

20% **11** prendere (*giorni, ecc.*) di vacanza: *Maybe I'll t. off a few days*, forse mi prenderò qualche giorno di vacanza; *I'll t. Monday off*, lunedì faccio un giorno di ferie **12** (*fam.*) tirare (*copie da un originale*); riprodurre (*documenti*) **13** (*fam.*) parodiare; imitare; rifare; far il verso a (q.): *He's very good at taking off people*, è molto bravo a rifare la gente **14** (*fam. USA*) portare via (*fig.*); uccidere: *He was taken off by AIDS*, l'AIDS se l'è portato via **15** (*fam. USA*) derubare; rapinare; svaligiare **16** (*sport*) togliere (*un giocatore*) dal campo; lasciare giù (*fam.*) Ⓑ v. i. + avv. **1** (*aeron.*) decollare (*anche fig., econ.*); cominciare ad avere successo (a vendere, a guadagnare, ecc.): *Our plane took off from Heathrow*, il nostro aereo decollò da Heathrow; *Their company took off when it won that big contract*, la loro società decollò quando ottenne quel grosso appalto **2** (*di un uccello*) spiccare il volo; (*spec. di un selvatico*) fare un balzo **3** andarsene; andare via; scappare via; tagliare la corda (*fig.*): *They took off in a hurry*, se ne andarono in fretta; *He took off without saying a word*, ha tagliato la corda senza dir parola **4** (*di un coperchio, una maniglia, ecc.*) staccarsi **5** (*fam.*) cominciare a interessarsi; svegliarsi (*fig.*) **6** (*sport*: calcio, ecc.): (*di un atleta*) spiccare un salto; (*di un giocatore*) portarsi in elevazione **7** (*sci, tuffi*) staccarsi (*dal trampolino*) Ⓒ v. t. + prep. **1** togliere, cavare, levare, staccare da: *T. your hand off my knees*, toglimi la mano dalle ginocchia!; *T. your books off my desk!*, togli i tuoi libri dalla mia scrivania!; *He took the straw off my hair*, mi levò la pagliuzza dai capelli; **to t. one's boots off one's feet**, cavarsi le scarpe (*dai piedi*); **to t. a photo off the wall**, staccare una foto dalla parete **2** cavare, levare, togliere a: *I took the coat off my little girl*, levai il cappotto alla mia bambina **3** portare via (*o trasbordare*) da: *First the women and children were taken off the sinking ship*, donne e bambini furono trasbordati per primi dalla nave che affondava **4** togliere, eliminare, abolire, cancellare (qc.) da: **to t. a bus off a route**, togliere un autobus da una linea; sopprimere una corsa; **to t. a dish off the menu**, eliminare un piatto dal menu; **to t. sb.'s name off a list**, cancellare il nome di q. da un elenco **5** (*market.*) detrarre, defalcare, scontare da (*o su*): *How much can you t. off the price?*, che sconto mi può fare sul prezzo?; *We're taking 20% off all the TV sets*, pratichiamo uno sconto del 20% su tutti i televisori **6** togliere da (*un posto, un incarico, ecc.*); togliere (*un caso*) a (q.); spostare, trasferire (*un dipendente*): **to t. a detective off a case**, togliere un caso a un poliziotto; *I was taken off night duty*, mi hanno tolto dal servizio notturno (*o dal turno di notte*) **7** far perdere (*peso*) a (q.) **8** togliere (*tempo*) di dosso a (q.): *Losing weight will t. years off you*, se perdi peso, ti toglierai anni di dosso (*o sembrerai molto più giovane*) □ **to t. oneself off**, togliersi dai piedi; andarsene; battersela; svignarsela □ **to t. one's eyes off sb.**, togliere gli occhi di dosso a q. □ **to t. off one's hat to sb.**, togliersi (*o levarsi*, cavarsi*) il cappello davanti a q.; (*fig.*) fare tanto di cappello a q. □ (*fig.*) **to t. a load (o a weight) off sb.'s mind [shoulders]**, togliere un peso dall'animo [dalle spalle] di q. □ **to t. time off**, assentarsi dal lavoro (dall'ufficio, ecc.).

■ **take on** Ⓐ v. t. + avv. **1** (*trasp.*) prendere a bordo; far salire; caricare; prendere su (*fam.*); (*naut., aeron.*) imbarcare: *We cannot t. on more passengers*, non possiamo far salire altri passeggeri **2** (*trasp.*) prendere con sé; portare a bordo (*bagagli, ecc.*) **3** (*trasp.*) caricare; fare rifornimento di; fare: **to t. on fuel**, fare rifornimento (di combustibile);

(*ferr.*) **to t. on water**, fare acqua 4 (*trasp.*) portare; far proseguire il viaggio a: *Another bus will t. you on*, potrai proseguire con un altro autobus 5 prendere (in affitto); affittare: **to t. on a cottage for the holidays**, prendere una villetta per le vacanze 6 prendere; assumere (*dipendenti, responsabilità, un aspetto, un atteggiamento, ecc.*); adottare (*costumi, una linea di condotta, ecc.*); addossarsi, accollarsi (*un impegno, ecc.*); intraprendere (*un lavoro*): **to be taken on as manager**, essere assunto come direttore; *You've taken on too much work*, hai preso troppo lavoro; **to t. on a new job**, iniziare un nuovo lavoro; *In this novel his style takes on ironic overtones*, in questo romanzo il suo stile assume sfumature ironiche; *The foreigners took on our ways*, gli stranieri adottarono i nostri costumi 7 affrontare; tener testa a (q.); sfidare, incontrare, battersi con: **to t. on one's opponent**, affrontare uno più grosso; *I took him on at golf*, lo sfidai a una partita di golf; (*sport*) *On Tuesday the US t. on Canada*, martedì gli USA incontrano il Canada; (*polit.*) **to t. on the unions**, affrontare i sindacati 8 (*calcio, ecc.*) prendere (q.) in consegna; marcare (*un avversario*); (*anche*) puntare: **to t. on one's opponent**, puntare l'uomo **B** v. i. + avv. 1 (*di una moda e sim.*) attecchire; prendere piede 2 (*fam.*) prendersela; agitarsi; arrabbiarsi; addolorarsi: *Don't t. on so!*, non prendertela tanto! **C** v. t. + prep. 1 prendere (q. *o* qc.) su: **to t. the load on one's shoulders**, prendere il peso sulle spalle 2 (*trasp.*) portare in (o su); prendere (con sé) a bordo di: **to t. the family on a holiday**, portare in vacanza la famiglia; **to t. sb. home in a taxi**, portare q. a casa in taxi; *Don't t. too much luggage on the boat*, non portare troppi bagagli sul battello! 3 prendere, colpire su: *The snowball took me on the nose*, la palla di neve mi prese sul naso □ **to t. action on it**, intervenire; prendere provvedimenti □ **to t. a (firm) grip on oneself**, controllarsi; darsi una regolata (*fam.*) □ **to t. pity on sb.**, avere pietà di q. □ **to t. on board**, (*trasp.*) prendere a bordo (*passeggeri*); (*fig.*) recepire, accettare (*idee nuove, richieste, ecc.*).

■ **take out** v. t. + avv. 1 tirare fuori; cavare (di tasca, ecc.); estrarre: *I took my purse out*, tirai fuori il borsellino; *The robber took out a gun*, il rapinatore tirò fuori una pistola; **to t. out a tooth**, estrarre un dente 2 togliere; cavare; eliminare; rimuovere; portare via; ritirare: **to t. out a stain**, togliere una macchia; **to t. coins out of circulation**, ritirare monete dalla circolazione; **to t. money out (of one's bank account)**, ritirare denaro (dal proprio conto in banca) 3 prendere: **to t. a book out (of the library)**, prendere (in prestito) un libro (dalla biblioteca); (*autom.*) **to t. out a driving licence**, prendere la patente (di guida); **to t. out a patent**, prendere un brevetto 4 ottenere; conseguire; prendere: **to t. out British citizenship**, prendere la cittadinanza britannica 5 sottoscrivere; fare: **to t. out an insurance policy**, sottoscrivere una polizza; fare un'assicurazione; **to t. out a subscription**, fare un abbonamento (*a un giornale, ecc.*); *There are some good offers on at the moment if you t. out a new contract*, ci sono delle buone offerte adesso se sottoscrivi un nuovo contratto 6 (*fin.*) accendere, contrarre (*un mutuo, un'ipoteca*); fare: **to t. out a mortgage**, accendere un'ipoteca; **to t. out loans**, contrarre un prestito; fare mutui; esporsi finanziariamente 7 (*leg.*) emettere (*un mandato di comparizione, ecc.*); sporgere, fare, presentare (*una denuncia contro q.*) 8 portare (fuori); portare (*a cena, ecc.*); accompagnare: *T. the dog out for a run!*, porta fuori il cane a fare una corsa!; *I'm taking Jill out to the disco*

tonight, stasera porto Jill in discoteca; *I'll t. you out for a ride tomorrow*, domani ti porto a fare un giro in macchina 9 portare via (o a casa); asportare (*cibi cotti*) 10 (*sport*) ritirare, far ritirare: (*di un podista, un cavallo, ecc.*) **to be taken out of the race**, essere ritirato dalla corsa 11 (*calcio, ecc.*) portarsi via, portare a spasso (*fig.*); neutralizzare (*un avversario*) □ (*fig.*) **to t. the easy way out**, prendere la strada più comoda; (*anche*) farla finita, suicidarsi □ **to t. it out in**, rifarsi, farsi a pari con; ripagare con: *If you cannot pay for your meals, I'll let you t. it out in paintings*, se non puoi pagare i tuoi pasti, ci rifaremo a forza di quadri □ (*fam.*) **to t. it out of**, sfiancare, spossare; ridurre (q.) uno straccio, spompare (*fam.*): *Swotting for this exam really takes it out of me*, sgobbare per questo esame mi riduce uno straccio □ (*fam.*) **to t. sb. out of himself**, distrarre, svagare: *The best thing about holidays is that it takes you right out of yourself*, il bello della vacanza è che serve a distrarti.

■ **take out on** v. t. + avv. + prep. far ricadere su; sfogare la rabbia su (q.); prendersela con (q.): *Why should you t. it out on your children when you're fed up with your work?*, perché te la devi prendere con i figli quando sei stufo del tuo lavoro?

■ **take over A** v. t. + avv. (o prep.) 1 portare, accompagnare (*di là della strada, ecc.*), trasportare a (o da): *T. the children over to their grandmother's!*, porta i bambini dalla nonna! 2 (*naut.*) traghettare: *The hovercraft takes you over (the Channel) in forty minutes*, l'hovercraft ti traghetta (di là della Manica) in quaranta minuti 3 prendere (*il comando, la responsabilità, ecc.*): **to t. over the leadership**, prendere (o assumere) il comando; (*aeron.*) **to t. over the controls**, prendere i comandi; sedersi ai comandi; **to t. over the country**, impadronirsi del paese; prendere il potere 4 assumere (*un aspetto, un carattere*) 5 (*mil.*) conquistare, occupare (*posizioni e sim.*) 6 adottare, ereditare (*fig.*); fare proprio (*un uso, una lingua, ecc.*): *The Romans took over the literature of vanquished Greece*, i romani fecero propria la letteratura della Grecia da essi sconfitta 7 prendere su di sé; occuparsi di (*subentrando ad altri*): *I'm looking forward to my son taking over some of my work*, non vedo l'ora che mio figlio si occupi di (*o prenda in mano*) parte del mio lavoro 8 comprare in aggiunta; rilevare 9 (*fin.*) assorbire; rilevare; acquisire il controllo di: *We'll t. over all the smaller firms*, rileveremo tutte le aziende minori; *He wants to t. over another TV station*, vuole acquisire il controllo di un'altra emittente televisiva; *The company got taken over and there was a lot of reorganization*, l'azienda è stata rilevata e c'è stata una grossa riorganizzazione 10 metterci, impiegare (*tempo*) per; dedicare (*tempo*) a (qc.): *I've already taken four years over this dictionary*, ho già dedicato quattro anni alla compilazione di questo dizionario 11 far ripassare (*una lezione, una parte, ecc.*) a (q.); esercitare (q.) in (qc.) 12 (*leg.*) accollarsi: **to t. over sb.'s debts**, accollarsi i debiti di q. **B** v. i. + avv. 1 subentrare: *When will the new manager t. over?*, quando subentrerà il nuovo direttore?; *His government will stay on until a new cabinet takes over*, il suo governo resterà in carica finché non si subentrerà uno nuovo; *He's taking over from Ray*, subentra al posto di Ray 2 prendere il comando; prendere i comandi: *The second pilot had to t. over*, il secondo pilota dovette prendere i comandi 3 (*polit., ecc.*) prendere il sopravvento; andare al potere: *I think the Labour party will t. over*, credo che i laburisti andranno al potere 4 montare in servizio; (*mil.*) montare di guar-

dia: *What time does the sentry t. over?*, a che ora monta di guardia la sentinella?; a che ora c'è il cambio di guardia? □ (*naut., mil.*) **to t. over escort**, prendere un convoglio sotto scorta □ (*sport*) **to t. over the game**, prendere in mano il gioco (o la partita) □ (*fig.*) **to t. precedence over**, avere la precedenza (o la priorità) su □ **to t. one's time over lunch**, pranzare con comodo; prendersela comoda con il pranzo □ **to t. one's time over it**, impegnarsi a fondo, mettercela tutta; (*anche*) prendersela comoda □ **to t. trouble over st. [over doing st.]**, darsi da fare per qc. [darsi da fare per fare qc.].

■ **take round** v. t. + avv. (o prep.) 1 portare (q.) in giro; accompagnare (q.) in visita: *He took us round the factory*, ci fece vedere la fabbrica 2 portare (qc.: *a breve distanza*): *T. these papers round to the manager, will you?*, per favore, porta questi documenti al direttore! 3 prendere (q.) con sé; prendersi dietro: *He always takes his dog round (with him)*, si prende dietro sempre il cane 4 trasportare; portare: *Public transport takes you round (the city) everywhere*, i mezzi pubblici ti portano dappertutto (in città) 5 (*fam.*) uscire, fare l'amore con (*una ragazza, un ragazzo*) □ (*fam.*) **to t. the hat round**, fare una colletta.

■ **take through A** v. t. + avv. 1 portare (*un veicolo*) oltre (o di là) 2 portare (qc.) a compimento **B** v. t. + prep. 1 portare (q. *o* qc.) al di là di; far passare attraverso; accompagnare (q.) attraverso: **to t. the horses through the gateway**, far passare i cavalli dal cancello 2 far ripetere, far ripassare (*una lezione, una parte, ecc.*) a (q.); aiutare (q.) a studiare (*leggere, tradurre, ecc.*: *un autore*), o a risolvere (*un problema*), a rispondere a (*domande d'esame*) 3 (*polit.*) far approvare (*un disegno di legge*); far passare (*un provvedimento*).

■ **take to** v. i. + prep. 1 portare (o accompagnare) a (o in, da): *I took the cheque to the bank*, portai in banca l'assegno; *I t. the boy to school*, accompagno a scuola il ragazzo; *T. me to your boss!*, portami dal tuo capo! 2 fuggire verso; ritirarsi in; darsi a: **to t. to the mountains**, fuggire verso i monti; ritirarsi sulle montagne; **to t. to the bush**, darsi alla macchia 3 (*fig.*) darsi a; mettersi a; prendere a; cominciare a (*fare qc.*): **to t. to drink** (o **to drinking**), darsi al bere (o all'alcol); *He's taken to reading detective stories*, s'è messo a leggere gialli 4 applicare; usare (*uno strumento: per fare qc.*): *You must t. a screwdriver to it*, qui ti ci vuole un cacciavite! 5 affezionarsi a (q.); prendere (q.) in: **to t. a liking [a dislike] to sb.**, prendere q. in simpatia [in antipatia] □ **to t. sb. to one's arms**, prendere q. tra le braccia □ **to t. sb. to one's bed**, mettersi a letto (*per riposarsi o per malattia*) □ **to t. st. to bits** (o **to pieces**), fare a pezzi qc. □ (*naut.*) **to t. to the boats**, salire sulle lance di salvataggio □ **to t. to boats** (o **to water**), correre alle barche (o alle navi); imbarcarsi □ **to t. sb. to one's breast** (o **bosom**), stringere al petto q. □ (*leg.*) **to t. sb. to court**, portare q. in tribunale; citare q. in giudizio □ **to t. st. to heart**, prendere a cuore qc. □ **to t. to one's heels**, darsela a gambe; scappare □ **to t. sb. to one side**, prendere q. in disparte (o da parte) □ (*naut.*) **to t. to the open sea**, prendere il largo □ **to t. to the road**, darsi al vagabondaggio; (*teatr.: di una compagnia*) fare una tournée in provincia □ **to t. sb. to task**, rimproverare q. □ (*arc.*) **to t. to wife**, prendere in moglie; sposare.

■ **take unawares** v. t. + avv. prendere (q.) alla sprovvista.

■ **take under** v. t. + prep. prendere (q.) sotto (qc.): (*fig.*) **to t. sb. under one's wings**,

prendere q. sotto la propria ala.
■ **take up** Ⓐ v. t. + avv. **1** alzare; sollevare; prendere su; tirare su; raccogliere; raccattare: *He took up the chalk and began to write on the blackboard*, prese (su) il gesso e cominciò a scrivere sulla lavagna; (*fig.*) **to t. up a challenge**, raccogliere una sfida; *T. it up with the tongs!*, raccattalo con le molle! **2** portare (qc.) su (*o* di sopra): *I'll have the early morning coffee taken up*, mi farò portare su (*o* in camera) il caffè del primo mattino **3** (*trasp.*) prendere su (*fam.*); far salire (*passeggeri*) **4** tirare su (*fam.*); assorbire (*liquidi*): *A sponge takes up water*, la spugna assorbe l'acqua **5** (*moda*) tirare su (*fam.*); alzare, accorciare (*indumenti*) **6** (*cucito*) riprendere, ripigliare (*un punto*): **to t. up a stitch**, riprendere una maglia **7** riprendere, continuare (*un racconto, ecc.*): **to t. up one's story**, riprendere il racconto; **taking up where the first volume leaves off**, riprendendo da dove finisce il primo volume **8** prendere, richiedere, volerci (*tempo, sforzo, attenzione, ecc.*); occupare (*spazio*): *This work takes up too much time*, questo lavoro richiede troppo tempo; *It can't. up a whole afternoon to do my homework*, può volerci un intero pomeriggio per fare i compiti; *The piano takes up a lot of room*, il pianoforte prende molto spazio **9** prendere, assumere (*servizio e sim.*); entrare in (*carica*) **10** dedicarsi, darsi a (*un lavoro, un'attività, un hobby*); intraprendere; occuparsi di; cominciare a, mettersi a: **to t. up music [stamp collecting]**, dedicarsi alla musica [a fare collezione di francobolli]; **to t. up a profession**, intraprendere una professione; **to t. up gardening**, darsi al giardinaggio; **to t. up Russian**, mettersi a studiare il russo; **to t. up smoking**, mettersi a fumare; **to t. up one's new duties**, cominciare il lavoro nuovo **11** appoggiare, aiutare, interessarsi a (q.); prendere (q.) sotto la propria protezione; (*teatr.*) curare gli interessi di (*un attore*) **12** (*fig.*) sollevare, prendere in considerazione (*un caso, una questione e sim.*) **13** accettare (*un'offerta, una sfida, ecc.*): **to t. up a wager**, accettare una scommessa **14** (*fig.*) pagare (*un conto*); ritirare (*azioni, titoli*): **to t. up a bill of exchange**, ritirare una cambiale **15** (*econ., market.*) accaparrare; fare incetta di (*prodotti*) **16** rimbeccare; interrompere; rimproverare: *Someone in the audience took me up on that point*, uno del pubblico mi rimbeccò su quel punto; *The teacher took me up short*, l'insegnante mi interruppe di botto **17** fissare bene; tendere (*una fune, ecc.*); stringere Ⓑ v. i. + avv. (*naut.: del fasciame*) stringersi; serrarsi □ **to t. up arms**, prendere le armi; dare inizio alle ostilità □ **to t. up a cause**, aderire a una causa □ (*ciclismo*) **to t. up the chase**, lanciarsi all'inseguimento □ (*boxe: dell'arbitro*) **to t. up the count**, cominciare a contare □ **to t. up one's residence**, prendere la residenza □ (*fin.*) **to t. up an option**, esercitare un diritto d'opzione □ (*nelle corse*) **to t. up the running**, portarsi in testa; fare l'andatura □ **to t. up the thread of the story**, riprendere il filo del racconto.
■ **take up on** v. t. + avv. + prep. **1** prendere (q.) in parola; accettare (*un invito, un'offerta, ecc.*) **2** trovare a ridire con (q.) su (*un punto, ecc.*): *He took me up on my last remark*, trovò a ridire sulla mia ultima osservazione.
■ **take upon** v. t. + prep. → **take on, C,** *def.* **1** □ **to t. it upon oneself to do st.**, assumersi il compito (*o* prendersi l'impegno) di fare qc.
■ **take up with** v. t. + avv. + prep. **1** sollevare (*una questione, un caso*) con (q.); esporre (*un caso, ecc.*) a (q.): *I advise you to t. up your case with a good solicitor*, ti consiglio di esporre il tuo caso a un buon avvocato **2**

(*fam.*) fare amicizia, farsela, mettersi con (q.): *My son has taken up with some skinheads*, mio figlio se la fa con degli skinhead.
takeable /'teɪkəbl/ → **takable**.
take-along /'teɪkəlɒŋ/ a. portatile: **take-along instant bed**, lettino pieghevole e portatile.
takeaway /'teɪkəweɪ/ Ⓐ a. (*di cibo, ecc.*) da asporto; da portar via Ⓑ n. **1** rosticceria **2** (pl.) cibi cotti da asporto ● **t. food shop**, rosticceria.
takedown, take-down /'teɪkdaʊn/ n. **1** (*mecc.*) smontaggio **2** (*fam.*) umiliazione; ridimensionamento (*fig.*) **3** (*lotta*) atterramento; messa a terra: **take-down by pulling**, atterramento con strappo; **take-down by spinning**, atterramento con rotazione.
take-home /'teɪkhəʊm/ a. attr. **1** che si porta a casa **2** che si può portare via; che si può prendere: **free take-home copy**, copia gratuita (*di un catalogo, ecc.*) che si può portare via ● (*econ.*) **take-home pay**, retribuzione netta □ (*USA*) **take-home pay packet**, busta paga netta.
take-in /'teɪkɪn/ n. (*fam.*) inganno; imbroglio; raggiro; frode; truffa.
taken /'teɪkən/ p. p. *di* **to take**.
takeoff, take-off /'teɪkɒf/ n. **1** (*aeron.*) decollo: **to have a smooth t.**, fare un buon decollo; **t. power**, potenza di decollo **2** (*miss.*) partenza (*di un razzo*) **3** (*fig., econ.*) decollo **4** (*tecn.*) presa (*di elettricità*); attacco **5** (*fam.*) parodia; imitazione; caricatura **6** (*nei salti*) stacco; (*anche*) punto di stacco; linea di partenza: **to get one's t. right**, fare un buono stacco **7** (*ginnastica*) spinta dei piedi; battuta; partenza (*per un esercizio*) **8** (*sci*) dente del trampolino **9** (*sci*) uscita (*dal trampolino*); partenza (*nei salti*) **10** (*tuffi*) stacco, partenza (*dal trampolino*): **t. angle**, angolo di stacco ● (*cinem.*) **t. reel**, bobina svolgitrice □ (*aeron.*) **t. run**, corsa di decollo □ (*aeron.*) **t. strip**, pista di decollo.
takeout /'teɪkaʊt/ (*USA*) → **takeaway**.
♦**takeover** /'teɪkəʊvə(r)/ n. **1** (il) subentrare; (*anche sport*) subentro; rilevamento (*di un compagno di squadra*); assunzione (*di un ufficio, ecc.*) **2** (*fin.*) rilevamento, acquisizione di controllo (*di un'azienda*): **hostile t.**, acquisizione ostile; scalata ostile; *BMW rises on talk of a public t.*, il titolo della BMW sale in seguito a voci di un'OPA **3** (*atletica*) passaggio del testimone; cambio (*nelle corse a staffetta*); (*anche*) zona di cambio **4** (*nuoto*) cambio (*nelle gare a staffetta*) ● (*fin.*) **t. bid**, offerta pubblica di acquisto (abbr. OPA) □ (*fin.*) **t. deal**, accordo di fusione (*di due società*) □ **t. group**, gruppo finanziario che promuove un'acquisizione □ (*nuoto*) **t. line**, linea di cambio □ (*atletica*) **t. mark**, limite della zona di cambio □ (*atletica*) **t. zone**, zona di cambio.
taker /'teɪkə(r)/ n. **1** chi prende; chi riceve (→ **to take**) **2** chi accetta (*offerte, scommesse, ecc.*) **3** (*fin., leg.*) compratore; acquirente; beneficiario **4** (*tecn.*) dispositivo di presa d'energia (*o* d'attacco) **5** (*slang*) chi prende il pizzo (*o* la bustarella); chi si fa corrompere ● **t.-in**, truffatore, imbroglione; (*Borsa*) riportatore; riportante □ (*Borsa*) **t. of option money**, compratore in un contratto a premio.
take-up, takeup /'teɪkʌp/ n. ⓊⒸ **1** accettazione (*di un sussidio statale e sim.*) **2** sottoscrizione (*di azioni*) **3** (*cinem.*) avvolgimento; avvolgitore **4** (*mecc.*) tenditore **5** (*econ.*) accaparramento; incetta ● **take-up reel**, bobina avvolgitrice.
taking ① /'teɪkɪŋ/ n. ⓊⒸ **1** presa; il prendere: **t. on charge**, presa in consegna (*o* in carico) **2** cattura (*di selvaggina*); pesca **3** (*leg.*) acquisizione: **t. of evidence**, acquisizione di prove **4** (pl.) (*comm.*) introiti; incassi, incas-

so; profitti ● (*fam.*) **for the t.**, a disposizione; sempre valido: *The money was there for the t.*, i soldi erano lì, bastava prenderli; *My offer is there for the t.*, la mia offerta è ancora valida.
taking ② /'teɪkɪŋ/ a. (*fam., antiq.*) attraente; piacente; affascinante; seducente
taking-off /'teɪkɪŋɒf/ n. **1** (*aeron.*) decollo **2** (*miss.: di razzo*) partenza **3** (*fam.*) caricatura; imitazione; parodia.
taking-over /'teɪkɪŋəʊvə(r)/ n. Ⓤ il subentrare; subentro; insediamento.
talapoin /'tæləpɔɪn/ n. **1** (*zool.*, *Cercopithecus talapoin*) cercopiteco pigmeo **2** (*monaco buddista*) talapoino.
talaria /tə'lɛərɪə/ n. pl. talari (*calzari alati di Mercurio*).
talc /tælk/ n. Ⓤ **1** (*miner.*) talco **2** (*polvere usata in cosmesi*) talco ● **t. schist**, talcoscisto ‖ **talcy a.** (*miner.*) talcoso; del talco ‖ **talcose a.** talcoso; simile al talco.
to **talc** /tælk/ v. t. trattare con talco.
talcum /'tælkəm/ n. Ⓤ **1** (*miner.*) talco **2** (= **t. powder**) talco in polvere.
♦**tale** /teɪl/ n. **1** storia; racconto; narrazione; storiella; novella: **fairy tales**, racconti di fate; fiabe; **tales of adventure**, racconti di avventure; **a t. of woe**, una triste storia; **a true t. of the Crusades**, una narrazione veridica delle Crociate **2** resoconto; relazione; (*spec.*) chiacchiera, diceria, maldicenza: *All sorts of tales will get about*, si diffondono le dicerie più strane; se ne sentono di tutti i colori **3** (= **silly t.**) fandonia; bugia; frottola ● (*boxe*) **t. of the tape**, i precedenti (*o* i dati essenziali) di un pugile ● **an old wives' t.**, una sciocca leggenda; una superstizione □ **to tell tales about sb.**, andare a riferire cose sul conto di q. □ **to tell tales out of school**, fare la spia; riportare; sparlare □ (*fig.*) **I prefer to tell my own t.**, preferisco dare la mia versione dei fatti □ (*prov.*) **Dead men tell no tales**, i morti non parlano.
Taleban /'tælɪbæn/ n. → **Taliban**.
♦**talent** /'tælənt/ n. **1** Ⓤ talento (*anche la moneta antica*); ingegno; attitudine; disposizione naturale: *He is a pianist of rare t.*, è un pianista di raro talento; *The boy has t.*, il ragazzo ha talento; *She has a t. for painting*, ha attitudine per la pittura; *She has a t. for languages*, ha una disposizione naturale per le lingue **2** Ⓤ (*fig.*) persone d'ingegno; giovani dotati: *He was looking out for young t.*, cercava giovani talenti **3** Ⓤ (*slang*) persone attraenti e considerate come possibili partner sessuali ● (*mus., cinem., ecc.*) **t. scout**, talent scout; scopritore di talenti □ (*TV, ecc.*) **t. show**, esibizione di dilettanti.
talented /'tæləntɪd/ a. d'ingegno; (dotato) di talento; abile; capace: **a t. young man**, un giovane di talento.
taler /'tɑːlə(r)/ n. (*stor.*) tallero (*moneta d'argento tedesca*).
tales /'teɪliːz/ (*lat.*) n. pl. (*leg.*) **1** giurati supplenti **2** (col verbo al sing.) mandato di convocazione dei giurati supplenti.
talesman /'teɪlɪzmən/ n. (pl. *talesmen*) (*leg.*) giurato supplente.
Taliban /'tælɪbæn/ Ⓐ n. (inv. al pl.) i talebani; i talibani Ⓑ a. talebano; talibano.
talion /'tælɪən/ n. Ⓤ (*stor.*) taglione; legge (*o* pena) del taglione.
talipes /'tælɪpiːz/ n. Ⓤ (*med.*) talismo; piede talo.
talipot /'tælɪpɒt/ n. (*bot.*, *Corypha umbraculifera*) corifa.
talisman /'tælɪzmən/ n. talismano; amuleto ‖ **talismanic, talismanical** a. di talismano; talismanico.
♦**talk** /tɔːk/ n. **1** discorso; conversazione; colloquio; abboccamento: *I had an interesting t. with him*, ebbi con lui una conversa-

zione interessante **2** conferenza: **to give a t. on Russian poetry**, fare una conferenza sulla poesia russa **3** Ⓤ (= **small t.**) chiacchiere; ciarle; cicaleccio; vane parole; vaniloquio **4** (pl.) colloqui; negoziati; trattative: **peace talks**, negoziati di pace **5** Ⓤ diceria; voce; pettegolezzo: *There is t. of budget cuts*, corre voce che ci saranno tagli al bilancio **6** (fam.) parlata; linguaggio: **baby t.**, parlata infantile; **sales t.**, linguaggio da venditore ● (slang USA) **t. box**, citofono □ (elettr.) **t.-listen switch**, interruttore del citofono □ (TV, radio) **t. show**, talk show; programma in cui un conduttore conversa con noti personaggi del mondo della politica, dello sport, dello spettacolo, ecc. □ **to be the t. of the town**, essere la favola della città; essere sulla bocca di tutti □ (sport) **to be in talks with a club**, avere avviato trattative (o essere in parola) con una società □ **It will end in t.**, finirà in chiacchiere; non se ne farà nulla □ **He's all t. (and no action)**, parla e parla, ma non conclude nulla; tante belle parole (e pochi fatti); è tutto fumo e poco arrosto □ **Let's have a t.**, facciamo quattro chiacchiere!; parliamo un po'! □ **to talk the t. → to talk.**

♦**to talk** /tɔːk/ **A** v. i. **1** parlare; discorrere; conversare; chiacchierare: *This baby cannot t. yet*, questo bambino non sa ancora parlare; *We talked until late*, parlammo fino a tardi **2** chiacchierare; ciarlare; fare della maldicenza: *People will t.*, la gente chiacchiera **3** esprimersi; comunicare: *They t. by signs*, s'esprimono a gesti **4** (nelle voci della forma in **-ing**) parlarsi (v. recipr.): *Henry and Jane are not talking*, Henry e Jane non si parlano (non si rivolgono la parola) **B** v. t. **1** parlare: **to t. French**, parlare francese **2** parlare di; discutere di; trattare (un argomento): **to t. politics**, discutere di politica; **to t. business**, parlare d'affari; **to t. books [movies]**, parlare (o discutere) di libri [di film]; (fam.) *We're talking several millions here*, stiamo parlando di (o si tratta di) parecchi milioni **3** dire; esprimere: **to t. nonsense**, dire sciocchezze ● (fam.) **to t. big**, sparlarle grosse; vantarsi □ (fam.) **to t. dirty**, dire sconcezze; parlare sboccato □ (fam.) **to t. sb.'s head off**, stordire q. a furia di chiacchiere; fare una testa così a q. □ (fam. GB) **to t. the hind legs off a donkey**, parlare senza sosta; essere un gran chiacchierone □ (fam.) **to t. to hear one's own voice**, parlarsi addosso □ (fam. GB) **to t. nineteen to the dozen**, chiacchierare a ruota libera □ **to t. oneself hoarse**, diventar rauco a forza di parlare; sfiatarsi, spolmonarsi □ **to t. sense**, dire cose sensate □ **to t. sense into sb.**, far ragionare q. □ **to t. shop**, parlare di lavoro; parlare di bottega (fam.) □ (fam. USA) **to t. the talk**, saper parlare in modo convincente; saperla mettere giù bene (fam.) □ (fam. USA) **to t. the talk and walk the walk**, non parlare a vuoto; essere uno che traduce le parole in fatti □ (fam.) **to t. through one's hat**, dire sciocchezze; parlare solo perché si ha la lingua in bocca □ (fam. USA) **to t. turkey**, parlar chiaro; dire pane al pane; non aver peli sulla lingua □ **Now you're talking!**, adesso sì (che) parli bene!; adesso sì che ci siamo! □ (fam.) **T. of the devil!**, lupus in fabula (lat.) □ (fam. iron.) **You can t.**, puoi parlare tu! □ (fam.) **You can't t.!** (o **Look who's talking!**), senti chi parla!

■ **talk about** v. i. + prep. **1** parlare di; discutere di: *What did you t. about?*, di che cosa avete parlato?; **to t. about the weather**, parlare del tempo che fa **2** sparlare; dire male di; fare della maldicenza su: *I don't want to be talked about*, non voglio che si sparli di me **3** parlare di; dire di volere (fare qc.); manifestare l'intenzione di: *He's al-*

ways talking about going to Australia, parla sempre di andare in Australia □ (fam.) **t. about**, parlando di, a proposito di; e poi si dice che...; alla faccia di (fam.): *T. about rising taxation! have you seen the latest rates?*, a proposito di aumenti delle tasse, hai visto le ultime aliquote?

■ **talk around → talk round.**

■ **talk at** v. i. + prep. parlare a (q.) con sussiego, con supponenza; far cadere le parole dall'alto con (q.): *Try to t. to your students, instead of just talking at them*, cerca di comunicare con i tuoi studenti, anziché trattarli dall'alto in basso.

■ **talk away A** v. i. + avv. continuare a parlare; parlare di continuo **B** v. t. + avv. **1** passare (il giorno, la notte, ecc.) a parlare (o in chiacchiere) **2** far passare (timori, ecc.) parlando (o parlandone, a furia di parole).

■ **talk back** v. i. + avv. replicare; ribattere; rimbeccare; rispondere (fam.): *Don't t. back to your mother!*, non rispondere alla mamma!

■ **talk down A** v. t. + avv. **1** ridurre al silenzio, mettere (q.) fuori combattimento (in una discussione, un dibattito, ecc.) **2** fare smettere (q.) con argomentazioni; convincere (q.) a smettere (qc. di dannoso o nocivo) **3** (aeron.) portare a terra (un pilota) dandogli istruzioni via radio **B** v. i. + avv. parlare con sussiego, con arroganza (o dall'alto in basso): *Don't t. down to your soldiers!*, non rivolgerti ai soldati in modo arrogante!

■ **talk into A** v. t. + prep. convincere, persuadere (q.) parlando a (fare qc.): *He talked me into lending him some money*, a furia di parlare, mi convinse a prestargli un po' di soldi **B** v. i. + prep. parlare in (o dentro): *T. into the megaphone!*, parla dentro il megafono!

■ **talk of** v. i. + prep. **1** parlare di; riferirsi a: **to t. of oneself**, parlare di sé **2** parlare di (fare qc.); manifestare l'intenzione di **talking of**, parlando di; a proposito di □ (fam.) **T. of the devil!**, lupus in fabula (lat.): *T. of the devil! here he is!*, lupus in fabula! eccolo!; parli del diavolo...

■ **talk on A** v. i. + avv. continuare a parlare **B** v. i. + prep. parlare di (o su); trattare (un argomento): *I've been asked to t. on the importance of prevention*, sono stato invitato a parlare dell'importanza della prevenzione.

■ **talk out** v. t. + avv. **1** discutere a fondo, sviscerare (una questione e sim.) **2** (polit., in GB) bloccare (un disegno di legge) con l'ostruzionismo degli interventi a catena **3** (fig.) appianare, comporre (una vertenza e sim.) discutendo.

■ **talk out of** v. t. + avv. + prep. dissuadere (q.) parlando dal (fare qc.); convincere (q.) a non (fare qc.): *We talked father out of selling his Jag*, convincemmo papà a non vendere la sua Jaguar; **to t. sb. out of a foolish plan**, dissuadere q. dal mettere in atto un progetto avventato.

■ **talk over** v. t. + avv. **1** discutere a fondo di (qc.); esaminare bene: *I'll t. your proposal over with my assistant*, esaminerò bene la tua proposta parlandone col mio assistente; *Let's t. it over!*, discutiamone; parliamone a fondo! **2** convincere, persuadere (q.; facendogli mutar parere) □ **to t. over sb.'s head**, parlare in modo troppo difficile per q.; parlare senza farsi capire.

■ **talk round** v. i. + avv. **1** parlare intorno a (un argomento e sim.) **B** v. t. + prep. convincere, persuadere (q.; facendogli cambiar parere).

■ **talk through** v. t. + avv. **1** trattare (a voce) (una questione, ecc.) in modo esauriente; esaurire (un argomento) **2** (cinem., teatr., ecc.: di un regista) dirigere a viva voce (un attore sul set) □ (fam.) **to t. through one's hat**, parlare a vanvera; dire delle sciocchezze (o

delle fesserie); spararle (o sballarle) grosse (fam.).

■ **talk to** v. i. + prep. **1** parlare a (o con) (q.); comunicare con (q.): *Don't t. to that chap!*, non parlare con quel tipo! **2** (fam.) parlare con; lagnarsi con; fare rimostranze a (q.): *I'll t. to the manager about it*, ne parlerò col direttore **3** (fam.) rimproverare, sgridare: *That boy needs to be talked to*, quel ragazzo ha bisogno di una (bella) sgridata □ **to t. to oneself**, parlare tra sé.

■ **talk up A** v. i. + avv. **1** alzare la voce; parlare più forte **2** far sentire la propria voce (fig.); farsi sentire (fig.); dire chiaro quello che si pensa **B** v. t. + avv. **1** (spec. USA) elogiare, esaltare (un'opera, un libro, un quadro, ecc.); lanciare (un'idea); promuovere (un'impresa, ecc.) □ (fam. USA) **to t. up a storm**, parlare a ruota libera □ **to t. up a subject**, fare un gran cancan su un argomento.

■ **talk upon → talk on, B.**

■ **talk with** v. i. + prep. **1** parlare con (q.) **2** (fam.) rimproverare, sgridare (q.).

talkative /'tɔːkətɪv/ a. ciarliero; loquace; chiacchierino: **a t. child**, un bambino chiacchierino □ **-ly** avv. □ **-ness** n. Ⓤ.

talkdown /'tɔːkdaʊn/ n. (aeron.) atterraggio guidato via radio (dalla torre di controllo).

talkee-talkee /'tɔːkiːˈtɔːkiː/ n. (antiq.) creolo; pidgin (spec. quello usato nei Caraibi).

talker /'tɔːkə(r)/ n. **1** parlatore; conversatore: *He's a good t.*, è un buon parlatore **2** chiacchierone; ciarlone ● **big t.**, sbruffone; fanfarone.

talkie /'tɔːkɪ/ n. (fam., ma piuttosto antiquato) film sonoro; pellicola sonora ● **the talkies**, il cinema (sonoro).

talking /'tɔːkɪŋ/ **A** a. **1** che parla; parlante: **a t. parrot**, un pappagallo parlante **2** (fig.) espressivo; eloquente: **t. eyes**, occhi espressivi **B** n. Ⓤ azione di parlare; discussione; discorsi ● **t. book**, libro 'parlante' (per non vedenti) □ (elettron.) **t. chip**, chip per macchina parlante □ (fam., TV) **t. head**, mezzobusto (televisivo) □ **t. machine**, (elettron.) macchina che parla (con voce di timbro umano); (arc.) fonografo □ **t. picture** (o **t. film**), film sonoro □ **t. point**, argomento da discutere; questione d'attualità □ (fam., spreg.) **t. shop**, conferenza (o istituzione, ecc.) che non porta a nessun risultato □ (elettron.) **t. toy**, giocattolo (bambola, ecc.) parlante.

talking-to /'tɔːkɪntuː/ n. (fam.) rimprovero; sgridata; ramanzina.

talky /'tɔːkɪ/ a. **1 → talkative 2** che contiene troppi dialoghi: **a t. novel**, un romanzo che contiene troppi dialoghi.

♦**tall** /tɔːl/ a. **1** alto; grande; elevato: **a t. man**, un uomo alto; **t. trees [steeples]**, alberi [campanili] alti; *Jack is five foot t.*, Jack è alto cinque piedi (m 1,53 circa) **2** (fam.) esagerato; eccessivo; esorbitante: **a t. price**, un prezzo esorbitante **3** (fam.) assurdo; incredibile; inverosimile: **a t. tale** (o **story**), un racconto assurdo; una frottola; una panzana ● (fam.) **a t. drink**, una bevanda servita in un bicchiere alto e stretto □ **a t. hat**, un cappello a cilindro; una tuba □ (ind.) **t. oil**, tallolio; olio di sego □ (fam. USA) **a t. one**, un bicchiere alto pieno di alcolico □ **a t. order**, (fig.) una richiesta impossibile, una pretesa assurda □ (naut.) **t. ship**, nave d'alto bordo; veliero □ **t. story**, cantafavola □ (fam.) **t. talk**, millanteria; spacconata □ **to talk t.**, spararle (o sballarle) grosse; millantarsi; vantarsi.

tallage /'tælɪdʒ/ n. Ⓤ Ⓒ (stor.) taglia (imposta, tributo).

tallboy /'tɔːlbɔɪ/ n. canterano; cassettone alto.

tallish /'tɔːlɪʃ/ a. piuttosto alto (→ **tall**).

tallith /'tælɪθ/ n. (relig.) talled, taled (scial-

le ebraico).

tallness /'tɔːlnəs/ n. ⓤ altezza; statura alta.

tallow /'tæləʊ/ Ⓐ n. ⓤ sego Ⓑ a. attr. di sego; segoso (raro): **t. candles**, candele di sego ● **t. chandler**, fabbricante (o venditore) di candele di sego □ (fig.) **t.-faced**, pallido; terreo ‖ **tallowy a. 1** di sego; segoso (raro) **2** color del sego; giallognolo.

to **tallow** /'tæləʊ/ v. t. **1** ungere (o ingrassare) col sego **2** ingrassare (pecore, ecc.).

tally /'tælɪ/ n. **1** (un tempo) taglia (legnetto su cui si facevano le tacche di contrassegno) **2** conto; conteggio; computo **3** (comm.) registrazione; riscontro **4** (comm.) tagliando di riscontro («madre» o «figlia») **5** contrassegno; cartellino; etichetta; piastrina; targhetta: **horticultural tallies**, cartellini di riconoscimento delle piante **6** (fig.) parte corrispondente; equivalente; controparte **7** (sport) punteggio; numero di gol (canestri, ecc.) fatti; bottino (fig.) ● **t. clerk**, controllore (alla consegna di merce); spuntatore □ **t. sheet**, foglio di riscontro □ **t. system** (o **t. trade**), vendita a credito a breve scadenza (fatta da un negoziante segnando i crediti su un libretto).

to **tally** /'tælɪ/ Ⓐ v. t. **1** registrare; annotare (crediti, ecc.) **2** (spesso to t. up) contare; riscontrare; calcolare; registrare (fig.): to t. the expenses for the day, calcolare le spese della giornata; to t. a deficit of, registrare un disavanzo di Ⓑ v. i. corrispondere; coincidere; concordare; collimare: The reports of the two informers don't t., i rapporti dei due informatori non concordano; The goods don't t. with the invoice, la merce non corrisponde alle indicazioni della fattura ● (naut.) to t. a load, controllare un carico (facendo la spunta).

tallyho /tælɪ'həʊ/ inter. e n. dàlli dàlle! (grido per incitare i cani, spec. avvistando la volpe).

to **tallyho** /tælɪ'həʊ/ (nella caccia alla volpe) Ⓐ v. i. gridare «dàlli dàlle» Ⓑ v. t. incitare (i cani) col grido di «dàlli dàlle».

tallying /'tælɪɪŋ/ n. ⓤ controllo; riscontro; spunta; verifica.

tallyman /'tælɪmən/ n. (pl. **tallymen**) **1** chi vende a rate; negoziante che vende a credito (segnando le somme sul libretto) **2** (nei giochi) chi segna i punti; segnapunti **3** (spec. naut.) controllore (del carico); spuntatore **4** (comm.) chi vende porta a porta.

Talmud /'tælmʊd/ (relig. ebraica) n. talmud ‖ **Talmudic**, **Talmudical** a. talmudico ‖ **Talmudist** n. talmudista.

talon /'tælən/ n. **1** artiglio (spec. d'uccello rapace; anche fig.) **2** (mecc.) dente (di stanghetta di serratura) **3** (archit.) modanatura a «S» **4** (a carte) mazzo (la parte che resta dopo aver distribuito le carte) **5** (fin.) cedola di affogliamento (di titolo al portatore) ➊**FALSI AMICI** ● talon non significa tallone.

taloned /'tælənd/ a. (zool.) artigliato; munito d'artigli: **a t. bird of prey**, un rapace artigliato.

talus① /'teɪləs/ n. (pl. **tali**) **1** (anat.) astragalo **2** ⓤ (med.) → **talipes**.

talus② /'teɪləs/ n. **1** pendio; scarpata **2** (geol.) detriti di falda; falda detritica.

tamable /'teɪməbl/ a. addomesticabile; domabile.

tamarack /'tæməræk/ n. **1** (bot., Larix laricina) larice americano **2** ⓤ larice americano (il legno).

tamari /tə'mɑːrɪ/ n. (cucina = **t. sauce**) salsa giapponese a base di soia fermentata.

tamarind /'tæmərɪnd/ n. **1** (bot., Tamarindus indica) tamarindo **2** ⓤ (= **t. water**) tamarindo (l'infuso).

tamarisk /'tæmərɪsk/ n. (bot., Tamarix) tamerice; tamarisco.

tambour /'tæmbʊə(r)/ n. **1** (mus., archit.) tamburo **2** telaio da ricamo (tondo); tamburo **3** (di scrittoio) avvolgibile; serranda **4** (zool., = **tambour**) pesce palla (pesce dei Plectognati; in genere).

to **tambour** /'tæmbʊə(r)/ v. t. e i. ricamare (stoffa) al telaio.

tambourine /tæmbə'riːn/ (mus.) n. tamburello ‖ **tambourinist** n. suonatore di tamburello.

tame /teɪm/ a. **1** domestico; addomesticato: **t. animals**, animali domestici **2** docile; mansueto: Cows are very t. animals, le mucche sono bestie assai mansuete **3** arrendevole; remissivo; malleabile; sottomesso; umile: **t. acquiescence**, umile acquiescenza **4** sbiadito; insipido; insulso; noioso; privo d'interesse: **a t. description**, una descrizione sbiadita; **a t. football match**, una partita di calcio priva d'interesse **5** (USA: di terreno) coltivato ● (fig.) **a t. cat**, un tipo servizievole | **-ly** avv. | **-ness** n. ⓤ.

to **tame** /teɪm/ v. t. **1** addomesticare; domare (anche fig.); ammansire; rendere docile; sottomettere; to t. horses [lions], domare cavalli [leoni]; **to t. inflation**, domare l'inflazione **2** (USA) coltivare (un terreno) ● **to t. a haughty person**, umiliare una persona altezzosa □ to t. sb.'s spirit, deprimere q.

tameable /'teɪməbl/ → **tamable**.

tameless /'teɪmləs/ a. (poet.) indomito; indomabile.

tamer /'teɪmə(r)/ n. domatore; domatrice: **a lion t.**, un domatore di leoni.

Tamerlane /'tæmələɪn/ n. (stor.) Tamerlano.

Tamil /'tæmɪl/ Ⓐ a. tamil; tamilico (raro): (polit.) the T. Tigers, le Tigri Tamil Ⓑ n. **1** (pl. **Tamil**, **Tamils**) tamil **2** ⓤ tamil (la lingua) ‖ **Tamilian** a. tamil; tamilico (raro).

taming /'teɪmɪŋ/ n. ⓤⓒ addomesticamento; ammansimento ● **The T. of the Shrew**, «La bisbetica domata» (commedia di Shakespeare)

Tammany /'tæmənɪ/ Ⓐ n. (polit., USA) **1** «Tammany Hall» (sede del Partito Democratico a New York) **2** (per estens., = **Tammanyism**) corruzione politica Ⓑ a. attr. (spreg. USA) poco chiaro; disonesto; corrotto.

tammy① /'tæmɪ/ n. **1** ⓤ (ind. tess.) stamigna; buratto **2** straccetto da cucina; spugnetta.

tammy② /'tæmɪ/ → **tam-o'-shanter**.

tam-o'-shanter /tæmə'ʃæntə(r)/ n. (moda) berretto scozzese tondo di lana, con un pompon in cima.

to **tamp** /tæmp/ v. t. **1** pestare; pigiare; comprimere: **to t. (down) tobacco in one's pipe**, pigiare il tabacco dentro la pipa **2** tappare; turare; intasare: **to t. a blast-hole**, intasare il fornello d'una carica d'esplosivo **3** (edil.) compattare; costipare: **to t. the earth**, compattare il terreno.

tamper /'tæmpə(r)/ n. **1** chi pesta, chi pigia, ecc. (→ **to tamp**) **2** (edil.) mazzapicchio; mazzeranga **3** premitabacco (per pipe) **4** (mil., stor.) borraggio.

to **tamper** /'tæmpə(r)/ v. i. **1** frammettersi; immischiarsi; interferire; intromettersi **2 – to t. with**, adulterare; falsificare; manomettere: **to t. with foodstuffs**, adulterare generi alimentari; **to t. with a document**, falsificare un documento; The speedometer had been tampered with, il contachilometri era stato manomesso **3 – to t. with**, tentare di corrompere; subornare: (leg.) **to t. with a witness**, subornare un teste **4 – (leg.) to t. with**, manomettere: The evidence has been tampered with, hanno manomesso le prove ● (ipp.) **to t. with a horse**, drogare un cavallo.

tamperer /'tæmpərə(r)/ n. **1** intrigante; chi interferisce, ficcanaso **2** adulteratore;

falsificatore **3** corruttore; subornatore **4** (leg.) chi manomette prove.

tampering /'tæmpərɪŋ/ n. ⓒⓤ **1** intrigo; macchinazione; mena **2** manomissione; falsificazione **3** corruzione; subornazione ● **t. with the market**, manipolazione del mercato.

tamper-proof /'tæmpəpruːf/ a. antimanomissione; antiscasso: **tamper-proof lock**, serratura antiscasso; **tamper-proof packing**, imballaggio antimanomissione.

tamping /'tæmpɪŋ/ n. ⓤ **1** pestatura; pigiatura **2** intasamento; il turare **3** (edil.) costipamento ● (tecn.) **t. bar**, calcatoio □ **t. roller**, rullo costipatore.

tampion /'tæmpɪən/ n. (mil., stor.: di cannone) tappo di volata.

tampon /'tæmpɒn/ n. **1** (med.) tampone; stuello; zaffo **2** (igiene) tampone; assorbente interno.

to **tampon** /'tæmpɒn/ v. t. (med.) tamponare, stuellare, zaffare (una ferita).

tamponade /tæmpə'neɪd/, **tamponage** /'tæmpənɪdʒ/ n. (med.) tamponamento; tamponatura; zaffatura.

tam-tam, **tamtam** /'tæmtæm/ n. tam-tam (tamburo africano e gong cinese).

tan① /tæn/ n. **1** ⓤ corteccia di quercia, concia (per le pelli) **2** (chim.) tannino **3** color marrone rossiccio; marrone chiaro **4** abbronzatura; tintarella (fam.): You've got a nice tan, hai una bella abbronzatura Ⓐ a. attr. marrone chiaro: **tan shoes**, scarpe marrone chiaro ● **tan liquor** (o **tan ooze**, **tan pickle**), liquido per la concia □ **tan-yard**, conceria.

tan② /tæn/ n. (geom., abbr. di **tangent**) tangente.

to **tan** /tæn/ Ⓐ v. t. **1** conciare (pelli) **2** abbronzare; dare (o far venire) la tintarella a (q.) **3** (fam. antiq.) battere; percuotere; suonarle a (q.) Ⓑ v. i. (di pelli) subire la concia **2** abbronzarsi; prendere la tintarella (fam.) ● (fam.) to tan sb.'s hide (o to tan the hide off sb.), conciare q. per le feste; dargliele, suonargliele (fam.).

Tanagra /'tænəgrə/ n. **1** (stor.) Tanagra (città della Beozia) **2** (= T. figurine, T. statuette) statuetta di Tanagra; tanagra.

tanbark /'tænbɑːk/ n. ⓤ **1** corteccia di quercia **2** concia (per le pelli) ● (bot.) **t. oak** (Lithocarpus densiflora), litocarpo.

Tancred /'tæŋkrɪd/ n. (stor.) Tancredi.

tandem /'tændəm/ Ⓐ n. **1** (carrozza a due cavalli messi in fila) **2** (= **t. bicycle**) tandem Ⓑ a. e avv. **1** uno dietro l'altro; in tandem; in fila: (autom.) **to drive t.**, guidare in tandem **2** (elettr.) in serie; in tandem; in cascata **3** (aeron.) in tandem; coassiale: **t. propellers**, eliche coassiali ● (mecc.) **t. roller**, compressore stradale a due rulli; tandem □ **to work in t.**, lavorare in tandem.

tandoori /tæn'dɔːrɪ/ a. (cucina indiana) tandoori: **t. chicken**, pollo tandoori.

tang① /tæŋ/ n. **1** codolo; parte (d'un coltello, scalpello, ecc.) che entra nel manico **2** (mecc.) linguetta **3** sapore pungente; forte odore **4** pizzico (di qc.); punta (fig.); traccia: **with a t. of humour**, con un pizzico (o una punta) d'umorismo ● **t. of the sea**, odore di salsedine; sapore di mare □ **There's a t. in the air today**, oggi l'aria è pungente.

tang② /tæŋ/ n. **1** suono metallico; forte rumore **2** (= **nasal t.**) suono nasale **3** accento (dialettale, ecc.) **4** (mus.) vibrazione (delle corde di una chitarra, ecc.).

tang③ /tæŋ/ n. (bot., Fucus) fuco.

to **tang**① /tæŋ/ v. t. munire (un coltello, ecc.) di codolo.

to **tang**② /tæŋ/ Ⓐ v. i. **1** suonar forte; risuonare **2** (mus.) vibrare Ⓑ v. t. **1** far ri-

a b c d e f g h i j k l m n o p q r **s** **t** u v w x y z

suonare **2** far vibrare (*la corda di uno strumento, ecc.*).

tanga /'tæŋɡə/ n. (*archeol. e moda*) tanga.

Tanganyka /tæŋɡə'niːkə/ n. (*geogr., stor.*) Tanganica.

tangelo /'tændʒələʊ/ n. (*bot.*, contraz. di **tangerine** *e* **pomelo**) tangelo; ibrido di mandarino e pompelmo.

tangent /'tændʒənt/ (*geom.*) a. e n. tangente ● (*mecc.*) **t. screw**, vite senza fine □ (*mecc.*) **t. wheel**, ruota elicoidale □ (*fig.*) **to go** (*o* **to fly**) **off at a t.**, fare un mutamento improvviso; partire per la tangente (*fig.*) ‖ **tangency** n. tangenza.

tangential /tæn'dʒenʃl/ a. **1** (*geom., mecc., ecc.*) tangenziale: **t. acceleration**, accelerazione tangenziale **2** di divagazione; digressivo **3** incidentale: **an occasional t. comment**, un commento incidentale fatto di quando in quando ● (*mecc.*) **t. screw**, vite senza fine.

tangerine /tændʒə'riːn/ n. **1** (*bot., Citrus reticulata*) tangerino **2** (*bot., Citrus nobilis*) mandarino **3** color mandarino.

Tangerine /tændʒə'riːn/ a. e n. (abitante o nativo) di Tangeri.

tangibility /tændʒə'bɪlətɪ/ n. tangibilità.

tangible /'tændʒəbl/ a. **1** tangibile (*anche fig.*): (*fin.*) **t. assets**, attività tangibili, attività materiali (*di un'azienda*); **t. proof** (*o* **t. evidence**), prova tangibile (*o* prove tangibili) **2** (*fig.*) sensibile; concreto; reale; sicuro: **t. advantages**, vantaggi sicuri; **a t. gain**, un guadagno sicuro (*leg.*) **t. property** (*o* **assets**), beni materiali □ **t. wealth**, ricchezza materiale ‖ **-bly** avv.

tangibleness /'tændʒəblnəs/ n. **1** tangibilità **2** (*fig.*) concretezza.

Tangier /tæn'dʒɪə/ n. (*geogr.*) Tangeri.

tangle /'tæŋɡl/ n. **1** groviglio; viluppo; garbuglio; imbroglio; intrico; arruffio **2** (*fig.*) impiccio; pasticcio: **to be [to get] in a t.**, essere [mettersi] nei pasticci ● **The skein is in a t.**, la matassa è arruffata ‖ **tangly** a. ingarbugliato; aggrovigliato; arruffato; intricato; confuso; imbrogliato.

to tangle /'tæŋɡl/ **A** v. t. **1** aggrovigliare; arruffare; avviluppare; imbrogliare; ingarbugliare; intricare; confondere: **to t. a thread**, ingarbugliare un filo **2** (*fig.*) complicare (*una faccenda e sim.*) **3** intrappolare (*anche fig.*); prendere (*uccelli, ecc.*) con la rete **B** v. i. **1** aggrovigliarsi; avvilupparsi; imbrogliarsi; ingarbugliarsi **2** (*fig.*) complicarsi ● **to t. up**, aggrovigliare; arruffare (*i capelli, ecc.*) □ (*fam.*) **to t. with sb.**, bisticciare (*o* litigare, battersi) con q.

tangled /'tæŋɡld/ a. aggrovigliato: **a t. skein**, una matassa aggrovigliata **2** (*anche di capelli*) arruffato **3** (*fig.*) intricato; ingarbugliato **4** (*fig.*) confuso; complicato: **t. ideas**, idee confuse ● **to get t. up**, aggrovigliarsi; (*dei capelli*) arruffarsi (*di un veicolo*) restare incastrato (*fra altri*); (*di un pilota*) restare incastrato (*dentro la vettura*).

tanglefoot /'tæŋɡlfʊt/ n. (pl. **tanglefoots**) (*slang USA*) liquore forte (*whisky, rum, ecc.*).

tango /'tæŋɡəʊ/ n. (pl. **tangos**) **1** (*mus.*) tango **2** (*radio, tel.*: **T.**) (la lettera) t; Tango.

to tango /'tæŋɡəʊ/ v. i. ballare il tango ● (*fam.*) **It takes two to t.**, per farlo bisogna essere in due.

tangram /'tæŋɡrəm/ n. rompicapo cinese (*quadrato tagliato in sette figure geometriche con cui comporre figure e disegni*).

tangy /'tæŋɪ/ a. **1** (*di odore*) penetrante; pungente **2** (*di sapore*) piccante **3** (*fig.*) caratteristico; tipico.

tank /tæŋk/ n. **1** serbatoio; tanica; vasca; cisterna; (*naut.*) tanca: (*autom.*) **petrol t.**

(*USA* **gasoline t.**), serbatoio della benzina **2** (*mil.*) carro armato; tank **3** (*fotogr.*) tank **4** (*slang USA*) cella (*di carcere*); guardina **5** (*slang USA*) fiasco; insuccesso **6** (*in India*) serbatoio d'acqua ● (*naut.*) **t. barge**, bettolina; cisterna □ (*gergo aeron.*) **t. buster**, aereo munito di cannoncino anticarro □ (*ferr., USA*) **t. car**, carro (*o* vagone) cisterna □ (*mil.*) **t. destroyer**, pezzo semovente anticarro □ (*mil.*) **t. dozer**, carro apripista □ (*ferr.*) **t. engine** (*o* **t. locomotive**), (locomotiva) tender □ **t. farm**, area di stoccaggio di serbatoi; parco serbatoi □ **t. farming**, idroponica □ (*naut.*) **t. steamer**, nave cisterna □ **t. top**, (ingl.) canottiera sportiva (*spesso di lana*); (*USA*) canottiera leggera (*di solito di cotone*) □ (*USA*) **t. town**, cittadina poco importante (*dove i treni fermano solo per fare acqua*) □ (*trasp.*) **t. trailer**, rimorchio d'autobotte □ (*mil.*) **t. trap**, trappola anticarro □ (*trasp.*) **t. truck**, autocisterna; autobotte □ (*ferr.*) **t. wagon** = **t. car** → sopra □ (*fig. fam.*) **The tanks are dry**, è finita la benzina; le hai (le ha, ecc.) spese tutte; sei (è, ecc.) esausto.

to tank /tæŋk/ v. i. (*slang USA*) fare fiasco; essere un fiasco: **The movie tanked**, il film è stato un fiasco.

tankage /'tæŋkɪdʒ/ n. **1** capacità di un serbatoio **2** riempimento dei serbatoi **3** (costo del) noleggio di serbatoi **4** (*agric.*) farina di carne e d'ossa (*fertilizzante*).

tankard /'tæŋkəd/ n. boccale (*spesso col coperchio*): **a t. of beer**, un boccale di birra.

tankbuster aircraft /'tæŋkbʌstərɛəkrɑːft/ loc. n. (*aeron. mil.*) aereo anticarro.

tanked /'tæŋkt/ a. (*slang*, = **t. up**) che ha fatto il pieno (*di alcolici*); sbronzo.

tanker /'tæŋkə(r)/ n. (*naut.*) nave cisterna; (*spec.*) petroliera **2** autobotte; autocisterna **3** (*aeron.*) aerocisterna **4** (*ferr.*) carro cisterna **5** (*mil.*) carrista ● **t. driver**, autocisternista; cisternista.

tanking /'tæŋkɪŋ/ n. **1** (*edil.*) impermeabilizzazione **2** (*slang*) sconfitta clamorosa; batosta ● **cellar t.**, risanamento delle cantine.

tankman /'tæŋkmən/ n. (pl. **tankmen**) (*mil.*) carrista.

to tank up /'tæŋk'ʌp/ v. i. **1** (*autom.*) fare il pieno **2** (*fig. slang*) sbronzarsi; sbronziarsi.

tannage /'tænɪdʒ/ n. **1** concia (*il processo*); conciatura **2** (*collett.*) pelli conciate.

tanned /tænd/ a. **1** conciato: **t. skin**, pelle conciata; cuoio **2** (= **suntanned**) abbronzato.

tanner① /'tænə(r)/ n. conciatore; conciapelli.

tanner② /'tænə(r)/ n. (*slang, stor.*) moneta da sei penny; mezzo scellino (*prima del 1971*).

tannery /'tænərɪ/ n. (*ind.*) conceria; concia (*stabilimento*).

tannic /'tænɪk/ (*chim.*) a. tannico: **t. acid**, acido tannico ‖ **tannate** n. tannato.

tannin /'tænɪn/ n. (*chim.*) tannino.

tanning /'tænɪŋ/ n. **1** (*ind.*) concia (*il processo*); conciatura: **chrome t.**, concia al cromo **2** abbronzatura **3** (*fam.*) botte; busse; frustate ● (*ind.*) **t. agent**, conciante (*o* **oil t.**), scamosciatura.

Tannoy® /'tænɔɪ/ n. impianto di amplificazione (*o* diffusione) sonora (*di musica*).

tanrec /'tænrɛk/ n. (*zool., Tenrec ecaudatus*) tenrec.

tansy /'tænzɪ/ n. (*bot., Tanacetum vulgare*) tanaceto.

tantalic /tæn'tælɪk/ a. (*chim.*) tantalico: **t. acid**, acido tantalico.

tantalite /'tæntəlaɪt/ n. (*miner.*) tantalite.

to **tantalize** /'tæntəlaɪz/ v. t. stuzzicare (*lasciando intravedere qualcosa di desiderato senza concederlo*); illudere; tenere sulla corda; tormentare ‖ **tantalization** n. supplizio di Tantalo (*fig.*); tormento ‖ **tantalizing** a. stuzzicante; allettante; intrigante; seducente (*ma spesso irraggiungibile*): **the tantalizing promise of promotion**, l'allettante promessa di una promozione; **a tantalizing smell**, un profumino stuzzicante.

tantalum /'tæntələm/ n. (*chim.*) tantalio.

tantalus /'tæntələs/ n. mobile portabottiglie (*in cui le bottiglie si vedono, ma sono chiuse con un lucchetto*).

Tantalus /'tæntələs/ n. (*mitol.*) Tantalo.

tantamount /'tæntəmaʊnt/ a. pred. equivalente; uguale ● **His demand was t. to an order**, la sua richiesta equivaleva a un ordine □ **That is t. to saying that...**, è quanto dire che...; è come dire che...

tantara /'tæntərə/ n. suono di tromba (*o* di corno).

tantra /'tæntrə/ (*relig.*) n. tantra ‖ **tantric** a. tantrico ‖ **tantrism** n. tantrismo.

tantrum /'tæntrəm/ n. (*fam.*) collera; bizze; stizza; nervi (*fam.*): **to fly into** (*o* **to go into, to have, to throw**) **a t.**, (*bambino*) fare i capricci, fare le bizze; (*adulto*) andare in collera; infuriarsi.

Taoiseach /'tiːʃək/ n. (*polit., in Irlanda*) primo ministro (*della Repubblica d'Irlanda*).

Taoism /'taʊɪzəm/ (*relig.*) n. taoismo ‖ **Taoist** n. e a. taoista.

♦**tap**① /tæp/ n. **1** rubinetto (*anche del gas*): *Turn the tap on!*, apri il rubinetto!; *The tap is dripping*, il rubinetto perde **2** zaffo; zipolo; tappo **3** liquore; vino; birra (*di una certa qualità*): **an excellent tap**, un liquore (*o* un vino, una birra) eccellente **4** → **taproom 5** (*mecc.*) maschio (*per filettare viti*) **6** (*telef.*) intercettazione; controllo **7** (*elettr.: di corrente*) presa intermedia **8** (*metall.*) colata; spillatura **9** (*med.*) paracentesi; centesi **10** (*fin., Borsa*) «rubinetto» (*titolo di emissione o titoli di stato che la Banca centrale ritira e rimette sul mercato a poco a poco quando c'è richiesta*) ● **taps and fittings**, rubinetteria □ (*mecc.*) **tap bolt**, vite mordente □ **tap-borer**, trivella (*per forare botti*) □ **tap-hole**, foro di botte, spina; (*metall.*) foro di colata □ (*fin., Borsa, in GB*) **tap issue**, emissione di titoli «a rubinetto»; a richiesta □ (*fin., Borsa, in GB*) **tap stock**, titolo di stato a richiesta □ **tap water**, acqua del rubinetto □ (*mecc.*) **tap wrench**, giramaschi □ **on tap**, (*di vino, birra*) alla spina; (*fig. fam.*) pronto, a portata di mano, a disposizione.

tap② /tæp/ n. **1** picchio; colpetto; colpettino: **a tap at** (*o* **on**) **the door** [**on the shoulder**], un colpetto all'uscio [sulla spalla] **2** rinforzo di cuoio (*per suola o tacco di scarpa*) **3** (pl., col verbo al sing.) (*mil., USA*) il silenzio: **to sound taps**, suonare il silenzio **4** (pl., col verbo al sing.) canzone cantata a un raduno di guide o scout ● **tap dance**, tip tap (*ballo*) □ **tap dancer**, ballerino di tip tap □ **tap dancing**, il ballare il tip tap □ **tap shoe**, scarpetta (*da tip tap*).

to **tap**① /tæp/ **A** v. t. **1** fornire (*botte, barile*) di zaffo (*o* di zipolo) **2** spillare (*una botte, birra, ecc.*) **3** incidere: *The natives tapped the rubber trees*, gli indigeni incidevano gli alberi della gomma **4** (*fig.*) estrarre (*lattice per la gomma, zucchero dall'acero, ecc.*) **5** sfruttare; utilizzare **6** (*fam.*) cavare; ottenere; spillare (*fig.*): *Charles always taps me for small sums of money*, Charles mi spilla di continuo piccole somme di denaro **7** (*med.*) incidere; cavare (*liquido*) dal corpo; fare la paracentesi a (*q.*): **to tap an abscess**, incidere un ascesso **8** (*tecn.*) collegare; fare una presa in: *They tapped the water main*

to supply the new house, fecero una presa nella conduttura principale per dare l'acqua alla nuova casa **9** (*mecc.*) filettare; maschiare **10** (*fig.*) aprire ai traffici (*una regione*); iniziare rapporti commerciali con (*un paese*) **11** tenere (*o* mettere) sotto controllo (*q., una telefonata, ecc.*); intercettare: *I'm afraid my phone is being tapped*, temo che il mio telefono sia sotto controllo **12** (*metall.*) spillare **B** v. i. fare intercettazioni (*telefoniche*) ● (*elettr.*) **to tap a circuit**, inserire un circuito su un altro (*per intercettare corrente*) □ (*fig.*) **to tap into**, attingere, fare ricorso a (*risorse, riserve, ecc.*).

◆to **tap** ② /tæp/ v. t. e i. **1** battere; picchiare; bussare; picchiettare; dare un colpetto a: **to tap at** (*o* **on**) **the door**, bussare alla porta; *The rain was tapping on the window panes*, la pioggia picchiettava sui vetri; *I tapped him on the shoulder*, gli diedi un colpetto sulla spalla **2** mettere un rinforzo alla suola (*o* al tacco) di (*un paio di scarpe*) **3** (*fam. USA*) scegliere; nominare **4** (*slang*) arrestare; beccare (*fig.*); fare intercettazioni (*fig.*) (*un ladro, ecc.*) **5** (*anche* **tap up**) contattare (*q., spec. un calciatore*) illegalmente per ingaggiarlo ● **to tap away on a typewriter**, battere sui tasti di una macchina da scrivere.

■ **tap at** v. i. + prep. picchiare, dare colpetti a; bussare leggermente a: *There's a stranger tapping at the window*, c'è uno sconosciuto che bussa leggermente alla finestra.

■ **tap down** v. t. + avv. fissare (*un coperchio, ecc.*) con leggeri colpi (*di martello, ecc.*).

■ **tap off** v. t. + avv. **1** spillare (*liquidi*) **2** (*telegr.*) trasmettere (*un messaggio*) in alfabeto Morse.

■ **tap on** v. i. + prep. **1** dare un colpetto a (*q.: sulla spalla, ecc.*); toccare leggermente (*q.*) su **2** bussare lievemente a (*una porta, ecc.*).

■ **tap out** v. t. **1** (*telegr.*) trasmettere **2** comporre; digitare: *Now you must tap out your personal identification number*, ora devi digitare il tuo numero d'identificazione personale **3** vuotare, svuotare (*la pipa*) battendola **4** (*slang USA*) ripulire (*q.*) al gioco; sbancare □ (*fam.*) **to be tapped out**, essere sbancato; essere in bolletta; essere al verde.

tap-and-go /tæpənˈgəʊ/ n. ◍ (*GB*) tecnologia che permette il pagamento con bancomat o carta di credito attraverso il solo contatto con un lettore ottico (*in genere per acquisti di poco valore*).

to **tap-dance** /ˈtæpdɑːns/ v. i. ballare il tip tap.

◆**tape** /teɪp/ n. **1** nastro (*di stoffa, di carta, ecc.*); fettuccia; spighetta; nastrino; (= **adhesive t.**), nastro adesivo: **friction t.**, nastro isolante **2** = **t. measure** → *sotto* **3** → **tapeworm 4** (*telegr.*) nastro **5** (*mus., comput., ecc.*) nastro (*magnetico*) **6** (*sport*) nastro (*del traguardo*): **to breast the t.**, tagliare il traguardo **7** (*tennis, ecc.*) nastro (*della rete*) ● **t. cartridge**, cassetta; caricatore; cartuccia (*di nastro magnetico*) □ **t. deck**, piastra (*di registrazione*); deck □ (*bot.*) **t. grass** (*Vallisneria*), vallisneria □ **t. library**, nastroteca □ **t. machine**, registratore a nastro; mangianastri; (*stor.*) apparecchio per ricevere e trascrivere su nastro di carta messaggi telegrafici □ **t. measure** (*o* **t. line**), metro a nastro; rotella metrica □ **t. player**, riproduttore di nastri; giranastri; mangianastri □ **t. recorder**, registratore (a nastro) □ **t. recording**, registrazione su nastro □ **t. reel**, bobina di nastro □ (*comput.*) **t. unit**, unità nastro.

◆to **tape** /teɪp/ v. t. **1** legare con un nastro; provvedere di nastro **2** misurare col metro (*o* con la rotella metrica) **3** (*elettr.*) fasciare con nastro isolante **4** registrare (su nastro magnetico): **to t. a TV programme**, registrare un programma televisivo **5** (*legatoria*) cucire su nastro **6** (*fig. fam.*) farsi un'idea chiara di; inquadrare (*fig.*): **to have sb.**

[st.] **taped**, farsi un'idea chiara di q. [qc.].

taper /ˈteɪpə(r)/ **A** n. **1** cero; candela sottile; face (*lett.*); moccolo: *'The child had again got up – this time blowing out the t.'* H. JAMES, 'il bambino si era alzato di nuovo – questa volta spegnendo la candela' **2** accenditoio **3** (*geom., aeron.*) rastremazione: **the t. of a pyramid**, la rastremazione d'una piramide **4** (*mecc.*) conicità **B** a. **1** (*poet.*) affusolato: **t. fingers**, dita affusolate **2** (*geom.*) rastremato **3** (*mecc.*) conico: **t. pin**, spina conica ● (*mecc.*) **t. check**, controllo della conicità □ (*mecc.*) **t. washer**, rondella conica.

to **taper** /ˈteɪpə(r)/ **A** v. t. **1** affusolare; assottigliare all'estremità **2** (*mecc., archit.*) rastremare **B** v. i. (*spesso* **to t. off**) **1** affusolarsi; assottigliarsi (*all'estremità*); rastremarsi **2** (*fig.*) diminuire a poco a poco; ridursi.

to **tape-record** /ˈteɪp rɪˈkɔːd/ v. t. registrare su nastro.

tapering /ˈteɪpərɪŋ/ **A** a. **1** affusolato; conico; a punta: **t. fingers**, dita affusolate **2** (*archit.*) rastremato **3** (*mecc.*) conico **B** n. ◍ **1** assottigliamento graduale **2** (*archit.*) rastremazione **3** (*mecc.*) conicità.

tapescript /ˈteɪpskrɪpt/ n. trascrizione di un testo registrato.

tapestried /ˈtæpəstrɪd/ a. **1** ornato di arazzi; addobbato **2** ricamato ad arazzo.

tapestry /ˈtæpəstrɪ/ n. ◍ **1** tappezzeria; arazzo; drappo; paramento.

to **tapestry** /ˈtæpəstrɪ/ v. t. **1** addobbare; coprire (*o* ornare) d'arazzi **2** ricamare ad arazzo.

tapeworm /ˈteɪpwɜːm/ n. (*zool., Taenia solium*) tenia; verme solitario (*fam.*).

taphonomy /təˈfɒnəmɪ/ n. ◍ (*biol.*) tafonomia.

tap-in /ˈtæpɪn/ n. **1** (*basket*) colpetto (*o* schiaffetto) dato alla palla per deviarla nel canestro **2** (*calcio*) lieve colpo, colpetto, tocco (*dato alla palla*) per deviarla in rete.

tapioca /tæpɪˈəʊkə/ n. ◍ tapioca (*fecola alimentare*).

tapir /ˈteɪpə(r)/ n. (pl. **tapirs**, **tapir**) (*zool., Tapirus*) tapiro.

tapis /ˈtæpiː/ (*franc.*) n. (pl. **tapises**) tappeto ● **to be on the t.**, essere in discussione.

tapper /ˈtæpə(r)/ n. **1** chi batte, chi picchia, ecc. (→ **to tap** ②) **2** tasto (*del telegrafo*).

tappet /ˈtæpɪt/ n. (*mecc.*) punteria (*del motore*): **t. adjustment**, registrazione delle punterie ● **t. rod**, asta di rinvio □ **t. stem**, asta della punteria.

tapping ① /ˈtæpɪŋ/ n. ◍ **1** spillatura (*di una botte*) **2** incisione (*della corteccia di un albero di gomma, ecc.*) **3** (*med.*) paracentesi **4** (*elettr.*) presa **5** (*mecc.*) filettatura; maschiatura **6** intercettazione (*delle telefonate*) **7** (*metall.*) spillatura.

tapping ② /ˈtæpɪŋ/ n. ◍ **1** (serie di) colpetti; picchiettio **2** bussatina **3** (*anche* **tapping up**) il contattare (*q., spec. un calciatore*) illegalmente per ingaggiarlo.

taproom /ˈtæpruːm/ n. bar (*d'albergo, ecc.*); mescita d'alcolici.

taproot /ˈtæpruːt/ n. (*bot.*) fittone; radice principale (*anche fig.*).

tapster /ˈtæpstə(r)/ n. (*raro*) garzone di mescita; barista; chi mesce alcolici.

taqueria /tɒkəˈriːə/ n. (*USA*) luogo in cui si vende cibo messicano.

tar ① /tɑː(r)/ n. ◍ catrame ● (*chim.*) **tar acid**, acido fenico □ **tar board**, cartone catramato □ **tar-brush**, spazzolone per catramare □ (*ind. costr.*) **tar macadam**, macadam al catrame □ **tar paper**, carta catramata □ **tar sprayer** (*o* **tar sprinkler**), macchina catramatrice □ **tar spraying**, catramatura (*di una strada*) □ (*di sigaretta*) **low-** [**high-**,

middle-] **tar**, a basso [ad alto, a medio] contenuto di catrame □ (*fig. spreg.*) **a touch of the tar-brush**, un po' di sangue nero nelle vene.

tar ② /tɑː(r)/ n. (abbr. *fam. antiq. di* **tarpaulin**; = **Jack tar**) marinaio.

to **tar** /tɑː(r)/ v. t. incatramare; catramare; asfaltare: **to tar a road**, asfaltare una strada ● (*un tempo*) **to tar and feather sb.**, impeciare e ricoprire di penne q. (*come affronto, per punizione*) □ (*fig.*) **tarred with the same brush**, della stessa razza; che ha gli stessi difetti.

taradiddle /ˈtærədɪdl/ n. (*fam. antiq.*) bugia; fandonia; frottola.

tarantella /tærənˈtelə/ n. (*mus.*) tarantella.

tarantism /ˈtærəntɪzəm/ n. ◍ (*stor., med.*) tarantolismo; tarantismo.

tarantula /təˈræntjʊlə/ n. (pl. **tarantulas**, **tarantulae**) (*zool., Lycosa tarantula*) tarantola.

taraxacum /təˈræksəkəm/ n. (*bot., Taraxacum officinale*) tarassaco; soffione; dente di leone.

tarboosh /tɑːˈbuːʃ/ n. «tarbush»; sorta di fez egiziano.

tardigrade /ˈtɑːdɪgreɪd/ a. e n. (*zool.*; pl. **tardigrades**, pl. *scient.* **Tardigrada**) tardigrado.

tardy /ˈtɑːdɪ/ a. **1** tardo; lento; pigro **2** in ritardo; tardivo; fatto troppo tardi: **a t. reply**, una risposta tardiva; **a t. reform**, una riforma fatta troppo tardi **3** (*di persona*) riluttante **4** (*USA: di persona*) in ritardo ‖ **tardily** avv. **1** lentamente **2** tardivamente; in ritardo ‖ **tardiness** n. ◍ **1** lentezza **2** indugio; ritardo **3** malavoglia; riluttanza.

tare ① /teə(r)/ n. (*bot.*) **1** erbaccia (*in genere*); (*Bibbia*) zizzania **2** (*Lolium temulentum*) loglio **3** (*Vicia sativa*) veccia.

tare ② /teə(r)/ n. ◍ (*comm.*) tara: **actual t.**, tara reale; **average t.**, tara media; **customary t.**, tara d'uso ● **t. allowance**, abbuono per tara □ **t. and tret**, regola aritmetica per fare la tara.

to **tare** /teə(r)/ v. t. fare la tara a; tarare (*merce*).

◆**target** /ˈtɑːgɪt/ n. **1** bersaglio; segno; (*mil.*) obiettivo: **to miss** [**to hit**] **the t.**, sbagliare [centrare] il bersaglio **2** (*ferr.*) semaforo; disco **3** (*stor.*) rotella (*scudo piccolo e rotondo*) **4** (*fig.*) obiettivo; scopo; meta; traguardo (*fig.*): **export t.**, obiettivo da raggiungere come volume delle esportazioni; **fuel t.**, obiettivo prefisso nella produzione dei combustibili; *This is the main t. of our trade union*, questo è il traguardo principale che si prefigge il nostro sindacato **5** (*fis.*) bersaglio; anticatodo **6** (*comput.*) destinatario **7** (*cucina*) spalla di agnello **8** (*fig.*) oggetto; bersaglio: *He is a t. for scorn*, è oggetto di scherno **9** (*sport: tiro a segno*) bersaglio **10** (*sport: calcio, ecc.*) porta; rete: **shots on** [**off**] **t.**, tiri in porta [fuori] ● (*mil.*) **t. area**, zona da bombardare; obiettivo □ (*sport*) **t. card**, carta su cui segnare i punti fatti nel tiro con l'arco □ (*comput.*) **t. drive**, drive destinatario (*su cui vengono memorizzati i dati*) □ (*aeron., mil.*) **t. drone**, aereo bersaglio (*tiro a segno*) □ **t. holder**, portabersaglio □ (*ling.*) **t. language**, lingua d'arrivo □ (*mil. e sport*) **t. practice**, esercitazioni di tiro al bersaglio □ **t. price**, (*econ., comm.*) prezzo indicativo (*nel linguaggio doganale della UE*); prezzo base (*di appalti*) □ (*mil.*) **t. seeker**, missile (*o* congegno) autocercante □ (*mil.: di missile*) **t.-seeking**, autocercante □ **to be off t.**, (*di un tiro, ecc.*) mancare il bersaglio; (*fig.*) mancare l'obiettivo □ **to be on t.**, (*di un tiro, ecc.*) essere sul bersaglio; (*fig.*) essere sulla pista giusta; (*anche*) rispettare le scadenze prefissate.

to **target** /'tɑːgɪt/ v. t. **1** prendere come bersaglio; prendere di mira; mirare a; puntare su; essere diretto su: *They're targeting both the people and the economy of our country*, prendono di mira sia le persone sia l'economia del nostro paese **2** (generalm. al passivo) rivolgere; indirizzare; mirare: **an advert targeted at women**, una pubblicità che si rivolge alle donne **3** rivolgersi a; essere mirato a; avere come target: *We have targeted the teenage market*, il nostro target è il mercato dei teenager.

targetable /'tɑːgɪtəbl/ a. (*mil., miss.*: *di testata, ecc.*) indirizzabile a bersaglio.

tariff /'tærɪf/ **A** n. **1** (*comm. est., dog., econ.*) tariffa; dazio: **customs t.**, tariffa doganale; dazio doganale; **t. reform**, riforma delle tariffe doganali; **retaliatory tariffs**, tariffe (*o dazi*) di ritorsione **2** (*ass., trasp., tur., ecc.*) tariffa: **flat-rate t.**, tariffa forfettaria (*di una fornitura, ecc.*); **hotel tariffs**, tariffe alberghiere **3** (*leg., ingl.*) minimo della pena (*stabilito dal giudice o dal ministro*) **B** a. attr. tariffario; doganale: **t. agreements** (*o arrangements*), accordi tariffari; **t. barrier**, barriera doganale; **t. cut**, riduzione tariffaria; **t. quotas**, contingenti tariffari (*o doganali*); **t. wall**, barriera tariffaria, guerra tariffaria.

to **tariff** /'tærɪf/ v. t. (*comm. est., econ.*) tariffare; sottoporre (*merci, servizi, ecc.*) a tariffa, a dazio.

tarlatan /'tɑːlətn/ n. ⓤ (*ind. tess.*) tarlatana; mussolina apprettata.

tarmac® /'tɑːmæk/ n. **1** ⓤⓒ (strada in) macadam al catrame **2** (*aeron.*) piazzola asfaltata (*d'aeroporto*); pista di atterraggio.

to **tarmac** /'tɑːmæk/ (*pass. e p. p.* **tarmacked**), v. t. (*costr. stradali*) rivestire (*una strada*) di macadam al catrame.

Tarmacadam® /tɑːməˈkædəm/ n. → **tarmac**.

tarn /tɑːn/ n. (*geogr.*) laghetto montano.

tarnal /'tɑːnl/ a. (*slang USA*) dannato; maledetto: *He's a t. liar*, è un maledetto bugiardo.

tarnation /tɑːˈneɪʃn/ n. e inter. (*slang USA*) dannazione; maledizione ● **what [where] in t. ...**, che [dove] diavolo...

tarnish /'tɑːnɪʃ/ n. ⓤⓒ **1** perdita della lucentezza; opacità; offuscamento; appannamento; ossidazione (*di una superficie metallica*) **2** (*fig.*) macchia; onta.

to **tarnish** /'tɑːnɪʃ/ **A** v. t. **1** annerire; appannare; opacizzare; offuscare; ossidare (*una superficie metallica*): *The damp air has tarnished the tableware*, l'umidità ha annerito il servizio da tavola **2** (*fig.*) macchiare; sporcare; infangare (*l'onore, ecc.*): *The scandal has tarnished the good name of several politicians*, lo scandalo ha macchiato la reputazione di vari uomini politici **B** v. i. **1** annerire; appannarsi; opacizzarsi; offuscarsi; ossidarsi: *Silver tarnishes easily*, l'argento annerisce facilmente **2** (*fig.*: *dell'onore, ecc.*) macchiarsi; sporcarsi.

taro /'tɑːrəʊ/ n. (*pl.* **taros**) (*bot., Colocasia antiquorum*) taro.

tarot /'tærəʊ/ n. **1** tarocco (*una delle 22 carte figurate del mazzo*) **2** (pl.) tarocchi (*il gioco*).

tarpaulin /tɑːˈpɔːlɪn/ n. **1** telone (*impermeabile*) **2** ⓤ tela cerata; incerata **3** (*naut.*) mantello (*o cappello*) d'incerata.

Tarpeian /tɑːˈpiːən/ a. (*stor.*) tarpeo: **the T. Rock**, la Rupe Tarpea.

tarpon /'tɑːpən/ n. (*pl.* **tarpons**, **tarpon**) (*zool., Megalops atlanticus*) tarpone atlantico; pesce d'argento.

Tarquin /'tɑːkwɪn/ n. (*stor.*) Tarquinio.

tarradiddle /'tærədɪdl/ → **taradiddle**.

tarragon /'tærəgən/ n. (*bot., Artemisia dra-*

cunculus) estragone; dragoncello ● **t. vinegar**, aceto aromatizzato all'estragone.

tarred /tɑːd/ a. catramato; incatramato.

tarring /'tɑːrɪŋ/ n. ⓤⓒ (*costr. stradali*) catramatura; incatramatura.

tarrock /'tærək/ n. (*zool.*) **1** (*Rissa*) gabbiano **2** (*Uria aalge*) uria.

tarry① /'tɑːrɪ/ a. **1** catramoso **2** catramato; incatramato ‖ **tarriness** n. ⓤ catramosità.

tarry② /'tɑːrɪ/ n. (*lett.*) sosta.

to **tarry** /'tærɪ/ v. i. (*lett.*) **1** rimanere; restare; trattenersi; sostare **2** indugiare; tardare; essere in ritardo.

tarsal /'tɑːsl/ a. (*anat.*) tarsale.

tarsia /'tɑːsɪə/ n. ⓤ (*arte*) tarsia.

tarsier /'tɑːsɪə(r)/ n. (*zool., Tarsius*) tarsio.

tarsus /'tɑːsəs/ n. (*pl.* **tarsi**) (*anat.*) tarso.

tart① /tɑːt/ n. **1** (*GB*) torta (*di frutta*): **apple t.**, torta di mele **2** (*USA*) pasta (*ripiena di marmellata, ecc.*) ● **jam t.**, crostata.

tart② /tɑːt/ n. (*slang antiq.*) **1** prostituta; sgualdrina; donnaccia **2** prostituto; marchetta; marchettaro (*region.*).

tart③ /tɑːt/ a. **1** acido; agro; acerbo; brusco (*fam.*) **2** (*fig.*) aspro; mordace; pungente; sarcastico: **a t. answer**, una risposta pungente ‖ **tartly avv. 1** acidamente; acerbamente **2** (*fig.*) in modo pungente; sarcasticamente ‖ **tartness** n. ⓤ **1** acidità; agro; acerbità **2** (*fig.*) asprezza; mordacità; acredine.

tartan① /'tɑːtn/ n. **1** ⓤ tartan; tessuto di lana scozzese a riquadri formati da righe di vari colori **2** ⓤⓒ disegno a riquadri di tale stoffa, che identifica un clan particolare **3** (*fig.*) clan scozzese; reparto di truppe scozzesi.

tartan② /'tɑːtn/ n. (*naut.*) tartana.

tartar /'tɑːtə(r)/ n. ⓤ (*chim.*) tartaro (*anche quello delle botti e dei denti*) ● (*chim.*) **t. emetic**, tartaro emetico □ (*chim.*) **cream of t.**, cremore di tartaro; tartrato acido di potassio.

Tartar /'tɑːtə(r)/ **A** n. **1** (*stor.*) tartaro **2** (*fig., antiq.*) individuo irascibile e violento **B** a. (*stor.*) tartaro ● (*cucina*) **t. sauce** (*o tartare sauce*), salsa tartara ‖ **Tartarian** a. (*stor.*) tartaresco; tartaro.

tartaric /tɑːˈtærɪk/ a. (*chim.*) tartarico: **t. acid**, acido tartarico.

Tartarus /'tɑːtərəs/ n. (*mitol. greca*) Tartaro ‖ **Tartarean** a. tartareo; infernale.

tartlet /'tɑːtlət/ n. tortina; pasticcino.

tartrate /'tɑːtreɪt/ n. (*chim.*) tartrato.

Tartuffe /tɑːˈtuːf/ n. tartufo (*fig.*); ipocrita; bacchettone ‖ **Tartuffery** n. ⓤ ipocrisia; bacchettoneria.

to **tart up** /'tɑːt ʌp/ v. t. + avv. (*fam. ingl.*) **1** agghindare; truare a lucido (*fig. pop.*); vestire (q.) in modo pacchiano; truccare (*una donna*) pesantemente **2** rimodernare, abbellire, dare una ripassata a (*una casa*: *prima di venderla o affittarla*) ● **to be all tarted up**, essere tirato a lucido.

tarty /'tɑːtɪ/ a. (*slang*) da puttanella: **a t. skirt**, una gonna da puttanella.

to **tase**, to **taze** /teɪz/ v. t. (*slang, USA*) usare un taser su (q.); colpire (q.) con un taser.

taser®, **tazer** /'teɪzə(r)/ n. (*USA*) taser; pistola paralizzante che spara freccette elettrizzate.

♦ **task** /tɑːsk/ n. **1** compito; lavoro; incarico; dovere; mansione: *The teacher has given us an easy t.*, l'insegnante l'ha dato un compito facile; **a hard t.**, un compito arduo; un incarico difficile; **to set a t.**, assegnare un compito (*o un incarico*); *He has the t. of keeping the correspondence*, ha la mansione di tenere la corrispondenza **2** (*comput.*) task; compito **3** (*org. az.*) funzio-

ne: **t. setting**, distribuzione dei compiti ● **t.-based**, centrato su un'attività: **t.-based learning**, metodo di apprendimento incentrato sullo svolgimento di un'attività □ **t. bond**, indennità per prestazioni speciali □ (*mil., naut.*) **t. fleet**, flotta d'impiego □ **t. force**, (*mil., ecc.*) task force; unità operativa; unità di crisi; (*in GB*) squadra speciale (*della polizia*) □ (*org. az.*) **t. management**, direzione per funzioni □ **t. wage** = **piece wage** = **piece** □ **t. work** = **piece work** → **piece** □ **t. work**, lavoro a cottimo □ **to take sb. to t.**, rimproverare q.; richiamare (all'ordine) q.

to **task** /tɑːsk/ v. t. **1** assegnare un compito a (q.) **2** affaticare, mettere a dura prova; rendere esausto: *Maths tasks my son's mind*, la matematica affatica la mente di mio figlio **3** (*tecn.*) collaudare la solidità di (*parti di una nave, ecc.*); collaudare la portata di (*un veicolo*).

taskbar /'tɑːskbɑː(r)/ n. (*comput.*) barra delle applicazioni (*o delle funzioni*).

taskmaster /'tɑːskmɑːstə(r)/ n. **1** chi assegna compiti **2** (*spec.*) chi grava altri di lavoro; sorvegliante (*o datore di lavoro, insegnante*) severo; aguzzino, negriero (*fig. e fam.*).

taskmistress /'tɑːskmɪstrɪs/ n. sorvegliante (*o datrice di lavoro, docente, ecc.*) severa (→ **taskmaster**).

Tasmanian /tæzˈmeɪnɪən/ a. e n. (abitante) della Tasmania; tasmaniano ● (*zool.*) **T. devil** (*Sarcophilus harrisii*), diavolo della Tasmania □ **T. wolf** = **thylacine**.

tassel /'tæsl/ n. **1** fiocco; nappa; fiocchetto; nappina **2** (*bot.*) pennacchio; infiorescenza staminifera; barba (*del granoturco*) **3** segnalibro (*a forma di fiocco*).

to **tassel** /'tæsl/ **A** v. t. **1** ornare con fiocchi; infiocchettare; guarnire di nappe **2** (*agric.*) cimare (*piante di granoturco*) **B** v. i. (*del granoturco, spesso* **to t. out**) fiorire.

♦ **taste** /teɪst/ n. **1** ⓤ gusto; sapore; buongusto: *It has no t.*, non ha sapore; è insapore; **a man of t.**, un uomo di buongusto; *Your remark was in bad t.*, la tua osservazione è stata di cattivo gusto; **the bitter t. of defeat**, il sapore amaro della sconfitta; *This wine is sweet to the t.*, questo vino è dolce al palato **2** gusto; predilezione; propensione: *She has a t. for music*, ha gusto per la musica; *They have a t. for English literature*, hanno una propensione per la letteratura inglese **3** ⓤ attitudine; disposizione; inclinazione: *He has no t. for business*, non ha attitudine agli affari **4** bocconcino; tantino; po' (*di qc.*); saggio (*di cibo*): *Will you have a t. of my ice cream?*, vuoi un po' del mio gelato? **5** (*cucina*) assaggio; degustazione **6** (*fig.*) saggio; campione: *In his writings he gives us a t. of his learning*, nei suoi scritti egli ci dà un saggio della sua erudizione **7** (*slang USA*) percentuale; fetta della torta (*fig.*) ● (*naut.*) **t. bud**, papilla gustativa □ **a t. for red ties**, una preferenza per le cravatte rosse □ **to develop a t. for cider**, acquisire il gusto del sidro; fare la bocca al sidro □ (*fig.*) **to get a t. of one's own medicine**, essere ripagato con la stessa moneta □ (*anche fig.*) **to leave a bad t. in the mouth**, lasciare la bocca amara □ **Is it to your t.?**, è di tuo gusto? □ (*nelle ricette*) **Add salt to t.**, aggiungete sale a piacere □ (*prov.*) **Tastes differ** (*o There is no accounting for tastes*), tutti i gusti son gusti; dei gusti non si discute **❶ FALSI AMICI** ● taste *non significa* tasto.

♦ to **taste** /teɪst/ **A** v. t. **1** gustare; assaporare (*anche fig.*); assaggiare; degustare (*fig.*): **to t. success [freedom]**, assaporare il successo [la libertà]; *Will you t. this Sardinian wine?*, vuoi degustare questo vino sardo?; *Would you like to t. the wine?*, vuole assaggiare lei il vino?; *I haven't tasted food for*

two days, non tocco cibo da due giorni **2** (*anche fig.*) sentire; sentire il sapore di; provare: **to t. the joys of freedom**, provare le gioie della libertà **3** fare l'assaggiatore di: *He tastes tea for a living*, fa l'assaggiatore di tè di professione **B** *v. i.* (*anche fig.*) sapere di; sentire di; aver (*buon, cattivo, ecc.*) sapore: *This cake tastes good* (*o nice*), questa torta ha un buon sapore; *This tea tastes bitter*, questo tè sa d'amaro • (*fam.*: *di cibo*) **to t. great**, essere squisito □ **to t. like rum**, sapere di rum; sembrare rum □ **What does it t. like?**, che sapore ha? □ **to t. of**, saper di; sentire di; (*fig. lett.*) provare, assaporare: *This cake tastes of almonds*, questa torta sa di mandorle □ (*di cibo*) **not to t. of anything**, non sapere di nulla; non avere alcun sapore
🔸**FALSI AMICI** • **to taste** *non significa* tastare.

tasteful /'teɪstfl/ *a.* di gusto; di buongusto; fine; raffinato: **t. furniture**, mobili di buongusto | **-ly** *avv.* | **-ness** *n.* ▣.

tasteless /'teɪstləs/ *a.* **1** insaporo; insipido; scipito **2** privo di gusto; di cattivo gusto: **t. decorations**, decorazioni di cattivo gusto **3** (*raro*) privo del gusto | **-ly** *avv.* | **-ness** *n.* ▣.

tastemaker /'teɪstmeɪkə(r)/ *n.* chi detta legge in fatto di gusti; arbitro del gusto; creatore di mode.

taster /'teɪstə(r)/ *n.* **1** assaggiatore; degustatore: **wine [tea] t.**, assaggiatore di vino [di tè] **2** taste-vin (*franc.*); provino; tazza per assaggiare vini **3** (*stor.*) assaggiatore del cibo (*per un re, ecc.*).

tasting /'teɪstɪŋ/ *n.* degustazione; assaggio (*di vini, ecc.*) • (*comm.*) **t. order**, ordine di prova (*o d'assaggio*).

tasty /'teɪstɪ/ *a.* **1** gustoso; saporoso; saporito **2** (*slang*) attraente; appetibile; (*di donna*) sexy; bona (*romanesco*) **3** (*di notizia, ecc.*) interessante; succoso; (*di un contratto, ecc.*) ricco • (*cucina*) **t. dish**, un manicaretto; una squisitezza | **-iness** *n.* ▣.

tat ① /tæt/ *n.* – **tit for tat** → **tit** ②.

tat ② /tæt/ *n.* ▣ (*fam.*) **1** ciarpame; robaccia; abiti (mobili, ecc.) da quattro soldi **2** massa ingarbugliata; groviglio.

to tat /tæt/ **A** *v. i.* fare il merletto; fare il chiacchierino **B** *v. t.* fare (*un lavoro*) a merletti.

◆**ta-ta** /tə'tɑː/ *inter.* (*fam.*) arrivederci; ciao.

TATP sigla (*chim.*, **triacetone triperoxide**) triperossido di triacetone (TATP).

tatter /'tætə(r)/ *n.* (di solito al *pl.*) cencio; straccio; brandello: **dressed in tatters**, vestito di stracci; cencioso; **in tatters**, a brandelli; sbrindellato • **That girl's reputation is in tatters**, quella ragazza ha perso la reputazione.

to tatter /'tætə(r)/ **A** *v. t.* fare a brandelli; sbrindellare; stracciare **B** *v. i.* ridursi in brandelli; sbrindellarsi; stracciarsi.

tattered /'tætəd/ *a.* stracciato; cencioso; lacero; a brandelli; sbrindellato • **to have a t. reputation**, avere una pessima fama.

tattiness /'tætɪnəs/ *n.* ▣ (*fam.*) **1** disordine; cattivo stato **2** cenciosità; trasandatezza.

tatting /'tætɪŋ/ *n.* ▣ merletto elaborato; chiacchierino; «frivolité».

tattle /'tætl/ *n.* ▣ chiacchiere; ciarle; ciance; discorso a vanvera.

to tattle /'tætl/ **A** *v. i.* chiacchierare; ciarlare; cianciare; spettegolare **B** *v. t.* **1** dire (*parole*) a vanvera **2** divulgare scioccamente; spifferare (*un segreto*).

tattler /'tætlə(r)/ *n.* chiacchierone; ciarlone; pettegolo.

tattletale /'tætlteɪl/ *n.* (*spec. USA*) persona maldicente; linguaccia (*fig.*).

tattoo ① /tæ'tuː/ *n.* (pl. **tattoos**) **1** (solo al sing.) (*mil., stor.*) ritirata (*segnale serale*): **to**

beat (*o* **to sound**) **the t.**, suonare la ritirata **2** tamburellamento (*con le dita, ecc.*) **3** carosello militare, parata (*spettacolo*) **4** rullio (*di tamburi*) • **to beat the devil's t.**, tamburellare con le dita (*in segno d'impazienza o soprappensiero*).

tattoo ② /tæ'tuː/ *n.* ▣ (pl. **tattoos**) tatuaggio.

to tattoo ① /tæ'tuː/ **A** *v. i.* **1** tamburellare con le dita **2** (*fig.*) dare colpi; battere; bussare **B** *v. t.* battere su (*un tamburo, il pavimento, ecc.*).

to tattoo ② /tæ'tuː/ *v. t.* tatuare || **tattooed** *a.* tatuato || **tattooing** *n.* ▣ tatuaggio.

tattooist /tæ'tuːɪst/ *n.* chi fa tatuaggi (*di mestiere*); specialista in tatuaggi.

tatty /'tætɪ/ *a.* (*fam.*) **1** in disordine; malandato; malridotto; scalcagnato; scalcinato **2** scadente; dozzinale; andante **3** (*d'abito*) cencioso; trasandato; sbrindellato.

tau /tau/ *n.* tau (*diciannovesima lettera dell'alfabeto greco*) • **tau cross**, croce a tau □ (*fis. nucl.*) **tau meson**, mesone tau.

taught /tɔːt/ *pass.* e *p. p.* di **to teach**.

taunt ① /tɔːnt/ *n.* aspro rimprovero; osservazione sarcastica; scherno; sarcasmo; dileggio; sfottò (*fam.*): *He couldn't stand their taunts any longer*, non sopportava più i loro scherni.

taunt ② /tɔːnt/ *a.* (*naut.*: *d'albero*) molto alto.

to taunt /tɔːnt/ *v. t.* **1** rimproverare aspramente; criticare con sarcasmo; rinfacciare: *He taunted me with having lost my money*, mi rimproverò aspramente perché avevo perso il denaro **2** beffare; farsi beffe di; dileggiare; irridere a; deridere; schernire: *As a boy, I was taunted for being shy*, da bambino, mi schernivano perché ero timido **3** provocare; stuzzicare; tormentare.

taunter /'tɔːntə(r)/ *n.* **1** dileggiatore; schernitore; chi critica con sarcasmo **2** chi provoca; tormentatore.

tauntingly /'tɔːntɪŋlɪ/ *avv.* **1** aspramente; ingiuriosamente; in tono di rimprovero **2** sarcasticamente; per scherno.

taupe /təʊp/ *n.* (color) grigiobruno.

Taurean /'tɔːrɪən/ (*astrol.*) **A** *n.* persona nata sotto il segno del Toro; (un) toro **B** *a.* del Toro.

taurine ① /'tɔːriːn/ *a.* **1** taurino **2** (*astrol.*) del Toro.

taurine ② /'tɔːraɪn/ *n.* ▣ (*biochim.*) taurina.

tauromachy /tɔː'rɒməkɪ/ *n.* ▣ tauromachia.

Taurus /'tɔːrəs/ **A** *n.* **1** (*astron., astrol.*) Toro (*costellazione e II segno dello zodiaco*) **2** (*astrol.*) (un) toro; individuo nato sotto il segno del Toro **B** *a.* (*astrol.*) del Toro.

taut /tɔːt/ *a.* **1** teso; tirato; rigido • **a t. rope**, una corda tesa; **t. nerves**, nervi tesi **2** (*fig.*) tirato; stiracchiato: **a t. expression** (**on one's face**), un'espressione tirata; il viso tirato; **a t. smile**, un sorriso stiracchiato **3** (*naut.*) teso; tesato: **T. ropes!**, manovre tesate! **4** (*spec. di nave*) in buone condizioni; in ordine **5** (*fig.*) pulito; lindo | **-ly** *avv.* | **-ness** *n.* ▣.

to tauten /'tɔːtn/ **A** *v. t.* tendere; tirare; irrigidire **B** *v. i.* tendersi; irrigidirsi.

tautology /tɔː'tɒlədʒɪ/ *n.* ▣ tautologia || **tautological** *a.* tautologico || **tautologically** *avv.* tautologicamente || **tautologist** *n.* chi fa uso di tautologie || **to tautologize** *v. i.* fare uso di tautologie; tautologizzare (*raro*).

tautomer /'tɔːtəmə(r)/ (*chim.*) *n.* tautomero || **tautomeric** *a.* tautomero || **tautomerism** *n.* ▣ tautomeria.

tavern /'tævən/ *n.* (*arc. o USA*) taverna; osteria; bettola • **t. keeper**, taverniere; oste.

taw /tɔː/ *n.* **1** gioco delle palline **2** pallina; bilia; biglia **3** linea da cui lanciare le palline • (*fam. Austral.*) **to go back to taws**, ricominciare da zero.

to taw /tɔː/ (*ind.*) *v. t.* conciare (*pelli*) con l'allume; allumare || **tawer** *n.* conciatore di pelli (*con l'allume*) || **tawing** *n.* ▣ concia (*di pelli*) con l'allume; allumatura.

tawdry /'tɔːdrɪ/ *a.* vistoso e dozzinale; pacchiano | **-ily** *avv.* | **-iness** *n.* ▣.

tawny /'tɔːnɪ/ *a.* bruno fulvo; bronzeo; tanè • (*zool.*) **t. owl** (*Strix aluco*), allocco || **tawniness** *n.* ▣ color bruno fulvo.

tawse /tɔːz/ *n.* (*scozz.*) **1** cinghia **2** (*fig.*) **the t.**, la cinghia; le cinghiate.

◆**tax** /tæks/ **A** *n.* (*fisc.*) **1** imposta, tassa (*in ingl. non si fa la distinzione dell'ital. fra i due termini*; *cfr. però* **rate**, *def. 6*, «tributo locale»); tributo; gravame: **to pay one's taxes**, pagare le tasse; **income tax**, imposta sul reddito; **land tax**, imposta fondiaria; **value-added tax** (abbr. **VAT**), imposta sul valore aggiunto (abbr. IVA); **local taxes**, tributi locali; **a new tax on petrol**, una nuova imposta (*o* tassa) sulla benzina **2** (solo al sing.) (*fig.*) carico; gravame; onere; dispendio (*fig.*); sforzo: **a tax on sb.'s strength** [**energies**], una cosa che richiede un dispendio di forze [d'energie] per q.; **a tax on sb.'s patience**, una cosa che mette a dura prova la pazienza di q. **B** *a. attr.* (*fisc.*) del fisco; fiscale; tributario; d'imposta; delle imposte (*o* delle tasse); *I need written confirmation for tax purposes*, ho bisogno della conferma per ragioni fiscali • **tax abatement**, riduzione d'imposta = **tax consultant** → *sotto* □ **tax advantage**, vantaggio fiscale □ **tax allowance**, detrazione fiscale; sgravio d'imposta □ **tax amnesty**, condono fiscale □ **tax assessment**, accertamento tributario; valutazione dell'imponibile □ (*USA*) **tax assessor** = **tax inspector** → *sotto* □ **tax at source**, imposta alla fonte □ **tax audit**, esame (*o* verifica) fiscale □ **tax auditing**, accertamento fiscale □ **tax avoidance**, elusione fiscale □ **tax base**, (base) imponibile □ **tax bill**, imposte da pagare; la cartella (*fam.*) □ (*fam.*) **tax break**, agevolazione fiscale □ **tax burden**, carico (*o* onere) fiscale □ (*in GB*) **tax code**, codice fiscale (*attribuito a tutti i contribuenti*; *serve al datore di lavoro, il 'sostituto d'imposta', per il calcolo delle detrazioni e delle ritenute d'acconto*) □ **tax coding notice**, avviso di attribuzione del codice fiscale □ **tax collection**, esazione (*o* riscossione) delle imposte (*o* dei tributi) □ **tax collector**, esattore delle imposte □ **tax consultant**, consulente fiscale; fiscalista; tributarista □ **tax-deductible**, detraibile ai fini fiscali; deducibile □ **tax deduction**, detrazione d'imposta; detrazione fiscale □ (*autom.*) **tax disc**, bollo di circolazione □ (*fam.*) **tax dodger**, evasore (*o* elusore) fiscale □ (*fam.*) **tax dodging**, evasione (*o* elusione) fiscale □ **tax equalization**, perequazione fiscale □ **tax equity**, equità (*o* giustizia) fiscale □ **tax evader**, evasore fiscale □ **tax evasion**, evasione fiscale □ (*USA*) **tax-exempt** = **tax-free** → *sotto* □ **tax exile** (*o* **expatriate**), esule (*o* espatriato) per motivi fiscali □ **tax facilities**, agevolazioni fiscali □ **tax farming**, appalto dell'esazione delle imposte □ **tax form**, modulo delle imposte □ (*leg.*) **tax fraud**, frode fiscale □ **tax-free**, esentasse; esente da imposta □ (*banca*) **tax-free interest**, interesse esente da imposta □ **tax haven**, rifugio (*o* paradiso) fiscale □ **tax hike**, aumento delle imposte; inasprimento fiscale □ **tax holiday**, periodo di esenzione fiscale temporanea (*a imprese nuove, ecc.*) □ (*econ., fin.*) **tax impact**, impatto fiscale; incidenza di un'imposta □ **tax incentive**, incentivo fiscale □ **tax in-**

spector, ispettore del fisco (*fam.*: delle tasse) □ (*leg.*) **tax law**, diritto tributario □ **tax levy**, gettito di un'imposta; (*anche*) cartella d'imposta □ **tax loophole**, scappatoia fiscale □ (*in GB*) **tax number**, codice fiscale □ (*leg.*) **tax offence**, reato fiscale □ **tax office**, ufficio (delle) imposte □ **taxes on consumer goods**, imposte di consumo □ (*fin.*) **tax on dividend warrants**, (imposta) cedolare □ **tax on revenue from buildings**, imposta sul reddito dei fabbricati □ **taxes paid**, imposte pagate; (*anche*) onere tributario □ **tax-paying group**, gruppo di contribuenti □ (*econ.*, *fin.*) **tax-raiser**, fautore di un aggravio della imposizione fiscale □ **tax rate**, aliquota fiscale (*o* d'imposta) □ (*fin.*) **tax receipts**, entrate fiscali; introiti fiscali □ **tax records**, documenti fiscali □ **tax reform**, riforma fiscale □ **tax refund**, rimborso fiscale □ **tax regime**, regime fiscale □ **tax register**, anagrafe tributaria □ **tax relief**, sgravio fiscale; esenzione fiscale □ **tax return**, denuncia delle imposte (*fam.*: delle tasse); dichiarazione dei redditi □ **tax return form**, modulo della dichiarazione dei redditi (*fam.*, *in Italia*) Unico (*già il 740*) □ (*fin.*) **tax revenue**, gettito fiscale (*o* di un'imposta) □ (*econ.*, *fin.*) **tax wedge**, cuneo fiscale □ **tax revolt**, rivolta contro il fisco; obiezione fiscale □ **tax roll**, ruolo delle imposte (*o* dei contribuenti) □ (*in GB*) **tax schedule**, categoria d'imposta (*ce ne sono solo 6, indicate con lettere dalla A alla F*) □ (*fin.*) **tax shelter** (*o* **shield**), riparo fiscale; fattore di riduzione delle imposte sui profitti correnti □ (*econ.*, *fin.*) **tax shifting**, traslazione d'imposta □ **tax table**, tabella delle aliquote d'imposta □ **tax threshold**, soglia tributaria; livello minimo di tassabilità □ (*autom.*) **tax token** = **tax disc** → *sopra* □ **tax treatment**, regime fiscale (*o* tributario) □ (*fam. USA*) **tax write-off**, voce (*del reddito*) deducibile □ **tax year**, anno fiscale; (*contabilità di stato*) anno finanziario □ **tax yield**, gettito fiscale (*o* di un'imposta) □ (*fin.*) **after tax**, al netto d'imposta □ (*fin.*) **after-tax value**, valore (*di un bene*) dopo le imposte □ (*fin.*) **before tax**, al lordo delle imposte: *For the kind of work you're looking for, the standard rate is £10 an hour before tax*, per il lavoro che cerca la retribuzione media è di £10 lordi all'ora □ (*fin.*) **before-tax value**, valore (*di un bene*) prima delle imposte.

to **tax** /tæks/ v. t. (*fisc.*) **1** tassare; decretare imposte su (qc.); imporre tributi a (q.); gravare con tributi: **to tax luxury goods**, tassare gli articoli di lusso; **to tax the rich heavily**, imporre pesanti tributi ai ricchi **2** affaticare; gravare; sforzare; mettere a dura prova: *That job taxed his strength*, quel lavoro lo affaticò molto; **to tax sb.'s patience**, mettere a dura prova la pazienza di q. **3** accusare; tacciare: *I was taxed with fraud*, fui accusato di truffa.

taxable /ˈtæksəbl/ (*fisc.*) **A** a. imponibile; soggetto a imposta; tassabile; soggetto a tassazione: **t. income**, reddito imponibile; **t. value**, (valore) imponibile **B** n. soggetto d'imposta ● **t. capacity** (*o* **ability**), capacità contributiva □ **t. goods**, beni soggetti a imposta □ **t. year**, anno fiscale || **taxability** n. ⓤ imponibilità; tassabilità.

♦**taxation** /tækˈseɪʃn/ n. ⓤ (*fisc.*) **1** tassazione **2** regime fiscale **3** (collett.) imposte; tasse ● **t. at source**, tassazione alla fonte □ **t. consultant**, fiscalista; tributarista (*leg.*) **t. law**, diritto tributario □ **t. policy**, politica fiscale □ **the t. system**, il sistema fiscale (*o* tributario).

taxeme /ˈtæksiːm/ n. (*ling.*) tassema.

♦**taxi** /ˈtæksɪ/ n. (pl. **taxis**, **taxies**) taxi, tassì ● (*ingl.*) **t. dancer** (*o* **t. girl**), taxi girl; entraîneuse (*franc.*) □ **t. driver**, tassista □ **t. rank** (*o* **t. stand**), posteggio di taxi □ **air t.**,

aereo da noleggio; aerotaxi.

to **taxi** /ˈtæksɪ/ **A** v. i. **1** andare in taxi **2** (*d'aereo*) rullare (*sulla pista*) **3** (*d'idrovolante*) flottare **B** v. t. trasportare in taxi.

taxic /ˈtæksɪk/ a. (*biol.*) tattico.

taxicab /ˈtæksɪkæb/ → **taxi**.

taxidermy /ˈtæksɪdɜːmɪ/ n. ⓤ tassidermia || **taxidermal**, **taxidermic** a. tassidermico || **taxidermist** n. tassidermista.

taximeter /ˈtæksɪmiːtə(r)/ n. tassametro.

taxing /ˈtæksɪŋ/ a. faticoso; gravoso; arduo.

taxis /ˈtæksɪs/ n. (pl. **taxes**) ⓤ (*biol.*) tassia; tattismo **2** (*med.*) taxis; tassi; (*spec.*) riduzione (*di un'ernia*).

taxiway /ˈtæksɪweɪ/ n. (*aeron.*) pista di rullaggio.

taxonomy /tækˈsɒnəmɪ/ (*biol.*, *ling.*) n. ⓤ tassonomia || **taxonomic**, **taxonomical** a. tassonomico || **taxonomist** n. tassonomo.

taxpayer /ˈtækspeɪə(r)/ n. (*fisc.*) contribuente: **with taxpayers' money**, a spese del contribuente ● (*in USA*) **t.'s identification number**, codice fiscale (cfr. *ingl.* **tax code**, sotto **tax**).

Taylorism /ˈteɪlərɪzm/ n. ⓤ (*econ.*) taylorismo.

TB abbr. (*med.*, **tuberculosis**) tubercolosi (TBC, tbc).

t.b.a. sigla (**to be announced**) da definire.

t.b.c. sigla (**to be confirmed**) da confermare.

T-bone /ˈtiːbəʊn/ n. osso a forma di T ● **T-bone steak**, (costata alla) fiorentina.

to **T-bone** /ˈtiːbəʊn/ v. t. (*autom.*, *fam.*) scontrarsi con il fianco di (*un altro veicolo*).

tbs, **tbsp** abbr. (*nelle ricette*, **tablespoon**, **tablespoonful**) un cucchiaio (*circa 15 ml*)

T-car /ˈtiːkɑː(r)/ n. (*autom.*, abbr. di **training car**) muletto; vettura di riserva.

TCP sigla (*comput.*, **transmission control protocol**) protocollo di controllo della trasmissione.

TD sigla **1** (**technical drawing**) disegno tecnico **2** (*sport*, **touchdown**) touchdown.

♦**tea** /tiː/ n. **1** (*bot.*, *Thea sinensis*) tè ● (*le foglie, l'infuso, ecc.*) tè: **a cup of tea**, una tazza di tè; (*al bar*) *Three teas, please!*, per favore, tre tè!; *Do you want milk and sugar in the tea?*, vuole latte e zucchero nel tè? **3** tisana; infuso: **camomile tea**, infuso di camomilla **4** (*in GB*) cena (*e allora il pasto delle ore 12 dicesi 'dinner'*) **5** (*slang USA*, *antiq.*) erba; marijuana; spinello ● **tea bag** → **teabag** □ **tea ball**, uovo da tè (*di metallo, bucherellato, per l'infusione*) □ **tea break**, intervallo (*o* sosta) per il tè □ **tea caddy**, barattolo per il tè □ (*USA*) **tea cart**, carrello da tè □ (*comm.*) **tea chest**, cassa da tè □ **tea-cloth**, tovaglia da tè □ **tea cosy**, copriteiera □ **tea dance**, tè danzante □ **tea-drinker**, bevitore di tè □ **tea garden**, piantagione di tè; giardino dove si serve il tè; (*in GB*) posto di ristoro all'aperto □ (*un tempo*) **tea gown**, vestito da pomeriggio (*da donna*) □ **tea kettle**, bricco per il tè; bollitore da tè □ **tea lady**, donna che fa il tè delle undici (*in fabbrica, in ufficio, ecc.*) □ **tea light candle**, tea light (*candelina piatta, spec. usata per lanterne, brucia-essenze ecc.*) □ **tea-maker**, chi fa il tè; chi lavora il tè in foglie; recipiente per fare il tè; teiera □ **tea party**, tè (*trattenimento*) □ **tea plantation**, piantagione di tè □ **tea planter**, piantatore di tè □ **tea pot** → **teapot** □ (*bot.*) **tea rose**, rosa tea □ **tea service** (*o* **tea set**), servizio da tè □ **tea strainer**, colino per il tè □ **tea table**, tavolino da tè □ **tea-table conversation**, conversazione spicciola, leggera, frivola □ **tea things**, servizio da tè □ **tea time**, l'ora del tè □ **tea towel**, straccio da cucina; strofinaccio; canovaccio □ **tea tray**, vassoio da tè □ **tea trolley**, carrello da tè □ **tea urn**, grande bol-

litore da tè; samovar □ (*USA*) **tea wagon** → **tea trolley** □ **not for all the tea in China**, neanche per tutto l'oro del mondo.

to **tea** /tiː/ (*raro*) **A** v. i. prendere il tè **B** v. t. offrire il tè a (q.).

teabag /ˈtiːbæg/ n. bustina di tè.

teacake /ˈtiːkeɪk/ n. pasticcino da tè (*focaccina che si taglia in due, si tosta e si imburra*).

teach /tiːtʃ/ n. (*slang USA*) prof (*fam.*); professore; maestro.

♦to **teach** /tiːtʃ/ (pass. e p. p. **taught**), v. t. e i. insegnare; istruire; ammaestrare; fare l'insegnante; fare lezioni: *'He who can, does. He who cannot, teaches'* GB SHAW, 'chi sa fare, fa. Chi non sa fare, insegna'; *I'll t. you (how) to play cricket*, t'insegno io a giocare a cricket; *John teaches maths*, John insegna matematica; *I was never taught this*, nessuno me l'ha mai insegnato; (*fam.*) *I'll t. him to meddle in my affairs*, glielo insegno io a immischiarsi nei fatti miei ● **to t. for a living**, fare l'insegnante (*di mestiere*) □ (*fig.*) **to t. sb. a lesson**, dare una lezione a q. □ (*fam. USA*) **to t. school**, fare l'insegnante □ **That will t. you a lesson**, ciò ti servirà di lezione □ **That will t. him**, così impari! □ (*prov.*) **to t. one's grandmother to suck eggs**, voler insegnare ai gatti ad arrampicarsi.

teachable /ˈtiːtʃəbl/ a. **1** (*di persona*) disposto a imparare; ricettivo; (*di animale*) ammaestrabile **2** (*di cosa*) comprensibile; accessibile || **teachability**, **teachableness** n. ⓤ **1** disposizione a imparare; capacità d'apprendimento; ricettività **2** comprensibilità; accessibilità.

♦**teacher** /ˈtiːtʃə(r)/ n. insegnante; docente; professore, professoressa (*non di università*); maestro, maestra: **the Latin t.**, l'insegnante di latino ● **t.'s post**, posto d'insegnante; cattedra □ **t. trainer**, formatore di docenti □ **t. training college**, college per l'abilitazione all'insegnamento.

teachership /ˈtiːtʃəʃɪp/ n. ⓤ ufficio (*o* funzione) d'insegnante; insegnamento.

teach-in /ˈtiːtʃɪn/ n. **1** teach-in; dibattito; discussione informale; tavola rotonda **2** (*polit.*) manifestazione di protesta con discorsi, dibattiti, ecc. (*spesso all'università*)

♦**teaching** /ˈtiːtʃɪŋ/ n. **1** ⓤ insegnamento: *He took up history t.*, si diede all'insegnamento della storia **2** (pl.) insegnamenti; dottrina: **the teachings of the Church**, gli insegnamenti (*o* la dottrina) della Chiesa ● **t. aids**, sussidi didattici □ **t. hospital**, clinica universitaria □ **t. load**, carico di ore di insegnamento; orario di insegnamento □ **t. machines**, macchine per insegnare; macchine per l'insegnamento (*per l'istruzione programmata*) □ **t. position** (*o* **post**), posto d'insegnante; cattedra □ **t. practice**, tirocinio come insegnante □ **t. staff**, corpo docente.

teacup /ˈtiːkʌp/ n. tazza da tè ● **a storm in a t.**, una tempesta in un bicchier d'acqua; molto rumore per nulla || **teacupful** n. (quanto sta in una) tazza da tè.

teahead /ˈtiːhɛd/ n. (*slang*) chi si fa spinelli; consumatore di marijuana.

teahouse /ˈtiːhaʊs/ n. casa da tè.

teak /tiːk/ n. **1** (*bot.*, *Tectona grandis*) tek (*l'albero*) **2** ⓤ tek (*il legno*).

teal /tiːl/ n. (pl. **teal**, **teals**) (*zool.*, *Anas crecca*) alzavola.

tealeaf /ˈtiːliːf/ n. (pl. **tealeaves**) **1** foglia di tè **2** (*slang scherz.*) ladro.

♦**team** /tiːm/ **A** n. **1** squadra (*di lavoratori, giocatori, ecc.*); gruppo (*di lavoro*); (*sport*) formazione; compagine; team: **a football t.**, una squadra di calcio; **a t. of scientists**, un gruppo di scienziati che lavorano insieme; *I've got a meeting with the sales t.*, ho una

riunione con il gruppo vendite **2** (*d'animali*) attacco, tiro, pariglia (*di cavalli*): **a t. of four horses**, un tiro a quattro **B a.** (*anche sport*) a squadre: **t. foil**, fioretto a squadre; (*ciclismo*) **t. time trial**, (una) cronometro a squadre ● (*sport*) **t. captain**, capitano della squadra □ **t. manager**, (*autom.*) direttore della squadra corse; (*calcio, ecc.*) direttore sportivo, dirigente accompagnatore; (*ciclismo*) direttore tecnico □ **t. spirit**, spirito di squadra.

to **team** /tiːm/ v. t. **1** attaccare (*cavalli*); aggiogare (*buoi*) **2** trasportare con un tiro (*di cavalli*) **3** combinare (*colori, tinte*).

■ **team up** **A** v. t. + avv. **1** (*sport*) accoppiare, appaiare (*due giocatori*) **2** (*moda, pitt., ecc.*) accompagnare, accostare, combinare (*colori, capi di vestiario, ecc.*) **B** v. i. + avv. **1** (*sport*) fare coppia: **to t. up with sb.**, fare coppia con q. **2** (*fam.*) collaborare, lavorare insieme (o in squadra): **to t. up with leading experts**, collaborare con esperti di prim'ordine **3** (*di colori, ecc.*) accompagnarsi, andare d'accordo, stare bene insieme; combinare (*con un altro*): *Coat and tie t. up very well*, giacca e cravatta si accompagnano benissimo.

teambuilding, **team building** /'tiːmbɪldɪŋ/ n. □ (*spec. org. az.*) team building (*attività formativa volta alla creazione di affiatamento in un gruppo*).

teammate /'tiːmmeɪt/ n. (*sport*) compagno di squadra.

teamster /'tiːmstə(r)/ n. **1** chi guida un tiro (*di cavalli*); carrettiere; birrocciaio **2** (*USA*) camionista; autotrasportatore ● (*USA*) **t.-owner**, trasportatore indipendente (*che lavora in proprio*); padroncino (*fam.*).

teamwork /'tiːmwɜːk/ n. □ **1** lavoro di gruppo (o di squadra, d'équipe); collaborazione **2** (*fig.*) spirito di collaborazione; affiatamento (*anche, sport, di giocatori*).

teapot /'tiːpɒt/ n. teiera.

tear① /teə(r)/ n. **1** lacerazione; rottura; squarcio; strappo: *There's a t. in the material down the side*, c'è uno strappo nel tessuto su un fianco **2** danno da usura; (*med.*) ferita lacera **3** (*fam.*) scatto; spunto; corsa a precipizio ● **t. notch**, piccola tacca che agevola lo strappo (*negli involucri di plastica, ecc.*) □ (*fam.*) **to go full t.**, andare a spron battuto; andare a razzo (*fam.*).

♦ **tear**② /tɪə(r)/ n. **1** lacrima, lagrima: *The girl broke* (o *burst*) *into tears*, la ragazza scoppiò in lacrime; **to shed tears**, versare (o stillare) lacrime; **to weep bitter tears**, piangere lacrime amare **2** goccia gommosa (o resinosa) **3** goccia (*in genere*) ● (*mil.*) **t. bomb**, bomba lacrimogena; candelotto □ (*archeol.*) **t. bottle**, vaso lacrimale; lacrimatoio □ (*anat.*) **t. duct**, condotto lacrimale; (*mil.*) **t. gas**, gas lacrimogeno □ **t. gland**, ghiandola lacrimale □ **t.-jerker**, (*fam.*) romanzo (film, racconto, ecc.) strappalacrime □ **t.-jerking**, (*fam.*) strappalacrime □ **a t.--stained face**, un viso rigato di lacrime □ **to find sb. in tears**, trovar q. in lacrime □ **in tears**, in lacrime; piangente; piangendo □ (*lett.*) **to move sb. to tears**, far venire le lacrime agli occhi a q. □ **to reduce sb. to tears**, ridurre q. in lacrime; fare piangere q.

♦ to **tear** /teə(r)/ (*pass.* **tore**, p. p. **torn**) **A** v. t. **1** lacerare; stracciare; squarciare; rompere; strappare: **to t. a piece of cloth in two**, strappare in due un pezzo di stoffa; **to t. a letter up** (o **to pieces**), stracciare una lettera; *She tore her skirt on a thorn*, uno spino le fece uno strappo nella gonna; *I'm sure we didn't t. the sofa delivering it*, sono sicuro che non abbiamo strappato il divano nel trasportarlo; **to t. a ligament**, lacerarsi un legamento; **to t. one's skin**, lacerarsi la pelle; **to t. two pages out of an exercise-book**, strappare due pagine da un quaderno **2** (*anche fig.*) dilaniare; straziare: *The hunter was torn to pieces by a lion*, il cacciatore fu dilaniato (o fatto a pezzi) da un leone; **a party torn by factions**, un partito dilaniato dalle correnti (o dalle fazioni); *He was torn by jealousy*, era straziato (o tormentato) dalla gelosia **B** v. i. **1** lacerarsi; stracciarsi; squarciarsi; rompersi; strapparsi: *This cloth tears easily*, questa stoffa si straccia facilmente **2** (*fam.*) andare a tutta velocità; correre velocemente; precipitarsi: *He tore into the room*, si precipitò nella stanza ● **to t. a hole**, fare un buco: *The nail tore a hole in her dress*, il chiodo le fece un buco nel vestito □ (*slang*) **to t. it**, guastar tutto; sciupar tutto □ **to t. st. in half [in two]**, strappare qc. a metà [in due] □ **to t. open**, aprire (*una lettera, un pacco, ecc.: strappando la busta o l'involucro*) □ **to t. to bits** (o **to shreds**), spezzettare, sminuzzare; (*fig.*) fare a pezzi, stroncare, criticare violentemente □ (*fam.*) **That's torn it!**, è finita!; bell'affare!; siamo nei guai!

■ **tear about** v. i. + avv. correre all'impazzata; scorrazzare: **to t. about on a motorbike**, scorrazzare in motocicletta.

■ **tear across** **A** v. t. + avv. lacerare; strappare; fare in due pezzi **B** v. i. + prep. attraversare di corsa, a tutta velocità (*una strada, ecc.*).

■ **tear along** v. i. + avv. (o prep.) andare (procedere, navigare, ecc.) a tutta velocità; (*di un veicolo*) filare, saettare: **to t. along a dangerous road**, andare a tutta birra in una strada pericolosa.

■ **tear apart** v. t. + avv. **1** aprire, scostare violentemente (*tende e sim.*) **2** fare a pezzi, smontare (*una macchina e sim.*) **3** buttare (o cacciare) all'aria, mettere sottosopra (*una casa, una stanza, ecc.*) **4** (*fig.*) fare a pezzi; demolire, stroncare (*fig.*); criticare aspramente **5** (*fig.*) dilaniare; lacerare: *The country is torn apart by war*, il paese è dilaniato dalla guerra **6** (*fam.*) rimproverare; sgridare.

■ **tear around** → **tear about**.

■ **tear at** v. i. + prep. fare l'atto di strappare (qc.) a viva forza (*dalle mani di q., ecc.*); tirare (qc.) a più non posso: (*fig.*) **to t. at sb.'s heart**, fare male al cuore di q.

■ **tear away** **A** v. t. + avv. **1** strappare; lacerare: **to t. the wrapping away**, strappare l'involucro **2** strappare, staccare, portare via (*anche fig.*): *The high wind tore away all the petals from the flowers*, il forte vento ha staccato tutti i petali dei fiori; *I couldn't t. myself away from the scene of the accident*, non riuscivo a staccarmi dal luogo dell'incidente **3** (*fig.*) svelare; smascherare **B** v. i. + avv. **1** lacerarsi; strapparsi; venir via (*fam.*) **2** (*fam.*) andarsene a gambe levate; scappare in tutta fretta.

■ **tear down** v. t. + avv. **1** strappare, staccare (*un manifesto e sim.*) **2** distruggere, demolire, abbattere, buttare giù (*anche fig.*): **to t. down an old house**, demolire una vecchia casa; *They want to t. down the establishment*, vogliono abbattere il sistema (*politico*) **3** fare a pezzi, smontare (*una macchina e sim.*) **4** (*fig.*) fare a pezzi; criticare; stroncare **5** punire severamente; conciare (q.) per le feste **B** v. i. + prep. (*fam.*) scendere (o percorrere) a precipizio; precipitarsi giù per: *I tore down the stairs*, scesi le scale a precipizio; *The motorbike was tearing down the street*, la motocicletta percorreva la strada a tutta velocità.

■ **tear into** v. i. + prep. **1** (*di un coltello e sim.*) tagliare male, strappare (*la carne, ecc.*) **2** (*di un animale selvatico*) lacerare, strappare a morsi, azzannare (*la preda*) **3** (*di un arnese*) tagliare, penetrare in **4** (*fig. fam.*) attaccare violentemente; criticare a fondo; demoli-

re, stroncare (*fig.*) **5** (*fam.*) buttarsi su (*cibo*); mangiare di buona voglia; papparsi (*fam.*) **6** (*fam.*) rimproverare; sgridare.

■ **tear off** **A** v. t. + avv. **1** lacerare; strappare: **to t. the wrapping off**, strappare l'involucro **2** distruggere; demolire: *The car bomb tore off the front of the house*, l'autobomba distrusse la facciata della casa **3** buttare giù (*uno scritto*); scrivere in fretta (*un articolo, ecc.*) **4** (*fig.*) svelare; smascherare **5** (*slang USA*) suonare (*un brano*) con energia; darci dentro con **B** v. t. + prep. togliere strappando da (qc.); staccare da: **to t. the wrapping off a parcel**, strappare l'involucro di un pacco **C** v. i. + avv. (*fam.*) andarsene a gambe levate; scappare in tutta fretta □ (*fam.*) **to t. a strip off sb.**, dare una grande lavata di capo a q.; sgridare q. aspramente.

■ **tear out** **A** v. t. + avv. **1** lacerare; strappare: **to t. out the telephone wires**, strappare i fili del telefono **2** staccare strappando: **to t. an article out of the newspaper**, staccare un articolo dal giornale **B** v. i. + avv. (*fam.*) uscire di corsa; balzare fuori; scappare fuori in tutta fretta □ (*fig.*) **to t. one's hair out**, strapparsi i capelli □ (*fig.*) **to t. sb.'s heart out**, straziare il cuore a q.

■ **tear up** **A** v. t. + avv. **1** stracciare; fare a pezzi; lacerare: *He threatens to t. up his membership card*, minaccia di stracciare la tessera (*d'iscrizione*) **2** rompere, spaccare (*la strada, ecc.: per il passaggio di veicoli pesanti, o per lavori stradali*) **3** svellere; tirare su (*fam.*); estirpare: **to t. up weeds**, estirpare le erbacce; **to t. up a tree by its roots**, sradicare un albero **4** (*fig.*) stracciare (*un patto*); rompere, non rispettare (*un contratto*) **B** v. i. + prep. (*fam.*) percorrere a tutta velocità; fare di corsa: *He tore up the stairs*, fece le scale di corsa □ (*slang USA*) **to t. it up**, suonare (*spec. jazz*) con energia; darci dentro (*fam.*).

■ **tear uphill** v. i. + avv. (*autom., ecc.*) salire velocemente; andare su forte (*fam.*).

■ **to be torn between** v. passivo + prep. (*fig.*) essere diviso, combattuto (*dentro di sé*) tra (*due sentimenti, ecc.*); essere incerto (o dubbioso): **to be torn between personal ambition and party loyalty**, essere diviso tra l'ambizione personale e la fedeltà al proprio partito.

tearaway /'teərəweɪ/ (*fam.*) **A** a. avventato; impetuoso; violento **B** n. **1** persona impetuosa **2** (*spreg.*) giovinastro; bullo; scavezzacollo; giovane teppista.

teardrop /'tɪədrɒp/ n. lacrima; lacrimone.

tearer /'teərə(r)/ n. chi lacera, strappa, ecc. (→ **to tear**).

tearful /'tɪəfl/ a. **1** piangente; in lacrime; lacrimoso **2** lacrimevole; doloroso; triste: **a t. event**, un avvenimento doloroso; **t. news**, notizie tristi ● **to feel t.**, aver voglia di piangere | **-ly** avv. | **-ness** n. □.

tearing /'teərɪŋ/ **A** a. avventato; impetuoso; violento: **t. rage**, ira violenta **B** n. □⒞ lacerazione; strappo: (*med.*) **t. of a muscle**, strappo muscolare ● **at a t. pace**, di corsa; a precipizio; a rotta di collo □ **to be in a t. hurry**, avere una fretta terribile.

tearjerker /'tɪədʒɜːkə(r)/, **tearjerking** /'tɪədʒɜːkɪŋ/ = **tear-jerker**, **tear-jerking** → **tear**②.

tearless /'tɪələs/ a. **1** senza lacrime; senza pianto **2** (*fig.*) senza lacrime **2** incapace di piangere | **-ness** n. □.

tear-off /'teərɒf/ a. e n. (lembo, parte, ecc.) da staccare.

tearoom /'tiːruːm/ n. sala da tè; tea-room.

tear-tape /'teəteɪp/ n. linguetta (*da strappare*).

tear-up /'teərʌp/ n. (*slang USA*) **1** pestag-

gio; scontro violento **2** (*mus.*) brano di jazz suonato con entusiasmo.

tease /tiːz/ n. (*fam.*) **1** canzonatore; prendingiro **2** chi stuzzica; chi molesta **3** chi eccita q. sessualmente e poi si nega **4** domanda difficile; rompicapo.

to **tease** /tiːz/ v. t. **1** prendere in giro; canzonare; stuzzicare; punzecchiare; canzonare: *His schoolfriends teased him for playing with girls*, i suoi compagni di scuola lo prendevano in giro perché giocava con le bambine; *Come on, I'm just teasing!*, dài, dico solo per scherzo! **2** molestare (*un animale*); stuzzicare; tormentare **3** eccitare sessualmente e poi negarsi **4** assillare (*per ottenere qc.*) **5** riuscire a ottenere; ricavare; tirar fuori **6** (*ind. tess.*) cardare **7** (*ind. tess.*) pettinare; garzare **8** (*USA*) cotonare (*i capelli*).

■ **tease out** v. t. + avv. **1** districare; sbrogliare **2** (*fig.*) separare (*fatti, ecc.*); estrarre (*informazioni*).

teasel /ˈtiːzl/ n. **1** (*bot., Dipsacus*) cardo dei lanaioli **2** (*ind. tess.*) cardo; garzo.

to **teasel** /ˈtiːzl/ v. t. (*ind. tess.*) cardare; pettinare; garzare ● **teaselling machine**, carda; garzatrice.

teaser /ˈtiːzə(r)/ n. **1** → **tease**, def. *1 e 2* **2** (*fam.*) domanda imbarazzante; problema difficile; rompicapo **3** (*ind. tess.*) carda; garzatrice (*macchina*) **4** (*ind. tess.*) cardatore, cardatrice; garzatore, garzatrice (*operai*) **5** (*fam. USA*) spogliarello, spogliarellista **6** (*slang USA*) provino (*di spettacolo*); (pl.) (*di film*) spezzone promozionale, prossimamente ● **t. comb**, pettine per cotonare.

teashop /ˈtiːʃɒp/ n. **1** negozio che vende tè **2** piccolo ristorante (*spesso antico*) per cenette e prime colazioni.

teasing /ˈtiːzɪŋ/ **A** a. dispettosetto; detto (*o fatto*) per burla; canzonatorio; che prende (*o ha l'aria di prendere*) in giro **B** n. **Uc** **1** burla; canzonatura; presa in giro; (*anche*) assillo; tampinamento (*dial.*) **2** (*ind. tess.*) cardatura; pettinatura; garzatura **3** (*USA*) cotonatura (*dei capelli*) ● **t. machine**, cardatrice.

teasingly /ˈtiːzɪŋlɪ/ avv. a mo' di burla; canzonando; prendendo in giro.

teaspoon /ˈtiːspuːn/ n. cucchiaino da tè **teaspoonful** n. (quanto contiene un) cucchiaino da tè.

teat /tiːt/ n. **1** (*anat.*) capezzolo **2** tettarella; ciuccio (*fam.*) **3** (*di una mucca, ecc.*) mammella.

teatime /ˈtiːtaɪm/ n. (solo sing.) (l') ora del tè.

teazel, teazle, to **teazel**, to **teazle** /ˈtiːzl/ → **teasel, to teasel**.

tec /tɛk/ n. (abbr. *slang di* **detective**) investigatore privato; detective.

tech. abbr. **1** (**technical**) tecnico **2** (*fam.*, **technical college**) istituto superiore di tecnologia **3** (**technology**) tecnologia: high tech, tecnologia avanzata: (*fin.*) **tech. stocks**, azioni di imprese ad alta tecnologia **4** (*USA*, **polytechnic**) politecnico.

tech-head /ˈtɛkhɛd/ n. esperto o appassionato di tecnologia.

techie /ˈtɛkɪ/ n. (*slang USA*) **1** tecnico; competente; esperto **2** studente di un → «technical college» (→ **technical**) **3** appassionato di tecnologia; fanatico dei computer ● **t. jargon**, gergo tecnico.

technetium /tɛkˈniːʃəm/ n. **U** (*chim.*) tecnezio.

technic /ˈtɛknɪk/ **A** a. (*raro*) → **technical B** n. **1** → **technique 2** (*spesso pl.*) termine tecnico **3** (pl., ma a volte col verbo al sing.) tecnica: **the technics of painting**, la tecnica della pittura ‖ **technicism** n. **1** **U** tecnicismo; termine tecnico ‖ **technicist A** n. tecnicista **B** a. tecnicistico

‖ **technicity** n. **U** tecnicità.

♦**technical** /ˈtɛknɪkl/ a. tecnico: **t. assistance**, assistenza tecnica (*quale parte degli aiuti a un paese in via di sviluppo*); (*fin., Borsa*) **t. analysis**, analisi tecnica; (*comm.*) **t. assistance**, assistenza tecnica (*ai clienti*); **t. education**, istruzione tecnica; **t. fault**, difetto tecnico (*comput.*) **t. support**, supporto tecnico; **t. terms**, termini tecnici; voci tecniche ● (*in GB*) **t. college**, istituto superiore di scienze applicate ➊ **CULTURA ▪ technical college**: *si tratta di un tipo di istituto parauniversitario a indirizzo professionale; nel 1992 diversi technical colleges sono stati equiparati alle università e rilasciano una laurea* ▫ (*pallacanestro*) **t. foul**, fallo tecnico ▫ (*boxe*) **t. knockout**, knockout (*o K.O.*) tecnico ▫ (*in GB, in passato*) **t. school**, scuola secondaria a indirizzo tecnico ▫ (*aeron. mil., in USA*) **t. sergeant**, sergente maggiore ‖ **-ly** avv.

technicality /ˌtɛknɪˈkælətɪ/, **technicalness** /ˈtɛknɪklnəs/ n. **1** **U** tecnicità **2** tecnicismo; carattere (particolare, termine, ecc.) tecnico **3** dettaglio tecnico (*basato su stretta interpretazione di regole, ecc.*): *The case was dismissed on a t.*, la causa fu respinta per un dettaglio tecnico.

♦**technically** /ˈtɛknɪklɪ/ avv. tecnicamente (*in tutti i sensi*): *T., the two countries are still at war*, tecnicamente i due stati sono ancora in guerra.

technician /tɛkˈnɪʃn/, **technicist** /ˈtɛknɪsɪst/ n. tecnico; perito.

Technicolor® /ˈtɛknɪkʌlə(r)/ n. (*cinem.*) Technicolor.

♦**technique** /tɛkˈniːk/ n. **U** tecnica; metodo; metodica; abilità, arte (*nel fare qc.*): *That pianist has poor t.*, la tecnica di quel pianista è scadente.

techno /ˈtɛknəʊ/ n. **U** (*mus.*) tecno, techno.

technobabble /ˈtɛknəʊbæbl/ n. **U** (*fam.*, *anche spreg.*) gergo tecnico incomprensibile; paroloni tecnici.

technocracy /tɛkˈnɒkrəsɪ/ n. **U** (*econ.*) tecnocrazia.

technocrat /ˈtɛknəkræt/ n. **1** (*econ.*) tecnocrate **2** (*polit.*) ministro tecnico: **a Cabinet of technocrats** (*o a t. Cabinet*), un governo di ministri tecnici ‖ **technocratic** a. (*econ.*) tecnocratico.

technofear /ˈtɛknəʊfɪə(r)/ n. **U** (*fam.*) paura della tecnologia; paura dei computer.

technological /ˌtɛknəˈlɒdʒɪkl/, **technologic** /ˌtɛknəˈlɒdʒɪk/ a. tecnologico: (*econ.*) **t. change**, progresso (*o sviluppo*) tecnologico; **t. gap**, divario tecnologico ‖ **-ly** avv.

to **technologize** /tɛkˈnɒlədʒaɪz/ v. t. tecnologizzare.

♦**technology** /tɛkˈnɒlədʒɪ/ n. **Uc** tecnologia ● **t. transfer**, trasferimento di tecnologia ‖ **technologist** n. tecnologo.

technophobe /ˈtɛknəʊfəʊb/ n. tecnofobo ‖ **technophobia** n. tecnofobia ‖ **technophobic** a. tecnofobico.

technospeak /ˈtɛknəʊspiːk/ n. **U** gergo tecnico.

technostress /ˈtɛknəʊstrɛs/ n. (*psic.*) stress da eccesso di tecnologia.

technostructure /ˈtɛknəʊstrʌktʃə(r)/ n. (*econ.*) tecnostruttura.

techy /ˈtɛtʃɪ/ a. → **tetchy**.

tectonic /tɛkˈtɒnɪk/ a. **1** (*geol.*) tettonico **2** (*archit.*) architettonico; strutturale.

tectonics /tɛkˈtɒnɪks/ n. pl. (col verbo al sing.) **1** (*geol.*) tettonica **2** scienza delle costruzioni.

tectorial /tɛkˈtɔːrɪəl/ a. (*scient.*) tettorio; tegumentale: (*anat.*) **t. membrane**, membrana tettoria (*dell'orecchio*).

tectrix /ˈtɛktrɪks/ n. (pl. **tectrices**) (*zool.*) penna copritrice (*degli uccelli*).

ted /tɛd/ (*slang*) → **Teddy boy**.

to **ted** /tɛd/ (*agric.*) v. t. stendere, rivoltare, voltare (*il fieno*) ‖ **tedder** n. **1** chi stende (*o rivolta*) il fieno **2** voltafieno (*macchina*).

Teddy /ˈtɛdɪ/ n. dim. di **Edmund**, **Edward**, **Theodore**.

teddy bear /ˈtɛdɪbeə(r)/ loc. n. orsacchiotto di pezza (*giocattolo*).

Teddy boy /ˈtɛdɪbɔɪ/ loc. n. (*antiq., spec. negli anni 50*) teddy boy; giovane teppista.

Te Deum /teɪˈdeɪʊm/ (*lat.*) n. (pl. **Te Deums**) (*relig.*) Te Deum: (*anche fig.*) **to sing Te Deum**, cantare il Te Deum.

tedious /ˈtiːdɪəs/ a. tedioso; noioso; fastidioso; seccante; uggioso: *'Life is as t. as a twice-told tale'* W. SHAKESPEARE, 'la vita è tediosa come un racconto fatto due volte'; **a t. speech**, un discorso noioso | **-ly** avv.

tediousness /ˈtiːdɪəsnəs/, **tedium** /ˈtiːdɪəm/ n. **U** noia; fastidio; tedio; uggia.

tee ① , **te** /tiː/ n. **1** ti; lettera t **2** oggetto a forma di T ● **tee shirt**, T-shirt; maglietta a girocollo ▫ (*tecn.*) **tee square**, squadra a T ▫ (*fig.*) **to a tee**, con grande esattezza; a puntino; a pennello.

tee ② /tiː/ n. **1** (*golf*) tee (*supporto da cui si batte la palla all'inizio del gioco*); piazzola di partenza: **tee shot**, colpo dalla piazzola **2** (*nei giochi delle piastre, delle bocce, ecc.*) bersaglio.

to **tee** /tiː/ (*golf*) **A** v. t. collocare (*la palla*) sul tee (→ **tee** ②) **B** v. i. collocare la palla sul tee ● **to tee off**, cominciare la partita, dare il colpo d'inizio; (*fig.*) cominciare, iniziare; (*slang USA*) lanciarsi in una tirata su (*o contro*); far arrabbiare (q.) ▫ (*fig. fam.*) **to tee up**, preparare; approntare; organizzare ▫ (*golf*) **teeing ground**, piazzola di partenza.

tee-hee /ˈtiːˈhiː/ n. risata sommessa; risatina.

to **tee-hee** /tiːˈhiː/ v. i. ridere sommessamente; ridacchiare.

teeing-up /ˈtiːɪŋʌp/ n. (*golf*) collocazione della palla sul tee.

to **teem** /tiːm/ v. i. abbondare; brulicare; formicolare; pullulare; esser pieno zeppo: *Forests are teeming with snakes here*, qui le foreste brulicano di serpenti.

to **teem down** /ˈtiːmdaʊn/ v. i. + avv. (*della pioggia*) cadere a dirotto ● **It's teeming down**, sta diluviando.

teeming ① /ˈtiːmɪŋ/ a. **1** brulicante; formicolante; pullulante **2** fecondo; fertile: **the t. earth**, la feconda terra **3** (*della pioggia*) scrosciante; a catinelle ● **t. with**, pieno di; zeppo di.

teeming ② /ˈtiːmɪŋ/ n. **Uc** (*metall.*) colata.

teen /tiːn/ **A** a. (abbr. *fam.*) → **teenage B** n. (abbr. *fam.*) → **teenager**.

teenage /ˈtiːneɪdʒ/ a. attr. di (*o da, per*) adolescente; giovanile: **t. fashions**, articoli di moda per adolescenti ● **t. wear**, abbigliamento e calzature per adolescenti.

teenaged /ˈtiːneɪdʒd/ → **teenage**.

♦**teenager** /ˈtiːneɪdʒə(r)/ n. **1** teenager; adolescente (*fra i 13 e i 19 anni d'età*) **2** (*per estens.*) giovane (*fino ai 21 anni e oltre*).

teendom /ˈtiːndəm/ n. **U** adolescenza.

teens /tiːnz/ n. pl. l'età fra i 13 e i 19 anni (*nella vita dell'uomo*); adolescenza (**teen** è il suffisso dei numeri cardinali da 13, **thirteen**, a 19, **nineteen**) ● **a girl in her t.**, una ragazzina; un'adolescente ▫ **to be in one's t.**, essere un adolescente.

teenspeak /ˈtiːnspiːk/ n. **U** (*fam.*) gergo degli adolescenti.

teeny ① /ˈtiːnɪ/ n. (*fam.*) teenager; adolescente.

teeny ② /ˈtiːnɪ/ a. (*fam.*) molto piccolo; piccino ● (*infant.*) **t.-weeny**, piccolissimo; piccino picciò.

teenybopper /'tiːnɪbɒpə(r)/ n. (slang) preadolescente (spec. ragazzina) musicomane; fanatica della musica pop e della moda.

teepee /'tiːpiː/ → **tepee**.

to **teeter** /'tiːtə(r)/ v. i. **1** camminare con passo malfermo **2** (anche fig.) traballare; pencolare; vacillare: The coalition government teeters and is on the brink of defeat, il governo di coalizione vacilla e sta per essere sfiduciato.

teeter-totter /'tiːtətɒtə(r)/ n. (fam. USA) altalena (cfr. ingl. **seesaw**).

teeth /tiːθ/ pl. di **tooth**.

to **teethe** /tiːð/ v. i. (di bambino) mettere i (primi) denti: She's teething at the moment, sta mettendo i denti in questo periodo.

teether /'tiːðə(r)/ n. dentaruolo.

teething /'tiːðɪŋ/ n. ⃟ (fisiol.) dentizione ● **t. ring**, dentaruolo □ (GB, fam.) **t. problems** (o troubles), (med.) disturbi della dentizione (nei bimbi) ‖ (fig.) difficoltà (o problemi) iniziali.

teetotal /tiːˈtəʊtl/ a. **1** astemio (per principio) **2** antialcolico; contrario all'uso degli alcolici ● **a t. meeting**, una riunione contro l'uso degli alcolici □ **t. pledge**, impegno di rinunciare all'alcol ‖ **teetotalism** n. ⃟ **1** astinenza dalle bevande alcoliche **2** antialcolismo.

teetotaller, **teetotaler** /tiːˈtəʊtələ(r)/ n. astemio, astemia (per principio).

teetotum /tiːˈtəʊtəm/ n. (un tempo) trottolino (giocattolo da far girare con le dita; con la parte superiore divisa in quattro facce segnate con lettere; trottola per giochi d'azzardo).

TEFL /tɛfl/ sigla (**teaching (of) English as a foreign language**) insegnamento dell'inglese come lingua straniera.

Teflon® /'tɛflɒn/ n. Teflon ● **to coat with T.**, teflonare (utensili da cucina).

teg /tɛɡ/ n. pecora (o montone) di due anni.

tegular /'tɛɡjʊlə(r)/ a. **1** di (o simile a) tegola **2** ordinato a mo' di tegole; embricato.

tegument /'tɛɡjʊmənt/ (scient.) n. tegumento ‖ **tegumental**, **tegumentary** a. tegumentale; tegumentario.

teil /tiːl/ n. (bot., Tilia europaea; **= t. tree**) tiglio.

tekkie /'tɛkɪ/ → **techie**.

tel. abbr. **1** (stor., **telegram**) telegramma **2** (**telephone**) telefono (tel.).

telaesthesia, (USA) **telesthesia** /tɛləsˈθiːzɪə/ n. ⃟ (scient.) telestesia.

telamon /'tɛləmən/ n. (pl. **telamones**) (archit.) telamone; atlante.

telangiectasia /tɪlændʒɪɛkˈteɪzɪə/, **telangiectasis** /tɪlændʒɪˈɛktəsɪs/ n. ⃟ (med.) telangectasia.

Telautograph® /tɛˈlɔːtəɡrɑːf/ n. (stor.) teleautografo.

telco /'tɛlkəʊ/ abbr. (fam., **telephone company**) società telefonica.

tele /'tɛlɪ/ n. (abbr. fam. USA di **television**) televisione; tivù.

telebanking /'tɛlɪbæŋkɪŋ/ n. ⃟ (fin.) telebanca; servizi bancari a domicilio.

telebeam /'tɛlɪbiːm/ n. (sport, TV) 'telebeam' (della BBC): The offside has been confirmed by the t., il 'telebeam' ha confermato l'esistenza del fuorigioco.

telebridge /'tɛlɪbrɪdʒ/ n. (TV) ponte televisivo; (spec.) collegamento via satellite.

telecamera /'tɛlɪkæmərə/ n. telecamera.

telecast /'tɛlɪkɑːst/ n. trasmissione televisiva; teletrasmissione; telecronaca ● **t. news**, telegiornale.

to **telecast** /'tɛlɪkɑːst/ (pass. e p. p. **telecast**), v. t. trasmettere per televisione; teletrasmettere; telediffondere.

telecaster /'tɛlɪkɑːstə(r)/ n. emittente televisiva.

telecommunication /tɛlɪkəmjuːnɪˈkeɪʃn/ n. telecomunicazione ● **telecommunications satellite**, satellite per telecomunicazioni □ **t. services**, servizi telematici.

to **telecommute** /tɛlɪkəˈmjuːt/ v. i. fare un telelavoro ‖ **telecommuter** n. chi fa il telelavoro; telelavoratore ‖ **telecommuting** n. ⃟ telelavoro.

telecomputing /tɛlɪkəmˈpjuːtɪŋ/ n. (comput.) elaborazione a distanza; teleelaborazione.

Telecom Tower (the) /'tɛlɪkɒmˈtaʊə(r)/ loc. n. la Torre delle Telecomunicazioni (a Londra; è alta 176 m).

teleconference /'tɛlɪkɒnfərəns/ n. (comput.) teleconferenza; videoconferenza.

telecontrol /tɛlɪkənˈtrəʊl/ n. telecomando.

to **telecontrol** /tɛlɪkənˈtrəʊl/ v. t. telecomandare.

teleconverter /tɛlɪkənˈvɜːtə(r)/ n. (fotogr.) moltiplicatore di focale (gruppo ottico aggiuntivo).

Telecopier® /'tɛlɪkɒpɪə(r)/ n. (USA) telecopiatrice.

telecottage /'tɛlɪkɒtɪdʒ/ n. (in GB) locale o edificio (in una zona rurale) attrezzato con computer a disposizione dei residenti.

telediagnosis /tɛlɪdaɪəɡˈnəʊsɪs/ n. (pl. **telediagnoses**) (med.) diagnosi a distanza.

teledu /'tɛlɪduː/ n. (zool., Mydaus meliceps) teledù; tasso fetente.

telefax /'tɛlɪfæks/ n. ⃟ telefax; fax.

to **telefax** /'tɛlɪfæks/ v. t. faxare.

telefilm /'tɛlɪfɪlm/ n. telefilm.

telegenic /tɛlɪˈdʒɛnɪk/ a. telegenico.

telegram /'tɛlɪɡræm/ n. telegramma: **code t.**, telegramma cifrato ● **prepaid t.**, telegramma con risposta pagata.

telegraph /'tɛlɪɡrɑːf/ n. ⃟ **1** telegrafo: **t. office**, ufficio del telegrafo **2** apparecchio da segnalazioni (telegrafo ottico, ecc.) **3** (USA) telegramma ● (ipp.) **t. board**, tabellone (coi numeri dei cavalli in corsa) □ **t. boy**, fattorino del telegrafo □ **t. cable**, cavo telegrafico □ **t. form**, modulo telegrafico □ **t. key**, tasto del telegrafo □ **t. line**, linea telegrafica □ **t. operator**, telegrafista □ **t. pole** (o **t. post**), palo del telegrafo □ **t. wire**, cavo del telegrafo.

to **telegraph** /'tɛlɪɡrɑːf/ v. t. e i. **1** telegrafare; trasmettere per mezzo del telegrafo: **to t. a message**, trasmettere un messaggio per telegrafo **2** telegrafare (a); mandare un telegramma (a): I telegraphed (my friend in) Rome, telegrafai (al mio amico) a Roma **3** (fam., boxe) telefonare (un colpo all'avversario) **4** (fam.) far capire (qc.) a cenni **5** (fam.) rivelare (una mossa, ecc.) involontariamente.

telegrapher /təˈlɛɡrəfə(r)/ n. **1** chi fa un telegramma **2** (spec. USA) telegrafista.

telegraphese /tɛlɪɡrəˈfiːz/ n. ⃟ telegrafese; linguaggio (o stile) telegrafico.

telegraphic /tɛlɪˈɡræfɪk/ a. (anche fig.) telegrafico; **t. message**, dispaccio telegrafico; **t. address**, indirizzo telegrafico; **t. money order**, vaglia telegrafico; (fig.) **t. style**, stile telegrafico ‖ **telegraphically** avv. **1** telegraficamente **2** in stile telegrafico.

telegraphist /təˈlɛɡrəfɪst/ n. telegrafista.

telegraphy /təˈlɛɡrəfɪ/ n. ⃟ telegrafia.

telekinesis /tɛlɪkɪˈniːsɪs/ n. ⃟ (parapsicologia) telecinesi ‖ **telekinetic** a. telecinetico.

Telemachus /tɪˈlɛməkəs/ n. (letter.) Telemaco.

telemark /'tɛlɪmɑːk/ n. (sci) telemark.

telemarketing /'tɛlɪmɑːkɪtɪŋ/ n. ⃟

(comm., market.) **1** telemarketing; indagini di marketing fatte per telefono **2** vendite fatte per telefono.

telematics /tɛlɪˈmætɪks/ n. pl. (col verbo al sing.) telematica.

telemechanics /tɛlɪmɪˈkænɪks/ n. pl. (col verbo al sing.) telemeccanica.

telemedicine /tɛlɪˈmɛdsn/ n. ⃟ telemedicina.

telemessage /'tɛlɪmɛsɪdʒ/ n. (in GB) messaggio postale trasmesso per telex o per telefono (è più rapido di un telegramma).

telemeter /təˈlɛmɪtə(r)/ n. (tecn.) **1** telemetro **2** strumento per telemisura ‖ **telemetering** n. ⃟ telemisura; telemisurazione ‖ **telemetric** a. telemetrico ‖ **telemetry** n. ⃟ telemetria.

telencephalon /tɛlɛnˈsɛfəlɒn/ n. (pl. **telencephala**) (anat.) telencefalo.

teleology /tɛlɪˈɒlədʒɪ/ (filos.) n. ⃟ teleologia ‖ **teleological**, **teleologic** a. teleologico ‖ **teleologically** avv. teleologicamente ‖ **teleologist** n. teleologo.

teleoperation /tɛlɪɒpəˈreɪʃn/ n. (tecn.) teleoperazione; operazione a distanza.

teleoperator /tɛlɪˈɒpəreɪtə(r)/ n. (tecn.) operatore a distanza.

teleostean /tɛlɪˈɒstɪən/ a. (zool.) dei (o relativo ai) teleostei.

teleosts /'tɛlɪɒsts/ n. pl. (zool., Teleostei) teleostei.

telepathy /təˈlɛpəθɪ/ n. ⃟ telepatia ‖ **telepathic** a. telepatico ‖ **telepathically** avv. telepaticamente; per telepatia ‖ to **telepathize** v. i. praticare la telepatia ‖ **telepathist** n. **1** chi s'occupa di telepatia **2** persona dotata di poteri telepatici.

◆**telephone** /'tɛlɪfəʊn/ n. ⃟ telefono: You are wanted on the t., sei desiderato al telefono; **to pick up the t.**, alzare il telefono; **to put down the t.**, mettere giù il telefono ● **t.-answering system**, segreteria telefonica □ **t. bill**, bolletta del telefono □ (USA) **t. book** = **t. directory** → sotto □ **t. booth** (o **t. box**), cabina telefonica □ **t. call**, chiamata telefonica; telefonata □ **t. directory**, elenco telefonico (o degli abbonati) □ **t. exchange**, centralino telefonico □ **t. kiosk**, cabina telefonica □ **t. operator**, telefonista; centralinista □ **t. receiver**, ricevitore telefonico □ **t. responder**, segreteria telefonica che risponde anche alle chiamate □ **t. ringer**, suoneria telefonica □ (market.) **t. selling** → **telesales** □ **t. stand**, portatelefono □ **t. system**, telefono integrato □ **t. tapping**, intercettazione delle telefonate □ **by t.**, per telefono; telefonicamente □ **to be on the t.**, essere al telefono; (anche) essere sull'elenco, avere il telefono □ **over the t.**, al telefono; (anche) per (mezzo del) telefono: **to receive orders over the t.**, ricevere (accettare) ordinazioni per telefono □ **to send a message by t.**, inviare un messaggio per telefono □ **to speak through the t.**, parlare per telefono □ (chiamando q.) «T.!», «al telefono!».

to **telephone** /'tɛlɪfəʊn/ v. i. e t. **1** telefonare; trasmettere per telefono **2** telefonare (a); fare una telefonata (a): Lots of people telephoned the editor, molte persone telefonarono al direttore del giornale.

telephonic /tɛlɪˈfɒnɪk/ a. telefonico: **t. connection**, collegamento telefonico ‖ **telephonically** avv. telefonicamente; per telefono.

telephonist /təˈlɛfənɪst/ n. telefonista; centralinista.

telephony /təˈlɛfənɪ/ n. ⃟ telefonia.

telephoto /tɛlɪˈfəʊtəʊ/ Ⓐ n. **1** telefotografia; telefoto **2** teleobiettivo Ⓑ a. attr. telefotografico ● **t. lens**, teleobiettivo.

telephotography /tɛlɪfəˈtɒɡrəfɪ/ n. ⃟ telefotografia (il fotografare col teleobiettivo; il

trasmettere telefoto) ‖ **telephotographic** a. telefotografico.

telepresence /'tɛlɪprɛzəns/ (*comput.*), n. ⓤ telepresenza ‖ **telepresent** a. telepresente.

teleprinter /'tɛlɪprɪntə(r)/ n. telescrivente; telestampante.

teleprocessing /tɛlɪ'prəʊsɛsɪŋ/ n. ⓤ (*comput.*) elaborazione a distanza (*dei dati*); teleelaborazione.

Teleprompter® /'tɛlɪprɒmptə(r)/ n. (*TV*) «telesuggeritore»; teleprompter; gobbo (*fam.*).

telerecording /'tɛlɪrɪkɔːdɪŋ/ n. ⓤⓒ **1** videoregistrazione; registrazione televisiva **2** programma in ampex.

telesales /'tɛlɪseɪlz/ n. pl. (*market.*) vendite per telefono.

telescope /'tɛlɪskəʊp/ n. **1** (*astron.*) telescopio **2** (*naut.*) cannocchiale da marina (*allungabile*) ● (*mecc.*) **t. joint**, giunto a telescopio □ **range-finder t.**, cannocchiale telemetrico.

to **telescope** /'tɛlɪskəʊp/ Ⓐ v. t. **1** incastrare, infilare, inserire (*un oggetto dentro un altro, a mo' di cannocchiale*) **2** (*autom., ferr., ecc.*) far rientrare, schiacciare, deformare (*per l'urto*): *The back of my car was telescoped by the impact*, l'urto fece rientrare la parte posteriore della mia auto **3** (*fig.*) compendiare; ridurre; restringere: **to t. three lessons into one**, compendiare (*o accorpare*) tre lezioni in una sola Ⓑ v. i. **1** incastrarsi; infilarsi; rientrare (*come le parti di un cannocchiale*) **2** (*di treno, automobile, ecc.*) andare a incastrarsi (*in un altro veicolo*): *The front and end cars telescoped into each other*, le carrozze di testa (*di un treno*) e quelle di coda (*dell'altro*) s'incastrarono l'una nell'altra **3** (*fig.*) compendiarsi; ridursi; restringersi ● (*autom.: di due mezzi*) **to t. together**, incastrarsi l'uno nell'altro; tamponarsi violentemente.

telescopic /tɛlɪ'skɒpɪk/ a. **1** telescopico: **t. stars**, stelle telescopiche **2** (= **telescoping**) telescopico; a cannocchiale; a telescopio; che rientra in sé stesso; rientrabile: (*mecc.*) **a t. toolholder**, un portautensili a telescopio; **a t. glass**, un bicchiere che rientra in sé stesso (*da campeggio, ecc.*); **a t. aerial**, un'antenna telescopica ● (*fotogr.*) **t. finder**, mirino telescopico □ (*ottica, fotogr.*) **t. lens**, teleobiettivo □ (*mil.*) **t. sight**, cannocchiale di mira ‖ **telescopically** avv. per mezzo del telescopio.

telescoping /'tɛlɪskəʊpɪŋ/ a. telescopico; a cannocchiale; che rientra in sé stesso; rientrabile.

telescopy /tə'lɛskəpɪ/ n. ⓤ telescopia.

telescreen /'tɛlɪskriːn/ n. schermo televisivo; teleschermo; video.

teleselling /'tɛlɪsɛlɪŋ/ n. ⓤ televendita.

teleshopper /'tɛlɪʃɒpə(r)/ n. chi fa teleacquisti.

teleshopping /'tɛlɪʃɒpɪŋ/ n. ⓤ (*market.*) teleacquisti.

telesthesia /tɛləs'θiːzɪə/ n. ⓤ telestesia.

Teletex® /'tɛlɪtɛks/ n. teletex.

Teletext, teletext /'tɛlɪtɛkst/ n. (*TV*) teletext; televideo.

Teletype /'tɛlɪtaɪp/ n. **1** ® telescrivente **2** rete di telescriventi **3** (*raro*) telemessaggio ● **t. machine**, telescrivente.

to **teletype** /'tɛlɪtaɪp/ v. t. trasmettere (*un messaggio*) per telescrivente; telescrivere.

teletypesetter /tɛlɪ'taɪpsɛtə(r)/ n. (*tipogr.*) telecompositrice.

teletypesetting /tɛlɪ'taɪpsɛtɪŋ/ n. ⓤ (*tipogr.*) telecomposizione.

teletypewriter /tɛlɪ'taɪpraɪtə(r)/ (*USA*) → **teleprinter**.

televangelist /tɛlɪ'vændʒəlɪst/ n. predicatore evangelico televisivo; telepredicatore.

to **teleview** /'tɛlɪvjuː/ v. t. e i. (*raro*) guardare (*una trasmissione televisiva*).

televiewer /'tɛlɪvjuːə(r)/ n. telespettatore.

to **televise** /'tɛlɪvaɪz/ Ⓐ v. t. trasmettere per televisione; teletrasmettere Ⓑ v. i. essere trasmesso (*o dato*) in televisione ● (*di un soggetto*) **to t. well**, essere adatto alla televisione □ **televised speech**, telemessaggio ❶ NOTA: *-ise o -ize?* → **-ise**.

♦**television** /'tɛlɪvɪʒn/ /tɛlɪ'vɪʒ(ə)n/ n. **1** televisione: *Who [what] is on t. tonight?*, chi [che cosa] c'è alla televisione stasera? **2** (*fam.*) televisore ● **t. broadcaster**, emittente televisiva; conduttore televisivo □ **t. camera**, telecamera □ **t. commentator**, telecronista □ (*sport*) **t. evidence**, prova alla moviola □ (*in GB*) **t. licence**, abbonamento alla televisione: **t. licence fee**, canone televisivo □ **t. network**, rete televisiva □ **t. news**, telegiornale □ **t. relay**, ripetitore televisivo □ **t. screen**, schermo televisivo □ **t. set** (abbr. **TV set**), televisore □ **t. shot**, teleripresa □ **t. signal**, segnale televisivo □ **t. studio**, studio televisivo □ **t. transmitter**, trasmettitore televisivo, teletrasmettitore □ **t. tube**, (= **t. camera tube**) tubo di riproduzione; (= **picture tube**) cinescopio □ **t. tuner**, sintonizzatore televisivo □ **t. viewer**, telespettatore □ **to work in t.**, lavorare alla televisione.

televisionary /tɛlɪ'vɪʒənrɪ/ n. **1** (*scherz. o spreg.*) patito della televisione; teledipendente **2** star della televisione.

televisual /tɛlɪ'vɪʒʊəl/ a. televisivo; della (*o per la*) televisione; adatto alla televisione |-**ly** avv.

telework /'tɛlɪwɜːk/ (*comput.*) n. ⓤ telelavoro ‖ **teleworker** n. telelavoratore.

teleworking /'tɛlɪwɜːkɪŋ/ n. ⓤ lavoro fatto a casa propria, con un computer; telelavoro.

telewriter /'tɛlɪraɪtə(r)/ n. telescrivente.

telex /'tɛlɛks/ n. ⓤ telex ● **t. machine**, (apparecchio di) telex.

to **telex** /'tɛlɛks/ v. t. trasmettere a mezzo telex.

telfer /'tɛlfə(r)/ e deriv. → **telpher**, e deriv.

♦to **tell** /tɛl/ (pass. e p. p. *told*) Ⓐ v. t. **1** dire; narrare; raccontare; confessare; esporre; rivelare; svelare: *I told him to go away*, gli dissi d'andarsene; **to t. a story**, narrare una storia; *You must do as you are told*, devi fare quel che ti si dice; *What did you t. them?*, che cosa gli hai detto?; *He has told everything*, ha confessato tutto; *T. me all about it!*, raccontami tutto!; *The survey tells us a lot about teenagers' lifestyle*, l'indagine ci dice molto sullo stile di vita degli adolescenti; *I'll t. you a secret*, ti svelerò un segreto; **to t. the facts**, esporre i fatti; *I am told that...*, mi si dice che... **2** distinguere; riconoscere; vedere; giudicare; valutare: *I can t. him by his voice*, lo riconosco dalla voce; *I can't t. him from his twin*, non riesco a distinguerlo da suo fratello gemello; *How do you t. which lever to pull?*, come fai a riconoscere la leva che si deve tirare? **3** capire; intuire: *I could t. by his face that he was angry*, dalla faccia che aveva si capiva che era arrabbiato Ⓑ v. i. **1** raccontare tutto; rivelare tutto; fare la spia: *Promise you won't t.!*, prometti che non racconterai tutto in giro; *Peter told on me as soon as mother came back*, appena tornò la mamma, Peter le fece la spia (*sul mio conto*) **2** avere effetto; essere efficace; farsi sentire: *The strain began to t. on me* (*o on my nerves*), lo sforzo cominciava a farsi sentire; cominciavo a tradire lo sforzo ● (*relig.*) **to t. one's beads**, dire il rosario □ (*USA*) **to t. sb. goodbye**, dire addio a

q. □ (*slang*) **to t. the tale**, raccontare una frottola (*per commuovere*) □ **to t. the time**, dire l'ora (*guardando l'orologio*), leggere le ore; (*d'orologio*) segnare le ore: *The child hasn't learnt to t. the time yet*, il bambino non ha ancora imparato a leggere le ore; *My watch tells the time more accurately than the tower clock*, il mio orologio segna le ore con maggiore precisione di quello della torre □ **to t. the truth [a lie]**, dire la verità [una bugia] □ (*slang*) **to t. the world**, dire ai quattro venti; sbandierare (*una notizia, una decisione, ecc.*) □ **all told**, nel complesso; nell'insieme; in tutto: *There are five hospitals all told*, in tutto ci sono cinque ospedali □ **I'll t. you what!**, sta' a sentire; ho un'idea □ **You never can t.**, non si sa mai; non si può mai dire □ **He promised not to t.**, promise di non dirlo □ **So I have been told**, così mi è stato riferito □ **Don't ask, don't tell**, (**don't pursue**) → **to ask** □ **Don't t. me!**, non me ne parlare!; non venire a dirlo a me! □ *That tells a tale*, questo è significativo!; la cosa si commenta da sé! □ **T. me another!**, trovane un'altra; questa sì che è bella! □ (*fam.*) **T. me about it!**, a chi lo dici! □ (*fig., antiq.*) **T. that to the marines**, raccontala a qualcun altro!; dalla da bere a un altro! □ (*fam.*) **You're telling me!**, lo dici a me?; a me lo vieni a dire?; a chi lo dici! □ **You t. me!**, dimmelo tu!; e io, che ne so? □ **There's no telling what may happen**, non si sa (*o non si può dire*) che cosa può succedere □ (*fam.*) **Told you so!**, te l'avevo detto, io!

▪ **tell against** v. i. + prep. andare a discapito, essere a sfavore di (q.); deporre male di (q.): *His lack of interest in his work tells against him*, la mancanza d'interesse per il suo lavoro depone male di lui.

▪ **tell apart** v. t. + avv. distinguere; riconoscere uno dall'altro: *I cannot t. the twins apart*, non riesco a riconoscere un gemello dall'altro.

▪ **tell off** v. t. + avv. **1** (*fam.*) sgridare; rimproverare; dare una lavata di capo (*o un cicchetto*) a (q.): *The teacher told him off for being late*, l'insegnante lo rimproverò perché era in ritardo; *I got told off for not having done some maths exercises for homework*, sono stata sgridata per non aver fatto alcuni esercizi di matematica a casa **2** (*spec. mil.*) assegnare; destinare; distaccare: *We were told off to dig trenches*, ci misero a scavare trincee.

▪ **tell over** v. t. + avv. contare.

tellable /'tɛləbl/ a. che si può dire; narrabile; raccontabile.

tell-all /'tɛlɔːl/ a. (*fam.*) (*di un libro, un film, ecc.*) che svela scandali; che rivela verità scottanti.

teller /'tɛlə(r)/ n. **1** narratore; raccontatore **2** (*alle elezioni, nelle votazioni, ecc.*) scrutatore; scrutinatore **3** (*banca*) impiegato di sportello; sportellista; cassiere ● **t. in**, cassiere allo sportello dei versamenti □ **t. out**, cassiere allo sportello dei pagamenti □ **automated t.** (*o* **automatic t. machine**), sportello automatico.

tellin /'tɛlɪn/ n. (*zool.*, *Tellina*) tellina.

telling /'tɛlɪŋ/ a. efficace; energico; espressivo; significativo; vivace; che fa colpo: **a t. blow**, un colpo efficace; un forte colpo; **a t. glance**, un'occhiata espressiva; **a t. response**, una reazione eloquente (*o rivelatrice*) |-**ly** avv.

telling-off /tɛlɪŋ'ɒf/ n. (*fam.*) sgridata; ramanzina; lavata di capo (*fig.*).

telltale /'tɛlteɪl/ Ⓐ n. **1** chiacchierone; malalingua; pettegolo; chi spiattella (*o spiffera*) tutto **2** (*gergo studentesco*) spia; spione **3** segno rivelatore; indizio **4** (*ind.*) orologio di controllo; segnatempo (*negli uffici, ecc.*) **5** (*mecc., ferr.*) segnale di pericolo **6**

(*autom.*) spia luminosa dei lampeggiatori (*sul cruscotto*) **7** (*edil.*) striscia di plastica (*o* vetrino) di controllo **8** (*naut.*) mostravento **9** (*naut.*, = **t. compass**) bussola di controllo (*o di cabina*) **B** a. attr. rivelatore; significativo; eloquente (*tecn.*): **a t. sign**, un segno rivelatore; **a t. look**, uno sguardo eloquente ● (*tecn.*) **t. float**, indicatore di livello a galleggiante □ (*elettr.*) **t. light**, lampada spia; spia luminosa.

tellurian /tɛˈluərɪən/ **A** a. terrestre **B** n. (*fantascienza*) terrestre; abitante della terra.

telluric /tɛˈluərɪk/ a. (*chim., geol.*) tellurico.

tellurium /tɛˈluərɪəm/ n. Ⓤ (*chim.*) tellurio.

◆**telly** /ˈtɛlɪ/ n. (*spec. ingl.*; abbr. *fam. di* **television**) **1** televisione; tivù: *What's on the t.?*, cosa c'è in tivù?; *Is there anything good on t. tonight?*, c'è niente di bello in televisione stasera? **2** (*fam.*) televisore: *Turn the t. off*, spegni il televisore!

Telnet /ˈtɛlnɛt/ n. (*comput.*) Telnet (*protocollo e software*).

telomere /ˈtɛləmɪə(r)/ n. (*biol.*) telomero.

telpher /ˈtɛlfə(r)/ **A** n. **1** Ⓤⓒ (= **t. line**) teleferica **B** a. attr. teleferico ● **a t. line**, una teleferica.

to **telpher** /ˈtɛlfə(r)/ v. t. trasportare mediante teleferica.

telson /ˈtɛlsn/ n. (*zool.*) telson.

Telstar /ˈtɛlstɑː(r)/ n. (*miss., stor.*) Telstar.

temerarious /tɛməˈrɛərɪəs/ a. (*lett.*) temerario.

temerity /təˈmɛrətɪ/ n. Ⓤ temerarietà.

temp /tɛmp/ n. (abbr. *fam. di* **temporary**) supplente; diurnista; precario; avventizio: *I'll get on to the t. agency now*, ora mi rivolgo a un'agenzia di lavoro temporaneo.

to **temp** /tɛmp/ v. i. (*fam.*) lavorare come diurnista (*o* saltuariamente); essere un precario.

temp. abbr. (**temperature**) temperatura.

temper /ˈtɛmpə(r)/ n. **1** Ⓤ (*ind.*) tempra, tempera; (*metall.*) rinvenimento: **the t. of glass**, la tempera del vetro; **steel of the finest t.**, acciaio della miglior tempra; **t. time**, tempo di rinvenimento **2** Ⓤ (*anche edil.*) miscela (legante); mescolanza: **the t. of mortar**, la miscela della malta **3** Ⓤ (*metall.*) durezza e resistenza; (*anche*) percentuale di carbonio (*dell'acciaio*) **4** temperamento; carattere; indole: *He has a fiery t.*, ha un temperamento focoso; *She has a sweet t.*, ha un'indole dolce **5** stato d'animo; umore: *He was in a bad* [*good*] *t.*, era di malumore [di buonumore] **6** Ⓤ (*fam.*) collera; ira; stizza: **a fit of t.**, un accesso d'ira **7** (*pl.*) *tempers* (*fam.*), i nervi: (*calcio*) *Tempers began to fray in the second half*, i nervi cominciarono a saltare nel secondo tempo ● (*metall.*) **t. brittleness**, fragilità al rinvenimento □ **to get** (*o* **to fly**) **into a t.**, andare su tutte le furie; montare in collera; adirarsi □ **to get sb.'s t. up**, mandare in collera q.; fare saltare i nervi a q. □ **to have a quick t.**, scaldarsi per un nonnulla; pigliar fuoco come un fiammifero □ **to keep one's t.**, mantenere la calma; restare calmo □ **to lose one's t.**, perder le staffe; andare in collera; uscire dai gangheri (*fam.*) □ **to be out of t.**, essere di malumore; essere adirato, stizzito; essere in collera □ **to try sb.'s t.**, mettere a dura prova la pazienza di q. □ *That boy has a t.*, quel ragazzo ha un caratterino!

to **temper** /ˈtɛmpə(r)/ **A** v. t. **1** (*ind., metall.*) temprare; rinvenire: **to t. steel** [**glass**], temprare l'acciaio [il vetro] **2** diluire; stemperare: **to t. clay**, mescolare l'argilla; *Some paints are tempered with oil*, alcune vernici si stemperano con l'olio **3** (*fig,*

form.) temperare; attenuare; moderare; mitigare: **to t. justice with mercy**, temperare la giustizia con la misericordia; **to t. unemployment**, attenuare la disoccupazione **4** (*mus.*) temperare, modulare (*una nota*); accordare (*uno strumento*) **B** v. i. (*metall.*) temprarsi; prender la tempra; rinvenire ● (*prov.*) **God tempers the wind to the shorn lamb**, Dio manda il freddo secondo i panni.

tempera /ˈtɛmpərə/ (*ital.*) n. (*pitt.*) **1** Ⓤ tempera **2** guazzo (*per cartelloni*) **3** (= **t. painting**) pittura a tempera.

temperable /ˈtɛmpərəbl/ a. che si può temprare; temprabile.

temperament /ˈtɛmpərəmənt/ n. **1** temperamento; carattere; indole: **a sanguine** [**artistic**] **t.**, un temperamento sanguigno [artistico] **2** Ⓤ carattere impulsivo, emotivo, capriccioso; emotività; eccitabilità: *Many artists have t.*, molti artisti hanno un carattere impulsivo **3** Ⓤ estrosità; gran temperamento **4** Ⓤ (*mus.*) temperamento.

temperamental /tɛmprəˈmɛntl/ a. **1** caratteriale; congenito; connaturato; innato: *He has a t. dislike for hard work*, ha un'antipatia congenita per il duro lavoro **2** (*di persona*) capriccioso; emotivo; instabile **3** (*di un artista, un giocatore, ecc.*) estroso; incostante; disuguale **4** (*di una macchina, un motore e sim.*) inaffidabile; che fa i capricci (*fam.*) ‖ **temperamentally** avv. per temperamento; per costituzione; d'indole naturale.

temperance /ˈtɛmpərəns/ n. Ⓤ **1** (*form.*) temperanza; moderazione; sobrietà **2** astinenza dall'alcol ● **a t. hotel**, un albergo dove non si vendono alcolici □ **t. society**, lega antialcolica.

temperate /ˈtɛmpərət/ a. **1** moderato; parco; sobrio; temperato: **t. language**, linguaggio moderato **2** (*di clima, ecc.*) temperato: **t. zone**, zona temperata **3** (*di persona*) astemio | **-ly** avv. | **-ness** n. Ⓤ.

◆**temperature** /ˈtɛmprətʃə(r)/ n. ⒸⓊ **1** temperatura (*anche fig.*): **high** [**low**] **t.**, temperatura alta [bassa]; **room t.**, temperatura ambiente; *In the occupied town the t. was rising*, nella città occupata la temperatura era in rialzo **2** (*fam.*) temperatura febbrile; febbre: **to have** (*o* **to run**) **a t.**, avere la febbre; *Have you checked your t.?*, ti sei misurata la febbre?; *You have got a t. of 38°*, hai la febbre a 38° ● (*meteor.*) **t. gradient**, gradiente termico □ **to take sb.'s t.**, misurare la febbre a q.

tempered /ˈtɛmpəd/ a. **1** (*metall.*) temprato; rinvenuto: **t. steel**, acciaio temprato **2** (*fig.*) moderato; mitigato; temperato: **t. boldness**, audacia mitigata **3** (*nei composti*) che ha un certo carattere (*o* un'indole): **bad-t.**, che ha un brutto carattere; irascibile; **good-t.**, d'indole buona; di buona pasta; bonario.

temperer /ˈtɛmpərə(r)/ n. chi tempera, chi tempra (→ **to temper**).

tempering /ˈtɛmpərɪŋ/ n. Ⓤ **1** (*metall.*) tempra; rinvenimento **2** (*fig.*) temperamento; attenuazione; mitigamento ● (*metall.*) **t. oil**, olio per tempra.

tempest /ˈtɛmpɪst/ n. tempesta (*anche fig.*); bufera (*di pioggia, di neve, ecc.*); burrasca ● **a t. of applause**, uno scroscio d'applausi.

tempestuous /tɛmˈpɛstʃuəs/ a. tempestoso; burrascoso; (*fig.*) agitato, violento; turbolento | **-ly** avv. | **-ness** n. Ⓤ.

temping /ˈtɛmpɪŋ/ n. Ⓤ (*fam.*) lavoro saltuario (*o* precario) ● **t. agency**, agenzia che procura avventizi: *I'll probably sign on with a t. agency for a few months to pay for the trip*, probabilmente mi iscriverò a un'agenzia di lavoro temporaneo per qualche mese per potermi pagare il viaggio.

templar /ˈtɛmplə(r)/ n. avvocato (*o* studente in legge) del «Temple» di Londra (*cfr.* **the Temple**, *sotto* **temple**①).

Templar /ˈtɛmplə(r)/ n. (*stor.*) templare ● **Knights T.** (*o* **Knights of the Temple**), Templari.

template /ˈtɛmpleɪt/ n. **1** (*archit.*) architrave; (*fig.*) struttura portante: *'Joyce took Greek myth as a t. for his Ulysses, but the Greek gods are comic'* A. BURGESS, 'come struttura portante del suo *Ulisse*, Joyce prese il mito greco, ma gli dei greci sono comici' **2** (*tecn.*) dima; sagoma; calibro sagomato **3** (*ind. costr.*) cuscino d'appoggio **4** (*biochim.*) stampo **5** (*comput.*) template; modello.

◆**temple**① /ˈtɛmpl/ n. (*relig.*) tempio (*anche fig.*); chiesa: **a t. of art**, un tempio dell'arte ● (*a Londra*) **the T.**, il «Tempio» (sede, in passato, dei Templari e ora di associazioni di avvocati - '*solicitors*' -, le quali hanno il diritto esclusivo d'ammettere gli aspiranti all'esercizio della professione).

temple② /ˈtɛmpl/ n. **1** (*anat.*) tempia **2** (*USA*) stanghetta (*di occhiali*) ● (*anat.*) **t. bone**, osso temporale.

temple③ /ˈtɛmpl/ n. (*ind. tess.*) tempiale (*di telaio*).

templet /ˈtɛmplət/ → **template**.

tempo /ˈtɛmpəʊ/ (*ital.*) n. (pl. *tempi*, *tempos*) **1** (*mus.*) tempo **2** (*fig.*) ritmo: **the frantic t. of modern living**, il ritmo frenetico della vita moderna **3** (*sport*) ritmo (*del gioco, della voga, ecc.*).

temporal① /ˈtɛmpərəl/ a. **1** temporale; terreno; mondano: **the t. power of the Church**, il potere temporale della Chiesa; **t. interests**, interessi terreni **2** (*gramm.*) temporale; di tempo: **t. adverbs**, avverbi temporali | **-ly** avv.

temporal② /ˈtɛmpərəl/ (*anat.*) **A** a. temporale: **t. artery**, arteria temporale **B** n. (osso) temporale.

temporalism /ˈtɛmpərəlɪzəm/ n. Ⓤ temporalismo.

temporality /tɛmpəˈrælətɪ/ n. **1** Ⓤ (*spec. relig.*) temporalità **2** (pl.) beni temporali.

temporarily /ˈtɛmprərəlɪ/ avv. temporaneamente.

temporariness /ˈtɛmpərərɪnəs/ n. Ⓤ temporaneità; transitorietà.

◆**temporary** /ˈtɛmprərɪ/ **A** a. **1** temporaneo; passeggero; provvisorio; transitorio: **a t. suspension of play**, una sospensione temporanea del gioco; **a t. solution**, una soluzione provvisoria **2** avventizio; interinale; interino **3** (*comput.*) temporaneo; di transito: **t. storage**, memoria temporanea (*o* di transito) **B** n. avventizio; supplente; diurnista; precario ● (*dog.*) **t. admission**, importazione temporanea □ (*rag.*) **t. balance sheet**, stato patrimoniale provvisorio □ (*comm. est.*) **t. exports**, merci esportate temporaneamente □ (*comput.*) **t. file**, file temporaneo □ (*fin.*) **t. investment**, investimento temporaneo □ (*leg.*) **t. laws**, norme transitorie □ **t. office**, interinato □ (*ass.*) **t. policy**, polizza temporanea □ (*a scuola*) **t. post**, posto di supplente; supplenza □ **t. staff**, i precari; il precariato □ **t. substitution**, supplenza (*il supplire*) □ (*dog.*) **t. warehousing**, custodia temporanea.

to **temporize** /ˈtɛmpəraɪz/ v. i. temporeggiare; guadagnar tempo ‖ **temporization** n. Ⓤ temporeggiamento ‖ **temporizer** n. temporeggiatore, temporeggiatrice.

◆**tempt** /tɛmpt/ v. t. **1** tentare; indurre in tentazione; istigare (al male): *They tempted him to steal with promises of impunity*, lo istigarono a rubare con promesse d'impunità **2** allettare; tentare; attrarre; indurre; persuadere: *That meat pie tempts me*, quel

pasticcio di carne mi alletta; *Poverty tempted him into crime*, la povertà lo spinse alla delinquenza **3** (*Bibbia*) mettere alla prova: *God tempted Abraham*, Dio mise Abramo alla prova **4** provocare; sfidare: *Do not t. the Lord*, non provocare il Dio tuo ● **to t. Providence**, tentare la sorte; correre un grosso rischio □ **to be tempted** □, essere tentato; essere incline (*o* propenso): *I'm tempted to accept*, sono tentato di accettare.

temptable /'tɛmptəbl/ *a.* esposto alla tentazione; che si lascia tentare.

temptation /tɛmp'teɪʃn/ *n.* **1** □ tentazione: **to fall into t.**, cadere in tentazione; (*relig.*) *Lead us not into t.*, non c'indurre in tentazione **2** allettamento; incentivo; attrazione; lusinga: **the temptations of the metropolis**, gli allettamenti della metropoli.

tempter /'tɛmptə(r)/ *n.* tentatore ● (*relig.*) **the T.**, il Tentatore; il Demonio.

tempting /'tɛmptɪŋ/ *a.* allettante; attraente; seducente: **a t. offer**, un'offerta allettante ● **t. food**, cibo appetitoso | **-ly** *avv.*

temptress /'tɛmptrɪs/ *n.* (*lett. o scherz.*) **1** tentatrice **2** (*spec.*) seduttrice.

tempura /'tɛmpʊrə/ *n.* (*cucina giapponese*) tempura.

♦**ten** /tɛn/ Ⓐ *a.* dieci Ⓑ *n.* **1** dieci **2** (*fam.*) biglietto da dieci sterline **3** (*fam. USA*) biglietto da dieci dollari ● (*fam. USA*) **ten-cent**, dozzinale; meschino ● (*USA*) **ten-cent store**, emporio che vende articoli vari a poco prezzo □ (*fam.*) **ten a penny**, dozzinale; comune □ (*slang USA*) **ten percenter**, chi prende il 10% di provvigione □ **ten-pounder**, (*fam.*) che vale 10 sterline (*o* che pesa 10 libbre); (*stor.*) persona avente diritto al voto in quanto detentore di una proprietà del valore locativo di dieci sterline □ (*slang USA*) **ten-spot**, biglietto da dieci dollari; deca; condanna a dieci anni di carcere □ (*atletica*) **the 10,000 metre run**, i diecimila □ **ten times as easy**, dieci volte più facile □ **ten times better**, dieci volte migliore (*o* di meglio) □ **in tens**, a gruppi di dieci; dieci alla volta: **to arrange in tens**, sistemare a gruppi di dieci □ **one in ten**, uno su dieci □ **Ten to one he forgets it**, scommetto dieci contro uno che se ne dimentica □ **It's ten to one that...**, ci sono nove probabilità su dieci che...

ten. abbr. (*mus.*, **tenor**) tenore.

tenable /'tɛnəbl/ *a.* **1** sostenibile: **a t. theory**, una teoria sostenibile **2** (*d'ufficio, carica, ecc.*) occupabile **3** (*mil.*) difendibile: **a t. position**, una posizione difendibile ● **How long is the office t.?**, qual è la durata in carica? || **tenability** *n.* □ **1** sostenibilità **2** (*mil.*) difendibilità.

tenace /'tɛnəs/ *n.* (*a bridge*) 'tenace' (*coppia di carte che prendono in mezzo la carta dell'avversario*).

tenacious /tɪ'neɪʃəs/ *a.* **1** tenace (*anche fig.*); fermo; perseverante; ostinato: **a t. memory**, una memoria tenace (*o* di ferro); **t. courage**, tenace coraggio **2** compatto; tenace; coesivo: **t. glue**, colla tenace; **t. wood**, legno compatto | **-ly** *avv.* | **-ness** *n.* □.

tenacity /tɪ'næsətɪ/ *n.* □ **1** tenacia; fermezza; perseveranza; ostinazione **2** compattezza; tenacia; coesione **3** (*ind. tess.*) resistenza a rottura.

tenaculum /tɪ'nækjʊləm/ *n.* (*pl.* **tenacula**, **tenaculums**) (*med.*) tenacolo.

tenancy /'tɛnənsɪ/ *n.* (*leg.*) **1** «tenancy» ❶ CULTURA ● **tenancy**: *nella* **common law**, *che ignora il concetto romanistico di «dominium», indica il possesso di un bene immobile per una durata che va da pochi mesi a 999 anni; in teoria, la proprietà assoluta dei beni immobili è solo del sovrano* **2** (*pressappoco*) affittanza; locazione; durata della locazione; periodo d'affitto **3** bene immobile dato in locazione (*o* in affitto) **4** (*pressappoco*) usufrutto ● **t. at**

will, affitto a tempo indeterminato □ **t. for life** (*o* **life t.**), locazione a vita; (*pressappoco*) usufrutto (perpetuo) □ **t. for years**, locazione a tempo determinato □ **t. in common**, (*pressappoco*) comunione «pro indiviso» □ **t. in fee simple**, proprietà assoluta (*di un immobile: diventa sempre più frequente*).

♦**tenant** /'tɛnənt/ *n.* (*leg.*) **1** «tenant»; (*pressappoco*) proprietario (*con diritto di proprietà superficiaria*) **2** affittuario, locatario, conduttore, inquilino **3** (*stor.*) vassallo (*di un feudatario*) ● (*in GB*) **tenants association**, associazione degli inquilini □ **t. at will**, locatario a tempo indeterminato □ (*in GB*) **tenants' charter**, statuto dei diritti degli inquilini di case popolari, comunali, ecc. (*di subaffitto, riscatto, ecc.*) □ (*agric.*) **t. farmer**, affittuario; conduttore; fittavolo □ **t. for life** (*o* **life t.**), locatario a vita; (*pressappoco*) usufruttuario □ **t. from year to year**, locatario con contratto annuale □ **t. in fee simple**, proprietario assoluto (*di un immobile*) □ **t. right**, diritto del conduttore a un indennizzo per le migliorie fatte (*al termine dell'affittanza*) ❶ FALSI AMICI ● tenant *non significa* tenente.

to tenant /'tɛnənt/ *v. t.* (*leg.*) **1** essere proprietario di (*un immobile*; → **tenancy**) **2** occupare come locatario; tenere in affitto.

tenantable /'tɛnəntəbl/ *a.* (*leg.*) affittabile; che può esser dato in locazione ● **t. repair**, manutenzione ordinaria.

tenantless /'tɛnəntləs/ *a.* (*di casa, di podere*) non occupato da affittuario; libero; sfitto; vuoto.

tenantry /'tɛnəntrɪ/ *n.* □ **1** (*collett.*) fittavoli, fittaioli (*di una proprietà terriera*); inquilini (*d'una casa*) **2** affittanza; locazione; inquilinato **3** durata della locazione; periodo d'affitto.

tench /tɛnʃ/ *n.* (*pl.* **tench**) (*zool.*, *Tinca tinca*) tinca.

to tend ① /tɛnd/ Ⓐ *v. t.* attendere a; badare a; custodire; sorvegliare: *Andrew tends the family shop*, Andrew bada al negozio della famiglia (*serve i clienti*); **to t. the fire**, badare al fuoco (*in cucina, ecc.*); *He tends bar in the evening*, di sera fa il barista Ⓑ *v. i.* (*fam. spec. USA*) fare attenzione; badare ● **to t. to sb.** (*o* **st.**), prendersi cura di q. (*o* qc.); curare q. (*o* qc.): **to t. to sb.'s wounds**, curare le ferite di q.

♦**to tend** ② /tɛnd/ *v. i.* **1** tendere; inclinare; piegare; volgere: *John tends to exaggerate*, John tende all'esagerazione; *Business conditions t. to weaken during inflationary periods*, la congiuntura tende a un indebolimento durante periodi di alta inflazione; *The road tends north*, la strada piega a settentrione **2** tendere; essere incline (*o* propenso): *I t. to think he is wrong*, tendo a credere che abbia torto **3** – **to t. to**, portare a; favorire: *Education tends to a stronger democracy*, l'istruzione favorisce una democrazia più forte ● **yellow tending to green**, giallo che tende al verde.

♦**tendency** /'tɛndənsɪ/ *n.* **1** tendenza; disposizione; inclinazione; propensione **2** tendenza; andamento; evoluzione: **the t. of the money market**, l'andamento del mercato monetario.

tendential /tɛn'dɛnʃəl/ *a.* tendenziale | **-ly** *avv.*

tendentious /tɛn'dɛnʃəs/ *a.* **1** tendenzioso **2** parziale; partigiano | **-ly** *avv.* | **-ness** *n.* □.

tender ① /'tɛndə(r)/ *n.* **1** chi bada; chi ha cura (*di q.*); guardiano; sorvegliante: *A shepherd is a t. of sheep*, il pastore è un guardiano di pecore **2** (*ferr.*) tender; carro di scorta **3** (*naut.*) nave appoggio; nave ausiliaria: **a submarine t.**, una nave appoggio per sommergibili.

tender ② /'tɛndə(r)/ *n.* **1** (*comm.*, *leg.*) offerta di pagamento (*di un debito, ecc.*) in moneta; offerta reale **2** (*leg.*, *comm.*) offerta d'appalto (*o* di fornitura: *di servizi, ecc.*); offerta in gara d'appalto; licitazione: **to submit a t.**, presentare un'offerta d'appalto; **sealed t.**, offerta sigillata **3** (*leg.*; *per estens.*) appalto; gara d'appalto: **to win a t.**, vincere una gara d'appalto **4** □ (*fin.*, *leg.*) moneta; valuta: **legal t.**, valuta (a corso) legale **5** (*fin.*, *in GB*) offerta (in gara), gara (*di titoli di stato*): *The Bank of England invites tenders from the discount houses for the Treasury Bills*, la Banca d'Inghilterra invita gli istituti di sconto a fare offerte per i buoni del Tesoro **6** (*fin.*, *Borsa*, *USA*) = **t. offer** → *sotto* ● (*fin.*, *Borsa*, *in GB*) **t. issue**, emissione (*di titoli di stato*) con invito a presentare offerte d'acquisto □ (*leg.*) **t. of amends**, offerta di risarcimento danni □ (*fin.*, *Borsa*) **t. offer**, offerta pubblica d'acquisto (*di titoli di stato*); (*USA*) offerta pubblica di acquisizione di controllo (*di una società*; *cfr. ingl.* **takeover bid**, *sotto* **bid**, *def.* 4) □ (*di una moneta*) **to be legal t.**, avere corso legale.

tender ③ /'tɛndə(r)/ *a.* **1** tenero; affettuoso; amorevole; dolce; sensibile: **t. meat**, carne tenera; **t. buds**, teneri germogli; **a t. plant**, una tenera pianticella, una pianta delicata; **t. care**, cure amorevoli; **to have a t. heart**, avere il cuor tenero, sensibile; **a t. look**, uno sguardo amorevole **2** delicato (*anche fig.*); fragile; debole: **t. skin**, pelle delicata; **t. colours**, tinte delicate; **a t. question**, una questione delicata **3** (*med.*) sensibile al tocco; dolente; indolenzito: *My ankle is still t.*, la caviglia mi fa ancora male se la tocco ● **t.-eyed**, dallo sguardo dolce □ **t.-hearted**, dal cuore tenero; sensibile □ **t.-heartedness**, sensibilità; dolcezza □ **t.-minded**, troppo sensibile; ipersensibile □ **t.-mindedness**, sensibilità eccessiva, ipersensibilità □ (*fig.*) **t. spot**, punto sensibile □ **to be t. of other people's feelings**, aver riguardo per i sentimenti altrui □ **a t. subject**, un argomento scabroso □ **a t. touch**, un tocco leggero □ **a t. wound**, una ferita che duole ancora (*anche fig.*) □ **of t. age** (*o* **years**), di tenera età; in ancor tenera età □ (*fig.*) **to t. spot**, toccare un punto sensibile.

to tender /'tɛndə(r)/ Ⓐ *v. t.* **1** (*comm.*, *leg.*) offrire (*denaro*) in pagamento; pagare con: *He tendered a 500 euro note to pay for the damage*, offrì una banconota da 500 euro per risarcire il danno **2** offrire: *I wish to t. my services as an agent of your firm*, mi pregio offrire i miei servigi come rappresentante della vostra ditta **3** presentare; porgere: *He tendered his resignation*, presentò le dimissioni **4** (*fin.*, *in GB*) offrire (*titoli di stato*) in gara pubblica Ⓑ *v. i.* fare un'offerta (*o* offerte); concorrere a un appalto; partecipare a una gara d'appalto: **to t. for a contract**, fare un'offerta per un appalto ● **«Passengers should t. the exact fare»**, i passeggeri devono avere i soldi contati per il biglietto (*della corsa in autobus*).

tenderer /'tɛndərə(r)/ *n.* (*comm.*, *leg.*) offerente (→ **tender** ②).

tenderfoot /'tɛndəfʊt/ *n.* (*fam.*; *pl.* **tenderfeet**, **tenderfoots**) **1** nuovo venuto; novellino; novizio; pivello **2** (*stor. USA*) pioniere da poco nel Far West **3** «piede tenero», lupetto (*primo grado dei boy-scout*).

tendering /'tɛndərɪŋ/ *n.* □ (*leg.*) offerte d'appalto; licitazione.

to tenderize /'tɛndəraɪz/ *v. t.* (*tecn.*) intenerire, rendere tenero (*cibo, carne, ecc.*).

tenderizer /'tɛndəraɪzə(r)/ *n.* (*cucina*) tenerizzatore; martelletto (*o* preparato) per rendere tenera la carne (*o* il pesce).

tenderloin /'tɛndəlɔɪn/ *n.* **1** (*cucina*) filetto di manzo **2** – **T.**, quartiere malfamato

(*in origine, di New York*).

tenderly /'tɛndəlɪ/ avv. teneramente; affettuosamente; dolcemente.

tenderness /'tɛndənəs/ n. ⓤ 1 tenerezza; affettuosità; amorevolezza; dolcezza; sensibilità 2 delicatezza; fragilità; debolezza.

tending /'tɛndɪŋ/ n. ⓤ 1 il badare (*a q.*); sorveglianza; custodia 2 il curarsi (*di q.*); cure (pl.).

tendinitis /tɛndɪ'naɪtɪs/ n. ⓤ (*med.*) tendinite.

tendon /'tɛndən/ (*anat.*) n. tendine ● t. reflex, riflesso tendineo □ t. sheath, guaina tendinea □ Achilles t., il tendine d'Achille ● tendinous a. di tendine; tendineo.

tendonitis /tɛndə'naɪtɪs/ n. ⓤ → tendinitis.

tendril /'tɛndrəl/ n. (*bot.*) viticcio ● (*fig.*) a t. of hair, una ciocca di capelli ricci.

tendrilled /'tɛndrɪld/ a. (*bot.*) provvisto di viticci.

Tenebrae /'tɛnɪbriː/ (*lat.*) n. pl. (*relig., stor.*) ufficio delle tenebre (*soppresso nel 1955*).

tenebrous /'tɛnəbrəs/ a. (*lett.*) tenebroso; oscuro; cupo; tetro.

tenement /'tɛnəmənt/ n. 1 (*leg.*) bene immobile 2 casa in affitto; appartamento d'affitto 3 (= t. house) casa divisa in appartamenti; (*spesso*) casa popolare; casamento; caseggiato ‖ tenemental, tenementary a. d'affitto □ (*stor.*) tenemental land, terre assegnate (*da un feudatario*) ai vassalli.

tenesmus /tɪ'nɛzməs/ n. ⓤ (*med.*) tenesmo.

tenet /'tɛnɪt/ n. dogma; canone; principio; dottrina.

tenfold /'tɛnfəʊld/ Ⓐ a. decuplo Ⓑ avv. dieci volte (tanto).

tenia /'tiːnɪə/ n. 1 (*USA*) → taenia 2 (*anat.*) tenia; benderella; formazione a nastro.

tenner /'tɛnə(r)/ n. (*fam.*) 1 biglietto da dieci sterline: *Here's a t.*, tieni, prendi dieci sterline 2 (*USA*) biglietto da dieci dollari.

♦**tennis** /'tɛnɪs/ Ⓐ n. ⓤ (*sport*) tennis Ⓑ a. attr. del (*o* da) tennis; tennistico: a t. tournament, un torneo tennistico; a t. ball, una palla da tennis ● t. club, circolo del tennis □ t. court, campo di tennis □ t. elbow, gomito del tennista (*malanno*) □ t. match, match di tennis; incontro tennistico □ t. net, rete da tennis □ t. player, giocatore di tennis; tennista □ t. racket, racchetta da tennis □ t. serve, servizio a tennis; battuta □ t. shoes, scarpette da tennis □ t. toe, dito del piede del tennista (*malanno*).

tenon /'tɛnən/ n. 1 (*falegn.*) tenone; maschio dell'incastro 2 (*naut.*) maschio; miccia: heel t., miccia d'albero ● t. saw, sega per tenoni.

to **tenon** /'tɛnən/ v. t. 1 fare un tenone in (*un'asse*) 2 congiungere mediante tenone.

tenoner /'tɛnənə(r)/ n. (*falegn.*) tenonatrice (*macchina*).

tenor /'tɛnə(r)/ Ⓐ n. 1 ⓤ tenore; senso generale: the t. of his speech, il tenore del suo discorso 2 andamento; corso; svolgersi: the even t. of our life, il placido svolgersi della nostra vita 3 (*leg.*) formulazione letterale; lettera 4 (*mus.*) tenore (*cantante e parte*) 5 (*mus.*, = t. voice) voce di tenore; voce tenorile 6 (*mus.* = t. bell) campana tenore (*in un gruppo di campane*) 7 (*fin.*) termine; durata Ⓑ a. (*mus.*) tenore ● t. clef, chiave di tenore; t. sax, sassofono tenore; t. viola, viola tenore; *B flat t. horn*, flicorno tenore in si bemolle.

tenosynovitis /tɛnəsaɪnə'vaɪtɪs/ n. ⓤ (*med.*) tenosinovite.

tenotomy /tə'nɒtəmɪ/ n. ⓤⓒ (*med.*) tenotomia.

tenpin /'tɛnpɪn/ n. birillo ● t. bowling, bowling con dieci birilli.

tenpins /'tɛnpɪnz/ n. pl. 1 birilli 2 (col verbo al *sing.*; *USA*) bowling con dieci birilli.

tense ① /tɛns/ a. 1 teso (*anche fig.*); tirato; contratto; ansioso: a t. wire, un filo metallico teso; t. muscles, muscoli tesi; faces with emotion, facce contratte per l'emozione 2 intenso; che produce tensione: a very t. match, una partita molto intensa (*o* nervosa) ● a t. day, una giornata di tensione □ The atmosphere was t., c'era un'aria di tensione ‖ tenseness n. ⓤ 1 tensione; rigidità 2 intensità; nervosità (*del gioco, ecc.*).

♦**tense** ② /tɛns/ n. (*gramm.*) tempo: the past t., il (tempo) passato.

to **tense** /tɛns/ Ⓐ v. t. 1 tendere (*i muscoli, ecc.*) 2 rendere teso (*o* tirato, nervoso) Ⓑ v. i. (*anche* to t. up) tendersi; diventar teso; irrigidirsi.

tensed up /tɛnst'ʌp/ a. teso (*fig.*); nervoso; in ansia.

tensible /'tɛnsəbl/ a. assoggettabile a tensione; elastico; duttile ‖ tensibility n. ⓤ l'essere assoggettabile a tensione; elasticità; duttilità.

tensile /'tɛnsaɪl/ a. 1 (*fis., mecc.*) di trazione (*o* di tensione); relativo alla tensione (*o* alla trazione): t. force, forza di tensione 2 → tensible ● t. strength, resistenza alla trazione □ (*tecn.*) t. test, prova di trazione □ (*tecn.*) maximum (*o* ultimate) t. strength, carico di rottura (*alla trazione*) ‖ tensility n. ⓤ elasticità; duttilità.

tensiometer /tɛnsɪ'ɒmɪtə(r)/ (*scient.*) n. tensiometro ‖ tensiometric a. tensiometrico ‖ tensiometry n. ⓤ tensiometria.

♦**tension** /'tɛnʃn/ n. 1 (*fis. e fig.*) tensione: surface t., tensione superficiale (*di un liquido*); racial tensions, tensioni razziali; *T. mounted in the field*, nel campo saliva la tensione 2 (*elettr.*) tensione; potenziale: high t., alta tensione 3 (*mecc.*) tensione 4 (*fisiol., med.*) tensione; pressione: arterial t., pressione arteriosa ● (*edil., mecc.*) t. bar (*o* t. rod), tirante □ t. wheel, tendicatena (di bicicletta, motocicli, ecc.) ‖ tensional a. 1 (*mecc., ecc.*) di (*o* relativo a) tensione 2 (*tecn.*) per mezzo di (*o* sotto) tensione: tensional strapping, legatura sotto tensione (*con moiette, ecc.: nell'imballaggio*).

to **tension** /'tɛnʃn/ v. t. sottoporre a tensione.

tensity /'tɛnsɪtɪ/ n. ⓤ = tenseness → tense ①.

tensor /'tɛnsə(r)/ n. 1 (*anat.*) (muscolo) tensore 2 (*mat.*) tensore ‖ tensorial a. tensoriale.

♦**tent** ① /tɛnt/ n. tenda; padiglione (*di tela*): bell t., tenda circolare; padiglione; (*med.*) oxygen t., tenda a ossigeno ● t. bed, letto da campo; letto a baldacchino □ t. city (*o* village), tendopoli □ t. fly, tetto esterno (*di tenda doppia*) □ t. peg, picchetto da tenda □ t.-pegging, gara di cavalieri che tentano d'infilare con lance pioli infitti nel terreno □ t. pole, palo (centrale) di una tenda □ (*cucito*) t. stitch, mezzo punto.

tent ② /tɛnt/ n. (*med.*) stuello; tampone; zaffo.

to **tent** ① /tɛnt/ Ⓐ v. i. 1 vivere sotto la tenda 2 piantare la tenda; accamparsi Ⓑ v. t. 1 sistemare (*soldati, ecc.*) in tende 2 ricoprire con una tenda (*o* a mo' di tenda).

to **tent** ② /tɛnt/ v. t. (*med.*) stuellare, tamponare (*una ferita, ecc.*).

tentacle /'tɛntəkl/ n. (*anche fig.*) tentacolo 2 (*bot.*) cirro; viticcio ‖ tentacled, tentaculate a. (*zool.*) tentacolato; munito di tentacoli ‖ tentacular a. tentacolare.

tentage /'tɛntɪdʒ/ n. ⓤⓒ 1 tende (collett.); attendamento 2 tende (collett.); equipaggiamento di tende.

tentative /'tɛntətɪv/ Ⓐ a. 1 di prova; provvisorio; sperimentale: in a t. way, in via provvisoria; per fare un tentativo; a t. program, un programma sperimentale 2 esitante; incerto; titubante: a t. smile, un sorriso esitante Ⓑ n. (*raro*) tentativo ● a t. effort, un tentativo □ (*leg.*) t. specification, bozza di capitolato.

tenter ① /'tɛntə(r)/ n. (*ind. tess.*) stenditoio (*telaio per panni*).

tenter ② /'tɛntə(r)/ n. 1 chi sta in tenda 2 addetto alle tende.

tenterhook /'tɛntəhʊk/ n. 1 uncino di stenditoio (→ tenter ①) 2 (*ind. tess.*) lupo battitore e sfilacciatore ● (*fig.*) to be on tenterhooks, stare sulle spine; essere sui carboni ardenti.

tenth /tɛnθ/ Ⓐ a. decimo Ⓑ n. 1 (*mat.*) decimo; decima parte 2 (*relig.*) decima 3 (*mus.*) (intervallo di) decima ● (on) the t. of April, il dieci aprile ‖ tenthly avv. in decimo luogo.

tentpole /'tɛntpəʊl/ a. (*cinem.*: *di film*) di grande incasso.

tenuis /'tɛnjʊɪs/ n. (pl. tenues) (*fon., gramm. greca*) tenue; consonante tenue.

tenuity /tɛ'njuːɪtɪ, *USA* -'nuː-/, tenuousness /'tɛnjʊəsnəs/ n. ⓤ 1 tenuità; esilità; sottigliezza 2 (*fig.*) inconsistenza.

tenuous /'tɛnjʊəs/ a. 1 tenue; esile; sottile: a t. hope, una tenue speranza; a t. distinction, una distinzione sottile 2 (*fig.*) inconsistente: a t. plot, un intreccio inconsistente ● The air is t. in the mountains, l'aria in montagna è rarefatta | -ly avv.

tenure /'tɛnjʊə(r)/ n. 1 occupazione; possesso: (*stor.*) feudal t., possesso feudale 2 diritto d'occupazione; diritto di possesso 3 durata (*di un possesso*); permanenza (*in carica, ecc.*): *The t. of the US Presidency is four years*, la permanenza in carica del Presidente degli USA è di quattro anni 4 (*stor., leg.*) possesso, godimento e diritti relativi (*di un vassallo*) 5 (*spec. USA* = security of t.) incarico permanente (*nella scuola o nell'università*); (posto di) ruolo: *She was given t. after three years*, dopo tre anni ottenne un incarico permanente (*o* passò di ruolo) ● (*USA*) t.-track position, posto che porterà a un incarico permanente.

to **tenure** /'tɛnjə(r)/ v. t. (*spec. USA*) conferire un incarico permanente (*nella scuola o nell'università*); passare di ruolo ‖ tenured a. permanente; stabile; di ruolo.

teocalli /tiːə'kælɪ/ n. (*archeol.*) teocalli.

tepee /'tiːpiː/ n. (*in USA*) tepee; tenda conica dei pellirosse.

tephrite /'tɛfraɪt/ n. ⓤ (*miner., geol.*) tefrite (*roccia vulcanica*).

tepid /'tɛpɪd/ (*anche fig.*) a. tiepido, tepido ‖ tepidity, tepidness n. ⓤ tiepidità, tiepidezza ‖ tepidly avv. tiepidamente.

tepidarium /tɛpɪ'dɛərɪəm/ (*lat.*) n. (pl. tepidaria) tepidario.

tequila /tə'kiːlə/ n. tequila.

terabyte /'tɛrəbaɪt/ n. (*comput.*) terabyte (*equivale a 2^{40} byte*).

teraflop /'tɛrəflɒp/ n. (*comput.*) teraflop (*equivale a 10^{12} flop*).

terahertz /'tɛrəhɜːts/ n. (*fis.*) terahertz (*10^{12} hertz*).

teratogen /'tɛrətədʒən/ n. (*biol.*) agente (*o* fattore) teratogeno ‖ teratogenic a. teratogeno.

teratogenesis /tɛrətə'dʒɛnəsɪs/ n. ⓤ (*biol.*) teratogenesi.

teratogeny /tɛrə'tɒdʒənɪ/ n. (*biol.*) teratogenesi.

a b c d e f g h i j k l m n o p q r s t u v w x y z

teratology /ˌterəˈtɒlədʒɪ/ (*biol.*) n. ⓤ teratologia || **teratological** a. teratologico.

teratoma /ˌterəˈtəʊmə/ n. (pl. **teratomas**, **teratomata**) (*med.*) teratoma.

terbium /ˈtɜːbɪəm/ n. ⓤ (*chim.*) terbio.

terce /tɜːs/ → **tierce**.

tercel /ˈtɜːsl/ n. (*zool.*) **1** terzuolo; astore (*il maschio*) **2** (*un tempo*) falcone maschio (*in falconeria*).

tercentenary /ˌtɜːsenˈtiːnərɪ, *USA* tɜːˈsentənerɪ/, **tercentennial** /ˌtɜːsenˈtenɪəl/ Ⓐ n. terzo centenario; tricentenario Ⓑ a. attr. del terzo centenario.

tercet /ˈtɜːsɪt/ n. (*poesia*) terzina.

terebene /ˈterəbiːn/ n. ⓤ (*chim.*) terebene.

terebinth /ˈterəbɪnθ/ n. (*bot.*, *Pistacia terebinthus*) terebinto.

terebinthine /ˌterəˈbɪnθaɪn/ a. **1** (*bot.*) di terebinto **2** (*chim.*) di (*o relativo a*) trementina.

terebra /ˈterəbrə/ n. (pl. **terebrae**, **terebras**) (*zool.*) terebra.

teredo /təˈriːdəʊ/ n. (pl. **teredos**, **teredines**) (*zool.*, *Teredo*) teredine.

Terence /ˈterəns/ n. Terenzio.

terephthalate /ˌterefˈθæleɪt/ n. ⓤ (*chim.*) tereftalato.

to **tergiversate** /ˈtɜːdʒɪvəseɪt/ v. i. **1** fare un voltafaccia; cambiar casacca (*fig.*); tradire **2** tergiversare || **tergiversation** n. **1** voltafaccia; tradimento **2** ⓤ tergiversazione || **tergiversator** n. **1** voltagabbana; traditore **2** tergiversatore.

teriyaki /ˌterɪˈækɪ/ n. ⓤ (*cucina giapponese*) salsa di soia aromatizzata con vino, zucchero e spezie.

♦**term** /tɜːm/ n. **1** termine; parola, vocabolo: *He always uses the proper t.*, usa sempre la parola giusta; *He used strong terms*, disse delle parole grosse; (*logica*) **the terms of a syllogism**, i termini di un sillogismo; (*mat.*) *This expression has four terms*, quest'espressione ha quattro termini; **scientific terms**, termini scientifici; **in plain terms**, in parole povere **2** (pl.) rapporti; relazioni: **to be on bad terms with sb.**, avere rapporti tesi con q.; *I am on good terms with him*, sono in buoni rapporti con lui **3** durata; periodo (*di tempo*); trimestre scolastico; sessione: **the t. of an insurance policy**, la durata d'una polizza assicurativa; (*leg.*) **t. of imprisonment**, periodo di detenzione; pena detentiva; **the Easter** (*o* **spring**) **t. at school**, il secondo trimestre scolastico **4** (*polit.*, *ecc.*; = **t. of office**) periodo di permanenza in carica; mandato: *Thomas Jefferson was President of the USA for two successive terms*, Thomas Jefferson fu Presidente degli USA per due mandati successivi **5** (pl.) termini; condizioni; clausole: **the terms of surrender**, le condizioni di resa; **terms of sale** [**payment**], condizioni di vendita [pagamento]; **the terms of a contract**, i termini di un contratto; le condizioni contrattuali; **on the usual terms**, alle solite condizioni; **the terms of a will**, le clausole di un testamento; **under the terms**, secondo le clausole (*del contratto*) **6** (pl.) prezzi; tariffe **7** (*archeol.*) termine; erma **8** ⓤ (= **full t.**) (*med.*) termine (*della gestazione*): *She had her baby at full t.*, ha portato la gravidanza a termine; **to be near one's t.**, essere prossima al parto ● (*fin.*) **t. bill**, cambiale (*o* tratta) a tempo vista □ **t. day**, giorno di scadenza □ (*banca*) **t. deposit**, deposito a termine (*o* vincolato) □ (*ass.*) **t. insurance**, assicurazione temporanea sulla vita □ (*banca*) **t. loan**, mutuo (*o* prestito) a termine (*o* rateizzato) □ (*Borsa*) **t. settlement**, liquidazione periodica □ (*econ.*) **terms of trade**, ragione di scambio □ **to bring sb. to terms**, ridurre q. alla ragione; convincere q. a venire a un accordo □ **to come to terms with**, accettare, farsi una ragione di (*qc. di spiacevole o doloroso*) □ (*leg.*) **to make terms**, accordarsi □ **not on any t.**, a nessun patto □ **on equal terms**, alla pari; su un piede d'eguaglianza □ **to serve a t. (in prison)**, scontare una condanna (in carcere) □ **We aren't on speaking terms**, non ci parliamo; non ci rivolgiamo la parola.

to **term** /tɜːm/ v. t. chiamare; definire; denominare; designare: *A hybrid of a male ass and a mare is termed a mule*, l'ibrido di un asino e una cavalla si chiama mulo ● *He terms himself an artist*, si autoproclama un artista.

termagant /ˈtɜːməgənt/ Ⓐ n. donna bisbetica; arpia; megera; virago Ⓑ a. bisbetico; astioso; collerico; litigioso.

termer /ˈtɜːmə(r)/ n. chi sconta una condanna in carcere; (spec. nei composti, per es.:) **a four-year t.**, un condannato a quattro anni di carcere.

terminable /ˈtɜːmɪnəbl/ a. **1** terminabile; cui si può porre termine **2** (*leg.*: *di contratto*, *ecc.*) a termine; soggetto a estinzione; che può essere risolto.

terminal /ˈtɜːmɪnl/ Ⓐ a. **1** terminale; finale; estremo: (*bot.*) **t. leaflet**, fogliolina terminale **2** (*med.*) terminale: **t. ileitis**, ileite terminale **3** trimestrale; periodico (*rag.*) **t. accounts**, rendiconto trimestrale; **t. examinations**, esami trimestrali **4** (*comput.*) di terminale; via terminale: **t. emulator**, emulatore di terminale **5** (*elettr.*) di morsetto; ai morsetti; di connessione Ⓑ n. **1** (*elettr.*) capocorda; terminale; morsetto **2** (*comput.*) terminale **3** (*ferr.*, = **t. station**) stazione di testa; capolinea **4** capolinea; (*anche*) città capolinea (*di autobus*, *ecc.*) **5** (*aeron.*, = **air t.**) aerostazione urbana; terminal **6** (*naut.*) stazione marittima **7** (*archit.*) particolare ornamentale (*di finitura*) ● (*telef.*) **t. block**, morsettiera □ (*elettr.*) **t. board**, morsettiera □ (*bot.*) **t. bud**, gemma apicale □ (*geol.*) **t. moraine**, morena frontale □ **t. tower**, pilone (*di funivia o teleferica*) □ (*fis.*) **t. velocity**, velocità limite □ (*elettr.*) **t. voltage**, tensione ai morsetti □ (*d'ospedale*) **t. ward**, reparto malati terminali.

terminally /ˈtɜːmɪnəlɪ/ avv. **1** alla fine; in fondo; all'estremità **2** (*med.*) in fase terminale ● (*med.*) **a t.-ill patient**, un malato terminale □ **to be t. ill**, essere un malato terminale.

terminate /ˈtɜːmɪnət/ a. **1** limitato; che ha un termine **2** (*mat.*) finito: **a t. decimal**, un numero decimale finito (*non periodico*).

to **terminate** /ˈtɜːmɪneɪt/ Ⓐ v. t. **1** terminare; porre termine a; concludere; finire: **to t. a relationship**, troncare un rapporto **2** (*leg.*) rescindere (*un contratto*) Ⓑ v. i. **1** terminare; finire: *This train terminates at Dover*, questo treno finisce a Dover **2** (*leg.*) estinguersi; scadere ● (*med.*) **to t. a pregnancy**, interrompere una gravidanza.

termination /ˌtɜːmɪˈneɪʃn/ n. **1** ⓤⓒ terminazione; conclusione; fine **2** (*gramm.*) desinenza **3** ⓤ (*leg.*) rescissione (*di un contratto*) **4** (*med.*) interruzione della gravidanza; aborto ● **t. of employment**, estinzione del rapporto di lavoro; licenziamento □ (*med.*) **t. of pregnancy**, interruzione della gravidanza □ **t. pay**, indennità di licenziamento □ **to bring st. to a t.** (*o* **to put a t. to st.**), porre termine a qc.; portare qc. a conclusione || **terminational** a. (*gramm.*) di desinenza; finale.

terminative /ˈtɜːmɪnətɪv/ a. **1** che pone termine (*a qc.*); finale; conclusivo **2** (*gramm.*) terminativo.

terminator /ˈtɜːmɪneɪtə(r)/ n. **1** chi termina, chi conclude, ecc. **2** (*astron.*) terminatore **3** (*biochim.*) terminatore: **chain t.**, terminatore di catena ● (*genetica*) **t. codon**, codone terminale.

terminism /ˈtɜːmɪnɪzəm/ n. ⓤ **1** (*relig.*) terminismo (*dottrina calvinistica*) **2** (*filos.*) nominalismo.

terminology /ˌtɜːmɪˈnɒlədʒɪ/ n. ⓤⓒ terminologia || **terminological** a. terminologico; della terminologia ● **terminological inexactitude**, inesattezza di termini; (*scherz.*) bugia || **terminologically** avv. terminologicamente.

terminus /ˈtɜːmɪnəs/ n. (pl. **termini**, **terminuses**) **1** (*ferr.*) stazione di testa; capolinea **2** città capolinea (*di autobus*, *ecc.*) **3** (*leg.*) pietra confinaria **4** (*archeol.*) termine; erma.

termitarium /ˌtɜːmɪˈteərɪəm/ n. (pl. **termitaria**) termitaio.

termitary /ˈtɜːmɪtrɪ/ n. → **termitarium**.

termite /ˈtɜːmaɪt/ n. (*zool.*) termite; formica bianca ● (*edil.*) **t. shield**, isolamento protettivo contro le termiti.

termless /ˈtɜːmləs/ a. (*poet.*, *retor.*) sconfinato; infinito.

termor /ˈtɜːmə(r)/ n. (*leg.*) usufruttuario (*a vita o per un periodo di tempo*).

tern ① /tɜːn/ n. (*zool.*) sterna: **common t.** (*Sterna hirundo*), rondine di mare; sterna (*comune*).

tern ② /tɜːn/ Ⓐ n. **1** gruppo di tre; terna **2** terno (*al lotto*) Ⓑ a. → **ternate**.

ternary /ˈtɜːnərɪ/ a. **1** (*mat.*, *chim.*) ternario: **t. compound**, composto ternario **2** triplice.

ternate /ˈtɜːnət/ a. **1** (*bot.*) ternato; trifogliato **2** triplice.

terne /tɜːn/, **terneplate**, **terne-plate** /ˈtɜːnpleɪt/ n. (*ind.*, *metall.*) lamiera (*di ferro*) piombata.

terpene /ˈtɜːpiːn/ (*chim.*) n. terpene || **terpenic** a. terpenico.

terpin /ˈtɜːpɪn/ n. (*chim.*) terpina.

terpineol /tɜːˈpɪnɪɒl/ n. (*chim.*) terpineolo; terpinolo.

Terpsichore /tɜːpˈsɪkərɪ/ n. (*mitol. greca*) Tersicore.

terpsichorean /ˌtɜːpsɪkəˈriːən/ (*form. o scherz.*) Ⓐ a. tersicoreo; di Tersicore Ⓑ n. danzatore; ballerino.

terra /ˈterə/ (*lat.*) n. ⓒⓤ terra ● **t. alba**, caolino □ **t. cariosa**, tripoli □ **t.-cotta** → **terracotta** □ (*geogr.*) **t. firma**, terraferma □ (*geogr. antica*) **t. incognita**, terra sconosciuta.

terrace /ˈterəs/ n. **1** (*agric.*, *geol.*) terrazzo, terrazza; ripiano; gradone **2** (*edil.*) fila di case a schiera; strada, via (*in origine, strada che taglia un pendio*); «terrace» **3** (*edil.*) terrazza; tetto a terrazza; lastrico solare **4** (*sport*) gradinata: **the crowd on the terraces**, la folla sulle gradinate (*o* sugli spalti) **5** (*USA*) aiuola alberata (*di viale cittadino*) ● **t. houses**, case a schiera; case operaie; (*anche*) villette a schiera □ (*sport*) **the people sitting in the terraces**, la gradinata (*fig.*).

to **terrace** /ˈterəs/ v. t. **1** costruire a terrazze; dare la forma di terrazza a (*qc.*) **2** (*agric.*) terrazzare; sistemare a terrazze (*o* a gradoni): **a terraced olive grove**, un uliveto a terrazze **3** (*edil.*) provvedere di terrazza (*o* terrazzo) ● **terraced houses**, case a schiera □ **terraced roofs**, tetti a terrazza.

terracotta /ˌterəˈkɒtə/ (*ital.*) n. **1** ⓤ terracotta; cotto: **a t. vase**, un vaso di terracotta; **a t. frieze**, un fregio in cotto **2** figurina (*o* statuetta) di terracotta **3** ⓤ color terracotta; color mattone.

terrain /təˈreɪn/ n. ⓤ **1** (*geogr.*, *mil.*) terreno: **rough t.**, terreno accidentato **2** (*geol.*) terreno roccioso ● (*tecn.*) **t. sensing**, telerilevamento del terreno.

terramara /tɛrə'mɑːrə/ (*ital.*) n. (pl. **ter-ramare**) (*archeol.*) terramare.

terramycin /tɛrə'maɪsɪn/ n. ꞟ (*farm.*) terramicina.

terrane /'tɛreɪn/ n. ꞟꞓ (*geol.*) terreno roccioso.

terrapin /'tɛrəpɪn/ n. (*zool.*) tartaruga d'acqua dolce.

terraqueous /tə'reɪkwɪəs/ a. terraqueo, terracqueo.

terrazzo /tɛ'rætsəʊ/ (*ital.*) n. (*edil.*) **1** mosaico alla veneziana (*per pavimenti*) **2** pavimento alla veneziana; pavimento a terrazzo ● **t. layer**, posatore di pavimenti alla veneziana □ **t. paving**, pavimentazione alla veneziana.

terrene /tɛ'riːn/ a. terreno; mondano; terrestre.

terreplein /'tɛrəpleɪn/ n. (*mil.*) terrapieno (*di fortificazione*).

terrestrial /tə'rɛstrɪəl/ a. **1** (*scient.*, *tecn.*) terrestre: **t. magnetism**, magnetismo terrestre; geomagnetismo **2** mondano; terreno **3** (*biol.*) terricolo; terrestre ● **a t. globe**, un mappamondo | **-ly** avv.

terret /'tɛrət/ n. **1** anello metallico (*per passarvi le redini*) **2** collare (*per passarvi il guinzaglio*).

♦**terrible** /'tɛrəbl/ a. **1** terribile; tremendo; spaventoso; orribile; (*fam.*) eccessivo, straordinario: **a t. bore**, un tremendo seccatore; **a t. cold**, un raffreddore terribile **2** (*fam.*) pessimo: **t. food**, cibo pessimo **3** (*fam.*) → **terrific**, *def. 2 e 3* ‖ **terribleness** n. ꞟ terribilità (*raro*).

🛈 **NOTA:** *terrible o terrific?*
Attenzione a non confondere *terrible* e *terrific*. *Terrific* non si usa mai per cose orribili e spaventose, non significa "terrificante"; si utilizza per descrivere cose fantastiche, stupende: *have a terrific time on holidays!* passa delle vacanze grandiose! Il significato principale di *terrible* è "spaventoso, terribile": *to suffer terrible injuries*, riportare tremende ferite; *to have a terrible headache*, avere un mal di testa terribile. *Terrible* e *terrific* si utilizzano pure per enfatizzare qualcosa, il primo soprattutto in tono di disapprovazione: *a terrible waste of money*, una perdita di denaro tremenda; il secondo solitamente in tono di approvazione: *There's a terrific amount of information available on the Internet*, c'è una grandiosa quantità di informazioni disponibili in Internet.

♦**terribly** /'tɛrəblɪ/ avv. **1** terribilmente; tremendamente **2** (*fam.*) molto; moltissimo: *It's t. late*, è molto tardi ● **t. good**, (*di una cosa*) eccellente, straordinario, ottimo; (*di una persona*) bravissimo.

terricolous /tɛ'rɪkələs/ a. (*biol.*) terricolo.

terrier① /'tɛrɪə(r)/ n. **1** (*zool.*) terrier **2** – (*fam.*) **T.**, territoriale (*soldato della milizia territoriale*).

terrier② /'tɛrɪə(r)/ n. **1** (*leg.*, *stor.*) catasto fondiario **2** (*stor.*) registro delle terre di una signoria feudale.

terrific /tə'rɪfɪk/ a. **1** (*fam.*) tremendo; eccessivo; formidabile; eccezionale; straordinario: *The heat was really t.*, c'era davvero un caldo tremendo **2** (*fam.*) tremendo; stupendo; meraviglioso; fantastico; favoloso: **a t. party**, una festa favolosa **3** (*fam.*) ben fatto; ottimo; bravissimo: *In the first half they were t.*, nel primo tempo sono stati bravissimi **4** terribile; spaventoso ● (*fam.*) **t. speed**, velocità folle ‖ **terrifically** avv. **1** (*fam.*) terribilmente; tremendamente **2** (*fam.*) molto, moltissimo **3** (*fam.*) benissimo; stupendamente 🛈 **NOTA:** *terrible o terrific?* → **terrible**.

to **terrify** /'tɛrɪfaɪ/ v. t. terrorizzare; atterrire; spaventare.

terrifying /'tɛrɪfaɪŋ/ a. terrificante; tremendo; spaventoso | **-ly** avv.

terrigenous /tɛ'rɪdʒənəs/ a. terrigeno: (*geol.*) **t. metals**, metalli terrigeni.

territorial /tɛrə'tɔːrɪəl/ Ⓐ a. **1** territoriale: **t. acquisitions**, ingrandimenti territoriali; **t. waters**, acque territoriali; (*mil. e sport*) **t. superiority**, superiorità territoriale **2** territorialistico: **t. aims**, mire territorialistiche **3** terriero: **t. magnates**, grandi proprietari terrieri **4** (*zool.*) che difende il suo territorio Ⓑ n. – **T.**, territoriale (*soldato*) ● **the T. Army** (*o* **the T. Force**), la milizia territoriale | **-ly** avv.

territorialism /tɛrə'tɔːrɪəlɪzəm/ n. ꞟ **1** → **landlordism 2** (*stor.*) principio della «cuius regio, eius religio» (*Germania, pace di Augusta, 1555*) **3** (*zool.*) territorialismo.

territoriality /tɛrətɔːrɪ'ælətɪ/ n. ꞟ territorialità.

to **territorialize** /tɛrə'tɔːrɪəlaɪz/ v. t. **1** territorializzare (*raro*); (*stor. USA*) conferire lo *status* di «territory» a (*una regione*) **2** (*zool.*) fare di (*una zona*) il proprio territorio.

♦**territory** /'tɛrətrɪ/ n. **1** territorio; (*polit.*) colonia **2** (*comm.*) distretto; zona **3** (*stor. USA*) territorio ● (*fisc.*) **t. to which the tax applies**, territorialità dell'imposta.

terror /'tɛrə(r)/ Ⓐ n. **1** ꞟ terrore; sgomento; spavento: **to live in constant t. of being found out**, vivere nel continuo terrore d'essere scoperto; **to strike t. into sb.**, incutere terrore a q. **2** (*fam.*) (= **holy t.**), cerbero, spauracchio; (*anche*) piccolo demonio, bambino terribile; peste (*fig.*) **3** (*polit.*) terrorismo: **war against t.**, la lotta contro il terrorismo Ⓑ a. attr. terroristico; terrorista; di terroristi: **a t. attack**, un attacco terrorista ● **t. campaign**, campagna terroristica □ **t.-stricken** (*o* **t.-struck**), atterrito; terrorizzato; spaventatissimo □ **to be in t. of one's life**, temere molto per la propria vita.

terrorism /'tɛrərɪzəm/ n. ꞟ terrorismo.

♦**terrorist** /'tɛrərɪst/ Ⓐ n. terrorista: **left-wing** [**right-wing**] **terrorists**, terroristi di sinistra [di destra] Ⓑ a. attr. terroristico: **t. activities**, attività terroristiche ‖ **terroristic** a. terroristico.

to **terrorize** /'tɛrəraɪz/ v. t. terrorizzare; atterrire ‖ **terrorization** n. ꞟ terrorizzazione.

terry /'tɛrɪ/ n. ꞟ (*ind. tess.*) riccio ● **t. cloth**, tessuto a riccio; spugna □ **t. robe**, accappatoio al ginocchio, con maniche a tre quarti e una tasca.

Terry /'tɛrɪ/ n. dim. di **Theresa** e di **Terence**.

terse /tɜːs/ a. (*di stile, ecc.*) terso; forbito; conciso; succinto | **-ly** avv. | **-ness** n. ꞟ.

tertial /'tɜːʃl/ a. e n. (*zool.*) (penna) terziaria.

tertian /'tɜːʃn/ a. e n. (*med.*) (febbre) terzana.

tertiary /'tɜːʃərɪ/ Ⓐ a. **1** terziario **2** – (*geol.*) **T.**, terziario: **the T. period**, l'era terziaria Ⓑ n. **1** (*relig.*) terziario **2** – (*geol.*) **the T.**, il Terziario ● (*med.*) **t. burns**, ustioni di terzo grado □ (*in GB*) **t. college**, istituto d'istruzione post-secondario (*da 16 anni in su*) □ (*econ.*) **t. industry**, industria terziaria; attività terziaria □ (*fin.*) **the t. market**, il mercato terziario □ (*econ.*) **t. sector**, settore terziario; il terziario.

tertius /'tɜːʃɪəs/ (*lat.*) a. (*nelle scuole ingl.*) terzo (*dello stesso cognome*): *Jones t.*, Jones numero tre ● (*lat., lett.*) **t. gaudens**, il terzo che gode (*fra due litiganti*).

tervalent /tɜː'veɪlənt/ a. (*chim.*) trivalente.

Terylene® /'tɛrəliːn/ n. ꞟ Terilene.

TESL /tɛsl/ sigla (**teaching (of) English as a second language**) insegnamento dell'inglese come seconda lingua.

TESOL /'tiːsəl/ sigla (**teaching (of) English to speakers of other languages**) insegnamento dell'inglese ai parlanti di altre lingue.

tessellate /'tɛsəleɪt/ → **tessellated**.

to **tessellate** /'tɛsəleɪt/ v. t. (*arte*) **1** decorare a mosaico **2** tassellare.

tessellated /'tɛsəleɪtɪd/ a. **1** (*arte*) decorato con mosaico a scacchiera **2** (*arte*) tassellato **3** (*archeol.*) tessellato ● **t. pavement**, pavimentazione a mosaico; (*stor., archeol.*) litostroto.

tessellation /tɛsə'leɪʃn/ n. ꞟꞓ **1** decorazione (*pavimentazione, ecc.*) con mosaico a scacchiera **2** tassellatura.

tessera /'tɛsərə/ (*lat.*), (*arte*) n. (pl. **tesserae**) tessera musiva; tessera ‖ **tesseral** a. a forma di tessera musiva.

♦**test**① /tɛst/ n. **1** esame; prova; saggio; esperimento; collaudo; test; visita (*medica*): **to take a t.**, dare un esame (*o una prova*): *The teacher gave us a maths t.*, il professore ci fece un esame di matematica; (*autom.*) **driving t.**, esame di guida; *The delay was a severe t. of my patience*, il ritardo mise a dura prova la mia pazienza; (*mil.*) **atomic tests**, test nucleari; **an eye t.**, una visita oculistica **2** (*fig.*) pietra di paragone; metro; criterio; norma: *Success is not a fair t.*, non è giusto giudicare (*qlc. o qc.*) in base al successo ottenuto **3** (*chim.*) reattivo; reagente **4** (*psic.*) test; reattivo: **aptitude t.**, test attitudinale; **intelligence t.**, test dell'intelligenza; test del quoziente intellettivo **5** (*metall.*) saggio (*di un metallo prezioso*); coppella **6** (*med.*) analisi; esame: **a blood t.**, un esame del sangue **7** (*cinem.*) provino **8** (*market.*) sondaggio **9** (*comput.*) test; collaudo; controllo **10** (*sport*) incontro; partita **11** (*sport, fam.*) = **t. match** → *sotto* ● (*market.*) **t. area**, area campione (*comput.*) **t. automation software**, software per l'esecuzione automatica di test □ (*polit.*) **t.-ban treaty**, trattato per la sospensione dei test nucleari □ (*mecc.*) **t. bar**, provetta □ (*mecc.*) **t.-bed**, banco di prova □ (*mecc.*) **t. bench**, banco di prova □ (*leg.*) **t. case**, caso giuridico che serve a creare un precedente □ (*rag.*) **t. check**, controllo a campione (*di un conto*) □ (*autom.*) **t. driver**, (pilota) collaudatore □ **t. expert**, testista; esperto in test psicologici □ (*comput.*) **t. facility**, dispositivo per effettuare un test □ (*cinem.*) **t. film**, provino □ (*miss.*) **t. firing**, lancio di prova □ (*comm.*) **t. marketing**, marketing di prova □ (*sport*) **t. match**, incontro internazionale (*di cricket, rugby, ecc.: nel cricket dura 5 giorni*) □ (*comput.*) **t. mode**, modalità di test □ (*med.*) **t. paper**, foglio con il testo della prova d'esame; (*leg.*) campione di scrittura per esame grafologico; (*chim.*) carta reattiva, cartina di tornasole □ (*TV*) **t. pattern**, monoscopio (*l'immagine*) □ (*aeron.*) **t. pilot**, pilota collaudatore □ (*edil.*) **t. pit**, scavo di prova □ **t. run**, (*comput.*) elaborazione di prova; (*autom.*) corsa di prova □ **t. stand**, banco di prova □ (*autom.*) **t. track**, pista di prova □ (*chim.*) **t. tube**, provetta □ **t. tube baby**, bambino (concepito) in provetta □ **to put sb.** [**st.**] **to the t.**, mettere q. [qc.] alla prova □ **to be put through a t.**, subire una prova; sostenere un esame □ **to stand the t. of time** [**of wear**], reggere alla prova del tempo [dell'usura].

test② /tɛst/ n. (*zool.*) guscio, conchiglia (*di molluschi, ecc.*).

♦to **test** /tɛst/ Ⓐ v. t. **1** provare; saggiare; verificare; esaminare, fare un esame a (q.); sottoporre a un test; testare; mettere alla prova; collaudare: *The doctor tested my hearing*, il medico mi fece un esame audiometrico; **to t. candidates**, esaminare

a b c d e f g h i j k l m n o p q r s **t** u v w x y z

candidati; *The difficult task tested my capacities*, quel difficile compito mise alla prova le mie capacità **2** (*chim.*) analizzare; fare l'analisi di (*un composto*) **3** (*metall.*) sottoporre (*un metallo*) a coppellazione; coppellare **4** (*market.*) sondare **5** (*comput.*) testare; collaudare; controllare **6** (*sport*) chiamare in causa **B** v. i. (*med.*, *sport*) risultare a un test: **to t. positive** [**negative**], risultare positivo [negativo] a un test ● **to t. for**, fare un test alla ricerca di (qc.) □ **to t. (an area) for oil**, fare prospezioni (*o* ricerche, sondaggi) petrolifere (in una zona) □ (*med.*) **to t. blood for signs of the disease**, esaminare il sangue per scoprire una malattia □ **to t. out**, esaminare a fondo; testare bene; verificare (*una teoria e sim.*).

Test. abbr. **1** (**testament**) testamento **2** (**testator**) testatore.

testable ① /ˈtɛstəbl/ a. saggiabile; collaudabile; verificabile.

testable ② /ˈtɛstbl/ (*leg.*) a. **1** che ha la capacità di testare **2** (*di un bene*) disponibile per testamento; testabile ‖ **testability n.** ⓤ testabilità (*di un bene*).

testacean /tɛˈsteɪʃn/ a. e n. (*zool.*) testaceo.

testaceous /tɛˈsteɪʃəs/ a. **1** (*zool.*) testaceo **2** rosso mattone.

testacy /ˈtɛstəsɪ/ n. ⓤ (*leg.*) **1** condizione di testatore; l'aver fatto testamento **2** successione testamentaria.

testament /ˈtɛstəmənt/ n. **1** (*relig.*) testamento: **the Old** [**the New**] **T.**, il Vecchio [il Nuovo] Testamento **2** (*leg.*, *raro, eccetto nella frase* **last will and t.**) testamento.

testamentary /tɛstəˈmɛntrɪ/ a. (*leg.*) testamentario.

testate /ˈtɛstət/ (*leg.*) **A** a. **1** che ha fatto testamento **2** (*di bene, ecc.*) nominato nel testamento **B** n. testatore ● **t. succession**, successione testamentaria ● **to die t.**, morire lasciando un testamento.

testator /tɛˈsteɪtə(r), USA ˈtɛsteɪtə(r)/ n. (*leg.*) testatore.

testatrix /tɛˈsteɪtrɪks/ n. (pl. **testatrices**) (*leg.*) testatrice.

to **test-check** /ˈtɛsttʃɛk/ v. t. (*rag.*) controllare (*un conto*) a campione.

to **test-drive** /ˈtɛstdraɪv/ v. t. (*autom.*) collaudare, provare (*un automezzo*).

tester ① /ˈtɛstə(r)/ n. **1** saggiatore **2** collaudatore **3** (*psic.*) testista **4** (*elettrotecnica*) tester; multimetro; apparecchio di misura universale.

tester ② /ˈtɛstə(r)/ n. baldacchino (*spec. di letto*).

tester ③ /ˈtɛstə(r)/ → **teston**, *def. 2*.

to **test-fire** /ˈtɛstfaɪə(r)/ v. t. (*miss.*) fare un lancio di prova di (*un missile*).

to **test-fly** /ˈtɛstflaɪ/ (*pass.* **test-flew**, p. p. **test-flown**), v. t. (*aeron.*) provare (*un aereo*) in volo.

testicle /ˈtɛstɪkl/ (*anat.*) n. testicolo ‖ **testicular a.** testicolare.

to **testify** /ˈtɛstɪfaɪ/ v. t. e i. attestare; testimoniare; dimostrare, essere prova di; affermare, dichiarare, esprimere; deporre (*leg.*): **to t. against** [**on behalf of**] **sb.**, testimoniare (*o* deporre) contro [a favore di] q.; *His words testified* (*to*) *his deep sorrow*, le sue parole erano la prova del suo profondo dolore; **to t. one's regret**, esprimere il proprio rammarico; **to t. to sb.'s honesty**, attestare l'onestà di q. ‖ **testification n.** ⓤ ⓒ attestazione; (*anche leg.*) testimonianza ‖ **testifier n.** chi attesta; (*anche leg.*) testimone, teste.

testily /ˈtɛstɪlɪ/ avv. irascibilmente; stizzosamente.

testimonial /tɛstɪˈməʊnɪəl/ **A** a. **1** (*leg.*) testimoniale **2** (*pubbl.*) – **t. advertising**, pubblicità fatta da testimonial **B** n. **1** attestato di buona condotta; certificato di servizio; referenze; benservito **2** dichiarazione a sostegno della verità di qc. **3** tributo pubblico (*cerimonia, dono, ecc.*) di gratitudine e stima **4** (*sport* = **t. match**) incontro organizzato in onore di un giocatore (*che riceve parte degli incassi*).

to **testimonialize** /tɛstɪˈməʊnɪəlaɪz/ v. t. **1** rilasciare il benservito a (*un dipendente*) **2** fare un dono a (q.); omaggiare.

testimony /ˈtɛstɪmənɪ/ n. ⓤ ⓒ **1** testimonianza; deposizione (*leg.*); attestazione; dichiarazione; prova: **to give t.**, fare una deposizione (rendere una testimonianza); *His works are* (*a*) *t. to his learning*, le sue opere testimoniano la sua erudizione **2** (*relig.*) professione di fede ● **to bear t. to**, attestare, fare testimonianza di; essere la prova di; (*leg.*) deporre, testimoniare (*un fatto, ecc.*) □ (*leg.*) **to give false t.**, deporre il falso □ (*leg.*) **in t. whereof**, in fede di ciò.

testiness /ˈtɛstɪnəs/ n. ⓤ irascibilità; irritabilità; permalosità.

◆**testing** /ˈtɛstɪŋ/ **A** a. impegnativo; difficile; duro: **t. times**, tempi difficili **B** n. ⓤ **1** prova, prove; sperimentazione; esperimenti (pl.); test (pl.): **animal t.**, esperimenti (*o* test) su animali; (*sport*) **drug t.**, test antidoping **2** collaudo **3** (*market.*) sondaggio.

testis /ˈtɛstɪs/ (*lat.*) n. (pl. **testes**) (*anat.*) testicolo.

to **test-market** /tɛstˈmɑːkɪt/ v. t. (*market.*) testare (*un prodotto*) su un mercato.

teston /ˈtɛstən/ n. (*stor.*) **1** testone (*moneta d'argento*) **2** scellino di Enrico VIII.

testosterone /tɛˈstɒstərəʊn/ n. ⓤ (*biochim.*) testosterone.

testudinal /tɛˈstjuːdɪnl, USA -tuː-/ a. **1** (*zool.*) di testuggine; testuggineo (*lett., raro*) **2** chiazzato come lo scudo d'una testuggine.

testudo /tɛˈstjuːdəʊ, USA -tuː-/ n. (pl. **testudos, testudines**) **1** (*zool.*) testuggine; tartaruga **2** (*stor., mil.*) testuggine.

testy /ˈtɛstɪ/ a. **1** irascibile, irritabile; permaloso; stizzoso **2** (*di modo di fare, ecc.*) seccato; scocciato (*pop.*).

tetanic /təˈtænɪk/ a. (*med.*) tetanico: **t. contraction**, contrazione tetanica ● **t. spasm**, tetania.

to **tetanize** /ˈtɛtənaɪz/ (*med.*) v. t. (*raro*) provocare il tetano (*o* una contrazione tetanica) in (q.) ‖ **tetanization n.** ⓤ tetanizzazione.

tetanus /ˈtɛtənəs/ n. ⓤ (*med.*) tetano ● **t. antitoxin**, antitossina tetanica □ (*fam.*) **t. shot**, iniezione antitetanica.

tetany /ˈtɛtənɪ/ n. ⓤ (*med.*) tetania.

tetchy /ˈtɛtʃɪ/ a. **1** irascibile; irritabile; stizzoso **2** (*di modo di fare, ecc.*) seccato; scocciato (*pop.*) ‖ **tetchily** avv. irascibilmente; stizzosamente ‖ **tetchiness n.** ⓤ irascibilità; irritabilità; stizza.

tête-à-tête /ˈteɪtɑːˈteɪt/ (*franc.*) **A** avv. faccia a faccia; in privato; a quattr'occhi; tête-à-tête **B** a. confidenziale; privato; riservato **C** n. **1** colloquio a quattr'occhi; abboccamento tête-à-tête **2** amorino; sofà a due posti.

tether /ˈtɛðə(r)/ n. **1** pastoia; catena; cavezza **2** (*fig.*) limite; campo; portata (*fig.*): *That is beyond my t.*, ciò esula dal mio campo ● (*fig.*) **to be at the end of one's t.**, essere stremato; non poterne più; aver dato fondo alle proprie forze.

to **tether** /ˈtɛðə(r)/ v. t. **1** impastoiare; legare; mettere la cavezza a (*un cavallo, ecc.*) **2** (*fig.*) mettere il guinzaglio a (q. *o* qc.) ● (*miss.*) **tethered satellite**, satellite al guinzaglio.

tetrachloride /tɛtrəˈklɔːraɪd/ n. (*chim.*) tetracloruro.

tetrachord /ˈtɛtrəkɔːd/ (*stor., mus.*) n. tetracordo.

tetracycline /tɛtrəˈsaɪkliːn/ n. (*farm.*) tetraciclina.

tetrad /ˈtɛtræd/ n. **1** gruppo di quattro cose; tetrade; quaterna **2** (*chim.*) elemento quadrivalente **3** (*citologia*) tetrade.

tetraethyl /tɛtrəˈiːθaɪl/ a. (*chim.*) tetraetile: **t. lead**, piombo tetraetile.

tetragon /ˈtɛtrəgɒn/ (*geom.*) n. tetragono; quadrangolo ‖ **tetragonal a.** tetragonale; quadrangolare.

tetragram /ˈtɛtrəgræm/ n. tetragramma; parola di quattro lettere.

tetrahedrite /tɛtrəˈhiːdraɪt/ n. ⓤ (*miner.*) tetraedrite.

tetrahedron /tɛtrəˈhiːdrən/ (*geom.*) n. (pl. **tetrahedrons, tetrahedra**) tetraedro ‖ **tetrahedral a.** tetraedrico.

tetralogy /tɛˈtrælədʒɪ/ n. ⓤ (*letter., mus.*) tetralogia.

tetramer /ˈtɛtrəmə(r)/ n. (*chim.*) tetramero.

tetrameter /tɛˈtræmɪtə(r)/ n. (*poesia*) tetrametro.

tetraplegia /tɛtrəˈpliːdʒə/ n. ⓤ (*med.*) tetraplegia ‖ **tetraplegic a.** tetraplegico.

tetrapod /ˈtɛtrəpɒd/ a. e n. (*zool.*) tetrapode; che ha quattro arti.

tetrarch /ˈtiːtrɑːk/ (*stor.*) n. tetrarca ‖ **tetrarchate n.** tetrarcato ‖ **tetrarchical a.** tetrarchico ‖ **tetrarchy n.** ⓒ ⓤ tetrarchia.

tetrastich /ˈtɛtrəstɪk/ (*poesia*) n. strofa tetrastica; quartina.

tetrastyle /ˈtɛtrəstaɪl/ a. e n. (*archit.*) (*edificio*) tetrastilo.

tetrasyllable /ˈtɛtrəsɪləbl/ n. quadrisillabo ‖ **tetrasyllabic a.** quadrisillabo.

tetratomic /tɛtrəˈtɒmɪk/ a. (*chim.*) tetratomico.

tetravalent /tɛtrəˈveɪlənt/ (*chim.*) a. tetravalente; quadrivalente ● (*med.*) **t. vaccine**, tetravaccino.

tetrode /ˈtɛtrəʊd/ n. (*elettron.*) tetrodo.

tetroxide /tɛˈtrɒksaɪd/ n. (*chim.*) tetrossido.

tetter /ˈtɛtə(r)/ n. ⓤ (*med.*) impetigine; eruzione cutanea (*erpete, eczema, ecc.*).

Teuton /ˈtjuːtn, USA ˈtuːtn/ n. **1** (*stor.*) teutone **2** (*per estens.*) tedesco.

Teutonic /tjuːˈtɒnɪk, USA tuː-/ a. (*stor. e spreg.*) teutonico ‖ **Teutonicism n.** ⓤ germanismo; germanesimo; costume (*o* idiotismo, spirito, ecc.) teutonico.

to **Teutonize** /ˈtjuːtənaɪz, USA ˈtuː-/ **A** v. t. germanizzare **B** v. i. germanizzarsi ‖ **Teutonization n.** ⓤ germanizzazione.

Texan /ˈtɛksn/ a. e n. (abitante, nativo) del Texas; texano.

Tex-Mex /ˈtɛksmɛks/ **A** a. (*USA*) texano-messicano: *Tex-Mex cooking*, cucina texano-messicana **B** n. **1** abitante della regione di confine tra Texas e Messico **2** ⓤ lingua di detta regione.

◆**text** /tɛkst/ n. **1** testo; materiale a stampa: **to restore a t.**, ricostruire un testo **2** edizione: **the Caxton t. of Chaucer**, l'edizione di Chaucer curata da Caxton **3** (*fig.*) argomento; tema; soggetto: **to stick to one's t.**, restare in argomento; tenersi al tema **4** passo biblico; versetto (*oggetto di predica, ecc.*) **5** (*tel.*, = **t. message**) messaggino, sms **6** → **textbook** ● (*comput.*) **t. box**, casella di testo □ (*comput.*) **t. editor**, editor testuale □ (*comput.*) **t. file**, file di testo □ (*tel.*) **t. messaging**, il mandare gli sms.

to **text** /tɛkst/ v. t. (*tel.*) mandare un sms a q.: *Text me*, mandami un sms.

♦**textbook** /'tɛkstbʊk/ **A** n. libro di testo; manuale **B** a. attr. **1** da manuale: **t. style**, stile da manuale **2** (fig.) perfetto; ideale ● (sport) **a t. goal**, un gol da antologia.

textile /'tɛkstaɪl, USA -tl/ **A** a. (ind.) tessile: **t. materials**, fibre tessili; **the t. industry**, l'industria tessile: **t. worker**, operaio tessile; tessile **B** n. **1** fibra (o materiale) tessile; tessile **2** (pl.) (econ.) i tessili **3** (pl.) (fin., Borsa) i tessili ● **the t. art**, l'arte della tessitura □ **t. factory**, stabilimento tessile; tessitura □ **t. machinery**, macchinari tessili □ **t. manufacturer**, industriale tessile □ **t. merchant**, commerciante di tessili □ **t. printing**, stampa dei tessuti.

textual /'tɛkstʃʊəl/ a. **1** testuale; del testo; nel testo; relativo al testo: **t. criticism**, critica testuale; **a t. question**, un problema relativo al testo (di un'opera letteraria) **2** aderente al testo; testuale; letterale: **t. quotation**, citazione testuale | **-ly** avv.

textualist /'tɛkstʃʊəlɪst/ n. **1** (letter.) chi sta alla lettera di un testo **2** (relig.) buon conoscitore delle Sacre Scritture || **textualism** n. **1** (letter.) stretta aderenza al testo **2** (relig.) buona conoscenza delle Sacre Scritture.

textural /'tɛkstʃərəl/ a. **1** pertinente alla disposizione dei fili (di un tessuto) **2** (fig.) strutturale.

texture /'tɛkstʃə(r)/ n. **uc 1** trama (di un tessuto): **a loose [close] t.**, una trama rada [fitta] **2** (geol.) tessitura: **the t. of a rock**, la tessitura di una roccia **3** (fisiol., biol.) (struttura di un) tessuto **4** (mus., letter.) tessitura: **the t. of a poem**, la tessitura di una poesia **5** (fig.) tono; carattere: **the t. of urban life**, il carattere della vita cittadina **6** conformazione, struttura (che si può sentire al tatto); consistenza: **to have a grainy t.**, avere una struttura granulosa; essere granuloso; **a creamy t.**, una consistenza cremosa **7** (ling.) testura ● (comput.) **t. mapping**, mappatura 'texture'.

textured /'tɛkstʃəd/ a. **1** (scient.) testurizzato: (ind. tess.) **t. yarn**, filato testurizzato; **t. vegetable protein**, proteina vegetale testurizzata **2** (nei composti) dalla trama: **close-t.**, a trama fitta.

textureless /'tɛkstʃələs/ a. senza una struttura ben definita; (anche fig.) amorfo.

texturing /'tɛkstʃərɪŋ/ n. **u** (tecn.) testurizzazione.

to **texturize** /'tɛkstʃəraɪz/ v. t. (tecn.) testurizzare.

TF sigla **1** (mil., **task force**) unità tattica **2** (mil., **Territorial Force**) Forza territoriale.

TFT sigla (comput., **thin film transistor**) TFT (transistor a pellicola sottile, generalm. per schermi LCD).

Thai /taɪ/ a. e n. thailandese ● (sport) **T. boxing**, boxe tailandese.

Thailand /'taɪlænd/ n. (geogr.) Thailandia.

thalamus /'θæləməs/ n. (pl. **thalami**) (anat., bot., archeol.) talamo.

thalassaemia, (USA) **thalassemia** /θælə'siːmɪə/ n. (med.) talassemia; anemia mediterranea ● **a person affected by t.**, un talassemico.

thalassic /θə'læsɪk/ a. (geogr.) talassico.

thalassocracy /θælə'sɒkrəsɪ/ n. **u** talassocrazia.

thalassotherapy /θəlæsəʊ'θɛrəpɪ/ n. **u** (med.) talassoterapia.

thaler /'tɑːlə(r)/ n. (inv. al pl.) (stor.) tallero.

Thales /'θeɪliːz/ n. (stor., filos.) Talete.

Thalia /θə'laɪə/ n. (mitol.) Talia.

thalidomide /θə'lɪdəmaɪd/ n. **u** (farm.) talidomide ● **t. baby**, bambino che ha malformazioni dovute al talidomide.

thallium /'θælɪəm/ (chim.) n. **u** tallio || **thallic** a. tallico || **thallous** a. talloso.

thallophyte /'θæləʊfaɪt/ n. (bot.) tallofita.

thallus /'θæləs/ n. (pl. **thalluses, thalli**) (bot.) tallo.

Thames /tɛmz/ n. (geogr.) Tamigi ● **the T. Barrier**, la Grande Barriera (mobile) sul Tamigi (previene le inondazioni) □ (fig.) **to set the T. on fire**, fare meraviglie; avere un successo strepitoso.

♦**than** /ðæn, ðən/ **A** cong. **1** (comparazione di maggioranza e di minoranza) che, di; che non; di quello che; di quanto (non): Better late t. never, meglio tardi che mai; I am older t. he (is) (o than him), sono più vecchio di lui; You understand her better t. I (do), tu la capisci meglio di quanto non la capisca io; You understand her better t. me, tu capisci lei meglio di quanto tu capisca me; tu la capisci meglio di quanto non la capisca io; It's later t. I thought, è più tardi di quel che credevo (o che non credessi) **2** (correl. di **hardly**, **scarcely**) quando; che: Hardly had the boy disappeared t. (più comune: when) she ran after him, il ragazzo era appena scomparso che ella già gli correva dietro **B** prep. (con valore compar. prima di **whom** e **which**) di; in confronto a: A man t. whom there is none wiser, un uomo del quale non c'è al mondo uno più saggio ● **anywhere else t. home**, in qualsiasi luogo fuorché a casa □ **no other t.**, nient'altro che; non... che: He's no other t. a liar, non è che un bugiardo □ **nothing else t.**, nient'altro che ● **rather t.** (o **sooner t.**), piuttosto che; anziché: I'd rather stay here t. go away, preferirei restar qui anziché andarmene.

thanage /'θeɪnɪdʒ/ n. **uc** (stor.) condizione (o titolo, territorio) di → «thane».

thanatology /θænə'tɒlədʒɪ/ n. **u** (med.) tanatologia.

thanatophobia /θænətə'fəʊbɪə/ n. **u** (psic.) tanatofobia.

thane /θeɪn/ (stor.) n. **1** (nell'Inghilterra anglosassone) individuo di condizione intermedia tra quella di uomo libero e quella di nobile con titolo ereditario, detentore di terre concesse dal sovrano o da un signore **2** (in Scozia) capoclan detentore di terre concesse dal sovrano; funzionario della Corona preposto a un territorio || **thanedom** n. territorio (o giurisdizione) di → «thane».

♦to **thank** /θæŋk/ v. t. ringraziare; rendere grazie a (q.): I thanked him for his advice, lo ringraziai dei suoi consigli; He can be thanked for our failure, possiamo ringraziare lui se abbiam fatto fiasco; **to t. one's lucky stars**, ringraziare il cielo; ringraziare la propria buona stella ● **T. God!**, grazie a Dio! □ **T. you** → **thank you** □ **T. you for coming**, grazie d'essere venuto! □ **No, t. you** → **thank you** □ (iron.) **You have only yourself to t.**, ben ti sta!; colpa tua!; te lo sei voluto tu! □ (iron., come rimprovero) **I'll t. you to shut the door**, fammi il (santo) piacere di chiudere la porta!

🛈 **NOTA: to thank**

1 Per ringraziare qualcuno per qualcosa che ha fatto o detto si dice **thank you** o **thanks** (più colloquiale). **Thank you** può essere rafforzato da **very much**: Thank you very much (indeed)!, grazie mille!; **thanks** può essere rafforzato da **a lot** o da **a million**: Thanks a lot (o a million) for the ride!, grazie mille per il passaggio!

Nel linguaggio colloquiale britannico si può usare **cheers** o **ta**: «Here, take my mobile» «Cheers, mate!», «Tieni, prendi il mio cellulare» «grazie (amico)!»;

Formule per manifestare particolare riconoscenza sono **I appreciate ...**, **you shouldn't have** e, ancora più forte, **you've saved my**

life: I appreciate your help, grazie per il tuo aiuto; These flowers are gorgeous, but you really shouldn't have, questi fiori sono bellissimi, grazie, ma non dovevi!; You've saved my life! My boss would have fired me if you hadn't found this file for me, grazie, mi hai salvato! Il capo mi avrebbe licenziato se tu non mi avessi trovato questa pratica.

Grazie per si traduce con **thank you** (o **thanks**) **for**, con l'eventuale verbo che segue alla forma in -ing: Thank you for the splendid evening, grazie per la splendida serata; Thanks for driving me home, grazie per avermi accompagnato a casa; soprattutto nello scritto, si usa anche la formula **many thanks for ...**, molte grazie per ...

Quando si ringrazia rispondendo affermativamente a un'offerta si dice **thank you** o **yes, please**; «Would you like some hot chocolate?» «Yes, please (o Thank you)», «ti andrebbe della cioccolata?» «sì, grazie». Per sottolineare la propria riconoscenza di fronte a un'offerta si può usare, dopo queste formule o da sole, le espressioni **that's very kind of you** e **that's very good of you**, (è) molto gentile (da parte tua, Sua, vostra): «May I carry that bag for you?» «Why, thank you, that's very kind of you», «La posso aiutare a portare la valigia?» «grazie, molto gentile».

In caso di risposta negativa si usa **No, thanks** o **No, thank you**: «Shall I call a taxi for you?» «No, thanks (o No, thank you)», «ti chiamo un taxi?» «no, grazie». Per rifiutare un'offerta sottolineando comunque che la si è apprezzata si può usare **thanks all the same**: Thanks all the same, but I'm afraid I'm busy tonight, ti ringrazio davvero, ma purtroppo questa sera ho già un impegno.

Yes, thanks è usato non per accettare un'offerta, ma per confermare che le cose vanno bene o che non ci sono problemi: «Have you got enough money?» «Yes, thanks», «ti bastano i soldi?» «sì, grazie».

2 In GB e meno frequentemente in USA è abbastanza normale non rispondere a un ringraziamento, soprattutto quando si tratta di favori poco importanti. Altrimenti risposte formali sono **not at all** e meno frequentemente **my pleasure**; risposte neutre sono: **don't mention it** o (spec. USA) **you're welcome**, **think nothing of it**, **it was nothing**; colloquiali: **that's all right**, **that's OK**, **no problem**. Tutte queste formule sono traducibili a seconda dei casi con prego, figurati, di niente, non c'è di che, (form.) si figuri.

thankful /'θæŋkfl/ a. **1** grato; riconoscente: You should be t. for what you have, dovresti essere grato di quello che hai; **a t. word**, una parola di gratitudine **2** lieto; felice; sollevato; contento: I was t. to see them leave, fui sollevato di vederli andar via || **thankfully** avv. **1** con gratitudine; con riconoscenza **2** fortunatamente; grazie al cielo: Thankfully, he didn't find out, fortunatamente lui non lo scoprì || **thankfulness** n. **u** gratitudine; riconoscenza.

thankless /'θæŋkləs/ a. **1** (di persona) ingrato; privo di riconoscenza **2** (di lavoro, ecc.) sgradevole; ingrato: **a t. task**, un compito ingrato | **-ly** avv. **-ness** n. **u**.

thank-offering /'θæŋkɒfərɪŋ/ n. **uc 1** offerta per grazia ricevuta; regalo **2** (Bibbia) sacrificio di ringraziamento.

♦**thanks** /θæŋks/ **A** n. pl. grazie; ringraziamenti, ringraziamento: **to give t. to God [to heaven]**, render grazie a Dio [al cielo]; Please accept my best t., La prego di gradire i miei migliori ringraziamenti **B** inter. grazie!: Many t.!, molte grazie!; T. a lot!, tante (o mille) grazie!; T. a million!, grazie mille!; T. very much, grazie mille; grazie

tante!; *T. for getting me my cigarettes and paper*, grazie per avermi preso il giornale e le sigarette; *T. for your time*, grazie per il tempo che mi hai dedicato; *T. for trying anyway*, grazie comunque per aver provato ❶ **Nota:** *to thank* → **to thank** ● (*iron.*) **T. for nothing!**, grazie tante!; bell'aiuto! ■ **t. to**, grazie a; mercé: *T. to their assistance, everything went swimmingly*, grazie al loro aiuto, tutto andò a gonfie vele □ (*form.*) **to bow one's t.**, ringraziare con un inchino □ **to express one's t.**, esprimere la propria gratitudine; fare i propri ringraziamenti □ **No, t.**, no, grazie! □ **small** (*o* **no**) **t. to**, non certo per merito di: *I'm feeling better today, but small t. to the medicine you gave me*, oggi mi sento meglio, ma non certo per merito della medicina che mi hai dato tu.

thanksgiving /'θæŋksɡɪvɪŋ/ n. Ⓤ 1 rendimento di grazie; (*relig.*) ringraziamento 2 (*Bibbia*) offerta per rendimento di grazie 3 (*USA, Canada*, = **T. Day**) giorno del Ringraziamento ❶ **Cultura** • **Thanksgiving**: *è una festa civile e religiosa che ricorre il quarto giovedì di novembre in USA, e il secondo lunedì di ottobre in Canada. Fu istituita dai Padri Pellegrini nel 1621 per ringraziare Dio del buon raccolto di granturco ottenuto con l'aiuto degli indigeni. Secondo la tradizione è una giornata da passare in famiglia e da celebrare con pranzo a base di tacchino ripieno* (**turkey and stuffing**), *patate dolci* (**sweet potatoes**) *e torta di zucca* (**pumpkin pie**).

thank you ① /'θæŋkjuː/ inter. grazie: *Thank you!*, grazie!; sì, grazie; grazie, sì!; *Thank you very much*, grazie mille; *No, thank you*, no, grazie!

thank you ② /'θæŋkjuː/ Ⓐ n. (*anche* **thankyou**) (*fam.*) grazie; ringraziamento: *They left without even a thank you*, se ne andarono senza una parola di ringraziamento Ⓑ a. attr. (*anche* **thankyou**) (*fam.*) di ringraziamento: **a thank you letter**, una lettera di ringraziamento.

♦**that** ① /ðæt/ a. e pron. dimostr. (pl. *those*) 1 quello, quella; ciò; codesto, codesta; cotesto, cotesta: *Give me t. book, will you?*, dammi quel libro, per piacere; *Who are those people?*, chi è quella gente?; *I don't want this; I want t.*, non voglio questo; voglio quello; (*spreg.*) **t. George!**, quel George!; *Look at t. sky!*, guarda che cielo!; *T. isn't true at all!*, ciò non è affatto vero! 2 questo, questa: *'To be or not to be; t. is the question'* W. Shakespeare, 'essere o non essere, questo è il problema'; *Has it come to t.?*, siamo giunti a questo (punto)?; siamo dunque a tanto?; *T.'s what he said*, questo è quello che disse 3 (*idiom.*) **Is t. you, John?**, sei tu, John?; **Who was t. on the phone?**, chi era al telefono?; **T.'s very like him**, è tipico di lui; (cosa vuoi;) lui è fatto così; che altro ci si può aspettare da lui?; **T.'s how I got it**, ecco come l'ho avuto □ **T.'s** ecco tutto!; tutto qui □ (*fam.*) **T.'s a dear!**, (che) bravo! □ (*fam.*) **T.'s a good boy** [**girl**]!, bravo [brava]!; che bravo ragazzo [brava ragazza] □ **t. is**, cioè; vale a dire; ossia □ **t. one**, quello, quella: *I don't like this; I'll take t. one*, questo non mi piace; prendo quello □ **t. one over there**, quello là □ **T.'s right**, giusto!; benissimo! □ **T.'s it!**, esatto!; giusto!; proprio così!; (*anche*) ecco fatto!; basta!; *T.'s it, thanks*, basta, grazie □ **and** (*o* **and so**) **t.'s t.!**, ecco tutto!; tutto qui (*o* lì); basta; niente da fare; discorso chiuso!: *I'm not giving you the money, and t.'s t.*, i soldi non te li do, e basta! □ **and all t.**, e simili; eccetera eccetera; e così di seguito; e via dicendo □ (*fam.*) **at t.**, a quel punto lì; tutto sommato; per giunta; inoltre: *We left the matter at t.*, lasciammo la faccenda a quel punto; *We had a lot of work, and painful work, at t.*, avevamo un sacco di lavoro, e

faticoso, per giunta □ **for all t.**, nonostante tutto ciò; con tutto ciò; ciononostante; nondimeno □ **from t. hour**, da quel momento; da allora in poi □ **like t.**, così; in questo (*o* quel) modo: *Don't roll your eyes like t.*, non roteare gli occhi in quel modo!; *He threw the ball like t.*, lanciò la palla così (*facendo seguire il gesto*) □ **on t.**, con ciò; al che □ **talking of this and t.**, discorrendo del più e del meno □ **There's t.!**, c'è anche questo (da dire); beh, anche questo è vero □ **those who**, coloro i quali (*o* le quali); quelli (*o* quelle) che □ **What of t.?**, e con ciò?; che importa? □ (*facendo schioccare le dita*) **I wouldn't give t. for it**, non darei un soldo per averlo; non me ne importa un fico (*fam.*) □ (*prov.*) **T.'s what it's all about**, la vita è fatta di queste cose!

♦**that** ② /ðæt, ðət/ pron. relat. 1 che; il quale, la quale; i quali, le quali: **the dog t. bit me**, il cane che mi morse; **those t. don't believe me**, coloro i quali non mi credono (*o* chi non mi crede); **the boy** [**the film**] (**t.**) **we saw**, il ragazzo [il film] che abbiamo visto (**t.**, *in sogg., di solito è sottinteso*); *No one* (**t.**) *I ever heard of could find the difference*, nessuno, ch'io sappia, è mai riuscito a scoprire la differenza 2 (in loc. temporali) in cui; che (*fam.*): **the year t. my son was born**, l'anno che nacque mio figlio; **the day** (**t.**) *I saw her*, il giorno che la vidi ● (*fam.*) **Mrs Black, Ann Smith t. was**, la signora Black, da ragazza Ann Smith.

♦**that** ③ /ðæt, ðət/ cong. 1 (*spesso sottinteso*) che: *He promised* (**t.**) *he would go*, promise che ci sarebbe andato; *There's no doubt* (**t.**) *they will come*, non c'è dubbio che verranno; *T. he was ill can be proved*, che fosse ammalato lo si può dimostrare; *He was so tired* (**t.**) *he couldn't sleep*, era così stanco che non riusciva a dormire 2 (*form.*) perché; affinché; poiché: *They gave their lives t. we might live*, diedero la vita affinché noi vivessimo 3 che; poiché; per il motivo che: *I'm glad* (**t.**) *you passed the exam*, sono contento che tu abbia superato l'esame 4 (*lett.*) se (*ottativo*): *Oh! t. I knew the truth!*, oh!, se almeno sapessi la verità! ● **but t.**, se non fosse (per il fatto) che □ (*form.*) **in t.**, dacché; poiché □ **now t.**, ora che; dal momento che; poiché □ **so t.**, affinché; perché; poiché, sicché (*form.*) □ **Not t. I have any objection**, non che io ci trovi da ridire.

♦**that** ④ /ðæt/ avv. così; tanto; (fino) a tal punto: *I can't work t. hard*, non ce la faccio a lavorare così intensamente; *I will go t. far and no further*, arriverò fino a quel punto e non oltre; *He's stingy, but not t. stingy*, è spilorcio, ma non fino a tal punto; *I'm not t. hungry*, non ho così tanta fame ● **t. much**, tanto così (*facendo il gesto*); (*di solito al neg.*) molto; granché: *I don't know t. much about finance*, non ne so granché di finanza □ (*fam.*) **I was t. tired I could drop**, ero tanto stanco da non reggermi più in piedi.

thatch /θætʃ/ n. 1 paglia; cannuccia; stoppie; foglie di palma, ecc. (*come copertura di tetti*) 2 copertura (*o* tetto) di paglia (*o* di cannucce, ecc.) 3 (*fam. scherz.*) capigliatura folta; zazzera.

to **thatch** /θætʃ/ v. t. ricoprire (*un tetto*) di paglia (*o* di stoppie, cannucce, ecc.) ● **a thatched house**, una casa dal tetto di paglia ‖ **thatcher** n. chi fa tetti di paglia (*o* di cannucce, ecc.) ‖ **thatching** n. Ⓤ 1 copertura di tetti con paglia (*o* stoppie, ecc.) 2 paglia, cannucce, stoppie, ecc. (*per coprire tetti*)

Thatcherism /'θætʃərɪzəm/ n. Ⓤ (*polit., stor.*) Thatcherismo (*dal cognome di Margaret Thatcher, primo ministro ingl. dal 1979 al 1990*)

thaumaturge /'θɔːmətɜːdʒ/ n. taumaturgo ‖ **thaumaturgic**, **thaumaturgical** a. taumaturgico ‖ **thaumaturgist** n. tau-

maturgo ‖ **thaumaturgy** n. Ⓤ taumaturgia.

thaw /θɔː/ n. 1 disgelo; sgelo: *The t. has set in*, è arrivato il disgelo 2 scongelamento (*di vivande*) 3 sbrinamento (*del frigo*) 4 (*fig., spec. polit.*) disgelo; il diventare più cordiale.

to **thaw** /θɔː/ v. i. e t. 1 sgelare, sgelarsi; disgelare, disgelarsi; fondere, fondersi; sciogliere, sciogliersi: *Ice thaws at zero degrees*, il ghiaccio fonde a zero gradi; *It is not yet thawing this year*, quest'anno non sgela ancora 2 scongelare, scongelarsi 3 sbrinare (*il frigo*); (*del frigo*) sbrinarsi 4 (*fig.*) sciogliere, sciogliersi; sgelarsi; rendere (diventare) più cordiale: *After a glass of wine, the stranger thawed*, dopo un bicchiere di vino, lo sconosciuto diventò più cordiale ● **to t. out**, (*di un fiume, ecc.*) sgelarsi; (*di cibo*) scongelarsi; (*del frigo*) sbrinarsi □ **to t.** (*st., sb.*) **out**, disgelare (qc., q.) (*anche fig.*); fondere; sciogliere; sgelare □ **the thawing season**, la stagione del disgelo.

THC abbr. (*chim.*, **tetrahydrocannabinol**) tetraidrocannabinolo.

♦**the** ① /ðiː/ (*enfat.*); /ðə/ (*prima di un suono consonantico*); /ðɪ/ (*prima di un suono vocalico*) art. determ. 1 il, lo; la; i, gli; le: *Shut the door*, chiudi la porta!; **the sun**, il sole; **the earth**, la terra; **the pin I'm looking for**, lo spillo che cerco; **the man you know**, l'uomo che conosci; **the year of his death**, l'anno della sua morte; **the girls of this school**, le ragazze di questa scuola; *The dog is man's best friend*, il cane è il migliore amico dell'uomo; **the Atlantic**, l'Atlantico; **the Alps**, le Alpi; (collett.) **the dead**, i defunti; **the English**, gli Inglesi; (astratto) **the beautiful**, il bello; (*distributivo*) **one dollar the dozen**, un dollaro la dozzina 2 (con valore determ. ancora più forte) questo, questa; quello, quella, ecc.: *We'll go to the seaside in the summer*, andremo al mare quest'estate; *I didn't know at the time*, a quel tempo (*o* allora) non lo sapevo 3 (idiom.) **to go to the theatre**, andare a teatro; **the Duke and Duchess of Kent**, il duca e la duchessa di Kent; **Henry the Eighth**, Enrico Ottavo ● (*geogr.*) **the Amazon**, il Rio delle Amazzoni □ **the day**, il giorno; (*scozz.*) oggi □ (*pop.*) **the drink**, il vizio del bere □ (*scozz.*) **the morrow**, domani □ (*in GB*) **the Queen**, la Regina ● (*fam.*) **the Shaw**, il teatro (intitolato a) GB Shaw (*a Londra*) □ **the Smiths**, gli Smith; la famiglia Smith □ **at the**, al, allo, alla; ai, agli, alle □ **in the**, nel, nello, nella; nei, negli, nelle □ **to the**, al, allo, alla; ai, agli, alle: *Go to the bank, will you?*, va' alla banca, per favore! □ (*comm., pubbl.*) **Our coffee is the coffee**, il vero (*o* il solo) caffè è il nostro; il nostro caffè è il migliore □ **This story loses nothing in the telling**, questa storia non perde a essere raccontata.

the ② /ðə, ðɪ/ avv. (per lo più ripetuto, come correl. di sé stesso, davanti ai compar.) quanto... tanto: **The sooner the better**, quanto prima, tanto meglio; *The more he earns the more he spends*, (quanto) più guadagna, (tanto) più spende ● **That will make it all the worse**, questo peggiorerà la situazione □ **I am none the better for seeing you**, il vederti non serve certo a farmi sentir meglio □ **So much the worse for him**, peggio per lui! □ (*prov.*) **The more the merrier**, più siamo, meglio è.

theanthropic /θiːən'θrɒpɪk/ (*relig.*) a. 1 teantropico (*divino e umano a un tempo*) 2 antropomorfico.

thearchy /'θiːɑːkɪ/ n. Ⓤ 1 governo degli dei; teocrazia 2 (collett.) schiera di dei: **the Olympian t.**, la schiera degli dei dell'Olimpo.

♦**theatre**, (*USA*) **theater** /'θɪətə(r)/ n. Ⓤ 1 teatro; arte drammatica; opere teatrali: **to**

go to the t., andare a teatro; **the English t.**, il teatro inglese **2** teatro; (*fig.*) luogo d'azione: *How many theatres are there in London?*, quanti teatri ci sono a Londra?; **an open-air t.**, un teatro all'aperto; **in the t. of war**, nel teatro di guerra **3** aula ad anfiteatro; sala di conferenze **4** (*med.*) sala operatoria **5** (*mil.*) teatro delle operazioni (*di guerra*) **6** (*spec. USA e Austral.*) cinema ● **t. bookings**, prenotazioni al teatro □ **t.-in-the-round**, teatro con il palcoscenico al centro; arena □ (*letter.*) **t. of the absurd**, teatro dell'assurdo □ **t. time**, l'ora del teatro □ (*mil.*) **t. weapons**, armi di teatro □ (*USA*) **a movie t.**, un cinematografo □ (*med.*) **operating t.**, sala operatoria □ **The play was good t.**, il dramma aveva eccellenti qualità teatrali.

theatregoer /ˈθɪətəɡəʊə(r)/ n. frequentatore (*o* frequentatrice) di teatro ● **I'm a keen t.**, sono un appassionato di teatro.

theatreland /ˈθɪətəlænd/ n. ⓤ **1** (*fam.*) il quartiere dei teatri (*in una città*) **2** il mondo del teatro; il teatro (*fig.*).

theatrical /θɪˈætrɪkl/ a. teatrale (*anche fig.*); scenico; (*fig.*) affettato, melodrammatico, istrionico, artificioso: **t. costumes**, costumi teatrali; **a t. attitude**, un atteggiamento teatrale ● **t. agent**, agente (*o* impresario) teatrale □ **t. company**, compagnia teatrale □ **t. costumier**, fornitore di costumi da teatro □ **t. makeup**, cerone □ **t. supplies**, forniture per il teatro □ **amateur t. company**, filodrammatica | **-ly** avv.

theatricality /θɪætrɪˈkælətɪ/, **theatricalism** /θɪˈætrɪkəlɪzəm/ n. ⓤ teatralità (*anche fig.*).

theatricals /θɪˈætrɪklz/ n. pl. **1** rappresentazioni teatrali; recite: **private t.**, recite di dilettanti **2** effetti (azioni, gesti, pose, ecc.) teatrali (*fig.*).

theatrics /θɪˈætrɪks/ n. pl. → **theatricals**.

Thebaid /ˈθiːbeɪɪd/ n. (*stor., geogr.*) Tebaide.

thebaine /ˈθiːbəɪːn/ n. ⓤ (*chim.*) tebaina.

Thebes /θiːbz/ n. (*stor., geogr.*) Tebe || **Theban** a. e n. tebano.

theca /ˈθiːkə/ n. (pl. *thecae*) (*bot., anat.*) teca.

thee /ðiː/ pron. pers. 2ª pers. sing. (compl.) (*arc., poet. o relig.*) te; ti: *We beseech t., O Lord*, ti imploriamo, o Signore. ❶ Nota: *thou* → **thou** ①.

theft /θeft/ n. ⓤ (*leg.*) furto (*reato previsto dal* **T. Act** *del 1968, in sostituzione di «embezzlement», «larceny», ecc.*): **t. by a servant**, furto commesso da un dipendente ● (*ass.*) **t. insurance**, assicurazione contro il furto □ **t.-proof**, a prova di furto (*o* di scasso); antiscasso □ **t. risk**, rischio di furto.

thegn /θeɪn/ n. → **thane**.

theine /ˈθiːiːn/ n. ⓤ (*chim.*) teina.

♦**their** /ðeə(r), ðə(r)/ a. poss. **1** il loro, la loro; i loro, le loro: *They have sold t. house*, hanno venduto la (loro) casa **2** il suo; la sua; i suoi; le sue: *Everyone brings t. own lunch*, ognuno porta con sé il suo pranzo **3** (quando è unito alla forma in **-ing**, è idiom.; per es.:) *He left without t. noticing*, partì senza che loro se ne accorgessero ● **t. own**, loro proprio; di loro proprietà: *They have a farm of t. own*, hanno un podere di loro proprietà □ **They took off t. hats**, si tolsero il cappello □ (*fam.*) **If everybody minded t. own business!**, se ognuno badasse ai fatti suoi!

♦**theirs** /ðeəz/ pron. poss. **1** il loro, la loro; i loro, le loro: *This car isn't t.*, quest'automobile non è la loro; *It's a custom of t.*, è una delle loro costumanze **2** (*fam.*) il suo, la sua; i suoi, le sue: *Everyone claims what is t.*, ognuno reclama il suo (*o* il suo avere).

❶ Nota: **'s: apostrofo e caso possessivo** → **'s** ①.

theism /ˈθiːɪzəm/ (*filos.*) n. ⓤ teismo || **theist** n. teista || **theistic**, **theistical** a. teistico.

♦**them** /ðem, ðəm/ pron. pers. 3ª pers. pl. **1** (compl.) loro; li, le: *I won't have anything to do with t.*, non voglio avere a che fare con loro; *I saw t.*, li (*o* le) vidi; *Show t. to me*, mostrameli! **2** (pred.) loro; li, le: *Was that t.?*, erano loro?; *It's t.*, sono loro; (*anche*) eccoli! **3** (colloquiale; quando è unito alla forma in **-ing**, è idiom.; per es.:) *She doesn't like t. staying out all night*, non le piace che stiano fuori tutta la notte **4** (*pop.*) quelli, quelle: **t. apples**, quelle mele ● **both of t.**, entrambi □ **either of t.**, o l'uno o l'altro □ **neither of t.**, né l'uno né l'altro □ **of t.**, di loro, di questi; di quelli; ne: *I'll send you four of t.*, te ne manderò quattro □ **They took their children with t.**, portarono con sé i figli □ **They looked about t.**, si guardarono intorno □ **It was very kind of t.**, è stato molto gentile da parte loro.

thematic /θɪˈmætɪk/ Ⓐ a. (*ling., mus.*) tematico: **t. vowel**, vocale tematica; **t. variations**, variazioni tematiche Ⓑ n. ⓤ (la) tematica ● **t. character** (*o* **nature**), tematismo || **thematically** avv. **1** tematicamente; per temi **2** per argomenti: **a thematically arranged index**, un indice analitico ordinato in base agli argomenti trattati.

thematics /θɪˈmætɪks/ n. pl. (col verbo al sing.) (la) tematica.

to **thematize** /ˈθiːmətaɪz/ (*spec. ling.*) v. t. tematizzare || **thematization** n. ⓤ tematizzazione.

♦**theme** /θiːm/ n. **1** tema; argomento; soggetto: **the t. of the speech**, l'argomento del discorso; **the t. of a conference**, il tema di una conferenza **2** (*spec. USA*) tema, composizione (*a scuola*) **3** (*mus.*) tema; motivo; sigla musicale ● (*urbanistica*) **t. park**, parco di divertimenti (a tema) □ (*spec. GB*) **t. pub**, pub (decorato) a tema □ (*mus.*) **t. song**, motivo ricorrente, tema musicale di base; (*radio, TV*) sigla musicale □ (*mus.*) **t. tune** = **t. song** → *sopra*.

themed /θiːmd/ a. (*spec. GB*) a tema: **t. restaurant**, ristorante a tema.

Themis /ˈθemɪs/ n. (*mitol.*) Temi.

♦**themselves** /ðəmˈselvz/ Ⓐ pron. rifl. **1** sé stessi; sé stesse; si: *They enjoyed t.*, si divertirono **2** sé; sé stesso; sé stessa: *Here everyone cares for t.*, qui ognuno fa tutto da sé Ⓑ pron. enfat. essi stessi, esse stesse; essi (*o* esse) in persona; sé: *They went t.*, vi andarono di persona; *They kept all the money for t.*, tennero tutto il denaro per sé ● **by t.**, da sé; (da) soli, (da) sole; senz'aiuto: *They did it by t.*, lo fecero da sé; *They went there by t.*, ci andarono da soli □ **They soon came to t.**, ben presto si riebbero (*o* tornarono in sé).

♦**then** /ðen, ðən/ Ⓐ avv. **1** allora; a quel tempo: *I was young t.*, ero giovane allora; *You will have left school before t.*, prima d'allora avrai lasciato la scuola; *Prices were low t.*, a quel tempo i prezzi erano bassi **2** poi; dopo; quindi; inoltre: *I had breakfast and t. went out*, feci colazione e poi uscii; *T. there's his brother*, poi (*o* inoltre) c'è suo fratello Ⓑ cong. e allora; dunque; quindi: *T. why did you do it?*, e allora perché l'hai fatto?; *T. it must be here*, quindi dev'essere qui Ⓒ a. attr. d'allora; di quel tempo; (l') allora: **the t. secretary** il segretario d'allora; l'allora segretario ● **t. and there** = **there and t.** → *sotto* □ **between now and t.**, di qui ad allora □ **but t.** (**again**), ma allora; ma d'altra parte; tuttavia; comunque □ **by t.**, a quell'ora; a quel tempo; ormai; già: *I'm going to Oxford to see a supplier, but I should be*

back by t., vado a Oxford a incontrare un fornitore ma per quell'ora dovrei essere tornato; *By t., they were gone*, ormai se n'erano andati □ (**every**) **now and t.**, di quando in quando; di tanto in tanto; ogni tanto □ **from t. on** (**o onwards**), da allora in poi □ **now t.**, ehi!, orsù!; suvvia!; dunque: *Now t., stop talking and listen to me*, via, smettete di parlare e ascoltatemi!; *Now t., what are you up to?*, ehi tu, che cosa stai combinando? □ **since t.**, da allora (in poi) □ **t. and there**, lì per lì; subito; seduta stante; su due piedi □ **till t.** (**o until t., up to t.**), fino ad allora □ **well t.**, allora; dunque; be': *Well t., go some other day*, vacci un altro giorno! □ *Now he's sad, t. gay*, ora è triste, ora è allegro □ **What t.?**, e allora?; e con ciò?; che importa?

thenar /ˈθiːnə(r)/ a. e n. (*anat.*) (eminenza) tenar, tenare.

thence /ðens/ avv. **1** (*arc. o form.*) di là; di lì; da quel luogo **2** da allora **3** (*lett.*) quindi; perciò; pertanto; di conseguenza; per questo motivo: *It t. appears that...*, appare quindi evidente che...

thenceforth /ðensˈfɔːθ/, **thenceforward** /ðensˈfɔːwəd/, **thenceforwards** /ðensˈfɔːwədz/ avv. (*lett.*) da allora; da allora in poi.

Theobald /ˈθiːəbɔːld/ n. Teobaldo.

theobromine /θiːəˈbrəʊmiːn/ n. ⓤ (*chim.*) teobromina.

theocentric /θiːəʊˈsentrɪk/ a. teocentrico || **theocentrism** n. ⓤ teocentrismo.

theocon, theo con /ˈθiːəʊkɒn/ n. e a. appartenente a un movimento cristiano dalle idee politiche conservatrici; conservatore di stampo cristiano.

theocracy /θiːˈɒkrəsɪ/ (*polit.*) n. ⓤⓒ teocrazia || **theocrat** n. teocrate || **theocratic, theocratical** a. teocratico || **theocratically** avv. teocraticamente.

Theocritus /θiːˈɒkrɪtəs/ n. (*stor., letter.*) Teocrito.

theodicy /θiːˈɒdəsɪ/ n. ⓤⓒ (*relig.*) teodicea.

theodolite /θiːˈɒdəlaɪt/ n. (*topogr.*) teodolite (*strumento*).

Theodora /θiːəˈdɔːrə/ n. Teodora.

Theodore /ˈθiːədɔː(r)/ n. Teodoro.

Theodoric /θiːˈɒdərɪk/ n. (*stor.*) Teodorico.

Theodosius /θiːəˈdəʊsɪəs/ n. (*stor.*) Teodosio || **Theodosian** a. teodosiano; di Teodosio: **the Theodosian code**, il codice teodosiano.

theogony /θiːˈɒɡənɪ/ n. ⓤ teogonia.

theologian /θiːəˈləʊdʒɪən/ n. teologo.

theological /θiːəˈlɒdʒɪkl/ a. **1** teologico **2** teologale: (*relig.*) **the t. virtues**, le virtù teologali ● **t. college**, seminario □ (*USA*) **t. seminary**, seminario | **-ly** avv.

to **theologize** /θiːˈɒlədʒaɪz/ Ⓐ v. i. teologizzare; teologare Ⓑ v. t. rendere teologico.

theology /θiːˈɒlədʒɪ/ n. ⓤ teologia.

theophany /θiːˈɒfənɪ/ n. ⓤⓒ (*relig.*) teofania.

theophylline /θiːəˈfɪlɪn/ n. ⓤ (*chim.*) teofillina.

theorbo /θiˈɔːbəʊ/ n. (pl. *theorbos*) (*stor., mus.*) tiorba.

theorem /ˈθɪərəm/ (*mat.*) n. teorema || **theorematic** a. di teorema; teorematico.

♦**theoretical** /θɪəˈretɪkl/, **theoretic** /θɪəˈretɪk(l)/ a. **1** (*filos.*) teoretico **2** teorico; (*spreg.*) astratto, campato in aria: (*econ.*) **t. model**, modello teorico; **a t. advantage**, un vantaggio teorico | **-ly** avv.

theoretician /θɪərəˈtɪʃn/ n. **1** (*filos.*) teoreta **2** teorico.

theoretics /θɪəˈretɪks/ n. pl. (col verbo al sing.) **1** (*filos.*) teoretica **2** teoria; parte teorica.

a b c d e f g h i j k l m n o p q r s **t** u v w x y z

theorist /ˈθɪərɪst/ n. teorico ● **political t.**, politologo.

to **theorize** /ˈθɪəraɪz/ v. i. formulare una teoria; teorizzare ‖ **theorization** n. ⓤ teorizzazione ‖ **theorizer** n. **1** teorizzatore; chi teorizza **2** (di solito spreg.) teorico; persona priva di senso pratico.

♦**theory** /ˈθɪərɪ/ n. ⓤⓒ **1** teoria: **the t. and practice of navigation**, la teoria e la pratica della navigazione **2** teoria; dottrina; tesi: **the atomic t.**, la teoria atomica; (biol.) **the t. of evolution**, la teoria dell'evoluzione; (econ.) **the theories of value**, le teorie del valore **3** (fam.) idea; opinione: Have you any t. as to who could have done it?, hai qualche idea di chi avrebbe potuto farlo?; It's one of his pet theories, è una delle sue idee fisse; è uno dei suoi pallini **4** (mat.) teoria: **t. of equations**, teoria delle equazioni ● **t. of signs**, teoria dei segni linguistici; semiologia; semiotica □ **in t.**, in teoria; teoricamente.

theosophy /θɪˈɒsəfɪ/ (filos.) n. ⓤ teosofia ‖ **theosoph**, **theosopher** n. teosofo ‖ **theosophical**, **theosophic** a. teosofico ‖ **theosophist** n. teosofo ‖ to **theosophize** v. i. fare il teosofo.

therapeutic /θɛrəˈpjuːtɪk/, **therapeutical** /θɛrəˈpjuːtɪkl/ a. (med.) terapeutico: **t. abortion**, aborto terapeutico ‖ **-ally** avv.

therapeutics /θɛrəˈpjuːtɪks/ n. pl. (col verbo al sing.) (med.) terapeutica.

♦**therapy** /ˈθɛrəpɪ/ n. **1** ⓤⓒ (med.) terapia: **convulsive t.**, terapia convulsivante; I'm having t. for my back, sono in cura per la mia schiena **2** ⓤ (psic.) psicoterapia: He's been in t. for a year, è sotto psicoterapia da un anno ‖ **therapist** n. **1** terapista: **physical therapist**, fisioterapista; **speech therapist**, logopedista **2** terapeuta; medico clinico.

♦**there** /ðɛə(r), ðə(r)/ Ⓐ avv. **1** là, lì; colà; costà, costì; ivi (lett.); ci, vi: Put it t., mettilo là; He isn't t., là non c'è; I promise, I'll be t., prometto, ci sarò; He will stay t. all winter, vi rimarrà tutto l'inverno; T. was nothing to eat, non c'era niente da mangiare; T. was no one t., là non c'era nessuno; Is t. a garden?, c'è un giardino? **2** ecco; ecco là; ecco che: T. he is!, eccolo!; eccolo là!; Push the button, and t. you are, premete il pulsante, ed ecco fatto! **3** in questo; su ciò; su questo punto: T. I disagree with you, su ciò non sono d'accordo (con te); T. you are right, in questo hai ragione **4** (enfat., idiom.) ecco; guarda (un po'): T. she goes again!, eccola daccapo! **5** (lett., idiom.; consente l'inversione fra soggetto e verbo; per es.:) T. comes a time in a man's life when..., viene il momento, nella vita di un uomo, in cui... Ⓑ n. **1** quel luogo: We left t. at eight o'clock, lasciammo quel luogo (o partimmo di là) alle otto **2** quel punto: I'll begin from t., comincerò da quel punto (o da lì) Ⓒ inter. **1** là!; finalmente; ecco: T., that's done!, là!, ecco fatto!; là! e anche questa è fatta!; T.! What did I tell you?, ecco, che cosa t'avevo detto? **2** su; orsù; suvvia; via: T.! t.! Don't cry, (suv)via, non piangere! ● **to be t.**, esserci, essere presente (quando q. ha bisogno di noi) □ **t. and back**, andata e ritorno: How far is it t. and back?, quanta strada c'è fra andare e tornare? □ **t. and then**, lì per lì; subito; seduta stante; su due piedi: **to decide st. t. and then**, decidere qc. seduta stante □ **T. now!**, coraggio!; suvvia!; (anche) ebbene!; hai visto?: T. now! What did I tell you?, hai visto? che ti avevo detto?; T. now, I knew you'd hurt yourself, già! lo sapevo che ti saresti fatto male □ **t. or thereabouts** → **thereabouts** □ **by t.**, di là; lì: (I passed by t. last night, passai di là ieri sera □ **down t.**, laggiù □ **to get t.**, arrivarci;

(slang) farcela, riuscirci □ **to go t. and back**, andare e tornare □ (fig.) **to have sb. t.**, cogliere q. in fallo (mettere q. con le spalle al muro) in una determinata cosa: You had him t., su quel punto, lo mettesti con le spalle al muro □ **here and t.**, qua e là □ **here, t. and everywhere**, (un po') dappertutto; un po' qua e un po' là: I've looked for it here, t. and everywhere, l'ho cercato dappertutto □ **in t.**, là dentro; lì dentro □ **over t.**, là; colà; laggiù: Do you see that boy over t.?, vedi quel ragazzo laggiù? □ **up t.**, lassù □ (al telefono) **Are you t.?**, pronto?; sei tu?; sei ancora in linea? □ (fam.) **He is not all t.**, gli manca una rotella; non è del tutto a posto □ **T.'s a good boy!**, su, da bravo! □ **T.'s no** (+ forma in **-ing**), è impossibile; non c'è verso di: T.'s no knowing what she'll do, è impossibile dire che cosa farà; T.'s no pleasing him, non c'è verso d'accontentarlo ● **T. you are**, ecco qua; eccoti servito; ecco fatto; che ti dicevo? □ (fam.) **T. you go!**, ecco a lei!; prego!; (anche) ci risiamo!; siamo alle solite!; che ci vuoi fare? □ **Who's t.?**, chi è là?; chi va là?

thereabouts /ˈðɛərəbaʊts/, **thereabout** /ˈðɛərəbaʊt/ avv. **1** là presso; lì vicino; nei dintorni; nelle vicinanze; da quelle parti **2** all'incirca; pressappoco; a un dipresso; giù di lì: **one thousand dollars or t.**, mille dollari o pressappoco; **at twelve o'clock or t.**, alle dodici o giù di lì.

thereafter /ðɛərˈɑːftə(r)/ avv. **1** (lett.) da allora in poi; in seguito; dopo: **shortly t.**, poco dopo **2** (arc. o leg.) di conseguenza; quindi; perciò.

♦**thereby** /ðɛəˈbaɪ/ avv. **1** in tal modo; con ciò; così: **t. breaking an old tradition**, rompendo così una lunga tradizione **2** (lett.) al riguardo; in merito: T. hangs a tale, c'è una storia al riguardo; (e) non è finita!; c'è ancora un seguito.

there'd /ðɛəd/ contraz. di **1 there had 2 there would**.

♦**therefore** /ˈðɛəfɔː(r)/ avv. perciò; dunque; quindi; pertanto: I didn't like his offer and t. I refused, la sua offerta non mi andava, e quindi l'ho rifiutata; (filos.) I think, t. I am, penso, dunque sono.

therein /ðɛərˈɪn/ avv. **1** (arc.) (là) dentro; in ciò; ci; vi **2** (leg.) riguardo a ciò; al riguardo; in merito ● (leg.) **t. enclosed**, ivi allegato.

thereinafter /ðɛərɪnˈɑːftə(r)/ avv. (arc. o leg.) di lì in avanti; più oltre; in seguito.

thereof /ðɛərˈɒv/ avv. (arc. o leg.) di ciò; di questo; al riguardo.

thereon /ðɛərˈɒn/ avv. (arc. o leg.) → **thereupon**.

there's /ðɛəz, ðəz/ contraz. di **there is**.

Theresa /təˈriːzə/ n. Teresa.

thereto /ðɛəˈtuː/ avv. (arc. o leg.) **1** a ciò; ci; vi **2** oltre a ciò; per giunta; inoltre.

thereunder /ðɛərˈʌndə(r)/ avv. (arc. o leg.) **1** sotto ciò; al di sotto di ciò **2** in base a; in virtù di.

thereunto /ðɛərˈʌntuː/ avv. (arc. o leg.) → **thereto**.

thereupon /ðɛərəˈpɒn/ avv. (arc., lett. o leg.) **1** al che; a ciò; e allora **2** indi; quindi; perciò **3** su di ciò; al riguardo; in merito.

therewith /ðɛəˈwɪð/ avv. (arc., lett. o leg.) **1** con ciò; con questo; insieme **2** in aggiunta; inoltre **3** al che; a ciò; e allora.

theriac /ˈθɪərɪæk/ n. (med., stor.) triaca; teriaca.

therm /θɜːm/ n. (fis.) therm; unità termica.

thermae /ˈθɜːmiː/ (lat.) n. pl. (archeol.) terme.

thermaesthesia /θɜːmɪsˈθiːzɪə/ n. ⓤ (med.) termoestesia.

thermal /ˈθɜːml/ Ⓐ a. **1** termale: **t. springs**, sorgenti termali **2** (fis.) termico: **t. energy**, energia termica; British t. unit (abbr. **BTU**), unità termica britannica; **t. lance**, lancia termica; **t. equator**, equatore termico Ⓑ n. (di solito al pl.) (meteor., aeron.) corrente ascensionale d'aria calda; termica ● (aeron.) **the t. barrier**, la barriera termica ● **t. baths**, terme □ **t. blanket**, termocoperta □ (fis. nucl.) **t. breeder** (reactor), reattore termico autofertilizzante □ **t. bulb**, termometro a bulbo □ (tecn.) **t. compression**, termocompressione □ (mecc.) **t. compressor**, termocompressore □ **t. insulation**, isolamento termico □ **t. paper**, carta termica (o termosensibile) □ (ecol.) **t. pollution**, inquinamento termico □ (elettr.) **t. power station**, centrale termoelettrica □ **t. printer**, stampante termica □ **t. reactor**, (chim.) reattore termico; (fis. nucl.) reattore termico (o a neutroni termici) □ (elettr.) **t. relay**, relè termico (o a temperatura) □ (mecc.) **t. relief**, valvola di sfogo □ (fis. nucl., miss.) **t. shield**, scudo termico □ (fis.) **t. value**, potere calorifico.

thermic /ˈθɜːmɪk/ (fis.) a. termico: **t. rays**, raggi termici; **t. energy**, energia termica ● (tecn.) **t. cutting**, ossitaglio ‖ **thermically** avv. termicamente.

thermion /ˈθɜːmɪən/ n. (fis.) ione termico; termoione.

thermionic /θɜːmaɪˈɒnɪk/ a. (fis.) termoionico: **t. current**, corrente termoionica; (radio) **t. valve** (o tube), valvola termoionica.

thermionics /θɜːmaɪˈɒnɪks/ n. pl. (col verbo al sing.) (fis.) termoionica.

thermistor /θɜːˈmɪstə(r)/ n. (fis.) termistore.

Thermit® /ˈθɜːmɪt/, **Thermite** /ˈθɜːmaɪt/ n. (chim.) termite.

thermoadhesion /θɜːməʊədˈhiːʒn/ (tecn.) n. ⓤ termoadesione ‖ **thermoadhesive** a. termoaderente.

thermoanaesthesia, (USA) **thermoanesthesia** /θɜːməʊænəsˈθiːzɪə/ n. ⓤ (med.) termoanestesia.

thermobaric /θɜːməʊˈbærɪk/ a. (fis.) termobarico.

thermochemistry /θɜːməʊˈkemɪstrɪ/ n. ⓤ termochimica ‖ **thermochemical** a. termochimico.

thermocoagulation /θɜːməʊkəʊæɡjəˈleɪʃn/ n. ⓤ (med.) termocoagulazione.

thermocouple /ˈθɜːməʊkʌpl/ n. (fis.) termocoppia.

thermodiffusion /θɜːməʊdɪˈfjuːʒn/ n. ⓤ (fis.) termodiffusione.

thermodynamics /θɜːməʊdaɪˈnæmɪks/ (fis.) n. pl. (col verbo al sing.) termodinamica ‖ **thermodynamic**, **thermodynamical** a. termodinamico.

thermoelectric /θɜːməʊˈlektrɪk/, **thermoelectrical** /θɜːməʊˈlektrɪkl/ (fis.) a. termoelettrico ‖ **thermoelectricity** n. ⓤ termoelettricità.

thermoelectron /θɜːməʊˈlektrɒn/ (fis.) termoelettrone.

thermoelectronic /θɜːməʊelekˈtrɒnɪk/ a. (fis.) termoelettronico.

thermoelectronics /θɜːməʊelekˈtrɒnɪks/ n. pl. (col verbo al sing.) termoelettronica.

thermoelement /ˈθɜːməʊelɪmənt/ n. (elettr.) termoelemento.

thermoforming /ˈθɜːməʊfɔːmɪŋ/ n. ⓤ (tecn.) termoformatura.

thermogalvanometer /θɜːməʊɡælvəˈnɒmɪtə(r)/ n. (fis.) termogalvanometro.

thermogenesis /θɜːməʊˈdʒenəsɪs/ (biol.) n. ⓤ termogenesi.

thermogenic /θɜːməʊˈdʒɛnɪk/ a. (*scient.*) termogenico.

thermogenous /θɜːˈmɒdʒɪnəs/ a. (*biol.*) termogeno.

thermograph /ˈθɜːməʊɡrɑːf/ n. (*fis.*) termografo.

thermography /θɜːˈmɒɡrəfɪ/ n. ⓤ (*fis.*) termografia.

thermojet /ˈθɜːməʊdʒɛt/ n. (*aeron.*) termoreattore.

thermokinetics /θɜːməʊkɪˈnɛtɪks/ n. pl. (col verbo al sing.) termocinetica ‖ **thermokinetic** a. termocinetico.

thermolabile /θɜːməʊˈleɪbaɪl/ a. (*fis.*) termolabile.

thermology /θɜːˈmɒlədʒɪ/ (*fis.*) n. ⓤ termologia ‖ **thermological** a. termologico.

thermoluminescence /θɜːməʊluːmɪˈnɛsns/ n. ⓤ (*fis.*) termoluminescenza.

thermolysis /θɜːˈmɒləsɪs/ n. (pl. ***thermolyses***) (*chim.*) termolisi.

thermomagnetism /θɜːməʊˈmæɡnətɪzəm/ (*fis.*) n. ⓤ termomagnetismo ‖ **thermomagnetic** a. termomagnetico.

thermometer /θəˈmɒmɪtə(r)/ n. termometro: **centigrade t.**, termometro centigrado; **maximum t.** termometro a massima; (*med.*) **clinical t.** termometro clinico ‖ **thermometric, thermometrical** a. termometrico ‖ **thermometry** n. ⓤ termometria.

thermonuclear /θɜːməʊˈnjuːklɪə(r), *USA* -ˈnuː-/ a. (*fis. nucl*) termonucleare: **t. bomb**, bomba termonucleare (*o* all'idrogeno).

thermophile /ˈθɜːməʊfaɪl/ n. (*biol.*) organismo termofilo.

thermopile /ˈθɜːməʊpaɪl/ n. (*fis.*) termopila: pila termoelettrica.

thermoplastic /θɜːməʊˈplæstɪk/ A a. termoplastico B n. materia termoplastica.

Thermopylae /θəˈmɒpəliː/ n. pl. (*geogr., stor.*) (le) Termopili.

thermoreceptor /θɜːməʊrɪˈsɛptə(r)/ n. (*fisiol.*) termocettore.

to thermoregulate /θɜːməʊˈrɛɡjuleɪt/ (*fisiol., biol.*) v. i. regolare la propria temperatura corporea ‖ **thermoregulation** n. ⓤ termoregolazione ‖ **thermoregulator** n. termoregolatore ‖ **thermoregulatory** a. termoregolatore: **thermoregulatory centres**, centri termoregolatori.

Thermos® /ˈθɜːmɒs/ n. (*di solito* **T. flask**, *anche minuscolo*) thermos; termos.

thermoscope /ˈθɜːməʊskəʊp/ n. (*fis.*) termoscopio.

thermosensitive /θɜːməʊˈsɛnsɪtɪv/ a. termosensibile.

thermosetting /θɜːməʊˈsɛtɪŋ/ a. (*ind. plastica*) termoindurente: **t. resin**, resina termoindurente.

thermosiphon /θɜːməʊˈsaɪfən/ n. (*tecn.*) termosifone (*il sistema di riscaldamento*).

thermosphere /ˈθɜːməʊsfɪə(r)/ n. ⓤ (*meteor.*) termosfera.

thermostable /θɜːməʊˈsteɪbl/ a. (*fis.*) termostabile.

thermostat /ˈθɜːməstæt/ n. (*tecn.*) termostato; termoregolatore.

to thermostat /ˈθɜːməstæt/ v. t. (*tecn.*) termostatare.

thermostatic /θɜːməʊˈstætɪk/ a. (*fis.*) termostatico ● (*elettr.*) **t. switch**, termostato.

thermostatics /θɜːməʊˈstætɪks/ n. pl. (col verbo al sing.) (*fis.*) termostatica.

thermotechnics /θɜːməʊˈtɛknɪks/ n. pl. (col verbo al sing.) termotecnica.

thermotropism /θɜːməʊˈtrəʊpɪzəm/ n. ⓤ (*bot.*) termotropismo.

thesaurus /θɪˈsɔːrəs/ n. (pl. ***thesauri***,

thesauruses) **1** dizionario dei sinonimi **2** dizionario specialistico; enciclopedia: **a medical t.**, un dizionario medico **3** (*fig., lett.*) miniera (*fig.*).

♦**these** /ðiːz/ a. e pron. dimostr. (pl. di **this**) questi, queste; codesti, codeste; cotesti, coteste: *T. books are mine*, questi libri sono miei; *T. are his*, questi sono i suoi ● *I've been here t. two hours*, sono qui da ben due ore.

Theseus /ˈθiːsjuːs/ n. (*mitol.*) Teseo.

thesis /ˈθiːsɪs/ n. (pl. ***theses***) **1** (*filos., mat., mus.*) tesi **2** tesi; dissertazione: **graduation t.**, tesi di laurea **3** (*fig.*) tesi; opinione.

Thespian /ˈθɛspɪən/ A a. di Tespi; drammatico B n. (*lett.*) **1** attore, attrice (*spec. drammatici*) **2** drammaturgo; tragediografo.

Thespis /ˈθɛspɪs/ n. (*stor. letter.*) Tespi.

Thessaly /ˈθɛsəlɪ/ (*geogr., stor.*) n. Tessaglia ‖ **Thessalian** A a. tessalico B n. tessalo.

theta /ˈθiːtə/ n. teta (*ottava lettera dell'alfabeto greco*).

theurgy /ˈθiːədʒɪ/ n. teurgia ‖ **theurgic, theurgical** a. teurgico ‖ **theurgist** n. teurgo.

thew /θjuː/ n. (*lett., poet.*) **1** ⓤ forza fisica **2** (al pl.) muscoli e tendini.

thewed /θjuːd/ → **thewy**.

thews /θjuːz/ n. pl. (*lett.*) **1** muscoli; forza muscolare; nerbo; vigoria **2** (*fig.*) forza morale; vigore mentale.

thewy /ˈθjuːɪ/ a. (*lett.*) muscoloso; forte; vigoroso.

♦**they** /ðeɪ, ðe/ A pron. pers. 3ª pers. pl. **1** essi, esse; loro (*fam.*): *T. didn't reply to our letter*, (essi) non risposero alla nostra lettera; (*lett.*) *It was t. who said so*, furono loro a dirlo; (*fam.*) *T. did it, not us*, sono stati loro (a farlo), non noi **2** (*fam.*) rif. a un antecedente sing.; è idiom.; per es.:) *If anyone has any objection to my proposal, t. can reject it*, se qualcuno ha obiezioni alla mia proposta, può respingerla **3** (rif. a un antecedente collett., anche sottinteso; è idiom.; per es.:) *I've heard t. are going to raise VAT again*, ho sentito che aumentano di nuovo l'IVA B pron. impers. la gente; si: *T. say he won't come back*, la gente dice (o si dice, dicono) che non tornerà ● **t. all** (*o* **all of them**), tutti loro; loro □ **t. who**, coloro i quali; quelli (*o* quelle) che (*più spesso* **those who**) □ **Here t. are**, eccoli (*o* eccole) qua! □ (*prov.*) **T. do least who talk most**, chi più parla meno fa.

ⓘ **NOTA:** *they*

Una frase come chiedi a qualcuno se può aiutarci si può tradurre in inglese con:
1) *Ask someone if he can help us*;
2) *Ask someone if he or she can help us*;
3) *Ask someone if s/he can help us*;
4) *Ask someone if they can help us*.

La 1) è spesso considerata sessista perché usa soltanto il pronome maschile **he**; la 2) è comune, ma può risultare goffa e pesante; la 3) è possibile solo nella lingua scritta; la 4), benché ritenuta da alcuni scorretta perché fa concordare un pronome singolare (*someone*) con uno plurale (*they*), corrisponde in realtà a un uso radicato da secoli nella lingua inglese, che di recente si è ulteriormente diffuso in parte sotto la spinta della nuova sensibilità contraria all'uso sessista del linguaggio.

Possono concordare con **they** (e **them, their, theirs**):

a i pronomi indefiniti (**somebody, someone, everybody, everyone, anybody, anyone, nobody, no one, none, whoever**): *Anyone can register, provided that they have a degree*, chiunque può iscriversi, purché sia laureato; *Everybody should do their duty*, ognuno dovrebbe fare il proprio dovere;

b la parola **person**: *Lecturing a depressed person is not the most effective way to help them*, fare la predica a una persona depressa non è il modo più efficace per aiutarla;

c i pronomi **either** e **neither** e tutti i singolari quando siano preceduti da **each, every, either, neither, no, any**: *Neither man lifted their head*, nessuno dei due uomini sollevò il capo; *Every child needs to know that they are loved*, ogni bambino ha bisogno di sapere che è amato;

d i nomi singolari che, nel contesto, possono riferirsi indifferentemente a una donna o a un uomo: *If your best friend knew that, what would they do?*, se il vostro migliore amico o la vostra migliore amica lo sapesse, che cosa farebbe?

they'd /ðeɪd/ contraz. di: **1** they had **2** they would.

they'll /ðeɪl/ contraz. di: **1** they will **2** they shall.

they're /ðeə(r), ðə(r)/ contraz. di **they are**.

they've /ðeɪv, ðəv/ contraz. di **they have**.

THG sigla (*farm.*, **tetrahydrogestrinone**) tetraidrogestrinone.

THI sigla (*fis.*, **temperature-humidity index**) indice temperatura-umidità.

♦**thick** /θɪk/ A a. **1** spesso; grosso; solido: **a t. book**, un grosso libro; un librone; *He has a t. neck*, ha il collo grosso; *This board is two inches t.*, quest'asse ha lo spessore di due pollici; **a t. wall**, un muro spesso (*o* grosso) **2** denso; fitto; compatto: **t. soup**, zuppa densa (*o* fitta) **3** fitto; folto: **t. fog**, nebbia fitta; **a t. forest**, una foresta folta; **t. hair**, capelli folti **4** torbido; melmoso; fangoso: **t. puddles**, pozzanghere melmose; **t. wine**, vino torbido **5** (*di voce o suono*) rauco; roco; velato: *I've got a cold and my voice is t.*, ho il raffreddore e la voce roca; **to speak in a voice t. with emotion**, parlare con la voce velata dall'emozione **6** forte; intenso: **to speak with a t. cockney accent**, parlare con un forte accento cockney; **a t. smell**, un forte odore **7** (*fam.*) duro di comprendonio; ottuso; tonto; stupido **8** (*fam.*) intontito; annebbiato **9** (*fam.*) in intimità (*con q.*); intimo: *They're very t.* (*with each other*), sono amici intimi; *They're as t. as thieves*, sono amici per la pelle; sono culo e camicia (*fam.*) **10** (*fam.*) assurdo: *That's a bit t. of him!*, questa è un po' grossa da parte sua! B n. **1** (il) fitto; (il) grosso; (il) folto; (il) mezzo: **in the t. of the forest**, nel fitto della foresta; **in the t. of the battle**, nel folto della mischia; **in the t. of it**, nel bel mezzo **2** (*fam.*) persona stupida; tontolone; zuccone C avv. **1** a fette grosse; grosso: **to cut the meat t.**, tagliare la carne a fette grosse **2** densamente; fittamente; fitto fitto: *The snow was falling t.*, la neve cadeva fitta fitta ● **t.-and-thin supporters**, sostenitori fedeli □ (*fam.*) **the t. end of**, quasi la bellezza di: *It cost me the t. end of 5,000 pounds*, m'è costato la bellezza di 5000 sterline □ **t.-headed** (*o* **t.-skulled, t.-witted**), duro di comprendonio; stupido; tonto □ **t.-lipped**, dalle labbra grosse; labbruto □ (*fam.*) **to be t. on the ground**, essere abbondante: *Chances like that aren't t. on the ground nowadays*, occasioni simili non capitano spesso oggigiorno □ **t.-skinned**, dalla pelle spessa; (*fig.*) dalla pelle dura, insensibile □ (*mil.*) **t.-skinned vehicles**, veicoli blindati □ **t. with**, pieno di; saturo di; coperto di: *The air was t. with pollen*, l'aria era piena di polline; *The furniture was t. with dust*, i mobili erano coperti di polvere □ (*slang*) **to be as t. as a brick** (*o* **two short planks**), essere duro di comprendonio; essere proprio tonto □ (*slang*) **to give**

sb. a t. ear, dare una sberla a q.; fare una faccia così a q. con uno schiaffone □ **to grow thicker**, infittirsi: *The crowd grew thicker*, la folla s'infittì □ **to have a t. head**, avere un cerchio alla testa □ **to have a t. skin**, avere la pelle dura (*anche fig.*) □ (*fam.*) **to lay it on t.**, esagerare; esser troppo prodigo (*spec. di lodi*); adulare in modo servile □ (*fig.*) **through t. and thin**, nella buona e nella cattiva sorte; in ogni circostanza; fedelmente □ (*slang*) **It's a bit** (*o* **a little too**) **t.**, questo è troppo!; è un po' troppo!; non è giusto: *Two months away from home is a bit t.*, due mesi di lontananza da casa è un po' troppo! □ **Snow lay t. on the ground**, il suolo era coperto da un alto strato di neve □ (*fam.*) **That's too t.!**, questa è grossa!; questa non la bevo!

to thicken /ˈθɪkən/ **A** v. t. **1** (*anche* **to t. up**) addensare; ispessire; infittire; (*cucina*) legare, rassodare: **to t. the sauce with flour**, legare la salsa con la farina **2** ingrossare; far ingrassare; appesantire (q.) **3** arrochire (*la voce*) **4** intorbidire (*un liquido*) **5** rendere incerto, confuso (*il modo di parlare, ecc.*) □ **B** v. i. **1** addensarsi; ispessirsi; infittirsi; infoltirsi; rassodarsi: *The crowd was thickening*, la folla s'addensava; *The fog has thickened up*, la nebbia si è infittita **2** (*del tempo*) rannuvolarsi; offuscarsi; farsi scuro **3** (*della voce*) diventare rauca **4** (*del modo di parlare*) diventare incerto, confuso, biascicato **5** (*fig.*) ingarbugliarsi; complicarsi; imbrogliarsi: *The plot thickens*, la faccenda s'ingarbuglia; le cose si complicano ● **Your waist is thickening**, ti stai ingrassando in vita.

thickener /ˈθɪkənə(r)/ n. (*tecn.*) addensatore; addensante; condensante.

thickening /ˈθɪkənɪŋ/ n. **1** condensamento; addensamento; ispessimento; rassodamento **2** (*tecn.*) sostanza per condensare; addensatore, addensante.

thicket /ˈθɪkɪt/ n. boschetto; folto d'alberi ● **thorn t.**, roveto.

thickhead /ˈθɪkhɛd/ n. (*fam.*) testa dura; testone; zuccone.

thickish /ˈθɪkɪʃ/ a. piuttosto denso, fitto, folto, ecc. (→ **thick**).

thickly /ˈθɪklɪ/ avv. **1** densamente; fittamente; foltamente: *The land was t. covered with trees*, il terreno era coperto da una fitta vegetazione **2** con voce velata (*o* incerta, confusa) ● **to speak t.**, parlare biascicando le parole ● **The snow was falling t.**, la neve cadeva a fitte falde.

thickness /ˈθɪknəs/ n. **1** grossezza; spessore; strato: **five centimetres in t.**, cinque centimetri di spessore; **two thicknesses of soundproofing material**, due spessori (*o* due strati) di materiale fonoassorbente **2** densità, consistenza (*di un liquido*) **3** l'essere fitto, densità (*della nebbia, ecc.*) **4** foltezza (*dei capelli, della vegetazione, ecc.*) **5** foschia; oscurità **6** (*fam.*) stupidità; ottusità ● **t. gauge**, spessimetro (*strumento*) □ **The t. of his speech showed that he was drunk**, il suo impaccio nel parlare rivelava ch'era ubriaco.

thickset /ˈθɪkˈsɛt/ a. **1** tarchiato; tozzo; atticciato; piccolo ma robusto **2** fitto; folto ● **t. hedge**, una siepe fitta.

♦**thief** /θiːf/ n. (pl. **thieves**) **1** ladro, ladra: **a car t.**, un ladro di automobili **2** (*chim.*, = **t. tube**) sonda per campionatura **3** (*ind. petrolifera*) campionatore per liquidi □ **thieves' kitchen**, covo di ladri □ **thieves' Latin**, lingua furbesca; gergo della malavita □ **Stop t.!**, al ladro! □ (*prov.*) **Set a t. to catch a t.**, per prendere un ladro ci vuole un ladro.

to thieve /θiːv/ **A** v. i. rubare; fare il ladro **B** v. t. **1** (*dial.*) rubare (qc.) **2** (*chim.*) pre-

levare un campione da (*una sostanza*).

thievery /ˈθiːvərɪ/ n. ladrocinio; ruberia; furto.

thieving /ˈθiːvɪŋ/ a. dedito al furto; che ruba; ladro; disonesto ● (*mus.*) **Rossini's 'The t. magpie'**, 'La gazza ladra' di Rossini.

thievish /ˈθiːvɪʃ/ a. ladro; ladresco ‖ **thievishly** avv. da ladro; ladrescamente ‖ **thievishness** n. tendenza al furto.

thigh /θaɪ/ n. (*anat.*) coscia ● **t.-bone**, femore □ (*cricket*) **t. guard**, cosciera □ (*football americano*) **t. pad**, paracosce □ (*stor.*) **t.-piece**, cosciale (*d'armatura*).

thill /θɪl/ n. stanga (*di carro*).

thimble /ˈθɪmbl/ n. **1** (*cucito*) ditale **2** (*mecc.*) bussola; manicotto **3** (*mecc.*) mandrino conico allargatubi **4** (*naut.*) redancia.

thimbleful /ˈθɪmblfʊl/ n. **1** quanto sta in un ditale **2** (*fig.*) goccio; goccino.

thimblerig /ˈθɪmblrɪg/ n. gioco dei bussolotti (*anche fig.*).

♦**thin** /θɪn/ **A** a. **1** sottile; fino; leggero: **a t. slice of bread**, una sottile fetta di pane; **t. air**, aria fina (*o* rarefatta), **t. clothes**, abiti leggeri; **a t. rope**, una corda sottile; una funicella **2** esile; snello; magro; scarno; smilzo; sparuto: **a very t. girl**, una ragazza molto esile; *The boy is rather t. in the face*, il ragazzo ha il volto piuttosto scarno **3** rado; fluido; acquoso; scarso: **t. mist**, nebbia rada; **t. hair**, capelli radi; **a t. soup**, una zuppa acquosa (*o* brodosa); *The public was t.*, il pubblico era scarso **4** debole; sbiadito; fievole; tenue: **t. colours**, colori tenui; **in a t. voice**, con voce fievole **5** (*fig.*) debole; fiacco; inconsistente: **a t. argument [excuse]**, un argomento [una scusa] inconsistente **6** (*fin.*: *del mercato*) debole; fiacco; inerte **B** avv. sottile; a fette sottili: **to cut the meat t.**, tagliare la carne a fette sottili ● (*geol.*) **t.-bedded**, a strati sottili □ **t. broth**, brodo lungo □ (*elettron.*) **t. film**, film sottile ● **t.-film circuit**, circuito a film sottile □ (*teatr.*) **a t. house**, un teatro quasi vuoto □ (*fam.*) **to be t. on the ground**, essere raro, scarso □ (*fam.*: *di persona*) **t. on top**, un po' pelato; che sta andando in piazza (*fam.*) □ **t.-skinned**, dalla pelle sottile; (*fig.*) sensibile, suscettibile, permaloso □ (*agric.*) **t. soil**, terreno povero □ **a t. tale**, un racconto privo d'interesse; una storia inverosimile □ **as t. as a lath** (*o* **as a rake**), magro come un chiodo (*o* come un'acciuga) □ **to grow t.**, assottigliarsi; dimagrire □ (*fam.*) **to have a t. time**, passarsela male.

to thin /θɪn/ **A** v. t. **1** assottigliare; affinare; far dimagrire; smagrire **2** far diminuire; ridurre: *The Black Death of 1348 thinned* (*down*) *the population of England*, la Morte Nera del 1348 assottigliò la popolazione dell'Inghilterra **3** diradare; sfoltire (*piante, capelli, ecc.*) **4** sfrondare; potare: **to t.** (**out**) **trees**, sfrondare gli alberi **5** diluire (*vernici, ecc.*) **B** v. i. **1** assottigliarsi; affinarsi; dimagrire; smagrirsi: *You've thinned* (*down*) *a lot lately*, di recente sei dimagrito molto **2** calare; diminuire; ridursi **3** diradarsi; sfoltirsi: *My hair is thinning*, mi si diradano i capelli ● **to t. down**, diluire (*vernici*); ridurre in numero; far dimagrire; ridursi, diminuire, assottigliarsi; dimagrire ● **to t. out**, diradare, sfoltire (*piante, ecc.*); diradarsi; sfoltirsi; ridursi in numero; dimagrire.

thine /ðaɪn/ pron. poss. (*arc., poet.*) (il) tuo, (la) tua; (i) tuoi, (le) tue (usato anche come agg., in luogo di **thy**, davanti a parola che incominci con un suono vocalico): **t. eyes**, i tuoi occhi; (*relig.*) *Not my will, but t., be done*, sia fatta la tua, non la mia volontà!

♦**thing** /θɪŋ/ n. **1** cosa; oggetto; coso, affare, aggeggio (*fam.*): **a room full of things**, una stanza piena di cose; *What's this t. for?*, a che serve questa cosa (*o* questo)?; *Put away*

that filthy t.!, leva di mezzo quella schifezza! **2** cosa; pensiero; idea; azione; faccenda; affare: **spiritual things**, cose dello spirito; *It's a t. of the past*, è cosa (*o* roba) del passato; *I said the first t. that came into my head*, dissi la prima cosa che mi venne in mente; *Their wedding was a big t.*, il loro matrimonio fu una cosa in grande; *It was a completely new t. to me*, per me era una completa novità **3** (al pl.) cose; situazione (*sing.*); faccenda (*sing.*): *How are things?*, come vanno le cose?; **Things are brightening up**, le cose stanno migliorando; **to think things over**, pensarci su; riflettere bene (a lungo); **to make a mess of things**, fare un bel pasticcio; pasticciare tutto **4** (al pl.) (*fam.*) cose (personali); roba (*sing.*): *Get your things and come with me*, prendi le tue cose (*o* la tua roba) e vieni con me!; **to pack one's things**, (*anche fig.*) fare i bagagli; fare le valigie; **to put one's things on**, vestirsi **5** (al pl.) utensili; attrezzi; arnesi: **fishing things**, attrezzi da pesca **6** essere; creatura: **all living things**, tutte le cose viventi; tutte le creature **7** (*fam.*: *di persona o animale*) – *Poor t.!*, poverino! (poverina!); *You lucky t.!*, che fortunato (sei!); *He's a foolish old t.*, è uno scioccone **8** (*fam.*) (la propria) attività; (il proprio) lavoro, mestiere, interesse: *What's your t.?*, di che ti occupi (o t'interessi)? **9** numero; scena (*fig.*): *Now he's doing his usual moraliser t.*, ora sta facendo il suo solito numero di gran moralizzatore **10** (*slang USA*) mania; ossessione; preconcetto; repulsione **11** (*slang USA*) roba; droga **12** (*volg. USA*) cosa; cosina; vulva **13** (*volg. USA*) coso; affare; pene ● (*ass.*) **the t. insured**, la cosa assicurata □ (*leg.*) **things personal**, beni mobili (*denaro, titoli, mobilio, ecc.*) □ (*leg.*) **things real**, beni immobili (*poderi, terreni, case, locali per ufficio, ecc.*) □ (*scherz.*) **things that go bump in the night**, misteriosi rumori notturni □ «**Things to do today**», «promemoria per la giornata» □ **I haven't got a t. to wear**, non ho niente da mettermi □ **to be all things to all men**, (voler) accontentare tutti; non dispiacere a nessuno □ (*fam.*) **and things**, e così via; eccetera eccetera □ **as a general** (*o* **a usual**) **t.**, generalmente; in genere; di solito □ (*form.*) **to do the handsome t.**, comportarsi con generosità; comportarsi con onore; comportarsi da gentiluomo □ (*fam.*) **to do things to**, emozionare; scombussolare tutto □ **dumb things**, gli animali; le creature che non hanno la favella □ **to feel quite the t.**, sentirsi benissimo □ **first t.**, per prima cosa; subito (*appena alzato, arrivato, ecc.*); *I can do the job first t. tomorrow morning*, posso farlo come prima cosa domani mattina □ **for one t.**, tanto per cominciare; per dirne una □ *It's a good t. that...*, meno male che...; per fortuna che... □ (*fam.*) **to have got a t. about st.**, avere una passione per qc.; avere fissa per qc.; avere la mania di qc. (*anche*) non poter soffrire qc., avercela con qc., provare ribrezzo per qc. □ (*fam.*) **to have a t. going with sb.**, avere una storia con q. □ (*fam.*) **to be hearing things**, sentire le voci; avere allucinazioni uditive □ (*fam.*) **just the t.**, proprio quello che ci vuole: *Just the t. I needed!*, proprio quello che mi ci voleva (*o* che fa per me)! □ (*fam.*) **to know a t. or two**, intendersene; saperla lunga □ (*fam.*) **not to know the first t. about st.**, non sapere niente di qc.; non intendersene affatto di qc.; essere ignorantissimo di qc. □ **the latest t. in**, l'ultima moda (*o* l'ultimo grido) in fatto di □ (*di persona*) **to look quite the t.**, stare benissimo; avere un ottimo aspetto; (al neg.) non avere una buona cera, non essere in (*o* non star bene (*o* bene □ **to make a good t. of st.**, trarre partito da qc.; avvantaggiarsi di qc. **to make a (big) t. of** (*o*

about) st., fare di qc. un affare di stato □ **a near t.**, scampato pericolo; un guaio evitato per un pelo (o per il rotto della cuffia); il farcela (l'arrivare, ecc.) a malapena □ **not a (single) t.**, niente; proprio nulla: *You needn't worry about a single t.*, non devi preoccuparti di nulla; *He didn't say a t.*, non ha detto niente; non ha detto una parola □ *(fam.)* **the next t. I [he, etc.] knew**, quand'ecco che; tutt'a un tratto; di punto in bianco □ *(fam.)* **next t. (you know)**, ancora un po' e □ **That's quite another t.**, un altro paio di maniche; □ **not quite the t.**, una cosa che non si fa, che non sta bene □ **His Christmas present was, of all things, a puppy**, il suo regalo di Natale fu, pensate un po', un cucciolo; **Of all things to say!**, proprio quello dovevi dire?; **Well, of all things!**, ma pensa!; chi l'avrebbe mai detto!; incredibile! □ *(fam.)* **Of all the crazy [silly, etc.] things to do!**, che pazzia [sciocchezza, ecc.]! □ *(fam.)* **to be on to a good t.**, aver fatto centro; aver trovato quello che fa per sé □ *(fam.)* **It's just one of those things**, sono cose che capitano □ **One t. leads to another**, una cosa tira l'altra □ **There is only one t. for it**, c'è una sola cosa da fare: non c'è altra via □ *(fam.)* **(Now,) there's a t.!**, senti senti!; ma guarda!; accipicchia! □ **to say the right t. [the wrong t.]**, parlare a proposito [a sproposito]; *(anche)* dire le parole opportune [fare una gaffe] □ *(fam.)* **to be seeing things**, avere le allucinazioni; avere le traveggole *(fam.)* □ **taking one t. with another**, tutto sommato; visto il pro e il contro □ **The t. is, can we afford it?**, il punto è: possiamo permettercelo? □ *(prov.)* **You can have too much of a good t.**, il troppo stroppia.

thingamabob, **thingumabob** /ˈθɪŋəməbɒb/, **thingamy** /ˈθɪŋəmɪ/, **thingie** /ˈθɪŋɪ/, **thingummy** /ˈθɪŋəmɪ/, **thingumajig** /ˈθɪŋəmədʒɪɡ/, **thingy** /ˈθɪŋɪ/ *n.* *(fam.)* **1** coso; aggeggio; affare; arnese: *The machine has a t. that starts it automatically*, quella macchina ha un aggeggio che la mette in moto automaticamente **2** *(rif. a persona)* (un) tizio, (un) tale ● **Mr T.**, il signor «coso»; il signor «come si chiama»; il signor vattelappesca *(fam.)*.

think /θɪŋk/ *n.* *(fam.)* **1** momento di riflessione; idea; pensata: *They both had the same t.*, fecero tutti e due la stessa pensata **2** *(nei composti)* *(tipico)* modo di pensare; mentalità: *That's a typical bloke-t.*, è un modo di ragionare tipico dei maschi ● **to have a t.**, farci un pensierino; rifletterci; pensarci su *(fam.)*: *Let me have a t. about it!*, fammici pensare! □ *(fam.)* **to have got another t. coming**, sbagliare di grosso; sognarselo *(fig.)*.

♦**to think** /θɪŋk/ *(pass. e p. p. **thought**), v. t. e i.* **1** pensare; meditare; riflettere; considerare; credere; giudicare; opinare; ritenere; stimare; supporre; parere, sembrare *(impers.)*: *T. before you act*, rifletti prima di agire!; *He was thinking of his children*, pensava ai suoi figli; *Do you t. it's going to snow?*, credi che nevicherà?; *I t. so*, credo di sì; *He is thinking to emigrate to Canada*, pensa d'emigrare in Canada; *He thought of emigrating but then gave it up*, pensava d'emigrare ma poi rinunciò; *Do as you t. best*, fa' come (meglio) credi!; *I thought him an honest man*, lo consideravo (o giudicavo, stimavo) una persona onesta; *I t. I'll try*, credo che mi ci proverò; *I t. it a shame not to help the needy*, mi sembra una cosa vergognosa non aiutare i bisognosi; *What did you t. of the film?*, che ne pensi del film? **2** immaginare; capire; concepire; pensare: *I cannot t. where he is*, non so immaginare dove sia andato (a finire); *I can't t. how you do it*, non riesco a capire come tu faccia **3** *(fam.)*

pensare a; avere in mente: *He only thinks business*, pensa solo agli affari ● **to t. again**, ripensarci □ **to t. aloud**, pensare ad alta voce □ **to t. (all) the better of sb. for st.**, avere maggior considerazione di q. in conseguenza di qc. □ **to t. big**, pensare «in grande»; fare grandi progetti; avere una grande progettualità □ **to t. for oneself**, decidere da solo; pensare con la propria testa □ *(fig.)* **to t. one has (o knows) all the anwers**, credersi chissà chi; credersi molto furbo □ **to t. nothing but**, non pensare che a: *That boy thinks nothing but motorbikes*, quel ragazzo non pensa che alle moto □ **to t. on one's feet**, decidere su due piedi *(fig.)*; improvvisare; reagire subito □ *(fam.)* **to t. outside the box**, pensare fuori dagli schemi; pensare in modo creativo □ **to t. to oneself**, pensare fra sé (e sé) □ **to t. twice**, pensarci su due volte; rifletterci □ *(volg.)* **to t. with one's dick**, pensare con l'uccello *(volg.)*; pensare solo al sesso □ **I thought as much**, me lo aspettavo; lo sapevo □ **He was thought to be a multimillionaire**, passava per multimilionario. ❶ **NOTA**: *to say (passive)* → **to say**.

■ **think about** *v. i. + prep.* **1** pensare a; avere in mente; riflettere su: *What are you thinking about?*, a che cosa pensi?; *I was thinking about you the other day*, pensavo a te l'altro giorno; *I'll t. about it*, ci penserò (su); **to t. about one's work**, pensare al lavoro **2** pensare a; tenere a mente; badare a: *T. about what you're saying!*, pensa (o bada) a quel che dici!; *You should t. about your children's future*, devi pensare al futuro dei tuoi figli **3** pensare di; avere un'idea (o un'opinione) su: *What do you t. about marriage?*, che cosa ne pensi del matrimonio? **4** pensare di; prendere in considerazione l'idea di; proporsi di: *I'm seriously thinking about selling out and retiring*, penso seriamente di liquidare tutto e di ritirarmi dagli affari; *His proposal is certainly worth thinking about*, di sicuro la sua proposta va presa in considerazione; *Don't even t. about it!*, non ci pensare neanche!; neanche per sogno!

■ **think ahead** *v. i. + avv.* pensare in anticipo; pensare al futuro; guardare avanti *(fig.)*: *Thinking ahead, I strongly advise you not to overstaff your firm*, pensando al futuro, ti consiglio vivamente di non assumere troppo personale nella tua azienda □ **to t. ahead to st.**, pianificare, pensare in anticipo qc.

■ **think back** *v. i. + avv.* ripensare; riandare al passato; tornare con la memoria: *This song makes me t. back to my youth*, questa canzone mi riporta alla mente la mia giovinezza.

■ **think of** *v. i. + prep.* **1** → **think about 2** pensare a; ricordare; ricordarsi di: *I will always t. of you*, ti penserò sempre; *I can't t. of his surname just now*, sul momento non ricordo il suo cognome **3** pensare, provvedere a; badare a; occuparsi di: *T. of your health!*, pensa alla salute **4** pensare a; escogitare; inventare; trovare: *I'll t. of a way out*, ci penso io a trovare una via d'uscita; *We must t. of a new plan*, dobbiamo escogitare un piano nuovo **5** pensare a; considerare, ritenere (q.) adatto (a): *Have you thought of him for the mayorship?*, hai pensato a lui come sindaco? **6** pensare di; prendere in considerazione: *I wouldn't t. of exceeding the speed limit*, non lo penso (o non me lo sogno) neanche di superare il limite di velocità **7** pensare (o avere un'opinione) di (q.) □ **to t. better of**, avere un'opinione migliore di (q.); ricredersi sul conto di (q.); cambiare idea su (qc.): *I've thought better of it*, ci ho ripensato; ho cambiato parere □ **to t. highly of sb.** = **to t. well of sb.**

→ *sotto* □ **to t. little of sb.**, avere poca stima di q.; disistimare q. □ **to t. a lot of sb.**, avere una buona opinione di q.; stimare molto q. □ **to t. nothing of**, non fare caso a (qc.); considerare (qc.) una bazzecola; fare (qc.) come niente fosse: *He thinks nothing of swimming across the lake*, per lui attraversare il lago a nuoto è cosa da nulla; *T. nothing of it!*, non farci caso!; *(anche)* prego!; non c'è di che! □ **to t. well of sb.**, stimare molto q.: *He's well thought of at the office*, in ufficio lo stimano molto □ **What do you t. of it?**, che ne pensi?; che te ne pare? □ **I don't t. much of his last novel**, il suo ultimo romanzo non mi pare un gran che.

■ **think out** *v. t. + avv.* **1** pensare bene a; riflettere bene su: *Let me t. it out*, fammici pensare bene! **2** pensare a; escogitare; trovare: **to t. out a new method of solving a problem**, escogitare un metodo nuovo di risolvere un problema □ **to t. out loud**, pensare ad alta voce.

■ **think over** *v. t. + avv.* **1** pensare (e ripensare); pensare bene: *I'll t. it over*, ci penserò su **2** riflettere su; meditare su: *I've thought your plan over and I've found it too risky*, ho riflettuto sul tuo piano e l'ho trovato troppo rischioso.

■ **think through** → **think out**.

■ **think up** *v. t. + avv.* escogitare; inventare; trovare; ideare: **to t. up a plan**, ideare un piano.

thinkable /ˈθɪŋkəbl/ *a.* pensabile; concepibile; immaginabile.

thinker /ˈθɪŋkə(r)/ *n.* pensatore ● **free t.**, libero pensatore.

♦**thinking** /ˈθɪŋkɪŋ/ **Ａ** *a.* **1** pensante; dotato di raziocinio; raziocinante **2** ragionevole; riflessivo; assennato: **all t. men**, tutte le persone ragionevoli **Ｂ** *n.* **1** (il) pensare; pensiero; raziocinio **2** avviso; opinione; parere: *What's the union's t.?*, di che avviso è il sindacato?; che cosa ne pensa il sindacato?; **to my way of t.**, a mio avviso; a mio parere; a mio modo di pensare □ *(autom.)* **t. distance**, distanza per il tempo di reazione *(per la frenata)* □ *(fam.)* **Good t.!**, buon'idea! □ *(fam.)* **to put one's t. cap on**, mettersi a pensare (o a riflettere) sul serio.

think piece /ˈθɪŋkpiːs/ *loc. n.* *(giorn.)* articolo d'opinione.

think tank /ˈθɪŋktænk/ *loc. n.* **1** centro (o gruppo) di ricerca *(spesso interdisciplinare)*; centro studi **2** *(anche polit.)* commissione (o gruppo) d'esperti.

thinly /ˈθɪnlɪ/ *avv.* **1** sottilmente; finemente; fine; sottile: **t. cut ham**, prosciutto tagliato sottile **2** scarsamente; a malapena; appena: **t. disguised charge**, un'accusa celata a malapena **3** in modo rado: **t. planted bushes**, cespugli piantati qua e là ● **a t. populated area**, una zona poco popolata.

thinner /ˈθɪnə(r)/ *n.* *(ind., pitt.)* diluente; solvente.

thinness /ˈθɪnnəs/ *n.* ⓤ **1** sottigliezza; finezza; leggerezza **2** esilità; magrezza **3** radezza; rarefazione *(dell'aria)*; fluidità; scarsità **4** fievolezza; tenuità; debolezza **5** *(fig.)* fiacchezza; inconsistenza (→ **thin**).

thinnish /ˈθɪnɪʃ/ *a.* alquanto sottile; piuttosto esile (→ **thin**).

thiobarbituric /θaɪəʊbɑːˈtjʊərɪk/ *(chim.)* *a.* tiobarbiturico.

thiocyanate /θaɪəʊˈsaɪəneɪt/ *(chim.)* *n.* tiocianato; solfocianato.

thiol /ˈθaɪɒl/ *n.* *(chim.)* tiolo; mercaptano.

thiophene /ˈθaɪəfiːn/ *n.* *(chim.)* tiofene.

thiosulphate /θaɪəˈsʌlfeɪt/ *n.* *(chim.)* tiosolfato.

thiourea /θaɪəˈjʊərɪə/ *n.* ⓤ *(chim.)* tiourea.

♦**third** /θɜːd/ **Ａ** *a.* terzo **Ｂ** *n.* **1** *(mat.)* terzo: **one t.**, un terzo **2** *(mus.)* terza **3** *(autom.)*

terza (marcia) **4** (pl.) (*comm.*) articoli scadenti **5** (pl.) (*leg.*) terzo vedovile; terza parte del patrimonio del marito defunto (*che va alla vedova*) **6** (*fam., un tempo*) terza classe (*in treno*) **7** (*baseball*) terza base ● (*demogr.*) **t. age**, terza età □ **t. ager**, persona nella terza età □ (*baseball*) **t. base**, terza base (*la posizione*) □ (*baseball*) **t. baseman**, terza base (*il giocatore*) □ **t.-class**, (*ferr., un tempo*) di terza classe, in terza (classe); (*comm.*) di qualità scadente: **a t.-class carriage**, una carrozza di terza classe; *We travelled to Chester t.-class*, andammo a Chester in terza (classe) □ (*fam.*) **t. degree**, interrogatorio di terzo grado (*della polizia*): **to give sb. the t. degree**, fare il terzo grado a q. □ (*med.*) **t.-degree burn**, ustione di terzo grado □ (*mat.*) **t.-degree equation**, equazione di terzo grado □ (*stor., polit.*) **the t. estate**, il terzo stato □ (*comput.*) **t.-generation computer**, elaboratore della terza generazione □ **t. last**, terzultimo □ (*fin., Borsa*) **t. market**, mercato terziario; terzo mercato □ (*leg.*) **t. mortgage**, ipoteca di terzo grado □ (*fin.*) **t. of exchange**, terza di cambio (*cambiale*) □ (*leg.*) **a t. party**, una terza persona; un terzo □ (*ass.*) **t.-party insurance**, assicurazione di responsabilità civile □ (*ass.*) **t.-party risks**, rischi contro terzi □ (*gramm.*) **t. person**, terza persona □ (*ferr., elettr.*) **t. rail**, terza rotaia □ **t.-rate**, di scarso valore; mediocre; scadente; dozzinale □ (*fam.*) **t.-rater**, persona di scarso valore: *That painter is a t.-rater*, quel pittore vale poco □ (*polit.*) **t. reading**, terza lettura (*di un disegno di legge*) □ (*rugby*) **t. row**, terza linea (*di giocatori*) □ **the t. sex**, il terzo sesso □ (*ind.*) **t. shift**, turno di notte □ **the T. World**, il terzo mondo □ **T.-World**, terzomondista; terzomondistico □ **T. Worlder**, abitante (*o esponente*) del terzo mondo; terzomondista □ **T. Worldism**, movimento a favore del terzo mondo; terzomondismo □ **to make a t.**, fare il terzo (*a un gioco di carte, ecc.*) □ (*nelle date*) **on the t. of May**, il tre maggio.

thirdly /ˈθɜːdlɪ/ avv. in terzo luogo; terzo.

thirst /θɜːst/ n. [U] sete (*anche fig.*): **to die of t.**, morire di sete; **a t. for knowledge [for pleasure]**, sete di conoscenza [di piacere] ● **to give sb. a t.**, far venire sete a q. □ (*fam.*) **to have a t.**, aver desiderio di bere qc. □ **to quench** (*o* **to satisfy**) **one's t.**, appagare la sete; dissetarsi.

to **thirst** /θɜːst/ v. i. (*lett. o arc.*) avere sete; essere assetato (*anche fig.*): **to t. for revenge** (*lett.: after revenge*), essere assetato di vendetta ● **to t. for a cool drink**, aver voglia di bere qc. di fresco.

◆**thirsty** /ˈθɜːstɪ/ a. **1** assetato; sitibondo (*lett.*); (*fig.*) avido, bramoso: *I was very t.*, ero molto assetato; avevo una gran sete; **to be t. for power**, essere avido di potere **2** (*del terreno*) arido; assetato; riarso **3** (*fam.*) che fa venir sete: *That is a t. job*, è un lavoro che fa venir sete **4** (*fam.: di veicolo a motore*) che consuma molto; che beve ● **to be t.** (*o* **to feel t.**), aver sete □ **to make sb. t.**, far venire sete a q. ‖ **thirstily** avv. avidamente; bramosamente ‖ **thirstiness** n. l'esser assetato; sete.

◆**thirteen** /θɜːˈtiːn/ a. e n. tredici ● **t.-year-old**, tredicenne □ (*fam.*) **to talk t. to the dozen**, parlare a vanvera ‖ **thirteenth** a. e n. tredicesimo; decimoterzo (*lett.*): (*mat.*) **one thirteenth**, un tredicesimo (1/13) ● (*nelle date*) **the thirteenth of August**, il tredici agosto.

◆**thirty** /ˈθɜːtɪ/ a. e n. trenta ● **the thirties**, gli anni trenta; gli anni fra i trenta e i quaranta (*in un secolo o nella vita di un uomo*) □ (*fam.*) **t.-eight**, (pistola) calibro 38 □ **t.-first**, trentunesimo □ **the T.-Nine Articles**, la Dottrina della Chiesa Anglicana □ **t.-one**, trentuno □ (*basket*) **t.-second clock [count]**,

orologio [conteggio] dei trenta secondi □ (*un tempo*) **a t.-three**, un 33 giri (*ora*: un LP) □ (*tipogr.*) **t.-two-mo** (abbr. **32mo**), trentaduesimo □ **t.-year-old**, trentenne □ **t. years of service**, un trentennio di servizio □ **about t.**, una trentina □ **to be in one's early [late] thirties**, aver passato da poco la trentina [essere vicino alla quarantina] ‖ **thirtieth** a. e n. trentesimo ● (*nelle date*) **the thirtieth of May**, il 30 maggio ‖ **thirtyfold** a. e avv. trenta volte (tanto).

thirtysomething /ˈθɜːtɪsʌmθɪŋ/ (*fam.*) **Ⓐ** n. trentenne **Ⓑ** a. sui trent'anni, trentenne

◆**this**① /ðɪs, ðəs/ a. e pron. dimostr. (pl. *these*) **1** questo, questa; codesto, codesta; cotesto, cotesta: **t. evening**, questa sera (*o* stasera); **t. year**, quest'anno; *T. book is mine*, questo libro è mio; *I'll take t.* (one), prenderò questo **2** questo, ciò: *I don't like t. at all*, questo (*o* ciò) non mi piace affatto; *There is t. to be said about it*, c'è questo da dire al riguardo **3** (*rif. a persona*) questo, questa; costui, costei: *T. is my brother*, questo è mio fratello; *Who's t. Mr Smith?*, chi è questo Mr Smith? ● **t. day**, oggi □ **t. day week [month]**, oggi a otto [a un mese] □ (*fam. USA*) **t. here**, questo, questa; questo (*o* questa) qui □ **t. minute**, subito; immediatamente: *Come here t. minute!*, vieni subito! □ **t., that and the other**, questo e quello; varie cose; il più e il meno (*fam.*) □ **t. way**, da questa parte, di qua; in questo modo, così: *Come t. way, please*, da questa parte, prego!; *Do it* (in) *t. way*, fallo così! □ **t. way and that**, qua e là ● **before t.**, prima d'ora □ **by t.** (time), ormai; a quest'ora: *They should have arrived by t. time*, a quest'ora dovrebbero essere già arrivati □ **just t. once**, per questa volta (soltanto) □ **like t.**, in questo modo; così: *Do it like t.*, fallo così! □ **talking of t. and that**, discutendo del più e del meno □ **What's all t.?**, che cos'è?; cosa c'è?; cosa succede? □ (*al telefono*) **«Who's t. speaking?»**, «chi (è che) parla?» **«T. is Mrs Jones speaking»**, «parla Mrs Jones» □ **T. is it!**, questo è il punto (*o* il problema)!; ci siamo!; è il momento cruciale! □ (*fam.*) **T. is it, or else**, o prendere o lasciare □ **With t.** (At t.) **she got up and left the room**, e con ciò (al che) ella si alzò e lasciò la stanza □ **T. won't do**, così non va!

this② /ðɪs/ avv. (*fam.*) così; tanto: *It was t. big* [*tall*], era grosso [alto] così ● **t. far**, fin qui; fino a questo punto □ **t. late**, così tardi □ **t. much**, questo; tanto (*lett.*): *T. much is certain: he won't come back today*, questo è certo: non ritornerà oggi.

Thisbe /ˈθɪzbɪ/ n. (*mitol.*) Tisbe.

thistle /ˈθɪsl/ n. (*bot., Carduus*) cardo (*emblema nazionale della Scozia*) ● (*zool.*) **t. finch**, cardellino □ (*in Scozia*) **the Order of the T.**, l'Ordine del Cardo ‖ **thistly** a. **1** simile al cardo; pungente, spinoso (*anche fig.*) **2** pieno di cardi; coperto di cardi.

thistledown /ˈθɪsldaʊn/ n. [U] lanugine del cardo.

thither /ˈðɪðə(r)/ avv. (*arc. o lett.*) là; colà; ci, vi: **hither and t.**, qua e là.

tho, tho' /ðəʊ/ → **though**.

thole /θəʊl/ n. (*naut.*, = **tholepin**) scalmo.

Thomas /ˈtɒməs/ n. Tommaso ● (*stor., relig.*) **T. Aquinas**, San Tommaso d'Aquino.

Thomism /ˈtəʊmɪzəm/ (*filos.*) n. [U] tomismo ‖ **Thomist** n. tomista ‖ **Thomistic, Thomistical** a. tomistico.

thong /θɒŋ/ n. **1** cinghia; correggia; striscia di cuoio; cinturino (*di sandalo, ecc.*) **2** staffile **3** tanga; perizoma **4** (di solito al pl.) (*USA*) (ciabattina) infradito.

to **thong** /θɒŋ/ v. t. **1** provvedere di cinghia; munire di correggia **2** staffilare.

Thor /θɔː(r)/ n. (*mitol. germanica*) Thor (*dio*

del tuono e della guerra).

thoracic /θɔːˈræsɪk/ a. (*anat.*) toracico.

thoracotomy /ˌθɔːrəˈkɒtəmɪ/ n. [U] (*med.*) toracotomia.

thorax /ˈθɔːræks/ n. (pl. *thoraxes, thoraces*) (*anat.*) torace.

thoria /ˈθɔːrɪə/ n. [U] (*chim.*) biossido di torio.

thorium /ˈθɔːrɪəm/ (*chim.*) n. [U] torio.

thorn /θɔːn/ n. **1** spina (*anche fig.*): **a t. in one's side** (*o* **in one's flesh**), una spina nel fianco; un cruccio continuo **2** (*zool.*) aculeo; spina **3** (*bot.*) spino; pianta spinosa **4** (*bot., di solito* **hawthorn**) biancospino **5** (*ling.*) lettera þ (*nell'alfabeto anglosassone e nell'IPA*) □ (*bot.*) **t. apple** (*Datura stramonium*), stramonio □ **t. bush**, rovo, biancospino; (*anche*) savana spinosa □ **t. forest**, boscaglia spinosa □ **t. hedge**, siepe di biancospino □ (*fig.*) **to be [to sit] on thorns**, essere [stare] sulle spine.

thornback /ˈθɔːnbæk/ n. (*zool.*) **1** (*Raja clavata*) razza chiodata **2** (*Maya squinado*) grancevola.

thornbill /ˈθɔːnbɪl/ n. (*zool., Rhamphomicron*) ranfomicro.

thornless /ˈθɔːnləs/ a. senza spine; privo di spine.

thorn-tree /ˈθɔːntriː/ n. (*bot.*) **1** (*Crataegus oxyacantha*) biancospino **2** (*Gleditsia triacanthos*) spino di Giuda.

thorny /ˈθɔːnɪ/ a. spinoso (*anche fig.*): **a t. problem**, un problema spinoso ● (*fig.*) **the t. path to peace**, la strada irta di difficoltà che porta alla pace ‖ **thorniness** n. [U] (*anche fig.*) spinosità.

thoron /ˈθɔːrɒn/ n. (*fis. nucl.*) toron.

◆**thorough** /ˈθʌrə/ a. **1** completo; a fondo; approfondito; esauriente; intero; totale; profondo; radicale: **a t. cleaning**, una pulita a fondo; **a t. investigation**, un'indagine approfondita; **a t. explanation**, una spiegazione esauriente; **a t. change**, un mutamento profondo, radicale **2** accurato; minuzioso; preciso: (*mecc.*) **a t. overhaul**, un'accurata (*o* una bella) ripassata (*al motore*); **a t. person**, una persona minuziosa, precisa **3** bell'e buono; vero e proprio; matricolato; perfetto; assoluto: **a t. gentleman**, un vero gentiluomo; **a t. waste of time**, un'assoluta perdita di tempo ● (*mus.*) **t. bass**, basso continuo □ **t. brace**, bandella di carrozza (*fra le balestre*) □ **to be very t. in one's work**, essere molto meticoloso (*o* scrupoloso) sul lavoro.

thoroughbred /ˈθʌrəbred/ **Ⓐ** a. **1** purosangue; di razza: **a t. horse**, un cavallo di razza **2** (*fig.*) colto; raffinato; di classe; che ha stile **3** (*fig.*) focoso **Ⓑ** n. **1** purosangue (*spec. cavallo*) **2** (*fig.*) persona raffinata, che ha stile.

thoroughfare /ˈθʌrəfeə(r)/ n. **1** strada di grande traffico; via principale **2** (*autom.*) strada di scorrimento veloce **3** canale navigabile; idrovia □ (*autom.*) **No t.»** (*cartello*), «divieto di transito»; «circolazione vietata».

thoroughgoing /ˈθʌrəɡɔɪŋ/ a. **1** deciso; inflessibile; risoluto **2** completo; esauriente; intero; totale; profondo **3** bell'e buono; perfetto; assoluto; matricolato: **a t. fool**, un perfetto cretino.

thoroughly /ˈθʌrəlɪ/ avv. completamente; esaurientemente; a fondo.

thoroughness /ˈθʌrənəs/ n. [U] **1** completezza **2** precisione; accuratezza; minuziosità.

thorough-paced /ˈθʌrəpeɪst/ a. **1** (*di cavallo*) allenato (*o* avvezzo) a tutte le andature **2** (*fig.*) abile; esperto **3** → **thoroughgoing**.

thoroughpin /ˈθʌrəpɪn/ n. [U] (*vet.*) vescicone (*gonfiore del garretto del cavallo*).

◆those /ðəʊz/ a. e pron. dimostr. (pl. di **that**) quelli, quelle; codesti, codeste; cotesti, coteste: *Bring me t. books*, portami codesti libri; *T. aren't mine*, quelli non sono miei ● **t. who**, coloro i quali (o le quali); quelli (o quelle) che.

thou ① /ðaʊ/ pron. pers. 2ª pers. sing. (*arc., poet. o relig.*) tu: '*O Rose, t. art sick!*' W. BLAKE, 'o rosa, tu sei malata!'; (*nella Bibbia*) **t. shalt not kill**, non uccidere.

❶ NOTA: *thou*
L'inglese moderno per rivolgersi a un interlocutore possiede un unico pronome, **you**; in ciò differisce dall'italiano e da numerose altre lingue europee, nelle quali si può scegliere, a seconda del grado di conoscenza e di familiarità, tra pronomi diversi: ad esempio, in italiano si può usare **tu**, **lei** e, anche se è forma ormai di uso solo regionale, **voi**. Di conseguenza il livello di familiarità e confidenza tra due parlanti inglesi non è ricavabile dai pronomi usati ma da altri indizi, in primo luogo dall'uso del nome di battesimo o del cognome; la richiesta di passare a un livello maggiore di confidenza, corrispondente alla formula italiana diamoci del tu o dammi del tu, spesso consiste perciò in una frase come **call me** + nome di battesimo: «*May I speak to you, Mr Leigh?*» «*Call me John*», «posso parlarle, signor Leigh?» «chiamami John (o dammi pure del tu)».
In passato, tuttavia, anche l'inglese possedeva un'alternativa. Infatti in origine il pronome di seconda persona singolare era **thou** (forma complemento: **thee**), mentre quello di seconda persona plurale era **ye** (forma complemento: **you**). A partire dal 1200, sotto l'influsso del francese parlato dalla Corte normanna, **ye** cominciò a essere adoperato anche come pronome singolare per rivolgersi a un estraneo, ai propri superiori o ai propri genitori, mentre **thou** continuò a essere usato tra familiari, dai superiori verso gli inferiori e dai genitori verso i figli. Inoltre, come emerge ad esempio dai dialoghi dei drammi di Shakespeare (il quale usa ancora entrambi i pronomi), il passaggio da **thou** a **ye** o viceversa poteva servire a marcare un brusco mutamento di atteggiamento di un interlocutore nei confronti di un altro. Nel corso del XVII secolo l'uso di **thou** progressivamente scomparve e **you**, che da tempo era già divenuto intercambiabile con **ye**, si impose come l'unica forma standard per indicare sia il pronome soggetto che il pronome complemento di seconda persona singolare e plurale. Oggi **thou** sopravvive nell'uso corrente in alcuni dialetti britannici, specialmente settentrionali, ma soprattutto nel linguaggio religioso. Tuttora nella liturgia e nelle preghiere ci si rivolge a Dio prevalentemente con **thou** e il verbo che concorda con tale pronome conserva l'antica desinenza -(e)st (con l'eccezione di **to be**, che al presente fa **art** e al passato **wert**, e del presente di **to have**, che è **hast**): "*Lord, thou lov'st the cheerful giver*", "O Signore, tu ami chi dona con gioia", INNO DI R. MURRAY, 1898. Le forme possessive di **thou** sono **thine** come pronome e **thy** (**thine** davanti a vocale) come aggettivo.

thou ② /ðaʊ/ n. (pl. **thous**, **thou**) **1** millesimo di pollice **2** (*fam.*) mille; (*spec.*) mille sterline; (*USA*) mille dollari.

to **thou** /ðaʊ/ **A** v. i. usare il «thou»; dare del tu **B** v. t. dare del tu a (q.).

◆though /ðəʊ/ **A** cong. **1** sebbene; benché; quantunque: *T. it was very late, I went on studying*, sebbene fosse molto tardi, continuai a studiare **2** (= even t.) anche se; ancorché: *It is better to ask him, (even) t. he should refuse*, anche se dovesse rifiutare, è meglio chiederglielo **B** avv. (*fam.*) tuttavia; pure; nondimeno: *I wish you had told me, t.*, tuttavia, vorrei tu me l'avessi detto ● **as t.**, come se; che: *He acts as t. he were mad,*

si comporta come se fosse impazzito; *It looks as t. he means business*, pare che faccia sul serio □ **it's not as t. …**, eppure non …; in fondo non…; dopotutto non…; e dire (*o* pensare) che non…: *It's not as t. he's totally inexperienced*, eppure non è uno sprovveduto □ (*lett.*) **What t. we fail?**, che importa se falliremo?

thought ① /θɔːt/ pass. e p. p. di **to think** ● **t.-out**, escogitato; studiato a fondo; pensato.

◆thought ② /θɔːt/ n. **1** ⓤ pensiero; concetto; idea; opinione; meditazione; riflessione; attenzione; considerazione: *That is a noble t.*, questo è un nobile pensiero; *He was lost in t.*, era assorto nei suoi pensieri; **to spend one's spare time in t.**, passare il tempo libero in meditazione; **a happy t.**, un'idea felice; *Unfortunately, I had to give up all t. of becoming a doctor*, purtroppo, dovetti rinunciare all'idea di fare il medico; *He gave no t. to the matter*, non prese la cosa in considerazione **2** (*fam.*) (un) po'; (un) tantino; (un') ombra: *The colour is a t. too dark*, il colore è un po' troppo scuro **3** ⓤ cura; riguardo; attenzione; preoccupazione **4** ⓤ pensiero; filosofia: **Twentieth century t.**, il pensiero del Novecento **5** ⓤ modo di pensare; mentalità: '*Only a man of Colonel Sartoris' generation and t. could have invented it*' W. FAULKNER, 'soltanto un uomo della generazione e della mentalità del Colonnello Sartoris sarebbe stato capace d'inventarlo' ● (*iron.*) **t. police**, polizia del pensiero (*contro la libertà di pensiero*) □ **t.-reader**, chi legge nel pensiero □ **t.-reading**, lettura del pensiero □ **t.-transference**, trasmissione del pensiero; telepatia □ **as quick as t.**, rapido come il pensiero □ **to give (some) t. to st.**, fare un pensiero su qc.: *I promise I'll give it some t.*, prometto di farci un pensiero (*o* di pensarci su) □ **to give up all t. of sb.** [**of st.**], non pensare neanche a q. [a qc.]; rinunciare a q. [a qc.] □ **to have (some) thought(s) of**, avere (una certa) intenzione di; pensare di: *I had no t. of offending you*, non avevo nessuna intenzione di offenderti □ **on second thought(s)**, ripensandoci; pensandoci meglio □ **Perish the t.!**, non sia mai!; per carità! □ **to take t.**, pensarci su; riflettere □ **to take t. for st.**, preoccuparsi per qc.; darsi pensiero di qc. □ **That's a t.!**, buona idea! □ **with no t. for one's own safety**, senza curarsi della propria incolumità □ **with no t. to**, senza darsi pensiero per □ **Don't give it another (o a moment's) t.**, non farci caso!; non pensarci neanche!; non curartene!; non preoccuparti!

thoughtful /ˈθɔːtfl/ a. **1** pensieroso; pensoso; cogitabondo; meditabondo; sovrappensiero; impensierito; preoccupato: *He was t. for a while*, stette un po' sovrappensiero **2** ricco di pensiero; meditato; serio; profondo: **a t. book**, un libro meditato; **with a t. expression**, con la faccia seria; **a t. writer**, uno scrittore profondo **3** attento; premuroso; riguardoso; sollecito; gentile: **a t. husband**, un marito premuroso; *It was t. of you to come*, è stato gentile da parte tua venire ● **to be t. of others**, essere pieno di riguardi per il prossimo | **-ly** avv. | **-ness** n. ⓤ.

thoughtless /ˈθɔːtləs/ a. **1** avventato; leggero; sbadato; sconsiderato; irriflessivo; sventato; trascurato: **a t. boy**, un ragazzo sbadato; **a t. decision**, una decisione avventata; **t. acts**, azioni sconsiderate **2** (*spec. t. of others*) irriguardoso; egoistico; scortese; menefreghista (*fam.*) **3** ottuso; stupido ● **the t. forces of nature**, le forze irrazionali della natura □ **It was very t. of him**, è stata una grossa scortesia da parte sua | **-ly** avv. | **-ness** n. ⓤ.

◆thousand /ˈθaʊznd/ **A** a. mille: **a t. (one t.) soldiers**, mille soldati; *It's a t. times eas-*

ier, è mille volte più facile; **two [three, four] thousand**, duemila [tremila, quattromila] **B** n. **1** mille: **one in a t.**, uno su mille **2** migliaio: **by thousands**, a migliaia ● (*fig.*) (a) **t. and one**, innumerevoli □ (*bot.*) **t.-leaf** (*Achillea millefolium*), millefoglie □ (*zool., fam.*) **t.-legs**, millepiedi □ **a t. thanks**, mille grazie! ● **about a t.**, un migliaio □ (*fig.*) **He is one in a t.**, è una mosca bianca; è unico nel suo genere || **thousandfold** a. e avv. mille volte (tanto) || **thousandth** a. e n. millesimo: (*mat.*) **one thousandth**, un millesimo (1/1000) □ (*fig.*) **for the thousandth time**, per l'ennesima volta.

Thrace /θreɪs/ (*stor., geogr.*) n. Tracia || **Thracian** a. e n. trace; tracio.

thraldom /ˈθrɔːldəm/ n. ⓤ (*stor.*) schiavitù; servitù; (*fig.*) soggezione.

thrall /θrɔːl/ n. **1** (*stor.*) schiavo, schiava (*spesso fig.*): *He is a t. to drink*, è schiavo dell'alcol **2** schiavitù; servitù; (*fig.*) soggezione ● **in t.**, in schiavitù; asservito || **thralldom** → **thraldom**.

thrash /θræʃ/ n. **1** lo sbattere (*delle onde, della pioggia*); forte rumore **2** (*agric.*) trebbiatura **3** (*nuoto*) battuta delle gambe **4** (*mecc.*) battito; vibrazione **5** (*slang ingl.*) gran festa; festa scatenata; gran baldoria **6** (*slang ingl.*) corsa (automobilistica, ecc.) entusiasmante **7** (*mus.* = t. metal) musica 'thrash' (*rock rumoroso dai ritmi veloci, con elementi di punk-rock e heavy metal*).

to **thrash** /θræʃ/ **A** v. t. **1** battere; colpire; percuotere; fustigare; sferzare; staffilare **2** (*agric., di solito to thresh*) battere (*il grano*); trebbiare **3** (*fam., sport*) battere; sconfiggere; stracciare; travolgere; suonarle a (*fam.*) **B** v. i. **1** (*naut.*) navigare controvento **2** – **to t. about**, agitarsi; dibattersi; dimenarsi: *The drowning man thrashed about in the turbulent waters*, l'uomo sul punto d'affogare si dibatteva nelle acque tumultuose **3** – **to t. about**, agitarsi (*fig.*); arrovellarsi: **to t. about for an answer**, arrovellarsi in cerca di una risposta **4** (*sport*) battere le gambe (*nel nuoto*) **5** (*mecc.*) battere; vibrare ● **to t. around** = **B**, def. 2 e 3 → *sopra* □ **to t. out**, dibattere; discutere; sviscerare; risolvere: **to t. out a problem**, risolvere un problema □ **to t. out the truth**, scoprire la verità □ **to t. the truth out of sb.**, costringere q. a confessare la verità a furia di sferzate.

thrasher /ˈθræʃə(r)/ n. **1** chi batte; chi percuote **2** (*zool., Alopias vulpinus*) pesce volpe; pavone di mare **3** → **thresher** ①.

thrashing /ˈθræʃɪŋ/ n. **1** bastonatura; botte; percosse; fustigatura; staffilatura **2** (*fam., sport*) pesante sconfitta; batosta: **to take a t.**, ricevere una batosta **3** ⓤ (*agric.*) → **threshing** ● (*nuoto*) **t. action**, battuta di gambe.

thread /θrɛd/ n. **1** ⓤ filo (*anche fig.*); refe; spago: **a reel of cotton t.**, un rocchetto di filo di cotone; **sewing t.**, filato cucirino; **gold t.**, filo d'oro; *His life hangs by a t.*, la sua vita è sospesa a un filo; **a t. of light**, un filo di luce; **to lose the t. (of one's discourse)**, perdere il filo (del discorso); **to resume (o to pick up) the threads of a story**, riprendere il filo di un racconto; **shoe t.**, spago per calzolaio **2** ⓤ (*ind. tess.*) filo: **t. counter**, contafili **3** (*fis.*) filetto fluido: **water t.**, filetto fluido dell'acqua **4** (*mecc.: di vite*) filetto; filettatura; impanatura **5** (*geol.*) vena fine; filo **6** (*comput.*) argomento di discussione (*di un newsgroup*) **7** (*comput.*) 'thread' (*parte di un programma che può eseguire indipendentemente*) **8** (pl.) (*slang*) vestiti; stracci (*pop.*): **to wear nice threads**, essere vestito all'ultima moda ● (*mecc.*) **t. cutter**, fresa per filettare □ (*mecc.*) **t. gauge**, calibro per filetti □ (*ind. tess.*) **t. guide**, guidafilo □ **t.-lace**, merletto di filo □ **t. mark**, filigrana (*dei biglietti di*

banca) □ (*mecc.*) **t. miller**, fresatrice per filetti □ (*fig.*) **the t. of life**, la trama della vita □ (*ind. tess.*) **t. waste**, cascame di filatura; filetto □ (*fig.*) **to gather up the threads**, raccogliere (*o* trarre) le fila del discorso; concludere □ **a length of t.**, una gugliata □ (*fig.*) **not to have a dry t. on one**, essere bagnato fradicio □ (*di abito*) **to be worn to a t.**, mostrare la trama; essere logoro.

to thread /θrɛd/ **A** v. t. **1** infilare; infilzare: **to t. a needle**, infilare un ago; **to t. beads**, infilare perline **2** fare (*qc.*) infilando: **to t. a chain**, fare una catena infilando le maglie una entro l'altra **3** (*di solito verb.* **one's way through**) ficcarsi in; infilarsi in; intrufolarsi in; farsi largo fra: *We threaded our way through the crowd*, c'infilammo tra la folla **4** striare (*i capelli, ecc.*): *His hair is threaded with white*, i suoi capelli sono striati di bianco (*o* ha dei fili bianchi nei capelli) **5** (*fig.*) pervadere: *A note of despair threaded the story*, una nota di disperazione pervadeva il racconto **6** (*fotogr., cinem.*) caricare (*una pellicola*) **7** (*mecc.*) filettare (*una vite, ecc.*) **8** percorrere (*un itinerario tortuoso*): *'He threaded the mazes of the tangled forest with a strange fortune'* S. CRANE, 'percorse vagando i labirinti della fitta foresta con un'insolita fortuna' **B** v. i. **1** (*di solito* **to t. through**) infilarsi in; farsi strada fra: **to t. through narrow passages**, infilarsi in stretti passaggi **2** (*di sciroppo che bolle, ecc.*) fare il filo.

threadbare /'θrɛdbɛə(r)/ a. **1** consunto; consumato; logoro; frusto; liso: **a t. carpet**, un tappeto logoro; **a t. jacket**, una giacca frusta **2** (*fig.*) trito; vieto; stantio; fritto e rifritto (*fig.*): **a t. subject**, un argomento trito; **a t. story**, una storiella stantia.

threaded /'θrɛdɪd/ a. **1** infilato; provvisto di filo: **a t. needle**, un ago infilato **2** (*mecc.*) filettato.

threader /'θrɛdə(r)/ n. **1** chi infila, chi infilza (→ **to thread**) **2** infila-ago **3** (*mecc.*, = **threading machine**) filettatrice.

threading /'θrɛdɪŋ/ n. □ **1** infilatura **2** (*mecc.*) filettatura ● (*mecc.*) **t. die**, filiera □ (*mecc.*) **t. machine**, filettatrice.

threadlike. thread-like /'θrɛdlaɪk/ a. filiforme; esile; sottile.

threadworm /'θrɛdwɜːm/ n. (*zool.*) nematodo; filaria.

thready /'θrɛdɪ/ a. **1** filamentoso; fibroso; filaccioso **2** (*fig.*) esile; flebile; sottile: **in a t. voice**, con voce flebile ● (*med.*) **t. pulse**, polso filiforme.

♦**threat** /θrɛt/ n. □ minaccia; (*fig.*) sintomo, segno premonitore, pericolo: **the t. of nuclear war**, la minaccia della guerra atomica; **a t. to peace**, una minaccia alla pace; **to carry out a t.**, mettere in atto una minaccia; **to ward off a t.**, sventare una minaccia.

♦**to threaten** /'θrɛtn/ **A** v. t. minacciare (*anche fig.*): *He threatened to kill me*, minacciò d'uccidermi; *He threatened me with death*, mi minacciò di morte; *The black clouds t. a heavy storm*, le nere nubi minacciano un grosso temporale; *It threatens to snow*, minaccia di nevicare **B** v. i. **1** fare minacce **2** (*del tempo, ecc.*) essere minaccioso **3** (*fig.*) incombere: *When danger threatens, wild animals run away or take shelter*, quando il pericolo incombe, i selvatici scappano o si rintanano **4** (*sport: di un giocatore, ecc.*) farsi pericoloso ● **to t. punishment**, minacciare sanzioni disciplinari.

threatener /'θrɛtnə(r)/ n. chi minaccia.

♦**threatening** /'θrɛtnɪŋ/ **A** a. minaccioso; minatorio: **t. letter**, lettera minatoria **B** n. □ (*leg.*) minacce; intimidazione || **-ly** avv.

♦**three** /θriː/ a. e n. tre: **t. books**, tre libri; **the t. of diamonds**, il tre di quadri; (*mat.*) **the rule of t.**, la regola del tre ● **t.-act play**,

commedia in tre atti □ (*golf*) **t.-ball match**, partita a tre palle □ (*baseball*) **t.-base hit**, triplo (sost. m.) □ ● **a t.-bottle man**, un gran bevitore ● **the t. C's**, le tre C; automobile, televisore a colori e aria condizionata (*cioè*: **car, colour TV, air conditioning**) □ **the t.-card trick**, il gioco delle tre carte □ (*archit.*) **t.-centred arch**, arco a tre centri □ (*arti grafiche*) **t.-colour process**, tricromia □ **t.-cornered contest** (*o* **fight**), competizione a tre; scontro elettorale fra tre candidati □ **t.-cornered hat**, tricorno □ (*equit.*) **t.-day event**, completo; gara dei tre giorni (*dressage, campestre e ostacoli*) □ (*econ.*) **t.-day week**, settimana lavorativa di tre giorni □ (*USA*) **t.-day weekend**, fine settimana lungo; ponte (*fig.*) □ **t.-decker**, (*stor.*) nave a tre ponti □ (*fam.*) qualsiasi cosa a tre piani (*o* strati); romanzo in tre volumi; (*anche* **t.-decker sandwich**) doppio sandwich, tramezzino doppio □ (*scient., tecn.*) **t.-dimensional**, tridimensionale □ **t.-figure number**, numero di tre cifre □ (*di gioco di carte*) **t.-handed**, che si gioca in tre □ (*relig.*) **T. in One**, la Santissima Trinità □ (*autom.*) **a t.-lane highway**, una strada a tre corsie □ (*sport*) **the t. leading drivers** (**riders, runners**), il terzetto di testa (di piloti, di ciclisti, di podisti) □ ● **a t.-legged race**, una corsa a tre gambe (*a coppie di corridori, la gamba destra di uno dei quali è legata alla gamba sinistra dell'altro*) □ **a t.-legged table**, un tavolino a tre gambe □ (*GB*) **t.-line whip**, (*polit.*) richiesta scritta a un parlamentare (*da parte dei leader di partito*) di presenziare a una seduta e votare in un certo modo; (*fig.*) invito pressante ❶ **CULTURA** • *La locuzione* **three-line whip** *allude alla triplice sottolineatura, sulla circolare preparata dal → «whip» (def. 4) per i deputati del suo partito, delle sedute a cui è obbligatoria la presenza* □ (*psic., USA*) **t. o'clock syndrome**, sindrome delle tre del pomeriggio □ (*poker*) **t. of a kind**, tris □ (*USA, spec. sport*) **t.-peat**, terza vittoria consecutiva □ (*elettr.*) **t.-phase**, trifase □ **t.-piece**, a tre pezzi: **t.-piece suite**, salotto a tre pezzi (*sofà e due poltrone uguali*) □ (*elettr.*) **t.-pin plug**, presa tripolare □ **t.-ply**, a tre strati; a tre fili: **t.-ply wood**, compensato a tre capi; a tre fili: **t.-ply wool**, lana a tre capi □ (*basket*) **t.-point basket** (*o* **t.-pointer**), canestro da tre punti; canestro pesante □ (*aeron.*) **a t.-point landing**, un atterraggio su tre punti; un atterraggio perfetto □ **t.-point turn**, (*autom.*) inversione di marcia fatta in tre manovre; (*fig.*) manovra difficile □ **t.-pronged**, a tre rebbi; triforcuto; (*fig.*) triplice, su tre fronti, su tre direttrici □ (*rugby*) **t.-quarter**, trequarti □ **a t.-quarter bed**, un letto a una piazza e mezzo □ (*moda*) **t.-quarter** (**length**) **coat**, giacca trequarti □ **a t.-quarter portrait**, un ritratto di tre quarti □ **the t. R's**, le tre R; leggere, scrivere e far di conto (*cioè*: **'reading, writing and (a)rithmetic'**) □ **t.-ring circus**, circo con tre arene; (*fig. USA*) posto incasinato, pieno di confusione □ (*basket*) **t.-second area**, zona dei tre secondi □ **t.-sided**, trilaterale □ (*fam.*) **a t.-sixty**, un giro di trecentosessanta gradi; una piroetta □ (*mecc.*) **t.-speed gear**, cambio a tre velocità □ **a t.-star hotel**, un albergo a tre stelle □ (*edil.*) **a t.-storeyed building**, un edificio a tre piani □ (*atletica*) **the 3,000-metre steeplechase**, i tremila siepi □ **t. times t.**, (*mat.*) tre per tre; (*anche*) tre salve di applausi di tre evviva ciascuna □ **t.-wheeler**, veicolo a tre ruote; triciclo □ **t.-wheeler truck**, motofurgone; motocarro □ **t.-year-old**, a. di tre anni; che ha tre anni; n. bambino (*o* bambina) di tre anni; (*ipp.*) cavallo di tre anni.

three-D /θriː'diː/ **A** a. (= **3-D**, *per* **three-dimensional**) **1** tridimensionale □ (*fig.*) realistico **B** n. effetto (*spec. di film*) tridimensionale.

threefold /'θriːfəʊld/ **A** a. triplice; triplo **B** avv. tre volte (tanto).

3G sigla (*tel.*, **third generation**), (cellulare di) terza generazione.

threepence /'θrɛpəns/ n. □ (*prima del 1971*) tre pence.

threepenny /'θrɛpənɪ/ a. **1** (*prima del 1971*) che costa (*o* che vale) tre pence; da tre pence: **a t. bit**, una monetina da tre pence; **a t. stamp**, un francobollo da tre pence **2** (*fig.*) da due soldi; di poco valore.

threescore /'θriː'skɔː/ a. e n. (*arc.*) sessanta.

threesome /'θriːsəm/ **A** n. **1** gruppo di tre persone **2** (*spec. golf*) partita a tre **B** a. **1** di tre; triplice **2** (*golf: di gara*) a tre.

threnody /'θrɛnədɪ/, **threnode** /'θriːnəʊd/ n. trenodia || **threnodial. threnodic** a. di trenodia; lamentoso; lugubre || **threnodist** n. autore (*o* cantore) di trenodie.

to thresh /θrɛʃ/ v. t. e i. (*agric.*) battere (*il grano, ecc.*); trebbiare ● **to t. out** = **to thrash out** → **to thrash**.

thresher ① /'θrɛʃə(r)/ n. (*agric.*) **1** trebbiatore **2** trebbia; trebbiatrice.

thresher ② /'θrɛʃə(r)/ n. (*zool.*, *Alopias vulpinus*; = **t. shark**) pesce volpe; pavone di mare.

threshing /'θrɛʃɪŋ/ n. □ (*agric.*) trebbiatura ● **t. floor**, aia □ **t. machine**, trebbia; trebbiatrice.

threshold /'θrɛʃəʊld/ n. **1** (*edil.*) soglia (*anche fig.*); limitare: **to cross the t.**, varcare la soglia; (*psic.*) **t. of consciousness**, soglia della coscienza; **on the t. of life**, sulla soglia della vita **2** (*elettron., fis., mat., ecc.*) soglia: **wage t.**, soglia salariale; **pain t.**, soglia del dolore **3** (*fig.*) livello minimo: **tax t.**, livello minimo di tassabilità ● (*econ.*) **t. price**, prezzo di soglia; prezzo d'entrata □ (*metall.*) **t. treatment**, trattamento limite □ (*comput.*) **t. value**, valore di soglia (*fin.*) **to be below the t. of VAT**, essere esenti dall'IVA □ **on the t. of revolution**, alla vigilia d'una rivoluzione □ **on the t. of war**, sull'orlo della guerra.

threw /θruː/ pass. di **to throw**.

thrice /θraɪs/ avv. (*lett. o raro*) tre volte ● **t. blessed**, tre volte beato.

thrift /θrɪft/ n. **1** □ economia; frugalità; parsimonia; risparmio **2** (*bot.*, *Armeria vulgaris*) armeria **3** □ (*arc.*) guadagno; profitto **4** (*banca, USA*) associazione mutua di risparmi e prestiti; cooperativa di credito edilizio ● (*banca, USA*) **t. account**, conto di deposito a risparmio □ (*USA*) **t. shop**, negozio d'articoli usati (*spesso venduti per beneficenza*).

thriftless /'θrɪftləs/ a. prodigo; scialacquatore; spendereccio || **thriftlessly** avv. prodigamente || **thriftlessness** n. □ prodigalità; spreco.

thrifty /'θrɪftɪ/ a. **1** economo; frugale; parco; parsimonioso; risparmiatore: **a t. housewife**, una massaia parsimoniosa **2** (*raro*) prospero; rigoglioso; fiorente || **thriftily** avv. frugalmente; parsimoniosamente; facendo economia || **thriftiness** n. □ **1** economia; frugalità; parsimonia; risparmio **2** (*raro*) prosperità; rigoglio.

thrill /θrɪl/ n. **1** brivido; fremito (*anche med.*); palpito; sussulto; tremito: **a t. of fear**, un brivido di paura **2** eccitazione; trasalimento **3** □ capacità d'impressionare; elemento (*o* fatto) eccitante; tensione; interesse: *This tragedy lacks t.*, questa tragedia è priva di tensione drammatica **4** (*med.*) fremito (*spec. del cuore*) ● (*spesso iron.*) **thrills and spills**, emozioni; cose eccitanti □ **to give sb. a t.**, far fremere q. di piacere; dare a q. un'emozione piacevole.

to **thrill** /θrɪl/ **A** v. t. eccitare; elettrizzare; entusiasmare; far fremere; far rabbrividire; far trasalire: *The football game thrilled the crowd*, la partita di calcio entusiasmò la folla; *His voice thrilled rock fans all over the world*, la sua voce faceva fremere i patiti di rock di tutto il mondo **B** v. i. fremere; palpitare; rabbrividire; trepidare; trasalire; vibrare; emozionarsi: *She thrilled to the sound of my voice*, sentendo la mia voce, si emozionò; **to t. with delight**, fremere di gioia; **to t. with horror**, rabbrividire per l'orrore ● **to t. at the good news**, essere eccitato per una buona notizia.

thrilled /θrɪld/ a. entusiasta; elettrizzato; eccitato.

thriller /'θrɪlə(r)/ n. thriller; thrilling; racconto (*o* dramma, film) sensazionale, che dà i brividi; romanzo (*o* film) giallo (*o* poliziesco) ● (*slang USA*) **t. diller**, thriller mozzafiato.

thrilling /'θrɪlɪŋ/ a. **1** elettrizzante; entusiasmante; eccitante; emozionante: **a t. race**, una gara elettrizzante **2** (*di suono*) acuto; penetrante | **-ly** avv.

thrips /θrɪps/ n. (inv. al pl.) (*zool.*, *Thrips*) tripide.

to **thrive** /θraɪv/ (*pass.* **throve** *o* **thrived**, p. p. **thriven** *o* **thrived**), v. i. **1** fiorire (*fig.*): *Our economy is now thriving*, ora la nostra economia prospera **2** crescere rigoglioso, robusto; (*di pianta*) allignare: *Cactuses t. in the desert*, i cactus allignano nel deserto.

thriving /'θraɪvɪŋ/ a. **1** prospero; prosperoso; fiorente; florido: **a t. industry**, un'industria fiorente **2** rigoglioso; robusto.

thro, **thro'** /θruː/ → **through**① e (2).

♦**throat** /θrəʊt/ n. **1** gola (*anche fig.*); faringe, trachea ed esofago; strozza (*fam.*): **the t. of a chimney**, la gola d'un camino; *I seized him by the t.*, l'afferrai per la gola; *The words stuck in his t.*, le parole gli si strozzarono in gola **2** (*mecc.*) gola; strozzatura: **the t. of a pipe**, la strozzatura di un tubo **3** (*naut.*) gola della randa; gola del picco **4** (*naut.*) collo, diamante (*di ancora*) **5** (*naut.*) collo (*della pala del remo*) **6** (*tennis*) collo (*della racchetta*) ● **t.-band**, soggolo; sottogola □ **t. cream**, crema per il collo (*cosmetico*) □ **t.-lash** (= **t.-latch**), sottogola della briglia (*del cavallo, ecc.*) □ **t. microphone**, laringofono □ (*baseball, ecc.*) **t. protector**, paragola □ **t.-strap** = **t.-lash** → *sopra* □ **t. wash**, gargarismo □ **to be at each other's t.**, accapigliarsi □ **to cut one's own t.**, tagliarsi la gola; (*fig.*) darsi la zappa sui piedi □ **to cut sb.'s t.**, tagliar la gola a q. □ (*USA*) **deep t.**, gola profonda (*fig.*); delatore; informatore □ (*fig.*) **to force** (*o* **to ram** *o* **to thrust**) **st. down sb.'s t.**, imporre qc. a q. con la forza □ **to have a lump in one's t.**, avere un nodo alla gola □ **to have a sore t.**, aver mal di gola □ **to jump down sb.'s t.**, mangiare la faccia a q. (*fig.*) □ (*lett.*) **to lie in one's t.**, mentire per la gola □ (*di cibo e fig.*) **to stick in one's t.**, restare in gola; non andare giù.

to **throat** /θrəʊt/ v. t. (*mecc.*) strozzare.

throated /'θrəʊtɪd/ a. (nei composti) dalla gola: **a red-t. bird**, un uccello dalla gola rossa (*o* dal collo rosso) ● **full-t.**, a piena gola.

throaty /'θrəʊtɪ/ a. **1** (*della voce, ecc.*) gutturale; di gola: **a t. laugh**, una risata di gola **2** (*d'animale*) gozzuto **3** (*di persona*) dalla voce rauca; roco || **throatily** avv. gutturalmente || **throatiness** n. ᵾ l'essere gutturale (*della voce*).

throb /θrɒb/ n. battito; palpito; pulsazione; vibrazione; fremito; sussulto: **heart-throbs**, i battiti del cuore; il batticuore ● **a t. of pain**, un sussulto di dolore.

to **throb** /θrɒb/ v. i. battere; palpitare; pulsare; (*fig.*) fremere, vibrare: *My heart*

throbbed in a strange way, il cuore mi batteva in modo strano; *The machinery throbbed quietly*, c'era un sommesso vibrare di macchinari ● **My head is throbbing (with pain)**, ho un terribile mal di testa; sembra che la testa mi si spacchi.

throbbing /'θrɒbɪŋ/ a. palpitante; pulsante; vibrante; fremente ● **a t. pain**, un dolore lancinante | **-ly** avv.

throe /θrəʊ/ n. **1** (*lett.*) fitta di dolore; spasimo; spasmo **2** (pl., = **throes of childbirth**) doglie (*spec. del parto*) **3** (pl., = **throes of death**) spasimi (*dell'agonia*) ● (*fig.*) **to be in the throes of change**, essere nel travaglio della trasformazione □ (*fig.*) **in the throes of civil war**, in preda alla guerra civile □ **to be in the throes of death**, essere in agonia.

thrombin /'θrɒmbɪn/ n. ᵾ (*biochim.*) trombina.

thrombocyte /'θrɒmbəsaɪt/ n. (*biol.*) trombocito, trombocita; piastrina.

thrombocytopenia /ˌθrɒmbəʊsaɪtəʊˈpiːnɪə/ n. ᵾ (*med.*) trombocitopenia.

thrombocytosis /ˌθrɒmbəʊsaɪˈtəʊsɪs/ n. ᵾ (*med.*) trombocitosi.

thromboembolism /ˌθrɒmbəʊˈembəlɪzəm/ n. ᵾ (*med.*) tromboembolismo.

thromboembolus /ˌθrɒmbəʊˈembələs/ n. ᵾ (*med.*) tromboembolo.

thrombopenia /ˌθrɒmbəʊˈpiːnɪə/ n. ᵾ (*med.*) trombopenia.

thrombophlebitis /ˌθrɒmbəʊflɪˈbaɪtɪs/ n. ᵾ (*med.*) tromboflebite.

thromboplastin /ˌθrɒmbəʊˈplæstɪn/ n. ᵾ (*biochim.*) tromboplastina.

to **thrombose** /θrɒmˈbəʊz/ (*med.*) **A** v. t. trombizzare **B** v. i. subire (*o* avere) una trombosi.

thrombosis /θrɒmˈbəʊsɪs/ (*med.*) n. ꟲᵾ (pl. **thromboses**) trombosi: **deep vein t.**, trombosi venosa profonda || **thrombotic** a. trombotico.

thrombus /'θrɒmbəs/ n. (pl. **thrombi**) (*med.*) trombo.

throne /θrəʊn/ n. **1** trono (*anche fig.*): **to ascend the t.** (*o* **to come to the t.**), salire al trono **2** (*di papa, ecc.*) soglio; (*di vescovo*) cattedra **3** – (*relig.*) **the Thrones**, i Troni (*terzo ordine degli angeli*).

throng /θrɒŋ/ n. **1** folla; calca; moltitudine; ressa; turba **2** (*lett.*) gran numero; massa; moltitudine.

to **throng** /θrɒŋ/ **A** v. t. affollare; ingombrare; riempire; stipare: *Shoppers were thronging Oxford Street*, la gente che faceva acquisti affollava Oxford Street **B** v. i. affollarsi; accalcarsi; pigiarsi; far ressa: *People thronged to see the Queen*, la gente si accalcava per vedere la Regina.

throstle /'θrɒsl/ n. **1** (*zool.*, *Turdus musicus*) tordo sassello **2** (*ind. tess.*, = **t. frame**) filatoio.

throttle /'θrɒtl/ n. **1** (*mecc.*, = **t. valve**) valvola di regolazione (*o* di strozzamento); valvola a farfalla: **to close [to open] the t.**, chiudere [aprire] la valvola a farfalla; togliere [dare] gas (*fam.*) **2** (*fam.*) gola ● (*aeron.*) **t. lever**, leva (*o* pedale) del gas; acceleratore; manetta (*fam.*) □ **at full t.**, (*anche fig.*) a tutto gas, a tutta manetta; (*fig., anche*) a pieno ritmo.

to **throttle** /'θrɒtl/ v. t. **1** strozzare; strangolare; soffocare (*anche fig.*): *The dictator throttled freedom in his country*, il dittatore soffocò la libertà nel suo paese **2** (*mecc.*) regolare (*la pressione del vapore, un motore, ecc.*: *mediante una valvola*) ● (*autom.*) **to t. back** (*o* **down**), togliere il gas; rallentare □ (*mecc.*) **to t. down**, rallentare, ridurre (*i giri di un motore*); (*fig.*) rallentare (*l'attività, lo sviluppo economico, ecc.*).

throttling /'θrɒtlɪŋ/ n. ᵾꞇ **1** (*anche tecn.*)

strozzamento **2** (*aeron.*) variazione di spinta ● (*mil.*) **t. rod**, stantuffo d'efflusso (*di cannone*).

♦**through**① /θruː/ prep. **1** (*compl. di moto per luogo*) attraverso; per; entro; fra, tra; da: *The Tiber flows t. Rome*, il Tevere scorre attraverso (*o* attraversa) Roma; *We toured t. France*, viaggiammo per la Francia; *The news spread t. the town*, la notizia si sparse per la città; *The bathroom is t. there*, il bagno è da quella parte; **to go t. a tunnel**, passare per una galleria; *The arrow went t. his arm*, la freccia gli passò attraverso (*o* gli trapassò) il braccio; **a road t. the woods**, una strada fra i boschi; *The rain came in t. a hole in the tent*, la pioggia entrava da un buco della tenda **2** (*tempo continuato*) per la durata di; durante; per: *He slept (all the way) t. the lecture*, dormì durante (tutta) la conferenza; *He sat patiently t. the lecture*, se ne restò pazientemente seduto fino alla fine della conferenza **3** (*mezzo*) mediante; per mezzo di; per il tramite di: *I sent him the money t. a bank*, gli spedii il denaro per mezzo di una banca; **to speak t. an interpreter**, comunicare per mezzo di un interprete **4** (*causa*) a causa di; per colpa di; per: **t. no fault of mine**, non per colpa mia; **done t. error**, fatto per errore **5** (*spec. USA*) compl. di spazio e tempo da... a: *Monday t. Friday*, dal lunedì al venerdì (*compreso*); *Please complete this form, items 1 t. 15*, favorite compilare questo modulo, nei punti da 1 a 15 ● **to be t. st.**, aver fatto (*o* finito) qc.: *'We're t. all the routine. Finger-prints, etc.'* A. CHRISTIE, 'abbiamo fatto tutto il lavoro di routine. Impronte digitali, ecc.' □ **t. official channels**, per via gerarchica □ **all t. the year** (*o* **all the year t.**), per tutto l'anno □ (*autom.*) **to drive t. a red light**, passare col rosso (*al semaforo*) □ **to get t. an exam**, superare un esame □ **to go t.**, esaminare, rivedere, verificare; frequentare sino al termine dei corsi; fare; consumare; spendere, sperperare: *Let's go t. the reports*, esaminiamo le relazioni!; *She went t. college*, fece l'università; *The reckless young man went t. a fortune*, quel giovanotto scapestrato sperperò un patrimonio □ **to see t. a trick**, non lasciarsi ingannare da uno stratagemma; scoprire il trucco.

♦**through**② /θruː/ avv. **1** attraverso; da parte a parte; da cima a fondo; dal principio alla fine: *The bullet has passed t.*, la pallottola è passata da parte a parte; *I drove the whole night t.*, guidai (per) tutta la notte; *He saw the show t.*, vide lo spettacolo da cima a fondo **2** completamente; interamente; da capo a piedi: **to be wet t.**, essere completamente bagnato; essere bagnato fradicio **3** direttamente: *The goods were sent t. to London*, la merce fu spedita direttamente a Londra **4** (in loc. col verbo **to be**, è idiom.:) (*fam.*) **to be t.**, essere in comunicazione (telefonica), essere in linea; (*anche*) essere spacciato: (*telef.*) *You're t.*, Lei è in linea, parli pure; *You're t.*, sei spacciato, sei un uomo finito; (*calcio, ecc.*) **to be t. on goal**, essere arrivato sottoporta; **to be t. to**, essere arrivato a: (*sport*) **to go t. to the next round**, passare il turno; (*fam.*) **to be t. with**, aver finito (qc.); avere chiuso, averla fatta finita; non volere aver più nulla a che fare con (q.): *I am t. with my exams*, ho finito gli esami; *I am t. with that fellow*, non ho più nulla a che fare con quell'individuo; con lui, ho chiuso!; *Jill and I are t.*, fra me e Jill è finita **5** (nei verbi frasali, è idiom.; per es.) **to fall t.**, attraversare, superare, ecc.; **to fall t.**, andare a monte; fallire; ecc. (→ **to get**, **to fall**, ecc.) ● **t. and t.**, completamente; assolutamente; fino al midollo (*fig.*): *He is an extremist t. and t.*, è un estremista fino al midollo □ **to last all t.**, durare per tutto un cer-

to periodo □ **to look a composition t.**, esaminare attentamente un tema □ **to look sb. t. and t.**, osservare q. attentamente; studiare q. □ **right t.**, fino in fondo: *'You can't resign. You have to play right t.'* K. Amis, 'non puoi dimetterti. Devi starci fino in fondo'.

through③ /θruː/ **a. attr.** **1** diretto: **a t. train**, un treno diretto **2** (*di strada*) di transito; di scorrimento **3** (*sport*) che passa; che filtra; filtrante: **t. ball**, pallone che filtra; (*calcio, ecc.*) **t. pass** [**shot**], passaggio [tiro] filtrante ● (*naut.*) **t. bill of lading**, polizza di carico diretta (*o* cumulativa) □ (*mecc.*) **a t. bolt**, un bullone passante □ (*ferr.*) **t. carriage**, vettura diretta □ (*naut.*) **t. freight**, nolo a forfait □ (*ferr.*) **t. passenger**, viaggiatore di treno diretto □ (*ferr.*) **t. rates**, tariffe per trasporti in servizio cumulativo □ **t. road**, strada transitabile □ (*autom.*) **t. street**, strada con diritto di precedenza □ (*ferr.*) **t. ticket**, biglietto cumulativo □ **«No t. road»** (*cartello*), «strada senza uscita».

throughcare /ˈθruːkɛə(r)/ **n.** ⓤ (*med., psic.*) assistenza continuativa.

throughfall /ˈθruːfɔːl/ **n.** ⓤ (*meteor.*) precipitazioni (pl.) al suolo.

♦**throughout** /θruːˈaʊt/ **A** **prep.** in tutto; per tutto; durante tutto: **t. the world**, in tutto il mondo; **t. the match**, per tutto l'incontro; **t. the 19th century**, durante (*o* per) tutto il secolo XIX **B** **avv.** **1** in ogni parte; da parte a parte; dappertutto; completamente; da cima a fondo; interamente; in tutto e per tutto: *The flat is well-furnished t.*, l'appartamento è bene ammobiliato in ogni parte (in ogni stanza) **2** per tutto il tempo; dal principio alla fine; sempre ● **t. the war**, per tutta la durata della guerra □ **to travel t. the country**, viaggiare per tutto il paese.

throughput /ˈθruːpʊt/ **n.** ⓤ **1** (*ind.*) quantità di materia prima messa in lavorazione **2** (*econ.*) volume della produzione **3** (*comput.*) velocità di elaborazione **4** (*tecn.*) velocità di trasmissione dei dati ● (*cronot.*) **t. time**, tempo di lavorazione.

throughway /ˈθruːweɪ/ **n.** (*USA*) autostrada; superstrada.

throve /θrəʊv/ **pass.** di **to thrive**.

throw /θrəʊ/ **n.** **1** getto; lancio; tiro: **at a stone's t.**, a un tiro di sasso; **a t. of dice**, un lancio dei dadi **2** (*mil.*) gittata **3** (*geol.*) rigetto verticale **4** (*mecc.*) gomito; manovella; eccentricità (*d'una camma*) **5** (*mecc.*) corsa massima; alzata; raggio **6** campata (*di una linea elettrica*) **7** (*lotta*) atterramento; proiezione **8** (*USA*) (telo o coperta) copripoltrona, copridivano **9** (= **t. rug**) plaid decorativo **10** (*rugby*) = **throw-in** → *sotto* **11** (*cricket*) rilancio (*della palla battuta*) ● (*rugby*) **t.-forward**, lancio in avanti; in-avanti (*è fallo*) □ **t.-in**, (*baseball*) lancio (*di un esterno*) verso il diamante; (*basket, netball*) rimessa laterale; (*calcio*) rimessa in gioco con le mani, rimessa laterale; (*polo*) lancio (*della palla*) tra le due file di giocatori allineati (*all'inizio del gioco*); (*rugby*) introduzione; rimessa in campo (*dalla linea laterale*) □ **t.-off**, partenza (*in una corsa di cavalli*); inizio (*d'una caccia*); (*mecc.*) dispositivo di arresto □ **t.-out**, scarto (*persona, cosa scartata*); (*comm.*) articolo di scarto; (*mecc.*) (dispositivo di) disinnesto □ (*ai dadi, ecc.*) **It's your t.**, sta a te; tocca a te tirare.

♦to **throw** /θrəʊ/ (pass. ***threw***, p. p. ***thrown***) **v. t. e i.** **1** buttare; gettare; lanciare; scagliare; fare un lancio: **to t. hand grenades**, gettare bombe a mano; (*sport*) **to t. the discus**, lanciare il disco; *T. me the rope*, buttami la corda!; *Don't t. stones at the birds*, non scagliar sassi agli uccelli!; *He threw himself at the thief*, si gettò sul ladro; *She threw me a kiss*, mi gettò un bacio **2** gettare a terra; atterrare; proiettare: (*di un lottatore*) *He threw the other wrestler*, atterrò l'avversario **3** disarcionare: *I was thrown by my horse*, fui disarcionato dal cavallo **4** (*del cavallo*) perdere: *My horse threw a shoe*, il mio cavallo perse un ferro **5** (*di serpente*) mutare **6** (*di conigli, ecc.*) figliare; sgravarsi di; partorire **7** (*ind. tess.*) torcere, avvolgere (*seta, ecc.*) **8** (*ind. ceramica*) tornire, formare, modellare (*un vaso, ecc.*) al tornio **9** rivolgere; volgere; dare (*uno sguardo*): *He threw me an angry look*, mi diede un'occhiataccia **10** (*giocando ai dadi*) fare (*punti*): *I threw two fives*, feci due cinque **11** (*fam.*) dare: **to t. a party**, dare una festa **12** (*mil.*) mandare (*una pattuglia, ecc.*) in avanscoperta **13** rendere perplesso; sconcertare; mandare (q.) nel pallone (*fig. fam.*) **14** (*boxe*) assestare, portare: **to t. a punch**, portare un colpo **15** (*sport, fam.*) perdere (*un incontro*) deliberatamente ● (*fig.*: *di un giudice, un poliziotto*) **to t. the book at sb.**, incriminare q. sotto tutti i possibili capi d'accusa □ **to t. a card**, gettare (*o* giocare) una carta (*al gioco*) □ **to t. a fit**, avere una crisi di nervi □ (*fig.*) **to t. good money after bad**, buttar altro denaro per tentare di recuperare quello già perduto □ (*mil.*) **to t. a grenade clear**, lanciare (*o* rilanciare) una bomba a mano prima che scoppi □ **to t. mud at sb.**, gettare fango su q. (*anche fig.*) □ **to t. oneself**, scagliarsi; avventarsi; buttarsi; gettarsi; lanciarsi: (*fig.*) **to t. oneself heart and soul into st.**, buttarsi anima e corpo in qc. (*un'impresa, ecc.*); (*fig.*) **to t. oneself on sb.'s generosity**, affidarsi alla generosità di q.; **to t. oneself to the floor** (*o* **to the ground**), gettarsi sul pavimento (*o* per terra, a terra); **to t. oneself under a train**, gettarsi sotto un treno □ **to t. st. on** (*o* **over**) **one's shoulders**, gettarsi qc. sulle spalle □ **to t. open**, spalancare; aprire (*al pubblico*): *T. open all the windows*, spalanca le finestre! □ (*fig.*) **to t. open the door to**, lasciar adito a (*abusi, interferenze, ecc.*) □ (*baseball*) **to t. a pitch**, effettuare un lancio □ (*fig.*) **to t. stones**, scagliare la prima pietra; accusare, muovere accuse □ (*baseball*) **to t. a strike**, fare uno strike □ **to t. sb. to the ground**, buttare giù q.; (*rugby, ecc.*) atterrare q. con un placcaggio.

▪**throw about** **v. t. + avv.** **1** gettare, lanciare (*sassi, ecc.*) qua e là (*o* intorno) **2** agitare, dimenare, sbattere (*le braccia, le gambe, ecc.*) **3** scuotere; sballottare: *We were thrown about in the crowded bus*, eravamo sballottati nell'autobus stracolmo **4** (*fig.*) buttar via; sprecare; sperperare: **to t. one's money about**, sperperare il proprio denaro □ **to t. one's weight about** (*o* **around**), darsi del peso (*fig.*); comandare a bacchetta.

▪**throw across** **v. t. + prep.** **1** gettare (*o* costruire) su: **to t. a bridge across a river**, gettare un ponte su un fiume **2** (*mil.*) gettare, far avanzare (*truppe*) in (*un terreno*).

▪**throw around** **A** **v. t. + avv.** → **throw about** **B** **v. t. + prep.** **1** gettare, buttare attorno a: **to t. one's arms around sb.'s neck**, buttare le braccia al collo di q. **2** (*fig.*) stendere intorno a: *The police threw a cordon around the hideout*, la polizia stese un cordone intorno al covo dei banditi □ **to t. a shawl around one's shoulders**, gettarsi uno scialle sulle spalle.

▪**throw aside** **v. t. + avv.** **1** gettare (*o* mettere) via (*o* da parte) **2** (*fig.*) trascurare (*un dovere, ecc.*); abbandonare (*un amico, ecc.*); violare, non rispettare (*una norma, una legge*).

▪**throw away** **v. t. + avv.** **1** gettare, buttare via: *She accidentally threw away her passport*, per sbaglio buttò via il passaporto **2** buttare via, scartare (*abiti vecchi e sim.*) **3** (*fig.*) buttar via; sprecare; sciupare; rinunciare a: **to t. a good chance away**, sprecare una buona occasione; **to t. away one's money on a risky enterprise**, buttar via i soldi in un'impresa azzardata; **to t. away one's principles**, rinunciare ai propri princìpi **4** dire (pronunciare, recitare, ecc.) con (finta) noncuranza; buttare là □ (*sport*) **to t. the game away**, regalare la partita agli avversari □ **to t. oneself away**, buttarsi via (*fig.*): *Don't t. yourself away with that boy!*, non buttarti via mettendoti con quel ragazzo! □ **to t. away one's life**, sprecare la propria vita; (*anche*) perdere la vita.

▪**throw back** **A** **v. t. + avv.** **1** buttare indietro; ributtare; rilanciare: **to t. back a ball**, rilanciare una palla (*per gioco, o nello sport*) **2** buttare (*o* tirare) indietro; ripiegare; scostare: **to t. back one's head**, buttare indietro la testa; **to t. back one's shoulders**, tirare indietro le spalle; **to t. back the curtains**, scostare le tendine **3** fare indietreggiare; respingere; rintuzzare **4** (*fam.*) rinfacciare; gettare in faccia (*fig.*): *His juvenile misdemeanours were thrown back at him*, gli furono rinfacciate le sue colpe giovanili **5** far ritardare, rallentare (*la produzione, ecc.*) **6** riflettere: *The lake threw back the moonlight*, il lago rifletteva il chiaro di luna **B** **v. i. + avv.** **1** (*biol.*: *di un organismo*) regredire **2** (*di una persona*) prendere da, somigliare a (*un antenato*) □ **to t. sb. back on**, costringere q. a far ricorso (*o* a tornare) a: *When he lost his job, he was thrown back on his savings*, quando perse il lavoro, dovette fare ricorso ai suoi risparmi □ **to t. one's mind back to**, riandare con la mente a.

▪**throw down** **v. t. + avv.** **1** buttare giù; gettare a terra (*anche, sport, come fallo*); abbattere, rovesciare (*anche fig.*): *I was thrown down by the explosion*, fui gettato a terra dall'esplosione; **to t. down a tyrant**, abbattere un tiranno; **to t. down the government**, rovesciare il governo **2** gettare; posare con forza: **to t. some coins down**, gettare delle monete sul tavolo □ **to t. down one's arms**, gettare le armi; arrendersi □ **to t. down the gauntlet**, gettare il guanto, sfidare a duello; (*fig.*) lanciare una sfida □ (*fig.*) **to t. down one's tools**, incrociare le braccia (*fig.*); scioperare.

▪**throw in** **A** **v. t. + avv.** **1** buttare, gettare dentro: *The terrorists have thrown a bomb in*, i terroristi hanno gettato dentro una bomba **2** (*fig.*) buttare là, lasciar cadere (*un'osservazione, un commento*); interloquire **3** aggiungere; inserire; mettere dentro (*fam.*): *Don't forget to t. in a few jokes*, non scordarti di inserire (nel tuo discorso) qualche barzelletta **4** aggiungere (*come dono*); dare per giunta (*o* per soprammercato): *I bought this picture for a few pounds with the frame thrown in*, ho comprato questo quadro per poche sterline, cornice inclusa **5** (*fam.*) rinunciare a, abbandonare, lasciare (*un lavoro, ecc.*) **6** (*basket, calcio, ecc.*) rimettere (*la palla*) in campo (*o* in gioco: *con le mani*) **7** (*autom.*) mettere (*o* sbattere) dentro; ingranare, innestare (*una marcia*): *T. in the third gear!*, sbatti dentro la terza! **B** **v. i. + avv.** (*basket, calcio, rugby, ecc.*) effettuare la rimessa laterale □ **to t. in one's cards** (*o* **hand**), (*a poker, ecc.*) gettare le carte, passare, smettere di giocare; (*fig.*) arrendersi, darsi per vinto; lasciare (*fam.*) □ (*autom., motociclismo*) **to t. in the clutch**, innestare la frizione □ (*fig.*) **to t. st. in sb.'s face**, rinfacciare qc. a q. □ **to t. in one's lot with sb.**, mettersi con q.; fare comunella con q. □ (*boxe e fig.*) **to t. in the sponge** (*o* **the towel**), gettare la spugna □ (*rugby, ecc.*) **to t. in straight to**, lanciare direttamente a (*un compagno*) □ (*fam. USA*) **to t. in with sb.**, mettersi con q.; fare comunella con q.

▪**throw into** **v. t. + prep.** **1** gettare, buttare, lanciare dentro a (*o* in): *I was thrown into*

the water, fui gettato in acqua; *T. it into the wastepaper basket, please!*, buttalo nel cestino, per favore!; *He was thrown into prison*, fu gettato (*o* rinchiuso) in prigione **2** (*fig.*) gettare in; mandare su: **to t. sb. into despair**, gettare q. nella disperazione; **to t. sb. into a temper**, mandare q. su tutte le furie **3** metterci, impiegare in; fare: **to t. all possible effort into carrying out a difficult task**, fare ogni sforzo per portare a termine un compito difficile **4** mettere (*parole, ecc.*) dentro a; inserire in **5** (*fam.*) trasformare in; convertire in: **to t. a barn into a cottage**, convertire un fienile in una villetta □ (*basket*) **to t. the ball into the basket**, mettere (*o* infilare) la palla nel canestro □ **to t. oneself into**, buttarsi anima e corpo in (*un'impresa*); abbandonarsi, darsi a (*ira, sdegno, ecc.*) □ **to t. st. into the bargain**, dare qc. per giunta (*o* per sopramercato) □ **to t. into confusion**, gettare nella confusione (*un'assemblea, ecc.*); confondere (*una persona*) □ **to t. st. into relief**, mettere in vista, fare spiccare (*o* stagliare) qc.: *The rising moon threw a long line of trees into relief against the skyline*, la luna che sorgeva mise in vista una lunga fila d'alberi contro l'orizzonte.

■ **throw off** Ⓐ v. t. + avv. **1** gettare (via); togliere alla svelta (di dosso); levare di scatto; cavare; scrollarsi di dosso: **to t. off one's clothes**, togliersi i vestiti alla svelta; *He put his hand on my shoulder but I threw it off*, mi mise una mano sulla spalla ma io la levai di scatto; **to t. off one's disguise**, gettare la maschera (*fig.*) **2** liberarsi, disfarsi, sbarazzarsi di; abbandonare; seminare (*fam.*); (*sport*) liberarsi di, sganciarsi da (*un avversario*): **to t. off a cold**, liberarsi di un raffreddore; **to t. off all sense of fear**, abbandonare ogni timore; **to t. off the police**, seminare la polizia **3** battere, sconfiggere, vincere (*un avversario*) **4** emettere (*un odore, calore, ecc.*) **5** comporre, scrivere alla svelta; buttare giù: **to t. off a little poem**, buttare giù una poesiola **6** dire alla svelta; lasciar cadere (*osservazioni e sim.*) **7** (*spec. USA*) mettere (*q. o un animale*) fuori pista; depistare; far sbagliare i conti a (*q.*) **8** (*equit.*) gettare (*q.*) a terra; disarcionare Ⓑ v. t. + prep. levare, togliere, cavare da (alla svelta); scrollarsi da: *The duck shook itself to t. the water off its back*, l'anatra si diede una scossa per scrollarsi l'acqua di dosso □ **to t. sb. off his balance**, sbilanciare q.; far perdere l'equilibrio a q.; (*fig.*) sconcertare, scombussolare q. □ **to t. sb. off guard**, cogliere di sorpresa q.; prendere q. alla sprovvista □ **to t. sb. off the scent** (*o* **the track, the trail**), mettere q. fuori pista (*anche fig.*) □ (*equit.*) **to be thrown off one's horse**, farsi disarcionare.

■ **throw on** v. t. + avv. (*o* prep.) **1** gettare (in aggiunta); mettere; aggiungere: *T. some more wood on (the fire), will you?*, metti dell'altra legna (sul fuoco), per favore! **2** mettersi addosso, infilarsi alla svelta (*indumenti*) **3** (*anche fig.*) gettare su; fare (*luce, anche fig.*): *The skyscraper throws its shadow on my house*, il grattacielo getta l'ombra sulla mia casa; **to t. light on a strange case**, fare luce su un caso strano; **to t. the blame on sb.**, gettare la colpa su q. □ **to t. cold water on**, gettare dell'acqua fredda su; (*fig. fam.*) scoraggiare □ **to t. doubt on st.**, sollevare dubbi su qc. □ (*lotta, judo*) **to t. one's opponent on his back** (*o* **back down**) **on the mat**, schienare l'avversario □ **to t. oneself on sb.'s mercy**, gettarsi ai piedi di q. (*fig.*); chiedere pietà a q.

■ **throw out** v. t. + avv. **1** buttare, gettare, lanciare fuori: *Don't t. cigarette butts out of the window*, non gettare mozziconi dal finestrino! **2** buttare via; disfarsi di: **to t. out old books**, buttare via libri vecchi **3** buttare fuori; cacciare; estromettere; espellere:

He was thrown out (of the disco), fu buttato fuori (dalla discoteca); *The landlord threw me out (of the house)*, il padrone mi cacciò di casa **4** (*fig.*) respingere (*una proposta, un suggerimento, una domanda, ecc.*): *The bill was thrown out by the Senate*, il disegno di legge fu respinto al Senato **5** (*fig.*) lanciare (*un'idea, una proposta, ecc.*); tirare fuori (*fam.*); buttare là (*un suggerimento*); dire (qc.) con (finta) noncuranza **6** rovinare, guastare (*i progetti di q. e sim.*); mandare all'aria (*o* a monte) (*fig.*) **7** mettere (q.) in imbarazzo, a disagio; sconcertare; far sbagliare (*calcoli, ecc.*) **8** stendere, allungare (*un braccio, una gamba, ecc.*); mettere fuori, gonfiare (*il petto*): *He threw out his right leg and sent his opponent tumbling*, stese la gamba destra e fece cadere l'avversario **9** stirare (*un muscolo*) **10** emettere (*luce, calore, vapore, ecc.*); gettare: **to t. out a dim light**, gettare una luce fioca **11** (*mil.*) mettere in campo (*come seconda linea di difesa*); mandare (*truppe*) di rinforzo **12** (*edil.*) aggiungere (*un annesso*); costruire (*un'ala nuova*) in aggiunta **13** (*baseball*) eliminare (*un 'corridore'*) con un lancio **14** (*calcio, ecc.*) (*di un portiere*) rimettere (*la palla*) in gioco con la mano; rilanciare; rinviare (*il pallone*) di mano □ (*autom.*) **to t. one's car out of gear**, disingranare (*o* disinnestare) la marcia □ **to t. sb. out of work**, gettare (q.) sul lastrico; licenziare q. □ **to be thrown out of work**, restare disoccupato.

■ **throw over** Ⓐ v. t. + avv. **1** gettare indietro, rilanciare (*una palla*) **2** (*fam.*) abbandonare, lasciare, piantare (*un innamorato, ecc.*) **3** (*fam.*) abbandonare, rinunciare a; respingere: **to t. over a plan**, rinunciare a un progetto Ⓑ v. t. + prep. lanciare (*o* rilanciare) al disopra di (*o* oltre).

■ **throw overboard** v. t. + avv. **1** gettare (q. *o* qc.) a mare; gettare fuori bordo **2** (*fig.*) buttare a mare (*fig.*); disfarsi, sbarazzarsi di (q. *o* qc.); rinunciare a: **to t. one's ideals overboard**, buttare a mare i propri ideali.

■ **throw together** v. t. + avv. **1** mettere insieme alla svelta; raccogliere in fretta: **to t. one's clothes together**, raccogliere i vestiti in fretta **2** costruire (comporre, scrivere, ecc.) alla meglio; raffazzonare; improvvisare: **to t. together a meal**, improvvisare un pasto **3** far incontrare (per caso): *They were thrown together by the revolution*, fu la rivoluzione che li fece incontrare.

■ **throw up** v. t. + avv. **1** tirare in aria, lanciare in alto (*una palla, ecc.*): *The referee threw the ball up*, l'arbitro lanciò in aria la palla **2** tirare su; sollevare; alzare; dare (qc.) su (*fam.*): *He threw up the window*, tirò su la finestra (*a ghigliottina*); **to t. up heaps of mud**, sollevare mucchi di fango; *He threw up his arms*, alzò le braccia al cielo **3** sciupare, sprecare (*un'occasione, ecc.*) **4** abbandonare; rinunciare a; smettere di (*fare qc.*): *He threw up his job*, lasciò il lavoro, smise di lavorare; **to t. up one's studies**, abbandonare gli studi **5** far saltare fuori: *I don't want my past thrown up in all the newspapers*, non voglio che il mio passato salti fuori su tutti i giornali **6** produrre (*fig.*): *Italy has thrown up quite a number of great painters*, l'Italia ha prodotto un buon numero di grandi pittori **7** (*edil.*) costruire in fretta; mettere su (*un riparo, ecc.*) alla svelta **8** (*fam.*) vomitare; rigettare: *The baby has thrown up his meal*, il bimbo ha vomitato quello che aveva mangiato □ **to t. one's eyes up**, levare gli occhi al cielo (*per l'orrore, con aria offesa, e sim.*) □ **to t. up one's hands**, alzare le mani (*in segno di resa*); (*fig.*) arrendersi, rassegnarsi.

■ **throw upon** → **throw on**.

throwaway /ˈθrəʊəweɪ/ Ⓐ n. **1** battuta (*o* osservazione) buttata là **2** foglietto pub-

blicitario; volantino Ⓑ a. **1** che si getta via; a perdere; usa e getta; monouso: **t. containers**, contenitori a perdere **2** (*di battuta, osservazione, ecc.*) lasciato cadere; detto (*o* fatto) con finta noncuranza; buttato là **3** pacato; sottotono; disinvolto.

throwback /ˈθrəʊbæk/ n. Ⓤ (*biol.*) regresso filogenetico **2** (*biol.*) organismo regredito **3** (*fig.*) persona o cosa che ha caratteristiche di un'epoca passata: *The room was a t. to the Victorian era*, entrare nella stanza era come tornare all'epoca vittoriana; *His songs are a t. to the 1950s*, le sue canzoni sono un ritorno agli anni Cinquanta.

thrower /ˈθrəʊə(r)/ n. **1** (*atletica*) lanciatore (*di un attrezzo*): **discus t.**, lanciatore del disco; discobolo **2** (*basket, calcio, ecc.*) chi effettua un lancio (*o* una rimessa laterale); chi lancia (*o* chi passa) la palla **3** (*ind. tess.*) torcitore di seta **4** (*ind. ceramica*) tornitore; formatore.

throwing /ˈθrəʊɪŋ/ n. Ⓤ **1** il lanciare; lancio **2** (*atletica*) i lanci (collett.); lancio: **javelin t.**, il lancio del giavellotto (*la specialità*) **3** (*equit.*) disarcionamento **4** (*lotta*) proiezione (*dell'avversario*); atterramento **5** (pl.) **throwings**, (*atletica*) i lanci **6** (*ind. tess.*) torcitura (*della seta*) **7** (*ind. ceramica*) tornitura, formatura (*dei vasi, ecc.*) • (*atletica*) **t. area**, settore di lancio □ **t. arm**, braccio che effettua il lancio □ **t. cage**, gabbia di protezione (*nel lancio del disco*) □ (*atletica*) **t. circle**, pedana circolare di lancio.

thrown /θrəʊn/ Ⓐ p. p. di **to throw** Ⓑ a. **1** (*di vaso*) modellato **2** (*di seta*) ritorta • (*ind. tess.*) **t. silk**, organzino.

throwster /ˈθrəʊstə(r)/ n. (*ind. tess.*) torcitore di seta.

thru /θruː/ (*fam. USA*) → **through** ① e (**2**) • **July 30 t. August 5**, dal 30 luglio al 5 agosto (*compreso*).

thrum ① /θrʌm/ n. Ⓤ Ⓒ **1** strimpellamento **2** tamburellamento.

thrum ② /θrʌm/ n. (*ind. tess.*) **1** Ⓤ strimpellamento; filaccia; frangia di fili (*rimasti sul telaio*) **2** filo staccato (*rimasto sul telaio*); cascame **3** (*naut.*) baderna; filacce.

to thrum ① /θrʌm/ v. t. e i. **1** strimpellare; suonar male: **to t. (on) a guitar**, strimpellare la chitarra **2** tamburellare su: **to t. on the table**, tamburellare con le dita sulla tavola; *The rain was thrumming on the roofs*, la pioggia tamburellava sui tetti **3** dire (*o* ripetere) in modo monotono.

to thrum ② /θrʌm/ v. t. **1** frangiare; rivestire di filacce **2** tessere con filacce; fare (*un tessuto*) con cascami **3** (*naut.*) stoppare con filacce; proteggere (*le murate*) con baderna.

thrummer /ˈθrʌmə(r)/ n. strimpellatore, strimpellatrice.

thrummy /ˈθrʌmɪ/ a. **1** filaccioso **2** irsuto; peloso.

thrush ① /θrʌʃ/ n. (*zool., Turdus*) tordo • **song t.** (*Turdus musicus*), tordo sassello.

thrush ② /θrʌʃ/ n. **1** (*med.*) mughetto **2** (*vet.*) infiammazione del fettone (*del cavallo*).

thrust /θrʌst/ n. Ⓤ Ⓒ **1** spinta (*anche mecc., archit.*); spintone: **the t. of an arch**, la spinta di un arco; (*aeron.*) **takeoff t.**, spinta al decollo **2** colpo (*di pugnale, spada, ecc.*); botta (*di punta*) **3** (*fig.*) puntata; stoccata; frecciatina: **a shrewd t.**, un'abile stoccata; un'osservazione acuta **4** (*mil. e fig.*) attacco a fondo; incursione: (*econ.*) **a t. into the American market**, un'incursione nel mercato americano **5** (*scient.*) pulsione **6** (*mecc.*) carico (*sull'utensile*) **7** (*geol.*) spinta; pressione laterale **8** (*fig.*) arrivismo; ambizione **9** (*fig.*) senso, significato (*di un'argomentazione, ecc.*) **10** (*ginnastica*) spinta delle gambe in avanti **11** (*scherma*) stoccata;

botta (*fam.*); uscita: **t. with the point**, stoccata di punta; colpo di punta; **to parry a t.**, parare una botta; **time t.**, uscita in tempo ● (*mecc.*) **t. bearing**, cuscinetto assiale; reggispinta □ (*fam. USA*) **t. bucket**, (*aeron.*) inversore di spinta (*per frenare dopo l'atterraggio*); (*miss.*) dispositivo di cessazione della spinta (*di un razzo*) □ (*geol.*) **t. fault**, faglia di compressione; faglia inversa □ (*mecc.*) **t. meter**, pressostato □ (*teatr.*) **t. stage**, palcoscenico che ha una parte in aggetto entro la platea.

to thrust /θrʌst/ (*pass. e p. p. **thrust***) **A** v. t. **1** conficcare; ficcare; cacciare; infilare; piantare; introdurre a forza: *She thrust a knife into his chest*, gli piantò un coltello nel petto **2** spingere; cacciare: *Trees thrust their branches towards the light*, gli alberi spingono i rami verso la luce; *I thrust him out of the room*, lo spinsi fuori (*o lo cacciai*) dalla stanza **3** spiegare, stendere, aprire (*le ali, ecc.*) **B** v. i. **1** cacciarsi; ficcarsi; introdursi a forza; infilarsi; spingere: *He thrust through the demonstrators*, si ficcò tra i dimostranti **2** assestare colpi (*di pugnale, ecc.*); dare puntate; dare stoccate **3** (*mil.*) spingersi; avanzare: *The army was thrusting towards the Rhine*, l'esercito avanzava verso il Reno ● **to t. oneself**, cacciarsi, ficcarsi; intromettersi, intrufolarsi ● (*nuoto*) **to t. under water**, spingere (*con le gambe*) sott'acqua.

▪ **thrust aside** v. t. + avv. **1** spingere (q.) da parte; scostare; spostare **2** (*fig.*) mettere (q.) in disparte; tenere (q.) in sottordine.

▪ **thrust at** **A** v. i. + prep. fare l'atto di colpire (*con la spada, ecc.*); (*scherma*) tirare una stoccata a (q.); attaccare, assalire **B** v. t. + prep. spingere (*un oggetto*) verso (q.).

▪ **thrust away** v. t. + avv. **1** spingere via, allontanare da sé (*un oggetto*) con forza **2** (*fig.*) respingere (q.).

▪ **thrust back** v. t. + avv. **1** spingere via; ricacciare; rintuzzare (*attacchi*): *We thrust back the enemy*, respingemmo il nemico.

▪ **thrust down** v. t. + prep. spingere giù, infilare a forza in: *She thrust the bank notes down her bra*, s'infilò le banconote nel reggiseno □ (*fig.*) **to t. st. down sb.'s throat**, imporre qc. con la forza a q.; far ingoiare un rospo a q. (*fam.*).

▪ **thrust forward** **A** v. i. + avv. spingersi avanti; (*mil. e sport*) avanzare **B** v. t. + avv. **1** spingere avanti **2** (*fig.*) portare avanti, mettere in evidenza (*un problema, ecc.*) □ **to t. oneself forward**, farsi avanti; mettersi in mostra (*o in evidenza*).

▪ **thrust home** v. t. + avv. **1** (*anche mil. e sport*) spingere a fondo: **to t. an attack home**, spingere a fondo un attacco; affondare i colpi **2** (*fig.*) sfruttare fino in fondo (*un argomento, un vantaggio, ecc.*).

▪ **thrust in** v. t. + avv. **1** spingere (q.) dentro; cacciare dentro, far entrare (qc.) a forza, stipare in (*una valigia, ecc.*) **2** interporre, inserire, intercalare (*domande, osservazioni, ecc.*).

▪ **thrust on** v. t. + prep. dare per forza (qc.) a (q.); affibbiare, appiccicare, sbolognare (*fam.*): *She thrust her children on her mother*, sbolognò i figli a sua madre □ **to t. oneself on sb.**, imporre la propria presenza (*come ospite, ecc.*) a q.; appiccicarsi a (q.).

▪ **thrust out** v. t. + avv. **1** spingere (*o buttare*) fuori; stendere con forza: **to t. out one's hand**, stendere la mano **2** spingere in fuori, gonfiare (*il petto, ecc.*) **3** (*fam.*) buttare fuori; estromettere; gettare sul lastrico; licenziare; scaricare (*fig.*).

▪ **thrust past** v. i. + prep. oltrepassare (q.) scostandolo con uno spintone; spintonare (q.) superandolo.

▪ **thrust through** v. t. + avv. (*o prep.*) trafiggere; trapassare: *The spear thrust him through*, la lancia lo trafisse □ **to t. one's**

way through (the crowd), farsi largo a spintoni tra la folla.

▪ **thrust up** **A** v. i. + avv. **1** (*di un albero, ecc.*) crescere bene; essere rigoglioso **2** (*lett.*) elevarsi in alto; svettare: **skyscrapers thrusting up into the sky**, grattacieli che svettano alti nel cielo **B** v. t. + avv. drizzare, alzare (*strutture, scale, ecc.*); mettere su (*fam.*): **to t. up a ladder**, drizzare una scala a pioli.

▪ **thrust upon** → **thrust on**.

thruster /ˈθrʌstə(r)/ n. **1** chi spinge; chi si fa largo a gomitate; (*fig.*) arrivista **2** (*nella caccia alla volpe*) cacciatore che si spinge troppo innanzi **3** (*mecc.*) propulsore: (*naut.*) **bow t.**, propulsore di prua **4** (*aeron.*) invertitore di spinta **5** (*miss.*) propulsore di regolazione; razzo direzionale **6** (*fig.*) ficcanaso.

thrusting rocket /ˈθrʌstɪŋrɒkɪt/ loc. n. (*miss.*) razzo di spinta (*di navicella spaziale*).

thruway /ˈθruːweɪ/ (*fam. USA*) → **throughway**.

Thucydides /θjuːˈsɪdɪdiːz, *USA* θuː-/ n. (*stor., letter.*) Tucidide.

thud /θʌd/ n. colpo sordo; rumore sordo; tonfo.

to thud /θʌd/ v. i. **1** fare un rumore sordo **2** cadere con un tonfo ● **to t. against**, (andare a) sbattere contro (qc.).

thug /θʌɡ/ n. **1** (*stor.*) «thug» (*membro d'una setta di fanatici assassini in India*); strangolatore **2** (*per estens.*) criminale; malavitoso; rapinatore; delinquente.

thuggee /θʌˈɡiː/ n. 🔟 (*stor.*) metodi e azioni dei → «thug» (*def. 1*).

thuggery /ˈθʌɡərɪ/ n. **1** 🔟 assassinio; criminalità; delinquenza **2** atto criminale; bravata; azione criminosa.

thuggish /ˈθʌɡɪʃ/ a. criminoso; delinquenziale.

thuja /ˈθuːdʒə/ n. (*bot., Thuja*) tuia.

Thule /ˈθuːlɪ/ n. **1** (*stor., geogr.*) Tule **2** (*fig.*) ultima Tule; terra assai lontana.

thulium /ˈθuːlɪəm/ n. (*chim.*) tulio.

thumb /θʌm/ n. **1** pollice (*d'una mano o di un guanto*) **2** (*archit.*) ovolo; echino ● (*mus.*) **t. hook**, reggipollice (*di uno strumento a fiato*) □ (*fam. USA*) **a t. in one's eye**, una spina nel fianco □ (*editoria*) **t.-index**, indice a scalettatura (*o a rubrica*) □ (*editoria, ecc.*) **t.-indexed**, con indice a rubrica □ (*editoria*) **t.-indexing**, scalettatura □ (*naut.*) **t. knot**, nodo semplice □ **t. latch**, saliscendi a linguetta (*azionato col pollice*) □ **t. mark**, impronta di un pollice □ (*mecc.*) **t.-nut**, dado ad alette; galletto □ **t. pin** → **thumbtack** □ **t. ring**, anello per il pollice □ **t.-stall**, ditale (*da calzolaio, ecc.*); (*med.*) copripollice, ditale □ **t.-sucker**, bimbo che si succhia il pollice; (*gergo giorn.*) articolo ben fatto; (*anche*) colonnista, rubricista (*tiro a segno*) **t. support**, appoggiapollice □ (*fig.*) **to be all thumbs**, essere goffo con le mani; essere maldestro □ **by rule of t.**, per praticaccia; a lume di naso □ (*USA*) **to be on the t.**, fare l'autostop □ (*fig.*) **under sb.'s t.**, dominato da q.; sotto il tallone di; alla mercé di q.: **to keep under one's t.**, dominare; signoreggiare su; comandare a bacchetta □ (*fam.*) **Thumbs down!**, pollice verso!; abbasso!: (*di un progetto, ecc.*) **to get the thumbs down**, essere bocciato □ (*fam.*) **Thumbs up!**, benissimo!; d'accordo!; evviva!: **to get** (*o* **to be given**) **the thumbs up**, ottenere l'approvazione; essere approvato □ **I'll keep my thumbs up for you**, in bocca al lupo! □ **His fingers are** (*o* **He is**) **all thumbs**, è assai goffo con le mani (*o* maldestro).

to thumb /θʌm/ v. t. **1** voltare (*le pagine di un libro*) col pollice; sfogliare **2** sciupare; sporcare; lasciare l'impronta del pollice su

(qc.) **3** strimpellare (*uno strumento*) ● (*fam.*) **to t. a lift** (*o* **a ride**), fare l'autostop □ (*fam.*) **to t. it**, fare l'autostop □ **to t. one's nose at**, fare marameo a (q.); dileggiare, schernire (q.); mancare di rispetto per, non tenere in nessun conto (*disposizioni, regole, ecc.*) □ **to t. through**, sfogliare, consultare (*un dizionario, ecc.*); attraversare (*un paese, ecc.*) facendo l'autostop.

thumbed /θʌmd/ a. **1** (*zool.*) che ha il pollice **2** (*di libro, ecc.*) pieno di ditate; sudicio; sporco.

thumbnail /ˈθʌmneɪl/ **A** n. **1** unghia del pollice **2** (*comput.*) miniatura **B** a. attr. conciso; sommario; essenziale: **a t. sketch**, una descrizione sommaria.

thumbprint /ˈθʌmprɪnt/ n. impronta digitale del pollice.

to thumbprint /ˈθʌmprɪnt/ v. t. prendere l'impronta del pollice a (q.).

thumbscrew /ˈθʌmskruː/ n. **1** (*stor.*) strumento di tortura per schiacciare i pollici **2** (*mecc.*) vite a testa zigrinata; vite a galletto.

thumbtack /ˈθʌmtæk/ n. (*USA*) puntina da disegno (*cfr. ingl.* **drawing pin**, *sotto* **pin**, *def.* 6).

to thumbtack /ˈθʌmtæk/ v. t. fissare con puntine da disegno.

thumb-through /ˈθʌmθruː/ 🔟 (*fam.*) lo sfogliare (*un libro*); consultazione.

thump /θʌmp/ n. **1** botta; colpo; percossa; pugno: **to give sb. a t. on the back**, dare un pugno nella schiena a q. **2** colpo sordo; rumore sordo; tonfo.

to thump /θʌmp/ v. t. e i. **1** battere; colpire; percuotere; picchiare; menar botte; dar pugni: **to t. on the door**, bussare forte alla porta **2** fare un rumore sordo; cadere con un tonfo **3** (*anche* **to t. out**) strimpellare (*uno strumento*); battere su (*un tamburo*) **4** (*calcio, ecc.*) spedire, sbattere ● (*fig. fam.*) **to t. the big drum**, battersi la grancassa □ **to t. each other**, picchiarsi; darsele di santa ragione □ **His heart thumped in his chest**, il cuore gli batteva forte.

thumper /ˈθʌmpə(r)/ n. **1** chi batte, chi colpisce, ecc. (→ **to thump**) **2** (*fam.*) forte colpo **3** (*fam.*) grossa bugia; balla (*fam.*).

thumping /ˈθʌmpɪŋ/ a. **1** che batte (*o che colpisce, picchia, ecc.*) **2** (*fam.*) enorme; grande; grosso; eccezionale; madornale ● **a t. headache**, un tremendo mal di testa □ (*polit.*) **a t. majority**, una maggioranza schiacciante.

♦**thunder** /ˈθʌndə(r)/ n. **1** 🔟 il tuonare; tuono, tuoni: **t. and lightning**, tuoni e fulmini; *There was t. and lightning so we had to come home*, c'erano tuoni e fulmini quindi siamo dovuti tornare a casa **2** (*fig.*) rombo, fragore, rimbombo, strepito, scroscio: **a crash** (*o* **a peal**) **of t.**, un tuono; un rombo di tuono; **the t. of the cannon**, il rombo del cannone; **a t. of applause**, uno scroscio d'applausi ● **t. shower**, acquazzone (*con lampi e tuoni*) □ **to have a face as black as t.**, essere scuro (*o* cupo) in volto □ (*fig.*) **to steal sb.'s t.**, rubare un'idea (*o un'invenzione, una notizia*) a q.; battere sul tempo q. □ **There's t. in the air**, sta per tuonare.

to thunder /ˈθʌndə(r)/ **A** v. i. **1** tuonare; (*fig.*) rimbombare; rombare, rumoreggiare, inveire; battere rumorosamente: *It was thundering loudly*, tuonava forte; *His voice thundered in my ears*, la sua voce mi rimbombava negli orecchi; *The speaker thundered against the tyrant*, l'oratore tuonava contro il tiranno **2** andare (correre, passare) con grande rumore (*o fracasso*); passare rombando: *The jet thundered past* (*o* overhead), il jet passò rombando (sulla mia testa) **3** (*calcio, ecc.*) correre a precipizio; precipitarsi: *Our striker thundered down the right wing*, il nostro attaccante si precipitò

lungo la fascia destra **B** v. t. urlare; tuonare: **to t. threats against sb.**, tuonare minacce contro q. ● **to t. at sb.**, tuonare contro q. □ **to t. out**, gridare, lanciare, urlare (*minacce, ecc.*): *The crowd thundered out their approval*, la folla manifestò la sua approvazione rumoreggiando □ **The express thundered through the tunnel**, l'espresso attraversò rombando la galleria.

thunderbolt /'θʌndəbəʊlt/ n. **1** fulmine; saetta **2** (*calcio, ecc.*) bolide, cannonata, fucilata, fulmine, sventola (*fig.*) ● (*fig.*) **The news was a t.**, la notizia fu un fulmine a ciel sereno.

thunderbox /'θʌndəbɒks/ n. (*slang*) **1** (*scherz. ingl.*) gabinetto (*o* cesso) portatile **2** (*USA*) radio stereo portatile.

thunderclap /'θʌndəklæp/ n. tuono; rombo di tuono ● (*fig.*) **The news came on me like a t.**, la notizia mi giunse come un fulmine a ciel sereno.

thundercloud /'θʌndəklaʊd/ n. **1** nuvolone; nube temporalesca **2** (*fig.*) nube.

thunderer /'θʌndərə(r)/ n. **1** chi tuona, chi inveisce, ecc. (→ **to thunder**) **2** – (*mitol.*) **the T.**, il Tonante, Giove.

thunderhead /'θʌndəhɛd/ n. (*meteor.*) incudine; incus.

thundering /'θʌndərɪŋ/ a. **1** tonante **2** folgorante; fulminante; micidiale (*calcio*) **a t. free kick**, una punizione micidiale **3** (*fam.*) enorme; eccezionale; straordinario; terribile; tremendo: **a t. nuisance**, una terribile seccatura; un tremendo seccatore ● **a t. big fish**, un pesce enorme □ **a t. lie**, una gran fandonia; una bugia grossa come una casa □ **a t. success**, un successo strepitoso | **-ly** avv.

thunderous /'θʌndərəs/ a. **1** fragoroso; rombante; rumoreggiante; strepitoso: **t. applause**, applausi fragorosi **2** (*del tempo*) minaccioso; temporalesco **3** (*sport*) micidiale: **a t. shot**, un tiro micidiale ● **a t. voice**, una voce tonante | **-ly** avv. | **-ness** n.

thundershower /'θʌndəʃaʊə(r)/ n. forte scroscio (*di pioggia*).

thunderstorm /'θʌndəstɔ:m/ n. temporale (*con tuoni e lampi*).

thunderstruck /'θʌndəstrʌk/ a. **1** attonito; sbalordito; sbigottito **2** (*raro*) folgorato; colpito dal fulmine.

thundery /'θʌndərɪ/ a. (*del tempo*) tempestoso; temporalesco (*meteor.*) **t. activity**, attività temporalesca.

thunk /θʌŋk/ forma verbale *scherz.* o *iron.* USA di **thought**, *part. pass.* di **to think**: *Who'da t. it?*, chi l'avrebbe mai pensato? chi mai l'avrebbe immaginato?

Thur., **Thurs.** → **Thursday**.

thurible /'θjʊərəbl/ n. (*relig.*) turibolo; incensiere.

thurifer /'θjʊərɪfə(r)/ n. (*relig.*) turiferario.

Thuringia /θjʊə'rɪndʒɪə/ (*stor., geogr.*) n. Turingia || **Thuringian** /θjʊə'rɪndʒɪən/ **A** a. turingiano; della Turingia **B** n. turingiano; abitante (*o* nativo) della Turingia.

◆**Thursday** /'θɜ:zdeɪ/ n. cu giovedì: *He'll come back on T.*, torna giovedì; *I met him on T. evening*, lo incontrai giovedì sera; *Shops are closed on T. afternoons*, i negozi sono chiusi il giovedì pomeriggio (*per gli esempi d'uso* → **Tuesday**).

◆**thus** /ðʌs/ avv. **1** così; in questo modo: *Do it t.!*, fallo così. **2** così; perciò; quindi; di conseguenza; pertanto: *He has made risky investments, t. endangering the firm*, ha fatto investimenti rischiosi, compromettendo così l'azienda ● **t. far**, fin qui; finora **2** (*raro*) **t. much**, tanto (così); questo.

thwack /θwæk/ n. botta; colpo; percossa; bastonata.

to **thwack** /θwæk/ v. t. battere (*spec. con un oggetto appiattito*); colpire; percuotere; picchiare; bastonare.

thwart /θwɔ:t/ **A** n. (*naut.*) banco (*di imbarcazione a remi*) **B** a. **1** obliquo; trasversale **2** (*fig. arc.*) perverso; ostinato; testardo **C** avv. (*arc.*) di traverso.

to **thwart** /θwɔ:t/ v. t. **1** contrastare, contrariare; ostacolare; opporsi a (*una persona, un desiderio, ecc.*) **2** frustrare; rendere vano; sventare: **to t. the enemy's plans**, frustrare i piani del nemico.

thy /ðaɪ/ a. poss. (*arc., poet. o relig.*) tuo, tua; tuoi, tue: *Hallowed be Thy name*, sia santificato il nome Tuo.

thylacine /'θaɪləsaɪn/ n. (*zool., Thylacinus cynocephalus*) tilacino; lupo marsupiale.

thyme /taɪm/ n. **1** (*bot., Thymus vulgaris*) timo **2** timo; foglie secche di timo: **t. oil**, olio essenziale (*o* essenza) di timo || **thymy** a. **1** (*di terreno*) coperto di timo **2** odoroso di timo.

thymic① /'taɪmɪk/ a. (*chim.*) timico; derivante dal timo: **t. acid**, acido timico.

thymic② /'θaɪmɪk/ a. (*anat., med.*) timico ● (*biochim.*) **t. nucleic acid**, acido timonucleico (*o* deossiribonucleico).

thymidine /'θaɪmɪdi:n/ n. u (*biochim.*) timidina.

thymine /'θaɪmi:n/ n. u (*biochim.*) timina.

thymol /'θaɪmɒl/ n. u (*chim.*) timolo.

thymus /'θaɪməs/ n. (pl. **thymuses**, **thymi**) (*anat., di solito* **t. gland**) timo.

thyratron /'θaɪrətrɒn/ n. (*elettron.*) thyratron.

thyristor /θaɪ'rɪstə(r)/ n. (*elettron.*) tiristore.

thyroid /'θaɪrɔɪd/ (*anat.*) **A** n. tiroide **B** a. tiroideo: **t. gland**, ghiandola tiroidea; tiroide; **t. cartilage**, cartilagine tiroidea ● (*med.*) **t. dwarfism**, nanismo ipotiroideo □ (*farm.*) **t. extract**, estratto di tiroide; tiroidina.

thyroidectomy /θaɪrɔɪ'dɛktəmɪ/ n. uc (*med.*) tiroidectomia.

thyroidism /'θaɪrɔɪdɪzəm/ n. u (*med.*) tiroidismo.

thyroiditis /θaɪrɔɪ'daɪtɪs/ n. u (*med.*) tiroidite.

thyrotomy /θaɪ'rɒtəmɪ/ n. uc (*med.*) tirotomia; tiroidotomia.

thyrotropin /θaɪrə'trəʊpɪn/ n. u (*biochim.*) tirotropina; tireotropina.

thyroxine /θaɪ'rɒksi:n/ n. u (*biochim.*) tirossina, tiroxina (*ormone tiroideo*).

thyrsus /'θɜ:səs/ n. (pl. **thyrsi**) (*mitol., bot.*) tirso.

thyself /ðaɪ'sɛlf/ (*arc., poet. o relig.*) **A** pron. rifl. te stesso, te stessa; ti: (*modo prov.*) *Know t.*, conosci te stesso! **B** pron. enfat. tu stesso, tu stessa.

ti /ti:/ n. (*mus.*) si (*la nota*).

tiara /tɪ'ɑ:rə/ n. **1** (*stor.*) tiara **2** (*relig.*) tiara, triregno; (*fig.*) dignità papale **3** diadema: **a t. of pearls**, un diadema di perle.

Tiber /'taɪbə(r)/ n. (*geogr.*) Tevere.

Tiberias /taɪ'bɪərɪəs/ n. (*stor., geogr.*) Tiberiade.

Tiberius /taɪ'bɪərɪəs/ n. (*stor.*) Tiberio.

Tibet /tɪ'bɛt/ n. (*geogr.*) Tibet.

Tibetan /tɪ'bɛtn/ a. e n. tibetano (*anche la lingua*).

tibia /'tɪbɪə/ n. (pl. **tibiae**, **tibias**) **1** (*anat.*) tibia; stinco (*pop.*) **2** (*mus., stor.*) tibia || **tibial** a. (*anat.*) tibiale; della tibia.

Tibullus /tɪ'bʌləs/ n. (*stor., letter.*) Tibullo.

tic /tɪk/ n. (*med.*) tic: **nervous tic**, tic nervoso ● **tic douloureux**, tic doloroso della faccia, nevralgia del trigemino.

◆**tick**① /tɪk/ n. **1** tic-tac; ticchettio; battito (*spec. dell'orologio*); scatto (*del contatore*) **2** (*fam.*) attimo; istante; momento: *I'll be back in a t.* (*o in two ticks*), sarò di ritorno fra un attimo; *Hi there, I'll be with you in a t.*, ciao, ti raggiungo tra un istante **3** segno di controllo (*per spuntare una cifra, una voce, ecc.*); spunta ● **t. mark**, (segno di) spunta □ **t.-tack**, tic-tac (*battito dell'orologio o del cuore*) □ **t.-tock**, tic-toc; (*voce infant.*) orologio □ **on the t.**, puntualmente; puntuale da spaccare il minuto.

tick② /tɪk/ n. **1** (*zool.*) acaro; zecca: **dog t.** (*Ixodes ricinus*), zecca del cane **2** (*slang*) ometto antipatico; mezza cartuccia; pidocchio (*fig.*).

tick③ /tɪk/ n. **1** fodera di materasso (*o* di guanciale) **2** stoffa da fodera; traliccio.

tick④ /tɪk/ n. u (*fam.*) credito: *I bought the goods on t.*, comprai la merce a credito.

to **tick**① /tɪk/ **A** v. i. (*anche* **to t. away**) fare tic-tac; ticchettare; battere: *The watch was ticking*, l'orologio faceva tic-tac; *What's ticking away under the car?*, cos'è che sta ticchettando sotto la macchina? **B** v. t. **1** (*dell'orologio, spesso* **to t. away**) scandire (*o* segnare) facendo tic-tac: *The clock was ticking away the time*, l'orologio segnava col suo tic-tac il passare del tempo **2** (*di solito* **to t. off**) fare un segno a fianco di; segnare a margine; spuntare: **to t.** (**off**) **a box**, spuntare un quadratino (*su un modulo, ecc.*).

■ **tick away A** v. i. + avv. **1** (*di un orologio, di una bomba, ecc.*) continuare a battere (*o* a ticchettare) **2** (*del tempo, dei minuti di recupero, ecc.*) passare, trascorrere: *Time was ticking away*, il tempo passava **B** v. t. + avv. (*dell'orologio*) segnare, scandire: *The station clock ticked away the long hours of waiting*, l'orologio della stazione scandiva le lunghe ore d'attesa.

■ **tick off** v. t. + avv. **1** → **to tick**①, **B**, def. 2 **2** (*fam. ingl.*) rimproverare aspramente; dare una lavata di capo a (q.); sgridare: *He got ticked off for being late at school*, si prese una bella sgridata per essere arrivato tardi a scuola **3** (*fam. USA*) fare arrabbiare; fare andare in bestia (*o* su tutte le furie).

■ **tick out A** v. i. + avv. (*del tempo, dei minuti di recupero, ecc.*) esaurirsi; finire **B** v. t. + avv. (*di telegrafo*) battere (*un messaggio, ecc.*); (*di una telescrivente*) scrivere, stampare (*un testo*).

■ **tick over** v. i. + avv. **1** (*autom., mecc.*) girare al minimo; andare al minimo **2** (*fig.*) segnare il passo (*fig.*); procedere senza scosse; tirare avanti: **'How's business?'** – **'Oh, ticking over, you know'**, 'come vanno gli affari?' – 'Beh, si tira avanti'.

to **tick**② /tɪk/ v. t. (*fam.*) **1** far credito a (q.) **2** comprare a credito **3** vendere a credito.

ticked off /tɪkt 'ɒf/ a. (*fam. USA*) arrabbiato; irritato; incavolato (*fam.*).

ticker /'tɪkə(r)/ n. **1** cosa che fa tic-tac **2** telescrivente **3** (*fin., Borsa, USA*) teleborsa **4** (*fam.*) orologio **5** (*slang scherz.*) cuore ● **t. tape**, nastro di telescrivente; (*anche usato come*) stella filante □ (*USA*) **t.-tape parade**, parata in onore di una celebrità (*al cui passaggio si lanciano nastri di telescrivente*) □ (*USA*) **to get a t.-tape reception** (*o* **welcome**), essere ricevuti con lanci di nastri di telescrivente.

tickertape /'tɪkəteɪp/ → **ticker**.

◆**ticket** /'tɪkɪt/ n. **1** biglietto: **a railway t.**, un biglietto ferroviario; **a theatre t.**, un biglietto per il teatro **2** biglietto da visita **3** cartellino (*spec. del prezzo*); etichetta; scontrino; tagliando; tessera **4** (*naut., aeron.*) brevetto **5** (*autom.*) multa: **parking t.**, multa per divieto di sosta **6** (*USA*) lista di candidati (*di un partito*); (*fig.*) programma politico: **the Republican t.**, i candidati (*o* il programma) del partito Repubblicano **7** (*gergo mil.*) congedo: **to get one's t.**, ottenere il

congedo **8** (*nel gioco della* ***tombola***) cartella **9** (*slang*) scontrino del monte dei pegni **10** – **the t.**, quello che ci vuole; quello che va bene; l'ideale: *Served with sweet onions, the hare was just the t.*, servita con cipolle dolci, la lepre era proprio quello che ci voleva ● (*teatr.*, *sport*) **t. agency**, biglietteria; botteghino □ **t. agent**, gestore di biglietteria □ (*ferr.*) **t. collector**, biglettaio, controllore □ (*Borsa*) **t. day**, giorno della consegna fogli □ (*ferr.*) **t. inspector**, controllore □ (*leg.*, *stor.*, *Austral.*) **t. of leave**, (foglio di) libertà vigilata (*dopo aver scontato parte della pena*) □ (*leg.*, *stor.*, *Austral.*) **t.-of-leave man**, persona in libertà vigilata □ (*ferr.*) **t. office**, biglietteria □ **t. porter**, facchino autorizzato (*riconoscibile per lo scontrino numerato*) □ **t.-punch**, pinza per forare biglietti □ (*sport*, *teatr.*) **t. tout**, bagarino □ **t. touting**, bagarinaggio □ **t. window**, sportello (*di biglietteria*) □ (*slang USA*) **to cancel** (*o* **to punch**) **sb.'s t.**, fare la pelle a q.; fare fuori, accoppare, ammazzare q. □ (*polit. USA*) **dream t.**, accoppiata ideale di candidati (*alle elezioni presidenziali*); (*fig.*) occasione unica, passaporto (*fig.*) □ **free t.**, biglietto gratuito; (*fig. USA*) via libera; carta bianca □ (*slang USA*) **to get** (*o* **to have**) **one's t. punched**, fare una certa esperienza come passo (*o* tappa) indispensabile per la propria carriera □ (*fam.*) **hot t.**, persona (*o* cosa) assai richiesta (*o* di gran successo): *The hot t. in London is now the revival of 'Jesus Christ Superstar'*, lo spettacolo del momento a Londra è il revival di 'Jesus Christ Superstar' □ **meal t.**, buono pasto; (*fig.*) chi provvede ai pasti di altri; chi mantiene q.: *What is he, her friend or her meal t.?*, che cos'è, il suo amico o l'amante che la mantiene? □ (*fam.*) **to write one's own t.**, dettare le proprie condizioni; imporsi □ (*fam.*) **That's (just) the t.**, ottimamente; perfetto!; è così che si fa; ecco quel che ci vuole ⬤ FALSI AMICI • ticket *non significa* ca ticket *nel senso italiano di quota versata per alcuni farmaci e prestazioni mediche*.

to **ticket** /ˈtɪkɪt/ v. t. **1** apporre il cartellino su (qc.); mettere lo scontrino (o l'etichetta) a (qc.); etichettare (anche *fig.*) **2** fornire di biglietto **3** (*autom.*) multare; fare la multa a (q.) **4** (*ind.*) marcare; accantonare; destinare (*un articolo, un prodotto, ecc.*).

ticketing /ˈtɪkɪtɪŋ/ n. Ⓤ servizio di biglietteria; vendita di biglietti (*spec. in aeroporto*).

tickety-boo /ˌtɪkətɪˈbuː/ a. (*fam. antiq.*) giusto; esatto; corretto; in perfetto ordine; a posto.

ticking ① /ˈtɪkɪŋ/ n. Ⓤ picchiettio; ticchettio.

ticking ② /ˈtɪkɪŋ/ n. Ⓤ traliccio; stoffa da fodera per materassi.

ticking-off /ˌtɪkɪŋˈɒf/ n. (*fam.*) ramanzina; sgridata; lavata di capo.

tickle /ˈtɪkl/ n. **1** solletico; prurito; formicolio; pizzicore **2** solleticamento; titillamento; vellicamento **3** segnale d'interesse; richiesta; risposta **4** (*slang*) furto; rapina; colpo **5** (*slang*) arresto.

to **tickle** /ˈtɪkl/ Ⓐ v. t. **1** solleticare; fare il solletico a; titillare; vellicare; (*fig.*) allettare, lusingare, stimolare, stuzzicare: *'If you t. us do we not laugh?'* W. SHAKESPEARE, 'se ci fate il solletico non ridiamo?'; *I was tickled by the proposal*, la proposta mi solleticò; *This will t. his palate*, ciò stuzzicherà l'appetito **2** prendere (*pesci*) con le mani Ⓑ v. i. **1** fare solletico; dare prurito; pizzicare: *This vest tickles*, questa maglietta pizzica **2** prudere; avere il prurito; formicolare; pizzicare: *My foot tickles*, mi formicola un piede ● (*scherz.*) **to t. the ivories**, suonare il pianoforte □ (*fam.*) **to be tickled to death** (*o* **to be tickled pink**), essere felicissimo; andare in solluchero □ **I was tickled by the story,**

trovai il racconto assai divertente.

tickler /ˈtɪklə(r)/ n. **1** chi fa il solletico; chi solletica **2** problema difficile; questione delicata; rompicapo **3** (*comm.*, *USA*) scadenzario.

tickling /ˈtɪklɪŋ/ Ⓐ a. eccitante; stimolante; stuzzicante Ⓑ n. Ⓤ **1** solletico **2** eccitazione; allettamenti; lusinghe **3** pesca con le mani.

ticklish /ˈtɪklɪʃ/ a. **1** che soffre il solletico **2** (*fig.*: *di persona*) permaloso; suscettibile **3** (*fig.*) difficile; delicato; scabroso: **a t. question**, una questione delicata; **a t. subject**, un argomento scabroso **4** (*del tempo, ecc.*) instabile; mutevole; incerto | **-ly** avv. | **-ness** n. Ⓤ.

tick-tack, **tick-tack-toe** → **tic-tac**, **tic-tac-toe**.

tick-tock /ˈtɪktɒk/ n. tic-tac; ticchettio (*spec. di un orologio grande*).

to **tick-tock** /ˈtɪktɒk/ v. i. fare tic-tac; ticchettare.

tic-tac /ˈtɪktæk/ n. (*corse di cavalli e di cani*) sistema di segni convenzionali per trasmettere le quotazioni date per cavalli o cani ● **tic-tac man**, allibratore che trasmette le quotazioni ai colleghi con i suddetti segni convenzionali.

to **tic-tac** /ˈtɪktæk/ v. i. (*corse dei cavalli e di cani: di allibratore*) trasmettere informazioni ai colleghi mediante segni convenzionali.

tic-tac-toe /ˌtɪktæktˈəʊ/ n. Ⓤ (*USA*) (gioco degli) zeri e ics; tris.

tidal /ˈtaɪdl/ a. **1** (*geogr.*, *naut.*) di marea; della marea; soggetto alla marea; dovuto alla marea; mareale: **t. basin** (*o* **t. dock**), bacino di marea; **a t. river**, un fiume soggetto alle maree **2** (*tecn.*) mareomotore: **t. power plant**, centrale elettrica mareomotrice ● (*med.*) **t. air** (*o* **volume**), volume corrente (*nella respirazione*) □ (*naut.*) **t. harbour**, porto accessibile solo con l'alta marea □ (*naut.*) **t. stream**, corrente di marea; fiume soggetto alle maree □ **t. water**, acqua di marea □ **t. wave**, (*naut.*) onda di marea; (*anche*) ondata di maremoto; (*fig.*) onda, ondata (*d'indignazione, di proteste, ecc.*).

tidbit /ˈtɪdbɪt/ (*USA*) → **titbit**.

tiddler /ˈtɪdlə(r)/ n. **1** pesciolino; pescetto **2** (*fam.*) bambino; marmocchio **3** (*fam.*) cosa da niente; nonnulla **4** (*slang*, *stor.*) (monetina da) mezzo penny.

tiddly /ˈtɪdlɪ/ a. (*fam.*) **1** piccolo; insignificante **2** (*antiq.*) brillo; alticcio.

tiddlywinks, **tiddly-winks** /ˈtɪdlɪwɪŋks/ n. gioco delle pulci (*dischetti colorati*).

♦**tide** /taɪd/ n. **1** Ⓤ꜀ (*geogr.*, *naut.*) marea; flusso: **at high [low] t.**, con l'alta [con la bassa] marea; **the rising of the t.**, il montare della marea **2** (*fig.*) corrente; tendenza; indirizzo; (il) volgere degli eventi; corso: **to go with the t.**, seguire la corrente; **a turn of the t.**, un cambiamento di tendenza; una svolta ● (*naut.*) **t.-bound**, in attesa della marea (*rif. a una nave in porto*) □ **t.-gate** [**t.-lock**], saracinesca [conca] per l'alta marea □ **t.-gauge**, mareografo □ (*naut.*) **t. race**, ribollimento della marea □ **t. rips**, movimenti di masse d'acqua causati dalla marea □ **t. table**, tavola delle maree □ (*fig.*) **to swim** (*o* **to go) against the t.**, andare contro corrente □ **to work double tides**, lavorare a turno doppio (*giorno e notte*) □ **The t. is out**, c'è la bassa marea.

to **tide** /taɪd/ v. i. **1** (*naut.*) navigare (*spec. entrare in porto o uscirne*) sfruttando la marea **2** (*fig.*) andare su e giù (*come la marea*) ● (*fig.*) **to t. it over**, farcela; spuntarla □ **to t. over**, sormontare, superare (*una difficoltà, un ostacolo*); fare fronte a; aiutare (q.) a superare un periodo di difficoltà (*o* di ristret-

tezze economiche): *He had to borrow money to t. him over till the end of the month*, dovette prendere denaro a prestito per tirare avanti fino alla fine del mese.

tideless /ˈtaɪdləs/ a. senza marea.

tidemark /ˈtaɪdmɑːk/ n. **1** (*naut.*) linea (o limite) di marea **2** (*fam.*) segno lasciato dall'acqua sporca (*nella vasca da bagno*) **3** (*fam. scherz.*) riga di sporco (*nella vasca da bagno, o sul collo, quando ci si lava sommariamente*).

tidewaiter /ˈtaɪdweɪtə(r)/ n. **1** (*dog.*) doganiere portuale (*che saliva a bordo*) **2** (*fig. raro*) opportunista.

tidewater /ˈtaɪdwɔːtə(r)/ n. (*naut.*) **1** acqua di marea **2** (*USA*) costa bassa soggetta alle maree ● (*geogr.*) **t. glacier**, ghiacciaio di tipo artico.

tideway /ˈtaɪdweɪ/ n. (*naut.*) **1** canale di marea; canale (marittimo) soggetto al flusso della marea **2** filo di corrente di marea.

tidily /ˈtaɪdɪlɪ/ avv. lindamente; pulitamente; ordinatamente.

tidiness /ˈtaɪdɪnəs/ n. Ⓤ ordine; accuratezza; lindezza; nettezza; pulizia.

tidings /ˈtaɪdɪŋz/ n. pl. (*lett. o arc.*; talora col verbo al sing.) notizie.

tidy /ˈtaɪdɪ/ Ⓐ a. **1** ordinato; accurato; assettato; lindo; netto; preciso; pulito; in ordine: **a t. person** [**room**], una persona [stanza] ordinata; **a' t. little house**, una casetta tutta in ordine **2** (*fam.*) considerevole; ragguardevole; notevole: **a t. sum** [**estate**], una somma [una proprietà] ragguardevole Ⓑ n. **1** copertura, fodera per braccioli; poggiacapo; coprischienale (*di poltrona, ecc.*) **2** astuccio; busta **3** contenitore, cestino, recipiente (*per la carta straccia, i rifiuti, ecc.*); portaoggetti: **a street t.**, un recipiente per i rifiuti collocato sulla pubblica via.

to **tidy** /ˈtaɪdɪ/ v. t. e i. (*spesso* **to t. up**) assettare; rassettare; riordinare: *I must t. up my room*, devo rassettare la mia camera ● **to t. one's hair**, ravviarsi i capelli □ **to t. oneself up**, mettersi in ordine; rassettarsi.

■ **tidy away** v. t. e i. + avv. mettere via (oggetti); riporre; mettere in ordine; riordinare.

■ **tidy out** v. t. + avv. pulire per bene; riordinare (*una stanza, ecc.*); rassettare, riordinare (*cassetti, armadi, ecc.*).

■ **tidy up** v. t. + avv. riordinare, rassettare Ⓑ v. i. + avv. rimettere in ordine; riordinare □ **to t. oneself up**, rassettarsi; rimettersi in ordine.

tie /taɪ/ n. **1** legaccio; laccio; laccetto; stringa (*per scarpa*) **2** cravatta: **a silk tie**, una cravatta di seta **3** legame; vincolo; nodo: **family ties**, legami familiari; **the ties of blood**, i vincoli del sangue; **the strong ties of friendship**, i forti legami dell'amicizia; *There's a suspicion of an IRA tie*, c'è il sospetto di un legame con l'IRA **4** legame; impaccio; impedimento: *Pets can be a tie*, gli animali di compagnia possono essere un legame **5** (*edil.*) tirante; asta tesa; catena **6** (*mecc.*) tirante **7** (*ferr.*, *USA*) traversa, traversina (*cfr. ingl.* **railway sleeper**, *sotto* **railway**) **8** (*USA*) scarpa da allacciare **9** (*mus.*) legatura **10** (*naut.*) amante **11** (*elettr.*) connessione; giunzione **12** risultato alla pari; parità; pareggio: **to finish in a tie**, finire in parità; *There was a tie for first place*, due contendenti si sono classificati primi ex aequo **13** (*sport ingl.*) eliminatoria: **cup tie**, eliminatoria di coppa; partita di coppa ● **tie bar**, (*mecc.*) tirante; (*ferr.*) biella dello scambio □ (*edil.*) **tie beam**, catena □ **tie-break**, **tie-breaker** → **tiebreak** □ **tie-clasp** (*o* **tie-clip**), fermacravatta □ **tie factory**, cravattificio □ **tie-in**, legame; rapporto; (*market.*) prodotto (libro, giocattolo, ecc.) legato a un film (*o* a una serie televisiva);

pubblicità di prodotti da vendersi abbinati □ (*market.*) **tie-in sale**, vendita abbinata di prodotti □ (*comm.*) **tie-in sale**, vendita di prodotti abbinati □ **tie manufacturer**, fabbricante di cravatte; cravattaio □ **tie merchant**, venditore di cravatte; cravattaio □ **tie pin**, fermacravatta □ **tie press**, stiracravatte □ **tie rod**, (*edil.*) catena; (*mecc.*) tirante; (*autom.*) barra d'accoppiamento (*dello sterzo*) □ **tie-up**, punto morto, battuta d'arresto; arresto (o blocco) del traffico, ingorgo; cessazione del lavoro (*per sciopero, ecc.*); collegamento, rapporto, connessione; (*slang*) laccio emostatico (*di drogato*) □ (*ingl., spesso spreg.*) **the old school tie**, la rete di solidarietà che lega ex compagni di scuola (*spec. di «public school»*).

♦**to tie** /taɪ/ **A** v. t. **1** legare; allacciare; attaccare; annodare; legare insieme; unire: (*anche fig.*) **to tie sb.'s hands**, legare le mani a q.; **to tie a scarf**, annodare una sciarpa; **to tie a horse to a pole**, attaccare un cavallo a un palo **2** (*fig.*) impegnare; vincolare; costringere: **to tie sb. (down) to a contract**, impegnare q. con un contratto **3** (*mus.*) legare (*note*) **4** (*sport*) pareggiare (*un incontro*) **5** (*sport*) uguagliare (*un primato*) **B** v. i. **1** legarsi; annodarsi; allacciarsi: *This dress ties at the back*, quest'abito s'allaccia di dietro **2** (*sport*) pareggiare; finire alla pari; avere lo stesso punteggio: **to tie for first place**, essere primi ex aequo ● **to tie a knot**, fare un nodo □ (*fig.*) **to tie the knot**, sposarsi □ **to tie one's shoes**, allacciarsi le scarpe; (*fig. fam. USA*) darsi una regolata □ (*fig.*) **to tie sb.'s tongue**, chiudere la bocca a q.; far tacere q. □ **to be tied to a woman's apron strings**, stare attaccato alle sottane d'una donna □ (*slang*) **fit to be tied**, matto da legare; furioso; furibondo □ (*sport: di due concorrenti*) **to be tied**, essere a punti pari.

■ **tie back** v. t. + avv. **1** legare indietro; raccogliere (*i capelli sulla nuca*) **2** legare; fermare, fissare (*qc.*) nella sua posizione: **to tie back the curtains**, legare le tende (*spec. a drappeggio; lasciando scoperta la finestra*).

■ **tie down** v. t. + avv. **1** legare, assicurare, fissare giù (o in basso): **to tie down a tent**, assicurare una tenda (*legandola ai picchetti*) **2** (*mil.*) tenere impegnato, bloccare (*il nemico*) **3** (*fig.*) impegnare; vincolare: **to tie sb. down to a regular job**, impegnare q. in un lavoro regolare; (→ **to tie, A**, *def. 2*) **4** (*boxe*) legare (*l'avversario*) □ **to tie sb. down to the ground**, legare q. per terra.

■ **tie in A** v. i. + avv. **1** collegarsi; essere collegabile: *These wires tie in according to the different colours*, questi fili (*elettrici*) si collegano secondo i diversi colori **2** (*fig.*) combaciare; collimare **B** v. t. + avv. **1** inserire (*un filo, ecc.*) collegandolo **2** (*fig.*) far combaciare; far collimare; condizionare: *The welfare of the country is tied in with the economic recovery*, il benessere della nazione è condizionato dalla ripresa economica.

■ **tie into** v. i. + prep. (*fam. USA*) **1** attaccare a (*mangiare, ecc.*); gettarsi su; buttarsi su; mettersi a (*fare qc.*) con energia: **to tie into food**, gettarsi sul cibo **2** attaccare; aggredire; assalire.

■ **tie on** v. t. + avv. attaccare (*qc.*) con lo spago; allacciare: (*di un oggetto*) **to have the price ticket still tied on**, avere ancora il cartellino del prezzo attaccato □ (*fam. USA*) **to tie one on**, sbronzarsi; prendersi una gran sbronza.

■ **tie to** v. t. + prep. (*fam. USA*) collegare (*qc.*) a (*q.*); 'inchiodare' (*q.*) per (*qc.*): *Everybody knew it had been the godfather, but nobody could tie it to him*, tutti sapevano che era stato il padrino, ma nessuno riusciva a inchiodarlo.

■ **tie up A** v. t. + avv. **1** legare (*un pacco, una persona, ecc.*): *He tied up the parcel*, legò il

pacco **2** fasciare, bendare (*un braccio, una ferita, ecc.*) **3** annodare: **to tie up one's hair**, annodarsi i capelli **4** (*fam.: di un lavoro, ecc.*) impegnare; tenere (q.) occupato **5** tenere occupato (*il telefono*) **6** (*anche leg.*) impegnare, vincolare (*per contratto, ecc.*): **to tie up an estate**, vincolare una proprietà **7** (*fin.*) impegnare, immobilizzare: **to tie up money in long-term operations**, immobilizzare denaro in operazioni a lungo termine **8** (*fig.*) collegare; far combaciare; far collimare **B** v. i. + avv. **1** (*di aziende e sim.*) collegarsi; fondersi **2** combaciare; collimare: *His version of the facts doesn't tie up with what you declared*, la sua versione dei fatti non collima con ciò che avevi dichiarato **3** (*di un muscolo*) bloccarsi □ (*fig.*) **to tie up the loose ends**, fare gli ultimi ritocchi □ (*fam.*) **to get tied up**, impicciarsi (*fig. pop.*); sposarsi.

tiebreak /ˈtaɪbreɪk/ n. **1** (*tennis*) tiebreak **2** (*pallavolo*) tiebreak (*il 3° o il 5° set, quando le squadre sono alla pari*) **3** (*per estens.*) incontro risolutivo; partita di spareggio; (la) bella (*fam.*); (*in una gara a quiz*) domanda di spareggio, domanda risolutiva.

tiebreaker /ˈtaɪbreɪkə(r)/ → **tiebreak**.

tied /taɪd/ a. **1** legato; allacciato; unito: (*fig.*) *My hands are t.*, ho le mani legate **2** impegnato; vincolato **3** (*anche sport*) pari; in pareggio ● **t. cottage**, casa concessa in affitto a un dipendente (*per tutta la durata del rapporto di lavoro*) □ **t. house**, locale pubblico (pub, ecc.) vincolato (per contratto) a vendere una sola marca di birra → (*stat.*) **t. rank**, posto in graduatoria ex aequo □ (*sport*) **t. scores**, punteggio di parità □ (*di persona*) **t. up**, indaffarato; occupatissimo.

tie-dye /ˈtaɪdaɪ/ a. attr. (*di tessuto*) tinto usando il metodo del 'tie-dying' (→ **to tie-dye**).

to **tie-dye** /ˈtaɪdaɪ/ v. t. tingere (*un tessuto*) precedentemente annodato in uno o più punti || **tie-dyeing** n. tintura di tessuti secondo tale metodo.

tie-on /ˈtaɪɒn/ a. (*di cartellino, etichetta, ecc.*) che si attacca con lo spago; distaccabile.

tiepin /ˈtaɪpɪn/ n. spilla per cravatta; fermacravatta.

tier① /ˈtɪə(r)/ n. **1** fila; ordine (*di palchi, ecc.*); gradino (*di gradinata*): **a t. of seats**, una fila di posti a sedere; **a t. of boxes**, un ordine di palchi (*a teatro*) **2** (*cucina*) piano (*di una torta*): **a three-t. wedding cake**, una torta di nozze a tre piani **3** (*org. az.*) livello; classe; categoria: **two-t. system**, sistema a due livelli (*della pubblica istruzione, ecc.*) **4** (*comput.*) livello: **three-t. architecture**, architettura a tre livelli **5** (*naut.*) andana (*fila d'imbarcazioni ormeggiate*) **6** (pl.) – **tiers**, gradinata (*di stadio*) ● **tiers of a cable**, giri di una fune (*in un rotolo*) □ (*fin.*) **a two-t. exchange system**, un doppio regime dei cambi □ (*market.*) **two-t. price**, prezzo a due livelli.

tier② /ˈtaɪə(r)/ n. **1** chi lega, chi allaccia, chi annoda (→ **to tie**) **2** (*USA*) grembiulino (*per bambini*).

to **tier** /ˈtɪə(r)/ v. t. (*spesso* to t. up) **1** disporre in file sovrapposte **2** sistemare a gradini.

tierce /tɪəs, *nelle def. 3 e 4* tɪəs, tɜːs/ n. **1** ⓤ (*scherma*) terza (*posizione*) **2** (*mus.*, = **third**) terza **3** (*relig.*, = **terce**) terza **4** (*a carte*) sequenza di tre carte dello stesso seme **5** barilotto (*misura per il vino, pari a 42 galloni*).

tiercel /ˈtɜːsl/ → **tercel**.

tiercet /ˈtɜːsɪt/ → **tercet**.

tiered /tɪəd/ a. **1** (*di un'arena, uno stadio, ecc.*) a gradinate **2** (*di una torta*) a ripiani: **a three-t. cake**, una torta a tre piani.

tiff /tɪf/ n. battibecco; bisticcio; litigio; ba-

ruffa.

TIFF sigla (*comput.*, **tag image file format**) TIFF (*formato di compressione di immagini, senza perdita di qualità*).

to **tiff** /tɪf/ v. i. avere un battibecco; bisticciare; litigare.

tiffany /ˈtɪfənɪ/ n. ⓤ (*ind. tess.*) mussola di seta.

tiffin /ˈtɪfɪn/ n. (*un tempo, in India*) pasto leggero (*spec. a mezzogiorno*).

tiger /ˈtaɪɡə(r)/ n. **1** (*zool., Panthera tigris*) tigre (*anche fig.*): **Bengal t.**, tigre del Bengala **2** (*fam.*) rodomonte; smargiasso; spaccone **3** (*fam. USA*) urrah (*dopo una salva di evviva*) **4** (*econ.*) tigre (o fiorente economia) del sud-est asiatico: (*scherz.*) **Celtic t.**, economia irlandese (*durante il boom*) **5** (*slang USA*) la peggior mano di carte possibile al gioco del poker ● (*zool.*) **t. beetle** (*Cicindela e altri generi*), cicindela □ (*zool.*) **t.-cat**, (*Felis pardalis*) ozelot; gattopardo americano; (*Felis serval*) gattopardo africano; servalo □ **t. cub**, tigrotto □ (*miner.*) **t.'s-eye** (o **t.-eye**), occhio di tigre □ (*bot.*) **t. lily** (*Lilium tigrinum*), giglio tigrino cinese □ (*zool.*) **t. shark**, (*Galeocerdo cuvieri*), squalo tigre □ **t. wolf**, (*Crocuta crocuta*) iena maculata; (*Thylacinus cynocephalus*) lupo zebra □ **t.-wood**, legno pregiato a strisce (*esportato dalla Guyana*) □ (*fig. fam.*) **to ride a t.**, cavalcare la tigre.

tigerish /ˈtaɪɡərɪʃ/ a. di (o da) tigre, tigresco; (*fig.*) crudele, feroce.

♦**tight**① /taɪt/ **A** a. **1** fermo; saldo; solido; duro: **a t. knot**, un saldo nodo; un nodo stretto **2** chiuso; serrato; stretto: **a t. screw**, una vite stretta (bene); **to keep one's fists t.**, tenere i pugni serrati; **t. shoes**, scarpe strette **3** (*di un indumento*) stretto; attillato; aderente: **a t. dress**, un abito attillato; *They're a bit t. around the waist*, sono un po' stretti in vita **4** teso; tirato: **a t. rope**, una corda tesa **5** ermetico; a tenuta stagna; a perfetta tenuta; (*del terreno*) impermeabile: *Now the boat is t.*, ora la barca è a tenuta stagna (o tiene l'acqua) **6** (*fig.*) serrato; conciso; stringato: **t. language**, linguaggio conciso; **a t. style**, uno stile stringato **7** (*fig.*) pieno; zeppo (*di qc.*); fitto: *I've got a very t. schedule this morning*, stamattina ho un'agenda piena d'impegni **8** (*fig.*) severo; rigido; rigoroso; duro; stretto (*fig.*): **t. security**, rigide norme di sicurezza; *That boy needs a t. hand*, quel ragazzo va trattato con grande rigore; *They kept him under t. control*, lo tenevano sotto stretto controllo **9** (*fig.*) **a t. situation**, una situazione difficile **10** (*di un affare e sim.*) poco vantaggioso; mediocre **11** (*econ.*) rigido; (*di un bene*) che scarseggia, per il quale c'è troppa domanda: **t. market**, *Oil was t. on all markets*, il petrolio era scarso su tutti i mercati **12** (*fin.*) difficile (da ottenere); (*del denaro*) caro: **t. credit**, credito difficile; **t. fiscal policy**, politica fiscale restrittiva; **t. money**, stretta monetaria; restrizioni creditizie; *Money was tighter than ever*, il denaro era più caro che mai **13** compatto; (*mil.*) a file serrate; ben affiatato: **a t. group of friends**, un compatto (o ben affiatato) gruppo di amici; **in t. formation**, in formazione compatta **14** (*autom., aeron.*) stretto: **a t. turn**, una curva (o una virata) stretta **15** (*sport*) stretto (*fig.*); duro; ferreo (*fig.*): (*calcio, ecc.*) **t. marking**, marcatura stretta (o ferrea) **16** (*sport*) chiuso; di chiusura: **to play a t. game**, fare un gioco di chiusura **17** tirato (*fig.*); combattuto; serrato; allo spasimo: **a t. finish**, un finale allo spasimo (*di una partita*); un finale tirato (*di una corsa*) **18** (*sport*) equilibrato: **a t. tennis match**, un incontro di tennis equilibrato **19** (*fam.*) avaro; spilorcio; taccagno **20** (*fam.*) teso; tirato: *She had a t. expression*, aveva il viso

tirato **21** (*fam.*) ubriaco; sbronzo **22** (*dial.*) bello; aggraziato; benfatto **B avv. 1** stretto; strettamente; saldamente; fortemente; a fondo: *Hold it t.*, tienlo stretto!; **to screw a nut t.**, avvitare a fondo (*o* stringere) un dado **2** completamente; del tutto; bene: **to pack a rucksack t.**, riempire bene uno zaino ● (*slang USA*) **t.-assed** (*o* **t.-ass**), contegnoso; rigido; moralista; perbenista; represso; puritano □ **a t. bale**, una balla ben pressata □ **t. corner**, (*autom.*, *sci*, *ecc.*) curva stretta; (*fig.*) situazione difficile, pericolosa: **to be in a t. corner**, essere con le spalle al muro (*fig.*) □ **a t. drawer**, un cassetto duro, che non scorre bene □ (*football americano*) **t. end**, 'tight end', attaccante ala (*che si schiera a due iarde di distanza dal placcatore*) □ **t.-fitting**, attillato; aderente: **a t.-fitting jacket**, una giacca attillata □ (*rugby*) **t. head**, 'tight head' (*pilone schierato alla destra del tallonatore nella prima fila della mischia*) (*anche fig.*) **t.-knit**, a maglie strette □ **t.-limbed**, dalle membra forti; asciutto □ **t.-lipped**, di poche parole; riservato; che non parla, che sa tenere un segreto □ **a t.-lipped smile**, un sorriso a denti stretti □ (*sport*) **a t. race**, una corsa molto combattuta; una corsa tirata (*fam.*) □ (*rugby*) **t. scrum**, mischia chiusa (*o* comandata) □ **a t. ship**, una nave stagna; (*fig.*) una nave con l'equipaggio disciplinato; (*fig.*) un'azienda che ha personale disciplinato □ **a t. smile**, un sorriso forzato □ **t. spot**, situazione difficile, pericolosa □ **a t. squeeze**, una forte stretta; un pigia pigia; un serra serra; (*fig.*) un momento difficile; (*fig.*, *econ.*) una stretta □ (*lotta*) **t. waist**, cintura per davanti □ **a t. weave**, una trama fitta (*di un tessuto*) □ (*fam.*) **to get t.**, sbronzarsi □ **to keep t. control over sb.**, tenere q. sotto stretto controllo; comandare q. a bacchetta □ **to sit t.**, sedere immobile; (*fig.*) essere irremovibile; non cedere d'un millimetro; tenere duro □ **to sleep t.**, dormire bene (*o* sodo, della grossa) □ (*sport: in classifica*) *It's very t. in the top five*, i primi cinque sono a distanza ravvicinata.

tight② /taɪt/ *a.* (spec. nei composti) a tenuta di; a prova di: **gas-t.**, a tenuta di gas.

to **tighten** /ˈtaɪtn/ **A** *v. t.* **1** serrare; stringere; (*mecc.*) avvitare, stringere a fondo: **to t. a knot**, stringere un nodo; **to t. a nut [a screw]**, stringere un dado [una vite] **2** tendere; tirare: *T. the ropes!*, tendete le funi! **3** (*fig.*) inasprire; rafforzare: **to t. restrictions**, inasprire le restrizioni; **to t. economic controls**, rafforzare i controlli dell'economia **B** *v. i.* **1** serrarsi; stringersi **2** (*dei muscoli*, *ecc.*) irrigidirsi; tendersi **3** (*anche fig.*, *fin.*) restringersi: *Credit is tightening*, il credito si va restringendo; **The labour market is tightening**, il mercato del lavoro si irrigidisce ● **to t. one's belt**, tirare la cinghia; non mangiare; (*fig.*) adottare misure di austerità □ **to t. one's grip**, rafforzare la presa; stringere più forte.

■ **tighten up A** *v. t. + avv.* **1** stringere bene (*anche fig.*); rendere più stretto (*o* più duro, più rigido, *ecc.*): **to t. up all the nuts**, stringere bene tutti i dadi **2** (*fig.*) irrigidire; restringere: (*fin.*) **to t. up credit [the monetary policy, etc.]**, restringere il credito [irrigidire la politica monetaria, *ecc.*] **B** *v. i. + avv.* **1** stringersi; farsi più stretto **2** (*dei muscoli*, *ecc.*) tendersi; irrigidirsi **3** (*calcio*, *ecc.*) (*della difesa*) chiudersi.

tightener /ˈtaɪtnə(r)/ *n.* **1** chi stringe; chi tende **2** tenditoio **3** (*anat.*) muscolo estensore **4** (*mecc.*) tenditore; galoppino.

tightfisted /ˌtaɪtˈfɪstɪd/ *a.* spilorcio; taccagno; tirchio.

tightly /ˈtaɪtlɪ/ *avv.* **1** strettamente **2** saldamente **3** rigidamente: **t. controlled**, controllato rigidamente **4** (*calcio*, *ecc.*) stretto: **to mark sb. t.**, marcare stretto q. ● **t. knit**,

(*di lavoro a maglia*) fitto; (*fig.*) legato, compatto, molto unito: **a t. knit family**, una famiglia molto unita □ **t. packed clothes**, indumenti pigiati (*in uno zaino*, *ecc.*) □ **a t. packed suit case**, una valigia stipata di roba.

tightness /ˈtaɪtnəs/ *n.* **1** compattezza; fermezza; saldezza; solidità: **the t. of his hold**, la saldezza della sua presa **2** ristrettezza (*di spazio*) **3** ermeticità; tenuta stagna; impermeabilità **4** l'essere teso (*o* tirato) bene (*o* troppo); tensione: **the t. of the rope**, la tensione della corda **5** (*fig.*) rigidità; rigore; (*fin.*) **the t. of the recent credit terms**, le recenti condizioni di credito restrittive **6** (*fam.*) ubriachezza **7** (*fam.*) tirchieria ● (*med.*) **t. of the chest**, oppressione; difficoltà di respiro □ (*fin.*) **the t. of money**, la stretta monetaria; le restrizioni creditizie.

tightrope /ˈtaɪtrəʊp/ *n.* fune (*di funambolo*) ● **t. walker** (*o* **t. dancer**), funambolo □ **t. walking**, funambolismo.

♦**tights** /taɪts/ *n. pl.* **1** (*moda*) collant (*franc.*) **2** calzamaglia (*per acrobati*, *ballerine*, *ecc.*) ❶ **FALSI AMICI** • tights *non significa* tight *nel senso italiano di abito maschile da cerimonia.*

tightwad /ˈtaɪtwɒd/ *n.* (*fam. USA*) avaro; tirchio; spilorcio.

tigon /ˈtaɪgən/ *n.* (*zool.*) tigone.

tigress /ˈtaɪgrɪs/ *n.* (*zool.*) tigre (*femmina*, *anche fig.*).

tike /taɪk/ → **tyke**.

til /tɪl/ *n.* (*bot.*, *Sesamum indicum*) sesamo ● **til oil**, olio di sesamo.

tilbury /ˈtɪlbərɪ/ *n.* (*un tempo*) calesse leggero; tilbury.

tilde /ˈtɪldə/ *n.* tilde (*segno ortografico*: ˜).

♦**tile** /taɪl/ *n.* (*edil.*) **1** tegola; embrice: **plain t.**, tegola piana (comune) **2** (*edil.*) mattonella; piastrella **3** (*edil.*) laterizio forato; forato **4** (*fam.*) cappello a cilindro **5** (*collett.*) laterizi ● **t. conduit**, tubo di terracotta □ **t. covering**, copertura con tegole □ **t. factory**, fabbrica di piastrelle; ceramica (*fam.*) □ **t. flooring**, pavimento in piastrelle □ **t. manufacture**, industria ceramica □ **t. manufacturer**, industriale ceramico □ **t. specialist**, piastrellista □ (*fam. antiq.*) **to have a t. loose**, essere un po' tocco (*o* svitato) □ (*fam.*) **to be (out) on the tiles**, far baldoria; far bisboccia; far baracca.

to **tile** /taɪl/ *v. t.* **1** coprire (*un tetto*, *ecc.*) con tegole **2** coprire (*un pavimento*) con mattonelle; rivestire (*una parete*) di piastrelle; piastrellare **3** (*nella massoneria*) fare la guardia a (*una loggia*, *una riunione*) **4** (*in genere*) vincolare (q.) al segreto.

tiled /taɪld/ *a.* (*edil.*) **1** piastrellato: **t. wall**, parete piastrellata **2** (*di un tetto*) coperto di tegole.

tilemaking /ˈtaɪlmeɪkɪŋ/ *n.* ⓤ **1** industria ceramica: **t. machines**, macchinari dell'industria ceramica **2** fabbricazione di tegole (*per l'edilizia*).

tiler /ˈtaɪlə(r)/ *n.* **1** operaio di fornace di laterizi; fornaciaio **2** piastrellista; piastrellaio (*operaio*) **3** (*nella massoneria*) custode d'una loggia.

tilery /ˈtaɪlərɪ/ *n.* fornace (*o* fabbrica) di mattonelle; mattonellificio.

tiling /ˈtaɪlɪŋ/ *n.* ⓤⓒ **1** copertura (*di tetti*) con tegole; coperto di tegole; tegolato **2** piastrellatura; rivestimento di piastrelle; pavimento di mattonelle **3** (*collett.*) laterizi ● (*edil.*) **t. contractor**, piastrellista (*imprenditore*).

♦**till**① /tɪl/ **A** *prep.* fino a; sino a: **t. tomorrow**, fino a domani; *My grandmother lived t. ninety-eight*, mia nonna visse fino a 98 anni; **t. the end**, sino alla fine; *There's a free bar t. ten*, le consumazioni al bar sono

gratuite fino alle dieci **B** *cong.* fino a che; finché; fintantoché; fino a quando: *Wait t. I come back*, aspetta finché io non torni!; *Ring t. you get an answer*, suona fino a quando ti risponderanno ● **t. now**, finora □ **from morning t. night**, dal mattino alla sera □ **not t.**, non prima di: *I didn't open the door t. he showed me his card*, non aprii la porta prima che mi mostrasse la tessera □ **I shan't be back t. next week**, non tornerò prima della prossima settimana.

till② /tɪl/ *n.* **1** cassetto dei denari (*in un negozio*); cassa **2** contante; denaro contante ● (*comm.*) **t. money**, denaro in cassa □ (*fam.*) **to be caught with one's fingers in the t.**, essere preso con le mani nel sacco □ (*fam.*) **to have one's fingers in the t.**, avere le mani lunghe; rubare nel negozio dove si lavora.

till③ /tɪl/ *n.* (*geol.*) deposito glaciale.

to **till**① /tɪl/ (*agric.*) *v. t.* coltivare, dissodare, lavorare (*la terra*) ‖ **tilling** *n.* ⓤ coltivazione; coltura.

to **till**② /tɪl/ *v. t.* **1** mettere (*denaro*) in cassa (*o* nel cassetto) **2** incassare (*denaro*).

tillable /ˈtɪləbl/ *a.* coltivabile; dissodabile.

tillage /ˈtɪlɪdʒ/ *n.* ⓤ (*agric.*) **1** dissodamento; coltura; coltivazione **2** terreno coltivato; terra lavorata **3** raccolto ● **ground in t.**, terreno coltivato.

tiller① /ˈtɪlə(r)/ *n.* coltivatore; agricoltore.

tiller② /ˈtɪlə(r)/ (*naut.*) *n.* barra (*del timone*) ‖ **tillerman** *n.* (*pl.* **tillermen**) timoniere; uomo alla barra.

tiller③ /ˈtɪlə(r)/ *n.* (*bot.*) pollone.

to **tiller** /ˈtɪlə(r)/ *v. i.* (*bot.*: *di una pianta*) mettere i polloni.

tilt① /tɪlt/ *n.* **1** inclinazione; pendenza; piano inclinato **2** (*stor.*) giostra; torneo **3** (= **t.-hammer**) maglio meccanico **4** (*lotta libera*) altalena; bascula (*radar*) **t. angle**, angolo d'inclinazione □ **t. cart**, carro ribaltabile □ (*stor.*) **t.-yard**, lizza □ **at a t.**, inclinato; che pende □ **(at) full t.**, a briglia sciolta; di gran carriera; con grande impeto □ (*fig.*) **to have a t. at sb.**, spezzare una lancia contro q. □ (*fam. USA*) **to be on t.**, essere strambo, eccentrico, squilibrato □ **to wear one's hat at a t.**, portare il cappello sulle ventitré ❶ **FALSI AMICI** • tilt *non significa* tilt *nel senso italiano.*

tilt② /tɪlt/ *n.* copertone; telone (*spec. per coprire carri*).

to **tilt**① /tɪlt/ *v. i.* **1** pendere; inclinarsi; piegarsi: *The ship tilted (over) and the barrels fell overboard*, la nave s'inclinò e i barili caddero in mare **2** (*naut.*) beccheggiare **3** (*aeron.*) inclinarsi **4** (*stor.*) giostrare; tornare □ **B** *v. t.* **1** inclinare; far pendere; piegare: *Don't t. the desk while I'm writing!*, non inclinare la scrivania mentre scrivo! **2** (*di solito con* **t. up**) rovesciare; mettere sottosopra: *You'd better t. up the barrow: it's already full*, faresti meglio a rovesciare la carriola: è già piena **3** scaricare, rovesciare (*da un carro*, *da un camion*) **4** forgiare, lavorare (*metallo*) col maglio meccanico **5** (*fig.*) ribaltare (*o* rovesciare) le sorti di: *We tilted the game in our favour*, rovesciammo le sorti della partita in nostro favore ● **to t. at**, (*stor.*) assalire lancia in resta, attaccare in un torneo; (*fig.*) attaccare, prender di mira, inveire contro □ **to t. at the ring**, correre la giostra dell'anello □ (*fig.*) **to t. at windmills**, combattere contro i mulini a vento □ **to t. back**, far pendere, inclinare (*la sedia*, *ecc.*) indietro; rovesciare, piegare all'indietro (*la testa*, *ecc.*).

to **tilt**② /tɪlt/ *v. t.* coprire (*carri*, *ecc.*) con un telone.

tilter /ˈtɪltə(r)/ *n.* **1** (*stor.*) campione; giostratore **2** (*ind.*) operaio addetto al maglio

3 (*tecn.*) dispositivo di ribaltamento.

tilth /tɪlθ/ n. **1** ◨ dissodamento; coltivazione **2** terreno dissodato.

tilting /ˈtɪltɪŋ/ a. inclinabile; ribaltabile ● (*mecc.*) **t. dozer**, tiltdozer (*bulldozer con lama inclinabile a destra e a sinistra*) □ **t. hammer**, maglio meccanico □ (*aeron.*) **t. rotor**, rotore inclinabile □ (*autom.*) **t. seat**, strapuntino □ **t. stand**, cavalletto girevole □ (*geol.*) **t. strata**, strati inclinati □ (*ferr.*) **t. train**, treno ad assetto variabile; Pendolino®.

timbal /ˈtɪmbl/ n. (*stor.*, *mus.*) timballo; timpano.

timbale /ˈtɪmbl, tæmˈbɑːl/ (*franc.*) n. (*cucina*) timballo; sformato.

♦**timber** /ˈtɪmbə(r)/ Ⓐ n. **1** ◨ legname (*spec. da costruzione*) **2** ◨ alberi da legname **3** (*falegn.*) tavolone; grossa trave **4** (*naut.*) ordinata; costola **5** (*spec. USA*) bosco; foresta **6** (pl.) – **timbers**, (*equit.*) palizzata Ⓑ inter. caduta (dell'albero)!; fate largo! ● **t. beam**, trave in legno □ **t. frame**, tavolato □ (*naut.*) **t.-head**, testa di scaleno; monachetto; bitarella □ **t. merchant**, commerciante di legname □ **t. mill**, segheria □ (*di un muro*) **t. panelled**, rivestito in legno □ (*naut.*) **t. piece**, scalmo □ **t. preservatives**, conservanti per legname □ (*scherz.*) **t.-toe**, «gamba di legno» (*uno zoppo*) □ (*edil.*) **t. treatment**, trattamento delle travi in legno □ **t.-tree**, albero da legname; albero d'alto fusto □ (*zool.*) **t. wolf** (*Canis lupus lycaon*), lupo americano □ **t.-work**, parte in legno; lavoro in legno □ **t.-yard**, deposito di legname □ **building t.**, legname da costruzione □ (*fam. scherz. o antiq.*) **Shiver my** (*o* **me**) **timbers!**, tuoni e saette!

to **timber** /ˈtɪmbə(r)/ v. t. rafforzare (*o* sostenere) con legname.

timbered /ˈtɪmbəd/ a. **1** (*edil.*) costruito in legno; rivestito di legno **2** coperto d'alberi; alberato: **a well-t. country**, un territorio bene alberato ● (*edil.*) **half-t.**, metà in legno e metà in muratura.

timbering /ˈtɪmbərɪŋ/ n. ◨ⓒ **1** costruzione in legno; lavoro in legno **2** legname (*da costruzione*) **3** (*ind. min.*) armatura in legname.

timberland /ˈtɪmbəlænd/ n. ◨ (*USA*) terreno piantato ad alberi da legname.

timberline /ˈtɪmbəlaɪn/ n. (*geogr.*) limite della vegetazione arborea.

timberman /ˈtɪmbəmən/ n. (pl. **timbermen**) **1** boscaiolo; tagliaboschi **2** (*edil.*) carpentiere.

timbre /ˈtæmbrə/ (*franc.*) n. ◨ (*ling.*, *mus.*) timbro (*di voce, di strumento musicale*).

timbrel /ˈtɪmbrəl/ n. (*mus.*) tamburello; cembalo.

♦**time** /taɪm/ Ⓐ n. ◨ⓒ **1** tempo; epoca; periodo; durata; (*mus.*) tempo, misura; circostanza: *I've just t. to give her a ring*, ho appena il tempo di darle un colpo di telefono; *It took me a long t. to go there on foot*, mi ci volle molto tempo per andarci a piedi; *They're taking a long t. to bring us our food*, stanno impiegando molto tempo per portarci da mangiare; **in Cromwell's t.**, al tempo di Cromwell; **in the t. of Elizabeth I**, all'epoca di Elisabetta I; **waltz t.**, tempo di valzer; *We must move with the times*, dobbiamo essere sempre al passo con i tempi; **modern times**, tempi moderni; (*mus.*) **to beat t.**, battere il tempo; **a t. of sorrow**, una circostanza dolorosa **2** ora; momento: *What t. is it now?* (*o What's the t.?*), che ore sono (adesso)?; che ora è?; *Do you have the t.?*, (Lei) ha l'ora?; che ore sono?; *It's dinner t.*, è l'ora di cena; *At what t.?*, a che ora?; *What t.'s the last train to Upminster?*, a che ora è l'ultimo treno per Upminster?; *What t. does it start?*, a che ora comincia?; *What t. do you start work?*, a che ora cominci a lavorare?;

T. is up!, è ora! (di consegnare il compito, ecc.); tempo scaduto!; *It's t. to go*, è ora d'andare; *The t. had come to set out*, era giunta l'ora della partenza; *Now is the t. to act*, questo è il momento di agire; *There's no t. like the present*, questo è il momento giusto **3** volta: **this t.**, questa volta; **next t.**, la prossima volta; **another t.**, un'altra volta; **the t. before last**, la penultima volta; **three [four] times**, tre [quattro] volte; **many times**, molte volte; spesso; *There are times when I don't read a book for months*, ci sono volte in cui non leggo un libro per mesi **4** (*trasp.*) orario: **the times of the trains to Oxford**, gli orari dei treni per Oxford **5** (*econ.*) paga; retribuzione: **half t.**, mezza paga; **double t.**, paga doppia **6** (*telef.*) numero delle unità (*di conversazione*) **7** (*comput.*) tempo: **real t.**, tempo reale; (avv.) immediatamente; **real t. processing**, elaborazione in tempo reale **8** (*sport*) tempo: **in record t.**, a tempo di record **9** (*calcio, ecc.*) tempo di gioco; tempo che resta da giocare; (*anche*) lo scadere del tempo: *The third goal was scored* (*at*) *five minutes from t.*, il terzo gol fu segnato cinque minuti prima dello scadere del tempo **10** (*calcio, ecc.*) sospensione del gioco; → **timeout**, *def. 1*: (*dell'arbitro*) **to call t.**, comandare la sospensione (*o* la fine) del gioco **11** (*basket, football americano*) tempo cronometrato (*in una data fase del gioco*) **12** (pl.) (*mat.*) per: *Three times four gives* (*o makes, equals*) *twelve*, tre per quattro fa dodici Ⓑ a. attr. **1** tempestivo; (fatto) in tempo; (*scherma*) **t. thrust**, uscita in tempo **2** di tempo; **t. allowance**, abbuono di tempo ● (*banca, USA*) **t. account**, conto di deposito □ **t. after t.**, più volte; tante volte; ripetutamente □ **t. and again**, spessissimo; assai di frequente □ **t. and a half**, paga per lavoro straordinario □ (*cronot.*) **t. and motion study**, studio dei tempi e dei movimenti □ (*leg.*) **t. bar**, termine di decadenza (*o di prescrizione*) □ (*fin., Borsa*) **t. bargain**, operazione a termine □ (*leg.*) **t.-barred**, prescritto per decadenza dei termini □ (*fin.*) **t. bill**, cambiale a tempo; (*USA*) orario (*ferroviario, ecc.*) □ **t. bomb**, bomba a tempo (*o a orologeria*); (*fig.*) situazione esplosiva □ (*ciclismo, equit.*) **t. bonus**, abbuono di tempo □ **t. book**, registro delle presenze (*o delle ore di lavoro*) □ (*pubbl.*) **t. buying**, acquisto di tempo (*alla radio o alla TV*) □ **t. capsule**, contenitore (*pieno di oggetti, ecc. attuali*) per le generazioni future (*viene sepolto in terra*) □ **t. card**, scheda di presenza □ (*naut.*) **t. charter** (**party**), (contratto di) noleggio a tempo □ (*gramm.*) **t. clause**, proposizione temporale □ **t. clerk**, controllore delle ore di lavoro □ **t. clock**, orologio marcatempo; (*anche*) timer □ **t.-consuming**, che richiede molto tempo □ (*tecn.*) **t. control**, comando a tempo □ (*banca*) **t. deposit**, deposito a termine (*o* vincolato): **t.-deposit book**, libretto vincolato □ **t. draft**, tratta a tempo □ (*fotogr.*) **t. exposure**, posa; tempo di posa □ (*form.*) **t. frame**, arco di tempo; tempi di attuazione □ (*naut.*) **t. freight**, nolo a tempo □ (*mil.*) **t.-fuse**, spoletta a tempo □ (*sport*) **t. gap**, distacco; ritardo (*nelle corse*) □ **t.-honoured**, venerato per la sua antichità; venerando □ (*basket*) **t.-in**, inizio (*o* ripresa) del tempo di gioco □ **t. lag**, intervallo di tempo; (*fis.*) ritardo; (*econ.*) scarto (*o* sfasamento) temporale □ (*cinem., fotogr.*) **t.-lapse**, al rallentatore (agg.) □ **t. limit**, (*leg.*) termine ultimo; (*sport: nelle corse*) tempo massimo □ (*fin.*) **t. loan**, prestito a tempo □ (*fantascienza*) **t. machine**, macchina del tempo □ **the t. of day**, l'ora (*segnata dall'orologio*); l'ora del giorno □ (*fam.*) **the t. of one's life**, un periodo molto bello □ **t. of payment**, termine di pagamento; scadenza (*di una cambiale, ecc.*) □ (*sport*) **t. of play**, tempo di gioco; durata di

una partita □ **t. off**, tempo libero (*o* di vacanza); (giorni, ecc. di) congedo; permesso: *I'll take some t. off*, mi prenderò un po' di congedo □ (*di lavoratore*) **t. off in lieu**, riposo compensativo □ **t. out**, tempo libero; pausa; riposo; periodo di vacanza: **to take t. out**, prendersi un po' di vacanza; fare una pausa (*nel lavoro, nello studio, ecc.*) □ (*fam. USA*) **T. out!**, aspetta, aspettate!; un momento!; un attimo! □ **t. payment**, (*econ.*) retribuzione a tempo; (*market.*) pagamento dilazionato (*o* rateale) □ (*ass., naut.*) **t. policy**, polizza a tempo □ (*cronot.*) **t. recorder**, tempista; (*anche*) orologio marcatempo □ (*farm.*) **t.-release drug** (*o* **capsule**), medicina (*o* capsula) a lento rilascio; farmaco (*o* capsula) retard □ (*geol.*) **t. scale**, cronologia □ (*demogr., stat.*) **t. series**, serie temporale (*o* storica) □ (*stat.*) **t.-series chart**, istogramma; diagramma a colonne □ **t.-server**, opportunista; conformista □ **t.-serving**, (agg.) opportunistico, conformistico; (sost.) opportunismo, conformismo □ (*org. az.*) **t. sheet**, foglio di presenza □ (*mat.*) **times sign**, segno di moltiplicazione □ (*radio, TV*) **t. signal**, segnale orario □ **t. study**, cronotecnica □ **t.-study engineer**, cronotecnico □ (*tecn.*) **t. switch**, interruttore a tempo □ **t. taker = t. recorder** → *sopra* □ **t. taking**, rilevazione dei tempi □ **t.-tested**, sperimentato; che il tempo ha dimostrato valido □ **t. ticket**, cartellino di presenza □ (*sport: nelle corse*) **the t. to beat**, il tempo da battere (*o* da migliorare) □ (*autom., ciclismo*) **t. trial**, corsa a cronometro; corsa contro il tempo; cronometro (sost. f.) □ **t.-trial specialist**, cronoman □ **t. warp**, (*fantascienza*) curvatura (*o* distorsione) del tempo; (*fig.*) confusione tra passato e presente, o tra presente e futuro: **to be caught** (*o* **stuck**) **in a t. warp**, essere rimasto fermo nel tempo □ **t. waster**, q. o qc. che fa perdere tempo; perditempo; perdita di tempo □ **t.-wasting**, che fa perdere tempo □ (*econ.*) **t. wages**, salario a tempo □ **times without number**, innumerevoli volte; spessissimo □ (*econ.*) **t. work**, lavoro retribuito a ore; lavoro in economia □ (*econ.*) **t.-worker**, operaio retribuito a ore □ (*geogr.*) **t. zone**, fuso orario □ **ahead of t.**, anzitempo; prima del tempo; di buonora □ **to be ahead of** (*o* **to be born before**) **one's time**, essere in anticipo sui tempi; essere un precursore □ **all the t.**, per tutto il tempo, sempre; di continuo: *I've known it all the t.*, l'ho sempre saputo □ **as times go**, dati i tempi; considerando come va il mondo □ **at a t.**, alla volta: *One thing at a t.*, una cosa alla volta □ (*sport*) **at full t.**, a tempo scaduto □ **at times**, a volte; talvolta; talora □ **at all times**, sempre; immancabilmente □ **at the t.**, quando: *At the t. they arrived, I was away*, quando arrivarono, io non c'ero □ **at my t. of life**, alla mia età □ **at no t.**, in nessun tempo; in nessuna circostanza; giammai □ **at one t.**, una volta; un tempo: *At one t. I used to swim a lot*, una volta facevo molto nuoto □ **at the present t.**, al presente; ora; adesso □ **at the same t.**, nello stesso tempo; contemporaneamente; insieme; a un tempo; nondimeno; tuttavia: *She was smiling and sobbing at the same t.*, sorrideva e singhiozzava nello stesso tempo □ (*fig.*) **at this t. of day**, a questo punto (*delle trattative, ecc.*); in questo momento (*della storia*); troppo tardi □ **behind the times**, antiquato; vecchio □ **behind t.**, tardi; in ritardo: *We are behind t. with our deliveries*, siamo in ritardo con le consegne □ **to die before one's t.**, morire anzitempo; fare una morte prematura □ (*fam.*) **to do t.**, scontare una pena detentiva; essere in galera □ **every t.**, ogni volta; tutte le volte □ (*sport: calcio, ecc.*) **extra t.**, tempo supplementare □ **for the t. being**, per il momento □ (*lett.*) **from t. immemorial** (**from t. out of mind**), dal tem-

po dei tempi; da moltissimo tempo; da seco-li □ **from t. to t.**, di quando in quando; ogni tanto □ **from that t. on**, da allora in poi □ **to gain t.**, guadagnar tempo; (dell'orologio) andare avanti □ **to give sb. a pretty hard t.**, far passare un brutto quarto d'ora a q. □ **to grow old before one's t.**, invecchiare anzitempo (o troppo presto) □ (sport) **half t.**, metà tempo (della partita): **at half t.**, a metà tempo; nell'intervallo □ **to have a bad t.**, passarsela male □ (fam.) **to have an easy t.**, passarsela bene; star bene economicamente □ **to have a good t.** (o **the t. of one's life**), divertirsi un mondo; spassarsela □ **to have no t. for**, non aver tempo per (qc.); non aver tempo da perdere con (q.) □ **in t.**, in tempo, in tempo utile; col tempo, con l'andar del tempo, a poco a poco; *I didn't get home in t. and only caught the second half on TV*, non sono tornato a casa in tempo e ho beccato solo il secondo tempo alla TV □ (mus.) **to be in t.**, andare a tempo □ **in t. to come**, per l'avvenire; in futuro □ **in the course of t.**, col tempo; con l'andar del tempo; con il passare degli anni □ **in double-quick t.**, in un baleno; in un batter d'occhio □ **in due t.**, a tempo debito □ **in good t.**, al momento opportuno; in tempo (per un appuntamento, uno spettacolo e sim.) □ **in one's own t.**, a tempo perso □ (fam.) **in one's own good t.**, con comodo; prendendosela comoda □ **in its proper t. and place**, a tempo e luogo □ **in a month's t.**, fra un mese □ **in no t. (at all)**, in un attimo; in un baleno; in un batter d'occhio □ **in one's spare t.**, nelle ore libere; nei ritagli di tempo □ (mus.) **to keep t.**, andare a tempo; tenere il tempo □ (d'un orologio) **to keep good [bad] t.**, segnare l'ora esatta [non andare bene] □ **to kill t.**, ammazzare il tempo □ **to be a long t.**, essere molto tempo; (anche) metterci molto tempo (a fare qc.) □ **to lose t.**, perdere tempo; (dell'orologio) restare indietro □ **to lose (all) count of t.**, perdere la nozione del tempo □ **to make t.**, recuperare il tempo; (di treno) recuperare □ **to make good t.**, tenere una buona andatura; andare di buon passo □ (mil.) **to march in t.**, marciare a tempo □ **to march with the times**, tenersi al passo con i tempi □ (di donna) **to be near one's t.**, essere prossima al parto □ **on t.**, puntualmente; puntuale; in orario □ **once upon a t.**, una volta; al tempo dei tempi: *Once upon a t. there was a king*, c'era una volta un re □ (mus.) **to be out of t.**, non andare a tempo; essere fuori tempo □ **to pass the t. of day with sb.**, scambiare qualche parola di saluto con q.; intrattenersi (a conversare) con q. □ **to play for t.**, cercare di guadagnare tempo; (sport) fare melina □ (radio, TV, ecc.) **to be running out of t.**, essere in ritardo sul programma stabilito □ **to serve one's t.**, (di condannato) scontare la pena; (di apprendista) prestare servizio □ **to be some t.**, essere un po' di tempo; (anche) metterci del tempo (a fare qc.) □ **to take one's t.**, prendersela comoda: *You took your t.!*, ta la sei presa comoda! □ **to take t. off for no reason**, fare delle assenze ingiustificate (dal lavoro, ecc.) □ **to tell the t.**, (dell'orologio) segnare il tempo; (di una persona) dire l'ora, leggere l'orologio □ **this t. last year**, l'anno scorso a questa epoca □ **this t. next week**, oggi a otto □ **till the end of t.**, sino alla fine dei tempi; in eterno □ **up to the present t.**, finora □ **to work against t.**, lavorare coi minuti contati, con l'acqua alla gola; combattere contro il tempo □ (fam.) **It will take me** (you, etc.) **all my** (your, etc.) **t. to do that**, c'è da lavorare ventiquattro ore su ventiquattro per farlo □ **It's (about) t. I was going**, sarebbe ora che me ne andassi □ **My t. is drawing near** (o **I am near my t.**; **my t. is almost over**), ormai non mi resta molto da vivere □ (prov.) **There's a t. for**

everything, ogni cosa a suo tempo □ (prov.) **T. is money**, il tempo è denaro.

to **time** /taɪm/ v. t. e i. **1** fare (qc.) al momento buono (o a proposito); scegliere (o cogliere) il momento opportuno per (qc.); calcolare, disporre, progettare (con riguardo al tempo): *We timed our trip to arrive before noon*, predisponemmo (organizzammo) il nostro viaggio in modo d'arrivare prima di mezzogiorno **2** fissare l'orario di: *The arrival of the President was timed for 10 o'clock*, l'arrivo del Presidente era fissato per le dieci **3** regolare il ritmo (o la velocità) di; ritmare, rimettere (un orologio); sincronizzare: *The girl timed her steps to the music*, la ragazza regolava il ritmo del passo sulla musica; *He timed the speed of the two toy trains*, sincronizzò la velocità dei due trenini; *T. your watch with mine*, regola (rimetti) il tuo orologio col mio! **4** calcolare, misurare il tempo di; cronometrare: *The winner was timed at 4' 6''*, il primo arrivato fu cronometrato a quattro minuti e sei secondi **5** (ind.) determinare i tempi (di lavorazione); tempificare **6** (mecc.) mettere in fase, mettere a punto (un motore, l'accensione) **7** (calcio, ecc.) fare (un'azione, una mossa); calcolare bene il tempo di (un intervento) ● (fotogr.) **to t. the exposure**, regolare l'esposizione □ **to t. one's remarks**, intercalare le proprie osservazioni al momento giusto □ **The bus is timed to arrive at 4 o'clock**, d'orario, l'autobus arriva alle quattro.

timekeeper /'taɪmkiːpə(r)/ n. **1** (ind.) controllore delle ore di lavoro **2** (mus.) chi batte il tempo (per una banda, ecc.) **3** (sport) cronometrista **4** cronometro; orologio ● (mus.) **a good t.**, un tempista □ **This watch is a good [a bad] t.**, questo orologio va bene [va male] || **timekeeping** n. **1** (ind.) rilevamento dei tempi **2** (sport) cronometraggio.

timeless /'taɪmləs/ a. **1** (lett.) senza tempo; eterno; fuori del tempo; immutabile **2** (ling.) atemporale || **timelessly** avv. immutabilmente; eternamente || **timelessness** n. **1** (lett.) immutabilità; eternità **2** (ling.) atemporalità.

timely /'taɪmlɪ/ **A** a. opportuno; tempestivo; a proposito; felice; provvidenziale: **a t. interruption**, un'interruzione tempestiva **B** avv. al momento giusto; opportunamente || **timeliness** n. **1** opportunità; tempestività.

timeout /taɪm'aʊt/ n. **1** (sport) time out; sospensione (del gioco: chiesta da un allenatore) **2** (comput.) tempo scaduto; tempo scaduto: **t. error**, errore di time-out.

timepiece /'taɪmpiːs/ n. (tecn. o arc.) orologio; cronometro.

timer /'taɪmə(r)/ n. **1** (sport) cronometrista **2** (sport) cronometro; (anche) cronometrista **3** (ind., cronot.) tempista **4** (mecc.) distributore; ruttore d'accensione **5** (elettron.: di forno, ecc.; = **automatic t.**) timer; temporizzatore **6** (tecn.) timer; programmatore: *Shall I set the t. for the heating to come on tomorrow morning?*, programmo il timer per l'accensione del riscaldamento domattina? **7** (ginnastica) timer (di cyclette) ● (econ.) **a full-t.**, lavoratore a tempo pieno.

timesaver /'taɪmseɪvə(r)/ n. dispositivo (strumento, arnese, ecc.) che fa risparmiare tempo || **timesaving** a. che fa risparmiare tempo.

timeshare /'taɪmʃeə(r)/ n. (fin., leg.) **1** multiproprietà **2** casa o appartamento in multiproprietà.

time-sharing /'taɪmʃeərɪŋ/ n. **1** (fin., leg.) (sistema della) multiproprietà **2** (comput.) ripartizione del tempo; time-sharing; (anche) lavoro in multiprogrammazione.

timeslot /'taɪmslɒt/ n. (radio, TV) fascia oraria.

♦**timetable** /'taɪmteɪbl/ n. **1** orario (ferroviario, scolastico, ecc.) **2** (fig.) tabella di marcia; programma.

to **time-trial** /'taɪmtraɪəl/ v. i. (ciclismo) partecipare a una cronometro.

to **time-warp** /'taɪmwɔːp/ v. i. (fantascienza) essere preso in una curvatura del tempo; viaggiare nel tempo: *It was as if we had time-warped into the Middle Ages*, fu come se, presi dentro una curvatura del tempo, fossimo entrati nel Medioevo.

timeworn /'taɪmwɔːn/ a. consunto, logorato dal tempo; logoro (fig.) antiquato; trito; vieto.

timid /'tɪmɪd/ a. timido; timoroso; esitante: **a t. girl**, una ragazza timida; **a t. look**, uno sguardo timoroso; **a t. reply**, una risposta esitante || **timidly** avv. timidamente; timorosamente || **timidity, timidness** n. timidezza.

timing /'taɪmɪŋ/ n. **1** tempestività; (anche sport) scelta del tempo, tempismo **2** distribuzione, collocazione (di qc.) nel tempo: **the t. of a play**, la distribuzione del tempo (la scelta del momento in cui far accadere qc.) in un dramma **3** (teatr., cinem.) sincronizzazione **4** (cronot.) determinazione dei tempi; tempificazione **5** (mecc.) messa in fase (di un motore); fasatura (della distribuzione) **6** (comput.) temporizzazione; durata **7** (sport) rilevazione dei tempi; cronometraggio: **official t.**, cronometraggio ufficiale ● (mecc.) **t. adjustment**, registrazione della fase (della distribuzione) □ (mecc.) **t. advance**, anticipo (del motore) □ (mecc.) **t. belt**, cinghia di distribuzione □ (mecc.) **t. gears** (o **t. system**), ingranaggi della distribuzione ● **sense of t.**, tempismo □ (elettr.) **t. relay**, relè a tempo.

timocracy /taɪ'mɒkrəsɪ/ (polit.) n. timocrazia || **timocratic** a. timocratico.

Timon /'taɪmən/ n. (stor.) Timone.

timon /'taɪmən/ n. (raro) misantropo.

timorous /'tɪmərəs/ a. timoroso; pauroso; timido | **-ly** avv. | **-ness** n.

timothy /'tɪməθɪ/ n. (bot., Phleum pratense; = **t. grass**) coda di topo.

Timothy /'tɪməθɪ/ n. Timoteo.

timpani /'tɪmpənɪ/ (ital.), (mus.) n. pl. timpani || **timpanist** n. timpanista.

♦**tin** /tɪn/ n. **1** (chim.) stagno **2** (spec. ingl.; cfr. USA **can** ②, def. 2) barattolo, scatola, scatoletta (di latta); lattina: **a tin of beans**, un barattolo di fagioli; **an anchovy tin**, una scatola d'acciughe **3** (cucina) stampo: **bread tin**, stampo per il pane **4** (fam., = **tin loaf**) pane a cassetta **5** latta, bidone (di benzina, ecc.) **6** (cucina, = **baking tin**) teglia (per il forno) **7** (slang) denaro; quattrini; soldi; grana (pop.) **8** (slang USA) distintivo (di poliziotto) ● (volg. Austral.) **tin-arsed**, che ha culo (volg.); fortunato □ (volg. Austral.) **tin bum**, persona che ha culo (volg.); fortunello □ **tin can**, lattina; scatoletta □ (fig. fam.) **tin ear**, orecchio che non ci sente (fig.): **to have a tin ear (for foreign languages)**, non avere orecchio (per le lingue straniere) □ (gergo naut.) **tin fish**, siluro □ (fig.) **tin god**, individuo mediocre che si crede un dio; piccolo padreterno; burocratello spocchioso □ (gergo mil.) **tin hat**, elmetto □ (fam.) **tin lizzie**, piccola automobile sgangherata; macinino □ **tin mine**, miniera di stagno □ **tin opener**, apriscatole □ (fam.) **Tin Pan Alley**, il mondo delle canzonette (o della musica leggera) □ (fig. fam. USA) **tin parachute**, accordo che garantisce il pieno trattamento economico ai dipendenti (quando un'azienda passa a nuovi proprietari) □ **tin roof**, tetto di latta □ **tin sheet**, foglio di latta □ **tin snips**, forbici da lattoniere □ **tin tack**,

puntina stagnata □ (*mus.*) **tin whistle**, zufolo di metallo (*strumento tradizionale irl.*) □ **to coat with tin**, stagnare.

to tin /tɪn/ v. t. **1** stagnare: **tinned iron**, lamiera stagnata **2** (*spec. ingl.*; *cfr. USA* **to can**) mettere in scatola; inscatolare (*alimenti, ecc.*): **tinned meat [fruit]**, carne [frutta] in scatola ● (*comm.*) **tinned goods**, scatolame.

tinctorial /tɪŋk'tɔːrɪəl/ a. tintoriale; tintorio; che concerne la tintura.

tincture /'tɪŋktʃə(r)/ n. **1** (*farm.*) tintura: **t. of iodine**, tintura di iodio **2** (*fig.*) traccia; tocco; pizzico; infarinatura **3** (*arald.*) smalti.

to tincture /'tɪŋktʃə(r)/ v. t. **1** tingere leggermente; colorare appena **2** (*fig.*) tingere; sfumare; permeare.

tinder /'tɪndə(r)/ n. ⓤ esca; stoppaccio infiammabile ‖ **tindery** a. infiammabile (*come l'esca*).

tinderbox /'tɪndəbɒks/ n. **1** scatola contenente l'esca, l'acciarino e la pietra focaia **2** (*fig. raro*) polveriera.

tine /taɪn/ n. **1** punta; dente; rebbio: **the tines of a fork**, i denti d'una forchetta; (*agric.*) i rebbi d'un forcone **2** (*zool.*) ramificazione (*di corna di cervo*).

tinea /'tɪnɪə/ n. (*med.*) tigna.

tinfoil /'tɪnfɔɪl/ n. ⓤ **1** lamierino di stagno **2** stagnola; carta stagnola.

to tinfoil /'tɪnfɔɪl/ v. t. **1** rivestire di lamierino di stagno **2** avvolgere nella stagnola.

ting /tɪŋ/ n. tintinnio ● **t.-a-ling**, din-din, drin-drin (*di campanello*); (*mus.*) suono del triangolo (*in un'orchestra sinfonica*).

to ting /tɪŋ/ v. i. e t. (far) tintinnare.

tinge /tɪndʒ/ n. **1** lieve tinta; colore leggero; sfumatura; tocco **2** (*fig.*) aroma; gusto; sapore leggero **3** (*fig.*) tocco; traccia; pizzico; punta: **a t. of envy**, una punta d'invidia; **a t. of absurdity**, un pizzico di assurdo.

to tinge /tɪndʒ/ v. t. **1** tingere, colorare leggermente; sfumare: **clouds tinged with red**, nubi sfumate di rosso **2** (*fig.*) mischiare; permeare: *Thomas Hardy's novels are tinged with pessimism*, i romanzi di Thomas Hardy sono permeati di pessimismo.

tingle /'tɪŋgl/ n. **1** pizzicore; formicolio; bruciore **2** fremito; brivido.

to tingle /'tɪŋgl/ **A** v. i. **1** formicolare; prudere; pizzicare; sentire bruciore: *My face tingled from the cold wind*, il vento freddo mi pizzicava la faccia **2** (*fig.*) fremere; agitarsi: *The crowd tingled with anger*, la folla fremeva di rabbia **B** v. t. **1** far formicolare; far prudere **2** (*fig.*) far fremere; eccitare.

tinhorn /'tɪnhɔːn/ n. (*slang USA*) **1** individuo rozzo; tipo presuntuoso; bullo **2** giocatore (*d'azzardo*) da strapazzo.

tinker /'tɪŋkə(r)/ n. **1** calderaio (*di solito, ambulante*); stagnaio; stagnino **2** rabberciatore; operaio buono a tutto **3** abborracciatore; pasticcione **4** tentativo di riparazione; aggiustatura alla meglio; rabberciatura; rappezzatura; rattoppo **5** (*zool.*) piccolo scombro ● (*fam.*) **I don't care a t.'s damn** (*o* **cuss**) **about it**, non me ne importa un fico secco o un accidente.

to tinker /'tɪŋkə(r)/ **A** v. i. **1** fare il calderaio (*o lo stagnino*) **2** affaccendarsi; arrabattarsi; armeggiare: **to t. away at** (*o* **to t. with**) **a video recorder**, armeggiare intorno a un videoregistratore **B** v. t. **1** stagnare (*vaselame*) **2** (*spesso* **to t. up**) aggiustare alla meglio; rabberciare; rattoppare; rappezzare ● **to t. about** (*o* **around**), fare lavoretti; armeggiare.

Tinkerbell /'tɪŋkəbel/ n. **1** (*letter.*) Campanellino (*la fatina amica di Peter Pan*) **2** (*spreg.*) finocchio; checca.

tinkle /'tɪŋkl/ n. **1** tintinnio; squillo; scampanellio **2** (*fam.*) pipì **3** (*fam.*) telefonata.

to tinkle /'tɪŋkl/ **A** v. i. **1** tintinnare; trillare; scampanellare; squillare **2** (*fam.*) fare pipì **B** v. t. far tintinnare; suonare: *The customer tinkled the bell*, il cliente suonò il campanello.

tinkler /'tɪŋklə(r)/ n. **1** chi fa tintinnare **2** cosa che tintinna **3** campanellino.

tinkling /'tɪŋklɪŋ/ **A** n. ⓤⒸ tintinnio; tintinno; scampanellio **B** a. tintinnante; squillante.

tinkly /'tɪŋklɪ/ a. tintinnante.

tinman /'tɪnmən/ n. (pl. *tinmen*) lattoniere; stagnaio; stagnino.

tinner /'tɪnə(r)/ n. **1** → **tinman 2** minatore d'una miniera di stagno **3** inscatolatore; operaio (*o proprietario*) di un conservificio ● (*mecc.*) **t.'s rivet**, ribattino a testa piana.

tinnie /'tɪnɪ/ n. → **tinny**.

tinning /'tɪnɪŋ/ n. ⓤⒸ **1** stagnatura **2** inscatolamento (*di cibi*).

tinnitus /'tɪ'naɪtəs/ n. ⓤ (*med.*) tinnito auricolare.

tinny /'tɪnɪ/ **A** a. **1** di stagno; ricco di stagno **2** (*di suono*) metallico **3** dal suono metallico **4** (*di cibo*) che sa di latta (*o di scatola*) **B** n. (*Austral.*) lattina di birra.

tinplate /'tɪnpleɪt/ n. ⓤ banda stagnata; latta.

to tinplate /'tɪnpleɪt/ v. t. rivestire di uno strato di stagno; stagnare.

tinpot /'tɪnpɒt/ a. attr. (*fam.*) da due soldi; scadente; mediocre.

tinsel /'tɪnsl/ **A** n. ⓤ **1** orpello; (*fig.*) ciarpame; finzione, mostra **2** (*ind. tess.*) lamé; laminato **3** fili d'argento (*per l'albero di Natale*) **B** a. attr. **1** d'orpello; artificiale; falso **2** sgargiante; vistoso.

to tinsel /'tɪnsl/ v. t. **1** decorare con orpello; inorpellare **2** decorare (*l'albero di Natale*) con fili d'argento.

tinselly /'tɪnslɪ/ a. vistoso; sgargiante.

Tinseltown /'tɪnsltaʊn/ n. (*fam. USA*) Hollywood; il mondo del cinema e della televisione.

tinsmith /'tɪnsmɪθ/ n. lattoniere; stagnaio; stagnino ● **t.'s snips**, forbici da lattoniere.

tint /tɪnt/ n. **1** tinta pastello; tinta chiara **2** tinta; colore: **a light t.**, una tinta chiara; **the autumn tints**, i colori dell'autunno **3** (*fig.*) sfumatura, tocco, punta: *There's a t. of envy in his voice*, nella sua voce c'è una punta d'invidia **4** (*arte*) ombreggiatura: **t. tool**, bulino per l'ombreggiatura **5** (*tipogr.*) retinatura; retino; riproduzione a retino **6** tinta (*di capelli*).

to tint /tɪnt/ v. t. **1** tingere (*anche i capelli*); colorire; tinteggiare **2** (*arte*) ombreggiare **3** (*tipogr.*) retinare.

tinted /'tɪntɪd/ a. tinto; sfumato ● (*autom.*) **t. screen**, parabrezza di vetro diatermico.

tinter /'tɪntə(r)/ n. **1** chi colora; chi tinteggia **2** diapositiva a colori (*per proiezioni*) **3** (*USA, raro*) film a colori.

tinting /'tɪntɪŋ/ n. ⓤ **1** il tingere; colorazione **2** tintura (*dei capelli, ecc.*).

tintinnabulation /ˌtɪntɪnæbjuˈleɪʃn/ n. ⓤ tintinnio; scampanellio.

tintinnabulum /ˌtɪntɪˈnæbjʊləm/ n. (pl. *tintinnabula*) tintinnabolo; campanello; campanellino; sonaglio.

tintometer /tɪnˈtɒmɪtə(r)/ n. (*tecn.*) colorimetro.

tinware /'tɪnweə(r)/ n. ⓤ oggetti (pl.) di stagno o latta (*tegami, pentole, ecc.*).

tiny /'taɪnɪ/ a. molto piccolo; piccino; minuscolo: **a t. little boy**, un bambino piccino piccino ● **a t. bit**, un pochino □ **t. paws**, zampine (*di un animaletto*).

tip ① /tɪp/ n. **1** punta; apice; estremità: **to walk on the tips of one's toes**, camminare in punta di piedi; **the tip of a cigar**, l'estremità di un sigaro; *I have it on the tip of my tongue*, (*fig.*) ce l'ho sulla punta della lingua **2** puntale; ghiera; (*mecc.*) tagliente riportato; placchetta riportata **3** (*archit.*) cuspide **4** bocchino, filtro (*di sigaretta*) **5** (*elettr.*) punta **6** (*elettron.*) codetta **7** (*atletica*) punta (*del giavellotto*) **8** (*sci*) punta (*dello sci*) **9** (*biliardo*) cuoio (*della stecca*) ● (*pesca*) **tip section**, cimino (*di una canna*) □ (*di naso*) **tip-tilted**, con la punta volta all'insù □ **from tip to toe**, da cima a fondo; dalla testa ai piedi □ *The eagle was six feet from tip to tip*, l'aquila aveva un'apertura alare di sei piedi (*m 1,80 circa*).

tip ② /tɪp/ n. **1** inclinazione; pendenza **2** rovesciamento; capovolgimento **3** (= **refuse tip**) scarico dell'immondizia; discarica **4** (*fig.*) immondezzaio; luogo lurido; cesso (*fam.*) ● **tip cart**, carro a bilico □ (*autom.*) **tip lorry** (*o* **tip truck**), autocarro a cassone ribaltabile □ (*autom.*) **tip seat**, strapuntino □ (*ferr.*) **tip wagon**, vagonetto a bilico; carrello ribaltabile.

tip ③ /tɪp/ n. **1** mancia: *Leave 10% for the tip*, lascia il 10% di mancia **2** consiglio; suggerimento: *Take my tip*, accetta il mio consiglio! **3** informazione (*o notizia*) riservata; soffiata (*fam.*): **hot tip**, soffiata fresca (*o recentissima*); **a tip on a horse race** [**to buy shares, etc.**] un'informazione riservata sulle corse dei cavalli [sulla convenienza di comperare certe azioni, ecc.]: *I got a tip from a guy at work*, ho avuto una soffiata da un tizio al lavoro ● «**Tips gratefully accepted**» (*cartello*), «Si accettano mance».

tip ④ /tɪp/ n. **1** colpetto; bottarella; lieve tocco (*con la punta delle dita*) **2** (*baseball, cricket*) colpetto obliquo (*dato dal battitore con il taglio della mazza*) ● **to miss one's tip**, (*sport*) sbagliare il colpo; (*fig.*) fallire lo scopo.

to tip ① /tɪp/ v. t. **1** fornire di punta (*o di puntale*): **iron legs tipped with brass**, gambe di ferro col puntale d'ottone **2** spuntare; cimare ● **to tip strawberries**, pulire le fragole □ **cork-tipped cigarettes**, sigarette col filtro di sughero (*o d'altro materiale*).

to tip ② /tɪp/ **A** v. t. **1** inclinare; piegare: *Don't tip the tray*, non inclinare il vassoio! **2** (*spesso* **to tip over**) rovesciare; capovolgere: *The rough sea tipped the lifeboat over*, il mare in tempesta rovesciò la lancia di salvataggio **3** scaricare; rovesciare: *I've tipped my tea into the saucer*, ho rovesciato il tè nel piattino; **to tip a cart**, scaricare un carro (a bilico) **4** sollevare appena (*il cappello*) in segno di saluto: *I tipped my hat to him*, lo salutai sollevando il cappello **B** v. i. **1** inclinarsi; piegarsi **2** (*spesso* **to tip over**) rovesciarsi; capovolgersi ● (*fig.*) **to tip the balance** (*o* **the scales**), essere il fattore decisivo □ **to tip the balance** (*o* **the scales**) **in sb.'s favour** [**against sb.**], far pendere la bilancia a favore di [contro] q. □ (*polit.*) **to tip the balance of power**, spostare l'equilibrio del potere □ (*d'un oggetto*) **to tip the scales at**, pesare: *The parcel tipped the scales at two pounds*, il pacco pesava due libbre □ (*fam.*) **It's tipping down**, vien giù come Dio la manda; piove a dirotto.

■ **tip back** v. i. + avv. ribaltarsi all'indietro.

■ **tip in A** v. t. + avv. **1** infilare dentro; inserire **2** inserire, incollare (*un'illustrazione in un libro, ecc.*) **3** (*sport*) mettere, schiacciare (*la palla*) nel canestro: **to tip the ball in**, fare canestro con la punta delle dita; andare a canestro **B** v. t. + prep. infilare (*o mandare, inviare*) in (*o dentro*): (*basket*) **to tip in a basket**, fare un canestro (*con la punta delle dita*).

■ **tip off** v. t. + avv. **1** rovesciare (*un carico sulla strada, ecc.*) **2** gettare a terra, disarcio-

nare (un cavaliere).

■ **tip out** v. t. + avv. **1** versare, rovesciare (liquidi) **2** rovesciare, gettare fuori (da una barca, da un veicolo, ecc.): I was tipped out of the rowing boat, caddi dal canotto.

■ **tip over** **A** v. t. + avv. **1** rovesciare (un liquido, una vernice, ecc.) **2** rovesciare, ribaltare (un oggetto) **3** (calcio, ecc.) alzare (la palla) sopra la traversa con la punta delle dita **B** v. i. + avv. **1** rovesciarsi; ribaltarsi: The coach tipped over, il pullman si ribaltò **2** (calcio, ecc.) alzare sopra la traversa.

■ **tip up** **A** v. t. + avv. **1** ribaltare (di proposito) **2** tirare, alzare le ribalte di (un tavolo) **B** v. i. + avv. **1** ribaltarsi; essere ribaltabile: These seats tip up, questi posti a sedere sono ribaltabili **2** (fam. USA) offrirsi: He tipped up for the drinks, offrì da bere; si offrì di pagare da bere.

to **tip** ③ /tɪp/ v. t. **1** dare la mancia a: Don't forget to tip the waiter, non dimenticare di dar la mancia al cameriere! **2** (spesso to tip off) dare un'informazione riservata a (q.); dare un avvertimento a (q.); (fam.) fare la spia; soffiare (fam.) ● **to tip correctly**, dare la mancia giusta □ **to tip sb. the wink**, fare un cenno (o strizzare l'occhio) a q. □ (ipp.) **to tip the winner**, dare il nome del cavallo vincente □ (ipp.) **to be tipped as the winner**, essere dato come vincitore (o vincente) □ (slang) **Tip us a song**, cantaci una canzone! □ (slang) **Tip us your fin**, qua la zampa!

■ **tip off** v. t. + avv. (fam.) **1** dare un suggerimento a (q.); dare un'informazione riservata a (q.) **2** fare una soffiata a (la polizia, ecc.): The police had been tipped off by an accomplice, la polizia aveva ricevuto la soffiata d'un complice.

to **tip** ④ /tɪp/ v. t. **1** colpire leggermente; battere; toccare appena **2** (baseball, cricket) (del battitore) battere lievemente (la palla) con un colpo obliquo **3** (basket, pallavolo) colpire leggermente (la palla) con la punta delle dita.

tip-and-run /'tɪpən'rʌn/ n. Ⓤ (sport) cricket giocato dai bambini.

tipcat /'tɪpkæt/ n. Ⓤ (un tempo) gioco della lippa; lippa.

tip-in /'tɪpɪn/ n. (arti grafiche) **1** inserto **2** tavola fuori testo **3** (basket) tocchetto che manda la palla nel canestro; (anche) canestro fatto con la punta delle dita.

tip-off /'tɪpɒf/ n. informazione riservata; suggerimento; dritta (pop.); spiata, soffiata (fam.).

tippee /tɪ'piː/ n. (anche leg.) chi ottiene (o ha avuto) un'informazione riservata, una soffiata (spec. in Borsa, USA).

tipper ① /'tɪpə(r)/ n. **1** (autom., = t. lorry, t. truck) autocarro a cassone ribaltabile **2** (ferr.) vagonetto a bilico; carrello ribaltabile **3** (ind. min.) rovesciatore per vagonetti.

tipper ② /'tɪpə(r)/ n. **1** chi dà mance (o la mancia) **2** chi fa la soffiata; informatore; spione.

Tipperary /tɪpə'reərɪ/ n. **1** (geogr.) Tipperary (contea irlandese) **2** canzone popolare inglese della prima guerra mondiale.

tippet /'tɪpɪt/ n. **1** cappa; mantellina corta; pellegrina **2** (relig.) stola **3** collare, collarino (di un animale).

Tipp-Ex® /'tɪpɛks/ n. (in GB) correttore liquido; bianchetto (fam.).

to **Tipp-Ex** /'tɪpɛks/ v. t. (ingl.) correggere (o cancellare) col bianchetto.

tipple ① /'tɪpl/ n. bevanda (spec. alcolica); liquore: Whisky is his favourite t., il whisky è la sua bevanda favorita.

tipple ② /'tɪpl/ n. **1** impianto di scaricamento **2** punto di scarico **3** vagone ribaltabile.

to **tipple** /'tɪpl/ **A** v. i. bere smodatamente;

alzare il gomito; essere un beone **B** v. t. bere (alcolici).

tippler ① /'tɪplə(r)/ n. forte bevitore; beone.

tippler ② /'tɪplə(r)/ n. **1** scaricatore di vagonetti ribaltabili **2** impianto di scaricamento.

to **tippy-toe** /'tɪpɪtəʊ/ v. i. (fam. USA) camminare in punta di piedi.

tipstaff /'tɪpstɑːf/ n. (pl. **tipstaffs**, **tipstaves**) **1** (stor.) bastone con puntale metallico (da ufficiale giudiziario, ecc.) **2** (leg.) ufficiale giudiziario.

tipster /'tɪpstə(r)/ n. (fam.) chi dà consigli, suggerimenti; chi fa soffiate (alle corse ippiche, alla Borsa, ecc.); informatore.

tipsy /'tɪpsɪ/ a. (fam.) **1** brillo; alticcio; ubriaco **2** di (o da) ubriaco: **a t. laugh**, una risata da ubriaco ● (cucina) **t. cake**, dolce decorato con mandorle e inzuppato nel vino o nello sherry (→ **trifle**, def. 3) □ **to get t.**, ubriacarsi; sbronzarsi (fam.) ‖ **tipsiness** n. Ⓤ ubriachezza; ebbrezza.

tiptoe /'tɪptəʊ/ **A** n. punta di piedi: **to walk [stand] on t.**, camminare [alzarsi] in punta di piedi **B** a. attr. **1** in punta di piedi **2** (fig.) furtivo; guardingo; silenzioso **C** avv. in punta di piedi ● **to dance on t.**, ballare sulle punte □ **to be on t.**, stare in punta di piedi; (fig.) essere ansioso, impaziente; stare sulle spine.

to **tiptoe** /'tɪptəʊ/ v. i. camminare in punta di piedi.

tiptop /'tɪptɒp/ **A** n. apice; culmine **B** a. (fam.) eccellente; ottimo; di prim'ordine: **a t. concert**, un concerto di prim'ordine **C** avv. benissimo; in modo eccellente.

tip-up seat /'tɪpʌp'siːt/ loc. n. sedile (o seggiolino) regolabile in altezza; seggiolino da bar (o da ufficio).

tirade /taɪ'reɪd, USA 'taɪr-/ n. **1** tirata; filippica; invettiva **2** (mus.) tirata.

tire ① /'taɪə(r)/ (USA) → **tyre** ● (autom.) **t. iron**, leva per lo smontaggio dei pneumatici □ (fam.) **to kick the tires**, controllare bene la merce prima dell'acquisto.

tire ② /'taɪə(r)/ n. (arc.) → **attire**.

to **tire** ① /'taɪə(r)/ (USA) → **to tyre**.

to **tire** ② /'taɪə(r)/ **A** v. t. stancare; affaticare; spossare; annoiare; seccare: The difficult climb tired us (out), la difficile arrampicata ci spossò; The overlong sermon tired us, la lunghissima predica ci annoiò **B** v. i. stancarsi; affaticarsi; annoiarsi; seccarsi: I soon tired of the show, mi stancai presto dello spettacolo; Have you tired of me?, ti sei stancato di me? ● **to t. sb. out**, sfiancare, sfibrare, spossare q.; (sport) stancare (un avversario) □ **to t. sb.'s patience**, esaurire la pazienza di q.

♦**tired** /'taɪəd/ a. **1** stanco; affaticato; sfiancato, sfibrato, esausto: **t. by years of hard toil**, esausto per anni di duro lavoro; **to feel t.**, sentirsi stanco **2** stufo: I'm t. of vegetable soup, sono stufo di minestrone; I'm t. of it, sono stufo; ne ho abbastanza; I am t. of working from morning to night, sono stufo di lavorare dalla mattina alla sera **3** (scherz., eufem.) **t. and emotional**, ubriaco ● **t. jokes**, barzellette vecchie □ **t. out**, esausto; stanco morto □ **a t. subject**, un argomento trito □ **to be t. to death**, essere arcistufo; non poterne più □ **to talk sb. t.**, stordire q. a furia di chiacchiere | **-ly** avv. | **-ness** n. Ⓤ.

tireless ① /'taɪələs/ a. instancabile; infaticabile: a t. worker, un lavoratore instancabile; **with t. energy**, con energia infaticabile | **-ly** avv. | **-ness** n. Ⓤ.

tireless ② /'taɪələs/ a. (USA: d'automobile) senza pneumatici; sgommata.

tiresome /'taɪəsəm/ a. **1** noioso; fastidioso; seccante **2** faticoso; affaticante; che

stanca ● **How t.!**, che fastidio!; che seccatura! | **-ly** avv. | **-ness** n. Ⓤ.

tiring /'taɪərɪŋ/ a. faticoso; che stanca; affaticante; stressante.

tiring out /'taɪərɪŋaʊt/ n. Ⓤ **1** affaticamento eccessivo **2** logoramento; sfiancamento.

tiro /'taɪərəʊ/ n. (pl. **tiros**) principiante; tirocinante.

Tirol /tɪ'rəʊl/, **Tirolese** /tɪrəʊ'liːz/ → **Tyrol**, e deriv.

Tironian /taɪ'rəʊnɪən/ a. (stor. romana) tironiano; relativo a Tirone: **T. notes**, note tironiane.

'tis /tɪz, təz/ (arc. o poet.) contraz. di **it is**.

tisane /tɪ'zæn/ (franc.) n. tisana; decotto; infuso.

♦**tissue** /'tɪʃuː/ n. **1** Ⓤ (biol.) tessuto: (anat.) **connective t.**, tessuto connettivo; (biol.) **t. culture**, coltura dei tessuti **2** Ⓤ ● **t. paper** → sotto **3** fazzoletto di carta (per il naso) **4** velina da trucco; velina igienica **5** Ⓤ (ind. tess.) tessuto leggero **6** cartina (di sigaretta) **7** (fig.) tessuto; ordito; trama; insieme; serie: **a t. of lies**, un ordito di menzogne ● **t. paper**, carta velina; velina □ **face t.**, velina per il trucco.

to **tissue** /'tɪʃuː/ v. t. nettare (o pulire) con un fazzoletto di carta (o con una velina igienica).

tit ① /tɪt/ n. (zool., Parus) cincia (in genere).

tit ② /tɪt/ n. – **tit for tat**, occhio per occhio (fig.) ● **to give tit for tat**, rendere pan per focaccia.

tit ③ /tɪt/ n. **1** (fam.) capezzolo **2** (slang) mammella; poppa, tetta (pop.) **3** (slang, al vocat.) sciocco; stupido; fesso **4** (slang) le donne **5** (gergo mil.) pulsante; interruttore ● (slang) **to get on sb.'s tits**, stare sulle scatole a q.

tit. abbr. **1** (title) titolo **2** (titular) titolare.

Titan /'taɪtn/ **A** n. (mitol. e astron.) Titano (anche fig.) **B** a. attr. titanico: **t. strength**, forza titanica ● (mecc.) **t. crane**, gru a martello.

titanate /'taɪtəneɪt/ n. (chim.) titanato.

titania /taɪ'teɪnɪə/ n. (chim.) biossido di titanio.

Titanic /taɪ'tænɪk/ a. (mitol. e fig.: nel senso fig., spesso **t.**) titanico.

titanic /taɪ'tænɪk/ a. (chim.) di titanio a valenza quattro; titanico: **t. acid**, acido titanico.

titaniferous /taɪtə'nɪfərəs/ a. (miner.) titanifero.

Titanism /'taɪtənɪzəm/ n. Ⓤ titanismo.

titanium /tɪ'teɪnɪəm/ n. Ⓤ (chim.) titanio.

Titanomachy /taɪtə'nɒməkɪ/ n. (mitol., letter.) titanomachia.

titanous /'taɪtənəs/ a. (chim.) di titanio a valenza tre; titanoso.

titbit /'tɪtbɪt/ n. **1** bocconcino ghiotto; boccone prelibato; ghiottoneria; leccornia **2** (fig.) notizia piccante (o ghiotta); primizia.

titch /tɪtʃ/ n. (fam. ingl.) piccoletto; tappo; bassotto (fig.).

titchy /'tɪtʃɪ/ a. (fam. ingl.) piccolo; basso (di statura).

titer /'tiːtə(r)/ (USA) → **titre**.

titfer /'tɪtfə(r)/ n. (slang) cappello.

tithable /'taɪðəbl/ a. (stor., relig.) soggetto alle decime; prediale.

tithe /taɪð/ n. **1** (stor., relig.) decima: **to pay t.**, pagare la decima **2** (per estens.) imposta (spec. del dieci per cento) **3** decima parte; (un) decimo **4** (per estens.) frazione; pezzetto: **not a t. of**, neanche un pezzetto di ● (un tempo) **t. barn**, granaio dei raccolti della decima □ **t. collector**, esattore delle decime □ **t.-free**, esente da decima.

to **tithe** /taɪð/ **A** v. t. (*stor.*, *relig.*) **1** assoggettare (q.) al pagamento della decima **2** imporre la decima su (*un raccolto*, *ecc.*) **3** pagare la decima su (qc.) **4** riscuotere la decima su (qc.) **B** v. i. imporre decime: *'No Italian priest / Shall t. or toll in our dominions'* W. SHAKESPEARE, 'non ci sarà un prete italiano che imponga decime o riscuota tributi nel nostro regno'.

tithing /'taɪðɪŋ/ n. **UC** (*stor.*, *relig.*) pagamento (o riscossione) delle decime **2** (*stor.*) divisione amministrativa formata da dieci famiglie coloniche.

titian /'tɪʃn/ a. attr. tizianesco; rosso Tiziano; biondo rame: **t. hair**, capelli tizianeschi.

Titian /'tɪʃn/ n. Tiziano.

to **titillate** /'tɪtɪleɪt/ v. t. titillare; solleticare; vellicare ‖ **titillation** n. **U** titillamento; solleticamento.

to **titivate** /'tɪtɪveɪt/ (*fam.*) **A** v. t. **1** azzimare; agghindare; abbellire **2** aggiustare; ritoccare **B** v. i. attillarsi; agghindarsi; far toeletta; farsi bello ● **to t. oneself**, attillarsi; agghindarsi; far toeletta ‖ **titivation** n. **U** attillamento; agghindamento.

titlark /'tɪtlɑːk/ n. (*zool.*, *Anthus pratensis*) pispola.

♦**title** /'taɪtl/ **A** n. **1** titolo; appellativo; denominazione; intitolazione; nome; (*fig.*) diritto, merito: **to have t. to sb.'s gratitude**, aver titolo alla riconoscenza di q.; **the t. of gold**, il titolo dell'oro (*espresso in carati*) **2** (*leg.*) titolo (o diritto) di proprietà **3** (*leg.*, = **t. deed**) documento comprovante un diritto di proprietà; rogito notarile **4** (titolo di libro); pubblicazione; testata (*di giornale*) **5** (*sport*) titolo: **the world t.**, il titolo di campione mondiale **B** a. attr. (*sport*) **1** del titolo: **t. winner**, vincitore del titolo **2** per il titolo: **a t. fight**, un combattimento per il titolo ● (*comput.*) **t. bar**, barra del titolo □ (*boxe*) **t. bout**, combattimento (o incontro) per il titolo □ (*comput.*) **t. case**, tutte iniziali maiuscole □ (*calcio*, *gioco*) **t. chase** (o **t. race**), caccia (o lotta) per il titolo □ **t. page**, frontespizio □ (*TV*) **t. shots**, fotogrammi dei titoli di testa □ (*leg.*) **t. to sue**, legittimazione sostanziale attiva.

to **title** /'taɪtl/ v. t. **1** intitolare; intestare **2** denominare **3** chiamare (q.) col titolo di **4** conferire a (q.) il titolo di.

titled /'taɪtld/ a. titolato; nobile: **a t. family**, una famiglia titolata.

titleholder /'taɪtlhəʊldə(r)/ n. **1** titolare **2** (*sport*) detentore (o detentrice) del titolo; campione, campionessa in carica.

titling ① /'tɪtlɪŋ/ → **titlark**.

titling ② /'taɪtlɪŋ/ n. **UC 1** (*tipogr.*) impressione del titolo sulla costa del libro (*in lettere d'oro, ecc.*) **2** (*cinem.*) titolazione **3** (*cinem.*) titoli (*collett.*)

titmouse /'tɪtmaʊs/ n. (pl. **titmice**) (*zool.*, *Parus*) cincia (*in genere*); cinciallegra.

Titoism /'tiːtəʊɪzəm/ n. (*polit.*, *stor.*) titismo ‖ **Titoist** n. e a. titoista.

titrant /'taɪtrənt/ n. (*chim.*) titolante.

to **titrate** /taɪ'treɪt/ (*chim.*) v. t. titolare; determinare il titolo di (*un composto*) ‖ **titration** n. **U** titolazione.

titre, (*USA*) **titer** /'taɪtə(r)/ n. (*chim.*) titolo.

titter /'tɪtə(r)/ n. risolino sciocco; riso soffocato.

to **titter** /'tɪtə(r)/ v. i. ridacchiare; ridere scioccamente: *'They all looked at Blackthorne and tittered behind their hands and left'* J. CLAVELL, 'tutti guardarono Blackthorne, si coprirono la bocca con la mano ridacchiando, e se ne andarono'.

to **tittivate** /'tɪtɪveɪt/ e deriv. (*arc.*) → **to titivate**, e deriv.

tittle /'tɪtl/ n. **1** puntino; trattino; segno d'interpunzione **2** (*fig. raro*) pezzetto; pez-

zettino; briciolo; ette: **not one jot or t.**, non un ette; non uno iota; un bel niente (*fam.*).

tittlebat /'tɪtlbæt/ n. (*zool.*, *dial.*) → **stickleback**.

tittle-tattle /'tɪtltætl/ n. **U** chiacchiere; ciarle; pettegolezzi.

to **tittle-tattle** /'tɪtltætl/ v. i. chiacchierare; ciarlare; pettegolare.

to **tittup** /'tɪtəp/ v. i. saltellare; ruzzare; scherzare; far capriole.

titty /'tɪti/ → **tit** ③.

titubation /tɪtjuˈbeɪʃn/ n. **U 1** (*raro*) vacillamento **2** (*med.*) titubazione.

titular /'tɪtjʊlə(r)/ **A** a. **1** che ha solo il titolo di; nominale; titolare: *He is the t. head of the firm, but all decisions are taken by his son*, è a capo della ditta solo di nome, chi decide tutto è il figlio; **t. sovereignty**, sovranità nominale; **t. bishop**, vescovo titolare **2** (*leg.*) posseduto in virtù di un titolo: **t. possessions**, proprietà possedute in virtù d'un titolo **3** (*di personaggio o cosa*) che dà il il titolo a un romanzo, un film, ecc.: **the t. role in a play**, la parte del personaggio che dà il titolo al dramma **B** n. **1** detentore, detentrice di un titolo; titolare **2** personaggio o cosa a cui è intitolato qc. ● **❷ FALSI AMICI** • titular *non significa* titolare *nel senso di proprietario o in senso sportivo.*

titularly /'tɪtjʊlə(r)li/ avv. **1** titolarmente **2** (*leg.*) in virtù di un titolo.

Titus /'taɪtəs/ n. Tito.

tizz /tɪz/ → **tizzy**.

tizzy /'tɪzi/ n. (solo sing.) (*fam.*) eccitazione; confusione; nervosismo ● **to be in a t.**, essere nervoso (o agitato).

TKO sigla (*boxe*, **technical knock out**) KO tecnico.

TLK2UL8R sigla (*Internet*, *telef.*, **talk to you later**) ci sentiamo più tardi.

TM sigla (**trademark**) marchio registrato.

tmesis /'tmiːsɪs/ n. (*ling.*) tmesi.

TN abbr. (*USA*, **Tennessee**) Tennessee.

TNT /tiːɛn'tiː/ n. (acronimo di **trinitrotoluene**) trinitrotoluene; tritolo.

♦**to** ① /tuː, tə/ prep. **1** (compl. di termine, moto a luogo, direzione, durata, ecc.) a; in; verso; per; fino a, sino a: *Give the book to him, not to her*, da' il libro a lui, non a lei!; *He went to Oxford*, andò a Oxford; *Welcome to Nevada*, benvenuto nel Nevada; *Let's go to school*, andiamo a scuola!; **the road to Rome**, la strada per Roma; *The car swerved to the right*, l'auto voltò a destra; **to the south**, verso sud; **to pay one's debt to society**, pagare il proprio debito verso la società; **from beginning to end**, dal principio alla fine; **to this day**, fino ad oggi; **to fall to work**, mettersi a lavorare; **unkind to them**, scortese verso di loro; *It's a quarter to ten*, manca un quarto alle dieci; sono le nove e tre quarti; **from four to six (o'clock)**, dalle quattro alle sei; **tied to a post**, legato a un palo; **wet to the skin**, bagnato fino all'osso **2** (compl. di tempo) da... a: *Monday to Friday*, da lunedì a venerdì (*compreso o escluso*) **3** (compl. di moto a luogo) in: *They went to France*, andarono in Francia; **to go to church (to town)**, andare in chiesa [in città] **4** (*per esprimere confronto, relazione, preferenza, ecc.*) a; in confronto a; a paragone di; su; contro: **inferior [superior] to**, inferiore [superiore] a; (*mat.*) *A is to B as C is to D*, A sta a B come C sta a D; *The chances are ten to one*, le probabilità sono dieci a una; c'è una probabilità su dieci; **to meet face to face**, incontrarsi faccia a faccia; *I prefer these books to those*, preferisco questi libri a quelli; *Two to one is not fair play*, due contro uno non è leale **5** (*per esprimere accordo, gradimento, adattamento, ecc.*) per; di; in; adatto a: *That's not to my liking*, ciò non è

di mio gradimento; **words set to music**, parole messe in musica **6** per; in favore di: (*calcio*) **a corner to Liverpool**, un calcio d'angolo per il Liverpool; (*tennis*) *He lost the first set to Davenport*, perse il primo set in favore di Davenport **7** contro; con: *We suffered a defeat at home to France*, subimmo una sconfitta in casa con la Francia **8** rispetto a; in confronto con: *These hitches are nothing to the real difficulties that might occur*, questi contrattempi non sono nulla rispetto alle vere difficoltà che potrebbero presentarsi ● **to and fro**, (avv.) avanti e indietro; su e giù □ **to-and-fro**, (agg.) (che va) avanti e indietro, (che va) su e giù; (sost.) va e vieni, andirivieni; viavai □ **to-ing and fro-ing**, andirivieni; viavai; (*per estens.*) indecisione □ **to boot**, per giunta; per soprammercato □ **to the last man**, fino all'ultimo uomo □ (*sui cartelli stradali*) **to London**, per Londra □ **to measure**, su misura □ **to my cost**, a mie spese □ **to my knowledge**, a quanto ne so io; per quello che mi consta □ **to my mind**, a mio avviso □ **to my surprise**, con mia sorpresa □ **to wit**, cioè; cioè a dire □ **to come to sb.'s help**, accorrere in aiuto di q. □ **to do one's duty to sb.**, fare il proprio dovere verso q. □ (*fam.*) **a field planted to corn**, un campo piantato a grano □ **to help oneself to st.**, servirsi di qc. (*cibo o bevanda*) □ **to listen to sb.** [st.], ascoltare q. [qc.] □ **to point to sb.** [st.], additare q. [qc.]; segnare a dito q. [qc.] □ **to sing to one's guitar**, cantare accompagnandosi con la chitarra □ *I told him to his face*, glielo dissi in faccia □ *What's that to you?*, che te ne importa? □ *That's all there is to it*, questo è tutto (in proposito); tutto qui! □ **Here's to you!**, salute! (*brindisi*) **❶ NOTA: into o in to? → into, ❶ NOTA: onto o on to? → onto.**

♦**to** ② /tuː, tə/ particella preposta all'inf. dei verbi **1** (idiom.) **to be or not to be**, essere o non essere; **You ought to work harder**, dovresti lavorare di più; **He would like to leave**, gli piacerebbe partire; **I prefer to stay**, preferisco rimanere **2** di, da; per; a: *I told them to wait*, dissi loro d'aspettare; *The boy pretended to be asleep*, il ragazzo fingeva d'essere addormentato; *I have lots of things to do*, ho moltissime cose da fare; *He said that to test you*, l'ha detto per metterti alla prova; *There's nothing to see*, non c'è niente da vedere; *It's easy to understand*, è facile da capire (o a capirsi); *At last they came to see they were wrong*, alla fine giunsero a capire d'aver torto **❶ NOTA: per → per** (*sezione italiana*) **3** (idiom., in sostituzione di un inf. sottinteso, per es.:) *I had no time to*, me ne mancò il tempo (*d'andare, di fare qc., ecc.*); *But you promised to*, ma avevi promesso!; *Would you like to?*, ti piacerebbe?

to ③ /tuː/ avv. (dopo alcuni verbi, col significato di a posto, accostato, chiuso, vicino a; in sé, conscio, consapevole; per es.:) (*naut.*) **to lie to**, essere alla cappa; *The door snapped to*, la porta si chiuse di colpo; *It took him some time to come to*, gli ci volle del tempo a riprendere i sensi.

toad /təʊd/ n. **1** (*zool.*, *Bufo*) rospo **2** (*fig.*) individuo disgustoso, odioso, ripugnante ● **t.-eater**, adulatore; leccapiedi □ **t.-eating** (agg.) adulatorio; servile; (sost.) adulazione (servile); servilismo □ (*cucina*, *spec. ingl.*) **t.-in-the-hole**, salsiccia cotta nella pastella (*uova, latte e farina*) □ (*zool.*) **yellow-bellied t.** → **yellow-bellied** □ **toadish** a. di (o da) rospo.

toadfish /'təʊdfɪʃ/ n. (*zool.*) rana pescatrice **2** **UC** (*cucina*) coda di rospo (*fam.*).

toadflax /'təʊdflæks/ n. (*bot.*, *Linaria vulgaris*) linaria.

toadstone /'təʊdstəʊn/ n. **U** (*geol.*) batrachite (*roccia vulcanica*).

toadstool /'təʊdstuːl/ n. **1** (*bot.*) fungo a

ombrello **2** (*slang*) fungo velenoso.

toady /'təʊdɪ/ n. (*spreg.*) adulatore; lecca-piedi.

to **toady** /'təʊdɪ/ v. t. e i. adulare servil-mente; leccare i piedi a (q.).

toadyish /'təʊdɪɪʃ/ a. adulatorio; servile.

toadyism /'təʊdɪɪzəm/ n. ⓤ adulazione (servile); servilismo.

◆**toast**① /təʊst/ Ⓐ n. ⓤ toast; pane tostato; tostino; crostino; pane abbrustolito; tosto (*raro*): **anchovies on t.**, crostini d'acciughe Ⓑ a. pred. (*USA*) **1** fregato; fottuto (*volg.*); spacciato; finito: (*fam.*) **You're toast**, sei fregato; sei fottuto **2** eccellente; grandioso; fantastico ● **t. bread**, pane per i toast, pane in cassetta □ (*fam.*) **t. rack**, porta-tosti; portacrostini; (*fig.*) autobus (*o* tram) a sedili lunghi, aperto ai fianchi □ **to be as warm as t.**, avere un gran caldo □ (*slang raro*) **to have sb. on t.**, avere q. in pugno.

toast② /təʊst/ n. **1** brindisi: **to propose** (*o* **to drink**) **a t. to sb.**, fare un brindisi a q. **2** – **the t.**, la persona in onore della quale si brinda; il festeggiato ● (*antiq.*) **She was the t. of the town in her day**, ai suoi tempi era molto festeggiata (*o* ammirata).

to **toast**① /təʊst/ Ⓐ v. t. **1** tostare; torrefare; abbrustolire **2** (*fig.*) riscaldare; scaldare: **to t. one's feet by the fire**, scaldarsi i piedi al fuoco Ⓑ v. i. **1** tostarsi; abbrustolirsi **2** (*fig.*) abbrustolirsi; scaldarsi: *The bathers toasted in the sun*, i bagnanti s'abbrustolivano al sole ● (*fig.*) **to t. oneself**, abbrustolirsi; scaldarsi: *I like to t. myself in front of the fire*, mi piace abbrustolirmi davanti al fuoco □ (*cucina*) **toasting fork**, forchettone per abbrustolire il pane.

to **toast**② /təʊst/ Ⓐ v. t. fare un brindisi a (q.); bere alla salute di (q.) Ⓑ v. i. fare un brindisi; brindare.

toasted /'təʊstɪd/ a. **1** tostato: **lightly t.**, leggermente tostato **2** (*slang*) ubriaco; sbronzo **3** (*slang*) fatto (*di droga*); intrippato (*pop.*).

toaster① /'təʊstə(r)/ n. **1** chi tosta **2** tostapane: **electric t.**, tostapane elettrico **3** (*cucina*) tostino.

toaster② /'təʊstə(r)/ n. chi brinda; chi fa un brindisi.

toastie /'təʊstɪ/ n. (pl. **toasties**) (*fam.*, *GB*) toast.

toastmaster /'təʊstmɑːstə(r), *USA* -æs-/ n. chi annuncia (o chi fa) un brindisi ● (*in GB*) **professional t.**, annunciatore di brindisi (*per mestiere*).

toasty /'təʊstɪ/ Ⓐ n. → **toastie** Ⓑ a. (*fam.*) caldo.

tobacco /tə'bækəʊ/ n. ⓤⓒ (pl. **tobaccos**, **tobaccoes**) **1** tabacco: **mild t.**, tabacco dolce **2** (*bot.*, *Nicotiana tabacum*) tabacco ● **t. grower**, tabacchicoltore □ **t. growing**, tabacchicoltura □ (*med.*) **t. heart**, cardioneurosi da nicotinismo □ **t. pipe**, pipa □ **t. pouch**, borsa del tabacco □ **t. stopper**, pressatabacco (*per pipa*).

tobacconist /tə'bækənɪst/ n. tabaccaio ● **t.'s shop**, tabaccheria □ **t.'s supplies**, articoli per fumatori.

to-be /tə'biː/ Ⓐ n. – (*fam.*) **the to-be**, il futuro Ⓑ a. (usato nei composti come suffisso) futuro: **the bride-to-be**, la futura sposa.

Tobiah /tə'baɪə/, **Tobias** /tə'baɪəs/ n. Tobia.

toboggan /tə'bɒgən/ n. (*sport*) toboga; slitta canadese ● **t. slide** (*o* **t. shoot**), pista per toboga.

to **toboggan** /tə'bɒgən/ (*sport*) v. i. andare in toboga ‖ **tobogganer**, **tobogganist** n. chi va in toboga ‖ **tobogganing** n. ⓤ (lo) sport del toboga.

toby /'təʊbɪ/ n. **1** (= **t. jug**) tazza di terracotta a forma di un ometto con un tricorno

in testa **2** (*slang*) sigaro lungo, di poco prezzo.

Toby /'təʊbɪ/ n. dim. di **Tobiah** e di **Tobias**.

TOC sigla (*comput.*, **table of contents**) indice dei contenuti; tabella contenuti.

toccata /tə'kɑːtə/ (*ital.*) n. (*mus.*) toccata.

tocopherol /tɒ'kɒfərɒl/ n. (*biol.*) tocoferolo; vitamina E.

tocsin /'tɒksɪn/ n. **1** (*un tempo*) campana a martello **2** (*in genere*) segnale d'allarme ● (*di campana*) **to ring the t.**, suonare a martello.

tod /tɒd/ n. (*slang*, nella loc.) – **on one's tod**, da sé; da solo.

◆**today** /tə'deɪ/ avv. e n. ⓤ oggi; oggidì; oggigiorno: *What day of the week* [*of the month*] *is it t.?*, che giorno è [quanti ne abbiamo] oggi?; *T. is Friday*, oggi è venerdì; **today's America** (*o* **the America of today**), l'America di oggi ● **t.'s newspaper**, il giornale di oggi □ **t. week** (*o* **a week today**), tra una settimana.

toddle /'tɒdl/ n. **1** ⓤⓒ andatura vacillante **2** (*fam.*) passeggiatina.

to **toddle** /'tɒdl/ v. i. **1** (*anche*, v. t., **to t. one's way**) sgambettare; trotterellare; camminare a passi incerti **2** (*fam.*) andare senza fretta; passeggiare; fare una passeggiatina; far due passi ● **to t. in**, entrare (senza fretta): *After a bit of window-shopping, she chose a shop and toddled in*, dopo aver guardato un po' le vetrine, scelse un negozio e vi entrò □ **to t. off** (*o* **to t. along**, **to t. away**), andarsene trotterellando; (*fam.*) andarsene □ (*fam.*) **to t. over to sb.**, andare da (*o* a trovare) q.

toddler /'tɒdlə(r)/ n. bambino (*o* bambina) ai primi passi.

toddy /'tɒdɪ/ n. **1** (*India*) toddy; vino di palma **2** grog; ponce.

todger /'tɒdʒə(r)/ n. (*slang ingl. scherz.*) pene; affare (*fam.*); uccello (*fam.*).

to-do /tə'duː/ n. (pl. **to-dos**) (*fam.*) confusione; agitazione; baccano; chiasso; rumore; scompiglio; scalpore; trambusto.

tody /'təʊdɪ/ n. (*zool.*, *Todus*) todo.

◆**toe** /təʊ/ n. **1** dito del piede **2** (*di scarpa*, *calza*, *ecc.*) punta; puntale **3** (*di cavallo*) parte anteriore dello zoccolo **4** (*mecc.*) perno; pernio **5** (*golf*) punta (*della testa della mazza*) **6** (*costr. idrauliche*) piede (*di una diga*) **7** (*geol.*) piede (*di falda di scorrimento*) **8** (*archit.*) imbasamento; zoccolo ● (*autom.*, *sport*) **toe and heel**, (manovra di) tacco e punta □ (*sport*) **toe binding**, attacco di sci da fondo □ (*atletica*) **toe-board**, pedana (*di stacco: nei salti*) □ (*di scarpa*) **toe cap**, mascherina □ (*di bicicletta*) **toe clip**, fermapiedi (*in quelle da corsa, non più in uso*) □ (*fig.*) **toe-curling**, imbarazzante (*in modo nauseante*) □ (*pattinaggio artistico*) **toe dance**, ballo sulle punte (dei piedi) □ (*autom.*, *mecc.*) **toe-in**, convergenza □ (*autom.*, *mecc.*) **toe-out**, divergenza □ (*sport*) **toe pick**, punta dentellata (*del pattino*) □ **toe piece**, (*sci*) puntale di sicurezza (*dell'attacco*) □ (*sci nautico*) avampiede (*dello sci*) □ (*calcio*) **toe poke** (*o* **toe punt**), calcio di punta; puntata □ **toe rake** = **toe pick** → *sopra* □ (*pattinaggio*) **toe stop**, freno (*del pattino a rotelle*) □ **toe strap**, (*ciclismo*) cinghia del fermapiede; (*sci nautico*) cinghia per il piede; (*naut.*) staffa □ **from top** (*o* **head**) **to toe**, da capo a piedi; da cima a fondo □ **toe to toe**, a distanza ravvicinata; (*mil.*) in uno scontro diretto □ (*fam.*) **to be on one's toes**, essere pronto a intervenire; stare in campana (*fig. fam.*); essere sveglio; essere in gamba □ (*anche fig.*) **to step** (*o* **to tread**) **on sb.'s toes**, pestare i piedi a q. □ (*slang*) **to turn up one's toes**, tirare le cuoia; morire.

to **toe** /təʊ/ v. t. **1** fare la punta a; fornire di punta; rifare la punta di: *She toed the stockings*, rifece le punte delle calze **2** toccare (*con la punta dei piedi*): *The runners toed the starting line*, i corridori si disposero sulla linea di partenza **3** (*falegn.*) piantare (*un chiodo*) di traverso **4** (*golf*) colpire (*la palla*) con la punta della testa della mazza ● **to toe in**, stare (*o* camminare) coi piedi volti in dentro □ (*fig.*) **to toe the line**, rigare diritto; essere ligio, obbediente, sottomesso (*agli ordini di un partito, ecc.*) □ **to toe out**, stare (*o* camminare) coi piedi volti in fuori.

to **toe-dance** /'təʊdɑːns/ v. i. danzare sulle punte.

toehold /'təʊhəʊld/ n. **1** (*piccolo*) punto d'appoggio (*anche fig.*) **2** (*alpinismo*) appiglio per il piede **3** (*lotta libera*) presa di piede con torsione.

toeless /'təʊləs/ a. **1** senza dita dei piedi **2** (*di calza o di scarpa*) privo di punta.

toenail /'təʊneɪl/ n. **1** unghia del piede **2** (*falegn.*) chiodo piantato di traverso.

toeplate /'təʊpleɪt/ n. (*sport*) staffa di sci da fondo.

TOF sigla (*fis.*, **time of flight**) tempo di volo.

toff /tɒf/ n. (*slang antiq.*) **1** riccone; signore **2** elegantone.

toffee /'tɒfɪ/ n. **1** caramella morbida; caramelle mou; mou **2** (*ingl. sett.*) dolce (*in genere*) ● **t. apple**, mela caramellata, infilzata su un bastoncino □ **almond t.**, croccante □ (*fam.*) **He can't sing for t.**, come cantante non vale una cicca.

toffee-nosed /'tɒfɪnəʊzd/ a. (*fam.*) borioso; spocchioso; che si dà delle arie; che ha la puzza sotto il naso.

toffish /'tɒfɪʃ/ a. (*slang*) **1** ricco; benestante **2** elegante; distinto.

toffy /'tɒfɪ/ n. → **toffee**.

tog /tɒg/ n. **1** (*slang antiq.*) giacca **2** (pl.) (*fam.*) abiti; vestiti; tenuta: **tennis togs**, tenuta da tennis ● (*gergo naut.*) **long togs**, abiti borghesi □ (*equit.*) **riding togs**, costume da cavallerizzo.

to **tog** /tɒg/ (*fam.*) Ⓐ v. i. vestirsi; abbigliarsi; agghindarsi; mettersi in ghingheri Ⓑ v. t. vestire; abbigliare; agghindare ● **to tog oneself up** (*o* **out**), vestirsi; abbigliarsi; agghindarsi; mettersi in ghingheri.

toga /'təʊgə/ (*lat.*) n. (pl. **togae**, **togas**) (*stor.*) toga.

◆**together** /tə'geðə(r)/ Ⓐ avv. **1** insieme; assieme; unitamente: *Let's go for a swim t., shall we?*, andiamo a fare una nuotata insieme, vuoi?; *Sew them t.*, cuciti insieme!; *We eat t. when we can*, mangiamo insieme quando possiamo **2** contemporaneamente; a un tempo; insieme: *The two events happened t.*, i due fatti accaddero contemporaneamente **3** continuamente; di seguito; senza interruzione: **for weeks t.**, per settimane di seguito **4** (*anche leg.*) congiuntamente; solidalmente Ⓑ a. **1** (*fam.*) ben fatto; bene ordinato; bene organizzato; a puntino (*fam.*) **2** (*pop.*) calmo; sicuro di sé; deciso ● **t. with**, insieme con (*o* a) □ **to call t.**, convocare; adunare insieme □ **to gather t.**, raccogliere; radunare □ (*fam.*) **to get things t.**, organizzare tutto □ **to keep the family t.**, tenere unita la famiglia □ **to live t.**, convivere □ **to stand or fall t.**, essere solidali sino in fondo.

togetherness /tə'geðənəs/ n. ⓤ spirito di solidarietà; fratellanza; compattezza; unione.

toggery /'tɒgərɪ/ n. ⓤ (*fam.*) **1** abiti; vestiti; vestiario **2** negozio d'abbigliamento.

toggle /'tɒgl/ n. **1** bottone di legno a oliva (*per alamaro*) **2** (*mecc.*) ginocchiera: **t. joint**, giunto a ginocchiera; **t. press**, pressa

a ginocchiera **3** (*naut.*) caviglia; cavigliotto; coccinello **4** (pl.) – **toggles**, (*equit.*) giocattolo (*del filetto*) ● (*mecc.*) **t. bolt**, tassello ad alette a espansione □ **t. iron**, arpione a punta articolata □ (*mecc.*) **t. link**, trasmissione articolata (*o a ginocchiera*) □ (*elettr.*) **t. switch**, interruttore a levetta (*o a bascula*).

to **toggle** /tɒgl/ v. t. **1** provvedere di olivette **2** allacciare le olivette di (*un abito*) **3** (*comput.*) attivare/disattivare (*cambiare lo stato di funzionamento di*).

toil /tɔɪl/ n. ▣ **1** duro lavoro; lavoro pesante; tribolazione **2** fatica; grosso sforzo ● **t.-worn**, logorato dalla fatica; esausto; stanco morto.

to **toil** /tɔɪl/ v. i. affaticarsi; faticare; affannarsi; sudare sette camicie; tribolare; sgobbare; sfacchinare: to **t. at a task**, sudare sette camicie (*per assolvere un compito*) ● to **t. along**, procedere faticosamente; arrancare □ to **t. up a hill**, arrancare su per una salita □ to **t. one's way**, farsi strada a fatica; camminare a stento.

toile /twɑːl/ (*franc.*) n. tela trasparente (*di cotone o lino*).

♦**toilet** /ˈtɔɪlət/ n. **1** ▣ (*antiq.*) toeletta; toletta: to **make one's t.**, far toeletta; to **spend an hour on one's t.**, impiegare un'ora a far toeletta **2** gabinetto (*di decenza*); ritirata; toilette (*franc.*); cesso: to **go to the t.**, andare al gabinetto **3** ▣ (*med.*) pulizia e medicazione (*delle ferite*) **4** (*slang ingl.*) posto disgustoso (*o ripugnante*); cesso (*fig.*); postaccio ● **t. bag**, astuccio (*o borsello*) da toilette □ **t. bowl**, tazza; vaso del water □ **t. case**, nécessaire da toeletta □ (*edil.*) **t. cubicle**, bagnetto incassato (*in una camera*) □ **t. paper**, carta igienica □ (*un tempo*) **t. powder**, talco □ **t. preparations**, articoli da toeletta □ **t. roll**, rotolo di carta igienica □ **t. seat**, sedile del water □ **t.-set**, servizio da toeletta □ **t. soap**, sapone da toeletta □ **t. table**, toeletta, toletta (*il mobile*) □ **t. tissue**, → **t. paper** □ **t. training**, insegnare a (*un bambino*) a usare il water □ **t. water**, acqua di colonia, di lavanda, ecc.

toiletries /ˈtɔɪlətrɪz/ n. pl. articoli da toeletta; cosmetici; toiletteria.

to **toilet-train** /ˈtɔɪləttreɪn/ v. t. insegnare a (*un bambino*) a usare il water.

toilsome /ˈtɔɪlsəm/ a. faticoso; laborioso; penoso.

Tokay /təʊˈkeɪ/ n. tocai (*il vino e l'uva*).

toke ① /təʊk/ n. (*slang*) cibo; (*spec.*) pane asciutto, secco.

toke ② /təʊk/ n. (*slang*) boccata (*spec. di sigaretta alla marijuana*); tiro di spinello.

to **toke** /təʊk/ v. t. e i. (*slang*) fumare; fare un tiro (*spec. di spinello*).

token /ˈtəʊkən/ Ⓐ n. **1** pegno; segno; simbolo; prova: *He gave her a ring as a t. of his love*, le diede un anello in pegno del suo amore; **in t. of**, in segno di; come simbolo di **2** ricordo; memento **3** contrassegno; contromarca; gettone **4** (*market., ingl.*) buono d'acquisto; buono: **a book t.**, un buono libri **5** gettone **6** (*comput.*) token; segnale Ⓑ a. attr. **1** pro forma; simbolico; nominale: **t. payment**, pagamento simbolico; (*econ.*) **t. strike**, sciopero dimostrativo **2** (*spreg.*) fatto pro forma; di pura facciata: **a t. gesture of solidarity**, un gesto di solidarietà di pura facciata; **t. resistance**, resistenza pro forma (*fatta per salvare la faccia*) **3** scelto come rappresentante di una minoranza o di un gruppo sottorappresentato (*in nome del «tokenism»*): *She is the t. woman on the board*, è nel consiglio di amministrazione solo perché così possono dire che ci sono anche delle donne ● (*fin.*) **t. money**, moneta fiduciaria, moneta-segno; moneta debole (*con valore intrinseco inferiore a quello nominale*) □ (*comput.*) **t. ring network**, rete 'token ring' □ **by**

the same t., per lo stesso motivo; allo stesso modo; analogamente.

tokenism /ˈtəʊkənɪzəm/ n. ▣ (*spreg.*) pratica di fare concessioni formali a minoranze o a gruppi sottorappresentati (*per dare l'impressione di equità e rispetto delle pari opportunità*); gesto di concessione.

told /təʊld/ pass. e p. p. di **to tell**.

Toledo /təˈleɪdəʊ/ n. **1** (*geogr.*) Toledo **2** – t., lama (*o spada*) di Toledo ‖ **Toledan** a. e n. toledano.

tolerable /ˈtɒlərəbl/ a. **1** tollerabile; sopportabile **2** passabile; discreto ‖ **tolerability** n. ▣ tollerabilità ‖ **tolerably** avv. abbastanza; passabilmente; discretamente: *I'm feeling tolerably well*, sto abbastanza bene (*o benino*).

tolerance /ˈtɒlərəns/ n. **1** ▣ tolleranza; indulgenza: **to show some t.**, dimostrare un po' di tolleranza; **religious t.**, tolleranza religiosa **2** ▣▣ (*fisiol., med.*) tolleranza; livello di tolleranza: **t. to heat**, tolleranza per il caldo; **different tolerances**, diversi livelli di tolleranza; **t. dose**, dose di tolleranza (*di radiazioni, ecc.*) **3** (*mecc.*) tolleranza ● **t. zone**, zona (*o area*) di tolleranza.

tolerant /ˈtɒlərənt/ a. tollerante; indulgente | **-ly** avv.

to **tolerate** /ˈtɒləreɪt/ v. t. tollerare; sopportare; indulgere a.

toleration /tɒləˈreɪʃn/ n. ▣ tolleranza; indulgenza: **religious t.**, tolleranza religiosa ● (*stor.*) **the Act of T.**, la Legge sulla Tolleranza (*a favore dei dissenzienti in materia religiosa; in GB, nel 1689*).

tolerator /ˈtɒləreɪtə(r)/ n. chi tollera; persona tollerante.

toll ① /təʊl/ n. **1** pedaggio **2** (*fisc.*) balzello; gabella; dazio; imposta **3** (*USA*) tariffa interurbana (*del telefono*) **4** (*stor.*) molenda; tributo molitorio **5** (*fig.*) costo, perdita (*di vite umane, ecc.*); tributo (*fig.*): **the human t.**, la perdita di vite umane ● **t. bar**, barriera di pedaggio □ **t. bridge**, ponte (soggetto) a pedaggio □ (*spec. USA*) **t. call**, telefonata interurbana □ **t. collector**, esattore (*di dazi, imposte, ecc.*) □ **t.-free**, (*autom., trasp.*: *di un ponte, un'autostrada, un tunnel*) esente da pedaggio; (*fisc.*) esente da dazio; (*comput.*) gratuito; (*USA: di telefonata*) gratuita; (*anche*) a carico del destinatario □ (*telef.*) **t.-free number**, numero verde □ (*stor.*) **t. gatherer**, gabelliere □ **t.-line**, linea interurbana □ **t. road**, strada a pedaggio □ (*leg.*) **t. through**, pedaggio municipale (*per attraversare un ponte, ecc.*) □ (*leg.*) **t. traverse**, pedaggio per attraversare un terreno (*un ponte, ecc.*) di proprietà privata □ (*autom.*) **t. tunnel**, tunnel a pedaggio □ **to take t. of**, esigere un tributo da; (*fig.*) costare, portar via: *The accident took a heavy t. of lives*, l'incidente costò la vita a molte persone □ **the weekend death t. on the roads**, gl'incidenti mortali del traffico di fine settimana.

toll ② /təʊl/ n. (solo al sing.) rintocco (*spec. di campana che suona a morto*).

to **toll** ① /təʊl/ Ⓐ v. i. esigere un tributo; far pagare un pedaggio Ⓑ v. t. **1** esigere un tributo da (q.); far pagare un pedaggio a (q.) **2** riscuotere (qc.) come tributo (*o pedaggio*).

to **toll** ② /təʊl/ v. t. e i. suonare a rintocchi; suonare a morto; rintoccare; battere: *'Ask not for whom the bell tolls'* J. DONNE, 'non chiedere per chi suona la campana'; **to t. the hour**, suonare l'ora; **to t. sb.'s death**, suonare a morto per q. ● (*fig.*) **to t. a warning bell**, suonare il campanello d'allarme.

tollbooth /ˈtəʊlbuːθ/ n. **1** (*scozz., arc.*) prigione; carcere cittadino **2** (*un tempo*) casello del dazio **3** (*autom., USA*) casello autostradale **4** (*in GB*) → **tollgate**, def. 3.

tollgate /ˈtəʊlgeɪt/ n. **1** (*un tempo*) casello

del dazio **2** (*autom., USA*) casello autostradale **3** (*in GB*) casello di pagamento del pedaggio (*di una strada, un ponte o un tunnel*).

tollhouse /ˈtəʊlhaʊs/ n. (*stor.*) **1** casa del gabelliere **2** casello daziario.

tolling /ˈtəʊlɪŋ/ n. ▣ il suonare a rintocchi.

tollkeeper /ˈtəʊlkiːpə(r)/ n. **1** (*fisc.*) gabelliere **2** (*trasp., ferr.*) casellante; esattore di pedaggi.

tollman /ˈtəʊlmən/ n. → **tollkeeper**.

tollway /ˈtəʊlweɪ/ n. (*autom., USA*) autostrada a pedaggio (*e a lungo percorso*).

Toltec /ˈtɒltɛk/ n. tolteco ‖ **Toltecan** a. tolteco.

tolu /təˈluː/ n. ▣ tolù (*essenza estratta da un albero del Sud America*).

toluene /ˈtɒljuiːn/ n. ▣ (*chim.*) toluene; toluolo.

toluidine /təˈluːɪdiːn/ n. ▣ (*chim.*) toluidina.

toluol /ˈtɒljuɒl/ n. ▣ (*chim.*) toluolo; toluene.

Tom /tɒm/ n. **1** dim. di → **Thomas 2** – t., maschio (*di certi animali, spec. il gatto*) **3** – (*spreg. USA*) tom, nero che scimmiotta i bianchi per ingraziarseli **4** (*slang ingl.*) prostituta; cagata; cacata; gioielli; iniezione di droga; buco (*fam.*) ● (**any** o **every**) **Tom, Dick, and Harry**, Tizio, Caio e Sempronio; tutti quanti, tutti □ **Tom Thumb**, (*nelle favole*) Pollicino; (*per estens.*) nanetto, nanerottolo □ **Tom Tiddler's ground**, terra di nessuno (*dal nome di un gioco di bambini*) □ **a tom turkey**, un tacchino.

tomahawk /ˈtɒməhɔːk/ n. tomahawk; ascia di guerra (*dei pellirosse*) ● (*fig.*) **to bury the t.**, seppellire l'ascia di guerra; cessare le ostilità.

to **tomahawk** /ˈtɒməhɔːk/ v. t. **1** colpire (*o ferire, uccidere*) con il tomahawk **2** (*fig.*) criticare aspramente; stroncare.

♦**tomato** /təˈmɑːtəʊ/ n. (pl. **tomatoes**) **1** (*bot., Solanum lycopersicum*) pomodoro **2** (*slang USA*) bella ragazza ● **t. juice**, succo di pomodoro □ **t. purée**, passato di pomodoro □ (*cucina*) **t. sauce**, salsa di pomodoro □ **tinned tomatoes**, pelati in scatola.

tomb /tuːm/ n. tomba (*anche fig.*); sepolcro: *The sea was his t.*, il mare fu la sua tomba; **t. raider**, profanatore di tombe.

tombac, tombak /ˈtɒmbæk/ n. ▣ (*metall.*) tombacco.

tombless /ˈtuːmləs/ a. senza tomba; insepolto.

tombola /ˈtɒmbələ/ (*ital.*) n. ▣▣ (*spec. in GB*) tombola.

tomboy /ˈtɒmbɔɪ/ n. (*di ragazza*) maschiaccio; maschietta.

tombstone /ˈtuːmstəʊn/ n. **1** pietra tombale; lapide (*funeraria*) **2** (*fam., fin.*) annuncio (*sulla stampa*) di una nuova emissione di titoli.

tomcat /ˈtɒmkæt/ n. **1** gatto (*maschio*); micio; micione **2** (*slang*) donnaiolo; puttaniere.

tome /təʊm/ n. (*form.*) tomo; volume.

tomentum /təˈmɛntəm/ n. (pl. **tomenta**) **1** (*anat.*) rete dei piccoli vasi della pia madre **2** (*bot.*) tomento ‖ **tomentose** a. (*bot.*) tomentoso.

tomfool /ˈtɒmfuːl/ Ⓐ n. babbeo; citrullo; minchione; stupido Ⓑ a. attr. da babbeo; da citrullo; balordo; stupido: **t. ideas**, idee balorde.

to **tomfool** /ˈtɒmfuːl/ v. i. fare lo sciocco; comportarsi da minchione.

tomfoolery /ˈtɒmˈfuːlərɪ/ n. ▣ (*antiq.*) **1** buffonata; baggianata (*fam.*); minchioneria; sciocchezza; scemenza; stupidaggine **2** scherzo stupido e da villano.

Tommy /ˈtɒmɪ/ n. **1** dim. di → **Thomas 2**

(slang, antiq.; = T. **Atkins**) soldato inglese (nomignolo) **3** (mecc., = **t. bar**) spina **4** – (GB, dial.) t., pagnotta; cibo ● (gergo mil.) **T. gun**, fucile mitragliatore; mitra □ t. **shop**, spaccio di generi alimentari.

tommyrot /'tɒmɪrɒt/ n. ⓤ (fam.) sciocchezze; scempiaggini; stupidaggini; fesserie (fam.).

tomography /tə'mɒgrəfɪ/ n. ⓤⓒ (med.) tomografia.

♦**tomorrow** /tə'mɒrəʊ/ avv. e n. ⓤ domani: I'll go t., ci andrò domani; T. will be Sunday, domani è domenica ● t. **morning**, domani mattina; domattina □ **t.'s papers**, i giornali di domani □ **t.'s world**, il mondo di domani; il mondo futuro □ **t. week**, domani a otto □ **the day after t.**, dopodomani; domani l'altro.

tompion /'tɒmpɪən/ → **tampion**.

tomtit /'tɒmtɪt/ n. (zool.) **1** (Parus caeruleus) cinciarella **2** (Parus ater) cincia mora **3** (Parus atricapillus) cincia montana.

tom-tom /'tɒmtɒm/ n. **1** tamtam, tam-tam **2** (di batteria) tom tom; tom.

to **tom-tom** /'tɒmtɒm/ v. i. suonare il tam-tam.

♦**ton** /tʌn/ n. (pl. **tons**, **ton**) **1** (long ton, ingl., pari a kg 1.016 circa; short ton, USA, pari a kg 907 circa) tonnellata **2** (naut. = freight ton) tonnellata di nolo (o di noleggio) (kg 1.000 se è metrica, kg 1.016 se è imperiale) **3** (= gross ton) tonnellata inglese (pari a kg 1.016 circa) **4** (naut.. = **net** ton o **register ton**) tonnellata di stazza **5** (spesso al pl.) (fam.) gran quantità; sacco; mucchio: He's got tons of money, ha un sacco di quattrini; I had a great laugh and met tons of people too, mi sono divertito un mondo e ho anche conosciuto una marea di gente **6** (fam. ingl.) (velocità di) 100 miglia all'ora; (punteggio di) 100 e passa: (di una moto) **to do a ton**, fare 100 miglia all'ora ● (naut.) **ton burden**, portata (di una nave) in tonnellate □ (fam.) t.-**up**, (agg.) (di una moto o un motociclista) che fa più di 100 miglia all'ora; (sost.) velocità di 100 miglia all'ora; motociclista che va a 100 miglia all'ora, che va a tutta birra (fam.) ● **like a ton of bricks** → **brick**.

tonal /'təʊnl/ a. (ling., mus.) tonale; di tono; di tonalità.

tonality /tə'nælɪtɪ/ n. ⓤⓒ (mus., pitt.) tonalità.

♦**tone** /təʊn/ n. ⓤⓒ **1** (di suono, di voce umana) tono; nota: He answered in a harsh t., rispose in tono aspro; **in a t. of surprise**, con un tono sorpreso (o con tono di sorpresa); **the deep tones of the bells**, le note profonde delle campane; **to speak in a loud t.**, parlare in tono alto, ad alta voce **2** (di colore) tono; tonalità; gradazione; sfumatura: The upholstery has two tones of green, la tappezzeria ha due tonalità di verde **3** (fisiol.) tono; forze: **muscular t.**, tono muscolare; **lack of t.**, mancanza di tono; atonia **4** (fon.) accento tonico **5** (fig.) carattere; qualità; stile; tono: The t. of the letter was aggressive, il tono della lettera era aggressivo **6** (fotogr.) colore della positiva; intonazione **7** (econ., fin.) tono: **the t. of the market**, il tono del mercato **8** (telef.) segnale acustico; segnale **9** (mus.) intervallo **10** (mus., USA) nota; tonalità (cfr. ingl. **note**) □ (di giradischi) **t. arm**, braccio (o radio) □ **t. control**, comando (o regolatore) del tono □ **t. deaf**, affetto da sordità tonale □ (med.) **t. deafness**, sordità tonale □ **t. languages**, lingue tonali (cinese, giapponese, vietnamita, ecc.) □ (radio) **t. modulation**, modulazione ad audiofrequenza fissa □ (fon.) **t. poem**, poema sinfonico □ (fon.) **t. syllable**, sillaba tonica □ **to give t. to**, dar tono a; tonificare □ **The t. of the nation was very low**, il morale della na-

zione era assai depresso.

to **tone** /təʊn/ Ⓐ v. t. **1** dare il tono a (uno strumento musicale, un dipinto, ecc.) intonare **2** (fotogr.) far virare Ⓑ v. i. **1** intonarsi; armonizzare: The curtains t. well with the carpet, le tende s'intonano bene col tappeto **2** (fotogr.: di una positiva) virare **3** (dei muscoli, ecc.) tonificarsi ● **to t. down**, attenuare, sfumare, smorzare; (fig.) calmare, mitigare, raddolcire; attenuarsi, smorzarsi; (fig.) calmarsi, raddolcirsi: **to t. down a painting**, smorzare i toni di un quadro; My apologies toned down his anger, le mie scuse mitigarono la sua ira □ **to t. down one's language**, moderare i termini (o le parole) □ (spec. di colori) **to t. in**, intonarsi (bene, male, ecc.) □ **to t. up**, alzare il tono di; rinvigorire, tonificare; crescere di tono; rinvigorirsi, tonificarsi: Jogging will t. up your muscles, il footing tonificherà i tuoi muscoli.

toned /təʊnd/ a. (nei composti) dal tono; dalla tonalità: **a shrill-t. voice**, una voce dal tono stridulo; **a light-t. picture**, un quadro dalle tonalità chiare.

toneless /'təʊnləs/ a. **1** senza tono; senza tonalità; monotono; piatto; smorto: **in a t. voice**, con voce monotona **2** privo di vigore **3** privo di colore | -**ly** avv.

toneme /'təʊniːm/ n. (ling.) tonema.

toner /'təʊnə(r)/ n. **1** (cosmesi) tonico **2** (fotogr., grafica, comput.) toner: **t. cartridge**, cartuccia di toner.

tong /tɒŋ/ n. (stor.) «tong» (setta o società segreta cinese in America).

tongs /tɒŋz/ n. pl. **1** molle; mollette: **fire t.**, molle (da cucina, per il fuoco); **sugar t.**, mollette per lo zucchero **2** (mecc.) pinze; tenaglie; tenaglia: (elettr.) **fuse t.**, pinze per fusibili; **wire t.**, tenaglie per filo metallico; **blacksmith's t.**, tenaglia da fabbro ● (fig.) I would not touch him (it) with a pair of t., non lo toccherei neppure con le molle.

♦**tongue** /tʌŋ/ n. **1** (anat. e fig.) lingua: **to put out one's t.**, metter fuori la lingua (per farla vedere al medico o per dileggio); **to have a furred [dirty] t.**, avere la lingua impastata [sporca]; **ox-t.**, lingua di bue (come pietanza); **to have a long [ready, sharp] t.**, aver la lingua lunga [pronta, tagliente]; **the French t.**, la lingua francese; **one's mother t.**, la lingua materna; **tongues of flame**, lingue di fuoco; **a t. of land**, una lingua di terra **2** (anche mecc., falegn.) linguetta; aletta; flangia **3** (mus.) linguetta; ancia: **the t. of an oboe**, l'ancia di un oboe **4** (di fibbia) puntale **5** (di campana) battaglio; batacchio **6** (ferr.) ago: **switch t.**, ago di scambio **7** (di bilancia) ago **8** (di scarpa) linguetta **9** (sci) linguettone (di uno scarpone) ● (falegn.) **t.-and-groove joint**, giunzione a maschio e femmina □ (anat.) **t. bone**, ioide □ (med., USA) **t. depressor**, abbassalingua (cfr. ingl. **spatula**) □ (zool.) **t.-fish**, sogliola □ (agric.) **t. graft**, innesto a linguetta □ **t. in cheek**, in modo ironico (o scherzoso); ironicamente: **to say st. t. in cheek**, dire qc. in modo ironico (non sul serio) □ **t.-in-cheek**, ironico; scherzoso: **a t.-in-cheek comment**, un commento ironico (o ammiccante) □ (volg.) **t.-job**, bacio con la lingua; sesso orale □ **t.-lashing**, aspro rimprovero; lavata di capo (fig.) □ **t.-shaped**, linguiforme □ (med.) **t.-tie**, malformazione della lingua; anchiloglossia □ **t.-tied**, (med.) affetto da anchiloglossia; (fig.) ammutolito, muto, ridotto (o costretto) al silenzio; (anche) reticente □ **t.-twister**, scioglilingua □ (zool.) **t.-worm** (Linguatula serrata), linguatula □ (fam.) **to bite one's t. off**, mordersi la lingua (fig.) □ (fig.) **to find one's t.**, sciogliersi la lingua (impers.): He has found his t., gli si è sciolta la lingua □ (fam.) **to get one's t. round a name**, riuscire a stento a pronunciare un nome □ **to give t.**, (di perso-

na) gridare, parlare ad alta voce; (di cane da caccia) abbaiare, latrare □ **to have a glib t.**, avere lo scilinguagnolo sciolto □ **to have a smooth t.**, avere la parola facile □ **to have (o to speak with) one's t. in one's cheek**, fare dell'ironia; assecondare ironicamente l'interlocutore □ (fig.) **to have lost one's t.**, aver perso la lingua; ammutolire per la timidezza □ **to hold one's t.**, tener la lingua a freno (pop.: in bocca); tacere; star zitto □ **to keep a civil t. (in one's head)**, essere civile (o educato) nel parlare □ **to set tongues wagging**, far parlare di sé □ **slip of the t.**, lapsus □ (di un cane) **to throw t.**, abbaiare; latrare □ **to wag one's t.**, parlare a vanvera; ciarlare; cicalare □ **Hold your t.!**, silenzio!; zitti!

to **tongue** /tʌŋ/ v. t. **1** toccare con la lingua; leccare; lambire **2** (falegn.) fare una linguetta in; congiungere con un incastro a linguetta **3** (mus.) staccare (le note, suonando uno strumento a fiato) ● (di una punta di terra, ecc.) **to t. out**, protendersi.

tongued /tʌŋd/ a. **1** (nei composti) dalla lingua: **a loose-t. woman**, una donna dalla lingua sciolta **2** linguacciuto.

tongueless /'tʌŋləs/ a. **1** senza lingua **2** (fig. raro) che ha perso la lingua; ammutolito.

tonguing /'tʌŋɪŋ/ n. **1** ⓤⓒ (falegn.) incastro a linguetta **2** ⓤ (mus.) tecnica dell'uso della lingua (per staccare le note).

tonic /'tɒnɪk/ Ⓐ a. **1** tonico (anche fisiol., fon. e med.); corroborante, stimolante: (fon.) **t. accent**, accento tonico; (med.) **t. spasm**, spasmo tonico; **the t. air of the mountains**, l'aria corroborante della montagna **2** (mus.) tonico Ⓑ n. **1** (farm.) tonico; ricostituente **2** (mus.) tonica; nota tonica **3** (= **t. water**) acqua tonica; acqua brillante ● (mus.) **t. chord**, accordo naturale □ (mus.) **t. sol-fa**, solfeggio (tonico) || **tonically** avv. tonicamente.

tonicity /təʊ'nɪsətɪ/ n. ⓤ tonicità.

♦**tonight** /tə'naɪt/ avv. e n. ⓤ **1** questa sera, stasera **2** questa notte, stanotte.

toning /'təʊnɪŋ/ n. ⓤ (chim., fotogr.) viraggio.

tonite ① /'təʊnaɪt/ n. (mil.) tonite (potente esplosivo).

tonite ② /'təʊnaɪt/ avv. (fam. USA) questa sera; stasera.

to **tonk** /tɒŋk/ v. t. (slang) battere; colpire duramente; sconfiggere.

tonka bean /'tɒŋkə biːn/ loc. n. (bot., Dipteryx odorata) fava tonka.

Tonkin /'tɒŋkɪn/ n. (geogr.) Tonchino.

tonnage /'tʌnɪdʒ/ n. ⓤⓒ (naut.) **1** tonnellaggio; stazza; portata: (naut.) **gross [net] t.**, stazza lorda [netta] **2** (= **t. dues, t. duties**) diritti di tonnellaggio (o di stazza) **3** navi mercantili (d'una nazione o di un porto, nel complesso) ● (naut.) **t. admeasurement**, stazzatura □ (naut.) **t. deck**, ponte di stazza □ **t. measurer**, stazzatore □ (di una nave) **to have a t. of**, stazzare.

tonne /tʌn/ (franc.) n. tonnellata metrica.

tonneau /'tɒnəʊ/ (franc.) n. (autom.) parte posteriore della scocca.

tonner /'tʌnə(r)/ n. **1** (naut.) nave di un dato tonnellaggio: **a 20,000-t. (ship)**, una nave di 20 000 tonnellate di stazza **2** (di macchinario) che pesa un certo numero di tonnellate.

tonometer /tə'nɒmɪtə(r)/ n. (fis., med.) tonometro.

tonsil /'tɒnsl/ (anat.) n. tonsilla || **tonsillar** a. tonsillare.

tonsillectomy /ˌtɒnsə'lektəmɪ/ n. (med.) tonsillectomia.

tonsillitis /ˌtɒnsə'laɪtɪs/ n. ⓤ (med.) tonsillite.

tonsorial /tɒnˈsɔːrɪəl/ a. (*spesso scherz.*) di (*o* da) barbiere ● **a t. artist**, un figaro; un barbitonsore.

tonsure /ˈtɒnʃə(r)/ n. ▣ (*relig.*) tonsura; chierica.

to **tonsure** /ˈtɒnʃə(r)/ v. t. (*relig.*) tonsurare.

tontine /tɒnˈtiːn/ n. ▣ (*fin., stor.*) tontina, rendita vitalizia (*contratto d'associazione finanziaria escogitato dal banchiere napoletano Lorenzo Tonti nel sec. XVII*).

tonus /ˈtəʊnəs/ (*lat.*), n. ▣ **1** tono muscolare; tonicità **2** (*med.*) spasmo tonico.

tony /ˈtəʊnɪ/ a. (*USA, scherz.*) che ha stile; elegante; raffinato; di lusso: **t. suburbs**, quartieri residenziali eleganti.

Tony /ˈtəʊnɪ/ n. dim. di → **Anthony** e di → **Antoniette**.

♦**too** /tuː/ Ⓐ avv. **1** anche; pure; altresì (*lett.*): *I'd like to see it too*, vorrei vederlo anch'io; *I went there, too*, ci andai anch'io; *You too*, tu pure; *Me too*, anch'io **2** inoltre; per giunta: *There was some food, and some wine, too*, c'era roba da mangiare, e del vino, per giunta ❶ NOTA: *also* / *too* → **also 3** troppo: *It's too cold to go out*, fa troppo freddo per uscire; *It's a bit too near the bar*, è un po' troppo vicino al bancone del bar; **too early**, troppo presto; **too quickly**, troppo in fretta ❶ NOTA: *troppo* → **troppo 4** (*fam.*) molto; assai; veramente; davvero: *I'll be only too glad to meet him*, sarò molto felice d'incontrarlo (*o di fare la sua conoscenza*) za) **5** eppure; e dire che: *It snowed yesterday, and in April too*, ieri nevicò e dire che siamo in aprile **6** (*USA*) altroché; eccome: *«I won't go!» «You will too!»*, «non ci vado» «eccome se ci vai» (*o* «ci vai, eccome!») Ⓑ a. (*lett.*) delizioso; eccellente; magnifico; straordinario: *It's quite too (o too too)*, è magnifico! ● **too clever by half**, troppo furbo per i miei (*per i nostri, ecc.*) gusti □ **too many**, troppi, troppe □ **too much**, troppo: **too much money [patience]**, troppo denaro [troppa pazienza]; **to take a step too much**, fare un passo di troppo □ (*fam.*) **too--too**, affettato; smanceroso □ **all too** troppo: *The holidays were all too short*, le vacanze sono state fin troppo brevi □ **to go too far**, andare troppo oltre; esagerare □ **none too**, tutt'altro che; non molto; non troppo: *These glasses are none too clean*, questi bicchieri non sono molto puliti □ **I mean to do it too**, e lo farò (non lo dico soltanto)! □ **That's too bad!**, che peccato!; che sfortuna! □ **That was too good of him**, è stato molto gentile da parte sua □ **You've given me two too many**, me ne hai dati due di troppo (*o* in più) □ **too good to be true**, troppo bello per essere vero! □ **That's too much**, è troppo!; è una cosa insopportabile! □ (*prov.*) **You can have too much of a good thing**, il troppo stroppia.

took /tʊk/ pass. di **to take**.

♦**tool** /tuːl/ n. **1** arnese; attrezzo; strumento; utensile: **joiner's tools**, arnesi da falegname; **t. case**, cassetta degli attrezzi; *Books are a scholar's tools*, i libri sono gli strumenti di lavoro dello studioso; (*mecc.*) **roughing t.**, utensile per sbozzare **2** (*mecc.*, → **machine t.**) macchina utensile **3** (*fig.*) arnesi, ferri; (*collett.*) utensileria: **the tools of one's trade**, i ferri del mestiere **4** (pl.) (*mil.*) ordigni bellici; munizioni **5** (*fig.*) mezzo; strumento **6** (*fig.*) strumento (*del volere altrui*); fantoccio, burattino **7** (*tipogr.*) figura (*o* lettera) impressa col bulino (*sulla copertina d'un libro*) **8** (*volg.*) arnese, affare (*pop.*); pene **9** (*slang USA*) babbeo; credulone; pollo (*fig.*) **10** (*slang USA*) sgobbone; secchione **11** (*slang ingl., antiq.*) pistola ● **t. bag**, borsa degli attrezzi □ (*tecn.*) **t. bit**, utensile da taglio □ **t. dealer's (shop)**, negozio di utensili; utensileria □ (*mecc.*) **t.-dresser**, ravvivatore; ravvivamole □ **t. engineering**, progettazione della produzione industriale □ (*mecc.*) **t. extractor**, pescatore □ (*metall.*) **t. grinding**, rettifica (*o* molatura, smerigliatura) a utensili □ **t. handle**, manico di utensile □ **t. kit**, (cassetta) portautensili; (*autom.*) borsa degli attrezzi □ (*ind.*) **t.-maker**, attrezzista, utensilista; fabbricante di utensili □ **t.--making**, fabbricazione di utensili □ **t. post**, portautensili □ **t. roll**, trousse per attrezzi □ **t.-room**, attrezzeria; utensileria □ **t. shed**, capanno degli attrezzi (*da giardinaggio, ecc.*) □ **t. steel**, acciaio da utensileria □ **t.-using**, che usa attrezzi: *'Man is a t.-using animal'* T. CARLYLE, 'l'uomo è un animale che usa attrezzi' □ (*fig.*) **to down tools**, incrociare le braccia; scioperare; (*anche*) staccare: *We down tools at eleven for a cuppa*, stacchiamo alle undici per il tè □ (*fig.*) **to make a t. of sb.**, servirsi di q. per i propri scopi.

to **tool** /tuːl/ v. t. e i. **1** formare (*o* lavorare) con un attrezzo **2** lavorare (*la pietra*) con lo scalpello; martellinare **3** (*anche* **to t. up**) provvedere (*una fabbrica, ecc.*) di attrezzi; attrezzare per la produzione di serie **4** (*tipogr.*) decorare (*una rilegatura*) **5** (*fam.*) condurre, guidare (*un veicolo*); trasportare, scarrozzare (*persone*) **6** (*fam.*, *spesso* **to t. along**) andare in auto (*o* altro veicolo) a piccola velocità (*spec. per diporto*) **7** (*slang ingl.*) aggredire (*q.*) con un rasoio ● **to t. around**, gironzolare; girellare; ciondolare □ (*ind.*) **to t. up**, attrezzare una (*o* la) fabbrica.

toolbar /ˈtuːlbɑː(r)/ n. (*comput.*) barra degli strumenti.

toolbox /ˈtuːlbɒks/ n. (cassetta) portautensili; comparto (*o* vano) per gli attrezzi.

tooled up /ˈtuːldʌp/ a. (*slang ingl.*) armato; con un'arma.

tooler /ˈtuːlə(r)/ n. **1** chi lavora con un utensile, ecc. (→ **to tool**) **2** (*tipogr.*) decoratore **3** (*edil.*) scalpello a punta larga (*per lavorare la pietra*) **4** (*operaio*) martellinatore.

toolholder /ˈtuːlhəʊldə(r)/ n. (*mecc.*) portautensili.

tooling /ˈtuːlɪŋ/ n. ▣ **1** (*mecc.*) lavorazione con utensili **2** utensileria; complesso di utensili; allestimento attrezzistico, attrezzatura (*d'una fabbrica*) **3** (*edil.*) martellinatura (*della pietra*) **4** (*arte*) intaglio **5** (*tipogr.*) decorazione; ornamentazione: **blind t.**, ornamentazione semplice (*non in lettere d'oro*).

toolset /ˈtuːlset/ n. (*comput.*) toolset (*insieme di strumenti software*).

toon /tuːn/ abbr. (*fam.*, **cartoon**) cartone animato.

toot /tuːt/ n. **1** suono di corno (*o* di tromba, di clacson, ecc.) **2** (*slang*) droga da sniffare **3** (*slang*) sniffata **4** (*slang USA*) serie di bevute; giro dei bar; bisboccia **5** (*Austral.*) gabinetto.

to **toot** /tuːt/ Ⓐ v. t. suonare (*il corno, la tromba, il clacson, ecc.*) Ⓑ v. i. **1** suonare il corno (*o* la tromba, il clacson, ecc.) **2** (*del corno, ecc.*) suonare **3** (*volg.*) scoreggiare ● (*fam. USA*) **to t. one's horn**, battersi la grancassa da soli (*fig.*).

♦**tooth** /tuːθ/ n. (pl. **teeth**) **1** (*anat., mecc., ecc.*) dente: **a decayed t.**, un dente guasto; **false** (*o* **artificial**) **teeth**, denti falsi; **the teeth of a gear wheel [of a saw, a rake, a comb]**, i denti di una ruota dentata [di una sega, un rastrello, un pettine] **2** (*tecn.*) grana (*di carta e sim.*) **3** (pl.) (*fig.*) forza; potere: **to have the necessary teeth to deal with terrorism**, avere la forza e gli strumenti necessari per affrontare il terrorismo ● (*fig.*) **t. and nail**, con le unghie e coi denti; accanitamente □ (*d'uccello*) **t.-billed**, dal becco dentellato □ (*edil.*) **t.-chisel**, gradina □ (*med.*) **t. decay**, carie dentaria □ (*fam.*) **t. fairy**, fatina (*o* topolino, *o* formichina) dei denti (*porta un soldino al posto del dente caduto*) □ (*fam.*) **t.-job**, rifacimento della bocca: **to get a t.-job**, farsi rifare tutta la bocca dal dentista □ **t. paste** → **toothpaste** □ (*mecc.*) **t. point**, tagliente □ **t. powder**, dentifricio (*in polvere*) □ (*med.*) **t. scaler**, ablatore □ (*zool.*) **t.-shell** (*Dentalium entalis*), dentalio □ (*fig.*) **to cast st. in sb.'s teeth**, rinfacciare qc. a q. □ **to cut one's teeth**, (*di un bimbo*) mettere i denti; (*fig.*) farsi le ossa, fare esperienza □ (*fig. fam.*) **to get** (*o* **to sink**) **one's teeth into st.**, affrontare qc. con impegno; mettersi sotto a fare qc. □ **to grind one's teeth**, digrignare i denti □ **to have a t. filled**, farsi otturare un dente □ **to have a t.** (**pulled**) **out**, farsi estrarre (*o* cavare) un dente □ **to have a sweet t.**, essere ghiotto di dolciumi □ **in the teeth of**, a dispetto di, nonostante, in barba a; di fronte a, in faccia a □ (*naut.*) **in the teeth of the wind**, nell'occhio del vento □ (*fam.*) **to lie in** (*o* **through**) **one's teeth**, mentire per la gola □ **to be long in the t.**, essere vecchio (*o* in là con gli anni) □ **to lose a t.**, perdere un dente □ (*anat.*) **set of teeth**, dentatura □ (*anche fig.*) **to set one's teeth**, stringere i denti □ **to set sb.'s teeth on edge**, (*di suono*) far rabbrividire q.; (*di cibo*) allegare i denti; (*fig.*) irritare q., dare ai nervi a q. □ (*anche fig.*) **to show one's teeth**, mostrare i denti.

to **tooth** /tuːθ/ Ⓐ v. t. **1** fornire (*o* provvedere) di denti **2** dentellare; seghettare Ⓑ v. i. (*di ruote dentate, ecc.*) ingranare.

♦**toothache** /ˈtuːθeɪk/ n. ▣ (*med.*) mal di denti; odontalgia.

♦**toothbrush** /ˈtuːθbrʌʃ/ n. spazzolino da denti.

toothcomb /ˈtuːθkʌm/ n. pettine a denti fitti; pettinina.

toothed /tuːθt/ a. **1** dentato; a denti: **a t. wheel**, una ruota dentata **2** dentellato; seghettato ● (*mecc.*) **t. gearing**, trasmissione a ingranaggi □ **sharp-t.**, dai denti aguzzi.

toothfish /ˈtuːθfɪʃ/ n. (pl. **toothfish**, **toothfishes**) (*zool.*) austromerluzzo (della Patagonia).

toothing /ˈtuːθɪŋ/ n. **1** (*mecc.*) dentatura **2** (*edil.*) addentellato di mattoni (*lungo il taglio d'un muro esterno*).

toothless /ˈtuːθləs/ a. **1** senza denti; sdentato **2** (*fig.*) senza incisività; senza mordente **3** (*fig.*) inefficace; inutile; vano.

♦**toothpaste** /ˈtuːθpeɪst/ n. ▣ dentifricio.

♦**toothpick** /ˈtuːθpɪk/ n. stuzzicadenti.

toothsome /ˈtuːθsəm/ a. (*form. o scherz.*) gustoso; appetitoso; saporito ‖ **toothsomeness** n. ▣ gustosità; gusto gradevole.

toothy /ˈtuːθɪ/ a. (*fam.*) **1** che ha grossi denti **2** che mostra (tutti) i denti: **a t. smile**, un sorriso che mette in mostra tutti i denti **3** → **toothsome**.

tootle /ˈtuːtl/ n. ▣ʗ **1** (*mus.*) suono di strumento a fiato **2** (*autom.*) suono (*o* suonatina) di clacson.

to **tootle** /ˈtuːtl/ v. i. e t. **1** suonare uno strumento a fiato **2** suonare (*uno strumento, una melodia, ecc.*) **3** andare (a piccola velocità); fare un salto in macchina (*fam.*).

toots /tʊts/ n. (*fam.*; al vocat.) amore; tesoro; tesoruccio.

tootsie /ˈtʊtsɪ/ → **tootsy** ②.

tootsy ① /ˈtʊtsɪ/ → **toots**.

tootsy ② /ˈtʊtsɪ/, **tootsy-wootsy** /ˈtʊtsɪˈwʊtsɪ/ n. **1** (*linguaggio infant.*) piede; piedino **2** (*slang*) bella ragazza; pupa **3** (al vocat.) cara; tesoro.

♦**top** ① /tɒp/ Ⓐ n. **1** cima; vetta; sommità; apice; apogeo; culmine; vertice; capo; cocuzzolo; (*del tetto*) colmo: **on top**, in cima; in vetta; **the top of the volcano**, la sommità del vulcano; **turnip tops**, cime di rapa; *My brother is at the top of his career*, mio fra-

tello è all'apice della sua carriera **2** parte superiore; copertura; coperchio; cappuccio (*metallico, di plastica, ecc.*): **the top of the wardrobe**, la parte superiore (*o* il disopra) del guardaroba; **a box top**, un coperchio di scatola **3** (*autom.*) capote, tetto, tettuccio (*d'automobile*); imperiale (*d'autobus*) **4** (*di scarpa*) tomaia **5** (*di abito femminile*) top; parte disopra (*di un completo*); (*di una calza da donna*) gambaletto **6** (*naut.*) coffa; gabbia **7** (*fig.*) personaggio importante, preminente; primo: *Henry came out (at the) top of the school*, Henry fu il primo della scuola (*negli scrutini, negli esami, ecc.*) **8** [U] (il) meglio; parte scelta (*o* migliore); (il) fiore (*della panna, ecc.*): **the top of the crop**, il meglio del raccolto **9** [U] principio; inizio: **the top of the year**, il principio dell'anno **10** tappo (*a vite, ecc.*): *I cannot unscrew the top of the bottle*, non riesco a svitare il tappo della bottiglia **11** [U] (*chim.*) testa (*di un liquido: nella distillazione*) **12** [U] (*ind. tess.*) pettinato; nastro pettinato **13** (*fig.*) cima, vetta, testa (*della classifica*); primo posto: *They've reached the top of the league table*, sono arrivati in testa alla classifica **14** [U] (*autom., motociclismo*) (= **top gear**) la marcia più alta: **to be in top**, essere in quinta (*o* in quarta, in sesta) **15** [U] (*calcio, ecc.*) effetto (*dato a una palla colpendola sopra la mezzeria*); (*anche*) colpo (*o* tiro) eseguito con l'effetto **16** (*tennis, ecc.*) (*fam.*) → **topspin** **17** (pl.) – **tops**, bottoni di metallo, placcati solo sul disopra **18** (pl.) – **tops**, (*bridge*) le due carte più alte di un seme (*asso e re*) **B** **a. attr.** **1** in cima; in alto; primo; superiore; il più alto, elevato; ultimo (*verso l'alto*): **the top drawer**, il primo cassetto (*dall'alto*); **the top left-hand corner**, l'angolo superiore sinistro; **top end**, parte alta (*di qc.*); cima; massimo (*di una scala di valori, ecc.*); **top executive**, alto dirigente; **top judges**, i giudici di grado più elevato; **top floor**, ultimo piano (*di una casa*) **2** primo; al vertice (*della classifica*); di vertice: **to be in the top five**, essere fra i primi cinque; **the top three teams**, le tre squadre al vertice **3** grande; di (gran) classe; eccellente; di prim'ordine: *He's a top player*, è un giocatore di gran classe **4** massimo: **to go at top speed**, andare alla massima velocità possibile **5** principale; massimo; supremo; sommo: **top prices**, prezzi massimi; **top honours**, sommi onori; supreme onoranze **6** (*market.*) di prima scelta; (*anche*) il più venduto: (*in GB*) **the top ten**, i dieci dischi più venduti; **top seller**, articolo in testa alle vendite **C** **avv.** al primo posto; in prima posizione: *I came out top in the exam*, risultai primo agli esami ● (*teatr.*) **top billing**, posto d'onore sul cartellone □ **top boots**, stivali alla scudiera □ (*mil.*) **the top brass**, gli alti papaveri; i pezzi grossi □ (*metall.*) **top casting**, colata dall'alto □ (*fig.*) **top-class**, di prima classe □ (*polit.*) **top conference**, conferenza al vertice □ (*slang*) **top dog**, padrone; capo; boss; caporione □ **top-down**, dall'alto al basso; (*fig.*) verticistico □ (*comput.*) **top-down development**, sviluppo «top-down» (*o* dall'alto in basso: *dai requisiti generali al dettaglio via via maggiore*) □ (*fig. fam.*) **top drawer**, alta società □ (*fam.*) **top-drawer**, dell'alta società □ (*agric.*) **top dressing**, concimazione in superficie; concime da spargere in superficie □ (*ind. tess.*) **top dyeing**, tintura in filo □ **top-end**, (*di prodotto, ecc.*) di qualità elevata; (il) migliore; (il) più sofisticato □ **top-flight**, eccellente; di prima qualità; eccezionale □ (*autom.*) **top gear**, la marcia più alta; (la) quarta; presa diretta; (*fig.*) piena attività, pieno ritmo: **in top gear**, (*autom.*) in presa diretta; in quinta; (*fig.*) in grande forma; in piena attività; a pieno ritmo □ (*aeron. mil.*) **top gun**, top gun (*aereo da combattimento e pilota particolarmente addestrato*); (*fig.*) papavero, pezzo grosso □ **top hat**, cappello a cilindro; cilindro; tuba; (*fig. fam.*) alto dirigente: **top-hat scheme**, piano pensionistico per l'alta dirigenza □ **top-heavy**, sbilanciato (*per eccesso di peso nella parte superiore*); (*scherz.: di donna*) popputa; (*slang*) brillo, sbronzo □ (*fam.*) **top-hole**, eccellente; ottimo; di prim'ordine □ **top-level**, ad alto livello; di grande importanza; d'ottima qualità □ **top-level management**, alta dirigenza □ (*naut.*) **top light**, fanale di gabbia □ **top name**, gran nome (*di un atleta, un giocatore, ecc.*); grande celebrità □ **top of a dam**, coronamento di una diga □ **top of the milk**, fior di latte (*la parte migliore del latte*) □ (*fam. ingl., antiq.*) **to be top of the pops**, essere in cima alla classifica □ (*fig.*) **the top of the tree** (*o* **of the ladder**), il vertice; l'apice; la posizione più elevata: *He has reached the top of the tree*, è arrivato al vertice della carriera □ **top priority**, precedenza assoluta □ (*spec. sport*) **top-ranked**, migliore (*in una classifica*) □ **top-ranking**, di alto rango; di alto livello □ (*banca*) **top rate**, top rate; tasso massimo d'interesse (*applicato ai clienti*) □ **top-rated**, il più apprezzato □ (*sport*) **top rider**, campione (*della bici, del motore, o dell'equitazione*) □ **top sawyer**, segatore; segantino; (*fig.*) personaggio importante, pezzo grosso □ (*calcio, ecc.*) **top scorer**, capocannoniere; goleador □ **top-secret**, segretissimo; top secret □ **top-security prison**, carcere di massima sicurezza □ (*calcio*) **top scorer**, cannoniere (*fig.*); capocannoniere □ (*comm.: di un prodotto*) **top-selling**, che è in testa alle vendite □ (*autom., mecc.*) **top speed**, velocità massima (*raggiungibile da un veicolo*); (*anche*) la marcia più alta (*la 4ª o la 5ª*) □ **at top speed**, a tutta velocità; di gran carriera; a più non posso □ (*disegno, ecc.*) **top view**, vista dall'alto □ **big top**, tendone da circo □ (*fam.*) **to blow one's top**, esplodere (*fig.*); infuriarsi; perdere le staffe; (*USA*) perdere la testa; dare i numeri □ (*fig.*) **to come to the top**, far carriera; aver successo; diventare famoso □ **from top to bottom**, da cima a fondo; completamente □ **from top to toe**, dalla testa ai piedi; da capo a piedi □ **to let things get on top of one**, lasciarsi prendere la mano dalla situazione; farsi sopraffare: *The situation was getting on top of me and so I resigned*, avevo perso il controllo della situazione e così mi sono dimesso □ (*in una pagina*) **line 10 from the top**, riga 10 dall'alto □ **to move into top gear**, (*autom., anche fig.*) ingranare la quarta (*o* la quinta); (*fig.*) entrare in piena attività □ **off the top of one's head**, su due piedi (*fig.*); senza pensarci troppo □ **on top of**, in cima a; sopra a; addosso a; (*anche*) in aggiunta a: *The book is on top of the shelf*, il libro è in cima allo scaffale; *He fell on top of me*, mi cadde addosso □ **on the top of one's head**, sul cocuzzolo □ **on top of that** (*o* **on top of everything else**), per giunta; per soprammercato (*per lo più di cose spiacevoli*) □ (*fig.*) **to be on top of one's job**, conoscere a menadito il proprio mestiere □ (*fig.*) **to be on top of the world**, essere al settimo cielo □ **over the top**, oltre la vetta; (*fig.*) esagerato, eccessivo, sopra le righe: **to go over the top**, superare la vetta, scollinare; (*fig.*) esagerare: *That's going over the top*, così si esagera! □ **to shout at the top of one's voice**, gridare a squarciagola, a perdifiato □ **to sit at the top (of the table)**, sedere a capotavola □ **to be successful to the top of one's bent**, aver pieno successo; riuscire a realizzare le speranze più audaci □ (*di provvedimento, ecc.*) **taken at the top**, preso in alto loco; verticistico.

top② /tɒp/ **n.** **1** trottola (*giocattolo*) **2** (*mecc.*) rotatore ● **to sleep like a top**, dormire come un ghiro; dormire della grossa.

to **top** /tɒp/ **A** **v. t.** **1** fornire di copertura; provvedere di coperchio; mettere il tappo a (*una bottiglia*) **2** fare da copertura (*o* da coperchio, da tappo) a (qc.) **3** arrivare all'altezza di; raggiungere la vetta di (*un monte, ecc.*): *At last I topped the hill*, finalmente giunsi in vetta al colle **4** superare; sorpassare: *He tops them all at tennis*, li supera tutti a tennis; *The jobless total tops two million*, il numero complessivo dei disoccupati supera i due milioni di persone **5** essere in cima (*o* in vetta) a; sormontare: *A castle tops the mountain*, un castello sta in cima al monte **6** cimare; spuntare; svettare: *Those trees should be topped*, bisognerebbe cimare quegli alberi **7** coprire (*un colore*) con altra tinta **8** (*chim.*) predistillare **9** (*fig., anche sport*) essere in testa a; avere il primo posto in (*o* su): *His name topped the list*, il suo nome era in testa all'elenco **10** (*slang*) ammazzare: *'Yeah, till that bloke in Belfast is topped in the morning; then it's curtains for poor old Williams'* B. BEHAN, 'sì, finché quel tizio a Belfast sarà ammazzato di primo mattino; e allora sarà finita anche per il povero sottoscritto' **11** (*spec. golf, tennis*) colpire (*la palla*) sopra la mezzeria; tagliare (*una palla*) colpendola sopra la linea di mezzo **B** **v. i.** (*golf, tennis, ecc.*) colpire d'effetto sopra la linea di mezzo; tagliare la palla colpendola sopra la mezzeria ● **to top and tail**, spuntare, pulire (*i fagiolini*); (*fam.*) lavare solo la faccia e il sederino a (*un bambino*) □ (*teatr.*) **to top the bill**, avere il posto d'onore nel cartellone □ **to top one's part**, recitare la propria parte alla perfezione; superare sè stesso □ (*polit.*) **to top the poll**, fare il pieno di voti □ (*fam.*) **He tops six feet**, è alto sei piedi (*m 1,83 circa*).

■ **top off** **A** **v. t. + avv.** **1** ricoprire la cima di: **to top off a cake with almonds**, ricoprire la cima di una torta con mandorle **2** (*fam.*) concludere, chiudere, finire; dare l'ultimo tocco a (qc.): *We topped off the meeting with a toast*, chiudemmo la riunione con un brindisi **3** (*USA*) → **top out**, **A** **4** (*USA*) → **top up**, *def. 3* e *4* **B** **v. i. + avv.** (*di prezzi, ecc.*) raggiungere il livello massimo.

■ **top out** **A** **v. t. + avv.** inaugurare: *The new skyscraper was topped out yesterday*, il nuovo grattacielo è stato inaugurato ieri **B** **v. i. + avv.** (*USA*) → **top off**, **B**.

■ **top up** **v. t. + avv.** **1** riempire: *May I top up your drink?*, posso riempirti il bicchiere? **2** riempire il bicchiere a (q.): *Yes, top me up, please!*, sì, riempimi il bicchiere, per favore! **3** rabboccare: *I topped up the water level in the radiator*, rabboccai l'acqua del radiatore **4** (*autom.*) fare il pieno (*di benzina*) in (*una macchina*): *My car needs topping up*, devo fare il pieno **5** (*telef., di cellulare*) ricaricare: *I need ten pounds to top up my mobile*, mi servono dieci sterline per ricaricare il cellulare **6** (*fig.*) integrare (*una retribuzione e sim.*): *My salary is topped up by extra incentives*, il mio salario è integrato da incentivi straordinari.

topaz /ˈtəʊpæz/ **n.** **1** [UC] (*miner.*) topazio **2** (*zool., Topaza pella*) colibrì topazio.

topazolite /təʊˈpæzəʊlaɪt/ **n.** [U] (*miner.*) topazolite.

topcoat /ˈtɒpkəʊt/ **n.** **1** soprabito; cappotto **2** ultima mano (*di vernice*).

to **top-dress** /tɒpˈdrɛs/ **v. t.** (*agric.*) concimare (*il terreno*) in superficie.

tope① /təʊp/ **n.** (*India*) boschetto.

tope② /təʊp/ **n.** monumento buddista (*sormontato da cupola*); stupa.

tope③ /təʊp/ **n.** (*zool., Galeorhinus galeus*) galeo; canesca; gattuccio.

to **tope** /təʊp/ **v. i.** bere smodatamente; sbevazzare; essere un beone ‖ **toper** **n.** beone; bevitore inveterato; ubriacone.

topee /'təʊpɪ, *USA* toʊ'piː/ n. (*India*) casco coloniale.

topgallant /tɒp'gælənt/ (*naut.*) **A** a. **1** di velaccio: **t. mast**, albero di velaccio **2** (*di ponte, ecc.*) sopra la linea di congiunzione **B** n. **1** (*di solito*, **t. sail**) velaccio **2** albero (*o* pennone) di velaccio.

tophaceous /təʊ'feɪʃəs/ a. **1** (*med.*) tofaceo: **t. gout**, gotta tofacea **2** (*geol., antiq.*) tufaceo.

Tophet /'təʊfet/ n. **1** (*Bibbia*) Tofet (*località presso Gerusalemme, sede di riti pagani*) **2** (*fig.*) (l') inferno.

tophus /'təʊfəs/ n. (pl. **tophi**) **1** (*geol.*) tufo **2** (*med.*) tofo.

topiary /'təʊpɪərɪ/ a. – **the t. art**, l'arte topiaria; l'arte di potare alberi e arbusti in forme geometriche o bizzarre || **topiarist** n. giardiniere esperto nell'arte topiaria.

♦**topic** /'tɒpɪk/ n. **1** argomento; soggetto; materia **2** (*logica, retor.*) topica.

topical /'tɒpɪkl/ a. **1** d'attualità; attuale: **t. issues**, problemi di attualità; **t. articles**, articoli d'attualità **2** (*med.*) topico; locale: **t. remedy**, medicamento topico; **t. anaesthetic**, anestetico locale • **t. song**, canzone su un fatto d'attualità || **topicality** n. ⓤ attualità.

topicalization /tɒpɪkəlaɪ'zeɪʃn, *USA* -lɪ-'z-/ n. ⓤ (*ling.*) argomentazione.

topknot /'tɒpnɒt/ n. **1** ciuffo (*di capelli, di penne*) sulla testa **2** nastro; fiocco **3** (*scherz.*) testa; zucca.

topless /'tɒpləs/ **A** a. **1** senza cima; privo della parte superiore **2** (*di abito, ecc.*) topless; che lascia scoperto il seno **3** altissimo; eccelso **B** n. abito (*o* costume) che lascia scoperto il seno; topless **C** a. attr. (*di una donna*) in topless; senza reggiseno: **t. waitress**, cameriera in topless • **a t. swimsuit**, un topless.

toplofty /'tɒplɒftɪ/ a. (*fam.*) altero; altezzoso; pretenzioso; superbo.

topman /'tɒpmən/ n. (pl. **topmen**) **1** (*naut.*) gabbiere **2** minatore che lavora alla bocca dei pozzi **3** (*lotta*) lottatore che sta sopra.

topmast /'tɒpmɑːst/ n. (*naut.*) albero di gabbia.

topmost /'tɒpməʊst/ a. (il) più alto; (il) più elevato; eccelso.

topographic /tɒpə'græfɪk/, **topographical** /tɒpə'græfɪkl/ a. topografico | **-ally** avv.

topography /tə'pɒgrəfɪ/ n. ⓤ topografia || **topographer** n. topografo.

topology /tə'pɒlədʒɪ/ n. ⓤ **1** (*scient.*) topologia **2** (*comput.*) topologia (*organizzazione degli elementi di una rete*) || **topological** a. (*scient.*) topologico.

toponym /'tɒpənɪm/ n. toponimo.

toponymy /tə'pɒnəmɪ/ (*ling.*) n. ⓤ toponomastica; toponimia || **toponymic, toponymical** a. toponomastico; toponimico.

topos /'tɒpɒs/ n. (pl. **topoi**) **1** (*retor., letter.*) topos; tema ricorrente **2** (*mat.*) topos.

topped /'tɒpt/ a. **1** ricoperto: **a cake t. with almonds**, una torta ricoperta di mandorle **2** (*d'albero*) cimato; svettato • **t. with snow**, incappucciato di neve □ **a dessert t. with a cherry**, un dolce con sopra una ciliegina.

topper /'tɒpə(r)/ n. **1** chi mette coperture, coperchi, ecc.; chi cima piante, ecc. (→ **to top**) **2** (*fam.*) cappello a cilindro; tuba **3** (*fam.*) bonaccione; tipo cordiale **4** (*fam.*) tocco finale; culmine; cosa che fa colpo; il massimo **5** (*fam.*) osservazione conclusiva; ultima parola (*fig.*) **6** (*slang USA*) barzelletta che batte quella appena raccontata; una migliore (*fam.*) **7** (*slang*) cicca.

topping ① /'tɒpɪŋ/ n. ⓤⓒ **1** cimatura; svettamento (*di piante*); (pl.) fronde tagliate **2** (*chim.*) predistillazione; (*ind. petrolifera*) topping; distillazione del petrolio greggio **3** (*ind. tess.*) ritintura; (*anche*) scarti di pettinatura **4** (*cucina*) decorazione, rivestimento (*di glassa, ecc.*) **5** (*di strada*) manto superficiale • (*naut.*) **t. lift**, amantiglio; drizza di picco □ **t.-up**, riempimento; rabboccamento; rabbocco (*di un recipiente, una batteria*).

topping ② /'tɒpɪŋ/ a. (*fam. antiq.*) **1** eccellente; ottimo; di prim'ordine **2** elevato; di alto grado (*o* rango).

to **topple** /'tɒpl/ **A** v. i. **1** pencolare; traballare; vacillare **2** (*spesso* **to t. over, to t. down**) rovesciarsi; crollare; ruzzolare; capitombolare: *The sand castle toppled down*, il castello di sabbia crollò **3** (*fig.*) cadere, perdere il posto (il potere, ecc.) **B** v. t. **1** far crollare; rovesciare; far ruzzolare **2** (*fig., polit.*) far cadere (*il governo*); rovesciare (*un dittatore, ecc.*) • **to t. down the stairs**, ruzzolare dalle scale.

tops /tɒps/ **A** avv. (*fam.*) al massimo; come massimo **B** a. pred. (*slang antiq.*) favoloso; eccezionale; splendido.

topsail /'tɒpseɪl/ n. (*naut.*) **1** vela di gabbia; gabbia **2** controranda • **t. schooner**, goletta a vele quadre.

topside /'tɒpsaɪd/ n. ⓤ **1** lato (*o* parte) superiore **2** (*naut.*) opera morta **3** (*cucina*) controgirello.

topsoil /'tɒpsɔɪl/ n. ⓤ **1** (*geol.*) strato superficiale del suolo **2** (*agric.*) soprassuolo; humus; terriccio; strato coltivabile (*del terreno*).

topspin /'tɒpspɪn/ n. ⓤ (*tennis, ping-pong, pallavolo, ecc.*) 'top spin'; 'top' (*fam.*); colpo a effetto, con rotazione della palla, che al rimbalzo tende a schizzare in avanti.

topsy-turvy /ˌtɒpsɪ'tɜːvɪ/ avv. e a. sottosopra; a catafascio; a soqquadro; in scompiglio: **to turn st. topsy-turvy**, mettere qc. sottosopra (*o* a soqquadro).

to **topsy-turvy** /ˌtɒpsɪ'tɜːvɪ/ v. t. mettere sottosopra (*o* a soqquadro); capovolgere; sconvolgere; scompigliare.

top-up /'tɒpʌp/ n. **1** rabbocco (*d'acqua, benzina, ecc.*) **2** aggiunta (*di liquore: nel bicchiere, ecc.*). **3** (*telef., di cellulare*) ricarica: **ten-pound top-up**, ricarica da dieci sterline.

toque /təʊk/ n. **1** (*moda*) toque; cappello a tocco (*da signora*) **2** (*stor.*) tocco; berretto piumato.

tor /tɔː(r)/ n. (*geogr.*) vetta rocciosa; pinnacolo roccioso; torre.

Torah /'tɔːrə/ n. (*relig. ebraica*) Torà, Torah.

torc /tɔːk/ → **torque**.

♦**torch** /tɔːtʃ/ n. **1** torcia; fiaccola; face (*lett.*): (*fig.*) **to hand down the t. of knowledge**, tramandare (*o* tenere accesa) la fiaccola del sapere; **to hand on the Olympic t.**, trasmettere la fiaccola olimpica **2** (*ingl.*) torcia elettrica; lampadina (tascabile): **electric t.**, lampadina tascabile **3** (= **welding t.**) cannello (ferruminatorio): **plumber's t.**, cannello da idraulico **4** (*slang USA*) criminale pagato per appiccare incendi; piromane prezzolato • **t. fishing**, pesca con la torcia elettrica □ **t. singer**, chi canta 'torch songs' □ **t. songs**, canzoni popolari romantiche e sentimentali (*di dolore, amore non corrisposto, ecc.*) □ (*fig. fam.*) **to carry a t.** (o **the t.**) **for sb.**, spasimare per q.; amare q. in segreto (*spec. se l'amore non è corrisposto*).

to **torch** /tɔːtʃ/ v. t. incendiare, appiccare il fuoco a (*per motivi criminali*).

torch-bearer, **torchbearer** /'tɔːtʃbeərə(r)/ n. **1** (*anche sport*) tedoforo; chi porta la fiaccola **2** (*fig.*) guida; figura preminente; leader.

torchiere, **torchier** /'tɔːtʃɪə(r)/ n. lampada a piede (*o* a stelo).

torchlight /'tɔːtʃlaɪt/ n. ⓤ lume di torcia; luce delle fiaccole • **t. procession**, fiaccolata (*in corteo*).

torchlit /'tɔːtʃlɪt/ a. illuminato da torce; a lume di torcia: **a t. path**, un sentiero illuminato da torce; **a t. walk through the ruins**, una passeggiata a lume di torcia tra le rovine.

torchy /'tɔːtʃɪ/ a. (*fam.*) sentimentale; romantico.

tore ① /tɔː(r)/ pass. di **to tear**.

tore ② /tɔː(r)/ n. (*archit., geom.*) toro.

toreador /'tɒrɪədɔː(r)/ (*spagn.*) n. toreador; torero.

torero /tə'rɛərəʊ/ (*spagn.*) n. (pl. **toreros**) torero.

toreutics /tə'ruːtɪks/ (*arte*) n. pl. (col verbo al sing.) toreutica || **toreutic** a. relativo alla (*o* della) toreutica.

toric /'tɒrɪk/ a. **1** (*fis.*) torico: **t. lens**, lente torica **2** (*geom.*) toroidale.

torment /'tɔːment/ n. ⓤⓒ tormento; tortura; pena; strazio; supplizio • (*scherz.*) **the t. of one's life**, la disperazione della propria anima □ **to be in t.**, subire tormenti; essere torturato (*o* tormentato) □ **to suffer torments**, patire le pene dell'inferno.

to **torment** /tɔː'ment/ v. t. tormentare; torturare; far soffrire; infastidire; molestare; vessare: *Don't t. the cat!*, non tormentare il gatto!; *The horses were tormented with gadflies*, i cavalli erano infastiditi dai tafani.

tormentil /'tɔːmentɪl/ n. (*bot.*, *Potentilla tormentilla*) tormentilla.

tormenting /tɔː'mentɪŋ/ a. tormentoso; fastidioso; molesto | **-ly** avv.

tormentor /tɔː'mentə(r)/ n. **1** chi tormenta; tormentatore **2** (*cinem.*) schermo fonoassorbente.

torn /tɔːn/ **A** p. p. di **to tear** **B** a. pred. incerto; perplesso; che non sa scegliere.

tornado /tɔː'neɪdəʊ/ n. (pl. **tornadoes**, **tornados**) tornado; tromba d'aria • (*geogr.*) **the t. belt**, la fascia dei tornado (*in USA*) □ (*fig.*) **a t. of applause**, un uragano di applausi || **tornadic** a. ciclonico; di (*o* simile a) un tornado.

toroid /'tɔːrɔɪd/ n. (*geom.*) toroide.

toroidal /tɔː'rɔɪdl/ a. (*geom.*) toroidale: **t. surface**, superficie toroidale • (*elettr.*) **t. winding**, avvolgimento toroidale.

torpedo /tɔː'piːdəʊ/ n. (pl. **torpedoes**) **1** (*zool.*, *Torpedo*) torpedine **2** (*mil.*) mina; torpedine: **magnetic t.**, mina magnetica **3** (*mil., naut., aeron.*) siluro: **homing t.**, siluro autoguidato **4** (*ferr.*) petardo **5** (*slang USA*) killer; sicario **6** (*slang USA*) sfilatino farcito di salsiccia, formaggio, verdure, ecc. • **t. boat**, torpediniera; silurante □ **t.-boat destroyer**, cacciatorpediniere □ **t.-defence net**, rete parasiluri □ **t. factory**, silurificio □ **t.-firing range**, siluripedio □ **t.-man**, silurista □ **t.-mine**, mina subacquea □ **t. net** = **t.-defence net** → *sopra* □ (*aeron.*) **t. plane**, aerosilurante □ (*zool.*) **t. ray**, torpedine □ **t. squadron**, squadriglia di aerosiluranti □ **t. tube**, lanciasiluri.

to **torpedo** /tɔː'piːdəʊ/ v. t. **1** (*naut., aeron.*) attaccare (*o* affondare) con siluri; silurare **2** (*fig.*) silurare, far naufragare (*un progetto, ecc.*).

torpedoing /tɔː'piːdəʊɪŋ/ n. ⓤⓒ (*anche fig.*) siluramento.

torpedo-like /tɔː'piːdəʊlaɪk/ a. siluriforme.

torpedoman /tɔː'piːdəʊmæn/ n. (pl. **torpedomen**) (*marina mil.*) silurista; torpediniere (*un tempo*).

torpid /ˈtɔːpɪd/ a. **1** torpido; intorpidito **2** (*fig.*) pigro; tardo; apatico **3** (*di un animale*) in letargo | -ly avv.

torpidity /tɔːˈpɪdətɪ/ n. ⓤ **1** torpidezza; torpore; intorpidimento **2** (*fig.*) apatia; indifferenza; inerzia.

torpor /ˈtɔːpə(r)/ n. ⓤⓒ **1** torpore; letargo **2** (*fig.*) apatia; indifferenza; inerzia.

torporific /tɔːpəˈrɪfɪk/ a. che causa torpore; soporifico.

torque /tɔːk/ n. **1** (*stor.*) collana metallica (*degli antichi Galli e Britanni*) **2** ⓤ (*autom., mecc.*) coppia: **t. converter**, convertitore di coppia **3** ⓤ (*fis.*) momento torcente (*di una o più forze*) • (*scienza delle costruzioni*) **t. stress**, sollecitazione di torsione ◻ (*tecn.*) **t. wrench**, chiave torsiometrica ◻ (*ind. tess.*) **t. yarn**, filato ritorto.

torqued up /ˈtɔːktʌp/ a. (*slang USA*) infuriato; incavolato; arrabbiato; furibondo.

torquemeter /ˈtɔːkmiːtə(r)/ n. (*tecn.*) torsiometro; dinamometro di torsione.

torr /tɔː(r)/ n. (*mecc.*) torr (*unità di pressione; dal nome di Evangelista Torricelli*).

to **torrefy** /ˈtɒrɪfaɪ/ v. t. torrefare ‖ torrefaction n. ⓤ torrefazione.

torrent /ˈtɒrənt/ n. torrente (*anche fig.*); diluvio: *It's raining in torrents*, piove a torrenti; **a t. of tears [of abuse]**, un torrente di lacrime [d'ingiurie] • **torrents of rain**, pioggia torrenziale; diluvio (*fig.*).

torrential /təˈrenʃl/ a. torrenziale: **t. rain**, pioggia torrenziale • (*geogr.*) **t. river**, fiume a regime torrentizio | -ly avv.

Torricellian /tɒrɪˈtʃelɪən/ a. torricelliano; di Torricelli: **T. vacuum**, vuoto torricelliano; **the T. experiment**, l'esperimento di Torricelli (*l'invenzione del barometro*).

torrid /ˈtɒrɪd/ a. torrido: (*geogr.*) **the T. Zone**, la zona torrida ‖ **torridly** avv. in modo torrido ‖ **torridity** n. ⓤ l'esser torrido; calore torrido; caldo soffocante.

torsion /ˈtɔːʃn/ n. ⓤ torsione (*anche mecc.*) • **t. balance**, bilancia di torsione ◻ (*mecc.*) **t. bar**, barra di torsione (*delle sospensioni*) ◻ (*mecc.*) **t. meter**, torsiometro ‖ **torsional** a. di torsione; torsionale: **torsional elasticity**, elasticità di torsione; (*mecc.*) **torsional rigidity**, rigidità torsionale.

torsk /tɔːsk/ n. (pl. **torsk, torsks**) (*zool.*) **1** (*Gadus morrhua*) merluzzo comune **2** (*Gadus macrocephalus*) merluzzo del Pacifico.

torso /ˈtɔːsəʊ/ n. (pl. **torsos, torsi, torsoes**) torso (*di statua*); tronco (*del corpo umano*).

tort /tɔːt/ n. ⓤⓒ (*leg.*) illecito civile; atto illecito • **t. feasor**, chi compie un illecito civile.

torticollis /tɔːtɪˈkɒlɪs/ n. (pl. **torticollises**) (*med.*) torcicollo.

tortile /ˈtɔːtaɪl/ (*raro*) a. tortile; ritorto; a spire; a tortiglione.

tortilla /tɔːˈtiːə/ (*spagn.*) n. focaccia sottile di farina di granturco.

tortious /ˈtɔːʃəs/ a. (*leg.*) che costituisce illecito civile; dannoso; lesivo | -ly avv.

tortoise /ˈtɔːtəs/ n. **1** (*zool.*) testuggine; tartaruga (*di terra*) **2** (*mil., stor.*) testuggine **3** (*fig.*) tartaruga; lumaca; persona assai lenta • **t.-shell**, (sost.) (guscio di) tartaruga; (*zool.*) gatto color tartaruga; (agg.) di tartaruga; (*di gatto*) color tartaruga: **a t.-shell comb**, un pettine di tartaruga ◻ (*zool.*) **t.- -shell butterfly** (*Nymphalis milberti*), farfalla tartaruga.

tortoiseshell /ˈtɔːtəsʃel/ = **tortoise- -shell → tortoise.**

tortrix /ˈtɔːtrɪks/ n. (*zool.*) **1** tortrice (*insetto dei Tortricidi; in genere*) **2** (*Tortrix viridiana*) tortrice delle querce.

tortuosity /tɔːtʃʊˈɒsətɪ/ n. ⓤ tortuosità; (*fig.*) ambiguità.

tortuous /ˈtɔːtʃʊəs/ a. tortuoso; serpeggiante, sinuoso; (*fig.*) contorto; ambiguo, ingannevole, subdolo: **a t. road**, una strada tortuosa; **a t. policy**, una linea politica contorta | -ly avv. | -ness n. ⓤ.

torture /ˈtɔːtʃə(r)/ n. ⓤⓒ tortura; supplizio; tormento; strazio; sevizie: **mental t.**, sevizie mentali; **to put sb. to t.**, mettere q. alla tortura; **instruments of t.**, strumenti di tortura; (*relig.*) **the tortures of hell**, i tormenti dell'inferno • **t. chamber**, camera di tortura ◻ (*fig.*) **a long t.**, un vero calvario.

◆to **torture** /ˈtɔːtʃə(r)/ v. t. **1** torturare (*anche fig.*); tormentare; sottoporre alla tortura: **to be tortured by tight shoes**, patire la tortura delle scarpe strette **2** (*raro*) distorcere; falsare; svisare; travisare.

tortured /ˈtɔːtʃəd/ a. **1** torturato; tormentato **2** contorto; distorto; (*fig.*) artefatto; artificioso: **t. style**, stile contorto.

torturer /ˈtɔːtʃərə(r)/ n. chi tortura; tormentatore; aguzzino; torturatore.

torturing /ˈtɔːtʃərɪŋ/ a. torturante; tormentoso.

torturous /ˈtɔːtʃərəs/ a. **1** che è una tortura; tormentoso; straziante **2** (variante scorretta di **tortuous**) tortuoso; contorto.

torus /ˈtɔːrəs/ n. (pl. **tori**) **1** (*archit., geom., bot.*) toro **2** (*anat.*) protuberanza; prominenza.

Tory /ˈtɔːrɪ/ 🅰 n. **1** (*stor.; ora, spreg.*) tory; conservatore reazionario **2** (*stor. USA*) lealista; partigiano della Corona britannica (*ai tempi della Rivoluzione*) **3** (*fam., polit.*) conservatore (*in GB*) 🅱 a. **1** (*stor.*) dei (o relativo ai) tory **2** (*polit., in GB*) di (o da) conservatore ‖ **Toryism** n. **1** (*stor.; ora, fam. o spreg.*) conservatorismo ❶ **Cultura • Tory**: *le origini del termine sono oscure, ma si pensa che risalgano al gaelico antico, probabilmente alla parola «tóraidhe», che significava «fuorilegge» o «persona rozza». Durante le controversie sulla successione sotto Giacomo II venne usato come termine spregiativo per i sostenitori della Corona, del diritto divino del sovrano e della chiesa anglicana. Nel Settecento i Tory conobbero divisioni al loro interno e persero ogni potere politico fino alla fine del secolo e al governo di Pitt il Giovane. Intorno al 1830 si costituirono nel **Conservative Party**, ma il termine Tory continua ad essere usato come sinonimo di conservatore. Cfr. Whig.*

tosh /tɒʃ/ n. ⓤ (*fam.*) sciocchezze; stupidaggini; fesserie; cavolate (*fam.*).

toss /tɒs/ n. **1** getto, lancio (*spec. di una moneta in aria*) **2** scossa; scuotimento; scrollata: **a disdainful t. of the head**, una sprezzante scrollata del capo **3** (*sport*) → **toss- -up 4** (*slang USA*) perquisizione • (*aeron., mil.*) **t. bombing**, bombardamento in cabrata ◻ **t.-up**, lancio di una moneta in aria, testa o croce; (il) sorteggiare; (*sport*) sorteggio (*del campo, ecc.*); (*fig.*) gara aperta; cosa incerta, assai dubbia; questione di fortuna ◻ (*fig. fam.*) **to argue the t.**, stare a discutere inutilmente (*su una decisione già presa*) ◻ **to lose [to win] the t.**, perdere [vincere] a testa o croce; (*sport*) perdere [vincere] il sorteggio ◻ (*slang ingl.*) **not to give a t. about sb.**, sbattersene (*o fregarsene*) di q. [qc.] ◻ **pitch and t.**, testa e croce ◻ **to take a t.**, essere disarcionato dal cavallo; essere gettato a terra; fare un capitombolo.

to **toss** /tɒs/ 🅰 v. t. **1** gettare; lanciare in aria; buttare; scagliare: *I tossed a bone to the dog*, gettai un osso al cane; *The bullfighter was tossed by a big, black bull*, il torero fu scagliato in aria da un grosso toro nero **2** agitare; scuotere; scrollare; sballottare: **to t. one's head**, scuotere la testa; scrollare il capo; *The billows tossed the ship*, i cavalloni sballottavano la nave **3** (*di un cavallo*) gettare a terra; disarcionare **4** sfidare (q.) a testa o croce: *I'll t. you for the seat (o for who has the seat)*, ti sfido a testa o croce per stabilire chi di noi debba occupare il posto **5** (*cucina*) far saltare, saltare (*in padella, ecc.*) **6** (*slang USA*) perquisire; buttare all'aria (*un locale, ecc.*) in cerca del bottino **7** (*slang*) rigettare; vomitare **8** (*sport*) perdere deliberatamente (*un incontro, una gara*) **9** (*slang Austral.*) battere; sconfiggere; stracciare (*fig.*) 🅱 v. i. **1** (*spesso* **to t. about**) agitarsi; dimenarsi; dibattersi: *I tossed and turned all night long*, mi sono dimenato (nel letto) tutta la notte **2** essere agitato; essere sballottato; piegarsi: *The boat tossed about*, la barca era sballottata dalle onde; *The cypresses were tossing in the wind*, i cipressi si piegavano al vento **3** gettare in aria una moneta; fare a testa o croce: (*sport*) **to t. for ends**, sorteggiare il campo **4** (*baseball*) eseguire un lancio **5** (*pallamano*) effettuare il servizio **6** (*naut.*) beccheggiare • **to t. sb. in a blanket**, far saltare in aria q., tendendo e rilasciando una coperta ◻ (*naut.*) **to t. oars**, alzare i remi (*in segno di saluto*) ◻ **to t. oneself**, agitarsi; dimenarsi; dibattersi; lanciarsi; gettarsi: *He tossed himself about in pain*, si dibatteva per il dolore ◻ **to t. a pancake**, voltare una frittella facendola saltare in aria ◻ (*fig.*) **to t. a proposal**, discutere (o dibattere) una proposta ◻ **to t. a salad**, condire un'insalata ◻ (*naut.*) **to pitch and t.**, beccheggiare ◻ (*naut.*) **T.**, alza remi! (*comando*).

▪ **toss about** (o **around**) 🅰 v. i. + avv. agitarsi; dimenarsi; dibattersi (→ **to toss, B**, *def. 1*) 🅱 v. t. + avv. **1** gettare (*sassi, ecc.*) intorno; buttare qua e là **2** sballottare; sbattere; sbatacchiare (→ **to toss, A**, *def. 2*) **3** (*fig.*) agitare (*una questione, un problema, ecc.*); discutere ◻ **to t. one's money about**, buttar via (o sperperare) i soldi ◻ **to t. one's weight about**, darsi del peso (*fig.*); comandare a bacchetta.

▪ **toss aside** v. t. + avv. **1** gettare (o buttare) da una parte **2** (*fig.*) tralasciare; trascurare.

▪ **toss away** v. t. + avv. **1** gettare via; lanciare lontano (*una palla, ecc.*) **2** (*fig.*) buttar via; giocarsi (*un vantaggio, ecc.*); lasciarsi sfuggire (*un'occasione*).

▪ **toss back** v. t. + avv. **1** gettare indietro (*la testa, i capelli, ecc.*) **2** (*fam.*) buttare giù, ingollare, tranguggiare (*vino, liquori, ecc.*).

▪ **toss down** v. t. + avv. gettare giù; buttare (qc.) per terra.

▪ **toss in** v. t. + avv. **1** gettare (o lanciare) dentro: *The terrorist tossed in a bomb*, il terrorista lanciò dentro una bomba **2** aggiungere, intercalare, inserire (*un accenno, un'osservazione, ecc.*); buttare là (*fam.*) **3** dare (qc.) per giunta; includere (qc.) come regalo.

▪ **toss off** 🅰 v. t. + avv. **1** scuotersi (o togliersi) di dosso; togliere, cavare, spostare: *She tossed my hand off her knee*, ella tolse la mia mano dal suo ginocchio **2** (*fam.*) snocciolare, sparare (*nomi, un elenco, ecc.*) **3** (*fam.*) buttare giù; comporre (o scrivere, ecc.) in fretta **4** (*fam.*) buttare giù; ingollare; tranguggiare **5** (*volg.*) masturbare; fare una sega a (*volg.*) 🅱 v. i. + avv. (*volg.*) masturbarsi.

▪ **toss out** v. t. + avv. **1** buttare (o lanciare, gettare) fuori (*una palla, ecc.*); cacciare, scacciare; sbattere (*un inquilino*) sulla strada **2** buttare via (qc.); disfarsi, sbarazzarsi di **3** respingere (*una proposta, un disegno di legge, ecc.*) **4** tirar fuori, presentare (*un'idea*); proporre (*un suggerimento*) **5** (*fam.*) → **toss off, A**, *def. 2.*

▪ **toss together** v. t. + avv. **1** mettere insieme (*oggetti*); raccogliere, raccattare alla rinfusa **2** costruire alla meglio (*un riparo, ecc.*); raffazzonare (*un libro*); improvvisare (*un pa-*

sto).

■ **toss up** **A** v. t. + avv. **1** gettare (*o* lanciare, buttare) in aria (*o* in alto): **to t. up a coin**, gettare in aria una moneta; fare a testa e croce; **to t. the ball up**, lanciare in alto la palla **2** (*fig.*) buttar via, giocarsi (*un vantaggio*); lasciarsi sfuggire (*un'occasione*, ecc.) **B** v. i. + avv. (*sport*) tirare a sorte (*lanciando una moneta*): *The captains tossed up*, i capitani tirarono a sorte per la scelta del campo (*o* per il calcio d'inizio).

toss-bag /'tɒsbæg/ n. (*volg. ingl.*) **1** segaiolo; masturbatore **2** testa di cazzo (*volg.*); cretino; buono a nulla.

tosser /'tɒsə(r)/ n. **1** chi getta, lancia, ecc. **2** (*baseball*) lanciatore **3** (*volg.*) → **toss--bag**.

tossing /'tɒsɪŋ/ n. ⓤ il lanciare, lo scagliare, ecc. (→ **to toss**) ● (*sport*, *in Scozia*) **t. the caber**, il lancio del tronco d'albero ● **t. the pancake**, il lancio della frittella (= **pancake race** → **pancake**).

toss-pot /'tɒspɒt/ n. (*volg. ingl.*) **1** beone; spugna (*fig.*) **2** cretino; buono a nulla; testa di cazzo (*volg.*).

toss-up /'tɒsʌp/ n. **1** lancio della monetina **2** faccenda incerta; cosa dall'esito imprevedibile **3** scelta combattuta, difficile.

tot ① /tɒt/ n. **1** (*spesso* **tiny tot**) bambino; bimbo; bambinello; frugoletto **2** (*fam.*) sorso di liquore; goccio (*fig.*) ● **tot lot**, terreno di gioco (*per bimbi piccoli*).

tot ② /tɒt/ n. (*fam.*) somma; totale.

to **tot** /tɒt/ (*fam.*, *di solito* **to tot up**) **A** v. t. addizionare; sommare **B** v. i. → **to tot up to**, ammontare a (*una certa cifra*).

◆**total** /'təʊtl/ **A** a. **1** totale; assoluto; completo; intero; pieno: (*astron.*) **t. eclipse**, eclissi totale; **t. silence**, un silenzio totale; **t. ignorance**, ignoranza assoluta **2** complessivo; tutto: **the t. number**, il numero complessivo **3** (*rag.*) totale: *T. assets are ninety thousand pounds*, il totale delle attività è di 90 000 sterline **B** n. somma totale; totale: **in t.**, nel complesso ● **t. abstainer**, chi si astiene da ogni sorta di bevanda alcolica; astemio (*per principio*) □ (*rag.*) **t. account**, conto riassuntivo □ (*fig.*) **t. count**, bilancio complessivo □ (*autom.*) **t. laps**, numero complessivo dei giri di pista □ (*ass.*) **t. loss**, perdita totale; (*fig.*) cosa del tutto inutile: *The meeting was a t. loss*, la riunione non approdò a nulla □ (*econ.*) **T. Quality Management**, gestione della qualità totale □ **t. sales**, fatturato globale □ (*golf*, *ecc.*) **t. score**, punteggio complessivo □ (*mil.*) **t. war**, guerra totale (*lotta libera*) □ **t. win**, vittoria per evidente superiorità.

to **total** /'təʊtl/ **A** v. t. **1** addizionare; sommare **2** ammontare a; raggiungere il numero di: *The casualties totalled 162*, le vittime raggiunsero il numero di 162 **3** (*slang USA*) distruggere completamente; disfare, fare fuori (*fam.*); uccidere, massacrare: *The car got totalled but the driver was unhurt*, la macchina andò completamente distrutta ma il pilota rimase illeso **B** v. i. → **to t. (up) to**, ammontare a (*una certa somma*).

totaled /'təʊtld/ a. (*slang USA*) distrutto; a pezzi; sfasciato: **t. cars**, automobili sfasciate.

totalitarian /ˌtəʊtælɪ'teərɪən/ (*polit.*) **a.** totalitario || **totalitarianism** n. ⓤ totalitarismo.

totality /təʊ'tælɪtɪ/ n. totalità ● **in t.**, nel complesso; in totale.

totalizator /'təʊtəlaɪzeɪtə(r), *USA* -lɪz-/ n. (*ipp.*) totalizzatore ● **t. board**, tabellone del totalizzatore.

to **totalize** /'təʊtəlaɪz/ v. t. totalizzare || **totalization** n. ⓤ il totalizzare; totalizzazione (*raro*).

totalizer /'təʊtəlaɪzə(r)/ n. **1** (*ipp.*) totalizzatore **2** (*USA*) (macchina) addizionatrice.

◆**totally** /'təʊtlɪ/ avv. (*spec. in frasi neg.*) totalmente; completamente; del tutto: **t. different**, totalmente diverso; **t. unsuitable**, del tutto inadatto; **t. wrong**, completamente sbagliato.

tote ① /təʊt/ n. (*fam.*, *ipp.*) totalizzatore.

tote ② /təʊt/ n. (*fam.*) **1** carico; peso; fardello **2** trasporto ● (*USA*) **t. bag**, grande borsa (*o* sacca); borsone.

to **tote** ① /təʊt/ v. t. (*fam.*) → **to tot**.

to **tote** ② /təʊt/ v. t. (*fam.*) portare; trasportare (*sulle spalle o sulle braccia*): **to t. a gun**, portare il (*o* essere armato di) fucile; portare la pistola; andare in giro armato.

tote-about /'təʊtəbaʊt/ a. attr. (*fam.*) portatile: **a tote-about TV set**, un televisore portatile.

totem /'təʊtəm/ n. totem ● **t. pole**, totem; palo con figure totemiche || **totemic**, **totemistic** a. totemico || **totemism** n. ⓤ totemismo.

t'other, **tother** /'tʌðə(r)/ pron. (*dial.*, *scherz.*, *o arc.*; contraz. di **the other**) l'altro ● (*scherz. ingl.*) **I cannot tell t'other from which**, non riesco a distinguere l'uno dall'altro.

totipotent /təʊ'tɪpətənt/ a. (*biol.*) totipotente.

totter /'tɒtə(r)/ n. ⓤⓒ barcollamento; traballamento; barcollio; vacillamento.

to **totter** /'tɒtə(r)/ v. i. barcollare; tentennare; traballare; vacillare; essere malfermo (*o* malsicuro, traballante): *The baby tottered across the room*, il bimbo attraversò la stanza barcollando; *Their political system totters*, il loro sistema politico vacilla ● **to t. away [in, out]**, andarsene [entrare, uscire] barcollando □ **to t. to one's feet**, rialzarsi vacillando.

totterer /'tɒtərə(r)/ n. chi barcolla; chi vacilla.

tottering /'tɒtərɪŋ/ a. barcollante; traballante; vacillante; malfermo; malsicuro: **t. steps**, passi malfermi.

tottery /'tɒtərɪ/ a. → **tottering**.

tottie /'tɒtɪ/ n. **1** (*fam.*, *ingl.*) patata **2** (*slang*) bocconcino; bella ragazza **3** (*slang spreg.*) le donne (*collett.*; *viste come oggetto di desiderio sessuale*).

toucan /'tu:kæn/ n. (*zool.*, *Ramphastos*) tucano.

◆**touch** /tʌtʃ/ n. **1** tocco; toccata; leggero colpo; colpetto: *I felt a t. on my shoulder*, mi sentii dare un colpetto sulla spalla; **at the slightest t.**, al più lieve tocco; *He put the finishing touches to the painting*, diede gli ultimi tocchi al quadro **2** ⓤ (*fisiol.*) tatto: **the sense of t.**, il senso del tatto; *This cloth is soft to the t.*, questa stoffa è soffice al tatto **3** ⓤ contatto; comunicazione; relazione; rapporto: **to get in t. with sb.**, mettersi in contatto con q.; *I'm no longer in t. (o I'm out of t.) with my schoolfellows*, non sono più in relazione con i miei compagni di scuola; *I've lost t. with them*, ho perso i contatti con loro (*o* li ho persi di vista) **4** (un) po'; (un) tantino; (un) pizzico; (un) sentore: **a t. of humour**, un po' d'umorismo; **a t. of salt in the soup**, un pizzico di sale nella zuppa; *'T. of autumn in the air this evening'* S. BECKETT, 'sentore di autunno nell'aria questa sera' **5** maniera; modo (*caratteristico*); tono; tocco; impronta; stile: **a t. of class**, un tocco di classe; (*pubbl.*) **the personal t. that means so much**, quel tono personale che significa tanto **6** (*med.*) palpamento; palpazione **7** (*med.*) leggero attacco: **a t. of flu**, un leggero attacco d'influenza **8** (*calcio*, *ecc.*) tocco (*del pallone*: *con i piedi*); modo di

trattare (*il pallone*); *He displayed an excellent t.*, ha esibito un eccellente tocco di palla **9** ⓤ (*calcio*, *hockey*, *rugby*) campo per destinazione (*fascia laterale intorno al terreno di gioco*, *larga almeno un metro e mezzo*) **10** (*calcio*, *rugby*) fallo laterale: *He kicked the ball into t.*, calciò la palla in fallo laterale **11** ⓤ (*rugby*) touche; uscita laterale **12** (*scherma*) colpo valido; stoccata messa a segno **13** (*tennis*) tocco (*della palla*: *con la racchetta*); (*anche*) buon tocco; senso della palla: *He relies on t. rather than force*, fa affidamento più sul buon tocco della palla che sulla potenza dei colpi **14** (*slang USA*) richiesta di denaro; stoccata (*fig.*): *I ignored the t.*, feci finta di non aver udito la stoccata ● (*aeron.*) **t. and go**, atterraggio seguito da un immediato decollo □ **a t.-and-go affair**, un affare incerto, assai dubbio □ (*elettr.*) **t. control**, comando manuale □ (*stor.*) **t. hole**, focone (*d'arma da fuoco antiquata*) □ (*rugby*) **t. judge**, giudice di linea laterale; segnalinee □ (*rugby*) **t. kick**, calcio in touche □ (*bot.*) **t.--me-not**, (*Impatiens nolitangere*) noli me tangere; (*Ecballium elaterium*) cocomero asinino □ (*oreficeria*) **t. needle**, ago d'assaggio □ **t. of nature**, caratteristica peculiare, innata (*di un individuo*) □ (*med.*) **a t. of the sun**, un lieve colpo di sole □ (*nuoto*) **t. pad**, pannello d'arrivo (*in piscina*); (*comput.*) → **touchpad** □ (*comput.*) **t. pen**, penna ottica; penna a sfioramento (*usata per i palmari*) □ **t. screen**, touch screen; schermo tattile; schermo a sfioramento □ **t. system**, dattilografia a tastiera cieca □ (*telef.*) **t.-tone phone**, telefono (*con composizione*) a toni □ (*pitt.*) **t.-up**, ritocco; ritoccatura □ **to keep in t. with sb.**, restare in contatto (*o* in relazione) con q.: *Sorry I haven't kept in t.*, scusa se non sono rimasto in contatto □ **to keep in t. with st.**, tenersi al corrente di qc. □ **to be out of t. with st.**, non essere più al corrente di qc. □ **to put to the t.**, mettere alla prova; saggiare □ **I'll be in t.**, mi farò vivo io □ **It was t.--and-go whether we would get there**, era assai dubbio che ci saremmo mai arrivati.

◆to **touch** /tʌtʃ/ v. t. e i. **1** toccare; toccarsi; tastare; arrivare a; concernere, riguardare; avere a che fare con; sfiorare, trattare superficialmente (*un argomento*); commuovere, intenerire, colpire: *Don't t. the paint: it's wet*, non toccare la vernice: è fresca!; *His fingers touched her face*, le sue dita toccarono il viso di lei; *A smile touched his lips*, un sorriso gli sfiorò le labbra; *The two farms t. (each other)*, i due poderi si toccano (*o* sono confinanti); *The submarine touched the bottom of the sea*, il sottomarino toccò il fondo del mare; *I've touched his pride*, ho toccato (*o* ferito) il suo orgoglio; *Can you t. the ceiling?*, riesci a toccare il soffitto?; *I hadn't touched food for three days*, non toccavo cibo da tre giorni; *The sad sight touched my heart*, quella triste visione mi toccò il cuore; *This doesn't t. the point at issue*, ciò non ha niente a che fare col punto in discussione; *I didn't t. (on) that subject*, non toccai (*o* non trattai) quell'argomento; *I never touched it!*, ma se non l'ho neanche toccato! **2** far toccare; mettere a contatto; accostare; portare (*a contatto*): *I just touched the two cups together and they broke*, ho appena accostato le due tazze e si son rotte **3** (*spec. in frasi neg.*) reggere il confronto con; eguagliare; valere: *Nobody can t. him for purity of style*, nessuno può eguagliarlo per purezza di stile **4** avere effetto su: *His sad experiences as a POW haven't touched him at all*, le sue tristi esperienze di prigioniero di guerra non hanno avuto alcun effetto su di lui **5** rimuovere; togliere: *Water won't t. these spots*, l'acqua non toglie queste macchie **6** danneggiare leggermente; nuocere un poco a: *The flow-*

ers were touched by the frost, i fiori furono leggermente danneggiati dalla brina **7** toccare; avere a che fare con; sentir parlare di: *I won't even t. playing cards*, non voglio neanche sentir parlare di carte da gioco **8** (*scherma*) toccare (*con il fioretto*) **9** (*fam.*) dare una stoccata a (q.); chiedere un prestito a (q.) ● (*fam. USA*) **to t. base with sb.**, restare in contatto con q. □ **to t. the bell**, suonare il campanello (*premendo il pulsante*) □ **to t. (the) bottom**, (*in acqua*) toccare il fondo, toccare; (*fig.*) toccare il fondo (*della depravazione, della sfortuna, ecc.*); andare al fondo (*d'una questione*); (*fin.*: *di prezzi, ecc.*) raggiungere il livello minimo: *Can you t. bottom over there?*, si tocca laggiù? □ **to t. glasses**, toccare i bicchieri; (*fig.*) fare un brindisi □ (*sport*) **to t. gloves**, toccare i guantoni (*dell'avversario*) □ (*fam.*) **to t. the spot**, toccare il tasto giusto; essere quel che ci vuole □ **to t. sb. to the quick**, pungere q. sul vivo; toccare q. nel suo punto debole □ **to t. wood**, toccare legno (*come scaramanzia; cfr. ital. «tocca-re ferro»*) □ **I couldn't t. the algebra exercise**, l'esercizio d'algebra non sono riuscito neanche a cominciarlo □ (*pallavolo*) **touching the ball twice**, doppio tocco (*fallo*).
■ **touch at** v. i. + prep. (*naut.*) fare scalo, approdare a: *Our ship touched at Naples*, la nostra nave fece scalo a Napoli.
■ **touch down** Ⓐ v. i. + avv. **1** (*aeron.*) atterrare **2** (*miss.*) atterrare; ammarare **3** (*rugby*) fare una meta; andare in meta **4** (*rugby*) andare in touch-down **5** (*volo a vela*) atterrare Ⓑ v. t. + avv. **1** (*football americano*) portare (*o intercettare*) (*la palla*) sulla (*o dietro la*) linea di meta avversaria (→ **touchdown**) **2** (*rugby*) mettere (la palla) a terra dietro la linea di meta avversaria, andare in meta **3** (*rugby*) (*anche*) mettere (la palla) a terra dietro la propria linea di meta (*come mossa di difesa*).
■ **touch for** v. t. + prep. (*fam.*) chiedere soldi (*in prestito, o in elemosina*) a (q.); farsi dare, spillare (*o scroccare*) soldi a (q.): *I'll try to t. daddy for the ticket money*, cercherò di farmi dare i soldi del biglietto dal babbo.
■ **touch in** v. t. + avv. **1** (*arte, pitt.*) ritoccare; dare l'ultimo tocco a **2** (*fig.*) rifinire (*un lavoro, uno scritto, ecc.*) **3** (*calcio, ecc.*) toccare la palla in rete; insaccare con un tocco (*fam.*).
■ **touch off** v. t. + avv. **1** far esplodere (*una mina, ecc.*) **2** sparare con (*un'arma da fuoco*); fare partire un colpo da **3** (*fig.*) provocare (*una lite, una crisi, ecc.*); far scoppiare, scatenare (*una guerra, ecc.*) **4** (*atletica*) far partire (*un compagno, nella staffetta*); dare il cambio a (q.) **5** (*sport*: *nelle corse*) battere (q.) sul traguardo; battere (q.) di stretta misura **6** (*fam. USA*) trattare (*un argomento*) in modo esauriente; sviscerare (*fig.*).
■ **touch on** Ⓐ v. t. + prep. **1** toccare (q.) su (*un braccio, ecc.*) **2** (*fig.*) toccare, sfiorare (*un argomento e sim.*) **3** (*calcio, ecc.*) toccare (*il pallone*) in avanti; fare (*un lancio*) in avanti Ⓑ v. i. + prep. **1** rasentare (*fig.*): *His words touched on the offensive*, le sue parole rasentavano l'offesa (*o erano quasi ingiuriose*) **2** essere in relazione, riferirsi a; entrarci (*fam.*): *How does this t. on my case?*, e questo cosa c'entra con il mio caso? □ (*fam.*) **to t. sb. on the raw**, pungere (*o toccare*) q. sul vivo.
■ **touch up** v. t. + avv. **1** ritoccare, ripassare (*un quadro, una foto, ecc.*) **2** rifinire (*uno scritto, ecc.*) **3** (*USA*) pungolare, stimolare (*un cavallo e fig.*) **4** (*slang*) toccare, palpare (*una ragazza, ecc.*).
■ **touch upon** → **touch on**.
touchable /'tʌtʃəbl/ a. **1** tangibile; toccabile; palpabile **2** mangiabile; commestibile.
touchback /'tʌtʃbæk/ n. (*football americano*) «touchback»; annullato (sost.).

touchdown /'tʌtʃdaʊn/ n. **1** (*aeron.*) impatto sulla pista (*col carrello*); atterraggio **2** (*miss.*) (*di aereo spaziale*) atterraggio **3** (*rugby*) touchdown; messa a terra della palla (*nella propria area di meta; cfr.* **try**, *def.* 4) **4** (*football americano*) touchdown, meta (*vale sei punti*) **5** (*parapendio*) atterraggio **6** (*pattinaggio artistico*) atterraggio **7** (*volo a vela*) atterraggio.
touché /'tu:ʃeɪ, USA tu:'ʃeɪ/ (*franc.*) inter. (*nella scherma e fig.*) toccato!; «touché».
touched /tʌtʃt/ a. **1** (*fam.*) tocco nel cervello; tocco; mezzo matto: *He's slightly t.*, è un po' tocco **2** toccato; commosso; intenerito ● **clouds t. with pink**, nubi tinte di rosa.
toucher /'tʌtʃə(r)/ n. **1** chi tocca, ecc. (→ **to touch**) **2** (*sport*) boccia che tocca il pallino.
touchiness /'tʌtʃɪnəs/ n. Ⓤ permalosità; suscettibilità.
touching /'tʌtʃɪŋ/ Ⓐ a. commovente; patetico; toccante: **a t. scene**, una scena toccante Ⓑ prep. (*lett.*, = **as t.**) quanto a; riguardo a | **-ly** avv. | **-ness** n. Ⓤ.
touch-in goal /'tʌtʃɪŋgəʊl/ n. (*rugby*) area di meta ● (*rugby*) **touch-in goal line**, linea laterale dell'area di meta.
touchline /'tʌtʃlaɪn/ n. **1** (*calcio, rugby*) linea del fallo laterale; linea laterale **2** (*rugby*) (*anche*) linea di touche ● (*calcio, ecc.*) **t. area**, zona di bordo campo (*tra la linea laterale e la recinzione*); bordo campo.
touchpad /'tʌtʃpæd/ n. (*comput.*) touchpad.
touchpaper /'tʌtʃpeɪpə(r)/ n. Ⓤ (*mil.*) carta nitrata, miccia (*per accendere la polvere da sparo*): (*fig.*) **to light the (blue) t.**, provocare una reazione violenta.
touchstone /'tʌtʃstəʊn/ n. Ⓤ Ⓒ (*anche fig.*) pietra di paragone.
to **touch-type** /'tʌtʃtaɪp/ v. i. e t. battere a macchina senza guardare la tastiera.
touchwood /'tʌtʃwʊd/ n. esca (*per accendere il fuoco*).
touchy /'tʌtʃɪ/ a. **1** permaloso; suscettibile **2** (*di un punto del corpo*) delicato; sensibile **3** precario; pericoloso; rischioso ● **t. situation**, una situazione precaria ● (*fam.*, *spreg.*) **t.-feely**, che esprime apertamente le proprie emozioni; sdolcinato | **-ily** avv.
♦**tough** /tʌf/ a. **1** duro; tenace; tiglioso; coriaceo: **as t. as leather**, duro come il cuoio; **t. meat**, carne coriacea, tigliosa; **a t. job**, un lavoro duro; **a t. fight**, una dura lotta; (*sport*) **a t. defender**, un difensore coriaceo (*o roccioso*) **2** fermo; saldo; resistente; solido; temprato: **t. spirit**, spirito saldo **3** rigido; duro; severo; inflessibile: **to take a t. line** (*o* **stance**), adottare una linea dura **4** arduo; difficile: **a t. assignment** (*o* **task**), un compito arduo: *The first few weeks were quite t.*, le prime settimane sono state piuttosto dure **5** (*fam.*) duro; sfortunato; cattivo: *It's t. on me*, è dura per me **6** (*fam.*) brutale; violento Ⓑ n. (*fam.*) malavitoso; malvivente; teppista ● (*fam.*) **a t. customer** (*anche* **t. egg**), un tipo difficile; un osso duro (*fig.*) ● **a t. guy**, un duro □ (*fam.*) **t. luck**, sfortuna; scalogna (*pop.*) □ (*volg. USA*) **t. shit!**, peggio per te (*o* per lui, per loro, ecc.)!; sono tutti cazzi tuoi (*o* suoi, loro, ecc.)! □ **to be as t. as old boots** (*o* **as nails**), essere molto forte (*o* resistente, *o* coriaceo); essere insensibile □ (*fam.*: *di persona*) **to get t.**, cominciare a usare la maniera forte □ **to get t. with sb.**, mostrare i denti con q. □ (*prov.*) **When the going gets t., the t. get going**, quando il gioco si fa duro, i duri cominciano a giocare.
to **toughen** /'tʌfn/ Ⓐ v. t. **1** indurire; temprare **2** (*tecn.*) rinforzare: **toughened glass**, vetro rinforzato Ⓑ v. i. **1** indurirsi;

temprarsi; rinvigorirsi ● (*fig.*) **to t. a law**, rendere più severa una legge □ **to t. up**, irrobustire, irrobustirsi (*fig.*); rafforzare, inasprire (*provvedimenti, la lotta contro qc., ecc.*).
toughie /'tʌfɪ/ n. (*fam.*) **1** teppista **2** tipo duro, grintoso **3** osso duro (*fig.*); problema (*o domanda*) difficile.
toughish /'tʌfɪʃ/ a. piuttosto duro, ecc. (→ **tough**).
to **tough it out** /'tʌfɪt'aʊt/ loc. verb. (*fam.*) resistere alle avversità; tener duro; farsi forza; stringere i denti (*fig.*).
toughly /'tʌflɪ/ avv. **1** duramente; tenacemente **2** saldamente **3** rigidamente; severamente; con durezza **4** (*fam.*) brutalmente; violentemente.
toughness /'tʌfnəs/ n. Ⓤ **1** durezza; tenacità; sodezza **2** resistenza; fermezza; saldezza; solidità **3** rigidezza; severità **4** (*fig.*) difficoltà (*di un compito, ecc.*) **5** (*mecc.*) tenacità.
toupee /'tu:peɪ, USA tu:'peɪ/ n. toupet; posticcio; parrucchino; tuppè (*antiq.*).
♦**tour** /tʊə(r), tɔː(r)/ n. **1** giro; viaggio; gita; escursione: **a t. through France and Spain**, un viaggio attraverso la Francia e la Spagna; **a t. through the town**, un giro per la città; *I'll give you a t. of the office*, ti faccio fare il giro dell'ufficio **2** (*ind., mil.*) turno (*di servizio, di lavoro*) **3** (*teatr.*) giro; tournée (*franc.*) **4** (*sport*) trasferta all'estero; tournée (*franc.*) **5** (*ciclismo*) giro: **the T. of Italy**, il Giro d'Italia ● **t. conductor** (*o* **t. leader**), accompagnatore turistico □ **t. operator**, operatore turistico □ **on t.**, in viaggio (*o* in gita; (*teatr.*) in tournée.
to **tour** /tʊə(r), tɔː(r)/ Ⓐ v. i. **1** viaggiare (*per diletto e istruzione*); fare una gita, un giro: *They toured (all over) the world*, viaggiarono per tutto il mondo **2** (*teatr.*) andare in tournée; fare una tournée; *Do you know if they are touring at the moment?*, sai se sono in tournée in questo periodo? **3** (*sport*: *di una squadra*) fare una tournée; essere in tournée Ⓑ v. t. **1** viaggiare in (*un paese*); visitare (*un paese o città*) da turista.
touraco /'tʊərəkəʊ/ n. (pl. **touracos**) → **turaco**.
tourer /'tʊərə(r), 'tɔː-/ n. (*autom.*) automobile da turismo.
touring /'tʊərɪŋ, 'tɔː-/ Ⓐ a. da turismo: **a t. car**, un'automobile da turismo Ⓑ n. Ⓤ turismo: **air t.**, turismo aereo ● **t. by bicycle**, cicloturismo (*sci*) **t. boot**, scarpetta da fondista □ **a t. party**, una comitiva di turisti □ (*sport*) **t. team**, squadra in tournée (*o in visita*) □ **to go t.**, viaggiare per turismo.
tourism /'tʊərɪzəm, 'tɔː-/ n. Ⓤ turismo ● (*autom.*) **t. coach**, pullman turistico.
♦**tourist** /'tʊərɪst, 'tɔː-/ Ⓐ n. turista Ⓑ a. attr. turistico; da turista; di turismo: (*ferr.*) **a t. ticket**, un biglietto turistico; **a t. agency**, un'agenzia turistica; **t. resort**, località turistica ● **t. class**, classe turistica (*o economica*) □ (*econ.*) **the t. industry**, il turismo □ (*fig.*) **t. trap**, «trappola» per turisti; posto dove si spennano i turisti (*fam.*) □ **t. visa**, visto turistico.
touristy /'tʊərɪstɪ, 'tɔː-/ a. (*di solito spreg.*) troppo turistico; pieno di turisti; fatto per turisti; adatto a turisti.
tourmaline /'tʊəməliːn/ n. Ⓤ (*miner.*) tormalina.
♦**tournament** /'tɔːnəmənt, 'tʊə-/ n. (*stor., sport*) torneo: **a bridge [tennis] t.**, un torneo di bridge [di tennis]; **an inter-club t.**, un torneo fra società (*calcistiche, ecc.*).
tourney /'tʊənɪ, 'tɔː-/ n. **1** (*stor.*) torneo **2** (*retor., sport*) torneo.
to **tourney** /'tʊənɪ/ v. i. (*stor.*) torneare; giostrare.
tourniquet /'tʊənɪkeɪ, 'tɔː-/ n. (*med.*) lac-

cio emostatico.

tournois /'tʊənwɑ:, 'tɔ:-/ (franc.) n. (stor.) tornese (moneta d'argento).

tousle /'taʊzl/ n. massa aggrovigliata, arruffata (spec. di capelli).

to **tousle** /'taʊzl/ v. t. mettere in disordine, arruffare; scompigliare.

tout /taʊt/ n. **1** (GB = ticket t.) bagarino **2** (ipp., USA) chi dà informazioni riservate sulle corse ippiche (in cambio di parte della vincità) **3** propagandista, piazzista.

to **tout** /taʊt/ **A** v. i. **1** (comm.) andare in cerca di clienti; sollecitare ordinazioni; fare il propagandista (o il piazzista) **2** (fam.) andare in cerca di notizie sui cavalli (prima delle corse); fare l'informatore **3** fare il bagarino **4** (USA) vendere informazioni riservate sulle corse dei cavalli **B** v. t. **1** vendere (biglietti, ecc.) sottobanco **2** pubblicizzare; reclamizzare: This hotel is touted as the best in town, questo albergo viene reclamizzato come il migliore della città ● (comm.) **to t. for orders**, sollecitare ordinazioni □ (polit.) **to t. for votes**, andare in cerca di voti.

touting /'taʊtɪŋ/ n. ⓤ **1** bagarinaggio **2** (USA) vendita di informazioni riservate sulle corse dei cavalli.

tow① /təʊ/ n. **1** ⓤ (naut., autom.) rimorchio; il rimorchiare; l'essere rimorchiato: **to take a ship in tow**, prendere una nave a rimorchio; **to be taken under** (o in) **tow**, essere preso a rimorchio; farsi rimorchiare **2** (naut.) rimorchiatore **3** ⓤ (trasp.) alaggio **4** (= ski tow) sciovia **5** (volo a vela) traino ● **tow barge**, chiatta **2** (autom.) **tow hook**, gancio per rimorchio □ **tow net**, rete a strascico □ **tow-off**, traino (nel volo a vela) □ (volo a vela) **tow release knob**, pomello di sgancio del cavo di traino □ (autom., USA) **tow truck**, carro attrezzi; autogrù □ (fam., sport) **to get a tow**, farsi tirare (nella scia di un altro) □ (fam.) **in tow**, al seguito; a rimorchio; dietro: He arrived with wife and kids in tow, arrivò seguito da moglie e figli; Who did he have in tow last night?, chi si tirava dietro ieri sera?; con chi era ieri sera?

tow② /təʊ/ n. ⓤ (ind. tess.) **1** stoppa (di lino o canapa, per far corde) **2** capecchio; lisca ● **tow-haired**, dai capelli color stoppa □ **tow-head**, (persona dai) capelli color stoppa □ **tow-headed**, dai capelli di stoppa.

to **tow** /təʊ/ v. t. **1** (naut., autom.) rimorchiare; trainare: **to tow a ship astern**, rimorchiare una nave di poppa; **to tow a car home**, rimorchiare un'auto fino a destinazione; Last week I had a breakdown on the motorway and had to be towed home, la settimana scorsa sono rimasta in panne sull'autostrada e mi hanno rimorchiato l'auto fino a casa **2** (naut.) alare **3** tirarsi dietro (un bambino piccolo, ecc.); portarsi appresso; trascinare (per mano) **4** portare a strascico, strascinare (una rete da pesca) **5** (volo a vela) trainare ● (autom.) **to tow away**, rimuovere forzatamente (veicoli: con un'autogrù, ecc.); portare via (fam.) □ **to tow off**, (naut.) rimorchiare al largo; (volo a vela) trainare (un aliante) □ (mil.) **towed artillery**, artiglieria trainata.

towage /'təʊɪdʒ/ n. ⓤ **1** (naut., autom.) rimorchio **2** (trasp.) alaggio **3** (naut., autom.) spese di rimorchio.

♦**towards** /tə'wɔ:dz/, **toward** /tə'wɔ:d/ prep. **1** verso; in direzione di; alla volta di; nei riguardi di; circa: They moved on t. the North Pole, avanzarono verso il Polo Nord; **steps t. peace**, progressi verso la pace; We set out t. the town, partimmo alla volta della città; **your attitude t. me**, il tuo comportamento verso di me (o nei miei confronti); **t. the end of the journey**, verso la fine del viaggio; **t. five o'clock**, circa le cinque; verso le cinque **2** per; in previsione di: They

save money t. their old age, risparmiano per la vecchiaia.

towaway /'təʊəweɪ/ n. ⓤ (autom.) rimozione forzata (di automezzi in sosta vietata) ● **t. zone**, zona di rimozione forzata (con autogrù, ecc.).

towbar /'təʊbɑː(r)/ n. **1** (autom., trasp.) barra di rimorchio **2** (sci nautico) barra di trazione.

towboat /'təʊbəʊt/ n. (naut.) rimorchiatore.

♦**towel** /'taʊəl/ n. asciugamano ● **t.-horse** (o **t.-rack**), portasciugamano (a trespolo) □ **t. rail**, portasciugamano (a muro) □ **roller t.**, asciugamano girevole (su cilindro); bandinella □ **sanitary t.**, assorbente igienico □ (boxe e fig.) **to throw in the t.**, gettare la spugna.

to **towel** /'taʊəl/ **A** v. t. asciugare (con un asciugamano) **B** v. i. asciugarsi ● **to t. oneself**, asciugarsi.

■ **towel down** v. i. + avv. asciugarsi (con l'asciugamano).

towelette /taʊə'let/ n. (USA) tovagliolino di carta; salvietta; salviettina.

towelhead /'taʊəlhed/ n. (spreg. ingl.) **1** arabo **2** indiano.

towelling, (USA) **toweling** /'taʊəlɪŋ/ n. **1** ⓤ tela per asciugamani **2** ⓤⓒ asciugatura; asciugata.

♦**tower**① /'taʊə(r)/ n. **1** torre **2** (fig., = t. of strength) difensore; protettore; persona forte come una torre **3** (elettr., radio, TV) pilone; palo; colonna; torre **4** (naut.) torretta (di sommergibile) ● **conning t.**, torretta di comando **5** (ferr., USA) cabina degli scambi **6** (di funivia) pilone **7** (sci) trampolino ● (edil.) **t. block**, torre (di appartamenti); edificio a molti piani □ (mecc.) **t. crane**, gru a torre □ (ferr.) **t. house**, torre degli scambi □ **t. ladder**, scala aerea (dei pompieri) □ (tecn.) **t. mast**, torre a traliccio (di gru) □ (agric.) **t. silo**, silo verticale □ (fig.) **ivory t.**, torre d'avorio.

tower② /'təʊə(r)/ n. **1** rimorchiatore; chi (o cosa che) rimorchia **2** (naut.) società di rimorchi marittimi.

to **tower** /'taʊə(r)/ v. i. **1** torreggiare; (fig.) dominare, sovrastare: Mont Blanc towers over the other mountains, il Monte Bianco torreggia sulle (o sovrasta le) altre montagne; Shakespeare towers above all the Elizabethan dramatists, Shakespeare sovrasta tutti i drammaturghi elisabettiani; **to t. over the opposition**, sovrastare in altezza tutti gli avversari **2** (d'uccello) librarsi.

towered /'taʊəd/ a. turrito; coronato (o munito) di torri ● **a high-t. castle**, un castello dalle alte torri.

towering /'taʊərɪŋ/ a. **1** torreggiante; dominante; eccelso **2** (fig.) furioso; violento: **t. wrath**, ira violenta; furore.

towery /'taʊərɪ/ → **towered**, **towering**.

towing /'təʊɪŋ/ n. ⓤ **1** rimorchio; il rimorchiare **2** (aeron., volo a vela) traino ● (autom., USA) **t. and auto repair**, soccorso stradale □ **t. bracket**, gancio da rimorchio □ **t. path**, alzaia.

towline /'təʊlaɪn/ n. **1** (naut.) cavo (o gomena) di rimorchio **2** (autom.) fune (o cavo) di traino.

♦**town** /taʊn/ n. **1** città; (talora) cittadina; (fig.) (la) cittadinanza, (i) cittadini; (in Inghilterra) Londra: He's in t. somewhere, è in città da qualche parte; I'm going into t., vado in città (o in centro); The whole t. went to the main gate, tutta la città si recò alla porta maggiore; We went up to t. from Dover, da Dover ci recammo a Londra; I work in t., in an office near the t. hall, lavoro in città, in un ufficio vicino al municipio **2** ⓤ (collett.) i cittadini; i residenti: (spec. a Oxford e Cambridge) **t. and gown**, gli abitanti da un la-

to, e i docenti e gli studenti universitari dall'altro ● (banca) **t. bill**, cambiale su piazza □ **t. car**, automobile da città (o per uso in città) □ **t. clerk**, segretario comunale □ **t. council**, consiglio comunale □ **t. councillor**, consigliere comunale □ (un tempo) **t. crier**, banditore pubblico □ (fisc.) **t. duty**, dazio comunale □ **t. gas**, gas di città (o di gasometro) □ **t. hall**, palazzo comunale; municipio □ **t. house**, casa di città, residenza cittadina; casa di un certo tono; (scozz.) municipio; (USA) casa unifamiliare a schiera □ **t. life**, vita di città; vita in città □ (autom.) **t. lights**, luci di città (o di posizione); luci di marcia (o cartina) della città □ **t. map**, mappa (o cartina) della città □ **t. major**, comandante d'una guarnigione militare; governatore □ **t. mayor**, sindaco □ (USA) **t. meeting**, riunione degli abitanti (o degli elettori) d'una città □ **t. planner**, urbanista □ **t. planning**, urbanistica □ **t.-planning consultant**, urbanista □ (comm.) **t. traveller**, piazzista □ (nella città sede dell'azienda rappresentata) □ (fam. USA) **to blow t.**, squagliarsela senza pagare (o per evitare l'arresto); fare fagotto; levare le tende □ **cities and towns**, città grandi e piccole □ (fam., fig.) **to go to t.**, andare a far baldoria; andare a divertirsi □ **to go to t. on st.**, andarci a nozze con qc.: The popular press has gone to t. on Prince Charles' diary, i giornali popolari ci sono andati a nozze con il diario del Principe Carlo □ **to live in a t.**, abitare in una città □ (un tempo) **to live on the t.**, vivere a spese della carità pubblica □ **one's native t.**, la propria città natale □ (fam.) **to be** (out) **on the t.**, essere in città a divertirsi; fare baldoria; fare vita notturna □ **to ship t.** = **to blow t.** → sopra □ **The news was all over the t.**, la notizia era sulla bocca di tutti.

townie /'taʊni/ n. (USA) → **towny**.

townified /'taʊnɪfaɪd/ a. (fam.) diventato cittadino; inurbato: 'The money was spent on chocolates, magazines, dresses, hair-ribbons, for his t. step-daughter' D. LESSING, 'i soldi li spendeva in cioccolatini, rotocalchi, vestiti e nastri per i capelli, per la sua figliastra inurbata'.

townlet /'taʊnlət/ n. cittadina; piccola città.

townscape /'taʊnskeɪp/ n. (arte) quadro di soggetto cittadino; panorama (o veduta) di una città.

townsfolk /'taʊnzfəʊk/ n. pl. **1** – (collett.) **the t.**, la cittadinanza; i cittadini **2** cittadini; gente di città.

township /'taʊnʃɪp/ n. **1** distretto amministrativo; municipalità; comune; cittadina **2** (USA, Canada) suddivisione amministrativa d'una contea **3** (in Sud Africa) sobborgo abitato da gente di colore; comunità di neri (come Soweto, cioè la South-West Township di Johannesburg) **4** (stor.) parrocchia (divisione amministrativa).

townsman /'taʊnzmən/ n. (pl. **townsmen**) (arc. o lett.) **1** cittadino **2** (spesso fellow t.) concittadino.

townspeople /'taʊnzpiːpl/ → **townsfolk**.

towny /'taʊni/ (fam.) **A** a. cittadino; da (o di) città; urbano **B** n. (spesso spreg.) cittadino; abitante della città.

towpath /'təʊpɑːθ/ = **towing path** → **towing**.

towrope /'təʊrəʊp/ → **towline**.

towy /'təʊɪ/ a. stopposo; filaccioso.

toxaemia, **toxemia** /tɒkˈsiːmɪə/ n. ⓤ (med.) tossiemia.

toxic /'tɒksɪk/ a. (med.) tossico; velenoso ● (med.) **t. infection**, tossinfezione □ (leg., USA) **t. tort**, illecito civile derivante da danni provocati da inquinamento □ (ecol.) **t. waste**, rifiuti tossici | **-ally** avv.

toxicant /'tɒksɪkənt/ (*med.*) **A** a. tossico; velenoso **B** n. agente tossico; veleno.

toxicity /tɒk'sɪsətɪ/ n. ʊᴄ (*med.*) tossicità; velenosità.

toxicology /tɒksɪ'kɒlədʒɪ/ (*med.*) n. ᵤ tossicologia ‖ **toxicological** a. tossicologico ‖ **toxicologist** n. tossicologo.

toxicomania /tɒksɪkəʊ'meɪnɪə/ (*med.*) n. ᵤ tossicomania ‖ **toxicomaniac** a. tossicofilo.

toxicosis /tɒksɪ'kəʊsɪs/ n. ᵤ (*med.*) tossicosi.

toxin /'tɒksɪn/ n. (*biochim.*) tossina.

toxophilite /tɒk'sɒfəlaɪt/ n. appassionato di tiro con l'arco.

toxoplasmosis /tɒksəplæz'məʊsɪs/ n. ᵤ (*med.*) toxoplasmosi.

♦**toy** /tɔɪ/ n. **1** giocattolo; balocco **2** bazzecola; bagatella; inezia; gioco ● **toy box**, scatola dei balocchi □ **toy boy → toyboy** □ **a toy dog**, un cane di piccola taglia □ (*econ.*) **the toy industry**, l'industria del giocattolo □ **toy model**, modellino (*in scala*) □ **a toy poodle**, un barboncino nano □ **toy shop** (*o* **store**), negozio di giocattoli □ **toy soldier**, soldato di piombo; (*fig.*) soldato del papa □ **toy train**, trenino (*balocco*) □ **toy yacht**, battellino.

to **toy** /tɔɪ/ v. i. **1** giocherellare; baloccarsi; trastullarsi: *He toyed with the idea of going abroad*, si trastullava con l'idea d'andare all'estero; **to toy with one's pipe**, giocherellare con la pipa **2** amoreggiare; civettare; flirtare.

toyboy /'tɔɪbɔɪ/ n. (*spreg. o scherz.*) bel ragazzo amante di una donna più anziana; gigolo; mantenuto.

toymaker, **toy maker** /'tɔɪmeɪkə(r)/ n. produttore di giocattoli; casa produttrice di giocattoli; fabbricante di giocattoli; giocattolaio.

TQM sigla (*econ.*, **total quality management**) gestione della qualità totale.

tr. abbr. **1** (**translation**) traduzione (trad.) **2** (**translated**) tradotto **3** (**trustee**) fiduciario, amministratore.

trabeation /treɪbɪ'eɪʃn/ (*archit.*) n. **1** trabeazione **2** ᵤ architravatura ‖ **trabeate**, **trabeated** a. a trabeazione; ad architrave.

trabecula /trə'bekjʊlə/ n. (pl. **trabeculae**, **trabeculas**) (*anat.*) trabecola.

trace① /treɪs/ n. **1** traccia; orma; impronta; segno: *The burglars have left no t.*, i ladri non hanno lasciato traccia; *The war has left its traces*, la guerra ha lasciato i propri segni; *Of the ancient town no t. remains*, della città antica non resta traccia **2** traccia; residuo: **traces of soda**, tracce di soda **3** (un) pochino; (un) tantino; (un) briciolo: *He didn't show a t. of fear*, non mostrava un briciolo di paura **4** (*comput.*, *tecn.*) traccia **5** tracciato (*di disegno, ecc.*): **a radar t.**, un tracciato radar **6** (*mat.*) traccia: **t. of a matrix**, traccia di una matrice ● (*geol.*, *chim.*) **t. element**, elemento in tracce; oligoelemento; microelemento □ (*geol.*) **t. fossil**, traccia fossile □ **to have lost all t. of sb.**, non avere più notizie di q.

trace② /treɪs/ n. **1** tirella **2** (*mecc.*) biella; asta d'accoppiamento ● **to kick over the traces**, (*di un cavallo*) liberarsi a calci delle tirelle; (*fig.*) scuotere il giogo; ribellarsi; (*anche*) rendersi indipendente.

♦to **trace** /treɪs/ **A** v. t. **1** (*spesso* **to t. out**) tracciare (*anche fig.*); abbozzare; disegnare; segnare; vergare: **to t. one's signature**, tracciare la (propria) firma; *He traced* (*out*) *a new policy*, egli tracciò una nuova linea politica; **to t. out a map** [**the cross-section of a hospital**], disegnare una mappa [lo spaccato di un ospedale]; **to t. words with a shaking hand**, vergare parole con mano

tremante **2** seguire le tracce di (q.); pedinare; inseguire: *The police are tracing the gangster*, la polizia sta seguendo le tracce del bandito; **to t. a deer**, seguire le orme di un cervo **3** rintracciare; scoprire; trovare: *The robber was traced to Paris*, il rapinatore fu rintracciato a Parigi; *I cannot t. the invoice you sent me*, non riesco a trovare la fattura che mi avete mandato; **to t. the origin of st.**, scoprire l'origine di qc. **4** intravedere; scorgere appena; osservare le tracce di: *His resentment can be traced in many passages of the book*, il suo risentimento traspare (*o si intravede*) in molti passi del libro **5** seguire; percorrere: **to t. a path**, seguire un sentiero; **to t. a route**, seguire un itinerario **B** v. i. **1** risalire; riandare nel tempo **2** (*arc.*) seguire un percorso; prendere una strada ● **to t. an ancient road** [**ancient walls**], scoprire il tracciato di una strada antica [di mura antiche] □ **to t. back to**, risalire a (*una data, ecc.*); far risalire a, attribuire a; ricondurre a (*fig.*): *The duke traced his genealogy back to William the Conqueror*, il duca faceva risalire la sua discendenza a Guglielmo il Conquistatore □ **to t. out**, disegnare, tracciare (*sulla sabbia, ecc.*); delineare, abbozzare (*un progetto e sim.*); evidenziare, mettere in risalto □ **to t. over**, ricalcare (*un disegno, ecc.*).

traceable /'treɪsəbl/ a. **1** tracciabile; (*di disegno*) ricalcabile **2** rintracciabile **3** che può essere fatto risalire a (*una data*); attribuibile **4** (*di genealogia*) ricostruibile ‖ **traceability** n. ᵤ **1** l'essere tracciabile (*o* ricalcabile) **2** l'esser rintracciabile; rintracciabilità **3** l'esser attribuibile.

traceless /'treɪsləs/ a. **1** senza traccia; che non lascia tracce **2** che non si riesce a rintracciare.

tracer /'treɪsə(r)/ n. **1** chi rintraccia oggetti smarriti **2** arnese per tracciare disegni (*su carta, ecc.*) **3** (*disegno*) lucidatore; lucidista **4** (*chim.*, *fis.*) tracciante: **radioactive t.**, tracciante radioattivo **5** (*di filo o cavo elettrico*) tracciatura **6** (*USA*) cartellino d'archivio **7** (*mil.*) = **t. bullet** → *sotto* ● (*mil.*) **t. bullet** (*o* **t. shell**), proiettile tracciante □ (*fis. nucl.*, *biol.*) **t. element**, tracciante radioattivo (*isotopo*).

tracery /'treɪsərɪ/ n. ᵤᴄ **1** (*archit. e fig.*) traforo (*decorazione ornamentale*) **2** motivo decorativo; disegno (ornamentale): **the t. made by frost on a windowpane**, i disegni fatti dal ghiaccio sul vetro d'una finestra **3** (*per estens.*; *bot.*, *zool.*) nervatura (*di foglie, ali d'insetto, ecc.*).

trachea /trə'kiːə/ (*anat.*) n. (pl. **tracheae**, **tracheas**) trachea ‖ **tracheal** a. tracheale.

tracheitis /trækɪ'aɪtɪs/ n. ᵤ (*med.*) tracheite.

tracheobronchitis /trækɪəʊbrɒŋ'kaɪtɪs/ n. ᵤ (*med.*, *vet.*) tracheobronchite.

tracheostomy /trækɪ'ɒstəmɪ/ n. ᵤᴄ (*med.*) tracheostomia.

tracheotomy /trækɪ'ɒtəmɪ/ n. ᵤᴄ (*med.*) tracheotomia.

trachoma /trə'kəʊmə/ (*med.*) n. ᵤ tracoma ‖ **trachomatous** a. tracomatoso.

trachyte /'treɪkaɪt/ n. ᵤ (*geol.*) trachite.

tracing /'treɪsɪŋ/ n. **1** tracciamento; tracciato **2** (*spec.*) ricalco; ricalcatura; lucido: **to make a t. of a drawing**, fare il lucido di un disegno; ricalcare un disegno **3** (*leg.*) diritto di sequela (*secondo la 'equity' ingl.*) ● **t. cloth**, tela da lucidi □ **t. paper**, carta da ricalco; carta per lucidi.

♦**track** /træk/ n. **1** traccia; orma; pesta; impronta; (*di nave, ecc.*) scia; solco: **tracks on the sand**, orme sulla sabbia; **the tracks made by wild animals**, le peste lasciate da animali selvatici; (*anche fig.*) **to cover** (*o* **to hide**) **one's tracks**, coprire (*o far sparire*) le

proprie tracce; **to be on sb.'s tracks** (*o* **to be on the t. of sb.**), essere sulle tracce di q.; **car tracks**, impronte (*o* tracce) di gomme d'automobile **2** itinerario; percorso; rotta; strada; traiettoria: **to follow one's t.**, continuare per la propria strada; (*aeron.*) **t. angle**, angolo di rotta; **the t. of a meteor**, la traiettoria d'una meteora; **the t. of a hurricane**, il percorso di un uragano; (*aeron.*) **the t. made good**, la rotta percorsa; **the t. of a bullet**, la traiettoria di un proiettile **3** sentiero; viottolo; pista (*anche fig.*): **a rough t.**, un sentiero aspro, difficile; **a mule t.**, una pista per muli; una mulattiera; **to be on the right t.**, essere sulla pista giusta; **to be on the wrong t.**, seguire la pista sbagliata **4** (*ferr.*, *tranvia*) binario: **a single-t.** [**double-t.**] **railway**, una ferrovia a binario unico [a binario doppio]; **to leave the t.**, uscire dal binario; deragliare **5** (*comput.*) pista (*di nastro magnetico, ecc.*) **6** (*mecc.*) traccia **7** (*tecn.*) pista di taglio; solco **8** (*mecc.*) cingolo (*di carro armato, trattore, gatto delle nevi, ecc.*) **9** (*autom.*) carreggiata (*distanza fra due ruote parallele*) **10** (*fis. nucl.*) traccia **11** (*USA*) indirizzo di studio; corso **12** (*ferr.*, *USA*) binario (*nel senso di «pensilina»*; cfr. ingl. **platform**): «**t. two**» (*cartello*), «binario due» (*in stazione*) **13** (*mus.*) brano: **title t.**, brano che dà il titolo (*al disco, ecc.*) **14** (*miss.*) orbita; traiettoria **15** (*aeron.*, *naut.*) rotta; cammino percorso **16** (*atletica*, *autom.*, *ciclismo*, *motociclismo*, *sci*) pista **17** (*atletica*) corsia **18** (*atletica*) (= **t. events**), le gare su pista ● **t. and field athletics** (*o* **events**), (gare di) atletica leggera □ (*ciclismo*) **t. bicycle**, bicicletta da pista □ **t. border**, bordo della pista □ **t. centre**, centro della pista □ (*ciclismo*) **t. (cycle) racing**, le gare su pista (collett.) □ (*ciclismo*) **t. cycling**, ciclismo su pista □ (*atletica*) **t. event**, gara su pista (*corsa piana, ecc.*) □ (*sport*) **t. events**, atletica su pista □ (*ciclismo*) **t. meeting** (*USA*, *anche*: **meet**), riunione di atletica leggera; riunione su pista □ (*atletica*, *ciclismo*) **t. race**, corsa in pista; gara su pista □ (*atletica*) **t. runner**, podista □ (*atletica*) **t. running**, le corse su pista (collett.); podismo □ (*atletica*) **t. shoes**, scarpette da pista; scarpe da corsa (*chiodate*) □ (*atletica*) **t. star**, asso del podismo □ **t. suit**, tuta sportiva □ (*USA*) **t. system**, sistema didattico di raggruppamento degli studenti secondo le capacità e le attitudini □ (*autom.*, *motociclismo*) **cinder t.**, pista di cenere □ **fast t.**, (*autom.*) corsia veloce (*o* di sorpasso); (*fig.*) settore (*o* scelta) professionale (indirizzo di studi, ecc.) che fa accelerare la carriera; strada più veloce per ottenere qc., iter burocratico snellito □ **to follow the beaten t.**, seguire la strada battuta; (*fig.*) seguire la corrente □ **to have a one-t. mind**, soffrire di deformazione professionale; avere un'idea fissa; (*anche*) non pensare ad altro che a quello (*cioè, al sesso*) □ **inside t.**, (*sport*) corsia interna (*nelle corse*); (*fig.*) posizione vantaggiosa; postazione privilegiata □ **to keep t. of**, seguire le tracce di; non perdere di vista; (*fig.*) tenersi al corrente di, seguire (qc.), avere sempre chiara la situazione di (qc.) □ **to lose t. of**, perdere le tracce di; (*fig.*) non essere più al corrente di, non riuscire più a seguire □ (*fam.*) **to make tracks**, far fagotto; andarsene; tagliare la corda □ (*fam.*) **to make tracks for home**, andarsene dritto a casa (*anche fig.*) □ **off the t.**, fuori strada; (*fig.*) fuori pista, fuori argomento □ **to be off the beaten t.**, essere lontano; essere fuori mano □ (*fig.*) **on the right t.**, sulla pista giusta; in argomento □ (*fig.*) **to put st. back in t.**, rimettere qc. sul binario giusto □ **sheep t.**, trattturo □ (*cinem.*) **sound t.**, colonna sonora □ **to stop dead in one's tracks**, fermarsi su due piedi (*o* di botto) □ (*autom.*) **test t.**, pista di prova □

(*fam. USA*) **the wrong side of the tracks**, i quartieri poveri (*di una città*).

to **track** /træk/ **A** v. t. **1** seguire le tracce di; inseguire; essere sulle tracce di; pedinare; stare alle costole di: **to t. game**, inseguire la selvaggina; **to t. a thief**, seguire le tracce di un ladro; (*sport*) **to t. a rival**, stare alle costole di un avversario **2** (*radio, miss.*) seguire col radar la rotta di; rilevare la traiettoria di (*un satellite, ecc.*): **to t. an aircraft**, seguire la rotta di un aereo **3** seguire l'andamento di; verificare i movimenti di; monitorare le fasi di trasporto di (*un pacco, una consegna*); fare il 'tracking' di (*un pacco, una consegna*) **4** (*cinem., TV*) seguire (*con la macchina da presa*) **5** seguire un pista in: *They tracked the jungle*, seguirono una pista nella giungla **6** (*USA*) lasciare impronte o tracce di: *The kids have tracked mud all over the place*, i bambini hanno lasciato fango dappertutto con le loro scarpe **7** (*ferr.*) fornire di binari; posare i binari su (*una linea*) **8** (*ferr., mecc.*) avere lo scartamento di: *A narrow-gauge car tracks less than 56 inches*, un vagone a scartamento ridotto ha uno scartamento inferiore a 56 pollici (*m 1,42 circa*) **9** (*trasp.*) alare, rimorchiare con l'alzana (*una barca*) **B** v. i. **1** (*di veicolo, rimorchio, ecc.*) seguire un percorso **2** (*cinem., TV*) fare una carrellata; carrellare **3** (*naut.*) navigare a inseguimento **4** (*USA*) essere convincente; collimare; quadrare; tornare (*fam.*): *In his report there's something that doesn't quite t.*, nella sua relazione c'è qualcosa che non quadra del tutto.

■ **track back** v. t. + avv. rintracciare l'origine di; far risalire: **to t. a rumour back to its source**, rintracciare l'origine di una diceria.

■ **track down** v. t. + avv. riuscire a trovare (*dopo ricerche o inseguimento*); rintracciare, snidare, stanare: **to t. down the murderer**, trovare l'assassino; **to t. down game**, snidare selvaggina; *I finally tracked down the article in the June issue*, finalmente riuscii a scovare l'articolo nel numero di giugno.

trackage /ˈtrækɪdʒ/ n. [UC] **1** (*collett., ferr.*) binari; rotaie **2** (*trasp.*) alaggio; rimorchio da riva (*o con l'alzana*) **3** (*trasp.*) spese di alaggio.

trackball /ˈtrækbɔːl/ n. (*comput.*) 'trackball' (*pallina di solito integrata alla tastiera, e usata come dispositivo di puntamento*).

tracked /trækt/ a. cingolato; munito di cingoli ● (*ferr.*) **t. air-cushion vehicle**, treno a cuscino d'aria.

tracker /ˈtrækə(r)/ n. (*nella caccia grossa*) battitore ● **t. dog**, cane poliziotto.

trackie /ˈtrækɪ/ n. (*spec. al pl.*) (*fam., GB*) tuta sportiva.

tracking /ˈtrækɪŋ/ n. [UC] **1** inseguimento; lavoro dei battitori (*di selvaggina*) **2** (*aeron., miss.*) puntamento, inseguimento, rilevamento (*col radar, ecc.*) **3** (*cinem., TV, = t. shot*) carrellata a seguire, carrellata **4** (*elettr.*) corrente strisciante (*o superficiale*) **5** (*elettron.*) allineamento; inseguimento **6** (*naut.*) navigazione a inseguimento **7** (*di pacco spedito, ecc.*) monitoraggio delle fasi di trasporto; 'tracking' **8** (*autom., elettr.*) **t. check**, controllo delle puntine (platinate) □ (*anche miss.*) **t. station**, stazione d'inseguimento.

tracklayer /ˈtrækleɪə(r)/ n. (*ferr., USA*) **1** operaio addetto alla posa di binari **2** macchina per la posa di binari.

trackless /ˈtræklɪs/ a. **1** senza sentieri; impervio: **t. mountains**, impervie montagne **2** (*ferr., trasp.*) che non viaggia su rotaie **3** (*di veicolo*) senza cingoli; non cingolato **4** (*raro*) che non lascia tracce.

trackman /ˈtrækmən/ n. (pl. **trackmen**) (*ferr., USA; cfr. ingl.* **platelayer**) **1** operaio addetto alla posa dei binari **2** guardalinee.

trackway /ˈtrækweɪ/ n. sentiero battuto;

---

pista aperta.

track-work /ˈtrækwɜːk/ n. [U] **1** costruzione di ferrovie **2** (*sport*) lavoro che si svolge in pista.

tract① /trækt/ n. **1** tratto; distesa; estensione; regione; spazio: **wide tracts of farmland**, ampie distese di terreni coltivati **2** (*anat.*) apparato; tratto: **the digestive t.**, l'apparato digerente **3** (*anat.*) fascio (*di fibre nervose*).

tract② /trækt/ n. trattatello; libretto; opuscolo.

tractability /ˌtræktəˈbɪlətɪ/ n. [U] **1** trattabilità; arrendevolezza; docilità **2** (*tecn.*) trattabilità; malleabilità.

tractable /ˈtræktəbl/ a. **1** trattabile; arrendevole; docile; maneggevole: *A mule is not very t.*, il mulo non è molto docile **2** (*tecn.*) trattabile; malleabile | **-bly** avv.

Tractarianism /trækˈtɛərɪənɪzəm/ (*stor., relig.*) n. [U] trattarianesimo; movimento (*nella Chiesa anglicana*) tendente al Cattolicesimo (*dai «Tracts for the Times», pubblicati a Oxford nel 1833-41*) ‖ **Tractarian** **A** n. fautore (*o seguace*) del trattarianesimo **B** a. del trattarianesimo.

tractate /ˈtrækteɪt/ n. (*form.*) trattato.

traction /ˈtrækʃn/ n. [U] (*fis., mecc.*) **1** trazione: **steam t.**, trazione a vapore; **electric t.**, trazione elettrica **2** aderenza (*di una ruota al terreno, ecc.*) **3** (*med.*) trazione: *My broken leg was in t.*, avevo la gamba rotta in trazione **4** (*fisiol.*) contrazione (*di muscoli*) ● **t. engine**, trattrice stradale (*a mecc.*) **t. wheel**, ruota motrice (*di una ruota*) **to lose t.**, perdere la presa sul terreno.

tractive /ˈtræktɪv/ a. (*fis., mecc.*) di trazione: **t. force**, forza di trazione; **t. power**, sforzo di trazione.

tractor /ˈtræktə(r)/ n. **1** (*agric.*) trattore, trattrice: **caterpillar t.**, trattore a cingoli **2** (*autom.*) motrice (*per rimorchio*): **t. (and) trailer**, motrice e rimorchio **3** (*aeron.*) velivolo a elica traente ● (*comput.*) **t. feed**, alimentazione a trattore (*nelle stampanti ad aghi*) □ (*mecc.*) **t. loader**, (*o* **t. shovel**), pala caricatrice □ (*sport*) **t. pulling**, gare di traino per trattori.

tractrix /ˈtræktrɪks/ n. (pl. **tractrices**) (*mat.*) trattrice.

Tracy /ˈtreɪsɪ/ n. dim. di **Teresa**.

trad. /træd/ abbr. **1** (**tradition**) tradizione **2** (**traditional**) tradizionale.

tradable, tradeable /ˈtreɪdəbl/ a. **1** (*market.*) commerciabile **2** (*Borsa, fin., econ.*) negoziabile: **t. [emission] permits**, permessi [di emissione] negoziabili.

♦**trade** /treɪd/ **A** n. [UC] **1** occupazione; lavoro; mestiere: *Bookbinding isn't a very old t.*, quello del legatore di libri non è un mestiere antichissimo; *He's a joiner by t.*, di mestiere fa il falegname **2** (*econ.*) attività economica; industria; settore: **the building t.**, l'industria edilizia; **the furniture t.**, l'industria dei mobili; **the ironmongery t.** (*scherz.*) **rag t.**, industria dell'abbigliamento (*o della moda*) **3** azienda; ditta; impresa: **wholesale trades**, ditte all'ingrosso **4** commercio; attività commerciale; scambio (*di merci*); traffico, traffici; affari: **home t.**, commercio interno; **foreign t.**, commercio estero; (*naut.*) grande cabotaggio; **wholesale t.**, commercio all'ingrosso; (*naut.*) **coasting t.**, commercio costiero; cabotaggio; (*econ.*) **free t.**, libero scambio; liberismo; *We're doing a roaring t.*, stiamo facendo affari d'oro; *T. was better last year thanks to the social contract*, i traffici furono più fiorenti l'anno scorso per merito del patto sociale **5** (*market.*: collett.) clientela; clienti **6** – (collett.) **the t.**, i commercianti; gli esercenti; (*fam.*) i venditori di alcolici **7** – (al pl.)

(*geogr.*) – **the Trades**, gli alisei **B** a. **1** commerciale: **a t. dictionary**, un dizionario commerciale **2** di (*o del*) commercio: **t. students**, studenti di commercio **3** di settore; settoriale; di categoria: **a t. journal**, un periodico di settore ● **t. advertising**, pubblicità riservata a un solo settore merceologico □ **t. agreement**, accordo commerciale (internazionale); (*anche*) contratto di lavoro □ **t. allowance**, sconto commerciale (*o mercantile*) □ **t. area**, zona commerciale □ **t. association**, associazione commerciale (*o industriale*) di categoria □ (*econ.*) **t. balance**, bilancia commerciale □ **t. barriers**, barriere al libero scambio □ **t. channels**, canali di distribuzione □ **the t. circles**, gli ambienti commerciali □ **t. credit**, credito commerciale (*o di fornitura*) □ (*econ.*) **t. cycle**, ciclo economico □ (*econ.*) **t. deficit**, deficit (*o disavanzo*) della bilancia commerciale □ (*leg.*) **t. description**, descrizione della merce □ **t. directory**, guida commerciale □ **t. discount**, sconto commerciale □ (*econ.*) **t. dispute**, vertenza sindacale □ **t. fair**, fiera campionaria (*o commerciale*) □ (*leg.*) **t. fraud**, frode in commercio □ (*econ.*) **t. gap**, deficit (*o disavanzo*) della bilancia commerciale: *The surge in imports worsens the t. gap*, l'aumento delle importazioni aggrava il deficit della bilancia commerciale □ **t. label**, etichetta commerciale □ (*leg.*) **t. law**, diritto commerciale □ (*leg.*) **t. libel**, denigrazione dei prodotti altrui □ (*leg.*) **t. licence**, licenza di commercio □ (*comm. est.*) **t.-mark** → **trademark** □ (*comm. est.*) **t. mission**, missione commerciale □ **t. name**, nome commerciale (*di una ditta*); nome depositato (*di un prodotto*) □ **t. order**, ordinativo di un commerciante (*non di un privato*) □ **t. paper**, giornale di settore; (*banca*) cambiale commerciale □ (*fin.*) **t. creditors**, debiti verso fornitori □ (*fin.*) **t. debtors**, crediti verso clienti □ **t. paperback**, (libro in) brossura □ (*rag.*) **t. payables**, debiti (verso) fornitori □ (*econ.*) **t. policy**, politica commerciale □ **t. price**, prezzo all'ingrosso; prezzo al rivenditore □ (*rag.*) **t. receivables**, crediti (da) clienti □ **t. report**, bollettino commerciale □ **t. representative**, rappresentante di commercio □ (*ass., leg.*) **t. risk**, rischio professionale □ (*naut.*) **t. route**, rotta commerciale □ **t. sale**, vendita di fornitura □ (*econ.*) **t. sanctions**, sanzioni commerciali □ **t. school**, scuola aziendale □ **t. secret**, segreto di fabbricazione; segreto industriale □ **t. talks**, negoziati commerciali □ **t. terms**, condizioni di vendita all'ingrosso □ (*comm. est.*) **t. treaty**, trattato commerciale □ **t. union** (*o* **trades union**), sindacato □ **t. unionism** (*o* **trades unionism**), sindacalismo □ **t. unionist** (*o* **trades unionist**), sindacalista; iscritto a un sindacato □ (*econ.*) **t. war**, guerra commerciale □ (*geogr.*) **t. wind**, (vento) aliseo □ **to do a good t.**, fare (buoni) affari; vendere molto □ **to be in t.**, essere nel commercio; fare il commerciante □ **to be in the t.**, essere del mestiere.

♦to **trade** /treɪd/ **A** v. i. **1** commerciare; fare affari; negoziare; trafficare; trattare: **to t. with African countries**, fare affari con i paesi africani; **to t. in hides and skins**, commerciare in pellami; **to t. with foreign merchants**, trattare con mercanti stranieri **2** fare acquisti; fare spese; essere clienti di: *We t. at (o with) Jones's*, siamo clienti dai Jones **B** v. t. **1** scambiare; barattare: *The Indians traded furs for knives*, gli indiani scambiavano pellicce con coltelli; *The boy traded his penknife for a ball*, il ragazzo barattò il temperino con una palla **2** scambiarsi (*insulti, offese, ecc.*) **3** (*sport*) scambiare (*boxe, ecc.*) **to t. punches**, scambiare colpi **4** vendere; cedere: **to t. a player to another club**, cedere un giocatore a un'altra società.

■ **trade down** v. t. + avv. cedere, vendere (qc.) in cambio di un oggetto di minor valore.

■ **trade in** v. t. + avv. dare in permuta; dare indietro (*fam.*): *I've traded in my old car for the latest model*, ho dato indietro la mia auto vecchia per prendere l'ultimo modello.

■ **trade off** v. t. + avv. cedere, dare (qc.) in cambio; scambiare; fare lo scambio di (q.): (*mil.*) **to t. off prisoners**, fare lo scambio dei prigionieri □ **to t. off st. for st. else**, cedere qc. in cambio di qc. altro; barattare qc. con qc. altro.

■ **trade on** v. t. + prep. approfittare di; speculare su: *It was unfair to t. on my generosity*, non è stato bello approfittare della mia generosità.

■ **trade up** v. t. + avv. (*USA*) → **trade in**.

■ **trade upon** v. t. + prep. → **trade on** □ **to t. upon one's record of successes**, vivere di credito (*fig.*); dormire sui passati allori.

trade-in /'treɪdɪn/ n. **1** permuta **2** bene (*o* oggetto) offerto (*o* dato) in permuta ● **trade-in allowance**, abbuono per permuta □ (*fin.*) **trade-in value**, valore di permuta.

trademark /'treɪdmɑːk/ n. **1** (= **registered t.**) marchio di fabbrica; marca; marchio (*o* nome) depositato: (*leg.*) **t. infringement**, violazione del marchio di fabbrica **2** (*fig.*) biglietto da visita (*fig.*); segno caratteristico: **a band's t. sound**, il sound caratteristico di un gruppo musicale.

to **trademark** /'treɪdmɑːk/ v. t. **1** depositare il marchio di fabbrica di (*un articolo, ecc.*) **2** apporre un marchio di fabbrica su (*un articolo, ecc.*).

to **trade-name** /'treɪdneɪm/ v. t. **1** dare un nome commerciale a (*una ditta*) **2** apporre il marchio a (*un prodotto*).

trade-off /'treɪdɒf/ n. **1** (*econ.*) trade-off; compromesso; scambio; permuta **2** ciò che bilancia; contropartita; conseguenza (*anche svantaggiosa: di un accordo, ecc.*) **3** (*fam.*) concessione reciproca; do ut des (*lat.*); compromesso.

♦**trader** /'treɪdə(r)/ n. **1** commerciante **2** (*naut.*) nave mercantile **3** (*Borsa, fin.*) operatore; speculatore.

tradesfolk /'treɪdzfəʊk/ → **tradespeople**.

tradesman /'treɪdzmən/ n. (pl. **tradesmen**) **1** negoziante; commerciante; bottegaio; esercente; fornitore **2** artigiano ● **t.'s bill**, conto del bottegaio (*o* del fornitore).

tradespeople /'treɪdzpiːpl/ n. pl. (collett.) **1** commercianti; negozianti; esercenti **2** artigiani.

tradeswoman /'treɪdzwʊmən/ n. (pl. **tradeswomen**) **1** bottegaia; negoziante; esercente (*donna*) **2** artigiana.

trading /'treɪdɪŋ/ Ⓐ n. Ⓤ **1** commercio; compravendita; traffici; scambi **2** (*Borsa, fin.*) operazione di borsa (*o* sui cambi delle valute); speculazione; contrattazioni: (*Borsa*) **t. days**, giorni di contrattazione **3** (*econ.*) attività commerciale (*in genere*) **4** (*sport*) cessione; vendita (*di un giocatore*) Ⓑ a. **1** commerciale; mercantile **2** (*naut.*) mercantile: **a t. vessel**, una nave mercantile; un mercantile ● (*rag.*) **t. account**, rendiconto dell'esercizio; conto merci vendute □ **t. bank**, istituto di credito ordinario; banca commerciale □ (*econ.*) **t. business**, impresa commerciale □ (*fin.*) **t. capital**, capitale d'esercizio □ **a t. centre**, un centro commerciale □ **t. certificate**, autorizzazione per l'inizio dell'attività commerciale □ **t. cheque**, buono d'acquisto □ (*stor.*) **t. company**, (*stor.*) compagnia commerciale; (*leg.*) società commerciale (*con fini di lucro*) □ (*comm. est.*) **t. currency**, valuta libera (*o* di scambio) □ (*Borsa*) **t. desk**, ufficio vendite e acquisti; borsino □ (*spec. GB*) **t. estate**, zona industriale (*di una città*) □ (*Borsa, stor.*: *a Londra*) **t. floor**, sala contrattazioni, parquet (*fino al 1986*) □ (*rag.*) **t. loss**, perdita di esercizio (*o* di gestione) □ (*Borsa*) **t. lot**, unità di contrattazione; lotto di titoli □ (*fin.*) **t. on the exchange**, attività (*o* intermediazione) borsistica □ (*Borsa*) **t. on margin**, operazioni a margine □ **t. partner**, partner commerciale □ (*fin.*) **t. partnership**, società commerciale □ (*spec. stor.*) **t. post**, stazione commerciale □ **t. profit**, (*fin., rag.*) profitto commerciale, utile mercantile; (*Borsa*) profitto di speculazione, plusvalenza □ (*fin., rag.*) **t. results**, risultati di esercizio □ (*Borsa*) **t. ring**, recinto delle contrattazioni □ (*market.*) **t. stamp**, bollo premio; punto; bollino (*fam.*) □ **t. standards**, livelli (*di bontà*) della commercializzazione □ (*Borsa*) **the t. volume**, il volume degli scambi (*o* delle contrattazioni) □ (*fin., rag.*) **t. year**, anno di gestione (*o* di esercizio); anno commerciale.

♦**tradition** /trəˈdɪʃn/ n. **1** tradizione **2** Ⓤ (*leg.*) tradizione; consegna; trasmissione.

♦**traditional** /trəˈdɪʃənl/ a. tradizionale; classico (*fig.*): **t. values**, valori tradizionali; **a t. dish**, un piatto tradizionale (*o* tipico) | **-ly** avv.

traditionalism /trəˈdɪʃənəlɪzəm/ n. Ⓤ tradizionalismo || **traditionalist** n. tradizionalista || **traditionalistic** a. tradizionalistico; tradizionalista.

to **traduce** /trəˈdjuːs, *USA* -ˈduːs/ (*form.*) v. t. calunniare; diffamare; denigrare || **traducement** n. Ⓤ calunnia; diffamazione; denigrazione || **traducer** n. calunniatore, calunniatrice; diffamatore, diffamatrice.

♦**traffic** /ˈtræfɪk/ n. Ⓤ **1** traffico; movimento; viavai: *There's a lot of t. on that road*, in quella strada c'è molto traffico; **air t.**, traffico aereo; (*ferr.*) **t. manager**, dirigente del movimento **2** traffico; commercio; attività commerciale; scambio: **t. in drugs** (*o* **drug t.**), il traffico della droga **3** (*market.*) volume dei clienti □ (*autom.*) **t. calming**, misure per rallentare il traffico (*dissuasori di velocità, ecc.*) □ (*autom., USA*) **t. circle**, rondò; rotatoria; svincolo a rotatoria (*cfr. ingl.* **roundabout**) □ (*autom.*) **t. cone**, cono stradale □ **t. control**, controllo del traffico □ (*aeron.*) **t. control tower**, torre di controllo □ (*fam.*) **t. cop**, poliziotto addetto al traffico; vigile □ **t. divider**, spartitraffico; guardrail centrale □ **t. flow**, circolazione (*automobilistica, ecc.*); flusso del traffico □ **t.-free**, pedonalizzato □ (*autom.*) **t. indicator** = **trafficator** □ **t. island**, spartitraffico □ **t. jam**, ingorgo stradale □ (*autom.*) **t. lane**, corsia: «**T. lanes at junction ahead**» (*cartello*), «mettersi in corsia per l'incrocio» □ **t. lights**, (*USA* **t. light**), semaforo □ (*ferr.*) **t. returns**, cifre del movimento □ **t. signals**, (*USA* **t. signal**), semaforo □ **t. signs**, segnaletica stradale □ (*in GB*) **t. warden**, vigile urbano (*addetto al controllo dei parchimetri, ecc.*) □ **to prohibit car t. in**, pedonalizzare (*una strada, ecc.*).

to **traffic** /ˈtræfɪk/ (*pass. e p. p.* **trafficked**, part. pres. **trafficking**) Ⓐ v. i. trafficare (*spec. in senso peggiorativo*); commerciare: **to t. in drugs**, trafficare in stupefacenti; **to t. in old furniture**, commerciare in mobili vecchi (*o* antichi) Ⓑ v. t. (*spec. fig.*) barattare; trafficare.

trafficator /ˈtræfɪkeɪtə(r)/ n. (*autom.*; *un tempo*) lampeggiatore (direzionale); indicatore di direzione; freccia (*fam.*): *Switch on the t.!*, metti la freccia! □ (*autom.*) **t. arm**, freccia di direzione, freccia (*ancora in uso in GB su automobili vecchiotte*).

trafficker /ˈtræfɪkə(r)/ n. (*di solito spreg.*) trafficante; mercante: **a drug t.**, un trafficante di stupefacenti.

trag. abbr. **1** (**tragedy**) tragedia **2** (**tragic**) tragico.

tragacanth /ˈtrægəkænθ/ n. Ⓤ (*farm.*) gomma adragante.

tragedian /trəˈdʒiːdiən/ n. **1** tragediografo; tragico: (*letter.*) **the Greek tragedians**, i tragici greci **2** attore drammatico.

tragedienne /trədʒiːdiˈɛn/ (*franc.*) n. attrice drammatica.

♦**tragedy** /ˈtrædʒədi/ n. Ⓤ tragedia (*anche fig.*): (*teatr.*) **a Greek t.**, una tragedia greca; *The climb ended in t.*, la scalata finì in una tragedia.

tragic /ˈtrædʒɪk/, **tragical** /ˈtrædʒɪkl/ a. tragico (*anche fig.*); di (*o* da) tragedia: **a t. actor**, un attore tragico; **in a t. voice**, con voce da tragedia || **tragically** avv. tragicamente.

tragicomedy /trædʒɪˈkɒmədi/ n. Ⓤ tragicommedia (*anche fig.*) || **tragicomic**, **tragicomical** a. tragicomico (*anche fig.*) || **tragicomically** avv. tragicomicamente.

tragopan /ˈtrægəʊpæn/ n. (*zool., Tragopan*) fagiano cornuto.

♦**trail** /treɪl/ n. **1** traccia; segno; striscia; scia; orme (*fig.*): *The murderer left a t. of blood from the bathroom to the stairs*, l'assassino lasciò una traccia di sangue dal bagno alle scale; **a thin t. of smoke**, una sottile striscia di fumo; un pennacchio di fumo; **the slimy t. of a snail**, la traccia viscida di una lumaca; **on Marco Polo's t.**, sulle orme di Marco Polo **2** strascico; coda (*spec. d'abito*) **3** sentiero; pista: (*stor. in USA*) **the Oregon t.**, la pista dell'Oregon **4** (*astron.*) scia meteorica **5** (*mil.*) coda d'affusto (*di cannone*) **6** (*radio, TV*) prossimamente; trailer **7** (*edit.*) anticipazione ● **t. bike**, motociclo per percorsi fuoristrada □ **t. formation**, (*autom.*) colonna (*di veicoli*); (*aeron.*) formazione di volo in fila □ **t. horse**, cavallo da → «**trail riding**» (*sotto*) □ **t. net**, rete a strascico □ **t. rider**, chi fa → «**trail riding**» (*sotto*) □ (*equit.*) **t. riding**, l'andare a cavallo per la campagna in un gruppo ristretto e a passo lento e costante □ (*aeron.*) **t. rope**, cavo guida (*o* moderatore) (*d'aerostato*) □ (*mil.*) **at the t.**, in posizione di bilanciarm: *At the t.!*, bilanciarm! □ **to blaze the t.**, aprire una nuova pista; (*fig.*) essere un pioniere, essere all'avanguardia □ **to get off the t.**, perdere la pista, le tracce □ **to get on sb.'s t.**, mettersi sulle tracce di q. □ **to get on the t. again**, rintracciare la pista □ (*fam. USA*) **to hit the t.**, avviarsi; incamminarsi; mettersi in viaggio; andarsene, andare via □ (*fig.*) **to be hot on sb.'s t.**, essere alle calcagna di q.

to **trail** /treɪl/ Ⓐ v. t. **1** strascicare; trascinare; tirarsi dietro: **to t. one's feet**, strascicare i piedi; *The boy was trailing a toy tank*, il bambino si tirava dietro un piccolo carro armato **2** essere sulle piste (*o* sulle tracce) di; inseguire; seguire le orme di: **to t. a tiger**, seguire le orme di una tigre; **to t. a murderer**, essere sulle tracce di un assassino **3** (*mil.*) mettere, portare (*un fucile, ecc.*) a bilanciarm **4** aprire un sentiero (*o* una pista) in: *The patrol had to t. the jungle*, la pattuglia dovette aprirsi un sentiero nella giungla **5** seguire (q.) a una certa distanza; seguire in classifica; essere più indietro di: *Juventus is trailing Rome by two points*, la Juventus ha due punti in meno della Roma **6** (*bocce*) bocciare (*il boccino*) Ⓑ v. i. **1** strisciare; essere strascicato: *Her skirt trailed on the ground*, la gonna le strisciava per terra **2** pendere; penzolare **3** trascinarsi; camminare faticosamente; procedere a stento: *The few survivors trailed back to the trenches*, i pochi superstiti si trascinarono a stento fino alle loro trincee **4** essere indietro; rimanere in coda; rimanere in scia (*fig.*): (*ipp.*) *The favourite was trailing at the last fence*, all'ultimo ostacolo, il favorito restava ancora indietro **5** essere in svan-

taggio; essere indietro: (*calcio*) *At half time we were trailing by two goals*, a metà partita eravamo in svantaggio di due gol ● (*mil.*) **to t. arms**, bilanciare i fucili.

■ **trail away** → **trail off**.

■ **trail behind** Ⓐ v. i. + avv. (o prep.) rimanere indietro (a): *Oil output is trailing behind last year's production*, la produzione di petrolio non arriva a quella dell'anno scorso Ⓑ v. t. + avv. (o prep.) stare alle calcagna (di); seguire (q.): *Granny always had a crowd of little children trailing behind (her)*, la nonna aveva sempre dietro di sé un codazzo di bambini □ **to t. along behind sb.**, arrancare alle spalle di q.

■ **trail off** v. i. + avv. **1** (*di una folla e sim.*) disperdersi; allontanarsi, andarsene alla spicciolata **2** (*della voce, di un suono, ecc.*) affievolirsi; svanire.

■ **trail on** v. i. + avv. (continuare ad) avanzare a fatica; procedere lentamente: *The long line of mules trailed on up the mountain*, la lunga fila di muli saliva lentamente sulla montagna.

■ **trail over** Ⓐ v. i. + prep. **1** (*di piante*) arrampicarsi su; crescere sopra; ricoprire: *The ivy trailed over the walls of the cottage*, l'edera ricopriva i muri della villetta **2** (*di capelli, ecc.*) ricadere, scendere: *Her golden hair trailed over her shoulders*, i capelli d'oro le scendevano sulle spalle Ⓑ v. t. + prep. lasciare una traccia di (qc.) su: *The children are trailing mud over the kitchen floor*, i bambini stanno sporcando di fango il pavimento della cucina.

trailblazer /'treɪlbleɪzə(r)/ n. battistrada; pioniere (*anche fig.*) ‖ **trailblazing** Ⓐ n. ⓤ **1** l'aprire una pista **2** (*fig.*) l'aprire la strada ad altri Ⓑ a. **1** che apre la strada **2** (*fig.*) pionieristico; d'avanguardia.

trailer /'treɪlə(r)/ n. **1** chi tira, trascina, ecc. (→ **to trail**) **2** (*autom.*) rimorchio; (*anche*) carrello da rimorchio **3** (*USA*) roulotte; casa mobile (*cfr. ingl.* **caravan**) **4** chi sta sulle tracce di q.; chi segue q.; cacciatore; inseguitore: '*The car was going west with no apparent attempt to elude any trailers*' M. Puzo, 'l'auto stava andando verso ovest senza apparenti tentativi di seminare eventuali inseguitori' **5** (*bot.*) pianta rampicante **6** (*cinem.*) spezzone pubblicitario (*di un film*); trailer **7** (pl.) (*cinem.*) trailers; «prossimamente» (*fam.*) ● (*autom.*, *USA*) **t. park** (o **t. court**), parcheggio roulotte □ (*autom.*) **t. service**, servizio di traino □ (*USA, slang, spreg.*) **t. trash**, straccione (*riferito a chi abita nelle baraccopoli*).

trailing /'treɪlɪŋ/ a. **1** (*di pianta*) rampicante; strisciante **2** (*ferr.*) posteriore: **t. truck**, carrello posteriore; **t. wheel**, ruota posteriore (*di locomotore*) **3** (*mat.*) finale: **t. zeros**, zeri finali □ **t. edge**, (*aeron.*) bordo di uscita (*di un'ala*); (*deltaplano, parapendio*) bordo di fuga; (*elettr.*) fronte di discesa (o d'onda di caduta) □ (*scherma*) **t. foot**, piede arretrato □ (*nei salti*) **t. leg**, gamba di stacco; seconda gamba.

♦**train** /treɪn/ n. **1** (*ferr.*) treno; convoglio (ferroviario): *We went there by t.*, ci andammo in treno; *Excuse me, is this a Tower Hill t.?*, mi scusi, questo treno va in direzione di Tower Hill t.?; **to get on(to) the t.**, salire in treno; **to get off** (o **out of) the t.**, scendere dal treno; **to miss the t.**, perdere il treno **2** seguito; corteo; codazzo: *They formed part of the queen's t.*, facevano parte del seguito della regina; **a t. of admirers [fans]**, un codazzo d'ammiratori [di tifosi] **3** fila; convoglio; colonna: **a long t. of mules**, una lunga fila di muli **4** strascico (*di vestito*) **5** coda (*di certi uccelli, di comete, ecc.*): **the t. of a peacock**, la coda di un pavone **6** fila; serie; sequela; successione: **a sad t. of accidents**, una triste serie di incidenti **7** striscia di pol-

vere pirica; miccia ● **t.-bearer**, paggio, paggetto (*che sostiene lo strascico*) □ (*ferr.*) **t. crash**, scontro di due treni; incidente ferroviario □ (*ferr.*) **t. driver**, macchinista □ (*ferr., naut.*) **t. ferry**, nave traghetto □ (*ferr.*) **t. guard**, controllore (ferroviario) □ (*USA*) **t. jumper**, viaggiatore (ferroviario) clandestino □ **one's t. of thought**, il corso (o il filo) dei propri pensieri □ **t. oil**, olio di balena □ **t. set**, trenino con rotaie, ecc. (*giocattolo*) □ **t. shed**, deposito (o rimessa) (*di stazione*) **t.-surfing**, pericoloso passatempo di camminare sul tetto di un treno in corsa □ **to dispatch the t.**, dare la partenza al treno □ **down t.**, treno diretto in provincia (*spec. in partenza da Londra*) □ (*fig.*) **in t.**, pronto □ **the in t.**, il treno in arrivo □ **in one's t.**, come strascico, come conseguenza: *The plague brought famine in its t.*, la peste portò come conseguenza la carestia □ (*volg. USA: di una donna*) **to pull the t.**, avere rapporti sessuali consecutivi con diversi uomini □ **up t.**, treno diretto a una città (*spec. a Londra*) □ «**Beware of trains**» (*cartello*), «attenti ai treni» (*in un passaggio a livello incustodito*) □ «**To all trains**» (*cartello in una stazione*), «ai treni».

♦**to train** /treɪn/ Ⓐ v. t. **1** addestrare; allenare; educare; istruire; esercitare; ammaestrare; preparare: *Medical students are trained at this hospital*, in questo ospedale vengono addestrati gli studenti di medicina; **to t. athletes for a race**, allenare atleti per una corsa; **to t. a dog for a circus**, ammaestrare un cane per il circo; **to t. soldiers**, addestrare truppe **2** (*bot., agric.*) allevare, far crescere (*piante in un certo modo*): **to t. vines on a trellis**, far crescere le viti a tendone **3** (*mil. e sport*) puntare (*armi, ma anche un binocolo, ecc.*); orientare: *Our guns were trained on the enemy tanks*, i nostri cannoni erano puntati sui carri armati nemici; *I trained my field glasses on the bear*, puntai il binocolo sull'orso Ⓑ v. i. **1** addestrarsi; allenarsi; prepararsi: *The recruits were training in the barracks*, le reclute si addestravano in caserma; *He is training for the next match*, si sta allenando per il prossimo incontro; **to t. as a teacher**, prepararsi a fare l'insegnante **2** (*fam.*) andare in treno; servirsi del treno ● (*sport*) **to t. fine**, mettere in forma; entrare in forma (*con l'allenamento*); allenare (o allenarsi) bene □ **to t. horses**, scozzonare cavalli □ **to t. sb. to obedience (to obey)**, abituare q. all'obbedienza.

■ **train down** v. i. + avv. (*sport*) perdere peso con l'allenamento; rientrare nel peso.

■ **train for** Ⓐ v. t. + prep. **1** addestrare; preparare: **to t. workers for new jobs**, addestrare operai per nuovi lavori **2** (*sport*) allenare (atleti) per (una gara, ecc.) Ⓑ v. i. + prep. **1** addestrarsi per **2** (*sport*) allenarsi per (una gara, ecc.).

■ **train off** Ⓐ v. i. + avv. **1** (*sport*) andare giù di forma per eccesso di allenamento **2** (*di un proiettile, ecc.*) deviare Ⓑ v. t. + avv. (*sport*) perdere (peso) allenandosi.

■ **train up** v. t. + avv. **1** addestrare; preparare; educare **2** far crescere (*una pianta*) □ **to t. sb. up to a certain standard**, portare q. a un dato livello di addestramento.

■ **train with** v. i. + prep. (*fam. USA*) fare comunella con (q.); essere in combutta con (q.).

trainable /'treɪnəbl/ a. addestrabile; allenabile; ammaestrabile ‖ **trainability** n. ⓤ l'essere allenabile.

trainee /treɪ'niː/ n. **1** persona sottoposta ad addestramento; tirocinante; apprendista **2** (*istruzione*) corsista **3** (*mil., USA*) recluta **4** animale che viene ammaestrato ● **t. journalist**, giornalista che fa pratica; praticante ‖ **traineeship** n. ⓤ addestramento; tirocinio (*spec. di un medico*).

trainer /'treɪnə(r)/ n. **1** allenatore; istruttore **2** ammaestratore; domatore **3** (*istruzione*) aggiornatore; formatore **4** (*naut., mil.*) puntatore **5** (*aeron.*) apparecchio scuola; addestratore **6** (*sport*) allenatore (*boxe, calcio, ecc.*) trainer, preparatore **7** tuta da ginnastica **8** (*equit.*) chi fa il dressage; preparatore di cavalli da corsa **9** (pl.) – (*ingl.*) **trainers**, scarpe da tennis; scarpe da ginnastica ● **t. bra**, = **training bra** → **training**.

♦**training** /'treɪnɪŋ/ Ⓐ n. ⓤ **1** addestramento; allenamento; educazione; istruzione; formazione; preparazione: **the t. of troops**, l'addestramento delle truppe **2** ammaestramento: **the t. of dogs**, l'ammaestramento dei cani **3** esercizio; pratica; tirocinio: **t. college** (o **t. school**), scuola preparatoria (*per insegnanti, ecc.*) **4** (*psic.*) training **5** (*sport*) allenamento; preparazione: *He sees to the t. of the team*, si occupa della preparazione della squadra **6** (*equit.*) dressage (*franc.*); dressaggio **7** (*tiro*) puntamento (*di un'arma a fuoco*) Ⓑ a. **1** che si allena; in allenamento: **a t. player**, un giocatore in allenamento **2** di (o da) allenamento; per l'allenamento; -scuola: (*boxe*) **t. bag**, sacco per l'allenamento; (*aeron.*) **t. aircraft**, apparecchio scuola; addestratore ● **t. bra**, reggiseno per adolescente (*che non ha ancora sviluppato il seno*); prereggiseno □ (*calcio, ecc.*) **t. camp**, località del training; ritiro (*di una squadra*) □ (*autom.*) **t. car**, muletto (*fam.*) □ (*calcio*) **t. centre**, centro per l'allenamento collegiale; centro sportivo; centro tecnico □ (*calcio, ecc.*) **t. field**, campo di allenamento □ (*boxe*) **t. gloves**, guantoni da allenamento □ (*boxe*) **t. headguard**, casco per allenamento □ **t. method**, metodo di allenamento □ **t. pitch** = **t. field** → *sopra* □ (*atletica*) **t. run**, corsa di allenamento □ (*calcio, ecc.*) **t. session**, seduta di allenamento; allenamento □ (*vela*) **t. ship**, nave scuola □ **t. shoes**, scarpe da tennis; scarpe da ginnastica (*equit.*) **t. stable**, scuderia per il dressaggio □ **t. suit**, tenuta da allenamento; tuta sportiva □ **t. technique**, tecnica di allenamento □ **to be in t.**, (*di un giocatore*) essere in forma; (*di una squadra*) essere in ritiro □ **to be out of t.**, essere giù di allenamento; essere giù di forma.

trainman /'treɪnmən/ n. (pl. **trainmen**) (*ferr., USA*) **1** ferroviere (*del personale viaggiante*) **2** (*spec.*) frenatore.

trainsick /'treɪnsɪk/ a. che soffre il mal di treno.

trainspotter /'treɪnspɒtə(r)/ n. **1** chi conta i treni che passano (*per hobby*), segnando i numeri delle locomotive **2** (*fig., spesso spreg.*) tipo pignolo; fanatico; fissato ‖ **trainspotting** n. ⓤ osservazione del passaggio dei treni (*passatempo dei ragazzini nelle aree suburbane in GB*).

traipse /treɪps/ n. lunga camminata; scarpinata (*fam.*).

to traipse /treɪps/ v. i. **1** gironzolare; girovagare **2** scarpinare (*fam.*); camminare a lungo.

trait /treɪt/ n. **1** tratto del volto; lineamento; fattezza **2** caratteristica; aspetto saliente; peculiarità: **his main personality traits**, gli aspetti salienti del suo carattere ● **t. of humour**, uscita (o battuta) spiritosa; motto arguto.

traitor /'treɪtə(r)/ n. traditore, traditrice: **t. to one's country**, traditore della patria; **to turn t. (to sb.)**, tradire (q.).

traitorous /'treɪtərəs/ a. traditore; da traditore; proditorio ‖ **-ly** avv.

traitress /'treɪtrɪs/ n. (*antiq.*) traditrice.

Trajan /'treɪdʒən/ n. (*stor. romana*) Traiano.

trajectory /trə'dʒɛktəri/ n. (*geom., mil.*) traiettoria.

tram① /træm/ n. **1** tram; vettura tranviaria; tranvai (*pop.*): **t. stop**, fermata del tram **2** (*ind. min.*) carrello; vagoncino; vagonetto ● **t. conductor**, tranviere (*bigliettaio*) □ **t. driver**, tranviere (*conducente*); manovratore □ **t. service**, servizio tranviario □ (*ind. min.*) **t. road**, decauville (*franc.*).

tram② /træm/ n. ⓤ (*ind. tess.*) filato ritorto di seta (*per la trama*).

to **tram** /træm/ Ⓐ v. t. **1** trasportare in tram **2** (*ind. min.*) trasportare con un carrello Ⓑ v. i. andare in tram; servirsi del tram.

tramcar /'træmkɑ:(r)/ n. tram; tranvai (*pop.*).

tramline /'træmlaɪn/ n. **1** linea tranviaria **2** (pl.) rotaie del tram **3** (*sci*) binario (*di pista per gare di fondo*) **4** (pl.) (*tennis*) linee laterali del doppio; corridoio (*del doppio*).

trammel /'træml/ n. **1** (= **t. net**) tramaglio (*rete da pesca a tre teli*) **2** (*USA: di cavallo*) pastoia **3** (pl.) (*fig.*) pastoie; impedimenti; ostacoli: **the trammels of official procedure**, gli impedimenti della procedura burocratica **4** (*della catena del camino*) gancio; uncino **5** (*geom.*) ellissografo **6** (*mecc.*) attrezzo per allineamento **7** compasso a verga (*strumento*).

to **trammel** /'træml/ v. t. **1** inceppare; impastoiare; ostacolare **2** irretire ‖ **trammelled**, (*USA*) **trammeled** a. **1** inceppato; impastoiato (*anche fig.*) **2** irretito.

tramming /'træmɪŋ/ n. ⓤ (*ind. min.*) vagonaggio; carreggio.

tramontane /trə'mɒnteɪn/ Ⓐ a. **1** oltramontano; oltremontano **2** (*del vento*) di tramontana **3** (*fig.*) straniero; barbaro Ⓑ n. **1** chi vive di là delle montagne **2** tramontana (*vento*) **3** (*fig. raro*) straniero; forestiero.

tramp /træmp/ n. **1** vagabondo; girovago; barbone **2** camminata; lunga passeggiata; scarpinata (*fam.*) **3** (*naut..* = **t. steamer**) nave da carico non di linea; rinfusiere; tramp; carretta **4** calpestio; passo pesante (*o cadenzato*) **5** (*fam. spreg., spec. USA: di donna*) sgualdrina; donna facile ● **to be on the t.**, fare la vita del vagabondo.

to **tramp** /træmp/ Ⓐ v. i. **1** camminare con passo pesante **2** camminare (a lungo); errare; vagabondare; viaggiare a piedi: *We tramped through the Highlands of Scotland*, vagabondammo a piedi per le Highlands scozzesi Ⓑ v. t. **1** percorrere (*o fare*) a piedi; far lunghe camminate in: *I like tramping the woods*, mi piace fare lunghe camminate nei boschi **2** percorrere con passo pesante ● **to t. on sb.'s toes**, pestare i piedi a q. □ **to t. the streets**, essere sulla strada, senza lavoro.

trample /'træmpl/ n. ⓤⓒ **1** il calpestare; pestata **2** calpestio.

to **trample** /'træmpl/ Ⓐ v. i. camminare a passi pesanti Ⓑ v. t. calpestare; pestare: *Don't t.* (*down*) *the grass!*, non calpestare l'erba! ● **He was trampled to death by an elephant**, morì calpestato da un elefante ‖ **trampler** n. chi calpesta.

■ **trample down** v. t. + avv. calpestare; pestare, schiacciare con i piedi (*l'erba, il grano, ecc.*).

■ **trample on** v. i. + prep. **1** mettersi (q.) sotto i piedi; calpestare: *He was trampled on by the crowd*, fu calpestato dalla folla **2** (*fig.*) offendere (*sentimenti, ecc.*); urtare (*suscettibilità*) **3** (*fig.*) calpestare, violare (*norme, ecc.*).

■ **trample out** v. t. + avv. **1** spegnere (*un fuoco, ecc.*) con i piedi **2** pestare, pigiare (*l'uva*): **to t. out the grapes for the wine**, pigiare l'uva per fare il vino **3** aprire (*un varco, un sentiero*) pestando i piedi.

■ **trample upon** → **trample on**.

trampoline /'træmpəlɪn/ n. pedana ela-

stica; tappeto elastico; trampolino (*per acrobati e ginnasti*) ● **t. champ**, campione (*o campionessa*) di pedana elastica ‖ **trampolinist** n. chi fa esercizi sulla pedana elastica; atleta al trampolino.

trampolining /ˌtræmpə'li:nɪŋ/ n. ⓤ (*ginnastica*) esecuzione di esercizi alla pedana elastica (*o al trampolino*).

tramway /'træmweɪ/ n. **1** tranvia; linea tranviaria **2** azienda tranviaria **3** (*mecc.*) rotaia sospesa (*o portante*) **4** (*ind. min.*) ferrovia di vagoncini.

trance /trɑ:ns/ n. **1** (*med.*) trance; stato ipnotico; catalessi: **to be in a t.**, essere in trance; **to go** [**to fall**] **into a t.**, entrare [cadere] in trance; **to come out of one's t.**, uscire dalla trance **2** (*fig.*) trance **3** (*mus.* = **t. music**) 'trance music'.

to **trance** /trɑ:ns/ v. t. (*raro*) estasiare; rapire (*fig.*).

tranche /trɑ:nʃ/ n. **1** quota; rata (*di pagamento*); tranche **2** (*banca, fin.*) tranche: **credit t.**, tranche di un credito.

trank /træŋk/ (*slang*) n. (*farm.*) tranquillante ‖ **tranked** a. imbottito (*o pieno*) di tranquillanti.

trannie, **tranny** /'trænɪ/ n. **1** (*fam.*) radio a transistor; radiolina (*fam.*) **2** (*fam., autom.*) trasmissione **3** (*slang*) transessuale **4** (*slang*) travestito.

tranquil /'træŋkwɪl/ a. tranquillo; cheto; quieto; calmo; pacifico: **t. water**, acque chete; **a t. man**, un uomo pacifico ● **a t. scene**, una scena idillica □ **to preserve a t. mind**, conservare la calma (dello spirito); tenere i nervi a posto (*o la mente lucida*) | **-ly** avv.

tranquillity /træn'kwɪlətɪ/ n. ⓤ tranquillità; calma; quiete.

to **tranquillize** /'træŋkwəlaɪz/ v. t. tranquillizzare; calmare; rasserenare ‖ **tranquillization** n. ⓤ il tranquillizzare.

tranquillizer, (*USA*) **tranquilizer** /'træŋkwəlaɪzə(r)/ n. **1** chi calma; chi rasserena **2** (*farm.*) tranquillante; calmante; sedativo.

tranquillizing /'træŋkwəlaɪzɪŋ/ a. **1** tranquillizzante; che calma **2** (*med.*) tranquillante; sedativo; ansiolitico.

trans. abbr. **1** (*comm., transaction*) transazione **2** (*translated*) tradotto **3** (*translation*) traduzione **4** (*transportation*) trasporti.

to **transact** /træn'zækt/ v. t. **1** fare; sbrigare; trattare: **to t. business**, trattare affari; **to t. a bargain**, sbrigare un affare **2** (*leg.*) transigere (*una vertenza*).

♦**transaction** /træn'zækʃn/ n. **1** ⓤ (*comm.*) disbrigo, trattazione (*degli affari*): **the t. of the matter**, il disbrigo della faccenda **2** (*comm.*) operazione; affare; transazione: **shady transactions**, affari loschi; operazioni poco chiare **3** (*leg.*) transazione; compromesso; composizione contrattuale **4** (pl.) atti, verbali (*di società filosofiche, scientifiche, ecc.*) **5** (*comput.*) transazione ● (*comput.*) **t. file**, file di movimento □ (*Borsa*) **t. for the account**, operazione a termine □ **a t. for cash**, un'operazione per contanti □ **a t. on credit**, un'operazione a credito □ (*fin., banca*) **t. processing**, gestione delle transazioni.

transactional /træn'zækʃənl/ (*psic.*) a. transazionale: **t. analysis**, analisi transazionale ‖ **transactionalism** n. ⓤ transazionalismo.

transactor /træn'zæktə(r)/ n. (*comm.*) **1** negoziatore **2** operatore (*o agente*) economico **3** (*leg.*) chi fa una transazione.

transalpine /trænz'ælpaɪn/ Ⓐ a. transalpino Ⓑ n. abitante di un paese transalpino.

transaminase /trænz'æmɪneɪz/ n. (*biochim.*) transaminasi.

trans-Apennine /trænz'æpənaɪn/ a. attr. transappenninico.

transatlantic /ˌtrænzət'læntɪk/ a. transatlantico ● (*naut.*) **a t. liner**, un transatlantico □ **a t. voyage**, un viaggio di là dell'Atlantico.

transceiver /træn'si:və(r)/ n. (*radio*) **1** ricetrasmettitore **2** stazione ripetitrice.

to **transcend** /træn'send/ v. t. **1** (*filos.*) trascendere **2** (*per estens.*) oltrepassare; superare; sorpassare.

transcendent /træn'sendənt/ a. **1** (*filos.*) trascendente **2** (*per estens.*) eccellente; eccelso; straordinario; trascendentale ‖ **transcendence**, **transcendency** n. ⓤ (*filos.*) trascendenza.

transcendental /ˌtrænsen'dentl/ a. **1** (*filos.*) trascendentale **2** eccelso; straordinario **3** astruso; oscuro; vago **4** (*mat.*) trascendente: **t. number**, numero trascendente | **-ly** avv.

transcendentalism /ˌtrænsen'dentəlɪzəm/ (*filos.*) n. ⓤ trascendentalismo ‖ **transcendentalist** n. trascendentalista.

to **transcode** /træns'kəʊd/ (*comput.*) v. t. transcodificare ‖ **transcoder** n. transcodificatore ‖ **transcoding** n. ⓤⓒ transcodifica.

transcontinental /ˌtrænskɒntɪ'nentl/ a. transcontinentale.

to **transcribe** /træn'skraɪb/ v. t. **1** trascrivere; copiare **2** (*radio, TV*) registrare (*un programma, ecc.*) **3** (*comput.*) trascrivere **4** (*mus.*) trascrivere ● (*radio, TV*) **transcribed programme**, programma riprodotto □ **transcribing machine**, fonoriproduttore ‖ **transcriber** n. trascrittore; copista.

transcript /'trænskrɪpt/ n. **1** trascrizione **2** (*leg.*) copia (*a verbale di causa*) **3** (*istruzione, spec. USA*) curriculum; pagella; libretto (*universitario*).

transcription /træn'skrɪpʃn/ n. ⓤ **1** trascrizione; copia **2** (*radio, TV*) registrazione; programma registrato **3** (*leg.*) copia (*a verbale di causa*) **4** (*mus.*) trascrizione.

transcriptional /træn'skrɪpʃənl/, **transcriptive** /træn'skrɪptɪv/ a. di trascrizione.

transcriptomics /ˌtrænskrɪp'tɒmɪks/ n. pl. (con il verbo al sing.) (*scient.*) trascrittomica.

transdanubian /ˌtrænzdæ'nju:bɪən/ a. transdanubiano.

transducer /træns'dju:sə(r), *USA* -'du:-/ n. (*elettron., tecn.*) trasduttore.

transept /'trænsept/ (*archit.*) n. transetto ‖ **transeptal** a. di un transetto.

transfection /trɑ:ns'fekʃn/ n. (*biol., med.*) trasfezione; transfezione.

♦**transfer** /'trænsfɜ:(r)/ n. **1** ⓤ (*anche leg., comm.*) trasferimento; cessione; passaggio di proprietà; trasmissione; trapasso **2** ⓤⓒ (*banca, fin.*) bonifico; giroconto; rimessa **3** ⓤ (*fin.*) storno (*di fondi*) **4** (*arte*) decalcomania **5** (= **t. ticket**) biglietto cumulativo (*di treno, tram, ecc.*) **6** (*mil.*) soldato trasferito da un reggimento a un altro; rimpiazzo **7** (*ferr.*) stazione di trasbordo **8** (*naut.*) nave traghetto **9** ⓤⓒ (*leg.*) traduzione (*bur.*); trasporto di detenuti (*da un carcere all'altro*) **10** ⓤ (*psic., ecc.*) transfert **11** ⓤⓒ (*tur.*) transfer; trasferimento **12** ⓤⓒ (*trasp.*) trasbordo **13** (*sport*) trasferimento (*di giocatori, ecc.*) **14** (*ciclismo*) trasferta (*tra due tappe*) ● (*banca*) **t. account**, giroconto □ (*fin.*) **t. book**, registro delle cessioni (*di azioni*); registro dei soci □ (*Borsa*) **t. days**, giorni per la registrazione di azioni (*nominative*) □ **t. deed**, (*leg.*) atto di cessione; (*Borsa*) contratto di trasferimento (*di azioni*) □ **t. fee**, (*Borsa*) diritto di cessione; (*sport*) indennità di trasferimento (*abolita in Europa dalla U.E.O. nel 1996*); parametro (*fam.*) □ (*ferr.*) **t. house**, stazione di trasbordo □ (*fin., rag.*) **t. incomes** = **t. payments** →

sotto □ (*sport*) **t. list**, lista dei trasferimenti □ **t. market**, mercato dei trasferimenti; (*calcio*) calcio-mercato □ (*rag.*) **the t. of an entry**, lo storno di una scrittura □ (*fin.*) **t. of funds**, trasferimento di fondi □ (*leg.*) **t. of property**, passaggio di proprietà □ (*tipogr.*) **t. paper**, carta da trasporto □ (*aeron.*) **t. passenger**, passeggero in transito □ (*fin.*, *rag.*) **t. payments**, trasferimenti (*pensioni*, *sussidi di disoccupazione*, *ecc.*) □ (*fin.*) **t. price**, prezzo di trasferimento (*tra la casa madre e una filiale*) □ (*comput.*) **t. rate**, velocità di trasferimento (*dati*) □ **t. request**, richiesta (*o domanda*) di trasferimento □ (*comput.*) **t. speed = t. rate** → *sopra* □ (*fisc.*) **t. tax**, imposta sul trasferimento di azioni; (*USA*) imposta di successione □ **t. ticket**, (*trasp.*) biglietto cumulativo; (*banca*) assegno di compensazione (*o a conguaglio*) □ (*di un giocatore*, *ecc.*) **to be available for t.**, essere sul mercato.

♦to **transfer** /trænsˈfɜː(r)/ Ａ v. t. **1** trasferire; spostare; traslocare: **to t. an office**, trasferire un ufficio **2** (*leg.*) trasmettere; cedere; alienare; trasferire (*titoli*, *beni*, *ecc.*): **to t. a property**, cedere una proprietà **3** (*fin.*) stornare; destinare (*fondi*) ad altro scopo **4** (*arte*) riportare il calco di (*un disegno*); decalcare **5** (*leg.*) tradurre (*un detenuto*) **6** (*sport*) trasferire (*un giocatore*) Ｂ v. i. **1** trasferirsi; passare: *He transferred from the navy to the air force*, è passato dalla marina all'aviazione **2** (*aeron.*, *naut.*, *ferr.*, *ecc.*) trasbordare; fare un trasbordo **3** (*sport*) trasferirsi; cambiare squadra (*o club*).

transferable /trænsˈfɜːrəbl/ a. (*spec. comm.*, *leg.*) trasferibile; cedibile; trasmissibile: **a t. instrument of credit**, un documento (*o titolo*) di credito trasferibile; **a t. right**, un diritto cedibile (*o trasmissibile*) ● (*fin.*) **t. stock**, titoli al portatore; azioni trasferibili □ (*polit.*) **t. vote**, voto trasferibile a un secondo candidato (*indicato sulla scheda*) || **transferability** n. Ｕ (*spec. comm.*, *leg.*) trasferibilità.

transferase /ˈtrænsfəreɪz/ n. (*biochim.*) transferasi.

transferee /trænsfɜːˈriː/ n. (*leg.*, *comm.*) cessionario.

transference /ˈtrænsfərəns/ n. Ｕ **1** (*spec. leg.*, *comm.*) trasferimento **2** (*arte*) riporto mediante calco; trasporto **3** (*aeron.*, *naut.*, *ferr.*) trasbordo **4** (*psic.*) transfert.

transferor /ˈtrænsfɜːrə(r)/ n. (*leg.*, *comm.*) cedente; alienante.

transferrin /trænsˈfɜːrɪn/ n. Ｕ (*biochim.*) transferrina.

transfiguration /trænsfɪɡəˈreɪʃn/ n. Ｕ trasfigurazione.

to **transfigure** /trænsˈfɪɡə(r)/ v. t. trasfigurare.

to **transfix** /trænsˈfɪks/ v. t. **1** trafiggere; trapassare: **to t. sb. with a spear**, trafiggere q. con la lancia **2** (*fig. lett.*) pietrificare; paralizzare; far restare di sasso || **transfixion** n. Ｕ Ｃ **1** trafittura; trafiggimento **2** (*med.*) trasfissione.

transform /ˈtrænsfɔːm/ n. (*mat.*) **1** trasformato (*valore di una trasformazione*) **2** trasformata (*espressione*) **3** coniugato (*di un gruppo*).

♦to **transform** /trænsˈfɔːm/ v. t. trasformare; cambiare; mutare radicalmente: **to t. heat into energy**, trasformare calore in energia ● **to t. sb. beyond recognition**, rendere q. irriconoscibile □ **to be transformed**, essere trasformato; trasformarsi.

transformable /trænsˈfɔːməbl/ a. trasformabile || **transformability** n. Ｕ trasformabilità.

transformation /trænsfəˈmeɪʃn/ n. Ｕ Ｃ trasformazione (*anche mat. e med.*); (*teatr.*) **scene**, graduale cambiamento di scena a sipario aperto.

transformational /trænsfəˈmeɪʃnl/ a. (*ling.*) trasformazionale: **t. grammar**, grammatica trasformazionale.

transformationalist /trænsfəˈmeɪʃnəlɪst/ n. trasformazionalista.

transformative /trænsˈfɔːmətɪv/ a. che trasforma; trasformativo (*raro*).

transformer /trænsˈfɔːmə(r)/ n. (*anche elettr.*) trasformatore.

transformism /trænsˈfɔːmɪzəm/ (*biol.*) n. Ｕ evoluzionismo; trasformismo || **transformist** Ａ n. evoluzionista Ｂ a. evoluzionistico.

to **transfuse** /trænsˈfjuːz/ v. t. **1** (*med.*) trasfondere; fare una trasfusione a (q.) **2** (*fig.*) infondere; trasmettere; instillare **3** (*fig.*) permeare; pervadere.

transfusible /trænsˈfjuːzəbl/ a. trasfondibile.

transfusion /trænsˈfjuːʒn/ (*med.*) n. Ｕ Ｃ trasfusione: **blood t.**, trasfusione di sangue.

transgender /trænzˈdʒendə(r)/ a. e n. transgender.

transgendered /trænzˈdʒendəd/ a. → **transgender**.

transgenderism /trænzˈdʒendərɪzəm/ n. Ｕ transessualismo.

transgenic /trænzˈdʒenɪk/ a. (*biochim.*) transgenico.

to **transgress** /trænzˈɡres/ v. t. **1** (*leg.*) trasgredire (a); contravvenire a; violare: **to t. the law**, trasgredire la (o alla) legge; **to t. a treaty**, violare un trattato **2** oltrepassare; superare: *This film transgresses all moral boundaries*, questo film oltrepassa ogni limite della moralità Ｂ v. i. trasgredire a un comando (*o a una legge*); essere in colpa; peccare.

transgression /trænzˈɡreʃn/ n. Ｕ Ｃ **1** (*leg.*) trasgressione; infrazione; violazione **2** colpa; peccato.

transgressor /trænzˈɡresə(r)/ n. **1** (*leg.*) trasgressore; violatore; contravventore **2** peccatore.

to **tranship** /trænˈʃɪp/ e *deriv.* → **transship**, e *deriv.*

transhumance /trænsˈhjuːməns/ n. Ｕ transumanza || **transhumant** a. transumante.

transience /ˈtrænzɪəns/, **transiency** /ˈtrænzɪənsɪ/ n. Ｕ transitorietà; fugacità; caducità; temporaneità.

transient /ˈtrænzɪənt/ Ａ a. **1** transitorio; fugace; caduco; effimero; passeggero: **a t. glance**, uno sguardo fugace; **a t. victory**, una vittoria effimera; **t. tears**, lacrime passeggere **2** (*elettr.*, *fis.*, *comput.*) transitorio: **t. condition**, stato transitorio Ｂ n. (*USA*) **1** cliente di passaggio (*in un albergo*, *ecc.*) **2** vagabondo ● (*USA*) **t. hostel**, ostello per clienti di passaggio □ (*med.*) **t. ischemic attack** (abbr. **TIA**), attacco ischemico transitorio | **-ly** avv.

transilient /trænˈsɪlɪənt/ a. (*raro*) che cambia repentinamente forma (*o stato*).

transire /trænˈsaɪə(r)/ n. (*dog.*, *naut.*) lasciapassare doganale (*rilasciato a navi di piccolo cabotaggio*).

transistor /trænˈzɪstə(r)/ n. **1** (*elettron.*) transistor; transistore **2** (*fam.*, **t. radio**, **t. set**) radio a transistor; transistor, radiolina (*fam.*).

to **transistorize** /trænˈzɪstəraɪz/ v. t. (*tecn.*) transistorizzare || **transistorization** n. Ｕ transistorizzazione.

transit /ˈtrænsɪt/ n. **1** Ｕ Ｃ (*anche astron.*) transito; passaggio: **goods in t.**, merci in transito; **the t. time of a star**, il tempo di passaggio di un astro (*topogr.*, **= t. com-**pass) tacheometro **3** Ｕ trasporto; (*spec.*) trasporto con mezzi pubblici (*in una città*, *ecc.*) **4** (*astron.*, **= t. instrument**) equatoriale; telescopio girevole sull'asse orizzontale ● (*anche mil.*) **t. camp**, campo di transito □ (*astron.*) **t. circle**, cerchio meridiano □ (*astron.*) **t. declinometer**, bussola di declinazione; bussola topografica □ (*comm.*) **t. duty**, dazio doganale di transito □ **t. lounge**, sala transiti (*d'aeroporto*) □ (*USA*) **t. police**, polizia della (ferrovia) Metropolitana di New York □ (*ferr.*) **t. station**, stazione di transito □ (*dog.*) **t. visa**, visto di transito □ **in t.**, durante il viaggio; in viaggio.

to **transit** /ˈtrænsɪt/ Ａ v. i. (*anche astron.*) transitare; passare Ｂ v. t. **1** lasciar transitare; far passare: *This canal can t. a total of 70 ships a day*, questo canale può far passare 70 navi al giorno **2** (*astron.*) attraversare il disco di (*un astro*).

♦**transition** /trænˈzɪʃn/ n. Ｕ Ｃ **1** transizione; passaggio; mutamento: **a period of t.**, un periodo di transizione; **the t. from adolescence to adulthood**, il passaggio dall'adolescenza all'età adulta **2** (*equit.*) transizione (*nel dressage*) □ **t. age**, età di transizione □ (*fis.*) **t. point**, punto (*o temperatura*) di transizione.

transitional /trænˈzɪʃənl/, **transitionary** /trænˈzɪʃənrɪ/ a. di transizione; transitorio: **a t. government**, un governo di transizione.

♦**transitive** /ˈtrænsətɪv/ Ａ a. (*mat.*, *gramm.*) transitivo Ｂ n. (*gramm.*) verbo transitivo | **-ly** avv. | **-ness** n. Ｕ.

transitivity /trænsəˈtɪvətɪ/ n. Ｕ (*mat.*, *gramm.*) transitività.

transitory /ˈtrænsɪtrɪ/ a. transitorio; temporaneo; passeggero ● (*fisc.*) **t. income**, reddito transitorio || **transitorily** avv. transitoriamente || **transitoriness** n. Ｕ transitorietà; temporaneità.

Transit van® /ˈtrænsɪt væn/ loc. n. (*GB*) furgone.

Transjordan, **Trans-Jordan** /trænzˈdʒɔːdn/ n. (*geogr.*) Transgiordania.

translatable /trænsˈleɪtəbl/ a. traducibile.

♦to **translate** /trænsˈleɪt/ Ａ v. t. **1** tradurre; volgere: *He translated Virgil into English*, tradusse Virgilio in inglese **2** trasformare; convertire: (*fin.*) **to t. assets into national currency**, convertire attività in valuta nazionale **3** trasferire: **to t. a bishop**, trasferire un vescovo **4** traslare: **to t. a saint's body**, traslare il corpo di un santo **5** (*mat.*) traslare **6** interpretare; spiegare: *I translated his act as a protest*, interpretai il suo come un atto di protesta **7** (*telef.*) ritrasmettere (*un messaggio*) **8** (*comput.*) tradurre; convertire Ｂ v. i. **1** tradursi: *This passage translates well*, questo passo si traduce bene **2** (*mecc.*) traslare ● **to t. an idea into action**, mettere in atto un'idea ● **to t. word for word**, tradurre alla lettera □ (*relig.*) **to be translated into heaven**, essere assunto in Cielo (*col corpo*) □ (*elettron.*) **translating machine**, macchina per tradurre; traduttore elettronico.

♦**translation** /trænsˈleɪʃn/ n. Ｕ Ｃ **1** traduzione; versione **2** (*relig.*) trasferimento: **the t. of a bishop**, il trasferimento di un vescovo **3** traslazione (*di reliquie*, *ecc.*) **4** (*fin.*) conversione **5** (*ling.*) traslazione **6** (*mat.*, *mecc.*, *astron.*) traslazione: **motion of t.**, moto di traslazione **7** (*telef.*) ritrasmissione (*d'un messaggio*).

translational /trænsˈleɪʃnl/ a. **1** (*mecc.*, *astron.*) traslatorio; di traslazione: **t. motion**, moto traslatorio **2** (*raro*) della traduzione; traduttivo ● (*geol.*) **t. fault**, faglia armonica □ (*geol.*) **t. movement**, movimento traslativo □ (*med.*) **t. medicine**, medicina

traslazionale.

translationese /trænsleɪʃə'niːz/ n. ⓤ lingua delle traduzioni (*poco buona, non idiomatica, ecc.*).

translative /træns'leɪtɪv/ a. (*ling.*) traslativo.

translator /træns'leɪtə(r)/ n. **1** traduttore, traduttrice; interprete **2** (*telef.*) traslatore **3** (*comput.*) traduttore; programma di traduzione **4** (*elettron.*) ripetitore televisivo.

translatorship /træns'leɪtəʃɪp/ n. ⓤⓒ funzione (*o* qualifica, posto) di traduttore.

to **transliterate** /træns'lɪtəreɪt/ v. t. traslitterare; trascrivere || **transliteration** n. ⓤⓒ traslitterazione; trascrizione.

translocation /trænzləʊ'keɪʃn/ n. ⓤ (*biol.*) traslocazione.

translucent /trænz'luːsnt/, **translucid** /trænz'luːsɪd/ a. **1** traslucido; semitrasparente **2** luminoso || **translucence, translucency** n. ⓤ **1** traslucidità **2** luminosità.

translunar /trænz'luːnə(r)/ a. **1** (*astron., miss.*) translunare **2** (*fig.*; = **translunary**) utopistico.

transmarine /trænzmə'riːn/ a. oltremarino; d'oltremare.

transmigrant /trænz'maɪgrənt/ Ⓐ a. trasmigrante Ⓑ n. emigrante in transito.

to **transmigrate** /trænzmaɪ'greɪt/ (*anche relig.*) v. i. trasmigrare || **transmigration** n. ⓤ trasmigrazione: **the transmigration of souls**, la trasmigrazione delle anime; la metempsicosi || **transmigrator** n. chi trasmigra || **transmigratory** a. della trasmigrazione.

transmissible /trænz'mɪsəbl/ a. trasmissibile || **transmissibility** n. ⓤ trasmissibilità.

transmission /trænz'mɪʃn/ n. **1** ⓤⓒ trasmissione; (*anche, autom.*) cambio: (*autom., mecc.*) **automatic t.**, cambio automatico **2** (*radio, TV*) trasmissione **3** ⓤ (*leg.*) trasmissione; devoluzione (*di beni*) **4** ⓤ (*med.*) trasmissione (*di malattie*) ● (*mecc.*) **t. belt**, cinghia di trasmissione □ (*mecc.*) **t. case**, scatola del cambio □ (*TV*) **t. dish**, antenna parabolica □ (*autom.*) **t. hump**, tunnel della trasmissione □ (*mecc.*) **t. oil**, olio per trasmissioni □ (*elettr.*) **t. tower**, pilone per linea di trasmissione.

transmissive /trænz'mɪsɪv/ a. **1** che trasmette; trasmittente; trasmettitore **2** trasmissibile.

transmissometer /trænzmɪ'sɒmɪtə(r)/ n. (*fis.*) trasmissometro.

to **transmit** /trænz'mɪt/ v. t. **1** trasmettere; comunicare; mandare: **to t. a message by radio**, trasmettere un messaggio per radio **2** (*fis.*) trasmettere; condurre: *Water will t. sound*, l'acqua trasmette i suoni **3** (*leg.*) trasmettere; devolvere **4** (*med.*) trasmettere.

transmittable /trænz'mɪtəbl/ a. trasmissibile.

transmittal /trænz'mɪtl/ n. ⓤ trasmissione.

transmittance /trænz'mɪtns/ n. ⓤ (*fis.*) trasmittanza.

transmitter /trænz'mɪtə(r)/ n. **1** trasmettitore; (*radio*) apparecchio trasmittente; radiotrasmettitore; (stazione) trasmittente **2** (*telef.*) microfono; capsula microfonica ● **telegraph t.**, trasmettitore telegrafico; manipolatore.

to **transmogrify** /trænz'mɒgrɪfaɪ/ (*scherz.*) v. t. trasformare d'incanto || **transmogrification** n. ⓤ trasformazione magica.

transmontane /trænz'mɒnteɪn/ a. → **tramontane**.

transmutable /trænz'mjuːtəbl/ a. trasformabile; tramutabile; trasmutabile (*lett.*) || **transmutability** n. ⓤ trasformabilità; trasmutabilità (*raro*).

transmutation /trænzmjuː'teɪʃn/ n. ⓤⓒ **1** tramutazione; trasformazione **2** (*fis. nucl.*) trasmutazione.

transmutative /trænz'mjuːtətɪv/ a. di tramutazione.

to **transmute** /trænz'mjuːt/ v. t. tramutare; trasformare; mutare; convertire.

transnational /trænz'næʃənl/ a. transnazionale: (*fin.*) **t. company**, società transnazionale.

transoceanic /trænzəʊʃɪ'ænɪk/ a. transoceanico.

transom /'trænsəm/ n. **1** (*archit.*) architrave; piattabanda **2** (*archit.*) traversa (*di finestra*) **3** (*archit.*; = **t. window**), sopraffinestra a vasistas; (*USA*) lunetta a ventaglio **4** (*naut.*) arcaccia; quadro (*o* specchio) di poppa ● (*fam., USA*) **over the t.**, (*spec. di manoscritto*) non richiesto.

transonic /træn'sɒnɪk/ a. (*fis., aeron.*) transonico: **t. flight**, volo transonico; **t. speed**, velocità transonica.

transpacific /trænzpə'sɪfɪk/ a. transpacifico.

transpadane /'trænspədeɪn/ a. (*geogr.*) transpadano.

transparence /træn'spærəns/ n. trasparenza.

transparency /træn'spærənsɪ/ n. **1** ⓤ trasparenza **2** ⓤ (*fig.*) evidenza; chiarezza; limpidità **3** (*cinem.*) trasparente **4** (*fotogr.*) diapositiva; lucido (*da proiezione*).

transparent /træn'spærənt/ a. **1** trasparente: **t. glass**, vetro trasparente; **a t. blouse**, una camicetta trasparente **2** (*fig.*) evidente; chiaro; limpido; trasparente: **a t. allusion**, un'evidente (*o* trasparente) allusione; **t. prose**, prosa limpida ● **a t. lie**, una bugia dalle gambe corte | **-ly** avv. | **-ness** n. ⓤ.

to **transpierce** /træn'spɪəs/ v. t. (*raro*) trafiggere; trapassare.

transpiration /trænspə'reɪʃn/ n. ⓤ traspirazione.

to **transpire** /træn'spaɪə(r)/ Ⓐ v. i. **1** traspirare; sudare **2** (*fig.*) trapelare; manifestarsi; venir fuori: *It transpired that he had never been a soldier*, venne fuori che non era mai stato nell'esercito **3** (*fam.*) accadere; succedere; avvenire Ⓑ v. t. trasudare; esalare; emanare.

transplacental /trænsplə'sɛntl/ a. (*med.*) transplacentare.

transplant /'trænsplɑːnt/ n. ⓒ **1** (*med.*) trapianto: **a heart t.**, un trapianto cardiaco **2** (*med.*) organo (*o* tessuto) trapiantato **3** (*agric.*) pianta trapiantata **4** (*fig.*) trapianto; introduzione (*di usanze, mode, ecc.*) **5** (*fig.*) usanza trapiantata **6** (*fig.*) persona trasferitasi.

to **transplant** /træn'splɑːnt/ v. t. **1** (*agric., med.*) trapiantare (*anche fig.*) **2** (*fig.*) trasferire; traslocare.

transplantable /træn'splɑːntəbl/ a. trapiantabile.

transplantation /trænsplɑːn'teɪʃn/ n. ⓤ (*agric., med.*) trapianto (*anche fig.*).

transplanter /træn'splɑːntə(r)/ n. (*agric.*) **1** chi trapianta **2** trapiantatoio (*arnese*) **3** trapiantatrice (*macchina*).

transpolar /træn'spəʊlə(r)/ a. (*geogr., aeron.*) transpolare.

transponder /træn'spɒndə(r)/ n. (*elettron., radar, telecomunicazioni*) radarfaro; trasponditore; transponder.

transpontine /træn'spɒntaɪn/ a. **1** (*arc.*) d'oltreponte (*spec. della zona di Londra a sud*

del Tamigi) **2** (*fig.*) melodrammatico, sentimentale (*come le rappresentazioni nei teatri dei quartieri meridionali di Londra nell'800*).

♦**transport** /'trænspɔːt/ n. **1** ⓤ trasporto; (i) trasporti: **t. by rail**, trasporto su rotaia (*o* per ferrovia); **t. by road**, trasporto su strada (*o* su gomma) **2** ⓤⓒ (*fig.*) impeto; moto; slancio; trasporto: **in a t. of rage**, in un impeto d'ira; **transports of delight**, slanci di gioia **3** mezzo di trasporto **4** (*naut., mil.*; *spesso* **troop t.**) nave trasporto (*per truppe*) **5** (*aeron.*) aereo da trasporto **6** ⓤ (*chim.*) trasporto **7** (*stor.*) deportato ● **t. agent**, spedizioniere □ (*autom., tur.*) **t. café**, posto di ristoro; autogrill □ **t. charges**, spese di trasporto □ **t. company**, società di trasporti; messaggerie □ (*econ.*) **the t. industry**, il settore dei trasporti □ (*aeron.*) **t. plane**, aereo da trasporto □ **t. rates**, tariffe dei trasporti □ (*fam.*) **I've no t.**, sono senza un mezzo di trasporto; non ho la macchina □ (*lett.*) **to be thrown into transports**, essere fuori di sé (*per la gioia, l'entusiasmo, ecc.*).

to **transport** /træn'spɔːt/ v. t. **1** (*anche fig.*) trasportare **2** (*lett.*) rapire (*fig.*); estasiare **3** (*stor.*) deportare ● (*fig.*) **to be transported with**, lasciarsi trascinare da (*l'ira, la gioia, ecc.*).

transportable /træn'spɔːtəbl/ a. **1** trasportabile **2** (*stor., leg.*) punibile con la deportazione || **transportability** n. ⓤ **1** l'essere trasportabile **2** (*comput.*) trasferibilità (*di programmi*).

♦**transportation** /trænspɔː'teɪʃn/ n. ⓤ **1** (*spec. USA*) trasporto **2** (i) trasporti **3** mezzo di trasporto **4** (*stor.*) deportazione (*abolita in Inghilterra nel 1883*): **t. for life**, deportazione a vita ● **t. advertising**, pubblicità fatta sui mezzi di trasporto □ **t. by air**, i trasporti aerei || **transportational** a. dei (*o* relativo ai) trasporti.

transporter /træn'spɔːtə(r)/ n. **1** trasportatore; vettore **2** corriere **3** (*autom.*) cicogna (*autotreno*) ● (*mecc.*) **t. bridge**, ponte trasportatore □ (*mecc.*) **t. crane**, gru a cavalletto (*o* a portale).

transporting /træn'spɔːtɪŋ/ Ⓐ n. ⓤ **1** il trasportare; trasporto **2** (*stor.*) deportazione Ⓑ a. (*lett.*) entusiasmante; affascinante; incantevole; estasiante.

transposable /træn'spəʊzəbl/ a. (*anche mus.*) che può essere trasposto.

transposal /træn'spəʊzl/ n. ⓒⓤ (*anche mus.*) trasposizione.

to **transpose** /træn'spəʊz/ v. t. **1** (*anche gramm., mat., med.*) trasporre; spostare **2** (*mus.*) trasporre; trasportare.

transposition /trænspə'zɪʃn/ n. ⓒⓤ **1** (*anche gramm., mat.*) trasposizione; spostamento **2** (*elettr.*) permutazione **3** (*chim.*) trasposizione; trasmutazione: **t. reaction**, reazione di trasmutazione **4** (*mus.*) trasposizione; trasporto di tono **5** (*med.*) trasposizione; inversione: **t. of the viscera**, trasposizione dei visceri.

transpositive /træn'spɒzətɪv/ a. **1** (*gramm., mat.*) traspositivo **2** (*elettr.*) permutativo **3** (*chim.*) di trasposizione; trasmutativo.

transposon /træns'pəʊzɒn/ n. (*genetica*) trasposone, transposone.

transputer /træn'spjuːtə(r)/ n. (acronimo di **transistor computer**) (*comput.*) microchip di grande potenza che dispone di memoria propria e funge da microprocessore.

transracial /trænz'reɪʃl/ a. transrazziale.

trans-Saharan /trænsə'hɑːrən/ a. transahariano.

transsexual /trænz'sɛkʃʊəl/ n. e a. transessuale || **transsexualism** n. ⓤ transessualismo || **transsexuality** n. ⓤ transes-

sualità.

to **trans-ship** /træn'ʃɪp/ (*naut.*) v. t. e i. trasbordare ‖ **trans-shipment, trans-shipment n.** [U] trasbordo.

Trans-Siberian /træn(s)saɪ'bɪərɪən/ a. transiberiano • (*ferr.*) **the Trans-Siberian Railway**, la Transiberiana.

trans-sonic /træn'sɒnɪk/ → **transonic**.

to **transubstantiate** /ˌtrænsəb'stænʃɪeɪt/ v. t. e i. **1** (*relig.*) transustanziare, transustanziarsi **2** trasformare, trasformarsi.

transubstantiation /ˌtrænsəbstænʃɪ'eɪʃn/ n. [U] **1** (*relig.*) transustanziazione **2** trasformazione.

to **transude** /træn'suːd/ v. i. (*med.*) trasudare ‖ **transudate n.** (*med.*) trasudato ‖ **transudation n.** [U] **1** (*med.*) trasudazione **2** trasudato.

transuranic /ˌtrænsʊə'rænɪk/ a. (*chim.*) transuranico.

transversal /trænz'vɜːsl/ [A] a. trasversale (*anche geom.*) [B] n. **1** (*geom.*) (la) trasversale **2** (*geom.*) linea ortogonale **3** (*mat.*) insieme trasversale | **-ly avv.**

transverse /'trænzvɜːs/ [A] a. traverso; obliquo; trasversale: (*anat.*) **t. colon**, colon traverso [B] n. **1** (*anat.*) muscolo trasverso **2** (*edil.*) traversa (*trave*) | **-ly avv.**

🛈 **NOTA:** *transverse o traverse?*
L'aggettivo *transverse* significa "trasversale": *a transverse section*, una sezione trasversale; *The transverse architrave goes across the top of a door or window opening*, l'architrave trasversale attraversa la volta di una porta o di una finestra. Non confondere *transverse* e il verbo *to traverse* (e i suoi derivati), che significa principalmente "attraversare": *Several trails traversed the county*, diversi sentieri attraversavano la contea.

transvestite /trænz'vestaɪt/ (*psic.*) [A] n. travestito [B] a. di (*o* da) travestito ‖ **transvestism n.** [U] travestitismo ‖ **transvestitism n.** [U] travestitismo.

Transylvania /ˌtrænsɪl'veɪnɪə/ n. (*geogr.*) Transilvania.

trap① /træp/ n. **1** trappola: **a mouse t.**, una trappola per topi; *The fox was caught in the t.*, la volpe rimase presa nella trappola; *'We have him in the t.!'* R. KIPLING, 'ormai è in trappola!' **2** (*di fogna, ecc.*) chiusino; pozzetto; sifone intercettatore **3** (*fig.*) inganno; tranello; trappola, insidia: *Their proposal proved a t.*, la loro proposta si rivelò un tranello; (*calcio, ecc.*) **the offside t.**, la trappola del fuorigioco **4** (*basket*) raddoppio di marcatura **5** (*calcio, ecc.*) arresto, aggancio, stoppata (*della palla*): **chest t.**, arresto di petto **6** (*golf*) (*spec. USA*) (= **sand t.**) avvallamento **7** (*tiro al piattello*) lanciapiattelli (*macchina*) **8** (*sport*) – **the t.**, il piattello (*lo sport*) **9** (*sport*) gabbia di partenza (*per cani: nei cinodromi*) **10** (*slang*) bocca; becco (*fam.*): *Shut your t.!*, chiudi il becco! (*teatr.*) **t. cellar**, spazio sotto il palcoscenico □ **t.-door**, sette (*fig.*), strappo a «L» (*in un vestito*); → **trapdoor** □ **t. shoot**, gara di tiro al piattello □ (*sport*) **t.-shooting**, tiro al piattello □ (*fig.*) **death t.**, trappola mortale; pericolo pubblico; edificio pericoloso □ (*anche fig.*) **to fall into a t.**, cadere in trappola (*o in un tranello*) □ **fly-t.**, acchiappamosche (*bot., Dionaea muscipula*) dionea □ (*anche fig.*) **to set a t.**, preparare (*o tendere*) una trappola: *The police set a t. to catch the blackmailer*, la polizia tese una trappola al ricattatore.

trap② /træp/ n. [U] (*geol.*) **1** trappo (*roccia ignea di formazione non recente*) **2** trappola (*di petrolio o gas naturale*).

♦to **trap**① /træp/ [A] v. t. **1** prendere in trappola; intrappolare; accalappiare; ingannare; raggirare **2** mettere trappole (*o tendere* lacci) in (*un bosco, ecc.*) **3** munire (*una fogna, ecc.*) di sifone intercettatore **4** trattenere, bloccare (*un fluido, un gas, un cattivo odore*) **5** (*tecn.*) catturare: **to t. the sunlight**, catturare la luce del sole **6** (*comput.*) testare (*un programma*) per creare una determinata condizione **7** (*baseball*) sorprendere (*un 'corri- dore'*) fuori base **8** (*baseball, calcio*) prendere (*una palla*) sul rimbalzo **9** (*basket*) raddoppiare la marcatura su (*un avversario*) **10** (*calcio, ecc.*) arrestare, mettere giù, catturare, domare, addomesticare, agganciare, stoppare, controllare, arpionare (*la palla*) [B] v. i. mettere trappole • (*calcio, ecc.*) **to t. the ball**, (*anche*) agganciare, controllare, stoppare, mettere giù (la palla) □ **to be trapped**, essere in trappola (*anche fig.*); non avere scelta, essere costretto (*a fare qc., ecc.*); rimanere bloccato (*autom.*) **to be trapped in one's car all night**, rimanere bloccato (*dalla neve, ecc.*) tutta la notte nella propria auto □ **to feel trapped**, sentirsi in trappola.

▪ **trap in** v. t. + avv. **1** prendere (*un selvatico*) in trappola **2** (*fig.*) intrappolare: *The miners were trapped in by the explosion*, i minatori furono intrappolati dall'esplosione.

▪ **trap into** v. t. + prep. convincere (q.) con inganni (*o con sotterfugi*) a (*fare qc.*): *He was trapped into marrying that beautiful girl*, si lasciò accalappiare e sposò quella bella ragazza.

▪ **trap with** v. t. + prep. **1** intrappolare con **2** provvedere (*un locale*) di sistemi antifurto: *He trapped the whole house with burglar alarms*, riempì tutta la casa di antifurto.

to **trap**② /træp/ v. t. **1** bardare (*un cavallo*) **2** adornare; ornare.

trapan, to **trapan** /trə'pæn/ → **trepan**, to **trepan**.

trapdoor /'træpdɔː(r)/ n. **1** botola; trabocchetto **2** (*comput.*) trapdoor, backdoor (*accesso non documentato a un programma o a un sistema di sicurezza*).

trapes /treɪps/ → **to traipse**.

trapeze /trə'piːz/ n. trapezio (*per acrobati e ginnasti*) • **t. artist**, trapezista (*di circo equestre*).

trapezial /trə'piːzɪəl/ a. **1** (*geom.*) di trapezio **2** (*anat.*) del trapezio.

trapeziform /trə'piːzɪfɔːm/ a. (*geom.*) trapezoidale; trapezoide; trapeziforme.

trapezium /trə'piːzɪəm/ n. (*pl.* **trapezia, trapeziums**) (*geom.*) **1** trapezio (*USA e Canada*) trapezoide.

trapezius /trə'piːzɪəs/ n. (*anat.*) trapezio (*muscolo*).

trapezoid /'træpɪzɔɪd/ (*geom.*) n. **1** trapezoide **2** (*USA e Canada*) trapezio ‖ **trapezoidal, trapezoid a.** trapezoidale; trapezoide.

trapper /'træpə(r)/ n. chi tende trappole; (*spec.*) cacciatore di pelli (*che usa trappole*).

trapping /'træpɪŋ/ n. **1** [U] l'intrappolare **2** (*chim.*) trapping; cattura.

trappings /'træpɪŋz/ n. pl. **1** (*di cavallo*) bardatura **2** ornamenti; guarnizioni; insegne: **the t. of royalty**, le insegne della regalità **3** (*il*) cerimoniale • **the t. of success**, i simboli del successo.

Trappist /'træpɪst/ n. (*relig.*) trappista.

trappy /'træpɪ/ a. (*fam.*) ingannevole; insidioso; pieno di trappole.

traps /træps/ n. pl. (*fam.*) bagagli; oggetti d'uso personale.

to **trapse** /treɪps/ → **to traipse**.

trapshooting /'træpʃuːtɪŋ/ (*sport*) n. [U] tiro al piattello ‖ **trapshooter n.** tiratore al piattello; tiravolista.

♦**trash**① /træʃ/ [A] n. [U] **1** ciarpame; robaccia; paccottiglia; cianfrusaglie **2** (*spec. USA*) immondizie; pattume; rifiuti; spazzatura **3** (*fig. fam.*) trash; sciocchezze; stupidaggini; insulsaggini **4** (*fig.*) robaccia; porcheria, schifezza (*pop.*): *This novel is complete t.*, questo romanzo è una porcheria **5** (*spreg. USA*) ciurmaglia; feccia (*fig.*); gente cialtrona e volgare; brutta gente; gentaglia: (*USA*) **white t.**, bianchi di bassa condizione; bianchi poveri **6** ramaglia; sterpi [B] a. attr. volgare; trash; di cattivo gusto: **t. subculture**, la sottocultura trash; **t. cinema**, cinema di cattivo gusto • (*USA*) **t. can**, bidone dell'immondizia, pattumiera (*cfr. ingl.* **dustbin**) □ (*USA*) **t. compactor**, compattatore dell'immondizia □ (*USA, fam., spec. nello sport*) **t. talk**, insulti o vanterie (*per provocare un avversario*) □ (*USA, fam., spec. nello sport*) **t. talker**, provocatore.

trash② /træʃ/ n. (*slang*) atto vandalico (*o di vandalismo*).

to **trash**① /træʃ/ v. t. **1** sfrondare, sfoltire (*alberi, canne da zucchero*) **2** sfogliare; scartocciare.

to **trash**② /træʃ/ (*slang*) [A] v. i. compiere atti vandalici [B] v. t. **1** devastare, saccheggiare **2** distruggere; fracassare; spaccare **3** deturpare; guastare; rovinare; sciupare **4** strapazzare, stroncare, demolire (*con critiche, ecc.*) **5** buttare via; gettare (via); scartare.

trashman /'træʃmæn/ n. (pl. **trashmen**) (*USA*) netturbino; spazzino.

trashy /'træʃɪ/ a. di nessun valore; meschino; scadente; da due soldi: **a t. play**, un dramma da due soldi • **a t. film**, un film spazzatura | **-ily avv.** | **-iness n.** [U].

trauma /'trɔːmə, 'traʊ-/ n. (pl. **traumas, traumata**) (*med., psic.*) trauma.

traumatic /trɔː'mætɪk, traʊ-/ a. traumatico.

traumatism /'trɔːmətɪzəm, 'traʊ-/ n. [U] (*med.*) traumatismo.

to **traumatize** /'trɔːmətaɪz, 'traʊ-/ v. t. traumatizzare ‖ **traumatization n.** [U] traumatizzazione.

traumatized /'trɔːmətaɪzd, 'traʊ-/ a. (*med.*) traumatizzato • **a t. person**, un traumatizzato.

traumatizing /'trɔːmətaɪzɪŋ/ a. (*med. e fig.*) traumatizzante.

traumatology /ˌtrɔːmə'tɒlədʒɪ, traʊ-/ (*med.*) n. [U] traumatologia ‖ **traumatological a.** traumatologico ‖ **traumatologist n.** traumatologo.

travail /'træveɪl, USA trə'veɪl/ n. [U] (*lett.*) **1** travaglio; lavoro duro; sforzo penoso **2** travaglio (*del parto*); doglie (*del parto*): **a woman in t.**, una donna in travaglio di parto.

to **travail** /'træveɪl, USA trə'veɪl/ v. i. (*lett.*) **1** travagliarsi; affaticarsi; fare uno sforzo penoso; darsi pena **2** (*di donna*) avere le doglie (*del parto*).

travel /'trævl/ n. **1** [U] (il) viaggiare; (i) viaggi: *T. was slow in ancient times*, nei tempi antichi i viaggi erano lenti (*o si viaggiava lentamente*) **2** (pl.) viaggi: *He isn't back from his travels yet*, non è ancora tornato dai suoi viaggi **3** [U] (*mecc.*) corsa; escursione (*di un pistone*) **4** [U] (*mecc.*) gioco (*in questo senso,* = **free t.**): *I have improved the t. of the valves*, ho corretto il gioco delle valvole **5** traiettoria (*della palla*); percorso (*del giocatore*) **6** (*autom., motociclismo*) corsa, escursione (*di un pistone*); gioco (*delle valvole del motore*) **7** (*ginnastica*) spostamento laterale **8** (*pattinaggio*) spostamento (*sul ghiaccio*) • **t. agency**, agenzia di viaggi □ **t. agent**, titolare d'agenzia di viaggi □ **t. clock-radio**, radiosveglia da viaggio □ **t. consultant**, consulente turistico □ **t. goods**, articoli da viaggio □ **t. insurance**, assicurazione per i viaggi □ **t. iron**, ferro da stiro da viaggio □ **t. literature**, letteratura turistica □ (*cinem.*) **t.-shot**, carrella-

ta □ **t.-sick**, che soffre il mal d'auto □ **t.-sickness**, mal d'auto; mal di mare; (*med.*) cinetosi □ (*USA*) **t. trailer**, roulotte (*usabile anche durante il viaggio*).

♦to **travel** /'trævl/ Ⓐ v. i. **1** viaggiare; fare un viaggio: *He has travelled a lot*, ha viaggiato molto; (*fam.*) to **t. light**, viaggiare leggero (*o con poco bagaglio*) **2** andare; circolare; diffondersi, propagarsi; viaggiare: *Trains t. along rails*, i treni vanno sulle rotaie; *Light travels at a speed of 300,000 kilometres per second*, la luce viaggia alla velocità di 300 000 kilometri al secondo; *Sound travels much faster in water than in the air*, il suono si propaga assai più rapidamente nell'acqua che nell'aria **3** (*comm.*) fare il commesso viaggiatore (*o il rappresentante*): *He travels for his company*, fa il commesso viaggiatore per la sua ditta **4** (*mecc.*) compiere la corsa **5** (*d'animali selvatici*) spostarsi (*in cerca di pascolo*) **6** (*fam., spec. autom.*) andare forte (*fam.*); superare il limite (*di velocità*) **7** (*fam.*) fare comunella (*con q.*) **8** (*sport: basket*) commettere infrazione di passi **9** (*ginnastica*) spostarsi di lato **10** (*pattinaggio*) spostarsi (*sul ghiaccio*) Ⓑ v. t. **1** viaggiare in; percorrere: *He has travelled the whole world*, ha viaggiato per tutto il mondo; to **t. Italy from end to end**, percorrere l'Italia da un capo all'altro **2** viaggiare alla velocità di; fare (*fam.*): *Our train was travelling seventy miles an hour*, il nostro treno faceva settanta miglia all'ora ● to **t. backwards and forwards**, andare avanti e indietro, fare la spola (*in treno, traghetto, ecc.*).

■ **travel back** v. i. + avv. **1** tornare indietro; fare il viaggio di ritorno **2** (*fig.: della mente, ecc.*) riandare: *My mind travelled back to my childhood*, riandai con la mente alla mia infanzia.

■ **travel by** v. i. + prep. viaggiare per mezzo di (*o in*): to **t. by bus** [**train, car**], viaggiare in autobus [treno, auto]; to **t. by air** (*o by plane*), viaggiare in aereo.

■ **travel on** v. i. + prep. viaggiare per mezzo di (*o a*): to **t. on foot**, viaggiare a piedi; to **t. on horseback**, viaggiare a cavallo.

■ **travel over** Ⓐ v. i. + prep. **1** viaggiare per (*o attraverso*): to **t. over land and water**, viaggiare per mare e per monti **2** (*fig.: degli occhi, dello sguardo*) passare, scorrere su: *His eyes travelled over the scene of the accident*, scorse con lo sguardo la scena dell'incidente **3** (*fig.: della mente*) riandare a, rivedere (*il passato*) Ⓑ v. t. + avv. percorrere; viaggiare in (*o per*): to **t. the whole world over**, viaggiare per tutto il mondo.

travelator /'trævəleɪtə(r)/ n. (*USA*) tappeto mobile; tapis roulant (*franc.*).

travelcard /'trævlkɑːd/ n. (*ferr., in GB*) biglietto (*di solito valido per un giorno, e in uso soprattutto a Londra*) con cui si può viaggiare in treno, autobus e metropolitana entro certe zone; spesso include il viaggio di andata e ritorno in treno da un'altra città.

traveler /'trævələ(r)/ n. (*USA*) viaggiatore, viaggiatrice ● (*banca, USA*) **t.'s check**, assegno turistico (*cfr. ingl.* **traveller's cheque**, *sotto* **traveller**).

travelled /'trævld/ a. **1** (*di persona*) che ha viaggiato: **a much-t. man**, un uomo che ha viaggiato molto; un gran viaggiatore **2** (*di strada*) di (gran) traffico.

♦**traveller**, (*USA*) **traveler** /'trævələ(r)/ n. **1** viaggiatore, viaggiatrice **2** (*spesso* **commercial t.**) viaggiatore (di commercio); commesso viaggiatore **3** (*mecc.*) parte mobile (*di una macchina*); cursore **4** (*naut.*) canestrello (*di scotta o randa*) **5** (*fam.*) zingaro; rom **6** = **New Age traveller** → **new**① ● **t.'s cheque** (*o* **travellers' cheque**), assegno turistico □ (*bot.*) **t.'s-joy** (*Clematis vitalba*), vitalba □ **t.'s letter of credit**, lettera credenziale (*per turisti*).

travelling, (*USA*) **traveling** /'trævəlɪŋ/ Ⓐ n. ⓊⒸ **1** il viaggiare; i viaggi: *I like t. abroad*, mi piace viaggiare all'estero **2** (*mecc.*) movimento (*di un pezzo*) **3** (*basket*) passi (*infrazione*) Ⓑ a. attr. **1** di (*o da*) viaggio: **a t. bag**, una borsa da viaggio; **t. expenses**, spese di viaggio; indennità di trasferta **2** (*mecc.*) mobile: **t. crane**, gru mobile ● (*ind. min.*) **t. block**, taglia mobile □ **t. circus**, circo equestre □ (*teatr.*) **t. company**, compagnia di giro □ **t. exhibit**, mostra itinerante □ **t. fellowship**, borsa di viaggio d'istruzione □ (*basket*) **t. foul**, fallo di passi □ **t. indemnity**, indennità di missione □ **t. people**, nomadi; zingari □ **t. rug**, coperta da viaggio □ **t. salesman**, commesso viaggiatore □ (*cinem., TV*) **t. shot**, carrellata □ **a t. show**, un carro di Tespi (*stor.*); un circo □ **t. theatre**, teatro ambulante; teatro tenda □ **Have you done much t.?**, hai viaggiato molto?

travelogue /'trævəlɒg/ n. libro, film o conferenza (*corredata da proiezioni*) su un viaggio.

traversable /trə'vɜːsəbl/ a. **1** (*di strada, ecc.*) attraversabile **2** (*leg.*) contestabile; negabile.

traverse /trə'vɜːs/ Ⓐ n. **1** (*anche edil.*) traversa; (*geom.*) linea trasversale **2** ⓊⒸ (*mecc.*) spostamento laterale; traslazione trasversale **3** (*mil.*) riparo trasversale (*di trincea*) **4** ⓊⒸ (*mil, tecn.: di cannone, d'antenna di radar, ecc.*) brandeggio; spostamento di direzione **5** (*meteor.*) traverso (*vento*) **6** (*naut.*) navigazione a bordate (*o a zigzag*) **7** (*leg.*) contestazione; diniego; rigetto **8** (*geol.*) trasversale (*linea*) **9** (*topogr.*) (una) poligonale **10** (*alpinismo*) passaggio trasversale; traversata (*in parete*) **11** (*equit.*) travers (*franc.; nel dressage*) **12** (*scherma*) legamento **13** (*sci*) attraversamento (*o discesa, salita*) in diagonale Ⓑ a. trasversale ● (*edil.*) **a t. beam**, una traversa □ (*naut., stor.*) **t. board**, rosa dei piloti □ **t. table**, (*ferr.*) piattaforma girevole; (*naut.*) tavola per fare il punto □ (*naut.*) to **work** (*o* to **solve**) **a t.**, calcolare la distanza percorsa bordeggiando.

to **traverse** /trə'vɜːs/ v. t. e i. **1** traversare; attraversare: *A motorway traverses the district*, un'autostrada attraversa la regione **2** spostarsi lateralmente; muoversi di traverso **3** girare; spostare; brandeggiare (*un cannone*) **4** (*naut.*) mettere (*la nave*) per chiglia (*o per lungo*); navigare a bordate; procedere a zigzag **5** contrastare; opporsi a; impedire **6** (*leg.*) contestare; negare: to **t. the opponent's arguments**, contestare le argomentazioni della controparte **7** (*form.*) esaminare a fondo; considerare attentamente; discutere a fondo; sviscerare: to **t. a subject in a lecture**, sviscerare un argomento in una conferenza **8** (*del cavallo*) andare di sghembo **9** (*alpinismo*) traversare (*una parete*); fare un passaggio trasversale **10** (*boxe*) schivare di lato **11** (*scherma*) legare; fare un legamento **12** (*sci*) attraversare (*o discendere, salire*) in diagonale (*mil.: di cannone*) **traversing gears**, ingranaggi di brandeggio □ (*sci*) **traversing run**, discesa (*di un pendio*) in diagonale ❶ **NOTA**: *transverse o traverse?* → **transverse**.

traverser /trə'vɜːsə(r)/ n. **1** (*ferr.*) traversatore; piattaforma girevole **2** (*ind.*) carrello trasbordatore.

travertine /'trævətɪn/ n. ⓊⒸ (*geol.*) travertino.

travesty /'trævəstɪ/ n. **1** travestimento burlesco; parodia; imitazione mimica: *Their government is a t. of democracy*, il loro governo è una parodia della democrazia; *The trial was a t. of justice*, il processo fu una farsa **2** (*teatr.*) travestitura; travesti (*franc.*)

3 (*fig.*) svisamento; travisamento.

to **travesty** /'trævəstɪ/ v. t. **1** parodiare; travestire (*fig.*); imitare: to **t. sb.'s style**, parodiare lo stile di q. **2** (*arte, letter.*) essere una ridicola imitazione di (*un'altra opera, ecc.*) **3** (*fig.*) svisare; travisare.

trawl /trɔːl/ n. **1** (*naut.*, = **t.-net**) rete a strascico; sciabica **2** (*naut. USA*, = **t.-line**) palamito, palamite **3** ricerca approfondita; setacciamento ● **t. anchor**, ancorotto per palamito □ **t. boat**, peschereccio con rete a strascico.

to **trawl** /trɔːl/ v. t. e i. **1** (*naut.*) pescare con la rete a strascico (*o con la sciabica*); sciabicare: to **t. for herring**, pescare aringhe con la sciabica **2** (*naut. USA*) pescare alla traina **3** trascinare (*in acqua*): to **t. a net**, trascinare una rete **4** (*fig.*) setacciare; frugare: to **t. the Internet for an address**, setacciare Internet alla ricerca di un indirizzo; to **t. one's memory**, frugare nella memoria; to **t. through the files**, setacciare i documenti di un archivio.

trawler /'trɔːlə(r)/ n. **1** chi pesca con rete a strascico (*o con la sciabica*) **2** (*naut.*) motopeschereccio (*con reti*) a strascico.

trawling /'trɔːlɪŋ/ n. ⓊⒸ (*naut.*) **1** pesca con la sciabica (*o con la paranza*) **2** (*USA*) pesca alla traina.

tray /treɪ/ n. **1** vassoio: **a tea t.**, un vassoio per il tè **2** (*anche fotogr.*) bacinella; vaschetta **3** (*di contenitore*) compartimento; ripiano ● **t. cloth**, tovagliolino □ (*in un ufficio*) **in-t.**, cassetta della corrispondenza in arrivo □ **out-t.**, cassetta della corrispondenza in partenza ‖ **trayful** n. vassoiata; quanto sta in un vassoio.

treacherous /'tretʃərəs/ a. **1** infido; sleale; proditorio; traditore; ingannevole; perfido: **a t. partner**, un socio infido; **a t. action**, un atto proditorio; **a t. smile**, un sorriso traditore; **t. weather**, tempo traditore **2** insidioso; pericoloso: **a t. bend**, una curva insidiosa ‖ **-ly** avv. ‖ **-ness** n. Ⓤ.

treachery /'tretʃərɪ/ n. ⓊⒸ **1** slealtà; perfidia **2** tradimento.

treacle /'triːkl/ n. Ⓤ **1** melassa; sciroppo di zucchero **2** (*fig.*) panacea; rimedio per tutti i mali ‖ **treacly** a. **1** di (*o simile a*) melassa **2** sciropposo; appiccicoso; (*fig.*) sdolcinato; svenevole.

tread /tred/ n. **1** ⓊⒸ andatura; passo: *He has a heavy t.*, ha il passo pesante **2** (*edil.*, = **t.-board**) pedata; superficie di scalino; gradino **3** (*autom.: di pneumatico*) battistrada: **t. bar**, rilievo del battistrada; **t. design**, scolpitura del battistrada; *There's no t. on this tyre*, questa gomma non ha più il battistrada (*o è completamente liscia*) **4** (*di ruota di carro, ecc.*) cerchione **5** (*ferr.*) superficie di contatto (*di rotaia*) **6** (*autom.*) interasse; carreggiata **7** (*equit.*) panca (*della staffa*) **8** salto; accoppiamento (*del gallo*).

to **tread** /tred/ (pass. **trod**, p. p. **trodden**, **trod**) Ⓐ v. i. **1** andare (*a piedi*); camminare; procedere: *She trod cautiously so as not to break the glasses*, camminava guardinga per non rompere i bicchieri **2** (*del piede*) posarsi: *where no foot may t.*, dove non può posarsi piede umano **3** (*del gallo, ecc.*) accoppiarsi Ⓑ v. t. **1** calcare; calpestare; pestare; pigiare: to **t. grapes**, pigiar l'uva (*per fare il vino*) **2** percorrere; seguire: (*anche fig.*) to **t. a dangerous path**, seguire una strada pericolosa **3** tracciare, fare (*pestando o pigiando*): *Someone had trodden a track to the river*, qualcuno aveva tracciato un sentiero sino al fiume **4** fare (*passi, spec. di danza*); eseguire (*una danza*): to **t. a minuet**, eseguire un minuetto **5** (*del gallo, ecc.*) accoppiarsi con (*una gallina, ecc.*) ● (*fig.*) to **t. the boards** (*o the stage*), calcare le scene □ (*fig.*) to **t. in sb.'s footsteps**, seguire le or-

me di q. □ **to t. lightly**, camminare con passo leggero; (*fig.*) andare con i piedi di piombo (*fig.*) □ (*anche fig.*) **to t. sb. underfoot**, schiacciare, mettersi sotto i piedi, calpestare q. □ **to t. water**, tenersi a galla in posizione verticale (*agitando le gambe*); fare 'la bicicletta'.

■ **tread down** v. t. + avv. **1** calpestare; comprimere; schiacciare; pestare: *Here the grass has been trodden down by elephants*, qui l'erba è stata pestata dagli elefanti **2** (*fig.*) calpestare; opprimere: *The people were trodden down by a tyrant*, il popolo era oppresso da un tiranno.

■ **tread in** v. t. + avv. calcare (qc.) dentro; far entrare (qc.) pigiando.

■ **tread into** v. t. + prep. **1** far entrare (qc.) dentro (*pigiando, o con i piedi*) **2** incorporare (*sporcizia, fango, ecc.*) in (*un tappeto e sim.*).

■ **tread on** v. i. + prep. **1** andare (*o salire*) su **2** mettere il piede su: (*calcio, ecc.*) **to t. on the ball**, mettere il piede sul pallone; inciampare nel pallone **3** calpestare; pestare: **to t. on an opponent**, calpestare un avversario □ (*autom.*) **to t. on the grass**, mettere le ruote sull'erba □ (*fig.*) **to t. (as) on eggs**, camminare sulle uova; andare con i piedi di piombo □ **to t. on sb.'s foot**, pestare un piede a q. □ **to t. on sb.'s heels**, stare alle calcagna di q.; tallonare q. (*a piedi*) □ (*anche fig.*) **to t. on sb.'s toes** (*o corns*), pestare i piedi a q. (*o calli a q.*); offendere q.

■ **tread out** v. t. + avv. **1** spegnere (*un fuoco*) con i piedi **2** (*fig.*) reprimere (*una rivolta*) **3** pigiare (*l'uva*) con i piedi **4** aprire, tracciare (*un sentiero*) col passaggio: *The wild animals had trodden out a path in the jungle*, gli animali selvatici avevano tracciato un sentiero nella giungla.

treaded /'trɛdɪd/ a. (*autom.: di pneumatico*) scolpito.

treadle /'trɛdl/ n. (*mecc.*) pedale (*di macchina da cucire, ecc.*) ● **t. lathe**, tornio a pedale □ (*tipogr.*) **t. machine** (*o t. press*), macchina da stampa a pedale; pedalina.

to **treadle** /'trɛdl/ v. i. azionare il (*o un*) pedale.

treadless /'trɛdləs/ a. (*autom.: di pneumatico*) liscio; senza battistrada.

treadmill /'trɛdmɪl/ n. **1** (*stor.*) mulino azionato (*dall'uomo o da una bestia*) mediante una grande ruota a gradini (*sui quali camminare*) **2** (*stor.*) mola da tortura (*dei carcerati*) **3** (*fig.*) lavoro gravoso, ingrato, opprimente, noioso **4** (*fam.*) tapis roulant (*nelle palestre*).

treas. abbr. (**treasurer**) tesoriere.

Treas. abbr. (**Treasury**) Tesoro.

treason /'triːzn/ n. ☒ **1** (*anche leg.*) tradimento: *The rioters were hanged for t.*, i rivoltosi furono impiccati per tradimento **2** (= **high t.**) alto tradimento.

treasonable /'triːznəbl/, **treasonous** /'triːznəs/ a. di tradimento; sedizioso; proditorio: **a t. speech**, un discorso sedizioso.

◆**treasure** /'trɛʒə(r)/ n. **1** tesoro (*anche fig.*); persona preziosa; perla (*fig.*): **a buried t.**, un tesoro sepolto; **art treasures**, tesori d'arte; *That girl is a real t.*, quella ragazza è proprio una perla **2** (*denaro; ricchezze*): *The country poured out blood and t. in the war*, la nazione prodigò sangue e ricchezze nella guerra ● **t. chest**, forziere □ **t. house**, stanza del tesoro (*fig.*) tesoro, scrigno, miniera (*di dati, ecc.*) □ **t. hunt**, caccia al tesoro (*gioco*) □ **t. hunter**, partecipante a una caccia al tesoro □ **t. trove**, (*leg., stor.*) tesoro trovato (*da denunciare in quanto di proprietà della Corona*); (*fig.*) tesoro, miniera (*di dati, ecc.*).

to **treasure** /'trɛʒə(r)/ v. t. **1** (*spesso* **to t. up**) tesoreggiare; tesaurizzare **2** far tesoro di; custodire gelosamente; aver molto caro;

apprezzare molto: **to t. memories of one's childhood**, custodire gelosamente i ricordi d'infanzia.

treasurer /'trɛʒərə(r)/ n. tesoriere; cassiere: **the t. of a club**, il cassiere di un circolo ● (*stor.*) **the Lord High T.**, il Gran Tesoriere ‖ **treasurership** n. ☒ ufficio (*o carica*) di tesoriere.

treasuring /'trɛʒərɪŋ/ n. ☒ **1** tesoreggiamento; tesaurizzazione **2** (l') aver molto caro; grande apprezzamento.

◆**treasury** /'trɛʒərɪ/ n. **1** tesoreria; cassa – **the T.**, il Tesoro; il Ministero del Tesoro **3** – **the T.**, l'Erario **4** (*fig.*) tesoro **5** (*fig.*) collezione, raccolta (*di oggetti d'arte, versi, ecc.*) **6** (pl.) (*fin.*) – **Treasuries**, titoli di Stato ● (*fin.*) **T. auction**, asta del Tesoro □ **the T. Bench**, il banco del governo (*alla Camera dei Comuni*) □ (*fin.*) **t. bill**, buono del Tesoro (*a breve termine; infruttifero, ma emesso sotto la pari: in GB e in USA*) □ (*in GB*) **the T. Board**, il Comitato del Tesoro □ (*fin., USA*) **t. bond**, buono del Tesoro (*a lungo termine, fruttifero*) □ (*fin., USA*) **t. certificate**, certificato del Tesoro (*a breve termine, fruttifero*) □ (*fin., USA*) **t. note**, buono del Tesoro (*a medio termine, fruttifero*) □ (*fig., letter.*) **a t. of verse**, un'antologia di poeti □ (*fin.*) **t. shares** (*o stock*), titoli di stato □ (*in USA*) **t. warrant**, mandato di pagamento del Tesoro.

treat /triːt/ ▲ n. **1** festa; trattenimento; banchetto; bevuta **2** festa; gran piacere; gioia; godimento: *The concert was a real t.*, il concerto fu un vero godimento; *What a t. it is to go to the seaside for a weekend*, che gioia passare il fine settimana al mare! **3** (*fam.*) bellezza (*fig.*) splendore: *That girl looks a real t.*, quella ragazza è uno splendore ▣ avv. (*fam.*) – **a t.**, alla perfezione; a meraviglia; benissimo ● **to work a t.**, avere un aspetto splendido ● **to work a t.**, funzionare a meraviglia □ (**This is**) **my t.!**, pago (*o offro*) io!

◆to **treat** /triːt/ v. t. e i. **1** trattare; considerare; discutere; negoziare: *He treats his children like dogs*, tratta i figli da cani (*male*); **to t. a subject**, trattare un argomento, un tema; *This computer should be treated with great care*, questo computer va trattato con tutti i riguardi **2** (*med.*) curare; trattare; medicare: **to t. a wound**, curare una ferita; **to t. sb. for a disease**, curare q. di una malattia **3** offrire; pagare: **to t. one's friends to dinner**, offrire la cena agli amici; *I'll t. myself to a long trip abroad*, mi offrirò (*o mi concederò*) un lungo viaggio all'estero **4** (*tecn.*) trattare; sottoporre (qc.) a trattamento (*chim.*) **to t. a substance with an acid**, trattare una sostanza con un acido; **to t. a car against rust**, sottoporre un'automobile a trattamento antiruggine ● **to t. a candidate unfairly**, sfavorire un candidato □ (*fam.*) **to t. sb. like (a piece of) dirt**, trattare q. come una pezza da piedi (*o a pesci in faccia*) □ **to t. st. as a joke**, non prendere qc. sul serio □ **to t. for peace**, trattare la pace > **I'll t. you!**, sei mio ospite; pago io! □ **Next time I'll t. you**, a buon rendere!

treatable /'triːtəbl/ a. **1** trattabile **2** (*med.*) curabile ‖ **treatability** n. ☒ **1** trattabilità **2** (*med.*) curabilità.

treater /'triːtə(r)/ n. **1** chi tratta **2** (*med.*) chi cura **3** chi offre; chi paga (→ **to treat**).

treating /'triːtɪŋ/ n. ☒ (*anche chim., ind.*) trattamento.

treatise /'triːtɪs/ n. trattato; dissertazione; saggio.

◆**treatment** /'triːtmənt/ n. **1** ☒ trattamento: **preferential t.**, trattamento preferenziale **2** (*chim., fis., metall.*) trattamento: **heat t.**, trattamento termico **3** (*med.*, = **medical t.**) trattamento; terapia; cura; cure: **a new t. for duodenal ulcer**, una nuova cu-

ra dell'ulcera duodenale **4** trattazione: **the t. of a subject**, la trattazione di un argomento **5** (*arte, mus.*) esecuzione **6** (*cinem., TV*) trattamento (*fase intermedia tra la scaletta e la sceneggiatura*) ● (*med.*) **to have** (*o to receive*) **t.**, farsi curare; farsi medicare; fare una cura □ (*fig.*) **red-carpet t.**, accoglienza con tutti gli onori.

◆**treaty** /'triːtɪ/ n. **1** trattato; patto: **a peace t.**, un trattato di pace; **a trade t.**, un trattato commerciale **2** trattativa; negoziato ● (*naut.*) **t. port**, porto franco □ (*polit.*) **t. powers**, potenze beneficiarie di trattati □ **by private t.**, mediante trattative private.

treble /'trɛbl/ ▲ a. **1** triplo; triplice: **a t. amount**, un ammontare triplo **2** (*mus.*) di soprano: **t. clef**, chiave di soprano **3** (*per estens.: di suono*) acuto ▣ n. **1** triplo **2** (*mus.*) voce (*o parte*) di soprano; soprano **3** (*equit.*) doppia gabbia ◉ avv. **1** tre volte tanto (*o tanti*): *He sold the house for t. its price*, vendette la casa per il triplo del suo prezzo **2** con voce di soprano: **to sing t.**, cantare con voce di soprano ● (*in GB, al totocalcio*) **t. chance**, gioco di scommesse sulle partite nel quale i pronostici azzeccati dei pareggi (*le nostre X*) contano più delle vittorie in casa (*gli 1*) e fuori casa (*i 2*) ❶ **NOTA:** *triple o treble?* → **triple**.

to **treble** /'trɛbl/ ▲ v. t. triplicare: *We've trebled our proceeds*, abbiamo triplicato il fatturato ▣ v. i. triplicarsi: *The world population will t. in a few decades*, la popolazione mondiale si triplicherà in pochi decenni.

trebling /'trɛblɪŋ/ n. ☒ triplicazione; moltiplicazione per tre.

trebly /'trɛblɪ/ ▲ a. (*di suono*) troppo acuto; metallico ▣ avv. tre volte tanto; in modo triplice.

trebuchet /'trɛbəʃət/, **trebucket** /'triːbʌkɪt/ n. **1** (*stor.*) trabocco (*macchina bellica*) **2** bilancino (*di precisione*).

◆**tree** /triː/ n. **1** (*bot.*) albero **2** (*bot.*) arbusto: **a rose t.**, un arbusto di rose; un rosaio **3** (*comput., ling., mat., metall.*) albero: **t. structure**, struttura ad albero **4** (*archit.*) trave **5** (= **shoetree**) forma per scarpe **6** (*equit.*) arco (*della sella*) **7** (*slang USA*) erba; marijuana ● (*zool.*) **t. creeper** (*Certhia*), rampichino (*uccello*) □ **t. doctor** = **t. surgeon** → *sotto* □ **t. fern**, felce gigante □ (*zool.*) **t. frog** (*Hyla arborea*), raganella □ (*zool.*) **t. goose**, oca selvatica (*dei paesi nordici*) □ **t. house**, piccola capanna sui rami di un albero □ (*geogr.*) **t.-line**, limite della vegetazione arborea □ **t.-lined**, alberato; fiancheggiato da alberi □ (*agric.*) **t. nursery**, vivaio □ (*bot.*) **t. of heaven** (*Ailanthus altissima*), ailanto □ (*stor.*) **the t. of liberty**, l'albero della libertà □ **t. surgeon**, addetto alla cura degli alberi; potatore □ **t. surgery**, cura degli alberi □ (*zool.*) **t. toad** = **t. frog** → *sopra* □ (*zool.*) **t. warbler** (*Hippolais polyglotta*), canapino (*uccello*) □ **t. work**, sistemazione e cura delle piante (*da giardino*) □ (*fig. fam. USA*) **up a t.**, con le spalle al muro; in imbarazzo; in una situazione difficile.

to **tree** /triː/ ▲ v. t. **1** costringere a rifugiarsi su un albero: *The lion treed the hunter*, il leone costrinse il cacciatore a rifugiarsi su un albero **2** mettere (*una scarpa, uno stivale*) in forma **3** (*fig. fam. USA*) mettere alle strette; mettere con le spalle al muro ▣ v. i. rifugiarsi su un albero.

treeless /'triːləs/ a. senz'alberi; brullo: **a t. mountain**, una montagna brulla.

treenail /'triːneɪl/ n. (*naut.*) caviglia di legno.

to **treenail** /'triːneɪl/ (*naut.*) v. t. incavigliare ‖ **treenailing** n. ☒ incavigliatura.

treetop /'triːtɒp/ n. cima (*o vetta*) d'albero.

treeware /'triːwɛə(r)/ n. ☒ (*comput.*,

scherz.) materiale stampato; versione cartacea.

trefoil /'treffɔɪl/ n. **1** ⓤⓒ (*bot.*, *Trifolium*) trifoglio **2** (*archit.*) ornamentazione trilobata.

trek /trek/ n. **1** viaggio su carro trainato da buoi; migrazione **2** tappa di un tale viaggio **3** (*sport*) trekking: **to go on a two-week t. in the Alps**, fare un trekking di due settimane nelle Alpi ● (*fam.*) **a real t.**, una lunga camminata; una bella sgambata (*fam.*).

to trek /trek/ Ⓐ v. t. (*di buoi*) tirare (*un carro*) Ⓑ v. i. **1** viaggiare su un carro trainato da buoi; migrare sui carri (*in Sud Africa*) **2** (*per estens.*) viaggiare a piedi; fare del trekking.

trekker /'trekə(r)/ n. **1** chi viaggia su un carro trainato da buoi **2** migrante (*in Sud Africa*) **3** (*sport*) chi fa trekking; chi pratica il trekking.

trekking /'trekɪŋ/ n. ⓤ (*sport*) trekking.

trellis /'trelɪs/ n. **1** graticcio; graticolato; graticciata **2** pergolato (*di graticcio*) **3** (*falegn.*; = **trelliswork**) graticcio.

to trellis /'trelɪs/ v. t. **1** ingraticciare **2** far crescere (*piante*) su un graticcio; sostenere (*viti, ecc.*) mediante una pergola ● **trellised roses**, rose a spalliera.

tremble /'trembl/ n. **1** tremito; tremore; fremito; trepidazione **2** (pl.) (*vet.*) tremori (*degli erbivori*) da tossicosi esogena ● (*fam.*) **to be all of a t.**, tremar tutto; tremare come una foglia; essere agitatissimo.

to tremble /'trembl/ v. i. tremare; fremere; trepidare; palpitare: *His hands trembled with excitement*, le mani gli tremavano per l'agitazione; **to t. with rage**, fremere d'ira; *I t. to think what might have happened*, tremo al pensiero di quel che avrebbe potuto succedere ● **to t. in every limb**, tremare come una foglia (*o* come una canna) □ (*fig.*) **His life trembles in the balance**, la sua vita è sospesa a un filo.

trembler /'tremblə(r)/ n. **1** chi trema (→ **to tremble**) **2** (*mecc.*) vibratore **3** (*elettr.*) ruttore.

trembling /'tremblɪŋ/ Ⓐ n. ⓤⓒ tremito; tremore; fremito; trepidazione Ⓑ a. tremante; tremulo; fremente ● (*bot.*) **t. poplar** (*Populus tremula*), pioppo tremulo □ **in fear and t.**, tremante di paura | **-ly** avv.

trembly /'tremblɪ/ a. (*fam.*) tremante; tremulo; fremente.

◆**tremendous** /trə'mendəs/ a. **1** enorme; grandissimo; fortissimo; tremendo; pauroso; pazzesco (*fam.*): **a t. amount of phone calls**, un numero enorme di telefonate; **at a t. speed**, a una velocità enorme; **a t. talker**, un gran chiacchierone; un chiacchierone terribile **2** (*fam.*) favoloso; fantastico: **a t. party**, una festa favolosa; *We had a t. time*, ci siamo divertiti da pazzi ❶ **FALSI AMICI** ● tremendous *non significa* tremendo *nel senso di spaventoso, doloroso, ecc.* | **-ly** avv. | **-ness** n. ⓤ.

tremolo /'tremələʊ/ (*ital.*) n. (pl. **tremolos**) (*mus.*) tremulo, tremolo.

tremor /'tremə(r)/ n. **1** tremore; tremito; fremito: **a t. of delight**, un fremito di gioia **2** (*geol.*) tremore, piccola scossa: **earthquake tremors**, piccole scosse di terremoto **3** (*med.*) tremore: **t. capitis**, tremore del capo.

tremulant /'tremjʊlənt/ n. (*mus.*) tremulo (*dell'organo*).

tremulous /'tremjʊləs/ a. **1** tremulo; tremante; fremente; tremolante; vacillante: **in a t. tone**, in tono tremulo; **t. hand**, mano tremante **2** (*fig.*) timido; pauroso; timoroso: **a t. smile**, un timido sorriso | **-ly** avv. | **-ness** n. ⓤ.

trenail /'tri:neɪl/ → **treenail**.

trench /trentʃ/ n. **1** fossa; fosso **2** (*geol.*)

fossa (*sottomarina*): *Mariana t.*, la fossa delle Marianne **3** (*ind. min.*) scavo **4** (*mil.*) trincea **5** (*sport*: *tiro al piattello*) fossa ● **t. cart**, carretto (*per il trasporto di munizioni nelle trincee*) □ **t. coat**, trench; impermeabile (*di foggia militare*) □ (*mil.*) **t. communication**, camminamento □ **t. digger**, scavatore; (*mecc.*) scavatrice □ (*mecc.*) **t. excavator**, scavafossi □ (*med.*) **t. fever**, febbre quintana □ (*mil.*) **t. gun** (*o* **t. mortar**), lanciabombe; mortaio □ **t. knife**, pugnale □ (*med.*) **t. mouth**, gengivite ulcerativa □ (*agric.*) **t. plough**, aratro assolcatore; ravagliatore □ (*agric.*) **t. ploughing**, ravagliatura □ (*med.*) **t. warfare**, guerra di trincea □ (*fam. ingl.*) **to be in the trenches**, essere al lavoro □ (*mil.*) **to open the trenches**, cominciare a scavare le trincee.

to trench /trentʃ/ Ⓐ v. t. **1** scavare fosse in; solcare: **to t. land**, scavare fosse nel terreno **2** (*mil.*) trincerare **3** incidere (*legno*, *ecc.*) Ⓑ v. i. scavare fosse ● (*form.*) **to t. on** (*o* **upon**), invadere, usurpare; esser vicino a, rasentare: **to t. on sb.'s land**, invadere il terreno di q.; *His behaviour trenches upon vulgarity*, la sua condotta rasenta la volgarità.

trenchancy /'trentʃənsɪ/ n. ⓤ **1** acutezza; incisività; modo perentorio; tono tagliente **2** nettezza; precisione.

trenchant /'trentʃənt/ a. **1** tagliente (*spec. fig.*); acuto; incisivo; penetrante; vigoroso: **t. words**, parole taglienti **2** netto; preciso: **t. distinctions**, distinzioni nette | **-ly** avv.

trencher① /'trentʃə(r)/ n. **1** scavatore; chi scava fosse (*o* trincee) **2** (*mecc.*) = **trench excavator** → **trench**.

trencher② /'trentʃə(r)/ n. (*arc. o Austral.*) (*cucina*) tagliere; piatto: *'I found you as a morsel, cold upon / Dead Caesar's t.'* W. SHAKESPEARE, 'io ti ho trovata, come un avanzo freddo, sul piatto di Cesare'.

trencherman /'trentʃəmən/ n. (pl. **trenchermen**) mangiatore; mangione: **a good t.**, un gran mangiatore; una buona forchetta.

to trench-plough /'trentʃplaʊ/ v. t. (*agric.*) ravagliare (*il terreno*).

◆**trend** /trend/ n. **1** direzione; tendenza; orientamento; andamento; corso: **the trends of modern philosophy**, le tendenze della filosofia moderna; *The t. of the strata is from north to south*, la direzione degli strati è da nord a sud; **the t. of events**, il corso degli eventi **2** (*econ.*, *fin.*) andamento; tendenza; evoluzione; svolgimento; sviluppi; trend; dinamica (*fig.*): **a definite upward t. in the cost of living**, una decisa tendenza all'aumento del costo della vita; **the t. of the stock market**, l'andamento del mercato azionario; **long-term t.**, tendenza di lungo periodo **3** (*stat.*) tendenza (di fondo); variazione secolare; trend: **t. curve**, curva del trend **4** moda; voga: **to set the t.**, dettare (*o* fare) la moda ● (*econ.*) **the t. of economic activity**, il trend dell'attività economica; l'evoluzione congiunturale □ (*econ.*) **t.-path**, curva di sviluppo tendenziale □ **t.-setter**, chi fa la moda; chi fa tendenza □ **t.-setting**, che lancia una moda nuova □ **t.-spotter**, chi cerca di anticipare le mode nuove; chi fa l'osservatore alle sfilate di moda.

to trend /trend/ v. i. **1** tendere; dirigersi; volgere: *The river trends southwards*, il corso del fiume volge a sud **2** curvare, piegare (*verso una direzione*) **3** tendere; avere una (certa) tendenza: **to t. towards socialism**, tendere verso il socialismo ● **to t. away from st.**, tendere ad allontanarsi da qc.

trendy /'trendɪ/ Ⓐ a. (*fam.*, *spesso spreg.*) alla moda; (troppo) moderno; ultramoderno

Ⓑ n. persona alla moda; (*spreg.*) modernista, liberaloide ● **to be t.**, essere alla moda; fare tendenza || **trendily** avv. alla moda || **trendiness** n. ⓤ l'essere alla moda.

Trent /trent/ n. (*geogr.*) **1** Trento: (*stor.*) **The Council of T.**, il Concilio di Trento **2** Trent (*fiume inglese*).

trepan /trɪ'pæn/ n. **1** (*med.*, *stor.*) trapano **2** (*ind. min.*) trivella **3** (*mecc.*) utensile tubolare; utensile a taglio anulare **4** (*mecc.*) taglio anulare.

to trepan /trɪ'pæn/ v. t. **1** (*med.*) trapanare (*spec. il cranio*) **2** (*ind. min.*) trivellare **3** (*mecc.*) tagliare con un utensile tubolare || **trepanation** n. ⓤ (*med.*) trapanazione.

trepang /trɪ'pæŋ/ n. (*zool.*, *Holothuria*) oloturia; cetriolo di mare.

trepanning /trɪ'pænɪŋ/ n. ⓤⓒ **1** (*med.*) trapanazione **2** (*mecc.*) taglio con utensile tubolare.

trephine /trɪ'fi:n/ n. (*med.*) trapano.

to trephine /trɪ'fi:n/ (*med.*) v. t. trapanare (*spec. il cranio*) || **trephination** n. ⓤⓒ trapanazione.

trepidation /trepɪ'deɪʃn/ n. **1** ⓤ trepidazione; ansia **2** ⓤⓒ (*med.*) tremito.

trespass /'trespəs/ n. ⓤⓒ **1** (*leg.*) violazione di proprietà; intrusione; sconfinamento **2** (*leg.*) abuso; prevaricazione; usurpazione; violazione **3** (*arc. o biblico*) peccato; colpa (*relig.*): **t. offering**, sacrificio espiatorio □ (*leg.*) **t. to chattels** (*o* **to goods**), illecita turbativa del possesso di cose □ (*leg.*) **t. to the person**, illecito contro la persona.

to trespass /'trespəs/ v. i. **1** (*arc. o biblico*) contravvenire (*a un divieto, ecc.*); (*lett.*) offendere, peccare, far torto: **to t. against a moral principle**, trasgredire a un principio morale; «And forgive us our trespasses, as we forgive them that t. against us», «e rimetti a noi i nostri debiti, come noi li rimettiamo ai nostri debitori» **2** (*leg.*) oltrepassare un confine; introdursi abusivamente; sconfinare, invadere: **to t. on a private beach**, introdursi abusivamente in una spiaggia privata **3** (*form.*) – **to t. on** (*o* **upon**), abusare di; approfittare di; usurpare; violare: *I shall not t. on your hospitality*, non abuserò della vostra ospitalità; **to t. upon sb.'s rights**, violare i diritti di q. ● **to t. upon sb.'s time**, far perdere del tempo a q. □ «No trespassing!» (*cartello*), «proprietà privata» ❶ **FALSI AMICI** ● to trespass *non significa* trapassare.

trespasser /'trespəsə(r)/ n. **1** trasgressore; contravventore; intruso; violatore di confini: «Trespassers will be prosecuted», «gli intrusi saranno puniti a termini di legge» **2** (*relig.*) peccatore.

tress /tres/ n. (*lett.*) **1** treccia (*di capelli*) **2** ciocca; ricciolo || **tressed** a. **1** (*di capelli*) acconciati in trecce; a trecce **2** (*di persona*, spec. nei composti) con le trecce; dalle trecce: **a long-tressed girl**, una ragazza con trecce lunghe.

trestle /'tresl/ n. **1** cavalletto; trespolo; capra; transenna: **a t. table**, un tavolo (*da disegno, ecc.*) poggiato su cavalletti **2** (= **trestlework**) traliccio; impalcatura (a traliccio) **3** (*ind. costr.*, = **t. bridge**) ponte a traliccio **4** (*naut.*, = **testletree**) barra costiera ● **to block up a street with trestles**, transennare una strada.

trestletree /'tresltri:/ → **trestle**, def. 4.

trestlework /'treslwɜːk/ → **trestle**, def. 2.

tret /tret/ n. (*comm.*, *stor.*) abbuono per calo della merce.

trews /tru:z/ n. pl. (*raro*) calzoni corti e attillati (*alla scozzese*).

trey /treɪ/ n. tre (*carta da gioco o faccia di dado*).

triable /'traɪəbl/ a. **1** tentabile; che si può provare **2** (*leg.*) processabile; perseguibile.

triad /'traɪæd/ n. **1** (*elettron.*) triade **2** (*filos.*, *mus.*) triade **3** (*chim.*) elemento trivalente ‖ **triadic** a. triadico; di triade.

Triad /'traɪæd/ n. (la) mafia cinese.

triage /'traɪɑːʒ/ n. (*med.*, *comput.*) triage (*classificazione di ferite, interventi, problemi, ecc., in base all'urgenza del loro trattamento*).

♦**trial**① /'traɪəl/ n. ꊩ **1** prova; esperimento; collaudo; saggio; tentativo: **a t. of strength**, una prova di forza; **endurance t.**, prova di resistenza; (*market*) **three months' free t.**, prova gratuita per tre mesi; **to carry out a clinical t.**, condurre un esperimento clinico **2** tribolo; tribolazione; croce (*fig.*); fastidio; seccatura: *That boy is a real t. to his mother*, quel ragazzo è la croce di sua madre **3** (*leg.*) processo; dibattimento; giudizio: **t. by jury**, processo con la partecipazione della giuria; **t. based on circumstantial evidence**, processo indiziario; (**to be on t.** (*o* **to stand t.**, **to undergo t.**) **for st.**, subire un processo (*o* essere processato, essere sotto processo) per qc. **4** (*sport*) tentativo: (*alpinismo*) *We had a second t. at the climb*, facemmo un secondo tentativo di scalata **5** (*nelle corse, ecc.*) prova: **long-distance t.**, prova di durata **6** (*al pl.*) (*sport*) selezioni, eliminatorie **7** (*autom.*, *motociclismo*) gara; manche (*franc.*): **t. over rough ground**, gara di fuoristrada ● (*mat.*) **t.-and-error method**, metodo per tentativi □ (*rag.*) **t. balance**, bilancio di verifica □ **t. balloon**, pallone sonda; (*fig. USA*) iniziativa attuata (*o* dichiarazione resa) allo scopo di sondare la reazione pubblica □ (*leg.*) **t. court**, tribunale di prima istanza □ (*aeron.*) **t. flight**, volo di prova (*o* di collaudo) □ **t. judge**, giudice del dibattimento □ **t. jump**, salto di prova □ **t. lawyer**, avvocato patrocinatore □ (*sport*) **t. match**, incontro di selezione; eliminatoria □ (*comm.*) **t. order**, ordinazione di prova □ **t. run**, prova; (*autom.*) prova su strada; giro di prova; giro di ricognizione (*sulla pista*); (*aeron.*) volo di collaudo: **to give the car a t. run**, fare un giro di prova con la macchina □ (*sport*) **t. sample**, campione di prova (*o* di saggio) □ **t. separation**, separazione di prova (*di coniugi*) □ (*atletica*) **t. start**, prova di partenza □ (*atletica*) **t. throw**, lancio di prova □ (*naut.*) **t. trip**, viaggio di prova □ **to give sb. a t.**, mettere alla prova q. □ **on t.**, (*spec. comm.*) in prova; alla prova; (*leg.*) sotto processo: **to be on t.**, subire un processo (*o* essere sotto processo (*fam.*) □ **to stand the t.**, reggere alla prova.

trial② /'traɪəl/ n. (*ling.*) triale.

trialware /'traɪəlwɛə(r)/ n. ꊩ (*comput.*) → **demoware**.

triangle /'traɪæŋgl/ n. **1** (*geom.*, *mus.*) triangolo: **a right-angled t.**, un triangolo rettangolo; (*geom.*) **spherical t.**, triangolo sferico **2** (*USA*) squadra (*fissa: da disegno*) **3** (*biliardo*) triangolo ● (*fig.*) **the eternal t.**, l'eterno triangolo (*marito, moglie e amante*).

triangular /traɪ'æŋgjʊlə(r)/ a. **1** (*geom.*) triangolare: **t. pyramid**, piramide triangolare **2** (*fig.*) triangolare; triplice; tripartito: **a t. treaty**, un patto triangolare; **t. trade**, scambio triangolare ● **t. compasses**, compasso a tre aste □ (*sport*) **t. competition**, triangolare (sost. m.) □ (*naut.*) **t. course**, percorso (*o* rotta) triangolare; triangolo di regata □ (*mecc.*) **t. file**, lima a sezione triangolare □ (*naut.*, *mil.*) **t. flag**, guidone □ **a t. meeting**, un incontro triangolare (*di atletica, ecc.*).

triangularity /traɪæŋgjʊ'lærətɪ/ n. ꊩ forma triangolare; triangolarità (*raro*).

triangulate /traɪ'æŋgjʊlət/ a. **1** triangolato; a triangoli **2** triangolare.

to **triangulate** /traɪ'æŋgjʊleɪt/ v. t. **1** dividere (*una superficie*) in triangoli **2** (*topogr.*) triangolare; fare la triangolazione di.

triangulation /traɪæŋgjʊ'leɪʃn/ n. ꊩ (*topogr.*) triangolazione.

triarch /'traɪɑːk/ n. triarca ‖ **triarchy** n. ꊩ triarchia; triumvirato.

Trias /'traɪæs/ n. (*geol.*) Trias; il Triassico.

Triassic /traɪ'æsɪk/ (*geol.*) ◆ a. triassico ◆ n. ꊩ Trias; Triassico.

triathlon /traɪ'æθlən/ (*sport*) n. triathlon ‖ **triathlete** n. triatleta.

triatomic /traɪə'tɒmɪk/ a. (*chim.*) triatomico.

triazine /'traɪəziːn/ n. ꊩ (*chim.*) triazina.

triazole /'traɪəzɒl/ n. (*chim.*) triazolo.

tribade /'trɪbəd/ (*psic.*) n. tribade ‖ **tribadism** n. ꊩ tribadismo; lesbismo.

tribal /'traɪbl/ a. tribale; di tribù | **-ly** avv.

tribalism /'traɪbəlɪzəm/ n. ꊩ tribalismo.

tri-band, **triband** /'traɪbænd/ a. (*comput.*) tribanda.

tribasic /traɪ'beɪsɪk/ a. (*chim.*) tribasico.

tribe /traɪb/ n. **1** (*anche zool.*, *bot.*, *fig.*) tribù **2** (*spesso spreg.*) razza; classe; genia.

tribesman /'traɪbzmən/ n. (pl. **tribesmen**) membro d'una tribù.

triblet /'trɪblət/ n. (*mecc.*) mandrino per tubi.

triboelectricity /traɪbəʊɪlek'trɪsətɪ/ n. ꊩ (*fis.*) triboelettricità.

tribology /traɪ'bɒlədʒɪ/ n. ꊩ (*fis.*) tribologia.

triboluminescence /traɪbəʊluːmɪ'nesns/ n. ꊩ (*fis. nucl.*) triboluminescenza.

tribrach /'traɪbræk/ (*poesia*) n. tribrachio; tribraco ‖ **tribrachic** a. tribraco.

tribulation /trɪbjʊ'leɪʃn/ n. ꊩ tribolazione; patimento; sofferenza.

tribunal /traɪ'bjuːnl/ n. **1** tribunale (*spec. fig.*): **the t. of conscience**, il tribunale della coscienza **2** (*leg.*, *USA*) tribunale: *The Supreme Court is the highest t. of the US*, la Corte Suprema è il più alto tribunale degli USA.

tribune① /'trɪbjuːn/ (*stor.*) n. tribuno (*anche fig.*) ‖ **tribunate** n. ꊩ tribunato ‖ **tribuneship** n. ꊩ tribunato ‖ **tribunician** n. tribunizio; (*spreg.*) tribunesco.

tribune② /'trɪbjuːn/ n. (*archit.*) **1** tribuna; palco (*per oratori, ecc.*) **2** (*relig.*) trono di vescovo **3** abside con trono episcopale.

tributary /'trɪbjʊtrɪ/ ◆ a. (*di uno stato, ecc.*) tributario ◆ n. **1** (*stor.*) popolo (*o* stato) tributario **2** (*geogr.*) affluente; tributario.

tribute /'trɪbjuːt/ n. ꊩ **1** tributo (*anche fig.*); omaggio: **tributes of tears** [**praise**], tributi di lacrime [di lodi]; **floral tributes**, omaggi floreali; **to pay (a t. to sb.**, pagare un tributo a q.; (*fig.*) rendere omaggio a q. **2** (*ind. min.*) parte del minerale estratto (*o* equivalente in denaro) corrisposto a un minatore ● (*mus.*) **t. band**, tribute band; band tributo (*che imita un cantante o gruppo famoso*) □ **t. money**, tributo in denaro (*stor.*, *polit.*) □ **to lay a nation under t.**, assoggettare un popolo al pagamento di tributi.

tricar /'traɪkɑː(r)/ n. **1** motocarrozzetta; motocarro **2** (*autom.*) autoveicolo a tre ruote.

trice /traɪs/ n. **– in a t.**, in un batter d'occhio; in un baleno.

to **trice** /traɪs/ v. t. (*naut.*, *di solito* **to t. up**) issare e legare: **to t. (up) a sail**, issare e legare una vela.

tricentenary /traɪsen'tiːnərɪ/, **tricentennial** /traɪsen'tenɪəl/ a. e n. (del) terzo centenario; trecentenario.

triceps /'traɪseps/ n. (pl. **triceps**, **tricepses**) (*anat.*) tricipite ● (*ginnastica*) **t. bar**, barra per i tricipiti (*di un attrezzo multiuso*).

triceratops /traɪ'serətɒps/ n. (*paleont.*) triceratopo.

trichiasis /trɪ'kaɪəsɪs/ n. ꊩ (*med.*) trichiasi.

trichina /trɪ'kaɪnə/ n. (pl. **trichinae**, **trichinas**) (*zool.*, *Trichinella spiralis*) trichina.

trichinosis /trɪkɪ'nəʊsɪs/ n. ꊩ (*med.*) trichinosi.

trichloride /traɪ'klɔːraɪd/ n. (*chim.*) tricloruro.

trichloroethane /traɪklɔːrəʊ'eθeɪn/ n. (*chim.*) tricloroetano.

trichloroethylene /traɪklɔːrəʊ'eθɪliːn/ n. ꊩ (*chim.*) tricloroetilene; trielina.

trichlorophenol /traɪklɔːrəʊ'fiːnɒl/ n. (*chim.*) triclorofenolo.

trichology /trɪ'kɒlədʒɪ/ (*med.*) n. ꊩ tricologia ‖ **trichological** a. tricologico ‖ **trichologist** n. tricologo.

trichome /'trɪkəʊm/ n. (*bot.*) tricoma.

trichomoniasis /trɪkəməʊ'naɪəsɪs/ n. ꊩ (*med.*) tricomoniasi.

trichophobia /trɪkəʊ'fəʊbɪə/ n. ꊩ (*med.*) tricofobia.

trichord /'traɪkɔːd/ a. (*mus.*) tricorde, tricordo.

trichosis /trɪ'kəʊsɪs/ n. ꊩ (*med.*) tricosi.

trichotomy /traɪ'kɒtəmɪ/ n. ꊩ tricotomia.

trichromatic /traɪkrəʊ'mætɪk/ (*fotogr.*, *tipogr.*) a. tricromico; in tricromia ‖ **trichromatism** n. ꊩ tricromatismo; tricromasia.

♦**trick** /trɪk/ ◆ n. **1** trucco; artificio; stratagemma; numero (*d'acrobata, ecc.*); tiro; frode; inganno: **the oldest t. in the book**, il trucco più vecchio del mondo; **conjuring tricks**, trucchi da prestigiatore; **a clever t.**, un abile stratagemma; *The children are always up to some t. or other*, i bambini combinano sempre qualche tiro; **an unfair t.**, un tiro sleale **2** abitudine; vezzo; affettazione; (pl.) manierismo: *He has a t. of scratching his head when he is embarrassed*, ha l'abitudine di grattarsi la testa quando è imbarazzato **3** (*a carte*) mano; presa: **to take** (*o* **to win**) **the t.**, vincere la mano **4** turno (di lavoro) **5** (*lotta*) colpo **6** (*naut.*) turno al timone **7** (*sport: calcio, ecc.*) finta; numero **8** (*slang USA*) marchetta (*di prostituta*); (anche) cliente (*di prostituta*): **to turn a t.**, tirare su un cliente; fare una marchetta (*pop.*) ◆ a. attr. (*fam.*) **1** tranello; difficilissimo: **a t. question**, una domanda tranello **2** (anche *sport*) truccato; che fa ricorso a trucchi **3** (*slang USA*) di prima qualità: **t. acid**, LSD di prima qualità ● (*slang USA*) **t. book**, taccuino con i nomi dei clienti (*di una prostituta*) □ **a t. cyclist**, un ciclista acrobata; (*slang scherz.*) uno psichiatra □ **the tricks of the trade**, i trucchi del mestiere □ **t. or treat**, dolcetto o scherzetto (*a Halloween*) □ **t. photography**, (tenica del) fotomontaggio □ (*equit.*) **t. rider**, volteggiatore □ (*equit.*) **t. riding**, volteggio □ (*fam.*) **to do the t.**, farcela; riuscirci; (*di medicina, ecc.*) essere efficace; funzionare (*fam.*) □ **to get the t. of it**, capire il trucco (*fig.*) □ **to know a t. or two**, saperla lunga □ (*fam.*) **not to miss a t.**, non lasciarsene sfuggire una; non perdere un colpo; stare sempre all'erta □ **I know a t. worth two of that**, io ne so una migliore; te l'insegno io come devi fare.

to **trick** /trɪk/ v. t. e i. **1** imbrogliare; ingannare; fare un tiro a (q.); raggirare; turlupinare **2** (*calcio, ecc.*) ingannare; fintare; beffare; dribblare; fare secco (*un avversario*) con una finta (*fam.*) **3** (*slang USA*) fare la prostituta; fare marchette; andare con una prostituta ● **to t. sb. into doing st.**, convincere q. a fare qc. con l'inganno (*o* con raggiri) □

(*fam.*) **to t. out** (*o* **to t. up**), adornare; decorare; agghindare; coprire di fronzoli □ **to t. sb. out of st.**, rubare (fregare, ecc.) qc. a q. con l'inganno; scroccare qc. a q.

tricker /'trɪkə(r)/ → **trickster**.

trickery /'trɪkərɪ/ n. **1** ⓤ astuzia; frode; inganno **2** birbonata; bricconata; tiro mancino.

trickiness /'trɪkɪnəs/ n. ⓤ **1** astuzia; furberia; malizia **2** complessità; ingegnosità; difficoltà.

trickle /'trɪkl/ n. **1** gocciolamento; gocciolio **2** filo (*d'acqua, di sangue, ecc.*); rivolo; rivoletto **3** (*elettr.*, = **t. charge**) carica di mantenimento **4** (*fig.*) numero esiguo: *The t. of refugees has now become a flood*, l'esiguo numero di profughi è ora diventato un torrente ● (*autom.*) **t. charger**, caricabatterie (*con carica a corrente costante*) □ (*agric.*) **t. irrigation**, irrigazione goccia a goccia (*per es., del kiwi*).

to trickle /'trɪkl/ Ⓐ v. i. **1** gocciolare; colare; stillare: *Sweat was trickling from his forehead*, il sudore gli gocciolava dalla fronte **2** (*fig.*) scorrere piano piano; andare alla spicciolata: *The children trickled into the classroom*, i bambini entrarono alla spicciolata nell'aula Ⓑ v. t. far colare; far gocciolare ● **to t. away**, (*di liquido*) colare, uscire a gocce; (*fig.*) andarsene alla spicciolata: *The crowd began to t. away*, la folla cominciò ad andarsene alla spicciolata □ **to t. in** (*di liquido*) entrare a gocce, a stille; (*fig.*) arrivare alla spicciolata □ **to t. ink into a fountain-pen**, riempire (d'inchiostro) una stilografica goccia a goccia □ **to t. into**, entrare a gocce dentro (*un recipiente, ecc.*) □ **to t. out**, (*di liquido*) colare, stillare, uscire a gocce; (*fig.*: *della folla, ecc.*) uscire a poco a poco (*o* un po' alla volta); (*di notizie*) trapelare: *The crowd trickled out of the stadium*, la folla uscì dallo stadio alla spicciolata.

trickle-down economics /'trɪkldəʊn iːkə'nɒmɪks/ loc. n. pl. (col verbo al sing.) (*econ., polit.*) teoria economica secondo la quale una politica a vantaggio dei ceti più alti, stimolando l'economia, finisce per portare benefici anche agli strati sociali meno abbienti.

trickly /'trɪklɪ/ a. gocciolante.

trick or treat /'trɪkɔː'triːt/ loc. verb. (*fam. USA*) «dolcetto o scherzetto»; «o ci date un regalino, o vi facciamo un tiro birbone» (*detto da bambini che bussano alle case per la festa di Hallowe'en*).

trickster /'trɪkstə(r)/ n. **1** imbroglione; farabutto; truffatore **2** (*mitol.*) essere immaginario (*spesso*, animale) che gioca burle colossali.

tricksy /'trɪksɪ/ a. birichino; giocoso; scherzoso; vivace | **-iness** n. ⓤ.

♦**tricky** /'trɪkɪ/ a. **1** astuto; ingannevole; infido; scaltro; traditore: **t. diplomats**, scaltri diplomatici **2** (*di problema, meccanismo, ecc.*) complesso; complicato; difficile **3** (*di una situazione*) difficile; scabrosa **4** (*sport*) ingannevole; che trae in inganno; insidioso: **a t. bounce of the ball**, un rimbalzo che trae in inganno; **a t. shot**, un tiro insidioso **5** difficile; pericoloso: **to be in a t. situation**, essere in una situazione pericolosa; (*sci*) **a t. gate**, una porta pericolosa | **-ily** avv.

triclinic /traɪ'klɪnɪk/ a. (*miner.*) triclino: **the t. system**, il sistema triclino (*dei cristalli*).

triclinium /traɪ'klɪnɪəm/ n. (pl. *triclinia*) (*stor. romana*) triclinio.

tricolour, (*USA*) **tricolor** /'trɪkələ(r)/ Ⓐ a. tricolore Ⓑ n. (il) tricolore (*spec. la bandiera francese*) | **tricoloured**, (*USA*) **tricolored** a. tricolore; a tre colori.

triconsonantical /traɪkɒnsə'næntɪkl/ a.

(*ling.*) triconsonantico.

tricorn /'traɪkɔːn/ Ⓐ a. tricorne Ⓑ n. tricorno (*cappello a tre punte*).

tricot /'triːkəʊ/ (*franc.*) n. ⓤ (*ind. tess.*) tessuto a maglia.

tric-trac /'trɪktræk/ n. (*gioco di carte*) tric--trac; tavola reale.

tricuspid /traɪ'kʌspɪd/ a. (*anat.*) tricuspide: **t. tooth**, dente tricuspide; **t. valve**, valvola tricuspide (*del cuore*).

tricuspidal /traɪ'kʌspɪdl/ a. → **tricuspid**.

tricycle /'traɪsɪkl/ n. triciclo (*a pedali o a motore*) ● (*aeron.*) **t. landing gear**, carrello d'atterraggio triciclo (*a tre ruote*).

to tricycle /'traɪsɪkl/ v. i. andare in triciclo.

tridacna /traɪ'dæknə/ n. (*zool.*, *Tridacna gigas*) tridacna.

tridactylous /traɪ'dæktɪləs/ a. (*zool.*) tridattilo.

trident /'traɪdnt/ n. tridente.

tridentate /traɪ'dɛnteɪt/ a. (*bot.*) tridentato.

Tridentine /traɪ'dɛntaɪn/ Ⓐ a. **1** (*geogr.*) trentino; di Trento **2** (*relig.*) tridentino; del Concilio di Trento Ⓑ n. (*relig.*) cattolico.

tridimensional /traɪdaɪ'mɛnʃnl/ a. (*geom., fis.*) tridimensionale; a tre dimensioni ‖ **tridimensionality** n. ⓤ tridimensionalità.

triduum /'trɪdjʊəm/ n. (*relig. cattolica*) triduo.

tried /traɪd/ a. **1** provato; sperimentato; fido; fidato; sicuro: **a t. friend**, un amico provato (*o* sicuro) **2** messo a dura prova ● **t. out**, collaudato; sicuro; sperimentato.

triennial /traɪ'ɛnɪəl/ Ⓐ a. triennale Ⓑ n. **1** triennale; evento che ricorre ogni tre anni **2** terzo anniversario | **-ly** avv.

triennium /traɪ'ɛnɪəm/ n. (pl. *triennia*, *trienniums*) triennio.

trier /'traɪə(r)/ n. **1** sperimentatore; saggiatore **2** chi prova di continuo; chi ci riprova; persona di buona volontà **3** (*leg.*) chi giudica; giudice.

trierarch /'traɪərɑːk/ (*stor. greca*) n. trierarca.

Triestine /triː'ɛstɪn/ a. e n. triestino.

trifecta /traɪ'fɛktə/ n. (*USA*) (*ipp.*) triplice.

trifid /'traɪfɪd/ a. (*bot., zool.*) trifido.

trifle /'traɪfl/ n. **1** bazzecola; bagatella; inezia; nonnulla; quisquilia; sciocchezza; sciocchezzuola: *Don't waste your time on trifles*, non perdere il tempo in bazzecole! **2** piccola somma di denaro; (un) po' di spiccioli; (una) sciocchezza (*fam.*): *Spare a t. for the waiter*, serba un po' di spiccioli per il cameriere! **3** ⓤⓒ (*cucina*) dolce di marzapane con uno strato di crema e di panna (*spesso guarnito di frutta: noci, ecc.*); (*pressappoco*) zuppa inglese **4** (*metall.*) peltro scadente **5** (*mus.*) bagatella; opera leggera **6** (pl.) utensili di peltro ● **to be a t. angry**, essere piuttosto adirato; essere un po' arrabbiato □ **This bag is a t. (too) heavy**, questa borsa è un po' troppo pesante □ **He doesn't stick at trifles**, non si fa tanti scrupoli.

to trifle /'traɪfl/ v. i. baloccarsi; gingillarsi; giocherellare; perdersi in frivolezze; scherzare: *Don't t. with my feelings*, non scherzare con i miei sentimenti!; **to t. with a pen**, giocherellare con una penna ● **to t. away one's money**, buttare il proprio denaro □ **to t. away one's time**, sprecare il tempo □ **The boss isn't a man to be trifled with**, il capo non è tipo da prendere sottogamba.

trifler /'traɪflə(r)/ n. persona frivola; perdigiorno; sfaccendato.

trifling /'traɪflɪŋ/ a. **1** insignificante; lieve; da nulla; futile; trascurabile: **a t. matter**, una cosa da nulla; una faccenda trascurabi-

le; **a t. mistake**, un errore insignificante **2** frivolo; fatuo; incostante | **-ly** avv.

trifoliate /traɪ'fəʊlɪət/ a. (*bot.*) trifogliato; che ha tre foglie.

trifolium /traɪ'fəʊlɪəm/ n. ⓤ (*bot.*) trifoglio.

triforium /traɪ'fɔːrɪəm/ n. (pl. *triforia*) (*archit.*) triforio.

trifurcated /'traɪfɜːkeɪtɪd/, **trifurcate** /'traɪfɜːkɪt/ a. triforcuto.

trig ① /trɪg/ a. (*fam.*) attillato; elegante; lindo; azzimato.

trig ② /trɪg/ n. bietta, zeppa, calzatoia (*per fermare la ruota d'un carro, ecc.*).

trig ③ /trɪg/ n. ⓤ (abbr. *fam.* di **trigonometry**) trigonometria.

to trig ① /trɪg/ v. t. (*fam.*) attillare; azzimare.

to trig ② /trɪg/ v. t. bloccare (*una ruota*) con una bietta (*o* con una zeppa) ● **to t. up**, puntellare; sostenere.

trigamous /'trɪgəməs/ a. trigamo ‖ **trigamist** n. trigamo ‖ **trigamy** n. ⓤ trigamia.

trigeminal /traɪ'dʒɛmɪnl/ (*anat.*) Ⓐ n. (nervo) trigemino Ⓑ a. trigeminale; del trigemino.

trigeminus /traɪ'dʒɛmɪnəs/ n. (pl. *trigemini*) (*anat.*) trigemino.

♦**trigger** /'trɪgə(r)/ n. **1** (*d'arma da fuoco*) grilletto: **to pull the t.**, premere il grilletto **2** (*mil., ecc.*) detonatore: **nuclear triggers**, detonatori nucleari **3** (*mecc., in genere*) levetta di scatto; scatto; leva a pistola (*di un estintore*) **4** (*elettron.*) impulso di comando (*o* d'azionamento) **5** (*comput.*) trigger (*meccanismo che provoca un'elaborazione*) **6** (*fis., chim.*) innesco (*anche fig.*) **7** (*anche med.*) stimolo: **physiological t.**, stimolo fisiologico **8** (*slang USA*) gangster; killer ● (*med.*) **t. action**, azione scatenante ● (*elettr., autom.*) **t. box**, centralina elettronica □ **t. control**, sicura (*d'arma da fuoco*) □ (*farm.*) **t. drug**, stimolante □ **t. finger**, dito del grilletto; indice della mano destra □ (*di un fucile*) **t. guard**, guardamano □ (*fam.*) **t.-happy**, dal grilletto facile; (*fig.*) avventato, impulsivo; (*fig., polit.*) aggressivo; (*fig.*: *di metodo, ecc.*) drastico □ **t. housing**, alloggiamento del grilletto (*d'arma da fuoco*) □ **t. squeeze**, pressione sul grilletto □ (*fam.*) **to be quick on the t.**, essere svelto a sparare; avere il grilletto facile □ (*di macchina fotografica*) **release t.**, scatto.

to trigger /'trɪgə(r)/ v. t. **1** premere il grilletto di (*un'arma da fuoco*) **2** (*comput.*) provocare, scatenare (*un'elaborazione*) **3** (*fis., elettron.*) innescare **4** (*fig., spesso* **to t. off**) provocare; dare avvio (*o* il via) a; scatenare: *The unpopular measures triggered off a revolt*, i provvedimenti impopolari diedero l'avvio a una rivolta; **to t. off an attack**, scatenare un attacco (*come reazione*).

triglyceride /traɪ'glɪsəraɪd/ n. (*biochim.*) trigliceride.

triglyph /'traɪglɪf/ (*archit.*) n. triglifo ‖ **triglyphic** a. di triglifo.

trigon /'traɪgən/ n. **1** (*astron., mus., ecc.*) trigono **2** (*geom., arc.*) triangolo.

trigonal /'trɪgənl/ a. **1** trigonale; di trigono **2** (*geom.*) triangolare ● (*miner.*) **t. system**, sistema trigonale (*dei cristalli*).

trigone /'traɪgəʊn/ n. (*anat.*) trigono.

trigonometry /trɪgə'nɒmɪtrɪ/ n. ⓤ trigonometria ‖ **trigonometric**, **trigonometrical** a. trigonometrico ‖ **trigonometrically** avv. trigonometricamente.

trigraph /'traɪgrɑːf/ n. (*ling.*) trigramma.

trihedron /traɪ'hiːdrən/ (*geom.*) n. (pl. *trihedrons*, *trihedra*) triedro ‖ **trihedral** a. triedrico.

trijet /'traɪdʒɛt/ (*aeron.*) Ⓐ a. a tre reattori

B n. jet a tre reattori; trireattore.

trike /traɪk/ n. (*fam.*) triciclo.

trilabiate /traɪˈleɪbɪeɪt/ a. (*scient.*) trilabiato.

trilateral /traɪˈlætərəl/ **A** a. **1** trilaterale **2** (*fig.*) trilaterale; tripartito: **t. dealings**, trattative tripartite; **t. trade**, commercio trilaterale **B** n. (*geom.*) trilatero.

trilby /ˈtrɪlbɪ/ n. (= **t. hat**) cappello floscio, di feltro; lobbia.

trilinear /traɪˈlɪnɪə(r)/ a. (*geom.*) trilineare.

trilingual /traɪˈlɪŋgwəl/ a. trilingue ‖ **trilingualism** n. ⓤ trilinguismo.

trilithon /ˈtraɪlɪθɒn/ n. (*archeol. e archit.*) trilite.

trill /trɪl/ n. **1** (*spec. mus.*) trillo **2** (*fon.*) consonante (*spec. la «r»*) vibrata ● **t. r**, erre rotata.

to **trill** /trɪl/ v. i. **1** (*spec. mus.*) trillare **2** (*scherz.*) canticchiare; canterellare ● (*fon.*) **to t. one's «r's»**, far vibrare la erre; arrotare la erre.

trilling /ˈtrɪlɪŋ/ n. (*miner.*) cristallo composto di tre elementi.

trillion /ˈtrɪljən/ a. e n. **1** (*un tempo in GB*) (un) miliardo di miliardi (*un 1 seguito da 18 zeri*) **2** (*in USA e spesso in GB*) (un) trilione; mille miliardi (*un 1 seguito da 12 zeri*) ‖ **trillionth** a. e n. **1** (*un tempo in GB*) (un) quintilionesimo **2** (*in USA e spesso in GB*) (un) trilionesimo.

trilobate /ˈtraɪləbeɪt/ a. (*bot.*) trilobato.

trilobed /ˈtraɪləʊbd/ a. (*anat.*) trilobato.

trilobite /ˈtraɪləbaɪt/ a. (*paleont.*) trilobite.

trilogy /ˈtrɪlədʒɪ/ n. (*letter., mus.*) trilogia.

trim /trɪm/ **A** n. ⓤ assetto; ordine; disposizione; condizione; stato: (*di nave, ecc.*) **in fighting t.**, in assetto di guerra; *All my papers are in good (o proper) t.*, tutti i miei documenti sono in perfetto ordine; (*sport*) *Our team is in good t.*, la condizione della nostra squadra è buona; la nostra squadra è in forma **2** ⓤⓒ finitura; rifinitura; arredamento; (*autom.*) interno (*della carrozzeria*): *What colour is the t. of the car?*, di che colore è l'interno dell'auto? **3** spuntata, spuntatina (*di capelli, baffi, ecc.*) **4** (*archit.*) finiture interne (*di una casa*) **5** ⓤ (*autom.*) materiali per l'arredamento (*della carrozzeria*); selleria; interno **6** (*cinem.*) taglio; parte tagliata (*della pellicola*) **7** ⓤ (*aeron.*) assetto di volo **8** ⓤ (*naut.*) assetto; differenza d'immersione (*in senso longitudinale: da prua a poppa*) **9** ⓤ (*naut.*) orientamento (*delle vele*) **10** ⓤ (*comput.*) compensazione **11** (*volg. USA*) fica (*volg.*); vulva **12** (*volg. USA*) donna (*come oggetto sessuale*) **B** a. **1** attillato; azzimato; lindo; pulito; grazioso; curato: **a t. little room**, una graziosa cameretta **2** ben tenuto; bene attrezzato; bene equipaggiato; in perfetto ordine: **a t. garden**, un giardino tenuto bene; (*naut.*) **a t. ship**, una nave in perfetto ordine **3** snello; svelto ● (*legatoria*) **t. size**, formato del libro (*o del foglio*) rifilato □ (*naut.*) **t. by the head**, appruamento □ (*naut.*) **t. by the stern**, appoppamento □ **to get into t.**, mettersi in ordine; prepararsi □ **to be in t.**, essere in ordine; essere in assetto; (*sport*) essere in forma □ **to be out of t.**, non essere in ordine; (*di nave, d'aereo, ecc.*) essere fuori assetto; (*sport*) non essere in forma.

to **trim** /trɪm/ **A** v. t. **1** ordinare; assettare; rassettare; mettere in ordine; ripulire; rifinire; regolare: (*naut.*) **to t. a ship [a boat]**, assettare una nave [una barca] (*bilanciandone il carico, la zavorra, ecc.*); **to t. lumber**, ripulire il legname (*piallando, ecc.*) **2** tagliare; potare; cimare; spuntare; ritagliare: *'These fingernails have to be trimmed'* –

«Jacket, Doctor?» – *«Not unless necessary»* ' T. WILLIAMS, «queste unghie vanno tagliate» – «camicia di forza, dottore?» – «no, se se ne può fare a meno»; **to t. a hedge**, cimare (*o potare*) una siepe; **to have one's hair [beard, moustache] trimmed**, farsi spuntare i capelli [la barba, i baffi]; (*fig.*) **to t. one's costs**, tagliare (*o ridurre*) i costi **3** adornare; decorare; ornare; guarnire: *The children trimmed the Christmas tree*, i bambini decorarono l'albero di Natale; **to t. a collar with fur**, guarnire di pelliccia un bavero **4** (*metall.*) rifilare; sbavare **5** (*fam.*) rimproverare; sgridare; fare una ramanzina a (q.) **6** (*fam.*) battere; bastonare; percuotere; picchiare; dare una strigliata a (q.) **7** (*fam.*) aver la meglio su (q.); (*sport*) battere (*un avversario*); stracciare (*fam.*) **8** (*naut.*) livellare; spianare (*un carico alla rinfusa*) **9** (*naut.*) orientare (*le vele*) **10** (*aeron.*) rimettere (*un aereo*) in assetto di volo **11** (*legatoria*) rifilare; smarginare **12** (*autom.*) fare l'interno di (*una vettura*) **13** (*slang, antiq.*) derubare; ripulire; spennare **B** v. i. **1** barcamenarsi; tergiversare; essere un opportunista; tirare a campare **2** (*di nave*) essere bilanciata; essere in equilibrio ● **to t. the budget**, apportare tagli al bilancio □ (*naut.*) **to t. the hold**, sistemare (*o livellare, assettare*) la stiva □ (*fam.*) **to t. sb.'s jacket**, picchiare (*o bastonare*) q. □ (*di pesci*) **to t. the shore**, nuotare lungo la riva □ **to t. the wick of a candle**, smoccolare una candela.

■ **trim away → trim off**.

■ **trim down** v. t. + avv. **1** assottigliare; snellire: *This diet will t. down your waistline*, questa dieta ti snellirà in vita **2** (*fig.*) calare, diminuire, tagliare (*spese e sim.*).

■ **trim off** v. t. + avv. **1** tagliare via; staccare; eliminare (*qc.*) con un taglio **2** (*fig.*) diminuire, tagliare (*spese e sim.*).

trimaran /ˈtraɪməræn/ n. (*naut.*) trimarano.

trimester /traɪˈmestə(r)/ n. **1** trimestre **2** (*USA*) trimestre (*scolastico; cfr. ingl.* **term**) ‖ **trimestral**, **trimestrial** a. trimestrale.

trimeter /ˈtrɪmɪtə(r)/ n. (*poesia*) trimetro.

trimmed /trɪmd/ a. **1** potato; cimato **2** (*di capello, barba, baffo*) spuntato; curato **3** adorno; decorato.

trimmer /ˈtrɪmə(r)/ n. **1** chi mette in ordine; rifinitore (*operaio*) **2** (*naut.*) stivatore **3** guarnitore, guarnitrice; decoratore, decoratrice: **a hat t.**, una guarnitrice di cappellini **4** cimatore; potatore (*di siepi, ecc.*) **5** (*agric.*) forbici da potatore; svettatoio (*a pertica*) **6** (*metall.*) attrezzo per sbavare **7** (*edil.*) = **t. joist → sotto 8** (*ind., autom.*) tappezziere di reparto carrozzeria **9** (*legatoria*) rifilatrice **10** (*fotogr.*) taglierina **11** (*radio*) compensatore **12** opportunista; voltagabbana; banderuola (*fig.*) ● (*edil.*) **t. joist**, trave di raccordo □ (*elettr.*) **t. potentiometer**, potenziometro di compensazione.

trimming /ˈtrɪmɪŋ/ n. **1** ⓤ rassettamento; ripulitura; rifinitura; finitura **2** decorazione; ornamento; guarnizione; passamaneria **3** ⓤ (*autom.*) selleria; materiale di rivestimento **4** ⓤ (*metall.*) rifilatura; sbavatura **5** ⓤ (*legatoria*) rifilatura; smarginatura **6** ⓤ cimatura, potatura (*di alberi, siepi, ecc.*) **7** ⓤ (*naut*) assetto, livellamento (*del carico*); stivaggio **8** (pl.) ritagli; spuntature; raffilatura **9** (pl.) (*cucina*) contorno; guarnizione **10** (pl.) (*fam.*) rimprovero; sgridata **12** (*fam.*) bastonatura; botte; busse ● (*aeron.*) **t. gear**, timone □ (*naut.*) **t. tank**, cassa di assetto □ **with all the trimmings**, (*di una pietanza*) con i contorni tradizionali; (*fig.*) completo di tutto.

trimness /ˈtrɪmnəs/ n. ⓤ attillatura; accuratezza; lindura; eleganza.

trimonthly /traɪˈmʌnθlɪ/ **A** a. trimestrale **B** avv. trimestralmente.

trimorphism /traɪˈmɔːfɪzəm/ (*miner.*) n. ⓤ trimorfismo.

Trinacrian /traɪˈnækrɪən/ a. (*lett.*) trinacrio.

trinal /ˈtraɪnl/ a. trino; triplice.

trinary /ˈtraɪnərɪ/ a. ternario; triplice.

trine /traɪn/ **A** a. trino; triplice **B** n. triade.

tringle /ˈtrɪŋgl/ n. **1** bacchetta di ferro (*per tendaggi*) **2** (*archit.*) listello.

Trinitarian /trɪnɪˈteərɪən/ (*relig.*) a. e n. trinitario ‖ **Trinitarianism** n. ⓤ trinitarismo.

trinitrotoluene /traɪnaɪtrəʊˈtɒljuiːn/, **trinitrotoluol** /traɪnaɪtrəʊˈtɒljuɒl/ n. ⓤ (*chim.*) trinitrotoluene; tritolo (*esplosivo*).

trinity /ˈtrɪnətɪ/ n. **1** ⓤ l'esser trino; triplicità **2** triade ● (*relig.*) **the Holy T.**, la Santissima Trinità □ (*in GB*) **T. House**, ente pubblico per la concessione di brevetti di pilota marittimo, di permessi per la costruzione di fari, ecc. □ **T. Sunday**, la domenica dopo Pentecoste □ (*ingl.*) **T. term**, trimestre che ha inizio dopo Pasqua (*in alcune università, spec. a Oxford, e nei tribunali*).

trinket /ˈtrɪŋkɪt/ n. **1** ciondolo; fronzolo; gingillo; ninnolo; gioiello di poco valore **2** bagatella; inezia.

trinomial /traɪˈnəʊmɪəl/ n. e a. (*mat.*) trinomio ● (*stat.*) **t. distribution**, distribuzione trinomia.

trio /ˈtriːəʊ/ n. (pl. **trios**) **1** (*mus.*) trio **2** trio; triade; terzetto **3** (*a carte*) tris.

triode /ˈtraɪəʊd/ n. (*elettron., radio*) triodo.

triolet /ˈtriːələt/ n. (*letter.*) strofe (*o poesia*) di otto versi.

triose /ˈtraɪəʊs/ n. (*biochim.*) triosio.

trioxide /traɪˈɒksaɪd/ n. (*chim.*) triossido.

♦**trip** /trɪp/ n. **1** escursione; gita; viaggio; viaggetto; salto (*fam.*): **a day t.**, una gita (di un giorno); **a round t.**, un viaggio di andata e ritorno; **a t. to France**, un viaggetto in Francia; **a t. by air**, un viaggio in aereo; **a t. to the doctor**, un salto dal medico; *Have a nice t.!*, buon viaggio!; *How did the t. to India go?*, com'è andato il viaggio in India? **2** (*anche sport*) sgambetto **3** passo agile e leggero **4** passo falso (*anche fig.*); errore; sbaglio **5** (*mecc.*) scatto; autoscatto; disinnesto a scatto; dente d'arresto **6** (*mil.: d'arma da fuoco*) scatto **7** (*elettr.*) relè di sicurezza: **t. coil**, bobina di relè di sicurezza **8** (*sport: di una squadra*) trasferta **9** (*slang*) esperienza psichedelica; viaggio, trip (*gergo dei drogati*) **10** (*slang*) esperienza emozionante ● (*mecc.*) **t. hammer**, maglio a caduta libera a leva □ (*mus.*) **t. hop**, trip hop (*fonde suoni psichedelici e hip hop*) □ (*autom.*) **t. mileage counter**, contamiglia parziale □ (*slang USA*) **to lay a (heavy) t. on sb.**, far sentire q. colpevole; colpevolizzare q.

to **trip** /trɪp/ **A** v. i. **1** saltellare; incedere (*o danzare*) con passo veloce: *The little girl came tripping down the staircase*, la bambina scese le scale saltellando **2** (*spesso* **to t. up**) incespicare; inciampare; mettere un piede in fallo; impappinarsi; intoppare (*nel parlare, ecc.*): *I tripped on a stone*, inciampai in un sasso **3** (*fig.*) sbagliare; errare; fare un passo falso (*fig.*): *I've often caught him tripping*, l'ho colto in fallo più d'una volta **4** (*fam.*) drogarsi; fare un viaggio (*di drogato*) **B** v. t. **1** far cadere; far inciampare; sgambettare; fare lo sgambetto a; rovesciare a terra: *The boy put his foot out and tripped up his sister*, il ragazzo allungò il piede e fece cadere la sorella **2** (*fig.*) → **trip up**, **B 3** (*mecc.*) liberare; far scattare: **to t. the wire of an alarm system**, far scattare un sistema d'allarme toccando un filo elettrico **4**

(*sport*) sgambettare (*fallo*): **to t. a player**, fare lo sgambetto a (*o* falciare) un giocatore **5** (*naut.*) spedare: **to t. the anchor**, spedar l'ancora ● (*lett.*) **to t. a measure**, ballare agilmente una danza □ (*elettr.*) **to t. a switch**, staccare la corrente.

■ **trip along** v. i. + avv. procedere (*o* avanzare) saltellando.

■ **trip out** v. i. + avv. (*fam.*) **1** fare un viaggio (*gergo dei drogati*); prendere una droga psichedelica; drogarsi; intripparsi (*pop.*) **2** smettere di drogarsi.

■ **trip over** v. i. + prep. **1** inciampare su (qc.) **2** (*fig.*) sbagliarsi in (qc.).

■ **trip up** **A** v. i. + avv. **1** inciampare; incespicare **2** impappinarsi (*nel parlare*) **B** v. t. + avv. **1** (*calcio, ecc.*) sgambettare, falciare (*un avversario*) **2** (*fig.*) cogliere (q.) in fallo; prendere (q.) in castagna, incastrare (*fam.*): *He tried in vain to t. up the witness*, cercò invano di cogliere in fallo il testimone **3** (*naut.*) spedare (*l'ancora*).

tripartism /traɪˈpɑːtɪzəm/ n. ⓤ → **tripartitism**.

tripartite /traɪˈpɑːtaɪt/ a. **1** tripartito: **a t. agreement**, un accordo tripartito **2** (*di documento*) in tre copie ‖ **tripartition** n. ⓊⒸ tripartizione.

tripartitism /traɪˈpɑːtaɪtɪzəm/ n. ⓤ (*polit.*) sistema tripartitico.

tripe /traɪp/ n. ⓤ **1** (*cucina*) trippa **2** (*fam.*) sciocchezze; stupidaggini; scemenze; fesserie (*pop.*) ● **t. seller**, trippaio.

triphthong /ˈtrɪfθɒŋ/ n. (*fon.*) trittongo.

triplane /ˈtraɪpleɪn/ n. (*aeron.*) triplano.

triple /ˈtrɪpl/ **A** a. **1** triplo; triplice: (*Borsa*) **t. option**, opzione tripla; (*stor.*) **the T. Alliance**, la Triplice Alleanza; (*mecc.*) **t.-action press**, pressa a triplice effetto **2** (*mus.*) ternario: **t. time**, tempo (*o* ritmo) ternario **B** n. (*mat.*) **1** triplo **2** terna: *Pythagorean t.*, terna pitagorica **3** (*fam. USA*) whisky triplo **4** (*baseball*) triplo **5** (*bocce*) squadra di tre giocatori **6** (*USA*) (*ipp.*) (*nelle scommesse*) triplice (*1°, 2° e 3° arrivato*) ● (*ipp.*) **t. bars**, triplice (*ostacolo*) □ (*relig.*) **t. crown**, triregno □ (*di un numero*) **t.-digit**, a tre cifre (*econ.*) **t.-digit inflation**, inflazione a tre cifre □ (*arald., mitol.*) **t.-headed**, tricipite □ **t. header**, triplice (*gara fra tre squadre*) □ (*atletica*) **t. jump**, salto triplo □ (*atletica*) **t.-jump specialist** (*o* **t. jumper**), atleta di triplo; triplista □ (*equit.*) **t. obstacle**, ostacolo triplice □ (*baseball*) **t. play**, triplo gioco □ (*fis.*) **t.-pole**, tripolare □ (*sci*) **t. poles**, la triplice □ (*tur.*) **t. room**, camera a tre letti □ (*astron.*) **t. star**, stella tripla □ (*baseball*) **t. steal**, tre basi rubate; tre rubate.

ⓘ **NOTA:** *triple o treble?*

I verbi *to treble* e *to triple* sono sinonimi e significano "moltiplicare per tre": *Fees will treble* (*o triple*) *in the New Year*, le tasse triplicheranno con il nuovo anno. Però come aggettivi e sostantivi (*treble* è anche avverbio) *treble* e *triple* hanno una diversa sfumatura di significato; tradizionalmente *treble* si usava in riferimento a ciò che si era triplicato, mentre *triple* si usava per indicare ciò che consisteva di tre parti: *He sold the house for treble its price*, vendette la casa per il triplo del suo prezzo; *the triple jump*, un salto triplo. Però si tratta di una distinzione spesso ignorata. È inoltre importante notare che, nonostante anche *triple* venga utilizzato nel linguaggio musicale, per dire "soprano" in ambito musicale si usa esclusivamente *treble*: *treble recorders*, flauti soprano; *treble clef*, chiave di soprano.

to **triple** /ˈtrɪpl/ v. t. e i. **1** triplicare, triplicarsi **2** (*baseball*) fare un triplo.

to **triple-park** /ˈtrɪplpɑːk/ v. i. (*autom.*) parcheggiare in terza fila.

triplet /ˈtrɪplət/ n. **1** gruppo di tre oggetti;

---

tripletta 2 (*poesia*) terzina **3** (*mus.*) terzina **4** nato da un parto trigemino; bambino trigemino **5** (pl.) parto trigemino **6** (pl.) (*poker*) tris **7** (*fis.*) tripletto.

triplex /ˈtrɪplɛks/ **A** a. triplice **B** n. (*mus.*) **1** tempo triplo **2** composizione in tre parti **3** ® (*autom., ind.*) = **t. glass** → *sotto* **4** (*fam. USA*) casa per tre famiglie; (*anche*) appartamento su tre piani ● (*ind.*) **t. glass**, vetro di sicurezza (a tre strati) □ (*telef.*) **t. system**, sistema triplex □ (*elettr.*) **t. winding**, avvolgimento a tre circuiti.

triplicate /ˈtrɪplɪkət/ **A** a. **1** triplice; triplicato **2** in triplice copia: **a t. certificate**, un certificato in triplice copia **3** (*di copia o facsimile*) terzo **B** n. **1** triplice copia: **to draw up a document in t.**, redigere un documento in triplice copia **2** terza copia.

to **triplicate** /ˈtrɪplɪkeɪt/ v. t. **1** triplicare **2** redigere (*un documento*) in triplice copia ‖ **triplication** n. ⓊⒸ il triplicare; triplicazione.

triplicity /trɪˈplɪsətɪ/ n. **1** ⓤ l'esser triplice; triplicità **2** trio; gruppo di tre oggetti.

triply /ˈtrɪplɪ/ avv. triplicemente.

tripod /ˈtraɪpɒd/ n. **1** treppiede **2** sgabello (*o* tavolo) a tre gambe; tripode **3** cavalletto **4** (*archeol.*) tripode ‖ **tripodal** a. (*di sgabello, ecc.*) che ha tre piedi (*o* tre gambe).

tripolar /traɪˈpəʊlə(r)/ a. (*anche fig., polit.*) tripolare.

tripoli /ˈtrɪpəlɪ/ n. ⓤ (*geol.*) tripoli; farina fossile.

Tripolitan /trɪˈpɒlɪtn/ a. e n. tripolitano.

tripos /ˈtraɪpɒs/ n. (*nell'università di Cambridge*) esame finale sostenuto da un candidato che aspira all'«honours degree» (→ **honour**).

tripper /ˈtrɪpə(r)/ n. **1** escursionista; gitante; vacanziere: **day t.**, gitante della domenica **2** (*anche ferr.*) autoscatto **3** (*mecc.*) scaricatore (*di nastro trasportatore*) **4** (*slang*) drogato che è «partito per un viaggio»; tossico.

trippery /ˈtrɪpərɪ/ a. (*spreg.*) **1** pieno di turisti **2** per turisti; troppo turistico.

tripping /ˈtrɪpɪŋ/ **A** a. **1** saltellante; che si muove (*o* balla) agilmente **2** agile; leggero; lesto; rapido; veloce: **a t. rhythm**, un ritmo agile; **a t. step**, un passo leggero **B** n. ⓊⒸ **1** saltellio **2** lo sgambettare ● (*elettr.*) **t. device**, dispositivo di scatto automatico.

trippy /ˈtrɪpɪ/ a. (*slang USA*) **1** che ti manda 'in viaggio'; che ti intrippa (*pop.*) **2** fantastico; strano; surreale **3** bellissimo; da sballo.

triptych /ˈtrɪptɪk/ n. (*arte*) trittico.

triptyque /trɪpˈtiːk/ (*franc.*) n. (*dog., autom.*) trittico; carnet (*franc.*).

tripwire /ˈtrɪpwaɪə(r)/ n. filo che fa scattare un allarme (esplodere una bomba, ecc.).

trireme /ˈtraɪriːm/ n. (*stor., naut.*) trireme.

trisaccharide /traɪˈsækəraɪd/ n. (*chim.*) trisaccaride.

to **trisect** /traɪˈsɛkt/ v. t. **1** tripartire **2** (*geom.*) trisecare (*un angolo, ecc.*) ‖ **trisection** n. **1** tripartizione **2** (*geom.*) trisezione ‖ **trisector** n. trisettore.

trismus /ˈtrɪzməs/ n. ⓤ (*med.*) trisma.

trisomy /ˈtraɪsəʊmɪ/ (*biol.*) n. ⓤ trisomia ● (*med.*) **t. 21 syndrome**, sindrome della trisomia 21 (o di Down) ‖ **trisomic** a. trisomico.

Tristam /ˈtrɪstəm/, **Tristan** /ˈtrɪstən/ n. Tristano.

trisyllable /traɪˈsɪləbl/ n. trisillabo ‖ **trisyllabic** a. trisillabo; trisillabico.

trite /traɪt/ a. trito; stantio; banale; risaputo; comune: **a t. expression**, un'espressione trita **-ly** avv. | **-ness** n. ⓤ.

tritheism /ˈtraɪθiːɪzəm/ (*relig.*) n. ⓤ tritei-

---

smo (*eresia*) ‖ **tritheist** n. triteista.

tritiated /ˈtrɪtɪeɪtɪd/ a. (*chim.*) triziato.

tritium /ˈtrɪtɪəm/ n. ⓤ (*chim.*) trizio, tritio.

triton /ˈtraɪtn/ n. (*zool., Triturus*) tritone.

Triton /ˈtraɪtn/ n. (*mitol.*) Tritone.

tritone /ˈtraɪtəʊn/ n. (*mus.*) tritono.

to **triturate** /ˈtrɪtjʊreɪt/ v. t. triturare; tritare ‖ **trituration** n. ⓊⒸ triturazione; trituramento ‖ **triturator** n. chi tritura; chi trita; tritatore.

♦**triumph** /ˈtraɪʌmf/ n. **1** trionfo (*anche stor.*); (piena) vittoria: *Caesar entered Rome in t.*, Cesare entrò a Roma in trionfo; **the triumphs of science**, le vittorie della scienza; **a shout of t.**, un grido di trionfo **2** ⓤ esultanza; tripudio; (aria di) trionfo: *Great was his t. on hearing the news*, grande fu la sua esultanza nell'apprendere la notizia.

to **triumph** /ˈtraɪʌmf/ v. i. **1** trionfare (*anche stor.*); vincere: *Love triumphs over enmity*, l'amore trionfa sull'inimicizia **2** (*fig.*) esultare; trionfare: *You should not t. over a fallen foe*, non dovresti esultare sul nemico sconfitto.

triumphal /traɪˈʌmfl/ a. trionfale; del trionfo: **t. arch** [**car**], arco [carro] trionfale; **a t. reception**, un'accoglienza trionfale; **the t. crown**, la corona del trionfo.

triumphalism /traɪˈʌmfəlɪzəm/ n. ⓤ (*spec. polit.*) trionfalismo ‖ **triumphalist** **A** n. trionfalista **B** a. trionfalistico.

triumphant /traɪˈʌmfnt/ a. trionfante; vittorioso; esultante: **in a t. voice**, con voce trionfante | **-ly** avv.

triumvir /traɪˈʌmvə(r)/ (*lat.*), (*stor.*) n. (pl. **triumvirs**, **triumviri**) triumviro ‖ **triumviral** a. triumvirale.

triumvirate /traɪˈʌmvərət/ n. **1** (*stor.*) triumvirato **2** (*raro*) triade; terzetto.

triune /ˈtraɪjuːn/ a. (*relig.*) uno e trino; tre in uno: **t. Godhead**, Dio uno e trino.

trivalent /traɪˈveɪlənt/ (*chim.*) a. trivalente ‖ **trivalence** n. ⓤ trivalenza.

trivet /ˈtrɪvɪt/ n. treppiedi (*arnese da cucina*) ● **t. table**, tavolino a tre gambe □ (*fam., raro*) **to be as right as a t.**, stare benissimo; essere in ottime condizioni di salute.

trivia /ˈtrɪvɪə/ n. pl. frivolezze; banalità; inezie; quisquilie.

trivial /ˈtrɪvɪəl/ a. **1** insignificante; di nessun conto; di scarso rilievo; futile; banale: **t. details**, particolari insignificanti (o di nessun conto); **t. matters**, cose da nulla; inezie; **a t. remark**, un'osservazione banale **2** (*di una persona*) leggero; superficiale; frivolo ⓘ **FALSI AMICI** ● trivial *non significa* triviale **-ly** avv.

triviality /trɪvɪˈælətɪ/ n. **1** ⓤ insignificanza; banalità; futilità **2** cosa da nulla; inezia; sciocchezza **3** ⓤ leggerezza; superficialità; frivolezza ⓘ **FALSI AMICI** ● triviality *non significa* trivialità.

to **trivialize** /ˈtrɪvɪəlaɪz/ v. t. trivializzare; banalizzare; rendere (*o* far sembrare) insignificante ‖ **trivialization** n. ⓤ trivializzazione; banalizzazione.

trivium /ˈtrɪvɪəm/ n. (pl. **trivia**) (*nelle scuole medievali*) trivio.

triweekly /traɪˈwiːklɪ/ **A** a. **1** trisettimanale; che avviene tre volte la settimana **2** che avviene ogni tre settimane **B** n. pubblicazione (*o* rivista) trisettimanale.

trizonal /traɪˈzəʊnl/ a. diviso in tre zone.

troat /trəʊt/ n. bramito (*del cervo*).

to **troat** /trəʊt/ v. i. (*del cervo*) bramire.

trocar /ˈtrəʊkɑː(r)/ n. (*med.*) trequarti.

trochaic /trəʊˈkeɪɪk/ a. (*poesia*) trocaico.

trochal /ˈtrəʊkl/ a. (*zool.*) a forma di ruota; trocheiforme.

trochanter /trəʊˈkæntə(r)/ n. (*anat.*) trocantere.

troche /trəʊʃ/ n. (*farm.*) pastiglia; compressa.

trochee /ˈtrəʊkiː/ n. (*poesia*) trocheo.

trochilus /ˈtrɒkɪləs/ n. **1** (*zool.*) colibrì (*in genere*) **2** (*zool.*, *Pluvianus aegyptius*) guardiano dei coccodrilli **3** (*archit.*) trochilo; scozia.

trochlea /ˈtrɒklɪə/ (*anat.*) n. (pl. **trochleae**) troclea ‖ **trochlear** a. trocleare.

trochoid /ˈtrəʊkɔɪd/ n. (*geom.*) trocoide.

trod /trɒd/ pass. di **to tread**.

trodden /ˈtrɒdn/ p. p. di **to tread**.

troglobites /ˈtrɒɡləbaɪts/ n. pl. (*biol.*) troglobi (*organismi animali che vivono nelle grotte*).

troglodyte /ˈtrɒɡlədaɪt/ n. troglodita; (*fig.*) chi vive in solitudine ‖ **troglodytic** a. trogloditico.

troika /ˈtrɔɪkə/ (*russo*) n. troika, troica (*anche fig.*, *polit.*).

Troilus /ˈtrɔɪləs/ n. (*letter.*) Troilo.

Trojan /ˈtrəʊdʒən/ A a. (*stor.*) troiano; di Troia: **the T. War**, la guerra di Troia B n. **1** (*stor.*) troiano **2** (*fig.*) persona determinata, decisa, energica **3** (*slang USA*) preservativo; hatù ● **T. horse**, cavallo di Troia (*anche fig.*); (*comput.*) cavallo di Troia (*programma dall'aspetto innocuo ma che in realtà ha funzionalità nefaste*) □ **to work like a T.**, lavorare come un mulo; sgobbare.

troll① /trəʊl/ n. **1** canzone, canto (*cantato a voci alternate*); stornello **2** pesca a traina **3** (*pesca*) mulinello (*della lenza*) **4** (*pesca*) cucchiaino **5** (*comput.*) troll; provocatore; piantagrane (*che invia messaggi offensivi ad un newsgroup*).

troll② /trəʊl/ n. **1** (*mitol. nordica*) troll **2** (*slang USA*) sgobbone; secchione.

to **troll** /trəʊl/ A v. t. e i. **1** cantare allegramente, a gran voce; cantare alternatamente; stornellare **2** pescare con la lenza (*trascinandola dietro la barca*); pescare a traina: **to t. a lake**, pescare a traina in un lago B v. i. (*comput.*) provocare (*inviando messaggi offensivi nei newsgroup*) ● (*sport*) **trolling spoon**, cucchiaino (*per la pesca*).

trolley /ˈtrɒlɪ/ n. **1** carretto (*spec. ribaltabile*); carrettino a mano; carrello (*da supermercato, aeroporto, ecc.*): **shopping t.**, carrello per la spesa; **tea t.**, carrello per il tè; *I'll get a t. for these bags*, prendo un carrello per quelle borse **2** vagoncino (*da miniera*) **3** (*ferr.*) carrello di servizio **4** (*di funivia*) carrello, cabina sospesa; (*di teleferica*) vagoncino **5** (*di tram, filobus*) rotella di presa; presa ad asta; trolley **6** carrello (*di gru a torre*) **7** (*golf*) carrello **8** → **trolleybus 9** (*USA*, = **t. car**) tram; vettura tranviaria ● **t. line**, linea filoviaria; filovia; (*USA, anche*) linea tranviaria, tranvia □ **t. pole**, asta di presa (*di corrente*) □ **t. table**, carrello portavivande □ **t. wheel**, rotella di presa □ **t. wire**, linea di contatto aerea □ (*scherz., ingl.*) **to be off one's t.**, essere matto (*o svitato, sbarellato, sbiellato*) □ (*fig. USA*) **to slip one's t.**, dare (fuori) di matto; uscire di testa; fare una scenata.

trolleybus /ˈtrɒlɪbʌs/ n. filobus.

trolly /ˈtrɒlɪ/ n. → **trolley**.

trombone /trɒmˈbəʊn/ (*mus.*) n. trombone ‖ **trombonist** n. suonatore di trombone; trombonista.

trommel /ˈtrɒməl/ n. (*ind. min.*) vaglio a tamburo; vaglio rotativo.

to **tromp** /trɒmp/ (*fam. USA*) A v. i. camminare con passo pesante B v. t. **1** calpestare **2** (*fig.*) battere; vincere; stracciare (*fig. fam.*).

◆**troop** /truːp/ n. **1** truppa; banda; schiera; frotta; gruppo; branco; turba: **a t. of students**, un gruppo di studenti; **a t. of giraffes**, un branco di giraffe **2** (*mil.*) plotone (*di truppe corazzate, esploratori, ecc.*: *due o più plotoni formano uno 'squadron'*): **to get one's t.**, ottenere il comando di un plotone **3** (pl.) milizie; militari; soldati; truppe **4** compagnia (*o drappello*) di boy-scout ● (*mil.*) **t. carrier**, nave (*o aereo, veicolo*) per il trasporto della truppa; trasporto truppa □ **t. horse**, cavallo di un reparto di cavalleria □ **t. train**, tradotta.

to **troop** /truːp/ A v. i. **1** adunarsi; affollarsi; ammassarsi; raggrupparsi; assembrarsi; schierarsi **2** muoversi in gruppi (*o a frotte, disordinatamente*) **3** camminare; (*spec.*) sfilare B v. t. (*arc.*) adunare; raggruppare; schierare ● **to t. along**, sfilare □ (*mil.*) **to t. the colour**, sfilare in parata con le bandiere in testa ❶ **CULTURA** • **trooping the colour**: *è una cerimonia che si tiene ogni anno in occasione del compleanno ufficiale del sovrano nella quale i soldati della guardia, alla presenza della regina e di altri membri della famiglia reale, sfilano da Buckingham Palace alla* **Horse Guards Parade** □ **to t. off** (*o away*), andarsene in fretta; scappar via □ **to t. out**, uscire a frotte: *The fans trooped out of the stadium*, i tifosi uscirono a frotte dallo stadio.

trooper /ˈtruːpə(r)/ n. **1** soldato di cavalleria; cavalleggero **2** (*USA e Austral.*) poliziotto a cavallo **3** cavallo (*d'un reparto di cavalleria*) **4** (*USA*) poliziotto motorizzato (*della polizia di uno Stato*) **5** (*fam.*) → **troopship** ● **to swear like a t.**, bestemmiare come un turco.

troopship /ˈtruːpʃɪp/ n. (*naut., mil.*) nave convoglio per trasporto truppe.

tropaeolum /trəˈpiːələm/ n. (*bot., Tropaeolum*) tropeolo; nasturzio; erba cappuccina.

trope /trəʊp/ n. (*ling., retor.*) tropo; traslato.

trophic /ˈtrɒfɪk/ a. (*med.*) trofico.

trophism /ˈtrɒfɪzəm/ n. ⑪ (*biol., med.*) trofismo.

trophoblast /ˈtrɒfəblæst/ n. (*biol.*) trofoblasto.

trophy /ˈtrəʊfɪ/ n. **1** trofeo; (*fig.*) premio **2** (*sport*) coppa; trofeo: **to be awarded a t.**, ricevere un trofeo.

tropic /ˈtrɒpɪk/ (*geogr.*) A n. **1** tropico: **the T. of Cancer**, il Tropico del Cancro **2** (pl.) – **the tropics**, i tropici; la zona dei tropici B a. (*arc.*); tropicale ● (*zool.*) **t. bird** (*Phaethon*), fetonte; uccello dei tropici.

tropical /ˈtrɒpɪkl/ a. **1** (*geogr.*) tropicale: **t. heat**, caldo tropicale; **t. diseases**, malattie tropicali **2** (*fig.*) torrido; tropicale; caldissimo (*retor., da* **trope**) traslato; metaforico; figurato ● (*astron.*) **t. year**, anno tropico | **-ly** avv.

tropine /ˈtrəʊpiːn/ n. ⑪ (*chim.*) tropina.

tropism /ˈtrəʊpɪzəm/ n. ⑪ (*biol.*) tropismo.

tropology /trɒˈpɒlədʒɪ/ n. ⑪ (*retor.*) tropologia ‖ **tropological** a. tropologico.

tropopause /ˈtrɒpəpɔːz/ n. ⑪ (*meteor.*) tropopausa.

troposphere /ˈtrɒpəsfɪə(r)/ (*meteor.*) ⑪ troposfera ‖ **tropospheric** a. troposferico.

trot /trɒt/ n. **1** trotto; (*fig.*) andatura veloce: **to break into a t.**, mettersi al trotto; **to go at a slow** (*o* **gentle**) **t.**, andare al piccolo trotto, trotterellare; *I put my horse to the t.*, misi il mio cavallo al trotto **2** trottata (*anche fig.*): *Let's go for a t.*, andiamo a fare una trottata **3** bambino che trotterella; bambino ai primi passi **4** (*slang USA*) traduttore; bigino **5** (pl.) – **the trots**, (*slang*) la diarrea, la sciolta: *The baby has got the trots*, il bimbo ha la diarrea ● (*fam.*) **to keep sb. on the t.**, tenere q. occupato; farlo trottare (*fig.*), tenerlo in movimento □ (*fig.*) **to be on the t.**, essere occupato (*o indaffarato*); (*slang*) avere la diarrea □ (*slang*) **He drank four whiskies on the t.**, bevve quattro whisky uno dopo l'altro.

to **trot** /trɒt/ A v. i. trottare; andare al trotto; (*fig.*) trotterellare, camminare a passo svelto, affrettarsi, correre: *It's getting late, so I must t. off* (*o along, away*), si fa tardi, devo scappare; *My dog was trotting after me*, il mio cane mi trotterellava dietro B v. t. far trottare; mettere al trotto: **to t. a horse**, far trottare un cavallo ● **to t. out**, far trottare (*un cavallo, per mostrarne l'andatura*); (*fam.*) tirar fuori, presentare, esibire, mettere in mostra (*un oggetto*); tirare in ballo, snocciolare, fare una noiosa tiritera di (qc.) □ **to t. sb. round**, portare in giro q. □ **to t. sb. to death** (*o* **off his legs**), stroncare le gambe a q. a forza di farlo camminare (*fin.*). **trotting peg**, parità trottante □ (*sport*) **trotting race**, corsa al trotto.

Trot /trɒt/ a. e n. (*fam.; polit., stor.*) trotzkista; trozkista.

troth /trəʊθ/ n. (*arc.*) fedeltà; fede; lealtà; verità: **in t.**, in fede mia; in verità ● **by my t.**, sul mio onore!; parola d'onore! □ **to plight one's t.**, dare la propria parola; (*spec.*) fidanzarsi.

Trotskyism /ˈtrɒtskɪɪzəm/ (*polit., stor.*) n. ⑪ trotzkismo; trozkismo ‖ **Trotskyist** a. e n. trotzkista; trozkista ‖ **Trotskyite** a. e n. trotzkista; trozkista.

trotter /ˈtrɒtə(r)/ n. **1** trottatore (*cavallo*) **2** (*fig.*) persona attiva, energica **3** (*generalm. al pl.*) piedino; zampetto (*di porco, ecc., come cibo*) **4** (*scherz.*) piede (*dell'uomo*) ● (*cucina*) **stuffed pig t.**, zampone.

trotting /ˈtrɒtɪŋ/ A a. che trotta; che va al trotto B n. ⑪ **1** (*equit.*) il trottare; il trotto **2** (*ipp.*) le corse al trotto.

troubadour /ˈtruːbədɔː(r)/ n. (*stor. letter.*) trovatore.

◆**trouble** /ˈtrʌbl/ n. **1** agitazione; afflizione; ansietà; dolore; preoccupazione; pena: *Life is full of small troubles*, la vita è piena di piccole afflizioni **2** agitazione; tumulto popolare; disordine: **labour troubles**, agitazioni operaie **3** ⑪⑥ disturbo; fastidio; incomodo; molestia; seccatura: *It will be no t.*, non sarà di nessun fastidio; *I'm afraid that boy is a great t. to you*, temo che quel ragazzo sia una gran seccatura per voi **4** ⑪ guaio; impiccio; pasticcio (*fig.*): **to be in t.**, essere nei guai (*o nei pasticci, negli impicci*); *Are you asking for t.?*, vai in cerca di guai?; *I told you you would get into t.*, te l'avevo detto che ti saresti cacciato nei guai; **to get out of t.**, cavarsi da un imbroglio; tirarsi fuori dai guai; *He's nothing but t.*, non sa dar altro che guai **5** ⑪⑥ (*med.*) disturbo; disturbi; disordine; disfunzione: **to suffer from liver t.**, soffrire di disturbi di fegato **6** ⑪ (*mecc.*) inconveniente; guasto: *I've had some t. with the engine of my car*, ho avuto dei guasti (*o delle noie*) al motore dell'auto **7** difetto; punto debole; brutto vizio: *Your t. is that you don't listen*, hai il brutto vizio di non ascoltare **8** (pl.) (*polit., stor.*) – **the Troubles**, i disordini e la guerra civile in Irlanda nel 1919-23; i disordini nell'Irlanda del Nord dopo il 1968 ● (*scherz. ingl.*) **t. and strife**, la propria moglie; la moglie □ **t.-free**, senza problemi; privo di difficoltà □ (*autom., ecc.*) **t. light**, lampada d'emergenza □ (*polit.*) **t. spot**, un punto caldo □ (*fam. USA*) **to borrow t.**, farsi preoccupazione senza una vera ragione; essere troppo ansioso □ (*fig.*) **to drown one's troubles**, affogare i dispiaceri nell'alcol □ (*fam.*) **to get a girl into t.**, mettere nei guai una ragazza; metterla incinta □ **to get sb. into t.**, metter q. nei guai; cacciare q. in un imbroglio; inguaiare q. □ **to give oneself t.**, darsi da fare; darsi

pena □ **to make t.**, dar fastidio; combinare guai; essere un seccatore (*fam.*: un piantagrane) □ **No t. (at all)**, non è affatto un disturbo! □ **to put sb. to a lot of t.**, procurare molto disturbo a q. □ **to take the t. to do st.**, prendersi il fastidio (*o* darsi la pena) di fare qc.: *He never takes the t. to write*, non si dà certo la pena di scrivere □ **It isn't worth the t.**, non ne vale la pena □ (*da parte di chi offre, ecc.*) **An omelette is no t. (to make)**, non ci vuol nulla a preparare una frittata.

to **trouble** /'trʌbl/ **A** v. t. **1** agitare; turbare; affliggere; preoccupare; tormentare: *I was troubled by the news of his illness*, fui turbato dalla notizia dell'*illness*; *He is troubled with* (*o by*) *a bad cold*, è tormentato da un brutto raffreddore **2** disturbare; importunare; infastidire; creare problemi a; incomodare; seccare: (*I am*) *sorry to t. you*, mi dispiace di doverti disturbare; *You don't t. me at all*, non mi disturbi affatto; *May I t. you to change seats with me?*, posso darle l'incomodo di cambiar posto con me? **3** (*lett.*) agitare, muovere (*l'acqua, ecc.*) **B** v. i. **1** agitarsi; affliggersi; turbarsi; preoccuparsi: *Don't t. about it*, non preoccuparti!; non prendertela! **2** disturbarsi; incomodarsi; darsi (*o* prendersi) la pena: *Don't t. to see me off at the airport*, non incomodarti ad accompagnarmi all'aeroporto! ● **to be troubled about** (*o with*) **money matters**, avere delle preoccupazioni finanziarie □ **to t. oneself**, disturbarsi; incomodarsi; darsi (*o* prendersi) la pena: *He didn't even t. himself to thank me*, non si prese neanche la pena di ringraziarmi □ **to be troubled with a bad back**, soffrire di mal di schiena □ (*form.*) **May I t. you for a glass of water?**, potrebbe gentilmente darmi un bicchiere d'acqua? □ (*form.*) **May I t. you to shut the door?**, Le dispiacerebbe chiudere la porta?

troubled /'trʌbld/ a. agitato; afflitto; ansioso; inquieto; preoccupato; turbato: **t. waters**, acque agitate; **a t. sleep**, un sonno agitato; **a t. glance**, un'occhiata ansiosa; **a t. face**, una faccia turbata ● **t. times**, tempi difficili □ **to be t. about st.**, essere preoccupato per qc. □ (*fig.*) **to fish in t. waters**, pescare nel torbido.

troublemaker /'trʌblmeɪkə(r)/ n. chi causa guai; agitatore; sobillatore; sobillatrice; piantagrane (*fam.*) ‖ **troublemaking** **A** a. che causa guai; che sobilla **B** n. ⓤ il causare guai; sobillazione.

troubler /'trʌblə(r)/ n. disturbatore; tipo importuno; seccatore.

troubleshoot /'trʌblʃuːt/ n. **1** (*ind.*) eliminazione di un guasto **2** (*comput.*) individuazione e correzione degli errori.

to **troubleshoot** /'trʌblʃuːt/ (pass. e p. p. **troubleshot**), v. i. **1** (*spec. USA*) fare opera di mediazione (*nelle vertenze sindacali, ecc.*); appianare le controversie **2** (*ind., comput.*) scoprire e localizzare i guasti (*d'un macchinario, ecc.*).

troubleshooter /'trʌblʃuːtə(r)/ n. **1** (*spec. USA*) mediatore (*in vertenze sindacali, ecc.*) **2** (*ind.*) specialista nella ricerca di guasti **3** (*comput.*) specialista nella individuazione e correzione degli errori **4** (*fig.*) chi risolve guai; chi pone rimedio a inconvenienti.

troubleshooting /'trʌblʃuːtɪŋ/ n. ⓤ **1** (*spec. USA*) mediazione (*nelle vertenze sindacali, ecc.*) **2** (*ind.*) ricerca ed eliminazione di guasti; diagnostica **3** (*comput.*) individuazione e correzione degli errori ● **t. device**, apparecchio per la localizzazione dei guasti.

troublesome /'trʌblsəm/ a. **1** fastidioso; molesto; importuno; noioso; seccante: **a t. cold**, un fastidioso raffreddore **2** turbolento; agitato; difficile **3** (*lett.*) gravoso; faticoso; pesante. | **-ly** avv. | **-ness** n. ⓤ.

troublous /'trʌbləs/ a. (*lett.*) agitato; difficile; inquieto: **t. times**, tempi difficili.

trough /trɒf/ n. **1** trogolo (*per maiali, ecc.*); mangiatoia (*per maiali, ecc.*) **2** (= **drinking t.**) abbeveratoio **3** (= **kneading t.**) madia **4** (= **washing t.**) mastello; tinozza **5** (*edil.*) doccia (*di grondaia*) **6** (= **wave t.**) cavo, gola (*dell'onda*) **7** (*meteor.*) saccatura **8** (*econ.*) minimo; punto di minimo; punto di svolta (*o* inversione) inferiore (*di un ciclo economico, di una congiuntura*) **9** (*geol.*) avvallamento; trogolo **10** (*geol.*) fossa oceanica; depressione sottomarina **11** (*slang, scherz.*) tavola (*su cui si mangia*) **12** (*mat.*) valore minimo (*di una funzione, ecc.*).

to **trounce** /traʊns/ v. t. **1** battere; bastonare; percuotere; picchiare; suonarle a (q.) **2** vincere; sconfiggere; sgominare; sbaragliare; stracciare (*fam.*) **3** rimproverare; sgridare aspramente; fare una ramanzina a (q.) ‖ **trouncing** n. ⓤⓒ **1** botte; busse; percosse **2** batosta; grave (*o* dura) sconfitta **3** lavata di capo; ramanzina.

troupe /truːp/ n. (*teatr.*) compagnia (*d'attori*).

to **troupe** /truːp/ v. i. (*teatr.*) andare in tournée.

trouper /'truːpə(r)/ n. **1** (*teatr.*) membro d'una compagnia; attore, attrice, ecc. **2** persona affidabile (*o* amica); (*fig.*) **to be a good t.**, essere un buon compagno di lavoro **3** individuo coraggioso; tipo tosto; uomo in gamba.

trouser /'traʊzə(r)/ a. attr. dei calzoni; dei pantaloni: **t. pocket**, tasca dei calzoni ● **t. cuffs**, risvolti dei pantaloni □ **t. factory**, pantalonificio □ **t. press** (*o* **t. stretcher**), stiracalzoni □ (*moda*) **t. suit**, tailleur pantalone.

to **trouser** /'traʊzə(r)/ v. t. (*scherz. ingl.*) mettere in tasca; intascare (*soldi, un assegno, ecc.*).

♦**trousers** /'traʊzəz/ n. pl. calzoni; pantaloni (*anche da donna*): **a pair of t.**, un paio di calzoni ● (*fig. fam.*) **to wear the t.**, portare i pantaloni; comandare (*in casa*) □ **with one's t. down**, con i calzoni abbassati; in mutande; (*fig.*) in una situazione difficile (*o* imbarazzante) ‖ **trousered** a. che porta i calzoni.

trousseau /'truːsəʊ/ (*franc.*) n. (pl. **trousseaux**, **trousseaus**) corredo da sposa.

trout /traʊt/ n. ⓒ (pl. **trout**, **trouts**) (*zool., Salmo*) trota: **to fish for t.**, pescar trote **2** (*fam., spesso* **old t.**) stupida vecchiaccia; vecchia strega, megera ● (*di cavallo*) **t.-coloured**, dal mantello trotino □ **t. farm**, allevamento di trote □ **t. fishing**, pesca delle trote □ (*zool.*) **salmon-t.**, trota salmonata.

to **trout** /traʊt/ v. i. (*sport*) pescar trote; andare a pesca di trote.

trouvère /truː'veə(r)/ (*franc.*) n. (*stor., letter.*) troviero.

trove /trəʊv/ → **treasure**.

trowel /'traʊəl/ n. **1** (*edil.*) cazzuola; frattazzo; paletta (*da muratore*) **2** (= **garden t.**) paletta da giardiniere; trapiantatoio ● (*fig.*) **to lay it on with a t.**, esagerare; andarci pesante.

to **trowel** /'traʊəl/ v. t. (*edil.*) **1** applicare (*l'intonaco*) con la cazzuola **2** intonacare (*un muro*) con la cazzuola **3** lisciare con la cazzuola; frattazzare (*un muro, ecc.*).

troy /trɔɪ/ n. ⓤ (= **t. weight**) «troy» (*sistema di peso per metalli preziosi e per medicinali*) ● **t. ounce**, oncia troy (*pari a 31,1 grammi*).

Troy /trɔɪ/ n. (*geogr., stor.*) Troia.

truancy /'truːənsɪ/ n. ⓤ **1** il marinare la scuola **2** assenza ingiustificata (*da scuola*) **3** inadempienza dell'obbligo scolastico **4**

(*arc.*) infingardaggine; oziosità; poltroneria; svogliataggine.

truant /'truːənt/ **A** n. **1** scolaro che marina la scuola **2** scansafatiche; lavativo (*fam.*) **B** a. (*arc.*) infingardo; ozioso; pigro ● (*di studente*) **to play t.**, marinare la scuola.

to **truant** /'truːənt/ v. i. marinare la scuola.

truce /truːs/ n. **1** tregua; armistizio: **to call [to break] a t.**, proclamare [rompere] una tregua **2** (*fig.*) pausa, sosta ● **t.-bearer**, parlamentare, negoziatore □ (*stor.*) **the t. of God**, la tregua di Dio.

♦**truck**① /trʌk/ n. **1** carro; vagone **2** carrello portabagagli (*da facchino*) **3** (*ferr.*) carrello (*di locomotiva o di carrozza ferroviaria*) **4** (*ferr.*) carro merci aperto; pianale **5** (*spec. USA*) autocarro; camion (*cfr. ingl.* **lorry**) **6** (*di funivia*) carrello (*che regge la cabina*) **7** carrello (*di pattino a rotelle*) **8** (*naut.*) pomo d'albero; formaggetta ● (*mecc.*) **t. crane**, carro gru; autogrù □ (*USA*) **t. driver**, autotrasportatore; camionista □ **t. owner-operator**, padroncino □ (*sport*) **t. racing**, le corse degli autocarri □ (*USA*) **t. stop**, posto di ristoro.

truck② /trʌk/ n. ⓤ **1** (*econ.*) baratto; scambio **2** ⓤ (= **t. system**) sistema di pagare gli operai in natura: (*stor.*) **t. shop**, spaccio aziendale **3** ⓤ (*USA*, = **garden t.**) prodotti ortofrutticoli; ortaggi; verdure **5** (*fam.*) – **one's t.**, le proprie cose; le proprie carabattole ● (*USA*) **t. farm**, fattoria che coltiva prodotti ortofrutticoli (*per il mercato; cfr. ingl.* **market garden**, *sotto* **market**) □ (*USA*) **t. farmer** (*o* **t. gardener**), ortofrutticoltore □ (*USA*) **t. farming** (*o* **t. gardening**), ortofrutticoltura □ (*fam.*) **to have no t. with sb.**, non aver niente a che fare con q. □ **I will stand no t.**, non tollero scioccherie.

to **truck**① /trʌk/ (*spec. USA*) **A** v. t. trasportare su un autocarro (*o* su strada, su gomma) **B** v. i. **1** fare il camionista; fare l'autotrasportatore **2** (*fam. USA*) andare via; partire; andarsene.

to **truck**② /trʌk/ v. t. e i. **1** (*econ.*) barattare; scambiare; far baratti **2** (*econ.*) pagare in natura.

truckage /'trʌkɪdʒ/ n. ⓤ (*spec. USA*) **1** trasporto mediante carro (*o* autocarro) **2** spese di trasporto, ecc. **3** (*ferr.*) diritti di vagone.

trucker① /'trʌkə(r)/ n. (*spec. USA*) autotrasportatore; camionista.

trucker② /'trʌkə(r)/ n. (*USA*) ortofrutticoltore.

truckie /'trʌkɪ/ n. (*fam. Austral.*) camionista; padroncino (*fam.*).

trucking /'trʌkɪŋ/ n. ⓤ (*USA*) **1** autotrasporti **2** ortifrutticoltura ● (*USA*) **t. company**, società d'autotrasporti.

truckle /'trʌkl/ n. **1** (*mecc.*) rotella (*per mobili, ecc.*) **2** (*di solito* **t. bed**) lettuccio su rotelle (*che s'infila sotto un altro più alto*).

to **truckle** /'trʌkl/ v. i. abbassarsi (*fig.*); sottomettersi; strisciare (*fig.*); essere servile.

truckload /'trʌkləʊd/ n. **1** carico (*di un camion, ecc.*) **2** (*fig.*) carrettate; valanghe; quantità enormi ● (*ferr.*) **t. rates**, tariffe per vagoni a pieno carico.

truculence /'trʌkjʊləns/ n. ⓤ **1** truculenza **2** (*arc.*) ferocia.

truculent /'trʌkjʊlənt/ a. **1** truculento; truce; torvo; terribile **2** (*arc.*) feroce; selvaggio | **-ly** avv.

trudge /trʌdʒ/ n. lunga camminata faticosa; scarpinata (*fam.*).

to **trudge** /trʌdʒ/ **A** v. i. camminare a fatica (*o* a stento); strascinarsi; arrancare **B** v. t. percorrere (*un tratto*) faticosamente.

trudgen /'trʌdʒən/ n. (*nuoto*) (*anche* t. **stroke**) nuotata alla Trudgen (*bracciata come nel crawl, e sforbiciata con le gambe*).

♦**true** ① /tru:/ **A** a. **1** vero; effettivo; certo; genuino; schietto; sincero; reale; vero e proprio: **a t. story**, una storia vera, reale; **t. love**, amore vero; **a t. diamond**, un diamante genuino; **a t. friend**, un vero amico; un amico sincero; **t. affection**, affetto sincero; (*relig.*) **the t. faith**, la vera fede; *John is a t. scholar*, John è un vero studioso; **a t. indication**, un'indicazione certa; *The dolphin is a t. mammal*, il delfino è un mammifero vero e proprio **2** fedele; leale: *They were t. to their leader*, erano fedeli al loro capo **3** accurato; esatto; preciso; conforme (*all'originale*): **a t. description of peasant life**, una descrizione esatta (*o veritiera*) della vita contadina; **a t. copy**, una copia conforme **4** allineato; al posto giusto: *The door isn't t.*, la porta non è incardinata bene **5** (*mecc.*) centrato: *The shaft isn't t.*, l'asse non è centrato **6** (*della voce, di strumento*) intonato **7** (*fin.: d'investimento*) reale (*non speculativo*) **8** (*fin.: d'interesse*) netto; puro **9** (*stat.*) reale: **t. complement**, complemento reale **10** (*comput.*) vero **B** avv. **1** in modo veritiero; sinceramente: **to speak t.**, parlare sinceramente **2** in modo preciso; esattamente ● (*aeron.*) **t. airspeed**, velocità effettiva □ (*leg., ora solo USA*) **t. bill**, incriminazione □ **t. blue**, (agg.) fedele, leale; (sost.) fedelissimo, sostenitore leale; (*polit.*) conservatore tutto d'un pezzo □ **t.-born**, di razza pura; autentico; vero; genuino: **a t.-born Englishman**, un inglese di razza pura; un vero inglese □ (*di un cavallo, ecc.*) **t.-bred**, di pura razza; purosangue (agg.) □ (*mat.*) **t. discount**, sconto razionale □ **t.-false test**, test 'vero-falso'; test a due risposte □ **t.-hearted**, sincero; fedele □ **t.-heartedness**, lealtà; sincerità; fedeltà □ (*leg.*) **the t. heir**, l'erede legittimo □ **t.-life**, reale; realistico; basato sui fatti □ **t.-lover's knot**, nodo d'amore □ (*geogr.*) **t. north**, il nord geografico □ (*econ.*) **t. rent**, rendita fondiaria (*o ricardiana*) □ (*telef.*) **t. tone**, truetone (*porzione di cover musicale usata come suoneria*) □ (*fin.*) **t. yield**, rendimento reale (*di un titolo*) □ **t. to life**, realistico; basato sui fatti; che riproduce fedelmente la realtà (*di un ritratto*) □ **t. to nature**, rispondente alla realtà □ **to be t. to oneself**, non tradire sé stesso; essere coerente □ **to be t. to type**, essere tipico, caratteristico (*di q.*); essere in carattere □ **to be t. to one's word**, tener fede alla parola data; essere di parola □ **to be as t. as steel**, essere fedelissimo; essere d'una lealtà a tutta prova □ **to come t.**, avverarsi: *I hope your dreams will come t.*, spero che i tuoi sogni si avverino □ (*di una cosa, di un sogno, ecc.*) **to prove t.**, avverarsi; verificarsi; realizzarsi □ **Too t.!**, verissimo; eccome!; altro che! □ **It's only too t.**, purtroppo è vero □ *His words ring t.*, le sue parole suonano sincere □ **T., it would cost more**, già (o è vero), costerebbe di più.

true ② /tru:/ n. ⓤ **1** – **the t.**, il vero: **the t. and the false**, il vero e il falso **2** (*mecc.*) allineamento; centratura ● (*mecc.*) **to be in t.**, essere allineato (o centrato, a posto) □ (*mecc.*) **to be out of t.**, essere fuori centro; essere fuori posto (o messo male).

to **true** /tru:/ v. t. **1** (*mecc., spesso* **to t. up**) centrare: **to t. (up) a wheel**, centrare una ruota **2** (*mecc.*) ravvivare (*una mola*) **3** (*mecc.*) rettificare (*un cilindro*).

truelove /'tru:lʌv/ n. (*lett.*) innamorato, innamorata ● **t. knot**, nodo d'amore.

trueness /'tru:nəs/ n. ⓤ (*raro*) **1** verità **2** esattezza; precisione **3** fedeltà; lealtà; sincerità.

truetone /'tru:təʊn/ n. = **true tone** → **true**.

truffle /'trʌfl/ n. **1** (*bot., Tuber*) tartufo **2** (= **rum t.**) tartufo (*di cioccolato*) ● **t. bed**, tartufaia □ **t. dog**, cane da tartufi.

truffled /'trʌfld/ a. (*cucina*) tartufato.

trug /trʌg/ n. **1** ciotola di legno (*per il latte*) **2** cestello, canestro (*lungo e basso: per fiori, ecc.*).

truing /'tru:ɪŋ/ n. ⓤ **1** (*mecc.*) centratura **2** (*mecc.*) ravvivatura (*di una mola*) **3** (*mecc.*) rettifica (*di un cilindro*).

truism /'tru:ɪzəm/ n. verità evidente, lapalissiana; truismo ‖ **truistic, truistical** a. truistico; di truismo.

♦**truly** /'tru:lɪ/ avv. **1** veramente; realmente; davvero: *I'm t. thankful*, sono davvero riconoscente; **a t. courageous act**, un atto veramente coraggioso **2** veracemente; in modo veritiero; sinceramente: *He answered t.*, rispose sinceramente; disse la verità **3** fedelmente; lealmente: *I've served him t.*, l'ho servito fedelmente **4** esattamente; con precisione ● (*concludendo una lettera*) **Yours (very) t.**, **Adam Smith**, distinti saluti, Adam Smith.

trump ① /trʌmp/ n. **1** (*a carte*) briscola; atout **2** (*nei tarocchi*) trionfo **3** (*fig.* = **t. card**) briscola; carta migliore; asso nella manica: **to play one's t. card**, giocare la propria briscola **4** (*fam. antiq.*) persona generosa ● (*fam. GB*) **to come** (o **to turn**) **up trumps**, fare meglio del previsto; avere un successo inaspettato; (*anche*) arrivare in soccorso, salvare la situazione.

trump ② /trʌmp/ n. (*poet.*) tromba: (*relig.*) **the last t.** (o **the t. of doom**), la tromba del giudizio universale.

to **trump** /trʌmp/ **A** v. i. giocare una briscola **B** v. t. **1** prendere con una briscola: **to t. an ace**, prendere un asso con una briscola **2** (*fig.*) superare; battere; vincere; avere la meglio su ● (*fam.*) **to t. sb.'s ace**, rispondere a q. con una contromossa vincente; contrare la mossa di q.

■ **trump up** v. t. + avv. inventare; architettare; montare: **to t. up a charge**, architettare (o montare) un'accusa; **to t. up an excuse**, inventare una scusa.

trumped-up /'trʌmptʌp/ a. architettato; inventato; infondato; falso: **a trumped-up charge**, una falsa accusa.

trumpery /'trʌmpərɪ/ **A** n. ⓤ **1** ciarpame; robaccia **2** sciocchezze; stupidaggini; fesserie (*pop.*) **B** a. (*antiq.*) appariscente ma senza valore; scadente: **t. jewels**, gioielli appariscenti ma senza valore.

trumpet /'trʌmpɪt/ n. **1** (*mus.*) tromba **2** (*fig., stor.*) tromba; trombettiere; araldo; messaggero (*con la tromba*) **3** oggetto a forma di tromba; (*mecc.*) tubo a tromba (*o svasato*) **4** suono (*o squillo*) di tromba **5** (*di elefante*) barrito **6** = **ear-trumpet** → **ear** ① ● **t. call**, squillo (*o segnale*) di tromba; (*fig.*) appello, allarme □ (*bot.*) **t. creeper** (*Campsis radicans*), gelsomino americano □ (*bot.*) **t. flower**, fiore a corolla imbutiforme; campanula □ (*mil.*) **t. major**, primo trombettiere □ **t.-shaped**, a forma di tromba; (*bot.*) campanulato, imbutiforme □ (*fig.*) **to blow one's own t.**, battersi la grancassa; tessere le proprie lodi; autoincensarsi ● **to blow the trumpets**, dar fiato alle trombe.

to **trumpet** /'trʌmpɪt/ **A** v. i. **1** suonar la tromba; strombettare **2** (*dell'elefante*) barrire **B** v. t. **1** annunciare a suon di tromba **2** (*fig.*) strombazzare: *The radio trumpeted the news of the victory*, la radio strombazzò la notizia della vittoria **3** (*mecc.*) svasare.

trumpeter /'trʌmpɪtə(r)/ n. **1** suonatore di tromba **2** (*mil.*) trombettiere (*della cavalleria*) **3** (*zool.*) piccione trombettiere **4** (*zool.*, = **t. swan**, *Olor buccinator*) cigno trombetta ● (*fig.*) **to be one's own t.**, battersi la grancassa; tessere le proprie lodi.

truncal /'trʌŋkl/ a. (*anat.*) del tronco.

truncate /'trʌŋkeɪt/, **truncated** /trʌŋ'keɪtɪd/ a. troncato; tronco; mozzo ● (*geom.*) **t. cone**, tronco di cono.

to **truncate** /trʌŋ'keɪt/ v. t. **1** troncare; mozzare **2** (*comput.*) troncare ‖ **truncation** n. ⓤ **1** (*anche mat.*) troncamento **2** (*comput.*) troncamento.

truncheon /'trʌntʃən/ n. **1** manganello; sfollagente: *English policemen go unarmed, save for a t.*, i poliziotti inglesi vanno in giro disarmati, salvo per lo sfollagente **2** (*stor.*) mazza: **herald's t.**, mazza da araldo.

to **truncheon** /'trʌntʃən/ v. t. manganellare.

trundle /'trʌndl/ n. **1** rotella; piccola ruota dentata **2** carretto a ruote basse; carrello **3** (*spec. USA*, = **t. bed**) lettuccio con rotelle (*che s'infila sotto un altro più alto*; *cfr. ingl.* **truckle bed**, *sotto* **truckle**).

to **trundle** /'trʌndl/ v. t. e i. **1** rotolare; far rotolare; spingere; ruzzolare: **to t. a hoop**, far rotolare un cerchio; **to t. a wheel barrow**, spingere una carriola **2** muoversi (avanzare, ecc.) pesantemente: *The tanks trundled along*, i carri armati passarono con grande strepito.

trundler /'trʌndlə(r)/ n. **1** chi fa rotolare, ecc. (→ **to trundle**) **2** chi si muove pesantemente **3** (*NZ*) girellino; passeggino.

trunk /trʌŋk/ n. **1** tronco (*d'albero, del corpo umano, ecc.*); busto; fusto (*d'albero, d'una colonna, ecc.*); torso **2** baule; grossa cassa (*di marinaio, ecc.*) **3** (*d'elefante*) proboscide **4** (*mecc.*, = **t. piston**) pistone tubolare: **t. engine**, motore a pistoni tubolari **5** (*autom. USA*; *cfr. ingl.* **boot** ①) bagagliaio; vano bagagli: **t. lid**, cofano del bagagliaio; cofano posteriore **6** (pl.) calzoncini (*da atleta, da bagno*) **7** (pl.) pantaloncini (*da pugile*) **8** (*tecn.*) tronco principale; collettore (*di fogna e sim.*) **9** (*boxe*) tronco; figura; bersaglio grosso □ (*telef.*) **t. call**, chiamata interurbana □ (*telef.*) **t. circuit**, circuito di collegamento □ **t. drawers**, calzoni a pallone, calzoni corti (*al ginocchio o sopra*) □ (*tel.*) **t. exchange**, centrale interurbana □ (*ginnastica*) **t. exercises**, esercizi del tronco □ (*stor.*) **t. hose**, brache a sbuffo (*in uso nel '500*) □ **t. line**, (*ferr.*) linea principale; (*telef.*) linea interurbana □ **t. maker**, valigiaio □ (*autom.*) **t. motorway**, autostrada principale □ **t. nail**, borchia □ **t. road**, strada nazionale (o camionale) □ (*ginnastica*) **t. rotation**, rotazione del tronco □ (*ginnastica*) **t. twisting**, torsione del busto.

trunkful /'trʌŋkfʊl/ n. **1** quanto sta in un baule **2** (*autom., USA*) quanto sta in un vano bagagli.

trunnion /'trʌnjən/ n. **1** (*mecc.*) perno d'articolazione **2** (*mecc.*) perno portante; orecchione **3** (*mil., stor.*) orecchione (*di cannone*).

truss /trʌs/ n. **1** (*ind. costr.*) travatura reticolare **2** (*edil.*) capriata (*del tetto*): **king-post t.**, capriata semplice; **queen-post t.**, capriata trapezoidale **3** (*archit.*) mensola; modiglione **4** fascio, fastello (*di fieno o di paglia*) **5** (*bot.*) grappolo di fiori (o di frutti) **6** (*med.*) cinto erniario **7** (*naut.*) trozza ● **t. bridge**, ponte a travatura reticolare □ (*ind. costr.*) **t. rod**, catena.

to **truss** /trʌs/ v. t. **1** legare (stretto); affastellare: *They trussed up the poor man with ropes*, legarono il pover'uomo con funi **2** reggere, sostenere (*un tetto, un ponte, ecc.*) mediante travatura reticolare **3** (*cucina, anche* **to t. up**) legare stretto (*un pollo, un tacchino, ecc., prima di cuocerlo*) ● (*naut.*) **to t. up a sail**, raccogliere una vela □ (*edil.*) **trussed beam**, trave rinforzata con catena □ (*edil.*) **trussed rafter**, capriata semplice.

♦**trust** /trʌst/ n. **1** ⓤ fiducia; fede; confiden-

za; speranza; responsabilità: *Our t. is in God*, la nostra speranza è riposta in Dio; *I haven't much t. in men*, ho poca fiducia negli uomini; *I fill a post of great t.*, occupo un posto di fiducia (o di grande responsabilità) **2** ⓤ buonafede: *He takes everything on t.*, prende tutto in buonafede **3** ⓤ (*fin., comm.*) credito: *We supply them with goods on t.*, forniamo loro merce a credito; **to sell on t.**, vendere a credito **4** ⓤⓒ dovere; obbligo: *I have fulfilled my t.*, ho adempiuto al mio obbligo; ho assolto il mio incarico **5** cura; custodia: *She was committed to her aunt's t.*, fu affidata alle cure della zia **6** ⓤⓒ (*leg.*) «trust»; (*pressappoco*) negozio fiduciario, fedecommesso, fidecommisso; patrimonio fiduciario (*di beni altrui*) **7** ⓤ (*leg.*) amministrazione fiduciaria (*di beni altrui*): *He holds the estate in t. for his nephew*, ha l'amministrazione fiduciaria della proprietà intestata al nipote **8** (*leg.*) patrimonio in amministrazione fiduciaria; fondo fiduciario **9** (*econ.*) trust (*illegale in USA*); consorzio monopolistico; monopolio: **the copper t.**, il trust del rame; **banking t.**, consorzio di banche; **10** (*leg.*) ente; fondazione: **private t.**, fondazione privata **11** (*fin.*) fondo (comune) d'investimento: **closed-end [open-end] t.**, fondo chiuso [aperto]; **t. without any gearing** (o, *USA*, **t. without any leverage**), fondo con sole azioni ordinarie ● (*leg.*) **t. deed**, atto di negozio fiduciario □ **t. estate** (o **property**), proprietà tenuta in amministrazione fiduciaria □ (*fin.*) **t. fund**, fondo fiduciario □ (*banca*) **t. receipt**, ricevuta di negozio fiduciario □ (*polit., stor.*) **t. territory**, territorio soggetto ad amministrazione fiduciaria □ (*fin.*) **t. unit**, quota-parte di un fondo comune d'investimento □ **to take st. on t.**, accettare qc. sulla fiducia (o sulla parola).

♦to **trust** /trʌst/ Ⓐ v. t. **1** confidare in; aver fiducia in; fidarsi di; contare su; fare assegnamento (o affidamento) su; credere a; (*arc.*) far credito a: *I've never trusted him*, non ho mai avuto fiducia in lui; *He isn't the kind of person one can t.*, non è il tipo di persona su cui si può fare assegnamento; *We cannot t. his version*, non possiamo credere alla sua versione (della storia) **2** affidare; consegnare: *I trusted my affairs to a lawyer* (o *I trusted a lawyer with my affairs*), affidai i miei affari (o la tutela dei miei interessi) a un avvocato; *I t. my children to your care*, ti affido i miei figli **3** (*seguito da una frase oggettiva*) fidarsi di: *Would you t. your little children to go abroad by themselves?*, ti fideresti di lasciar andare all'estero i tuoi bambini da soli?; *He may be trusted to do his duty*, ci si può fidare di lui: farà il suo dovere Ⓑ v. i. **1** confidare; essere fiducioso; nutrire fiducia; sperare: *I t. you will pass your exam*, confido che supererai l'esame; **to t. in God**, confidare in Dio **2** affidarsi; fidarsi; contare; fare assegnamento: *Don't t. to luck*, non affidarti alla sorte!; *I cannot t. to my memory for dates*, non posso fidarmi della mia memoria per le date **3** (*comm.*) far credito; concedere prestiti ● **to t. too much to one's memory**, fidarsi troppo della memoria □ **to t. sb. with st.**, affidare qc. a q.; fidarsi di dare qc. a q.: *I cannot t. him with all that money*, non mi posso fidare di dargli tutti quei soldi (da tenere) □ **to t. sb. with a secret**, confidare un segreto a q. □ **You are not hurt, I t.**, non ti sarai fatto male, spero.

trustbuster /'trʌstbʌstə(r)/ n. (*USA*) **1** (*stor.*) smantellatore dei monopoli (*per primo, il Presidente Theodore Roosevelt, 1901-1909*) **2** membro di una commissione anti-trust.

trusted /'trʌstɪd/ a. fidato; di fiducia ● (*comput.*) **t. computing**, «informatica fidata»; trusted computing (*tecnologia per la pro-*

duzione di computer più sicuri, tramite l'uso di specifici hardware e software) □ (*comput.*) **t. domain relationship**, relazione di trust nel dominio.

♦**trustee** /trʌˈstiː/ n. (*leg.*) **1** amministratore fiduciario; (*pressappoco*) fidecommissario **2** (*di solito*, **t. in bankruptcy**) curatore fallimentare **3** amministratore, membro del consiglio d'amministrazione (*di un ente pubblico, d'un ospedale, d'una scuola, ecc.*) **4** amministratore giudiziale **5** (*banca, Borsa*) banca fiduciaria (*di un fondo comune d'investimento*) ● (*in GB*) **t. savings bank**, cassa di risparmio (*per piccoli risparmiatori*) □ **board of trustees**, consiglio di amministrazione.

to **trustee** /trʌˈstiː/ v. t. (*leg.*) affidare (*beni*) in amministrazione (o gestione) fiduciaria.

trusteeship /trʌˈstiːʃɪp/ n. ⓤⓒ (*leg.*) amministrazione fiduciaria; (*pressappoco*) fedecommesso; curatela: *He accepted the t. of his niece's property*, accettò la curatela dei beni della nipote ● (*polit., stor.*) **t. territory**, territorio soggetto ad amministrazione fiduciaria.

truster /'trʌstə(r)/ n. chi si fida (*di q.*); chi fa credito (*a q.*).

trustful /'trʌstfl/ a. fiducioso; confidente | **-ly** avv. | **-ness** n. ⓤ.

to **trustify** /'trʌstɪfaɪ/ (*econ., fin.*) v. t. trasformare (*un'industria, ecc.*) in un trust; monopolizzare.

trusting /'trʌstɪŋ/ a. **1** fiducioso; che si fida: **to be t. of other people**, fidarsi degli altri **2** basato sulla fiducia: **a mutually t. relationship**, un rapporto basato sulla fiducia reciproca ‖ **trustingly** avv. fiduciosamente; con fiducia.

trustless /'trʌstləs/ a. **1** infido; sleale **2** diffidente; sospettoso.

trustworthy /'trʌstwɜːðɪ/ a. **1** fidato; fedele; degno di fiducia; sicuro: **a t. friend**, un amico fidato, sicuro **2** degno di fede; attendibile ‖ **trustworthiness** n. ⓤ **1** fidatezza; fedeltà; l'esser degno di fiducia **2** attendibilità.

trusty /'trʌstɪ/ Ⓐ a. **1** fido; fidato; fedele; sicuro: **his t. steed**, il suo fido destriero; **my t. movie camera**, la mia fedele cinepresa **2** (*di un oggetto; anche*) affidabile Ⓑ n. (*leg.*) carcerato che tiene buona condotta e gode di certi privilegi | **-ily** avv. | **-iness** n. ⓤ.

♦**truth** /truːθ/ n. **1** ⓤ verità; (*il*) vero: *'The t. is rarely pure, and never simple'* O. WILDE, 'la verità di rado è pura, e non è mai semplice'; *I told you the t.*, ti ho detto la verità; *There is an element of t. in your story*, c'è del vero nel tuo racconto; **the truths of religion**, le verità della fede; le verità rivelate; **home truths**, verità sgradevoli, la dura verità (*sul proprio conto*); **the honest t.**, la pura verità **2** ⓤ veridicità; l'esser veritiero; sincerità; lealtà **3** ⓤ (*mecc.*) posizione giusta; centro: *The wheel is out of t.*, la ruota è fuori centro (o è scentrata) ● (*polit.*) **T. and Reconciliation Commission**, Commissione per la verità e la riconciliazione (*istituita in Sud Africa per investigare sui reati commessi durante l'apartheid*) □ **t. drug** (o **t. serum**), siero della verità □ **T. or Dare** (o **Consequences**), il gioco della verità □ (*comput.*) **t. table**, tavola di verità □ (*comput.*) **t. value**, valore di verità □ (*lett.*) **in t.**, invero; veramente; infatti □ **to speak** (o **to tell**) **the t.**, dire la verità □ **to tell the t.** (o **t. to tell**), a dire il vero □ **to tell sb. a few home truths**, dire il fatto suo a q.; dirne quattro a q. □ (*fig.*) **to be t. itself**, essere la bocca della verità □ (*fig.*) **to be the gospel t.**, essere la pura verità; essere vangelo.

truthful /'truːθfl/ a. **1** veritiero; veridico; verace; sincero: **a t. child**, un bambino sincero; **a t. tale**, una narrazione veridica **2**

(*arte*) fedele; esatto: **a t. reproduction**, una riproduzione fedele | **-ly** avv. | **-ness** n. ⓤ.

truthiness /'truːθɪnəs/ n. ⓤ (*USA, anche iron.*) qualità di ciò che viene presentato (o percepito) come vero in base alla propria intuizione, ma senza supporto scientifico.

truthless /'truːθləs/ a. falso; mendace; infido; sleale: **a t. statement**, un'affermazione falsa; **a t. man**, un uomo sleale.

try /traɪ/ n. **1** (*fam.*) prova; tentativo: *Let me have a try!*, fammi fare una prova!; *I had a few tries but I couldn't open the lock*, feci diversi tentativi, ma non riuscii ad aprire la serratura **2** (*rugby*) meta: **converted try**, meta trasformata ● **try-on**, prova (*di un abito*); (*fam.*) tentativo d'inganno; (il) tentare il colpo □ **try-out**, (*fam.*) esperimento, prova; (*autom., mecc.*) collaudo, verifica; (*teatr.*) rappresentazione di prova; (*USA*) selezione (*di atleti*), provino (*di attori, ecc.*): **try-out of the brakes**, verifica dei freni; *He gave the play a try-out at Reading*, mise in scena il dramma a Reading per una rappresentazione di prova (*prima di portarlo a Londra*) □ **try square**, squadra a battente (*strumento per disegno, ecc.*) □ **Have** (o **give it**) **a try!**, prova!; provaci!

♦to **try** /traɪ/ v. t. e i. **1** provare; tentare; cercare; mettere alla prova; saggiare; sperimentare; fare un esperimento; fare una prova; collaudare: *I promise I'll try*, prometto che proverò; *It's no use trying*, è inutile tentare; *Try to study* (*fam.: try and study*) *harder*, cerca di studiare di più!; *She tried my patience with her complaints*, la mia pazienza fu messa a dura prova dalle sue lamentele; *We tried living together but it didn't work out*, abbiamo provato a (o fatto il tentativo di) vivere insieme, ma non ha funzionato; *Each car is tried before it leaves the factory*, ogni automobile è collaudata prima di lasciare la fabbrica **2** assaggiare; sentire: *Try our French wines*, assaggiate i nostri vini francesi! **3** (*leg.*) giudicare; pronunciarsi su; processare: **to try a case**, giudicare una causa; *'I'll try the whole cause, and condemn you to death'* L. CARROLL, 'io giudicherò l'intera causa, e ti condannerò a morte'; *He was tried for manslaughter*, fu processato per omicidio colposo **4** affaticare; sforzare, stancare (*gli occhi, la vista, ecc.*): **to try one's eyes**, affaticarsi gli occhi **5** competere; gareggiare: **to try for a prize**, competere per un premio **6** essere in lizza: **to try for the chairmanship**, essere in lizza per la presidenza **7** (*raro*) decidere, risolvere (*una disputa, una questione*): *The knights tried the dispute in a joust*, i cavalieri decisero la contesa con un torneo ● **to try one's best [one's hardest]**, fare del proprio meglio [fare ogni sforzo]; mettercela tutta (*fam.*) □ (*leg.*) **to try sb. by summary proceedings**, processare q. per direttissima □ **to try one's fortune**, tentare la sorte; sfidare la fortuna □ **to try one's hand at st.**, tentar di fare (o mettere mano a) qc. □ **to try one's luck on the pools**, giocare al totocalcio □ **Try me!**, provaci!; scommetti? □ **Try the door**, prova a girare la maniglia!; vedi un po' se la porta si apre!

▪ **try again** v. i. + avv. provare di nuovo; riprovare; *Try again now*, riprova adesso.

▪ **try on** v. t. + avv. **1** provare, misurare (*indumenti, ecc.*): *Have you tried the shoes on?*, ti sei misurato le scarpe?; *I'd like to try these trousers on please*, vorrei provare questi pantaloni **2** (*fam.*) provarci: *It's no use trying it on with me; I won't put up with your tricks!*, è inutile che tu ci provi; i tuoi trucchi con me non attaccano! □ **to try st. on for size**, misurarsi (o provarsi) qc. per vedere se va bene; (*fig.*) vedere un po' (*detto in tono di sfida*): *Now try that on for size!*, come la mettiamo?; ti va l'idea?; (*anche*) bèccati

questa!

■ **try out** A v. t. + avv. **1** provare; mettere alla prova; collaudare: *I'll try out my new car tomorrow*, domani provo la nuova auto **2** fare un provino a (*cantanti, attori, ecc.*) **3** (*tecn.*) ricavare, struggere (*olio di balena e sim.*) **4** (*metall.*) purificare (*metalli*) mediante fusione **5** (*teatr.*) recitare, rappresentare (*una commedia*) davanti a un pubblico di amici B v. i. + avv. candidarsi; accettare di essere messo alla prova: *The newcomer tried out for the team*, l'esordiente fu messo alla prova per entrare in squadra.

■ **try over** v. t. + avv. provare (*la voce di un cantante e sim.*).

■ **try up** v. t. + avv. (*falegn.*) sgrossare con il piallone.

🔵 **NOTA: *to try***

a to try to do st. esprime il tentativo, lo sforzo di fare qualcosa: *I'll try to fix it*, proverò ad aggiustarlo, cercherò di aggiustarlo. In alcuni casi è possibile usare la forma **to try and**: *We should try and help them*, dovremmo cercare di aiutarli. La costruzione **to try and** è considerata più informale ed è usata unicamente quando **to try** si trova nella sua forma base, non declinata, quindi solo all'imperativo e all'infinito o dopo un verbo modale; perciò una frase come *Try and come!*, prova a venire! è corretta, mentre *We tried and helped her* e *He is trying and studying harder* non sono frasi accettabili.

b to try doing st. indica il tentativo di fare qualcosa per vedere se è utile o efficace, o se funziona: *Try turning it this way*, prova a girarlo da questa parte; *Next time why don't you try asking him more politely?*, la prossima volta perché non provi a chiederglielo in modo più cortese?; *Try putting some fresh basil in the sauce, it's delicious!*, prova a mettere un po' di basilico fresco nel sugo; è squisito!

trying /ˈtraɪɪŋ/ a. **1** aspro; difficile; duro; faticoso; fastidioso; laborioso; noioso; penoso: **a t. experience**, un'esperienza dura, penosa; **a t. day at school**, una giornata faticosa a scuola **2** che affatica: **a t. climate**, un clima che affatica (o mette a dura prova) l'organismo **3** (*di persona*) esasperante; insopportabile ● (*falegn.*) **t. plane**, pialla per rifinire; piallone | **-ly** avv.

trypanosome /ˈtrɪpənəsəʊm/ n. (*zool.*, *Trypanosoma*) tripanosoma.

trypanosomiasis /ˌtrɪpənəʊsəʊˈmaɪəsɪs/ n. Ⓤ (*med.*) tripanosomiasi.

trypsin /ˈtrɪpsɪn/ n. Ⓤ (*biochim.*) tripsina.

tryptophan /ˈtrɪptəfæn/ n. Ⓤ (*chim.*) triptofano.

trysail /ˈtraɪseɪl/ n. (*naut.*) trysail; vela di cappa; piccola randa triangolare.

tryst /trɪst/ n. (*arc.*) **1** appuntamento d'amore; convegno segreto; incontro romantico: **to break t.**, mancare all'appuntamento; **to keep t. with sb.**, andare a un appuntamento con q. **2** (= **trysting place**) luogo di appuntamento (*a*).

to **tryst** /trɪst/ (*arc.*) v. t. e i. fissare un appuntamento (*a*).

tsar /zɑː(r)/ n. **1** (*stor.*) zar **2** (*fig., fam.*) commissario speciale; dirigente con poteri straordinari ‖ **tsarism** n. Ⓤ zarismo ‖ **tsarist** n. e a. zarista.

tsarevitch /ˈzɑːrəvɪtʃ/ n. (*stor.*) zarevic (*primogenito dello zar*).

tsarina /zɑːˈriːnə/ n. (*stor.*) zarina.

tsetse /ˈtsetsɪ/ n. (*zool.*, *Glossina palpalis*; = **t. fly**) mosca tse-tse.

♦**T-shirt** /ˈtiːʃɜːt/ n. T-shirt; maglietta (*a girocollo con maniche corte*).

tsp. abbr. (*nelle ricette*, **teaspoon**, **teaspoonful**) un cucchiaino (*circa 5 ml*).

tsunami /tsuːˈnɑːmɪ/ (*giapponese*) n.

(*geogr., naut.*) tsunami; onda di maremoto.

TT abbr. **1** (**teetotaller**) astemio **2** (*sport*, **Tourist Trophy**) Tourist Trophy.

TTL sigla **1** (*fotogr.*, **through-the-lens**) attraverso l'obiettivo (*reflex monoculare*) **2** (*elettron.*, **transistor-transistor logic**) logica transistor-transistor.

TTS sigla (*comput.*, **text to speech**) sintesi vocale da testo.

TU sigla **1** (*GB*, **trade union**) sindacato dei lavoratori **2** (**trade unionist**) sindacalista.

tub /tʌb/ n. **1** tinozza; tino; mastello; vasca (*per lavare*); tub **2 tub of water**, una tinozza d'acqua **2** (*fam.*, = **bathtub**) vasca da bagno **3** (*fam.*) bagno (*nella vasca*): *A full tub would do him good*, un buon bagno gli farebbe bene **4** (*ind. min.*) cassone; secchione; vagonetto **5** (*canottaggio*) grossa barca per l'allenamento alla voga **6** (*naut.*, *scherz.*) vecchia barca, nave vecchia; carretta, bagnarola (*fig.*) **7** (*slang*) grassone; ciccione ● **tub chair**, poltrona con schienale avvolgente ☐ (*slang*) **tub of lard**, palla di lardo; ciccione, cicciona ☐ **tub-thumper**, oratore da strapazzo ☐ (*d'oratore, predicatore*) **tub-thumping**, da strapazzo ☐ (*mecc.*) **tub-wheel**, ruota idraulica cava; cilindro rotante (*per lavare pelli*).

to **tub** /tʌb/ A v. t. **1** (*fam.*) lavare (qc.) nella tinozza **2** mettere in un tino (o in un mastello) **3** (*ind. min.*) rivestire (un pozzo di legno o di travi metalliche) **4** (*canottaggio*) allenare (*rematori novelli*) alla voga B v. i. **1** (*fam.*) fare il bagno nella tinozza **2** (*canottaggio*) allenarsi alla voga.

tuba /ˈtjuːbə, *USA* ˈtuː-/ n. **1** (*mus.*) tuba **2** (*meteor.*) nube a proboscide.

tubal /ˈtjuːbl, *USA* ˈtuː-/ a. (*anat.*) tubarico ● (*zool.*) **t. bladder**, vescica urinaria (*dei pesci*) ☐ (*med.*) **t. occlusion**, occlusione tubarica.

tubby /ˈtʌbɪ/ a. **1** a forma di tino **2** (*fam.*) piccolo e grasso; tombolotto **3** (*di strumento musicale*) sordo; privo di risonanza.

♦**tube** /tjuːb, *USA* tuːb/ n. **1** tubo: **welded t.**, tubo saldato; (*mil., naut.*) **torpedo t.**, tubo lanciasiluri **2** tubetto: **a toothpaste t.**, un tubetto di dentifricio; **t. colours**, colori in tubetto **3** (*anat.*) canale; tuba; tromba; salpinge: **bronchial t.**, canale bronchiale; **the Fallopian tubes**, le trombe di Falloppio **4** (*med.*) cannula; sonda: **stomach t.**, sonda gastrica **5** (*fam. ingl.*) (la) metropolitana di Londra: **to travel by t.**, viaggiare in metropolitana; *Can I have a T. map please?*, posso avere una cartina della metropolitana, per favore?; **t. station**, stazione della metropolitana **6** (= **inner t.**) camera d'aria (*di pneumatico*) **7** (*chim.*, spesso **test t.**) fiala; provetta: **glass t.**, fiala di vetro; **graduated t.**, provetta graduata **8** (*elettron., radio, TV*) tubo; valvola: **t. socket**, supporto della valvola **9** (*mil.*) tubo-anima (*di cannone*; *cfr.* **barrel**, *def. 4 per fucili e pistole*) **10** (*fam. USA*) **the t.**, la televisione; il televisore **11** (*slang USA e Austral.*) lattina (o bottiglia) di birra **12** (*slang USA*) sigaretta **13** (*gergo dei surfisti*) tunnel (*sotto la cresta di una grande onda*) ● (*mecc.*) **t.-bending machine**, piegatubi (*macchina*) ☐ (*mecc.*) **t. mill**, mulino a tubo ☐ **t. socks**, mutandil (*calze unisex*) ☐ (*chim.*) **t. stand**, portaprovette ☐ (*slang USA*) **t. steak**, hot dog, würstel; (*volg.*) salame (*fig.*); pene ☐ (*moda*) **t. top**, top a fascia ☐ **t. well**, pozzo di perforazione (o artesiano) ☐ (*slang Austral.*) **to crack a t.**, aprire una lattina di birra; farsi una birra ☐ (*slang*) **to go down the t.** (o **tubes**), andare in malora; andare a remengo ☐ (*volg. USA*) **to lay t.**, fottere, scopare, trombare (*volg.*).

to **tube** /tjuːb, *USA* tuːb/ A v. t. **1** fornire di tubi **2** chiudere in un tubo **3** (*med.*) drenare (*una ferita*) con una cannula B v. i.

(*fam.*) viaggiare in metropolitana (*a Londra*) ● (*slang USA*) **to t. it**, cannare; fare fiasco; farsi bocciare.

tubectomy /tjuːˈbektəmɪ, *USA* tuː-/ n. Ⓤ (*med.*) salpingectomia.

tubeless /ˈtjuːbləs, *USA* ˈtuːb-/ a. (*autom.*) senza camera d'aria; tubeless: **a t. tyre**, un pneumatico senza camera d'aria; un tubeless.

tuber /ˈtjuːbə(r), *USA* ˈtuː-/ n. **1** (*bot.*) tubero **2** (*med.*) nodo; tumefazione.

tubercle /ˈtjuːbəkl, *USA* ˈtuː-/ n. **1** (*anat., bot.*) tubercolo **2** (*med.*) tubercolo; lesione tubercolotica ● **t. bacillus**, bacillo della tubercolosi ‖ **tuberculate, tuberculated** a. **1** (*biol.*) tubercolato; coperto di tubercoli **2** (*med.*) tubercolare.

tubercular /tjuːˈbɜːkjʊlə(r), *USA* tuː-/ A a. (*med.*) **1** tubercolare **2** (*improprio*) tubercoloso B n. (*med.*) tubercolotico, tubercoloso.

tuberculation /tjuːˌbɜːkjʊˈleɪʃn, *USA* tuː-/ n. Ⓤ formazione di tubercoli.

tuberculin /tjuːˈbɜːkjʊlɪn, *USA* tuː-/ n. Ⓤ (*biol., med.*) tubercolina.

to **tuberculize** /tjuːˈbɜːkjʊlaɪz, *USA* tuː-/ v. t. (*med.*) contagiare di tubercolosi.

tuberculoid /tjuːˈbɜːkjʊlɔɪd, *USA* tuː-/ a. tubercoloide; simile a un tubercolo.

tuberculosis /tjuːˌbɜːkjʊˈləʊsɪs, *USA* tuː-/ n. Ⓤ (*med.*) tubercolosi.

tuberculous /tjuːˈbɜːkjʊləs, *USA* tuː-/ a. (*med.*) tubercolare.

tuberose① /ˈtjuːbərəʊz, *USA* ˈtuː-/ n. (*bot., Polianthes tuberosa*) tuberosa.

tuberose② /ˈtjuːbərəʊs, *USA* ˈtuː-/ a. **1** (*bot.*) tuberoso **2** (*anat.*) nodulare; tuberoso; coperto di tubercoli.

tuberous /ˈtjuːbərəs, *USA* ˈtuː-/ a. **1** (*anat.*) coperto di tubercoli; nodulare; tuberoso **2** (*bot.*) tuberoso: **t. root**, radice tuberosa ● (*med.*) **t. sclerosis**, sclerosi tuberosa ‖ **tuberosity** n. Ⓤ (*anat., bot.*) tuberosità.

tubful /ˈtʌbful/ n. quanto sta in un tino (o una tinozza).

tubiform /ˈtjuːbɪfɔːm, *USA* ˈtuː-/ a. tubiforme.

tubing /ˈtjuːbɪŋ, *USA* ˈtuː-/ n. Ⓤ **1** tubazione; tubatura **2** tubo: **a yard of rubber t.**, una iarda (*91 cm circa*) di tubo di gomma **3** (*ind. petrolifera*) tubing; tubaggio: **t. head**, testa del tubaggio.

tubular /ˈtjuːbjʊlə(r), *USA* ˈtuː-/ a. **1** tubolare; tubiforme (*ind. costr.*) **a t. bridge**, un ponte tubolare **2** a tubi; tubolato: **a t. boiler**, una caldaia tubolata **3** cavo; incavato: **a t. oar**, un remo cavo **4** (*ciclismo: di pneumatico*) tubolare **5** (*slang USA*) favoloso; fantastico; stupendo; super; da sballo ● (*mus.*) **t. bells**, campane tubolari ☐ (*alpinismo*) **t. ice screw**, vite tubolare da ghiaccio; chiodo da ghiaccio.

tubule /ˈtjuːbjuːl, *USA* ˈtuː-/ n. **1** tubetto; cannula **2** (*anat.*) tubulo.

TUC sigla (*GB*, **Trades Union Congress**) Congresso generale sindacale.

tuck /tʌk/ n. **1** piega; basta; pince (*franc.*): (*sartoria*) **to make [to let out] a t. in a sleeve**, fare [allentare] una basta in una manica (*di camicia, ecc.*) **2** (*naut.*) parte inferiore della poppa; (*gergo naut.*) chiappe (*della nave*) **3** (*chir. estetica*) plastica; riduzione: (*fam.*) **tummy t.**, riduzione del ventre **4** (*slang*) cibo; roba da mangiare; (*spec.*) dolci; dolciumi, brioche; merendine; pasticcini: **a t. box**, una scatola di dolci **5** (*abbr. fam. di* **tuxedo**, *USA*) smoking ● (*slang*) **a t.-in**, una scorpacciata; una mangiata ☐ (*pesca*) **t. net** (o **t. seine**), bertovello ☐ **t. position**, (*ciclismo*) posizione rannicchiata; (*ginnastica, tuffi*) posizione raggruppata; (*sci*) posizione a uovo ☐ (*tuffi*) **t.-position dive**, tuffo in po-

sizione raggruppata □ (*slang*) **t. shop**, spaccio che vende dolciumi, roba da mangiare (*spec. a scuola o in un collegio*).

to **tuck** /tʌk/ **A** v. t. **1** piegare; ripiegare; far baste (*o* pieghe) in (*abiti, stoffa, ecc.*) **2** rimboccare (*le coperte, ecc.*) **3** mettere dentro; far entrare; infilare; stipare; cacciare; nascondere: *I managed to tuck my shoes into the suitcase*, riuscii a far entrare le scarpe nella valigia; *The cove lies tucked between high cliffs*, l'insenatura è nascosta da alte scogliere; *I tucked the letter into my pocket*, mi cacciai la lettera in tasca **4** (*sport*) vuotare (*una rete da pesca*) col bertovello **5** ripiegare (*una parte del corpo*): *The pigeon tucked its head under its wing*, il piccione ripiegò il capo sotto l'ala **B** v. i. **1** far pieghe; far baste **2** (*tuffi*) assumere la posizione raggruppata **3** (*sci*) assumere la posizione a uovo.

■ **tuck away** v. t. + avv. **1** mettere via; mettere al sicuro; riporre; mettere da parte: **to t. away important documents [money]**, mettere via documenti importanti (denaro) **2** nascondere; tenere (q.) nascosto: *The cottage is tucked away behind a tall hedge*, la villetta è nascosta dietro un'alta siepe **3** (*fam. ingl.*) mangiare (qc.) d'appetito; fare fuori; papparsi; sbafare **4** (*calcio, ecc.*) insaccare (*la palla*) in rete; mettere dentro.

■ **tuck down** v. t. + avv. (*o prep.*) **1** infilare giù (*o* dentro a) **2** rincalzare (*coperte, lenzuola, ecc.*).

■ **tuck in A** v. t. + avv. **1** mettere dentro, infilare (→ **to tuck, A**, def. 2 e 3): *T. your shirt in!*, mettiti la camicia dentro i pantaloni! **2** tirare indentro (*lo stomaco, ecc.*) **B** v. i. + avv. (*fam.*) mettersi a mangiare (*di gusto*); gettarsi sul cibo: *T. in! there's plenty more*, dateci sotto! ce n'è dell'altro □ **to t. in one's napkin**, mettersi il tovagliolo al collo.

■ **tuck into A** v. i. + prep. (*fam.*) gettarsi su (*il cibo*); fare una scorpacciata di; mangiare di buon appetito: **to t. into fish and chips**, mangiare di gusto pesce e patatine fritte **B** v. t. + prep. **1** mettere, infilare in: **to t. one's handkerchief into one's pocket**, infilarsi in tasca il fazzoletto **2** mettere (*q. a letto*) rincalzandogli le coperte: **to t. one's little child into bed**, rincalzare le coperte al figlio mettendolo a letto.

■ **tuck up** v. t. + avv. **1** tirare su, alzare (*la gonna, ecc.*) **2** rimboccare: **to t. up one's sleeves**, rimboccarsi le maniche **3** rimboccare le coperte a (*un bambino, un malato, ecc.*) **4** ripiegare (*sotto di sé*): *She sat in the armchair, with her legs tucked up under herself*, stava seduta in poltrona, con le gambe ripiegate sotto di sé (*o* tutta rannicchiata).

tucker /'tʌkə(r)/ n. **1** chi fa baste, rimbocca, rincalza, ecc. (→ **to tuck**) **2** (*stor.*) fisciù, scialletto (*indossato dalle donne inglesi nel '600 e nel '700*) **3** (*di macchina da cucire*) piedino per fare pieghe **4** (*slang Austral.*) cibo; roba da mangiare.

to **tucker** /'tʌkə(r)/ v. t. (*fam. USA, spesso to* **t. out**) affaticare; stancare; sfinire ● **tuckered out**, sfiancato; stanco morto.

Tudor /'tju:də(r), USA 'tu:-/ **A** n. (*stor.*) **1** Tudor (*dinastia di sovrani inglesi, sul trono dal 1485 al 1603*) **2** sovrano dei Tudor: *Elizabeth I was the last T.*, Elisabetta I fu l'ultima dei sovrani Tudor **B** a. (*stor., archit., letter.*) Tudor; dei Tudor: **T. architecture**, architettura Tudor; (*arald.*) **the T. rose**, la rosa dei Tudor.

Tues. → **Tuesday**.

♦**Tuesday** /'tju:zdeɪ, USA 'tu:-/ n. ⓤⓒ martedì. *Esempi d'uso*: *He's coming on T.*, arriva martedì; *It happened on T.* [*on a T.*], è successo martedì [di martedì]; (**on**) **Tuesdays**, al martedì; tutti i martedì; **on T. evening**, martedì sera; **last [next] T.**, martedì scorso [prossimo]; *Xmas is on a T. this year*, que-

st'anno il Natale cade di martedì; *See you (on) T.*, ci vediamo martedì.

❶ NOTA: *next Tuesday*
La lingua inglese è ambigua nel caso di frasi come *I'll come and visit you next Tuesday*. Se la frase viene pronunciata di sabato, si potrebbe riferire infatti al martedì successivo, due giorni più tardi, o al martedì della settimana successiva, cioè dieci giorni dopo. Per evitare fraintendimenti, nel primo caso si potrebbe dire: *on Tuesday, on Tuesday coming, on this coming Tuesday*. Nel secondo caso, per parlare del lunedì della settimana successiva, si può usare l'espressione: *a week on Tuesday, on Tuesday week*.

tufa /'tju:fə, USA 'tu:-/ (*geol.*) n. ⓤ **1** tufo **2** tufo calcareo; travertino; calcare continentale ‖ **tufaceous** a. di (*o* simile a) travertino.

tuff /tʌf/ (*geol.*) n. tufo ‖ **tuffaceous** a. di tufo; tufaceo.

tuft /tʌft/ n. **1** ciuffo (*d'erba, di penne, ecc.*); ciocca (*di capelli*) **2** (*ind. tess.*) fiocco; rappa **3** pizzo; barbetta **4** (*bot.*) nappina; glomerulo.

to **tuft** /tʌft/ **A** v. t. **1** ornare di ciuffi; infiocchettare; impennacchiare **2** trapuntare (*un materasso, ecc.*) **B** v. i. (*di erba*) crescere a ciuffi.

tufted /'tʌftɪd/, **tufty** /'tʌftɪ/ a. **1** ornato di ciuffi; infiocchettato; impennacchiato **2** che cresce a ciuffi; a forma di ciuffo.

tug /tʌg/ n. **1** tirata (*spec. di capelli*); strattone; stratta; strappo: *He gave a tug at the bell*, diede uno strattone al campanello **2** (*naut.*) rimorchiatore **3** (*di bardatura*) tirella ● (*fam. ingl.*) **tug-of-love**, disputa per l'affidamento dei figli tra genitori che stanno divorziando □ **tug-of-war**, (*gara*) tiro alla fune; (*fig.*) lotta a oltranza, braccio di ferro □ (*equit.*) **tug spring**, molla della tirella.

to **tug** /tʌg/ **A** v. t. **1** trascinare; tirarsi dietro; strascinare: *She tugged the child along the street*, si trascinava dietro il bambino per la strada **2** estrarre tirando: *'Then he felt [crows] picking at the strips of his flesh as if they were tugging worms from the earth'* E. BOND, 'poi sentì i corvi che beccavano le strisce della sua carne come se stessero estraendo lombrichi dalla terra' **3** (*naut.*) rimorchiare **B** v. i. **1** tirare; strattonare (*fam.*); dare una stratta (*o uno strattone*) **2** (*raro*) darsi da fare; faticare; penare ● **to tug at**, tirare, strappare; (*anche sport*) strattonare (*un avversario*): *The watchdog was tugging at the chain*, il cane da guardia dava strattoni alla catena □ (*fam.*) **to tug at sb.'s heartstrings**, fare tenerezza a q. □ (*fig.*) **to tug a subject in**, tirare in ballo un argomento.

tugboat /'tʌgbəʊt/ n. (*naut.*) rimorchiatore.

tuition /tju:'ɪʃn, USA tu:-/ n. ⓤ **1** istruzione tutoriale; insegnamento privato **2** (= **t. fee**) tassa scolastica ● **private t. in Greek**, lezioni private di greco ‖ **tuitional** a. pertinente all'istruzione tutoriale (o all'insegnamento privato); didattico; educativo.

tulip /'tju:lɪp, USA 'tu:-/ n. (*bot., Tulipa*) tulipano (*in genere*) ● (*bot.*) **t. tree** (*Liriodendron tulipifera*), liriodendro; tulipifera.

tulle /tju:l, USA tu:l/ (*franc.*) n. ⓤ (*ind. tess.*) tulle.

tum /tʌm/ n. (*infant.*) pancia; pancino.

tumble /'tʌmbl/ n. **1** caduta; capitombolo; ruzzolone: *I had (o took) a nasty t.*, feci una brutta caduta; *I only had a little t. on the last afternoon*, ho fatto solo un piccolo capitombolo l'ultimo pomeriggio **2** capriola; salto mortale **3** confusione; disordine; scompiglio **4** (*Borsa, fin.*) crollo caduta, ruzzolone (*dei prezzi, dei corsi, ecc.*) **5** (*ginnasti-*

ca) capriola; acrobazia **6** (*slang*) arresto **7** (*volg.*) chiavata; scopata (*volg.*) ● (*metall.*) **t.-plating process**, zincatura per barilatura □ (*nuoto*: *in piscina*) **t. turn**, virata a capriola.

to **tumble** /'tʌmbl/ **A** v. i. **1** cadere; capitombolare; fare un capitombolo; ruzzolare; precipitare: **to t. down the stairs**, ruzzolare giù dalle scale; **to t. out of a window**, precipitare da una finestra; *Do you think the government is going to t.?*, credi che il governo cadrà? **2** agitarsi; dimenarsi; ruzzolarsi: *The little boy was tumbling about on the floor*, il bambino si ruzzolava sul pavimento **3** fare acrobazie; fare salti mortali **4** (*fig.*) precipitare; crollare: *Stock prices tumbled*, i prezzi dei titoli crollarono **5** fare capriole; fare acrobazie **B** v. t. **1** far cadere; far ruzzolare; gettare a gambe all'aria; mandar sottosopra; rovesciare: *The crash tumbled some passengers out of the train*, lo scontro fece cadere (*o scaraventò*) alcuni viaggiatori fuori dal treno **2** arruffare; disordinare; scompigliare; mettere sottosopra (*o in disordine*): **to t. one's bed**, mettere sottosopra il letto **3** abbattere (*un uccello*) al volo; tirare giù (*fam.*); colpire (*una lepre, ecc.*) col fucile **4** (*mecc.*) barilare (*pezzi metallici*) **5** (*volg.*) chiavare, scopare, fottere (*volg.*) ● **to t. downstairs**, scendere le scale a precipizio □ **to toss and t. in bed**, rigirarsi nel letto (*senza poter dormire*).

■ **tumble down A** v. i. + avv. **1** (*di un edificio*) andare in rovina; essere cadente; essere fatiscente: *The old castle is tumbling down*, il vecchio castello sta andando in rovina **2** (*fig.*: *di un progetto, ecc.*) andare all'aria (*o a monte*); (*di una persona*) fallire; fare fiasco; cadere (*in un esame*) **3** (*Borsa, fin.*: *di titoli*) precipitare **B** v. t. + avv. tirare giù, abbattere (*sparando*).

■ **tumble for** v. i. + prep. **1** (*fam.*) innamorarsi, invaghirsi di (q.); prendere la cotta per (q.) **2** (*fam.*) lasciarsi infinocchiare da (qc.).

■ **tumble into** v. i. + prep. **1** cadere, precipitare in: *The boy tumbled into the river*, il ragazzo cadde nel fiume **2** lasciarsi cadere, buttarsi in: *I just tumbled into bed*, mi buttai sul letto.

■ **tumble off** v. i. + avv. (*o prep.*) **1** cadere (da): **to t. off a ladder**, cadere da una scala a pioli; **to t. off one's bike**, cadere dalla bicicletta **2** scendere in fretta (*da un veicolo*).

■ **tumble on** v. i. + prep. (*fam.*) scoprire (*o* trovare) per caso; imbattersi in.

■ **tumble out** v. i. + avv. cadere; precipitare, precipitarsi □ **to t. out of bed half awake**, buttarsi giù dal letto mezzo addormentato □ *The students were tumbling out of the school*, gli studenti uscivano tumultuosamente dalla scuola.

■ **tumble over** v. i. + avv. **1** crollare; rovesciarsi: *The heap of books tumbled over*, il mucchio di libri si rovesciò **2** cadere di schianto; fare un ruzzolone.

■ **tumble to** v. i. + prep. (*fam.*) capire all'improvviso; rendersi conto di; scoprire (*un piano e sim.*); arrivarci (*fam.*): *Don't you t. to it yet?*, non ci sei ancora arrivato?

■ **tumble upon** → **tumble on**.

tumblebug /'tʌmblbʌg/ n. (*zool.*) scarabeo stercorario.

tumbledown /'tʌmbldaʊn/ a. cadente; fatiscente; diroccato; in rovina.

tumble-drier /'tʌmbl'draɪə(r)/ → **tumble-dryer**.

tumble-dryer /'tʌmbl'draɪə(r)/ n. (*mecc.*) centrifuga a tamburo; asciugabiancheria ‖ **tumble-dry** v. t. asciugare (*panni*) nell'asciugabiancheria; centrifugare (*il bucato*).

tumbler /'tʌmblə(r)/ n. **1** acrobata; saltimbanco **2** bicchiere da bibita; tumbler **3** (*zool.*) piccione tomboliere **4** (*di serratura*)

cilindro **5** (*mecc.*) barilatrice; tamburo **6** misirizzi (*balocco*) ● (*mecc.*) **t. gear** (*o* **gears**), invertitore; gruppo (*o* ingranaggio) inversore □ (*elettr.*) **t. switch**, interruttore (*a* levetta) ‖ **tumblerful** n. bicchiere; quanto sta in un bicchiere da bibita.

tumbleweed /ˈtʌmblwiːd/ n. (*bot.*, *generi Salsola e Amaranthus; negli USA e in Australia*) arbusto che si stacca dal suolo e viene trasportato dal vento; cespuglio rotolante.

tumbling /ˈtʌmblɪŋ/ n. **1** capitombolo; caduta; ruzzolone **2** ᴜ (*mecc.*) pulitura al tamburo; barilatura **3** ᴜ (*ginnastica*) acrobatica (sul tappeto) ● (*mecc.*) **t. barrel** (*o* **t. box**), barilatrice; tamburo □ (*mecc.*) **t. shaft**, albero a camme.

tumbrel, tumbril /ˈtʌmbrəl/ n. **1** (*stor.*) carretta per il trasporto dei condannati (*durante la Rivoluzione francese*) **2** carro agricolo (*spec. ribaltabile*) **3** (*stor., mil.*) carro per munizioni **4** carro per il trasporto del letame.

tumefacient /tjuːmɪˈfeɪʃnt, *USA* tuː-/ a. (*med.*) tumefacente; che produce tumefazione.

to **tumefy** /ˈtjuːmɪfaɪ, *USA* ˈtuː-/ v. t. e i. tumefare, tumefarsi; gonfiare, gonfiarsi ‖ **tumefaction** n. ᴜ tumefazione; gonfiore.

tumescent /tjuːˈmesnt, *USA* tuː-/ a. **1** tumescente; che tende a tumefarsi **2** (*fig.*) gonfio; ampolloso ‖ **tumescence** n. ᴜ tumescenza; enfiagione.

tumid /ˈtjuːmɪd, *USA* ˈtuː-/ a. **1** tumido; gonfio; enfiato **2** (*fig.*) gonfio; ampolloso; enfatico; pomposo: **a t. style**, uno stile enfatico.

tumidity /tjuːˈmɪdətɪ, *USA* tuː-/ n. ᴜ **1** tumidezza; gonfiore **2** (*fig.*) ampollosità; enfaticità.

tummy /ˈtʌmɪ/ n. (*fam.*) pancia; pancino; stomaco ● (*infant.*) **t. ache**, mal di pancia.

tumor /ˈtjuːmə(r), *USA* ˈtuː-/ (*USA*) → **tumour**.

tumoral /ˈtjuːmərəl, *USA* ˈtuː-/ a. (*med.*) tumorale.

tumorigenic /tjuːmərɪˈdʒenɪk, *USA* tuː-/ a. cancerogeno; oncogeno ‖ **tumorigenicity** n. ᴜ diatesi cancerogena.

tumour, (*USA*) **tumor** /ˈtjuːmə(r), *USA* ˈtuː-/ n. (*med.*) n. tumore: **malignant t.**, tumore maligno ‖ **tumorous a. 1** tumorale **2** affetto da tumore.

tum-tum /ˈtʌmtʌm/ n. (*infant.*) pancia; pancino.

tumult /ˈtjuːmʌlt, *USA* ˈtuː-/ n. tumulto; agitazione; sollevazione; sommossa; scompiglio: *His mind is in* (*a*) *t.*, ha l'animo in tumulto.

tumultuary /tjʊˈmʌltjʊərɪ, *USA* tʊˈmʌltʃʊerɪ/ a. tumultuante; disordinato; riottoso; turbolento.

tumultuous /tjʊˈmʌltjʊəs, *USA* tʊ-/ a. tumultuoso; agitato; turbolento | **-ly avv.** | **-ness** n. ᴜ.

tumulus /ˈtjuːmjʊləs, *USA* ˈtuː-/ n. (pl. *tumuli, tumuluses*) tumulo ‖ **tumular** a. tumulare.

tun /tʌn/ n. **1** botte (*un tempo, anche come misura di capacità, pari a 252 galloni o a l 954 circa*) **2** tino (*spec. per la fermentazione della birra*).

to **tun** /tʌn/ v. t. mettere in botti; imbottare.

tuna /ˈtjuːnə, *USA* ˈtuː-/ n. (pl. **tuna, tunas**) **1** (*zool., Thunnus thynnus*) tonno **2** (= **t. fish**) tonno (*come alimento*) **3** (*volg. USA*) fica (*volg.*); vulva **4** (*volg., per estens.*) donna; ragazza (*come oggetto sessuale*) **5** (*volg. USA*) attività sessuale; sesso ● **t. clipper**, motonave tonniera.

tunable, tuneable /ˈtjuːnəbl, *USA* ˈtuː-/ a. **1** (*mus., elettron.*) accordabile **2** armonioso; musicale.

tundra /ˈtʌndrə/ n. ᴜɢ (*geogr.*) tundra ● **t. climate**, clima da tundra.

◆**tune** /tjuːn, *USA* tuːn/ n. **1** (*mus.*) melodia; aria; motivo; motivetto: **old tunes**, vecchie melodie; **to hum a popular t.**, canticchiare un motivetto popolare; *I've only heard a couple of their tunes*, ho sentito solo un paio dei loro pezzi **2** ᴜ (*mus.*) armonia (*anche fig.*); accordo: *The curtains are not in t. with the wallpaper*, le tende non sono in armonia con la carta da parati; **to be in t.** [**out of t.**] **with one's colleagues**, andare d'accordo [essere in disaccordo] coi propri colleghi **3** ᴜ (*mus.*) tono: *The girl is singing out of t.*, la ragazza sta cantando fuori tono; **to sing in t.**, cantare in tono; essere intonato **4** ᴜ (*radio, TV*) sintonia **5** (*slang USA*) disco (*di musica*) ● (*mecc.*) **t.-up**, messa a punto (*di un motore*) □ (*fig.*) **to call the t.**, decidere; dirigere; comandare; essere il capo □ (*fig.*) **to change one's t.** (*o* **to sing another t.**), cambiare musica (*fig.*); cambiar tono; cambiare registro □ **to get out of t.**, uscir di tono; stonare □ **in t.**, intonato; armonico; (*radio, TV*) sintonizzato □ (*fig.*) **to be in t. with**, intonarsi, accordarsi, essere in armonia con (*l'ambiente, il periodo storico, ecc.*) □ **out of t.**, stonato; scordato; (*radio, TV*) non sintonizzato; (*fig.*) non in armonia: *The organ is out of t.*, l'organo è scordato □ (*fig.*) **to be out of t. with**, non intonarsi, stonare con □ (*rif. a danze in locale da ballo*) **to the tunes of**, (con l') orchestra di (*segue il nome*) □ (*fam.*) **to the t. of**, per la bellezza di (*fig.*): *I'm out of pocket to the t. of 600 pounds*, ci ho rimesso la bellezza di 600 sterline □ **Give us a t.!**, cantaci qualcosa!

to **tune** /tjuːn, *USA* tuːn/ Ⓐ v. t. **1** (*mus.*) accordare: **to t. a piano**, accordare un pianoforte **2** (*fig.*) mettere in accordo; armonizzare; aggiustare; regolare **3** (*radio, TV*) sintonizzare (*un apparecchio*) **4** (*elettron.*) accordare; sintonizzare **5** (*mecc., spesso* **to t. up**) mettere a punto (*un motore*); regolare, registrare: **to t. up a car correctly**, regolare bene il motore di un'auto Ⓑ v. i. **1** essere in armonia; armonizzare **2** (*radio, TV*) sintonizzarsi **3** (*fig.*) essere sulla stessa lunghezza d'onda (*fig.*) ● **to t. in**, intonare (*un canto, ecc.*) □ **to t. in** (**to**), (*radio*) sintonizzare l'apparecchio (su: *una stazione, un programma*); (*fig. fam.*) mettersi sulla stessa lunghezza d'onda, sintonizzarsi (con: *un modo di pensare, ecc.*): *T. in again tomorrow*, sintonizzatevi su questa stazione di nuovo domani! □ **to t. out**, spegnere (*la radio*); sopprimere (*musica, ecc.*); (*fig. fam.*) essere indifferente, non in sintonia; smettere d'ascoltare (*la radio, la TV, un oratore, ecc.*); disinteressarsi, distrarsi □ **to t. up**, (*dell'orchestra*) accordare gli strumenti; cominciare a suonare (*o a cantare*); (*scherz.: di un bambino*) mettersi a frignare; (*mecc.*) mettere a punto, regolare, registrare (*un motore, ecc.*) □ (*radio, TV*) **Stay tuned!**, «restate con noi!».

tuneable /ˈtjuːnəbl/ a. → **tunable**.

tuned in /ˈtjuːndɪn/ a. **1** sintonizzato **2** (*fig.*) in sintonia, sulla stessa lunghezza d'onda; comprensivo **3** (*slang*) coinvolto.

tuned out /ˈtjuːndaʊt/ a. **1** (*di radio, TV, ecc.*) spento **2** distratto; indifferente; insensibile **3** fuori dalla realtà.

tuneful /ˈtjuːnfl, *USA* ˈtuː-/ a. armonioso; melodioso; musicale | **-ly avv.** | **-ness** n. ᴜ.

tuneless /ˈtjuːnləs, *USA* ˈtuː-/ a. (*mus.*) **1** (*di strumento*) scordato **2** (*di suono*) disarmonico; discordante **3** (*di strumento*) muto | **-ly avv.** | **-ness** n. ᴜ.

tuner /ˈtjuːnə(r), *USA* ˈtuː-/ n. **1** (*mus.*) accordatore: **a piano t.**, un accordatore di pianoforti **2** (*elettron., TV, radio*) sintonizzatore **3** chi mette a punto motori; aggiustatore meccanico.

tung oil /ˈtʌŋɔɪl/ loc. n. ᴜ (*pitt.*) olio di legno della Cina; olio di tung.

tungstate /ˈtʌŋstət/ n. (*chim.*) tungstato; wolframato.

tungsten /ˈtʌŋstən/ n. ᴜ (*chim.*) tungsteno; wolframio ● **t. lamp**, lampada al tungsteno □ (*metall.*) **t. steel**, acciaio al tungsteno.

tung tree /ˈtʌŋtriː/ loc. n. (*bot., Aleurites fordii*) albero del tung.

Tungus /ˈtʊŋɡʊs/ n. tunguso.

Tungusic /tʊŋˈɡʊsɪk/ Ⓐ a. tunguso Ⓑ n. ᴜ tunguso (*la lingua*).

tunic /ˈtjuːnɪk, *USA* ˈtuː-/ n. **1** (*stor., scient.*) tunica **2** (*mil.*) giubba militare (*o da poliziotto*) **3** tunica (*da donna*); casacca.

tunicate /ˈtjuːnɪkeɪt, *USA* ˈtuː-/ a. e n. (*bot., zool.*) tunicato.

tunicle /ˈtjuːnɪkl, *USA* ˈtuː-/ n. **1** (*relig.*) tunicella; dalmatica **2** (*scient.*) tunichetta; membrana.

tuning /ˈtjuːnɪŋ, *USA* ˈtuː-/ n. ᴜɢ **1** (*mus.*) accordatura **2** (*radio, TV*; = **t.-in**) sintonia; sintonizzazione **3** (*elettron.*) accordo; sintonia **4** (*mecc.*; = **t.-up**) messa a punto (*di un motore*): *The engine could just need t. or there might be a problem with the alternator*, il motore potrebbe aver bisogno di una messa a punto o potrebbe esserci un problema all'alternatore ● (*radio*) **t. band**, banda di sintonia □ (*radio*) **t. dial**, scala parlante □ (*elettron.*) **t. eye**, occhio magico □ (*mus.*) **t. fork**, diapason □ (*mus.*) **t. hammer**, chiave da accordatore □ (*elettron.*) **t. indicator**, indicatore di sintonia □ (*mus.*) **t. peg** (*o* **t. pin**), pirolo; bischero.

Tunis /ˈtjuːnɪs, *USA* ˈtuː-/ n. (*geogr.*) Tunisi.

Tunisian /tjuːˈnɪzɪən, *USA* tuː-/ a. e n. tunisino.

tunnage /ˈtʌnɪdʒ/ n. ᴜ → **tonnage**.

◆**tunnel** /ˈtʌnl/ n. **1** galleria; traforo; tunnel (*anche fig.*): **a railway t.**, una galleria ferroviaria; **t. mouth** (*o* **opening**), sbocco di galleria **2** tana sotterranea; cunicolo (*di conigli, ecc.*) **3** (*sport*) sottopassaggio (*degli spogliatoi*) ● (*mecc.*) **t. borer**, fresa a piena sezione, «tunneler» (*per scavare gallerie*) □ (*mecc.*) **t. carriage**, jumbo per gallerie □ (*fis.*) **t. effect**, effetto tunnel □ (*ind. costr.*) **t. liner**, rivestimento di galleria □ (*archit.*) **t. vault**, volta a botte ● **t. vision**, (*med.*) visione tubulare; (*fig.*) miopia (*fig.*); (il) non vedere oltre la punta del proprio naso.

to **tunnel** /ˈtʌnl/ Ⓐ v. t. **1** aprire (*un passaggio*) a forma di galleria **2** traforare: **to t. Mont Blanc**, traforare il Monte Bianco **3** aprire (*un varco*) scavando una galleria Ⓑ v. i. scavare una galleria: **to t. through** (*o* **into**) **solid rock**, scavare una galleria nella solida roccia ● **t. under the sea**, scavare un tunnel sottomarino.

tunny /ˈtʌnɪ/ n. (*zool., Thunnus thynnus*) tonno.

tup /tʌp/ n. **1** (*zool.*) ariete; montone **2** (*mecc.*) mazza battente.

to **tup** /tʌp/ v. t. **1** (*di montone*) coprire; montare **2** (*mecc.*) battere con la mazza battente **3** (*volg. ingl.*) chiavare; scopare; fottere (*volg.*).

Tupamaro /tjuːpəˈmɑːrəʊ, *USA* tuː-/ n. (pl. **Tupamaros**) (*stor.*) tupamaro.

tuple /tjuːpl, *USA* tuːpl/ n. (*comput., mat.*) tupla (*elemento di una struttura dati costituita da più parti elementari*).

tuppence /ˈtʌpəns/ n. ᴜ (*fam.*) due penny (*il valore*).

tuppenceworth, tuppence worth /ˈtʌpənswɔːθ/ n. (*fam., GB e irl., spec. iron.*) modesta opinione; modesto parere: **to give one's t.**, dare la propria modesta opinione; dire la propria.

tuppenny /ˈtʌpnɪ/ a. (*fam.*) da due penny.

Tupperware® /'θʌpǝwɛǝ(r)/ a. Tupperware: **T. container**, contenitore Tupperware; contenitore di plastica a chiusura ermetica (*per alimenti*).

turaco /'tʊǝrǝkǝʊ/ n. (pl. **turacos**) (*zool.*, *Turacus*) turaco.

turban /'tɜːbǝn/ n. turbante • (*zool.*) t.**-shell** (*Turbo*) mollusco dei Turbinidi ‖ **turbaned** a. col turbante (*in testa*).

turbary /'tɜːbǝri/ n. **1** (*ind. min.*) torbiera **2** Ⓤ diritto d'estrazione della torba.

turbid /'tɜːbɪd/ a. **1** torbido (*anche fig.*): **a t. river**, un fiume torbido; **a t. imagination**, una fantasia torbida **2** (*fig.*) confuso; turbato; agitato | **-ly** avv.

turbidimeter /tɜːbɪ'dɪmɪtǝ(r)/ (*chim.*) n. turbidimetro, torbidimetro ‖ **turbidimetric** a. turbidimetrico ‖ **turbidimetry** n. Ⓤ turbidimetria.

turbidity /tɜː'bɪdǝtɪ/, **turbidness** /'tɜːbɪdnǝs/ n. Ⓤ **1** (*anche fig.*) torbidezza **2** (*tecn.*) torbidità **3** (*fig.*) confusione; agitazione.

turbinate /'tɜːbɪnǝt/ Ⓐ a. (*scient.*) turbinato; a forma di trottola Ⓑ n. (= **t. bone**) (*anat.*) turbinato; conca nasale.

turbine /'tɜːbaɪn/ n. (*mecc.*) turbina: **a steam t.**, una turbina a vapore • (*mecc.*) **t. blade**, paletta di turbina □ (*naut.*) **t. boat**, turbonave □ **t. engine**, motore a turbina; turbopropulsore □ (*ferr.*) **t. locomotive**, turbolocomotore □ **t. propulsion**, propulsione a turbina □ (*naut.*) **t.-driven tanker**, turbocisterna ❶ **FALSI AMICI • turbine** *non significa* turbine.

turbit /'tɜːbɪt/ n. (*zool.*) piccione dal becco corto.

to **turboboost** /'tɜːbǝʊbuːst/ v. t. (*mecc.*) sovralimentare (*un motore*).

turbocar /'tɜːbǝʊkɑː(r)/ n. (*autom.*) autovettura turbo; turbo (sost. f.).

to **turbocharge** /'tɜːbǝʊtʃɑːdʒ/ (*mecc.*) v. t. sovralimentare con un turbocompressore ‖ **turbocharged** a. (*di motore*) turbocompresso; turbo • (*autom.*) **turbocharged car**, turbo (sost. f.) □ **turbocharged engine**, turbo (sost. m.: *il motore*).

turbocharger /'tɜːbǝʊtʃɑːdʒǝ(r)/ n. (*autom.*, *mecc.*) turbocompressore; turbo (*fam.*).

turbocharging /'tɜːbǝʊtʃɑːdʒɪŋ/ n. Ⓤ (*autom.*, *mecc.*) sovralimentazione.

turbo diesel /'tɜːbǝʊdiːzl/ loc. n. **1** (*mecc.*) motore turbodiesel **2** (*autom.*) turbodiesel (*il veicolo*).

turbodrill /'tɜːbǝʊdrɪl/ n. (*ind. min.*) turbosonda; turboperforatrice.

turbo-electric /tɜːbǝʊɪ'lɛktrɪk/ a. (*mecc.*) turboelettrico: **turbo-electric drive**, trazione turboelettrica.

turbofan /'tɜːbǝʊfæn/ n. **1** (*mecc.*) turboventilatore **2** (*aeron.*) turbogetto a soffiante (*o a doppio flusso*).

turbogenerator /tɜːbǝʊ'dʒɛnǝreɪtǝ(r)/ n. (*elettr.*) turbogeneratore.

turbojet /'tɜːbǝʊdʒɛt/ n. **1** (*aeron.*) aereo a turbogetto; turboreattore; turbogetto **2** (*mecc.*, = **t. engine**) motore a turbogetto; turboreattore; turbogetto.

turboprop /'tɜːbǝʊprɒp/ n. **1** (*aeron.*) aereo a turboelica; turboelica **2** (*mecc.*, = **turbopropeller engine**) motore a turboelica; turboelica.

turbopump /'tɜːbǝʊpʌmp/ n. (*mecc.*) turbopompa; pompa centrifuga.

turbosphere /'tɜːbǝʊsfɪǝ(r)/ n. Ⓤ (*meteor.*) turbosfera.

turbosupercharged /tɜːbǝʊ'suːpǝtʃɑːdʒd/ a. (*mecc.*) turbocompresso.

turbosupercharger /tɜːbǝʊ'suːpǝtʃɑːdʒǝ(r)/ n. (*aeron.*, *mecc.*) turbocompres-

sore d'alimentazione.

turbot /'tɜːbǝt/ n. (pl. **turbot**, **turbots**) (*zool.*) **1** (*Rhombus maximus*) rombo maggiore; rombo **2** (*Hippoglossus hippoglossus*) ippoglosso.

turbotrain /'tɜːbǝʊtreɪn/ n. (*ferr.*) turbotreno.

turbulence /'tɜːbjʊlǝns/ n. Ⓤ **1** turbolenza; agitazione; disordine: **the t. of the stock market**, la turbolenza del mercato azionario **2** (*meteor.*) turbolenza **3** (*mecc. dei fluidi*) corrente turbolenta.

turbulent /'tɜːbjʊlǝnt/ a. turbolento; agitato; tumultuoso • (*mecc. dei fluidi*) **t. flow**, corrente turbolenta | **-ly** avv.

turd /tɜːd/ n. (*volg.*, *anche fig.*) stronzo (*volg.*, *anche fig.*); stronzata (*volg.*).

tureen /tǝ'riːn/ n. (= **soup t.**) zuppiera.

turf /tɜːf/ n. (pl. **turfs**, **turves**) **1** Ⓤ tappeto erboso; terreno erboso **2** zolla erbosa; piota **3** (*in Irlanda*) torba **4** Ⓤ (*ipp.*) – **the t.**, le corse; il mondo delle corse; i cavalli **5** (*fam.* = **home t.**) territorio personale; casa **6** (*fam.*) territorio controllato da una banda: **t. war**, guerra tra bande rivali (*per il controllo di un territorio*) **7** (*fam.*) (il proprio) territorio (*spec.*) professionale; (il proprio) campo; (la propria) area di competenza • (*form. ingl.*) **t. accountant**, allibratore; bookmaker □ (*fig.*) **t. fight**, lotta per le rispettive competenze □ (*calcio*) **t. shoes**, scarpe da calcetto □ **t. spade**, tagliazolle.

to **turf** /tɜːf/ v. t. coprire di zolle erbose; impiotare; piotare • (*slang*) to **t. out**, buttar fuori; estromettere (*da un circolo, da una società*); dare lo sfratto a, escomiare (*un inquilino*); essere cacciato, andarsene (*per inadempienza, ecc.*).

turfing /'tɜːfɪŋ/ n. Ⓤ (*giardinaggio*) impiotamento; sistemazione delle zolle erbose.

turfite /'tɜːfaɪt/ n. amante delle corse (*dei cavalli*); appassionato delle corse ippiche; grande frequentatore d'ippodromi.

turfman /'tɜːfmǝn/ n. (pl. **turfmen**) → **turfite**.

turfy /'tɜːfɪ/ a. **1** coperto di zolle erbose; erboso **2** ricco di torba; torboso **3** (*ipp.*) relativo alle (*o connesso con le*) corse ippiche.

turgescent /tɜː'dʒɛsnt/ a. **1** turgido; gonfio; (*med.*) turgescente **2** (*fig.*) ampolloso; pomposo; enfatico ‖ **turgescence** n. Ⓤ **1** turgidezza; gonfiore; (*med.*) turgescenza **2** (*fig.*) ampollosità; enfasi (*di stile, ecc.*).

turgid /'tɜːdʒɪd/ a. **1** turgido; gonfio **2** (*fig.*) turgido; ampolloso, pomposo, magniloquente: **t. style**, stile turgido, ampolloso **3** (*med.*) turgido; rigonfio: **a t. vein**, una vena turgida • **the t. narrative of his travels**, la fiorita narrazione dei suoi viaggi | **-ly** avv. | **-ness** n. Ⓤ.

turgidity /tɜː'dʒɪdǝtɪ/ n. Ⓤ **1** turgidezza; turgidità; turgore **2** (*fig.*) ampollosità, magniloquenza, pomposità.

turgor /'tɜːgǝ(r)/ n. Ⓤ **1** turgore; turgidità **2** (*med.*) turgore.

Turin /tjʊǝ'rɪn/ n. (*geogr.*) Torino ‖ **Turinese** a. e n. torinese.

turion /'tjʊǝrɪǝn/ n. (*bot.*) turione.

Turk /tɜːk/ n. **1** turco **2** (*raro*) cavallo arabo **3** sigaretta turca • (*bot.*) **T.'s-cap lily** (*Lilium martagon*), giglio martagone; turbante di turco □ **T.'s head**, (*nelle giostre*) testa di turco; (*anche*) nodo a turbante; (*naut.*) turbante □ (*fig.*) **young T.**, (*polit.*) giovane turco, radicale; (*econ.*) giovane industriale rampante.

turkey /'tɜːkɪ/ n. **1** (*zool.*, *Meleagris gallopavo*) tacchino **2** Ⓤ tacchino (*la carne*): *I don't like t.*, il tacchino non mi piace **3** (*slang USA*) fiasco; insuccesso; spettacolo scadente (*a teatro*) **4** (*slang USA*) stupido; fesso; babbeo; minchione (*pop.*) **5** (*slang USA*) pollo,

piccione (*fig.*); vittima di una rapina **6** (*slang USA*) bidone, patacca (*fig.*); cosa senza valore; cosa inservibile • (*zool.*) **t. buzzard** (*o* **t. vulture**) (*Cathartes aura*), avvoltoio dal collo rosso □ **t. cock**, tacchino (*maschio*); (*fig.*) individuo che si pavoneggia; presuntuoso, arrogante; gradasso □ **t. hen**, tacchina □ **t. poult**, tacchinotto □ (*stor.*, *mus.*) **t.-trot**, ballo «del tacchino» □ (*slang USA*) to **talk t.**, dire le cose come stanno; parlare senza peli sulla lingua; (*anche*) parlare d'affari (*o di cose serie*) □ **as red as a t. cock**, rosso come un tacchino.

Turkey /'tɜːkɪ/ n. (*geogr.*) Turchia • **T. red**, rosso turco; rosso di robbia • **T. stone**, (*miner.*) turchese; (*mecc.*) pietra per affilare.

Turkish /'tɜːkɪʃ/ Ⓐ a. turco: **the T. pound**, la lira turca; **T. bath**, bagno turco; **T. carpet**, tappeto turco Ⓑ n. Ⓤ turco (*la lingua*) • **T. delight**, lokum (*gelatina aromatizzata, tagliata in cubetti rivestiti di un velo di zucchero*) □ **T. paste** = **T. delight** → *sopra* □ **T. slipper**, babbuccia □ **T. towel**, asciugamano ruvido di spugna | **-ness** n. Ⓤ.

Turkoman, **Turcoman** /'tɜːkǝʊmǝn/, **Turkman** /'tɜːkmǝn/ n. turcomanno.

turmeric /'tɜːmǝrɪk/ n. **1** (*bot.*, *Curcuma longa*) curcuma **2** (*chim.*; = **t. yellow**) curcumina (*colorante*) • (*chim.*) **t. paper**, carta alla curcuma.

turmoil /'tɜːmɔɪl/ n. Ⓤ tumulto; agitazione; disordine; scompiglio.

◆**turn** /tɜːn/ n. **1** giro; rotazione; torsione: **a few turns of the crank**, qualche giro di manovella; **to give the key a t.**, dare un giro di chiave; **with a neat t. of the wrist**, con una perfetta torsione del polso **2** turno; volta: «*Whose t. is it?*» «*It's my t.*», «a chi tocca?» «tocca a me» («è il mio turno»); *Wait your t.*, aspetta il tuo turno!; *My t. will come*, verrà il mio turno; (*oppure*) verrà la volta buona anche per me! **3** curva; svolta (*anche fig.*); voltata; traversa; (*di fiume*) ansa: **a sharp t.**, una curva stretta; **a t. to the right**, una svolta a destra; *The car took a sudden t. to the left*, l'automobile fece un'improvvisa voltata a sinistra; *Take the second t. on the right*, prendi la seconda traversa a destra!; **at the t. of the century**, alla svolta (*o alla fine, all'inizio*) del secolo **4** (*naut.*, *aeron.*) accostata; virata **5** giro, volta (*di una fune*); giro (*o tratto*) di sagola; spira (*di una molla*); (*elettr.*) spira: *'Ahab stopped to clear it; he did clear it; but the flying t. caught him round the neck'* H. MELVILLE, 'Ahab si arrestò per liberare la sagola; ci riuscì; ma il tratto libero gli si avvolse intorno al collo' **6** cambiamento di direzione; piega (*fig.*): *His illness took a t. for the worse*, l'andamento della sua malattia prese una brutta piega **7** (*teatr.*) numero; attrattiva; attrazione **8** azione; servizio; tiro (*fig.*): *He's done me many a good t.*, m'ha reso più di un servizio; *Let's hope he won't do me a bad t.*, speriamo che non mi giochi un brutto tiro **9** (*arc.*) giretto; passeggiata **10** (*arc.*) vena; attitudine; disposizione; tendenza: **t. of mind**, attitudine mentale; indole **11** fine; proposito; scopo: *No doubt this tool will serve your t.*, senz'altro questo attrezzo risponderà al tuo scopo (*o ti potrà tornare utile*); *This serves my t. precisely*, questo fa proprio al caso mio **12** giro; modo d'essere (*o di esprimersi*); forma: **a nice t. of phrase**, un bel giro di frase; **the t. of an ankle**, la forma d'una caviglia **13** (*fam.*) colpo; brutto colpo; scossa; spavento: *It gave him a t., hearing the sergeant's voice*, sentire la voce del sergente fu per lui un colpo **14** (*fam.*) lieve indisposizione; attacco: *He's had one of his turns again*, non è che uno dei suoi soliti attacchi **15** (*mecc.*) tornio (*da orologiaio*) **16** (*tipogr.*) carattere capovolto (*sostituiva un carattere mancante*) **17** (*mus.*) esse corica-

to; gruppetto (*segno*) **18** (*comm.*) commissione, provvigione (*di intermediario*) **19** tendenza; corso; inversione di tendenza **20** (*Borsa, fin.*) operazione in titoli **21** (*Borsa, fin.*) scarto; differenza tra denaro e lettera; guadagno dell'operatore; plusvalenza professionale **22** (*calcio, ecc.*) (*di un giocatore*) giro su sé stesso; giravolta; avvitamento **23** (*equit.*) piroetta (*nel dressage*) **24** (*ginnastica*) giro **25** (*golf*) mezzo percorso (*del campo*) **26** (*ipp.*) curva **27** (*lotta libera*) incontro **28** (*nuoto*) virata **29** (*pattinaggio artistico*) giravolta **30** (*sci*) curva; voltata **31** (*cricket*) effetto (*dato alla palla*) ● (*aeron.*) **t. and bank indicator**, indicatore di virata e sbandamento □ **t. and t. about**, a turno; uno dopo l'altro; in successione; di seguito □ **t. bench**, tornio (*da orologiaio*) □ **t. bridge**, ponte girevole □ (*anche fig.*) **a t. of the screw**, un giro di vite □ **the t. of the sentence**, il giro dato alla frase □ (*naut.*) **the t. of the tide**, il cambiamento della marea □ **t. of the wheel**, giro della ruota; (*fig.*) volgere della sorte, repentino cambiamento della fortuna □ **at every t.**, a ogni svolta; (*fig.*) a ogni piè sospinto; tutti i momenti □ **by turns**, a turni; uno alla volta; in rotazione □ **in t.**, a turno; uno alla volta; a vicenda; a rotazione; a sua volta: *I told Sam in* (*my*) *t.*, a mia volta, l'ho detto a Sam; *I asked each student in t.*, ho fatto la domanda agli studenti uno alla volta □ (*autom.*) **number of turns lock-to-lock**, numero dei giri del volante per sterzata totale □ **to owe sb. a good t.**, essere indebitato verso q. (*fig.*) □ **to take turns** (*o* **it in turns**), fare a turno □ **to take a t. at the wheel**, mettersi al volante; dare il cambio alla guida □ (*anche autom.*) **to take a wrong t.**, svoltare nel posto sbagliato; sbagliare al bivio (*o* all'incrocio) □ **to be on the t.**, (*del tempo, ecc.*) (stare per) cambiare; (*di cibo*) guastarsi; (*del latte*) stare per inacidire: *Public opinion seems to be on the t.*, pare che la pubblica opinione stia cambiando; *This wine is on the t.*, questo vino si sta guastando □ **out of t.**, a sproposito; fuori luogo; al momento sbagliato: **to speak out of t.**, parlare a sproposito □ **T. for t.!**, a buon rendere! □ (*prov.*) **One good t. deserves another**, i favori vanno ricambiati.

♦to **turn** /tɜːn/ **A** v. t. **1** girare; far girare; voltare: **to t. the corner**, girare l'angolo; (*d'automobile*) fare la curva; (*d'automobilista*) prendere la curva; (*fig.*) superare il momento critico; *T. the key*, gira la chiave!; *T. the knob to the right*, gira a destra il pomello!; (*mecc.*) **to t. a crank [a shaft, a wheel]**, far girare una manovella [un albero, una ruota]; *'He tried once more and felt himself going when he turned the fish'* E. HEMINGWAY, 'provò di nuovo ma si sentì venir meno quando fece girare il pesce (*con la lenza*)'; (*anche fig.*) **to t. one's back on sb.**, voltare (*o* volgere) le spalle a q.; *T. your face this way*, volta la faccia da questa parte!; *She was turning the pages of the album*, voltava le pagine dell'album **2** rivoltare; rovesciare; far rivoltare; ribaltare; invertire: (*mecc.*) **to t. the edge of a plate**, rivoltare l'orlo d'una lamiera; **to t. the spade**, rivoltare la vanga; **to t. a collar**, rovesciare un colletto; **to t. sb.'s stomach**, far rivoltare lo stomaco a q.; (*calcio, ecc.*) **to t. the match**, rovesciare il risultato **3** rovesciare; versare; vuotare: *She turned the soup into the tureen*, rovesciò la minestra nella zuppiera **4** dirigere; volgere; rivolgere: **to t. one's eyes**, volgere lo sguardo; **to t. one's attention to a problem**, rivolgere la propria attenzione a un problema; *The bird turned its flight southwards*, l'uccello diresse il volo verso sud **5** distogliere; sviare; (far) deviare: *No one could turn me from my purpose*, nessuno riuscì a distogliermi dal mio proposito; *Luckily the helmet turned the bullet*, per fortuna l'elmetto sviò il proiettile; **to t. the course of history**, deviare il corso della storia **6** (*anche mil.*) aggirare: *The enemy cavalry turned the left flank of the Roman army*, la cavalleria nemica aggirò il fianco sinistro dell'esercito romano **7** smussare; ottundere: **to t. the edge of a knife**, smussare il filo di un coltello **8** cambiare; convertire; mutare; trasformare; far diventare: *Christ turned water into wine*, Cristo mutò l'acqua in vino; *I turned him to more liberal views*, lo convertii a idee più liberali; *The cold weather has turned the leaves red*, il freddo ha fatto diventar rosse le foglie; *This machine turns cream into butter*, questa macchina trasforma la panna in burro; **to t. defeat into a victory**, trasformare una sconfitta in una vittoria; *It's turned chilly hasn't it?*, si è fatto freschino, vero? **9** volgere; tradurre: **to t. prose into verse**, volgere prosa in versi **10** (*falegn., mecc.*) lavorare (*un pezzo*) al tornio; tornire (*anche fig.*): **to t. wood [brass, ivory]**, tornire il legno [l'ottone, l'avorio]; **a well-turned phrase**, un'espressione ben tornita **11** storcere; slogare: **to t. one's foot**, storcersi un piede **12** far inacidire; far andare a male (*alimenti*): *The heat has turned the milk*, il caldo ha fatto inacidire il latte **13** (*boxe, ecc.*) deviare; sviare (*colpi*) **14** (*baseball, cricket, ecc.*) imprimere una rotazione, dare l'effetto a (*una palla*) **15** (*calcio, ecc.*) girare (*il pallone*) **16** (*calcio, ecc.*) (*spec. di un portiere*) deviare: *Our keeper turned the striker's powerful left-foot shot against the post*, il nostro portiere deviò sul palo il potente sinistro dell'attaccante **17** (*ginnastica*) fare; eseguire: **to t. cartwheels**, fare la ruota; **to t. a somersault**, fare un salto mortale **18** rivoltare lo stomaco a (q.) **19** (*fam.*) convincere (q.) a parlare (*o* a collaborare con la polizia) **20** far defezionare (q.) **B** v. i. **1** girare (*anche fig.*); girarsi; volgersi; voltare; voltarsi; svoltare: *Several artificial satellites are now turning round the earth*, diversi satelliti artificiali girano ora intorno alla terra; *My head is turning*, mi gira la testa; *The key won't t.*, la chiave non gira (nella toppa); *The road turns to the left*, la strada svolta a sinistra; **to t. down a street**, svoltare in una strada; *Let's t. now and go back*, adesso voltiamo e torniamo indietro!; *Suddenly he turned and hit me*, all'improvviso si girò e mi colpì **2** dirigersi; rivolgersi; fare ricorso a (q.): *She turned to God in her sorrow*, nel suo dolore, si rivolse a Dio; *I scarcely knew which way to t.*, quasi non sapevo da che parte dirigermi (*fig.*: a che santo votarmi); **to t. to one's notes**, fare ricorso ai propri appunti **3** girarsi, rivoltarsi (*nel letto, ecc.*); (*dello stomaco*) rivoltarsi: *I was so upset that I tossed and turned all night*, ero così turbato che mi agitai e rivoltai tutta la notte; *My stomach turns at the smell of cucumbers*, mi si rivolta lo stomaco all'odore dei cetrioli **4** mutarsi; trasformarsi; diventare; farsi: *The rain turned to sleet*, la pioggia si mutò in nevischio; *The wine turned to vinegar*, il vino è diventato aceto; *Joy has turned to sorrow*, la gioia s'è trasformata in dolore; *He turned Muslim*, si fece maomettano; *She turned pale*, si fece pallida; impallidì **5** (*naut., aeron.*) invertire la rotta (*anche fig.*); virare: *The ship turned round*, la nave virò di bordo; *Suddenly the stock market turned*, all'improvviso il mercato azionario invertì la rotta **6** (*di cibo o bevanda*) inacidire; andare a male; guastarsi: *The milk has turned*, il latte s'è inacidito **7** mutar colore: *Now the leaves are turning* (*yellow*), ora le foglie mutano colore (*o* ingialliscono) **8** (*naut.: del vento, della marea*) girare; cambiare: *The tide is turning*, la marea sta girando; **when the weather turns**, quando cambia il vento **9** (*comm., USA*) andare; vendersi: *Unisex garments are turning well this year*, quest'anno i capi di vestiario unisex vanno bene (*fam.*: forte) **10** (*autom., ecc.*) fare una curva **11** (*pattinaggio artistico*) fare una giravolta **12** (*nuoto*) virare (*in piscina*) **13** (*sci*) curvare; fare una curva **14** (*slang USA*) fare la spia (*alla polizia*); tradire **15** (*slang USA*) diventare omosessuale; passare al nemico (*scherz.*) ● **to t. one's back to one's problems**, mettere da parte i (*o* non pensare ai) propri problemi □ **to t. belly up**, finire a pancia all'aria; (*di un pesce* e *fig.*) morire, tirare le cuoia; (*fig.*) guastarsi, andare in tilt □ **to t. sb.'s brain**, far dar di volta il cervello a q.; far ammattire q. □ (*fig.*) **to t. one's coat**, voltar casacca, voltar gabbana; cambiare partito □ **to t. a deaf ear**, far orecchi da mercante; non voler sentire □ (*autom.*) **«T. left [right]»** (*cartello*), «svolta a sinistra [a destra]» □ **to t. sb.'s head**, far girare la testa (montare la testa) a q.: *Success has turned his head*, il successo gli ha montato la testa (*o* gli ha dato alla testa) □ (*fam.*) **to t. an honest penny**, fare un onesto guadagno □ **to t. loose**, lasciar libero (*un animale domestico*); dare la massima libertà a (q.); (*mil., USA*) impiegare, aprire il fuoco con (*cannoni, ecc.*) □ **to t. low**, abbassare, diminuire (*il gas, la luce, ecc.*) □ (*sport*) **to t. professional** (*fam.*: **pro**), diventare professionista; passare al professionismo □ (*comm., fin.*) **to t. a profit**, ricavare un utile □ **to t. red**, arrossire; far arrossire □ **to t. the scales**, far traboccare la bilancia; (*fig.*) essere decisivo □ **to t. tail**, fuggire, darsela a gambe □ (*volg. USA*) **to t. a trick**, fare una marchetta □ (*tipogr.*) **turned comma**, virgoletta □ (*fig.*) **not to t. a hair**, non batter ciglio □ (*mecc.*) **This material turns well [easily]**, questo materiale si lavora bene [facilmente] al tornio □ **The clock turned seven**, l'orologio segnò le sette □ **He has just turned twenty**, ha appena compiuto vent'anni □ (*autom.*) **«Lorries turning»** (*cartello*), «autocarri in manovra».

■ **turn about** **A** v. i. + avv. **1** girarsi; voltarsi **2** (*autom.*) invertire la marcia **3** (*mil.*) fare dietro front: *About t.!*, dietro front! **4** (*naut., aeron. e fig.*) invertire la rotta **5** (*fig.*) cambiare idea (*o* parere) **6** (*slang USA*) prendere una buona piega (*fig.*); mettersi bene **B** v. t. **1** (*mil., ginnastica*) far fare dietro front a (*un reparto*) **2** (*autom.*) girare, voltare; far invertire la marcia a: **to t. a car about**, girare la macchina; fare un'inversione (di marcia) **3** (*naut., aeron.*) far invertire la rotta a (*una nave, un aereo*).

■ **turn adrift** v. t. + avv. **1** (*naut.*: *di ammutinati e sim.*) mandare (q.) alla deriva; mettere (q.) in balia del mare **2** (*per estens.*) mandare via; cacciare di casa; allontanare.

■ **turn again** v. t. e i. + avv. girare (*o* girarsi, voltarsi) di nuovo; rigirare; rigirarsi.

■ **turn against** **A** v. i. + prep. rivoltarsi (*o* ribellarsi, sollevarsi) contro (q.): *The Britons turned against the Romans*, i Britanni si sollevarono contro i Romani **B** v. t. + prep. far rivoltare, sollevare contro (q.); mettere contro (*fam.*): *She's turned the children against me*, mi ha messo contro i bambini.

■ **turn around** **A** v. i. + avv. **1** girarsi; voltarsi: *I turned around to see who was following me*, mi voltai per vedere chi mi seguiva **2** girare la testa (*per non vedere q.*) **3** (*autom.*) girare; voltare **4** (*naut., aeron.*) invertire la rotta **5** (*fig.*) cambiare; mutare; rovesciarsi: (*sport*) *The match can so easily t. around*, è così facile che le sorti dell'incontro si rovescino **6** cambiare idea (*o* parere); mutare politica **7** (*comm., fin.*) superare il momento critico; (*di vendite, ecc.*) migliorare **B** v. t. + avv. **1** (far) girare; far vol-

tare: *T. your chair around!*, gira la sedia! **2** spostare, cambiar posto a (*mobili, ecc.*) **3** (*autom.*) girare, voltare (*la macchina, ecc.*) **4** (*naut., aeron.*) far invertire la rotta a; (*anche*) girare (*un aereo a terra*) **5** (*fig.*) rigirare: **to t. a question [an issue] around**, rigirare una domanda [un argomento di discussione] **6** convincere (*una spia*) a defezionare.

■ **turn aside** **A** v. i. + avv. **1** girare la testa; volgere il capo; voltarsi da una parte **2** (*fig.*) rifiutarsi di vedere; distogliere lo sguardo: **to t. aside from the sufferings of the people in Rwanda**, distogliere lo sguardo dalle sofferenze della popolazione nel Ruanda **B** v. t. + avv. **1** (*anche boxe*) deviare, sviare, scansare (*un colpo, ecc.*) **2** (*fig.*) evitare, scansare (*domande, ecc.*) **3** neutralizzare (*attacchi, oppositori e sim.*).

■ **turn away** **A** v. i. + avv. **1** → **turn aside, A 2** allontanarsi; andare via; scostarsi: *He turned away in anger*, si scostò tutto arrabbiato **3** (*mil. e sport*) disimpegnarsi; sganciarsi **B** v. t. + avv. **1** → **turn aside, B 2** mandare via; allontanare; respingere: *A lot of fans were turned away for lack of room*, molti tifosi furono mandati via per mancanza di posti **3** respingere, rifiutare (*domande, richieste, ecc.*) **4** (*calcio, ecc.*) allontanare, ribattere, respingere (*la palla*).

■ **turn back** **A** v. i. + avv. **1** tornare indietro; tornare sui propri passi: *The storm forced us to t. back*, il temporale ci costrinse a tornare indietro **2** piegarsi all'indietro; ripiegarsi; **The lid turns back to show the contents of the box**, il coperchio si piega all'indietro per rendere visibile il contenuto della scatola **3** tornare, riandare a (*un certo punto: voltando pagina, ecc.*) **4** (*fig.*) tirarsi indietro (*fig.*); pentirsi (*fam.*); recedere; mutare avviso **B** v. t. + avv. **1** piegare, ripiegare, fare la piega a (*lenzuola, coperte, ecc.*); piegare, fare un'orecchia a (*una pagina di libro, ecc.*); alzare (*una coperta*) piegando un lembo **2** mandare indietro; rimandare; respingere: *The Mexican workers were turned back at the border*, i lavoratori messicani furono respinti al confine **3** (*mil. e sport*) respingere, rintuzzare (*attacchi o attaccanti*) **4** (*calcio, ecc.*) rilanciare, toccare indietro (*la palla*) □ **to t. the clock back**, rimettere indietro l'orologio; (*fig.*) andare contro il progresso □ **to t. back to one's work**, rimettersi al lavoro.

■ **turn down** **A** v. t. + avv. **1** abbassare, calare, mettere (*carte da gioco, ecc.*) a faccia in giù **2** abbassare; tirare giù; ripiegare: **to t. down one's collar**, tirarsi giù il colletto (*o* il bavero); **to t. down the brim of one's hat**, abbassare la tesa del cappello **3** piegare (*l'orlo di una pagina*); fare la piega a (*lenzuola, ecc.*) **4** abbassare, ridurre, diminuire (*la fiamma, la luce, il gas, ecc.*): *T. down the radio, please*, abbassa la radio, per favore! **5** respingere; rifiutare; non accettare; scartare; bocciare, cestinare (*un articolo e sim.*): **to t. down a job**, non accettare (*o* rifiutare) un lavoro; **to be turned down for a job**, essere scartato per un lavoro **B** v. i. + avv. (*comm., fin.: di titoli*) subire una flessione; essere in calo; essere in ribasso □ **to t. down the bed**, preparare il letto per la notte.

■ **turn from** **A** v. i. + prep. **1** allontanarsi, scostarsi da (q. *o* qc.) **2** abbandonare, lasciare (*un'abitudine, un modo di pensare, ecc.*) **3** cambiare (*argomento*) **B** v. t. + prep. **1** girare, voltare da: *Don't t. your head from me when I'm talking to you*, non voltare la testa quando ti parlo! **2** (*fig.*) distogliere (*da un proposito e sim.*).

■ **turn in** **A** v. t. + avv. **1** piegare in dentro; ripiegare: **to t. in the edge of a skirt**, ripiegare l'orlo di una gonna **2** piegare, inclinare (*i piedi, ecc.*) verso l'interno **3** restituire; rendere; dare indietro (*fam.*); consegnare: *You must t. in your badge*, devi restituire il distintivo; *He turned in his gun to the police*, consegnò l'arma alla polizia **4** presentare, consegnare (*un compito, un rapporto, ecc.*) **5** (*fin.: di un conto*) dare (*un certo saldo*); far registrare: *Our balance of payments will t. in a surplus next year*, la nostra bilancia dei pagamenti farà registrare un saldo attivo l'anno prossimo **6** (*naut.*) avvolgere, legare (*una gomena, un cavo, ecc.*) **7** (*naut.*) issare (*una lancia*) a bordo **8** (*calcio, ecc.*) deviare (*o* girare) in porta (*o* in rete); insaccare **B** v. i. + avv. **1** piegarsi verso l'interno: *My toes t. in*, ho i piedi in dentro; ho il piede varo **2** (*autom.*) curvare; voltare; fare una curva **3** (*fam.*) rincasare; andare a letto; andare a dormire □ **to t. oneself in**, presentarsi spontaneamente (*alla giustizia, alla polizia, ecc.*) □ **to t. in on oneself**, rinchiudersi in sé stesso □ (*fig.*) **to t. in one's grave**, rivoltarsi nella tomba.

■ **turn inside out** **A** v. t. + avv. **1** rivoltare, rovesciare (*con il didentro in fuori*): **to t. one's pockets inside out**, rovesciarsi le tasche **2** rovistare in, mettere a soqquadro (*una casa, ecc.*) **3** (*fig.*) ribaltare, far cambiare radicalmente (*un'idea, un'opinione, ecc.*) **B** v. i. + avv. (*di stoffa, indumento, ecc.*) essere rovesciabile; essere double-face.

■ **turn into** **A** v. t. + prep. **1** trasformare in: *Circe turned men into pigs*, Circe trasformava gli uomini in porci; **to t. a partnership into a company**, trasformare una società in nome collettivo in una società per azioni **2** tradurre in (*un'altra lingua*) **3** (*fin.*) convertire (*titoli, ecc.*) in (*contante*) **B** v. i. + prep. **1** diventare; divenire: *He has turned into an outstanding doctor*, è diventato un medico eccezionale **2** (*autom.*) voltare in (*una strada, ecc.*).

■ **turn off** **A** v. t. + avv. **1** chiudere (*un rubinetto, il gas*); girare (*un interruttore*); spegnere (*la luce, la radio, la tivù, ecc.*): *T. off the tap!*, chiudi il rubinetto!; *T. off the radio, please!*, spegni la radio, per favore! **2** (*fig.*) cancellare, smettere di avere (*un'espressione, un sorriso sul volto*) **3** (*comput.*) spegnere **4** comporre (*una poesia, ecc.*); produrre; fare: *He's turned off a fine piece of work*, ha fatto un bel lavoro **5** (*ingl.*) mandare via (*un dipendente*); licenziare **6** (*fam.*) disgustare; deprimere; indisporre; distogliere; stufare (*fam.*); far perdere interesse a: *This music turns me off*, questa musica mi disgusta **7** (*sport*) esonerare (*un allenatore*) **B** v. i. + avv. **1** (*di un rubinetto, ecc.*) chiudersi; (*del gas, ecc.*) spegnersi **2** (*di una strada*) girare; voltare; svoltare; diramarsi: *Here the road turns off to London*, qui si dirama la strada per Londra **3** (*autom.*) voltare; girare; svoltare (*cambiando strada*); deviare: *That's where we t. off to Oxford*, ecco dove dobbiamo girare per Oxford **4** (*fam.*) perdere interesse; disinteressarsi; smettere di ascoltare; staccare la spina (*fig.*); stufarsi (*fam.*) **5** (*di cibo o bevanda*) andare a male; guastarsi **6** (*del tempo*) farsi (*caldo, fresco, ecc.*) **C** v. i. + prep. **1** (*autom.*) deviare da; abbandonare: *We turned off the main road*, abbandonammo la strada maestra **2** (*di una strada*) diramarsi da (*un'altra*) **3** prendere a malvolere, cominciare a detestare (qc.); non sopportare più, stufarsi di (q.) □ (*fin.*) **to t. off the money-supply taps**, bloccare i crediti; stringere i cordoni della borsa (*fam.*).

■ **turn on** **A** v. t. + avv. **1** aprire (*un rubinetto, il gas, ecc.*); girare (*un interruttore*); accendere (*la luce, la radio, la tivù, ecc.*); far correre (*l'acqua*): *T. on the tap!*, apri il rubinetto; *T. on the radio, please!*, accendi la radio, per favore!; *I'm cold, shall we t. the heating on?*, ho freddo, accendiamo il riscaldamento? **2** (*fig.*) assumere (*un'espressione sul volto*); mettere su (*fam.*); fare (*un sorriso, ecc.*) **3** (*comput.*) accendere **4** (*fam.*) interessare; stimolare; motivare (*studenti, ecc.*); attirare l'attenzione di; entusiasmare **5** (*fam.*) eccitare sessualmente; far perdere la testa a (q.): *Jane really turned him on*, Jane gli faceva proprio perdere la testa **6** (*calcio, ecc.*) girare, deviare, passare (*la palla: a un compagno, ecc.*) **B** v. i. + avv. **1** (*di un rubinetto, ecc.*) aprirsi; (*della luce, ecc.*) accendersi **2** (*fam.*) prendere interesse; essere motivato; entusiasmarsi **3** (*fam.*) eccitarsi; infiammarsi (*fig.*); perdere la testa: *Too many young people are using drugs to t. on*, troppi giovani prendono la droga per eccitarsi **4** (*slang*) drogarsi; farsi **C** v. t. + prep. **1** gettare (*un fascio di luce, ecc.*) su (q.); illuminare **2** gettare (rovesciare, ecc.) su (q.); dirigere (*un getto d'acqua, ecc.*) su (q.) **D** v. i. + prep. **1** rivoltarsi contro (q.); attaccare; assalire: *The burglar turned on me and stabbed me*, il ladro mi si rivoltò contro e mi diede una coltellata **2** prendersela con (q.): *He always turns on his wife*, se la prende sempre con la moglie **3** incentrarsi in: *The debate will t. on the economic outlook*, il dibattito si incentrerà sulle prospettive dell'economia **4** dipendere da: *Everything turns on his answer*, tutto dipende dalla sua risposta □ **to t. sb. on to st.**, far conoscere qc. a q., avvicinare (*o* appassionare) q. a qc.; (*slang*) iniziare q. a (*una droga*) □ **to t. one's back on**, voltare le spalle a (*anche fig.*) □ (*mil.*) **to t. on the guard**, chiamare la guardia □ **to t. on one's heels**, girare su (*o* alzare) i tacchi; tagliare la corda (*fig.*) □ **to t. the key on sb.**, chiudere q. fuori di casa □ (*fin.*) **to t. on the money-supply taps**, aprire le fonti di credito; allargare i cordoni della borsa (*fam.*) □ (*fig. fam.*) **to t. on the waterworks**, dare la stura alle lacrime; mettersi a piangere a dirotto □ (*fam., scherz.*) **Whatever turns you on!**, de gustibus!; contento te!

■ **turn out** **A** v. t. + avv. **1** spegnere (*la luce, la radio, la tivù, il frigo, ecc.*); chiudere (*il gas*) **2** vuotare (*una stanza, ecc.: per pulirla*); svuotare (*un contenitore*): **to t. out a drawer**, vuotare un cassetto **3** rovesciare, vuotare: **to t. out one's pockets**, vuotarsi le tasche **4** gettare (*o* buttare) via; disfarsi di (*oggetti vecchi, ecc.*) **5** buttare fuori (q.); mettere (q.) alla porta; scacciare; espellere (*il socio di un club, ecc.*); sfrattare, escomiare (*un inquilino*); gettare sul lastrico, licenziare (*un dipendente*): *He was turned out of the pub*, lo buttarono fuori dal pub **6** (*polit.*) rovesciare (*il governo, ecc.*) **7** (*econ., org. az.*) produrre (*anche fig.*): *We t. out up to 1,000 cars a day*, produciamo fino a 1000 automobili al giorno; **to t. out a genius**, produrre un genio **8** (*editoria*) pubblicare (*copie di un libro, ecc.*) **9** fornire (q.) di guardaroba; abbigliare: *That girl isn't pretty but she's splendidly turned out*, quella ragazza non è carina ma ha un magnifico guardaroba **10** far scendere in piazza (*una folla, ecc.*); attirare, richiamare (*un grosso pubblico, ecc.*) **11** (*sport*) esonerare (*un allenatore*) **B** v. i. + avv. **1** (*della gente*) affluire; accorrere; essere presente: *How many people turned out for the meeting?*, quanta gente c'era al comizio? **2** andare (a finire); avere un certo esito: *Things turned out all right*, tutto andò per il meglio; *Let's see how things t. out*, stiamo a vedere come va a finire! **3** risultare; venire (*o* saltare) fuori: *He turned out to be a relative*, risultò che era un parente **4** (*del tempo*) farsi (*bello, brutto, ecc.*): *It's turned out nice again*, s'è rifatto bello (*o* bel tempo); *The weather turned out fine*, il tempo si mise al bello **5** piegarsi (*o* inclinarsi) verso l'esterno: *His toes t. out*, ha i piedi in fuori; ha il piede valgo □ (*mil.*) **to t. out the guard**, fare uscire (*o* mettere in allarme) la guardia □ **to t. out to sb.'s advantage**, tornare a vantaggio di q. □

as it turned out, a conti fatti; alla fine dei conti.

■ **turn over** **A** v. i. + avv. **1** girarsi; voltarsi; rivoltarsi; rovesciarsi; ribaltarsi; capovolgersi: *I turned over in my sleep*, mi rivoltai nel sonno; *The locomotive turned over*, il locomotore si rovesciò **2** (*mecc.*) girare (*al minimo*): *The engine turns over but the car won't start*, il motore gira ma la macchina non parte **3** (*fig.*) cambiare partito **4** (*canale TV*) cambiare; girare: *Do you mind if I t. over?*, ti dispiace se cambio? **5** (*fig.*: *di un'attività, un lavoro*) procedere normalmente; andare di passo regolare **6** (*econ.*: *di un'azienda e sim.*) diversificarsi; passare (*a una produzione diversa, ecc.*) **7** (*dello stomaco*) venir su **8** (*del cuore*) stringersi **9** (*slang USA*) smettere di drogarsi **B** v. t. + avv. **1** girare; rivoltare: *I turned the wounded man over*, rivoltai (sulla schiena) il ferito; **to t. over the pages of a book**, voltare le pagine di un libro **2** rovesciare (*un lottatore, ecc.*); rivoltare (*un bavero, carte da gioco, ecc.*): *You've turned a chair over*, hai rovesciato una sedia **3** mettere sottosopra, buttare all'aria (*un appartamento*); perquisire (*un locale notturno*); rovistare in (*una biblioteca, ecc.*) **4** (*mecc.*) avviare, far partire (*un motore*) **5** considerare attentamente; meditare, riflettere su: **to t. an idea over for a whole month**, riflettere su un'idea per un mese intero **6** (*anche leg.*) consegnare; cedere; trasferire (*beni, ecc.*): **to t. sb. over to the police**, consegnare q. alla polizia **7** affidare: *He'll t. over the business to his nephew*, affiderà l'azienda al nipote **8** (*fin.*) avere un giro (o un volume) d'affari di: *Our firm turns over one million pounds a year*, la nostra ditta ha un giro d'affari di un milione di sterline l'anno **9** (*fin.*) far girare (*il denaro*); impiegare (*capitali*) in modo proficuo **10** (*org. az.*) fare la rotazione di (*scorte di magazzino*) **11** (*calcio, ecc.*) allontanare, deviare, respingere (*un tiro, ecc.*) **12** (*calcio, ecc.*: *dell'allenatore*) avvicendare (*i giocatori in campo*) **13** (*fam.*) svaligiare (*una casa*) **14** (*fam. ingl.*) picchiare; pestare **15** (*fam. ingl.*) imbrogliare; fregare (*fam.*) **16** (*fam.*) far rivoltare lo stomaco a (q.) □ (*fig.*) **to t. over a new leaf**, voltare pagina (*fig.*); cambiare vita.

■ **turn round** **A** v. t. e i. + avv. → **turn around** **B** v. t. + avv. **1** (*aeron.*, *naut.*) far scendere a terra e far salire a bordo (*passeggeri*); caricare e scaricare (*merci*) **2** (*econ.*, *org. az.*) rimettere in sesto, riorganizzare (*un'azienda*) **C** v. i. + avv. **1** saltare su; venire a dire: *One of the audience turned round and shouted he was against the proposal*, uno del pubblico saltò su gridando che era contrario alla proposta **2** (*calcio, ecc.*: *di un giocatore*) avvitarsi **3** (*calcio, ecc.*) fare il cambio del campo □ **to t. round and round**, girare in tondo; rigirarsi di continuo □ **to t. round on sb.**, attaccare q. di sorpresa; assalire q. improvvisamente □ *Things have turned round*, la situazione si è rovesciata.

■ **turn to** **A** v. i. + prep. **1** girarsi (o volgersi, voltarsi) verso: *He turned to me in surprise*, si volse sorpreso verso di me **2** voltare; andare; passare a: *T. to page 55*, andate a pagina 55!; **turning to the next painting**, passando (oltre) al quadro successivo **3** rivolgersi, ricorrere a: *The student turned to his teacher for advice*, lo studente si rivolse all'insegnante per averne consigli **4** mettersi, applicarsi, darsi a: *He turned to his work*, si mise al lavoro; **to t. to shoplifting**, mettersi a rubare nei negozi; **to t. to music**, darsi alla musica **5** volgere, passare a: *The conversation turned to politics*, il discorso passò alla politica **B** v. t. + prep. **1** volgere; mettere; tramutare: *He turned his knowledge to good account*, mise a buon profitto

la sua cultura **2** rivolgere (*l'attenzione*) a (qc.) **3** indirizzare, dirigere, dedicare a: **to t. one's skill to the service of the needy**, dedicare le proprie capacità al servizio degli indigenti □ **to t. a blind eye to**, fingere di non vedere, chiudere un occhio su (qc.) □ **to t. a cold shoulder to sb.**, trattare q. con grande freddezza; essere scortese con q. □ **to t. a deaf ear to**, non prestare ascolto a (q. o qc.) □ **to t. one's hand to**, mettere mano a, intraprendere (*un lavoro*); mettersi a (*fare qc.*).

■ **turn under** v. t. + avv. **1** piegare in giù; ripiegare **2** rincalzare (*un lenzuolo e sim.*) **3** (*agric.*) rivoltare (*il terreno: con la vanga, ecc.*).

■ **turn up** **A** v. t. + avv. **1** voltare in su; arricciare: *She turned up her nose at my proposal*, alla mia proposta, lei arricciò il naso **2** piegare in su; tirare su; alzare; rialzare: **to t. up the collar of one's fur coat**, alzare il bavero della pelliccia **3** (*sartoria*) fare il risvolto in: **to t. up trouser legs**, fare il risvolto nei pantaloni **4** accorciare (*un vestito, una gonna, ecc.*) **5** tirare su; rimboccare: *I turned up my trousers*, mi rimboccai i calzoni **6** rivoltare (*il terreno: con la vanga, ecc.*) **7** portare alla luce (o in superficie); scoprire, trovare (*anche fig.*): *The diggers turned up a skeleton*, gli scavatori portarono alla luce uno scheletro; **to t. up the proof**, scoprire le prove **8** rovesciare, scoprire (*una carta da gioco*) **9** alzare (il volume di): *T. up the radio, please*, alza il volume della radio, per favore! **10** alzare, aumentare (*la fiamma del gas, ecc.*): *T. up the gas, will you?*, alza il gas, per favore! **11** (*fam.*) dare il voltastomaco, far venire la nausea a (q.) **12** (*pop.*) smetterla, piantarla: *T. it up!*, piantala! **13** (*slang USA*) denunciare (q.) alla polizia; vendere (*fig.*) **B** v. i. + avv. **1** comparire; riapparire; farsi vivo: *He hasn't turned up yet*, non s'è ancora fatto vivo; *The missing soldier turned up after a long time*, il soldato disperso riapparve dopo molto tempo; *I'm sure your daughter will t. up shortly*, sono sicuro che vostra figlia si farà viva tra poco **2** (*di persone*) saltare fuori (*fig.*); capitare: **to t. up at a meeting**, capitare a una riunione **3** (*di un oggetto smarrito, ecc.*) saltare fuori; ricomparire: *Your ring will t. up*, il tuo anello salterà fuori **4** capitare; succedere; accadere: *Something is bound to t. up*, qualcosa deve pur succedere! **5** (*fin.*) tendere al rialzo; aumentare; migliorare; crescere: *The dollar seems to be turning up*, sembra che il dollaro tenda al rialzo; *Trade is turning up*, gli scambi migliorano □ **to t. up trumps** → **trump**① □ **a fine turned-up nose**, un nasino all'insù.

■ **turn upon** → **turn on**, C e D.

■ **turn upside down** v. t. + avv. **1** rivoltare (*con il disotto disopra*); capovolgere; rovesciare: *T. the box upside down*, rivolta la scatola! **2** mettere a soqquadro (o sottosopra); rovistare in (*una stanza, ecc.*): *The house has been turned upside down*, la casa è stata messa sottosopra **3** (*fig.*) creare un gran scompiglio in, scompigliare (*progetti, ecc.*) □ (*fig.*) **to t. the political scene upside down**, fare un ribaltone.

turnabout /'tɜːnəbaʊt/ n. **1** (*anche autom.*) inversione di marcia; giravolta; dietrofront **2** (*fig.*) voltafaccia; cambiamento repentino (*d'opinione*); rovesciamento di fronte (*fig.*) **3** (*naut.*) inversione di rotta **4** svolta (*fig.*); inversione di tendenza **5** (*raro*) banderuola (*fig.*); voltagabbana ● (*basket*) **t. shot**, tiro con rotazione

turnaround /'tɜːnəraʊnd/ n. **1** (*spec. USA*) → **turnabout 2** (*autom., USA*) piazzola per la svolta **3** (*miss.*) preparazione della rampa (*per un nuovo lancio*) **4** Ⓤ (*trasp., USA*) → **turnround 5** (*fin.*) aggiustamento: *The capital movements are responsible for the*

t. in our balance of payments, l'aggiustamento dei nostri conti con l'estero è dovuto ai movimenti di capitali **6** Ⓤ (*org. az.*) = **turnover rate** → **turnover 7** (*econ.*) inversione di tendenza; recupero; miglioramento ● (*comput.*) **t. documents**, documenti a ciclo chiuso □ (*comput.*) **t. time**, tempo di risposta.

turnbuckle /'tɜːnbʌkl/ n. **1** (*mecc.*) tenditore a doppia vite **2** (*naut.*) tendisartie; tornichetto; arridatoio a vite **3** (*boxe*) tirante a vite (*delle corde del ring*).

turncoat /'tɜːnkəʊt/ n. voltacasacca; voltagabbana; banderuola (*fig.*); opportunista.

turncock /'tɜːnkɒk/ n. **1** (*idraul.*) valvola di regolazione (*della portata*) **2** fontaniere; addetto al servizio idrico.

turndown /'tɜːndaʊn/ **A** n. **1** rifiuto **2** (*econ., fin.*) flessione; calo; ribasso **B** a. (*moda*) rovesciato; rovesciabile: **a t. collar**, un bavero rovesciabile.

turned /tɜːnd/ a. (*mecc.*) lavorato al tornio: **t. part**, pezzo lavorato al tornio.

turner /'tɜːnə(r)/ n. **1** (*ind.*) tornitore **2** (*zool.*) piccione tomboliere **3** (*USA*) ginnasta **4** (*cucina*) spatola; paletta.

turnery /'tɜːnərɪ/ n. (*mecc.*) **1** Ⓤ arte del tornitore; tornitura **2** torneria; officina di tornitore.

turn-in /'tɜːnɪn/ n. (*sartoria*) rimesso.

turning /'tɜːnɪŋ/ **A** a. che gira (o che ruota, ecc.); girevole: (*tiro a segno*) **t. target**, bersaglio girevole **B** n. **1** deviazione; svolta; voltata; cantonata; traversa: *Take the next t. to the left*, prendi la prima traversa a sinistra **2** rotazione (*della terra, ecc.*) **3** Ⓤ (*mecc.*) tornitura: **t. tool**, utensile per tornire **4** (*autom. e sci*) sterzata: **t. radius**, raggio di sterzata **5** inversione **6** (*naut.*) accostata; evoluzione **7** (pl.) trucioli di tornitura ● (*falegn.*) **t. chisel**, scalpello da tornitore □ (*sci*) **t. christie**, cristiania fatto per sterzare □ (*autom., mecc.*) **t. circle**, diametro minimo di sterzata □ (*nuoto*) **t. judge**, giudice di virata □ (*mecc.*) **t. lathe**, tornio □ (*mil.*) **t. movement**, manovra di avvolgimento □ **t. point**, punto in cui si volta (o si deve voltare); (*topogr.*) punto di riferimento, vertice; (*fig.*) svolta (*di un ciclo economico*); svolta decisiva, momento critico: *That was the t. point in my life*, fu quella la svolta decisiva della mia vita □ (*ind. della plastica*) **t. table**, tavola rotante □ (*nuoto*) **t. technique**, tecnica di virata □ (*nuoto*) **t. wall**, parete di virata (*in piscina*) □ **t. wheel**, tornio da vasaio □ (*autom.*) **to miss** [**to overshoot**] **the** (o **one's**) **t.**, sbagliare [oltrepassare, 'saltare'] la traversa (giusta).

turnip /'tɜːnɪp/ n. **1** (*bot.*, *Brassica rapa*) rapa **2** (*fam. arc.*) grosso orologio da tasca; cipolla (*scherz.*) ● **t. cabbage**, cavolo rapa □ (*zool.*) **t. moth**, agrotide □ (*cucina*) **t. tops**, cime di rapa.

turnkey /'tɜːnkiː/ **A** n. (*arc.*) carceriere; secondino; chi custodisce le chiavi (*di una prigione*) **B** a. attr. **1** (*leg.*: *rif. a un contratto, un appalto*) chiavi in mano **2** (*comput.*) chiavi in mano: **t. system**, sistema chiavi in mano.

turn-off, turnoff /'tɜːnɒf/ n. **1** (*autom.*) strada secondaria; via laterale **2** (*autom.*) uscita (*dall'autostrada*) **3** Ⓤ spegnimento; (*mecc.*) disinnesco: **turn-off time**, tempo di disinnesco **4** (*comput.*) arresto; spegnimento: **turn-off time**, tempo d'arresto **5** (*fam.*) cosa che fa cascare le braccia (*fam.*); cosa (o persona) che fa perdere l'interesse; disincentivo; cosa (o persona) repellente **6** (*fam.*) cosa che fa ammosciare.

turn-on /'tɜːnɒn/ n. **1** Ⓤ avviamento, accensione; (*mecc.*) innesco **2** (*comput.*) avvio; accensione **3** (*fam.*) cosa (o persona) che suscita interesse; situazione emozionante **4**

(*fam.*) cosa che eccita, che ispira, che entusiasma; persona che fa girare la testa, che eccita sessualmente.

turnout /'tɜ:naʊt/ *n.* **1** affluenza, partecipazione (*di pubblico*); assembramento: *There was an extraordinary t.*, ci fu un grande assembramento di folla **2** (*polit.*) affluenza alle urne; numero di votanti: **a high t.**, una forte affluenza alle urne **3** svuotata (*di cassetti e sim.*); ripulita **4** equipaggio (*carrozza e cavalli*) **5** modo di vestire; abbigliamento; tenuta: **a picturesque t.**, un abbigliamento pittoresco **6** (*ferr.*) scambio; binario di raccordo **7** (*econ.*, *org. az.*) produzione; volume di prodotti **8** (*USA*) piazzuola (*per veicoli in manovra*); spiazzo **9** (*ferr.*) binario di raccordo; (*anche*) binario morto **10** (*econ.*, *antiq.*) sciopero **11** (*econ.*, *antiq.*) scioperante.

turnover /'tɜ:nəʊvə(r)/ **A** *n.* **1** ⃞ capovolgimento; rovesciamento; ribaltamento **2** (*fig.*) cambiamento repentino (*d'opinione*); voltafaccia **3** ⃞ (*market.*) volume delle vendite; fatturato **4** ⃞ (*econ.*, *fin.*) turnover; giro (*o volume*) d'affari: *Our firm has a t. of £100,000 a month*, la nostra ditta ha un giro d'affari di 100 000 sterline al mese **5** ⃞ (*Borsa*) volume delle operazioni (*di una giornata*) **6** ⃞ (*banca*) movimento (*di un conto corrente*); volume dei prestiti concessi **7** ⃞ (*org. az.*) turnover (*del personale*); avvicendamento; ricambio, rimpiazzo (*mediante nuove assunzioni*) **8** ⃞ (*org. az.*) riassetto (*di un'azienda, ecc.*); rimpasto **9** ⃞ (*org. az.*) rotazione, ricambio (*delle scorte, delle giacenze*): **stock t.**, rotazione delle scorte **10** (*giorn.*) articolo che continua alla pagina seguente **11** (*cucina*) tortina, pasticcino (*ripieni di marmellata o di frutta, ecc.*) **12** (*basket, football americano*) ribaltamento del gioco (*per infrazione*); perdita della palla; palla persa (*per infrazione*) **13** (*basket*) cambio (*di un giocatore*) **14** (*lotta*) giro; rovesciamento (*dell'avversario*) **B** **a.** **attr.** (*di un bavero, ecc.*) rovesciabile □ (*Borsa*) **t. level**, livello degli scambi □ (*org. az.*) **t. rate**, indice di rotazione delle scorte □ (*fin.*) **t. ratio**, indice di rotazione delle attività fisse □ (*fisc.*) **t. tax**, imposta sulla cifra d'affari (*o sugli affari*).

turnpike /'tɜ:npaɪk/ *n.* **1** (*stor.*) barriera, cancello, sbarra (*di strada a pedaggio*) **2** (= **t. road**) strada a pedaggio **3** (*USA*) autostrada a pedaggio (*e a lungo percorso; in GB le autostrade sono gratuite*).

turn-pin /'tɜ:npɪn/ *n.* **1** perno **2** tappo conico (*per tubi*) **3** (*arnese*) allargatubi (*da idraulico, ecc.*).

turnround /'tɜ:nraʊnd/ *n.* **1** giravolta; inversione di marcia **2** (*fig.*) svolta (*di solito positiva*); miglioramento **3** inversione di tendenza; recupero **4** (*fig.*) cambiamento repentino (*d'opinione*); rovesciamento di fronte (*fig.*); voltafaccia **5** ⃞ (*naut.*, *aeron.*) operazioni di carico e scarico; tempo richiesto da queste operazioni.

turnsole /'tɜ:nsəʊl/ *n.* (*bot.*) **1** (*Helianthus annus*) girasole **2** (*Heliotropium*) eliotropio **3** (*Valeriana officinalis*) valeriana.

turnspit /'tɜ:nspɪt/ *n.* **1** girarrosto **2** chi fa girare lo spiedo.

turnstile /'tɜ:nstaɪl/ *n.* cancelletto ruotante; tornello, tornella (*all'ingresso di campi sportivi, ecc.: per far passare una persona alla volta*) ● (*radio, TV*) **t. antenna**, antenna a campo rotante.

turnstone /'tɜ:nstəʊn/ *n.* (*zool.*, *Arenaria interpres*) voltapietre.

turntable /'tɜ:nteɪbl/ *n.* **1** piatto (*di giradischi*) **2** (*ferr.*) piattaforma girevole (*per locomotive*) **3** (*tecn.*) ralla di rotazione (*di macchina per movimento terra*) ● **t. ladder**, scala aerea; scala da pompieri.

turn-up /'tɜ:nʌp/ *n.* **1** risvolto (*dei panta-*

loni) **2** (*fam.*, = **turn-up for the book**) avvenimento imprevisto; fatto inatteso; colpo di scena.

turpentine /'tɜ:pəntaɪn/ *n.* **1** trementina (*resina*) **2** (= **t. oil**; *fam.* **turps**) essenza di trementina; acquaragia □ (*bot.*) **t. tree** (*Pistacia terebinthus*), terebinto.

to turpentine /'tɜ:pəntaɪn/ *v. t.* trattare con la trementina.

turpitude /'tɜ:pɪtjuːd, *USA* -tuːd/ *n.* ⃞ turpitudine; depravazione.

turps /tɜ:ps/ (*fam.*) → **turpentine**, *def. 2*.

turquoise /'tɜ:kwɔɪz/ **A** *n.* **1** ⃞ (*miner.*) turchese **2** ⃞ turchese (*il colore*) **B** **a.** (*color*) turchese ● **t. green**, verde turchese.

turret /'tʌrət/ *n.* **1** (*archit.*, *mil.*, *naut.*, *aeron.*) torretta; torre (*corazzata*): **revolving t.**, torretta girevole **2** (*mecc.*) torretta portautensili **3** (*fotogr.*) torretta portaobiettivi ● (*aeron.*) **t. gun**, mitragliatrice installata in torretta □ (*mecc.*) **t. lathe**, tornio a revolver ‖ **turreted** **a.** (*archit.*) turrito; munito di torrette.

turtle /'tɜ:tl/ *n.* (*zool.*: pl. **turtles**, **turtle**) **1** tartaruga (*di mare*) **2** (*USA*) tartaruga (*anche di terra, d'acqua dolce*) ● **t. shell**, guscio di tartaruga □ **t. soup**, zuppa di tartaruga □ **to turn t.**, (*di imbarcazione*) ribaltarsi; capovolgersi; (*di auto*) capottare.

to turtle /'tɜ:tl/ *v. i.* andare a caccia di tartarughe.

turtledove /'tɜ:tldʌv/ *n.* (*zool.*, *Streptopelia turtur*) tortora.

turtleneck /'tɜ:tlnɛk/ *n.* (*moda*) **1** collo alto e aderente (*di maglione sportivo*) **2** maglione a collo alto; maglione dolcevita.

turves /tɜ:vz/ pl. di **turf**.

Tuscan /'tʌskən/ *a.* e *n.* toscano: **a T. capital**, un capitello toscano ● **T. straw**, paglia di Firenze (*per cappelli*).

Tuscanism /'tʌskənɪzəm/ *n.* (*ling.*) toscanismo.

to Tuscanize /'tʌskənaɪz/ **A** *v. i.* toscaneggiare **B** *v. t.* toscanizzare.

Tuscany /'tʌskəni/ *n.* (*geogr.*) Toscana.

tush① /tʌʃ/ *inter.* (*arc.*) **1** bah!; puah!; via! **2** zitto!; pst!

tush② /tʌʃ/ *n.* **1** dente canino (*spec. del cavallo*) **2** (*raro*, = **tusk**) zanna.

tush③ /tʌʃ/ *n.* (*volg. USA*) culo; sedere.

tusk /tʌsk/ *n.* **1** (*zool.*) zanna (*d'elefante, ecc.*) **2** (*fig.*) dente, punta (*di una serratura, ecc.*) ‖ **tusked** **a.** zannuto ‖ **tusky** **a.** (*d'animale*) zannuto.

to tusk /tʌsk/ *v. t.* azzannare; ferire (*o uccidere*) con le zanne.

tusker /'tʌskə(r)/ *n.* (*fam.*) elefante (*o cinghiale*) dalle grosse zanne.

tussah /'tʌsə/ *n.* tussah; filo di seta di bachi selvatici.

tussive /'tʌsɪv/ *a.* (*med.*) della tosse; causato dalla tosse.

tussle /'tʌsl/ *n.* (*fam.*) **1** baruffa; lotta; lite; rissa; zuffa **2** (*fig.*) lotta (*sportiva, ecc.*); rissa; mischia: **a t. in the goal area**, una mischia sotto porta.

to tussle /'tʌsl/ *v. i.* (*fam.*) **1** azzuffarsi; lottare; litigare; rissare **2** (*fig.*) lottare; battersi; darsi battaglia: **to t. for tickets**, lottare per ottenere dei biglietti.

tussock /'tʌsək/ *n.* ciuffo d'erba; cespuglio ‖ **tussocky** **a.** simile a un ciuffo d'erba; cespuglioso.

tussore /'tʌsɔː(r)/ *n.* **1** (*zool.*, *Antheraea*) **2** ⃞ (= **t. silk**) tussor; seta morbida e leggera.

tut① /tʌt/ *inter.* bah!; puah!; pst!; via!; suvvia!

tut② /tʌt/ *n.* (*ind. min.*) cottimo ● **tut work**, lavoro a cottimo.

to tut① /tʌt/ *v. i.* esprimere impazienza (*o sdegno, disgusto, ecc.*).

to tut② /tʌt/ *v. i.* (*ind. min.*) lavorare a cottimo.

tutelage /'tjuːtɪlɪdʒ, *USA* 'tuː-/ *n.* ⃞ (*leg.*) **1** tutela; l'essere sotto tutela **2** periodo in cui si è sotto tutela **3** insegnamento; istruzione.

tutelar /'tjuːtɪlə(r)/, *USA* 'tuː-/, **tutelary** /'tjuːtɪləri, *USA* 'tuː-/ *a.* (*leg.*) tutelare; tutorio: **t. authority**, autorità tutoria.

tutor /'tjuːtə(r), *USA* 'tuː-/ *n.* **1** (*antiq.*) istitutore; precettore **2** insegnante privato; ripetitore, ripetitrice **3** (*nelle università inglesi*) «tutor»; docente incaricato di assistere un ristretto gruppo di studenti **4** (*nelle università americane*) assistente (*con incarico d'insegnamento*) **5** (*ingl.*) manuale didattico; metodo **6** (*leg.*, *in Scozia*) tutore (*cfr. ingl.* **guardian**) ❶ *FALSI AMICI* • *nell'inglese corrente* **tutor** *non significa* tutore *nei sensi* legale, agricolo *e* ortopedico.

to tutor /'tjuːtə(r), *USA* 'tuː-/ **A** *v. t.* **1** fare l'istitutore di **2** insegnare privatamente a; dare lezioni private a **3** (*nelle università*) insegnare come → «tutor» (*def. 3 e 4*) a **4** (*leg.*, *in Scozia*) fare da tutore a **B** *v. i.* **1** fare il → «tutor»; avere un incarico di «tutor» **2** (*USA*) studiare sotto un → «tutor» (*def. 4*).

tutorage /'tjuːtərɪdʒ, *USA* 'tuː-/ *n.* ⃞ → **tutorship**.

tutoress /'tjuːtərɪs, *USA* 'tuː-/ *n.* **1** (*antiq.*) istitutrice; precettrice **2** (*antiq.*) insegnante privata **3** (*leg.*, *in Scozia*) tutrice.

tutorial /tjuː'tɔːrɪəl, *USA* tuː-/ **A** *a.* **1** tutoriale; d'istitutore; di precettore **2** (*nelle università*) relativo a un → «tutor» (*def. 3 e 4*); tutoriale: **t. session**, incontro tutoriale; **the t. system**, il sistema tutoriale (*basato sull'impiego dei «tutor»*) **B** *n.* **1** corso (*o periodo*) di studio sotto la guida di un «tutor»; seminario tutoriale **2** manuale; dispensa **3** (*comput.*) programma di addestramento.

tutorship /'tjuːtəʃɪp, *USA* 'tuː-/ *n.* ⃞ **1** (*nelle università*) mansione (*o incarico*) di → «tutor» (*def. 3 e 4*) **2** (*leg.*, *in Scozia*) tutela.

tutsan /'tʌtsən/ *n.* (*bot.*, *Hypericum androsaemum*) tuttasana.

tutti-frutti /tuːtɪ'fruːtɪ/ *n.* ⃞ gelato con pezzetti di frutta.

tut-tut, **to tut-tut** /tʌt'tʌt/ → **tut**①, **to tut**①.

tutty /'tʌti/ *n.* ⃞ (*chim.*) tuzia.

tutu /'tuːtuː/ *n.* tutù.

tu-whit /tʊ'wɪt/ *n.* grido (*o strido, verso*) del chiurlo (*o dell'assiolo*); chiù.

tux /tʌks/ (*fam. USA*) → **tuxedo**.

tuxedo /tʌk'siːdəʊ/ *n.* (pl. **tuxedos**, **tuxedoes**) (*USA*) abito da sera; smoking (*a doppio petto*).

tuyère /'twiːə(r), *USA* twiː'jɛə(r)/ (*franc.*) *n.* (*ind. metallurgica*) ugello; tubiera.

◆**TV**① /tiː'viː/ *n.* ⃞ tivù; televisione ● **TV aerial**, antenna televisiva □ **TV aerial contractor** (*o installer*), antennista □ **TV dinner**, pasto pronto che può essere scaldato nel suo contenitore □ **TV listings**, programmi televisivi (*sui giornali*) □ **TV set**, televisore □ *Where's the TV guide?*, dov'è la guida TV?

TV② *abbr.* (*fam.*, **transvestite**) travestito.

twaddle /'twɒdl/ *n.* ⃞ chiacchiere; ciarle; frottole; fanfaluche; sciocchezze; stupidaggini; fesserie (*fam.*).

to twaddle /'twɒdl/ *v. i.* ciarlare; raccontar frottole; parlare a vanvera; dire (*o scrivere*) sciocchezze (*o stupidaggini, fesserie*).

twaddler /'twɒdlə(r)/ *n.* chi parla a vanvera; chiacchierone, chiacchierona; ciarlone, ciarlona.

twain /tweɪn/ *a.* e *n.* (*lett. o arc.*) due: *'Oh, East is East, and West is West, and never*

the t. shall meet' R. KIPLING, 'Oh, l'Oriente è l'Oriente, e l'Occidente è l'Occidente, e i due non troveranno mai un punto d'incontro'; **to cut in t.**, tagliare in due.

twang /twæŋ/ n. **1** suono metallico; vibrazione (*come di corda di strumento musicale pizzicata*) **2** (*mus.*) pizzicata **3** suono nasale; tono (*o pronuncia*) nasale: **to speak with a (nasal) t.**, parlare con pronuncia nasale (*o* con timbro nasale); parlare col naso (*fam.*).

to **twang** /twæŋ/ A v. i. **1** dare un suono metallico; vibrare (emettendo un ronzio): *The bow twanged and the arrow shot away*, l'arco vibrò e la freccia saettò via **2** parlare con timbro nasale; avere una pronuncia nasale **3** (*di violino, ecc.*) stridere B v. t. **1** pizzicare le corde di (*uno strumento musicale*); strimpellare: *He twanged (on) a fiddle*, strimpellava un violino **2** dire (*o pronunciare*) con voce nasale.

twangy /'twæŋɪ/ a. **1** (*mus.*) vibrato; pizzicato **2** (*di pronuncia, di voce*) nasale.

'twas /twɒz, twəz/ contraz. di **it was**.

twat /twæt/ n. (*volg.*) **1** passera, topa, fica (*volg.*) **2** le donne (*come oggetti sessuali*) **3** coglione (*fig. volg.*); fesso; fetente (*fig. pop.*); stronzo (*fig. volg.*).

tweak /twiːk/ n. **1** pizzicotto; pizzicatina; tirata di naso **2** (*comput.*) piccola modifica a un sistema (*per migliorarne il funzionamento*) **3** (*per estens.*) ritocco; piccola migliora.

to **tweak** /twiːk/ v. t. **1** pizzicare; pizzicottare; tirare; storcere: **to t. sb.'s nose**, tirare il naso a q. (*prendendolo fra due dita*) **2** (*comput.*) fare piccole modifiche a (*un sistema, ecc.*); smanettare (*fam.*) **3** (*per estens.*) ritoccare lievemente; fare piccole migliorie a (qc.).

twee /twiː/ a. (*fam. ingl.*) lezioso; zuccheroso; stucchevole.

tweed /twiːd/ n. **1** (*ind. tess.*) tweed **2** (pl.) abiti di tweed.

tweedle /'twiːdl/ n. suono di violino (*o d'altro strumento a corda*); suono di cornamuse; strimpellio.

Tweedledum and Tweedledee /twiːdl'dʌməntwiːdl'diː/ loc. n. (*scherz. o spreg.*) persone (*o cose*) quasi uguali (*cfr. ital. «Se non è zuppa è pan bagnato»*).

tweedy /'twiːdɪ/ a. **1** che indossa abitualmente indumenti di tweed **2** di (*o simile a*) tweed **3** vestito come un signore di campagna (*o in modo sportivo*) **4** (*fig.*) rustico; sportivo; tradizionale.

'tween /twiːn/ avv. e prep. (*poet. o arc.*; contraz. di **between**) fra, tra (*naut.*) **'tween-decks**, interponte; corridoio.

tweenie /'twiːnɪ/ n. (*fam.*) bambino, ragazzino (*tra i 5 e i 14 anni*).

tweeny /'twiːnɪ/ n. (*fam.*) servetta; sguattera.

tweet /twiːt/ n. cinguettio.

to **tweet** /twiːt/ v. i. cinguettare.

tweeter /'twiːtə(r)/ n. (*tecn.*) tweeter; altoparlante per alte frequenze sonore.

to **tweezer** /'twiːzə(r)/ A v. t. cavare, estrarre (*un pelo, uno spino, ecc.*) con le pinzette B v. i. usare le pinzette.

tweezers /'twiːzəz/ n. pl. (= **pair of t.**) pinzette, pinzettine.

twelfth /twelfθ/ a. e n. dodicesimo ● (*relig.*) **the T. Day**, il giorno dell'Epifania □ (*sport: cricket*) **t. man**, giocatore di riserva □ (*relig.*) **the T. Night**, la notte dell'Epifania □ **(on) the t. of April**, il dodici aprile.

♦**twelve** /twelv/ a. e n. dodici ● (*relig.*) **the T.**, i Dodici (Apostoli) □ (*d'arma da fuoco*) **t.-gauge**, di calibro dodici □ (*mus., fam.*) **t.-inch**, maxi singolo; dodici pollici (*disco in vinile di 30,5 cm di diametro che suona a 45 giri*) □ **t.-step**, programma di recupero (*per alcolisti, tossicodipendenti, ecc.*) in dodici tappe □

t. o'clock at night, le ventiquattro; mezzanotte □ (*mus.*) **t.-tone**, dodecafonico □ (*di bambino*) **t.-year-old**, dodicenne □ (*tipogr.*) **in twelves**, in dodicesimo.

twelvefold /'twelvfəʊld/ A a. **1** diviso in dodici parti **2** dodici volte più grande B avv. dodici volte (tanto).

twelvemo /'twelvməʊ/ n. (*tipogr.*) (formato in) dodicesimo.

twelvemonth /'twelvmʌnθ/ n. (*arc.*) anno: **this day t.**, fra un anno; (*anche*) un anno fa.

♦**twenty** /'twentɪ/ a. e n. venti ● **the twenties**, gli anni venti ('20-'29); gli anni fra i 20 e i 30 (*nella vita di un uomo*): **to be in one's twenties**, essere sulla ventina ● **t.-first**, ventunesimo □ (*autom.*) **the Le Mans t.-four-hour race**, la ventiquattrore di Le Mans □ **t.-one**, ventuno; (*USA*) blackjack (*gioco di carte, simile all'ital. sette e mezzo*) □ **a t.-two**, una 'ventidue'; una pistola calibro 22 □ (*med.*) **t.-t. vision**, vista perfetta; dieci decimi □ **I've told you t. times**, te l'ho detto mille volte (*enfat.*) ‖ **twentieth**. a. e n. ventesimo ● (*nelle date*) **the twentieth of June**, il 20 giugno ‖ **twentyfold** A a. **1** diviso in venti parti **2** venti volte più grande B avv. venti volte (tanto).

twentyfourmo, **24mo** /twentɪ'fɔːməʊ/ n. (pl. **twentyfourmos**) (*tipogr.*) (formato in) ventiquattresimo.

24/7 /twentɪf'sevən/ avv. (*fam.*) 24 ore su 24, 7 giorni su 7; sempre.

'twere /twɜː(r), twə(r)/ contraz. di **it were**.

twerp /twɜːp/ → **twirp**.

♦**twice** /twaɪs/ avv. due volte: **t. as strong**, due volte più forte; *I go to the gym t. a week*, vado in palestra due volte alla settimana □ **t. as much**, due volte tanto; il doppio □ **t. the money**, il doppio (di denaro): *I gave him t. the money*, gli detti il doppio □ **a t.-told tale**, un racconto detto e ripetuto; una storia vecchia; una cosa trita □ **once or t.**, una volta o due; poche volte □ **to think t. about doing st.**, pensarci su due volte prima di fare qc. □ (*mat.*) **T. five is ten**, cinque per due fa dieci □ **Since the operation he's t. the man he was**, dopo l'operazione, si sente molto meglio.

twiddle /'twɪdl/ n. lieve rotazione; il rigirare; il far girare i pollici.

to **twiddle** /'twɪdl/ A v. t. **1** far girare; spostare: **to t. the dial of the radio**, far girare l'indicatore della radio **2** giocherellare con (qc.); rigirare fra le dita B v. i. **1** giocherellare (*con un oggetto*); trastullarsi; baloccarsi; gingillarsi **2** (*d'oggetto*) girare; frullare ● (*anche fig.*) **to t. one's thumbs**, girare (*o girarsi*) i pollici.

twig /twɪɡ/ n. **1** ramoscello; rametto; virgulto **2** verghetta **3** bacchetta da rabdomante **4** (*anat.*) ramo terminale (*di un nervo, ecc.*) ● (*fam., scherz.*) **to hop the t.**, morire; tirare le cuoia; (*anche*) battersela, svignarsela ‖ **twiggy** a. **1** simile a un virgulto; sottile; esile **2** pieno di virgulti; coperto di ramoscelli.

to **twig** /twɪɡ/ v. t. e i. (*fam.*) **1** capire; comprendere; afferrare l'idea **2** notare; osservare; accorgersi (di qc.).

twigloo /'twɪɡluː/ n. (*fam.*) riparo di frasche (*usato da ambientalisti che fanno un'occupazione di protesta*).

twilight /'twaɪlaɪt/ A n. [U͞C] **1** crepuscolo (*anche fig.*); luce crepuscolare: **the t. of the gods**, il crepuscolo degli dei **2** luce fioca; penombra **3** (*fig.*) tramonto; fine: **the t. of the Roman Empire**, il tramonto dell'impero romano B attr. **1** crepuscolare (*anche fig.*); vago; incerto (*astron., radio*) **t. zone**, zona crepuscolare; (*fig.*) zona grigia **2**

(*fig.*) oscuro; confuso: **a t. age in history**, un'epoca storica oscura ● (*med.*) **t. sleep**, sonno crepuscolare □ (*urbanistica*) **t. zone**, zona degradata.

twill /twɪl/ n. [U] (*ind. tess.*) diagonale; twill ● **cross t.**, (tessuto) spigato □ **reversed t.**, saia alla rovescia.

to **twill** /twɪl/ v. t. (*ind. tess.*) tessere (*un panno*) in diagonale ‖ **twilled** a. (*di tessuto*) diagonale ● **cross-twilled**, spigato.

'twill /twɪl, twəl/ contraz. di **it will**.

♦**twin** /twɪn/ A a. **1** gemello: **t. brothers [sisters]**, fratelli gemelli [sorelle gemelle] **2** (*di cristallo*) geminato B n. **1** gemello, gemella; (*fig.*) cosa identica a un'altra: *His Chinese vase is the t. of mine*, il suo vaso cinese è il gemello del mio **2** – (pl.) (*astron., astrol.*) **the Twins**, i Gemelli (*costellazione e III segno dello zodiaco*) ● **a t.-bedded room**, una camera a due letti; una doppia (*fam.*) □ **t. beds**, letti gemelli □ (*mitol.*) **the T. Brothers**, Castore e Polluce □ (*telef.*) **t. cable**, linea bifilare □ (*mecc.: di un motore*) **t.-cam**, doppie camme □ (*miner.*) **t. crystal**, geminato □ (*mecc.*) **t.-cylinder engine**, motore a due cilindri □ (*ipp., USA*) **t. double**, accoppiata doppia □ (*mecc.*) **t.-engine** (*o* **t.-engined**), bimotore; a due motori □ (*aeron.*) **t.-engine** (*o* **t.-engined) plane**, bimotore □ (*aeron.*) **t. jet**, bireattore □ **t. room**, camera doppia (*o a due letti*) □ (*aeron.*) **t.-rotor**, a due rotori; birotore □ (*naut.*) **t.-screw**, bielica; a due eliche □ **t. towns**, città gemelle (*o gemellate*).

to **twin** /twɪn/ A v. i. **1** accoppiarsi; appaiarsi **2** (*di città*) gemellarsi **3** (*di cristalli*) formare geminati B v. t. **1** accoppiare; appaiare **2** gemellare (*città*).

twine /twaɪn/ n. **1** [U] tortiglia; cordicella; funicella; spago **2** avvolgimento; spira: **snaky twines**, spire serpentine **3** groviglio; garbuglio; viluppo.

to **twine** /twaɪn/ A v. t. **1** attorcigliare; torcere; ritorcere **2** intrecciare; intessere: **to t. flowers into a garland**, intrecciare fiori facendone una ghirlanda **3** avvolgere; avviluppare; cingere; mettere (*qc. intorno a qc. altro*): *The child twined his arms round his mother*, il bambino cinse la mamma con le braccia B v. i. **1** attorcigliarsi; avvolgersi: *The ivy twines round the trunk of the oak*, l'edera si attorciglia intorno al tronco della quercia **2** (*di corso d'acqua*) serpeggiare; formare meandri ● **to t. oneself**, avviticchiarsi; attorcigliarsi; avvolgersi; avvilupparsi: *The snake slowly twined itself round the hollow trunk*, il serpente si attorcigliò lentamente intorno al tronco cavo.

twiner /'twaɪnə(r)/ n. (*bot.*) fusto volubile.

twinflower /'twɪnflaʊə(r)/ n. (*bot., Linnaea borealis*) linnea.

twinge /twɪndʒ/ n. **1** dolore lancinante; fitta: **a t. in one's arm**, una fitta al braccio **2** (*fig., = **t. of conscience**) rimorso ● **a t. of fear**, una sensazione dolorosa di paura.

twining /'twaɪnɪŋ/ a. **1** (*di fiume, ecc.*) serpeggiante; sinuoso **2** (*bot.: di pianta*) rampicante.

twink① /twɪŋk/ (*fam.*) → **twinkling, def. 2**.

twink② /twɪŋk/ n. (*slang USA*) **1** (*spreg.*) finocchio; checca **2** (*spreg.*) tipo effeminato; mammoletta **3** bel giovane; ragazzo sexy.

twinkie /'twɪŋkɪ/ n. (*slang USA*) ragazza attraente; ninfetta.

twinkle /'twɪŋkl/ n. **1** scintillio; sfavillio; balenio; luccichio **2** ammicco; strizzatina d'occhio **3** batter di ciglia **4** rapido movimento (*dei piedi nella danza, ecc.*) ● (*fam.*) **in a t.**, in un batter d'occhio; in un baleno.

to **twinkle** /'twɪŋkl/ A v. i. **1** brillare;

scintillare; sfavillare; balenare; luccicare: *His eyes twinkled*, gli brillavano gli occhi 2 ammiccare; strizzare l'occhio; far l'occhiolino 3 (*delle palpebre, di ciglia*) battere 4 muoversi rapidamente; girare vorticosamente **B** v. t. 1 emettere (*luce*) a intervalli; far balenare 2 strizzare: **to t. one's eyes**, strizzar l'occhio.

twinkling /'twɪŋklɪŋ/ n. ⓤⓒ 1 scintillio; sfavillio; balenio; luccichio 2 batter d'occhio; attimo; istante: **in a t.** (*o* **in the t. of an eye**; *fam.* **in a twink**), in un batter d'occhio; in un attimo.

twinning /'twɪnɪŋ/ n. 1 appaiamento 2 gemellaggio (*l'azione*) 3 (*di cristalli*) geminazione 4 (*med.*) gravidanza gemellare 5 ⓤ (*org. az.*) l'alternarsi (*di due dipendenti*) al posto di lavoro.

twinset /'twɪnsɛt/ n. (*moda*) twin-set (*da donna: due golf*).

twinship /'twɪnʃɪp/ n. ⓤ 1 l'esser gemelli; gemellanza 2 (*fig.*) gemellaggio (*la condizione*).

twirl /twɜːl/ n. 1 giro vorticoso; mulinello; rotazione 2 piroetta 3 volta, giro (*di fune attorta*); spira 4 svolazzo; ghirigoro.

to **twirl** /twɜːl/ **A** v. t. 1 far girare; mulinare; roteare: **to t. one's thumbs**, far girare i pollici; (*fig.*) star con le mani in mano 2 arricciare; torcere: *He twirled his moustache*, si arricciò i baffi **B** v. i. 1 girare; roteare 2 piroettare.

twirler /'twɜːlə(r)/ n. 1 chi rotea 2 (*USA*, = **baton t.**) majorette che fa roteare il bastone 3 (*fam. USA*) (*baseball*) lanciatore.

twirp /twɜːp/ n. (*slang*) 1 (*un tempo*) canaglia; furfante 2 (*fig.*) stupido; babbeo; sciocco; fesso (*pop.*); pirla (*region.*).

twist /twɪst/ n. ⓤⓒ 1 contorsione; torcimento; storta; strizzatina; giro: *He gave my arm a t.*, mi diede una storta al braccio (mi storse il braccio) 2 avvitata: *Give the nut another t.*, dà un'altra avvitata al dado! 3 curva; svolta; voltata; ansa (*di fiume*): **a t. in the road**, una curva nella strada; **a t. in a river**, un'ansa di fiume 4 piega; volta, giro (*di fune*); spira; voluta: **a t. of smoke**, una voluta di fumo 5 corda; filo (*o* spago) ritorto 6 (*di pane*) treccia; filoncino 7 (*di tabacco*) rotolo 8 (*ind. tess.*) torcitura: **soft t.**, torcitura soffice 9 (*med.*) distorsione; storta (*fam.*): *This is a nasty t.*, questa è una brutta storta 10 (*biliardo*) effetto (*dato a una bilia*) 11 (*fig.*) inclinazione; tendenza 12 miscela di liquori; cocktail: **a gin t.**, cocktail al gin 13 twist (*ballo*) 14 (*fig.*) travisamento (*del significato di qc., ecc.*); forzatura; senso forzato (*dato alle parole di q., ecc.*) 15 (*fig.*) sviluppo imprevisto; svolta sorprendente (*nell'intreccio di un romanzo, ecc.*); piega (*fig.*): *The match takes another t.*, la partita prende un'altra piega; *The plot is so cleverly written, there are lots of twists and turns*, la trama è costruita così bene, ci sono un sacco di intrecci e colpi di scena 16 (*mecc.*) torsione; avvitamento su sé stesso 17 (*aeron.*) svergolamento: **wing t.**, svergolamento alare 18 (*fam.*) appetito 19 (*baseball, biliardo, ecc.*) rotazione (*della palla*) su sé stessa; effetto (*dato alla palla*) 20 (*lotta*) torsione 21 (*nuoto, tuffi*) avvitamento 22 (*slang USA*) ragazza carina ● **t. bar**, sbarra pieghevole (*attrezzo ginnico*) □ **t. dive**, tuffo in avvitamento □ (*mecc.*) **t. drill**, trapano a punta elicoidale □ (*mecc.*) **t. grip**, (*di bicicletta*) manopola del cambio; (*di motocicletta*) manopola (*della frizione o dell'acceleratore*) □ (*mil.*) **t. of rifling**, passo della rigatura n. (*fam.*) **to be round the t.**, essere matto da legare □ *That novelist often gives his stories a humorous t.*, spesso quel romanziere dà alle sue storie un piglio umoristico.

♦to **twist** /twɪst/ **A** v. t. 1 torcere; attorce-

re; ritorcere; storcere; attorcigliare; intrecciare; avvolgere: **to t. a wet sponge**, torcere (*o* strizzare) una spugna bagnata; **to t. the strands of a rope**, attorcigliare i trefoli d'una fune; **twisted thread**, filo ritorto; **to t. one's ankle**, storcersi la caviglia; *I twisted my knee slightly*, ho preso una leggera storta al ginocchio; *I twisted the rope around the pole*, attorcigliai la fune attorno al palo; **to t. (flowers into) a garland**, intrecciare (fiori facendone) una ghirlanda; **to t. a thread** [**a rope**], intrecciare un filo [una fune]; **to t. a ribbon round a hat**, avvolgere (*o* mettere) un nastro a un cappellino 2 (*fig.*) storcere; distorcere; svisare; travisare: *He has twisted my words*, ha distorto (*o* travisato) le mie parole 3 (*mecc.*) sottoporre a torsione 4 far girare a forza; far ruotare; dare un giro a (qc.): *He twisted the door handle*, fece girare a forza la maniglia della porta 5 (*aeron.*) svergolare 6 (*fig. raro*) abbindolare; ingannare 7 (*biliardo*) lanciare (*una bilia*) con l'effetto; dare l'effetto a (*una bilia*) 8 (*baseball, ecc.*) dare l'effetto a (*una palla*) 9 (*stor.*) torcere (*membra*) nella tortura **B** v. i. 1 torcersi; attorcersi; contorcersi; storcersi; attorcigliarsi; avvolgersi: *This wire twists easily*, questo filo metallico si torce facilmente; *The wounded snake twisted about*, il serpente ferito si contorceva 2 curvare; piegare; (*spesso* **to t. and turn**) serpeggiare: *The road twists to the left there*, la strada in quel punto piega a sinistra; *The river twists and turns down the valley*, il fiume scende serpeggiando per la vallata 3 (*fig. raro*) imbrogliare; truffare; essere disonesto 4 roteare; ruotare 5 (*biliardo: della bilia*) avere l'effetto 6 ballare il twist 7 (*mecc.*) avvitarsi su sé stesso 8 (*aeron.*) svergolarsi 9 (*baseball, ecc.*) (*della palla*) deviare per l'effetto; procedere ruotando su sé stessa 10 (*calcio*) avvitarsi ● **to t. sb.'s arm**, torcere un braccio a q.; (*fig.*) fare pressioni su q. (*perché faccia qc.*) □ (*sci, ecc.*) **to t. one's trunk**, effettuare una torsione del busto.

■ **twist around A** v. t. + avv. 1 avvolgere; legare (*i capi di una fune, ecc.*) 2 (*fig.*) travisare, svisare (*le parole di q., ecc.*) **B** v. i. + avv. 1 attorcigliarsi attorno a: *The fishing line twisted around the branch*, la lenza si attorcigliò intorno al ramo 2 contorcersi **C** v. t. + prep. avvolgere, legare (qc.) intorno a □ (*fig. fam.*) **to t. sb. around one's little finger**, mettersi in tasca q. (*fig.*); far fare a q. quello che si vuole.

■ **twist off A** v. t. + avv. 1 svitare: *T. off the cap instead of pulling it*, svita il cappuccio, invece di tirarlo! 2 togliere (qc.) con uno strappo; strappare 3 spezzare (qc.) torcendolo: **to t. off a piece of wire**, spezzare un pezzo di fil di ferro torcendolo **B** v. i. + avv. 1 svitarsi; (*di un coperchio, ecc.*) venir via essendo svitato 2 (*di una ruota e sim.*) uscire dal mozzo; venir via; scappare (*fam.*).

■ **twist out of** v. i. + avv. + prep. svincolarsi, sgusciare da (*una stretta, ecc.*).

■ **twist round → twist around** □ **to t. sb. round one's little finger**, rigirarsi q. come si vuole; fargli fare quello che si vuole.

■ **twist up A** v. t. + avv. 1 attorcigliare (qc.) a spirale; appallottolare; accartocciare 2 (*fig.*) tormentare; torturare: *He was twisted up inside with boundless ambition*, l'ambizione sfrenata lo tormentava nell'animo **B** v. i. + avv. 1 (*di una strada e sim.*) salire a curve strette (*o a tornanti*) 2 (*fig.*) torcersi; contorcersi: *His face twisted up with pain*, il viso gli si distorse per il dolore; fece una smorfia di dolore.

twistable /'twɪstəbl/ a. 1 che si può torcere 2 attorcigliabile; intrecciabile 3 che si può distorcere (*o* svisare, travisare).

twisted /'twɪstɪd/ a. 1 torto; ritorto; con-

torto; storto: **t. thread**, filo ritorto; **a face t. with horror**, una faccia distorta dall'orrore; **a t. bar**, una sbarra storta 2 a spirale; contorciglione: **a t. column**, una colonna a spirale; **t. moustache**, baffi a torciglione ● (*di persona*) **to be t.**, essere storto □ **a t. mind**, una mente malata (*o* perversa) □ (*tecn.*) **t. pair**, doppino intrecciato.

twister /'twɪstə(r)/ n. 1 torcitore, torcitrice 2 (*ind. tess.*) ritorcitoio (*macchina*) 3 (*biliardo*) bilia con l'effetto 4 (*USA*) tornado; tromba d'aria 5 rompicapo; grave problema; compito difficile 6 (*fam.*) imbroglione; truffatore 7 (*mus.*) ballerino di twist 8 (*baseball*) palla con l'effetto; palla tagliata.

twisting /'twɪstɪŋ/ n. ⓤⓒ 1 torsione; distorsione; torcitura 2 contorsione; contorcimento 3 (*ind. tess.*) ritorcitura 4 (*mecc.*) l'avvitarsi su sé stesso 5 (*aeron.*) svergolamento 6 (*ass.*) insistente proposta di aggiornamento di polizza 7 (*calcio*) avvitamento 8 (*ginnastica*) torsione (*del busto, ecc.*) 9 (*lotta*) giro; torsione ● **twistings and turnings**, andamento serpeggiante (*di una strada, ecc.*); (*fig.*) serie di meandri; intricatezze; labirinto □ (*tuffi*) **t. dive**, tuffo con torsione □ (*ind. tess.*) **t. frame**, ritorcitoio □ (*lotta*) **t. move**, mossa di torsione □ (*lotta*) **t. throw**, proiezione (*dell'avversario*) con giro.

twisty /'twɪstɪ/ a. 1 pieno di curve (*o di* svolte); pieno di anse (*o di meandri*); serpeggiante; tortuoso: **a t. river**, un fiume serpeggiante; **a t. road**, una strada tortuosa 2 (*fam.*) disonesto; corrotto: **a t. diplomat**, un diplomatico disonesto 3 (*slang USA*) eccitante (*sessualmente*); sexy.

twit /twɪt/ n. 1 (*fam.*) rimprovero; sgridata 2 (*fam.*) presa in giro; canzonatura; sfottimento 3 (*slang*) stupido; cretino; citrullo; fesso 4 (*USA*) agitazione; nervosismo.

to **twit** /twɪt/ v. t. (*fam.*) 1 rimproverare; sgridare: **to t. sb. with** (*o* **about**) st., rimproverare q. di qc. (*o* qc. a q.) 2 stuzzicare; prendere in giro; sfottere (*pop.*).

twitch ① /twɪtʃ/ n. 1 contrazione convulsa; spasmo muscolare; tic 2 stratta; strattone; strappo; tirata 3 (*vet.*) stringinaso.

twitch ② /twɪtʃ/ n. (*bot., Agropyron repens*; = **t. grass**) gramigna dei medici; dente canino.

to **twitch** /twɪtʃ/ **A** v. i. 1 contorcersi; contrarsi; torcersi spasmodicamente: *His face twitched with pain*, gli si contrasse il viso per il dolore 2 muoversi a scatti; battere (*fam.*): *My eye is twitching*, mi batte un occhio 3 (*della coscienza*) rimordere **B** v. t. 1 dare uno strattone a; tirare; strappare: **to t. sb.'s sleeve**, tirare q. per la manica 2 contrarre, muovere a scatti (*una parte del corpo*): *The cat twitched its ears*, il gatto mosse le orecchie ● **to t. at sb.'s jacket**, tirare q. per la giacca.

twitcher /'twɪtʃə(r)/ n. (*fam. ingl.*) 'bird-watcher' appassionato di specie rare.

twitching /'twɪtʃɪŋ/ **A** n. ⓤⓒ 1 contrazione convulsa; spasmo muscolare; tic nervoso 2 strattone; strappo; tirata **B** a. fremente; palpitante.

twitchy /'twɪtʃɪ/ a. (*fam.*) nervoso; irrequieto; inquieto; ansioso | **-iness** n. ⓤ.

twite /twaɪt/ n. (*zool., Carduelis flavirostris*) fanello nordico.

twitter /'twɪtə(r)/ n. ⓤⓒ 1 cinguettio; pigolio 2 (*fig.*) ciance; ciarle; chiacchierio 3 (*fig.*) risatina sciocca 4 (*fam.*) agitazione; eccitazione; ansia: **to be in a t.**, essere in ansia (*o* eccitato).

to **twitter** /'twɪtə(r)/ **A** v. i. 1 (*d'uccelli*) cinguettare; pigolare: '*And gathering swallows t. in the skies*' J. KEATS, 'e le rondini che si adunano cinguettano nel cielo' 2 (*fig.*) cianciare; parlare in fretta, animatamente 3 (*fig.*) ridacchiare **B** v. t. dire (qc.).

animatamente, in fretta; cinguettare di (qc.).

'twixt /twɪkst/ *prep.* (*lett.*, *poet.*; contraz. di **betwixt**) fra, tra.

♦**two** /tuː/ *a.* e *n.* due: **one or two books**, un libro o due; qualche libro; *It's half past two*, sono le due e mezzo ● (*comput.*) **two-address code**, codice a due indirizzi □ (*baseball*) **two-base hit**, doppio □ **two-beaked anvil**, bicornia (*incudine*) □ (*fam. USA*) **two-bit**, da poco; insignificante; da due (*o da quattro*) soldi □ (*fam. USA*) **two-bit piece**, moneta da venticinque centesimi di dollaro □ (*fam. USA*) **two-blink**, insignificante; visibile a stento □ **two-by-four**, (*di legno da costruzione*) (tavola) standard (*di due pollici per quattro*); (*fig. USA*: *spec. di un edificio*) piccolo, limitato, insignificante □ **two by two**, a due a due; (*mat.*) due per due □ **sb.'s two cents' worth**, l'opinione di q. (*su un argomento in discussione*) □ (*equit.*) **two clear rounds**, due percorsi netti; doppio netto □ (*bot.*) **two-cleft**, bifido □ **two-colour**, bicolore □ (*tecn.*) **two-control**, a doppio comando: **a two-control aeroplane**, un aereo a doppio comando □ (*mecc.*) **two-cycle**, a due tempi □ **two-decker**, (*naut.*) nave a due ponti; (*trasp.*) autobus (*o tram*) a due piani □ (*tecn.*, *scient.*) **two-dimensional**, bidimensionale □ **two-edged**, a due tagli, a doppia lama; a doppio taglio; (*fig.*) a doppio taglio, ambiguo □ **two-faced**, a due facce; (*fig.*) falso, insincero, doppio, ipocrita □ **two-fisted**, ambidestro (*spec. di pugile*) □ **two-handed**, a due mani; che richiede l'uso di due mani (*o di due persone*); a due: **a two-handed saw**, una sega a due mani; (*tennis*) **a two-handed backhand**, un rovescio a due mani □ **a two-handed game**, una partita a due (*o in due*) □ **two-headed**, bicipite; a due teste □ (*nuoto*) **the 200-metre backstroke**, i duecento dorso □ (*atletica*) **the 200-metre dash**, i duecento (piani) □ (*atletica*) **200-metre runner**, duecentometrista; duecentista □ (*nuoto*) **200-metre swimmer**, duecentometrista; duecentista □ (*zool.*) **two-legged**, bipede □ (*sport*) **two-man bob sleigh**, bob a due (*lo slittino*) □ (*naut.*) **two-master**, nave a due alberi; due alberi □ (*ipp.*) **the two-mile hurdle race**, la corsa a siepi sui tremila metri □ **the two-minute silence**, i due minuti di raccoglimento (*per i caduti in guerra*, *ecc.*) □ (*pesistica*) **two-movement lift**, sollevamento in due tempi □ **two-on-one**, due contro uno; scontro impari □ **two-part**, in due parti; (*mus.*) per due voci; (*econ.*) a due scaglioni: **two-part tariff**, tariffa a due scaglioni □ (*polit.*) **two-party dominance**, predominio del sistema bipartitico (*per es.*, *in USA*) □ (*polit.*) **two-party government**, governo bicolore □ (*polit.*) **two-party system**, sistema bipartitico; bipartitismo □ (*fam.*) **two-a-penny**, da due soldi, da quattro soldi; assai comune; che vale poco; insignificante □ (*elettr.*) **two-phase**, bifase □ (*moda*) **two-piece**, (agg.) in (*o a*) due pezzi: **a two-piece bathing suit**, un costume da bagno a due pezzi; (sost.) due pezzi □ **a two-piece dress**, un tailleur □ **a two-piece suit**, uno spezzato □ (*elettr.*) **two-pin plug**, presa bipolare □ **two-ply**, (*di compensato*, *ecc.*) a due strati; (*di filo*, *fune*) a due capi; (*di tessuto*) doppio □ **two-pronged**, a due rebbi; biforcuto; (*fig.*) duplice; su due fronti, su due direttrici, doppio e coordinato □ (*baseball*: *del battitore*) **a two-run homer**, una corsa alla casa base in due tempi □ **two-seater**, (*autom.*) vettura a due posti; (*aeron.*) biposto □ **two-sided**, che ha due lati, bilaterale; (*fig.*) che ha due aspetti; ambivalente; ambiguo; controvertibile: **a two-sided question**, un problema che ha due aspetti □ (*rag.*) **a two-sided account**, un conto a due sezioni (*o a due colonne*) □

(*mecc.*) **two-speed**, a due velocità: **a two-speed gear**, un cambio a due velocità □ **a two-star hotel**, un albergo a due stelle □ (*mus.*) **two-step**, passo doppio (*musica e ballo*) □ **two-stroke**, (*mecc.*: *di motore*) a due tempi; (*canottaggio*) in due tempi: **a two-stroke rowing technique**, una tecnica di vogata in due tempi □ **two-tier**, doppio; duplice: (*econ.*) **two-tier market**, doppio mercato (valutario) □ **two-tone**, a due colori, bicolore; (*acustica*) bitonale, a due frequenze: **a two-tone hooter**, un clacson (*o una sirena*) bitonale; **two-tone modulation**, modulazione a due frequenze □ **two-tongued**, falso; bugiardo; infido; menzognero □ (*Austral.*, *NZ*) **two-up**, lancio delle due monete (*gioco d'azzardo*) □ (*fam. ingl.*) **two-up, two-down**, (casetta) unifamiliare a due piani, con due stanze per piano □ (*econ.*) **two-wage-earner family**, famiglia con due percettori di reddito da lavoro; famiglia con due salari □ **two-way**, a due direzioni; a due sensi; a doppio senso; (*mecc.*) a due vie; (*elettr.*) bipolare; (*radio*) ricetrasmittente; (*comput.*) a due vie, bidirezionale, alternato; (*stat.*) a doppia entrata; (*fig.*) a due vie, bilaterale, reciproco: **a two-way street**, una strada a doppio senso; (*fig. USA*) una situazione da affrontare in due; **a two-way cock**, un rubinetto a due vie; **a two-way switch**, un interruttore bipolare; **a two-way radio set**, una (radio) ricetrasmittente; **a two-way connection**, un collegamento a due vie; (*org. az.*) **two-way communications**, comunicazione a due vie; **two-way mirror**, vetro a specchio □ **two-wheeled**, a due ruote □ **two-wheeler**, veicolo a due ruote □ (*elettr.*) **two-wire circuit**, circuito bifilare □ **by twos**, a due a due □ **to cut st. in two**, tagliare qc. in due (parti); dividere qc. a metà □ (*fig.*) **in two twos**, in un batter d'occhio; in quattro e quattr'otto □ (*fig.*) **to put two and two together**, saltare alle conclusioni; tirare le somme □ **to walk in twos**, camminare a due a due (*o per due*) □ **Two can play at that game**, in una partita che si gioca in due; (*fig.*) posso farlo anch'io!; posso fare altrettanto!; posso rendere pan per focaccia.

to twoc /twɒk/ *v. t.* (*fam. ingl.*, acronimo di **take without owner's consent**) rubare (*un automezzo*) ‖ **twoccer** *n.* ladro d'automobili.

twofer /'tuːfə(r)/ *n.* (*slang USA*) **1** oggetto che si vende dandone due al prezzo di uno **2** (*fig.*) merce (*o roba*) scadente **3** (*teatr.*) due biglietti al prezzo di uno.

twofold /'tuːfəʊld/ **A** *a.* **1** duplice: **for a t. motive**, per un duplice motivo **2** doppio **B** *avv.* due volte (tanto); doppiamente.

2G sigla (*tel.*, **second generation**), (di) seconda generazione.

twoness /'tuːnəs/ *n.* ▣ (*raro*) dualità; duplicità.

twopence /'tʌpəns/ *n.* ▣ **1** two penny (*la somma o il valore*) **2** (*in GB*) monetina da due penny **3** (*stor.*) monetina d'argento (*da due penny*) ● (*fam.*) **I don't care t.**, non me ne importa un fico (*o un soldo bucato*).

twopenny /'tʌpnɪ/ *a.* **1** da due penny **2** (*fig.*) da quattro soldi; di poco valore; dozzinale; misero ● **t.-halfpenny**, da due penny e mezzo; (*fig.*) dozzinale, insignificante, meschino, da due soldi: **a t.-halfpenny stamp**, un francobollo da due penny e mezzo.

twosome /'tuːsəm/ **A** *a.* (*di ballo*, *gioco*, *ecc.*) a due; per due persone; in coppia **B** *n.* **1** gruppo di due; duo; coppia (*di giocatori*, *ecc.*); paio; (*fam*) **a nice t.**, una bella coppia **2** ballo (gioco, ecc.) a coppie **3** (*golf*) singolo (sost.).

to two-time /'tuːtaɪm/ (*fam.*) **A** *v. t.* ingannare; tradire; essere infedele a (q.) **B** *v.*

i. essere infedele ‖ **two-timer** *n.* traditore, traditrice; infedele (*all'innamorato*).

'twould /twʊd/ contraz. (*arc.*, *poet. o dial.*) di **it would**.

twyer /'twaɪə(r)/ → **tuyère**.

TX abbr. **1** (*USA*, **Texas**) Texas **2** (*anche* Tx) (*radio*, **transmitter**) trasmettitore.

Tyburn /'taɪbɜːn/ *n.* (*stor.*) Tyburn (*località presso il Marble Arch a Londra in cui si eseguivano le condanne a morte per impiccagione*) ● (*slang*) **T. tree**, forca; patibolo.

tycoon /taɪˈkuːn/ *n.* **1** (*stor.*, *in Giappone*) taicùn **2** tycoon; capitano d'industria; magnate: **a business t.**, un grossissimo imprenditore; **a media t.**, un magnate dell'informazione.

tye /taɪ/ *n.* (*naut.*) amante.

tying /'taɪɪŋ/ **A** part. pres. di **to tie** **B** *a.* vincolante: (*leg.*) **t. contract**, contratto vincolante **C** *n.* ▣ il legare; l'annodare ● (*baseball*) **t. run**, 'run' del pareggio □ **t. up**, blocco, crampo (*di un muscolo*); (*autom.*) blocco, ingorgo (*del traffico*).

tyke /taɪk/ *n.* **1** (*di solito*, **little t.**) bimbo; bimbetto **2** (*fam.*) cane; (*spec.*) cane randagio; bastardino; (*Austral.* e *NZ* **anche Yorkshire t.**) tizio dello Yorkshire **4** (*Austral.* e *NZ*) cattolico **5** (*ingl. antiq.*, *spreg.*) tipaccio; individuo rozzo e sgarbato.

tyler /'taɪlə(r)/ *n.* **1** bambino; marmocchio; birba; monello (anche al vocat.) **2** (*zool.*) cane bastardo **3** (*spreg.*) bastardo; mascalzone **4** (*ingl.*) abitante dello Yorkshire **5** (*spreg. Austral.*) cattolico.

tylosis /taɪˈləʊsɪs/ *n.* (pl. **tyloses**) (*med.*) tilosi.

tymbal /'tɪmbl/ → **timbal**.

tympan /'tɪmpən/ *n.* **1** (*arc.*) tamburo; timpano (*lett.*) **2** (*anat.*, *archit.*) timpano **3** (*tipogr.*) timpano **4** (*tipogr.*, = **t. sheet**) (foglio di) maestra **5** (*in genere*) membrana **6** (*telef.*) diaframma.

tympanic /tɪmˈpænɪk/ *a.* (*anat.*) timpanico; del timpano ● **t. cell**, cellula mastoidea.

tympanist /'tɪmpənɪst/ *n.* (*mus.*) timpanista; suonatore di timpano.

tympanites /tɪmpəˈnaɪtiːz/ *n.* ▣ (*med.*) timpanismo; meteorismo; distensione addominale.

tympanitis /tɪmpəˈnaɪtɪs/ *n.* ▣ (*med.*) timpanite (*infiammazione del timpano*); otite media.

tympanum /'tɪmpənəm/ *n.* (pl. **tympana**, **tympanums**) (*anat.*, *archit.*) timpano.

tympany /'tɪmpənɪ/ *n.* ▣ **1** (*med.*) → **tympanites 2** (*vet.*) meteorismo dei ruminanti.

typ, **typogr** abbr. **1** (**typographical**) tipografico (tip., tipogr.) **2** (**typography**) tipografia.

typal /'taɪpl/ *a.* (*raro*) tipico; caratteristico.

♦**type** /taɪp/ *n.* **1** tipo; esemplare; modello; qualità; etnia; specie; sorta: *I dislike people of that t.*, non mi piace quel tipo di gente; **a new t. of aeroplane**, un nuovo modello d'aereo; *He's the very t. of an honest leader*, è proprio un esemplare (*o il prototipo*) del leader onesto; *He's a strange t.*, è un tipo strano; (*fam.*) *He (o she) isn't my t.*, non è il mio tipo **2** (*tipogr.*) tipo; carattere: *The book is printed in large t.*, il libro è stampato in caratteri grandi **3** (*biol.*) tipo: **the vertebrate t.**, il tipo dei vertebrati **4** conio; impronta (*di moneta o di medaglia*) **5** (*chim.*) composto tipico **6** stile; varietà; tipo: (*nuoto*) **types of stroke**, stili di nuoto ● **t.-bar**, (*tipogr.*) riga di composizione; (*di macchina da scrivere*) martelletto □ (*comput.*) **t. drum**, tamburo di caratteri □ **t. founder**, fonditore di caratteri (*tipografici*) □ **t. foundry**, fonderia di caratteri di stampa □ **t.-gauge**, tipometro □ **t.-holder**, compositoio □ **t. metal**, lega per caratteri da stampa □

(*tipogr.*) t. size, corpo □ (*biol.*) **to deviate from the t.**, essere aberrante; essere atipico □ **Italian-t. coffee**, caffè all'italiana □ (*tipogr.*) **to set up in t.**, comporre □ (*tipogr.*) **The material is now in t.**, il materiale (*o* il testo) è già stato composto.

♦to **type** /taɪp/ **A** v. t. 1 scrivere a macchina o a computer; dattilografare; battere (*fam.*): **to t. (out) a list of guests**, scrivere a macchina un elenco di ospiti; **to t. a circular**, battere una circolare 2 impersonare; raffigurare; rappresentare: *He's always typed as a bad man*, gli fanno sempre fare la parte del cattivo 3 classificare secondo il tipo 4 (*med.*) determinare il gruppo sanguigno di (q.) 5 (*biol., med.*) tipizzare, identificare (*una cultura batterica*) **B** v. i. scrivere a macchina; scrivere a computer.

▪ **type in** (*into*) v. t. + avv. (prep.) (*anche comput.*) inserire, aggiungere, introdurre: *Will you please t. in the missing word?*, per favore, aggiunga la parola che manca! (*detto alla dattilografa*); **to t. additional data into the computer**, introdurre altri dati nel computer.

▪ **type out** v. t. + avv. battere (*o* scrivere) a macchina: **to t. out a lot of letters**, battere molte lettere.

▪ **type up** v. t. + avv. battere (*o* scrivere) a macchina (*nella stesura definitiva*): *You should t. up the play neatly*, dovresti battere il copione in bella copia.

to **typecast** /'taɪpkɑːst/ v. t. (pass. e p. p. *typecast*) 1 (*tipogr.*) fondere (*carattere tipografici*) 2 (*generalm. al passivo*) (*cinem., teatr.*) assegnare a (*un attore, un'attrice*) sempre lo stesso ruolo: *She is t. as the dumb blonde*, fa sempre la parte dell'oca giuliva 3 (*generalm. al passivo*) raffigurare o giudicare (q.) secondo uno stereotipo.

typeface /'taɪpfeɪs/ n. (*tipogr.*) 1 occhio 2 carattere.

typescript /'taɪpskrɪpt/ n. [cu] 1 dattiloscritto 2 (*tipogr.*) materiale per la stampa; testo.

to **typeset** /'taɪpsɛt/ (*tipogr.*) (pass. e p. p. *typeset*), v. t. comporre ‖ **typesetting** n. [uc] tipocomposizione; composizione (tipografica) ● **typesetting machine**, compositrice.

typesetter /'taɪpsɛtə(r)/ n. (*tipogr.*) 1 compositore 2 compositrice (*macchina*).

to **typewrite** /'taɪpraɪt/ (pass. **typewrote**, p. p. **typewritten**), v. t. e i. (*più com.* **to type**) scrivere a macchina; dattilografare; battere (*fam.*).

typewriter /'taɪpraɪtə(r)/ n. macchina da scrivere: **golf-ball t.**, macchina da scrivere a testina rotante ● **t. desk**, tavolino della macchina da scrivere □ (*comput.*) **t. termi-**

nal, terminale scrivente (*d'immissione dei dati*) ‖ **typewriting** n. [u] dattilografia; lo scrivere a macchina ● **typewriting ribbon**, nastro dattilografico.

typewritten /'taɪpritn/ **A** p. p. di to **typewrite** **B** a. scritto a macchina; dattiloscritto.

typewrote /'taɪprəʊt/ pass. di to **typewrite**.

typhlitis /tɪ'flaɪtɪs/ n. [u] (*med.*) tiflite.

typhoid /'taɪfɔɪd/ (*med.*) **A** a. tifoideo; tifoide **B** n. (= **t. fever**) febbre tifoide; tifoidea ● **t. bacillus**, bacillo del tifo ‖ **typhoidal** a. tifoideo; della febbre tifoide.

typhoon /taɪ'fuːn/ (*meteor.*) n. tifone ‖ **typhonic** a. di (*o* pertinente a) un tifone.

typhus /'taɪfəs/ (*med.*) n. [u] tifo ‖ **typhous** a. tifoso; del tifo.

♦**typical** /'tɪpɪkl/ a. tipico; caratteristico; rappresentativo: *It's one of his t. phrases*, è una sua frase tipica ● **That's quite t. of him**, è tipico di lui! è proprio da lui! ‖ **typically** avv. tipicamente ‖ **typicality**, **typicalness** n. [u] tipicità.

to **typify** /'tɪpɪfaɪ/ v. t. 1 tipizzare 2 caratterizzare 3 esemplificare 4 impersonare; raffigurare; rappresentare (simbolicamente); simboleggiare ‖ **typification** n. [u] 1 tipizzazione 2 caratterizzazione 3 esemplificazione 4 incarnazione (*fig.*); raffigurazione; rappresentazione (di qc.) come tipico.

typing /'taɪpɪŋ/ n. [u] dattilografia; lo scrivere a macchina ● **a t. mistake**, un errore di battitura.

typist /'taɪpɪst/ n. dattilografo, dattilografa.

typo /'taɪpəʊ/ n. (pl. **typos**) (abbr. *fam.*) 1 tipografo 2 refuso (*di stampa*) 3 errore di battuta; errore di battitura.

typography /taɪ'pɒɡrəfɪ/ n. [u] tipografia (*il procedimento*) ‖ **typographer** n. tipografo; poligrafico (*tecnico*) ‖ **typographical**, **typographic** a. tipografico: **typographical industry**, industria tipografica ● **a typographical error**, un errore di stampa; un refuso ‖ **typographically** avv. tipograficamente.

typology /taɪ'pɒlədʒɪ/ n. [u] (*scient.*) tipologia ‖ **typological** a. tipologico.

typtology /tɪp'tɒlədʒɪ/ n. [u] (*occultismo*) tiptologia.

tyramine /'taɪrəmiːn/ n. [u] (*biochim.*) tiramina.

tyrannical /tɪ'rænɪkl/ a. tirannico ‖ **tyrannically** avv. tirannicamente.

tyrannicide /tɪ'rænɪsaɪd/ n. 1 tirannicida 2 [u] tirannicidio ‖ **tyrannicidal** a. tirannicida.

to **tyrannize** /'tɪrənaɪz/ **A** v. i. esser tirannico; tiranneggiare: **to t. over sb.**, tiranneggiare q. **B** v. t. tiranneggiare.

tyrannosaur /tɪ'rænəsɔː(r)/, **tyrannosaurus** /tɪrænə'sɔːrəs/ n. (*paleont.*) tirannosauro.

tyrannous /'tɪrənəs/ a. 1 tirannico; tirannesco (*raro*) 2 crudele; inesorabile: **t. hate**, odio inesorabile ‖ **-ly** avv.

tyranny /'tɪrənɪ/ n. [uc] 1 (*stor., polit.*) tirannia; tirannide 2 (*stor. greca*) tirannide 3 (*fig.*) tirannia; dispotismo ● **It's the t. of the clock**, è l'orologio che è tiranno.

tyrant /'taɪərənt/ n. 1 tiranno; despota 2 (*stor. greca*) tiranno ● (*zool.*) **t.-bird** (*o* **t. flycatcher**) (*Tyrannus*), tiranno □ **petty t.**, tirannello.

♦**tyre**, (*USA*) **tire** /'taɪə(r)/ n. 1 (*autom.*) pneumatico; gomma; copertone 2 cerchione (*di ruota di carro*) ● **t. cement**, mastice per gomme □ **t. chains**, catene da neve □ **t. dealer**, gommista (*rivenditore*) □ **t. gauge**, manometro (*per pneumatici*) □ (*autom.*) **t. pressure gauge** = **t. gauge** → *sopra* □ **t. repair**, riparazione (delle) gomme; vulcanizzazione □ **t. repairer**, gommista (*riparatore*) □ **t. retreading**, ricostruzione delle gomme; vulcanizzazione □ **t. rim**, cerchione (*per pneumatici*) □ **t. tread**, battistrada □ **t. swing**, altalena fatta con vecchi copertoni d'automobile □ (*autom.*) **to change a t.**, cambiare una gomma □ **to get a flat t.**, bucare una gomma; forare □ **You've got a flat t.**, hai una gomma a terra.

to **tyre** /'taɪə(r)/ v. t. 1 (*autom.*) applicare un pneumatico (*o* più pneumatici) a (*un autoveicolo*); gommare (*fam.*) 2 mettere le gomme nuove a (*una bicicletta, ecc.*).

Tyre /'taɪə(r)/ n. (*geogr., stor.*) Tiro.

tyro /'taɪərəʊ/ n. (pl. **tyros**) → **tiro**.

Tyroler /'tɪrələ(r)/ **A** a. tirolese **B** n. 1 tirolese (*abitante o nativo del Tirolo*) 2 [u] tirolese (*la lingua*) ‖ **Tyrolese, Tyrolean** a. e n. tirolese.

Tyrolienne /tɪrəʊlɪ'en/ (*franc.*) n. (*mus.*) tirolese.

Tyrol (the) /tɪ'rəʊl/ n. (*geogr.*) (il) Tirolo.

tyrosinase /taɪ'rəʊsɪneɪz/ n. [u] (*biochim.*) tirosinasi.

tyrosine, **tyrosin** /'taɪərəsiːn/ n. [u] (*chim.*) tirosina.

Tyrrhene /tɪ'riːn/ n. → **Tyrrhenian**.

Tyrrhenian /tɪ'riːnɪən/ a. e n. (*geogr.*) tirreno; tirrenico: **the T. Sea**, il Mar Tirreno.

tzar /zɑː(r)/ e deriv. → **tsar**, e deriv.

tzetze /'tɛtsɪ/ → **tsetse**.

Tzigane /tsɪ'ɡɑːn/ a. e n. zingaro; (*spec.*) zigano, zingaro ungherese.

u, U

U ① , u /juː/ **A** n. (pl. **U's**, **u's**; **Us**, **us**) **1** U, u (*ventunesima lettera dell'alfabeto ingl.*) **2** forma di U: **U-shaped**, a forma di U **B** a. **1** a forma di U; a U: (*mecc.*) **U-bend**, raccordo a U; **U-bolt**, staffa (filettata) a U; **U-tube**, tubo a forma di U **2** (*ingl.*, *antiq.*, *rif. al linguaggio, alle abitudini, ecc.*) caratteristico del ceto superiore; raffinato; fine; bene • (*naut.*, *mil.*) **U-boat**, sottomarino tedesco (*nella 1ª e 2ª guerra mondiale*) □ **u for Uniform**, u come Udine □ (*autom.*) **U-turn**, inversione a U, conversione a U, inversione di marcia (*con un veicolo*); (*fig.*) svolta radicale, dietrofront (*fig.*).

U ② /juː/ a. (*fam. scherz.*) **1** (= **upper class**) del ceto superiore; aristocratico; nobile: **the U people**, la nobiltà **2** molto fine (*o raffinato*); di buongusto; che fa fino (*all'altezza della «upper class»*).

U ③ sigla **1** (**unionist**) unionista **2** (**united**) unito **3** (**university**) università **4** (*cinema*, **universal**) visibile a tutti; per tutti • **U(-certificate) film** (*GB*, = **universal certificate film**), un film visibile a tutti.

UAE sigla (**United Arab Emirates**) Emirati Arabi Uniti.

UB40 /juːbiːˈfɔːtɪ/ n. (acronimo di **Unemployment Benefit 40**) (*in GB*) **1** modulo (per il sussidio) di disoccupazione **2** (*per estens.*) disoccupato.

ubication /juːbɪˈkeɪʃn/ → **ubiety**.

ubiety /juːˈbaɪətɪ/ n. (*form.*) ubicazione; collocazione; posizione.

ubiquitarian /juːbɪkwɪˈtɛərɪən/ (*relig.*) a. e n. ubiquista; ubiquitario ‖ **ubiquitarianism** n. ꟷ eresia ubiquitaria; dottrina degli ubiquisti.

ubiquitous /juːˈbɪkwɪtəs/ a. onnipresente; che ha il dono dell'ubiquità ‖ **ubiquitously** avv. onnipresentemente ‖ **ubiquitousness**, **ubiquity** n. ꟷ ubiquità; onnipresenza.

UBR sigla (*GB*, **uniform business rate**) imposta locale uniforme sull'attività economica.

UC sigla (University College) college universitario.

u.c. sigla (**upper case**) maiuscolo.

UCAS /ˈjuːkæs/ sigla (*in GB*, **Universities and Colleges Admission Service**) Organizzazione per l'ammissione alle università e ai college.

udal /ˈjuːdl/ (*stor.*, *leg.*) **A** n. allodio (*ancora in uso nelle Isole Orkney e nelle Shetland*) **B** a. attr. allodiale: **u. tenure**, possesso di beni allodiali.

udalman /ˈjuːdəlmən/ n. (pl. **udalmen**) (*stor.*) proprietario di beni allodiali.

udder /ˈʌdə(r)/ n. (*zool.*) mammella, poppa (*di femmina d'animale*).

udderless /ˈʌdələs/ a. privo di mammelle.

udometer /juːˈdɒmɪtə(r)/ (*scient.*) n. pluviometro; udometro.

UEFA /juːˈeɪfə/ sigla (**Union of European Football Associations**) Unione associazioni europee gioco calcio.

UFD sigla (*comput.*, **USB Flash Drive**) pen drive USB; pen drive (*supporto di memorizza-* ne dotato di interfaccia USB).

UFO /juːˈɛfˈəʊ/ n. (pl. **UFO's**) (acronimo di **unidentified flying object**) ufo; disco volante: **UFO sightings**, avvistamenti di UFO.

ufology /juːˈfɒlədʒɪ/ n. ꟷ ufologia ‖ **ufological** a. di (*o relativo a*) ufo; ufologico ‖ **ufologist** n. ufologo.

Ugandan /juːˈɡændən/ n. e a. ugandese.

ugh /ʊx, ʌɡ/ inter. (*di disgusto, d'orrore*) uh!; puh!; puah!

to **uglify** /ˈʌɡlɪfaɪ/ v. t. imbruttire; deturpare; sfigurare ‖ **uglification** n. ꟷ imbruttimento; deturpamento.

ugliness /ˈʌɡlɪnəs/ n. ꟷ **1** bruttezza sgraziata **2** abiezione; bassezza; turpitudine.

♦**ugly** /ˈʌɡlɪ/ **A** a. **1** brutto; sgradevole; (*fig.*) abietto, ripugnante, turpe: **an u. beast**, una brutta bestia; **an u. scar**, una brutta cicatrice; **an u. job**, un brutto lavoro; un lavoro sgradevole; **u. news**, brutte notizie **2** (*del tempo e sim.*) brutto; minaccioso; pericoloso: **u. weather**, brutto tempo; *Things are taking an u. turn*, le cose prendono una brutta piega **3** (*fam.*) irritabile; litigioso **B** avv. (*spec. sport*) in modo brutto (*o sporco*): **winning u.**, vincere senza divertire **C** n. pl. – (*slang*) **the uglies**, le paturnie; la depressione; l'umor nero • (*fam.*) **an u. customer**, un tipo pericoloso; un brutto tipo (*fam.*) □ (*anche fig.*) **u. duckling**, brutto anatroccolo (*dalla novella del cigno tra gli anatroccoli di H.C. Andersen*) □ **as u. as sin**, brutto come il peccato; bruttissimo □ **to make u. faces**, fare le boccacce.

Ugrian /ˈuːɡrɪən/, **Ugric** /ˈuːɡrɪk/ a. ugrico.

UHF /juːeɪtʃˈɛf/ n. (acronimo di **ultrahigh frequency**) (*elettron.*) UHF; frequenza ultra-alta • **UHF tuner**, sintonizzatore UHF.

uhlan /ˈuːlɑːn/ n. (*stor.*) ulano.

UHT sigla (**ultra-high temperature**) ultrapastorizzazione.

UI sigla (*comput.*, **user interface**) interfaccia utente.

UK sigla (**United Kingdom**) Regno Unito (*di Gran Bretagna e Irlanda del Nord*) **❶ CULTURA** • UK = **United Kingdom** → **united**.

UKAEA sigla (**United Kingdom Atomic Energy Authority**) Ente nazionale britannico per l'energia atomica.

ukase /juːˈkeɪz/ n. **1** (*stor.*) ukase (*decreto dello zar*) **2** (*per estens.*) ordine perentorio; disposizione tassativa.

UKIP /ˈjuːkɪp/ sigla (*GB*, *polit.*, **United Kingdom Independence Party**) Partito per l'indipendenza del Regno Unito.

Ukraine /juːˈkreɪn/ n. (*geogr.*) Ucraina.

Ukrainian /juːˈkreɪnɪən/ a. e n. ucraino.

ukulele /juːkəˈleɪlɪ/ n. (*mus.*) ukulele.

ulcer /ˈʌlsə(r)/ n. **1** (*med.*) ulcera: **a stomach u.**, un'ulcera allo stomaco **2** (*fig.*) piaga morale; fonte di corruzione ‖ **ulcered** a. (*med.*) ulcerato ‖ **ulcerous** a. (*med.*) ulceroso.

to **ulcerate** /ˈʌlsəreɪt/ (*med.*) v. t. e i. ulcerare, ulcerarsi ‖ **ulceration** n. ꟷ ulcerazione ‖ **ulcerative** a. ulcerativo.

ulcerogenic /ʌlsərəˈdʒɛnɪk/ a. (*med.*) ulcerogeno.

ulema /ˈuːlɪmə/ n. (pl. **ulema**, **ulemas**) (*relig. musulmana*) ulema.

Ulfilas /ˈʊlfɪlæs/ n. (*stor.*) Ulfila.

uliginous /juːˈlɪdʒɪnəs/ a. (*bot.*) uliginoso.

ullage /ˈʌlɪdʒ/ n. ꟷ (*comm.*) **1** calo; colaggio; quantità mancante in barili, botti, ecc. **2** abbuono per calo **3** (*dog.*) contenuto effettivo (*di contenitori per liquidi*) • (*miss.*) **u. rocket**, razzo di colaggio.

ulmaceous /ʌlˈmeɪʃəs/ a. (*bot.*) delle (*o relativo alle*) olmacee.

ulna /ˈʌlnə/ (*anat.*) n. (pl. **ulnae**, **ulnas**) ulna ‖ **ulnar a.** scheletr.; dell'ulna.

ulster /ˈʌlstə(r)/ n. (*moda*) ulster; cappotto da uomo, ampio e lungo.

ult. abbr. (*lat.*: *ultimo mense*) (**last month**) ultimo scorso (u.s.).

ulterior /ʌlˈtɪərɪə(r)/ a. **1** celato; nascosto; recondito; segreto: **an u. object**, uno scopo segreto; **u. motives**, secondi fini **2** susseguente; posteriore; più lontano (nel tempo) **3** che si trova al di là; più lontano; ulteriore **❶ FALSI AMICI** • ulterior *non significa* ulteriore *nel senso di nuovo, successivo*.

♦**ultimate** /ˈʌltɪmət/ **A** a. **1** ultimo; definitivo; finale: **the u. goal**, l'ultima meta; **u. results**, risultati finali **2** basilare; fondamentale; primo: **u. principles**, principi basilari; **u. truths**, verità fondamentali; **u. cause**, causa prima **3** (*fam.*) estremo; massimo; il più grande **B** n. – **the u.**, il massimo; il non plus ultra • (*chim.*) **u. analysis**, analisi elementare □ (*econ.*) **the u. consumer**, il consumatore finale □ (*econ.*) **the u. user**, l'utilizzatore finale.

♦**ultimately** /ˈʌltɪmətlɪ/ avv. **1** in fine; finalmente; in definitiva: *'The Universe will u. disappear'* A. GINSBERG, 'alla fine l'Universo scomparirà' **2** fondamentalmente **❶ FALSI AMICI** • ultimately *non significa* ultimamente.

ultimatum /ʌltɪˈmeɪtəm/ n. (pl. **ultimatums**, **ultimata**) ultimatum (*anche fig.*).

ultimo /ˈʌltɪməʊ/ (abbr. **ult**) a. e avv. (*comm.*, *bur.*) (ultimo) scorso; del mese passato: **your letter of the 12th ult**, la Vostra lettera del 12 (ultimo) scorso.

ultra /ˈʌltrə/ **A** n. estremista; oltranzista; fanatico sostenitore (*di un'idea*); ultrà **B** a. estremo; accanito: **an u. pacifist**, un pacifista accanito; un ultrapacifista • (*tipogr.*) **u. bold**, (carattere) nerissimo.

ultracentrifuge /ʌltrəˈsɛntrɪfjuːdʒ/ n. (*fis.*) ultracentrifuga.

to **ultracentrifuge** /ʌltrəˈsɛntrɪfjuːdʒ/ (*fis.*) v. t. ultracentrifugare ‖ **ultracentrifugation** n. ꟷ ultracentrifugazione.

ultraconservative /ʌltrəkənˈsɜːvətɪv/ a. e n. ultraconservatore.

ultra-fashionable /ʌltrəˈfæʃnəbl/ a. di gran moda; all'ultima moda.

ultrafilter /ʌltrəˈfɪltə(r)/ n. (*tecn.*, *scient.*) ultrafiltro.

ultrahigh /ʌltrəˈhaɪ/ a. (*elettron.*) ultra-alto: **u. frequency**, frequenza ultra-alta • (*fis.*) **u. vacuum**, ultravuoto.

ultraist /ˈʌltraɪst/ n. oltranzista; estremista; radicale; ultrà ‖ **ultraism** n. ꟷ oltranzismo; estremismo; radicalismo ‖ **ultraistic**

a. estremistico; ultrà.

ultra-left /ˌʌltrəˈlɛft/ (*polit.*) A a. ultrà; dell'ultrasinistra B n. – **the ultra-left**, l'ultrasinistra; l'estrema sinistra ‖ **ultra-left-ist** n. estremista di sinistra; ultrà.

ultramarine /ˌʌltrəməˈriːn/ A a. **1** oltremarino; d'oltremare **2** azzurro oltremare B n. colore azzurro oltremare • (*chim.*) **u. blue**, blu oltremare.

ultramicrometer /ˌʌltrəmaɪˈkrɒmɪtə(r)/ n. (*scient.*) ultramicrometro.

ultramicroscope /ˌʌltrəˈmaɪkrəskəʊp/ n. (*scient.*) ultramicroscopio; supermicroscopio.

ultramicroscopic /ˌʌltrəmaɪkrəˈskɒp-ɪk/, **ultramicroscopical** /ˌʌltrəmaɪkrəˈskɒpɪkl/ a. (*scient.*) ultramicroscopico.

ultramicroscopy /ˌʌltrəmaɪˈkrɒskəpɪ/ n. Ⓤ (*scient.*) ultramicroscopia.

ultramicrotome /ˌʌltrəˈmaɪkrətəʊm/ n. (*scient.*) ultramicrotomo.

ultraminiature /ˌʌltrəˈmɪnətʃə(r)/ a. attr. estremamente piccolo; (*tecn.*) subminiaturizzato.

ultra-mobile /ˌʌltrəˈməʊbaɪl/ a. (*comput.*) ultraportabile.

ultramodern /ˌʌltrəˈmɒdən/ a. modernissimo; ultramoderno.

ultramontane /ˌʌltrəˈmɒnteɪn/ A a. **1** (*geogr.*) oltramontano, ultramontano; (*per gli europei del nord*) italiano; (*per gli italiani*) subalpino **2** (*relig.*) ultramontano; del partito «italiano» (*nella Chiesa cattolica*) B n. **1** (*geogr.*) oltramontano; chi abita oltre le montagne; (*spec.*) chi abita a sud delle Alpi, italiano **2** (*relig., anche* **ultramontanist**) ultramontano; fautore del partito «italiano» (*nella Chiesa cattolica*) ‖ **ultramontanism** n. Ⓤ (*relig.*) ultramontanismo; partito «italiano» (*nella Chiesa cattolica*).

ultramundane /ˌʌltrəˈmʌndeɪn/ a. **1** oltremondano **2** (*astron.*) esterno al sistema solare.

ultrapure /ˌʌltrəˈpjʊə(r)/ a. (*scient.*) puro al cento per cento; purissimo.

ultrared /ˌʌltrəˈrɛd/ a. (*fis., arc.*) infrarosso (*più com.* **infrared**).

ultra-right /ˌʌltrəˈraɪt/ (*polit.*) A a. ultrà; dell'estrema destra B n. – **the ultra-right**, l'estrema destra ‖ **ultra-rightist** n. estremista di destra; ultrà.

ultrashort /ˌʌltrəˈʃɔːt/ a. (*radio*) ultracorto: **u. waves**, onde ultracorte.

ultrasonic /ˌʌltrəˈsɒnɪk/ a. (*fis.*) **1** ultracustico; ultrasonoro; a ultrasuoni; ultrasonico **2** ultrasonico; supersonico • (*tecn.*) **u. cleaning**, lavaggio con ultrasuoni ◻ (*mecc.*) **u. drill**, trapano a ultrasuoni ◻ (*metall.*) **u. welding**, saldatura a ultrasuoni.

ultrasonics /ˌʌltrəˈsɒnɪks/ n. pl. (col verbo al sing.) ultracustica.

ultrasonography /ˌʌltrəsəʊˈnɒɡrəfɪ/ n. Ⓤ (*med.*) ecografia; ultrasonografia.

ultrasound /ˈʌltrəsaʊnd/ n. ultrasuono • (*med.*) **u. scan**, ecografia.

ultrastructure /ˈʌltrəstrʌktʃə(r)/ (*biol.*) n. ultrastruttura ‖ **ultrastructural** a. ultrastrutturale.

ultraviolet /ˌʌltrəˈvaɪələt/ a. (*fis.*) ultravioletto: **u. rays**, raggi ultravioletti • (*elettron.*) **u. lamp**, lampada a radiazione ultravioletta.

ultra vires /ˌʌltrəˈvaɪəriːz/ (*lat.*) A a. **1** (*raro*) superiore alle (*o* oltre le) proprie forze **2** (*leg.*) arbitrario; in eccesso del potere legale (*spec. di un'azienda*) B avv. (*leg.*) arbitrariamente.

ultravirus /ˌʌltrəˈvaɪərəs/ n. (*biol.*) ultravirus; virus filtrante.

to **ululate** /ˈjuːljʊleɪt/ v. i. ululare ‖ **ululant** a. ululante; che ulula ‖ **ululation** n. ᵁᶜ ululato.

Ulysses /juˈlɪsiːz/ n. (*letter.*) Ulisse ‖ **Ulyssean** a. di (*o* simile a) Ulisse • **a Ulyssean man**, un ulisside.

'um /əm/ inter. uhm (*esitando nel parlare*).

umbel /ˈʌmbl/ (*bot.*) n. ombrella; umbella ‖ **umbellar, umbellate** a. a forma di ombrella; umbellato.

umbellet /ˈʌmbələt/ n. (*bot.*) ombrella secondaria.

umbelliferous /ˌʌmbəˈlɪfərəs/ a. (*bot.*) ombrellifero; umbellifero.

umbelliform /ʌmˈbɛlɪfɔːm/ a. (*bot.*) ombrelliforme.

umbellule /ʌmˈbɛljuːl/ n. → **umbellet**.

umber① /ˈʌmbə(r)/ A n. Ⓤ **1** (*chim., pitt.*) terra d'ombra: **burnt u.**, terra d'ombra bruciata; **raw u.**, terra d'ombra naturale **2** (*color*) marrone scuro B a. color terra d'ombra; marrone scuro.

umber② /ˈʌmbə(r)/ n. (*zool., Thymallus thymallus*) temolo • (*zool.*) **u.-bird** (*Scopus umbretta*), umbretta; uccello martello.

to **umber** /ˈʌmbə(r)/ v. t. (*pitt.*) colorare con terra d'ombra.

umbilical /ʌmˈbɪlɪkl/ A a. **1** (*anat., ecc.*) ombelicale: **u. cord**, cordone ombelicale; (*med.*) **u. hernia**, ernia ombelicale **2** (*miss.*) ombelicale: **u. hose**, cordone ombelicale **3** (*fig. raro*) da parte di madre; in linea materna B n. (*miss., anat.*) cordone ombelicale.

umbilicate /ʌmˈbɪlɪkət/ a. ombelicato; a forma d'ombelico.

umbilicus /ʌmˈbɪlɪkəs/ n. (pl. **umbilici, umbilicuses**) (*anat.*) ombelico.

umbles /ˈʌmblz/ n. pl. interiora d'animale (*spec. di cervo*).

umbo /ˈʌmbəʊ/ (*stor., scient.*) n. (pl. **umbos, umbones**) umbone ‖ **umbonate** a. umbonato; munito d'umbone.

umbra /ˈʌmbrə/ n. (pl. **umbras, umbrae**) (*scient.*) **1** ombra **2** (= **u. shadow**) cono d'ombra (*in un'eclissi*) **3** centro di macchia solare.

umbrage /ˈʌmbrɪdʒ/ n. Ⓤ **1** ombra (*fig.*); offesa; risentimento **2** (*poet., raro*) ombra • **to give u. to sb.**, dar ombra a q.; offendere q. • **to take u. at st.**, adombrarsi (*o* impermalirsi) per qc. ‖ **umbrageous** a. **1** (*poet.*) ombroso **2** (*fig.*) permaloso; ombroso.

♦**umbrella** /ʌmˈbrɛlə/ A n. **1** ombrello; parapioggia **2** (*zool.*) ombrello (*di medusa*) **3** (*aeron. mil.*) ombrello aereo **4** (*mil.*) sbarramento protettivo antiaereo **5** (*fig.*) protezione; difesa B a. attr. generale; vasto; che abbraccia un vasto campo • (*zool.*) **u.-bird** (*Cephalopterus ornatus*), uccello parasole ◻ **u. case**, fodera dell'ombrello ◻ **u. factory**, ombrellificio ◻ (*fin.*) **u. fund**, fondo a ombrello (*o* multicomparto) ◻ **u. ring**, ghiera dell'ombrello ◻ **u. stand**, portaombrelli ◻ **u. stick**, manico d'ombrello ◻ (*bot., in USA*) **u. tree** (*Magnolia tripetala*), magnolia tripetala.

umbrella'd /ʌmˈbrɛləd/ a. munito d'ombrello.

umbrette /ʌmˈbrɛt/ n. (*zool., Scopus umbretta*) umbretta; uccello martello.

Umbrian /ˈʌmbrɪən/ a. e n. umbro (*anche la lingua*) • (*pitt.*) **the U. school**, la scuola umbra.

umbriferous /ʌmˈbrɪfərəs/ a. (*bot.*) ombroso; che dà ombra.

UMIST sigla (GB, **University of Manchester Institute of Science and Technology**), Istituto di scienza e tecnologia dell'università di Manchester.

umlaut /ˈʊmlaʊt/ (*ted.*) n. **1** (*ling.*) metafonia **2** (*il segno*) umlaut.

to **umm and ahh** /ˌʌmənˈɑː/ loc. verb. (*pass. e p. p.* **ummed and ahhed**) (*fam.*) rimuginare: *I've been umming and ahhing for months about changing job, but then I decided to stay*, ho rimuginato per mesi sull'eventuali-

tà di cambiare lavoro, ma poi ho deciso di rimanere.

ump /ʌmp/ n. (abbr. *fam. di* **umpire**) arbitro.

UMPC sigla (*comput.*, **ultra-mobile personal computer**) personal computer ultraportabile.

umpirage /ˈʌmpaɪrɪdʒ/ n. (*leg., sport*) **1** Ⓤ arbitraggio; arbitrato **2** lodo arbitrale; decisione arbitrale.

umpire /ˈʌmpaɪə(r)/ n. **1** (*leg.*) arbitro **2** (*sport: in genere*) giudice di gara **3** (*badminton, cricket, netball, nuoto, ping-pong e vela*) arbitro (*cfr.* **referee**, def. 5) **4** (*baseball, football americano*) secondo arbitro, capo arbitro **5** (*polo*) arbitro a cavallo **6** (*tennis*, = **chair judge**) giudice di sedia; arbitro (*raro*) • (*football americano*) **u. in charge**, primo arbitro.

to **umpire** /ˈʌmpaɪə(r)/ v. t. e i. (*leg., sport*) arbitrare; fare da arbitro.

umpireship /ˈʌmpaɪəʃɪp/ n. (*leg., sport*) arbitrato; funzioni di arbitro; arbitraggio.

umpiring /ˈʌmpaɪərɪŋ/ n. Ⓤ **1** (*leg.*) arbitrato **2** (*sport*) arbitraggio.

umpteen /ˌʌmpˈtiːn/ (*fam.*) a. moltissimi; parecchi; un mucchio di; un sacco di ‖ **umpteenth** a. ennesimo.

UMTS sigla (*telef.*, **universal mobile telecommunications system**) Sistema universale di telecomunicazioni mobili.

UN① sigla (**United Nations**) Nazioni Unite (NU).

UN② sigla → **UNO**.

'un /ən/ pron. (*slang per* **one**) **1** (*di cosa, oggetto, ecc.*) uno **2** (*di persona*) tipo; individuo: *He's a nice 'un*, è un tipo simpatico • *He's a bad 'un*, è un tipaccio; è un poco di buono ◻ *That's a good 'un*, questa è buona!

un- /ʌn/ pref. con valore negativo o privativo: **un-American**, non americano; antiamericano (*N.B. Vengono elencati qui di seguito i composti principali; il significato degli altri si può ricavare deducendolo da quello del vocabolo corrispondente privo di questo prefisso*)

unabashed /ˌʌnəˈbæʃt/ a. imperturbato; impassibile ‖ **unabashedly** avv. con impassibilità; senza imbarazzo; sfacciatamente: *During the lecture she proved to be unabashedly pro-war*, durante la lezione si è rivelata essere a favore della guerra senza nessun imbarazzo.

unabated /ˌʌnəˈbeɪtɪd/ a. **1** non diminuito; non mitigato; non scemato; sostenuto **2** infaticabile; inesausto **3** implacabile; implacato; inesorabile: **with u. fury**, con furia implacabile.

♦**unable** /ʌnˈeɪbl/ a. incapace; inabile: **u. to work**, inabile al lavoro • **to be u.** (**to do st.**), non potere, non essere capace di, non essere in grado di (fare qc.) ◻ **being u. to come**, non potendo venire.

unabridged /ˌʌnəˈbrɪdʒd/ a. non abbreviato; completo; intero; integrale: **u. edition**, edizione integrale.

unabsorbed /ˌʌnəbˈzɔːbd/ a. non assorbito • (*rag.*) **u. cost**, costo non assorbito.

unacademic /ˌʌnækəˈdɛmɪk/ a. non accademico.

unaccented /ˌʌnækˈsɛntɪd, USA ʌnˈæksɛ-/ a. (*fon.*) non accentato; atono: **u. syllable**, sillaba atona.

unacceptable /ˌʌnəkˈsɛptəbl/ a. inaccettabile ‖ **-ness** n. Ⓤ.

unacceptance /ˌʌnəkˈsɛptəns/ n. Ⓤ (*leg., comm.*) mancanza d'accettazione.

unaccepted /ˌʌnəkˈsɛptɪd/ a. (*comm.*) non accettato: **u. bills**, cambiali non accettate.

unaccommodated /ˌʌnəˈkɒmədeɪtɪd/ a. **1** non accomodato; male adattato **2** (*di persona*) sprovvisto d'alloggio.

unaccommodating /ˌʌnəˈkɒmədeɪtɪŋ/

a. poco accomodante; non condiscendente; scortese.

unaccompanied /ʌnə'kʌmpənid/ **a. 1** non accompagnato; senza compagnia; solo, da solo **2** (*mus.*) senza accompagnamento ● **sonata for u. violin**, sonata per violino solo.

unaccomplished /ʌnə'kʌmplɪʃt/ **a. 1** incompleto; incompiuto **2** (*di persona*) senza educazione; ineducato.

unaccountability /ʌnəkaʊntə'bɪlətɪ/ **n.** Ⓤ **1** inesplicabilità; bizzaria; stranezza **2** irresponsabilità.

unaccountable /ʌnə'kaʊntəbl/ **a. 1** inesplicabile; bizzarro; strano **2** irresponsabile; non responsabile | **-ness n.** Ⓤ | **-bly avv.**

unaccounted-for /ʌnə'kaʊntɪdfɔː(r)/ **a.** inspiegato; misterioso.

unaccredited /ʌnə'kredɪtɪd/ **a.** non accreditato; non autorizzato.

unaccrued /ʌnə'kruːd/ **a.** (*banca, fin.*: *d'interesse, ecc.*) non maturato.

unaccustomed /ʌnə'kʌstəmd/ **a. 1** non abituato; non assuefatto; non avvezzo: *I was u. to such kindness*, non ero abituato a tanta gentilezza **2** inconsueto; insolito; inusitato.

unachievable /ʌnə'tʃiːvəbl/ **a.** irraggiungibile; irrealizzabile.

unachieved /ʌnə'tʃiːvd/ **a.** non raggiunto; irrealizzato.

unacknowledged /ʌnək'nɒlɪdʒd/ **a. 1** non riconosciuto; misconosciuto: *'Poets are the u. legislators of the world'* P.B. SHELLEY, 'i poeti sono i misconosciuti legislatori del mondo' **2** non ammesso; inconfessato: **u. sins**, peccati inconfessati **3** (*di lettera, ecc.*) senza risposta; inevaso (*bur.*).

unacquainted /ʌnə'kweɪntɪd/ **a. 1** ignaro, poco pratico (*di qc.*); non abituato (*a qc.*) **2** poco familiare; sconosciuto; strano ● **to be u. with sb.**, non conoscere q. | **-ness n.** Ⓤ.

unacquired /ʌnə'kwaɪəd/ **a.** non acquisito; congenito; innato.

unacted /ʌn'æktɪd/ **a. 1** non eseguito; non fatto **2** (*di dramma, ecc.*) non rappresentato.

unadaptable /ʌnə'dæptəbl/ **a.** inadattabile.

unadapted /ʌnə'dæptɪd/ **a. 1** non adattato **2** non adatto; inadatto.

unaddressed /ʌnə'drest/ **a.** (*di lettera, ecc.*) senza indirizzo.

unadjusted /ʌnə'dʒʌstɪd/ **a. 1** non assestato; non sistemato **2** (*di questione, problema, ecc.*) non appianato; non definito **3** non corretto; grezzo **4** non compensato; non tarato **5** (*mecc.*) non registrato **6** (*psic.*) spostato.

unadmitted /ʌnəd'mɪtɪd/ **a.** non ammesso; non confessato.

unadopted /ʌnə'dɒptɪd/ **a. 1** non adottato **2** (*di strada, viale, ecc.*) privato (*per il quale il comune non assume gli oneri della manutenzione*).

unadorned /ʌnə'dɔːnd/ **a.** disadorno.

unadulterated /ʌnə'dʌltəreɪtɪd/ **a. 1** non adulterato; non sofisticato; genuino; puro; schietto **2** (*fam.*) totale; assoluto; bell'e buono: **u. nonsense**, sciocchezze bell'e buone.

unadvertised /ʌn'ædvətaɪzd/ **a.** (*di un prodotto, ecc.*) non pubblicizzato; non reclamizzato.

unadvisable /ʌnəd'vaɪzəbl/ **a.** sconsigliabile; imprudente.

unadvised /ʌnəd'vaɪzd/ **a. 1** senz'essere consigliato; di testa propria **2** inconsulto; avventato; imprudente; sconsiderato | **-ly avv.** | **-ness n.** Ⓤ.

unaesthetic, (*USA*) **unesthetic** /ʌniːs'θetɪk/ **a.** antiestetico.

unaffected /ʌnə'fektɪd/ **a. 1** non affettato; senza affettazione; semplice; spontaneo **2** non soggetto (a influssi); immutato; inalterato **3** impassibile; insensibile **4** non soggetto (*a malattie*) | **-ly avv.** | **-ness n.** Ⓤ.

unafraid /ʌnə'freɪd/ **a.** senza paura; impavido; intrepido.

unaided /ʌn'eɪdɪd/ **a.** senz'aiuto; da solo; da sé.

unaired /ʌn'eəd/ **a.** non aerato; non ventilato.

unalarmed /ʌnə'lɑːmd/ **a.** non allarmato; imperturbato; tranquillo.

unalienable /ʌn'eɪlɪənəbl/ **a.** (*leg.*) inalienabile.

unalienated /ʌn'eɪlɪəneɪtɪd/ **a.** (*leg.*) inalienato.

unalive /ʌnə'laɪv/ **a.** non più vivo; morto.

unallayed /ʌnə'leɪd/ **a.** non alleviato; implacato; non diminuito; immutato: **the u. fury of the wind**, l'immutata furia del vento.

unallocated /ʌn'æləkeɪtɪd/ **a. 1** (*fin.*) (*di fondo*) non allocato; non stanziato **2** (*comput.*: *di memoria*) non allocata; disponibile.

unallotted /ʌnə'lɒtɪd/ **a. 1** non ripartito **2** non assegnato **3** (*fin.*: *di stanziamento*) non impegnato.

unallowable /ʌnə'laʊəbl/ **a.** inammissibile; intollerabile.

unalloyed /ʌnə'lɔɪd/ **a. 1** (*di metallo, ecc.*) non legato; puro **2** (*fig. lett.*) puro; genuino; schietto.

unalterable /ʌn'ɔːltərəbl/ **a.** inalterabile; immutabile || **unalterably avv.** inalterabilmente; immutabilmente || **unalterability n.** Ⓤ inalterabilità; immutabilità.

unaltered /ʌn'ɔːltəd/ **a.** inalterato; immutato; costante.

unamazed /ʌnə'meɪzd/ **a.** non stupito; indifferente; imperturbabile.

unambiguous /ʌnæm'bɪgjʊəs/ **a.** non ambiguo; inequivocabile; chiaro; esplicito | **-ly avv.** | **-ness n.** Ⓤ.

unambitious /ʌnæm'bɪʃəs/ **a.** privo d'ambizioni; senza ambizioni; modesto | **-ly avv.**

unamenable /ʌnə'miːnəbl/ **a. 1** (*anche leg.*) non responsabile; irresponsabile **2** indocile; intrattabile; ribelle ● **u. to reason**, irragionevole.

unamendable /ʌnə'mendəbl/ **a.** non emendabile; incorreggibile.

unamended /ʌnə'mendɪd/ **a. 1** non emendato; non corretto **2** (*polit.*) senza emendamenti.

un-American /ʌnə'merɪkən/ **a. 1** non americano **2** (*polit.*) antiamericano: (*USA*) **un-American activities**, attività antiamericane.

unamiable /ʌn'eɪmɪəbl/ **a.** poco amabile; burbero; scontroso || **unamiably avv.** poco amabilmente; burberamente; scontrosamente || **unamiability n.** Ⓤ mancanza di amabilità; scontrosità.

unamusing /ʌnə'mjuːzɪŋ/ **a.** non divertente; noioso.

unanalysable /ʌn'ænəlaɪzəbl/ **a.** che non si può analizzare.

to unanchor /ʌn'æŋkə(r)/ (*naut.*) Ⓐ **v. t.** disancorare Ⓑ **v. i.** levare l'ancora.

unanimated /ʌn'ænɪmeɪtɪd/ **a. 1** inanimato; senza vita **2** non ispirato; noioso; monotono.

unanimity /juːnə'nɪmətɪ/ **n.** Ⓤ unanimità.

unanimous /juː'nænɪməs/ **a.** unanime; all'unanimità; concorde; corale (*fig.*): (*boxe*) **u. decision**, verdetto all'unanimità | **-ly avv.**

unannounced /ʌnə'naʊnst/ **a.** non annunciato; senza preavviso; imprevisto; improvviso.

unanswerability /ʌnɑːnsərə'bɪlətɪ/ **n.** Ⓤ **1** incontestabilità; innegabilità; irrefutabilità **2** (*anche leg.*) mancanza di responsabilità; irresponsabilità.

unanswerable /ʌn'ɑːnsərəbl/ **a. 1** incontestabile; innegabile; irrefutabile: **an u. charge**, un'accusa irrefutabile **2** (*di domanda*) cui non si può rispondere **3** (*anche leg.*) irresponsabile | **-bly avv.**

unanswered /ʌn'ɑːnsəd/ **a. 1** senza risposta; inevaso (*bur.*): **an u. letter**, una lettera rimasta senza risposta; una lettera inevasa (*bur.*); **to leave a question u.**, lasciare una domanda senza risposta **2** non corrisposto.

unappealable /ʌnə'piːləbl/ **a.** (*leg.*) inappellabile | **-bly avv.**

unappealing /ʌnə'piːlɪŋ/ **a.** poco attraente; sgradevole; spiacevole; (*di cibo*) poco appetitoso | **-ly avv.**

unappeasable /ʌnə'piːzəbl/ **a.** implacabile.

unappeased /ʌnə'piːzd/ **a.** non placato; insoddisfatto.

unappetizing /ʌn'æpɪtaɪzɪŋ/ **a.** poco appetitoso.

unapplied /ʌnə'plaɪd/ **a.** non applicato; inapplicato.

unappreciated /ʌnə'priːʃieɪtɪd/ **a.** non apprezzato; incompreso.

unappreciative /ʌnə'priːʃətɪv/ **a.** che non apprezza; che sottovaluta; indifferente.

unapprehended /ʌnæprɪ'hendɪd/ **a. 1** non arrestato; libero **2** non compreso; non capito; incompreso.

unapproachable /ʌnə'prəʊtʃəbl/ **a. 1** inaccessibile; inaccostabile; inavvicinabile **2** impareggiabile; ineguagliabile | **-ness n.** Ⓤ | **-bly avv.**

unappropriated /ʌnə'prəʊprieɪtɪd/ **a.** (*fin.*: *di fondo, ecc.*) non assegnato; non stanziato ● **u. profits**, utili non distribuiti.

unapproved /ʌnə'pruːvd/ **a.** non approvato.

unapt /ʌn'æpt/ **a. 1** non adatto; inopportuno; inadeguato; improprio **2** inetto; incapace || **unaptly avv.** inopportunamente; a sproposito || **unaptness n.** Ⓤ **1** l'essere inopportuno; inadeguatezza; improprietà **2** inettitudine; incapacità.

unarguable /ʌn'ɑːgjʊəbl/ **a.** indiscutibile || **unarguably avv.** indiscutibilmente; senza dubbio.

unargued /ʌn'ɑːgjuːd/ **a.** indiscusso.

to unarm /ʌn'ɑːm/ **v. t.** disarmare (*più com. 'disarm'*).

unarmed /ʌn'ɑːmd/ **a. 1** disarmato; inerme **2** senza armi; senza l'uso delle armi: **u. combat**, lotta senza armi (*coi pugni, ecc.*) **3** disattivato; inoffensivo.

unarmoured, (*USA*) **unarmored** /ʌn'ɑːməd/ **a.** (*mil.*) non corazzato; senza corazza.

unarranged /ʌnə'reɪndʒd/ **a. 1** in disordine **2** non preordinato; casuale.

unarrested /ʌnə'restɪd/ **a. 1** non arrestato; libero **2** continuo; incessante; ininterrotto.

unarticulated /ʌnɑː'tɪkjʊleɪtɪd/ **a. 1** (*di discorso, ecc.*) inarticolato; indistinto **2** disarticolato.

unartistic /ʌnɑː'tɪstɪk/ **a.** non artistico; che non ha pretese artistiche.

unary /'juːnərɪ/ **a.** (*comput., mat., ling.*) unario: **u. operation**, operazione unaria.

unascertainable /ʌnæsə'teɪnəbl/ **a.** inaccertabile; non appurabile.

unascertained /ʌnæsə'teɪnd/ **a.** non accertato; non appurato.

unashamed /ʌnə'ʃeɪmd/ **a.** svergognato; spudorato | **-ly avv.** | **-ness n.** Ⓤ.

unasked /ʌn'ɑːskt/ **a. 1** (= **u. for**) non ri-

chiesto; non sollecitato; spontaneo **2** non invitato; senza invito; non sollecitato.

unassailable /ʌnə'seɪləbl/ a. **1** (*mil.*) inattaccabile **2** incontestabile; inoppugnabile ● **to be in an u. position**, essere in una botte di ferro (*fig.*) | **-ness** n. Ⓤ | **-bly** avv.

unassayed /ʌnə'seɪd/ a. **1** (*di metallo, ecc.*) non saggiato **2** non tentato; non provato; intentato.

unassessed /ʌnə'sɛst/ a. **1** non valutato **2** (*fisc.*) di cui non è stato calcolato l'imponibile.

unassignable /ʌnə'saɪnəbl/ a. **1** non assegnabile **2** (*leg.*) non trasferibile.

unassimilated /ʌnə'sɪməleɪtɪd/ a. non assimilato.

unassisted /ʌnə'sɪstɪd/ a. non assistito; senza aiuto; da solo.

unassuming /ʌnə'su:mɪŋ/ a. **1** che se ne sta in disparte; che non si mette in vista **2** senza pretese; modesto; alla buona.

unassured /ʌnə'ʃʊəd/ a. **1** malsicuro; dubbioso; diffidente **2** incerto; dubbio **3** (*ass.*) non assicurato.

unatoned /ʌnə'təʊnd/ a. inespiato.

unattached /ʌnə'tætʃt/ a. **1** slegato; sciolto; indipendente; libero **2** (*mil.*) non assegnato a un reggimento; a disposizione **3** (*di studente*) che non appartiene a un «college» universitario **4** single **5** (*leg.*) non sequestrato.

unattainable /ʌnə'teɪnəbl/ a. irraggiungibile; inaccessibile; che non si riesce a conseguire | **-ness** n. Ⓤ.

unattempted /ʌnə'tɛmptɪd/ a. intentato; non provato.

unattended /ʌnə'tɛndɪd/ a. **1** solo; senza seguito; senza seguaci; senza uditorio **2** incustodito; senza sorveglianza; sguarnito: *Don't leave your car u.*, non lasciar incustodita l'automobile! **3** non curato; trascurato **4** (*mecc.: di macchina*) che funziona da sola; senza l'intervento dell'uomo ● **u. car park**, parcheggio incustodito □ (*comput.*) **u. operation**, operazione automatica □ **to leave st. u. to**, trascurare di fare qc.

unattested /ʌnə'tɛstɪd/ a. (*di un vocabolo, ecc.*) non attestato; non comprovato.

unattired /ʌnə'taɪəd/ a. non abbigliato; svestito; privo di ornamenti.

unattractive /ʌnə'træktɪv/ a. poco attraente; privo d'attrattiva || **unattractively** avv. in modo poco attraente || **unattractiveness** n. Ⓤ mancanza di attrattiva.

unau /'ju:nɔ:/ n. (*zool.*, *Choloepus didactylus*) bradipo didattilo.

unaudited /ʌn'ɔ:dɪtɪd/ a. (*fin.: di un bilancio, ecc.*) non certificato; non verificato.

unauthentic /ʌnɔ:'θɛntɪk/ a. non autentico; falso; spurio.

unauthenticated /ʌnɔ:'θɛntɪkeɪtɪd/ a. (*anche leg.*) non autenticato.

unauthoritative /ʌnɔ:'θɒrɪtətɪv/ a. privo di autorità; senza autorevolezza.

unauthorized /ʌn'ɔ:θəraɪzd/ a. non autorizzato; arbitrario; abusivo; illecito: (*comput.*) **u. access**, accesso non autorizzato.

unavailable /ʌnə'veɪləbl/ a. **1** non disponibile; indisponibile; impegnato; occupato **2** (*comm.*, *market.: di un articolo*) non disponibile; esaurito **3** (*lett.*) inefficace; inutile.

unavailing /ʌnə'veɪlɪŋ/ a. inefficace; inutile; vano | **-ly** avv.

unavenged /ʌnə'vɛndʒd/ a. invendicato.

unavoidable /ʌnə'vɔɪdəbl/ a. **1** inevitabile; ineludibile **2** imprescindibile; immancabile ● (*econ.*) **u. costs**, costi rigidi | **-ness** n. Ⓤ | **-bly** avv.

unavowed /ʌnə'vaʊd/ a. inconfessato; non ammesso.

unaware /ʌnə'wɛə(r)/ a. pred. inconsapevole; inconscio; ignaro: **to be u. of st.**, essere ignaro di qc.; ignorare qc. | **-ly** avv. | **-ness** n. Ⓤ.

unawares /ʌnə'wɛəz/ avv. **1** inavvertitamente; involontariamente; senza volerlo **2** inaspettatamente; di sorpresa; alla sprovvista: *We took him u.*, lo cogliemmo alla sprovvista.

unbacked /ʌn'bækt/ a. **1** senza appoggi; senza sostenitori; abbandonato **2** (*di cavallo*) non avvezzo a essere cavalcato; non ancora montato; selvaggio **3** (*ipp.*) senza scommettitori; su cui nessuno punta.

unbaked /ʌn'beɪkt/ a. **1** non cotto (*al forno*) **2** (*arc.*) immaturo.

unbalance /ʌn'bæləns/ n. Ⓤ **1** mancanza d'equilibrio **2** sbilanciamento; squilibrio (*delle forze in campo, ecc.*) **3** (*tecn.*) squilibrio; sbilancio; scompenso.

to **unbalance** /ʌn'bæləns/ v. t. **1** far perdere l'equilibrio (*anche psichico*) a (q.) **2** (*tecn. e fig.*) sbilanciare; squilibrare; scompensare.

unbalanced /ʌn'bælənst/ a. **1** non equilibrato; sbilanciato; squilibrato (*anche psichicamente*); scompensato **2** (*fin.*) non in pareggio, in disavanzo: **an u. budget**, un bilancio previsionale non in pareggio.

to **unballast** /ʌn'bæləst/ (*naut.*) Ⓐ v. t. alleggerire della zavorra Ⓑ v. i. scaricare la zavorra.

unbankable /ʌn'bæŋkəbl/ a. (*banca*) non bancabile.

unbanked /ʌn'bæŋkt/ a. **1** (*comm.*) non depositato in banca **2** (*fam.*) che non ha un conto in banca.

unbaptized /ʌnbæp'taɪzd/ a. non battezzato.

to **unbar** /ʌn'bɑ:(r)/ v. t. **1** togliere il catenaccio (o le sbarre) a; disserrare **2** aprire, dischiudere (*anche fig.*): **to u. the way to peace**, aprire la strada alla pace.

unbathed /ʌn'beɪðd/ a. non lavato; sporco.

unbearable /ʌn'bɛərəbl/ a. insopportabile; intollerabile | **-bly** avv. | **-ness** n. Ⓤ.

unbeatable /ʌn'bi:təbl/ a. imbattibile; insuperabile: (*pubbl.*) **u. service**, servizio imbattibile; **u. low prices**, prezzi che non temono concorrenza.

unbeaten /ʌn'bi:tn/ a. **1** non battuto; imbattuto; invitto: (*sport*) **an u. record**, un primato imbattuto **2** non battuto; non frequentato; inesplorato: **an u. path**, un sentiero non battuto ● (*calcio, ecc.*) **u. run**, serie utile (*senza avere subito sconfitte*).

unbecoming /ʌnbɪ'kʌmɪŋ/ a. **1** sconveniente; indecoroso; disdicevole: **u. behaviour**, condotta indecorosa **2** (*arc.*) disadatto; che non dona; che non sta bene: **an u. blouse**, una camicetta che non sta bene | **-ly** avv. | **-ness** n. Ⓤ.

unbefitting /ʌnbɪ'fɪtɪŋ/ a. (*form.*) → **unbecoming**.

unbefriended /ʌnbɪ'frɛndɪd/ a. senza amici.

unbegotten /ʌnbɪ'ɡɒtn/ a. (*relig.*) **1** non concepito; non generato **2** (*raro*) sempiterno.

unbeknown /ʌnbɪ'nəʊn/, **unbeknownst** /ʌnbɪ'nəʊnst/ a. pred. (*fam.*) ignorato; sconosciuto ● **u. to sb.**, all'insaputa di q.

unbelief /ʌnbɪ'li:f/ n. incredulità; scetticismo; miscredenza.

◆**unbelievable** /ʌnbɪ'li:vəbl/ a. incredibile | **-ness** n. Ⓤ | **-bly** avv.

unbeliever /ʌnbɪ'li:və(r)/ n. incredulo; scettico; miscredente.

unbelieving /ʌnbɪ'li:vɪŋ/ a. incredulo; miscredente; scettico | **-ly** avv.

unbeloved /ʌnbɪ'lʌvɪd/ a. non amato.

to **unbelt** /ʌn'bɛlt/ v. t. allentare la cintura di; togliere la cinghia a ● **to u. one's sword**, togliersi la spada (*sfibbiando il cinturone*).

to **unbend** /ʌn'bɛnd/ (*pass. e p. p. unbent*) Ⓐ v. t. **1** raddrizzare; stendere; tendere **2** distendere (*fig.*); rilassare: **to u. one's mind**, rilassare la mente **3** (*naut.*) allentare, sciogliere (*una vela*); slegare (*una cima, ecc.*) Ⓑ v. i. **1** raddrizzarsi; stendersi **2** (*fig.*) rilassarsi; distendersi **3** (*fig.*) aprirsi (*al contatto con gli altri*); lasciarsi andare.

unbending /ʌn'bɛndɪŋ/ a. **1** non pieghevole; rigido **2** inflessibile; austero; rigido **3** deciso; fermo; saldo; risoluto | **-ly** avv.

unbeneficed /ʌn'bɛnɪfɪst/ a. (*relig.*) senza benefici ecclesiastici.

unbeneficial /ʌnbɛnɪ'fɪʃl/ a. **1** che non fa bene: **u. to one's health**, che non fa bene alla salute **2** inefficace.

unbent /ʌn'bɛnt/ pass. e p. p. di **to unbend**.

unbeseeming /ʌnbɪ'si:mɪŋ/ a. (*arc.*) disdicevole; sconveniente.

unbiased, **unbiassed** /ʌn'baɪəst/ a. **1** imparziale; obiettivo; equanime **2** (*stat.*) non distorto: **u. estimate**, stima non distorta.

unbidden /ʌn'bɪdn/ a. (*lett.*) **1** non richiesto; spontaneo **2** non invitato.

to **unbind** /ʌn'baɪnd/ (*pass. e p. p. unbound*), v. t. **1** slegare; sciogliere **2** sfasciare (*una ferita, ecc.*).

unbinding /ʌn'baɪndɪŋ/ a. (*anche leg.*) non vincolante; non impegnativo; non obbligatorio: **an u. offer**, un'offerta non vincolante.

unblamable /ʌn'bleɪməbl/ a. irreprensibile; ineccepibile | **-bly** avv.

unbleached /ʌn'bli:tʃt/ a. **1** non candeggiato **2** (*di capello*) non ossigenato; al naturale.

unblemished /ʌn'blɛmɪʃt/ a. senza macchia (*fig.*); puro; incontaminato; irreprensibile.

unblessed, **unblest** /ʌn'blɛst/ a. **1** non benedetto; senza benedizione **2** maledetto; malvagio **3** infelice; sfortunato.

unblinking /ʌn'blɪŋkɪŋ/ a. che non batte ciglio; (*fig.*) imperturbabile; impassibile || **unblinkingly** avv. senza battere ciglio.

to **unblock** /ʌn'blɒk/ Ⓐ v. t. **1** slegare; sbloccare **2** (*a carte*) liberare (*la sequenza del compagno*) giocando una carta alta dello stesso seme Ⓑ v. i. liberare il gioco.

unbloody /ʌn'blʌdɪ/ a. **1** incruento **2** non sanguinario.

unblotted /ʌn'blɒtɪd/ a. **1** immacolato; incontaminato; puro **2** (*raro*) non cancellato.

unblushing /ʌn'blʌʃɪŋ/ a. sfacciato; spudorato; svergognato: **u. lies**, menzogne spudorate. | **-ly** avv.

to **unbolt** /ʌn'bəʊlt/ v. t. e i. **1** levare il catenaccio (a); disserrare; aprire: **to u. a door**, aprire una porta tirando il catenaccio **2** (*mecc.*) sbullonare.

unbolted ① /ʌn'bəʊltɪd/ a. **1** senza catenaccio; disserrato **2** (*mecc.*) senza bulloni; sbullonato.

unbolted ② /ʌn'bəʊltɪd/ a. non stacciato; non abburattato.

unboned /ʌn'bəʊnd/ a. **1** (*zool.*) senz'ossa; invertebrato **2** (*cucina*) senza le ossa; non dissossato: **an u. fowl**, un pollo non dissossato **3** (*cucina: di pesce*) non spinato.

to **unbonnet** /ʌn'bɒnɪt/ Ⓐ v. t. **1** levare il cappello a (q.); scoprire **2** (*autom.*) levare il cofano di Ⓑ v. i. (*arc.*) levarsi il cappello; scoprirsi; scappellarsi || **unbonneted** a. senza cappello; a capo scoperto.

unbooked /ʌn'bʊkt/ a. **1** non registrato **2** (*tur.*, *teatr.*) non prenotato.

to **unboot** /ʌnˈbuːt/ v. t. levar le scarpe (o gli stivali) a (q.) ‖ **unbooted** a. senza stivali; senza scarpe; scalzo.

unborn /ʌnˈbɔːn/ a. **1** non ancora nato; prima della nascita **2** (fig.) inesistente; di là da venire; futuro: **u. generations**, le generazioni future.

to **unbosom** /ʌnˈbuzəm/ **A** v. t. confidare; rivelare; svelare; sfogare: **to u. one's feelings**, svelare i propri sentimenti **B** v. i. confidarsi; aprirsi; aprire il proprio animo; sfogarsi ● **to u. oneself**, confidarsi; aprirsi; aprire il proprio animo; sfogarsi.

unbought /ʌnˈbɔːt/ a. **1** non comprato; invenduto **2** gratuito.

unbound /ʌnˈbaʊnd/ **A** pass. e p. p. di to **unbind B** a. **1** slegato; sciolto: **u. hair**, capelli sciolti **2** (di libro) non rilegato **3** (chim.) non combinato; libero.

unbounded /ʌnˈbaʊndɪd/ a. **1** sconfinato; illimitato; infinito; smisurato: **the u. ocean**, l'oceano smisurato **2** incontenibile; sfrenato: **u. joy**, incontenibile gioia | **-ness** n. ꊻ.

unbowed /ʌnˈbaʊd/ a. **1** non curvo; non piegato; dritto **2** (fig.) non domo; indomito; invitto.

to **unbox** /ʌnˈbɒks/ v. t. cavare (qc.) da una scatola.

to **unbrace** /ʌnˈbreɪs/ v. t. **1** allentare; sciogliere; slacciare **2** (fig.) rilassare; distendere **3** (fig. raro) indebolire; infiacchire.

to **unbraid** /ʌnˈbreɪd/ v. t. **1** separare i capi di (una fune, ecc.) **2** districare; sciogliere (trecce, ecc.).

unbreachable /ʌnˈbriːtʃəbl/ a. inespugnabile; inattaccabile; impenetrabile; invalicabile: **an u. position**, una posizione inattaccabile; **u. barriers**, barriere invalicabili.

unbreakable /ʌnˈbreɪkəbl/ a. infrangibile: **u. glass**, vetro infrangibile.

unbreathable /ʌnˈbriːðəbl/ a. irrespirabile.

unbred /ʌnˈbred/ a. **1** (raro) ineducato; inesperto; poco abile **2** (raro) maleducato **3** (arc.) non nato.

to **unbreech** /ʌnˈbriːtʃ/ v. t. **1** levare i calzoni a (q.) **2** (stor., mil.) togliere la culatta a (un cannone) ‖ **unbreeched** a. **1** senza calzoni **2** (mil.) senza culatta.

unbribable /ʌnˈbraɪbəbl/ a. incorruttibile.

unbridgeable /ʌnˈbrɪdʒəbl/ a. incolmabile; insanabile: **u. gap**, lacuna incolmabile; **u. rift**, frattura insanabile.

to **unbridle** /ʌnˈbraɪdl/ v. t. **1** togliere le briglie a (un cavallo) **2** (fig.) sbrigliare; sciogliere (la lingua) **3** (fig.) liberare (q.).

unbridled /ʌnˈbraɪdld/ a. **1** (di cavallo) senza briglia **2** (fig.) sbrigliato; scatenato; sfrenato, senza freno (spec. fig.): **u. rage**, ira sfrenata.

unbroken /ʌnˈbrəʊkən/ a. **1** non rotto; intatto **2** ininterrotto; continuo: **u. sleep**, sonno ininterrotto **3** (di cavallo) non domato; selvaggio **4** (di un primato) imbattuto; insuperato **5** (leg.: di contratto) non rotto, rispettato; (di regolamento, giuramento, ecc.) non violato, osservato, rispettato **6** (fig.) indomito.

to **unbuckle** /ʌnˈbʌkl/ v. t. sfibbiare; slacciare.

to **unbuild** /ʌnˈbɪld/ (pass. e p. p. **unbuilt**), v. t. demolire; radere al suolo.

unbuilt /ʌnˈbɪlt/ **A** pass. e p. p. di to **unbuild B** a. non ancora costruito ● (edil.) **u. area**, area edificabile.

to **unbundle** /ʌnˈbʌndl/ v. t. **1** ripartire; frazionare; scorporare; smembrare: **to u. a company**, scorporare (o frazionare) una società **2** (comm.) prezzare o vendere (articoli

o servizi) separatamente.

unbundling /ʌnˈbʌndlɪŋ/ n. **1** ripartizione; frazionamento; scorporo; smembramento: (fin.) **u. of risk**, frazionamento del rischio **2** (comm.) vendita separata **3** (comput.) «unbundling» (vendita separata di software, hardware, assistenza, ecc.).

to **unburden** /ʌnˈbɜːdn/ v. t. **1** alleggerire; sgravare; scaricare: **to u. one's conscience**, alleggerirsi la coscienza (delle colpe, ecc.) **2** levare il carico (il basto, ecc.) a ● **to u. oneself**, confidarsi; sfogarsi; aprire l'animo: **to u. oneself to sb.**, confidarsi con q. □ **to u. oneself of a secret**, alleggerirsi di un segreto □ (relig.) **to u. one's soul to a priest**, sgravarsi l'anima confessandosi a un prete.

unburied /ʌnˈberɪd/ a. insepolto; senza sepoltura.

unburnt /ʌnˈbɜːnt/ a. **1** incombusto **2** (edil., ind.) crudo: **u. bricks**, mattoni crudi.

to **unbury** /ʌnˈberɪ/ v. t. disseppellire; esumare.

unbusinesslike /ʌnˈbɪznɪslaɪk/ a. **1** inadatto al commercio; non conforme agli usi commerciali **2** privo di metodo; poco pratico ● **to handle st. in an u. way**, trattare qc. in modo poco professionale.

to **unbutton** /ʌnˈbʌtn/ v. t. sbottonare ● **to u. oneself**, sbottonarsi (fig. fam.); rilassarsi; lasciarsi andare (fig.): **If you u. yourself, you will feel much better**, se racconti tutto, ti sentirai molto meglio.

unbuttoned /ʌnˈbʌtnd/ a. **1** sbottonato **2** (fig. fam.) rilassato; a proprio agio.

to **uncage** /ʌnˈkeɪdʒ/ v. t. **1** togliere dalla gabbia; mettere in libertà **2** (tecn.) sbloccare (un giroscopio, ecc.).

uncalled /ʌnˈkɔːld/ a. non chiamato; non invitato ● (fin.) **u. capital**, capitale non richiamato □ **u.-for**, non necessario; fuori luogo; gratuito (fig.); (di lettera) giacente alla Posta: **an u.-for remark**, un'osservazione fuori luogo.

uncanniness /ʌnˈkænɪnəs/ n. ꊻ misteriosità; l'essere arcano (o soprannaturale).

uncanny /ʌnˈkænɪ/ a. **1** misterioso; arcano; magico; soprannaturale **2** inusitato; straordinario; fuori del comune | **-ily** avv.

uncanonical /ʌnkəˈnɒnɪkl/ a. (relig.) non canonico; non conforme ai canoni | **-ly** avv.

uncanonized /ʌnˈkænənaɪzd/ a. (relig.) non canonizzato.

to **uncap** /ʌnˈkæp/ **A** v. t. **1** togliere il berretto a (q.) **2** togliere il cappuccio a (una stilografica, ecc.) **3** stappare (una bottiglia con tappo metallico) **4** (tecn.) scapsulare **5** (fig.) rivelare; svelare **B** v. i. (raro) levarsi il berretto; scappellarsi.

uncapped /ʌnˈkæpt/ a. **1** (tecn.) scapsulato **2** (sport: di un giocatore) che non è ancora stato messo in nazionale.

uncared-for /ʌnˈkɛədfɔː(r)/ a. negletto; trascurato; abbandonato (fig.); in abbandono.

uncaring /ʌnˈkɛərɪŋ/ a. indifferente (ai bisogni altrui); insensibile | **-ly** avv.

uncarpeted /ʌnˈkɑːpɪtɪd/ a. (di stanza, ecc.) senza tappeti; senza moquette.

to **uncase** /ʌnˈkeɪs/ v. t. **1** togliere dall'astuccio (o dal fodero); estrarre **2** (fig.) esporre; scoprire.

uncashed /ʌnˈkæʃt/ a. non incassato; non riscosso.

uncatchable /ʌnˈkætʃəbl/ a. (di un pallone, ecc.) imprendibile; irraggiungibile.

uncate /ˈʌŋkeɪt/ → **uncinate**.

uncaused /ʌnˈkɔːzd/ a. **1** che non ha causa; immotivato **2** (filos.) senza causa prima; esistente di per sé; increato.

unceasing /ʌnˈsiːsɪŋ/ a. incessante; con-

tinuo; ininterrotto | **-ly** avv.

uncelebrated /ʌnˈselɪbreɪtɪd/ a. non celebrato; non famoso.

uncensured /ʌnˈsenʃəd/ a. incensurato.

unceremonious /ʌnserəˈməʊnɪəs/ a. **1** senza cerimonie; alla buona; semplice **2** poco cerimonioso; sbrigativo; spicciativo | **-ly** avv. | **-ness** n. ꊻ.

uncertain /ʌnˈsɜːtn/ a. incerto; malsicuro; dubbio; dubbioso; irresoluto; indeciso: **u. weather**, tempo incerto; **an u. result**, un risultato incerto; **an u. temper**, un carattere irresoluto; **I'm u. whether to go or not**, sono indeciso se andare o no; **I am u. which of the boys he means**, non so a quale dei ragazzi si riferisca ● **to be u. of** (o about), non esser sicuro di; non sapere: **I am u. about his intentions**, non so bene quali siano le sue intenzioni □ **of u. age**, (di persona) di una certa età (o di età indefinibile); (di reperto, oggetto ecc.) di età incerta | **-ly** avv.

uncertainty /ʌnˈsɜːtntɪ/ n. ꊻꊻ incertezza; dubbio; indecisione; irresolutezza ● (fis.) **u. principle**, principio d'indeterminazione □ **to prefer certainty to u.**, preferire il certo all'incerto □ **These are the uncertainties of life**, sono cose che capitano nella vita.

to **unchain** /ʌnˈtʃeɪn/ v. t. sciogliere dalle catene; liberare.

unchallengeable /ʌnˈtʃælɪndʒəbl/ a. **1** inattaccabile **2** imbattibile **3** incontestabile; indiscutibile.

unchallenged /ʌnˈtʃælɪndʒd/ a. **1** non sfidato **2** incontestato; indiscusso **3** (sport: di un attaccante) incontrastato; indisturbato.

unchangeable /ʌnˈtʃeɪndʒəbl/ a. immutabile; inalterabile | **-ness** n. ꊻ | **-bly** avv.

unchanged /ʌnˈtʃeɪndʒd/ a. immutato; inalterato; invariato.

unchanging /ʌnˈtʃeɪndʒɪŋ/ a. immutabile; invariabile; costante.

uncharacteristic /ʌnkærəktəˈrɪstɪk/ a. non caratteristico; atipico; insolito ‖ **uncharacteristically** avv. insolitamente; in maniera atipica: **He was uncharacteristically quiet that evening**, quella sera è stato insolitamente silenzioso.

uncharged /ʌnˈtʃɑːdʒd/ a. **1** (elettr.) scarico; che non è stato caricato: **an u. battery**, una batteria scarica **2** (leg.: di terreno, ecc.) esente da gravami (o da imposte) **3** (arc.: di fucile, ecc.) scarico.

uncharitable /ʌnˈtʃærɪtəbl/ a. non caritatevole; aspro; duro; severo; spietato | **-ness** n. ꊻ | **-bly** avv.

uncharted /ʌnˈtʃɑːtɪd/ a. **1** (geogr., ecc.) non mappato; non segnato sulle carte geografiche **2** (fig.) inesplorato; sconosciuto **3** (naut.) non registrato sulle carte marittime.

unchartered /ʌnˈtʃɑːtəd/ a. **1** (leg.) non autorizzato; privo di privilegi speciali **2** (di nave, aereo, ecc.) non noleggiato.

unchaste /ʌnˈtʃeɪst/ a. impudico; lascivo; licenzioso ‖ **unchastely** avv. impudicamente; lascivamente; licenziosamente ‖ **unchastity** ꊻ impudicizia; lascivia.

unchecked /ʌnˈtʃekt/ a. **1** sbrigliato; sfrenato; indisciplinato; incontrollato: **u. anger**, ira sfrenata **2** (spec. comm.) non verificato; non controllato.

unchivalrous /ʌnˈʃɪvlrəs/ a. **1** (stor.) indegno di un cavaliere; non cavalleresco **2** (fig.) poco cavalleresco; scortese; sgarbato.

unchristian /ʌnˈkrɪstʃən/ a. **1** non cristiano; pagano **2** non da cristiano; poco cristiano; non caritatevole **3** (fam.) incivile; barbaro; sgarbato; rude | **-ly** avv.

to **unchurch** /ʌnˈtʃɜːtʃ/ v. t. (relig.) **1** scomunicare (q.) **2** sconsacrare (un luogo sacro).

uncia /ˈʌnsɪə/ n. (pl. **unciae**) (stor. romana) oncia.

uncial /'ʌnsɪəl/ **A** a. (stor.) onciale; unciale **B** n. (di scrittura) carattere onciale.

unciform /'ʌnsɪfɔːm/ → **uncinate**.

uncinate /'ʌnsɪnət/ a. uncinato; a forma d'uncino.

uncircumcised /ʌn'sɜːkəmsaɪzd/ a. **1** (relig. ebraica) incirconciso **2** (fig.) pagano; barbaro ‖ **uncircumcision** n. **1** (relig. ebraica) il non essere circonciso **2** (fig., collett.: nella Bibbia) i pagani; i Gentili.

uncircumscribed /ʌn'sɜːkəmskraɪbd/ a. (spec. relig.) incircoscritto.

uncivil /ʌn'sɪvl/ a. **1** incivile; barbaro; selvaggio **2** maleducato; scortese; sgarbato **3** indecoroso; indecente | **-ly** avv.

uncivilized /ʌn'sɪvəlaɪzd/ a. **1** incivile; barbaro; selvaggio **2** rozzo; incolto; incivile.

unclad /ʌn'klæd/ a. (lett.) spogliato; svestito; nudo.

unclaimed /ʌn'kleɪmd/ a. **1** non reclamato; non richiesto; non ritirato; (di lettera, pacco, ecc.) giacente: **u. luggage**, bagaglio non ritirato **2** (leg.) non rivendicato: **an u. right**, un diritto non rivendicato **3** (banca, comm.) non riscosso: **an u. cheque**, un assegno non riscosso ● (fin.) **u. dividend**, dividendo non riscosso.

unclarified /ʌn'klærəfaɪd/ a. **1** (di liquido) non chiarificato; torbido **2** (fig.) non chiarito; oscuro.

to **unclasp** /ʌn'klɑːsp/ **A** v. t. **1** sfibbiare; slacciare **2** mollare; lasciar andare **B** v. i. lasciare la presa; lasciar andare.

unclassifiable /ʌn'klæsɪfaɪəbl/, **unclassable** /ʌn'klɑːsəbl/ a. inclassificabile.

unclassified /ʌn'klæsɪfaɪd/ a. **1** non classificato; non ordinato in classi **2** (d'informazioni e sim.) non riservato; disponibile al pubblico **3** alla rinfusa.

♦**uncle** /'ʌŋkl/ n. **1** zio **2** (fam.) annunciatore della radio o della televisione **3** (scherz.) gestore di banco di pegni; usuraio **4** (slang USA) ricettatore **5** (slang) agente cinematografico **6** (slang USA) = **Uncle Sam** → sotto ● **U. Sam**, lo zio Sam (il governo degli USA; il popolo americano) □ (spreg. USA) **U. Tom**, nero assai deferente verso i bianchi □ (fam. USA) **to say** (o **to cry**) **u.**, darsi per vinto; arrendersi.

unclean /ʌn'kliːn/ a. **1** sporco; sudicio: (naut.) **u. bill of lading**, polizza di carico sporca **2** immondo; impuro **3** (sport) falloso; irregolare; scorretto ‖ **uncleanness** n. ☐ **1** sporcizia; sudiciume **2** impurità.

uncleanliness /ʌn'klɛnlɪnəs/ n. ☐ = **uncleanness** → **unclean**.

uncleanly① /ʌn'klɛnlɪ/ a. → **unclean**.

uncleanly② /ʌn'kliːnlɪ/ avv. (sport) fallosamente; scorrettamente; in modo irregolare.

uncleansed /ʌn'klɛnzd/ a. **1** (relig.) non purificato **2** non pulito; sporco.

unclear /ʌn'klɪə(r)/ a. **1** poco chiaro; oscuro; indistinto; indefinito; ambiguo **2** insicuro, incerto (su che fare, ecc.) | **-ly** avv. | **-ness** n. ☐.

uncleared /ʌn'klɪəd/ a. **1** non chiarito **2** (di terreno) non disboscato **3** (leg.) non discolpato **4** (dog.) non sdoganato: **u. goods**, merce non sdoganata.

to **unclench** /ʌn'klɛntʃ/, to **unclinch** /ʌn'klɪntʃ/ **A** v. t. disserrare, aprire, schiudere (il pugno, ecc.) **B** v. i. disserrarsi; aprirsi; schiudersi.

unclipped /ʌn'klɪpt/ a. **1** non tosato **2** (di biglietto d'autobus, ecc.) non forato; non obliterato.

to **uncloak** /ʌn'kləʊk/ v. t. **1** togliere il mantello a; levare il manto a **2** (fig.) scoprire; smascherare; svelare.

to **unclog** /ʌn'klɒg/ v. t. liberare da pasto-

ie; disincagliare.

to **unclose** /ʌn'kləʊz/ v. t. **1** schiudere; aprire **2** (fig.) rivelare; svelare.

to **unclothe** /ʌn'kləʊð/ v. t. **1** spogliare; svestire **2** (fig.) scoprire; svelare.

unclouded /ʌn'klaʊdɪd/ a. **1** senza nubi; sereno **2** non offuscato; sereno: **u. joy**, gioia non offuscata **3** (di liquido) limpido.

unco /'ʌŋkəʊ/ (scozz.) **A** a. **1** strano; insolito; inconsueto **2** misterioso; soprannaturale **3** straordinario; considerevole; notevole **B** n. (pl. uncos) **1** (arc.) straniero; sconosciuto **2** (pl.) notizie **C** avv. assai; molto; straordinariamente.

uncoached /ʌn'kəʊtʃt/ a. (sport) non allenato; senza allenatore.

uncocked /ʌn'kɒkt/ a. (di arma da fuoco) col cane abbassato; in posizione di sicurezza.

uncodified /ʌn'kɒdɪfaɪd/ a. non codificato.

to **uncoil** /ʌn'kɔɪl/ **A** v. t. svolgere (bobine, ecc.); snodare; spiegare; srotolare **B** v. i. svolgersi; snodarsi; spiegarsi; srotolarsi.

uncoined /ʌn'kɔɪnd/ a. (di metallo) non coniato.

uncollectable /ʌnkə'lɛktəbl/ → **uncollectible**.

uncollected /ʌnkə'lɛktɪd/ a. **1** non raccolto; sparso: **u. verse**, poesie sparse **2** (comm.) non riscosso; non incassato; inesatto: (fisc.) **an u. tax**, un'imposta non riscossa **3** (fig.) agitato; distratto; svagato.

uncollectible /ʌnkə'lɛktəbl/ (comm.) **A** a. non incassabile; non riscuotibile; inesigibile: **u. credit** (o **debt**), credito inesigibile **B** n. credito inesigibile.

uncolonized /ʌn'kɒlənaɪzd/ a. non colonizzato.

uncoloured, (USA) **uncolored** /ʌn'kʌləd/ a. incolore (anche fig.).

uncombed /ʌn'kəʊmd/ a. non pettinato; spettinato; arruffato.

uncombined /ʌnkəm'baɪnd/ a. **1** (chim.) non combinato; libero **2** disunito; separato.

uncome-at-able /ʌnkʌm'ætəbl/ a. (fam.) inaccessibile; irraggiungibile.

uncomely /ʌn'kʌmlɪ/ a. **1** brutto; sgraziato **2** sconveniente; disdicevole; indecoroso.

uncomfortable /ʌn'kʌmfətəbl/ a. **1** incomodo; scomodo; disagevole: **an u. bed**, un letto scomodo **2** a disagio; inquieto: He felt u. about the way they were looking at him, il modo con il quale lo guardavano lo faceva sentire a disagio **3** sgradevole; spiacevole ● **an u. feeling**, un senso di disagio □ **to be u.**, essere scomodo (o a disagio) □ **to feel** (o **to be**) **u. about doing st.**, avere del remore a fare qc. □ **to make sb. u.**, mettere q. a disagio □ **to make things u. for sb.**, procurare fastidi a q.; dare delle noie a q. | **-ness**. ☐ | **-bly** avv.

uncomforted /ʌn'kʌmfətɪd/ a. non confortato; sconsolato.

uncomfy /ʌn'kʌmfɪ/ a. (abbr. fam.) → **uncomfortable**.

uncommercial /ʌnkə'mɜːʃl/ a. **1** non commerciale; non conforme agli usi (o alle regole) del commercio **2** che non si occupa di commercio.

uncommitted /ʌnkə'mɪtɪd/ a. **1** (di delitto, ecc.) non commesso; non compiuto **2** non vincolato; non impegnato; libero; indipendente ● (polit.) **the u. countries**, i paesi non allineati.

uncommon /ʌn'kɒmən/ **A** a. non comune; insolito; raro; fuori del comune; straordinario; singolare **B** avv. (fam., = **uncommonly**) straordinariamente | **-ly** avv. | **-ness** n. ☐.

uncommunicable /ʌnkə'mjuːnɪkəbl/ a.

incomunicabile.

uncommunicative /ʌnkə'mjuːnɪkətɪv/ a. chiuso (fig.); riservato; silenzioso; taciturno | **-ly** avv. | **-ness** n. ☐.

uncompanionable /ʌnkəm'pænjənəbl/ a. insocievole; poco socievole.

uncompelled /ʌnkəm'pɛld/ a. non costretto; volontario; spontaneo.

uncompensated /ʌn'kɒmpenseɪtɪd/ a. **1** (anche leg., ass.: di danno, ecc.) non compensato; non risarcito **2** (mecc.) non compensato; non controbilanciato.

uncompetitive /ʌnkəm'pɛtətɪv/ a. (spec. comm., econ.) non competitivo; non concorrenziale.

uncomplaining /ʌnkəm'pleɪnɪŋ/ a. che non si lamenta; paziente; rassegnato; stoico | **-ly** avv. | **-ness** n. ☐.

uncompleted /ʌnkəm'pliːtɪd/ a. incompleto; non condotto a termine; incompiuto; imperfetto.

uncompliant /ʌnkəm'plaɪənt/ a. poco accomodante; inflessibile; intransigente.

uncomplicated /ʌn'kɒmplɪkeɪtɪd/ a. non complicato; senza complicazioni; semplice.

uncomplimentary /ʌnkɒmplɪ'mɛntrɪ/ a. **1** poco complimentoso; scortese **2** senza complimenti; poco lusinghiero.

uncompounded /ʌnkəm'paʊndɪd/ a. **1** non composto; semplice **2** non complicato; senza complicazioni.

uncomprehended /ʌnkɒmprɪ'hɛndɪd/ a. incompreso.

uncomprehending /ʌnkɒmprɪ'hɛndɪŋ/ a. che non capisce; sconcertato; perplesso; disorientato; confuso | **-ly** avv.

to **uncompress** /ʌnkəm'prɛs/ v. t. (comput.) decomprimere, scompattare (un file) ‖ **uncompression** n. ☐ decompressione (di un file).

uncompressed /ʌnkəm'prɛst/ a. non compresso.

uncompressible /ʌnkəm'prɛsəbl/ a. incomprimibile.

uncompromised /ʌn'kɒmprəmaɪzd/ a. non compromesso.

uncompromising /ʌn'kɒmprəmaɪzɪŋ/ a. intransigente; inflessibile; irriducibile; che non molla mai ● **u. sincerity**, sincerità assoluta | **-ly** avv.

unconcealed /ʌnkən'siːld/ a. non celato; aperto; manifesto.

unconceivable /ʌnkən'siːvəbl/ a. inconcepibile.

unconcern /ʌnkən'sɜːn/ n. **1** indifferenza; noncuranza **2** mancanza di preoccupazioni; serenità.

unconcerned /ʌnkən'sɜːnd/ a. **1** indifferente; noncurante **2** senza preoccupazioni; sereno **3** estraneo; distaccato (fig.); neutrale ● **to be u. with** (st.), non occuparsi, non preoccuparsi di (qc.) | **-ly** avv.

unconcluded /ʌnkən'kluːdɪd/ a. inconcluso.

uncondemned /ʌnkən'dɛmd/ a. non condannato.

uncondensed /ʌnkən'dɛnst/ a. non condensato.

unconditional /ʌnkən'dɪʃnl/ a. **1** incondizionato; senza condizioni; senza riserve; assoluto; pieno; netto: **u. surrender**, resa incondizionata; **u. support**, pieno appoggio; (leg.) **u. offer**, offerta incondizionata **2** (comput.) incondizionato: **u. branch** (o **u. jump**), salto incondizionato | **-ly** avv.

unconditioned /ʌnkən'dɪʃnd/ a. (filos., scient.) incondizionato; spontaneo: **u. reflexes**, riflessi incondizionati.

unconfessed /ʌnkən'fɛst/ a. **1** inconfessato **2** (leg.) (di crimine) non confessato.

unconfident /ʌnˈkɒnfɪdənt/ a. sfiduciato.

unconfined /ʌnkənˈfaɪnd/ a. sconfinato.

unconfirmed /ʌnkənˈfɜːmd/ a. **1** non confermato: **u. rumours**, voci non confermate **2** (*relig.*) non cresimato.

unconformable /ʌnkənˈfɔːməbl/ a. **1** non conforme (a); contrario (a) **2** incompatibile (con) **3** (*geol.*: *di strato*) discordante **4** (*relig.*) non conformista | **-ness** n. ⓤ | **-bly** avv.

unconformity /ʌnkənˈfɔːmətɪ/ n. **1** ⓤ mancanza di conformità; incongruenza **2** incompatibilità **3** ⓤⓖ (*geol.*) discordanza.

unconfuted /ʌnkənˈfjuːtɪd/ a. inconfutato.

uncongenial /ʌnkənˈdʒiːnɪəl/ a. **1** non congeniale; antipatico; che non va a genio; ostile; sgradevole; noioso; spiacevole **2** (*di clima*) sfavorevole.

unconnected /ʌnkəˈnɛktɪd/ a. **1** non collegato; distaccato; separato; a sé (stante) **2** sconnesso; slegato (*fig.*); sconclusionato **3** non imparentato; senza legami di parentela **4** senza legami; privo di relazioni importanti; che non conosce nessuno (*fam.*) | **-ly** avv.

unconquerable /ʌnˈkɒŋkərəbl/ a. indomabile; invincibile; irresistibile | **-bly** avv.

unconquered /ʌnˈkɒŋkəd/ a. indomito; invitto.

unconscientious /ʌnkɒnʃɪˈɛnʃəs/ a. poco coscienzioso; privo di scrupoli | **-ly** avv. | **-ness** n. ⓤ.

unconscionability /ʌnkɒnʃnəˈbɪlətɪ/ n. ⓤ (*leg.*) iniquità; vessazione.

unconscionable /ʌnˈkɒnʃnəbl/ a. **1** senza coscienza; privo di scrupoli **2** eccessivo; esorbitante; enorme; irragionevole **3** (*leg.*) vessatorio; (*di contratto*) a condizioni inique ● **He has taken an u. time off**, s'è preso un congedo di una lunghezza eccessiva | **-ness** n. ⓤ | **-bly** avv.

unconscious /ʌnˈkɒnʃəs/ Ⓐ a. **1** inconscio; inconsapevole; ignaro: **u. humour**, umorismo inconscio **2** (*med.*) incosciente; privo di sensi; svenuto: *She lay u. for ten minutes*, rimase svenuta per dieci minuti **3** (*psic.*) inconscio; latente Ⓑ n. – (*psic.*) **the u.**, l'inconscio ● **to be u. of**, ignorare; non essere consapevole di; non accorgersi di □ (*med.*) **to become u.**, perdere conoscenza; venir meno; svenire | **-ly** avv.

unconsciousness /ʌnˈkɒnʃəsnəs/ n. ⓤ **1** inconsapevolezza; ignoranza **2** (*med.*) stato d'incoscienza; insensibilità.

unconsecrated /ʌnˈkɒnsɪkreɪtɪd/ a. non consacrato; non sacro.

unconsenting /ʌnkənˈsɛntɪŋ/ a. non consenziente.

unconsidered /ʌnkənˈsɪdəd/ a. **1** non considerato; non preso in considerazione; ignorato; trascurato **2** sconsiderato; avventato; imprudente; inconsiderato.

unconsolable /ʌnkənˈsəʊləbl/ a. inconsolabile.

unconsoled /ʌnkənˈsəʊld/ a. non consolato; sconsolato.

unconstitutional /ʌnkɒnstɪˈtjuːʃənl/ (*leg.*) a. incostituzionale ‖ **unconstitutionality** n. ⓤ incostituzionalità ‖ **unconstitutionally** avv. incostituzionalmente.

unconstrained /ʌnkənˈstreɪnd/ a. **1** non costretto; libero **2** disinvolto; naturale; spontaneo **3** non trattenuto; libero; aperto: **u. laughter**, risata aperta ● **u. freedom**, assoluta libertà | **-ly** avv.

unconstraint /ʌnkənˈstreɪnt/ n. ⓤ **1** assenza di costrizione; libertà **2** disinvoltura; naturalezza; spontaneità.

unconsumed /ʌnkənˈsuːmd/ a. non consumato; intatto.

unconsummated /ʌnˈkɒnsəmeɪtɪd/ a. (*leg.*, *relig.*: *di matrimonio*) non consumato.

uncontainable /ʌnkənˈteɪnd/ a. incontenibile; irrefrenabile.

uncontaminated /ʌnkənˈtæmɪneɪtɪd/ a. incontaminato.

uncontestable /ʌnkənˈtɛstəbl/ a. incontestabile.

uncontested /ʌnkənˈtɛstɪd/ a. incontestato; incontrastato ● (*leg.*) **u. evidence**, prova non contestata dalla difesa.

uncontradicted /ʌnkɒntrəˈdɪktɪd/ a. non contraddetto; non smentito.

uncontrollable /ʌnkənˈtrəʊləbl/ a. **1** incontrollabile **2** irrefrenabile; indomabile **3** indomabile; irriducibile **4** (*di potere*) assoluto | **-ness** n. ⓤ | **-bly** avv.

uncontrolled /ʌnkənˈtrəʊld/ a. **1** incontrollato; senza controllo **2** sfrenato; senza freno; senza ritegno | **-ly** avv.

uncontroverted /ʌnˈkɒntrəvɜːtɪd/ a. non controverso; incontestato; indiscusso.

uncontrovertible /ʌnkɒntrəˈvɜːtəbl/ a. incontrovertibile | **-bly** avv.

unconventional /ʌnkənˈvɛnʃənl/ a. **1** non convenzionale; anticonvenzionale; anticonformista; disinvolto; di modi liberi **2** (*mil.*: *di armi*) non convenzionale ● (*mil.*) **u. warfare**, guerra clandestina; guerriglia | **-ly** avv.

unconventionality /ʌnkənvɛnʃəˈnælətɪ/ n. ⓤ anticonvenzionalismo; anticonformismo; disinvoltura; modi liberi.

unconversant /ʌnkənˈvɜːsnt/ a. (*form.*) poco pratico; poco versato.

unconverted /ʌnkənˈvɜːtɪd/ a. (*anche relig.*) non convertito ● (*rugby*) **u. try**, meta non trasformata.

unconvertible /ʌnkənˈvɜːtəbl/ a. (*fin.*) inconvertibile; non convertibile: **u. securities**, titoli non convertibili.

unconvicted /ʌnkənˈvɪktɪd/ a. (*leg.*) non dichiarato colpevole; non condannato; assolto.

unconvinced /ʌnkənˈvɪnst/ a. non convinto; non persuaso; scettico.

unconvincing /ʌnkənˈvɪnsɪŋ/ a. poco convincente; non persuasivo ‖ **unconvincingly** avv. in modo poco convincente.

uncooked /ʌnˈkʊkt/ a. non cucinato; crudo.

uncool /ʌnˈkuːl/ a. (*slang USA*) che non è alla moda; senza stile; conformista; noioso; squallido; vecchio.

uncooperative /ʌnkəʊˈɒprətɪv/ a. che non collabora; che non vuole collaborare; che non si presta.

uncoordinated /ʌnkəʊˈɔːdɪneɪtɪd/ a. scoordinato; scomposto.

to **uncord** /ʌnˈkɔːd/ v. t. (*form.*) slegare; sciogliere.

to **uncork** /ʌnˈkɔːk/ v. t. **1** stappare; sturare **2** (*fig.*) sfogare, dare sfogo a (*un sentimento*).

uncorrectable /ʌnkəˈrɛktəbl/ a. irrimediabile; irreparabile.

uncorrected /ʌnkəˈrɛktɪd/ a. non corretto; non riveduto.

uncorroborated /ʌnkəˈrɒbəreɪtɪd/ a. non comprovato; non convalidato; non avvalorato da prove.

uncorrupted /ʌnkəˈrʌptɪd/ a. incorrotto; incontaminato.

uncorruptible /ʌnkəˈrʌptəbl/ a. incorruttibile.

uncountable /ʌnˈkaʊntəbl/ Ⓐ a. **1** innumerevole; incalcolabile **2** che non si può contare; innumerabile **3** (*mat.*) innumerabile Ⓑ n. (*gramm. ingl.*: = **u. noun**) sostantivo non numerabile ‖ **uncountability** n. ⓤ (*mat.*) innumerabilità.

❶ NOTA: *uncountable / countable*

1 Gli **uncountable nouns** (nomi non numerabili) sono sostantivi che indicano prevalentemente materiali (**bread, sand, silver**), liquidi (**water, blood**), insiemi di cose o fenomeni (**money, furniture, luggage, weather, lightning, thunder, English, information, advice, work**), oppure entità astratte (**progress, health, courage**). In questo dizionario sono contrassegnati dal simbolo ⓤ accanto alla categoria grammaticale.

Le loro caratteristiche principali sono le seguenti:

a non hanno la forma plurale: non è possibile perciò dire ~~two breads~~, ~~three furnitures~~, ~~a lot of works~~, ~~some advices~~;

b non possono essere preceduti dall'articolo indeterminativo: si dice *We had wonderful weather* (non ~~a wonderful weather~~), abbiamo avuto un tempo bellissimo; *I saw lightning on the horizon* (non ~~a lightning~~ ...), all'orizzonte vidi un fulmine (o dei fulmini); *He speaks flawless English* (non ~~a flawless English~~), parla un inglese impeccabile;

c possono essere preceduti da **some, any, no**: *I need some information*, mi occorrono delle informazioni (o qualche informazione); *There's no money left*, non ci sono più soldi;

d come emerge anche dagli esempi del punto b), quando sono usati in senso generale non prendono l'articolo determinativo: *Ask your teacher for advice*, chiedete consiglio a vostro insegnante; *He lacks courage*, manca di coraggio; *Health is more important than money*, la salute è più importante del denaro;

e per indicare una singola unità del materiale o dell'insieme denotato da un termine **uncountable** si deve ricorrere a un'espressione partitiva, spesso **a piece of** o **an item of**, oppure ad altre espressioni più specificamente legate al significato del termine. Ecco qualche esempio: **a piece of information**, un'informazione; **a piece of furniture**, un mobile; **a piece (o an item) of news**, una notizia; **a piece of evidence**, una prova; **a flash of lightning**, un fulmine; **a clap of thunder**, un tuono.

Infine va notato che parecchi nomi, soprattutto astratti, pur essendo **uncountable**, possono essere preceduti dalla combinazione articolo indeterminativo + aggettivo: *We had a terrible hunger*, avevamo una fame tremenda; *I have a working knowledge of French*, ho una discreta conoscenza del francese.

2 I **countable nouns** (nomi numerabili) indicano ogni sorta di entità, prevalentemente concrete. Ecco qualche esempio: **actor, cat, book, bottle, hand, town, job, mistake, team**. Le loro caratteristiche sintattiche sono le seguenti:

a possiedono sia la forma singolare che quella plurale: **one bottle, two bottles, many bottles**;

b al singolare possono essere preceduti dall'articolo indeterminativo: *She held a book in her hand*, teneva in mano un libro;

c possono essere preceduti da **some, any, no** solo al plurale e non al singolare: *May I ask you some questions* (non ~~some question~~)?, posso farti qualche domanda?; *I found no mistakes* (non ~~no mistake~~) *in your essay*, nel tuo tema non ho trovato alcun errore (o non ho trovato errori). **Some** di fronte alla forma singolare è possibile solo quando indica un'entità di cui si ignorano o si trascurano le caratteristiche: *She got her degree in some Canadian university*, si è laureata in una qualche università canadese; oppure in affermazioni enfatiche come *That was some movie!*, quello sì che è un bel film!; che

a b c d e f g h i j k l m n o p q r s t **u** v w x y z

film!

d al plurale, se sono usati in senso generico, non prendono l'articolo: *I've never tasted truffles*, non ho mai assaggiato i tartufi; *I prefer Italian wines*, preferisco i vini italiani; *Investigators are examining the company's files for clues*, gli investigatori stanno esaminando l'archivio della società alla ricerca di indizi.

In questo dizionario l'assenza di contrassegno all'inizio del lemma indica che il nome è **countable**.

Sia i **countable** che gli **uncountable nouns** possono essere preceduti dall'articolo determinativo: *The information you gave me was very valuable*, le informazioni che mi hai dato sono state preziose; *The book I'm reading is really boring*, il libro che sto leggendo è davvero noioso.

3 Molti nomi (ad esempio **fear**, **birth**, **escape**, **strength**, **stone**, **danger**, **experience**, **land**, **fish**, **rain**, **wood**, **wine**, **grass**) possiedono sia significati **countable** che significati **uncountable** e sono contrassegnati in questo dizionario con il simbolo ⊂⃞ o ⊔⃞, oppure con i simboli ⊔⃞ o ⊂⃞ davanti alle singole accezioni. Ecco alcuni esempi:
The building is entirely made of brick ⊔⃞, l'edificio è interamente costruito in mattoni; *The bricks* ⊂⃞ *were piled under the porch*, i mattoni erano accatastati sotto il portico; *There is no danger* ⊔⃞, non c'è alcun pericolo; *There is a danger* ⊂⃞ *that the epidemic will spread*, c'è il pericolo che il contagio si diffonda; *There are many dangers* ⊂⃞ *ahead*, ci sono molti pericoli di fronte a noi; *I like wine* ⊔⃞, mi piace il vino; *French wines* ⊂⃞ *are too expensive*, i vini francesi sono troppo cari.

uncounted /ʌnˈkaʊntɪd/ *a.* **1** non contato **2** (*raro*) innumerevole.

to **uncouple** /ʌnˈkʌpl/ *v. t.* **1** sciogliere; slegare (*cani al guinzaglio*, ecc.); sguinzagliare **2** disgiungere; staccare **3** (*ferr.*) sganciare: **to u. a railway car**, sganciare una vettura ferroviaria **4** (*tecn.*) disaccoppiare; staccare.

uncoupling /ʌnˈkʌplɪŋ/ *n.* ⊔⃞ **1** lo sciogliere; il distaccare **2** (*ferr.*, *miss.*) sganciamento **3** (*tecn.*) disaccoppiamento.

uncourtly /ʌnˈkɔːtlɪ/ *a.* scortese; sgarbato; rozzo; villano.

uncouth /ʌnˈkuːθ/ *a.* **1** goffo; impacciato; sgraziato **2** grossolano; maleducato; incivile; rozzo **3** (*lett.*) desolato; selvaggio; solitario | **-ly** *avv.* | **-ness** *n.* ⊔⃞.

uncovenanted /ʌnˈkʌvənəntɪd/ *a.* (*leg.*) non convenuto; non pattuito; senza contratto • (*fig.*, *relig.*) **the u. mercy of God**, la misericordia divina benignamente concessa all'uomo.

to **uncover** /ʌnˈkʌvə(r)/ Ⓐ *v. t.* **1** scoprire; spogliare, svestire; mettere a nudo; scoperchiare: **to u. a wound**, mettere a nudo una ferita **2** (*fig.*) svelare; scoprire; rivelare: **to u. a plot**, scoprire una congiura **3** (*mil.*) mettere (*truppe*) allo scoperto Ⓑ *v. i.* **1** scoprirsi; restare scoperto **2** scappellarsi.

uncovered /ʌnˈkʌvəd/ *a.* **1** scoperto; scoperchiato; esposto **2** spogliato; svestito **3** a capo scoperto; senza cappello **4** (*ass.: di rischio*) non coperto; scoperto **5** (*banca*, *fin.*) senza copertura; (*allo*) scoperto: **u. cheque**, assegno scoperto • (*Borsa*) **u. position**, posizione scoperta; scoperto.

uncreated /ʌnkrɪˈeɪtɪd/ *a.* increato; non creato.

uncredited /ʌnˈkredɪtɪd/ *a.* che gode di scarso credito; poco stimato.

uncritical /ʌnˈkrɪtɪkl/ *a.* **1** privo di senso critico; acritico; poco esigente: **an u. reader**, un lettore poco esigente **2** non conforme

alle regole della critica.

uncropped /ʌnˈkrɒpt/ *a.* **1** (*di grano*, ecc.) non raccolto; non falciato; non mietuto **2** (*del terreno*) incolto **3** non tosato.

to **uncross** /ʌnˈkrɒs/ *v. t.* **1** disincrociare (*le braccia*, ecc.) **2** tirare giù, distendere (*una gamba accavallata*).

uncrossed /ʌnˈkrɒst/ *a.* **1** non contrariato; non avversato **2** non attraversato **3** non cancellato **4** non accavallato; non incrociato **5** (*banca*, *fin: d'assegno*) non sbarrato • **Leave the two words u.**, non cancellare quelle due parole.

to **uncrown** /ʌnˈkraʊn/ *v. t.* privare (*un re*) della corona; detronizzare.

uncrowned /ʌnˈkraʊnd/ *a.* **1** (*di sovrano*) non ancora incoronato; senza corona **2** (*fig.*) di fatto: **an u. king**, un re di fatto (*anche se non di nome*) • (*fig.*) **the u. queen of the Italian stage**, la regina del teatro di prosa italiano.

uncrushable /ʌnˈkrʌʃəbl/ *a.* **1** (*di tessuto*) ingualcibile **2** infrangibile; che non si spezza **3** (*lett.*) irreprimibile; irriducibile; indomito.

UNCTAD /ˈʌŋktæd/ *sigla* (*ONU*, **United Nations Conference on Trade and Development**) Conferenza delle Nazioni Unite sul commercio e lo sviluppo.

unction /ˈʌŋkʃn/ *n.* ⊔⃞ **1** (*relig.*) unzione: *Extreme U.*, l'Estrema Unzione **2** (*fig.*) unzione; ipocrisia; falso compiacimento; untuosità; mellifluità **3** (*med.*) pomata; unguento **4** (*fig.*) balsamo.

unctuosity /ʌŋktʃʊˈɒsɪt/ *n.* ⊔⃞ **1** untuosità (*anche fig.*) **2** (*fig.*) ipocrisia; mellifluità.

unctuous /ˈʌŋktʃʊəs/ *a.* **1** untuoso (*anche fig.*) **2** (*fig.*) ipocrita; mellifluo | **-ly** *avv.* | **-ness** *n.* ⊔⃞.

uncultivable /ʌnˈkʌltɪvəbl/ *a.* incoltivabile.

uncultivated /ʌnˈkʌltɪveɪtɪd/ *a.* (*di terreno e fig.*) incolto.

uncultured /ʌnˈkʌltʃəd/ *a.* (*di persona*) incolto; senza cultura.

uncurbed /ʌnˈkɜːbd/ *a.* indomito; sfrenato; sregolato.

uncured /ʌnˈkjʊəd/ *a.* **1** (*di persona*) non guarito **2** (*di una sostanza*) non trattato con procedimenti conservativi • **u. hide**, pelle non conciata □ **u. meat**, carne non essiccata (*o non affumicata*, ecc.) □ **u. tobacco**, tabacco non conciato.

to **uncurl** /ʌnˈkɜːl/ Ⓐ *v. t.* **1** disfare i ricci a (q.); togliere i ricci ai (*capelli*) **2** disfare; svolgere; srotolare Ⓑ *v. i.* **1** perdere i ricci **2** (*di capello*, ecc.) raddrizzarsi; diventare liscio.

uncurtailed /ʌnkɜːˈteɪld/ *a.* **1** non accorciato; non diminuito; integro; integrale; per esteso **2** libero; senza restrizioni.

uncustomary /ʌnˈkʌstəmrɪ/ *a.* inconsueto; insolito.

uncustomed /ʌnˈkʌstəmd/ *a.* (*dog.*) **1** esente da dazio (*o da dogana*) **2** non sdaziato; non sdoganato.

uncut /ʌnˈkʌt/ *a.* **1** (*spec. di diamante*) non tagliato; intero; grezzo **2** (*di libro*) intonso **3** (*di film*, *romanzo*, ecc.) in edizione integrale.

undamaged /ʌnˈdæmɪdʒd/ *a.* indenne; intatto; non avariato; in buone condizioni: **u. goods**, merci non avariate; **u. reputation**, reputazione intatta.

undamped /ʌnˈdæmpt/ *a.* **1** non umido **2** (*anche fis.*) non diminuito; non smorzato; persistente: **u. wave**, onda non smorzata **3** (*fig.*) non scoraggiato; per nulla abbattuto; tetragono.

undated /ʌnˈdeɪtɪd/ *a.* non datato; senza data: **an u. letter**, una lettera senza data; (*fin.*) **u. securities**, titoli non datati.

undaunted /ʌnˈdɔːntɪd/ *a.* intrepido; imperterrito; impavido | **-ly** *avv.* | **-ness** *n.* ⊔⃞.

undé /ˈʌndeɪ/ *a.* (*arald.*) ondulato.

undebated /ʌndɪˈbeɪtɪd/ *a.* (*di un problema*, ecc.) non ancora discusso; da dibattere.

undebugged /ʌndiːˈbʌgd/ *a.* **1** (*di un locale*, ecc.) non ancora liberato (o bonificato) dalle spie elettroniche **2** (*comput.*: *di programma*) non ancora corretto; non ancora messo a punto.

undecagon /ʌnˈdekəgən/ *n.* (*geom.*) endecagono.

undecane /ʌnˈdekeɪn/ *n.* ⊔⃞ (*chim.*) undecano.

undeceivable /ʌndɪˈsiːvəbl/ *a.* **1** non ingannabile **2** (*arc.*) che non può trarre in inganno.

to **undeceive** /ʌndɪˈsiːv/ *v. t.* disingannare; disincantare; disilludere; aprire gli occhi a (q.) (*fig.*) • **to u. oneself**, disilludersi; aprire gli occhi (*fig.*) || **undeceived** *a.* disingannato; disincantato; che ha aperto gli occhi (*fig.*).

undecided /ʌndɪˈsaɪdɪd/ *a.* **1** indeciso; incerto; irresoluto **2** non deciso; in sospeso; dal risultato incerto **3** (*di colore*, *di forma*, ecc.) incerto; indefinito | **-ly** *avv.*

undecipherable /ʌndɪˈsaɪfərəbl/ *a.* indecifrabile.

undecisive /ʌndɪˈsaɪsɪv/ *a.* **1** non decisivo **2** che non sa decidere; irresoluto.

undecked /ʌnˈdekt/ *a.* **1** scoperto **2** sguarnito **3** (*naut.*) senza coperta.

undeclared /ʌndɪˈkleəd/ *a.* (*spec. dog.*) non dichiarato.

undeclinable /ʌndɪˈklaɪnəbl/ *a.* **1** (*di un'offerta*, ecc.) che non si può rifiutare **2** (*gramm.*) indeclinabile.

undecyl /ʌnˈdesɪl/ *n.* ⊔⃞ (*chim.*) undecile.

undedicated /ʌnˈdedɪkeɪtɪd/ *a.* **1** (*relig.*) non dedicato (*a un santo*, ecc.) **2** (*di libro*) privo di dedica; senza dedica.

undefeated /ʌndɪˈfiːtɪd/ *a.* imbattuto; invitto.

undefended /ʌndɪˈfendɪd/ *a.* **1** indifeso **2** senza difesa legale; privo di difesa **3** (*leg.*) senza opposizione da parte del convenuto **4** (*leg.: di causa*) in assenza del convenuto.

undefiled /ʌndɪˈfaɪld/ *a.* incorrotto; incontaminato; puro.

undefinable /ʌndɪˈfaɪnəbl/ *a.* indefinibile.

undefined /ʌndɪˈfaɪnd/ *a.* indefinito; indeterminato | **-ness** *n.* ⊔⃞.

undelivered /ʌndɪˈlɪvəd/ *a.* **1** non consegnato; non recapitato **2** non sgravato; non liberato **3** (*di discorso*) non pronunciato **4** (*leg.: di verdetto*) non emesso.

undemanding /ʌndɪˈmɑːndɪŋ/ *a.* **1** poco esigente; accomodante **2** (*di un lavoro*) facile; che richiede poca fatica.

undemocratic /ʌndeməˈkrætɪk/ *a.* antidemocratico.

undemonstrable /ʌndɪˈmɒnstrəbl/ *a.* indimostrabile.

undemonstrative /ʌndɪˈmɒnstrətɪv/ *a.* chiuso (*fig.*); non espansivo; riservato.

undeniable /ʌndɪˈnaɪəbl/ *a.* innegabile; incontestabile | **-bly** *avv.*

undenominational /ʌndɪnɒmɪˈneɪʃənl/ *a.* (*relig.*) aconfessionale; non legato a una particolare confessione religiosa: **u. religious instruction**, istruzione religiosa aconfessionale.

undependable /ʌndɪˈpendəbl/ *a.* inattendibile; incerto; infido.

undepreciated /ʌndɪˈpriːʃɪetɪd/ *a.* (*econ.*, ecc.) non deprezzato; non svalutato; non ammortizzato.

•**under** ① /ˈʌndə(r)/ *prep.* **1** (compl. di posi-

zione, direzione, condizione, ecc.) sotto; sotto a, sotto di: *The dog is u. the bed*, il cane è sotto il letto; *I waited u. the wall*, aspettavo sotto il muro; *The soldiers advanced u. a heavy load*, i soldati avanzavano sotto un pesante fardello; *The Eurotunnel runs u. the Channel*, l'Eurotunnel passa sotto la Manica; *The people groaned u. tyranny*, il popolo gemeva sotto la tirannide; (*stor.*) **u. King John**, sotto re Giovanni (Senzaterra); **forbidden u. pain of death**, proibito sotto pena di morte; **children u. five years of age**, i bambini sotto i cinque anni d'età; *He published the novel u. a pen name*, pubblicò il romanzo sotto pseudonimo; **u. pretence of asking for help**, sotto pretesto di chiedere aiuto; **u. sb.'s (very) eyes**, (proprio) sotto gli occhi di q. **2** in; in corso di: *The new motorway is u. construction*, la nuova autostrada è in costruzione; *The matter is u. discussion*, la faccenda è in discussione; **u. such conditions [circumstances]**, in tali condizioni [circostanze] **3** a meno di; per meno di; in meno di: *It cannot be done for u. ten thousand pounds*, non lo si può fare per meno di diecimila sterline; *He walked ten miles in u. two hours*, fece dieci miglia a piedi in meno di due'ore **4** mediante; con: **u. this system**, con questo sistema **5** con; a: **u. these conditions**, a queste condizioni; *It will shrink u. heat*, al calore si restringe **6** sotto la direzione di: *'The English department was u. Professor H.B. Charlton, specialist in Robert Browning'* A. BURGESS, 'il dipartimento d'inglese era sotto la direzione del Professor H.B. Charlton, specialista di Robert Browning' ● (*leg.*) **to be u. age**, essere minorenne □ **to be u. arms**, essere sotto le armi; essere in assetto di battaglia (*leg.*) **u. arrest**, in stato di arresto: **to place** (*o* **to put**) **sb. u. arrest**, (far) arrestare q. □ (*fig.*) **to be u. a cloud**, essere in disgrazia (*o* screditato) □ (*di un problema, una questione*) **u. consideration**, in esame □ **u. control**, sotto controllo; (*naut.*) in governo □ **u. the counter → counter** □ **u. cover of**, al riparo di; (*fig.*) con il pretesto di □ **u. cover of night**, col favore delle tenebre □ **to be u. a delusion**, illudersi; avere un'idea sbagliata; ingannarsi □ **to be u. fire**, (*mil.*) essere sotto il fuoco (*del nemico*); (*fig.*) essere molto criticato □ (*leg.*) (*di un atto*) **u. hand**, scritto a mano; olografo □ (*leg.*) **u. the law**, ai sensi della legge □ **u. this law**, secondo questa legge □ **u. lock and key**, sotto chiave; (*fig.*) al sicuro □ **«u. new management»** (*avviso, cartello*), «nuova gestione» □ (*fam.*) **u. sb.'s nose**, sotto il naso di q. □ **to be u. the impression that...**, avere l'impressione che... □ **to be u. an obligation to sb.**, avere un obbligo con (essere in obbligo verso) q. □ (*anche fig.*) **to be u. pressure**, essere sotto pressione □ (*di una cambiale*) **u. protest**, sotto protesto □ **u. repair**, in restauro □ (*naut.: di nave*) **to be u. sail**, essere sotto vela; aver issato le vele □ **to be u. sentence of death**, essere stato condannato a morte □ (*comm.*) **u. separate cover**, in plico a parte □ (*sport*) **the u. 17 rugby team**, gli 'under 17' di rugby □ (*naut.*) **u. ship's tackle**, sotto paranco □ **to be u. stress**, essere sotto stress; essere stressato □ (*pop.*) **u. the table**, ubriaco, sbronzo (agg.); sottobanco (avv.) □ **u.-the-table = u.-the-counter → counter** □ **u. the terms of the treaty**, secondo le clausole del trattato □ (*med.*) **to be u. treatment**, essere in cura □ (*calcio*) **the Italian u. 21 national team**, l'Italia 'under 21' □ **u. way**, in corso, in svolgimento, in atto; (*naut.*) in moto, in navigazione, (*anche*) disormeggiato: *The changes u. way will affect our policy*, le trasformazioni in atto influiranno sulla nostra linea politica □ (*boxe, ecc.*) **to be u. weight**, essere sotto peso (*o* sottopeso) □ (*comm.*) **to sell u. cost**, vendere sottocosto;

svendere □ **to speak u. one's breath**, parlare sottovoce; bisbigliare □ **No one u. 18 (is) allowed**, non sono ammessi i minorenni.

♦**under**② /'ʌndə(r)/ **avv. 1** sotto; abbasso; disotto: *A paper should be spread u.* (*di solito, underneath o beneath*), bisogna stendervi sotto un giornale **2** sott'acqua: **keep your head u.!**, tieni la testa sott'acqua! **3** in stato d'incoscienza; (*fam.*) sotto anestesia **4** (*di età, ecc.*) meno: (*sport*) **players of eighteen or u.**, giocatori di diciotto anni o meno **5** (*nei verbi frasali, è idiom.; per es.:*) **to come u.**, venire (*o trovarsi*) sotto; essere catalogato sotto; **to go u.**, passare sotto; andare a picco; affondare; (*fig.*) fallire, soccombere; ecc. (→ **to come, to go**, *ecc.*).

under- /'ʌndə(r)/ **pref.** sotto-; inferiore; subalterno; vice: **under-buyer**, vice capo ufficio acquisti; (*anat.*) **the under-jaw**, la mascella inferiore; la mandibola; **under-layers**, strati inferiori; **under-servants**, domestici di rango inferiore.

to **underachieve** /ˌʌndərə'tʃiːv/ **v. i.** (*eufem.*) **1** non rendere (*nel lavoro*) **2** (*a scuola*) non fare bene come si potrebbe **3** (*sport*) restare al disotto della propria performance normale; giocare al disotto delle proprie possibilità ‖ **underachievement** n. ⓤ risultato insoddisfacente; il non fare bene come si dovrebbe (*o potrebbe*) ‖ **underachiever** n. **1** lavoratore (*o studente*) che non rende (*o che potrebbe fare di più*) **2** (*sport*) chi gioca al disotto delle proprie possibilità.

to **underact** /ˌʌndər'ækt/ **v. t. e i.** (*teatr.*) recitare (una parte) con scarsa enfasi; recitare (una parte) sotto il rigo (*fig.*).

under-age, underage /ˌʌndər'eɪdʒ/ **a. 1** (*leg.*) minorenne; che non ha l'età (*per fare qc.*) **2** svolto da minorenni: **under-age drinking**, l'uso dell'alcol tra i minorenni.

underagent /ˌʌndər'eɪdʒənt/ **n.** (*comm.*) subagente.

underarm /'ʌndərɑːm/ **A a. e avv. 1** sottoil braccio; sotto l'ascella **2** ascellare; per le ascelle **3** (*fam. ingl.*) sul filo dell'illegalità; quasi illegale; poco pulito (*fig.*) **4** (*baseball, cricket, tennis*) dal basso verso l'alto; sottomano: (*cricket*) **to bowl u.**, lanciare la palla (*con movimento rotatorio del braccio*) dal basso verso l'alto **5** (*basket, football americano, pallamano, ecc.*) col palmo della mano rivolto in giù; sottomano: **u. pass**, passaggio sottomano **B** n. (*anat.*) ascella ● (*baseball, ecc.*) **u. throw**, lancio dal basso verso l'alto.

underbelly /'ʌndəbeli/ **n. 1** (*zool.*) parte soffice del ventre **2** (*fig.*) ventre molle: *Winston Churchill called Italy the u. of the Axis*, Winston Churchill chiamò l'Italia il ventre molle dell'Asse.

underbid /'ʌndəbɪd/ **n. 1** (*comm., anche a un'asta*) offerta inferiore (*a quella di un concorrente*) **2** (*comm.*) offerta troppo bassa (*o insufficiente*) **3** (*bridge*) dichiarazione inferiore al valore delle carte in mano.

to **underbid** /ˌʌndə'bɪd/ (*pass. e p. p. underbid*), **A v. t. 1** (*comm.*) fare un'offerta inferiore a quella di (*un concorrente a un'asta, a una gara d'appalto*); offrire merce (*o un servizio*) a un prezzo inferiore a quello di (*un concorrente*): **to u. a buyer**, fare un'offerta inferiore a quella di un altro compratore **2** (*nel bridge*) **u. one's hand**, fare una dichiarazione troppo bassa rispetto alle carte che si hanno in mano. **B v. i.** (*a un'asta, a una gara d'appalto*) fare un'offerta troppo bassa.

underbidder /'ʌndəbɪdə(r)/ **n.** (*comm.*) chi fa un'offerta sotto un certo livello (→ **to underbid**).

underbody /'ʌndəbɒdɪ/ **n.** (*autom.*) sottoscocca.

underbreath /ˌʌndə'breθ/ **n.** sussurro; bi-

sbiglio.

underbred /ˌʌndə'bred/ **a. 1** (*raro*) maleducato; screanzato; volgare **2** (*di cavallo, ecc.*) non di razza; bastardo.

underbrush /'ʌndəbrʌʃ/ **n.** ⓤ (*spec. USA e Canada*) sottobosco; boscaglia.

to **underbuy** /ˌʌndə'baɪ/ (*pass. e p. p. underbought*), **v. t.** (*comm.*) **1** acquistare (*merce*) sotto prezzo **2** comprare a un prezzo inferiore a quello di (*un concorrente*).

to **undercapitalize** /ˌʌndə'kæpɪtəlaɪz/ (*fin., Borsa*) **v. t.** sottocapitalizzare ‖ **undercapitalization** n. ⓤ sottocapitalizzazione.

undercard /'ʌndəkɑːd/ **n.** (*sport*) **1** (*boxe*) lista degli incontri secondari (*in una riunione*) **2** (*per estens.*) sfida di minore importanza; livello inferiore: **on the u.**, a un livello inferiore.

undercarriage /'ʌndəkærɪdʒ/ **n. 1** (*autom.*) telaio **2** (*aeron.*) carrello (d'atterraggio) **3** (*mil., stor.*) paiolo, piattaforma (*di cannone*).

undercart /'ʌndəkɑːt/ **n.** (*fam. ingl.*) → **undercarriage**, *def. 2*.

undercharge /'ʌndətʃɑːdʒ/ **n.** ⓤ **1** il far pagare meno del solito (*o del giusto*) **2** somma pagata in meno **3** addebito inferiore al dovuto **4** (*elettr.*) carica insufficiente **5** (*mil.*) caricamento (*o carica*) insufficiente.

to **undercharge** /ˌʌndə'tʃɑːdʒ/ **v. t. 1** far pagare meno del solito (*o del giusto*) (*di solito per errore*); addebitare (qc.) in meno: *The grocer undercharged us for the tea*, il droghiere ci ha fatto pagare il tè meno del solito (*o meno del giusto*) **2** (*mil.*) caricare (*un'arma da fuoco*) in modo insufficiente.

underclass /'ʌndəklɑːs/ **n.** (*polit.*) classe inferiore; sottoproletariato.

underclay /'ʌndəkleɪ/ **n.** (*geol.*) strato di argilla sotto strati di carbone.

undercling /'ʌndəklɪŋ/ **n.** (*alpinismo*) appiglio (*della mano*) per disotto.

underclothes /'ʌndəkləʊðz/ **n. pl.** biancheria intima.

underclothing /'ʌndəkləʊðɪŋ/ (*collett.*) → **underclothes**.

undercoat /'ʌndəkəʊt/ **n.** ⓤ **1** (*raro*) giacca indossata sotto un'altra più ampia **2** (*di vernice, pittura*) imprimitura; mano di fondo **3** vernice per imprimitura **4** (*di animali*) peluria **5** (*di uccelli*) piumino.

underconsumption /ˌʌndəkən'sʌmpʃn/ **n.** ⓤ (*econ.*) sottoconsumo.

to **undercook** /ˌʌndə'kʊk/ **v. t.** cuocere troppo poco.

to **undercool** /ˌʌndə'kuːl/ (*chim., fis.*) **v. t.** sottoraffreddare; soprafondere ‖ **undercooling** n. ⓤ sottoraffreddamento; soprafusione.

undercount /'ʌndəkaʊnt/ **n.** (*demogr., stat.*) enumerazione incompleta, lacuna (*nel registrare dati*).

undercover /ˌʌndə'kʌvə(r)/ **A a. 1** sotto copertura; nascosto; travestito: **u. agent**, un poliziotto sotto copertura (*che si fa passare per un malvivente*); un infiltrato **2** fatto di nascosto; sottobanco **B avv.** in segreto; sotto copertura; di nascosto.

undercroft /'ʌndəkrɒft/ **n.** (*archit.*) stanza sotterranea; cripta.

undercurrent /'ʌndəkʌrənt/ **n. 1** (*geogr., naut.*) corrente sottomarina; sottocorrente (*di un fiume*) **2** (*fig.*) corrente secondaria; tendenza occulta; influsso segreto ● (*elettr.*) **u. relay**, relè di corrente minima.

undercut /'ʌndəkʌt/ **A n. 1** tacca fatta su un lato (*di un tronco da abbattere*) **2** (*edil.*) rientranza; sottosquadro **3** ⓤ (*cucina*) filetto (*di manzo*) **4** (*mecc.*) scarico (*di una vite*) **5** (*metall.*) taglio laterale; controsforma **6** (*sport*) colpo dal basso; taglio dal disotto (*da-*

to alla palla); (*tennis*) colpo liftato; (*hockey*) taglio dal disotto (*è proibito*) **7** (*boxe*) under-cut **B** a. **1** tagliato sotto (*o disotto*) **2** (*sport: della palla*) tagliata dal disotto **3** sottoscavato.

to **undercut** /ˌʌndə'kʌt/ (pass. e p. p. **undercut**), v. t. **1** tagliare sotto (*o disotto*) **2** (*comm.*) vendere a un prezzo inferiore a quello di (*un concorrente*) **3** (*ind. min.*) sottoscavare; intagliare alla base **4** (*golf, tennis, ping-pong, ecc.*) tagliare (*la palla*) dal disotto (*in modo che acquisti elevazione*) **5** (*hockey*) tagliare (*la palla*) dal disotto (*è proibito*) • **to u. the competition**, battere la concorrenza □ **to u. a competitor's prices**, battere un concorrente sul prezzo.

undercutting /ˌʌndə'kʌtɪŋ/ n. ⓤ (*market.*) vendite a prezzi inferiori a quelli praticati dalla concorrenza.

underdeck /'ʌndədek/ n. (*naut.*) ponte inferiore; sottocoperta • (*naut.*) **u. tonnage**, stazza sotto il ponte.

to **underdevelop** /ˌʌndədɪ'veləp/ (*econ., fotogr.*) v. t. sviluppare in modo insufficiente; sottosviluppare ‖ **underdevelopment** n. ⓤ sottosviluppo; sviluppo insufficiente.

underdeveloped /ˌʌndədɪ'veləpt/ a. **1** (*econ.*) sottosviluppato; depresso: **u. areas**, zone depresse; **u. country**, paese sottosviluppato **2** (*fotogr.*) sottosviluppato.

to **underdo** /ˌʌndə'duː/ (pass. **underdid**, p. p. **underdone**) **A** v. t. **1** (*raro*) fare (qc.) meno bene del necessario **2** cuocere poco; non cuocere abbastanza **B** v. i. (*raro*) fare meno del necessario; agire in modo inadeguato.

underdog /'ʌndədɒg/ n. (*fig. fam.*) **1** chi ha la peggio; perdente **2** derelitto; diseredato; misero **3** sfavorito; svantaggiato; (al pl.) (*sport*) la squadra sfavorita.

underdone /ˌʌndə'dʌn/ **A** p. p. di to **underdo B** a. (*di carne, ecc.*) poco cotto; al sangue: *I like my beefsteak u.*, la bistecca mi piace al sangue.

underdose /'ʌndədəʊs/ n. dose scarsa; dose insufficiente.

underdrain /'ʌndədreɪn/ n. (*ind. costr.*) galleria filtrante; canale sotterraneo di scolo.

to **underdrain** /ˌʌndə'dreɪn/ v. t. prosciugare (*un terreno*) con canali sotterranei; drenare in profondità.

to **underdraw** /ˌʌndə'drɔː/ (pass. **under-drew**, p. p. **underdrawn**), v. t. **1** disegnare a grandi linee **2** (*fig.*) descrivere, rappresentare (qc.) in modo inadeguato **3** (*banca*) prelevare denaro da (*un conto*) lasciando una somma depositata.

underdrawing /ˌʌndə'drɔːɪŋ/ n. (*arte*) disegno preparatorio.

underdressed /ˌʌndə'drest/ a. **1** vestito in modo inadeguato **2** (*cucina*) poco condito.

underemployed /ˌʌndərɪm'plɔɪd/ (*econ.*) a. sottoccupato; non occupato a tempo pieno ‖ **underemployment** n. ⓤ sottoccupazione.

underestimate /ˌʌndər'estɪmət/ n. **1** valutazione inadeguata; sottovalutazione **2** (*econ., comm.*) preventivo troppo basso.

to **underestimate** /ˌʌndər'estɪmeɪt/ v. t. **1** sottovalutare; sminuire: **to u. an opponent**, sottovalutare un avversario **2** (*econ., comm.*) fare un preventivo troppo basso per; sottostimare: *Developers u. VAT costs*, i costruttori (edili) sottostimano i costi relativi all'IVA **3** (*stat.*) sottostimare ‖ **underestimation** n. ⓊⒸ **1** sottovalutazione **2** (*stat.*) sottostima.

to **underexpose** /ˌʌndərɪk'spəʊz/ v. t. **1** (*fotogr.*) sottoesporre **2** non pubblicizzare abbastanza ‖ **underexposed** a. **1** (*fotogr.*) sottoesposto **2** passato in sordina ‖ **under-**

exposure n. **1** (*fotogr.*) sottoesposizione **2** pubblicità inadeguata.

underfed /ˌʌndə'fed/ **A** pass. e p. p. di to **underfeed B** a. denutrito.

to **underfeed** /ˌʌndə'fiːd/ (pass. e p. p. **underfed**), v. t. **1** non nutrire a sufficienza; sottoalimentare **2** (*metall.*) alimentare (*un forno*) dal di sotto.

underfelt /'ʌndəfelt/ n. ⓤⒸ strato di feltro (*posto sotto una moquette, ecc.*); sottotappeto.

underfinanced /ˌʌndə'faɪnænst/ a. (*fin.*) sottofinanziato.

underfloor /'ʌndəflɔː(r)/ a. attr. (*edil.*) sottopavimento: **u. heating**, riscaldamento (con i tubi) sottopavimento.

underflow /'ʌndəfləʊ/ n. (*comput.*) «underflow»; superamento del limite inferiore.

underfoot /ˌʌndə'fʊt/ avv. **1** sotto i piedi (*anche fig.*): *After a frost it's hard u.*, dopo una gelata il terreno è duro sotto i piedi **2** fra i piedi; d'impaccio.

underframe /'ʌndəfreɪm/ n. (*ferr.*) telaio (*di carrozza ferroviaria*).

to **underfund** /ˌʌndə'fʌnd/ (*fin.*) v. t. sottofinanziare; stanziare fondi insufficienti per (qc.) ‖ **underfunded** a. che ha fondi insufficienti; sottofinanziato ‖ **underfunding** n. ⓤ sottofinanziamento.

undergarment /'ʌndəgɑːmənt/ n. (*form.*) sottoveste; indumento intimo.

to **undergo** /ˌʌndə'gəʊ/ (pass. **underwent**, p. p. **undergone**), v. t. **1** subire; sostenere; passare attraverso; sottoporsi a: **to u. a radical change**, subire un mutamento radicale; *It has undergone many tests*, è stato sottoposto a molte prove; **to u. an examination**, subire un interrogatorio; sostenere un esame; sottoporsi a un esame medico **2** soffrire; patire; sopportare: *The shipwrecked sailors underwent numberless hardships*, i naufraghi soffrirono innumerevoli privazioni • (*med.*) **to u. treatment**, sottoporsi a cure mediche □ **to u. repairs**, (*mecc.*) andare in riparazione; (*naut.*) andare ai lavori (di raddobbo).

undergown /'ʌndəgaʊn/ n. (*arc.*) sottoveste.

undergrad /'ʌndəgræd/ (abbr. *fam.*) → **undergraduate**.

undergraduate /ˌʌndə'grædʒʊət/ **A** n. studente universitario (*che non ha ancora conseguito la laurea di 1° grado*; cfr. **postgraduate, B**) **B** a. attr. **1** studentesco; universitario: **u. studies**, studi universitari (*di 1° grado*) **2** di (*o da*) studente (universitario).

♦**underground A** avv. /'ʌndə'graʊnd/ **1** sottoterra, sotterra; nel sottosuolo: *Miners work u.*, i minatori lavorano nel sottosuolo **2** (*ind. min.*) in sotterraneo **3** segretamente; di nascosto; nella clandestinità; clandestinamente: *Extremists work u.*, gli estremisti operano nella clandestinità **B** a. attr. /'ʌndəgraʊnd/ **1** sotterraneo: (*geol.*) **u. stream**, corso d'acqua sotterraneo; (*autom.*) **u. car park**, parcheggio sotterraneo; (*ferr.*) **u. railway**, ferrovia sotterranea; (*mil.*) **u. shelter**, rifugio sotterraneo **2** segreto; clandestino; underground: (*stor.*) **the u. movement in Italy**, il movimento clandestino in Italia; **u. music [press]**, musica [stampa] underground **C** n. /'ʌndəgraʊnd/ **1** ferrovia sotterranea; metropolitana (*in GB*; cfr. **USA subway**) **2** movimento clandestino (*anche polit.*); underground **3** (*edil.*) sottosuolo; sotterraneo • (*econ.*) **u. economy**, economia sommersa □ (*speleologia*) **u. passage**, cunicolo □ **u. pipes**, tubazioni interrate □ (*bot.*) **u. stem**, rizoma □ (*edil.*) **u. utilities**, sotterranei; cantine □ (*polit.*) **to go u.**, entrare nella clandestinità.

undergrove /'ʌndəgrəʊv/ n. (*lett.*) boschetto.

undergrown /ˌʌndə'grəʊn/ a. **1** cresciuto male **2** (*di persona*) di bassa statura; mingherlino; gracile **3** (*d'albero*) stentato.

undergrowth /'ʌndəgrəʊθ/ n. ⓤ **1** sottobosco; boscaglia; arbusti **2** crescita lenta o stentata; stentatezza.

underhand A a. /'ʌndəhænd/ **1** clandestino; nascosto; segreto; subdolo: **u. dealings**, mene segrete **2** disonesto; sleale; scorretto **3** (*sport: di lancio, tiro, ecc.*) sottomano **B** avv. /ˌʌndə'hænd/ **1** di nascosto; di soppiatto; sottomano **2** slealmente; scorrettamente **3** sottomano **C** n. (*sport*) (tiro, lancio, ecc.) sottomano (sost. m.) • (*baseball*) **u. pitcher**, lanciatore che effettua lanci sottomano □ (*basket*) **u. shot for the basket**, tiro a canestro sottomano □ (*ind. min.*) **u. stoping**, coltivazione discendente.

to **underhand** /ˌʌndə'hænd/ v. t. **1** (*baseball, cricket*) lanciare (*la palla*) sottomano **2** (*basket, football americano, pallamano, ecc.*) passare (*la palla*) sottomano **3** (*tennis*) colpire (*la palla*) dal basso verso l'alto (*il servizio 'sottomano' non è più usato*).

underhanded /ˌʌndə'hændɪd/ a. **1** disonesto; nascosto; segreto; subdolo **2** (*di fabbrica, squadra di calcio, ecc.*) con gli effettivi ridotti; con pochi operai (*o giocatori*); sottodimensionato **3** (*sport*) → **underhand, C, def. 1** | **-ly** avv. | **-ness** n. ⓤ.

underhung /ˌʌndə'hʌŋ/ a. **1** (*della mandibola*) sporgente **2** (*di persona*) dalla mandibola sporgente • (*mecc.*) **u. crane**, gru (a ponte) a vie di corsa superiori.

to **underinsure** /ˌʌndərɪn'ʃʊə(r)/ (*ass.*) v. t. sottoassicurare ‖ **underinsurance** n. ⓤ sottoassicurazione; assicurazione per un valore insufficiente.

to **underinvest** /ˌʌndərɪn'vest/ (*fin.*) v. t. sottoinvestire ‖ **underinvestment** n. sottoinvestimento.

underived /ˌʌndɪ'raɪvd/ a. non derivato; originale.

underkeeper /'ʌndəkiːpə(r)/ n. vice guardiano • **game reserve u.**, aiutante di guardacaccia.

underlaid /ˌʌndə'leɪd/ pass. e p. p. di to **underlay**.

underlay /'ʌndəleɪ/ n. **1** ⓤ carta (*o tela*) impermeabile (*da porre sotto un tappeto, ecc.*); sottomoquette **2** (*tipogr.*) alzo; tacco **3** ⓤ (*geol.*) inclinazione (*di una vena di minerale*) **4** (*ind. min.*) pozzo inclinato.

to **underlay** /ˌʌndə'leɪ/ (pass. e p. p. **underlaid**) **A** v. t. **1** ricoprire (qc.) dal di sotto; collocare, infilare, porre (qc.) sotto **3** (*tipogr.*) mettere un rialzo sotto (*i caratteri*); taccheggiare **B** v. i. (*geol.: di una vena di minerale*) essere inclinato.

underlease /'ʌndəliːs/ n. ⓤ subaffitto; sublocazione.

to **underlet** /ˌʌndə'let/ (pass. e p. p. **underlet**), v. t. **1** subaffittare; sublocare **2** affittare a un prezzo inferiore al giusto.

underletting /ˌʌndə'letɪŋ/ n. ⓤ subaffitto; sublocazione.

to **underlie** /ˌʌndə'laɪ/ (pass. **underlay**, p. p. **underlain**) **A** v. t. **1** (*di uno strato, ecc.*) essere posto sotto a (*un altro*); sottostare a **2** (*fig.*) essere alla base di; costituire il fondamento di: *These principles u. a democratic system of government*, questi principi stanno alla base di un sistema democratico di governo **3** (*fig.*) essere alla radice di; essere la causa (profonda) di (qc.) **4** (*leg., fin.: di un'ipoteca, ecc.*) avere la priorità su **B** v. i. stare sotto; essere sottostante.

underline /'ʌndəlaɪn/ n. **1** sottolineatura (*la linea*) **2** didascalia (*sotto un'illustrazione*) **3** (*teatr.*) annuncio di una prossima rappresentazione (*in calce a un cartellone*).

to **underline** /ˌʌndə'laɪn/ v. t. sottolineare (*anche fig.*); mettere in evidenza (*o in risal-*

to); evidenziare.

underlinen /'ʌndəlɪnɪn/ n. [U] biancheria personale (*o* intima).

underling /'ʌndəlɪŋ/ n. subalterno; sottopancia (*fig. spreg.*); tirapiedi (*spreg.*).

underlining ① /ʌndə'laɪnɪŋ/ n. [UC] **1** sottolineatura (*l'azione*) **2** (*fig.*) messa in evidenza (*o* in risalto).

underlining ② /ʌndə'laɪnɪŋ/ n. [UC] (*sartoria*) sottofodera.

underlip /'ʌndəlɪp/ n. (*anat.*) labbro inferiore.

♦**underlying** /'ʌndəlaɪɪŋ/ a. **1** posto sotto; sottostante: (*fin.*) **u. financial instrument**, strumento finanziario sottostante **2** (*fig.*) che sta alla base di; basilare; fondamentale **3** (*fig.*) implicito; sottinteso **4** (*ling.*) soggiacente **5** (*fin.*) di primo grado: **u. bonds**, obbligazioni privilegiate ● (*leg. fin.*) **underlying mortgage**, ipoteca di primo grado.

to **underman** /ʌndə'mæn/ v. t. equipaggiare in modo insufficiente; fornire di personale troppo scarso (*o* di manodopera troppo scarsa, di un numero insufficiente di marinai).

undermanager /ʌndə'mænɪdʒə(r)/ n. vicedirettore (*di un'azienda e sim.*).

undermanned /ʌndə'mænd/ a. che ha un equipaggio insufficiente; a corto di personale (*o* di manodopera).

undermanning /ʌndə'mænɪŋ/ n. [U] **1** manodopera insufficiente **2** (*mil.*) effettivi troppo ridotti **3** (*naut.*) impiego di un equipaggio insufficiente.

undermentioned /ʌndə'menʃnd/ a. sottomenzionato; sottoindicato.

♦to **undermine** /ʌndə'maɪn/ v. t. **1** erodere (*rocce, ecc.*) alla base; minare (*anche fig.*); scavare dal disotto; scalzare; scardinare; indebolire: *Floodwater is undermining the river banks*, l'acqua della piena scalza le sponde del fiume; *Drugs have undermined his health*, la droga gli ha minato la salute; **to u. sb.'s authority**, indebolire (*o* scalzare) l'autorità di q. **2** (*ind. min.*) sottoscavare; sgrottare.

undermost /'ʌndəməʊst/ a. infimo; (il) più basso.

♦**underneath** /ʌndə'niːθ/ 🅐 avv. **1** sotto; disotto; abbasso: *I don't want that book; I want the one u.*, non voglio quel libro; voglio quello sotto **2** (*fig.*) sotto sotto; in fondo: **u., he's much better than he looks**, sotto sotto, è molto meglio di quello che sembra 🅑 prep. sotto; sotto a; sotto di: **u. the trees**, sotto gli alberi; *There's a socket just u. the table*, c'è una presa proprio sotto al tavolo 🅒 a. pred. disotto; inferiore: **the part u.**, la parte disotto 🅓 n. (il) disotto; il fondo: **the u. of the table**, il disotto della tavola.

undernote /'ʌndənəʊt/ n. (*mus.*) nota bassa.

undernourished /ʌndə'nʌrɪʃt/ a. denutrito || **undernourishment** n. [U] → **undernutrition**.

undernutrition /ʌndənjuː'trɪʃn/ n. [U] (*med.*) sottonutrizione; alimentazione insufficiente.

underpaid /ʌndə'peɪd/ 🅐 pass. e p. p. di **to underpay** 🅑 a. mal pagato; mal retribuito; sottopagato.

underpainting /'ʌndəpeɪntɪŋ/ n. [UC] imprimitura; mano di fondo.

underpants /'ʌndəpænts/ n. pl. (*spec. USA*) mutande; mutandine (*da uomo*).

underpass /'ʌndəpɑːs/ n. **1** sottopassaggio pedonale **2** (*autom.*) sottovia; sottopassaggio.

underpay /ʌndə'peɪ/ n. [U] paga inadeguata; retribuzione inferiore al dovuto.

to **underpay** /ʌndə'peɪ/ (pass. e p. p. **underpaid**), v. t. pagare poco; retribuire in modo insufficiente; sottopagare || **underpayment** n. [UC] retribuzione inferiore al dovuto; paga inadeguata; pagamento insufficiente.

to **underpin** /ʌndə'pɪn/ v. t. (*edil.*) **1** puntellare (*un muro, ecc.*) **2** sottomurare.

underpinning /'ʌndəpɪnɪŋ/ n. [UC] **1** (*edil.*) sottomurazione; sottofondazione **2** (*edil., ind. min.*) puntellatura **3** (*fig.*) appoggio; sostegno **4** (pl.) (*fam. USA*) (le) gambe.

underplay /ʌndə'pleɪ/ n. [U] (*a carte*) il giocare una carta bassa (*avendone una superiore in mano*).

to **underplay** /ʌndə'pleɪ/ 🅐 v. t. **1** (*teatr.*) recitare (*una parte*) con scarsa enfasi (*o* smorzando i toni) **2** (*fig.*) sottovalutare, minimizzare, sminuire (*l'importanza di qc.*) 🅑 v. i. (= **to u. one's hand**) **1** (*a carte*) giocare una carta bassa, non sfruttando appieno le carte che si hanno in mano **2** (*fig.*) procedere con cautela; agire con grande circospezione.

underplot /'ʌndəplɒt/ n. **1** intreccio secondario (*di romanzo, dramma, ecc.*) **2** (*raro*) complotto; manovra.

underpopulated /ʌndə'pɒpjʊleɪtɪd/ (*demogr.*) a. sottopopolato; scarsamente popolato || **underpopulation** n. [U] **1** sottopopolamento **2** sottopopolazione.

to **underprice** /ʌndə'praɪs/ v. t. (*comm.*) **1** porre un prezzo troppo basso a (*un articolo, ecc.*); porre a (*un articolo, ecc.*) un prezzo più basso di quello corrente **2** battere (*un concorrente*) nei prezzi **3** (*fin.*) vendere (*un titolo*) a un prezzo inferiore al suo valore effettivo.

underpricing /ʌndə'praɪsɪŋ/ n. [U] (*fin.*) sottoprezzatura; vendita sottoprezzo.

underprivileged /ʌndə'prɪvəlɪdʒd/ a. bisognoso; derelitto; misero; diseredato ● (collett.) **the u.**, i diseredati.

to **underproduce** /ʌndəprə'djuːs/ (*econ.*) v. t. produrre (*beni*) in quantità inferiore al necessario (*o* in quantità insufficiente) || **underproduction** n. [U] produzione insufficiente; sottoproduzione.

underproof /'ʌndə'pruːf/ a. (*di bevanda alcolica*) sotto titolo; a insufficiente gradazione alcolica.

to **underprop** /ʌndə'prɒp/ v. t. puntellare; sostenere dal disotto.

underprotected, **under-protected** /ʌndəprə'tektɪd/ a. che non gode di sufficiente protezione (*o* tutela).

to **underquote** /ʌndə'kwəʊt/ v. t. (*comm., fin.*) **1** offrire (*merce, servizi, ecc.*) a un prezzo inferiore a **2** quotare (*o* praticare) prezzi inferiori a quelli di (*un concorrente*); battere (q.) nelle quotazioni.

to **underrate** /ʌndə'reɪt/ v. t. sottovalutare; sminuire; svalutare.

to **underreact** /ʌndərɪ'ækt/ v. i. reagire in modo blando; avere una reazione moderata || **underreaction** n. [U] reazione moderata.

under-ripe /'ʌndəraɪp/ a. non abbastanza maturo; immaturo.

to **underrun** /ʌndə'rʌn/ (pass. **underran**, p. p. **underrun**) 🅐 v. i. correre sotto; passare sotto 🅑 v. t. **1** far scorrere (*o* far passare) sotto **2** (*tecn.*) ispezionare (qc.) dal disotto.

undersailed /ʌndə'seɪld/ a. (*naut.*) che ha una superficie velica insufficiente.

underscore /'ʌndəskɔː(r)/ n. **1** sottolineatura **2** (*in un film*) musica di fondo.

to **underscore** /ʌndə'skɔː(r)/ v. t. sottolineare (*anche fig.*).

underscoring /ʌndə'skɔːrɪŋ/ n. [UC] **1** sottolineatura **2** (*fig.*) evidenziazione.

undersea /'ʌndəsiː/ 🅐 a. attr. sottomarino: (*ind. min.*) **u. mining**, coltivazione sotto-marina 🅑 avv. sotto la superficie del mare; in fondo al mare.

underseas /ʌndə'siːz/ avv. sotto la superficie del mare.

underseat /ʌndə'siːt/ a. attr. che sta sotto il sedile: (*USA*) **u. bag**, valigetta di dimensioni tali da stare sotto il sedile (*dell'aereo, ecc.*).

undersecretary /ʌndə'sekrətrɪ/ n. **1** (*polit.*, = **Parliamentary U.**) sottosegretario **2** vicesegretario || **undersecretaryship** n. [U] (*polit.*) sottosegretariato.

to **undersell** /ʌndə'sel/ (pass. e p. p. **undersold**), v. t. (*comm.*) **1** vendere (*merce*) sottocosto; svendere **2** vendere a un prezzo inferiore a quello di (*un concorrente*); battere (q.) nel prezzo **3** (*fig.*) sminuire; svalutare; buttare giù (*fam.*): *Never u. yourself!*, non buttarti mai giù! || **underseller** n. chi vende merce sottocosto.

underselling /ʌndə'selɪŋ/ n. [U] (*comm., market.*) vendita sottocosto; svendita.

underserved /ʌndə'sɜːvd/ a. che non dispone di servizi sufficienti; che non gode di un servizio soddisfacente; (*di trasporti*) malservito: **an u. area**, una zona malservita.

underset /'ʌndəset/ n. **1** corrente sottomarina **2** risacca.

to **underset** /ʌndə'set/ v. t. **1** (*ind. costr.*) puntellare **2** (*fig.*) sostenere.

undersexed /ʌndə'sekst/ a. **1** (*biol.*) che ha scarsi stimoli sessuali; poco dotato sessualmente **2** che ha una vita sessuale irregolare; poco attivo sessualmente.

undersheriff /ʌndə'ʃerɪf/ n. vice sceriffo.

undershirt /ʌndə'ʃɜːt/ n. (*USA, cfr. ingl.* **vest**, def. 2) camiciola; canottiera; maglietta; maglia sulla pelle; maglia della salute (*fam.*).

to **undershoot** /ʌndə'ʃuːt/ (pass. e p. p. **undershot**) 🅐 v. t. **1** (*sparando, tirando con l'arco, ecc.*) non raggiungere, mancare (*il bersaglio*) **2** (*aeron.: di pilota*) far fare un atterraggio corto a (*un aereo*) 🅑 v. i. **1** fare un tiro corto **2** (*aeron.*) atterrare corto ● (*di un aereo*) **to u. the runway**, fare un atterraggio corto.

undershot /'ʌndəʃɒt/ a. **1** (*di ruota idraulica*) per disotto: **u. wheel**, ruota per disotto (*mossa dall'acqua che la colpisce in basso*); ruota a stramazzo **2** → **underhung**.

undershrub /'ʌndəʃrʌb/ n. (*bot.*) arbusto basso; suffrutice.

underside /'ʌndəsaɪd/ n. parte inferiore; (il) disotto.

to **undersign** /ʌndə'saɪn/ v. t. sottoscrivere; firmare in calce (*un documento, una lettera, ecc.*).

undersigned /ʌndə'saɪnd/ a. sottoscritto; firmato in calce ● **the u.**, il sottoscritto □ **I the u.**, io sottoscritto □ **we the u.**, i sottoscritti.

undersize /ʌndə'saɪz/ → **undersized**.

undersized /ʌndə'saɪzd/ a. **1** di misura inferiore al normale **2** mingherlino; piccolo; stentato.

underskirt /'ʌndəskɜːt/ n. sottogonna.

underslung /'ʌndəslʌŋ/ a. **1** sostenuto dal di sopra **2** (*autom.: di telaio*) collegato agli assi dal di sotto.

undersoil /'ʌndəsɔɪl/ n. [U] (*agric., geol.*) sottosuolo; suolo inerte.

undersold /ʌndə'səʊld/ pass. e p. p. di **to undersell**.

underspend /'ʌndəspend/ n. [UC] spesa inferiore al previsto.

to **underspend** /ʌndə'spend/ (pass. e p.p. **underspent**) 🅐 v. i. **1** spendere troppo poco **2** spendere meno del previsto 🅑 v. t. spendere meno di (*una somma prevista*); restare sotto a.

a b c d e f g h i j k l m n o p q r s t **u** v w x y z

underspin /'ʌndəspɪn/ n. (*tennis, ping--pong, ecc.*) 'back-spin'; rotazione all'indietro (*impressa alla palla colpendola sotto la mezzeria*); taglio per disotto (*o da sotto*).

understaffed /ʌndə'stɑːft/ a. **1** (*org. az.: di ufficio, ecc.*) che non ha personale sufficiente; a corto di personale; sottodimensionato; (*di scuola*) che ha pochi insegnanti; a corto di docenti **2** (*mil.*) con gli effettivi ridotti.

understaffing /ʌndə'stɑːfɪŋ/ n. ▣ (*org. az.*) insufficiente impiego di personale; scarsa dotazione di personale.

♦to **understand** /ʌndə'stænd/ (*pass. e p. p.* **understood**), v. t. e i. **1** capire; comprendere; intendere; aver comprensione per; rendersi conto di: **to u. English** [**mathematics, a question**], capire l'inglese [la matematica, una domanda]; *I don't u. you* [*what you say*], non ti capisco [non comprendo quel che dici]; *What did you u. him to say?*, che cosa hai inteso che volesse dire?; *I quite u. your difficulty*, mi rendo perfettamente conto delle tue difficoltà; *Not that I agree,* (*you*) *u.*, non che io sia d'accordo, intendiamoci! **2** apprendere; venire a sapere; sentir dire, sentire: *We u. that the firm has stopped payment*, apprendiamo che la ditta ha sospeso i pagamenti; *I u. that John is going to marry Edith*, sento che (*o mi dicono che*) John sta per sposare Edith **3** sottintendere: *It's understood that her brother will come too*, è sottinteso che verrà anche suo fratello; (*gramm.*) *In some cases, the verb may be understood*, in taluni casi si può sottintendere il verbo **4** (*come parentetico*) credere; pensare; ritenere: *Their offer is, I u., still open*, a quanto capisco, la loro offerta è ancora valida **5** intendere, interpretare (*un personaggio, ecc.*) **6** dedurre; supporre; capire: *Am I to u. that you won't come?*, devo supporre (*o vuoi forse dire*) che non verrai? **7** capirne di, intendersene di (qc.): *She understands cooking*, di cucina se ne intende ● **to u. each other** (*o one another*), comprendersi; capirsi □ **to give sb. to u.**, lasciar intendere a q.; far capire: *He gave me to u. that his partner would help me*, mi fece capire che il suo socio mi avrebbe aiutato □ **(Now) u. me!**, stammi a sentire!; ascolta bene! □ **I cannot u. his behaviour**, non riesco a spiegarmi la sua condotta □ **I don't u. anything about it**, non ci capisco nulla; non mi ci raccapezzo □ **You don't u.**, tu non capisci; tu non ti rendi conto.

understandable /ʌndə'stændəbl/ a. comprensibile; intelligibile ‖ **understandability** n. ▣ comprensibilità ‖ **understandably** avv. in modo comprensibile.

♦**understanding** ① /ʌndə'stændɪŋ/ n. **1** ▣ intelligenza; intelletto; giudizio; discernimento; comprendonio (*fam.*): *She has an excellent u.*, ha un'intelligenza eccezionale; **a man without u.**, un uomo privo di discernimento; «**An Essay Concerning Human U.**», «Saggio sull'intelletto umano» (*di J. Locke*) **2** comprensione; conoscenza; visione (*fig.*): *He has a good u. of economics*, ha una buona conoscenza dell'economia; *He has a clear u. of our financial situation*, ha una chiara visione della nostra situazione finanziaria **3** patto; accordo informale; intesa: **to reach** (*o to come to*) **an u.**, raggiungere un accordo **4** ▣ comprensione; indulgenza ● **on the u. that...**, a condizione che...; a patto che... □ **on this u.**, a questa condizione; a questi patti.

understanding ② /ʌndə'stændɪŋ/ a. **1** intelligente; dotato d'intuito **2** comprensivo; dotato di comprensione; indulgente: **an u. parent**, un genitore comprensivo, indulgente; *My tutor was really u.*, il mio insegnante è stato molto comprensivo.

to **understate** /ʌndə'steɪt/ ▣ v. t. **1** atte-

nuare; minimizzare **2** (*rag.*) sottostimare, sottovalutare (*attività o passività*) ▣ v. i. dir meno del vero; essere reticente ● (*fisc.*) **to u. one's taxable income**, dichiarare un imponibile inferiore a quello reale.

understated /ʌndə'steɪtɪd/ a. **1** discreto; sobrio; sottotono: **u. elegance**, sobria eleganza **2** sottostimato.

understatement /ʌndə'steɪtmənt/ n. **1** dichiarazione attenuata (*o incompleta*); affermazione troppo modesta; understatement **2** ▣ understatement; abitudine (*o pratica*) della minimizzazione.

understeer /ʌndə'stɪə(r)/ n. (*autom.*) **1** sottosterzo (*difetto*) **2** sottosterzata.

to **understeer** /ʌndə'stɪə(r)/ v. i. (*autom.*: *di una vettura*) sottosterzare; essere sottosterzante.

understock /'ʌndəstɒk/ n. **1** (*comm.*) provvista insufficiente **2** (*agric.*) ceppo d'innesto.

to **understock** /ʌndə'stɒk/ v. t. (*comm.*) approvvigionare, rifornire (*un negozio*) di una quantità insufficiente di merce; sottostoccare (*una fabbrica*).

understood /ʌndə'stʊd/ ▣ pass. e p. p. di **to understand** ▣ a. **1** capito; compreso; inteso **2** (*anche gramm.*) sottinteso: *The object is u.*, il complemento oggetto è sottinteso **3** inteso; convenuto; stabilito: *It's u. that the goods shall be up to sample*, resta inteso che la merce dev'essere conforme al campione ● **to make oneself u.**, farsi capire □ *That's u.!*, è chiaro; va da sé! □ *Is that u.?*, d'accordo?

understrapper /'ʌndəstræpə(r)/ n. (*raro*) subalterno; sottopancia (*fig. spreg.*); tirapiedi (*spreg.*).

understratum /ʌndə'strɑːtəm/ n. (*pl.* **understrata**, **understratums**) (*scient.*) substrato; sostrato.

understructure /ʌndə'strʌktʃə(r)/ n. sottostruttura.

understudy /'ʌndəstʌdɪ/ n. **1** (*teatr.*) sostituto; attore (*o attrice*) supplente **2** (*cinem.*) controfigura **3** (*sport*) controfigura; sostituto.

to **understudy** /'ʌndəstʌdɪ/ (*teatr.*) ▣ v. t. **1** studiare (*una parte*) come sostituto: *He is understudying Othello*, studia la parte di Otello (*per poter sostituire il protagonista, se necessario*) **2** sostituire (*un attore, un'attrice*) ▣ v. i. fare da sostituto.

under-supply, **undersupply** /ʌndəsə'plaɪ/ n. ▣ (*econ.*) offerta insufficiente; scarsità di offerta.

undertakable /ʌndə'teɪkəbl/ a. che si può intraprendere.

♦to **undertake** /ʌndə'teɪk/ (*pass.* **undertook**, p. p. **undertaken**) ▣ v. t. **1** intraprendere; dare inizio a: **to u. a task** [**a journey**], intraprendere un compito [un viaggio] **2** assumere; assumersi: **to u. a piece of work**, assumere un lavoro (*prenderlo in appalto, ecc.*); **to u. full responsibility for st.**, assumersi la piena responsabilità di qc. **3** assumersi l'impegno di; accettare; impegnarsi a; incaricarsi di: *He undertook to be our guide*, assunse l'impegno di farci da guida; (*polit.*) **to u. the premiership**, accettare la carica di Primo Ministro; *I can't u. to do that*, non posso impegnarmi a fare ciò ▣ v. i. **1** assicurare; garantire: *I can't u. you will be well again in a week*, non posso assicurare che starai di nuovo bene in una settimana **2** (*fam.*) fare l'impresario di pompe funebri ● (*leg.*) **to u. a cause**, accettare una causa; assumere la difesa di q. □ (*leg.*) **to u. legal proceedings against sb.**, procedere per vie legali contro q. □ (*leg.*) **to u. an obligation**, assumere un'obbligazione □ **I will u. to say**, oserei dire.

undertaker /'ʌndəteɪkə(r)/ n. **1** impre-

sario di pompe funebri **2** chi intraprende (qc.) **3** (*econ.*) imprenditore (*più com.* **entrepreneur**) **4** (*econ.*) impresa di pubblici servizi ● **u.'s works**, lavori pubblici in appalto.

undertaking /ʌndə'teɪkɪŋ, *nel sign. A, def. 4* 'ʌndəteɪkɪŋ/ ▣ n. **1** impresa; compito: **a risky u.**, un'impresa rischiosa **2** (*econ.*) impresa; azienda **3** (*leg.*) assunzione (*di un obbligo*); impegno; promessa: **to give a written u.**, rilasciare un impegno scritto; **to give sb. an u. to do** (*o* **not to do**) **st.**, assumere con q. l'impegno di fare (*o di non fare*) qc. **4** ▣ attività di un'impresa di pompe funebri ▣ a. intraprendente ● (*leg.*) **u. to appear**, impegno (*o obbligo*) di costituirsi in giudizio.

undertenant /ʌndə'tenənt/ n. subaffittuario ‖ **undertenancy** n. ▣ subaffitto.

underthings /'ʌndəθɪŋz/ n. pl. biancheria intima (*da donna*).

to **undertime** /ʌndə'taɪm/ → to **underexpose**.

undertone /'ʌndətəʊn/ n. **1** tono basso; tono sommesso; bisbiglio **2** colore smorzato; tinta tenue **3** (*fig.*) sottofondo; senso occulto: **an u. of horror**, un senso occulto di orrore **4** (*Borsa, fin.*) tendenza di base (*d'un mercato, ecc.*): *Our securities are displaying a strong u. today*, oggi i nostri titoli rivelano una tendenza di base sostenuta ● **to talk in undertones**, parlare sottovoce.

undertook /ʌndə'tʊk/ pass. di **to undertake**.

undertow /'ʌndətəʊ/ n. ▣ (*naut.*) **1** moto di masse d'acqua sul fondo (*del mare*); flutto di fondo **2** risacca.

undertrained /ʌndə'treɪnd/ a. (*sport, ecc.*) poco allenato; allenato in modo insufficiente.

undertreasurer /'ʌndətreʒərə(r)/ n. vicetesoriere.

underused /ʌndə'juːzd/ a. sottoutilizzato.

underutilization /ʌndəjuːtəlaɪ'zeɪʃn, *USA* -lɪ'z-/ n. ▣ (*org. az.*) sottoutilizzazione (*di un impianto, ecc.*).

underutilized /ʌndə'juːtɪlaɪzd/ a. sottoutilizzato.

to **undervalue** /ʌndə'væljuː/ (*anche fin.*) v. t. sottovalutare; svalutare; deprezzare ‖ **undervaluation** n. sottovalutazione; svalutazione; deprezzamento ‖ **undervalued** a. sottovalutato: *The euro is still undervalued*, l'euro è ancora sottovalutato.

undervest /'ʌndəvest/ n. camiciola; maglietta; maglia sulla pelle; maglia della salute (*fam.*).

underwater /ʌndə'wɔːtə(r)/ ▣ avv. sott'acqua: *Let's swim u.*, andiamo a nuotare sott'acqua! ▣ a. **1** (*anche sport*) sott'acqua; subacqueo: **u. swimming**, il nuoto sott'acqua; **an u. swimmer**, un nuotatore subacqueo **2** (*naut.*) subacqueo; sottomarino: **u. navigation**, navigazione sottomarina (*di un sommergibile*) **3** (*mil., naut.*) immerso; sommerso; subacqueo: **an u. mine**, una mina subacquea ● (*naut.*) **u. body**, opera viva (*della nave*) □ **u. camera**, macchina fotografica da sub □ (*pesca*) **u. fishing**, pesca subacquea; caccia subacquea □ **u. mask**, maschera da sub □ **u. TV camera**, telecamera subacquea; telecamera da sub.

underwear /'ʌndəweə(r)/ n. ▣ biancheria intima.

underweight /'ʌndəweɪt/ ▣ n. **1** ▣ sottopeso; peso inferiore al normale **2** ▣ l'essere sottopeso **3** persona che è sottopeso ▣ a. di peso inferiore al normale; troppo leggero **C** avv. sottopeso; sotto il peso forma: *He is ten pounds u.*, è dieci libbre (*quasi cinque kili*) sotto peso.

underwent /ʌndə'went/ pass. di **to undergo**.

to **underwhelm** /ʌndə'wɛlm/ **v. t.** (*scherz.*; *sul modello di* **to overwhelm**) lasciar freddo (*fig.*); non entusiasmare; deludere.

underwing /'ʌndəwɪŋ/ **n.** (*zool.*) **1** ala posteriore (*d'insetto*) **2** (*Catocala*) catocala.

underwood /'ʌndəwʊd/ **n.** ☐ **1** sottobosco; sterpaglia **2** bosco ceduo.

underwork /ʌndə'wɜːk/ **n. 1** ☐ lavoro poco importante; lavoro subordinato **2** ☐☐ sottostruttura; struttura di supporto.

to **underwork** /ʌndə'wɜːk/ **A v. i. 1** lavorare troppo poco **2** lavorare per una retribuzione inadeguata (*fam.*: per troppo poco) **B v. t. 1** dedicare troppo poco lavoro a (qc.) **2** esigere troppo poco lavoro da (q.) **3** lavorare per meno di (q.).

underworld /'ʌndəwɜːld/ **n.** ☐ **1** oltretomba; inferi; inferno; Ade **2** (*geogr.*) antipodi **3** – (collett.) **the u.**, il mondo del crimine; la malavita; la mala: **an u. attorney**, un avvocato della mala.

to **underwrite** /ʌndə'raɪt/ (pass. **underwrote**, p. p. **underwritten**) **A v. t. 1** sottoscrivere (anche *fig.*); firmare **2** (*ass.*) emettere (*una polizza, spec. d'assicurazione marittima*); assicurare (*spec. una nave*); coprire (*un certo rischio*) **3** (*fin.*) sottoscrivere (*azioni, ecc.*) **4** (*fin.*) finanziare, sostenere finanziariamente (*un'impresa, ecc.*) **B v. i.** fare l'assicuratore (*spec. marittimo*) ● (*fin.*) **to u. stock**, sottoscrivere capitale azionario.

underwriter /'ʌndəraɪtə(r)/ **n. 1** (*ass.*) assicuratore (*spec. marittimo*) **2** (*fin.*) sottoscrittore (*di titoli*) **3** (*fin.*) consorzio (o sindacato) di garanzia e collocamento titoli **4** (*fin.*) società che gestisce fondi d'investimento.

underwriting /'ʌndəraɪtɪŋ/ **n.** ☐ **1** (*ass.*) assicurazione (*spec. marittima*) **2** (*fin.*) sottoscrizione (*di titoli*) **3** (*fin.*) conferimento di capitali; finanziamento ● **u. agent**, assicuratore ☐ **u. commission** (o **fee**), commissione di sottoscrizione ☐ (*fin.*) **u. syndicate**, consorzio di garanzia e collocamento titoli.

underwritten /ʌndə'rɪtn/ **p. p. di to underwrite**.

underwrote /ʌndə'rəut/ **pass. di to underwrite**.

undescribable /ʌndɪ'skraɪbəbl/ **a.** indescrivibile.

undeserved /ʌndɪ'zɜːvd/ **a.** immeritato; ingiusto: **u. criticism**, critiche immeritate | -ly **avv.**

undeserving /ʌndɪ'zɜːvɪŋ/ **a.** immeritevole; indegno.

undesigned /ʌndɪ'zaɪnd/ **a.** non meditato; involontario.

undesigning /ʌndɪ'zaɪnɪŋ/ **a.** franco; leale; onesto; schietto.

undesirable /ʌndɪ'zaɪərəbl/ **A a.** indesiderabile; non desiderabile; sgradito **B n.** persona sgradita ‖ **undesirability, undesirableness** n. ☐ indesiderabilità; l'essere sgradito ‖ **undesirably avv.** in modo indesiderabile.

undesired /ʌndɪ'zaɪəd/ **a.** indesiderato; non desiderato; non sollecitato.

undestroyable /ʌndɪ'strɔɪəbl/ **a.** indistruttibile.

undestroyed /ʌndɪ'strɔɪd/ **a.** non distrutto; integro; intatto.

undetected /ʌndɪ'tɛktɪd/ **a. 1** non scoperto; non individuato **2** (*di errore*) non rilevato.

undeterminable /ʌndɪ'tɜːmɪnəbl/ **a.** indeterminabile.

undetermined /ʌndɪ'tɜːmɪnd/ **a. 1** indeterminato; indefinito **2** indeciso; incerto; irrisoluto: *He was u. whether to accept the offer*, era indeciso se accettare l'offerta **3** indeciso; irrisolto: **an u. question**, una que-

stione irrisolta.

undeterred /ʌndɪ'tɜːd/ **a.** non scoraggiato; imperterrito; imperturbato; impavido.

undeveloped /ʌndɪ'vɛləpt/ **a. 1** (anche *econ.*) non sviluppato; (*di paese*) arretrato, (allo stato) primitivo **2** (*di terreno*) non edificato.

undeviating /ʌn'diːvɪeɪtɪŋ/ **a. 1** diretto; che non devia **2** (*fig.*) costante; fermo; saldo; rigoroso | -ly **avv.**

undid /ʌn'dɪd/ **pass. di to undo**.

undies /'ʌndɪz/ **n. pl.** (*fam.*) biancheria intima (*da donna o da bambino*) ● (*volg.*) **to fudge one's u.**, farsela nelle mutande; farsela sotto.

undifferentiated /ʌndɪfə'rɛnʃɪeɪtɪd/ **a.** indifferenziato; indiscriminato.

undigested /ʌndaɪ'dʒɛstɪd/ **a. 1** non digerito **2** (*fig.*) non assimilato; nudo e crudo: **u. facts**, fatti nudi e crudi.

undigestible /ʌndaɪ'dʒɛstəbl/ **a. 1** non digeribile; indigesto **2** (*fig.*) non assimilabile.

undignified /ʌn'dɪgnɪfaɪd/ **a.** non dignitoso; senza dignità.

undiluted /ʌndaɪ'luːtɪd/ **a.** non diluito; puro; schietto.

undiminished /ʌndɪ'mɪnɪʃt/ **a.** non diminuito; integro; intatto.

undimmed /ʌn'dɪmd/ **a.** non offuscato; chiaro; limpido.

undine /'ʌndiːn/ **n.** (*mitol.*) ondina.

undiplomatic /ʌndɪplə'mætɪk/ **a.** non diplomatico; privo di diplomazia; privo di tatto.

undirected /ʌndaɪ'rɛktɪd/ **a. 1** senza direzione; senza direttive; senza guida **2** (*di lettera, ecc.*) senza indirizzo.

undiscerned /ʌndɪ'sɜːnd/ **a.** non scorto; inosservato.

undiscernible /ʌndɪ'sɜːnəbl/ **a.** indiscernibile; impercettibile | -bly **avv.**

undiscerning /ʌndɪ'sɜːnɪŋ/ **a.** privo di discernimento.

undischarged /ʌndɪs'tʃɑːdʒd/ **a. 1** (*di bastimento, fucile, ecc.*) non scaricato; ancora carico **2** (*di lavoro o compito*) non compiuto; incompiuto **3** (*mil.*) non congedato **4** (*comm.*: *di debito, ecc.*) non saldato; insoluto **5** (*fin., leg.*: *di fallito*) non riabilitato.

undisciplined /ʌn'dɪsəplɪnd/ **a.** indisciplinato.

undisclosed /ʌndɪs'kləuzd/ **a.** non svelato; nascosto; occulto; segreto.

undiscouraged /ʌndɪs'kʌrɪdʒd/ **a.** non scoraggiato; risoluto.

undiscoverable /ʌndɪs'kʌvərəbl/ **a.** introvabile; irreperibile.

undiscovered /ʌndɪs'kʌvəd/ **a. 1** non scoperto; inesplorato **2** non scoperto; sconosciuto.

undiscriminating /ʌndɪs'krɪmɪneɪtɪŋ/ **a.** che non discrimina; che non distingue; che fa di ogni erba un fascio.

undiscussed /ʌndɪs'kʌst/ **a.** indiscusso.

undisguisable /ʌndɪs'gaɪzəbl/ **a. 1** non mascherabile; che non si può alterare (o celare, ecc.) **2** manifesto; chiaro; lampante.

undisguised /ʌndɪs'gaɪzd/ **a. 1** non mascherato; non travestito **2** (*fig.*) aperto; evidente; chiaro; manifesto.

undismayed /ʌndɪs'meɪd/ **a.** senza paura; impavido; imperterrito.

undispersed /ʌndɪ'spɜːst/ **a.** non disperso.

undisposed /ʌndɪ'spəuzd/ **a. 1** non disposto; restio: *He was u. to help me*, era restio ad aiutarmi **2** (*leg.*) non assegnato; non attribuito; non ceduto **3** (*comm.*) invenduto: **inventories** (o **stocks**) **u. of**, scorte invendute **4** (*di rifiuti, ecc.*) non portato via; non

smaltito.

undisputed /ʌndɪ'spjuːtɪd/ **a.** incontrastato; incontestato; indiscusso: **the u. leader of the party**, il capo indiscusso del partito | -ly **avv.**

undissociated /ʌndɪ'səuʃɪeɪtɪd/ **a.** (*chim.*) indissociato.

undissolvable /ʌndɪ'zɒlvəbl/ **a.** indissolubile.

undissolved /ʌndɪ'zɒlvd/ **a.** non sciolto; non disciolto.

undistilled /ʌndɪ'stɪld/ **a.** non distillato.

undistinguishable /ʌndɪ'stɪŋgwɪʃəbl/ **a.** indistinguibile | -bly **avv.**

undistinguished /ʌndɪ'stɪŋgwɪʃt/ **a. 1** non distinto; indistinto **2** senza distinzione; che non si distingue (dagli altri); comune; mediocre **3** non individuato; non scoperto; inosservato.

undistinguishing /ʌndɪ'stɪŋgwɪʃɪŋ/ **a.** che non fa distinzioni.

undistorted /ʌndɪ'stɔːtɪd/ **a. 1** senza distorsione; non distorto **2** (*fig.*) vero; veritiero.

undistracted /ʌndɪ'stræktɪd/ **a.** non distratto.

undistributed /ʌndɪ'strɪbjuːtɪd/ **a.** non distribuito; (*fin.*) **u. profits**, utili non distribuiti.

undisturbed /ʌndɪ'stɜːbd/ **a. 1** indisturbato **2** imperturbato; calmo; tranquillo.

undiversified /ʌndaɪ'vɜːsɪfaɪd/ **a.** non variato; indifferenziato.

undiverted /ʌndaɪ'vɜːtɪd/ **a. 1** (*di liquido, di corso d'acqua*) non deviato **2** (anche *fin.*) non stornato **3** (*di persona*) non distratto.

undividable /ʌndɪ'vaɪdəbl/ **a.** indivisibile.

undivided /ʌndɪ'vaɪdɪd/ **a.** indiviso; intero.

undivulged /ʌndaɪ'vʌldʒd/ **a.** non divulgato; segreto.

to **undo** /ʌn'duː/ (pass. **undid**, p. p. **undone**), **v. t. 1** disfare; sfare; distruggere; annullare **2** disfare; sciogliere; slacciare; slegare: **to u. a knot**, sciogliere un nodo; **to u. a string**, slegare un laccio; '*Whatever I did was I undid her arms and then immediately went back out*' J. FOWLES, 'l'unica cosa che feci fu scioglierle le braccia e poi tornai fuori di nuovo' **3** mandare in rovina; rovinare: *Drink has undone him*, l'alcol l'ha rovinato **4** (*comput.*) annullare ● **to come undone**, sciogliersi; slacciarsi; slegarsi ☐ **to leave nothing undone**, non lasciar nulla d'intentato ☐ **to leave st. undone**, tralasciare di fare qc.

to **undock** /ʌn'dɒk/ **A v. t. 1** (*naut.*) far uscire (*una nave*) dal bacino **2** (*miss.*) distaccare, staccare (*un modulo da un altro, ecc.*) **B v. i.** (*di nave*) uscire dal bacino ‖ **undocking n.** ☐☐ **1** (*naut.*) uscita dal bacino **2** (*miss.*) distacco, sganciamento (*di un modulo, ecc.*).

undocumented /ʌn'dɒkjʊmentɪd/ **a. 1** non documentato; senza riscontri documentali **2** (*bur.*, *di spese, ecc.*) non documentato; senza ricevuta **3** (*leg., polit.*, *di persona*) senza documenti: (*USA*) **u. worker**, lavoratore clandestino.

undoer /ʌn'duːə(r)/ **n.** chi disfa; distruttore; demolitore.

undoing /ʌn'duːɪŋ/ **n.** ☐ **1** il disfare; annullamento **2** rovina; sfacelo: *Gambling was his u.*, il gioco d'azzardo fu la sua rovina.

undomestic /ʌndə'mestɪk/ **a. 1** non domestico **2** per nulla casalingo; poco amante della casa.

undomesticated /ʌndə'mestɪkeɪtɪd/ **a. 1** non addomesticato; selvaggio **2** (*di persona*) per nulla casalingo: (*di un uomo*) incapace di cuocere due uova al tegame (*fig.*).

a b c d e f g h i j k l m n o p q r s t u v w x y z

undone /ʌn'dʌn/ **A** p. p. di **to undo B** a. **1** incompiuto; non fatto **2** (di nodo, ecc.) disfatto; (di indumento, ecc.) slacciato; slegato **3** rovinato; distrutto: I'm u.!, sono rovinato!; 'What's done cannot be u.' W. SHAKESPEARE, 'cosa fatta capo ha' (prov.).

to undouble /ʌn'dʌbl/ v. t. sdoppiare.

undoubtable /ʌn'daʊtəbl/ a. indubitabile.

♦**undoubted** /ʌn'daʊtɪd/ a. indubbio; sicuro; certo; indubitato | -ly avv.

undoubting /ʌn'daʊtɪŋ/ a. non dubbioso; convinto; sicuro; fiducioso; senza sospetto | -ly avv.

UNDP sigla (ONU, USA, **United Nations Development Programme**) Programma delle Nazioni Unite per lo sviluppo.

undrained /ʌn'dreɪnd/ a. non drenato; non prosciugato.

undramatic /ʌndrə'mætɪk/ a. privo di qualità drammatiche; poco adatto al teatro.

undraped /ʌn'dreɪpt/ a. **1** non drappeggiato **2** (fig.) senza veli; scoperto.

to undraw /ʌn'drɔː/ (pass. **undrew**, p. p. **undrawn**), v. t. tirare di lato, aprire: **to u. the curtains**, tirare (o aprire) le tende.

undreamed-of /ʌn'driːmdɒv/, **undreamt-of** /ʌn'dremtɒv/ a. incredibile; impensato; insperato; inaudito ● Television was undreamed-of a hundred years ago, cent'anni fa la televisione non era nemmeno nel regno dei sogni.

undress /ʌn'dres/ n. **1** (mil.) bassa uniforme; bassa tenuta **2** (arc.) veste da camera ● (fam.) **to be in a state of u.**, essere svestito (o nudo).

to undress /ʌn'dres/ **A** v. t. **1** spogliare; svestire **2** sfasciare (una ferita) **B** v. i. spogliarsi; svestirsi: 'He took off his shoes and undressed glumly by the candlelight' G. GREENE, 'si tolse le scarpe e si svestì tetramente al lume di candela'.

undressed /ʌn'drest/ a. **1** svestito; nudo **2** (di pelle, cuoio, ecc.) non conciato; greggio; grezzo **3** (di ferita) non fasciato **4** (di cibo) non condito: **u. salad**, insalata scondita **5** in disordine; spettinato; malmesso ● **to get u.**, svestirsi; spogliarsi.

undrew /ʌn'druː/ pass. di **to undraw**.

undrilled /ʌn'drɪld/ a. **1** non esercitato; inesperto **2** (mil.) non addestrato **3** (mecc.) non forato; non trapanato.

undrinkable /ʌn'drɪŋkəbl/ a. imbevibile; non potabile.

undue /ʌn'djuː/, USA -'duː/ a. **1** indebito; illecito **2** inopportuno; sconveniente **3** eccessivo; smoderato: He spoke with u. warmth, se espresse con eccessivo calore **4** (comm.: di un debito e sim.) non dovuto; non ancora scaduto ● (leg.) **u. influence**, captazione; violenza morale; ingerenza illecita; indebita pressione □ (leg.) **u. preference**, indebito pagamento preferenziale (da parte di un fallito) □ **to exert u. influence on sb.**, plagiare q.

undulant /'ʌndjʊlənt/ a. ondeggiante; ondulante: (med.) **u. fever**, febbre ondulante (o maltese).

undulate /'ʌndjʊleɪt/, **undulated** /'ʌndjʊleɪtɪd/ a. ondulato.

to undulate /'ʌndjʊleɪt/ v. i. **1** ondulare; ondeggiare **2** essere ondulato || **undulating** a. **1** ondeggiante; ondulante **2** ondulato: (geogr.) **undulating land**, terreno ondulato || **undulation** n. **1** ondulazione; ondeggiamento (fis.) movimento ondulatorio **2** ondulazione; curva (o linea) ondulata (del terreno, ecc.).

undulatory /'ʌndjʊlətrɪ/ a. **1** (anche scient.) ondulatorio **2** ondeggiante **3** ondulato.

unduly /ʌn'djuːlɪ/ avv. **1** indebitamente;

illecitamente **2** in modo inopportuno **3** eccessivamente; troppo: He's u. strict with his students, è troppo severo con i suoi studenti ● **I am not u. worried**, mi preoccupo a ragion veduta.

undurable /ʌn'djʊərəbl/ a. non duraturo; caduco.

undutiful /ʌn'djuːtɪfl/ a. **1** che manca ai propri doveri; disobbediente **2** irrispettoso; irriverente | -ly avv. | -ness n. Ⓤ.

undying /ʌn'daɪɪŋ/ a. imperituro; eterno; immortale | -ly avv.

unearned /ʌn'ɜːnd/ a. **1** non guadagnato; non da lavoro: (econ., fin.) **u. income**, reddito non da lavoro; rendita; (fin.) plusvalenza (di beni immobili); **u. revenue**, reddito di capitale (o da investimenti) **2** non guadagnato; non maturato: (rag.) **u. revenue**, risconto passivo **3** immeritato: **u. praise**, elogi immeritati.

to unearth /ʌn'ɜːθ/ v. t. **1** dissotterrare **2** stanare (una volpe, ecc.) **3** (fig.) portare alla luce; scoprire; trovare.

unearthly /ʌn'ɜːθlɪ/ a. **1** non terreno; ultraterreno; soprannaturale **2** spettrale; misterioso; strano; sinistro; lugubre: **u. pallor**, pallore spettrale **3** (fam.) assurdo; irragionevole; impossibile: **to call sb. at an u. hour**, chiamare (o svegliare, ecc.) q. a un'ora impossibile || **unearthliness** n. Ⓤ l'essere soprannaturale, ecc.

unease /ʌn'iːz/ n. disagio; inquietudine; ansia; turbamento.

uneasy /ʌn'iːzɪ/ a. **1** (raro) scomodo; disagevole; molesto; penoso **2** ansioso; inquieto; agitato; irrequieto; turbato: **u. sleep**, sonno agitato **3** che fa stare a disagio; che turba; inquietante: **an u. silence**, un silenzio inquietante **4** precario; instabile; debole: **an u. coalition government**, un debole governo di coalizione; **u. peace**, pace precaria (o instabile) || **uneasily** avv. **1** a disagio; scomodamente **2** ansiosamente; inquietamente **3** precariamente; in modo instabile || **uneasiness** n. Ⓤ **1** (raro) scomodità; disagevolezza; disagio **2** ansia; inquietudine; agitazione; irrequietezza; turbamento **3** precarietà; instabilità.

uneatable /ʌn'iːtəbl/ a. immangiabile.

uneaten /ʌn'iːtn/ a. **1** non mangiato; (di cibo) intatto.

uneconomic /ʌniːkə'nɒmɪk/ a. antieconomico; improduttivo; non remunerativo: **u. industries**, industrie improduttive; It has become u. to operate this service, è diventato antieconomico fornire questo servizio | -ally avv.

uneconomical /ʌniːkə'nɒmɪkl/ a. troppo costoso; dispendioso; non economico: **u. methods**, metodi dispendiosi; The car proved u. to run, l'auto si dimostrò poco economica | -ly avv.

unedible /ʌn'edəbl/ a. incommestibile.

unedifying /ʌn'edɪfaɪɪŋ/ a. non edificante; poco edificante.

unedited /ʌn'edɪtɪd/ a. **1** (di manoscritto) non revisionato; non riveduto **2** non ancora pubblicato; inedito **3** (di film) non ancora montato.

uneducated /ʌn'edʊkeɪtɪd/ a. senza istruzione; incolto.

unelectable /ʌnɪ'lektəbl/ a. ineleggibile.

unelected /ʌnɪ'lektɪd/ a. non eletto; non rieletto.

unemancipated /ʌnɪ'mænsɪpeɪtɪd/ a. non emancipato.

unembarrassed /ʌnɪm'bærəst/ a. **1** non imbarazzato; disinvolto **2** (comm.) senza debiti.

unemotional /ʌnɪ'məʊʃənl/ a. **1** non emotivo: 'Japp's voice was rigidly u.' A. CHRISTIE, 'la voce di

Japp era di una rigida freddezza' **2** non emozionante | -ly avv.

unemphatic /ʌnɪm'fætɪk/ a. non enfatico; senza enfasi | -ally avv.

unemployable /ʌnɪm'plɔɪəbl/ a. **1** che non si può usare; inutilizzabile **2** (econ.) che non riesce a inserirsi nel mondo del lavoro; inadatto al lavoro; inabile al lavoro.

♦**unemployed** /ʌnɪm'plɔɪd/ a. **1** non usato; inutilizzato: (fin.) **u. capital**, capitale inutilizzato (o inattivo) **2** (econ.) disoccupato: I'm u. at the moment, attualmente sono disoccupato **3** (sport: di un portiere) disoccupato; inattivo; poco impegnato ● (collett.) **the u.**, i disoccupati.

♦**unemployment** /ʌnɪm'plɔɪmənt/ n. Ⓤ (econ.) disoccupazione: **disguised u.**, disoccupazione mascherata ● **u. benefit** (USA: **u. compensation**), sussidio di disoccupazione □ **u. benefit attendance card**, tessera per il sussidio di disoccupazione □ **u. claim**, richiesta di sussidio di disoccupazione □ **u. fund**, fondo di assistenza contro la disoccupazione (corrisponde all'incirca alla cassa integrazione guadagni) □ (USA) **u. insurance**, assicurazione contro la disoccupazione □ (USA) **the u. lines**, le file dei disoccupati □ (econ., stat.) **u. rate**, tasso di disoccupazione □ **u. register**, liste di disoccupazione.

unempowered /ʌnɪm'paʊəd/ a. (leg.) non autorizzato.

unenclosed /ʌnɪn'kləʊzd/ a. non circondato; non cintato; aperto.

unencumbered /ʌnɪn'kʌmbəd/ a. **1** non ingombro; libero; sgombro **2** (di persona) non impegnato; libero **3** (leg.) non gravato da ipoteche: **an u. estate**, una proprietà non gravata da ipoteche.

unended /ʌn'endɪd/ a. incompiuto; non finito.

unending /ʌn'endɪŋ/ a. senza fine; eterno; interminabile | -ly avv.

unendorsed /ʌnɪn'dɔːst/ a. **1** non sottoscritto; non approvato **2** (polit.) senza l'appoggio (o il sostegno: di un partito, ecc.) **3** (comm., fin.) non girato; senza girata: **an u. cheque**, un assegno non girato ● (autom.) **an u. licence**, una patente di guida «pulita» (senza annotazioni d'infrazioni al codice della strada).

unendowed /ʌnɪn'daʊd/ a. **1** (leg., arc.) non dotato; senza dote **2** (fig.) senza doti; sprovvisto (di qc.).

unendurable /ʌnɪn'djʊərəbl/ a. insopportabile; intollerabile || **unendurability** n. Ⓤ insopportabilità; intollerabilità || **unendurably** avv. insopportabilmente; intollerabilmente.

unenforceable /ʌnɪn'fɔːsəbl/ a. (leg.) non suscettibile di tutela giudiziaria; non tutelabile in giudizio; non azionabile: **an u. right**, un diritto non azionabile; **u. contract**, contratto non tutelabile in giudizio.

unengaged /ʌnɪn'geɪdʒd/ a. **1** non impegnato; non occupato; libero **2** non fidanzato; libero.

unengaging /ʌnɪn'geɪdʒɪŋ/ a. non attraente; poco simpatico; antipatico.

un-English /ʌn'ɪŋglɪʃ/ a. non inglese; non conforme al carattere (o alla tradizione) inglese.

unenjoyable /ʌnɪn'dʒɔɪəbl/ a. spiacevole; per nulla divertente.

unenlightened /ʌnɪn'laɪtnd/ a. **1** non illuminato (fig.); ottenebrato **2** non istruito; incolto; ignorante **3** superstizioso.

to unentangle /ʌnɪn'tæŋgl/ v. t. districare; sbrogliare.

unentered /ʌn'entəd/ a. **1** impenetrato **2** non iscritto (a una competizione, ecc.) **3** (rag.) non registrato.

unenterprising /ʌn'entəpraɪzɪŋ/ a. non

intraprendente; senza iniziativa.

unentertaining /ˌʌnentə'teɪnɪŋ/ **a.** non divertente; noioso.

unenthusiastic /ˌʌnɪnθuːzɪ'æstɪk/ **a.** privo d'entusiasmo.

unenviable /ʌn'envɪəbl/ **a.** non invidiabile; da non invidiarsi.

unenvied /ʌn'envɪd/ **a.** non invidiato.

UNEP sigla (*ONU*, **United Nations Environment Programme**) Programma delle Nazioni Unite per l'ambiente.

unequal /ʌn'iːkwəl/ **a. 1** disuguale; ineguale; irregolare; difforme: **an u. pattern**, un disegno irregolare **2** impari: **an u. fight**, una lotta impari **3** incapace; inadatto; non all'altezza: *He proved u. to the job*, dimostrò di non essere all'altezza del lavoro **4** iniquo; ingiusto.

unequalled /ʌn'iːkwəld/ **a.** ineguagliato; senza pari, senza uguali; incomparabile: **u. patience**, una pazienza senza uguali.

unequipped /ʌnɪ'kwɪpt/ **a. 1** non equipaggiato **2** non in grado (*di fare qc.*): *She was u. to deal with the situation*, ella non era in grado di far fronte alla situazione **3** (*sport*) non attrezzato; privo di un corredo sportivo.

unequitable /ʌn'ekwɪtəbl/ **a.** non equanime; parziale; ingiusto.

unequivocal /ʌnɪ'kwɪvəkl/ **a.** inequivocabile; chiaro; esplicito | **-ly avv.** | **-ness n.** Ⓤ.

unerring /ʌn'ɜːrɪŋ/ **a.** infallibile; accurato; preciso; sicuro: **u. precision [judgement]**, precisione [giudizio] infallibile.

unescapable /ʌnɪ'skeɪpəbl/ **a.** inevitabile; ineluttabile.

UNESCO /juː'neskəʊ/ sigla (*ONU*, **United Nations Educational, Scientific and Cultural Organization**) Organizzazione delle Nazioni Unite per l'educazione, la scienza e la cultura.

unescorted /ʌnɪ'skɔːtɪd/ **a. 1** non accompagnato; solo **2** senza scorta.

unessential /ʌnɪ'senʃl/ **a.** non essenziale; poco importante.

unesthetic (*USA*) → **unaesthetic**.

unethical /ʌn'eθɪkl/ **a.** non etico; immorale.

unevangelical /ʌniːvæn'dʒelɪkl/ **a.** (*relig.*) non evangelico.

uneven /ʌn'iːvn/ **a. 1** disuguale; ineguale; discontinuo; irregolare; scabroso: **u. ground**, terreno ineguale **2** (*mat.*) dispari: **u. numbers**, numeri dispari **3** impari; non equilibrato: **an u. contest**, una gara impari **4** discontinuo; incostante; volubile; disuguale; **an u. temper**, un carattere variabile (*o incostante, volubile*); (*sport, ecc.*) **u. performance**, rendimento disuguale ● (*ginnastica*) **u. parallel bars**, parallele asimmetriche □ (*autom.*) «**U. road**» (*cartello*), «strada dissestata».

unevenly /ʌn'iːvnlɪ/ **avv.** in modo disuguale (*o incostante, discontinuo, ecc.*) ● (*di due contendenti, ecc.*) **u. matched**, male assortiti; di diversa levatura.

unevenness /ʌn'iːvnəs/ **n. 1** mancanza di equilibrio; levatura troppo diversa (*tra due squadre, ecc.*) **2** irregolarità (*del terreno*) **3** incostanza, volubilità (*del carattere*); discontinuità (*di rendimento*).

uneventful /ʌnɪ'ventfl/ **a.** senza incidenti; non movimentato; monotono; calmo; tranquillo | **-ly avv.** | **-ness n.** Ⓤ.

unevolved /ʌnɪ'vɒlvd/ **a.** non evoluto.

unexamined /ʌnɪg'zæmɪnd/ **a.** non esaminato; non controllato.

unexampled /ʌnɪg'zɑːmpld/ **a.** inaudito; singolare; straordinario; senza precedenti: **u. daring**, audacia inaudita.

unexcelled /ʌnɪk'seld/ **a.** insuperato; non

---

sorpassato.

unexceptionable /ʌnɪk'sepʃənəbl/ **a.** ineccepibile; irreprensibile || **unexceptionability n.** Ⓤ ineccepibilità.

unexceptional /ʌnɪk'sepʃənl/ **a. 1** non eccezionale; comune; ordinario **2** che non ammette eccezioni **3** (*raro*) ineccepibile; irreprensibile | **-ly avv.**

unexcited /ʌnɪk'saɪtɪd/ **a.** non eccitato; calmo; indifferente; tranquillo.

unexciting /ʌnɪk'saɪtɪŋ/ **a.** non eccitante; non emozionante.

unexcused /ʌnɪk'skjuːzd/ **a.** non scusato; ingiustificato.

unexecuted /ʌn'eksɪkjuːtɪd/ **a. 1** non eseguito; non fatto; incompiuto **2** (*leg.*) non (ancora) giustiziato **3** (*comm.*: *di un ordinativo*) inevaso.

unexercised /ʌn'eksəsaɪzd/ **a.** non esercitato; non addestrato.

unexhausted /ʌnɪg'zɔːstɪd/ **a.** non esaurito; inesausto.

♦**unexpected** /ʌnɪk'spektɪd/ Ⓐ **a.** inaspettato; inatteso; impensato; imprevisto; insperato; inopinato: **an u. win**, una vittoria insperata; **an u. defeat**, una sconfitta inattesa Ⓑ **n.** Ⓤ – **the u.**, ciò che non ci si attende; l'imprevisto ● **an u. event**, un imprevisto | **-ly avv.** | **-ness n.** Ⓤ.

unexpended /ʌnɪk'spendɪd/ **a. 1** non consumato **2** (*fin.*) non speso: **u. funds**, fondi non spesi.

unexpensive /ʌnɪk'spensɪv/ **a.** (più com. **inexpensive**) non dispendioso; a buon mercato; poco costoso.

unexperienced /ʌnɪk'spɪərɪənst/ **a. 1** non provato; non sperimentato **2** (più com. **inexperienced**) inesperto.

unexpired /ʌnɪk'spaɪəd/ **a.** (*leg.*) non (ancora) scaduto.

unexplainable /ʌnɪk'spleɪnəbl/ **a.** inspiegabile; inesplicabile | **-bly avv.**

unexplained /ʌnɪk'spleɪnd/ **a.** inspiegato; inesplicato.

unexploded /ʌnɪk'spləʊdɪd/ **a.** (*mil.*) inesploso.

unexplored /ʌnɪk'splɔːd/ **a.** inesplorato.

unexposed /ʌnɪk'spəʊzd/ **a. 1** non esposto; protetto; riparato **2** (*fotogr.*) non esposto **3** (*fig.*) tenuto celato.

unexpressed /ʌnɪk'sprest/ **a. 1** non espresso; inespresso **2** (*ling.*) sottinteso.

unexpurgated /ʌn'ekspɜːgeɪtɪd/ **a.** non espurgato; integrale; integro: **u. edition**, edizione integrale (*di un romanzo, ecc.*).

unextended /ʌnɪk'stendɪd/ **a. 1** non esteso **2** non steso; non teso **3** senza dimensioni; che non prende posto; che non ingombra **4** (*sport*: *di atleta*) non sotto tensione; in scioltezza.

unextinguishable /ʌnɪ'stɪŋgwɪʃəbl/ **a.** inestinguibile; (*fig.*) perenne, perpetuo: **u. fire**, incendio inestinguibile ● **u. laughter**, riso irrefrenabile.

unextinguished /ʌnɪk'stɪŋgwɪʃt/ **a.** non estinto; inestinto.

unfadable /ʌn'feɪdəbl/ **a. 1** (*di fiore*) che non appassisce **2** (*di colore*) che non sbiadisce; solido **3** (*fig.*: *di ricordo*) indelebile.

unfaded /ʌn'feɪdɪd/ **a. 1** (*di fiore*) non appassito; fresco **2** (*di colore*) non sbiadito; vivo **3** (*fig.*) vivo; immutato; perenne.

unfading /ʌn'feɪdɪŋ/ **a. 1** che non appassisce; inalterabile; immutabile **2** (*di colore, di tinta*) che non sbiadisce; solido **3** (*fig.*) imperituro; immortale: **u. fame**, fama immortale.

unfailing /ʌn'feɪlɪŋ/ **a. 1** infallibile; sicuro; che non sbaglia **2** immancabile: **u. reaction**, reazione immancabile **3** inesauribile: **an u. supply**, una scorta inesauribile **4**

---

fido; sicuro; saldo: **an u. supporter**, un fido sostenitore; **an u. friendship**, una salda amicizia | **-ly avv.** | **-ness n.** Ⓤ.

♦**unfair** /ʌn'feə(r)/ **a. 1** ingiusto; iniquo; disonesto; sleale; scorretto: **an u. advantage**, un ingiusto vantaggio; **an u. decision**, un verdetto ingiusto; **an u. judgment**, una sentenza iniqua; **u. means**, mezzi sleali; (*leg., comm.*) **u. competition** (*o* **u. practice**), concorrenza sleale **2** (*del vento*) sfavorevole; contrario **3** (*sport*) irregolare; non regolamentare; sbagliato **4** (*sport*) falloso; proibito: (*boxe*) **u. hit**, colpo proibito; colpo basso ● **u. dismissal**, licenziamento senza giusta causa □ (*USA*) **u. labor practice**, pratica discriminatoria nei confronti degli iscritti a un sindacato; pratica industriale sleale □ (*USA*) **u. list**, lista dei datori di lavoro ritenuti colpevoli di pratiche discriminatorie (*da parte dei sindacati*) □ **u. play**, disonestà; slealtà; (*sport*) gioco scorretto.

unfairly /ʌn'feəlɪ/ **avv. 1** ingiustamente; slealmente; iniquamente **2** male: *Life has treated him u.*, la vita l'ha trattato male **3** (*sport*) in modo irregolare (*o falloso*); fallosamente.

unfairness /ʌn'feənəs/ **n.** Ⓤ **1** ingiustizia; iniquità; disonestà; slealtà **2** (*sport*) fallosità, irregolarità (*di un intervento, ecc.*).

unfaithful /ʌn'feɪθfl/ **a. 1** infedele: **an u. husband**, un marito infedele **2** (*raro*) sleale **3** (*raro*) inesatto; impreciso; infedele: **an u. reproduction**, una copia infedele **4** (*relig., arc.*) infedele | **-ly avv.** | **-ness n.** Ⓤ.

unfaltering /ʌn'fɔːltərɪŋ/ **a.** deciso; fermo; costante; risoluto | **-ly avv.**

unfamiliar /ʌnfə'mɪlɪə(r)/ **a. 1** poco familiare; estraneo; sconosciuto; strano: **u. faces**, facce sconosciute **2** (pred.) poco pratico; impreparato: *He was u. with those tools*, era inesperto di quegli arnesi | **-ly avv.**

unfamiliarity /ʌnfəmɪlɪ'ærətɪ/ **n.** Ⓤ mancanza di familiarità; stranezza.

unfashionable /ʌn'fæʃnəbl/ **a.** fuori moda; non alla moda | **-ness n.** Ⓤ | **-bly avv.**

unfashioned /ʌn'fæʃnd/ **a.** non foggiato; informe.

to unfasten /ʌn'fɑːsn/ Ⓐ **v. t.** slegare; slacciare; sciogliere; disfare Ⓑ **v. i.** slegarsi; slacciarsi; sciogliersi.

unfathered /ʌn'fɑːðəd/ **a. 1** (*poet.*) senza padre; illegittimo; orfano **2** (*fig.*, *di opera letteraria*) anonimo; di origini oscure.

unfatherly /ʌn'fɑːðəlɪ/ **a.** non paterno; indegno di un padre.

unfathomable /ʌn'fæðəməbl/ **a. 1** che non si può scandagliare; insondabile **2** (*fig.*) insondabile; impenetrabile; imperscrutabile: **an u. mystery**, un mistero insondabile | **-bly avv.**

unfathomed /ʌn'fæðəmd/ **a. 1** non scandagliato; insondato **2** (*fig.*) impenetrato; non compreso a fondo; misterioso.

unfavourable, (*USA*) **unfavorable** /ʌn'feɪvərəbl/ **a. 1** sfavorevole; non propizio; svantaggioso: (*econ.*) **an u. economic trend**, una congiuntura sfavorevole; (*fin.*) **u. rate of exchange**, tasso di cambio sfavorevole **2** contrario; negativo: **an u. answer**, una risposta negativa ● (*econ.*) **u. balance of trade**, bilancia commerciale passiva □ (*di una cosa*) **to be u. to sb.**, sfavorire q. □ (*fig.*) **in an u. light**, in una luce sfavorevole | **-ness n.** Ⓤ | **-bly avv.**

unfazed /ʌn'feɪzd/ **a.** (*fam.*) imperturbato.

unfearing /ʌn'fɪərɪŋ/ **a.** che non ha paura; impavido | **-ly avv.**

unfeasible /ʌn'fiːzəbl/ **a.** inattuabile; non fattibile.

to unfeather /ʌn'feðə(r)/ **v. t.** togliere le penne a; spennare || **unfeathered a. 1** senza penne; spennato **2** senza penne; im-

a b c d e f g h i j k l m n o p q r s t **u** v w x y z

plume.

unfed /ʌn'fɛd/ *a.* non nutrito; non alimentato; senza cibo.

unfeeling /ʌn'fiːlɪŋ/ *a.* insensibile; crudele; duro; arido; spietato | **-ly** avv. | **-ness** n. ⊔.

unfeigned /ʌn'feɪnd/ *a.* non finto; non simulato; genuino; sincero | **-ly** avv.

unfelt /ʌn'fɛlt/ *a.* non sentito; insincero; simulato.

unfeminine /ʌn'fɛmənɪn/ *a.* non femminile; che non si addice a una donna.

unfenced /ʌn'fɛnst/ *a.* non cintato; aperto; senza steccato.

unfermented /ʌnfɜː'mɛntɪd/ *a.* non fermentato.

unfertile /ʌn'fɜːtaɪl/ *a.* non fertile; infruttifero; sterile.

unfertilized /ʌn'fɜːtəlaɪzd/ *a.* non fertilizzato.

to **unfetter** /ʌn'fɛtə(r)/ *v. t.* **1** liberare dai ceppi (o dalle catene) **2** (*fig.*) liberare; affrancare || **unfettered** *a.* **1** senza ceppi (*fig.*) senza impacci; senza impedimenti; libero; spedito.

unfiled /ʌn'faɪld/ *a.* non registrato; non schedato; non archiviato.

unfilial /ʌn'fɪlɪəl/ *a.* non filiale; indegno di un figlio | **-ly** avv.

unfilled /ʌn'fɪld/ *a.* **1** non riempito; vuoto **2** (*di posto, ecc.*) non occupato; libero; vacante ● **u. spaces**, spazi in bianco (*d'un modulo, ecc.*) □ **u. vacancy**, posto libero (*di lavoro*).

unfiltered /ʌn'fɪltəd/ *a.* non filtrato.

unfinished /ʌn'fɪnɪʃt/ *a.* **1** non finito; incompiuto; incompleto **2** (*ind.*) semilavorato: **u. products**, (prodotti) semilavorati.

unfit /ʌn'fɪt/ *a.* **1** inidoneo; inadatto; non idoneo; inabile: **u. for work**, inabile al lavoro **2** in cattiva condizione fisica; malandato; in cattiva salute **3** disadatto; inadeguato **4** sconveniente; non si addice; indegno: *He's u. to hold public office*, è indegno di ricoprire un incarico pubblico ● **u. for human consumption**, non commestibile □ (*di un campo di gioco*) **u. to play on**, impraticabile; inagibile □ **u. to print**, non pubblicabile □ **He was declared u. for military service**, fu riformato alla visita di leva | **-ly** avv.

to **unfit** /ʌn'fɪt/ *v. t.* (*raro*) rendere inabile; inabilitare: **to u. sb. for st.**, rendere q. inabile a qc.

unfitness /ʌn'fɪtnəs/ *n.* ⊔ **1** l'essere disadatto; inabilità **2** cattiva condizione fisica **3** sconvenienza; indegnità **4** (*sport*) impraticabilità; inagibilità.

unfitted /ʌn'fɪtɪd/ *a.* inadatto; non idoneo.

unfitting /ʌn'fɪtɪŋ/ *a.* **1** che non s'adatta; inadatto **2** sconveniente; che non si addice | **-ly** avv.

to **unfix** /ʌn'fɪks/ *v. t.* **1** staccare; slacciare; togliere **2** (*fig.*) scombinare; guastare; sconvolgere ● (*mil.*) **to u. bayonets**, disinastare le baionette.

unfixable /ʌn'fɪksəbl/ *a.* **1** (anche *fig.*) che non si può riparare **2** che non si può fissare.

unfixed /ʌn'fɪkst/ *a.* **1** non fissato; staccato; mobile; sciolto **2** non fisso; non stabilito; incerto; variabile ● **to come u.**, staccarsi; distaccarsi; slacciarsi.

unflagging /ʌn'flægɪŋ/ *a.* indefesso; infaticabile; instancabile.

unflappable /ʌn'flæpəbl/ (*fam.*) *a.* calmo; tranquillo; che non si scompone; composto; freddo (*fig.*); impassibile; imperturbabile || **unflappability** *n.* ⊔ calma; compostezza; impassibilità; sangue freddo (*fig.*).

unflattering /ʌn'flætərɪŋ/ *a.* **1** non adulatorio; poco lusinghiero **2** senza fronzoli;

realistico | **-ly** avv.

unflawed /ʌn'flɔːd/ *a.* privo di difetti; immacolato; perfetto.

unfledged /ʌn'flɛdʒd/ *a.* **1** (*zool.*) senza penne; implume **2** (*fig.*) immaturo; inesperto; in erba (*fig.*).

unfleshed /ʌn'flɛʃt/ *a.* **1** (*di un osso, ecc.*) non scarnito **2** (*di cane da caccia, ecc.*) non abituato al sangue **3** (*fig.*) inesperto.

unfleshly /ʌn'flɛʃlɪ/ *a.* non carnale; spirituale.

unflinching /ʌn'flɪntʃɪŋ/ *a.* inflessibile; irremovibile; risoluto | **-ly** avv.

unfocused /ʌn'fəʊkəst/ *a.* **1** non focalizzato; impreciso **2** (*fotogr.*) sfocato **3** (*di occhi o sguardo*) fisso; immobile; vacuo.

to **unfold** /ʌn'fəʊld/ **A** *v. t.* **1** spiegare; stendere; distendere; allargare: **to u. a map**, spiegare una mappa; **to u. a tablecloth**, stendere una tovaglia **2** scartocciare; aprire (*un pacco, ecc.*) **3** spalancare (*un portone, ecc.*) **4** svolgere, sviluppare (*un racconto*); spiegare, illustrare: *'Grebe sat and listened while the old man unfolded his scheme'* S. BELLOW, 'Grebe stava seduto e ascolta mentre il vecchio illustrava il suo progetto' **5** (*fig.*) dischiudere; svelare; rivelare; scoprire: **to u. one's intentions**, scoprire le proprie intenzioni **B** *v. i.* **1** spiegarsi; stendersi; allargarsi: *The valley unfolded before us*, la valle si stendeva davanti a noi **2** schiudersi; dischiudersi: *Buds u. in the spring*, le gemme si schiudono in primavera **3** (*di un racconto, ecc.*) svolgersi.

unfolded ① /ʌn'fəʊldɪd/ *a.* **1** aperto; spiegato; dischiuso; disteso: **with u. wings**, ad ali spiegate **2** (*fig.*) rivelato; svelato; scoperto.

unfolded ② /ʌn'fəʊldɪd/ *a.* (*di pecora*) tenuta all'aperto (*fuori dell'ovile*).

unforbidden /ʌnfə'bɪdn/ *a.* non vietato; lecito; consentito.

unforced /ʌn'fɔːst/ *a.* non forzato; spontaneo; naturale: **u. obedience**, obbedienza non forzata ● (*sport*) **u. error**, errore non forzato (*o non provocato*).

unfordable /ʌn'fɔːdəbl/ *a.* inguadabile; non guadabile.

unforeseeable /ʌnfɔː'siːəbl/ *a.* imprevedibile.

unforeseen /ʌnfɔː'siːn/ *a.* imprevisto; inaspettato; inatteso.

unforetold /ʌnfɔː'təʊld/ *a.* non predetto.

unforgetful /ʌnfə'gɛtfl/ *a.* non immemore.

unforgettable /ʌnfə'gɛtəbl/ *a.* indimenticabile.

unforgivable /ʌnfə'gɪvəbl/ *a.* imperdonabile: **an u. mistake**, un errore imperdonabile | **-bly** avv.

unforgiven /ʌnfə'gɪvn/ *a.* non perdonato; imperdonato (*raro*).

unforgiving /ʌnfə'gɪvɪŋ/ *a.* che non perdona; implacabile; inesorabile; inflessibile; spietato.

unforgotten /ʌnfə'gɒtn/ *a.* non dimenticato; inobliato (*lett.*).

unformed /ʌn'fɔːmd/ *a.* **1** informe; amorfo **2** non ancora formato; immaturo (*anche fig.*).

unforthcoming /ʌnfɔːθ'kʌmɪŋ/ *a.* **1** indisponibile; poco servizievole **2** scortese; scostante.

unfortified /ʌn'fɔːtɪfaɪd/ *a.* non fortificato; indifeso; aperto.

♦**unfortunate** /ʌn'fɔːtʃənət/ **A** *a.* **1** sfortunato; sventurato; disgraziato **2** poco propizio; sfavorevole **3** inopportuno; fuori luogo; infelice: **an u. phrase**, un'espressione infelice **B** *n.* **1** persona sfortunata; sventurato; (un) infelice **2** derelitto; poveraccio.

♦**unfortunately** /ʌn'fɔːtʃənətlɪ/ avv. sfor-

tunatamente; per disgrazia; malauguratamente; purtroppo.

unfounded /ʌn'faʊndɪd/ *a.* infondato; privo di fondatezza; senza fondamento; ingiustificato: **u. accusations**, accuse infondate; **u. fears**, timori ingiustificati; **an u. suspicion**, un sospetto infondato.

to **unframe** /ʌn'freɪm/ *v. t.* scorniciare (*un quadro*) || **unframing** *n.* scorniciatura.

unframed /ʌn'freɪmd/ *a.* (*di quadro, ecc.*) senza cornice.

unfranked /ʌn'fræŋkt/ *a.* (*fisc.*) senza franchigia fiscale.

to **unfreeze** /ʌn'friːz/ (pass. **unfroze**, p. p. **unfrozen**) **A** *v. t.* **1** disgelare; sgelare; scongelare **2** (*econ., fin.*) scongelare; liberalizzare (*prezzi*); sbloccare (*fondi, prezzi, ecc.*): **to u. wages**, sbloccare i salari **3** (*fin.*) smobilizzare (*capitali*) **B** *v. i.* disgelarsi; sgelarsi || **unfreezing** *n.* **1** disgelo; scongelamento **2** (*econ., fin.*) scongelamento, liberalizzazione, sblocco (*di fondi, prezzi, ecc.*) **3** (*fin.*) smobilizzo (*di capitali*).

unfrequented /ʌnfrɪ'kwɛntɪd/ *a.* non frequentato; poco battuto; solitario.

unfriended /ʌn'frɛndɪd/ *a.* (*arc. o raro*) senza amici.

unfriendly /ʌn'frɛndlɪ/ *a.* ostile; freddo; contrario; scortese ● (*fin.*) **u. bid**, offerta di acquisto ostile || **unfriendliness** *n.* ⊔ ostilità; inimicizia; scortesia.

to **unfrock** /ʌn'frɒk/ *v. t.* **1** (*in origine*) svestire; spogliare **2** (*ora*) spretare; sospendere (q.) dall'ufficio sacerdotale.

unfroze /ʌn'frəʊz/ pass. di **to unfreeze**.

unfrozen /ʌn'frəʊzn/ **A** p. p. di **to unfreeze B** *a.* **1** non gelato: **u. ground**, terreno non gelato **2** (*di cibo*) non congelato; scongelato **3** (*econ., fin.*) scongelato; sbloccato: **u. wages**, salari sbloccati.

unfruitful /ʌn'fruːtfl/ *a.* infruttifero; infruttuoso; infecondo; inutile: **u. efforts**, sforzi inutili | **-ly** avv. | **-ness** n. ⊔.

unfulfilled /ʌnfʊl'fɪld/ *a.* **1** inadempiuto; incompiuto **2** inesaudito; insoddisfatto; inappagato **3** (*comm.*: *di ordinativo*) inevaso.

unfunded /ʌn'fʌndɪd/ *a.* (*fin.*) non consolidato; fluttuante: **u. debt**, debito (pubblico) fluttuante.

unfunny /ʌn'fʌnɪ/ *a.* poco spiritoso; che non fa ridere | **-ily** avv.

to **unfurl** /ʌn'fɜːl/ **A** *v. t.* spiegare; mollare; distendere: **to u. the sails**, spiegare le vele **B** *v. i.* (*di vela o bandiera*) spiegarsi.

unfurnished /ʌn'fɜːnɪʃt/ *a.* **1** non ammobiliato; senza mobili: **u. apartment**, alloggio non ammobiliato **2 – u. with**, sfornito, privo, sprovvisto di (qc.).

unfused /ʌn'fjuːzd/ *a.* (*metall.*) non fuso.

ungainly /ʌn'geɪnlɪ/ *a.* **1** privo di grazia; goffo; sgraziato **2** (*d'abito, modo di fare, ecc.*) grossolano; rozzo || **ungainliness** *n.* ⊔ mancanza di grazia; goffaggine.

ungallant /ʌn'gælənt/ *a.* non galante; non cavalleresco.

ungarnished /ʌn'gɑːnɪʃt/ *a.* sguarnito; disadorno; senza fronzoli ● **the u. truth**, la pura verità.

ungated /ʌn'geɪtɪd/ *a.* **1** senza cancello **2** (*ferr.*: *di passaggio a livello*) incustodito.

to **ungear** /ʌn'gɪə(r)/ *v. t.* **1** (*mecc.*) disinnestare; disingranare **2** (*autom.*) mettere in folle.

ungenerous /ʌn'dʒɛnərəs/ *a.* **1** ingeneroso; illiberale; meschino **2** (*del terreno*) improduttivo; sterile | **-ly** avv.

ungenial /ʌn'dʒiːnɪəl/ *a.* **1** antipatico; sgradevole; spiacevole **2** poco propizio; sfavorevole **3** (*del tempo*) inclemente; freddo; rigido.

ungenteel /ʌndʒɛn'tiːl/ *a.* plebeo; rozzo; volgare.

ungentle /ʌn'dʒentl/ a. scortese; sgarbato; maleducato; aspro; rude | **-ness** n. ⓤ.

ungentlemanlike /ʌn'dʒentlmənlaik/ a. (arc.) → **ungentlemanly**.

ungentlemanly /ʌn'dʒentlmənli/ a. **1** grossolano; maleducato; sgarbato; scortese; incivile **2** non raffinato; indegno di un gentiluomo; ignobile: **u. behaviour**, comportamento ignobile.

ungetable /ʌn'ɡetəbl/ → **unget-at-able**.

ungifted /ʌn'ɡiftid/ a. senza ingegno; non dotato.

ungilded /ʌn'ɡildid/ a. non dorato; senza doratura.

to **ungird** /ʌn'ɡɜːd/ v. t. (raro) togliere la cintura a (q.).

unglazed /ʌn'ɡleizd/ a. **1** (di finestra, ecc.) senza vetri; non invetriato **2** non lucido; opaco.

ungloved /ʌn'ɡlʌvd/ a. senza guanti.

to **unglue** /ʌn'ɡluː/ v. t. scollare.

unglued /ʌn'ɡluːd/ a. **1** scollato; staccato **2** (fam.) esagitato; sconvolto; (quasi) pazzo **3** (di una situazione, un evento) fuori controllo; caotico ● **to come u.**, scollarsi, staccarsi; (fig. fam.) perdere il controllo di sé; lasciarsi prendere dal panico.

ungodly /ʌn'ɡɒdli/ a. **1** irreligioso; empio **2** (fam.) assurdo; irragionevole; impossibile: **at some u. hour**, a un'ora impossibile ‖ **ungodliness** n. ⓤ irreligiosità; empietà.

ungovernability /ʌnɡʌvənə'biləti/ n. ⓤ ingovernabilità.

ungovernable /ʌn'ɡʌvənəbl/ a. **1** ingovernabile; indisciplinato; indocile; riottoso; ribelle: **an u. temper**, un carattere indocile **2** (d'odio, ecc.) sfrenato; violento | **-bly** avv.

ungoverned /ʌn'ɡʌvnd/ a. **1** (polit.) senza governo **2** (fig.) incontrollato; sfrenato; violento.

ungraceful /ʌn'ɡreisfl/ a. sgraziato; goffo ‖ **ungracefully** avv. sgraziatamente; goffamente ‖ **ungracefulness** n. ⓤ mancanza di grazia; goffaggine.

ungracious /ʌn'ɡreiʃəs/ a. **1** scortese; sgarbato; incivile; villano: **an u. reply**, una risposta sgarbata **2** sgradevole; sgradito; ingrato: **an u. task**, un compito ingrato **3** → **ungraceful** | **-ly** avv. | **-ness** n. ⓤ.

ungraded /ʌn'ɡreidid/ a. **1** non classificato; senza livelli; senza classi **2** (di esercizio scolastico) senza voto **3** non asfaltato: **u. road**, mulattiera.

ungrammatical /ʌnɡrə'mætikl/ a. sgrammaticato; scorretto | **-ly** avv.

ungrateful /ʌn'ɡreitfl/ a. **1** ingrato; non riconoscente **2** (di compito, ecc.) ingrato; sgradevole; spiacevole: **an u. task**, un compito ingrato | **-ly** avv. | **-ness** n. ⓤ.

ungratified /ʌn'ɡrætifaid/ a. inappagato; insoddisfatto.

ungrounded /ʌn'ɡraundid/ a. **1** infondato; senza fondamento: **an u. statement**, un'asserzione infondata **2** incolto; ignorante **3** (elettr.) non collegato a terra; non (messo) a massa.

ungrown /ʌn'ɡrəun/ a. non cresciuto **2** (fig.) immaturo.

ungrudging /ʌn'ɡrʌdʒiŋ/ a. generoso; liberale; munifico; di buon cuore: **u. efforts**, sforzi generosi | **-ly** avv.

ungual /'ʌŋɡwəl/ a. **1** dell'unghia; ungueale: (anat.) **u. phalanx**, falange ungueale **2** simile a un'unghia (o a uno zoccolo, a un artiglio, ecc.).

unguarded /ʌn'ɡɑːdid/ a. **1** indifeso; incustodito; sguarnito: (calcio, ecc.) **the u. goal**, la porta sguarnita **2** avventato; incauto; imprudente; indiscreto: **an u. admission**, un'ammissione incauta ● **in an u. moment**, in un momento di minor attenzione (o di debolezza).

unguent /'ʌŋɡwənt/ n. unguento.

unguessable /ʌn'ɡesəbl/ a. non indovinabile.

unguessed /ʌn'ɡest/ a. **1** non indovinato **2** inimmaginabile; impensabile **3** imprevisto.

unguiculate /ʌŋ'ɡwikjuleit/ a. (zool.) unguicolato.

unguided /ʌn'ɡaidid/ a. non guidato; senza guida.

ungula /'ʌŋɡjulə/ (zool.) n. (pl. **ungulae**) ungula; zoccolo ‖ **ungular** a. ungulare; dell'unghia.

ungulate /'ʌŋɡjuleit/ a. e n. (zool.) ungulato.

unhackneyed /ʌn'hækneid/ a. non comune; non trito; originale.

to **unhair** /ʌn'heə(r)/ v. t. (tecn.) depilare (pelli, ecc.).

to **unhallow** /ʌn'hæləu/ v. t. (arc.) profanare; sconsacrare.

unhallowed /ʌn'hæləud/ a. **1** profanato; sconsacrato: (relig.) **u. ground**, terreno sconsacrato **2** (lett.) profano; sacrilego; empio; scellerato.

unhampered /ʌn'hæmpəd/ a. non impedito; non ostacolato; non vincolato (da regolamenti, ecc.).

to **unhand** /ʌn'hænd/ v. t. (arc. o scherz.) togliere le mani di dosso a (q.); lasciar andare; liberare.

unhandiness /ʌn'hændinəs/ n. ⓤ **1** scarsa maneggevolezza; scomodità **2** scarsa destrezza; goffaggine.

unhandsome /ʌn'hænsəm/ a. **1** brutto; sgraziato **2** scortese; sgarbato **3** meschino; gretto | **-ly** avv.

unhandy /ʌn'hændi/ a. **1** poco maneggevole; ingombrante; scomodo **2** maldestro; goffo; impacciato | **-ily** avv.

to **unhang** /ʌn'hæŋ/ (pass. e p. p. **unhung**), v. t. staccare; tirare giù; togliere: **to u. a picture**, staccare un quadro (dalla parete).

unhappily /ʌn'hæpəli/ avv. **1** infelicemente; nell'infelicità: They are u. married, sono infelicemente sposati **2** disgraziatamente; malauguratamente; purtroppo: U., their son died in Vietnam, purtroppo, il loro figlio è morto in Vietnam **3** in modo infelice; male.

♦**unhappy** /ʌn'hæpi/ a. **1** infelice; sventurato; dolente; triste: **an u. childhood**, un'infanzia infelice **2** disgraziato; sfortunato **3** inopportuno; fuori luogo; infelice: **an u. remark**, un'osservazione infelice ● **to look u.**, avere un'aria infelice ‖ **unhappiness** n. ⓤ infelicità; sventura; tristezza.

unhardened /ʌn'hɑːdnd/ a. **1** non indurito **2** (di metallo) non temprato.

unharmed /ʌn'hɑːmd/ a. incolume; illeso; sano e salvo.

unharmful /ʌn'hɑːmfl/ a. (raro) innocuo.

to **unharness** /ʌn'hɑːnəs/ v. t. **1** togliere la bardatura (o i finimenti) a (un cavallo) **2** (stor.) togliere l'armatura a (un guerriero).

unharvested /ʌn'hɑːvistid/ a. (agric.) **1** non raccolto; non falciato **2** (di campo) non mietuto; intatto.

unhatched /ʌn'hætʃt/ a. **1** (di uovo) non covato **2** (di uovo) non schiuso.

UNHCR sigla ((Office of the) United Nations High Commissioner for Refugees) Alto Commissariato delle Nazioni Unite per i rifugiati (ACNUR).

unhealable /ʌn'hiːləbl/ a. inguaribile.

unhealthful /ʌn'helθfl/ a. insalubre; malsano ‖ **unhealthfulness** n. ⓤ insalubrità.

unhealthiness /ʌn'helθinəs/ n. ⓤ **1** cattiva salute; infermità **2** insalubrità **3** immoralità; morbosità.

unhealthy /ʌn'helθi/ a. **1** poco sano; malaticcio; infermo **2** insalubre; malsano: **an u. climate**, un clima malsano **3** immorale; morboso **4** (fam.) pericoloso | **-ily** avv.

unheard /ʌn'hɜːd/ a. **1** non udito; non sentito: The cry went u., il grido non fu udito (o inascoltato: Suona essere stato sentito (o interrogato): He was condemned u., lo condannarono senza averlo interrogato **3** inesaudito **4** (arc.) non menzionato; ignorato; sconosciuto ● **u.-of**, inaudito; incredibile; senza precedenti: **u.-of atrocities**, atrocità inaudite □ 'The wind crosses the brown land, u.' T.S. ELIOT, 'il vento attraversa la terra scura, e nessuno lo sente'.

unheated /ʌn'hiːtid/ a. non riscaldato.

unhedged /ʌn'hedʒd/ a. (fin., Borsa) non coperto: **u. position**, posizione non coperta.

unheeded /ʌn'hiːdid/ a. inosservato; non visto: He went by u., passò inosservato **2** negletto; trascurato **3** inascoltato; ignorato: **an u. warning**, un avvertimento inascoltato.

unheedful /ʌn'hiːdfl/, **unheeding** /ʌn'hiːdiŋ/ a. **1** disattento; distratto **2** negligente; sbadato; trascurato.

to **unhelm** /ʌn'helm/ v. t. (stor.) togliere l'elmo a (q.).

unhelped /ʌn'helpt/ a. non aiutato; senza aiuto; da solo.

unhelpful /ʌn'helpfl/ a. inutile; di nessun aiuto; non giovevole; vano | **-ly** avv.

unheralded /ʌn'herəldid/ a. **1** inaspettato; inatteso; non preannunciato; improvviso **2** (di artista, atleta, ecc.) poco noto.

unheroic /ʌnhi'rəuik/ a. non eroico.

unhesitating /ʌn'heziteitiŋ/ a. deciso; fermo; pronto; risoluto | **-ly** avv.

unhewn /ʌn'hjuːn/ a. **1** (di tronco) non squadrato **2** (di legno, pietra e fig.) greggio; grezzo; rozzo: **an u. style**, uno stile grezzo.

unhidden /ʌn'hidn/ a. non celato; manifesto; palese.

unhindered /ʌn'hindəd/ a. **1** indisturbato; non impedito; non ostacolato; libero **2** (sport: di un giocatore) incontrastato; libero.

to **unhinge** /ʌn'hindʒ/ v. t. **1** scardinare (anche fig.); sgangherare: **to u. a door**, scardinare una porta **2** (fig.) sconvolgere; (spec.) far impazzire: Fear unhinged his mind (o unhinged him), la paura lo fece impazzire.

unhinged /ʌn'hindʒd/ a. sconnesso; sconvolto; non a posto (fam.): His brain is u., non ha il cervello a posto; è fuori di sé.

unhip /ʌn'hip/ a. (slang USA) **1** superato; vecchio; fuori moda **2** ignaro; non aggiornato; non al corrente; disinformato.

unhistoric /ʌnhi'stɒrik/ a. non storico.

unhistorical /ʌnhi'stɒrikl/ a. non registrato dalla storia; che non ha rapporto con la storia; privo di importanza storica | **-ly** avv.

to **unhitch** /ʌn'hitʃ/ v. t. sganciare; staccare; scollegare ● (fam. USA) **to get unhitched**, divorziare.

unholy /ʌn'həuli/ a. **1** empio; profano; sacrilego; scellerato **2** (fam.) tremendo; terribile; spaventoso: **an u. mess**, un tremendo disordine ‖ **unholiness** n. ⓤ empietà; scelleraggine; scelleratezza.

unhonoured, (USA) **unhonored** /ʌn'ɒnəd/ a. non onorato; senza onore.

to **unhook** /ʌn'huk/ Ⓐ v. t. **1** sganciare; staccare **2** sfibbiare; slacciare: She unhooked her dress, si slacciò l'abito Ⓑ v. i. **1** sganciarsi; staccarsi **2** sfibbiarsi; slacciarsi.

unhoped-for /ʌn'həuptfɔː(r)/ a. insperato; inaspettato: **unhoped-for success**, successo insperato.

unhopeful /ʌn'həupfl/ a. (raro) che non spera; sfiduciato.

to **unhorse** /ʌn'hɔːs/ v. t. **1** disarcionare; far cadere (q.) da cavallo **2** (*fig.*) provocare la caduta di (*un uomo politico, ecc.*); buttare giù (*fam.*).

unhoused /ʌn'haʊzd/ a. sloggiato; scacciato di casa.

unhuman /ʌn'hjuːmən/ a. **1** non umano **2** disumano; inumano.

unhung /ʌn'hʌŋ/ **A** pass. e p. p. di to un-hang **B** a. **1** (*di quadri, ecc.*) non appeso; non esposto **2** non impiccato.

unhurried /ʌn'hʌrɪd/ a. senza fretta; calmo; comodo | **-ly avv.** | **-ness** n. ⓤ.

unhurt /ʌn'hɜːt/ a. incolume; illeso; sano e salvo.

unhusked /ʌn'hʌskt/ a. non sgusciato; col baccello.

unhygienic /ʌnhaɪ'dʒiːnɪk/ a. antigienico.

uni /'juːnɪ/ n. (*fam.*, abbr. di **university**) università.

Uniate /'juːnɪət/ (*anche* **Uniat** /'juːnɪæt/) (*relig.*) a. e n. uniate || **Uniatism** n. ⓤ uniatismo.

uniaxial /juːnɪ'æksɪəl/ a. (*scient.*) monoassiale; uniassico; uniasse: **u. crystals**, cristalli uniassici.

unicameral /juːnɪ'kæmərəl/ a. (*polit.*) unicamerale.

UNICEF /'juːnɪsɛf/ sigla (**United Nations Children's Fund**) Fondo delle Nazioni Unite per l'infanzia.

unicellular /juːnɪ'sɛljʊlə(r)/ a. (*biol.*) unicellulare ● (*zool.*) **u. animal**, protozoo.

unicity /juː'nɪsətɪ/ n. unicità.

unicoloured, (*USA*) **unicolored** /juːnɪ'kʌləd/ a. monocolore; monocromo.

unicorn /'juːnɪkɔːn/ n. **1** (*mitol.*) unicorno; liocorno **2** (*zool.*, *Monodon monoceros*; = **u. fish, u. whale, sea u.**) narvalo.

unicycle /'juːnɪsaɪkl/ n. monociclo || **unicyclist** n. (acrobata) monociclista.

unideal /ʌnɪ'dɪəl/ a. **1** tutt'altro che ideale; reale **2** materialista; prosaico.

unidentifiable /ʌnaɪ'dɛntɪfaɪəbl/ a. non identificabile.

♦**unidentified** /ʌnaɪ'dɛntɪfaɪd/ a. non identificato: **an u. body**, un cadavere non identificato ● **u. flying object**, oggetto volante non identificato; ufo.

unidiomatic /ʌnɪdɪə'mætɪk/ a. (*ling.*) non idiomatico.

unidirectional /juːnɪdaɪ'rɛkʃənl/ a. (*scient.*, *tecn.*) unidirezionale: **u. antenna**, antenna unidirezionale.

UNIDO /juː'niːdəʊ/ sigla (**United Nations Industrial Development Organization**) Organizzazione delle Nazioni Unite per lo sviluppo industriale.

unifiable /'juːnɪfaɪəbl/ a. unificabile.

unification /juːnɪfɪ'keɪʃn/ n. unificazione; accorpamento.

unified /'juːnɪfaɪd/ a. **1** unificato; reso uniforme **2** (*fin.*) consolidato: **u. debt**, debito consolidato ● (*econ.*) **u. currency**, moneta unica.

unifier /'juːnɪfaɪə(r)/ n. unificatore, unificatrice.

unifilar /juːnɪ'faɪlə(r)/ a. (*tecn.*) unifilare.

unifoliate /juːnɪ'fəʊlɪət/ a. (*bot.*) unifogliato.

uniform ① /'juːnɪfɔːm/ a. uniforme; invariabile; costante: **a u. surface**, una superficie uniforme; (*fis.*) **u. motion**, moto uniforme; **u. rules**, regole uniformi; **u. temperature**, temperatura costante.

♦**uniform** ② /'juːnɪfɔːm/ n. **1** uniforme; divisa; tenuta: **an officer in u.**, un ufficiale in divisa; **in full u.**, in alta uniforme; (*mil.*) **undress u.**, divisa ordinaria; bassa tenuta **2** (*fam. USA*) poliziotto in divisa **3** (*radio, tel.*:

U.) la lettera 'u' | **-ly avv.**

to **uniform** /'juːnɪfɔːm/ v. t. **1** uniformare; rendere uniforme **2** mettere in divisa; fare indossare l'uniforme a (q.).

uniformed /'juːnɪfɔːmd/ a. in uniforme; in divisa: **u. policemen**, poliziotti in divisa.

uniformitarianism /juːnɪfɔːmɪ'tɛərɪənɪzəm/ n. ⓤ (*geol.*) uniformitarianismo; attualismo.

uniformity /juːnɪ'fɔːmətɪ/ n. **1** uniformità **2** – (*relig.*) U., conformismo (*in base all'Act of Uniformity della Chiesa anglicana del 1662*).

to **unify** /'juːnɪfaɪ/ v. t. **1** unificare; rendere uniforme; riunire **2** (*fin.*) consolidare.

unilabiate /juːnɪ'leɪbɪeɪt/ a. (*bot.*) unilabiato.

unilateral /juːnɪ'lætərəl/ a. **1** unilaterale (*anche leg.*): **a u. contract**, un contratto unilaterale; (*bot.*) **u. leaves**, foglie unilaterali **2** (*geom.*) unilatero ● (*polit.*) **u. disarmament**, disarmo unilaterale | **-ly avv.**

unilateralism /juːnɪ'lætərəlɪzəm/ n. ⓤ l'essere unilaterale; parzialità.

unilaterality /juːnɪlætə'rælətɪ/ n. ⓤ (*anche leg.*) unilateralità.

unilingual /juːnɪ'lɪŋgwl/ a. (*ling.*) unilingue; (*di dizionario, ecc.*) monolingue.

unilluminated /ʌnɪ'luːmɪneɪtɪd/ a. **1** non illuminato; buio; oscuro **2** (*fig.*) poco illuminato; poco intelligente **3** (*di un codice antico*) non miniato.

unillustrated /ʌn'ɪləstreɪtɪd/ a. **1** privo d'illustrazioni **2** privo di esempi.

unimaginable /ʌnɪ'mædʒɪnəbl/ a. inimmaginabile; inconcepibile; impensabile | -bly avv.

unimaginative /ʌnɪ'mædʒɪnətɪv/ a. senza fantasia; dotato di scarsa fantasia; prosaico | -ly avv. | -ness n. ⓤ.

unimagined /ʌnɪ'mædʒɪnd/ a. inimmaginato.

unimodal /juːnɪ'məʊdl/ a. (*stat.*) unimodale: **u. curve**, curva unimodale.

unimpaired /ʌnɪm'pɛəd/ a. non danneggiato; indenne; inalterato; intatto ● **with u. prestige**, senza aver perso il proprio prestigio ● **His mind is u.**, la sua mente è ancora lucida.

unimpassioned /ʌnɪm'pæʃnd/ a. spassionato; calmo; freddo; distaccato.

unimpeachability /ʌnɪmpiːtʃə'bɪlətɪ/ n. ⓤ **1** incensurabilità; irreprensibilità **2** (*anche leg.*) incontestabilità; inoppugnabilità.

unimpeachable /ʌnɪm'piːtʃəbl/ a. **1** incensurabile; irreprensibile; inattaccabile **2** (*anche leg.*) incontestabile; inoppugnabile; indiscutibile: **u. honesty**, onestà indiscutibile | -ness n. ⓤ | -bly avv.

unimpeded /ʌnɪm'piːdɪd/ a. non impedito; non impacciato; senza ostacoli.

unimportance /ʌnɪm'pɔːtns/ n. irrilevanza; l'esser privo d'importanza.

unimportant /ʌnɪm'pɔːtnt/ a. senza importanza; insignificante; irrilevante; trascurabile; senza valore.

unimposed /ʌnɪm'pəʊzd/ a. (*di compito, lavoro, ecc.*) non imposto; spontaneo; volontario.

unimposing /ʌnɪm'pəʊzɪŋ/ a. non imponente; meschino (*all'aspetto*); insignificante.

unimpressed /ʌnɪm'prɛst/ a. **1** non presso **2** non impressionato; non colpito (*fig.*).

unimpressionable /ʌnɪm'prɛʃnəbl/ a. non impressionabile; calmo; freddo (*fig.*); poco emotivo.

unimpressive /ʌnɪm'prɛsɪv/ a. **1** che non impressiona; che non fa colpo; modesto (*all'aspetto*); quasi insignificante **2** che non commuove; che lascia indifferente **3** (*sport*:

di una prestazione, di un colpo, un tiro, ecc.) poco brillante; che fa poco effetto; che passa quasi inosservato | -ly avv.

unimprovable /ʌnɪm'pruːvəbl/ a. **1** non migliorabile; non correggibile **2** che non richiede d'essere migliorato; perfetto.

unimproved /ʌnɪm'pruːvd/ a. **1** non migliorato; non corretto **2** (*di terreno*) che non ha avuto migliorie.

unincorporated /ʌnɪn'kɔːpəreɪtɪd/ a. (*leg.*, *fin.*) non registrato; privo di personalità giuridica: **u. association**, associazione priva di personalità giuridica.

unindebted /ʌnɪn'dɛtɪd/ a. non indebitato; senza debiti.

uninfected /ʌnɪn'fɛktɪd/ a. non infetto; non contagiato.

uninfectious /ʌnɪn'fɛkʃnz/ a. non infettivo; non contagioso.

uninfested /ʌnɪn'fɛstɪd/ a. non infestato.

uninflammable /ʌnɪn'flæməbl/ a. incombustibile; non infiammabile.

uninflected /ʌnɪn'flɛktɪd/ a. (*ling.*) privo di forme flesse; non flessivo.

uninfluenced /ʌn'ɪnfluənst/ a. non soggetto a influssi; non influenzato; che la pensa a modo suo.

uninfluential /ʌnɪnflʊ'ɛnʃl/ a. senza autorità; senza influenza; ininfluente.

uninformed /ʌnɪn'fɔːmd/ a. **1** non informato; ignaro **2** (*spec.*) incolto; ignorante.

uninhabitable /ʌnɪn'hæbɪtəbl/ a. inabitabile | -ness n. ⓤ.

uninhabited /ʌnɪn'hæbɪtɪd/ a. inabitato; disabitato.

uninhibited /ʌnɪn'hɪbɪtɪd/ a. (*anche psic.*) disinibito | -ly avv. | -ness n. ⓤ.

uninitiated /ʌnɪ'nɪʃɪeɪtɪd/ a. non iniziato; non introdotto; profano.

uninjured /ʌn'ɪndʒəd/ a. incolume; illeso; indenne.

uninominal /juːnɪ'nɒmɪnl/ a. uninominale.

uninspired /ʌnɪn'spaɪəd/ a. **1** non ispirato; senza ispirazione **2** prosaico; banale; mediocre: **an u. book**, un libro banale.

uninspiring /ʌnɪn'spaɪrɪŋ/ a. privo di attrattive; poco interessante; insipido; piatto; noioso: **an u. view**, un panorama privo di attrattive; **an u. performance**, un'esecuzione piatta | -ly avv.

to **uninstall** /ʌnɪn'stɔːl/ v. t. (*comput.*) disinstallare.

uninstructed /ʌnɪn'strʌktɪd/ a. **1** non istruito; incolto; ignorante **2** che non ha ricevuto istruzioni.

uninstructive /ʌnɪn'strʌktɪv/ a. poco istruttivo; che non insegna niente.

uninsurable /ʌnɪn'ʃʊərəbl/ a. (*ass.*) non assicurabile.

uninsured /ʌnɪn'ʃʊəd/ a. (*ass.*) non assicurato.

unintellectual /ʌnɪntə'lɛktʃʊəl/ a. non intellettuale.

unintelligent /ʌnɪn'tɛlɪdʒənt/ a. privo d'intelligenza; ottuso (*fig.*) | -ly avv.

unintelligible /ʌnɪn'tɛlɪdʒəbl/ a. inintelligibile; incomprensibile || **unintelligibility** n. ⓤ inintelligibilità; incomprensibilità || **unintelligibly** avv. inintelligibilmente; incomprensibilmente.

unintended /ʌnɪn'tɛndɪd/ a. non intenzionale; involontario; non voluto; non preordinato | -ly avv.

unintentional /ʌnɪn'tɛnʃənl/ a. **1** non intenzionale; involontario: (*sport*) **u. foul**, fallo involontario **2** (*leg.*) preterintenzionale | -ly avv.

unintentionality /ʌnɪntɛnʃə'nælətɪ/ n. ⓤ **1** mancanza d'intenzionalità **2** (*leg.*) preterintenzionalità.

uninterested /ʌn'ɪntrəstɪd/ a. non interessato; incurante; indifferente | **-ly avv.** ❶ Nota: *disinterested o uninterested?* → **disinterested**

uninteresting /ʌn'ɪntrəstɪŋ/ a. non interessante; privo d'interesse | **-ly avv.**

unintermitting /ʌnɪntə'mɪtɪŋ/ a. non intermittente; incessante; ininterrotto; continuo | **-ly avv.**

uninterrupted /ʌnɪntə'rʌptɪd/ a. ininterrotto; incessante | **-ly avv.**

uninuclear /juːnɪ'njuːklɪə(r)/, **uninucleate** /juːnɪ'njuːklɪət/ a. (biol.) uninucleare.

uninventive /ʌnɪn'ventɪd/ a. privo d'inventiva; senza immaginazione.

uninvested /ʌnɪn'vestɪd/ a. 1 (fin.) giacente; non investito 2 (mil.) non investito; non assalito.

uninvited /ʌnɪn'vaɪtɪd/ a. non invitato; senza invito.

uninviting /ʌnɪn'vaɪtɪŋ/ a. 1 non invitante; non attraente; non allettante 2 (di cibo) poco appetitoso.

uninvolved /ʌnɪn'vɒlvd/ a. 1 non coinvolto; non implicato 2 non involuto; semplice.

♦**union** /'juːnɪən/ n. 1 unione; alleanza; confederazione; associazione; matrimonio: **a happy u.**, un'unione (o un matrimonio) felice; **the U. of South Africa**, l'Unione sudafricana 2 armonia; concordia; accordo: *They lived together in perfect u.*, vivevano insieme d'amore e d'accordo 3 (mecc.) giunto; raccordo: **pipe u.**, raccordo per tubazioni; **u. sleeve**, manicotto di raccordo 4 (ind. tess.) tessuto misto (di lino e cotone) 5 (= **trade u.**, **labour u.**) sindacato (di lavoratori) 6 (stor., = **u. workhouse**) casa di lavoro per poveri; ricovero di mendicità 7 quarto superiore (di una bandiera) vicino all'asta ● **the U.**, (stor. ingl.) l'unione dell'Inghilterra e della Scozia (1707); (anche) gli Stati Uniti d'America; (stor. USA) gli Stati del Nord (durante la guerra di secessione: 1861-65) □ **union action**, manifestazione sindacali □ **u. agreements**, accordi sindacali □ **u. bargaining**, contrattazione sindacale □ **u. bashing**, antisindacalismo sfrenato; forte ostilità verso i sindacati □ **u. card**, tessera del sindacato □ **the U. Jack**, la bandiera nazionale britannica □ **u. militancy**, attivismo sindacale □ **u. militant**, attivista sindacale □ **u. negotiation**, trattativa sindacale □ **u. official** (o **u. representative**), sindacalista □ **u. shop**, impresa i cui operai sono tenuti a iscriversi a un sindacato □ **u. steward**, fiduciario sindacale; delegato di fabbrica □ (USA) **u. suit**, indumento di lana (maglia e mutande insieme) da uomo (cfr. ingl. **combinations**, sotto **combination**, def. 8) □ (prov.) **U. is strength**, l'unione fa la forza.

unionism /'juːnɪənɪzəm/ n. 1 (polit.) unionismo 2 (= **trade u.**, **labour u.**) sindacalismo 3 – (stor., in GB) U., movimento favorevole all'unione fra l'Irlanda del Nord e la Gran Bretagna 4 – (stor. USA) U., fedeltà all'Unione; antisecessionismo.

unionist /'juːnɪənɪst/ n. 1 (polit.) unionista 2 membro di un sindacato; sindacalista 3 – (GB, anche stor.) U., unionista; fautore dell'unione fra l'Irlanda del Nord e la Gran Bretagna; conservatore 4 – (stor. USA) U., unionista; sostenitore dell'Unione; antisecessionista || **unionistic** a. 1 di (o da) unionista; relativo all'unionismo 2 di (o da) sindacalista; sindacalistico.

to **unionize** /'juːnɪənaɪz/ v. t. 1 riunire in un'associazione 2 organizzare (o raccogliere) in un sindacato; sindacalizzare || **unionization** n. ⓤ organizzazione in un sindacato; sindacalizzazione.

unionized /'juːnɪənaɪzd/ a. iscritto a un sindacato; sindacalizzato ● **non-u.**, non iscritto ad alcun sindacato.

uniovular /juːnɪ'ɒvjʊlə(r)/, **uniovulate** /juːnɪ'ɒvjʊlət/ a. (biol.) uniovulare.

uniparous /juː'nɪpərəs/ a. (biol.) uniparo.

unipersonal /juːnɪ'pɜːsnl/ a. 1 (relig.: di divinità) che esiste in una sola persona 2 (gramm.: di verbo) che si coniuga in una sola persona; (spec.) impersonale.

unipolar /juːnɪ'pəʊlə(r)/ a. 1 (elettr., elettron.) unipolare 2 (fisiol.) unipolare.

unipotent /juːnɪ'pəʊtənt/ a. (biol., mat.) unipotente.

♦**unique** /juː'niːk/ Ⓐ a. 1 unico; solo: *This vase is u. of its kind*, questo vaso è unico nel suo genere 2 (fam.) eccezionale; notevole; singolare; straordinario Ⓑ n. cosa unica; pezzo unico ● (comm.) **u. selling proposition** (abbr. **USP**), proposta di vendita unica □ (comput.) **u. visitors**, visitatori individuali (di un sito Web) | **-ly avv.** | **-ness** n. ⓤ.

unironed /ʌn'aɪənd/ a. non stirato.

unisex /'juːnɪseks/ a. e n. unisex: **u. clothes**, abiti unisex ● **u. hairdresser's**, parrucchiere per uomo e per donna.

unisexual /juːnɪ'seksjʊəl/ a. 1 (biol.) unisessuale 2 → **unisex** || **unisexuality** n. ⓤ (biol.) unisessualità.

unison /'juːnɪsn/ (mus.) Ⓐ n. ⓤ unisono (fig.) accordo, armonia: **to sing in u.**, cantare all'unisono: *They answered in perfect u.*, risposero in perfetto accordo Ⓑ a. attr. unisono: **u. string**, corda unisona || **unisonal**, **unisonant** a. unisono || **unisonance** n. ⓤ (raro) unisonanza || **unisonous** a. 1 (mus.) unisono 2 (fig.) unisono; concorde; in armonia.

unissued /ʌn'ɪʃuːd/ a. (fin.) non emesso: **u. stock**, capitale non emesso.

♦**unit** /'juːnɪt/ Ⓐ n. 1 (mat., med., mil., comput., ecc.) unità: **monetary u.**, unità monetaria; **u. of length [of weight]**, unità di lunghezza [di peso]; (econ., fin.) **u. of account**, unità di conto; (mil.) **a small armoured u.**, una piccola unità corazzata 2 (econ.) unità produttiva; azienda 3 elemento (componibile); mobile componibile 4 (fin.) quota parte (di fondo comune d'investimento) Ⓑ a. unitario; singolo: (econ., mat.) **u. increment**, incremento unitario; (mat.) **u. circle**, cerchio unitario ● **u. bank**, banca a sportello unico □ (fis.) **u. cell**, cella unitaria □ (comm., ind.) **u. cost**, costo unitario □ **u. furniture**, mobili componibili □ (econ., comm.) **u. price**, prezzo unitario □ (market.) **u. pricing**, indicazione del prezzo unitario (su un prodotto confezionato) □ (comput.) **u. test**, test di un componente del sistema □ (ferr.) **u. train**, treno merci non scomponibile □ (fin.) **u. trust**, fondo comune d'investimento aperto.

unitard /'juːnɪtɑːd/ n. tuta intera aderente; pantacollant.

Unitarian /juːnɪ'teərɪən/ (relig.) n. e a. Unitario; Unitariano: **U. Church**, Chiesa Unitaria (che non accetta il dogma della Trinità) || **Unitarianism** n. ⓤ Unitarismo; Unitarianismo.

unitary /'juːnɪtrɪ/ a. unitario (anche mat.): di un'unità ● (NZ) **u. authority**, unità amministrativa territoriale.

to **unite** /juː'naɪt/ Ⓐ v. t. unire; congiungere; connettere; accoppiare; riunire; unire in matrimonio Ⓑ v. i. unirsi; allearsi; congiungersi; riunirsi; mescolarsi: *Let's u. against the common foe*, uniamoci contro il comune nemico; *Oil won't u. with water*, l'olio non si mescola con l'acqua.

♦**united** /juː'naɪtɪd/ a. unito; congiunto; riunito: **our u. efforts**, i nostri sforzi congiunti; **the U. States**, gli Stati Uniti; **the U. Nations**, le Nazioni Unite ● (relig.) **the U. Brethren**, i Confratelli Ussiti (setta protestante) □ **the U. Kingdom**, il Regno Unito ❶ **Cul-**

-TURA ● **United Kingdom**: il nome ufficiale è **United Kingdom of Great Britain and Northern Ireland**; cfr. **Great Britain** (stor., polit.) **the U. Nations Charter**, la Carta delle Nazioni Unite □ (prov.) **U. we stand, divided we fall**, l'unione fa la forza | **-ly avv.** | **-ness** n. ⓤ.

unitholder /juːnɪt'həʊldə(r)/ n. (fin.) detentore di quote-parti di un fondo comune d'investimento aperto.

unitive /'juːnɪtɪv/ a. 1 unitario 2 unitivo; che tende a unire.

to **unitize** /'juːnɪtaɪz/ v. t. 1 ridurre all'unità; unificare 2 trattare come un'unità; considerare unitario 3 (ind.) unificare 4 (fin.) trasformare (un fondo d'investimento chiuso) in fondo aperto ● (autom.) **unitized body**, scocca portante; carrozzeria portante.

♦**unity** /'juːnətɪ/ n. 1 ⓤ (arte, polit., mat., ecc.) unità: **national u.**, l'unità nazionale; *His painting lacks u.*, la sua pittura manca di unità 2 ⓤ armonia; concordia; accordo: *They live in u.*, vivono in buona armonia ● **to be at u. with**, essere in armonia (o accordo) con □ (letter., teatr.) **the dramatic unities (of action, time and space)**, le unità drammatiche (d'azione, di tempo, di luogo) □ (prov.) **U. is strength**, l'unione fa la forza.

Univ. abbr. 1 (**universalist**) universalista 2 (**university**) università.

univ. abbr. 1 (**universal**) universale 2 (**universally**) universalmente.

univalent /juːnɪ'veɪlənt/ (chim.) a. monovalente || **univalence**, **univalency** n. ⓤ monovalenza.

univalve /'juːnɪvælv/ (zool.) Ⓐ a. univalve Ⓑ n. mollusco univalve.

♦**universal** /juːnɪ'vɜːsl/ Ⓐ a. universale; generale; invalso; per tutti: **u. applause**, plauso universale; **u. suffrage**, suffragio universale; **a u. rule**, una regola universale; *The terror was u.*, il terrore era generale; **u. practice**, un'usanza generale; **u. entertainment**, divertimento per tutti Ⓑ n. (filos.) (l') universale ● (comm., leg.) **u. agent**, agente universale; mandatario generale □ (leg.) **u. heir**, erede universale □ (mecc.) **u. coupling** (o **u. joint**), giunto universale; giunto cardanico □ (comm.) **u. provider**, negoziante di generi vari □ **u. time**, ora di Greenwich □ (mecc.) **u. vice**, morsa universale (o orientabile).

universalist /juːnɪ'vɜːsəlɪst/ (relig.) n. universalista || **universalism** n. ⓤ universalismo.

universality /juːnɪvɜː'sælətɪ/ n. ⓤ universalità.

to **universalize** /juːnɪ'vɜːsəlaɪz/ v. t. rendere universale; universalizzare || **universalization** n. ⓤ universalizzazione.

universally /juːnɪ'vɜːsəlɪ/ avv. universalmente.

♦**universe** /'juːnɪvɜːs/ n. 1 (astron.) universo; mondo 2 (mat., stat.) universo 3 (demogr.) popolazione 4 (fig.) sistema: **a u. of thought**, un sistema filosofico.

♦**university** /juːnɪ'vɜːsətɪ/ Ⓐ n. università (degli studi) Ⓑ a. attr. universitario: **a u. student**, uno studente universitario ● universitario ● (collett.) **the u.**, il corpo accademico; (anche) gli studenti □ **u. chair**, cattedra universitaria □ **u. degree**, (diploma di) laurea □ **u. education**, formazione universitaria □ **u. town**, città universitaria □ (stor. letter.) **the u. wits**, i begli ingegni dell'università (al tempo della regina Elisabetta I) □ **to go to u.** (USA anche: **to the u.**), andare all'università ❶ **Cultura** ● **university**: il sistema universitario americano è caratterizzato da una forte decentralizzazione: ogni Stato infatti ha la sua organizzazione accademica e sono numerose le

*università private. A tutte le università si accede attraverso un esame di ammissione. La frequenza dei corsi è generalmente obbligatoria e la valutazione degli studenti si basa su elaborati scritti (**assignments**) e su una serie di test (almeno due per semestre). Le università britanniche, quasi tutte pubbliche, operano un sistema di numero chiuso per tutti i corsi di laurea. L'ammissione viene regolata in base alla votazione ottenuta agli esami finali della scuola secondaria (→ **A level**; **Higher**). Un corso di laurea ha sempre una durata fissa, normalmente di tre o quattro anni, con lezioni obbligatorie ed esami scritti non ripetibili a fine anno, che decidono il voto finale. → **college**, **BA**, **MA**, **PhD**.*

univocal /juːnɪˈvəʊkl/ **A** a. univoco; che ha un solo significato **B** n. parola univoca | **-ly** avv.

to **unjoint** /ʌnˈdʒɔɪnt/ v. t. **1** staccare (un giunto) **2** disarticolare; smontare (una canna da pesca, ecc.).

unjointed /ʌnˈdʒɔɪntɪd/ a. **1** disgiunto; privo di giunture; tutto di un pezzo **2** (fig.) sconnesso; incoerente.

unjust /ʌnˈdʒʌst/ a. ingiusto; iniquo • (leg.) **u. enrichment**, indebito arricchimento | **-ly** avv. | **-ness** n. ⓤ.

unjustifiable /ʌnˈdʒʌstɪfaɪəbl/ a. ingiustificabile | **-bly** avv.

unjustified /ʌnˈdʒʌstɪfaɪd/ a. ingiustificato.

unkempt /ʌnˈkempt/ a. **1** arruffato; scarmigliato; spettinato **2** (fig.) disordinato; trascurato; sciatto: **u. appearance**, aspetto trascurato • **u. beard**, barba incolta.

unkind /ʌnˈkaɪnd/ a. **1** scortese; sgarbato; non gentile **2** aspro; cattivo; crudele; duro: *He is u. to animals*, è crudele con gli animali; maltratta le bestie **3** (di clima) rigido; inclemente **4** (del terreno) difficile da coltivare; ingrato | **-ness** n. ⓤ.

unkindly /ʌnˈkaɪndlɪ/ **A** a. → **unkind** **B** avv. **1** scortesemente; sgarbatamente; in malo modo **2** aspramente; crudelmente; duramente • **Don't take it u.**, non prendertela; non avertene a male.

unkingly /ʌnˈkɪŋlɪ/ a. non regale; indegno di un re.

unknightly /ʌnˈnaɪtlɪ/ a. non cavalleresco; indegno d'un cavaliere.

to **unknit** /ʌnˈnɪt/ **A** v. t. **1** disfare; districare; sciogliere; slegare **2** spianare (la fronte e sim.) **B** v. i. (di un nodo, ecc.) disfarsi; slegarsi; sciogliersi • **to u. one's brows**, rasserenarsi in viso.

to **unknot** /ʌnˈnɒt/ v. t. slegare; slacciare; snodare (una fune, ecc.).

unknowable /ʌnˈnəʊəbl/ **A** a. inconoscibile **B** n. (filos.) (l') inconoscibile || **unknowability**, **unknowableness** n. ⓤ inconoscibilità || **unknowably** avv. inconoscibilmente.

unknowing /ʌnˈnəʊɪŋ/ a. inconsapevole; ignaro || **unknowingly** avv. senza saperlo; essendo all'oscuro.

♦**unknown** /ʌnˈnəʊn/ **A** a. ignoto; sconosciuto; incognito: **the U. Warrior**, il Milite Ignoto; *The region is u. to me*, la regione mi è sconosciuta **B** n. **1** (l') ignoto: *We all dread the u.*, tutti temiamo l'ignoto **2** (mat.) incognita: **an equation of two unknowns**, un'equazione a due incognite **3** (fam.) persona (o cosa) sconosciuta • **an u. person**, uno sconosciuto; (leg.) un ignoto • **an u. quantity**, (mat.) un'incognita; (fig.) una persona (o una cosa) imprevedibile □ **u. to me**, a mia insaputa.

unlabelled /ʌnˈleɪbld/ a. **1** senza etichetta **2** (comm.: di un prodotto) senza cartellino.

unlaboured, (USA) **unlabored** /ʌnˈleɪbəd/ a. (di stile, ecc.) non elaborato; naturale; spontaneo; scorrevole; sciolto **2** fatto senza sforzo (o fatica) **3** (di terreno) non col-

---

tivato; incolto.

to **unlace** /ʌnˈleɪs/ v. t. slacciare; sciogliere.

to **unlade** /ʌnˈleɪd/ (pass. *unladed*, p. p. *unladen*), v. t. scaricare: **to u. cargo**, scaricare un carico.

unladen /ʌnˈleɪdn/ **A** p. p. di **to unlade** **B** a. (di un veicolo) a vuoto; scarico: (autom.) *The weight refers to an u. car*, il peso s'intende a veicolo scarico.

unladylike /ʌnˈleɪdɪlaɪk/ a. indegno d'una signora.

unlaid /ʌnˈleɪd/ pass. e p. p. di **to unlay**.

unlamented /ʌnləˈmentɪd/ a. non compianto; illacrimato (lett.).

to **unlash** /ʌnˈlæʃ/ v. t. (spec. naut.) sciogliere; slegare; allentare; mollare (le rizze, ecc.).

to **unlatch** /ʌnˈlætʃ/ v. t. togliere il chiavistello a (una porta); aprire; disserrare; schiudere.

unlawful /ʌnˈlɔːfl/ a. (leg.) illegale; illecito; illegittimo: **u. arrest**, arresto illegale; **u. son**, figlio illegittimo (o naturale) • (leg., mil.) **u. combatant**, combattente illegale □ (leg.) **u. killing**, omicidio colposo | **-ly** avv. | **-ness** n. ⓤ.

to **unlax** /ʌnˈlæks/ v. i. (fam. USA) rilassarsi; distendersi (fig.); lasciarsi andare.

to **unlay** /ʌnˈleɪ/ (pass. e p. p. *unlaid*), v. t. (spec. naut.) disfare; separare i capi di (una cima); discommettere.

to **unlead** /ʌnˈled/ v. t. **1** (tipogr.) sterlineare **2** togliere il piombo a.

unleaded /ʌnˈledɪd/ a. **1** (tipogr.) sterlineato **2** (chim., autom.) senza piombo: **u. petrol**, benzina senza piombo.

to **unlearn** /ʌnˈlɜːn/ (pass. e p. p. *unlearnt* e *unlearned*), v. t. disimparare; dimenticare.

unlearned (def. 1 /ʌnˈlɜːnɪd/, def. 2 /ʌnˈlɜːnd/) a. **1** ignorante; illetterato; incolto **2** non appreso con lo studio; naturale; spontaneo | **-ly** avv. | **-ness** n. ⓤ.

unlearnt /ʌnˈlɜːnt/ a. → **unlearned**, def. 2.

to **unleash** /ʌnˈliːʃ/ v. t. **1** sguinzagliare; slegare, sciogliere (cani, ecc.) **2** (fig.) liberare; dar libero sfogo a (qc.); scatenare **3** (sport) scaricare; sferrare, lasciar partire (un colpo, un tiro, ecc.).

unleavened /ʌnˈlevnd/ a. senza lievito; azzimo; non lievitato: **u. bread**, pane azzimo.

♦**unless** /ənˈles/ cong. a meno che; salvo che, eccetto che; se non: *I'll do it u. I'm too busy*, lo farò, a meno che (non) sia troppo occupato. *U. it rains, I'll go there tomorrow*, ci andrò domani, se non piove • **u. and until**, a meno che; finché.

unlet /ʌnˈlet/ a. (d'immobile) spigionato; sfitto.

unlettered /ʌnˈletəd/ a. **1** illetterato; incolto **2** (spec.) che non sa leggere; analfabeta **3** non espresso in lettere **4** (di una lapide) senza iscrizione.

unlicensed /ʌnˈlaɪsnst/ a. **1** senza licenza; senza patente **2** (di locale) non autorizzato allo spaccio di alcolici.

unlicked /ʌnˈlɪkt/ a. **1** (fig.) grossolano; rozzo **2** (slang, anche sport) imbattuto.

♦**unlike** /ʌnˈlaɪk/ **A** a. pred. non somigliante; diverso: *The two are quite u.*, quei due non si somigliano affatto **B** prep. **1** a differenza di; diversamente da; in modo diverso da: *U. my friends, I am not a soccer fan*, a differenza dei miei amici, non sono tifoso di calcio **2** diverso, differente da: *He is quite u. his father*, è molto diverso da suo padre • (mat.) **u. signs**, segni diversi, contrari (+ e −) □ **It's u. her to be late**, non è da lei arrivare in ritardo || **unlikeness** n. ⓤ dissomi-

---

glianza; differenza; diversità.

♦**unlikely** /ʌnˈlaɪklɪ/ **A** a. **1** improbabile; inverosimile: **an u. result**, un risultato improbabile; **an u. tale**, un racconto inverosimile; *They are u. to come*, è improbabile che vengano **2** (fam.) poco promettente; insoddisfacente **B** avv. (raro) improbabilmente (raro); senza alcuna probabilità • **u. to succeed**, di difficile riuscita; improbabile (fig. fam.) || **unlikelihood**, **unlikeliness** n. ⓤ improbabilità; inverosimiglianza.

to **unlimber** /ʌnˈlɪmbə(r)/ v. t. **1** (mil.) staccare l'avantreno di (un cannone); mettere in postazione **2** (fig.) approntare; preparare.

unlimited /ʌnˈlɪmɪtɪd/ a. illimitato; immenso; sconfinato: **u. powers**, poteri illimitati • (fin., in GB) **u. company**, società a responsabilità illimitata (spec. di operatori di borsa) □ **u. credit**, credito illimitato □ (fin.) **u. partner**, socio accomandatario □ (ass.) **u. policy**, polizza che copre tutti i rischi □ (in un albergo, ecc.) **u. tea and coffee**, caffè e tè a volontà | **-ly** avv. | **-ness** n. ⓤ.

to **unline** /ʌnˈlaɪn/ v. t. levar la fodera a; sfoderare.

unlined① /ʌnˈlaɪnd/ a. non foderato; sfoderato: **an u. jacket**, una giacca sfoderata.

unlined② /ʌnˈlaɪnd/ a. **1** (di carta) senza righe **2** (di viso) senza rughe; liscio.

to **unlink** /ʌnˈlɪŋk/ v. t. separare gli anelli di (una catena); disgiungere; staccare; scollegare || **unlinked** a. disgiunto; staccato; scollegato.

unliquidated /ʌnˈlɪkwɪdeɪtɪd/ a. (ass., leg.) **1** non accertato **2** non liquidato • **u. damage**, danno non accertato (o non liquidato).

unlisted /ʌnˈlɪstɪd/ a. **1** che non figura in un elenco; che non è in lista **2** (USA) non in elenco telefonico; segreto (cfr. ingl. **ex-directory**) **3** (fin.) non quotato (in borsa): **u. company**, società non quotata in borsa • (fin.) **u. (securities) market**, mercato ristretto; terzo mercato.

unlit /ʌnˈlɪt/ a. non acceso; non illuminato.

unload /ʌnˈləʊd/ n. (spec. naut.) merce scaricata.

to **unload** /ʌnˈləʊd/ **A** v. t. **1** scaricare (un carico, una nave, un fucile, ecc.); *Can you u. the dishwasher while I'm out?*, puoi svuotare la lavastoviglie mentre sono via? **2** (fig.) sgravare; sollevare **3** (fin., comm.) disfarsi di; sbarazzarsi di; vendere: *I advise you to u. your coal shares*, ti consiglio di disfarti delle azioni carbonifere; *Canada is trying to u. surplus cereals abroad*, il Canada sta cercando di vendere all'estero i cereali che produce in eccesso **4** scaricare, togliere il rullino a (una macchina fotografica) **5** (comput.) scaricare: **to u. the tape**, scaricare il nastro **6** (fam.) scaricare (q.); liberarsi di; sbarazzarsi di (q.) **B** v. i. (spec. naut.) scaricare: *The cargo was unloading*, la nave da carico stava scaricando.

unloaded /ʌnˈləʊdɪd/ a. (di un fucile, ecc.) scaricato; scarico.

unloader /ʌnˈləʊdə(r)/ n. **1** scaricatore **2** (mecc.) scaricatore di materiali.

unloading /ʌnˈləʊdɪŋ/ n. ⓤ **1** scaricamento; scarico **2** (naut.) discarica; sbarco **3** (chim., ind.) scaricamento • (comput.) **u. circuit**, circuito di scarico.

unlocated /ʌnləʊˈkeɪtɪd/ a. non definito come ubicazione; non localizzato; non individuato.

to **unlock** /ʌnˈlɒk/ v. t. **1** aprire (spec. con una chiave); disserrare; schiudere **2** (fig.) rivelare, svelare (un segreto, ecc.) **3** (mecc.) sbloccare **4** (comput.) sbloccare.

unlocked /ʌnˈlɒkt/ a. non chiuso a chiave • **Leave the door u.**, non chiudere a chiave la porta.

unlooked-for /ʌn'lʊktfɔː(r)/ **a.** inatteso; impensato; imprevisto.

to **unloose** /ʌn'luːs/, to **unloosen** /ʌn'luːsn/ **v. t. 1** allentare; sciogliere: **to u. a screw**, allentare una vite; **to u. one's belt**, allentarsi la cinghia (*dei pantaloni*) **2** (*fig.*) liberare.

unlovable /ʌn'lʌvəbl/ **a.** non amabile; antipatico; sgradevole.

unloved /ʌn'lʌvd/ **a.** non amato.

unlovely /ʌn'lʌvlɪ/ **a. 1** non attraente; brutto; sgraziato **2** antipatico; sgradevole ‖ **unloveliness n.** Ⓤ mancanza di grazia; bruttezza.

unloving /ʌn'lʌvɪŋ/ **a.** non affettuoso; freddo (*fig.*); insensibile.

unlucky /ʌn'lʌkɪ/ **a. 1** sfortunato; disgraziato; sventurato: *I am always u. at cards*, sono sempre sfortunato a carte **2** che porta sfortuna; malaugurato; nefasto; infelice: **in an u. hour**, in un momento infelice ‖ **unluckily avv.** sfortunatamente; disgraziatamente ‖ **unluckiness n.** Ⓤ sfortuna; disgrazia.

unmade /ʌn'meɪd/ **Ⓐ pass. e p. p.** di **to unmake Ⓑ a. 1** non fatto; disfatto **2** (*del letto*) sfatto; disfatto **3** (*filos., relig.*) increato.

unmaidenly /ʌn'meɪdnlɪ/ **a.** (*arc.*) che non si addice a una fanciulla.

to **unmake** /ʌn'meɪk/ (*pass. e p. p.* **unmade**), **v. t. 1** disfare; distruggere; abbattere; rovinare **2** deporre; licenziare; revocare (*da un ufficio, ecc.*).

to **unman** /ʌn'mæn/ **v. t. 1** (*lett.*) togliere coraggio; privare dell'autocontrollo; spezzare **2** svirilizzare; rendere effeminato **3** (*org. az., naut., mil.*) privare del personale (*o* dell'equipaggio): **to u. a ship**, privare una nave dell'equipaggio.

unmanageable /ʌn'mænɪdʒəbl/ **a. 1** ingovernabile; indisciplinato; ribelle; intrattabile; riottoso; scontroso **2** (*di materiale*) difficile a lavorarsi; poco maneggevole ● **an u. child [situation]**, un bambino [una situazione] difficile.

unmanlike /ʌn'mænlaɪk/ → **unmanly**.

unmanly /ʌn'mænlɪ/ **a. 1** poco virile; indegno di un uomo; debole; effeminato **2** pusillanime; vile ‖ **unmanliness n.** Ⓤ **1** debolezza; effeminatezza **2** pusillanimità; viltà.

unmanned /ʌn'mænd/ **a. 1** senza equipaggio; senza personale addetto: **u. spacecraft**, veicolo spaziale senza equipaggio **2** (*tecn.*) automatizzato; automatico: (*ferr.*) **u. level crossing**, passaggio a livello automatico **3** *p. p.* di **to unman**.

unmannered /ʌn'mænəd/ **a.** (*raro*) maleducato; sgarbato; rozzo.

unmannerly /ʌn'mænəlɪ/ **a.** grossolano; volgare; rozzo; scortese; sgarbato ‖ **unmannerliness n.** Ⓤ grossolanità; volgarità; rozzezza; scortesia; sgarbatezza.

unmanufactured /ʌnmænju'fæktʃəd/ **a.** (*comm.*: *di prodotto*) non lavorato; greggio; grezzo.

unmarked /ʌn'mɑːkt/ **Ⓐ a. 1** non marcato; non contrassegnato; non stampigliato **2** inosservato; non visto **3** (*di compiti, elaborati, ecc.*) non ancora corretto; senza voto **4** (*di un giocatore*) smarcato; libero **Ⓑ n.** (*fam.*) auto civetta (*della polizia*) ● **an u. police car**, un'auto civetta della polizia.

unmarketable /ʌn'mɑːkɪtəbl/ **a.** (*comm.*) non commerciabile; invendibile.

unmarred /ʌn'mɑːd/ **a.** non danneggiato; non sciupato; indenne.

unmarriageable /ʌn'mærɪdʒəbl/ **a.** non adatto al matrimonio.

unmarried /ʌn'mærɪd/ **a.** non sposato; (*d'uomo*) celibe; (*di donna*) nubile ● **u. couples**, coppie di conviventi ◻ **u. mother**, ra-

gazza madre.

to **unmarry** /ʌn'mærɪ/ **v. t.** sciogliere il matrimonio di (q.).

to **unmask** /ʌn'mɑːsk/ **Ⓐ v. t.** smascherare (*anche fig.*): **to u. a spy**, smascherare una spia **Ⓑ v. i. 1** smascherarsi **2** (*fig.*) gettare la maschera ‖ **unmasked a. 1** senza maschera **2** (*fig.*) smascherato.

unmastered /ʌn'mɑːstəd/ **a. 1** (*di un sentimento*) non dominato; non domato; incontrollato **2** (*di problema, ecc.*) non risolto; non superato.

unmatchable /ʌn'mætʃəbl/ **a.** incomparabile; impareggiabile.

unmatched /ʌn'mætʃt/ **a. 1** (*di un oggetto*) scompagnato; spaiato; senza il compagno **2** ineguagliato; senza pari; che non ha l'uguale.

unmated /ʌn'meɪtɪd/ **a.** non accoppiato; non appaiato; senza compagno.

unmaterial /ʌnmə'tɪərɪəl/ **a.** (*raro*) immateriale; spirituale; etereo.

unmeaning /ʌn'miːnɪŋ/ **a. 1** insignificante; senza senso; senza significato: **an u. face**, un viso insignificante **2** senza espressione; vacuo.

unmeant /ʌn'mɛnt/ **a.** non intenzionale; involontario.

unmeasurable /ʌn'mɛʒərəbl/ **a.** (*raro*) incommensurabile; smisurato ‖ **-bly avv.**

unmeasured /ʌn'mɛʒəd/ **a. 1** non misurato **2** smisurato; sconfinato; illimitato; enorme: **u. pride**, orgoglio smisurato **3** (*form.*: *di linguaggio*) non misurato; incontrollato.

unmedicated /ʌn'mɛdɪkeɪtɪd/ **a.** non medicato.

unmeditated /ʌn'mɛdɪteɪtɪd/ **a. 1** non meditato; non ponderato **2** non premeditato; involontario.

unmeet /ʌn'miːt/ **a.** (*arc., lett.*) **1** disadatto; inadatto **2** indegno; sconveniente ‖ **-ly avv.** ‖ **-ness n.** Ⓤ.

unmelodious /ʌnmə'ləʊdɪəs/ **a.** senza melodia; disarmonico.

unmelted /ʌn'mɛltɪd/ **a. 1** non fuso; non sciolto **2** (*fig.*) duro; rigido.

unmendable /ʌn'mɛndəbl/ **a. 1** emendabile; incorreggibile **2** irreparabile; non aggiustabile.

unmended /ʌn'mɛndɪd/ **a. 1** non riparato; non aggiustato **2** non rammendato.

unmentionable /ʌn'mɛnʃənəbl/ **a.** da non menzionarsi; innominabile ● (*scherz.*: *di indumenti*) **the unmentionables**, gli innominabili; (*spec.*) la biancheria intima.

unmentioned /ʌn'mɛnʃnd/ **a.** non menzionato; passato sotto silenzio ● **to leave st. u.**, non far parola di qc.

unmerchantable /ʌn'mɜːtʃəntəbl/ **a.** (*comm.*) non commerciabile; invendibile.

unmerciful /ʌn'mɜːsɪfl/ **a.** senza pietà; crudele; implacabile; spietato ‖ **-ly avv.** ‖ **-ness n.** Ⓤ.

unmerited /ʌn'mɛrɪtɪd/ **a.** immeritato.

unmet /ʌn'mɛt/ **a.** (*anche econ.*: *di un bisogno*) insoddisfatto; (*di un obiettivo*) non raggiunto.

unmetabolized /ʌnmə'tæbəlaɪzd/ **a.** (*fisiol.*) non metabolizzato.

unmetalled /ʌn'mɛtld/ **a.** (*di strada*) senza massicciata; in terra battuta.

unmethodical /ʌnmə'θɒdɪkl/ **a.** non metodico; senza metodo ‖ **-ly avv.**

unmindful /ʌn'maɪndfl/ **a. 1** immemore; dimentico **2** disattento; distratto; sbadato **3** incurante; negligente: **u. of one's obligations**, incurante dei propri obblighi ‖ **-ly avv.** ‖ **-ness n.** Ⓤ.

unmingled /ʌn'mɪŋgld/ **a.** non mescolato; puro.

unmissable /ʌn'mɪsəbl/ **a.** (*di un film, ecc.*) da non mancare; da non perdere.

unmissed /ʌn'mɪst/ **a.** di cui non si sente la mancanza.

unmistakable /ʌnmɪ'steɪkəbl/ **a.** chiaro; evidente; indubbio; inconfondibile; lampante ‖ **-ness n.** Ⓤ ‖ **-bly avv.**

unmitigated /ʌn'mɪtɪgeɪtɪd/ **a. 1** non mitigato; non alleviato; grave; forte: **u. pain**, forte dolore **2** assoluto; totale; completo: **u. contempt**, assoluto disprezzo **3** (*fam.*) bell'e buono; matricolato; solenne: **an u. fool**, un solenne imbecille.

unmixed /ʌn'mɪkst/ **a.** non mescolato; puro.

unmodifiable /ʌn'mɒdɪfaɪəbl/ **a.** non modificabile.

unmodified /ʌn'mɒdɪfaɪd/ **a.** non modificato; tale e quale.

unmolested /ʌnmə'lɛstɪd/ **a.** non molestato; indisturbato.

to **unmoor** /ʌn'mʊə(r)/ (*naut.*) **Ⓐ v. t.** disormeggiare **Ⓑ v. i.** togliere gli ormeggi ‖ **unmooring n.** Ⓤ disormeggio.

unmoral /ʌn'mɒrəl/ **a.** amorale ‖ **unmorality n.** Ⓤ amoralità.

unmortgaged /ʌn'mɔːgɪdʒd/ **a.** (*comm., leg.*) non ipotecato; libero da ipoteche.

unmotherly /ʌn'mʌðəlɪ/ **a.** non materno; indegno di una madre.

to **unmount** /ʌn'maʊnt/ **Ⓐ v. t.** smontare (cannoni, fotografie, ecc.) **Ⓑ v. i.** smontare (*da cavallo, ecc.*).

unmounted /ʌn'maʊntɪd/ **a. 1** non a cavallo; a piedi; appiedato **2** (*di foto, ecc.*) non montato **3** (*di gemma, diamante, ecc.*) non incastonato.

unmourned /ʌn'mɔːnd/ **a.** non compianto; illacrimato (*lett.*).

unmovable, **unmoveable** /ʌn'muːvəbl/ **a. 1** inamovibile; fisso; saldo **2** irremovibile; che non si commuove ‖ **-bly avv.**

unmoved /ʌn'muːvd/ **a. 1** immobile; fisso; saldo **2** (*fig.*) non commosso; calmo; freddo (*fig.*); impassibile.

unmoving /ʌn'muːvɪŋ/ **a. 1** immobile; fisso **2** che non commuove; non commovente.

unmown /ʌn'məʊn/ **a.** (*agric.*) non falciato; non mietuto.

to **unmuffle** /ʌn'mʌfl/ **v. t.** togliere il velo a; scoprire.

unmurmuring /ʌn'mɜːmərɪŋ/ **a. 1** che non mormora **2** che non si lamenta; rassegnato; sottomesso.

unmusical /ʌn'mjuːzɪkl/ **a. 1** non musicale; discordante; disarmonico; scordato; stonato **2** poco amante della musica.

to **unmuzzle** /ʌn'mʌzl/ **v. t. 1** togliere la museruola a (*un cane*) **2** (*fig.*) liberare (*la stampa, ecc.*) dalla censura.

unmuzzled /ʌn'mʌzld/ **a. 1** (*di un cane*) senza museruola **2** (*fig.*: *di un giornale, ecc.*) libero di parlare; senza censura.

to **unnail** /ʌn'neɪl/ **v. t.** schiodare; sbullettare.

unnameable, **unnamable** /ʌn'neɪməbl/ **a.** innominabile.

unnamed /ʌn'neɪmd/ **a. 1** innominato; non nominato **2** senza nome; anonimo.

unnatural /ʌn'nætʃrəl/ **a. 1** innaturale; artificioso; affettato: **u. laughter**, riso affettato **2** anormale; contro natura **3** snaturato; inumano; crudele: **an u. mother**, una madre snaturata; **u. crimes**, crudeli delitti **4** inusitato; raro: **a diamond of u. beauty**, un diamante di inusitata bellezza ‖ **-ly avv.** ‖ **-ness n.** Ⓤ.

unnavigable /ʌn'nævɪgəbl/ **a.** non navigabile; innavigabile.

unnecessaries /ʌn'nɛsəsrɪz/ **n. pl.** cose

inutili; il superfluo.

unnecessary /ʌn'nɛsəsrɪ/ a. non necessario; inutile; non richiesto; superfluo: **with u. care**, con cura superflua; con troppa attenzione || **unnecessarily** avv. senza necessità; inutilmente || **unnecessariness** n. ▢ mancanza di necessità; inutilità.

unneeded /ʌn'niːdɪd/ a. non necessario; che non occorre; inutile.

unnegotiable /ʌnnɪ'ɡəʊʃəbl/ a. (comm., leg.) non negoziabile.

unneighbourly, (USA) **unneighborly** /ʌn'neɪbəlɪ/ a. poco amichevole; non da buon vicino (di casa); poco socievole; scortese.

to **unnerve** /ʌn'nɜːv/ v. t. **1** indebolire; infiacchire; accasciare; snervare **2** intimidire; far tremare; spaventare: *The scream unnerved her*, l'urlo la spaventò.

unnerving /ʌn'nɜːvɪŋ/ a. impressionante; sconcertante; inquietante; che fa paura | **-ly** avv.

unnoted /ʌn'nəʊtɪd/ a. inosservato; non notato.

unnoticeable /ʌn'nəʊtɪsəbl/ a. che passa inosservato; impercettibile; insignificante.

unnoticed /ʌn'nəʊtɪst/ a. inosservato; inavvertito; non notato: **to go** (o **to pass**) **u.**, passare inosservato ● **to leave st. u.**, passar qc. sotto silenzio □ **to let st. pass u.**, non far caso a qc.

unnumbered /ʌn'nʌmbəd/ a. **1** non numerato; senza numero **2** innumerevole; innumerabile.

UNO sigla (**United Nations Organization**) Organizzazione delle Nazioni Unite (ONU).

unobjectionable /ʌnəb'dʒɛkʃənəbl/ a. ineccepibile; irreprensibile | **-ness** n. ▢ | **-bly** avv.

unobliging /ʌnə'blaɪdʒɪŋ/ a. non compiacente; scortese.

unobscured /ʌnəb'skjʊəd/ a. non oscurato; chiaro.

unobservable /ʌnəb'zɜːvəbl/ a. inosservabile; impercettibile.

unobservant /ʌnəb'zɜːvənt/ a. **1** inosservante (di una legge, ecc.) **2** disattento; distratto || **unobservance** n. ▢ **1** inosservanza (di una legge, di un regolamento, ecc.) **2** disattenzione; distrazione.

unobserved /ʌnəb'zɜːvd/ a. inosservato; non notato.

unobserving /ʌnəb'zɜːvɪŋ/ a. (raro) distratto; disattento.

unobstructed /ʌnəb'strʌktɪd/ a. **1** non ostruito; libero; sgombro **2** (sport) non ostacolato; indisturbato.

unobtainable /ʌnəb'teɪnəbl/ a. **1** non ottenibile; inconseguibile; irraggiungibile **2** (telef.: di un numero o un abbonato) inattivo; irraggiungibile.

unobtrusive /ʌnəb'truːsɪv/ a. **1** che non dà nell'occhio; che non si nota; non appariscente **2** discreto; riservato ● **to make oneself u.**, non dare nell'occhio; farsi piccolo (fig.) | **-ly** avv.

unobtrusiveness /ʌnəb'truːsɪvnəs/ n. ▢ **1** il non dare nell'occhio; scarsa evidenza **2** discrezione; riservatezza; riserbo.

unoccupied /ʌn'ɒkjʊpaɪd/ a. **1** non occupato; disponibile; vacante; libero; senza impegni **2** (di un edificio) vuoto; senza inquilini **3** (econ.) senza occupazione; inattivo: **u. population**, popolazione inattiva **4** (mil.) non (ancora) occupato.

unoffending /ʌnə'fɛndɪŋ/ a. inoffensivo; innocuo.

unoffensive /ʌnə'fɛnsɪv/ a. inoffensivo | **-ly** avv.

unofficial /ʌnə'fɪʃl/ a. non ufficiale; uffi-

cioso: **an u. estimate**, una stima non ufficiale; **an u. piece of news**, una notizia ufficiosa ● (fin.) **u. rate of exchange**, cambio libero (o parallelo) □ (econ.) **u. stoppage** (o **u. strike**), sciopero non dichiarato; sciopero spontaneo | **-ly** avv.

unopened /ʌn'əʊpənd/ a. non aperto; non dissigillato; chiuso.

unoperated /ʌn'ɒpəreɪtɪd/ a. (med.) non operato; che non è stato operato.

unopposed /ʌnə'pəʊzd/ a. **1** incontestato; indiscusso **2** incontrastato; indisturbato; non ostacolato; senza trovar resistenza.

unordained /ʌnɔː'deɪnd/ a. (relig.) non ordinato.

unordered /ʌn'ɔːdəd/ a. **1** non ordinato; non comandato **2** in disordine; disordinato **3** (comm.: di un articolo) non ordinato.

unorganized /ʌn'ɔːɡənaɪzd/ a. **1** non organizzato; disorganizzato **2** (di lavoratore, ecc.) non organizzato (in sindacato) **3** (scient.) inorganico; non vivente.

unoriginal /ʌnə'rɪdʒənl/ a. non originale; privo d'originalità.

unornamental /ʌnɔːnə'mɛntl/ a. non decorativo; tutt'altro che ornamentale; brutto.

unornamented /ʌn'ɔːnəmɛntɪd/ a. senza ornamenti; disadorno.

unorthodox /ʌn'ɔːθədɒks/ a. non ortodosso; eterodosso || **unorthodoxy** n. ▢ eterodossia.

unostentatious /ʌnɒstɛn'teɪʃəs/ a. senza ostentazione; modesto; semplice | **-ly** avv. | **-ness** n. ▢.

unowned /ʌn'əʊnd/ a. **1** (anche leg.) senza proprietario; di nessuno **2** non ammesso; inconfessato **3** sconfessato; misconosciuto.

to **unpack** /ʌn'pæk/ A v. t. **1** disimballare; spacchettare; (comm.) sballare **2** cavare (qc.) da un baule (o da una valigia) **3** scaricare (un carro, ecc.) B v. i. disfare le valigie.

unpacked /ʌn'pækt/ a. **1** sballato; disimballato **2** (comm.) non imballato; non impacchettato; non confezionato; sciolto.

unpacking /ʌn'pækɪŋ/ n. ▢ **1** (comm.) disimballaggio; spacchettamento **2** il disfare le valigie.

unpaid /ʌn'peɪd/ a. **1** non pagato; non retribuito; non remunerato: **an u. position**, un impiego non retribuito **2** non saldato; insoluto: **an u. debt**, un debito non saldato; **an u. invoice**, una fattura insoluta ● **u. family worker**, coadiuvante domestico non retribuito.

unpaired /ʌn'pɛəd/ a. spaiato.

unpalatable /ʌn'pælətəbl/ a. sgradevole (anche fig.); di gusto sgradevole.

unparalleled /ʌn'pærəlɛld/ a. senza pari; impareggiabile; ineguagliato; senza precedenti: **u. generosity**, generosità senza pari.

unpardonable /ʌn'pɑːdənəbl/ a. imperdonabile | **-ness** n. ▢ | **-bly** avv.

unparliamentary /ʌnpɑːlə'mɛntərɪ/ a. **1** contrario alle leggi (o alle consuetudini) parlamentari **2** (fig.) incivile; scortese; sgarbato; volgare ● **u. language**, parolacce; imprecazioni; insulti; offese.

unpatented /ʌn'peɪtəntɪd/ a. (leg.) non brevettato.

unpatriotic /ʌnpætrɪ'ɒtɪk/ a. non patriottico; antipatriottico | **-ally** avv.

unpatronized /ʌn'pætrənaɪzd/ a. (di negozio, ecc.) che ha pochi clienti; con scarsa clientela; poco frequentato.

unpaved /ʌn'peɪvd/ a. non lastricato; senza selciato.

unpaying /ʌn'peɪɪŋ/ a. che non paga: **u. customers**, clienti che non pagano.

unpeaceful /ʌn'piːsfl/ a. non pacifico; inquieto; agitato; che non ha pace.

unpeeled /ʌn'piːld/ a. non sbucciato; non pelato.

to **unpeg** /ʌn'pɛɡ/ v. t. **1** togliere un piolo (o i pioli) a; staccare **2** (econ., fin.) liberalizzare, sbloccare, sganciare (prezzi, salari, valute, ecc.).

to **unpen** /ʌn'pɛn/ v. t. far uscire (animali) dal chiuso; liberare.

unpensioned /ʌn'pɛnʃnd/ a. senza pensione.

to **unpeople** /ʌn'piːpl/ v. t. spopolare || **unpeopled** a. spopolato.

unperceivable /ʌnpə'siːvəbl/ a. impercettibile.

unperceived /ʌnpə'siːvd/ a. non percepito; inavvertito; inosservato.

unperfected /ʌn'pɜːfɪktɪd/ a. non perfezionato; lasciato a metà.

unperforated /ʌn'pɜːfəreɪtɪd/ a. (di francobollo) senza perforazione.

unperformed /ʌnpə'fɔːmd/ a. **1** ineseguito; non eseguito; non fatto **2** (teatr.) non rappresentato.

unperfumed /ʌn'pɜːfjuːmd/ a. non profumato; inodoro.

unpermitted /ʌnpə'mɪtɪd/ a. non permesso; proibito; vietato.

unperplexed /ʌnpə'plɛkst/ a. non perplesso; imperturbato; impassibile.

unperson /'ʌnpɜːsn/ n. (fam.) persona che non esiste ufficialmente; persona la cui esistenza è ignorata (o smentita) dalle autorità.

unpersuadable /ʌnpə'sweɪdəbl/ a. inconvincibile; che non si lascia persuadere.

unpersuaded /ʌnpə'sweɪdɪd/ a. non convinto; non persuaso.

unpersuasive /ʌnpə'sweɪsɪv/ a. non persuasivo; non convincente.

unperturbed /ʌnpə'tɜːbd/ a. imperturbato; calmo; sereno | **-ly** avv.

unphilosophical /ʌnfɪlə'sɒfɪkl/ a. **1** non filosofico **2** dotato di scarsa filosofia | **-ly** avv.

to **unpick** /ʌn'pɪk/ v. t. **1** scucire; sfilare; disfare (un abito, un'impuntura) **2** (arc.) scassinare (una porta, una serratura).

unpickable /ʌn'pɪkəbl/ a. (di serratura) antiscasso; di sicurezza.

unpicked /ʌn'pɪkt/ a. **1** non scelto; non selezionato; comune, ordinario **2** (di fiori, ecc.) non colto; non raccolto.

unpicturesque /ʌnpɪktʃə'rɛsk/ a. (raro) non pittoresco.

unpierceable /ʌn'pɪəsəbl/ a. imperforabile.

unpierced /ʌn'pɪəst/ a. non perforato; non bucato.

unpiloted /ʌn'paɪlətɪd/ a. (aeron., ecc.) senza pilota; teleguidato: **u. missiles**, missili teleguidati.

to **unpin** /ʌn'pɪn/ v. t. **1** togliere gli spilli a; disfare **2** staccare (qc. attaccato con spilli); liberare (qc.) dagli spilli.

unpitied /ʌn'pɪtɪd/ a. non compatito; non compianto.

unpitying /ʌn'pɪtɪɪŋ/ a. impietoso; spietato; senza pietà.

unplaced /ʌn'pleɪst/ a. **1** fuori posto (spec. in un elenco) **2** (ipp.: di un cavallo) non piazzato.

to **unplait** /ʌn'plæt/ v. t. disfare le trecce a; sciogliere (i capelli).

unplanned /ʌn'plænd/ a. **1** non pianificato; non progettato **2** imprevisto; non previsto; casuale; fortuito.

unplanted /ʌn'plɑːntɪd/ a. (agric.) non piantato; non coltivato.

unplausible /ʌn'plɔːzəbl/ a. non plausi-

bile; inverosimile.

unplayable /ʌn'pleɪəbl/ a. **1** (*mus.*, *teatr.*) ineseguibile **2** (*sport: di campo, ecc.*) impraticabile; inagibile **3** (*sport: di una palla o di una partita*) che non si può giocare; imprendibile; che non si riesce a rinviare (a ribattere, ecc.).

unplayed /ʌn'pleɪd/ a. (*sport: di un incontro*) non giocato; da giocare; ancora da disputare.

unpleasant /ʌn'plɛznt/ a. **1** sgradevole; spiacevole; antipatico; brutto **2** scortese; sgarbato; villano • **u. weather**, brutto tempo □ **to be u. with sb.**, trattare q. in modo sgarbato; essere scortese con q. | **-ly** avv.

unpleasantness /ʌn'plɛzntnəs/ n. ⓤ **1** sgradevolezza; spiacevolezza **2** scortesia; sgarbatezza; villania **3** sgarbo; litigio; lite; malinteso **4** disaccordo; dissenso.

unpleased /ʌn'pli:zd/ a. insoddisfatto; scontento.

unpleasing /ʌn'pli:zɪŋ/ a. spiacevole; sgradevole; antipatico.

unpledged /ʌn'plɛdʒd/ a. non impegnato; libero.

unploughed /ʌn'plaʊd/ a. (*agric.*) non arato; incolto.

unplucked /ʌn'plʌkt/ a. **1** (*di fiore, ecc.*) non colto; non raccolto **2** (*di pollo*) non spennato.

to **unplug** /ʌn'plʌg/ v. t. **1** stappare (*un lavandino, ecc.*) **2** stasare (*un tubo, ecc.*) **3** togliere la spina a; staccare (*una lampada, un apparecchio elettrico*).

unplugged /ʌn'plʌgd/ a. **1** (*mus., di musica rock, ecc.*) senza strumentazione elettrica; solo con strumenti acustici **2** (*elettr.*) staccato; disinserito.

unplumbed /ʌn'plʌmd/ a. **1** (*naut.*) non scandagliato **2** (*fig.*) insondato; inesplorato **3** (*fig.*) impenetrato; non compreso a fondo; misterioso **4** (*edil.*) senza l'impianto idraulico.

unpoetical /ʌnpəʊ'ɛtɪkl/ a. non poetico; impoetico | **-ly** avv.

unpointed /ʌn'pɔɪntɪd/ a. **1** senza punta; spuntato **2** senza punteggiatura; non punteggiato **3** (*filol.*) senza segni diacritici.

unpolarized /ʌn'pəʊləraɪzd/ a. (*fis.*) non polarizzato.

unpolished /ʌn'pɒlɪʃt/ a. **1** non pulito; non lucidato; sporco **2** (*fig.*) non raffinato; rozzo; grossolano. **u. style**, stile grossolano.

unpolite /ʌnpə'laɪt/ a. → **impolite**.

unpolitic /ʌn'pɒlɪtɪk/ a. → **unpolitical**.

unpolitical /ʌnpə'lɪtɪkl/ a. apolitico; non politico; impolitico.

unpolled /ʌn'pəʊld/ a. (*polit.*) **1** (*di elettore*) che non ha votato **2** (*di voto*) non assegnato; non scrutinato **3** (*USA*) non registrato come elettore **4** non incluso in un sondaggio d'opinione.

unpolluted /ʌnpə'lu:tɪd/ a. **1** (*ecol.*) non inquinato; puro; incontaminato **2** (*fig.*) incontaminato; puro; immacolato.

unpopular /ʌn'pɒpjʊlə(r)/ a. impopolare || **unpopularity** n. ⓤ impopolarità || **unpopularly** avv. impopolarmente.

unpossessed /ʌnpə'zɛst/ a. **1** non posseduto **2** non invasato (*dal demonio*); non indemoniato • **u. of st.**, che non possiede (*o che non ha*) qc.

unposted /ʌn'pəʊstɪd/ a. **1** (*di lettera, ecc.*) non impostato **2** (*di persona*) non informato; non aggiornato.

unpractical /ʌn'præktɪkl/ a. **1** non pratico; poco pratico **2** (*di progetto, ecc.*) inattuabile; irrealizzabile | **-ly** avv.

unpracticality /ʌnpræktɪ'kæləti/ n. ⓤ **1** scarsa praticità; mancanza di praticità **2** inattuabilità; l'essere irrealizzabile.

unpractised /ʌn'præktɪst/ a. **1** poco pratico; inesperto **2** non provato; non messo in pratica.

unpreceded /ʌnprɪ'si:dɪd/ a. non preceduto.

unprecedented /ʌn'prɛsɪdntɪd/ a. senza precedenti; inaudito: **an u. crime**, un delitto senza precedenti || **unprecedentedly** avv. senza precedenti.

unpredictable /ʌnprɪ'dɪktəbl/ a. imprevedibile: **an u. result**, un risultato imprevedibile || **unpredictability** n. ⓤ imprevedibilità || **unpredictably** avv. imprevedibilmente.

unprejudiced /ʌn'prɛdʒʊdɪst/ a. senza pregiudizi; imparziale.

unpremeditated /ʌnpri:'mɛdɪteɪtɪd/ a. non premeditato; impensato; involontario; spontaneo | **-ly** avv. | **-ness** n. ⓤ.

unprepared /ʌnprɪ'pɛəd/ a. **1** non preparato; improvvisato: **an u. speech**, un discorso improvvisato **2** impreparato; non pronto; alla sprovvista: *I was taken u.*, fui colto alla sprovvista; *I found everything u.*, trovai che nulla era pronto • **I was u. for this objection**, questa obiezione non me l'aspettavo || **unpreparedness** n. ⓤ impreparazione.

unprepossessing /ʌnpri:pə'zɛsɪŋ/ a. poco attraente; insignificante; anonimo; ordinario.

unprescribed /ʌnprɪ'skraɪbd/ a. non prescritto.

unpresentable /ʌnprɪ'zɛntəbl/ a. impresentabile; indecoroso.

unpresuming /ʌnprɪ'zju:mɪŋ/, **unpresumptuous** /ʌnprɪ'zʌmptʃʊəs/ a. modesto; senza presunzione; senza pretese.

unpretending /ʌnprɪ'tɛndɪŋ/ a. modesto; naturale; schietto; senza pretese.

unpretentious /ʌnprɪ'tɛnʃəs/ a. senza pretese; per nulla pretenzioso; modesto: **an u. flat**, un appartamento senza pretese | **-ly** avv. | **-ness** n. ⓤ.

unpreventable /ʌnprɪ'vɛntəbl/ a. inevitabile; ineluttabile.

unpriced /ʌn'praɪst/ a. **1** il cui prezzo non è stato fissato; senza prezzo **2** senza indicazione dei prezzi; non prezzato: **an u. item**, un articolo senza il prezzo (*o non prezzato*).

unpriestly /ʌn'pri:stli/ a. indegno di un sacerdote.

unprincipled /ʌn'prɪnsəpld/ a. senza principi; senza scrupoli.

unprintable /ʌn'prɪntəbl/ a. impubblicabile; non stampabile; (*spec.*) offensivo, osceno, scandaloso.

unprinted /ʌn'prɪntɪd/ a. non stampato; non pubblicato; inedito; che esiste allo stato di manoscritto.

unprivileged /ʌn'prɪvəlɪdʒd/ a. non privilegiato; senza privilegi.

unprocessed /ʌn'prəʊsɛst/ a. **1** (*ind.*) che non ha subito un processo; non lavorato **2** (*comput.*) non elaborato.

unproclaimed /ʌnprə'kleɪmd/ a. non proclamato.

unprocurable /ʌnprə'kjʊərəbl/ a. che non ci si può procurare; introvabile.

unproductive /ʌnprə'dʌktɪv/ a. (*spec. agric., econ.*) improduttivo; infecondo; sterile: **u. capital**, capitali improduttivi | **-ly** avv. | **-ness** n. ⓤ.

unprofessional /ʌnprə'fɛʃənl/ a. **1** che non appartiene a una professione; non professionale **2** professionale; dilettantesco; dilettantistico; da dilettante **3** contrario alle regole (*di una professione*); scorretto • **u. conduct**, condotta professionale scorretta; condotta poco professionale; (*leg.*) violazione della deontologia professionale.

unprofitable /ʌn'prɒfɪtəbl/ a. **1** (*econ.*, *fin.*) che non dà profitto; che non rende; non remunerativo **2** (*fig.*) infruttuoso; inutile; senza profitto | **-ness** n. ⓤ | **-bly** avv.

unprogrammed /ʌn'prəʊgræmd/ a. (*tecn.*) non programmato.

unprogressive /ʌnprə'grɛsɪv/ a. non progressista; arretrato; conservatore; retrivo.

unprohibited /ʌnprə'hɪbɪtɪd/ a. (*raro*) non proibito; lecito.

unpromising /ʌn'prɒmɪsɪŋ/ a. poco promettente; tutt'altro che promettente; che non promette niente di buono.

unprompted /ʌn'prɒmptɪd/ a. **1** non suggerito **2** non richiesto; non sollecitato; spontaneo; volontario.

unpronounceable /ʌnprə'naʊnsəbl/ a. impronunciabile.

unpronounced /ʌnprə'naʊnst/ a. (*fon.*) non pronunciato; muto.

to **unprop** /ʌn'prɒp/ v. t. togliere i puntelli a.

unprophetic /ʌnprə'fɛtɪk/ a. non profetico.

unpropitious /ʌnprə'pɪʃəs/ a. non propizio; infausto; sfavorevole; avverso | **-ly** avv.

unprosperous /ʌn'prɒspərəs/ a. non prospero; poco fiorente.

unprotectable /ʌnprə'tɛktəbl/ a. non proteggibile; indifendibile.

unprotected /ʌnprə'tɛktɪd/ a. indifeso; senza protezione; sguarnito • (*ferr.*) **u. level crossing**, passaggio a livello incustodito.

unprovable /ʌn'pru:vəbl/ a. indimostrabile; non provabile.

unproven /ʌn'pru:vn/, **unproved** /ʌn'pru:vd/ a. **1** non dimostrato; non comprovato **2** non provato; non testato.

unprovided /ʌnprə'vaɪdɪd/ a. **1** sfornito; sprovveduto; sprovvisto (*di mezzi, ecc.*) **2** impreparato; non preparato • (*di solito, u. for*) senza mezzi; senza risorse.

unprovoked /ʌnprə'vəʊkt/ a. non provocato; senza provocazione; immeritato; ingiusto: **an u. insult**, un insulto immeritato.

unpruned /ʌn'pru:nd/ a. (*di un albero*) non potato.

unpublished /ʌn'pʌblɪʃt/ a. **1** non pubblicato; inedito; non dato alle stampe **2** non reso di pubblica ragione.

unpunctual /ʌn'pʌŋktʃʊəl/ a. non puntuale || **unpunctuality** n. ⓤ mancanza di puntualità.

unpunctuated /ʌn'pʌŋktʃʊeɪtɪd/ a. non punteggiato; senza punteggiatura.

unpunishable /ʌn'pʌnɪʃəbl/ a. non punibile; impunibile.

unpunished /ʌn'pʌnɪʃt/ a. impunito • **The boy went u.**, il ragazzo non fu punito.

unpurchased /ʌn'pɜ:tʃəst/ a. non acquistato; invenduto.

unpure /ʌn'pjʊə(r)/ a. → **impure**.

unpurged /ʌn'pɜ:dʒd/ a. non purgato (*fig.*); inespurgato: **u. edition**, edizione inespurgata.

unpurified /ʌn'pjʊərɪfaɪd/ a. (*anche chim.*) non purificato.

unpursued /ʌnpə'sju:d/ a. **1** non inseguito; lasciato andare **2** (*leg.*) non perseguito.

unputdownable /ʌnpʊt'daʊnəbl/ a. (*fam.: di un romanzo, ecc.*) che non si riesce a mettere via; che si deve leggere tutto di un fiato.

unqualified /ʌn'kwɒlɪfaɪd/ a. **1** privo dei requisiti necessari; senza titoli; non qualificato **2** assoluto; incondizionato; pieno; senza riserve: **u. success**, pieno successo; (*comm.*) **u. endorsement**, girata incondizionata **3** (*fam.*) vero e proprio; perfetto; bel-

l'e buono ● **u. praise**, elogi senza riserve □ **an u. refusal**, un rifiuto categorico □ **to be quite u. to do st.**, non avere alcuna competenza (*o essere del tutto incompetente*) a fare qc.

unquantifiable /ʌnˈkwɒntɪfaɪəbl/ a. non quantificabile.

unquenchable /ʌnˈkwɛntʃəbl/ a. inestinguibile; insaziabile.

unquenched /ʌnˈkwɛntʃt/ a. insaziato; non estinto ● **My thirst was still u.**, la mia sete non s'era ancora calmata.

unquestionable /ʌnˈkwɛstʃənəbl/ a. incontestabile; indiscutibile: (*leg.*) u. **evidence**, prove incontestabili | **-ness** n. Ⓤ | **-bly** avv.

unquestioned /ʌnˈkwɛstʃənd/ a. incontestato; indiscusso 2 non interrogato 3 (*raro*) non esaminato; non vagliato.

unquestioning /ʌnˈkwɛstʃənɪŋ/ a. 1 che non fa domande; che non discute 2 assoluto; pronto; senza discussione: **u. obedience**, obbedienza assoluta (*o cieca, pronta*) ‖ **unquestioningly** avv. senza fare domande; senza stare a discutere.

unquiet /ʌnˈkwaɪət/ a. inquieto; agitato; irrequieto; turbato: **u. spirit**, spirito inquieto ● **u. times**, tempi difficili | **-ly** avv. | **-ness** n. Ⓤ.

unquotable /ʌnˈkwəʊtəbl/ a. 1 non citabile 2 (*fin.*) non quotabile (*in Borsa*).

to **unquote** /ʌnˈkwəʊt/ v. i. chiudere le virgolette (*di citazione*) ● (*dettando*) U.!, chiuse le virgolette!; fine della citazione.

unquoted /ʌnˈkwəʊtɪd/ a. 1 non citato 2 (*fin.*) non quotato (*in Borsa*): **u. securities**, titoli non quotati.

unraised /ʌnˈreɪzd/ a. 1 non alzato 2 (*fig.*) non elevato 3 (*di un problema, ecc.*) non sollevato.

unrated /ʌnˈreɪtɪd/ a. (*di film*) senza il visto della censura.

to **unravel** /ʌnˈrævl/ Ⓐ v. t. 1 districare; sbrogliare; disfare; dipanare: **to u. a skein**, dipanare una matassa; **to u. a stocking**, disfare una calza 2 (*fig.*) chiarire; sciogliere (*un enigma*); districare; svelare (*un mistero, ecc.*) 3 (*fig.*) disfare Ⓑ v. i. 1 districarsi; sbrogliarsi 2 (*fig.*) chiarirsi; (*di un enigma*) risolversi.

unravelling, (*USA*) **unraveling** /ʌnˈrævlɪŋ/ a. 1 districamento; dipanamento 2 (*fig.*) scioglimento (*di un enigma*); rivelazione.

unravished /ʌnˈrævɪʃt/ a. (*lett.*) inviolato; casto; puro: '*Thou still u. bride of quietness*' J. KEATS, 'tu, inviolata sposa del silenzio'.

unreachable /ʌnˈriːtʃəbl/ a. irraggiungibile; inaccessibile.

unreached /ʌnˈriːtʃt/ a. non raggiunto.

unread /ʌnˈred/ a. 1 non letto; senza leggerlo: *I returned the novel u.*, restituii il romanzo senza averlo letto 2 (*pred.*) incolto; ignorante: *I am u. in this field*, sono ignorante in questo campo.

unreadable /ʌnˈriːdəbl/ a. 1 illeggibile; indecifrabile 2 (*di un libro, ecc.*) illeggibile; di difficile lettura; noioso; che non si legge facilmente 3 (*fig.*) difficile da capire; indecifrabile ‖ **unreadability** n. Ⓤ illeggibilità.

unready /ʌnˈrɛdɪ/ a. 1 impreparato; non pronto: **to be u. for the test**, non essere pronto per l'esame 2 esitante; riluttante; restio: **to be u. to do st.**, essere restio a fare qc. 3 lento, tardo (*ad agire, ecc.*) ● **to have an u. tongue**, non avere la risposta pronta ‖ **unreadiness** n. Ⓤ 1 impreparazione 2 esitazione; riluttanza 3 lentezza.

unreal /ʌnˈrɪəl/ a. 1 irreale; fantastico; illusorio; immaginario 2 (*fam.*) innaturale; artificiale 3 (*fam. USA*) incredibile; invero-

simile; pazzesco 4 (*slang USA*) eccezionale; fantastico; mitico; da sballo ‖ **unreality** n. 1 Ⓤ irrealtà; incorporeità 2 cosa irreale; chimera; fantasia.

unrealistic /ʌnrɪəˈlɪstɪk/ a. non realistico; campato in aria; irrealistico: **an u. plan**, un progetto campato in aria | **-ally** avv.

unrealizable /ʌnˈrɪəlaɪzəbl/ a. 1 irrealizzabile; inattuabile 2 inconcepibile 3 (*fin.: di crediti*) di difficile realizzo.

unrealized /ʌnˈrɪəlaɪzd/ a. 1 non realizzato 2 di cui non ci si rende conto; non compreso; non capito; incompreso.

unreason /ʌnˈriːzn/ n. irragionevolezza; irrazionalità; assurdità.

unreasonable /ʌnˈriːznəbl/ a. 1 irragionevole; assurdo; stravagante; cervellotico: **u. demands**, richieste irragionevoli: **u. conduct**, condotta stravagante 2 irragionevole; che non vuole ragionare 3 (*fig.*) eccessivo; esorbitante; esoso: **u. prices**, prezzi esosi ● (*leg.*) **u. behaviour**, «comportamento irragionevole» (*una delle cause di divorzio in GB*) | **-ness** n. Ⓤ | **-bly** avv.

unreasoned /ʌnˈriːznd/ a. non ragionato; non meditato.

unreasoning /ʌnˈriːzənɪŋ/ a. irragionevole; che non ragiona.

unrebuked /ʌnrɪˈbjuːkt/ a. non biasimato; senza rimproveri.

unrecallable /ʌnrɪˈkɔːləbl/ a. irrevocabile.

unrecalled /ʌnrɪˈkɔːld/ a. 1 non richiamato; irrevocato 2 non ricordato; dimenticato; scordato.

unreceipted /ʌnrɪˈsiːtɪd/ a. senza ricevuta; (*comm.*) non quietanzato.

unreceived /ʌnrɪˈsiːvd/ a. 1 non ricevuto 2 non accettato; non ammesso.

unreceptive /ʌnrɪˈsɛptɪv/ a. non ricettivo.

unreciprocated /ʌnrɪˈsɪprəkeɪtɪd/ a. non contraccambiato.

unreckoned /ʌnˈrɛkənd/ a. 1 non calcolato; non computato 2 non conteggiato.

unreclaimed /ʌnrɪˈkleɪmd/ a. 1 non reclamato; non rivendicato 2 irredento; civilizzato 3 (*di terreno*) non bonificato 4 (*di bagaglio*) non ritirato.

unrecognizable /ʌnˈrɛkəgnaɪzəbl/ a. irriconoscibile.

unrecognized /ʌnˈrɛkəgnaɪzd/ a. non riconosciuto; misconosciuto.

unrecommended /ʌnrɛkəˈmɛndɪd/ a. non raccomandato; senza raccomandazioni.

unrecompensed /ʌnˈrɛkəmpɛnst/ a. non ricompensato; senza compenso; irremunerato.

unreconcilable /ʌnˈrɛkənsaɪləbl/ a. irreconciliabile.

unreconciled /ʌnˈrɛkənsaɪld/ a. irreconciliato ● **to remain u. to one's fate**, non rassegnarsi al proprio destino.

unreconstructed /ʌnriːkənˈstrʌktɪd/ a. 1 non ricostruito 2 (*stor. USA*) che rifiutava la cosiddetta ricostruzione degli Stati sudisti 3 (*fig.*) all'antica; di tipo tradizionale ● **an u. communist**, un comunista irriducibile.

unrecorded /ʌnrɪˈkɔːdɪd/ a. 1 non registrato (*anche mus.*); di cui non si ha memoria 2 non verbalizzato 3 (*leg.: di un atto*) non registrato.

unrecoverable /ʌnrɪˈkʌvərəbl/ a. 1 irrecuperabile; irrimediabile 2 (*med.*) inguaribile 3 (*di un credito*) irrecuperabile.

unrecovered /ʌnrɪˈkʌvəd/ a. 1 non guarito; ancora malato 2 non recuperato: **u. debt** (*o credit*), credito non recuperato.

unrectified /ʌnˈrɛktɪfaɪd/ a. 1 non rettificato; non corretto 2 (*elettr., radio*) non

raddrizzato.

unredeemable /ʌnrɪˈdiːməbl/ a. irredimibile; non riscattabile: (*fin.*) **u. loan**, prestito irredimibile.

unredeemed /ʌnrɪˈdiːmd/ a. 1 irredento; non riscattato 2 (*comm.*) non ritirato; non ammortizzato; non estinto: **an u. bill**, una cambiale non ritirata ● **an u. promise**, una promessa inadempiuta.

unredressed /ʌnrɪˈdrɛst/ a. non riparato: **an u. wrong**, un torto non riparato.

unreduced /ʌnrɪˈdjuːst/ a. non ridotto; integrale; intero; pieno.

unreducible /ʌnrɪˈdjuːsəbl/ a. → **irreducible**.

to **unreel** /ʌnˈriːl/ Ⓐ v. t. sgomitolare; srotolare Ⓑ v. i. sgomitolarsi; srotolarsi.

unrefined /ʌnrɪˈfaɪnd/ a. 1 non raffinato; greggio; grezzo: **u. sugar**, zucchero non raffinato 2 (*fig.*) grossolano; rozzo; scortese; sgarbato: **u. manners**, maniere grossolane.

unreflected /ʌnrɪˈflɛktɪd/ a. (*fis., ottica*) non riflesso.

unreflecting /ʌnrɪˈflɛktɪŋ/ a. irriflessivo; sventato.

unreformable /ʌnrɪˈfɔːməbl/ a. 1 non riformabile; immutabile 2 (*di persona*) incorreggibile.

unreformed /ʌnrɪˈfɔːmd/ a. non riformato; non corretto.

unrefreshed /ʌnrɪˈfrɛʃt/ a. 1 non rinfrescato 2 non riposato; che non ha avuto ristoro.

unrefuted /ʌnrɪˈfjuːtɪd/ a. irrefutato; inconfutato.

unregarded /ʌnrɪˈgɑːdɪd/ a. negletto; trascurato.

unregenerate /ʌnrɪˈdʒɛnərət/ a. (*di persona*) 1 non rigenerato; incallito; impenitente 2 ostinato; pervicace 3 (*relig.*) non redento.

unregistered /ʌnˈrɛdʒɪstəd/ a. 1 (*leg.*) non registrato; non iscritto: **u. trademark**, marchio (*di fabbrica*) non registrato 2 (*di lettera, ecc.*) non raccomandato 3 (*fin.: di titolo*) non nominativo; al portatore.

unregretful /ʌnrɪˈgrɛtfl/ a. che non rimpiange nulla; senza rimpianti.

unregulated /ʌnˈrɛgjʊleɪtɪd/ a. 1 non regolato; sregolato; disordinato; non regolamentato 2 (*elettr.*) non stabilizzato: **u. voltage**, tensione non stabilizzata.

unrehearsed /ʌnrɪˈhɜːst/ a. 1 (*teatr.*) rappresentato senza far prove 2 (*per estens.*) improvvisato; imprevisto; inaspettato; inatteso ● **an u. speech**, un discorso a braccio.

unrelatable /ʌnrɪˈleɪtəbl/ a. inenarrabile; irriferibile.

unrelated /ʌnrɪˈleɪtɪd/ a. 1 non correlato; senza rapporto (*con qc.*) 2 non imparentato (*con q.*) 3 non raccontato; non riferito 4 (*stat., USA*) che vive da solo; senza famiglia.

unrelaxed /ʌnrɪˈlækst/ a. 1 non rilassato; teso 2 non rallentato; non diminuito: **u. strain**, tensione non diminuita.

unrelenting /ʌnrɪˈlɛntɪŋ/ a. 1 inesorabile; inflessibile; implacabile 2 incessante; ostinato: **u. rain**, pioggia incessante 3 accanito; che non molla mai: (*mil. e sport*) **u. defence**, difesa accanita ● **u. pain**, dolore che non dà tregua | **-ly** avv. | **-ness** n. Ⓤ.

unreliability /ʌnrɪlaɪəˈbɪlɪtɪ/ n. Ⓤ inaffidabilità; inattendibilità; incertezza; instabilità (*del tempo e sim.*).

unreliable /ʌnrɪˈlaɪəbl/ a. inaffidabile; inattendibile; infido; malfido; incerto; instabile: **u. news**, notizie inattendibili; **an u. man**, un uomo inaffidabile; **u. weather**,

tempo instabile | **-bly** avv.

unrelieved /ʌnrɪ'liːvd/ a. **1** non alleviato; non sollevato (*da un peso, da un compito*) **2** non aiutato; privo di soccorso **3** assoluto; completo: **u. darkness**, completa oscurità **4** monotono; noioso.

unreligious /ʌnrɪ'lɪdʒəs/ a. irreligioso; che non ha interesse per la religione; agnostico.

unremarkable /ʌnrɪ'mɑːkəbl/ a. poco notevole; irrilevante.

unremarked /ʌnrɪ'mɑːkt/ a. (*form.*) inosservato.

unremedied /ʌn'rɛmədɪd/ a. non rimediato; (*di un torto*) non riparato.

unremembered /ʌnrɪ'mɛmbəd/ a. dimenticato; obliato (*lett.*).

unremitted /ʌnrɪ'mɪtɪd/ a. **1** (*di un peccato, ecc.*) non rimesso; imperdonato **2** → **unremitting**.

unremitting /ʌnrɪ'mɪtɪŋ/ a. incessante; continuo; assiduo; persistente: **u. pain**, dolore incessante | **u. attention**, continua attenzione | **-ly** avv.

unremunerative /ʌnrɪ'mjuːnrətɪv/ a. non remunerativo; tutt'altro che lucrativo; infruttifero; che rende poco.

unrenewed /ʌnrɪ'njuːd/ a. non rinnovato.

unrepaid /ʌnrɪ'peɪd/ a. non ripagato; non ricompensato.

unrepaired /ʌnrɪ'pɛəd/ a. non riparato (*anche fig.*).

unrepealed /ʌnrɪ'piːld/ a. (*leg.*) non abrogato; non revocato.

unrepeatable /ʌnrɪ'piːtəbl/ a. irripetibile.

unrepeated /ʌnrɪ'piːtɪd/ a. non ripetuto.

unrepentant /ʌnrɪ'pɛntənt/ a. impenitente; incallito; incorreggibile.

unreported /ʌnrɪ'pɔːtɪd/ a. **1** non riferito; non comunicato **2** non segnalato; (*di un reato, ecc.*) non denunciato (*alla polizia, ecc.*).

unrepresentative /ʌnrɛprɪ'zɛntətɪv/ a. non rappresentativo.

unrepresented /ʌnrɛprɪ'zɛntɪd/ a. non rappresentato.

unrepressed /ʌnrɪ'prɛst/ a. non represso.

unreproved /ʌnrɪ'pruːvd/ a. non biasimato; senza riprovazione.

unrequested /ʌnrɪ'kwɛstɪd/ a. **1** non richiesto; spontaneo **2** non sollecitato; non invitato • **to speak u.**, parlare senza essere stato invitato a farlo.

unrequired /ʌnrɪ'kwaɪəd/ a. non richiesto; non necessario; facoltativo.

unrequited /ʌnrɪ'kwaɪtɪd/ a. **1** non corrisposto; non ricambiato: **u. love**, amore non corrisposto **2** non ripagato; irremunerato **3** (*di oltraggio, ecc.*) invendicato.

unresenting /ʌnrɪ'zɛntɪŋ/ a. senza risentimento.

unreserve /ʌnrɪ'zɜːv/ n. espansività; franchezza; schiettezza.

unreserved /ʌnrɪ'zɜːvd/ a. **1** non riservato; non prenotato: **u. seats**, posti non riservati **2** espansivo; non riservato; franco; schietto: **an u. person**, una persona espansiva **3** senza riserve; illimitato; incondizionato: **u. compliance**, adesione incondizionata | **-ly** avv. | **-ness** n. Ⓤ.

unresisted /ʌnrɪ'zɪstɪd/ a. incontrastato; senza resistenza.

unresisting /ʌnrɪ'zɪstɪŋ/ a. che non oppone resistenza; remissivo; sottomesso | **-ly** avv.

unresolvable /ʌnrɪ'zɒlvəbl/ a. irresolubile; insolubile.

unresolved /ʌnrɪ'zɒlvd/ a. **1** irresoluto; indeciso; esitante **2** insoluto: **an u. prob-**

lem, un problema insoluto **3** non scomposto (*nei suoi componenti*).

unrespected /ʌnrɪ'spɛktɪd/ a. non rispettato.

unresponsive /ʌnrɪ'spɒnsɪv/ a. **1** apatico; insensibile; inerte **2** che non reagisce; che non ci sente (*fig.*) **3** (*med.*) che non risponde (*a una cura, ecc.*) | **-ly** avv. | **-ness** n. Ⓤ.

unrest /ʌn'rɛst/ n. **1** agitazione; inquietudine; irrequietezza; sommossa; tumulto: **labour u.**, agitazioni operaie **2** (*polit., sindacalismo*) conflittualità: **continual u.**, conflittualità permanente.

unrestful /ʌn'rɛstfl/ a. agitato; inquieto; irrequieto | **-ly** avv. | **-ness** n. Ⓤ.

unresting /ʌn'rɛstɪŋ/ a. **1** che non riposa mai; assiduo; infaticabile; instancabile **2** che non ha mai posa; continuo; incessante; ininterrotto.

unrestored /ʌnrɪ'stɔːd/ a. **1** non restaurato; non ripristinato **2** non (ancora) rimesso (*in salute*) **3** non reintegrato (*nelle proprie funzioni*).

unrestrainable /ʌnrɪ'streɪnəbl/ a. irrefrenabile; non reprimibile.

unrestrained /ʌnrɪ'streɪnd/ a. non represso; senza freno; senza ritegno; senza restrizioni; libero; sfrenato | **-ly** avv.

unrestricted /ʌnrɪ'strɪktɪd/ a. senza restrizioni; senza limitazioni.

unretarded /ʌnrɪ'tɑːdɪd/ a. non ritardato; senza rallentamenti.

unretentive /ʌnrɪ'tɛntɪv/ a. che non ritiene; labile: **u. memory**, memoria labile.

unreturnable /ʌnrɪ'tɜːnəbl/ a. (*di contenitori e sim.*) da non restituire; a perdere.

unreturned /ʌnrɪ'tɜːnd/ a. **1** non restituito **2** (*di affetto, ecc.*) non ricambiato; non contraccambiato.

unrevealed /ʌnrɪ'viːld/ a. non rivelato; non scoperto; segreto.

unrevenged /ʌnrɪ'vɛndʒd/ a. invendicato.

unreversed /ʌnrɪ'vɜːst/ a. (*anche leg.*) non revocato; non annullato.

unrevised /ʌnrɪ'vaɪzd/ a. non riveduto; non corretto.

unrevoked /ʌnrɪ'vəʊkt/ a. (*anche leg.*) non revocato; non abrogato.

unrewarded /ʌnrɪ'wɔːdɪd/ a. **1** non retribuito; senza ricompensa **2** (*fig.*) infruttuoso; inutile.

unrewarding /ʌnrɪ'wɔːdɪŋ/ a. che non ripaga; non gratificante; ingrato: **an u. job**, un lavoro non gratificante.

unrhymed /ʌn'raɪmd/ a. (*di verso*) non rimato; sciolto.

unrhythmical /ʌn'rɪðmɪkl/ a. privo di ritmo; non ritmico.

unridable /ʌn'raɪdəbl/ a. (*di cavallo*) non cavalcabile; che non si può montare.

to **unriddle** /ʌn'rɪdl/ v. t. risolvere (*un mistero, un indovinello*).

unrifled /ʌn'raɪfld/ a. (*d'arma da fuoco*) a canna liscia.

to **unrig** /ʌn'rɪg/ v. t. (*naut.*) disattrezzare; disarmare (*una nave*).

unrighteous /ʌn'raɪtʃəs/ a. **1** ingiusto; iniquo **2** cattivo; malvagio; peccaminoso | **-ly** avv. | **-ness** n. Ⓤ.

unrightful /ʌn'raɪtfl/ a. **1** sbagliato; scorretto **2** ingiusto; iniquo | **-ly** avv.

to **unrip** /ʌn'rɪp/ v. t. **1** aprire; squarciare **2** strappare, tirare via (*una cucitura, ecc.*).

unripe /ʌn'raɪp/ a., **unriped** /ʌn'raɪpt/ (*anche fig.*) a. immaturo; acerbo ‖ **unripeness** n. Ⓤ immaturità.

unrivalled /ʌn'raɪvld/ a. ineguagliato; che non ha l'uguale; senza pari; incomparabile.

to **unrivet** /ʌn'rɪvɪt/ v. t. **1** schiodare **2**

(*fig.*) distogliere (*lo sguardo*); staccare (*gli occhi*).

to **unrobe** /ʌn'rəʊb/ (*form.*) Ⓐ v. t. spogliare; svestire Ⓑ v. i. spogliarsi; svestirsi.

to **unroll** /ʌn'rəʊl/ Ⓐ v. t. spiegare; svolgere; srotolare Ⓑ v. i. spiegarsi; svolgersi; srotolarsi.

unromantic /ʌnrə'mæntɪk/ a. non romantico; poco romantico | **-ally** avv.

to **unroof** /ʌn'ruːf/ v. t. levare il tetto a, scoperchiare (*una casa*).

to **unroot** /ʌn'ruːt/ v. t. (*spec. USA*) sradicare; svellere.

unroyal /ʌn'rɔɪəl/ a. poco regale; indegno di un re.

unruffled /ʌn'rʌfld/ a. **1** non arruffato; non increspato; liscio: **the u. surface of the lake**, la liscia superficie del lago **2** calmo; sereno; tranquillo.

unruled /ʌn'ruːld/ a. **1** non rigato; senza righe: **u. paper**, carta non rigata **2** (*polit.*) senza governo.

unruly /ʌn'ruːlɪ/ a. **1** indisciplinato; insubordinato; sregolato; riottoso; turbolento: **an u. son**, un figlio indisciplinato **2** (*fig.*) ribelle; che non sta a posto: **u. hair**, capelli ribelli ‖ **unruliness** n. Ⓤ indisciplina; insubordinazione; sregolatezza; riottosità.

UNRWA sigla (*ONU*, **United Nations Relief and Works Agency**) Agenzia di aiuto e lavoro delle Nazioni Unite (UNRRA).

to **unsaddle** /ʌn'sædl/ v. t. **1** dissellare; levare la sella a (*un cavallo*) **2** disarcionare (*una persona*) ‖ **unsaddled** a. **1** (*di cavallo*) dissellato; senza sella **2** (*di cavaliere*) disarcionato ‖ **unsaddling** n. Ⓤ (*equit.*) dissellaggio.

unsafe /ʌn'seɪf/ a. **1** pericoloso; rischioso; malsicuro • **u. sex**, sesso a rischio □ '**u. for swimming**' (*cartello*), 'balneazione pericolosa' | **-ly** avv. | **-ness** n. Ⓤ.

unsaid /ʌn'sɛd/ Ⓐ pass. e p. p. di **to unsay** Ⓑ a. non detto; taciuto; inespresso • **to leave st. u.**, non dire, sottacere qc.

unsalable /ʌn'seɪləbl/ e deriv. → **unsaleable** e deriv.

unsalaried /ʌn'sælərɪd/ a. senza stipendio; non retribuito.

unsaleable /ʌn'seɪləbl/ (*comm.*) a. invendibile ‖ **unsaleability** n. Ⓤ invendibilità.

unsalted /ʌn'sɔːltɪd/ a. non salato; scipito; insipido.

unsanctified /ʌn'sæŋktɪfaɪd/ a. non santificato; profano.

unsanctioned /ʌn'sæŋkʃnd/ a. non sanzionato; non sancito.

unsanitary /ʌn'sænɪtrɪ/ a. antigienico; malsano.

unsated /ʌn'seɪtɪd/ a. **1** insaziato **2** insoddisfatto.

unsatiable /ʌn'seɪʃəbl/ a. insaziabile.

unsatisfactoriness /ʌnsætɪs-'fæktərɪnəs/ n. Ⓤ l'esser poco soddisfacente; l'essere difettoso; insufficienza; manchevolezza.

unsatisfactory /ʌnsætɪs'fæktərɪ/ a. insoddisfacente; difettoso; malfatto; insufficiente; manchevole | **-ily** avv.

unsatisfied /ʌn'sætɪsfaɪd/ a. **1** insoddisfatto; scontento **2** non persuaso **3** (*di debito*) insoluto; non pagato • (*econ.*) **u. demand**, domanda insoddisfatta.

unsatisfying /ʌn'sætɪsfaɪɪŋ/ a. **1** insoddisfacente **2** non convincente.

unsaturated /ʌn'sætʃəreɪtɪd/ (*chim.*) a. insaturo; non saturo ‖ **unsaturation** n. Ⓤ insaturazione.

unsavable /ʌn'seɪvəbl/ a. **1** non salvabile; che non si può salvare **2** (*calcio, ecc.*: *di un tiro, un pallone*) imparabile.

unsaved /ʌn'seɪvd/ a. **1** non salvato (*an-*

a b c d e f g h i j k l m n o p q r s t u v w x y z

che relig.) **2** non risparmiato.

unsavouriness, (*USA*) **unsavoriness** /ʌnˈseɪvərɪnəs/ n. ⓤ **1** insipidezza; insipidità **2** l'essere disgustoso (*o* nauseabondo) **3** sgradevolezza (*del carattere, ecc.*).

unsavoury, (*USA*) **unsavory** /ʌnˈseɪvərɪ/ a. **1** insipido; senza sapore **2** disgustoso; nauseabondo: **an u. smell**, un odore nauseabondo **3** (*fig.*) sgradevole; brutto: **an u. character**, un brutto carattere.

to **unsay** /ʌnˈseɪ/ (pass. e p. p. **unsaid**), v. t. ritrattare; negare; ritirare (*cose dette*); rimangiarsi (*fig. fam.*).

unscalable /ʌnˈskeɪləbl/ a. non scalabile; inaccessibile; invalicabile.

unscannable /ʌnˈskænəbl/ a. (*poesia*) che non si può scandire.

unscared /ʌnˈskɛəd/ a. imperterrito; intrepido; impavido.

unscarred /ʌnˈskɑːd/ a. non sfregiato; senza cicatrici; illeso (*anche fig.*).

unscathed /ʌnˈskeɪðd/ a. illeso; incolume; sano e salvo.

unscented /ʌnˈsɛntɪd/ a. inodoro; non profumato.

unscheduled /ʌnˈʃɛdjuːld, *USA* -ˈskɛ-/ a. **1** non messo in lista; fuori programma **2** (*di treno, ecc.*) straordinario.

unscholarly /ʌnˈskɒləlɪ/ a. non (da) dotto; non erudito.

unschooled /ʌnˈskuːld/ a. **1** senza istruzione; illetterato; ignorante **2** (*pred.*) inesperto (*di qc.*); non addestrato (*in qc.*) **3** spontaneo; naturale: **u. talent**, talento naturale.

unscientific /ʌnsaɪənˈtɪfɪk/ a. poco scientifico; non scientifico | **-ally** avv.

UNSCOM /ˈʌnskɒm/ sigla (*polit.*, **United Nations Special Commission**) Commissione speciale delle Nazioni Unite (UNSCOM).

to **unscramble** /ʌnˈskræmbl/ v. t. **1** decodificare; decifrare **2** (*fig.*) chiarire; districare; sbrogliare; dipanare.

unscratched /ʌnˈskrætʃt/ a. incolume; indenne; senza farsi un graffio.

unscreened /ʌnˈskriːnd/ a. **1** non coperto; non protetto; non riparato; esposto (*al vento, ecc.*) **2** senza schermo **3** (*spec. del carbone*) non vagliato **4** (*di film*) non ancora proiettato; non ancora distribuito **5** (*di persona*) che non ha subìto il controllo dei servizi di sicurezza.

to **unscrew** /ʌnˈskruː/ v. t. e i. svitare, svitarsi.

unscripted /ʌnˈskrɪptɪd/ a. (*di discorso, ecc.*) improvvisato; a braccio; senza copione.

unscriptural /ʌnˈskrɪptʃərəl/ a. (*relig.*) non scritturale; non conforme alle Sacre Scritture: **u. interpretation**, interpretazione non scritturale.

unscrupulous /ʌnˈskruːpjuləs/ a. privo di scrupoli ‖ **unscrupulously** avv. senza scrupoli ‖ **unscrupulousness** n. ⓤ mancanza di scrupoli.

to **unseal** /ʌnˈsiːl/ v. t. dissigillare; togliere i sigilli a • (*fig.*) **to u. one's lips**, parlare; rivelare un segreto.

unsealed /ʌnˈsiːld/ a. senza sigillo; dissigillato.

to **unseam** /ʌnˈsiːm/ v. t. scucire.

unsearchable /ʌnˈsɜːtʃəbl/ a. inesplorabile; impenetrabile; imperscrutabile; misterioso | **-ness** n. ⓤ | **-bly** avv.

unsearched /ʌnˈsɜːtʃt/ a. **1** inesplorato **2** non perquisito.

unseasonable /ʌnˈsiːznəbl/ a. **1** fuori stagione: **u. heat**, caldo fuori stagione **2** (*fig.*) inopportuno; intempestivo; a sproposito | **-ness** n. ⓤ | **-bly** avv.

unseasoned /ʌnˈsiːznd/ a. **1** non stagionato: **u. wood**, legno non stagionato **2** (*fig.*) non abituato; inesperto; immaturo **3** (*di cibo*) non condito; scondito.

to **unseat** /ʌnˈsiːt/ v. t. **1** privare (q.) del posto a sedere; togliere la sedia a (q.) **2** (*equit.*) disarcionare: **to u. a rider**, disarcionare un cavaliere **3** dimettere (q.) da una carica **4** (*polit.*) far perdere il seggio a (*un deputato*); trombare (*fam.*): *He was unseated in the last election*, perse il seggio (in Parlamento) nelle ultime elezioni • **an unseated MP**, un deputato non rieletto (*fam.*: trombato).

unseaworthy /ʌnˈsiːwɜːðɪ/ (*naut.*) a. non idoneo alla navigazione ‖ **unseaworthiness** n. ⓤ inidoneità alla navigazione.

unseconded /ʌnˈsɛkəndɪd/ a. non assecondato; non appoggiato.

unsectarian /ʌnsɛkˈtɛərɪən/ a. non settario.

unsecured /ʌnsɪˈkjuəd/ a. **1** non assicurato; non fissato; non chiuso; non serrato **2** (*di un luogo*) malsicuro; insicuro **3** (*fin.*) non garantito; senza garanzia; allo scoperto: **u. loan**, prestito non garantito • (*leg., fin.*) **u. credit**, credito chirografario.

unseeded /ʌnˈsiːdɪd/ a. **1** (*agric.*) non selezionato come semente **2** (*sport, di un giocatore in un torneo*) non selezionato; jolly; (*tennis*) che non è testa di serie.

unseeing /ʌnˈsiːɪŋ/ a. **1** (*lett.*) cieco; che non vede; non vedente **2** senza vedere: *She looked, u., at him*, lo guardò, senza vederlo • **to look at sb.** [**st.**] **with u. eyes**, dare uno sguardo assente a q. [qc.] | **-ly** avv.

unseemly /ʌnˈsiːmlɪ/ a. indecente; indecoroso; sconveniente ‖ **unseemliness** n. ⓤ indecenza; sconvenienza.

unseen /ʌnˈsiːn/ Ⓐ a. **1** non visto; inosservato **2** invisibile; occulto: **u. ideal**, ideale invisibile Ⓑ n. **1** – **the u.**, il mondo invisibile; il mondo degli spiriti **2** (= **u. translation**) brano (*o* passo) per traduzione estemporanea; versione all'impronta.

unseizable /ʌnˈsiːzəbl/ a. **1** inafferrabile **2** (*leg.*) non confiscabile **3** (*di un pesce*) che non si può pescare (*perché troppo piccolo*).

unseized /ʌnˈsiːzd/ a. **1** non afferrato **2** (*fig.*) mancato: **an u. opportunity**, un'occasione mancata **3** (*leg.*) non confiscato.

unselfish /ʌnˈsɛlfɪʃ/ a. disinteressato; altruista; generoso | **-ly** avv. | **-ness** n. ⓤ.

unsensational /ʌnsɛnˈseɪʃənl/ a. non sensazionale.

unsent /ʌnˈsɛnt/ a. non mandato; non spedito • **They came u. for**, vennero senza essere stati chiamati (*o* convocati).

unsentimental /ʌnsɛntɪˈmɛntl/ a. non sentimentale.

unserviceable /ʌnˈsɜːvɪsəbl/ a. **1** inservibile; inutilizzabile; fuori uso; guasto **2** non servizievole; di nessun aiuto; inutile **3** (*di un indumento*) di scarsa praticità **4** (*mil.*) inabile.

unset /ʌnˈsɛt/ a. **1** non collocato; non messo a posto; non tornato a posto: *The trap is u.*, la trappola non è stata messa a posto (*caricata*) **2** non rappreso; non solidificato **3** (*di gemma*) non incastonato • **The broken leg is still u.**, la frattura alla gamba non è ancora stata ridotta.

to **unsettle** /ʌnˈsɛtl/ Ⓐ v. t. **1** mettere fuori posto; spostare; scombinare **2** (*fig.*) mettere in disordine (*lo stomaco, ecc.*) **3** (*fig.*) sconvolgere; agitare; turbare **4** (*calcio, ecc.*) scompaginare; scompigliare (*la difesa avversaria, ecc.*) Ⓑ v. i. agitarsi; turbarsi.

unsettled /ʌnˈsɛtld/ a. **1** sconvolto; agitato; disordinato; turbato; scompigliato: *His mind is still u.*, ha la mente ancora sconvolta; è ancora turbato; *The market is still u.*, il mercato è ancora agitato **2** indeciso; incerto; non definito; non stabilito: *The issue is still u.*, la questione è ancora indecisa **3** (*del tempo*) variabile; instabile; mutevole: **u. weather**, tempo instabile **4** (*comm.*) non pagato; non saldato; insoluto: *The account is still u.*, il conto è ancora insoluto **5** (*di un territorio*) disabitato; non popolato **6** (*di un popolo*) nomade.

unsettling /ʌnˈsɛtlɪŋ/ a. **1** che mette a disagio; disorientante; scombussolante **2** allarmante; preoccupante; inquietante | **-ly** avv.

unsevered /ʌnˈsɛvəd/ a. non separato; indiviso; unito.

to **unsew** /ʌnˈsəu/ (pass. **unsewed**, p. p. **unsewn**), v. t. scucire.

to **unsex** /ʌnˈsɛks/ v. t. **1** (*lett.*) privare (q.) delle caratteristiche del suo sesso **2** (*spec.*) rendere (*una donna*) virile; mascolinizzare **3** (*meno comune*) rendere (*un uomo*) effeminato.

unsexed /ʌnˈsɛkst/ a. (*zootecnia*: *di pulcini*) non ancora sessato; non separato per sesso.

to **unshackle** /ʌnˈʃækl/ v. t. **1** disinceppare; liberare **2** (*naut.*) smanigliare.

unshaded /ʌnˈʃeɪdɪd/ a. **1** non ombreggiato; senz'ombra **2** (*di disegno*) senza ombreggiatura.

unshadowed /ʌnˈʃædəud/ a. **1** non ombreggiato; senz'ombra **2** (*fig.*) non offuscato; non rattristato.

unshakable, **unshakeable** /ʌnˈʃeɪkəbl/ a. incrollabile; irremovibile; fermo, saldo | **-bly** avv.

unshaken /ʌnˈʃeɪkən/ a. non scosso; fermo; saldo; risoluto.

unshaped /ʌnˈʃeɪpt/ a. informe; senza forma.

unshapely /ʌnˈʃeɪplɪ/ a. deforme; malfatto; sgraziato.

unshapen /ʌnˈʃeɪpən/ **1** → **unshaped 2** → **unshapely**.

unshared /ʌnˈʃɛəd/ a. non condiviso; tutto intero; tutto per sé.

unshattered /ʌnˈʃætəd/ a. non scosso; saldo; fermo: **u. nerves**, nervi saldi.

unshaved /ʌnˈʃeɪvd/, **unshaven** /ʌnˈʃeɪvn/ a. non rasato; non sbarbato.

to **unsheathe** /ʌnˈʃiːð/ v. t. sguainare; sfoderare (*la spada, ecc.*).

unshelled /ʌnˈʃɛld/ a. non sgusciato; non sgranato.

unsheltered /ʌnˈʃɛltəd/ a. senza riparo; esposto; non protetto.

to **unship** /ʌnˈʃɪp/ Ⓐ v. t. (*naut.*) **1** scaricare, sbarcare (*passeggeri, merci*) **2** smontare (*un'elica, ecc.*) **3** disarmare (*i remi, ecc.*) Ⓑ v. i. (*naut.*) sbarcare.

unshocked /ʌnˈʃɒkt/ a. non scosso; imperturbato; impassibile.

unshod /ʌnˈʃɒd/ Ⓐ pass. e p. p. di **to unshoe** Ⓑ a. **1** (*raro*) non calzato; senza scarpe; scalzo **2** (*di cavallo*) non ferrato; senza i ferri.

unshorn /ʌnˈʃɔːn/ a. (*d'animale*) non tosato; intonso.

unshot /ʌnˈʃɒt/ a. **1** (*di persona*) non colpito (*da arma da fuoco*); incolume **2** (*di fucile, ecc.*) non scaricato; che non ha sparato.

unshrinkable /ʌnˈʃrɪŋkəbl/ a. (*di tessuto, di capo di vestiario*) irrestringibile.

unshrinking /ʌnˈʃrɪŋkɪŋ/ a. **1** irrestringibile **2** che non arretra; che non si tira indietro; impavido; intrepido | **-ly** avv.

unshut /ʌnˈʃʌt/ a. non chiuso; aperto.

unshuttered /ʌnˈʃʌtəd/ a. (*edil.*: *di finestra*) senza persiane; senza imposte; senza scuri.

unsifted /ʌnˈsɪftɪd/ a. non setacciato; non vagliato (*anche fig.*).

to **unsight** /ʌn'saɪt/ v. t. coprire; fare velo a (q.); impedire a (q.) di vedere: (*calcio, ecc.*) **to u. the goalkeeper**, coprire il portiere.

unsighted /ʌn'saɪtɪd/ a. **1** non scorto; non in vista: *The ship is still u.*, la nave non è ancora in vista **2** senza mirino **3** fuori visuale; coperto; in condizione di non poter vedere.

unsightly /ʌn'saɪtlɪ/ a. brutto; sgradevole; sgraziato ‖ **unsightliness** n. ◫ bruttezza; mancanza di grazia.

unsigned /ʌn'saɪnd/ a. non firmato; senza firma.

unsinkable /ʌn'sɪŋkəbl/ a. **1** (*naut.*) inaffondabile; insommergibile **2** (*fig. fam.*) che non si deprime; che non si avvilisce.

unsisterly /ʌn'sɪstəlɪ/ a. indegno di una sorella; non da sorella.

unsized① /ʌn'saɪzd/ a. **1** (*di vernice*) senza colla **2** (*di carta o tessuto*) non imbozzimato; senza appretto.

unsized② /ʌn'saɪzd/ a. non classificato (*o* non fatto) secondo la misura.

unskilful /ʌn'skɪlfl/ a. inabile; inesperto; malaccorto; maldestro | **-ly** avv. | **-ness** n. ◫.

unskilled /ʌn'skɪld/ a. **1** inabile; inesperto **2** (*ind.*) non qualificato; non specializzato: **u. labour**, manodopera non specializzata; manovalanza; **u. worker**, operaio non specializzato; manovale ● (*econ.*) **u. occupation**, occupazione che non richiede specializzazione □ **to be quite u. at fencing**, non sapere affatto tirare di scherma.

unskimmed /ʌn'skɪmd/ a. (*del latte*) non scremato.

unslakeable /ʌn'sleɪkəbl/ a. (*della sete e* *fig.*) inappagabile; insaziabile.

unslaked /ʌn'sleɪkt/ a. **1** non smorzato; non spento **2** (*della sete, dell'ambizione, ecc.*) non appagato; insaziato ● **u. lime**, calce viva.

unsleeping /ʌn'sliːpɪŋ/ a. **1** che non dorme; desto; sveglio **2** (*fig.*) vigile; vigilante; guardingo.

to **unsling** /ʌn'slɪŋ/ (pass. e p. p. *unslung*), v. t. **1** togliersi (*un fucile, ecc.*) di tracolla **2** (*naut.*) sbracare, togliere l'imbracatura a (*pennoni, ecc.*).

unsmoked /ʌn'sməʊkt/ a. **1** non fumato **2** non affumicato.

to **unsnap** /ʌn'snæp/ v. t. sganciare; liberare (qc.) facendo scattare un arresto.

unsober /ʌn'səʊbə(r)/ a. **1** dedito al bere **2** ubriaco **3** (*form.*) intemperante.

unsociability /ʌnsəʊʃə'bɪlətɪ/ n. ◫ mancanza di socievolezza; scontrosità.

unsociable /ʌn'səʊʃəbl/ a. non socievole; insocievole; scontroso | **-ness** n. ◫ | **-bly** avv.

ⓘ Nota: *unsociable o unsocial?*
L'aggettivo *unsociable* significa "asociale" nel senso di "poco socievole": *After the meeting, I joined the others in the pub, not wishing to appear unsociable*, dopo la riunione, andai con gli altri al pub, perché non volevo sembrare poco socievole; anche l'aggettivo *unsocial* significa "asociale", ma si usa molto pure in espressioni come *to work unsocial hours*, lavorare a orari impossibili (ad esempio di notte, la mattina presto o durante il weekend).

unsocial /ʌn'səʊʃl/ a. **1** insociale; asociale **2** non socievole; insocievole; scontroso: **an u. nature**, un carattere poco socievole ● **to work u. hours**, lavorare in orari impossibili (o scomodissimi) **ⓘ Nota:** *unsociable o* *unsocial?* → **unsociable**.

unsoiled /ʌn'sɔɪld/ a. **1** non sporcato; pulito **2** (*fig.*) non contaminato; incontaminato; immacolato.

unsold /ʌn'səʊld/ a. invenduto ● **u. goods**

(*o* **unsolds**), le giacenze di magazzino; l'invenduto.

to **unsolder** /ʌn'səʊldə(r)/ v. t. (*mecc.*) dissaldare.

unsoldierly /ʌn'səʊldʒəlɪ/ a. non da militare; non soldatesco; indegno d'un soldato.

unsolicited /ʌnsə'lɪsɪtɪd/ a. non richiesto; non sollecitato; spontaneo.

unsolvable /ʌn'sɒlvəbl/ a. insolubile; non risolvibile.

unsolved /ʌn'sɒlvd/ a. insoluto; non risolto.

unsophisticated /ʌnsə'fɪstɪkeɪtɪd/ a. **1** non sofisticato; non adulterato; genuino **2** non sofisticato; semplice; schietto ‖ **unso-** **phistication** n. ◫ semplicità; schiettezza; naturalezza.

unsorted /ʌn'sɔːtɪd/ a. **1** (*spec. comm.*) non scelto; non selezionato **2** non classificato.

unsought /ʌn'sɔːt/ a. non ricercato; non richiesto; spontaneo.

unsound /ʌn'saʊnd/ a. **1** difettoso; imperfetto; guasto; avariato: **u. timber**, legname difettoso; **u. fruit**, frutta guasta (*o* marcia) **2** infermo; malato; malsano: **u. lungs**, polmoni malati **3** errato; erroneo; fallace; falso; sbagliato: **an u. doctrine**, una dottrina fallace; **an u. policy**, una politica sbagliata **4** malsicuro; incerto; instabile: **an u. position**, una posizione instabile **5** (*fig.*) corrotto; vizioso ● **u. reasoning**, ragionamenti che non reggono □ **u. sleep**, sonno agitato **2** (*di un provvedimento*) **economically u.**, antieconomico □ (*leg.*) **of u. mind**, incapace di intendere e di volere.

unsounded① /ʌn'saʊndɪd/ a. **1** (*naut.*) non scandagliato; insondato **2** (*fig.*) inesplorato; sconosciuto.

unsounded② /ʌn'saʊndɪd/ a. (*fon.*) non pronunciato; muto.

unsoundly /ʌn'saʊndlɪ/ avv. **1** in modo difettoso; imperfettamente **2** erroneamente; in modo sbagliato.

unsoundness /ʌn'saʊndnəs/ n. ◫ **1** difettosità; imperfezione; l'esser guasto **2** infermità; cattiva salute; cagionevolezza **3** erroneità; fallacia; falsità **4** incertezza; instabilità.

unsoured /ʌn'saʊəd/ a. **1** (*di latte, ecc.*) non inacidito; non cagliato **2** (*fig.: del carattere, ecc.*) non inacidito; non inasprito.

unsown /ʌn'səʊn/ a. (*agric.*) non seminato.

unsparing /ʌn'speərɪŋ/ a. **1** generoso; liberale; prodigo **2** crudele; inesorabile; spietato **3** che non si risparmia; laborioso; zelante ● **to give with an u. hand**, dare a piene mani (*o* con grande generosità) □ **to** **work with u. energy**, lavorare senza risparmio di energie | **-ly** avv. | **-ness** n. ◫.

to **unspeak** /ʌn'spiːk/ (pass. **unspoke**, p. p. **unspoken**), v. t. ritrattare; disdire; negare.

unspeakable /ʌn'spiːkəbl/ a. **1** indicibile; inesprimibile; ineffabile; indescrivibile: **u. delight**, gioia ineffabile; **u. pain**, dolore indicibile **2** che è bene tacere; da non dirsi; immenzionabile **3** inqualificabile; odioso; pessimo: '*The English country gentleman galloping after a fox – the u. in full pursuit of the uneatable*' O. WILDE, 'il signorotto di campagna inglese che galoppa dietro una volpe – l'inqualificabile in caccia sfrenata dell'immangiabile' (*fam.*) **an u. bore**, un tremendo seccatore | **-bly** avv.

unspecified /ʌn'spesɪfaɪd/ a. non specificato.

unspectacular /ʌnspek'tækjʊlə(r)/ a. non spettacolare; non eccezionale; poco brillante; ordinario; modesto | **-ly** avv.

unspent /ʌn'spent/ a. **1** non speso; intat-

to **2** inconsumato; non consumato **3** (*di vi-* *gore e sim.*) inesausto; non esaurito ● (*di somme di denaro stanziate*) **to go u.**, non essere speso.

unspilt /ʌn'spɪlt/ a. (*di liquido*) non versato; non rovesciato.

unspiritual /ʌn'spɪrɪtʃʊəl/ a. non spirituale; materiale.

unspoiled /ʌn'spɔɪld/, **unspoilt** /ʌn'spɔɪlt/ a. **1** non guasto; non sciupato; intatto: **u. landscape**, paesaggio intatto **2** (*di bambino, ecc.*) non guastato; non viziato.

unspoke /ʌn'spəʊk/ pass. di **to unspeak**.

unspoken /ʌn'spəʊkən/ Ⓐ p. p. di **to un-** **speak** Ⓑ a. non detto; inespresso; taciuto ● **an u. agreement**, un tacito accordo.

unsponsored /ʌn'spɒnsəd/ a. (*sport*) non sponsorizzato; privo di sponsor; senza sponsor.

unsporting /ʌn'spɔːtɪŋ/, **unsports-** **manlike** /ʌn'spɔːtsmənlaɪk/ a. **1** indegno d'uno sportivo; non (da) sportivo; antisportivo **2** (*fig.*) sleale; gretto; ingeneroso; meschino; vile.

unsportsmanlike /ʌn'spɔːtsmənlaɪk/ a. indegno di uno sportivo; antisportivo.

unspotted /ʌn'spɒtɪd/ a. **1** non macchiato; senza macchie **2** (*fig.*) senza macchia; immacolato; incontaminato; puro **3** (*zool.*) non maculato; non pezzato; non screziato.

unsprung /ʌn'sprʌŋ/ a. **1** (*di poltrone, vei-* *coli, ecc.*) non provvisto di molle; non molleggiato **2** (*mecc.: di peso*) non sospeso elasticamente **3** (*mecc.*) rigido: (*autom.*) **u.** **axle**, assale rigido; ponte (posteriore) rigido.

unstable /ʌn'steɪbl/ a. instabile (*anche* *fis.*); incerto; malfermo; incostante; volubile: (*chim.*) **u. compounds**, composti instabili; **an u. temper**, un carattere volubile ● (*fis.* *nucl.*) **u. particle**, particella instabile **2** (*psic.*) **psychically u.**, psicolabile | **-ness** n. ◫ | **-bly** avv.

unstainable /ʌn'steɪnəbl/ a. (*di tessuto, ecc.*) antimacchia.

unstained /ʌn'steɪnd/ a. **1** non macchiato; non tinto **2** (*spec. fig.*) immacolato; incontaminato; puro.

unstamped /ʌn'stæmpt/ a. **1** (*di docu-* *mento*) senza bollo **2** (*di lettera*) senza francobollo; non affrancato ● **u. paper**, carta libera □ (*fin.*) **u. shares**, azioni non stampigliate.

unstarched /ʌn'stɑːtʃt/ a. **1** non inamidato; senz'amido; (*di un colletto*) floscio **2** (*fig.*) che non sta sulle sue; cordiale.

unstated /ʌn'steɪtɪd/ a. non dichiarato; taciuto.

unstatesmanlike /ʌn'steɪtsmənlaɪk/ a. indegno d'uno statista.

unstatutable /ʌn'stætʃʊtəbl/ a. (*leg.*) non statutario: **u. procedure**, procedura non statutaria.

unsteadiness /ʌn'stedɪnəs/ n. ◫ **1** instabilità; l'essere malfermo; scarsa solidità **2** (*fig.*) incostanza; irresolutezza; titubanza; volubilità **3** instabilità; irregolarità; variabilità **4** (*di un giocatore*) discontinuità.

unsteady /ʌn'stedɪ/ a. **1** instabile; malfermo; poco solido; barcollante; traballante; insicuro: **with an u. hand**, con mano malferma; *The table is u.*, la tavola è traballante; (*alpinismo*) **an u. foothold**, un appiglio insicuro **2** (*fig.*) incostante; irresoluto; titubante; volubile **3** instabile; irregolare; variabile: **u. prices**, prezzi instabili; **u. winds**, venti variabili | **-ily** avv.

to **unsteel** /ʌn'stiːl/ v. t. (*fig.*) addolcire (*i sentimenti, ecc.*); rendere tenero; intenerire (*il cuore di q.*).

to **unstick** /ʌn'stɪk/ (pass. e p. p. *un-* *stuck*), v. t. scollare; staccare.

a
b
c
d
e
f
g
h
i
j
k
l
m
n
o
p
q
r
s
t
u
v
w
x
y
z

unstinted /ʌn'stɪntɪd/ a. **1** abbondante; copioso; illimitato **2** generoso; munifico; prodigo.

unstinting /ʌn'stɪntɪŋ/ a. **1** → **unstinted 2** dato liberalmente; di tutto cuore; senza riserve.

unstirred /ʌn'stɜːd/ a. **1** non agitato; calmo; sereno; tranquillo **2** (di un oggetto) non spostato; lasciato al suo posto.

to **unstitch** /ʌn'stɪtʃ/ v. t. scucire; disfare.

to **unstop** /ʌn'stɒp/ v. t. **1** stappare (una bottiglia, ecc.) **2** sturare; aprire; stasare (un tubo, ecc.).

unstoppable /ʌn'stɒpəbl/ a. **1** inarrestabile; irrefrenabile; che non si riesce a fermare **2** (di un tiro) inarrestabile; imparabile.

to **unstopper** /ʌn'stɒpə(r)/ v. t. **1** cavare il tappo (o lo zipolo) a; stappare; sturare **2** (fig.) dare la stura a; dare libero sfogo a; liberalizzare (l'economia, ecc.).

unstored /ʌn'stɔːd/ a. **1** non messo in serbo; non immagazzinato **2** sprovvisto (di merci, ecc.) **3** (comput.) non memorizzato.

to **unstow** /ʌn'stəʊ/ v. t. (naut.) distivare; scaricare.

unstrained /ʌn'streɪnd/ a. **1** non filtrato; non passato al filtro **2** non sforzato; non sottoposto a sforzo **3** (fig.) non forzato; spontaneo; naturale.

to **unstrap** /ʌn'stræp/ v. t. **1** liberarsi di (un carico, uno zaino, ecc.) assicurato con cinghie **2** slacciare (una cintura, ecc.).

unstratified /ʌn'strætɪfaɪd/ a. (geol.) non stratificato.

unstressed /ʌn'strɛst/ a. **1** (fon.) atono; non accentato **2** non evidenziato; non messo in risalto; non sottolineato (fig.).

to **unstring** /ʌn'strɪŋ/ (pass. e p. p. **unstrung**), v. t. **1** togliere le corde a (uno strumento musicale, ecc.); togliere la corda a (un arco) **2** sfilare (perle, i grani di un rosario, ecc.) **3** allentare; rilasciare; sciogliere **4** (fig.) sconvolgere; snervare; turbare.

unstructured /ʌn'strʌktʃəd/ a. **1** non organizzato; non strutturato **2** (moda) destrutturato.

unstrung /ʌn'strʌŋ/ ▲ pass. e p. p. di to **unstring** ◼ a. **1** (d'arco) senza corda; (di strumento musicale, ecc.) senza le corde, con le corde allentate **2** (fig.: di persona) sconvolto; snervato; turbato.

unstuck /ʌn'stʌk/ ▲ pass. e p. p. di to **unstick** ◼ a. scollato; staccato ● to **come u.**, scollarsi; staccarsi; (mecc.) disinnestarsi, liberarsi; (fig.: di una persona, di un piano, ecc.) andar male, andare a rotoli, fallire.

unstudied /ʌn'stʌdɪd/ a. **1** non studiato (a scuola, ecc.) **2** facile; naturale; spontaneo: **u. eloquence**, eloquenza facile; **u. grace**, grazia spontanea.

unstuffed /ʌn'stʌft/ a. **1** non impagliato **2** non imbottito.

unstylish /ʌn'staɪlɪʃ/ a. non alla moda; non elegante.

unsubdued /ʌnsəb'djuːd/ a. **1** (di cavallo, ecc.) non domato **2** indomito; invitto.

unsubmissive /ʌnsəb'mɪsɪv/ a. ribelle; restio; riottoso.

to **unsubscribe** /ʌnsəb'skraɪb/ v. t. **1** disdire l'abbonamento a (un giornale, ecc.) **2** (comput.) cancellare l'iscrizione a (un servizio).

unsubsidized /ʌn'sʌbsɪdaɪzd/ a. (econ.) non sovvenzionato.

unsubstantial /ʌnsəb'stænʃl/ a. **1** incorporeo; chimerico; fantastico; immateriale: **u. visions**, visioni fantastiche **2** inconsistente; leggero: **an u. argument**, un'argomentazione inconsistente; (poet.) **u. air**, l'aere leggero **3** poco sostanzioso; leggero **4** poco solido; malfermo; instabile ‖ **un-**

substantiality n. Ⓤ **1** incorporeità; immaterialità **2** inconsistenza; leggerezza **3** mancanza di solidità; scarsa solidità; instabilità.

unsubstantiated /ʌnsəb'stænʃɪeɪtɪd/ a. non confermato; non comprovato; campato in aria.

unsuccess /ʌnsək'sɛs/ n. insuccesso.

unsuccessful /ʌnsək'sɛsfl/ a. **1** che non ha avuto successo; fallito; sconfitto; respinto; bocciato: **an u. actor**, un attore che non ha avuto successo (o che non ha sfondato); **u. candidate**, candidato sconfitto; candidato respinto (o bocciato); *Your application has been u.*, la Sua domanda non è stata accolta **2** senza successo; infruttuoso; vano: **u. search**, una ricerca infruttuosa ● to **prove u.**, non avere successo; dimostrarsi vano; non avere esito; fallire ▢ (leg.) the **u. party**, la parte soccombente (in giudizio) | **-ly** avv. | **-ness** n. Ⓤ.

unsuitability /ʌnsuːtə'bɪlɪtɪ/ n. Ⓤ **1** l'essere disadatto; inadeguatezza **2** sconvenienza; inopportunità.

unsuitable /ʌn'suːtəbl/ a. **1** disadatto; inadatto; inadeguato; inidoneo: **u. to work**, inidoneo al lavoro **2** sconveniente; inopportuno | **-ness** n. Ⓤ | **-bly** avv.

unsuited /ʌn'suːtɪd/ a. **1** disadatto; inadatto; inadeguato; inidoneo **2** non appropriato; inopportuno; sconveniente ● **They are u. to each other**, non sono fatti l'uno per l'altro.

unsullied /ʌn'sʌlɪd/ a. **1** non macchiato; senza macchie **2** (fig. lett.) senza macchia; immacolato; puro.

unsung /ʌn'sʌŋ/ a. **1** non cantato **2** (fig.) misconosciuto; non cantato, non celebrato: **an u. hero**, un eroe non celebrato (o misconosciuto).

unsupplied /ʌnsə'plaɪd/ a. **1** sfornito; sprovvisto: **to be u. with st.**, essere sprovvisto di qc. **2** (comm.) non consegnato; non fornito; non spedito **3** (econ.: della domanda) non soddisfatta.

unsupportable /ʌnsə'pɔːtəbl/ a. **1** insopportabile; intollerabile **2** insostenibile; non comprovabile; indifendibile: **u. reasons**, ragioni indifendibili.

unsupported /ʌnsə'pɔːtɪd/ a. **1** non sostenuto; non appoggiato; senza aiuto; privo di sostegno finanziario, indifeso **2** non comprovato; non confermato **3** (archit.) senza sostegno; senza pilastri.

unsure /ʌn'ʃʊə(r)/ a. **1** incerto; non sicuro; insicuro; dubbioso: *They are u. of their future*, sono incerti sul proprio futuro **2** (di un fatto) incerto; indeciso **3** precario; malsicuro; poco solido ● **u. of oneself**, insicuro.

unsurmountable /ʌnsə'maʊntəbl/ a. insormontabile.

unsurpassable /ʌnsə'pɑːsəbl/ a. insorpassabile; insuperabile.

unsurpassed /ʌnsə'pɑːst/ a. insuperato; insorpassato.

unsurprising /ʌnsə'praɪzɪŋ/ a. non sorprendente; prevedibile; immaginabile | **-ly** avv.

unsurrendered /ʌnsə'rɛndəd/ a. **1** non consegnato; non restituito **2** (mil.) che non è stato ceduto (al nemico); che non si è arreso.

unsurveyed /ʌnsə'veɪd/ a. **1** non indagato; non esaminato; non ispezionato **2** non periziato **3** (di terreno) non ancora cartografato.

unsusceptible /ʌnsə'sɛptəbl/ a. non suscettibile (di); non soggetto (a); refrattario (a): **u. to disease**, non soggetto a malattie.

unsuspected /ʌnsə'spɛktɪd/ a. **1** non sospettato; non sospettato **2** imprevisto; inatteso; inaspettato.

unsuspecting /ʌnsə'spɛktɪŋ/ a. non sospettoso; senza sospetto; fiducioso; che non diffida | **-ly** avv.

unsuspicious /ʌnsə'spɪʃəs/ a. **1** che non desta sospetto **2** privo di sospetti; non sospettoso; senza diffidenza | **-ly** avv.

unsustainable /ʌnsə'steɪnəbl/ a. **1** insostenibile; indifendibile; che non regge: **an u. argument**, un'argomentazione che non regge **2** (ecol., econ.) insostenibile: **u. growth**, crescita insostenibile; **u. development**, sviluppo insostenibile.

unsustained /ʌnsə'steɪnd/ a. non sostenuto.

to **unswathe** /ʌn'sweɪð/ v. t. sbendare; sfasciare.

unswayed /ʌn'sweɪd/ a. non mosso; non influenzato; non soggetto a influssi: **u. by personal motives**, non mosso da motivi personali.

to **unswear** /ʌn'sweə(r)/ (pass. **unswore**, p. p. **unsworn**), v. t. e i. abiurare; rinnegare (un giuramento).

unsweetened /ʌn'swiːtnd/ a. non addolcito; non zuccherato.

unswept /ʌn'swɛpt/ a. non spazzato; non scopato.

unswerving /ʌn'swɜːvɪŋ/ a. **1** fermo; saldo; (fig.) irremovibile, fedele: **u. support**, sostegno incrollabile **2** diritto; che tira diritto; che non devia | **-ly** avv.

unsworn /ʌn'swɔːn/ ▲ p. p. di to **unswear** ◼ a. **1** (di giuramento) non prestato **2** (leg.: di testimone, ecc.) che non ha prestato giuramento; (di testimonianza) non suffragata da giuramento.

unsymmetrical /ʌnsɪ'mɛtrɪkl/, **unsymmetric** /ʌnsɪ'mɛtrɪk/ a. asimmetrico | **-ly** avv.

unsympathetic /ʌnsɪmpə'θɛtɪk/ a. non comprensivo; freddo; indifferente; poco cordiale | **-ally** avv.

unsympathizing /ʌn'sɪmpəθaɪzɪŋ/ a. che non mostra comprensione; poco cordiale; freddo; indifferente.

unsystematic /ʌnsɪstə'mætɪk/ a. non sistematico; senza metodo | **-ally** avv.

to **untack** /ʌn'tæk/ v. t. **1** disgiungere; separare; staccare **2** sbullettare **3** (sartoria) sbastire.

untainted /ʌn'teɪntɪd/ a. **1** incorrotto; non guasto **2** (fig.) incontaminato; immacolato; puro.

untaken /ʌn'teɪkən/ a. **1** non preso **2** (di posto) non occupato; libero.

untalented /ʌn'tæləntɪd/ a. non dotato; senza disposizione (per un'arte, una scienza, ecc.); di scarso ingegno.

untamable /ʌn'teɪməbl/ a. indomabile; non addomesticabile.

untamed /ʌn'teɪmd/ a. indomito; non addomesticato.

to **untangle** /ʌn'tæŋgl/ v. t. districare; sbrogliare; dipanare (una matassa, una faccenda, ecc.).

untanned /ʌn'tænd/ a. **1** non conciato; greggio; grezzo: **u. hides**, pelli gregge **2** non abbronzato (dal sole).

untapped /ʌn'tæpt/ a. **1** (di liquido) non spillato **2** (fig.: di fondi, risorse, ecc.) inutilizzato; disponibile; a disposizione; non sfruttato.

untarnished /ʌn'tɑːnɪʃt/ a. **1** non macchiato; senza macchie **2** (fig.) senza macchia; immacolato; puro: **an u. reputation**, una reputazione senza macchia.

untasted /ʌn'teɪstɪd/ a. **1** non assaggiato; non gustato; (fig.) non apprezzato **2** (di cibo) non toccato; intatto.

untaught /ʌn'tɔːt/ a. **1** privo di istruzione; ignorante; incolto **2** non studiato; innato; naturale; spontaneo.

to **untax** /ʌn'tæks/ v. t. (*fisc.*) esentare (q., qc.) dalle imposte; detassare.

untaxed /ʌn'tækst/ a. (*fisc.*) **1** esente da imposte **2** (*di conto spese, ecc.*) non tassato; detraibile (*dalle imposte*); esentasse (*bur.*).

unteachable /ʌn'tiːtʃəbl/ a. **1** che non apprende facilmente; non educabile; poco ricettivo **2** assai difficile da insegnare.

untearable /ʌn'tɛərəbl/ a. non lacerabile.

untempered /ʌn'tɛmpəd/ a. **1** (*di vetro*) non temprato **2** (*metall.*) non temprato; non rinvenuto: **u. steel**, acciaio non temprato **3** (*fig.*) non temperato; non mitigato; estremo.

untempted /ʌn'tɛmptɪd/ a. non sottoposto a tentazioni; non allettato.

untempting /ʌn'tɛmptɪŋ/ a. **1** poco allettante; non attraente; che non ispira (*fam.*) **2** (*di cibo*) poco appetitoso.

untenable /ʌn'tɛnəbl/ a. **1** (*mil.*) indifendibile; insostenibile: **an u. position**, una posizione insostenibile **2** (*fig.: di una tesi, ecc.*) insostenibile || **untenability** n. ⚏ l'essere indifendibile (*anche mil.*); insostenibilità (*di una tesi, ecc.*).

untenantable /ʌn'tɛnəntəbl/ a. (*leg.*) non concedibile in affitto; non locabile.

untenanted /ʌn'tɛnəntɪd/ a. non affittato; sfitto: **an u. flat**, un appartamento sfitto.

untended /ʌn'tɛndɪd/ a. non curato; non sorvegliato; incustodito: '*Leave u. the herd, / The flock without shelter*' W. Scott, 'lascia incustodita la mandria / e il gregge senza riparo'.

untested /ʌn'tɛstɪd/ a. non provato; non collaudato; non sperimentato.

to **untether** /ʌn'tɛðə(r)/ v. t. slegare; liberare dalle pastoie.

unthanked /ʌn'θæŋkt/ a. non ringraziato.

unthankful /ʌn'θæŋkfl/ a. **1** ingrato; sgradevole; spiacevole **2** senza riconoscenza; non riconoscente; ingrato | **-ly** avv. | **-ness** n. ⚏.

unthawed /ʌn'θɔːd/ a. **1** non sgelato; non fuso; non sciolto **2** (*fig.*) che sta ancora sulle sue.

unthinkable /ʌn'θɪŋkəbl/ a. **1** impensabile; inimmaginabile **2** (*fam.*) improbabile; inverosimile; impossibile | **-ness** n. ⚏ | **-bly** avv.

unthinking /ʌn'θɪŋkɪŋ/ a. **1** irriflessivo; leggero (*fig.*); sbadato; spensierato; sventato **2** irragionevole; che non ragiona ● **u. obedience**, obbedienza cieca | **-ly** avv.

unthought /ʌn'θɔːt/ a. **1** non pensato; non premeditato; spontaneo **2** impensato; imprevisto; inatteso.

unthoughtful /ʌn'θɔːtfl/ a. **1** spensierato; sbadato; sventato **2** senza riguardi; irriguardoso; privo di attenzioni; che non pensa agli altri.

unthought-of /ʌn'θɔːtɒv/ a. **1** impensato; inaspettato; imprevisto **2** impensabile; inimmaginabile.

to **unthread** /ʌn'θrɛd/ v. t. **1** sfilare (*un ago, perline, ecc.*) **2** (*fig.*) districare; sciogliere: **to u. a mystery**, sciogliere un mistero **3** trovare la via di uscita da (*un labirinto* e *fig.*).

unthrift /ʌn'θrɪft/ n. **1** ⚏ mancanza di parsimonia; spreco **2** (*arc.*) sprecone.

unthrifty /ʌn'θrɪftɪ/ a. **1** non parsimonioso; prodigo; scialacquatore **2** (*di albero o animale*) che cresce male; stentato.

to **unthrone** /ʌn'θrəʊn/ v. t. detronizzare; deporre (*un re*).

untidiness /ʌn'taɪdɪnəs/ n. ⚏ disordine; confusione; sciatteria; trascuratezza; trasandatezza.

untidy /ʌn'taɪdɪ/ a. disordinato; sciatto; trascurato; trasandato ● **u. hair**, capelli arruffati | **-ily** avv.

to **untie** /ʌn'taɪ/ **A** v. t. **1** slegare; slacciare; disfare (*un nodo, ecc.*) **2** sciogliere; liberare (*anche fig.*) **B** v. i. sciogliersi; slegarsi.

◆ **until** /ən'tɪl, ʌn-/ **A** prep. fino a; sino a; fino al momento di; prima di: **u. their departure**, fino alla loro partenza; *The show doesn't begin u. half past nine*, lo spettacolo non comincia prima delle nove e mezza **B** cong. finché (non); fino a quando; fino al momento che: *He waited u. the rain stopped*, aspettò finché smise di piovere; *U. you told me, I was quite unaware*, finché non me lo hai detto tu, ero all'oscuro di tutto.

untiled /ʌn'taɪld/ a. **1** (*di tetto, ecc.*) senza tegole; privo di coppi **2** (*edil.*) non piastrellato.

untilled /ʌn'tɪld/ a. (*di terreno*) incolto; non coltivato.

untimely /ʌn'taɪmlɪ/ a. **1** inopportuno; intempestivo: **an u. visit**, una visita inopportuna **2** prematuro: *His was an u. end*, fece una fine prematura | **untimeliness** n. ⚏ **1** inopportunità; intempestività **2** prematurità.

untinged /ʌn'tɪndʒd/ a. **1** non tinto; non colorato **2** (*fig.*) senza tracce (*di qc.*); esente, immune (da) ● **not u. with**, non esente da; non privo di.

untired /ʌn'taɪəd/ a. non stanco; inesausto; indefesso.

untiring /ʌn'taɪərɪŋ/ a. instancabile; infaticabile; strenuo | **-ly** avv.

untitled /ʌn'taɪtld/ a. **1** senza titolo: **an u. book**, un libro senza titolo **2** (*leg.*) che non ha titolo (*o* diritto): **an u. tyrant**, un tiranno usurpatore **3** che non ha titoli onorifici.

unto /'ʌntuː/ (*arc., lett.*) → **to** ① e (3).

untogether /ʌntə'gɛðə(r)/ a. (*slang USA*) **1** scombussolato; scombinato; fuori di sé; suonato (*pop.*); imbranato (*fam.*) **2** (*della situazione, ecc.*) confuso; incasinato (*pop.*); impasticciato.

untold /ʌn'təʊld/ a. **1** non detto; non raccontato; taciuto; inespresso **2** non contato; non numerato **3** (*lett.*) innumerevole; incalcolabile; enorme; inaudito ● **u. gold**, oro a mucchi.

untorn /ʌn'tɔːn/ a. non lacerato; non lacero; intatto; integro.

untouchable /ʌn'tʌtʃəbl/ **A** a. **1** intoccabile (*anche fig.*); intangibile **2** (*fig.*) inaccessibile; irraggiungibile; fuori portata **B** n. (*in India*) intoccabile; paria || **untouchability** n. ⚏ l'essere intoccabile (*spec., in India, di una paria e della sua casta*).

untouched /ʌn'tʌtʃt/ a. **1** non toccato; intatto: **u. snow**, neve intatta **2** (*fig.*) non commosso; imperturbato; indifferente **3** (*fig.*) indenne; immune: **u. by scandal**, immune dagli scandali **4** (*raro*) senza pari; ineguagliato ● **to leave one's dinner u.**, non toccar cibo; lasciare il pranzo intatto □ **to leave a subject u.**, non far menzione di (*o* non sfiorare nemmeno) un argomento.

untoward /ʌntə'wɔːd/ a. (*form.*) **1** sfortunato; infelice; infausto; sfavorevole; avverso: **an u. accident**, uno sfortunato incidente **2** (*di un oggetto*) poco maneggevole; scomodo **3** (*di persona*) intrattabile; ribelle; riottoso; recalcitrante: **an u. generation**, una generazione ribelle **4** sconveniente; sconveniente | **-ly** avv. | **-ness** n. ⚏.

untraceable /ʌn'treɪsəbl/ a. **1** non tracciabile **2** non rintracciabile; introvabile; irreperibile.

untraced /ʌn'treɪst/ a. non rintracciato; di cui si sono perse le tracce.

untracked /ʌn'trækt/ a. **1** non seguito; non pedinato; non inseguito **2** (*di sentiero*) non segnato da orme; poco battuto.

untractable /ʌn'træktəbl/ a. (*raro*) intrat-tabile.

untradeable /ʌn'treɪdəbl/ a. non commerciabile; che non si può mettere in commercio; incedibile; invendibile.

untrained /ʌn'treɪnd/ a. **1** non esercitato; inesperto: **to the u. eye**, all'occhio inesperto; al profano **2** (*di personale, ecc.*) impreparato; non addestrato **3** (*di un animale*) non ammaestrato.

untrammelled /ʌn'træməld/ a. senza impacci; non inceppato; non impastoiato; libero.

untransferable /ʌntræns'fɜːrəbl/ a. (*spec. leg., comm.*) non trasferibile; non cedibile; inalienabile: **an u. right**, un diritto inalienabile; **an u. cheque**, un assegno non trasferibile.

untranslatable /ʌntræns'leɪtəbl/ a. intraducibile || **untranslatability** n. ⚏ intraducibilità.

untranslated /ʌntræns'leɪtɪd/ a. non tradotto.

untravelled /ʌn'trævld/ a. **1** che ha viaggiato poco **2** (*di strada, ecc.*) poco battuto; di scarso traffico **3** (*di un paese*) inesplorato.

untraversable /ʌntrə'vɜːsəbl/ a. (*di una regione*) non attraversabile.

untraversed /ʌntrə'vɜːst/ a. (*di un luogo*) non attraversato; selvaggio.

untreated /ʌn'triːtɪd/ a. **1** non curato; non medicato **2** non trattato **3** non depurato.

untried /ʌn'traɪd/ a. **1** inesperto; poco esperto: **to be u. in teaching**, non avere esperienza come insegnante **2** non provato; non sperimentato; intentato **3** (*leg.*) non sottoposto a processo; non processato.

untrimmed /ʌn'trɪmd/ a. **1** non ornato; senza ornamenti; sguarnito **2** (*d'albero, siepe, ecc.*) non tagliato; non spuntato; non potato.

untrodden /ʌn'trɒdn/ a. **1** non calpestato; intatto: **u. snow**, neve intatta **2** non frequentato; poco battuto; solitario: **u. ways**, strade poco battute; (*fig.*) vie intentate, vie nuove.

untroubled /ʌn'trʌbld/ a. **1** imperturbato; calmo; sereno; tranquillo; indisturbato **2** (*di liquido*) non turbato; limpido.

untrue /ʌn'truː/ a. **1** falso; bugiardo; menzognero; non vero **2** (*lett.*) disonesto; infedele; perfido; sleale **3** (*mecc.*) non centrato | **-ness** n. ⚏.

untruly /ʌn'truːlɪ/ avv. **1** falsamente; in modo menzognero **2** erroneamente **3** (*lett.*) infedelmente; perfidamente.

to **untruss** /ʌn'trʌs/ v. t. **1** slegare; disfare **2** (*arc.*) spogliare; svestire.

untrussed /ʌn'trʌst/ a. (*di pollo*) non preparato per lo spiedo; non legato (*prima di cuocerlo*).

untrustworthiness /ʌn'trʌstwɜːðɪnəs/ n. ⚏ **1** falsità; mendacia; menzogna **2** disonestà; perfidia; slealtà.

untrustworthy /ʌn'trʌstwɜːðɪ/ a. falso; mendace; disonesto; perfido; sleale | **-ily** avv.

untruth /ʌn'truːθ/ n. falsità; menzogna; bugia.

untruthful /ʌn'truːθfl/ a. falso; bugiardo; menzognero || **untruthfully** avv. falsamente; mendacemente || **untruthfulness** n. ⚏ falsità; mendacia.

to **untuck** /ʌn'tʌk/ v. t. **1** disfare (*una piega*); sciogliere; spiegare; tirar giù (*una manica rimboccata, le coperte, ecc.*) **2** (*fam.*) stendere, allungare (*le gambe*).

to **untune** /ʌn'tjuːn/ v. t. **1** scordare (*uno strumento musicale*) **2** (*radio, TV*) disintonizzare.

untuned /ʌn'tjuːnd/ a. **1** (*mus.*) scordato; stonato **2** (*radio, TV*) non sintonizzato **3**

unturned /ʌnˈtɜːnd/ a. non rivoltato; non rovesciato; non smosso • (fig.) **to leave no stone u.**, fare ogni sforzo; non lasciar nulla d'intentato; fare l'impossibile.

untutored /ʌnˈtjuːtəd/ a. 1 ignorante; incolto; non istruito 2 non affettato; naturale; semplice; spontaneo.

to untwine /ʌnˈtwaɪn/, **to untwist** /ʌnˈtwɪst/ A v. t. disfare; districare; sciogliere; sbrogliare B v. i. sciogliersi; districarsi.

untypical /ʌnˈtɪpɪkl/ a. insolito; inusuale; poco rappresentativo: **an u. example**, un esempio insolito; **This church is u. of the style prevalent in that period**, questa chiesa si discosta dallo stile prevalente all'epoca; **It's u. of her**, non è da lei.

unurged /ʌnˈɜːdʒd/ a. non sollecitato; non richiesto; spontaneo.

unusable /ʌnˈjuːzəbl/ a. inutile; inservibile; inutilizzabile.

unused /ʌnˈjuːzd/, nel sign. 3 /ʌnˈjuːst/ a. 1 non usato; non adoperato; disusato; in disuso 2 non ancora usato; inutilizzato; nuovo: (econ.) **u. capacity**, capacità inutilizzata; (fin.) **u. funds**, stanziamenti inutilizzati 3 (pred.) non abituato; non avvezzo; poco pratico: **He was u. to their ways**, era poco pratico dei loro costumi • **to be u. to doing st.**, non essere avvezzo a (o non avere l'abitudine di) fare qc.

◆**unusual** /ʌnˈjuːʒl/ a. 1 insolito; inusitato; inconsueto 2 straordinario; eccezionale; raro; singolare: **a writer of u. talent**, uno scrittore di eccezionale talento | **-ly** avv. | **-ness** n. ⓤ.

unutilized /ʌnˈjuːtəlaɪzd/ a. inutilizzato.

unutterable /ʌnˈʌtərəbl/ a. 1 non pronunciabile; impronunciabile 2 inesprimibile; ineffabile; indicibile: **u. joy**, gioia ineffabile 3 completo; perfetto: **an u. idiot**, un perfetto idiota | **-bly** avv.

unuttered /ʌnˈʌtəd/ a. 1 non pronunciato 2 non proferito; inespresso; taciuto.

unvalued /ʌnˈvæljuːd/ a. non valutato; non stimato: (ass.) **u. policy**, polizza non valutata.

unvanquished /ʌnˈvæŋkwɪʃt/ a. invitto; indomito.

unvaried /ʌnˈveərɪd/ a. invariato; non variato; uniforme; uguale; monotono: **u. diet**, dieta non variata; **an u. landscape**, un paesaggio monotono.

unvarnished /ʌnˈvɑːnɪʃt/ a. 1 non verniciato: **an u. surface**, una superficie non verniciata 2 (fig.) non abbellito; puro e semplice; senza fronzoli; nudo e crudo: **the u. truth**, la verità nuda e cruda.

unvarying /ʌnˈveərɪɪŋ/ a. invariabile; costante; uniforme | **-ly** avv.

to unveil /ʌnˈveɪl/ A v. t. svelare; scoprire; palesare; rendere noto; rivelare: (polit.) **to u. one's manifesto**, rendere noto il proprio programma politico B v. i. 1 togliersi il velo 2 (fig.) svelarsi; scoprirsi • **to u. a monument [a statue]**, inaugurare un monumento [scoprire una statua].

unveiling /ʌnˈveɪlɪŋ/ n. ⓤ 1 scoprimento (di un busto, ecc.) 2 (fig.) cerimonia inaugurale; (prima) presentazione.

unventilated /ʌnˈventɪleɪtɪd/ a. 1 non ventilato; non aerato 2 (fig.) non ventilato; non messo in discussione.

unverifiable /ʌnˈverɪfaɪəbl/ a. non verificabile; incontrollabile.

unverified /ʌnˈverɪfaɪd/ a. non verificato; incontrollato.

unversed /ʌnˈvɜːst/ a. non versato (in una scienza, un'arte, ecc.) inesperto; poco competente; incompetente.

unviolated /ʌnˈvaɪəleɪtɪd/ a. inviolato.

unvisited /ʌnˈvɪzɪtɪd/ a. non visitato; non frequentato.

unvoiced /ʌnˈvɔɪst/ a. 1 non detto; inespresso 2 (fon.) sordo.

to unvote /ʌnˈvəʊt/ v. t. (leg., polit.) abrogare, revocare (una legge, ecc.) con una votazione.

unvouched /ʌnˈvaʊtʃt/ a. (di solito u. for) non attestato; non confermato; non documentato.

unwaged /ʌnˈweɪdʒd/ a. (econ.) non retribuito; privo di salario; senza lavoro • (collett., eufem.) **the u.**, i non salariati; i disoccupati.

unwanted /ʌnˈwɒntɪd/ a. non desiderato; indesiderato; non richiesto; non voluto • **u. hair**, peli superflui.

unwariness /ʌnˈweərɪnəs/ n. ⓤ avventatezza; sconsideratezza.

unwarlike /ʌnˈwɔːlaɪk/ a. (raro) non bellicoso; pacifico.

unwarned /ʌnˈwɔːnd/ a. non avvertito; non avvisato; non ammonito; non messo in guardia.

unwarped /ʌnˈwɔːpt/ a. 1 (tecn.) non incurvato; non deformato; (di legno) non imbarcato 2 (fig.) non deformato; privo di pregiudizi; imparziale.

unwarrantable /ʌnˈwɒrəntəbl/ a. 1 ingiustificabile; inescusabile; inqualificabile 2 (leg.) che non può essere garantito | **-ness** n. ⓤ | **-bly** avv.

unwarranted /ʌnˈwɒrəntɪd/ a. 1 ingiustificato; arbitrario; infondato 2 (leg.) non garantito; senza garanzia 3 (leg.) non autorizzato.

unwary /ʌnˈweərɪ/ a. 1 avventato; incauto; sconsiderato 2 poco accorto; sprovveduto | **-ily** avv.

unwashed /ʌnˈwɒʃt/ a. non lavato; sporco; sudicio • (spreg.) **the great u.**, la plebaglia; la canaglia.

unwatched /ʌnˈwɒtʃt/ a. 1 non sorvegliato; incustodito; non vigilato 2 (di faro, ecc.) incustodito; senza guardiano.

unwatchful /ʌnˈwɒtʃfl/ a. non vigile; disattento; sbadato | **-ness** n. ⓤ.

to unwater /ʌnˈwɔːtə(r)/ v. t. (tecn.) drenare; prosciugare.

unwatered /ʌnˈwɔːtəd/ a. 1 non innaffiato; arido; secco: **an u. lawn**, un prato non innaffiato 2 non annacquato; non diluito con acqua; senz'acqua; puro; schietto: **u. wine**, vino non diluito 3 (di bestiame) non abbeverato 4 non fornito d'acqua; senz'acqua: **an u. town**, una città senz'acqua 5 (fin.: di capitale) non annacquato.

unwavering /ʌnˈweɪvərɪŋ/ a. non vacillante; deciso; fermo; risoluto; incrollabile; irremovibile | **-ly** avv.

unweaned /ʌnˈwiːnd/ a. non divezzato; non svezzato.

unwearable /ʌnˈweərəbl/ a. (d'abito, ecc.) che non si può indossare; non indossabile.

unwearied /ʌnˈwɪərɪd/ a. 1 inesausto; infaticato; non stanco 2 infaticabile; instancabile | **-ly** avv. | **-ness** n. ⓤ.

unweary /ʌnˈwɪərɪ/ a. → **unwearying**.

unwearying /ʌnˈwɪərɪɪŋ/ a. instancabile; insistente; persistente; tenace.

to unweave /ʌnˈwiːv/ (pass. **unwove**, p. p. **unwoven**), v. t. stessere, disfare (il tessuto, la tela).

unwebbed /ʌnˈwebd/ a. (zool.) non provvisto di membrana.

unwed /ʌnˈwed/, **unwedded** /ʌnˈwedɪd/ a. (raro) non sposato; (d'uomo) celibe; (di donna) nubile.

unweighed /ʌnˈweɪd/ a. 1 non pesato 2 (fig.) non soppesato; non vagliato.

to unweight /ʌnˈweɪt/ v. t. (sport) scaricare (uno sci); togliere il peso da (uno sci).

unweighted /ʌnˈweɪtɪd/ a. (stat.) non ponderato.

unwelcome /ʌnˈwelkəm/ a. 1 malaccetto; malaccetto; importuno 2 (di cose) sgradito; spiacevole.

unwelcomed /ʌnˈwelkəmd/ → **unwelcome**.

unwelcoming /ʌnˈwelkəmɪŋ/ a. 1 (di persona) scostante; ostile 2 (di luogo) non accogliente; inospitale.

unwell /ʌnˈwel/ a. pred. indisposto; ammalato: **I'm u. today**, oggi sono indisposto (o sto poco bene).

unwept /ʌnˈwept/ a. (retor., poet.) illacrimato; non compianto: **'U. unhonoured, and unsung'** W. Scott, 'illacrimato, senza onoranze e senza chi lo canti'.

unwhipped /ʌnˈwɪpt/ a. 1 non frustato; non punito 2 (fig.: di delitto, ecc.) impunito 3 (di panna, uovo, ecc.) non sbattuto; non montato.

unwholesome /ʌnˈhəʊlsəm/ a. 1 insalubre; malsano; nocivo 2 (fig.) corrotto; immorale; morboso | **-ly** avv. | **-ness** n. ⓤ.

unwieldy /ʌnˈwiːldɪ/ a. 1 ingombrante; poco maneggevole; pesante 2 lento; goffo; tardo; impacciato • **an u. method for mining gold**, un metodo poco pratico d'estrarre l'oro || **unwieldiness** n. ⓤ 1 l'essere ingombrante; scarsa maneggevolezza; pesantezza 2 lentezza; goffaggine.

unwilling /ʌnˈwɪlɪŋ/ a. 1 che non vuole; non disposto; avverso; contrario; restio; riluttante 2 (di azione, atto, ecc.) (fatto) di malavoglia; (di parola, discorso, ecc.) detto con riluttanza • **to be u. to do st.**, non essere disposto a fare qc. | **-ly** avv. | **-ness** n. ⓤ.

to unwind /ʌnˈwaɪnd/ (pass. e p. p. **unwound**) A v. t. 1 sdipanare; svolgere; sgomitolare; srotolare; sbobinare: **to u. a ball of wool**, sdipanare un gomitolo di lana 2 districare; sbrogliare 3 (fig.) far rilassare (q.) B v. i. 1 (anche fig.) sdipanarsi; sgomitolarsi; svolgersi; snodarsi: **The jungle track unwound before us**, il sentiero della giungla si snodava davanti a noi; **The crime story will u. at the end**, il giallo si dipanerà alla fine 2 districarsi; sbrogliarsi 3 (fig.) rilassarsi; distendersi • (naut.) **to u. a rope**, mollare un cavo.

unwinding /ʌnˈwaɪndɪŋ/ n. ⓤ svolgimento; dipanamento; sbobinatura.

unwinged /ʌnˈwɪŋd/ a. (zool.: d'insetto, ecc.) privo d'ali; senza ali.

unwinking /ʌnˈwɪŋkɪŋ/ a. 1 che non batte le ciglia; (dell'occhio) fisso 2 (fig.) attento; vigile; all'erta.

unwiped /ʌnˈwaɪpt/ a. (di stoviglie, piatti, ecc.) non asciugato.

unwisdom /ʌnˈwɪzdəm/ n. 1 mancanza di saggezza; imprudenza; insensatezza; stoltezza 2 azione avventata; atto imprudente.

unwise /ʌnˈwaɪz/ a. poco saggio; incauto; imprudente; insensato | **-ly** avv.

unwished-for /ʌnˈwɪʃtfɔː(r)/ a. non desiderato; indesiderato.

unwithered /ʌnˈwɪðəd/ a. non appassito; non avvizzito; ancora fresco.

unwithering /ʌnˈwɪðərɪŋ/ a. che non appassisce; che non avvizzisce.

unwitnessed /ʌnˈwɪtnɪst/ a. (anche leg.) senza testimoni.

unwitting /ʌnˈwɪtɪŋ/ a. 1 inconsapevole; inconscio 2 involontario; non voluto; non intenzionale || **unwittingly** avv. senza volerlo; per caso; non apposta.

unwomanly /ʌnˈwʊmənlɪ/ a. poco femminile; indegno d'una donna.

unwonted /ʌnˈwəʊntɪd/ a. 1 insolito; inconsueto; inusitato 2 (arc.) non abituato; non avvezzo | **-ly** avv. | **-ness** n. ⓤ.

unwooded /ʌn'wʊdɪd/ **a. 1** senza boschi; spoglio; brullo **2** disboscato, diboscato.

unworkable /ʌn'wɜːkəbl/ **a. 1** non lavorabile; intrattabile: **u. clay**, argilla intrattabile **2** ineseguibile; impraticabile **3** che non serve; che non funziona; inservibile; fuori uso **4** (di progetto, ecc.) che non può funzionare; impraticabile; che non va (fam.) ● (ind. min.) **an u. mine**, una miniera non coltivabile.

unworkmanlike /ʌn'wɜːkmənlaɪk/ **a. 1** incapace; inetto; inesperto; incompetente **2** malfatto; abborracciato; tirato via.

unworldly /ʌn'wɜːldlɪ/ **a. 1** non di questo mondo; ultraterreno **2** non mondano; spirituale **3** non sofisticato; semplice; schietto; ingenuo; spontaneo ‖ **unworldliness** n. Ⓤ **1** l'essere ultraterreno **2** distacco dalle cose terrene; spiritualità **3** semplicità; schiettezza; spontaneità.

unworn /ʌn'wɔːn/ **a.** (d'abito e sim.) **1** mai indossato; nuovo **2** non frusto; non logoro; in buone condizioni; come nuovo.

unworried /ʌn'wʌrɪd/ **a. 1** indisturbato **2** imperturbato; sereno.

unworthy /ʌn'wɜːðɪ/ **a. 1** indegno; basso; meschino; vile **2** (di trattamento, ecc.) immeritato **3** senza merito; privo di valore ● **to be u. of st.**, non meritare qc. □ **u. of praise**, da non elogiare; non commendevole (lett.) ‖ **unworthily** avv. indegnamente; in modo vile (o meschino) ‖ **unworthiness** n. Ⓤ indegnità; bassezza; viltà.

unwound /ʌn'waʊnd/ **A** pass. e p. p. di **to unwind B** a. (di un orologio e sim.) non caricato; scarico.

unwounded /ʌn'wuːndɪd/ **a.** non ferito; illeso; incolume.

unwove /ʌn'wəʊv/ pass. di **to unweave**.

unwoven /ʌn'wəʊvən/ p. p. di **to unweave**.

to **unwrap** /ʌn'ræp/ **v. t.** scartocciare; scartare, disfare, aprire, svolgere (un pacco, ecc.).

unwrinkled /ʌn'rɪŋkld/ **a.** senza rughe; liscio; spianato.

unwritable /ʌn'raɪtəbl/ **a.** che non si può scrivere.

unwritten /ʌn'rɪtn/ **a. 1** non scritto; orale; tradizionale: **u. songs**, canzoni non scritte; canzoni popolari **2** su cui non è scritto; (in) bianco: **an u. page**, una pagina bianca ● **the u. law**, la legge non scritta; (leg.) il diritto consuetudinario; (anche) il codice d'onore, la legge dell'onore (quello che prevedeva il cosiddetto «delitto d'onore»).

unwrought /ʌn'rɔːt/ **a.** non lavorato; greggio; grezzo; allo stato naturale.

unyielding /ʌn'jiːldɪŋ/ **a. 1** rigido; non flessibile **2** (fig.) che non cede; inflessibile; inesorabile; ostinato; tetragono | **-ly** avv. | **-ness** n. Ⓤ.

to **unyoke** /ʌn'jəʊk/ **A** v. t. **1** staccare dal giogo (buoi, ecc.) **2** (fig.) liberare dal giogo, liberare **3** (fig.) staccare; separare; disgiungere **B** v. i. **1** liberarsi dal giogo (anche fig.) **2** (arc.) staccare, smontare (dal lavoro).

to **unzip** /ʌn'zɪp/ **A** v. t. **1** aprire la cerniera lampo di; abbassare la lampo di: **She unzipped her dress**, aprì la lampo del vestito; (fam.) **to u. one's fly**, abbassare la cerniera dei pantaloni **2** (comput.) decomprimere; scompattare; dezippare (fam.) **3** (fig. fam. USA) aprire (la bocca); scucire (le labbra) **4** (fam. USA) risolvere (una questione, ecc.) **B** v. i. **1** aprirsi per mezzo di una lampo: **The skirt unzips at the back**, la gonna ha la cerniera sul dietro **2** (fam.) sfasciarsi; andare in malora.

unzipped /ʌn'zɪpt/ **a.** con la lampo aperta; aperto.

♦**up** ① /ʌp/ **A** avv. **1** su; di sopra; in alto; in su: **The lift is going up**, l'ascensore sta andando su; **Prices are going up**, i prezzi stanno andando su (o stanno salendo); **When the doctor arrives, send him up**, quando arriva il medico, mandamelo di sopra; **The water supply was cut off from the fourth floor up**, venne a mancare l'acqua dal quarto piano in su; **a few inches further up**, alcuni centimetri più in su; **Children of 16 and up can see this film**, i giovani dai 16 anni in su possono vedere questo film **2** su; in piedi; ritto; alzato: **Stand up!**, alzati!; alzatevi!; in piedi!; **I was up all night with a terrible headache**, sono rimasto alzato (o in piedi) tutta la notte con un tremendo mal di testa; **The Foreign Secretary is up**, il Ministro degli Esteri si è alzato per parlare (o sta per prendere la parola: in parlamento) **3** avanti; vicino; dappresso: **Up came a policeman and moved us on**, si fece avanti (o si avvicinò) un poliziotto e ci disse di circolare; **There's a good restaurant further up** (o **up ahead**), più avanti c'è un buon ristorante **4** (enfat.) completamente; interamente; del tutto; fino in fondo: **The sand has clogged up the canal**, la sabbia ha interamente ostruito il canale; **Our food is all used up**, abbiamo consumato tutti i viveri; i viveri sono esauriti **5** (indica direzione verso il nord, verso chi parla o verso un luogo più importante: città, sede di studi, ecc.; è idiom.; per es.:) **to go up to London** [**to Scotland**], andare a Londra (dalla provincia) [andare in Scozia (dall'Inghilterra)]; **I'm going up to town**, vado in città; **Come up and see me sometime**, vienimi a trovare una volta o l'altra!; **My father is up from the country**, è arrivato mio padre dalla campagna **6** (baseball) alla battuta **7** (calcio, ecc.) sopra (fam.); in vantaggio: **We were 3-1 up at half time**, a metà partita eravamo in vantaggio per 3 a 1; (basket) **to be up ten**, essere sopra di dieci punti; (autom.) **He finished first, one tenth of a second up**, finì al primo posto, in vantaggio di un decimo di secondo; (golf) **to be one** [**two, three, etc.**] **up**, essere in vantaggio di una (di due, di tre, ecc.) buche **8 – to be up** (impers.), accadere; succedere; capitare; stare per succedere, bollire in pentola (fig.): **What's up?**, che succede?; che c'è?; **What's up with you?**, che cosa ti succede?; che ti prende? che c'è (che non va)?; **I realized at once that something was up**, capii subito che qualcosa bolliva in pentola **9 – to be up**, scadere; essere finito, terminato: (a scuola) **Time's up!**, tempo scaduto!; consegnare! (fig.) **Time is up for tyrants**, per i tiranni il tempo è scaduto (o i tiranni hanno le ore contate); **The President's term of office will be up next year**, l'anno prossimo scadrà il mandato del Presidente; **The game is up**, il gioco è finito (anche fig.) **10 – to be up**, presentarsi, apparire; essere presentato, essere messo in discussione; (leg.) comparire in giudizio; (polit.) presentarsi come candidato, candidarsi: **The issue will be up for discussion at the next meeting**, la questione verrà presa in considerazione (o affrontata) nella prossima riunione; **He was up before the magistrate** (o in court) for exceeding the speed limit, dovette comparire in giudizio per aver superato il limite di velocità; **to be up for re-election**, ripresentarsi alle elezioni; **to be up for an office**, essere candidato a una carica **11 – to be up against**, trovarsi di fronte a; essere alle prese con; dover affrontare: **We were up against serious difficulties**, eravamo alle prese con serie difficoltà; **You'll be up against it if the factory shuts down**, sarete ridotti a mal partito se la fabbrica chiude **12 – to be up for**, essere in corso di; essere soggetto (o sottoposto) a; essere in; (anche, ingl.) essere pronto a, avere voglia di; **The** *town plan will be up for revision next month*, il piano regolatore sarà sottoposto a revisione il mese prossimo; **The house is up for sale**, la casa è in vendita; **Are you up for a game of pool?**, hai voglia di fare (o ci sei per) una partita a biliardo?; (fam.) **Are you up for it?**, ti senti pronto?; te la senti? **13 – to be up to**, essere immerso in (o intento a); stare facendo (o combinando), (impers.); spettare, toccare a; essere conforme a; valere; essere all'altezza di; sentirsela di, essere in grado di affrontare (qc.); essere all'altezza di; essere consapevole di, essersi accorto di: **What are the children up to?**, che cosa stanno combinando i bambini?; **What are you up to on Saturday?**, cosa fai sabato?; **The dog is up to no good**, il cane sta combinando un guaio (o ne sta facendo una delle sue); **It's up to him to decide**, tocca (o sta) a lui decidere; **That's up to you!**, sta a te decidere (o intervenire, agire, ecc.)!; **The goods must be up to sample**, la merce deve essere conforme al campione; **He isn't up to his job**, non è all'altezza del suo lavoro; **I'm staying at home; I don't feel up to such a long trip**, resto a casa; non me la sento di fare un viaggio così lungo; **I'm up to your tricks**, mi sono accorto del tiro che mi vuoi giocare **14 – to be up with**, essere alla pari con, essere al livello di (q.): **He's up with the best tennis players in the world**, è al livello dei migliori tennisti del mondo **15** (nei verbi frasali, è idiom.; per es.:) **to break up**, rompere, spezzare, fare a pezzi; distruggere; ecc.; **to buy up**, accaparrare; ecc. (→ **to break**, **to buy**; ecc.) **B** inter. **1** su!; in piedi!: **Up with it!**, su!; issa!; (sport) grido allo stadio) **Up and at them!**, dateli addosso!; forza! **2** evviva!; viva!: **Up with the Socialists!**, evviva i socialisti! ● **up against**, contro: **The crowd was crushed up against the police cordon**, la folla era schiacciata contro i cordoni della polizia □ **to be up and about**, essere di nuovo in piedi (dopo una malattia) □ **up-and-comer**, persona (o personaggio) in ascesa; figura emergente □ **up-and-coming**, intraprendente; in ascesa; emergente; in carriera; (di un luogo) in via di sviluppo: **an up-and-coming actor**, un attore in ascesa □ **up and doing**, attivo, che si dà da fare; (anche) di nuovo in azione; ristabilito □ **up and down**, su e giù; avanti e indietro; dappertutto: **The cork bobbed up and down on the water**, il sughero ballonzolava su e giù sull'acqua; **We walked up and down**, passeggiammo avanti e indietro; **I've looked for it up and down**, l'ho cercato dappertutto □ **up--and-down**, (di moto, ecc.) di su e giù; (fig.) avanti e indietro, oscillante, variabile □ **to be up and going**, essere attivo; darsi da fare □ **an up-and-over door**, una porta basculante (di garage, ecc.) □ **up and running**, operante; in attività; in pieno svolgimento □ **up here**, quassù □ (fig.) **up in the air**, (di una cosa) incerto, ipotetico, vago, in alto mare (fig.); (di una persona) indeciso, dubbioso, che non sa che pesci prendere (fig.) □ **up there**, lassù □ **up to**, fino a: **to count from one up to one hundred**, contare da uno fino a cento; **up to 1995**, fino al 1995; **up to one thousand people**, fino a mille persone; ben mille persone; **We'll grant you up to 20% off the price list**, vi faremo fino al 20% di sconto sul prezzo di listino; **I'm up to my ears** (o eyes, o neck) in debt, sono indebitato fino al collo; **to be up to one's knees in mud**, essere immerso nel fango fino ai ginocchi □ **up to date**, aggiornato, al corrente; (comm.: di un estratto conto) compilato a tutt'oggi: **to keep st. up to date**, tenere aggiornato qc.; **to keep up to date**, tenersi aggiornato, informato; mantenersi al corrente; stare al passo con i tempi; **to keep up to date with the news**, tenersi informato delle ultime novità □ **up-to-date** (agg. attr.), ag-

giornato, al corrente; alla moda, moderno: **up-to-date office equipment**, moderne attrezzature per ufficio; **up-to-date information**, informazioni aggiornate □ (*fam.*) **to be up to here with sb.**, averne le tasche piene, essere stufo di q. □ **up-to-the-minute**, modernissimo; attualissimo; (*di notizie, ecc.*) aggiornatissimo, freschissimo □ **up to now**, finora □ (*geogr.*) **as far up as Edinburgh**, fino all'altezza di Edimburgo (*andando da sud a nord*) □ **to bring st. up to date**, aggiornare, rammodernare qc. □ **from one's childhood up**, sin dall'infanzia □ (*ipp.*) **to have ten pounds up on a horse**, aver puntato dieci sterline su un cavallo □ **to be well up in Greek**, essere ben preparato in greco; essere bravo in greco □ (*marina mil.*) **Up periscope!**, fuori il periscopio! □ **Hands up!**, mani in alto! □ (*scritto su un pacco*) «**This side up**», «alto» □ **When his blood is up**, quando gli va il sangue alla testa □ (*autom.*) «**Road up**» (*cartello*), «lavori in corso».

❶ **NOTA:** *up to* **o** *down to*?
Up to indica direzione e si può usare in riferimento a località importanti: *to travel up to London*, andare a Londra; in riferimento a centri meno importanti, invece, si tende a usare *down to*: *Most weekends they drive down to their cottage in the countryside*, quasi tutti i weekend vanno in macchina al loro cottage in campagna.

◆**up** ② /ʌp/ *prep.* **1** su; su per: *The boy climbed up the ladder*, il ragazzo s'arrampicò sulla scala; *Carry the trunk up the stairs!*, portate il baule su per le scale! **2** più avanti in; verso il fondo di; verso la cima, la sorgente di (*un fiume, ecc.*): *There's a post office up the road*, più avanti (*nella strada*) c'è un ufficio postale; *The paddle steamer sailed up the river*, il battello a ruote risalì il corso del fiume ● **up-country** → **upcountry** □ **up front** (avv.), (*nelle corse, ecc.*) davanti, in testa; in prima linea (*fig.*); (*ciclismo*) in testa al gruppo; sùbito, fin dall'inizio; (*di un pagamento*) sùbito, in anticipo; (*calcio, ecc.*) in avanti, davanti, in posizione avanzata, all'attacco: *I knew it up front*, lo sapevo fin dall'inizio; *He can play up front and in defence*, sa giocare all'attacco e in difesa □ **up-front** (agg. e n.), → **upfront** □ **up hill and down dale**, per mari e per monti; da tutte le parti; a casaccio, senza meta □ **up (the) river**, a monte; verso la sorgente del fiume □ **up-stream** → **upstream** □ (*mus.*) **up-tempo**, dal ritmo veloce; **an up-tempo number**, un up-tempo □ (*fam.*) **up top**, nella zucca, nella testa: **to have st. up top**, avere qc. in mente □ (*volg.*) **Up yours!**, vaffanculo (*volg.*); va al diavolo!; (*anche*) col cavolo!; non rompere! (*volg.*) □ **to walk up a hill**, salire un colle (*a piedi*) □ **to walk up a street**, camminare lungo una strada (*spec. in salita o verso il centro della città*) □ **to walk up and down the street**, andare su e giù per la strada.

◆**up** ③ /ʌp/ **A** *a. pred.* **1** alzato; in piedi; tirato su: *The car windows were up*, i finestrini della macchina erano alzati; *The children aren't up yet*, i bambini non sono ancora alzati; *I have to be up early, at 6.30*, devo svegliarmi presto, alle 6:30; *My daughter wears her hair up*, mia figlia porta i capelli tirati su **2** alzato; alto; in cielo: *A high wind is up*, s'è alzato un forte vento; *The moon is up*, s'è alzata la luna; la luna è alta in cielo; *The sun isn't up yet*, il sole non s'è ancora alzato **3** messo su; esposto: *The notice «wanted» had been up for a week*, il cartello «ricercato» era esposto da una settimana **4** edificato; costruito: *The Post Office Tower wasn't up yet*, il grattacielo delle Poste non era ancora stato costruito **5** (*fig.*) alto; elevato; salito: *The temperature is up again*, la temperatura (*o la febbre*) è di nuovo alta;

Rents are up, gli affitti sono alti (*o cari*); *Quotations are up this week*, questa settimana le quotazioni (di borsa) sono alte **6** (*econ., Borsa*) al rialzo; in aumento; in ripresa; in risalita: **an up market**, un mercato al rialzo; *Foreign demand is up*, la domanda estera è in ripresa; *Bank loans are up again*, i mutui sono in risalita **7** (*fam.*) preparato; pronto: *Tea's up*, il tè è pronto **8** (*cucina: di un uovo*) all'occhio di bue **9** (*comput.: di un computer*) in funzione: *The computer will be back up in ten minutes*, il computer sarà di nuovo in grado di funzionare fra dieci minuti **10** (*slang USA*) allegro; euforico; su di giri **11** (*slang USA*) in forma; al meglio **12** (*slang*) drogato; fatto, intrippato (*pop.*) **13** finito; chiuso; terminato **14** (*tennis: della palla*) buona, giocabile (*dopo un solo rimbalzo*) **B** *a. attr.* **1** che va in su; in salita **2** in posizione elevata **3** (*trasp.*) verso la città; verso la capitale; (*spec.*) verso Londra: *I took the first up train in the morning*, la mattina presi il primo treno per Londra; (*ferr.*) **the up line**, la linea per Londra; (*ferr.*) **the up platform**, la pensilina del treno che va a Londra **4** (*fam., fin.*) favorevole; positivo: **an up year**, un'annata assai favorevole **C** *n.* (*fin., Borsa*) rialzo: *All shares are on the up*, tutte le azioni sono in rialzo **D** *n. pl.* – **the ups**, gli alti: **the ups and downs of life**, gli alti e bassi (o le alterne vicende) della vita ● **the ups and downs of the country**, le ondulazioni del terreno □ (*comput.*) **up arrow**, freccia in su □ (*fam.*) **to be on the up**, essere in ascesa; essere in aumento □ (*fam.*) **to be on the up-and-up**, (*ingl.*) andare a gonfie vele (*fig.*); fare (grandi) progressi; (*fin.*) essere in continua ascesa; stare sempre meglio (*di salute*); (*USA*) essere onesto, sincero □ (*fam. USA*) **up-and-up**, onesto; affidabile; di (tutta) fiducia.

to up /ʌp/ **A** *v. i.* **1** – (*fam.*) **to up and...**, fare (qc.) all'improvviso; saltare su (*a fare, a dire qc.*); prendere (e...): *He upped and threw a stone at me*, all'improvviso mi scagliò una pietra; *One day Tom just upped and went to Australia*, Tom un bel giorno prese e se ne andò in Australia **2** (*fam. raro*) alzarsi; alzarsi in piedi **3** – (*fam.*) **to up with**, alzare (*la mano, un'arma*); brandire: *He upped with his stick*, brandì il bastone **B** *v. t.* (*fam.*) **1** alzare; sollevare; tirar su **2** alzare; aumentare; far salire: **to up prices**, alzare (*o aumentare*) i prezzi **3** promuovere: *He has been upped to sales manager*, è stato promosso direttore alle vendite ● (*fam.*) **to up and off**, prendere su (*o alzarsi*) e andarsene.

to up-anchor /ʌp'æŋkə(r)/ *v. i.* (*naut.*) levare l'ancora.

up-and-downer /ˌʌpən'daʊnə(r)/ *n.* (*fam. ingl.*) lite violenta; scontro.

upas /'juːpəs/ *n.* **1** (*bot., Antiaris toxicaria*; = **u. tree**) upas **2** upas (*sostanza velenosa*).

to upbear /ʌp'bɛə(r)/ (*pass.* **upbore**, p. p. **upborne**), *v. t.* (*raro*) sorreggere; sostenere; tenere sollevato.

upbeat /'ʌpbiːt/ **A** *n.* **1** (*mus.*) tempo debole; tempo in levare **2** (*fig.*) ascesa; progresso **B** *a. attr.* (*fam.*) **1** allegro; positivo; ottimista: *He's amazingly u.*, è sorprendente come sia ottimista **2** (*di cosa*) positivo; ottimistico; piacevole; che mette allegria (*o buon umore*); lieto: **an u. ending**, un lieto fine (*di un libro, ecc.*).

upborne /ʌp'bɔːn/ **A** *p. p.* di **to upbear** **B** *a.* sostenuto; sorretto; sollevato; tenuto (in) alto.

to upbraid /ʌp'breɪd/ (*form.*) *v. t.* rimproverare; riprendere; sgridare; rampognare: *'Is she not hurrying to u. me for my haste?'* E.A. POE, 'non si precipiterà forse a rampognarmi per la mia fretta?' ‖ **upbraiding** *n.*

rimprovero; sgridata; rabbuffo; rimbrotto.

upbringing /'ʌpbrɪŋɪŋ/ *n.* educazione; allevamento (*di un bambino*).

to upbuild /ʌp'bɪld/ (*pass. e p. p.* **upbuilt**), *v. t.* (*poet., lett.*) accrescere; ingrandire.

upburst /'ʌpbɜːst/ *n.* esplosione, scoppio (*anche fig.*).

upcast /'ʌpkɑːst/ **A** *n.* [U C] **1** lancio in alto; l'essere lanciato in alto **2** getto; spruzzo; zampillo **3** (*ind. min.*) pozzo (o corrente) di ventilazione; (*anche*) materiale escavato **4** (*geol.*) sollevamento **B** *a.* lanciato in alto (o verso l'alto).

to upcast /ʌp'kɑːst/ (*pass. e p. p.* **upcast**), *v. t.* gettare in alto; lanciare in aria.

to upchuck /'ʌptʃʌk/ *v. t.* (*slang USA*) vomitare, rigettare.

upcoming /ʌp'kʌmɪŋ/ *a.* imminente; prossimo; vicino ● (*sport*) **u. games**, partite (ancora) da giocare; partite di calendario.

upcountry /ʌp'kʌntrɪ/ **A** *a.* **1** (*geogr.*) dell'interno; nell'entroterra; lontano dalla costa: **an u. town**, una cittadina dell'interno **2** (*fig.*) rustico; grossolano; rozzo **B** *avv.* verso l'interno: *The explorers travelled u.*, gli esploratori viaggiarono verso l'interno (o si addentrarono nel paese) **C** *n.* (*geogr.*) entroterra; (l') interno.

update /'ʌpdeɪt/ *n.* **1** aggiornamento; dati più recenti: **an u. on unemployment figures**, un aggiornamento sulle cifre della disoccupazione; **news u.**, notizie dell'ultim'ora **2** (*comput.*) aggiornamento; update.

to update /ʌp'deɪt/ *v. t.* **1** aggiornare; rinnovare; ammodernare **2** (*comput.*) aggiornare.

updater /ʌp'deɪtə(r)/ *n.* aggiornatore; ammodernatore.

updating /ʌp'deɪtɪŋ/ *n.* [U] aggiornamento; rinnovamento; ammodernamento ● (*org. az.*) **the u. of managers**, l'aggiornamento dei quadri direttivi.

updraft /'ʌpdrɑːft/ (*USA*) → **updraught**.

updraught /'ʌpdrɑːft/ *n.* (*meteor., aeron.*) corrente ascensionale.

to upend /ʌp'ɛnd/ (*fam.*) **A** *v. t.* **1** mettere dritto; raddrizzare **2** rovesciare; gettare (*un avversario*) a terra **3** (*fig.*) sconvolgere; buttare all'aria **4** (*boxe*) atterrare; mettere (q.) al tappeto **B** *v. i.* **1** star ritto; stare in piedi **2** alzarsi (in piedi).

upfield /ʌp'fiːld/ *avv. e a. attr.* (*calcio, ecc.*) in avanti; verso il fondocampo (*avversario*); in profondità: *He played all the first half u.*, ha giocato tutto il primo tempo in avanti; **to clear u.**, rilanciare in profondità.

upfront /ʌp'frʌnt/ **A** *a.* **1** schietto; sincero; franco; esplicito; scoperto; disinibito; alla luce del sole (*fig.*): *I've always been u. with you*, con te sono stato sempre sincero **2** leale; onesto **3** (*comm.*) anticipato: **an u. payment**, un pagamento anticipato; un anticipo **4** di spicco; di primo piano; importante; (che è) in vista: *Sheila has an u. job*, Sheila ha un lavoro importante (o un incarico di primo piano) **5** (*sport: di un giocatore*) avanzato; che occupa una posizione avanzata **B** *n.* (*fam. USA*) – **the u.**, i quadri dirigenti (*di un'azienda*); la direzione (collett.).

upgrade /'ʌpgreɪd/ *n.* **1** salita; pendenza; inclinazione **2** (*comput.*) 'upgrade'; versione più recente (*di un applicativo*) ● **to be on the u.**, essere in salita, in pendenza; (*fig.*) essere in ascesa, in miglioramento.

to upgrade /ʌp'greɪd/ *v. t.* **1** promuovere (*un impiegato, ecc.*) **2** migliorare la qualità di (*un prodotto, ecc.*) **3** (*comm.*) sostituire (*un prodotto*) con un prodotto migliore **4** (*zootecnia*) migliorare (*una razza d'animali*) mediante incroci **5** (*ind. min.*) arricchire (*un minerale*) **6** (*comput.*) potenziare (*un computer, la dotazione hardware, ecc.*) **7** (*comput.*) aggiornare (*il software*) **8** (*aeron., USA*) met-

tere, passare (*un viaggiatore*) nella classe superiore.

upgraded /ʌp'greɪdɪd/ a. **1** (*di un minerale*) arricchito **2** (*comput.*) potenziato: **u. computers**, computer potenziati.

upgrowth /'ʌpɡrəʊθ/ n. ⓤⓒ crescita; sviluppo.

upheaval /ʌp'hiːvl/ n. ⓤⓒ **1** (*geol.*) sollevamento (*della crosta terrestre*); sisma **2** (*fig.*) sovvertimento; sconvolgimento; cambiamento radicale; scombussolamento; scompiglio; *That sounds like a lot of u.*, sembra un cambiamento radicale **3** (*fig.*) sollevamento; tumulto; rivolta.

to **upheave** /ʌp'hiːv/ (pass. e p. p. **upheaved, uphove**) A v. t. sollevare; alzare dal disotto B v. i. sollevarsi; essere spinto dal basso.

upheld /ʌp'hɛld/ pass. e p. p. di **to uphold**.

uphill /'ʌp'hɪl/ A a. **1** in salita; in ascesa: **an u. road**, una strada in salita **2** (*fig.*) arduo; difficile; duro, faticoso: **an u. task**, un compito arduo B avv. **1** all'insù; verso la vetta; (*anche fig.*) in salita: **to face an u. struggle**, avere davanti a sé una strada tutta in salita **2** (*sci*) a monte C n. salita; erta; rampa ● (*sci*) **u. christie**, cristiania a monte □ (*sci*) **u. edge**, spigolo a monte (*dello sci*) □ (*sport*) **u. finish**, arrivo in salita □ (*sci*) **u. ski**, sci a monte.

to **uphold** /ʌp'həʊld/ (pass. e p. p. **upheld**), v. t. **1** alzare; sollevare **2** sorreggere; sostenere; tener dritto **3** (*fig.*) appoggiare; incoraggiare; approvare: *I cannot u. your behaviour*, non posso approvare il Suo comportamento **4** (*leg.*) confermare: *The jury's verdict was upheld*, il verdetto della giuria fu confermato **5** (*ingl. sett. e scozz.*) sostenere; affermare; asserire.

upholder /ʌp'həʊldə(r)/ n. **1** sostenitore; fautore; propugnatore **2** sostegno; appoggio.

to **upholster** /ʌp'həʊlstə(r)/ v. t. **1** tappezzare (*una stanza, ecc.*) **2** ricoprire, imbottire (*divani, ecc.*) ● (*fam. scherz.: di persona*) **to be well upholstered**, essere bene in carne; essere grassottello (*o* grassoccio).

upholsterer /ʌp'həʊlstərə(r)/ n. tappezziere ● (*zool.*) **u. bee** (*Megachile*), megachile; ape tappezziera.

upholstering /ʌp'həʊlstərɪŋ/ n. **1** (il) tappezzare; (il) rivestire **2** (*autom., ferr.*) selleria (*ind.*) **u. shop**, reparto selleria **3** → **upholstery**.

upholstery /ʌp'həʊlstərɪ/ n. ⓤ **1** tappezzeria (*spec. di divani, sedie, ecc.*); imbottitura; rivestimento **2** arte del tappezziere ● **u. soil extractor**, lavatappezzerie.

upkeep /'ʌpkiːp/ n. ⓤ **1** mantenimento (*di una casa*); manutenzione (*di una macchina, ecc.*) **2** spese di manutenzione: *This car costs five hundred pounds a year in u.*, le spese di manutenzione di questa automobile sono di cinquecento sterline l'anno.

upland /'ʌplənd/ (*geogr.*) A n. regione montuosa; territorio montano B a. attr. montano; alpino; montuoso: **an u. area**, una zona montuosa ● **u. plain**, altopiano.

uplander /'ʌpləndə(r)/ n. abitante delle regioni montuose, montanaro.

uplift /'ʌplɪft/ n. ⓤⓒ **1** sollevamento **2** (*fig.*) elevazione; edificazione; influsso benefico **3** sostegno morale; incoraggiamento ● **an u. bra**, un reggiseno a balconcino.

to **uplift** /ʌp'lɪft/ v. t. **1** sollevare; alzare **2** (*fig.*) elevare; innalzare ● **He was uplifted by the music**, era rapito dalla musica ● **uplifting thoughts**, pensieri edificanti.

uplink /'ʌplɪŋk/ n. (*telecomunicazioni*) tratta in salita; collegamento terra-satellite.

upload /'ʌpləʊd/ n. e a. attr. (*comput.*) upload (*trasferimento di dati tra sistemi collega-*

ti in rete, in particolare da un sistema locale a uno remoto).

to **upload** /ʌp'ləʊd/ v. t. (*comput.*) caricare (*dati, file, ecc.*).

upmarket, up-market /ʌp'mɑːkɪt/ (*comm.*) A a. esclusivo; selettivo; di élite; di qualità; (*anche fin.*) **u. collection**, al momento della raccolta (*o* riscossione) □ **u. request**, su richiesta □ **u. his return**, al suo ritorno □ **to have no evidence to go u.**, non aver prove su cui basarsi □ **U. my word!**, perbacco!; caspita!; ma dico io!

di fascia alta: **an u. model**, un modello di fascia alta; *The area is going u.*, la zona sta diventando esclusiva B avv. nella fascia alta del mercato: **to move u.**, passare alla fascia alta del mercato; diventare più esclusivo.

upmost /'ʌpməʊst/ → **uppermost**.

♦ **upon** /ə'pɒn/ prep. **1** su; sopra (→ **on**①) **2** addosso: *Examinations were u. us again*, ci stavano piombando addosso di nuovo gli esami ● (*anche fin.*) **u. collection**, al momento della raccolta (*o* riscossione) □ **u. request**, su richiesta □ **u. his return**, al suo ritorno □ **to have no evidence to go u.**, non aver prove su cui basarsi □ **U. my word!**, perbacco!; caspita!; ma dico io!

♦ **upper** /'ʌpə(r)/ A a. superiore; più alto; alto; più elevato (*in grado, ecc.*): **the u. lip**, il labbro superiore; **the u. branches of a tree**, i rami più alti di un albero; **the u. classes**, le classi elevate (*o* alte); l'aristocrazia B n. **1** tomaia (*di una scarpa*) **2** dente superiore **3** (*moda*) corpetto (*d'abito*); giacca (*del pigiama*) **4** (*fam.*) (farmaco) eccitante, stimolante; (*spec.*) anfetamina **5** (*sci*) appoggio del polpaccio (*di uno scarpone*) ● **u.-bracket**, dello scaglione più elevato: (*fisc.*) **u.-bracket taxpayers**, i contribuenti che pagano più tasse □ **u. case**, (*tipogr.*) alta cassa; maiuscolo, maiuscole; (*comput.*) lettere maiuscole □ (*tipogr.*) **an u.-case letter**, una lettera maiuscola □ **the U. Chamber** = **the U. House** → *sotto* □ (*teatr.*) **u. circle**, balconata; seconda galleria □ **u.-class**, dell'alta borghesia; aristocratico □ (*fam.*) **the u. crust**, l'aristocrazia; la nobiltà; la crema □ (*naut.*) **u. deck**, ponte superiore (*o* di manovra); ponte di coperta (*naut.*) **u.-deck personnel**, personale di coperta □ **the U. House**, la Camera Alta; la Camera dei Lord (*in GB*); il Senato (*in USA*) □ **the u. middle class**, l'alta borghesia □ **u. school**, corso superiore (*di scuola secondaria*) □ **u. shell**, (*pattinaggio*) gambetto (*di scarpa per pattini a rotelle*); (*sci*) gambaletto (*di scarpone*) (*vela*) **u. stern**, quadro (*o* specchio) di poppa □ **the u. storey**, (*edil.*) il piano di sopra; (*fig. fam.*) il cervello □ (*sci*) **u. strap**, fascia di chiusura (*di uno scarpone*) □ **the u. ten** (*thousand*), le famiglie più ricche; l'aristocrazia; il gran mondo □ **to have [to get] the u. hand of sb.**, avere [prendere] il sopravvento su q. □ (*fam.*) **on one's uppers**, in bolletta; al verde.

to **upper-case** /'ʌpə'keɪs/ v. t. (*tipogr.*) stampare maiuscolo.

uppercut /'ʌpəkʌt/ n. (*boxe*) montante; uppercut.

to **uppercut** /'ʌpəkʌt/ v. t. (*boxe*) colpire (*l'avversario*) con un montante.

uppermost /'ʌpəməʊst/ A a. **1** (il) più alto; (il) più elevato **2** (il) più importante; primo; dominante; supremo: *That thought was u. in my mind*, quello era per me il pensiero dominante B avv. **1** nel posto più elevato; più in alto di tutti; in posizione dominante **2** per primo; per prima cosa ● **to say whatever comes u.**, dire quello che viene in mente.

upper works /'ʌpəwɜːks/ n. pl. (*naut.*) opera morta (*sopra la linea massima d'immersione*); accastellamento.

uppish /'ʌpɪʃ/ a. (*fam. spreg.*) altezzoso; arrogante; borioso; presuntuoso; spocchioso | **-ly** avv. | **-ness** n.

uppity /'ʌpətɪ/ a. (*fam. spreg.*) **1** ostinato; testardo; cocciuto **2** → **uppish**.

to **upraise** /ʌp'reɪz/ v. t. alzare; innalzare; elevare; sollevare.

to **uprate** /ʌp'reɪt/ v. t. potenziare, migliorare (*macchine, ecc.*).

uprating /ʌp'reɪtɪŋ/ n. ⓤ (*fin.*) aumento del tasso (*di norma riferito al tasso di interesse per banche e altre istituzioni che accettano depositi*).

to **uprear** /ʌp'rɪə(r)/ v. t. **1** alzare; sollevare **2** allevare **3** (*fig. raro*) esaltare; magnificare; portare alle stelle.

upright /'ʌpraɪt/ A a. **1** diritto; ritto; eretto; perpendicolare; verticale: **u. posture**, posizione eretta **2** (*fig.*) retto; integro; onesto: **an u. man**, un uomo retto B n. **1** asta perpendicolare; palo verticale **2** (*falegn., mecc., edil.*) montante **3** = **u. piano** → *sotto* **4** (*atletica*) ritto (*nel salto in alto e con l'asta*) **5** (*calcio, ecc.*) montante, palo (*della porta*) **6** (*equit.*) palo (*di una palizzata*) **7** (*ginnastica*) ritto (*della sbarra*); montante (*del cavallo, della trave d'equilibrio, ecc.*) C avv. in piedi; verticalmente; per il ritto ● **u. handlebars**, manubrio sportivo (*di bicicletta*) □ (*mus.*) **u. piano**, pianoforte verticale □ **to set st. u.**, mettere qc. per il ritto; piantare qc. verticalmente □ **to stand u.**, stare ritto; stare in posizione eretta | **-ly** avv.

uprightness /'ʌpraɪtnəs/ n. ⓤ **1** posizione verticale; perpendicolarità **2** rettitudine; integrità; onestà.

to **uprise** /ʌp'raɪz/ (pass. **uprose**, p. p. **uprisen**), v. i. (*lett.*) **1** alzarsi; levarsi; sorgere **2** salire; essere in pendenza **3** (*del suono, ecc.*) aumentare; crescere **4** sollevarsi; insorgere.

uprising /'ʌpraɪzɪŋ/ n. sollevazione; ribellione; sommossa; rivolta.

upriver /'ʌp'rɪvə(r)/ A avv. su per il fiume; risalendo contro corrente; a monte; verso la sorgente B a. **1** situato a monte: **an u. village**, un villaggio a monte **2** verso la sorgente; su per il fiume: **an u. voyage**, un viaggio su per il fiume C n. bacino alto (*di un fiume*).

uproar /'ʌprɔː(r)/ n. baccano; baraonda; chiasso; frastuono; parapiglia; tumulto; trambusto; schiamazzo; boato (*della folla*).

uproarious /ʌp'rɔːrɪəs/ a. **1** chiassoso; fragoroso; rumoroso; tumultuoso: **u. laughter**, risate fragorose; **an u. meeting**, una riunione tumultuosa **2** da fare sbellicare dalle risa; buffissimo; divertentissimo ● **u. cough**, tosse squassante | **-ly** avv. | **-ness** n. ⓤ.

to **uproot** /ʌp'ruːt/ v. t. sradicare; estirpare (*anche fig.*): *We must u. poverty*, dobbiamo estirpare la miseria ● **to u. oneself**, sradicarsi (*emigrando, ecc.*) | **uprooting** n. ⓤ sradicamento, estirpazione (*anche fig.*).

uprush /'ʌprʌʃ/ n. **1** (*meteor.*) flusso ascensionale **2** impeto; impulso.

UPS sigla (*elettron.*, **uninterruptible power supply**) gruppo di continuità.

upsadaisy /'ʌpsədeɪzɪ/ inter. → **upsy-daisy**.

upscale /'ʌpskeɪl/ a. (*USA*) → **upmarket**.

upset ① /'ʌp'sɛt/ n. ⓤⓒ **1** capovolgimento; rovesciamento; ribaltamento **2** sconvolgimento; scompiglio: **the u. of my plans**, lo sconvolgimento dei miei progetti **3** (*fam.*) lite; litigio **4** rovescio; sconfitta (*spec. imprevista*) **5** (*sport*) esito inaspettato; risultato a sorpresa **6** (*metall.*) stampo per ricalcare; (*anche*) pezzo ricalcato **7** (*naut.*) rovesciamento; scuffia ● **I had a stomach u.**, avevo lo stomaco sottosopra.

upset ② /'ʌpsɛt/ a. **1** capovolto; rovesciato; ribaltato **2** agitato; turbato; sconvolto **3** che non sta bene (*spec. di stomaco*); indisposto ● (*comm.*) **u. price**, prezzo d'apertura (*in una vendita all'asta*).

♦ **upset** /ʌp'sɛt/ (pass. e p. p. **upset**) A v. t. **1** capovolgere; rovesciare; ribaltare: *The*

wind upset the canoe, il vento capovolse la canoa; (*polit.*) **to u. the government**, rovesciare il governo **2** sconvolgere, turbare (*anche fig.*); disturbare; addolorare; scompigliare: *The news upset him*, la notizia lo sconvolse; **to u. sb.'s plans**, sconvolgere i piani di q.; *The sight of blood upsets me*, la vista del sangue mi turba **3** (*di cibo*) disturbare (*lo stomaco*) **4** (*metall.*) ricalcare **5** scompaginare; scompigliare; mettere in crisi: **to u. the opposition**, mettere in crisi gli avversari **B** v. i. **1** capovolgersi; rovesciarsi; ribaltarsi **2** (*naut.*) fare scuffia; scuffiare **3** (*di un proiettile*) deformarsi (*all'urto*) ● (*fig.*) **to u. the applecart**, romper le uova nel paniere agli avversari □ **to u. sb.'s concentration**, far perdere la concentrazione a q. □ **He ate something that upset him**, mangiò qualcosa che gli guastò lo stomaco □ **That boy upsets me**, quel ragazzo mi dà sui nervi.

upsetting /ʌp'sɛtɪŋ/ **A** n. ⓤⓒ **1** capovolgimento; rovesciamento **2** sconvolgimento; scompiglio **3** (*metall.*) ricalcatura **B** a. che turba; sconvolgente: **u. news**, notizie sconvolgenti.

to **upshift** /'ʌpʃɪft/ v. i. (*autom., mecc. USA*) mettere (*o inserire*) una marcia più alta.

upshot /'ʌpʃɒt/ n. (al sing. con l'art. determ.) conclusione; esito; risultato finale ● **on the u.**, in conclusione; in fin dei conti.

upside /'ʌpsaɪd/ n. **1** parte superiore; (il) disopra **2** (*Borsa, fin.*) tendenza al rialzo **3** (*fig. USA*) lato positivo ● **u. down**, a rovescio, alla rovescia; sottosopra, a soqquadro, in disordine: *Don't stack the boxes u. down*, non accatastare le casse alla rovescia!; *The burglars turned my flat u. down*, i ladri misero sottosopra il mio appartamento □ **u.-down**, capovolto, rovesciato; in disordine, a soqquadro □ (*fig.*) **an u.-down argument**, un ragionamento a rovescio □ (*ginnastica*) **u.-down position**, posizione capovolta verticale.

upsides /'ʌpsaɪdz/ avv. (*fam.*) pari; in pari ● **to get u. with sb.**, farsi pari con q.; vendicarsi di q.

upsilon /juː'pʃaɪlən, 'juːpsɪlɒn/ /'ʊpsɪlɒn/ n. ipsilon (*ventesima lettera dell'alfabeto greco*).

to **upspring** /ʌp'sprɪŋ/ (pass. **upsprang**, p. p. **upsprung**), v. i. (*arc. o lett.*) **1** balzare in piedi; saltare su **2** (*di piante*) venir su; crescere **3** (*fig.*) nascere.

to **upstage** /ʌp'steɪdʒ/ **A** avv. (*teatr.*) verso il fondo (*del palcoscenico*) **B** a. **1** che è in fondo al palcoscenico **2** (*fam.*) altezzoso; altero; superbo; scostante; sostenuto; snob.

to **upstage** /ʌp'steɪdʒ/ v. t. (*fam.*) **1** mettere in ombra (*o in secondo piano*); eclissare (q.) **2** trattare (q.) dall'alto in basso.

♦**upstairs** /ʌp'stɛəz/ **A** avv. **1** disopra; al piano disopra: **to go u.**, andare disopra; *There's a family with two children u.*, c'è una famiglia con due bambini al piano disopra **2** (*fig.*) in alto loco (*lat.*); nelle alte sfere **3** (*slang*) in testa; nella zucca **B** a. attr. disopra; del piano superiore: **an u. room**, una stanza del piano superiore ● (*fam.*) **the u.**, il piano disopra (*di una casa*); (*un tempo*) i padroni (*di una casa, distinti dai domestici che vivevano nel seminterrato*) ● **the people u.**, quelli disopra; gli inquilini del piano disopra □ (*fig. fam.*) **to kick sb. u.**, promuovere q. per sbarazzarsene.

upstanding /ʌp'stændɪŋ/ a. **1** dritto; eretto **2** (*fig.*) forte e sano; robusto **3** (*fig.*) leale; onesto; schietto; probo **4** (*di stipendio*) fisso (*leg.*) **Be u.!**, in piedi; entra (*o esce*) la corte!

upstart /'ʌpstɑːt/ **A** n. **1** (*spreg.*) individuo arricchito da poco; nuovo ricco; villano rifatto; parvenu (*franc.*) **2** (*USA*) nuova impresa; società appena costituita **B** a. attr.

fattosi dal nulla; venuto su dalla gavetta.

upstate /'ʌpsteɪt/ (*USA*) **A** a. dell'interno; della parte settentrionale (*di uno degli Stati Uniti*): **an u. town**, una cittadina dell'interno **B** avv. **1** verso l'interno, verso nord (*spec. nello Stato di New York*) **2** (*eufem. USA*) in carcere; in galera **C** n. parte interna (*o settentrionale*) di uno Stato ‖ **upstater** n. abitante (*o nativo*) della parte interna (*o settentrionale*) di uno Stato.

upstream /ʌp'striːm/ **A** avv. **1** a monte, verso la sorgente (*di un fiume*) **2** (*risalendo*) contro corrente **3** (*comput.*) dal client al server (*verso del flusso dell'informazione*) **B** a. attr. **1** situato a monte **2** (*che va*) contro la corrente.

upstroke /'ʌpstrəʊk/ n. **1** tratto ascendente, asta (*della scrittura*) **2** (*pitt.*) pennellata verso l'alto **3** (*mecc.*) corsa ascendente (*del pistone*) **4** (*baseball, cricket, ecc.*) colpo (*dal basso*) verso l'alto.

upsurge /'ʌpsɜːdʒ/ n. **1** (*lett.*) sollevamento **2** aumento; crescita; incremento **3** (*econ., fin., comm.*) rialzo improvviso, impennata (*dei prezzi, ecc.*): **an u. of inflation**, un'impennata inflazionistica ● **an u. of activity**, un risveglio dell'attività economica.

to **upsurge** /ʌp'sɜːdʒ/ v. i. **1** (*lett.*) sollevarsi; alzarsi **2** aumentare; crescere; salire **3** (*fin., comm.: delle quotazioni, dei prezzi*) impennarsi.

upsweep /'ʌpswiːp/ n. **1** curva all'insù **2** piega all'insù **3** (*USA e Canada*) acconciatura all'insù (*dei capelli*).

to **upsweep** /ʌp'swiːp/ (pass. e p. p. **upswept**), v. t. piegare (curvare, *ecc.*) all'insù.

upswept /ʌp'swɛpt/ a. **1** curvato (*o piegato*) all'insù **2** (*di capelli*) tirato su; spazzolato all'insù ● **u. hair**, pettinatura all'insù.

upswing /'ʌpswɪŋ/ n. **1** ondata (*fig.*); crescendo (*fig.*) **2** (*econ.*) ripresa; boom; (*tendenza all'*) espansione **3** (*fin., comm.: di prezzi, ecc.*) rialzo; (*Borsa*) ripresa **4** (*golf, ginnastica*) movimento rotatorio (*del braccio*) verso l'alto ● (*polit.*) **an u. in votes**, un forte aumento di voti.

upsy-daisy /'ʌpsɪ'deɪzɪ/ inter. oplà! (*spec. usato sollevando da terra un vecchio o un bambino*).

uptake /'ʌpteɪk/ n. ⓤⓒ **1** tiraggio (*di ventilazione, ecc.*) **2** capacità di capire; comprendonio (*fam.*): **to be quick on the u.**, capire le cose al volo; **to be slow on the u.**, essere duro (*o lento*) di comprendonio **3** (*raro*) sollevamento **4** (capacità di) assorbimento (*di una spugna, ecc.*).

upthrow /'ʌp'θrəʊ/ n. **1** lancio verso l'alto **2** (*geol.*) rigetto verticale (*o parte sopraelevata*) di faglia.

upthrust /'ʌp'θrʌst/ n. ⓤⓒ **1** spinta verso l'alto; (*fis.*) pressione idrostatica **2** (*geol.*) sollevamento (*della crosta terrestre*).

uptick /'ʌptɪk/ n. (*USA*) → **upswing**.

uptight /ʌp'taɪt/ a. (*fam.*) **1** agitato; nervoso; ansioso; apprensivo; teso **2** arrabbiato; incavolato (*pop.*) **3** formale; rigido; convenzionale; ingessato (*fig.*) **4** in difficoltà finanziarie **5** (*USA*) in perfetto ordine; a posto.

uptime /'ʌptaɪm/ n. (*comput.*) «uptime»; tempo di disponibilità al servizio.

uptown /ʌp'taʊn/ (*spec. USA*) **A** a. **1** della parte alta della città; dei quartieri alti (*o residenziali*) (*spec. di periferia*) **2** (*per estens.*) costoso; dispendioso **B** avv. nei (*o verso*) i quartieri alti (*o residenziali, eleganti*) (*spec. di periferia*) ● **u. New York**, i quartieri eleganti di New York ‖ **uptowner** n. abitante dei quartieri alti (*o residenziali, eleganti*).

uptrend /'ʌptrɛnd/ n. (*fin., Borsa*) fase di rialzo; tendenza al rialzo; recupero.

upturn /'ʌptɜːn/ n. **1** curva verso l'alto;

piega verso l'alto **2** (*fin.*) rialzo; tendenza al rialzo **3** (*spec. econ.*) mutamento in meglio; svolta favorevole; miglioramento; ripresa; (tendenza all') espansione: **an u. in the standard of living**, un miglioramento del tenore di vita; **a general u. in the economy**, un'espansione generale dell'attività economica **4** sommossa; sollevamento; rivolta; ribellione **5** (*fig.*) ondata: (*econ.*) **a sudden u. of strikes**, un'improvvisa ondata di scioperi.

to **upturn** /ʌp'tɜːn/ **A** v. t. **1** alzare; volgere in su: *They stood with upturned faces*, stavano con la faccia volta in su **2** rovesciare (*un oggetto*) **3** (*agric.*) rivoltare (*la terra, arando*) **B** v. i. **1** volgersi verso l'alto **2** alzarsi ● **an upturned nose**, un naso all'insù.

UPU sigla (*ONU*, **Universal Postal Union**) Unione postale universale (UPU; *Svizzera*).

upvaluation /'ʌpvæljʊ'eɪʃn/ n. ⓤ (*fin.*) rivalutazione; apprezzamento; sopravvalutazione (*di una moneta*).

to **upvalue** /ʌp'vælju:/ v. t. (*fin.*) rivalutare; sopravvalutare.

upward① /'ʌpwəd/ a. **1** (diretto) verso l'alto; in alto: **an u. movement**, un movimento verso l'alto; **an u. look**, uno sguardo rivolto verso l'alto **2** ascensionale: **u. movement**, movimento ascensionale **3** in salita ● (*comput.*) **u. compatible software**, software compatibile verso l'alto (*con le versioni più aggiornate*) □ (*econ., fin.*) **u. drift**, tendenza al rialzo □ **u. gradient**, salita; rampa; pendenza; dislivello □ **u. mobile**, che tende a elevarsi socialmente; rampante (*fam.*) □ **u. mobility**, tendenza a elevarsi socialmente o economicamente; mobilità (sociale) verso l'alto □ (*Borsa*) **u. move**, mossa al rialzo □ (*econ.*) **u. phase**, fase d'espansione □ **an u. slope**, una salita (*in montagna, ecc.*) □ **u. trend** (*o* **u. tendency**), tendenza al rialzo (*dei prezzi, ecc.*); (*econ.*) favorevole andamento congiunturale; (*stat.*) tendenza ascendente.

upward② , **upwards** /'ʌpwəd(z)/ avv. **1** all'insù; verso l'alto; in alto; in su: **to move u.**, spostarsi verso l'alto, salire; (*fig.*) far progressi; **to look u.**, guardare in su; guardare in alto **2** (*di strada*) in salita **3** in aggiunta; oltre ● **u. of**, più di: **u. of thirty men**, più di trenta uomini □ **and u.**, e più; e oltre: **boys of six years and u.**, ragazzi di sei anni e oltre (*o dai sei anni in su*) □ **bottom u.**, sottosopra; capovolto, rovesciato □ (*fig.*) **to climb u.**, progredire; far carriera.

upwardly /'ʌpwədlɪ/ avv. all'insù; verso l'alto ● **u.-mobile**, che tende a migliorare la propria condizione sociale; rampante (*fam.*).

upwelling /ʌp'wɛlɪŋ/ n. ⓤⓒ (*di pesci, cetacei, ecc.*) «upwelling»; risalita dalle acque profonde degli oceani.

upwind /'ʌp'wɪnd/ **A** avv. **1** sopravvento **2** (*anche sport*) controvento **3** (*naut.*) con il vento in prua; controvento **B** a. attr. **1** sopravvento: **the u. side**, il lato sopravvento **2** (*anche sport*) controvento.

uracil /'jʊərəsɪl/ n. ⓤ (*chim.*) uracile.

uraemia, (*USA*) **uremia** /jʊə'riːmɪə/ (*med.*) n. ⓤ uremia ‖ **uraemic**, (*USA*) **uremic** a. uremico.

uraeus /jʊə'riːəs/ n. (pl. **uraei**, **uraeuses**) (*archeol.*) ureo (*aspide sacro del copricapo dei re egiziani*).

Ural-Altaic /'jʊərælæl'teɪɪk/ a. (*ling.*) uralo-altaico.

Uralic /jʊə'rælɪk/ **A** a. (*della lingua*) uralico **B** n. ⓤ uralico (*la lingua*).

Urals /'jʊərəlz/, **Ural Mountains** /jʊərəl 'maʊntɪnz/ n. pl. (*geogr.*) (gli) Urali.

uramil /jʊ'ræmɪl/ n. ⓤ (*chim.*) urammile.

urania /jʊə'reɪnɪə/ n. (*chim.*) biossido di uranio.

Uranian /juə'reɪnɪən/ a. e n. (*astron.*, *astrol.*, *ecc.*) uraniano.

uranic /juə'rænɪk/ a. (*chim.*) uranico.

uraniferous /juərə'nɪfərəf/ a. (*miner.*) uranifero.

uranine /'juərəniːn/ n. (*chim.*) uranina.

uraninite /jʊ'rænɪnaɪt/ n. ◫ (*miner.*) uraninite, pechblenda.

uranism /'juərənɪzəm/ n. ◫ uranismo || **uranist** n. uranista.

uranium /jʊ'reɪnɪəm/ n. ◫ (*chim.*) uranio.

uranography /juərə'nɒɡrəfɪ/ (*astron.*) n. ◫ uranografia || **uranographer** n. uranografo || **uranographic, uranographical** a. uranografico.

uranophane /'juərənəfeɪn/ n. (*miner.*) uranofane.

uranous /'juərənəs/ a. (*chim.*) uranoso.

Uranus /'juərənəs/ n. (*mitol.*, *astron.*, *astrol.*) Urano.

uranyl /'juərənɪl/ n. ◫ (*chim.*) uranile.

urate /'juəreɪt/ n. (*chim.*) urato.

◆**urban** /'ɜːbən/ a. urbano; cittadino: **u. district**, distretto urbano; comunità urbana ● **u. area**, zona urbana □ **u. blight**, quartiere urbano degradato; degrado urbano □ **u. economics**, economia urbana □ **u. guerrilla**, guerrigliero urbano □ **u. legend** (*o* **u. myth**), leggenda metropolitana □ **u. planning**, urbanistica □ **u. music**, musica urban (*tipo di musica dance nata nelle comunità nere delle città americane*) □ **u. renewal**, risanamento edilizio; bonifica urbana □ **u. sprawl**, espansione urbana incontrollata || **urbanism** n. ◫ **1** vita di città **2** urbanistica || **urbanist** n. urbanista || **urbanistic** a. urbanistico.

❶ **NOTA:** *urban o urbane?*
L'aggettivo *urban* significa "urbano": *the urban population*, la popolazione urbana, *urban development*, lo sviluppo urbano; *the Urban District Council*, il Consiglio del Distretto Urbano. Non bisogna confondere *urban* con *urbane*, che vuol dire anch'esso "urbano", ma solo nel senso (figurato e molto formale in italiano) di "cortese, gentile": *When I met him, he came across as a well-mannered, confident, and urbane young man*, quando lo incontrai, si rivelò un uomo educato, sicuro di se e cortese.

Urban /'ɜːbən/ n. (*stor.*) Urbano.

urbane /ɜː'beɪn/ a. urbano; civile; cortese; educato; gentile | **-ly** avv.

urbanite /'ɜːbənaɪt/ n. (*fam.*) cittadino; abitante di città.

urbanity /ɜː'bænətɪ/ n. **1** ◫ urbanità; cortesia; gentilezza **2** (pl.) modi urbani; buone maniere.

to **urbanize** /'ɜːbənaɪz/ v. t. urbanizzare || **urbanization** n. ◫ urbanizzazione.

urbanology /ɜːbə'nɒlədʒɪ/ n. ◫ urbanistica.

URC sigla (**United Reformed Church**) Chiesa unita e riformata.

urchin /'ɜːtʃɪn/ n. **1** birichino; bricconcello; monello **2** (*zool.*, *Erinaceus europaeus*) riccio; porcospino (*fam.*) **3** (*zool.*, *Echinus*; *di solito* **sea u.**) riccio di mare ● **street u.**, monello di strada.

Urdu /'ʊəduː/ n. ◫ urdu (*la lingua del Pakistan occidentale*).

urea /juə'rɪə/ (*chim.*) n. ◫ urea ● (*ind.*) **u. resins**, resine ureiche.

urease /juə'rɪeɪz/ n. ◫ (*biochim.*) ureasi.

ureter /juə'riːtə(r)/ (*anat.*) n. uretere || **ureteral** a. ureterale: (*med.*) **ureteral obstruction**, ostruzione ureterale || **ureteric** a. ureterico.

ureteritis /juərətə'raɪtɪs/ n. ◫ (*med.*) ureterite.

urethane /'juərəθeɪn/ n. ◫ (*chim.*) ure-

tano.

urethra /juə'riːθrə/ (*anat.*) n. (pl. **urethras, urethrae**) uretra || **urethral** a. uretrale.

urethritis /juərə'θraɪtɪs/ n. ◫ (*med.*) uretrite.

urethroscopy /juərɪ'θrɒskəpɪ/ n. ◫ uretroscopia.

urethrotomy /juərə'θrɒtəmɪ/ n. (*med.*) uretrotomia.

uretic /juə'retɪk/ a. (*raro*) **1** (*fisiol.*) urinario **2** (*med.*) diuretico.

urge /ɜːdʒ/ n. **1** spinta; incitamento; esortazione; stimolo; sollecitazione: **sexual u.**, stimolo sessuale **2** forte desiderio; passione: *She has an u. to become an actress*, ha la passione di far l'attrice **3** (*slang*) – **the u.**, il bisogno di fare pipì; (*anche*) voglia di sesso; fregola (*anche fig.*); (*anche*) voglia in genere (di qc.).

◆to **urge** /ɜːdʒ/ v. t. **1** incalzare; spingere; urgere (*lett.*, *poet.*): **to u. one's opponent me inside**, mi spinsero a entrare **2** incitare; esortare; stimolare; sollecitare; pungolare: *I urged him to action*, lo incitai ad agire; *He urged me to buy the goods*, mi esortò ad acquistare la merce; (*comm.*) **to u. payment**, sollecitare il pagamento **3** accampare; addurre; mettere in evidenza; insistere su: **to u. an argument**, addurre un argomento; *The Premier urged (on the nation) the need for economy*, il Primo Ministro insistette sulla necessità (*o* nel far presente alla nazione la necessità) di fare economia **4** far valere: **to u. one's point of view**, far valere il proprio punto di vista ● **to u. along** (*o* **forward, on**), spingere avanti; sospingere □ **to u. st. on sb.**, far capire a q. l'importanza di qc.

urgency /'ɜːdʒənsɪ/ n. ◫ **1** urgenza; premura; sollecitazione: **the u. of the situation**, l'urgenza della situazione **2** insistenza; importunità: **the u. of his pleading**, l'insistenza delle sue suppliche **3** necessità urgente; bisogno pressante **4** (*polit.*) richiesta di procedura d'urgenza (*presentata dai due terzi dei parlamentari*) **5** (*med.*) tenesmo vescicale ● **the u. of poverty**, il peso della povertà □ **a matter of the utmost u.**, una faccenda urgentissima.

◆**urgent** /'ɜːdʒənt/ a. **1** urgente; pressante: **an u. message**, un messaggio urgente; *I've got an u. job to finish*, ho un lavoro urgente da finire; **to be in u. need of st.**, avere urgente bisogno di qc. **2** insistente; importuno: **an u. creditor**, un creditore insistente ● (*telegr.*) **u. rate**, tariffa per telegrammi urgenti □ **to be u. with sb. for st.**, chiedere insistentemente qc. a q. | **-ly** avv.

uric /'juərɪk/ a. (*chim.*) urico: **u. acid**, acido urico.

uricase /'juərɪkeɪz/ n. ◫ (*biochim.*) uricasi.

uridine /'juərɪdiːn/ n. ◫ (*biochim.*) uridina.

urinal /juə'raɪnl/ n. **1** orinale; (*negli ospedali*) pappagallo **2** orinatoio; vespasiano.

urinalysis /juərɪ'næləsɪs/ n. (*med.*) esame dell'urina.

urinary /'juərɪnrɪ/ **A** a. (*fisiol.*) urinario; dell'urina: (*anat.*) **u. system**, apparato urinario **B** n. (*raro*) orinatoio.

to **urinate** /'juərɪneɪt/ v. i. urinare, orinare || **urination** n. ◫ urinazione, orinazione; minzione.

urine /'juərɪn/ n. (*fisiol.*) urina, orina ● (*med.*) **u. analysis**, analisi dell'urina □ **u. culture**, urinocoltura.

uriniferous /juərɪ'nɪfərəs/ a. (*fisiol.*) urinifero ● (*anat.*) **u. tubule**, tubulo renale.

urinogenital /juərɪnəʊ'dʒenɪtl/ a. → **urogenital**.

urinous /'juərɪnəs/ a. urinoso.

URL sigla (*comput.*, **uniform resource locator**) identificatore standard di risorse (*su internet*).

urn /ɜːn/ n. **1** urna; vaso; (*spec.*) urna funeraria **2** recipiente per bevande.

urobilin /juərəʊ'baɪlɪn/ n. ◫ (*biol.*) urobilina.

urochordate /juərəʊ'kɔːdeɪt/ a. e n. (*zool.*, pl. **urochordates**, pl. *scient.* **Urochordata**) urocordato.

urogenital /juərəʊ'dʒenɪtl/ a. (*fisiol.*) urogenitale.

urogram /'juərəʊɡræm/ n. urogramma.

urography /juə'rɒɡrəfɪ/ (*med.*) n. ◫ urografia.

urokinase /juərəʊ'kaɪneɪz/ n. ◫ (*biochim.*) urochinasi.

urolith /'juərəʊlɪθ/ n. (*med.*) urolito; urolite.

urolithiasis /juərəʊlɪ'θaɪəsɪs/ n. ◫ (*med.*) urolitiasi.

urology /juə'rɒlədʒɪ/ (*med.*) n. ◫ urologia || **urologic, urological** a. urologico || **urologist** n. urologo.

uropoiesis /juərəʊpɔɪ'iːsɪs/ (*fisiol.*) n. ◫ uropoiesi || **uropoietic** a. uropoietico.

uropygium /juərəʊ'pɪdʒɪəm/ (*zool.*) n. codrione, codione (*di uccelli*) || **uropygial gland** loc. n. ghiandola uropigia; (ghiandola dell')uropigio.

uroscopy /juə'rɒskəpɪ/ n. ◫ (*med.*) uroscopia.

urotropin /juərəʊ'trəʊpɪn/ n. ◫ (*chim.*, *farm.*) urotropina.

Ursa /'ɜːsə/ n. (*astron.*) Orsa: **U. Major**, Orsa maggiore.

ursine /'ɜːsaɪn/ a. orsino; di (*o* da) orso; simile a un orso.

Ursula /'ɜːsjʊlə/ n. Orsola; Ursula.

Ursuline /'ɜːsjʊlaɪn/ (*relig.*) **A** n. Orsolina **B** a. delle Orsoline: **an U. convent**, un convento di Orsoline.

urticaceous /ɜːtɪ'keɪʃəs/ a. (*bot.*) orticaceo, urticaceo.

urticaria /ɜːtɪ'keərɪə/ n. ◫ (*med.*) orticaria.

urticarial /ɜːtɪ'keərɪəl/ a. (*med.*) urticante.

to **urticate** /'ɜːtɪkeɪt/ **A** v. t. **1** pungere (*come l'ortica*) **2** (*un tempo*) flagellare con ortiche (*una parte paralizzata del corpo*) **B** v. i. (*med.*) produrre urticazione || **urtication** n. ◫ (*med.*) urticazione.

Uruguayan /juərə'ɡwaɪən/ a. e n. uruguaiano, uruguayano.

urus /'juərəs/ n. (*paleont.*, *Bos primigenius*) uro.

◆**us** /ʌs, əs/ pron. pers. 1ª pers. pl. **1** (compl.) noi; ci; ce: *They saw us*, ci videro; *They stole two from us*, ce ne rubarono due **2** (pred.) noi: «*Who's that?*» «*It's us*», «chi è?» «siamo noi» **3** (colloquiale; unito alla forma in **-ing**, è idiom.) **Do you mind us moving your car?**, ti dispiace se spostiamo la tua macchina? **4** (*fam.*) me; a me; mi: **Give us your hand!**, dammi la mano; qua la mano! **5** (*arc. o dial.*) noi; a noi; ci (= **ourselves**): *We should get us a key*, dovremmo procurarci una chiave ● **Let's** (contraz. di **let us**) **go**, andiamo!; andiamocene □ **We looked about us**, ci guardammo intorno □ **Ann said it was very kind of us**, Ann disse che era molto gentile da parte nostra.

US abbr. **1** (**undersecretary**) sottosegretario **2** (*o* **U.S.**) (**United States**) (degli) Stati Uniti (SU) **3** (*fam.*, **unserviceable**) fuori uso, inservibile; guasto.

USA sigla **1** (*anche* **U.S.A.**) (**United States of America**) Stati Uniti d'America (*anche targa autom.*) **2** (*mil.*, *USA*, **United States Army**) Esercito degli Stati Uniti.

usable /'juːzəbl/ a. usabile; adoperabile; utilizzabile; servibile ‖ **usability** n. Ⓤ **1** l'essere usabile; utilizzabilità **2** (comput.) usabilità.

USAF sigla (mil., USA, **United States Air Force**) Aeronautica degli Stati Uniti.

usage /'juːsɪdʒ/ n. **1** Ⓤⓒ uso; costume; usanza; consuetudine; abitudine: **u. and abusage**, uso e abuso; **sanctified by u.**, consacrato dall'uso; **an ancient u.**, un'antica usanza; **a word in common u.**, una parola di uso comune; **u. of trade**, uso di commercio; consuetudine commerciale **2** Ⓤ uso; modo d'usare (qc.); impiego (di qc.); utilizzazione; utilizzo: **the u. of solar energy**, l'utilizzo dell'energia solare ● (di macchina, ecc.) **equipment designed for good [rough] u.**, attrezzature che vanno trattate con riguardo [senza riguardo].

USAID /juːɛs'eɪd/ sigla (**US Agency for International Development**), Agenzia statunitense per lo sviluppo internazionale.

usance /'juːzns/ n. Ⓤ **1** (comm., leg.) tempo concesso per il pagamento delle cambiali estere (secondo la consuetudine del luogo); scadenza: The u. on bills in their country is four months, la scadenza per le cambiali emesse nel loro paese è a quattro mesi **2** (leg.) usanza; costumanza; consuetudine **3** (arc.) interesse finanziario (usurario); usura: 'He lends out money gratis, and brings down / The rate of u. in Venice' W. SHAKESPEARE, 'presta denaro gratis, e così fa crollare / il tasso d'interesse che si pratica a Venezia'.

USB sigla (comput., **universal serial bus**) bus seriale standard.

USD sigla (banca, **United States dollar**) dollaro USA.

USDA sigla (USA, **United States Department of Agriculture**) Ministero dell'agricoltura.

♦**use** /juːs/ n. Ⓤⓒ **1** uso; impiego: **ready for use**, pronto per l'uso; **the use of oil for heating**, l'uso del petrolio per il riscaldamento; **an implement with several uses**, un arnese che ha più usi; **a book for the use of children**, un libro a uso dei bambini; He lost the use of his legs, perse l'uso delle gambe **2** usanza; uso; consuetudine; abitudine; pratica: (leg.) **use and wont**, uso e costume **3** utilità; profitto; vantaggio; pro: Is this tool of any use to you?, ti è di qualche utilità questo arnese?; What's the use?, a che pro?; a che serve? **4** permesso d'usare: He granted me the use of his name, mi concesse (il permesso) d'usare il suo nome **5** (leg.) uso; godimento; (di un servizio) utenza **6** (relig.) liturgia; rito ● **a book in use**, un libro usato come testo (in una scuola, ecc.); un libro (dato) in lettura (da una biblioteca) □ **to come into use**, entrare nell'uso □ **to go [to fall] out of use**, andare [cadere] in disuso □ **to have no use for**, non sapere che farsene di: I have no use for people like you, non so che farmene di gente come te □ **in use**, in uso; usato ● (di una parola) **in everyday use**, dell'uso corrente □ **to make use of**, far uso di; impiegare; servirsi di: Please make use of my telephone, serviti pure del mio telefono □ (di una cosa) **to be no earthly use**, non essere di alcuna utilità; non servire a un bel niente □ **to be of use**, essere utile □ **out of use**, fuori uso; in disuso; disusato; desueto; (mecc.) guasto, fuori servizio, fuori uso □ **to put st. to good [bad] use**, far buon [cattivo] uso di qc. □ **with use**, con l'uso; con la pratica: The control of this machine will become easier with use, con la pratica sarà più facile far funzionare questa macchina □ **This gadget has its uses**, in certi casi questo aggeggio è utile □ **Talking is no use**, le chiacchiere non servono a niente; è inutile parlarne □ **Can I be of use**

to you?, posso esserti utile? □ (prov.) **It's no use crying over spilt milk**, è inutile piangere sul latte versato.

♦**to use** Ⓐ v. t. /juːz/ **1** usare; adoperare; utilizzare; impiegare; far uso di; valersi di; servirsi di: Use a pen, usa la penna; We shall use every means, adopereremo ogni mezzo; **to use the sun as a source of energy**, utilizzare il sole come fonte di energia; This medicine must be used by the end of the year, questa medicina è da usarsi entro la fine dell'anno; **to use force**, usare la forza; **to use one's brains**, usare il cervello; ragionare; **to use one's legs**, usare le gambe; camminare; It hasn't been used, non è stato usato **2** trattare; comportarsi (in un certo modo) con (q.): He has used me like a dog, mi ha trattato da cane **3** (spesso **to use up**) consumare; esaurire; logorare; usare: How much fuel did we use in the old house?, quanto combustibile consumavamo nella casa vecchia?; He had used up all his ammunition, aveva esaurito le munizioni Ⓑ v. modale /juːs/ (usato solo al pass.) usare; solere; essere solito (o abituato, avvezzo) (o, idiom., equivale all'imperf. indic. ital.): He used to study hard, era solito studiare molto; I don't smoke any more, but I used to, non fumo più, ma una volta fumavo; He didn't use (o he usedn't) to drink such a lot before his wife's death, prima della morte della moglie, non beveva tanto; There used to be a theatre in this street, una volta c'era un teatro in questa strada; «What did you use to do?» «I used to be a primary school teacher», «Che lavoro facevi?» «Facevo l'insegnante di scuola elementare» Ⓒ v. i. (slang) drogarsi; bucarsi; farsi (pop.) ● **to be used for**, servire a: What is this tool used for?, a che serve questo arnese? □ **to be used to**, essere abituato (o avvezzo, assuefatto) a (qc., fare qc.): Soldiers are used to danger, i soldati sono abituati al pericolo; He's not used to working hard, non è abituato a lavorare sodo; Well, I'm not used to it, beh, non ci sono avvezzo; I'm not used to speaking in front of lots of people, non sono abituata a parlare davanti a tanta gente □ **to get (o to become) used to**, abituarsi, fare l'abitudine, assuefarsi, avvezzarsi a: You will soon get used to our ways, ti abituerai presto al nostro modo di fare; It's easy once you get used to it, è facile una volta che ci hai fatto l'abitudine.

🅾 **NOTA: used to**

1 used to + infinito indica un'azione che avveniva abitualmente in passato o uno stato di cose passato; il tempo corrispondente italiano è l'imperfetto: When I was a child my family used to spend the summer holidays in Brighton, quando ero piccolo la mia famiglia trascorreva (o era solita trascorrere, soleva trascorrere) le vacanze estive a Brighton; She used to be very pretty, una volta era molto carina; There used to be only fields here, un tempo qui c'era solo campagna; We still meet on Saturdays, but not as often as we used to, ci vediamo ancora il sabato, ma non spesso come una volta.

used to possiede diverse forme negative. Le due più comuni sono **didn't use to** (She didn't use to do the housework, una volta non faceva i lavori di casa) e **used not to** (I used not to listen to the radio, but now I do, una volta non ascoltavo la radio, ma adesso sì): la prima è più colloquiale, la seconda – propria di un verbo modale – è più formale ed è diffusa soprattutto in GB. Altre alternative sono la forma contratta **usedn't to** (They usedn't to ask my opinion, di solito non chiedevano la mia opinione) e **used to not** (They used to not ask my opinion), entrambe piuttosto formali e **didn't used to**, più colloquiale e da alcuni ritenuta scorretta (They

didn't used to ask my opinion).

Analogamente, esistono varie forme interrogative. La più normale è quella con l'ausiliare **do** e il verbo all'infinito: Did you use to play basketball at college?, giocavi a basket all'università? È possibile anche la forma con **do e used**, nonostante non tutti la considerino accettabile: Did you used to play basketball at college? Antiquata ed essenzialmente limitata all'inglese britannico è la costruzione modale, che consiste nell'anteporre **used** al soggetto: Used you to go to church on Sundays?, la domenica andavi a messa?

2 to be used to significa essere abituato (o avvezzo) a; quando è seguito da un verbo, questo ha la forma in -ing: She is [was] used to his vagaries, è [era] abituata alle sue stravaganze; I'm used to working on holidays and weekends, sono abituato a lavorare durante le vacanze e nei fine settimana; I'm not used to it, non ci sono abituato. **to get used to + -ing** significa abituarsi: I will never get used to eating this stuff, non mi abituerò mai a mangiare questa roba.

Si noti la differenza tra I used to read a lot e I'm used to reading a lot: la prima frase significa che un tempo leggevo molto e ora non lo faccio più, mentre la seconda vuole dire che sono abituato a leggere molto.

useable /'juːzəbl/ → **usable**.

use-by date /'juːzbaɪdeɪt/ loc. n. data massima d'impiego; data di scadenza (di un prodotto confezionato): This milk is past its use-by date, questo latte è scaduto.

♦**used** /juːst/ a. **1** usato; smesso: **u. clothing**, vestiti usati; **u. cars**, automobili usate (o di seconda mano); **u. goods**, roba usata **2** annullato, usato (rif. a francobollo) ● **u. up**, consumato; finito; esaurito; (d'indumento) logoro; (fig.: di persona) esausto, stanco, estenuato □ **to be (o to get) u. to** → **to use** □ **not u.**, non usato; (anche) inusitato, insolito.

♦**useful** /'juːsfl/ a. **1** utile; giovevole; proficuo; vantaggioso; conveniente: **a very u. book**, un libro molto utile; Doctors are u. to the community, i medici sono utili alla comunità; **a u. hint**, un utile suggerimento **2** (fam.) capace; efficiente; valido: He's a u. player, è un giocatore valido **3** (fam.) notevole; ragguardevole; soddisfacente: **at a pretty u. speed**, a una notevole velocità ● **to be u.**, essere utile; giovare ● (fam.) **to be pretty u. with one's fists**, sapere usare i pugni □ (ind.) **u. life**, durata (o vita) utile (di un macchinario, ecc.) □ ● **to make oneself u.**, rendersi utile.

usefully /'juːsfəlɪ/ avv. utilmente; proficuamente; con profitto, vantaggiosamente.

usefulness /'juːsflnəs/ n. Ⓤ utilità; vantaggiosità.

♦**useless** /'juːsləs/ a. **1** inutile; disutile; inservibile; vano: **a u. attempt**, un tentativo inutile; This machine is u., questa macchina è inservibile **2** disutile; incapace; inetto **3** abbattuto; depresso; giù di corda: I am feeling u. today, mi sento giù di corda oggi **4** (fam.) inadatto; incapace; negato (a fare qc.): he's u. at maths, è negato in matematica ● (fam.) You are absolutely u.!, sei un disastro!; sei irrecuperabile! ‖ **uselessly** avv. inutilmente; invano; disutilmente ‖ **uselessness** n. Ⓤ inutilità; vanità; disutilità.

♦**user** ① /'juːzə(r)/ n. **1** chi usa; utente; fruitore **2** (econ., comm.) utilizzatore; consumatore: **a big u. of oil**, un gran consumatore di petrolio; **end-u.**, utilizzatore finale; consumatore finale **3** (di un servizio) utente: **telephone users**, utenti telefonici; abbonati al telefono **4** (slang) consumatore abituale di droga; uno che si fa (pop.) ● **u.-friendly**, (di un libro di testo) facile, accessibile; (comput.)

facile da usare, intuitivo; (*market.*: *di un prodotto*) di facile impiego, gradevole □ (*econ.*) **u. cost**, costo d'uso, costo d'utilizzazione □ **u.'s guide**, manuale d'istruzioni □ (*comput.*) **u. ID**, identificativo utente; codice utente □ (*comput.*) **u. interface**, interfaccia utente □ (*comput.*) **u.-oriented** = **u.-friendly** → *sopra*.

user ② /'juːzə(r)/ *n.* Ⓤ (*leg.*) godimento (*o* esercizio) di un diritto d'uso ● **right of u.**, diritto d'uso; servitù (*più com.* «easement»).

usergroup /'juːzəgruːp/ *n.* (*comput.*) gruppo di utenti.

username /'juːzəneɪm/ *n.* (*comput.*) nome utente.

usher /'ʌʃə(r)/ *n.* **1** usciere **2** messo di tribunale **3** (*cinem.*, *teatr.*) maschera **4** (*a un matrimonio*) assistente dello sposo (*che accompagna gli invitati ai loro posti, ecc.*) **5** (*arc. o form.*) cerimoniere: **U. of the Black Rod**, cerimoniere alla Verga Nera (*funzionario della Camera dei Lord*) **6** (*arc. o scherz.*) assistente (*di un professore*); ripetitore.

to **usher** /'ʌʃə(r)/ *v. t.* accompagnare; introdurre; far entrare: *The butler ushered us into the hall*, il maggiordomo c'introdusse nella sala ● **to u. in**, introdurre, far entrare; (*fig.*) portare, inaugurare, annunciare: *The advent of peace ushered in a population boom*, l'avvento della pace portò un'esplosione demografica; *The stars ushered in the night*, le stelle annunciarono la venuta della notte □ **to u. sb. out**, accompagnare q. alla porta (*o all'uscita*).

usherette /ʌʃə'ret/ *n.* (*cinem.*, *teatr.*) mascherina; maschera.

USN *sigla* (*mil.*, *USA*, **United States Navy**) Marina degli Stati Uniti.

US of A *sigla* (**United States of America**) Stati Uniti d'America.

USS *sigla* (*mil.*, **United States Ship**) nave (da guerra) degli Stati Uniti.

USSR *sigla* (*stor.*, **Union of Soviet Socialist Republics**) Unione delle Repubbliche Socialiste Sovietiche (URSS).

usu *abbr.* **1** (**usual**) usuale, solito **2** (**usually**) usualmente, di solito.

◆**usual** /'juːʒl/ Ⓐ *a.* **1** solito; usuale; consueto; abituale; comune: *He asked me the u. questions*, mi fece le solite domande; **with his u. impudence**, con la sua consueta impudenza; *He arrived late, as* (*was*) *u.*, come di consueto, arrivò tardi **2** usuale; ordinario; comune; banale Ⓑ *n.* – (*fam.*) **the u.**, il solito (*quello che si prende abitualmente; ordinando al bar, al ristorante, ecc.*) ● **as u.**, al solito; come al solito; come di consueto □ **later than u.**, più tardi del solito □ **more than u.**, più del solito □ **It's u. to tip the waiter**, è d'uso dare la mancia al cameriere.

◆**usually** /'juːʒəlɪ/ *avv.* di solito; generalmente; abitualmente; solitamente.

usualness /'juːʒlnəs/ *n.* Ⓤ **1** consuetudine; l'essere abituale (*o* consueto) **2** l'essere comune, ordinario; ordinarietà; banalità.

usucaption *n.* Ⓤ usucapione.

usufruct /'juːsjuːfrʌkt/ (*leg.*: *in Scozia, Francia, ecc.*) *n.* Ⓤ usufrutto || **usufructuary** Ⓐ *a.* di (*o relativo a*) usufrutto Ⓑ *n.* usufruttuario.

usurer /'juːʒərə(r)/ *n.* (*leg.*) usuraio, usuraia; strozzino, strozzina.

usurious /juː'ʒʊərɪəs/ *a.* (*leg.*) usurario; usuraio; d'usura; da usuraio: **u. interest**, interessi usurari; **a u. transaction**, un patto usurario || **-ly** *avv.* || **-ness** *n.* Ⓤ.

to **usurp** /juː'zɜːp/ *v. t.* usurpare || **usurpation** *n.* Ⓤ usurpazione || **usurpatory** *a.* usurpativo, usurpatorio || **usurper** *n.* usurpatore, usurpatrice || **usurpingly** *avv.* usurpativamente, da usurpatore.

usury /'juːʒərɪ/ *n.* Ⓤ (*leg.*) usura (*anche fig.*); strozzinaggio ● (*fig.*) **The service was repaid with u.**, il servizio reso fu ripagato a usura.

ut /ʌt/ *n.* (*stor.*, *mus.*) ut (*nota corrispondente al do*).

UT *sigla* **1** (**Universal Time**) Tempo Universale **2** (**Utah**).

UTC *sigla* (**Universal Time Coordinated**) Tempo Universale Coordinato.

utensil /juː'tensl/ *n.* **1** utensile; arnese: **kitchen utensils**, utensili da cucina **2** articolo; attrezzo: **gardening utensils**, attrezzi per il giardinaggio.

uterine /'juːtəraɪn/ *a.* **1** (*anat.*) uterino **2** (*leg.*) uterino: **u. brother**, fratello uterino ● (*med.*) **u. sound**, sonda uterina; isterometro.

uterus /'juːtərəs/ *n.* (*pl.* **uteri**, **uteruses**) (*anat.*) utero.

utilitarian /juːtɪlɪ'teərɪən/ Ⓐ *a.* **1** utilitario; pratico; funzionale **2** (*anche filos.*) utilitarista; utilitaristico Ⓑ *n.* (*anche filos.*) utilitarista.

utilitarianism /juːtɪlɪ'teərɪənɪzəm/ *n.* Ⓤ (*filos.*) utilitarismo.

utility /juː'tɪlətɪ/ Ⓐ *n.* **1** Ⓤ utilità; profitto; vantaggio **2** cosa utile **3** (*fin.*) servizio pubblico; azienda di servizio pubblico (*del gas, dell'elettricità, dei trasp., ecc.*) **4** (*econ.*) utilità: **u. function**, funzione di utilità; **the u. theory of value**, la teoria utilitaristica del valore **5** (*pl.*) (*pubbl.*) comodità, comfort (*di una casa, ecc.*) **6** (*pl.*) (*comput.*) programmi di servizio **7** (*pl.*) (*fin. USA*) titoli d'aziende di servizio pubblico Ⓑ *a. attr.* eclettico; pluriuso: (*calcio, ecc.*) **a u. player**, un giocatore eclettico; un jolly ● **u. blade**, lama (*o temperino*) pluriuso □ (*autom.*) **u. car**, utilitaria □ **u. coach**, autofurgone □ **u. companies**, società di servizi pubblici (*gas, trasp., ecc.*) □ **u. man**, factotum, operaio generico; (*teatr.*) (*USA*) comparsa □ **u. room**, ripostiglio □ (*Austral. e NZ*) **u. truck**, camioncino □ **u. van**, furgoncino.

to **utilize** /'juːtəlaɪz/ *v. t.* utilizzare || **utilizable** *a.* utilizzabile || **utilization** *n.* Ⓤ utilizzazione; utilizzo; sfruttamento: **the utilization of plant facilities**, lo sfruttamento degli impianti (*di una fabbrica*) || **utilizer** *n.* utilizzatore, utilizzatrice.

utmost /'ʌtməʊst/ Ⓐ *a. attr.* **1** (il) più remoto; ultimo; estremo: **the u. ends of the earth**, gli estremi confini della terra **2** estremo; grandissimo; massimo; sommo: *He showed the u. reluctance*, mostrò la massima riluttanza; **in the u. danger**, in grandissimo pericolo; (*leg.*) **u. good faith**, massima buona fede Ⓑ *n.* **1** (l') estremo; (il) massimo; (l') ultimo: **to the u.**, fino all'estremo; fino all'ultimo; *This armchair is the u. in comfort*, questa poltrona è il massimo (*o il non plus ultra*) in fatto di comodità **2** (il) proprio meglio; (l') impossibile: *He tried* (*o did*) *his u.*, ce l'ha messa tutta; ha fatto l'impossibile ● **at the u.**, al più; tutt'al più □ **to the u. of one's power**, fino all'estremo limite delle forze □ **to trust sb. to the u.** avere la massima fiducia in q.

utopia /juː'təʊpɪə/ *n.* Ⓤ Ⓒ utopia.

utopian /juː'təʊpɪən/ Ⓐ *a.* utopistico: **a u. plan**, un progetto utopistico Ⓑ *n.* **1** utopista **2** (*per estens.*) visionario; idealista ● (*polit.*, *stor.*) **u. socialism**, socialismo utopistico || **utopianism** *n.* Ⓤ (*filos.*) utopismo; idealismo utopistico.

utopist /'juːtəʊpɪst/ *a. e n.* utopista.

utricle /'juːtrɪkl/ (*anat.*, *bot.*) *n.* otricolo, utricolo || **utricular** *a.* otricolare.

utriculus /juː'trɪkjʊləs/ *n.* (*pl.* **utriculi**) (*anat.*, *bot.*) otricolo, utricolo.

utter /'ʌtə(r)/ *a.* assoluto; completo; intero;

totale; bell'e buono: *That's u. nonsense*, sono sciocchezze bell'e buone; (*mil. e sport*) **u. defeat**, disfatta assoluta; rotta ● (*sport*) **u. collapse**, crollo verticale (*di una squadra, ecc.*) □ **u. darkness**, buio pesto □ **an u. denial**, un secco diniego □ **an u. stranger**, un perfetto sconosciuto □ **to my u. amazement**, con mio enorme stupore.

to **utter** /'ʌtə(r)/ *v. t.* **1** (*lett. o form.*) emettere; lanciare: *He uttered a sigh of relief*, emise un sospiro di sollievo; **to u. a cry of pain**, lanciare un grido di dolore **2** dire; proferire; pronunciare; esprimere; manifestare: *The wounded soldier uttered only a few words and died*, il soldato ferito non pronunciò che poche parole e poi morì; **to u. the truth**, dire la verità; **to u. one's sentiments**, esprimere (*o manifestare*) i propri sentimenti **3** (*arc.*) divulgare; diffondere (*calunnie, dicerie, ecc.*) **4** (*ling., pubbl.*) enunciare **5** (*leg.*) mettere in circolazione; spacciare: **to u. false coins**, spacciare monete false.

utterable /'ʌtərəbl/ *a.* **1** esprimibile; manifestabile; pronunciabile **2** (*ling.*) enunciabile.

utterance ① /'ʌtərəns/ *n.* **1** ⓊⒸ articolazione; pronuncia; modo di parlare **2** espressione; manifestazione; sfogo **3** discorso; parola; cosa detta **4** (*ling., pubbl.*) enunciato ● **to give u. to one's feelings**, dar sfogo (*o dar voce*) ai propri sentimenti □ **to give u. to one's rage**, sfogare l'ira (*a parole*); inveire □ (*di un ministro del culto*) **his pulpit utterances**, le sue prediche; i suoi sermoni.

utterance ② /'ʌtərəns/ *n.* Ⓤ (*arc., lett.*) estremo; punto estremo; (*fig.*) morte: **to fight to the u.**, combattere fino all'estremo (*o fino all'ultimo sangue*).

utterer /'ʌtərə(r)/ *n.* **1** chi esprime (*o manifesta, pronuncia*) **2** (*ling.*) enunciatore, enunciatrice **3** (*leg.*) spacciatore (*di monete false, ecc.*).

uttering /'ʌtərɪŋ/ *n.* ⓊⒸ **1** espressione; manifestazione; pronuncia **2** (*ling.*) enunciazione **3** (*leg.*) spaccio illegale (*di monete, ecc.*).

utterly /'ʌtəlɪ/ *avv.* completamente; del tutto; totalmente; proprio: **u. mad**, completamente pazzo.

uttermost /'ʌtəməʊst/ → **utmost**.

U-turn /'juːtɜːn/ *n.* **1** (*autom.*) (manovra di) conversione a U; inversione di marcia **2** (*fig. fam.*) svolta radicale; rovesciamento di fronte (*fig.*); dietrofront (*fig.*) ● **«No U-turn»** (*cartello*), «divieto di conversione a U; vietato invertire la marcia».

UV *abbr.* (*fis.*, **ultraviolet**) ultravioletto (UV, Uv).

uvarovite /uː'vɑːrəvaɪt/ *n.* Ⓤ (*miner.*) uvarovite.

uvea /'juːvɪə/ *n.* (*anat.*) uvea.

uveitis /juːvɪ'aɪtɪs/ *n.* Ⓤ (*med.*) uveite.

uvula /'juːvjʊlə/ *n.* (*pl.* **uvulae**, **uvulas**) (*anat.*) ugola.

uvular /'juːvjʊlə(r)/ *a.* **1** (*anat.*) uvulare; dell'ugola **2** (*fon.*) pronunciato con vibrazione dell'ugola; uvulare (*come la «r» francese*).

U/W *sigla* (*comm.*, **underwriter**) sottoscrittore; (*naut.*, **underwriter**) assicuratore marittimo.

UWB *sigla* (*comput.*, **ultra-wideband**) ultra wide band; banda ultralarga; UWB.

uxorial /ʌk'sɔːrɪəl/ *a.* della moglie, (*leg.*) uxorio: **u. rights**, diritti uxori.

uxoricide /ʌk'sɔːrɪsaɪd/ *n.* (*leg.*) **1** ⓊⒸ uxoricidio **2** uxoricida.

uxorious /ʌk'sɔːrɪəs/ *a.* (*lett. o scherz.*) **1** troppo legato alla moglie **2** dominato dalla moglie || **uxoriousness** *n.* Ⓤ **1** eccessivo attaccamento alla moglie **2** l'esser dominato dalla moglie.

a b c d e f g h i j k l m n o p q r s t **u** v w x y z

V, V

V ①, **v** /viː/ n. (pl. *V's*, *v's*; *Vs*, *vs*) **1** V, v (*ventiduesima lettera dell'alfabeto ingl.*) **2** V (*num. romano*) **3** oggetto a forma di V **4** (forma di) V: **V-shaped**, a forma di V; **V-neck** (o **V-necked**), con scollatura (o scollato) a V ● (*mil.*) **V-1**, V1 (*bomba volante tedesca nella 2ª guerra mondiale*) □ (*mil.*) **V-2**, V2 (*bomba simile alla V1*) □ **the V-E Day** (= **Victory in Europe Day**), il giorno della vittoria in Europa (*nella 2ª guerra mondiale, 8 maggio 1945*) □ (*autom., mecc.*) **V-engine**, motore a V □ **v for Victor**, v come Verona □ (*mil.*) **V-J Day** (= **Victory over Japan Day**), il giorno della vittoria sul Giappone (*nella 2ª guerra mondiale, 15 agosto 1945*) □ **the V-sign**, il segno della vittoria (*indice e medio della mano sollevati, con il palmo rivolto all'esterno*); (*ingl.*) gesto volgare di sfida (*uguale al precedente, ma col palmo rivolto all'interno*) □ (*autom., mecc.*) **V-type engine** → **V-engine**.

V ② sigla **1** (**very**) molto **2** (**vicar**) vicario; curato **3** (*prefisso*, **vice**) vice **4** (**viscount**) visconte **5** (**volunteer**) volontario **6** (*slang*, **valium**) valium (*per drogati*).

v. abbr. **1** (*poesia*, **verse**) verso, versi **2** (**version**) versione **3** (*del foglio*, **verso**) verso **4** (*leg., sport*, **versus**) contro **5** (**very**) molto **6** (*med.*, **vision**) vista, visus.

VA sigla **1** (*USA*, **Veterans' Administration**) Ente per l'assistenza ai veterani di guerra **2** (*relig.*, **vicar apostolic**) vicario apostolico **3** (*mil.*, **vice-admiral**) vice ammiraglio **4** (*anche* **Va.**) (*USA*, **Virginia**) Virginia **5** (*GB*, **Order of**) **Victoria and Albert**) Ordine di Vittoria e Alberto.

vac /væk/ n. **1** (*abbr. fam. di* **vacation**) vacanza (*spec. all'università*) **2** (*abbr. fam. di* **vacuum cleaner**) aspirapolvere.

♦**vacancy** /'veɪkənsɪ/ n. **1** Ⓤ vuoto; spazio vuoto; lacuna: **to stare into v.**, guardare nel (*o fissare il*) vuoto **2** Ⓤ (*fig.*) vacuità (mentale); ottusità; disinteresse; distrazione **3** Ⓤ ozio; oziosità; indolenza **4** (*anche leg.*) vacanza; posto (*o impiego*) vacante: **to fill a v.**, coprire un posto vacante; *Do you have any vacancies at the moment?*, avete posti di lavoro disponibili? ● «**Vacancies**» (*cartello*), «camere libere» □ **v. rate**, (*econ.*) indice dei posti di lavoro vacanti; (*tur.*) indice della disponibilità ricettiva.

vacant /'veɪkənt/ a. **1** vuoto; vacuo; vacante (*anche leg.*); libero; non occupato; sfitto; (*leg.*) privo di proprietario (*detto di terreno*): **a v. stare**, uno sguardo vuoto, senz'espressione; **a v. post**, un posto vacante; *Is this seat v.?*, è libero questo posto (*a sedere*)?; **a v. house**, una casa sfitta; **a v. mind**, una mente vuota, vacua **2** distratto; assente: **a v. air**, un'aria assente, distratta ● (*leg.*) **v. possession**, possesso di un immobile non occupato □ «**V. possession**» (*cartello*), «libero» (*rif. a un immobile in vendita*) □ (*leg.*) **v. succession**, eredità vacante.

❶ Nota: *vacant o vacuous?*
Vacant significa "vuoto, vacuo" soprattutto nel senso di "vacante, non occupato": *a vacant seat*, un posto libero, *vacant rooms*, camere libere; in senso figurato significa soprattutto "assente": *a vacant look*, uno sguardo assente. Anche *vacuous* significa

"vuoto, vacuo", ma quasi esclusivamente nel senso di "sciocco, stupido": *He muttered the usual vacuous remarks about the team losing again*, mormorò le solite vane osservazioni sulla squadra che continuava a perdere.

vacantly /'veɪkəntlɪ/ avv. vacamente; senza espressione; con aria assente.

to **vacate** /və'keɪt, *USA* 'veɪkeɪt/ **Ⓐ** v. t. **1** lasciar vuoto; lasciar libero; liberare; sgombrare; (*mil.*) evacuare: *They had to v. the flat*, dovettero sgombrare l'appartamento **2** dimettersi da; rinunciare a; dare le dimissioni da: **to v. a professorship**, dare le dimissioni da professore; dimettersi da una cattedra universitaria **3** (*leg.*) annullare, cassare (*un contratto, ecc.*) **Ⓑ** v. i. dimettersi; dare le dimissioni ● (*baseball*) **to v. the base**, abbandonare la base che si aveva occupato.

♦**vacation** /və'keɪʃn/ n. **1** sgombero (*da una casa a un'altra*) **2** dimissione; rinuncia: *His v. of his high office was foolish*, la sua rinuncia all'alta carica tenuta fu una sciocchezza **3** vacanza; ferie; vacanze: **the Christmas v.**, le vacanze di Natale; **the long** (*o* **summer**) **v.**, le vacanze estive **4** (*pl.*) (*leg.*) ferie giudiziarie **5** (*slang USA*) periodo passato in galera ● (*USA*) **v. home**, casa di villeggiatura □ **v. job**, lavoro per le vacanze (*di uno studente*) □ **v. pay**, retribuzione nel periodo delle ferie; (*anche*) retribuzione aggiuntiva per ferie non godute □ **to be on v.**, essere in ferie.

to **vacation** /və'keɪʃn/ (*USA*) v. i. andare in vacanza; passare le vacanze: *We vacationed in Europe last summer*, l'estate scorsa siamo stati in vacanza in Europa ‖ **vacationer** n. chi è in vacanza; villeggiante; vacanziere.

vacationland /və'keɪʃnlænd/ n. (*USA*) zona di villeggiatura.

vaccinal /'væksɪnl/ a. (*med.*) vaccinico.

to **vaccinate** /'væksɪneɪt/ (*med.*) v. t. vaccinare ● **to be** (*o* **get**) **vaccinated**, farsi vaccinare: vaccinarsi ‖ **vaccination** n. Ⓤ vaccinazione.

vaccinator /'væksɪneɪtə(r)/ n. **1** vaccinatore **2** (*med.*) vaccinostilo; lancetta per vaccinazione.

vaccine /'væksiːn, *USA* væk'siːn/ **Ⓐ** n. (*med.*) vaccino; siero vaccinico: **polio v.**, vaccino antipolio **Ⓑ** a. **1** vaccino; di vacca **2** (*med.*) vaccinico ● (*med.*) **v. point**, lancetta per vaccinazione; vaccinostilo □ (*med.*) **v. therapy**, vaccino terapia.

vaccinee /væksə'niː/ n. (*med.*) persona vaccinata; vaccinato.

vaccinia /væk'sɪnɪə/ n. Ⓤ (*vet.*) vaiolo vaccino; vaiolo dei bovini.

to **vacillate** /'væsɪleɪt/ v. i. vacillare (*spec. fig.*); ondeggiare; barcollare; esitare; tentennare; essere irresoluto: **to v. between faith and scepticism**, esitare fra la fede e lo scetticismo.

vacillating /'væsɪleɪtɪŋ/ a. **1** vacillante **2** esitante; titubante.

vacillation /væsə'leɪʃn/ n. Ⓤ **1** vacillamento; barcollamento **2** (*fig.*) esitazione; tentennamento; irresolutezza.

vacillatory /'væsələɪtrɪ/ a. (*raro*) vacillante (*anche fig.*).

vacuity /və'kjuːɪtɪ/ n. Ⓤ **1** (*raro*) vuoto; spazio vuoto; lacuna **2** (*fig.*) vacuità mentale; ottusità; stupidità.

vacuolation /vækjʊə'leɪʃn/, **vacuolization** /vækjʊəlaɪ'zeɪʃn, *USA* -lɪ'z-/ n. Ⓤ (*biol., bot.*) vacuolizzazione.

vacuole /'vækjʊəʊl/ (*biol.*) n. vacuolo ‖ **vacuolar** a. vacuolare: **vacuolar system**, sistema vacuolare; vacuoma ‖ **vacuolated**, **vacuolate** a. vacuolato; vacuoloso.

vacuometer /'vækjə'ɒmɪtə(r)/ n. (*fis.*) vacuometro.

vacuous /'vækjʊəs/ a. **1** (*fig.*) vacuo; vuoto; privo d'espressione; insignificante; sciocco; stupido: **a v. mind**, una mente vacua, assente; **a v. stare**, uno sguardo vuoto, privo d'espressione; **a v. question**, una domanda insignificante, sciocca **2** (*raro*) vuoto; vacuo **| -ly** avv. **| -ness** n. Ⓤ **❶ Nota:** *vacant o vacuous?* → **vacant**.

vacuum /'vækjʊəm/ n. Ⓒⓤ (pl. *vacuums*, *fis. anche* **vacua**) **1** (*fis.*) vuoto: **absolute v.**, vuoto assoluto; *Nature abhors a v.*, la natura aborre il vuoto **2** (*fig.*) (un) vuoto: *His wife's death left a v. in his life*, la morte della moglie lasciò un vuoto nella sua vita **3** (= **v. cleaner**) aspirapolvere: *I'll put the v. round while you clean the bathroom*, passo l'aspirapolvere mentre tu pulisci il bagno ● (*USA*) **v. bottle**, thermos, termos □ **v. brake**, (*ferr.*) freno a depressione; (*mecc.*) freno pneumatico a vuoto □ **v. cleaner**, aspirapolvere □ (*chim.*) **v. distillation**, distillazione nel vuoto □ (*GB*) **v. flask**, thermos, termos □ (*fis.*) **v. gauge**, vacuometro □ (*mecc.*) **v.-operated**, a depressione □ **v.-packed**, confezionato sotto vuoto □ **v. pump**, (*mecc.*) pompa da vuoto; (*aeron.*) depressore □ (*elettron.*) **v. tube**, tubo a vuoto; valvola termoionica □ **v. valve**, valvola termoionica.

to **vacuum** /'vækjʊəm/ (*fam.*) **Ⓐ** v. t. pulire con l'aspirapolvere **Ⓑ** v. i. usare l'aspirapolvere.

to **vacuum-clean** /'vækjʊəmkliːn/ → **to vacuum**.

to **vacuum-seal** /'vækjʊəmsiːl/ v. t. sigillare (*o chiudere*) sotto vuoto.

vade mecum /vɑːdeɪ'meɪkəm/ n. vademecum; prontuario; taccuino.

vadose /'veɪdəʊs/ a. (*geol.*) vadoso: **v. water**, acqua vadosa.

vag /væg/ **Ⓐ** n. (*abbr. fam. USA di* **vagrant**) individuo senza fissa dimora; vagabondo; barbone **Ⓑ** a. attr. di (*o da*) vagabondo; di vagabondaggio: *He was arrested on a vag charge*, fu arrestato sotto accusa di vagabondaggio.

to **vag** /væg/ v. t. (*slang USA*) accusare (q.) di vagabondaggio.

vagabond /'vægəbɒnd/ (*lett.*) **Ⓐ** a. attr. vagabondo; errante; vagante; errabondo; nomade; randagio: **v. hunters**, cacciatori nomadi; **v. life**, vita randagia **Ⓑ** n. **1** vagabondo; nomade; girovago **2** briccone; accattone; ladro.

to **vagabond** /'vægəbɒnd/ v. i. vagabondare; errare; vagare.

vagabondage /'væɡəbɒndɪdʒ/, **vagabondism** /'væɡəbɒndɪzəm/ n. ⓤ vagabondaggio.

vagal /'veɪɡl/ a. (*anat.*) vagale; del nervo vago ● (*med.*) **v. arrhythmia**, aritmia vagale.

vagarious /və'ɡɛərɪəs/ a. (*raro*) **1** vagante; errante **2** volubile; capriccioso.

vagary /'veɪɡərɪ/ n. **1** idea strana (*o bislacca*); capriccio; ghiribizzo; stravaganza: **the vagaries of the English weather**, i capricci del tempo in Inghilterra **2** divagazione; digressione ● **vagaries of the mind**, fantasticherie.

vagina /və'dʒaɪnə/ n. (pl. **vaginae, vaginas**) **1** (*anat.*) vagina **2** (*bot.*) guaina ‖ **vaginal** a. (*anat.*) vaginale ● (*med.*) **vaginal hernia**, ernia vaginale; colpocele ‖ **vaginate, vaginated** a. **1** (*anat.*) invaginato **2** (*bot.*) guainato: **a vaginate leaf**, una foglia guainata.

vaginismus /vædʒɪ'nɪzməs/ n. ⓤ (*med.*) vaginismo.

vaginitis /vædʒɪ'naɪtɪs/ n. ⓤ (*med.*) vaginite.

vaginoplasty /və'dʒaɪnəplæstɪ/ n. ⓤ (*med.*) vaginoplastica.

vagotomy /veɪ'ɡɒtəmɪ/ (*med.*) n. ⓤⓒ vagotomia ‖ **vagotomized** a. vagotomizzato.

vagrancy /'veɪɡrənsɪ/ n. ⓤⓒ **1** (*leg.*) vagabondaggio; accattonaggio **2** (*collett.*) (i) vagabondi; (gli) accattoni.

vagrant /'veɪɡrənt/ **A** a. attr. **1** vagabondo; ambulante; errante; nomade; randagio: **a v. minstrel**, un menestrello ambulante **2** errabondo; vagante: **v. winds**, venti errabondi **3** incostante; instabile: **v. impulses**, impulsi incostanti **B** n. **1** vagabondo; girovago; nomade **2** (*leg.*) accattone; mendicante **3** (*leg.*) vagabondo; individuo senza fissa dimora ‖ **-ly** avv. ‖ **-ness** n. ⓤ.

♦**vague** /veɪɡ/ a. **1** vago; incerto; indistinto; indeterminato; impreciso: **a v. accusation**, una vaga accusa; **a v. answer**, una risposta vaga, imprecisa; **a v. shape in the mist**, una sagoma indistinta nella nebbia; *I haven't got the vaguest idea (of) what he means*, non ho la più vaga (*o* la più pallida) idea di quel che vuol dire **2** (*di persona*) incerto; indeciso; irresoluto ‖ **-ly** avv. ‖ **-ness** n. ⓤ.

vagus /'veɪɡəs/ n. (pl. **vagi**) (*anat.*) (nervo) vago.

to **vail** /veɪl/ (*arc. o poet.*) **A** v. t. **1** abbassare (*l'orgoglio, la cresta, ecc.*) **2** togliersi (*il cappello, in segno di sottomissione*) **B** v. i. **1** scappellarsi; inchinarsi **2** (*fig.*) sottomettersi; umiliarsi.

vain /veɪn/ a. **1** vano; inconsistente; inutile; infruttuoso: **v. hope**, vana speranza; **a v. attempt**, un tentativo infruttuoso **2** vano; vanitoso; vanaglorioso: **a v. girl**, una ragazza vanitosa ● **in v.**, invano, inutilmente; vano, inutile: *I tried in v.*, tentai invano; *All my efforts were in v.*, tutti i miei sforzi furono inutili □ (*relig.*) **to take God's name in v.**, nominare il nome di Dio invano ‖ **-ly** avv. ‖ **-ness** n. ⓤ.

vainglorious /veɪn'ɡlɔːrɪəs/ (*lett.*) a. vanaglorioso ‖ **vaingloriousness** n. ⓤ vanagloria.

vainglory /veɪn'ɡlɔːrɪ/ n. ⓤ (*lett.*) vanagloria.

vair /vɛə(r)/ n. (*arald.*) vaio.

val. abbr. (**value**) valore.

valance /'væləns/ n. **1** balza; drappeggio; falpalà **2** (*USA*) mantovana (*di finestra*) **3** tenda, cortina (*di un letto*) ‖ **valanced** a. **1** munito di balza; ornato di falpalà **2** (*USA*: *di finestra*) provvista di mantovana.

vale ① /veɪl/ n. (*spec. poet.*) valle ● (*fig.*) **this v. of tears** (*o* **of woe**), questa valle di lacrime.

vale ② /'vɑːleɪ/ (*lat.*) inter. e n. (*raro*) addio.

valediction /vælɪ'dɪkʃn/ n. ⓤⓒ (*form.*) addio; commiato; parole d'addio.

valedictorian /vælɪdɪk'tɔːrɪən/ n. (*USA*) studente che ha ottenuto la votazione più alta (*al diploma o alla laurea*) e che tiene il discorso di commiato.

valedictory /vælɪ'dɪktərɪ/ **A** a. (*form.*) d'addio; di commiato: **a v. speech**, un discorso d'addio **B** n. (*USA*) discorso di commiato dopo la laurea.

valence /'veɪləns/ n. ⓤ (*chim.*) valenza: **v. bond**, legame di valenza.

Valencia /və'lɛnsɪə/ n. (*geogr.*) Valenza.

Valenciennes /vælənsɪ'ɛn/ n. pizzo Valenciennes.

valency /'veɪlənsɪ/ n. (*chim.*) valenza.

valentine /'væləntaɪn/ n. **1** innamorato, innamorata (*spec. se scelto il giorno di S. Valentino, 14 febbraio*) **2** biglietto amoroso, lettera d'amore, dono (*inviati il 14 febbraio*).

Valentine /'væləntaɪn/ n. Valentino.

valerian /və'lɪərɪən/ n. (*bot., Valeriana officinalis*) valeriana (*anche farm.*).

valeric /və'lɪərɪk/ (*chim.*) a. valerianico: **v. acid**, acido valerianico ‖ **valerate** n. valerianato.

valet /'vælət, *USA* væ'leɪ/ n. **1** valletto; cameriere (*personale*); guardarobiere **2** (*tur.*) fattorino d'albergo che mette a posto (*in garage, ecc.*) le auto dei clienti ● **v. parking**, parcheggio dell'auto (*del cliente*) a cura dell'albergo o del ristorante □ (*tur.*) **v. service**, servizio di guardarobiera (*in albergo*).

to **valet** /'vælət/ v. t. far da valletto (*o da cameriere*) a (q.).

valeting /'vælətɪŋ/ n. ⓤ (*autom.*) lavaggio e pulitura dell'interno (*dell'automobile*).

valetudinarian /vælɪtjuːdɪ'nɛərɪən/ **A** a. **1** valetudinario (*lett.*); malaticcio; cagionevole **2** che si preoccupa troppo della propria salute; ipocondriaco **B** n. (*arc.*) **1** persona di salute cagionevole **2** persona che si preoccupa troppo della propria salute ‖ **valetudinarianism** n. ⓤ **1** salute cagionevole; salute malferma **2** ipocondria.

valetudinary /vælɪ'tjuːdɪnərɪ/ → **valetudinarian**.

valgus /'vælɡəs/ (*med.*) **A** a. (*di piede*) valgo **B** n. ⓤ (*anche* **v. condition**) valgismo.

Valhalla /væl'hælə/ n. **1** (*mitol. germanica*) Walhalla, Valalla **2** (*fig.*) mausoleo; pantheon.

valiant /'væljənt/ a. coraggioso; valoroso; prode: *'The v. never taste of death but once'* W. SHAKESPEARE, 'i prodi subiscono la morte una volta sola' ‖ **-ly** avv.

valid /'vælɪd/ a. (*anche leg. e sport*) valido; (*fig.*) solido, fondato: **a v. contract [passport]**, un contratto [un passaporto] valido; **a v. claim**, una richiesta valida; una pretesa fondata; **v. arguments**, argomenti validi; solide ragioni ● (*leg.*) **a v. title**, un titolo di proprietà legittimo ‖ **-ly** avv. ‖ **-ness** n. ⓤ.

to **validate** /'vælɪdeɪt/ v. t. (*leg.*) **1** (*anche sport*) rendere valido; convalidare; riconoscere la validità di **2** omologare: **to v. a treaty**, omologare un trattato **3** proclamare (q.) eletto **4** (*comput.*) validare (*un sistema, un'applicazione, ecc.*) ● **to v. an agreement**, convalidare un accordo ‖ **validation** n. ⓤⓒ **1** (*anche sport*) convalidazione; convalida **2** omologazione **3** proclamazione (*degli eletti*) **4** (*comput.*) validazione.

validity /və'lɪdɪtɪ/ n. ⓤ (*anche leg.*) validità; (*fig.*) solidità; fondatezza: **the v. of a ticket**, la validità di un biglietto; **the v. of an argument**, la fondatezza di un ragionamento.

valine /'veɪliːn/ n. ⓤ (*biochim.*) valina.

valise /və'liːz/ n. valigia; valigetta; venti-

quattrore.

Valium ® /'vælɪəm/ n. ⓤ (*farm.*) Valium.

Valkyrie /væl'kɪərɪ/ n. (*mitol.*) valchiria.

vallate /'væleɪt/ a. (*anat.*) vallato: **v. papilla**, papilla vallata.

vallecula /væ'lɛkjʊlə/ n. (pl. **valleculae**) (*anat., bot.*) vallecola.

♦**valley** /'vælɪ/ n. **1** (*geogr., geol.*) valle; vallata: **the Po V.**, la pianura padana; la Valle del Po; (*fig.*) **the v. of the shadow of death**, la valle dell'ombra della morte; **river v.**, valle fluviale **2** (*edil.*) impluvio; conversa ● (*geol.*) **v. flat** (*o* **floor**, *o* **plain**), fondovalle □ (*edil.*) **v. rafter**, sottoconversa.

vallum /'væləm/ n. (pl. **vallums, valla**) (*stor. romana*) vallo.

valonia /və'ləʊnɪə/ n. (*bot.*) vallonea (*la ghianda*) ● (*bot.*) **v. oak** (*Quercus aegilops*), vallonea (*la quercia*).

valor /'vælə(r)/ (*USA*) → **valour**.

to **valorize** /'væləraɪz/ v. t. (*econ., comm.*) valorizzare (*un prodotto*), aumentare il prezzo di (*un prodotto, con provvedimenti protezionistici*) ‖ **valorization** n. ⓤ valorizzazione (*di un prodotto*), aumento del prezzo (*con provvedimenti protezionistici*).

valorous /'vælərəs/ a. valoroso; coraggioso; prode ‖ **-ly** avv.

valour, (*USA*) **valor** /'vælə(r)/ n. ⓤ valore; coraggio; prodezza.

valse /vɑːls/ (*franc.*) n. (*mus.*) valzer.

to **valse** /vɑːls/ v. i. (*raro*) ballare il valzer.

♦**valuable** /'væljʊəbl/ **A** a. **1** prezioso; di gran valore; costoso: **v. furniture**, mobili costosi; **v. information**, informazioni preziose; **v. land**, terreni di gran valore **2** valutabile **B** n. pl. **1** oggetti di valore; valori **2** preziosi; merci preziose ● (*leg.*) **v. consideration**, controprestazione; corrispettivo (*in denaro*) □ **v. goods**, valori; preziosi □ (*leg.*) **for a v. consideration**, a titolo oneroso.

valuation /væljʊ'eɪʃn/ n. ⓤⓒ **1** valutazione; apprezzamento; (*comm.*) perizia, stima: **the v. of land**, la valutazione dei terreni; (*ass.*) **the v. of a risk**, la valutazione di un rischio; **the v. of an estate**, la stima di una proprietà **2** prezzo (*secondo la stima del mercato*): *The goods were disposed of at a low v.*, la merce fu venduta a basso prezzo **3** (*ass.*) determinazione del valore attuale (*di una polizza vita*) **4** (*per estens.*) valore: *He sets too high a v. on his abilities*, attribuisce un valore eccessivo alle sue capacità ● (*dog.*) **the v. for customs purposes**, la fissazione del valore (*della merce*) in dogana.

valuator /'væljʊeɪtə(r)/ n. stimatore; perito.

♦**value** /'væljuː/ n. ⓤⓒ **1** valore; pregio; importanza; significato; utilità: *I set a high v. upon your advice*, attribuisco un gran valore ai tuoi consigli; **the v. of accuracy**, il pregio della precisione; **ethical values**, valori morali; **the v. of a friendship**, l'importanza di un'amicizia; **the precise v. of a word**, il significato preciso d'una parola; *This dictionary may be of some v. to Italian students of English*, questo dizionario sarà forse di qualche utilità agli italiani che studiano l'inglese **2** (*econ.*) valore: *to increase in v.*, aumentare di valore; *What's the nominal v. of these shares?*, qual è il valore nominale di queste azioni?; **the v. of the dollar**, il valore del dollaro; **v. in exchange**, valore di scambio; **v. in use**, valore d'uso; **v. theory**, teoria del valore; (*ass.*) **the v. declared**, il valore dichiarato; **v. added**, valore aggiunto **3** (*econ.*) prezzo: **market values**, prezzi di mercato; **at v.**, al prezzo corrente di mercato; *This car is good [bad] v.*, questa automobile vale [non vale] il suo prezzo **4** (*banca, fin.*) valore; valuta: **v. in** (*o* **on**) **account**, va-

luta in conto; **v. date**, data di valuta; valuta al: *The v. date is April 1st*, valuta (*del versamento*) al 1° aprile; (*su una cambiale*) «**v. received**», «per valore ricevuto» **5** (*mat., comput.*) valore: *As the v. of x increases, y decreases*, all'aumento del valore di x, si ha la diminuzione di y **6** (*tecn., scient.*) valore; potere: **calorific v.**, potere calorifico **7** (*chim.*) indice; numero: **acid v.**, numero di acidità **8** (*mus.*) valore, durata, lunghezza, quantità (*di una nota*) **9** (pl.) valori, principi (*morali, ecc.*) **10** (pl.) (*pitt.*) valori (*luministici, tonali, ecc.*) ● (*fisc.*) **v.-added statement**, dichiarazione dell'IVA □ (*fisc.*) **v.-added tax** (abbr. **VAT**), imposta sul valore aggiunto (abbr. **IVA**) □ **VAT-free**, esente da IVA □ **VAT-inclusive price**, prezzo IVA inclusa □ (*econ.*) **v. analysis**, analisi del valore (o valutativa) □ **v. analyst**, analista del valore □ **v. goods**, merci preziose; preziosi; valori □ (*fin.*) **v. index**, indice di valore □ **v. judgment**, giudizio di valore; giudizio soggettivo □ (*fin.*) **v. of goodwill**, valore di avviamento ● **v. parcel**, pacco (di) valori; pacco assicurato □ **v. system**, sistema di valori (*morali, ecc.*) □ (*leg.*) **for v.**, a titolo oneroso □ **to get v. for money**, spendere bene il proprio denaro □ **to lose** (*o* **to fall in**) **v.**, deprezzarsi; svalutarsi □ (*di un dipinto*) **out of v.**, non equilibrato nei valori tonali □ **to place** (*o* **to set**) **a high** [**low**] **v. on st.**, attribuire grande [scarso] valore a qc. □ **Poor** [**Good**] **v. for money!**, soldi spesi male [bene]!

to **value** /'vælju:/ v. t. **1** (*econ., fin., rag.*) valutare; apprezzare; stimare; fare la stima di: *The house was valued at one million pounds*, la casa fu valutata un milione di sterline; **to v. a loss**, valutare una perdita; **to v. a large estate**, fare la stima di una grossa proprietà **2** valutare; apprezzare; tenere in gran conto: *I v. sincerity above all things*, apprezzo la sincerità più d'ogni altra cosa ● **to v. at cost**, valutare (*merci, ecc.*) al costo □ **to v. at market price**, valutare (*beni, ecc.*) al prezzo di mercato □ (*comm., leg.*) **to v. on sb.**, rivalersi su q. (*spiccando una tratta*).

valued /'vælju:d/ a. **1** valutato; del prezzo di; che costa: **a hat v. at two hundred dollars**, un cappello del prezzo di duecento dollari **2** apprezzato; stimato; pregiato; di gran valore; prezioso: **a v. possession**, un possedimento di gran valore; **a v. friend**, un amico prezioso ● (*ass.*) **v. policy**, polizza con valore dichiarato; polizza valutata.

valueless /'vælju:ləs/ a. senza valore; privo di valore | **-ness** n. Ⓤ.

valuer /'væljuə(r)/ n. **1** (*comm.*) stimatore; perito; valutatore **2** estimatore; chi apprezza (q. *o* qc.).

valvar /'vælvə(r)/ a. (*scient.*) valvolare.

valvate /'vælvət/ a. **1** (*bot., zool.*) valvato; valvare; munito di valva (*o* di valve) **2** (*anat.*) provvisto di valvola (*o* di valvole).

valve /vælv/ n. **1** (*anat., mecc., radio*) valvola: **the valves of the heart**, le valvole del cuore; **the v. of a tyre**, la valvola d'un pneumatico; **air v.**, valvola di sfiato; **check v.**, valvola di ritegno **2** (*bot., zool.*) valva; opercolo **3** (*fig.*) valvola **4** (*mus.*) valvola (*di tromba, ecc.*) **5** (*di porta*) battente; valva (*arc.*) ● **v. cock**, rubinetto a valvola □ (*mecc.*) **v. core**, spillo della valvola □ (*USA*) **v. follower** → **v. tappet** → sotto □ (*autom., mecc.*) **v. gear**, (meccanismo della) distribuzione: **v. gear timing**, fasatura della distribuzione (*di motore*) □ **v.-in-head**, a valvole in testa □ (*autom., mecc.*) **v. lifter**, alzavalvole □ (*mecc.*) **v. seat**, sede della valvola □ (*radio*) **v. set**, apparecchio a valvole □ **v. sluice**, chiusa; paratoia □ (*autom.*) **v. spring**, molla elicoidale (*della testa d'un pistone*) □ (*autom.*) **v. stem**, stelo della valvola □ (*mecc.*) **v. tappet**, punteria.

to **valve** /vælv/ v. t. (*mecc.*) **1** munire di

valvole **2** regolare (*l'efflusso, ecc.*) mediante valvole.

valved ① /vælvd/ a. (*bot., zool.*) munito di valva (*o* di valve).

valved ② /vælvd/ a. (*mecc.*) munito di valvola (*o* di valvole) ● (*di cilindro*) **four-v.**, a quattro valvole.

valveless /'vælvləs/ a. (*mecc.*) senza valvole.

valvelet /'vælvlət/ n. **1** (*mecc.*) valvolina **2** → **valvule**.

valvotomy /væl'vɒtəmɪ/ n. Ⓤ (*med.*) valvulotomia.

valvular /'vælvjʊlə(r)/ a. (*scient.*) valvolare.

valvule /'vælvju:l/ n. **1** (*anat.*) piccola valvola **2** (*bot., zool.*) piccola valva.

valvulitis /vælvjʊ'laɪtɪs/ n. Ⓤ (*med.*) valvulite.

valvuloplasty /'vælvjʊləplæstɪ/ n. Ⓤ (*med.*) valvuloplastica.

valvulotomy /vælvjʊ'lɒtəmɪ/ n. Ⓤ (*med.*) valvulotomia.

to **vamoose** /və'mu:s/ (*slang USA, antiq.*) Ⓐ v. i. andarsene; sloggiare; tagliar la corda: *V.!*, vattene!; andatevene!; fila (*o* filate) via!; smamma!; smammate! Ⓑ v. t. sloggiare da; abbandonare, lasciare (*un luogo*).

vamp ① /væmp/ n. **1** tomaia **2** rappezzamento; rattoppo; toppa **3** (*fig.*) abborracciamento; raffazzonamento; (*letter.*) opera raffazzonata **4** (*mus.*) improvvisazione.

vamp ② /væmp/ n. (*fam.*; negli anni '20 e '30) vamp; maliarda; donna fatale; fatalona (*fam.*).

to **vamp** ① /væmp/ Ⓐ v. t. **1** mettere la tomaia a (*una scarpa*) **2** (*spesso* **to v. up**) rimettere (qc.) a nuovo (*anche fig.*); rifare la facciata a; rimaneggiare: **to v. up the public parks**, rimettere a nuovo i parchi pubblici **3** (*fig., spesso* **to v. up**) abborracciare; raffazzonare: *He vamped up a review*, raffazzonò una recensione **4** (*mus.*) improvvisare (*un accompagnamento, ecc.*) Ⓑ v. i. (*mus.*) improvvisare (*al pianoforte, ecc.*) ● (*fam.*) **to v. up an excuse**, inventare una scusa; trovare una scusa qualsiasi.

to **vamp** ② /væmp/ (*fam.*) Ⓐ v. t. adescare; ammaliare; sedurre Ⓑ v. i. atteggiarsi a vamp; fare la donna fatale.

vampire /'væmpaɪə(r)/ n. **1** (*mitol.*) vampiro; (*fig.*) sanguisuga, usuraio, strozzino; sfruttatore **2** (*zool., = v. bat*) vampiro **3** (*teatr.*) trabocchetto; botola a molla ‖ **vampiric** a. di (*o* da) vampiro; vampiresco.

vampirism /'væmpaɪrɪzəm/ n. Ⓤ **1** vampirismo; credenza nei vampiri **2** (*psic.*) vampirismo (*forma di necrofilia*) **3** (*fig.*) usura; strozzinaggio.

vampy /'væmpɪ/ a. (*fam.*) adescatore; ammaliatore; seducente.

♦**van** ① /væn/ n. **1** furgone; autofurgone **2** (*ferr., = luggage van, guard's van*) bagagliaio **3** (*ferr.*) carro merci **4** (*= police van*) furgone della polizia; cellulare **5** (*di zingari*) carrozzone (*degli zingari*) **6** (*naut., = lift van*) container: **van ship**, nave portacontainer **7** (*sport: autom.*) furgone d'appoggio, roulotte (*di pilota da corsa*) ● **van driver**, furgonista □ **small van**, furgoncino.

van ② /væn/ n. **1** vaglio (*per il grano*) **2** vela, pala (*di mulino a vento*) **3** (*ind. min.*) pala per il lavaggio di minerali **4** (*ind. min.*) prova di lavaggio sulla pala **5** (*arc., poet.*) ala; vanno (*arc.*).

van ③ /væn/ n. (*mil.*) avanguardia (*anche fig.*) ● **to be in the van of progress**, essere all'avanguardia del progresso.

to **van** ① /væn/ v. t. trasportare (*merci*) con un furgone.

to **van** ② /væn/ v. t. (*ind. min.*) sottoporre (*un minerale*) alla prova di lavaggio sulla pa-

la; separare (*un minerale dalla vena*) mediante lavaggio.

vanadate /'vænədət/ n. (*miner.*) vanadato.

vanadic /və'nædɪk/ a. (*chim.*) vanadico: **v. acid**, acido vanadico.

vanadium /və'neɪdɪəm/ n. Ⓤ (*chim.*) vanadio.

vanadous /'vænədəs/ a. (*chim.*) vanadoso.

V&A sigla (*GB*, **Victoria & Albert museum**) Museo Victoria & Albert.

Vandal /'vændl/ Ⓐ n. **1** (*stor.*) vandalo **2** – (*fig.*) v., vandalo; barbaro distruttore; teppista Ⓑ a. attr. da vandalo; vandalico ‖ **Vandalic** a. (*stor.*) vandalico (*anche fig.*).

vandalism /'vændəlɪzəm/ n. Ⓤ vandalismo.

to **vandalize** /'vændəlaɪz/ v. t. danneggiare; distruggere; sfregiare.

Vandyke /væn'daɪk/ n. **1** (*stor.*) Van Dyck (*pittore fiammingo*) **2** quadro di Van Dyck **3** smerlatura (*di colletto*); punta (*di pizzo*) **4** (= **V. collar**) colletto alla Van Dyck **5** (= **V. beard**) pizzo alla Van Dyck ● **V. brown**, marrone scuro.

vane /veɪn/ n. **1** (*anche naut.*) mostravento; banderuola **2** (*mecc.*) pala, paletta (*d'elica, di mulino a vento, di turbina, ecc.*): **v. pump**, pompa a palette; **v. wheel**, ruota a palette **3** (*topogr.*) mirino; traguardo **4** (*aeron.*) rivelatore di raffica **5** (*mil., aeron.*) governale (*di bomba*) **6** (*naut.*) pinnula; traguardo **7** (*di una freccia*) impennaggio ‖ **vaned** a. munito di banderuola, ecc.

vanessa /və'nesə/ n. (*zool., Vanessa*) vanessa.

vang /væŋ/ n. (*naut.*) ostino.

vanguard /'vænɡɑ:d/ n. Ⓤ (*mil.*) avanguardia (*anche fig.*): *The USA is in the v. of scientific progress*, gli USA sono all'avanguardia del progresso scientifico ● **to lead the v.**, essere in testa (*anche fig.*).

vanilla /və'nɪlə/ n. **1** (*bot., Vanilla planifolia*) vaniglia: **v. bean**, baccello di vaniglia **2** Ⓤ (*cucina, = v. extract*) (estratto di) vaniglia **3** (*gergo dei neri USA*) bianco, bianca; viso pallido: *That v. looks like a cop*, quel bianco ha l'aria d'essere un poliziotto **4** (*slang USA*) eterosessuale; etero (*fam.*) ● **v. ice cream**, gelato alla vaniglia □ **v. sugar**, zucchero vanigliato □ (*comput., slang*) **plain v.**, senza fronzoli ‖ **vanillic** a. della vaniglia; vanillico: (*chim.*) **vanillic acid**, acido vanillico.

vanillin /və'nɪlɪn/ n. Ⓤ (*chim.*) vanillina, vaniglina.

vanish /'vænɪʃ/ n. (*fon.*) vocale attenuata (*la seconda, in alcuni dittonghi*).

to **vanish** /'vænɪʃ/ v. i. **1** svanire; dileguarsi; scomparire; sparire: *My hopes vanished*, le mie speranze svanirono; *The stain has vanished*, la macchia è scomparsa **2** (*mat.*) annullarsi; diventar zero ● (*cosmesi*) **vanishing cream**, crema evanescente □ (*disegno*) **vanishing point**, punto di fuga (*della prospettiva*) □ (*fam.*) **My funds have reached (the) vanishing point**, i miei fondi stanno per esaurirsi.

vanity /'vænətɪ/ n. **1** Ⓤ vanità; vanagloria: **the v. of glory**, la vanità della gloria; *All is v.*, tutto è vanità; **the vanities of this world**, le vanità di questo mondo **2** (*Bibbia*) idolo; divinità pagana ● **v. bag** (*o* **v. case**), borsetta da donna per il trucco; necessaire (*franc.*) □ (*autom.*) **v. mirror**, specchietto di cortesia □ (*autom.*) **v. plate**, targa per bellezza (*scelta, e spesso pagata a un altro automobilista, per avere lettere e numeri di proprio gradimento*) □ (*editoria*) **v. publisher**, casa editrice che pubblica opere dietro pagamento da parte dell'autore □ (*fam.*) **v. surgery**, chirurgia estetica □ **v. top**, piano (*in marmo, ecc.*) di

toilette; (*edil.*) lavandino incassato □ v. **unit**, mobiletto (*di formica, ecc.*) con lavandino incorporato.

vanner /'vænə(r)/ n. 1 (*ind. min.*) piatto meccanico per lavaggio 2 (*USA*) furgonista; camionista.

vanning /'vænɪŋ/ n. ⓤ (*ind. min.*) lavaggio sulla pala (→ **to van**②) ● v. **machine** → **vanner**.

to **vanquish** /'væŋkwɪʃ/ v. t. vincere (*anche fig.*); conquistare; sconfiggere; sgominare: *Her curiosity vanquished fear*, la curiosità vinse in lei il timore ● **the vanquished**, i vinti ‖ **vanquishable** a. vincibile; conquistabile ‖ **vanquisher** n. vincitore; conquistatore.

vantage /'vɑːntɪdʒ/ n. ⓤ 1 (*tennis*, abbr. di **advantage**) vantaggio 2 (*arc.*) vantaggio; profitto ● (*mil e fig.*) v. **ground**, terreno favorevole □ v. **point**, (*anche* point *o* coign of v.), posizione vantaggiosa; posizione di forza.

vapid /'væpɪd/ a. insipido; insulso; scipito; svaporato; svanito: v. **talk**, discorsi insulsi | **-ly** avv.

vapidity /væ'pɪdətɪ/ n. ⓤ insipidità; insulsaggine; scipitezza.

vapor, to **vapor** /'veɪpə(r)/ (*USA*) → **vapour**, to **vapour**.

vaporable /'veɪpərəbl/ a. 1 (*fis.*) evaporabile 2 vaporizzabile ‖ **vaporability** n. ⓤ 1 (*fis.*) evaporabilità 2 l'essere vaporizzabile.

vaporific /veɪpə'rɪfɪk/ a. che produce vapore.

vaporimeter /veɪpə'rɪmɪtə(r)/ n. (*fis.*) vaporimetro (*strumento*).

to **vaporize** /'veɪpəraɪz/ (*fis.*) Ⓐ v. t. 1 vaporizzare (*anche med.*) 2 far evaporare Ⓑ v. i. 1 evaporare; svaporare (*anche fig.*) 2 vaporizzarsi ‖ **vaporization** n. ⓤ 1 vaporizzazione (*anche med.*) 2 (*raro*) evaporazione.

vaporizer /'veɪpəraɪzə(r)/ n. 1 spruzzatore; vaporizzatore; nebulizzatore 2 (*mecc.*) iniettore (*di carburante*).

vaporose /'veɪpərəʊs/ → **vaporous**.

vaporosity /veɪpə'rɒsətɪ/ n. ⓤ vaporosità.

vaporous /'veɪpərəs/ a. 1 di vapore: v. **clouds**, nubi di vapore 2 vaporoso; (*fig.*) indeterminato, vago, fantastico | **-ly** avv. | **-ness** n. ⓤ.

vaporware /'veɪpəweə(r)/ n. ⓤ (*slang, comput.; USA*) prodotto hardware o software molto pubblicizzato ma non ancora immesso sul mercato.

vapour, (*USA*) **vapor** /'veɪpə(r)/ n. ⓤ 1 (*fis.*) vapore: **gasoline vapours**, vapori di benzina 2 (*fig. raro*) fantasticheria; stravaganza; visione; chimera 3 (pl.) (*arc.*) depressione; ipocondria; malinconia 4 (pl.) (*arc. o scherz.*) vapori (*arc.*); vampe di calore alla testa ● v. **bath**, bagno di vapore □ (*metall.*) v. **blasting**, idrofinitura □ v. **pressure** (*o* v. **tension**), pressione (*o* tensione) del vapore □ (*aeron.*) v. **trail**, scia di condensazione.

to **vapour**, (*USA*) to **vapor** /'veɪpə(r)/ v. i. 1 emettere vapore; emanare vapori 2 evaporare; trasformarsi in vapore 3 (*arc.*) vantarsi; millantarsi.

vapourish, (*USA*) **vaporish** /'veɪpərɪʃ/ a. 1 simile a vapore; vaporoso 2 annebbiato; indistinto.

vapourware, (*USA*) /'veɪpəweə(r)/ n. (*ingl.*) → **vaporware**.

VAR sigla (*comm.*, **value-added reseller**) rivenditore a valore aggiunto.

var. abbr. 1 (**variable**) variabile 2 (**variant**) variante 3 (**variety**) varietà 4 (**various**) vario.

varactor /'væræktə(r)/ n. (*elettron.*) (diodo) varactor.

varec /'værek/ n. varech, varecchi (*ceneri di alghe marine*).

variability /veərɪə'bɪlətɪ/ n. ⓤ variabilità; incostanza: **the v. of prices**, la variabilità dei prezzi; v. **of temper**, incostanza (del carattere).

variable /'veərɪəbl/ Ⓐ a. 1 variabile; incostante; mutevole: v. **winds**, venti variabili; v. **weather**, tempo variabile; v. **fortune**, fortuna mutevole; (*astron.*) v. **star**, stella variabile 2 (*mat., stat.*) variabile: v. **quantity**, quantità variabile 3 (*fin.*) variabile: v. **budget**, budget variabile; v. **interest rate**, tasso d'interesse variabile 4 (*comput.*) variabile Ⓑ n. 1 entità (*o* fattore) variabile 2 (*mat., stat.*) variabile; grandezza (*o* quantità) variabile: **random** v., variabile aleatoria (*o* casuale) 3 (*naut.*) vento variabile 4 (*astron.*) stella variabile ● (*fin.*) v. **annuity**, rendita variabile □ (*fin.*) v. **costs**, costi variabili □ (*aeron.*) v.-**geometry aircraft**, aereo a geometria variabile □ (*fin.*) v. **levy**, dazio d'importazione variabile □ (*ass.*) v. **life insurance**, assicurazione sulla vita a capitale variabile □ (*aeron.*) v. **pitch propeller**, elica a passo variabile □ (*fin.*) v.-**rate mortgage**, ipoteca a tasso variabile □ (*aeron.*) v.-**sweep wing**, ala a freccia variabile □ (*fin.*) v.-**yield securities**, titoli a reddito variabile | **-ness** n. ⓤ | **-bly** avv.

variance /'veərɪəns/ n. 1 (*raro*) variazione: **variances in temperature**, variazioni di temperatura 2 differenza, divergenza (d'opinione); discrepanza; disaccordo: (*leg.*) a v. **in sb.'s testimony**, una discrepanza nella testimonianza resa da q. 3 ⓤ (*mat.*) deviazione; scostamento 4 ⓤ (*fin., rag.*) scostamento: **budget** v., scostamento rispetto alle previsioni di spesa 5 ⓤ (*fis., comput., stat.*) varianza: v. **analysis**, analisi della varianza 6 (*econ.*) variabile ● **to be at** v., essere in disaccordo; non andare d'accordo; non accordarsi: *They have been at v. for a long time*, è un pezzo che non vanno d'accordo.

variant /'veərɪənt/ Ⓐ a. variante; vario; diverso; differente: a v. **reading in a manuscript**, una (lezione) variante in un manoscritto; v. **types**, tipi diversi 日 n. 1 (*in molti sensi*) variante: «*Tire*» *is a v. of* «*tyre*», «tire» è una variante di «tyre» 2 (*stat.*) → **variate**.

variate /'veərɪət/ n. (*stat.*) variabile aleatoria; variabile.

◆**variation** /veərɪ'eɪʃn/ n. ⓤ 1 (*biol., mat., stat., mus.*) variazione: v. **of species**, variazione della specie; **variations on a theme by Vivaldi**, variazioni su un tema di Vivaldi 2 (*econ.*) variazione; oscillazione: a v. **in supply**, una variazione dell'offerta; v. **in price**, variazione di prezzo 3 variazione; cambiamento; modifica; mutamento: a v. **of** (*o* **in**) **temperature**, una variazione di temperatura; **great variations**, grandi mutamenti 4 (*astron., geogr.*) declinazione magnetica: v. **compass**, bussola di declinazione; declinometro 5 variante.

variational /veərɪ'eɪʃənl/ a. 1 di variazione; che è segno di variazione 2 che implica una variazione 3 (*mat., mecc.*) variazionale.

variator /'veərɪeɪtə(r)/ n. (*mecc.*) variatore: **speed** v., variatore di velocità.

varicella /værɪ'selə/ n. ⓤ (*med.*) varicella.

varicocele /'værɪkəʊsiːl/ n. ⓤ (*med.*) varicocele.

varicoloured, (*USA*) **varicolored** /'veərɪkʌləd/ a. variopinto; multicolore.

varicose /'værɪkəʊs/ (*med.*) a. varicoso: v. **veins**, vene varicose ‖ **varicosed** a. affetto da varici ‖ **varicosity** n. ⓤ varicosità 2

vena varicosa.

varied /'veərɪd/ a. 1 vario; variato; diverso; differente; svariato: v. **interests**, svariati interessi; v. **diet**, dieta variata 2 vario; pieno di varietà; variato; mutevole; movimentato: **to lead a v. life**, fare una vita varia; v. **scenery**, paesaggio mutevole 3 di vari colori; variegato.

to **variegate** /'veərɪgeɪt/ v. t. 1 rendere variegato; variegare; screziare 2 rendere vario; diversificare.

variegated /'veərɪgeɪtɪd/ a. 1 variegato; screziato: a v. **camellia**, una camelia variegata; a v. **geranium**, un geranio screziato 2 (*fig.*) pieno di varietà; variato; mutevole; movimentato: a v. **career**, una carriera movimentata.

variegation /veərɪ'geɪʃn/ n. ⓤ variegatura; screziatura; aspetto variegato; varietà di colori.

varietal /və'raɪətl/ a. (*bot., zool.*) varietale; di una distinta (*o* particolare) varietà.

◆**variety** /və'raɪətɪ/ n. ⓤ 1 varietà; molteplicità; diversità: **the v. of animal and vegetable life**, la varietà della vita animale e vegetale 2 varietà; genere; tipo: **a new v. of cherries**, una varietà di ciliegie 3 ⓤ (*spettacolo*) varietà ● v. **artist**, attore (*o* attrice) di varietà; artista di caffè concerto □ (*comm., USA*) v. **chain**, catena di negozi d'articoli vari a basso prezzo □ v. **entertainment** = v. **show** → *sotto* □ (*fam. USA*) v. **meat(s)**, carne lavorata; salumi; frattaglie; rigaglie □ a v. **of causes**, una molteplicità di cause □ (*comm., USA*) v. **store**, negozio di articoli vari a basso prezzo; magazzino popolare □ v. **show**, spettacolo di varietà □ v. **theatre**, teatro di varietà; caffè concerto □ **for a v. of reasons**, per molte (*o* diverse) ragioni.

variform /'veərɪfɔːm/ a. (*raro*) multiforme.

variola /və'raɪələ/ (*med.*) n. ⓤ vaiolo ‖ **variolous**, **variolar** a. vaioloso.

variolate /'veərɪəleɪt/, **variolated** /'veərɪəleɪtɪd/ a. variolato; pustoloso; butterato.

to **variolate** /'veərɪəleɪt/ v. t. (*med.*) inoculare il vaiolo a (q.).

variolation /veərɪə'leɪʃn/ n. ⓤ (*med., stor.*) vaiolizzazione.

variole /'veərɪəʊl/ n. 1 (*med.*) pustola (*del vaiolo*); buttero 2 (*bot., zool.*) pustola; ticchio 3 (*geol.*) variola.

variolite /'veərɪəlaɪt/ n. ⓤ (*geol.*) variolite.

varioloid /'veərɪələɪd/ (*med.*) Ⓐ a. vaioloso; tipico del vaiolo Ⓑ n. ⓤ vaioloide; vaiolo attenuato.

variometer /veərɪ'ɒmɪtə(r)/ n. (*elettr.*) variometro (*strumento usato in volo, ecc.*).

variorum /veərɪ'ɔːrəm/ n. (*lat.*) (*tipogr.*, = v. **edition**) edizione (*di un libro*) annotata da vari commentatori.

◆**various** /'veərɪəs/ a. vario; diverso; differente; parecchio; molto: **for v. reasons**, per varie ragioni; v. **types**, tipi diversi; v. **people**, parecchia gente | **-ly** avv.

varistor /væ'rɪstə(r)/ n. (*elettron.*) varistore.

varix /'veərɪks/ n. (pl. **varices**) (*med.*) varice.

varlet /'vɑːlət/ n. 1 (*stor.*) paggio; valletto 2 (*arc. o scherz.*) furfante; canaglia; manigoldo ‖ **varletry** n. ⓤ 1 (*collett.*) (*arc.*) paggi; valletti 2 (*spreg.*) (il) servitorame; (la) servitù.

varmint /'vɑːmɪnt/ n. 1 (*arc. o dial.*) animale (*o* insetto) nocivo; parassita 2 (*slang o scherz.*) persona irritante o dispettosa; peste (*fig.*).

varnish /'vɑːnɪʃ/ n. ⓤ 1 vernice: **oil** v., vernice a olio; **spirit** v., vernice a spirito 2 (= **nail** v.) smalto (*per unghie*) 3 (*fig.*) verni-

ce (*fig.*); apparenza; esteriorità **4 – the v.**, il lustro; il lucido (*di una superficie, di un mobile, ecc.*) ● **v. remover**, sverniciatore □ **v. thinner**, diluente per vernici □ (*bot.*) **v. tree** (*Rhus vernicifera*), albero della lacca.

to **varnish** /ˈvɑːnɪʃ/ v. t. **1** verniciare; inverniciare **2** dare lo smalto a (*unghie*): *She was varnishing her nails*, si stava dando lo smalto alle unghie **3** (*fig.*) lustrare; mascherare (*fig.*); far apparire migliore: **to v. sb.'s reputation**, fare apparire la reputazione di q. migliore di quanto non sia.

varnisher /ˈvɑːnɪʃə(r)/ n. verniciatore.

varnishing /ˈvɑːnɪʃɪŋ/ n. ᴜᴄ verniciatura ● (*arte*) **v. day**, vernice; vernissage (*franc.*).

varsity /ˈvɑːsətɪ/ (*fam., antiq.*) Ａ n. (contraz. *fam. di* **university**) università Ｂ a. attr. dell'università; universitario ● (*sport, in GB*) **the V. Match**, l'incontro (*o la gara*) fra Oxford e Cambridge.

varus /ˈvɛərəs/ n. (*med.*) **1** (*di piede*) varo **2** ᴜ (*anche* **v. condition**) varismo.

♦ to **vary** /ˈvɛərɪ/ Ａ v. t. variare; cambiare; diversificare; modificare; mutare: **to v. one's diet [the treatment]**, variare la dieta [la terapia]; **to v. one's route [one's pace]**, cambiare itinerario [l'andatura (*o* il ritmo)]; *He never varies his style*, non muta mai stile Ｂ v. i. **1** variare; cambiare; diversificarsi; modificarsi; mutare: *His mood varies from day to day*, il suo umore varia da un giorno all'altro; (*mat.*) **to v. inversely**, mutare in ragione inversa; variare inversamente **2** esser diverso; differire: *The second edition varies very little from the first*, la seconda edizione differisce di poco dalla prima ● (*leg.*) **to v. from the law**, deviare dalla norma; trasgredire alla legge □ (*stat., mat.*) **to v. from the mean**, scostarsi dalla media.

varying /ˈvɛərɪɪŋ/ a. variante; che varia; che cambia; che muta; mutevole | **-ly** avv.

vas /væs/ (*lat.*) n. (pl. *vasa* /ˈveɪsə/) (*anat.*) vaso: **vas afferens**, vaso afferente.

vasal /ˈveɪsl/ a. (*anat., bot.*) vasale.

vascular /ˈvæskjʊlə(r)/ (*anat., bot.*) a. vascolare: **v. tissue**, tessuto vascolare; **v. system**, sistema vascolare ● **v. epithelium**, endotelio || **vascularity** n. ᴜ condizione (*o* aspetto, forma) vascolare.

vascularization /ˌvæskjʊləraɪˈzeɪʃn, USA -rɪˈz-/ n. ᴜ (*anat.*) vascolarizzazione.

vascularized /ˈvæskjʊləraɪzd/ a. (*anat.*) vascolarizzato.

vasculature /ˈvæskjʊlətʃə(r)/ n. ᴜ (*anat.*) vascolarizzazione.

vasculopathy /ˌvæskjʊˈlɒpəθɪ/ n. (*med.*) vascolopatia.

vasculose /ˈvæskjʊləʊs/ (*bot.*) Ａ a. vascoloso Ｂ n. tessuto vascoloso.

vasculum /ˈvæskjʊləm/ n. (pl. *vascula*, *vasculums*) **1** (*bot.*) vascolo **2** (*anat.*) piccolo vaso.

vase /vɑːz, USA veɪs/ n. vaso (*artistico o da fiori*) ● **v. painting**, decorazione pittorica dei vasi □ **flower v.**, vaso da fiori.

vasectomy /vəˈsɛktəmɪ/ (*med.*) n. ᴜᴄ vasectomia || to **vasectomize** v. t. vasectomizzare || **vasectomized** a. vasectomizzato.

Vaseline® /ˈvæsəliːn/ n. ᴜ vaselina, vasellina.

vasoactive /ˌveɪzəʊˈæktɪv/ a. (*med.*) vasoattivo.

vasoconstriction /ˌveɪzəʊkənˈstrɪkʃn/ (*med.*) n. ᴜ vasocostrizione || **vasoconstrictive** a. vasocostrittore || **vasoconstrictor** n. vasocostrittore.

vasodepressor /ˌveɪzəʊdɪˈprɛsə(r)/ a. e n. (*med.*) vasodepressore.

vasodilatation /ˌveɪzəʊˌdaɪləˈteɪʃn/ n. ᴜ
vasodilation /ˌveɪzəʊdaɪˈleɪʃn/ (*med.*) n. ᴜ

vasodilatazione || **vasodilator** n. vasodilatatore || **vasodilatory**, **vasodilative** a. vasodilatatore.

vasomotion /ˌveɪzəʊˈməʊʃn/ n. ᴜ (*fisiol.*) angiochinesi; vasomotilità.

vasomotor /ˌveɪzəʊˈməʊtə(r)/ (*med.*) Ａ a. vasomotore; vasomotorio Ｂ n. nervo vasomotore ● (*fisiol.*) **v. centre**, centro vasomotore || **vasomotorial** a. (*fisiol.*) vasomotorio.

vasopressin /ˌveɪzəʊˈprɛsɪn/ n. ᴜ (*biochim.*) vasopressina.

vasopressor /ˌveɪzəʊˈprɛsə(r)/ (*med.*) Ａ n. vasopressore Ｂ a. vasopressorio.

vasospasm /ˌveɪzəʊˈspæzəm/ n. (*med.*) vasospasmo; angiospasmo.

vasostomy /veɪˈzɒstəmɪ/ n. ᴜ (*med.*) vasostomia.

vassal /ˈvæsl/ Ａ n. **1** (*stor.*) vassallo **2** (*per estens.*) dipendente; servo; suddito Ｂ a. attr. vassallo: (*polit.*) **a v. state**, uno Stato vassallo ● (*stor.*) **great v.**, vassallo diretto □ (*stor.*) **rear v.**, valvassore || **vassalage** n. **1** (*stor.*) vassallaggio **2** (*per estens.*) stretta dipendenza; servaggio; sudditanza || **vassalry** n. ᴜ (*stor.*) (i) vassalli (collett.).

♦ **vast** /vɑːst/ Ａ a. vasto; ampio; esteso; enorme; grande; immenso: **v. plains**, vaste pianure; **v. knowledge**, una vasta cultura; **a v. multitude**, una grande moltitudine; (*fam.*) **the v. majority**, la grande maggioranza Ｂ n. (*poet.*) vasto spazio; ampia distesa; (la) vastità: **the v. of heaven**, la vastità dei cieli || **vastly** avv. ampiamente; molto; di gran lunga: **vastly different**, molto differente || **vastness** n. ᴜ vastità; enormità; immensità.

vastitude /ˈvɑːstɪtjuːd, USA -tuːd/ n. (*form.*) **1** ᴜ vastità; immensità **2** (pl.) vastitudini; spazi immensi; distese.

vastity /ˈvɑːstətɪ/ n. ᴜ (*raro*) vastità.

vasty /ˈvɑːstɪ/ a. (*poet.*) vasto; immenso; sconfinato.

♦ **vat** /væt/ n. (*ind.*) ampio recipiente; tino; tinozza; vasca: **fermenting vat**, tino per fermentazione; **bleaching vat**, vasca per il candeggio ● **vat dye**, colorante al tino □ **vat dyeing**, tintura al tino (*di tessuti*).

to **vat** /væt/ v. t. (*ind.*) mettere nel tino (*o* nella tinozza, ecc.).

VAT /ˌviːeɪˈtiː/ n. (acronimo di **value-added tax**) (*fisc.*) IVA (*imposta sul valore aggiunto*): **VAT office**, ufficio IVA; «*How much is it going to cost me?*» «£60 plus VAT», «Quanto mi costerà?» «£60 più IVA».

Vatican /ˈvætɪkən/ n. (*geogr.*) Vaticano (*anche fig.*) ● **the V. City**, la Città del Vaticano □ (*stor.*) **the V. State**, lo Stato Pontificio.

Vaticanism /ˈvætɪkənɪzəm/ n. ᴜ (*relig.*) vaticanismo; dottrina dell'infallibilità del Papa.

Vaticanist /ˈvætɪkənɪst/ n. (*relig.*) vaticanista.

to **vaticinate** /væˈtɪsɪneɪt/ v. t. e i. vaticinare; profetare; predire || **vaticination** n. ᴜᴄ vaticinio; vaticinazione (*lett.*); predizione; profezia || **vaticinator** n. vaticinatore; profeta.

vatman /ˈvætmæn/ n. (pl. *vatmen*) (*fam., fisc.*) funzionario addetto all'IVA.

vaudeville /ˈvɔːdəvɪl/ (*franc.*) n. **1** (*in GB*) commedia musicale **2** (*in USA*) spettacolo di varietà (*dei primi decenni del Novecento*).

Vaudois /ˈvəʊdwɑː/ Ａ a. valdese Ｂ n. ᴜᴄ (inv. al pl.) valdese (*anche la lingua*) ● **the V.**, i Valdesi (*anche la setta religiosa*).

vault ① /vɔːlt/ n. **1** (*archit.*) volta (*anche fig.*): **the v. of heaven**, la volta del cielo **2** sotterraneo (*a volta*); cantina: **wine v.**, cantina **3** (*di cimitero*) tomba; cripta: **family v.**, tomba di famiglia **4** (*di banca*) camera blindata (*o* di sicurezza); caveau (*franc.*) **5**

(*anat.*) volta: **v. of the skull**, volta cranica ● **circular v.**, volta a tutto centro.

vault ② /vɔːlt/ n. **1** volteggio **2** (*atletica*) salto: **pole v.**, salto con l'asta **3** (*equit.*) corvetta (*nel dressage*) **4** (*ginnastica*) volteggio (*al cavallo*).

to **vault** ① /vɔːlt/ Ａ v. t. (*archit.*) **1** costruire a volta **2** coprire con una volta Ｂ v. i. curvarsi a volta.

to **vault** ② /vɔːlt/ Ａ v. i. **1** volteggiare **2** balzare, saltare (*spec. con un volteggio*): *He vaulted into the saddle*, balzò in sella (con un volteggio); *The thief vaulted over the fence*, il ladro saltò (*o* scavalcò) lo steccato con un balzo Ｂ v. t. **1** saltare (*spec. appoggiando le mani o con l'aiuto d'una pertica*) **2** (*atletica*) fare il salto con l'asta **3** (*equit.*) corvettare (*nel dressage*) **4** (*ginnastica*) volteggiare al cavallo.

vaulted /ˈvɔːltɪd/ a. (*archit.*) **1** a volta **2** coperto da una volta.

vaulter /ˈvɔːltə(r)/ n. **1** volteggiatore, volteggiatrice; saltatore, saltatrice **2** (*atletica*) astista; saltatore con l'asta **3** (*equit.*) cavallo che corvetta.

vaulting ① /ˈvɔːltɪŋ/ n. (*archit.*) **1** costruzione a volta; volta: **cross v.**, volta a crociera; **fan v.**, volta a ventaglio **2** ᴜ costruzione di volte.

vaulting ② /ˈvɔːltɪŋ/ Ａ n. ᴜ **1** volteggio **2** (*equit.*) esecuzione di corvette **3** (*ginnastica*) volteggio, volteggi (*al cavallo*) Ｂ a. attr. (*lett.*) che non conosce ostacoli; illimitato; sfrenato: **v. ambition**, ambizione sfrenata ● (*ginnastica*) **v. horse**, cavallo da volteggio; cavallina □ (*atletica*) **v. pole**, asta (*per i salti*).

vaunt /vɔːnt/ n. ᴜ (*lett.*) vanto; vanteria.

to **vaunt** /vɔːnt/ (*lett.*) Ａ v. i. vantarsi; gloriarsi Ｂ v. t. vantare; lodare || **vaunter** n. chi si vanta; millantatore, millantatrice || **vaunting** Ａ a. vanaglorioso; vanitoso Ｂ n. ᴜᴄ vanto; vanteria.

vaunted /ˈvɔːntɪd/ a. (*form.*) lodato; decantato; elogiato.

vavasory /ˈvævəsərɪ/ n. (*stor.*) feudo di un valvassore.

vavasour /ˈvævəsɔː(r)/ n. (*stor.*) valvassore.

va-va-voom /ˌvɑːvɑːˈvuːm/ (*fam.*) Ａ n. forte o sessualmente attraente; figo; arrapante Ｂ inter. che figo!

VBIED sigla (*mil.*, **vehicle-borne improvised explosive device**) congegno esplosivo improvvisato montato su un veicolo; autobomba.

VC sigla **1** (**vice-chairman**) vice presidente **2** (**vice-chancellor**) vice cancelliere **3** (**vice-consul**) vice-console **4** (*titolo*, **Victoria Cross**) Croce della Regina Vittoria.

vCJD sigla (*med.*, **new-variant Creutzfeld-Jacob disease**) nuova variante del morbo di Creutzfeld-Jacob (*variante umana della BSE*).

VCR sigla (**video cassette recorder**) videoregistratore.

VD sigla (*med.*, **venereal disease**) malattia venerea.

VDU sigla (*comput.*, **video display unit**) unità video.

VE sigla (**VE Day**) (*stor.*, **Victory in Europe Day**) Il giorno della vittoria in Europa (*nella seconda guerra mondiale*).

've /v, əv/ contrac. di **have** (*per es.*, in **I've** per **I have**).

veal /viːl/ n. ᴜ (*cucina, macelleria*) (carne di) vitello: **a v. cutlet**, una costoletta di vitello.

vector /ˈvɛktə(r)/ n. **1** (*mat., astron., biol.*) vettore: **radius v.**, raggio vettore **2** (*biol., med.*) portatore; vettore **3** (*aeron.*) rotta □ (*comput.*) **v. graphics**, grafica vettoriale □ (*mat.*) **v. product**, prodotto vettoriale □ (*aeron., miss.*) **v. steering**, guida vettoriale ||

vectorial a. (*scient.*) vettoriale.

to **vector** /'vɛktə(r)/ v. t. **1** (*aeron.*) dirigere; indirizzare **2** (*miss.*) teleguidare.

to **vectorize** /'vɛktəraɪz/ v. t. (*comput.*) rendere (*immagini*) vettoriali.

Veda /'veɪdə/ (*relig.*) n. Veda ‖ **Vedaism** n. Ⓤ vedismo.

Vedanta /vɛ'dɑːntə/ (*relig.*) n. Ⓤ Vedanta; filosofia indù basata sui Veda ‖ **Vedantist** n. seguace del Vedanta.

vedette /vɪ'dɛt/ n. (*mil.*, *teatr.*) vedetta ● (*naut.*) v. **boat**, (nave) vedetta.

Vedic /'veɪdɪk/ a. (*relig.*) vedico: V. **hymns**, inni vedici.

vee, **ve** /viː/ n. **1** vu; lettera v **2** (forma di) V: vee-shaped, a forma di V; a V **3** oggetto a V ● (*autom.*, *mecc.*) **a vee-engine**, un motore a V □ (*moda*) **vee-neck**, collo a V.

veejay /'viːdʒeɪ/ n. (*TV*) veejay; VJ (*presentatore di videoclip*).

veep /viːp/ n. (*fam. USA per* **Vice President**) Vicepresidente (*spec. degli Stati Uniti*).

veer /vɪə(r)/ n. **1** cambiamento di direzione (*o di rotta*) **2** (*naut. e fig.*) virata.

to **veer** /vɪə(r)/ Ⓐ v. i. **1** cambiar direzione; girare: *The road veered to the left*, la strada girava a sinistra **2** (*meteor.*: *del vento*) girare **3** (*naut.*) cambiar rotta; virare di bordo **4** (*fig.*) cambiare idea; mutar parere Ⓑ v. t. **1** far girare; cambiare il corso di **2** (*naut.*) far mutar rotta a (*una nave*); far virare di bordo **3** (*naut.*) filare, mollare (*la catena dell'ancora, ecc.*) ● **to v. and haul**, (*naut.*) tesare e filare; (*del vento*) girare di continuo; (*fig.*) esitare, titubare, fare a tira e molla □ (*naut.*) **to v. away** (*o* **out**) **a cable**, filare un cavo □ **to v. round**, (*del vento*) girare in senso orario; virare (*o far virare*) di bordo.

veering /'vɪərɪŋ/ Ⓐ n. Ⓤ **1** cambiamento di direzione (*o di rotta*), ecc. (→ **to veer**) **2** (*meteor.*) rotazione del vento Ⓑ a. (*del vento*) che cambia; mutevole; variabile (*anche fig.*).

veg /vɛdʒ/ n. **1** (pl. *veg*) (*abbr. fam. ingl. di* **vegetable**) verdura: **a steak and two veg**, una bistecca e due verdure (*o contorni*) **2** (*slang USA*) individuo stupido e inerte; morto di sonno (*fig.*).

Vega /'viːgə/ n. (*astron.*) Vega.

vegan /'viːgən/ (*fam.*) n. (contraz. di **vegetarian**) vegetaliano; vegano; vegetariano integrale (*che si astiene anche dalle uova e dal latte*) ‖ **veganism** n. Ⓤ vegetalismo; vegetarianismo integrale.

vegeburger, **veggieburger** /'vɛdʒɪbɜːgə(r)/ n. hamburger vegetariano.

◆**vegetable** /'vɛdʒtəbl/ Ⓐ a. vegetale: **the v. kingdom**, il regno vegetale; **v. oils**, oli vegetali Ⓑ n. **1** vegetale; pianta **2** (pl.) verdure; ortaggi **3** (*fam.*, *offensivo*) vegetale umano; persona ridotta allo stato vegetativo **4** (*fam.*, *offensivo*) persona che vegeta; persona abulica ● **v. butter**, burro vegetale; margarina □ **v. diet**, dieta vegetale □ **v. garden**, orto □ **v. marrow**, zucchino □ (*cucina*) **v. pie**, tortino di verdura □ **v. salad**, insalata mista □ **v. shredder** (*o* **slicer**), tritaverdura □ **v. silk**, seta vegetale □ (*cucina*) **v. soup**, zuppa di verdura □ **v. sponge**, spugna vegetale □ **v. wax**, cera vegetale.

vegetal /'vɛdʒɪtl/ a. **1** (*bot.*) vegetale **2** (*fisiol.*) vegetativo: **the v. functions**, le funzioni vegetative.

vegetarian /vɛdʒə'tɛərɪən/ n. e a. attr. vegetariano: *I don't eat meat or fish, I'm a v.*, non mangio né carne, né pesce, sono vegetariana ‖ **vegetarianism** n. Ⓤ vegetarianismo.

to **vegetate** /'vɛdʒəteɪt/ v. i. (*anche fig.*) vegetare.

vegetation /vɛdʒə'teɪʃn/ n. **1** Ⓤ (*bot.*) vegetazione: **luxuriant v.**, vegetazione lussureggiante **2** Ⓤ (*fig.*) il vegetare **3** ⓊⒸ (*biol.*, *med.*) vegetazione.

vegetative /'vɛdʒətətɪv/ a. (*biol.*) vegetativo (*anche fig.*): **v. existence**, vita vegetativa ● (*fisiol.*) **v. nervous system**, sistema neurovegetativo | **-ly** avv. | **-ness** n. Ⓤ.

veggie /'vɛdʒɪ/ n. → **vegetarian**.

veggy /'vɛdʒɪ/ n. **1** (*fam. USA*) vegetariano **2** (pl.) (*USA*) verdure; ortaggi.

to **veg** (**out**) /'vɛdʒ('aʊt)/ v. i. (*fam. USA*) vegetare; riposarsi; prendersela comoda; poltrire.

vehemence /'viːəməns/ n. Ⓤ veemenza; impetuosità; irruenza.

vehement /'viːəmənt/ a. veemente; impetuoso; irruento; sfrenato: **a v. speaker**, un oratore veemente; **a v. snowstorm**, una violenta tempesta di neve; **v. protest**, violenta protesta; **v. passions**, passioni sfrenate | **-ly** avv.

◆**vehicle** /'viːəkl/ Ⓐ n. **1** veicolo; vettura; mezzo di trasporto: **space** v., veicolo spaziale **2** (*chim.*) veicolo; solvente **3** (*farm.*, *med.*) eccipiente **4** (*med.*) veicolo d'infezione **5** (*fig.*) veicolo (*d'informazione, ecc.*); mezzo di trasmissione (*d'idee, ecc.*); mezzo di propagazione, strumento, tramite: *Art may be used as a v. for* (*o* **of**) *propaganda*, l'arte può essere usata come veicolo di propaganda **6** (*tecn.*) eccipiente; solvente Ⓑ a. attr. veicolare: **v. traffic**, traffico veicolare ● (*autom.*) **v. builder**, fabbricante di automezzi □ **v. dismantler**, demolitore d'autoveicoli; sfasciacarrozze (*fam.*) □ (*ecol.*) **v. emissions**, scarichi (*di gas, ecc.*) di autoveicoli □ **v. ferry**, traghetto per automezzi □ **motor v.**, motoveicolo (*automobile, autocarro, ecc.*).

vehicular /vɪ'hɪkjʊlə(r)/ a. **1** dei (*o* per i) veicoli; veicolare; stradale: **v. traffic**, circolazione dei veicoli; **a v. tunnel**, una galleria stradale (*per gli automezzi*) **2** (*anche ling.*) veicolare.

veil /veɪl/ n. **1** velo; veletta; (*fig.*) apparenza, pretesto, travestimento: **bridal v.**, velo da sposa; *The lady put up her v.*, la signora alzò la veletta; *Let us draw a v. over it*, stendiamoci un velo sopra; **under the v. of religion** [**pity**], sotto il pretesto della religione [della pietà] **2** (*meteor.*) velo: **a v. of mist**, un velo di nebbia **3** (*fotogr.*) velo **4** (*anat.*, *biol.*) membrana (*fetale, ecc.*) **5** raucedine ● (*relig.*) **to take the v.**, prendere il velo; farsi monaca.

to **veil** /veɪl/ v. t. velare; coprire (*come con un velo*); (*fig.*) celare, nascondere: *Some muslim women v. their faces*, alcune donne musulmane si velano il volto; *She veiled her face with her hand*, si coprì il volto con la mano; *I could not v. my disgust*, non potei celare il mio disgusto.

veiled /veɪld/ a. **1** velato; (*fig.*) celato, nascosto: **a v. woman**, una donna velata; **a v. threat**, una velata minaccia; **thinly v. resentment**, risentimento celato a stento **2** (*di voce, suono*) velato; indistinto.

veiling /'veɪlɪŋ/ n. **1** Ⓤ il velare; velatura **2** Ⓤ velo (*tessuto*); stoffa per veli **3** (*fig. raro*) velo; cortina, schermo (*fig.*).

vein /veɪn/ n. **1** vena (*anche anat.*, *geol.*, *ind. min.*, *miner.*); venatura; (*fig.*) disposizione, umore, stato d'animo: **pulmonary veins**, vene polmonari; **marble veins**, venature del marmo; **a v. of gold**, una vena d'oro; **a v. of humour**, una vena d'umorismo; **poetic v.**, vena poetica **2** (*di foglia, ecc.*) nervatura; venatura ● (*med.*) **v. retractor**, divaricatore per vene □ (*med.*) **v. stripper**, stravena □ **other remarks in the same v.**, altre osservazioni dello stesso tenore □ (*slang USA*) **to pop a v.**, esplodere; andare su tutte le furie □ **to speak in a serious v.**, parlare seriamente; dire sul serio.

to **vein** /veɪn/ v. t. venare; coprire di venature.

veined /veɪnd/ a. **1** (*anche geol.*) a vene; venato; marezzato: **v. marble**, marmo marezzato **2** (*bot.*, *zool.*) che ha venature (*o* nervature).

veining /'veɪnɪŋ/ n. ⓊⒸ **1** venatura; marezzatura **2** (*metall.*) venatura.

veinlet /'veɪnlət/ n. (*anat.*) venuzza; piccola vena; venula **2** (*geol.*) piccola vena (*di minerale*).

veinlike /'veɪnlaɪk/ a. **1** simile a una vena **2** simile a una venatura (*o a una nervatura*).

veinous /'veɪnəs/ → **venous**.

veinstone /'veɪnstəʊn/ n. Ⓤ (*ind. min.*) ganga.

veiny /'veɪnɪ/ a. **1** (*anat.*) ricco di vene; coperto di vene **2** coperto di venature, marezzato; venato: **v. marble**, marmo venato.

velar /'viːlə(r)/ a. (*fon.*) velare: **v. consonants**, consonanti velari.

velarization /viːləraɪ'zeɪʃn/, *USA* -rɪ'z- (*fon.*) n. Ⓤ velarizzazione ‖ **velarize** Ⓐ v. t. velarizzare Ⓑ v. i. velarizzarsi.

Velcro® /'vɛlkrəʊ/ n. Ⓤ velcro.

veld /vɛlt/, **veldt** /vɛlt/ n. Ⓤ (*nel Sud Africa*) veld; prateria.

velleity /vəˈliːɪtɪ/ n. Ⓤ (*lett.*) velleità.

vellication /vɛlɪ'keɪʃn/ n. **1** (*med.*) vellicazione; vellicamento **2** vellichio; pizzicore.

vellum /'vɛləm/ n. **1** Ⓤ pergamena; cartapecora **2** documento su cartapecora; pergamena ● **v. paper**, carta pergamenata.

velocimeter /vɛlə'sɪmɪtə(r)/ n. (*raro*) tachimetro.

velocipede /vəˈlɒsɪpiːd/ n. **1** (*un tempo*) velocipede **2** (*arc. o scherz.*) velocipede; bicicletta **3** (*USA*) triciclo (*per bambini*).

velocity /vəˈlɒsɪtɪ/ n. ⓊⒸ velocità; rapidità: (*mecc.*) **uniform v.**, velocità uniforme; **the v. of sound**, la velocità del suono; (*miss.*) **v. of escape**, velocità di fuga; (*econ.*, *fin.*) **v. of circulation**, velocità di circolazione (*della moneta*) ● (*elettron.*) **v. filter**, filtro di velocità □ (*mecc. fluidi*) **v. head**, altezza cinetica.

velodrome /'vɛlədrəʊm/ n. (*ciclismo*) velodromo.

velour, **velours** /vəˈlʊə(r)/ n. Ⓤ velours; feltro-velluto; felpa (*per cappelli, ecc.*); tessuto a pelo corto ● **v. paper**, carta vellutata.

velum /'viːləm/ n. (pl. *vela*) **1** (*anat.*) velo (*spec. quello del palato*) **2** (*bot.*, *zool.*) velo; membrana.

velutinous /vəˈluːtɪnəs/ a. (*bot.*, *zool.*) vellutato; coperto di peluria.

velveret /vɛlvə'rɛt/ n. Ⓤ (*ind. tess.*) velluto di cotone stampato.

velvet /'vɛlvɪt/ Ⓐ n. Ⓤ **1** velluto: **silk v.**, velluto di seta; **pile v.**, velluto a riccio **2** (*fam. USA*) guadagno inatteso, insperato; vincita; (*anche*) soldi, grana (*pop.*) Ⓑ a. attr. **1** di velluto: **v. curtains**, tende di velluto; (*fig.*) **v. touch**, tocco di velluto **2** (*fig.*) vellutato: **v. moss**, muschio vellutato; **with a v. tread**, con passo vellutato (*o felpato*) ● **v. glove**, guanto di velluto: (*fig.*) **an iron hand in a v. glove**, pugno di ferro in guanto di velluto □ **v. paw**, zampa vellutata (*del gatto*); (*fig.*) gentilezza apparente; affabilità superficiale □ (*fig. fam.*) **to be on v.**, dormire fra due guanciali; stare bene a soldi □ **to stand on v.**, (*fig. fam.*) riposare sul velluto.

velveteen /vɛlvə'tiːn/ n. **1** Ⓤ velluto di cotone; velluto a coste **2** (pl.) calzoni di velluto di cotone.

velvety /'vɛlvɪtɪ/ a. (*anche fig.*) vellutato: **a v. touch**, un tocco vellutato **2** (*di vino, ecc.*) vellutato: **v. port**, porto vellutato.

Ven. abbr. (*massoneria*, **Venerable**) Venerabile (Ven.).

venal /'viːnl/ a. venale; corrotto; disonesto: **a v. officer**, un funzionario venale (*o* corrotto) || **venality** n. ⓤ venalità.

venatic /viː'nætɪk/, **venatical** /viː'nætɪkl/ a. (*raro*) venatorio.

venation /viː'neɪʃn/ n. ⓤⓒ 1 (*bot., zool.*) nervatura 2 (*anat.*) venatura.

to **vend** /vend/ (*form., leg.*) Ⓐ v. t. vendere Ⓑ v. i. vendersi (*di merce*).

Vendée /vɑːnˈdeɪ/ (*geogr., stor.*) n. Vandea.

vendee /venˈdiː/ n. (*leg.*) compratore, compratrice; acquirente.

vender /'vendə(r)/ → **vendor**.

vendetta /venˈdetə/ (*ital.*) n. 1 faida; vendetta di sangue 2 (*fig.*) lunga lite; persecuzione: *She accused the press of waging a v. against her*, accusò la stampa di aver montato una campagna di persecuzione nei suoi confronti; **to have a personal v. against sb.**, voler male a q.

vendible /'vendəbl/ a. vendibile; venale || **vendibility** n. ⓤ vendibilità.

vending machine /'vendɪŋməʃiːn/ loc. n. distributore automatico (*a moneta*).

vendor /'vendə(r)/ n. 1 venditore, venditrice (*anche leg.*) 2 (*venditore*) ambulante: **a fruit v.**, un venditore ambulante di frutta 3 distributore automatico (*a moneta*): (*USA*) **can v.**, distributore di bibite in lattina ● (*comput.*) v. **neutral**, prodotto (*o* sistema) che non appartiene a una particolare azienda □ (*comput.*) **software v.**, azienda produttrice di software.

vendue /venˈdjuː, *USA* -'duː/ n. (*USA*) asta pubblica ● **v. crier** (*o* v. **master**), banditore (*d'asta*).

veneer /vəˈnɪə(r)/ n. 1 (*falegn.*) piallaccio; impiallacciatura 2 (*edil.*) rivestimento esterno 3 (*fig.*) vernice; verniciatura; apparenza: **a v. of courtesy towards strangers**, una verniciatura di cortesia con gli estranei; **beneath a v. of respectability**, sotto la maschera della rispettabilità.

to **veneer** /vəˈnɪə(r)/ v. t. 1 (*falegn.*) impiallacciare 2 (*fig.*) nascondere (*un difetto, ecc.*) sotto una vernice ● (*falegn.*) **v.-cutting machine**, sfogliatrice (*macchina che ricava fogli di legno per impiallacciature da un tronco*).

veneered /vəˈnɪəd/ a. impiallacciato: **v. panel**, pannello impiallacciato.

veneering /vəˈnɪərɪŋ/ n. 1 ⓤ (*falegn.*) impiallacciatura 2 (*fig.*) vernice; verniciatura; maschera (*fig.*).

venerability /ˌvenərəˈbɪlətɪ/ n. ⓤ venerabilità.

venerable /'venərəbl/ a. venerabile; venerando. **a v. monument**, un monumento venerabile; **a v. old man**, un vecchio venerando | **-ness** n. ⓤ | **-bly** avv.

to **venerate** /'venəreɪt/ v. t. venerare; adorare; onorare || **veneration** n. ⓤ venerazione || **venerator** n. veneratore.

venereal /vəˈnɪərɪəl/ a. (*med.*) venereo: **a v. disease**, una malattia venerea ● **v. sore**, sifiloma primario ● **v. wart**, condiloma acuminato □ (*stat.*) **a high v. rate**, un alto tasso di malattie veneree.

venereology /ˌvenɪərɪˈɒlədʒɪ/ (*med.*) n. ⓤ venereologia || **venereologist** n. venereologo.

venesection /ˌvenɪˈsekʃn/ n. ⓤⓒ (*med.*) flebotomia.

Venetia /vəˈniːʃə/ n. (*geogr.*) (il) Veneto.

Venetian /vəˈniːʃn/ Ⓐ a. 1 veneziano: (*pitt.*) **V. school**, scuola veneziana 2 veneto: **the V. plain**, la pianura veneta Ⓑ n. 1 veneziano 2 (*fam., = V. blind*) persiana alla veneziana; veneziana ● **V. glass**, vetro di Murano □ **V. lace**, merletto di Burano □ **V. red**, rosso di Venezia □ (*archit.*) **V. window**, finestra neoclassica (*o* palladiana).

Venezuelan /ˌveneˈzweɪlən/ a. e n. venezuelano.

vengeance /'vendʒəns/ n. ⓤ vendetta ● **to take v. on** (*o* **upon**) **sb. for st.**, vendicarsi con q. di qc. □ (*fam.*) **with a v.**, a tutta forza, furiosamente; estremamente; straordinariamente: *The wind blew with a v.*, il vento soffiava a più non posso.

vengeful /'vendʒfl/ a. vendicativo | **-ly** avv. | **-ness** n. ⓤ.

venial /'viːnɪəl/ a. veniale; perdonabile; scusabile: **a v. sin**, un peccato veniale || **veniality** n. ⓤ venialità || **venially** avv. venialmente.

Venice /'venɪs/ n. (*geogr.*) Venezia ● **V. glass**, vetro di Murano.

venison /'venɪsn/ n. ⓤ 1 (*arc.*) cacciagione 2 (*cucina*) carne di cervo (*o* di daino).

venom /'venəm/ n. ⓤ 1 veleno (*d'insetti, serpenti, ecc.*) 2 (*fig.*) acredine; malignità; cattiveria; astio; velenosità || **venomed** a. (*anche fig.*) velenoso ● **a venomed shaft**, una freccia avvelenata; (*fig.*) una malignità, una cattiveria.

venomous /'venəməs/ a. 1 velenoso: **v. snakes**, serpenti velenosi 2 (*fig.*) violento; virulento: *He launched a v. attack on the Prime Minister*, si è lanciato in un attacco violento al primo ministro 3 (*di tiro, ecc.*) insidioso; pericoloso | **-ly** avv. | **-ness** n. ⓤ.

venose /'viːnəʊs/ a. (*bot., zool.*) ricco di venature (*o* di nervature).

venous /'viːnəs/ a. 1 (*fisiol.*) venoso: **v. blood**, sangue venoso 2 (*bot.*) venato; pieno di nervature; nervato ● (*med.*) **v. pressure**, pressione venosa || **venosity** n. ⓤ (*fisiol.*) venosità.

vent /vent/ n. 1 foro; orifizio; apertura; buco; spiraglio; (*autom.*) bocchetta di ventilazione 2 (*del camino*) canna 3 (*d'arma da fuoco antica*) focone 4 (*di fortezza*) feritoia 5 (*sartoria: sul dietro d'un cappotto, ecc.*) spacco 6 (*tecn.*) apertura di sfogo; sfiatatoio; foro di passaggio 7 (*geol.*) bocca; orifizio; camino (*di vulcano*) 8 (*metall.*) respiro; tirata d'aria 9 (*zool.*) ano (*di pesci, uccelli, ecc.*) 10 ⓤ (*fig.*) sfogo; via libera: *He gave v. to his indignation*, diede sfogo alla sua indignazione 11 (*zool.*) salita in superficie (*di foca, castoro, ecc.*) per respirare ● **v. faucet**, succhiello per botti □ **v. hole**, foro; spiraglio; sfiatatoio □ **v. peg**, zipolo (*di botte*) □ **v. pipe**, tubo di sfiato □ **v. plug**, tappo per focone □ (*edil.*) **v. stack**, terminale di colonna di ventilazione □ (*autom.*) **v. wing**, deflettore.

to **vent** /vent/ Ⓐ v. t. 1 fare un buco, aprire un foro in: **to v. a cask**, aprire un foro in una botte 2 (*fig.*) dar sfogo a; sfogare: *He vented his anger on me*, sfogò su di me la sua rabbia 3 (*fig.*) esprimere; manifestare; palesare (*opinioni, ecc.*) Ⓑ v. i. 1 (*di camino*) tirare 2 (*di foca, castoro, ecc.*) venire a galla (*per respirare*).

ventage /'ventɪdʒ/ n. foro; apertura (*spec. di strumento a fiato*).

venter /'ventə(r)/ n. 1 (*anat.*) ventre; addome 2 (*leg.*) utero; grembo materno ● (*leg.*) **one's children by first v.**, i figli di primo letto □ (*leg.*) **son by** (*o* **of**) **another v.**, figliastro; figlio di un'altra madre.

ventiduct /'ventɪdʌkt/ n. (*edil.*) condotto dell'aria; sfiatatoio.

ventil /'ventɪl/ n. (*mus.*) ventilabro (*valvola dell'organo*).

to **ventilate** /'ventɪleɪt/ v. t. 1 ventilare; arieggiare; (*fig.*) discutere, esaminare, far conoscere (*una questione, ecc.*): **to v. a room**, ventilare una stanza 2 (*fisiol.*) ossigenare (*il sangue*) 3 (*slang USA*) ridurre (q.) a un colabrodo (*sparandogli*).

ventilation /ˌventɪ'leɪʃn/ n. ⓤ 1 ventilazione; aerazione 2 (*fig.*) discussione; esame (*d'una questione, ecc.*) 3 (*fisiol.*) ossigenazione (*del sangue*) ● (*ind. min.*) **v. shaft**, pozzo di ventilazione □ **v. system**, impianto di ventilazione.

ventilative /'ventɪlətɪv/ a. di ventilazione.

ventilator /'ventɪleɪtə(r)/ n. 1 (*edil.*) ventilatore 2 sfiatatoio.

ventral /'ventrəl/ a. (*anat.*) ventrale: **v. muscles**, muscoli ventrali; (*zool.*) **v. fin**, pinna ventrale.

ventricle /'ventrɪkl/ n. 1 (*anat.*) ventricolo: **the ventricles of the heart**, i ventricoli del cuore 2 (*zool.*) ventriglio (*d'uccello*) || **ventricular** a. (*anat.*) ventricolare: (*med.*) **ventricular block**, blocco ventricolare.

ventricose /'ventrɪkəʊs/ a. 1 (*biol.*) ventricoso 2 corpulento; panciuto.

ventriculitis /ˌventrɪkjuˈlaɪtɪs/ n. ⓤ (*med.*) ventricolite.

ventriculus /venˈtrɪkjʊləs/ n. (pl. **ventriculi**) 1 (*anat.*) ventricolo; piccola cavità 2 (*zool.*) stomaco 3 (*zool.*) ventriglio; cavità con funzioni digestive.

ventriloquist /venˈtrɪləkwɪst/ n. ventriloquo, ventriloqua || **ventriloquial** a. ventriloquo || **ventriloquially** avv. da ventriloquo || **ventriloquism** n. ⓤ ventriloquio || **ventriloquistic** a. ventriloquistico □ to **ventriloquize** v. i. essere ventriloquo || **ventriloquous** a. ventriloquo || **ventriloquy** n. ⓤ ventriloquio.

◆ **venture** /'ventʃə(r)/ n. 1 azzardo; pericolo; rischio 2 impresa rischiosa 3 (*econ.*) iniziativa imprenditoriale rischiosa; (*fin.*) speculazione: *One lucky v. made him a fortune*, fece fortuna con una sola speculazione riuscita ● (*fin.*) **v. capital**, capitale di rischio □ **at a v.**, a caso; a casaccio.

to **venture** /'ventʃə(r)/ Ⓐ v. t. 1 arrischiare; avventurare; azzardare; rischiare; mettere a repentaglio: **to v. one's life**, rischiare (*o* mettere a repentaglio) la vita; **to v. one's capital**, mettere a repentaglio il proprio capitale; **to v. a guess**, azzardare una congettura 2 osare; ardire: *I didn't v. to stop him*, non osai fermarlo 3 puntare; scommettere (*grosse somme alle corse, ecc.*) Ⓑ v. i. arrischiarsi; avventurarsi; azzardarsi: **to v. into deep water**, avventurarsi in acque profonde; *I didn't v. to contradict him*, non m'arrischiai di contraddirlo ● **to v. on a mild protest**, azzardare una timida protesta □ **to v. out**, azzardarsi a uscire (*col cattivo tempo, ecc.*) □ **I v. to differ from you**, mi permetto di dissentire (da te) □ (*prov.*) **Nothing v., nothing have** (*o* Nothing ventured, nothing gained), chi non risica non rosica.

venturer /'ventʃərə(r)/ n. 1 avventuriero 2 (*fin., stor.*) chi rischia denaro; speculatore.

venturesome /'ventʃəsəm/ a. 1 avventuroso; temerario; audace; ardito: **a v. test pilot**, un temerario pilota collaudatore 2 rischioso; azzardoso; pericoloso: **a v. enterprise**, un'impresa rischiosa | **-ly** avv. | **-ness** n. ⓤ.

venturous /'ventʃərəs/ → **venturesome**.

◆ **venue** /'venjuː/ n. 1 (*leg.*) luogo ove avviene il fatto che determina la competenza territoriale; sede (*di un processo*) 2 (*fam.*) luogo di convegno; luogo di ritrovo 3 (*sport*) località designata per un incontro (*o* una riunione) 4 (*USA*) punto di vista; opinione, posizione (*in una discussione*) ● (*leg.*) **change of v.**, cambiamento della sede del processo (*per legittimo sospetto o altro*).

venule /'venjuːl/ n. (*anat.*) venula.

Venus /'viːnəs/ n. (*mitol., astron.*) Venere; (*fig.*) donna molto bella ● (*bot.*) **V.'s comb** (*Scandix pecten-Veneris*), pettine di Venere □

(*bot.*) **V.'s fly-trap** (*Dionaea muscipula*), pigliamosche; dionea □ (*zool.*) **V.'s girdle** (*Cestus veneris*), cinto di Venere □ (*bot.*) **V.'s--hair** (**fern**) (*Adiantum capillus Veneris*), capelvenere □ (*miss.*) **V. probe**, sonda verso Venere ‖ **Venusian** Ⓐ a. (*astron.*) venusiano Ⓑ n. (*fantascienza*) venusiano.

ver., vers. abbr. (**version**) versione.

veracious /vəˈreɪʃəs/ a. **1** verace; veridico; veritiero; vero **2** accurato; esatto; preciso ‖ **-ly** avv. ‖ **-ness** n. Ⓤ.

veracity /vəˈræsɪtɪ/ n. Ⓤ **1** veracità; veridicità; verità **2** accuratezza; esattezza; precisione.

veranda, verandah /vəˈrændə/ n. (*edil.*) veranda; portico (*di casa*).

veratrine /ˈvɛrətriːn/ n. Ⓤ (*chim.*) veratrina.

♦**verb** /vɜːb/ n. (*gramm.*) verbo ● **a v. phrase**, una locuzione verbale.

verbal /ˈvɜːbl/ Ⓐ a. **1** verbale; orale: **v. subtleties**, sottigliezze verbali; **a v. contract**, un contratto verbale; **v. evidence**, testimonianza (*o* prova) orale **2** letterale; alla lettera; parola per parola **3** (*gramm.*) verbale: **v. endings**, desinenze verbali Ⓑ n. **1** (*gramm.*, = **v. noun**) deverbale; sostantivo verbale **2** (pl.) (*fam.*) parole, testi (*di canzoni*); dialoghi, conversazioni **3** (*slang ingl.*) falsa confessione (*di un sospetto*) atta ad incriminarlo **4** (pl.) (*slang ingl.*) insulti; parolacce; sfottiture ● **v. abuse**, insulti.

to **verbal** /ˈvɜːbl/ v. t. (*slang ingl.*) attribuire a (*una persona sospettata*) una falsa confessione per poterlo incriminare.

verbalism /ˈvɜːbəlɪzəm/ n. **1** espressione verbale; frase **2** Ⓤ verbalismo; verbosità **3** Ⓤ frasi fatte; parole vuote ‖ **verbalist** n. **1** chi sceglie bene le parole; buon parlatore; stilista **2** oratore (*o* scrittore) troppo ricercato.

to **verbalize** /ˈvɜːbəlaɪz/ Ⓐ v. t. **1** esprimere (*con parole*); formulare: **to v. one's feelings**, esprimere i propri sentimenti **2** (*gramm.*) trasformare (*un nome*) in verbo Ⓑ v. i. essere verboso ● FALSI AMICI ‖ to verbalize *non significa* verbalizzare ‖ **verbalization** n. Ⓤ **1** espressione (*con parole*); formulazione **2** (*gramm.*) trasformazione (*di un nome*) in verbo.

verbally /ˈvɜːbəlɪ/ avv. **1** verbalmente; oralmente **2** letteralmente; parola per parola; alla lettera.

verbatim /vɜːˈbeɪtɪm/ (*lat.*) Ⓐ avv. **1** parola per parola; alla lettera; letteralmente **2** (*mus.*) nota per nota Ⓑ a. **1** riferito parola per parola; testuale **2** tradotto alla lettera; letterale.

verbena /vɜːˈbiːnə/ n. (*bot.*, *Verbena officinalis*) verbena.

verbiage /ˈvɜːbɪɪdʒ/ n. Ⓤ **1** verbosità; prolissità **2** (*raro*) dizione; modo d'esprimersi; frasario.

verbose /vɜːˈbəʊs/ a. verboso; prolisso ‖ **verbosely** avv. verbosamente; prolissamente ‖ **verboseness, verbosity** n. Ⓤ verbosità; prolissità.

verdant /ˈvɜːdnt/ (*lett.*) a. **1** verde; verdeggiante ● **v. fields**, campi verdeggianti **2** (*fig.*) immaturo; inesperto; ingenuo ‖ **verdancy** n. Ⓤ **1** l'essere verde; il verdeggiare **2** (*fig.*) immaturità; inesperienza; ingenuità.

verd-antique /ˈvɜːdænˈtiːk/ loc. n. Ⓤ **1** (*geol.*) verde antico (*qualità di marmo*) **2** (*patina di*) verderame.

verderer /ˈvɜːdərə(r)/ n. (*stor.*) guardaboschi reale.

♦**verdict** /ˈvɜːdɪkt/ n. **1** (*leg.*) verdetto (*della giuria*) **2** (*fig.*) verdetto; giudizio **3** (*boxe, lotta*) verdetto ● **v. for the plaintiff**, verdetto di condanna (*in favore dell'attore*) □ **v. of**

guilty [**not guilty**], verdetto di colpevolezza [d'assoluzione] □ **to bring in** (*o* **to return**) **a v.**, emettere un verdetto □ (*fig.*) **the popular v.**, l'opinione popolare.

verdigris /ˈvɜːdɪɡrɪs/ n. Ⓤ (*chim.*) **1** verderame **2** verderame cristallizzato; acetato rameico (*usato in medicina e come colorante*).

verditer /ˈvɜːdɪtə(r)/ n. Ⓤ (*chim.*) verdeterra; carbonato basico di rame ● (*miner.*) **blue v.**, azzurrite □ (*miner.*) **green v.**, malachite.

verdure /ˈvɜːdʒə(r)/ n. Ⓤ **1** (*poet.*) verdura; verzura; (il) verde **2** (*fig.*) freschezza; giovinezza; rigoglio ‖ **verdured** a. pieno di verzura; verdeggiante ‖ **verdurous** a. **1** verdeggiante; ricco di verde **2** (*di vegetazione*) verde; rigoglioso.

verge /vɜːdʒ/ n. **1** limite; limitare (*fig.*); orlo; margine; estremità; soglia (*fig.*); punto: **on the v. of the cliff**, sull'orlo del precipizio; *on the v. of sixty*, sulla soglia dei sessant'anni; **to be on the v. of a nervous breakdown**, essere sull'orlo di un esaurimento nervoso; *I was on the v. of accepting*, ero sul punto d'accettare **2** bordo; ciglio erboso (*di una strada*): **on the v. of the flowerbed**, sul bordo dell'aiuola **3** verga, mazza (*come simboli d'autorità*) **4** (*un tempo*) asse del bilanciere (*di un orologio*) **5** (*chim.*) fusto; stele (*di colonna*) **6** (*edil.*) parte (del tetto) che sporge sul frontone **7** (*sport*: *autom.*, *ecc.*) bordo pista ● **beyond the v. of possibility**, di là da ogni possibilità; assolutamente impossibile □ **on the v. of despair**, sull'orlo della disperazione □ **on the v. of tears**, sul punto di scoppiare in lacrime.

to **verge**① /vɜːdʒ/ Ⓐ v. i. **1** essere adiacente (*o* contiguo); confinare (*con qc.*) **2** (*fig.*) avvicinarsi (a); sconfinare (in); rasentare; sfiorare: **a sorrow verging on despair**, un dolore che rasenta la disperazione; *His patriotism verges on chauvinism*, il suo patriottismo sfiora lo sciovinismo Ⓑ v. t. fare da confine (*o* da limite, da bordo) a; fiancheggiare: **tall trees verging the road**, alti alberi che fiancheggiano la strada ● **to v. on bankruptcy**, essere sull'orlo del fallimento.

to **verge**② /vɜːdʒ/ v. i. **1** tendere; volgere; piegare: *The mountains v. to the south*, i monti piegano verso sud **2** (*del sole*) declinare: *The sun was already verging towards the horizon*, il sole declinava già verso l'orizzonte **3** (*fig.*) avvicinarsi (a): *The Roman Empire was verging to its fall*, l'impero romano si avvicinava alla caduta ● **to v. into** (*o* **on**), sfumare in; diventare, farsi; (*di colore*) tirare a: **a hue verging on green**, una tinta che tira al verde.

vergeboard /ˈvɜːdʒbɔːd/ → **bargeboard**.

vergence /ˈvɜːdʒəns/ n. Ⓤ **1** (*geol.*) vergenza **2** (*med.*) deviazione oculare.

verger /ˈvɜːdʒə(r)/ n. **1** mazziere (*di vescovo o diacono anglicano*) **2** fabbriciere; sagrestano.

Vergil /ˈvɜːdʒɪl/ → **Virgil**.

verglas /ˈvɜːɡlɑː/ n. Ⓤ (*alpinismo, autom.*) vetrato; vetrone.

veridical /vɛˈrɪdɪkl/ a. veridico; veritiero ‖ **veridicality** n. Ⓤ veridicità ‖ **veridically** avv. con grande veridicità.

verifiable /ˈvɛrɪfaɪəbl/ a. verificabile; controllabile ‖ **verifiability** n. Ⓤ verificabilità ‖ **verifiably** avv. verificabilmente.

verification /ˌvɛrɪfɪˈkeɪʃn/ n. ⓊⒸ **1** verificazione; verifica; accertamento; controllo **2** conferma; dimostrazione; prova **3** (*leg.*) conferma ottenuta mediante prova **4** (*leg.*) ratifica; sanzione ● (*auditing*) **v. of assets**, verifica delle attività (*nella revisione dei conti*).

verifier /ˈvɛrɪfaɪə(r)/ n. **1** verificatore; controllore.

to **verify** /ˈvɛrɪfaɪ/ v. t. **1** verificare; controllare; accertare; appurare: **to v. the accounts**, verificare i conti; **to v. a quotation**, controllare una citazione **2** confermare; dimostrare; provare; suffragare con prove: **to v. a statement**, suffragare un'asserzione con prove **3** (*leg.*) ratificare; sanzionare **4** (*comput.*) verificare.

verily /ˈvɛrɪlɪ/ avv. (*arc. o lett.*) veramente; in verità: (*Bibbia*) «*V. V., I say unto you...*», «in verità, in verità, vi dico...».

verisimilitude /ˌvɛrɪsɪˈmɪlɪtjuːd/, *USA* -tuːd/ n. Ⓤ **1** verosimiglianza **2** cosa verosimile ‖ **verisimilar** a. verosimile; verisimigliante (*lett.*).

verism /ˈvɛrɪzəm/ n. (*arte*, *letter.*) n. Ⓤ verismo ‖ **verist** n. verista ‖ **veristic** a. veristico.

veritable /ˈvɛrɪtəbl/ a. vero; vero e proprio; autentico; genuino; reale: **a v. boon**, una vera manna; un autentico dono del Cielo; **a v. tyrant**, un autentico tiranno | **-bly** avv.

verity /ˈvɛrɪtɪ/ n. ⓊⒸ (*form. o lett.*) verità: **the eternal verities**, le verità eterne.

verjuice /ˈvɜːdʒuːs/ n. Ⓤ agresto; succo di frutta acerba.

vermeil /ˈvɜːmeɪl/ n. Ⓤ **1** argento dorato; rame dorato; vermeil **2** (*poet.*) (color) vermiglio; cinabro.

vermian /ˈvɜːmɪən/ a. **1** che concerne i vermi **2** simile a un verme; vermicolare.

vermicelli /ˌvɜːmɪˈtʃɛlɪ/ n. pl. (*cucina*) vermicelli ● **v. soup**, vermicelli in brodo.

vermicide /ˈvɜːmɪsaɪd/ (*farm.*) n. ⓊⒸ vermicida; vermifugo ‖ **vermicidal** a. vermicida; vermifugo.

vermicular /vɜːˈmɪkjʊlə(r)/ a. **1** (*scient.*) vermicolare: (*anat.*) **v. appendix**, appendice vermicolare (*o* ileocecale) **2** → **vermiculate**.

vermiculate /vɜːˈmɪkjʊlət/ a. **1** vermicolare; sinuoso **2** tortuoso **3** roso dai vermi; bacato; tarlato **4** (*med.*) vermicolato.

vermiculation /vɜːˌmɪkjʊˈleɪʃn/ n. Ⓤ **1** disegno vermicolato **2** (*med.*) infestazione da vermi **3** (*fisiol.*) contrazione vermicolare; peristalsi (*dell'intestino*) **4** (*med.*, *vet.*) infestazione da vermi.

vermiculite /vɜːˈmɪkjʊlaɪt/ n. (*miner.*) vermiculite.

vermiform /ˈvɜːmɪfɔːm/ a. vermiforme: (*anat.*) **v. appendix**, appendice vermiforme (*o* ileocecale).

vermifuge /ˈvɜːmɪfjuːdʒ/ (*farm.*) n. vermifugo ‖ **vermifugal** a. vermifugo.

vermilion /vəˈmɪljən/ Ⓐ n. Ⓤ **1** (color) vermiglio **2** vermiglione; cinabro Ⓑ a. vermiglio.

vermin /ˈvɜːmɪn/ n. (di solito col verbo al pl.) **1** animali nocivi; insetti parassiti **2** (*fig.*) criminali; delinquenti; parassiti ● **v. control**, disinfestazione.

to **verminate** /ˈvɜːmɪneɪt/ (*arc.*, *vet.*) v. i. essere infestato da vermi (*o* da insetti parassiti) ‖ **vermination** n. Ⓤ verminazione.

verminous /ˈvɜːmɪnəs/ a. **1** infestato da (*o* pieno di) parassiti **2** (*fig.*) basso; degradante; offensivo; vile **3** (*spreg.*: *di persona*) sgradevole; disgustoso **4** (*raro, med.*) verminoso; provocato da vermi ● **v. dogs**, cani pieni di pulci, di parassiti, ecc.

vermis /ˈvɜːmɪs/ n. (pl. *vermes*) (*anat.*) verme (*del cervelletto*).

vermivorous /vɜːˈmɪvərəs/ a. (*zool.*) che si nutre di vermi; vermivoro.

vermouth, vermuth /ˈvɜːməθ/, *USA* vəˈmuːθ/ n. Ⓤ vermut.

vernacular /vəˈnækjʊlə(r)/ Ⓐ a. **1** vernacolo; vernacolare; dialettale: **v. poetry**, poesia vernacola; **a v. poet**, un poeta dialet-

a b c d e f g h i j k l m n o p q r s t u **v** w x y z

tale **2** indigeno; locale; paesano: **the v. arts of Brittany**, le arti indigene della Bretagna **3** (*raro, med.*) endemico **B** n. **1** 🔟 vernacolo; dialetto; lingua volgare: *Latin gave place to the v.*, il latino cedette il campo alla lingua volgare **2** gergo **3** espressione vernacolare; parola dialettale | **-ly avv.**

vernacularism /vəˈnækjʊlərɪzəm/ n. **1** (*ling.*) idiotismo; espressione vernacolare; parola dialettale **2** 🔟 uso del vernacolo; uso dialettale.

vernacularity /vənækjʊˈlærətɪ/ n. 🔟 l'essere vernacolo, dialettale, ecc. (→ **vernacular**).

to **vernacularize** /vəˈnækjʊləraɪz/ v. t. **1** dire in dialetto; esprimere in vernacolo **2** tradurre in vernacolo.

vernal /ˈvɜːnl/ a. (*lett. o tecn.*) primaverile; di primavera: **v. breezes**, brezze primaverili; (*astron.*) **v. equinox**, equinozio di primavera.

vernalization /vɜːnəlaɪˈzeɪʃn/ (*bot.*) n. 🔟 vernalizzazione || to **vernalize** v. t. vernalizzare.

vernation /vəˈneɪʃn/ n. 🔟 (*bot.*) vernazione; prefogliazione.

vernicle /ˈvɜːnɪkl/ n. (*relig.*) veronica.

vernier /ˈvɜːnɪə(r)/ n. (*tecn.*) verniero; nonio ● **v. caliper**, calibro a corsoio □ **v. scale**, scala del nonio □ (*naut.*) **v. sextant**, sestante a nonio.

vernissage /vɜːnɪˈsɑːʒ/ (*franc.*) n. vernissage; vernice.

Veronal® /ˈverənl/ n. 🔟 (*farm.*) veronal (*barbiturico sedativo*).

Veronese /verəˈniːz/ a. e n. (inv. al pl.) veronese.

veronica /vəˈrɒnɪkə/ n. **1** (*bot., Veronica*) veronica **2** (*relig.*) veronica **3** (*tauromachia*) veronica.

verruca /vəˈruːkə/ (*med.*) n. (pl. **verrucae**, **verrucas**) verruca || **verrucose, verrucous** a. verrucoso.

versant /ˈvɜːsnt/ n. (*geogr.*) versante.

versatile /ˈvɜːsətaɪl/ a. **1** versatile; flessibile; eclettico; multiforme: **a v. genius**, un genio versatile **2** che si presta a molti usi **3** (*arc.*) incostante; mutevole; variabile **4** (*tecn.*) girevole: **a v. spindle**, un fuso girevole **5** (*zool.*) mobile: **v. antennae**, antenne mobili (*di un insetto*) | **-ly avv.**

versatility /vɜːsəˈtɪlətɪ/ n. 🔟 **1** versatilità; ecletticità **2** varietà d'uso (o d'impiego) **3** (*raro*) incostanza; mutevolezza; variabilità **4** (*zool.*) mobilità.

verse /vɜːs/ n. **1** verso: **blank v.**, verso sciolto **2** (*della Bibbia*) versetto **3** strofa; stanza; (*di una canzone*) strofetta **4** 🔟 (*collett.*) versi; poesia; componimento poetico: **free v.**, versi liberi; **prose and v.**, prosa e poesia ● **to give chapter and v. (for st.)**, citare il capitolo e il versetto (*della Bibbia*); (*fig.*) citare (qc.) esattamente, dare un riferimento accurato (*di qc.*).

versed ① /vɜːst/ a. versato; esperto; pratico; valente: *He is well v. in the Holy Scriptures*, è molto versato nelle Sacre Scritture.

versed ② /vɜːst/ a. (*mat.*) verso ● (*mat.*) **v. sine**, senoverso.

versemonger /ˈvɜːsmʌŋɡə(r)/ n. poetastro.

verset /ˈvɜːset/ n. **1** (*Bibbia*) versetto **2** (*mus.*) breve preludio (*o interludio*) per organo.

versicle /ˈvɜːsɪkl/ n. **1** versetto; versicolo **2** (*relig.*) versetto.

versicolour, (*USA*) **versicolor** /ˈvɜːsɪkʌlə(r)/, **versicoloured**, (*USA*) **versicolored** /ˈvɜːsɪkʌləd/ a. versicolore (*lett.*); cangiante; iridescente.

versicular /vəˈsɪkjʊlə(r)/ a. (*raro*) di (o

in) versi; di (o in) strofe: **v. division**, divisione in versi (o in strofe).

versification /vɜːsɪfɪˈkeɪʃn/ n. **1** 🔟 versificazione; verseggiatura **2** 🔟 riduzione in versi **3** 🔟 forma metrica; metrica.

versifier /ˈvɜːsɪfaɪə(r)/ n. **1** versificatore; verseggiatore; poeta **2** (*spreg.*) poetastro.

to **versify** /ˈvɜːsɪfaɪ/ v. t. e i. versificare; verseggiare; mettere in versi.

♦**version** /ˈvɜːʃn/ n. **1** (*ind., comm.*) versione; modello: **basic v.**, versione base; **a cheaper v.**, una versione più a buon mercato; (*comput.*) **v. number**, numero di versione (*di un prodotto software*) **2** versione; edizione: **abridged v.**, versione ridotta; **a film in the original v.**, un film in edizione (o versione) originale **3** versione; resoconto: *What's your v. of the affair?*, qual è la tua versione della faccenda?; **4** versione; traduzione: **the first Italian v. of Shakespeare**, la prima traduzione italiana delle opere di Shakespeare **5** (*med.*) versione, modificazione manuale (*del feto*) **6** (*med.*) cambiamento della posizione (*di un organo*).

vers libre /veəˈliːbrə/ (*franc.*), (*poesia*) loc. n. verso libero (o sciolto).

verso /ˈvɜːsəʊ/ n. (pl. **versos**) **1** (*tipogr.*) verso; pagina a sinistra, pagina pari (*di un libro*) **2** verso; rovescio (*d'una moneta, di una medaglia*).

versor /ˈvɜːsə(r)/ n. (*mat., fis.*) versore.

verst /vɜːst/ n. versta (*misura russa di lunghezza, pari a m 1067 circa*).

versus /ˈvɜːsəs/ (*lat.*) prep. (*leg., sport*) contro (abbr. **v o vs**): *Smith v. Brown*, (*causa giudiziaria*) Smith contro Brown; *Arsenal v. Chelsea*, (partita di calcio) Arsenal contro Chelsea.

vert① /vɜːt/ n. 🔟 (*araldica*) verde; color verde.

vert② /vɜːt/ n. (*fam.*) convertito; neofita.

to **vert** /vɜːt/ v. i. (*fam.*) convertirsi; abbandonare la propria fede per un'altra.

vert. abbr. (**vertical**) verticale.

vertebra /ˈvɜːtɪbrə/ (*anat.*) n. (pl. **vertebrae**, **vertebras**) vertebra ● **the vertebrae**, la colonna vertebrale || **vertebral** a. vertebrale: **vertebral artery**, arteria vertebrale; **vertebral column**, colonna vertebrale.

vertebrate /ˈvɜːtɪbreɪt/ a. e n. (*zool.*) vertebrato ● **v. zoology**, zoologia dei vertebrati.

vertebration /vɜːtɪˈbreɪʃn/ n. 🔟 **1** (*scient.*) formazione delle vertebre **2** (*zool.*) divisione in vertebre.

vertex /ˈvɜːteks/ n. (pl. **vertices**, **vertexes**) **1** (*geom.*) vertice: **the v. of an angle**, il vertice di un angolo **2** (*anat.*) sommità (*del cranio*); vertice **3** (*astron.*) culmine, zenit **4** (*archit.*) chiave (*di un arco*) ● (*comput.*) **v. shader**, ombreggiatore.

vertical /ˈvɜːtɪkl/ **A** a. (*geom., astron., mecc., ecc.*) verticale; al vertice; perpendicolare: **v. line**, linea verticale; **v. angles**, angoli al vertice; **v. plane**, piano verticale; **v. engine**, motore verticale **B** n. (*geom.*) linea (o piano) verticale; verticale ● (*ginnastica*) **v. axis**, asse verticale □ (*econ.*) **a v. business organization**, un'organizzazione commerciale (a struttura) verticale □ (*astron.*) **v. circle**, circolo verticale □ (*econ.*) **v. combination**, concentrazione verticale □ (*econ.*) **v. combine**, gruppo economico verticale □ **v. drop**, dislivello, strapiombo; (*sci*) dislivello (*della pista*) □ **v. fin**, (*zool.*) pinna verticale; (*aeron.*) piano fisso verticale □ (*econ.*) **v. integration**, integrazione verticale (*atletica*) □ **v. jump**, salto in alto □ (*econ.*) **v. merger**, fusione verticale □ (*econ., org. az.*) **v. organization chart**, organigramma verticale □ (*aeron.*) **v. rudder**, timone di direzione □ (*comput., TV*) **v. scanner**, scanner verticale □

(*econ., org. az.*) **v. organization chart**, organigramma verticale □ (*aeron.*) **v. takeoff**, decollo verticale □ (*aeron.*) **v. takeoff and landing**, decollo e atterraggio verticali (abbr. **VTOL**) □ (*econ.*) **v. trust**, monopolio verticale □ (*mecc.*) **v. turret lathe**, tornio verticale □ **off the v.**, giù di squadro.

verticality /vɜːtɪˈkælətɪ/ n. 🔟 verticalità; perpendicolarità.

vertically /ˈvɜːtɪklɪ/ avv. verticalmente; perpendicolarmente; in verticale ● (*eufem. scherz.*) **v. challenged**, piccolo di statura.

vertices /ˈvɜːtɪsiːz/ pl. di **vertex**.

verticil /ˈvɜːtɪsɪl/ (*bot.*) n. verticillo || **verticillate** a. verticillato.

vertiginous /vɜːˈtɪdʒɪnəs/ a. **1** vertiginoso (*anche fig.*): **v. heights**, altezze vertiginose **2** vorticoso **3** preso da vertigini; stordito **4** instabile; incostante | **-ly avv.**

vertigo /ˈvɜːtɪɡəʊ/ n. 🔟 (*med.*) vertigine; capogiro: **to suffer from v.**, avere le vertigini.

vertu /ˈvɜːtuː/ → **virtu**.

vervain /ˈvɜːveɪn/ n. (*bot., Verbena officinalis*) verbena.

verve /vɜːv/ n. 🔟 brio; calore; energia; vivacità; verve (*franc.*).

vervet /ˈvɜːvɪt/ n. (*zool., Cercopithecus aethiops*), cercopiteco grigioverde.

♦**very** /ˈverɪ/ **A** a. **1** assoluto; completo; esatto; perfetto; puro; solo; vero (e proprio); bell'e buono; proprio: **It's the v. truth**, è la pura verità; *The v. thought of meeting him frightens me*, il solo pensiero d'incontrarlo mi terrorizza; **the v. heart of the matter**, il vero nocciolo della questione; *He did it under your v. eyes*, te l'ha fatta proprio sotto gli occhi **2** stesso; medesimo; proprio: *That is the v. hat I lost*, è proprio il cappello che ho smarrito; **speaking in this v. room**, parlando in questa stessa stanza **B** avv. assai; molto; -issimo, -errimo: **v. difficult**, assai difficile; **v. late**, molto tardi, tardissimo; **v. funny**, assai buffo; **v. interesting**, molto interessante, interessantissimo; *I was v. pleased* [*surprised*], fui molto compiaciuto [assai sorpreso]; **v. fine**, bellissimo; **a v. celebrated writer**, uno scrittore celeberrimo ● **a v. bad idea**, una pessima idea □ **v. good**, (agg.) molto buono, ottimo; (inter.) benissimo, d'accordo, sì □ (*radio, TV*) **v. high frequency**, altissima frequenza □ **the v. latest news**, le ultimissime notizie □ **a v. little more**, un pochino di più; ancora un pizzico □ **the v. lowest price**, il prezzo più basso □ **v. many**, moltissimi □ **v. much**, moltissimo □ **the v. same man**, proprio lo stesso uomo □ **the v. thing**, la stessa cosa, proprio quella cosa; la cosa desiderata; (proprio) quel che ci vuole □ **v. well**, (avv.) molto bene, benissimo; (inter.) va bene, bravo!; d'accordo, sì □ **to do the v. best one can**, fare del proprio meglio; fare tutto il possibile; mettercela tutta □ **not v. well**, piuttosto male; maluccio; (*anche*) indisposto: *She doesn't sing v. well*, canta maluccio; *I'm not v. well today*, oggi sono indisposto (o non sto tanto bene) □ **on the v. next page**, proprio alla pagina seguente □ *The v. idea!*, questa è bella!; questa è grossa!; pensa un po'!; questa poi!; ma no! □ **Is it really my v. own?**, è proprio mio?; me lo dai davvero?; posso proprio tenerlo? □ **You can have it for your v. own**, è tuo (per sempre); puoi tenerlo □ **It's the v. last thing I expected**, questa non me l'aspettavo davvero!

Very light /ˈverɪlaɪt/ loc. n. fuoco Very (*razzo di segnalazioni, inventato da E.W. Very, ufficiale americano*).

Very pistol /ˈverɪpɪstl/ loc. n. pistola Very.

Very signal /ˈverɪsɪɡnəl/ → **Very light**.

vesica /ˈvesɪkə/ n. (pl. **vesicae**) **1** (*anat.*)

V

vescica (*spec.* urinaria) **2** (*bot.*) vescica **3** (*arte, relig.,* = v. **piscis**) mandorla mistica.

vesical /'vɛsɪkl/ a. (*anat., bot.*) vescicale.

vesicant /'vɛsɪkənt/ a. e n. (*farm.*) vescicante; vescicatorio.

to **vesicate** /'vɛsɪkeɪt/ **A** v. i. **1** produrre vescicole **2** coprirsi di vescichette **B** v. t. produrre vesciche (*o* vescicole) su (q., qc.) || **vesication** n. ⓤ (*med.*) vescicazione (*formazione di vesciche*) || **vesicatory** → **vesicant**.

vesicle /'vɛsɪkl/ (*scient.*) n. vescicola; vescichetta || **vesicular** a. vescicolare || **vesiculated, vesiculate** a. **1** a forma di vescicola **2** (*med.*) coperto di vescicole || **vesiculation** n. ⓤⓒ vescicolazione; formazione di vescicole.

Vespasian /vɛ'speɪʒn/ n. (*stor. romana*) Vespasiano.

vesper /'vɛspə(r)/ n. **1** vespro; (*poet.*) sera **2** – (*astron.*) V., vespero **3** (pl.) (*relig.*) vespri: **the vespers bell**, la campana dei vespri ● (*stor.*) **the Sicilian Vespers**, i Vespri Siciliani.

vesperal /'vɛspərəl/ **A** n. (*relig.*) vesperale; libro dei vespri **B** a. (*lett.*) vesperale; vespertino.

vespertilio /vɛspə'tɪlɪəʊ/ n. (*zool., Vespertilio*) vespertilione.

vespertine /'vɛspətaɪn/ a. **1** (*lett.*) vespertino: **the v. star**, la stella vespertina; Venere **2** (*zool.*) vespertino; attivo di sera **3** (*bot.*) notturno.

vespiary /'vɛspɪərɪ/ n. vespaio; nido di vespe.

vespine /'vɛspaɪn/ a. di vespa; simile a vespa.

♦**vessel** /'vɛsl/ n. **1** (*form.*) vaso; recipiente; **a drinking v.**, un recipiente per bere **2** (*naut.*) vascello; bastimento; nave: **v. in ballast**, nave in zavorra **3** (*anat.*) vaso: **blood v.**, vaso sanguigno ● (*naut.*) **v. at fault**, nave responsabile di una collisione □ (*naut.*) **v. ton**, tonnellata di registro.

vest /vɛst/ n. **1** (*Austral., USA; cfr. ingl.* **waistcoat**) panciotto **2** (*ingl.*) canottiera; maglietta; maglia della salute **3** (*di donna*) davantino; pettorina **4** (*un tempo: di bambino*) camicina **5** (*tecn.*) giubbotto: **bullet-proof v.**, giubbotto antiproiettile ● (*d'orologio, ecc.*) **v.-pocket**, da taschino; (*fig.*) tascabile: **a v.-pocket dictionary**, un dizionarietto tascabile ❶ **FALSI AMICI** • vest *non significa* veste.

to **vest** /vɛst/ **A** v. t. **1** (*poet. o relig.*) abbigliare; vestire **2** (*leg.*) investire (*di un diritto*); attribuire, assegnare, conferire a (q.): **to v. sb. with vast powers**, investire q. d'ampi poteri; conferire a q. ampi poteri; *The estate was vested in his sons*, la proprietà fu assegnata ai suoi figli maschi **B** v. i. **1** (*relig.*) vestire i paramenti sacri **2** (*leg.: di proprietà, diritto, ecc.*) essere attribuito (a); passare, andare (a): *The bankrupt's property vested in the trustee in bankruptcy*, i beni del fallito passarono al curatore del fallimento ● (*relig.*) **to v. oneself**, vestire i paramenti sacri.

vesta /'vɛstə/ n. **1** fiammifero di legno **2** (= **wax v.**) cerino **3** fiammifero (*in genere*).

Vesta /'vɛstə/ n. (*mitol., astron.*) Vesta.

vestal /'vɛstl/ **A** a. **1** (*mitol.*) vestale; di Vesta **2** (*stor. romana*) vestale **3** (*fig.*) casto; puro **B** n. **1** (*relig., stor.*) vestale **2** (*fig.*) donna casta, pura; (*spec.*) monaca **3** (*stor.*) **v. virgin**, vestale.

vested /'vɛstɪd/ a. **1** (*relig.*) vestito dei paramenti sacri **2** (*leg.*) acquisito; fissato; legittimo; assegnato legalmente: **v. rights**, diritti acquisiti ● **a v. estate**, una proprietà legittima ● **v. interests**, (*leg.*) interessi acquisiti; (*polit.*) interessi costituiti; (*fig. spreg.*) interessi in gioco, persone potenti interes-

sate (*in qc.*).

vestibular /vɛ'stɪbjʊlə(r)/ a. **1** di (*o* del) vestibolo; che fa da vestibolo **2** (*anat.*) vestibolare: **v. system**, apparato vestibolare.

vestibule /'vɛstɪbjuːl/ n. **1** (*archit., anat.*) vestibolo: **the v. of the ear**, il vestibolo dell'orecchio **2** (*ferr., USA*) mantice (*o* soffietto) fra due carrozze **3** (*mecc.*) precamera (*di combustione*) ● (*ferr., USA*) **v. train**, treno composto da carrozze intercomunicanti.

vestige /'vɛstɪdʒ/ n. **1** vestigio; orma; traccia: **vestiges of an earlier civilization**, vestigia d'una civiltà più antica **2** (*fig.*) traccia; ombra: *There was not a v. of truth in his statement*, non c'era traccia di verità nella sua affermazione **3** (*biol.*) rudimento; vestigio (*di organo scomparso*).

vestigial /vɛ'stɪdʒɪəl/ a. **1** di vestigio; d'orma **2** (*biol.*) vestigiale: **v. muscle**, muscolo vestigiale.

vesting /'vɛstɪŋ/ n. ⓤⓒ (*leg.*) **1** assegnazione, conferimento, cessione (*di un bene, un diritto, ecc.*) **2** attribuzione (*di poteri, ecc.*) ● (*leg.*) **v. order**, decreto di assegnazione di una proprietà.

vestiture /'vɛstɪtʃə(r)/ n. ⓤ (*zool.*) rivestimento (*pelo, squame, ecc.*).

vestment /'vɛstmənt/ n. **1** vestimento; abito (*da cerimonia, ecc.*) **2** (*relig.*) paramento sacro **3** (*relig.*) tovaglia d'altare.

vestry /'vɛstrɪ/ n. (*relig.*) **1** sagrestia **2** (*nelle Chiese non-conformiste*) sala per preghiere collettive o per riunioni **3** (*nella Chiesa anglicana*) fabbriceria; consiglio d'amministrazione (*d'una parrocchia*); assemblea parrocchiale ● **v. clerk**, segretario della fabbriceria.

vestryman /'vɛstrɪmən/ n. (pl. **vestrymen**) (*relig.*) fabbriciere; membro dell'assemblea parrocchiale.

Vesuvian /və'suːvɪən/ **A** a. **1** vesuviano; del Vesuvio **2** – (*fig.*) v., vulcanico **B** n. ⓤ **1** – (*miner.*) v., vesuviana, vesuvianite **2** – (*arc.*) v., tipo di zolfanello.

vesuvianite /və'suːvɪənaɪt/ n. ⓤ (*miner.*) vesuvianite.

Vesuvius /və'suːvɪəs/ n. (*geogr.*) Vesuvio.

♦**vet**① /vɛt/ n. **1** (abbr. *fam. di* **veterinary surgeon**) veterinario **2** (*scherz.*) medico.

vet② /vɛt/ n. (*fam. USA,* abbr. di **veteran**) veterano; reduce.

to **vet** /vɛt/ v. t. **1** esaminare; controllare; passare al vaglio **2** sottoporre a controllo; svolgere indagini su (*q., per controllarne l'affidabilità, l'idoneità in un lavoro, ecc.*).

vetch /vɛtʃ/ n. (*bot., Vicia sativa*) veccia.

vetchling /'vɛtʃlɪŋ/ n. (*bot., Lathyrus pratensis*) veccia galletta.

♦**veteran** /'vɛtərən/ **A** n. **1** veterano (*anche fig.*): *He's a v. at his trade*, è un veterano del mestiere **2** (*USA*) veterano; reduce; ex combattente **B** a. attr. **1** veterano; esperto; sperimentato: **a v. golfer**, un esperto giocatore di golf **2** (*mil.*) di veterani: **a v. army**, un esercito di veterani ● **v. car**, auto d'epoca (*costruita prima del 1905; cfr.* **vintage car**, *sotto* **vintage, B,** *def. 3*) □ (*in USA e Canada*) **Veterans Day**, la Giornata dei Reduci ❶ **CULTURA** • **Veterans Day**: *negli USA è una festività federale in cui si commemorano i caduti e si onorano i reduci americani di tutte le guerre. Viene celebrata l'11 novembre, data della firma dell'armistizio che mise fine alla prima guerra mondiale nel 1918. Fino al 1954 si chiamava* **Armistice Day.** = **Remembrance Day** → **remembrance**.

to **veteranize** /'vɛtərənaɪz/ (*USA*) **A** v. t. **1** fare di (*un soldato*) un veterano **2** (*fig.*) temprare (*fig.*) **B** v. i. riarruolarsi; raffermarsi.

veterinarian /vɛtərɪ'neərɪən/ n. (*USA e Canada*) veterinario (*cfr. ingl.* **veterinary**

surgeon, *sotto* **veterinary**).

veterinary /'vɛtrɪnrɪ/ **A** a. **1** veterinario: **v. surgeon**, (medico) veterinario **2** per veterinari **B** n. (medico) veterinario ● **a v. college**, una facoltà di veterinaria □ **v. science**, (la) veterinaria.

veto /'viːtəʊ/ n. (pl. **vetoes**) **1** veto; opposizione, proibizione (*in genere*): **to interpose [to put] one's v. on a proposal**, opporre [mettere] il proprio veto a una proposta **2** (= **v. power**) diritto di veto: *The Lords exercised their v.*, la Camera dei Lord esercitò il suo diritto di veto ● **v. message**, comunicazione del veto (*per es., del Presidente degli USA*).

to **veto** /'viːtəʊ/ v. t. mettere (*o* porre) il veto a (*un disegno di legge, ecc.*); (*per estens.*) proibire, vietare: *The President of the USA has the power to v. a bill*, il Presidente degli USA ha il potere di porre il veto a un disegno di legge; *The headmaster vetoed the students' meeting*, il preside proibì (che si tenesse) l'assemblea degli studenti.

vetoer /'viːtəʊə(r)/ n. chi esercita il diritto di veto.

vetting /'vɛtɪŋ/ n. ⓤ **1** medicazione (*spec. di un animale*) **2** (*fig.*) esame; controllo; revisione.

to **vex** /vɛks/ v. t. **1** (*form.*) irritare; contrariare; infastidire; seccare **2** (*poet.*) sommuovere, agitare (*le onde, il mare, ecc.*).

vexation /vɛk'seɪʃn/ n. ⓤⓒ (*form.*) **1** irritazione; malumore; nervosismo **2** contrarietà; fastidio; seccatura: **the vexations of life**, le contrarietà della vita **3** (*leg.*) vessazione.

vexatious /vɛk'seɪʃəs/ a. **1** fastidioso; irritante; molesto: **v. regulations**, regolamenti fastidiosi **2** (*leg.*) vessatorio: **a v. suit at law**, un'azione legale vessatoria | **-ly** avv. | **-ness** n. ⓤ.

vexed /vɛkst/ a. **1** irritato; contrariato; infastidito; seccato **2** (*poet.*) agitato ● **v. question**, vexata quaestio (*lat.*); questione dibattuta.

vexil /'vɛksɪl/ n. (*bot.*) vessillo; stendardo.

vexillary① /'vɛksɪlərɪ/ a. **1** (*stor. romana*) di un vessillo **2** (*bot.*) vessillare: **v. function**, funzione vessillare.

vexillary② /'vɛksɪlərɪ/ n. (*stor. romana*) vessillario; vessillifero.

vexillum /vɛk'sɪləm/ n. (pl. **vexilla**) **1** (*stor., bot., relig.*) vessillo; stendardo **2** (*zool.*) vessillo (*di penna d'uccello*).

vexing /'vɛksɪŋ/ a. fastidioso; molesto; seccante | **-ly** avv.

VF sigla (**video frequency**) video frequenza.

VG sigla (*relig.,* **vicar-general**) vicario generale.

v.g. sigla (**very good**) molto buono.

VGA sigla (*comput.,* **video graphics array**) matrice grafica per video (*tipo di scheda grafica*).

VHF /viːeɪtʃ'ɛf/ **A** n. (acronimo di **very high frequency**) (*elettron., radio*) VHF; iperfrequenza; banda 8 **B** a. attr. VHF: **a VHF radio**, una radio VHF.

VHS sigla (**video home system**) sistema video domestico (*standard per le videocassette*).

VI sigla (*USA,* **Virgin Islands**) Isole Vergini.

♦**via** /'vaɪə/ (*lat.*) **A** n. (pl. **vias, viae**) via: (*astron.*) **Via Lactea**, la Via Lattea **B** prep. via; per la via di; per: **to go to Torquay via Exeter**, andare a Torquay via Exeter; (*naut.*) **via the Suez Canal**, via Suez; *You will receive confirmation via e-mail very shortly with the new times and flights*, riceverà a breve una conferma per e-mail con i nuovi orari e i nuovi voli ● (*fig.*) **via media**, via di mezzo; aurea mediocritas.

viable /'vaɪəbl/ a. 1 (biol.) vitale: v. seeds, semi vitali 2 (per estens.) fattibile; effettuabile; attuabile 3 (econ.: d'uno Stato, ecc.) autosufficiente 4 (fin.) solvibile ● (med.) v. fetus, feto vitale □ a v. hypothesis, un'ipotesi valida □ a v. solution, una soluzione possibile ❶ FALSI AMICI • viable non significa viabile || **viability** n. ⓤ 1 vitalità (di un feto, ecc.) 2 (per estens.) effettuabilità; attuabilità; fattibilità 3 (econ.) autosufficienza (d'uno Stato, ecc.) 4 (fin.) solvibilità; capacità di far fronte agli impegni internazionali ❶ FALSI AMICI • viability non significa viabilità.

viaduct /'vaɪədʌkt/ n. viadotto.

vial /vaɪəl/ n. (chim., med.) fiala; boccetta.

viaticum /vaɪ'ætɪkəm/ n. (pl. **viaticums**, **viatica**) (stor. romana, relig.) viatico.

vibe /vaɪb/ n. (slang) 1 ⓤ (USA) pettegolezzi; voci, ultime notizie 2 atmosfera; sensazione; impressione; vibrazioni: **bad vibes**, sensazione negativa; qualcosa che non va.

to **vibe** /vaɪb/ v. t. (slang USA) trasmettere (una notizia, un'emozione).

vibes /vaɪbz/ n. (inv. al pl.) (fam.) vibrafono.

vibraculum /vaɪ'brækjʊləm/ n. (pl. **vibracula**) (zool.) vibraculo; vibracularia.

vibrant /'vaɪbrənt/ a. 1 vibrante; tremante 2 risonante; sonoro: **the v. tones of a harp**, i toni sonori di un'arpa 3 (fig.) stimolante; eccitante; esuberante; pieno di vita 4 (ling.) vibrante 5 (di colore) vivace ● v. **streets**, strade piene di vita □ v. **with health**, pieno (o che scoppia) di salute || **vibrancy** n. ⓤ 1 vibrazione 2 (fig.) esuberanza; l'essere pieno di vita.

vibraphone /'vaɪbrəfəʊn/ (mus.) n. vibrafono || **vibraphonist** n. vibrafonista.

to **vibrate** /vaɪ'breɪt/ **A** v. i. 1 vibrare; oscillare; tremare: The loud music made the room v., la musica forte faceva tremare la stanza 2 (fig.) vibrare; fremere: **to v. with anger** [joy], fremere d'ira [di gioia] 3 risuonare **B** v. t. 1 far vibrare; far oscillare 2 (del pendolo) battere, misurare (i secondi, ecc.) oscillando.

vibratile /'vaɪbrətaɪl/ a. vibratile || **vibratility** n. ⓤ l'essere vibratile.

vibrating /vaɪ'breɪtɪŋ/ a. vibrante (anche fig.) ● (ind. min.) v. **screen**, vibrovaglio.

vibration /vaɪ'breɪʃn/ n. ⓤⓒ 1 vibrazione (anche fis., mecc.); oscillazione: **ten vibrations per second**, dieci vibrazioni al secondo 2 (fig.) fremito; tremolio 3 (edil.) vibratura 4 (pl.) (fam.) → **vibes**, B || **vibrational** a. (fis.) vibrazionale.

vibrative /vaɪ'breɪtɪv/ → **vibratory**.

vibrato /vɪ'brɑːtəʊ/ n. (pl. **vibratos**) (acustica, mus.) vibrato.

vibrator /vaɪ'breɪtə(r)/ n. 1 (elettr., mecc., med.) vibratore (strumento) 2 (edil.) vibratore (macchina).

vibratory /vaɪ'breɪtrɪ/ a. 1 vibratorio; vibrante 2 oscillatorio ● (edil.) v. **finishing machine**, vibrofinitrice.

vibrio /'vɪbrɪəʊ/ n. (pl. **vibrios**, **vibriones**) (biol.) vibrione.

vibriosis /vɪbrɪ'əʊsɪs/ n. ⓤ (vet.) vibriosi.

vibrissa /vaɪ'brɪsə/ n. (pl. **vibrissae**) (anat., zool.) vibrissa.

vibromassage /vaɪbrəʊ'mæsɑːʒ/ (med., sport) n. vibromassaggio.

vibroscope /'vaɪbrəskəʊp/ n. (tecn.) vibroscopio (strumento).

viburnum /vaɪ'bɜːnəm/ n. (bot., Viburnum) viburno; lantana; pallone di maggio.

vic /vɪk/ n. 1 (fam. ingl.) formazione a V (d'aerei in volo) 2 (slang USA) carcerato; detenuto 3 (slang USA) vittima di un'aggressione; vittima predestinata; pollo (fig.); gonzo.

Vic. abbr. 1 (**vicar**) vicario; curato 2 (**Victoria**) Vittoria.

vicar /'vɪkə(r)/ n. 1 (relig. cattolica) vicario: **the V. of (Jesus) Christ**, il Vicario di Cristo; il Papa; **V.-General**, Vicario Generale; **Cardinal V.**, Cardinal Vicario 2 (relig. anglicana) parroco (in origine di una parrocchia senza decime) 3 (per estens.) vicario; interino; sostituto ● v. **apostolic**, vicario apostolico □ v. **forane**, vicario foraneo || **vicarship** n. ⓤⓒ → **vicariate**.

vicarage /'vɪkərɪdʒ/ n. casa parrocchiale; canonica.

vicarial /vɪ'kɛərɪəl/ a. 1 (relig. cattolica) vicariale 2 (relig. anglicana) parrocchiale; di parroco 3 → **vicarious**, def. 2.

vicariate /vɪ'kɛərɪət/ n. ⓤⓒ 1 (relig. cattolica) vicarìa 2 (relig. anglicana) ufficio di parroco; parrocchia (in origine senza decime).

vicarious /vɪ'kɛərɪəs/ a. 1 che fa le veci (di un altro); sostituto; vicario 2 delegato: v. **authority**, autorità delegata 3 (fig.) immaginario; indiretto; di seconda mano (fig.) 4 (biol., med.) vicariante: v. **menstruation**, mestruazione vicariante ● v. **punishment**, punizione subita al posto di un altro (o fig.) □ v. **responsibility**, responsabilità vicaria (o indiretta) □ a v. **ruler**, un reggente □ (relig.) **the v. sacrifice**, il sacrificio di Gesù Cristo □ v. **work**, lavoro fatto al posto di un altro || **vicariously** avv. 1 per delega; per conto altrui 2 in vece d'altri; in sostituzione 3 (fig.) con la fantasia; indirettamente; di seconda mano (fig.) || **vicariousness** n. ⓤ l'essere vicario.

♦**vice**① /vaɪs/ n. ⓤⓒ 1 vizio; difetto; imperfezione: **the v. of lust**, il vizio della lussuria; **vices of style**, difetti di stile 2 criminalità organizzata (spec. negli ambienti della prostituzione e della droga) 3 (fam.) vizietto; debolezza: Coffee is one of my vices, ho una debolezza per il caffè 4 vizio; malvezzo (di un animale) 5 (leg.) vizio; difetto ● v. **ring**, racket della (o giro di) prostituzione (polizia) v. **squad**, squadra del buoncostume (si occupa di prostituzione, droga, gioco d'azzardo, ecc.) □ (scherz.) He has no redeeming v., non ha un solo vizio; quello è un santo!; è fin troppo virtuoso!

vice② /vaɪs/ n. morsa; morsetto: **bench v.**, morsa da banco; **hand v.**, morsetto a mano ● v. **cheek** (o v. jaw), ganascia di morsa.

vice③ /vaɪs/ n. (fam.) vice (abbr. di vicepresidente, ecc.).

vice④ /vaɪs/ (lat.) prep. in vece di; in luogo di; al posto di.

to **vice** /vaɪs/ v. t. serrare in una morsa (anche fig.).

vice-admiral /'vaɪs'ædmərəl/ n. (marina mil., in GB e in USA) ammiraglio di divisione (in Italia il grado di 'vice-ammiraglio' non esiste più).

vice-captain /vaɪs'kæptɪn/ n. (sport) vicecapitano (di una squadra).

vice-chairman /'vaɪs'tʃɛəmən/ n. vicepresidente.

vice-chancellor /vaɪs'tʃɑːnsələ(r)/ n. 1 (nelle università) vicerettore 2 (nelle università) vicedirettore amministrativo.

vice-consul /'vaɪs'kɒnsl/ n. viceconsole || **vice-consulate** n. viceconsolato.

vicegerent /vaɪs'dʒɛrənt/ n. 1 vicegerente; vicario 2 (relig. cattolica) vicario di Cristo || **vicegerency** n. ⓤⓒ carica (o ufficio) di vicegerente.

vice-governor /'vaɪs'gʌvənə(r)/ n. vicegovernatore.

vice-king /'vaɪs'kɪŋ/ → **viceroy**.

vicelike /'vaɪslaɪk/ a. simile a una morsa; come in una morsa ● a v. **grip**, una stretta d'acciaio: His opponent held him in a v. grip, l'avversario lo teneva in una morsa d'acciaio.

vice-minister /vaɪs'mɪnɪstə(r)/ n. (polit.) vice-ministro; sottosegretario.

vicennial /vaɪ'sɛnɪəl/ a. ventennale; vicennale (lett.).

vice-president /'vaɪs'prɛzɪdənt/ n. vicepresidente || **vice-presidency** n. ⓤ vicepresidenza.

viceregal /'vaɪs'riːgl/ a. di viceré; di viceregina.

vice-regent /'vaɪs'riːdʒənt/ n. vicereggente.

vicereine /'vaɪs'reɪn/ n. viceregina.

viceroy /'vaɪsrɔɪ/ n. viceré || **viceroyal** → **viceregal** || **viceroyalty**, **viceroyship** n. ⓤⓒ 1 viceame 2 carica di viceré.

vice-treasurer /'vaɪs'trɛʒərə(r)/ n. vicetesoriere.

vice versa /'vaɪsɪ'vɜːsə/ (lat.) avv. viceversa.

Vichy (water) /'viːʃwɔːtə(r)/ loc. n. acqua di Vichy (acqua minerale).

vicinage /'vɪsɪnɪdʒ/ n. ⓤ 1 vicinato; vicinanza 2 (raro) (i) dintorni.

vicinal /'vɪsɪnl/ a. vicinale: a v. **road**, una strada vicinale.

vicinity /vɪ'sɪnətɪ/ n. 1 ⓤ (form.) vicinanza; prossimità: The two theatres are in close v., i due teatri sono vicinissimi 2 vicinanze; adiacenze; dintorni; paraggi: There is no hotel in the v., non c'è nessun albergo nelle vicinanze; Los Angeles and the v., Los Angeles e dintorni ● (form.) **in the v. of** (seguito da cifra), intorno a; all'incirca.

vicious /'vɪʃəs/ a. 1 crudele; malvagio; feroce; violento; cattivo; maligno: a v. **crime**, un delitto crudele; a v. **punch**, un pugno che fa molto male; a v. **kick**, un calcio cattivo; un calcio violento; a v. **remark**, un'osservazione cattiva; a v. **tongue**, una lingua viperina; **to be in a v. mood**, essere di pessimo umore; a v.-**looking blade**, una lama dall'aria minacciosa (o pericolosa) 2 (d'animale) pericoloso; cattivo: (di cavallo) ombroso: a v. **dog**, un cane cattivo; un cane che morde 3 (fam.) terribile; crudele; violento: a v. **wind**, un vento crudele 4 vizioso; immorale; perverso; dissoluto; depravato 5 (slang USA) straordinario; fantastico; bestiale (pop.) ● v. **circle**, circolo vizioso |-**ly** avv. |-**ness** n. ⓤ.

❶ NOTA: vicious o viscous?

Vicious non significa in genere "vizioso", ma "crudele, malvagio": a vicious person, una persona cattiva, a vicious comment, un commento crudele, a vicious attack on his reputation, un attacco malvagio alla sua reputazione. A vicious circle è "un circolo vizioso": the vicious circle of debt, il circolo vizioso del debito. Non bisogna confondere vicious con viscous, che significa "viscoso": viscous oil, olio viscoso.

vicissitude /vɪ'sɪsɪtjuːd/, USA -tuːd/ n. (di solito al pl.) vicissitudine; vicenda; traversia: **the vicissitudes of life**, le traversie della vita || **vicissitudinous**, **vicissitudinary** a. pieno di vicissitudini; mutevole; tempestoso (fig.).

♦**victim** /'vɪktɪm/ n. 1 vittima (anche fig.); preda: **the victims of war**, le vittime della guerra; He fell v. to his own avarice, fu vittima (o preda) della sua stessa cupidigia; **the v. of a trick**, la vittima di un imbroglio 2 (leg., ass.) vittima (o ass.) sinistrato, sinistrata □ v. **support**, sostegno (o supporto) alle vittime (di un reato): v. **support groups**, gruppi di supporto alle vittime.

♦to **victimize** /'vɪktɪmaɪz/ v. t. 1 sacrificare; immolare (come vittima) 2 vittimizzare; fare di (q.) una vittima || **victimization** n. ⓤ 1 sacrificio; immolazione; uccisione (d'una vittima) 2 vittimizzazione 3 vittimismo.

victimless /'vɪktɪmləs/ a. senza vittime.

victor /'vɪktə(r)/ **A** n. (lett.) vincitore **B** a. attr. vincitore; vittorioso.

Victor /'vɪktə(r)/ n. **1** Vittorio **2** (radio, tel.) la lettera 'v'; Victor.

victoria /vɪk'tɔːrɪə/ n. **1** (stor.) vittoria (carrozza signorile a quattro ruote) **2** (bot., Victoria regia) victoria regia.

Victoria ① /vɪk'tɔːrɪə/ n. **1** Vittoria **2** (stor.) la Regina Vittoria (1837-1901) • **the V. Cross**, la Croce della Regina Vittoria (la più alta onorificenza militare in GB); (fig.) soldato (ufficiale, ecc.) decorato con la Victoria Cross.

Victoria ② /vɪk'tɔːrɪə/ n. **1** (geogr.) Victoria (Stato dell'Australia) **2** (ferr.) Victoria Station (a Londra) • (geogr.) **Lake V.**, lago Vittoria.

Victorian ① /vɪk'tɔːrɪən/ **A** a. **1** (stor., arte, letter., ecc.) vittoriano: **V. furniture**, mobili vittoriani; **the V. age**, l'età vittoriana (della Regina Vittoria) **2** (spreg.) vittoriano: **V. hypocrisy**, ipocrisia vittoriana **B** n. (stor., letter.) vittoriano: **great Victorians**, grandi vittoriani || **Victorianism** n. ⓤ (stor., letter., ecc.) «vittorianesimo»; carattere (o gusto, ecc.) vittoriano.

Victorian ② /vɪk'tɔːrɪən/ a. e n. (abitante, nativo) dello Stato di Victoria (in Australia).

Victoriana /vɪktɔːrɪ'ɑːnə/ n. pl. (antiquariato) oggetti d'arte (mobili, ecc.) dell'età vittoriana.

victorious /vɪk'tɔːrɪəs/ a. **1** vittorioso **2** trionfale: He hopes for a v. return to Wimbledon, spera di fare un trionfale ritorno a Wimbledon • **a v. day**, un giorno di vittoria | **-ly** avv. | **-ness** n. ⓤ.

♦**victory** /'vɪktərɪ/ n. vittoria (anche fig.): **to win a great v. over the invaders**, riportare una grande vittoria sugli invasori; **moral v.**, vittoria morale; **a v. over one's passions**, una vittoria sulle proprie passioni • (alle Olimpiadi, ecc.) **v. ceremony**, (cerimonia della) premiazione □ (nelle corse in pista) **v. lap**, giro d'onore □ (del vincitore) **v. stand**, podio.

victress /'vɪktrɪs/ n. (raro) vincitrice.

victual /'vɪtl/ n. (di solito al pl.) vitto; viveri; vettovaglie.

to victual /'vɪtl/ **A** v. t. approvvigionare; vettovagliare; rifornire di viveri (un esercito, una nave, ecc.) **B** v. i. approvvigionarsi; fornirsi di viveri.

victualler /'vɪtələ(r)/ n. **1** approvvigionatore; fornitore (di viveri) **2** (naut.) nave (di) rifornimento **3** (spec. licensed v.) gestore di locale pubblico (con licenza per gli alcolici).

victualling, (USA) **victualing** /'vɪtlɪŋ/ n. ⓤ approvvigionamento; vettovagliamento • (dog.) **v. bill**, permesso di provvigionali a bordo □ (naut.) **v. office**, ufficio di vettovagliamento □ (naut.) **v. ship**, nave (di) rifornimento □ (naut.) **v. yard**, magazzino viveri (per navi).

vicuña, vicuna /vɪ'kjuːnə/ n. **1** (zool., Lama vicugna) vigogna **2** ⓤ (= v. cloth) (tessuto di) vigogna • **a v. overcoat**, un cappotto di vigogna.

vid /vɪd/ n. (abbr. fam. di video) videoregistratore.

vide /'vaɪdɪ/ (lat.) vc. verb. vedi; vedasi (nei rimandi): **v. supra**, vedi sopra.

videlicet /vɪ'deːlɪset/ (lat.) avv. (di solito abbr. in **viz.**) cioè; vale a dire; e precisamente.

♦**video** /'vɪdɪəʊ/ **A** n. (pl. **videos**) (TV) **1** ⓤ video (anche nel senso di «qualità dell'immagine») **2** telefilm; film registrato su video **3** videocassetta **4** videonastro **5** videoregistratore **6** (fam. USA) televisione **B** a. attr. **1** video; video- (pref.): **v. amplifier**, amplificatore video **2** della television; televisivo • (comput.) **v. adapter**, adattatore video □ v.

camera, telecamera; videocamera □ **v. cassette**, videocassetta □ **v. cassette recorder**, videoregistratore □ (mus.) **v. clip**, videoclip; video (fam.) □ **v. control**, videocontrollo □ **v. deck**, piastra di videoregistrazione □ **v. diary**, videodiario; diario video □ **v. display terminal** (o **unit**), videoterminale; terminale provvisto di schermo di visualizzazione □ (in una casa, ecc.) **v. Entryphone®**, videocitofono □ **v. filming**, riprese televisive (collett.) □ **v. frequency**, videofrequenza □ **v. game**, videogame; videogioco □ **v. hire**, videonoleggio □ (TV) **v. jockey**, video jockey; VJ (presentatore di videoclip) □ **v. juke box**, cinebox □ **v. library**, videoteca □ **v. movie**, film per videoriproduzione □ **v. music**, videomusic; videomusica □ (fam. ingl., anche iron.) **v. nasty**, videocassetta con un film di orrore, o violento, o pornografico □ **v.-on-demand**, televisione con servizio interattivo; video su richiesta □ **v. piracy**, pirateria di prodotti video □ **v. player**, videoriproduttore □ **v. playing**, videoriproduzione □ **v. poker**, videopoker □ **v. projector**, videoproiettore □ **v. recorder**, videoregistratore □ **v. recording**, videoregistrazione □ **v. shot**, videoripresa; ripresa televisiva □ **v. signal**, videosegnale; segnale d'immagine □ **v. surveillance**, controllo video (in una banca, un negozio, ecc.) □ **v. system**, videosistema □ **v. tape**, videotape; videonastro; (anche) videocassetta □ **v. tape recorder**, videoregistratore □ **v. telephony**, videotelefonia □ **v. terminal**, videoterminale □ (fam. USA) **v. visit**, videocassetta (con i familgliari, gli amici, ecc.) inviata a un anziano (ospite di una casa di riposo).

to video /'vɪdɪəʊ/ v. t. (fam.) videoregistrare.

videoblog /'vɪdɪəʊblɒg/ n. (comput., Internet) blog con contenuti video; videoblog.

videocard /'vɪdɪəʊkɑːd/ n. (comput.) scheda video.

videoconference /vɪdɪəʊ'kɒnfərəns/ (comput.) n. videoconferenza || **videoconferencing** n. ⓤ (sistema di) videoconferenza.

videodisc /'vɪdɪəʊdɪsk/ n. videodisco • **v. player**, lettore di videodisco.

videodisk /'vɪdɪəʊdɪsk/ n. → **videodisc**.

videographic /vɪdɪəʊ'græfɪk/ a. videografico.

videographics /vɪdɪəʊ'græfɪks/ n. pl. (col verbo al sing.) videografica.

videophone /'vɪdɪəʊfəʊn/ **A** n. videotelefono **B** a. attr. videotelefonico.

videopoker /'vɪdɪəʊpəʊkə(r)/ n. = **video poker** → **video**.

videotape /'vɪdɪəʊteɪp/ **A** n. videotape; videonastro **B** a. attr. videomagnetico.

to videotape /'vɪdɪəʊteɪp/ v. t. videoregistrare.

videotelephone /vɪdɪəʊ'telɪfəʊn/ → **videophone**.

videotelephony /vɪdɪəʊtɪ'lefənɪ/ n. ⓤ videotelefonia.

videotex /'vɪdɪəʊteks/, **videotext** /'vɪdɪəʊtekst/ n. (TV) Videotex.

vidicon /'vɪdɪkɒn/ n. (elettron.) vidiconoscopio; vidicon.

vidiot /'vɪdɪət/ n. (slang spreg. USA) fanatico di videogiochi.

to vie /vaɪ/ v. i. **1** – **to vie for**, competere per, contendersi, disputarsi: The twins vied for their mother's attention, i gemelli si contendevano l'attenzione della mamma **2** gareggiare; competere; rivaleggiare: **to vie with the best pilots in Europe**, gareggiare con i migliori piloti d'Europa.

Viennese /viːə'niːz/ **A** a. viennese **B** n. (inv. al pl.) viennese.

Viet /vɪ'et/ a. e n. (abbr. fam. USA) vietnamita.

Vietnamese /vɪetnə'miːz/ **A** a. vietnamita **B** n. (inv. al pl.) vietnamita.

Vietnamization /vɪetnəmaɪ'zeɪʃn/ (mil.) n. ⓤ vietnamizzazione.

Vietnik /vɪ'etnɪk/ n. (fam., stor. USA) attivista del movimento ostile alla guerra nel Vietnam.

♦**view** /vjuː/ n. **1** ⓤ vista; veduta; visione; mostra; paesaggio; panorama; prospettiva: **a fine v. over the lake**, una bella vista sul lago; He's a man of broad views, è un uomo di larghe vedute; The mist spoilt the v., la nebbia sciupava il paesaggio; I had a good v. of the show from my seat, dal mio posto vedevo bene lo spettacolo **2** fine; intento; mira; progetto; scopo: I had other views for my son, avevo altri progetti (fam.: altre cose in vista) per mio figlio **3** punto di vista; idea; opinione; giudizio; parere: What is your v. on the matter?, qual è il tuo punto di vista sulla faccenda?; He holds extreme views, è d'idee estremiste **4** disegno; progetto; schizzo (spec. di paesaggio): **an album of views**, un album di disegni (o di fotografie) **5** rassegna; sommario **6** (anche leg.) sopralluogo; ispezione; esame; verifica **7** prospettiva; possibilità • (comput.) **v. menu**, menu visualizza □ (caccia alla volpe) **v.-halloo**, dalli!; eccola! • **at first v.**, a prima vista □ **to come in** (o **into**) **v.**, offrirsi (o presentarsi) alla vista; apparire: The car came in v. too late for us to stop, l'automobile apparve troppo tardi perché ci potessimo fermare □ **to come in v. of**, giungere in vista di; arrivare vicino a: We came in v. of the enemy, giungemmo in vista del nemico □ **to have st. in v.**, avere qc. in vista □ **v. of**, in vista di; in considerazione di □ **in full v.**, in bella vista; ben visibile □ **in full v. of sb.**, sotto gli occhi di q. □ **to keep sb.** [st.] **in v.**, tenere q. [qc.] in considerazione (per il futuro, per un lavoro, ecc.) □ (anche comm.) **to be on v.**, essere in mostra; essere esposto □ **out of v.**, nascosto alla vista; non visibile; (cinem.) fuori campo □ **to pass from sb.'s v.**, uscir di vista: The ship passed from my v., persi di vista la nave □ **to take a dim** (o **poor**) **v. of st.**, disapprovare qc. □ (fig.) **to take the long v.**, guardare lontano; essere lungimirante □ **with a v. to**, con lo scopo di; nella speranza di □ (anche econ.) **with a v. to profit**, a scopo di lucro □ **within v.**, in vista: I was within v. of the town, ero in vista della città.

to view /vjuː/ v. t. **1** guardare; osservare; scrutare; contemplare: **to v. a beautiful landscape**, contemplare un bel panorama **2** (anche leg.) esaminare; ispezionare; visionare: The medical examiner viewed the body, il medico legale esaminò il cadavere (durante il sopralluogo): **to v. the premises**, ispezionare i locali **3** (spec. cinem.) visionare **4** considerare; giudicare; valutare; soppesare: We can v. the problem from different angles, possiamo considerare il problema sotto diverse angolazioni; Your proposal is viewed unfavourably, la tua proposta è giudicata in modo sfavorevole **5** (comput.) visualizzare (dati) sullo schermo □ (comput.) esaminare (una ferita, ecc.) • **order to v.**, permesso di visitare una casa (per trattarne l'acquisto).

viewable /'vjuːəbl/ a. **1** guardabile; osservabile **2** esaminabile; ispezionabile.

viewdata /'vjuːdeɪtə/ n. dati trasmessi via modem e visualizzati su uno schermo televisivo; il sistema di accesso e trasmissione relativo.

viewer /'vjuːə(r)/ n. **1** osservatore; spettatore; scrutatore **2** (anche leg.) esaminatore; ispettore; incaricato di una ricognizione (o di un sopralluogo) **3** (= televiewer) telespettatore **4** visore (per filmini e diapositive).

viewership /'vjuːʃɪp/ n. ⓤ (TV) audience televisiva.

a b c d e f g h i j k l m n o p q r s t u **v** w x y z

viewfinder /'vjuːfaɪndə(r)/ n. (*fotogr.*, *elettron.*) mirino.

viewing /'vjuːɪŋ/ n. **1** osservazione; contemplazione **2** esame; ispezione **3** ▣ il guardare la televisione (*TV*) 'Thank you for v.', 'grazie per essere stati con noi' ● (*TV*) v. figures, audience; (indice di) ascolto ▢ (*TV*) v. guide, guida (*di giornale, ecc.*) agli spettacoli televisivi.

viewless /'vjuːləs/ a. **1** (*poet.*) invisibile **2** senza vista; senza panorama **3** che non ha idee; che non esprime opinioni; che non si pronuncia.

viewphone /'vjuːfəʊn/ n. (*raro*) **1** videofono **2** videocitofono.

viewpoint /'vjuːpɔɪnt/ n. **1** punto d'osservazione; belvedere **2** (*fig.*) punto di vista; opinione, parere, avviso.

viewshed /'vjuːʃed/ n. (*archeol.*, *mil.*, *urbanistica*) bacino di visibilità (*area visibile da un punto strategico*).

vig /vɪg/ n. (*slang USA*) quota di una vincita alle corse che va all'allibratore.

vigesimal /vaɪ'dʒesɪml/ a. ventesimo; vigesimo (*lett.*).

viggerish /'vɪgərɪʃ/ → **vig**.

vigil /'vɪdʒɪl/ n. **1** veglia; vigilia (*lett.*) (*relig.*) vigilia; giorno di vigilia **3** (pl.) (*relig.*) preghiere notturne ● to keep (a) v., vegliare.

vigilance /'vɪdʒələns/ n. ▣ **1** vigilanza; sorveglianza **2** (*med.*) insonnia ● (*in USA*) v. committee, gruppo volontario di cittadini organizzatisi per mantenere l'ordine pubblico in assenza o insufficienza delle forze di polizia regolari ▢ to exercise v., vigilare; essere guardingo.

vigilant /'vɪdʒələnt/ a. vigilante; vigile; guardingo; attento ● to keep v. guard over sb., vigilare attentamente q. | -ly avv.

vigilante /vɪdʒɪ'læntɪ/ n. (*USA*) (*talora spreg.*) appartenente a un → «vigilance committee» (→ **vigilance**).

vignette /vɪn'jet/ (*franc.*) n. **1** (*tipogr.*) piccola illustrazione all'inizio di un libro o capitolo; vignetta; fregio **2** vignetta; fotografia (*o ritratto*) con lo sfondo sfumato **3** (*fig.*) descrizione; schizzo **4** (*archit.*) fregio.

to **vignette** /vɪn'jet/ v. t. **1** (*tipogr.*) fare vignette (*o fregi*) a (*un libro*) **2** (*arti grafiche*) fare la vignettatura di (*una foto, un'illustrazione*) **3** (*fig.*) descrivere in uno schizzo **4** (*fig.*) fare la vignetta a (q.).

vignetter /vɪn'jetə(r)/, **vignettist** /vɪn'jetɪst/ n. **1** chi disegna vignette, fregi, piccole illustrazioni **2** autore di vignette; vignettista.

vignetting /vɪn'jetɪŋ/ n. ▣ (*ottica*, *fotogr.*) vignettatura.

vigor (*USA*) → **vigour.**

vigorous /'vɪgərəs/ a. vigoroso; energico; forte; robusto | -ly avv. | -ness n. ▣.

vigour, (*USA*) **vigor** /'vɪgə(r)/ n. ▣ vigore; energia; forza; robustezza.

Viking /'vaɪkɪŋ/ (*stor.*) Ⓐ n. vichingo Ⓑ a. attr. vichingo: a V. ship, una nave vichinga.

vile /vaɪl/ a. **1** abietto; ignobile; vile: the v. trade of an informer, l'abietto mestiere della spia **2** pessimo; orribile; disgustoso: a v. weather, tempo orribile; a v. smell, un puzzo orribile; a v. temper, un caratteraccio **3** (*arc.*, *lett.*) vile; di scarso valore ❶ FALSI AMICI • vile *non significa* vile *nel senso di codardo* | -ly avv. | -ness n. ▣.

to **vilify** /'vɪlɪfaɪ/ v. t. **1** diffamare; denigrare; calunniare; sparlare di (q.) **2** (*raro*) avvilire; degradare ‖ **vilification** n. ▣ **1** diffamazione; denigrazione **2** (*raro*) avvilimento; degradazione ‖ **vilifier** n. diffamatore, diffamatrice; denigratore, denigratrice.

to **vilipend** /'vɪlɪpend/ v. t. (*lett.*) disprez-

zare; vilipendere.

villa /'vɪlə/ (*ital.*) n. **1** villa; grande villa **2** (*ingl.*) villetta; casa unifamiliare.

♦**village** /'vɪlɪdʒ/ n. villaggio; paese; borgata ● the v. doctor, il medico del paese ● v. hall, centro socioricreativo di paese ▢ (*fam.*) the v. idiot, lo scemo del villaggio ▢ v. green, prato pubblico; terreno per feste, ecc. ▢ v. pump, pompa dell'acqua (*o fontana*) del paese ‖ **villager** n. abitante di un villaggio; paesano.

villain /'vɪlən/ n. **1** canaglia; farabutto; furfante; mascalzone; ribaldo; scellerato **2** colpevole; responsabile **3** (*teatr.*, *cinem.*, *ecc.*) (il) cattivo **4** → **villein 5** (*ingl.*, *generalm. scherz.*) malfattore; criminale **6** (*rif. a un bambino*) bricconcello ● (*fam.*, *scherz.*) the v. of the piece, il colpevole; la causa di tutto ❶ FALSI AMICI • villain *non significa* villano *nel senso di* maleducato.

villainage /'vɪlənɪdʒ/ n. ▣ → **villeinage**.

villainous /'vɪlənəs/ a. **1** (*lett.*) malvagio; scellerato; canagliesco **2** (*fam. arc.*) pessimo; orribile: a v. climate, un clima pessimo ❶ FALSI AMICI • villainous *non significa* villano | -ly avv. | -ness n. ▣.

villainy /'vɪlənɪ/ n. ▣ (*lett.*) malvagità; scelleratezza; scelleraggine; canagliata ❶ FALSI AMICI • villainy *non significa* villania.

villanelle /vɪlə'nel/ n. (*poesia*) villanella.

villein /'vɪleɪn/ n. (*stor.*) villano; servo della gleba.

villeinage /'vɪlɪnɪdʒ/ n. ▣ (*stor.*) servitù della gleba.

villiform /'vɪlɪfɔːm/ a. (*scient.*) villiforme.

villose /'vɪləʊs/, **villous** /'vɪləs/ (*scient.*) a. villoso: v. leaves, foglie villose ‖ **villosity** n. ▣ villosità.

villus /'vɪləs/ n. (pl. *villi*) (*anat.*, *bot.*) villo.

vim /vɪm/ n. ▣ (*fam. arc.*) energia; forza; vigore.

vimen /'vɪmɪn/ n. (pl. *vimina*) vimine ‖ **vimineous** a. vimineo.

Viminal /'vɪmɪnl/ n. (*geogr.*, *stor.*) Viminale (*uno dei sette colli di Roma*).

VIN sigla (*autom.*, **vehicle identification number**) numero di telaio.

vina /'viːnə/ n. (*mus.*) vina; liuto indiano.

vinaceous /vaɪ'neɪʃəs/ a. **1** vinoso; del vino **2** rosso-vino; del colore del vino rosso.

vinaigrette /vɪnɪ'gret/ (*franc.*) n. ▣ **1** (*un tempo*) boccetta dei sali **2** (*cucina*; = v. sauce) vinaigrette; salsa di olio, aceto, ecc. (*per condire l'insalata, ecc.*).

Vincent /'vɪnsənt/ n. Vincenzo.

vincible /'vɪnsəbl/ a. (*raro*) vincibile | -ness n. ▣.

vinculum /'vɪŋkjʊləm/ n. (pl. *vincula*) **1** (*anat.*) ligamento; frenulo **2** (*raro*) vincolo; legame.

vindicable /'vɪndɪkəbl/ a. **1** (*leg.*) rivendicabile **2** difendibile; giustificabile; sostenibile ‖ **vindicability** n. ▣ **1** (*leg.*) l'essere rivendicabile **2** l'essere difendibile (*o giustificabile*).

to **vindicate** /'vɪndɪkeɪt/ v. t. **1** (*leg.*) rivendicare: to v. a claim, rivendicare un diritto **2** giustificare: His success vindicated our belief in him, il suo successo giustificò la fiducia che avevamo riposto in lui; (*di una decisione, una tesi, ecc.*) to be vindicated, rivelarsi giustificato, dimostrarsi azzeccato: Our fears were vindicated, i nostri timori si rivelarono giustificati **3** (*leg.*) convalidare; provare; sanzionare **4** (*leg.*) scagionare (*da un'accusa, un sospetto*); discolpare ‖ **vindication** n. ▣ **1** rivendicazione (*di un diritto, ecc.*) **2** giustificazione; difesa (*della propria reputazione*) **3** (*leg.*) convalida; prova **4** (*leg.*) lo scagionare (*da un'accusa, ecc.*); discolpa ‖ **vindicator** n. rivendicatore **1**

assertore; difensore; chi discolpa (*sé stesso o altri*) ‖ **vindicatory** a. **1** → **vindicative 2** (*di legge, provvedimento, ecc.*) punitivo; repressivo.

vindicative /'vɪndɪkətɪv, USA vɪn'dɪkeɪtɪv/ a. **1** rivendicatore: a v. policy, una politica rivendicatrice **2** (*leg.*) di discolpa.

vindictive /vɪn'dɪktɪv/ a. **1** vendicativo **2** astioso; maligno; dispettoso ● (*leg.*) v. damages = **exemplary damages → exemplary** ▢ v. feelings, sentimenti di vendetta ● a v. punishment, una punizione a carattere vendicativo | -ly avv. | -ness n. ▣.

vine /vaɪn/ n. **1** (*bot.*, *Vitis vinifera*; = **grapevine**) vite **2** pianta rampicante **3** (*agric.*) pianta (*del luppolo e sim.*) **4** (pl.) (*gergo dei neri USA*) abiti; vestiti ● v. borer = **v. louse** → **sotto** ▢ v.-branch, tralcio; sarmento ▢ v.-clad, coperto di viti ▢ v. disease, fillossera (*la malattia*) ▢ v. grower, viticoltore ▢ v. growing, viticoltura ▢ v. leaf, pampino ▢ v. louse (*o v. pest*), fillossera (*l'insetto*) ▢ (*d'uva, pomodori, ecc.*) v.-ripened, fatto maturare sulla vite (*sul traliccio, ecc.*) ▢ v. shoot, sarmento; tralcio.

vine-dresser, **vinedresser** /'vaɪndresə(r)/ n. vignaiolo; viticoltore.

vinegar /'vɪnɪgə(r)/ n. ▣ **1** aceto: aromatic v., aceto aromatico **2** (*fig.*) asprezza; acidità; acredine (*del carattere, ecc.*) **3** (*fam. USA*) energia; vigore; spirito; brio ● v. bottle, acetiera ▢ (*zool.*) v. fly, moscerino dell'aceto; drosofila ▢ v. plant, fungo della fermentazione acetica ‖ **vinegarish**, **vinegary** a. **1** acetoso; acidulo; che sa d'aceto **2** (*fig.*) acido; acre; aspro ● to have a vinegarish tongue, essere linguacciuto; avere una lingua che taglia e che cuce (*fig.*).

to **vinegar** /'vɪnɪgə(r)/ v. t. **1** trattare con aceto **2** (*un tempo*) dare l'aceto aromatico a (q.).

vinery /'vaɪnərɪ/ n. **1** serra di viti (*nei paesi settentrionali*) **2** vigneto; vigna.

vineyard /'vɪnjəd/ n. vigneto; vigna ‖ **vineyardist** n. vignaiolo.

viniculture /'vɪnɪkʌltʃə(r)/ n. ▣ viticoltura; industria vinicola; vinicoltura ‖ **vinicultural** a. vinicolo ‖ **viniculturist** n. vinificatore; vinicoltore; viticoltore.

viniferous /vɪ'nɪfərəs/ a. vinifero; che produce vino.

to **vinify** /'vɪnɪfaɪ/ v. i. vinificare ‖ **vinification** n. ▣ vinificazione.

vinometer /vaɪ'nɒmɪtə(r)/ n. alcolometro, alcolimetro (*strumento*).

vinous /'vaɪnəs/ a. **1** vinoso; di vino: v. fermentation, fermentazione vinosa (*o alcolica*); a v. flavour, un sapore di vino **2** del colore del vino **3** dedito al vino ● v. eloquence, eloquenza dovuta al vino bevuto ▢ to be in a v. state, essere avvinazzato ‖ **vinosity** n. ▣ l'essere vinoso; vinosità.

vintage /'vɪntɪdʒ/ Ⓐ n. **1** vendemmia **2** annata; vino di una particolare annata **3** (*poet.*, *retor.*) vino (*in genere*) **4** (*fig.*) annata; vino d'annata: Those graduates are of 1970 v., quei laureati sono della «leva» del 1970 Ⓑ a. attr. **1** d'annata; (*di vino*) pregiato: v. wine, vino pregiato; vino d'annata **2** (*d'anno, d'annata*) buono; felice: a v. year, una buona annata (*vinicola*) **3** (*d'automobile*) d'epoca (*costruita fra il 1919 e il 1930*; cfr. **veteran car**, **veteran**) **4** (*fig.*) eccellente; di prim'ordine; di prima qualità: This music is v. Mozart, questo è Mozart al suo meglio **5** (*fig.*) memorabile: a v. year for English soccer, un'annata memorabile per il calcio inglese.

to **vintage** /'vɪntɪdʒ/ v. t. e i. vendemmiare.

vintager /'vɪntɪdʒə(r)/ n. vendemmiatore; vendemmiatrice.

vintner /'vɪntnə(r)/ n. **1** commerciante di vini; vinaio **2** vinificatore.

viny /'vaɪnɪ/ a. che abbonda di viti; coperto di viti.

vinyl /'vaɪnl/ n. ʊ̲ɕ **1** (chim.) vinile: **v. acetate**, acetato di vinile **2** (slang) (collett.) dischi grammofonici □ **v. chloride**, vinilcloruro □ **v. imitation leather**, vinilpelle □ **v. resin**, resina vinilica.

vinylidene /vaɪ'nɪlɪdi:n/ n. ʊ̲ (chim.) vinilidene ● **v. resin**, resina vinilidenica.

viol /'vaɪəl/ n. (stor., mus.) viola (strumento musicale medievale, di solito a sei corde) ● **bass v.**, violoncello.

viola① /vɪ'əʊlə/ n. (mus.) **1** viola **2** (stor.) → **viol**.

viola② /'vaɪələ/ n. (bot., Viola) viola.

violable /'vaɪələbl/ a. violabile.

violaceous /vaɪə'leɪʃəs/ a. **1** violaceo **2** (bot.) delle Violacee.

♦to **violate** /'vaɪəleɪt/ v. t. **1** violare; contravvenire a, trasgredire a: **to v. a law [an oath]**, violare una legge [un giuramento] **2** disturbare; turbare; violare: **to v. sb.'s privacy**, violare l'intimità di q. **3** offendere; ferire **4** (form.) violare; profanare: **to v. a sanctuary**, violare un santuario **5** (leg.) violentare; stuprare.

violation /vaɪə'leɪʃn/ n. ʊ̲ɕ **1** violazione; contravvenzione; trasgressione: **the v. of a promise**, la violazione di una promessa **2** disturbo; turbamento: (leg.) **v. of the peace**, turbamento dell'ordine pubblico **3** (form.) violazione; profanazione; oltraggio **4** (leg.) violenza carnale; stupro.

violator /'vaɪəleɪtə(r)/ n. **1** violatore; contravventore; trasgressore **2** violatore; profanatore **3** (leg.) violentatore; stupratore.

♦**violence** /'vaɪələns/ n. ʊ̲ɕ **1** violenza; oltraggio: **to use [to resort to] v.**, usare [ricorrere alla] violenza; **to do v. to sb.'s feelings**, far violenza ai sentimenti di q.; **the v. of the storm [of one's passions]**, la violenza della tempesta [delle proprie passioni] **2** (leg.) violenza; uso della forza ● **to do v. to a text**, svisare il significato di un testo.

♦**violent** /'vaɪələnt/ a. violento (anche fig.); forte; impetuoso: **a v. clash**, uno scontro violento; **a v. blow**, un forte colpo; **to meet a v. death**, morire di morte violenta; **a v. temper**, un'indole violenta; **a v. headache**, un forte mal di testa; **v. language**, parole violente; **a v. dislike**, una forte antipatia ● (sport) **a v. attack**, un attacco violento; una sfuriata □ (sport) **v. play**, gioco violento □ (leg., USA) **v. presumption**, forte presunzione □ **v. storm**, violenta tempesta; (meteor., naut.) fortunale, vento (o mare) a forza 11 ● **to lay v. hands on sb.**, usare violenza a q. || **-ly avv.**

violet /'vaɪələt/ ◻A n. **1** (bot., Viola odorata) violetta; viola mammola **2** ʊ̲ viola; color viola ◻B a. violetto; color viola ● (fam. scherz.: di persona) **modest v.** (o **shrinking v.**), mammoletta (fig.); modestino (fam.).

Violet /'vaɪələt/ n. Violetta.

violin /vaɪə'lɪn/ (mus.) n. violino ● **v. maker**, violinaio □ (nell'orchestra) **first [second] v.**, primo [secondo] violino (anche fig.) ● **to play first v.**, fare il violino di spalla || **violinist** n. violinista.

violist /vɪ'əʊlɪst/ n. (mus.) violista; suonatore di viola.

violoncello /vaɪələn'tʃeləʊ/ (mus.) n. (pl. violoncellos) violoncello || **violoncellist** n. violoncellista.

viomycin /vaɪə'maɪsɪn/ n. ʊ̲ (biochim.) viomicina.

VIP n. (acronimo di **very important person**) vip; personaggio importante; pezzo grosso (fig.) ● **VIP lounge**, sala di transito per personaggi illustri (in un aeroporto).

viper /'vaɪpə(r)/ n. (zool.) **1** (Vipera) vipera **2** (Vipera berus) marasso **3** (fig.) vipera (persona maligna) || **viperish** a. viperino (anche fig.); velenoso; maligno: **viperish tongue**, lingua viperina.

viperous /'vaɪpərəs/ a. viperino (anche fig.); velenoso; maligno | **-ly avv.**

virago /vɪ'rɑːgəʊ/ n. **1** megera; strega (fig.) **2** (arc.) virago.

viral /'vaɪərəl/ a. (med. e fig.) virale: **v. hepatitis**, epatite virale ● (comm.) **v. marketing**, marketing virale.

virelay /'vɪrəleɪ/ n. (poesia, stor.) virelai.

virement /'vɪəmɒn/ (franc.) n. (contabilità di stato) storno.

viremia /vaɪ'riːmɪə/ n. ʊ̲ (med.) viremia.

virescent /vɪ'resnt/ (bot.) a. virescente || **virescence** n. ʊ̲ virescenza.

virgate① /'vɜːgət/ a. (bot.) a forma di verga; dritto e sottile.

virgate② /'vɜːgət/ n. (stor.) «virgate» (misura ingl. di superficie, pari a 30 acri).

Virgil /'vɜːdʒɪl/ n. Virgilio || **Virgilian** a. (letter.) virgiliano.

Virgilian /vɜː'dʒɪlɪən/ a. (letter.) virgiliano.

virgin /'vɜːdʒɪn/ ◻A n. **1** vergine **2** – (astron., astrol.) **the V.**, la Vergine (costellazione e VI segno dello zodiaco) (→ **Virgo**) **3** (fam. scherz.) persona ingenua: **We're no virgins!**, non siamo mica nati ieri! ◻B a. **1** vergine: **v. forest**, una foresta vergine; **v. soil**, terreno vergine (anche fig.); **v. wool**, lana vergine; **v. snow**, neve vergine **2** di (o da) vergine; verginale: **v. modesty**, pudore (o riserbo) verginale ● (relig.) **the V. Birth**, il concepimento (o la nascita) verginale (di Gesù da parte di Maria) □ (bot.) **v.'s bower** (Clematis vitalba), vitalba □ (stor.) **the V. Queen**, la Regina Vergine (Elisabetta I d'Inghilterra) □ (bot.) **v.-tree** (Sassafras albidum), sassofrasso orientale.

virginal /'vɜːdʒɪnl/ ◻A a. verginale; virgineo (poet.); casto; puro ◻B n. (mus., = **virginals, a pair of virginals**) virginale.

virginhood /'vɜːdʒɪnhʊd/ n. ʊ̲ verginità.

Virginia /və'dʒɪnɪə/ n. **1** (geogr.) Virginia **2** tabacco Virginia ● **a V. cigarette**, una Virginia □ (bot.) **V. creeper** (Parthenocissus quinquefolia), vite del Canada || **Virginian** a. e n. (in USA) virginiano (abitante) della Virginia.

virginity /və'dʒɪnətɪ/ n. ʊ̲ verginità.

Virgo /'vɜːgəʊ/ ◻A n. **1** (astron., astrol.) Vergine (costellazione e VI segno dello zodiaco) **2** (astrol.: pl. Virgos) (un) vergine; individuo nato sotto il segno della Vergine ◻B a. (astrol.) della Vergine || **Virgoan** (astrol.) ◻A n. persona nata sotto il segno della Vergine ◻B a. della Vergine.

virgule /'vɜːgjuːl/ n. **1** (tipogr.) barretta; barra (segno /) **2** (di orologio) virgola: **v. escapement**, scappamento a virgola.

viridescent /vɪrɪ'desnt/ a. verdeggiante; che tende al verde || **viridescence** n. ʊ̲ tendenza al verde; l'essere verdeggiante.

viridian /və'rɪdɪən/ n. (pitt.) verde veronese.

viridity /və'rɪdətɪ/ n. ʊ̲ **1** l'esser verde **2** (fig.) freschezza; giovinezza.

virile /'vɪraɪl/ a. **1** virile; mascolino; maschio **2** (fig.) virile; vigoroso; forte: **a v. prose**, una prosa vigorosa.

virilism /'vɪrɪlɪzəm/ n. ʊ̲ (psic.) **1** virilismo **2** mascolinità.

virility /vɪ'rɪlɪtɪ/ n. ʊ̲ virilità; mascolinità.

virion /'vaɪərɪən/ n. (biol.) virione.

viroid /'vaɪərɔɪd/ n. (biol.) viroide.

virology /vaɪə'rɒlədʒɪ/ (med.) n. ʊ̲ virologia || **virological** a. virologico || **virologist** n. virologo.

virose /'vaɪrəʊs/ a. **1** fetido; puzzolente **2** velenoso.

virtu /vɜː'tuː/ n. **1** amore per l'arte; gusto artistico **2** carattere artistico (d'un oggetto); bellezza; rarità.

virtual /'vɜːtʃʊəl/ a. **1** effettivo; di fatto; in pratica; vero e proprio: *He is the v. manager of the firm*, di fatto è il direttore dell'azienda; *He was a v. stranger to me*, in pratica per me era uno sconosciuto **2** (anche scient.) virtuale: (ottica) **v. image**, immagine virtuale; (fis., mecc.) **v. inertia**, inerzia virtuale; (comput.) **v. memory**, memoria virtuale; (comput.) **v. reality**, realtà virtuale || **virtuality** n. ʊ̲ (form.) virtualità; potenzialità.

♦**virtually** /'vɜːtʃʊəlɪ/ avv. **1** di fatto; in pratica; effettivamente **2** virtualmente.

♦**virtue** /'vɜːtʃuː/ n. ◻ʊ̲ɕ **1** virtù: *Temperance is a v.*, la temperanza è una virtù; *That girl has every v.*, quella ragazza ha tutte le virtù; *I have no faith in the v. of this medicine*, non credo nelle virtù di questo medicamento **2** vantaggio; merito (fig.): **the virtues of education**, i meriti dell'istruzione; *Your plan has the v. of being very inexpensive*, il tuo piano ha il vantaggio di essere molto poco costoso **3** (relig.) virtù: **the cardinal virtues**, le virtù cardinali ● **by** (o **in**) **v. of**, in virtù di; a causa di □ **to follow v.**, esercitare la virtù; condurre una vita virtuosa □ **to make a v. of necessity**, far di necessità virtù □ (antiq.) **a woman of easy v.**, una donna di facili costumi □ (prov.) **V. is its own reward**, la virtù è premio a sé stessa.

virtuoso /vɜːtʃʊ'əʊsəʊ/ n. (pl. **virtuosos**, **virtuosi**) **1** (spec. mus.) virtuoso; esecutore eccellente **2** amatore (o conoscitore, intenditore) d'oggetti d'arte **3** (sport: calcio, ecc.) virtuoso (del pallone); fantasista; stilista || **virtuosic** a. virtuosistico || **virtuosity** n. ʊ̲ɕ **1** virtuosità; virtuosismo **2** amore per l'arte; passione per gli oggetti d'arte.

virtuous /'vɜːtʃʊəs/ a. **1** virtuoso; onesto; retto; morale: **v. life**, vita virtuosa **2** casto; virtuoso **3** (spreg.) che ostenta la propria virtù; moralistico ● **v. circle**, circolo virtuoso | **-ly avv.** | **-ness n.** ʊ̲.

virulent /'vɪrələnt/ a. virulento (anche fig.): **v. infection**, un'infezione virulenta; **v. satire [criticism]**, satira [critica] virulenta || **virulence, virulency** n. ʊ̲ virulenza (anche fig.) || **virulently** avv. con virulenza.

♦**virus** /'vaɪərəs/ ◻A n. **1** (biol.) virus: **the smallpox v.**, il virus del vaiolo; **filterable v.**, virus filtrabile **2** (fig.) veleno; influsso pericoloso **3** (comput.) virus ◻B a. attr. virale: (med.) **v. infections**, infezioni virali ● (biol.) **v. reproduction**, virogenesi.

Vis., Visc., Visct abbr. **1** (**viscount**) visconte **2** (**viscountess**) viscontessa.

visa /'viːzə/ n. visto (di passaporto, ecc.): **v. service**, servizio per la concessione dei visti.

to **visa** /'viːzə/ (pass. e p. p. **visaed**), v. t. **1** mettere il visto su, apporre il visto a (un passaporto, ecc.); vidimare, vistare: **to v. a bill of health**, vistare un certificato sanitario (di una nave) **2** concedere il visto (o il passaporto) a (q.).

visage /'vɪzɪdʒ/ n. (lett.) **1** viso; volto; faccia **2** (fig.) aspetto; sembiante || **visaged** a. (nei composti, per es.:) **round-visaged**, dal viso rotondo; **sad-visaged**, dall'aspetto triste.

visagiste /viːzɑː'ʒɪst/ n. (franc.) visagista.

visard /'vɪzɑːd/ → **visor**.

vis-à-vis /viːzɑː'viː/ (franc.) ◻A avv. vis-à-vis; faccia a faccia; di fronte; di faccia ◻B prep. (anche fig.) di fronte a; rispetto a ◻C n. (inv. al pl.) **1** persona che sta di fronte; rimpettaio **2** vis-à-vis; carrozza a sedili op-

posti **3** vis-à-vis; divano a forma di S; amorino.

viscacha /vɪˈskaːtʃə/ (*spagn.*) n. (*zool.*, *Lagostomus maximus*) viscaccia.

viscera /ˈvɪsərə/ (*lat.*) n. pl. (*anat.*) visceri.

visceral /ˈvɪsərəl/ a. (*anat.*, *med.*) viscerale (*anche fig.*).

to **viscerate** /ˈvɪsəreɪt/ v. t. sviscerare; sventrare; sbudellare.

viscid /ˈvɪsɪd/ a. viscido ‖ **viscidity** n. ⑩ viscidità.

viscometer /vɪˈskɒmɪtə(r)/ n. viscosimetro.

viscose /ˈvɪskəʊz/ Ⓐ a. viscoso Ⓑ n. ⑩ (*ind. chim.*) viscosa: **v. process**, processo alla viscosa ● **v. rayon**, rayon viscosa.

viscosimeter /vɪskəʊˈsɪmɪtə(r)/ n. viscosimetro.

viscosity /vɪˈskɒsəti/ n. ⑩ (*mecc. dei fluidi*) viscosità.

viscount /ˈvaɪkaʊnt/ n. visconte ‖ **viscountcy** n. ⑩ viscontado; grado e titolo di visconte.

viscountess /ˈvaɪkaʊntɪs/ n. viscontessa.

viscountship /ˈvaɪkaʊntʃɪp/ n. **1** ⑩ viscontado; grado e titolo di visconte **2** viscontea.

viscounty /ˈvaɪkaʊnti/ n. viscontea.

viscous /ˈvɪskəs/ a. viscoso: **v. oil**, olio viscoso | **-ly** avv. | **-ness** n. ⑩ ❶ **NOTA**: *vicious o viscous?* → **vicious**.

viscus /ˈvɪskəs/ (*lat.*) n. (sing. di **viscera**) (*anat.*) viscere.

vise /vaɪs/ (*USA*) → **vice**②.

to **vise** /vaɪs/ → **to vice**.

visé, to **visé** /ˈviːzeɪ/ → **visa**, **to visa**.

Vishnu /ˈvɪʃnuː/ n. (*relig.*) Visnù.

visibility /vɪzəˈbɪləti/ n. ⑩ **1** visibilità: **poor v.**, scarsa visibilità; *V. was down to a few yards*, la visibilità era ridotta a pochi metri **2** evidenza.

♦**visible** /ˈvɪzəbl/ Ⓐ a. **1** visibile: *The ship was v. to the naked eye*, la nave era visibile a occhio nudo **2** evidente; manifesto: **v. signs of economic recovery**, segni evidenti di ripresa economica (*econ.*) disponibile: **v. supply**, scorte disponibili Ⓑ n. pl. (*comm. est.*) partite visibili ● (*bur.*) **v. distinguishing marks**, segni particolari (*scritto su un passaporto, ecc.*) □ **v. exports**, esportazioni visibili □ (*econ.*) **v. items**, partite visibili (*della bilancia dei pagamenti*) □ (*fin., rag.*) **v. reserve**, riserva palese □ **v. signal**, segnale ottico □ **without v. means of support**, senza mezzi apparenti di sostentamento □ *Is the manager v.?*, il direttore riceve? | **-ness** n. ⑩ | **-bly** avv.

Visigoth /ˈvɪzɪgɒθ/ (*stor.*) n. visigoto ‖ **Visigothic** a. visigotico; visigoto.

♦**vision** /ˈvɪʒn/ n. **1** ⑩ visione; veduta; vista; apparizione: **to have visions**, avere delle visioni; **visions of power**, visioni di gloria; *The sea was a beautiful v. to behold*, il mare offriva una veduta magnifica **2** ⑩ lungimiranza; intuito; intuizione; sagacia (*spec. politica*): **a statesman of great v.**, uno statista di grande sagacia **3** ⑩ immaginazione; fantasia; potenza evocativa; capacità fantastica: **a dramatist of great v.**, un drammaturgo di grande potenza evocativa **4** (*psic.*) visione; allucinazione **5** (*fig. fam.*) (una) visione; donna stupenda **6** ⑩ immagine (*al cinema, in TV*); (*TV*) (il) video: *There is interference to v.*, c'è un'interferenza sul video **7** (*sport*) visione (*o concezione*) del gioco; intelligenza; intuito ● **beyond our v.**, fuori vista.

to **vision** /ˈvɪʒn/ v. t. vedere; avere una visione di (q., qc.).

visional /ˈvɪʒnl/ a. di visione; simile a

una visione; irreale | **-ly** avv.

visionary /ˈvɪʒnri/ Ⓐ a. **1** visionario; sognatore; utopico: **a v. policy**, una politica visionaria **2** (*arc.*) immaginario; irreale; infondato; campato in aria: **v. objects**, oggetti immaginari Ⓑ n. **1** visionario, visionaria; sognatore, sognatrice; utopista **2** (*relig.*) chi ha visioni mistiche | **-iness** n. ⑩.

♦**visit** /ˈvɪzɪt/ n. **1** visita: **to pay a v. to sb.**, far visita a q.; **a v. to a patient**, una visita a un ammalato; **to be on a v. to sb.**, essere in visita da q.; **courtesy v.**, visita di cortesia; *State v.*, visita di Stato **2** gita; viaggio: **a v. to the Lake District**, una gita alla Regione dei Laghi; **during my second v. to the Far East**, durante il mio secondo viaggio nell'Estremo Oriente **3** (*naut.*) permanenza (*di una nave in un porto*) **4** (*spec. naut.*) ispezione; visita (*dog.*): **right of v.**, diritto d'ispezione (*delle navi neutrali*) **5** (*comput.*) accesso a un sito Web **6** (*sport*) trasferta; visita (*di una squadra*) **7** (*biathlon*) sosta: **v. to the range**, sosta alla postazione di tiro **8** (*fam. USA*) chiacchierata; conversazione amichevole.

♦to **visit** /ˈvɪzɪt/ Ⓐ v. t. **1** visitare (*un luogo, una persona*); far visita a; andare a vedere; andare a trovare: *We hope to be able to v. Paris*, speriamo di poter visitare Parigi; *He's never visited us*, non ci ha mai fatto visita; *I had no time to v. the museum*, non ebbi il tempo di visitare il museo **2** frequentare: *The old sailor used to v. public houses*, il vecchio marinaio frequentava le osterie **3** andare da; consultare; vedere (*un dottore, un avvocato, ecc.*) **4** (*anche leg.*) ispezionare; esaminare (*ufficialmente*); sottoporre (*una nave*) a visita doganale: *Schools are being visited by inspectors*, ci sono degli ispettori in visita alle scuole; **to v. the scene of a crime**, fare un sopralluogo sulla scena di un delitto **5** (*Bibbia*) castigare; punire (*una persona, un peccato*) **6** (*form. o antiq.*) colpire; abbattersi su (*fig.*): (*di una città, ecc.*) **to be visited with plague**, essere colpito dalla peste **7** essere in visita da; essere ospite di: *He's visiting relatives*, è ospite di parenti Ⓑ v. i. fare una visita; far visita ● (*USA*) **to v. in**, fermarsi, soggiornare a; visitare: *He is visiting in Rome*, sta visitando Roma □ (*di un medico*) **to v. one's patients**, visitare i propri malati; fare il giro delle visite □ (*biathlon*) **to v. the range**, sostare alla postazione di tiro □ (*Bibbia*) **to v. the sins of the fathers upon the children**, punire i figli per le colpe dei padri □ (*USA*) **to v. with sb.**, andare a trovare q.; (andare a) fare quattro chiacchiere con q.; conversare con q. □ **to be visited by a strange dream**, fare un sogno strano □ (*di un medico*) **to be out visiting**, essere fuori, in un giro di visite.

visitability /vɪzɪtəˈbɪlɪti/ n. ⑩ (*archit.*) visitabilità; accessibilità.

visitable /ˈvɪzɪtəbl/ a. **1** visitabile; che si può visitare **2** da visitarsi; degno d'essere visto **3** (*spec. naut.*) soggetto a ispezione.

Visitandine /vɪzɪˈtændiːn/ n. (*relig.*) visitandina.

visitant /ˈvɪzɪtənt/ Ⓐ n. **1** (*poet.*) visitatore, visitatrice **2** (*zool.*) uccello di passo; uccello migratore **3** apparizione soprannaturale **4** (*relig.*) V., visitandina; suora della Visitazione Ⓑ a. (*poet.*) che visita; visitante.

visitation /vɪzɪˈteɪʃn/ n. **1** visita (*spec. ufficiale*); visitazione: **a v. of the sick**, una visita ai malati (*da parte di un sacerdote*) **2** (*dog., naut.*) ispezione; visita: **right of v.**, diritto di visita **3** afflizione, castigo, punizione, calamità, piaga (*mandati da Dio*): **a v. of Providence**, un castigo divino **4** (*fam.*) visita troppo lunga **5** (*zool.*) migrazione eccezionale (*d'uccelli, ecc.*) ● (*relig.*) **the V.**, la Visitazione (*di Maria Vergine a Elisabetta*), la festa della Visitazione (*31 maggio*); l'Ordine della Visitazione □ (*relig.*) **nuns of the V.**,

suore della Visitazione; visitandine.

visitatorial /vɪzɪtəˈtɔːriəl/ a. di visita ufficiale; d'ispezione; ispettivo: **v. board**, comitato ispettivo.

visiting /ˈvɪzɪtɪŋ/ Ⓐ n. ⑩ il far visite; il visitare Ⓑ a. **1** che visita: **v. nurse**, infermiera (*o infermiere*) che visita i malati (*a domicilio*) **2** di (*o da*) visita: **v. card**, biglietto da visita **3** (*calcio, ecc.*) in visita; ospite: **the v. team**, la squadra in visita; la squadra ospite (*ospitata*) **4** (*calcio, ecc.*) della squadra ospite; degli ospiti: **the v. supporters** (*o* **fans**), i sostenitori (*o* i tifosi) della squadra ospite ● **v. book**, taccuino con l'elenco delle visite ricevute o da fare □ **v. hours**, orario d'apertura (*di un museo, ecc.*); orario delle visite (*in un ospedale, ecc.*) □ (*nelle università*) **v. professor**, visiting professor (*professore ospite di un'università straniera*) □ **to be on v. terms with sb.**, essere in rapporti di buona conoscenza con q.; scambiar visite con q. □ **prison v.**, visite ai carcerati □ (*fam.*) **He isn't on my v. list**, lo conosco appena; non c'è dimestichezza fra noi.

♦**visitor** /ˈvɪzɪtə(r)/ n. **1** visitatore; visitatrice; ospite; cliente; turista; villeggiante: **to take in visitors**, accogliere ospiti; accettare clienti (*pensionanti, ecc.*); **summer visitors**, visitatori (turisti) estivi **2** ispettore (*di scuole, ecc.*); censore (*di collegi*) **3** (*zool.*) uccello di passo **4** (*comput.*) visitatore di un sito Web ● (*sport*) «**Visitors**», «ospiti» (*sul tabellone segnapunti*) □ (*negli alberghi, musei e anche in case private*) **visitors' book**, registro degli ospiti; registro (delle firme) dei visitatori □ (*eufem., di donna*) **to have a (little) v.**, avere il marchese (*o le mestruazioni*).

visitorial /vɪzɪˈtɔːriəl/ n. → **visitatorial**.

visor /ˈvaɪzə(r)/ n. **1** (*stor.*) visiera (*d'elmo*) **2** visiera; tesa anteriore (*di berretto*) **3** aletta parasole (*d'automobile*) **4** (*arc. o lett.*) maschera ‖ **visored** a. **1** (*stor.*: *di cavaliere*) con la visiera abbassata **2** (*di berretto*) fornito di visiera **3** (*raro*) mascherato; travestito.

vista /ˈvɪstə/ n. **1** vista; veduta; prospettiva (*anche fig.*): *Your offer opens up new vistas for him*, la tua offerta gli schiude nuove prospettive **2** fila d'alberi (*o di case, ecc.*) (*che crea una prospettiva*); viale **3** serie di avvenimenti; memorie; ricordi: **the dim vistas of one's childhood**, i vaghi ricordi dell'infanzia ● (*ferr., USA*) **v. dome car**, vettura panoramica (*con cupola di vetro*).

Vistula /ˈvɪstjʊlə/ n. (*geogr.*) Vistola.

♦**visual** /ˈvɪʒʊəl/ a. **1** visuale: (*fis.*) **v. angle**, angolo visuale **2** visivo: (*anat.*) **v. organ**, organo visivo; **a v. image**, un'immagine visiva; **v. signal**, segnale visivo **3** (*anat.*) ottico; retinico: **v. nerve**, nervo ottico; **v. cell**, cellula retinica ● **v. aids**, (*didattica*) sussidi visivi; (*aeron.*) mezzi visivi d'assistenza aeroportuale □ **v. arts**, arti visive □ (*mil.*) **v. bombing**, bombardamento a vista □ (*pubbl., TV*) **v. code**, codice visivo □ **v. field**, campo visivo; visuale □ (*med.*) **v. purple**, porpora retinica; rodopsina □ (*elettron.*) **v. scanner**, lettore ottico a scansione □ **v. signalling**, telegrafo ottico □ (*radio*) **v. tuning indicator**, indicatore ottico di sintonia; occhio magico (*fam.*).

visuality /vɪʒʊˈæləti/ n. **1** ⑩ visibilità **2** visuale; veduta.

to **visualize** /ˈvɪʒʊəlaɪz/ v. t. **1** immaginare; vedere con l'occhio della mente; raffigurarsi **2** visualizzare; dare forma visibile a (*un'immagine*); rappresentare concretamente (*un'idea*) **3** (*med.*) visualizzare ‖ **visualization** n. ⑩ **1** immaginazione; il vedere con l'occhio della mente; quadro mentale **2** visualizzazione; rappresentazione concreta.

visualizer /ˈvɪʒʊəlaɪzə(r)/ n. (*tecn.*) visualizzatore; visualizer.

visually /ˈvɪʒʊəli/ avv. **1** visivamente **2**

(*didattica*) mediante sussidi visivi ● (*med.*) **v. impaired** (*o* **handicapped**), ipovedente; che ha un difetto alla vista.

♦**vital** /'vaɪtl/ A a. **1** vitale: (*fisiol.*) **a v. organ** (*o* **part**), una parte vitale; **the v. force** [**principle**], la forza [il principio] vitale **2** di vitale importanza; di vitale interesse; essenziale; indispensabile; fondamentale: **a v. question**, una questione di vitale interesse; *Secrecy is v. to success*, la segretezza è essenziale per la riuscita **3** (*fig.*) vitale; pieno di vita; energico: **a v. person**, una persona piena di vita; **his v. manner**, il suo modo di fare energico B n. pl. **1** (*spesso scherz.*) organi vitali; parti vitali **2** (gli) organi genitali; (i) genitali **3** (*fig.*) parte essenziale, centro, nocciolo (*d'una questione, ecc.*) ● (*fisiol.*) **v. capacity**, capacità vitale (*o* respiratoria) ● (*med.*) **v. data**, dati della vitalità (*di un paziente da operare*) □ (*biol.*) **v. dye**, colorante vitale □ (*raro*) **a v. error**, un errore fatale □ **v. statistics**, (*stat.*) statistiche demografiche (*o* dello stato civile: *natalità, mortalità, ecc.*); (*fam.*: *di una donna*) misure anatomiche (*seno, vita, fianchi*).

vitalism /'vaɪtəlɪzəm/ (*filos., biol.*) n. Ⓤ vitalismo || **vitalist** n. vitalista || **vitalistic** a. vitalistico.

vitality /vaɪˈtælətɪ/ n. Ⓤ **1** vitalità (*anche fig.*): *There was no v. in her voice*, la sua voce era priva di vitalità **2** (*spec. arte, letter.*) energia; vivacità; brio; animazione.

to **vitalize** /'vaɪtəlaɪz/ v. t. **1** dar vita a; rendere vitale; vitalizzare **2** (*fig.*) vivificare; infondere vivezza in (qc.); rendere vivace **3** (*anche econ.*) rivitalizzare (*un'industria, ecc.*).

vitally /'vaɪtəlɪ/ avv. **1** vitalmente; in modo vitale **2** estremamente; assai; oltremodo: **to be v. interested in st.**, essere oltremodo interessato a qc.

♦**vitamin** /'vɪtəmɪn, *USA* 'vaɪt-/ (*biochim.*) n. vitamina || **vitaminic** a. vitaminico.

to **vitaminize** /'vɪtəmɪnaɪz, *USA* 'vaɪt-/ (*biol., med.*) v. t. vitaminizzare.

vitellin /vɪˈtɛlɪn/ n. (*biochim.*) vitellina (*proteina del tuorlo dell'uovo*).

vitelline /vɪˈtɛlaɪn/ a. **1** (*biochim.*) vitellino: **v. membrane**, membrana vitellina **2** (*raro*) del colore del tuorlo d'uovo.

vitellus /vɪˈtɛləs/ n. (pl. **vitelluses, vitelli**) (*biol.*) vitello; tuorlo (*parte dell'uovo da cui si sviluppa l'embrione*).

to **vitiate** /'vɪʃɪeɪt/ v. t. **1** (*form.*) viziare; corrompere; guastare **2** (*leg.*) invalidare; viziare: *This clause may v. the contract*, questa clausola può invalidare (*o* viziare) il contratto ● **vitiated air**, aria viziata □ **a vitiated mind**, un animo corrotto || **vitiation** n. Ⓤ **1** (*form.*) il viziare; corruzione; guasto **2** (*leg.*) invalidazione (*di un contratto, ecc.*) || **vitiator** n. (*form.*) chi vizia; corruttore.

viticulture /'vɪtɪkʌltʃə(r)/ n. Ⓤ viticoltura || **viticultural** a. viticolo || **viticulturist** n. viticoltore.

vitiligo /vɪtɪˈlaɪgəʊ/ n. Ⓤ (*med.*) vitiligine.

vitrain /'vɪtreɪn/ n. Ⓤ (*geol.*) vitrite.

vitreous /'vɪtrɪəs/ A a. (*scient.*) vitreo; vetroso: **v. enamel**, smalto vetroso; (*anat.*) **v. humour**, umor vitreo (*dell'occhio*); (*fis.*) **v. electricity**, elettricità vitrea (*o* positiva) B n. (*anat.*, = **v. body**) (corpo) vitreo || **vitreousness** n. Ⓤ aspetto vitreo (*o* vetroso); l'essere vetroso.

vitrescent /vɪˈtrɛsnt/ (*scient.*) a. vitrescente || **vitrescence** n. Ⓤ vitrescenza.

vitrifiable /'vɪtrɪfaɪəbl/ a. vetrificabile.

vitrified /'vɪtrɪfaɪd/ a. **1** vetrificato **2** (*ceramica*) greificato ● **fully-v. stoneware**, gres porcellanato.

vitriform /'vɪtrɪfɔːm/ a. simile al vetro; vitreo.

to **vitrify** /'vɪtrɪfaɪ/ v. t. e i. vetrificare, vetrificarsi || **vitrifaction** n. Ⓤ vetrificazione || **vitrification** n. Ⓤ **1** (*anche geol.*) vetrificazione **2** (*ceramica*) greificazione.

vitrine /'vɪtriːn/ n. vetrina (*armadietto a vetri*).

vitriol /'vɪtrɪəl/ n. Ⓤ **1** (*chim.*) vetriolo **2** (*fig. lett.*) discorso (*o* scritto) caustico; parole mordaci; critica corrosiva ● **v. throwing**, lancio di vetriolo; il vetrioleggiare (*raro*) || **vitriolic a. 1** (*chim.*) vetriolico; di vetriolo **2** (*fig.*) caustico; mordace; corrosivo: **a vitriolic talk**, un discorso caustico.

to **vitriol** /'vɪtrɪəl/ v. t. (*chim.*) trattare con vetriolo.

to **vitriolize** /'vɪtrɪəlaɪz/ v. t. **1** (*chim.*) solfatare; trattare con vetriolo **2** vetrioleggiare (*raro*) || **vitriolization** n. Ⓤ **1** (*chim.*) solfatazione; il trattare con vetriolo **2** lancio di vetriolo; il deturpare con vetriolo.

vitrite /'vɪtraɪt/ n. Ⓤ (*geol.*) vitrite.

Vitruvian /vɪˈtruːvɪən/ a. (*archit., stor.*) vitruviano; di Vitruvio ● (*archit.*) **V. scroll**, cartoccio.

vitta /'vɪtə/ n. (pl. **vittae, vittas**) **1** (*stor. romana*) vitta; benda; fascia (*spec. sacerdotale*) **2** (*bot. e zool.*) vitta; canale secretore.

vittate /'vɪteɪt/ a. (*bot. e zool.*) vittato.

vituline /'vɪtjʊlaɪn/ a. di (*o* simile a) vitello.

to **vituperate** /vɪˈtjuːpəreɪt/ v. t. **1** vituperare; ingiuriare; insultare **2** biasimare; riprovare.

vituperation /vɪtjuːpəˈreɪʃn/ n. Ⓤ **1** il vituperare; vituperazione (*raro*) **2** ingiurie; insulti: **a speech full of v.**, un discorso pieno di insulti **3** biasimo; riprovazione.

vituperative /vɪˈtjuːpərətɪv/ a. ingiurioso; vituperoso.

vituperator /vɪˈtjuːpəreɪtə(r)/ n. **1** vituperatore **2** biasimatore.

viva① /'viːvə/ A inter. evviva!; viva! B n. evviva; acclamazione.

viva②, to **viva** /'vaɪvə/ (*fam.*) → **viva voce, to viva-voce**.

vivace /vɪˈvɑːtʃɪ/ (*ital.*) a. e avv. (*mus.*) vivace.

vivacious /vɪˈveɪʃəs/ a. vivace; animato; brioso; vivo | **-ly** avv. | **-ness** n. Ⓤ.

vivacity /vɪˈvæsətɪ/ n. Ⓤ vivacità; animazione; brio; vita.

vivarium /vaɪˈveərɪəm/ (*lat.*) n. (pl. **vivaria, vivariums**) (*ecol.*) giardino zoologico di tipo «aperto» (*con gli animali in relativa libertà*); zoosafari.

viva voce /ˌvaɪvə ˈvəʊtʃɪ/ A avv. a viva voce; oralmente B a. orale: **a viva voce examination**, un esame orale C n. (*fam.*) esame orale (*all'università*).

to **viva-voce** /ˌvaɪvə ˈvəʊtʃɪ/ v. t. esaminare oralmente.

Vivian /'vɪvɪən/ n. **1** Viviana **2** Viviano.

vivid /'vɪvɪd/ a. vivido; vivo; vivace: **v. imagination**, immaginazione vivida; **v. colours**, colori vivaci | **-ly** avv. | **-ness** n. Ⓤ.

Vivien /'vɪvɪən/ n. Viviana.

to **vivify** /'vɪvɪfaɪ/ v. t. vivificare; animare || **vivification** n. Ⓤ vivificazione.

viviparous /vɪˈvɪpərəs/ (*biol.*) a. viviparo || **viviparism** n. Ⓤ viviparismo || **viviparity, viviparousness** n. Ⓤ viviparità; l'esser viviparo.

to **vivisect** /vɪvɪˈsɛkt/ v. t. vivisezionare.

vivisection /vɪvɪˈsɛkʃn/ n. Ⓤ vivisezione || **vivisectional** a. vivisettorio.

vivisectionist /vɪvɪˈsɛkʃənɪst/, **vivisector** /'vɪvɪsɛktə(r)/ n. vivisettore; chi pratica la vivisezione.

vixen /'vɪksn/ n. **1** (*zool.*) volpe femmina **2** (*fig. spreg.*) bisbetica; donna litigiosa; megera || **vixenish a. 1** (*zool.*) volpino **2**

(*fig. spreg.*) di (*o* da) megera; bisbetico; litigioso.

viz /vɪz/ avv. (abbr. di **videlicet**) cioè; ossia; vale a dire.

vizard /'vɪzəd/ → **visor**.

vizier /vɪˈzɪə(r)/ n. visir || **vizierate** n. visirato.

vizor /'vaɪzə(r)/ → **visor**.

VJ① /'viːdʒeɪ/ n. = **video jockey** → **video**.

VJ② sigla (**VJ Day**) (*stor.*, **Victory over Japan Day**) il giorno della vittoria sul Giappone (*nella seconda guerra mondiale*).

Vlach /vlɑːk/ A a. e n. valacco B n. Ⓤ valacco (*la lingua*).

VLF sigla (*radio, TV*, **very low frequency**) bassissima frequenza.

vlog /vlɒg/ n. (*comput., Internet*) → **videoblog**.

vlogger /'vlɒgə(r)/ n. (*comput., Internet*) autore di un → **videoblog**.

VLSI sigla (*elettron.*, **very large scale integration**) integrazione su larghissima scala.

VM sigla **1** (*comput.*, **virtual machine**) macchina virtuale (*di elaborazione*) **2** (*comput.*, **virtual memory**) memoria virtuale.

v-mail, vmail /'viːmeɪl/ n. (*comput.*) video mail (*messaggio di posta elettronica contenente un filmato*).

V-neck /'viːnɛk/, **V-necked** /'viːnɛkt/ → **V**.

VO sigla **1** (**very old**) stravecchio (*di brandy, ecc. fino a 12 anni di invecchiamento*) **2** (**veterinary officer**) ufficiale veterinario **3** ((**Royal**) **Victorian Order**) Ordine della Regina Vittoria.

vocab /'vəʊkæb/ n. = **vocabulary**, def. 2.

vocable /'vəʊkəbl/ n. (*raro*) vocabolo.

♦**vocabulary** /vəˈkæbjʊlərɪ/ n. **1** vocabolario; lessico: (*ling.*) **active v.**, vocabolario attivo **2** elenco di termini; glossario; dizionarietto (*in calce a un libro*).

vocal /'vəʊkl/ A a. **1** vocale: **the v. cords**, le corde vocali; (*anat.*) **v. tract**, canale vocale; **v. music**, musica vocale; **v. analyser**, analizzatore vocale **2** orale: **v. communication**, comunicazione orale **3** (*poet.*) dotato di voce; parlante **4** (*fon.*) sonoro **5** (*fon.*) vocalico **6** (*fig. fam.*) che si fa sentire; che alza la voce; acceso; vociferante: **a v. minority**, una minoranza che si fa sentire; **a v. critic**, un critico acceso B n. **1** (*fon.*) suono vocalico **2** (*mus.*) (canto, musica vocale di un) brano di jazz (*o* pop) ● (*comput.*) **v. message**, messaggio in voce.

vocalese /vəʊkəˈliːz/ n. (*mus.*) vocalese.

vocalic /vəˈkælɪk/ a. (*fon.*) vocalico.

vocalise /vəʊkəˈlaɪz/ n. (*mus.*) vocalizzo; vocalizzazione; gorgheggio.

vocalism /'vəʊkəlɪzəm/ n. **1** Ⓤ (*mus.*) vocalizzo; vocalizzazione **2** ⓊⒸ (*ling.*) vocalismo; sistema vocalico.

vocalist /'vəʊkəlɪst/ n. (*mus.*) cantante (*spec. di jazz e pop*); vocalista; vocalist.

vocality /vəʊˈkælətɪ/ n. **1** (*fon.*: *di un suono*) l'essere vocalico **2** (*mus.*) vocalità.

to **vocalize** /'vəʊkəlaɪz/ A v. t. **1** (*ling.*) vocalizzare; trasformare (*una consonante*) in vocale **2** (*fon.*) pronunciare (*una consonante*) come sonora **3** (*mus.*) eseguire (*un brano*) vocalmente; cantare **4** articolare (*o* esprimere) con suoni B v. i. **1** (*di un animale*) emettere suoni articolati **2** (*mus.*) vocalizzare; fare vocalizzi; gorgheggiare ● (*ling.*) **to become vocalized**, vocalizzarsi || **vocalization** n. ⓊⒸ **1** (*ling.*) vocalizzazione **2** (*mus.*) vocalizzo; vocalizzazione; gorgheggio.

vocally /'vəʊkəlɪ/ avv. **1** vocalmente: **v. pleasing**, piacevole vocalmente **2** rumorosamente; vociferando: *He protested v.*, pro-

a b c d e f g h i j k l m n o p q r s t u v w x y z

testò vociferando.

vocation /vəʊˈkeɪʃn/ n. **1** (solo al sing.) vocazione; attitudine; disposizione; inclinazione: *He has a v. for teaching*, ha la vocazione per l'insegnamento (*o* a insegnare) **2** professione; mestiere; impiego; lavoro; occupazione **3** (*relig.*) vocazione: *The parson has lost his v.*, il parroco ha perso la vocazione ● **to miss one's v.**, sbagliare mestiere.

vocational /vəʊˈkeɪʃənl/ a. **1** di vocazione; vocazionale; attitudinale: **v. test**, esame attitudinale **2** professionale; di mestiere: **v. guidance**, orientamento professionale; **a v. school**, una scuola professionale; *Is that a v. course?*, è un corso professionale? ● (*ind.*) **v. adviser**, psicotecnico □ **v. training**, formazione professionale | **-ly** avv.

vocative /ˈvɒkətɪv/ a. e n. (*gramm.*) vocativo.

to **vociferate** /vəˈsɪfəreɪt/ v. t. e i. vociferare; vociare; gridare || **vociferant A** a. vociferante **B** n. vociferatore || **vociferation** n. ◫ vociferazione; clamore; grida || **vociferator** n. vociferatore.

vociferous /vəˈsɪfərəs/ a. **1** clamoroso; rumoroso; rumoreggiante: **a v. crowd**, una folla rumoreggiante **2** (*di richiesta, ecc.*) clamoroso; a gran voce | **-ly** avv. | **-ness** n. ◫.

VOD sigla (*TV*, **video on demand**) trasmissione video su richiesta.

vodka /ˈvɒdkə/ n. vodka.

vogue /vəʊɡ/ n. voga; moda: **in v.**, in voga ● **to be (all) the v.**, essere di gran moda; essere molto popolare □ **to come into v.**, acquistar voga; diventare di moda.

♦**voice** /vɔɪs/ n. **1** voce (*anche fig.*): *I have lost my v.*, ho perso la voce (*o* sono senza voce); *He spoke in a loud v.*, parlava a voce alta; **the v. of reason**, la voce della ragione **2** (*gramm.*) voce: **a verb in the passive v.**, un verbo nella voce passiva (*o* al passivo) **3** (*fon.*) suono sonoro ● (*fam.*) **v. box**, laringe □ (*Bibbia*) **a v. crying in the wilderness**, 'vox clamans in deserto' (*lat.*); (*fig.*) uno che parla al vento □ (*fam. USA*) **v. line-up**, confronto all'americana delle voci registrate di persone sospette □ (*comput.*) **v. mail** → **voicemail** □ (*USA*) **v. mailbox**, casella vocale □ (*comput.*) **v. message**, messaggio vocale □ **the v. of the cuckoo**, il verso del cuculo □ (*cinem.*, *TV*) **v.-off**, voce fuori campo (*di personaggio non inquadrato*) □ (*elettron.*) **v.-operated device**, dispositivo a comando vocale □ (*comput.*) **v. output**, uscita vocale □ (*cinem.*, *TV*) **v.-over**, voce fuori campo (*di narratore, ecc.*) □ (*comput.*) **v. processing**, elaborazione elettronica della voce □ (*comput.*) **v. recognition**, riconoscimento vocale □ (*comput.*) **v. response**, risposta vocale □ (*polit.*) **v. vote**, votazione per appello nominale (*o* per chiamata) □ **to drop one's v.**, abbassare la voce □ **to give v. to**, esprimere; sfogare: *The peasants gave v. to their discontent*, i contadini espressero la loro insoddisfazione □ (*di un cantante, ecc.*) **to have a good v.**, avere una bella voce □ **to have a v. in one's government**, aver diritto di voto in libere elezioni politiche □ **to have no v. in the matter**, non aver voce in capitolo □ (*di un cantante, ecc.*) **to be in good v.**, essere in voce □ **to lift up one's v.**, alzare la voce; parlare; farsi sentire □ **not to be in good v.**, essere giù di voce □ (*anche fig.*) **to raise one's v.**, alzare la voce □ **to shout at the top of one's v.**, urlare a squarciagola □ (*mus.*) **a song for three voices**, una canzone a tre voci □ **with one v.**, a una voce; all'unanimità □ **I have no v.**, non ho voce; non so cantare □ (*di un ragazzo*) **His v. is breaking**, sta cambiando voce; sta facendo la voce da uomo.

to **voice** /vɔɪs/ v. t. **1** dar voce a; esprimere; farsi portavoce di: **to v. the feelings of the people**, esprimere i sentimenti del po-

polo; *I was chosen to v. their grievances*, fui scelto come portavoce delle loro lagnanze **2** (*mus.*) accordare, intonare (*le canne di un organo, ecc.*) **3** (*fon.*) pronunciare (*una consonante*) come sonora.

voiced /vɔɪst/ a. **1** (nei composti) che ha voce; dalla voce: **deep-v.**, dalla voce profonda; **soft-v.**, dalla voce bassa **2** (*fon.*) sonoro: «*B» is a v. consonant*, la «b» è una consonante sonora.

voiceful /ˈvɔɪsfl/ a. (*poet.*) risonante.

voiceless /ˈvɔɪsləs/ a. **1** senza voce; muto; ammutolito; silenzioso **2** (*fig.*) che non ha voce in capitolo; che non si pronuncia **3** non espresso; tacito **4** (*fon.*) sordo: «*P» is a v. consonant*, la «p» è una consonante sorda | **-ly** avv.

voicelessness /ˈvɔɪsləsnəs/ n. ◫ **1** mancanza di voce; silenziosità **2** (*fig.*) il non aver voce in capitolo; il non volersi pronunciare **3** (*fon.*) l'essere sordo (*di un suono*).

voicemail /ˈvɔɪsmeɪl/ n. ◫ (*comput.*) posta vocale (*sofisticato sistema di segreteria telefonica che riconosce e ritrasmette input vocali*).

voicing /ˈvɔɪsɪŋ/ n. **1** ◫◫ atto del dire qc.; articolazione vocale **2** ◫ (*fon.*) sonorizzazione.

void /vɔɪd/ **A** a. **1** vuoto; disabitato: **v. space**, spazio vuoto **2** vacante; non occupato: *The bishopric fell v.*, l'episcopato si rese vacante **3** privo: **v. of interest**, privo d'interesse; *He is v. of common sense*, è privo di buonsenso **4** (*leg.*) non valido; nullo; inefficace: **a v. ballot**, una votazione nulla; *This contract is (null and) v.*, questo contratto è nullo **5** (*poet.*) inutile; vano **B** n. vuoto; lacuna: **the painful v. left by his death**, il vuoto doloroso lasciato dalla sua morte; **to fill a v.**, colmare una lacuna ● **to vanish into the v.**, svanire nel nulla.

to **void** /vɔɪd/ v. t. **1** evacuare; sgombrare; vuotare: **to v. the bowels**, evacuare l'intestino **2** espellere, scaricare (*escrementi*) **3** (*leg.*) rendere nullo; annullare; invalidare: **to v. a contract [a deed]**, annullare un contratto [un atto].

voidable /ˈvɔɪdəbl/ a. (*leg.*) annullabile; invalidabile.

voidance /ˈvɔɪdəns/ n. ◫◫ **1** (*leg.*) annullamento; invalidazione **2** vacanza (*di un beneficio ecclesiastico*) **3** disponibilità (*di un posto*).

voidness /ˈvɔɪdnəs/ n. ◫ **1** l'essere vuoto; vuotezza **2** (*leg.*) nullità; inefficacia.

voile /vɔɪl/ (*franc.*) n. (*ind. tess.*) velo; voile.

voIP sigla (*comput.*, **voice over internet protocol**) voce su IP (*tecnologia di trasmissione della voce su internet*).

voir dire /ˌvwɑːˈdɪə(r)/ (*franc.*) loc. n. (*leg.*) esame preliminare (*di un testimone o di un giurato*).

vol abbr. **1** (*fam.* **volume**) volume **2** (**voluntary**) volontario **3** (*mil.*, **volunteer**) volontario.

volant /ˈvəʊlənt/ a. **1** (*zool.*) che vola; capace di volare; atto al volo **2** (*araldica*) volante; in volo; ad ali spiegate **3** (*poet.*) agile; rapido; veloce.

volar /ˈvəʊlə(r)/ a. (*anat.*) **1** palmare; del palmo (*della mano*) **2** plantare; della pianta (*del piede*).

volatile /ˈvɒlətaɪl/ **A** a. **1** (*chim.*) volatile: **v. salts**, sali volatili **2** (*comput.*) volatile: **v. memory**, memoria volatile **3** (*fig.*) mutevole; incostante; volubile; capriccioso; estroso: **a v. disposition**, un temperamento estroso **4** (*econ., fin.*) variabile; fluido; instabile; volatile: **v. prices**, prezzi volatili; **a v. market**, un mercato soggetto a forti oscillazioni (*o* volatile) **B** n. (*chim.*) sostanza volatile **2** (*raro, zool.*) volatile ● (*chim.*) **v. oils**, oli essenziali; (*anche*) idrocarburi volatili.

volatility /ˌvɒləˈtɪləti/, **volatileness** /ˈvɒlətaɪlnəs/ n. ◫ **1** (*chim.*) volatilità **2** (*fig.*) mutevolezza; volubilità; incostanza **3** (*econ., fin.*) volatilità; instabilità: **exchange rate v.**, volatilità del tasso di cambio.

to **volatilize** /vəˈlætɪlaɪz/ (*chim.*) **A** v. t. volatilizzare **B** v. i. volatilizzare, volatilizzarsi || **volatilizable** a. volatilizzabile || **volatilization** n. ◫ volatilizzazione.

vol-au-vent /ˈvɒləvɒn, USA vɔːləˈvɒn/ (*franc.*) n. (*cucina*) vol-au-vent.

volcanic /vɒlˈkænɪk/ a. (*geol.*) vulcanico (*anche fig.*): **v. rocks**, rocce vulcaniche; **v. pile**, edificio vulcanico; **a v. temper**, un temperamento vulcanico ● **v. arc**, arco vulcanico □ **v. centre**, centro d'eruzione □ **v. glass**, ossidiana.

volcanicity /ˌvɒlkəˈnɪsəti/ n. ◫ **1** carattere vulcanico; natura vulcanica **2** (*geol.*) → **volcanism**.

volcanics /vɒlˈkænɪks/ n. pl. (*geol.*) rocce vulcaniche.

volcanism /ˈvɒlkənɪzəm/ n. ◫ (*geol.*) vulcanismo.

volcanist /ˈvɒlkənɪst/ n. (*scient.*) vulcanologo.

volcanite /ˈvɒlkənaɪt/ n. ◫ (*geol.*) vulcanite.

volcano /vɒlˈkeɪnəʊ/ n. (pl. **volcanoes**, **volcanos**) (*geol.*) vulcano: **active [dormant]** v., vulcano attivo [inattivo] ● **mud v.**, vulcanetto di fango; salsa.

volcanogenic /ˌvɒlkeɪnəʊˈdʒɛnɪk/ a. (*geol.*) creato da un vulcano.

volcanology /ˌvɒlkəˈnɒlədʒi/ (*geol.*) n. ◫ vulcanologia || **volcanological** a. vulcanologico || **volcanologist** n. vulcanologo.

vole① /vəʊl/ n. (*zool.*, *Microtus*) arvicola; topo campagnolo (*o* acquatico): **field v.** (*Microtus arvalis*), topo campagnolo comune; **water v.** (*Arvicola amphibius*), topo d'acqua.

vole② /vəʊl/ n. (*in certi giochi di carte*) cappotto ● (*fig. fam. USA*) **to go the v.**, rischiare il tutto per tutto.

to **vole** /vəʊl/ v. i. (*in certi giochi di carte*) far cappotto.

volet /ˈvɒleɪ/ (*franc.*) n. (*arte*) pannello (*di un trittico*).

volitant /ˈvɒlɪtənt/ a. **1** (*raro*) volitante; svolazzante **2** (*zool.*) che vola; capace di volare; atto al volo.

volition /vəˈlɪʃn/ n. ◫ volizione; atto del volere; atto di volontà ● **He did it of his own v.**, lo fece di propria spontanea volontà || **volitional** a. della volizione; volitivo ● (*fisiol.*) **volitional movements**, movimenti volontari.

volitive /ˈvɒlətɪv/ **A** a. volitivo (*anche gramm.*) **B** n. (*gramm.*) forma volitiva (*di un verbo*).

volley /ˈvɒli/ n. **1** scarica; raffica; salva; gragnuola: **a v. of stones**, una scarica di pietre; **a v. of blows**, una gragnuola di colpi; **a v. of bullets**, una raffica di pallottole **2** (*ind. min.*) volata (*di mine*) **3** (*fig.*) profluvio; torrente; sfilza: **a v. of curses**, una sfilza di imprecazioni **4** (*calcio, ecc.*) colpo (*o* calcio) al volo **5** (*tennis*) volée; volata **6** (*psic.*) scarica d'impulsi ● (*calcio, ecc.*) **on the v.**, al volo; di prima (intenzione) **❶ FALSI AMICI** • volley *non significa* volley (*lo sport*).

to **volley** /ˈvɒli/ **A** v. t. **1** (*mil.*) scaricare; sparare **2** (*fig.*) lanciare (*insulti, ecc.*) **3** (*calcio, ecc.*) calciare (*il pallone*) al volo (*o* di prima) **4** (*pallanuoto*) lanciare, passare (*la palla*) **5** (*tennis*) colpire, battere, ribattere, rinviare (*la palla*) al volo **6** (*pallavolo*) battere (*la palla*) **B** v. i. **1** (*mil.*) sparare a raffica **2** (*calcio, ecc.*) calciare al volo (*o* di prima) **3** (*tennis*) fare una volée **4** (*pallavolo*) battere.

♦**volleyball** /ˈvɒlibɔːl/ **A** n. **1** pallavolo; volley (*anche* v. **ball**) palla da pallavolo **B**

a. attr. pallavolistico: **a v. club**, una società pallavolistica • **v. court**, campo di pallavolo □ **v. player**, giocatore di pallavolo; pallavolista.

volleyer /'vɒlɪə(r)/ n. (in genere) chi colpisce la palla al volo.

volplane /'vɒlpleɪn/ n. (aeron.) volo librato; volo planato.

to **volplane** /'vɒlpleɪn/ v. i. (aeron.) planare.

volt① , to **volt** /vəʊlt/ → **volte**, **to volte**.

volt② /vəʊlt/ n. (elettr.) volt.

voltage /'vəʊltɪdʒ/ n. ∪ℭ (elettr.) tensione; potenziale; voltaggio: **high v.**, alta tensione; **terminal v.**, tensione ai morsetti • **v. drop**, caduta di tensione (elettron.) **v. regulator**, stabilizzatore di tensione.

voltaic /vɒl'teɪɪk/ a. (elettr.) voltaico: **v. pile**, pila voltaica; pila di Volta • **v. cell**, elemento di pila.

voltameter /vɒl'tæmɪtə(r)/ n. (elettr.) voltametro.

voltammeter /vəʊlt'æmmi:tə(r)/ n. (elettr.) voltamperometro.

voltammetry /vɒl'tæmɪtrɪ/ n. ∪ (chim., fis.) voltammetria.

volte /vəʊlt/ n. 1 (ipp.) volta (nel dressage) 2 (scherma) volta.

to **volte** /vəʊlt/ v. i. 1 (ipp.) volteggiare, eseguire una volta (nel dressage) 2 (scherma) fare una volta.

volte-face /vɒlt'fɑːs/ (franc.) n. voltafaccia (anche fig.).

voltmeter /'vəʊltmi:tə(r)/ n. (elettr.) voltmetro.

volubility /vɒljʊ'bɪlɪtɪ/ n. ∪ 1 speditezza di eloquio; garrulità; loquacità 2 prolissità.

voluble /'vɒljʊbl/ a. 1 garrulo; loquace 2 (di eloquio) spedito; disinvolto 3 prolisso: **a v. explanation**, una spiegazione prolissa 4 (bot., raro) volubile ❶ FALSI AMICI • voluble non significa volubile nel senso di incostante | **-ness** n. ∪ | **-bly** avv.

♦**volume** /'vɒljuːm/ n. 1 ∪ℭ volume (anche geom. e scient.); (per estens.) capacità, mole, massa, quantità: **the v. of the sphere [of the earth]**, il volume della sfera [della terra]; **v. of water**, volume d'acqua; (econ.) **v. of business**, volume (o cifra) d'affari; (comm., market.) **v. of sales** (o **sales v.**), volume delle vendite; (trasp.) **the v. of air passenger travel**, il volume del traffico aereo passeggeri; **the v. of a container**, la capacità di un contenitore; (comm. est.) **the v. of exports**, il volume delle esportazioni 2 ∪ (acustica, radio, TV) volume (del suono): Turn down the v., will you?, abbassa il volume, per favore! 3 volume; libro (anche fig.); tomo: **an odd v.**, un volume scompagnato; **v. 10 of the encyclopaedia**, il decimo tomo dell'enciclopedia 4 (stor.) volume; papiro; documento 5 (comput.) volume (unità fisica-logica di memoria) 6 (raro) voluta (di fumo) 7 (slang USA) Valium®, tranquillante • (econ., comm.) **v. business**, attività all'ingrosso □ (radio, TV, ecc.) **v. control**, manopola del volume □ (econ.) **v. index**, indice di volume □ (demogr.) **v. of migration**, volume migratorio □ **volumes of sound**, rimbombi □ (econ.) **v. production**, produzione in massa □ **v. switch** = **v. control** → sopra □ (comm.) **to sell v.**, vendere in grandi quantitativi □ **to speak volumes**, essere significativo (o eloquente): valere più di qualsiasi lungo discorso: The glance she gave him spoke volumes, ella gli diede un'occhiata assai eloquente.

to **volume** /'vɒljuːm/ Ⓐ v. t. (raro) raccogliere in volume Ⓑ v. i. (raro) diventare voluminoso; fare massa.

volumed /'vɒljuːmd/ a. 1 (nei composti) in volumi: **a four-v. history of English literature**, una storia della letteratura inglese in

quattro volumi 2 (raro) voluminoso 3 (poet.) tondo; rotondeggiante.

volumenometer /vɒljuːmɪ'nɒmɪtə(r)/ n. (fis.) volumenometro.

volumeter /və'lu:mɪtə(r)/ n. (fis.) idrometro; densimetro.

volumetric /vɒljuˈmɛtrɪk/, **volumetrical** /vɒljuˈmɛtrɪkl/ a. (scient.) volumetrico: (chim.) **v. analysis**, analisi volumetrica | **-ly** avv.

voluminosity /vəluːmɪˈnɒsɪtɪ/ n. ∪ voluminosità.

voluminous /vəˈluːmɪnəs/ a. 1 voluminoso; capiente; assai capace: **a v. trunk**, un baule assai capace; **v. correspondence**, corrispondenza voluminosa 2 (di uno scrittore) fecondo; prolifico 3 (di un oratore) facondo 4 prolisso; troppo ampio: **a v. account**, un resoconto prolisso 5 da riempire interi volumi; abbondante; ricco 6 (raro: di un'opera, ecc.) in più volumi 7 (arc.) a volute; a spirale • **a v. skirt**, una gonna ampia | **-ly** avv. | **-ness** n. ∪.

voluntarily /'vɒləntrəlɪ/ avv. volontariamente; spontaneamente; intenzionalmente.

voluntariness /'vɒləntərɪnəs/ n. ∪ volontarietà; spontaneità.

voluntarism /'vɒləntərɪzəm/ (filos.) n. ∪ volontarismo || **voluntarist** n. seguace del volontarismo.

♦**voluntary** /'vɒləntrɪ/ Ⓐ a. 1 volontario; spontaneo; intenzionale: **v. service**, servizio volontario; **a v. confession**, una confessione spontanea; (fisiol.) **v. muscles**, muscoli volontari 2 (sport) facoltativo: **v. dives**, tuffi facoltativi Ⓑ n. 1 (relig., mus.) assolo d'organo 2 seguace del volontarismo • (leg.) **v. arrangement**, concordato volontario □ **v. controls**, autodisciplina □ (leg.) **v. conveyance**, cessione a titolo gratuito □ (leg.) **v. partition**, divisione consensuale (del patrimonio) □ (econ.) **v. redundancy**, esodo volontario (di dipendenti) □ (econ.) **v. saving**, risparmio volontario □ (leg.) **v. settlement**, assegnazione a titolo gratuito; donazione □ **v. school**, scuola fondata da gruppi di privati, ma finanziata dallo stato □ (econ.) **v. unemployment**, disoccupazione volontaria □ (leg.) **v. waste**, danni prodotti volutamente (spec. da parte di un inquilino) □ (leg., fin.) **v. winding-up**, liquidazione volontaria (di una società).

♦**volunteer** /vɒlən'tɪə(r)/ Ⓐ n. 1 (spec. mil.) volontario 2 (leg.) cessionario a titolo gratuito; donatario 3 (bot.) pianta spontanea Ⓑ a. attr. 1 (bot.) spontaneo • **v. vegetation**, vegetazione spontanea 2 (anche mil.) di volontari: **a v. army [group]**, un esercito [un gruppo] di volontari.

to **volunteer** /vɒlən'tɪə(r)/ Ⓐ v. i. 1 (mil.) andar volontario; arruolarsi volontario 2 offrirsi spontaneamente: **v. to do st.**, offrirsi spontaneamente di fare qc. Ⓑ v. t. 1 offrire spontaneamente; dare volontariamente: **to v. one's services**, offrire spontaneamente i propri servigi 2 proporre (qc., spesso a sua insaputa) per un compito • **to v. information**, dare informazioni spontaneamente; (anche) dare informazioni non richieste.

volunteerism /vɒlən'tɪərɪzəm/ n. ∪ 1 (spec. USA) volontariato 2 (mil.) volontarismo.

voluptuary /və'lʌptʃʊərɪ/ Ⓐ n. (lett.) epicureo, epicurea; libertino; gaudente Ⓑ a. (lett.) 1 voluttuario; di lusso 2 sensuale; voluttuoso.

voluptuous /və'lʌptʃʊəs/ a. 1 voluttuoso; sensuale 2 (di donna) conturbante; sexy | **-ly** avv. | **-ness** n. ∪.

volute /və'luːt/ n. 1 (archit., zool.) voluta 2 (mecc.) chiocciola; cassone a spirale | (mecc.) **v. spring**, molla a spirale conica ||

voluted a. 1 a voluta; a spirale 2 (archit.) ornato di volute 3 (zool.) avvolto a spirale.

volution /və'luːʃn/ n. 1 avvolgimento a spirale; spirale 2 (anat.) circonvoluzione 3 (zool.) spira (di conchiglia).

volvulus /'vɒlvjʊləs/ n. (pl. **volvuluses**) (med.) volvolo.

vomer /'vəʊmə(r)/ n. (anat.) vomere (osso del setto nasale).

vomit /'vɒmɪt/ n. 1 ∪ vomito; cibo vomitato 2 (farm., antiq.) emetico.

to **vomit** /'vɒmɪt/ v. t. e i. vomitare (anche fig.); eruttare • (mil.) **vomiting gas**, aggressivo chimico starnutatorio.

vomiting /'vɒmɪtɪŋ/ n. ∪ atto di vomitare; vomito.

vomition /və'mɪʃən/ n. (med.) vomizione; vomito.

vomitive /'vɒmɪtɪv/ a. (farm.) vomitivo; emetico.

vomitory /'vɒmɪtrɪ/ Ⓐ a. (farm.) vomitivo; emetico Ⓑ n. 1 (farm.) emetico 2 (stor. romana) vomitorio (di un circo).

vomitus /'vɒmɪtəs/ (lat.) n. ∪ (med.) vomito; cibo vomitato.

voodoo /'vuːduː/ n. (pl. **voodoos**) 1 vudù, vodù; vuduismo, voduismo 2 (= **v. doctor**, **v. priest**) seguace del vudù; stregone; mago; fattucchiere.

to **voodoo** /'vuːduː/ v. t. stregare; fare il maleficio a (q.).

voodooism /'vuːduːɪzəm/ n. ∪ vudù, vodù; vuduismo, voduismo; stregoneria; pratiche superstiziose (dei neri d'America e delle Indie Occidentali) || **voodooist** n. vuduista, voduista.

VOR sigla (aeron., **VHF omnidirectional radio range**) radiofaro omnidirezionale in VHF.

voracious /və'reɪʃəs/ a. vorace; insaziabile: **a v. wolf**, un lupo vorace; **a v. appetite**, un forte appetito • (fig.) **a v. reader**, un divoratore di libri || **voraciously** avv. voracemente; insaziabilmente || **voraciousness**, **voracity** n. ∪ voracità; insaziabilità.

vortal /'vɔːtəl/ n. (comput.) portale verticale, vortale (portale dedicato a un tema specifico).

vortex /'vɔːteks/ n. (pl. **vortices**, **vortexes**) 1 (mecc. dei fluidi) vortice (anche fig.); gorgo, turbine: **the v. of war**, il vortice della guerra 2 (anat.) vortice: **v. of the heart**, vortice cardiaco • (tecn.) **v. cage meter**, contatore a turbina □ **v. line**, linea vorticosa □ **v. ring**, spira (di un fluido) □ **v. sheet**, strato vorticoso □ **v. street**, coppia di piani vorticosi (sulle ali di un aereo) || **vortical** a. vorticoso || **vortically** avv. vorticosamente || **vorticity** n. ∪ (mecc. dei fluidi) vorticità || **vorticose**, **vortiginous** a. vorticoso.

vorticella /vɔːtɪ'selə/ n. (pl. **vorticellae**, **vorticellas**) (zool., Vorticella) vorticella.

Vorticism /'vɔːtɪsɪzəm/ (arte) n. ∪ vorticismo || **Vorticist** n. seguace del vorticismo.

votable /'vəʊtəbl/ a. votabile; che si può votare.

votaress /'vəʊtərɪs/ n. 1 (un tempo) donna legata da un voto religioso 2 (lett.) devota; ammiratrice; seguace.

votary /'vəʊtərɪ/ n. 1 (un tempo) uomo legato da un voto religioso 2 (lett.) devoto; ammiratore; seguace; fautore: **a v. of peace**, un fautore della pace • a appassionato, fanatico, fan (di uno sport) • (fig. lett.) **a v. of science**, una persona votata alla scienza.

♦**vote** /vəʊt/ n. 1 ∪ℭ (polit.) voto; votazione; suffragio; numero totale dei voti espressi: **a v. of confidence [of no confidence]**, un voto di fiducia [di sfiducia]; **a v. of censure**, un voto di censura; **to count the votes**, contare (o scrutinare) i voti; The v. was light, la votazione fu scarsa 2 scheda (o pallina) di

votazione; scheda votata: *The mayor placed his v. in the ballot box*, il sindaco infilò la sua scheda nell'urna **3** gruppo di elettori; (i) voti: **the women's v.**, il voto delle donne; il voto femminile; **the Italian v. in New York**, il voto degli oriundi italiani a New York **4** (*leg.*) diritto di voto: *Some racial minorities do not have the v. yet*, talune minoranze etniche non hanno ancora il diritto di voto ● **v. by ballot**, voto a scrutinio segreto □ **v. by proxy**, voto per delega □ **v. by roll call**, voto per appello nominale ● **v. by show of hands**, votazione per alzata di mano □ **v.--catcher**, espediente per prendere più voti □ **v.-catching**, che fa prendere voti; che porta voti □ (*polit.*) **v.-getter**, chi ottiene (molti) voti: *He was the biggest v.-getter in the election*, nelle elezioni ha ottenuto il maggior numero di voti □ (*form.*) **v. of thanks**, discorso di ringraziamento: **to move** (*o* **to propose**) **a v. of thanks**, suggerire (*o proporre*) un discorso di ringraziamento □ (*polit.*) **v. rig** (*o* **v.-rigging**), broglio elettorale □ **v.--seeking**, (agg.) che cerca voti, che chiede il voto; (sost.) ricerca di voti, caccia al voto □ (*polit.*) **v.-winner**, chi fa prendere molti voti al suo partito □ **to carry a v.**, approvare una mozione □ **to cast one's v.**, dare il proprio voto; votare □ **to pull in votes**, portare voti (*a un candidato*) □ **to put st. to the v.**, mettere qc. ai voti □ **to take the v.**, procedere allo scrutinio.

♦to **vote** /vəʊt/ v. t. e i. **1** votare; dare il voto; esprimere un voto: *Who are you going to v. for?*, per chi voti?; *He voted for the Labour candidate*, votò per il candidato laburista; *They voted to refer the matter back to the appeal committee*, votarono di rinviare la faccenda alla commissione d'appello **2** decidere; deliberare (stabilire, assegnare, ecc.) mediante votazione: **to v. a sum for travelling expenses**, votare lo stanziamento d'una somma per spese di viaggio **3** (*fam.*) dichiarare unanimemente; riconoscere concordemente: *The comedian was voted a bore*, tutti furono concordi nel dichiarare che il comico era noioso **4** (*fam.*) proporre; suggerire; dire: *I v. (that) we leave without him*, dico di andarcene senza di lui ● (*fig. fam.*) **to v. with one's feet**, manifestare dissenso con la propria assenza; stare alla larga; fare boicottaggio.

■ **vote against** v. i. + prep. votare contro (q. *o* qc.).

■ **vote down** v. t. + avv. **1** respingere, bocciare (*votando*): **to v. down a measure** [**a proposal**], bocciare un provvedimento [una proposta] **2** sconfiggere (q.) in una votazione.

■ **vote in** v. t. + avv. **1** eleggere (*con una votazione*): **to v. a candidate in**, eleggere un candidato **2** mandare al governo (*un partito, ecc.*).

■ **vote into** v. t. + prep. (*polit.*) **1** trasformare (*votando*): **to v. a bill into law**, trasformare in legge un disegno di legge **2** mandare (*con una votazione*) a: **to v. a party into power**, mandare al potere un partito.

■ **vote onto** v. t. + prep. eleggere (q.) in: **to v. sb. onto a committee**, eleggere q. in una commissione.

■ **vote out** v. t. + avv. destituire, bocciare (q.) con una votazione: *The chairman was voted out*, il presidente fu destituito ai voti; **to v. a candidate out**, bocciare (*fam.*: trombare) un candidato alle elezioni □ **to v. the government out of office** (*o of power*), buttare giù il governo (*col voto*).

■ **vote through** v. t. + avv. far passare, approvare (*mediante votazione*): **to v. a bill** [**a proposal**] **through**, far passare un disegno di legge [approvare una proposta].

■ **vote with** v. i. + prep. (*polit.*) votare come: *I always v. with my father*, voto sempre come vota mio padre.

voteless /'vəʊtləs/ a. senza voto; senza diritto di voto ● (*fin.*) **v. shares**, azioni senza diritto di voto.

♦**voter** /'vəʊtə(r)/ n. votante; elettore, elettrice ● (*polit.*) **v. apathy**, apatia degli elettori.

to **vote-swap** /'vəʊtswɒp/ v. i. (*polit.*) scambiare il proprio voto con quello di qualcun altro ‖ **vote-swapping** n. Ⓤ (*polit.*) scambio di voti ❶ **CULTURA** • **vote-swapping**: *tattica elettorale usata in un sistema maggioritario uninominale con la quale, per usare il Regno Unito come esempio, il sostenitore di un candidato laburista quasi sicuramente perdente concorda con il sostenitore di un candidato liberaldemocratico in altro seggio, anch'egli senza prospettive di vittoria, di 'scambiare' i voti, in modo da rendere più probabile in entrambi i seggi la sconfitta del candidato conservatore.*

voting /'vəʊtɪŋ/ n. Ⓤ votazione; scrutinio ● **v. machine**, macchina (*automatica*) per le votazioni □ **v. paper**, scheda di votazione □ **v. right**, diritto di voto □ (*fin.*) **v. shares**, azioni con diritto di voto □ **v. station**, seggio elettorale □ **v. system**, sistema elettorale □ (*fin.*) **v. trust**, sindacato azionario □ (*polit.*) **v. turnout**, affluenza alle urne.

votive /'vəʊtɪv/ a. votivo: **a v. picture**, un quadretto votivo.

votress /'vəʊtrɪs/ → **votaress**.

to **vouch** /vaʊtʃ/ v. t. e i. **1** attestare; comprovare; provare: *His references v. for his ability*, le sue referenze comprovano le (*o depongono a favore delle*) sue capacità **2** (*anche leg.*) garantire; essere mallevadore; rispondere (*di q., qc.*): *I am quite willing to v. for him* [*for his honesty*], sono dispostissimo a farmi garante di lui [della sua onestà] **3** (*rag.*) verificare.

vouchee /vaʊ'tʃiː/ n. (*leg.*) **1** persona chiamata in giudizio in garanzia di un diritto **2** chi gode dell'altrui malleveria.

♦**voucher** /'vaʊtʃə(r)/ n. **1** (*anche leg.*) garante; mallevadore **2** (*leg., comm.*) documento giustificativo; pezza d'appoggio **3** buono; scontrino; coupon: **a gift v.**, un buono regalo; *«How long is the v. valid for?» «You can spend the v. anytime within the next six months»*, «Per quanto tempo è valido il buono?» «Può utilizzare il buono quando vuole entro i prossimi sei mesi» **4** (*leg., comm.*) ricevuta; quietanza **5** (*tur.*) voucher; buono.

vouching /'vaʊtʃɪŋ/ n. Ⓤ **1** attestazione; comprova **2** (*leg.*) mallevadoria **3** (*rag.*) verifica (*dei conti*).

to **vouchsafe** /vaʊtʃ'seɪf/ v. t. (*form.*) **1** accondiscendere a; degnarsi di dare (*o di fare qc.*): *He didn't v. me an answer*, non si degnò di darmi una risposta **2** promettere (*di fare qc.*) **3** (*arc.*) accordare; concedere.

voussoir /vuː'swɑː(r)/ n. (*archit.*) concio rastremato (*per archi*).

vow /vaʊ/ n. voto; promessa solenne; giuramento: **vow of chastity**, voto di castità; **marriage vows**, promesse matrimoniali ● **to break a vow**, infrangere un voto □ **to fulfil** [**to perform**] **a vow**, adempiere [sciogliere] un voto □ (*relig.*) **to take the vows**, pronunciare i voti □ **to be unde a vow of silence**, aver fatto voto di (*o essere votato al*) silenzio.

to **vow** /vaʊ/ Ⓐ v. t. **1** votare; consacrare; offrire (*in voto*): *They vowed a temple to Apollo*, consacrarono un tempio ad Apollo **2** far voto di; giurare; promettere solennemente: **to vow vengeance against sb.**, giurare vendetta su q.; *I won't lend him any more money*, *I have vowed that I won't lend him any more money*, ho promesso solennemente di non prestargli più denaro Ⓑ v. i. far voto; pronunciare un voto; fare una promessa solenne ● **to vow and declare**, dichiarare solennemente; giurare;

promettere □ **to vow one's life to the service of God**, dedicare la vita al servizio di Dio.

♦**vowel** /'vaʊəl/ Ⓐ n. vocale Ⓑ a. attr. di vocale; vocalico ● **v. gradation**, apofonia □ **v. height**, altezza vocalica □ **v. mutation**, metafonia; metafonesi □ (*ling.*) **v. point**, segno vocalico □ **v. shift**, mutazione vocalica □ (*stor.*) **the Great V. Shift**, la grande mutazione vocalica (*tra il medio inglese e l'inglese moderno*) □ **neutral v.**, vocale neutra (*simbolo fonetico /ə/*).

to **vowelize** /'vaʊəlaɪz/ v. t. mettere i segni delle vocali in (*un testo arabo o ebraico*).

vox /vɒks/ (*lat.*) n. vox; voce ● **vox populi**, vox populi; la pubblica opinione.

voxel /'vɒksəl/ n. (*comput.*, contraz. di **volume** e **pixel**) voxel.

vox pop /'vɒks'pɒp/ loc. n. (*fam. ingl.*) **1** l'opinione della gente **2** sondaggio d'opinione; indagine demoscopica; inchiesta.

voyage /'vɔɪɪdʒ/ n. **1** viaggio (*di mare, fluviale, o aereo*); traversata; passaggio; crociera: **to make** (*o* **take**) **a v.**, fare un viaggio; **to go on a v.**, intraprendere un viaggio (*di mare*); **a v. to the Far East**, un viaggio in Estremo Oriente **2** viaggio interplanetario: **a v. to Venus**, un viaggio a Venere ● (*naut.*) **v. charter**, noleggio a viaggio □ (*naut.*) **v. repairs**, riparazioni in mare (*o durante la navigazione*) □ **on the v. home**, nel viaggio di ritorno.

to **voyage** /'vɔɪɪdʒ/ Ⓐ v. i. **1** viaggiare, fare un viaggio (*per via d'acqua o aerea*); fare una traversata **2** viaggiare nello spazio Ⓑ v. t. percorrere, attraversare, navigare (*oceani, laghi, ecc.*).

voyageable /'vɔɪɪdʒəbl/ a. navigabile.

voyager /'vɔɪɪdʒə(r)/ n. **1** viaggiatore; passeggero (*di nave o aereo*) **2** navigatore **3** (*slang USA*) tossicomane che fa un «viaggio» **4** (*miss.*) – V., Voyager: **V. 1 and V. 2**, Voyager 1 e Voyager 2 (*coppia di sonde spaziali messe in orbita nel 1977*).

voyageur /vwaːjaːˈʒɜː(r)/ n. (*in Canada*) **1** chiattaiolo; barcaiolo **2** (*stor.*) esploratore dei boschi.

voyeur /vwɑːˈjɜː(r)/ (*franc.*), (*psic.*) n. guardone; voyeur ‖ **voyeurism** n. Ⓤ voyeurismo ‖ **voyeuristic** a. voyeuristico.

VP sigla (**vice president**) vice presidente.

VPL sigla (*fam.*, **visible panty line**) bordo delle mutandine visibile sotto il vestito.

VPN sigla (*comput.*, **virtual private network**) VPN (*rete privata sicura realizzata usando mezzi di trasmissione pubblici, es. Internet*).

VR sigla **1** (*lat.*: *Victoria Regina*) (**Queen Victoria**) la Regina Vittoria **2** (*comput.*, **virtual reality**) realtà virtuale.

VRAM /'viːræm/ sigla (*comput.*, **video RAM**) RAM video.

VRML sigla (*comput.*, **virtual reality modelling language**) linguaggio di modellazione per la realtà virtuale.

♦**vroom** /vruːm/ n. rombo (*di un motore*).

to **vroom** /vruːm/ v. i. **1** (*di un motore*) rombare **2** partire in quarta; andare sparato; andare a tutta birra (*in auto, in moto, ecc.*).

vs abbr. (*leg.*, *sport*, **versus**) contro.

v.s. sigla (*lat.*: *vide supra*) (**see above**) vedi sopra (v.s.).

VS sigla (*med.*, **veterinary surgeon**) (medico) veterinario.

VSO sigla (*GB*, **Voluntary Service Overseas**) Servizio volontario oltremare (*organizzazione umanitaria*).

VSOP sigla (**very superior old pale**) stravecchio superiore paglierino (*di brandy, ecc. da 18 a 25 anni di invecchiamento*).

VST ® sigla (*mus.*, *comput.*, **Virtual Studio Technology**), tecnologia virtuale da studio

di registrazione.

VT abbr. (*anche* Vt.) (*USA*, **Vermont**) Vermont.

VTOL /'viːtɒl/ **A** n. (acronimo di **vertical takeoff and landing**) (*aeron.*) decollo e atterraggio verticali **B** a. attr. (*di un aereo*) a decollo e atterraggio verticali.

VTR abbr. (**videotape recorder**) videoregistratore (a nastro).

Vul., **Vulg.** abbr. (*relig.*, **Vulgate**) Vulgata.

Vulcan /'vʌlkən/ n. (*mitol.*) Vulcano.

Vulcanian /vʌl'keɪnɪən/ a. (*geol.*) vulcaniano; vesuviano.

vulcanic /vʌl'kænɪk/ e *deriv.* → **volcanic**, e *deriv.*

vulcanist /'vʌlkənɪst/ n. (*astron.*) vulcanista.

vulcanite /'vʌlkənaɪt/ n. ⓤ ebanite.

to **vulcanize** /'vʌlkənaɪz/ (*ind.*) v. t. vulcanizzare: **vulcanized fibres**, fibre vulcanizzate ‖ **vulcanizable a.** vulcanizzabile ‖ **vulcanization** n. ⓤ vulcanizzazione: **steam vulcanization**, vulcanizzazione a vapore ‖ **vulcanizer** n. vulcanizzatore (*apparecchio*).

vulgar /'vʌlgə(r)/ a. **1** volgare; plebeo; grossolano; rozzo; triviale: **v. language**, linguaggio volgare; **v. tastes**, gusti grossolani **2** (*lett.*) del volgo: **v. opinion**, l'opinione del volgo ● **the v. era**, l'era volgare ▫ (*mat.*) **v. fraction**, frazione ordinaria ▫ **the v. herd**, il volgo; la plebe ▫ (*ling.*) **V. Latin**, il latino volgare ▫ **the v. tongue**, la lingua volgare; il volgare ‖ **-ly** avv.

vulgarian /vʌl'geərɪən/ n. (*raro*) individuo volgare.

vulgarism /'vʌlgərɪzəm/ n. **1** volgarismo; espressione volgare **2** ⓤ comportamento volgare; volgarità.

vulgarity /vʌl'gærətɪ/ n. volgarità; grossolanità; rozzezza; cattivo gusto.

to **vulgarize** /'vʌlgəraɪz/ v. t. **1** rendere volgare; svilire; degradare **2** volgarizzare; divulgare ‖ **vulgarization** n. **1** ⓤ il rendere volgare; svilimento **2** ⓤⓒ volgarizzazione; divulgazione.

Vulgate /'vʌlgət/ n. (*relig.*) Volgata, Vulgata.

vulgus /'vʌlgəs/ (*lat.*) n. (*lett. o raro*) **1** volgo; popolo; popolino **2** (*gergo studentesco*) esercizio di versificazione latina (*nelle «public schools»*).

♦**vulnerable** /'vʌlnərəbl/ a. vulnerabile (*anche fig.*) ‖ **vulnerability**, **vulnerable-**

ness n. ⓤ vulnerabilità (*anche fig.*) ‖ **vulnerably** avv. vulnerabilmente.

vulnerary /'vʌlnərərɪ/ (*farm.*, *med.*) **A** a. vulnerario: **v. unguent**, balsamo vulnerario **B** n. **1** medicamento vulnerario **2** (*bot.*) vulneraria.

vulpine /'vʌlpaɪn/ a. volpino; di (*o da*) volpe; (*fig.*) astuto, scaltro.

vulture /'vʌltʃə(r)/ n. **1** (*zool.*, *Aegypius monachus*) avvoltoio **2** (*zool.*) accipitride (*in genere*) **3** (*fig.*) avvoltoio; individuo rapace ● (*fin.*, *fam. USA*) **v. capitalist**, capitalista «avvoltoio», avido, che pratica tassi elevatissimi ▫ (*fin.*) **v. fund**, fondo «avvoltoio» ‖ **vulturine**, **vulturous** a. (*zool.*) di (*o da*) avvoltoio; rapace (*anche fig.*).

vulva /'vʌlvə/ (*anat.*) n. (pl. **vulvae**, **vulvas**) vulva ‖ **vulval**, **vulvar** a. vulvare.

vulvitis /vʌl'vaɪtɪs/ n. ⓤ (*med.*) vulvite.

v.v. sigla (**vice versa**) vice versa.

VXML sigla (*comput.*, **Voice Extensible Markup Language**) VXML (*serie di tag in XML per descrivere il linguaggio parlato*).

vying /'vaɪɪŋ/ **A** part. pres. di **to vie B** a. che compete; che gareggia **C** n. ⓤ il competere; il gareggiare; competizione.

w, W

W① , w /'dʌblju:/ n. (pl. **W's**, **w's**; **Ws**, **ws**) **1** W, w (*ventitreesima lettera dell'alfabeto ingl.*) **2** (forma a) W ● **w for Whiskey**, w come Washington.

W② sigla **1** (**Wednesday**) mercoledì **2** (**Welsh**) gallese **3** (**west**) ovest (O) **4** (**western**) occidentale **5** (*misura d'abiti*, **women's**) da donna.

W3 sigla (*comput.*, abbr. di **WWW**) W3; world wide web.

w. abbr. **1** (**week**) settimana **2** (**weight**) peso **3** (*cricket*, **wicket**) wicket **4** (**width**) larghezza **5** (**wife**) moglie **6** (**with**) con.

WA abbr. **1** (*USA*, **Washington**) Washington **2** (**Western Australia**) Australia occidentale.

WAAF sigla **1** (*mil.*, *stor.*, **Women's Auxiliary Air Force**) Corpo ausiliario femminile dell'aeronautica **2** (*fam.*) ausiliaria dell'aviazione inglese.

WAC /wæk/ n. (acronimo di **Women's Army Corps**) (*mil.*, *USA*) ausiliaria dell'esercito americano.

wack① /wæk/ n. (*slang ingl. sett.*) amico; amicone; compagno.

wack② /wæk/ a. (*slang USA*) dannoso (*alla salute*); che fa male: (*slogan*) *Crack is w.*, il crack ti rovina.

wacke /'wækə/ n. ① (*geol.*) grovacca.

wacko /'wækəʊ/ → **wacky**.

wacky /'wæki/ a. (*slang spec. USA*) strambo; stravagante; eccentrico | **-ily** avv. | **-iness** n. ①.

wad /wɒd/ n. **1** batuffolo; tampone: **wads of cotton wool**, batuffoli d'ovatta **2** (*mil.*, *un tempo*) stoppaccio; borra **3** (*fam.*) mazzetta, rotolo (*di biglietti di banca*); fascio (*di documenti*) **4** (*slang USA*) (un) mucchio; (un) sacco (*fig.*); gruzzolo; quattrini, soldi: **a wad of letters**, un mucchio di lettere; *I lost my wad on that horse*, ho perso i miei soldi puntando su quel cavallo **5** (*volg.*) sperma; sborra (*volg.*) ● (*slang USA*) **to blow one's wad**, perdere un sacco di soldi, giocarsi tutto; (*volg.*) eiaculare; sborrare (*volg.*).

to **wad** /wɒd/ v. t. **1** fare un batuffolo di (*cotone*, *ecc.*) **2** imbottire (*coperte*, *indumenti*, *ecc.*) **3** tamponare; turare; tappare **4** (*mil.*, *un tempo*) mettere lo stoppaccio in (*una canna di fucile*).

wadable /'weɪdəbl/ a. guadabile.

wadding /'wɒdɪŋ/ n. **1** ① bambagia; borra; ovatta **2** ① (*sartoria*) ovattina; cotone da imbottitura **3** (*mil.*, *un tempo*) stoppaccio; borra.

waddle /'wɒdl/ n. andatura dondolante; camminata a papera ● **to walk with a w.**, camminare a papera.

to **waddle** /'wɒdl/ v. i. camminare dondolandosi sulle anche (*o a papera*) ∥ **waddler** n. chi cammina dondolandosi sulle anche ∥ **waddling** a. che cammina a papera.

waddly /'wɒdli/ a. dondolante; a papera.

waddy /'wɒdi/ n. mazza usata per la caccia e il combattimento (*degli indigeni d'Australia*).

wade /weɪd/ n. **1** attraversamento a guado **2** guado.

to **wade** /weɪd/ **A** v. i. **1** passare a guado **2** camminare a stento (*sul fango*, *fra l'erba alta*, *ecc.*); diguazzare; sguazzare **3** (*fig.*) aprirsi un varco (*fra mille difficoltà*); farsi strada a stento **B** v. t. guadare: *We waded the river*, guadammo il fiume ● **to w. in**, (*di un guerriero*) gettarsi nella mischia; (*fig. fam.*) buttarsi dentro (*qc.*); mettercisi (*al lavoro*, *ecc.*) di buona lena (*fam.*: di buzzo buono) □ (*fam.*) **to w. into sb.**, attaccare (*o aggredire*) q. con grande foga; (*sport*) entrare decisamente su (*un avversario*) □ (*fam.*) **to w. into st.**, mettersi di buona lena a fare qc. □ **to w. through blood** (*o slaughter*), farsi largo seminando strage □ **to w. through mud**, avanzare faticosamente nel fango □ (*fig.*) **to w. through urgent correspondence**, sbrigare a fatica delle lettere urgenti.

wader /'weɪdə(r)/ n. **1** chi passa a guado **2** (*zool.*) trampoliere **3** (*pesca*) stivaloni fino all'inguine; calzoni impermeabili.

wadge /wɒdʒ/ n. (*fam.*) mucchio; fastello.

wadi, **wady** /'wɒdi/ n. (pl. **wadies**, **wadis**) (*geogr.*) uadi.

wading /'weɪdɪŋ/ **A** a. che guada **B** n. ① **1** il guadare **2** il diguazzare (*nell'acqua*) ● (*zool.*) **w. bird**, trampoliere (*in genere*) □ (*USA*) **w. place**, guado □ (*USA*) **w. pool**, piscina per bambini.

wafer /'weɪfə(r)/ n. **1** wafer; biscotto sottile e friabile; cialda **2** (*relig.*) ostia **3** cialda per sigillare (*documenti*, *ecc.*); dischetto adesivo; (*med.*) cialda **4** (*tecn.*) elemento piatto **5** (*elettron.*) wafer; fetta di silicio; lamella ● **w.-thin**, molto sottile; quasi trasparente: **w.-thin slices**, fettine trasparenti □ **as thin as a w.**, sottile come un'ostia; sottilissimo ∥ **wafery** a. sottile come un'ostia; sottilissimo.

to **wafer** /'weɪfə(r)/ v. t. sigillare (*qc.*) con una cialda.

waffle① /'wɒfl/ n. cialda dentellata ● **w. iron**, stampo per cialde.

waffle② /'wɒfl/ n. ① (*fam.*) scritto (*o discorso*) prolisso e sconclusionato; ciarle; ciance; fesserie (*pop.*).

to **waffle** /'wɒfl/ v. i. (*fam.*) scrivere (*o dire*) fesserie; sbrodolare (*fig.*); cianciare; blaterare.

waffler /'wɒflə(r)/ n. **1** (*cucina*) stampo per focaccine croccanti **2** (*fam.*) ciarlatore; cianciatore; chi parla a vanvera.

waft /wɒft/ n. **1** bava di vento; soffio **2** effluvio; zaffata; esalazione; (*fig.*) sensazione fuggevole **3** battito d'ala; lieve movimento **4** (*naut.*, = **weft**) mostravento; fiamma **5** (*naut.*) segnale in derno (*per chiedere soccorso*).

to **waft** /wɒft/ **A** v. t. (*del vento*) portare in volo; diffondere; spandere: *The wind wafted the clouds over the mountains*, il vento portò le nuvole oltre i monti **B** v. i. **1** (*del vento*) soffiare lievemente **2** essere portato dal vento **3** (*fig.*) diffondersi; spandersi: *A burning smell wafted in from the kitchen*, dalla cucina si spandeva odore di bruciato ● **to w. a kiss to sb.**, mandare un bacio a q. (*sulla punta delle dita*).

wag① /wæg/ n. scuotimento; scrollata; dimenamento ● **a wag of one's head**, un tentennamento (*o una scrollata*) del capo; un cenno del capo □ **a wag of the tail**, una scodinzolata.

wag② /wæg/ n. uomo faceto; burlone; tipo ameno; allegrone; buontempone.

to **wag** /wæg/ **A** v. t. agitare; dimenare; muovere (*la coda*, *ecc.*); scrollare; scuotere: *My dog wags his tail when he sees me*, il mio cane dimena la coda quando mi vede; **to wag one's finger at sb.**, agitare il dito contro q. in segno di rimprovero; **to wag one's head**, scrollare il capo **B** v. i. **1** agitarsi; scuotere **2** agitare la coda; scodinzolare ● (*slang ingl.*) **to wag it** (*o to wag off*), marinare (*o bigiare*) la scuola □ **to set tongues** (*o*, *meno com.*, **beards**, **chins**) **wagging**, far parlare di sé; dare scandalo.

◆**wage** /weɪdʒ/ n. (*di solito al pl.*) (*econ.*) salario; paga; retribuzione: **a fair w.**, un salario equo; **to earn high wages**, avere una buona paga; **a living w.**, un salario sufficiente per le necessità della vita; un salario di sussistenza ● **w. advances**, anticipi sul salario □ **wages and salaries**, retribuzioni □ **w. awards**, aumenti salariali □ **w. bargaining**, contrattazione salariale □ **wages book**, libro paga □ **w. ceiling**, tetto salariale □ **w. cheque**, assegno (della) paga □ **w. claims**, rivendicazioni salariali □ **wages clerk**, chi fa le paghe; addetto alle paghe □ **w. control**, controllo dei salari □ **w.-cost spiral**, spirale costi-salari □ **w. costs**, costi salariali □ **w. differential**, differenziale salariale □ **w. dispute**, controversia salariale □ **w. drift**, slittamento salariale □ **w.-earner**, salariato, salariata □ (*collett.*) **the w.-earners**, il salariato; i salariati □ **w. escalation**, aumento dei salari indicizzati □ **wages floor**, minimo salariale □ **w. freeze**, congelamento (*o blocco*) dei salari □ (*econ.*) **w. fund**, fondo salari □ **w. incentives**, incentivi salariali □ **w. income**, reddito di (*o da*) lavoro dipendente □ (*stat.*) **w. index**, indice delle retribuzioni □ **w. indexation**, indicizzazione dei salari □ **w. inflation**, inflazione da salari □ **w. level**, livello salariale □ **w. negotiation**, trattativa salariale □ **w. packet**, busta paga □ **w. pause**, tregua salariale □ **wages policy**, politica salariale □ **w.-price spiral**, spirale prezzi-salari □ **w.-push inflation**, inflazione da spinte salariali □ **w. rate**, saggio del salario; tasso salariale □ **w. restraint**, contenimento dei salari; tregua salariale □ **w. rise**, aumento salariale □ **w. scale**, scala retributiva; tabella base dei salari □ **w. settlement**, accordo salariale □ (*spreg. o scherz.*) **w. slave**, schiavo del lavoro salariato □ **w. sheet**, foglio paga □ **wages spiral**, spirale salariale □ **w. squeeze**, stretta salariale □ **w. structure**, struttura salariale; sistema retributivo □ **w. surrender**, cedimento alle rivendicazioni salariali □ **wages talks**, trattative salariali □ (*econ.*) **wages theory**, teoria dei salari □ **w. threshold**, soglia salariale □ **the w.-w. spiral**, la spirale dei salari; la rincorsa dei salari.

to **wage** /weɪdʒ/ v. t. intraprendere; iniziare; condurre; fare: **to w. a campaign**, intraprendere una campagna militare; **to w. war** (**on** *o* **against**), far guerra, muover guerra (contro).

wager /'weɪdʒə(r)/ n. **1** scommessa **2** po-

sta, puntata (*di una scommessa*): **to place** (*o* **to have** *o* **to lay**) **a w. on a horse**, fare una scommessa su un cavallo **3** (*sport, stor.*) gara d'imbarcazioni ● (*stor.*) **w. of battle**, singolar tenzone (*come giudizio di Dio*).

to **wager** /'weɪdʒə(r)/ v. t. e i. **1** scommettere; fare una scommessa **2** scommettere con (q.): *He wagered me 10 pounds that I wouldn't win the race*, ha scommesso con me 10 sterline che non avrei vinto la corsa.

wagering /'weɪdʒərɪŋ/ n. scommessa; gioco ● (*ass.*) **w. policy**, polizza scommessa (*illegale in GB dal 1909*) □ (*leg.*) **w. contract**, contratto aleatorio.

wageworker /'weɪdʒwɜːkə(r)/ n. (*USA*) salariato, salariata.

waggery /'wægərɪ/ n. (*antiq.*) **1** amenità; giocosità; scherzosità **2** burla; facezia; scherzo.

waggish /'wægɪʃ/ a. (*fam., antiq.*) ameno; giocoso; faceto; scherzoso | **-ly avv.** | **-ness** n. ⓤ.

waggle /'wægl/ n. (*fam.*) scuotimento; scrollata; dimenamento ● **w. of the tail**, scodinzolio.

to **waggle** /'wægl/ (*fam.*) Ⓐ v. t. agitare; dimenare; scrollare; scuotere Ⓑ v. i. (*della coda e sim.*) muoversi; dimenarsi **2** dondolare; tentennare; traballare ● **to w. one's forefinger in the air**, agitare l'indice in aria (*per ammonire, ecc.*).

waggly /'wæglɪ/ a. dondolante; tentennante; traballante.

Wagnerian /vɑːɡ'nɪərɪən/ a. e n. (*mus.*) wagneriano.

wagon, (*ingl.*) **waggon** /'wægən/ n. **1** carro; barroccio **2** (*ferr.*) vagone; carro merci **3** (*USA*) (furgone) cellulare **4** (*USA*) carretto; carrettino: **ice cream w.**, carrettino del gelataio **5** – (*astron.*) **the W.**, il Gran Carro (*pop.*); l'Orsa Maggiore **6** (*stor. USA*) carro coperto (*dei pionieri*): **w. train**, carovana di pionieri (*nel Far West*) **7** (*slang*) automezzo; quattroruote; automobile; camion ● (*archit.*) **w.-headed**, a bótte, a volta semicilindrica ● **w. tilt**, copertone del carro □ (*fam. USA*) **to be on the w.**, non bere più; avere rinunciato all'alcol (*o alla droga*) □ (*fam. USA*) **to fall off the w.**, rimettersi a bere; darsi di nuovo all'alcol (*o alla droga*) □ (*fam. USA*) **to go on the w.**, smettere di bere; rinunciare all'alcol (*o alla droga*) □ (*fig.*) **to hitch one's w. to a star**, mirare in alto; essere molto (*o* troppo) ambizioso.

to **wagon**, (*ingl.*) to **waggon** /'wægən/ Ⓐ v. t. trasportare (*merci, ecc.*) con un carro Ⓑ v. i. viaggiare su un carro.

wagoner, (*ingl.*) **waggoner** /'wægənə(r)/ n. **1** carrettiere; barrocciaio **2** – (*astron.*) **the W.**, l'Auriga (*costellazione*).

wagonette, (*ingl.*) **waggonette** /wægə'net/ n. carrozza aperta a quattro ruote (*con sedili laterali a panchetta*).

wagon-lit /vægɒn'liː/ (*franc.*) n. (pl. **wagons-lits, waggon-lits**) (*ferr.*) vagone letto.

wagonload, (*ingl.*) **waggonload** /'wægənləʊd/ n. carrettata; barrocciata; quanto sta in un carro (*o* in un barroccio).

wagonwright /'wægənraɪt/ n. costruttore di carri; carradore.

WAGs, wags /wægz/ n. pl. (*giorn.*, acronimo di **wives and girlfrends**) mogli e fidanzate dei personaggi sportivi (*spec. dei calciatori*).

wagtail /'wægteɪl/ n. (*zool.*, Motacilla flava) ballerina; cutrettola.

Wahabi, **Wahhabi** /wə'hɑːbɪ/ (*relig. musulmana*) n. wahabita ‖ **Wahabism, Wahhabism** n. ⓤ wahabismo.

waif /weɪf/ n. **1** derelitto **2** bambino abbandonato **3** animale (*da compagnia*) abbandonato ● (*collett.*) **waifs and strays**,

---

bambini abbandonati; infanzia (sing.) abbandonata.

wail /weɪl/ n. **1** gemito; lamento; pianto **2** (*di neonato*) vagito.

to **wail** /weɪl/ Ⓐ v. i. **1** gemere; lamentarsi; emettere alti lamenti; dolersi: *The wind was wailing among the trees*, il vento gemeva fra gli alberi; *The little girl wailed for her mother*, la bambina si lamentava perché voleva la mamma **2** (*di neonato*) vagire **3** (*gergo dei neri USA*) suonare (*o* cantare) jazz in modo appassionato Ⓑ v. t. piangere; lamentare: *They wailed their son's death*, piangevano la morte del figlio ● (*a Gerusalemme*) **the Wailing Wall**, il Muro del Pianto.

wailer /'weɪlə(r)/ n. chi si lamenta.

wailful /'weɪlfl/ a. (*poet.*) lamentoso; dolente | **-ly avv.**

wailing /'weɪlɪŋ/ Ⓐ n. ⓤ lamento; lamentazione Ⓑ a. (*slang USA*) eccezionale; fantastico; favoloso; eccellente.

wain /weɪn/ n. (*arc., poet.*) carro ● (*astron.*, = **the W., Charles's W.**), il Gran Carro; l'Orsa Maggiore.

wainscot /'weɪnskət/ n. (*edil.*) **1** rivestimento a pannelli di legno (*di parete*) **2** battiscopa; zoccolo di legno.

to **wainscot** /'weɪnskət/ v. t. (*edil.*) **1** rivestire (*pareti, ecc.*) con pannelli di legno **2** provvedere di battiscopa.

wainscoting /'weɪnskətɪŋ/ n. ⓤ (*edil.*) **1** rivestimento (*di pareti, ecc.*) in legno; boiserie (*franc.*) **2** legno per rivestimenti.

waist /weɪst/ n. **1** (*anat., sartoria*) cintola; vita; (*anat.*) **naked to the w.**, nudo fino alla cintola; **long w.**, vita alta; **short w.**, vita bassa; *They're fine around the w., but a bit long in the leg*, vanno bene in vita, ma le gambe sono un po' lunghe **2** (*moda, USA*) corpetto; camicetta **3** parte centrale (*d'una nave, ecc.*); parte mediana (*d'una scarpa, ecc.*) **4** strozzatura (*d'un violino, di una clessidra, ecc.*) ● (*moda*) **w.-bag**, marsupio □ **w.-belt**, cintura; fascia □ **w.-deep**, (fino) alla cintola: *The snow was w.-deep*, la neve arrivava alla cintola □ **w.-high**, che arriva alla cintola; (fino) alla cintola: *The grass was w.-high*, l'erba arrivava alla cintola □ (*lotta, judo*) **w.-hold** (*o* **w.-lock**), cintura □ (*moda: d'abito*) **w.-tight**, sciancrato □ (*d'abito*) **fitted at the w.**, sciancrato □ (*moda*) **fitting at the w.**, sciancratura □ (*di persona grassa*) **to have no w.**, essere senza vita; essere una botte (*o* un vagone) □ **up to the w.**, fino alla cintola.

waistband /'weɪstbænd/ n. (*sartoria*) cintura (*la striscia di stoffa*); fascia.

waistcloth /'weɪstklɒθ/ n. (*arc.*) perizoma, copripudende (*più com.* **loincloth**).

waistcoat /'weɪskət/ n. (*moda*) panciotto; gilet (*franc.*); gilè.

waisted /'weɪstɪd/ a. (spec. nei composti) che ha la vita; dalla vita: **wasp-w.**, dalla vita di vespa; che ha un vitino di vespa; **high-w. trousers**, calzoni (troppo) alti in vita.

waistline /'weɪstlaɪn/ n. (*anat., sartoria*) vita; linea della cintura; giro di vita: **natural w.**, vita normale; **high [low] w.**, vita alta [bassa] (*di un abito*) ● **to watch one's w.**, stare attento alla linea (*a non ingrassare*).

wait /weɪt/ n. **1** attesa; indugio: *I'm fed up with these long waits*, sono arcistufo di queste lunghe attese **2** agguato; insidia: **to lie in w.**, stare in agguato; **to lie in w. for sb.**, tendere un'imboscata a q. **3** (*di solito al pl.*) comitiva di cantanti e suonatori che vanno di casa in casa la notte di Natale (*in GB*) ● **w.-and-see policy**, politica temporeggiatrice; attendismo □ (*comput.*) **w. condition** (*o* **state**), stato d'attesa □ **w. list**, lista d'attesa.

to **wait** /weɪt/ v. i. e t. **1** aspettare; attende-

---

re; indugiare; essere in attesa; restare in attesa: *Please w. till I come back*, per favore, attendi ch'io torni!; *I always w. for the green light before crossing*, aspetto sempre che venga il verde prima d'attraversare; *I'm waiting for Ann to come*, aspetto che venga Ann; *I'll be waiting for your call*, attenderò una vostra chiamata; *He always makes people w.*, si fa sempre aspettare; *Have you been waiting long?*, è molto che aspetti?; **to w. one's chance**, aspettare l'occasione propizia; **to w. one's turn**, aspettare il proprio turno **2** (*anche* **to w. at table, to w. tables**) servire a tavola; fare il cameriere (*o* la cameriera) **3** (*di una faccenda*) restare in sospeso **4** (*fam.*) ritardare; rinviare: *I'm not going to w. breakfast for you*, non intendo ritardare la colazione per te ● **to w. and see**, stare a vedere □ (*fam.*) **to w. for the other shoe to drop → shoe** □ (*fig.*) **to be waiting in the wings**, aspettare dietro le quinte □ **to keep sb. waiting**, far aspettare q.; tenere q. in attesa □ **Lunch is waiting for us**, il pranzo è in tavola (*o* è servito) □ *I can't w. to see you*, non vedo l'ora di vederti; *I can't w. to start my new job*, non vedo l'ora di cominciare il mio nuovo lavoro □ **I didn't w. to be told twice**, non me lo feci dire due volte □ **W. for it!**, fermi!; (*anche*) sentite questa!, adesso viene il bello!

■ **wait about** (*o* **around**) v. i. + avv. **1** (restare ad) aspettare; stare in attesa: *I've been waiting around for you for an hour*, è un'ora che ti aspetto **2** stare con le mani in mano; oziare.

■ **wait behind** v. i. + avv. restare in un posto (*dopo che gli altri se ne sono andati*); fermarsi: *Will you please w. behind after class?*, fermati dopo la lezione, per favore!

■ **wait in** v. i. + avv. restare in casa ad aspettare.

■ **wait on** Ⓐ v. i. + avv. continuare ad aspettare Ⓑ v. i. + prep. **1** servire; essere al servizio di: *You w. on tables 6-11 tonight*, stasera servi i clienti ai tavoli 6-11; **to w. on sb. hand and foot**, servire q. di tutto punto; *The ladies waited on the queen*, le gentildonne erano al servizio della regina **2** (*form.*) essere in attesa di (*una risposta, ecc.*) **3** (*fig.*) dipendere da: *His career waits on the result of this test*, la sua carriera dipende dal risultato di questo test □ (*USA*) **to w. on table**, servire a tavola.

■ **wait out** v. t. + avv. **1** aspettare che (qc.) passi: *Let's w. out the storm!*, aspettiamo che passi il temporale! **2** aspettare pazientemente (*il nemico, ecc.*) □ (*Borsa*) **to w. out the stock market**, aspettare che le quotazioni risalgano.

■ **wait up** v. i. + avv. **1** rallentare: *Let's w. up for the rest of the company!*, rallentiamo per aspettare gli altri **2** restare alzato (*in attesa di q.*): *She always waited up for her husband*, restava sempre alzata in attesa del marito.

■ **wait upon → wait on, B.**

◆**waiter** /'weɪtə(r)/ n. **1** chi aspetta, attende, ecc. (→ **to wait**) **2** (*spec.*) cameriere (*d'albergo o di ristorante*): *'Pat is a w. who waits while you wait'* J. JOYCE, 'Pat è un cameriere che serve i clienti mentre tu aspetti' **3** funzionario doganale **4** (*fin.*) commesso (*della Borsa di Londra*) **5** vassoio.

waitering /'weɪtərɪŋ/ n. ⓤ (*raro*) lavoro di cameriere.

waiting /'weɪtɪŋ/ n. ⓤ attesa ● **w. game**, gioco d'attesa; temporeggiamento; attendismo □ (*ric. op.*) **w.-line theory**, teoria delle code □ **w. list**, lista d'attesa □ **w. maid**, cameriera personale □ (*ass.*) **w. period**, periodo d'aspettativa (*prima del pagamento d'un indennizzo*) □ (*comput.*) **w. queue**, coda d'attesa □ **w. room**, sala d'aspetto (*o* d'attesa) ● **an accident w. to happen**, un incidente

a b c d e f g h i j k l m n o p q r s t u v w x y z

prevedibile; una sciagura annunciata □ (*sport e fig.*) **to play a w. game**, fare un gioco d'attesa; tirare a guadagnare tempo □ (*fig.*) **person who plays a w. game**, attendista □ (*autom.*) «**No w.**» (*cartello*), «divieto di fermata».

♦**waitress** /'weɪtrɪs/ n. cameriera (*d'albergo o di ristorante*).

waitressing /'weɪtrəsɪŋ/ n. Ⓤ lavoro di cameriera (*in un albergo o un ristorante*).

to **waive** /weɪv/ v. t. **1** (*leg.*) rinunciare a (*un diritto*); abbandonare (*una pretesa, ecc.*): **to w. collateral**, rinunciare a garanzie reali; **to w. a right**, rinunciare a un diritto **2** (*raro*) lasciar perdere (*un'occasione*).

❶ NOTA: *waive, waiver o waver?*
Il verbo *to waive*, generalmente riferito a un diritto o a una regola, significa "rinunciare": *to waive the right to appeal*, rinunciare al diritto di appello; *to waive charges*, rinunciare alle accuse. Il sostantivo che ne deriva è *waiver*, "rinuncia a un diritto", che non va confuso con *waver* (si pronuncian allo stesso modo), colui che fa cenno con la mano (derivato di *to wave*): *The waiver of the claim meant that the land was solely his*, la rinuncia al ricorso significò che la terra fu esclusivamente sua.

waiver /'weɪvə(r)/ n. (*leg.*) rinuncia (*a un diritto*); abbandono (*di una pretesa*): **w. of protest**, rinuncia al protesto ● (*leg.*) **w. clause**, clausola di esonero.

wake① /weɪk/ n. **1** (*spec. irl.*) veglia funebre **2** (pl.) (*stor., nell'Inghil. sett.*) festa annuale (*spec. celebrata dagli operai*): **wakes week**, vacanza di una o due settimane.

wake② /weɪk/ n. (*naut., astron.*) scia (*anche fig.*): **in the w. of**, nella scia di; (*fig.*) sulle orme di, al seguito di, in seguito a ● (*fig.*) **to follow in the w. of**, essere la conseguenza di (qc.).

♦to **wake** /weɪk/ (pass. *woke, waked*, p. p. *woken, waked, woke*) Ⓐ v. i. **1** destarsi; svegliarsi; risvegliarsi; (*anche fig.*) aprire gli occhi; (*fig.*) scuotersi: *I woke (up) late and left without having any breakfast*, mi svegliai tardi e uscii senza fare colazione; *W. up there!*, su, scuotetevi! **2** (*fig.*) risvegliarsi; animarsi **3** fare una veglia funebre Ⓑ v. t. **1** destare; svegliare; (*fig.*) scuotere: *What time do you want to be woken?*, a che ora vuoi essere svegliato?; *Is there anything on earth that can w. him up?*, ma c'è qualcosa al mondo che possa scuoterlo? **2** (*spec. irl.*) vegliare (*un morto*) **3** (*fig.*) rievocare; suscitare: **to w. memories**, rievocare memorie; **to w. passions**, suscitare passioni ● **to w. an echo**, suscitare un'eco □ **to w. a place**, turbare la quiete di un luogo □ (*fam.*) **W. up!**, sveglia!; attenzione!

▪ **wake from** v. t. e i. + prep. svegliare, svegliarsi da: *I woke from a long dream*, mi svegliai da un lungo sogno.

▪ **wake to** Ⓐ v. i. + prep. **1** svegliarsi a (*o per*): *He woke to the sound of the radio*, si svegliò al suono della radio; **to w. to the daylight**, svegliarsi per la luce del giorno **2** (*fig.*) svegliarsi a, diventare consapevole di (qc.) Ⓑ v. t. + prep. richiamare l'attenzione di (q.) su (qc.): *He woke his partners to the risk of being declared bankrupt*, richiamò l'attenzione dei suoi soci sul rischio d'essere dichiarati falliti.

▪ **wake up** Ⓐ v. i. + avv. **1** svegliarsi, destarsi (→ **to wake**, A, *def. 1*) **2** (*fig.*) diventare consapevole: **to w. up to the dangers of the situation**, diventare consapevole dei pericoli della situazione Ⓑ v. t. + avv. **1** svegliare, destare (→ **to wake**, B, *def. 1*) **2** (*fig.*) far aprire gli occhi a (q.: *su qc.*) □ **to w. up to the truth**, rendersi conto della verità.

wakeboarding /'weɪkbɔːdɪŋ/ (*sport*) n. Ⓤ wakeboard (*sport simile al surf, ma a traino*

di un motoscafo*) ‖ **wakeboard** n. tavola da wakeboard.

wakeful /'weɪkfl/ a. **1** insonne; sveglio; senza sonno: **a w. night**, una notte insonne **2** vigile; vigilante; all'erta | **-ly** avv. | **-ness** n. Ⓤ.

wakeless /'weɪkləs/ a. (*del sonno*) ininterrotto; profondo.

to **waken** /'weɪkən/ (*form.*) Ⓐ v. t. destare; svegliare; risvegliare; (*fig.*) scuotere Ⓑ v. i. destarsi; svegliarsi; risvegliarsi; (*fig.*) scuotersi.

wakening /'weɪkənɪŋ/ n. Ⓤ (*form.*) risveglio.

waker /'weɪkə(r)/ n. **1** chi sveglia **2** chi si sveglia: **to be an early w.**, svegliarsi presto, essere mattiniero.

wake-up call /'weɪkʌp kɔːl/ loc. n. **1** sveglia telefonica; *Would you like to book a wake-up call?*, volete prenotare la sveglia telefonica? **2** (*fig.*) scrollone; svegliarino.

wakey wakey /'weɪkɪweɪkɪ/ inter. (*fam.*) sveglia!; scuotiti!

waking /'weɪkɪŋ/ Ⓐ a. **1** che si desta; (*fig.*) che si scuote **2** sveglio; che veglia Ⓑ n. Ⓤ lo svegliarsi; risveglio ● **w. dream**, sogno a occhi aperti; fantasticheria □ **w. hours**, ore di veglia.

Walachia /wɒ'leɪkɪə/ → **Wallachia**.

Waldenses /wɒl'densiːz/ (*stor., relig.*) n. pl. valdesi ‖ **Waldensian** a. e n. valdese.

waldo /'wɔːldəʊ/ n. (*slang USA*) cretino; idiota; stupido; fesso.

wale /weɪl/ n. **1** segno di frustata (*sulla pelle*); livido **2** rigo in rilievo; costa (*su stoffa*) **3** (*edil.*) trave orizzontale in legno **4** (*naut.*) falchetta ● **w. knot**, nodo a piè di pollo.

to **wale** /weɪl/ v. t. **1** segnare (*la pelle*) a scudisciate **2** (*edil.*) rinforzare con travi orizzontali in legno.

Wales /weɪlz/ n. (*geogr.*) Galles: (*GB, polit.*) **W. Office**, Dipartimento degli affari gallesi ● **the Prince of W.**, il Principe di Galles (*titolo dell'erede al trono inglese*) **❶ CULTURA • Wales**: *l'unione del Galles con l'Inghilterra fu sancita con l'* **Act of Union** *del 1536, ma l'annessione del paese era di fatto già avvenuta nel 1283 quando Dafydd principe di Galles venne catturato e messo a morte da Edoardo I d'Inghilterra. Il titolo di* **Prince of Wales** *(Principe di Galles) venne conferito al figlio maggiore di Edoardo, il futuro Edoardo II, e da allora spetta all'erede al trono. Malgrado la plurisecolare influenza inglese, l'identità gallese è rimasta assai viva e il gallese, →* «**Welsh**», **B**, *è tuttora parlato in diverse zone del paese ed è usato accanto all'inglese nei documenti ufficiali, nella toponomastica e nelle indicazioni stradali. Dal 1999 il Galles ha un parlamento nazionale, la* **Welsh Assembly**. *Il nome gallese del Galles è* **Cymru** /'kʌmrɪ/ .

Walhalla /væl'hælə/ → **Valhalla**.

♦**walk** /wɔːk/ n. **1** camminata; passeggiata: *Let's go for a w.*, andiamo a fare una passeggiata!; (*miss.*) **space w.**, passeggiata spaziale **2** cammino; percorso (*a piedi*): *The station is an hour's [a short] w. from here*, la stazione è a un'ora di cammino [a due passi] da qui; *It's no more than a ten-minute-w.*, non ci vogliono più di 10 minuti a piedi **3** andatura; passo: *He's got a strange w.*, ha un'andatura strana; **to drop into a w.**, mettersi al passo **4** sentiero; viale; vialetto **5** zona delle consegne (*di postino*); giro (*di venditore ambulante*) **6** (*sport*) marcia **7** (*baseball*) base gratis (*di un lanciatore*): **to throw three walks in a row**, concedere tre basi gratis di seguito **8** (*equit.*) passo (*nel dressage*) **9** (*tuffi*) approccio; rincorsa ● **w. clerk**, commesso (*di banca*) ● (*slang*) **w.-in victory** → **walkaway** □ **w. of life**, professione, occupazione, mestiere; condizione sociale, ceto: **people from all walks of life**, gente d'ogni ceto □ (*di cavallo*) **to go at a w.**,

andare al passo □ **a good w.**, una lunga camminata; una bella passeggiata □ **to know sb. by his w.**, riconoscere q. dal modo di camminare □ (*slang USA*) **Take a w.!**, fila!; smamma!; sparisci!

♦to **walk** /wɔːk/ Ⓐ v. i. **1** camminare; passeggiare; andare a piedi: *The baby is learning to w.*, il bambino sta imparando a camminare; **to w. on all fours**, camminare carponi; *Shall we w. or get a taxi?*, camminiamo a piedi o prendiamo un taxi? **2** (*di cavalli, ecc.*) andare al passo **3** (*di spettro, fantasma*) apparire **4** (*fam.*: anche *di cose*) sparire (*nel nulla*); volatilizzarsi: *Don't leave your purse unattended, because things tend to w. here*, non lasciare la borsetta incustodita, perché qui le cose tendono a sparire **5** (*fam.*) uscir vivo (*o indenne*: *da un incidente*) **6** (*gergo della malavita*) essere rimesso in libertà; andare libero **7** (*basket*) commettere fallo di passi **8 – to be walking**, stare camminando; (*anche*) essere a piedi: *Are you walking or have you got wheels?*, sei a piedi o hai la macchina? Ⓑ v. t. **1** camminare su (*o attraverso, per*); calpestare; percorrere (*a piedi*): *I have walked the county from end to end*, ho percorso (a piedi) la contea da un capo all'altro; *The captain was walking the deck*, il capitano camminava sopracoperta; **to w. two miles to school**, fare due miglia a piedi per andare a scuola **2** far passeggiare; far camminare; far andare al passo: **to w. the dog**, far fare la passeggiata al cane; portare a spasso il cane; **to w. a mule up a steep path**, far andare al passo un mulo su per un ripido sentiero **3** accompagnare (*a piedi*): *I'll w. you to the corner*, t'accompagno fino all'angolo **4** spingere (*q., facendolo camminare*); costringere (q.) a camminare **5** spingere a mano (*una bicicletta, ecc.*) **6** (*fam.*) superare agevolmente (*un esame, ecc.*) **7** (*equit.*) mettere (*il cavallo*) al passo (*nel dressage*) ● (*basket*) **to w. the ball**, commettere fallo di passi □ (*fig.*) **to w. before one can run**, fare un passo per volta □ (*fig.*) **to w. the boards**, calcare le scene; fare l'attore □ **to w. the chalk line**, dimostrare (*alla polizia*) che non si è ubriachi (*camminando su una riga tracciata col gesso*); (*fig.*) rigare diritto □ (*di un ciclista*) **to w. a climb**, fare una salita a piedi spingendo la bicicletta □ (*slang USA*) **to w. heavy**, contare; essere influente; avere peso □ (*fig.*) □ **to w. the hospitals** (*o the wards*), far pratica in ospedale; essere studente di medicina □ (*stor.*) **to w. the plank**, essere gettato a mare (*dai pirati*); (*fig.*) dimettersi, farsi da parte □ **to w. in one's sleep**, essere sonnambulo □ (*slang USA*) **to w. soft**, tenersi in disparte, non dare nell'occhio; (*anche*) essere arrendevole (*o accomodante*); abbozzare □ **to w. the streets**, andare per le strade; (*di una prostituta*) battere il marciapiede □ (*fam. ingl.*) **to w. tall**, avere fiducia in sé stesso; essere fiero di sé □ **to w. a tightrope**, (*di un funambolo*) camminare sulla corda tesa; (*fig.*) camminare sul filo del rasoio □ (*a un semaforo pedonale*) «**W.**», «Avanti!» □ «**Don't w.**», «stop!» (*in USA*)

▪ **walk about** Ⓐ v. i. + avv. **1** gironzolare; girellare; andare a spasso **2** andare in giro: *It isn't safe for you to w. about alone at night*, non è prudente che tu vada in giro da sola la sera Ⓑ v. t. + avv. **1** far passeggiare (*un bambino, un cane, ecc.*) **2** far sgambare (*un cavallo da corsa*).

▪ **walk abroad** v. i. + avv. (*lett.*) **1** camminare all'aperto **2** (*fig.*: *della peste, della violenza, ecc.*) diffondersi; imperversare **3** (*di un fantasma*) apparire.

▪ **walk around** → **walk about**.

▪ **walk away** v. i. + avv. **1** andare via; allontanarsi: *He walked away from me in horror*, si allontanò da me inorridito **2** uscire (*incolume*), cavarsela: *He walked away from the*

car crash unhurt, uscì dall'incidente automobilistico senza un graffio **3** (*sport*) staccarsi: *My horse walked away from all the others quite easily*, il mio cavallo si staccò da (*o distanziò*) tutti gli altri con la massima facilità.

■ **walk away from** v. i. + avv. + prep. (*nelle corse*) staccarsi da (*un concorrente*); distanziare: *My horse walked away from all the others*, il mio cavallo stravinse distanziando gli altri.

■ **walk away with** v. i. + avv. + prep. **1** andarsene con (q.) **2** (*fam.*) portare via, rubare (qc.) **3** (*fam.*) vincere con grande facilità (*fam.*: alla grande): **to w. away with first prize [the election]**, vincere facilmente il primo premio [le elezioni] **4** (*fam.*) uscirne, guadagnare (*una certa somma*) □ (*spettacolo*) **to w. away with the show**, avere un successone.

■ **walk back** Ⓐ v. i. + avv. tornare a piedi Ⓑ v. t. + avv. accompagnare (q.) a piedi.

■ **walk down** v. i. + avv. scendere; discendere (*a piedi*).

■ **walk in** v. i. + avv. **1** entrare (*a piedi*) **2** entrare (*di sotterfugio*); infilarsi dentro (*una casa, un negozio, ecc.*) **3** (*fam. USA*) farsi assumere; trovare lavoro **4** (*sport*) (*fam. USA*) entrare in squadra senza problemi; essere accettato con facilità □ «**W. in!**», «entrino, signori, entrino!» (*a una fiera, ecc.*).

■ **walk into** v. i. + prep. **1** entrare in: **to w. into a room [a shop]**, entrare in una stanza [in un negozio] **2** (*di un ladro, ecc.*) infilarsi in (*una casa, ecc.*) **3** andare a sbattere contro (*una porta a vetri, ecc.*) **4** (*fam.*) attaccare coraggiosamente (*banditi, ecc.*) **5** (*fam.*) criticare, sgridare (q.) aspramente **6** (*fam.*) trovare facilmente (*un lavoro*); occupare (*una posizione importante*) **7** (*fam.*) buttarsi su (*cibo e sim.*) □ **to w. into a punch**, prendere un pugno per caso □ **to w. into a trap**, cadere in trappola.

■ **walk off** Ⓐ v. i. + avv. andarsene (*a piedi*); allontanarsi Ⓑ v. t. + avv. farsi passare (*un dolore, la sbornia, ecc.*); smaltire, digerire camminando: **to w. off one's anger [the effect of wine]**, smaltire la collera [gli effetti del vino] camminando Ⓒ v. t. + prep. stancare (q.) facendolo camminare: *He walked me off my feet*, mi stancò a morte a furia di farmi camminare □ **to w. off one's dinner**, camminare per digerire □ (*sport*) **to w. off the field**, abbandonare il campo.

■ **walk off with → walk away with**.

■ **walk on** Ⓐ v. i + avv. **1** continuare a camminare; andare avanti **2** (*teatr.*) fare una breve apparizione, fare una particina: *I just w. on in the third act*, faccio soltanto una breve apparizione nel terzo atto Ⓑ v. i. + prep. **1** camminare su (*l'erba, il pavimento, ecc.*) **2** (*fig.*) calpestare (*un sentimento e sim.*); mettersi (q.) sotto i piedi □ (*fig.*) **to be walking on air**, essere al settimo cielo (*o al colmo della felicità*) □ (*fig.-fam.*) **to w. on eggshells**, camminare sulle uova; procedere con grande cautela □ (*fig.*) **to w. on thin ice**, camminare sul filo del rasoio.

■ **walk out** v. i. + avv. **1** uscire (*a piedi*): *He walked out of the room*, uscì dalla stanza **2** uscire per protesta: *The UN delegates have walked out* (*of the meeting*), i delegati dell'ONU hanno abbandonato la riunione **3** (*econ.*) scendere in sciopero; scioperare **4** (*arc.*) uscire insieme.

■ **walk out on** v. i. + avv. + prep. **1** (*fam.*) lasciare, abbandonare, piantare (in asso): *He's walked out on his wife*, ha piantato la moglie **2** (*fam.*) rompere, non rispettare (*un contratto*) **3** non mantenere (*una promessa e sim.*).

■ **walk over** Ⓐ v. i. + avv. **1** andare, andarci (*a piedi*): **to w. over to the door**, andare alla porta: *It's quite near; we can easily w. over*, è vicinissimo; possiamo anche andar-

ci a piedi **2** (*sport*) vincere facilmente; stravincere **3** (*ipp.*) vincere una corsa per abbandono (*degli avversari*) Ⓑ v. t. + avv. **1** accompagnare (q.) a piedi **2** portare (qc.) a piedi **3** (*sport*) sconfiggere; sbaragliare; travolgere; stracciare (*fam. fig.*) Ⓒ v. t. + prep. mettersi (q.) sotto i piedi: *That poor woman lets her children w. all over her*, quella povera donna si fa mettere sotto i piedi dai figli □ **to w. over to sb.**, accostarsi (*o avvicinarsi*) a q.

■ **walk round** Ⓐ v. i. + avv. **1** camminare in tondo **2** andare (a piedi): *Let's w. round to grandfather's!*, andiamo a trovare il nonno! Ⓑ v. t. + avv. far fare un giretto a (*un bambino, un cane, ecc.*).

■ **walk through** Ⓐ v. i. + prep. **1** camminare attraverso (*o* in, su): **to w. through the woods**, camminare nei boschi; **to w. through the snow**, camminare sulla neve **2** visitare a piedi (*un palazzo, sale di museo, ecc.*) **3** (*fam.*) superare facilmente (*un esame e sim.*) **4** (*teatr.*) provare i passi da fare in (*una scena, un atto, ecc.*) Ⓑ v. i. + avv. **1** passare attraverso; attraversare **2** passare (*un esame*); farcela Ⓒ v. t. + prep. (*teatr.: del regista*) mostrare a (*un attore*) come muoversi in (*una scena, ecc.*).

■ **walk up** v. i. + avv. **1** salire (a piedi): *I'd rather w. up*, preferisco salire a piedi **2** accostarsi, avvicinarsi (*a q.*): *A stranger walked up to me*, uno sconosciuto mi si avvicinò □ **to w. up a street**, camminare per una strada □ **to w. up to sb.**, accostarsi, avvicinarsi a q. □ «**W. up!**» (*a una fiera, un circo, ecc.*), «Entrino, signori, entrino!».

■ **walk with** v. i. + prep. accompagnare (q.) a piedi.

walkable /ˈwɔːkəbl/ a. (*di sentiero, ecc.*) praticabile; su cui si può camminare ● **a w. distance**, una distanza percorribile a piedi.

walkabout /ˈwɔːkəbaʊt/ n. **1** (*Austral.*) breve ritorno (*di un aborigeno*) alla vita nomade **2** giro turistico a piedi **3** (*fam., spec. ingl., di personaggio pubblico*) passeggiata tra la folla dei presenti; bagno di folla ● **to go w.**, (*Austral.*) vagabondare nel bush; (*fig.*) scomparire dalla circolazione; (*scherz., di oggetto*) scomparire, volatilizzarsi; (*fig.*) vagare con la mente, distrarsi; (*fam. ingl., di personaggio pubblico*) mescolarsi alla folla dei presenti, fare un bagno di folla.

walkathon /ˈwɔːkəθɒn/ n. (*fam.*) marcia o lunga camminata organizzata per raccogliere fondi destinati a beneficenza.

walkaway /ˈwɔːkəweɪ/ n. (*fam., spec. USA*) **1** «passeggiata»; vittoria facile: *The return match was just a w.*, la partita di ritorno fu una passeggiata **2** evaso (*a piedi*); fuggiasco.

walker /ˈwɔːkə(r)/ n. **1** camminatore, camminatrice; pedone **2** (*sport*) marciatore **3** (*USA*) accompagnatore (*di una donna vip a una funzione ufficiale in assenza del marito*) **4** (*fam. USA*) scarpa da passeggio **5** (*anche med.*) deambulatore ● (*teatr.*) **w.-on**, comparsa; figurante.

walkies /ˈwɔːkɪz/ n. pl. (*fam.*) passeggiatina, giretto (*che si fa fare al cane*): *Let's go w., Fido!*, andiamo a fare un giretto, Fido!

walkie-talkie /ˈwɔːkɪˈtɔːkɪ/ n. (*fam.*) radiotelefono (*o* ricetrasmittente) portatile; walkie-talkie.

walk-in /ˈwɔːkɪn/ a. (*spec. USA*) **1** in cui si può entrare; accessibile: **a walk-in closet**, un guardaroba accessibile **2** (*fig., sport*) facilissimo: **a walk-in victory**, una vittoria facilissima; una «passeggiata».

walking /ˈwɔːkɪŋ/ Ⓐ n. ⬚ **1** il camminare; il passeggiare: *Do you like w.?*, ti piace camminare? **2** (*sport*) marcia (*la specialità*) **3** (*sport*) escursionismo **4** (*basket*) passi; fallo di passi Ⓑ a. **1** (*di cosa*) (*o* per) cammi-

nare; da passeggio: **w. shoes**, scarpe da passeggio **2** (*agric.*) a trazione animale: **a w. plough**, un aratro a trazione animale **3** (*mecc.*) mobile; oscillante: **a w. dragline**, una scavatrice mobile **4** (*scherz.*) ambulante: *He's a w. encyclopaedia*, è un'enciclopedia ambulante ● (*mecc.*) **w. beam**, bilanciere □ (*zool.*) **w. bird**, colombiforme □ **w. boss**, caposquadra; capo d'operai □ **w. delegate**, sindacalista viaggiante (*con funzioni di controllo*) □ **w. distance**, distanza a piedi: *The hotel is within w. distance of the station*, l'albergo è a quattro passi dalla stazione □ (*med.*) **w. frame**, deambulatore □ (*teatr.*) **w. gentleman** (**w. lady**), comparsa; figurante □ (*zool.*) **w.-leaf** (*Phyllium*), fillio □ (*mecc.*) **w. machine**, veicolo che cammina (*su gambe meccaniche*) □ **w. pace**, passo (*l'andatura*): **to go at a w. pace**, andare a passo d'uomo; (*equit.*) andare al passo □ (*fam. USA*) **w. papers** (*o* w. ticket), notifica di licenziamento □ (*sport*) **w. race**, marcia (*la gara*) □ **w. sleep**, sonnambulismo □ **w. stick**, bastone da passeggio; (*zool., USA*) insetto stecco □ **w. tour**, giro turistico a piedi □ **w. way → walkway** □ (*anche mil.*) **w. wounded**, feriti in grado di camminare.

walkman® /ˈwɔːkmən/ n. walkman; riproduttore stereofonico a cuffia.

walk-on /ˈwɔːkɒn/ n. (*cinem., teatr., TV*) comparsa; figurante ● **a walk-on part**, una parte di figurante; una particina.

walk-out /ˈwɔːkaʊt/ n. **1** abbandono (*di una riunione, ecc.*) per protesta **2** (*econ.*) sciopero.

walk-over /ˈwɔːkəʊvə(r)/ n. (*fam.*) **1** (*sport*) vittoria facilissima; passeggiata (*fig.*) **2** (*ipp.*) corsa con un solo partente **3** (*sport*) corsa o partita vinta per abbandono dell'avversario o degli avversari **4** (*ginnastica*) posizione di ponte; ponte.

walkthrough, **walk-through** /ˈwɔːkθruː/ n. **1** compito facile; passeggiata (*fig.*) **2** (*teatr.*) parte facile; numero facile **3** (*teatr., cinem.*) prova **4** (*comput.*) analisi passo-passo (*di un software*) **5** (*comput.*) simulazione di edificio, quartiere, ecc., percorribile virtualmente.

walk-up /ˈwɔːkʌp/ Ⓐ a. (*fam. USA*) **1** senza ascensore: **a walk-up flat**, un appartamento (*in uno stabile alto*) senza ascensore **2** sulla strada; esterno: **a walk-up bank counter**, uno sportello di banca esterno Ⓑ n. (*fam. USA*) edificio senza ascensore.

walkway /ˈwɔːkweɪ/ n. **1** passaggio (*o* accesso) pedonale **2** vialetto (*di giardino, ecc.*).

Walkyrie /vælˈkɪərɪ, USA ˈwɑːlkɪrɪ/ n. (*mitol.*) Valchiria.

walky-talky /ˈwɔːkɪˈtɔːkɪ/ → **walkie-talkie**.

◆**wall** /wɔːl/ n. **1** muro; muraglia; muraglione; parete: (*edil.*) **bearing w.**, muro portante; **boundary w.**, muro di cinta; **main w.**, muro maestro; **a w. of fire**, una muraglia di fiamme; **the w. of the park**, il muraglione del parco; **the town walls**, le mura della città; le mura cittadine; *She covered the walls with very nice paper*, ricoprì le pareti di carta bellissima **2** (*ind. min.*) parete; (*anche*) fronte di coltivazione **3** (*anat.*) parete: **the walls of the heart**, le pareti del cuore **4** (*corse automobilistiche, ecc.*) muretto **5** (= **rubber w.**) fianco (*di pneumatico*) **6** – (*polit., stor.*) **the W.**, il muro di Berlino **7** (*calcio*) barriera (*formata dai difensori*): **to shoot straight into the w.**, tirare direttamente sulla barriera difensiva **8** (*calcio, ecc.*) sponda; giocatore che riceve un passaggio: **w. pass**, tiro di sponda; uno-due; triangolazione **9** (*equit.*) muro: **w. and rails**, muro con barriera ● (*edil.*) **w. anchor**, grappa □ (*ginnastica*) **w. bars**, spalliera svedese □ **w. bed**,

letto a scomparsa nella parete □ **w. bracket** mensola a muro □ **w. climbing**, scalata di pareti di roccia; (*sport*) la roccia □ **w. clock**, orologio da muro □ (*med.*) **w. eye**, occhio affetto da leucoma della cornea; (*anche*) occhio affetto da strabismo divergente □ (*med.*) **w.-eyed**, affetto da leucoma della cornea; (*anche*) affetto da strabismo divergente, strabico □ **w. fruit**, frutto di spalliera □ (*bot.*) **w. germander** (*Teucrium chamaedrys*), camedrio; (*erba*) querciola □ **w. knot**, nodo a piede di pollo □ (*edil.*) **w. light point**, punto luce per applique □ (*edil.*) **w. lining**, rivestimento dei muri □ (*zool.*) **w. lizard** (*Lacerta muralis*), lucertola comune □ (*edil.*) **w.-mounted**, a muro: **a w.-mounted telephone**, un telefono a muro □ **w. newspaper**, giornale murale □ (*elettr.*, *edil.*) **w. outlet**, presa a muro □ (*arte*) **w. painting**, pittura murale □ (*bot.*) **w.-pepper** (*Sedum acre*), erba pignola; borraccina □ **w.-plate**, (*edil.*) banchina, piano di posa; (*elettr.*) mostrina (*per presa da incasso*); (*mecc.*) piastra a muro da fissaggio □ (*geol.*) **w. rock**, roccia incassante □ (*bot.*) **w.-rue** (*Asplenium ruta-muraria*), ruta muraria □ **w. safe**, cassaforte a muro □ (*geol.*) **w.-sided glacier**, ghiacciaio vallivo □ (*elettr.*, *edil.*) **w. socket**, presa a muro □ (*USA*) **w. tent**, tenda da campo (*con pareti verticali*) □ (*edil.*) **w. tie**, ferro d'ancoraggio; catena (*fam.*) □ (*edil.*) **w. tile**, piastrella per rivestimenti □ (*edil.*) **w. tiling**, piastrellatura delle pareti □ (*di tappeto*) **w.-to-w.**, che va da un'estremità all'altra (*della stanza, ecc.*); (*fig.*) onnipresente, che è dovunque □ (*USA*) **w.-to-w. carpet** (*o carpeting*), moquette □ **w. tree**, albero di spalliera □ **w. unit**, pensile (*mobiletto da cucina*) (*fig.*) **to drive** (*o* **to push**) **sb. to the w.**, mettere q. con le spalle al muro □ (*fig. slang*) **to drive sb. up the w.**, fare ammattire (*o* arrabbiare) q. □ (*fig.*) **dry-stone w.**, muro a secco □ (*stor.*) **to give sb. the w.**, cedere il passo a q. (*per strada*) □ (*fig.*) **to go to the w.**, avere la peggio; fallire; far fiasco □ (*fig. slang*) **to go up the w.**, andare su tutte le furie □ (*geogr.*) **the Great W. of China**, la Grande Muraglia Cinese □ (*slang*) **to be off the w.**, (*di una persona*) essere matto (*o* pazzoide, svitato, scentrato); (*di una cosa*) essere folle, essere assurdo □ (*fig.*) **to run** (*o* **to bang**) **one's head against a (brick) w.**, battere il capo nel muro; dar la testa contro il muro □ **sea w.**, diga foranea; frangiflutti □ (*fig.*) **to see through a brick w.**, essere assai perspicace □ (*stor.*) **to take the w. of sb.**, non cedere il passo a q. (*per strada*) □ (*fam.*) **to be up the w.**, essere furibondo; essere fuori dei gangheri (*fam.*) □ (*fig.*) **to be with one's back to the w.**, essere con le spalle al muro; essere alle strette □ **Be careful, walls have ears**, sta' attento, i muri hanno orecchi.

to **wall** /wɔːl/ v. t. murare; cingere di mura; proteggere con mura.

■ **wall in** v. t. + avv. **1** cingere (*un giardino, ecc.*) di mura **2** rinchiudere (*animali, prigionieri, ecc.*) entro mura **3** (*fig.*) rinserrare, attanagliare.

■ **wall off** v. t. + avv. separare (*qc.*) con un muro (*o* con una parete); dividere con una parete: **to w. off the drawing room**, dividere il salotto con una parete.

■ **wall round** v. t. + avv. circondare (*attorniare, ecc.*) con mura; fare una cinta di mura attorno a.

■ **wall up** v. t. + avv. **1** (*edil.*) murare: **to w. up a fireplace [a door]**, murare un camino [una porta] **2** rinchiudere entro mura **3** (*un tempo*) murare (q.) vivo (*come pena*).

wallaby /ˈwɒləbɪ/ n. (pl. **wallabies, wallaby**) **1** (*zool.*, *Macropus*) piccolo canguro **2** (pl.) **the Wallabies**, gli australiani; (*rugby*) i 'canguri' (*squadra australiana di fama internazionale*) ● (*fig.*) **to be on the w.**

(track), essere in cerca di lavoro.

Wallach /ˈwɒlək/ e *deriv.* → **Walach**, e *deriv.*

Wallachia /wɒˈleɪkɪə/ n. (*geogr.*) Valacchia ‖ **Wallachian** a. e n. valacco.

wallah /ˈwɒlə/ n. (*India*) **1** impiegato; lavorante; operaio; domestico **2** travet; passacarte; burocrate **3** (*fam.*) individuo; tizio.

wallaroo /ˈwɒlərʊː/ n. (pl. **wallaroos, wallaroo**) (*zool.*, *Macropus robustus*) canguro delle rocce; wallaroo.

wallboard /ˈwɔːlbɔːd/ n. (*edil.*) pannello di rivestimento.

wallchart /ˈwɔːltʃɑːt/ n. tabellone (*spec. a scuola*); cartellone.

wallcovering /ˈwɔːlkʌvərɪŋ/ n. ᴜᴄ rivestimento per interni; tappezzeria.

walled /wɔːld/ a. munito di pareti; recintato ● (*comput.*) **w. garden**, walled garden (*ingl.*), biblioteca familiare (*spazio di navigazione in Internet definito dall'utente*).

wallet /ˈwɒlət/ n. **1** portafogli; portafoglio **2** borsetta degli accessori (*d'una bicicletta, ecc.*) **3** (*USA*) borsa, borsetta (*da donna*) **4** (*arc.*) bisaccia; sacco da viaggio.

wallflower /ˈwɔːlflaʊə(r)/ n. **1** (*bot.*, *Cheiranthus cheiri*) violaciocca gialla **2** (*fam.*) chi fa tappezzeria (*a un ballo*); persona timida (*a una festa, ecc.*) ● (*fig. fam.*) **to be a w.**, fare da tappezzeria (*detto di ragazza che nessuno invita a ballare*).

Walloon /wɒˈluːn/ A a. vallone B n. **1** vallone, vallona **2** ᴜ vallone (*la lingua*).

wallop /ˈwɒləp/ n. **1** (*fam.*) bastonata; botta; percossa **2** (*fam.*, *boxe*) castagna (*fig.*); capacità di picchiatore **3** (*fam.*) colpo (*fig.*); impressione **4** ᴜ (*slang*) birra.

to **wallop** /ˈwɒləp/ v. t. **1** (*fam.*) bastonare; battere; percuotere; picchiare; colpire con forza **2** (*fam.*, *spec. sport*) battere; sconfiggere; vincere.

walloper /ˈwɒləpə(r)/ n. **1** (*fam.*, *spec. boxe*) picchiatore **2** (*slang Austral.*) poliziotto.

walloping /ˈwɒləpɪŋ/ (*fam.*) A n. **1** bastonatura; botte; busse; percosse **2** (*fig.*) grave sconfitta; disfatta; batosta B a. attr. enorme; madornale; straordinario ● **a w. big man**, un omaccione.

wallow /ˈwɒləʊ/ n. **1** il diguazzare, lo sguazzare nel fango **2** pantano; brago (*lett.*) **3** (*fam.*) lungo bagno; ammollo.

to **wallow** /ˈwɒləʊ/ v. i. **1** rotolarsi (*spec. in una sostanza viscosa*); voltolarsi; sguazzare: **The pigs were wallowing in the mud**, i maiali si voltolavano nel fango **2** muoversi dondolando; ballonzolare **3** (*di nave*) rollare pesantemente **4** (*fig.*) crogiolarsi; bearsi; godere; sguazzare: **to w. in self-pity**, crogiolarsi nell'autocommiserazione; piangersi addosso ● (*fig.*) **to be wallowing in money**, nuotare nell'oro; essere ricco sfondato.

wallpaper /ˈwɔːlpeɪpə(r)/ n. ᴜ **1** carta da parati **2** (*comput.*) sfondo **3** (*slang USA*) carta straccia (*fig.*); assegni fasulli; soldi falsi ● **w. music**, musica di sottofondo; sottofondo musicale.

to **wallpaper** /ˈwɔːlpeɪpə(r)/ v. t. tappezzare: **to w. a room**, tappezzare una stanza.

Wall Street /ˈwɔːlstriːt/ loc. n. **1** Wall Street (*strada di New York*) **2** (*fig. USA*) Wall Street; il mercato finanziario americano: **Wall Street raiders**, i finanzieri d'assalto di Wall Street.

Wall Streeter /ˈwɔːlstriːtə(r)/ loc. n. (*fin.*) esperto finanziario di Wall Street.

wally /ˈwɒlɪ/ n. (*slang*) tonto; scemo; stupido; cretino.

walnut /ˈwɔːlnʌt/ n. **1** (*bot.*, *Juglans regia*) noce (*l'albero e il frutto*) **2** ᴜ noce (*il legno*) ● **w. husk**, mallo □ **w. shell**, guscio di noce □ **w. tree**, noce (*l'albero*) □ **w. wood**, noce (*il le-*

gno).

Walpurgis Night /vælˈpʊəgɪsˈnaɪt/ loc. n. (*mitol.*) notte di Valpurga (*il 30 aprile*).

walrus /ˈwɔːlrəs/ n. (pl. **walrus, walruses**) (*zool.*, *Odobenus rosmarus*) tricheco; cavallo marino ● **w. moustache**, baffi spioventi (*o da tricheco*).

Walt /wɔːlt/ n. dim. di **Walter**.

Walter /ˈwɔːltə(r)/ n. Gualtiero; Walter; Valter ● (*fig.*) **W. Mitty**, uomo comune che sogna di avere avventure strepitose (*dal nome del protagonista di un racconto di James Thurber*).

waltz /wɔːls/ n. **1** (*mus.*) valzer **2** (*fig.*, *sport*) balletto, giostra (*intorno a un avversario*) **3** (*slang USA*) cosa facilissima; «passeggiata».

to **waltz** /wɔːls/ A v. i. **1** ballare il valzer: **She can w. very well**, balla benissimo il valzer **2** (*fig.*) muoversi con leggerezza **3** (*fam.*) procedere senza intoppi; andare sul liscio (*fam.*) **4** (*fig. sport*) fare un balletto; giostrare B v. t. far ballare il valzer a (q.): **He waltzed the girl into the garden**, a passo di valzer condusse la ragazza in giardino.

■ **waltz around** A v. i. + avv. (*fam. USA*) girellare; gironzolare qua e là; ficcanasare B v. t. + avv. (*fam. USA*) menare (q.) per il naso; prendere (q.) in giro.

■ **waltz in** v. i. + avv. **1** entrare ballando il valzer **2** (*fig.*) entrare con passo leggero.

■ **waltz off** v. i. + avv. **1** andarsene con passo leggero **2** andarsene furtivamente (*o* alla chetichella); scappare: **to w. off with the jewels**, scappare con i gioielli □ **to w. off with the first prize**, vincere facilmente il primo premio.

■ **waltz out** v. i. + avv. **1** uscire ballando il valzer **2** (*fig.*) uscire con passo leggero.

■ **waltz round** A v. i. + avv. (*o* prep.) ballare il valzer in tondo (*o* in): **They were waltzing round the room**, la coppia ballava il valzer volteggiando nella stanza B v. t. + avv. (*o* prep.) portare, trascinare (q.) in un giro di valzer (in: *una sala da ballo, ecc.*).

■ **waltz through** v. i. + prep. superare (*un esame, un test, ecc.*) senza difficoltà (*o* come niente fosse).

waltzer /ˈwɔːlsə(r)/ n. chi balla il valzer; ballerino (*o* ballerina) di valzer.

wampum /ˈwɒmpəm/ n. ᴜ **1** wampum; conchiglie da infilare in filze (*portate come ornamento, o usate come moneta, dai pellirosse*) **2** (*slang USA*) quattrini; grana (*pop.*).

wan /wɒn/ a. (*lett.*) pallido; sbiancato; esangue: **wan complexion**, carnagione pallida ● **a wan smile**, un debole sorriso □ **to grow wan**, impallidire; sbiancarsi in volto.

WAN /wæn/ sigla (*comput.*, **wide area network**) rete geografica.

wand /wɒnd/ n. **1** bacchetta (*di direttore d'orchestra, di prestigiatore, ecc.*) **2** (*spesso* **magic w.**) bacchetta magica **3** bastone (*come simbolo d'autorità*); mazza (*di usciere*) **4** (*comput.*, = **scanner w.**) matita di lettura; penna ottica **5** (*basket*) paletta (*per indicare i falli*) **6** (*ginnastica*) bacchetta.

♦ to **wander** /ˈwɒndə(r)/ A v. i. **1** vagare; errare; peregrinare; girovagare; vagabondare; andare ramingo: **to w. through the woods**, vagare per i boschi; **to w. aimlessly**, girovagare senza meta **2** (*di fiume o strada*) serpeggiare **3** deviare; scostarsi; allontanarsi dalla retta via (*anche fig.*) **4** delirare; farneticare; vaneggiare B v. t. vagare, girovagare, errare, peregrinare per (*o* attraverso): **to w. the streets at night**, vagare per le strade di notte.

❶ **Nota:** *wander o wonder?*
To wander significa genericamente "vagare senza meta": *to spend the afternoon wandering around the city*, trascorrere il pomeriggio vagando nella città; *to wander off into the woods for a walk*, allontanarsi nei boschi per una passeggiata. Attenzione a non confondere *to wander* con *to wonder*, che si pronuncia in modo molto simile, ma significa principalmente "meravigliarsi" o "chiedersi": *I wonder how they're getting along in Australia*, mi chiedo come se la passano in Australia; *After seeing the play, you'll leave the theatre wondering again at the greatness of life*, dopo aver visto la commedia, lascerai il teatro stupendoti nuovamente della grandezza della vita.

■ **wander about** (*o* **around**) v. i. + avv. (*o* prep.) girovagare, girellare, girare qua e là (in); andare alla ventura; peregrinare (per): **to w. around the house**, girare qua e là per casa; **to w. about the world**, peregrinare per il mondo.
■ **wander away** v. i. + avv. **1** allontanarsi; smarrirsi **2** (*fig.*) allontanarsi dall'argomento; uscire dal seminato (*fig.*).
■ **wander from** v. i. + prep. **1** allontanarsi da: *Our dog never wanders from home*, il nostro cane non si allontana mai da casa **2** (*fig.*) allontanarsi, staccarsi da: **to w. from the main subject**, allontanarsi dall'argomento principale; fare una digressione □ (*fig.*) **to w. from the path of virtue**, abbandonare la via della virtù.
■ **wander in** v. i. + avv. fare una visitina (*casualmente*); fare una capatina: *Jack wandered in yesterday*, Jack fece una capatina da noi ieri.
■ **wander off** Ⓐ v. i. + avv. allontanarsi (*o* andarsene) da casa; andare in giro: *The dog often wandered off from home*, spesso il cane si allontanava da casa Ⓑ v. t. + prep. (*fig.*) allontanarsi, staccarsi da: **to w. off the point**, uscire di argomento; sviare il discorso.

wanderer /'wɒndərə(r)/ n. vagabondo; giramondo; girovago; girandolone, girandolona.
wandering /'wɒndərɪŋ/ Ⓐ n. (di solito al pl.) **1** vagabondaggio; peregrinazione **2** delirio; farneticamento; vaneggiamento **3** (*fig.*) smarrimento; distrazione Ⓑ a. **1** errante; errabondo; nomade; vagante; ramingo: **w. tribes**, tribù nomadi **2** (*di fiume o strada*) sinuoso; serpeggiante; tortuoso **3** farneticante; delirante **4** (*med.*) migrante; aberrante; mobile: **w. kidney**, rene mobile ● (*geogr.*) **w. dune**, duna mobile □ (*scherz.*) **w. eye** occhio ballerino (*di chi guarda spesso le donne*) □ (*mitol., relig.*) **the W. Jew**, l'Ebreo errante □ (*astron.*) **w. star**, pianeta.
wanderlust /'wɒndəlʌst/ (*ted.*) n. Ⓤ vivo desiderio di viaggiare; spirito vagabondo.
wanderoo /wɒndə'ruː/ n. (pl. **wanderoos**) (*zool.*, *Macaca silenus*, *Macaca albibarbata*) vanderù; sileno dalla barba bianca.
wane /weɪn/ n. Ⓤ decadimento; declino; calo: *The country's prosperity was on the w.*, la prosperità del paese era in declino ● (*della luna*) **to be on the w.**, essere in fase decrescente; stare calando.
to wane /weɪn/ v. i. calare; declinare; decrescere; diminuire; scemare: **waning moon**, luna calante; *Inflation is waning*, l'inflazione sta calando; *His fame waned rapidly*, la sua fama diminuì rapidamente; *My strength is waning*, sto perdendo le forze.
wang /wæŋ/ n. (*volg. USA*) pene; batacchio; uccello, cazzo (*volg.*).
to wang /wæŋ/ v. t. e i. (*volg. USA*) chiavare, fottere, scopare (*volg.*).
wangle /'wæŋgl/ n. (*fam.*) imbroglio; in-

trigo; raggiro; maneggio; traffico (*fig.*).
to wangle /'wæŋgl/ Ⓐ v. t. (*fam.*) **1** procacciarsi, procurarsi, ottenere (qc.) con l'inganno (*o* l'astuzia, ecc.); rimediare (*fam.*): *I wangled two free tickets for the show*, ho rimediato due biglietti omaggio per lo spettacolo **2** falsificare; imbrogliare; alterare; presentare (*fatti, ecc.*) sotto falsa luce Ⓑ v. i. imbrogliare; intrallazzare; fare il maneggione ● **to w. sb. into doing st.**, far fare qc. a q. con l'astuzia (*o* con l'inganno) □ **w. st. out of sb.**, strappare qc. a q. con l'inganno; scroccare (*soldi, un invito, ecc.*) a (q.).
wank /wæŋk/ n. (*volg.*) masturbazione; pugnetta, sega (*volg.*): **to have a w.**, farsi una sega.
to wank /wæŋk/ Ⓐ v. i. (*volg.*) masturbarsi Ⓑ v. t. masturbare; fare una sega a (q.) (*volg.*).
wanker /'wæŋkə(r)/ n. **1** (*volg.*) chi si masturba **2** (*fig. slang*) stronzo; sega, mezza sega (*volg.*).
wanky /'wæŋkɪ/ a. (*volg. ingl.*) che non vale una sega; che non vale un cazzo (*volg.*).
wanna /'wɒnə/ vc. verb. (*slang per*) **1 want to**: *I w. go home*, voglio andare a casa **2 want a**: *I w. beer*, voglio una birra.
wannabe /'wɒnəbɪ/ n. (*fam. spreg. USA*) **1** aspirante velleitario; 'vorrei-ma-non posso' **2** arrampicatore; arrivista; giovanotto rampante **3** fan che imita un personaggio celebre.
wannabuy /'wɒnəbaɪ/ n. (*slang USA*) vucumprà.
wanness /'wɒnnəs/ n. Ⓤ (*lett.*) pallore.
want /wɒnt/ n. **1** ⓊⒸ mancanza; deficienza; scarsità: **w. of raw materials**, scarsità di materie prime **2** bisogno; necessità; esigenza; desiderio; (*econ.*) **the satisfaction of human wants**, il soddisfacimento dei bisogni dell'uomo; **freedom from w.**, la libertà dal bisogno **3** Ⓤ indigenza; miseria; ristrettezze: *They live in the direst w.*, vivono nella più squallida miseria ● (*USA*) **w. ad**, annuncio economico (*offerta o richiesta di lavoro, ecc.*) □ (*leg.*) **w. of evidence**, mancanza di prove □ (*leg.*) **w. of jurisdiction**, difetto di giurisdizione □ **to be in w. of**, aver bisogno di; necessitare di: *The house was in w. of repair*, la casa aveva bisogno di un restauro.
◆**to want** /wɒnt/ Ⓐ v. t. **1** aver bisogno di; abbisognare di: *What do you w.?*, di che cosa hai bisogno?; che cosa ti serve?; *The car wants washing*, l'automobile ha bisogno di una lavata; *You're wanted in the kitchen*, c'è bisogno di te (o ti vogliono) in cucina **2** volere; desiderare molto: *He wants to stay*, vuole rimanere; *I don't w. him to come*, non voglio che venga; *He wants me to stay here*, vuole che io resti qui; *I've always wanted to learn French*, ho sempre voluto imparare il francese; *I w. it done at once*, voglio che lo si faccia subito; *If you w. anything done, ask him*, se vuoi che qualcosa si faccia, chiedilo a lui; *Do you w. peas or carrots with that?*, come contorno vuole i piselli o le carote?; *What do you w. to drink?*, che vuoi da bere?; *He wants some coffee*, desidera del caffè ❶ **Nota:** *volere* → **volere** ① **3** (*fam.*) dovere (*spec. al condiz.*); bisognare, occorrere (*impers.*): *You w. to be more careful*, dovresti stare più attento; *You don't w. to work so hard*, non dovresti lavorare così; *It wants to be done with the utmost care*, bisogna farlo con la massima cura **4** (*generalm. al passivo*) (*della polizia, ecc.*) ricercare: *He is wanted for questioning*, lo ricercano per interrogarlo; *He is wanted for murder*, è ricercato per omicidio Ⓑ v. i. **1** mancare; volerci: *It wants ten minutes to midnight*, mancano dieci minuti a mezzanotte **2** (*form.*) mancare del necessario; vivere in miseria (*o* nell'indigenza) ● (*fam.*) **to w. it both ways**, vo-

lere la botte piena e la moglie ubriaca □ (*fam.*) **to w. some doing**, volerci del bello e del buono □ **not to w. to know**, non volerne sapere, disinteressarsene, infischiarsene.
■ **want back** v. t. + avv. volere indietro; rivolere: *I w. my lighter back*, rivoglio il mio accendino; *I don't w. you back*, non ti rivoglio; non ti riprendo con me.
■ **want for** v. t. + prep. **1** volere per (*o* come): *He wants her for his wife*, la vuole (prendere) in moglie **2** volerci, esserci bisogno di (q.) per (qc.): *Three men are wanted for patrol service*, ci vogliono tre uomini che vadano in pattuglia **3** (*form.*) mancare di; essere privo di: *We shall not w. for money*, il denaro non ci mancherà.
■ **want in** Ⓐ v. i. + avv. (*fam. USA e scozz.*) **1** voler entrare: *The dog wants in*, il cane vuole entrare **2** (*fig.*) voler essere della partita Ⓑ v. t. + avv. voler chiamare, voler far venire (*il medico, ecc.*) Ⓒ v. i. + prep. mancare di; essere privo di: *The film is wanting in action*, il film manca di azione.
■ **want off** v. i. + avv. (*USA*) voler scendere (*da un veicolo*): *I w. off at the next stop*, voglio scendere alla prossima.
■ **want out** v. i. + avv. (*fam. USA e scozz.*) **1** voler uscire **2** (*fig.*) volersi tirare fuori (*da qc.*); non volerne più sapere; non starci più; volerla fare finita: *I'm fed up: I w. out!*, sono arcistufo; voglio uscirne.
■ **want up** v. i. + avv. (*fam. USA*) volersi alzare (*da letto*); voler stare su.
wanta /'wɒntə/ vc. verb. (*slang o dial. per* **want to**) volere (più inf., o con inf. sottinteso): *I didn't w.*, non volevo (farlo); non l'ho fatto apposta.
wantage /'wɒntɪdʒ/ n. Ⓤ (*comm., slang USA*) mancanza; ammanco (*di merce: in un recipiente, ecc.*).
wantaway /'wɒntəweɪ/ a. e n. (*GB, spec. sport, spec. di calciatore*) (individuo) ansioso di lasciare il suo posto (*in genere per uno più lucroso*).
wanted /'wɒntɪd/ a. **1** (*leg.*) ricercato: **a w. man**, un ricercato; **w., dead or alive**, ricercato vivo o morto **2** (*negli annunci pubblicitari*) cercasi: **w.: switchboard operator**, cercasi centralinista.
wanting /'wɒntɪŋ/ Ⓐ a. **1** che manca; mancante; assente: *A few documents were w.*, mancavano alcuni documenti; *'Why wert thou not a creature w. soul?'* C. Marlowe, 'perché non nascesti creatura priva di anima?' **2** – w. in; difettoso in; scarso di: *He's w. in common sense*, è privo di buonsenso **3** non all'altezza; insufficiente; scarso **4** (*eufem.*) debole di comprendonio; un po' deficiente; con poco sale in zucca Ⓑ prep. **1** in mancanza di; senza: *A car w. an engine is useless*, un'auto senza motore è inservibile **2** (*arc.*) meno; eccetto; salvo.
WAN2TLK sigla (*Internet, telef., want to talk?*) ti va di fare due chiacchiere?
wanton /'wɒntən/ Ⓐ a. **1** (*lett.*) capriccioso; scherzevole (*lett.*); sbrigliato; gaio; giocoso: **a w. breeze**, un venticello capriccioso; *'As flies to w. boys, are we to the gods; / They kill us for their sport'* W. Shakespeare, 'noi per gli dei siamo quello che le mosche sono per i monelli: ci uccidono per divertirsi' **2** (*form.*) sfrenato; disordinato; sregolato; lussureggiante: **w. vegetation**, vegetazione lussureggiante **3** (*form.*) arbitrario; gratuito: **a w. insult**, un insulto deliberato; un'offesa gratuita **4** (*form.*) licenzioso; impudico; lascivo; scostumato: **w. thoughts**, pensieri impudichi Ⓑ n. **1** (*raro*) persona frivola; libertino **2** (*spec., lett.*) donna scostumata; sgualdrina ● **w. cruelty**, crudeltà perversa □ **w. destruction**, vandalismo □ **w. expenses**, spese eccessive □ (*lett.*) **to be in a w. mood**, aver voglia di

scherzare; esser d'umore faceto | **-ly** avv.

wantonness /ˈwɒntənnəs/ n. ⓤ **1** (*lett.*) giocosità; gaiezza; capricciosità **2** (*form.*) sfrenatezza; sregolatezza; licenza **3** (*form.*) licenziosità; libertinaggio; impudicizia; lascivia **4** (*form.*) rigoglio (*di piante, ecc.*).

to **wap** /wɒp/ → **to whop**.

WAP /wæp/ sigla (*telef.*, **wireless application protocol**) protocollo per applicazioni wireless.

WAPC sigla (*stor.*, *GB*, **Women's Auxiliary Police Corps**) Corpo delle ausiliarie di polizia.

wapiti /ˈwɒpɪtɪ/ n. (*zool.*, *Cervus canadensis*) wapiti.

♦**war** /wɔː(r)/ Ⓐ n. ⓒⓤ guerra (*anche fig.*); lotta: **civil war**, guerra civile; (*fig.*) **cold war**, guerra fredda; **the war against** (*o* **on**) **famine**, la guerra contro la carestia; **class war**, lotta di classe; **holy war**, guerra santa; crociata; **declaration of war**, dichiarazione di guerra Ⓑ a. attr. bellico: **war effort**, sforzo bellico; **war material**, materiale bellico ● **war baby**, figlio di guerra □ **war booty**, bottino di guerra □ **war bride**, sposa di guerra □ (*polit.*) **war chest**, fondo di guerra; (*fig.*, *polit.*, *fin.*, *spec. USA*) fondi per finanziare una campagna elettorale, una campagna di acquisti, ecc. □ (*fig.*) **war clouds**, nubi di guerra; situazione minacciosa (*nella politica internazionale*) □ (*giorn.*) **war correspondent**, inviato di guerra □ **war crimes**, crimini di guerra □ **war cry**, grido di guerra; (*fig.*) slogan □ **war damages**, danni di guerra □ **war dance**, danza di guerra □ **war debt**, debito di guerra □ (*mil.*) **war establishment**, effettivi di guerra □ **war game**, (*mil.*) esercitazione tattica; (*anche*) gioco di simulazione bellica, war game □ **war-gaming**, uso di giochi di simulazione bellica; (*anche*, *USA*) conduzione di una campagna elettorale (*e sim.*) usando strategie militari □ (*mil.*) **war gas**, aggressivo chimico □ (*mitol.*) **war god**, dio della guerra □ **war loan**, prestito di guerra ● **the war machine**, la macchina bellica □ **war memorial**, monumento ai caduti in guerra □ (*polit.*) **the war of nerves**, la guerra dei nervi □ (*stor.*, *in GB*) **the War Office**, il Ministero della Guerra □ **war paint**, pittura di guerra (*usata dagli indigeni*); (*fig.*) cosmetico, trucco: **to put on the war paint**, truccarsi □ **war pension**, pensione di guerra □ (*aeron.*) **war plane**, aereo militare □ **war potential**, potenziale bellico □ **war scares**, diffusi timori di una guerra □ **war song**, canto di guerra □ **war-torn**, devastato dalla guerra □ **war weary**, stanco della guerra □ **war whoop**, grido di guerra (*spec. degli indiani d'America*) □ **war widow**, vedova di guerra □ **war worn**, logorato dalla guerra □ (*leg.*) **articles of war**, codice militare □ **to be at war**, essere in guerra (*anche fig.*): *The neighbours are at war again*, i vicini sono di nuovo in guerra (*tra loro*) □ **to declare war on a country**, dichiarare guerra a una nazione □ **to go to war**, (*di nazione*) entrare in guerra; (*di persona*) andare alla guerra □ **to have been in the war**, essere stato in guerra; aver fatto la guerra □ **to have been in the wars**, essere un veterano di tutte le guerre; (*fig. scherz.*) essere ridotto a malpartito, essere conciato male □ **to have had a good war**, essersi comportato bene in guerra □ **to make** (*o* **to wage**) **war on sb.**, far guerra a q. □ (*mil.*) **to be on a war footing**, essere sul piede di guerra.

to **war** /wɔː(r)/ v. i. guerreggiare; far guerra: **to war with** (*o* **against**) **a neighbouring country**, far guerra a un paese vicino.

War. abbr. (*anche* **Warks**) (**Warwickshire**) la Contea di Warwick.

warble① /ˈwɔːbl/ n. **1** gorgheggio; trillo **2** canto degli uccelli **3** mormorio (*di acque, ecc.*).

warble② /ˈwɔːbl/ n. (*vet.*) **1** callo sul dorso del cavallo (*prodotto dalla sella*) **2** nodulo provocato dalla larva del tafano ● (*zool.*) **w. fly** (*Tabanus*), tafano.

to **warble** /ˈwɔːbl/ Ⓐ v. i. **1** gorgheggiare; trillare; cantare (*a mo' di un uccello*) **2** (*di acque, ecc.*) mormorare Ⓑ v. t. cantare (*qc.*) gorgheggiando.

warbler /ˈwɔːblə(r)/ n. uccello canoro (*usignolo, capinera, ecc.*).

warblog /ˈwɔːblɒg/ n. (*comput.*) blog che racconta una guerra (*spec. quella in Iraq*); blog di guerra.

ward /wɔːd/ n. **1** (*leg.*) custodia, tutela (*di minorenne, ecc.*): **a young girl in w.**, una bambina sotto tutela **2** (*leg.*) pupillo, pupilla; minore **3** (*di città*) quartiere; rione; circoscrizione **4** (*d'ospedale*) corsia; padiglione; reparto: **isolation w.**, reparto d'isolamento **5** (*di carcere*) reparto; ala; celle: **condemned w.**, reparto dei condannati **6** (*polit.*) sezione elettorale **7** (pl.) (*mecc.*) seghettatura, scontro (*di una serratura*) **8** (*arc.*) guardia; difesa ● (*polit.*, *USA*) **w. heeler**, galoppino elettorale; portaborse □ **to keep watch and w.**, stare in guardia; vigilare □ **to walk the wards**, fare il giro delle visite nelle corsie (*di un ospedale*); (*di studente in medicina*) far pratica in ospedale.

to **ward** /wɔːd/ v. t. (*arc.*) difendere; custodire; proteggere ● **to w. off**, respingere; rintuzzare; scansare (*un pericolo*); tener lontano; allontanare; **to w. off death**, allontanare la morte; **to w. off poverty [evil]**, tener lontano la miseria [il male] □ (*mecc.*) **warded lock**, serratura seghettata (*o con risalti circolari*).

warden① /ˈwɔːdn/ n. **1** custode; direttore (*di un ospizio, ecc.*) **2** «warden»; governatore; direttore (*di un college universitario*) **3** (*USA*) direttore di carcere **4** → **churchwarden 5** (= **traffic warden**) vigile urbano || **wardenship** n. ⓤ carica (*o* ufficio, giurisdizione) di un guardiano, ecc.

warden② /ˈwɔːdn/ n. (varietà di) pera da cuocere.

warder /ˈwɔːdə(r)/ n. **1** carceriere; guardia carceraria; secondino **2** guardiano; custode **3** (*arc.*) guardia; sentinella.

Wardour Street /ˈwɔːdəstriːt/ loc. n. **1** Wardour Street (*strada londinese con negozi di antiquariato e sedi di case cinematografiche*) **2** (*fig.*) industria cinematografica inglese ● **Wardour Street English**, inglese affettatamente arcaico.

wardress /ˈwɔːdrɪs/ n. carceriera; guardia carceraria (*donna*).

♦**wardrobe** /ˈwɔːdrəʊb/ n. **1** guardaroba; armadio **2** guardaroba; vestiario; corredo: *I must get a new winter w.*, devo farmi un corredo (*o* un guardaroba) nuovo per l'inverno **3** ⓤ (*teatr.*, *cinem.*) guardaroba; costumi; abiti di scena: **w. malfunction**, «malfunzionamento del guardaroba» (*esposizione accidentale di una parte del corpo dovuta ad un problema con il capo indossato*) ● **w. dealer**, rigattiere □ (*teatr.*) **w. keeper**, costumista □ (*teatr.*) **w. master**, guardarobiere; costumista □ (*teatr.*) **w. mistress**, guardarobiera; costumista □ **w. trunk**, baule armadio.

wardroom /ˈwɔːdruːm/ n. **1** (*naut.*, *mil.*) quadrato degli ufficiali **2** (*in una prigione*) sala agenti.

wardship /ˈwɔːdʃɪp/ n. ⓤ (*leg.*) custodia, tutela (*di minorenne, ecc.*): **to be under w.**, essere sotto tutela.

ware① /weə(r)/ n. **1** ⓤ merce; articoli; oggetti (*di solito nei nomi composti; per es.:*) **silverware**, argenteria; **earthenware**, terraglie; **hardware**, ferramenta; ecc.: *The peddler unpacked his w.*, l'ambulante aprì il fagotto della sua merce **2** (pl.) (*lett.*) merci;

mercanzia; articoli; oggetti: **household wares**, articoli casalinghi; **small wares**, articoli di merceria; '*Now the wares are gone, we may shut up shop*' J. WEBSTER, 'ora che la merce se n'è andata, possiamo chiudere bottega'.

ware② /weə(r)/ a. (*poet.*) **1** consapevole, conscio (*di qc.*) **2** attento; cauto; all'erta.

to **ware** /weə(r)/ v. t. (*raro*, *lett.*) stare attento; stare all'erta; stare in guardia (*usato all'imper.*, *spec. nella caccia alla volpe*): **w. hounds [traps]!**, attenti ai cani [alle trappole]!

warehouse /ˈweəhaʊs/ n. (*comm.*) **1** magazzino; deposito all'ingrosso; emporio **3** (*dog.*, = **bonded warehouse**) magazzino doganale; deposito franco ● (*org. az.*) **w. bond**, buono di carico □ (*dog.*) **w. certificate**, fede di deposito □ **w. charges** (*o* **dues**), spese di magazzinaggio □ **w.-keeper**, magazziniere; (*dog.*) gestore di deposito doganale □ (*market.*) **w. price**, prezzo franco magazzino □ (*dog.*) **w. receipt** (*o* **w. warrant**), fede di deposito; nota di pegno □ (*comput.*) **data w.**, database che contiene tutte le informazioni di un'azienda □ (*market.*, *trasp.*) **ex w.**, franco magazzino.

to **warehouse** /ˈweəhaʊs/ v. t. (*comm.*) immagazzinare; mettere (*merci*) in magazzino (*spec. dog.*) || **warehouser** n. (*comm.*) magazziniere.

warehouseman /ˈweəhaʊsmən/ n. (pl. **warehousemen**) (*comm.*) **1** magazziniere **2** commerciante all'ingrosso; grossista.

warehousing /ˈweəhaʊzɪŋ/ n. ⓤ **1** (*comm.*) immagazzinamento; magazzinaggio; deposito (*di merci*) **2** (*org. az.*) costituzione delle scorte **3** (*dog.*) deposito (*di merci*) in magazzino doganale **4** (*Borsa*) acquisizione strisciante (*di una società*); acquisizione di titoli di una società tramite azionisti prestanome ● (*dog.*) **w. entry**, dichiarazione di deposito in magazzino doganale.

wareroom /ˈweəruːm/ n. (*comm.*) **1** negozio; emporio **2** sala di esposizione (*della merce*).

warez /weəz/ n. pl. (*spesso col verbo al sing.*) (*slang*, *comput.*) warez (*software commerciale le cui protezioni sono state violate*).

warfare /ˈwɔːfeə(r)/ n. ⓤ guerra; il guerreggiare: **electronic [economic, biological, chemical] w.**, guerra elettronica [economica, biologica, chimica]; **the art** (*o* **science**) **of w.**, l'arte della guerra.

warfarin /ˈwɔːfərɪn/ n. (*farm.*) warfarin.

to **war-game** /ˈwɔːgeɪm/ (*mil.*) Ⓐ v. i. fare esercitazioni Ⓑ v. t. (*anche estens.*) simulare (*un'operazione militare, un piano d'azione, ecc.*) per testarne l'efficacia.

warhead /ˈwɔːhed/ n. (*mil.*) testata: **a nuclear w.**, una testata nucleare.

warhorse /ˈwɔːhɔːs/ n. **1** (*un tempo*) cavallo di battaglia; destriero **2** (*fig.*, *spesso spreg.*) cavallo di battaglia (*fig.*) **3** (*fig. fam.*) veterano; vecchio soldato; (*anche*) pugnace vecchio uomo politico.

warily /ˈweərəlɪ/ avv. cautamente.

wariness /ˈweərɪnəs/ n. ⓤ cautela; circospezione; diffidenza.

warlike /ˈwɔːlaɪk/ a. **1** bellicoso; guerresco: **w. tribes**, tribù bellicose **2** militare; bellico: **w. display of forces**, esibizione del proprio apparato bellico; spiegamento di forze armate (*sul piede di guerra*) ● **to be in a w. mood**, essere battagliero; aver voglia di litigare.

warlock /ˈwɔːlɒk/ n. (*arc. e nelle fiabe*) stregone.

warlord /ˈwɔːlɔːd/ n. **1** (*stor.*) signore della guerra, shogun (*in Cina e Giappone*) **2** (*fig. spreg.*) dittatore militare; generalissimo.

♦**warm** /wɔːm/ Ⓐ a. **1** caldo (*anche fig.*); ca-

loroso; appassionato; ardente; cordiale; focoso; che tiene caldo: *Are you w. enough?*, hai abbastanza caldo?; *It's nice and w. in here*, qua dentro fa un bel caldo (*o* un bel calduccio); **w. water**, acqua calda; **w. shades**, tinte calde (*il rosso, il giallo, ecc.*); (*meteor.*) **w. front**, fronte caldo; **a w. welcome**, un cordiale benvenuto; **w. thanks**, calorosi ringraziamenti; **w. clothing**, indumenti caldi (*o* che tengono caldo); **a w. heart**, un cuore gentile; **a w. temperament**, un temperamento appassionato **2** (*caccia: dell'odore della selvaggina*) forte; fresco; recente: **w. scent** (*o* **trail**), traccia fresca **3** (*fam.*) benestante; ricco **4** (*fam.*) che rischia di mettersi male; 'caldo' (*fig.*); rischioso; pericoloso: *Things are getting w. in the Middle East*, in Medio Oriente la situazione si sta facendo calda B n. **1** ⓤ (il) caldo: *Come into the w.!*, vieni al caldo! **2** (*fam.*) scaldata; scaldatina: *Give your hands a nice w.*, datti una bella scaldatina alle mani! ● **w.-air heating**, riscaldamento ad aria □ **w.-blooded**, (*d'animale*) a sangue caldo; (*di persona*) che ha il sangue caldo, impulsivo □ (*slang USA*) **w. body**, scaldapanche, scaldasedie (*fig.*) □ (*fig.*) **a w. corner**, un luogo pericoloso; una posizione rischiosa □ **w. descriptions**, descrizioni eccitanti (*o* impudiche) □ **w.-hearted**, di buon cuore; affettuoso; cordiale □ **w.-heartedness**, buon cuore; cordialità; affettuosità □ (*comput., mecc.*) **w. start**, partenza a caldo □ **w. work**, lavoro che fa sudare, occupazione faticosa; (*fig.*) lavoro pericoloso □ **to get w.**, scaldarsi; riscaldarsi; (*di una discussione, ecc.*) accalorarsi, animarsi □ **to grow w.**, farsi caldo; accalorarsi, riscaldarsi (*fig. fam.*): *The disputants grew w.*, i litiganti si accalorarono □ **in w. blood**, a sangue caldo □ **to make it** (*o* **things**) **w. for sb.**, rendere la vita difficile a q.; attaccare q.; molestare q. □ (*giocando alla ricerca di oggetti nascosti*) **You are getting w.!**, «fuoco!, fuoco!» | **-ly** avv. | **-ness** n. ⓤ.

to **warm** /wɔːm/ A v. t. **1** scaldare; riscaldare; (*fig.*) dar calore a, accendere, animare, eccitare: **to w. one's feet in front of the fire**, scaldarsi i piedi davanti al fuoco; **to w. (up) the soup**, riscaldare la zuppa; *His words warmed my heart*, le sue parole mi scaldarono il cuore B v. i. scaldarsi; riscaldarsi; (*fig.*) accalorarsi, accendersi, infervorarsi: *The soup is warming (up)*, la zuppa si sta scaldando; *The preacher warmed up as he went on with his sermon*, continuando la predica, il predicatore s'infervorò ● (*sport*) **to w. the bench**, fare panchina, fare il panchinaro (*pop.*) □ (*fig. fam.*) **to w. sb.** (*o* **sb.'s jacket**), bastonare q.; dare un fracco di legnate a q. □ **to w. oneself**, scaldarsi; riscaldarsi.

■ **warm over** v. t. + avv. (*spec. USA*) **1** riscaldare (*cibo*) **2** (*fig.*) rifriggere, riciclare.

■ **warm to** (*o* **towards**) v. i. + prep. **1** infervorarsi in; appassionarsi, prendere gusto a; **to w. to one's work**, prendere gusto al proprio lavoro **2** prendere (q.) in simpatia.

■ **warm up** A v. i. + avv. **1** scaldarsi; diventare più caldo (*anche di un atleta, di un motore, ecc.*): *The days are beginning to w. up*, le giornate cominciano a farsi più calde; *The team is warming up*, la squadra si sta scaldando **2** (*fig.*) riscaldarsi; animarsi; accalorarsi; eccitarsi: *The party began to w. up*, la festa cominciò ad animarsi B v. t. + avv. **1** scaldare; riscaldare (*anche fig.*): *A whisky will w. you up*, un whisky ti scalderà; **to w. up one's muscles**, scaldare i muscoli; *Turn the heating on for a while just to w. the place up*, accendi il riscaldamento per un po' solo per riscaldare l'ambiente **2** (*fig.*) animare; eccitare; mandare su di giri (*fig.*): **to w. up the audience**, mandare su di giri gli spettatori **3** (*mecc.*) scaldare (*il motore, l'auto, ecc.*) **4** → **warm over**.

warm-down /ˈwɔːmdaʊn/ n. (*sport*) serie di esercizi per rilassare i muscoli; stretching (*dopo l'attività sportiva*).

warmed-over /ˈwɔːmdəʊvə(r)/ a. (*fam. USA*) riscaldato (*fig.*); rifritto; non originale; vieto (*lett.*).

warmer /ˈwɔːmə(r)/ n. (spec. nei composti) arnese per riscaldare; scaldino ● (*slang USA*) **w.-upper**, indumento che tiene caldo; bevanda che riscalda.

warming /ˈwɔːmɪŋ/ n. ⓤ **1** riscaldamento; lo scaldare; lo scaldarsi: **global w.**, il riscaldamento del pianeta **2** (*fig. slang*) bastonatura; busse; legnate ● **w. house**, (*stor., di monastero*) ambiente riscaldato; calefactorium; (*sport*) rifugio per riscaldarsi (*su un campo da sci, accanto a una pista di pattinaggio, ecc.*) □ **w. pad**, termoforo elettrico □ (*un tempo*) **w. pan**, scaldaletto; scaldino □ **w.-up** → **warm-up**.

warmish /ˈwɔːmɪʃ/ a. alquanto caldo; tiepido (→ **warm**).

warmonger /ˈwɔːmʌŋɡə(r)/ n. guerrafondaio || **warmongering** n. ⓤ l'essere un guerrafondaio; propaganda bellica.

warmth /wɔːmθ/ n. ⓤ **1** calore; (*fig.*) calorosità, ardore, entusiasmo, cordialità: **the w. of the sun** (*o* **of sunshine**), il calore del sole; **the w. of your welcome**, la cordialità della vostra accoglienza; **to speak with some w.**, parlare con un certo calore **2** (*arte*) intensità (*del colore*).

warm-up /ˈwɔːmʌp/ n. **1** (*sport*) riscaldamento; preparazione: **warm-up lap**, giro di riscaldamento (*delle motociclette, ecc.*); (*calcio*) **warm-up match**, partita di preparazione; incontro preparatorio; **warm-up run**, corsa (*o* corsetta) di riscaldamento **2** (*equit., ipp.*) sgambatura (*del cavallo*) **3** (pl.) (*sport*) esercizi di riscaldamento **4** (pl.) (*USA*) tuta da allenamento.

♦to **warn** /wɔːn/ v. t. **1** avvertire; avvisare; mettere in guardia; ammonire: *They warned me against speculators*, mi misero in guardia contro gli speculatori; *I warned you not to trust him*, t'avevo avvertito di non fidarti di lui **2** (*leg.*) diffidare ● **to w. sb. off** (*o* **out**), intimare a q. di tenersi lontano (*o* di allontanarsi) da un luogo; (*sport*) allontanare, sospendere (*un giocatore*).

♦**warning** /ˈwɔːnɪŋ/ A n. ⓤ **1** avvertimento; ammonimento; avviso; preavviso; allarme: *Let this be a w. to trespassers*, questo serva d'ammonimento ai trasgressori; *In 1941 Japan attacked the USA without w.*, nel 1941 il Giappone attaccò gli Stati Uniti senza preavviso **2** (*leg.*) diffida **3** preavviso di licenziamento **4** preavviso di disdetta (*a un inquilino*) **5** (*comput.*) avvertimento **6** (*sport: dell'arbitro*) ammonizione; richiamo; diffida **7** (*naut.*) avviso: **storm w.**, avviso di burrasca B a. d'avvertimento; d'ammonimento; ammonitore: **a w. look**, uno sguardo d'avvertimento ● (*autom.*) **w. cone**, cono per segnalazioni (*sulla strada*) □ **w. letter**, ammonizione scritta □ (*autom., elettr.*) **w. light**, spia luminosa; **low-fuel w. light**, spia della riserva (*del carburante*) □ **w. line**, (*nuoto*) linea trasversale; (*scherma*) linea di avvertimento □ (*mil.*) **w. net**, rete d'avvistamento □ (*autom.*) **w. signs**, segnali (*o* cartelli) di pericolo (*per lo più triangolari*) □ **w. siren**, sirena di allarme (*anche fig.*) □ (*naut.*) **w. to shipping**, avviso ai naviganti □ **to give w.**, avvertire, avvisare; licenziare; licenziarsi; dare gli otto giorni (*rif. a domestico, ecc.*) □ **to point a w. finger at sb.**, ammonire q. agitando l'indice; (*fig.*) mettere in guardia q.

warp /wɔːp/ n. **1** ⓤ (*ind. tess.*) ordito **2** curvatura; deformazione (*del legname, ecc.*); inarcamento; distorsione **3** (*fig.*) deviazione dalla normalità; inclinazione al vizio; pervertimento **4** (*naut.*) (cavo da) tonneg-

gio **5** (*geol.*) deformazione **6** ⓤ (*geol.*) sedimento alluvionale **7** (*scient.*) curvatura, distorsione (*dello spazio, del tempo*): **space and time w.**, curvatura spazio-temporale ● (*ind. tess.*) **w. beam**, subbio dell'ordito □ (*tecn.*) **w. knitting**, maglieria catena (*processo*) □ (*scherz., fam.*) **w. speed**, velocità warp (*velocità fantascientifica, altissima*).

to **warp** /wɔːp/ A v. t. **1** curvare; storcere; distorcere; deformare: *The excessive heat had warped the planks*, il caldo eccessivo aveva distorto le assi **2** (*fig.*) pervertire; guastare, viziare: **a judgement warped by self-interest**, un giudizio viziato dall'interesse personale **3** (*naut.*) tonneggiare (*una nave, un battello*) **4** (*ind. tess.*) ordire **5** fertilizzare (*un terreno*) con sedimenti alluvionali **6** (*aeron.*) svergolare B v. i. **1** curvarsi; inarcarsi; storcersi; distorcersi; deformarsi: *Seasoned timber won't w.*, il legname stagionato non si deforma **2** (*fig.*: *dell'animo, della mente*) alterarsi; guastarsi **3** (*aeron.*) svergolarsi **4** (*fantascienza*) viaggiare nello spazio usando una curvatura spazio-temporale ● (*naut.*) **to w. a ship astern**, tonneggiarsi di poppa □ **a warped account**, un resoconto distorto; un travisamento dei fatti.

warpage /ˈwɔːpɪdʒ/ n. ⓤ **1** (*mecc.*) distorsione; deformazione **2** (*aeron.*) svergolamento.

warpath /ˈwɔːpɑːθ/ n. (*stor.: dei pellirosse*) sentiero di guerra: (*anche fig.*) **to be on the w.**, essere sul sentiero di guerra; (*fig. fam.*) essere arrabbiatissimo.

warping /ˈwɔːpɪŋ/ n. ⓤⓒ **1** (*ind. tess.*) orditura **2** curvatura (*del legno*); inarcamento; distorsione, deformazione **3** (*fig.*) deviazione dalla normalità; pervertimento **4** (*naut.*) tonneggio **5** (*aeron.*) svergolamento ● (*naut.*) **w. line** (*o* **w. rope**), cavo di tonneggio □ (*ind. tess.*) **w. machine**, orditoio.

warplane /ˈwɔːpleɪn/ n. (*aeron., mil.*) aereo da combattimento.

warrant /ˈwɒrənt/ n. **1** autorità; autorizzazione: *He had no w. for impeaching the judge*, non aveva autorità per mettere il giudice in stato d'accusa **2** ⓤ (*antiq.*) giustificazione; diritto; valido motivo: *There is no w. for such behaviour*, non c'è giustificazione per un simile comportamento **3** (*raro*) garanzia **4** (*leg.*) mandato; ordine; ordinanza: **w. of arrest**, mandato di cattura; **search w.**, mandato di perquisizione; **w. of attorney**, mandato (*alle liti*); (atto di) procura (*a un legale*); **w. for payment**, mandato di pagamento **5** (*comm.*) fede di deposito; nota di pegno **6** (*fin.*) warrant; certificato di diritto d'opzione (*o* di sottoscrizione): **w. bonds**, obbligazioni con warrant **7** (*mil.*) brevetto di sottufficiale ● (*USA*) **w. check**, mandato di pagamento □ (*comm.*) **w. for delivery**, buono di consegna □ **w. officer**, (*aeron. mil., in GB*) maresciallo di 1ª; (*mil., in USA*) maresciallo capo □ (*mil., in GB*) **w. officer 1st class**, maresciallo maggiore □ (*mil., in GB*) **w. officer 2nd class**, maresciallo capo.

to **warrant** /ˈwɒrənt/ v. t. **1** garantire; assicurare; attestare: *We w. that this food is GMO-free*, garantiamo che questo alimento è privo di ingredienti transgenici **2** giustificare; essere motivo sufficiente per: *The situation doesn't w.* (*introducing*) *a new law*, la situazione non giustifica (l'introduzione di) una nuova legge **3** (*leg.*) autorizzare; dare autorità a (q.): *The law doesn't w. such measures*, la legge non autorizza tali misure ● (*fam.*) **I'll w.** (**you**), t'assicuro; sta' certo che...; stanne certo.

warrantable /ˈwɒrəntəbl/ a. **1** giustificabile **2** (*leg.*) legittimo **3** (*di cervo*) che può essere cacciato (*avendo 5 o 6 anni d'età*) | **-bly** avv.

warranted /'wɒrəntɪd/ a. **1** garantito: **w. 18 carat gold**, garantito oro a 18 carati **2** (leg.) autorizzato **3** (slang) provvisto di mandato di perquisizione.

warrantee /wɒrən'tiː/ n. (leg.) chi riceve una garanzia.

warranter /'wɒrəntɔː(r)/ → **warrantor**.

warrantor /'wɒrəntɔː(r)/ n. (leg.) garante; mallevadore.

warranty /'wɒrəntɪ/ n. **1** ⒞ (form.) autorizzazione **2** ⓤ (raro, form.) giustificazione **3** ⒞ (leg., comm.) garanzia: **w. of quality**, garanzia di qualità **4** (leg.) promessa contrattuale ● (leg.) **w. deed**, garanzia (il documento).

warren /'wɒrən/ n. **1** (complesso di) tane di conigli **2** (stor., GB) garenna; conigliera all'aperto **3** (fig.) labirinto di viuzze; dedalo di cunicoli **4** (fig.: di caseggiato) alveare; casermone.

warring /'wɔːrɪŋ/ a. **1** in stato di guerra; belligerante: **w. countries**, paesi belligeranti **2** guerriero: **w. tribes**, tribù guerriere **3** (fig.) contrastante; in stridente contrasto: **w. creeds**, fedi religiose contrastanti; **w. interests**, interessi in stridente contrasto.

warrior /'wɒrɪə(r)/ n. **1** guerriero **2** (fig., sport) giocatore combattivo; combattente (fig.) ● (zool.) **w. ant**, formica soldato □ (fam. USA) **cold w.**, fautore della guerra fredda □ **the Unknown W.**, il Milite Ignoto.

Warsaw /'wɔːsɔː/ n. (geogr.) Varsavia: (stor.) W. pact, patto di Varsavia.

warship /'wɔːʃɪp/ n. (naut.) nave da guerra.

wart /wɔːt/ n. **1** (med.) verruca; porro; bitorzolo; escrescenza **2** protuberanza (di un tronco d'albero) **3** (fig.) difetto; magagna; pecca; imperfezione; neo: This is the story of his life, warts and all, questa è la storia della sua vita, nel bene e nel male ● (bot.) **w. grass** (o **w.-weed**), (Euphorbia helioscopia) calenzuola; (Chelidonium majus) celidonia (zool.) **w.-hog** (Phacochoerus aethiopicus), facocero ‖ **warty** a. **1** (med.) pieno di porri; verrucoso; bitorzoluto **2** simile a una verruca.

wartime /'wɔːtaɪm/ n. ⓤ tempo di guerra.

wartorn /'wɔːtɔːn/ a. = **war-torn** → **war**.

wary /'wɛərɪ/ a. accorto; cauto; circospetto; guardingo; diffidente ● **to be w. of sb.**, diffidare di q.; essere sospettoso di q. □ **to be w. of doing st.**, stare attento a non fare qc.; guardarsi dal fare qc.: He is w. of breaking the rules of the road, si guarda (bene) dal violare il codice della strada | **-ily** avv.

♦**was** /wɒz, wəz/ 1ª e 3ª pers. sing. pass. di **to be**.

wash ① /wɒʃ/ n. **1** ⒞ lavata; lavatina; abluzione; (di automobile, ecc.) lavaggio: Go and have a w., va' a darti una lavatina!; Give the car a good w., fa un bel lavaggio alla macchina! **2** ⓤ biancheria (da lavare o lavata); bucato: **to send the w. to the laundry**, mandare la biancheria alla lavanderia; **to hang out the w.**, stendere il bucato; Your socks are in the w., i tuoi calzini sono nel bucato (o sono a lavare) **3** (autom.) lavaggio: **car w.**, lavaggio macchine; autolavaggio **4** (med.) medicamento liquido; lozione; lavanda: **stomach w.**, lavanda gastrica **5** ⓤⒸ (nei composti) detergente; sapone: **skin w.**, detergente per la pelle **6** (tecn.) strato di metallo; metallizzazione **7** (edil.) (mano di) tinta (per pareti) **8** (pitt., = **w. drawing**) acquerello; guazzo **9** ⓤ risciacquatura di piatti; brodaglia; broda (per maiali) **10** ⓤ sciacquio, sciabordio (delle onde) **11** (naut.) scia laterale, remora (di nave) **12** ⓤ (geol.) dilavamento; erosione dell'acqua; (anche) alluvione recente **13** (geogr., naut.) banco di marea **14** (geogr.) area soggetta a inondazioni; terreno golenale; zona paludosa: (in

GB) – **the W.**, il Wash (baia situata tra il Norfolk e il Lincolnshire) **15** (geogr., USA; = **dry w.**) corso d'acqua a regime torrentizio; torrente in secca **16** (fin., fisc., spec. USA; = **w. sale**) vendita fittizia (è illegale) **17** ⓤ (slang USA) birra (o altro) da bere dopo un liquore forte **18** (slang USA) copertura (fig.); giustificazione poco plausibile; scusa inverosimile **19** (slang USA) cosa che non è né carne né pesce; cosa vaga, irrisolta **20** (slang ingl.) crack (droga pesante) ● **w.-and-wear**, (di tessuto) wash-and-wear; «lava e indossa»; «non stiro» □ **w. boiler**, caldaia del bucato □ (chim.) **w.-bottle**, spruzzetta (arte) **w. drawing**, pittura a tempera; acquerello; guazzo □ **w.-house**, lavanderia □ **w.-leather**, pelle scamosciata lavabile.

wash ② /wɒʃ/ a. attr. (fam. USA) lavabile: **w. silk**, seta lavabile.

♦**to wash** /wɒʃ/ **Ⓐ** v. t. **1** lavare: **to w. one's hands**, lavarsi le mani [la faccia]; This soap will w. silks, questo sapone è adatto per lavare la seta **2** (delle onde, del mare, ecc.) bagnare: The Atlantic Ocean washes the northern coasts of Cornwall, l'Oceano Atlantico bagna le coste settentrionali della Cornovaglia **3** (del mare, ecc.) gettare, buttare (→ **wash ashore, overboard, up**) **4** (lett.) bagnare; inumidire: roses washed with dew, rose bagnate dalla rugiada **5** (dell'acqua, della pioggia) scavare: The rain has washed gullies in the bank, la pioggia ha scavato solchi sulla sponda **6** (edil.) tinteggiare (pareti) **7** (pitt.) ricoprire di un lieve strato di colore (spec. d'acquerello) **8** (tecn.) metallizzare in bagno galvanico; ricoprire di un leggero strato di metallo **Ⓑ** v. i. **1** lavarsi (il viso, le mani, ecc.); darsi una lavata: I must w. before going out, devo lavarmi prima di uscire **2** lavarsi; essere lavabile: This fabric doesn't w. well, questa stoffa non si lava bene **3** lavare; fare il bucato; fare la lavandaia: She washes every Monday, fa il bucato ogni lunedì **4** (di un gatto, ecc.) fare le pulizie; leccarsi **5** (delle onde, ecc.) battere; infrangersi; urtare **6** (fam.) reggere; essere credibile: This explanation won't w., questa spiegazione non regge ● **to w. st. clean**, pulire qc. lavando; pulire a fondo qc.; (fig.) pulire, riciclare: 'It was the rain that washed [the dead] clean when they lay in it [...] and washed them out and you had to bury them again' E. HEMINGWAY, 'era la pioggia che ripuliva i morti distesi sotto l'acqua e che poi li tirava fuori, così bisognava seppellirli di nuovo' □ (fig.) **to w. one's dirty linen in public**, lavare i panni sporchi in pubblico; mettere in piazza i propri affari privati □ (USA) **to w. the dishes**, lavare i piatti; rigovernare □ **to w. oneself**, lavarsi (da solo o a fondo): Jo is old enough to w. herself, Jo è abbastanza grande per lavarsi da sola; You're absolutely filthy, Tom! Go and w. yourself!, Sei sporco da fare schifo, Tom! Vai a lavarti! □ (fig.) **I w. my hands of it**, me ne lavo le mani.

▪ **wash ashore** v. t. + avv. (del mare) gettare (q. o qc.) a riva.

▪ **wash away** v. t. + avv. **1** lavare via; togliere (qc.) lavando **2** (delle acque, ecc.) portare (o trascinare, spazzare) via; dilavare; distruggere: The flood has washed away the bridge, l'inondazione ha spazzato via il ponte **3** (slang USA) eliminare; uccidere; fare fuori (fig.) □ **to w. away sb.'s sins**, cancellare i peccati di q.

▪ **wash down** v. t. + avv. **1** lavare (con un getto d'acqua); lavare a fondo: **to w. one's car down**, lavare l'automobile; (naut.) **to w. down the deck**, lavare il ponte **2** (delle acque, ecc.) dilavare, portare via (terreno, ecc.) **3** buttar giù; trangugiare; inghiottire; (fig.) I washed down my meal with a glass of wine, innaffiai il pasto con un bic-

chiere di vino.

▪ **wash off** v. t. + avv. eliminare, togliere, rimuovere (macchie e sim.) lavando.

▪ **wash out** **Ⓐ** v. t. + avv. **1** eliminare, togliere (macchie, ecc.) lavando **2** (delle acque, ecc.) portare (o spazzare) via, distruggere (ponti, strade, ecc.) **3** lavare bene, risciacquare (un contenitore) **4** (della pioggia, ecc.) impedire, far cancellare, far annullare (uno spettacolo all'aperto, una gara sportiva, ecc.): Heavy rain washed out the match, la pioggia a dirotto fece sospendere l'incontro **5** (USA) bocciare (candidati) **6** (autom.) distruggere (un veicolo in un incidente); fare fuori **7** → **wash away**, def. 3 **Ⓑ** v. i. + avv. **1** (di una macchia) andare via (con il lavaggio): This stain won't w. out, questa macchia non va via **2** (di un colore) sbiadirsi **3** (del terreno) dilavarsi **4** (USA) essere bocciato; essere respinto (o scartato) **5** (surf) essere sbalzato in acqua (dalla tavola) **6** (mil.) essere eliminato (alla fine di un corso) **7** (slang: di un drogato) aspirare il sangue nella siringa (mentre si buca) □ (fam.) **to be** [**to feel, to look**] **washed out**, essere [sentirsi, apparire] sfinito (o esausto, stremato, giù di corda).

▪ **wash over** v. i. + prep. **1** (delle onde, del mare, ecc.) superare, scavalcare, sormontare (una diga, un frangiflutto, ecc.) **2** (fig.: di un pensiero, ecc.) irrompere nella mente di (q.).

▪ **wash overboard** v. t. + avv. (delle onde, ecc.) gettare a mare (un marinaio, un passeggero, ecc.): The sailor was washed overboard by a billow, un cavallone scaraventò in mare il marinaio.

▪ **wash up** **Ⓐ** v. i. + avv. **1** lavare i piatti; rigovernare: Don't worry about the dishes, I'll w. up later, non preoccuparti dei piatti, li lavo dopo **2** (USA) lavarsi (la faccia, le mani, ecc.) **Ⓑ** v. t. + avv. (del mare, ecc.) gettare a riva; portare sulla spiaggia: The wreck was washed up by the waves, le onde gettarono a riva il relitto □ (fam.) **to be** [**to feel, to look**] **washed up** = **washed out** → **wash out**, B, def. 7.

washable /'wɒʃəbl/ a. lavabile ‖ **washability** n. ⓤ lavabilità.

washbasin /'wɒʃbeɪsn/ n. lavandino, lavabo.

washboard /'wɒʃbɔːd/ n. **1** asse per lavare **2** (mus.) wash-board.

washboiler /'wɒʃbɔɪlə(r)/ n. (USA) caldaia del bucato.

washbowl /'wɒʃbəʊl/ → **washbasin**.

washcloth /'wɒʃklɒθ/ n. **1** strofinaccio da cucina **2** (USA) pezzuola per il viso.

washday /'wɒʃdeɪ/ n. giorno di bucato.

washed /wɒʃt/ a. lavato ● **w.-out**, sbiadito, slavato, scolorito, stinto; (fam.) sfinito, stremato, esausto; sbattuto, sciupato, pallido; ripulito (fig.), al verde, senza una lira, in bolletta; (geol.) dilavato □ (fam.) **w.-up**, finito, rovinato, spacciato, squalificato; (di un affare) andato a monte (o in malora); fallito □ **sea-w. cliffs**, scogliere spazzate dalle onde.

washer /'wɒʃə(r)/ n. **1** chi lava; lavatore; lavatrice **2** (USA) lavatrice (macchina); lavabiancheria **3** (mecc.) rondella; rosetta: **round w.**, rondella circolare; **plain w.**, rosetta **4** (chim.) gorgogliatore di lavaggio (per gas) **5** (fotogr.) vaschetta di lavaggio ● **w.-dryer**, lavasciugatrice; lavasciuga (fam.).

washerman /'wɒʃəmən/ n. (pl. **washermen**) lavandaio.

washerwoman /'wɒʃəwʊmən/ n. (pl. **washerwomen**) lavandaia.

washeteria /wɒʃɪ'tɪərɪə/ n. **1** lavanderia self-service **2** autolavaggio self-service.

washfast /'wɒʃfɑːst/ a. (di un colore) che resiste al lavaggio; che non stinge; solido.

♦**washing** /'wɒʃɪŋ/ n. **1** ⓤⒸ lavatura; lavag-

gio; lavata **2** Ⓤ biancheria (*da lavare o lavata*); bucato: **to hang the w. out**, stendere il bucato; **to bring in** *o* **to take in the washing in?**, se si mette a piovere puoi ritirare il bucato? **3** ⓊⒸ (*ind. min.*) lavaggio **4** Ⓤ (*tecn.*) depurazione ● **w. board**, asse per lavare □ **w. day**, giorno di bucato (*chim.*) **w. flask**, spruzzetta □ **w. line**, stendibiancheria; corda del bucato; stenditoio □ **w. machine**, lavatrice; lavabiancheria □ (*ind. min.*) **w. plant**, impianto di lavaggio □ **w. powder**, detersivo in polvere □ **w. soda**, soda decaidrata; soda per lavare (*o da bucato*) □ (*un tempo*) **w. stand**, lavabo; portacatino □ (*fam. ingl.*) **w.-up**, lavatura dei piatti; rigovernatura: **to do the w.-up**, lavare i piatti; rigovernare □ **w.-up liquid**, detersivo liquido per stoviglie □ **w. water**, acqua di lavaggio □ (*fig. ingl.*) **to take in sb.'s w.**, accollarsi il lavoro di q.; dare a q. una mano con il lavoro.

washout /ˈwɒʃaʊt/ n. **1** (*geol.*) erosione prodotta dall'acqua **2** (*di strada o ferrovia*) interruzione (*o crollo*) per erosione dell'acqua **3** (*fam.*) fiasco totale; fallimento su tutta la linea; bocciatura (*di un candidato*); fallito, bocciato, (*spec., USA*) allievo pilota bocciato **4** (*tecn.*) cancellazione (*di registrazione magnetica*) **5** (*aeron.*) svergolamento negativo **6** (*ind. min.*) washout **7** (*fam.*) spettacolo (*o partita, incontro*) rovinato dalla pioggia **8** (*sport*) giocatore da due soldi; schiappa (*fam.*) **9** (*hockey su ghiaccio*: *dell'arbitro*) 'no liberazione vietata'; (*del guardalinee*) 'no fuorigioco'.

washroom /ˈwɒʃruːm/ n. (*USA*) **1** lavanderia **2** (*eufem.*) gabinetto; bagno (*eufem.*); toilette.

washstand /ˈwɒʃstænd/ n. (*un tempo*) lavabo; lavandino (*mobiletto*); portacatino.

washtub /ˈwɒʃtʌb/ n. tinozza per il bucato; mastello.

wash-up /ˈwɒʃʌp/ n. (*autom.*) lavaggio; lavata.

washwoman /ˈwɒʃwʊmən/ n. (pl. **washwomen**) lavandaia.

washy /ˈwɒʃɪ/ a. **1** acquoso; diluito; (*fig.*) debole; fiacco; scialbo: **w. tea**, tè acquoso; **a w. sentiment**, un sentimento debole; **a w. style**, uno stile scialbo **2** (*di colore*) debole; pallido; smorto | **-iness** n. Ⓤ.

♦**wasn't** /ˈwɒznt/ contraz. di **was not**.

wasp /wɒsp/ n. (*zool.*, *Vespula vulgaris*) vespa ● **w.-like**, simile a una vespa; di (*o da*) vespa □ **w. waist**, vitino di vespa □ **w.-waisted**, dal vitino di vespa.

Wasp /wɒsp/ (*USA*) n. (*spesso spreg.*; acronimo *di* **White Anglo-Saxon Protestant**) protestante di origine anglosassone e di razza bianca || **Waspish** a. (*fam.*) di (*o da*) Wasp || **Waspy** a. (*fam.*) di (*o da*) Wasp.

waspish /ˈwɒspɪʃ/ a. **1** irascibile; stizzoso; scorbutico: **a w. temper**, un carattere scorbutico **2** cattivo; velenoso; astioso: **a w. tongue**, una lingua velenosa || **waspishly avv.** con stizza cattiva; velenosamente; astiosamente || **waspishness** n. Ⓤ stizza; velenosità; astio.

wassail /ˈwɒseɪl/ n. (*antiq.*) **1** bevuta; baldoria; festa **2** birra (*o vino*) aromatizzati con spezie (*che si beveva per le Feste*).

to **wassail** /ˈwɒseɪl/ v. i. (*antiq.*) far baldoria; fare festa; sbevazzare.

wassailer /ˈwɒseɪlə(r)/ n. (*antiq.*) chi fa baldoria; chi fa festa.

wast /wɒst, wəst/ (*arc. o poet.*) 2ª pers. sing. pass. di **to be**: *Thou w.*, tu eri; tu fosti.

wastage /ˈweɪstɪdʒ/ n. **1** ⓊⒸ sciupio; spreco **2** (*comm.*) calo, perdita (*della merce*) **3** (*econ.*) perdita, riduzione, diminuzione (*di manodopera*) **4** Ⓤ (*ind.*) cascami; rifiuti; scarti **5** Ⓤ scarto (*di candidati*) Ⓤ candidati eliminati (collett.).

♦**waste** ① /weɪst/ a. **1** deserto; desolato; incolto; improduttivo; sterile: **w. land**, terreno incolto; terra deserta **2** di scarto: **w. products**, prodotti di scarto; **w. materials**, materiali di rifiuto; cascami **3** superfluo; sprecato; inutilizzato: **w. steam**, vapore inutilizzato ● **w. matter**, roba di scarto; rifiuti □ **w. paper** → **wastepaper** □ **w. silk**, cascami di seta □ **to lay w.**, devastare; guastare; distruggere □ (*agric.*) **to lie w.**, restare incoltivato; essere improduttivo.

♦**waste** ② /weɪst/ n. **1** ⓊⒸ sciupio; spreco; sperpero; perdita: *There is too much w. in public spending*, c'è troppo spreco nella spesa pubblica; **a w. of time**, una perdita di tempo; **w. of money**, sperpero di denaro **2** cascame, cascami; rifiuti; scarto: **wool w.**, cascami di lana **3** (*geogr.*) terreno incolto; deserto, distesa desolata: **the wastes of central Asia**, i deserti dell'Asia centrale **4** Ⓤ (*leg.*) danneggiamento, deperimento (*di un immobile*) **5** Ⓤ immondizia; rifiuti; spazzatura **6** Ⓤ acque reflue; effluenti (pl.) **7** Ⓤ (*edil.*) sterro eccedente **8** (*ind. min.*) sterile; roccia sterile; scarto; sfrido (*del carbone*) **9** Ⓤ scorie: **radioactive w.**, scorie radioattive ● **w. bin**, bidone dell'immondizia; cestino per rifiuti □ (*rag.*) **w.-book**, brogliaccio □ (*ind.*) **w. control**, riduzione degli sprechi □ **w. disposal**, smaltimento dei rifiuti □ **w. disposal unit**, tritarifiuti elettrico, dissipatore (*per un lavello*) □ (*ind. min.*) **w. filling**, ripiena □ **w. management**, trattamento dei rifiuti □ **w. merchant**, rottamaio; straccivendolo □ **w. pipe**, tubazione di scarico □ (*edil.*) **the w. pipes of the house**, gli scarichi della casa □ (*ind.*) **w. processing**, trattamento dei rifiuti □ **w. water**, liquame; acqua di scolo; (*ecol.*) effluenti urbani (*o dell'industria*) □ **to go** (*o* **to run**) **to w.**, (*agric.: di un terreno*) rinselvatichire; (*econ.: di una risorsa*) andare sprecato.

♦to **waste** /weɪst/ Ⓐ v. t. **1** sciupare; sprecare; dissipare; sperperare: **to w. one's time**, sciupare il tempo; *Don't w. your money on useless gadgets*, non sprecare i soldi in aggeggi inutili; (*fam.*) **to w. one's breath** (*o* **one's words**), sprecare il fiato; predicare al vento **2** deteriorare; sciupare; logorare **3** far deperire (q.) **4** (*leg.*) lasciar andare in rovina (*un immobile, ecc.*); trascurare (*una proprietà, ecc.*) **5** (*lett.*) devastare; mettere a ferro e fuoco **6** (*slang USA*) ammazzare; uccidere **7** (*slang USA*) ferire gravemente; ridurre a malpartito **8** (*slang sport*) annientare; distruggere; travolgere; stracciare (*fig.*): *'What about the match?' 'We got wasted'*, 'e la partita?' 'ci hanno stracciati!' Ⓑ v. i. **1** sprecarsi; andare sprecato; restare inutilizzato **2** (*di solito* **to w. away**) consumarsi; logorarsi; deperire: *Too many people are wasting away for lack of food*, troppa gente deperisce per mancanza di cibo ● (*fig.*) **to w. one's powder and shot**, sprecare il tempo e la fatica □ **to w. time**, perdere tempo □ *The joke was wasted on Bill*, Bill non ha capito la battuta □ (*prov.*) **W. not, want not**, il risparmio è il miglior guadagno.

wastebasket /ˈweɪstbɑːskɪt/ n. (*spec. USA e Canada*) cestino della carta straccia; cestino (*fam.*).

to **wastebasket** /ˈweɪstbɑːskɪt/ v. t. cestinare; gettare (qc.) nel cestino della carta straccia.

wastebin /ˈweɪstbɪn/ n. (*USA*) = **waste bin** → **waste** ②.

wasted /ˈweɪstɪd/ a. **1** sciupato; sprecato **2** sciupato; deperito; smunto **3** (*slang USA*) a secco (*fig.*); al verde, in bolletta **4** (*fam.*) ubriaco fradicio **5** (*fam.*) drogato; fatto (*pop.*).

wasteful /ˈweɪstfl/ a. **1** dispendioso; rovinoso: **a w. process**, un procedimento dispendioso **2** prodigo; spendereccio; sciupo-

ne: **a w. man**, uno spendaccione **3** (*di spesa, ecc.*) superfluo | **-ly avv.**

wastefulness /ˈweɪstflnəs/ n. Ⓤ **1** sciupio; spreco **2** dissipazione; prodigalità; sperpero.

wasteland /ˈweɪstlænd/ n. **1** (*geogr.*) terra desolata; zona deserta **2** (*econ.*) area (industriale) abbandonata; zona depressa **3** (*fig.*) deserto; squallore: **cultural w.**, squallore culturale.

wasteless /ˈweɪstləs/ a. inesauribile; che non finisce mai.

wastepaper /ˈweɪstpeɪpə(r)/ n. Ⓤ carta straccia ● **w. basket**, cestino della carta straccia.

waster /ˈweɪstə(r)/ n. **1** dissipatore; sciupone; sperperone; sprecone **2** (*fam.*) fannullone; buono a nulla **3** (*ind.*) oggetto di scarto; prodotto malriuscito (*nella fabbricazione*) **4** (*lett.*) distruttore; saccheggiatore.

wasting /ˈweɪstɪŋ/ Ⓐ a. **1** logorante; che consuma; assillante: **w. cares**, preoccupazioni assillanti **2** che diminuisce, che cala: **a w. fortune**, un patrimonio che sta andando in fumo **3** (*med.*) debilitante; che consuma; progressivo: **w. palsy**, atrofia muscolare progressiva **4** (*vet.*) affetto da tubercolosi Ⓑ n. Ⓤ **1** spreco; sciupio **2** (*med.*) deperimento; consunzione **3** (*lett.*) distruzione ● (*econ.*) **w. assets**, risorse soggette a esaurirsi □ (*med.*) **w. paralysis**, paralisi atrofica □ (*lett.*) **a w. war**, una guerra devastatrice.

wastrel /ˈweɪstrəl/ n. = **waster**, def. 1 e 2.

watch ① /wɒtʃ/ n. **1** ⓊⒸ custodia; guardia; sorveglianza; (*mil.*) **w. duty**, servizio di guardia **2** (*naut.*) turno di guardia; comandata; guardia: **morning w.**, guardia (*turno di guardia del mattino, dalle 4 alle 8*); **afternoon w.**, guardia del pomeriggio (*dalle 12 alle 16*); **forenoon w.**, guardia del mattino (*dalle 8 alle 12*) **3** Ⓤ guardia: **port w.**, guardia di sinistra; **starboard w.**, guardia di dritta **4** (*naut., radio*) veglia; ascolto **5** (*un tempo*) ronda (*che pattugliava la città di notte*) **6** (*arc.*) veglia: **in the watches of the night**, durante le veglie notturne ● (collett., *naut.*) **w. aboard**, marinai di comandata □ (*naut.*) **w. ashore**, guardia franca a terra □ (*anche mil.*) **w. box**, garitta □ **w. fire**, fuoco di guardia (*nei campi o campeggi*) □ (*mil.*) **w. post**, posto di guardia □ (*relig.*) **w. night service**, servizio divino della notte di Natale (*cfr. ital. «messa di mezzanotte»*) □ **w.-tower**, torre d'osservazione; torre di controllo □ **to keep w.**, montare la guardia; essere di guardia □ **to keep w. for sb.**, stare attento a q. (*che deve arrivare*) □ **to keep w. over sb.**, sorvegliare q. □ **to leave the w.**, smontare di guardia □ **to be on the w.**, stare in guardia; stare all'erta □ **to be on the w. for pickpockets**, guardarsi dai borsaioli; stare attento ai borseggiatori.

♦**watch** ② /wɒtʃ/ n. **1** orologio (*da tasca o da polso*) **2** cronometro ● **w. chain**, catena dell'orologio □ **w. glass**, vetro da orologio; vetro dell'orologio □ **w. pocket**, taschino dell'orologio.

♦to **watch** /wɒtʃ/ Ⓐ v. t. **1** guardare; osservare; vedere; assistere a: *'Big Brother is watching you'* G. ORWELL, 'il Grande Fratello vi sta osservando'; **to w. TV**, guardare la tivù; *I like to w. animal life*, mi piace osservare gli animali nel loro ambiente; **to w. a soccer game**, assistere a una partita di calcio ❶ NOTA: *to see* → **to see 2** guardare; badare a; fare attenzione a: *W. your step!*, attento a (o bada a) dove metti i piedi!; (*fam.*) attento a quel che fai! **3** tener d'occhio; sorvegliare: **to w. the market trend**, tener d'occhio l'andamento del mercato **4** custodire; badare; sorvegliare; far la guardia a; vigilare: **to w. a flock**, custodire un gregge; *Will you w. (over) my bag for a moment?*,

puoi sorvegliarmi la borsa per un momento? **5** controllare; stare attento a: **to w. one's cholesterol [weight]**, stare attento al livello di colesterolo [alla linea] **B** v. i. **1** stare a guardare; osservare: *I'm fed up with only watching*, sono stufo di stare soltanto a guardare **2** stare in guardia; stare all'erta; vigilare: *There is a security guard watching outside the bank*, c'è una guardia giurata che vigila fuori della banca **3** (*arc.*) vegliare; stare sveglio ● **to w. for an opportunity**, tener gli occhi aperti in attesa di una buona occasione; aspettare l'occasione propizia □ **to w. out**, stare attento (o in guardia); stare in campana (*fam.*): *W. out!*, attento!; in guardia!; bada! □ **to w. out for**, badare a, stare attento a; guardarsi da: *I told him to w. out for vipers*, gli dissi di stare attento alle vipere □ **to w. over**, custodire (*preziosi, ecc.*); badare; sorvegliare (*persone*); assistere, vegliare (*malati*) □ (*fam.*) **W. it!**, bada di rigare dritto!; (*a un bambino*) bada che le prendi! □ **W. me!**, sta' a vedere!; vedrai! □ (*alla TV, in fine di trasmissione*) **'Thank you for watching!'**, 'grazie dell'ascolto!' □ (*prov.*) **A watched pot never boils**, pentola guardata non bolle mai; il desiderio rende lunga l'attesa.

watcha /ˈwɒtʃə/ → **wotcha**.

watchable /ˈwɒtʃəbl/ a. (*spec. di uno spettacolo*) guardabile; piacevole; tutto da vedere.

watchband /ˈwɒtʃbænd/ n. (*USA*) cinturino da orologio.

watchcase /ˈwɒtʃkeɪs/ n. cassa dell'orologio.

watchdog /ˈwɒtʃdɒg/ n. **1** cane da guardia **2** (*per estens.*) guardiano; custode **3** (*fig.*) geloso custode, difensore (*della morale, ecc.*) **4** (*comput.*) watchdog (*dispositivo di controllo*) ● **w. committee**, commissione di sorveglianza.

watcher /ˈwɒtʃə(r)/ n. **1** osservatore, osservatrice; spettatore, spettatrice **2** sorvegliante; chi è di guardia; guardiano ● (*polit.*) **Britain watchers**, gli osservatori della Gran Bretagna.

watchful /ˈwɒtʃfl/ a. **1** attento; vigilante; vigile: **under the w. eye of her mother**, sotto il vigile occhio della madre **2** (*per estens.*) guardingo; cauto; circospetto | **-ly** avv. | **-ness** n. Ⓤ.

watching /ˈwɒtʃɪŋ/ n. Ⓤ **1** l'osservare; osservazione: **bird-w.**, l'osservazione degli uccelli **2** vigilanza; sorveglianza **3** veglia.

watchless /ˈwɒtʃləs/ a. **1** non vigile; non vigilante **2** non vigilato; non sorvegliato; incustodito.

watchmaker /ˈwɒtʃmeɪkə(r)/ n. orologiaio || **watchmaking** n. Ⓤ orologeria; arte dell'orologiaio.

watchman /ˈwɒtʃmən/ n. (pl. **watchmen**) **1** sorvegliante; guardiano; guardia giurata **2** sentinella **3** (*un tempo*) membro della ronda ● **night w.**, guardia notturna; metronotte.

watchstrap /ˈwɒtʃstræp/ n. cinturino da orologio.

watchtower /ˈwɒtʃtaʊə(r)/ n. torretta d'osservazione; torre di guardia.

watchword /ˈwɒtʃwɜːd/ n. parola d'ordine; motto; slogan.

◆water /ˈwɔːtə(r)/ n. ⓊⒸ **1** acqua: **fresh w.**, acqua dolce; **salt w.**, acqua salata; *He fell into the w.*, cadde in acqua; **drinking w.**, acqua potabile; **stagnant w.**, acqua morta; acqua stagnante; *Would you like still or sparkling w.?*, preferisce acqua liscia o frizzante? **2** (pl.) acque; distesa d'acqua; acque (termali): **the waters of the Dead Sea**, le acque del Mar Morto; **to take the waters at Bath**, fare la cura delle acque a Bath; (*naut.*) *The fishing boat was sailing in Tunisian waters*, il peschereccio navigava in acque

(territoriali) tunisine **3** (*farm.*) acqua aromatica **4** (*fisiol., med.*) liquido corporeo; umore **5** (pl.) (*fisiol.*) acque (*fam.*); liquido amniotico **6** (*naut.*) marea: **high [low] w.**, alta [bassa] marea; **high [low] w. mark**, limite dell'alta [della bassa] marea **7** (*di pietra preziosa*) acqua; trasparenza ● **w. bag**, otre □ **w. bailiff**, funzionario di dogana (*in un porto*); (*stor.*) guardiano della pesca □ (*fisiol.*) **w. balance**, bilancio idrico □ (*tecn.*) **w.-base painting**, pittura ad acqua; idropittura □ (*pitt.*) **w.-based paint**, vernice a tempera □ **w. bath**, bagnomaria □ **w. bearer**, portatore d'acqua □ (*astron., astrol.*) **the W. Bearer**, l'Acquario (*costellazione e XI segno dello zodiaco*) □ (*geol.*) **w.-bearing stratum**, strato acquifero □ **w. bed**, (*geol.*) falda freatica; (*anche*) letto idrostatico, letto con materasso ad acqua □ (*zool.*) **w. bird**, uccello acquatico □ **w. birth**, parto in acqua □ **w. biscuit**, galletta; cracker □ **w. blister**, vescica acquosa (*sulla pelle*) □ (*zool.*) **w. boa**, anaconda □ (*naut.*) **w. boat**, nave cisterna □ (*zool.*) **w. boatman** (Notonecta glauca), notonetta □ (*fis. nucl.*) **w.-boiler reactor**, reattore ad acqua □ **w. bottle**, bottiglia dell'acqua; (*anche mil.*) borraccia; (*anche*) borsa dell'acqua calda (*ciclismo*) □ **w. bottle clip**, portabottiglia □ (*tecn.*) **w. brake**, freno dinamometrico idraulico □ (*med.*) **w. brash**, pirosi; acidosi; bruciore di stomaco (*fam.*) □ **w. bucket**, secchiello; (*naut.*) bugliolo □ (*zool.*) **w. buffalo** (Bubalus bubalis), bufalo indiano □ **w. bus**, vaporetto (*in servizio regolare su un fiume, un lago, ecc.*) □ **w. butt**, botte per l'acqua (*piovana*) □ **w. cannon**, cannone ad acqua; idrante □ **w. carriage**, (*mezzi di*) trasporto per via d'acqua □ **w. carrier**, vettore fluviale (o marittimo); (*ciclismo*) portatore d'acqua □ **w. cart**, carro per il trasporto dell'acqua; annaffiatrice (*carro per innaffiare*) □ (*zool.*) **w. cell**, cella acquifera (*del cammello*) □ (*bot.*) **w. chestnut** (Trapa natans), castagna d'acqua □ **w. chiller**, refrigeratore dell'acqua potabile □ **w. chute**, scivolo d'acqua □ **w. clock**, grande orologio ad acqua □ **w. closet**, water closet; gabinetto con sciacquone □ (*tecn.*) **w.-cooled**, raffreddato ad acqua □ **w. cooler**, (*tecn.*) raffreddatore d'acqua; (*anche*) = **w. chiller** → *sopra* □ (*tecn.*) **w. cooling**, raffreddamento (*di un motore, ecc.*) ad acqua □ **w. company**, azienda (di erogazione) dell'acqua □ (*dial.*) **w. crake** = **w. rail** → *sotto* □ (*mecc.*) **w. crane**, gru idraulica □ (*zool., USA*) **w. cricket** (Gerris), gerride □ (*med.*) **w. cure**, idroterapia □ **w. diviner**, rabdomante □ (*caccia*) **w. dog**, cane da palude; (*fig.*) amante dei bagni □ **w. drinker**, bevitore d'acqua; astemio □ **w. engineer**, tecnico dell'acqua □ **w. filter**, filtro dell'acqua □ **w. finder**, rabdomante □ (*zool.*) **w. flea** (Daphnia pulex), pulce d'acqua □ (*zool.*) **w.-fly**, insetto acquatico □ **w. garden**, giardino con vasche e fontane □ **w. gate**, cateratta, saracinesca (*di chiusa*) □ **w. gauge**, indicatore di livello dell'acqua □ **w. glass**, contenitore di vetro (*per bulbi*); tubo di livello (*per caldaia*); soluzione di silicato di sodio (*per affreschi o per conservare uova*) □ (*cucina*) **w. gruel**, farina d'orzo bollita nell'acqua □ **w. guard**, guardia di finanza portuale □ (*USA*) **w. gun**, pistola ad acqua (*cfr. ingl.* **w. pistol**, *sotto* **pistol**) □ (*idraul.*) **w. hammer**, colpo d'ariete (*dell'acqua*) □ (*golf*) **w. hazard**, ostacolo d'acqua; fossatello □ (*USA*) **w. heater**, scaldaacqua; scaldabagno (*cfr. ingl.* **geyser**) □ (*edil., elettr.*) **w. heating system**, scaldaacqua (*elettrico*) □ (*zool.*) **w. hen** (Gallinula chloropus), gallinella d'acqua □ **w. hole**, buca (*in un fiume*); polla (o pozza) d'acqua □ **w. ice**, sorbetto □ **w. ice lolly**, ghiacciolo (*da succhiare*) □ **w. intake**, presa d'acqua (*di centrale idroelettrica*) □ (*mecc.*) **w. jacket**, camicia d'acqua (*di un motore, ecc.*) □ **w. jug**, brocca □ (*ipp.*) **w. jump**, riviera; (salto del)

fossato □ (*mus.*) **w. key**, chiave idraulica (*di strumento a fiato*) □ **w. level**, livello dell'acqua, livello piezometrico; (*naut.*) livello del mare; (*anche*) piano d'acqua (*nei porti*); (*geol.*) livello freatico □ (*bot.*) **w. lily** (Nymphaea), ninfea □ **w. main**, conduttura principale (*d'impianto idrico*) □ **w. mattress**, materasso ad acqua □ (*agric.*) **w. meadow**, marcita □ (*zool.*) **w. measurer** = **w. strider** → *sotto* □ **w. meter**, contatore dell'acqua □ (*bot.*) **w. mint** (Mentha aquatica), menta acquatica □ (*zool.*) **w. moccasin** (Agkistrodon piscivorus), mocassino acquatico (*serpente velenoso nel sud degli USA*) □ **w. monkey**, giara dal collo sottile (*per mantenere fresca l'acqua*) □ (*mitol.*) **w. nymph**, ninfa delle fonti; naiade □ (*fig.*) **the waters of forgetfulness**, il fiume dell'oblio; il Lete □ (*Bibbia*) **w. of life**, fonte di vita spirituale □ (*med.*) **w. on the brain**, idrocefalo □ (*med.*) **w. on the knee**, sinovite □ (*tecn.*) **w. paint**, pittura ad acqua; idropittura □ **w. park** → **waterpark** □ **w. pick**®, idropulsore dentale (*macchinetta che pulisce i denti con getti d'acqua*) □ **w. pipe**, conduttura dell'acqua □ **w. pistol**, pistola ad acqua □ **w. plane**, (*naut.*) piano di galleggiamento; (*aeron.*) idrovolante □ (*bot.*) **w. plant**, pianta acquatica; idrofita □ (*ecol.*) **w. pollution**, inquinamento delle acque (o idrico) □ (*sport*) **w. polo**, pallanuoto □ **w.-polo player**, pallanuotista □ (*med.*) **w. pox**, varicella □ **w. pump**, pompa da acqua; (*autom., mecc.*) pompa dell'acqua □ **w. purification**, depurazione dell'acqua □ **w. purifier**, depuratore dell'acqua □ (*zool.*) **w. rail** (Rallus aquaticus), porciglione □ **w. rat**, (*zool., Arvicola amphibius*) topo d'acqua; (*fig.*) ladruncolo di porto □ **w. rate**, tariffa per la fornitura idrica; bolletta dell'acqua □ **w. repellent**, idrorepellente □ **w. repellent product**, idrofugo □ (*tecn.*) **w. resistance**, la resistenza dell'acqua □ (*tecn.*) **w. resistant**, resistente all'acqua □ (*med.*) **w. retention**, ritenzione idrica □ (*leg.*) **w. right**, diritto d'utilizzazione dell'acqua (*spec. per irrigazione*) □ (*zool.*) **w. skater** = **w. strider** → *sotto* □ (*sport*) **w. ski**, sci d'acqua, idrosci (*l'attrezzo*) □ (*sport*) **w. skier**, idrosciatore; chi pratica lo sci nautico □ (*sport*) **w. skiing**, sci d'acqua, sci nautico (o acquatico); idrosci (*lo sport*) □ **w. skin**, ghirba □ (*zool.*) **w. snake**, serpe d'acqua; biscia acquaiola □ **w. softener**, addolcitore (o depuratore) d'acqua □ (*tecn.*) **w. soluble**, idrosolubile □ **w. spaniel**, cane spaniel addestrato al riporto in palude □ (*zool.*) **w. spider** (Argyroneta aquatica), argironeta (*ragno*) □ **w. splash**, ruscelletto che attraversa (o pozzanghera che sommerge parte di) una strada □ **w. sports**, sport acquatici □ **w.-spout**, tubo di scarico (*di grondaia, ecc.*), cannella; (*naut.*) tromba marina □ **w.-stained**, macchiato dall'umidità; (*arte*) tinteggiato a tempera □ (*zool., USA*) **w. strider** (Gerris), gerride □ **w. supply**, rifornimento (o approvvigionamento) idrico □ **w. surface**, superficie dell'acqua □ **w. system**, impianto idrico; (*geogr.*) sistema idrografico □ **w. table**, (*archit.*) (cornicione) marcapiano; (*geol.*) superficie (o falda) freatica □ **w. tank**, cisterna □ (*med.*) **w. test**, prova dell'acqua □ **w. toothpick** = **w. pick** → *sopra* □ **w. tower**, serbatoio (*idrico*) sopraelevato □ **w. transport**, trasporto per via d'acqua (o su idrovie) □ **w. trap**, sifone; pozzetto □ (*sci nautico*) **w. tricks**, evoluzioni idrosciistiche □ **w. tunnel**, (*costr.*) galleria adduttrice (*di acquedotto*); (*tecn.*) galleria idrodinamica (*mecc.*) □ **w. turbine**, turbina idraulica □ (*fis.*) **w. vapour**, vapore acqueo; acquaiolo □ (*zool.*) **w. vole** = **w. rat** → *sopra* □ **w. wagon**, carro per il rifornimento dell'acqua □ **w. waving**, (*ind. tess.*) marezzatura; (*dei capelli*) ondulazione □ **w. well**, pozzo idrico □ (*mecc.*) **w. wheel**, ruota idraulica; noria □ **w. witch**, rabdomante □

W

w. witching, rabdomanzia □ **above w.**, sopra il livello dell'acqua; a galla (*anche fig.*) □ (*naut.*) **to back w.**, remare all'indietro; frenare coi remi □ (*fig.*) **a blunder of the first w.**, un errore madornale □ **to bring the w. to sb.'s mouth**, far venire l'acquolina in bocca a q. □ **by w.**, per via d'acqua; per mare, via mare; per via fluviale (*o* lacustre) □ (*fig.*) **to cast** (*o* **to throw) one's bread upon the waters**, far un'opera buona senza speranza di ricompensa □ (*fam. USA*) **to cut off sb.'s w.**, fare abbassare la cresta a q.; sistemare q. □ **to drink** (*o* **to take) the waters**, fare la cura delle acque termali; bere le acque □ (*fig.*) **to go through fire and w.**, affrontare i più gravi pericoli; passarne di cotte e di crude □ (*fig.*: *di una teoria, ecc.*) **to hold w.**, reggere; sostenersi; essere valido □ (*fam. USA*) **to hold one's w.**, stare calmo; portare pazienza; non agitarsi □ (*relig.*) **holy w.**, acqua santa □ **to be in deep w.** (*o* **waters**), essere in acque profonde; (*fig.*) trovarsi in difficoltà, essere nei guai □ (*fig.*) **to be in** [**to get into**] **hot w.**, essere [cacciarsi] nei guai (*o* nei pasticci) □ **to be in low w.**, essere in secca; (*fig.*) essere a corto di quattrini, essere al verde □ (*fig. fam.*) **to be in smooth w.** (*o* **waters**), navigare in acque tranquille; aver superato la tempesta (la crisi, le difficoltà, ecc.) □ **to keep one's head above w.**, tener la testa sopra il pelo dell'acqua; tenersi a galla; (*fig.*) evitare la rovina, il fallimento □ (*fam.*) **to make** (*o* **to pass) w.**, fare acqua; orinare □ (*fig.*) **to muddy the waters**, confondere le acque; rendere incomprensibile □ (*fig.*) **not to hold w.**, non reggere alle critiche; (*di una scusa, ecc.*) non reggersi in piedi; fare acqua da tutte le parti □ **on the w.**, in mare; a bordo; in viaggio (*via mare*) □ (*fig. fam.*) **to be on the w. wagon**, essere astemio □ (*fig.*) **to pour cold w. on st.**, gettare acqua sul fuoco (*fig.*); raffreddare gli entusiasmi □ **to shed blood like w.**, versare sangue a torrenti; fare una grande strage □ **to spend money like w.**, spendere e spandere; gettar denaro a piene mani; scialacquare □ (*naut., ferr.*) **to take in w.**, fare la provvista dell'acqua; rifornirsi d'acqua □ **to throw cold w. on st.**, gettare acqua fredda su qc. (*anche fig.*) □ **under w.**, sott'acqua; coperto dall'acqua; inondato □ **upon the w. = on the w.** → sopra □ **well w.**, acqua di fonte (*o* di pozzo) □ (*di nome, fama, ecc.*) **written on w.**, scritto sull'acqua; presto dimenticato; fugace □ (*prov.*) **Still waters run deep**, le acque chete rovinano i ponti ❶ **FALSI AMICI** • water *non significa* water *nel senso italiano di vaso del gabinetto*.

to **water** /'wɔːtə(r)/ **A** v. t. **1** innaffiare, annaffiare; (*agric.*) irrigare: **to w. the garden** [**the streets**], innaffiare il giardino [le strade] **2** (*spesso* **to w. down**) annacquare; allungare; diluire; (*fig.*) mitigare, attenuare: **to w. wine**, annacquare il vino; **to w. down a statement**, attenuare un'affermazione **3** abbeverare; dar da bere a (*animali*): **to w. horses**, abbeverare cavalli **4** (*di fiumi, ecc.*) bagnare: *Ten States are watered by the Mississippi River*, dieci Stati (*degli USA*) sono bagnati dal fiume Mississippi **5** (*fin.*) gonfiare artificiosamente (*il capitale nominale d'una società*); «annacquare» (*capitale azionario*): **watered capital**, capitale annacquato **6** (*ind. tess.*) marezzare: **watered silk**, seta marezzata **B** v. i. **1** (*d'animali*) abbeverarsi **2** (*di locomotive, navi, ecc.*) fare acqua; rifornirsi d'acqua **3** (*degli occhi*) lacrimare; velarsi di lacrime: *My right eye is watering*, mi lacrima l'occhio destro • (*chim.*) **to w. a solution**, diluire una soluzione □ **to make sb.'s eyes w.**, far venire le lacrime agli occhi a q.; far piangere q. □ **to make sb.'s mouth w.**, far venire l'acquolina in bocca a q.

waterage /'wɔːtərɪdʒ/ n. ⓤ (*comm.*) **1** trasporto per via d'acqua **2** spese di trasporto per via d'acqua.

waterborne /'wɔːtəbɔːn/ a. **1** trasportato dall'acqua (*o* per via d'acqua) **2** (*med.*) trasmesso (*o* propagato) con l'acqua • (*comm.*) **w. traffic**, traffico (trasporto, ecc.) per via d'acqua (*o* mediante idrovie).

waterbuck /'wɔːtəbʌk/ n. (*zool., Kobus*) antilope d'acqua; cobo.

watercolour, (*USA*) **watercolor** /'wɔːtəkʌlə(r)/ (*pitt.*) n. **1** acquerello; dipinto (*o* quadro) ad acquerello **2** ⓤ acquerello (*la tecnica*) • **w. pigment**, pigmento per acquerelli ‖ **watercolourist**, (*USA*) **watercolorist** n. acquerellista.

to **water-cool** /'wɔːtəkuːl/ v. t. (*tecn.*) raffreddare (*un motore, ecc.*) ad acqua.

watercourse /'wɔːtəkɔːs/ n. **1** (*geogr.*) corso d'acqua **2** canale.

watercraft /'wɔːtəkrɑːft/ n. ⓤ **1** abilità negli sport acquatici **2** (*naut.*) imbarcazione **3** (collett.) imbarcazioni; natanti.

watercress /'wɔːtəkres/ n. (*bot., Nasturtium officinale*) crescione d'acqua.

watered-down /wɔːtəd'daʊn/ a. **1** (*di vino, latte, ecc.*) diluito; allungato; annacquato **2** (*fig.*) annacquato; indebolito; impoverito: *This is a watered-down version of the original*, questa è una versione annacquata dell'originale.

waterer /'wɔːtərə(r)/ n. **1** innaffiatore, innaffiatrice **2** innaffiatoio, annaffiatoio **3** chi abbevera il bestiame.

♦**waterfall** /'wɔːtəfɔːl/ n. (*geogr.*) cascata; cateratta.

waterflood /'wɔːtəflʌd/ n. **1** inondazione **2** (*ind. petrolifera*) allagamento volontario (*di un pozzo*).

waterfowl /'wɔːtəfaʊl/ n. (inv. al pl.) (*zool.*) **1** uccello acquatico (*degli Anseriformi*) **2** (collett.) uccelli acquatici ‖ **waterfowler** n. cacciatore di uccelli acquatici (*o* di palude) ‖ **waterfowling** n. ⓤ caccia agli uccelli acquatici (*o* in palude).

waterfront /'wɔːtəfrʌnt/ n. **1** (*geogr.*) area adiacente all'acqua; litorale **2** fronte del porto; lungomare; lungolago; lungofiume **3** (*fig.*) porto: **to buy fish on the w.**, comprare pesce al porto (*o* al molo) • (*fam. USA*) **to cover the w.**, coprire tutti gli aspetti (*di qc.*); fare un resoconto completo (*di un avvenimento*).

waterhole /'wɔːtəhəʊl/ n. **1** stagno di abbeveraggio (*di selvatici*); pozza **2** buco nel ghiaccio (*di foca, ecc.*).

wateriness /'wɔːtərɪnəs/ n. ⓤ **1** acquosità **2** (*fig.*) insipidità.

watering /'wɔːtərɪŋ/ n. ⓤ **1** innaffiamento, annaffiamento; (*agric.*) irrigazione **2** (= **w. down**) annacquamento; diluizione; (*fig.*) attenuazione; mitigazione **3** abbeveramento **4** (*naut., ferr.*) approvvigionamento d'acqua **5** (*ind. tess.*) marezzatura (*della seta*) **6** (*fisiol.*) secrezione (*di lacrime, saliva, ecc.*); lacrimazione; salivazione • **w. can**, innaffiatoio, annaffiatoio • **w. cart**, carro per innaffiare; annaffiatrice □ **w. hole** → **waterhole**; (*scherz.*) bar (*o* pub) dove si va a bere □ **w. place**, abbeveratoio, abbeverata; (*tur.*) stazione balneare, stabilimento termale □ **w. pot**, annaffiatoio; innaffiatoio □ **w. trough**, abbeveratoio.

waterjet /'wɔːtədʒet/ n. (*naut.*) idrogetto.

waterless /'wɔːtələs/ a. privo d'acqua; senz'acqua; arido.

waterline /'wɔːtəlaɪn/ n. **1** livello dell'acqua; livello (*in una caldaia, ecc.*) **2** (*naut.*) linea di galleggiamento (*o* d'immersione) **3** (*di una spiaggia*) battigia; battima **4** linea di filigrana (*su carta*).

to **waterlog** /'wɔːtəlɒg/ v. t. **1** saturare (*il terreno*) d'acqua **2** imbevere, impregnare (*legno, ecc.*) d'acqua **3** infradiciare **4** (*naut.*) rendere (*un'imbarcazione*) ingovernabile per l'acqua imbarcata.

waterlogged /'wɔːtəlɒgd/ a. **1** (*del legno*) impregnato d'acqua; fradicio **2** (*del terreno*) saturo d'acqua; acquitrinoso **3** (*naut.*: *di battello*) che ha imbarcato acqua; ingovernabile.

Waterloo /wɔːtə'luː/ n. (*geogr., stor.*) Waterloo • (*fig.*) **to meet one's W.**, subire una sconfitta definitiva.

waterman /'wɔːtəmən/ n. (pl. *watermen*) **1** barcaiolo; battelliere; traghettatore **2** chi sa andare in barca; rematore **3** acquaiolo ‖ **watermanship** n. ⓤ **1** abilità di barcaiolo **2** abilità nel remare.

watermark /'wɔːtəmɑːk/ n. **1** livello dell'acqua (*del mare o di un fiume*) **2** indicatore di livello (*dell'acqua*) **3** (*sulla carta*) filigrana.

to **watermark** /'wɔːtəmɑːk/ v. t. filigranare; imprimere la filigrana su (*carta*).

♦**watermelon** /'wɔːtəmelən/ n. (*bot., Citrullus vulgaris*) cocomero; anguria.

watermill /'wɔːtəmɪl/ n. mulino ad acqua; mulino.

waterpark /'wɔːtəpɑːk/ n. acquapark.

waterpower /'wɔːtəpaʊə(r)/ n. ⓤ (*anche econ.*) **1** energia idrica **2** energia idroelettrica; carbone bianco (*fig.*) • **w. plant**, centrale idroelettrica.

waterproof /'wɔːtəpruːf/ **A** a. **1** a tenuta d'acqua; impermeabile: **w. material**, stoffa impermeabile **2** idrofugo: **w. grease**, grasso idrofugo **B** n. (*fam.*, = **w. coat**) impermeabile.

to **waterproof** /'wɔːtəpruːf/ v. t. impermeabilizzare.

waterproofing /'wɔːtəpruːfɪŋ/ **A** n. ⓤ (*edil.*) impermeabilizzazione **B** a. impermeabilizzante • (*tecn.*) **w. agent**, impermeabilizzante (*sostanza*).

waterscape /'wɔːtəskeɪp/ n. (*pitt.*) marina; paesaggio marino.

watershed /'wɔːtəʃed/ n. **1** (*geogr.*) spartiacque; linea di displuvio **2** (*geogr., USA*) bacino idrografico **3** (*fig.*) fattore decisivo (*d'innovazione, ecc.*); linea di demarcazione, spartiacque (*fig.*).

waterside /'wɔːtəsaɪd/ **A** n. ⓤ zona rivierasca; lungomare; lungolago; litorale **B** a. attr. rivierasco; litoraneo: **w. towns**, città rivierasche.

to **water-ski** /'wɔːtəskiː/ v. i. (pass. e p. p. **water-skied**) (*sport*) fare lo sci acquatico (*o* nautico); fare idrosci.

watertight /'wɔːtətaɪt/ a. **1** a tenuta d'acqua; stagno: **w. compartments**, compartimenti stagni (*di nave o fig.*) **2** (*fig.*) ineccepibile; perfetto; inconfutabile; che non fa una grinza: **a w. argument**, un ragionamento che non fa una grinza; **a w. plan**, un piano perfetto (*o* a prova di bomba) ‖ **watertightness** n. ⓤ tenuta stagna.

waterway /'wɔːtəweɪ/ **A** n. **1** corso d'acqua (*o* canale) navigabile; via di navigazione; idrovia: **inland waterways**, vie di navigazione interna **2** (*naut.*) trincarino **B** a. attr. idroviario • **a network of waterways**, una rete idroviaria.

waterwings /'wɔːtəwɪŋz/ n. pl. salvagenti sotto le ascelle (*per bambini*).

waterworks /'wɔːtəwɜːks/ **A** n. pl. **1** (spesso col verbo al sing.) impianto idrico; acquedotto **2** grande fontana ornamentale; giochi d'acqua **3** (*fig. fam.*) lacrime; pianto **4** (*fam.*) apparato urinario: la vescica **B** a. attr. (*fam.*) urologico: **w. trouble**, disturbi urologici • (*fam.*) **to turn on the w.**, mettersi a piangere come una fontana.

waterworn /'wɔːtəwɔːn/ a. consunto (*o* logorato, eroso, corroso) dall'acqua: **w. rocks**, rocce corrose dall'acqua.

a b c d e f g h i j k l m n o p q r s t u v w x y z

watery /'wɔːtərɪ/ a. **1** acquoso; brodoso; lungo: **w. tea**, tè acquoso; **w. soup**, zuppa brodosa (o lunga) **2** (di colore) sbiadito; slavato; stinto; pallido **3** (fig.) insipido; scipito: **w. talk**, discorsi insipidi; banalità; ciarle **4** (della luna, del cielo, ecc.) che promette pioggia; offuscato: **w. sun**, sole offuscato **5** (della bocca, degli occhi) bavoso; lacrimoso; bagnato; umido **6** (del terreno) ricco d'acqua; acquitrinoso; umido ● **w. potatoes**, patate che non sanno di niente □ (lett.) **to have a w. grave**, avere una tomba d'acqua; essere sepolto in mare.

watt /wɒt/ n. (elettr.) watt (unità di potenza elettrica) ● (elettr.) **w.-hour**, wattora □ (tecn.) **w.-hour meter**, wattorametro; contatore elettrico.

wattage /'wɒtɪdʒ/ n. ⓤ (elettr.) wattaggio ● **w. rating**, potenza nominale.

wattle① /'wɒtl/ n. **1** ⓤ canniccio; cannicciata; graticcio; intreccio di canne (o vimini) **2** ⓤ canne; vimini **3** (bot.) acacia australiana ● **w. and daub**, canniccio ricoperto di argilla e fango.

wattle② /'wɒtl/ n. (zool.) **1** (d'uccello) bargiglio **2** (di pesce) barbiglio.

to wattle /'wɒtl/ v. t. **1** fare (uno steccato, ecc.) di canniccio **2** cingere (un luogo) con un graticcio; ingraticciare **3** intrecciare (canne o vimini).

wattled① /'wɒtld/ a. ingraticciato; (fatto) di canniccio.

wattled② /'wɒtld/ a. (zool.) provvisto di bargigli (o di barbigli).

wattmeter /'wɒtmiːtə(r)/ n. (elettr.) wattometro; wattmetro.

to waul /wɔːl/ v. i. **1** gridare; strillare **2** gnaulare; miagolare.

WAV sigla (comput., mus., **waveform audio**), WAV (formato di file audio digitalizzato).

♦**wave** /weɪv/ n. **1** onda (anche fig.); ondata; flutto; maroso: **the waves**, le onde, i flutti; (poet.) il mare; (fig.) **a w. of enthusiasm**, un'ondata di entusiasmo; (meteor.) **a heat w.**, un'ondata di caldo; **a w. of falling prices**, un'ondata di ribassi **2** cenno; gesto; segno: **a w. of the hand**, un cenno della mano **3** (dei capelli) ondulazione; onde: **permanent w.**, (ondulazione) permanente; **natural w.**, ondulazione naturale **4** (fis., radio) onda: **short waves**, onde corte; **w. function**, funzione d'onda; **w. train**, treno d'onde **5** (sci) avvallamento; dosso; cunetta ● (fis.) **w. acoustics**, acustica ondulatoria □ (radio) **w. band**, gamma di lunghezze d'onda □ **w. breaker**, frangiflutti; frangionde □ (radio) **w. changer** (o **w.-change switch**), commutatore di frequenza (o di gamma) □ (radio) **w. guide** → **waveguide** (fis.) □ **w. motion**, moto ondoso □ (fis.) **w. theory**, teoria ondulatoria (della trasmissione della luce) □ (fam. fig.) **to make waves**, creare scalpore, far sensazione; (anche) creare problemi, dare fastidio.

♦**to wave** /weɪv/ Ⓐ v. i. **1** ondeggiare; fluttuare; sventolare: The cypresses were waving in the gale, i cipressi ondeggiavano al forte vento; The flags were waving, le bandiere sventolavano **2** far un cenno con la mano; fare un segno (agitando qc.) **3** (dei capelli) avere le onde: My hair waves naturally, ho i capelli ondulati naturali **4** (di una linea, ecc.) essere ondulato; essere sinuoso **5** (di una folla) ondeggiare; agitarsi **6** (di fazzoletto e sim.) essere agitato (o sventolato) Ⓑ v. t. **1** agitare; brandire; scuotere; sventolare: **to w. one's hand**, agitare la mano (in segno di saluto, ecc.); **to w. a sword**, brandire una spada; **to w. a flag**, sventolare una bandiera **2** far segno di (agitando qc.): He waved us on [away], ci fece segno d'avanzare [di allontanarci] **3** ondulare; fare l'ondulazione a: She has had her hair waved, s'è fatta fare l'ondulazione (ai capelli) ● **to w. goodbye to sb.**, salutare q. agitando la mano (o un fazzoletto, ecc.) □ **to w. goodbye to st.**, dire addio a qc. (speranze di successo, ecc.) □ **to w. a line**, tracciare una linea ondulata □ **to w. sb. nearer**, far cenno a q. d'avvicinarsi □ (di un arbitro: calcio, ecc.) **to w. play on**, far proseguire il gioco ❶NOTA: waive, waiver o waver? → **to waive**.

■ **wave aside** v. t. + avv. **1** fare a (q.) il gesto di scostarsi; allontanare (o scostare, ecc.) con un cenno: The teacher waved the boy aside, l'insegnante fece cenno al ragazzo di spostarsi **2** respingere; rifiutare; scartare: **to w. a proposal aside**, respingere una proposta; **to w. an offer aside**, rifiutare un'offerta □ **to w. sb.'s protests aside**, non tener conto delle proteste di q.

■ **wave at** v. i. + prep. salutare (q.) con un gesto della mano.

■ **wave away** v. t. + avv. **1** respingere (q. o qc.) con un gesto della mano; allontanare (qc.) da sé **2** salutare (q. che parte) con gesti della mano.

■ **wave down** v. t. + avv. (autom.: di un poliziotto e sim.) fare cenno a (q.) di fermarsi; fermare (un'auto) facendo segnali.

■ **wave off** → **wave away**.

■ **wave on** v. t. + avv. (autom.: di un poliziotto e sim.) fare cenno a (q.) di proseguire; far avanzare: **to w. the traffic on**, fare avanzare il traffico.

waveform /'weɪvfɔːm/ n. (fis.) forma d'onda.

wavefront /'weɪvfrʌnt/ n. (fis.) fronte d'onda.

waveguide /'weɪvgaɪd/ n. (elettron.) guida d'onda.

wavelength /'weɪvleŋθ/ n. (radio) lunghezza d'onda ● (fig.) **to be on the same w. as sb.**, essere in sintonia con q.; essere sulla stessa lunghezza d'onda.

waveless /'weɪvləs/ a. senza onde; calmo; immobile; liscio.

wavelet /'weɪvlət/ n. ondina; ondicina; increspatura (dell'acqua).

wavemeter /'weɪvmiːtə(r)/ n. (fis.) ondametro.

to waver /'weɪvə(r)/ v. i. **1** oscillare; vacillare; guizzare: My concentration began to w., la mia concentrazione cominciò a vacillare; The huge flames were wavering, le grandi fiamme guizzavano **2** esitare; tentennare; titubare; vacillare; tremare: **to w. between two courses**, esitare di fronte a un dilemma; My voice wavered with repressed emotion, la voce mi tremava per l'emozione repressa ● **to w. between the play and the film**, essere incerto se andare al cinema o al teatro ❶NOTA: waive, waiver o waver? → **to waive**.

waverer /'weɪvərə(r)/ n. persona irresoluta; tentenna (scherz.).

wavering /'weɪvərɪŋ/ Ⓐ a. **1** oscillante; vacillante: **w. lights**, luci vacillanti; luci tremule **2** esitante; irresoluto; tentennante; titubante Ⓑ n. ⓤ **1** oscillazione; guizzo **2** esitazione; titubanza | **-ly** avv.

WAVES /weɪvz/ sigla (mil., stor., USA, **women accepted for Volunteer Emergency Service**) Volontarie in servizio d'emergenza.

wavey /'weɪvɪ/ → **wavy**②.

waviness /'weɪvɪnəs/ n. ⓤ **1** ondosità **2** ondulazione; sinuosità.

waving /'weɪvɪŋ/ Ⓐ a. **1** fluttuante; ondeggiante **2** che si agita; che fa cenni con la mano Ⓑ n. ⓤ **1** ondeggiamento; sventolio (di bandiere, di fazzoletti, ecc.) **2** ondulazione (di capelli): **w. iron**, ferro per ondulare i capelli ● **w. of a** (o **the**) **flag**, sbandieramento.

wavy① /'weɪvɪ/ a. **1** ondeggiante; fluttuante **2** ondulato; sinuoso: **w. hair**, capelli ondulati; **a w. line**, una linea ondulata **3** ondoso: **the w. sea**, il mare ondoso **4** (fig.) esitante; tentennante; vacillante **5** (arald.) a onde | **-ily** avv.

wavy② /'weɪvɪ/ n. (zool., Chen hyperboreus) oca delle nevi.

wax① /wæks/ n. ⓤ **1** cera: **bee's wax**, cera d'api; **a wax candle**, una candela di cera **2** (= **ear-wax**) cerume **3** (= **cobblers' wax**) pece (da calzolaio) **4** (= **sealing wax**) ceralacca **5** (cosmesi) ceretta depilatoria **6** (antiq.) incisione; disco **7** (sport = **ski wax**) sciolina ● **wax chandler**, fabbricante (o venditore) di candele di cera □ (arti grafiche) **wax-coating machine**, macchina paraffinatrice □ **wax doll**, bambola di cera; (fig.) bambola, donna che ha un viso bello ma inespressivo □ **wax light**, candela (di cera); cera; lumino □ **wax match**, cerino □ (bot.) **wax palm**, (Ceroxylon andicola) palma delle Ande; (Copernicia cerifera) palma de cera □ **wax paper**, carta paraffinata □ **wax polish**, cera da mobili.

wax② /wæks/ n. ⓤⓒ (slang) accesso d'ira; stizza ● **to get into a wax**, stizzirsi □ **to be in a wax**, essere in collera; essere stizzito.

to wax① /wæks/ v. t. **1** incerare; dare la cera a (pavimenti, ecc.) **2** lucidare (mobili, ecc.) con la cera **3** (cosmesi) fare la ceretta: **to wax one's legs**, farsi la ceretta alle gambe; **to get one's legs waxed**, farsi fare la ceretta alle gambe **4** (fam.) incidere (una canzone) su disco; fare un disco di (un testo, ecc.) **5** (sport) dare la sciolina a; sciolinare (gli sci) ● **waxed end**, spago impeciato (da calzolaio) □ **waxed paper**, carta paraffinata.

to wax② /wæks/ v. i. **1** (della luna) crescere **2** (lett. o scherz.) diventare; farsi: **to wax eloquent**, diventare loquace; **to wax indignant**, indignarsi; **to wax lyrical**, diventare lirico; **to wax sentimental**, diventare sentimentale; lasciarsi prendere dal sentimentalismo ● **to wax and wane**, (della luna) crescere e calare; (fig.) crescere e calare, aumentare e diminuire, avere alti e bassi.

waxbill /'wæksbɪl/ n. (zool.) **1** uccello della famiglia dei Ploceidi (in genere) **2** (= **common w.**) (Estrilda troglodytes), becco di corallo.

waxcloth /'wæksklɒθ/ n. ⓤ **1** tela cerata **2** linoleum.

waxen /'wæksn/ a. **1** cereo; (fatto) di cera: **a w. image**, un'immagine di cera **2** bianco come la cera; cereo: **a w. complexion**, una carnagione cerea **3** (fig.) malleabile; plasmabile.

waxer /'wæksə(r)/ n. chi dà la cera (a mobili, pavimenti, ecc.).

waxing① /'wæksɪŋ/ n. ⓤⓒ inceratura; lucidatura a cera.

waxing② /'wæksɪŋ/ n. il crescere; crescita; l'ingrandirsi (o → **to wax**②).

waxwing /'wækswɪŋ/ n. (zool., Bombycilla garrulus) beccofrusone.

waxwork /'wækswɜːk/ n. ⓤ (arte) modellatura nella cera **2** modello (o statua) di cera **3** (pl.) museo delle cere.

waxy① /'wæksɪ/ a. **1** cereo; di cera; come la cera **2** coperto di cera; incerato **3** (fig.) plasmabile; malleabile | **waxiness** n. ⓤ aspetto cereo; l'esser come cera.

waxy② /'wæksɪ/ a. (slang) adirato; stizzito; arrabbiato; incavolato.

♦**way**① /weɪ/ n. **1** via; strada; sentiero; passaggio; varco; pista; percorso; cammino; viaggio: **the Appian way**, la via Appia; **a way through the forest**, un sentiero attraverso la foresta; **a covered way**, un passaggio coperto; **a cycle way**, una pista ciclabile; He lives across the way, abita dall'altra parte della strada; Which is the shortest way to the station?, qual è la via più breve per andare alla stazione?; What's the best way to

get there from here?, qual è la strada migliore per andarci da qua?; *We were on the way to town*, eravamo in cammino verso la città; *The explorers cut their way through the jungle*, gli esploratori si aprirono un varco nella giungla; *They are on the (o their) way*, (essi) sono in viaggio (o per strada) **2** via (*fig.*); via d'accesso; modo; mezzo; maniera: *Literature was the way into a forbidden world* A. BURGESS, 'la letteratura era allora la via di accesso a un mondo proibito'; *This is the best way of doing it*, questa è la maniera migliore di farlo; *There's no way out of this awful mess*, non c'è via d'uscita da questo maledetto pasticcio; *I don't like the way he laughs*, non mi piace il suo modo di ridere; **the American way of life**, il modo di vivere degli americani **3** (solo al sing.) distanza: *The town is a long way from here* [*a long way off*], la città è a una grande distanza [è molto distante] da qui **4** (*fam.*, solo al sing.) dintorni; paraggi; parti: *He lives somewhere London way*, abita in qualche posto nei dintorni di Londra **5** direzione; parte: *They went that way*, sono andati in quella direzione (o da quella parte); *Which way are you looking?*, da che parte stai guardando? **6** abitudine; costume; pratica; usanza; modo di fare: **the good old ways**, le belle usanze antiche; *It's not his way to be rude*, non è sua abitudine essere sgarbato **7** aspetto; punto di vista; riguardo: *In a way* [*in some ways*] *he's right*, sotto un certo aspetto [per certi aspetti] ha ragione lui; *It's an interesting film in many ways*, per molti riguardi è un film interessante **8** (*fam.*) condizione; piega; stato: *Business is in a bad way*, gli affari hanno preso una brutta piega; *The patient was in a terrible way*, il malato era in condizioni disperate **9** (*naut.*) abbrivo; andatura; cammino; (*anche*) rotta **10** (*nuoto*) abbrivo **11** (pl.) (*mecc.*) guide (*di scorrimento*) **12** (pl.) (*costr. navali*) vasi, invasatura (*per il varo*); scalo di costruzione **13** Ⓤ (*autom.*) precedenza: «Give way» (*cartello*), «dare la precedenza» **14** Ⓤ (*leg.*, = **right of way**) diritto di passaggio **15** (*tecn.*) via (*spec. nei composti*): **a two-way switch**, un interruttore a due vie ● **ways and means**, modi e mezzi; metodi (*spec. di reperire fondi*) □ (*fin.*, *in GB*) **ways-and-means advances**, anticipazioni di Tesoreria (*della Banca d'Inghilterra al governo*) □ (*naut.*) **ways-end**, avanscalo; antiscalo □ (*ferr.*, *USA*) **way freight**, treno merci locale (*nelle stazioni, ecc.*) **way in**, entrata □ (*leg.*) **way leave** → **wayleave** □ (*relig.*) **the Way of the Cross**, la Via Crucis □ (*nelle stazioni, ecc.*) **way out**, uscita; sbocco (*anche fig.*) □ (*fam. USA*) **way-out**, bizzarro; stravagante; strambo; eccentrico; modernissimo □ **way point** (*naut.*) punto fisso (*sulla linea di rotta*); (*aeron.*) punto di riporto □ (*fig.*) **a way round**, il modo di aggirare: *Criminals always find a way round new methods of crime prevention*, i criminali trovano sempre il modo di aggirare nuovi metodi di prevenzione del crimine □ (*ferr.*, *USA*) **way station**, stazione secondaria □ (*ferr.*, *USA*) **way train**, treno locale □ (*arc. o lett.*) **way-worn**, esausto per il lungo cammino □ **all the way**, per tutto il tragitto (o il viaggio, ecc.): *The roads were very clear all the way up*, la strada è stata libera per tutto il tragitto; dal principio alla fine; sino in fondo (*anche fig.*); sempre; completamente; interamente; (*market.*) tutto compreso, l'intera gamma: *I'm with you all the way*, sono completamente d'accordo con te; ti appoggio fino in fondo; *We keep these articles all the way*, abbiamo l'intera gamma di questi articoli □ **to ask the way** (o **one's way**), chiedere la via; farsi indicare la strada □ **by the way**, per strada, lungo il cammino, durante il viaggio; (*fig.*) incidentalmente, a proposito:

By the way, have you seen him?, a proposito, l'hai visto? □ **by way of**, (*autom.*, *ecc.*) via, attraverso, passando per; (*fig.*) in via di, a mo' di: *We went to Rome by way of Florence*, andammo a Roma passando per Firenze; **by way of an example**, in via d'esempio; **by way of exception**, in via del tutto eccezionale; **by way of recommendation**, a mo' di raccomandazione □ (*comm.*) **by way of trial**, a titolo di prova; in saggio □ **to clear the way**, sgombrare la strada; far largo; (*fig.*) sgombrare il campo (*dalle difficoltà, ecc.*) □ **to come sb.'s way**, offrirsi (o presentarsi) agli occhi di q.; capitare a tiro a q. □ **to do st. one's way**, fare qc. a modo proprio (o di testa propria): *Whatever I did, I did it my way*, qualunque cosa abbia fatto, l'ho fatta a modo mio □ **to do st. in the way of business**, fare qc. in via d'ordinaria amministrazione □ **to gather** [**to lose**] **way**, acquistare [perdere] velocità; guadagnare [perdere] terreno □ **to get in the way**, cacciarsi fra i piedi; intralciare; intromettersi □ **to get in each other's way**, intralciarsi a vicenda □ **to get st. out of the way**, togliere qc. di mezzo; riporre, sistemare qc. □ **to get under way**, mettersi in cammino; (*di nave*) far rotta, navigare □ **to give way**, cedere, ritirarsi, arrendersi; (*autom.*) dare la precedenza; (*di rematori*) remare con foga □ **to go one's way**, mettersi in via, incamminarsi, partire; andarsene per i fatti propri □ **to go the way of all flesh** (o **of all the earth**), andare al Creatore; morire □ **to go a long way**, (*di qc.*) durare a lungo; (*fig.*) avere successo □ **to go one's own way**, andare per la propria strada; fare a modo proprio □ **to go out of one's way**, cambiare direzione; fare una deviazione □ (*fig.*) **to go out of the way** (o **out of one's way**) **to do st.**, farsi in quattro per fare qc. (*un favore, ecc.*) □ **the hard way**, il (o nel) modo più difficile; a proprie spese: **to learn st. the hard way**, imparare qc. a proprie spese □ **to have a way with sb.**, saper trattare q. □ **to have** (o **to get**) **one's own way**, fare a modo proprio; ottenere quel che si vuole; averla vinta: *if I could have my way...*, se potessi fare a modo mio... □ **in the way**, (*avv.*) in mezzo, fra i piedi; (*agg.*) ingombrante; fra i piedi; fastidioso □ **to be in sb.'s way**, essere d'impaccio (o d'ostacolo, d'intralcio) a q.; essere tra i piedi di q. □ (*di una persona*) **to be in a bad way**, essere ridotto male □ **in a big way**, dispendiosamente; in grande, su grande scala □ (*fam. antiq.*: *di donna*) **to be in the family way**, essere incinta □ (*fam.*) **to be in a great way**, essere agitato (o inquieto) □ (*arc.*) **to be in the grocery way**, fare il droghiere □ **in a small way**, modestamente, senza pretese; in piccolo, su piccola scala: **to live in a small way**, condurre una vita senza pretese; **to be a publisher in a small way**, fare l'editore in piccolo □ **to lead the way**, aprire la marcia; fare strada; precedere □ **to lose one's way** (o **the way**), smarrire la strada; smarrirsi □ **to make way**, dare la strada, fare largo; fare strada, avanzare; far progressi □ **to make the best of one's way**, procedere nel modo più spedito possibile □ **to make one's way forward** [**back**], avanzare [indietreggiare] □ **to make one's way in life** (o **a way for oneself**), farsi strada nella vita; fare carriera □ (*slang*) **No way!**, no!; neanche per sogno! □ **on my way home**, andando a casa: *I'll post the letters on my way home*, imposterò le lettere andando a casa □ (*fig.*) **to be on the way out**, essere in declino; essere superato (o fuori moda) □ (*autom.*) «One way» (*cartello*), «senso unico» □ (*autom.*) **one-way street**, strada a senso unico □ (*di persona*) **to be out of the way**, essere lontano; non esserci □ **out-of-the-way**, (*agg.*) lontano; remoto: **in an out-of-the-way corner**, in un angolo re-

moto □ **out of the way**, (*avv.*) lontano; (*agg.*) insolito; eccezionale; straordinario: *He hasn't said anything out of the way yet*, per ora, non ha detto niente di straordinario □ (*fam.*) **out our way**, dalle nostre parti □ (*fig.*) **to pave the way for**, preparare la strada (o il terreno) per (*mutamenti, riforme, ecc.*); preparare l'avvento di (q. o qc.) □ **to put sb. in the way of doing st.**, dare a q. l'occasione di fare qc. [*of a good bargain*], dare a q. l'occasione di fare un buon affare] □ (*fig.*) **to put oneself out of the way**, darsi pena, disturbarsi, farsi in quattro (*per q.*) □ **to put sb. out of the way**, togliere di mezzo q.; sbarazzarsi di q.; fare fuori q. (*imprigionandolo o uccidendolo*) □ **to put st. out of harm's way**, mettere qc. al sicuro, al riparo □ **to be set in one's ways**, avere delle abitudini precise; essere abitudinario □ (*ferr.*) **the six-foot way**, la distanza regolamentare fra due binari (*m 1,80 circa*) □ **to stand in sb.'s way** = **to be in sb.'s way** → *sopra* □ (*fam.*) **through sb.'s way**, dalle parti di q.: *I don't know when I'll be coming through your way*, non so quando mi troverò a passare dalle tue parti □ **to my way of thinking**, a mio modo di vedere; secondo me □ **to be under way**, essere in cammino, essere per strada; (*di nave*) far rotta, navigare; (*fig.*) essere ben avviato □ (*sport*) **to get the game under way**, dare inizio alla partita; dare il via al gioco □ **to want to have it both ways**, volerla prima cotta e poi cruda; voler fare i propri comodi □ (*USA*) **the whole way** = **all the way** → *sopra* □ **Get out of my way!**, togliti di mezzo!; levati dai piedi! □ (*polit.*, *in GB*) «**Give me way!**», «chiedo la parola!» □ **There are no two ways about it**, c'è poco da discutere (o da scegliere, ecc.) □ **This is the way to do it**, così si fa! □ *That's the way it goes sometimes*, così è la vita a volte; così va il mondo □ (*prov.*) **Where there's a will there's a way**, volere è potere.

way② /weɪ/ *avv.* **1** (*fam. per* **away**; idiom., per es.:) **way down**, giù; laggiù; **way up**, su; lassù; **friends from way back**, amici d'antica data; *It was way back in 1848*, accadde nel lontano 1848 **2** (*fam.*) assai; molto; -issimo: **way cool**, fichissimo ● **way ahead of the times**, (*avv.*) (del tutto) d'avanguardia; (*agg.*) assai avanzato (o progredito), d'avanguardia.

waybill /'weɪbɪl/ *n.* **1** (*trasp.*) lista dei passeggeri **2** (*trasp.*, *ferr.*, *USA*) bolla di consegna; bollettino di spedizione.

to **waybill** /'weɪbɪl/ *v. t.* (*comm.*, *USA*) elencare (*merci*) in una bolla di consegna.

wayfarer /'weɪfɛərə(r)/ (*lett.*) *n.* viandante; pellegrino ‖ **wayfaring** Ⓐ *a.* viaggiante (*spec. a piedi*) Ⓑ *n.* Ⓤ il viaggiare; i viaggi ● **a wayfaring man**, un viaggiatore; un viandante □ (*bot.*) **wayfaring tree** (*Viburnum lantana*), viburno; lantana.

to **waylay** /weɪ'leɪ, *USA* 'weɪleɪ/ (pass. e p. p. **waylaid**), *v. t.* **1** tendere un'imboscata, tendere un agguato a (q.) **2** attendere (q.) al passaggio (o al varco); abbordare (q.) **3** intercettare; sequestrare.

wayleave, **way leave** /'weɪliːv/ *n.* Ⓤ (*leg.*) **1** servitù (o diritto) di passaggio **2** servitù mineraria **3** (= **w. rent**) prezzo pagato per ottenere un diritto di passaggio.

wayless /'weɪlɪs/ *a.* privo di strade; privo di sentieri.

waypoint /'weɪpɔɪnt/ = **way point** → **way**①.

ways /weɪz/ *avv.* (*fam. USA*) → **way**②.

wayside /'weɪsaɪd/ Ⓐ *n.* margine, ciglio, sponda (*della strada, di un sentiero*) Ⓑ *a. attr.* della sponda; lungo la strada: **a w. inn**, una locanda lungo la strada □ (*fig.*) **to fall by the w.**, fare fiasco; fallire; arrendersi; (*sport*) ritirarsi.

wayward /'weɪwəd/ a. **1** caparbio; ostinato; testardo **2** indocile; riottoso; bizzoso **3** capriccioso; eccentrico; imprevedibile; irregolare: **w. behaviour**, comportamento imprevedibile **4** (sport: di un tiro, ecc.) sotto misura; fasullo (fam.): **a w. pass**, un passaggio sotto misura | **-ly** avv. | **-ness** n. ⊍.

WBA sigla (**World Boxing Association**) Associazione pugilistica mondiale.

WBC sigla (**World Boxing Council**) Consiglio pugilistico mondiale.

WC sigla **1** (anche w.c.) (**water closet**) gabinetto (di decenza) (WC) **2** (geogr., **west central**) centro-occidentale (anche come distretto postale, a Londra).

W3C sigla (comput., **World Wide Web Consortium**) consorzio per il web.

WCAG sigla (comput., **web content accessibility guidelines**) linee guida per l'accessibilità dei contenuti web.

WCC sigla (**World Council of Churches**) Consiglio ecumenico delle chiese (Svizzera).

♦ **we** /wiː/ pron. pers. 1ª pers. pl. **1** noi (spesso sottinteso): We don't mind it, (noialtri) non ci facciamo caso (o a noi non importa, ecc.); **we, the people of the United States**, noi, popolo degli Stati Uniti (fam.: a un malato) How are we feeling today?, e oggi, come stiamo? **2** (con valore indef.) si: We don't read many books in Italy, non si legge molto in Italia ● **the royal we**, il pluralis maiestatis ⇒ **we all** (o **all of us**), noi tutti; tutti noi □ **Here we are!**, eccoci!

♦ **weak** /wiːk/ a. **1** debole (anche fig.); fiacco; fievole; poco resistente: He is too w. to get up, è troppo debole per alzarsi; **w. resistance**, debole resistenza; **a w. nation**, una nazione debole; (sport) **a w. shot**, un tiro debole; (sport) **w. refereeing**, arbitraggio debole; **a w. rope**, una corda poco resistente; **a w. argument**, un'argomentazione debole; (fin.) **w. currency**, valuta debole; The market was w., il mercato era fiacco; **a w. voice**, una voce fievole: My son is w. in (o at) maths, mio figlio è debole in matematica **2** allungato; diluito; leggero: **w. coffee [tea]**, caffè [tè] leggero **3** (di colore, ecc.) debole; fioco; tenue **4** (ling.) debole: **w. verbs**, verbi deboli **5** (chim.: di un acido o una base) debole **6** (fig.: di un provvedimento, ecc.) inefficace ● **a w. crew**, un equipaggio insufficiente □ (poesia) **w. ending**, terminazione debole (con parola proclitica o comunque non accentata: in un pentametro giambico) □ (med.: di persona) **w.-eyed**, dalla vista debole (a carte) **a w. hand**, una mano poco buona □ **w.-handed**, che non ha forza nelle mani; (fig.) scoraggiato, incapace d'impegnarsi a fondo □ **w.-headed**, che non regge l'alcul; ⇒ **w.-minded** → sotto □ **w. health**, salute cagionevole □ **w. heart**, (med.) cuore debole; (fig.) pusillanimità, viltà ⇒ **w.-hearted**, vile; pusillanime □ (fig. fam.) **w.-kneed**, debole di carattere; fiacco; smidollato □ **w.-minded**, debole di carattere, indeciso, irresoluto; (anche) deficiente, oligofrenico ⇒ (autom.) **w. mixture**, miscela povera □ **w.-sighted** = **w.-eyed** → sopra □ **w.-spirited**, codardo; vile □ (fig.) **sb.'s w. spot**, il punto debole di q. □ **w.-willed**, che ha poca forza di volontà; debole ⇒ **the weaker sex**, il sesso debole □ **as w. as a kitten**, debolissimo □ **to go w.**, indebolirsi; svaporare: Chloroform doesn't go w., il cloroformio non svapora ⇒ **to grow w.**, indebolirsi □ **That's my w. side** (o **point**), ecco il mio punto debole (o il mio lato debole, il mio tallone).

♦ **to weaken** /'wiːkən/ **A** v. t. **1** indebolire (anche fig.); infiacchire; affievolire **2** allungare, diluire (una bevanda) **3** attenuare (un colore, ecc.) **B** v. i. **1** indebolirsi **2** calare; scemare (anche fig.): Demand has weakened a lot, la domanda è calata di molto **3**

cedere, arrendersi (a insistenti richieste, ecc.).

weakening /'wiːkənɪŋ/ n. ⊍ **1** (anche fig.) indebolimento; infiacchimento **2** (ling.) indebolimento.

weakish /'wiːkɪʃ/ a. alquanto debole; deboluccio.

weakling /'wiːklɪŋ/ n. **1** bambino gracile; individuo malaticcio **2** persona dal carattere debole; smidollato.

weakly /'wiːklɪ/ **A** a. debole; malaticcio; gracile **B** avv. debolmente; con debolezza.

♦ **weakness** /'wiːknəs/ n. **1** ⊍ debolezza; fiacchezza; fievolezza: **the w. of old age**, la debolezza della vecchiaia; **w. of mind**, debolezza d'animo, di mente; infermità mentale; (fin.) **the w. of the dollar**, la debolezza del dollaro **2** (punto) debole; debolezza: I have a w. for detective stories, ho un debole per i romanzi gialli.

weal ① /wiːl/ n. ⊍ (arc. o lett.) benessere; bene; prosperità: **for the public** (o **common**) **w.**, per il bene comune ● **in w. and woe**, nella buona e nella cattiva sorte.

weal ② /wiːl/ n. segno di frustata (sulla pelle); livido; piaga.

weald /wiːld/ n. (poet.) **1** bosco; foresta; regione boscosa **2** aperta campagna ● (geogr.) **the W.**, regione dell'Inghilterra meridionale (ora agricola, un tempo boscosa).

♦ **wealth** /wɛlθ/ n. ⊍ **1** ricchezza; opulenza; (fig.) profusione; abbondanza: 'There is no w. but life' J. RUSKIN, 'l'unica vera ricchezza è la vita'; **the w. of the nation**, la ricchezza della nazione; **a w. of examples**, una grande ricchezza di esempi; **w. of fruit**, abbondanza di frutti **2** (leg., fin.) patrimonio; sostanze; proprietà ● (econ.) **w. effect**, effetto ricchezza ● (fisc.) **w. tax**, imposta patrimoniale □ **a man of w.**, un uomo ricco; un possidente.

wealthy /'wɛlθɪ/ a. ricco; danaroso; agiato; opulento; abbondante: **a w. country**, una nazione ricca || **wealthily** avv. riccamente; (fig.) profusamente || **wealthiness** n. ⊍ ricchezza; opulenza.

to wean /wiːn/ v. t. **1** svezzare; divezzare; slattare; spoppare: **to w. a baby (from the breast)**, svezzare un bambino **2** (fig.) divezzare; svezzare; distogliere; disabituare: **to w. sb. (away) from bad company**, distogliere q. dalle cattive compagnie ● **to w. sb. from** (o **off**) **a bad habit**, far perdere una cattiva abitudine a q. □ (fig.) **to w. sb. on**, far crescere q. con; nutrire con: Young people have been weaned on TV, i giovani sono cresciuti sotto l'influsso della televisione.

weaning /'wiːnɪŋ/ n. ⊍ svezzamento; divezzamento; slattamento; spoppamento.

weanling /'wiːnlɪŋ/ n. bimbo (o animale) appena svezzato ● (med.) **w. brash**, diarrea da divezzamento.

♦ **weapon** /'wɛpən/ n. arma (anche fig.): **an automatic w.**, un'arma automatica; **nuclear weapons**, armi nucleari; He used the compromising photos as a w., usò le foto compromettenti come arma ● (scherma) **w. arm**, braccio armato □ (mil.) **w. delivery**, tiro □ (mil.) **w. pit**, postazione □ (mil.) **weapons of mass destruction**, armi di sterminio; armi di distruzione di massa □ **weapons-grade**, (uranio, antrace, ecc.) idoneo alla preparazione di armi || **weaponed** a. armato || **weaponless** a. senza armi; disarmato; inerme.

weaponry /'wɛpənrɪ/ n. ⊍ (mil.) armi (collett.); armamento: **nuclear w.**, armamento nucleare; **a piece of w.**, un'arma.

wear ① /wɛə(r)/ n. ⊍ **1** il portare (indumenti); uso: **clothes for everyday w.**, abiti per uso giornaliero; vestiti da tutti i giorni **2** consumo; logoramento; usura; logorio: (autom.) **tyre w.**, l'usura delle gomme; (mecc.) **w. resistance**, resistenza all'usura

3 durata; resistenza (all'uso): There's good w. in these trousers, questi pantaloni hanno una lunga durata **4** abiti; vestiti; vestiario; abbigliamento: **spring [summer, winter, autumn] w.**, abiti primaverili [da estate, da inverno, autunnali]; **sports w.**, indumenti sportivi ● **w. and tear**, logorio; logoramento; deterioramento □ (org. az., rag.) **w.-out**, deprezzamento (d'un macchinario, ecc.) dovuto all'uso □ **for Sunday w.**, da portare la domenica □ (d'abiti, ecc.) **to be in general w.**, essere portato da tutti; essere di moda □ **ladies' [men's] w.**, abbigliamento da donna [da uomo] □ **to show (the signs of) w.**, dare segni di usura (o di logorio) □ (d'abito, ecc.) **to be the worse for w.**, essere sgualcito, logoro, sciupato (per l'uso) □ **There isn't much w. left in my jacket**, questa giacca mi durerà ancora per poco.

wear ② /wɛə(r)/ → **weir**.

♦ **to wear** ① /wɛə(r)/ (pass. **wore**, p. p. **worn**) **A** v. t. **1** portare; indossare; vestire; avere addosso (al collo, al polso, ecc.): Does he w. glasses [a hat]?, porta gli occhiali [il cappello]?; What is she wearing?, com'è vestita?; **to w. white**, vestire di bianco; **to w. a seat-belt**, indossare la cintura di sicurezza; **to w. one's hair long**, portare i capelli lunghi; **to w. a pearl necklace**, avere al collo una collana di perle; **not to w. shoes**, non aver scarpe ai piedi; andare scalzo **2** avere; mostrare: **to w. a sad look**, avere un'aria triste **3** consumare; logorare: The sleeves are worn at the elbows, le maniche sono consumate ai gomiti; **worn clothes**, abiti logori **4** fare, aprire, tracciare (con l'uso): **to w. a hole in one's socks**, farsi un buco nei calzini; In time the cattle wore a path across the wood, col tempo il bestiame tracciò un sentiero attraverso il bosco **5** (fam.) prendere per buona (una spiegazione, una scusa) **B** v. i. **1** consumarsi; logorarsi: This cloth wears quickly, questa stoffa si logora in fretta **2** durare; resistere bene all'uso prolungato: These shoes will w. for years, queste scarpe dureranno degli anni ● **to w. the trousers**, (anche fig.), portare i pantaloni □ **to w. the crown**, portare la corona; essere re (o regina); (anche) essere un martire □ **to w. the gown**, indossare la toga; fare l'avvocato □ (di un indumento) **to w. to sb.'s shape**, tornare a misura di q.; adattarsi alle forme di q., con l'uso; stare meglio (a forza d'esser portato) □ **to w. holes into one's shoes**, ridurre le scarpe tutte un buco (a furia di portarle) □ **to w. the sword**, portare la spada; (fig.) fare il soldato □ **to w. thin**, rendere (un indumento) liso (con l'uso); (di un indumento) diventare liso; (fig.: del coraggio) venir meno; (di una scusa, ecc.) mostrare la corda □ **to w. well**, (d'abito) durare; (di persona) portare bene i propri anni, invecchiare bene: My grandfather is wearing well, mio nonno porta bene i suoi anni □ (di persona) **to have worn well**, essersi conservato (o mantenuto) bene; essere giovanile □ **a worn joke**, una barzelletta stantia □ **to be worn to a shadow with care**, ridursi al lumicino per gli affanni.

■ **wear away A** v. i. + avv. **1** consumarsi; logorarsi; cancellarsi: The letters have worn away, le lettere (dell'iscrizione, ecc.) si sono cancellate **2** (fig.) esaurirsi; finire: At last his patience wore away, alla fine la sua pazienza si esaurì **3** (fig.) passare lentamente; (del tempo) trascinarsi: The long winter was wearing away, il lungo inverno passava lentamente **4** (di un malato) deperire **B** v. t. + avv. **1** consumare; logorare; cancellare: The pilgrims' feet had worn away the steps, i piedi dei pellegrini avevano logorato i gradini **2** (del vento, ecc.) erodere **3** (fig.) sciupare; sprecare: **to w. away one's time in trifles**, sciupare il tempo in sciocchezze.

■ **wear down** Ⓐ v. i. + avv. **1** consumarsi; logorarsi: *The heels of my shoes are wearing down*, i tacchi delle mie scarpe si stanno consumando **2** ridursi, assottigliarsi: *The stick wore down to a stump*, il bastone si ridusse a un mozzicone (*a furia di tagliarlo, ecc.*) **3** (*fig.*) fiaccarsi; indebolirsi; venir meno: *All resistance wore down*, venne meno ogni resistenza Ⓑ v. t. + avv. **1** consumare; logorare: *Your tyres are worn down*, hai le gomme consumate; (*mil.*) **to w. the enemy down**, logorare il nemico **2** (*fig.*) fiaccare; stancare; sfibrare: *The police wore down his resistance*, la polizia ha fiaccato la sua resistenza **3** (*mil. e sport*) logorare la resistenza di (q.); rendere esausto; sfibrare: **to w. down one's opponent**, sfibrare l'avversario.

■ **wear off** Ⓐ v. i. + avv. **1** consumarsi; logorarsi; cancellarsi: *The tread of my tyres has worn off*, il battistrada delle mie gomme si è logorato; *The inscription has worn off*, l'iscrizione si è cancellata **2** (*fig.*) dissiparsi; esaurirsi; svanire; (*di un dolore, ecc.*) passare: *The effect of the pill will soon w. off*, l'effetto della pillola si esaurirà presto; *The shock soon wore off*, lo choc passò ben presto Ⓑ v. t. + avv. consumare; logorare; togliere (*vernice, ecc.*) con l'uso.

■ **wear on** Ⓐ v. t. + prep. portare, indossare, avere (qc.) a (*o* in, su): **to w. a ring on one's finger**, portare un anello al dito; **to w. a hat on one's head**, avere il cappello in testa Ⓑ v. i. + avv. **1** (*del tempo*) passare lentamente **2** (*di una riunione*) trascinarsi stancamente **3** (*fam., di solito*, **to w. on sb.'s nerves** *o* **patience**) infastidire; stancare; scocciare (*fam.*) □ (*fig.*) **to w. one's heart on one's sleeve**, avere il cuore sulle labbra; palesare i propri sentimenti; parlare con il cuore in mano.

■ **wear out** Ⓐ v. i. + avv. **1** consumarsi; logorarsi: *This material wears out easily*, questa stoffa si consuma facilmente **2** passare con l'uso; (*di una piega, ecc.*) stirarsi (da sola) quando si porta l'indumento **3** (*fig.: della pazienza, di risorse, delle forze, ecc.*) esaurirsi; venir meno **4** (*del tempo, ecc.*) passare lentamente; trascinarsi Ⓑ v. t. + avv. **1** consumare; logorare; rendere inutilizzabile (*con l'uso*): *You've worn out another pair of shoes*, hai consumato un altro paio di scarpe; *The machine is worn out*, la macchina è ormai inutilizzabile **2** (*fig.*) esaurire (*fondi, risorse, ecc.*) **3** (*fig.*) stancare; stufare; seccare; scocciare (*fam.*) **4** (*USA*) portare (*un indumento, ecc.*) finché non ne può più **5** (*sport, ecc.*) sfibrare; sfiancare; logorare la resistenza di (q.); rendere esausto: **to feel worn out**, sentirsi esausto; essere a pezzi **6** (*fam. USA*) picchiare, menare, bastonare (q.) □ **to w. oneself out**, logorarsi, stancarsi, affaticarsi a morte (*per gli altri, ecc.*) □ (*naut.*) **to w. out a storm**, superare una tempesta □ **to w. out one's welcome**, abusare dell'ospitalità altrui; non essere più gradito come ospite □ **My patience is worn out**, la mia pazienza è giunta al limite; non ne posso più.

■ **wear through** v. i. + avv. (o prep.) **1** consumarsi, logorarsi; farsi un buco in: *The jacket has worn through at the elbows*, la giacca si è bucata ai gomiti **2** sfondarsi (*con l'uso*).

■ **wear up** v. t. + avv. **1** portare (*indumenti, scarpe, ecc.*) finché non ne possono più **2** portare (*i capelli*) tirati su: **to w. one's hair up**, avere lo chignon.

to **wear** ② /weə(r)/ (pass. e p. p. *wore*), (*naut.*) Ⓐ v. i. virare (col vento) in poppa; virare poggia alla banda Ⓑ v. t. far virare (*una nave*) in poppa.

wearable /ˈweərəbl/ Ⓐ a. portabile; che si può indossare; indossabile: **w. computer**, computer indossabile (*usato in attività che richiedono le mani libere*) Ⓑ n. **1** (*comput.*) computer indossabile **2** (pl.) indumenti; abiti; vestiti; vestiario ‖ **wearability** n. ⓤ portabilità (*di un indumento*).

wearer /ˈweərə(r)/ n. chi porta, chi indossa (*un indumento*): **contact lens wearer**, chi porta le (*o* portatore di) lenti a contatto.

wearied /ˈwɪərɪd/ a. affaticato; stanco.

weariless /ˈwɪərɪləs/ a. instancabile; inesausto.

wearily /ˈwɪərəlɪ/ avv. stancamente.

weariness /ˈwɪərɪnəs/ n. ⓤ **1** stanchezza; fatica **2** tediosità; noia.

wearing ① /ˈweərɪŋ/ Ⓐ n. ⓤ **1** logoramento; usura **2** il portare (*indumenti*); uso Ⓑ a. **1** da portare; da indossare **2** faticoso; logorante; stressante: **a w. journey**, un viaggio faticoso **3** (*di persona*) noioso; fastidioso; pesante (*fig.*) ● **w. apparel**, indumenti; abiti; vestiario □ (*di strada*) **w. course**, manto superficiale □ **w. plate**, lastra di protezione | **-ly** avv.

wearing ② /ˈweərɪŋ/ n. (*naut.*) virata (col vento) in poppa.

wearisome /ˈwɪərɪsəm/ a. **1** faticoso; duro; pesante (*fig.*) **2** tedioso; noioso; uggioso | **-ly** avv. | **-ness** n. ⓤ.

wearproof /ˈweəpruːf/ a. resistente all'uso; che non si logora; robustissimo.

weary /ˈwɪərɪ/ a. **1** stanco; affaticato; esausto; stufo (*fam.*): *I am w.*, sono stanco; *'It rains, and the wind is never w.'* H.W. LONGFELLOW, 'piove, e il vento non è mai stanco'; *I am w. of singing*, sono stufo di cantare; **to be w. of life**, essere stanco della vita **2** faticoso: **a w. walk**, una camminata faticosa **3** noioso; tedioso; uggioso: **a w. wait**, una noiosa attesa ● **a w. sigh**, un sospiro di noia □ (*fam.*) **w. Willie**, scansafatiche; lazzarone; sfaticato; fannullone.

to **weary** /ˈwɪərɪ/ Ⓐ v. t. **1** stancare; affaticare **2** annoiare; seccare; stuccare; stufare (*fam.*) Ⓑ v. i. stancarsi; seccarsi; stufarsi (*fam.*): *In the end I wearied of her continuous complaints*, alla fine mi stancai delle sue continue lagnanze.

wearying /ˈwɪərɪɪŋ/ a. **1** stancante; faticoso; pesante (*fig.*) **2** monotono; noioso; tedioso | **-ly** avv.

weasel /ˈwiːzl/ n. (pl. *weasels*, *weasel*) **1** (*zool.*) mustelide (*in genere*) **2** (*zool.*, *Mustela nivalis*) donnola **3** (*fig.*) individuo subdolo, ambiguo, viscido **4** (*USA*) informatore della polizia; spia; spione **5** (*USA*) gatto delle nevi (*veicolo*) ● **w.-faced**, dalla faccia di faina; dal viso affilato e astuto □ **w.-worded**, ambiguo; fuorviante; tutt'altro che chiaro □ (*fam.*) **w. words**, eufemismi ipocriti; parole ambigue; linguaggio ambiguo; trabocchetti (*in un contratto*).

to **weasel** /ˈwiːzl/ v. i. **1** (*fam. USA*) essere evasivo; parlare in modo ambiguo **2** (*slang USA*) fare l'informatore; fare la spia ● **to w. out of**, schivare, evitare, scansare, sottrarsi a (*un impegno, una responsabilità, ecc.*).

◆ **weather** /ˈweðə(r)/ Ⓐ n. ⓤ **1** (*meteor.*) tempo (*atmosferico*): *'When two Englishmen meet, the first talk is of the w.'* S. JOHNSON, 'quando due inglesi s'incontrano, per prima cosa parlano del tempo che fa'; *What was the w. like?*, com'era il tempo?; *We had beautiful w. all week*, abbiamo avuto un tempo bellissimo per tutta la settimana; **a change in the w.**, un cambiamento del tempo; **fine w.**, bel tempo; **bad w.**, cattivo tempo; maltempo; **nasty w.**, tempo schifoso; **wet w.**, tempo piovoso; stagione umida **2** intemperie; maltempo: **for protection against the w.**, per protezione contro le intemperie; *The journey was stopped by the w.*, il viaggio fu interrotto per il maltempo; (*naut.*) **heavy w.**, mare grosso; (*naut.*) **to hit**

a patch of w. over the Channel, incontrare brutto tempo sulla Manica **3** (*TV*) '**w.**', che tempo fa' (*rubrica*) Ⓑ a. attr. **1** del tempo; meteorologico **2** (*naut.*) (di) sopravvento; (esposto al vento): **w. side**, lato di sopravvento ● **w.-beaten**, esposto alle intemperie; (*della pelle, ecc.*) che porta i segni delle intemperie; segnato dal sole, dal vento, dalla pioggia: **w.-beaten features**, fattezze segnate dalle intemperie □ **w.-bound**, (*naut.*) trattenuto (*in porto, ecc.*) dal maltempo; (*di persona*) bloccato dal cattivo tempo □ **w. box**, scatola (*o* casetta) igrometrica (*con due figurine, una delle quali uscendo annuncia la pioggia e l'altra il bel tempo*) □ **w. bureau**, ufficio meteorologico □ **w. cast** = **w. forecast** → *sotto* □ **w. centre**, centro meteorologico □ **w. chart**, carta meteorologica; tempogramma □ **w. conditions**, condizioni atmosferiche (*o* meteorologiche) □ (*naut.*) **w. deck**, ponte scoperto □ (*sport*) **w. delay**, rinvio (*o* sospensione) per le avverse condizioni atmosferiche □ (*naut.*) **w.-driven**, in balia delle onde □ (*in TV*) **w. forecast**, previsioni del tempo; (*in TV*) meteo; bollettino meteorologico; *The w. forecast said there would be showers*, le previsioni del tempo hanno detto che ci saranno acquazzoni □ (*naut.*) **w.-gauge**, posizione di sopravvento; vantaggio del sopravvento: (*fig.*) **to have the w.-gauge on sb.**, essere in posizione di vantaggio su q.; **to keep [to lose] the w.-gauge**, conservare [perdere] il vantaggio del vento □ (*TV*) **w. girl**, presentatrice del meteo □ (*raro*) **w.-glass**, barometro □ **w. house** = **w. box** → *sopra* □ **w. map**, carta del tempo □ (*edil.*) **w. moulding**, gronda; gocciolatoio; cornicione □ **w. permitting**, tempo permettendo □ **w. report**, bollettino meteorologico □ **w. satellite**, satellite meteorologico □ (*naut.*) **w. sheet**, scotta di sopravvento □ (*naut.*) **w. ship**, nave del servizio meteorologico □ **w. side** = B, *def. 2* → *sopra* □ **w. stain**, macchia dovuta all'umidità, ecc. □ **w. station**, stazione meteorologica □ **w. strip**, guarnizione di tenuta; fettuccia di vigogna (*o d'altro, per tappare fessure nelle finestre o nelle porte*) □ (*edil.*) **w. tiles**, mattonelle sovrapposte a spiovente (*per esterni*) □ **w. vane** = **weathercock** □ (*naut.*) **w. warning**, avviso di cattivo tempo; avviso di fortunale (*o* di tempesta) □ **w.-wise**, capace di prevedere il tempo □ **w.-worn**, logorato (*o* sciupato) dalle intemperie □ (*di una persona*) **to feel the w.**, sentire il tempo; essere meteoropatico □ (*fam.*) **to keep one's w. eye open**, stare in guardia; tenere gli occhi aperti □ (*naut.*) **to make good [bad] w. of it**, (*di nave*) comportarsi bene [male] in una tempesta □ (*fig.*) **to make heavy w. of st.**, fare qc. in modo maldestro; (*anche*) fare pesare, fare un sacco di storie per: *Don't make such heavy w. of sending a thank-you note!*, non fare tante storie per mandare un biglietto di ringraziamento! □ (*fam.*) **under the w.**, giù di corda, giù di tono; indisposto, malaticcio □ **under stress of w.**, per il maltempo; a causa delle intemperie.

❶ NOTA: *weather, wether o whether*?

Il sostantivo *weather* si riferisce alle condizioni atmosferiche, meteorologiche: *What's the weather like?*, com'è il tempo?; *to listen to the weather forecast*, ascoltare le previsioni del tempo. Non confondere *weather* con *whether*, che si pronuncia allo stesso modo: *whether* è una congiunzione che si usa per introdurre un'alternativa o una domanda indiretta: *I don't know whether it is right or not*, non so se è giusto o no; *They asked whether they might stay longer*, hanno chiesto se potevano rimanere più a lungo. Si pronuncia allo stesso modo anche il sostantivo *wether*, che significa "montone castrato".

to **weather** /ˈweðə(r)/ Ⓐ v. t. **1** (*anche*

geol.) consumare; logorare; disgregare: **cliffs weathered by wind and waves**, scogliere disgregate dal vento e dalle onde **2** esporre all'aria (*o* alle intemperie); essiccare; stagionare: **weathered wood**, legno stagionato **3** (*fig.*) resistere a; superare: **to w. a storm**, (*naut.*) superare una tempesta; (*fig.*) resistere a furiosi attacchi, tenere duro; **to w. a crisis**, superare una crisi **4** (*naut.*) passare sopravvento; sopravventare; doppiare: *The ship weathered the Cape of Good Hope*, la nave sopravventò il Capo di Buona Speranza **5** (*edil.*) inclinare, disporre (*tegole, ecc.*) a spiovente: **weathered tiles**, tegole a spiovente **B** v. i. **1** (*anche geol.*) essere sottoposto all'azione degli agenti atmosferici **2** assumere la patina del tempo **3** resistere alle intemperie: *This paint will w. well*, questa vernice resisterà bene alle intemperie □ **to w. through**, cavarsela, scapolarsela (*fam.*); superare facilmente (*difficoltà, ecc.*).

weatherable /ˈwɛðərəbl/ a. che resiste alle intemperie (*o* agli agenti atmosferici) ‖ **weatherability** n. ⓤ resistenza alle intemperie.

weatherboard /ˈwɛðəbɔːd/ n. **1** (*edil.*) asse a sgrondo (*per proteggere dalla pioggia*) **2** (*edil.*) asse per rivestimento esterno (*di muri*) **3** (*naut.*) paraonde; tettoia dei portelli **4** (*naut.*) lato di sopravvento.

to **weatherboard** /ˈwɛðəbɔːd/ v. t. (*edil.*) rivestire (*un muro esterno*) di tavole o assi (*sovrapposte a spiovente*).

weatherboarding /ˈwɛðəbɔːdɪŋ/ n. ⓤ **1** (*edil.*) rivestimento esterno con assi **2** assi da rivestimento (collett.).

weathercock /ˈwɛðəkɒk/ n. **1** banderuola; segnavento; ventaruola **2** (*fig.*) banderuola (*fig.*); persona incostante.

weathered /ˈwɛðəd/ a. **1** eroso (dagli agenti atmosferici) **2** (*di legno, ecc.*) stagionato **3** (*di mattonelle per esterni o assi*) a spiovente **4** (*arte: di un mobile, ecc.*) anticato.

weathering /ˈwɛðərɪŋ/ n. ⓤⓒ **1** (*edil.*) pendenza a sgrondo; sgrondatura **2** esposizione agli agenti atmosferici **3** stagionatura; stagionamento **4** (*edil.*) gocciolatoio **5** (*anche geol.*) azione degli agenti atmosferici; erosione; degradazione.

weatherly /ˈwɛðəlɪ/ (*naut.*) a. (*di bastimento*) boliniero; che bolina bene ‖ **weatherliness** n. ⓤ capacità di navigare bene di bolina; qualità boliniere (*di una nave*).

weatherman /ˈwɛðəmæn/ n. (pl. **weathermen**) (*spec. TV*) meteorologo.

weathermost /ˈwɛðəməʊst/ a. (*naut.*) (il) più esposto al vento; (il) più sopravvento.

weatherproof /ˈwɛðəpruːf/ a. **1** resistente alle intemperie **2** (*d'abito, ecc.*) impermeabile.

to **weatherproof** /ˈwɛðəpruːf/ v. t. rendere resistente alle intemperie; impermeabilizzare (*un capo di vestiario*) ‖ **weatherproofing** n. ⓤⓒ impermeabilizzazione.

to **weather-strip** /ˈwɛðəstrɪp/ v. t. applicare una guarnizione di tenuta a (*finestre, ecc.*).

weathertight /ˈwɛðətaɪt/ a. resistente agli agenti atmosferici.

weave /wiːv/ n. (*ind. tess.*) **1** tessitura: **cloth of English w.**, stoffa di tessitura inglese **2** armatura: **plain w.**, armatura semplice **3** (*di stoffa*) disegno; trama: **open w.**, trama larga; **herringbone w.**, disegno a spina di pesce.

to **weave** /wiːv/ (pass. **wove**, p. p. **woven**), v. t. e i. **1** tessere (*anche fig.*); intessere; intrecciare; ordire (*fig.*): **to w. cotton** [**silk, wool**], tessere cotone [seta, lana]; *The girl was weaving at her loom*, la ragazza tesseva al suo telaio; **to w. baskets out of**

reeds, intrecciare canestri di cannucce; **to w. a plan**, ordire un piano **2** (*del ragno*) fare la ragnatela **3** inserire (*anche fig.*): **to w. invented facts into a biography**, inserire fatti inventati in una biografia **4** inserirsi, insinuarsi: **to w. through the traffic**, insinuarsi nel traffico **5** serpeggiare: *The road weaves through the valley*, la strada serpeggia nella valle **6** (*boxe*) schivare (*con uno spostamento del corpo*) □ **to w. details into a story**, introdurre particolari in una storia □ **to w. flowers into a garland**, fare una ghirlanda intrecciando fiori □ (*autom.*) **to w. in and out between the cars** (*o* in and out of the traffic), procedere incuneandosi tra le auto; fare la gimcana nel traffico □ **to w. the plot of a novel**, costruire l'intreccio di un romanzo □ (*a piedi*) **to w. through the crowd**, farsi largo zigzagando tra la folla □ **to w. one's way**, andare a zigzag, serpeggiare, sgusciare (*attraverso la folla, ecc.*); (*sci*) scendere a serpentina □ (*del ragno*) **to w. a web**, fare la ragnatela □ (*fam.*) **Get weaving!**, datti da fare!; muoviti!

weave-on /ˈwiːvɒn/ n. ondulazione (*dei capelli*)

weaver /ˈwiːvə(r)/ n. **1** tessitore, tessitrice **2** (*zool.*, = **weaverbird**) uccello della famiglia dei Ploceidi; uccello tessitore.

weaving /ˈwiːvɪŋ/ n. ⓤ **1** (*ind. tess.*) tessitura **2** l'intrecciare (*canestri, ecc.*) **3** (*boxe*) gioco di testa e di spalle ● **the w. trade**, l'industria tessile □ **power-loom w.**, tessitura meccanica □ **wool w.**, tessitura della lana.

♦**web** /wɛb/ n. **1** ⓤⓒ tessuto (*anche fig.*); tela; trama; rete: **cotton web**, tessuto di cotone; **a web of lies**, un tessuto di menzogne; **a web of intrigue**, una rete d'intrighi; '*The web of our life is of a mingled yarn, good and ill together*' W. SHAKESPEARE, 'la trama della nostra vita è fatta con un filo composito, buono e cattivo insieme' **2** (= **cobweb**, **spider's web**) ragnatela **3** (*fig.*) tranello; trappola **4** (*zool.*) membrana interdigitale (*dei palmipedi, ecc.*) **5** (*mecc.*) corpo, nocciolo (*di trapano, ecc.*); disco (*di ruota*); braccio, spalla (*di manovella*); ingegno (*di chiave*) **6** (*ferr.*) anima, gambo (*di rotaia*) **7** (*archit.*) zona compresa fra due nervature; unghia, spicchio, vela **8** (*tipogr.*) rotolo di carta (*per stampare giornali*); bobina: **web press**, macchina da stampa a bobina continua **9** (*naut.*) anima (*del madiere*) **10** (*arti grafiche*) nastro **11** (*metall.*) fondello di fucinatura **12** ⓤ (*comput.*) **the Web**, la rete telematica; il web: **web page**, pagina web **13** (*baseball*) finestra (*del guanto*) **14** (*canottaggio*) braccio (*del remo*) ● (*comput.*) **web address**, indirizzo web □ (*comput.*) **web-based**, basato su tecnologie telematiche di rete □ (*comput.*) **web bug**, 'web bug' (*elemento di una pagina web che serve a rilevarne la lettera, all'insaputa dell'utente*) □ (*comput.*) **web design**, progettazione di siti web □ (*comput.*) **web designer**, 'web designer' (*chi crea siti web*) □ (*comput.*) **web developer**, sviluppatore di siti web □ (*comput.*) **web editor**, 'web editor' (*chi redige testi di un sito web*) □ (*comput.*) **web-enabled**, utilizzabile via web □ **web-fingered**, (*zool.*) che ha le dita unite da una membrana; (*med.*) affetto da sindattilia della mano □ (*zool.*) **web-foot**, (animale dal) piede palmato □ (*zool.*) **web-footed**, palmipede; dal piede palmato □ (*costr. navali*) **web frame**, costa composta (*o* rinforzata) □ (*comput.*) **web hosting**, ospitare siti web (*su un server*) □ (*comput.*) **web publishing**, pubblicazione in rete (*di contenuti multimediali*) □ (*comput.*) **web ready**, pronto per l'uso via web □ (*comput.*) **web ring**, 'web ring' (*percorso di siti web su un comune argomento*) □ (*comput.*) **web server**, 'server web' □ (*comput.*) **web site**, sito web □; «*Do you know the web site for the local college?*»,

«Conosci il sito web della scuola?» □ **web-toed**, (*zool.*) = **web-footed** → sopra; (*med.*) affetto da sindattilia del piede □ (*mecc.*) **web wheel**, ruota a disco (*non a raggiera*).

webbed /wɛbd/ a. (*zool.*) **1** connesso da una membrana: **w. toes**, dita (dei piedi) connesse da una membrana **2** palmato: **w. feet**, piedi palmati ● (*med.*) **w. fingers** [**toes**], sindattilia della mano [del piede].

webbing /ˈwɛbɪŋ/ n. **1** ⓤ tessitura **2** ⓒ tela da cinghie; tessuto (*o* nastro) robusto per letti, tappezzeria, ecc. **3** (*anat.*) membrana interdigitale.

webboard /ˈwɛbɔːd/ n. (*comput.*) bacheca web; bacheca elettronica.

webcam /ˈwɛbkæm/ n. (abbr. di **web camera**) (*comput.*) webcam (*telecamera collegata al 'World Wide Web'*).

webcast /ˈwɛbkɑːst/ n. (*comput.*) webcast (*trasmissione multimediale su rete*).

webcrawler /ˈwɛbkrɔːlə(r)/ n. (*comput*) webcrawler, ragno (*programma per la lettura e indicizzazione automatica di pagine web*).

Webinar /ˈwɛbɪnɑː(r)/ n. (*Internet*, contraz. di **web** e **seminar**) lezione che si tiene in Internet.

weblet /ˈwɛblət/ → **microsite**.

webliography /ˌwɛblɪˈɒɡrəfɪ/ n. (*Internet*) sitografia (*elenco di fonti on line*).

weblog /ˈwɛblɒɡ/ n. (*comput.*) weblog; blog; diario on line; diario di rete ‖ **we-blogger** n. weblogger; blogger; persona che tiene un diario on line.

webmail /ˈwɛbmeɪl/ n. ⓤ (*comput.*) webmail (*applicazione web per l'accesso alla posta elettronica tramite browser*).

webmaster /ˈwɛbmɑːstə(r)/ n. (*comput.*) webmaster (*chi realizza e gestisce un sito web*).

webring /ˈwɛbrɪŋ/ n. → **web**.

♦**website** /ˈwɛbsaɪt/ n. = **web site** → **web**.

webspace /ˈwɛbspeɪs/ n. (*comput.*) **1** webspace (*la totalità delle pagine e risorse del web*) **2** spazio disco destinato a pagine web (*sul server di un provider*).

Web tv /ˈwɛbtiːˈviː/ n. (*comput.*) web tv (*trasmissione a flusso continuo di programmi televisivi su banda larga*).

webzine /ˈwɛbziːn/ n. (abbr. di **web magazine**) (*comput.*) rivista pubblicata sul web.

we'd /wiːd/ contraz. di **1** we had **2** we should **3** we would.

wed /wɛd/ n. (*fam.*) sposo: **newly weds**, sposi novelli; sposini.

Wed. abbr. (**Wednesday**) mercoledì (Merc.).

to **wed** /wɛd/ (pass. e p. p. **wedded**, **wed**) **A** v. t. **1** (*retor.*) sposare; unire in matrimonio; dare in sposa **2** (*fig.*) combinare; unire; accoppiare: **to wed efficiency to** (*o* **with**) **economy**, combinare l'efficienza con l'economia **B** v. i. (*raro, di solito* **to be wedded**) sposarsi; ammogliarsi; maritarsi.

wedded /ˈwɛdɪd/ a. **1** (*form.*) sposato; coniugato **2** coniugale; matrimoniale: **w. life**, vita matrimoniale **3** (*fig.*) unito; legato: *They are w. by common interests*, sono legati da interessi comuni **4** (*fig.*) affezionato; devoto; attaccato: *He's w. to his work*, è attaccato al suo lavoro ● **a w. pair**, una coppia sposata □ **one's w. wife**, la propria legittima sposa.

♦**wedding** /ˈwɛdɪŋ/ n. ⓤ matrimonio (*la cerimonia*); nozze; sposalizio; cerimonia nuziale: **silver** [**golden**, **diamond**] **w.**, nozze d'argento [d'oro, di diamante]; **w. day**, giorno del matrimonio ● (*form.*) **w. band**, fede nuziale; nozze ‖ **w. bliss**, felicità coniugale □ **w. breakfast**, rinfresco nuziale □ **w. cake**, torta nuziale □ **w. card**, partecipazione di nozze □ **w. dress**, vestito da sposa □ **w. guest**, invitato alle nozze □ **w. list**, lista di nozze □ **w. march**, marcia nuziale □ **w. ring**,

anello nuziale; fede □ (*fam. USA*) **Hold the w.!**, altolà!; fermi tutti!

Wedeln /'veɪdəln/ (*ted.*) n. (*sci*) Wedeln; scondinzolo (*fam.*) (*metodo di discesa con brevi e rapide sterzate*).

wedge /wedʒ/ n. **1** cuneo (*anche fig.*); bietta; zeppa; fermo; (*anche*) zeppa di scarpa: **a wooden w.**, una bietta; un cuneo di legno; **a door w.**, un fermo per le porte **2** (*TV*) cuneo di risoluzione **3** (*fig.*) dissapore; dissidio; screzio: **to drive a w. between husband and wife**, causare uno screzio fra marito e moglie **4** (*meteor.*) dorsale: **w. of high pressure**, dorsale barometrica **5** (*golf*) ferro da alzo **6** (*arald.*) spicchio (*di stemma*) **7** (*archit.*) cuneo; concio; imposta **8** (*slang ingl.*) mazzetta di banconote; grana; malloppo □ (*mecc.*) **w. buckle**, controchiavetta □ **w. formation**, formazione a cuneo (*di oche in volo, ecc.*) □ (*mecc.*) **w. gear**, ruota di frizione (*con gola a cuneo*) □ **w. heel**, tacco a zeppa □ (*polit.*) **w. issue**, argomento controverso (*spec. usato per sottrarre sostenitori agli avversari*) □ **a w. of cake**, uno spicchio di torta □ **w.-shaped**, a forma di cuneo; cuneiforme; a forma di V (*d'uccello*) **w.-tailed**, con la coda a forma di cuneo □ (*fam., fig.*) **the thin end of the w.**, una cosa in apparenza senza importanza destinata ad avere conseguenze significative (*e in genere negative*); il primo passo; il primo anello di una catena: *They consider research on embryos to be the thin end of the w. leading to human cloning*, sostengono che la ricerca sugli embrioni non sia che il primo passo verso la clonazione umana.

to **wedge** /wedʒ/ v. t. **1** incuneare; imbiettare; rincalzare (*con una zeppa*): **to w. (up) a wardrobe**, rincalzare un armadio **2** conficcare; incastrare; infilare: **to w. cotton wool into a wound**, infilare cotone idrofilo in una ferita ● **to w. away** (*o off*), spingere fuori; far uscire a forza □ **to w. sb. into a corner**, incastrare q. in un angolo □ **to w. oneself into the crowd**, incunearsi tra la folla □ **to w. the gate open**, tenere aperto il cancello con una bietta.

wedged /wedʒd/ a. **1** incuneato **2** (*fig.*) incastrato; bloccato; incapace di muoversi **3** (*slang ingl.*) pieno di grana; pieno di soldi.

wedgies /'wedʒɪz/ n. pl. (*fam.*) scarpe con la zeppa.

wedging /'wedʒɪŋ/ n. ☐ **1** (*mecc.*) incuneamento; fissaggio mediante cunei **2** (collett.) cunei; zeppe.

Wedgwood /'wedʒwʊd/ n. ☐ (= W. ware) «Wedgwood» (*ceramica semivetrificata con decorazioni in rilievo*).

wedlock /'wedlɒk/ n. ☐ (*arc. o leg.*) vincolo coniugale; matrimonio; stato coniugale ● **a child born in lawful w. [out of w.]**, un figlio legittimo [illegittimo].

♦**Wednesday** /'wenzdeɪ/ n. ☐☐ mercoledì: **on W.**, mercoledì; **next W.**, mercoledì prossimo. *Per gli esempi d'uso* → **Tuesday** ● (*relig.*) Ash W., il mercoledì delle Ceneri; le Ceneri.

wee ① /wi:/ a. molto piccolo; piccolino; piccino; minuscolo ● **a wee bit**, un po'; un pochino; un tantino ● **wee small hours**, le ore piccole (*dopo mezzanotte*) □ **He's a wee bit drunk**, è alticcio; è brillo.

wee ② /wi:/ n. ☐ (*fam.*, = **wee-wee**) pipì.

to **wee** /wi:/ v. i. (*fam.*, = **to wee-wee**) fare (la) pipì.

weed ① /wi:d/ n. ☐☐ **1** erba infestante; erbaccia; malerba (*anche bot.*): *The garden has run to weeds*, il giardino s'è ricoperto d'erbacce **2** (*fam.*) spilungone; individuo allampanato; sparuto; (*anche*) bietolone; pirlotto (*region.*); ammosciato; mollaccione **3** (*fam.*) ronzino **4** (*fam.*) tabacco; sigaro; sigaretta **5** (*slang*) marijuana; erba (*pop.*) **6**

(*slang*) sigaretta di marijuana; spinello ● **w.-eater**, decespugliatore; motocespugliatore □ **w.-grown**, coperto d'erbacce □ (*prov.*) **Ill weeds grow apace**, l'erba cattiva cresce in fretta.

weed ② /wi:d/ n. **1** (*arc.*) abito; indumento; vestito **2** nastro nero (*in segno di lutto*) **3** (pl.) vestito da lutto; gramaglie ● **widow's weeds**, gramaglie vedovili.

to **weed** /wi:d/ (*agric.*) v. t. e i. sarchiare; ripulire dalle erbacce; strappare le erbacce: **to w. the field**, sarchiare il campo ● **to w. out**, estirpare, sradicare; (*fig.*) eliminare, epurare: **to w. out lazy pupils from a class**, eliminare gli scolari svogliati da una classe || **weeder** n. **1** sarchiatore, sarchiatrice **2** sarchio, sarchiello (*arnese*) **3** sarchio, sarchiello (*macchina*).

weediness /'wi:dɪnəs/ n. ☐ **1** abbondanza d'erbacce **2** l'essere allampanato (→ **weedy**).

weeding /'wi:dɪŋ/ n. ☐☐ (*agric.*) sarchiatura ● **w. hook**, sarchio; sarchiello □ **w. machine**, sarchiatrice.

weedkiller /'wi:dkɪlə(r)/ n. diserbante; erbicida.

weedless /'wi:dləs/ a. privo d'erbacce.

weedy /'wi:dɪ/ a. **1** coperto d'erbacce; pieno di malerbe; infestato d'erbacce **2** allampanato; gramo; magro; sparuto: **a w. boy**, un ragazzo allampanato **3** (*di cavallo*) bolso.

Weegie /'wi:dʒɪ/ a. e n. (*fam.*) → **Glaswegian**.

♦**week** /wi:k/ n. settimana: **last [next] w.**, la settimana scorsa [prossima]; **a five-day working w.**, una settimana lavorativa di cinque giorni; una settimana corta; **a four-week holiday**, quattro settimane di vacanza ● **w. after w.**, una settimana dopo l'altra □ **a w. ago**, una settimana fa □ **w. by w.**, ogni settimana □ **w. in, w. out**, una settimana dopo l'altra; tutte le settimane □ (*di paga*) **by the w.**, a settimana; settimanalmente: *We're paid by the w.*, siamo pagati a settimana □ **a w. today**, fra una settimana □ (*fam.*) **to kick sb. into next w.**, travolgere, stracciare, massacrare q. □ (*fam.*) **to knock sb. into the middle of next w.**, far vedere i sorci verdi a q.; dare una lezione coi fiocchi a q. □ **today (this day) w.**, oggi a otto □ **to-morrow w.**, domani a otto □ **to work a forty-hour w.**, fare una settimana lavorativa di quaranta ore □ **yesterday w.**, otto giorni ieri.

weekday /'wi:kdeɪ/ n. giorno feriale; giornata lavorativa.

♦**weekend** /wi:k'end, *USA* 'wi:kend/ n. week-end; (vacanza di) fine settimana ● **w. break**, week-end offerto dall'azienda □ **w. cottage**, villetta per i week-end □ (*ferr.*) **w. return**, biglietto festivo d'andata e ritorno □ (*ferr.*) **w. ticket**, biglietto festivo □ (*fam., USA*) **w. warrior**, chi partecipa ad un'attività solo nel tempo libero □ (*fam.: di una persona*) **to look like a wet w.**, avere una faccia da quaresima; fare il muso lungo.

to **weekend** /wi:k'end, *USA* 'wi:kend/ v. i. passare il week-end (*o la vacanza di fine settimana*): *We're weekending in the mountains*, andiamo in montagna per il week-end.

weekender /wi:k'endə(r), *USA* 'wi:kɛn-/ n. gitante (*o vacanziere*) del fine settimana; turista del week-end.

♦**weekly** /'wi:klɪ/ **A** a. settimanale: **the w. wage packet**, la busta paga settimanale; **a w. magazine**, una rivista settimanale **B** avv. settimanalmente; ogni settimana; una volta la settimana **C** n. rivista (*o pubblicazione*) settimanale; (un) settimanale; (un) ebdomadario.

weeknight /'wi:knaɪt/ n. sera di un gior-

no feriale.

to **ween** /wi:n/ v. t. e i. (*poet.*) opinare; credere; pensare; supporre.

weenie ① /'wi:nɪ/ n. (*slang USA*) **1** salsicciotto; würstel **2** cretinotto; fessacchiotto **3** (*a scuola*) sgobbone; secchione **4** (*volg.*) pistolino, pisellino (*fam.*) **5** tranello.

weenie ② /'wi:nɪ/ a. → **weeny** ②.

weeny ① /'wi:nɪ/ n. → **weenie** ①.

weeny ② /'wi:nɪ/ a. (*fam.*, *spesso* **teeny-w.**) piccolo piccolo; piccolissimo ● **w.-bopper**, ragazzetta (*di 8-12 anni*) fanatica della musica bop.

weep /wi:p/ n. (usato al sing.) (*lett.*) pianto; sfogo di pianto ● **to have a good w.**, piangere a calde lacrime; farsi un bel pianto □ **to have a little w.**, versare qualche lacrimuccia.

to **weep** /wi:p/ (pass. e p. p. **wept**) **A** v. i. **1** piangere; lacrimare: **to w. for joy [with pain]**, piangere di gioia [per il dolore]; **to w. for a dead son**, piangere un figlio morto; **to w. over one's sad fate**, piangere sul proprio triste destino **2** colare; trasudare; stillare: *Cold pipes w. in hot weather*, le tubazioni fredde trasudano quando fa caldo **3** (*med., biol.*) essudare (*raro*) **B** v. t. **1** piangere; versare: **to w. tears of blood**, piangere (*o versare*) lacrime di sangue **2** trasudare; stillare ● **to w. away**, continuare a piangere; passare (*il tempo, ecc.*) a piangere □ **to w. oneself out**, piangere a più non posso; piangere come una vite tagliata □ **to w. oneself to sleep**, piangere fino ad addormentarsi □ *That's nothing to w. over*, non è cosa da piangerci su; c'è poco da piangere.

weeper /'wi:pə(r)/ n. **1** chi piange; (*spec.*) chi piange spesso; piagnone, piagnona **2** (*un tempo*) prefica **3** (*un tempo*) velo di crespo nero (*delle vedove*) **4** (*un tempo*) nastro di crespo nero (*sul cappello degli uomini*) **5** (*fam. USA*: di film, ecc.) spettacolo strappalacrime.

weepie /'wi:pɪ/ n. (*fam. USA*) → **weeper**, def. 5.

weeping /'wi:pɪŋ/ **A** n. ☐ **1** pianto; lacrimazione: **a fit of w.**, una crisi di pianto **2** stillamento; trasudamento **B** a. **1** piangente (*anche bot.*) **2** trasudante; stillante **3** (*med., biol.*) essudativo: (*med.*) **w. eczema**, eczema essudativo ● (*stor.*) **W. Cross**, croce penitenziale (*posta ai crocicchi*) □ (*bot.*) **w. willow** (*Salix babylonica*), salice piangente.

weepy /'wi:pɪ/ a. (*fam.*) **1** che ha voglia di piangere **2** che ha il pianto facile **3** (*di film, racconto, ecc.*) strappalacrime; che fa piangere ● **to feel w.**, avere voglia di piangere.

weever /'wi:və(r)/ n. (*zool.*) **1** (*Trachinus draco*) trachino; pesce ragno **2** (*Trachinus vipera*) trachino vipera.

weevil /'wi:vɪl/ n. (*zool.*) punteruolo; tonchio; curculione || **weevily** a. (*del grano, ecc.*) infestato (*da insetti nocivi*); tonchioso.

wee-wee, to **wee-wee** /'wi:wi:/ → **wee** ②, **to wee**.

weft ① /weft/ n. ☐ (*ind. tess.*) **1** trama: **w. and warp**, trama e ordito **2** (*per estens.*) tessuto ● **w. feed**, alimentazione della trama □ **w. knitting**, maglieria di trama (*processo*) □ **w. stop**, rompitrama □ **w. winder** (*o* **w.-winding machine**), incannatoio; spolettiera.

weft ② /weft/ n. (*naut.*) mostravento; fiamma; bandierina da segnalazione.

weigh /weɪ/ n. ☐☐ pesatura; pesata ● (*sport*) **w.-in**, peso; pesata, pesatura □ (*ipp.*) **w.-out**, peso; pesatura (*del fantino*) prima della partenza □ (*USA*) **w. scale**, bilancia (*per cucina*).

♦to **weigh** /weɪ/ **A** v. t. **1** pesare (*anche fig.*): **to w. a new-born baby**, pesare un neonato; (*fig.*) **to w. one's words**, pesare le

parole **2** (*fig.*) soppesare; considerare bene; ponderare; valutare: **to w. the pros and cons**, soppesare i pro e i contro; **to w. the merits of two rival candidates**, valutare i meriti di due concorrenti **3** (*naut.*) levare, salpare (*l'ancora*) **B** v. i. **1** pesare; esser pesante; avere il peso di; (*fig.*) aver peso, contare, valere: *The box weighs ten pounds*, la scatola pesa dieci libbre (*kg 4,450*); *His words don't w. at all with me*, le sue parole non contano nulla per me; non do nessun peso alle sue parole **2** pesarsi (*con la bilancia*) **3** – **to w. at**, pesare, avere il peso di (*tot kili, ecc.*) **4** – **to w. on** (*o* **upon**), pesare a (q.); essere di peso a (q.); gravare; opprimere: *The secret weighed heavily on him*, il segreto gli pesava enormemente; *The theft weighs on his conscience*, il furto (che ha commesso) gli pesa sulla coscienza **5** (*naut.*) levare (*o* salpare) l'ancora ● (*naut. e fig.*) **to w. anchor**, levare l'ancora □ **to w. in sb.'s favour**, essere valutato (*o* contato) a favore di q. □ **to w. oneself**, pesarsi □ (*fig.*) **to be weighed in the balance**, essere giudicato.

■ **weigh against** **A** v. t. + prep. mettere (qc.) sulla bilancia rispetto a; tener debito conto di: *You should w. the quality of our articles against their price*, dovete tener conto della qualità dei nostri articoli rispetto al loro prezzo **B** v. i. + prep. pesare negativamente su; propendere (*o* andare) a favore di: *This evidence will w.* (*heavily*) *against the defendant*, queste prove peseranno (molto) sfavorevolmente sull'imputato.

■ **weigh down** v. t. + avv. **1** spostare il peso su; appesantire: *The boat must be weighed down on the right side*, bisogna appesantire la barca sul fianco destro **2** incurvare, piegare (*con il peso*): *The apple-trees were weighed down with fruit*, i meli si piegavano sotto il peso dei frutti **3** (*fig.*) pesare su; opprimere: *I was weighed down with remorse*, ero oppresso dal rimorso.

■ **weigh in** **A** v. i. + avv. **1** (*sport: di pugili*) andare al peso; pesarsi prima dell'incontro **2** (*ipp.: di fantini*) andare al peso dopo l'arrivo **3** (*fig.*) esercitare la propria influenza, il proprio peso; intervenire (autorevolmente): **to w. in with a convincing argument**, intervenire (autorevolmente) con un'argomentazione convincente **B** v. t. + avv. **1** (*trasp.*) pesare (*bagaglio*) **2** (*all'aeroporto*) pesare (*i bagagli*) alla partenza **3** (*sport: boxe, lotta*) pesare (*pugili, ecc.*) prima dell'incontro **4** (*ipp.*) pesare (*i fantini: con sella e 'pesi'*) dopo l'arrivo.

■ **weigh out** **A** v. t. + avv. **1** pesare; dosare: **to w. out sugar for a cake**, pesare lo zucchero per fare una torta **2** distribuire (qc.) pesando: **to w. out portions of bacon**, distribuire porzioni di bacon pesandole **3** (*sport: ipp.*) pesare (*i fantini*) prima della partenza **B** v. i. + avv. (*sport: boxe*) pesare alla fine dell'incontro: *The challenger weighed out three pounds lighter*, nell'incontro lo sfidante aveva perso tre libbre.

■ **weigh up** v. t. + avv. **1** soppesare (*fig.*); considerare bene; valutare; ponderare: **to w. up the pros and cons of a decision**, soppesare i pro e i contro di una decisione; **to w. up the chances of success**, valutare le probabilità di riuscita **2** (*fam.*) farsi un'idea di; prendere le misure a (*fig.*): *I cannot w. up the new boss yet*, non riesco ancora a farmi un'idea del nuovo capo.

weighable /'weɪəbl/ a. pesabile; che si può pesare.

weighage /'weɪɪdʒ/ n. Ⓤ (*comm., ingl.*) tassa di pesatura (*di merci*).

weighbar /'weɪbɑː(r)/ n. (*mecc., =* **shaft**) albero oscillante.

weighbeam /'weɪbiːm/ n. stadera.

weighbridge /'weɪbrɪdʒ/ n. pesatrice a

ponte; ponte a basculla; pesa: **a public w.**, una pesa pubblica.

weigher /'weɪə(r)/ n. **1** pesatore **2** pesatore pubblico; impiegato di pesa pubblica.

weighhouse /'weɪhaʊs/ n. pesa pubblica.

weighing /'weɪɪŋ/ n. Ⓤ pesatura; pesata; pesa (*atto di pesare*) ● (*chim.*) **w. bottle**, pesafiltro □ (*sport*) **w. enclosure**, recinto del peso □ **w.-in**, (*boxe, lotta*) operazioni di peso (*dei concorrenti*); (*ipp.*) pesatura (*dei fantini*) dopo l'arrivo □ (*lotta*) **w.-in list**, lista (*dei lottatori*) alla pesatura □ **w. machine**, pesatrice; pesa; bilancia □ (*ipp.*) **w.-out**, pesatura (*dei fantini*) alla partenza.

weighmaster /'weɪmɑːstə(r)/ n. addetto a una pesa pubblica.

♦ **weight** /weɪt/ n. **1** Ⓤ peso (*anche fig.*); carico, gravame, onere; pesantezza; aggravio, affanno, molestia; fardello, responsabilità; influenza, importanza: *What's your w.?*, qual è il tuo peso?; **to sell goods by w.**, vendere merce a peso; **gross [net] w.**, peso lordo [netto]; *That's a great w. off my mind*, mi sono liberato di (o mi hai tolto, ecc.) un gran peso dall'animo; (*leg.*) **the w. of evidence**, il peso (schiacciante) delle prove; **matters of great w.**, faccende che hanno gran peso; *I feel the w. of my position*, sento la responsabilità della mia posizione; *I don't attach any w. to his decision*, non do nessuna importanza alla sua decisione **2** peso; oggetto pesante **3** (= **paperweight**) fermacarte **4** Ⓤ (*tipogr.*) forza (*del carattere*) **5** Ⓤ (*fis., stat.*) fattore ponderale; peso **6** (*atletica*) peso: **to lift weights**, sollevare pesi **7** (*boxe, lotta*) peso; categoria (*in base al peso all'atleta*): **w. limit**, limite di peso; **w. loss**, perdita di peso **8** (*ipp.*) handicap di peso; 'peso' **9** (*fig.*) potenza; forza; importanza **10** (pl.) — **weights**, (*ginnastica*) peso (*di un manubrio, o di un attrezzo pluriuso*) **11** (*slang ingl.*) libbra di marijuana **12** (*slang USA*) quantitativo di droga venduto dallo spacciatore ● (*boxe, lotta*) **w. category** (*o* **w. class**), categoria (*o* classe) di peso □ (*ipp.*) **w.-cloth**, handicap di peso; 'peso' □ (*fis.*) **w. density**, peso specifico □ (*comm.*) **w. draft**, abbuono per il peso □ (*comm.*) **w. note** (*o* **w. slip**), distinta (*o* bolletta) dei pesi □ **w. scale**, bilancia □ (*sport*) **w. training**, allenamento con i pesi □ **w.-watcher**, chi sta attento al proprio peso; persona che segue una dieta dimagrante □ **to carry w.**, essere importante; essere autorevole; valere □ (*fig.*) **to hang a w. round one's neck**, darsi la zappa sui piedi □ **to lose w.**, dimagrire, perdere peso: *You've lost a bit of w., haven't you?*, sei dimagrito, vero? □ (*boxe: di un pugile*) **to make the w.**, fare il peso □ **over w.**, di peso eccessivo; (*di persona*) di peso superiore alla norma, sovrappeso □ (*fig.*) **to pull one's w.**, fare la propria parte; mettercela tutta □ (*atletica*) **to put the w.**, lanciare il peso □ **to put on w.**, ingrassare; metter su peso □ (*slang USA*) **to take the w. for st.**, prendersi la colpa di q.; essere incolpato per qc. □ (*fam.*) **to throw one's w. about**, farla da padrone; fare il prepotente; spadroneggiare □ **under w.**, (*di merce*) di peso scarso; (*di persona*) di peso inferiore alla norma, sottopeso □ (*fig.*) **to be worth one's w. in gold**, valere tanto oro quanto si pesa □ *He is twice your w.*, pesa il doppio di te.

to weight /weɪt/ v. t. **1** appesantire (*anche fig.*); gravare; rendere più pesante: **to w. a fishing net with lead**, rendere una rete da pesca più pesante con l'aggiunta di piombi; *My eyelids were weighted with sleep*, avevo le palpebre appesantite dal sonno **2** (*ind. tess.*) caricare **3** (*stat.*) ponderare **4** (*sport*) caricare (*uno sci*) ● **to w. against**, calcare su (*un fatto, o un argomento*) contro (q.) □ **to w. down**, appesantire; gravare su (q.).

weighted /'weɪtɪd/ a. **1** appesantito; gravato **2** (*ind. tess.*) caricato **3** (*stat.*) ponderato: **w. mean** (*o* **w. average**), media ponderata **4** (*sport*) gravato di handicap ● (*fin.*) **w. average cost of capital**, costo medio ponderato del capitale □ (*fin.*) **w. average life**, vita media ponderata (*di un titolo a reddito fisso*) □ (*stat.*) **w. factor**, coefficiente di ponderazione.

weightiness /'weɪtɪnəs/ n. Ⓤ **1** pesantezza **2** (*fig.*) gravità; importanza; serietà **3** (*fig.*) autorevolezza; autorità; influenza.

weighting /'weɪtɪŋ/ n. **1** Ⓤ appesantimento **2** Ⓤ (*ind. tess.*) carica **3** (*stat.*) ponderazione **4** (*econ.*) indennità speciale (*per grande sede, ecc.*) **5** (*sport*) caricamento (*di uno sci*) ● **w. down**, appesantimento.

weightless /'weɪtləs/ a. **1** senza peso **2** (*fig.*) senza importanza ● (*miss.*) **w. condition**, assenza di peso | **-ly** avv.

weightlessness /'weɪtləsnəs/ n. Ⓤ (*mecc., miss.*) (stato di) assenza di gravità; assenza di peso.

weightlifting /'weɪtlɪftɪŋ/ (*atletica*) n. sollevamento pesi; pesistica ● **w. belt**, cintura da sollevamento pesi □ **w. shoe**, scarpa da sollevamento pesi || **weightlifter** n. sollevatore di pesi; pesista.

weighty /'weɪtɪ/ a. **1** pesante; gravoso; (*fig.*) grave, importante, serio: **w. problems**, problemi gravi; **a w. matter**, una faccenda importante; **a w. load**, un pesante carico; (*fig.*) un grave peso **2** (*fig.*) autorevole; influente: **a w. personage**, un personaggio influente.

weir /wɪə(r)/ n. **1** chiusa; diga; stramazzo (*di corso d'acqua*) **2** palizzata; sbarramento di rami (*di pescaia*).

weird ① /wɪəd/ n. (*arc. o scozz.*) **1** fato; destino **2** incantesimo; malia **3** profezia.

♦ **weird** ② /wɪəd/ a. **1** soprannaturale; magico; misterioso **2** (*fam.*) bizzarro; strano; strambo; originale: **a w. character**, un personaggio bizzarro, originale; *w. ideas*, idee strambe **3** (*arc.*) fatale; fatidico ● (*mitol., letter.*) **the W. Sisters**, le Parche; (*anche*) le Norne | **-ly** avv.

weirdie /'wɪədɪ/ n. → **weirdo**.

weirdness /'wɪədnəs/ n. Ⓤ **1** carattere soprannaturale; aspetto misterioso **2** (*fam.*) bizzarria; stranezza.

weirdo /'wɪədəʊ/ n. (pl. **weirdos**) (*fam.*) tipo strambo o stravagante; scroccato (*pop.*), fricchettone (*pop.*).

to weird out /'wɪədaʊt/ v. i. + avv. (*slang USA*) **1** avere sbalzi d'umore; essere estroso **2** andare giù di testa (*o* fuori di testa); perdere la testa **3** (*droga*) sballare; flippare (*pop.*).

Welch /welʃ/ a. gallese; del Galles (*di solito nei nomi dei reggimenti*): **the Royal W. Fusiliers**, i Fucilieri Reali del Galles.

to welch /welʃ/ v. i. e deriv. → **to welsh** e deriv.

♦ **welcome** /'welkəm/ **A** a. benvenuto; bene accetto; gradito; che riempie di gioia: **a w. guest**, un ospite bene accetto; *Children are w. in here*, i bambini sono i benvenuti; **a w. gift**, un dono gradito; **a w. sight**, una vista che riempie di gioia **B** n. benvenuto; accoglienza: *We met with a cold w.*, trovammo una fredda accoglienza; fummo accolti freddamente; **an enthusiastic w.**, un'accoglienza entusiastica **C** inter. benvenuto!; benvenuti!: *W. to Scotland!*, benvenuti in Scozia! ● **w. back!** (*o* **w. home!**), bentornato! □ **w. news**, buone notizie □ (*comput.*) **w. page = home page** □ **home** □ **to be w.**, esser libero di; potere; fare cosa grata a: *You are w. to* (*use*) *my car*, puoi usare (*o* mi farai cosa grata se userai) la mia automobile; *You are w. to do what you like*, sei libero di fare ciò che vuoi □ **as w. as flowers in May**, molto gradito □ **as w. as snow on the harvest**,

gradito come il fumo negli occhi □ **to give sb. a warm w.**, accogliere q. calorosamente, cordialmente; (*fig.*) accogliere (*un avversario*) come si merita □ **to make sb. w.**, far sentire a q. che è il benvenuto; far festa a q. □ **to outstay** (*o* **to wear out**) **one's w.** → **wear out** □ *You're w.!*, prego!; non c'è di che! □ (*fam. fig.*) **W. to the club!**, non sei il solo; anche tu!

♦to **welcome** /'wɛlkəm/ v. t. **1** dare il benvenuto a; accogliere cordialmente: **to w. a visitor**, dare il benvenuto a un visitatore **2** accogliere volentieri; accettare di buon grado; gradire; vedere (qc.) con favore: **to w. a suggestion**, accogliere volentieri un suggerimento; **to w. criticism**, accettare di buon grado le critiche □ **to w. sb. home**, dare il bentornato a q. □ **to w. sb. in**, fare entrare q. dandogli il benvenuto □ **to w. an opportunity**, esser felice che si presenti un'occasione.

welcomeness /'wɛlkəmnəs/ n. ⓤ (*raro*) **1** l'essere il benvenuto **2** l'essere gradito.

welcoming /'wɛlkəmɪŋ/ a. accogliente; di benvenuto; cordiale; amichevole: **a w. room**, una stanza accogliente; **a w. smile**, un sorriso di benvenuto; *You'll find that people are very w.*, vedrai che sono tutti molto accoglienti.

weld ① /wɛld/ n. (*metall.*) saldatura; giunto saldato; punto saldato: *The bar broke at the w.*, la barra si ruppe nel punto saldato; **a T w.**, un giunto saldato a T ● **w. bead**, cordone di saldatura □ **w. metal**, metallo fuso; materiale d'apporto □ **w. time**, tempo di saldatura.

weld ② /wɛld/ n. ⓤ (*bot.*, *Reseda luteola*) guaderella; erba guada.

to **weld** /wɛld/ (*metall.*) **A** v. t. saldare (*anche fig.*). **B** v. i. saldarsi (*anche fig.*): *This alloy welds easily*, questa lega si salda facilmente ● **to w. together**, saldare insieme; saldarsi; (*fig.*) formare tutt'uno □ (*geol.*) **welded tuff**, tufo cementato.

weldable /'wɛldəbl/ (*metall.*) a. saldabile ‖ **weldability** n. ⓤ saldabilità.

welder /'wɛldə(r)/ n. (*metall.*) **1** saldatore: **electric w.**, saldatore elettrico **2** saldatrice (*macchina*): **electric w.**, saldatrice elettrica; **spot w.**, saldatrice a punti.

welding /'wɛldɪŋ/ n. ⓤ **1** (*metall.*) saldatura (*l'azione*) **2** (*geol.*) saldatura ● **w. blowpipe**, cannello per saldatura autogena □ **w. machine**, saldatrice □ **w. rod**, bacchetta per saldatura; filo di apporto □ **w. tip**, ugello di cannello; (*anche*) elettrodo di saldatrice □ **w. torch**, cannello per saldatura autogena.

weldless /'wɛldləs/ a. (*metall.*) senza saldatura; non saldato.

♦**welfare** /'wɛlfeə(r)/ n. ⓤ benessere; prosperità; bene: **the general w.**, il benessere generale; **the w. of one's country**, la prosperità del proprio paese ● **w. and family matters**, servizi sociali e di questioni familiari □ **w. contributions**, oneri (*o* contributi) previdenziali □ (*econ.*) **w. economics**, economia del benessere □ **w. officer**, assistente sociale □ (*econ.*) **w. payments**, sussidi statali; sussidi pubblici □ (*econ.*) **the w. state**, stato sociale; stato assistenziale □ (*polit.*) **w.-to-work**, welfare to work; strategie per impiegare i disoccupati che ricevono sussidi statali □ **w. work**, servizio di assistenza sociale; servizio sociale □ **w. worker**, assistente sociale □ (*in USA*) **to be on w.**, essere assistito dallo Stato in attesa di trovare lavoro: **people on w.**, gli assistiti.

welfarism /'wɛlfeərɪzəm/ (*econ.*) n. ⓤ welfarismo; assistenzialismo; teoria dello stato sociale (*o* assistenziale) ‖ **welfarist A** n. sostenitore (*o* fautore) della politica dello stato assistenziale **B** a. che sostiene lo stato assistenziale.

welkin /'wɛlkɪn/ n. ⓤ (*poet.*) cielo; volta ce-

leste ● **to make the w. ring**, far risuonare la volta celeste; mandare alte grida al cielo.

well ① /wɛl/ n. **1** pozzo: **artesian w.**, pozzo artesiano; **oil wells**, pozzi petroliferi **2** fonte, fontana, sorgente (*fig. e nei toponimi*): **the w. of knowledge**, la fonte del sapere **3** (*edil.*) tromba (*o* pozzo) delle scale; vano dell'ascensore **4** (*di penna stilografica*) serbatoio **5** (*naut.*) pozzo delle pompe **6** (*naut.*) vivaio (*di un peschereccio*) **7** (*leg.*: *nei tribunali ingl.*) spazio riservato ai difensori ● (*naut.*) **w. boat**, (barca) vivaio □ **w. borer**, scavatore di pozzi; (*ind. min.*) sonda-trivella □ **w.-boring**, che scava pozzi □ (*ind. min.*) **w. core**, carota □ **w.-curb**, vera (*di pozzo*) □ (*naut.*) **w. deck**, ponte a pozzo (*per es.*, *di aliscafo*) □ (*ind. min.*) **w. drilling**, trivellazione; sondaggio □ **w.-hole**, pozzo; (*edil.*) tromba (*o* pozzo) delle scale □ (*metall.*) **the w. of a blast furnace**, il crogiolo di un altoforno □ **w. sinker**, scavatore di pozzi □ **w. sweep**, pertica del pozzo; shaduf, sciaduf □ **w. water**, acqua di pozzo □ **to bore** (*o* **to sink**) **a w.**, scavare un pozzo.

♦**well** ② /wɛl/ avv. (*compar.* **better**, superl. **best**) **1** bene; attentamente; diligentemente; rettamente; con cura; a fondo; completamente: **to read** [**to sing, to sleep**] **w.**, leggere [cantare, dormire] bene; **to speak w. of sb.**, parlar bene di q.; *Stir it w. before you drink it*, rimescolalo bene prima di berlo; *Green and yellow go w. together*, il verde e il giallo stanno bene insieme; **to treat sb. w.**, trattar bene q.; *The work is w. done*, il lavoro è fatto bene; *I think I answered the questions quite w.*, credo di aver risposto abbastanza bene a tutte le domande; **to know sb. w.**, conoscer bene q.; conoscere a fondo q. **2** bene; a ragione: *You may w. say so*, puoi ben dirlo; *You did w. to stay at home*, hai fatto bene a restare a casa; *You can't very w. back out now*, non puoi tirarti indietro adesso a ragione ● (*fam.*) **w. and truly**, del tutto; completamente □ (*fam.*) **w. and truly drunk**, ubriaco fradicio □ **w. away**, avanti (*nel fare qc.*); a buon punto; (*pop.*) bell'e che andato (*cioè ubriaco o addormentato*) □ **to be w. on in life**, essere avanti con gli anni □ **It's w. on midday**, è quasi mezzogiorno □ **to be w. out of it**, essercela cavata a buon mercato; esserne fuori □ **to be w. past forty** [**fifty, sixty**], aver passato la quarantina [la cinquantina, la sessantina] a un pezzo □ **to be w. up in st.**, essere al corrente di qc.; conoscere bene qc. □ **as w.**, anche; pure: *I shall come as w.*, verrò io pure; *We might as w. book now*, potremmo anche prenotare adesso ❶ **NOTA:** *also / too* → **also** □ **as w. as**, così come; tanto quanto; non solo ma anche; come pure: *He gave me shelter as w. as food*, mi diede non solo asilo, ma anche da sfamarmi □ **to come off w.**, (*di persona*) cavarsela, uscirne bene; (*di cosa*) riuscir bene; (*fam.*) fare una bella figura □ **to do w.**, fare bene (*nella vita, ecc.*): *Your son will do w.*, tuo figlio farà bene (*o* si farà strada) □ **to do oneself w.**, trattarsi bene; non farsi mancar nulla □ **to do w. out of the sale of one's car**, vendere bene la propria automobile □ **to examine st. w.**, esaminare qc. a fondo □ **just as w.** = (**That's**) **just as well** → *sotto* □ **to live w.**, vivere nell'agiatezza; passarsela bene □ **to look w.**, guardar bene; cercare attentamente; (*anche: di persona*) stare bene, fare una bella figura; (*di cosa*) stare bene: *Jane looks w. in green*, Jane sta bene vestita di verde; *Does this tie look w. on me?*, mi sta bene questa cravatta? □ **perfectly w.**, alla perfezione; perfettamente □ **pretty w. finished**, quasi finito □ **to receive sb. w.**, fare buona accoglienza a q. □ (*impers.*) **to speak w. for sb.**, far onore a q.: *It speaks w. for him that he refused*, gli fa onore l'aver rifiutato □ **to stand w. with sb.**,

essere in buoni rapporti con q.; essere nelle buone grazie di q. □ **very w.**, benissimo: *You've done your homework very w.*, hai fatto benissimo i tuoi compiti □ **W. done!**, ben fatto!; bravo! □ **W. met!**, proprio te!; che piacere incontrarti! □ **W. run!** hai fatto un'ottima corsa!; bravo! □ **That boy will do w.** (**in life**), quel ragazzo si farà strada (nella vita) □ **Look w. to yourself**, bada a te!; sta' bene attento! □ **You might** (**just**) **as w. throw your money away**, tanto varrebbe che i tuoi soldi li buttassi via □ (**That's**) **just as w.**, poco male!; meglio così!; pazienza!; fa lo stesso! □ (*prov.*) **W. begun is half done**, chi ben comincia è a metà dell'opera □ (*prov.*) **Let w.** (**enough**) **alone**, il meglio è nemico del bene.

♦**well** ③ /wɛl/ **A** a. pred. (*compar.* **better**, superl. **best**) **1** bene; in buona salute; in buone condizioni: *Is he w. or ill?*, sta bene o è malato?; *I am feeling w. today*, oggi mi sento bene; *I am perfectly w.*, sto benissimo; *I'm very w., thank you*, sto molto bene, grazie **2** opportuno; consigliabile; utile; giusto; bello: *It would be w. to inquire*, sarebbe bene indagare **B** a. attr. (*spec. USA*) che sta bene; che è in buona salute; sano: *He's not a w. man*, non sta bene di salute ● **w. and good!**, d'accordo!; sta bene!; alla buon'ora! □ **w. enough**, abbastanza bene; benino; discretamente: *I am w. enough*, sto abbastanza bene □ **to be w. off**, passarsela bene; essere in buone condizioni finanziarie □ **to be w. up in Latin**, essere forte in latino □ **to get w.** (**again**), guarire; ristabilirsi; *Get w. soon!*, guarisci presto! □ **to look w.** (*o* **to be looking w.**), avere una bella cera (*o* un bell'aspetto) □ (*iron.*) **It's all very w. ... but**, sta bene... ma □ **All's w.**, tutto a posto!; tutto bene! □ (*prov.*) **All's w. that ends w.**, tutto è bene quel che finisce bene.

well ④ /wɛl/ n. ⓤ (il) bene: **to wish sb. w.**, augurare (ogni) bene a q. ● **It was w. for her that you were present**, fu una fortuna (*fam.*: un bene) per lei che tu fossi presente.

♦**well** ⑤ /wɛl/ inter. beh; ebbene; dunque; allora: *W., what shall we do now?*, beh, e ora che facciamo?; *W., what about it?*, ebbene, che ne dici?; *W., as I was saying...*, dunque, come stavo dicendo...; *W. then?*, e allora?; e poi?; e con ciò? ● **w., but**, sì, ma: *W., but what about the others?*, sì, ma gli altri? □ **Very w.!**, benissimo!; benone!; d'accordo! (*anche*) fa pure!; staremo a vedere! □ **W., I see**, bene, bene; capisco □ **W., to be sure!**, ma certo!; questa sì che è bella!; (*con incredulità*) ma no!; davvero? □ **W., I never!**, chi l'avrebbe mai detto?; ma no!; impossibile!

well ⑥ /wɛl/ pref. (in numerosi composti, quali:) **w.-adjusted**, ben inserito (*nel lavoro, nella società*); **w.-advised**, saggio; prudente: **a w.-advised decision**, una decisione saggia □ **w.-appointed**, bene attrezzato; bene arredato; bene equipaggiato: **a w.-appointed office**, un ufficio bene arredato; **w.-balanced**, ben proporzionato; bilanciato; equilibrato: (*med.*) **a w.-balanced diet**, una dieta bilanciata; **a w.-balanced mind**, una mente equilibrata; (*boxe, lotta, ecc.*) **w.-balanced stance**, positura bene impostata; buona impostazione della posizione; **w.-behaved**, educato, beneducato; **w.-beloved**, beneamato; amatissimo; **w.-born**, bennato, di buona famiglia; **w.-bred**, (*di persona*) educato, beneducato; (*di cavallo, ecc.*) di razza; (*di un uomo*) **w.-built**, ben piantato; ben messo; **w.-chosen**, scelto bene, appropriato; **w.-conditioned**, onesto, retto; (*di animale*) sano; **w.-conducted**, bene costumato, che si comporta bene, disciplinato; (*di azienda, ecc.*) gestito bene, bene organizzato; **w.-connected**, di buon parentado; che ha buone relazioni sociali (*o* commerciali); (*del gioco*) **w.-constructed**, ben costruito; artico-

lato; (*di un giocatore*) **w.-coordinated**, coordinato; che ha una buona coordinazione; **w.-defined**, ben definito; (*di concetto*) chiaro, esplicito; **w.-deserved**, meritato; giusto: **w.-deserved win**, vittoria meritata; **w.-disposed**, bendisposto, benevolo, favorevole; **w.-doer**, chi fa del bene; persona virtuosa; **w.-doing**, l'agir bene; la virtù; **w.-done**, ben fatto; (*di cibo*) ben cotto; **w.-dressed**, ben vestito; **w.-earned**, meritato: **a w.-earned reward**, una ricompensa meritata; **w.-endowed**, ben dotato (*fisicamente*); superdotato; **w.-established**, (*di organo, potere, ecc.*) solido, saldo; (*di costume*) inveterato, radicato; (*di professionista*) affermato; (*arc.*) **w.-favoured**, bello, di bell'aspetto; **w.-fed**, ben nutrito; **w.-found**, bene attrezzato, ben equipaggiato; **w.-founded**, fondato: **w.-founded charges**, accuse fondate; (*arc.*) **w.-graced**, aggraziato; attraente; **w.-groomed**, attillato, azzimato; **w.-grounded**, fondato; bene informato, competente, esperto; (*fig. fam.*) **w.-heeled**, ricco, facoltoso, agiato; (*anche*) bene organizzato, ben strutturato; (*fam.*) **w.-hung**, (*d'abito*) che cade bene, che sta bene; (*d'uomo*) ben messo (*fisicamente*); ben piantato; (*di donna*) prosperosa, popputa (*pop.*); **w.-informed**, bene informato; al corrente; **w.-intentioned**, ben intenzionato; (*fatto*) a fin di bene; **w.-judged**, pieno di discernimento, assennato, saggio; (*sport*) calcolato bene; calibrato; **w.-kept**, ben tenuto; tenuto bene; **w.-knit**, (*di persona*) forte, robusto, ben piantato; (*di ragionamento, ecc.*) coerente; (*di edificio, ecc.*) solido; **w.-known**, notorio, noto; rinomato; **w.-liked**, popolare, amato; **w.-lined**, (*dello stomaco*) pieno; (*del portafogli*) gonfio; **w.-made**, ben fatto; di belle fattezze; **w.-managed**, gestito bene; condotto bene; **w.-mannered**, educato, cortese; beneducato; **w.-marked**, chiaro, distinto, evidente; **w.-matched**, bene assortito; bene accoppiato; (*sport: di un incontro*) equilibrato; (*di due contendenti*) di pari forza, dello stesso valore; **w.-meaning**, ben intenzionato; **w.-meant**, fatto (*o detto*) a fin di bene; (*form.*) **w.-nigh**, quasi, pressoché; **w.-off**, agiato, benestante, ricco; messo bene (*in fatto di attrezzature, servizi, ecc.*); (*fam.*) fortunato; **w.-oiled**, bene oliato; (*fig.*) complimentoso, untuoso; (*slang*) sbronzo; **w.-ordered**, bene ordinato; **w.-organised**, ben organizzato, ben piazzato; '**W. played!'**, 'bella giocata!'; 'bravo!'; **w.-prepared**, (*di un atleta*) preparato bene; (*di un piano di gioco, ecc.*) studiato bene; **w.-preserved**, conservato bene, in buono stato; (*di persona*) che si conserva bene, benportante; **w.-proportioned**, ben proporzionato; **w.-read**, che ha letto molto, colto, istruito; **w.-regulated**, bene ordinato, disciplinato; **w.-reputed**, stimato, che gode di buona fama; **w.-rounded**, (ben) finito; completo; ben tornito; (*fig.*) eclettico; **w.-seasoned**, (*di legno, ecc.*) ben stagionato; (*di cibo*) ben condito; (*fig.: di persona*) di grande esperienza; **w.-set**, compatto, saldo, solido; (*di persona*) ben messo, ben piantato, robusto; **w.-set-up**, ben fatto, bene piantato, robusto; agile, facoltoso, ricco; **w.-spent**, speso bene: **a w.-spent life**, una vita spesa bene; **w.-spoken**, facondo, eloquente, raffinato nel parlare; detto (*o pronunciato*) bene; che parla bene; (*org. az.*) **w.-staffed**, ben fornito di personale; **w.-taken**, tirato (*o battuto*) bene; bello; **w.-thought-of**, che gode della considerazione generale; stimato (*o benvoluto*) da tutti; **w.-thought-out**, (*di una decisione, di un passo*) ponderato, ben meditato; (*di un progetto*) pensato bene, ben progettato; (*di un libro*) **w.-thumbed**, pieno di ditate; (*fig.*) molto compulsato; **w.-timed**, tempestivo, opportuno; **w.-to-do**, agiato, benestante, ricco; bene; **w.-tried**, provato, sperimentato, sicuro: **w.-tried remedies**, rimedi sicuri; **w.-**

-trodden, assai frequentato; (*di frase, ecc.*) **w.-turned**, ben tornito; **w.-watered**, (*di un giardino, ecc.*) ben annaffiato; (*agric.*) ben irrigato; **w.-wisher**, persona che vuol bene (*o che è affezionata*); fautore, sostenitore; **w.-wishing**, benaugurante; **w.-worn**, consunto, logoro, liso, frusto, sdrucito; (*fig.*) comune, trito, banale, vieto: **a w.-worn tale**, una storiella trita.

to **well** /wel/ v. i. (*di solito* **to w. up, out, forth**) scaturire; sgorgare; pullulare; zampillare: *Bitter tears welled from her eyes* (*o up in her eyes*), amare lacrime le sgorgarono dagli occhi; *Suddenly water welled up*, d'improvviso zampillò l'acqua.

■ **well out** v. i. + avv. (*dell'acqua, del sangue, ecc.*) sgorgare; zampillare.

■ **well over** v. i. + avv. (*di un liquido e fig.*) traboccare: *The milk welled over*, il latte traboccò; *My heart welled over with joy*, il mio cuore traboccava di gioia.

■ **well up** v. i. + avv. **1** (*di un liquido*) sgorgare a fiotti **2** (*fig.: di un sentimento*) salire in petto: *Pity welled up in my heart*, il cuore mi si gonfiò di pietà.

we'll /wiːl/ contraz. di: **1 we shall 2 we will**.

well-being, **wellbeing** /ˈwelˈbiːɪŋ/ n. ⓤ benessere; prosperità.

wellhead /wel/ n. **1** sommità del pozzo **2** → **wellspring**.

wellies /ˈweliːz/ n. pl. (abbr. *fam. di* **Wellingtons**) stivali (*o stivaloni*) di gomma.

Wellingtons /ˈwelɪŋtənz/ n. pl. (= **Wellington boots**) **1** stivali (*o stivaloni*) di gomma; stivali alti fino al ginocchio (*o al polpaccio*) **2** (*mil.*) stivali alla scudiera.

wellness /ˈwelnɪs/ n. ⓤ buona salute; benessere ● **w. centre**, centro benessere.

wellpoint /ˈwelpɔɪnt/ n. (*costr. idriche*) pozzo filtrante.

wellspring /ˈwelsprɪŋ/ n. **1** (*idrologia*) punto di risorgenza **2** (*fig.*) fonte; sorgente; origine **3** (*lett., fig.*) pozzo di San Patrizio (*fig.*).

welly /ˈweli/ n. (*fam.*) stivalone di gomma.

Welsh /welʃ/ Ⓐ a. gallese; del Galles Ⓑ n. ⓤ gallese (*la lingua*) ❶ CULTURA • Welsh (*in gallese Cymraeg /kʌmˈraɪg/*): è una lingua celtica del gruppo brittonico o britannico, di cui fanno anche parte il cornico e il bretone. Ha una ricchissima tradizione letteraria, che risale all'alto Medioevo, ed è tuttora parlato da circa mezzo milione di persone, pari al 25% della popolazione del Galles, e insegnato in tutte le scuole ● (*collett.*) **the W.**, i Gallesi ● **W. rabbit** (*o W. rarebit*), toast caldo ricoperto di formaggio fuso.

to **welsh** /welʃ/ v. i. **1** non pagare i debiti di gioco; (*spec. ipp.*) non pagare le scommesse (ai vincitori) **2** (*fig.*) mangiarsi la parola; mancare a una promessa ‖ **welsher** n. **1** (*spec. ipp.*) allibratore che scappa senza pagare le scommesse **2** (*fig.*) chi non mantiene gli impegni; truffatore.

Welshman /ˈwelʃmən/ n. (pl. **Welshmen**) gallese (*uomo*).

Welshwoman /ˈwelʃwʊmən/ n. (pl. **Welshwomen**) gallese (*donna*).

welt /welt/ n. **1** (*di scarpe*) guardolo; tramezzo (*fra la tomaia e la suola*) **2** (*di stoffa*) rigo in rilievo; costa **3** (*di calza*) rinforzo **4** cordone (*di tappezzeria*); orlo (*di stoffa*) **5** segno di frustata (*sulla pelle*); livido; piaga **6** (*tecn.*) coprigiunto **7** (*slang*) colpo; botta; frustata; sferzata; staffilata.

to **welt** /welt/ v. t. **1** mettere il guardolo a (*una scarpa*); mettere il rinforzo a (*una calza*) **2** colpire; frustare; sferzare; staffilare; picchiare.

welter ① /ˈweltə(r)/ n. ⓤ Ⓐ **1** sballottamento; tumulto (*delle onde, ecc.*): **the w. of the**

waves, il tumulto dei flutti **2** (*fig.*) confusione; guazzabuglio.

welter ② /ˈweltə(r)/ n. (*sport*) pugile (*o fantino*) di peso welter.

to **welter** /ˈweltə(r)/ v. i. **1** avvoltolarsi; voltolarsi; diguazzare; essere immerso; sguazzare (*anche fig.*): **to w. in a pool of mud**, voltolarsi in una pozza di fango; *They weltered in their blood*, erano immersi nel loro sangue **2** (*del mare, ecc.*) accavallarsi; tumultuare ● (*poet.*) **the weltering seas**, le onde tumultuose.

welterweight /ˈweltəweɪt/ n. **1** (*boxe*) peso welter; welter **2** (*lotta*) categoria fino a 74 kili di peso.

wen /wen/ n. (*med.*) **1** porro **2** cisti sebacea (*sul cuoio capelluto*).

wench /wentʃ/ n. **1** (*arc., scherz. o dial.*) ragazza; giovanetta; donzella; (*spec.*) contadinotta, servotta **2** (*arc.*) sgualdrina.

to **wench** /wentʃ/ v. i. (*arc. o scherz.*) frequentare sgualdrine.

Wend /wend/ n. abitante della Sassonia orientale (*di razza slava*).

to **wend** /wend/ v. i. (*arc.*) andare; viaggiare ● (*poet.*) **to w. home**, dirigersi verso casa; prendere la via del ritorno ● (*poet.*) **to w. one's way**, proseguire (*o andare*) per la propria strada.

wendy /ˈwendi/ n. (*gergo studentesco ingl.*) **1** ragazzo goffo; tipo imbranato **2** sgobbone; secchione.

Wendy house ® /ˈwendɪhaʊs/ loc. n. tenda a forma di casetta (*in cui giocano i bambini*).

went /went/ pass. di **to go**.

wept /wept/ pass. e p. p. di **to weep**.

♦ **were** /wɜː(r), wə(r)/ Ⓐ pass. di **to be** (2ª pers. sing.; 1ª, 2ª e 3ª pers. pl.) Ⓑ congiunt. pass. di **to be** (*tutte le persone*) Ⓒ (*form. o lett.*) condiz. pres. di **to be** (introdotto da **it**). ❶ NOTA: *subjunctive* → **subjunctive**.

we're /wɪə(r)/ contraz. di **we are**.

♦ **weren't** /wɜːnt/ contraz. di **were not**.

werewolf /ˈwɪəwʊlf/ n. (pl. **werewolves**) (*mitol.*) lupo mannaro; licantropo ‖ **werewolfery**, **werewolfism** n. ⓤ licantropia.

wert /wɜːt/ (*arc. o poet.*) 2ª pers. sing. pass. di **to be**: **thou w.**, eri; fosti.

Wesleyan /ˈwezliən/ (*relig.*) a. e n. wesleyano; metodista ‖ **Wesleyanism** n. ⓤ dottrina religiosa di John Wesley (1703-1791); metodismo.

♦ **west** /west/ Ⓐ n. ⓤ **1** ovest; occidente; ponente; parte occidentale: *Bordeaux is in the w. of France*, Bordeaux è nella parte occidentale della Francia; *Spain lies to the w. of France*, la Spagna è a ovest della Francia **2** (*geogr.*) – **the W.**, (*in GB, in Irlanda, ecc.*) l'Ovest; (*USA*) l'Ovest, il West (*i territori a ovest del Mississippi*); (*in genere, anche polit.*) l'Occidente, i paesi occidentali, il mondo occidentale Ⓑ a. **1** dell'ovest; di ponente; occidentale: **a w. wind**, un vento di (*o da*) ponente; **on the w. coast**, sulla costa occidentale; **W. Africa**, l'Africa Occidentale; (*ling.*) **W. Germanic**, germanico occidentale **2** (situato a) ovest: **the w. entrance**, l'entrata ovest; **the w. side of the house**, il lato ovest della casa **3** (esposto, rivolto, che guarda) a ovest (*o a ponente*): **a w. window**, una finestra a ponente Ⓒ avv. a (*o verso*) ovest; a (*o verso*) occidente: *The house faces w.*, la casa è esposta a ovest; **to sail w.**, navigare verso occidente ● (*geogr.*) **W. Bank**, Cisgiordania □ (*in Inghil.*) **the W. Country**, l'Ovest (*le regioni occidentali dell'Inghilterra, in particolare, la Cornovaglia, il Devon, il Dorset e il Somerset*) □ **the W. End**, il West End (*quartiere elegante di Londra: quello dei principali teatri e dei bei negozi*) □ **W. Ender**, abitante del 'West End □

(*stor.*) **W. Germany**, la Germania dell'Ovest; la Germania Occidentale □ **W. Indian**, (abitante, nativo) delle Indie Occidentali □ **the W. Indies**, le Indie Occidentali □ (*in USA*) **W. Point**, l'Accademia Militare degli Stati Uniti d'America □ **W. Side**, zona occidentale di Manhattan (*a New York*) □ (*USA*) **W. Sider**, abitante del 'West Side' □ **to go w.**, andare all'ovest; (*fam.*) crepare, morire; andare in rovina (*o alla malora*).

westbound /'westbaʊnd/ *a.* diretto a ovest; che va verso ovest.

wester /'westə(r)/ *n.* **1** forte vento da ovest **2** (*naut.*) burrasca da ovest.

to **wester** /'westə(r)/ *v. i.* **1** (*astron.*: *di astro, pianeta, satellite*) muoversi (*apparentemente*) verso ovest **2** (*meteor.*: *del vento*) girare a ovest (*o a ponente*).

westering /'westərɪŋ/ **A** *a.* **1** che va verso ovest **2** (*del sole*) che volge al tramonto **B** *n.* **▥** (*naut.*) rotta verso ovest.

westerly /'westəlɪ/ **A** *a.* dell'ovest; dell'occidente; occidentale; di ponente: **a w. wind**, un vento dell'ovest (*o di, da ponente*); (*in Italia*) **w. breeze**, ponentino **B** *avv.* **1** verso ovest; verso occidente (*o ponente*) **2** (*del vento*) da ovest; da ponente: *The wind blew w.*, il vento soffiava da ponente **C** *n. pl.* – (*meteor., naut.*) **westerlies**, venti (*o correnti*) occidentali ● **to sail in a w. direction**, navigare verso ovest.

♦**western** /'westən/ **A** *a.* **1** occidentale; dell'occidente; dell'ovest; di ponente: **the w. hemisphere**, l'emisfero occidentale; **a w. city**, una città dell'ovest; **w. civilization**, la civiltà occidentale (*dell'Europa e dell'America*) **2** esposto (*o rivolto, che guarda*) a ovest (*o a ponente*): **a w. window**, una finestra a ponente **B** *n.* film (*o racconto, ecc.*) ambientato nel Far West; western ● (*relig.*) **the W. Church**, la Chiesa Romana □ (*stor.*) **the W. Empire**, l'Impero d'Occidente □ (*atletica*: *salto in alto*) **w. roll**, rotazione californiana (*sul fianco*).

Westerner /'westənə(r)/ *n.* occidentale; abitante (*o nativo*) dell'ovest (*di un paese e spec. degli USA*).

to **westernize** /'westənaɪz/ **A** *v. t.* rendere occidentale; dare un carattere occidentale a (*un paese*); occidentalizzare **B** *v. i.* occidentalizzarsi.

westernmost /'westənməʊst/ *a.* (il) più occidentale; situato all'estremo occidente (*o all'estremo ovest*).

westing /'westɪŋ/ *n.* **▣** (*naut.*) **1** spostamento (*dalla rotta*) verso ovest **2** distanza coperta navigando verso ovest ● (*naut.*) **to make w.**, fare rotta verso ovest.

Westminster /'westmɪnstə(r)/ *n.* **1** (*geogr.*) Westminster (*distretto di Londra con status di city*) **2** (il) Parlamento britannico; (*fig.*) (la) vita parlamentare inglese ● **W. Abbey**, l'Abbazia di Westminster (*anglicana*) □ **W. Cathedral**, la Cattedrale di Westminster (*cattolica*).

Westphalia /west'feɪlɪə/ (*geogr.*) *n.* Vestfalia ‖ **Westphalian** *a.* della (*o relativo alla*) Vestfalia.

westward /'westwəd/ **A** *a.* volto a occidente; verso ovest **B** *avv.* → **westwards** ● **in a w. direction**, in direzione ovest; verso ponente □ (*geogr.*) **to lie to the w.**, essere situato a ovest ‖ **westwardly** *a.* e *avv.* verso ovest; verso l'occidente ● **a westwardly wind**, un vento di ponente; un vento da ovest.

westwards /'westwədz/ *avv.* in direzione ovest; verso occidente; verso ponente: **to sail w.**, navigare verso ponente.

♦**wet** /wet/ **A** *a.* **1** bagnato; umido: **wet hands** [**shoes**], mani [scarpe] bagnate; **wet clothes**, vestiti umidi (*di tempo, ecc.*) piovoso; umido: **wet weather**, tempo piovoso;

tempo umido; **a wet day**, una giornata piovosa; *The moisture meter shows «wet»*, il misuratore dell'umidità segna «umido» **3** non asciutto; fresco: **wet paint**, vernice fresca **4** (*stor. USA*) antiproibizionista: **a wet State**, uno Stato antiproibizionista **5** (*fam.*: *di persona*) fiacco; debole di carattere **B** *n.* **1** **▥** (il) bagnato; (l') umido; terreno bagnato: (*autom.*) **to drive in the wet**, guidare sul bagnato **2** **▥** tempo piovoso; pioggia: *Don't go out in the wet!*, non uscire con la pioggia! **3** stagione delle piogge **4** (*stor., in GB*) conservatore moderato; oppositore accanito della politica di Mrs Thatcher (*negli anni '80*) **5** (*stor. USA*) antiproibizionista **6** (*fam.*) persona fiacca (*o debole*); smidollato; pappamolle **7** (*slang USA*) → **wetback** ● **a wet bargain**, un affare di cui si festeggia la stipulazione con una bevuta □ (*naut.*) **wet basin**, darsena □ (*fig.*) **to be wet behind the ears**, essere un novellino (*o un ingenuo*) □ (*fig.*) **a wet blanket**, un guastafeste; un impiastro (*fig.*) □ (*elettr.*) **wet cell**, pila a liquido □ (*naut.*) **wet dock**, darsena idrostatica; bacino a livello d'acqua costante □ (*fam.*) **wet dream**, polluzione notturna □ (*stor., fam. USA*) **the wet-dry fuss**, le diatribe (*fig.*: il gran chiasso) fra antiproibizionisti e fautori del proibizionismo □ (*mecc.*) **wet engine**, motore in ordine di marcia □ (*autom.*) **wet-ground tyres**, gomme da bagnato (*o wet*) □ (*naut.*) **wet lab**, laboratorio sottomarino □ (*tecn.*) **wet look**, finitura a lucido (*di stoffa o cuoio*): **a wet-look leather coat**, un giaccone di cuoio lucido □ **wet nurse**, balia (*che allatta*) □ (*fotogr.*) **wet plate**, lastra al collodio umido □ (*bot.*) **wet rot**, carie rossa del legno dovuta a funghi □ (*autom.*) **wet sanding**, pomiciatura a umido □ (*sport*) **wet suit**, tuta da subacqueo; muta □ **wet to the skin** (*o wet through*), bagnato fradicio; zuppo; bagnato fino alle ossa □ **wet vacuum cleaner**, aspiraliquidi □ **as wet as a drowned rat**, bagnato come un pulcino □ **eyes wet with tears**, occhi bagnati di lacrime □ **to get wet**, bagnarsi □ **to get one's feet wet**, bagnarsi i piedi (*con la pioggia, ecc.*); (*fam.*) dare inizio a qualcosa, cominciare un lavoro □ (*slang*) **to have a wet**, bagnarsi il becco (*fig.*).

to **wet** /wet/ *v. t.* (*ingl.*: pass. e p. p. reg., salvo nella loc. **to wet the bed**; *USA*: pass. e p. p. *wetted*, *wet*) **1** bagnare; inumidire; inzuppare: *Don't wet your feet!*, non bagnarti i piedi!; **to wet a sponge**, inzuppare una spugna **2** (*fam.*) bagnare; celebrare con una bevuta (*un affare, ecc.*) ● (*di bambino*) **to wet oneself**, bagnarsi □ **to wet the bed**, bagnare il letto; fare la pipì nel letto □ (*spec. USA*) **to wet one's pants**, farsi la pipì addosso; (*fig.*) farsela addosso (*per la paura, ecc.*) □ (*fam.*) **to wet one's whistle** (*o one's tonsils*), bagnarsi il becco (*o l'ugola*); fare una bevuta.

wetback /'wetbæk/ *n.* (*slang USA, spreg.*) immigrante clandestino che entra dal Messico in USA

to **wetback** /'wetbæk/ *v. i.* (*slang USA*) entrare clandestinamente dal Messico in USA

wether /'weðə(r)/ *n.* (*zool.*) montone castrato; castrato ❶ **NOTA:** *weather, wether o whether?* → **weather**.

wetland /'wetlænd/ *n.* (spesso al pl.) palude.

wetness /'wetnəs/ *n.* **▥** **1** umidità **2** (*del tempo*) piovosità.

to **wet-nurse** /'wetnɜːs/ *v. t.* **1** fare da balia a (*un bambino*) **2** (*fig. spreg.*) coccolare, viziare (*un bambino, ecc.*).

wettable /'wetəbl/ (*tecn.*) *a.* bagnabile ‖ **wettability** *n.* **▥** bagnabilità.

wetting /'wetɪŋ/ *n.* **▣** **1** bagnatura; bagnata: **to get a good w.**, prendersi una bella bagnata **2** (*elettron.*) bagnatura **3** (*me-*

tall.) applicazione del fondente **4** (*fam.*) cicchetto; goccetto ● (*tecn.*) **w. agent**, agente imbibente (*o umettante*).

WEU *sigla* (**Western European Union**) Unione dell'Europa occidentale (UEO).

we've /wiːv/ contraz. di **we have**.

wey /weɪ/ *n.* wey (*unità di peso variabile da 100 a 150 kg*).

WFTU *sigla* (**World Federation of Trade Unions**) Federazione sindacale mondiale.

wh. *abbr.* (**white**) bianco.

whack /wæk/ *n.* **1** percossa; randellata; forte colpo; botta (*con i piedi, ecc.*); sberla **2** (*GB, fam.*) parte; porzione; quota **3** cicchetto; goccetto; sorso **4** (*fam.*) tentativo; prova **5** (*slang USA*) (un) sacco, molto **6** (*slang USA*) droga tagliata ● (*fam.*) **to have a w. at st.**, provare a (*o tentare di*) fare qc.: *Let me have a w. at it!*, fammici provare! □ (*fam.*) **out of w.**, guasto; che non funziona.

to **whack** /wæk/ *v. t.* **1** bastonare; battere; percuotere; picchiare; randellare **2** (*fam., spesso* **to w. up**) dividere; spartire **3** (*fam.*) battere, colpire (*la palla*) **4** (*slang USA*) ammazzare; uccidere; fare fuori **5** (*sport*) sconfiggere duramente; stracciare (*fig.*); suonare a (*q.*) ● (*volg.*) **to w. off**, masturbarsi □ (*slang USA*) **to w. out**, far fuori; uccidere.

whacked /wækt/ *a.* (= **w. out**) (*fam.*) sfinito; stremato; stanco morto.

whacking /'wækɪŋ/ **A** *n.* **1** bastonatura; busse; botte; percosse **2** (*sport*) batosta; dura sconfitta **B** *a.* (*fam.*) colossale; enorme; grossissimo: **a w. lie**, una bugia enorme **C** *avv.* (*fam.*) molto; moltissimo: **a w. great melon**, un melone enorme.

whacky /'wækɪ/ *a.* (*slang USA*) → **wacky**.

whale /weɪl/ *n.* (pl. *whales*, *whale*) **1** (*zool.*) balena; cetaceo (*in genere*) **2** (*fig. spreg.*) balena (*spec. di donna*) **3** (*fam.*) gran mangiatore; mangione ● (*fam.*) **to be a w. at** (*o on, for*) **st.**, essere un'aquila (*o un mostro di scienza*) in qc.: **to be a w. on correctness**, conoscere il galateo a menadito □ (*un tempo*) **w.-boat**, baleniera □ **w. calf**, balenotto; balenottero □ **w. fishing**, caccia alla balena □ **w.-line**, sagola di arpione □ (*fam.*) **a w. of a book**, un libro coi fiocchi; (*anche*) un libro lunghissimo □ **w. oil**, olio di balena □ **w. watching**, osservazione (*o avvistamento*) delle balene (*come hobby*) □ **bull w.**, balena maschio □ **cow w.**, balena femmina □ (*fam.*) **to have a w. of a time**, spassarsela un mondo; divertirsi un sacco.

to **whale** /weɪl/ *v. i.* cacciar balene ● (*slang USA*) **to w. into sb.**, attaccare, aggredire q. □ (*slang USA*) **to w. into st.**, gettarsi (a corpo morto) su qc.; tuffarsi in (*un lavoro*) □ **to go whaling**, andare a caccia di balene.

whalebone /'weɪlbəʊn/ *n.* **1** (*zool.*) fanone **2** stecca di balena.

whaleman /'weɪlmən/ *n.* (pl. *whalemen*) **1** baleniere **2** baleniera (*nave*).

whaler /'weɪlə(r)/ *n.* **1** baleniere **2** baleniera (*nave*).

whaling /'weɪlɪŋ/ *n.* **▥** caccia alla balena ● **w. gun**, cannoncino lanciarpioni (*per la caccia alla balena*) □ **w. master**, capitano di baleniera □ **w. ship**, baleniera (*nave*).

wham /wæm/ → **whang**, *def. 1*.

to **wham** /wæm/ → **to whang**, **A** e **B**, *def. 1*.

wham-bam /'wæmbæm/ *a.* **1** (*slang USA*) chiassoso; assordante **2** fantastico; favoloso; enorme; imponente **3** divertentissimo.

whammy /'wæmɪ/ *n.* (*slang*) **1** batosta; colpo; sberla; botta; stangata **2** (*USA*) – **the w.**, il malocchio; una fattura ● **double w.**, doppio colpo; doppia batosta; doppia scalogna; doppia fregatura.

whang /wæŋ/ *n.* (*fam.*) **1** rumore secco;

forte colpo; scoppio **2** rimbombo **3** (*volg. USA*) batacchio; pene; cazzo (*volg.*).

to **whang** /wæŋ/ (*fam.*) **A** v. t. **1** colpire con forza **2** (*slang USA*) picchiare; pestare **B** v. i. **1** fare un rumore secco (*o* uno scoppio) **2** rimbombare.

whangee /wæŋˈiː/ n. bastone (da passeggio) di bambù.

to **whap** /wɒp/ (*fam.*) → **to whop**.

wharf /wɔːf/ n. (pl. **wharves, wharfs**) (*naut.*) banchina; calata; molo interno; scalo; pontile: **loading [unloading] w.**, banchina di carico [scarico] ● **w. dues**, diritti di sbarco (*o* di banchina) □ **w. rat**, (*zool.*) topo dei moli; (*fig. spreg.*) frequentatore dei moli, individuo losco.

to **wharf** /wɔːf/ v. t. **1** (*naut.*) attraccare (*o* ormeggiare) alla banchina **2** scaricare (*merce*) a un molo **3** provvedere (*uno scalo*) di moli o banchine.

wharfage /ˈwɔːfɪdʒ/ n. Ⓤ (*naut.*) **1** spazio (*o* posto) d'ormeggio a banchina **2** (= **w. charges**) diritti di banchina (*o* di calata) **3** (*collett.*) banchine (*portuali*); calate.

wharfinger /ˈwɔːfɪndʒə(r)/ n. (*naut.*) **1** proprietario di banchina (*o* di molo interno) **2** sorvegliante di banchina (*o* di calata).

wharves /wɔːvz/ pl. di **wharf**.

◆**what** /wɒt, wət/ **A** pron. interr. ❶ Nota: *chi* → **chi** ① (*sezione italiana*) che cosa; che; cosa: *W. is it?*, cos'è?; *W. did you say?*, che cosa hai detto?; *W. can I do for you?*, che cosa posso fare per te?; in che posso servirLa?; mi dica!; *W. happened?*, cos'è successo?; *W. happened then?*, che cosa accadde dopo?; *W.'s wrong?*, cosa c'è che non va?; *W.'s your table number?*, qual è il numero del suo tavolo?; *W. does your father do?*, che cosa fa (*o* che mestiere fa) tuo padre?; *Tell me w. you need*, dimmi cosa ti occorre; *I don't know w. to do*, non so che fare **B** a. interr. quale, quali; che: *W. films have you seen lately?*, quali film hai visto di recente?; *By w. train are you leaving?*, con che treno parti?; *W. news?*, che novità?; che notizie ci sono?; *W. kind of man is he?*, che tipo di uomo è? **C** pron. escl. quanto; come: *W. he has suffered!*, quanto ha sofferto! **D** a. escl. quale; che; come: *W. nonsense!*, che sciocchezze!; *W. a man*, che uomo!; *W. a fool you are!*, che stupido sei!; come sei stupido!; *W. an idea!*, che idea!; *W. a mind she has!*, che mente!; *W. impudence!*, che sfacciataggine! **E** pron. relat. ciò che; quello che; tutto quello che: *I heard w. he said*, sentii quello che disse; *Tell me w. he said*, dimmi che cosa ha detto; *Do w. you will*, fa' ciò che vuoi; *W. he likes is music*, quel che ama è la musica; *W.'s done is done*, ciò che è fatto è fatto **F** a. relat. quello che; quelli che; il (la, gli, le)... che: *Give me w. money you have*, dammi il denaro che hai (*poco o molto che sia*); *Wear w. shoes you like best*, metti pure le scarpe che preferisci **G** inter. come?; che cosa?; ma come!: *W.! no dinner?*, come? niente cena?; *W., here already?*, ma come! (siete) già qui? ● **w. about** (*o* **w. of**), che ne è (*che cosa ne* è) stato; di; che ne dici (diresti) di: *W. about the others?*, che ne è degli altri?; *W. about an ice-cream?*, che ne diresti di (prendere) un gelato?; *W. about some pasta?*, che ne dici di un po' di pasta? □ «**And your friend?**» «**W. about him?**», «E il tuo amico?» «Cosa c'entra lui?» □ **w.-d'you-call--him (-her, -it, etc.)**, (*rif. a cosa*) affare, aggeggio, coso; (*rif. a persona*) coso (cosa), tizio, valettapesca: *Pass me the w.-d'you-call-it*, passami quell'aggeggio! □ **w. else**, che altro; che cos'altro: *W. else did he want?*, che altro voleva? □ **w. ever**, che cosa mai; che diamine: *W. can he ever mean by that?*, che diamine vuol mai dire con ciò? □ **w. for**, a che cosa; a che; perché: *W. is that used

for?*, a che serve (quell'aggeggio)?; *W.'s this button for?*, a che serve questo pulsante?; *W. are you locking the door for?*, perché chiudi a chiave la porta? □ (*fam.*) **w.-for**, punizione; castigo; bòtte; legnate: *I'll give him w.-for*, gli darò io quel che si merita! □ **w. for?**, perché mai?; per che fare?; a che pro? □ (*fam.*) **w. have you**, eccetera; e simili; e cose del genere: *He's got his screwdriver, hammer, wrench and w. have you*, ha il suo cacciavite, il martello, la chiave inglese e cose del genere □ **w. if**, che importa se; e se; e (anche) se: *W. if they don't come?*, e se non vengono?; *W. if it's true?*, e anche se è vero? □ **w. ... like**, come; che tipo: *W. was the weather like?*, com'era il tempo?; *W. is he like?*, che tipo d'uomo è?; com'è? ❶ Nota: *come* → **come** (*sezione italiana*) □ **w.'s more**, quel che più conta; per di più; inoltre □ (*arc.*) **w. though**, che importa se; e se: *W. though I am alone?*, e se sono solo, che importa? □ **w.'s w.**, lo stato delle cose; la situazione □ **w. with... and (w. with)**, un po' per... un po' per; tra... e: *W. with hunger and (w. with)* tiredness*, he could hardly walk along*, un po' per la fame e un po' per la stanchezza, non riusciva quasi più a camminare; *The museum's packed today w. with this bad weather*, oggi il museo è pieno per via di questo brutto tempo □ **and w. have you**, e simili; e così via □ **and w. not**, eccetera eccetera; e altro ancora □ (*lett.*) **but w.**, che non: *There wasn't a day but w. it rained*, non c'era giorno che non piovesse □ **come w. may**, qualunque cosa accada; comunque vada a finire □ **to know w.'s w.**, saperla lunga □ *W.?*, che cosa?; come?; che hai detto? □ **W.'s it to you?**, e a te che ne importa?; che te ne frega? □ **W.'s yours?**, che cosa bevi?; che cosa prendi? □ *W. good* (*o W. use*) *is it?*, a che serve?; a che pro? □ **W. ho!**, ehi!; salve! □ *W.'s the matter?*, che c'è che non va? □ **W. next?**, e poi?; e adesso che succederà?; (*anche*) che c'è ancora? □ **W. next!**, che roba!; cosa mi tocca di sentire! □ **W. of it?**, e allora?; e con ciò? □ **I know w.**, ho un'idea; so io che cosa fare □ **to know w.'s w.**, avere le idee chiare; sapere il fatto proprio □ **I'll tell you w.**, te lo dico io (che cosa fare); stammi a sentire □ (*fam.*) **Tell you w.**, e allora: *Tell you w.: let's have a break!*, e allora, facciamo una pausa! □ (*fam.*) **So w.?**, e allora; e con ciò? □ **Well, w. of it?**, be', e con ciò? □ **to tell sb. w.'s w.**, dirne quattro a q.; fare una scenata a q. □ (*prov.*) *W. goes around, comes around*, la ruota gira; oggi a te e domani a me; chi semina raccoglie.

whate'er /wɒtˈeə(r)/ (*poet.*) → **whatever**.

◆**whatever** /wɒtˈevə(r)/ **A** pron. indef. qualunque cosa; qualsiasi cosa: *W. happens, don't be late*, qualunque cosa accada, non arrivare in ritardo!; *W. I do, it's never good enough for her*, qualsiasi cosa io faccia, non è mai abbastanza per lei **B** a. indef. **1** qualunque; qualsiasi; quale che sia: *I'll never give in, w. the consequences (may be)*, non cederò, quali che siano le conseguenze; *W. books he reads, he always forgets everything about them*, qualunque libro legga, dimentica sempre quel che ha letto **2** (*come inter.*) (*fam.*) fa lo stesso; è uguale: «*It's Swedish, not German*» «*W.*», «è svedese, non tedesco» «fa lo stesso» **3** (*enfat., in frasi neg.*) alcuno; di (alcuna) sorta; affatto; assolutamente: *There's no doubt w.*, non c'è dubbio alcuno; *I have no plans w.*, non ho progetti di sorta; *We could see nothing w.*, non si vedeva assolutamente nulla **C** pron. relat. (*enfat.*) ciò che; quello che; tutto quello che; qualunque cosa: *You can take w. you want*, puoi prendere (tutto) quello che vuoi; *W. I have is yours*, tutto quel che possiedo è tuo **D** pron. interr.

(*fam.*, = **what ever**) che cosa mai; che diamine: *W. does he want?*, che diamine vuole? **E** avv. (*fam.*) comunque; in ogni modo ● **w. man** (= *whoever*), chiunque: *W. man told you that, it isn't true*, chiunque te l'abbia detto, non è vero! □ **W. next!**, che roba!; cosa mi tocca sentire! □ (*fam.*) **or w.**, o altro; o che altro; e quant'altro: *Add to the mixture rolled oats, bran, or w.*, aggiungete al composto fiocchi d'avena, crusca e quant'altro □ **or w. it is** [**it was**], o quel che è [che era]; o qualsiasi cosa: *Take your bag or parcel, or w. it is*, prendi il tuo sacco o pacco, o quel che è!; *I'll take twenty or thirty pounds, or w. it is!*, accetterò venti o trenta sterline o qualsiasi somma ❶ Nota: *how ever o however; what ever o whatever?* → **however** Is there any chance w.?*, c'è una sia pur minima probabilità? □ (*fam.*) **No one w. would accept**, nessuno al mondo accetterebbe.

whatnot /ˈwɒtnɒt/ n. **1** (*raro*) scaffaletto; scansia **2** Ⓤ (*fam.*) inezia; nonnulla **3** Ⓤ (*fam.*) tutto il resto; cose simili; similia (*lat.*); cose del genere: *He carried his tools and w.*, portò con sé i suoi attrezzi «et similia» **4** (pl.) biancheria intima frivola.

what's /wɒts/ contraz. di **what is** ● **what's his** [**her**] **name**, come si chiama; coso [cosa]: *I came across what's his name yesterday*, ieri ho incontrato coso.

whatshername /ˈwɒtsəneɪm/ n. (*fam.*) tizia; cosa.

whatshisname /ˈwɒtsɪzneɪm/ n. (*fam.*) tizio; coso.

whatsit /ˈwɒtsɪt/ n. Ⓤ **1** (*fam.*) affare; aggeggio; coso **2** (*rif. a una persona*) coso; quel che è; come-si-chiama.

whatsoe'er /wɒtsəʊˈeə(r)/ (*poet.*) → **whatever**.

◆**whatsoever** /wɒtsəʊˈevə(r)/ (*enfat.*) → **whatever**.

whaup /wɔːp/ n. (*slang spec. scozz.*; *zool.*, *Numenius arquata*) chiurlo.

wheat /wiːt/ n. Ⓤ (*bot.*, *Triticum vulgare*) grano; frumento: **the w. harvest**, il raccolto del grano ● **w. germ**, germe di grano □ **w. grass** (*Triticum repens*), gramigna dei medici □ **w. mildew**, ruggine del grano.

wheatear /ˈwiːtɪə(r)/ n. (*zool.*, *Oenanthe oenanthe*) culbianco.

wheaten /ˈwiːtn/ a. di grano; di frumento: **w. flour**, farina di grano; **w. bread**, pane di frumento.

to **wheedle** /ˈwiːdl/ **A** v. t. **1** adulare; allettare; blandire; lusingare **2** ottenere con lusinghe; procurarsi con moine: *I wheedled fifty pounds from my friend*, con le lusinghe, riuscii a farmi dare cinquanta sterline dal mio amico **B** v. i. fare moine ● **to w. sb. into doing st.**, indurre q. a far qc. con lusinghe (*o* moine) □ **to w. st. out of sb.**, scroccare (*o* strappare) qc. a q. con blandizie: **to w. a secret out of sb.**, strappare un segreto a q. usando blandizie.

wheedler /ˈwiːdlə(r)/ n. adulatore, adulatrice; chi sa blandire.

wheedling /ˈwiːdlɪŋ/ **A** a. adulatorio; lusingatore: **in a w. voice**, con voce adulatrice **B** n. Ⓤ blandizie; lusinghe; moine; adulazioni **-ly** avv.

◆**wheel** /wiːl/ n. **1** (*anche fig.*) ruota: *A bicycle has two wheels*, la bicicletta ha due ruote; *Fortune's w.*, la ruota della fortuna **2** (*mecc.*) ruota dentata; ingranaggio **3** (*autom.*, = **steering w.**) volante: *Don't speak to the person at the w.*, non parlate alla persona al volante (*o* al conducente)! **4** (*naut.*, = **steering w.**) ruota del timone; timone **5** (*stor.*) ruota (*della tortura*): **to break sb. on the w.**, infliggere a q. il supplizio della ruota **6** (*ind. tess.*, = **spinning w.**) filatoio **7** (*mecc.*, = **grinding w.**) mola **8** (*fam.*) bicicletta; (*più raro*) triciclo **9** moto rotatorio;

evoluzione; cerchio (*fig.*); (*mil.*) conversione: **the wheels of the swallows in the air**, i cerchi delle rondini nell'aria; **a left [a right] w.**, una conversione a sinistra [a destra] **10** (*ginnastica*) ruota (*esercizio*) **11** (*slang spec. USA*, = **big w.**) persona influente; pezzo grosso **12** (pl.) rotelle (*fig.*); meccanismi; ingranaggi: **the wheels of power**, gli ingranaggi del potere **13** (pl.) (*slang*) automobile; macchina; mezzo; quattroruote: *Are you walking or have you got wheels?*, sei a piedi o sei motorizzato?; **clean wheels**, auto 'pulita' (*mai segnalata alla polizia; usata per fare un colpo*) **14** (pl.) (*slang USA*) ruote (*pop.*); gambe • (*autom.*) **w. alignment**, convergenza delle ruote □ **w. and axle**, carrucola □ (*autom.*, *mecc.*) **w. balancing**, bilanciatura (*o equilibratura*) delle ruote □ (*autom.*, *mecc.*) **w. base** → **wheelbase** □ (*autom.*) **w. box**, vano passaruota □ (*mecc.*) **w. case**, scatola degli ingranaggi □ (*autom.*) **w. change**, sostituzione di una ruota □ **w. clamps**, ganasce, ceppi (*applicati alle ruote di veicoli in divieto di sosta*) □ (*autom.*) **w. cover**, copriruota □ **w. horse**, cavallo del timone (*in un tiro a quattro o a due*) □ (*naut.*) **w.-house**, timoniera □ (*tecn.*) **w. loader**, pala a ruote; terna (*macchina movimento terra a triplice funzione*) □ (*stor.*) **w. lock**, ruota del meccanismo di sparo (*in fucili antiquati*) □ (*disegno*) **w. pen**, tiralinee □ (*tecn.*) **w. tractor**, trattore gommato (*di una terna*) □ (*archit.*) **w. window**, rosone □ (*autom.*) **w. wobble**, sfarfallamento delle ruote (anteriori) □ **to be at the w.** (*o* **behind the w.**), essere al volante (*o* al timone); (*fig.*) avere il comando □ (*ciclismo*) **to finish on sb.'s w.**, finire a ruota con q. □ (*fig.*, *iron.*) **to invent the w.**, inventare la ruota (*o* l'acqua calda) □ (*fig.*) **to put one's shoulder to the w.**, dare il proprio contributo a un'impresa; aiutare la baracca (*fam.*) □ **to set the wheels in motion**, mettere in moto un progetto; far partire un'iniziativa □ (*fam. USA*) **to spin one's wheels**, macinare a vuoto; concludere poco o nulla; sprecare tempo □ **to take the w.**, (*autom.*) andare al volante, prendere il volante (*o* la guida); (*naut.*) prendere il timone □ (*mecc.*) **to turn the wheels**, far girare le ruote □ (*ginnastica*) **to turn wheels**, fare evoluzioni (*o* giravolte, capriole) □ (*fam.*) **There are wheels within wheels**, è un affare di scatole cinesi; è una faccenda molto ingarbugliata □ (*ciclismo*) **to win by a w.'s length**, vincere di una ruota.

to **wheel** /wiːl/ **A** v. t. **1** far girare, roteare; far ruotare **2** spingere, muovere (*un veicolo a ruote*): **to w. a barrow**, spingere una carriola **3** portare, spingere, trasportare (*su un veicolo a ruote*) **4** fornire (*un veicolo*) di ruote **B** v. i. **1** girare; ruotare; roteare; turbinare; volteggiare: *The helicopter was wheeling in the air above the motorway*, l'elicottero volteggiava in aria sopra l'autostrada **2** (*mil.*) fare una conversione **3** (*fam.*) andare in bicicletta; pedalare • (*fam. spec. USA*) **to w. and deal**, agire con spregiudicatezza, senza remore; (*spec.*) intrallazzare, fare l'affarista (*o* il maneggione) □ (*mil.*) **Right [left] w.!**, conversione a dest'! [a sinist'!].

■ **wheel about** (*o* **around**) **A** v. i. + avv. **1** fare una giravolta; girarsi: *He wheeled around when I called him*, quando lo chiamai, si girò **2** (*fig.*) fare un voltafaccia; mutar parere **B** v. t. + avv. trasportare (q.) su una sedia a rotelle.

■ **wheel away** v. t. + avv. **1** portare via (q.) su una sedia a rotelle **2** (*fam.*) rubare (*un veicolo*).

■ **wheel in** (**into**) v. t. + avv. (prep.) **1** spingere (*una bicicletta, ecc.*) a mano dentro (*un luogo*) **2** spingere dentro; far entrare (*un carrello*) spingendo **3** portare dentro, far entrare (*un invalido*) su una sedia a rotelle: *The*

nurse wheeled him into the sitting room, l'infermiere lo portò in salotto (*sulla sedia a rotelle*) **4** (*fam.*) spingere dentro, far entrare (*q. in genere*): **W. in the next applicant!**, fate entrare il prossimo candidato!

■ **wheel out** v. t. + avv. **1** far uscire, portare fuori (*un invalido, un bimbo in carrozzella, ecc.*) **2** (*fig.*) tirar fuori (*una storiella*); inventare (*una scusa*).

■ **wheel round** → **wheel about**.

wheelbarrow /'wiːlbærəʊ/ n. carriola.

to **wheelbarrow** /'wiːlbærəʊ/ v. t. trasportare in carriola; scarriolare (*pop.*).

wheelbase /'wiːlbeɪs/ n. (*autom.*, *mecc.*) interasse; passo (*tra le ruote*).

wheelchair /'wiːltʃeə(r)/ n. sedia a rotelle; carrozzella (*d'invalido*).

wheeled /wiːld/ a. (spec. nei composti) a ruote; con ruote: **w. plough**, aratro a ruote • (*mecc.*) **w. crane**, gru semovente gommata □ **a three-w. car**, un'automobile a tre ruote.

wheeler /'wiːlə(r)/ n. **1** cavallo del timone (*in un tiro a quattro o a due*) **2** carrettiere; barrocciaio **3** carraio; carradore **4** (*autom.*, *mecc.*) automobile con un certo numero di ruote motrici: **a four-w.**, un'auto con le quattro ruote motrici; una «quattro per quattro» • (*fam.*) **w.-dealer**, affarista (*spreg.*) maneggione; faccendiere; intrallazzatore (*pop.*) □ **a two-w.**, un veicolo a due ruote.

wheelie /'wiːli/ n. (*fam.*) impennata sulla ruota posteriore (*con la moto o la bicicletta*).

wheelie bin, **wheely bin** /'wiːlɪbɪn/ loc. n. (*ingl.*) bidone dell'immondizia (*grosso e con due ruote, per uso privato esterno*).

wheeling /'wiːlɪŋ/ n. [U] **1** (*sport*) esecuzione di un'impennata sulla ruota posteriore **2** (*fam.*) l'andare in bicicletta • (*fam.*) **w. and dealing**, manovre (*anche*: poco pulite); maneggi; affarismo; traffici; intrallazzi.

wheelman /'wiːlmən/ n. (pl. **wheelmen**) **1** conducente; autista **2** (*naut.*, *USA*) timoniere **3** (*slang*) autista di una banda (*in un colpo criminale*).

wheelsman /'wiːlzmən/ n. (pl. **wheelsmen**) (*naut.*) timoniere.

wheelwork /'wiːlwɜːk/ n. [U] (*mecc.*) rotismo (*spec. di orologi*).

wheelwright /'wiːlraɪt/ n. carraio; carradore.

wheeze /wiːz/ n. **1** respiro affannoso; l'ansare; l'ansimare; sibilo **2** (*gergo teatr.*) barzelletta; battuta comica; gag **3** (*fam.*) buon'idea; bella trovata; scoperta ingegnosa.

to **wheeze** /wiːz/ **A** v. i. **1** ansare; ansimare; respirare affannosamente **2** (*di un motore, ecc.*) soffiare; sibilare; rumoreggiare **B** v. t. dire ansimando: *He managed to w. out his name and address*, riuscì a dire ansimando il suo nome e l'indirizzo.

wheezing /'wiːzɪŋ/ n. [U] (*med.*) dispnea.

wheezy /'wiːzɪ/ a. ansante; ansimante; che respira a fatica; asmatico (*anche fig.*): **a w. old horse**, un vecchio cavallo che respira a fatica; **a w. old organ**, un vecchio organo asmatico ‖ **wheeziness** n. [U] (l') ansimare; respiro affannoso.

whelk ① /welk/ n. **1** (*zool.*) mollusco gasteropode dei Buccinidi (*in genere*) **2** (*zool.*, = **common w.**) (*Buccinum undatum*), buccino • **w. shell**, buccina (*la conchiglia ritorta*) □ (*fig. fam. ingl.*) **He couldn't run a w. stall**, è un totale incompetente; un incapace.

whelk ② /welk/ n. foruncolo; pustola.

whelked /welkt/ a. foruncoloso; pustoloso.

to **whelm** /welm/ v. t. (*poet.*, *retor.*) **1** sommergere; seppellire; ricoprire **2** travolgere; distruggere emotivamente; sgomi-

nare.

whelp /welp/ n. **1** cucciolo (*di cane o di canide*) **2** (*fig.*, *antiq.*) ragazzaccio; marmocchio; moccioso **3** (*mecc.*) dente (*di ruota*) • **The bitch was in w.**, la cagna era gravida.

to **whelp** /welp/ v. t. e i. **1** (*d'animali*) figliare **2** (*spreg.: di donna*) partorire; generare; mettere al mondo **3** (*fig. spreg.*) produrre; essere l'autore di.

♦ **when** /wen, wən/ **A** avv. e cong. interr. quando; la data in cui: *W. will he arrive?*, quando arriverà?; *W.'s your next exam?*, quand'è il prossimo esame?; *I wonder w. that happened*, vorrei sapere quando accadde; mi chiedo quando sia accaduto; *Until w. can you wait?*, fino a quando puoi aspettare?; *His family are waiting to hear w. he will be released*, i suoi familiari aspettano di sapere quando sarà rilasciato **B** avv. e cong. relat. **1** quando; nel momento in cui; mentre: *I'll do it w. I come back*, lo farò quando torno; *W. I saw him, he was on the phone*, quando lo vidi, era al telefono; *W. completed, the new motorway will greatly reduce traffic*, quando sarà finita, la nuova autostrada ridurrà di molto il traffico; *She came just w. I was going out*, arrivò proprio mentre stavo uscendo; *I'll go w. I have had breakfast*, andrò quando (*o* dopo che) avrò fatto colazione **2** in cui; nel quale (nei quali, ecc.); il momento in cui; il giorno in cui: *You always come on those days w. I'm busy*, vieni sempre nei giorni in cui ho da fare; *Saturday is when we do the shopping*, il sabato è il giorno in cui (*pop.*: facciamo la spesa **3** quando; anche se; mentre (invece): *He kept insisting w. he must have known he wouldn't be accepted*, continuava a insistere quando invece doveva saper bene che non sarebbe stato accettato **C** n. [U] (il) quando: *I know the w. and where of his arrest*, conosco il giorno (l'ora, ecc.) e il luogo del suo arresto • **w. ever**, quando mai: *W. ever did I say so?*, e quando mai l'ho detto? □ (*lett.*) **before w.**, prima della quale data; prima d'allora: *He joined the army a month ago, before w. he had had no training*, si arruolò un mese fa; prima d'allora, non aveva ricevuto alcun addestramento □ **to say w.**, dire basta (*quando ci versano da bere*): 'The Right Hon was a tubby little chap who looked as if he had been poured into his clothes and had forgotten to say «w.»*' P.G. WODEHOUSE, 'l'Onorevole era un piccolo ciccione che aveva l'aria d'essere stato versato dentro il vestito e di avere dimenticato di dire «basta»' □ **since w.**, e da allora: *He came home a week ago, since w. he has done nothing at all*, è venuto a casa una settimana fa e da allora non ha fatto assolutamente nulla □ **Since w. has he been ill?**, da quanto tempo è ammalato?; quant'è che è malato? □ **From w. does the castle date?**, a quanto tempo fa risale il castello? □ **I want to know the w. and how of it**, voglio sapere tutto per filo e per segno □ **w. all's said and done**, in fin dei conti; dopotutto; tutto considerato.

whence /wens/ avv. e cong. **1** (*arc.*) donde; da dove; da che cosa; da che: *Nobody knows (from) w. he comes*, nessuno sa da dove venga **2** da cui; dal quale: *I know the source w. these evils spring*, conosco la fonte da cui provengono questi mali.

whencesoever /wensəʊˈevə(r)/ avv. e cong. (*enfat.*) **1** da qualunque luogo; da qualsiasi parte **2** da qualunque fonte; da qualsiasi causa.

whene'er /wenˈeə(r)/ (*poet.*) → **whenever**.

♦ **whenever** /wenˈevə(r)/ avv. e cong. **1** ogniqualvolta; ogni volta che; tutte le volte che; quando: *W. I do that, I get into trouble*, tutte le volte che lo faccio, mi metto nei guai;

W. I meet her, she smiles at me, ogni volta che l'incontro, mi sorride; *Visit us w. you can*, vieni a trovarci ogniqualvolta puoi (*o* quando puoi)! **2** quando che (*lett.*); in qualsiasi momento: *He will come back when he has made his fortune – w. that may be*, tornerà quando avrà fatto fortuna – quando che sia **3** (*fam.* = **when ever**) quando mai: *W. will you learn?*, quando mai (*o* ma quando) imparerai? **4** (*fam.*) chissà quando; quando capita; quando capiterà; non importa quando **❶ NOTA:** *how ever o however; what ever o whatever?* → **however**.

whensoever /ˈwɛnsəʊˈɛvə(r)/ (*enfat.*) → **whenever**.

♦**where** /weə(r)/ **A** *avv. e cong. interr.* dove: *W. have they gone?*, dove sono andati? *W. are you going?*, dove vai? *W. do you work?*, dove lavori? *W. did you read that?*, dove l'hai letto? *W. shall we start from?*, da dove cominciamo? *Up to w. had we got?*, (fin) dove eravamo arrivati? **B** *avv. e cong. relat.* **1** dove; nel quale; in cui; il (*o* nel) luogo in cui: *Go w. you like*, va' dove ti pare!; *Sit w. you like!*, siediti dove vuoi!; **in places w. they dance**, nei luoghi dove si balla; nei posti in cui ballano; *That's the point w. we stopped*, ecco il punto in cui (*o* dove) ci fermammo; *I live just ten miles from w. I was born*, abito ad appena dieci miglia dal luogo in cui sono nato; *I never go w. I'm not wanted*, non vado mai nei posti dove sono indesiderato; *That's w. you are mistaken*, questo è il punto in cui sbagli **2** (*raro*) il quale; la quale: *That's the old house in front of w. there was a big tree*, quella è la vecchia casa di fronte alla quale c'era un grande albero **C** *n.* (il) dove: *I don't know the when and w. of his arrest*, non so quando fu arrestato, né dove ● **w. ever**, dove mai; dove diamine: *W. ever did you hear that?*, dove diamine l'hai sentito (dire)? □ (*fam.*) **w. it's at**, la cosa da fare; la cosa alla moda; la cosa di successo: *Blogs is w. it's at*, i blog adesso sono di gran moda □ **w. possible**, quand'è possibile; quando si può □ **W. is the harm in trying?**, che male c'è a provare? □ **W. is the sense of it?**, che senso c'è? □ **I am w. I should be**, io sono al mio posto!

whereabouts /ˈweərəbaʊts/ **A** *avv.* dove (*a un dipresso*); da che parte; in che posto: *W. did you put it?*, (sai, su per giù) dove l'hai messo?; *I don't know even w. to look*, non so neanche da che parte cercare **B** *n.* (*sing. o* pl.) luogo; paraggi; posizione; zona: *The w. of the crashed plane is* (*o* are) *still unknown*, non si sa ancora in che luogo si trovi l'aereo caduto.

♦**whereas** /weəˈræz/ *cong.* **1** mentre; laddove; e invece: *Some people like it hot, w. others prefer cool weather*, certuni amano il caldo, mentre altri preferiscono il fresco **2** (*leg.*) premesso che; considerato che (*formula introduttiva di un contratto e sim.*).

♦**whereby** /weəˈbaɪ/ *avv.* **1** (interr.; *lett.*) da che cosa; per mezzo di che cosa; come: *W. shall we know him?*, da che cosa (*o* come) lo riconosceremo? **2** (relat.) per mezzo del quale; con cui: *a system w. students pay reduced fees*, un sistema per mezzo del quale gli studenti pagano tasse ridotte.

where'er /weərˈeə(r)/ (*poet.*) → **wherever**.

wherefores /ˈweəfɔːz/ *n. pl.* - solo nella loc. **the whys and w.**, il perché e il percome.

wherefrom /weəˈfrɒm/ *avv.* (*lett.*) **1** (interr.) da dove; da che cosa **2** (relat.) dal quale; da cui.

wherein /weərˈɪn/ *avv.* (*lett.*) **1** (interr.) in che cosa; dove: *W. am I wrong?* in che cosa ho torto?; *dov'è che ho torto?* **2** (relat.) nel quale; in cui: **the room w. they slept**, la camera in cui dormirono.

whereinto /weərˈɪntuː/ *avv.* (*lett.*) entro il quale; entro cui.

whereof /weərˈɒv/ *avv.* (*lett.*) **1** (interr.) di che cosa; di che **2** (relat.) del quale; di cui: **sheep, w. we had plenty**, pecore, di cui avevamo abbondanza.

whereon /weərˈɒn/ *avv.* (*lett.*) **1** (interr.) su che cosa; su che: *W. do you rely?*, su che cosa fai affidamento? **2** (relat.) sul quale; su cui: **the hill w. we stood**, il colle su cui ci trovavamo.

wheresoever /weəsəʊˈɛvə(r)/ (*enfat.*) → **wherever**.

whereto /weəˈtuː/ *avv.* (*lett.*) **1** (interr.) verso dove; in quale direzione **2** (interr.) a che scopo; a qual fine; a che cosa; a che: *W. serves mercy?*, a che serve la clemenza? **3** (relat.) al quale; cui: *There was a special meeting w. all members came*, ci fu un'assemblea straordinaria cui parteciparono tutti i soci.

whereunder /weərˈʌndə(r)/ *avv.* (*lett.*) sotto il quale; sotto cui.

whereunto /weərˈʌntuː/ (*arc.*) → **whereto**.

whereupon /weərəˈpɒn/ (*lett.*) **A** *avv.* → **whereon** **B** *cong.* al che; e allora; dopo di che: *I called to him, w. he turned and waved at me*, lo chiamai, e allora si girò e mi salutò con la mano.

♦**wherever** /weərˈevə(r)/ *avv. e cong.* **1** dovunque; in qualunque luogo; da qualsiasi parte: *You must find him, w. he is*, dovete trovarlo, dovunque sia; *W. you go, I'll follow you*, dovunque tu vada, ti seguirò **2** dovunque; dove; nel luogo in cui: *You can go w. you like*, puoi andare dove vuoi (*lett.*: dovunque tu voglia) **3** (*fam.* = **where ever**) dove mai; dove diamine: *W. has that boy gone?*, dove diamine s'è cacciato quel ragazzo? **4** (*trasp.*) per qualsiasi destinazione: *The airline gives its staff free tickets to Rome, Rio or w.*, la compagnia aerea dà gratis ai dipendenti biglietti per Roma, Rio o per qualsiasi altra destinazione ● **w. possible**, quando è possibile; quando si può.

wherewith /weəˈwɪð/ *avv. e cong.* **1** (*arc.*) con che cosa; con che: *W. shall I feed my children?*, con che cosa nutrirò i miei figli? **2** con il quale; con cui: *I haven't got the money w. to pay him*, non ho il denaro con cui pagarlo; non ho di che pagarlo.

wherewithal /ˈweəwɪðɔːl/ *n.* (*talora scherz.*) (l') occorrente; (il) necessario; (i) mezzi, (il) denaro; (i) conquibus (*fam.*): *I'd like a new computer, but I lack the w.*, vorrei un nuovo computer, ma non ho i mezzi per comperarlo (*o* non posso permettermelo).

wherry /ˈwɛrɪ/ (*naut.*) *n.* **1** barchetta; barchino **2** chiatta; barca per traghetto ‖ **wherryman** *n.* (pl. **wherrymen**) traghettatore; passatore.

whet /wɛt/ *n.* **1** affilata; affilatura; affilamento **2** (*fig.*) allettamento; incitamento **3** (*fig. raro*) aperitivo; stimolante ● **w. leather**, coramella.

to **whet** /wɛt/ *v. t.* **1** affilare; arrotare: **to w. a knife**, affilare un coltello **2** (*fig.*) aguzzare; stimolare; acuire; eccitare: *This sherry will w. your appetite*, questo sherry ti stimolerà l'appetito.

♦**whether** /ˈwɛðə(r)/ *cong.* **1** se (*dubitativo*); se... o no: *Please ask him w. he can come*, chiedigli se può venire; *Go and see w. he's free*, va' a vedere se è libero; *I wonder w. I'm right to do this*, chissà (*o* mi domando) se faccio bene a far questo; *Write and tell me w. I am to come* (*or not*), scrivimi se debbo venire (*o* no) **2** (idiom., correl. di **or**): *W. you like it or not, you'll have to do it*, ti piaccia o no, dovrai farlo; *W. rich or poor, all have to die*, ricchi o poveri, tutti devono mo-

rire ● **w... or**, sia... sia; sia... o; sia che... sia che: *W. I accept his offer or not, I'll get into trouble*, sia che io accetti la sua offerta o no, mi metterò nei guai; *I don't care w. you stay or you go*, sia che tu resti, sia che te ne vada, non me ne importa nulla ● **w. or no** (*o* **w. or not**), in ambo i casi; in ogni caso: *Well, I'll go there, w. or no*, ebbene, io ci andrò, in ogni caso! □ **It's doubtful w. he will come**, è dubbio ch'egli venga **❶ NOTA:** *weather, wether o whether?* → **weather**.

whetstone /ˈwɛtstəʊn/ *n.* **1** pietra abrasiva; pietra per affilare (*a umido*); cote **2** (*fig. lett.*) stimolo; stimolante.

whew /fjuː/ *inter.* (*di costernazione, disgusto, sorpresa, ecc.*) toh!; ohi!; puah!; acciderba!; accidenti!

whey /weɪ/ *n.* Ⓤ siero (*del latte*) ● **w.-faced**, pallido; sbiancato in volto (*per la paura, ecc.*).

♦**which** /wɪtʃ/ **A** *pron. interr.* **❶ NOTA:** *chi* → **chi** ① (*sezione italiana*) chi; quale, quali; che cosa (*fra due o fra un numero ristretto*): *W. of you will come with me?*, chi di voi verrà con me?; *W. of the men survived?*, quali degli uomini sopravvissero? *W. do you want*, quale vuoi?; *I asked him w. was right*, gli chiesi quale (dei due) fosse esatto (*o* giusto); *W. will you have, tea or coffee?*, che cosa prendi (*o* vuoi), tè o caffè? **B** *a. interr.* quale, quali; che (*fra due o fra un numero ristretto*): *W. book do I have to read?*, che libro debbo leggere?; *Excuse me, do you know w. bus goes to Easton?*, mi scusi, sa qual è l'autobus che va a Easton?; *I don't know w. one you mean*, non so quale tu intenda; *I'm not sure w. e-mail address you've got*, non sono sicura di quale sia il tuo indirizzo e-mail; *W. Miss Jones do you mean, Joan or Diane?*, quale signorina Jones intendi, Joan o Diane? **C** *pron. relat.* **1** il quale (*o* la quale; *o* i quali, le quali); che (*rif. a cose o a fatti; arc. rif. a persone*): *The house in w. he lives is very large*, la casa nella quale (*o* in cui) abita è assai grande; *My home town, w. you visited last year, is growing rapidly*, la mia cittadina natale, che hai visitato l'anno scorso, sta crescendo a vista d'occhio; *This is the record w.* (*meglio:* that, *o niente*) *I told you about*, questo è il disco di cui ti ho parlato; (*arc.*) *Our Father, w. art in heaven*, Padre nostro che sei nei cieli **2** il che; la qual cosa; cosa che: *He wants to play and study at the same time, w. is impossible*, vuol giocare e studiare nello stesso tempo, il che è impossibile; *'When they saw where she lay, w. they had not done till then, they showed no objection'* T. HARDY, 'quando videro dove era distesa, cosa che non avevano fatto prima, non fecero alcuna obiezione' **D** *a. relat.* **1** che; quelli che, quelle che; il (la, gli, le)... che: *Try w. methods you please, you cannot succeed*, prova pure tutti i metodi che vuoi, tanto non puoi riuscire **2** il quale, la quale; i quali, le quali; che: *I stayed there a week, during w. time it hardly rained at all*, mi trattenni là una settimana, durante la quale non piovve quasi mai ● **w. one**, quale: *W. one do you want?*, quale vuoi?; *Here's a list of the candidates: w. one are you going to vote for?*, ecco la lista dei candidati: per quale (*o* chi) di loro voterai? □ **w. way**, in quale direzione; da che parte; in che modo; come: *W. way did the robbers speed off?*, da che parte scappati i rapinatori? □ *I don't know w. way to turn it*, non so come girarlo □ **They are so alike I can never tell w. is w.**, sono così simili che non riesco mai a distinguerli □ **I don't mind w.**, l'uno o l'altro, per me fa lo stesso □ **W. is w.?**, qual è quello buono?; (*anche*) quale dei due?; qual è quello che cerco?

whichever /wɪtʃˈɛvə(r)/ **A** *pron. indef.* chiunque; qualunque; qualsiasi; qualsiasi cosa (*fra due o fra un numero ristretto*): *W. of*

them comes will be welcome, chiunque di loro venga, sarà il benvenuto; *W. you take, make sure it's a good one*, qualunque tu prenda, assicurati che sia buono; *W. you choose, there won't be much difference*, qualsiasi cosa tu scelga, non farà molta differenza **B** a. indef. qualunque; qualsiasi (*fra due o fra un numero ristretto*): *W. present you choose, she will be pleased*, qualsiasi dono tu scelga, ne sarà contenta **C** pron. e a. relat. (*enfat.*) qualunque cosa; ciò che; quello che; il (la, gli, le) che: *Take w. comes first*, prendi quel che ti capita (*lett.*: qualunque cosa ti capiti) sottomano!

whichsoever /wɪtʃsəʊˈɛvə(r)/ (*enfat.*) → **whichever**.

whicker /ˈwɪkə(r)/ n. **1** nitrito sommesso (*di cavallo*) **2** risatina soppressa.

to **whicker** /ˈwɪkə(r)/ v. i. **1** nitrire sommessamente **2** ridere sotto i baffi; ridacchiare.

whidah /ˈwɪdə/ n. (*zool.*, *Vidua*; = **w. bird**) vedova.

whiff① /wɪf/ n. **1** alito; soffio; folata; buffata; buffo; sbuffo: **a w. of wind**, un alito di vento; **a w. of fresh air**, un soffio (*o una boccata*) di aria fresca **2** odore; zaffata: **I caught a w. of fresh bread**, mi arrivò l'odore di pane appena sfornato **3** tirata (*di sigaretta*); fumata; fumatina **4** (*fam.*) piccolo sigaro; sigarillo **5** (*fig.*) (un) pizzico; (un') ombra: **a w. of scandal**, un pizzico di scandalo **6** (*naut.*) sandolino **7** (*slang*) sniffo; (*per estens.*) droga.

whiff② /wɪf/ n. (*zool.*) pesce piatto; pleuronettide (*in genere*).

to **whiff**① /wɪf/ **A** v. t. **1** soffiare su; spegnere soffiando **2** emettere, mandar fuori (*spec. sbuffi di fumo*) **3** fumare (*la pipa, ecc.*) **4** inalare (*fumo, aria, ecc.*) **5** annusare; fiutare **6** (*slang*) sniffare (*droga*) **B** v. i. **1** soffiare a folate (*o a buffi*): *The wind whiffed through the trees*, il vento soffiava a buffi tra gli alberi **2** mandare sbuffi di fumo (*fumando la pipa, ecc.*) **3** mandare zaffate (*d'odore*) **4** (*slang ingl.*) puzzare.

to **whiff**② /wɪf/ v. i. pescare con la lenza, tenendo l'esca a fior d'acqua.

whiffle /ˈwɪfl/ n. **1** alito, buffo, folata (*di vento*) **2** fischio; sibilo.

to **whiffle** /ˈwɪfl/ **A** v. i. **1** (*del vento*) soffiare a buffi (*o a folate*) **2** fischiare; sibilare **3** (*anche fig.*) ondeggiare; oscillare; vacillare; tentennare; essere evasivo **4** svolazzare; sventolare **B** v. t. **1** (*spec. del vento e sim.*) soffiare via, disperdere (*le nubi, ecc.*) **2** sballottare; trascinare.

whiffler /ˈwɪflə(r)/ n. **1** persona incostante (*o irresoluta, esitante, evasiva*) **2** (*stor.*) battistrada (*nei cortei*).

whiffy /ˈwɪfɪ/ a. (*fam. ingl.*) che puzza; maleodorante; puzzolente.

Whig /wɪg/ n. e a. **1** (*stor.*) Whig; liberale (*in Inghilterra, nei secoli XVII e XVIII*): **the W. government**, il governo Whig **2** (*stor. USA*) fautore dell'indipendenza delle colonie americane; indipendentista (*nel periodo 1834-54*) conservatore **3** (*econ.*) liberista ‖ **Whiggery**, **Whiggism** n. ⓤ (*stor.*) liberalismo ‖ **Whiggish** a. (*stor.*) dei Whig; liberale ❶ **CULTURA • Whig**: *come → «Tory», è un termine di origini oscure, forse risalenti a una parola scozzese che significa «ladro di cavalli» o «bifolco», usata nel Seicento come insulto per i presbiteriani. Durante la crisi costituzionale per la successione a Giacomo II nel 1679, il termine passò a indicare il partito riformista e protestante, oppositore del diritto divino della Corona e sostenitore della tolleranza religiosa e degli interessi della aristocrazia e della classe mercantile. Il partito Whig vero e proprio nacque nel tardo Settecento, e verso la metà dell'Ottocento si trasformò nel Liberal Party (partito liberale). In*

seguito l'aggettivo Whig venne associato alla visione progressista e migliorista della storia. Negli USA, il Whig Party fu il partito oppositore dei democratici attivo tra 1834-54, successivamente assimilato in parte dal partito repubblicano.

♦ **while**① /waɪl/ cong. **1** mentre; nel tempo che; intanto che; finché: *W. (I was) reading, I fell asleep*, mentre stavo leggendo m'addormentai; *W. I was coming here, John had an accident*, intanto che venivo qua, John ha avuto un incidente; *The walls are yellow, w. the ceiling is white*, le pareti sono gialle mentre il soffitto è bianco; *W. in London, you should call on him*, finché sei a Londra, dovresti fargli visita **2** sebbene; pure; quantunque: *W. I admit his good points, I'm fully aware of his bad ones*, pur riconoscendo i suoi lati buoni, non mi sfuggono affatto quelli cattivi • (*comm.*) **w.-you-wait service**, servizio immediato □ (*prov.*) **W. there's life there's hope**, finché c'è vita c'è speranza.

♦ **while**② /waɪl/ n. momento; tempo: **in a little w.**, in breve tempo; tra un momento; fra poco; **a long w. ago**, molto tempo fa; *What have you been doing all this w.?*, che cosa hai fatto tutto questo tempo?; *That's enough for a little w.*, questo basterà per un po' di tempo; *I left the company a w. back*, ho lasciato l'azienda tempo fa; *She's been expecting this parcel for a w.*, è molto tempo che aspetta questo pacco; *See you in a w.*, ci vediamo tra un po' • **the w.**, nel frattempo; e intanto □ **between whiles**, di quando in quando; ogni tanto; negli intervalli □ **for a long w.**, per molto tempo; per un (bel) pezzo (*fam.*) □ **once in a w.**, una volta ogni tanto; occasionalmente; di quando in quando □ **It isn't worth w.**, non ne vale la pena □ **Please do it; I'll make it worth your w.**, ti prego di farlo; saprò ricompensarti.

to **while away** /waɪləˈweɪ/ v. t. + avv. passare, far passare (*il tempo*): **to while away the time**, passare il tempo piacevolmente (*o nell'ozio*); ammazzare il tempo (*fam.*); *We whiled away the evening*, passammo piacevolmente la serata.

♦ **whilst** /waɪlst/ → **while**①.

whim /wɪm/ n. **1** ⓤ capriccio; ghiribizzo; fantasia: **to do st. on a w.**, fare qc. per capriccio **2** (*mecc.*) argano (*spec. usato nelle miniere*).

whimbrel /ˈwɪmbrəl/ n. (*zool.*, *Numenius phaeopus*) chiurlo piccolo.

whimper /ˈwɪmpə(r)/ n. **1** piagnucolio; frignio **2** (*di cane*) uggiolio **3** (*d'uccello*) pigolio.

to **whimper** /ˈwɪmpə(r)/ **A** v. i. **1** frignare; piagnucolare: *The baby is whimpering*, il bambino sta frignando **2** (*di cane*) uggiolare **3** (*d'uccello*) pigolare **B** v. t. dire (qc.) piagnucolando.

whimperer /ˈwɪmpərə(r)/ n. piagnucolone, piagnucolona; frignone, frignona.

whimperingly /ˈwɪmpərɪŋlɪ/ avv. piagnucolando; frignando.

whimsical /ˈwɪmzɪkl/ a. capriccioso; bizzarro; eccentrico; stravagante; che ha strane idee | **-ly** avv. | **-ness** n. ⓤ.

whimsicality /wɪmzɪˈkælətɪ/ n. ⓤ capricciosità; capriccio; bizzarria; eccentricità; stravaganza.

whimsy /ˈwɪmzɪ/ n. **1** capriccio; ghiribizzo; fantasia **2** ⓤ comportamento stravagante • **poems full of w.**, poesie piene di umore stravagante.

whin① /wɪn/ n. (*bot.*, *Ulex europaeus*) ginestrone.

whin② /wɪn/ n. ⓤ (*geol.*) basalto, roccia basaltica.

whinchat /ˈwɪntʃæt/ n. (*zool.*, *Saxicola rubetra*) stiaccino.

whine /waɪn/ n. **1** (*di un animale*) uggiolio; mugolio **2** gemito; lamento (*anche del vento*) **3** piagnucolio; frignio; lagna **4** (*fig.*) sibilo; fischio (*del vento, di un motore d'aereo, ecc.*).

to **whine** /waɪn/ **A** v. i. **1** (*di un animale*) uggiolare; mugolare **2** gemere; lagnarsi; lamentarsi: *He's always whining about something or other*, ha sempre qualcosa di cui lamentarsi **3** piagnucolare; frignare **4** (*fig.*) fischiare; sibilare **B** v. t. (*spesso* **to w. out**) dire piagnucolando (*o in tono lamentoso*).

whiner /ˈwaɪnə(r)/ n. piagnucolone, piagnucolona; frignone, frignona; lagnone, lagnona.

whinge /wɪndʒ/ n. (*fam.*) **1** lagna; lamento **2** piagnucolio.

to **whinge** /wɪndʒ/ v. i. (*fam.*) **1** lagnarsi; lamentarsi; brontolare **2** piagnucolare; frignare.

whinger /ˈwɪndʒə(r)/ n. (*stor.*) daga; coltellaccio; pugnale.

whining /ˈwaɪnɪŋ/ **A** a. **1** (*di un cane*) che uggiola **2** piagnucolante; frignante **3** (*fig.*) che sibila; che fischia **B** n. ⓤ **1** piagnucolio; frignio **2** (*d'animale*) uggiolio; mugolio | **-ly** avv.

whinny /ˈwɪnɪ/ n. (*di cavallo*) nitrito; lieve nitrito.

to **whinny** /ˈwɪnɪ/ v. i. nitrire.

whinstone /ˈwɪnstəʊn/ n. ⓤ (*geol.*) basalto; roccia basaltica.

whiny /ˈwaɪnɪ/ a. piagnucoloso; che frigna: **a w. child**, un bambino piagnucoloso; un frignone (*fam.*) ‖ **whininess** n. ⓤ l'essere piagnucoloso.

whinyard /ˈwɪnjəd/ → **whinger**.

whip /wɪp/ n. **1** frusta; sferza; scudiscio; staffile **2** (*fam.*) cocchiere **3** (*caccia alla volpe*; = **whipper-in**) bracchiere **4** (*polit.*; = **party w.**) capogruppo; (*per estens.*) ordine di partito ❶ **CULTURA • whip**: è il parlamentare responsabile della disciplina all'interno del partito. Il suo compito principale è assicurare la presenza dei deputati alle sedute più importanti e coordinarne il voto. Di un deputato, **to resign the whip** significa comunicare la propria intenzione di non votare secondo le disposizioni di partito, spesso per protesta. = **three-line whip** → **three 5** (*naut.*, = **w.-and-derry**) ghia **5** (*cucina*) frusta, frullino (*per montare la panna, ecc.*) **7** (*cucina*) dolce a base di uova (*o panna, ecc.*) montate e pezzi di frutta **8** ⓤ (*fig.*) flessibilità; elasticità **9** ⓤ (*fig., polit.*) disciplina di partito **10** (*caccia alla volpe*) = def. *3* → *sopra* • **w. and spur**, a spron battuto (*anche fig.*) □ (*elettr.*) **w. antenna**, antenna a stilo (*agric.*) **w. grafting**, innesto a lingua □ **w. hand**, mano che regge la frusta; (*fig.*) posizione di vantaggio □ **w. handle** (*o* **w.-stock**), manico della frusta □ (*zool.*) **w. ray** (*Dasyatis, Gymnura, ecc.*), razza aculeata □ (*zool.*) **w. snake** (*Coluber flagellum*), serpente frusta □ **w.-stitch**, (*cucito*) sopraggitto; (*fig. fam.*) sarto, sarta; (*slang USA*) istante, attimo □ **to crack the w.**, far schioccare la frusta; (*fig.*) far scattare, mettere tutti in riga (*fig.*); fare la voce grossa □ (*fig.*) **to have the w. hand over sb.**, tenere q. in propria balìa; avere il coltello dalla parte del manico (*con q.*).

♦ to **whip** /wɪp/ **A** v. t. **1** frustare; sferzare; flagellare; fustigare; (*fig.*) battere; colpire: **to w. (up) a horse**, frustare un cavallo; *The rain whipped my face*, la pioggia mi sferzava il viso; (*un tempo*) **to w. the wheat**, battere il grano (*con il correggiato*) **2** (*fig.*) attaccare; criticare aspramente **3** (*cucina*) frullare; montare; sbattere: **to w. cream**, montare la panna; **to w. eggs**, sbattere le uova **4** avvolgere strettamente (*un bastone, la cima di un cavo*) con corda (*o spago*) **5** cucire a sopraggitto (*o a sopraffilo*) **6** (*fam.*) sconfiggere; sgominare; battere; suonarle a (q.): **to**

w. a rival, battere un rivale **7** (*naut.*) issare; legare **8** far girare (*la trottola*) **9** (*calcio, ecc.*) calciare (*la palla*) con forza; fiondare, scagliare, sbattere (*il pallone in rete, ecc.*) **10** (*slang ingl.*) fregare; rubare; sgraffignare **B** **v. i. 1** correre; precipitarsi: *The boy whipped under the table*, il ragazzo si precipitò sotto la tavola; *The burglar whipped downstairs*, il ladro scese le scale a precipizio **2** (*autom.*) andare a tutta birra (*fam.*); filare; saettare: *The car whipped round the corner*, l'automobile girò l'angolo a tutta velocità **3** (*di bandiera, ecc.*) sbattere (*al vento*); sventolare ● (*fam.*) **to w. the cat**, (*raro*) fare economia, essere assai parsimonioso; (*un tempo*) lavorare a giornata (*come sarto o falegname*) □ (*fam.*) **to w. the devil round the post**, farla in barba a un furbo di tre cotte; farcela o di riffa o di raffa □ (*fig.*) **to w. one's followers together**, radunare (*o raccogliere*) i propri seguaci.

■ **whip away** **A** v. t. + avv. **1** tirar via bruscamente; strappare: *He whipped away my plate while I was still eating*, mi strappò il piatto mentre stavo ancora mangiando **2** tirare indietro, ritirare (*la mano, ecc.*) in tutta fretta **3** portare via (*q. che vorrebbe restare*) **B** v. i. + avv. andarsene precipitosamente; scappare via.

■ **whip back** v. i. + avv. tornare indietro all'improvviso (*o in tutta fretta*).

■ **whip in** **A** v. t. + avv. **1** radunare (*i cani da caccia*) usando la frusta **2** (*polit.*) radunare (*i deputati del proprio partito per una votazione*) **B** v. i. + avv. **1** precipitarsi dentro **2** (*ferr.*) salire su un treno in corsa (*o che sta per partire*).

■ **whip into** v. t. + prep. **1** (*cucina*) frullare, montare, sbattere (*uova, ecc.*) fino a farne (*crema, ecc.*): **to w. the eggs, milk and sugar into cream**, fare la crema sbattendo uova, latte e zucchero **2** (*fig.*) eccitare, montare la testa a (q.) fino a farlo (*arrabbiare, ecc.*) □ **to w. sb. into shape**, mettere q. (*giocatori, atleti, ecc.*) in forma (*allenandoli, ecc.*) □ **to w. st. into shape**, dare compattezza (*struttura organica, ordine, ecc.*) a qc.

■ **whip off** **A** v. t. + avv. **1** portare via, strappare, tirar via bruscamente: *The tornado has whipped off the roof of my house*, il tornado ha portato via il tetto della mia casa **2** togliersi (*o cavarsi*) in fretta: **to w. off one's hat**, togliersi in fretta il cappello **3** portare via (*q. che non vuole andare*) **4** (*slang USA*) spazzare via, fare pulizia pulita di (*cibo e sim.*) **B** v. i. + avv. andarsene precipitosamente; scappare via **C** v. t. + prep. portare via, strappare da: *The storm whipped a lot of tiles off my roof*, il temporale ha strappato molte tegole dal mio tetto.

■ **whip on** v. t. + avv. **1** incitare (*cavalli, ecc.*) con la frusta **2** (*fig.*) incitare, pungolare, stimolare (q.).

■ **whip out** **A** v. t. + avv. cavar fuori; tirar fuori (*anche fig.*): **to w. out one's gun**, tirar fuori la pistola; **to w. out an answer**, tirar fuori una risposta **B** v. i. + avv. uscire a precipizio; scappare fuori □ (*fam.*) **to w. out one's hand**, stendere la mano (*per salutare, ecc.*) □ **to w. out the sword**, sguainare la spada.

■ **whip over** v. i. + prep. andare a tutta velocità in; divorare; bruciare (*fig.*).

■ **whip round** v. i. + avv. **1** girarsi (*o voltarsi*) di scatto: *He whipped round and fired at me*, si girò di scatto e mi sparò **2** (*fam.*) fare un salto (*da q.*); fare una visitina; fare un salutino (*fam.*) **3** (*fam.*) fare una colletta.

■ **whip through** v. i. + prep. finire in fretta (*un lavoro, ecc.*).

■ **whip up** v. t. + avv. **1** (*cucina*) frullare, montare, sbattere (*uova, ecc.*) **2** incitare (*un cavallo, ecc.*) con la frusta **3** afferrare; sollevare; prendere (q. *o* qc.) in tutta fretta (*fam.*): *She whipped up her baby and ran*

away, prese su il bambino e scappò via **4** (*fig.*) eccitare, montare la testa a (*una folla, ecc.*) **5** (*fam.*) stimolare, suscitare (*interesse in qc., ecc.*) **6** (*fam.*) improvvisare, preparare su due piedi, combinare (*un piano, un pasto, ecc.*); organizzare, mettere insieme alla svelta (*una festa, uno spettacolo, ecc.*): **to w. up a dinner**, improvvisare una cena.

whipcord /'wɪpkɔːd/ **A** n. **1** cordone della frusta; sverzino **2** 🗓 (*ind. tess.*) batavia; saia a diagonale marcate (*per divise dell'esercito, ecc.*) **B** a. attr. teso; tirato: **w. muscles**, muscoli tesi.

whiplash /'wɪplæʃ/ n. **1** cordone della frusta; sverzino **2** frustata, sferzata (*anche fig.*) **3** (*autom., med., fam.*; *anche* **w. injury**) colpo di frusta.

whipper /'wɪpə(r)/ n. frustatore, frustatrice; fustigatore, fustigatrice ● **w.-in**, (*nella caccia alla volpe*) bracchiere; (*polit.*) → **whip**, def. 4.

whippersnapper /'wɪpəsnæpə(r)/ n. (*fam. o scherz., antiq.*) giovincello presuntuoso; ragazzotto sfacciato.

whippet /'wɪpɪt/ n. **1** «whippet»; cane da corsa (*incrocio tra un levriero e uno spaniel o un terrier*) **2** (*mil., stor.*) carro armato leggero.

whipping /'wɪpɪŋ/ n. 🗓🇨 **1** frustate; sferzate **2** (*cucina*) il frullare, lo sbattere; montatura (*di uova, ecc.*) **3** (*fig.*) batosta; pesante sconfitta **4** (*un tempo*) fustigazione (*pena*) ● **w. boy**, (*un tempo*) bambino allevato con un principino (*o col figlio di un nobile*) e castigato in sua vece; (*fig.*) capro espiatorio □ **w. cream**, panna da montare □ (*un tempo*) **w. post**, palo della fustigazione □ **w. top**, trottola; paleo.

whipple-tree /'wɪpltriː/ n. bilancino (*di carro o carrozza*).

whippoorwill /'wɪpuːwɪl/ n. (*zool., Caprimulgus vociferus*) caprimulgo; succiacapre.

whippy /'wɪpɪ/ a. flessibile; elastico ‖ **whippiness** n. 🗓 flessibilità; elasticità.

whip-round /'wɪpraʊnd/ n. (*fam.*) sottoscrizione (*di denaro*); colletta (*spec. in ufficio, in fabbrica e sim.*).

whipsaw /'wɪpsɔː/ n. **1** sega a telaio, segone (*azionato da due persone*) **2** (*fig. USA*) cosa doppiamente vantaggiosa **3** (*slang USA, Borsa*) un movimento di prezzo seguito rapidamente da un movimento nella direzione opposta.

to **whipsaw** /'wɪpsɔː/ **A** v. t. **1** tagliare (qc.) con una sega a telaio **2** (*fig.*) prendere (q.) tra due fuochi; prendere (q.) tra l'incudine e il martello **3** (*per estens.*) aggredire, dare addosso a (q.) **4** (*slang USA*) provocare doppie perdite a (q., *in Borsa*) **B** v. i. **1** usare la sega a telaio **2** andare su e giù; fare l'altalena; zigzagare **3** (*slang USA, Borsa*) rimetterci due volte (*comprando azioni quando il valore del titolo è alto e rivendendolo quando è calato*).

whipstitch, **whip-stitch** /'wɪpstɪtʃ/ n. (*sartoria*) sopraggitto.

to **whipstitch**, to **whip-stitch** /'wɪpstɪtʃ/ v. t. (*sartoria*) cucire a soprammano (*o a sopraffilo*).

whipstock /'wɪpstɒk/ n. manico della frusta.

whipworm /'wɪpwɜːm/ n. (*zool.*) tricocefalo ● (*med.*) **w. disease**, tricocefalosi; tricouriasi.

whir /wɜː(r)/ n. (*solo al sing.*) ronzio; frullo, frullìo (*d'ali*): **the w. of machinery**, il ronzio dei macchinari.

to **whir** /wɜː(r)/ v. i. ronzare; frullare ● (*di un uccello, una freccia, ecc.*) **to w. past**, passare a volo (*o saettar via*) con un frullo.

whirl /wɜːl/ n. (*solo al sing.*) **1** rotazione rapida; mulinello; turbine; vortice: **a w. of dust**, un turbine di polvere **2** (*fig.*) attività

frenetica; turbinio: **the w. of traffic in a big city**, il turbinio del traffico in una grande città **3** (*fig.*) confusione; smarrimento: *His head was in a w.*, aveva una gran confusione in testa **4** (*fam. ingl.*) giretto in auto; (*anche*) breve giro di danza ● (*fam.*) **Give it a w.!**, provaci!; fai un tentativo!

to **whirl** /wɜːl/ **A** v. i. **1** girare; roteare; piroettare; frullare (*anche fig.*); vorticare; turbinare: *The roulette wheel whirling incessantly*, la ruota della roulette girava di continuo; *The Carnival confetti whirled in the air*, i coriandoli del carnevale turbinavano nell'aria; **the thoughts that w. in my head**, i pensieri che mi frullano per il capo **2** girare: *My head is whirling*, mi gira la testa **3** girarsi; voltarsi: *The boar whirled to face the hounds*, il cinghiale si girò per far fronte ai cani **4** (*di un veicolo; di solito* **to w. away**, **to w. out**) allontanarsi rapidamente; correre via: *The carriage whirled away*, la carrozza s'allontanò rapidamente; *The taxi whirled out of sight*, in un batter d'occhio il taxi scomparve alla vista **B** v. t. **1** far girare; far turbinare; roteare; far volteggiare: *'Down in the street eddies of wind were whirling dust and torn paper into spirals'* G. ORWELL, 'giù nella strada i mulinelli del vento facevano roteare la polvere e pezzetti di carta formando delle spirali' **2** girare (*o voltare*) di scatto: *She whirled her head*, ella girò di scatto la testa **3** (*di solito* **to w. away**) portar via in tutta fretta; trascinare via (alla svelta): *The man was whirled away by the ambulance*, l'uomo fu portato via in tutta fretta dall'ambulanza ● **to w. round**, girare (*o far girare*) in tondo; girarsi di scatto; ruotare; (*di ballerini*) piroettare.

whirlabout /'wɜːləbaʊt/ n. cosa (*o oggetto*) che gira in tondo.

whirligig /'wɜːlɪgɪg/ n. **1** trottola; paleo **2** giostra (*per bambini*) **3** mulinello; girandola (*giocattolo*) **4** 🗓 (*fig.*) alterne vicende: **the w. of time**, le alterne vicende della sorte (*o della vita*) **5** (*zool., Gyrinus natator*) girino.

whirling /'wɜːlɪŋ/ **A** a. vorticoso; turbinoso **B** n. 🗓 il ruotare; turbinio.

whirlpool /'wɜːlpuːl/ n. vortice; mulinello; gorgo (*anche fig.*) ● **w. bath** (*o pool*), vasca per idromassaggio; Jacuzzi®.

whirlwind /'wɜːlwɪnd/ **A** n. **1** turbine (*di vento*); mulinello **2** (*meteor.*) tromba d'aria **3** (*fig.*) terremoto (*fig.*); individuo impetuoso **B** a. attr. travolgente: **w. passion**, passione travolgente ● (*prov.*) **He that sows the wind will reap the w.**, chi semina vento, raccoglie tempesta.

whirlybird /'wɜːlɪbɜːd/ n. (*fam. USA, antiq.*) elicottero.

whirr, to **whirr** /wɜː(r)/ → **whir**, **to whir**.

whish /wɪʃ/ n. fruscio; sibilo.

to **whish** /wɪʃ/ v. i. frusciare; sibilare.

whisk /wɪsk/ n. **1** piumino per la polvere **2** scacciamosche **3** (*cucina*) frullino, frusta (*per montare la panna, ecc.*) **4** colpo (*o movimento*) rapido: *The mule brushed off the flies with a w. of its tail*, il mulo scacciò le mosche con un rapido colpo della coda **5** (*stor.*) colletto alla stuarda ● **w. broom**, scopetta; piccola scopa (*senza manico*).

to **whisk** /wɪsk/ **A** v. t. **1** cacciare, scacciare (*le mosche*); scuotere (*la polvere*); spazzare; spolverare ● **to w. flies away**, scacciare le mosche; **to w. off the crumbs**, spazzar via le briciole **2** agitare; scuotere: *The horses were whisking their tails*, i cavalli agitavano la coda **3** (*cucina*) frullare; montare (*panna*); sbattere (*uova*) **4** (*fam.*) portar via in tutta fretta; spedire (*fig.*): *They whisked him off to London by the first plane*, lo spedirono a Londra col primo aereo **B** v. i. guizzar via; sgattaiolare: *The boy*

whisked around the corner, il ragazzo sgattaiolò via girando l'angolo.

whisker /'wɪskə(r)/ n. **1** (*di gatto, ecc.*) baffo **2** (pl.) basettoni; fedine; favoriti **3** (pl.) (*tecn.*) «whiskers», baffi **4** (pl.) (*naut.* = **w. booms**) aste (*o* picchi) di civada **5** (*fam. USA*) nonnetto; nonnino; vecchietto ● (*fig. fam.*) **by a w.**, per un pelo: *I won the race by a w.*, vinsi la corsa per un pelo □ (*fig. fam.*) **to be the cat's whiskers**, essere la perfezione; essere bellissimo, eccezionale; essere il massimo □ (*di un racconto, una barzelletta, ecc.*) **to have whiskers (on it)**, avere la muffa (*fig.*); essere trito; essere fritto e rifritto; essere vecchio (*o* stantio) □ **to be** (*o* **to come**) **within a w. of doing st.**, essere a un pelo (*o* a un soffio) dal fare qc.

whiskered /'wɪskəd/ a. **1** (*d'uomo*) che ha i basettoni **2** (*d'animale*) baffuto; coi baffi.

whiskey /'wɪskɪ/ n. **1** ⓤⒸ whisky (*fatto in USA o in Irlanda*) ● **w. sour**, whisky e succo di limone o di limetta acida **2** (*radio, tel.*: **W.**) la lettera 'w'; Whiskey.

♦**whisky** ① /'wɪskɪ/ n. ⓤⒸ whisky: *I don't like w.*, il whisky non mi piace; *Two whiskies, please!*, due whisky, per favore! ● **w. blender**, miscelatore di whisky □ **the w. industry**, l'industria del whisky (*in GB, ecc.*) □ (*ingl.*) **w. mac**, whisky con zenzero fermentato □ **w. on the rocks**, whisky con (cubetti di) ghiaccio.

whisky ② /'wɪskɪ/ n. (*un tempo*) barroccino; calesse.

whisper /'wɪspə(r)/ n. **1** bisbiglio; sussurro: **in a w.**, in un sussurro; a bassa voce **2** (lo) stormire; fruscio: **the w. of the wind in the branches**, lo stormire del vento fra i rami **3** (*fam.*) diceria; insinuazione; mormorazione; voce ● **to talk in a w.** (*o* **in whispers**), parlare sottovoce; bisbigliare.

♦**to whisper** /'wɪspə(r)/ v. i. e t. **1** bisbigliare; sussurrare; parlare (*o* dire) a bassa voce **2** mormorare; fare della maldicenza; sparlare; riferire, raccontare (*qc. di scandaloso*): **to w. a story**, riferire una diceria; *It's whispered that...*, si mormora che... **3** (*delle fronde*) stormire; frusciare.

whisperer /'wɪspərə(r)/ n. **1** chi sussurra; chi bisbiglia **2** (*fam.*) maldicente; pettegolo **3** (*raro*) spia; informatore.

whispering /'wɪspərɪŋ/ Ⓐ a. **1** sussurrante; che bisbiglia **2** maldicente Ⓑ n. ⓤⒸ **1** sussurrio; mormorio **2** (*fam.*) mormorazione; maldicenza ● (*polit.*) **w. campaign**, campagna diffamatoria □ **w. gallery**, galleria acustica.

whist /wɪst/ n. ⓤ whist (*gioco di carte*) ● **a w. drive**, un torneo di whist.

whistle /'wɪsl/ n. **1** fischio; sibilo: **the w. of the train**, il fischio del treno **2** fischietto; fischio; zufolo **3** (*sport*) fischio (*dell'arbitro*): **the final w.**, il fischio della fine ● (*fam.*) **w.-blower**, chi rivela pubblicamente illeciti o attività illegali (*spec. di una società, un'organizzazione, ecc.*); (*sport*) arbitro che fischia molto □ (*fam., in GB*) **w.-blowers' charter**, legge (*il Public Interest Disclosure Act del 1998*) che protegge chi denuncia gravi illeciti commessi dal datore di lavoro □ (*fam.*) **w.-blowing**, il rivelare illeciti o attività illegali (*spec. di una società, un'organizzazione, ecc.*); pubblica denuncia (*naut.*) **w. buoy**, boa a fischio □ (*nuoto*) **w. start**, partenza data con il fischietto □ (*USA*) **w. stop**, stazioncina; cittadina (*di poca importanza*); (*polit.*) breve visita (*di un candidato*) □ (*fam. USA*) **w.-stop** (agg.), breve, di poche ore: (*spec. polit.*) **a w.-stop tour**, un giro con visite di poche ore □ **to blow a** (*o* **the**) **w.**, dare un colpo di fischietto □ (*fam. USA*) **to blow the w. on sb.**, denunciare pubblicamente q.; fare una soffiata su q.; scoprire gli altarini su q. □ (*sport: dell'arbitro*) **to blow the w. on the game**, da-

re il fischio di chiusura □ (*fam.*) **to wet one's w.**, bagnarsi il becco; fare una bevutina.

to **whistle** /'wɪsl/ v. i. e t. **1** fischiare (*per chiamare, per dileggio, ecc.*); fischiettare; zufolare: *The boy was whistling a tune*, il ragazzo fischiettava un motivetto; *I whistled to my dog*, fischiai (*o* feci un fischio) al cane; *The steam engine whistled before entering the tunnel*, la locomotiva a vapore fischiò prima di entrare nella galleria; *The bullet whistled over my head*, la pallottola mi fischiò sopra la testa **2** (*sport*) usare il fischietto; fischiare: *The referee whistled and the game began*, l'arbitro fischiò e la partita ebbe inizio; **to w. the end of the game**, fischiare la fine dell'incontro ● **to w. appreciation**, esprimere la propria ammirazione con un fischio □ **to w. sb. back**, richiamare q. con un fischio □ (*fig.*) **to w. down the wind**, darsi per vinto; lasciar perdere; rinunciare; abbandonare la partita □ **to w. in the dark**, fischiettare al buio (*per farsi coraggio*); (*fig.*) far finta di non aver paura, mostrare sicurezza.

■ **whistle for** v. i. + prep. **1** chiamare (q.) con un fischio: **to w. for a taxi**, chiamare un taxi con un fischio **2** (*calcio, ecc.*) (*dell'arbitro*) fischiare; indicare (*o* segnalare) con un fischio: **to w. for offside**, fischiare un fuorigioco □ (*fam.*) **You can w. for it!**, campa cavallo!

■ **whistle through** v. i. + prep. (*fam.*) vincere facilmente.

■ **whistle up** v. t. + avv. **1** chiamare (*il cane, ecc.*) con un fischio **2** (*fig.*) inventarsi, evocare con la fantasia: *He whistled up a road accident to justify his absence*, s'inventò un incidente stradale per giustificare l'assenza.

whistled /'wɪsld/ a. (*fon.*) sibilato.

whistler /'wɪslə(r)/ n. **1** fischiatore; chi fischia **2** (*zool., Marmota caligata*) marmotta caligata **3** (*zool.*) uccello fischiatore **4** cavallo bolso.

to **whistle-stop** /'wɪslstɒp/ v. i. (*fam. USA, polit.*) fare una campagna elettorale (*o* un giro propagandistico) con soste di poche ore.

whistling /'wɪslɪŋ/ Ⓐ n. ⓤⒸ il fischiare; fischio, fischi Ⓑ a. che fischia; fischiante: (*zool.*) **w. duck**, anatra fischiante ● (*cucina*) **w. kettle**, bollitore con il fischio.

whit /wɪt/ n. (*form.*) particella infinitesimale; briciolo; pizzico (*fig.*) ● **every w.**, (avv.) completamente; da cima a fondo □ **I don't care a w.**, non me ne importa nulla.

Whit /wɪt/ a. attr. (*relig.*) di Pentecoste: **W. Sunday**, la domenica di Pentecoste; **W. Monday**, il lunedì di Pentecoste; **W. week**, la settimana di Pentecoste.

♦**white** /waɪt/ Ⓐ a. **1** bianco; candido; pallido; smorto; di pelle chiara, di razza bianca: *He had w. hair* (*o His hair was w.*), aveva i capelli bianchi; *This washing powder washes whiter*, questo detersivo lava più bianco; **w. paint**, vernice bianca; **a w. horse**, un cavallo bianco; **w. flag**, bandiera bianca; *She was w. with fear*, era pallida per la paura; **w. wine**, vino bianco **2** (*slang USA*) scadente: **w. lightning**, liquore scadente Ⓑ n. **1** ⓤⒸ bianco; color bianco: *She was dressed in w.*, era vestita di bianco **2** uomo di razza bianca; bianco: «*Black and W., Unite and Fight*», «Bianchi e Neri, Unitevi e Combattete insieme!» (*cartello antirazzista*) **3** ⓤⒸ bianco (*dell'uovo*); albume; chiara: **the whites of five eggs**, cinque bianchi d'uovo **4** (*anat.*) bianco (*dell'occhio*); sclerotica; sclera: **to turn up the w. of one's eyes**, mostrare il bianco dell'occhio **5** (*zool.*) farfalla bianca (*appartenente al genere Pieris*) **6** (pl.) (*med.*) leucorrea; perdite bianche **7** (pl.) (*cricket, ecc.*) tenuta da cricket; pantaloni bianchi **8** (*tiro con l'arco*) cerchio esterno (*del bersaglio*); (*anche*) colpo (*o* tiro) sul cer-

chio esterno ● (*metall.*) **w. alloy**, lega bianca (*che imita l'argento*) □ (*zool.*) **w. ant**, formica bianca; termite □ (*polit., USA*) **w. backlash**, rigurgito razzista; reazione avversa dei bianchi (*alle rivendicazioni dei neri*) □ (*zool.*) **w.-beaked**, dal becco bianco □ (*zool.*) **w. bear** (*Ursus maritimus*), orso bianco □ **w.-bearded**, dalla barba bianca □ (*judo*) **w. belt**, cintura bianca □ (*biol.*) **w. blood cell**, globulo bianco; leucocita □ **w. bread**, pane bianco; pane in cassetta □ (*fam. USA*) **w.-bread**, conformistico; convenzionale □ (*zool.*) **w. bream** (*Diplodus sargus*), sargo (*pesce pregiato*) □ (*bot.*) **w. cedar**, (*Chamaecyparis thyoides*) cedro bianco, cipresso di Lawson; (*Thuja occidentalis*) tuia, albero della vita □ **a w. Christmas**, un Natale bianco (*con la neve*) □ **w. civilization**, la civiltà dei bianchi □ **w. clothes**, vesti bianche; panni bianchi □ (*econ.*) **w. coal**, carbone bianco; energia idroelettrica □ (*edil.*) **w. coat**, stabilitura □ **w. coffee**, caffellatte □ (*fig.*) **w.-collar**, impiegatizio; del ceto impiegatizio □ **w.-collar worker**, chi lavora in ufficio; impiegato; funzionario; colletto bianco (*fig.*) □ (*biol.*) **w. corpuscles**, globuli bianchi □ **w.-crested**, dalla cresta bianca □ (*fig.*) **a w. crow**, una mosca bianca (*astron.*) **w. dwarf**, stella nana bianca □ **w. elephant**, elefante bianco; (*fig.*) oggetto inutile e dispendioso, capriccio costoso; cattedrale nel deserto □ (*fig.*) (*in GB*) **the W. Ensign**, la Bandiera della Marina Militare □ **w.-faced**, dal viso pallido; (*di cavallo*) con una stella (*o* rosetta) bianca sulla fronte □ (*zool.*) **w. fox**, volpe bianca; volpe artica □ (*relig.*) **W. Friars**, frati carmelitani □ **w. frost**, brina; brinata □ (*gioielleria*) **w. gold**, oro bianco □ (*econ.*) **w. goods**, beni di consumo durevoli; elettrodomestici; (*anche*) biancheria per la casa, tovagliato □ (*comput.*) **w. hat hacker**, hacker eticamente corretto □ **w.-haired**, dai capelli bianchi; canuto □ **w.-handed**, che ha le mani bianche; (*fig.*) che ha le mani pulite (*non macchiate di colpa*) □ **w.-headed**, dal capo bianco □ (*bot.*) **w.-headed cabbage**, cavolo cappuccio □ (*metall.*) **w. heat**, calor bianco; incandescenza □ (*fam.*) **w. hope**, grande speranza; (*sport*) uomo di punta □ (*del mare*) **w. horses**, onde dalla cresta spumeggiante; montoni (*fig.*); pecorelle di mare □ **w.-hot**, (*metall.*) al calor bianco; incandescente (*anche fig.*): **w.-hot passion**, passione incandescente □ (*in USA*) **the W. House**, la Casa Bianca (*residenza ufficiale del Presidente*) □ (*metall.*) **w. iron**, ghisa bianca □ **w. iron bath**, vasca da bagno di ferro smaltato (*bianca*) □ **w. knight**, (*stor.*) cavaliere vestito di bianco (*o* senza macchia o paura); (*econ., fin.*) società alleata di un'azienda che resiste a un tentativo di acquisizione sgradita □ (*chim.*) **w. lead**, biacca di piombo □ **a w. lie**, una bugia innocente (*o* pietosa) □ (*fis. e scherma*) **w. light**, luce bianca □ (*bot.*) **w. lily**, giglio bianco □ **w. line**, linea (*o* striscia) bianca; (*autom.*) linea spartitraffico; (*tipogr.*) riga bianca □ **w.-lipped**, dalle labbra esangui □ **w.-livered**, codardo; vile □ **w. magic**, magia bianca □ (*bot.*) **w. man**, uomo bianco, di razza bianca □ (*bot.*) **w. maple** (*Acer saccharinum*), acero bianco □ (*pallanuoto*) **w. marker**, segnale bianco □ (*econ.*) **w. market**, mercato legale □ (*cucina*) **w. meat**, carne bianca □ **w. metal**, metallo bianco □ **w. night**, notte bianca (*o* insonne) □ (*fis.*) **w. noise**, rumore bianco □ (*bot.*) **w. oak** (*Quercus alba*), quercia bianca □ (*telef.*) **w. pages**, elenco telefonico generale (*le 'pagine bianche'*) □ (*polit.*) **w. paper**, libro bianco; rapporto ufficiale del parlamento □ (*bot.*) **w. pine** (*Pinus strobus*), pino strobo □ (*med., fam.*) **w. plague** (*o* **w. scourge**), tubercolosi polmonare □ (*comm.*) **w. sale**, fiera del bianco; vendita di biancheria □ (*miner.*) **w. sapphire**, corindone incolore □ (*cucina*) **w. sauce**, besciamella □ **w. sheet**,

(*un tempo*) lenzuolo penitenziale: (*fig.*) **to stand in a w. sheet**, cospargersi il capo di cenere; fare pubblica confessione delle proprie colpe □ **a w. slave**, una schiava bianca □ **w. slavery** (*o* **the w.-slave traffic**), la tratta delle bianche □ **w. spirit**, acquaragia minerale □ **w. squall**, tempesta bianca; improvvisa tempesta (*nei mari dei tropici*) □ **w. sugar**, zucchero raffinato; zucchero bianco □ (*polit.*) **w. supremacy**, la supremazia dei bianchi (*ping-pong*) **w. tape**, nastro bianco □ (*moda*) **w. tie**, cravatta a farfalla bianca; (*per estens.*) abito da cerimonia, frac: (*su un invito*) **«w. tie»**, «è gradito l'abito da cerimonia» □ **a w.-tie party**, un ricevimento formale □ (*spreg. USA*) **w. trash**, «spazzatura bianca»; i bianchi (*per i neri*) □ (*chim.*) **w. vitriol**, vetriolo bianco; solfato di zinco □ **w. war**, guerra economica; sanzioni economiche □ **w. water** → **whitewater** □ **a w. wedding**, nozze in bianco: *I want a w. wedding*, voglio sposarmi in bianco □ **w. whale**, (*zool.*, *Delphinapterus leucas*), delfino bianco, beluga; (*mitol.*, *letter.*) balena bianca (*come «Moby Dick» di H. Melville*; *la «balena bianca» non esiste in natura*) □ **w. witch**, strega che pratica la magia bianca □ **to be as w. as snow**, essere bianco come la neve □ **to be as w. as a sheet**, essere bianco come un lenzuolo (*o come un cencio*) □ (*fig.*) **to bleed sb. w.**, dissanguare q.; ridurre q. in miseria □ **to call w. black**, far del bianco nero; cambiar le carte in tavola □ **to go w.** (*in volto*), impallidire □ **to go w. around the gills** → **gill** □ □ (*di legno o mobili*) **in the w.**, lasciato al naturale □ (*fig.*) **to show the w. feather**, mostrarsi vile; dare prova di viltà □ **to turn w.**, diventare bianco; sbiancarsi (*in volto*), impallidire; (*dei capelli*) incanutire.

to **white** /waɪt/ v. t. **1** (*raro*) imbiancare **2** (*USA*, *spesso* **to w. out**) correggere (*o cancellare*) con il bianchetto.

whitebait /ˈwaɪtbeɪt/ n. ᵤ (*cucina*) frittura minuta; pesciolini; bianchetti (*fam.*).

whitebeard /ˈwaɪtbɪəd/ n. vecchio dalla barba bianca.

whiteboard /ˈwaɪtbɔːd/ n. lavagna bianca.

whitecap /ˈwaɪtkæp/ n. **1** (*zool.*) uccello dal capino bianco (*in genere*) **2** (pl., *naut. USA*) montoni (*fig.*); pecorelle di mare.

Whitechapel /ˈwaɪttʃæpl/ **A** n. Whitechapel (*quartiere orientale di Londra*) **B** a. attr. **1** di Whitechapel **2** (*fig.*) basso; volgare ● **W. cart**, carretto a due ruote; furgoncino (*di bottegaio*).

whited /ˈwaɪtɪd/ a. – (*fig.*) **a w. sepulchre**, un sepolcro imbiancato; un ipocrita.

whitefish /ˈwaɪtfɪʃ/ n. (*zool.*) coregóne; corégono.

Whitehall /ˈwaɪthɔːl/ n. **1** Whitehall (*strada londinese in cui hanno sede i principali uffici governativi*) **2** (*per estens.*) il governo britannico; la politica inglese.

whitelist /ˈwaɪtlɪst/ n. (*comput.*) whitelist (*elenco di utenti, persone o applicazioni, autorizzati*).

to **whiten** /ˈwaɪtn/ **A** v. t. **1** imbiancare; sbiancare **2** (*fig.*) riabilitare, fare apparire (q.) senza colpa **B** v. i. **1** imbiancarsi **2** sbiancarsi; impallidire ‖ **whitener** n. sbiancante; candeggiante.

whiteness /ˈwaɪtnəs/ n. ᵤ **1** bianchezza; candore **2** (*fig.*) purezza; innocenza **3** pallore.

whitening /ˈwaɪtnɪŋ/ n. ᵤ **1** imbiancamento; candeggiamento **2** il diventar bianco; lo sbiancarsi; l'impallidire **3** (*fotogr.*) sbiancamento **4** bianco (di Spagna); gesso in polvere (*per imbiancare*).

whitesmith /ˈwaɪtsmɪθ/ n. **1** lattoniere; stagnaio **2** rifinitore (*o lucidatore*) di metalli placcati.

whitespace /ˈwaɪtspeɪs/ n. (*comput.*) spazio; carattere di spaziatura.

whitethorn /ˈwaɪtθɔːn/ n. (*bot.*, *Crataegus oxyacantha*) biancospino selvatico.

whitethroat /ˈwaɪtθrəʊt/ n. (*zool.*) **1** (*Sylvia communis*) sterpazzola comune **2** (= **lesser w.**; *Sylvia curruca*) bigiarella **3** (*Zonotrichia albicollis*) zonotrichia collobianco.

whitewash /ˈwaɪtwɒʃ/ n. **1** ᵤ bianco; bianco di calce; calce da imbiancare **2** ᵤᴄ (*fig.*) dissimulazione; copertura; vernice (*fig.*) **3** (*fam. raro*) bicchiere di sherry (*a fine pasto*) **4** (*sport, fam.*) sconfitta secca; vittoria schiacciante; cappotto **5** ᵤ (*fam.*) insabbiamento; mascheratura.

to **whitewash** /ˈwaɪtwɒʃ/ v. t. **1** dare il bianco a; imbiancare a calce: **to w. the walls** [**the ceiling**], dare il bianco alle pareti [al soffitto] **2** (*fig.*) mettere (qc.) a tacere; coprire (*fig.*); nascondere i difetti di (q.); riabilitare: **to w. a scandal**, coprire uno scandalo; **to w. a corrupt politician**, riabilitare un politico corrotto **3** (*sport., fam.*) dare cappotto a (*un avversario*).

whitewashing /ˈwaɪtwɒʃɪŋ/ n. ᵤᴄ (*edil.*) imbiancatura.

whitewater /ˈwaɪtwɔːtə(r)/ n. ᵤ acque bianche; rapide ● (*canottaggio*) **w. race**, gara di slalom (*per canoe o kayak*) □ (*canottaggio*) **w. racing**, gare in acque bianche (*cfr.* **flatwater racing**, *sotto* **flatwater**) □ **w. rafting**, discesa di rapide su gommoni.

whitey, **whity** /ˈwaɪtɪ/ n. (*spreg. USA*) bianco, bianca; uomo (*o donna*) di pelle bianca (*detto da gente di colore*).

whither /ˈwɪðə(r)/ avv. interr. e relat. (*arc. o retor.*) dove; verso che luogo: *W. goest thou?*, dove vai?

whiting ① /ˈwaɪtɪŋ/ n. ᵤ bianco (di Spagna); gesso in polvere.

whiting ② /ˈwaɪtɪŋ/ n. (pl. **whiting**, **whitings**) (*zool.*) **1** (*Gadus merlangus*) merlango, merlano **2** *Merluccius bilinearis* **3** *Menticirrhus* ● **w. pout** (*Gadus luscus*), gado barbato.

whitish /ˈwaɪtɪʃ/ a. biancastro; bianchiccio.

whitlow /ˈwɪtləʊ/ n. (*med.*) patereccio; giradito.

Whitsun /ˈwɪtsn/ n. → **Whit**.

Whitsunday /wɪtˈsʌndɪ/ n. (*relig.*) Pentecoste; domenica di Pentecoste.

Whitsuntide /ˈwɪtsntaɪd/ n. (*relig.*) settimana di Pentecoste.

to **whittle** /ˈwɪtl/ v. t. e i. **1** tagliuzzare, pareggiare (*legno*): *The convict spent his time whittling pieces of wood*, il galeotto passava il tempo a tagliuzzare pezzi di legno **2** fare (qc.) tagliuzzando; intagliare: *I whittled a small cat for my son*, intagliai un gattino per mio figlio **3** (*fig., di solito* **to w. down**, **to w. away**) diminuire; scemare; ridurre: **to w. down costs** [**salaries**], ridurre i costi [diminuire gli stipendi]; **to w. down the list of successful applicants to four**, ridurre a quattro la lista dei candidati papabili.

whity /ˈwaɪtɪ/ a. biancastro; bianchiccio.

Whity /ˈwaɪtɪ/ n. (*soprannome*) Biondino.

whiz kid /ˈwɪzkɪd/ loc. n. (*fam.*) giovane brillante che si afferma rapidamente; fenomeno (*spec. nel mondo degli affari*).

whizz, **whiz** /wɪz/ n. **1** sibilo; fischio (*fam.*) mago; genio; tipo bravissimo: *He's a computer w.*, è un mago dell'informatica; *He's a w. at chess*, a scacchi è bravissimo **3** (*slang USA*) affare; accordo **4** ᵤ (*slang USA*) energia; vigore; spinta **5** (*slang ingl.*) anfa; anfetamina.

to **whizz**, to **whiz** /wɪz/ **A** v. i. **1** sibilare; fischiare: *The bullet whizzed past me*, la pallottola mi fischiò accanto **2** andare (*o passare*) velocemente; sfrecciare; andare

come il fulmine **3** (*volg.*) pisciare (*volg.*); orinare **B** v. t. **1** far sibilare; far fischiare **2** asciugare (*panni*) con la centrifuga.

whizz-bang /ˈwɪzbæŋ/ n. **1** (*gergo mil., stor.*) proietto di cannone a tiro rapido **2** (*slang USA*) miscela di droghe **B** a. (*fam.*) eccellente; ottimo; fantastico; favoloso (*fam.*): **a whizz-bang job**, un lavoro fatto benissimo.

whizzer /ˈwɪzə(r)/ n. asciugabiancheria; asciugatrice; centrifuga.

whizzing /ˈwɪzɪŋ/ n. ᵤ fischio; fischi; il fischiare; sibilo.

whizz-kid /ˈwɪzkɪd/ → **whiz kid**.

♦**who** /huː/ pron. interr. e relat. sogg. (*e, fam., compl.*) (compl. ogg. e indir. **whom**; genitivo poss. **whose**) ❶ NOTA: *chi* **≈ chi** ① (*sezione italiana*) **1** chi: *Who is that girl?*, chi è quella ragazza?; *Who's Jenny?*, chi è Jenny?; *Who gave you that?*, chi te l'ha dato?; *Tell me who you met*, dimmi chi hai incontrato; *Who do you mean?* (*o Whom do you mean?*), a chi ti riferisci?; a chi alludi?; *'Come on and kill me. I do not care who kills who'* E. HEMINGWAY, 'fatti avanti e ammazzami! Non m'importa chi di noi sarà a uccidere l'altro'; *Guess who wins!*, indovina chi vince; *Who is it?*, chi è? (*per es., quando bussano alla porta*); (*mil.*) *Who goes there?*, chi va là? **2** (*rif. a persone*) il quale, la quale, i quali, le quali; che: *That is the man who came to dinner*, quello è l'uomo che venne a cena; (*form.*) *Is that the girl to whom you spoke* (*comunemente: the girl you spoke to*)?, è quella la ragazza alla quale parlasti? ● **Who's Who**, il «Chi è?»; annuario delle personalità (*con cenni biografici*) □ **who ever**, chi mai; chi diamine: *Who ever told you that?*, chi mai te l'ha detto? □ (*iron., ingl.*) *Who he?*, chi sarebbe costui?; Carneade, chi era costui? □ **anybody** (*o* **anyone**) **who**, chiunque; chi: *Anybody who says that is mistaken*, chiunque lo dica, sbaglia □ **he who** (*o* **the boy, the man who**), colui che; chi: *He who breaks pays*, chi rompe paga □ **to know who's who**, conoscere tutti (*in un luogo*); saper vita, morte e miracoli di tutti: *My grandma knows who's who in the village*, mia nonna conosce vita e miracoli di tutti in paese □ **she who** (*o* **the girl who, the woman who**), colei che; chi □ **those who**, coloro i quali, coloro le quali; quelli che, quelle che: (*prov.*) *Those whom the gods love die young*, coloro che gli dei amano muoiono giovani; muor giovane chi al Cielo è caro □ **Who knows!**, chissà!: *Who knows when we'll finish*, chissà quando finiremo.

❶ NOTA: *who o whom?*

La regola tradizionale è che *who* è un pronome soggetto, mentre *whom* è pronome complemento oggetto e indiretto: *the woman who came to dinner last night*, la donna che è venuta a cena ieri sera; *He's a man whom people find they can talk to easily*, è un uomo a cui la gente pensa si possa parlare con facilità. Però l'uso di *who* al posto di *whom* è molto diffuso nel parlato, soprattutto nelle domande, e in contesti non formali: *Who are you looking for?* chi stai cercando? Se *whom* è legato a una preposizione, anche se la frase è interrogativa, la regola tradizionale stabilisce che non ne deve essere separato, per evitare che la frase finisca con la preposizione: *For whom was the report intended?* a chi era destinata la relazione? Però si tratta di una regola molto controversa e contestata: la forma alternativa (*Who was the report intended for?*) è largamente accettata.

WHO sigla (*ONU*, **World Health Organization**) Organizzazione mondiale per la sanità (OMS; *Svizzera*).

whoa /wəʊ/ inter. oh! (*per fermare cavalli*).

who'd /huːd/ contraz. di: **1** who had **2**

who would.

whodunnit, (*USA*) **whodunit** /huːˈdʌnɪt/ n. (*fam.*) giallo (*romanzo*, *film*, *lavoro teatrale*) in cui l'identità del colpevole è svelata solo alla fine.

whoe'er /huːˈɛə(r)/ (*poet.*) → **whoever**.

♦**whoever** /huːˈɛvə(r)/ **A** pron. indef. e relat. sogg. (*e*, *fam.*, compl.) (nei compl. **whomever**, generalm. **whomsoever**; genitivo poss. **whosever**, o **whosesoever**) **1** chiunque; chi: *W. it is, tell them I'm in a meeting*, chiunque sia, digli che sono in riunione; *W. did it shall be punished*, chiunque l'abbia fatto sarà punito; *W. she decides to hire is a lucky person*, chiunque ella decida di assumere è una persona fortunata; *Give it to whomsoever* (*fam.*: *w.*) *you like*, dallo a chi ti pare **2** (*fam.*) uno qualunque; chicchessia: *You can invite Jack, or Ann, or w.*, puoi invitare pure Jack, o Ann, o chicchessia! **B** pron. interr. (*fam. per* **who ever**) chi mai; chi diamine: *W. told you that?*, chi diamine te l'ha detto?

♦**whole** /həʊl/ **A** a. **1** tutto; intero; completo: *Tell me the w. truth*, dimmi tutta la verità; *The w. town was destroyed by fire*, l'intera città fu distrutta dal fuoco; (*mat.*) **w. numbers**, numeri interi; *It kept snowing for a w. week*, continuò a nevicare per una settimana intera; *John has eaten a w. pie*, John s'è mangiato una torta intera; **a w. set of Dickens**, un'edizione completa dei romanzi di Dickens **2** integro; intatto; sano: *There is not a vase left w.*, non è rimasto intatto un solo vaso **3** (*arc.*) sano; in buona salute: **as w. as a fish**, sano come un pesce **4** (*scherz.*) tutto d'un pezzo; sano e salvo; incolume: *I hope you'll come back w.*, spero che ritornerai tutto d'un pezzo (*o che porterai a casa la pelle*) **5** (*del latte*) intero; non scremato **B** n. – **the w.**, l'intero; il complesso; il tutto; l'insieme; il totale: *The w. is equal to the sum of its parts*, l'intero è uguale alla somma delle parti; *They form a harmonic w.*, formano un complesso armonico ● (*di un volume*) **w.--bound**, rilegato in tutta pelle □ **w. coffee beans**, caffè in grani □ **w.-coloured**, a tinta unita □ (*meteor.*, *naut.*) **w. gale**, burrasca forte; burrasca stabile □ **w.-hearted**, generoso; cordiale; espansivo; (*di un atto*, *ecc.*) sentito, di tutto cuore □ **w.-heartedness**, generosità; cordialità; espansività □ (*fam.*) **w.--hogger**, chi va fino in fondo (*a una faccenda*); persona risoluta; (*polit.*) sostenitore fanatico □ (*pitt.*) **a w.-length portrait**, un ritratto a tutta figura □ **w. milk**, latte intero □ (*mus.*, *USA*) **w. note**, semibreve □ **w. number**, numero intero □ **the w. of**, tutto, tutta (*quando l'espressione che segue rifiuta l'articolo*): **the w. of my life**, tutta la (mia) vita; **the w. of France**, tutta la Francia □ «**w. pounds only**» (*scritto su un modulo*), «arrotondate alla sterlina» □ (*econ.*) **w.-time job**, lavoro a tempo pieno □ (*mus.*) **w.-tone scale**, scala diatonica □ **as a w.**, nell'insieme; come un tutto unico: *Let's consider these matters as a w., not one by one*, consideriamo queste faccende nell'insieme e non una alla volta □ **to do st. with one's w. heart**, fare qc. di tutto cuore □ **to get off with a w. skin**, salvare la pelle; tornare sano e salvo □ (*fam.*) **to go the w. hog**, andare fino in fondo; impegnarsi a fondo □ **on** (*o upon*) **the w.**, nel complesso; complessivamente; tutto sommato □ (*fig.*) **to swallow st. w.**, bersi una fiatare (*fig.*); bersela ● **He has eaten the w. lot**, s'è mangiato tutto (*fam.* tutto quanto) □ **He talked a w. lot of nonsense**, diceva un sacco di sciocchezze.

wholefood /ˈhəʊlfuːd/ n. c̲u̲ alimento integrale (*o naturale*).

wholegrain /ˈhəʊlɡreɪn/ (*alim.*) **A** n. (al pl.) chicchi di cereali integrali **B** a. **1** (*di pane*, *ecc.*) integrale **2** con grani interi:

mustard, senape con grani interi.

wholemeal /ˈhəʊlmiːl/ **A** a. integrale: **w. bread**, pane integrale **B** n. ṵ (= **w. flour**) farina integrale.

wholeness /ˈhəʊlnəs/ n. ṵ **1** interezza; totalità **2** integrità (*in senso proprio*).

wholesale /ˈhəʊlseɪl/ **A** n. ṵ (*comm.*) vendita all'ingrosso **B** a. attr. **1** (*comm.*) all'ingrosso: **w. prices**, prezzi all'ingrosso: **w. market**, mercato all'ingrosso: **w. manufacture**, fabbricazione all'ingrosso; **w. trade**, commercio all'ingrosso **2** (*fig.*) su larga scala; esteso; ampio **3** indiscriminato: **w. slaughter**, strage indiscriminata; macello **C** avv. **1** (*comm.*) all'ingrosso: *We only sell w.*, vendiamo soltanto all'ingrosso **2** (*fig.*) in gran quantità; in massa ● **a w. dealer**, un grossista □ **w. destruction of peoples**, distruzione in massa di popoli; genocidio □ **w. price index**, indice dei prezzi all'ingrosso □ **by w.**, (*comm.*) all'ingrosso; (*fig.*) in massa, in blocco: **to sell by w.** (*USA* **at w.**), vendere all'ingrosso.

to **wholesale** /ˈhəʊlseɪl/ (*comm.*) **A** v. t. vendere (qc.) all'ingrosso **B** v. i. **1** vendere all'ingrosso; fare il grossista **2** (*d'articolo*) vendersi all'ingrosso (*bene*, *male*, *ecc.*).

wholesaler /ˈhəʊlseɪlə(r)/ n. (*comm.*) grossista; commerciante all'ingrosso.

wholesome /ˈhəʊlsəm/ a. **1** salubre; salutare; sano: **a w. climate**, un clima salubre; **a w. diet**, una dieta sana **2** (*fig.*) morale; sano: **w. readings**, letture morali | **-ly** avv.; **-ness** n.

wholewheat /ˈhəʊlwiːt/ a. (*spec. USA*) → **wholemeal**.

who'll /huːl/ contraz. di: **1 who shall 2 who will**.

wholly /ˈhəʊ(l)lɪ/ avv. completamente; interamente; totalmente; del tutto: *I don't w. agree*, non sono del tutto d'accordo; **w. bad**, totalmente cattivo; pessimo.

♦**whom** /huːm/ (*form.*) → **who**.

whomever /huːmˈɛvə(r)/ (*form.*) → **whoever**.

to **whomp** /wɒmp/ v. t. (*slang USA*) **1** battere; percuotere; picchiare **2** battere (*o sconfiggere*) seccamente; strapazzare; stracciare (*fam.*).

■ **whomp up** v. t. + avv. (*fam. USA*) **1** incitare, stimolare (*la folla*, *ecc.*) **2** destare, suscitare (*interesse*, *scalpore*, *ecc.*) **3** combinare, preparare alla svelta, improvvisare (*un pasto*, *ecc.*).

whomsoever /huːmsəʊˈɛvə(r)/ (*enfat.*) → **whoever**.

whoop /huːp/ n. **1** grido; urlo: **whoops of excitement**, grida d'entusiasmo **2** grido di guerra (*per es., dei pellirosse*) **3** (*med.*) urlo della pertosse ● (*fam. USA*) **not to be worth a w.**, non valere un soldo bucato.

to **whoop** /huːp/ **A** v. i. **1** gridare; urlare; schiamazzare **2** (*med.*) fare l'urlo della pertosse; tossire **B** v. t. **1** gridare (qc.) forte **2** incalzare (q.) con grida ● (*slang*) **to w. it up**, fare baldoria; fare cagnara; fare casino (*fam.*) □ (*med.*) **whooping cough**, pertosse □ (*zool.*) **whooping crane** (*Grus americana*), gru del Nord America.

whoopee /ˈwʊpiː/ inter. (*fam.*) evviva!; urrah! ● (*slang*) **to make w.**, darsi alla pazza gioia, far baldoria; (*anche*) fare l'amore.

whoops /wʊps/ inter. **1** oplà; ohibò **2** ostrega (*dial.*); perdono!

whoopsie /ˈwʊpsɪ/ n. (*fam. ingl.*) cacca, popò (*di un bambino o di un animale*); bisognino.

whoop-up /ˈwuːpʌp/ n. (*slang*) baldoria; cagnara; casino (*fam.*).

whoosh /wʊʃ/ n. sibilo.

to **whoosh** /wʊʃ/ v. i. sibilare ● (*di un veicolo*, *ecc.*) **to w. by** (*o past*) sfrecciare sibi-

whop /wɒp/ n. (*fam.*) **1** colpo; botta; percossa **2** rumore sordo; tonfo.

to **whop** /wɒp/ v. t. (*fam.*) **1** bastonare; picchiare; frustare; fustigare **2** (*fig.*) battere; sconfiggere; dare una batosta a (q.).

whopper /ˈwɒpə(r)/ n. (*fam.*) **1** chi picchia; chi bastona **2** oggetto (*o pesce, ecc.*) enorme; bestione; mastodonte **3** grossa bugia; fandonia.

whopping /ˈwɒpɪŋ/ (*fam.*) **A** a. ṵ bastonatura; botte; busse; percosse; frustate **B** a. colossale; enorme; gigantesco: **a w. mistake**, uno sbaglio enorme **C** avv. molto; enormemente ● **a w. lie**, una bugia grande come una casa (*polit.*) **a w. majority**, una maggioranza schiacciante.

who're /ˈhuːə(r)/ contraz. di **who are**.

whore /hɔː(r)/ n. (*spreg.*) puttana (*volg.*); prostituta; sgualdrina.

to **whore** /hɔː(r)/ v. i. **1** fare la prostituta **2** (*anche* **to w. around**) andare a puttane ● (*fam. spec. USA*) **to w. after**, correre dietro a (*qc. di disdicevole*).

whoredom /ˈhɔːdəm/ n. ṵ **1** prostituzione; meretricio **2** (*nella Bibbia*) idolatria.

whorehouse /ˈhɔːhaʊs/ n. (*arc. o spreg.*) casa di tolleranza; bordello; casino.

whoremaster /ˈhɔːmɑːstə(r)/ n. (*arc.*) lenone; ruffiano; magnaccia (*pop.*).

whoremonger /ˈhɔːmʌŋɡə(r)/ n. (*spreg.*) puttaniere.

whoreson /ˈhɔːsn/ n. (*arc.*) **1** illegittimo; bastardo **2** (*come insulto*) bastardo; figlio di puttana (*volg.*).

whorish /ˈhɔːrɪʃ/ a. (*spreg.*) puttanesco (*volg.*); di (*o da*) prostituta.

whorl /wɜːl/ n. **1** spira; giro di spirale **2** (*bot.*) verticillo **3** (*ind. tess.*) fusaiolo; fusarolo **4** (*anat.*) spirale, bidelta concentrica (*d'impronta digitale*) **5** (*equit.*) remolino **6** (*naut.*) ribollimento (*della marea*) ‖ **whorled** a. **1** disposto a spirale **2** (*bot.*) verticillato.

whortleberry /ˈwɜːtlbrɪ/ n. (*bot.*, *Vaccinium myrtillus*) mirtillo.

who's /huːz/ contraz. di: **1 who is 2 who has**.

♦**whose** /huːz/ pron. (genitivo poss. di **who**) **1** interr. di chi: *W. book is this?*, di chi è questo libro?; *W. is this bike?*, di chi è questa bici?; *W. fault is it?*, di chi è la colpa?; *That's w. fault it is!*, ecco di chi è la colpa!; *I'd like to know w.* (*gloves*) *these are*, vorrei sapere di chi sono questi (guanti) **2** relat. (*rif. a persone e a cose*) di cui; del quale, della quale, dei quali, delle quali; il cui, la cui, i cui, le cui: *That's the boy w. moped was stolen yesterday*, ecco il ragazzo il cui motorino è stato rubato ieri; *That's the woman w. son was killed in war*, quella è la signora il cui figlio morì in guerra; **a house w. windows are all broken**, una casa le cui finestre sono tutte rotte (*più com.*: dalle finestre rotte).

whoseever /huːzˈɛvə(r)/ pron. relat. (genitivo poss. di **whoever**) di chiunque: *Well, w. it is, I mean to have it!*, ebbene, di chiunque sia, lo voglio io!

whosoever /huːsəʊˈɛvə(r)/ (*enfat.*) → **whoever**.

who've /huːv/ contraz. di **who have**.

WHR sigla (*med.*, **waist-hip** *o* **waist-to--hip ratio**) WHR; rapporto vita/fianchi.

♦**why** ① /waɪ/ **A** avv. interr. perché; per quale ragione; per quale motivo: *Why did you go there?*, perché ci sei andato?; *You are late again; why?*, di nuovo in ritardo; perché?; **Why not?**, perché no?; che male c'è?; **But why?**, ma perché? **❶ Nota**: *perché* → **perché B** avv. relat. perché; per cui; per il quale: *This is* (*the reason*) *why I came back at once*, ecco perché sono tornato su-

a b c d e f g h i j k l m n o p q r s t u v **w** x y z

bito indietro; *He doesn't want to tell me the reason why he did it*, non vuole dirmi il motivo per cui l'ha fatto **C** *cong.* per quale ragione (o motivo), perché: *I don't know why he hasn't come*; non so perché non sia venuto; *Tell me why it's wrong*, dimmi perché è sbagliato **D** *n.* (il) perché: *I can't see why*, non capisco il perché; **the whys and wherefores**, il perché e il percome ● **Why leave?**, e perché partire? □ **Why so?**, perché mai? □ **I see no reason why not**, non vedo proprio perché no; e perché no?

why② /waɪ/ *inter.* (*di sorpresa, protesta, impazienza, sdegno, ecc.*) ma come; ma sì; beh; che diamine!; ma via!: *Why, it's quite cheap!*, ma come, è proprio a buon mercato!; *Why, what is wrong with it?*, beh, che cos'ha che non va?

whydah /'wɪdə/ *n.* (*zool.*, *Vidua*) vedova (*uccello*).

WI *sigla* **1** (**West Indies**) Indie Occidentali **2** (*USA*, **Wisconsin**) Wisconsin **3** (*GB*, *Canada*, **Women's Institute**) Associazione femminile (*per l'impegno sociale delle donne*).

wick① /wɪk/ *n.* **1** stoppino; lucignolo **2** (*med.*) zaffo; stuello ● (*slang volg.*) **to dip the w.** (*o one's w.*), bagnare il biscotto; scopare (*volg.*) □ (*fam. ingl.*) **to get on sb.'s w.**, stare sulle scatole a q.

wick② /wɪk/ *n.* ⓤ paese; villaggio (*raro, eccetto nei toponimi; per es., in* **Warwick**).

to wick /wɪk/ *v. t. e i.* assorbire o lasciar traspirare (*un liquido o l'umidità*) per capillarità.

wicked /'wɪkɪd/ *a.* **1** cattivo; malvagio; perfido; maligno: **a w. man**, un uomo malvagio; **a w. act**, un'azione perfida; **a w. remark**, un'osservazione piena di cattiveria **2** depravato; immorale; peccaminoso; perverso; vizioso **3** (*fam.*) cattivello; birichino; malizioso **4** (*slang*) ottimo; eccellente; favoloso; stupendo; bellissimo ● **a w. blow on the head**, un brutto colpo alla testa | **-ly** *avv.* | **-ness** *n.* ⓤ.

wicker /'wɪkə(r)/ **A** *n.* ⓤ vimine **B** *a. attr.* di vimini: **a w. chair**, una sedia di vimini; **w. furniture**, mobili di vimini.

wickerwork /'wɪkəwɜːk/ **A** *n.* ⓤ **1** lavoro in vimini **2** oggetti di vimini **B** *a. attr.* di vimini.

◆**wicket** /'wɪkɪt/ *n.* **1** (= **w. gate**, **w. door**) cancelletto; portello; porta pedonale **2** sportello (*di un ufficio, ecc.*) **3** (*cricket*) wicket; porta (*di tre aste verticali collegate da traverse*); (*per estens., anche*) margine di vittoria (*il numero di giocatori rimasti alla squadra vincente a fine partita*): *India won by six wickets*, l'India ha vinto per sei wicket; (*anche*) il numero di battitori eliminati da un lanciatore: *McGrath took three wickets for 45* (*runs*), McGrath ha preso tre wicket per 45 'run'; **to be at the w.**, essere alla battuta ● (*cricket*) **w. maiden**, 'over' nel quale il lanciatore ha eliminato un battitore senza concedere un 'run' □ (*fig.*) **to be on a good w.** [**on a sticky w.**], essere in condizione di vantaggio [di svantaggio].

wicketkeeper /'wɪkɪtkiːpə(r)/ *n.* (*cricket*) ricevitore (*difensore del wicket*).

wicking /'wɪkɪŋ/ *n.* potere assorbente o traspirante (*di un indumento*).

widdershins /'wɪdəʃɪnz/ (*scozz.*), → **withershins**.

◆**wide** /waɪd/ **A** *a.* **1** ampio; largo; esteso; immenso; vasto; spazioso: **a w. road** [**door**], una strada [una porta] larga; *It is fifty feet w.*, è largo cinquanta piedi (*19 m circa*); **the w. ocean**, l'immenso oceano; **a w. area**, un'ampia zona; un'estesa superficie; **the w. world**, il vasto mondo; **a w. margin**, un ampio margine (*anche fig.*); **at w. intervals**, a larghi intervalli; *He has w. interests*, ha vasti interessi (*culturali*); **w. readings**,

ampie letture **2** (*di stoffa, tessuto*) alto: **w. cloth**, stoffa alta **3** spalancato; aperto: *He stared with w. eyes*, guardava fisso ad occhi spalancati (*o con tanto d'occhi*); **to welcome sb. with arms w.**, ricevere q. a braccia aperte **4** fuori segno: *His answer was w. of the mark*, la sua risposta non colse nel segno (*o non fu affatto azzeccata*) **5** (*econ., fin.*: *di fluttuazione di prezzi*) notevole; considerevole: **a w. drop in cotton prices**, un notevole calo nei prezzi del cotone **6** (*sport: di un tiro, ecc.*) (troppo) largo: *The ball is w.*, la palla è larga (*anche nel tennis*); (*cricket*) **w. ball**, palla larga; palla a 'wide'; (*calcio, ecc.*) *Just w.!*, fuori di un pelo! **7** (*slang*) astuto; scaltro; furbo; sveglio (*fig.*); dritto (*pop.*) **8** (*slang USA*) drogato; fatto; flippato (*pop.*) **B** *avv.* **1** in largo; su una vasta superficie; dappertutto: **to search far and w.**, cercare in lungo e in largo; cercare dappertutto; **to travel far and w.**, viaggiare in lungo e in largo (*o per mari e per monti*) **2** completamente; del tutto: **to be w. awake**, essere completamente sveglio; *Open the door w.*, apri la porta completamente! **3** (*spec. sport*) fuori segno; a vuoto: **to go (o fall) w.**, non andare a segno; **to shoot w. (of the mark)**, sparare a vuoto; non colpire il bersaglio **4** (*calcio, ecc.*) fuori; a lato (*della porta*): *The ball went w.*, la palla andò fuori **C** *n.* **1** (*raro, poet.*) ampia distesa **2** (*cricket*) palla lanciata troppo lontano dal battitore; 'wide' ● (*fotogr.*) **w.-angle (lens)**, obiettivo grandangolare □ **w.-awake**, perfettamente sveglio; vigile, all'erta; furbo, sveglio, con gli occhi bene aperti □ **w.-awake (hat)**, cappello floscio a larghe tese □ (*tennis*) **a w. backhand**, un rovescio troppo largo □ (*elettron.*) **w.-band**, a banda larga □ (*autom.*) **w. bend**, curva larga; curvone □ (*naut.*) **w. berth**, distanza di ampia sicurezza □ (*aeron.: di un jet*) **w.-bodied** (*o* **w.-body**), dalla fusoliera ampia (*con tre file di sedili*) □ (*fam. spreg.*) **w. boy**, affarista disonesto □ **w.-eyed**, con gli occhi spalancati; attonito, stupefatto; (*fig.*) ingenuo, candido □ **w. fame**, vasta fama □ (*fin.*) **w. fluctuation band**, banda di fluttuazione ampia □ (*nuoto*) **w. kick**, battuta lunga (*delle gambe*) □ **w. of**, lontano da (*il bersaglio, la porta, ecc.*); fuori di: **to be w. of the mark**, essere fuori □ **w. open**, apertissimo (*anche fig.*); (*di un uscio*) spalancato □ **w.-ranging**, largo, di ampio respiro; a tutto campo; eclettico □ (*football americano*) **w. receiver**, ricevitore □ (*cinem., TV*) **w. screen** → **widescreen** □ (*autom.*) **w.-track tyre**, pneumatico molto largo (*o ribassato*) □ **a w. variety**, una grande varietà □ **to give a w. berth to sb.**, stare alla larga da q.; evitare q. □ **to grow w.**, allargarsi; spalancarsi: *His eyes grew w. with terror*, gli si spalancarono gli occhi per il terrore □ **to open st. w.**, spalancare qc. (*una porta, uno sportello, ecc.*) □ **to take a w. view**, essere d'idee larghe; essere comprensivo (*o indulgente, tollerante*).

◆**widely** /'waɪdlɪ/ *avv.* **1** in lungo e in largo; estesamente: *He has travelled w.*, ha viaggiato in lungo e in largo **2** assai; molto; largamente: **w. different**, assai diverso; **a w. known subject**, un argomento largamente conosciuto ● **It is w. known that...**, è risaputo (*o arcinoto*) che...

to widen /'waɪdn/ **A** *v. t.* allargare; ampliare (*anche fig.*) **B** *v. i.* **1** allargarsi; ampliarsi (*anche fig.*) **2** (*nelle corse*) aumentare: *The gap is widening*, il distacco aumenta ● **to w. out**, estendersi; allargarsi; allargare, ampliare (*anche fig.*): *The river widens out further down*, il fiume si allarga più avanti.

wideness /'waɪdnəs/ *n.* ⓤ (*anche fig.*) ampiezza; larghezza.

widening /'waɪdnɪŋ/ *n.* ⓤ **1** allargamento; ampliamento **2** (*nelle corse*) aumento (*del distacco*)

wideout /'waɪdaʊt/ *n.* (*football americano*) = **wide receiver** → **wide**.

wide-scale, **widescale** /'waɪdskeɪl/ *a.* su larga scala, diffuso; ampio, di grosse proporzioni.

widescreen /'waɪdskriːn/ (*cinem., TV*) **A** *n.* schermo panoramico **B** *a.* dotato di schermo panoramico: **w. TV**, televisore a schermo panoramico.

◆**widespread** /'waɪdspred/ *a.* molto esteso; assai diffuso: **a w. belief**, una credenza assai diffusa.

widgeon /'wɪdʒən/ *n.* (pl. **widgeons**, **widgeon**) (*zool., Anas penelope*) fischione.

widget /'wɪdʒɪt/ *n.* **1** (*fam.*) aggeggio; arnese; coso **2** (*nelle lattine di birra*) congegno di plastica che libera azoto (*per generare la schiuma*).

widow /'wɪdəʊ/ *n.* **1** vedova **2** (*zool., Vidua*; = **w.-bird**) vedova ● **w.'s pension**, pensione di reversibilità □ **w.'s weeds**, gramaglie vedovili □ (*fam.*) **football w.**, donna lasciata sola dal marito che va alla partita (*di calcio*).

to widow /'wɪdəʊ/ *v. t.* **1** rendere vedova (*o vedovo*); privare del compagno (*o della compagna*) **2** (*poet.*) privare (*di un amico, di un parente: per morte*) ● **She was widowed by the war**, perse il marito in guerra.

widower /'wɪdəʊə(r)/ *n.* vedovo.

widowerhood /'wɪdəʊəhʊd/ *n.* ⓤ vedovanza, stato vedovile (*di uomo*).

widowhood /'wɪdəʊhʊd/ *n.* ⓤ vedovanza; stato vedovile (*di donna*).

widowly /'wɪdəʊlɪ/ *a.* vedovile.

width /wɪdθ/ *n.* ⓤⓒ **1** larghezza; ampiezza (*anche fig.*): *It's twenty feet in w.*, ha una larghezza di venti piedi (*meno di 7 m*); **w. of views**, larghezza di vedute; **wing w.**, ampiezza d'ala **2** (*di stoffa*) altezza (*della pezza*); pezza (*di una certa altezza*) **3** (*TV*) larghezza: **w. control**, comando di larghezza (*spec. sui monitor*).

to wield /wiːld/ *v. t.* (*form.*) **1** maneggiare; brandire; tenere (in mano); reggere: **to w. the sword**, brandire la spada; **to w. the sceptre**, reggere lo scettro **2** (*fig.*) esercitare: **to w. power [influence]**, esercitare il potere [l'autorità] ● (*lett.*) **to w. the pen**, maneggiare la penna; (saper) scrivere.

wieldy /'wiːldɪ/ *a.* maneggevole; manovrabile.

◆**wife** /waɪf/ *n.* (pl. **wives**) **1** moglie; sposa: **my w.**, mia moglie; **lawful w.** (*o* **wedded w.**), sposa legittima; **to take a w.**, prendere moglie **2** (*arc.*) comare ● (*fisc.*) **w.'s earned income allowance**, detrazione sul reddito da lavoro della moglie (*in GB*) □ **w. swapping**, scambio di mogli (*a scopi sessuali*) || **wifehood** *n.* ⓤ condizione di moglie.

wifeless /'waɪfləs/ *a.* senza moglie; celibe; vedovo.

wifelike /'waɪflaɪk/, **wifely** /'waɪflɪ/ *a.* di (*o da*) moglie; che s'addice a una moglie; proprio (*o tipico*) di una buona moglie.

Wi-Fi /waɪ'faɪ/ *abbr.* (*comput.*, **wireless fidelity**) Wi-Fi (*standard di trasmissione dati su onde radio*).

wifie /'waɪfɪ/ *n.* (*fam.*) mogliettina.

wig /wɪg/ *n.* **1** parrucca: **wig dealer**, venditore di parrucche **2** (*scherz.*) capigliatura; capelli **3** (*fam. ingl.*) sgridata **4** (*slang USA*) zucca (*fig.*); testa; cervello **5** (*slang USA*) eccentrico; pazzoide; mattoide **6** (*arc.*) dignitario ● **wig maker**, parrucchiaio; chi fabbrica parrucche.

to wig /wɪg/ *v. t.* **1** fornire di parrucca; imparruccare **2** (*fam. ingl.*) rimproverare; sgridare **3** (*slang USA*) rompere le scatole a (q.); rompere; seccare; scocciare ● (*slang USA*) **to wig out**, imbufalirsi; incavolarsi; (*anche*) perdere la testa, entusiasmarsi;

W

sballare (*pop.*).

wigan /'wɪɡən/ n. Ⓤ (*ind. tess.*) tela da fusto.

wigeon /'wɪdʒən/ → **widgeon**.

wigged /wɪɡd/ a. imparruccato ● (*slang USA*) w.-out, fuori di testa, matto, partito; (*anche*) drogato, fatto, flippato, intrippato (*pop.*).

wigging /'wɪɡɪŋ/ n. (*fam. ingl., antiq.*) sgridata; lavata di capo (*fig.*).

wiggle /'wɪɡl/ n. 1 dimenio; rapido movimento 2 (*slang USA*) donna 3 (*in moto*) sbandata di coda ● (*fam. USA, spec. polit.*) w. room, spazio di manovra □ (*fam.*) to get a w. on, affrettarsi; spicciarsi; darsi una mossa (*fam.*) □ to walk with a w., scullettare.

to **wiggle** /'wɪɡl/ (*fam.*) Ⓐ v. t. dimenare; muovere; agitare: to w. one's hips, dimenare le anche; ancheggiare; to w. one's toes, muovere le dita dei piedi Ⓑ v. i. 1 dimenarsi; muoversi; agitarsi: *Keep still! don't w.!*, sta' fermo! non dimenarti! 2 oscillare; ballare (*fam.*): *The compass needle is wiggling*, l'ago della bussola oscilla, (*TV*) *The image wiggles*, l'immagine balla (*sullo schermo*) 3 (*di una moto*) sbandare di coda; scodare (*fam.*) ● to w. out of sb.'s grasp, divincolarsi dalla stretta di q. □ to w. through a crowd, fendere la folla dimenandosi.

wiggling /'wɪɡlɪŋ/ n. Ⓤ dimenio; dimenamento ● hip-w., ancheggiamento.

wiggly /'wɪɡlɪ/ a. 1 che si dimena; ancheggiante 2 serpeggiante; sinuoso

wiggy /'wɪɡɪ/ a. (*slang USA*) 1 dritto; ganzo; furbo; intelligente 2 = wigged-out → wigged.

wiglet /'wɪɡlət/ n. toupet (*franc.*); posticcio; parrucchino (*fam.*).

wigwag /'wɪɡwæɡ/ n. (*mil.*) 1 Ⓤ segnalazioni con bandierine (*o a braccia*) 2 messaggio trasmesso con bandierine.

to **wigwag** /'wɪɡwæɡ/ v. t. e i. (*mil.*) segnalare, fare segnalazioni con bandierine (*o a braccia: usando un codice*).

wigwam /'wɪɡwæm/ n. wigwam (*tenda o capanna dei pellirosse*).

wiki /'wɪkɪ/ n. (*comput.*) wiki (*sito web modificabile dai visitatori*).

wilco /'wɪlkəʊ/ inter. (contraz. di I will comply) (*radio., telef., ecc.*) sta bene! (*cioè, provvedo a farlo*); ricevuto! (*cfr.* roger).

◆**wild** /waɪld/ Ⓐ a. 1 selvatico; selvaggio; (*di terreno*) desertico; incolto; barbaro; primitivo; feroce: w. plants, piante selvatiche; w. country, territorio incolto; paese selvaggio; w. tribes, tribù selvagge (*o primitive*); w. animals [horses], animali [cavalli] selvatici; w. beasts, bestie feroci 2 disordinato; scompigliato; in disordine: w. hair, capelli scompigliati (*o arruffati*) 3 sfrenato; sregolato; ribelle; dissoluto; turbolento: a w. life, una vita sregolata; *He's a w. one!*, è un individuo sfrenato (*o turbolento*) 4 agitato; tempestoso; burrascoso: di tempesta: the w. seas around the Hebrides, i mari agitati (*o tempestosi*) intorno alle isole Ebridi; *We live in w. times*, viviamo in un'età agitata (*o in tempi difficili*); a w. night, una notte di tempesta 5 molto eccitato; fuori di sé; furibondo; stravolto; folle; pazzo, matto (*anche fig.*): *I was w. with grief*, ero fuori di me per il dolore; *My mother was w. about Elvis*, mia madre andava matta per Elvis; *The man had a w. look*, l'uomo aveva uno sguardo folle; *The stranger had a w. appearance*, lo sconosciuto aveva l'aspetto stravolto 6 (*d'animale domestico*) ombroso; pauroso: a w. horse, un cavallo ombroso 7 avventato; azzardato; imprudente; incoerente; fatto a caso (*o a casaccio*); irregolare: w. plans, progetti avventati; piani cervellotici; w. guesses, congetture azzardate; w. talk, parole avventate, (un) discorso imprudente;

w. words, parole incoerenti (*o dette a vanvera*); (*anche*) parole avventate (*o pericolose, imprudenti*); w. shooting, lo sparare a casaccio; (*baseball*) a w. pitch, un lancio irregolare 8 (*fam.*) eccellente; eccezionale; strepitoso; favoloso: a w. success, un successo strepitoso; a w. party, un party favoloso Ⓑ avv. avventatamente; a casaccio; all'impazzata: to shoot w., sparare all'impazzata Ⓒ n. 1 Ⓤ stato naturale; ambiente naturale; habitat naturale; vita in libertà; vita allo stato brado: animals in the w., animali selvatici nel loro ambiente naturale; the call of the w., il richiamo della vita in libertà 2 (*pl.*) – the wilds, le regioni selvagge; le zone disabitate: the wilds of the Amazon valley, le regioni selvagge dell'Amazzonia ● (*fam.*) w. and woolly, selvatico; selvaggio; scatenato; sfrenato; violento; scontroso; ispido □ (*zool.*) w. ass (*Equus onager*), onagro □ (*volg. USA*) w.-assed, pazzoide; matto; squilibrato □ w. berries, frutti di bosco □ (*zool.*) w. boar (*Sus scrofa*), cinghiale □ (*bot.*) w. brier (*Rosa canina*), rosa canina; rosa di macchia □ w. card, (*alle carte*) matta, jolly; (*fig.*) persona imprevedibile, incognita (*fig.*); (*sport*) 'wild card', squadra (*o giocatore*) jolly (*in un torneo*) → **wildcard** □ (*GB*) w. child, ragazzo (*o ragazza*) senza freni; ribelle □ a w. delight, una folle gioia □ (*zool.*) w. dog, (*Canis dingo*) dingo; (*Cuon dukhunensis*) buansu □ (*zool.*) w. duck (*Anas platyrhynchus*), anatra selvatica; germano reale □ w.-eyed, dallo sguardo allucinato; con gli occhi stralunati; (*di un progetto*) mal congegnato, insensato □ w. flower, fiore di campo □ w.-flower honey, miele millefiori □ (*zool.*) w. goose (*Anser anser*), oca selvatica □ (*fig.*) w.-goose chase, impresa inutile; tentativo assurdo; cosa impossibile: to lead sb. on a w.-goose chase, menare q. per il naso □ (*bot.*) w. hyacinth (*Camassia esculenta*), giacinto selvatico □ a w. man, un uomo violento; un selvaggio; (*polit.*) un estremista □ (*polit.*) the w. men, gli estremisti di un partito; gli ultrà □ (*bot.*) w. oat (*Avena fatua*), avena matta □ (*slang*) w. oats, la cavallina; la vita allegra □ (*bot.*) w. olive, (*Olea europaea oleaster*) oleastro; (*Elaeagnus angustifolia*) eleagno; olivagno □ (*bot.*) w. rape □ rape② □ w. rose = w. brier → *sopra* □ w. seacoast, una costa battuta dalle tempeste □ (*mil.*) w. shot, colpo fuori rosata (*d'artiglieria*) □ (*Borsa, fin.*) a w. swing, una oscillazione fortissima □ a w. venture, un'impresa rischiosa □ (*stor. USA*) the W. West, il selvaggio West; il Far West dei pionieri □ (*USA*) W. West show, spettacolo del Far West □ a w. wind, un vento violento □ a w. wood, una foresta impenetrabile □ to be w., essere furibondo; andare su tutte le furie □ (*fig.*) to go w., impazzire (*per q. o qc.*) □ to be in w. spirits, essere eccitato al massimo □ to make (*o to drive*) sb. w., fare andare q. su tutte le furie; fare uscire q. dai gangheri (*fig.*) □ to make a w. guess, tirare a indovinare □ to run w., (*di pianta*) inselvatichire; (*di persona*) crescere senza controllo (*o senza freno*), diventare sfrenato.

wildcard /'waɪldkɑːd/ n. (*comput.*) carattere jolly; 'wildcard'.

wildcat /'waɪldkæt/ Ⓐ n. 1 (*zool., Felis sylvestris*) gatto selvatico 2 (*USA; zool., Lynx*) lince 3 (*fig. USA*) persona aggressiva (*o impulsiva, irritabile*) 4 (*comm., USA*) impresa azzardata; affare rischioso 5 (*ind. min.*) pozzo esplorativo; sondaggio in zona inesplorata 6 (*costr. navali*) ruota a impronte Ⓑ a. attr. 1 (*comm.*) azzardato; rischioso; avventato: w. plans, progetti avventati; a w. venture, un'impresa rischiosa 2 (*leg., fin.*) illegale; illecito: w. speculation, speculazione illegale □ (*fin., stor. in USA*) a w. bank, una banca insolvibile □ (*econ.*) w. strike,

sciopero selvaggio; gatto selvaggio □ w. work stoppage, interruzione del lavoro senza il consenso dei sindacati.

to **wildcat** /'waɪldkæt/ Ⓐ v. t. (*ind. min.*) trivellare pozzi esplorativi in (*una regione*); fare sondaggi in (*un luogo inesplorato*) Ⓑ v. i. 1 (*ind. min.*) trivellare pozzi esplorativi; fare sondaggi 2 (*fin., leg.*) fare speculazioni illegali.

wildcatter /'waɪldkætə(r)/ n. 1 (*fin.*) chi promuove imprese illegali; speculatore senza scrupoli 2 (*ind. min.*) chi fa prospezioni in zone prive di giacimenti consistenti 3 chi partecipa a uno sciopero selvaggio.

wildcatting /'waɪldkætɪŋ/ n. Ⓤ 1 speculazioni senza scrupoli 2 (*ind. min.*) perforazione esplorativa 3 partecipazione a scioperi selvaggi.

to **wildcraft** /'waɪldkrɑːft/ v. t. raccogliere piante a scopo alimentare o farmaceutico rispettando l'ambiente ‖ **wildcraft** n. raccolta di piante a scopo alimentare o farmaceutico nel rispetto dell'ambiente.

wildebeest /'wɪldɪbiːst/ n. (pl. *wildebeests*, *wildebeest*) (*zool.*, *Connochaetes gnu*) gnu.

wilderness /'wɪldənəs/ n. 1 regione selvaggia; territorio incolto; deserto (*fig.*): *'Like all Britain's prophets, D.H. Lawrence preached to a w.'* A. BURGESS, 'come tutti i profeti della Gran Bretagna, D.H. Lawrence predicava al deserto' 2 distesa desolata; landa: a w. of ice, una desolata distesa di ghiaccio 3 (*ecol.*) area di natura incontaminata; riserva naturale ● (*fam.*) a w. of, una quantità di, un mucchio di (*cose o persone*).

wildfire /'waɪldfaɪə(r)/ n. 1 Ⓤ (*stor.*) fuoco greco 2 Ⓤ baleno, lampo (*senza tuono*) 3 incendio indomabile 4 fuoco fatuo 5 Ⓤ (*agric.*) fuoco selvaggio (*malattia del tabacco*) ● (*di una notizia, ecc.*) to spread like w., diffondersi in un lampo (*o un baleno*).

wildfowl /'waɪldfaʊl/ n. Ⓤ selvaggina di penna; anatre (*o oche*) selvatiche ‖ **wildfowling** n. Ⓤ caccia agli uccelli di palude (*anatre, oche, ecc.*); *cfr.* game shooting, *sotto* game①).

wilding① /'waɪldɪŋ/ n. 1 pianta selvatica; frutto selvatico 2 (*spec.*) melo selvatico; mela selvatica.

wilding② /'waɪldɪŋ/ n. Ⓤ (*slang USA*) spedizione teppistica per le strade, con atti di vandalismo e violenza ai passanti.

wildish /'waɪldɪʃ/ a. 1 alquanto selvatico; piuttosto selvaggio 2 piuttosto sfrenato; alquanto turbolento.

wildlife /'waɪldlaɪf/ n. Ⓤ animali e piante selvatiche; fauna (*o flora*) protetta: w. sanctuary, riserva di fauna (*o di flora*) protetta ● w. park, riserva naturale ● World W. Fund (abbr. WWF), Fondo Mondiale per la Natura.

wildly /'waɪldlɪ/ avv. 1 selvaggiamente 2 (*di piante o animali*) allo stato selvatico 3 ferocemente; violentemente: to swear w., bestemmiare violentemente 4 (*fam.*) esageratamente 5 (*fam.*) completamente; del tutto 6 (*sport*) a casaccio; come va va; male ● to be w. in love with sb., essere (innamorato) pazzo di q.; amare q. alla follia.

wildness /'waɪldnəs/ n. Ⓤ 1 selvatichezza; stato selvatico; stato brado 2 barbarie; primitività 3 sfrenatezza; dissolutezza; sregolatezza; disordine 4 furore; impetuosità; ferocia; turbolenza.

wildscape /'waɪldskeɪp/ n. paesaggio selvaggio; zona inesplorata.

wildwater race /'waɪldwɔːteɪs/ loc. n. (*sport*) discesa di rapide in canoa.

wile /waɪl/ n. (*di solito al pl.*) astuzia; inganno; artificio; stratagemma.

to **wile** /waɪl/ v. t. allettare; adescare; in-

a b c d e f g h i j k l m n o p q r s t u v **w** x y z

gannare ● **to w. sb. into a snare**, attirare q. in un tranello.

Wilfred, **Wilfrid** /'wɪlfrɪd/ n. Vilfredo.

wilful /'wɪlfl/ a. 1 caparbio; cocciuto; ostinato; testardo: **a w. boy**, un ragazzo cocciuto 2 (leg.) intenzionale; premeditato; doloso; voluto; volontario: **w. murder**, omicidio premeditato ● (leg.) **w. and malicious offence**, reato doloso □ (leg.) **w. damage**, danneggiamento doloso | **-ly** avv.

wilfulness /'wɪlflnəs/ n. ⊞ 1 caparbietà; cocciutaggine, ostinazione; testardaggine 2 (leg.) intenzionalità; premeditazione; dolosità.

wiliness /'waɪlɪnəs/ n. ⊞ astuzia; furberia; scaltrezza.

♦**will** ① /wɪl, wəl/ v. modale

> **will**, come tutti i verbi modali, ha caratteristiche particolari:
> ● non ha forme flesse (-s alla 3ª pers. sing. pres., -ing, -ed), non è mai usato con ausiliari e non ha quindi tempi composti; la forma del passato, solo per alcuni significati, è **would**;
> ● forma le domande mediante la semplice posposizione del soggetto;
> ● la forma negativa è **will not**, spesso abbreviato in **won't**;
> ● nelle def. 1, 2 e 6, nell'ingl. corrente è spesso abbreviato in **'ll**;
> ● l'infinito che segue non ha la particella to;
> ● viene usato nelle question tags.

❶ NOTA: future → **future** 1 (esprime il futuro di previsione) – I think it w. rain tomorrow, credo che pioverà domani; It'll be snowing soon, presto nevicherà; Who do you think w. win the race?, chi credi che vincerà la corsa?; W. it be ready tonight?, sarà pronto stasera?; I fear they won't accept our offer, temo che non accetteranno la nostra offerta; I'll see you tomorrow, won't I?, ti vedrò domani, vero? 2 (esprime intenzione futura, promessa, impegno, volontà, ecc.) – I will (o I'll) do it tomorrow, lo farò (o lo faccio) domani; I said I'll do it and so I w., ho detto che lo faccio e lo farò; The dentist w. see you now, il dentista la riceverà ora; They w. meet again next month, si incontreranno di nuovo il mese prossimo; Shall I do it or w. you?, lo faccio io o ci pensi tu?; «W. you go?» «I w.», «ci andrai?» «sì»; If you w. not cooperate, we'll have to turn nasty, se ti rifiuti di cooperare, saremo costretti a usare le maniere forti; I won't mention it again, non ne parlerò più; non intendo parlarne più; You w. not be left on your own, non sarai lasciato solo; We w. struggle on to the bitter end, ci batteremo fino alla fine; I w. certainly have finished by ten, avrò sicuramente finito per le dieci; I won't have you behave like that, non voglio (o non tollero) che ti comporti così; I w. not have it said that I'm unfair, non permetterò che si dica che sono ingiusto; non intendo passare per ingiusto; You'll come with us, won't you?, vieni con noi, è vero?; «I'll stay at home» «So w. I», «io resto a casa» «anch'io»; «I won't leave» «Neither w. I», «non me ne vado» «nean-ch'io» 3 (alla 2ª e 3ª pers. sing. e pl.: esprime ferma volontà) – Do as you w., fa' come vuoi; fa' come ti pare; Call it what you will, it's still wrong, chiamalo come vuoi, ma è sempre sbagliato; I cannot find anyone who w. help me, non trovo nessuno che voglia (o disposto ad) aiutarmi; He just won't listen to me, si rifiuta di ascoltarmi; «Give it to me» «I won't», «dammelo!» «no!» 4 (alla 2ª pers.: nelle frasi interr., esprime cortese invito, oppure richiesta di fare qc.) – W. you have a drink?, vuoi qualcosa da bere?; Will you join us?, vuoi unirti a noi?; W. you marry me?, vuoi sposarmi?; Won't you sit down?, non vuole accomodarsi?; W. you take me

home?, mi porti a casa?; Bill, w. you help me with this?, Bill, mi aiuti (o puoi aiutarmi) con questo?; W. you shut the door, please?, vuoi chiudere la porta, per favore?; chiudi la porta, per favore; W. you please listen to me!, vuoi ascoltarmi per favore?; sei pregato di ascoltarmi!; Have a look at the printer cable, w. you?, dai un'occhiata al cavo della stampante, per favore 5 (alla 2ª pers.: esprime un ordine) – You w. do as you're told, farai quello che ti si dice; You w. not repeat what I have said, non dovete ripetere a nessuno quello che ho detto; You w. please leave the room at once, sei pregato di uscire immediatamente di qui; «I'll go and tell her» «You w. not!», «vado a dirglielo» «niente affatto (o guai a te se lo fai)!»; «I w. do it!» «No, you won't!», «lo farò!» «e invece no!» 6 (esprime supposizione o probabilità) – Mike w. know about it, Mike lo saprà; You'll be exhausted, I guess, sarai sfinito immagino; That'll be John, dev'essere John; sarà John; Most of you w. have already seen this film, la maggior parte di voi avrà già visto questo film; This period of rest w. have done her a power of good, questo periodo di riposo le avrà fatto un gran bene 7 (esprime la frequenza di un fatto) – Two months w. usually be enough, due mesi di solito bastano; Pet dogs and cats w. often live peacefully together, i cani e i gatti da compagnia vanno sovente d'accordo 8 (esprime inevitabilità o ostinazione) – These things w. happen, sono cose che succedono; Boys w. be boys, i ragazzi sono ragazzi; He w. stare at the wall for hours, se ne sta a fissare il muro per ore 9 (alla 3ª pers.: in frasi neg. e rif. a cose, esprime rifiuto di muoversi, funzionare, ecc.) – This drawer won't open, questo cassetto non si vuole aprire (o non si apre); This bucket won't hold ten litres, questo secchio non ha la capacità di dieci litri; This glue won't stick, questa colla non attacca ● (fam.) W. do!, va bene! (= lo farò); d'accordo! □ W. you or won't you?, lo fai o non lo fai?; sì o no? □ (form.) if you w. allow me, col tuo permesso □ (form. o scherz.) if you w. insist, se proprio insisti □ (scherz.) if you'll pardon the expression, con licenza parlando.

♦**will** ② /wɪl/ n. ⊞ 1 volontà; volere; voglia: He has an iron w., ha una volontà di ferro; He has a weak w., ha una volontà debole; è un uomo senza carattere; He signed the contract against his partner's w., firmò il contratto contro il volere del socio; I did it of my own (free) w., lo feci di mia spontanea volontà; I did it against my w., lo feci controvoglia 2 (leg.) testamento; ultime volontà: He hasn't made his w. yet, non ha ancora fatto testamento ● **at w.**, a volontà; a piacere; a piacimento; (leg.) a tempo indeterminato: (mil.) Fire at w.!, fuoco a volontà!; My daughter comes and goes at w., mia figlia va e viene a piacimento; (leg.) **tenant at w.**, affittuario (o locatario) a tempo indeterminato □ (leg.) **by w.**, per testamento □ **to do the w. of sb.**, fare il volere di q.; esaudire i desideri di q.; obbedire a q. □ **with a w.**, di buona lena: **to set to work with a w.**, mettersi al lavoro di buona lena (o di buzzo buono) □ (relig.) «Thy w. be done», «sia fatta la tua volontà» □ (prov.) Where there's a w. there's a way, volere è potere.

to will /wɪl/ v. t. e i. 1 volere (fortemente); sancire; disporre: God wills it, Dio lo vuole; Our constitution has willed that we should be free, la nostra costituzione ha sancito che dobbiamo essere liberi 2 essere fermamente deciso a: They willed to survive, erano fermamente decisi a sopravvivere 3 (leg.) lasciare (per testamento): He willed his estate to his only nephew, lasciò (in eredità) la sua proprietà all'unico nipote ● **to w. away**, disporre per testamento di (beni); lasciare in

eredità; (fig.) far passare (dolori) con la volontà □ (form.) **to w. sb.'s death**, volere la morte di q. □ (prov.) **Willing and wishing are not the same**, la volontà è una cosa, il desiderio un'altra.

Will /wɪl/ n. dim. di **William**.

Will. abbr. (**William**) Guglielmo.

will do /wɪl'duː/ loc. verb. (slang USA) d'accordo!; benissimo!; lo faccio subito!

willed /wɪld/ a. che ha (molta, poca, ecc.) volontà (spec. nei composti, per es.:) **strong-w.**, che ha forte volontà; di carattere fermo; volitivo; **weak-w.**, senza forza di volontà; senza carattere.

willet /'wɪlət/ n. (inv. al pl.) (zool., Catoptrophorus semipalmatus) sinfemia.

willful /'wɪlfl/ e deriv. (USA) → **wilful**, e deriv.

William /'wɪljəm/ n. 1 Guglielmo 2 (scherz. ingl.) la polizia; la legge 3 (slang USA) biglietto da un dollaro.

Willie /'wɪlɪ/ n. dim. di **William**.

willie /'wɪlɪ/ n. (gergo infant.) pisellino, pipino, pistolino (fam.); pene.

willies /'wɪlɪz/ n. pl. (fam.) brividi; pelle d'oca; nervosismo (per paura); tremarella: He always gets the w. before an exam, ha sempre la tremarella prima degli esami ● **The way he drives gives me the w.**, il suo modo di guidare mi fa accapponare la pelle.

♦**willing** /'wɪlɪŋ/ a. 1 volenteroso; compiacente; di buon cuore: **a w. assistant**, un assistente volenteroso 2 volontario; spontaneo; fatto (o dato, ecc.) di cuore: **w. obedience**, obbedienza spontanea; **w. help**, aiuto dato di cuore ● **a w. horse**, un cavallo generoso; (fig.) uno che ha voglia di lavorare; uno che tira la carretta (fig.) □ **w. or not**, volente o nolente □ **to be w. to do st.**, essere disposto a fare qc.; volere fare qc.: Do you think they will be w. to join us?, credi che vorranno unirsi a noi?; We are quite w. to accept your bill of exchange, siamo ben disposti ad accettare la vostra cambiale □ **a w. worker**, un lavoratore volenteroso □ **God w.**, a Dio piacendo.

willingly /'wɪlɪŋlɪ/ avv. volentieri; spontaneamente; di buon grado.

willingness /'wɪlɪŋnəs/ n. ⊞ 1 compiacenza; buona volontà; disponibilità 2 prontezza (ad agire); propensione (a fare qc.).

will-o'-the-wisp /ˌwɪləðə'wɪsp/ n. 1 fuoco fatuo 2 (fig.) persona (o cosa) inafferrabile; chimera, sogno, illusione.

willow /'wɪləʊ/ n. 1 (bot., Salix; = w. tree) salice: **weeping w.** (Salix babylonica), salice piangente 2 ⊞ salice (il legno) 3 (ind. tess.) battitoio; lupo: **carding w.**, battitoio cardatore 4 (baseball, cricket) mazza (del battitore) ● (arte) **w. pattern**, disegno del salice stilizzato (in azzurro, su porcellana bianca) □ **w. plantation**, salceto, saliceto □ (fig. arc.) **to wear the w.**, piangere l'assenza (o la perdita) di una persona cara.

to willow /'wɪləʊ/ v. t. (ind. tess.) battere (cotone, lana, ecc.) col battitoio ● **willowing machine**, battitoio; lupo.

willow-ware /'wɪləʊweə(r)/ n. ⊞ 1 porcellane (o ceramiche) decorate con il → «willow-pattern» (→ **willow**) 2 articoli di vimini intrecciati.

willowy /'wɪləʊɪ/ a. 1 piantato a salici; fiancheggiato da salici 2 (fig.) sottile; esile; flessuoso; aggraziato.

willpower /'wɪlpaʊə(r)/ n. ⊞ forza di volontà.

willy /'wɪlɪ/ n. 1 (ind. tess.) battitoio; lupo 2 (dial.) cestino di vimini 3 (slang USA) → **willie**.

Willy /'wɪlɪ/ n. dim. di **William**.

willy-nilly ① /ˌwɪlɪ'nɪlɪ/ A avv. volente o nolente; per amore o per forza; di spinte o

di sponte **B** **a.** **1** inevitabile; forzato; che succede che uno voglia o no **2** esitante; incerto; irresoluto.

willy-nilly ② /ˈwɪlɪˈnɪlɪ/ n. (*fam. Austral.*) ciclone; uragano.

wilt ① /wɪlt/ vc. verb. (2ª pers. sing. pres. *arc. di*) **will**.

wilt ② /wɪlt/ n. ⓤ (*bot.*) avvizzimento improvviso (*generalm. causato da un fungo*).

to **wilt** /wɪlt/ **A** v. i. **1** (*bot.*) appassire; avvizzire **2** (*fig., di persone*) perdere vigore; indebolirsi; illanguidire **3** (*fig., di cose*) afflosciarsi; ammosciarsi **B** v. t. far appassire; far avvizzire ‖ **wilting** n. ⓤ (*bot.*) appassimento; avvizzimento.

Wilts abbr. (**Wiltshire**).

wily /ˈwaɪlɪ/ a. astuto; furbo; scaltro ● (*fig.*) **a w. old fox**, una vecchia volpe; un furbo di tre cotte.

WiMAX /ˈwaɪmæks/ abbr. (*comput.*, **Worldwide Interoperability for Microwave Access**) WiMAX (*tecnologia di trasmissione dati su onde radio per lunghe distanze*).

wimble /ˈwɪmbl/ n. **1** (*ind. min.*) trivella **2** succhiello; trapano a mano; girabecchino.

to **wimble** /ˈwɪmbl/ v. t. **1** (*ind. min.*) trivellare **2** forare con un succhiello; succhiellare; trapanare.

wimp /wɪmp/ (*fam.*) n. uomo senza spina dorsale; uomo di stoppa; rammollito; smidollato; donnicciola ‖ **wimpy, wimpish a.** **1** debole; rammollito; smidollato; inetto **2** (*del comportamento*) da smidollato.

wimple /ˈwɪmpl/ n. **1** (*stor. o relig.*) soggolo **2** increspatura; crespa; piega; arricciatura **3** (*scozz.: di fiume*) meandro.

to **wimple** /ˈwɪmpl/ **A** v. t. **1** (*stor. o relig.*) coprire con un soggolo **2** increspare; pieghettare **B** v. i. **1** incresparsi **2** cadere in pieghe **3** (*scozz.: di fiume*) serpeggiare; formare meandri.

win /wɪn/ n. (*fam.*) **1** vittoria; successo; trionfo **2** (*pl.*) (*fam.*) vincita; somma vinta ● (*boxe, ecc.*) **win by default**, vittoria per abbandono (*o per rinuncia, o per forfait*) □ (*lotta*) **win by fall**, vittoria per schienata □ (*boxe*) **win on points**, vittoria ai punti □ (*fam.*) **win-win**, favorevole a tutti: **win-win situation**, situazione in cui tutti ricavano un qualche vantaggio.

♦to **win** /wɪn/ (pass. e p. p. ***won***), v. t. e i. **1** vincere; essere vittorioso; conquistare: **to win a battle [a bet]**, vincere una battaglia [una scommessa]; (*leg.*) **to win a case**, vincere una causa; **to win at cards**, vincere alle carte; **to win a fortress [fame]**, conquistare una fortezza [la fama]; *I won twenty pounds from him at poker*, gli ho vinto venti sterline a poker **2** guadagnare; ottenere; procurarsi; raggiungere (con sforzo): (*polit.*) **a bid to win votes**, un tentativo di guadagnare voti; **to win one's bread**, guadagnarsi il pane; (*lett.*) **to win a lady's hand**, ottenere la mano di una donna; **to win a prize [an award]**, ottenere un premio [una ricompensa]; **to win the summit [the shore]**, guadagnare (*o raggiungere*) la cima [la riva] **3** convincere; persuadere; ottenere il favore di; accattivarsi: (*form.*) **to win all hearts**, ottenere il favore di tutti; accattivarsi la simpatia di tutti **4** (*ind. min.*) estrarre (*minerali*) **5** (*sport*: calcio, ecc.) vincere; ottenere (*una vittoria*); fare, realizzare (*punti*); guadagnare (*una rimessa laterale, ecc.*); subire (*un fallo*): **to win a race [a match, a competition]**, vincere una corsa [una partita, una gara]; (*rugby*) **to win a scrum**, vincere una mischia ● (*sport*) **to win the ball**, conquistare la palla □ **to win a contract**, vincere una gara d'appalto; ottenere un appalto (*o un contratto*) □ (*sport*) **to win a foul**, guadagnare un fallo □ **to win free**, averla vinta; spuntarla □ **to win a**

friend [**an ally, a supporter**], farsi un amico [un alleato, un sostenitore] □ (*fam.*) **to win hands down**, vincere senza fatica □ **to win on one's own merit**, vincere per merito proprio □ **to win a point**, segnare un punto a proprio vantaggio □ (*polit.*) **to win power**, andare al potere; conquistare la maggioranza □ **to win one's spurs**, (*stor.*) guadagnarsi gli speroni, esser fatto cavaliere; (*fig.*) ottenere il riconoscimento dei propri meriti □ **to win the toss**, (*sport*) vincere il sorteggio; (*fig.*) avere la prima mossa □ **to let sb. win**, lasciar vincere q. □ (*prov.*) **Let those laugh who win**, ride bene chi ride ultimo.

■ **win back** v. t. + avv. **1** rivincere: **to win back the money lost on the horse races**, rivincere il denaro perso alle corse, rifarsi del denaro perso alle corse (*dei cavalli*) **2** riconquistare; riprendere (*un premio, un titolo, ecc.*): *We'll do our best to win the cup back next year*, faremo di tutto per riconquistare la coppa l'anno prossimo; **to win back sb.'s support** [love], riconquistare l'appoggio [l'amore] di q. **3** (*fig.*) riguadagnare (*il terreno perduto, ecc.*).

■ **win by** v. t. e i. + prep. vincere con (*o di, o per*): (*tennis*) *I won the match by 3 sets to 2* (*o 3-2*), vinsi l'incontro per 3 set a 2.

■ **win out** v. i. + avv. (*fam.*) vincere alla fine; uscire vittorioso; averla vinta; spuntarla: *You'll win out in spite of all the difficulties*, la spunterai nonostante ogni difficoltà □ (*fam. USA*) **to win out over the competition**, (*comm.*) battere la concorrenza; (*sport*) battere gli avversari.

■ **win over** v. t. + avv. **1** tirare (q.) dalla propria parte (*fig.*); accaparrarsi l'appoggio di (q.) **2** convincere; persuadere: *We won him over to our cause*, lo persuademmo ad aderire alla nostra causa.

■ **win through** **A** v. t. + avv. farcela; spuntarla; riuscire **B** v. t. + prep. superare: **to win through all difficulties**, superare ogni difficoltà.

■ **win to** v. t. + prep. tirare dalla parte di, attirare a: *He won a lot of young people to his party*, attirò molti giovani al suo partito □ **to win sb. to one's ideas**, convincere q. della bontà delle proprie idee.

wince ① /wɪns/ n. **1** fremito; sobbalzo; sussulto **2** l'indietreggiare; il tirarsi indietro **3** ghigno; smorfia (*di dolore, ecc.*).

wince ② /wɪns/ n. (*mecc.*) verricello.

to **wince** /wɪns/ v. i. **1** fremere; sobbalzare; sussultare; trasalire: *He winced at the sight of blood*, trasalì alla vista del sangue **2** indietreggiare; tirarsi indietro; barcollare **3** fare una smorfia (*di dolore, ecc.*).

wincey /ˈwɪnsɪ/ n. ⓤ (*ind. tess.*) flanella di lana (*o di lana e cotone*).

winceyette /wɪnsɪˈet/ n. ⓤ (*ind. tess.*) flanella leggera, con la nappa.

winch /wɪntʃ/ n. (*mecc., naut.*) **1** piccolo argano; verricello **2** (*raro*) manovella.

to **winch** /wɪntʃ/ v. t. **1** muovere (*o sollevare*) con un argano **2** (*naut.*) issare (*o tesare*) con un verricello.

Winchester ® ① /ˈwɪntʃɪstə(r)/ n. (*mil. stor.*; = **W. rifle**) winchester (*tipo di carabina*).

Winchester ② /ˈwɪntʃɪstə(r)/ n. (= **W. quart**) mezzo gallone (*misura per liquidi*).

♦**wind** ① /wɪnd/ n. **1** ⓒⓤ vento: **fair** [contrary] **w.**, vento favorevole [contrario]; **north** w., vento del nord; tramontana; **southwest w.**, vento di sud-ovest; **a gust of w.**, una raffica di vento; *There's a high w. today*, oggi il vento tira forte; *The w. was blowing from the west*, il vento soffiava da occidente; (*astron.*) **solar w.**, vento solare **2** ⓤ fiato; respiro; respirazione: *Let me get my w. back*, lasciami riprender fiato; **to knock the w. out of sb.**, far perdere il fiato a q. **3**

ⓤ odore (*portato dal vento*); sentore (*anche fig.*): *The dogs are keeping the w.*, i cani seguono l'odore (*della selvaggina*); *The journalist got w. of the scandal*, il giornalista ebbe sentore dello scandalo **4** ⓤ (*med., fam.*) flato; (*anche*) meteorismo, flatulenza: *My little boy is troubled with w.*, il mio bambino soffre di flatulenza; **to bring up w.**, fare il ruttino **5** ⓤ (*fig. fam.*) parole vuote; sciocchezze; aria fritta; parole senza senso; vaniloquio: *His speeches are mere w.*, i suoi discorsi sono puro vaniloquio **6** (*pl. collett.*) (*mus.*) fiati; strumenti a fiato: *The strings were drowned by the winds*, gli strumenti a corda erano soffocati (*o coperti*) da quelli a fiato ● (*naut.*) **w. abeam**, vento al traverso; bolina stretta (*una delle andature*) □ (*naut., aeron.*) **w. ahead**, vento in prua □ (*naut.*) **w. astern**, vento in poppa □ (*gergo comm., scozz.*) **w. bill**, cambiale di comodo □ (*naut.*) **w.-bound**, trattenuto in porto dal vento contrario □ (*fam. USA*) **w. box**, fisarmonica □ (*ind. costr.*) **w.-brace**, controvento □ (*di cavallo*) **w.-broken**, bolso □ **w. chart**, carta dei venti □ (*meteor.*) **w. shear**, gradiente del vento □ (*meteor.*) **w. chill**, raffreddamento da vento □ **w. chimes**, campane eoliche (*campanellini di bronzo, ecc., che dal piccolo batacchio, che si espongono al vento, anche come cacciaspiriti*) □ (*med.*) **w. colic**, meteorismo □ (*aeron., meteor.*) **w. cone**, manica a vento □ (*naut., aeron.*) **w. down**, vento in senso longitudinale □ **w.-egg**, uovo imperfetto □ (*geol.*) **w. erosion**, erosione eolica □ **w. farm**, centrale eolica; parco eolico □ (*poet.*) **w.-flower**, anemone □ (*vet.*) **w.-gall**, vescicone (*nelle giunture del garretto del cavallo*) □ **w. gauge**, anemometro □ (*naut.*) **w. hose**, manica a vento □ (*naut.*) **w. indicator**, segnavento; bandierina □ (*mus.*) **w. instruments**, strumenti a fiato □ (*acustica*) **w. noise**, rumore eolico □ (*naut.*) **w. on the quarter**, vento al giardinetto □ (*sci*) **w.-packed snow**, neve ventata □ **w. power**, energia del vento; carbone azzurro □ (*ind.*) **w.-power plant**, centrale eolica □ (*meteor.*) **w. rose**, rosa dei venti □ **w. scale**, scala dei venti □ (*meteor.*) **w. shear**, gradiente del vento □ (*meteor.*) **w. sleeve**, manica a vento □ **w. speed**, velocità del vento □ **w. spout**, turbine di vento □ (*raro*) **w.-sucker**, cavallo che respira rumorosamente □ **w.-swept**, battuto dai venti; spazzato dal vento □ (*aeron.*) **w. tee**, T d'atterraggio □ **w.-tight**, impenetrabile al vento □ (*tecn.*) **w. tunnel**, galleria del vento; galleria aerodinamica □ **w. vane**, banderuola □ (*naut.*) **before** (*o* **down**) **the w.**, col vento in poppa □ **to break w.**, fare un vento (*eufem.*); fare un peto □ (*fig.*) **to cast** (*o to fling*) **prudence to the winds**, abbandonare la prudenza □ (*naut.*) **to come to the w.**, orzare □ (*caccia*) **to be down the w. of a wild animal**, tenersi sottovento a un selvatico □ (*fig.*) **to find out how the w. blows** (*o lies*), sentire da che parte tira il vento; capire che aria tira □ (*anche fig.*) **to get w. of**, aver sentore di; fiutare: *The fox got w. of the hunters*, la volpe fiutò i cacciatori □ (*slang*) **to get** (*o to have*) **the w. up**, innervosirsi; prendersi paura; aver fifa □ **to get one's second w.**, riprendere fiato, riprendersi; (*fig.*) provare di nuovo □ (*fam.*) **to hit sb. in the w.**, colpire q. alla bocca dello stomaco (*o al plesso solare*); far perdere il fiato a q. □ (*naut.*) **in the w.'s eye**, controvento □ (*naut.*) **to keep away from the w.**, poggiare □ (*naut.*) **off the w.**, col vento in poppa □ (*naut.*) **on the w.**, col vento in prua (*o in faccia*) □ (*slang*) **to put the w. up sb.**, spaventare q.; mettere paura a q.: *'It was a genuine visit, was it? I mean you didn't go to put the w. up him or anything of the sort.'* A. CHRISTIE, 'è stata una visita per davvero, no? Voglio dire, non sei mica andato da lui per fargli paura o qualcosa di si-

a b c d e f g h i j k l m n o p q r s t u v **w** x y z

mile?' □ (*fig. fam.*) **to raise the w.**, procurarsi di riffa o di raffa il denaro occorrente □ **to sail** (*o* **to be**) **close to the w.** (*o* **near the w.**), (*naut.*) stringere il vento, andare all'orza; (*fig.*) camminare sul filo del rasoio □ (*naut.*) **to sail in the eye** (*o* **in the teeth**) **of the w.**, navigare nel letto (*o* nel filo) del vento □ (*fig.*) **to see which way the w. is blowing**, capire che aria tira (*o* come si mettono le cose) □ (*fig.*) **to take the w. out of sb.'s sails**, sgonfiare, smontare q. (*fig.*); fare abbassare la cresta a q. □ (*fig.*) **to throw prudence to the winds**, abbandonare la prudenza □ (*caccia*) **to be up the w. of a wild animal**, trovarsi sopravvento a un selvatico □ (*anche fig.*) **to waste one's w.**, sprecare il fiato □ (*naut.*) **with the w. on the beam**, col vento al traverso (*o* a mezza nave) □ (*fig.*) **There is st. in the w.**, qualcosa bolle in pentola (*fig.*); sta per accadere qualcosa.

wind② /waɪnd/ n. **1** (*anche elettron.*) avvolgimento **2** giro (*di manovella o di carica*) **3** curva; svolta; voltata ● (*polit., mil.*) **w.-down**, diminuzione, riduzione (*della tensione, ecc.*) □ **w.-up**, conclusione; fine; chiusura, epilogo; (*di un meccanismo, orologio, ecc.*) a carica □ (*comm.*) **w.-up sale**, vendita di liquidazione.

to wind① /wɪnd/ v. t. **1** dare aria a; esporre al vento; arieggiare; aerare **2** fiutare: *The hounds winded the boar*, i cani fiutarono il cinghiale **3** sfiatare: *I was quite winded by the run*, la corsa mi lasciò senza fiato; **to be winded by a blow**, restare senza fiato per un colpo **4** far riprendere fiato a (*un cavallo, ecc.*) **5** (*ingl.*) far fare il ruttino a (*un bambino dopo la poppata*).

to wind② /waɪnd/ (*pass. e p. p.* **winded**, *o* **wound**, *per confusione con* **to wind**③), v. t. (*poet., raro*) suonare (*uno strumento a fiato, un segnale*): *The knight winded his horn*, il cavaliere suonò il corno; (*mil.*) **to w. the call**, suonare l'adunata.

to wind③ /waɪnd/ (*pass. e p. p.* **wound**) Ⓐ v. i. **1** serpeggiare; girare; formare anse; fare le svolte; snodarsi; procedere a zigzag: *The river winds in and out*, il fiume forma continue anse; *The road winds round the lake*, la strada gira attorno al lago; *The long line of soldiers wound down the valley*, la lunga fila di soldati si snodava lungo la valle **2** avvolgersi; attorcigliarsi: *The creeper winds round the oak*, il rampicante s'attorciglia intorno alla quercia **3** (*fig.*) prenderla alla larga (*parlando*); agire in modo tortuoso; insinuarsi **4** (*del legno*) incurvarsi; imbarcarsi **5** (*di un orologio*) caricarsi (*a mano o con la chiavetta*): *This clock winds easily*, quest'orologio si carica facilmente Ⓑ v. t. **1** girare; far girare: **to w. a crank**, girare una manovella **2** avvolgere; attorcigliare: **to w. tape on a reel**, avvolgere del nastro su una bobina; **to w. a scarf round one's neck**, avvolgersi (*o* mettersi) una sciarpa intorno al collo; *The snake winds itself round its prey*, il serpente s'attorciglia intorno alla preda **3** (*mecc.*) sollevare con l'argano: **to w. up ore from a mine**, sollevare con l'argano minerale da una miniera **4** (*fig.*) insinuare; introdurre di soppiatto: **to w. one's criticism into an argument**, introdurre le proprie critiche in un'argomentazione **5** cingere: *I wound her in my arms*, la cinsi con le braccia; la serrai fra le braccia.

■ **wind around** → **wind round**.

■ **wind back** v. t. + avv. riavvolgere (*una fune, un nastro magnetico, una pellicola, ecc.*).

■ **wind down** Ⓐ v. t. + avv. **1** abbassare, tirare giù (*girando una manovella*) **2** (*fig.*) diminuire, ridurre (*la pressione, la tensione, ecc.*) **3** (*fin.*) ridurre, rallentare: **to w. down one's business in Asia**, rallentare il proprio giro di affari in Asia Ⓑ v. i. + avv. **1** (*di una molla, un orologio, ecc.*) perdere la carica;

scaricarsi **2** (*della tensione, ecc.*) allentarsi; esaurirsi; afflosciarsi **3** (*fig.*) esaurire la carica (*fig.*); perdere la motivazione **4** (*fig.*) rilassarsi; calmarsi.

■ **wind in** v. t. + avv. **1** riavvolgere (*una lenza, ecc.*) sul mulinello **2** tirare su (*un pesce*) riavvolgendo la lenza sul mulinello.

■ **wind into** v. t. + prep. arrotolare, avvolgere (*qc.*) fino a farne (*un gomitolo, ecc.*): **to w. wool into a ball**, aggomitolare la lana.

■ **wind off** Ⓐ v. t. + avv. svolgere; dipanare Ⓑ v. i. + avv. svolgersi; dipanarsi.

■ **wind on** v. t. + avv. **1** avvolgere, arrotolare (*su un gancio, su una pertica, ecc.*) **2** far scorrere, mandare avanti (*la pellicola in una macchina fotografica, ecc.*).

■ **wind round** Ⓐ v. t. + prep. avvolgere, attorcigliare intorno a: *I wound the rope round my arm*, mi avvolsi la fune intorno al braccio Ⓑ v. i. + prep. avvolgersi, attorcigliarsi intorno a: *The ivy had wound (itself) round the tree trunk*, l'edera s'era attorcigliata intorno al tronco dell'albero.

■ **wind through** Ⓐ v. i. + prep. **1** serpeggiare in; attraversare serpeggiando: *The river winds through the valley*, il fiume serpeggia nella valle; *A path winds through the jungle*, un sentiero tortuoso attraversa la giungla **2** (*fig.: di un sentimento, ecc.*) serpeggiare, circolare, essere diffuso in (*un'opera, ecc.*) Ⓑ v. t. + prep. (*fig.*) impregnare (*qc.*) di (*sentimenti, ecc.*); cospargere di, diffondere (*idee, ecc.*) in (*scritti, discorsi, ecc.*).

■ **wind up** Ⓐ v. t. + avv. **1** avvolgere, aggomitolare, arrotolare (*una fune, un cavo, ecc.*) **2** tirare su (*girando una manovella*); alzare (*un finestrino, un avvolgibile, ecc.*) **3** dare la carica a (*una molla*); caricare (*un orologio, un giocattolo, ecc.*) **4** portare a (*buon*) termine; chiudere, concludere; finire, sciogliere: **to w. up a debate**, chiudere un dibattito; **to w. up a meeting**, sciogliere una riunione: *He wound up his speech with a good joke*, concluse il suo discorso con una buona battuta **5** (*fin., in GB*) liquidare, mettere in liquidazione: **to w. up one's business affairs**, liquidare i propri affari; cessare l'attività; **to w. up one's business** (*o* **one's firm**), mettere in liquidazione (*o* chiudere) la propria azienda; chiudere bottega (*fig.*) **6** (*fig.*) (*spec. al passivo*) coinvolgere; prendere (*fig.*); emozionare; eccitare; rendere nervoso: **to be wound up in a scandal**, essere coinvolto in uno scandalo; *He was all wound up before the exam*, era tutto emozionato prima dell'esame **7** (*fam.*) sfottere; stuzzicare; punzecchiare; prendere in giro (*o* per i fondelli*) **8** (*sport*) caricare, motivare (*i giocatori per la partita, ecc.*) Ⓑ v. i. + avv. **1** concludere (*parlando o scrivendo*)· *He wound up by stating flatly that he would never accept my offer*, concluse dicendo chiaro e tondo che non avrebbe mai accettato la mia offerta **2** (*di una riunione, ecc.*) cessare; finire; terminare **3** (*fin., in GB*) essere messo in liquidazione: *Our company wound up last year*, la nostra società fu messa in liquidazione l'anno scorso **4** (*fam.*) andare a finire; diventare alla fine; risultare; ritrovarsi: *If you go on like that, you'll w. up penniless* [*in prison*], se vai avanti così, finirai senza un soldo [in prigione]; *He wound up writing gossip news*, alla fine si ritrovò a scrivere di cronaca rosa; *The ball wound up on the roof*, la palla andò (a finire) sul tetto; *He wound up the winner*, risultò il vincitore; andò a finire che vinse □ **to w. up with a contract**, riuscire a fare un contratto □ (*fam.*) **to w. up nowhere**, non concludere niente di buono; non approdare a nulla.

windage /'wɪndɪdʒ/ n. **1** (*arc., mil.*) vento (*differenza fra il diametro di un proiettile e il diametro interno della canna*) **2** Ⓤ (*mil.*) deviazione, spostamento laterale causato dal

vento (*nella traiettoria di un proiettile*) **3** Ⓤ (*naut.*) superficie (*di una nave*) esposta al vento.

windbag /'wɪndbæg/ n. **1** (*mus.*) otre (*di cornamusa*) **2** (*fam.*) parolaio; trombone (*fam.*).

wind blast, **windblast** /'wɪndblɑːst/ n. **1** raffica (*di vento*) **2** (*aeron.*) impatto del vento (*su un pilota che si catapulta*)

windblown /'wɪndbləʊn/ a. **1** (*di un luogo*) battuto dal vento **2** (*di un albero*) piegato dal vento **3** (*di capelli*) scompigliati dal vento.

windborne /'wɪndbɔːn/ a. portato dal vento: **w. seeds**, semi portati dal vento.

windbreak /'wɪndbreɪk/ n. (*agric.*) frangivento.

Windbreaker® /'wɪndbreɪkə(r)/ n. (*USA*) giacca a vento.

windburn /'wɪndbɜːn/ n. Ⓤ **1** (*med.*) bruciatura da eccessiva esposizione al vento **2** (*bot.*) danno provocato dal vento.

windcheater /'wɪndtʃiːtə(r)/ n. (*ingl.*) giacca a vento.

winded /'wɪndɪd/ a. **1** senza fiato; sfiatato **2** (*nei composti*): **long-w.**, dal fiato lungo; (*fig.*) verboso; **short-w.**, dal fiato corto; bolso; (*fig.*) conciso.

winder /'waɪndə(r)/ n. **1** (*ind. tess.*) incannatoio; avvolgitrice; rocchettiera **2** (*ind. min.*) argano; verricello **3** manovella **4** chiave di carica (*di meccanismo a molla*) **5** (*edil.*) gradino di scala a chiocciola **6** (*cinem.*) bobinatrice **7** (*bot.*) pianta volubile.

windfall /'wɪndfɔːl/ n. **1** frutto abbattuto dal vento **2** (*fig.*) colpo di fortuna; guadagno inatteso; manna (*fig.*) ● (*fin.*) **w. gain**, sopravvenienza attiva □ (*fin.*) **w. loss**, sopravvenienza passiva □ (*fin.*) **w. profit**, sopravvenienza attiva □ (*fin., rag.*) **w. profits tax**, imposta sui proventi straordinari □ (*GB, polit.*) **w. tax**, imposta straordinaria sui profitti delle società di servizi privatizzate.

windhover /'wɪndhɒvə(r)/ n. (*dial., zool., Falco tinnunculus*) gheppio, falchetto (*più comune* **kestrel**).

windiness /'wɪndɪnəs/ n. Ⓤ **1** ventosità **2** (*fig. fam.*) verbosità; vacuità **3** (*med.*) flatulenza; meteorismo.

winding /'waɪndɪŋ/ Ⓐ n. **1** serpeggiamento, sinuosità, tortuosità (*anche fig.*) **2** avvolgimento; spira; (*elettr.*) **shunt w.**, avvolgimento in parallelo **3** Ⓤ (*ind. tess.*) avvolgimento; incannatura; ritorcitura; bobinatura; matassa **4** Ⓤ (*d'orologio, ecc.*) caricamento **5** (*di fiume*) meandro **6** (*di strada*) tornante; rampa **7** Ⓤ (*di legno, di un'asse, ecc.*) incurvamento; imbarcamento Ⓑ a. **1** (*di strada o fiume, anche fig.*) serpeggiante; sinuoso; tortuoso: **a w. road**, una strada tortuosa **2** (*di scala*) a chiocciola ● (*mecc.*) **w. drum**, tamburo di avvolgimento □ **w. machine**, (*ind. tess.*) incannatoio, bobinatrice; (*elettr.*) bobinatrice □ **w. sheet**, sudario □ **w.-up**, conclusione; riepilogo; (*fin.*) liquidazione (*di una società; in GB, dove la procedura del fallimento s'applica soltanto alle persone fisiche*) (*sport*) il caricare, il caricatori; motivazione indotta (*nei giocatori*).

windjammer /'wɪndʒæmə(r)/ n. **1** (*ingl.*) → **windcheater 2** (*naut., USA*) grande veliero.

windlass /'wɪndləs/ n. (*mecc., naut.*) argano; verricello.

to windlass /'wɪndləs/ v. t. (*mecc., naut.*) sollevare con un argano; issare con un verricello.

windless /'wɪndləs/ a. senza vento: **a w. day**, una giornata senza vento.

windmill /'wɪndmɪl/ n. **1** mulino a vento **2** (*mecc.*) motore a vento (*o* eolico); aeromo-

tore **3** (*mecc.*) mulinello a palette **4** mulinello; girandola (*giocattoli*) **5** (*fam.*) elicottero **6** (*fam.*) elica **7** (*gergo comm.*) cambiale di comodo ● (*fig.*) **to fight** (*o* **to tilt at**) **windmills**, combattere contro i mulini a vento.

♦**window** /ˈwɪndəʊ/ n. **1** finestra: *The girl was leaning out of the w.*, la ragazza si sporgeva dalla finestra; **blank** (*o* **blind**, **false**) **w.**, finestra cieca; falsa finestra **2** (*autom*, *ferr.*) finestrino: **rear** [**side**] **w.**, finestrino posteriore [laterale] **3** sportello (*di banca, di totalizzatore, ecc.*): (*USA*) **mutuel windows**, sportelli del totalizzatore (*per scommesse sui cavalli*) **4** (*di solito* **shop w.**) vetrina (*di negozio*) **5** (*di solito* **windowpane**) vetro della finestra: *The boy broke the w.*, il ragazzo ruppe il vetro della finestra **6** (*naut.*) occhio; oblò **7** (*miss.*) finestra, tempo utile (*per un lancio*) **8** (*geol., comput., fis. nucl.*) finestra **9** finestra (*di una busta per lettera*) **10** rettangolino (*sul quadrante di un orologio*): *The date is shown in the w.*, la data si legge nel rettangolino ● **w. bar**, fermafinestra □ **w. blind**, tenda (*pesante*) per finestra □ **w. box**, cassetta per i fiori (*da tenere sul davanzale*) □ (*comm.*) **w. card**, cartellino (*pubblicitario*) da vetrina □ **w. cleaner**, puliscivetri □ **w. cleaners**, impresa di pulizia di vetri □ **w. cleaning**, pulizia delle finestre □ **w. display**, esposizione (*di merce*) in vetrina □ **w. dresser**, vetrinista □ **w. dressing**, allestimento (*o* addobbo) delle vetrine; vetrinistica; arte del vetrinista; (*fig.*) operazione di facciata, cosmesi, operazione di maquillage; (*fin.*) cosmesi di bilancio □ **w. envelope**, busta a finestra □ **w. frame**, telaio di finestra □ (*ginnastica*) **w. ladder**, quadro svedese □ (*autom.*) **w. mirror**, specchietto laterale □ (*edil.*) **w. post**, montante di finestra □ **w. seat**, sedile (*o* posto) vicino al finestrino □ (*USA*) **w. shade**, veneziana; avvolgibile; tendina avvolgibile □ **w.-shopper**, chi guarda le vetrine □ **w.-shopping**, il far compere con gli occhi (*guardando le vetrine dei negozi*) □ **w.-shutter**, persiana; imposta □ (*stor., fisc.*) **w. tax**, imposta basata sul numero delle finestre (*di casa*) □ (*archit.*) **w. tracery**, traforo di finestra □ (*autom.*) **w.-winder**, alzacristalli, manovella alzacristalli □ **electrically-operated w.-winder**, alzacristalli elettrico □ (*fig.*) **to have all one's goods in the w.**, avere tutte le merci in vetrina; (*fig.*) essere superficiale.

to **window-dress** /ˈwɪndəʊdres/ Ⓐ v. i. fare il vetrinista Ⓑ v. t. (*fig.*) **1** far apparire (qc.) più attraente (*o* conveniente) di quello che è: **to window-dress a bond issue**, rendere allettante un'emissione di obbligazioni **2** (*fin., rag.*) fare operazioni di cosmesi di (*un bilancio*).

windowman /ˈwɪndəʊmən/ n. (pl. *windowmen*) sportellista (*in una banca*).

windowpane /ˈwɪndəʊpeɪn/ n. vetro di finestra; vetro.

to **window-shop** /ˈwɪndəʊʃɒp/ v. i. guardare le vetrine (*dei negozi: per diletto*): **to go window-shopping**, fare un giro a guardare le vetrine.

windowsill /ˈwɪndəʊsɪl/ n. davanzale.

windpipe /ˈwɪndpaɪp/ n. (*anat.*) trachea.

windscreen /ˈwɪndskriːn/ n. (*autom., ingl.*) parabrezza: **shatterproof w.**, parabrezza infrangibile ● **w. washer**, lavacristallo; lavavetri □ **w. washer and wiper**, lavatergicristallo □ **w. wiper**, tergicristallo.

windshield /ˈwɪndʃiːld/ n. **1** (*di motocicletta, di scooter, e sim.*) parabrezza; schermo di plastica **2** (*autom., USA*) → **windscreen** ● (*fam. USA*) **w. appraisal**, occhiata sommaria, frettolosa (*data all'immobile di chi chiede un mutuo*).

windsock /ˈwɪndsɒk/ n. (*meteor.*) manica a vento.

Windsor /ˈwɪnzə(r)/ n. (*geogr.*) Windsor (*cittadina presso Londra*) ● **W. Castle**, il castello di Windsor (*famoso castello reale in GB*) □ **W. chair**, (sedia) Windsor (*con schienale arrotondato con bacchette, gambe divaricate e sedile a sella*).

windstorm /ˈwɪndstɔːm/ n. (*meteor.*) tempesta di vento.

windsurf /ˈwɪndsɜːf/ n. (*sport*) windsurf (*l'attrezzo*).

windsurfer /ˈwɪndsɜːfə(r)/ n. **1** windsurf; tavola da windsurf **2** windsurfista.

windsurfing /ˈwɪndsɜːfɪŋ/ (*sport*) n. Ⓤ windsurf (*lo sport*) ‖ to **windsurf** v. i. praticare il windsurf.

windswept /ˈwɪndswept/ a. **1** (*di un luogo*) spazzato dal vento; esposto al vento **2** (*di capelli*) scompigliati dal vento.

wind-up /ˈwaɪndʌp/ n. **1** congegno a molla **2** conclusione; fine **3** avvolgimento, attorcimento (*raro*); attorcigliamento **4** (*mecc.*) oscillazione torsionale **5** (*slang ingl.*) sfottitura; presa in giro (*o per i fondelli*); punzecchiamento.

windward /ˈwɪndwəd/ (*naut.*) Ⓐ a. e avv. al vento; di sopravvento; sopravvento; dalla parte (*o* in direzione) del vento: **the w. side**, il lato di sopravvento; **the w. side of the hill**, il lato sopravvento della collina; **w. course**, percorso (*o* rotta) al vento; (*nelle regate*) **w. yacht**, yacht al vento Ⓑ a. attr. (*di bastimento*) (buon) boliniero; che bolina bene Ⓒ n. Ⓤ lato esposto al vento; sopravvento ● (*geogr.*) **the W. Islands**, le Isole Sopravvento □ (*naut.*) **to beat to w.**, bordeggiare □ (*fig.*) **to be** [**to get**] **to w. of sb.**, essere [mettersi] in posizione di vantaggio rispetto a q. □ **to sail to w.**, navigare sopravvento.

♦**windy** /ˈwɪndɪ/ a. **1** ventoso; esposto al vento; battuto dal vento: **w. weather**, tempo ventoso; **a w. day**, una giornata ventosa; **w. plains**, pianure ventose **2** (*fig.*) verboso; vacuo; vuoto: **a w. lecturer**, un conferenziere verboso **3** (*slang antiq.*) impaurito; spaventato; pieno di fifa **4** (*med., fam.*) flatulento; che causa flatulenza ● **It's very w. today**, oggi tira molto vento.

♦**wine** /waɪn/ n. **1** Ⓤ vino: *I don't drink w.*, non bevo vino; *I'd like some w.*, vorrei del vino; **various Italian wines**, vari vini italiani; **sparkling w.**, vino spumante; **still w.**, vino «fermo» (*non spumante*); **table w.**, vino da pasto **2** Ⓒ succo fermentato (*d'altri frutti*): **currant w.**, succo fermentato di ribes **3** festa universitaria in cui si beve vino (*dopo un pranzo*) **4** Ⓒ colore del vino rosso; colore rosso scuro ● **w. bar**, enoteca; bar (*o piccolo ristorante*) in cui si beve vino □ **w. bottle**, bottiglia da vino □ (*al ristorante*) **w. card**, lista dei vini □ **w. cellar**, cantina □ **w. cooler**, secchiello del ghiaccio (*per tener fresco il vino*); (*USA*) bevanda di vino e succo di frutta □ **w. country**, distretto vitivinicolo □ **w. gum**, caramella gommosa □ (*econ.*) **w. lake**, grande eccesso di produzione vinicola □ **w. lees**, feccia □ **w. merchant**, vinaio □ (*bot.*) **w. palm**, palma da vino □ **w. shop**, spaccio di vini; fiaschetteria □ **w. stone**, deposito di tartaro nelle botti □**w. taster**, degustatore di vini; tastevin (*franc.*) □ **w. vault**, cantina □ **w. waiter**, sommelier (*franc.*) □ **w. whey**, bevanda di vino e latte cagliato □ (*al ristorante*) **house w.**, vino della casa; vino in caraffa □ **to make w.**, vinificare □ **new w. in old bottles**, vino nuovo in bottiglie vecchie; (*fig.*) fermento di idee e cose nuove, che le vecchie istituzioni non riescono a contenere.

to **wine** /waɪn/ Ⓐ v. t. offrire vino a (*ospiti*) Ⓑ v. i. bere vino (*spec. a una festa*) ● **to w. and dine**, mangiare e bere a volontà; offrire da bere e da mangiare a (q.) (*spec. in un buon ristorante*).

winebibber /ˈwaɪnbɪbə(r)/ (*arc. o poet.*) n. gran bevitore di vino; beone ‖ **winebibbing** Ⓐ a. che beve molto vino; amante del vino Ⓑ n. Ⓤ il bere molto vino; l'essere un gran beone.

wine bottle, **winebottle** /ˈwaɪnbɒtl/ n. bottiglia da vino.

wineglass /ˈwaɪnɡlɑːs/ n. **1** bicchiere da vino **2** bicchiere (colmo) di vino ‖ **wineglassful** n. quanto sta in un bicchiere da vino.

winegrower /ˈwaɪnɡrəʊə(r)/ n. viticoltore; viniviticoltore.

winegrowing /ˈwaɪnɡrəʊɪŋ/ n. Ⓤ viticoltura; viniviticoltura.

winemaker /ˈwaɪnmeɪkə(r)/ n. vinificatore.

winemaking /ˈwaɪnmeɪkɪŋ/ n. Ⓤ vinificazione ● **w. equipment**, attrezzatura per fare il vino.

winepress /ˈwaɪnpres/ n. torchio da vino; pigiatrice.

winery /ˈwaɪnərɪ/ n. (*spec. USA*) **1** stabilimento per la lavorazione del vino; cantina (sociale) **2** azienda vinicola (*o* vitivinicola).

winesap /ˈwaɪnsæp/ n. (*USA*) grossa mela invernale, di colore rosso scuro.

wineskin /ˈwaɪnskɪn/ n. otre per il vino.

♦**wing** /wɪŋ/ Ⓐ n. **1** ala (*anche archit., mil., polit.*): **the wings of a bird** [**of a plane**], le ali di un uccello [di un aereo]; **the east w. of the hospital**, l'ala orientale dell'ospedale; **the left w. of the party**, l'ala sinistra del partito; *Cavalry were massed on the left w.*, la cavalleria era ammassata all'ala sinistra **2** (*fig.*) volo **3** (*aeron., mil.*) stormo **4** (pl.) (*aeron., mil.*) distintivo (*o* grado) di pilota **5** (pl.) (*teatr.*) quinte: **to be in the wings**, essere dietro le quinte; (*fig.*) stare dietro le quinte, stare pronto (*a intervenire*) **6** (*di porta*) battente **7** (*autom.*) parafango **8** (*mil.*) impennaggio (*di missile*) **9** (*sport*: calcio, ecc.) settore laterale; ala; fascia, corsia (*laterale*) **10** (calcio, basket) ala (*giocatore*): **right** [**left**] **w.**, ala destra [sinistra] Ⓑ a. attr. (*sport*) laterale; di fascia; d'ala: (*calcio*) **w. attacker**, attaccante laterale; punta larga; **w. back**, ala arretrata; difensore (*o* terzino) di fascia; (*rugby*) **w. forward**, terza linea (*giocatore*); (*rugby*) **w. three-quarter**, trequarti ala; ala ● **w. beat** (*o* **w. stroke**), battito d'ala □ (*zool.*) **w.-case** (*o* **w.-sheath**), elitra □ (*aeron. mil., in GB*) **w. commander**, tenente colonnello (*comanda uno stormo*) □ (*aeron.*) **w. flap**, ipersostentatore □ (*poet.*) **w.-footed**, con le ali ai piedi; piè veloce □ (*calcio*) **w.-half**, mezzala; mediano d'appoggio □ (*autom.*) **w. mirror**, specchietto laterale (*o* retrovisore esterno) □ (*mecc.*) **w. nut**, dado ad alette; galletto □ (*tecn.*) **w. pallet**, pallet ad alette □ (*aeron.*) **w. rib**, centina alare □ (*mecc.*) **w. screw**, vite a galletto □ (*caccia*) **w. shot**, tiro (*o* sparo) al volo; (*fig.*) buon tiratore al volo □ (*sport*) **w. shooting**, tiro a volo □ **w. tip**, (*aeron.*) punta dell'ala, estremità alare; (*di tomaia di scarpa*) mascherina allungata □ (*fig.*) **to clip sb.'s wings**, tarpare le ali a q. □ (*fig.*) **to get one's wings**, ottenere il brevetto di pilota □ **to lend wings to sb.**, mettere le ali ai piedi di q.: *Haste lent me wings*, la fretta mi mise le ali ai piedi □ (*fam.*) **on a w. and a prayer**, alla ventura e raccomandandosi a Dio; alla spera in Dio □ **on the w.**, (*d'uccello*) in volo, librato; (*di persona*) in partenza, in viaggio □ **to take w.**, (*d'uccello, ecc.*) prendere il volo; levarsi in volo; (*fig.*) andarsene alla svelta; (*anche*) andare su di giri (*fam.*), rallegrarsi □ **to take wings**, metter le ali (*fig.*), volare (via): *Time takes wings here*, qui il tempo vola □ (*fig.*) **to take sb. under one's w.**, prendere q. sotto la propria protezione.

to **wing** /wɪŋ/ v. t. e i. **1** provvedere di ali;

(*fig.*) dare (*o* mettere) ali a: *Fear winged his feet*, la paura gli mise le ali ai piedi **2** (*poet.*) percorrere volando **3** volare: *The Boeing winged* (*its way*) *out to China*, il Boeing volò fino alla Cina; *The bird winged to its nest*, l'uccello volò verso il suo nido **4** ferire (*un uccello*) a un'ala **5** (*fam.*) colpire, ferire (*una persona*) a un braccio; (*per estens.*) ferire leggermente ● (*slang USA*) **to w. it**, andarsene alla svelta; (*anche*) improvvisare.

wingback /'wɪŋbæk/ n. (*football americano*) giocatore arretrato, in posizione laterale ● **w. formation**, formazione (*d'attacco*) con un giocatore arretrato, in posizione laterale.

winged /wɪŋd/ a. **1** alato (*anche fig.*): w. **Victory**, la Vittoria alata (*la statua*); w. **words**, parole alate **2** (*fam.*) ferito a un braccio; ferito leggermente ● (*mitol.*) **the w. god**, Mercurio □ (*geogr.*) **w. headland**, promontorio a due punte □ (*mitol.*) **the w. horse**, il cavallo alato; Pegaso □ (*mil.*) **w. missile**, missile a impennaggi.

winger /'wɪŋə(r)/ n. (*sport: calcio, ecc.*) ala (*giocatore*); giocatore di fascia; laterale (*sost. m.*).

wingless /'wɪŋləs/ a. **1** (*zool.*) aptero; senz'ali **2** (*ind. costr.*) senza ali: **w. abutment**, spalla senza ali.

winglet /'wɪŋlət/ n. aletta; aluccia.

wingman /'wɪŋmən/ n. (pl. **wingmen**) **1** (*aeron.*) gregario (*pilota: in una formazione*) **2** (*football australiano*) ala.

wingover /'wɪŋəʊvə(r)/ n. (*aeron.*) virata sghemba.

wingspan /'wɪŋspæn/ n. (*zool., aeron.*) apertura alare.

wingspred /'wɪŋsprɛd/ → **wingspan**.

wink /wɪŋk/ n. **1** ammicco; ammiccamento; strizzatina d'occhio: **a conspiratorial w.**, un ammicco d'intesa **2** (*fig.*) attimo; istante; batter d'occhio: **in a w.**, in un attimo ● (*fam.*) **to catch a w.**, fare un pisolino □ (*fam.*) **forty winks**, un sonnellino ● **not to get a w. of sleep** (*o* **not to sleep a w.**), non chiudere occhio (*tutta la notte, ecc.*) □ (*fam.*) **to tip sb. the w.**, dare una dritta, dare l'imbeccata a q.; avvisare q.; mettere in guardia q. □ **without a w. of the eyelid**, senza batter ciglio.

to **wink** /wɪŋk/ Ⓐ v. i. **1** strizzare l'occhio; ammiccare; fare l'occhiolino: **to w. at sb.**, strizzare l'occhio a q. **2** (*di stelle, ecc.*) brillare; scintillare; occhieggiare **3** (*di luce intermittente*) lampeggiare Ⓑ v. t. **1** strizzare (*un occhio, gli occhi*): **to w. an eye at sb.**, strizzare l'occhio, fare l'occhiolino a q. **2** (*autom.*) azionare (*i lampeggiatori*); lampeggiare: **to w. one's lights**, lampeggiare ● (*fig.*) **to w. at st.**, fingere di non vedere qc.; chiudere un occhio su qc.; passare sopra a qc.

■ **wink out** v. i. + avv. (*di luce*) lampeggiare e spegnersi.

winker /'wɪŋkə(r)/ n. **1** persona che ammicca **2** (pl.) (*fam.*) lampeggiatori, luci intermittenti, indicatori di direzione (*di autoveicolo*) **3** (*di cavallo*) paraocchi **4** (*slang USA, dial. ingl.*) occhio.

winking /'wɪŋkɪŋ/ n. Ⓤ Ⓒ **1** il battere le palpebre; l'ammiccare; lo strizzar l'occhio **2** (*delle stelle, ecc.*) il brillare; scintillio **3** (*di luce intermittente*) lampeggiamento ● (*fam.*) **like w.**, in un attimo; in un baleno; in un batter d'occhio | **-ly** avv.

winkle /'wɪŋkl/ n. (*zool., Littorina littorea*) littorina; chiocciola di mare.

to **winkle out** /'wɪŋkl'aʊt/ v. t. + avv. (*fam.*) estrarre; snidare; cavar fuori (*come una chiocciola dal guscio*).

winnable /'wɪnəbl/ a. vincibile; (*di scommessa, ecc.*) che si può vincere.

◆**winner** /'wɪnə(r)/ n. **1** vincitore; trionfatore; (*nelle corse*) primo arrivato; primo: **the w. of the race**, il vincitore della corsa; il primo arrivato **2** (*calcio, ecc.*) pallone vincente; passaggio (*o* tiro, colpo di testa) vincente; gol della vittoria **3** (*ipp.*) cavallo vincente: **to pick the w.**, prendere (*o* indovinare) il cavallo vincente (*nelle scommesse*) **4** (*tennis, ecc.*) colpo vincente; risposta (*o* rinvio) vincente; 'winner': **to hit a w.**, effettuare un colpo vincente **5** (*fig.*) prodotto nuovo di grande successo; idea (*o* modello d'auto, ecc.) vincente: (*di un fabbricante, di un costruttore d'auto*) **to be onto a w.**, tirare fuori un modello vincente (*o* di sicuro successo) **6** (*Borsa*) società che ha una buona performance; società forte (*o* gestita bene) ● (*Borsa*) **big winners**, titoli in grande rialzo □ (*lotta*) **w. by fall**, vincitore per schienata □ (*boxe*) **w. by knockout**, vincitore per kappaò □ (*boxe, ecc.*) **w. on points**, vincitore ai punti □ **W. takes all!**, chi vince piglia tutto!

◆**winning** /'wɪnɪŋ/ Ⓐ a. **1** vincente; vincitore; che ha vinto: **the w. team**, la squadra vincente (*o* che ha vinto); (*ipp.*) **the w. horse**, il cavallo vincente; *Never change a w. team!*, squadra che vince non si cambia **2** vincente; capace di vincere **3** vincente; decisivo; della vittoria; che riesce (*bene*): (*tennis, ecc.*) **w. shot**, colpo vincente **4** (*fig.*) accattivante; affascinante; avvincente; attraente; seducente: **a w. smile**, un sorriso accattivante; **a w. personality**, una personalità attraente; **w. manners**, maniere seducenti Ⓑ n. **1** Ⓤ il vincere; la vittoria **2** conquista, ottenimento (*di un punto, un premio, ecc.*) **3** (pl.) — **winnings**, vincite (*di scommesse, ecc.*) **4** (*nelle corse, spec. ipp.*) **w. post**, palo d'arrivo; traguardo.

winnow /'wɪnəʊ/ **1** → **winnowing 2** = **winnowing machine** → **winnowing**.

to **winnow** /'wɪnəʊ/ Ⓐ v. t. **1** vagliare (*anche fig.*); ventilare, spulare (*grano, ecc.*); separare, togliere (*la pula*) dal grano **2** (*fig.*) cernere, separare: **to w. truth from falsehood**, separare il vero dal falso **3** (*del vento*) spargere; sparpagliare **4** (*poet.*) battere (*l'aria*) con le ali Ⓑ v. i. vagliare (*o* spulare) il grano ● (*ind. min.*) **to w. gold**, cernere l'oro col metodo della separazione a vento.

winnower /'wɪnəʊə(r)/ n. **1** chi vaglia il grano; vagliatore; spulatore **2** (*agric.*) spulatrice; vagliatrice (*macchina*).

winnowing /'wɪnəʊɪŋ/ n. Ⓤ Ⓒ **1** vagliatura; spulatura **2** (*fig.*) cernita; scelta ● (*agric.*) **w. fan** (*o* **w. machine**), spulatrice; macchina vagliatrice.

wino /'waɪnəʊ/ n. (pl. **winos**) (*slang*) barbone avvinazzato; ubriacone; beone.

winsome /'wɪnsəm/ a. affascinante; attraente; avvincente; seducente: **a w. maid**, una fanciulla affascinante; **w. manners**, maniere seducenti | **-ly** avv. | **-ness** n. Ⓤ.

◆**winter** /'wɪntə(r)/ Ⓐ n. **1** Ⓤ inverno: **a mild** [**hard**] **w.**, un inverno mite [rigido] **2** (*poet.*) anno (*d'età*): **a man of sixty winters**, un uomo di sessant'anni **3** (*fig.*) periodo d'avversità; momento triste (*nella vita*); declino; vecchiaia Ⓑ a. attr. d'inverno; invernale: (*astron.*) **w. solstice**, solstizio d'inverno ● **w. apples**, mele invernali □ (*bot.*) **w. cherry** (*Physalis alkekengi*), alchechengi □ **w. clothes**, abiti invernali; vestiti pesanti □ (*in GB*) **w. fuel payments**, sussidi per il riscaldamento invernale □ **w. garden**, giardino d'inverno; (*per estens.*) residenza invernale □ (*zool.*) **w. sleep**, sonno invernale; ibernazione □ **w. sports**, sport invernali □ **w.-sports centre**, centro di sport invernali □ **w.-sports station**, stazione di sport invernali □ (*agric.*) **w. wheat**, grano seminato nel tardo autunno.

to **winter** /'wɪntə(r)/ Ⓐ v. i. svernare; passare l'inverno: *They usually w. in Florida*, di solito passano l'inverno in Florida Ⓑ v. t. conservare (*piante*), nutrire (*animali*) durante l'inverno.

winterbourne /'wɪntəbɔːn/ n. corso d'acqua a regime torrentizio.

wintergreen /'wɪntəgriːn/ n. (*bot.*) **1** (*Gaultheria procumbens*) gaultheria **2** (*Pyrola minor*, = **common w.**) piroletta soldanina.

wintertide /'wɪntətaɪd/ n. Ⓤ (*poet.*) inverno.

wintertime /'wɪntətaɪm/ n. Ⓤ inverno; stagione invernale.

wintery /'wɪntərɪ/ → **wintry**.

wintry /'wɪntrɪ/ a. **1** invernale; freddo; rigido: **a w. sky**, un cielo invernale; **w. weather**, tempo freddo, rigido **2** (*fig.*) freddo; gelido; senza calore: **a w. smile**, un sorriso freddo, forzato; **a w. reception**, un'accoglienza fredda, senza calore || **wintriness** n. Ⓤ **1** rigore invernale; freddo invernale **2** aspetto invernale **3** (*fig.*) freddezza; gelo.

winy /'waɪnɪ/ a. vinoso; simile al vino (*per colore, gusto, ecc.*) ● **w. breath**, alito che puzza di vino □ **a w. nose**, un naso da ubriacone.

winze /wɪnz/ n. (*ind. min.*) discenderia; galleria inclinata.

wipe /waɪp/ n. **1** asciugata; strofinata; pulitina: *Give this jug a w.*, da' una pulitina a questa brocca! **2** (*raro*) botta; colpo; fendente **3** fazzoletto rinfrescante; fazzolettino imbevuto **4** (*tipogr.*) sbavatura.

◆to **wipe** /waɪp/ v. t. **1** asciugare; pulire; strofinare: **to w. the dishes**, asciugare i piatti; **to w. one's face**, asciugarsi la faccia; **to w. one's mouth with a napkin**, pulirsi la bocca con un tovagliolo **2** applicare (qc.) strofinando: *W. the oil into the surface*, applica l'olio sulla superficie! **3** pulirsi, soffiarsi (*il naso*) **4** cancellare (*un nastro magnetico, una registrazione*) **5** (*fig.*) cancellare (*un ricordo, ecc.*) ● **to w. dry**, asciugare strofinando □ (*fig. fam.*) **to w. the floor with sb.**, dare una severa lezione a q.; mettere a terra q. (*pop. fig.*); mettere in ginocchio q. (*fig.*).

■ **wipe away** v. t. + avv. **1** asciugare (qc.) strofinando; asciugare: **to w. away one's tears**, asciugarsi le lacrime **2** eliminare, cancellare (*tracce e sim.*).

■ **wipe down** v. t. + avv. pulire (qc.) a fondo, strofinando.

■ **wipe off** Ⓐ v. t. + avv. **1** asciugare: **to w. one's tears off**, asciugarsi le lacrime **2** pulire strofinando; togliere: **to w. off the mud with a brush**, pulire con una spazzola **3** (*USA*) pulire con uno strofinaccio; strofinare (*il lavandino, ecc.*) **4** pulire (*la lavagna*) con il cancellino **5** cancellare (*da un nastro magnetico*): **to w. off a song**, cancellare una canzone **6** (*fin.*) cancellare, estinguere, liquidare (*un debito*) Ⓑ v. t. + prep. **1** cancellare da: **to w. a sentence off the blackboard**, cancellare una frase dalla lavagna **2** eliminare, togliere da: *W. that silly smile off your face!*, togliti quel sorrisetto idiota dalla faccia! □ **to w. sb.** [st.] **off the face of the earth**, eliminare q. [qc.] dalla faccia della terra □ (*fig.*) **to w. st. off the map**, distruggere totalmente qc. (*una città, ecc.*) □ **to w. off old scores with sb.**, fare i conti con q.; sistemare una vecchia partita con q.

■ **wipe out** Ⓐ v. t. + avv. **1** pulire (*un recipiente, ecc.*) strofinando: **to w. out the sink**, pulire il lavandino **2** (*fig.*) spazzare via; annientare; distruggere; far fuori (*fam.*): *The village was wiped out by the earthquake*, il paese fu spazzato via dal terremoto **3** (*fig.*) annullare, vanificare (*un beneficio, un vantaggio, ecc.*) **4** (*med.*) debellare (*una malattia*) **5** (*fig.*) eliminare, cancellare (*un'ingiustizia,*

uno svantaggio, e sim.) **6** (fin.) cancellare, estinguere, liquidare (un debito) **B** v. i. + avv. **1** (spec. USA) (motociclismo, sci, surf) essere sbalzato fuori (dalla moto, dagli sci, dalla tavola) **2** (slang USA) fare fiasco; finire male □ (mil.) **to w. out an army**, annientare un esercito □ **to w. out old scores** → **wipe off** □ (fam.) **to be wiped out**, essere sbronzo; (anche) essere stanco morto.

■ **wipe over** v. t. + avv. pulire la superficie di (qc.); dare una passata di straccio a (una tavola, un mobile, ecc.).

■ **wipe up** **A** v. t. + avv. **1** asciugare con uno straccio: **to w. up the spilt milk**, asciugare il latte versato per terra **2** raccogliere con uno straccio: **to w. up the crumbs**, raccogliere le briciole con uno straccio **3** (ingl.) asciugare (stoviglie) **4** (fig.) eliminare, annientare (un reparto nemico, ecc.) **B** v. i. + avv. (ingl.) asciugare i piatti: I'll w. up, if you wash up, se tu lavi i piatti, io li asciugo.

wiped out /'waɪpt'aʊt/ a. (slang) **1** esausto; sfinito; stanco morto **2** ripulito (fig.); rovinato; senza soldi; in bolletta, al verde **3** ubriaco fradicio; sbronzo; partito (fig.).

wipe-out /'waɪpaʊt/ n. **1** (sport USA) caduta (dalla moto, dalla tavola del surf, ecc.) **2** (slang USA) grave incidente automobilistico **3** (slang USA) fiasco; disastro.

wiper /'waɪpə(r)/ n. **1** chi asciuga; chi strofina; addetto alle pulizie **2** strofinaccio **3** (slang antiq.) fazzoletto **4** (mecc.) eccentrico **5** (mil., un tempo) scovolo **6** (elettr.) spazzola **7** (autom., → **windscreen w.**) tergicristallo.

wiping /'waɪpɪŋ/ n. **U** **1** pulita; strofinata **2** (naut.) smagnetizzazione ● (mil.) **w. rod**, scovolo.

WIPO sigla (ONU, **World Intellectual Property Organization**) Organizzazione mondiale per la proprietà intellettuale (OMPI; Svizzera).

♦**wire** /'waɪə(r)/ n. **C** **1** filo (metallico): **telephone wires**, i fili del telefono; **copper w.**, filo di rame; **barbed w.**, filo spinato **2** (elettr.) filo elettrico; cavetto; conduttore **3** (ottica) filamento **4** (di reggiseno) ferretto **5** (fam., antiq. o USA) telegramma: He sent me a w., mi mandò un telegramma **6** (sci) tirante (dello scarpone) **7** microspia; cimice ● **w. bridge**, ponte sospeso □ (radio) **w. broadcasting**, filodiffusione □ **w. brush**, spazzola metallica □ **w. cloth**, reticella metallica □ **w.-cutters**, pinze tagliafili □ **w. fence**, rete metallica di recinzione □ (leg. USA) **w. fraud**, frode telematica □ **w. gauze**, reticella metallica □ (scherma) **w. guard**, maschera di fil di ferro □ (di cane) **w.-haired**, dal pelo irsuto; a pelo ruvido □ **w. mesh**, rete metallica (per recinzione o protezione) □ (metall.) **w. mill**, trafileria □ **w. netting**, rete metallica □ (fam.) **w.-puller**, burattinaio; (fig. fam.) maneggione; intrallazzatore □ (fam.) **w.-pulling**, maneggi; intrallazzi; manovre segrete □ **w. radio**, filodiffusione □ **w. recorder**, magnetofono a filo □ **w. recording**, registrazione su filo □ **w. rope**, cavo metallico; fune metallica □ (alpinismo) **w. sling**, cavo d'acciaio □ (elettr.) **w. stripper**, pinza spelafili □ **w.-tapping**, intercettazione di messaggi telegrafici (o telefonici) □ (tecn.) **w. train**, macchina a trafila □ (banca) **w. transfer**, bonifico telegrafico; rimessa telegrafica □ **w. weaver**, fabbricante di cavi metallici □ (mecc.) **w. wheel**, spazzola metallica circolare □ **w. wool**, paglia di ferro; paglietta (per uso in cucina) □ (di carta) **w.-wove**, di qualità superiore □ (scherma) **body w.**, filo metallico □ **by w.**, per telegrafo □ (fam. spec. USA) **down to the w.**, fino all'ultimo momento □ **live w.**, (elettr.) filo sotto tensione, filo caldo; (fig.) persona attiva, energica, vigorosa □ (fam. USA) **under the w.**, all'ultimo momento; proprio alla scadenza; appena in tempo.

to **wire** /'waɪə(r)/ v. t. e i. **1** assicurare, fissare, collegare (qc.) con filo metallico; fissare (o cucire) con punti metallici: I wired the handle of the whip, assicurai il manico della frusta con un pezzo di fil di ferro; **to w. the stakes of a fence**, collegare con filo metallico i paletti di un recinto; (med.) **to w. a broken jaw**, fissare con punti metallici una mascella rotta **2** infilzare (grani, perline) in un filo metallico **3** (elettr.) installare fili (o l'impianto elettrico) in: **to w. a house**, installare l'impianto elettrico in una casa **4** (raro) accalappiare, prendere al laccio (animali selvatici, uccelli) **5** (fam.) telegrafare: Don't forget to w. me the results, non dimenticare di telegrafarmi i risultati **6** provvedere di computer; computerizzare **7** dotare (q.) di microfono (o di registratore) **8** (sport, fam. USA) truccare (un incontro, un combattimento) **9** nascondere una cimice (una microspia, ecc.) addosso a (q.) (o dentro: un luogo) ● **to w. a room for sound**, curare l'impianto acustico di una sala □ (TV) **to w. sb. for sound**, mettere un microfono addosso a q. □ **to w. in**, (elettr.) collegare alla rete; (slang antiq.) darci sotto; mettercela tutta □ **to w. off**, spedire un telegramma; telegrafare; spedire (denaro, ecc.) per telegrafo □ **to w. off a racecourse**, cingere di rete metallica un campo di corse.

to **wire-draw** /'waɪədrɔː/ (pass. **wire-drew**, p. p. **wire-drawn**), v. t. **1** (metall.) trafilare in fili **2** (fig.) tirare in lungo (o per le lunghe); stiracchiare ‖ **wire-drawer** n. (metall.) **1** trafilatore **2** trafila (macchina) ‖ **wire-drawing** n. **U** (metall.) trafilatura (di filo).

wireframe /'waɪəfreɪm/ n. (comput.) wireframe (rappresentazione grafica di un oggetto tridimensionale costituita dalla stilizzazione dei suoi contorni).

wireless /'waɪələs/ **A** a. **1** senza fili: **w. telegraphy**, telegrafia senza fili; radiotelegrafia **2** (di reggiseno) senza ferretto **B** n. (antiq.) **1** radiotelegrafia; radio: I heard it on (o over) the w., l'ho sentito alla (o per) radio **2** (apparecchio) radio ● **w. control**, radiocomando □ **w. message**, radiogramma; radiotelegramma □ **w. operator**, radiotelegrafista; marconista □ **w. telephony**, radiotelefonia □ **to send a message by w.**, inviare un messaggio per radio.

to **wireless** /'waɪələs/ v. t. e i. (antiq. o USA) radiotelegrafare; trasmettere per radio.

wireman /'waɪəmən/ n. (pl. **wiremen**) (spec. USA) **1** guardalinee (telegrafiche, telefoniche, ecc.) **2** stendifili (operaio, tecnico).

wiretap /'waɪətæp/ n. (anche leg.) intercettazione telefonica (o telegrafica) ● **w. evidence**, prove ottenute mediante l'intercettazione.

to **wiretap** /'waɪətæp/ v. t. intercettare (una conversazione) al telefono.

wirewalker /'waɪəwɔːkə(r)/ n. (spec. USA) funambolo.

wirework /'waɪəwɜːk/ n. **U** **1** fabbricazione di fili metallici (o di reti metalliche) **2** (ind.) trafilati metallici.

wireworker /'waɪəwɜːkə(r)/ n. **1** (metall.) trafilatore **2** commerciante di trafilati metallici.

wireworks /'waɪəwɜːks/ n. pl. (metall.; spesso col verbo al sing.) trafileria.

wireworm /'waɪəwɜːm/ n. (zool.) larva di elateride (in genere); millepiedi.

wiring /'waɪərɪŋ/ n. **U** **1** (elettr., comput., telef., ecc.) cavetteria; complesso dei fili; insieme delle connessioni; cablaggio **2** (edil.) impianto elettrico (in una casa, ecc.) **3** (slang) il drogarsi ● (elettr.) **w. diagram**, schema elettrico.

wiry /'waɪərɪ/ a. **1** di filo metallico **2** simile a filo metallico; duro; rigido: **w. hair**, capelli rigidi, ispidi **3** (di persona) forte; instancabile; nerboruto; resistente ● **w. muscles**, muscoli sodi.

wisdom /'wɪzdəm/ n. **U** **1** saggezza; giudizio; discernimento; senno; buon senso: **the w. of Solomon**, la saggezza di Salomone **2** (arc.) erudizione; scienza; sapienza ● **w. tooth**, dente del giudizio □ **to cut one's w. teeth**, mettere i denti del giudizio; (fig.) metter giudizio □ **The better part of w. would be to say nothing**, sarebbe più saggio tacere.

♦**wise**① /waɪz/ a. **1** saggio; savio; assennato; avveduto; prudente: **a w. man**, un uomo saggio; un saggio; Is it w. to go there alone?, è prudente andarci da solo?; **a w. action**, un'azione assennata; You were w. to refuse, sei stato avveduto (o hai fatto bene) a rifiutare **2** (USA) ben informato; astuto; furbo ● (fam.) **w. guy**, drittone (iron.); sapientone, saccentone; chi crede di saperla lunga □ (arc.) **w. man**, mago; stregone □ (fam. USA) **to be w. to sb.** [st.], conoscere q., sapere con chi si ha a che fare [essere al corrente di qc.] □ (arc.) **w. woman**, indovina, strega; (scozz.) levatrice □ (slang) **to get w.**, mangiare la foglia; capire come stanno le cose □ **to get w. to sb.**, imparare a conoscere q.; imparare i trucchi di q. □ (fam. USA) **to get w. to st.**, aprire gli occhi su qc.; accorgersi di qc.; vedere chiaro in qc. □ (fam. USA) **to get w. with sb.**, fare il furbo con q.; (anche) prendersi delle libertà con q. □ **to be none the wiser**, non saperne più di prima: I was none the wiser for his long explanation, dopo la sua lunga spiegazione, non ne seppi più di prima □ (fam.) **to put sb. w. to st.**, mettere q. al corrente di qc.; informare q. di qc.; aprire gli occhi a q. su qc. □ (relig.) **the Three W. Men**, i tre Re Magi □ (prov.) **Everybody is w. after the event**, del senno di poi son piene le fosse.

wise② /waɪz/ n. (arc., lett.) modo; maniera; guisa (lett.): **in no w.**, in nessun modo; **in some w.**, in qualche maniera.

wiseacre /'waɪzeɪkə(r)/ n. sapientone; persona saccente; saccentone.

wisecrack /'waɪzkræk/ n. (fam.) detto arguto; battuta di spirito; spiritosaggine.

to **wisecrack** /'waɪzkræk/ (fam.) **A** v. i. dire spiritosaggini; fare dello spirito; avere la battuta pronta **B** v. t. dire (qc.) come spiritosaggine.

to **wise up** /'waɪz'ʌp/ (slang spec. USA) **A** v. t. + avv. aprire gli occhi a (q. su qc.); mettere al corrente; avvertire; far sapere a **B** v. i. + avv. aprire gli occhi; svegliarsi (fig.); farsi furbo; imparare a stare al mondo □ (fam. USA) **to get wised up**, ottenere le informazioni giuste.

♦**wish** /wɪʃ/ n. **1** desiderio; voglia; quel che si desidera; richiesta: (form.) **in obedience to your wishes**, in ottemperanza ai tuoi desideri; He has a great w. to visit London, ha un gran desiderio di visitare Londra; He has no w. to be a soldier, non ha nessuna voglia

di fare il soldato; *He got his w.*, ottenne quel che desiderava; *Unfortunately I cannot grant your w.*, purtroppo non posso soddisfare il tuo desiderio; non posso accogliere la tua richiesta **2** augurio; voto (augurale): **with best wishes for a Merry Christmas and a Happy New Year**, con i migliori auguri di Buon Natale e Felice Anno Nuovo **3** (pl.) saluti ● (*psic.*) **w. fulfilment**, soddisfazione dei desideri □ **w. list**, lista dei desideri □ **to make a w.**, fare (o esprimere dentro di sé) un desiderio □ **You had your w.**, siete stati accontentati □ (*prov.*) **If wishes were horses, beggars might ride**, i desideri non riempiono il sacco □ (*prov.*) **The w. is father to the thought**, si crede facilmente a ciò che fa piacere.

♦**to wish** /wɪʃ/ v. t. e i. **1** desiderare; volere: *'I should w. to die while still at work, knowing that others will carry on what I can no longer do'* B. RUSSELL, 'vorrei morire mentre sono intento al mio lavoro, con la consapevolezza che altri porteranno avanti ciò che io non posso più fare'; *Do you w. to leave at once?*, desideri partire subito?; *What do you w. me to do?*, che cosa vuoi che (io) faccia?; *When do you w. it (to be) finished?*, quando vuoi che sia finito?; per quando dev'essere finito?; *He cannot w. for anything better*, non può desiderare niente di meglio **2** augurare: **to w. sb. good luck [a pleasant trip, happiness]**, augurare a q. buona fortuna [buon viaggio, ogni felicità]: *W. me luck!*, fammi in bocca al lupo **3** augurarsi; sperare: *I w. the news may prove wrong*, spero che la notizia si dimostri falsa **4** – *I w.* [*I wished*] (+ congiunt.), vorrei [avrei voluto]; se almeno...; magari: *I w. I were a poet*, vorrei esser un poeta; *I wished I were dead*, avrei voluto essere morto; *I w. you had told me in time*, se almeno tu me l'avessi detto per tempo!; *I w. I could go abroad*, vorrei poter andare all'estero; *I w. you were back again*, vorrei che tu fossi già di ritorno; *I w. I were a multimillionaire*, come vorrei essere un milionario; magari fossi milionario!; *I w. he wouldn't always interfere!*, ma perché deve sempre interferire?; *I w. you wouldn't say that!*, per favore non dire cose simili! ● **to w. sb. away**, desiderare che q. se ne vada □ (*infant.*) **to w. the pain away**, far passare la bua (*a un bambino: con un bacio, ecc.*) □ **to w. sb. goodbye**, salutare q. (*alla partenza*); dire addio a q. □ **to w. sb. good morning**, dare il buongiorno a q. □ **to w. sb. good night**, augurare la buona notte a q. □ **to w. st. on sb.**, augurare qc. (*di sgradevole*) a q.; (*fam.*) rifilare, sbolognare (q. o qc.) a q.: *I wouldn't w. that on my worst enemy*, non lo augurerei al mio peggior nemico □ **to w. on a star**, esprimere un desiderio guardando una stella □ **to w. sb. well [ill]**, augurare a q. ogni bene [del male] □ (*iron.*) **I w. you joy of it**, buon pro ti faccia!

① NOTA: *to wish*

Il verbo della proposizione retta da **to wish** (*def. 4*) è al congiuntivo passato oppure è preceduto da **would**.

1 Il congiuntivo passato è usato per esprimere un desiderio la cui realizzazione non dipende dalla volontà del soggetto della subordinata: *I wish I had more time to read* (o *I wish I could have more time to read*), vorrei avere più tempo per leggere, magari avessi più tempo per leggere!; *I wish you didn't suffer so much*, vorrei che non soffrissi così; *I wish I were* (o *was*) *rich*, come vorrei essere ricco!

È possibile anche usare il **past perfect**: *I wish I hadn't drunk so much*, se solo avessi bevuto di meno!

2 would è usato per esprimere il desiderio che il soggetto della subordinata compia l'azione specificata: *I wish he would be quiet*, come vorrei che stesse zitto!, magari stesse zitto!, se stesse un po' zitto!; *I wish you would trust me*, vorrei che ti fidassi di me, se solo ti fidassi di me!

would può anche essere usato parlando del tempo o di macchine, ecc., come se avessero una propria volontà: *I wish it would stop raining*, come vorrei che smettesse di piovere, se solo smettesse di piovere! (ma, dato che si riferisce a uno stato di cose e non a un'azione, si dice *I wish it weren't so cold today*, vorrei che non facesse così freddo oggi).

La costruzione **I wish I would** non è possibile (*I wish I would work less*), come pure la costruzione **wish + would have +** participio passato (*I wish I wouldn't have drunk so much*).

wishbone /ˈwɪʃbəʊn/ n. **1** forcella, forchetta (*del petto di un volatile*) **2** (*football americano*) (*anche* **w. T**) formazione d'attacco 'a forcella di pollo' (*variante della formazione a T*) ● (*windsurf*) **w. boom**, boma a forcella.

wisher /ˈwɪʃə(r)/ n. **1** chi desidera; chi vuole **2** chi augura **3** (*nei composti; per es.:*) **ill-w.**, persona malevola; chi vuol male al prossimo; **well-w.**, persona benevola; buon amico.

wishful /ˈwɪʃfl/ a. desideroso; bramoso; (pieno) di desiderio: **a w. look**, un'occhiata di desiderio; uno sguardo bramoso ● **w. thinking**, il credere ciò che si desidera; illusione; pio desiderio; (*sport*) pronostico irrealizzabile | **-ly** avv. | **-ness** n. ⓤ.

wishing /ˈwɪʃɪŋ/ **A** n. ⓤ il desiderare **B** a. desideroso; bramoso ● **w. bone** → **wishbone** □ (*nelle favole*) **w. cap**, berretto magico.

wish-wash /ˈwɪʃwɒʃ/ n. **1** brodaglia; broda; bevanda insipida **2** (*fig.*) discorso insulso e prolisso.

wishy-washy /ˈwɪʃɪwɒʃɪ/ a. **1** (*di zuppa, tè, ecc.*) acquoso; brodoso; insipido; scipito **2** tiepido; blando; incerto: **a wishy-washy socialist**, un socialista tiepido (o all'acqua di rose) **3** (*di colore*) scialbo.

wisp /wɪsp/ n. **1** ciuffo; ciocca: **a w. of hair**, un ciuffo di capelli **2** piccolo fascio; manciata: **a w. of straw**, una manciata di paglia **3** stormo (*di beccaccini, ecc.*) **4** **a w. of smoke**, un filo di fumo ‖ **wispy** a. **1** a ciuffi; a ciocche **2** simile a un ciuffo; esile; sottile.

to **wisp** /wɪsp/ v. t. **1** (*dial.*) legare in piccoli fasci; attorcigliare; affastellare **2** strofinare (*un cavallo*) con la paglia.

wistaria /wɪˈstɛərɪə/, **wisteria** /wɪˈstɪərɪə/ n. (*bot.*, *Wistaria sinensis*) glicine.

wistful /ˈwɪstfl/ a. **1** malinconico; un po' triste: **a w. look**, uno sguardo malinconico; **in a w. voice**, con voce un po' triste **2** assorto; pensoso; meditabondo: *He suddenly grew w.*, si fece improvvisamente pensoso **3** nostalgico: **w. memories**, ricordi nostalgici | **-ly** avv. | **-ness** n. ⓤ.

wit /wɪt/ n. **1** (spesso al pl.) intelligenza; intelletto; ingegno; facoltà mentali; cervello (*fig.*): **the wit of man**, l'intelletto umano; **to have quick wits**, essere d'ingegno vivace; *He hasn't wit enough to keep quiet*, non ha abbastanza cervello per stare zitto **2** ⓤ spirito; arguzia; senso umoristico; sale (*fig.*): *His conversation is full of wit*, la sua conversazione è piena di spirito; **a man of wit**, un uomo di spirito **3** persona arguta; tipo spiritoso: *Jack is such a wit!*, Jack è così spiritoso! ● **to be at one's wits' end**, non sapere che pesci pigliare; essere perplesso; avere esaurito tutte le proprie risorse; *I was at my wits' end*, non sapevo dove sbattere la testa □ **to have** (*o* **to keep**) **one's wits about one**, aver prontezza di spirito; stare all'erta;

sapere quel che si fa □ **to live by one's wits**, vivere di espedienti □ (*fam.*) **to be out of one's wits**, essere uscito di senno; essere giù di testa; (*anche*) essere sconvolto, fuori di sé □ **to sharpen sb.'s wits**, aguzzare l'ingegno a q.

to **wit** /wɪt/ (pass. e p. p. **wist**), v. t. e i. (*arc.*) sapere; saper bene ● (*leg.*) **to wit**, vale a dire; cioè.

witch /wɪtʃ/ n. **1** strega; fattucchiera; maga: **white w.**, maga buona; maga benefica **2** (*fig.*) strega; megera **3** (*fig. fam.*) donna affascinante; maliarda ● (*bot.*) **witches'-broom**, scopazzo (*malattia delle piante*) □ **w. hazel**, (*bot.*, *Hamamelis virginiana*) amamelide; (*farm.*) amamelina (*fig., polit.*) **w.-hunt**, caccia alle streghe □ **w.-hunter**, (*stor.*) cacciatore di streghe; (*fig., polit.*) chi dà la caccia a presunti sovversivi □ (*stor. e fig.*) **w.-hunting**, caccia alle streghe □ **witches' Sabbath**, la notte di Valpurga.

to **witch** /wɪtʃ/ v. t. **1** stregare **2** (*fig.*) affascinare; ammaliare.

witchcraft /ˈwɪtʃkrɑːft/ n. ⓤ **1** stregoneria; arti magiche **2** incantesimo; malia.

witchdoctor /ˈwɪtʃdɒktə(r)/ n. stregone.

witch-elm /ˈwɪtʃelm/ n. (*bot.*, *Ulmus montana*) olmo montano.

witchery /ˈwɪtʃərɪ/ n. ⓤ **1** stregoneria; arti magiche **2** incantesimo; malia **3** (*fig.*) fascino; incanto; magia; malia.

witching /ˈwɪtʃɪŋ/ a. **1** delle streghe: **the w. hour**, l'ora delle streghe; mezzanotte; (*fig.*) l'ora x, l'ora fatale (o decisiva) **2** (*fig.*) affascinante; incantevole; malioso.

witenagemot /ˈwɪtɪnəgɪməʊt/ n. (*stor.*) assemblea generale del popolo anglosassone.

♦**with** /wɪð/ **A** prep. **1** (compl. di compagnia o unione) con; insieme con; insieme a: *Who w.?*, con chi?; *Come w. me!*, vieni con me!; *She lives w. her parents*, vive con i genitori; **to mix flour w. milk**, mescolare la farina con il latte; *If you go on strike, we'll all be w. you*, se scendi in sciopero, saremo tutti con te **2** (*contemporaneità*) con: *He used to get up w. the sun*, era solito levarsi col sole; *Wine improves w. age*, il vino migliora con gli anni **3** (*affidamento, dipendenza*) con; a; da; presso: *I've been w. this firm for years*, sono anni che lavoro con (o presso) questa ditta; *My son has left his cats w. me*, mio figlio mi ha lasciato (o ha lasciato da me) i suoi gatti; *Leave the papers w. the secretary!*, lascia i documenti alla segretaria! **4** (*vicinanza*) accanto a; vicino a: **to sit w. strangers**, essere seduto (*a una riunione, ecc.*) accanto a persone che non si conoscono **5** (*mezzo*) con; per mezzo di; mediante; da: *Cut it w. a knife!*, taglialo col coltello!; *He was shot in the leg w. a rifle*, fu ferito alla gamba da una fucilata; *Is that Taylor w. a 'y' or an 'i'?*, Taylor con la 'y' o con la 'i'? **6** (*causa*) a causa di; con; di; da; per: *He was tired w. all his work*, era stanco a causa di (o per) tutto il lavoro che aveva fatto; *He was shaking w. a high fever*, tremava per la febbre alta; *He was trembling w. fear*, tremava di (o dalla) paura; *He is down w. fever*, è a letto con la febbre; **a man bent w. age**, un uomo curvo per gli anni **7** (*modo, qualità*) con; di; per; da; a: **to listen w. interest**, ascoltare con interesse; **w. all one's heart**, di tutto cuore; *The grass was wet w. rain*, l'erba era bagnata per la pioggia (o di pioggia); **a jacket w. four pockets**, una giacca con quattro tasche; **a man w. a long beard**, un uomo dalla barba lunga; **to cross a stream w. dry feet**, attraversare un ruscello a piedi asciutti; **a word ending w. a consonant**, una parola che finisce per consonante **8** (*materia*) con; di: *Fill the stove w. wood!*, riempi la stufa di legna!; *The hills are covered w.*

W

woods, le colline sono coperte di boschi; *His neck was wet w. sweat*, aveva il collo bagnato di sudore; *The ball is filled w. air*, la palla è riempita con aria (*o* piena d'aria) **9** (*opposizione, contrasto*) con; contro: **to quarrel w. sb.**, litigare con q.; **to fight w. sb.**, battersi contro q.; **to compete w. foreign firms**, essere in concorrenza con ditte estere **10** (*vantaggio*) per; a favore di: *I voted w. the Democrats*, ho votato per il partito democratico **11** col favore di: **to sail w. the wind**, navigare col favore del vento **12** (*separazione*) da; di: **to part w. a friend**, separarsi da un amico; **to part w. the loot**, disfarsi del bottino; **a break w. tradition**, un abbandono della tradizione **13** (*concessivo*) con; malgrado; nonostante: *W. all her faults, I still love her*, con tutti i suoi difetti, le voglio ancora bene **14** (*confronto*) con; di: **to compare sb. [st.] w. sb. [st.] else**, confrontare q. [qc.] con q. [qc.] altro; *The door is level w. the street*, la porta è allo stesso livello della strada **15** (*relazione*) nel caso di; riguardo a; per: *W. him, pleasure is more important than business*, per lui, il piacere è più importante del lavoro; *It's all the same w. me*, per me fa lo stesso! **16** – **to be w. sb.**, essere con q.; appoggiare, sostenere q.; (*anche*) esserci, seguire: *Are you w. me?*, mi segui?; ci sei?; (è) chiaro? **17** (nei verbi frasali, è idiom.; per es.:) **to break w.**, rompere con (q.); liberarsi, disfarsi di (qc.); **to do away w.**, abolire, sopprimere; ecc. (→ **to break**, **to do**, **to make**, ecc.) **B** a. pred. (*USA: detto di cibo o bevanda*) servito nel solito modo; come sempre: *Coffee w.!*, caffè con la panna! ● (*sui pacchi*) «**Handle w. care**», «fragile» □ (*form.*) **to be w. child**, essere incinta □ (*fin.: di un titolo*) **w. coupon** (*o* **w. dividend**), con cedola; con dividendo □ **w. an eye to**, tenendo d'occhio; non trascurando; senza dimenticare; **an eye to the future**, in previsione del futuro □ **to be w. God**, essere con Dio; essere in paradiso □ **w. no**, senza: *He went out w. no hat on*, uscì senza cappello □ **w. respect** (*o* **regard**) **to what you said before**, quanto a (a proposito di) ciò che hai detto prima □ (*fin.: di titolo*) **w. rights**, con opzione □ **w. that [this]**, con ciò; al che; e allora □ (*d'animale*) **to be w. young**, essere gravida (*o* pregna) □ **along w.**, con; insieme con (*o* a): *You must show your passport along w. your ticket*, occorre esibire il passaporto insieme al biglietto □ **as is usual w. him**, com'è sua abitudine; al suo solito □ **to begin w.**, per cominciare; per dirne una: *We have no money, to begin w.*, (tanto) per cominciare, non abbiamo soldi □ **to have it out w. sb.**, fare (*o* saldare) i conti con q. (*fig.*); risolvere una lite □ (*fam.*) **to be in w. sb.**, essere in società con q.; essere alleato di q.; essere intimo di q.; essere in combutta con q. □ **to be in love w. sb.**, essere innamorato di q. □ **Down w. drugs!**, abbasso la droga! □ **Off w. those filthy jeans!**, togliti quei jeans luridi! □ **What's the matter w. you?**, che cos'hai?; che c'è che non va? □ *I have done w. it*, non voglio più sentirne parlare □ **I've done w. you**, con te ho chiuso; non voglio più avere a che fare con te □ **Have done w. it!**, falla finita!; smettila! □ **Off w. his head!**, tagliategli la testa! □ (*fam.*) **Be off w. you!**, vattene! □ (*fam.*) **Get along w. you!**, avanti, muoviti! □ **That's always the way w. you**, fai sempre così!; lo vedi come sei? □ **I am w. you there**, su questo punto sono d'accordo; ti convengo.

♦**to withdraw** /wɪð'drɔː/ (pass. **withdrew**, p. p. **withdrawn**) **A** v. t. **1** ritirare; tirare indietro; scostare; allontanare; levare: **to w. one's support**, ritirare il proprio appoggio; **to w. one's army from an occupied territory**, ritirare il proprio esercito da un territorio occupato; (*leg.*) **to w. a charge**, ritirare un'accusa; (*anche comm.*) **to w. an offer**,

ritirare un'offerta **2** (*anche leg.*) ritrattare: **to w. a statement**, ritrattare una dichiarazione **3** prelevare (*fondi: da una banca*), ritirare (*denaro*): **to w. 100 pounds**, ritirare 100 sterline; **4** (*fin.*) ritirare (*monete dalla circolazione*) **5** (*sport*) ritirare (*un concorrente, un cavallo dalla corsa, ecc.*) **6** (*sport: dell'allenatore*) arretrare (*un giocatore*) **B** v. i. **1** ritirarsi; tirarsi indietro; allontanarsi: *After the battle the front-line withdrew*, dopo la battaglia la prima linea si ritirò **2** ritrattare; fare una ritrattazione: *He refused to w.*, rifiutò di ritrattare **3** (*polit.*) ritirare una mozione **4** (*sport*) ritirarsi (*da una gara*); dare forfait; abbandonare **5** (*sport: di un giocatore*) arretrare, retrocede, ripiegare (*in campo*) ● (*mecc.*) **to w. the clutch**, disinnestare la frizione □ (*sport*) **to w. from a competition** [**a race**], ritirarsi da una gara [da una corsa] □ (*comm.*) **to w. an order**, annullare un ordinativo.

♦**withdrawal** /wɪð'drɔːəl/ n. [U̲C̲] **1** ritiro; ritirata; arretramento (*anche mil.*): **the w. of one's support**, il ritiro del proprio appoggio (*politico, finanziario, ecc.*); **the w. of our troops**, l'arretramento (*o* il ritiro) delle nostre truppe **2** (*banca*) prelevamento; prelievo (*di fondi*): **w. slip**, modulo di prelievo **3** (*leg.*) recesso; ritiro **4** (*leg.*) ritrattazione **5** (*med.*) sospensione (*di una cura*) **6** (*med.*) astinenza; disassuefazione: **w. symptoms**, sintomi dell'astinenza (*dal fumo, ecc.*) **7** (*psic.*) ritiro psichico **8** indietreggiamento; retrocessione (*sul campo*); ripiegamento **9** ritiro (*da una competizione: di un giocatore, di un cavallo*) **10** abbandono; rinuncia; forfait ● (*banca*) **w. notice**, preavviso di prelievo □ (*leg.*) **w. of an action**, remissione di querela □ (*leg.*) **w. of appeal**, rinuncia all'appello □ **w. warrant**, (*banca*) benestare per il prelievo (*di fondi*); (*dog.*) benestare di prelevamento (*di merce*).

withdrawn /wɪð'drɔːn/ **A** p. p. di **to withdraw B** a. **1** (*psic.*) introverso; chiuso; riservato **2** (*sport*) ritiratosi, che ha abbandonato.

withdrew /wɪð'druː/ pass. di **to withdraw**.

withe /wɪθ/ n. **1** (*bot.*) vimine; vinco **2** (*edil.*) parete divisoria; muro in foglio **3** (*di utensile*) protezione (*per le mani*).

to **wither** /'wɪðə(r)/ **A** v. i. **1** appassire; avvizzire; seccarsi: *These roses will w. soon*, queste rose appassiranno presto; **apples withering on the bough**, mele che avvizziscono sul ramo **2** deperire; languire; inaridirsi; sfiorire: *Her affections withered*, i suoi sentimenti inaridirono; *Her beauty has withered*, la sua bellezza è sfiorita **B** v. t. **1** disseccare; far appassire; far avvizzire: *The heat has withered* (*up*) *all my flowers*, il caldo ha fatto appassire tutti i miei fiori **2** inaridire; far sfiorire: *Age hasn't withered* (*away*) *her beauty*, l'età non ha fatto sfiorire la sua bellezza **3** (*lett.*) fulminare; ragge-lare: *The teacher withered the pupils with a severe glance*, l'insegnante fulminò gli alunni con un'occhiata severa.

withered /'wɪðəd/ a. appassito, avvizzito, sfiorito, inaridito (*anche fig.*); disseccato: **w. flowers**, fiori appassiti; **w. hopes**, speranze sfiorite.

withering /'wɪðərɪŋ/ a. **1** che inaridisce; che fa appassire **2** che avvizzisce; che languisce **3** (*lett.*) fulminante; raggelante: **a w. look**, un'occhiata fulminante; **w. scorn**, disprezzo raggelante | **-ly** avv.

withers /'wɪðəz/ n. pl. garrese (*del cavallo o d'altro quadrupede*).

withershins /'wɪðəʃɪnz/ avv. (*scozz.*) da destra a sinistra; in senso antiorario.

to **withhold** /wɪð'həʊld/ (pass. e p. p. **withheld**), v. t. **1** trattenere; rifiutare (di

dare); negare: **to w. one's consent**, negare il proprio consenso; **to w. one's support**, rifiutare il proprio aiuto **2** celare; nascondere: **to w. the truth from sb.**, nascondere la verità a q. **3** (*fisc.*) trattenere alla fonte ● (*comm.*) **to w. payment**, rifiutarsi di pagare.

withholding /wɪð'həʊldɪŋ/ n. **1** [U̲] il trattenere; il tenere per sé; rifiuto (*di dare informazioni, ecc.*) **2** (*fisc.*) trattenuta alla fonte (*l'azione*) ● (*leg.*) **w. of evidence**, soppressione (*o* inquinamento) delle prove □ (*fisc., in GB*) **w. tax**, trattenuta fiscale; ritenuta alla fonte; ritenuta d'acconto; (*anche*) cedolare d'acconto.

♦**within** /wɪ'ðɪn/ **A** avv. **1** (*piuttosto antiq.*) all'interno; dentro: *He whitewashed his cottage w. and without*, imbiancò la sua casetta all'interno e all'esterno **2** (*piuttosto antiq.*) in casa; dentro: *Is Mr Jones w.?*, è in casa Mr Jones? **3** (*teatr.*) dietro le quinte **4** (*fig.*) dentro; nel cuore; nell'anima; in spirito: (*relig.*) «*Make me pure w.*», «rendimi puro d'anima» **B** prep. (*di luogo e di tempo*) dentro; entro; in; fra, tra; in seno a (*fig.*); a: **to be safe w. the walls**, essere al sicuro entro le mura; *There is serious dissension w. the party*, ci sono forti dissensi in seno al partito; **w. a week**, entro una settimana; *I'd be prepared to travel anywhere w. one hour of where I live*, sono disposta a spostarmi nel raggio di un'ora di strada da dove abito; **w. a few miles from** (*o* **of**) **London**, a poche miglia da Londra; **w. a year of his death**, a un anno dalla sua morte ● **to be w. an ace of destruction**, trovarsi a un pelo dalla rovina □ (*naut.*) **w. board**, a bordo □ **w. call**, a portata di voce □ (*leg., bur.*) **the w. complaint**, l'accluso reclamo □ **w. doors**, in casa □ **w. fire**, a portata (*di fucile, ecc.*), a tiro □ **w. hearing**, a portata di voce □ **w. the law**, nell'ambito della legge □ (*leg., bur.*) **w. named**, qui menzionato □ **w. reach**, a portata (di mano); raggiungibile □ **w. sight**, in vista; visibile: (*naut.*) **to be w. sight of the port**, essere in vista del porto □ **w. the sound of sb.'s voice**, a portata di voce di q. □ (*comm.*) **delivery** [**payment**] **w. a month**, consegna [pagamento] a un mese □ **from w.**, dall'interno, dal di dentro (*anche fig.*): **to reform the party from w.**, riformare il partito dal didentro □ **to keep w. bounds**, restare entro i confini, rimanere entro i limiti; tenere a freno (*o* a bada); circoscrivere □ **to keep w. the law**, mantenersi nella legalità □ **to live w. one's income**, vivere secondo i propri mezzi □ **to think w. oneself**, pensare fra sé □ **It is true w. limits**, entro certi limiti, è vero □ «**Apply w.**» (*cartello*), «rivolgersi all'interno» □ «**Enquire w.**» (*cartello*), «informazioni qui».

with-it /'wɪθɪt/ a. (*fam.*) **1** alla moda; 'in'; che va molto **2** ben informato; al corrente.

♦**without** /wɪ'ðaʊt/ **A** prep. **1** senza: **w. delay**, senza indugio; **w. (a) doubt**, senza dubbio; **w. end**, senza fine; infinito; eterno; **w. saying a word**, senza dire una parola; **w. striking a blow**, senza colpo ferire; *'I got to the door w. her hearing me'* H. JAMES, 'andai alla porta senza che lei mi sentisse'; *I was w. money*, ero senza un soldo **2** (*piuttosto antiq.*) fuori di; al di fuori di: **negotiations w. the House**, negoziati al di fuori del Parlamento; manovre di corridoio **B** cong. (*dial.*) a meno che; se non: *I can't go, w. I get some money*, non posso andare se non mi procuro un po' di denaro **C** avv. (*piuttosto antiq.*) fuori; all'esterno; fuori di casa; all'aperto: *It is white within and w.*, è bianco (di) dentro e (di) fuori ● (*leg.*) **w. date**, senza data □ **w. the knowledge of**, all'insaputa di; (*anche*) senza conoscere: *The boy left the school w. the knowledge of his teacher*, il ragazzo se ne andò da scuola all'insaputa dell'insegnante □ (*lett.*) **w. number**, innumere-

vole: **worlds w. number**, mondi innumerevoli □ (*leg.*) **w. prejudice**, senza pregiudizio; fatto salvo; con riserva □ (*leg.*: *di una cambiale*) **w. recourse**, senza regresso; senza rivalsa □ **w. so much as apologizing**, senza nemmeno scusarsi □ **to do** (*o* **to go**) **w.**, fare senza, fare a meno di, rinunciare a: *You'll have to do w. lunch*, dovrai fare a meno del pranzo □ **to go w. food**, restar digiuno; digiunare □ **seen from w.**, visto dal di fuori □ **It goes w. saying**, è ovvio; va da sé.

to **withstand** /wɪð'stænd/ (pass. e p. p. **withstood**), v. t. e i. resistere (a); opporsi (a); far resistenza, sostenere, sopportare: **to w. hardships**, resistere alle fatiche; sopportare i disagi; (*mil.*) **to w. a siege**, resistere a un assedio ● **to w. the test of time**, resistere alla prova del tempo □ **These shoes w. rough treatment**, queste sono scarpe da buon comando.

withstood /wɪð'stʊd/ **pass.** e **p. p.** di **to withstand**.

withy /'wɪðɪ/ → **withe**.

witless /'wɪtləs/ a. senza cervello; privo di spirito; sciocco; stupido | **-ly** avv. | **-ness** n. Ⓤ.

•**witness** /'wɪtnəs/ n. ⓒⓤ **1** (*leg.*) testimone; teste: **to call sb. to w.**, chiamare q. a testimone; invocare (*leg.*: produrre) la testimonianza di q.; **to be a w. to st.**, essere avverso; *God is my w.*, Dio mi è testimone **2** (*anche leg.*) testimonianza; dimostrazione; prova: **to bear w.**, fare (*o* prestare) testimonianza; *His works are a w. to his learning*, le sue opere fanno prova della sua erudizione **3** testimone; astante; spettatore: *Are there any witnesses to the car accident?*, ci sono testimoni dell'incidente automobilistico? **4** (*leg.*) testimone, sottoscrittore (*di un testamento, ecc.*) ● **w. box**, banco dei testimoni □ **w. for the defence**, banco a discarico; testimone a difesa □ **w. for the prosecution**, teste a carico; testimone d'accusa □ (*USA*) **w. stand**, banco dei testimoni □ (*leg.*) **w. summons**, citazione testimoniale (*nel processo penale*) □ **to be w. to st.**, essere presente a qc.; vedere qc. □ **to bear w. to** (*o* **of**) **st.**, testimoniare qc.; essere la prova di qc.; stare a dimostrare qc. □ **to call a w.**, chiamare (*o* citare, produrre) un testimone ● **eye-w.**, testimone oculare □ **to give w. on sb.'s behalf** (*o* **to bear w. for sb.**), testimoniare a favore di q. ● **in w. of**, a testimonianza di; a conferma di □ (*leg.*) **in w. thereof**, in fede di ciò □ **to produce witnesses**, produrre testimoni.

to **witness** /'wɪtnəs/ v. t. e i. **1** essere presente a; assistere a; vedere: **to w. an accident**, essere presente a un incidente; *This plain has witnessed many battles*, questa pianura ha visto (*o* è stata teatro di) molte battaglie **2** (*leg.*) testimoniare; fare da testimone; deporre come teste: **to w. against** [**for**] **sb.**, testimoniare contro [a favore di] q. **3** esser prova (di); dimostrare; mostrare; tradire: *Her drawn face witnessed her sorrow*, il suo viso tirato tradiva la sua pena **4** (*leg.*) attestare; sottoscrivere (*un documento*) come testimone: **to w. a will**, sottoscrivere un testamento come testimone ● **to w. to having seen [heard] st.**, testimoniare d'avere visto [udito] qc.

witted /'wɪtɪd/ a. (nei composti; per es.:) **quick-w.**, d'ingegno pronto; **slow-w.**, tardo; lento a capire.

to **witter** /'wɪtə(r)/ (*fam. ingl.*) v. i. blaterare; cianciare; dire fesserie || **wittering** n. Ⓤ ciance; brontolamenti; mugugni.

witticism /'wɪtɪsɪzəm/ n. arguzia; frizzo; spiritosaggine.

witting /'wɪtɪŋ/ a. (*raro*) **1** deliberato; intenzionale; fatto apposta **2** consapevole; conscio || **wittingly** avv. (*form.*) scientemente; in modo consapevole; con assoluta

cognizione.

witty /'wɪtɪ/ a. **1** spiritoso; arguto; brioso: **a w. man**, un uomo spiritoso; **a w. remark**, un'osservazione arguta **2** (*arc. o dial.*) intelligente; abile; astuto || **wittily** avv. argutamente; in modo spiritoso || **wittiness** n. Ⓤ arguzia; spirito.

wivern /'waɪvɜːn/ n. (*arald.*) drago alato a due zampe.

wives /waɪvz/ pl. di **wife**.

wizard /'wɪzəd/ **A** n. **1** mago (*anche fig.*); stregone: (*fam.*) *financial w.*, mago della finanza **2** (*comput.*) procedura guidata: **set-up w.**, installazione guidata **B** a. **1** magico; stregato **2** (*pop.*) meraviglioso; straordinario; eccezionale.

wizardry /'wɪzədrɪ/ n. Ⓤ **1** magia; stregoneria **2** (*fig.*) grande abilità; bravura eccezionale.

to **wizen** /'wɪzn/ **A** v. t. avvizzire; disseccare; far appassire; raggrinzare **B** v. i. avvizzirsi; disseccarsi; appassire; raggrinzirsi.

wizened /'wɪznd/ a. avvizzito; appassito; raggrinzito; rugoso: **a w. old woman**, una vecchia piena di rughe; **w. apples**, mele raggrinzite.

wk abbr. **1** (**week**) settimana **2** (**work**) lavoro.

WLTM sigla (*annunci*, **would like to meet**) desidera incontrare, cerca.

WMD sigla (*USA, polit.*, **weapons of mass destruction**) armi di sterminio; armi di distruzione di massa.

WML sigla (*comput.*, **wireless markup language**) WML (*linguaggio di markup per specificare pagine HTML su telefono cellulare*).

WMO sigla (**World Meteorological Organization**) Organizzazione meteorologica mondiale (OMM; *Svizzera*).

WNW sigla (**west-northwest**) ovest nord ovest (ONO).

wo① /wəʊ/ → **woe**.

wo②, **woa** /wəʊ/ inter. oh! (*per fermare cavalli*) ● **wo-back!**, indietro!

WO sigla **1** (*mil.*, **warrant officer**) sottufficiale **2** (*GB, polit.*, **Wales Office**) Dipartimento degli affari gallesi.

w/o abbr. (**without**) senza.

woad /wəʊd/ n. **1** (*bot.*, *Isatis tinctoria*) guado **2** Ⓤ guado (*la tintura*).

to **woad** /wəʊd/ v. t. tingere col guado.

wobble /'wɒbl/ n. **1** barcollamento; traballamento; traballone **2** oscillazione; tremolio; vacillamento **3** (*fig.*) esitazione; tentennamento; irresolutezza; incostanza **4** (*autom.*: *di una ruota anteriore*) sfarfallamento.

to **wobble** /'wɒbl/ **A** v. i. **1** barcollare; traballare **2** oscillare; tremolare; vacillare: *Jelly wobbles*, la gelatina tremola; *His voice wobbled*, gli tremolava la voce **3** (*fig.*) esitare; tentennare; titubare; essere incostante **4** (*autom.*: *di una ruota anteriore*) sfarfallare **B** v. t. (*fam.*) far barcollare; far traballare; fare oscillare: **to w. the table**, far traballare la tavola.

wobbler /'wɒblə(r)/ n. **1** chi barcolla; chi traballa **2** (*fig.*) chi esita; chi tentenna **3** (*pesca*) cucchiaino fisso.

wobbly /'wɒblɪ/ **A** a. **1** (*di oggetto*) traballante; tremolante; pencolante; incerto: **w. handwriting**, grafia incerta (*o* tremolante); **a w. tooth**, un dente traballante; **w. voice**, voce tremolante **2** (*di persona*) barcollante; tremante; malfermo; vacillante: **to feel w.**, sentirsi malfermo sulle gambe; **w. legs**, gambe vacillanti **3** (*fig.*) esitante; irresoluto; incerto **B** n. (*fam. ingl.*) accesso d'ira o di panico: **to throw a w.**, infuriarsi; dar fuori di matto; sbarellare; **an attack of the wobblies**, un attacco di panico; la tremarella | **-iness** n. Ⓤ.

Wodan, **Woden** /'wəʊdn/ n. (*mitol.*) Wodan; Odino.

woe /wəʊ/ (*poet.*; *a volte scherz.*) n. **1** Ⓤ dolore; affanno; pena; afflizione: **a tale of woe**, una triste storia; un racconto di sventure **2** (*di solito al pl.*) calamità; disgrazia; malanno; sventura: **in weal and woe**, nella prosperità e nella sventura; nella buona e nella cattiva sorte ● (*poet. o scherz.*) **Woe betide him!**, guai a lui! □ (*poet. o scherz.*) **Woe is me!**, povero me!; ahimè!

woebegone /'wəʊbɪɡɒn/ a. (*lett.*) afflitto; addolorato; abbattuto; dolente; desolato; triste: **a w. look**, un'espressione dolente.

woeful /'wəʊfl/ a. (*form.*) **1** doloroso; dolente; afflitto; triste: **a w. look**, uno sguardo afflitto **2** disgraziato; meschino; misero; tapino; sventurato **3** deprecabile; deplorevole: **w. neglect of one's duty**, deprecabile negligenza nell'esercizio dei propri doveri | **-ly** avv. | **-ness** n. Ⓤ.

wog /wɒɡ/ n. (*slang spreg.*) negro; muso nero (*spreg.*).

wok /wɒk/ n. wok (*padella tipica della cucina cinese*).

woke /wəʊk/ pass. e p. p. di **to wake**.

woken /'wəʊkən/ (*raro*) p. p. di **to wake**.

wold /wəʊld/ n. brughiera; landa; terreno incolto; regione sterile.

wolf /wʊlf/ n. (pl. **wolves**) **1** (*zool.*, *Canis lupus*) lupo: **a grey w.**, un lupo grigio **2** (*fig.*) individuo avido; persona rapace **3** (*fam.*) donnaiolo; sciupafemmine; puttaniere (*spreg.*) **4** (*mus.*) dissonanza (*di un organo, pianoforte, ecc.*) **5** (*slang*) omosessuale attivo ● (*bot.*) **w.'s bane**, (*Aconitum*) aconito; (*Aconitum lycoctonum*) luparia □ (*fam.*) **w. call** = **w. whistle** → *sotto* □ **w. cub**, lupacchiotto, lupetto; giovane boy-scout, lupetto □ (*zool.*) **w. dog**, cane lupo; (*anche*) → **wolfhound** □ (*zool.*) **w.-fish** (*Anarrhichas lupus*), pesce lupo □ **w.'s foot**, licopodio; coda di topo □ (*fig.*) **a w. in sheep's clothing**, un lupo in veste d'agnello □ (*bot.*) **w.'s milk** (*Euphorbia helioscopia*), calenzola □ **w. shot**, lupara □ (*zool.*) **w. spider**, ragno della famiglia dei licosidi □ (*fam.*) **w. whistle**, fischio d'ammirazione (*rivolto a una bella ragazza*) □ **to be as hungry as a w.**, avere una fame da lupo □ **to cry w.**, gridare al lupo; dare un falso allarme □ (*fig.*) **to have** (*o* **to hold**) **the w. by the ears**, essere in una situazione difficile; non aver via di scampo ● **he-w.**, lupo (*il maschio*) □ (*fig. fam.*) **to keep the w. from the door**, avere di che sfamarsi; non morire di fame; tirare avanti □ **she-w.**, lupa.

to **wolf** /wʊlf/ **A** v. i. andare a caccia di lupi; cacciar lupi **B** v. t. (*spesso* **to w. down**) mangiare avidamente; divorare.

wolfhound /'wʊlfhaʊnd/ n. (*un tempo*) cane (*irlandese*) per la caccia al lupo.

wolfish /'wʊlfɪʃ/ a. **1** di (*o* da) lupo; simile al lupo; lupesco: **a w. hunger**, una fame da lupo **2** (*fig.*) crudele; selvaggio; avido; rapace: **w. cruelty**, selvaggia crudeltà | **-ly** avv.

wolfram /'wʊlfrəm/ n. Ⓤ (*chim.*) wolframio; tungsteno.

wolframite /'wʊlfrəmaɪt/ n. Ⓤ (*miner.*) wolframite.

wolfskin /'wʊlfskɪn/ n. Ⓤ Ⓒ pelle (*o* pelliccia) di lupo.

wolverine /'wʊlvəriːn/ n. **1** (*zool.*, *Gulo luscus*) ghiottone **2** (*fam. USA*) abitante (*o* nativo) del Michigan ● (*USA*) **the W. State**, lo Stato del Michigan.

wolves /wʊlvz/ pl. di **wolf**.

•**woman** /'wʊmən/ n. (pl. **women**) **1** donna; femmina: «**Women and children first**», «prima le donne e i bambini»; **a w. of the world**, una donna di mondo; **women's rights** (*o* **w.'s rights**), i diritti della donna **2**

(*fig. spreg.*, *di uomo*) femminuccia; donnicciola **3** (*fam.*, *ma da taluni ritenuto offensivo*) ragazza; fidanzata; moglie: **my w.**, la mia donna; mia moglie **4** (*arc.*) dama di compagnia; cameriera ● (*fam. raro*) **w.-chaser**, chi corre dietro alle sottane; cacciatore di donne □ **w. driver**, guidatrice; conducente (*di un veicolo*) □ **w. hater**, misogino □ **w.'s intuition**, intuito femminile □ (*fam.*, *antiq.*) **Women's Libber**, femminista □ **Women's Liberation** (*fam.*, *antiq.*: **Women's Lib**), Movimento per la liberazione della donna; Movimento femminista □ **the Women's Movement**, il Movimento femminista □ **women's studies**, corso di studi sul ruolo delle donne nella storia, nella letteratura, ecc. □ (*polit.*) **women's suffrage**, suffragio femminile; il voto alle donne □ **w.'s wit**, intuito femminile □ **There's a w. in it**, c'è sotto (*o* c'è di mezzo) una donna ❶ **NOTA**: *lady o woman?* → **lady**.

to **woman** /'wʊmən/ v. t. **1** dotare di personale femminile **2** (*mil.*) dare un equipaggio femminile a (*un reparto, ecc.*) **3** (*spreg. raro*) apostrofare (q.) col nome «donna».

womanhood /'wʊmənhʊd/ n. ⑩ **1** l'esser donna; femminilità **2** (*fisiol.*) maturità di donna **3** (*collett.*) le donne; il sesso femminile; il gentil sesso (*lezioso*).

womanish /'wʊmənɪʃ/ a. **1** femminile; da donna; donnesco: **w. clothes**, abiti femminili; vestiti da donna **2** femmineo; (*spreg.*) effeminato: **w. feelings**, sentimenti femminei; **a w. young man**, un ragazzo effeminato □ **-ness** n. ⑩.

to **womanize** /'wʊmənaɪz/ **A** v. t. effeminare; rendere effeminato **B** v. i. (*fam.*) correre dietro le sottane; essere un donnaiolo (*o* un puttaniere); andare a donne (*pop.*) ‖ **womanizer** n. (*fam.*) donnaiolo; puttaniere; chi corre dietro le sottane; chi va a donne (*pop.*) ‖ **womanizing** n. ⑩ (*spreg.*) l'essere un donnaiolo; condotta da puttaniere.

womankind /'wʊmənkaɪnd/ n. ⑩ (*form.*, *antiq.*) le donne; il sesso femminile.

womanlike /'wʊmənlaɪk/ a. femminile; femmineo; da donna.

womanly /'wʊmənlɪ/ a. femminile; di (*o* da) donna; degno di una donna; proprio delle donne: **w. modesty**, pudore femminile; **with w. tact**, col tatto proprio delle donne ‖ **womanliness** n. ⑩ femminilità; l'essere donna; il sentirsi donna.

womanpower /'wʊmənpaʊə(r)/ n. ⑩ **1** potere della donna; autorità della donna **2** (*econ.*) manodopera femminile.

womb /wuːm/ n. (*anat.*) utero; grembo; seno; ventre; (*lett.*) **the fruit of the w.**, il frutto del proprio ventre; i figli ● (*fig.*) **in the w. of time**, sulle ginocchia di Giove; nel futuro.

wombat /'wɒmbæt/ n. (*zool.*, *Phascolomys*) vombato.

WOMD → **WMD**.

◆**women** /'wɪmɪn/ pl. di **woman**.

womenfolk /'wɪmɪnfəʊk/ n. pl. (*collett.*) **1** le donne; il sesso femminile **2** le donne della famiglia (*del gruppo, della città, ecc.*).

won /wʌn/ pass. e p. p. di **to win**.

wonder /'wʌndə(r)/ **A** n. **1** ⑩ meraviglia; ammirazione; stupore; sorpresa: *I was filled with w.*, ero pieno di meraviglia; ero stupefatto **2** meraviglia; portento; prodigio; miracolo: **the seven wonders of the world**, le sette meraviglie del mondo; **signs and wonders**, segni premonitori e portenti; **to work** (*o* **to do**) **wonders**, far miracoli (*fig.*); tipo meraviglioso; prodigio (*fam.*) **B** a. attr. meraviglioso; miracoloso: **w. drugs**, medicine miracolose ● **w. boy** → **wonderboy** □ **w. child**, bambino prodigio □ **w.-struck** (*o* **w.-stricken**), stupefatto; esterrefatto; trasecolato ● **and no w.**, e non c'è da

stupirsi; e c'era da aspettarselo: *He refused to help us, and no w.*, rifiutò d'aiutarci, e c'era da aspettarselo □ **for a w.**, incredibile a dirsi: *For a w., he was punctual yesterday*, incredibile a dirsi, ieri fu puntuale □ **in w.**, con stupore; meravigliato, stupito, sorpreso: *She looked at me in w.*, mi guardò stupita □ **little** (*o* **small**) **w. that...**, non c'è da stupirsi che... □ **a look of w.**, un'aria stupita □ **much to my w.**, con mia grande meraviglia (*o* sorpresa) □ **a nine days' w.**, un fuoco di paglia (*fig.*) □ (**it is**) **no w. that...**, non fa meraviglia che...; non c'è da meravigliarsi se... □ **it is a w. that...**, è sorprendente che..., è un miracolo che: *It is a w.* (*that*) *he wasn't killed*, è un miracolo che non sia stato ucciso □ (*modo prov.*) **Wonders will never cease**, non c'è da stupirsi di nulla; ne succedono (proprio) di tutti i colori.

◆to **wonder** /'wʌndə(r)/ v. i. e t. **1** meravigliarsi; stupirsi; essere sorpreso: *I w.* (*that*) *she said such things*, mi meraviglio che abbia detto cose simili; *I w. at you*, mi meraviglio di te!; *We wondered at her skill*, fummo sorpresi (*o* stupiti) dalla sua bravura **2** chiedersi; domandarsi; voler sapere; esser curioso di sapere: *I wondered why he had come*, mi chiedevo perché fosse venuto; *I w. who made the decision*, vorrei sapere chi ha preso la decisione ● **to w. about**, chiedersi quale sarà: *I w. about the future of the human race*, mi chiedo quale sarà il futuro dell'umanità □ **to w. about doing st.**, essere incerto se fare qc. □ **to w. out loud**, farsi una domanda ad alta voce □ **I w. what the time is**, chissà che ora è □ **I w. if** (*o* **whether**) **you can tell me...**, forse Lei può dirmi se...; per favore, sa dirmi se...? ❶ **NOTA**: *wander o wonder?* → **to wander**.

wonderboy /'wʌndəbɔɪ/ n. (*fam.*) **1** neoassunto ambizioso; rampantino (*fam.*) **2** (*sport*) giocatore prodigio; grande rivelazione (*fig.*).

◆**wonderful** /'wʌndəfl/ a. meraviglioso; portentoso; prodigioso; stupefacente; stupendo; (*fam.*) eccellente, ottimo, splendido: *What a w. view!*, che vista stupenda!; **w. weather**, tempo splendido ● *I had a w. time at the party*, mi sono divertito molto alla festa □ **-ly** avv. □ **-ness** n. ⑩.

wonderingly /'wʌndərɪŋlɪ/ avv. con meraviglia; con stupore; con aria stupita.

wonderland /'wʌndəlænd/ n. **1** ⑩ il paese delle meraviglie; il paese delle fate **2** (*fig.*) luogo (*o* paese) bellissimo.

wonderment /'wʌndəmənt/ n. (*lett.*) **1** ⑩ meraviglia; stupore **2** cosa meravigliosa; fatto stupefacente; portento; prodigio.

wondrous /'wʌndrəs/ **A** a. (*poet.*, *retor.*) meraviglioso; mirabile **B** avv. (*lett.*) mirabilmente: **w. gentle**, mirabilmente gentile ‖ **-ly** avv. □ **-ness** n. ⑩.

wonk /wɒŋk/ n. (*slang USA*) **1** fanatico; fissato **2** sgobbone; secchione ‖ **wonkish** a. **1** da fanatico; da fissato **2** da sgobbone; da secchione.

wonky /'wɒŋkɪ/ a. (*fam.*) **1** barcollante; traballante; instabile; vacillante; malfermo: **a w. chair**, una sedia traballante; **w. legs**, gambe malferme **2** tentennante; incostante **3** (*slang USA*) che sgobba: *He's the w. type*, è il tipico sgobbone.

◆**won't** /wəʊnt/ contraz. di **will not**.

wont /wəʊnt/ **A** a. pred. (*form.*) abituato; avvezzo; solito: *He was w. to quote proverbs*, era solito citare proverbi **B** n. (*form.*) abitudine; consuetudine; usanza; costume: *It was his w. to walk ten miles every day*, era sua abitudine fare dieci miglia a piedi ogni giorno ● **as he was w. to say**, come soleva dire □ **use and w.**, usi e costumi.

wonted /'wəʊntəd/ a. (*raro*) **1** (*USA*) solito; avvezzo; avvezzo **2** abituale; solito; con-

sueto; usuale: **with his w. courtesy**, con la sua abituale cortesia.

to **woo** /wuː/ **A** v. t. **1** (*un tempo*) corteggiare; far la corte a; chiedere la mano di (*una ragazza*) **2** (*fig.*, *lett.*) cercare (*di ottenere qc.*); andare in cerca di; mirare a; perseguire: **to woo fame** [**success**], andare in cerca della fama [del successo] **3** (*fig.*) fare la corte a; blandire (*i potenti, gli elettori, ecc.*) **B** v. i. (*un tempo*) amoreggiare; far l'amore ● **to woo away**, portare via (*clienti, la moglie, ecc. a q.*).

◆**wood** /wʊd/ **A** n. **1** (*spesso al pl.*) bosco; foresta; selva: **a clearing in the w.**, una radura nel bosco; *The mountains are covered with thick woods*, le montagne sono coperte da fitte foreste **2** ⑩ legno; legname; legna: **hard** [**soft**] **w.**, legno duro [dolce]; **a house made of w.**, una casa di legno; *Go and fetch some more w.*, va' a prendere dell'altra legna! **3** (*solo al sing.*) botte; barile; fusto: **beer** (**drawn**) **from the w.**, birra spillata dalla botte; **whisky aged in the w.**, whisky invecchiato in fusto **4** (pl.) (*mus.*) strumenti a fiato in legno; legni **5** manico (*di legno*); impugnatura **6** (*bocce*) boccino **7** (*sport*: *calcio*) montante (*o* traversa) della porta; legno **8** (*golf*) mazza di legno; legno **9** (*tennis*) telaio (*della racchetta*) **10** legno; (*fig. raro*) stoffa (*fig.*); sostanza: *I don't know what w. he's made of*, non so di che stoffa sia fatto (*o* che tipo d'individuo sia) **B** a. attr. (*anche fig.*) di legno; ligneo: *You are not w., you are not stones, but men'* W. SHAKESPEARE, 'non siete di legno, non siete sassi, ma uomini'; **a w. bowl**, una boccia di legno; **a w. statue**, una statua lignea ● (*chim.*) **w. alcohol**, alcol di legno; alcol metilico; metanolo □ (*bot.*) **w. anemone** (*Anemone nemorosa*), anemone dei boschi □ **w. block**, blocchetto di legno (*per pavimenti, ecc.*); (*tipogr.*) matrice di legno; (*arte*) blocchetto di legno per xilografia □ (*grafica*) **w.-block printing**, xilografia (*il processo*) □ **w.-burning**, a legna: **a w.-burning stove**, una stufa a legna □ **w.-carver**, intagliatore □ **w.-carving**, intaglio (*o* scultura) in legno □ **w. coal**, carbone di legna; (*anche*) lignite □ (*zool.*) **w. dove** = **w. pigeon** → *sotto* □ **w.-engraver**, incisore su legno; xilografo □ **w.-engraving**, incisione su legno; xilografia di testa □ **w. filler**, stucco; turapori □ (*edil.*) **w. floor** (*o* **w. flooring**), parquet □ (*edil.*) **w. floor laying**, installazione del parquet □ **w. flour**, farina (*o* polvere) di legno □ **w.-house**, legnaia □ (*zool.*) **w.-lark** (*Lullula arborea*), tottavilla □ (*bot.*) **w.-lily**, (*Convallaria majalis*) mughetto; (*Pyrola minor*) piroletta soldanina □ (*mitol.*) **w. nymph**, ninfa dei boschi; driade □ **w. paper**, carta di pasta di legno □ (*zool.*) **w. pigeon**, (*Columba palumbus*) colombaccio; (*Columba oenas*) colombella □ **w. pulp**, pasta di legno; cellulosa □ (*mecc.*) **w. screw**, vite da legno □ **w. seasoning**, stagionatura del legno □ (*bot.*) **w.-sorrel** (*Oxalis acetosella*), acetosella; trifoglio acetoso; alleluia; luiula □ **w. spirit** = **w. alcohol** → *sopra* □ **w. stove**, stufa a legna □ (*chim.*) **w. tar**, catrame vegetale (*o* tratto dal legno) □ **w.-turner**, tornitore di legno □ **w. turning**, tornitura del legno □ (*chim.*) **w. vinegar**, acido pirolegnoso □ **w. wool**, lana di legno; (*volg. USA*) **to get w.**, avere un'erezione □ (*naut.*: *di barca, ecc.*) **on the w.**, priva di sartiame; a naviglio nudo □ (*fig.*) **to be out of the w.**, esser fuori dei guai (*o* fuori pericolo) □ **to take to the woods**, darsi alla macchia □ (*fig.*) **to be unable to see the w. for the trees**, perdersi nei dettagli; non vedere l'essenziale □ (*fam.*) **Touch w.!**, tocca ferro! (*per scaramanzia*).

to **wood** /wʊd/ **A** v. t. (*raro*) **1** rimboschire **2** rifornire di legna (*o di legname*) **B** v. i. (*raro*) fare legna; rifornirsi di legna.

woodbind /'wʊdbaɪnd/ → **woodbine**.

woodbine /'wʊdbaɪn/ n. (bot.) **1** (Lonicera caprifolium) caprifoglio; vincibosco; abbracciabosco **2** (Parthenocissus quinquefolia) vite del Canada.

woodchip /'wʊdtʃɪp/ n. **1** ◻ truciolo di legno **2** ◻ carta da parati in rilievo (con piccole protuberanze in legno).

woodchuck /'wʊdtʃʌk/ n. (zool., Marmota monax) marmotta americana.

woodcock /'wʊdkɒk/ n. (zool., Scolopax rusticola) beccaccia.

woodcraft /'wʊdkrɑːft/ n. ◻ (spec. USA) **1** conoscenza delle foreste (o della vita nei boschi) **2** abilità nel lavorare il legno.

woodcut /'wʊdkʌt/ n. **1** incisione su legno; xilografia **2** (tipogr.) = **wood block** → **wood**.

woodcutter /'wʊdkʌtə(r)/ n. **1** boscaiolo; taglialegna **2** (arte, grafica) incisore su legno; xilografo.

wooded /'wʊdɪd/ a. boscoso; boschivo; coperto d'alberi.

♦**wooden** /'wʊdn/ a. **1** di legno; legnoso; ligneo: **a w. bucket**, un secchio di legno; **w. steps**, gradini di legno; **a w. leg**, una gamba di legno **2** (fig.) impacciato; legnoso; inespressivo; rigido; stereotipato: **w. poses**, pose rigide; **a w. stare**, uno sguardo inespressivo; **a w. smile**, un sorriso stereotipato **3** (fig.) insensibile; duro ● **w. hammer**, mazzuolo ◻ (fam.) **w.-head**, stupido; tonto; testa di legno ◻ (fam.) **w.-headed**, stupido; tonto ◻ (fam.) **w.-headedness**, stupidità; tontaggine ◻ (fig.) **w. horse**, cavallo di Troia; (atletica) cavallo, cavalletto ◻ (fig. fam.) the **w. spoon**, il premio per l'ultimo (in una gara); la medaglia di cartone (fig.); (rugby, le Sei Nazioni) il cucchiaio di legno; (ciclismo) la maglia nera ◻ (sport) **w. spoonist**, maglia nera; ultimo arrivato ◻ (stor., fig.) **w. walls**, navi da guerra (quando erano di legno).

woodenly /'wʊdnlɪ/ avv. rigidamente; come un pezzo di legno: 'The youth, with his chin still on his breast, stood w. by' S. CRANE, 'il giovane, col mento ancora reclino sul petto, gli stava accanto come un pezzo di legno'.

woodentop /'wʊdəntɒp/ n. (slang) **1** poliziotto in divisa; piedipiatti (fam.) **2** soldato delle Guardie Reali (in GB).

woodenware /'wʊdnweə(r)/ n. ◻ oggetti di legno.

woodiness /'wʊdɪnəs/ n. ◻ **1** boscosità **2** legnosità.

woodland /'wʊdlənd/ **A** n. terreno boscoso; foreste; boschi **B** a. attr. boschivo; silvestre; silvano: **w. pastures**, pascoli boschivi; **a w. area**, una regione silvestre.

woodlander /'wʊdləndə(r)/ n. abitante dei boschi.

woodless /'wʊdləs/ a. senza boschi; brullo.

woodlouse /'wʊdlaʊs/ n. (pl. **woodlice**) (zool., Porcelio scaber) onisco delle cantine; porcellino di terra.

woodman /'wʊdmən/ n. (pl. **woodmen**) **1** guardaboschi; guardia forestale **2** boscaiolo; taglialegna **3** abitante dei boschi.

woodpecker /'wʊdpekə(r)/ n. (zool.) picchio.

woodpile /'wʊdpaɪl/ n. catasta di legna.

woodruff /'wʊdrʌf/ n. (bot., Asperula odorata) stellina odorosa.

woodshed /'wʊdʃed/ n. legnaia.

woodsman /'wʊdzmən/ n. (pl. **woodsmen**) **1** abitante dei boschi boscaiolo; taglialegna **3** guardaboschi.

woodsy /'wʊdzɪ/ a. (USA) boschivo; silvestre; silvano.

woodwind /'wʊdwɪnd/ n. ◻ (mus.) strumenti a fiato di legno (flauto, oboe, ecc.); le-

gni.

woodwork /'wʊdwɜːk/ n. ◻ **1** lavorazione del legno; falegnameria; carpenteria (arte) lavoro in legno; oggetti di legno lavorato **3** (edil.) parti in legno di una casa (porta, scale, ecc.); boiserie (franc.) **4** (sport: calcio) – the **w.**, il legno (i pali o la traversa) ● (fig.) (di una o più persone sgradevoli) **to come out of the w.**, saltare fuori; comparire all'improvviso || **woodworker** n. falegname; carpentiere.

woodworking /'wʊdwɜːkɪŋ/ n. ◻ lavorazione del legno; (lavori di) falegnameria; carpenteria: **w. machinery**, macchine per la lavorazione del legno.

woodworm /'wʊdwɜːm/ n. (zool.) **1** tarlo (in genere) **2** (Anobium punctatum) tarlo dei mobili ● (agric.) **w. control**, disinfestazione dai tarli ◻ (edil.) **w. preservation**, trattamento antitarlo.

woody /'wʊdɪ/ a. **1** boscoso; coperto d'alberi: **a w. hill**, un colle boscoso **2** di legno; legnoso; ligneo (bot.) **w. tissue**, tessuto ligneo.

wooer /'wuːə(r)/ n. (un tempo) corteggiatore; pretendente.

woof① /'wuːf/ n. ◻ (ind. tess.) **1** trama **2** (per estens.) tessuto; stoffa.

woof② /wʊf/ inter. buf!; bau! (verso del cane).

to **woof** /wʊf/ v. i. (del cane) **1** abbaiare **2** ringhiare **3** (gergo dei neri USA) parlare a vanvera; blaterare.

woofer /'wʊfə(r)/ n. (tecn.) woofer; altoparlante per basse frequenze.

wooing /'wuːɪŋ/ n. ◻ (un tempo) corteggiamento.

♦**wool** /wʊl/ n. ◻ **1** (ind. tess.) lana; vello (delle pecore, capre, ecc.): **pure w.**, pura lana; **long-stapled w.**, lana a fibra lunga; We get w. from Australia, importiamo lana dall'Australia; W. keeps you warmer than cotton, la lana tiene più caldo del cotone **2** (scherz.) capelli crespi; capelli (in genere) **3** peluria; pelo, lanugine (di animale) **4** (bot.) lanugine; lana; pelo **5** (volg. USA) cespuglio; peluria del pube della donna **6** (volg. USA) pelo (fig.); le donne come oggetto sessuale **B** a. attr. (ind. tess.) This suit is pure w., quest'abito è di pura lana; **a w. scarf**, una sciarpa di lana ● **w. carder**, cardatrice ◻ **w. carding**, cardatura della lana ◻ (tecn.) **w. clip**, produzione annuale di lana (di un allevamento di pecore) ◻ **w. cloth**, panno di lana ◻ **w. combing**, pettinatura della lana ◻ **w.-dyed = dyed in the w.** → sotto ◻ (fin.) the **w. exchange**, la Borsa della lana ◻ **w. fat**, grasso di lana; lanolina ◻ (arc.) **w. fell**, vello di pecora; pelle di pecora con la lana attaccata ◻ **w. grease = w. fat** → sopra ◻ **w. hall**, mercato della lana ◻ **w. merchant**, commerciante di lana ◻ **w. shop**, negozio della lana ◻ **w. stapler**, cernitore della lana; (anche) chi vende lana grezza ◻ the **w. trade**, il commercio della lana; l'industria laniera ◻ **w. waste**, cascami di lana ◻ (fig.) **against the w.**, contropelo ◻ **carding w.** (o **short w.**), lana da carda; lana corta ◻ **combing w.** (o **long w.**), lana da pettine; lana lunga ◻ **dyed in the w.** (di fibre tessili) tinto prima della filatura; (fig.) connaturato, inveterato, radicato; (di sportivo e sim.) fanatico, appassionato; (di politico, ecc.) dalla testa ai piedi, tutto d'un pezzo; (di uno scapolo, ecc.) impenitente ◻ (fig.) **to go for w. and come home shorn**, andare per suonare ed essere suonati; tornare con le pive nel sacco ◻ (fam.) **to keep one's w. on**, restare calmo; non arrabbiarsi ◻ (fig.) **to pull the w. over sb.'s eyes**, gettar fumo negli occhi a q.; ingannare q.

woolen /'wʊlən/ (USA) → **woollen**.

woolgathering /'wʊlgæðərɪŋ/ **A** a. di-

stratto; sbadato **B** n. ◻ **1** distrazione; sbadataggine **2** fantasticherie; sogno a occhi aperti || to **woolgather** v. i. sognare a occhi aperti; perdersi in fantasticherie.

woolgrower /'wʊlgrəʊə(r)/ n. allevatore di pecore.

woolies /'wʊlɪz/ n. pl. (fam. USA) mutandoni di lana.

woollen, (USA) **woolen** /'wʊlən/ a. **1** di lana: **w. cap**, berretto di lana (da sciatore); **a w. rug**, un tappeto di lana; **w. cloth**, stoffa di lana **2** (econ.) della lana; laniero: **w. manufacturers**, industriali lanieri.

woollens, (USA) **woolens** /'wʊlənz/ n. pl. articoli (o indumenti) di lana; lanerie.

woolliness, (USA) **wooliness** /'wʊlɪnəs/ n. ◻ **1** lanosità **2** (fig.) confusione mentale.

woolly, (USA) **wooly** /'wʊlɪ/ **A** a. **1** lanoso; di lana; lanuto; lanuginoso: **w. hair**, pelo lanuginoso; capelli lanosi; **a w. puppy**, un cucciolo dal pelo lanuginoso; (lett.) the **w. flock**, il lanuto gregge **2** (fig.) confuso; annebbiato; indistinto; farraginoso; fumoso: **a w. mind**, una mente confusa, annebbiata; **a w. voice**, una voce indistinta; **w. thinking**, modo di pensare fumoso **B** n. (fam.; di solito al pl.) indumenti di lana **2** (slang Austral.) pecora ● (zool.) **w. bear**, bruco velloso (spec. della famiglia degli Arctidi) ◻ **w. clouds**, cielo a pecorelle ◻ (fam.) **w. elephant**, mammut ◻ **w.-headed**, dai capelli lanosi (o crespi); (fig.) che ha idee confuse, vaghe; confusionario; svampito ◻ (polit., spreg.) **w. liberal**, sinistroide ◻ **w.-minded**, svampito confusionario; dalle idee confuse.

woolman /'wʊlmən/ n. (pl. **woolmen**) commerciante di lana.

woolpack /'wʊlpæk/ n. **1** balla di lana **2** balla (o imballaggio) per la lana.

woolsack /'wʊlsæk/ n. **1** sacco di lana **2** – (polit.) the **W.**, il cuscino (imbottito di lana) del seggio del Lord Cancelliere; (fig.) la carica di Lord Cancelliere ● (fig.) **to reach the W.**, diventare Lord Cancelliere ◻ (fig.) **to take seat on the W.**, aprire la seduta alla Camera dei Lord.

woolshed /'wʊlʃed/ n. (Austral. e NZ) stazione di tosa (delle pecore).

woozy /'wuːzɪ/ a. (fam.) **1** che ha le vertigini; a cui gira la testa (fam.) **2** rintronato; scombinato; intontito; stordito | **-ily** avv. | **-iness** n. ◻.

wop① /wɒp/ n. (slang, spreg.; forse da «guappo») oriundo italiano (o latino); immigrato italiano (in USA); italiano.

wop② /wɒp/ to **wop** /wɒp/ → **whop**, to **whop**.

Worc, Worcs abbr. (**Worcestershire**) la Contea di Worcester.

♦**word** /wɜːd/ n. **1** parola; termine; vocabolo: 'Words are but the signs of ideas' S. JOHNSON, 'le parole non sono che i simboli delle idee'; He is a man of few words, è un uomo di poche parole; Don't breathe (o mention o say) a w. about it, non farne parola a nessuno!; non fiatare!; «Good» is not the w. for him, «buono» non è il termine adatto per lui; How many English words do you know?, quanti vocaboli inglesi conosci?; He gave his w., diede la sua parola (d'onore); He is a man of his w., è un uomo di parola; **good words**, buone parole; parole di consolazione (o d'incoraggiamento); You can take my w. for it, puoi credermi sulla parola **2** ◻ notizia; notizie; spec.: W. came that the enemy was approaching, giunse notizia che l'esercito nemico si stava avvicinando; I've had no w. from him yet, sono ancora senza sue notizie; non ho ricevuto alcun messaggio da lui; No w. from home, nessuna notizia da casa **3** (mil.) parola d'ordine; (fig.) motto; comando; ordine; segnale: Sharp's the w., il nostro motto è «far presto!»; The boss will give the w. to

start, il capo darà il segnale della partenza **4** (*comput.*) parola; codice; voce **5** – (*relig.*) **the W.**, il Verbo; il Vangelo; la Parola di Dio **6** (*preceduto da una maiuscola, che sta per una parola sgradita o volgare*) parola tabù: **the F-w.**, la parola che comincia per 'f' (= *fuck*) **7** (*slang*) – **the w.**, informazione; notizia: *The w. is out he won't run again*, si dice in giro che non ripresenterà la propria candidatura; **to put out the w. to sb.**, informare q.; passare parola a q. ● (*med.*) **w. blind**, affetto da cecità verbale (*o da alessia, da dislessia*) □ (*med.*) **w. blindness**, cecità verbale; alessia; dislessia □ **w.-bound**, impacciato nel parlare; che non vuol parlare □ (*gramm.*) **w. building** (*o* **w. formation**), formazione delle parole □ (*med.*) **w. deaf**, affetto da afasia acustica (*o da sordità verbale*) □ (*med.*) **w. deafness**, sordità verbale; afasia acuta □ **w. for w.**, parola per parola; alla lettera; letteralmente: **to translate w. for w.**, tradurre alla lettera □ **w. game**, gioco linguistico; gioco di vocabolario □ **a w. in season**, una parola al momento giusto; un consiglio opportuno □ (*mil.*) **w. of command**, comando; ordine □ **w. of honour**, parola d'onore □ **w.-of- -mouth = by w. of mouth** → *sotto* □ (*gramm.*) **w. order**, costruzione della frase □ **a w. out of season**, un consiglio inopportuno; un intervento fuori luogo □ (*fig.*) **a w.- -painter**, un narratore pittoresco □ **w.-perfect**, che sa perfettamente a memoria una poesia (*o una parte teatrale, ecc.*); (*di un testo*) perfetto nei minimi particolari □ **w. picture**, descrizione vivida, icastica □ (*comput.*) **w. processing**, word processing; elaborazione di testi □ (*comput.*) **w. processor**, word processor (*programma di elaborazione di testi*) □ **w.-splitter**, sofista; pedante; chi spacca un capello in quattro □ **w.-splitting**, (agg.) pedantesco; (sost.) sofisticheria, pedanteria □ **w. square**, quadrato magico (*nell'enigmistica*) □ (*comput.*) **w. wrapping**, ritorno a capo □ **to be as good as one's w.**, essere un uomo di parola; mantenere le promesse □ **beyond words**, indicibile; in modo indicibile, indicibilmente □ **big words**, parole grosse; vanterie; fanfaronate; insulti □ **to break one's w.**, non tener fede alla parola data; non mantenere le promesse □ **by w. of mouth**, oralmente; verbalmente; a viva voce; mediante il passaparola □ **to coin words**, coniare parole nuove □ **to eat one's words**, rimangiarsi le proprie parole; ritrattare; ammettere il proprio torto □ (*fig.*) **from the w. go**, fin dall'inizio □ (*fig.*) **to hang on sb.'s words**, pendere dalle labbra di q.; ascoltare q. con grande attenzione □ **to have** (*o* **to get**) **the last w.**, aver l'ultima parola □ **to have a few words with sb.**, scambiare qualche parola con q. □ **to have words with sb.**, venire a parole (*o avere un diverbio*) con q. □ **to be honest in w. and deed**, essere onesto a parole e nei fatti □ **in a** (*o* **in one**) **w.**, in una parola; in breve □ **in words**, in parole; in lettere: *The amount to be paid must be expressed in words as well as in figures*, la somma da pagare va indicata sia in cifre che in lettere □ **in other words**, in altre parole; in altri termini □ **in so many words**, esattamente; in tutte lettere; esplicitamente: *He didn't say that in so many words, but that's what he meant*, non lo disse esplicitamente, ma questo è ciò che voleva dire □ **to keep one's w.**, mantenere la parola (*o le promesse*) □ (*fig.*) **the last w. in**, l'ultima novità in fatto di: *This is the last w. in television sets*, questa è l'ultima novità in fatto di televisori □ **to leave w.**, lasciar detto (*qc. a q.*) □ **on** (*o* **with**) **the w.**, detto fatto; subito; immediatamente □ **to proceed from words to blows**, passare (dalle parole) alle vie di fatto □ **to put one's fears into words**, manifestare i propri timori □ **to put one's thoughts into words**, tradurre in parole i

propri pensieri □ **to say** (*o to put in*) **a good w. for sb.**, dire (*o mettere*) una buona parola in favore di q.; raccomandare q. □ (*fam.*) **to say the w.**, dire la parola decisiva; dare la propria approvazione; dare l'ordine (*di cominciare qc.*) □ **to send sb. w.**, dare notizia a q.; avvertire q. □ **to take sb. at his w.**, prendere q. in parola □ (*fam.*) **to take sb.'s w. for it**, credere a q. sulla parola □ **to take words for things**, scambiare le parole per fatti □ **to take the words out of sb.'s mouth**, togliere la parola di bocca a q. □ **to tell st. in one's own words**, dire qc. con parole proprie □ **to waste words on sb.**, sprecare il fiato con q. □ **to weigh one's words**, pesare (*o misurare*) le parole □ **His w. is as good as his bond**, la sua parola è più che sufficiente; la sua parola vale un impegno scritto □ **Upon my w.!**, parola (d'onore)!; sul mio onore! □ **My w.!**, perbacco! □ (*fig.*) **He hasn't a w. to throw at a dog**, non rivolge la parola a nessuno □ **A w. in your ear**, voglio dirti due parole in privato □ (*prov.*) **A w. to the wise is enough**, a buon intenditor poche parole □ (*prov.*) **Good words without deeds are rushes and reeds**, belle parole e cattivi fatti ingannano savi e matti □ (*prov.*) **Kind words go a long way**, le buone parole possono molto; con le buone si fa tutto □ (*prov.*) **Words are but wind**, le parole volano (*cfr. lat. «Verba volant, scripta manent»*).

to word /wɜːd/ v. t. mettere in parole; esprimere; formulare; redigere; scrivere: *I don't know how to w. this letter*, non so come formulare questa lettera; *The report must be worded clearly*, la relazione va redatta in modo chiaro; *It should be worded differently*, bisognerebbe dire la cosa con parole diverse; **a well-worded letter**, una lettera scritta bene (*con precisione di linguaggio*) ● **a message worded as follows**, un messaggio così concepito (*o del seguente tenore*).

wordbook /ˈwɜːdbʊk/ n. **1** lessico; vocabolario **2** (*mus.*) libretto d'opera.

wording /ˈwɜːdɪŋ/ n. ▣ **1** enunciazione; espressione; formulazione: *A different w. might be better*, forse una formulazione diversa è da preferirsi; *The w. is too complex*, l'enunciazione è troppo involuta **2** redazione; stesura **3** dicitura: *What's the w. on this rubber stamp?*, che dicitura porta questo timbro?

wordless /ˈwɜːdləs/ a. **1** senza parole; muto (*per lo stupore, ecc.*) **2** inespresso; non detto **3** (*mus.*) muto: **a w. chorus**, un coro muto | **-ly** avv. | **-ness** n. ▣.

wordplay /ˈwɜːdpleɪ/ n. ▣ il giocare con le parole; gioco di parole.

wordy /ˈwɜːdɪ/ a. verboso; prolisso: **a w. document**, un documento prolisso ‖ **wordily** avv. verbosamente; prolissamente ‖ **wordiness** n. ▣ verbosità; prolissità.

wore /wɔː(r)/ pass. di **to wear**.

◆ **work** /wɜːk/ n. **1** ▣ lavoro (*anche econ.*); opera (*anche letteraria, ecc.*); attività: *He doesn't like his w.*, il suo lavoro non gli piace; *What sort of w. are you looking for?*, che genere di lavoro sta cercando?; *Can you do this w. alone?*, puoi fare questo lavoro da solo?; **a day's w.**, il lavoro d'una giornata; *I've lost all this morning's w.*, ho perso tutto il lavoro di stamattina; *'D.H. Lawrence is always in his w. and is irremovable'* A. BURGESS, 'D.H. Lawrence è sempre presente nella sua opera ed è inamovibile'; *This painting is my own w.*, questo dipinto è opera mia; **to find** (*o* **to get**) **w.**, trovar lavoro; trovare da lavorare; *A teacher does his w. mainly at school*, l'insegnante svolge la sua attività soprattutto a scuola; **to go to w.**, andare al lavoro: *I go to w. by bus*, vado al lavoro in autobus; *My father is at w. now*, mio padre è al lavoro **2** (*arte, letter., mus., ecc.*)

opera (*anche in senso morale*): **a fine w. of art**, una bella opera d'arte; *Shakespeare's complete works*, le opere complete di Shakespeare; *'My life is like a w. of art'* O. WILDE, 'la mia vita è come un'opera d'arte'; **works of mercy**, opere di bene; atti di carità **3** (pl.) (di solito col verbo al sing.) fabbrica; officina; opificio; stabilimento: *The biggest works is outside the town*, lo stabilimento più grande è fuori della città; **a gas works**, un'officina del gas **4** (pl.) meccanismo; ingranaggio; congegno; movimento: *The works need to be repaired*, bisogna riparare il congegno; **the works of a clock** (*of a watch*), il movimento di un orologio **5** (pl.) opere, lavori (d'ingegneria); (*mil.*) fortificazioni: **public works**, opere di pubblica utilità; lavori pubblici; **defensive works**, opere di difesa; *There are road works on the M1 and it's reduced to one lane*, ci sono dei lavori sulla M1 e la strada è ridotta a una corsia **6** ▣ (*fis.*) lavoro: **to convert energy into w.**, convertire energia in lavoro **7** (*mecc., ind.*, = **workpiece**) pezzo (da lavorare): **to true up the w.**, centrare il pezzo **8** (pl.) (*fam.*; = **the full works**, **the whole w.**) tutto quanto; armi e bagagli; ogni cosa; (*di cibo*) un po' di tutto; il menu completo **9** (pl.) (*slang*) tutto l'armamentario (*o l'attrezzatura*) che serve per drogarsi ● **w. area**, zona lavoro □ (*econ.*) **w. by the day**, lavoro a giornata; lavoro in economia □ (*org. az.*) **works committee**, commissione mista □ (*econ.*) **w. cost**, costo del lavoro □ (*ind.*) **w. cycle**, ciclo di lavorazione (*anche comput.*) **w. group**, gruppo di lavoro □ **w.-horse** → **workhorse** □ (*org. az.*) **w. hour**, ora lavorativa □ **w. in hand** (*o in progress*), lavoro in corso □ (*org. az.*) **w. order**, ordine (*o buono*) di lavorazione; commessa □ (*leg.*) **w. permit**, permesso di lavoro □ **w. rate**, quantità di lavoro; (*sport*) mole di gioco svolto □ (*econ.*) **w. relief**, sostegno all'occupazione □ **w. sheet**, → **worksheet** □ (*cronot.*) **w. standard**, norma □ **w. station** → **workstation** □ (*econ.*) **w. stoppage**, interruzione del lavoro □ (*ind.*) **w. study**, studio dell'organizzazione del lavoro □ (*USA*) **w.-study scholarship**, borsa di studio con lavoro part-time □ **w. ticket = w. order** → *sopra* □ **all in the day's w.**, tutto regolare; roba d'ordinaria amministrazione □ **w.**, al lavoro; sul lavoro: **safety at w.**, la sicurezza sul lavoro □ **to be at the works**, essere in fabbrica; essere in officina □ **to be at w. upon st.**, lavorare a qc.; essere occupato a fare qc. □ **to have a hand in the w.**, avere le mani in pasta □ (*fam.*) **to have one's w. cut out**, avere a mano un lavoro difficile; avere un bel da fare □ (*USA*) **to be in w.**, essere in lavorazione □ **to be in** (*regular*) **w.**, avere un lavoro (fisso); essere occupato; avere un impiego: *Are you in w.?*, hai un impiego? □ **to be looking for w.**, essere in cerca di lavoro □ **Keep up the good w.!**, bravo! continua così! □ **to make short** (*o* **quick**) **w. of**, sbrigarsi di; sbarazzarsi di; far piazza pulita di: *You have made short w. of cleaning up the garden*, ti sei sbrigato a pulire il giardino; *I have made short w. of him*, mi sono sbarazzato di lui □ (*econ.*) **to be out of w.**, essere disoccupato □ **a piece of w.**, un lavoro; un oggetto lavorato: *What a wonderful piece of w.!*, che magnifico lavoro! □ **to set** (*o to go*) **about one's w.**, mettersi a lavorare; intraprendere il proprio lavoro □ **to set sb. to w.**, mettere q. al lavoro; far lavorare q. □ **to set** (*all*) **to w.**, mettersi al lavoro; mettersi all'opera □ **sexual discrimination at w.**, discriminazione sul lavoro in base al sesso; diversità di trattamento fra lavoratori e lavoratrici □ **I have done a good day's w.**, ho fatto un bel po' di lavoro, oggi □ **My w. is in civil engineering** (*o as a civil engineer*), faccio (di professione) l'ingegnere (civile) □ (*prov.*) **All**

w. and no play makes Jack a dull boy, il troppo lavoro rende noiosi.

♦to **work** /wɜːk/ (pass. e p. p. **worked**, talora **wrought**) **A** v. i. **1** lavorare; operare; fare un lavoro: *I've been working all day*, è tutto il giorno che lavoro; *He isn't working at present*, non sta lavorando ora; (*anche*) al momento è senza lavoro (*o* è disoccupato); **to w. hard**, lavorar sodo; *The new cook works well*, il nuovo cuoco fa bene il suo lavoro; *He was given the Nobel Prize because he had worked so hard for peace*, ricevette il premio Nobel per aver tanto operato per la pace; *Where do you w.?*, dove lavori? **2** funzionare (*anche fig.*); fare effetto; essere efficace; andare: **to w. on electricity**, funzionare (*o* andare) con la corrente (elettrica); *The fridge has stopped working*, il frigo ha smesso di funzionare; *I don't think your idea will w.*, non credo che la tua idea funzionerà; *'I suppose it could never have worked, anyway, but I do love you, Jimmy'* J. OSBORNE, 'credo che la cosa non avrebbe potuto mai funzionare, comunque; però io ti amo per davvero, Jimmy'; *The remedy didn't w.*, il rimedio non fu efficace; *The plan worked very well*, il piano andò alla perfezione **3** penetrare (con difficoltà): *The worm worked (its way) into the wood*, il tarlo penetrò nel legno **4** lavorarsi, manipolarsi (*bene, male, ecc.*): *This clay works easily*, quest'argilla si manipola bene **5** (*fig.*) maturare; fermentare: *Let the idea w. in your mind*, lascia che l'idea ti fermenti in testa **6** contrarsi; distorcersi: *Mr Hyde's features began to w. in an awful manner*, i lineamenti di Mr Hyde cominciarono a distorcersi in modo orrendo **7** (*naut.*) manovrare a forza **8** (*mecc., naut.*) allentarsi; allascarsi; avere gioco **9** (*tecn.: del malto, ecc.*) fermentare **10** (*naut: di una nave*) faticare; travagliare **11** (*naut.*) bordeggiare; navigare controvento **B** v. t. **1** lavorare; foggiare; plasmare; manipolare: **to w. the soil**, lavorare la terra; (*cucina*) **to w. butter [dough] well**, lavorar bene il burro [la pasta]; **to w. clay**, manipolare l'argilla; **to w. iron**, foggiare il ferro **2** far lavorare: *He works his players hard [non stop]*, fa lavorare sodo [senza tregua] i suoi giocatori **3** far funzionare; azionare; manovrare; condurre: **to w. a machine**, far funzionare una macchina; **to be worked by electricity**, essere azionato dall'elettricità; andare con la corrente (elettrica); **to w. an engine**, manovrare una locomotiva; *He worked the train from London to Liverpool*, condusse il treno (fece da macchinista sul treno) da Londra a Liverpool **4** (*tecn.*) comandare: *This gadget works the whole burglar alarm*, questo aggeggio comanda l'intero antifurto **5** operare; causare; produrre; provocare; compiere; esercitare; fare: *Automation has worked (o wrought) many changes in the car industry*, l'automazione ha operato molti cambiamenti nell'industria automobilistica; *The storm worked great ruin*, la tempesta causò gravi danni; **to w. mischief**, provocare (*o* fare) danni **6** (*org. az.*) dirigere; essere a capo di **7** (*tecn.*) dare per fermentazione: *Yeast works beer*, il lievito per fermentazione dà la birra **8** (*econ.*) sfruttare, coltivare (*una miniera*): **to w. a coal mine**, sfruttare una miniera di carbone **9** operare, ricamare; fare (*cucendo o ricamando*): **to w. one's initials on the linen**, ricamare le proprie iniziali sulla biancheria **10** esercitare un influsso su (q.); convincere; indurre; persuadere: *You should w. him to your way of thinking*, dovresti indurlo a condividere il tuo modo di vedere **11** (*fam.*) sistemare; arrangiare (*fam.*); fare in modo: *I'll w. it so that you can come as well*, farò in modo che anche tu possa venire; *How did she w. it?*, come c'è riuscita? **12** (*USA*) fare (*un'opera-*

zione aritmetica); risolvere (*un problema*); trovare, calcolare (*un risultato*) **13** (*sport: calcio, ecc.*) lavorare, manovrare (*il pallone*) **14** (*naut.*) manovrare (*una barca*) **15** (*fam.*) lavorarsi, manipolare, sfruttare (q.) ● (*comput.*) **to w. at a distance**, lavorare a distanza □ (*di un oratore, ecc.*) **to w. the audience into enthusiasm**, sollevare l'entusiasmo del pubblico □ (*di un principio, ecc.*) **to w. both ways**, valere nei due sensi (*o* per tutti e due) □ **to w. closely with sb.**, lavorare in stretta collaborazione con q. □ (*comm.: di un commesso viaggiatore*) **to w. a district**, lavorare in una zona, fare una zona □ **to w. double tides**, fare in un giorno il lavoro di due □ (*sport*) **to w. the edges**, agire sugli spigoli (*degli sci*); spigolare □ **to w. free**, (riuscire a) liberare, sciogliere: **to w. one's hands free**, liberarsi le mani □ (*econ.*) **to w. full-time**, lavorare a tempo pieno; □ **to w. like a beaver**, lavorare come un mulo; lavorare per dieci; **to w. like a dog**, lavorare come un mulo □ (*mecc.*) **to w. loose**, allentare; allentarsi: *The nut of the bolt has worked loose*, s'è allentato il dado del bullone □ **to w. nights**, fare il turno di notte □ **to w. overtime**, fare lavoro straordinario; fare lo straordinario □ **to w. part-time**, lavorare a tempo parziale (*o* ridotto) □ **to w. one's passage (on a ship)**, pagarsi la traversata (su una nave) lavorando a bordo □ (*leg.*) **to w. a patent**, sfruttare un brevetto □ **to w. in shifts**, lavorare a turni □ **to w. a typewriter**, scrivere a macchina; fare il dattilografo □ **to w. one's way through the crowd**, farsi largo a fatica tra la folla □ **to w. wonders**, fare miracoli □ (*autom.*) «**Men working**» (*cartello*), «lavori in corso» □ **It worked like a charm**, la cosa andò (*o* tutto filò) a meraviglia; funzionò come d'incanto.

■ **work against** v. i. + prep. **1** lavorare contro: *Time is working against us*, il tempo lavora contro di noi **2** lavorare (manovrare, darsi da fare) contro (q. *o* qc.): **to w. against war**, darsi da fare per impedire la guerra **3** danneggiare; sfavorire (q. *o* qc.).

■ **work around to** → **work round to**.

■ **work at** v. i. + prep. **1** lavorare in (*un luogo*): **to w. at a bank**, lavorare in banca **2** lavorare a (qc.) □ (*fig.*) **I'm still working at it**, mi sto dando ancora da fare.

■ **work away** v. i. + avv. **1** continuare a lavorare; darci dentro (*o* sotto; *fam.*) **2** (*di una parte del corpo*) muoversi **3** (*del viso*) fare piccole smorfie.

■ **work by** v. i. + prep. (*di una macchina, ecc.*) funzionare, andare a: *This car works by electricity*, questa auto è azionata dall'energia elettrica □ (*econ.*) **to w. by the day**, lavorare a giornata.

■ **work down** **A** v. t. + avv. consumare, logorare (*materiali*) con l'uso **B** v. i. + avv. (*di lavoratori*) perdere status professionale; svolgere mansioni inferiori.

■ **work in** **A** v. t. + avv. **1** introdurre; inserire; infilare; mettere dentro: **to w. in a needle**, infilare un ago (*nella stoffa*); *Can't you w. in a few anecdotes?*, non puoi inserire qualche aneddoto?; **to w. a Latin tag in**, mettere dentro una citazione in latino **2** adattare; far combaciare (*a incastro*) **B** v. i. + avv. **1** (*della polvere, ecc.*) penetrare; farsi strada (*dentro qc.*) **2** (*fig.*) combaciare; accordarsi, adattarsi; essere compatibile: *My plans don't w. in with yours*, i miei progetti non si accordano con i tuoi □ **to w. oneself in**, fare la mano (*fam.*: l'osso) a un lavoro; riuscire a inserirsi.

■ **work into** v. t. + prep. **1** introdurre, inserire, infilare (qc.) dentro; far penetrare in: **to w. the key into the hole**, infilare la chiave nel buco; **to w. an ointment into the skin**, far penetrare un unguento nella pelle **2** (*fig.*) far entrare (*un'idea, un concetto, ecc.*) in testa a (q.) **3** (*sport*) manovrare (*la palla*)

facendola entrare in: **to w. the ball into the opponents' penalty box**, manovrare la palla facendola entrare nell'area di rigore avversaria.

■ **work off** **A** v. t. + avv. **1** liberare, cavare, sganciare, staccare, togliere (*un coperchio, un bullone, e sim.*) **2** eliminare, liberarsi di (*col moto, ecc.*): **to w. off excess weight by regular exercise**, eliminare peso in eccesso facendo esercizio regolare **3** sbrigare: **to w. off a lot of correspondence**, sbrigare un mucchio di corrispondenza **4** sfogare: *He worked off his anger*, sfogò la sua rabbia **5** (*fin.*) estinguere, pagare (*un debito*) col proprio lavoro **6** (*market.*) vendere, svendere, esitare (*merce*) **7** (*tipogr.*) stampare, tirare (*copie di un libro, ecc.*) **B** v. i. + avv. **1** (*di un gancio, un bullone, ecc.*) staccarsi; sganciarsi; togliersi (sfilarsi, ecc.) con l'uso **2** (*di un dolore, ecc.*) passare facendo del moto (*o* dei movimenti) □ (*volg. USA*) **to w. one's ass off**, farsi un culo così □ (*fam.*) **to w. one's head off**, lavorare come un mulo; mettercela tutta □ (*fig.*) **to w. off steam**, sfogarsi; rilassarsi; scaricarsi □ (*fam. USA*) **to w. one's tail off** = **to w. one's head off** → *sopra*.

■ **work on** **A** v. i. + avv. continuare a lavorare; darci dentro (*o* sotto; *fam.*) **B** v. i. + prep. **1** lavorare a; elaborare: **to w. on a dictionary**, lavorare a un dizionario; **to w. on the figures**, elaborare le cifre **2** lavorare per: *He's working on finding a new method of contraception*, sta lavorando per trovare un nuovo metodo contraccettivo **3** avere un effetto (*spesso cattivo*) su (q.); influenzare; rattristare; addolorare **4** agire, intervenire su (q. *o* qc.); influenzare; lavorarsi (*fam.*): (*econ., fin.*) *The banks are working on interest rates*, le banche agiscono sui tassi d'interesse; *I'm trying to w. on the boss*, sto cercando di lavorarmi il capo **C** v. t. + prep. operare; fare (*un disegno*) su; incidere su: **to w. a nice pattern on a carpet**, fare un bel disegno su un tappeto; **to w. a heart on a tree trunk**, incidere un cuore su un tronco d'albero □ (*econ.*) **to w. on contract**, lavorare a contratto □ **to w. on one's own**, lavorare da solo; (*econ.*) lavorare in proprio □ (*fam.*) **I'm still working on it**, mi sto ancora dando da fare.

■ **work out** **A** v. t. + avv. **1** cavare, togliere, levar via (qc.) con sforzo; far uscire (qc.: *da un buco, di tasca, ecc.*) **2** calcolare; elaborare; risolvere: **to w. out a problem**, risolvere un problema; **to w. out a scheme**, elaborare un progetto; **to w. out the interest on a loan**, calcolare l'interesse su un mutuo **3** decifrare; decodificare: **to w. out a secret message**, decifrare un messaggio segreto **4** escogitare; inventare: **to w. out a new way of cutting expenditure**, escogitare un modo nuovo di ridurre la spesa **5** progettare; pianificare: **to w. out one's future**, pianificare il proprio avvenire **6** passare (*il tempo*) lavorando **7** (*econ.*) esaurire (*una miniera, un pozzo petrolifero, ecc.*) **8** (*fam.*) capire, comprendere (*con qualche sforzo*): **to w. out the meaning of a difficult passage**, capire il significato di un brano difficile; *I haven't quite worked out how to use all its functions yet*, non ho ancora capito molto bene come si usano tutte le funzioni **9** (*USA*) → **work off, A**, *def. 5* **B** v. i. + avv. **1** (*di un oggetto incastrato*) venir fuori (*a stento*); uscire (*a fatica*): *In the end the thorn worked out of my finger*, alla fine la spina mi uscì dal dito **2** (*di un conto, una somma, ecc.*) tornare; venire: *My sums won't w. out*, le mie somme non tornano **3** (*fam.: di un piano, ecc.*) funzionare; andare (*bene, ecc.*); andare a finire: *Did his plan w. out?*, ha funzionato il suo piano?; *Everything will w. out for the best*, tutto andrà a finire nel migliore dei modi **4** (*di un cantante, un attore, ecc.*) esercitarsi; fare esercizio **5** (*di un atleta, un pugile, ecc.*) al-

lenarsi □ **to w. out one's fate**, essere l'artefice del proprio destino □ (*mat.*) **to w. out a sum**, fare una somma □ **I'll w. things out**, metto a posto le cose io; ci penso io; sistemo tutto io □ **Things are working out well for him**, la faccenda (*o* l'affare) si mette bene per lui.

■ **work out to** (*o* **at**) v. i. + avv. + prep. (*mat.*, *rag.*, *ecc.*) ammontare, assommare a; risultare di: *The expected cost will w. out at 50,000 pounds*, il costo previsto ammonterà a 50 000 sterline; *The total area of the building plot works out to 5,000 yards*, la superficie complessiva del lotto risulta di 5000 iarde.

■ **work over** v. t. + avv. **1** (*spec. USA*) rifare (*un'operazione aritmetica, un calcolo, ecc.*) **2** (*spec. USA*) riscrivere (*una relazione, ecc.*) **3** (*fam.*) picchiare, pestare (q.); riempire (q.) di botte **4** (*fam. USA*) minacciare; intimidire.

■ **work round** v. i. + avv. **1** (*spec. del vento*) cambiare direzione; girare **2** (*fig.*) cambiare idea; cambiare parere.

■ **work round to** v. i. + avv. + prep. **1** avvicinarsi, accostarsi a: *He worked round to our point of view*, si avvicinò al nostro punto di vista; alla fine venne dalla nostra parte (*fig.*) **2** accostarsi a, giungere a toccare (*un argomento, ecc.*) **3** prepararsi a fare (*un lavoro*); mettersi a poco a poco a (*scrivere qc., ecc.*).

■ **work through** **A** v. i. + prep. entrare, penetrare (*a fatica*): *The rain had worked through the roof*, l'acqua era penetrata dal tetto **B** v. t. + prep. **1** infilare, far entrare (*un ago, ecc.*) in **2** lavorare per finire, per sbrigare (qc.): **to w. through the backlog of correspondence**, lavorare per sbrigare la corrispondenza arretrata □ **to w. one's way through college** (*o* **university**), fare l'università lavorando □ **to w. through a very difficult problem**, riuscire a risolvere un problema molto difficile.

■ **work to** v. i. + prep. **1** lavorare secondo: **to w. to a plan**, lavorare secondo un piano; pianificare il proprio lavoro **2** lavorare ascoltando: **to w. to music**, lavorare ascoltando della musica □ **to w. sb. to death**, sfiancare q. dal lavoro □ (*fam.*) **to w. one's fingers to the bone**, ammazzarsi di lavoro □ **to w. st. to death**, fondere (*un apparecchio, usandolo in modo intenso*) □ (*econ.*) **to w. to rule**, fare uno sciopero bianco □ (*org. az.*) **to w. to a timetable**, rispettare i tempi (*o* le scadenze).

■ **work up** **A** v. t. + avv. **1** far venire su (*un chiodo, una vite, ecc.*) con piccoli movimenti **2** costruire faticosamente; creare, fare (*dal nulla o quasi*); sviluppare: **to w. up a reputation**, farsi un buon nome **3** eccitare (*una folla, ecc.*); suscitare (*sentimenti*); stimolare; fomentare: *Anthony worked up the feelings of the Romans*, Antonio eccitò i sentimenti dei romani; **to w. up a civil war**, fomentare una guerra civile; **to w. up one's anger**, fare ribollire la propria ira **4** elaborare; sviluppare; organizzare: **to w. up a plan**, elaborare un piano; **to w. up a collection of facts into a magazine article**, organizzare (*o* elaborare) una serie di fatti ricavandone un articolo per una rivista **5** acquisire, assimilare (*conoscenze, nozioni, ecc.*) **B** v. i. + avv. **1** (*di un chiodo, una vite, ecc.*) venire su; venir fuori; sporgere **2** crearsi, farsi, formarsi, svilupparsi (*dal poco*); (*di una ditta, ecc.*) affermarsi: *His medical practice is working up at last*, come medico, finalmente si sta facendo una buona clientela **3** (*del vento*) rinforzare (*fig.*) farsi strada; fare carriera (*col proprio lavoro*) □ **to w. up an appetite**, farsi venire l'appetito □ (*boxe: dei due pugili*) **to w. up each other**, lavorare a vicenda □ **to w. oneself up**, farsi animo; farsi forza; tirarsi su; agitarsi troppo; eccitarsi; innervosirsi;

turbarsi: (*fam.*): *Don't w. yourself up over nothing*, non agitarti per un nonnulla! □ (*fig.*) **to w. up steam**, farsi forza; trovare l'energia necessaria (*per fare qc.*) □ **to w. up to a climax**, raggiungere l'apice; arrivare al culmine □ **to w. one's way up**, fare carriera (*nella professione*); farsi strada.

■ **work upon** → **work on**, **B** e **C**.

workable /'wɜːkəbl/ a. **1** (*tecn.*) lavorabile; coltivabile: **w. soil**, terreno coltivabile **2** (*di miniera, ecc.*) coltivabile; sfruttabile **3** fattibile; attuabile; realizzabile: **a w. scheme**, un progetto realizzabile **4** (*di macchina*) funzionante ● **w. clay**, argilla plasmabile ‖ **workability** n. ⊡ **1** (*tecn.*) lavorabilità **2** fattibilità; praticabilità **3** (*edil.: del cemento*) facilità di posa in opera.

workaday /'wɜːkədeɪ/ a. **1** comune; ordinario; quotidiano; di tutti i giorni: **w. clothes**, abiti ordinari **2** (*fig.*) noioso; prosaico; tedioso: **a w. life**, una vita tediosa.

workaholic /wɜːkə'hɒlɪk/ n. **1** maniaco del lavoro; stacanovista (*fig.*) **2** (*sport*) giocatore infaticabile; giocatore che non molla mai.

workaround /'wɔːkəraund/ n. (*spec. comput.*) workaround (*espediente usato per aggirare un problema senza risolverlo*); scappatoia; scorciatoia.

workbag /'wɜːkbæɡ/ n. borsa da lavoro (*o* degli attrezzi).

workbasket /'wɜːkbɑːskɪt/ n. cestino da lavoro.

workbench /'wɜːkbentʃ/ n. (*ind.*, *mecc.*, *ecc.*) banco di lavoro.

workboat /'wɜːkbəʊt/ n. (*canottaggio*) barca per allenamento.

♦**workbook** /'wɜːkbʊk/ n. **1** libro di esercizi (*con questionari, spazi da riempire, ecc.*) **2** (*tecn.*) manuale (d'istruzione, ecc.).

workbox /'wɜːkbɒks/ n. → **workbasket**.

workday /'wɜːkdeɪ/ n. (*USA*) giornata lavorativa; giorno feriale: **an eight-hour w.**, una giornata lavorativa di otto ore.

worked /wɜːkt/ a. (*ind.*) lavorato ● (*di miniera, di giacimento*) **w.-out**, esaurito, sfruttato □ **w.-up**, troppo agitato, eccitato; arrabbiato, risentito □ **to get w.-up**, agitarsi, eccitarsi, prendersela.

♦**worker** /'wɜːkə(r)/ n. lavoratore, lavoratrice; operaio, operaia: *He's a good w.*, è un gran lavoratore; **a factory w.**, un operaio di fabbrica ● (*zool.*) **w.-bee**, ape operaia ● (*econ.*) **w. effectiveness**, efficienza della manodopera □ (*econ.*) **w. (o workers') participation**, cogestione aziendale; partecipazione operaia.

workfare /'wɜːkfeə(r)/ n. ⊡ programma di assistenza pubblica che prevede prestazioni di lavoro da parte degli assistiti.

workflow /'wɜːkfləʊ/ n. **1** (*org. az.*) flusso di lavoro **2** (*comput.*) workflow; flusso di lavoro (*indirizzamento automatico di documenti fra i responsabili della loro elaborazione*).

workforce /'wɜːkfɔːs/ n. **1** (*econ.*) forza lavoro **2** (*di un'azienda*) (il) personale; (i) dipendenti.

workgroup /'wɜːkɡruːp/ = **work group** → **work**.

workhorse /'wɜːkhɔːs/ n. **1** cavallo da lavoro **2** (*fig.; spesso* **willing w.**) gran lavoratore; stacanovista; lavoratore indefesso **3** (*fig.*) veicolo o macchina robusta, che rende bene.

workhouse /'wɜːkhaʊs/ n. **1** (*in GB, un tempo*) ricovero di mendicità; ospizio (*per vecchi*) **2** (*in USA*) riformatorio; casa di correzione; casa di lavoro **3** (*arc.*) laboratorio.

work-in /'wɜːkɪn/ n. (*econ.*) sciopero bianco; assemblea (sindacale) permanente; autogestione.

♦**working** /'wɜːkɪŋ/ **A** a. **1** che lavora; at-

tivo; laborioso **2** che funziona; funzionante; in funzione: **a w. model of a plane**, un modello d'aereo che funziona; un aeromodello (*mecc.*) **the w. parts of a machine**, le parti funzionanti (*o* mobili) di una macchina **3** sufficiente; discreto; che basta allo scopo: **a w. knowledge of English**, una conoscenza discreta dell'inglese **4** (*di vestito, ecc.*) da lavoro **B** n. ⊡ lavorazione; lavoro: **cost of w.**, costo di lavorazione **2** ⊡ funzionamento: **the w. of an engine**, il funzionamento di un motore **3** (pl.) → **workings** ● (*comput.*) **w. area**, area di lavoro □ (*equit.*) **w. canter**, piccolo galoppo di lavoro (*nel dressage*) □ (*fin., rag.*) **w. capital**, capitale di esercizio; capitale circolante netto □ (*fin., rag.*) **w. capital ratio**, rapporto di liquidità (*di un'azienda*) □ (*econ.*) **the w. class**, la classe operaia; il proletariato □ **w.-class family**, famiglia operaia □ **w. conditions**, condizioni di lavoro (*di un dipendente*); buono stato, buone condizioni (*di una macchina, ecc.*) □ (*rag.*) **w. costs**, costi di esercizio, spese d'esercizio, spese di gestione □ **a w. day**, una giornata lavorativa; un giorno feriale □ (*archit.*) **a w. drawing**, un disegno costruttivo □ (*rag.*) **w. expenses**, spese d'esercizio □ (*ind. min.*) **w. face**, stazione di scavo □ **w. group** = **w. party** → *sotto* ● **w. hours**, ore lavorative; orario di lavoro □ **a w. hypothesis**, un'ipotesi di lavoro □ **the w. life**, la vita (economicamente) attiva □ **w. load** → **workload** □ **a w. man**, un operaio; un lavoratore □ **w. men's club**, dopolavoro □ **a w. mother**, una donna con figli che lavora □ **w.-out**, calcolo, risoluzione; elaborazione, sviluppo; esecuzione; attuazione: **the w.-out of a problem**, la soluzione di un problema; **the w.-out of a plan**, l'elaborazione di un progetto □ **w.-over**, il rifare, rifacimento (*di un calcolo, ecc.*); busse, botte, pestaggio; (*fam. USA*) minacce, intimidazioni □ (*fin., leg.*) **w. partner**, socio attivo □ **w. party**, commissione di studio (*o* d'indagine); squadra di lavoro (*di soldati, prigionieri, detenuti, ecc.*) □ (*econ., stat.*) **w. population**, popolazione attiva □ (*comput.*) **w. space**, area di lavoro □ (*comput.*) **w. storage**, memoria di lavoro □ **w. surface** = **worktop** → (*org. az.*) **w. time**, orario di lavoro □ (*econ.*) **w. to rule**, sciopero bianco □ (*equit.*) **w. trot**, trotto di lavoro (*nel dressage*) □ **w. week**, settimana lavorativa: **5-day w. week**, settimana lavorativa di cinque giorni; settimana corta □ **w. woman**, operaia; impiegata; (*in genere*) donna che lavora □ (*mecc.*) **in w. condition** (*o* **in w. order**), in grado di funzionare; in buono stato.

workings /'wɜːkɪŋz/ n. pl. **1** (*mecc.*) meccanismi, funzionamento (*di una macchina*) **2** (*fig.*) meccanismo; lavorio: **the w. of one's imagination**, il lavorio della propria fantasia **3** contrazioni; distorcimento: **the w. of his face**, le contrazioni del suo volto **4** (*di miniera*) spessori (*o* strati) coltivati.

workless /'wɜːkləs/ a. senza lavoro; disoccupato.

workload /'wɜːkləʊd/ n. ⊡ carico (*o* quantità) di lavoro (*di un uomo o di una macchina*).

workman /'wɜːkmən/ n. (pl. **workmen**) lavoratore; operaio; salariato ● **workmen's compensation**, indennità per infortuni sul lavoro e malattie professionali □ **skilled w.**, operaio specializzato □ **He's a careful [quick] w.**, lavora bene [in fretta].

workmanlike /'wɜːkmənlaɪk/ a. **1** ben fatto; fatto con abilità (tecnica); (*di lavoro*) a regola d'arte **2** (*di persona*) abile; esperto; competente.

workmanship /'wɜːkmənʃɪp/ n. ⊡ **1** abilità; abilità tecnica **2** esecuzione; fattura: **a vase of wonderful w.**, un vaso di favolosa fattura ● **We are God's w.**, siamo opera di Dio □ **These bookcases are my w.**, questi scaffali (per i libri) li ho fatti io con le

mie mani.

workmate /'wɜ:kmeɪt/ n. compagno (o compagna) di lavoro.

workout /'wɜ:kaʊt/ n. (sport) allenamento; esercizio.

workpeople /'wɜ:kpi:pl/ n. pl. operai.

workpiece /'wɜ:kpi:s/ n. (ind.) pezzo (da lavorare).

workplace /'wɜ:kpleɪs/ n. posto di lavoro (ufficio, fabbrica, ecc.) ● w. nursery, nido d'infanzia della fabbrica.

workroom /'wɜ:kru:m/ n. stanza di lavoro; laboratorio.

works /wɜ:ks/ → work, def. 3, 4 e 5.

worksheet /'wɜ:kʃi:t/ n. 1 foglio di appunti; foglio di esercizi 2 (rag.) foglio contabile 3 (org. az.) foglio di lavorazione (o di lavoro) 4 (comput.) foglio elettronico.

♦**workshop** /'wɜ:kʃɒp/ n. 1 officina; laboratorio 2 (arte, letter., scienza) gruppo di lavoro; seminario; serie d'incontri ● (stor., fig.) the w. of the world, l'Inghilterra.

work-shy /'wɜ:kʃaɪ/ a. (fam.) sfaticato; pigro; senza voglia di lavorare.

workspace /'wɜ:kspeɪs/ n. 1 ⓤ spazio per lavorare (in cucina, ecc.) 2 (ind.) area venduta o affittata a scopi industriali 3 (comput.) spazio per memoria temporanea.

workstation /'wɜ:ksteɪʃn/ n. 1 (org. az.) posto (o postazione) di lavoro (lungo una catena di montaggio) 2 (comput.) 'workstation'; stazione di lavoro.

worktable /'wɜ:kteɪbl/ n. tavolo (o tavolino) da lavoro.

worktop /'wɜ:ktɒp/ n. piano di lavoro (in una cucina).

work-to-rule /'wɜ:ktə'ru:l/ n. ⓤⒸ (econ.) sciopero bianco.

workwear /'wɜ:kweə(r)/ n. ⓤ (market.) indumenti da lavoro (tute, ecc.).

workweek /'wɜ:kwi:k/ n. (USA e Canada) settimana lavorativa.

workwoman /'wɜ:kwʊmən/ n. (pl. **workwomen**) lavoratrice; operaia; salariata.

♦**world** /wɜ:ld/ Ⓐ n. 1 ⓤⒸ mondo; universo; pianeta, terra; gente, società; vita mondana: (tur.) a cruise round the w., una crociera intorno al mondo; to go round the w., fare il giro del mondo; the creation of the w., la creazione del mondo; this w., questo mondo; la vita terrena; the next w. (o the w. to come), l'altro mondo; l'aldilà; l'oltretomba; (fig.) the w. of business, il mondo degli affari; (geogr.) the Old W., il Mondo Antico; the New W., il Nuovo Mondo; l'America; (stor.) the Greek w., il mondo greco antico; the English-speaking w., i popoli anglofoni; He's a man of the w., è un uomo di mondo; That poet lives in a w. of his own, quel poeta vive in un mondo tutto suo; She knows (o She has seen) the w., conosce il mondo; conosce la vita; He thinks the w. is his oyster, si sente il padrone del mondo; (relig.) to forsake the w., rinunciare (o dire addio) al mondo; to take the w. as it is, prendere il mondo come viene 2 (tassonomia) regno: the animal w., il regno animale 3 (fam.) grandissima quantità; (un) mucchio; (un) sacco: a w. of troubles, un sacco di guai; A little rest did me a w. of good (o worlds of good), un po' di riposo mi fece un gran bene Ⓑ a. attr. mondiale: the W. Bank, la Banca Mondiale; The US is a w. power, gli USA sono una potenza mondiale; (fin.) w. currency, valuta mondiale; (econ.) w. economy, economia mondiale; (fin.) w. liquidity, liquidità mondiale; (sport) the w. champion, il campione del mondo; w. ranking, classifica mondiale; w. trade, commercio mondiale ● to be worlds apart, essere agli antipodi ● w.-beater, persona vincente (o di

grande successo); (sport) campione mondiale; fuoriclasse □ (fam.) w.-beating, grande; vincente; strepitoso □ (sport) w. championship, campionato mondiale □ w.-class, di classe (o di livello) internazionale (o mondiale) □ w.-class player, giocatore di classe mondiale □ (calcio) W. Cup, la Coppa del Mondo □ (calcio) W. Cup qualifiers, partite di qualificazione per la Coppa del Mondo □ (autom.) W. Drivers' Championship, Campionato Mondiale Piloti □ w.-famous, celeberrimo; di fama mondiale □ a w. language, una lingua universale □ (polit., market.) w. leader, leader mondiale □ the w. of dreams, il mondo dei sogni □ the w. of letters, il mondo delle lettere; i letterati □ w.-old, vecchio come il mondo; antichissimo □ w. politics, politica mondiale □ (sport) the w. record holder, il primatista mondiale □ (sport, USA) the W. Series, il torneo che decide il campionato di baseball statunitense □ a w. too wide, (di gran lunga) troppo largo, così largo che ci si balla dentro (per es., di un vestito) □ (filos.) w.-view, visione del mondo □ (stor.) W. War I [II], la prima [seconda] guerra mondiale □ w.-weary, stanco del mondo; stanco della vita; annoiato a morte □ (comput.) W. Wide Web, World Wide Web (l'insieme di tutti i documenti ipertestuali su Internet) □ (lett.) w. without end, per sempre □ to be all the w. to sb., essere tutto per q.: My family is all the w. to me, la mia famiglia è tutto per me □ all over the w. (o all the w. over), in tutto il mondo; dappertutto □ to be asleep to the w., dormire come un ghiro (o della grossa) □ before all the w., al cospetto di tutti; sfacciatamente □ to bring a child into the w., mettere al mondo un bambino □ to come into the (o this) w., venire al mondo; nascere □ for all the w. as if, proprio come se: He behaves for all the w. as if he were the sole owner of the firm, si comporta proprio come se fosse il solo padrone dell'azienda □ for all the w. like, tale e quale; preciso; identico □ for the w., per tutto l'oro del mondo: I wouldn't do such a thing for the w., non farei una cosa simile per tutto l'oro del mondo □ to get the best of both worlds, avere tutti i vantaggi (da due cose diverse); avere la botte piena e la moglie ubriaca □ (lett.) to give to the w., dare alle stampe (un libro, ecc.); pubblicare □ to go down in the w., decadere; impoverirsi □ to go to the w.'s end, andare in capo al mondo □ to go up in the w., fare strada; fare carriera □ to let the w. slide, lasciare che le cose vadano a modo loro; lasciare che il mondo (o la gente) parli □ to make a noise in the w., far parlare molto di sé; diventare famoso □ not for the w., per nulla al mondo □ on a w. scale, su scala mondiale □ (fig.) to set the w. on fire, avere un successo enorme; fureggiare; sfondare □ (fig.) (slang) to the w., completamente; del tutto: drunk to the w., ubriaco fradicio □ (fig.) to be on top of the w., essere al settimo cielo □ (fam.) to be out of this w., essere una cosa dell'altro mondo; essere meraviglioso (o favoloso, fantastico, eccellente, divino) □ to think the w. of sb., ammirare sconfinatamente q. □ (fam. antiq.) All the w. (and his wife) knows it, lo sanno proprio tutti □ How goes the w. with you?, come va la vita? □ All's right with the w., tutto è a posto; tutto va nel migliore dei modi □ (modo prov.) It's the same the w. over, tutto il mondo è paese.

worldly /'wɜ:ldlɪ/ a. 1 mondano: w. life, vita mondana 2 terreno; temporale; materiale: w. goods, beni terreni; beni materiali ● w.-minded, attaccato alle cose terrene □ w.-mindedness, attaccamento alle cose terrene □ w. people, gente dedita ai piaceri della vita □ w. wisdom, esperienza delle cose del mondo; accortezza □ w.-wise, che conosce le cose del mondo; accorto; esperto; na-

vigato □ (fam.) all one's w. goods, tutta la propria roba; i propri beni || **worldliness** n. ⓤ 1 mondanità; carattere mondano 2 temporalità; condizione terrena.

world-shaking /'wɜ:ldʃeɪkɪŋ/ a. di rilievo mondiale; che ha risonanza mondiale.

world-shattering /'wɜ:ldʃætərɪŋ/ → **world-shaking**.

♦**worldwide** /'wɜ:ldwaɪd/ Ⓐ a. 1 mondiale; universale: to win w. fame, raggiungere una fama mondiale 2 (fin., market.) su scala mondiale Ⓑ avv. su scala mondiale; in tutto il mondo ● a w. empire, un impero che copre tutto il mondo.

worm /wɜ:m/ n. 1 (zool.) verme (anche fig.); baco; bruco; larva; lombrico; tarlo (fig.): Many baby birds are fed with worms, molti piccoli di uccelli vengono nutriti con larve; That dog has worms, quel cane ha i vermi; He is a w.!, è un verme!; è un individuo spregevole!; (fig.) the w. of jealousy, il tarlo della gelosia; (fig.) the w. of conscience, il tarlo della coscienza; il rimorso 2 (pl.) (med., vet.) elmintiasi, elmintosi 3 (mecc.) filetto (della vite) 4 (mecc., = w. screw) vite senza fine; vite perpetua 5 (comput.) verme (programma dannoso che si propaga in rete rendendo inutilizzabili i calcolatori connessi) 6 filetto della lingua (del cane) 7 (anat.) → **vermis** 8 (pl.) (slang USA) spaghetti: **worms in blood**, spaghetti al pomodoro ● w. cast, terra evacuata da un lombrico □ (mecc.) w. conveyor, coclea per trasporto □ w.-eaten, roso dai vermi, bacato, tarlato; (fig.) antiquato; vecchio; decrepito: w.-eaten wood, legno tarlato □ (scherz.) w.'s-eye view, visione dal basso (opposto di bird's-eye view) □ w. fishing, pesca coi lombrichi □ (mecc.) w. gear, ingranaggio a vite; ingranaggio elicoidale □ (mecc.) w. gearing, trasmissione con vite perpetua □ (mecc.) w. hob, fresa a vite senza fine □ (fig.) a w. in the apple (o in the bud), il marcio (nella mela; fig.); una cosa che rovina tutto; quello che guasta, la mela marcia (fig.) □ (farm.) w. powder, vermifugo □ (mecc.) w. spring, molla a spirale □ (mecc.) w. wheel, ruota elicoidale □ (scherz.) to cheat the worms, essersi ristabilito dopo una grave malattia □ to count (o to feed) the worms, essere morto; essere sottoterra □ (fig.) The w. has turned, la situazione è cambiata □ (prov.) Even a w. will turn, la pazienza ha un limite.

to **worm** /wɜ:m/ Ⓐ v. i. 1 (di un uccello, ecc.) andare a caccia di vermi 2 (di un pescatore, ecc.) cercare vermi 3 muoversi come un verme; strisciare: The hunters wormed through the bushes, i cacciatori strisciavano tra i cespugli Ⓑ v. t. 1 – to w. one's way, farsi strada (o infiltrarsi) strisciando; intrufolarsi; avanzare (entrare, ecc.) furtivamente; insinuarsi: The guerrillas wormed their way into the camp, i guerriglieri s'infiltrarono nel campo strisciando sul terreno; She wormed her way into the king's heart, riuscì a insinuarsi nel cuore del re 2 (med., vet.) dare un vermifugo a; liberare dai vermi; disinfestare; sverminare (fam.) 3 (mecc.) filettare (una vite) 4 (naut.) intregnare (un cavo) ● to w. on (o along), avanzare strisciando □ to w. oneself, infiltrarsi strisciando; (fig.) insinuarsi (nel cuore di q., ecc.) □ (di trave, ceppo, ecc.) to be wormed, essere tarlato; essere roso dai tarli.

■ **worm out of** Ⓐ v. t. + avv. + prep. estorcere (una confessione, ecc.); carpire (un segreto); cavare (informazioni); strappare (una promessa: dopo lunghi interrogatori, ecc.): The Inquisitor wormed a confession out of the poor girl, l'inquisitore estorse una confessione alla povera ragazza Ⓑ v. i. + avv. + prep. 1 uscire (o scappare fuori) strisciando (da una buca, una gabbia, ecc.) 2 sottrarsi a

(*un'accusa, ecc.*); evitare, scansare (*un lavoro, ecc.*).

WORM /wɜːm/ *sigla* (*comput.*, **write once, read many times**) Scrivi una sola volta, leggi più volte (*tecnologia per dischi ottici non riscrivibili*).

wormery /'wɜːməri/ *n.* **1** luogo pieno di vermi **2** contenitore per vermi (*o per lombrichi*).

wormhole /'wɜːmhəʊl/ *n.* **1** foro di tarlo; tarlatura **2** (*fis.*) 'wormhole' (*ipotetica connessione tra regioni lontanissime dello spazio-tempo*).

wormseed /'wɜːmsiːd/ *n.* **1** (*bot.*, *Chenopodium*) chenopodio (*in genere*) **2** (*med.*) santonina (*vermifugo*).

wormwood /'wɜːmwʊd/ *n.* ⓤ **1** (*bot.*, *Artemisia absinthium*) assenzio **2** (*fig.*) amarezza; mortificazione; umiliazione: *Life to him was w.*, la vita era per lui una continua mortificazione.

wormy /'wɜːmi/ *a.* **1** pieno di vermi; bacato; tarlato; verminoso: **a w. apple**, una mela bacata **2** simile a un verme; (*fig.*) abietto, spregevole, strisciante, vile.

worn /wɔːn/ *p. p.* di **to wear** ● **w.-out**, consunto, logoro; (*di persona*) stressato, esausto, sfinito; **w.-out shoes**, scarpe logore □ (*d'abito, ecc.*) **w. to rags**, sfilacciato; logoro; stracciato; ridotto a un cencio.

◆**worried** /'wʌrid/ *a.* preoccupato; impensierito; agitato; inquieto: **a w. look**, un'espressione preoccupata; **to be w. about sb.** [*st.*], essere preoccupato per q. [qc.]; *I was w. sick*, ero agitatissimo; **to be unduly w.**, preoccuparsi senza motivo | **-ly** *avv.*

worrier /'wʌriə(r)/ *n.* **1** chi si preoccupa spesso; individuo apprensivo **2** (*zool.*) animale da preda; predatore.

worriment /'wʌrimənt/ *n.* ⓤⓒ (*fam. spec. USA*) preoccupazione; inquietudine; fastidio; turbamento; seccatura; tormento.

worrisome /'wʌrisəm/ *a.* (*fam.*) **1** preoccupante; fastidioso; seccante **2** che si preoccupa; ansioso; inquieto; irritabile | **-ly** *avv.*

worrit, **to worrit** /'wʌrit/ (*dial. arc.*) → **worry, to worry**.

worry /'wʌri/ *n.* **1** ⓤ ansia; inquietudine; preoccupazione: *He began to notice signs of w. on his wife's face*, cominciò a notare segni d'inquietudine sul viso di sua moglie **2** (*generalm. al pl.*) affanno; fastidio; guaio; preoccupazione; seccatura: *Thank God, I have no money worries*, grazie a Dio, non ho preoccupazioni finanziarie; *What a w. that boy is*, che seccatura è quel ragazzo!; *No worries*, non preoccuparti **3** (*fig.*) compito; occupazione; dovere; affare (*fig.*): *It's the salesman's w. to sell goods*, è affare del rappresentante vendere la merce **4** ⓤ (*di cani, gatti, ecc.*) l'azzannar la preda; l'addentare; il dilaniare ● **w. beads**, (rosario) di grani da fare scorrere fra le dita (*per rilassarsi*) □ **w.-free**, senza preoccupazioni; tranquillo: *A timer with automatic shutoff will allow you w.-free cooking*, il timer con spegnimento automatico (*del forno*) ti consentirà di cucinare in tranquillità □ **Let it be her w.**, lascia che ci pensi (*o provveda*) lei!

◆**to worry** /'wʌri/ Ⓐ *v. t.* **1** infastidire; importunare; seccare; scocciare (*pop.*): *Stop worrying her!*, smettila d'infastidirla; *Don't w. your friends with continual requests for loans*, non seccare i tuoi amici con continue richieste di prestiti! **2** preoccupare; affliggere; turbare; tormentare: *Is anything worrying you?*, c'è qualcosa che ti preoccupa?; *His old wound worries him*, lo tormenta la sua vecchia ferita **3** azzannare; artigliare; dilaniare: *The cat worried the mouse*, il gatto artigliò il topo **4** (*di un cane*) dare la caccia a (*animali di allevamento, spec. pecore*) Ⓑ *v.*

i. 1 preoccuparsi; affliggersi; prendersela; essere in ansia; tormentarsi: *Don't w.!*, non preoccuparti!; *She worries about every little thing*, se la prende per ogni inezia **2 - to w. at**, azzannare, dar morsi a, addentare (*un oggetto, la preda*); (*fig.*) importunare; insistere con (*q.; perché faccia qc.*) ● (*di un cane*) **to w. at a bone**, azzannare un osso; divertirsi con un osso □ **to w. at a problem**, tentare e ritentare di risolvere un problema □ (*di un cucciolo*) **to w. at a slipper**, mordicchiare (*pop.*: mangiare) una pantofola □ **to w. oneself**, preoccuparsi; tormentarsi: **to w. oneself sick over st.**, tormentarsi per qc. tanto da ammalarsi □ (*fam. iron.*) **I should w.!**, sai quanto mi preoccupo!; me ne frego! (*pop.*) □ (*fam.*) **Oh well, not to w.**, va bene, non importa; vai tranquillo; tutto a posto!; no problem!

■ **worry about** *v. i.* + *prep.* preoccuparsi; tormentarsi; prendersela per (*qc.*): *What are you worrying about?*, di che ti preoccupi?; **to w. about doing st.**, avere timore di fare qc.; *There's nothing to w. about*, non c'è niente di cui preoccuparsi.

■ **worry along** *v. i.* + *avv.* (*fam.*) trarsi d'impaccio; sbrigarsela; tirare avanti (alla meglio).

■ **worry out** *v. t.* + *avv.* **1** trovare (a stento); rimediare (*fam.*): **to w. out an answer to one's problems**, trovare una risposta ai propri problemi **2** cavare (*fig.*); strappare (*fig.*); ottenere (qc.) insistendo: *The boy worried out his father's consent*, il ragazzo strappò il consenso del padre.

■ **worry over** → **worry about**.

■ **worry through** → **worry along**.

◆**worrying** /'wʌriɪŋ/ *a.* **1** fastidioso; molesto; tormentoso **2** preoccupante; che turba | **-ly** *avv.*

◆**worse**① /wɜːs/ Ⓐ *a.* **1** (compar. di **bad**) peggiore; peggio: *The film was much (o far) w. than I expected*, il film è stato assai peggiore di quel che mi aspettavo; *He's a w. student than from his brother*, come studente è peggio di suo fratello; *He's w. than you at soccer*, a calcio gioca peggio di te; *This road is w. than the one we've left*, questa strada è peggio di quella che abbiamo lasciato **2** (compar. di **ill**) (solo pred.) peggio, peggiorato (*di salute*): *He was much w. than he thought*, stava molto peggio di quello che pensava; *I'm feeling w. today*, oggi mi sento peggio Ⓑ *n.* **- the w.**, il peggio; la cosa peggiore: *W. was yet to come (o to follow)*, il peggio doveva ancora venire; *Things are going from bad to w.*, le cose stanno andando di male in peggio ● **to be the w. for wear**, (*di un indumento, ecc.*) essere consunto (*o* logoro, liso, sgualcito, ecc.) per l'uso; (*fig.*) essere malandato, compromesso: *This old coat is the w. for wear*, questo vecchio cappotto ha ormai fatto le sue battaglie; *Her reputation is a bit w. for wear*, la sua reputazione è ormai un po' compromessa □ **to be w. off**, essere in peggiori condizioni (finanziarie); stare peggio (*a soldi*) □ **All the w.**, tanto peggio! □ **to change for the w.**, cambiare in peggio; peggiorare □ **a change for the w.**, un mutamento in peggio □ **to get w.**, peggiorare; stare peggio: *The patient is getting w. and w.*, il malato peggiora di continuo □ **to have the w.**, avere la peggio □ **to have the w. to tell**, non avere ancora detto il peggio □ **w. luck!**, tanto peggio! □ **to make things w.**, peggiorare la situazione □ **to be none the w. for**, non risentire per niente di: *He's none the w. for the car accident*, non ha risentito per niente dell'incidente in macchina □ **to put sb. to the w.**, avere la meglio su q.; battere, sconfiggere q. □ **so much the w.!**, tanto peggio! □ **W. couldn't happen**, di peggio non poteva capitarmi!

◆**worse**② /wɜːs/ *avv.* (compar. di **badly**, **ill**) peggio; in modo peggiore: *You're playing w. than ever*, stai giocando peggio che mai; *My car is running much w. than before*, la mia automobile va molto peggio di prima ● **for better or w.**, nella buona e nella cattiva sorte; nel bene e nel male □ **none the w.**, ugualmente; lo stesso: *I'll love you none the w. if you speak frankly*, se parli con franchezza, ti vorrò bene lo stesso □ **to think none the w. of sb.**, avere sempre stima di q.; non aver perso la stima di q.

to worsen /'wɜːsn/ *v. t.* e *i.* peggiorare; aggravare; aggravarsi: *The situation has worsened*, la situazione s'è aggravata.

worse-off /wɜːs'ɒf/ *a.* che sta peggio; meno abbiente; più povero.

worship /'wɜːʃip/ *n.* **1** ⓤ adorazione; culto; venerazione ● **a place of w.**, un luogo di culto; un luogo sacro; **an object of w.**, un oggetto di venerazione (*o* di culto); **freedom of w.**, libertà di culto; *He gazed at her with w. in his eyes*, la fissava con uno sguardo d'adorazione **2** (*titolo*) eccellenza; eminenza; signoria: *Your Worships*, le Signorie Vostre; *Your W.*, Vostra Eccellenza **3** ⓤ (*relig.*) culto; servizio religioso **4** ⓤ (*arc.*) merito; virtù; fama: **men of w.**, uomini di gran merito; **to win w.**, acquistar vasta fama.

to worship /'wɜːʃip/ *v. t.* e *i.* **1** adorare; venerare; idolatrare: **to w. false gods**, adorare false divinità; **to w. one's mother**, idolatrare la propria madre **2** andare in chiesa; essere praticante: *Where do they w.?*, in quale chiesa vanno?; a quale confessione appartengono? ● **to w. the ground sb. walks on**, baciare la terra su cui uno cammina (*fig.*).

worshipful /'wɜːʃipfl/ *a.* **1** (*spec. nei titoli*) venerabile; onorevole; eccellente: **the Right W. Lord Mayor of Chester**, il molto onorevole sindaco di Chester **2** (*raro*) devoto; rispettoso | **-ly** *avv.* | **-ness** *n.* ⓤ.

worshipper, (*USA*) **worshiper** /'wɜːʃipə(r)/ *n.* adoratore; veneratore ● (collett., *relig.*) **the worshippers**, i fedeli.

◆**worst**① /wɜːst/ Ⓐ *a.* (superl. relat. di **bad**, **ill**) (il) peggiore: *Which of them do you think is w.?*, quale di loro credi che sia il peggiore?; *That's the w. thing that could have happened*, è la cosa peggiore che potesse capitare; *He's the w. player della squadra*; (*sport*) **the w. time**, il peggior tempo (*in una corsa, ecc.*) Ⓑ *n.* ⓤ **- the w.**, il peggio; la peggior cosa: *The w. is yet to come*, il peggio deve ancora venire; *The w. is over*, il peggio è passato ● **the w.-case scenario**, lo scenario peggiore tra quelli ipotizzabili □ **at (the) w.**, alla peggio; (per) male che vada □ **to be at one's w.**, essere nelle peggiori condizioni possibili; trovarsi nel momento peggiore: *He was very tired last night, so you saw him at his w.*, era stanchissimo ieri sera, perciò l'hai visto nelle sue condizioni peggiori □ **to do one's w.**, agire (*o* comportarsi) malissimo; (*fam.*) fare di tutto: *He did his w. to spoil the party*, ha fatto di tutto per guastare la festa □ **to get** (*o* **to have**) **the w. of it**, avere la peggio □ **if the w. comes to the w.**, se le cose volgono al peggio; nel peggiore dei casi; se si mette male; *'The tiger knew if the w. came to the w. it was better to meet the bulls than the cows with their calves'* R. KIPLING, 'la tigre sapeva che se le cose volgevano al peggio era meglio affrontare i bufali maschi che non le femmine con i loro piccoli □ (*fam. USA*) **in the w. way**, moltissimo: *I want an ice cream in the w. way*, ho una voglia matta di mangiare un gelato □ **to put sb. to the w.**, aver la meglio su q.; sconfiggere q. □ **Do your w.!**, fa' pure!; imperversa fin che vuoi! □ (*fam.*) **Let him do his w.**, **I'm not afraid of him**, faccia pure, non lo

temo!

◆**worst** ② /wɜːst/ avv. (superl. relat. di **badly**) **1** peggio; nel modo peggiore: *Bill is the one who's played* (the) *w.*, Bill è quello che ha giocato peggio (di tutti); *Jill was the w.-dressed girl at the ball*, Jill era la ragazza vestita peggio (di tutte) al ballo **2** maggiormente; (di) più: *It's the poor who suffer w.*, sono i poveri quelli che soffrono di più (*o* che stanno peggio); *It was the air raid that frightened us w.*, è stata l'incursione aerea che ci ha spaventati di più; **the w.-hit**, i più colpiti (*da un terremoto, da un'epidemia, dall'inflazione, ecc.*).

to **worst** /wɜːst/ v. t. avere la meglio su (q.); sconfiggere; sgominare; battere; vincere: *The prime minister worsted his opponents*, il primo ministro ebbe la meglio sui suoi oppositori ● **to be worsted**, avere la peggio; essere sconfitto.

worsted /ˈwʊstɪd/ (*ind. tess.*) n. Ⓤ lana pettinata; pettinato di lana; pettinato ● **w. cloth**, pettinato di lana □ **w. socks**, calzini di lana pettinata □ (*ind. tess.*) **w. system**, pettinatura.

worst-off /ˈwɜːstˈɒf/ a. che sta peggio (*di tutti*); il meno abbiente; il più povero.

wort /wɜːt/ n. **1** (*bot.*; solo nei composti) pianta; erba **2** mosto di malto (*prima della fermentazione*).

◆**worth** ① /wɜːθ/ Ⓐ a. pred. **1** che vale; del valore di; valevole: **a ring that is w. nothing**, un anello che non vale nulla, di nessun valore **2** degno; meritevole; che vale la pena: **a film w. seeing**, un film che merita d'essere visto; *The novel isn't w. reading*, quel romanzo non vale la pena di leggerlo; *Is it w. all the trouble?*, val la pena darsi tanto da fare?; *It's w. a try*, vale la pena provare; *It's w. all the inconvenience*, vale la pena di tutto il disagio **3** (*di persona*) in possesso di, che ha (*un certo patrimonio*): *He's w. a million pounds*, possiede un milione di sterline; *What's the steel magnate w.?*, qual è il patrimonio del magnate dell'acciaio? Ⓑ n. Ⓤ **1** valore; merito; pregio: **a jewel of great w.**, un gioiello di grande valore; **the true w. of Shakespeare's plays**, il vero valore dei drammi di Shakespeare; **men of great w.**, uomini di grande merito; **to prove one's w.**, dimostrare il proprio valore **2** (*arc. o rag.*) attivo; patrimonio; ricchezze: **net w.**, capitale netto; patrimonio netto ● **to be w.**, valere; costare: *It isn't w. much*, vale poco; *What's the house w.?*, quanto vale la casa? □ **to be w. it**, valere la pena: *It isn't w. it*, non ne vale la pena □ (*volg. USA*) **w. shit**, per niente; per nulla; neanche per il cazzo (*volg.*) □ (*fig.*) **to be w. a king's ransom**, valere una fortuna; valere un Perù □ (*sport*) **to be w. the win**, meritare la vittoria; meritare di vincere □ (*fam.*) **for all one is w.**, facendo del proprio meglio; di buona lena; mettendocela tutta: *He worked away for all he was w.*, continuò a lavorare a corpo morto □ **for what it's w.**, per quel che vale; ammesso che ne valga la pena: *For what it's w., I'll stand by you*, per quel che varrà, ti assicuro il mio appoggio □ (*fam.*) **w. one's salt**, degno di questo nome: **a poet w. his salt**, un poeta degno di questo nome, un poeta che si rispetti □ (*fam.*: *di persona*) **not to be w. one's salt**, non meritare (*o* non valere) lo stipendio che si riceve; mangiare il pane a tradimento □ **I'll make it w. your while**, ti ricompenserò a dovere (in modo che tu non abbia a pentirti della fatica fatta, del rischio corso, ecc.) □ **It isn't w. while going now**, non vale la pena di andare ora □ **I bought ten pounds' w. of stamps**, comprai francobolli per dieci sterline.

worth ② /wɜːθ/ vc. verb. (*arc.*, 3ª pers. cong. pres.) accada; venga; sia: *Woe w. the day!*, maledetto sia il giorno!

worthily /ˈwɜːðɪlɪ/ avv. degnamente; bene: **a life w. spent**, una vita ben spesa.

worthiness /ˈwɜːðɪnəs/ n. Ⓤ **1** dignità; rispettabilità **2** merito; valore.

worthless /ˈwɜːθlɪs/ a. **1** privo di valore; che non vale niente; inutile: *Throw it away, it's w.*, buttalo via, non vale niente **2** indegno; immeritevole ● **w. sort of person**, una persona indegna | **-ly** avv. | **-ness** n. Ⓤ.

◆**worthwhile** /wɜːθˈwaɪl/ a. che vale la pena; meritevole: **a w. effort**, uno sforzo che merita d'essere fatto ● **a w. experience**, un'esperienza utile □ **a w. job**, un lavoro che dà soddisfazioni (*anche economiche*); (*anche*) un lavoro utile (*per la collettività*).

worthy /ˈwɜːðɪ/ Ⓐ a. **1** degno; meritevole: **a candidate w. of support**, un candidato meritevole d'appoggio; **w. of praise [of reward]**, degno di lode [di ricompensa]; (*lett.*) **a w. adversary**, un degno avversario **2** (*scherz. o iron.*) degno; onorevole; rispettabile: *Who is that w. gentleman?*, chi è quel rispettabile signore? Ⓑ n. **1** (*arc.*) dignitario; maggiorente; notabile; personalità: **an Elizabethan w.**, una personalità dell'era elisabettiana; **the village worthies**, i notabili del villaggio **2** (*scherz. o iron.*) degno signore; personaggio; tipo ● **w. aims**, scopi onorevoli □ (*spreg.*) **a w. man**, un buon uomo □ **a w. reward**, una degna ricompensa; una ricompensa adeguata.

wotcha /ˈwɒtʃə/ Ⓐ vc. verb. (*slang per* **what do you** *o* **what did you**): *W. put in this bloody cocktail?*, che cavolo ci hai messo in questo maledetto cocktail? Ⓑ → **wotcher**.

wotcher /ˈwɒtʃə(r)/ inter. (*slang*) ehi!; salve!; ciao!

wotsit /ˈwɒtsɪt/ n. (*slang per* **what's it**) **1** coso; aggeggio; affare **2** tizio; tipo; caio; individuo; come-si-chiama.

◆**would** /wʊd, wəd/ v. modale

would, come tutti i verbi modali, ha caratteristiche particolari:

● ha significato di condizionale o passato;

● non ha forme flesse (*-s* alla 3ª pers. sing. pres., *-ing*, *-ed*), non è mai usato con ausiliari e non ha quindi tempi composti;

● forma le domande mediante la semplice posposizione del soggetto;

● la forma negativa è **would not**, spesso abbreviato in **wouldn't**;

● ad eccezione delle def. 3, 6, 9, 10 e 12, nell'ingl. corrente è spesso abbreviato in **'d**;

● l'infinito che segue non ha la particella *to*;

● viene usato nelle *question tags*

1 (*esprime possibilità o probabilità*) – *He w. probably refuse*, probabilmente rifiuterebbe; *Such changes w. seriously affect production*, cambiamenti simili avrebbero serie conseguenze sulla produzione; *I'd take it amiss, if you didn't accept*, mi offenderei se non accettaste; *W. you go, if you were asked?*, ci andresti, se te lo chiedessero?; *I wouldn't buy it if I were you*, se fossi in te non lo comprerei; *My intervention w. have been useless, anyway*, il mio intervento sarebbe stato comunque inutile **2** (*seguito da inf. pass., esprime possibilità non realizzata*) – *I w. have accepted, but my husband said no*, io avrei accettato ma mio marito disse di no; *If only he'd let me know, I w. have tried to help him*, se solo mi avesse informato, avrei cercato di aiutarlo **3** (*alla 2ª pers.: nelle frasi interr. esprime offerta o invito cortese, oppure richiesta di fare qc.*) – *W. you pour the tea, please?*, ti spiace versare il tè, per favore?; vuoi gentilmente versare il tè?; *W. you do me a favour?*, mi faresti un piacere?; *W. you mind opening the window?*, ti spiace aprire la finestra?; potresti aprire la finestra per favore?; *W. you excuse me for a mi-*

nute?, mi scusi un secondo? **4** (*davanti a verbi di gradimento, piacere, ecc.*) – *I wouldn't like to see this custom disappear*, non vorrei vedere scomparire questa tradizione; *We w. be glad to hear about your project*, saremmo lieti di essere informati sul tuo progetto; *We w. like you to tell us about your trip*, vorremmo che ci raccontassi del tuo viaggio; *Now, I'd like you to open your mouth and say 'Aaaah'*, ora apra la bocca, per favore, e dica 'Aaaah'; *Ladies and gentlemen, I w. like you to welcome a very special guest*, signore e signori, vi chiedo di dare il benvenuto a un ospite molto speciale; *What w. you like?*, cosa desidera?; *W. you like to join us?*, vuole unirsi a noi?; *W. you like some more dessert?*, posso offrirti ancora un po' di dolce?; *There's one thing I w. have liked to ask him*, c'è una cosa che avrei voluto chiedergli **5** (*nelle subordinate rette da un verbo di dire, pensare, sperare, ecc., esprime l'idea di futuro nel passato*) – *He asked me whether I w. be prepared to do it*, mi chiese se fossi (*o* sarei stato) disposto a farlo; *They said they w. meet us here*, hanno detto che si sarebbero trovati qui; *I said I'd do it at once*, dissi che l'avrei fatto subito; *I said I wouldn't*, dissi che non l'avrei fatto; dissi di no; *She promised she w. come back*, (*rif. al passato*) promise che sarebbe tornata; (*rif. al futuro*) ha promesso che tornerà; *We feared the situation w. get out of hand*, temevamo che la situazione sarebbe diventata ingovernabile; *W. it be ready in time, I wondered*, chissà se (*o* mi chiesi se) sarebbe stato pronto in tempo; *I knew you'd say that*, sapevo che l'avresti detto **6** (*esprime volontà, intenzione o, nella forma neg., rifiuto*) – *It's a lovely day so we thought we'd go out for a bike ride*, è una giornata deliziosa così abbiamo pensato di andare a fare un giro con la bicicletta; *I couldn't find anyone who w. help me*, non riuscii a trovare nessuno che volesse aiutarmi (*o* che fosse disposto ad aiutarmi); *I tried to explain, but he just wouldn't listen*, cercai di spiegare la cosa, ma lui si rifiutò di ascoltarmi; *He w. have none of it*, non volle saperne; *I wouldn't hear of you staying in a B&B*, non voglio neanche sentir parlare di un letto and breakfast **7** (*esprime congettura, probabilità*) – *I w. imagine they'll have left by now*, immagino che ormai saranno partiti; *Tall and with a slight stoop? That w. be Professor Merrill*, alto e un po' curvo? di sicuro è il prof. Merrill; *He w. have been about seventy when he died*, doveva essere sui settanta quando è morto; *You wouldn't know her*, non credo che tu la conosca **8** (*esprime speranza, opinione*) – *You wouldn't think that he w. react that way, w. you?*, chi si sarebbe immaginato che lui avrebbe reagito a quel modo?; *I'd have thought you w. have been too tired to go on*, avrei detto che saresti stato troppo stanco per continuare; *If only she w. be more patient*, se solo avesse un po' più di pazienza! **9** (*esprime un'azione abituale*) – *We w. often go down to the lake to watch the grebes*, spesso scendevamo al lago per osservare gli svassi; *They w. meet every Tuesday at seven*, si incontravano ogni martedì alle sette **10** (*esprime irritazione per un comportamento ritenuto tipico o inevitabile*) – *Of course he w. say that*, è da lui dire una cosa simile; classica risposta da parte sua; «**I've broken my camera**» «**You w., wouldn't you**», «ho rotto la macchina fotografica» «lo sapevo (*o* naturale, c'era da aspettarselo, figurarsi, c'era da dirlo)!»; *Of course, this being my birthday, the weather w. be nasty*, naturalmente, non poteva che fare un tempo orribile il giorno del mio compleanno **11** (*alla 3ª pers.: in frasi neg. e rif. a cose, esprime rifiuto di muoversi, funzionare, ecc.*) – *The engine wouldn't start*, il moto-

re non voleva partire; il motore si rifiutò di partire; *The safe wouldn't open*, la cassaforte non voleva aprirsi (*o* non si apriva, rifiutò di aprirsi) **12** (*poet. o lett.*) (*nelle escl.*) – *W. that I had never met him!*, vorrei non averlo mai incontrato!; magari non l'avessi ma incontrato!; *W. to God I had died*, meglio sarebbe se fossi morto!; magari fossi morto! ● **w. rather, w. sooner** → **rather, soon** □ **I wouldn't know**, non saprei; non ne ho idea.

would-be /'wʊdbiː/ *a.* **1** che aspira a essere; aspirante: **would-be poets**, aspiranti poeti **2** potenziale: **would-be customers**, potenziali clienti.

◆**wouldn't** /'wʊdnt/ *vc. verb.* (contraz. di) **would not**.

wouldst /wʊdst/ *vc. verb.* (2ª pers. sing. pass. *arc. di* **would**).

◆**wound**① /wuːnd/ *n.* **1** ferita; piaga: **a knife w.**, una ferita di taglio; **a mortal w.**, una ferita mortale; **to dress a w.**, medicare una ferita **2** (*fig.*) ingiuria; offesa: **a w. to sb.'s pride [vanity]**, un'offesa all'orgoglio [alla vanità] di q. **3** (*fig.*) ferita; dolore: **to open old wounds**, riaprire vecchie ferite ● (*med.*) **w. shock**, shock traumatico □ (*fig.*) **to leave a w.**, lasciare il segno (*fig.*).

wound② /waʊnd/ *pass. e p. p. di* **to wind**③ *e talora di* **to wind**②.

to **wound** /wuːnd/ *v. t.* ferire; (*fig.*) offendere: *They were wounded in a riot*, furono feriti in una sommossa; *You've wounded his feelings*, l'hai ferito nei suoi sentimenti ● **seriously wounded**, gravemente ferito □ (*fig.*) **willing to w.**, malevolo; maligno.

wound-up /'waʊnd'ʌp/ *a.* **1** (*di un orologio, ecc.*) carico **2** (*fig.*) teso (*fig.*); sotto tensione (*fig.*); agitato; preoccupato **3** (*sport, ecc.*) caricato (*fig.*) **4** eccitato; emozionato.

woundwort /'wuːndwɜːt/ *n.* (*bot.*) **1** (*Solidago virga-aurea*) verga d'oro **2** (*Anthyllis vulneraria*) vulneraria.

wove /wəʊv/ *pass. di* **to weave** ● **w. paper**, carta a mano.

woven /'wəʊvn/ *p. p. di* **to weave** ● **w. fabric**, tessuto.

wow① /waʊ/ *inter.* wow!; oh!; ohibò!; urca!; perbacco!; ma guarda!: *'Wow, such a small coffin!' / And ten black Cadillacs to haul it in'* G. CORSO, 'ma guarda! una bara così piccola / e dieci Cadillac nere per trasportarla'.

wow② /waʊ/ *n.* **1** (*slang USA*) grande successo, successone (*spec. teatrale*); fatto clamoroso; persona di successo **2** (*slang USA*) nota piccante; pepe (*fig.*) **3** (*acustica*) wow; miagolio.

to **wow** /waʊ/ *v. t.* (*slang USA*) fare una grande impressione su (q.); entusiasmare (*il pubblico, ecc.*).

wowser /'waʊzə(r)/ *n.* (*slang Austral.*) **1** puritano fanatico **2** astemio.

WP *sigla* (*comput.*, **word processing**) elaborazione dei testi (*al computer*).

w.p. *sigla* (**weather permitting**) tempo permettendo.

WPC *sigla* (**woman police constable**) agente di polizia (donna).

WRAC /ræk/ *sigla* (*in GB, mil. stor.*, **Women's Royal Army Corps**) **1** il Reale corpo delle ausiliarie dell'esercito **2** ausiliaria di tale Corpo ● **to join the WRACs**, arruolarsi nel Corpo delle ausiliarie dell'esercito.

wrack① /ræk/ *n.* **1** ⓤ distruzione; rovina: **to go to w. and ruin**, andare in malora; andare in completa rovina **2** (*naut., lett. o dial.*) relitto gettato sulla spiaggia; carcassa; nave naufragata **3** ⓤ (*bot.*) alghe marine (*gettate dalle onde sulla spiaggia*).

wrack② /ræk/ *n.* ⓤ nuvolaglia; nubi sparse.

WRAF /ræf/ *sigla* (*in GB, mil. stor.*, **Wom-**

en's **Royal Air Force**) **1** il Reale Corpo delle ausiliarie dell'aeronautica **2** ausiliaria di tale corpo.

wraith /reɪθ/ *n.* (*lett.*) **1** fantasma; spettro (*che si credeva apparisse poco prima o subito dopo la morte di q.*) **2** ombra indistinta ‖ **wraithlike** *a.* simile a uno spettro; magrissimo; emaciato.

wrangle /'ræŋgl/ *n.* alterco; litigio; baruffa; disputa; zuffa; disputa; polemica: **a legal w.**, una disputa legale.

to **wrangle** /'ræŋgl/ *v. i.* altercare; azzuffarsi; accapigliarsi; litigare; disputare; polemizzare: *What are they wrangling about?*, per che cosa stanno litigando?

wrangler /'ræŋglə(r)/ *n.* **1** attaccabrighe; individuo rissoso **2** (*università di Cambridge*) studente classificato fra i primi agli esami di matematica **3** (*USA*) cowboy che raduna il bestiame.

wrangling /'ræŋglɪŋ/ *n.* ⓤ alterchi; discussioni; litigi; liti.

wrap /ræp/ *n.* **1** copertura; involucro **2** ⓤ materiale per avvolgere; (*spec.*) pellicola di plastica **3** (*spec. USA*) scialle; sciarpa; mantella **4** (*spec. USA*) coperta da viaggio **5** (*grafica*) incarto **6** bendaggio (*trattamento estetico*) **7** (*cucina*) focaccina morbida arrotolata con ripieno; rotolino ripieno **8** (*fam.*) fine; conclusione; cosa fatta **9** (*cinem.*) fine delle riprese (*di un film*) **10** (*radio, TV*) compendio; riassunto; sommario: **news w.**, compendio delle notizie ● **w. robe**, accappatoio (*da donna*) □ **long w. coat**, vestaglia lunga (*da donna*) □ (*fig.*) **to take the wraps off st.**, svelare qc.; rendere qc. di pubblico dominio □ (*fig. fam.*) **under wraps**, nascosto; segreto.

◆to **wrap** /ræp/ Ⓐ *v. t.* **1** avvolgere (*anche fig.*); coprire; avviluppare; nascondere: **to w. up food in tinfoil**, avvolgere cibo nella stagnola; *W. the kittens in a blanket*, avvolgi i gattini in una coperta!; *The tree tops were wrapped in fog*, le cime degli alberi erano avvolte dalla nebbia; *This story is wrapped in mystery*, questa storia è avvolta nel mistero **2** fare (*un pacco*); incartare; impaccare; involtare (*fam.*): **to w. up a parcel**, fare un pacchetto; *W. it in the newspaper*, incartalo col giornale! **3** (*market.*) confezionare: **to w. a product piece by piece**, confezionare un prodotto pezzo per pezzo **4** (*slang USA*) concludere; finire **5** (*sport*) bendare: (*boxe*) **to w. sb.'s hands**, bendare le mani a q. **6** (*cinem.*) terminare le riprese (*un film*) Ⓑ *v. i.* **1** avvolgersi; coprirsi: *She wrapped up well and went out*, si coprì bene e uscì di casa **2** (*anche* to **w. over**) sovrapporsi; combaciare **3** essere contenuto; stare; entrare: *The microphone wraps up in a very small packet*, il microfono sta in un pacchetto piccolissimo ● to **w. around**, volgere; (*fig.*) circondare interamente □ (*fig.*) **to w. oneself in the flag**, essere patriottico in modo acritico; essere sciovinista □ **to w. one's arms round sb.**, gettare le braccia al collo di q.; serrare fra le braccia q. □ (*autom.*) **to w. one's car round a tree**, andare a sbattere contro un albero □ (*fig.*) **to w. sb. in cotton wool**, tenere q. nella bambagia; coccolare q. □ **to w. oneself up**, avvolgersi; coprirsi: *If you go out, w. yourself up well*, se esci, copriti bene □ (*fig. fam.*) to **w. up**, concludere; portare a termine; chiudere; riassumere; fare un sommario di: *The police wrapped up the case in less than a week*, la polizia chiuse il caso in meno di una settimana; **to w. up an agreement**, stringere (*o* concludere) un accordo; (*comm.*) to **w. up a business**, chiudere un'azienda □ (*fig.*) **to be wrapped up in**, essere completamente preso da; essere assorbito da; non aver occhi che per: *He's wrapped up in his work*, è completamente

preso dal lavoro □ (*fam.*) **W. up!**, chiudi il becco!; silenzio! □ (*fam.*) **W. it up!**, piantala!; falla finita!

wraparound /'ræpəraʊnd/ *n.* (*USA*) → **wrapround**.

wrappage /'ræpɪdʒ/ *n.* **1** ⓤ materiale per avvolgere; carta da pacchi **2** involucro; fodera **3** veste da camera; vestaglia.

wrapper /'ræpə(r)/ *n.* **1** involucro; involto; incarto **2** copertina volante (*di libro*); fascia, fascetta (*di giornale, rivista, ecc.*): **stamped w.**, fascetta affrancata **3** (*market.*) incartatore; imballatore **4** foglia esterna di tabacco (*che avvolge i sigari*) **5** → **wrapper-er 6** (*raro*) accappatoio; leggera veste da camera ● (*di corrispondenza*) **under w.**, sottofascia.

wrapperer /'ræpərə(r)/ *n.* (*tecn.*) fascettatrice.

wrapping /'ræpɪŋ/ *n.* **1** (*di solito al pl.*) copertura; involucro; involto; fascia: **the wrappings round a wound**, le fasce intorno a una ferita **2** ⓤ (*market.*) materiale da imballaggio (*o da imballo*) **3** ⓤ (= **w.-up**) l'incartare; incartata; avvolgimento ● **w. machine**, incartatrice; avvolgitrice □ **w. paper**, carta da pacchi; carta da regalo.

wrapround /'ræpraʊnd/ Ⓐ *a.* **1** che circonda completamente; avvolgente **2** (*d'indumento*) senza abbottonatura; (*di cappotto*) a mantello; (*di gonna*) a portafoglio Ⓑ *n.* (*di libro e sim.*) fascetta (pubblicitaria).

wrap-up /'ræpʌp/ *n.* (*USA*) **1** riepilogo dei titoli delle notizie trasmesse (*per radio e TV*) **2** (*comm.*) (*fam. USA*) articolo che si vende bene.

wrasse /ræs/ *n.* (*zool., Labrus*) labro.

wrath /rɒθ/ *n.* **1** (*lett.*) collera; furore; ira: **the w. of God**, la collera di Dio **2** (*relig.*) ira (*uno dei sette peccati mortali*) **3** (*fig.*) furia; violenza: *'The storm was still abroad in all its w.'* E.A. POE, 'la tempesta imperversava ancora in tutta la sua furia'.

wrathful /'rɒθfl/ *a.* (*lett.*) adirato; furibondo; indignato ‖ **-ly** *avv.*

wrathy /'rɒθɪ/ (*fam.*) → **wrathful**.

to **wreak** /riːk/ *v. t.* **1** dar libero corso a; sfogare: *The drunkard wreaked his anger on his children*, l'ubriacone sfogò l'ira sui figli **2** compiere; fare: **to w. vengeance upon a foe**, compiere la propria vendetta su un nemico ● **to w. havoc all over the country**, causare distruzioni in tutto il paese.

wreath /riːθ/ *n.* **1** ghirlanda; corona (*di fiori*); serto: **a laurel w.**, un serto di alloro **2** (*di fumo*) anello; cerchio; spirale; voluta: **wreaths of smoke**, volute di fumo ● (*fig., poet.*) **a w. of spectators**, spettatori che fanno corona.

to **wreathe** /riːð/ Ⓐ *v. t.* **1** intrecciare (*fiori, ghirlande*); fare (*corone di fiori*) **2** inghirlandare **3** avvolgere; avviluppare; circondare: *Clouds wreathed the mountains*, le nubi avvolgevano i monti Ⓑ *v. i.* **1** (*del fumo, ecc.*) salire in spire (*o* in volute) ● **to w. itself**, attorcigliarsi; avvilupparsi; (*del fumo, ecc.*) salire in spire (*o* in volute): *The boa wreathed itself round its prey*, il boa si attorcigliò intorno alla preda □ **a face wreathed in wrinkles**, una faccia coperta di rughe □ **His face was wreathed in smiles**, la sua faccia era tutta un sorriso.

wreck /rek/ *n.* **1** (*naut.*, = **shipwreck**) naufragio (*anche fig.*): *There have been many wrecks lately*, vi sono stati molti naufragi di recente; **the w. of one's hopes**, il naufragio delle proprie speranze **2** (*naut.*) relitto; nave che ha fatto naufragio; carcassa: *The shore was strewn with wrecks*, la spiaggia era coperta di relitti **3** disastro; scontro; sinistro: **a train w.**, un disastro ferroviario; **an automobile w.**, uno scontro automobili-

stico **4** rottame (*anche fig.*); rudere; macerie; (*fig.*) ombra: *The palace is now a w.*, il palazzo è ridotto a un rudere; *He's but a* (*o the*) *w. of his former self*, non è più che l'ombra di sé stesso **5** (*fig.*) distruzione; rovina; sfacelo: **the w. of one's schemes**, lo sfacelo dei propri progetti **6** (*fam.*, = **old w.**: *di un'auto*) macinino; catorcio **7** (*fam.*) persona ridotta male; rottame: *He's a nervous w.*, ha i nervi a pezzi ● (*autom.*) **w. car**, carro attrezzi; carro (di) soccorso; carro gru; autogrù (*naut.*) **w. chart**, carta costiera dei relitti □ (*naut.*) **w. raising**, recupero di un relitto □ (*ferr.*) **w. train**, treno di soccorso □ **The w. of the sea belongs to the Crown**, i relitti dei naufragi sono di proprietà della Corona (*in GB*).

to **wreck** /rɛk/ **A** v. t. **1** far naufragare; (*fig.*) distruggere, rovinare, mandare in rovina (*o in fumo*): *The ship was wrecked by the storm*, la tempesta fece naufragare la nave; *I'm afraid he'll w. our plans*, temo che manderà in fumo i nostri progetti **2** abbattere, demolire, mandare in pezzi, smantellare (*un edificio*) **B** v. i. naufragare; far naufragio ● **to w. one's digestion**, rovinarsi la digestione □ **to be wrecked**, (*di nave, marinai, passeggeri*) fare naufragio; (*di treno, automobile*) scontrarsi: *We were wrecked off Cape Horn*, facemmo naufragio al largo di Capo Horn; *The train was wrecked inside the tunnel*, il disastro ferroviario avvenne dentro la galleria ● **wrecked goods**, relitti di un naufragio; merci cadute in (*o gettate a*) mare □ (*fig.*) **a wrecked life**, una vita distrutta ● **wrecked sailors**, marinai che hanno fatto naufragio; naufraghi □ (*polit.*) **wrecking amendment**, emendamento ostruzionistico □ (*edil.*) **wrecking ball**, berta per demolizioni ● **wrecking crew**, (*naut.*) equipaggio addetto ai recuperi; (*autom.*) squadra di soccorso.

wreckage /'rɛkɪdʒ/ n. ▣ **1** (*arc.*) naufragio (*anche fig.*): **the w. of one's hopes**, il naufragio delle proprie speranze **2** (*naut.*) relitto, relitti, resti (*di un naufragio*) **3** rottame, rottami (*di un disastro aereo, di un grave incidente stradale, ecc.*) **4** macerie (*di un edificio*) **5** (*fig.*) rovina; distruzione; sfacelo: **the w. of their marriage**, il loro matrimonio andato in sfacelo.

wrecker /'rɛkə(r)/ n. **1** (*stor.*) chi causava naufragi a scopo di saccheggio (*accendendo fuochi presso coste irte di scogli, ecc.*); saccheggiatore di relitti **2** (*fig.*) distruttore; ostruzionista **3** (*naut.*) nave per recuperi; nave di soccorso; recuperatore di relitti **4** (*autom., ferr., USA*) carro attrezzi; carro (di) soccorso; carro gru; autogrù **5** (*USA*) demolitore (*di case vecchie, ecc.*).

wrecking /'rɛkɪŋ/ n. ▣ (*edil.*) demolizione: **w. ball**, grande sfera di acciaio (*per demolizioni: oscillante*).

wren /rɛn/ n. (*zool.*, *Troglodytes troglodytes*) scricciolo.

Wren /rɛn/ n. (*mil.*) ausiliaria della marina militare inglese (dall'acronimo **WREN**, che sta per **Women's Royal English Navy**).

wrench /rɛntʃ/ n. **1** strappo; tirata; torsione brusca: *I gave a w. at the door-handle*, diedi uno strappo alla maniglia **2** (*med.*) strappo muscolare; distorsione; storta: *He gave his ankle a bad w. when he jumped down*, saltando giù si produsse una brutta storta alla caviglia **3** (*fig.*) forte dolore; strazio: **the w. of saying goodbye**, il dolore di doversi dire addio **4** (*mecc.*) spinta con torsione **5** (*mecc.*) chiave fissa; chiave inglese: **double-head w.** (*o* **double-ended w.**), chiave inglese doppia **6** (*mecc., USA*) chiave (*in genere*): *Stillson w.*, chiave Stillson; chiave stringitubi.

to **wrench** /rɛntʃ/ v. t. **1** strappare; tirare; torcere: *He wrenched the revolver away from me*, mi strappò la rivoltella di mano; **to w. a fowl's head off**, tirare il collo a un pollo **2** slogare; storcere: *He slipped and wrenched his ankle*, scivolò e si slogò una caviglia **3** (*fig.*) distorcere; falsare; alterare; svisare; travisare: **to w. the meaning of a phrase**, distorcere il significato di una locuzione ● **to w. a door open**, aprire la porta con uno strattone; forzare una porta □ **to w. oneself free**, liberarsi con uno strattone □ **to w. off**, cavare strappando, strappare: *I had to w. the lid off*, ho dovuto strappare il coperchio □ **to w. a door off its hinges**, scardinare una porta.

wrest /rɛst/ n. **1** strappo; tirata; torsione **2** (*mus.*) chiave per accordare strumenti musicali ● (*mus.*) **w. block**, (*di clavicembalo, di pianoforte*) somiere; (*di pianoforte, anche*) pancone □ (*mus.*) **w. pin**, bischero; pirolo.

to **wrest** /rɛst/ v. t. **1** strappare (*anche fig.*); estorcere: *I wrested the whip from the angry master*, strappai di mano la frusta al padrone adirato; **to w. a confession from sb.**, estorcere una confessione a q. **2** distorcere; stiracchiare: **to w. the law to suit oneself**, distorcere la legge a proprio vantaggio **3** alterare; falsare; svisare; travisare: **to w. the sense of a passage**, svisare il significato di un passo ● (*fig.*) **to w. a living**, guadagnarsi a stento da vivere.

wrestle /'rɛsl/ n. **1** (*sport*) lotta; (*spec.*) lotta libera; incontro di lotta **2** (*fig.*) dura lotta; combattimento.

to **wrestle** /'rɛsl/ **A** v. i. **1** lottare (*anche fig.*); (*sport*) fare la lotta; battersi (*con un avversario*): *They were wrestling (together)*, facevano la lotta; lottavano (l'uno contro l'altro) **2** – **to w. with**, lottare contro (*o con*) (*anche fig.*); (*fig.*) essere alle prese con, affrontare vigorosamente, applicarsi seriamente a (*un compito, un dovere, un problema, ecc.*): **to w. with temptation**, lottare contro le tentazioni **B** v. t. lottare contro (*sport*) fare la lotta con: *I hope you'll w. him for the prize*, spero che accetterai di lottare contro di lui per il premio in palio ● **to w. down** (*o* **to the ground**), atterrare (*un avversario, un ladro, ecc.*) □ **to w. with oneself**, lottare dentro di sé.

wrestler /'rɛslə(r)/ n. (*sport*) lottatore ● **Graeco-Roman w.**, grecoromanista.

wrestling /'rɛslɪŋ/ n. ▣ **1** lotta **2** (*in GB e USA, per lo più*) lotta libera **3** il lottare; combattimento ● (*lotta*) **w. area**, zona di combattimento □ **w. bout** (*o* **contest**, *o* **match**), incontro di lotta □ **w. hall**, sala per incontri di lotta □ (*lotta*) **w. mat**, tappeto □ (*lotta*) **w. stance**, guardia in piedi □ **w. style**, stile di lotta (*libera, greco-romana, ecc.*).

wretch /rɛtʃ/ n. **1** disgraziato, disgraziata; infelice; misero, misera; sventurato, sventurata; sciagurato, sciagurata **2** individuo spregevole; miserabile; vile **3** (*scherz.*) birbantello; mascalzoncello; incosciente ● **poor w.!**, povero diavolo!

wretched /'rɛtʃɪd/ a. **1** disgraziato; infelice; misero; sventurato; sciagurato: *Toothache makes everybody feel w.*, il mal di denti rende tutti infelici; *The w. man had lost all his relatives*, lo sventurato aveva perso tutti i parenti **2** spregevole; miserabile; vile: **a w. fellow**, un uomo spregevole **3** brutto; cattivo; orrendo; pessimo; deprimente; squallido: **w. weather**, brutto tempo; **w. health**, salute pessima; **w. food**, cibo pessimo; *What a w. place to live in!*, che posto squallido per viverci! **4** (*fam.*) maledetto; stramaledetto (*pop.*); fottuto (*volg.*): *I can't find my w. keys!*, non trovo più le mie maledette chiavi! ● **a w. horse**, un ronzino □ **w. ignorance**, crassa ignoranza □ **a w. life**, una vita di stenti □ **a w. poet**, un poetastro | **-ly** avv. | **-ness** n. ▣.

wriggle /'rɪgl/ n. contorsione; contorcimento; dimenamento.

to **wriggle** /'rɪgl/ **A** v. i. **1** contorcersi; dimenarsi; dibattersi; agitarsi: *The witness wriggled uneasily in his chair*, il teste si agitò sulla sedia per il disagio **2** (*fig.*) essere evasivo; equivocare: *It's no use asking him; you know the way he wriggles*, è inutile chiederlo a lui; sai bene come è evasivo **3** (*fig.*) essere a disagio **B** v. t. contorcere; dimenare; agitare; scuotere: **to w. one's tail**, dimenare la coda; **to w. one's hand**, agitare la mano; **to w. one's hips**, dimenare i fianchi ● **to w. along**, avanzare contorcendosi; strisciare: *The worm wriggled along*, il verme avanza contorcendosi; *The explorer wriggled along the ground*, l'esploratore strisciava sul terreno □ **to w. oneself free**, liberarsi (*da funi, ecc.*) divincolandosi □ **to w. out**, sgusciare; (*fig.*) sbrogliarsela, trarsi d'impaccio: *The cat wriggled out of the little boy's hands*, il gatto sgusciò di tra le mani del bambino; *Let's try to w. out of this mess*, cerchiamo di sbrogliarci da questo pasticcio! □ **to w. out of a punishment**, scansare (*o evitare*) una punizione □ **to w. out of doing one's homework**, riuscire a non fare i compiti □ **to w. one's way out**, riuscire a sgusciar fuori (*a furia di contorcimenti*) □ **to w. one's way up**, salire a forza di contorcimenti.

wriggler /'rɪglə(r)/ n. chi si contorce; chi si dimena.

wright /raɪt/ n. (*di solito nei composti*) artigiano; costruttore; operaio.

wring /rɪŋ/ n. **1** stretta, forte stretta (*di mano*): *He gave my hand a w.*, mi diede una forte stretta di mano **2** torsione; strizzata; spremuta: *Give those clothes a w.*, da' una strizzata a quei panni!

to **wring** /rɪŋ/ (*pass. e p. p.* **wrung**) **A** v. t. **1** torcere; tirare (torcendo); strizzare, spremere (torcendo): **to w. (out) wet clothes** [**the washing**], torcere (*o strizzare*) panni bagnati [il bucato]; **to w. the hen's neck**, tirare il collo alla gallina; (*scherz.*) *I'll w. his neck, if I catch him*, se lo prendo, gli torco il collo; **to w. (out) water**, spremere l'acqua (*farla uscire, torcendo panni o altro*); **to w. one's hands in despair**, torcersi le mani dalla disperazione **2** stringere forte: *He wrung my hand*, mi strinse forte la mano **3** increspare: *A sad smile wrung her lips*, un triste sorriso le increspò le labbra **4** estorcere; strappare: *The police wrung a confession from the prisoner*, la polizia strappò una confessione al detenuto **5** (*fig., lett.*) stringere; addolorare; straziare: *The poor woman's tale wrung his heart*, il racconto della povera donna gli strinse il cuore **6** (*raro*) distorcere; alterare; falsare; svisare; travisare: *Don't w. my words from their true meaning*, non travisare il vero significato delle mie parole **B** v. i. **1** torcere; strizzare; tirare (torcendo) **2** contorcersi: *The wounded soldier was wringing with pain*, il soldato ferito si contorceva per il dolore ● **to w. st. dry**, asciugare qc. strizzando (*o torcendo*) □ **to w. out**, torcere, strizzare; spremere, far uscire; (*fig.*) estorcere, strappare; **to w. information out of sb.**, strappare informazioni a q.; **to w. money out of sb.**, estorcere denaro a q.; **to w. out a few tears**, spremere qualche lacrimuccia.

wringer /'rɪŋə(r)/ n. asciugatrice meccanica; strizzatoio; torcitoio.

wringing /'rɪŋɪŋ/ n. ▣ torcitura (*dei panni, ecc.*); torsione, strizzatura ● **w. machine**, asciugatrice meccanica □ (*fam.*) **w. wet**, bagnato fradicio; zuppo.

wrinkle ① /'rɪŋkl/ n. grinza; ruga; piega; crespa: **the wrinkles on the face of an old man**, le rughe sulla faccia di un vecchio; **the wrinkles of a dress**, le grinze di un vestito

(da donna).

wrinkle② /'rɪŋkl/ n. (fam.) **1** espediente nuovo; ritrovato; innovazione; trucco: **to learn a few wrinkles**, imparare qualche trucco **2** problemino; piccola grana.

to **wrinkle** /'rɪŋkl/ **A** v. t. raggrinzare, raggrinzire; corrugare; increspare; spiegazzare: **to w. (up) one's forehead**, corrugare la fronte **B** v. i. raggrinzarsi, raggrinzirsi; corrugarsi; incresparsi ● **to w. one's nose**, arricciare il naso □ **wrinkled with age**, grinzoso (o rugoso) per l'età.

wrinklies /'rɪŋklɪz/ n. pl. (slang spreg.) i vecchi.

wrinkling /'rɪŋklɪŋ/ n. Ⓤ corrugamento (anche metall.); raggrinzimento.

wrinkly /'rɪŋklɪ/ a. grinzoso; rugoso; raggrinzito.

♦**wrist** /rɪst/ n. **1** (anat.) polso: He caught me by the w., m'afferrò per il polso; **to sprain one's w.**, slogarsi il polso **2** (mecc., di solito **w. pin**) spinotto ● (med.) **w. drop**, paralisi dei muscoli estensori del carpo; caduta del polso □ (anat.) **w. joint**, articolazione del polso (o radiocarpica) □ (lotta) **w. hold** (o **w. lock**), presa di polso □ (pallamano, ecc.) **w. pass**, passaggio effettuato col polso; passaggio di polso □ (alpinismo) **w. sling**, cinturino (della piccozza) □ **w. sprain**, distorsione del polso □ (sci) **w. strap**, cappio (della racchetta) □ (ginnastica) **w. weight**, polsiera.

to **wrist** /rɪst/ v. t. (spec. sport) lanciare (o mandare, muovere) (qc.) con un movimento del polso.

wristband /'rɪstbænd/ n. **1** polsino (di camicia) **2** cinturino (d'orologio) **3** polsiera (di un tennista, ecc.).

wristlet /'rɪstlət/ n. **1** braccialetto **2** cinturino (d'orologio) **3** (slang USA) manetta ● **w. watch**, orologio da polso.

wristlock /'rɪstlɒk/ n. (lotta) presa di polso; presa che blocca il polso.

wristwatch /'rɪstwɒtʃ/ n. orologio da polso.

wristy /'rɪstɪ/ a. (sport) caratterizzato da un buon gioco di polso.

writ① /rɪt/ n. **1** (arc.) scritto; documento **2** (leg.) mandato; decreto; ordine; ordinanza: **w. of subpoena**, mandato di comparizione (nel processo civile); The w. still runs in Scotland, l'ordinanza è ancora in vigore in Scozia ● (leg.) **w. of attachment**, ordine di sequestro conservativo (o di arresto) □ (leg.) **w. of summons**, mandato di comparizione, citazione a comparire (nel processo penale) □ (leg.) **to serve a w. on sb.**, notificare un mandato a q.

writ② /rɪt/ pass. e p. p. (arc.) di **to write**.

writable /'raɪtəbl/ a. scrivibile; riducibile in forma di scritto.

write /raɪt/ n. Ⓤ (comput.) scrittura; registrazione (di dati) ● **w. enable**, abilitato alla scrittura; che abilita alla scrittura ● **w. error**, errore di scrittura □ **w. lock switch**, interruttore di blocco della registrazione □ (comput.) **w. permission**, permesso di scrittura (in un file, ecc.).

♦to **write** /raɪt/ (pass. **wrote**, p. p. **written**), v. t. e i. **1** scrivere; tracciare (lettere, segni); comporre; stilare; compilare; fare lo scritto re: He is learning to w., sta imparando a scrivere; **to w. a letter [a note, a book]**, scrivere una lettera [un appunto, un libro]; I wrote to him yesterday (USA: I wrote him yesterday), gli scrissi ieri; He ought to be written to, bisognerebbe scrivergli; He wrote a few words on a piece of paper, tracciò poche parole su un pezzo di carta; He writes well, scrive bene; è una buona penna; He writes for a living, fa lo scrittore per guadagnarsi da vivere; vive della sua pen

na; **to w. for a paper**, scrivere (o lavorare) per un giornale; **to w. an opera**, comporre un'opera lirica; I've written three sheets, ho scritto (o riempito) tre fogli **2** fare, staccare (un assegno): He wrote me a cheque for 200 pounds, mi fece un assegno da 200 sterline **3** (arc.) designare, qualificare (per iscritto): He writes himself «judge», si qualifica come giudice; si firma «giudice» **4** (comput.) scrivere; stendere; mettere (informazioni) in memoria: **to w. a computer program**, scrivere un programma per il computer ● **to w. in a good hand**, avere una bella grafia (o scrittura); scrivere bene (o in bella scrittura); **to w. in ink**, scrivere a penna □ **to w. in one's own hand**, scrivere di proprio pugno □ **to w. in pencil**, scrivere a matita □ **to w. in shorthand**, stenografare □ **to w. one's name**, scrivere il proprio nome; firmare □ **a page written all over**, una pagina scritta fitta fitta.

■ **write about** v. i. + prep. scrivere su (o di); descrivere (per iscritto): **to w. about one's holidays abroad**, descrivere le proprie vacanze all'estero.

■ **write away** v. i. + avv. **1** scrivere di continuo; continuare a scrivere **2** (comm.) mandare un ordinativo per posta; scrivere (fam.): She wrote away for the book!, ordinò il libro per posta!

■ **write back** **A** v. i. + avv. rispondere (per lettera) **B** v. t. + avv. (rag.) reinserire (una voce, ecc.).

■ **write down** v. t. + avv. **1** prendere nota di (qc.); annotare; scrivere; segnare; mettere (o buttare) giù (fam.): W. the figures down before you forget them, scrivi le cifre prima che te le scordi; He wrote down all the names, si segnò tutti i nomi; **to w. down a few ideas**, buttar giù qualche idea; I didn't w. it down in my diary and totally forgot about it, non l'avevo annotato nell'agenda e me ne sono totalmente dimenticata **2** scrivere (qc.) in forma più elementare; semplificare, ridurre (ad uso dei giovani, ecc.) **3** (fig.) annacquare, edulcorare (un rapporto, una relazione, ecc.) **4** parlar male di, criticare, denigrare (un dramma, un film, ecc.) **5** (fin., rag.) ridurre il valore di, svalutare (attività, titoli, ecc.) **6** (market.) ribassare (merci) □ **to w. sb. down as**, considerare, definire, chiamare q.

■ **write home** v. i. + avv. scrivere a casa (alla famiglia, ecc.) □ (fig.) **nothing to w. home about**, niente di speciale: The film was good, but nothing to w. home about, il film era buono, ma niente di speciale.

■ **write in** **A** v. t. + avv. **1** inserire, includere (qc.) per iscritto **2** (USA) aggiungere (il nome di un candidato) in una lista; votare per (un candidato) inserendone il nome in lista **B** v. i. + avv. scrivere (alla radio, alla TV, ecc.); mandare una lettera, fare un esposto.

■ **write into** v. t. + prep. **1** inserire, includere, infilare (fam.) in: **to w. a clause into a contract**, inserire una clausola in un contratto: The editor shouldn't w. his own ideas into my articles, il direttore non dovrebbe infilare le sue idee dentro i miei articoli **2** scrivere a (la radio, la TV, i giornali, ecc.) esponendo le proprie idee □ **to w. oneself into fame**, diventare famoso come scrittore.

■ **write of** v. i. + prep. scrivere su (o di); descrivere (per iscritto).

■ **write off** **A** v. t. + avv. **1** scrivere alla svelta (o con grande facilità); buttare giù (fam.): **to w. off a little poem**, buttare giù una poesiola **2** (fin.) cancellare, annullare, abbonare, condonare (un debito, ecc.): All uncollectibles have been written off, abbiamo cancellato tutti i crediti inesigibili **3** (fin., rag.) ammortizzare (una voce) per deprezzamento; stornare **4** (fig.) annullare; radiare; cancellare; scartare; escludere; considerare (q. o qc.) come indispensabile (inservibile, disastroso, ecc.): The missing soldiers were

written off as dead, i dispersi furono considerati morti; I've written off your idea as impracticable, ho scartato la tua idea perché impraticabile; **to w. off a friendship**, considerare fallita un'amicizia **5** (leg.) redigere, stendere (un atto, un contratto) **B** v. i. + avv. **1** scrivere (subito); mandare una lettera (a q.): I'll w. off at once, gli scrivo subito **2** → **write away**, def. 2.

■ **write on** **A** v. i. + avv. → **write away**, def. 1 **B** v. i. + prep. scrivere su (un argomento): What are you writing on now?, su che cosa stai scrivendo ora? □ **Deep distaste for the man was written on her face**, le si leggeva in viso una profonda avversione per quell'uomo.

■ **write out** v. t. + avv. **1** scrivere per esteso (o in lettere): W. it out (in full)!, scrivilo per esteso!; **to w. out the numbers**, scrivere le cifre in lettere (per es., «dieci» e non «10») **2** trascrivere; ricopiare: **to w. out the copy of a contract**, trascrivere un contratto **3** compilare; redigere: **to w. out a cheque**, compilare (o staccare) un assegno (bancario) **4** (teatr., radio, TV) eliminare, sopprimere (un personaggio, ecc.) **5** (leg.) redigere, rilasciare (un documento, una ricevuta, una quietanza) □ (di un romanziere, un poeta, ecc.) **to have written oneself out**, aver esaurito la vena; non riuscire più a scrivere; non avere più nulla da dire.

■ **write to** v. t. + prep. **1** scrivere a (q.) **2** scrivere (qc.) in onore di (q.); scrivere per (q.) **3** scrivere (qc.) secondo (o seguendo): He wrote the novel to a careful plan, scrisse il romanzo seguendo un progetto preciso □ (leg.) **to w. to a contract date**, scrivere (per un editore) con una precisa data di scadenza contrattuale.

■ **write up** **A** v. t. + avv. **1** scrivere: His name was written up on the blackboard, il suo nome era scritto sulla lavagna **2** compilare per esteso; completare; aggiornare; riordinare: **to w. up one's notes**, riordinare i propri appunti **3** fare la recensione di (un libro, un film, ecc.); recensire: Everyone likes to be written up, a tutti piace essere recensito **4** arricchire (un resoconto, ecc.) di particolari; rendere (uno scritto) più interessante **5** (fin., rag.) aumentare il valore di, rivalutare: The assets of the firm have been written up, l'attivo dell'azienda è stato rivalutato **B** v. i. + avv. → **write in**, B.

■ **write upon** → **write on**, B.

write-back /'raɪtbæk/ n. (rag.) **1** reinserimento (nell'attivo) di una partita già stornata (a copertura di crediti inesigibili) **2** partita reinserita (nell'attivo dei conti).

write-down /'raɪtdaʊn/ n. (fin., rag.) svalutazione contabile.

write-in /'raɪtɪn/ n. **1** (USA) voto (dato inserendo il nome del candidato sulla scheda) **2** protesta pubblica con invio di numerose lettere.

write-off /'raɪtɒf/ n. **1** (comm., rag.) cancellazione (di un credito); debito cancellato **2** (fin., rag.) ammortamento per deprezzamento; storno **3** (fam.) oggetto (ormai) senza valore; cosa da buttare; ferrovecchio; rottame **4** (fam.) perdita completa (di qc.) **5** (sport) atleta (o giocatore) che non vale più niente ● **My old car is a real write-off**, la mia vecchia auto ormai è da rottamare.

to **write-protect** /raɪtprə'tɛkt/ (comput.) v. t. proteggere contro cancellazione o sovrascrittura ‖ **write-protect a.** che protegge da sovrascrittura: **write-protect tab**, linguetta di protezione da sovrascrittura ‖ **write-protected a.** protetto da sovrascrittura.

♦**writer** /'raɪtə(r)/ n. **1** chi scrive; scrivente: **the w. of this report**, chi scrive questa relazione; il redattore (o l'autore) di questa relazione **2** scrittore, scrittrice; autore, autri

ce: *She's a very good w.*, è un'ottima scrittrice **3** (*stor.*) scrivano; copista **4** (*scozz.*) avvocato; notaio (*cfr. ingl.* **solicitor**) **5** (= **graffiti w.**) writer; graffitista; graffitaro ● **w.'s cramp**, crampo dello scrivano □ (*leg. scozz.*) **W. to the Signet**, avvocato patrocinante □ (*leg.*) **the w. of the document**, l'estensore (*o* il redattore) del documento.

write-up /'raɪtʌp/ *n.* **1** resoconto scritto; servizio **2** recensione; critica **3** (*fin., rag.*) rivalutazione contabile: **the write-up of machinery**, la rivalutazione del macchinario.

writhe /raɪð/ *n.* contorcimento; contorsione; convulsione.

to writhe /raɪð/ *v. i.* **1** contorcersi; dimenarsi; dibattersi; torcersi: *The snake was writhing in the throes of death*, la serpe si torceva negli spasimi della morte **2** (*fig.*) fremere; essere offeso; sentirsi ferito (*fig.*): **to w. with shame**, fremere di vergogna.

♦**writing** /'raɪtɪŋ/ *n.* **1** Ⓤ scrittura; grafia; lo scrivere: *He's fond of w.*, gli piace scrivere; *His w. is very clear*, la sua scrittura è molto chiara **2** scritto; opera letteraria: *I don't know his writings*, non conosco i suoi scritti; **the writings of Milton**, le opere di Milton ● **w. book**, quaderno □ **w. case**, astuccio (*con il necessario per scrivere*) □ **w. desk**, scrivania; scrittoio □ **w. ink**, inchiostro per scrivere (*non tipografico*) □ **w. materials**, l'occorrente per scrivere □ **w.-off**, (*comm., rag.*) cancellazione (*di un credito*); (*fin., rag.*) ammortamento per deprezzamento; storno (*fig.*) **the w. on the wall**, presagio infausto, segno premonitore (*dalla Bibbia*) □ **w. pad**, bloc-notes; blocchetto di carta □ **w. paper**, carta da lettere; carta da scrivere □ **w. table**, scrivania; scrittoio □ **w. work**, lavoro di tavolino □ **a fine piece of w.**, un esempio di bello stile letterario; (*giorn.*) un bel pezzo, un bell'editoriale □ **to put st. in w.**, mettere qc. per iscritto □ **Have you done much w. this week?**, hai scritto molto questa settimana?

♦**written** /'rɪtn/ Ⓐ *p. p. di* **to write** Ⓑ *a.* **1** scritto: **the w. language**, la lingua scritta; **a w. order**, un ordine scritto; **a w. complaint**, un reclamo scritto **2** iscritto; scolpito **3** (*leg.*) codificato; formulato in un codice ● (*fin., rag.*) **w.-down value**, valore contabile □ (*leg.*) **w. evidence**, prova scritta □ (*fig.*) **w. in the dust** (*o* **on sand, on water**), scritto sulla sabbia; effimero; transeunte □ **w. large**, scritto a caratteri grandi; (*fig.*) evidenziato □ **w. small**, scritto a caratteri piccoli; (*fig.*) in piccolo □ **the w. word**, la parola scritta □ **badly-w.**, scritto male □ **well-w.**, scritto bene □ **a w. apology**, una scusa per iscritto.

♦**wrong** ① /rɒŋ/ *a.* **1** disonesto; ingiusto; riprovevole; scorretto: **w. behaviour**, comportamento scorretto; (*sport*) **a w. decision**, un verdetto ingiusto; *It was w. of you to do that*, fu disonesto da parte tua fare ciò; *It's w. of him to punish his children in that way*, è ingiusto che punisca (*o* fa male a punire) così i suoi figli **2** errato; sbagliato; falso; inesatto; scorretto: *It's w. to say that the sun goes round the earth*, è errato dire che il sole gira intorno alla terra; *Your answer is w.*, la tua risposta è sbagliata; *You've got the w. idea*, ti sei fatto un'idea sbagliata; **a w. hypothesis**, un'ipotesi inesatta **3** inopportuno; disadatto; sconveniente: *He always says the w. things*, dice sempre cose inopportune; parla sempre a sproposito; *You are wearing the w.* (*sort of*) *clothes for a hot place like this*, indossi abiti disadatti a un posto caldo come questo **4** guasto; che non va (*anche fig.*); che va male; in cattive condizioni; che non funziona: *That clock is w.*, quell'orologio segna l'ora sbagliata; *Something is w. with the TV set*, il televisore è guasto; *The engine won't start; what's w.*

with it?, il motore non parte; cos'ha che non va?; (*fam.*) *What's w. with you?*, cosa c'è che non va?; cos'hai oggi?; *Is anything w.?*, c'è qualcosa che non va? **5** che non va; da obiettare; da ridire: *What's w. with him?*, che c'è da ridire sul suo conto? **6** (*fam. ingl.*: *di una persona*) disonesto; corrotto: **w. coppers**, sbirri corrotti ● **to be w.**, essere in errore, sbagliare, sbagliarsi; aver torto, far male (a): *He was w. when he said I wasn't there*, era in errore quando disse che io non c'ero; *You are w. in thinking that Tom is a liar*, sbagli a credere che Tom sia un bugiardo; *You are quite w.*, hai completamente torto (*fam.*: hai torto marcio); *You are w. in saying that he is a thief*, fai male a dire che è un ladro □ **the w. end**, la parte sbagliata (*di un oggetto*); l'estremità sbagliata (*di un attrezzo, di una strada*) □ (*d'oggetto, collo, pacco, ecc.*) **w. end up**, capovolto; sottosopra □ **the w. foot**, il piede sbagliato (*anche fig.*); □ (*atletica*) **w. footing**, posizione di svantaggio □ (*tipogr.*) **w. fount**, indicazione di refuso (*abbr.* **w. f.**) □ (*fam.*) **to be w. in the head**, non avere la testa a posto; essere giù di testa; essere matto □ (*telef.*) **w. number**, numero sbagliato; sbaglio: *Sorry, w. number!*, mi dispiace, ha sbagliato (numero)! □ **the w. side**, il lato (*o* il verso) sbagliato; (*di stoffa, ecc.*) il rovescio: (*autom.*) **to drive on the w. side of the road**, guidare sul lato sbagliato della strada (*o* contromano); (*fig.*) **to get on the w. side of sb.**, prendere q. per il verso sbagliato; inimicarsi q.; (*fig.*) **to get out of bed on the w. side**, alzarsi di cattivo umore (*o* con la luna di traverso); (*fig.*) **to be on the w. side of forty**, aver passato la quarantina; (*fig. antiq.*) **to have been born on the w. side of the blanket**, essere figlio illegittimo □ (*slang USA*) **the w. side of the tracks**, i quartieri poveri della città □ **w. side out**, a rovescio: *I've put on my socks w. side out*, mi sono messo i calzini a rovescio; *You're wearing your pullover w. side out*, hai il pullover a rovescio □ **w. side up**, sottosopra; capovolto; a testa in giù: *He set the box down w. side up*, ha posato la scatola capovolta □ **the w. way**, la strada (*o* la direzione) sbagliata; (*fig.*) il (*o* nel) modo sbagliato: **to take the w. way**, prendere la strada sbagliata; sbagliare strada; **to do st. the w. way**, fare qc. nel modo sbagliato; (*fig.*) **to take st. the w. way**, prendere qc. in mala parte; fraintendere qc. □ **the w. way round**, a rovescio: *You've got your hat the w. way round*, ti sei messo il cappello a rovescio (*col davanti didietro*) □ (*fig.*) **to be caught on the w. foot**, essere preso in contropiede (*fig.*) □ (*fig.*) **to get off on the w. foot**, partire col piede sbagliato □ **to get the w. end of the stick**, prendere fischi per fiaschi (*fig.*); fraintendere; prendere lucciole per lanterne □ (*di cibo*) **to go down the w. way**, andare di traverso □ **something w.**, qualcosa che non va; indisposizione, disturbo, malanno; guasto meccanico (*o* elettrico, ecc.): *Something is w. with my liver*, ho disturbi di fegato; *There's something w. with the brakes*, c'è un guasto ai freni □ **That was a w. guess**, hai sbagliato; non hai indovinato □ **You always do the w. thing**, fai sempre quello che non dovresti fare □ **You've got the w. key**, hai sbagliato chiave □ **He came on the w. day**, sbagliò giorno; venne quando non doveva venire □ **That was the w.** (*sort of*) **thing to do**, quella era l'ultima cosa da farsi □ **I can prove you w.**, posso dimostrarti che hai torto.

♦**wrong** ② /rɒŋ/ *avv.* **1** erroneamente; in modo inesatto; male: **to answer w.**, rispondere erroneamente; *You've done it w.*, l'hai fatto male; l'hai sbagliato; *What am I doing w.?*, dov'è che sbaglio? **2** in modo inopportuno (*o* sconveniente); impropriamente **3** (*leg.*) illecitamente ● **to aim w.**, sbagliare la

mira; mirare male □ (*fam. USA*) **to get in w. with sb.**, rendersi (*o* riuscire) antipatico a q. □ **to get it w.**, capire male; fraintendere □ **to get w.**, sbagliare; capir male, fraintendere: *You've got the answer w.*, hai sbagliato la risposta; *Don't get me w.!*, non fraintendermi!; *You've got it all w.*, non hai capito niente; hai frainteso ogni cosa □ **to go w.**, andare male (*o* a rotoli, di traverso); fallire; (*fig.*) deviare dal retto cammino, prendere una cattiva strada, sgarrare; (*di un orologio, ecc.*) guastarsi; (*di un meccanismo*) incepparsi; (*di una parte del corpo*) cessare di funzionare bene, ammalarsi: *Everything went w.*, andò tutto a rotoli; *The attempt to rescue the hostages went horribly w.*, il tentativo di liberare gli ostaggi finì in un disastro □ **to guess w.**, sbagliare; non indovinare □ **to lead sb. w.**, fuorviare q. □ **to tell sb. w.**, dare a q. un'informazione sbagliata: *He told me w. and I got lost in the wood*, mi smarrii nel bosco.

♦**wrong** ③ /rɒŋ/ *n.* **1** Ⓤ male; peccato: *He's too young to know right from w.*, è troppo giovane per distinguere il bene dal male; *I hope you will never do w.*, spero che non commetterai mai azioni disoneste **2** ⓊⒸ torto; ingiustizia; ingiuria; offesa: *Who says that I'm in the w.?*, chi lo dice che ho torto?; **to do sb. a w.**, fare un torto a q., offendere q.; (*lett.*) **the wrongs of time**, le ingiurie del tempo **3** (*leg.*) illecito: **private w.**, illecito civile; **public w.**, illecito penale **4** (*leg.*) torto; pregiudizio, danno (*subito o arrecato a q.*) ● **to be in the w.**, aver torto; essere dalla parte del torto: *They were both in the w.*, avevano torto tutti e due □ **to put sb. in the w.**, mettere q. dalla parte del torto, fare apparire q. colpevole; (*leg.*) dimostrare (*o* provare) la colpevolezza di q. □ (*polit.*) **The King can do no w.**, il re non è politicamente responsabile (*nelle monarchie costituzionali*) □ (*prov.*) **Two wrongs do not make a right**, due torti non fanno una ragione.

to wrong /rɒŋ/ *v. t.* **1** far torto a; trattare ingiustamente; offendere; maltrattare: *'And if you w. us shall we not revenge?'* W. SHAKESPEARE, 'e se ci offendete, perché mai non dovremmo vendicarci?' **2** denigrare; diffamare: *They wronged me with false accusations*, mi diffamarono con false accuse **3** (*leg.*) arrecare un danno, nuocere a (q.) ● **to w. sb. out of st.**, defraudare q. di qc.: *The pioneers wronged the native Americans out of their lands*, i pionieri defraudarono (*o* con l'inganno spogliarono) i nativi americani delle loro terre.

wrongdoing /'rɒŋduːɪŋ/ *n.* **1** ⓊⒸ male; peccato; offesa **2** (*leg.*) trasgressione; infrazione; atto illecito **3** Ⓤ (*leg.*) criminosità; de linquenza ‖ **wrongdoer** *n.* **1** chi commette cattive azioni; chi fa del male; peccatore **2** chi commette azioni disoneste; malfattore; trasgressore; delinquente **3** (*leg.*) chi commette un atto illecito; autore di un illecito.

to wrong-foot /rɒŋ'fʊt/ *v. t.* (*sport e fig., ingl.*) prendere, cogliere in contropiede; spiazzare.

wrongful /'rɒŋfl/ *a.* **1** ingiusto; iniquo; sleale: **a w. punishment**, una punizione ingiusta **2** (*anche leg.*) ingiustificato; senza giusta causa: **w. dismissal** (**from a job**), licenziamento senza giusta causa **3** (*leg.*) illegale; illecito; illegittimo; indebito: **a w. act**, un atto illecito (*o* lesivo); **w. arrest**, arresto illegale; **a w. heir**, un erede illegittimo; **w. imprisonment**, reclusione illegale **4** (*leg.*) colposo; criminoso ● (*leg.*) **w. detention**, detenzione illegale; (*anche*) ritenzione illegale (*di beni*); rifiuto illegale di effettuare la consegna (*di cose*) | **-ly** *avv.* | **-ness** *n.* Ⓤ.

wrongheaded /'rɒŋhɛdɪd/ *a.* **1** ostinato nell'errore; pervicace **2** errato; sbagliato: **a**

w. policy, una linea politica sbagliata | **-ly** avv. | **-ness** n. Ⓤ.

wrongly /'rɒŋlɪ/ avv. **1** erroneamente; in modo sbagliato; male: *I was w. informed*, fui male informato; *You acted w.*, hai agito male **2** a torto; ingiustamente: *He was w. accused of robbing a bank*, fu accusato ingiustamente d'aver rapinato una banca; **rightly or w.**, a torto o a ragione.

wrongness /'rɒŋnəs/ n. Ⓤ **1** erroneità; l'essere sbagliato (*o* inesatto, scorretto, ingiusto, ecc.) **2** (*spec. leg.*) illiceità; illegalità; illegittimità.

wrongo /'rɒŋəʊ/ n. (*slang USA*) **1** individuo disonesto, infido, pericoloso; malfattore; malavitoso **2** individuo sgradevole; (un) poco di buono; (un) tipaccio **3** cosa che puzza (*fig.*): *The whole business is a w.*, tutta la faccenda puzza di bruciato **4** moneta falsa.

wrote /rəʊt/ pass. di **to write**.

wrought /rɔːt/ Ⓐ pass. e p. p. (*arc.*) di **to work** Ⓑ a. (*tecn.*) lavorato; battuto: **w. iron**, ferro battuto; (*anche, metall.*) ferro puddellato, ferro saldato ● (*metall.*) **w. steel**, acciaio saldato □ **w.-up**, agitato; turbato; teso; nervoso □ **w.-up nerves**, nervi a pezzi.

wrung /rʌŋ/ pass. e p. p. di **to wring** ● (*fam.*) **w. out**, stanco morto; esausto; stremato; spompato (*pop.*) □ (*fam.*) **w. out with worry**, agitatissimo; preoccupatissimo.

WRVS sigla (*GB*, **Women's Royal Voluntary Service**) Corpo delle ausiliarie volontarie.

wry /raɪ/ a. **1** torto; storto; obliquo; (di) sbieco: **to have a wry mouth**, avere la bocca storta **2** (*fig.*: *di parole, del pensiero*) contorto; distorto; svisato; deformato; sformato

3 (*fig.*) ironico; sardonico: **wry humour**, umorismo ironico; **wry smile**, sorriso sardonico ● (*med.*) **wry-head**, plagiocefalia □ **wry-mouthed**, che ha la bocca storta; (*fig.*) ironico; sarcastico; beffardo □ **a wry--mouthed compliment**, un complimento fatto a denti stretti □ **wry-necked**, dal collo torto; (*med.*) che ha il torcicollo □ **wry satire**, satira sarcastica □ **to make** (*o* **to pull**) **a wry face**, storcere il viso; fare una smorfia (*di disappunto, di disgusto, ecc.*) | **-ly** avv.

wrybill /'raɪbɪl/ n. (*zool.*, *Anarhynchus frontalis*) becco storto.

wryneck /'raɪnɛk/ n. **1** Ⓤ (*med.*) torcicollo **2** (*fam.*) chi ha il torcicollo **3** (*zool.*, *Jynx torquilla*) torcicollo; collotorto.

wryness /'raɪnəs/ n. Ⓤ **1** l'essere storto; obliquità; irregolarità; mancanza di simmetria **2** ironia; sarcasmo.

WSW sigla (**west-southwest**) ovest-sud--ovest (OSO).

wt. abbr. **1** (**weight**) peso **2** (**without**) senza.

WTO sigla (**World Trade Organization**) Organizzazione mondiale del commercio (OMC).

wulfenite /'wʊlfənaɪt/ n. Ⓤ (*miner.*) wulfenite; piombo giallo.

wunderkind /'wʌndəkɪnd/ (*ted.*) n. (*fam.*) bambino prodigio.

wurst /wɜːst/ (*ted.*) n. Ⓤ Ⓒ (*cucina*) salsiccia di tipo tedesco.

wuss /wʊs/, **wussie** /'wʊsɪ/, **wussy** /'wʊsɪ/ n. (*slang USA*) persona senza spina dorsale; inetto; mollusco (*fig.*); mollaccione; smidollato; vigliacco; fifone (*pop.*).

WV, W. Va. sigla (*USA*, **West Virginia**) Vir-

ginia Occidentale.

WWF sigla (**World Wildlife Fund**) Fondo mondiale per la natura (WWF).

WWI, WW1 sigla (**World War One**) la Prima guerra mondiale.

WWII, WW2 sigla (**World War Two**) la Seconda guerra mondiale.

WWW sigla (*comput.*, **world wide web**) world wide web (*meccanismo di distribuzione e ricerca delle informazioni su Internet*).

WY abbr. (*USA*, **Wyoming**) Wyoming.

Wy abbr. (*indirizzi*, **Way**) Via (V.).

wych-elm /'wɪtʃɛlm/ n. (*bot.*, *Ulmus montana*) olmo montano.

wych-hazel /'wɪtʃheɪzl/ = **witch hazel** → **witch**.

Wycliffite, Wyclifite /'wɪklɪfaɪt/ n. (*stor., relig.*) seguace di John Wycliffe (*teologo e riformatore inglese del secolo XIV*).

wye /waɪ/ n. **1** lettera «y»; ipsilon **2** oggetto a forma di ipsilon ● **wye connection**, (*elettr.*) collegamento a stella; (*mecc.*) raccordo a T a 45°.

Wykehamist /'wɪkəmɪst/ Ⓐ a. del college di Winchester Ⓑ n. studente (*o* ex alunno) del college di Winchester (*dal nome di William of Wykeham, vescovo di Winchester e fondatore del college nel secolo XIV*).

wynd /waɪnd/ n. (*scozz.*) viuzza; vicolo.

WYSIWYG /'wɪzɪwɪg/ sigla (*comput.*, **what you see is what you get**) ciò che vedi è ciò che ottieni (*presentazione delle informazioni a schermo in modo fedele al risultato finale stampato*).

wyvern /'waɪvn/ n. (*arald.*) dragone alato a due zampe.

X, x

X①, **x** /ɛks/ **A** n. (pl. *X's*, *x's*; *Xs*, *xs*) **1** X, x (*ventiquattresima lettera dell'alfabeto ingl.*) **2** (*mat.*) x; (*anche fig.*) incognita **3** (forma a) X: **X-shaped**, a forma di X; a X **4** (*cinem.*, *fino al 1982*: **X-rating**) classificazione di un film come 'vietato ai minori di 18 anni' **5** (*fam. ingl.*, *in chiusura di lettera, ecc.*, *generalm. ripetuto*) bacio: *See you soon, Mary, xxxx*, arrivederci a presto. Bacioni. Mary **6** (*slang USA*) buco; iniezione di droga **B** a. attr. **1** fatto a X: **x-engine**, motore a X (*di aereo*) **2** ignoto; indeterminato **3** (*di film, fino al 1982*) vietato ai minori di 18 anni ● (*mat.*) **x-axis**, asse delle x □ **X-certificate** → **X-rated** □ (*biol.*) X **chromosome**, cromosoma X □ **x for X-ray**, x come Xanthia □ **X-rated**, (*di film, un tempo*) vietato ai minori di 18 anni; (*fig.*) osceno, pornografico: **an X-rated joke**, una barzelletta oscena □ (*fam.*, *con rif. a cartine, ecc.*) **X marks the spot**, la croce indica il luogo esatto □ **Mr X**, il Signor X (*un anonimo*).

X② sigla ② (**X.**) (**Christ**) Cristo (X) **2** (**cross**) croce.

xanthelasma /zænθəˈlæzmə/ n. ⓤ (*med.*) xantelasma.

xanthene /ˈzænθiːn/ n. ⓤ (*chim.*) xantene.

xanthic /ˈzænθɪk/ (*chim.*) a. xantico: **x. acid**, acido xantico || **xanthate** n. xantato.

xanthine /ˈzænθiːn/ n. ⓤ (*biol.*) xantina.

Xanthippe /zænˈθɪpɪ/ n. (*stor.*) Santippe; (*fig.*) moglie bisbetica.

xanthogenate /zænˈθɒdʒəneɪt/ n. xantogenato.

xanthoma /zænˈθəʊmə/ (*med.*) n. (pl. *xanthomas*, *xanthomata*) xantoma || **xanthomatous** a. xantomatoso.

xanthone /ˈzænθəʊn/ n. ⓤ (*chim.*) xantone.

xanthophyll /ˈzænθəfɪl/ n. (*chim.*) xantofilla.

Xavier /ˈzeɪvɪə(r)/ n. Saverio.

xebec /ˈziːbɛk/ n. (*naut.*) sciabecco.

xenia /ˈzenɪə/ n. ⓤ (*bot.*) xenia.

xenobiosis /zenəʊbɪˈəʊsɪs/ n. ⓤ (*zool.*) xenobiosi.

xenogamy /zeˈnɒɡəmɪ/ n. ⓤ (*bot.*) xenogamia.

xenogenesis /zenəʊˈdʒenəsɪs/ (*biol.*) n. ⓤ xenogenesi || **xenogeneic** a. xenogenico.

xenoglossy /ˈzenəʊɡlɒsɪ/ n. ⓤ (*parapsicologia*) xenoglossia.

xenograft /ˈzenəʊɡrɑːft/ n. (*med.*) xenotrapianto; eterotrapianto.

xenolith /ˈzenəlɪθ/ n. (*geol.*) xenolite.

xenon /ˈziːnɒn/ n. ⓤ (*chim.*) xeno.

xenophile /ˈzenəʊfaɪl/ n. **1** (*anche zool.*) xenofilo **2** esterofilo || **xenophilous** a. **1** (*anche zool.*) xenofilo **2** esterofilo.

xenophobia /zenəˈfəʊbɪə/ n. ⓤ xenofobia, senofobia || **xenophobe** n. xenofobo, senofobo || **xenophobic** a. xenofobico.

Xenophon /ˈzenəfən/ n. (*stor.*, *letter.*) Senofonte.

xenopus /ˈzenəpəs/ n. (pl. *xenopuses*) (*zool.*) xenopo.

xenotransplant /ˈzenətrænzplɑːnt/, **xenotransplantation** /zenətrænzplɑːnˈteɪʃn/ n. (*chir.*) xenotrapianto; eterotrapianto.

xeriscape® /ˈzerɪskeɪp/ n. ⓤ tecnica di giardinaggio che punta al risparmio idrico sfruttando piante adatte al clima della zona.

xeroderma /zɪərəʊˈdɜːmə/ n. ⓤ (*med.*) xeroderma.

xerodermia /zɪərəʊˈdɜːmɪə/ n. ⓤ (*med.*) xerodermia.

xerography /zɪəˈrɒɡrəfɪ/ n. ⓤ xerografia || **xerographic** a. xerografico ● **xerographic copier**, xerocopiatrice □ **xerographic printer**, stampante xerografica.

xerophilous /zɪˈrɒfɪləs/ (*biol.*) a. xerofilo; xerobio || **xerophile** n. xerofilo || **xerophily** n. ⓤ xerofilia.

xerophthalmia /zɪərɒfˈθælmɪə/ (*med.*) n. ⓤ xeroftalmia; xeroftalmo.

xerophyte /ˈzɪərəfaɪt/ n. (*ecol.*) xerofita.

xeroradiography /zɪərəʊreɪdɪˈɒɡrəfɪ/ (*med.*) n. ⓤ xeroradiografia.

xerosis /zɪəˈrəʊsɪs/ n. ⓤ (*med.*) xerosi.

xerostomia /ziːrəˈstəʊmɪə/ n. ⓤ (*med.*) xerostomia.

Xerox /ˈzɪərɒks/ n. **1** ® xerocopia **2** (*improprio ma com.*) fotocopia.

to **xerox** /ˈzɪərɒks/ v. t. e i. **1** fare xerocopie (di); xerocopiare **2** (*improprio*) fotocopiare.

Xerxes /ˈzɜːksiːz/ n. (*stor.*) Serse.

XGA sigla (*comput.*, **eXtended Graphics Array**) matrice grafica estesa (*scheda grafica che estende la* → **VGA**).

XHTML sigla (*comput.*, **extensible hypertext markup language**) XHTML (*ridefinizione dell'HTML secondo le regole dell'* → «*XML*»).

xi /ɡzaɪ/ n. (pl. *xis*) csi (*quattordicesima lettera dell'alfabeto greco*).

xiphisternum /zɪfɪˈstɜːnəm/ n. (pl. *xiphisterna*, *xiphisternums*) (*anat.*) processo xifoideo; (*zool.*) xifisterno.

xiphoid /ˈzɪfɔɪd/ **A** a. (*anat.*) **1** xifoide **2** xifoideo **B** n. → **xiphisternum**.

XL sigla (*misura d'abiti*, **extra large**) molto grande.

XLNT sigla (*Internet, telef.*) grafia scherz. o *fam* di **excellent**.

Xmas /ˈkrɪsməs/ n. (abbr. *fam.* di **Christ-mas**) Natale ● **at X.**, a Natale □ **on X. day**, il giorno di Natale.

XML sigla (*comput.*, **extensible markup language**) linguaggio di codifica estensibile.

Xn abbr. (**Christian**) cristiano.

xoanon /ˈzəʊənɒn/ (*greco*) n. (pl. *xoana*) (*archeol.*) xoanon.

to **x out** /ˈeks ˈaʊt/ v. t. + avv. (*slang USA*) **1** tirare un frego su, cancellare, annullare, radiare (*un nome, una voce in una lista, ecc.*) **2** ammazzare; eliminare; fare fuori ● **x'd out**, cancellato, eliminato; (*slang USA*) fatto fuori, ucciso.

X-ray /ˈɛksreɪ/ n. **1** (pl.) (*fis.*, *med.*) raggi X **2** (*med.*) radiografia **3** (*radio, tel.*) la lettera 'x' ● **an X-ray film**, una radiografia; una lastra (*fam.*) □ **an X-ray photograph**, una radiografia □ **X-ray photography**, radiografia (*la scienza*) □ (*med.*) **X-ray therapy**, röntgenterapia □ (*elettron.*) **X-ray tube**, tubo a raggi X.

to **X-ray** /ˈɛksreɪ/ v. t. (*med.*) **1** sottoporre (q.) a esame radiografico; fare una radiografia di; radiografare; *We'd better get the ankle X-rayed and find out if it's broken*, sarà meglio fare una radiografia alla caviglia per vedere se è rotta **2** trattare (*o irradiare*) con raggi X.

x-ref. abbr. (**cross-reference**) rimando, rinvio.

XS sigla (*misura d'abiti*, **extra small**) molto piccolo.

XSL sigla (*comput.*, **extensible stylesheet language**) linguaggio di trasformazione basato su fogli di stile.

Xt abbr. (**Christ**) Cristo (X).

XXL sigla (*misura d'abiti*, **extra extra large**) grandissimo.

xylan /ˈzaɪlæn/ n. ⓤ (*chim.*) xilano.

xylem /ˈzaɪləm/ n. ⓤ (*bot.*) xilema, silema.

xylene /ˈzaɪliːn/ n. (*chim.*) xilene.

xylograph /ˈzaɪlɡrɑːf/ n. ⓤ xilografia, silografia (*incisione su legno*) || **xylographer** n. xilografo, silografo || **xylographic**, **xylographical** a. xilografico, silografico || **xylography** n. ⓤ xilografia, silografia (*arte dell'incidere su legno*).

xylol /ˈzaɪlɒl/ n. (*chim.*) xilolo.

xylophagous /zaɪˈlɒfəɡəs/ (*zool.*) a. xilofago, silofago || **xylophage** n. animale xilofago.

xylophone /ˈzaɪləfəʊn/ (*mus.*) n. xilofono, silofono || **xylophonist** n. xilofonista, silofonista.

xylose /ˈzaɪləʊs/ n. ⓤ (*chim.*) xilosio.

xylyl /ˈzaɪlɪl/ n. ⓤ (*chim.*) xilile.

xyster /ˈzɪstə(r)/ n. (*med.*) raschietto; raschiatoio; strumento per raschiare le ossa.

Y ①, y /waɪ/ **A** n. (pl. **Y's, y's; Ys, ys**) **1** Y, y (*venticinquesima lettera dell'alfabeto ingl.*) **2** (*mat.*) y; seconda incognita **3** (forma di) Y **4** oggetto a forma di Y **B** a. attr. a forma di Y; a stella: (*elettr.*) **Y-connection**, collegamento a stella; (*relig.*) **Y-cross**, croce a ipsilon (*spec. sulle pianete*) ● (*mat.*) **y-axis**, asse delle y □ (*biol.*) **Y chromosome**, cromosoma Y o y **for Yankee**, y come York □ **Y-fronts**, mutande da uomo (*con apertura a Y capovolta*) □ (*topogr.*) **Y-level**, livella a cavaliere □ **Y-tube**, tubo diramato a Y.

Y ② sigla (**the Y**) → **YMCA, YWCA**.

y. abbr. **1** (**year**) anno **2** (**young**) giovane.

ya ① /jɑː/ pron. pers. (*slang per* **you**) **1** te; ti **2** voi; vi.

ya ② /jɑː/ → **yah**.

yabber /'jæbə(r)/ n. □ (*fam. Austral.*) blaterazioni; chiacchiere; ciance.

to **yabber** /'jæbə(r)/ v. i. (*fam. Austral.*) blaterare; cianciare; ciarlare.

♦**yacht** /jɒt/ n. (*naut.*) panfilo; imbarcazione da diporto (*o da crociera*); yacht ● **y. club**, circolo nautico □ **y. racing**, gare veliche.

to **yacht** /jɒt/ v. i. **1** navigare su un panfilo; fare una crociera su un panfilo **2** (*sport*) partecipare a gare veliche.

yachting /'jɒtɪŋ/ n. □ **1** il navigare su un panfilo **2** (*sport*) il prendere parte a gare di panfili; motonautica d'altura; diportismo ● **y. cap**, berretto da diportista ● **y. cruise**, crociera su un panfilo □ **to go y.**, fare crociere su un panfilo.

yachtsman /'jɒtsmən/ n. (pl. **yachtsmen**) proprietario (*o comandante*) di panfilo; diportista (*uomo*).

yachtswoman /'jɒtswʊmən/ n. (pl. **yachtswomen**) proprietaria (*o comandante*) di panfilo; diportista (*donna*).

yack, to **yack** /jæk/ → **yak**②, **to yak**.

yaffle /'jæfl/ n. (*zool., Picus viridis*) picchio verde.

yah /jɑː/ inter. (*di derisione o disgusto*) bah!; puah!

yahoo /jə'huː/ **A** n. (pl. **yahoos**) becero; buzzurro; zoticone **❶ CULTURA** ● **Yahoo**: *è il nome dei bruti in forma umana che infestano il Paese dei Cavalli Sapienti nei «Viaggi di Gulliver» di Jonathan Swift. È una parola inventata da Swift stesso.* **B** inter. (*fam.*) urrà!

Yahweh, Yahveh /'jɑːveɪ/ n. (*relig. ebraica*) Geova.

yak ① /jæk/ n. (pl. **yaks, yak**) (*zool., Bos grunniens*) yak; bue tibetano.

yak ② /jæk/ n. **1** (*fam.*) (solo al sing.) chiacchiera; ciarla; ciancia **2** (*a uno spettacolo*) risata; pausa per la risata.

to **yak** /jæk/ v. i. **1** (*fam.*) ciarlare; chiacchierare ● **to yak it up**, ciarlare senza sosta; cianciare; spettegolare.

yakkety-yak /'jækətɪ'jæk/ n. (*slang*) → **yak**②, def. 1.

yakky /'jækɪ/ a. (*fam.*) pettegolo; che chiacchiera molto.

y'all /jɔːl/ = **you-all** ○ **you**.

yam /jæm/ n. (*bot.*) **1** (*Dioscorea*) igname (*pianta rampicante e la sua radice commestibile*) **2** (*USA, Ipomoea batatas*) patata dolce; batata.

---

to **yammer** /'jæmə(r)/ v. i. **1** mugugnare; frignare; lagnarsi (*o lamentarsi*) ad alta voce **2** (*fam. USA*) ciarlare; chiacchierare; berciare; blaterare **3** (*di una bestia*) guaire; uggiolare.

yang /jæŋ/ (*cinese*) n. **1** □ yang (*il principio attivo maschile*) **2** (*slang USA*) uccello, cazzo (*volg.*); pene.

yank /jæŋk/ n. (*fam.*) strappo; strattone; stratta.

to **yank** /jæŋk/ v. t. e i. **1** (*fam.*) strappare; tirare con violenza; dare uno strattone (a) **2** (*fam. USA*) tormentare; molestare; vittimizzare; scocciare (*pop.*) **3** (*fam. USA*) arrestare: *He got yanked for the robbery*, fu arrestato per la rapina.

■ **yank around** v. t. + avv. (*fam. USA*) **1** maltrattare; strapazzare; mettersi (q.) sotto i piedi **2** scocciare; irritare; seccare; rompere (*fam.*) **3** prendere (q.) in giro; sfottere, prendere (q.) per i fondelli.

■ **yank at** v. i. + prep. (*fam.*) tirare, strattonare: *Stop yanking at my jacket*, smettila di tirarmi per la giacca.

■ **yank away** v. t. + avv. (*fam.*) tirare indietro bruscamente, ritirare (*la mano, ecc.*) in tutta fretta.

■ **yank in** v. t. + avv. (*fam.*) **1** arrestare, sbattere dentro (q.) **2** → **yank away**.

■ **yank off** v. t. + avv. (*fam.*) **1** strappare, tirare via (*foglie, fogli, ecc.*) **2** portare (*o trascinare*) via (q.); rapire.

■ **yank on** v. i. + prep. tirare, dare uno strappo a (*una corda, ecc.*).

■ **yank out** v. t. + avv. (*fam.*) **1** tirare fuori, estrarre (*chiodi, viti, ecc.*) **2** cavare, estrarre, togliere (*con uno strappo*): *He yanked out my loose tooth in a whiff*, in un attimo mi cavò il dente che dondolava.

■ **yank up** v. t. + avv. tirare su, sollevare (*qc. di pesante*) con uno strattone.

Yank /jæŋk/ (*pop.*) → **Yankee**.

Yankee /'jæŋkɪ/ **A** n. **1** (*USA*) yankee; nativo della Nuova Inghilterra; (*stor., durante la Guerra di Secessione*) nordista **2** (*fam., in Europa*) yankee; americano **3** (*radio, tel.*) la lettera 'y'; Yankee **B** a. attr. di (*o da*) yankee; (*stor.*) nordista; (*fam.*) americano, statunitense: **the Y. army**, (*stor.*) l'esercito nordista; (*oggi*) l'esercito americano ● **Y. Doodle**, yankee (*dal titolo di una canzone patriottica della Guerra d'Indipendenza*) ‖ **Yankeeism** n. **1** □ carattere (*o caratteristica*) di yankee **2** (*ling.*) americanismo.

Yankeeland /'jæŋkɪlænd/ n. □ (*fam.*) gli Stati Uniti; l'America.

yap /jæp/ n. **1** guaito; uggiolio **2** □ (*fam.*) chiacchiere; ciance; chiacchierata; discorsi a vanvera **3** (*slang USA*) cretino; fesso; stupido **4** (*slang USA*) bocca.

to **yap** /jæp/ v. i. **1** guaire; uggiolare **2** (*fam.*) chiacchierare; cianciare; parlare a vanvera **3** (*fam.*) dire bruscamente **4** (*slang USA*) vomitare ● **to yap away**, continuare a guaire (*o a ciarlare*).

yappy /'jæpɪ/ a. (*di un cane*) che abbaia sempre; abbaione (*fam.*) **2** che non sta mai zitto; chiacchierone.

♦**yard** ① /jɑːd/ n. **1** iarda (*misura di lunghezza pari a m 0,914*): **a square y.**, una iarda qua-

---

drata; **ten yards (ten y.-lengths) of cloth**, dieci iarde di stoffa **2** (*naut.*) pennone: **to man the yards**, far salire (*o disporre*) i marinai sui pennoni (*come forma di saluto*) **3** (*slang USA*) banconota da cento (*o da mille*) dollari ● (*comm., USA*) **y. goods**, articoli venduti alla iarda (*stoffe, tessuti, ecc.*); telerie ● **y. measure**, misura pari a una iarda □ (*pop.*) **a y. of ale**, un boccale (*alto e stretto*) di birra.

♦**yard** ② /jɑːd/ n. **1** recinto; corte **2** (*edil.*) cantiere **3** (*ferr.*, = **railway**) scalo ferroviario; piazzale (*di stazione*); sistema di binari per deposito; stazione di smistamento **4** (*costr. navali*, = **shipyard**) arsenale; cantiere navale **5** (*USA*) prato (*intorno alla casa*) ● **the Y.** (abbr. *fam. di* **Scotland Y.**), Scotland Yard (*sede centrale della polizia londinese*); (*in USA*) il campus della università di Harvard □ (*ferr.*) **y. locomotive**, locomotiva di manovra □ **y. machine**, macchina da giardinaggio □ (*ferr.*) **y. master**, capo scalo □ **y. protector**, dispositivo a ultrasuoni per proteggere giardini e prati (*da animali indesiderati*) □ (*USA*) **y. sale**, vendita di roba usata (*di solito nel cortile di casa o nei pressi*).

to **yard** /jɑːd/ v. t. (*spesso* **to y. up**) mettere (*bestiame*) in un recinto.

yardage ① /'jɑːdɪdʒ/ n. □ misurazione (*o lunghezza*) in iarde.

yardage ② /'jɑːdɪdʒ/ n. □ **1** uso di un recinto (*come deposito, ecc.*) **2** prezzo d'affitto di un recinto (*o di un deposito*).

yardarm /'jɑːdɑːm/ n. (*naut.*) estremità del pennone; varea.

yardbird /'jɑːdbɜːd/ n. (*slang USA*) **1** carcerato; detenuto **2** (*mil.*) giovane recluta; burba; marmittone **3** soldato di corvée.

Yardie /'jɑːdɪ/ n. (*slang*) **1** (*tra giamaicani*) giamaicano **2** yardie; membro della criminalità organizzata giamaicana.

yardman /'jɑːdmən/ n. (pl. **yardmen**) **1** addetto alle pulizie di cortili (*a spazzare la neve, ecc.*) **2** (*edil.*) capocantiere **3** (*naut.*) marinaio ai pennoni **4** (*ferr.*) addetto allo scalo; manovale.

yardstick /'jɑːdstɪk/ n. **1** stecca (*o verga*) di una iarda (*strumento per misurare*) **2** (*fig.*) metro (di valutazione); parametro: **a y. of value**, un parametro dei valori ● (*grafica, disegno*) **y. compass**, compasso a verga.

yarn /jɑːn/ n. **1** □ (*ind. tess.*) filo; filato: **weft y.**, filo della trama; **woollen y.**, filato di lana; **worsted y.**, filato pettinato; **carded y.**, filato cardato; **homespun y.**, filato casalingo **2** (*fam.*) storia; storiella; racconto: *In «The Pickwick Papers», Dickens spins long yarns into the main narrative*, nel «Circolo Pickwick» Dickens inserisce lunghe storielle nel racconto principale **3** quattro chiacchiere: **to have a y. with a friend**, fare quattro chiacchiere con un amico ● (*baseball*) **y. ball**, palla di filo ● (*ind. tess.*) **y.-dyed**, tinto in filo □ **y. lever**, leva di alimentazione del filo □ **y. reel**, aspo per filato □ (*fam.*) **to spin a y.**, raccontare una storia inverosimile; raccontare storie (*o frottole*).

to **yarn** /jɑːn/ v. i. (*fam.*) **1** fare un racconto; raccontare storie **2** chiacchierare; parlare.

yarnwinder /'jɑːnwaɪndə(r)/ n. (*ind.*

tess., *arte*, *lett.*) fuso: **the Madonna of the Y.**, la Madonna dei fusi.

yarrow /'jærəʊ/ n. (*bot.*, *Achillea millefolium*) millefoglie; millefoglio; achillea.

yashmak /'jæʃmæk/ n. velo delle donne musulmane.

yataghan /'jætəgən/ n. yatagan (*sorta di scimitarra*).

yaw /jɔː/ n. Ꞓ **1** (*naut.*) straorzata **2** (*aeron.*) imbardata **3** angolo d'imbardata.

to **yaw** /jɔː/ v. i. **1** (*naut.*) straorzare **2** (*aeron.*) imbardare.

yawl /jɔːl/ n. (*naut.*) **1** iole; iolla; yawl **2** barca a remi; lancia.

yawn /jɔːn/ n. **1** sbadiglio **2** (*fig.*) persona (*o cosa*) noiosa; barba, pizza (*fig.*) **3** (*raro*) apertura; abisso; voragine.

◆to **yawn** /jɔːn/ Ａ v. i. **1** sbadigliare: *His story made me y.*, il suo racconto mi fece sbadigliare (*mi annoiò*) **2** aprirsi; spalancarsi; essere spalancato: *The hole yawned before them*, il buco si spalancava ai loro piedi Ｂ v. t. dire (qc.) sbadigliando: «*What's the time?*» *he yawned*, «che ora è?», disse sbadigliando.

yawning /'jɔːnɪŋ/ a. **1** che sbadiglia; sonnolento **2** spalancato: **a y. chasm**, un abisso spalancato ‖ **yawningly** avv. con sbadigli; sbadigliando.

yawny /'jɔːnɪ/ a. che fa sbadigliare; sonnolento; noioso; barboso; pizzoso (*fam.*).

yawp /jɔːp/ n. (*fam. USA*) **1** grido rauco **2** sbadiglio rumoroso **3** (*fig.*) protesta; lagnanza **4** blateramento **5** (*fig.*) linguaggio duro, forte; stile rozzo **6** abbaio; guaito.

to **yawp** /jɔːp/ v. i. (*fam. USA*) **1** emettere un grido rauco **2** sbadigliare rumorosamente **3** protestare; lagnarsi **4** blaterare **5** abbaiare; guaire.

yaws /jɔːz/ n. ᴗ (*med.*) framboesia; yaws.

ye ① /jiː/ pron. pers. (*poet. o scherz.*) voi, ve, vi; tu, te, ti: *Ye fools!*, o (voi) stolti!; *I tell ye*, te lo (ve lo) dico io; (*fam.*) *Thank ye*, grazie! **❶ Nota:** *thou → thou*①.

ye ② /jiː/ art. determ. (*arc.*) il, lo; la; i; gli; le (*segno tipografico sostituito dai primi stampatori a una lettera anglosassone come simbolo del suono «th»; ora comune soltanto nelle insegne di locande, pub e botteghe*): «*Ye Boar's Head*», «La Testa del Cinghiale».

yea /jeɪ/ Ａ avv. (*arc.*) **1** sì **2** anzi; addirittura: *I am ready, yea eager*, sono pronto; anzi, ansioso **3** (*slang USA*) così (*facendo il gesto*): **yea big**, grosso così Ｂ n. **1** sì; affermazione **2** voto favorevole: **yeas and nays**, voti favorevoli e voti contrari.

◆**yeah** /jɛə, jɑː/ avv. (*fam.*, = yes) sì ● **Oh y.?**, ah, sì?; e allora?

to **yean** /jiːn/ Ａ v. i. (*di pecora, capra*) figliare Ｂ v. t. partorire (*agnelli o capretti*).

yeanling /'jiːnlɪŋ/ n. **1** agnello; agnellino **2** capretto.

◆**year** /jɪə(r)/ n. **1** anno; annata: **this** [**last**, **next**] **y.**, quest'anno [l'anno scorso, l'anno prossimo]; **solar y.**, anno solare; **lunar y.**, anno lunare; **a bad y.**, una brutta annata; **a good y. for wine**, un'annata buona per il vino; **in the y.** 1861, nell'anno 1861; **the y. 2000**, l'anno duemila; il duemila **2** (pl.) anni; età: *He is young for his years*, ha un aspetto giovanile per la sua età; *porta bene i suoi anni*; *The boy is just three years old* (*o three years of age*), il bambino ha appena tre anni; (*scherz.*) *She prefers to say that she's 78 years young*, lei preferisce dire che è una giovincella di 78 anni **3** (pl.) anni; lungo tempo: *I haven't seen him for years*, non lo vedo da anni ● **the y. after next** (*o* **in two years' time**), fra due anni □ **the y. before last** (*o* **two years ago**), due anni fa ● **y. by y.** (*o* **every y.**), ogni anno □ (*fam.*) **the y. dot**, molto tempo fa:

We've lived here since the y. dot, viviamo qui da sempre □ **y. end**, fine d'anno □ (*econ.*, *fin.*, *rag.*) **y.-end**, di fine d'anno; di fine esercizio; di chiusura: **y.-end profit and loss picture**, risultato economico di fine esercizio □ **y.-end bonus**, tredicesima □ **y. in, y. out** (*o* **y. after y.**), un anno dopo l'altro; tutti gli anni □ (*fin.*) **y. in the red**, anno dei numeri rossi □ **y.-long**, che dura (da) un anno: **a y.-long quarrel**, una lite che dura da un anno □ (*scherz.*) **the y. one**, molto tempo fa; un secolo fa (*scherz.*) □ **y. out**, anno di libertà (*tra la scuola superiore e l'università, durante il quale viaggiare e fare esperienze*) □ (*bot.*) **y. ring**, anello annuale (*di crescita delle piante*) □ **y.-round**, che dura tutto l'anno; per tutto l'anno: **a y.-round show**, una mostra aperta tutto l'anno □ **all the y. round**, per tutto l'anno □ **one y. from today**, oggi a un anno □ **to put years on sb.**, fare invecchiare, stroncare q.; (*anche*) invecchiare, far sembrare (q.) più vecchio □ **to take years off sb.**, ringiovanire q.; ridare un aspetto giovanile a q.; far sentire (q.) più giovane □ **third-y. students**, studenti del terz'anno.

yearbook /'jɪəbʊk/ n. (*spec. stat.*) annuario.

yearling /'jɪəlɪŋ/ Ａ n. **1** animale di un anno **2** (*equit.*) puledro di un anno; yearling Ｂ a. di un anno; che ha un anno d'età; soprann.

yearly /'jɪəlɪ/ Ａ a. annuale; annuo; che accade (*o ricorre*) ogni anno: **our y. holiday**, la nostra vacanza annuale; **y. salary**, stipendio annuo Ｂ avv. annualmente; ogni anno; tutti gli anni: *We go to that campsite y.*, andiamo in quel campeggio tutti gli anni.

to **yearn** /jɜːn/ v. i. agognare; anelare; bramare; desiderare ardentemente; sentire nostalgia; struggersi (per): **to y. for rest** (*o* **after rest**), agognare un po' di riposo; *I yearned to be a successful writer*, desideravo ardentemente avere successo come scrittore; **to y. for home**, sentire nostalgia di casa (*o della patria*) ● **to y. towards** (*o* **to**) **sb.**, sentire affetto (*o provare tenerezza*) per q.

yearning /'jɜːnɪŋ/ Ａ n. Ꞓ desiderio ardente; brama; smania; struggimento: **a y. for change**, un forte desiderio di cambiamento Ｂ a. bramoso; desideroso ● **with a y. sigh**, con un sospiro di struggimento | **-ly** avv.

yeast /jiːst/ n. **1** Ꞓ fermento; lievito **2** ᴗ schiuma; spuma **3** ᴗ (*fig.*) fermento; impegno; zelo ● **y. powder**, lievito in polvere.

to **yeast** /jiːst/ v. i. **1** fermentare **2** (*fig.*) essere in fermento.

yeasty /'jiːstɪ/ a. **1** simile a lievito; che contiene lievito **2** schiumoso; schiumante; spumoso; spumeggiante: **the y. waves**, le onde spumeggianti **3** (*fig.*) superficiale; frivolo ● **y. talk**, chiacchiere; ciance ‖ **yeastiness** n. ᴗ **1** schiumosità **2** (*fig.*) superficialità; frivolezza **3** (*fig.*) fermento; agitazione.

yegg /jɛg/ n. (*slang USA*, *antiq.*) **1** malfattore; malvivente; malavitoso **2** (*spec.*) ladro; scassinatore (*spec. di casseforti*).

yell /jɛl/ n. **1** grido; strillo; urlo: **a y. of greeting from the crowd**, un urlo di saluto da parte della folla; **the rebel y.**, il grido (di guerra) dei ribelli **2** (*spec. USA*) grido d'incitamento (*di studenti o tifosi*) **3** cosa (*o persona*) spassosa; spasso.

to **yell** /jɛl/ v. i. e t. **1** gridare, strillare; urlare: **to y. with pain [with delight]**, gridare di dolore [per la gioia]; **to y. for help**, gridare per chiedere aiuto; *I yelled at him to get back*, gli urlai di tornare indietro; *He always yells at me*, mi urla sempre contro **2** (*spec. USA*) incitare (*atleti, giocatori di calcio, ecc.*) con grida ● (*fam.*) **to y. one's head off**, gri-

dare (*o urlare*) a squarciagola □ **to y. out an order**, dare un ordine a gran voce (*o a squarciagola*).

◆**yellow** /'jeləʊ/ Ａ. **1** giallo: **y. leaves**, foglie gialle; **y. skin**, pelle gialla; (*polit.*) **the y. peril**, il pericolo giallo **2** (*spreg.*) di pelle gialla; di razza gialla: **y. men**, uomini di razza gialla; i gialli **3** (*fig. fam.*, *antiq.*) codardo; vile; meschino **4** (*fig. raro*) geloso; invidioso Ｂ n. **1** ᴗ giallo; color giallo: *Y. is a bright colour*, il giallo è un colore vivace; **the yellows used by Van Gogh**, i gialli usati da Van Gogh **2** tuorlo, (il) rosso (*dell'uovo*) **3** ᴗ (*fig. fam.*) vigliaccheria; viltà **4** (pl.) – **the yellows**, (*med.*) l'itterizia; (*bot.*) il giallume (*del pesco, ecc.*) ● (*mil.*) **y. alert**, preallarme □ (*slang*, *antiq.*) **y.-bellied**, pauroso; vigliacco; fifone (*pop.*) □ (*zool.*) **y.-bellied toad** (*Bombina variegata*), ululone dal ventre giallo □ (*polit.*) **y. book**, pubblicazione ufficiale □ (*ind. min.*) **y. cake**, concentrato uranifero; (*cucina*) torta margherita □ (*calcio*) **y. card**, cartellino giallo (*ammonizione*) □ (*miner.*) **y. copper ore**, calcopirite □ (*fam.*) **y. dog**, persona spregevole □ (*stor. USA*) **y.-dog contract**, contratto con cui il dipendente rinuncia ad iscriversi a un sindacato □ **y. earth** = **y. ochre** → *sotto* □ (*med.*) **y. fever**, febbre gialla □ (*naut.*) **y. flag**, bandiera gialla (*o di quarantena*) □ **y.-green**, verdegiallo □ (*med.*) **y. gum**, ittero dei neonati □ (*zool.*) **y. gurnard** (*o* **y. gurnet**) (*Triglia lucerna*), cappone gallinella □ **y. jack**, (*naut.*) bandiera gialla (*o di quarantena*); (*slang*) febbre gialla □ (*zool.*, *USA*) **y. jacket**, vespa □ (*ciclismo*) **y. jersey**, maglia gialla □ (*miner.*) **y. lead ore**, wulfenite; piombo giallo □ (*autom.*, *in GB*) **y. line**, riga gialla (*indica restrizioni di sosta*) □ **y. metal**, (*metall.*) lega di rame (60%) e zinco (40%); (*fig.*) oro □ **y. ochre**, ocra gialla □ (*telef.*) **the Y. Pages**®, le Pagine Gialle® □ **the y. press**, la stampa scandalistica; la stampa sensazionale □ (*miner.*) **y. pyrites**, calcopirite □ (*geogr.*) **the Y. Sea**, il Mar Giallo □ (*med.*) **y. sickness**, itterizia □ (*anat.*) **y. spot**, macula lutea (*della retina*) □ **y. sticky**, post-it; giallino; (*comput.*) commento; post-it elettronico □ (*fig.*) **y. streak**, tendenza alla vigliaccheria; vena di codardia □ **y. wax**, cera gialla; cera d'api □ **to turn y.**, ingiallire.

to **yellow** /'jeləʊ/ v. t. e i. ingiallire; rendere giallo; diventar giallo: **an old yellowed document**, un vecchio documento ingiallito; **the leaves that y. in autumn**, le foglie che ingialliscono in autunno.

yellowback /'jeləʊbæk/ n. (*fam.*) romanzo popolare (francese), dalla copertina gialla.

to **yellow-card** /jeləʊ'kɑːd/ v. t. (*sport*) (*dell'arbitro*) mostrare il cartellino giallo a (*un giocatore*); ammonire ● (*di un giocatore*) **to be yellow-carded**, ricevere il cartellino giallo; essere ammonito.

yellowhammer /'jeləʊhæmə(r)/ n. (*zool.*, *Emberiza citrinella*) zigolo giallo.

yellowish /'jeləʊwɪʃ/ a. giallastro; giallognolo; gialligno | **-ness** n. ᴗ.

yellowness /'jeləʊnəs/ n. ᴗ **1** l'essere giallo; colorito giallo; giallore (*raro*) **2** (*fig. fam.*) vigliaccheria; viltà.

yellowy /'jeləʊɪ/ a. giallastro; giallognolo; gialligno.

yelp /jelp/ n. **1** (*di un cane, ecc.*) guaito; uggiolo **2** grido; strillo.

to **yelp** /jelp/ v. i. **1** (*di un cane, ecc.*) guaire; uggiolare **2** (*per estens.*) gridare, strillare (*per dolore, per sorpresa, ecc.*).

yelper /'jelpə(r)/ n. **1** cane che guaisce **2** cucciolo **3** (*fam. USA*) sirena (*della polizia, di un'ambulanza, dei pompieri, ecc.*).

Yemen /'jemən/ n. (*geogr.*) Yemen ‖ **Yemeni** a. e n. yemenita.

Yemenite /'jemənaɪt/ n. yemenita.

yen ① /jɛn/ n. (inv. al pl.) yen (*unità monetaria giapponese*).

yen ② /jɛn/ n. (*fam.*) forte desiderio; gran voglia: **to have a yen for st.**, avere una gran voglia di qc.; **to have a yen to travel**, avere voglia di viaggiare.

to **yen** /jɛn/ v. i. – (*fam.*) **to yen for**, avere una gran voglia di; desiderare ardentemente.

to **yentz** /jɛnts/ v. t. → **to yench**.

yeoman /'jəʊmən/ n. (pl. **yeomen**) **1** (*stor.*) proprietario di terreni che rendevano almeno 40 scellini l'anno (*aveva il diritto di far parte di giurie, di votare nelle elezioni della contea, ecc.*) **2** (*stor., mil.*) membro della guardia nazionale a cavallo (*composta da piccoli proprietari terrieri volontari*) **3** (*naut., USA*) sottufficiale addetto al servizio amministrativo di bordo ● (*in GB*) **Y. of the Guard**, guardia del corpo reale (*fondata nel XV secolo*) □ (*naut.*) **y. of signals**, sottufficiale addetto alle segnalazioni □ **Y. Warden**, guardiano della Torre di Londra.

yeomanly /'jəʊmənlɪ/ a. **1** di (*o* da) yeoman (→ **yeoman**) **2** (*fig. arc.*) coraggioso; leale; fedele; forte; vigoroso.

yeomanry /'jəʊmənrɪ/ n. ⓤ (*stor.*) **1** classe dei piccoli proprietari terrieri **2** (*stor., mil.*) guardia nazionale a cavallo (*composta da piccoli proprietari terrieri e operai agricoli arruolatisi come volontari*) **3** (*mil.*) reparti di carristi e artiglieri (*nella 2ª guerra mondiale*).

yep /jɛp/ avv. (*fam.*) sì.

yer /jə(r)/ a. poss. grafia fam. di → **your**.

♦**yes** /jɛs, jɛə/ Ⓐ **1** (*nelle risposte*) sì; certo: «*Can you swim?*» «*Yes* (*o Yes, I can*)», «sai nuotare?» «sì» **2** (*nelle risposte*) eccomi!; presente!: «*John!*» «*Yes!*», «John!» «Eccomi!» **3** anzi; addirittura: *Yes I am ready, yes eager, to help you*, sono pronto, anzi, ansioso di aiutarti **4** (*interrogando*) ah sì?; davvero?; e allora?: «*I've come to you for help*» «*Yes?*», «sono venuto per chiederti aiuto» «Ah sì?»; *Yes, what happened next?*, e allora, che accadde poi? Ⓑ n. **1** risposta positiva; sì: *Confine yourself to yes and no* (*o to yeses and noes*), limitati ai sì e ai no! **2** chi dice (*o* vota) sì; voto favorevole ● **yes and no**, sì e no □ **Yes indeed!**, eccome!, altroché! □ (*fam.*) **yes-man**, individuo servile; tirapiedi; leccapiedi, reggicoda □ **Yes please!**, sì, grazie! □ **to answer yes**, rispondere di sì □ **to say yes**, dire di sì.

yester /'jɛstə(r)/ pref. (*poet.*) di ieri; del passato; passato; scorso: **y.-night**, la notte scorsa; ieri sera.

♦**yesterday** /'jɛstədeɪ/ avv. e n. ⓤ ieri: *He rang me up y.*, mi telefonò ieri; *What was y.?* che giorno era ieri?; **y.'s newspaper**, il giornale di ieri; (*fig.*) *I wasn't born y.*, non sono mica nato ieri ● **y. afternoon**, ieri pomeriggio □ **y. evening**, ieri sera; iersera □ **y.'s men**, gli uomini di ieri; i superati □ **y. morning**, ieri mattina; iermattina □ **y. week**, ieri a otto □ **after y.**, dopo quel che accadde ieri □ **all our yesterdays**, il nostro passato □ (**the**) **day before y.**, ieri l'altro; l'altro ieri □ **up to** (*o until*) **y.**, fino a ieri; sino a ieri.

yesteryear /'jɛstəjɪə(r)/ n. **1** (*arc., lett.*) l'anno scorso **2** (*fig.*) il recente passato; le ieri.

♦**yet** /jɛt/ Ⓐ avv. **1** (*in frasi neg.*) ancora; finora; per ora: *He hadn't come yet*, non era ancora arrivato; *It is not yet time*, non è ancora il momento; è troppo presto: «*Are you ready?*» «*No, not yet*», «sei pronto?» «no, non ancora» **2** (*in frasi afferm., lett. o quasi*) ancora; tuttora; perfino: *I've yet to complete the report*, devo ancora finire la relazione; *You must work yet harder*, devi lavorare ancora di più; **yet another mistake**, ancora un altro (*o* l'ennesimo) errore; **yet more rain**, ancora altra pioggia **3** (*in frasi interr.*) fino a questo momento; già: *Has the post arrived yet?*, è già arrivata la posta?; *Are we there yet?*, non ci siamo ancora? Ⓑ cong. (*spesso* **and yet**, **but yet**) pure; eppure; tuttavia; però; ma: *It is hardly credible, yet true*, è quasi incredibile, ma è vero; *I offered him some more, and yet he wasn't satisfied*, gliene offrii ancora e tuttavia non fu soddisfatto ● **yet again** (*o* **yet once again**, **yet once more**), ancora una volta; un'altra volta □ **as yet**, finora, sinora; (*con il verbo al passato*) fino ad allora, fino a quel momento: *Everything was* [*had*] *worked all right as yet*, tutto finora è [fino a quel momento era] andato bene □ **just yet**, proprio ora; subito: *I cannot come just yet*, non posso venire proprio ora □ **nor yet**, e neppure; e nemmeno; e neanche: *He did not come, nor yet write*, non venne e neanche scrisse □ **He may win yet**, fa ancora in tempo a vincere.

yeti /'jɛtɪ/ n. (pl. **yetis**) yeti; abominevole uomo delle nevi.

yew /juː/ n. (*bot., Taxus baccata*) tasso (*l'albero e il legno*).

YHA sigla (*GB*, **Youth Hostels Association**) Associazione degli ostelli della gioventù.

yid /jɪd/ n. (*spreg.*) ebreo; giudeo.

Yiddish /'jɪdɪʃ/ Ⓐ n. yiddish (*lingua e cultura delle comunità ebraiche in Germania, Polonia, ecc.*) Ⓑ a. (proprio dello) yiddish; scritto in yiddish: **a Y. newspaper**, un giornale scritto in yiddish.

yield /jiːld/ n. ⓒⓤ **1** prodotto; raccolto: **a good y. of barley**, un buon raccolto d'orzo **2** (*ind., agric.*) rendimento; resa; produzione: *What's the average y. of the farm?*, qual è la produzione media del podere? **3** (*econ., fin.*) rendimento; rendita; reddito; frutto: *A 3% y. makes investment in real estate uneconomical*, il rendimento del 3 per cento scoraggia, perché antieconomici, gli investimenti in beni immobili; **y. on securities**, rendita derivante da obbligazioni **4** (*fisc.*: *di imposte o tasse*) gettito **5** ⓤ (*tecn.*) cedevolezza; duttilità **6** ⓤ (*mecc.*) snervamento **7** (*autom., USA*) diritto di precedenza ● (*autom.*) **y. gap**, scarto di rendimento (*tra azioni e titoli a reddito fisso*) □ (*fin.*) **the y. of investments**, la resa degli investimenti □ (*fisc.*) **y. of taxation**, gettito fiscale □ (*mecc.*) **y. point**, carico di snervamento □ (*mecc.*) **y. stress**, tensione (*o* limite) di snervamento □ (*fin.*: *di un titolo*) **y. to maturity**, rendimento alla scadenza; rendimento medio effettivo □ (*fin.*) **y. to redemption**, rendimento al rimborso.

♦to **yield** /jiːld/ Ⓐ v. t. **1** produrre; dare; fruttare; rendere; **Our farm has yielded a good crop this year**, il nostro podere ha dato un buon raccolto quest'anno; **The tin mine has yielded poorly**, la miniera di stagno ha reso poco **2** cedere; concedere; dare; abbandonare: (*fig.*) **to y. ground**, cedere terreno; (*mil.*) **to y. a position to the enemy**, abbandonare una posizione al nemico; **to y. a point in a debate**, cedere su un punto in una discussione; concedere un punto in favore dell'avversario **3** dare, abbandonare, consegnare (q.): **to y. oneself prisoner**, darsi prigioniero **4** (*fin.*) rendere; fruttare; dare: *These stocks now y. 9%*, queste azioni rendono ora il 9 per cento **5** (*d'imposta o tassa*) dare un gettito di: *Petrol tax yielded several billion euros last year*, l'imposta sulla benzina ha dato un gettito di vari miliardi di euro l'anno scorso Ⓑ v. i. **1** cedere; arrendersi; darsi per vinto; sottomettersi: *We will never y.* (*to blackmail*), non cederemo mai (al ricatto); *The Greeks had to y. to the Roman conquerors*, i greci dovettero sottomettersi ai conquistatori romani **2** cedere; piegarsi: *The roof of the cottage yielded under the weight of the snow*, il tetto della casetta ha ceduto sotto il peso della neve **3** cedere; lasciare il posto a: *Winter is yielding to spring*, l'inverno sta lasciando il posto alla primavera **4** (*fig.*) cedere: **to y. to temptation**, cedere alla tentazione **5** (*autom., USA*) dare la precedenza ● (*autom.*) «**yield!**» (*cartello stradale in USA*), «dare la precedenza!» □ (*form.*) **to y. an answer**, dare una risposta □ (*lett.*) **to y. consent**, acconsentire □ (*mil.*) **to y. a fortress**, consegnare una fortezza al nemico □ (*fig.*) **to y. the palm**, cedere la palma (*della vittoria*); farsi battere □ **to y. place to**, lasciare il posto a, essere seguito da □ **to y. one's pride of place**, lasciare ad altri il posto d'onore □ (*autom.*) **to y. right of way**, dare la precedenza □ **to y. to sb.'s requests**, accedere alle richieste di q. □ **to y. to persuasion**, lasciarsi convincere □ (*market., pubbl.*) **Our goods y. to none**, la nostra merce è imbattibile □ **I y. to none!**, non sono secondo a nessuno (*nel mio entusiasmo per la cosa, nell'ammirarlo, ecc.*).

● to **yield up** v. t. + avv. **1** cedere; consegnare; abbandonare: *The general refused to y. up the fortress*, il generale rifiutò di consegnare la fortezza (al nemico) **2** cedere; dare; lasciare: **to y. up one's seat to an elderly person**, cedere il posto (a sedere) a una persona anziana **3** (*form.*) rivelare; svelare: *The jungle will never y. up all its secrets*, la giungla non rivelerà mai tutti i suoi segreti □ **to y. up the ghost**, rendere l'anima a Dio.

yielder /'jiːldə(r)/ n. **1** chi cede; chi si arrende **2** (*econ., fin.*) cosa che produce (*o* che rende); fonte di guadagno; cespite **3** (*fisc.*) imposta (*o* tassa) che dà un certo gettito: *Direct taxes are poor yielders in Italy*, in Italia le imposte dirette danno uno scarso gettito all'erario.

yielding /'jiːldɪŋ/ a. **1** cedevole; flessibile; arrendevole; docile; compiacente; accomodante: **y. clay**, argilla cedevole; **a y. disposition**, un carattere docile **2** (*econ., fin.*) produttivo; fruttifero **3** (*tecn.*) cedevole; deformabile | **-ly** avv.

yin /jɪn/ (*cinese*) n. ⓤ yin (*il princìpio attivo femminile*).

yip /jɪp/ n. (*fam.*) guaito; uggiolio.

to **yip** /jɪp/ v. i. (*fam.*) guaire; uggiolare.

yippee /'jɪpiː/ inter. (*fam.*) urrà!; evviva!

yippie /'jɪpiː/ n. (*USA*) hippy politicamente impegnato (*che aderiva allo 'Youth International Party', formazione anarchico-libertaria degli anni '60*).

Y2K abbr. (**year 2000**) l'anno 2000.

YMCA sigla (*GB*, **Young Men's Christian Association**) Associazione cristiana della gioventù maschile.

YMMV sigla (*Internet, telef.*, **your mileage may vary**), il tuo kilometraggio potrebbe variare (*cioè, la tua esperienza potrebbe essere diversa*).

yob /jɒb/ n. (*spreg. ingl.*) **1** becero; cafone; tanghero **2** ragazzo di vita; teppista.

yobbery /'jɒbərɪ/ n. ⓤ (*spreg. ingl.*) comportamento da teppista.

yobbo /'jɒbəʊ/ n. (pl. **yobbos**) → **yob**.

yodel, yodle /'jəʊdl/ n. (*mus.*) jodel, jodler (*vocalizzo in falsetto*); jodler (*canto modulato dei montanari tirolesi e svizzeri*).

to **yodel**, to **yodle** /'jəʊdl/ v. i. (*mus.*) cantare alla maniera dei montanari tirolesi; cantare facendo lo jodel.

yodeller /'jəʊdlə(r)/ n. jodler; chi canta facendo lo jodel.

yoga /'jəʊɡə/ n. ⓤ (*filos. indiana*) yoga.

yogh /jɒɡ/ n. «yogh» (*lettera dell'alfabeto anglosassone dal suono simile alla «y»*).

yoghurt /'jɒɡət/ n. ⓒⓤ → **yogurt**.

yogi /'jəʊɡɪ/ n. (pl. **yogis**) maestro di yoga;

seguace dello yoga; yogin.

♦**yogurt** /ˈjɒɡət/ n. ᴜᴄ yogurt.

yo-heave-ho /jəʊhiːˈvʔhəʊ/ inter. (*naut.*) issa! (*grido simultaneo quando si leva l'ancora, ecc.*).

yoicks /jɔɪks/ inter. «yoicks»! (→ **to yoick**).

yoke /jəʊk/ n. **1** giogo (*anche fig.*); schiavitù, dominio; legame, vincolo (*spec. matrimoniale*); (*un tempo*) giogo da acquaiolo (*per portar secchi*): (*fig.*) **the y. of convention**, il giogo delle convenzioni sociali; **to throw off the y. of servitude**, scuotersi di dosso il giogo della servitù; **the marriage y.**, il vincolo matrimoniale **2** (*invar. al pl.*) (= **y. of oxen**) coppia, paio (*di buoi aggiogati*): **five y. of oxen**, cinque paia di buoi **3** (*sartoria: d'abito*) sprone **4** (*naut.*, = **rudder y.**) barra a bracci, barra a mezzaluna (*del timone*) **5** (*elettr.*) giogo magnetico **6** (*aeron.*) barra di comando doppio **7** (*archit.*) traversa superiore (*di finestra*) **8** (*mecc.*) brida; morsetto; pattino ● (*zool.*) **y. bone**, osso zigomatico □ (*mecc.*) **y. cable**, cavo di giunzione (*di bicicletta*) □ (*naut.*) **y.-ropes** → **yokelines** □ (*stor. romana*) **to pass** (*o* **to come**) **under the y.**, passare sotto il giogo (*anche fig.*).

to **yoke** /jəʊk/ Ⓐ v. t. **1** mettere il giogo a (*buoi, ecc.*); aggiogare **2** (*fig.*) accoppiare; unire (*spec. in matrimonio*) **3** (*fig. arc.*) soggiogare **4** (*slang USA*) attaccare (*spec. alle spalle*); aggredire; rapinare Ⓑ v. i. (*raro, anche* **to y. together**) essere accoppiato; appaiarsi; lavorare insieme.

yokel /ˈjəʊkl/ n. (*spreg.*) contadino; campagnolo; cafone; bifolco; villano.

yolk /jəʊk/ n. ᴜᴄ **1** tuorlo; rosso d'uovo; vitello **2** (*biol.*) vitello; deutoplasma; tuorlo; lecite **3** (*ind. tess.*) grasso di lana; lanolina ● (*biol.*) **y. bag** (*o* **y. sac**), sacco vitellino; lecitocele □ (*biol.*) **y. stalk**, dotto vitellino ‖ **yolky a. 1** simile al rosso d'uovo **2** (*ind. tess.*) contenente grasso di lana; che contiene lanolina **3** (*ind. tess.*) sucido: **yolky wool**, lana sucida.

yomp /jɒmp/ n. **1** (*gergo mil.*) marcia lunga e faticosa **2** (*scherz.*) sgambata; scarpinata.

to **yomp** /jɒmp/ v. i. **1** (*gergo mil.*) marciare zaino in spalla; marciare su terreno accidentato **2** (*scherz.*) sgambare; scarpinare.

yon /jɒn/ (*poet., raro*) → **yonder**.

yonder /ˈjɒndə(r)/ (*poet., raro*) Ⓐ a. quello; quello là: **on the top of y. mountain**, in cima a quella montagna Ⓑ avv. là ● **down y.**, laggiù □ **up y.**, lassù □ **way y.**, lontano.

yonks /jɒŋks/ n. ᴑ (*fam.*) secoli (*fig.*); molto tempo: *I haven't seen them for y.*, non li vedo da secoli.

yoof /juːf/ (*grafia scherz. o spreg.* di **youth**) Ⓐ n. giovane; (*collett.*) i giovani Ⓑ a. attr. di, per i giovani; giovanile: **y. television**, la televisione dei giovani.

yoo-hoo /ˈjuːhuː/ inter. ju-hù!; ehi là!

to **yoo-hoo** /ˈjuːhuː/ v. i. (*fam.*) fare «ju-hù»; gridare; chiamare ad alta voce.

yore /jɔː(r)/ n. – **of y.** (*lett.*), (d') un tempo; in passato; anticamente: *'That is altogether different from the village politics of y.'* S.T. COLERIDGE, 'questa è cosa del tutto diversa dalla politica paesana di un tempo'.

Yorick /ˈjɒrɪk/ n. Yorick.

York /jɔːk/ n. (*geogr.*) **1** York (*antica città ingl.*) **2** (*abbr. di* **Yorkshire**) contea di York; Yorkshire ● **Y. ham**, prosciutto dello Yorkshire □ (*stor.*) **the House of Y.**, la Casa (*o* la dinastia) di York.

york /jɔːk/ n. ᴑ (*slang USA*) vomito.

to **york**① /jɔːk/ v. i. (*slang USA*) vomitare; rigettare.

to **york**② /jɔːk/ v. t. (*cricket: del lanciatore*) eliminare (*un battitore*) lanciando la palla

proprio al disotto della sua mazza.

yorker /ˈjɔːkə(r)/ n. (*cricket*) lancio imprendibile della palla, che colpisce il terreno sotto la mazza del battitore.

yorkie /ˈjɔːkɪ/ n. (*fam.*) = **Yorkshire terrier** → **Yorkshire**.

Yorkist /ˈjɔːkɪst/ (*stor.*) Ⓐ n. membro (*o* partigiano) della Casa di York (*al tempo della Guerra delle Due Rose*) Ⓑ a. della Casa di York; favorevole alla Casa di York.

Yorks /jɔːks/ abbr. (**Yorkshire**) la Contea di York.

Yorkshire /ˈjɔːkʃə(r)/ n. (*geogr.*) contea di York; Yorkshire ● **Y. flannel**, flanella di colore naturale (*non tinta*) □ (*cucina*) **Y. pudding**, panino rigonfio, fatto con una pastella di farina, latte e uova (*servito con arrosto di manzo*) □ **Y. terrier**, yorkshire; Yorkshire terrier (*piccolo cane a pelo lungo e liscio*).

♦**you** /juː, jə/ Ⓐ pron. pers. **2ª pers. pl. e sing. 1** (sogg. e compl.) voi, ve, vi; tu, te, ti; Lei, Ella, Loro (forme di cortesia di 3ª pers.): *How are you?*, come stai?; come state?; *You are my love*, il mio amore sei tu; *What do you want?*, che cosa volete (voi)?; che cosa vuoi (tu)?; *The letter is for you*, la lettera è per te; *I want to help you*, voglio aiutarti (o aiutarvi); *I'm not going to give it to you*, non ve (o te) lo do; *I choose you three*, scelgo voi tre; *You're very kind, Sir*, Lei è molto gentile, signore; *Ladies and gentlemen, you know me quite well*, Signori e Signore, Loro mi conoscono benissimo; *You, there! What's your name?*, ehi, tu! come ti chiami? ❶ NOTA: *thou* → **thou**① **2** (pred.) tu; voi: *Was that you?*, eri tu? (o eravate voi?) **3** (idiom., escl.) *Kiss her, you fool!*, baciala, stupido!; *You madman!*, pazzo!; *You darling!*, tesoro!; caro!; cara! **4** (colloquiale; unito alla forma in -ing, è idiom.) *They don't mind you forgetting to call on them*, non ci fan caso se ti sei scordato di passare da loro; *I must insist on you paying your debts*, devo insistere che tu paghi i tuoi debiti **5** (*arc.*, = **yourself, yourselves**) *Sit you down!*, siediti!; sedetevi! Ⓑ pron. impers. si; sé: *You never can tell!*, non si sa mai!; *You soon get used to it*, ci si abitua presto; *You can see the garden from my room*, si vede il giardino dalla mia camera ● (*slang USA*) **you-all**, voi, voialtri (*per distinguere da* «you» = «tu, Lei») □ (*slang USA*) **You and who else** (*o* **and whose army)?**, in quanti siete? (*fatevi sotto, ecc.*) □ **You asked for it!**, te la sei cercata! □ **you bet**, certo; eccome; naturalmente □ (*volg. USA*) **You bet your ass!**, ci puoi scommettere il culo (*volg.*) □ (*slang*) **You bet your boots** (*o* **your sweet life)**, puoi scommetterci (o metterci) la testa! □ (*pop.*) **You can say that again!**, puoi ben dirlo!; davvero!; altroché! □ (*fam.*) **You got it!**, hai indovinato; (*anche*) hai ragione; e va bene!; d'accordo! □ (*slang*) **You hear?**, mi hai sentito?; hai capito?; va bene? □ (*slang USA*) **You heard the man**, hai sentito (*quello che ha detto*)?; vuoi dunque obbedire? □ (*fam.*) **you-know- -what**, sai che cosa; quella cosa; il coso, la cosa (*un oggetto che non si vuole menzionare*); (*eufem.*) rapporto sessuale: *Petting often leads youngsters to you-know-what*, i giovani, a furia di pomiciare, spesso finiscono per fare quella cosa □ (*fam.*) **you-know- -where**, quel posto (*che non si vuole nominare*); tu sai dove; (*eufem.*) al diavolo, all'inferno: *You can just go you-know-where*, puoi andare all'inferno! □ (*fam.*) **you-know-who**, chi dico io (*e non lo voglio nominare*); tu sai chi: *If you-know-who is there, I won't come*, se c'è sai chi, io non ci vengo! □ **If you say so!**, se lo dici tu! □ **You said it!**, l'hai detto!; sono d'accordo!; è proprio vero □ **all of you** (*fam.* **you all**), voi tutti; tutti voi; voialtri; voi (*utile per distinguere* «**you**», voi *da* «**you**», tu): *You are all welcome*, siete (tutti) i ben-

venuti; *I don't want all of you to come*, non voglio che veniate tutti; *Sit down, all of you!*, sedetevi! □ **if I were you**, se fossi in te □ **the rest of you**, gli altri: *She may come, but the rest of you must stay behind*, lei può venire, ma gli altri devono rimanere qui □ **Thank you, grazie!** □ **You see, it's like this**, vedi (o capisci), le cose stanno così □ (*fam.*) **You go away!** (*o* **Go away, you**), vattene! (*fam.*) «**You're an ass!**» «**You're another!**», «sei un asino!» «asino sarai tu!» □ (It's) **very kind of you!**, (è) molto gentile da parte tua (o da parte vostra)!

❶ NOTA: *you o one?*

Come pronome impersonale, *one* è molto più formale di *you* e tende a essere considerato arcaico e affettato: *One needs to make an appointment if one wishes to see the minister*, bisogna fissare un appuntamento se si vuole vedere il ministro. Nell'inglese attuale, si tende quasi sempre a preferire l'uso di *you*: *You have to make an appointment if you want to see the doctor*, bisogna prendere un appuntamento per vedere il dottore; *You never know who's listening*, non si sa mai chi sta ascoltando.

you'd /juːd/ contraz. di **1 you had 2 you would**.

you'll /juːl/ contraz. di **1 you will 2 you shall**.

♦**young** /jʌŋ/ Ⓐ a. **1** giovane (*anche fig.*); piccolo: **a y. man**, un uomo giovane; (*anche*) un giovanotto; *He's too y. to go to school yet*, è troppo piccolo per andare a scuola; *He's y. at heart*, è giovane di spirito (o di cuore); **a y. nation [economy]**, una nazione [un'economia] giovane; **y. plants**, piante giovani **2** (*fig.*) giovanile; di (o da) ragazzo; di (o da) ragazza: **to look y. for one's age**, avere un aspetto giovanile in considerazione dell'età; **y. ambition**, ambizione giovanile; **y. love**, amore da ragazzi **3** (*fig.*) inesperto; alle prime armi: *He is y. in business*, è ancora inesperto negli affari **4** (*geol.*) giovane: **y. mountains**, montagne giovani Ⓑ n. (collett.) **1** – **the y.**, i giovani; la gioventù: *The y. must respect the old*, i giovani devono rispettare i vecchi **2** (*d'animale*) piccoli; prole; nati: *Among the mammals, it is usually the mother that takes care of the y.*, fra i mammiferi, di solito è la madre che si prende cura dei piccoli ● **a y. child**, un bambino piccolo; un bimbetto; una bimbetta □ (*fam.*) **y. fogey**, giovane tradizionalista; giovanotto conservatore □ **a y. girl**, una ragazzina □ (*fam.*) **y. gun**, giovane rampante □ (*stor.*) **Y. Italy**, la Giovine Italia □ (*form.*) **y. lady**, signorina; (*arc.*) innamorata □ (*leg.*) **y. offender**, delinquente minorile □ **the y. ones**, i bambini; i piccoli; i bimbi; (*di un animale*) i piccoli, i cuccioli □ **y. people**, i giovani □ **y. person**, (*demogr.*) adolescente; (*leg.*) minore; minorenne □ (*scherz.*) **y. things**, giovanotti; ragazze; i giovani; i bambini □ (*stor. e fig.*) **y. Turks**, giovani turchi □ (*fam.*) **y. 'un**, giovanotto; ragazzo (spec. al vocat.) □ **y. vegetables**, verdura fresca □ **in my y. days**, nei miei verdi anni; in gioventù □ (*d'animale*) **with y.**, gravida; pregna □ (*fam.*) **Now, y. man!**, ehi, giovanotto! □ **A y. sheep is called a lamb**, il piccolo della pecora si chiama agnello □ **Do you mean y. Smith or his father?**, vuoi dire Smith figlio o il padre? □ **The night is still y.**, la notte è ancora giovane; la notte non è ancora avanzata □ **He is y. for his age**, porta bene i suoi anni; ha ancora un aspetto giovanile.

younger /ˈjʌŋɡə(r)/ a. (compar. di **young**) più giovane; minore (*di età*): **a y. brother [sister]**, un fratello [una sorella] minore ● **y. son**, secondogenito □ **Tom has a y. sister**, Tom ha una sorellina □ **He is a year y. than his brother**, ha un anno in meno di suo fratello □ (*stor. ingl.*) **Pitt the Y.**, Pitt il Giovane.

youngest /ˈjʌŋgɪst/ a. (superl. relat. di **young**) il più piccolo (d'età); il più giovane (di tutti) ● (di bambini) **the y. child**, l'ultimogenito: Ann is the y. child in the family, Ann è la più piccola della famiglia; Ann è l'ultimogenita.

youngish /ˈjʌŋɪʃ/ a. piuttosto giovane; giovanile all'aspetto.

youngling /ˈjʌŋlɪŋ/ n. (poet.) **1** giovane; giovanotto; fanciulla **2** bambino, bambina **3** piccolo; l'ultimo nato: **the younglings of the flock**, gli ultimi nati del gregge **4** (bot.) bocciolo; germoglio.

◆**youngster** /ˈjʌŋstə(r)/ n. **1** giovincello; ragazzo; ragazzotto **2** (pl. collett.) i giovani.

◆**your** /jɔː(r), jə(r)/ **A** a. poss. **1** vostro, vostra, vostri, vostre; tuo, tua, tuoi, tue; Suo, Sua, Suoi, Sue, Loro (forme di cortesia di 3ª persona): **y. father and mother**, tuo padre e tua madre; **y. father and mine**, tuo padre e il mio; How is y. daughter?, come sta tua figlia?; I'll have to see y. parents, dovrò parlare con i vostri genitori; **y. friends**, i tuoi (o i vostri) amici **2** (enfat., iron.) tuo (vostro, ecc.); classico; tipico; ben noto; famoso: This is y. baseball, isn't it?, è tutto qui il vostro decantato baseball?; No one is so fallible as y. experts in handwriting, nessuno prende tante cantonate come i vostri famosi periti calligrafi! **3** (quando è unito alla forma in **-ing**, è idiom.) **Y. mother doesn't like y. marrying that man**, a tua madre non va (a genio) che tu sposi quell'uomo; **I don't mind at all y. using my cassette player**, non ho nulla in contrario a farti usare il mio mangianastri **B** a. indef. proprio, propria, ecc. (spesso sottinteso in ital.): You cannot change y. nature, non si può cambiare la propria natura ● **y. own**, tuo, proprio tuo; vostro, proprio vostro?: Is this y. own book?, è proprio tuo questo libro? □ (volg. USA) **Y. ass!**, col cavolo! (pop.); col cazzo! (volg.) □ **Y. hands are dirty**, hai le mani sporche □ **Y. turn!**, tocca a te; sta a te (giocare, ecc.) □ **What's y. name?**, come ti chiami? □ **Show me y. book**, mostrami il (tuo) libro!

you're /jɔː(r), jə(r)/ contraz. di **you are**.

◆**yours** /jɔːz/ pron. poss. (il) vostro, (la) vostra, (i) vostri, (le) vostre; (il) tuo, (la) tua, (i) tuoi, (le) tue; (il) Suo, (la) Sua, (i) Suoi, (il, la, i, le) Loro (forme di cortesia di 3ª persona): This tape recorder is y., not mine, questo registratore è tuo, non mio; Are these y. or mine?, questi sono i tuoi (o i vostri) o i miei?; **my children and y.**, i miei bambini e i vostri; Isn't that boy a student of y., Mr Black?, non è un Suo studente, quel ragazzo, Mr Black?; **that pride of y.**, quel tuo benedetto (o maledetto) orgoglio ● (nella chiusa di una lettera) **Y.**, cordiali saluti, cordialmente tuo (fam.) □ **Y. faithfully**, distinti saluti (form.) □ **Y. sincerely** (o **Sincerely y.**), cordiali saluti (fam.) □ (comm., spec. USA) **Y. truly**, distinti saluti (form.) □ (fam.) **y. truly**, il sottoscritto; io stesso; me stesso □ (fam.) **What's y.?** che cosa prendi? che cosa bevi? □ (in tono risentito) **I am no child of y.**, non sono mica figlio tuo! □ **Our best wishes to you and y.**, i nostri migliori auguri a te e ai tuoi cari (o a Lei e ai Suoi cari) □ **That's no business of y.!**, non è affar tuo!; non è cosa che ti riguarda! □ (volg.) **Up y.!**, vaffanculo!

(volg.); va in malora! (pop.) ● NOTA: **'s**: apostrofo e caso possessivo → **'s**①.

◆**yourself** /jəˈself, jɔː-/ (pl. **yourselves**) **A** pron. rifl. **1** te stesso, te stessa, ti; voi stessi, voi stesse, vi; Lei stesso, Lei stessa, Si (forme di cortesia di 3ª persona): You're looking very pleased with y., sembri molto soddisfatto di te stesso; Did you defend y.?, ti sei difeso?; Why don't you pour y. a drink?, perché non ti versi da bere?; Don't tire yourselves too much, non stancatevi troppo **B** pron. enfat. tu stesso, tu stessa; voi stessi, voi stesse; Lei stesso, Lei stessa; proprio tu (voi, Lei): Do it y.!, fallo tu stesso (o tu stessa)!; Didn't you say so y., Mr Barrow?, non l'ha detto Lei stesso, Mr Barrow?; Please see to it yourselves, pensateci voi stessi (o ci pensino Loro), per favore; You taste it for yourself, assaggialo tu stesso; You told me y., me l'hai raccontato proprio tu; You y. went there, ci sei andato tu di persona ● **by y.**, da te, da sé; da solo, da sola; senz'aiuto; solo, sola; senza compagnia: Finish it by y.!, finiscilo da solo (o da sola)!; Did you do it by y., Miss Brown?, l'ha fatto da Sé, Miss Brown?; Were you (all) by y.?, eri solo?; Why are you sitting by y.?, perché te ne stai qui seduto da solo (o in disparte)? □ **by yourselves**, da soli, da sole; senz'aiuto; soli, sole; senza compagnia: You cannot do it by yourselves, non potete farlo da soli (o da sole) □ (fam.) **Be y.!**, sii te stesso!; comportati con naturalezza! □ **Help y.!**, serviti pure (a tavola, ecc.) □ **You are not [You don't seem] quite y. tonight**, non sei il solito [non sembri tu] stasera □ **You aren't acting like y.**, ti stai comportando in modo strano.

◆**yourselves** /jəˈselvz/ pron. rifl. e enfat. voi stessi, voi stesse; voi di persona; proprio voi: **by y.**, per conto vostro.

yous, **youse** /juːz/ pron. pers. 2ª pers. pl. (dial. o scherz., USA, irl.) voi (rivolto a più persone).

◆**youth** /juːθ/ n. **1** Ⓤ gioventù; giovinezza; adolescenza: **the vigour of y.**, il vigore della gioventù; **the places of one's y.**, i luoghi della propria giovinezza; He was a good pianist in his y., in gioventù (o da giovane) era un bravo pianista; **from y. onwards**, dall'adolescenza in poi **2** Ⓤ Ⓒ gioventù; (i) giovani: **the y. of the** (o **of our**) **country**, la gioventù del paese, della nazione (la nostra gioventù; i nostri giovani) **3** ragazzo, giovanotto; adolescente: **a y. of twenty**, un giovane di vent'anni; **as a y.**, da giovane; in gioventù **4** (spreg.) giovinastro **5** Ⓤ (geol.) stadio giovanile (di un terreno, un monte, ecc.) ● **y. club**, club della gioventù; circolo giovanile □ **y. culture**, cultura dei giovani □ (leg.) **y. custody centre**, centro di rieducazione di delinquenti minorili □ (econ.) **y. employment**, occupazione giovanile □ (in GB) **y. employment officer**, addetto all'occupazione giovanile □ **y. group**, gruppo giovanile □ **y. hostel**, ostello della gioventù: I stayed in a y. hostel until I found a room, sono rimasta in un ostello della gioventù finché ho trovato una stanza □ (fig.) **the y. of civilization**, gli albori della civiltà □ (sport) **y. team**, squadra dei giovani; (la) squadra giovanile □ (econ.) **y. unemployment**, disoccupazione giovanile □ **y. worker**, assistente sociale (che lavora con i giovani).

youthful /ˈjuːθfl/ a. **1** giovane; nel fiore della giovinezza: **a y. bride**, una sposa nel fiore della giovinezza **2** giovanile; di (o da) giovane: **y. ambitions**, ambizioni giovanili; **a y. appearance**, un aspetto giovanile **3** (geol.: di roccia, ecc.) giovane (non ancora eroso dagli agenti atmosferici) | **-ly** avv. | **-ness** n. Ⓤ.

you've /juːv, jəv/ contraz. di **you have**.

yowl /jaʊl/ n. **1** (di gatto in amore) gnaulio **2** ululato.

to **yowl** /jaʊl/ v. i. **1** (di gatto in amore) gnaulare **2** ululare.

yowling /ˈjaʊlɪŋ/ n. Ⓤ **1** gnaulio; miagolio **2** ululato, ululati.

yo-yo /ˈjəʊjəʊ/ **A** n. (pl. **yo-yos**) **1** yo-yo (giocattolo) **2** (slang USA) individuo goffo; fesso; tonto; imbranato (pop.) **3** (slang USA) persona volubile; banderuola (fig.) **B** a. fluttuante; oscillante; altalenante.

to **yo-yo** /ˈjəʊjəʊ/ v. i. **1** giocare con lo yo-yo **2** altalenare; fluttuare; oscillare **3** (slang USA) esitare; titubare.

yr abbr. **1** (**year**) anno **2** (**younger**) più giovane, junior **3** (**your**) vostro (vs., V/s).

ytterbium /ɪˈtɜːbɪəm/ (chim.) n. Ⓤ itterbio.

yttrium /ˈɪtrɪəm/ n. Ⓤ (chim.) ittrio.

yucca /ˈjʌkə/ n. (bot., Yucca) yucca, iucca.

yuck /jʌk/ (slang) **A** n. **1** Ⓤ schifezza; schifo; porcheria **2** individuo disgustoso; tipo schifoso **3** (USA) sentimentalismo, sbrodolatura; romanticume; melensaggine **4** (USA) battuta comica, episodio comico; grossa risata (a teatro) **B** inter. puah!; che schifo!

yucky /ˈjʌkɪ/ a. **1** schifoso; disgustoso; che fa schifo **2** (USA) melenso; sdolcinato; sentimentale (spreg.) ● **This soup tastes y.**, questa zuppa è uno schifo!

Yugoslav /ˈjuːgəʊslɑːv/ a. e n. (stor.) iugoslavo.

Yugoslavia /ˌjuːgəʊˈslɑːvɪə/ n. (stor., geogr.) Iugoslavia, Jugoslavia.

yuk /jʌk/ inter. puah!; che schifo!

yule /juːl/ n. Ⓤ Natale; feste natalizie ● **the y. log**, il ceppo di Natale.

Yuletide /ˈjuːltaɪd/ n. Ⓤ (poet.) il Natale; le feste natalizie: **Y. greetings**, auguri di Natale.

yum /jʌm/, **yum-yum**① /ˈjʌmˈjʌm/ inter. (fam. USA) mmm!, gnam gnam!; che bontà!; che squisitezza!

yummy /ˈjʌmɪ/ a. **1** (fam. USA) delizioso; buonissimo; squisito: **y. food**, cibo delizioso (o da leccarsi i baffi) **2** attraente; bello; grazioso; delizioso; figo (pop.).

yum-yum② /jʌmˈjʌm/ n. (anche al pl.) **1** cosa attraente, appetitosa; goduria **2** persona affascinante; partner sexy.

yup /jʌp/ avv. (fam.) sì; esatto!; infatti!

yuppie, **yuppy** /ˈjʌpɪ/ n. (acronimo di **young urban professional**) giovane professionista rampante; yuppie ● (med. fam., spreg.) **y. flu**, sindrome da stanchezza cronica.

yurt /jɜːt/ n. iurta, yurta (tenda di feltro dei mongoli).

YWCA sigla (GB, **Young Women's Christian Association**) Associazione cristiana della gioventù femminile.

z, Z

Z, z /zɛd, *USA* ziː/ **A** n. (pl. **Z's, z's; Zs, zs**) **1** Z, z (*ventiseiesima e ultima lettera dell'alfabeto ingl.*) **2** (*mat.*) z; terza incognita **3** (*forma di*) Z: **Z-shaped**, a forma di Z; a Z **4** (*slang USA*) oncia di droga; droga (abbr. di **ounce, oz**) **B** a. attr. a forma di Z ● **z for Zulu**, z come Zara □ (*slang USA*) **to catch some Z's**, fare (*o schiacciare*) un pisolino.

Zachariah /zækəˈraɪə/, **Zacharias** /zækəˈraɪəs/, **Zachary** /ˈzækərɪ/ n. Zaccaria.

zaffer, zaffre /ˈzæfə(r)/ n. ⬚ (*ind. chim., ceramica, ind. del vetro*) zaffera, zaffara.

zaftig /ˈzæftɪɡ/ a. (*fam. USA: di donna*) formosa; tutta curve; rotondetta.

Zagreb /ˈzɑːɡrɛb/ n. (*geogr.*) Zagabria.

zamia /ˈzeɪmɪə/ n. (*bot., Zamia*) zamia.

zander /ˈzændə(r)/ n. (*zool., Lucioperca lucioperca*) lucioperca, lucioperca; sandra.

zany /ˈzeɪnɪ/ **A** n. **1** (*stor., teatr.*) zanni; buffone; pagliaccio **2** (*fig.*) sciocco; semplicione; stupidone **B** a. comico; claunesco; buffonesco; buffo; pazzerello: **z. comedy**, commedia buffa.

Zanzibari /zænzɪˈbɑːrɪ/ n. e a. (nativo) di Zanzibar; zanzibarese.

zap /zæp/ **A** n. **1** ⬚ (*fam.*) energia; vigore; forza **2** ⬚ (*fam.*) brio; entusiasmo; vivacità **3** (*comput.*) cancellazione, modifica (*di un programma*) **4** (*TV*) espunzione (*di una parte del programma, di uno spot, ecc.: quando si registra*) **5** (*slang USA*) contestazione; dimostrazione (*contro q.*) **B** inter. zac!; zacchete! ● (*TV*) **zap-proof**, a prova di espunzione; non cancellabile.

to zap /zæp/ (*fam.*) **A** v. t. **1** distruggere; annientare; eliminare; far fuori (*fam.*) **2** uccidere (*con arma da fuoco, raggi letali, ecc.*); eliminare; far fuori (*fam.*) **3** (*anche comput.*) eliminare; cancellare; far sparire **4** colpire; stendere: *The boy zapped me with a water pistol*, il ragazzo mi colpì con una pistola ad acqua **5** entusiasmare; far colpo su; stendere (*fam.*) **6** impressionare; scioccare; lasciare secco (*fam.*) **7** lanciare; scaraventare; fiondare (*fam.*); sparare (*fam.*); lanciare (*un veicolo*) a tutta velocità **8** (*comput.*) eliminare (*un errore, un baco*); correggere (*un programma*) **9** (*sport*) battere; stracciare (*fam.*); far fuori (*fam.*) **10** punire severamente **11** rendere più saporita (*una pietanza*); rendere piccante **12** (*med.*) irradiare; radiografare; sottoporre a elettroshock **13** cuocere nel microonde; passare al microonde **B** v. i. **1** precipitarsi; fiondarsi (*fam.*); andare a razzo; (*di un veicolo*) sfrecciare; andare a tutta birra (*fam.*) **2** (*comput.*) modificare un programma **3** (*TV*) fare zapping.

■ **zap into** v. i. + prep. (*fam.*) precipitarsi in; fare un salto in (*un luogo*).

■ **zap over** v. i. + avv. (*fam.*) fare un salto (*fig.*): *I'll zap over and see if he's ready*, faccio un salto a vedere se è pronto.

■ **zap through** v. i. + prep. (*fam.*) **1** attraversare in fretta (*fig.*) **2** fare (*scrivere, leggere, ecc.*) in gran fretta (*o alla svelta*); sbrigare; divorare (*fig.*): **to zap through one's work**, darci dentro col lavoro.

■ **zap to** v. i. + prep. fare un salto in (*un luogo*): *I'll just zap to the baker's*, faccio un sal-

to al forno (*o dal fornaio*).

zapper /ˈzæpə(r)/ n. **1** (*slang USA*) dispositivo elettrico per uccidere gli insetti; (*raro*) topicida **2** (*TV*) telecomando.

zapping /ˈzæpɪŋ/ n. ⬚ **1** (*comput.*) cancellazione, modifica (*di un programma*) **2** (*TV*) zapping.

zappy /ˈzæpɪ/ a. (*fam.*) **1** energico; vigoroso; forte **2** brioso; vivace; interessante: **a z. lesson**, una lezione vivace.

Zarathustra /zærəˈθuːstrə/ n. (*stor., relig.*) Zarathustra, Zaratustra.

Zarathustrian /zærəˈθuːstrɪən/ → **Zoroastrian**.

zazzle /ˈzæzl/ n. ⬚ (*slang USA*) **1** forte attrattiva fisica; sex appeal **2** forte desiderio sessuale; arrapamento (*pop.*).

to zazz up /ˈzæzʌp/ v. t. + avv. (*slang USA*) **1** rendere brillante; vivacizzare; animare; ravvivare **2** arrapare (*pop.*).

zazzy /ˈzæzɪ/ a. (*slang USA*) (*dello stile, ecc.*) brillante; frizzante; spumeggiante.

zeal /ziːl/ n. ⬚ **1** zelo; ardore; fervore; solerzia **2** (*spreg.*) esaltazione sfrenata; fanatismo.

zealot /ˈzɛlət/ n. **1** persona zelante; zelatore (*raro*) **2** (*spreg.*) partigiano, partigiana; fanatico, fanatica **3** – (*stor.*) Z., zelota ‖ **zealotry** n. ⬚ zelo eccessivo; fanatismo.

zealous /ˈzɛləs/ a. **1** zelante; premuroso; sollecito; solerte **2** infervorato; fanatico | **-ly** avv. | **-ness** n. ⬚.

zebra /ˈzɛbrə, *USA* ˈziː-/ n. (pl. **zebras, zebra**) **1** (*zool., Equus zebra*) zebra **2** (*sport, slang USA*) arbitro (*per la casacca a strisce*) ● **z. crossing**, passaggio pedonale a strisce; passaggio zebrato **2 z. markings**, striature simili a quelle della zebra.

zebraed /ˈzɛbrəd/ a. zebrato.

zebrawood /ˈzɛbrəwʊd, *USA* ˈziː-/ n. **1** (*bot.*) pianta che fornisce legno striato (*in genere*) **2** (*ebanisteria*) legno zebra.

zebrine /ˈziːbraɪn/ a. (*zool.*) di (*o da*) zebra; simile a zebra.

zebu /ˈziːbuː/ n. (*zool., Bos indicus*) zebù.

zecchin /ˈzɛkɪn/ n. (*un tempo*) zecchino (*moneta*).

zed /zɛd/ n. zeta; lettera z ● (*metall.*) **zed iron**, ferro a zeta.

zee /ziː/ (*USA*) → **zed**.

to zee /ziː/ v. i. (*slang USA*) ronfare; sonnecchiare; dormicchiare.

zeitgeist /ˈzaɪtɡaɪst/ (*ted.*) n. ⬚ spirito del tempo; Zeitgeist.

Zelda /ˈzɛldə/ n. (*slang USA*) racchia; racchiona; befana (*fig.*).

Zen /zɛn/ (*relig.*) n. Zen ‖ **Zenist** n. zenista.

zenana /zɛˈnɑːnə/ n. **1** zenana; gineceo (*in India*) **2** ⬚ (*ind. tess.*) zenana.

Zend /zɛnd/ n. lingua avestica; zendo (*antica lingua persiana in cui è scritto lo Zend-Avesta*).

zenith /ˈzɛnɪθ, *USA* ˈziː-/ n. **1** (*astron.*) zenit **2** (*fig.*) apice; culmine; vertice: *He was at the z. of his career*, era all'apice della carriera ● (*aeron., naut.*) **z. distance**, distanza zenitale ‖ **zenithal** a. (*astron., naut., aeron.*) zenitale.

zeolite /ˈziːəlaɪt/ n. (*miner., chim.*) zeolite.

zephyr /ˈzɛfə(r)/ n. **1** zeffiro; favonio (*lett.*); (*poet.*) brezza soave, venticello **2** ⬚ (*ind. tess.*) zefir (*tessuto o filato leggerissimo di cotone o di lino*) **3** (*sport*) maglietta di atleta (*assai leggera*).

Zephyrus /ˈzɛfɪrəs/ n. (*mitol.*) Zefiro.

◆ **zero** /ˈzɪərəʊ/ **A** n. (pl. **zeros, zeroes**) **1** (*mat., fis.*) zero: **z. of a function**, zero di una funzione; *The temperature fell below z. last night*, la temperatura è andata sotto zero la notte scorsa **2** (*comput.*) zero: **z. access storage**, memoria a tempo di accesso zero (*o ad accesso immediato*) **3** (*fig. fam.*) (uno) zero; tipo che non conta nulla; nullità **B** a. attr. (*scient.*) zero; nullo; (*fig.*) inesistente: (*mat.*) **z. function**, funzione nulla; **z. vector**, vettore nullo; (*fis.*) **z. gravity**, gravità zero; *You can't expect people to lend their money at z. interest*, non ci si può aspettare dalla gente che presti i soldi a interessi zero ● (*comput.*) **z. adjusting**, messa a zero (*ling.*) **z. beginner**, principiante assoluto □ (*fin.*) **z.-coupon bond**, obbligazione senza cedola (*o a cedola zero*) □ **z. emission**, a emissione zero □ **z. gravity**, assenza di gravità; mancanza di peso □ (*econ., demogr.*) **z. growth**, crescita zero □ (*mil. e fig.*) **z. hour**, l'ora zero □ (*econ.*) **z. inflation**, inflazione zero □ (*aeron.*) **z. lift**, portanza nulla □ (*stat.*) **z. population growth**, tasso di crescita demografica zero □ (*elettr.*) **z. potential**, potenziale nullo □ (*econ.*) **z. rate of growth**, tasso di crescita zero □ (*fisc.*) **z.-rated**, ad aliquota zero; esente da IVA □ (*fisc.*) **z.-rating**, esenzione fiscale (*spec. dall'IVA*) □ (*comput.*) **z. resetting**, azzeramento □ (*comput.*) **z. self-reset**, azzeramento automatico □ (*slang USA*) **z.-sum**, privo di senso; insensato: **z.-sum game**, gioco a somma zero □ (*comput.*) **z. suppression**, eliminazione degli zeri (*non significativi*) □ **z. tolerance**, tolleranza zero □ (*fis.*) **above z.**, sopra lo zero □ (*sartoria, slang USA*) **size z.**, taglia zero □ (*fig., di modella*) **size-z.** (agg.), taglia zero; eccessivamente magra □ **to be less than z.**, essere meno di zero; essere meno di niente.

to zero /ˈzɪərəʊ/ v. t. **1** azzerare; rimettere a zero (*uno strumento e sim.*) **2** (*USA*) eliminare; cancellare: **to z. all the computer records**, cancellare tutti i dati del computer.

■ **zero in** v. t. + avv. **1** (*mil.*) azzerare il mirino di (*un'arma da fuoco*) **2** (*mil.*) puntare: *The destroyer zeroed in its guns at the submarine*, il cacciatorpediniere puntò i cannoni sul sottomarino.

■ **zero in on** v. t. + avv. + prep. **1** (*mil.*) puntare (*cannoni, ecc.*) su (*q. o qc.*) **2** (*di un aereo, ecc.*) puntare su (*un bersaglio*) **3** (*della polizia, ecc.*) convergere su; concentrarsi in **4** (*fig. fam.*) concentrarsi su: **z. in on a question**, concentrarsi su un problema.

■ **zero out** v. i. + avv. (*fam. USA*) **1** segnare il punto più basso; toccare il fondo: *Economists believe that tobacco prices will z. out in a short time*, gli economisti credono che i prezzi del tabacco toccheranno il fondo in breve tempo **2** fare fiasco; non riuscire; fallire **3** dichiarare fallimento; fallire; andare

in rovina; restare senza il becco di un quattrino.

zeroable /'zɪərəʊəbl/ a. azzerabile.

zero-rating /'zɪərəʊreɪtɪŋ/ n. ⓤ imposizione zero; esenzione totale (*spec. dell'IVA*).

zest /zɛst/ n. ⓤ **1** entusiasmo; ardore; gusto (*fig.*); godimento; interesse: **youthful z.**, entusiasmo giovanile; **to have a z. for life**, avere il gusto della vita **2** (*fig.*) nota piccante; pepe: *This invention gave (o added) z. to the story*, questa trovata aggiunse una nota piccante alla storia **3** (*cucina*) scorzetta di arancia o di limone (*per aromatizzare il cibo*).

zestful /'zɛstfəl/ a. eccitante; entusiasmante; assai divertente; interessante; gustoso: **z. performance**, esecuzione entusiasmante; spettacolo divertente | **-ness** n. ⓤ.

zeta /'ziːtə/ n. zeta (*sesta lettera dell'alfabeto greco*).

zetacism /'ziːtəsɪzm/ n. ⓤ zetacismo.

zetetic /zə'tɛtɪk/ a. e n. (*filos.*) zetetico.

zetetics /zə'tɛtɪks/ n. pl. (col verbo al sing.) (*filos.*) zetetica.

zeugma /'zjuːɡmə, *USA* 'zuː-/ (*ling.*) n. zeugma || **zeugmatic** a. zeugmatico.

Zeus /zjuːs, *USA* zuːs/ n. (*mitol.*) Zeus.

zibeline /'zɪbəlaɪn/ Ⓐ a. di zibellino Ⓑ n. **1** (*zool.*) zibellino **2** ⓤ pelliccia di zibellino.

zibet /'zɪbɪt/ n. (*zool., Viverra zibetha*) zibetto.

zigzag /'zɪɡzæɡ/ Ⓐ n. **1** zigzag; linea (*o movimento*) a zigzag **2** (= **z. road**) strada a zigzag: *We went up a long z. before we reached the summit*, salimmo a lungo per una strada a zigzag prima di raggiungere la vetta **3** (*mil.*, = **z. trench**) trincea a zigzag **4** (*archit.*) fregio a zigzag **5** (*autom., ecc.*) tornante; curva a esse Ⓑ a. attr. a zigzag: **a z. path**, un sentiero a zigzag; (*elettr.*) **z. connection**, collegamento a zigzag Ⓒ avv. a zigzag ● **z. rule**, metro pieghevole di legno.

to zigzag /'zɪɡzæɡ/ Ⓐ v. i. andare a zigzag; zigzagare; serpeggiare: *The narrow path zigzagged across the moor*, lo stretto sentiero zigzagava attraverso la brughiera Ⓑ v. t. **1** rendere serpeggiante **2** percorrere (*un itinerario*) a zigzag.

zigzagging /'zɪɡzæɡɪŋ/ n. ⓤ zigzagamento; andatura a zigzag.

zilch /zɪltʃ/ n. **1** (*fam. USA*) nulla; un bel niente **2** (*sport*) zero ● **for z.**, per niente (*fig.*); a buonissimo mercato.

to zilch /zɪltʃ/ v. t. (*slang USA, sport*) dare cappotto a (q.); travolgere, stracciare (*fig.*).

zillion /'zɪljən/ (*fam.*) n. fantastiliardo; fantastilione; numero enorme; numero inverosimile || **zillionth** a. ennesimo; fantamiliardesimo (*fam.*).

zillionaire /zɪljə'neə(r)/ n. (*fam. USA*) arcimiliardario.

Zimmer frame® /'zɪməfreɪm/ loc. n. (*anche* **Zimmer**) (*med.*) deambulatore.

zinc /zɪŋk/ n. ⓤ (*chim.*) zinco ● (*miner.*) **z. blende**, blenda □ (*chim.*) **z. oxide**, ossido di zinco □ **z. plate**, lastra zincata □ **z. sheet**, lamiera di zinco; lamiera zincata □ (*chim.*) **z. white** (*o* **flowers of z.**), bianco di zinco □ **z. worker**, chi lavora lo zinco; zincante.

to zinc /zɪŋk/ v. t. (*metall.*) rivestire di zinco; zincare.

zincate /'zɪŋkeɪt/ n. (*chim.*) zincato.

zinced /zɪŋkt/ a. (*metall.*) zincato; rivestito di zinco.

zincic /'zɪŋkɪk/ a. (*chim.*) di zinco; dello zinco.

zincing /'zɪŋkɪŋ/ n. (*metall.*) zincatura; zincaggio.

zincite /'zɪŋkaɪt/ n. ⓤ (*miner.*) zincite.

zinco /'zɪŋkəʊ/ n. (*fam. ingl.*) → **zincograph**.

zincograph /'zɪŋkəʊɡrɑːf/ (*tipogr.*) n. lastra di zinco; zincografia; zincotipia || **zincographer** n. zincografo; zincotipista || **zincographic, zincographical** a. zincografico || **zincography** n. ⓤ zincografia, zincotipia (*il processo*).

zincotype /'zɪŋkəʊtaɪp/ e deriv. → **zincograph**, e deriv.

zincous /'zɪŋkəs/ a. (*chim.*) di zinco; dello zinco.

zine /ziːn/ n. → **fanzine**.

zing /zɪŋ/ n. (*fam.*) **1** sibilo; fischio (*di un proiettile, ecc.*) **2** ⓤ dinamismo; energia; brio; vitalità; pepe (*fig.*): **a girl full of z.**, una ragazza tutta pepe **3** (pl.) (*slang USA*) delirium tremens **4** (pl.) (*slang USA*) anfetamine.

to zing /zɪŋ/ Ⓐ v. i. (*fam.*) **1** sibilare; fischiare **2** muoversi velocemente; saettare; (*di un veicolo, ecc.*) sfrecciare Ⓑ v. t. **1** lanciare, tirare (*freccette, palline, ecc.*); sparare (*proiettili*) **2** (*USA*) attaccare (*a parole*); criticare aspramente; stroncare ● (*fam. USA*) **to z. up**, ravvivare, vivacizzare; rendere più eccitante.

zinger /'zɪŋə(r)/ n. (*fam. USA*) **1** motto arguto; replica pepata; stangata (*fig.*) **2** cannonata, schianto (*fig.*); cosa (*o persona*) favolosa, eccellente.

zingy /'zɪŋɪ/ a. (*fam. USA*) **1** brioso; dinamico; energico; pieno di vitalità **2** divertente; emozionante **3** affascinante; attraente; favoloso (*fam.*).

zinnia /'zɪnɪə/ n. (*bot., Zinnia*) zinnia.

Zion /'zaɪən/ n. **1** (*geogr., stor.*) Sion **2** (*fig.*) teocrazia israelitica **3** (*fig.*) il Regno dei Cieli; la Gerusalemme Celeste **4** (*fig.*) la Chiesa Cristiana.

Zionism /'zaɪənɪzm/ (*polit.*) n. ⓤ sionismo || **Zionist** Ⓐ n. sionista Ⓑ a. sionistico || **Zionistic** a. sionistico.

zip /zɪp/ n. **1** (*fam.*) fischio (*di un proiettile, ecc.*); sibilo; suono stridulo **2** ⓤ (*fig. fam.*) energia; vigore; spinta, dinamismo **3** (*fam.*, = **zip fastener**) chiusura lampo; lampo (*fam.*); zip **4** (*comput.*, = **zip file**) zip; file compresso ● (*slang USA*) **zip gun**, pistola rudimentale.

to zip① /zɪp/ Ⓐ v. t. **1** aprire (*o chiudere*) con una (chiusura) lampo: **to zip shut**, chiudere (*la lampo di*) (*una valigia, ecc.*); **to zip up**, chiudere (*un abito, ecc.*) con una lampo **2** (*fam.*) spostare rapidamente; passare rapidamente **3** (*comput.*) comprimere (*un file*); zippare (*fam.*): *I'll zip it (up) and send it to you*, lo zippo e te lo mando Ⓑ v. i. **1** (*d'indumento*) chiudersi con una lampo **2** (*fam.*) fischiare; sibilare **3** muoversi rapidamente; saettare; sfrecciare: **to zip along**, sfrecciare, passare come il fulmine; **to zip back and forth**, sfrecciare avanti e indietro; *We zipped down the motorway*, facemmo l'autostrada a tutta birra; **to zip through st.**, attraversare rapidamente qc.; dare una scorsa veloce a qc. ● (*slang USA*) **to zip one's lip**, tenere la bocca chiusa; cucirsi la bocca = (*slang USA*) **to zip it up**, stare zitto; chiudere il becco; cucirsi la bocca.

(to) zip② /zɪp/ → (**to**) **zilch**.

zip code, ZIP code /'zɪpkəʊd/ loc. n. (*USA*) codice d'avviamento postale.

to zip-code /'zɪpkəʊd/ v. t. (*USA*) fornire di codice d'avviamento postale.

zipless /'zɪpləs/ a. (*di un abito, ecc.*) senza chiusura lampo; senza lampo.

zipper /'zɪpə(r)/ n. (*USA*) chiusura lampo; lampo (*fam.*); zip ● **z. bag**, borsa con cerniera.

zippy /'zɪpɪ/ a. (*fam.*) brioso; vispo; scattante; vivace; energico; dinamico; pieno di vita.

zip-up /'zɪpʌp/ a. attr. (*d'abito, ecc.*) che si chiude con una lampo.

zircon /'zɜːkɒn/ n. ⓤ (*miner.*) zircone.

zirconate /'zɜːkəneɪt/ n. (*chim.*) zirconato.

zirconium /zɜː'kəʊnɪəm/ n. ⓤ (*chim.*) zirconio.

zit /zɪt/ n. **1** (*fam. USA*) foruncolo; brufolo **2** (*slang USA*) succhiotto ● (*fam.*) **zit doctor**, dermatologo □ (*di una persona*) **zit-faced**, foruncoloso.

zither /'zɪðə(r)/ (*mus.*) n. cetra tirolese || **zitherist** n. suonatore di cetra tirolese.

zizz /zɪz/ n. **1** (*fam.*) sonnellino; dormitina; pisolino: **to have** (*o* **take**) **a z.**, fare un pisolino.

to zizz /zɪz/ v. i. (*fam.*) fare un sonnellino; schiacciare un pisolino; fare una dormitina.

zloty /'zlɒtɪ/ n. zloty (*unità monetaria polacca*).

zodiac /'zəʊdɪæk/ n. ⓤ (*astron., astrol.*) zodiaco: **the signs of the z.**, i segni dello zodiaco || **zodiacal** a. zodiacale; dello zodiaco.

zoftig /'zɒftɪɡ/ a. → **zaftig**.

zoic /'zəʊɪk/ a. (*scient.*) **1** degli animali **2** (*geol.*: *di roccia*) che conserva tracce di vita animale; che contiene fossili.

zoisite /'zɔɪsaɪt/ n. ⓤ (*miner.*) zoisite.

zombie, zombi /'zɒmbɪ/ n. (pl. **zombies, zombis**) **1** (*nelle Indie Occidentali*) zombi; morto risuscitato per magia **2** (*fam.*) zombi; automa; tipo indolente, apatico **3** (*comput.*) zombie (*pc infetto da un virus che ne prende il controllo*).

to zombify /'zɒmbɪfaɪ/ v. t. rendere (q.) simile a uno zombi; trasformare in uno zombi || **zombified** a. simile a uno zombi, di (*o da*) automa || **zombifying** n. ⓤ trasformazione in uno zombi.

zonal /'zəʊnl/ a. **1** zonale; di zona diviso in zone **2** (*biol.*) **z. centrifuge**, centrifuga zonale || **-ly** avv.

zonary /'zəʊnərɪ/ a. **1** → **zonal** **2** (*zool.*) zonale ● (*zool.*) **z. villi**, villi disposti a fascia anulare.

zonate /'zəʊneɪt/ (*scient.*) a. zonato; a zone || **zonation** n. ⓤ zonatura; zonazione.

◆**zone** /zəʊn/ Ⓐ n. **1** zona; fascia; striscia; regione: **in the danger z.**, nella zona del pericolo; **the frigid [temperate, torrid] z.**, la zona glaciale [temperata, torrida] **2** (*comput.*) zona **3** (*sport*) momento buono, buona forma (*di un giocatore, ecc.*); momento (*o stato*) di grazia; periodo di gran forma; vena (*fig.*): *That player is in the z. just now*, quel giocatore sta attraversando un periodo di gran forma (*o è in un momento di grazia*) Ⓑ a. attr. **1** a zona (*basket, calcio, football americano, ecc.*) **z. defence**, difesa a zona **2** zonale: (*tecn.*) **z. rate**, tariffa zonale □ (*comput.*) **z. bit**, bit di zona; bit fuori testo □ (*econ.*) **z. development**, suddivisione (*del territorio*) in zone di sviluppo □ (*mil.*) **z. fire**, fuoco di settore □ (*comput.*) **z. punch**, perforazione di zona □ (*naut.*) **z. time**, ora locale; ora del fuso.

to zone /zəʊn/ Ⓐ v. t. **1** suddividere (*spec. una città*) in zone; zonizzare **2** circondare; fasciare (*fig.*) Ⓑ v. i. (*sport*) applicare la difesa a zona; attuare la difesa a zona.

■ **zone for** v. t. + prep. (*spec. USA*) dare la licenza edilizia a (*un'area di terreno*): *This area has been zoned for council houses*, quest'area ha ottenuto la licenza per la costruzione di case popolari.

■ **zone off** v. t. + avv. delimitare, isolare (*edifici, ecc.*): *The whole district has been zoned off*, tutto il quartiere è stato isolato.

■ **zone out** Ⓐ v. t. + avv. (*fam. USA*) rimuovere (qc.) dalla mente; dimenticare Ⓑ v. i. + avv. (*slang USA*) **1** distrarsi; astrarsi **2** andare nel pallone (*fig.*); riempirsi di droga (*o d'alcol*) □ (*slang USA*) **zoned out**, intontito

dalla droga; fatto (*pop.*); stordito dall'alcol; sbronzo.

to **zone-mark** /'zəʊnmɑːk/ v. t. e i. (*sport*) marcare a zona.

zoning /'zəʊnɪŋ/ n. Ⓤ (*urbanistica*) azzonamento; zonizzazione: **z. laws**, leggi sulla zonizzazione ● **z. legislation**, regolamento urbanistico; piano regolatore.

to **zonk** /zɒŋk/ v. t. (*slang*) atterrare; stendere; gettare a terra; mettere knock-out; tramortire: *The thug zonked me on the back of my head*, il teppista mi tramortì con un colpo alla nuca ● **to z. out**, crollare addormentato (*per la stanchezza*); (*anche*) essere ubriaco fradicio; intontirsi di droga; farsi (*pop.*).

zonked /zɒŋkt/ a. (= z. out) (*slang*) **1** intontito; suonato; cotto (*pop.*) **2** drogato; sotto l'influsso della droga; fatto (*pop.*) **3** stanco morto; stremato; crollato.

zonky /'zɒŋkɪ/ a. (*slang USA*) svitato; sballato; strambo.

◆**zoo** /zuː/ n. (pl. **zoos**) **1** (*fam.*) zoo; giardino zoologico **2** (*iron., spreg.*) caravanserraglio (*fig.*); bailamme; posto in preda al caos; gabbia di matti.

zoochemistry /zəʊə'kemɪstrɪ/ n. Ⓤ zoochimica.

zoochorous /zəʊə'kɔːrəs/ (*bot.*) a. zoocoro: **z. plant**, pianta zoocora || **zoochore** n. pianta zoocora.

zoogamete /zəʊə'gæmiːt/ n. (*biol.*) zoogamete.

zoogamy /zəʊ'ɒɡəmɪ/ n. Ⓤ (*biol.*) zoogamia.

zoogenic /zəʊə'dʒenɪk/ a. (*geol.*) zoogenico.

zoogeography /zəʊədʒɪ'ɒɡrəfɪ/ (*geogr.*) n. Ⓤ zoogeografia || **zoogeographer** n. zoogeografo || **zoogeographic, zoogeographical** a. zoogeografico.

zoography /zəʊ'ɒɡrəfɪ/ n. Ⓤ (*scient.*) zoografia (*zoologia descrittiva*).

zooid /'zəʊɔɪd/ n. (*biol.*) zooide, zoide (*organismo autosufficiente in una colonia d'invertebrati*).

zoolatry /zəʊ'ɒlətrɪ/ n. Ⓤ zoolatria.

zoolite /'zəʊəlaɪt/ n. (*paleont.*) zoolito.

zoological /zəʊə'lɒdʒɪkl/ a. zoologico: **z. garden**, giardino zoologico; zoo.

zoology /zəʊ'ɒlədʒɪ/ n. Ⓤ zoologia || **zoologist** n. zoologo.

zoom /zuːm/ n. **1** (*cinem., TV*) zoom; obiettivo a distanza focale variabile **2** rombo **3** (*aeron.*) salita in candela **4** (*cinem., TV*) zumata **5** (*econ., fin.*) balzo, impennata (*dei prezzi, ecc.*) **6** (*slang*) bomba (*di droga*).

to **zoom** /zuːm/ Ⓐ v. i. **1** rombare **2** (*d'aereo*) sfrecciare rombando; salire in candela **3** (*autom., fam.*) sfrecciare; passare in un baleno: *The car zoomed down the final stretch*, la vettura sfrecciò lungo la dirittura d'arrivo **4** (*cinem., TV*) zumare **5** (*econ., fin.: di prezzi, ecc.*) impennarsi; andare alle stelle **6** (*slang USA*) andare a scrocco; entrare senza pagare; fare il portoghese (*fam.*); imbucarsi (*fam.*) Ⓑ v. t. (*slang USA*) fregare; truffare; imbrogliare; bidonare; tirare il bidone a (q.) (*pop.*).

■ **zoom across** v. i. + prep. attraversare a tutta velocità: *The motorboat zoomed across the lake*, il motoscafo attraversò il lago in un baleno.

■ **zoom along** v. i. + avv. (*autom., ecc.*) an-

dare a tutta velocità (*fam.*: a tutta birra).

■ **zoom in** v. i. + avv. **1** (*fotogr., cinem.*) zumare in avanti: *He zoomed in on the tower*, zumò in avanti sulla torre **2** (*fig.*) focalizzarsi, concentrare la propria attenzione: **to z. in on a problem**, focalizzarsi su un problema.

■ **zoom off** v. i. + avv. (*slang USA*) **1** andarsene in tutta fretta; andare via; tagliare la corda (*fig.*) **2** drogarsi; farsi (*pop.*); fare un «viaggio» (*fig.*).

■ **zoom out** v. i. + avv. **1** (*fotogr., cinem.*) zumare all'indietro: *He zoomed out to get a view of the whole group*, zumò all'indietro per prendere tutto il gruppo **2** (*fig. pop. USA*) farsi prendere dal panico; perdere il controllo; perdere la testa (*fig.*).

■ **zoom over** v. i. + avv. (o prep.) (*spec. di un aereo*) passare, saettare rombando: *The jet zoomed over us*, il jet ci passò sopra la testa rombando.

■ **zoom past** Ⓐ v. i. + avv. → **zoom over** Ⓑ v. i. + prep. (*autom., ecc.*) passare (o sorpassare) a tutta velocità: *The Ferrari zoomed past me*, la Ferrari mi sorpassò in un baleno.

■ **zoom up** v. i. + avv. **1** (*di un veicolo*) arrivare a tutta velocità **2** (*di un aereo*) salire, decollare velocemente; salire in candela **3** (*econ., fin.: di prezzi, quotazioni, ecc.*) balzare; impennarsi; andare alle stelle: *The price of fuel is zooming up*, il prezzo del carburante sta andando alle stelle.

zoometry /zəʊ'ɒmɪtrɪ/ n. Ⓤ zoometria.

zoomorphic /zəʊə'mɔːfɪk/ (*relig., arte*) a. zoomorfo: **a z. deity**, una divinità zoomorfa || **zoomorphism** n. Ⓤ zoomorfismo.

zoonosis /zəʊ'ɒnəsɪs/ n. (pl. **zoonoses**) (*med., vet.*) zoonosi.

zoophagy /zəʊ'ɒfədʒɪ/ (*scient.*) n. Ⓤ zoofagia || **zoophagous** a. zoofago.

zoophile /'zəʊəfaɪl/, **zoophilist** /zəʊ'ɒfɪlɪst/ n. zoofilo || **zoophilia, zoophilism, zoophily** n. Ⓤ zoofilia || **zoophilic, zoophilous** a. zoofilo.

zoophobia /zəʊə'fəʊbɪə/ n. Ⓤ zoofobia || **zoophobic** a. zoofobo.

zoophysiology /zəʊəʊfɪzɪ'ɒlədʒɪ/ n. Ⓤ zoofisiologia; fisiologia animale.

zoophyte /'zəʊəfaɪt/ n. (*scient., stor.*) zoofito.

zooplankton /zəʊə'plæŋktən/ (*ecol.*) n. Ⓤ zooplancton || **zooplanktonic** a. zooplanctonico.

zooplasty /'zəʊəplæstɪ/ n. Ⓤ (*med.*) trapianto di tessuto animale (*da un animale sull'uomo*).

zoosperm /'zəʊəspɜːm/ n. (*biol.*) **1** spermatozoo **2** zoospora.

zoospore /'zəʊəspɔː(r)/ n. (*biol.*) zoospora.

zootechnical /zəʊə'teknɪkl/ a. zootecnico.

zootechnics /zəʊə'teknɪks/ n. pl. (col verbo al sing.) zootecnia.

zootechny /'zəʊəteknɪ/ n. Ⓤ zootecnia.

zootomy /zəʊ'ɒtəmɪ/ n. Ⓤ zootomia (*raro*); anatomia comparata || **zootomic, zootomical** a. zootomico (*raro*) || **zootomist** n. zootomista (*raro*); esperto (o studioso) di anatomia animale.

zootoxin /zəʊə'tɒksɪn/ n. (*biol.*) zootossina.

zoot suit /'zuːtsuːt/ loc. n. (*slang*) vestito

(*da uomo*) con giacca lunga e larga e pantaloni a tubo e a vita alta.

zorbing /'zɔːbɪŋ/ n. Ⓤ (*sport*) zorb; zorbing (*il rotolarsi lungo un pendio all'interno di una grande sfera di plastica*).

zoril /'zɒrɪl/, **zorilla** /zə'rɪlə/ n. (*zool., Zorilla*) zorilla; ittonice.

Zoroaster /zɒrəʊ'æstə(r)/ n. (*stor., relig.*) Zoroastro.

Zoroastrianism /zɒrəʊ'æstrɪənɪzəm/ (*stor., relig.*) n. Ⓤ zoroastrismo || **Zoroastrian** a. e n. zoroastriano.

zoster /'zɒstə(r)/ n. Ⓤ (*med.*) herpes zoster.

zouave /zuː'ɑːv/ n. **1** (*mil.*) zuavo **2** (*moda*) giacchetta alla zuava (*da donna*).

zounds /zaʊndz/ inter. (*arc. o lett.*) caspita!; perbacco!; perdinci! (*alterazione eufem. di* **God's wounds**).

ZPG sigla (**zero population growth**) sviluppo zero della popolazione.

zucchetta /tsʊ'ketə/ → **zucchetto**.

zucchetto /zʊ'ketəʊ/ (*ital.*) n. (pl. **zucchettos**) (*relig.*) zucchetto (*del papa, di cardinali, ecc.*).

zucchini /zʊ'kiːnɪ/ (*ital.*) n. (pl. **zucchini, zucchinis**) **1** (*cucina, USA*) zucchina, zucchino (*cfr. ingl.* **courgette**) **2** (*volg. USA*) banana, cetriolo (*fig.*); pene ● **z. corer**, svuotazucchine.

Zulu /'zuːluː/ Ⓐ n. **1** (pl. **Zulu, Zulus**) zulu, zulù **2** Ⓤ zulù (*la lingua*) **3** (*radio, tel.*) la lettera 'z'; Zulu Ⓑ a. zulu; degli zulu ● (*slang mil.*) **Z. Time**, l'ora di Greenwich.

Zurich /'zʊərɪk/ n. (*geogr.*) Zurigo.

Zwinglian /'zwɪŋlɪən/ (*stor., relig.*) a. e n. zwingliano || **Zwinglianism** n. Ⓤ zwinglismo.

zwitterion /'tsvɪtəraɪən/ n. (*chim.*) anfoione; ione bipolare.

zygodactyl /zaɪɡəʊ'dæktɪl/ (*zool.*) a. e n. (uccello) zigodattilo || **zygodactylous** a. zigodattilo.

zygoma /zaɪ'ɡəʊmə/ (*anat.*) n. (pl. **zygomas, zygomata**) zigomo || **zygomatic** a. zigomatico: **zygomatic bone**, osso zigomatico.

zygomorphous /zaɪɡəʊ'mɔːfəs/, **zygomorphic** /zaɪɡəʊ'mɔːfɪk/ a. (*bot.*) zigomorfo.

zygosis /zaɪ'ɡəʊsɪs/ n. (pl. **zygoses**) (*biol.*) zigosi.

zygosity /zaɪ'ɡɒsɪtɪ/ n. Ⓤ (*biol.*) zigosità.

zygospore /'zaɪɡəʊspɔː(r)/ n. (*biol.*) zigospora.

zygote /'zaɪɡəʊt/ n. (*biol.*) zigote.

zymase /'zaɪmeɪz/ n. Ⓤ (*biochim.*) zimasi.

zymogen /'zaɪməʊdʒen/, **zymogene** /'zaɪməʊdʒiːn/ (*biochim.*) n. zimogeno; proenzima || **zymogenic** a. zimogeno; che causa la fermentazione.

zymology /zaɪ'mɒlədʒɪ/ n. Ⓤ (*scient.*) zimologia.

zymosis /zaɪ'məʊsɪs/ n. (pl. **zymoses**) **1** Ⓤ (*biol.*) zimosi; fermentazione **2** (*med., raro*) malattia infettiva.

zymotic /zaɪ'mɒtɪk/ a. (*biol.*) zimotico; enzimatico; fermentativo ● (*med., antiq.*) **z. disease**, malattia infettiva (*come il vaiolo, che un tempo si credeva provocato da un fenomeno fermentativo*).

zymurgy /'zaɪmɜːdʒɪ/ n. Ⓤ (*chim.*) tecnologia delle fermentazioni.

Italiano • Inglese
Italian • English

a, A

A ① , **a** f. o m. (*prima lettera dell'alfabeto ital.*) A, a ● (*telef.*) **a come Ancona**, a for Alpha □ **dall'a alla zeta**, from A to Z □ (*sport*) **serie A**, Serie A; (*in GB*) Premier League □ **vitamina A**, vitamin A.

A ② sigla **1** (*scacchi*, **alfiere**) bishop (B) **2** (*meteor.*, **alta pressione**) high pressure **3** (**alto**) high, tall. **4** (*posta*, **assicurata**) insured (letter *o* parcel) **5** (*teatr.*, **atto**) act **6** (**autostrada**) motorway.

♦**a** prep. **1** (*stato in luogo*, *posizione*) at; in; on: **essere a scuola** [**alla stazione, a teatro, a casa**], to be at school [at the station, at the theatre, at home] *Sedeva alla scrivania*, he sat at his desk; **ai piedi del monte**, at the foot of the mountain; **nato a Milano** [**a Ceva**], born in Milan [at Ceva]; *Vive a Parigi* [*al sud*], she lives in Paris [in the south]; **abitare al secondo piano**, to live on the second floor; *L'aereo atterrò a Roma*, the plane landed at Rome; **restare a letto**, to stay in bed; *Genova è a sud di Milano*, Genoa is south (*o* lies to the south) of Milan; **all'aria aperta**, in the open air; **alla fine del capitolo**, at the end of the chapter; **alla televisione**, on TV; **al telefono**, on the phone; *Se fossi al tuo posto*, if I were in your place; (*insegna*) *Al Leone Rosso*, The Red Lion **2** (*moto a luogo*, *anche fig.*) to: **andare alla stazione** [**a teatro, a scuola, al fiume**], to go to the station [to the theatre, to school, to the river]; **andare a casa**, to go home; *Arrivai a casa sua* [*a Torino*], I arrived at his house [in Turin]; *Ho spedito la merce a Londra*, I sent the goods to London; *Sei mai stato allo zoo?*, have you ever been to the zoo?; *Va' a letto!*, go to bed!; **muovere a pietà**, to move to pity; **scendere a patti**, to come to terms; **arrivare a una conclusione**, to arrive at a conclusion; *Al ladro!*, stop, thief! **3** (*compl. di termine*) to; (*in direzione di*, *contro*) at: *Dallo a me*, give it to me; *A Paolo regalerò un orologio*, I'll give Paolo a watch; *Dico a te*, I'm talking to you; *Di' tutto al medico*, tell the doctor everything; **sorridere a q.**, to smile at sb.; *Lo presentai a Lucia*, I introduced him to Lucia; *Si rivolse al vicino*, he turned to his neighbour; *Getta la palla alla mamma!*, throw the ball to mummy!; throw mummy the ball!; **mirare al bersaglio**, to aim at the target; **gettare sassi agli uccelli**, to throw stones at the birds; **sparare a q.**, to shoot at sb. **4** (*tempo*) at; in: **a Natale**, at Christmas; **alle dieci**, at ten; **all'alba**, at dawn; **a mezzanotte**, at midnight; **al mattino**, in the morning; **a pomeriggio inoltrato**, late in the afternoon; **a notte fonda**, in the middle of the night; **a primavera**, in (the) spring; **a giugno**, in June; **al venerdì**, on Fridays; **a quel tempo**, at that time; **al tempo delle Crociate**, at the time of the Crusades; **al nostro arrivo**, on our arrival; **a** (*o* **all'età di**) **diciotto anni**, at (the age of) eighteen **5** (*distributivo*) by; at; in: **a uno a uno**, one by one; one at a time; **a due a due**, in twos; two by two; two at a time; **a dozzine**, by the dozen; **a frotte**, in droves; **a intervalli di dieci secondi**, at intervals of ten seconds **6** (*prezzo*) at; for: *Si vende a un euro la dozzina*, it sells at one euro the dozen; *Lo vendo a un milione*, I'm selling it for one

million **7** (*misura*) a, an; per: **un euro al metro**, one euro a (*o* per) metre; **100 km all'ora**, 100 km an (*o* per) hour **8** (*distanza*) away: *Il fiume è a un kilometro*, the river is one kilometre away; *La casa è a venti minuti dal paese*, the house is twenty minutes from the village **9** (*modo, maniera*) at; in; by (*oppure vi corrisponde un agg. o un attr.*): **a caso**, at random; **a mie spese**, at my own expense; **a modo tuo**, in your own way; **a memoria**, by heart; **spaghetti al formaggio**, spaghetti with cheese; **bistecca ai ferri**, grilled steak; **camicia a righe**, striped shirt **10** (*mezzo*) by; in (*oppure vi corrispondono un agg. o un attr.*): **scritto a mano**, written by hand; handwritten; **a matita**, in pencil; pencilled; **fatto a macchina**, machine-made; **fatto a mano**, done by hand; handmade; **barca a vela**, sailing boat; sailboat (*USA*); **caldaia a vapore**, steam boiler; **dipinto a olio**, oil painting **11** (*causa*) at: *Rabbrividì a quella vista*, he shuddered at that sight; *Rise alla battuta*, she laughed at the joke **12** (*vantaggio, danno, interesse*) to; at; for: **comprare qc. a q.**, to buy st. for sb.; to buy sb. st.; **nuocere alla salute**, to be harmful to one's health; **utile all'umanità**, useful to mankind; **a tuo rischio**, at your own risk; **a mio favore**, in my favour; to my advantage **13** (*separazione*) from: **togliere qc. a q.**, to take st. (away) from sb. **14** (*davanti a un inf.*) – *Sono venuto a trovarti*, I've come to see you; *Cominciò a ridere*, she began to laugh; *Andiamo a vedere!*, let's go and see!; **imparare a nuotare**, to learn to swim; **darsi al bere**, to take to drinking (*o* to drink); **facile a dirsi**, easy to say; **bello a vedersi**, lovely to look at; **il primo a parlare**, the first to speak; *Sei stato tu a dirmelo*, it was you who told me; *A far così, ti stancherai*, if you do that, you'll get tired; *A sentire lui, non c'è da preoccuparsi*, according to him, there is nothing to worry about; **a dire il vero**, to tell the truth.

a. abbr. **1** (**anno**) year **2** (**arrivo**) arrival (*negli orari*).

AAST sigla (**Azienda autonoma di soggiorno e turismo**) Local Tourist Board.

AA.VV. sigla (**autori vari**) various authors.

abacà f. **1** (*bot.*, *Musa textilis*) abaca **2** (*fibra tessile*) Manila hemp.

àbaco m. **1** (*tavoletta*) abacus* **2** (*aritmetica*) arithmetic **3** (*archit.*) abacus*.

abàte m. abbot; (*titolo*) abbé (*franc.*).

abat-jour (*franc.*) m. inv. **1** (*paralume*) lampshade **2** (*lampada*) (table) lamp.

abb. abbr. (**abbonamento**) subscription.

abbacchiàre Ⓐ v. t. **1** (*agric.*) to knock down with a pole **2** (*deprimere*) to depress; to get* down (*fam.*) Ⓑ **abbacchiàrsi** v. i. pron. to get* depressed; to lose* heart.

abbacchiàto a. depressed; down (pred.); in low spirits; dispirited; glum (pred.); in the mouth (*fam.*).

abbacchiatùra f. (*agric.*) knocking down with a pole.

abbàcchio m. (*alim.*) spring lamb.

abbacinaménto m. (*anche fig.*) dazzle; dazzling; blinding.

abbacinàre v. t. **1** (*abbagliare*) to dazzle; to blind **2** (*fig.*: *ingannare*) to trick; to dupe.

abbagliaménto m. dazzle; dazzling.

abbagliànte Ⓐ a. dazzling (*anche fig.*); blinding; glaring Ⓑ m. pl. (*autom.*, *anche* **fari abbaglianti**) headlights on full (*USA* on high) beam; main beams; full headlights; brights (*USA*): **avere gli abbaglianti accesi**, to have the headlights on full beam; **mettere gli abbaglianti**, to put the headlights on full beam; to turn the brights on (*USA*); **togliere gli abbaglianti**, to dip (*USA* to dim) the headlights.

abbàglio m. (*errore*) mistake: **prendere un a.**, to make a mistake; to get it wrong; to get (hold of) the wrong end of the stick (*fam.*).

♦**abbaiàre** Ⓐ v. i. **1** to bark; (*con latrati brevi*) to yap; (*con latrati prolungati*) to bay: **a. alla luna**, to bark (*o* to bay) at the moon; **a. agli sconosciuti**, to bark at strangers **2** (*fig.*: *urlare*, *inveire*) to bark; to yap: *Smettila di a., insomma!*, oh, do stop yapping! ● (*prov.*) **Can che abbaia non morde**, his [her, etc.] bark is worse than his [her, etc.] bite Ⓑ v. t. (*fig.*: *urlare*) to bark out: **a. ordini**, to bark (out) orders; *«Fermi!» abbaiò*, «stop!» he barked out.

abbaìno m. **1** (*edil.*) dormer (window) **2** (*soffitta*) garret; attic.

abbàio m. bark; yap; barking; yapping.

♦**abbandonàre** Ⓐ v. t. **1** (*lasciare*) to leave*; to desert; to abandon; to walk out of (st.); to turn one's back on; to forsake* (*form.*); to quit*; to walk out of; (*fuggire*) to flee*: **a. q. a sé stesso**, to leave sb. to his own devices; **a. un amico nel bisogno**, to desert a friend in need; **a. un'assemblea**, to walk out of a meeting; **a. moglie e figli**, to leave (*o* to walk out on) one's wife and children; **a. il mondo per farsi monaco**, to renounce the world to become a monk; **a. una nave che affonda**, to abandon a sinking ship; **a. il proprio posto**, to desert one's post; *Abbandonai la stanza in fretta*, I left (*o* quit) the room in a hurry; *Abbandonò il paese e riparò all'estero*, she fled the country and sought refuge abroad **2** (*rinunciare a*) to give* up; to renounce; to abandon; (*cessare*, *smettere*) to give* up; to drop, to quit*; to break* off, to throw* up; (*leg.*) to waive: **a. un'abitudine**, to give up a habit; **a. gli ideali giovanili**, to renounce (*o* to forsake) one's youthful ideals; **a. l'inseguimento**, to break off the pursuit; **a. un pregiudizio**, to lay aside a prejudice; **a. un progetto**, to give up (*o* to abandon, to drop) a plan; **a. ogni prudenza**, to cast prudence to the wind; **a. ogni speranza**, to give up all hope; **a. gli studi**, to give up one's studies; to drop out of school [of college] **3** (*venir meno a*) to fail; to desert: *Le forze lo abbandonarono*, his strength deserted him (*o* failed him) **4** (*lasciar cadere*) to drop; to let* go of; (*rif. al corpo o alle membra*) to let (st.) drop: *Abbandonò il sacco e fuggì*, he dropped the bag

a

and fled; *Abbandonò il capo sul petto*, he let his head drop on his breast; **a. le braccia lungo i fianchi**, to let one's arms drop **5** (*anche assol.*) (*sport, ecc.*: *ritirarsi*) to drop out (of); to withdraw* (from); to default: **a. il campo**, (*sport*) to abandon the match; (*mil. e fig.*) to abandon the field, to retreat; **a. una gara**, to drop out of a contest; (*boxe*) **a. alla quinta ripresa**, to withdraw at the fifth round; **a. la partita**, (*nei giochi di carte e fig.*) to throw in one's hand; (*fig.*) to give up, to throw in the sponge **B** **abbandonàrsi** v. rifl. **1** (*cedere*) to give* oneself up (to), to give* way (to), to surrender (to), to abandon oneself (to), to yield (oneself) (to); to lapse (into); (*indulgere*) to indulge (in): **abbandonarsi alla disperazione**, to give oneself up (*o* to yield, to give* way, to surrender) to despair; **abbandonarsi alla gioia**, to be transported with joy; **abbandonarsi al pianto**, to give way to tears; **abbandonarsi ai ricordi**, to reminisce; to wallow in nostalgia; **abbandonarsi ai sogni**, to indulge in dreams; **abbandonarsi a una vita di piaceri**, to give oneself up to pleasure **2** (*affidarsi*) to surrender (to) **3** (*scoraggiarsi*) to lose* heart **4** (*rilassarsi*) to relax; to let* oneself go **5** (*lasciarsi cadere*) to drop; to collapse; to slump; to flop: **abbandonarsi in una poltrona**, to drop (*o* to flop, to collapse) into an armchair.

♦**abbandonàto** **A** a. **1** (*lasciato*) abandoned, deserted, forsaken; (*derelitto*) forlorn, abandoned, unwanted; (*solo*) lonely, lonesome: **bambino a.**, abandoned (*o* unwanted) child; **cane a.**, a stray dog; **casa abbandonata**, derelict (*o* deserted) house; **moglie abbandonata**, deserted wife; **paese a.**, deserted village; **a. a sé stesso**, left to one's own devices; (*attr.*) **a. da Dio**, God-forsaken (attr.); **tutto solo e a.**, all forlorn **2** (*trascurato*) derelict, untended, neglected; (*incustodito*) unattended: **campi abbandonati**, untended fields; **giardino a.**, neglected garden; garden run wild **3** (*disusato*) in disuse; obsolete **4** (*reclino, senza forza*) slumped, lifeless, limp; (*che pende*) hanging; (*disteso*) sprawled; (*rilassato*) relaxed: *Lo trovai a. in una poltrona*, I found him slumped in an armchair; *Aveva le braccia abbandonate lungo i fianchi*, his arms hung limply by his sides **B** m. (f. *-a*) (*trovatello*) abandoned child; foundling.

abbandóno m. **1** (*anche leg.*) desertion; abandonment; (*ritiro*) retreat, withdrawal: **a. di minore**, child abandonment; **a. del proprio posto**, desertion of one's post; **a. del tetto coniugale**, desertion; abandonment of wife [husband]; **a. della vita politica**, withdrawal from politics; *Il comandante ordinò l'a. della nave*, the captain gave order to abandon ship **2** (*rinuncia*) renouncement; renunciation; relinquishment; giving up: **a. della violenza**, renunciation of violence; *L'a. del progetto accrescerà le nostre difficoltà*, abandoning (*o* giving up, scrapping) the plan will increase our difficulties **3** (*incuria*) neglect; dereliction; (*desolazione*) desolation: **casa in a.**, derelict (*o* run-down) house; **in stato di a.**, in a state of neglect; neglected; derelict; run-down; **campagne in stato di a.**, untended fields; **lasciare in a. un giardino**, to let a garden run wild **4** (*leg.*: *di un bene*) abandonment; (*di un credito*) waiver; (*di un diritto*) release, waiver **5** (*ass., naut.*) abandonment **6** (*sport*) withdrawal; default: **a. del campo**, withdrawal from a match (*o* a race); **perdere per a.**, to default; **vincere per a.**, to win by default **7** (*slancio, disinibizione*) abandon: **ballare con a.**, to dance with abandon **8** (*resa di sé*) surrender **9** (*rilassamento*) relaxation; abandon **10** (*cedimento, debolezza*) weakness; (*scoramento*) dejection, despondency.

abbarbagliaménto m. dazzle; dazzling.

abbarbagliàre v. t. to dazzle.

abbarbicaménto m. (*bot.*) radication; rootage.

abbarbicàre v. t., **abbarbicàrsi** v. i. pron. **1** (*bot.*: *mettere radici*) to take* root; (*di rampicante*) to cling* (to) **2** (*fig.*: *radicarsi*) to take* root **3** (*fig.*: *aggrapparsi*) to cling* (to).

abbaruffàre **A** v. t. to turn (st.) upside down; to mess up **B** **abbaruffàrsi** v. recipr. to scuffle; to scrap (*fam.*).

abbaruffio m. **1** confusion; mess **2** (*baruffa*) scuffle; scrap (*fam.*).

abbassàbile a. which can be lowered (*o* wound down); (*autom.*) reclining: **schienale a.**, reclining seat.

abbassalingua m. (*med.*) tongue depressor.

abbassaménto m. lowering; (*di acque*) subsidence; (*riduzione*) reduction; (*caduta*) fall, drop: **a. dei prezzi**, reduction in (*o* lowering of) prices; drop in prices; **a. della pressione**, fall in pressure; **a. di temperatura**, drop in temperature; **a. del tenore di vita**, lowering of (*o* drop in) the standard of living; **a. di valore**, debasement; **a. di voce**, loss of voice; hoarseness.

♦**abbassàre** **A** v. t. **1** (*portare in basso, far scendere*) to lower; to let* down; to bring* down; to drop; (*tirando*) to pull down; (*girando una manovella*) to roll down, to wind* down; (*spingendo*) to push down, to depress: **a. il finestrino**, to let (*o* to roll, to wind) down the window; **a. una leva**, to depress a lever; **a. una saracinesca**, to let down a shutter; **a. il sipario**, to drop (*o* to lower) the curtain **2** (*ridurre di altezza*) to lower; to make* lower: **a. un muro**, to lower a wall **3** (*diminuire, ridurre*) to lower; to reduce; to bring* down; to decrease: **a. il livello di sicurezza**, to lower the safety level; **a. la media**, to lower the average; **a. i prezzi**, to bring down prices; (*per concorrenza*) to cut prices; (*per liquidazione*) to knock down (*o* to slash) prices; (*sport*) **a. un primato**, to lower a record; *Sono riuscita a fargli a. il prezzo a 50 euro*, I beat him down to 50 euros; **a. i tassi d'interesse**, to lower interest rates **4** (*diminuire, ridurre*) to lower; (*girando una manopola*) to turn down; (*una luce*) to dim: (*autom.*) **a. i fari**, to dip (*USA* to dim) the headlights; **a. il gas**, to turn down the gas; **a. la voce**, to lower one's voice; *Abbassa la voce!*, keep your voice down!; **a. il volume**, to turn down the volume **5** (*chinare, volgere in giù*) to lower; to bend*; to drop: **a. il capo**, to lower one's head; (*per rispetto, sottomissione*) to bow one's head; (*per mortificazione*) to hang* one's head; (*per schivare*) to duck one's head; **a. gli occhi** (*o* **lo sguardo**), to lower (*o* to drop) one's eyes; to look down **6** (*mus.*) to lower: **a. una nota di un quarto di tono**, to lower a note by a quarter-tone; **a. una nota di un semitono**, to flatten (*USA* to flat) a note **7** (*fig.*: *umiliare*) to humble; to abase; to bring* low ● **a. la bandiera**, (*ammainare*) to lower (*o* to haul down) the flag; (*come saluto*) to dip the flag □ **a. le armi** (*arrendersi*), to lay down (one's) arms □ (*fig.*) **a. la cresta**, to come down a peg; to swallow one's pride □ (*fig.*) **a. la guardia**, to lower (*o* to drop) one's guard □ (*mat., nella divisione*) **a. un numero**, to bring down a number □ (*geom.*) **a. una perpendicolare**, to drop a perpendicular □ **a. il ricevitore** (*del telefono*), to replace the receiver; to hang up **B** **abbassàrsi** v. rifl. o i. pron. **1** (*chinarsi*) to bend* (down); to stoop; (*per schivare*) to duck: *Puoi raccoglierlo tu? Io non posso abbassarmi*, can you pick it up, please? I cannot bend **2** (*fig.*: *umiliarsi*) to humble oneself, to lower oneself; (*degradarsi*) to stoop; to demean oneself: *Non s'abbasserebbe mai a*

tanto, he would never stoop to such an action; *Non mi abbasserò a rispondergli*, I won't demean myself by answering him **3** (*scendere*) to drop; to descend; to come* down: *Il sipario si abbassò sulla scena finale*, the curtain dropped on the final scene **4** (*tramontare*) to sink*; to decline; to go* down **5** (*decrescere*) to lower; to diminish; to decrease; (*di prezzi*) to go* down, to drop; (*di acqua, terreno*) to sink*, to subside; (*della marea*) to ebb: *Il valore delle azioni s'è abbassato*, the stocks have gone down in value; *La piena non accenna ad abbassarsi*, the flood doesn't show signs of subsiding **6** (*diminuire di intensità*) to drop; to fall*; to dim: *Il vento s'è abbassato*, the wind has dropped; *Il barometro si abbassa*, the barometer is falling; *La sua voce si abbassò in un bisbiglio*, his voice dropped to a whisper; *Mi si è abbassata la voce*, I've lost my voice; *La luce si sta abbassando*, the light is dimming (*o* getting dimmer).

abbassàto a. (*giù*) down; depressed: *La leva era abbassata*, the lever was down.

abbàsso **A** avv. down; (*al piano di sotto*) downstairs; (*naut.*) down, (*sottocoperta*) below **B** inter. down with: *A. il tiranno!*, down with the tyrant! **C** m. pl. (*grida di ostilità*) hostile shouts; boos (*fam.*).

♦**abbastànza** avv. **1** (*a sufficienza*) enough: *Non abbiamo a. tempo*, we haven't enough time; **avere a. di che vivere**, to have enough to live on; *Non dormo a.*, I'm not getting enough sleep; *È a. grande da dare una mano*, he is old enough to give a hand; **averne a. di**, to have had enough of **2** (*alquanto*) rather; quite (*GB*); (*discretamente*) fairly, pretty (*fam.*): *Lo conosco a. bene*, I know him rather well; **a. vicino**, fairly (*o* quite) close; *Sto a. bene, grazie*, I'm fairly well, thank you. ❶ **NOTA:** *enough →* **enough**.

♦**abbàttere** **A** v. t. **1** (*far cadere*) to throw* down; to fell; to bring* down; (*con un colpo*) to knock down; (*tagliando*) to cut* down; (*del vento*) to blow* down; **a. q. con un pugno**, to knock sb. down; to fell sb. with a blow; **a. una porta**, to break (*o* to smash) down a door; *Il vento abbatté un lampione*, the wind blew down a lamp post **2** (*demolire*) to pull down; to knock down; (*anche fig.*) to demolish: **a. un muro**, to pull down (*o* to demolish) a wall; **a. un argomento**, to demolish an argument **3** (*tagliare*) to fell; to cut* down; to chop down: **a. un albero**, to cut down) a tree **4** (*uccidere*: *un animale*) to kill; (*sparando*) to shoot* down; (*per malattia o vecchiaia*) to put* down, to destroy **5** (*uccidere*: *una persona*) to kill; (*sparando*) to shoot* dead, to shoot* down, to gun down **6** (*aeron. mil.*) to shoot* down; to bring* down: **a. un aereo**, to shoot down a plane **7** (*rovesciare*) to overthrow*; to bring* down; to topple: **a. una dittatura**, to overthrow a dictatorship; **a. il governo**, to topple (*o* to bring down) the government **8** (*prostrare fisicamente*) to debilitate; to prostrate; to pull down; (*moralmente*) to shatter, to devastate, to overwhelm **9** (*deprimere*) to depress; to lay* low; to cast* down; (*scoraggiare*) to discourage, to demoralize, to dishearten **10** (*naut.*: *virare*) to pay* off; to gybe; (*carenare*) to careen **B** **abbàttersi** v. i. pron. **1** (*cadere*) to fall*; to crash down; (*colpire*) to hit*; (*fig., anche*) to befall*; (*di temporale*) to break* over: *Si abbatté al suolo*, he fell to the ground; *Il tornado si abbatté sulla città alle dieci*, the tornado hit the town at ten; *Un'altra disgrazia si abbatté su di lui*, another misfortune befell (*o* fell on) him **2** (*deprimersi*) to be laid low, to feel* depressed; (*scoraggiarsi*) to be (*o* to get*) discouraged (*o* disheartened, demoralized), to lose* heart: *Non abbatterti per così poco*, don't get dis-

couraged over so little; *Si è molto abbattuto*, he got very depressed.

abbattifièno m. inv. (*agric.*) trapdoor (in a hay loft).

abbattiménto m. **1** (*demolizione*) demolition; knocking down; pulling down; (*di una porta*) breaking down **2** (*taglio*) felling; cutting down **3** (*prostrazione*) prostration; exhaustion **4** (*avvilimento*) depression, dejection, despondency, low spirits (pl.); (*scoraggiamento*) discouragement, demoralization **5** (*di animale: uccisione*) killing, shooting down; (*per malattia o vecchiaia*) putting down **6** (*rovesciamento*) overthrow; toppling: **l'a. di un regime**, the overthrow of a regime **7** (*aeron. mil.*) shooting down **8** (*di prezzi*) lowering; drop **9** (*fisc.*) abatement: **a. alla base**, basic abatement.

abbattitóre m. (f. *-trice*) **1** demolisher; destroyer **2** (*di alberi*) tree feller; lumberjack (*USA*).

abbattùta f. **1** (*di alberi*) felling **2** (*naut.*) gybing **3** (*mil.*) abatis, abattis.

abbattùto a. (*depresso*) dejected; depressed; low-spirited; low; downcast; downhearted; (*triste*) sad, glum, miserable; (*scoraggiato*) dispirited, discouraged.

abbazìa f. **1** abbey **2** (*dignità di abate*) abbacy.

abbaziàle a. **1** (*di abbazia*) abbatial; abbey (attr.) **2** (*di abate o badessa*) abbatial.

abbecedàrio m. primer; spelling book.

abbelliménto m. **1** (*l'abbellire*) embellishment; ornamentation **2** (*ornamento*) embellishment; ornament; decoration **3** (*mus.*) ornament; embellishment; grace note, grace notes (pl.).

abbellìre Ⓐ v. t. **1** (*ornare*) to embellish; to decorate; to adorn; to beautify; (*decorare*) to decorate; to deck: **a. una stanza**, to decorate a room **2** (*fig.*) to embellish; to embroider; to glamorize: **a. una storia**, to embellish (*o* to embroider) a story **3** (*donare*) to make* (sb.) look prettier; to suit: *Quella pettinatura la abbellisce*, that hairstyle suits her Ⓑ **abbellìrsi** v. rifl. to adorn oneself; (*agghindarsi*) to dress up, to deck oneself up.

abbeveràggio m. watering.

abbeveràre Ⓐ v. t. to water Ⓑ **abbeveràrsi** v. rifl. (*di animale*) to water; (*di persona, anche fig.*) to drink*.

abbeveràta f. **1** watering **2** (*abbeveratoio*) watering place: **condurre i cavalli all'a.**, to take the horses to water.

abbeveratóio m. **1** (*recipiente*) (drinking) trough **2** (*luogo*) watering place; water-hole.

àbbia 1ª, 2ª e 3ª pers. sing. congiunt. pres. di **avere**.

abbiàmo 1ª pers. pl. indic. pres. di **avere**.

abbiccì m. **1** (*alfabeto*) alphabet; ABC: **imparare l'a.**, to learn one's ABC **2** (*sillabario*) primer; spelling book **3** (*fig.: nozioni rudimentali*) ABC, rudiments (pl.); (*fondamenti*) basics (pl.) ● (*fig.*) **essere all'a.**, (*essere principiante*) to be a beginner; (*essere all'inizio*) to be at the very beginning.

abbiènte Ⓐ a. well-off; well-to-do; affluent; moneyed: **le classi abbienti**, the affluent (*o* moneyed) classes: *Viene da una famiglia a.*, he comes from a well-off family; **non a.**, not well-off Ⓑ m. (al pl.) (the) well-to-do; (the) haves (*fam.*): **i meno abbienti**, the less well-to-do; **gli abbienti e i non abbienti**, the haves and the have-nots.

abbiètto e deriv. → **abietto** e deriv.

♦**abbigliaménto** m. **1** (*vestiti indossati, tenuta*) clothes (pl.); dress; outfit; (*mil., relig., anche*) garb; attire (*form.*); apparel (*form.*); get-up (*fam.*): **un a. sobrio**, sober clothes; **un a. pittoresco**, a picturesque get-up; **curare il proprio a.**, to devote great care to

one's clothes; **in a. succinto**, scantily dressed; **in a. sommario**, in a state of undress **2** (*vestiario*) clothes (pl.); clothing ⓤ; (solo nei composti o con attr.) wear ⓤ: **a. casual**, casual (*o* leisure) wear; **a. estivo**, summer wear; **a. intimo**, underwear; (*per donna, anche*) lingerie; **a. femminile**, women's wear; **a. maschile**, men's clothing; menswear; haberdashery (*USA*); **a. per bambini**, children's wear; **a. sportivo**, sportswear; **capo d'a.**, item of clothing; garment; **industria dell'a.**, clothing industry; rag trade (*fam.*); **negozio di a.**, clothes shop; (*per donna*) dress shop; (*per uomo*) outfitter's (*GB*), haberdasher's (*USA*) **3** (*modo di vestire*) style of dress; (*moda*) fashion.

abbigliàre v. t., **abbigliàrsi** v. rifl. to dress; to dress up.

abbinàbile a. that can be matched; matchable; (*moda*) that can go (with), that goes (with): **una giacca blu a. a una gonna grigia**, a blue jacket that can go with a grey skirt.

abbinaménto m. coupling; linking; pairing; combination; (*anche moda*) matching; (*nel gioco*) pairing off: **un a. di giacca e gonna**, matching jacket and skirt.

abbinàre v. t. **1** to couple; to link; to pair; to combine; (*anche moda*) to match; (*nel gioco*) to pair off: **a. due fili**, to couple two strands; **a. una lotteria a una corsa**, to link a lottery to a race; **a. i colori**, to match colours; **a. borsa e guanti**, to match handbag with gloves **2** (*ind. tess.*) to double; to throw*.

abbinàta → **accoppiata**.

abbinàto a. coupled; linked; paired; (*anche moda*) matching: **scarpe blu e borsa abbinata**, blue shoes and matching handbag.

abbinatrice f. (*ind. tess.*) doubling frame; doubler; throwster.

abbinatùra f. (*ind. tess.*) doubling; throwing.

abbindolaménto m. trickery; deception; deceit.

abbindolàre v. t. (*imbrogliare*) to trick; to take* in; to bamboozle; to dupe; to fool: *Non si lascia a.*, she's not taken in easily; *Non credere di abbindolarmi!*, don't think you can fool me!; *Lo abbindolarono facendogli credere che...*, they tricked him into believing that...

abbindolatóre m. (f. *-trice*) swindler; trickster; cheater.

abbioccàrsi (*region.*) v. i. pron. (*essere insonnolito*) to feel* drowsy; to droop.

abbioccàto (*region.*) a. (*insonnolito*) drowzy; drooping.

abbiòcco (*region.*) m. fit of drowsiness.

abbiosciàrsi v. i. pron. **1** (*accasciarsi*) to collapse; to sink* **2** (*avvilirsi*) to lose* heart; to feel* dismayed **3** (*di fiore, pianta*) to droop; to wilt.

abbiosciàto a. **1** prostrate; flat **2** (*fig.: avvilito*) depressed; dismayed **3** (*di fiore, pianta*) drooping; wilting.

abbisciàre v. t. (*naut.*) to range; to snake; to jag.

abbisognàre v. i. **1** (*aver bisogno*) to need; to be in need of; to want **2** (*occorrere*) to be necessary; to be needed; to require (pers.): to need (pers.).

abbittàre v. t. (*naut.*) to bitt.

abboccaménto m. **1** interview; talk **2** (*chir.*) anastomosis*.

abboccàre Ⓐ v. i. **1** (*di pesci*) to bite*; to take* the bait: *Oggi non abboccano*, they aren't biting today **2** (*fig.: lasciarsi ingannare*) to swallow the bait, to swallow (st.); (*reagire nel modo previsto*) to rise* to the bait: *È una storia improbabile, chissà se abboccherà*, it's an unlikely story, I wonder if he'll

swallow it Ⓑ v. t. **1** (*afferrare*) to bite* **2** (*colmare*) to fill to the brim; to fill up; to top up: **a. una botte**, to fill up a barrel; **a. un fiasco**, to top up a flask **3** (*congiungere*) to join; to connect Ⓒ **abboccàrsi** v. recipr. to have a talk; to have a meeting.

abboccàto a. **1** (*riempito*) filled up; topped up **2** (*di vino*) sweetish; semisweet.

abboccatùra f. **1** (*di pesce*) biting **2** (*di infisso*) groove; fitting edge **3** (*di recipiente*) opening; mouth.

abboffàrsi e deriv. → **abbuffarsi**, e deriv.

abbonacciàre Ⓐ v. t. to calm down; to placate Ⓑ v. i. e **abbonacciàrsi** v. i. pron. to calm down; (*di vento*) to drop.

abbonaménto m. **1** (*a giornale, rivista*) subscription: **fare [rinnovare, disdire] l'a. a qc.**, to take out [to renew, to cancel] one's subscription to st.; **costo dell'a.**, subscription fee; **in a.**, on subscription **2** (*trasp.*) season ticket; pass: *Ho fatto un a. mensile*, I've bought a monthly pass **3** (*teatr., cinema*) season ticket **4** (*telef.*) subscription; (*radio, TV*) licence: **fare l'a. alla TV**, to take out a TV licence ● **canone d'a.**, subscription fee; licence fee ● **a. postale**, bulk rate.

abbonàre① v. t. **1** (*defalcare*) to deduct; to take* off: **a. il 5% di un conto**, to deduct 5% off a bill **2** (*condonare*) to remit **3** (*perdonare*) to forgive*; to let* pass; to let* go: *Te la abbuono per questa volta*, we'll let it go this time.

abbonàre② Ⓐ v. t. (*a giornale, rivista*) to take* out a subscription for; to give* (sb.) a subscription Ⓑ **abbonàrsi** v. rifl. **1** (*a giornale, rivista*) to take* out a subscription (to); to subscribe (to): *Mi sono abbonato al «Guardian»*, I have taken out a subscription to the «Guardian» **2** (*trasp.*) to buy* a season ticket (o a pass) (for) **3** (*teatr., cinema*) to buy* a season ticket (for) **4** (*radio, TV*) to take* out a (radio, TV) licence.

abbonàto Ⓐ a. subscribing; subscriber (attr.): **i lettori abbonati**, subscribing readers; **essere a. a una rivista**, to subscribe to a magazine Ⓑ m. (f. *-a*) **1** (*a giornale, rivista, telefono*) subscriber: **a. a una rivista**, subscriber to a magazine; (*telef.*) **elenco abbonati**, telephone directory **2** (*trasp.*) season-ticket (o pass) holder **3** (*teatr., cinema*) season-ticket holder **4** (*radio, TV*) licence holder.

♦**abbondànte** a. **1** (*copioso*) abundant, plentiful, bountiful, copious, rich; (*generoso*) generous, lavish, handsome: **un raccolto a.**, an abundant (o a rich) harvest; **un pasto a.**, a generous (o hearty) meal; **una porzione a.**, a lavish (o generous) portion; *Aggiungere a. olio*, add plenty of oil **2** (*ampio*) wide; ample; (*di vestito, anche*) loose, easy: **un margine a.**, a wide (o an ample) margin; **una signora piuttosto a.**, a rather ample lady; *La giacca mi va un po' a.*, the jacket is a bit loose **3** (*di peso, misura, ecc.*) well over (loc. prep.); good: **un kilo a.**, well over one kilo; **tre metri abbondanti**, a good three metres.

abbondanteménte avv. abundantly; plentifully; generously; lavishly; handsomely; amply: *Ne avete beneficiato a. tutti*, you have all handsomely (o amply) profited from it.

abbondànza f. abundance; plenty; profusion; wealth: **l'a. del raccolto**, the abundance of the harvest; **a. di particolari**, abundance of details; **in a.**, plenty of (st.); in plenty; in abundance; abundantly; **tempo in a.**, plenty of time; *Abbiamo arance in a.*, we have plenty of oranges; (*più forte*) we have oranges in abundance (o oranges galore) ● **nuotare nell'a.**, to be rolling in money □ **vivere nell'a.**, to live in the lap of luxury.

abbondàre v. i. **1** (*essere abbondante*) to

abound; to be plentiful; to be rife: *Gli errori abbondano*, errors abound (*o* are plentiful); *Abbondano le speculazioni su chi gli succederà*, speculation is rife as to who will succeed him **2** (*essere pieno, ricco*) to be full (of); to abound (in, with); to be rich (in); (*pullulare*) to teem (with), to swarm (with); (*spec. di cose neg.*) to be rife (with): *La regione abbonda di foreste*, the region is rich (*o* abounds) in forests; **acque che abbondano di pesci**, waters teeming with fish **3** (*eccedere*) to be lavish (with); to lavish (st. on sb.): **a. di lodi**, to be lavish with one's praise; to lavish praise; **a. in cautele**, to be overcautious; **a. in cortesie**, to be overpolite; **a. di sale**, to add too much salt.

abbonire Ⓐ v. t. to calm (down); to soothe; to appease Ⓑ **abbonìrsi** v. i. pron. to calm down; to be appeased.

abbordàbile a. **1** (*di persone*) approachable; accessible; affable **2** (*di prezzi*) affordable; reasonable.

abbordàggio m. **1** (*naut.*) boarding; (*collisione*) collision: **andare all'a. di una nave**, to board a ship **2** (*fig. fam.*: *approccio*) accosting manoeuvre; pick-up (*fam.*).

abbordàre v. t. **1** (*naut.*) to board; (*entrare in collisione*) to come* into collision with **2** (*fig.*: *fermare*) to stop; (*per strada*) to accost, (*a scopo sessuale, anche*) to chat up, to try to pick up (*fam.*): *Mi abbordò sulle scale*, she stopped me on the stairs; *Fui abbordato da uno sconosciuto*, I was accosted by a stranger **3** (*affrontare*) to broach; to tackle: **a. un argomento**, to broach a subject; **a. una curva**, to take a curve.

abbórdo m. **1** (*naut.*) boarding; (*collisione*) collision **2** (*fig.*) approach; access.

abborracciaménto f. → **abborracciatura**.

abborracciàre v. t. to patch together; to cobble together.

abborracciàto a. cobbled up (*o* together); patched together; (*malfatto*) patchy, slipshod.

abborracciatùra f. (*lavoro malfatto*) cobbled-up job; slipshod piece of work; botch.

abbottonàre Ⓐ v. t. to button; to button up; to fasten; to do* up: *Abbottonati il cappotto*, button up your coat Ⓑ **abbottonàrsi** v. rifl. (*fig. fam.*: *tacere*) to shut* up; to clam up (*slang*) Ⓒ **abbottonàrsi** v. i. pron. to button up; to do* up; to fasten: *La camicetta si abbottona dietro*, the blouse fastens up (*o* has buttons) at the back.

abbottonàto a. **1** buttoned; with buttons (pred.) **2** (*fig. fam.*: *riservato*) reserved; secretive; tight-lipped; buttoned-up (*fam.*): **stare a.**, to be buttoned-up; to keep mum.

abbottonatùra f. **1** (*l'abbottonare*) buttoning; fastening **2** (*fila di bottoni*) (row of) buttons.

abbozzàre① v. t. **1** (*pitt.*) to sketch; to block in; to rough out **2** (*fig.*: *delineare*) to sketch; to draft; to outline; to block out: **a. un'idea**, to sketch (*o* to outline) an idea; **a. un programma**, to draft a programme; **a. un romanzo**, to block out a novel **3** (*accennare*) to hint at; to... slightly (*o* faintly): **a. un sorriso**, to hint at a smile; to smile slightly.

abbozzàre② v. i. (*fam.*: *non reagire*) to take* it meekly; (*sopportare*) to grin and bear* it, to lump it (*fam.*).

abbozzàre③ v. t. (*naut.*) to clap on; to nipper; to stopper.

abbozzàta f. sketching; rough sketch.

abbozzàto a. sketchy; rough; (*rudimentale*) rudimentary, primitive, crude; (*vago*) tentative: **un progetto appena a.**, a rough scheme; a sketchy plan; **un'idea appena abbozzata**, a tentative idea.

abbòzzo m. **1** (*pitt.*) sketch; rough;

(*scult.*) unfinished statue **2** (*fig.*) sketch; outline; draft: **un a. di romanzo**, the outline of a novel; **un a. di progetto**, the outline of a plan; **fare un a. di qc.**, to sketch st.; to outline st.; to draft st. **3** (*accenno*) hint.

abbozzolàrsi v. rifl. **1** (*di baco*) to spin* a cocoon; to cocoon **2** (*di farina*) to form lumps.

abbracciabòsco m. (*bot.*, *Lonicera caprifolium*) honeysuckle; woodbine.

♦**abbracciàre** Ⓐ v. t. **1** to hug; to embrace (*form.*); to hold*; to clasp: *Mi corse incontro e mi abbracciò*, he ran up to me and hugged me; *Mi abbracciò teneramente*, he embraced me fondly; **a. stretto q.**, to hug (*o* to hold*) sb. tight; **a. le ginocchia di q.**, to clasp sb.'s knees; (*nelle lettere*) *Ti abbraccio*, with all my love; lots of love (*fam.*) **2** (*accettare, seguire*) to take*, to follow; (*una fede, una causa, ecc.*) to embrace, to espouse; (*una disciplina, una carriera*) to take* up, to embrace: **a. il cattolicesimo**, to embrace Catholicism; **a. la medicina**, to take up medicine **3** (*con lo sguardo*) to take* in at a glance: *Di qui l'occhio abbraccia tutta la città*, from here you can take in the whole city at a glance **4** (*circondare, attorniare*) to enclose; to surround; to embrace: *Il muro abbraccia tutta la proprietà*, the wall encloses (*o* surrounds) the whole property **5** (*comprendere, contenere*) to include; to comprise; to encompass; to embrace: *Il corso abbraccia le lingue moderne, la filosofia e la storia*, the course includes (*o* comprises) modern languages, philosophy and history **6** (*coprire*) to span; to cover; to stretch over: *La sua carriera abbraccia più di mezzo secolo*, his career spans more than half a century **7** (*comprendere, capire*) to take* in; to embrace: **a. il concetto di infinito**, to take in the idea of infinity Ⓑ **abbracciàrsi** v. i. pron. to cling* (to); to twine (round): *L'edera s'abbraccia alla vecchia quercia*, the ivy clings to (*o* twines round) the old oak Ⓒ **abbracciàrsi** v. recipr. to hug (each other, one another); to embrace (each other, one another): *Madre e figlia si abbracciarono*, mother and daughter hugged each other; *Ci abbracciammo e ci baciammo*, we hugged and kissed.

abbràccio m. hug; embrace (*form.*); clasp: **un forte a.**, a big hug; **un tenero a.**, a tender embrace; (*nelle lettere*) *Un a.*, love; all my love.

abbrancàre① Ⓐ v. t. (*afferrare*) to seize; to clutch; to grab; to snatch; to grasp: *Abbrancò i soldi e fuggì*, he grabbed the money and fled; *Abbrancò al volo un panino e corse via*, he snatched a roll and rushed off; *L'agente abbrancò il ladro*, the policeman seized the thief Ⓑ **abbrancàrsi** v. i. pron. to grab (st.); to seize hold (of); to catch* hold (of); (*anche fig.*) to clutch (st.): *Riuscì ad abbrancarsi a una corda*, she managed to grab a rope; **abbrancarsi a un ramo**, to clutch a branch.

abbrancàre② Ⓐ v. t. (*riunire in branco*) to herd; to round up Ⓑ **abbrancàrsi** v. rifl. (*unirsi in branco*) to gather; to herd.

abbreviaménto m. shortening; reduction.

abbreviàre v. t. to shorten; to cut* short; to abbreviate: **a. un articolo**, to cut (*o* to shorten) an article; **a. il cammino**, to shorten the journey; **a. Giuseppe in Beppe**, to shorten Giuseppe to Beppe; **a. una parola**, to abbreviate (*o* to shorten) a word; **a. una vacanza**, to cut short a holiday; **per abbreviarla**, to cut a long story short.

abbreviativo a. abbreviating; abbreviatory.

abbreviàto a. abbreviated; shortened; curtailed; (*adattato*) abridged; (*leg.*) summary (attr.).

abbreviazióne f. abbreviation (*anche gramm.* e *fig.*); shortening; reduction: **essere l'a. di**, to be the abbreviation of; to be short for; (*leg.*) **a. dei termini**, shortening of time limits.

abbrivàre v. i. (*naut.*) to gather way; to get* under way: **a. in avanti**, to gather headway; **a. all'indietro**, to make sternway.

abbrivo m. **1** (*naut.*) way: **a. in avanti**, headway; **a. indietro**, sternway; **pigliare l'a.**, to gather (fresh) way; to get* under way **2** (*spinta iniziale*) momentum*; impetus; start: **prendere l'a.**, to gather momentum; to gather way; to get* going.

abbronzànte Ⓐ a. tanning; suntan (attr.): **latte a.**, suntan milk Ⓑ m. suntan (*o* tanning) preparation; (*crema*) suntan (*o* tanning) cream; (*lozione*) suntan (*o* tanning) lotion.

abbronzàre Ⓐ v. t. to tan; to brown: *Il sole abbronza la pelle*, the sun tans the skin Ⓑ **abbronzàrsi** v. i. pron. to get* tanned; to tan; to go* brown; (*farsi l'abbronzatura*) to get* a suntan (*o* a tan), to get* brown (*o* tanned): *Mi abbronzo facilmente*, I go brown (*o* tan) easily; *Non voglio abbronzarmi*, I don't want to get a suntan (*o* to get tanned).

abbronzàto a. tanned; suntanned; brown.

abbronzatùra f. (*l'abbronzare*) tanning; (*effetto*) tan, suntan: **a. integrale**, all-over suntan; **i pericoli dell'a.**, the dangers of sunbathing; **prendere una bella a.**, to get a good tan.

abbruciacchiàre e *deriv.* → **bruciacchiare**, e *deriv.*

abbrunàre v. t. **1** (*parare a lutto*) to drape in black **2** (*una bandiera*) to fly* at half-mast.

abbrunàto a. **1** (*parato a lutto*) draped in black **2** (*di bandiera*) (flying) at half-mast.

abbrustoliménto m. toasting; browning; (*torrefazione*) roasting.

abbrustolire Ⓐ v. t. (*pane*) to toast; (*far dorare*) to brown; (*torrefare*) to roast Ⓑ **abbrustolìrsi** v. i. pron. to toast; to go* brown; (*torrefarsi*) to roast ● (*scherz.*) **abbrustolirsi al sole**, to bake (*o* to roast) in the sun.

abbrustolìto a. toasted; brown; (*torrefatto*) roasted: **pane a.**, toasted bread; toast.

abbrutiménto m. **1** (*l'abbrutire*) brutalization **2** (*l'essere abbrutito*) brutishness; degradation: **stato di a.**, brutish dejection; **ridurre a uno stato di a.**, to brutalize.

abbrutire Ⓐ v. t. to brutalize; to dehumanize: *L'alcool abbrutisce l'uomo*, drink brutalizes a man; **un lavoro che abbrutisce**, a brutalizing (*o* mind-destroying) job Ⓑ **abbrutìrsi** v. i. pron. to be brutalized; to become* brutish (*o* dehumanized): **abbrutirsi nel vizio**, to sink into vice.

abbuffàrsi v. rifl. (*fam.*) to stuff oneself (with); to gorge oneself (with); to binge (on); to pig oneself (on, with); to pig out (on) (*slang*): **a. di gelato**, to gorge oneself on ice cream; *Ci siamo proprio abbuffati da Laura*, we really stuffed ourselves at Laura's.

abbuffàta f. (*rif. a cibo*) huge meal; nosh-up (*slang, GB*): *Quella di domenica è stata una vera a.*, we really stuffed ourselves on Sunday; **farsi un'a. di dolci**, to gorge oneself with sweets **2** (*estens.*) binge: *Il mese scorso ho fatto un'a. di film*, I went on a binge of films last week.

abbuiàre Ⓐ v. t. (*rendere buio*) to darken; (*oscurare*) to obscure, to dim Ⓑ **abbuiàrsi** v. i. pron. **1** (*del tempo*) to darken; to cloud over **2** (*fig.*: *incupirsi*) to darken; (*rattristarsi*) to grow* sad: *Si abbuiò in viso*, his face darkened **3** (*della vista*) to grow* dim.

abbuonàre → **abbonare**①.

abbuòno m. 1 (*comm.*) allowance; reduction; rebate; relief; abatement: **a. sulle vendite**, sales allowance; **a. per tara**, tare allowance; (*fisc.*) **a. d'imposta**, tax relief; **fare un a. sul prezzo**, to make an allowance on the price 2 (*ciclismo*) time allowance, start; (*ipp.*) handicap.

abburattàre v. t. (*la farina*) to sift; to bolt.

abdicàre v. i. e t. to abdicate: **a. al trono**, to abdicate the throne; **a. ogni responsabilità**, to abdicate responsibility.

abdicatàrio a. abdicating.

abdicazióne f. abdication.

abducènte a. (*anat.*) – **nervo a.**, abducens nerve.

abdùrre v. t. (*anat.*) to abduct.

abduttìvo a. (*filos.*) abductive.

abduttóre (*anat.*) **A** a. abducting; abducent: **muscolo a.**, abducent muscle **B** m. abductor.

abduzióne f. (*anat., filos.*) abduction.

abecedàrio → **abbecedario**.

Abèle m. Abel.

abeliàno a. (*mat.*) abelian.

abelmòsco m. (*bot., Hibiscus abelmoschus*) abelmosk.

aberrànte a. aberrant.

aberràre v. i. to deviate; to stray; to go* astray.

aberrazióne f. (*anche med., fis., astron.*) aberration.

abetàia f. fir-wood.

♦**abéte** m. 1 (*bot., Abies, Picea*) fir (tree): **a. americano** (*o di Douglas*) (*Pseudotsuga douglasii*), Douglas fir; Oregon pine; red fir; **a. bianco** (*Abies alba*), silver fir; **a. canadese** (*Abies canadensis*), hemlock spruce; **a. del balsamo** (*Abies balsamea*), balsam fir; **a. kauri** (*Agathis australis*), kauri; **a. rosso** (*Picea excelsa*), spruce 2 (*legno*) fir; (*in assi*) deal: **un tavolo di a.**, a deal table.

abetèlla f. long, thin fir pole.

abetìna f. fir-wood.

ABI sigla (**Associazione bancaria italiana**) Italian Banking Association.

abiettézza f. baseness; despicableness; vileness; ignobleness; sordidness; abjectness.

abiètto a. base; despicable; contemptible; vile; ignoble; worthless; sordid; abject: **un'azione abietta**, a base (*o* vile) act; **un essere a.**, a base (*o* despicable, worthless) individual.

abiezióne f. 1 (*bassezza*) baseness; despicableness; vileness 2 (*degradazione*) degradation; abasement; abjection: **cadere nell'a.**, to fall into degradation.

abigeàto m. (*leg.*) cattle-stealing; rustling (*USA*).

abìgeo m. cattle thief; rustler (*USA*).

♦**àbile** a. 1 (*valente*) able, skilled; (*capace*) capable, clever, competent; (*destro*) skilful, adroit, deft, practical: **un a. operaio**, an able workman; **un a. uomo d'affari**, a clever businessman; **un'a. infermiera**, a capable nurse; **un a. guidatore**, a competent driver; **mani abili**, clever (*o* deft) hands; **a. con le mani**, clever with one's hands; practical; *È molto a. nell'arte di mentire*, he is a great adept in the art of lying 2 (*idoneo*) fit; qualified: **dichiarare q. a. al lavoro** [**al servizio militare**], to declare sb. fit for the job [for military service] 3 (*scaltro*) clever, smart, shrewd; (*accorto*) artful, ingenuous: **un'a. mossa**, a clever move; **un'abile menzogna**, a clever lie 4 (*fatto con abilità*) skilful; able; clever.

♦**abilità** f. 1 (*capacità*) capability, competence, ability; (*perizia*) skill, smart, cleverness, -ship; (*destrezza*) dexterity, adroitness, deftness, practical skill: **a. tecnica**, technical ability; workmanship; **a. manuale**, manual dexterity; practical skill; **a. manageriali**, managerial skills; **a. di artigiano**, craftsmanship; **a. di spadaccino**, swordsmanship; **a. di tiratore**, marksmanship; **a. di venditore**, salesmanship 2 (*idoneità*) fitness; suitability 3 (*scaltrezza*) cleverness, smartness, shrewdness; (*accortezza*) skill, cleverness, ingenuity, artfulness.

abilitànte a. qualifying: **corso a.**, qualifying course.

abilitàre **A** v. t. 1 (*mettere in grado*) to enable 2 (*certificare idoneo*) to qualify; to certify: **a. all'esercizio di una professione**, to qualify for the practice of a profession 3 (*autorizzare*) to enable; to authorize; to empower; (*dare licenza*) to license: **a. un negozio alla vendita di qc.**, to license a shop for the sale of st. 4 (*comput.*) to enable **B** **abilitàrsi** v. i. pron. to qualify; to certify: **a. all'insegnamento**, to qualify as a teacher.

abilitativo a. qualifying; certifying.

abilitàto a. qualified; certified: **un insegnante a.**, a qualified teacher.

abilitazióne f. qualification; licensure (*USA*); (*diploma*) diploma; (*patente*) licence: **a. all'insegnamento**, qualification as a teacher; teaching qualification; **a. alla guida**, licence to drive; **conseguire l'a. all'insegnamento**, to qualify as a teacher; **diploma d'a. all'insegnamento**, teaching diploma; **esame d'a.**, qualifying examination.

abilménte avv. skilfully; ably; cleverly.

abiogènesi f. (*biol.*) abiogenesis*.

abiosfèra f. abiosphere.

abiòtico a. (*biol.*) abiotic.

abissàle a. 1 (*degli abissi*) abyssal: **fauna a.**, abyssal fauna 2 (*fig.*) abysmal; unfathomable: **ignoranza a.**, abysmal (*o* monumental) ignorance; **profondità abissali**, unfathomable (*o* fathomless) depths.

Abissinia f. (*geogr.*) Abyssinia.

abissino a. e m. (f. **-a**) Abyssinian.

♦**abisso** m. 1 (*baratro*) abyss; chasm; pit: *Precipitarono in un a.*, they fell into an abyss; *Sotto di noi si spalancava un a.*, a chasm yawned at our feet 2 (*fig.: separazione totale*) huge (*o* wide) gulf: *Tra me e lui c'è un a.*, there's a huge gulf between us 3 (*fig.: grande differenza qualitativa*) total unlikeness (*o* dissimilarity): *Tra lui e suo fratello c'è un a.*, he is totally unlike his brother 4 (al pl.) (*profondità*) depths; bowels: **gli abissi del mare**, the depths of the sea; **gli abissi della terra**, the bowels of the earth 5 (*lett.: inferno*) hell; the nether regions (pl.); the underworld: **le potenze dell'a.**, the powers of hell ● (*fig.*) **un a. di ignoranza**, an abyss of ignorance □ (*fig.*) **essere sull'orlo dell'a.**, to be on the brink of disaster.

abitàbile a. habitable; inhabitable; livable ● **cucina a.**, kitchen with dining area; dinette kitchen (*USA*).

abitabilità f. habitability: **permesso di a.**, certificate of habitability.

abitàcolo m. 1 (*naut.*) binnacle 2 (*aeron.*) cockpit 3 (*autom.*) driver and passenger compartment; interior; (*di auto da corsa*) cockpit; (*di camion*) (driver's) cabin.

♦**abitànte** m. inhabitant; resident; dweller: **una città di un milione di abitanti**, a city with one million inhabitants; **a. di città**, town (*o* city) resident (*o* dweller); **a. di paese**, villager; **a. di periferia**, suburban resident (*o* dweller); suburbanite; **gli abitanti di questo palazzo**, the people (living) in this building; the local residents.

♦**abitàre** **A** v. i. to live; to reside; to dwell (*form.*); (*temporaneamente*) to stay: *Abita a Milano* [*al numero 25*], she lives in Milan [at number 25]; *Abita dai suoi*, he lives at home; **a. da amici**, to stay with friends; an-

dare ad a. **a Parigi**, to move to Paris **B** v. t. to live in; to occupy; (*rif. a popolo*) to inhabit: **a. un palazzo**, to live in a palace; *La Spagna fu abitata dagli Iberici*, Spain was inhabited by the Iberians.

abitativo a. house (attr.); living (attr.): **edilizia abitativa**, housebuilding; **unità abitativa**, living unit.

♦**abitàto** **A** a. 1 inhabited; (*rif. ad abitazione*) occupied, lived in: **un appartamento a.**, an occupied flat; *Si vede che questa stanza è abitata*, you can tell this room is lived in; **a. dal proprietario**, owner-occupied; **non a.**, uninhabited; unoccupied; vacant 2 (*popolato*) populated; peopled; settled; (*costruito*) built up, developed: **densamente** [**scarsamente**] **a.**, densely [thinly] populated; **regioni abitate**, settled regions; **area abitata**, built-up (*o* developed) area; **non a.**, unpopulated ● **a. dai fantasmi**, haunted **B** m. built-up area (*o* areas): **fuori dell'a.**, outside built-up areas.

abitatóre m. (f. **-trice**) inhabitant; dweller.

♦**abitazióne** f. 1 (*l'abitare*) habitation; dwelling: **casa d'a.**, house; residence; **inadatto all'a.**, unfit for habitation; **a. in comune**, common habitation 2 (*casa*) house; residence; home; dwelling (*form.*): **a. di lusso**, luxury house (*o* residence); **un quartiere di povere abitazioni**, a district of poor dwellings; **abitazioni primitive**, primitive dwellings; **il problema dell'a.**, the housing problem 3 (*leg.*) occupancy; habitation: **diritto di a.**, right of occupancy.

♦**àbito** m. 1 (*da uomo*) suit; (*da donna*) dress, frock, (*tailleur*) suit; (*tenuta*) dress; (al pl.) clothes, clothing ⓤ: **a. a coda di rondine**, tails (pl.); morning dress; **a. a doppio petto**, double-breasted suit; **a. a un petto**, single-breasted suit; **a. completo**, suit; **a. da amazzone**, riding habit; **a. da cerimonia**, formal dress; full dress; **a. da sera** (*da uomo e da donna*), evening dress; **a. da sposa**, wedding dress; bridal gown; **a. estivo**, summer dress; **a. intero**, dress; **a. lungo**, evening (*evening*) gown; **a. scuro**, formal dress; *È gradito l'a. scuro*, formal dress will be worn; **abiti fatti su misura**, made-to-measure (*o* tailor-made) clothes; **abiti smessi**, discarded clothes; cast-offs (*fam.*); **cambiarsi d'a.**, to change (one's clothes); **farsi fare un a.**, to have a suit [a dress] made; **provarsi un a.**, to try on a suit [a dress]; **taglio d'a.**, (*da uomo*) suit length; (*da donna*) dress length 2 (al pl.) (*abbigliamento*) clothes; clothing ⓤ; (solo nei composti o con attr.) wear ⓤ: **abiti invernali**, winter clothes (*o* clothing); winter wear; **abiti per bambini**, children's wear; **abiti sportivi**, casual wear 3 (*eccles.*) habit; (*di prete, anche*) cassock; (*di frate, anche*) frock: **a. talare**, cassock; **portare** [**prendere**] **l'a.**, to wear [to take] the habit 4 (*abitudine, disposizione*) habit: **a. mentale**, habit of mind 5 (*biol., miner.*) habit 6 (*med.*) constitution: **a. linfatico**, lymphatic constitution ● (*prov.*) **L'a. non fa il monaco**, appearances can be deceptive; you can't tell a book by the cover.

abituàle a. 1 (*regolare*) habitual; regular: **fumatore a.**, habitual smoker; **cliente a.**, regular customer; habitué (*franc.*); (*leg.*) **delinquente a.**, habitual criminal 2 (*solito, consueto*) usual; customary; wonted (*form.*); accustomed (*attr.*): **il mio posto a.**, my usual seat; **con la sua a. cortesia**, with his usual (*o* wonted) courtesy.

♦**abituàre** **A** v. t. to accustom (to st., to doing st.); (*addestrare*) to train (to do st.); (*educare*) to bring* up (to do st.); (*assuefare, avvezzare*) to inure (to st.): **a. q. a viaggiare**, to accustom sb. to travelling; *Siamo stati abituati a rispettare la natura*, we have been brought up to respect nature; **a. male**

a

q., to give sb. bad habits; (*viziare*) to spoil; *La vita in campagna ci ha abituato al silenzio*, living as we do in the country, we've got used to silence **B abituàrsi v. rifl.** to get* used (to st., to doing st.); to get* (*o* to grow*) accustomed (to st., to doing st.); (*assuefarsi, avvezzarsi*) to become* inured (to st.), to become* hardened (to st.); (*prendere un'abitudine*) to get* into the habit (of): **abituarsi a un'idea**, to get used (*o* accustomed) to an idea; **abituarsi al traffico**, to get used to traffic; **abituarsi alle fatiche**, to become inured to hard work; *Mi sono abituato ad alzarmi alle sei*, I've got into the habit of getting up at six; *Ci siamo abituati al rumore*, we're become hardened to all the noise; **abituarsi male**, to get into bad habits.

abituàto a. used (to st., to doing st.); accustomed (to st., to doing st.); in the habit (of doing st.); (*assuefatto, avvezzo*) inured (to st.), hardened (to st.); (*addestrato*) trained (to st., to do st.); (*solito*) wont (to do st.) (*form.*): *Non ci sono a.*, I'm not used to it; *Sono a. ad andare a letto tardi*, I'm used to going to bed late; **a. al caldo**, inured to heat; **a. ai rumori**, hardened to noise; *Non sono a. ad aspettare i ritardatari*, I'm not in the habit of waiting for latecomers; *Era a. a dormire dopo pranzo*, it was his habit to take a nap after lunch; **com'era a. a fare**, as he was used (*o* wont) to do; as he was in the habit of doing; as was his habit; **a. bene**, (*educato*) well-brought up; (*addestrato*) well--trained. ❶ **NOTA:** *used to* → **to use**.

abitudinarietà f. methodicalness; regularity.

abitudinàrio A a. set in one's ways (pred.); of fixed habits (pred.). **B** m. (f. -**a**) **1** creature of habit **2** (*frequentatore abituale*) regular; habitué (*franc.*).

♦**abitùdine** f. habit; practice; (*usanza*) custom; (al pl.) habits, ways: *Andare in ufficio a piedi è diventata un'a. per me*, walking to work has become a habit with me; *Non è mia a. far domande*, it is not my practice to ask questions; *Ho l'a. di fare un pisolino dopo pranzo*, I usually have a nap after lunch; *Ha la brutta a. di rosicchiarsi le unghie*, she has a bad habit of biting her nails; **liberarsi di un'a.**, to shake off (*o* to break) a habit; to kick a habit (*fam.*); **prendere [perdere] un'a.**, to get into [to get out of] a habit; **essere attaccato alle proprie abitudini**, to be set in one's ways; to be attached to one's routine ● **come d'a.**, as usual □ **d'a.**, as a rule □ **fare l'a. a qc.**, to get (*o* to grow) used (*o* accustomed) to st.; (*assuefarsi*) to get inured to st., to become hardened to st. □ **per a.**, out of habit □ **per forza d'a.**, from habit □ (*prov.*) *L'a. è una seconda natura*, habit is second nature.

abitùro m. hovel.

abiùra f. abjuration; recantation.

abiuràre v. t. to abjure; to recant.

abkhàso a., m. e f. Abkhasian; Abkhaz.

ablatìvo a. e m. (*gramm.*) ablative: **a. assoluto**, ablative absolute.

ablatóre A a. – (*geogr.*) **bacino a.**, ablation basin **B** m. (*med.*) curette; (*dentistico*) tooth scaler.

ablazióne f. (*geol., med., chir.*) ablation.

abluzióne f. ablution.

abnegazióne f. abnegation; self-abnegation; self-denial; self-sacrifice.

abnòrme a. abnormal.

♦**abolire v. t.** to abolish; to suppress; to do* away with; (*una restrizione*) to lift, to raise; (*cibo, fumo, ecc.*) to eliminate, to cut* out; (*una legge*) to abrogate, to repeal: **a. un'usanza**, to abolish a custom; **a. la pena di morte**, to abolish the death penalty; **a. un'imposta**, to lift a tax; **a. gradualmente**, to phase out.

abolitìvo a. abolishing; annulling.

abolizióne f. abolition; suppression; (*di restrizione, imposta*) lifting, raising; (*di cibo, fumo, ecc.*) elimination, cutting out; (*di legge*) abrogation, repeal: **l'a. delle barriere doganali**, the abolition of customs barriers; **l'a. della schiavitù**, the abolition of slavery; **l'a. delle sanzioni**, the lifting of sanctions.

abolizionìsmo m. abolitionism.

abolizionìsta m. e f. abolitionist.

abolizionìstico a. abolitionary; abolitional.

abomàso m. (*zool.*) abomasum*; fourth stomach.

abominàre v. t. to abominate; to loathe; to abhor.

abominazióne f. abomination; loathing; abhorrence.

abominévole a. abominable; loathsome; (*disgustoso*) revolting: **un delitto a.**, a loathsome crime; *Il servizio è a.*, the service is abominable ● **l'a. uomo delle nevi**, the Abominable Snowman.

abominio m. **1** → **abominazione 2** (*cosa abominevole*) abomination; outrage; disgrace.

aborigeno A a. aboriginal; native; indigenous; (*rif. all'Australia*) Aboriginal **B** m. (f. -**a**) aborigine; native; (*dell'Australia*) Aborigine, Aboriginal, Native Australian.

aborrimento m. abhorrence; loathing.

aborrire v. t. e i. to abhor; to loathe: *Aborro la (o dalla) menzogna*, I abhor lying; lying is abhorrent to me.

abortire v. i. 1 to miscarry; to have a miscarriage; to abort; (*non naturalmente*) to have an abortion: *Ha abortito al quarto mese*, she miscarried in her fourth month; **decidere di a.**, to decide to have an abortion **2** (*fig.: fallire*) to fail; to fall* through; to come* to nothing: *Il progetto è abortito*, the plan failed (*o* fell through, came to nothing).

abortìsta A m. e f. (person) in favour of abortion **B** a. pro-abortion ● **medico a.**, doctor who performs abortions.

abortìstico a. abortion (attr.); (*favorevole all'aborto*) pro-abortion.

abortìvo (*med.*) **A** a. abortive; abortifacient **B** m. abortifacient.

abòrto m. **1** abortion; (*spontaneo*) miscarriage: **a. clandestino**, illegal (*o* back-street) abortion; **a. indotto**, induced abortion; **a. spontaneo**, spontaneous abortion; miscarriage; **a. terapeutico**, therapeutic abortion; **favorevole all'a.**, in favour of abortion; pro--abortion; **avere un a.**, to have an abortion (*o* a miscarriage); to miscarry; **eseguire un a.**, to perform an abortion; **procurare aborti**, to perform illegal abortions; to be an abortionist **2** (*bot.*) abortion **3** (*fig.: mostruosità*) disaster; monstrosity; (*di persona*) freak: *Che a. di pettinatura!*, what a horrendous hairstyle!; **un a. di natura**, a freak of nature **4** (*fig.: fallimento*) failure; abortion.

abracadàbra m. e inter. abracadabra; hocus-pocus.

abràdere v. t. to abrade; to scrape off.

abràmide m. (*zool., Abramis*) bream.

Abràmo m. Abraham.

abrasióne f. **1** (*anche med.*) abrasion **2** (*escoriazione*) abrasion; graze **3** (*geol.*) erosion **4** (*cancellatura*) erasure.

abrasività f. abrasive property.

abrasìvo a. e m. (*anche fig.*) abrasive.

abreazióne f. (*psic.*) abreaction.

àbro m. (*bot., Abrus precatorius*) Indian liquorice; jequirity.

abrogàbile a. (*leg.*) repealable; rescindable.

abrogàre v. t. (*leg.*) to abrogate; to repeal;

to annul; to rescind.

abrogatìvo a. (*leg.*) abrogative; repealing: **referendum a.**, referendum abrogative of (*o* to abrogate) a law.

abrogatòrio a. (*leg.*) abrogative; abrogating; repealing; annulling.

abrogazióne f. (*leg.*) abrogation; repeal; annulment; rescission.

abrogazionìsta m. e f. abolitionist.

abròstine m. (*bot., Vitis labrusca*) fox grape.

abròtano m. (*bot., Artemisia abrotanum*) southernwood.

abruzzése A a. of Abruzzi; from Abruzzi; Abruzzi (attr.); Abruzzian **B** m. e f. native [inhabitant] of Abruzzi; Abruzzian.

ABS m. (*autom.*) ABS; anti-lock braking system.

Absbùrgo e deriv. → **Asburgo**, e deriv.

abscissióne f. (*bot.*) abscission.

absidàle a. (*archit.*) apsidal.

absidàto a. (*archit.*) **1** (*a forma di abside*) apsidal **2** (*con abside*) apsed.

àbside A f. (*archit.*) apse **B** m. (*astron.*) apsis*.

absidìola f. (*archit.*) apsidiole.

abulìa f. **1** (*psic.*) abulia **2** (*fig.*) inertia; apathy.

abùlico a. **1** (*psic.*) abulic **2** (*fig.*) inert; apathetic.

abusàre v. i. 1 (*fare uso illecito*) to abuse (st.); to misuse (st.): **a. della propria autorità**, to abuse one's authority; **a. dei propri poteri**, to misuse one's powers **2** (*approfittare*) to take* advantage (of): *Abusa della mia bontà*, he takes advantage of my good nature; **a. della pazienza di q.**, to try sb.'s patience; **a. dell'ospitalità di q.**, to outstay one's welcome; **a. del tempo di q.**, to trespass upon sb.'s time **3** (*usare senza misura*) to use (st.) to excess; to overindulge (in); to... too much: **a. di alcol**, to drink too much; to overindulge in drink; **a. delle proprie forze**, to overtax one's strength; to overdo it (*fam.*); **a. di una medicina**, to take too much of a medicine **4** (*violentare*) to abuse (sb.) sexually; to abuse (sb.).

abusàto a. **1** (*usato male*) abused; misused **2** (*usato troppo*) used to excess; (*di parola, frase, ecc.*) overworked, hackneyed, trite.

abusivaménte avv. illegally; unlawfully; (*senza autorizzazione*) without permission (*o* authorization, a licence): **costruire a.**, to build without a planning permission; **entrare a. in un luogo**, to trespass on a place; **occupare a. un edificio**, to occupy a building illegally; (*per viverci*) to squat ❶ **FALSI AMICI** ● abusivaménte *non si traduce con* abusively.

abusivìsmo m. unauthorized (*o* illegal) activities (pl.); illegal practices (pl.): **a. edilizio**, unauthorized building (*rif. ad abitazioni*) illegal housing; building without planning permission (*GB*).

abusìvo A a. illegal; illicit; unlawful; (*non autorizzato*) unauthorized, unlicensed, pirate (attr.): **costruzione abusiva**, building erected without planning permission; unauthorized building; **edizione abusiva**, pirate edition; **occupazione abusiva di edificio**, illegal (*o* unlawful) occupation of a building; (*come abitazione*) squatting; **occupante a.**, illegal (*o* unlawful) occupier; squatter; **porto d'armi a.**, illegal possession of firearms; **posteggiatore a.**, unauthorized car park (*USA* parking lot) attendant; **tassista a.**, unlicensed taxi driver **B** m. (f. -**a**) unlicensed street trader ❶ **FALSI AMICI** ● abusivo *non si traduce con* abusive.

abùso m. **1** abuse (*anche leg.*); misuse: **a. di autorità**, abuse (*o* misuse) of authority; (*leg.*) **a. di un diritto**, abuse of right; **a. di fiducia**, breach of trust; **a. edilizio**, unau-

thorized building; **a. di potere**, abuse of power; **commettere un a.**, to commit an abuse; (*econ.*, *leg.*) **a. di posizione dominante**, abuse of dominant position **2** (*uso smodato*) excessive use; abuse; overindulgence: **a. del cibo**, overindulgence in eating; **fare a. di farmaci**, to make excessive use of medicines; **a. di sostanze**, substance abuse.

AC sigla **1** (*sport*, **Associazione calcio**) football club (FC) **2** (**Azione cattolica**) Organization for Catholic Action.

a.C. sigla (**avanti Cristo**) before Christ (BC).

acàcia f. (*bot.*, *Acacia*) acacia.

acadiàno a. e m. (*geol.*) Acadian.

acagiù, **acajou** m. **1** (*bot.*, *Anacardium occidentale*) cashew (tree); (*il frutto*) cashew **2** (*bot.*, *Swietenia mahagoni*) mahogany.

acànto m. (*bot.*, *Acanthus*) acanthus* ● (*arch.*) **foglie di a.**, acanthus.

acaricida (*chim.*) **A** m. acaricide **B** a. acaricidal; acarus-killing.

acariòsi f. (*bot.*) acariosis*.

àcaro m. (*zool.*, *Acarus*) mite; tick; acarus*: **a. della scabbia** (*Sarcoptes scabiei*), itch mite.

acaròide f. (*chim.*) acaroid gum (*o* resin).

acàrpo a. (*bot.*) acarpous.

acatalessìa f. (*filos.*) acatalepsy.

acatalèttico ① a. (*filos.*) acataleptic.

acatalèttico ② a. (*metrica*) acatalectic.

acattòlico a. e m. (f. **-a**) non-Catholic.

acàule a. (*bot.*) acaulescent.

àcca f. o m. **1** (*lettera*) (letter) h; aitch: *Si scrive con l'a.*, it is spelt with an 'h'; **pronunciare l'a.**, to sound the letter 'h' (*o* one's aitches) **2** (*fig.*: *nulla*) not a thing: *Non sa un'a.*, he doesn't know a thing; *Non ci capisco un'a.*, I don't understand the first thing about it; I can't make head or tail of it; *Non me ne importa un'a.*, I don't care a straw; **non saperne un'a. di qc.**, not to know the first thing about st.; not to have a clue; **non valere un'a.**, (*di cosa*) to be worthless; (*di persona*) to be useless (*o* hopeless).

accadèmia f. **1** (*società*, *istituto*) academy: **a. delle scienze**, academy of sciences **2** (*scuola*) academy; college; school: **a. di belle arti**, academy of art; art school; **a. di scherma**, fencing school; **a. militare**, military academy; **a. musicale**, academy of music; **a. navale**, naval college **3** (*esibizione retorica*) display of rhetoric; empty words (pl.) **4** (*sterile virtuosismo*) empty virtuosity: **fare dell'a.**, to indulge in virtuosity **5** (*trattenimento*) performance **6** (*stor. filos.*) Academy.

accadèmico A a. **1** (*di accademia*) academy (attr.): **socio a.**, academy member; academician **2** (*universitario*) academic; university (attr.): **anno a.**, academic year; **corpo a.**, university teaching staff; **il mondo a.**, the academic world; academia; academe; **senato a.**, university senate; **veste accademica**, academic dress (*o* gown); academicals (pl.) **3** (*fig.*: *astratto*) academic **4** (*arte*) academic **B** m. (f. **-a**) academician.

accademìsmo m. academicism; academism.

accademìsta m. (*mil.*) cadet.

♦**accadère** v. i. to happen; to occur; to take* place; to come* about; to befall* (*form.*): *È accaduto un mese fa*, it happened (*o* occurred, took place) a month ago; *Com'è accaduto?*, how did it happen?; how did it come about?; *Mi accadde di incontrarlo in biblioteca*, I happened (*o* chanced) to meet him in the library; *Sta accadendo qualcosa di strano*, something strange is happening (*o* going on); *Che non accada di nuovo*, don't let it happen again; *Ma guarda che cosa doveva a.!*, of all the things to happen!;

accada quel che accada, come what may; *Son cose che accadono*, such things will happen.

accadùto m. event; incident; fact: *Mi riferì l'a.*, he told me what happened; he related the fact (*o* the incident) to me; *Si scusa dell'a.*, she said she is sorry for what happened.

accagliàre v. t. e v. i., **accagliàrsi** v. i. pron. (*rif. al latte*) to curdle; (*per altre sostanze*) to coagulate, to clot.

accalappiacàni m. e f. inv. dog-catcher.

accalappiaménto m. **1** catching; trapping; ensnaring **2** (*fig.*) enticement; snare.

accalappiàre v. t. **1** to catch*; to trap; to ensnare: **a. un cane**, to catch a dog **2** (*fig.*: *intrappolare*) to ensnare, to hook; (*ingannare*) to trap, to take* in: **lasciarsi a.**, to fall into a trap; *È ricco e lei vuole accalappiarlo*, he is rich and she has set her cap at him.

accalappiatóre m. (f. **-trice**) catcher; ensnarer ● **accalappiatrice di uomini**, man-eater.

accalcàre A v. t. to crowd; to cram **B** accalcàrsi v. i. pron. to crowd; to throng; to press; to cram: **accalcarsi intorno a q.**, to crowd (*o* to press) round sb.; **accalcarsi in una stanza**, to cram into a room; *La folla si accalcava all'uscita*, the crowd was thronging at the exit.

accaldàrsi v. i. pron. to get* hot.

accaldàto a. hot.

accaloràrsi v. i. pron. **1** (*animarsi*) to become* animated; to get* heated **2** (*di persona*) to get* excited; to get* worked up.

accaloràto a. animated; heated; excited; worked up.

♦**accampaménto** m. camp; (*mil.*, *anche*) encampment: **piantare l'a.**, to pitch camp; **togliere l'a.**, to break camp.

accampàre A v. t. **1** to camp: **a. le truppe**, to camp the troops **2** (*fig.*: *avanzare*) to put* forward: **a. diritti** (*o* **pretese**) **su qc.**, to lay claim to st.; **a. una scusa**, to make an excuse; **a. come scusa un impegno**, to plead an engagement **B** accampàrsi v. rifl. **1** (*mil.*) to camp; to pitch camp; to encamp **2** (*fig.*: *alloggiare*) to camp; (*per breve tempo*) to crash (*fam.*).

accampionàre v. t. to register.

accaniménto m. **1** (*furore*) fury; rage **2** (*ostinazione*) obstinacy; persistence; determination; doggedness: **con a.**, furiously; doggedly; with determination ● **a. terapeutico**, futile care.

accanirsi v. i. pron. **1** (*infierire*) to be pitiless (with); to torment (sb.); to harass (sb.); (*colpire ripetutamente*) to hit* (sb., st.) repeatedly: *Si accanirono su di lui con pugni e calci*, they kept on hitting and kicking him; *Si accanivano contro di lui perché era il più debole*, they kept picking on (*o* bullying) him because he was the weakest **2** (*ostinarsi*) to persist (in); to persevere (in); to keep* on (doing st.): **a. a lavorare**, to work doggedly; **a. a ripetere qc.**, to keep on repeating st.

accanito a. **1** (*strenuo*) relentless; bitter; fierce; ruthless: **avversario a.**, relentless adversary; **concorrenza accanita**, fierce (*o* ruthless) competition **2** (*indefesso*) hard; (*ostinato*) dogged, obstinate, inveterate; (*appassionato*) avid, passionate: **fumatore a.**, inveterate smoker; **lavoratore a.**, hard worker; **lettore a.**, avid reader; **sostenitore a. di una causa**, passionate upholder of a cause; **tifoso a.**, passionate fan.

♦**accànto A** avv. nearby; near; close by: *C'era una chiesa lì a.*, there was a church close by; **un negozio qui a.**, a nearby shop; *A pranzo avevo a. Marta*, at dinner I was sitting next to Marta **B** a. next; near; nearby; close; adjacent; (*porta a porta*) next door

(pred.): **la casa a.**, the next house; the house next door; **la pagina a.**, the opposite page; **la stanza a.**, the next (*o* adjacent) room **C** accànto a loc. prep. beside; near; close to; next to; by: **a. al tavolo**, beside (*o* by, next to) the table; **l'uomo a. a me**, the man next to (*o* beside) me; **Sta' a. a me**, keep close to me.

accantonaménto ① m. **1** putting (*o* setting) aside; (*di progetto, ecc.*) shelving **2** (*econ.*) allocation; appropriation; earmarking: **a. di fondi**, allocation of funds **3** (*somma accantonata*) fund, allocation, earmarked sum; (*scorta*) reserve, stock.

accantonaménto ② m. (*mil.*) cantonment; quartering; billeting.

accantonàre ① v. t. **1** (*lasciare da parte*) to set* (*o* to put*, to lay*) aside **2** (*rinunciare a*) to abandon, to forgo*; (*un progetto, ecc.*) to shelve **3** (*rinviare*) to put* off; to table (*USA*) **4** (*econ.*) to set* aside; (*destinare*) to earmark, to allocate, to appropriate.

accantonàre ② v. t. (*mil.*) to quarter; to billet.

accaparraménto m. (*econ.*) buying-up; engrossing; (*tesaurizzazione*) hoarding; (*Borsa*) cornering: **a. di scorte**, hoarding of provisions.

accaparràre v. t. **1** (*econ.*) to buy* up; to engross; (*tesaurizzare*) to hoard; (*Borsa*) to corner; (*assicurarsi*) to secure; to grab; to win*; to gain: **accaparrarsi il posto migliore**, to secure (*o* to grab) the best seat; **accaparrarsi voti**, to win (*o* to gain) votes; **accaparrarsi le simpatie di q.**, to win sb.'s affection.

accaparratóre m. (f. **-trice**) **1** buyer-up; engrosser; (*tesaurizzatore*) hoarder; (*Borsa*) cornerer **2** (*fig.*) hoarder; grabber.

accapigliàrsi v. rifl. recipr. **1** (*azzuffarsi*) to fight; to scuffle; to scrap; to come* to blows **2** (*fig.*: *litigare*) to quarrel; to haggle; to squabble.

accàpo A avv. on a new line; on a new paragraph: **punto e a.**, (full stop and) new paragraph **B** m. new line; new paragraph.

accappatóio m. bathrobe.

accapponàrsi v. i. pron. – **far a. la pelle**, (*per freddo, paura*) to give sb. gooseflesh (*o* goose pimples, *USA* goose bumps); (*per disgusto, paura*) to make sb.'s flesh creep.

♦**accarezzàre** v. t. **1** to caress; to stroke; to fondle; to pet: **a. i capelli a q.**, to caress (*o* to stroke) sb.'s hair; *Non a. il gatto*, don't stroke the cat **2** (*fig.*, *di vento*) to caress; (*di onde*) to lap, to kiss **3** (*fig.*: *lusingare*) to flatter; (*solleticare*) to kindle, to rouse **4** (*fig.*: *vagheggiare*) to entertain; to cherish; to toy with: **a. un progetto**, to entertain a project; **a. una speranza**, to cherish a hope; **a. un'idea**, to toy with an idea ● (*eufem.*) **a. le spalle a q.**, to give sb. a sound thrashing; to dust sb.'s jacket.

accartocciaménto m. **1** (*l'accartocciare*) crumpling, scrunching up; (*l'accartocciarsi*) curling up **2** (*archit.*) cartouche (*bot.*) leaf roll.

accartocciàre A v. t. **1** (*appallottolare*) to crumple (up); to scrunch up; to screw up **2** (*fare un cartoccio*) to roll (up); to curl up **B** accartocciàrsi v. i. pron. **1** to curl up; to shrivel **2** (*deformarsi*) to twist out of shape **3** (*rientrare su sé stesso*) to concertina.

accasàre A v. t. to marry off **B** accasàrsi v. rifl. **1** to get* married **2** (*metter su casa*) to set* up house.

accasciaménto m. prostration; (*morale*, *anche*) dejection, depression.

accasciàre A v. t. to prostrate; to crush **B** accasciàrsi v. i. pron. **1** (*cadere*) to collapse; to slump; to sink* **2** (*fig.*) to lose* heart; to break* down.

a

accasciàto a. **1** collapsed; slumped **2** (*abbattuto*) prostrate; dejected; crushed; broken.

accasermàre v. t. (*mil.*) to barrack; to quarter in barracks.

accastellàre v. t. to pile up; to stack.

accatastàbile ① a. stackable.

accatastàbile ② a. (*bur.*) that can be registered (in the cadastre).

accatastaménto ① m. **1** (*l'ammucchiare*) stacking; piling up; heaping **2** (*mucchio*) stack; pile; heap.

accatastaménto ② m. (*bur.*) cadastral registration.

accatastàre ① v. t. to stack; to pile up; to heap: **a. la legna**, to stack wood; **a. i mobili**, to stack furniture.

accatastàre ② v. t. (*bur.*) to register in the cadastre.

accattàre v. t. **1** (*chiedere*) to beg; (*scroccare*) to scrounge, to cadge **2** (*cercare, procurarsi*) to borrow; to fish for: **a. complimenti**, to fish for compliments **3** (*anche assol.: elemosinare*) to beg.

accattivànte a. captivating; engaging; winning; charming.

accattivàre v. t. **1** (*guadagnare*) to win*; to gain; to earn: **accattivarsi la stima di q.**, to win sb.'s respect; **accattivarsi le simpatie di q.**, to win sb. over; to endear oneself to sb. **2** (*farsi amico*) to win* over; to ingratiate oneself with.

accàtto m. **1** (*il prendere in prestito*) borrowing; (*lo scroccare*) scrounging, cadging **2** (*il chiedere l'elemosina*) begging • **d'a.**, borrowed; second-hand; derivative.

accattonàggio m. begging.

accattóne m. (f. *-a*) beggar.

accavallaménto m. **1** (*sovrapposizione*) overlapping; overlap **2** (*di fili, linee, ecc.*) crossing; twisting; (*intrico*) tangle **3** (*accumulo*) piling up; (*rapido avvicendamento*) rapid succession **4** (*fam., di muscolo, ecc.*) cramp; spasm **5** (*lavoro a maglia*) passed-over stitch.

accavallàre v. t. **1** (*incrociare*) to cross: **a. le gambe**, to cross one's legs **2** (*sovrapporre*) to overlap **3** (*lavoro a maglia*) to pass (*a stitch*) over **B accavallàrsi** v. i. pron. **1** (*sovrapporsi*) to overlap **2** (*di fili, linee, ecc.*) to cross; to twist; to get* twisted **3** (*accumularsi*) to pile up; (*affollarsi*) to crowd, to throng, to push, (*di parole*) to tumble out; (*di onde*) to surge forward • **Mi si è accavallato un muscolo del piede**, I've got a cramp in my foot.

accecaménto m. **1** blinding **2** (*fig.*) derangement.

accecàre A v. t. **1** to blind; (*abbagliare, anche*) to dazzle **2** (*fig.*) to blind; to cloud (sb.'s mind) **3** (*chiudere un'apertura*) to block up; (*murare*) to wall up **4** (*un chiodo, ecc.*) to countersink* **B accecàrsi** v. i. pron. to go* (*o* to become*) blind.

accecàto a. **1** blinded: *Fu a. dall'esplosione*, he was blinded by the explosion **2** (*fig.*) blind: **a. dalla paura**, blind with fear.

accecatóio m. (*mecc.*) countersink: **a. cilindrico**, counterbore.

accecatùra f. (*mecc.*) countersink.

accèdere v. i. **1** (*raggiungere*) to reach; to enter: *Si accede alla fortezza da un ponte*, access to the fortress is over a bridge; you cross a bridge to enter the fortress **2** (*essere ammesso, entrare*) to be admitted (to); to gain access (to); to enter (st.): *Per a. alla sala occorre presentare il biglietto*, tickets must be shown to be admitted to the hall; **a. all'università**, to be admitted to university; **a. al parlamento**, to enter parliament **3** (*assumere una carica*) to accede (to); to reach (st.) **4** (*acconsentire*) to accede (to); to grant (st.); to

agree (to): **a. a un trattato**, to accede to a treaty **5** (*comput.*) to access (st.).

acceleraménto m. acceleration; (*di lavoro, pratica, ecc.*) speeding up.

acceleràndo m. (*mus.*) accelerando.

accelerànte m. (*chim.*) accelerator; accelerant.

◆**acceleràre A** v. t. **1** to quicken; to hurry; to hasten; to speed* up; to expedite: **a. il passo**, to quicken one's step; to hurry; **a. la produzione**, to speed up (*o* to step up) production; **a. una pratica**, to speed up (*o* to expedite) a case **2** (*mecc.*) to accelerate: (*autom.*) to speed* up **B** v. i. **1** (*aumentare la velocità di un veicolo*) to accelerate; to speed* up **2** (*acquistare velocità*) to gain (*o* to put* on) speed; to accelerate; to pick up.

accelerativo a. accelerative; quickening.

acceleràto A a. **1** quick; rapid: **corso a.**, crash course; **passo a.**, quick step; (*med.*) **polso a.**, quick pulse **2** (*fis.*) accelerated **B** m. (*treno*) local train; slow train.

acceleratóre A a. accelerative; acceleratory **B** m. **1** (*autom., fis., econ.*) accelerator: **premere l'a.**, to step on the accelerator; to step on the gas (*USA*); (*fis.*) **a. di particelle**, particle accelerator **2** (*chim., fotogr.*) accelerator; accelerant; activator.

accelerazióne f. acceleration (*anche fis., autom.*); speeding up: (*fis.*) **a. centripeta**, centripetal acceleration; (*fis.*) **a. di gravità**, acceleration of gravity.

accelerómetro m. (*fis., tecn.*) accelerometer.

◆**accèndere A** v. t. **1** (*fuoco, ecc.*) to light*; to kindle; to ignite; (*dare fuoco a*) to set* fire to: **a. un fiammifero**, to light (*o* to strike) a match; **a. un fuoco**, to light (*o* to kindle) a fire; **a. la pipa**, to light one's pipe; *Hai da a.?*, have you got a light? **2** (*con interruttore*) to turn on; to switch on; to put* on: **a. il gas**, to turn on the gas; **a. la luce [la radio]**, to switch (*o* to turn, to put) on the light [the radio] **3** (*mecc.*) to ignite; to start up: **a. il motore**, to start up the engine **4** (*fig.: suscitare*) to spark off; to kindle; to raise; to rouse; to stir up: **a. una disputa**, to spark off a debate; **a. una rivolta**, to stir up a rebellion; **a. una speranza**, to kindle (*o* to raise) a hope **5** (*comm.*) to open; (*leg.*) to take* out: **a. un conto**, to open an account; **a. un'ipoteca [un prestito]**, to take out a mortgage [a loan] **B accèndersi** v. i. pron. **1** (*prendere fuoco*) to catch* fire; to light*; to ignite: *Il fuoco ci mise molto ad accendersi*, the fire took a long time to light **2** (*di luce*) to go* (*o* to come*) on; to light* up: *Le luci si accesero*, the lights went (*o* came) on **3** (*fig.: illuminarsi*) to light* up: **accendersi di gioia**, to light up with joy **4** (*fig.: arrossire*) to go* red; to flush: *Il suo viso s'accese d'ira*, his face went red with anger **5** (*fig.: eccitarsi*) to become* excited; to become* inflamed; (*d'ira*) to flare up **6** (*fig.: nascere*) to kindle; (*esplodere*) to flare up: *La speranza si accese nel suo cuore*, hope kindled in his heart; *Si accese una lite*, a quarrel flared up.

accendigàs m. gas lighter.

accendìno, accendisìgaro m. lighter.

accendìtoio m. lighting stick.

accenditóre m. (*mecc.*) igniter.

accennàre A v. t. **1** (*indicare*) to point to: *Accennò una finestra*, he pointed to a window **2** (*fare un accenno di*) to... slightly; (*col capo*) to nod: **a. un saluto**, to nod (to sb.); **a. un sorriso**, to smile slightly; to give a faint smile; **a. un sì**, to nod (in) assent; **a. un no**, to shake one's head **3** (*fig.*) to sketch; to trace; to rough in **4** (*un motivo: su uno strumento*) to pick out; (*con la voce*) to hum **B** v. i. **1** (*con la mano: indicare*) to point (to); to wave (towards); (*fare cenno*) to beckon; (*col capo*) to nod: *Mi accennò d'avvicinarmi*, she

beckoned me to come nearer **2** (*fare atto di*) to make* as if: **a. ad alzarsi**, to make as if to get up **3** (*dare segno di*) to show signs (of): to look as if (*o* as though): *Il tempo accenna a rischiararsi*, it looks as if it's going to clear up **4** (*alludere*) to hint (at); to intimate (st.); (*trattare brevemente*) to mention (st.), to touch (upon), to refer (to): **a. a una certa persona**, to hint at a certain person; **a. a una faccenda**, to mention (*o* to hint upon) a matter; *Accennai alla possibilità di un errore*, I hinted at the possibility of an error.

accénno m. **1** (*segno*) sign, gesture; (*col capo*) nod: **al primo a. di raffreddore**, at the first sign of a cold **2** (*indicazione*) sign; hint; inkling; intimation **3** (*allusione*) hint; (*menzione*) mention, reference: **fare a. a qc.**, (*alluderVi*) to hint at st.; (*menzionarlo*) to mention st. **4** (*traccia*) hint; trace; touch; (*sfumatura*) undertone, overtone.

accensióne f. **1** (*di fuoco, ecc.*) lighting; kindling **2** (*elettr.*) switching on; turning on; (*interruttore*) switch, start button, 'on' button (*o* switch) **3** (*mecc., autom.*) ignition; (*il meccanismo*) ignition system: **a. a batteria [a scintilla, a spinterogeno]**, battery [spark, coil] ignition; *L'a. è inserita*, the ignition is on; **controllare l'a.**, to check the ignition system; **chiavetta dell'a.**, ignition key **4** (*comm.*) opening; (*leg.*) taking out: **a. di un conto**, opening of an account; **a. di un'ipoteca [di un prestito]**, taking out of a mortgage [of a loan].

accentàre v. t. **1** (*ling.: scrivere l'accento su*) to accent; (*enfatizzare*) to stress **2** (*mus.*) to stress **3** (*porre l'enfasi su*) to stress.

accentatùra f. (*ling.*) accentuation.

accentazióne f. (*ling.*) accentuation; stress.

accènto m. **1** (*ling.*) accent; stress; (*il segno*) accent (mark): **a. acuto [grave, circonflesso]**, acute [grave, circumflex] accent; **a. grafico**, written accent; **a. musicale**, pitch; tone; **a. tonico**, stress; *L'a. è sulla prima sillaba*, the stress is on the first syllable; **parola che prende l'a. sulla penultima sillaba**, word stressed on the penultimate syllable; word taking a penultimate accent ➊ NOTA: *compounds* → **compound** ① **2** (*cadenza*) accent; pronunciation: *Parla l'italiano con a. inglese*, he speaks Italian with an English accent; **avere l'a. straniero**, to have a foreign accent (*o* an accent) **3** (*tono*) tone; noise: **un a. di tristezza**, a note of sadness; **con a. umile**, with (*o* in) a humble tone (of voice) **4** (*enfasi*) stress; emphasis; accent: **porre l'a. su qc.**, to lay stress (*o* emphasis) on st.; to stress st.; to emphasize st. **5** (*poet.: parola*) word.

accentraménto m. (*concentrazione*) concentration; (*centralizzazione*) centralization.

accentràre A v. t. **1** (*raccogliere*) to concentrate; to gather; to group; (*centralizzare*) to centralize: **a. tutte le responsabilità nelle proprie mani**, to concentrate all responsibility in one's hands **2** (*attirare*) to draw*; to attract: **a. l'attenzione su di sé**, to draw all attention on oneself; to monopolize everybody's attention **B accentràrsi** v. i. pron. **1** (*raccogliersi*) to concentrate; to gather; to be concentrated; to be centralized: *La popolazione si accentra nelle città*, the population is concentrated in the cities **2** (*fig.: concentrarsi*) to focus; to center; to converge; to be focused: *L'interesse si accentrò su di loro*, interest focused on them.

accentratóre A a. **1** centralizing **2** (*di persona*) that refuses to delegate **B** m. (f. *-trice*) person who refuses to delegate; monopolizer; control freak.

accentuàre A v. t. **1** (*pronunciare con enfasi*) to stress; to accentuate **2** (*porre in evidenza*) to stress, to underline; (*rendere più marcato*) to emphasize, to heighten: *I capel-*

li neri accentuavano il pallore del suo viso, her black hair emphasized the paleness of her face **B** **accentuàrsi** v. i. pron. (*crescere*) to grow*; to intensify; (*aggravarsi*) to get* (*o* to grow*) worse, to worsen; (*diventare più evidente*) to become* more marked: *Il malcontento s'accentua*, discontent is growing; *La crisi si accentua*, the crisis is getting worse (*o* is worsening); *Il divario si sta accentuando*, the gap is widening; *Le differenze tra loro si accentuavano*, the differences between them were becoming more marked.

accentuativo a. accentual.

accentuàto a. (*netto*) marked, noticeable; (*forte*) strong.

accentuazióne f. accentuation; intensification.

accerchiaménto m. surrounding; encirclement.

accerchiàre v. t. (*anche mil.*) to surround; to encircle.

accertàbile a. **1** ascertainable; verifiable **2** (*fisc.*) assessable.

accertaménto m. **1** (*verifica*) verification; check; ascertainment **2** (*fisc.*) assessment: **a. d'imposta**, assessment on taxation; tax assessment; **a. del reddito**, assessment on income **3** (*leg.*) investigation **4** (*med.*) test: **accertamenti clinici**, clinical tests ● (*comm.*) **a. di cassa**, cash inventory □ (*leg.*) **azione [sentenza] di a.**, declaratory action [judgment].

accertàre **A** v. t. **1** (*appurare, determinare*) to establish; to ascertain, to determine; (*verificare*) to verify, to check: **a. la verità**, to establish the truth **2** (*fisc.*) to assess **B** **accertàrsi** v. rifl. to make* sure; to ascertain; to check: *Voglio accertarmi che non sia uscita*, I want to make sure (*o* to check) that she is not out; **accertarsi di aver capito**, to make sure one has understood.

♦**accéso** a. **1** lighted (up) (attr.); lit (up) (pred.); burning; alight (pred.): **un cero [un sigaro] a.**, a lighted candle [cigar]; *Il fuoco [il sigaro] è a.*, the fire [the cigar] is lit; *Il fuoco nel camino era a.*, the fire was burning in the fireplace; *Nel cielo erano accese le stelle*, the sky was alight with stars **2** (*di luce, apparecchio*) on (pred.): **lasciare le luci accese**, to leave the lights on; *La radio è accesa*, the radio is on **3** (*autom., mecc.*) on (pred.): running: **a motore a.**, with the engine running **4** (*fig., di viso*) burning; flushed; red: **guance accese**, burning cheeks; *Era a. in volto per la corsa [la febbre]*, his face was flushed from running [with fever] **5** (*fig.: infiammato*) burning; inflamed; fiery: **a. di entusiasmo**, burning (*o* inflamed, fired) with enthusiasm; **a. d'ira**, burning with anger **6** (*fig.: illuminato*) bright; lit up (pred.); alive (pred.): **occhi accesi di gioia**, eyes lit up (*o* shining) with joy **7** (*di colore*) bright; vivid: **una gonna di un rosso a.**, a bright-red skirt **8** (*fig.: animato*) heated; animated; lively: **una discussione accesa**, a heated discussion **9** (*fig.: fervente*) ardent; fervent: **a. separatista**, ardent separatist; **a. sostenitore**, fervent supporter.

accessìbile a. **1** (*raggiungibile*) accessible, reachable, within reach (pred.); (*aperto*) open: **una strada a. d'inverno**, a road accessible during winter; **un luogo facilmente a.**, a place within easy distance (*o* reach) **2** (*di persona*) approachable; (*affabile*) accessible, affable **3** (*comprensibile*) easily understood; accessible; graspable; comprehensible **4** (*di prezzo, ecc.*) accessible; affordable; reasonable: **a. a tutte le borse**, within everybody's means; within reach of every purse.

accessibilità f. **1** accessibility; easy access **2** (*di persona*) approachability; (*affabilità*) accessibility, affability.

accessióne f. (*anche leg.*) accession.

accèsso m. **1** (*ingresso, entrata*) access; entry; entrance; way in: **a. all'università**, university entrance (*o* enrollment); **a. pedonale**, walkway; **a. per disabili**, wheelchair access; **a. principale**, main entrance; **bloccare tutti gli accessi**, to block all entrances; **dare a.**, to give access to; to lead to; **impedire l'a.**, to prohibit access; (*di ostacolo*) to obstruct the entry; **di difficile a.**, difficult to reach (*o* to get to); **di facile a.**, easy to reach; *Vietato l'a.*, no entry; no trespassing; *Vietato l'a. ai non addetti*, entry forbidden to unauthorized persons; (*autom.*) **divieto di a.** (*cartello*), no entry; no admittance; keep out; (*autom.*) **divieto di a. a tutti i veicoli** (*cartello*), all vehicles prohibited; **rampa di a.**, ramp; (*su strada o autostrada*) slip road (*GB*), ramp (*USA*); **strada di a.**, service road; **via di a.**, approach (route); (*fig.*) doorway; gateway; **viale di a.**, drive **2** (*facoltà di accedere, ammissione*) admittance; entrance: **a. libero**, free admittance; **avere libero a. a un luogo**, to be admitted freely to a place; to have the run of a place; *Gli fu vietato l'a.*, he was refused admittance (*o* entrance) **3** (*comput.*) access: **a. casuale [sequenziale]**, random [sequential] access; **memoria ad a. casuale**, random access memory (abbr. RAM); **codice d'a.**, access code **4** (*impeto*) outburst; fit; access: **a. di entusiasmo**, outburst of enthusiasm; **a. d'ira**, fit (*o* outburst) of anger; **a. di riso [di pianto]**, fit of laughter [of weeping] **5** (*med.*) fit; spell; attack; access: **a. di febbre**, attack of fever; sudden temperature; **a. di tosse**, fit (*o* spell) of coughing; **a. epilettico**, epileptic fit.

accessoriàre v. t. to accessorize; to customize.

accessoriàto a. supplied with accessories; accessorized (with); equipped (with): **ben a.**, fully accessorized; fully equipped.

accessòrio **A** a. secondary; additional; incidental; accessorial; accessory: **spese accessorie**, incidental expenses; incidentals **B** m. accessory (*anche per moda*); addition; adjunct; fitting; (*di macchina utensile*) attachment: **accessori per auto**, car accessories; **accessori per bagno**, bathroom accessories; bathroom fittings; **un aspirapolvere completo di accessori**, a vacuum cleaner complete with attachments.

accessorìsta m. e f. (*autom.*) **1** (*fabbricante*) manufacturer of car accessories **2** (*venditore*) supplier of car accessories.

accessorìstica f. **1** (*accessori*) accessories (pl.) **2** (*settore industriale*) accessories industry.

accestiménto m. (*agric., bot.*) heading.

accestìre v. i. (*agric., bot.*) to form a head; to head; to tiller.

accétta f. hatchet ● (*fig.*) **darsi l'a. sui piedi**, to shoot oneself in the foot; to cut one's own throat □ (*fig.*) **tagliato con l'a.**, rough-hewn; (*di lineamenti*) rugged, craggy.

accettàbile a. acceptable; palatable; (*tollerabile*) tolerable; (*soddisfacente*) satisfactory; (*discreto*) adequate.

accettabilità f. acceptability; acceptableness.

accettànte m. e f. (*comm., leg.*) acceptor.

accettàre v. t. **1** to accept (*anche comm., leg.*); to take*; to take* up: **a. una cambiale**, to accept a bill; **a. consigli**, to take advice; **a. un'eredità [un invito]**, to accept an inheritance [an invitation]; **a. un posto**, to take a job; **a. una scommessa**, to accept (*o* to take up) a bet; **a. una sfida**, to take up a challenge; **a. con piacere**, to welcome; **a. con riserva**, to reserve the right to accept; *Accettate assegni?*, do you take cheques?;

Non accetterò meno della somma pattuita, I won't settle for less than the agreed sum **2** (*accogliere come socio*) to admit; to take* in **3** (*aderire a*) to agree to; (*acconsentire*) to consent to, to acquiesce to: **a. una proposta**, to agree to a proposal; **a. di fare qc.**, to agree to do st.

accettazióne f. **1** (*anche comm., leg.*) acceptance: **a. bancaria**, bank (*o* banker's) acceptance; **a. condizionata [incondizionata]**, qualified [general] acceptance; **a. di un contratto**, acceptance of a contract; **a. dell'eredità**, acceptance of inheritance; (*leg.*) **mancata a.**, non-acceptance; dishonour **2** (*in albergo, ospedale*) reception; (*in aeroporto*) check-in; (*sportello, banco*) counter, desk: **a. telegrammi** (*sportello*), telegram counter; **banco a.**, reception desk; check-in counter; **rivolgersi all'a.**, to inquire at the reception desk.

accètto a. (*di cose*) agreeable, welcome; palatable; (*di persone*) liked, welcome: **bene a.**, welcome.

accettóre m. (*chim., fis.*) accepter.

accezióne f. (*significato*) meaning; acceptation.

acchetàre → **acquietare**.

acchiappafarfàlle **A** m. inv. butterfly net **B** m. e f. inv. (*fig.*) idler; loafer.

acchiappamósche **A** m. inv. **1** flytrap; (*paletta*) fly swatter **2** (*bot.*, Dionaea muscipula) dionea; Venus's flytrap **3** (*zool.*, Muscicapa grisola) flycatcher **B** m. e f. inv. (*fig.*) idler; loafer.

acchiappanùvoli m. e f. inv. daydreamer; dreamer; stargazer.

♦**acchiappàre** **A** v. t. to catch*; to grab; to snatch; to get* hold of; to catch* hold of: **a. farfalle**, to catch butterflies; **a. un ladro**, to catch a thief; *Se ti acchiappo...!*, if I catch you...! **B** **acchiappàrsi** v. i. pron. to hold* on (to); to grab (st.): **acchiapparsi a una corda**, to hold on to a rope **C** **acchiappàrsi** v. rifl. recipr. to catch* one another: **giocare ad acchiapparsi**, to play tag.

acchitàre v. t. (*biliardo*) to lead* off.

acchìto m. (*biliardo*) billiard spot ● (*fig.*) **di primo a.**, (*subito*) right away, straightaway; (*sulle prime*) at first (sight).

acciabattàre **A** v. i. to shuffle about (in one's slippers) **B** v. t. to cobble together.

acciaccaménto m. crushing; squashing; denting.

acciaccàre v. t. **1** (*schiacciare*) to crush, to squash; (*ammaccare*) to dent: **acciaccarsi un dito**, to crush a finger; **a. un cappello**, to squash a hat; **a. un parafango**, to dent a mudguard **2** (*indebolire*) to weaken.

acciaccàto a. **1** crushed; squashed; (*ammaccato*) dented **2** (*fig.*) weak; low; (*dolorante*) aching all over: **sentirsi tutto a.**, to be aching all over.

acciaccatùra f. **1** dent **2** (*mus.*) acciaccatura.

acciàcco m. ailment; infirmity; ache: **gli acciacchi della vecchiaia**, the infirmities of old age; **pieno di acciacchi**, full of aches and pains.

acciaiàre v. t. (*ind.*) **1** (*ricoprire d'acciaio*) to steel **2** (*trasformare in acciaio*) to acierate.

acciaiatùra f. (*ind.*) **1** steeling **2** acieration.

acciaierìa f. (*ind.*) steelworks (sing. o pl.); steel plant; steel mill.

acciaìno m. sharpening steel.

♦**acciàio** m. steel: **a. dolce**, mild (*o* soft) steel; **a. duro**, hard steel; **a. fucinato**, forged steel; **a. grezzo**, raw steel; **a. in lingotti**, ingot steel; **a. inossidabile**, stainless steel; **a. laminato**, rolled steel; **a. malleabile**, flange steel; **a. semiduro**, medium steel; **a. stampato**, pressed steel; **a. temperabile**,

hardenable steel; **a. temperato**, hardened steel; **rivestito d'a.**, steel-clad ● **color a.**, steel-coloured; steel-blue □ (*fig.*) **nervi d'a.**, nerves of steel □ **grigio a.**, steel grey □ **sguardo d'a.**, icy stare.

acciàio-ceménto m. reinforced concrete paring.

acciaiòlo 1 → **acciarino** 2 → **acciaino**.

acciambellàre A v. t. to coil up B **acciambellàrsi** v. rifl. to curl up.

acciarino m. 1 (*per pietra focaia*) steel (for a tinderbox) 2 (*di arma da fuoco, stor.*) flintlock; gunlock: **fucile ad a.**, flintlock; firelock 3 (*di ruota*) linchpin 4 (*naut.: di siluro*) torpedo pistol.

acciarpàre v. t. to cobble together; to do* (*st.*) anyhow.

accidèmpoli → **accipicchia**.

accidentàccio inter. blast!; damn!

accidentàle a. 1 (*casuale*) accidental; casual; fortuitous; chance (attr.): **circostanza a.**, accidental circumstance; **scoperta a.**, fortuitous (*o* chance) discovery 2 (*involontario*) accidental; unintentional; involuntary 3 (*non essenziale*) incidental ● (*mecc.*) **carico a.**, live load □ (*leg.*) **morte a.**, death by misadventure □ (*mus.*) **segno a.**, accidental.

accidentalità f. fortuitousness; fortuity; casualness.

accidentalménte avv. 1 (*per caso*) accidentally; by chance; casually 2 (*senza volere*) accidentally; involuntarily; unintentionally; unwittingly; by mistake.

accidentàto a. 1 (*sconnesso*) uneven; rough; bumpy: **strada accidentata**, bumpy road; **terreno a.**, uneven ground 2 (*fig.: movimentato*) eventful 3 (*paralizzato*) paralyzed.

♦**accidènte** m. 1 (*caso*) chance; hazard: **per a.**, by chance 2 (*evento*) event; accident; (*non lieto*) mishap: **gli accidenti della vita**, the events of life 3 (*fam.: infarto*) heart attack; (*malanno*) bad cold: *Gli venne un a.*, he had a heart attack; **prendersi un a.**, to catch a bad cold 4 (*fig.: ragazzo vivace*) little devil, pest; (*ragazza vivace*) tomboy; (*persona fastidiosa*) pest, nuisance, pain in the neck (*fam.*): **quell'a. di bambino**, that pest of a child 5 (*fam.: niente*) not a damn thing; damn (*fam.*): **non capire un a.**, not to understand a damn thing; not to have a clue; *Non m'importa un a. di lui*, I don't give a damn about him; *Non vale un a.*, it's not worth a damn; **un a. di niente**, a damn thing 6 (*filos.*) accident 7 (*mus.*) accidental 8 (*ling.*) accident ● **Accidenti a lui!**, the devil take him!; damn him! □ **brutto come un a.**, as ugly as sin □ **correre come un a.**, to run like the devil (*o* like the clappers) □ **far venire un a. a q.**, to give sb. a fit □ **mandare accidenti a q.**, to curse sb. □ **Dov'è quell'a. di un giornale?**, where's the blasted (darn) paper? □ **Quell'a. di idraulico non s'è visto**, that damn (*o* darned) plumber hasn't shown up □ **Che gli venga un a.!**, damn him!; blast him! □ **Che mi venga un a.!**, well, I'll be damned! □ **Che mi venga un a. se non dico la verità**, I'll be damned if that's not the truth □ **Che ti venga un a.!**, go to hell (*o* to blazes)!; damn you! □ **Per poco non mi venne un a.**, I nearly had a fit.

♦**accidènti** inter. 1 (*escl. di ammirazione, sorpresa*) goodness!; whew!; wow!; coo! (*GB*); hell's bells! (*USA*) 2 (*escl. di irritazione*) hell!; blast; damn (and blast)!

accidèrba → **accipicchia**.

accìdia f. sloth.

accidióso a. slothful.

accigliàrsi v. i. pron. to frown; to knit one's brows; to glower; to scowl.

accigliàto a. frowning; scowling; glower-

ing; unsmiling: *Lui mi guardò a.*, he scowled at me.

accìngersi v. rifl. to get* ready (to do st., for st.); to make* ready (for st.); to prepare (to do st.); to set* about (st.); to be about (to do st.); to be on the point of (doing st.): **a. a partire**, to get ready (*o* to prepare) to leave; **a. all'opera**, to set about it.

acciocché → **affinché**.

acciottolàre v. t. 1 (*fare l'acciottolato*) to cobble 2 (*far cozzare e risuonare*) to clatter.

acciottolàto m. cobbled paving; cobblestones (pl.); cobbles (pl.): *Gli zoccoli risuonarono sull'a.*, the hooves clattered over the cobbles.

acciottolìo m. clatter.

accipìcchia inter. 1 (*escl. di sorpresa*) good heavens!; goodness me! 2 (*escl. di irritazione*) damn!

accìsa f. (*leg.*) inland duty; excise duty.

♦**acciuffàre** v. t. 1 (*catturare*) to catch*; to collar; to cop (*fam.*); to nab (*fam.*) 2 (*afferrare*) to snatch; to grab.

acciùga f. (*zool., Engraulis encrasicholus*) anchovy ● **magro come un'a.**, as thin as a rake □ **stipati come acciughe**, packed like sardines.

acciugàta f. (*cucina*) anchovy sauce.

acciughìna f. (*zool., Lepisma saccharina*) silverfish*.

acclamàre A v. t. 1 (*eleggere per acclamazione*) to acclaim; to hail: **a. q. presidente**, to acclaim sb. chairman 2 (*applaudire*) to applaud; to hail; to cheer B v. i. to cheer; to applaud.

acclamazióne f. applause ⑩; acclamation; cheer; cheering ⑩: **eletto per a.**, elected by acclamation.

acclaràre v. t. to clarify; to make* clear.

acclimàre, **acclimàrsi** → **acclimatare**, **acclimatarsi**.

acclimataménto m. → **acclimatazione**.

acclimatàre A v. t. (*biol.*) to acclimatize; to acclimate B **acclimatàrsi** v. i. pron. 1 (*biol.*) to become* acclimatized (*o* acclimated); (*di animali*) to naturalize 2 (*fig.: abituarsi*) to get* accustomed; to adapt; (*ambientarsi*) to settle down.

acclimatazióne, **acclimazióne** f. (*biol.*) acclimatization; acclimation; (*di animali*) naturalization.

acclìve a. (*lett.*) steep.

acclùdere v. t. to enclose; to attach: *Accludo due copie del contratto*, I enclose (*più form.*, herewith enclosed are) two copies of the contract; *Vi accludiamo...*, please find enclosed...

acclùso a. enclosed; attached: **come da acclusa fattura**, as per the enclosed invoice; **qui a.**, herewith enclosed.

accoccàre v. t. 1 (*una freccia*) to nock 2 (*riunire le cocche*) to gather up the corners of.

accoccolàrsi v. rifl. 1 (*accosciarsi*) to crouch; to squat; to hunker (down) 2 (*rannicchiarsi*) to curl up; to snuggle.

accodàre A v. t. 1 to line up 2 (*comput.*) to append B **accodàrsi** v. i. pron. 1 (*mettersi in fila*) to line up; to form a queue; to queue: **accodarsi davanti al botteghino**, to queue at the box office; *Le auto si accodano al semaforo*, cars line up at the traffic lights 2 (*seguire*) to follow; to join; (*senza invito*) to tag along (with, behind): *Mi accodai al corteo*, I joined the rear of the procession; *Ci accodammo al cicerone*, we tagged along behind the guide.

accogliènte a. pleasant; friendly; warm; very welcoming; cosy; (*comodo*) comfortable.

accogliènza f. welcome; reception: **a. ca-**

lorosa, warm welcome; **a. fredda**, cool reception; **fare buona a. a q.**, to give sb. a warm welcome; **fare buona a. a qc.**, to give st. a good reception; **paese di a.**, country of adoption; (*leg.*) receiving country; **trovare a. presso q.**, to be welcomed by sb.

♦**accògliere** v. t. 1 (*ricevere*) to receive; to welcome; to greet: **a. q. a braccia aperte**, to welcome sb. with open arms; **a. bene**, to receive well; to welcome; **a. calorosamente**, to give a warm welcome; **a. freddamente**, to give a cool reception; *Fu accolto da un domestico*, he was received by a servant; *Accogli tu gli ospiti?*, can you meet (*o* welcome) the guests, please?; *L'annuncio fu accolto con grida*, the announcement was greeted with shouts; *Dio accolse la sua anima*, God received his soul 2 (*ospitare*) to take* in; (*per la notte*) to put* up; (*alloggiare*) to house, to accommodate 3 (*accettare*) to accept; to agree to: **a. una mozione**, to accept a motion; **a. con piacere una proposta**, to welcome a proposal 4 (*dare ascolto a*) to accept; to answer; (*seguire*) to follow: **a. una preghiera**, to answer a prayer; **a. i consigli di q.**, to follow sb.'s advice 5 (*approvare*) to grant; to allow; (*leg.*) to sustain, to uphold: **a. una richiesta**, to grant a request; **a. un reclamo**, to allow (*o* to recognize, to admit) a claim; (*leg.*) **a. un ricorso**, to uphold an appeal; (*leg.*) **a. un'obiezione**, to sustain an objection 6 (*contenere*) to hold*; to contain; to accommodate; (*di teatro, cinema, ecc.*) to seat: *La sala può a. 200 persone*, the hall accommodates (*o* seats) 200 people.

accogliménto m. 1 (*lett.*) → **accoglienza** 2 (*accettazione*) acceptance; granting; concession.

accòlito m. 1 (*eccles.*) acolyte 2 (*seguace*) acolyte; (*spreg.*) hanger-on, henchman*.

accollàre A v. t. 1 (*lett.: mettere sul collo*) to put* round the neck 2 (*fig.*) to saddle; to burden; to load: **a. un debito a q.**, to saddle sb. with a debt 3 (*assumere su di sé*) to take* upon oneself; to shoulder: **accollarsi una responsabilità [il passivo]**, to shoulder a responsibility [the liabilities]; **accollarsi la colpa**, to take the blame (for st.) B v. i. (*di vestito*) to be high-necked; (*di scarpa*) to cover the instep; to have a high instep.

accollàta f. (*stor.*) accolade.

accollàto a. (*di vestito*) high-necked; (*di scarpa*) with a high instep.

accollatùra f. (*di vestito*) neckline.

accòllo A m. 1 loading; (*di debito*) taking over (*of a debt*) 2 (*archit.*) accolade B avv. (*naut.*) = loc. **a collo** → **collo**.

accòlta f. (*lett.*) company.

accoltellaménto m. stabbing; knifing.

accoltellàre v. t. to stab; to knife ● **morire accoltellato**, to be stabbed (*o* knifed) to death.

accoltellàto m. (*edil.*) edge course.

accoltellatóre m. (f. -**trìce**) stabber; knifer.

accomandànte m. (*anche agg.*: **socio a.**) (*fin., leg.*) limited partner; sleeping (*o* silent) partner.

accomandatàrio m. (*anche agg.*: **socio a.**) (*fin., leg.*) general (*o* unlimited, full) partner.

accomàndita f. (*fin., leg.*) limited partnership; (*USA, anche*) special partnership: **società in a. semplice**, limited partnership.

accomiatàre A v. t. to dismiss; to send* away; to let* go; to see* off B **accomiatàrsi** v. rifl. e rifl. recipr. to take* one's leave (of); to say* goodbye (to); to part (from); to separate.

accomodàbile a. 1 (*riparabile*) mendable; repairable; that can be fixed 2 (*compo-*

nibile) that can be settled.

accomodaménto m. **1** (*accordo*) settlement; accommodation; arrangement; composition: **a. amichevole**, out-of-court settlement; **arrivare** (*o* **venire**) **a un a.**, to come to an arrangement; **arrivare a a. con i creditori**, to make a composition with one's creditors; **fare un a.**, to make a settlement **2** (*riparazione*) mending; mend; repair; reparation; fixing **3** (*mecc.*: *adattamento*) adaptation.

accomodànte a. accommodating; easygoing; complaisant; tolerant.

♦**accomodàre** Ⓐ v. t. **1** (*riparare*) to repair; to mend; to fix: **a. un tetto**, to repair a roof; **a. un orologio**, to mend (*o* to fix) a watch **2** (*disporre, sistemare*) to arrange; to adjust; to fix; (*raddrizzare*) to straighten; (*riordinare*) to tidy, to straighten out: **a. i barattoli sul ripiano**, to arrange the jars on the shelf; **a. una stanza**, to tidy (*o* to straighten out) a room; **accomodarsi i capelli**, to tidy one's hair; **accomodarsi la cravatta**, to straighten one's tie **3** (*comporre*) to settle: **a. una lite**, to settle a quarrel; *Accomoderò tutto io*, I'll settle everything **4** (*iron., fam.*) to sort out; to fix; (*picchiare*) to beat*: *Ti accomodo io!*, I'll soon sort you out!; *L'hanno accomodato per le feste*, they beat the daylights out of him **5** (*ottica, fisiol.*) to adjust Ⓑ v. i. (*convenire*) to suit (sb.); to be convenient (for); to please (pers.): *Decidi come meglio ti accomoda*, decide what suits you best (*o* what is most convenient for you) ❶ FALSI AMICI • accomodare *non si traduce con* to accommodate Ⓒ **accomodàrsi** v. rifl. **1** (*mettersi a proprio agio*) to make* oneself comfortable (*o* at home); (*sedersi*) to take* a seat, to sit* down, to settle down; (*entrare*) to come* in, to go* in, to enter: **accomodarsi in sala d'aspetto**, to take a seat in the waiting room; **accomodarsi su un divano**, to sit (*o* to settle) down on a sofa; *Non state in piedi, accomodatevi*, don't stand there, make yourself comfortable (*o* take a seat); *Prego, si accomodi, (entri)* do go in, do come in; (*si sieda*) do sit down; (*venga*) will you come this way?; *Si accomodi di là*, will you please go through?; *Fallo accomodare in salotto*, show him into the sitting-room **2** (*adattarsi*) to adapt (oneself); to make* do; to settle (for st.): *Dovette accomodarsi a fare il postino*, he had to settle for a job as a postman ● **Col tempo tutto si accomoda**, time is a great healer Ⓓ **accomodàrsi** v. rifl. recipr. (*accordarsi*) to come* to an agreement; to settle matters.

accomodatóre m. (f. **-trìce**) mender; repairer; fixer.

accomodatùra f. mending; repairing; fixing.

accomodazióne f. (*fisiol.*) accommodation.

accompagnaménto m. **1** (*l'accompagnare*) accompanying; escorting **2** (*seguito*) suite; retinue; train **3** (*mus.*) accompaniment ● **a. funebre**, funeral procession □ **lettera d'a.**, covering letter □ **senza a.**, unaccompanied.

♦**accompagnàre** Ⓐ v. t. **1** (*andare insieme*) to go* with; to come* with; to accompany; (*a piedi*) to walk with, (*a cavallo*) to ride* with; (*scortare*) to escort, to attend; (*per tutela*) to chaperon: *Ti accompagno?*, shall I come with you?; *Lo accompagnai fino al portone*, I accompanied him to the door; *Lo accompagnai per un pezzo di strada*, I walked part of the way with him; *Era accompagnata dalla zia*, she was chaperoned by her aunt **2** (*condurre in un posto*) to take*; to see*; to escort; to lead*; (*a piedi*) to walk; (*in auto*) to drive*: **a. un bambino a scuola**, to take a child to school; **a. q. a casa**, to see sb. home; (*a piedi*) to walk sb. home; (*in au-*

to) to drive sb. home; **a. q. alla porta**, to see sb. to the door; to show out **3** (*seguire*) to accompany; to be with; to follow: **a. con lo sguardo**, to follow with one's eyes; *Ti accompagnerò col pensiero*, my thoughts will be with you **4** (*unire, mettere insieme*) to accompany; to add; (*assortire, armonizzare*) to match: *Accompagnò le parole con un sorriso*, she accompanied her words with a smile; **a. un dono con un biglietto**, to add a note to the present; **ben accompagnati**, well matched **5** (*seguire con la mano*) to ease: **a. una porta**, to close a door (*o* to pull a door to) gently **6** (*mus.*) to accompany ● **a. q. al cimitero**, to accompany sb. to the cemetery □ **a. un feretro**, to follow a coffin □ **a. una sposa all'altare**, to give a bride away □ *Dio ti accompagni!*, God be with you! ● (*prov.*) **Meglio soli che male accompagnati**, better (to be) alone than in bad company Ⓑ **accompagnàrsi** v. i. pron. (*adattarsi*) to go* well (with); (*armonizzarsi, intonarsi*) to match: **un vino che si accompagna bene al pesce**, a wine that goes well with fish Ⓒ **accompagnàrsi** v. rifl. **1** (*stare in compagnia con*) to keep* company (with); to associate (with) **2** (*unirsi con*) to join company (with); to join up (with); to go* along (with) **3** (*mus.*) to accompany oneself Ⓓ **accompagnàrsi** v. rifl. recipr. to go* well together; to be matched: *Si sono ben accompagnati quei due*, those two are well matched.

accompagnàto a. **1** accompanied; escorted **2** (*mus.*) accompanied.

accompagnatóre m. (f. **-trìce**) **1** companion; attendant **2** (*in società*) escort; (*per un ballo*) partner **3** (*per tutela*) chaperon **4** (*turistico*) courier; tour leader; guide **5** (*mus.*) accompanist **6** (*sport*) team manager.

accompagnatòrio a. accompanying; (*di lettera*) covering.

accomunàbile a. that can be associated (with).

accomunaménto m. **1** (*il mettere in comune*) sharing; pooling **2** (*il rendere uguale*) equalization; levelling.

accomunàre Ⓐ v. t. **1** (*mettere in comune*) to share; to pool **2** (*rendere uguale*) to equalize; to level **3** (*avvicinare*) to unite: **essere accomunati dal dolore**, to be united in grief; **essere accomunati dalla passione per qc.**, to share a passion for st.; to have a common passion for st.; *Nulla li accomunava*, they had nothing in common **4** (*riunire*) to join; to unite; to associate Ⓑ **accomunàrsi** v. i. pron. to be united.

acconciàre Ⓐ v. t. **1** (*disporre*) to arrange; to prepare; (*riassettare*) to tidy; to arrange **2** (*abbigliare*) to dress up; (*adornare*) to decorate, to adorn **3** (*i capelli*) to arrange; to style **4** (*adattare*) to adapt; to adjust Ⓑ **acconciàrsi** v. rifl. **1** (*prepararsi*) to prepare; to get* ready **2** (*abbigliarsi*) to dress up; (*adornarsi*) to adorn oneself **3** (*adattarsi*) to adapt.

acconciatóre m. (f. **-trìce**) hairdresser; hair stylist.

acconciatùra f. **1** (*l'acconciare*) hairdressing **2** (*pettinatura*) hairstyle; coiffure (*franc.*); hairdo (*fam.*) **3** (*ornamento del capo*) headdress; headgear.

accóncio a. (*adatto*) suitable; fit; fitting; convenient; proper; right.

accondiscendènte a. consenting; condescending; compliant; (*arrendevole*) amenable, yielding, indulgent, lenient.

accondiscendènza f. **1** (*arrendevolezza*) amenability; indulgence; leniency **2** → **condiscendenza**.

accondiscéndere v. i. to consent; to accede; to agree; to acquiesce; to yield: *Accondiscese a lavorare per noi*, she consented to

work for us; **a. ai desideri di q.**, to accede to sb.'s wishes.

♦**acconsentìre** v. i. (*dare il consenso*) to agree; to consent; to give* one's consent: **a. a una richiesta**, to agree to a request; *Acconsentì a vederli*, he agreed to see them; *Acconsentì alle loro nozze*, she gave her consent (*o* consented) to their marriage; **a. con un cenno del capo**, to agree with a nod of one's head; to nod one's agreement ● (*prov.*) **Chi tace acconsente**, silence gives consent.

♦**accontentàre** Ⓐ v. t. to satisfy; to please; to indulge; to humour: *Fallo per accontentarmi*, do it just to please me; *Voglio accontentarti*, I'll do as you ask; *Lo accontenta in tutto*, she indulges him in everything; **difficile da a.**, hard to please Ⓑ **accontentàrsi** v. i. pron. **1** (*essere soddisfatto*) to be content (with); to be satisfied (with); (*assol., anche*) to be contented (*o* satisfied): **accontentarsi di poco**, to be content with little; *Non si accontenta mai*, she is never satisfied (*o* pleased, contented) **2** (*accettare*) to settle (for); to accept (st.); to be happy (with st., to do st.): **accontentarsi di due terzi della somma**, to settle for two thirds of the sum; *Si accontentò di dormire sul divano*, he was quite happy to sleep on the sofa; **sapersi accontentare**, to accept (*o* to make do with) things as they are; to be content **3** (*limitarsi*) to content oneself (with).

accónto m. advance; down payment; partial payment; payment in advance; payment on (*o* to) account: **di a.** (*o* **in a.**, **come a.**), in advance; on account; down (*fam.*); up front (*fam.*): **dare 50 euro di** (*o* **in**) **a.**, to pay 50 euros in advance (*o* up front); **versare un a.**, to make a down payment.

accoppàre v. t. (*pop.*) to kill; to do* in (*fam.*); to bump off (*fam.*).

accoppiaménto m. **1** (*il combinare*) combination **2** (*unione in coppia*) pairing off (*o* up) **3** (*di colori, oggetti*) matching **4** (*unione sessuale*) coupling; copulation; (*di animali*) mating, breeding: **a. fra consanguinei**, inbreeding; **la stagione degli accoppiamenti**, the mating season **5** (*mecc.*) connection; coupling.

accoppiàre Ⓐ v. t. **1** (*combinare*) to combine **2** (*unire in coppia*) to pair off (*o* up) **3** (*colori, oggetti*) to match **4** (*animali*) to mate: **a. fra consanguinei**, to inbreed* **5** (*mecc.*) to connect; to couple ● (*prov.*) **Dio li fa e poi li accoppia**, they are made for each other; they are well matched; (*anche iron.*) they make a fine pair Ⓑ **accoppiàrsi** v. rifl. **1** to pair off; to pair up **2** (*unirsi sessualmente*) to couple; to copulate; (*di animali*) to mate ● **Quei due si sono accoppiati bene**, those two are well matched.

accoppiàta f. (*ipp.*) first and second place bet; exacta (*USA*); perfecta (*USA*): **a. invertibile** (*o* **reversibile**), dual forecast (*GB*); quinella (*USA, Austral.*).

accoppiatóre m. **1** (*mecc., elettr., radio*) coupler **2** (*ferr.*) coupler (*GB*); coupling (*USA*).

accoppiatríce f. **1** (*elettr.*) cable-plaiting machine **2** (*ind. tess.*) doubler.

accoppiatùra f. coupling; pairing.

accoraménto m. sorrow; grief; heartache; heartbreak; distress.

accoràre Ⓐ v. t. to grieve; to distress Ⓑ **accoràrsi** v. i. pron. to grieve; to be sorrowful; to be distressed; to take* (st.) at heart.

accorataménte avv. sorrowfully; disconsolately; desperately; broken-heartedly: **piangere a.**, to cry desperately; to cry bitterly; to cry one's heart out.

accoràto a. (*triste*) sad; sorrowful; (*addolorato*) grieved, heart-broken; (*disperato*) des-

perate, inconsolate, broken-hearted.

accorciàbile a. that can be shortened (*o* reduced).

accorciaménto m. **1** shortening; cutting; curtailing **2** (*restringimento*) shrinkage.

accorciàre A v. t. to shorten; to make* shorter; (*abito*) to shorten, to take* up; (*tagliare*) to cut*; (*spuntare*) to trim; (*abbreviare*) to cut* short; (*un testo*) to cut*, to abridge, to abbreviate: **a. un articolo**, to shorten (*o* to cut) an article; **accorciarsi la barba**, to cut one's beard short; to trim one's beard; **a. una gonna**, to shorten a skirt; to take up the hem of a skirt; **a. i tempi di qc.**, to speed st. up; **a. le vacanze**, to cut one's holiday short; *Per questa strada l'accorciamo*, it's shorter if we take this way; *Questi pantaloni sono da a.*, these trousers need taking up B **accorciàrsi** v. i. pron. **1** to shorten; to get* shorter **2** (*restringersi*) to shrink **3** (*di giornate*) to draw* in.

accorciativo m. short form; abbreviation: *Tonio è l'a. di Antonio*, Tonio is the short form of (*o* is short for) Antonio.

accorciatùra f. shortening; (*di abito*) taking up; (*spuntatura*) trimming.

accordàbile a. **1** (*concedibile*) grantable; that can be granted; allowable **2** (*conciliabile*) reconcilable **3** (*compatibile*) consistent (with); compatible (with) **4** (*mus.*) tuneable; that can be tuned.

accordàre A v. t. **1** (*armonizzare*) to harmonize; to match **2** (*mettere d'accordo*) to reconcile **3** (*mus.*) to tune: **a. un violino**, to tune a violin; **a. gli strumenti**, to tune up **4** (*gramm.*) to make* (st.) agree: **a. il verbo col soggetto**, to make the verb agree with the subject **5** (*concedere*) to grant; to give*; to allow; to accord; to concede: **a. un permesso**, to grant a permit; to give permission; **a. uno sconto**, to give a discount; **a. un aumento di stipendio**, to give a pay rise B **accordàrsi** v. rifl. to come* (*o* to reach) an agreement (with): *Mi accordai con loro per l'acquisto*, we came to an agreement over the purchase C **accordàrsi** v. rifl. recipr. **1** (*concordare*) to agree (on st.): **accordarsi su un prezzo [una data]**, to agree on a price [on a date] **2** (*mettersi d'accordo*) to come* to (*o* to reach) an agreement; to agree (to do st.): *Non riescono ad accordarsi*, they cannot reach an agreement **3** (*mus.*) to tune up D **accordàrsi** v. i. pron. **1** (*concordare*) to accord (with); to agree (with); to fit in (with); to chime (with); to be consistent (with); (*conformarsi*) to conform (to): *La sua condotta non s'accorda con i suoi principi*, his behaviour is not consistent with his principles; *I suoi sospetti si accordavano coi miei*, his suspicions coincided with mine **2** (*armonizzare*) to match; to harmonize; to go* (well) (with st., together): **tinte che non s'accordano**, colours that don't go well together **3** (*gramm.*) to agree.

accordàta f. (*mus.*) quick tuning.

accordàto a. (*mus.*) tuned; in tune.

accordatóre m. (f. *-trice*) (*mus.*) tuner: **a. di pianoforte**, piano tuner.

accordatùra f. tuning (up): **perdere l'a.**, to go out of tune; **reggere l'a.**, to remain in tune.

♦**accòrdo** m. **1** (*consenso*) accord; consent; agreement: **pieno a.**, full accord; unanimity **2** (*patto*) agreement; understanding; pact; deal; bargain; arrangement: **a. bilaterale**, bilateral (*o* reciprocal) agreement; **a. commerciale**, trade agreement; **a. salariale**, wage settlement (*o* agreement); **a. salariale collettivo**, collective bargaining agreement; **a. verbale**, gentleman's agreement; **concludere un a.**, to conclude (*o* to enter into, to make) an agreement; to strike (*o* to make) a deal; **raggiungere un a.**, to reach (*o* to

come to) an agreement; **stare agli accordi**, to keep to the terms agreed upon; **con l'a. che...**, on the understanding that... **3** (*di voci*) unison **4** (*mus.*) chord: **a. arpeggiato**, broken chord **5** (*gramm.*) agreement; concordance ● **andare d'a. con q.**, to get on (*o* along) with sb.; to relate to sb.: *Andiamo d'a.*, we get on (*o* along) well; *Con lui è facile andare d' a.*, he's an easy person to relate to; **andare subito d'a.**, to hit (it) off; to get on like a house on fire (*fam.*) □ **come d'a.**, as agreed □ **D'a.!**, very well, then!; all right!; O.K.! (*fam.*) □ (*fam.*) **D'accordissimo!**, absolutely!; I couldn't agree more! □ **d'amore e d'a.**, in perfect harmony: **andare d'amore e d'a.**, to be in perfect harmony □ **di comune a.**, (*fra due*) by mutual consent; (*fra tanti*) with one accord □ **essere d'a. con q.**, to agree with sb.; to concur with sb. (*form.*) □ **non essere d'a.**, to disagree □ **in a. con i regolamenti**, in accordance with regulations □ **mettere d'a.**, to make (*people*) agree (with each other), to mediate between; (*riconciliare*) to reconcile, to bring together □ **mettersi d'a.**, to agree; to come to (*o* to reach) an agreement: *Ci mettemmo d'a. sull'ora*, we agreed on the time; *Mettiamoci d'a. per il prossimo incontro*, let's arrange the date of the next meeting □ **prendere accordi**, to make arrangements □ **Restiamo d'a. così**, that's settled, then □ **trovarsi d'a. con q.**, to agree with sb.; to concur with sb. (*form.*); to see eye to eye with sb.

♦**accòrgersi** v. i. pron. **1** (*notare*) to notice (st.); to perceive (st.): *Non m'ero accorto di lui*, I hadn't noticed him; *Si accorse del mio imbarazzo*, he noticed my embarrassment **2** (*rendersi conto*) to realize (st.), to become* aware (of); (*scoprire*) to find* out: *Mi accorgo che abbiamo sbagliato*, I realize that we've made a mistake; *Non si accorgeva di essere sgradito*, he wasn't aware he was unwelcome; *Che succederà quando se ne accorgeranno?*, what will happen when they find out? **3** (*percepire*) to sense (st.) ● **senza a.**, (*inavvertitamente*) inadvertently, involuntarily; (*fig.*: *con facilità*) with the utmost ease.

accorgiménto m. **1** (*accortezza*) shrewdness; sagacity **2** (*espediente*) device; stratagem; tactic; trick (*strumento*) contrivance.

accorpaménto m. unification; bringing together; amalgamation; conflation.

accorpàre v. t. to unify; to bring* together; to amalgamate; to conflate.

♦**accórrere** v. i. to run*; to rush; to fly*; to hasten; (*in gran numero*) to flock: **a. in aiuto di q.**, to rush to sb.'s aid (*o* assistance); **a. in folla**, to flock.

accortaménte avv. **1** (*scaltramente*) shrewdly; astutely **2** (*sagacemente*) sagaciously; wisely **3** (*oculatamente*) cautiously; warily.

accortézza f. **1** (*scaltrezza*) shrewdness; astuteness **2** (*sagacia*) sagacity; wisdom: *Ebbe l'a. di tacere*, she was wise enough to keep quiet **3** (*avvedutezza*) foresight; forethought **4** (*abilità*) skill; adroitness **5** (*oculatezza*) cautiousness; wariness.

♦**accòrto** a. **1** (*scaltro*) shrewd; astute **2** (*sagace*) sagacious; wise **3** (*prudente*) judicious; prudent **4** (*oculato*) cautious; wary ● **male a.**, unwise □ **poco a.** (*di parole, ecc.*), ill-advised.

accosciàrsi v. rifl. to squat; to hunker (down).

accosciàta f. (*sollevamento pesi*) squat.

accosciàto a. squatting; hunkered down; on one's hunkers (*fam.*).

accostàbile a. **1** (*di luogo*) approachable; accessible **2** (*di persona*) approachable; accessible; affable.

accostaménto m. **1** (*avvicinamento*) ap-

proach **2** (*giustapposizione*) juxtaposition; (*di colori, ecc.*) combination, matching: **brutto a.**, ugly combination; mismatch **3** (*parallelo*) comparison; parallel **4** (*naut.*) approach.

♦**accostàre** A v. t. **1** (*mettere vicino*) to bring*; to put* near (*o* close); to move closer; to draw* (*o* to pull*) up: **a. le labbra al bicchiere**, to bring the glass to one's lips; **a. la bocca all'orecchio di q.**, to put one's lips to sb.'s ear; **a. due sedie**, to push two chairs closer to each other; *Accosta una sedia*, draw up a chair; **a. una scala al muro**, to lean a ladder against the wall; **a. la macchina al marciapiede**, to pull up alongside the kerb; to pull in; to pull over **2** (*socchiudere*) to pull to; (*lasciare socchiuso*) to leave* ajar **3** (*una persona*) to approach; (*a scopo sessuale*) to accost: *Lo accostai nell'atrio*, I approached him in the hall; *L'uomo la accostò alla fermata*, the man accosted her at the bus stop **4** (*paragonare*) to compare; to liken **5** (*mettere in relazione*) to associate; to connect **6** (*colori*) to match B v. i. **1** (*naut.*: *avvicinarsi*) to lay* (*o* to come*) alongside **2** (*naut.*: *mutare rotta*) to alter course; to haul; to turn: **a. a dritta [a sinistra]**, to haul (*o* to turn) to starboard [to port] **3** (*aeron.*) to veer **4** (*autom.*) to pull over (*o* in) C **accostàrsi** v. i. **1** (*avvicinarsi*) to approach; to move closer; to go* [to come*] near (*o* up); to draw* near: *Mi accostai al vecchio*, I approached the old man; *Mi accostai al muro*, I drew close to the wall **2** (*fig.*: *cominciare a, interessarsi a*) to become* interested (in); to develop an interest in: **accostarsi alla lirica**, to become interested in opera ● (*relig.*) **accostarsi ai Sacramenti**, to receive the Sacraments D **accostàrsi** v. i. pron. **1** (*rassomigliare*) to be similar (*o* like); to resemble **2** (*di veicolo*) to pull in (*o* up); to draw* up **3** (*naut.*) to lay* (*o* to come*) alongside.

accostàta f. **1** (*naut.*) turn; swing **2** (*aeron.*) veer.

accostàto a. (*socchiuso*) ajar (pred.); to (avv.): *Lasciai la porta accostata*, I left the door ajar.

accòsto A avv. near; close: **farsi a.**, to draw near (*o* close) B **accòsto a** loc. prep. near; close to; next to C m. (*naut.*) berth; berthage ● (*naut.*) **gancio d'a.**, boat hook □ (*naut.*) **manovra di a.**, docking manoeuvre.

account m. inv. (*comput.*) account.

accovacciàrsi v. rifl. to crouch (*anche di animale*); to squat; to hunker (down).

accovacciàto a. crouching; squatting; on one's hunkers (*fam.*) ● (*ginnastica*) **posizione accovacciata**, squat.

accovonàre v. t. to sheaf.

accovonatóre m. (*agric.*) straw baler.

accozzàglia f. jumble; medley; hotchpotch, hodgepodge (*USA*); mishmash: **un'a. di idee**, a jumble (*o* mishmash) of ideas; **un'a. di gente**, motley crowd; (*marmaglia*) rabble, mob.

accozzaménto m. jumble; muddle; hotchpotch, hodgepodge (*USA*); mishmash.

accozzàre v. t. to lump (*o* to jumble) together; to chuck together (*fam.*); (*colori*) to mix together; (*persone*) to throw* together, to rake up: **a. oggetti di stili diversi**, to lump together things in different styles.

accòzzo → **accozzamento**.

accreditaménto m. **1** (*comm.*) credit; crediting **2** (*di diplomatico, ecc.*) accreditation.

accreditànte A a. crediting B m. e f. crediting party.

accreditàre A v. t. **1** (*avvalorare*) to confirm; to bear* out; to support: **a. una voce**, to confirm a rumour; *La sua storia è accreditata da diversi testimoni*, his story is borne out by several witnesses **2** (*comm.*) to credit: **a. 2000 euro a q.**, to credit 2,000 eu-

ros to sb.'s account **3** (*fornire di credenziali*) to accredit **B accreditàrsi** v. rifl. to gain credit.

accreditàto A a. **1** (*degno di fiducia*) reliable; trustworthy; proven **2** (*veritiero*) reliable; substantiated **3** (*comm.*) credited **4** (*di diplomatico, ecc.*) accredited **B** m. (*comm.*) beneficiary (of a credit).

accrédito m. (*comm.*) crediting; credit: **a. bancario**, bank credit; **l'a. degli stipendi**, the crediting of salaries; **scrittura di a.**, crediting entry; **somma in a.**, credited amount.

accréscere A v. t. to increase; to add to; to augment; (*ingrandire*) to enlarge: **a. il numero delle guardie**, to increase (*o* to add to) the number of guards; **a. l'odio**, to breed hatred; **a. le difficoltà**, to add to sb.'s difficulties **B accréscersi** v. i. pron. to increase; to grow*; to augment; (*ingrandirsi*) to enlarge.

accrescimènto m. **1** increase; addition; growth; (*ingrandimento*) enlargement **2** (*biol.*) growth **3** (*leg., scient.*) accretion.

accrescitivo A a. augmentative (*anche gramm.*); accretive **B** m. (*gramm.*) augmentative. ● **NOTA:** *diminutive, pejorative, terms of endearment* → **diminutive**.

accrezióne f. (*geol.*) accretion.

accròcco m. (*region.*) slipshod piece of work; shoddy job; botched job; botch, botch-up.

accucciàrsi v. rifl. **1** (*di animale*) to crouch; to lie* down **2** (*di persona*) to crouch (down); to squat.

◆**accudire A** v. i. to attend (to) **B** v. t. (*badare a*) to look after; to mind; to nurse: **a. un bambino**, to look after a child, **a. un malato**, to nurse a sick person.

acculturàre v. t., **acculturàrsi** v. i. pron. to acculturate.

acculturazióne f. acculturation.

accumulàbile a. cumulative.

accumulaménto m. accumulation.

◆**accumulàre A** v. t. **1** to accumulate; to cumulate; to build* up; (*debiti, ecc.*) to run* up; to build* up; (*interessi, ecc.*) to accrue; (*ammassare*) to amass; to hoard; (*fare scorta*) to stock (*o* store) up on: **a. debiti**, to run up debts; **a. una fortuna**, to accumulate (*o* to amass) a fortune; **a. interessi**, to accrue interest; **a. scorte**, to stockpile; **a. polvere**, to gather dust; **a. provviste**, to stock up on food; **a. un tesoro**, to hoard a treasure **2** (*ammucchiare*) to heap; to pile up; to bank up: *Il vento aveva accumulato la neve contro il muro*, the wind had banked the snow up against the wall **B accumulàrsi** v. i. pron. **1** to accumulate; to mount up; to build* up; (*di debiti, ecc.*) to run* up, to build* up; (*di interessi*) to accrue; (*raccogliersi*) to gather: *All'orizzonte si accumulavano nuvole nere*, black clouds were building up (*o* gathering) along the horizon **2** (*ammucchiarsi*) to pile up, to bank up: *La posta si era accumulata*, mail had piled up.

accumulatóre m. **1** accumulator **2** (*autom.*) (storage) battery **3** (*tecn.: serbatoio*) tank.

accumulazióne f. **1** (*l'accumulare*) accumulation; piling up; build-up; (*incetta*) hoarding: **a. di ricchezza [di capitale]**, accumulation of wealth [of capital]; **a. di scorte**, stockpiling; (*fin.*) **piano di a.**, accumulation plan **2** (*fin., di interessi*) accrual.

accùmulo m. **1** → **accumulazione**, def. 1 **2** (*cumulo*) cumulation; build-up; heap **3** (*sedimentazione*) deposition; (*sedimento*) deposit.

accuratézza f. accuracy; precision; care; thoroughness; exactness; faithfulness: **eseguito con a.**, accurately executed; **riprodot-**

---

to con a., faithfully reproduced; **con estrema a.**, scrupulously; painstakingly.

accuràto a. (*preciso*) accurate, precise, careful, close; (*dettagliato*) detailed; (*ordinato*) neat; (*meticoloso*) scrupulous, thorough, painstaking: **esame a.**, close (*o* thorough) examination; **resoconto a.**, accurate (*o* detailed) description; *È molto a. nel lavoro*, he's very precise in his work; **vestire in modo a.**, to dress very neatly.

accùsa f. **1** accusation; charge; (*senza prove concrete*) allegation: **confutare un'a.**, to confute an accusation (*o* a charge); **lanciare (o muovere) un'a.**, to level an accusation (*o* a charge); **provare un'a.**, to prove an accusation (*o* an allegation); **smentire un'a.**, to deny an allegation (*o* a charge); **sguardo d'a.**, accusatory look; accusing glance **2** (*leg.*) indictment; arraignment; (*imputazione*) charge, accusation: **a. di furto [di omicidio]**, theft [murder] charge; **gravi accuse a suo carico**, serious charges against him; *Fu arrestato con l'a. di malversazione*, he was arrested on a charge of embezzlement; **formulare un'a. contro q.**, to bring a charge against sb.; **lasciar cadere un'a.**, to drop a charge; **prosciogliere q. da un'a.**, to acquit sb. of a charge; **mettere q. in stato di a.**, to commit sb. for trial; (*di uomo politico*) to impeach; **messa in stato di a.**, committal for trial; (*di uomo politico*) impeachment; **sotto a. di**, under indictment for **3** (*leg., anche* **pubblica a.**) (public) prosecution; (*il magistrato*) Public Prosecutor, District Attorney (*USA*): **sostenere l'a. contro q.**, to prosecute sb.; **testimone d'a.**, witness for the prosecution **4** (*giochi di carte*) bid; call ● (*bur.*) **a. di ricevuta**, acknowledgment of receipt.

accusàbile a. (*anche leg.*) chargeable; indictable.

◆**accusàre A** v. t. **1** (*incolpare*) to accuse (of st.); to tax (with st.); to blame (for st.): *Accusano lui del ritardo*, they blame him for the delay; *Fu accusato di aver ritardato i soccorsi*, he was accused of delaying the rescue operations; **a. il destino**, to blame fate **2** (*leg.*) to charge (with st.); to accuse (of st.); to indict (for st.): **a. q. di omicidio**, to charge sb. with murder; to bring a charge of murder against sb. **3** (*bur.*) to acknowledge: **a. ricevuta di una lettera**, to acknowledge receipt of a letter **4** (*dolersi di*) to complain of: **a. dolori di stomaco**, to complain of stomach pains; to have stomach pains; **a. stanchezza**, to feel tired **5** (*rivelare*) to reveal; to show; to betray: **parole che accusavano la sua inesperienza**, words that revealed his inexperience **6** (*giochi di carte*) to declare; to call ● (*fig.*) **a. il colpo**, to feel the blow **B accusàrsi** v. rifl. to accuse oneself; to blame oneself **C accusàrsi** v. rifl. recipr. to accuse (*o* to blame) each other.

accusàta f. (*giochi di carte*) call; bid.

accusativo a. e m. (*gramm.*) accusative: **all'a.**, in the accusative.

◆**accusàto** m. (f. *-a*) accused person; person under accusation; (*leg.: imputato*) defendant, accused, prisoner (at the bar), indictee.

accusatóre A a. (*anche leg.*) accusing; accusatory **B** m. (f. *-trice*) accuser ● (*leg.*) **pubblico a.**, (public) prosecutor.

accusatòrio a. **1** accusatory: **lettera accusatoria**, accusatory letter; **con tono a.**, in an accusing tone; accusingly **2** (*leg.*) accusatorial; adversarial.

ace① **A** a. inv. (*di bevanda*) rich in vitamins A, C and E **B** m. inv. fruit juice (*or* drink) rich in vitamins A, C and E.

ace② m. inv. (*ingl., tennis*) ace.

acefalìa f. (*med.*) acephalia.

acèfalo a. acephalous.

---

acellulàre a. (*biol.*) acellular.

acerbità f. **1** (*di frutto*) unripeness; greenness **2** (*fig.: immaturità*) immaturity; inexperience; greenness; rawness **3** (*fig.: asprezza*) sharpness; tartness **4** (*fig.: durezza*) harshness; bitterness.

acèrbo a. **1** (*non maturo*) unripe; green: **frutta acerba**, unripe fruit; *Le pesche sono ancora acerbe* the peaches are still green **2** (*fig.: immaturo*) immature, green, raw; (*prematuro*) premature: **anni acerbi**, green years; **morte acerba**, premature death **3** (*di sapore acre*) sour; tart **4** (*fig.: aspro*) harsh; sharp: **un a. rimprovero**, a harsh rebuke **5** (*lett.: acuto*) sharp; bitter: **dolore a.**, bitter suffering.

aceréta f., **aceréto** m. maple wood.

àcero m. **1** (*bot.*, *Acer*) maple (tree): **a. americano** (*Acer negundo*), box elder; **a. campestre** (*Acer campestre*), field maple; **a. da zucchero** (*Acer saccharinum*), sugar-maple; **a. fico** (*o* **montano**) (*Acer pseudoplatanus*), sycamore; **a. riccio** (*Acer platanoides*), Norway maple; **a. rosso**, red maple; **sciroppo [zucchero] d'a.**, maple syrup [sugar] **2** (*legno*) maple-wood; maple.

acèrrimo a. (*implacabile*) very fierce; bitter; implacable: **a. nemico**, bitter enemy; **odio a.**, implacable hatred.

acescènte a. (*chim.*) acescent.

acescènza f. (*chim.*) acescence; acescency.

acetàbolo m. (*anat.*) acetabulum*.

acetabulària f. (*zool.*, *Acetabularia mediterranea*) acetabularia; mermaid's cup; mermaid's wine-glass.

acetaldèide f. (*chim.*) acetaldehyde.

acetàle m. (*chim.*) acetal.

acetammìde f. (*chim.*) acetamide.

acetàto m. **1** (*chim.*) acetate: **a. di cellulosa**, cellulose acetate; **a. di piombo**, lead acetate; **a. di alluminio**, aluminium acetate; **pellicola di a.** (*per protezione*), acetate **2** (*ind. tess.*) acetate; acetate silk **3** (*ind. discografica*) acetate.

acètico a. (*chim.*) acetic: **acido a.**, acetic acid.

acetièra f. vinegar bottle; cruet.

acetificàre v. t. (*chim.*) to acetify.

acetificatóre m. (*chim.*) acetifier.

acetificazióne f. (*chim.*) acetification.

acetilazióne f. (*chim.*) acetylation.

acetilcellulósa f. (*chim.*) cellulose acetate.

acetilcolina f. (*biochim.*) acetylcholine.

acetile m. (*chim.*) acetyl.

acetilène m. (*chim.*) acetylene.

acetilènico a. (*chim.*) acetylenic.

acetilico a. (*chim.*) acetylic.

acetilsalicilico a. (*chim.*) acetylsalicylic: **acido a.**, acetylsalicylic acid.

acetìmetro m. acetimeter.

acetìre v. i. to turn to vinegar.

◆**acéto** m. **1** vinegar: **a. balsamico**, aromatic vinegar; **a. di vino**, wine vinegar; **conservare [mettere] sotto a.**, to pickle; **cipolline sotto a.**, pickled onions; **verdura sotto a.**, pickles (pl.); (*di vino*) **prendere l'a.**, to turn to vinegar **2** (*fig. lett.*) bite; mordancy.

acetóne m. **1** (*chim.*) acetone **2** (*solvente per smalto*) nail-polish remover **3** (*med. fam.*) → **acetonemia, acetonuria**.

acetonemìa f. (*med.*) ketonemia.

acetonùria f. (*med.*) ketonuria.

acetósa f. (*bot.*, *Rumex acetosa*) sorrel; dock.

acetosèlla f. (*bot.*, *Oxalis acetosella*) wood sorrel.

acetosità f. sour taste; sourness; acidity; tartness.

a

acetóso a. acetous; vinegarish; vinegary; sour; tart.

Àchab m. (*Bibbia*) Ahab.

achènio m. (*bot.*) achene, akene.

achèo a. e m. (f. *-a*) (*stor.*) Achaean.

Acherónte m. (*mitol.*) Acheron.

achilìa f. (*med.*) achylia gastrica.

Achille m. Achilles.

achillèa f. (*bot.*, *Achillea millefolium*) yarrow; milfoil.

ACI sigla (*CONI*, **Automobile Club d'Italia**) Italian Automobile Association.

aciclico a. (*anche bot.*, *chim.*) acyclic.

acidificànte (*chim.*) **A** a. acidifying **B** m. acidifier.

acidificàre v. t., **acidificàrsi** v. i. pron. to acidify.

acidificazióne f. acidification.

acidimetrìa f. (*chim.*) acidimetry.

acidìmetro m. (*chim.*) acidimeter.

acidità f. **1** (*anche fig.*) acidity; sourness; tartness **2** (*chim.*) acidity **3** (*med.*) - **a. di stomaco**, heartburn; (*scient.*) pyrosis.

♦**àcido** **A** a. **1** sour; acid; tart: **latte a.**, sour milk; **diventare a.**, to go (o to turn) sour **2** (*fig.*) sour; acid; tart; crabbed: **risposta acida**, tart reply; **critica acida**, acid criticism; **carattere a.**, sour (o crabbed) temper **3** (*chim.*) acid; acidic: **pioggia acida**, acid rain; **roccia acida**, acidic rock; **sale a.**, acid salt; **terreno a.**, acid soil **B** m. **1** (*chim.*) acid **2** (*pop.*: *LSD*) acid.

acidofilo (*biol.*, *bot.*) a. acidophil; acidophilous: **organismo a.**, acidophil.

acidòlisi f. (*chim.*) acidolysis*.

acidòsi f. (*med.*) acidosis*.

acidulàre v. t. to acidulate.

acìdulo a. acidulous; sourish.

acinesìa f. (*med.*) akinesia.

acinètico a. (*med.*) akinesic.

àcino m. **1** (*d'uva*) grape; (*di bacca*) berry, (*scient.*) acinus* **2** (*grano*) bead **3** (*anat.*) acinus*.

acinóso a. **1** grape-like; berry-like **2** (*anat.*) acinous; acinose.

aclamidàto a. (*bot.*) achlamydeous.

aclassìsmo m. (*polit.*) classlessness.

aclassìsta, aclassìstico a. (*senza classi*) classless; (*di persona*) not class conscious, indifferent to class distinctions; (*di pensiero*) that ignores class distinctions.

ACLI sigla (**Associazioni cristiane lavoratori italiani**) Italian Workers Christian Associations.

acloridrìa f. (*med.*) achlorhydria.

àcme f. **1** (*med.*) crisis* **2** (*fig.*) highest point; height; climax*; acme: **l'a. di una carriera**, the highest point of a career; **l'a. della fama**, the height of fame.

àcne f. (*med.*) acne: **a. rosacea**, acne rosacea; rosacea.

acnèico a. (*med.*) acneic; (*di persona*) suffering from acne.

ACNUR sigla (*ONU*, **Alto Commissariato delle Nazioni Unite per i rifugiati**) United Nations High Commissioner for Refugees (UNHCR).

aconcettuàle a. non-conceptual: **arte a.**, non-conceptual art.

acondroplasìa f. (*med.*) achondroplasia.

acondroplàsico a. (*med.*) achondroplasic; achondroplastic.

aconfessionàle a. non-denominational; non-sectarian.

aconfessionalità f. non-denominationalism; non-sectarianism.

aconitìna f. (*chim.*) aconitine.

acònito m. (*bot.*, *Aconitum napellus*) monkshood; wolfsbane; aconite.

acònzia f. (*zool.*, *Chrysopelea ornata*) flying snake.

àcoro m. **1** (*bot.*, *Acorus calamus*) sweet flag; calamus* **2 - a. falso** (*bot.*, *Iris pseudacorus*), yellow flag.

acostituzionàle a. non-constitutional.

acotilèdone (*bot.*) **A** a. acotyledonous **B** f. acotyledon.

♦**àcqua** f. **1** water: **a. corrente**, running water; **a. del rubinetto**, tap water; **a. di mare**, sea water; salt water; **a. dei piatti**, dishwater; **a. dolce**, (*non salata*) fresh water; (*non dura*) soft water; **a. dura**, hard water; **a. ferma** (*o* **morta**), still (*o* stagnant) water; **a. minerale**, mineral water; (*gasata*) sparkling water; **a. piovana**, rainwater; **a. potabile [non potabile]**, drinking [non-drinkable] water; **a. salata** (*del mare*), salt water; **a. sorgiva**, spring water; **a. termale**, thermal water; (*al pl.*, *anche*) hot springs; **aprire [chiudere] l'a.**, to turn the water on [off]; **cadere in a.**, to fall into the water; (*da una barca*) to fall overboard; **bicchiere d'a.**, glass of water; **bicchiere da a.**, water glass; **getto d'a.**, spurt (o jet) of water; **giochi d'a.**, waterworks; **massa d'a.**, body of water; **pompa dell'a.**, water pump; **ad a.**, water (attr.); **pittura ad a.**, water-base paint **2** (al pl.) (*tratto d'a.*) waters: **acque interne**, inland waters; **acque poco profonde**, shallow waters; shallows; **acque territoriali**, territorial waters; **nelle acque di Napoli**, off the coast of Naples **3** (*pioggia*) rain: **a. a catinelle**, pouring rain; downpour; **prendere l'a.**, to get caught in the rain; **prendere un sacco d'a.**, to get soaked (o drenched); **rovescio d'a.**, downpour; shower **4** (*chim.*, *fis.*) water; aqua: **a. di calce**, lime-water; **a. forte**, nitric acid; **a. ossigenata**, hydrogen peroxide; **a. pesante**, heavy water; **a. ragia**, turpentine; turps (*fam.*); **a. regia**, aqua regia **5** (*di gemma*) water: **di a. purissima**, of the first water **6** (al pl.) (*liquido amniotico*) waters: *Le si sono rotte le acque*, her waters broke ● (*nei giochi infantili*) **A., a., fuoco, fuoco!**, (you're) getting cold, colder, warm, warmer! □ **a. alta**, deep water; (*di marea*) high tide; (*a Venezia*) water at flood level □ **a. bassa**, shallow water; shallows (pl.); (*di marea*) low tide □ **a. benedetta**, holy water □ (*fig.*) **un'a. cheta**, a sly one □ **a. di Colonia**, eau de Cologne (*franc.*) □ **a. di maggio**, spring rain; welcome rain □ **a. di rose**, rose-water □ **a. di seltz**, soda (o Seltzer) water □ (*fig.*) **a. e sapone**, without make-up; (*estens.*) natural, fresh □ **a. lustrale**, holy water □ **A. in bocca!**, keep it quiet!; keep quiet about it!; keep it under your hat!; mum's the word! (*fam.*) □ (*chim.*) **a. madre**, bittern □ (*fig.*) **a. passata**, water under the bridge; water over the dam (USA) □ **a. stagnante**, still water; (*vicino a fiume o mare*) backwater □ (*fig.*) **a. tinta**, (*caffè*) weak coffee; (*vino*) weak wine □ **a. tonica**, tonic water □ **a. viva**, spring water □ (*tecn.*) **acque bianche**, storm sewage (sing.) □ **acque di scarico**, drainage (sing.) □ **acque di scolo** (*o* **nere, luride**), waste water, sewage (sing.) □ **acque sotterranee**, groundwater (sing.) □ (*fig.*) **acque tranquille**, smooth water (sing.) □ (*fig.*) **acque tempestose**, troubled waters; storms and shoals □ **a fior d'a.**, on the surface of the water; (*subito sotto*) just under the surface of the water □ (*fig.*) **agitare le acque**, to stir the waters; to rock the boat □ (*fig.*) **all'a. di rose**, milk-and-water; watered-down; lukewarm; mild: **un rivoluzionario all'a. di rose**, a milk-and-water revolutionary; **una punizione all'a. di rose**, a mild punishment □ **avere l'a. alla gola**, to be chin-deep in water; (*fig.*: *per debiti, ecc.*) to be in deep waters; (*lottare col tempo*) to be racing against the clock □ **bere le acque** (*o* **fare la cura delle acque**), to take (o to

drink) the waters □ (*fig.*) **calmare le acque**, to pour oil on troubled waters □ (*fig.*) **della più bell'a.**, first-class (attr.): **un furfante della più bell'a.**, a first-class scoundrel □ **fare a.**, (*di recipiente e naut.*) to leak; (*fig.*) to be in trouble; (*eufem.: orinare*) to make (o to pass) water: **un secchio che fa a.**, a leaky bucket; (*fig.*) *La ditta fa a.*, the firm isn't doing well (o is losing money, is going down) □ (*fig.*) **fare a. da tutte le parti**, (*di ragionamento*) not to hold water; to be full of holes; (*di società, ecc.*) to be going down the tube (*fam.*); to be on the skids (*fam.*) □ (*naut.*) **fare provvista d'a.**, to take in water; to water □ **far scorrere l'acqua** (*dal rubinetto*), to let the water run □ **far scendere l'a.** (*nel gabinetto*), to flush the toilet □ **il filo dell'a.**, the direction of the current □ (*fig.*) **gettare a. sul fuoco**, (*calmare*) to pour oil on troubled waters; (*spegnere l'entusiasmo*) to dampen sb.'s enthusiasm □ (*fig.*) **gettare l'a. sporca con il bambino dentro**, to throw the baby out with the bathwater □ **essere** (*o* **navigare**) **in cattive acque**, to be hard-up; (*di ditta, ecc.*) to be in trouble □ (*fig.*) **lasciar calmare le acque**, to let the dust settle □ (*fig.*) **lasciare correre l'a. per la sua china**, to let things take their course □ **passare le acque**, to take the waters □ **Molta a. è passata sotto i ponti**, a lot of water has passed under the bridge □ **per via d'a.**, by water; (*per mare*) by sea □ (*fig.*) **portare a. al mare**, to carry coals to Newcastle □ **portare a. al mulino di**, to favour; (*fare il gioco di*) to play into the hand of; (*dare argomenti a*) to give ammo to □ (*fig.*) **puro come l'a. di fonte**, as pure as driven snow □ (*fig.*) **scrivere sull'a.**, to write on water □ **sopra il livello dell'a.**, above water □ **sott'a.**, underwater; (*inondato, anche*) flooded, inundated (*fig.*) □ **sotto il pelo dell'a.**, below water □ (*anche fig.*) **tenere la testa fuori dell'a.**, to keep one's head above water □ (*fig.*) **tirare l'a. al proprio mulino**, to act in one's own interest; to capitalize on st.; to make capital out of st.; (*rif. a un'argomentazione*) to have an axe to grind □ (*prov.*) **A. passata non macina più**, what's past is past; let bygones be bygones □ (*prov.*) **L'a. va al mare**, money goes where money is □ (*prov.*) **L'a. cheta rovina i ponti**, still waters run deep.

àcqua-àcqua loc. a. (*mil.*) surface-to-surface; ship-to-ship.

àcqua-ària loc. a. (*mil.*) surface-to-air; ship-to-air.

acquacoltùra → acquicoltura.

acquafòrte f. etching: **incidere all'a.**, to etch.

acquafortìsta m. e f. etcher.

acquagym → aquagym.

acquàio m. (kitchen) sink.

acquaiòlo **A** a. aquatic; water (attr.): **serpe acquaiola**, water snake **B** m. (*venditore d'acqua*) water vendor; (*portatore d'acqua*) water carrier.

acquamarìna f. (*miner.*) aquamarine.

acquanàuta m. e f. aquanaut.

acquapàrk m. inv. aquapark; waterpark.

acquaplàno m. aquaplane.

acquaràgia f. (*origine naturale*) turpentine, turps (*fam.*); (*sintetica*) white spirit.

acquarèllo e deriv. → **acquerello**, e deriv.

♦**acquàrio** m. aquarium.

Acquàrio m. **1** (*astron., astrol.*) Aquarius; (the) Water Bearer **2** (*astrol., di persona*) Aquarius; Aquarian.

acquartieraménto m. (*mil.*) quartering.

acquartieràre **A** v. t. (*mil.*) to quarter **B** **acquartieràrsi** v. rifl. (*mil. e fig.*) to take* up quarters.

acquasànta f. holy water.

acquasantièra f. (holy-water) stoup.

acquascìvolo m. water slide.

acquascooter m. jet-ski: **andare in a.**, to jet-ski; **persona che pratica l'a.**, jet-skier.

acquàta f. **1** heavy shower; downpour; cloudburst **2** (*naut.*) water supply: **fare l'a.**, to take in water; to water.

àcqua-tèrra loc. a. (*mil.*) ship-to-shore.

acquàtico a. aquatic; water (attr.): **parco a.**, aquapark; **pianta acquatica**, aquatic (*o* water) plant; **sport acquatici**, water sports; aquatics; **uccello a.**, waterbird; aquatic bird; (al pl., collett., anche) waterfowl.

acquatìnta f. (*arte*) aquatint.

acquattàrsi v. rifl. **1** (*accovacciarsi*) to crouch (down); to squat **2** (*nascondersi*) to hide*.

acquavìte f. brandy.

♦**acquazzóne** m. heavy shower; downpour; cloudburst.

acquedótto m. **1** waterworks (pl. col verbo al sing.); (*di tipo romano*) aqueduct: **a. municipale**, municipal waterworks **2** (*anat.*) aqueduct.

àcqueo a. aqueous; water (attr.): **vapore a.**, water vapour; (*anat.*) steam.

acquerellàre v. t. to paint in (*o* with) watercolours.

acquerellìsta m. e f. watercolourist.

acquerèllo m. watercolour; (*la tecnica, anche*) aquarelle: **dipingere all'a.**, to paint in (*o* with) watercolours.

acquerùgiola f. drizzle.

acquìcolo a. aquatic; water (attr.).

acquicoltóre m. aquaculturist.

acquicoltùra f. aquaculture.

acquiescènte a. acquiescent; compliant.

acquiescènza f. acquiescence (*anche* leg.); compliance; submission.

acquièscere v. i. to acquiesce (*anche* leg.); to submit; to consent tacitly; to yield.

acquietaménto m. appeasement; calming down.

acquietàre **A** v. t. **1** (*calmare*) to calm, to calm down, to still, to soothe; (*placare*) to placate, to appease, to allay: **a. le proprie paure**, to allay one's fears; **a. l'ira di q.**, to appease sb.'s anger **2** (*appagare, soddisfare*) to satisfy; to appease **B** **acquietàrsi** v. i. pron. to calm down; to quieten down; to settle down; (*di vento, ecc.*) to fall*, to drop, to subside.

acquìfero a. (*geol.*) water-bearing: **falda acquifera**, water table; aquifer.

acquirènte m. e f. buyer; purchaser; (*in un negozio*) shopper.

acquisìre v. t. **1** to acquire; to get*: **a. un'abitudine**, to acquire (*o* to develop) a habit; **a. un diritto**, to acquire a right **2** (*fin.: rilevare*) to take* over ● (*leg.*) **a. qc. agli atti**, to admit st. as evidence.

acquisìtivo a. acquisitive.

acquisìto a. acquired: (*leg.*) **diritto a.**, vested right; **fatto a.**, unquestionable fact; **malattia acquisita**, acquired disease; **parenti acquisiti**, relatives by marriage; in--laws.

acquisitóre m. (f. **-trice**) **1** acquirer **2** (*compratore*) buyer; purchaser.

acquisizióne f. **1** acquisition: **l'a. di un diritto [di un'abilità]**, the acquisition of a right [of a skill] **2** (*fin.: rilevamento*) take over; buy out: **a. con capitale di prestito**, leveraged buyout.

acquistàbile a. **1** buyable; purchasable **2** (*che si può procurare*) gainable; acquirable.

♦**acquistàre** **A** v. t. **1** (*comprare*) to buy*; to purchase; (*sport*) to sign up, to engage: **a. azioni**, to purchase shares; **a. una casa**, to buy a house; **a. un giocatore**, to sign up a player; **a. all'ingrosso [al minuto]**, to buy wholesale [retail]; **a. in contanti** to buy for cash **2** (*fin.*) to take over: **a. il controllo di una società**, to take over a company **3** (*procurarsi, guadagnare*) to gain; to acquire; to obtain; to win*; to gather: **a. esperienza**, to gain (*o* to acquire) experience; **a. fama**, to gain (*o* to win) fame; **a. forza**, to gain strength; **a. peso**, to put on weight; **a. tempo**, to gain time; (*fig.*) **a. terreno**, to gain ground; **a. velocità**, to gain (*o* to gather, to pick up) speed **B** v. i. (*migliorare*) to improve: **a. in salute [in simpatia, in bellezza]**, to become healthier [nicer, more attractive].

♦**acquìsto** m. **1** (*l'acquistare*) purchasing; purchase; buying: **a. all'ingrosso** wholesale buying; bulk purchasing; bulk purchase; **a. in contanti**, cash purchase; **potere d'a.**, purchasing (*o* buying) power; **ordine d'a.**, purchase order **2** (*cosa acquistata*) purchase; buy; acquisition: **un buon a.**, a good buy; a bargain; **gli acquisti**, purchases; shopping ⟲; **gli acquisti di Natale**, the Christmas shopping; **uscire per (fare) acquisti**, to go shopping; *Hai fatto acquisti?*, did you buy anything?; did you do any shopping?; *Ti ho fatto vedere il mio ultimo a.?*, did I show you what I've just bought? **3** (*fin.*) take-over; buy-out: **a. del pacchetto di maggioranza**, buy-out; buy-in; (*Borsa*) **ordine d'a.**, buy order **4** (*estens.: persona che entra a far parte di qc.*) acquisition; addition: **un ottimo a. per la squadra**, an excellent addition to the team **5** (*sport: ingaggio*) signing: **campagna acquisti**, transfer market; transfer season **6** (*leg.*) acquisition: **a. derivativo**, derivative acquisition; **a. originario**, original acquisition ● (*iron.*) **un bell'a.**, a real bargain ● **buono a.**, voucher.

acquitrìno m. marsh; swamp; bog.

acquitrinóso a. marshy; swampy; boggy.

acquolìna f. – *Avevo l'a. in bocca*, my mouth was watering; **far venire l'a. in bocca a q.**, to make sb.'s mouth water.

acquòreo a. (*lett.*) watery.

acquosità f. wateriness.

acquóso a. **1** (*annacquato*) watery, thin; (*troppo liquido*) runny: **minestra acquosa**, watery soup; **salsa acquosa**, thin sauce **2** (*impregnato d'acqua*) soggy: **terreno a.**, soggy ground **3** (*chim., fis.*) aqueous.

àcre a. **1** (*di sapore*) acid; tart; sour; acrid **2** (*di odore*) acrid; pungent: **fumo a.**, acrid smoke; **odore a.**, pungent smell **3** (*di suono*) harsh; shrill; strident **4** (*fig.: acrimonioso*) acrimonious; sour; tart; bitter; acrid **5** (*fig.: mordace*) sharp; biting; acerbic.

acrèdine f. **1** (*acidità*) sourness; acridness **2** (*fig.: acrimonia*) acrimony; bitterness; rancour; acridity.

acrìbia f. scrupulousness; painstaking accuracy.

acridìna f. (*chim.*) acridine.

acrilàto m. (*chim.*) acrylate.

acrìle m. (*chim.*) acryl.

acrìlico a. (*chim.*) acrylic.

acrimònia f. acrimony; bitterness; rancour.

acrimonióso a. acrimonious; bitter; rancorous.

acriticità f. uncritical attitude; dogmaticism.

acrìtico a. uncritical; dogmatic.

àcro m. acre.

acròbata m. e f. acrobat; tumbler.

acrobàtica f. acrobatics (pl.).

acrobàtico a. acrobatic: (*aeron.*) **pattuglia acrobatica**, acrobatic team; **volo a.**, acrobatics (pl.).

acrobatìsmo m. **1** (*arte dell'acrobata*) acrobatics (pl. col verbo al sing.) **2** (*acrobazie*) acrobatics (pl.).

acrobazìa f. acrobatic feat; stunt; (al pl., anche) acrobatics: (*aeron.*) **acrobazie aeree**, acrobatics; stunts; stunt flying; (*fig.*) **acrobazie cerebrali**, mental acrobatics; **fare acrobazie**, to do acrobatics; (*aeron., anche*) to perform stunts; (*fig.*) to do one's utmost, to exercise one's ingenuity; **fare acrobazie per arrivare alla fine del mese**, to struggle to make ends meet.

acrocefalìa f. (*med.*) acrocephaly.

acrocèfalo a. (*med.*) acrocephalic.

acrocòro m. plateau.

acròlito m. acrolith.

acromàtico a. (*fis.*) achromatic: **lente acromatica**, achromatic lens; achromat.

acromatìsmo m. (*fis.*) achromatism.

acromatopsìa f. (*med.*) achromatopsia.

acromegalìa f. (*med.*) acromegaly.

acromegàlico a. (*med.*) acromegalic.

acromìa f. (*med.*) achromia; achromasia.

acròmio, **acromion** m. (*anat.*) acromion; acromion process.

acrònimo m. acronym.

acròpoli f. acropolis.

acròstico a. e m. acrostic.

acrotèrio m. (*archit.*) acroterion; acroterium*; acroter.

acrotònico a. (*ling.*) stressed on the first syllable.

actèa f. (*bot., Actaea spicata*) baneberry; herb Christopher.

actìna f. (*biochim.*) actin.

actinomicète m. (*biol.*) actinomycete; (al pl., *scient.*) Actinomycetales.

actinomicòsi f. (*med.*) actinomycosis*.

actinomòrfo a. (*bot.*) actinomorphic.

acufène m. (*med.*) tinnitus.

acuìre **A** v. t. to sharpen; to intensify; to heighten; to whet; to stimulate; (*aggravare*) to worsen, to exacerbate: **a. l'appetito**, to whet the appetite; **a. un dolore**, to exacerbate a pain; **a. l'interesse**, to stimulate interest; **a. le sensazioni**, to sharpen sensations **B** **acuìrsi** v. i. pron. to sharpen; to intensify; (*peggiorare*) to worsen, to grow* worse.

acuità f. acuity; acuteness; sharpness.

aculeàto **A** a. (*bot., zool.*) aculeate; spiny; (*bot., anche*) prickly, thorny **B** m. (*zool.*) aculeate; (al pl., *scient.*) Aculeata.

acùleo m. **1** (*bot.*) prickle; thorn **2** (*zool.*: *pungiglione*) sting; (*di porcospino*) quill, spine prickle **3** (*fig.*) sarcastic remark; sting; barb.

acùme m. acumen; penetration; insight; perspicacity.

acuminàre v. t. to sharpen.

acuminàto a. sharp; pointed; (*bot., zool.*) acuminate.

acùsma m. (*med.*) acousma.

acùstica f. **1** (*fis.*) acoustics (pl. col verbo al sing.) **2** (*di ambiente*) acoustics (pl.): *L'a. della sala era ottima*, the acoustics of the hall were excellent.

acùstico a. **1** (*rif. all'acustica*) acoustic: **onde acustiche**, acoustic waves **2** (*rif. al suono e all'udito*) sound (attr.); auditory; acoustic; hearing (attr.); ear (attr.): **apparecchio a.**, hearing aid; **assorbimento a.**, sound absorption; **cornetto a.**, ear trumpet; **impianto a.**, sound equipment; **nervo a.**, auditory (*o* acoustic) nerve.

acutàngolo a. (*geom.*) acute-angled.

acutézza f. **1** (*acuminatezza*) acuteness; sharpness; fineness **2** (*geom.*) acuteness **3** (*di suono*) shrillness **4** (*mus.*) height **5** (*di vista, udito*) sharpness; keenness **6** (*perspicacia*) acumen; sharpness; perspicacity; subtlety.

acutizzàre **A** v. t. to sharpen; to intensi-

a

fy; (*aggravare*) to worsen, to aggravate B **acutizzàrsi** v. i. pron. **1** to sharpen; to intensify; (*peggiorare*) to worsen **2** (*med.*) to become* acute.

♦**acùto** A a. **1** (*appuntito*) sharp; pointed; fine; acute: (*archit.*) **arco a sesto a.**, lancet (*o* pointed, acute) arch **2** (*intenso*) acute; sharp; intense: **desiderio a.**, intense longing; **dolore a.**, acute pain; **odore a.**, strong (*o* pungent) smell **3** (*perspicace*) sharp; perceptive; keen; acute; subtle **4** (*di vista, mente*) sharp; keen; penetrating; acute: **vista acuta**, sharp eye **5** (*grave*) acute; severe; serious; critical **6** (*gramm., mat., med.*) acute: **accento a.**, acute accent; **angolo a.**, acute angle; **appendicite acuta**, acute appendicitis **7** (*di suono*) acute; penetrating; high-pitched; piercing; shrill **8** (*mus.*) high: **note acute**, high notes B m. (*mus.*) high note.

AD sigla **1** (*polit.*, **Alleanza Democratica**) Democratic Alliance **2** (*lat.: Anno Domini*) (**nell'anno del Signore**) in the year of the Lord (AD).

ad → **a.**

Àda f. Ada.

adacquàre v. t. (*agric.*) to water; to irrigate.

adagétto m. (*mus.*) adagetto.

adagiàre A v. t. (*coricare*) to lay*, to lay* down; (*posare con cura*) to put* down with care, to set* down, to rest: **a. un malato sul letto**, to lay a patient on the bed; **a. qc. in terra**, to set st. down on the ground; **essere adagiato su qc.**, to be lying on st.; to be resting on st. B **adagiàrsi** v. rifl. **1** (*mettersi comodo*) to lie* back, to settle (oneself) down, to settle comfortably; (*sdraiarsi*) to lie* down: **adagiarsi sul divano**, to lie back on the sofa **2** (*fig.: abbandonarsi*) to sink*; to settle down: **adagiarsi sugli allori**, to rest on one's laurels; **adagiarsi nella solita routine**, to settle down into a routine; *Non è il momento di adagiarsi!*, this is not the time to be taking it easy!

adagino avv. carefully; with care; gently.

♦**adàgio** ① A avv. **1** (*lentamente*) slowly; slow: **parlare a.**, to speak slowly; **andare più a.**, to slow down **2** (*senza fretta*) leisurely; in a leisurely fashion; unhurriedly **3** (*con cautela*) cautiously, carefully; (*delicatamente*) gently, softly: *A.!*, easy!; *A. con quel baule!*, careful with that trunk!; *Ecco, a., così!*, easy (*o* gently) does it! ● **a. a.**, (*lentamente*) very slowly; (*cautamente*) gingerly □ (*scherz.*) **A., Biagio!**, take it easy!; hold your horses! □ **A. col sale!**, go easy on the salt! B m. (*mus.*) adagio*.

adàgio ② m. (*sentenza*) adage; saying; saw; maxim.

adamantino a. **1** diamond-like **2** (*fig.*) adamantine; (*di onestà*) unimpeachable; absolute; (*di coscienza*) clear.

adamitico a. – ● (*scherz.*) **in costume a.**, in one's birthday suit; in the altogether (*fam.*).

Adàmo m. Adam.

adattàbile a. adaptable; adjustable; flexible.

adattabilità f. adaptability; flexibility.

adattaménto m. **1** adaptation; accommodation: **spirito di a.**, ability to adapt; adaptability **2** (*assestamento*) adjustment; **periodo di a.**, period of adjustment **3** (*biol., ling.*) adaptation **4** (*versione*) adaptation; version; (*mus.*) arrangement, transcription: **a. radiofonico** [**teatrale**], radio [stage] adaptation; **a. per orchestra**, orchestral arrangement **5** (*ottica*) adaptation; accommodation.

♦**adattàre** A v. t. **1** (*adeguare*) to adapt, to accommodate, to adjust, to gear; (*conformare*) to shape, to suit; (*armonizzare*) to attune:

a. la produzione alla domanda, to gear production to demand; **a. il proprio comportamento alla circostanza**, to adapt one's behaviour to suit the situation **2** (*applicare*) to fit: **a. un manico a un martello**, to fit a handle to a hammer **3** (*sistemare*) to arrange, to fit; (*modificare*) to alter; (*trasformare*) to convert into: **a. un cappotto**, to alter a coat; **a. una soffitta a studio**, to convert an attic into a study **4** (*mus.*) to arrange; to set* **5** (*un romanzo, ecc.*) to adapt; to dramatize: **a. un romanzo per il cinema**, to adapt (*o* to dramatize) a novel for the screen B **adattàrsi** v. rifl. **1** (*abituarsi*) to adapt (oneself); to adjust (oneself); to accommodate oneself; to fit in: **adattarsi a un ambiente nuovo**, to adjust to a new environment; *Sa adattarsi a qualunque situazione*, she can adapt to (*o* fit into) any situation; **adattarsi ai tempi**, to go with the times **2** (*assuefarsi*) to adapt; to fit: **piante che si adattano a un suolo sabbioso**, plants that adapt to a sandy soil **3** (*accettare*) to put* up (with); to make* the best (of); to submit (to); (*rassegnarsi*) to resign oneself (to): *Non è perfetto, ma dovremo adattarci*, it's not perfect, but we'll have to make the best of it; **adattarsi alla disciplina**, to submit to discipline; **adattarsi alla povertà**, to resign oneself to poverty C **adattàrsi** v. i. pron. (*essere adatto*) to fit; (*armonizzarsi*) to go* (with), to suit (st.), to be suitable (to); (*addirsi, stare bene a q.*) to suit (sb.): *La chiave non s'adatta alla serratura*, the key doesn't fit the lock; *Questa camicetta non si adatta alla gonna*, this blouse doesn't go with this skirt; *Il lavoro le si adatta benissimo*, the job suits her perfectly.

adattativo a. (*biol., med., tecn.*) adaptive.

adattatóre m. **1** (*teatr., cinem., TV*) adapter, adaptor **2** (*tecn., chim.*) adaptor, adapter **3** (*elettr.*) (plug) adapter, adaptor; travel plug.

♦**adàtto** a. right; fit; suitable; suited (pred.): **il momento a. per qc.**, the right (*o, form.*, suitable) time to do st.; *Non ho il vestito a.*, I haven't got a suitable dress; **un film a. ai bambini**, a film suitable for children; **scegliere l'arnese a.**, to choose the right tool; *Non è a. a questo lavoro*, he isn't suitable for this job; **una pianta adatta ai climi freddi**, a plant suited to cold climates; **a. allo scopo**, right (*o* fit) for the purpose.

addebitàbile a. chargeable (to); (*imputabile*) that can be blamed (on), due (to).

addebitaménto m. (*comm.*) debit; debiting.

addebitàre v. t. **1** to debit; to charge: **a. una somma a q.**, to debit a sum to sb.; to debit sb. with a sum; *Le addebiteremo in conto la somma di...*, we will debit your account with...: *Mi hanno addebitato le spese di riparazione*, I've been charged for the repairs **2** (*imputare*) to charge (sb. with st.); to blame (sb. for st.): **a. una colpa a q.**, to blame sb. for st.; *La responsabilità dell'incidente fu addebitata all'autista*, the driver was blamed for (*o* was held responsible for) the accident.

addébito m. **1** debit; charge: **a. diretto**, direct debit; **a. in conto corrente**, debit on the current account; **a. di spese**, charge of costs; **a. eccessivo**, overcharge; **fare un a. a un conto**, to charge an account; **nota di a.**, debit note **2** (*imputazione*) charge; allegation; imputation: **muovere un a. a q.**, to charge sb. with st.; **respingere ogni a.**, to deny all charges.

addènda (*lat.*) m. pl. addenda.

addèndo m. (*mat.*) addend.

addensaménto m. **1** (*ispessimento*) thickening; (*condensazione*) condensation; (*coagulazione*) clotting **2** (*accumulo*) accumulation; build-up **3** (*affollamento*) gathering;

thronging.

addensànte A a. thickening B m. (*tecn.*) thickener; thickening agent.

addensàre A v. t. **1** (*rendere denso*) to thicken **2** (*accumulare*) to accumulate; to build* up B **addensàrsi** v. i. pron. **1** (*diventare denso*) to thicken; to gel **2** (*infittirsi*) to thicken; to grow*; to build* up: *Le ombre si addensavano*, shadows were thickening; *Le nuvole s'addensavano in cielo*, clouds were building up in the sky **3** (*affollarsi*) to gather; to crowd; to throng.

addensatóre m. (*ind. min.*) thickener.

addentàre v. t. **1** to bite* (st., into st.); to sink* one's teeth into: **a. una salsiccia**, to bite into a sausage; **a. la mano a q.**, to sink one's teeth into sb.'s hand; *Mi ha addentato un cane*, a dog bit me; *Il lupo fece per addentarlo*, the wolf snapped at it **2** (*fig., di utensile*) to grip.

addentatùra f. **1** (*di utensile*) grip **2** (*mecc.*) cogging.

addentellàre v. t. (*archit.*) to leave* a toothing (at the end of a wall).

addentellàto m. **1** (*archit.*) toothing **2** (*fig.*) connection; link.

addentràrsi v. i. pron. (*anche fig.*) to penetrate (into); to strike* out (into); to enter (st.); to enter (into); to go* (into): **a. in una discussione**, to enter into (*o* to get involved in) a debate; **a. nei dettagli**, to go into detail (*o* details); **a. in una foresta**, to enter a forest; **a. in una regione sconosciuta**, to penetrate (*o* to strike out) into an unknown region.

addéntro avv. **1** (*stato*) inside, within; (*moto*) into (prep.): **vedere a. nelle cose**, to see deeply into things; **più a.**, further in; further into st.; deeper **2** (*fig.: informato*) well-informed (about); in the know (*fam.*): **essere a. nelle cose della politica**, to be well-informed about political matters; *È uno molto a.*, he is in the know (*fam.*).

addestràbile a. trainable.

addestraménto m. training; (*esercitazione*) drill: **a. del personale** staff training; (*mil.*) **a. al combattimento**, battle training; (*mil.*) **a. al tiro**, shooting (*o* firing) practice; **a. di cani**, dog training; **corso di a.**, training course; (*mil.*) **marcia d'a.**, route march; **fare a.**, to train; to drill.

♦**addestràre** A v. t. to train, to break* in (*anche animali*); to exercise; to school; (*mil.*) to drill; (*istruire*) to teach*: **a. i soldati all'uso del fucile**, to drill soldiers in the use of rifles; **a. q. all'uso del computer**, to train sb. in the use of a computer; **a. q. alla guida**, to teach sb. to drive B **addestràrsi** v. rifl. to train; (*fare pratica*) to practise, to practice (*USA*); (*imparare*) to teach* oneself.

addestratóre m. (f. **-trìce**) trainer.

addétto A a. **1** (*assegnato*) assigned (to), appointed (to); (*responsabile*) in charge (of): *Fui a. a quel lavoro*, I was assigned to that job; *Sono a. al personale*, I am in charge of staff; **l'impiegato a. all'archivio**, the clerk (*o* the person) in charge of the archive; **il personale a. alle pulizie**, the cleaning staff; the cleaners **2** (*adibito*) assigned (to); used (for) ❶ FALSI AMICI • addetto *non si traduce con* addicted B m. (f. **-a**) (*persona responsabile*) person in charge; (*impiegato*) clerk, officer; (*tecnico*) operator; (*commesso e sim.*) assistant, attendant; (*di uso generico*) man* (f. woman*), person: **a. agli acquisti**, buyer; **l'a. al banco**, the clerk at the counter; **a. alla caldaia**, boiler operator; boilerman; **a. alle consegne**, delivery man; **a. ai lavori**, (*in un cantiere*) authorized person; (*fig.*) expert, insider; **non a. ai lavori**, (*in un cantiere*) unauthorized person; (*fig.*) layman, outsider; **a. alla manutenzione**, maintenance man; **a. alla sicurezza**, security officer; **a.**

alle spedizioni, shipping clerk; **a. alle vendite**, sales assistant; sales executive; (*USA*) sales associate; **a. stampa**, press agent; press officer **2** (*diplomazia*) attaché (*franc.*): **a. navale**, naval attaché ❶ **FALSI AMICI** • addetto *non si traduce con* addict.

addì avv. (*stor.*, *bur.*) on the (day) of: **a. 17 aprile**, on the 17th of April; on April 17th.

addiàccio m. **1** (*per pecore*) pen; fold **2** (*bivacco*) bivouac ● **dormire all'a.**, to sleep in the open.

addiètro avv. **1** (*indietro*) back; backwards **2** (*prima*) before; earlier; back (*fam.*); ago: **qualche tempo a.**, some time before (*o* back); (*rispetto a ora*) some time ago.

♦**addìo** **A** m. goodbye; farewell (*form.*); adieu (*lett.*); (*il lasciarsi*) parting: **un a. freddo**, a cold goodbye (*o* parting); **dare l'a. a qc.**, to leave st.; **dare l'a. alle scene**, to leave the stage; to take* one's last bow; (*con uno spettacolo*) to give a farewell performance; **dire a. a q.**, to say goodbye to sb.; to wish sb. goodbye; to bid sb. farewell; **dire a. a qc.**, to renounce st.; to kiss st. goodbye (*fam.*); **lettera d'a.**, farewell letter; **il momento dell'a.**, the moment of parting; **parole d'a.**, parting words; **serata d'a.**, farewell party; (*teatr.*) farewell performance **B** inter. goodbye; farewell (*form. o lett.*); adieu (*lett.*): *A. a tutti!*, goodbye everybody!; *A. per sempre!*, farewell for ever ● **A. vacanze!**, bang goes my holiday! (*fam.*) □ **Con quel rumore, a. sonno**, with that noise going on, it was goodbye sleep □ **Ha preso i soldi e a.!**, he took the money and that was that □ **Se lo scoprono, a.!**, if they find out, that's the end of it!

♦**addirittùra** avv. **1** (*davvero, assolutamente*) absolutely; positively; actually; nothing short of; downright: *È a. ridicolo*, it's positively ridiculous; *Il suo comportamento è stato a. eroico*, his behaviour was nothing short of heroic **2** (*nientemeno, persino*) even; (*come escl.*) really!, you don't say!: *Gli ha a. dato del bugiardo*, he even called him a liar; *«Le ha comprato un appartamento.» «A.!»* «He bought her a flat.» «Really!» **3** (*direttamente*) directly, straight; (*senza indugio*) straight away, right away: *Andrò a. in stazione senza aspettarli*, I'll go directly to the station without waiting for them.

addirsi v. i. pron. to be suitable (to, for); to suit (sb., st.); to become* (sb.); to befit (sb., st.): *Quel lavoro non gli si addice*, that job is not suitable for him; **una casa che si addice alla sua posizione**, a house suitable to (*o* that befits) his position; **un colore che non ti si addice**, a colour that does not suit you; **trucchetti che non vi si addicono**, cheap tricks that do not become you.

addisoniàno (*med.*) **A** a. Addisonian **B** m. person suffering from Addison's disease.

additàre v. t. **1** to point (at, to) **2** (*fig.: indicare*) to point out ● **a. a esempio**, to hold up as an example.

additivàre v. t. to mix with an additive.

additivo A a. (*mat.*) additive **B** m. (*chim.*) additive.

addivenìre v. i. to come* (to); to reach (st.): **a. a un accordo**, to come to (*o* to reach) an agreement.

addizionàle A a. additional; supplementary; further; extra (attr.) **B** f. (*fin.*, anche agg.) **imposta a.**, additional tax; surtax.

addizionàre v. t. **1** (*sommare*) to add, to add up; (*fare il totale*) to total, to tot up (*GB*): **a. tre cifre**, to add up three figures **2** (*aggiungere*) to add; to mix **3** (*chim.*) to add: **a. anidride carbonica**, to charge with carbon dioxide; to carbonate.

addizionatrice f. adding machine.

addizióne f. **1** (*mat.*) addition, adding up; (*somma*) sum: **fare un'a.**, to do a sum; *Sa fa-*

re le addizioni, she can add up; she can do her sums; **segno di a.**, plus sign **2** (*chim.*) addition ❶ **FALSI AMICI** • addizione *non si traduce con* addiction.

addobbaménto → **addobbo**.

addobbàre A v. t. **1** (*decorare*) to decorate; to deck out: **a. l'albero di Natale**, to dress the Christmas tree; **a. un altare**, to vest an altar; **a. una sala**, to decorate a room; *Le strade erano addobbate di bandiere*, the streets were decked out with flags **2** (*abbigliare*) to dress up; to array (*form.*) **B addobbàrsi** v. rifl. to dress up; to deck oneself out; (*scherz.*) to put* on one's finery.

addobbatóre m. (f. **-trice**) decorator.

addòbbo m. decoration; ornament; (*drappi, arazzi*) hangings (pl.): **addobbi natalizi**, Christmas decorations; **addobbi ecclesiastici**, church hangings (pl.).

addolciménto m. **1** sweetening **2** (*fig.*) softening; mellowing; calming (down); mitigation.

addolcire A v. t. **1** to sweeten: **a. una medicina**, to sweeten a medicine **2** (*fig.*) to soften; to mitigate: **a. un rimprovero**, to soften a reproach **3** (*fig.: calmare*) to soothe; to calm (down) (*fam., metall.*) to soften: **a. l'acqua**, to soften water **B addolcirsi** v. i. pron. **1** to become* sweet (*o* sweeter) **2** (*fig.*) to grow* mild (*o* milder); to soften; to mellow: *Il suo sguardo si addolcì*, her eyes softened; **addolcirsi con gli anni**, to mellow with age.

addolcitóre m. (*chim.*) (water) softener.

addoloràre A v. t. (*rattristare*) to sadden, to grieve, to pain; (*angosciare*) to distress, to upset*; (*ferire*) to wound, to hurt*, to pain: *Mi addolora sapere che...*, it grieves (*o* pains) me to know that...; *La sua morte ci addolorò tutti*, his death distressed us all; *Le tue parole mi hanno addolorato*, I was hurt (*o* upset) by your words **B addolorarsi** v. i. pron. to grieve (at, for, over); (*essere spiacente*) to be sorry (for), to regret (st.).

Addoloràta f. (*relig.*) Our Lady of Sorrows.

addoloràto a. (*ferito*) wounded, hurt, pained; (*afflitto*) sad, saddened, afflicted, sorrowful, grieving; (*spiacente*) regretful, sorry: **sguardo a.**, a sorrowful look; **voce addolorata**, sad voice; *Siamo addolorati di apprendere che...*, we are (*o* were) sorry to hear that...

addòme m. (*anat.*) abdomen.

addomesticàbile a. **1** (*di animale*) tameable **2** (*di pianta*) trainable.

addomesticaménto m. **1** (*di animale*) taming; domestication **2** (*di pianta*) training **3** (*fig., di conti, ecc.*) fiddling; (*di un risultato*) rigging.

addomesticàre A v. t. **1** (*un animale*) to tame; to domesticate **2** (*una pianta*) to train **3** (*una persona*) to soften; to tame; to civilize **4** (*fig.: manipolare*) to fix; to fiddle (*fam.*); to cook (*fam.*); to rig: **a. i libri contabili**, to fiddle (*o* to cook) the books; **a. i risultati**, to rig the results **B addomesticàrsi** v. i. pron. **1** (*di animale*) to become* (*o* to grow*) tame **2** (*di persona*) to become* (*o* to grow*) more sociable.

addomesticàto a. **1** tamed; tame **2** (*fig.: manipolato*) fixed; cooked (*fam.*); fiddled (*fam.*); (*di risultato*) rigged: **elezioni addomesticate**, rigged election.

addomesticatóre m. (f. **-trìce**) tamer.

addominále A a. (*anat.*) abdominal; stomach (attr.): **muscoli addominali**, abdominal muscles; **dolori addominali**, stomach pain **B** m. (generalm. al pl.) **1** abdominal muscles; abs (*fam.*) **2** (*fam.: esercizi*) exercises for the abdominal muscles.

addoppiatóio m. (*ind. tess.*) doubler.

addoppiatùra f. (*ind. tess.*) doubling.

♦**addormentàre A** v. t. **1** to put* to sleep; (*far venire sonno, anche*) to send* to sleep: **un libro che ti addormenta**, a book that sends you to sleep; **a. q. cullando [cantando]**, to rock [to sing] sb. to sleep **2** (*med.*) to anaesthetize; to put* to sleep **3** (*intorpidire*) to numb; to dull: **a. i sensi**, to dull the senses **B addormentàrsi** v. i. pron. **1** to fall* asleep; to go* to sleep; (*in frasi neg.*) to get* to sleep: *Si addormentò subito*, he fell instantly asleep; *Si è addormentato?*, has he gone to sleep (*o* fallen asleep)?; **addormentarsi su un libro**, to fall asleep over a book; **stentare ad addormentarsi**, to have difficulty getting to sleep; *Non riesco ad addormentarmi*, I cannot get to sleep **2** (*di arto*) to go* numb; to go* to sleep (*fam.*): *Mi si è addormentato un braccio*, my arm has gone numb (*o* has gone to sleep, is asleep) ● (*fig.*) **addormentarsi in piedi**, to be unable to keep one's eyes open □ (*fig.*) **addormentarsi nel Signore**, to die in peace.

♦**addormentàto A** a. **1** sleeping; asleep (pred.): **un bambino a.**, a sleeping child; **essere profondamente a.**, to be sound asleep **2** (*assonnato*) sleepy; half asleep: **avere l'aria addormentata**, to look half asleep **3** (*fig.: torpido*) slow; dull **4** (*di arto*) benumbed; numb; asleep (pred., *fam.*) **5** (*anestetizzato*) anesthetized ● **la Bella Addormentata**, Sleeping Beauty **B** m. (f. **-a**) (*fig.*) slow person; dullard.

addossàre A v. t. **1** (*appoggiare*) to set* (against); to move (against); to push (against): **a. un armadio al muro**, to push a wardrobe against the wall **2** (*fig.: caricare*) to saddle (sb. with st.); to burden (sb. with st.); to lay* (st. on sb.): *Mi hanno addossato tutta la responsabilità*, I've been saddled with all the responsibility; **a. una colpa a qc.**, to lay the blame for st. on sb. **3** (*fig.*) **addossarsi** to take* upon oneself; to shoulder; to saddle oneself with: **addossarsi ogni colpa**, to take all the blame upon oneself; **addossarsi il passivo della società**, to shoulder the company's liabilities; **addossarsi una spesa**, to saddle oneself with an expense **B addossàrsi** v. rifl. e rifl. recipr. **1** (*appoggiarsi*) to lean* against: **addossarsi al muro**, to lean against the wall **2** (*accalcarsi*) to crowd; to jostle: *La gente si addossava per vedere*, people were crowding to have a look.

addossàto a. **1** leaning against; right against **2** (*arald.*) addorsed.

♦**addòsso A** avv. (*sul corpo, su di sé*) on: **mettersi a. un cappotto**, to put on a coat; *Non aveva niente a.*, he had no clothes on; *Aveva a. un pigiama di seta*, he was wearing a silk pyjamas; **mettere a. tristezza**, to depress; to get one down **B addòsso a** loc. prep. **1** (*sopra*) on; on top of: **mettere le mani a. a q.**, to lay hands on sb.; (*scorgere*) **mettere gli occhi a. a q.**, to set eyes on sb.; (*provar attrazione per, desiderare*) to take a fancy to sb. [st.]; to have one's eye on sb. [st.]; *Ci sono a.*, they are on top of us; *Si è tirato a. la credenza*, he pulled the cupboard down on top of him; *Mi sento a. l'influenza*, I think I have flu coming on; **stare uno a. all'altro**, to be on top of each other (*o* one another) **2** (*contro*) – **andare a. a q.**, (*urtare*) to bump into sb.; (*investire*) to run sb. down; (*assalire*) to attack sb.; **dare a. a q.**, (*attaccare*) to attack sb., to go for sb.; (*criticare*) to criticize sb., to find fault with sb. **3** (*molto vicino*) close up against; close to ● **A.!**, get him!; get them! □ (*fam.*) **farsela a.**, to wet one's pants; to be in one's pants □ **parlarsi a.**, to waffle; to blather; to rabbit on (*fam.*) □ (*fig.*) **stare a. a q.** (*assillare*), to be on sb.'s back; to keep on at sb. □ **tirarsi a. le disgrazie**, to bring mis-

a

fortune down upon oneself.

addottoraménto m. graduation; conferment of a (university) degree; (*cerimonia*) graduation ceremony.

addottoràre A v. t. to confer a (university) degree on B **addottoràrsi** v. i. pron. to graduate; to take* a degree.

addottrinaménto m. teaching; instruction.

addottrinàre v. t. to teach*; to instruct.

adducìbile a. adducible.

addugliàre v. t. (*naut.*) to fake; to coil.

addùrre v. t. 1 (*offrire, presentare*) to produce; to bring* (*o* to put*) forward; to offer; to advance; to adduce; (*come scusa*) to plead; (*citare*) to quote, to cite: **a. prove**, to produce (*o* to bring) evidence; **a. una scusa**, to offer an excuse; **a. come scusa l'ignoranza**, to plead ignorance; **a. diverse ragioni**, to advance (*o* to offer, to put forward) several reasons; **a. a esempio**, to quote as an example 2 (*anat.*) to adduct.

adduttóre (*anat.*) A a. adducent B m. adductor.

adduzióne f. (*fisiol.*) adduction.

Àde m. (*mitol.*) Hades; (the) underworld.

adeguàbile a. adjustable; adaptable; conformable.

adeguaménto m. adjustment; adaptation; accommodation; correction: **a. dei salari**, wage adjustment; **a. al costo della vita**, cost-of-living adjustment; **a. delle scorte**, inventory adjustment.

adeguàre A v. t. to adjust; to adapt; to gear; to conform; (*commisurare*) to proportion, to accommodate, to fit: **a. gli stipendi al costo della vita**, to adjust salaries to the cost of living; **a. la produzione alla domanda**, to gear production to demand; **a. le proprie parole al tipo di pubblico**, to adapt one's words to one's audience; **a. la pena al delitto**, to make the punishment fit the crime B **adeguàrsi** v. rifl. to conform (oneself) (to); to come* into line (with); (*adattarsi*) to adapt (oneself) (to), to accommodate (to): **adeguarsi alle circostanze**, to adapt to the circumstance; **adeguarsi alle norme vigenti**, to conform to (*o* to come into line with) the existing regulations; **adeguarsi ai tempi**, to go with the times.

adeguataménte avv. 1 (*convenientemente*) suitably; properly; in a fitting manner; adequately 2 (*equamente*) fairly; satisfactorily 3 (*sufficientemente*) enough.

adeguatézza f. 1 (*giustezza*) appropriateness; fairness; satisfactoriness 2 (*idoneità*) suitability.

adeguàto a. 1 (*adatto*) fit; suited; suitable; appropriate: **parole adeguate alla circostanza**, words suited to the occasion 2 (*proporzionato, congruo*) proportionate; commensurate; geared: *Le tariffe sono adeguate al tempo impiegato*, tariffs are proportionate to the time employed 3 (*equo*) fair; just; (*soddisfacente*) adequate, satisfactory: **un prezzo a.**, a fair price 4 (*sufficiente, opportuno*) adequate; sufficient; due; proper: **conoscenza adeguata**, sufficient knowledge; **finanziamento a.**, proper funds (pl.); **dopo adeguata riflessione**, after due consideration.

adeguazióne f. → **adeguamento**.

adempiènza f. → **adempimento**.

adèmpiere A v. t. e i. 1 to fulfil, to fulfill (*USA*); to meet*; to accomplish; to carry out; to discharge; to perform; to execute: **a. (a) un compito**, to accomplish (*o* to execute, to perform) a task; **a. (a) un dovere**, to fulfil a duty; **a. (a) un obbligo**, to meet an obligation; **a. (a) un ordine**, to carry out an order; **a. (a) una promessa**, to fulfil a promise. 2 (*leg.*) to execute B **adèmpiersi** v. i. pron. to

to come* true; to be fulfilled: *La profezia s'adempì*, the prophecy came true.

adempiménto m. fulfilment, fulfillment (*USA*); (*anche leg.*) execution; carrying out; performance; discharge; accomplishment: **l'a. di un obbligo** the fulfilment of an obligation; **l'a. delle proprie funzioni**, the execution of one's duty; **nell'a. del proprio dovere**, while carrying out one's duty.

adempíre → **adempiere**.

adenìna f. (*chim.*) adenine.

adenìte f. (*med.*) adenitis ● (*vet.*) **a. equina**, strangles.

adenocarcinòma m. (*med.*) adenocarcinoma*.

adenoidectomìa f. (*chir.*) adenoidectomy.

adenoidèo a. (*med.*) adenoidal; adenoid.

adenòidi f. pl. (*med.*) adenoids.

adenoidìsmo m. (*med.*) adenoidism.

adenòma m. (*med.*) adenoma*.

adenopatìa f. (*med.*) adenopathy.

adenosìna f. (*med.*) adenosine.

adenotomìa f. (*chir.*) adenotomy.

adenovìrus m. (*biol.*) adenovirus.

adèpto m. (f. **-a**) (*lett.*) 1 initiate 2 (*seguace*) follower; adherent; disciple.

aderènte A a. 1 (*a contatto*) adherent; touching 2 (*di abito*) close-fitting; tight-fitting; clinging; figure-hugging: **giacca a.**, close-fitting jacket; **maglietta a.**, clinging T-shirt; **molto a.**, skin-tight 3 (*fig.: conforme, fedele*) in keeping; faithful; close: **a. ai fatti**, in keeping with the facts B m. e f. adherent; supporter; follower.

aderènza f. 1 (*l'aderire*) adhesion; adherence 2 (*attrito*) grip: *L'auto presenta una buona a. sul bagnato*, the car shows a good grip on wet road surface 3 (*edil.*) bond tie 4 (*med.*) adhesion: **aderenze pleuriche**, pleural adhesions 5 (*fig.: vicinanza, fedeltà*) adherence; closeness 6 (al pl.) (*fig.: appoggi*) connections; contacts.

aderìre v. i. 1 (*attaccarsi*) to adhere (to); to stick* (to); to cling* (to): *La colla aderì subito*, the glue stuck immediately; *La camicia gli aderiva al corpo*, the shirt clung to his body 2 (*consentire*) to comply (with); to agree (to); to grant: **a. a una proposta**, to agree to a proposal; **a. a una richiesta**, to comply with (*o* to grant) a request 3 (*accettare*) to accept: **a. a un invito**, to accept an invitation 4 (*parteggiare*) to adhere (to); to support (st.); to subscribe (to); (*acconsentire*) to agree (to), to adhere (to), to join (st.); (*entrare a far parte*) to join (st.): **a. a un'iniziativa**, to join (*o* to agree to) an initiative; **a. a un partito**, to join a party; **a. a un progetto**, to agree to a plan; **a. a uno sciopero**, to support a strike; **a. a un trattato** to adhere to a treaty.

adermìna f. (*biol., chim.*) adermine.

adescàbile a. seducible.

adescaménto m. 1 (*lusinga*) enticement; allurement; come-on (*fam.*); (*seduzione*) seduction 2 (*leg.*) soliciting 3 (*idraul.*) priming.

adescàre v. t. 1 to bait; to lure: **a. l'amo**, to bait the hook; **a. gli uccelli**, to lure birds 2 (*fig.: allettare*) to lure, to entice, to tempt; (*sedurre*) to seduce 3 (*leg.*) to solicit 4 (*idraul.*) to prime.

adescatóre m. (f. **-trìce**) enticer; seducer.

adesióne f. 1 (*l'attaccarsi*) adhesion 2 (*consenso*) agreement; adherence; (*appoggio*) support: **a. a un progetto**, agreement to (*o* support of) a plan; **a. a un trattato**, adherence to a treaty; **dare la propria a. a qc.**, to agree to st.; to adhere to st.; to support st.; **dare la propria a. a un partito**, to support a party; (*iscriversi*) to join a party 3 (*accetta-*

zione) acceptance: **a. a un invito**, acceptance of an invitation 4 (*fis.*) adhesion.

adesività f. adhesiveness.

adesìvo A a. adhesive; sticky; (*autoadesivo, anche*) stick-on: **etichetta adesiva**, adhesive label; sticky (*o* stick-on) label; **nastro a.**, adhesive tape; sticky tape B m. 1 (*collante*) adhesive; glue; cement; fixative 2 (*etichetta*) sticker.

adèspoto a. (*lett.*) anonymous.

♦ **adèsso** avv. 1 (*ora*) now; at present: *Cominciamo a.!*, let's start now; *Sto leggendolo proprio a.*, I'm reading it right now; **da a. in poi**, from now on; **per a.**, for now; for the time being; for the moment; **a partire da a.**, starting from now; from now hence (*form.*) 2 (*poco fa*) just; just now: *È uscito proprio a.*, he left just now 3 (*fra un momento*) in a moment; (*fra poco*) any moment now, any minute: *A. lo faccio*, I'll do it in a moment; *Dovrebbe telefonare a.*, she should phone any moment now.

ad hoc (*lat.*) loc. avv. e a. special; for the purpose; (*su misura*) specially made, customized, tailor-made: **riunione ad hoc**, special meeting; *Il problema ha bisogno di una soluzione ad hoc*, the problem needs a specially devised answer.

ad honórem (*lat.*) loc. agg. honorary: **laurea ad honorem**, honorary degree.

adiabàtica f. (*fis.*) adiabatic.

adiabàtico a. (*fis.*) adiabatic.

adiacènte a. 1 (*attiguo*) adjacent, adjoining, contiguous, next; (*limitrofo*) neighbouring, surrounding: **proprietà adiacenti**, bordering properties; **la stanza a.**, the next room; **stanze adiacenti**, adjoining (*o* contiguous) rooms; **le strade adiacenti**, the surrounding streets; *Il suo terreno è a. al mio*, his land abuts on (*o* borders on) mine 2 (*mat.*) adjacent: **angoli adiacenti**, adjacent angles.

adiacènza f. 1 adjacency 2 (al pl.) vicinity (sing.); neighbourhood, neighborhood (*USA*) (sing.); environs; surroundings: **nelle adiacenze del teatro**, in the vicinity of the theatre; **via Verdi e le immediate adiacenze**, via Verdi and the surrounding streets.

adiànto m. (*bot.*, *Adiantum*) adiantum; maidenhair (fern).

adiatermàno a. (*fis.*) adiathermanous; adiathermic.

adibìre v. t. 1 (*utilizzare*) to use: **a. un locale a studio**, to use a room as a study 2 (*destinare*) to allocate, to give* over; (*assegnare*) to assign, to appoint: **a. una somma a scopi benefici**, to allocate a sum for charity; **a. q. ad altre funzioni**, to assign sb. to a different task; **a. un'area a parco pubblico**, to give over an area to a public park.

adimensionàle a. (*fis.*) adimensional; non-dimensional; dimensionless.

adinamìa f. (*med.*) adynamia.

ad ìnterim (*lat.*) A loc. avv. ad interim; for the meantime B loc. agg. interim; temporary: **misura ad interim**, interim measure; **direttore ad interim**, temporary director; **presidente ad interim**, caretaker president.

àdipe m. fat.

adìpico a. (*chim.*) adipic.

adipòsi f. (*med.*) adiposeness.

adiposità f. adiposity; fat.

adipóso a. adipose; fatty; fat: **tessuto a.**, adipose (*o* fatty) tissue.

adiràre A v. t. 1 (*lett.*) to anger; to make* angry; to enrage B **adiràrsi** v. i. pron. to get* angry; to lose* one's temper.

adiràto a. angry; enraged; furious.

adìre v. t. (*leg.*) 1 to resort to; to have recourse to: **a. le vie legali**, to take legal steps (*o* action); to have recourse to the law; **a. il**

a

tribunale, to go to court; **a. un'eredità**, to take possession of an inheritance.

àdito m. entrance; (*anche fig.*) access, admittance: *Il corridoio dà a. alla cucina*, the corridor gives access (*o* leads) to the kitchen ● **dare a. a dicerie**, to give cause (*o* grounds) for gossip □ **dare a. a molte interpretazioni**, to be open to (*o* to admit of) several interpretations □ **dare a. a qualche speranza**, to allow some hope.

adiuvànte a. (*med.*) adjuvant.

ADN sigla (*biol.*, **acido deossiribonucleico**) deoxyribonucleic acid (DNA).

adòbe m. adobe.

adocchiaménto m. eyeing; ogling.

adocchiàre v. t. **1** (*scrutare*) to eye: **a. q. con sospetto**, to eye sb. suspiciously **2** (*scorgere*) to catch* sight of; (*trovare*) to spot: *Lo adocchiai tra la folla*, I caught sight of him in the crowd; **a. un bell'appartamento**, to spot a beautiful flat **3** (*guardare con desiderio*) to eye; to ogle: *Adocchiava il mio anello*, she was eyeing my ring; **a. le ragazze**, to ogle the girls.

adolescènte Ⓐ a. adolescent; teenage (attr.): **essere a.**, to be a teenager; to be in one's teens Ⓑ m. e f. teenager; adolescent; youth (m.): **gusti da a.**, teenage tastes.

adolescènza f. adolescence; youth; girlhood; boyhood; teens (pl.) (*fam.*).

adolescenziàle a. adolescent; teenage (attr.): **problemi adolescenziali**, adolescent problems.

Adólfo m. Adolph; Adolphus.

adombràbile a. **1** (*di persona*) touchy; irritable **2** (*di cavallo*) shy; skittish.

adombraménto m. **1** (*accenno*) suggestion; adumbration (*form.*); hint **2** (*risentimento*) umbrage (*di cavallo*) skittishness.

adombràre Ⓐ v. t. **1** (*ombreggiare*) to shade; to overshadow: *Gli alberi adombrano la piazza*, the trees overshadow the square **2** (*offuscare*) to darken; to cloud **3** (*fig.*: *rappresentare velatamente*) to suggest; to give* a hint of; to adumbrate (*form.*); (*prefigurare*) to foreshadow, to adumbrate **4** (*fig.*: *velare*) to veil; to conceal; to obscure Ⓑ **adombràrsi** v. i. pron. **1** (*offuscarsi*) to grow* dark; to darken; to cloud over **2** (*di cavallo*) to shy; to get* skittish **3** (*fig.*, *di persona*) to take* offence (*o* umbrage) (at, over).

Adóne m. **1** (*mitol.*) Adonis **2** (*fig.*) Adonis; handsome young man: *Non è certo un a.*, he is no beauty.

adònide m. (*bot.*) pheasant's eye.

adònio m. (*metrica*) Adonic.

adontàrsi v. i. pron. to take* offence (*o* umbrage) (at, over); to be offended (by, at).

adoperàbile a. usable; serviceable; fit for use.

♦**adoperàre** Ⓐ v. t. to use; to make* use of; to employ; (*maneggiare*) to handle: **a. il bastone**, to use the stick; **a. il cervello**, to use one's brains (*o* head); **a. le proprie conoscenze**, to use (*o* to make use of) one's connections: **a. male**, to misuse; to make bad use of: *Come si adopera questo arnese?*, how do you use this tool?; *Mi ha adoperato e basta*, she just used me Ⓑ **adoperàrsi** v. rifl. (*prodigarsi*) to work; to exert oneself; to do* one's best; to spare no efforts; to take* trouble.

adoràbile a. adorable; charming; sweet; delightful.

adorabilità f. adorability; charm.

♦**adoràre** v. t. **1** (*relig.*) to adore; to worship: **a. Dio**, to worship God **2** (*amare con passione*) to adore; to dote on; to love: *Lui la adora*, he adores her; **a. i propri figli**, to dote on one's children; **a. la matematica**, to love mathematics.

adoràto a. beloved; adored; (*iron.*) precious: **il mio a. figliolo**, my beloved son; *Guarda che ha fatto il tuo a. gatto!*, look what your precious cat did!

adoratóre m. (f. **-trìce**) **1** (*relig.* e *fig.*) worshipper **2** (*scherz.*: *ammiratore*) ardent admirer, fan; (*corteggiatore*) suitor, wooer.

adorazióne f. **1** (*relig.* e *fig.*) adoration; worship: **a. del fuoco**, fire worship **2** (*amore sviscerato*) adoration; passionate love; veneration: *Ha una vera a. per lei*, he positively worships (*o* adores, dotes on) her; *La guardava con a.*, he looked at her with adoring (*o* doting) eyes.

adornaménto m. **1** (*l'adornare*) adornment; decoration **2** (*ornamento*) ornament.

adornàre Ⓐ v. t. to adorn (*anche fig.*); to decorate: *Diversi quadri adornavano le pareti*, several pictures adorned (*o* decorated) the walls Ⓑ **adornàrsi** v. rifl. to adorn oneself; (*vestirsi*) to dress up, to deck oneself out.

adórno a. ornate; adorned (with).

adottàbile a. available for adoption; adoptable.

adottàndo Ⓐ m. (f. **-a**) person to be adopted; adoptee Ⓑ a. to be adopted; in the process of being adopted.

adottànte Ⓐ a. adopting Ⓑ m. e f. adopter.

♦**adottàre** v. t. **1** (*leg.*) to adopt **2** (*fig.*) to adopt; to take*; to embrace; to espouse; (*ricorrere a*) to resort to; (*scegliere*) to choose*: **a. un atteggiamento**, to take up an attitude; **a. un espediente**, to resort to an expedient; **a. un libro di testo**, to choose a textbook; **a. una linea d'azione**, to adopt a policy; to espouse a line of action; **a. una linea dura**, to take a tough line; **a. provvedimenti**, to take measures; **a. una tesi**, to embrace a thesis.

adottàto Ⓐ a. adopted (*anche leg.*); chosen Ⓑ m. (f. **-a**) (*leg.*) adoptee.

adottìvo a. (*leg.*: *adottato*) adopted; (*che ha adottato*) adoptive: **figlio a.**, adopted son; **genitore a.**, adoptive parent **2** (*fig.*) adoptive: **patria adottiva**, (one's) adoptive country.

adozióne f. **1** (*leg.*) adoption: **fare richiesta di a.**, to apply for adoption; **a. a distanza**, sponsorship (of a deprived child) **2** (*fig.*) adoption; (*scelta*) choice: **l'a. dei libri di testo**, the choice of school textbooks; *Fu decisa l'a. di severi provvedimenti disciplinari*, they decided to adopt strict disciplinary measures; **il proprio paese di a.**, one's country of adoption (*o* adoptive country).

a d.r. sigla (**a domanda risponde**) replies as follows.

adragànte a. – **gomma a.**, (gum) tragacanth.

adrenalìna f. (*biol.*) adrenalin: **una scarica di a.**, a surge of adrenalin.

adrenalìnico a. adrenaline-charged; (*di persona*) pumped-up.

adrenèrgico a. (*fisiol.*) adrenergic.

adrenocorticòtropo a. (*biol.*) adrenocorticotropic: **ormone a.**, adrenocorticotropic hormone.

Adriàno m. Adrian; (*stor.*) Hadrian.

adriàtico a. e m. Adriatic: **il Mare A.**, the Adriatic Sea; the Adriatic.

adróne m. (*fis. nucl.*) hadron.

ADS sigla (**Accertamenti diffusione stampa**) Audit Bureau of Circulation.

adsorbènte a. (*chim.*) adsorbent.

adsorbiménto m. (*chim.*) adsorption.

adsorbìre v. t. (*chim.*) to adsorb.

adulàre v. t. to flatter; to adulate; (*servilmente*) to fawn on, to toady to.

adulària f. (*miner.*) adularia.

adulatóre Ⓐ a. flattering; adulating Ⓑ m.

(f. **-trìce**) flatterer; adulator; (*a. servile*) fawner, toady.

adulatòrio a. flattering; adulating; adulatory.

adulazióne f. flattery; adulation; (*a. servile*) fawning.

adùltera f. adulteress.

adulteràbile a. liable to adulteration.

adulteraménto m. adulteration; tampering.

adulterànte a. e m. adulterant.

adulteràre v. t. **1** to adulterate; to tamper with; to doctor (*fam.*) **2** (*corrompere*) to corrupt.

adulteratóre m. (f. **-trìce**) tamperer.

adulterazióne f. adulteration; tampering.

adulterìno a. adulterine; adulterous: **figlio a.**, adulterine child; **relazione adulterina**, adulterous relation.

adultèrio m. adultery.

adùltero Ⓐ a. adulterous Ⓑ m. adulterer.

♦**adùlto** Ⓐ a. **1** adult; grown-up; (*di animale, pianta*) adult, fully grown, mature **2** (*fig.*: *maturo*) fully developed; mature Ⓑ m. (f. **-a**) adult; grown-up: *Sei un a. ormai*, you're an adult now; you're a big boy now (*fam.*); **per adulti**, adult (attr.).

adunànza f. **1** (*riunione*) meeting, assembly; (*seduta*) sitting; (*raduno*) gathering, rally: **convocare un'a.**, to call a meeting; **sciogliere un'a.**, to bring a meeting to an end **2** (*le persone*) assembly.

adunàre Ⓐ v. t. **1** to gather; to get* together; to assemble; to convene; (*chiamare a raccolta*) to rally, (*anche mil.*) to muster: **a. gli amici**, to gather one's friends; **a. i soci**, to convene the members **2** (*raccogliere*) to gather; to assemble; to collect; to amass Ⓑ **adunàrsi** v. i. pron. to gather; to meet*; to assemble; to convene; (*anche mil.*) to muster.

adunàta f. **1** (*mil.*) parade; muster; (*il segnale*) assembly, fall-in: **suonare l'a.**, to sound the assembly **2** (*riunione*) assembly; gathering; rally.

adùnco a. hooked: **naso a.**, hooked nose.

adunghiàre v. t. to clutch; to claw.

adùnque (*lett.*) → **dunque**.

adùsto a. (*lett.*) **1** sunburnt; scorched; parched **2** (*magro, asciutto*) lean; wiry.

ad valórem (*lat.*) loc. agg. inv. – **imposta ad valorem**, ad valorem tax.

AeCI abbr. (*CONI*, **Aero Club d'Italia**) Italian Aero Club.

aèdo m. **1** (*stor.*) singer **2** (*poeta*) poet; bard.

aeràre v. t. **1** to air; to ventilate **2** (*chim.*) to aerate.

aeràto a. **1** aired; ventilated; (*arioso*) airy **2** (*chim.*) aerated.

aeratóre m. aerator; ventilator.

aerazióne f. **1** airing; ventilation: **impianto di a.**, ventilation system **2** (*tecn.*) aeration.

àere m. (*poet.*: *aria*) air; (*cielo*) sky, heaven; (*clima*) climate.

♦**aèreo** ① Ⓐ a. **1** (*dell'aria*) air (attr.) **2** (*sospeso, elevato*) aerial; overhead; elevated; (*elettr.*) **linee aeree**, overhead wires; **radici aeree**, aerial roots **3** (*fatto dall'alto*) aerial: **bombardamento a.**, aerial bombing (raid); **fotografia aerea**, aerial photo **4** (*rif. agli aerei*) air (attr.); plane, aeroplane (attr.): **arma aerea**, air weapon; **attacco a.**, air raid; air strike; **difesa aerea**, air defence; **incidente a.**, plane crash; **posta aerea**, air mail; **spazio a.**, airspace; **traffico a.**, air traffic **5** (*fig.*: *lieve*) aerial; ethereal; light **6** (*fig.*: *vano*) vain; airy; airy-fairy (*fam.*) Ⓑ m. (*antenna*) aerial.

♦**aèreo** ② m. (*aeroplano*) aeroplane; airplane

(*USA*); plane; aircraft: **a. a reazione**, jet plane; **a. da bombardamento**, bomber (aircraft); **a. da caccia**, fighter (plane); **a. da carico** (*o da trasporto*), freight plane; freighter; cargo plane; **a. da turismo**, light aircraft; **a. di linea**, passenger aircraft (on scheduled flights); *Volo solo su aerei di linea*, I only fly on scheduled flights; **a. militare**, military plane (*o aircraft*); **a. passeggeri**, passenger aircraft; (*grosso*) airliner; **a. spia**, spy plane; **a. supersonico**, supersonic aircraft; **andare in a.**, to go by plane; to fly; **prendere un a.**, to catch a flight; (*fare un viaggio*) to fly.

aericolo a. (*bot., zool.*) aerial.

aeriforme A a. (*fis.*) aeriform; gaseous B m. aeriform substance; gas ● **meccanica degli aeriformi**, pneumatics (pl. col verbo al sing.).

aeroambulanza f. air ambulance.

aerobica f. aerobics (pl. col verbo al sing.).

aerobico a. 1 (*biol.*) aerobic 2 (*rif. a ginnastica*) aerobic: **ginnastica aerobica**, aerobics (pl. col verbo al sing.).

aerobio A m. (*biol.*) aerobe B a. aerobic.

aerobiosi f. (*biol.*) aerobiosis.

aerobrigata f. (*aeron. mil.*) air brigade; wing.

àerobus m. inv. airbus.

aerocartografia f. aerial cartography.

aerocentro m. air-centre; aeronautic centre.

aerocisterna f. (air) tanker.

aeroclùb m. inv. flying club.

aerodina f. (*aeron.*) aerodyne; heavier-than-air aircraft.

aerodinàmica f. (*fis.*) aerodynamics (pl. col verbo al sing.).

aerodinamicità f. aerodynamic properties (pl.).

aerodinàmico a. 1 (*fis.*) aerodynamic: **galleria aerodinamica**, wind tunnel 2 (*di forma*) streamlined: **carrozzeria aerodinamica**, streamlined bodywork.

aerodromo m. aerodrome; airdrome (*USA*).

aerofagia f. (*med.*) aerophagy.

aerofaro m. (*aeron.*) (air) beacon.

aerofito a. (*bot.*) aerophytic.

aerofobia f. (*med.*) aerophobia.

aerofono m. 1 (*aeron.*) sound locator 2 (*mus.*) aerophone.

aerofotografia f. (*tecn.*) aerial photography.

aerofotogràmma m. aerial photograph.

aerofotogrammetria f. aerophotogrammetry; aerial survey.

aerogeneratóre m. (*tecn.*) aerogenerator; (energy-producing) windmill.

aerogètto → **aeroreattore**.

aerogiro m. (*aeron.*) rotorcraft.

aerografia f. (*geofisica*) aerography.

aerògrafo m. paint gun; (*per pittori*) airbrush.

aerogràmma m. aerogramme, (*USA*) aerogram; air letter.

aerolinea f. (*aeron.*) airline.

aerolito m. (*geol.*) aerolite; aerolith.

aerologia f. (*meteor.*) aerology.

aeròlogo m. (f. **-a**) (*meteor.*) aerologist.

aeromarittimo a. air-sea (attr.).

aeromeccànica f. (*fis.*) aeromechanics (pl. col verbo al sing.).

aeròmetro m. (*fis.*) aerometer.

aeromòbile m. aircraft*.

aeromodellismo m. model aircraft construction; model aircraft flying.

aeromodellista m. e f. model aircraft constructor; model aircraft enthusiast.

aeromodellìstica f. → **aeromodellismo**.

aeromodèllo m. model aircraft; model aeroplane.

aeronàuta m. e f. aeronaut; balloonist; (*estens.: pilota*) pilot, aviator.

aeronàutica f. 1 (*scienza*) aeronautics (pl. col verbo al sing.) 2 (*aviazione*) aviation: **a. civile**, civil aviation; **a. militare**, air force.

aeronàutico a. aeronautic; aviation (attr.); (*mil.*) air force (attr.): **accademia aeronautica**, air force academy; **ingegneria aeronautica**, aeronautical engineering; **l'industria aeronautica**, the aviation industry; the aeronautics industry.

aeronavàle a. naval-aviation (attr.); air-sea (attr.).

aeronàve f. airship.

aeronavigazióne f. air navigation.

aeronomìa f. (*geofisica*) aeronomy.

aeroplàncton m. (*biol.*) aeroplankton.

◆**aeroplàno** → **aereo**②.

◆**aeropòrto** m. airport; (*militare*) airbase.

aeroportuàle A a. airport (attr.) B m. e f. airport worker.

aeropostàle A a. airmail (attr.) B m. mail plane.

aeroràzzo m. rocket plane.

aeroreattóre m. jet.

aeroriforniménto m. 1 (*lancio di rifornimenti*) air-dropping (of supplies); air-drop 2 (*rifornimento in volo*) air-to-air fuelling.

aeroriméssa f. hangar.

aerorimorchiatóre m. tow plane.

aerorimòrchio m. aerotowing.

aerosbàrco m. (*mil.*) airborne landing; airlanding.

aeroscàlo m. air station.

aeroscivolànte A a. hovering B m. hovercraft.

aerosfèra f. (*geofisica*) 1 atmosphere 2 earth's atmosphere.

aerosilurànte m. (*aeron.*) torpedo bomber.

aerosilùro m. (*aeron.*) aerial torpedo.

aerosoccórso m. air rescue.

aerosòl m. 1 (*chim., fis.*) aerosol 2 (*erogatore*) aerosol; air spray.

aerosolterapìa f. (*med.*) aerosol therapy; inhalation therapy.

aerospaziàle a. aerospace (attr.); space (attr.): **industria a.**, aerospace industry; **medicina a.**, space medicine.

aerospàzio m. aerospace.

aerostàtica f. (*fis.*) aerostatics (pl. col verbo al sing.).

aerostàtico a. aerostatic.

aeròstato m. aerostat; balloon.

aerostazióne f. air terminal.

aerotàxi m. inv. air taxi; taxi plane.

aerotècnica f. aeronautic technology.

aeroterapìa f. (*med.*) aerotherapy.

aeroterrèstre a. (*mil.*) land-and-air (attr.); air-land (attr.).

aerotrasportàre v. t. (*mil.*) to airlift.

aerotrasportàto a. (*mil.*) airborne; air-mobile: **truppe aerotrasportate**, airborne (*o airmobile*) troops.

aerotraspòrto m. air transport; airlift.

aerovìa f. air lane; airway.

a.f. sigla (*fis.*, **alta frequenza**) high frequency (HF).

àfa f. suffocating heat; (*con umidità*) sultriness, closeness, mugginess: *C'è afa oggi*, the heat is suffocating today; it's very sultry (*o muggy*) today.

afasìa f. (*med.*) aphasia.

afàsico a. e m. (f. **-a**) (*med.*) aphasic.

afèlio m. (*astron.*) aphelion*.

afèreși f. (*gramm.*) aphaeresis*.

affàbile a. affable; amiable; friendly.

affabilità f. affability; amiability; friendliness.

affabulàre v. t. (*letter.*) to narrate.

affabulatóre m. (f. **-trìce**) 1 (*letter.*) narrator 2 (*estens.*) clever talker; persuader.

affabulazióne f. (*letter.*) narration; (*intreccio*) plot.

affaccendaménto m. bustle; stir.

affaccendàrsi v. rifl. to be busy (with st., doing st.); (*agitarsi*) to bustle about: **a. ai fornelli**, to be busy cooking (*o in the kitchen*).

affaccendàto a. busy.

◆**affacciàre** A v. t. 1 (*mostrare*) to show (at the window, round a door): **a. la testa nella stanza**, to pop one's head into the room; **stare affacciato alla finestra**, to be at the window 2 (*fig.: avanzare, prospettare*) to advance; to put* forward; to raise: **a. un dubbio**, to raise a doubt; **a. un'ipotesi**, to advance a hypothesis B **affacciàrsi** v. rifl. 1 to show oneself; to appear; (*far capolino*) to peep: **affacciarsi alla finestra**, (*mostrarsi*) to appear at the window; (*andare*) to go to the window; (*per guardare*) to look out of the window; **affacciarsi alla porta**, to appear at the door; to go to the door; (*far capolino*) to peep round the door, to pop one's head into the room; *Il sole si affacciò tra le nuvole*, the sun peeped through the clouds 2 (*fig.: presentarsi*) to strike* (sb.); to occur: *Mi si affacciò un'idea*, an idea struck (*o occurred to*) me C **affacciàrsi** v. i. pron. (*dare su*) to overlook (st.); to give* (onto): *La piazza si affaccia sulla valle*, the square overlooks the valley; *La camera si affaccia sull'ingresso*, the room gives onto the hall.

affamàre v. t. to starve.

◆**affamàto** A a. 1 hungry; (*che soffre la fame*) starving, starved, famished: **bambini affamati**, hungry children; *Sono affamatissimo*, I'm starving (*USA* starved); I'm famished (*fam.*) 2 (*fig.*) hungry; avid; eager: **a. di amore**, starved for love; **a. di gloria**, eager for glory; **a. di notizie**, hungry for news B m. (f. **-a**) hungry person; (al pl., collett.) (the) hungry.

affamatóre m. (f. **-trìce**) starver.

affannàre A v. t. 1 to leave* breathless; to set* panting 2 (*fig.: angustiare*) to trouble; to worry B **affannàrsi** v. rifl. 1 (*agitarsi*) to bustle about; to fuss 2 (*darsi da fare*) to trouble oneself; to do* everything one can; to take* pains (to do st.); (*sforzarsi*) to exert oneself: *Non affannarti per noi*, don't trouble yourself for us, **affannarsi a spiegare qc.**, to give anxious explanations about st.

affannàto a. 1 breathless; panting 2 (*fig.*) troubled.

affànno m. 1 breathlessness: **avere l'a.**, to be short of breath; *Se cammino in fretta mi viene subito l'affanno*, if I walk fast I run out of breath straight away 2 (*fig.: pena*) worry, trouble; (*dolore*) sorrow, pain, woe: **una vita di affanni**, a life of worries (*o of woes*); **stare in a. per qc.**, to worry about st.

affannosaménte avv. 1 panting; gasping: **respirare a.**, to pant; to breathe with difficulty 2 (*fig.*) breathlessly; frantically.

affannóso a. 1 (*di respiro*) laboured; difficult 2 (*fig.: affrettato*) breathless; hurried; hasty: **corsa affannosa**, breathless run; **partenza affannosa**, hasty departure 3 (*fig.: agitato*) feverish; frantic: **ricerca affannosa**, frantic search 4 (*fig.: pieno di affanni*) troubled.

affaràccio m. tricky business; awkward business.

affardellàre v. t. **1** to bundle up **2** (*ammucchiare*) to heap up; to pile up • (*mil.*) **a. lo zaino**, to pack one's kit.

♦**affàre** m. **1** (*faccenda*) affair; matter; thing; business; (*caso*) affair, case: **un a. urgente**, an urgent matter; **un brutto a.**, an ugly affair; **uno sporco a.**, a dirty business; **l'a. Watergate**, the Watergate affair; **affari privati**, private matters; *È a. di un attimo*, it only takes a minute; it'll only take a minute; *Bada agli affari tuoi!*, mind your own business!; *A. tuo!* (*o Affari tuoi!*), that's your business!; *Sono affari miei*, it's none of your business **2** (*comm.: transazione*) (business) transaction; deal; bargain: **un a. vantaggioso**, a profitable transaction; a good deal; **un grosso a.**, an important deal; **un a. sicuro**, a safe deal; **un cattivo a.**, a bad bargain; **concludere un a.**, to make (o to strike, to clinch) a deal; to carry out a transaction; **cogliere al volo un a.**, to snap up a bargain; **fare un buon a.**, to get good value for money; *Ho fatto un a. a comprare questa casa*, this house was a real bargain **3** (al pl.) (*attività commerciale*) business Ⓤ: *Gli affari vanno bene* [*male*], business is good [bad]; **affari magri**, poor business; **avere rapporti d'affari con q.**, to do business (o to deal) with sb.; **entrare in rapporti d'affari con q.**, to enter into business relations with sb.; **fare affari**, to do business; (*avere successo*) to do good business; **fare affari con la Spagna**, to do business (o to trade) with Spain; **mettersi in affari**, to go into business; **parlare di affari**, to talk business; **ritirarsi dagli affari**, to retire from business; **viaggiare per affari**, to travel on business; **donna d'affari**, businesswoman; **senso degli affari**, business sense; **uomo d'affari**, businessman; **viaggio d'affari**, business trip: *Sono qui in viaggio d'affari*, I'm here on business **4** (*fam.: aggeggio*) thing; whatsit (*fam.*); thingummy (*fam.*); (*strumento*) gadget, contraption: *Che è quest'a. sul tavolo*, what's this thing on the table?; *Passami quell'a.*, pass me that thingummy (o the whatsit) over there; *È un a. per sbattere le uova*, it's a gadget to whisk eggs • **un a. d'oro**, a bargain; (*fig.*) a golden opportunity □ **a. di Stato**, affair of state; (*scherz.*) big fuss (*fam.*): *Non farne un a. di Stato*, don't make such a fuss about it □ (*polit.*) **affari esteri**, foreign affairs □ **A. fatto!**, that's settled!; it's a deal (o a bargain)! □ **a. giudiziario**, legal case; (*causa*) lawsuit; (*processo*) trial □ (*polit.*) **affari interni**, home (o domestic) affairs □ (*iron.*) **Bell'a.!**, a fine mess!; a pretty job! □ **di mal a.** → **malaffare** □ **fare affari d'oro**, to do a roaring trade □ **giro d'affari** (*di un'azienda*), turnover; total sales □ (*diplomazia*) **incaricato d'affari**, chargé d'affaires (*franc.*) □ (*prov.*) **Gli affari sono affari**, business is business.

affarismo m. unscrupulous business dealings (pl.); speculation; profiteering; wheeling and dealing (*fam.*).

affarista m. e f. sharp businessman* (m.; f. businesswoman*); unscrupulous businessman* (m.; f. businesswoman*); speculator; profiteer; wheeler-dealer (*fam.*).

affaristico a. (*rif. all'affarismo*) speculative; profiteering; wheeling and dealing (*fam.*).

affaróne m. big deal; real bargain.

♦**affascinànte** a. enchanting; charming; fascinating; captivating; intriguing; alluring; ravishing; glamorous.

♦**affascinàre** v. t. **1** (*stregare*) to bewitch; to charm **2** (*fig.*) to enchant; to charm; to fascinate; to captivate; to intrigue.

affascinatóre m. (f. **-trìce**) charmer; enchanter (f. enchantress).

affastellaménto m. **1** bundling; tying up in bundles **2** (*fig.*) jumble; muddle.

affastellàre v. t. **1** to bundle up; to tie up in bundles; to make* up into bundles **2** (*fig.*) to pile up; to heap together; to jumble together: **a. regole su regole**, to pile up rule after rule; **a. parole**, to jumble words together.

affaticaménto m. **1** (*l'affaticare*) tiring; wearing **2** (*stanchezza*) fatigue; exhaustion **3** (*sforzo*) strain.

♦**affaticàre** Ⓐ v. t. **1** to tire; (*spossare*) to exhaust, to wear* out, to fatigue: *Insegnare mi affatica*, teaching tires me **2** (*far lavorare troppo*) to overwork: *Non a. il ragazzo*, don't overwork the boy **3** (*sforzare*) to strain: **a. gli occhi**, to strain one's eyes Ⓑ **affaticàrsi** v. rifl. **1** (*stancarsi*) to tire oneself; to get* tired: **affaticarsi a fare qc.**, to get tired doing st. **2** (*prodigarsi troppo*) to strain oneself; to overdo* it; (*lavorare indefessamente*) to work hard; to toil: *Non devi affaticarti*, you shouldn't overdo it; **affaticarsi per tutta la vita**, to work hard all one's life **3** (*adoperarsi con accanimento*) to strive*; to try hard: **affaticarsi a spiegare qc.**, to strive to explain st.

affaticàto a. tired; exhausted; overworked; (*sforzato*) strained.

♦**affàtto** avv. **1** (*spec. lett.*) completely; totally; entirely; quite; absolutely: **a. cieco**, completely blind; **un concetto a. nuovo**, an entirely new notion **2** (in frasi neg.) at all; in the least: *Non è a. vero*, it's not true at all; *Non sono a. stanca*, I'm not in the least tired; **niente a.**, not at all; not in the least; not a bit; **niente a. male**, not bad at all.

affatturàre v. t. **1** (*ammaliare*) to bewitch; to put* a spell on **2** (*adulterare*) to adulterate.

affatturatóre m. (f. **-trìce**) sorcerer (f. sorceress).

affé inter. (*arc. o scherz.*) forsooth; faith • **a. mia!**, upon my word!

afferènte a. **1** (*fisiol.*) afferent **2** (*leg., bur.*) concerning; regarding; with regard to.

afferènza f. (*anat.*) afferent.

afferire v. i. (*bur.*) to concern (st.); to be connected (with).

affermàbile a. affirmable.

♦**affermàre** Ⓐ v. t. **1** (*dichiarare*) to declare, to state, to affirm; (*asserire*) to maintain, to claim, to assert; (*senza addurre prove*) to allege: **a. la propria innocenza**, to declare one's innocence; *Afferma di averlo visto*, he claims he saw him **2** (*dire di sì*) to assent; (*col capo*) to nod **3** (*sostenere*) to assert: **a. i propri diritti**, to assert one's rights Ⓑ **affermàrsi** v. rifl. **1** (*imporsi*) to assert oneself **2** (*farsi un nome*) to be successful; to establish oneself; to become* popular; to make* a name for oneself; (*diffondersi*) to establish oneself; to be successful, to catch *on: *Si affermò come regista brillante*, he established himself as a director of light comedies; *Si è affermato come pittore*, he has made a name for himself as a painter; *La moda in breve si affermò*, the fashion soon established itself (o caught on); **affermarsi nella vita**, to be successful in life **3** (*vincere*) to win*.

affermativaménte avv. affirmatively; in the affirmative: **rispondere a.**, to answer in the affirmative.

affermativo a. affirmative; positive: **risposta affermativa**, positive (o affirmative) answer; **in caso a.**, if so; should that be the case.

affermàto a. established; well-known; successful; popular: **un professionista a.**, a well-know professional man; **un comico a.**, a popular comedian; **una ditta affermata**, a well-established firm; **a. sul mercato**, successful in the marketplace; a commercial success.

affermazióne f. **1** (*assenso*) affirmation; assent **2** (*dichiarazione*) statement, declaration; (*asserzione*) assertion, claim, (*senza prove*) allegation **3** (*successo*) achievement; success; (*sport*) exploit, feat: **un'a. personale**, a personal success (o achievement); **una carriera ricca di affermazioni**, a highly successful career.

afferràbile a. **1** seizable **2** (*fig.*) comprehensible; graspable.

♦**afferràre** Ⓐ v. t. **1** to get* hold of; to seize; to grasp; to catch*; to grab; to snatch: **a. un bastone**, to grab a stick; **a. un capo della corda**, to get hold of an end of the rope; **a. un fucile**, to take up a gun; **a. l'occasione**, to seize (o to grab, to snatch up) the opportunity; **a. la palla**, to catch the ball; *I poliziotti afferrarono il ladro*, the policemen seized the thief; *Lo afferrai per un braccio*, I grabbed him by the arm; *Afferrai il vaso prima che cadesse*, I caught the vase before it fell; *Il ladro afferrò la borsetta*, the thief grabbed (o snatched) the bag; **cercare di a. qc.**, to snatch at st. **2** (*fig.: capire*) to grasp; to get*; (*sentire*) to catch*: *Comincio ad a. la tua idea*, I'm beginning to grasp your idea; *Non credo di a. il concetto*, I don't think I get the idea; *Non ho afferrato quello che diceva*, I didn't catch (o I missed) what she said • **a. al volo**, to catch in full flight; (*fig.: capire subito*) to get the message; (*un'occasione, ecc.*) to seize on, to snatch up, to snap up (*fam.*), to pounce on (o upon) (*fam.*) Ⓑ **afferràrsi** v. rifl. to get* (o to catch*) hold (of); (*anche fig.*) to clutch (at); to cling* (to): **afferrarsi a una corda**, to get hold of a rope; **afferrarsi a un pretesto**, to clutch at an excuse; **afferrarsi a una speranza**, to cling to a hope.

affettàre① v. t. (*tagliare a fette*) to slice • **una nebbia che si poteva a.**, a fog you could slice with a knife.

affettàre② v. t. (*ostentare*) to affect; (*simulare*) to feign, to pretend: **a. una gran gentilezza**, to affect a great kindness; **a. indifferenza**, to feign (o to pretend) indifference.

affettàto① m. sliced meats and salami; (Italian) deli meats; cold cuts.

affettàto② a. (*artificioso*) affected, mannered, la-di-da (*fam.*); (*pretenzioso*) pretentious: **eleganza affettata**, affected elegance; **un modo di parlare a.**, a mannered way of speaking.

affettatrice f. slicer; slicing machine.

affettazióne f. (*artificiosità*) affectation, pretence, affected manners (pl.); (*pretenziosità*) pretentiousness.

affettività f. affectivity.

affettivo a. **1** (*psicol.*) affective; emotional: **carenze affettive**, lack of affection; **problemi affettivi**, emotional problems; **turbe affettive**, affective disorders **2** (*sentimentale*) sentimental: **valore a.**, sentimental value.

♦**affètto**① m. **1** affection; fondness; love: **l'a. per i genitori**, love for one's parents; **a. fraterno**, brotherly love; **guadagnarsi l'a. di q.**, to win sb.'s affection; **provare** (o **avere**) **a. per q.**, to feel affection (o fondness) for sb.; to be fond of sb.; to love sb. dearly; **riversare il proprio a. su q.**, to set one's affections on sb.; *È cresciuto senza affetti familiari*, he was unloved as a child; (*nelle lettere*) *Con a.*, yours affectionately; love (*fam.*) **2** (*oggetto di affetto*) object of affection; loved one.

♦**affètto**② Ⓐ a. suffering (from): **a. da reumatismi**, suffering from rheumatism; rheumatic; **a. da pazzia**, mad; insane; **essere a. da**, to suffer from Ⓑ n. sufferer: **gli affetti da cancro**, cancer sufferers; people with

a

cancer.

affettuosaménte avv. affectionately; lovingly; (*nelle lettere*) yours affectionately, love (*fam.*).

affettuosità f. **1** tenderness; affectionateness; lovingness **2** (*manifestazione affettuosa*) display of affection; gesture of affection; (*calore*) warmth.

♦**affettuóso** a. affectionate; fond; loving; (*gentile*) kind: **un bambino a.**, an affectionate child; **un padre a.**, a loving father; **sguardo a.**, affectionate (*o* fond) look; **parole affettuose**, kind words; (*nelle lettere*) *Saluti affettuosi*, yours affectionately; love (*fam.*).

♦**affezionàre** A v. t. **1** to get (sb.) to like (st.); to give* (sb.) a love (of) B **affezionàrsi** v. i. pron. to grow* fond (of); to grow* attached (to); to get* to like (st.).

♦**affezionàto** a. **1** affectionate (towards); fond (of); attached (to): *Mi è a.*, he is fond of me **2** (*devoto*) devoted **3** (*assiduo*) faithful; regular: **cliente a.**, regular customer • (*nelle lettere*) **Tuo a.**, yours affectionately.

affezióne f. **1** (*sentimento*) affection; fondness; love **2** (*med.*) affection; disease: **a. cardiaca**, affection of the heart.

affiancàre A v. t. **1** (*mettere fianco a fianco*) to place side by side: **a. due tavoli**, to place two tables side by side **2** (*fig.*: *mettere insieme*) to put* together with; to partner: *Gli hanno affiancato un collega più giovane*, he has been partnered with a younger colleague **3** (*fig.*: *aiutare*) to help, to assist; (*collaborare*) to collaborate with: *Mi ha affiancato nelle ricerche*, she collaborated with me in my research **4** (*mil.*) to flank B v. i. (*naut.*) to come* alongside C **affiancàrsi** v. rifl. **1** to come* up beside (*o* alongside); (*di auto, ecc.*) to draw* up alongside (*o* beside): *Mi si affiancò uno sconosciuto*, a stranger came up beside me; *La sua auto si affiancò alla nostra*, he drew up beside us **2** (*fig.*: *unirsi*) to join (sb., st.); (*collaborare*) to collaborate (with) **3** (*naut.*) to come* alongside (st.).

affiancàto a. (*fianco a fianco*) side by side; abreast: **camminare affiancati**, to walk side by side.

affiatamento m. harmony; (good) understanding; (*spirito di squadra*) team spirit: *C'è un buon a. tra di noi*, we get along [we work, etc.] well together; we understand each other.

affiatàre A v. t. to make* (sb.) get along well together; to harmonize; to build* up team spirit B **affiatàrsi** v. rifl. o rifl. recipr. (to learn*) to get* along (with); (to learn*) to work well together; to mesh (with); to adjust to each other (*o* to one another); to hit it off (with) (*fam.*): **affiatarsi con i nuovi colleghi**, to learn to get along with one's new colleagues; *La squadra si è già affiatata*, the team are already working well together.

affiatàto a. getting along well; working well together; (*di squadra, gruppo, ecc.*) tried, well integrated: **musicisti affiatati**, musicians that play well together; a good ensemble; *Siamo molto affiatati*, we get along well; we work well together; we make a good team.

affibbiàre v. t. **1** (*allacciare*) to buckle; to fasten **2** (*fig.*: *rifilare*) to saddle (sb. with st.) to foist (st. on sb.); to pass on: **a. a q. un lavoro sgradito**, to saddle sb. with an unpleasant job; **a. un soprannome a q.**, to give sb. a nickname; **a. denaro falso a q.**, to pass on counterfeit money to sb.; **a. una colpa a q.**, to shift the blame for st. on to sb. **3** (*fig.*: *assestare*) to deal*; to land; to fetch: **a. una sberla**, to deal (*o* to fetch) a cuff; **a. un pugno**, to land a punch.

affibbiatùra f. **1** buckling; fastening **2** (*fibbia*) buckle; clasp.

affiche (*franc.*) f. poster; bill.

affidàbile a. **1** reliable; dependable; trustworthy **2** (*di minore*) suitable for fostering.

affidabilità f. **1** reliability; dependability; trustworthiness • (*banca*) a. **creditizia**, creditworthiness **2** (*leg.*, *di minore*) condition of being fosterable.

affidaménto m. **1** (*l'affidare*) entrusting **2** (*fiducia*) reliance; trust; confidence; (*garanzia*) assurance: **una persona che dà a.**, a reliable (*o* dependable) person; *Non mi dà molto a.*, I can't say I trust him; (*di cosa*) it doesn't look very reliable; it doesn't look very safe; *Dà a. di buona riuscita*, it promises to be successful; **fare a. su q.**, to rely (*o* to count, to bank) on sb. **3** (*leg.*, *di minore*) foster care; fosterage: **dare in a.**, to place in foster care; **prendere in a.**, to foster • (*leg.*) **a. al servizio sociale**, release on probation.

♦**affidàre** A v. t. to entrust; to leave*; (*dare, assegnare*) to give*: **a. un documento [una somma, un compito] a q.**, to entrust sb. with a paper [a sum, a task]; *Mi ha affidato suo figlio*, he entrusted his child to my care; he left his child with me; *Ti affido la casa*, I'm leaving you in charge of the house; *Fu affidato a lontani parenti*, he was placed in the care of distant relatives; **a. tutto alla sorte**, to leave everything to chance; (*di attore*) *Gli hanno affidato la parte del cattivo*, he has been given the part of (*o* he has been cast as) the villain • **a. la propria anima a Dio**, to commend one's soul to God □ (*leg.*) **affidare la custodia di un bambino alla madre**, to grant custody of a child to its mother □ **a. q. al servizio sociale**, to free sb. on probation B **affidàrsi** v. rifl. to rely (*o* to count, to depend) (on, upon); to trust (to); to place one's trust (in): *Mi affido a te*, I'm relying (*o* counting) on you; **affidarsi a Dio**, to place one's trust in God; **affidarsi alla sorte**, to trust to chance.

affidatàrio m. (f. *-a*) (*leg.*, *di beni*) trustee; (*di minore*) custodian.

affidàvit (*lat.*) m. (*leg.*) affidavit.

affido → **affidamento**, def. 3.

affienàre (*agric.*) A v. t. **1** to feed* on hay **2** (*un terreno*) to put* under grass for hay B v. i. to become* hay.

affievoliménto m. **1** weakening; growing faint; fading **2** (*radio*) fading.

affievolìre A v. t. to weaken; to enfeeble B **affievolìrsi** v. i. pron. **1** to grow* faint; to recede; to fade; (*diminuire*) to diminish; (*indebolirsi*) to grow* weak, to wane: *Il suono si affievolì*, the sound grew faint; *Le voci si affievolirono e tacquero*, the voices trailed off into silence; *Le speranze si affievolivano*, hope was diminishing (*o* fading); *Le sue forze si affievoliscono*, his strength is waning **2** (*radio*) to die out; to fade.

affiggere v. t. **1** (*manifesti, ecc.*) to post up; to stick* up: **a. abusivamente**, to fly-post (*GB*) **2** (*poet.*: *fissare*) to fix: **a. gli occhi su qc.**, to fix one's eyes on st.; to gaze intently at st.

affilacoltèlli m. inv. knife-sharpener; (*in macelleria*) steel.

affilarasóio m. (razor) strop.

affilàre A v. t. **1** to sharpen; to whet; (*sulla mola*) to grind*; (*sulla pietra*) to hone; (*sul cuoio*) to strop: **a. un coltello**, to sharpen (*o* to grind) a knife; **a. un rasoio**, to strop a razor **2** (*fig.*: *assottigliare*) to make* thinner: *La malattia gli ha affilato il viso*, his illness has left him thinner in the face • (*fig.*) **a. le armi**, to get ready to fight B **affilàrsi** v. i. pron. to grow* thin (*o* thinner).

affilàta f. (quick) sharpening.

affilàto a. **1** sharp; sharp-edged; keen:

una **lama affilata**, a sharp blade; **non a.**, blunt **2** (*fig.*: *mordace*) sharp: **lingua affilata**, sharp tongue **3** (*fig.*, *di viso, ecc.*) thin; (*per freddo, malattia, ecc.*) pinched.

affilatóio m. sharpener; steel.

affilatrìce f. (*mecc.*) sharpener; grinder.

affilatùra f. sharpening; whetting; grinding; honing.

affiliàre A v. t. **1** (*associare*) to affiliate **2** (*leg.*) to foster B **affiliàrsi** v. rifl. to affiliate (with, to); to join (st.).

affiliàta f. (*econ.*) subsidiary (company).

affiliàto m. **1** affiliate; associate; member **2** (*econ.*) subsidiary.

affiliazióne f. **1** affiliation **2** (*leg.*) fosterage • (*econ.*) a. **commerciale**, franchising.

affinaménto m. **1** (*assottigliamento*) thinning; sharpening **2** (*fig.*: *l'aguzzare*) sharpening **3** (*fig.*: *raffinamento*) refinement; polish; (*miglioramento*) improvement **4** (*metall.*) refining; smelting.

affinàre A v. t. **1** (*assottigliare*) to thin; to sharpen **2** (*fig.*: *aguzzare*) to sharpen; to make* keener: **a. l'ingegno**, to sharpen sb.'s wit **3** (*fig.*: *raffinare*) to refine; to polish; (*migliorare*) to improve: **a. lo stile**, to refine (*o* to polish) one's style; **a. il gusto**, to improve one's taste **4** (*metall.*) to refine; to smelter B **affinàrsi** v. i. pron. **1** (*assottigliarsi*) to grow* thin; to thin **2** (*fig.*: *aguzzarsi*) to grow* sharper **3** (*fig.*: *raffinarsi*) to become* refined; to acquire polish; (*migliorare*) to improve.

affinazióne f. (*metall.*) refining.

♦**affinché** cong. so that; in order that: *Te lo dico a. tu faccia qualcosa*, I'm telling you so that you can do something about it.

affine A a. **1** (*simile*) similar; like; alike (pred.); akin (pred.); like-minded: **gusti affini**, similar tastes; *Hanno idee affini*, they are like-minded; **detersivi e generi affini**, detergents and the like **2** (*collegato*) allied; related: **scienze affini**, related sciences **3** (*ling.*) kindred; cognate: **lingue affini**, kindred languages; **parole affini**, cognate words B m. e f. **1** (*leg.*) relative by marriage **2** (*antrop.*) affine.

affinità f. **1** affinity; similarity; resemblance **2** (*simpatia*) affinity; attraction; liking **3** (*leg.*, *antrop.*, *chim.*) kinship; affinity.

affiochiménto m. weakening; fading • a. **di voce**, hoarseness.

affiochìre A v. t. to weaken; (*attutire*) to muffle B **affiochìrsi** v. i. pron. to grow* weak (*o* weaker); (*di suono, voce*) to grow* faint; (*di luce*) to grow* faint, to grow* dim, to fade.

affioraménto m. **1** surfacing; emergence; (*di sottomarino*) surfacing, breaking surface: **essere in a.**, to be breaking surface; **navigare in a.**, to proceed awash **2** (*geol.*) outcrop.

affiorànte a. visible above the water; rising out of the water; awash (pred.): **scogli affioranti**, rocks awash.

affioràre v. i. **1** (*venire a galla*) to surface; to rise* (*o* to come*) to the surface; (*di sottomarino*) to surface, to break* surface, to break* water: *La balena affiorò*, the whale surfaced **2** (*essere a fior d'acqua*) to be visible above the water; to rise* above the water; to be awash: *Affiorava solo la cima dello scoglio*, only the tip of the rock was visible above the water **3** (*fig.*) to surface; to emerge; to crop up; to appear: *Affiorarono alcuni problemi*, a few problems emerged (*o* cropped up) **4** (*geol.*) to crop out.

affissióne f. posting; billposting; placarding: **a. abusiva**, unauthorised billposting; fly-posting (*GB*); *Vietata l'a.*, post no bills; no billposting.

affisso m. **1** (*avviso*) notice, bill; (*manifesto*)

poster; (*cartellone*) placard: **a. abusivo**, unauthorized poster; fly-poster (*GB*) **2** (*gramm.*) affix.

affittàbile a. rentable.

affittacàmere m. e f. inv. landlord (m.); landlady (f.).

affittànza f. → **affitto**.

♦**affittàre v. t. 1** (*dare in affitto*) to let*; to let* out (*GB*); to rent out (*USA*); (*macchinari*) to lease out: (*cartello*) **Affittasi**, to let (*GB*); for rent (*USA*) **2** (*prendere in affitto*) to rent; (*macchinari*) to lease **3** (*dare a nolo*) to hire out; to rent out (*USA*) **4** (*prendere a nolo*) to hire; to rent (*USA*).

affittàto a. 1 (*dato in affitto*) let out (*GB*); rented; leased **2** (*preso in affitto*) rented; leased **3** (*occupato*) tenanted.

affitto m. 1 lease; (*locazione*) tenancy: **a. a lunga scadenza**, long-term lease; **a. di suolo**, ground lease; letting agreement; **canone d'a.**, rent; **contratto d'a.**, lease **2** (*canone*) rent: **a. anticipato [arretrato]**, rent in advance [in arrears]; **a. bloccato**, controlled rent; **a. nominale**, nominal rent; peppercorn rent; **riscuotere l'a.**, to collect the rent; **blocco degli affitti**, rent freeze; **esente da a.**, rent-free **3** (*nolo*) hire ● **dare [prendere] in a.** → **affittare** □ **essere in a.**, (*di immobile*) to be let out (*GB*); to be rented; (*di persona*) to be a tenant, to pay a rent.

affittuàrio m. (f. *-a*) renter; (*a lungo termine*) lease-holder; (*inquilino*) tenant.

afflàto m. (*lett.*) afflatus; inspiration.

affliggere A v. t. 1 (*tormentare*) to trouble; to afflict; to beset*; to torment; to ail; (*molestare*) to pester, to plague: *È afflitto dalla sciatica*, he suffers from (o is afflicted with) sciatica; *Ho un mal di denti che mi affligge da tre giorni*, I've been tormented (o plagued) by toothache for three days; *Lo affliggono molti guai*, he is beset by lots of troubles **2** (*addolorare*) to sadden; to pain; to distress **B affliggersi v. i. pron. 1** (*addolorarsi*) to grieve: *Non affliggerti per me*, don't grieve for me **2** (*tormentarsi*) to worry; to be distressed: *Non affliggerti per così poco!*, don't worry for so little!; *Di che si affligge?*, what is she so distressed about?

afflitto A a. (*addolorato*) distressed, grief-stricken, pained, afflicted; (*mesto*) sad, dejected, desolate, miserable; (*di aspetto, anche*) sorrowful, mournful, woebegone: *Parlava con voce afflitta*, he spoke in a dejected tone; *Mi guardò con aria afflitta*, she looked at me dejectedly **B m.** (al pl.) (the) suffering; (the) distressed: **consolare gli afflitti**, to comfort the suffering.

afflizióne f. 1 (*dolore*) affliction; grief; sorrow; anguish; distress; misery **2** (*tribolazione*) suffering; tribulation; trial; woe **3** (*flagello*) curse; plague.

afflosciàre A v. t. 1 to make* (st.) go limp; (*una pianta*) to wilt; (*sgonfiare*) to deflate **2** (*fig.*: *indebolire*) to weaken; to enervate **3** (*fig.*: *smorzare*) to deflate; to dampen **B afflosciàrsi v. i. pron. 1** to go* limp; to go* soft; to sag; to collapse; to droop; (*di pianta*) to wilt; (*sgonfiarsi*) to deflate: *La vela si afflosciò*, the sail sagged; *Si afflosciò tra le mie braccia*, she went limp in my arms; **afflosciarsi a terra**, to collapse on the ground; *Il soufflé si è afflosciato*, the soufflé has gone flat; *I fiori si sono afflosciati*, the flowers have wilted **2** (*fig.*) to sag; to give* up; to lose* momentum.

affluènte a. e m. tributary.

affluènza f. 1 (*di liquido*) flow; (*di aria*) inflow; inrush (*econ.*) inflow; influx; flow **3** (*di gente*) crowd; attendance; turnout: **una buona a. di pubblico**, a large attendance; **a. alle urne**, voters; turnout at the polling booths ❶**FALSI AMICI** ● affluenza *non si traduce con* affluence.

affluire v. i. 1 (*scorrere*) to flow; to pour; to run* **2** (*fig.*) to pour in; to flood in; to stream in; to rush: *I guadagni affluiscono da ogni parte*, profits pour in from everywhere; *La gente affluiva nella piazza*, people were pouring into the square; *un film che farà a. folle di spettatori*, a film that will bring in the crowds; *Il sangue gli affluì al viso*, blood rushed (o rose) to his face.

afflùsso m. 1 influx; flow; stream; inrush: **l'a. dei turisti**, the influx of tourists; **l'a. del traffico verso il centro**, the flow of traffic to the centre of town; **un incessante a. di gente**, a continuous stream of people **2** (*econ.*) inflow; influx: **a. di capitali dall'estero**, inflow of capital from abroad **3** (*med.*) afflux.

aff.mo abbr. (**affezionatissimo**) yours truly; yours affectionately.

affogaménto m. drowning.

♦**affogàre A v. t. 1** (*anche fig.*) to drown: **a. i dispiaceri nell'alcol**, to drown one's sorrows in alcohol (o in drink) **2** (*cucina*) to poach **B v. i.** to drown; to be drowned: *Affogò nel fiume*, he drowned (o was drowned) in the river ● (*fig.*) **a. in un bicchiere d'acqua**, to get flustered by the slightest thing □ (*fig.*) **a. nei debiti**, to be up to one's eyes in debt □ (*fig.*) **o bere o a.**, sink or swim **C affogàrsi v. rifl.** to drown oneself.

affogàto A a. 1 drowned: **morire a.**, to drown; to be drowned **2** (*cucina*) poached: **uova affogate**, poached eggs **B m. 1** (f. *-a*) drowned person **2 – a. al caffè [al whisky]**, ice cream with coffee [whisky] poured over it.

affollaménto m. 1 (*l'affollarsi*) crowding; thronging **2** (*folla*) crowd; throng; press.

♦**affollàre A v. t.** to crowd; to pack; to throng; to mill around; to swarm into: *La gente affollò le strade*, people crowded (o swarmed into) the streets; *Il pubblico affollava la sala*, the hall was packed **B affollàrsi v. i. pron. 1** to crowd; to throng; to swarm; to flock: *Mi si affollarono intorno*, they crowded around me **2** (*riempirsi*) to fill; to be crowded; to be packed: *Il cinema si affollò subito*, the cinema was soon packed **3** (*di pensieri, ecc.*) to crowd in.

♦**affollàto a.** crowded; thronged; packed: **un cinema a.**, a crowded cinema.

affondaménto m. sinking.

affondamìne m. inv. (*naut.*) minelayer.

♦**affondàre A v. t. 1** (*naut.*) to sink*; (*deliberatamente*) to scuttle, to scupper (*GB*) **2** (*fig.*: *far fallire*) to torpedo; to scuttle; to scupper **3** (*far penetrare*) to sink*; to thrust*; (*immergere*) to plunge, to bury: **a. i denti in qc.**, to sink one's teeth into st.; **a. una mano in tasca**, to thrust a hand into one's pocket; to dive into one's pocket; *Gli affondò la lama nel petto*, she plunged the blade into his chest **B v. i. 1** (*naut.*) to sink*; to go* down; to founder: *La nave affondò con tutti gli uomini*, the ship sank (o went down) with all her hands **2** (*sprofondare*) to sink*; to slump: **a. nella neve**, to sink into the snow; **a. in una poltrona**, to sink (o to slump) into an armchair.

affondàta f. (*aeron.*) dive.

affóndo m. (*sport*) **1** (*scherma*) lunge **2** (*calcio*) all-out attack.

afforcàre v. t., afforcàrsi v. rifl. (*naut.*) to moor with two bowers.

affossaménto m. 1 (*agric.*) ditching **2** (*avvallamento*) depression, hollow; (*fosso*) ditch **3** (*fig.*) shelving.

affossàre A v. t. 1 (*agric.*) to ditch (*incavare*) to rut; to make* ruts into **3** (*fig.*) to shelve; to drop **B affossàrsi v. i. pron. 1** (*incavarsi*) to become* hollow; (*di occhi*) to sink* **2** (*cedere*) to sag; to subside.

affossàto a. 1 (*incavato*) hollow; (*di occhi*)

sunken **2** (*fig.*) shelved; dropped.

affossatóre m. 1 (*becchino*) gravedigger **2** (*agric.*) ditcher **3** (*fig.*) person who shelves a project; shelver.

affossatùra f. → **affossamento**.

affrancàbile a. 1 (*liberabile*) releasable **2** (*riscattabile*) redeemable.

affrancaménto m. 1 (*liberazione*) release; deliverance; liberation; emancipation **2** (*riscatto*) redemption.

affrancàre A v. t. 1 (*liberare*) to free; to set* free; to deliver; to release; to emancipate: **a. uno schiavo [un popolo]**, to free a slave [a people] **2** (*riscattare*) to redeem: **a. una proprietà [un'eredità]**, to redeem a property [an inheritance] **3** (*una lettera*) to stamp; to frank: (*su una busta*) *Non a.*, no postage required **B affrancàrsi v. rifl.** (*anche fig.*) to free oneself (of); to rid* oneself (of); to get* rid (of): **affrancarsi dai debiti**, to get out of debt; to pay off one's debts.

affrancàto a. 1 (*liberato*) freed; free; liberated; emancipated **2** (*di corrispondenza*) stamped; franked.

affrancatóre m. (f. *-trìce*) **1** (*chi libera*) liberator **2** (*chi riscatta*) redeemer.

affrancatrice f. (*mecc.*) postal franking machine; postage meter (*USA*).

affrancatùra f. 1 stamping; franking **2** (*tariffa postale*) postage: (*spesa*) **a. insufficiente**, postage due; **spedizione con a. a carico del destinatario**, freepost (*GB*); business reply mail; **privo di a.**, unstamped.

affrànto a. broken-hearted; grief-stricken; devastated (by grief); disconsolate; shattered: **un cuore a.**, a broken heart.

affratellaménto m. brotherly union; brotherhood.

affratellàre A v. t. to bring* together; to unite (in friendship) **B affratellàrsi v. rifl.** to come* together; to join (in friendship).

affrescàre v. t. (*pitt.*) to fresco*.

affreschìsta m. e f. fresco painter.

affrésco m. 1 (*pitt.*) fresco* **2** (*fig.*) depiction; portrayal.

♦**affrettàre A v. t. 1** to speed* up; to hurry (up); to quicken; to rush: **a. la guarigione**, to speed up recovery; **a. il passo**, to quicken one's step; *Non affrettiamo i tempi*, let's not be precipitate; let's not rush it **2** (*rendere più sollecito*) to speed* up; to expedite; to facilitate **3** (*anticipare*) to bring* forward the date of: **a. la partenza**, to bring forward the date of one's departure (*form.*); to leave earlier than planned **B affrettàrsi v. i. pron.** to hurry (up); to hasten; to make* haste: **affrettarsi a rispondere**, to hasten to answer; **affrettarsi verso casa**, to hasten home; *Affrettatevi!*, hurry up!

affrettataménte avv. hurriedly; hastily; in haste; in a hurry.

affrettàto a. 1 (*frettoloso*) hurried; hasty: **una partenza affrettata**, a hasty departure **2** (*precipitoso*) overhasty; rash: **giudizio a.**, rash judgment; **decisione affrettata**, rash decision **3** (*poco curato*) rushed; slapdash; careless.

affricàta f. (*fon.*) affricate.

affricàto a. (*fon.*) affricative.

♦**affrontàre A v. t. 1** (*fronteggiare*) to confront; to face up to; (*sport*) to meet*, to play with: **a. un nemico**, to confront an enemy; **a. i ribelli**, to face up to the rebels; *Domani la Lazio affronterà il Cagliari*, Lazio will meet Cagliari tomorrow **2** (*far fronte a*) to face; to face up to; to cope with; (*con sfida*) to brave; (*spese*) to meet*, to bear*: **a. la sofferenza [la morte]**, to face suffering [death]; **a. la realtà**, to face reality; **a. una responsabilità**, to face up to a responsibility; **a. un imprevisto**, to cope with an unforeseen event; **a. le ire di q.**, to brave sb.'s anger; **a.**

una salita, to start uphill; to start climbing **3** (*mettere mano a, prendere in esame*) to deal* with; to tackle; to grapple with; to broach: **a. un problema**, to tackle a problem; **a. un argomento spinoso**, to broach a thorny subject **4** (*sottostare*) to undergo*; to go* through: **a. un'operazione**, to undergo an operation; **a. molte prove**, to go through many trials **B** **affrontàrsi** v. rifl. recipr. (*scontrarsi*) to clash; (*anche sport*) to meet*.

affrónto m. (*offesa*) affront; insult; offence: **un a. al buon senso**, an affront to common sense; **L'ha presa come un a. personale**, he took it as a personal affront (o insult); **ricevere [patire] un a.**, to be insulted; to receive [to suffer] an affront (*form.*); **fare un a. a q.**, to insult sb.; to give offence to sb.; to offer an affront to sb. (*form.*).

affumicaménto m. **1** (*annerimento da fumo*) smoking; blackening with smoke **2** (*di carne, pesce, ecc.*) smoking.

affumicàre v. t. **1** (*riempire di fumo*) to fill with smoke **2** (*annerire col fumo*) to smoke; to blacken with smoke **3** (*carne, pesce, ecc.*) to smoke.

affumicàto a. **1** (*annerito dal fumo*) smoked; blackened with smoke; smoky: **vetro a.**, smoked glass; **lenti affumicate**, tinted (o dark) lenses **2** (*di carne, pesce, ecc.*) smoked.

affumicatóio m. smokery; smoke-house.

affumicatùra f. → **affumicamento**.

affusolàre v. t. to taper.

affusolàto a. **1** tapering; tapered: **calzoni affusolati**, tapered trousers; **dita affusolate**, tapering fingers **2** (*aerodinamico*) streamlined.

affùsto m. (*mil.*) gun carriage; gun mount.

afghàno, **afgàno** a. e m. (f. *-a*) Afghan (f. Afghan woman*).

àfide m. (*zool., Aphis*) aphid; aphis*; (*com.*) plant louse* ● **a. verde** (*Myzus persicae*), greenfly.

àfnio m. (*chim.*) hafnium.

afocàle a. (*fis.*) afocal.

afonìa f. (*med.*) aphonia.

àfono a. **1** (*med.*) aphonic; (*com.: rauco*) hoarse: **essere a.**, to be hoarse; to have lost one's voice **2** (*ling.*) unvoiced; voiceless; aphonic.

aforìsma m. aphorism.

aforìsta m. e f. aphorist.

aforìstico a. aphoristic.

afosità f. suffocating heat; closeness; mugginess.

afóso a. suffocating; close; muggy: **caldo a.**, suffocating heat; **tempo a.**, muggy weather.

Àfrica f. (*geogr.*) Africa.

africander m. e f. inv. Afrikander, Africander.

africanìsmo m. **1** (*stor.*) colonial expansion into Africa **2** (*polit.*) Africanism **3** (*ling.*) Africanism.

africanìsta m. e f. **1** (*studioso*) Africanist **2** (*stor.*) supporter of the colonial expansion into Africa.

africanìstica f. African studies (pl.).

africàno a. e m. (f. *-a*) African.

àfrico m. (*lett.*) southwest wind; southwester.

afrikaans m. inv. Afrikaans.

afrikander → **africander**.

afrikaner a., m. e f. inv. Afrikaner.

afroamericàno a. e m. (f. *-a*) African-American; Afro-American.

afroasiàtico a. e m. (f. *-a*) Afro-Asian.

afrocubàno a. e m. (f. *-a*) Afro-Cuban.

afrodisìaco a. e m. aphrodisiac.

Afrodìte f. (*mitol.*) Aphrodite.

afròmetro m. (*enologia*) aphrometer.

afróre m. stench; reek.

àfta f. **1** (*med.*) aphtha* **2** (*vet.*) – **a. epizootica**, foot-and-mouth disease.

after hours (*ingl.*) **A** loc. a. inv. (*di locale*) after hours **B** loc. m. inv. after hours club.

aftóso a. **1** (*med.*) aphthous **2** (*vet.*) affected by foot-and-mouth disease.

AG sigla (**Agrigento**).

Ag. abbr. **1** (**agente**) agent **2** (**agenzia**) agency; branch.

A.G. sigla (**Autorità giudiziaria**) Judicial Authority.

AGAI sigla (**Associazione guide alpine italiane**) Italian Alpine Guides Association.

Agamènnone m. Agamemnon.

àgami m. inv. (*zool., Psophia crepitans*) trumpeter.

agamìa f. **1** (*biol.*) agamogenesis **2** (*etnol.*) agamy.

agàmico a. (*biol.*) agamic.

agapànto m. (*bot., Agapanthus umbrellatus*) agapanthus.

àgape f. **1** (*stor.*) agape **2** (*lett.*) banquet.

àgar-àgar m. inv. (*chim.*) agar-agar.

agàrico m. (*bot., Agaricus*) agaric.

àgata f. (*miner.*) agate.

Àgata f. Agatha.

àgave f. (*bot., Agave*) agave ● **a. americana**, American aloe; century plant □ **a. sisalana**, sisal.

AGCI sigla (**Associazione generale delle cooperative italiane**) Italian Co-operative Society Association.

AGCM sigla (**Autorità garante della concorrenza e del mercato**) Italian Competition Authority (*antitrust authority*).

agèmina f. damascening.

ageminàre v. t. to damascene.

agènda f. **1** diary; engagement (o appointment) book; (*con taccuino, ecc.*) personal organizer: (*comput.*) **a. elettronica**, electronic diary; electronic organizer; **a. tascabile**, pocket diary **2** (*ordine del giorno*) agenda: **in a.**, on the agenda ❶ **FALSI AMICI** ● agenda *nel senso di taccuino non si traduce con* agenda.

♦**agènte** m. **1** (*chi agisce, anche gramm.*) agent **2** (*comm.*) agent; (*Borsa, fin., ass.*) broker: **l'a. della ditta B**, the agent for firm B; **a. di assicurazione**, insurance agent (o broker); **a. di cambio**, stockbroker; broker; **a. di commercio**, business agent; **a. del fisco**, tax inspector; fiscal assessor; **a. di sconto**, discount broker; **a. di spedizioni**, forwarding (o shipping) agent; **a. esclusivo**, sole agent; **a. immobiliare**, estate agent (*GB*); real estate agent (*USA*); **a. letterario**, literary agent; **a. marittimo**, shipping agent; ship-broker; **a. pubblicitario**, advertising agent; (*addetto stampa*) press agent **3** (*polizia, ecc.*) officer: **a. di polizia**, police officer; policeman; police constable (*GB*); **a. di pubblica sicurezza**, policeman; **a. di custodia**, prison guard **4** (*fis., chim., med.*) agent: **a. chimico [fisico, naturale]**, chemical [physical, natural] agent; **a. inquinante**, pollutant; **a. patogeno**, pathogen ● **a. provocatore**, agent provocateur (*franc.*) □ **a. segreto**, secret agent.

agenzìa f. **1** agency; bureau: **a. di assicurazioni**, insurance agency; **a. di collocamento**, (*privata*) employment agency; (*pubblica*) employment office (*USA* bureau); **a. d'investigazione**, detective agency; **a. di pubblicità**, advertising agency (*USA* bureau); **a. di spedizioni**, forwarding (o shipping) agents (pl.); **a. di stampa** (*o d'informazioni*), news agency; **a. di viaggi**, travel agency; travel bureau; **a. immobiliare**, estate agency; **a. ippica**, betting shop; betting

office **2** (*filiale*) branch; agency **3** (*giorn.*) news bulletin (from a news agency).

agèrato m. (*bot., Ageratum*) ageratum*.

AGESCI sigla (**Associazione guide e scout cattolici italiani**) Association of Italian Catholic Scouts and Guides.

agevolàre v. t. **1** (*facilitare*) to ease; to facilitate; to make* easier; to smooth the way for; (*semplificare*) to simplify: **a. il compito a q.**, to make sb.'s task easier for him **2** (*aiutare*) to help; to make* things easy for; (*favorire*) to favour; (*fin.*) to accommodate: *Mi ha agevolato nel pagamento*, she gave me easy terms (of payment).

agevolàto a. (*econ.*) concessional; subsidized; concessionary: **condizioni agevolate**, easy terms; **prestito a.**, subsidized loan; **tasso a.**, concessional (o special) rate.

agevolazióne f. **1** facilitation; (*aiuto*) help **2** (*riduzione*) reduction: **a. fiscale**, tax concession; tax break (*fam.*); **agevolazioni di pagamento**, easy terms (of payment); **concedere un'a.**, to allow a reduction; **fare un'a.**, to make a reduction.

agévole a. easy; effortless; (*di strada*) smooth.

agganciaménto m. **1** hooking **2** (*ferr.*) coupling; (*miss.*) docking **3** (*fig.: collegamento*) linking; linkage; yoking.

agganciàre v. t. **1** to hook; (*abiti*) to fasten (with a hook) **2** (*ferr.*) to couple; (*miss.*) to dock **3** (*fig.: collegare*) to link; to yoke; to hitch: **a. i salari ai prezzi**, to yoke wages to prices **4** (*fin.: rapportare*) to peg: **a. una valuta al dollaro**, to peg a currency to the dollar **5** (*fig.: attaccare discorso*) to buttonhole; to corner; (*abbordare*) to chat up (*fam.*) **6** (*calcio: la palla*) to stop in mid-air, to gain possession of (*the ball*) in mid-air; (*un avversario*) to trip up.

aggàncio m. **1** (*ferr.*) coupler **2** (*fig.: collegamento*) link; connection **3** (*fam.: conoscenza*) contact; connection.

aggéggio m. gadget; contraption; whatsit (*fam.*); thingummy (*fam.*); doodah (*fam. GB*); doodad (*fam. USA*).

aggettàre v. i. to jut out; to project.

aggettivàle a. (*gramm.*) adjectival.

aggettivàre v. t. **1** (*gramm.*) to turn into (o to use as) an adjective **2** (*assol.*) to use adjectives; to add adjectives.

aggettivazióne f. use of adjectives.

♦**aggettìvo** m. **1** (*gramm.*) adjective: **a. dimostrativo**, demonstrative adjective; **a. qualificativo**, qualifying adjective; qualifier **2** (*epiteto*) name; epithet.

aggètto m. (*archit.*) projection; overhang; jut: **fare a.**, to jut out; to project; **in a.**, projecting; jutting.

agghiacciànte a. (*fig.*) terrifying; horrifying; horrendous; spine-chilling; blood-curdling: **un delitto a.**, a horrendous murder; **un urlo a.**, a blood-curdling scream.

agghiacciàre **A** v. t. **1** to freeze*; to ice (up, over): **a. l'acqua**, to freeze water **2** (*fig.*) to make one's blood run cold; to terrify; to horrify **B** v. i. (*fig.*) to feel* one's blood run cold; to be horrified.

agghiàccio m. (*naut.*) steering gear.

agghiaiàre v. t. to gravel. ●

agghindaménto m. dressing up; decking out.

agghindàre **A** v. t. to adorn; to dress up; to deck out; to do* up (*fam.*) **B** **agghindàrsi** v. rifl. to dress up; to deck (oneself) out; to do* oneself up (*fam.*).

àggio m. (*fin.*) **1** agio; premium: **a. dell'oro [del dollaro]**, gold [dollar] premium; **fare a. su**, to be at a premium on **2** (*compenso*) collecting commission.

aggiogàre v. t. **1** (*animali*) to yoke; to team **2** (*fig.: appaiare*) to yoke; to couple **3**

aggiornaménto m. **1** updating; bringing up to date; update; (*revisione*) revision; (*ind.*: *rinnovamento*) renovation **2** (*aggiunta*) supplement **3** (*rinvio*) adjournment ● **corso di a.**, a refresher course □ **volume d'a.**, supplement ❶ **FALSI AMICI** • aggiornamento *nei sensi di completamento, rinnovamento, aggiunta non si traduce con adjournment*.

aggiornàre 🅰 v. **1** to bring* up to date; to update; (*rivedere*) to revise; (*ind.*: *rinnovare*) to renovate, to modernize **2** (*mettere al corrente*) to update; to bring* up to date **3** (*rinviare*) to adjourn 🅱 **aggiornàrsi** v. rifl. **1** (*mettersi al corrente*) to bring* oneself up to date; to keep* up to date **2** (*di assemblea*) to adjourn ❶ **FALSI AMICI** • aggiornare *nei sensi di rinnovare, adeguare, mettere al corrente non si traduce con* to adjourn.

aggiornàto a. **1** updated; up-to-date; (*riveduto*) revised; (*rinnovato*) renovated, modernized **2** (*al corrente*) up-to-date; well informed; abreast (of a.): **tenersi a.**, to keep up-to-date; to keep abreast of things **3** (*rinviato*) adjourned ❶ **FALSI AMICI** • aggiornato *nei sensi di completato, rinnovato, al corrente non si traduce con* adjourned.

aggiotàggio m. (*leg.*) rigging the market; agiotage.

aggiotatóre m. (f. **-trìce**) (*leg.*) rigger (of the market).

aggiraménto m. **1** bypassing; avoidance **2** (*mil.*) outflanking.

aggiràre 🅰 v. t. **1** to go* round; to skirt; to bypass **2** (*mil.*) to outflank **3** (*fig.*: *evitare*) to bypass; to get* round; to circumvent (*form.*); to sidestep: **a. la legge**, to circumvent (*o* to get round) the law; **a. una difficoltà**, to sidestep a difficulty 🅱 **aggiràrsi** v. i. pron. **1** (*vagare*) to wander about; to roam; (*gironzolare*) to hang* about, to hang* out (*USA*), to prowl about: **aggirarsi per la città**, to wander about the town; **aggirarsi nel quartiere**, to hang about (*o*, *USA*, to hang out in) the neighbourhood **2** (*fig.*: *riguardare*) to centre (on); to deal* (with): *Il dibattito s'aggira sopra un punto solo*, the discussion deals with a single point **3** (*approssimarsi*) to be about (*o* around): *Il prezzo si aggira su mille euro*, the price is about one thousand euros.

aggiudicàre v. t. **1** to award; to assign; (*in un'asta*) to knock down: **a. un premio [un appalto]**, to award a prize [a contract]; *Il vaso fu aggiudicato al signor X per un milione*, the vase was knocked down at one million to Mr X; **Aggiudicato!**, gone! **2** (**aggiudicarsi**: *conquistare*) to win*; to gain; to be awarded: **aggiudicarsi il primo premio [un appalto]**, to win first prize [a contract]; **aggiudicarsi la vittoria**, to win; to gain a victory.

aggiudicatàrio m. (f. **-a**) **1** (*in un'asta*) highest bidder; (*di appalto*) lowest bidder, contractor (*assegnatario*) allottee.

aggiudicativo a. adjudicative.

aggiudicazióne f. (*assegnazione*) awarding; (*di appalto*) award of contract; (*in un'asta*) knocking down.

♦**aggiùngere** 🅰 v. t. **1** to add; (*a metà*) to add in; (*alla fine*) to add on; (*come appendice*) to append: **a. la propria firma**, to add one's signature; **a. olio e sale**, to add in oil and salt; **a. un poscritto**, to add (*o* to append) a postscript; «*Devo andare*» *aggiunse*, «I must go» he added 🅱 **aggiùngersi** v. i. pron. **1** (*di cosa*) to be added (to); to come* on top (of); to add (to); (*seguire*) to follow: *A questo si aggiunse la pioggia*, on top of that it started to rain; **andare ad aggiungersi a qc.**, to add to st. **2** (*di persona*) to join (sb., st.): **aggiungersi a un gruppo**, to join a group.

aggiùnta f. **1** addition; supplement; inclusion: **in a.**, in addition; (*per di più*) on top of it, furthermore (*form.*); **in a. a**, in addition to; beside; on top of; (*editoria*) **nuova edizione con aggiunte**, new expanded edition **2** (*archit.*) extension.

aggiuntàre v. t. to join (together).

aggiuntatùra f. **1** (*l'aggiuntare*) joining **2** (*giuntura*) joint; join; junction.

aggiuntivo a. additional; extra; further; adjunctive; supplementary.

aggiùnto 🅰 a. **1** added; extra; (*incluso*) inserted, included: **valore a.**, added value **2** (*associato*) associate: **membro a.**, associate member **3** (*assistente*) assistant (attr.); deputy (attr.): **segretario a.**, assistant secretary 🅱 m. (*delegato*) assistant; deputy.

aggiustàbile a. **1** (*riparabile*) repairable; mendable: *Non è a.*, it isn't repairable; it can't be fixed **2** (*regolabile*) that can be adjusted **3** (*di controversia*) that can be settled.

aggiustàggio m. (*mecc.*) adjustment; fitting.

aggiustaménto m. **1** (*riparazione*) repairing; mending; fixing; repair **2** (*regolazione*) adjustment **3** (*accordo*) settlement; accommodation.

♦**aggiustàre** 🅰 v. t. **1** (*riparare*) to repair; to mend; to fix: **a. una radio**, to repair (*o* to fix) a radio; **a. scarpe**, to mend (*o* to repair) shoes **2** (*rassettare*) to tidy; to arrange; to fix: **aggiustarsi i capelli**, to tidy (*o* to fix) one's hair; **aggiustarsi la cravatta**, to straighten one's tie **3** (*regolare*) to adjust: **a. il tiro**, to adjust one's aim **4** (*comporre*) to settle; to set* right: **a. una questione**, to settle a matter; **a. i conti**, to settle the accounts; to balance the books **5** (*fam.*: *appioppare*) to land; to fetch: **a. un pugno a q.**, to fetch sb. a punch ● **a. alla meglio** (*o* **in qualche modo**), to patch up □ **a. di sale**, to add salt □ **a. q. per le feste**, to fix sb. □ **Ora t'aggiusto io!**, now I'll fix you!; I'll sort you out! 🅱 **aggiustàrsi** v. rifl. **1** (*adattarsi*) to adapt; to make* do (with) **2** (*fam.*: *rassettarsi*) to tidy oneself; (*farsi elegante*) to dress up 🅲 **aggiustàrsi** v. rifl. recipr. (*fam.*: *venire a un accordo*) to reach an agreement 🅳 **aggiustàrsi** v. i. pron. **1** (*andare a posto*) to come* out right; to sort itself out; to work out: *Tutto si aggiusterà*, everything will come out right; (*prov.*) *Col tempo tutto si aggiusta*, time is a great healer **2** (*del tempo*) to improve.

aggiustàta f. **1** quick fixing **2** (*rassettata*) tidying: **darsi un a.**, to tidy oneself.

aggiustatóre m. (f. **-trìce**) repairman*; (*mecc.*) fitter.

aggiustatùra f. **1** (*l'aggiustare*) repair; fixing; mending **2** (*il risultato*) repair job; (*punto aggiustato*) repair, mend.

agglomeraménto m. agglomeration.

agglomerànte m. (*ind.*) binder.

agglomeràre v. t., **agglomeràrsi** v. i. pron. to agglomerate; (*di persone*) to collect, to gather.

agglomeràto a. e m. (*anche geol.*) agglomerate ● **a. urbano**, built-up area; urban area.

agglomerazióne f. agglomeration.

agglutinaménto m. agglutination.

agglutinànte a. **1** agglutinant; adhesive: **sostanza a.**, agglutinant **2** (*ling.*) agglutinative.

agglutinàre v. t., **agglutinàrsi** v. i. pron. to agglutinate.

agglutinazióne f. (*anche biol.*, *ling.*) agglutination.

agglutinìna f. (*biol.*) agglutinin.

agglutinògeno m. (*chim.*) agglutinogen.

aggobbìre v. t., **aggobbìrsi** v. i. pron. to bend*.

aggomitolàre 🅰 v. t. to wind* into a ball 🅱 **aggomitolàrsi** v. rifl. to curl up; to huddle up.

aggomitolatóre m., **aggomitolatrice** f. (*ind. tess.*) ball winder.

aggomitolatùra f. winding into a ball.

aggottàre v. t. (*naut.*) to bail; to bail out.

aggradàre v. i. difett. (si usa nella 3ª pers. sing. pres. indic.) (*lett.*) to please (anche pers.); to like (pers.): *Se t'aggrada*, if it pleases you; if you like.

aggraffàre v. t. (*mecc.*) to seam.

aggraffatrice f. (*mecc.*) seamer.

aggraffatùra f. (*mecc.*) seam.

aggranchìre 🅰 v. t. to numb; to benumb 🅱 **aggranchìrsi** v. i. pron. to grow* numb.

aggranchìto a. numb; benumbed.

aggranfiàre v. t. **1** to claw **2** (*fig.*: *rubare*) to steal*; to pinch.

♦**aggrappàrsi** v. rifl. **1** (*afferrarsi*) to catch* hold (of), to grab; (*tenersi stretto*) to cling* (to), to hang* on (to), to hold* on (to): **a. a una corda**, to catch hold of a rope; *Aggrappati bene!*, hold on tight!; *Si aggrappava (o Era aggrappato) al mio braccio*, he clung to my arm; *Era aggrappato alla corda*, he was hanging from the rope **2** (*fig.*) to seize (on); to fasten (on); to cling* (to): **a. a un pretesto**, to seize on a pretext; **a. a una speranza**, to cling to a hope.

aggravaménto m. **1** (*aumento*) increase: **l'a. di una responsabilità**, the increase of a responsibility; (*leg.*) **a. di pena**, increase in sentence **2** (*peggioramento*) worsening; deterioration.

aggravànte 🅰 a. aggravating 🅱 f. (*leg.*) aggravating circumstance.

aggravàre 🅰 v. t. **1** (*aumentare*) to increase; to add to; to compound: **a. le difficoltà**, to compound difficulties; (*leg.*) **a. la pena**, to increase the sentence **2** (*peggiorare*) to make* worse; to worsen: **a. le cose**, to make things worse **3** (*appesantire*) to lie* heavy on; to weigh on 🅱 **aggravàrsi** v. i. pron. **1** to get* worse; to worsen; to deteriorate: *La situazione s'aggravò*, the situation deteriorated **2** (*di malato*) to get* worse.

aggravàto a. **1** (*peggiorato*) worse: *Lo vidi molto a.*, I found him much worse **2** (*leg.*) aggravated.

aggràvio m. **1** (*aumento*) increase; rise; (*aggiunta*) addition: **a. d'imposte [di peso]**, increase in taxes [in weight]; **un a. di lavoro**, an extra workload; **un a. di spese**, a rise in costs; increased costs **2** (*peso*) burden: **essere di a. a q.**, to be a burden to sb.

aggraziàre v. t. (*abbellire*) to embellish; to make* pretty; to lend* grace to.

aggraziàto a. graceful; pretty.

aggredìre v. t. **1** (*assalire*) to attack (anche fig.); to assault; (*per rapina, anche*) to mug **2** (*affrontare*) to tackle; to attack.

aggreditrice f. → **aggressore**.

aggregaménto m. aggregation.

aggregàre 🅰 v. t. **1** (*unire*) to unite; to aggregate **2** (*associare*) to admit; to enrol **3** (*mil.*) to attach 🅱 **aggregàrsi** v. rifl. to join (st.) 🅲 **aggregàrsi** v. i. pron. to aggregate; to combine.

aggregàto 🅰 a. **1** (*unito*) aggregate; joint; assembled **2** (*associato*) associate **3** (*di funzionario, ecc.*) seconded **4** (*econ., mat., miner.*) aggregate 🅱 m. **1** aggregate; cluster: **a. urbano**, built-up area (*miner.*) aggregate **3** (*mat.*) set.

aggregazióne f. **1** aggregation; (*insieme*) mass, cluster; collection **2** (*associazione*) admission; enrolment **3** (*fis.*) aggregation.

aggressióne f. aggression; assault; (*per rapina, anche*) mugging: **a. a mano armata**,

armed assault; **a. sessuale**, sexual assault; **essere vittima di un'a.**, to be assaulted; to be mugged; (*polit.*) **patto di non a.**, non-aggression pact.

aggressività f. aggressiveness; (*combattività, anche*) forcefulness, assertiveness, boldness.

♦**aggressivo** Ⓐ a. aggressive; belligerent; (*combattivo, anche*) forceful, assertive, bold Ⓑ m. – a. **chimico**, chemical weapon.

aggressóre Ⓐ m. (f. *aggreditrice*) aggressor; attacker; assailant Ⓑ a. attacking.

aggrinzàre, **aggrinzire** Ⓐ v. t. to wrinkle Ⓑ **aggrinzàrsi**, **aggrinzìrsi** v. i. pron. to wrinkle (up).

aggrondàto a. (*accigliato*) frowning: **espressione aggrondata**, frown; *Mi guardò con la fronte aggrondata*, she looked at me frowning; she frowned at me.

aggrottàre v. t. to knit*: **a. le sopracciglia**, to knit one's eyebrows; **a. la fronte**, to frown.

aggrottàto a. 1 (*delle sopracciglia*) knit; (*della fronte*) furrowed 2 (*estens.: accigliato*) frowning.

aggrovigliaménto m. entanglement.

aggrovigliàre Ⓐ v. t. to tangle; to entangle Ⓑ **aggrovigliàrsi** v. i. pron. 1 to get* entangled (*o* tangled up); to tangle 2 (*fig.*) to become* entangled; to get* into a tangle.

aggrovigliàto a. 1 entangled 2 (*fig.*) entangled; intricate; involved.

aggrumàre v. i., **aggrumàrsi** v. i. pron. to clot.

aggruppaménto m. grouping.

aggruppàre v. t., **aggrupparsi** v. rifl. to group.

agguantàre v. t. 1 to seize; to grab; to catch* hold of: **a. q. per un braccio**, to grab sb. by the arm; *L'hanno aggguantato mentre usciva*, they seized (*o* caught) him as he was leaving; *Fece per a. la banconota*, he snatched at the banknote 2 (*naut.*) to hold* on to; to clap on to; (*assol., nella voga*) to hold* water.

agguàto m. 1 (*imboscata*) ambush; ambuscade: **essere [stare] in a.**, to be [to lie] in ambush; **tendere un a. a**, to lay an ambush for; to ambush (gen. al passivo); to set a trap for 2 (*trappola*) trap; snare.

agguerrìre Ⓐ v. t. (*temprare*) to fortify; to temper; to inure; to harden; to toughen Ⓑ **agguerrìrsi** v. rifl. 1 (*temprarsi*) to fortify oneself; to become* inured 2 (*prepararsi*) to get* ready.

agguerrìto a. 1 (*bene addestrato*) well-trained: **un esercito a.**, a well-trained army 2 (*valoroso*) brave; valiant 3 (*resistente*) fortified; seasoned; inured; hardened; toughened tough 4 (*preparato*) experienced: **un avvocato a.**, an experienced lawyer: *È a. su quell'argomento*, he knows a lot (*o* he is an expert) on that subject.

aghétto m. 1 (*mil.*) aiguillette 2 (*laccio*) aglet.

aghifórme a. needle-shaped; (*bot.*) acerose.

AGI sigla (**Agenzia giornalistica Italia**) Italian News Agency.

agiataménte avv. 1 comfortably; in comfort: **vivere a.**, to live in comfort; to be well-off 2 (*facilmente*) easily.

agiatézza f. 1 (*benessere finanziario*) comfort; financial ease; affluence: **vivere nell'a.**, to lead a life of ease; to be comfortably off 2 (*comodità*) comfort.

agiàto a. 1 (*benestante*) well-to-do; well-off; comfortably off: **di agiata condizione**, well-off; comfortably off; *È di famiglia agiata*, she comes from a well-to-do family 2 (*comodo*) easy; comfortable: **vita agiata**, comfortable life.

agìbile a. 1 (*fattibile*) feasible; practicable 2 (*di edificio*) safe; fit for use: **dichiarare a.** [**non a.**] to declare safe [unsafe]; **edificio non a.**, unsafe building 3 (*di strada, ecc.*) practicable; passable; open; clear: **non a.**, impracticable; impassable; closed.

agibilità f. 1 (*di edificio*) safeness; fitness for use; (*di casa*) fitness for habitation 2 (*di strada*) practicability.

♦**àgile** a. 1 (*svelto*) agile; nimble; quick; (*destro*) deft: **a. nella corsa**, light of foot; **a. di piede**, nimble-footed; **mani agili**, deft hands; **passo a.**, nimble pace 2 (*snello*) lithe; lissom; supple; svelte: **figura a.**, svelte figure 3 (*fig.: vivace*) agile; quick; lively; ready: **mente a.**, agile (*o* quick) mind • (*eufem.*) **a. di mano**, light-fingered.

agilità f. 1 agility; nimbleness; quickness; suppleness; (*destrezza*) deftness 2 (*fig.: vivacità*) agility; quickness; liveliness; readiness.

àgio m. 1 (*comodità*) ease Ⓤ; comfort: **gli agi della vita**, the comforts of life; **mettersi a proprio a.**, to make oneself comfortable; **sentirsi a proprio a.**, to be at one's ease 2 (*comodo*) ease; leisure; time: **fare qc. con a.**, to do st. at one's leisure 3 (*opportunità*) opportunity; chance 4 (*mecc.*) clearance; play 5 (al pl.: *ricchezze, benessere*) comfort (sing.); wealth (sing.).

agiografia f. hagiography.

agiogràfico a. hagiographic.

agiògrafo m. (f. *-a*) hagiographer.

agiologia f. hagiology.

agiològico a. hagiologic.

agiòlogo m. hagiologist.

♦**agìre** v. i. 1 (*fare, operare*) to act; to do*: **a. per il meglio**, to act for the best; **a. per conto proprio**, to act on one's own account; **a. su consiglio di q.**, to act upon sb.'s advice; **a. per bassi motivi**, to act from (*o* out of) base motives 2 (*comportarsi*) to behave: *Ha agito male nei miei confronti*, he behaved badly towards me; *Non mi piacque il suo modo di a.*, I didn't like the way she behaved 3 (*funzionare*) to work; to operate: *La molla non agisce più*, the spring isn't working any more 4 (*influire*) to act; to affect: **a. sul cuore**, to act on the heart; **a. sui nervi**, to affect the nerves 5 (*leg.: procedere*) to proceed (against sb.); to take* legal steps (against sb.) 6 (*psic.*) to act out.

AGIS sigla (**Associazione generale italiana dello spettacolo**) Italian National Entertainment Association.

agitàbile a. (*fig.*) excitable; impressionable.

♦**agitàre** Ⓐ v. t. 1 (*scuotere*) to shake*; to agitate; (*con violenza*) to toss: **a. la bottiglia**, to shake the bottle; **a. prima dell'uso**, shake well before using; *Il vento agitava gli alberi*, the wind shook the trees 2 (*muovere qua e là*) to flap; to wave; (*dimenare*) to wag, to wiggle; (*brandire*) to brandish: **a. le braccia**, to flap one's arms; (*per segnalare, ecc.*) to wave one's arms; **a. la coda**, to wag one's tail; **a. la mano [il berretto]**, to wave one's hand [one's cap]; **a. una spada**, to brandish a sword 3 (*incitare*) to stir, to rouse, to incite; (*eccitare*) to excite, to work up 4 (*turbare*) to upset*; to trouble; to agitate: *Fu agitato da un brutto sogno*, he was troubled by a bad dream; *La notizia lo agitò*, the news upset him 5 (*di: dibattere*) to discuss; to debate: **a. una questione**, to discuss a matter Ⓑ **agitàrsi** v. rifl. e i. pron. 1 (*rigirarsi*) to toss about; to toss and turn; (*muoversi*) to move about nervously: **agitarsi nel letto**, to toss and turn in bed 2 (*di cosa: muoversi*) to stir, to move about; (*dimenarsi*) to writhe, to struggle; (*del mare*) to get* rough 3 (*mostrare irrequietezza*) to get* restless; to be restless; to fret 4 (*preoccuparsi*) to get* nervous; to get* anxious; to fret; to work oneself up;

to get* worked up; to get* into a state (*o* into a flap) (*fam.*) 5 (*emozionarsi*) to get* flustered; to be in a flap (*fam.*) 6 (*indaffararsi*) to bustle about; to fuss 7 (*protestare*) to protest; to clamour; to agitate: **agitarsi per ottenere salari più alti**, to agitate for higher wages.

♦**agitàto** Ⓐ a. 1 (*scosso*) shaken; agitated; (*con forza*) tossed: **capelli agitati dal vento**, wind-tossed hair 2 (*di mare*) rough; choppy 3 (*preoccupato*) upset; worried; (*teso*) anxious, nervous, worked up; in a flap (*fam.*); nervy (*fam. GB*) 4 (*nervoso, irrequieto*) restless; fidgety: **notte agitata**, restless night 5 (*eccitato*) flustered; excited; worked up; (*frenetico*) frenzied 6 (*di situazione, periodo, ecc.*) troubled 7 (*mus.*) agitated Ⓑ m. (f. *-a*) (*med.*) violent psychiatric patient.

agitatóre m. 1 (f. *-trice*) agitator 2 (*mecc.*) stirrer; mixer.

agitazióne f. 1 agitation; anxiety; nervous excitement; fluster; (*irrequietezza*) restlessness: **essere in a.**, to be agitated; to be nervous; to be in a fluster; **mettere in a.**, to upset; to make nervous; to fluster; **mettersi in a.**, to start worrying; to get flustered; to get worked up; to get into a state (*o* a flap) (*fam.*) 2 (*subbuglio*) commotion; ferment 3 (*polit.*) trouble; unrest Ⓤ: **a. sociale**, social unrest; **agitazioni sindacali**, industrial unrest; **scendere in a.**, to agitate.

àgit-pròp m. e f. inv. political agitator; agitprop agent.

agliàceo a. garlicky; garlic-tasting; garlic-smelling.

agliàta f. garlic-and-vinegar sauce.

àglio m. (*bot.*, *Allium sativum*) garlic.

agnatìzio a. (*leg.*) agnatic; agnate.

agnàto m. (*leg.*) agnate.

agnazióne f. (*leg.*) agnation.

agnellìno m. 1 (little) lamb; newborn lamb: **a. di Persia**, Persian lamb 2 (*fig.*) lamb.

♦**agnèllo** m. (*anche fig.*) lamb: **docile come un a.**, as meek as a lamb; **arrosto di a.**, roast lamb; **carne d'a.**, lamb; **pelle d'a.**, lambskin; (*relig.*) **l'A. di Dio**, the Lamb of God.

agnellóne m. (*macelleria*) mutton.

Agnèse f. Agnes.

agnizióne f. recognition.

agnocàsto m. (*bot.*, *Vitex agnus-castus*) chaste tree.

agnosìa f. (*med.*) agnosia.

agnosticìsmo m. agnosticism.

agnòstico a. e m. (f. *-a*) agnostic.

♦**àgo** m. 1 (*anche bot.*) needle: **ago da cucire [da rammendo]**, sewing [darning] needle; **ago di pino**, pine needle; **ago per iniezioni**, hypodermic needle; **ago senza punta**, bodkin; **aghi da calza**, knitting needles; **infilare l'ago**, to thread the needle; **lavoro ad ago**, needlework 2 (*di bilancia*) tongue; pointer 3 (*mecc.*) needle: **ago della bussola**, compass needle; **ago magnetico**, magnetic needle 4 (*ferr.*) blade; tongue: **ago dello scambio**, switch tongue; points (pl.) 5 (*comput., di stampante*) pin 6 (*zool.*) sting • (*fig.*) **cercare un ago in un pagliaio**, to look for a needle in a haystack ▫ (*fig.*) **essere l'ago della bilancia**, to hold the balance.

agoaspiràto → **agoaspirazione**.

agoaspirazióne f. (*med.*) fine needle aspiration.

agògica f. (*mus.*) agogics (pl. col verbo al sing.).

agògico a. (*mus.*) agogic.

agognàre v. t. e i. to yearn for; to long for; to crave for; to covet; to hanker after.

agognàto a. longed for; coveted.

à gogo (*franc.*) loc. avv. in abundance; ga-

lore; a gogo.

agóne① m. (*lett.*) **1** (*arena*) arena; field **2** (*contesa*) contest; competition ● (*fig.*) **scendere nell'a.**, to enter the lists.

agóne② m. (*zool.*, *Alosa lacustris*) lake shad.

agonìa f. **1** (*med. ed estens.*) death throes (pl.); death struggle; death agony: **essere [entrare] in a.**, to be dying; *Morì dopo una lunga a.*, he died after a long struggle; *La sua agonia durò tutta la notte*, she struggled against death the whole night; **l'a. di un regime**, the death throes of a regime **2** (*fig.*: *tormento*) agony; torture.

agònico a. (*di agonia*) agonal.

agonìsmo m. competitive spirit.

agonista m. e f. athlete.

agonìstica f. athletics (pl. col verbo al sing.); athleticism.

agonìstico a. competitive; athletic; agonistic: **attività agonìstica**, competitive sport; **spirito a.**, competitive spirit.

agonizzànte A a. (*anche fig.*) dying; moribund; in one's death throes: *Il vecchio è a.*, the old man is dying; **un genere letterario ormai a.**, a moribund genre B m. e f. dying person.

agonizzàre v. i. **1** to be dying; to be in one's death throes **2** (*fig.*) to be moribund; to languish.

agopressióne f. (*med.*) acupressure.

agopuntóre m. (f. **-trìce**) (*med.*) acupuncturist.

agopuntùra f. (*med.*) acupuncture.

àgora, **agorà** f. (*stor. greca*) agora.

agorafobìa f. (*psic.*) agoraphobia.

agorafòbico a. (*psic.*) agoraphobic.

agoràfobo m. (f. **-a**) (*psic.*) agoraphobic.

agoràio m. needle case.

agostàno a. August (attr.).

agostiniàna f. (*eccles.*) Augustinian nun.

agostiniàno A a. Augustinian B m. (*eccles.*) Augustinian; Austin friar.

agostinìsmo m. (*teol.*, *filos.*) Augustinianism; Augustinism.

agostino a. August (attr.).

Agostino m. Augustine.

◆**agósto** m. August. (*Per gli esempi d'uso →* **aprile**).

agr., **agric.** abbr. **1** (**agricolo**) agricultural **2** (**agricoltore**) farmer.

agrafìa f. (*med.*) agraphia.

agrammaticàle a. non-grammatical.

agranulocitòsi f. (*med.*) agranulocytosis*.

agrària f. agriculture.

agràrio A a. agrarian; agricultural; rural; land (attr.): **legge agraria**, land (o agrarian) law; **riforma agraria**, agrarian reform; **scuola agraria**, agricultural college B m. (f. **-a**) landowner.

agrèste a. rural; countryside (attr.); rustic: **divinità agresti**, rural gods; **fascino a.**, rustic charm; **paesaggio a.**, rural landscape.

agrèsto A m. verjuice B a. sour.

agrétto A a. sourish; tart B m. **1** sourish taste; tartness **2** (*bot.*, *Lepidium sativum*) garden cress.

agrézza f. sourness; tartness; acidity.

◆**agrìcolo** a. agricultural; farm (attr.); farming (attr.); land (attr.); rural: **attività agrìcola**, farming; **azienda agrìcola**, farm; **bracciante a.**, farm labourer; farmhand; **popolazione agrìcola**, rural population; **prodotti agrìcoli**, agricultural products (o produce, sing.); **terreno a.**, farmland.

◆**agricoltóre** m. (f. **-trìce**) farmer.

◆**agricoltùra** f. agriculture; farming: **a. intensiva [estensiva, mista]**, intensive [extensive, mixed] agriculture.

agrifòglio m. (*bot.*, *Ilex aquifolium*) holly.

agrimensóre m. (land) surveyor.

agrimensùra f. (land) surveying.

agrimònia f. (*bot.*, *Agrimonia eupatoria*) agrimony.

agriòtta f. (*bot.*) sour cherry.

agrippìna f. (*divano*) Récamier couch; récamier; chaise longue (*franc.*); lounge.

agriturìsmo m. **1** farm holidays (pl.); farm tourism **2** (*azienda agricola*) holiday farm.

agriturista m. e f. farm holidaymaker; farm tourist.

agriturìstico a. farm tourism (attr.); farmhouse (attr.); on a farm: **azienda agriturìstica**, holiday farmhouse; farmhouse B&B; **vacanza agriturìstica**, farmhouse holiday; holiday on a farm.

àgro① A a. (*anche fig.*) sour; tart; acid; (*di agrume*) bitter: **sapore a.**, sour taste; sourness B m. sour taste: **all'a.**, with lemon; with vinegar; **prendere l'a.**, to go sour.

àgro② m. countryside (surrounding a town): **l'a. romano**, the countryside around Rome; the Roman Campagna; **l'A. Pontino**, the Pontine Marshes.

agroalimentàre a. agricultural and food (attr.): **il settore a.**, the agricultural and food industry.

agrobiologìa f. agrobiology.

agrobiotecnologìa f. agrobiotechnology.

agrochìmica f. agrochemistry.

agrodólce A a. **1** sweet-and-sour **2** (*fig.*) mildly ironic; wry B m. – (*cucina*) **maiale in a.**, sweet-and-sour pork.

agroecosistèma m. (*ecol.*) agroecosystem.

agroindùstria f. agro-industry.

agroindustriàle a. agro-industrial.

agrologìa f. agrology.

agrònica f. agro-electronics.

agronomìa f. agronomy.

agronòmico a. agronomic.

agrònomo m. (f. **-a**) agronomist.

agropastoràle a. agropastoral; agricultural and sheep-breeding (attr.).

agrosistèma m. (*ecol.*) agrosystem.

agrostèmma m. (*bot.*, *Agrostemma githago*) corncockle.

agròstide f. (*bot.*, *Agrostis*) bent ● **a. canina** (*Agrostis canina*), dog's grass.

agrotècnico A a. agrotechnical B m. agricultural technician.

agrùme m. **1** (*pianta*) citrus **2** (*frutto*) citrus (fruit).

agruméto m. citrus orchard.

agrumìcolo a. citrus (attr.).

agrumicoltóre m. (f. **-trìce**) citrus grower.

agrumicoltùra f. citrus growing; citrus cultivation.

agucchiàre v. i. **1** (*cucire*) to sew* idly **2** (*lavorare a maglia*) to knit idly.

agùglia f. (*zool.*, *Belone belone*) garfish; garpike; gar; needlefish.

aguglierìa f. (*ind. tess.*) yarns (pl.).

agugliòtto m. (*naut.*) pintle.

agùti m. inv. (*zool.*, *Dasyprocta aguti*) agouti.

aguzzaménto m. sharpening; whetting.

aguzzàre v. t. **1** (*appuntire*) to sharpen; to point **2** (*fig.*: *acuire*) to sharpen; to whet: **a. l'appetito [l'interesse]**, to whet sb.'s appetite [interest]; **a. l'ingegno**, to sharpen sb.'s wit ● **a. gli occhi**, to peer intently; to look hard □ **a. le orecchie**, to strain (o to prick up) one's ears □ (*prov.*) **La necessità aguzza l'ingegno**, necessity is the mother of invention.

aguzzìno m. (f. **-a**) **1** (*stor.*) galley sergeant **2** (*torturatore*) torturer **3** (*fig.*) tormentor; torturer; slave driver.

◆**agùzzo** a. pointed; sharp (*anche fig.*).

◆**ah** inter. **1** (*di soddisfazione*) ah; oh **2** (*di sorpresa*) oh; ha; oho **3** (*di disappunto*) oh ● **Ah ah!**, ha ha!

◆**àhi** inter. (*di dolore*) ouch; ow: *Ahi, che male!*, ouch, that hurts! ● **non dire né ahi né bai**, not to say a word.

◆**ahimè**, **ahinói** inter. **1** (*di rammarico*) alas **2** (*di sorpresa*) oh, dear; dear me.

ài→ **ahi**.

àia f. farmyard; barnyard; (*per la trebbiatura*) threshing floor.

AIA sigla **1** (**Associazione italiana allevatori**) Italian Breeders Association **2** (**Associazione italiana arbitri**) Italian Referees Association.

Aiàce m. Ajax.

AIC sigla **1** (**Associazione italiana calciatori**) Italian Professional Footballers Association **2** (**Associazione italiana cineoperatori**) Association of Italian Cameramen.

AIDO sigla (**Associazione italiana donatori organi**) Italian Organ Donors Association.

AIDS, **aids** m. (*med.*) Aids; AIDS: full--blown Aids; *Ha l'AIDS*, he's got Aids; **l'epidemia di AIDS**, the Aids epidemic.

AIE sigla (**Associazione italiana editori**) Italian Publishers Association.

AIED sigla (**Associazione italiana per l'educazione demografica**) Italian Family Planning Association.

aigrette (*franc.*) f. aigrette.

AIL sigla (**Associazione italiana contro le leucemie-linfomi**) Italian Leukaemia and Lymphoma Association.

ailànto m. (*bot.*, *Ailanthus altissima*) ailanthus; tree of heaven.

AIMA sigla (*stor.*, **Azienda statale per gli interventi sul mercato agricolo**) (*ora* **AGEA**) National Board for Agricultural Market Intervention.

àio m. (*stor.*) tutor.

aiòla→ **aiuola**.

AIPA sigla (**Autorità per l'informatica nella pubblica amministrazione**) Authority for Information Technology in the Civil Service.

àira f. (*bot.*, *Aira*) hair grass.

airbag m. inv. (*autom.*) airbag.

airbus m. inv. airbus.

AIRC sigla (**Associazione italiana per la ricerca sul cancro**) Italian Association for Cancer Research.

àire m. impulse; impetus: **dare l'a. a q.**, to start sb. off; **prendere l'a.**, to gain momentum; to get going.

AIRE sigla (**Anagrafe degli italiani residenti all'estero**) Register of Italians Living Abroad.

airóne m. (*zool.*, *Ardea*) heron ● **a. bianco** (*Egretta alba*), egret.

AISCAT sigla (**Associazione italiana società concessionarie autostrade e trafori a pedaggio**) Italian Toll Motorway and Tunnel Operators Association.

aìta f. (*poet.*) help.

aitànte a. vigorous; strong; well-built; strapping.

◆**aiuòla** f. flower-bed ● (*autom.*) **a. spartitraffico**, central reservation (*GB*); median strip (*USA*).

aiutànte m. **1** (anche f.) helper; assistant **2** (*mil.*) adjutant: **a. di campo**, aide-de--camp; **a. maggiore**, adjutant general **3**

a

(*naut.*) master-at-arms ● (*naut.*) **a. di bandiera**, flag lieutenant.

♦**aiutàre** A v. t. to help; to aid (*form.*); to assist: **a. i bisognosi**, to help (*o* to aid) those in need; **a. la digestione**, to help digestion; **a. una ditta in difficoltà**, to bail out a firm; **a. l'industria**, to aid industry; **a. la memoria**, to stimulate sb.'s memory; **a. q. a fare qc.**, to help sb. (to) do st.; **a. q. ad alzarsi in piedi**, to help sb. to his feet; **a. q. a salire in auto**, to help sb. into a car; **a. q. a superare un brutto momento**, to see sb. through a difficult moment; *Mi aiuta nei compiti*, she helps me with my homework; *Mi aiuta nel lavoro*, he assists me in my work; *Che Dio ci aiuti!*, God help us! B **aiutàrsi** v. rifl. to help oneself; to do* one's best; (*usando qc.*) to (do* st.) with the help of: **aiutarsi da sé**, to do st. on one's own; to count on oneself; *Si aiutò coi denti a sciogliere il nodo*, he undid the knot with the help of his teeth ● (*prov.*) **Aiutati che Dio t'aiuta**, God helps those who help themselves C **aiutàrsi** v. rifl. recipr. to help each other [one another].

🅞 **NOTA:** *aiutare*
aiutare (q.) a fare qc. può essere tradotto to help (sb.) to do st. o to help (sb.) do st., vale a dire con o senza to davanti al verbo retto da **aiutare**: *Mi ha aiutato a preparare il nuovo orario*, she helped me (to) prepare the new timetable. Nell'inglese britannico la costruzione senza to è considerata più colloquiale.

♦**aiùto** A m. 1 help; aid (*form.*); assistance; (*sostegno*) support: **a. finanziario**, financial assistance (*o* aid, support); subsidy; **a. morale**, moral support; **andare in a. a q.**, to go to sb.'s aid; **chiedere a.**, to ask for help; *Chiedi a. a tuo fratello*, ask your brother for help (*o* to help you); **correre in a. di**, to come to the aid of; **dare a. a q.**, to help sb.; to give assistance to sb.; **essere d'a.**, (*di persona*) to be a help, to be of help; (*di cosa*) to be of help, to be helpful; *Non siete di grande a.*, you are not much help; **invocare a.**, to call for help; **porgere a. a q.**, to help sb.; to give sb. support; **portare a. a q.**, to come to sb.'s help; to aid sb.; **servire di a.**, to be helpful 2 (*al pl.: sussidio*) aid 🄤: **aiuti alimentari**, food aid; **aiuti alle esportazioni**, aid to export; **aiuti finanziari**, financial aid; subsidy (*sing.*); **aiuti umanitari**, humanitarian aid; **aiuti allo sviluppo**, development aid 3 (*assistente*) assistant; helper: **a. cameriere**, waiter's assistant; bus boy (*USA*); **a. contabile**, assistant accountant; **a. cuoco**, assistant chef 4 (*medico*) assistant; registrar (*GB*); resident (*USA*) 5 (*persona di servizio*) domestic help; home help B inter. help!

aizzaménto m. incitement; (*di animale*) setting, siccing (*USA*).

aizzàre v. t. 1 (*incitare*) to incite; to stir; to set* (sb. against sb.): **a. la folla**, to incite the mob; *Li aizzò l'uno contro l'altro*, she set them one against the other 2 (*un animale*) to set*; to sic (*USA*): *Mi aizzarono contro i cani*, they set (*o* sicced) their dogs on me 3 (*provocare*) to provoke; to stir up.

aizzatóre m. (f. **-trìce**) inciter; instigator; stirrer (*fam.*).

AL abbr. (**Alessandria**).

♦**àla** f. 1 (*anche fig.*) wing: **battere [spiegare] le ali**, to flap [to spread] one's wings; **mettere le ali**, to sprout wings; **ad ali spiegate**, with outspread wings; **apertura d'ali**, wingspan; wingspread; **colpo d'ala**, stroke of the wing 2 (*aeron.*) wing: **ala a delta**, delta wing; **ala a freccia**, swept-back wing 3 (*mecc.*) flange 4 (*di elica*) blade 5 (*di edificio*) wing; (*reparto*) ward 6 (*di chiesa*) aisle 7 (*di cappello*) flap; (*tesa*) brim 8 (*mil.*) wing; flank 9 (*di gruppo, partito*) wing; group: **ala**

scissionista, splinter group 10 (*sport*) wing; (*il giocatore, anche*) winger: **giocare all'ala**, to be a winger; **ala tornante**, linkman 11 (*di mulino*) sail ● (*fig.*) **avere le ali ai piedi**, to have wings on one's feet (*o* heels) □ (*fig.*) **bruciarsi le ali**, to burn one's fingers □ (*fig.*) **dare un colpo d'ala**, to soar □ **due ali di folla**, people lined on either side; a corridor of people □ (*fig.*) **mettere le ali ai piedi a q.**, to lend wings to sb.'s feet □ (*fig.*) **prendere q. sotto le proprie ali**, to take sb. under one's wing □ (*fig.*) **tarpare le ali a q.**, to clip sb.'s wings.

alabàrda f. (*stor.*) halberd.

alabardière m. (*stor.*) halberdier.

alabastrino a. alabaster (*attr.*); alabastrine.

alabàstro m. alabaster.

alabbàsso m. (*naut.*) downhaul.

àlacre a. 1 (*attivo*) brisk; active 2 (*vivace*) quick; lively 3 (*sollecito*) prompt; ready; eager.

alacreménte avv. with alacrity; briskly; readily.

alacrità f. 1 alacrity; briskness 2 (*sollecitudine*) promptness; readiness; eagerness.

Aladìno m. Aladdin.

alàggio m. 1 towing; tow: **strada di a.**, towpath 2 (*naut.*) haulage; hauling out: **scalo di a.**, slipway 3 (*trazione*) haulage; pull.

alalìa f. (*med.*) alalia.

alalònga f. (*zool., Thunnus alalunga*) albacore*.

alamàro m. (*sartoria*) frog; (*al pl.*) frogging.

alambìcco m. (*chim., ind.*) alembic; still.

alanìna f. (*biochim.*) alanine.

alàno m. (*cane*) Great Dane: **a. arlecchino**, harlequin (Great) Dane.

à la page (*franc.*) loc. agg. fashionable; trendy; in (*fam.*).

alàre ① m. firedog; andiron.

alàre ② a. (*di ala*) wing (*attr.*); (*zool.*) alar: **apertura a.**, wingspan; wingspread; **profilo a.**, wing spread.

alàre ③ v. t. (*naut.*) to haul: **a. a cambiamano**, to haul hand over hand; **a. a camminare**, to walk away.

alàto A a. 1 winged: **creature alate**, winged creatures 2 (*fig.: elevato*) lofty; noble: **pensieri alati**, lofty thoughts; **parole alate**, noble words B m. (*uccello*) bird.

♦**àlba** f. 1 dawn; daybreak: **all'a.**, at dawn; at daybreak; **sul far dell'a.**, at the break of day; *Spuntava l'a.*, dawn was breaking; **dall'a. al tramonto**, from dawn to dusk 2 (*fig.*) dawn 3 (*letter.*) aubade.

albagìa f. arrogance; haughtiness.

albagióso a. arrogant; haughty.

albanèlla f. (*zool., Circus*) harrier ● **a. reale** (*Circus cyaneus*), hen harrier.

albanése a., m. e f. Albanian.

albarèllo m. (*vaso*) majolica jar.

albaspìna f. → **biancospino**.

àlbatro ① m. (*zool., Diomedea*) albatross*.

àlbatro ② → **corbezzolo**.

albèdo f. (*astron., fis.*) albedo.

albeggiaménto m. dawning.

albeggiàre A v. i. impers. to dawn: *Partimmo che albeggiava*, it was dawning (*o* dawn was breaking) when we left B v. i. 1 (*lett.*) to shine* white 2 (*fig.*) to dawn; to appear.

alberàre v. t. 1 to plant with trees 2 (*naut.*) to mast.

alberàta f. row of trees.

alberàto a. 1 planted with trees; tree-lined: **un giardino a.**, a garden planted with trees; **viale a.**, tree-lined avenue 2

(*naut.*) masted.

alberatùra f. (*naut.*) masts and yards (pl.); masting.

alberèllo ① m. 1 (*albero giovane*) sapling 2 (*bot., Populus tremula*) aspen; trembling poplar.

alberèllo ② → **albarello**.

alberéta f., **alberéto** m. plantation of trees.

alberétto m. (*naut.*) mast.

albergàre A v. t. 1 to lodge; to accommodate; (*dare rifugio*) to shelter 2 (*fig. lett.: nutrire*) to harbour; to nurture; to cherish: **a. odio**, to harbour hatred; **a. una speranza**, to cherish a hope B v. i. (*anche fig.*) to stay; to lodge.

albergatóre m. (f. **-trìce**) hotel keeper; hotelier.

alberghièro a. hotel (*attr.*): **industria alberghiera**, hotel industry; **scuola alberghiera**, hotel-management school; **sistemazione alberghiera**, hotel accommodation.

♦**albèrgo** m. 1 hotel: **a. di lusso**, luxury hotel; **direttore d'a.**, hotel manager 2 (*lett.: ricovero*) shelter; refuge 3 (*lett.: dimora*) abode ● **a. diurno** → **diurno** □ **a. per la gioventù**, youth hostel.

♦**àlbero** m. 1 tree: **a. da frutto**, fruit tree; **a. d'alto fusto**, forest tree; **a. da legname**, timber tree; **a. di pere**, pear tree; **abbattere un a.**, to fell a tree; **piantare un a.**, to plant a tree; **salire su un a.**, to climb a tree; **coperto d'alberi**, wooded; forested; timbered; **senza alberi**, treeless 2 (*bot.*) – **a. del burro** (*Butyrospermum parkii*), shea; **a. della febbre**, eucalyptus; **a. della gomma** (*Hevea brasiliensis*), rubber tree; **a. della lacca** (*Rhus vernicifera*), varnish tree; **a. del pane** (*Artocarpus incisa*), breadfruit tree; jack tree; **a. del pepe** (*Schinus molle*), pepper tree; **a. di Giuda** (*Cercis siliquastrum*), arbor Judae; Judas tree 3 (*naut.*) mast: **a. di bompresso**, bowsprit; **a. di carico**, derrick; **a. di fortuna**, jury mast; **a. di gabbia**, topmast; **a. di maestra**, mainmast; **a. di mezzana**, mizzenmast; **a. di trinchetto**, foremast 4 (*mecc.*) shaft: **a. a camme**, camshaft; **a. a gomiti**, crankshaft; **a. base**, standard shaft; **a. cavo**, quill; **a. del cambio di velocità**, gear shaft; **a. dell'elica**, tail shaft; **a. di propulsione**, propeller shaft; **a. di trasmissione**, transmission shaft; **a. motore**, drive shaft 5 (*comput.*) tree: **diagramma ad a.**, tree diagram; **ricerca ad a.**, tree search ● **a. della cuccagna**, greasy pole □ **a. della libertà**, tree of liberty □ **a. di Natale**, Christmas tree □ **a. genealogico**, genealogical (*o* family) tree.

Albèrto m. Albert.

albicòcca A f. apricot B a. inv. apricot (*attr.*): **color a.**, apricot-coloured.

albicòcco m. (*bot., Prunus armeniaca*) apricot (tree).

albigése (*stor.*) A a. Albigensian B m. (al pl.) Albigenses.

albinìsmo m. (*biol., bot.*) albinism.

albino a. e m. albino*.

Albióne f. (*stor. o poet.*) Albion.

albìte f. (*miner.*) albite.

albìzzia f. (*bot., Albizzia*) albizzia.

àlbo m. 1 (*registro*) register; roll; list: **a. dei giurati**, jury list; **a. dei medici**, medical register; **a. dei soci fondatori**, register of founder members; **a. d'onore** (*o d'oro*), roll of honour; **a. professionale**, register; roll; **iscriversi all'a.**, to be put on the register (*o* the roll); **iscritto all'a.**, on the register (*o* the roll) 2 (*per avvisi*) noticeboard; bulletin board (*USA*): **a. pretorio**, municipal notice board 3 → **album** 4 (*libro illustrato*) illustrated book.

a

albóre m. **1** (*lett.*: *alba*) dawn; daybreak **2** (*fig.*, spec. al pl.) dawning; dawn.

alborèlla f. (*zool.*, *Alburnus albidus*) bleak.

albùgine f. **1** (*med.*) albugo **2** (*bot.*) mildew.

◆**àlbum** m. inv. **1** (*quaderno*) album; book: **a. da disegno**, sketchbook; **a. di famiglia**, family album; **a. di ritagli**, scrapbook; **a. per francobolli**, stamp album **2** (*disco*, *CD*) album.

albùme m. **1** (*d'uovo*) albumen; (*cucina*) (egg) white **2** (*bot.*) albumen.

albumìna f. (*biochim.*) albumin.

albuminòide m. e a. (*biochim.*) albuminoid.

albuminóso a. (*biochim.*) albuminous.

albuminùria f. (*med.*) albuminuria.

albùrno m. (*bot.*) alburnum; sapwood.

àlca f. (*zool.*, *Alca*) auk: **a. impenne** (*Alca* o *Pinguinus impennis*), great auk.

alcàico a. (*poesia*) Alcaic.

alcalescènte a. (*chim.*) alkalescent.

alcalescènza f. (*chim.*) alkalescence; alkalescency.

àlcali m. inv. (*chim.*) alkali*.

alcalimetrìa f. (*chim.*) alkalimetry.

alcalìmetro m. (*chim.*) alkalimeter.

alcalinità f. (*chim.*) alkalinity.

alcalinizzàre v. t. (*chim.*) to alkalize; to alkalify.

alcalìno a. (*chim.*) alkaline: **reazione alcalina**, alkaline reaction; (*geol.*) **serie alcalina**, alkaline rocks (pl.).

alcalòide m. (*chim.*) alkaloid.

alcalòsi f. (*med.*) alkalosis*.

alcànna f. (*bot.*, *Lawsonia inermis*) henna ● **a. spuria** (*Alkanna tinctoria*), alkanet.

alcàno m. (*chim.*) alkane.

àlce m. (*zool.*, *Alces alces*) elk; moose (*USA*).

Alcèo m. (*letter. greca*) Alcaeus.

alchechèngi m. inv. (*bot.*, *Physalis alkekengi*) winter cherry; Chinese lantern.

alchèmico a. alchemic.

alchène m. (*chim.*) alkene.

alchènico a. (*chim.*) alkene (attr.).

alchèrmes m. alkermes.

alchìdico a. (*chim.*) alkyd (attr.).

alchile m. (*chim.*) alkyl.

alchìlico a. (*chim.*) alkyl (attr.).

alchimìa f. (*anche fig.*) alchemy.

alchimìsta m. alchemist.

alchimìstico a. alchemic; alchemistic.

alchimizzàre Ⓐ v. t. **1** to alchemize **2** (*fig.*: *falsificare*) to falsify Ⓑ v. i. to practise alchemy.

alchìno m. (*chim.*) alkyne.

Alcibìade m. Alcibiades.

alcióne m. (*lett.*, *mitol.*) halcyon ● (*zool.*) **a. gigante** (*Dacelo gigas*), laughing jackass; kookaburra.

alciònio a. halcyon (attr.): **giorni alcionii**, halcyon days.

◆**àlcol** m. **1** (*chim.*) alcohol: **a. assoluto**, absolute alcohol; **a. denaturato**, denatured alcohol; methylated spirit; **a. etilico**, ethyl alcohol; **a. metilico**, methyl alcohol; methanol; wood alcohol **2** (*bevande alcoliche*) alcohol; spirits (pl.); liquor: (*il bere*) drink: *Non bevo a.*, I don't drink (alcohol); I don't touch spirits; **darsi all'a.**, to take to drink; **reggere l'a.**, to hold alcohol.

alcolàto m. (*chim.*, *farm.*) alcoholate.

alcoldipendènte a. e f. alcoholic; alcohol-dependent.

alcoldipendènza f. alcoholism; alcohol dependence.

àlcole e deriv. → **alcol**, e deriv.

alcolemìa f. (*med.*) alcoholemia; alcohol level in the blood.

alcolicità f. alcohol (*o* alcoholic) content.

alcòlico Ⓐ a. alcoholic; spirituous: **bevanda alcolica**, alcoholic drink; liquor; **non a.**, alcohol-free; (*di bevanda*, *anche*) soft Ⓑ m. **1** alcoholic drink **2** (al pl.) wines and spirits; liquors.

alcolimetrìa f. alcoholometry.

alcolìmetro m. **1** (*chim.*) alcoholometer **2** breathalyser (*GB*); Breathalyzer® (*USA*).

alcolìsmo m. (*med.*) alcoholism.

alcolìsta m. e f. alcoholic.

alcolizzàre Ⓐ v. t. **1** (*una sostanza*) to alcoholize **2** (*una persona*) to cause (sb.) to become an alcoholic Ⓑ **alcolizzàrsi** v. i. pron. to become* an alcoholic.

alcolizzàto a. e m. (f. **-a**) (*med.*) alcoholic.

alcolòmetro → **alcolimetro**.

alcoltèst m. inv. **1** (*esame*) breath test **2** (*strumento*) breathalyser (*GB*); Breathalyzer® (*USA*).

àlcool e deriv. → **alcol**, e deriv.

alcòva f. **1** alcove **2** (*fig.*: *camera da letto*) bedroom.

alcùn, **alcùna** → **alcuno**.

alcunché pron. indef. (*lett.*) **1** (in frasi afferm.) something **2** (in frasi inter. e dubitative) anything: *C'è a. di vero in quello che dici?*, is there anything true in what you say?; *Se le occorre a.*, *me lo dica*, should you need anything, let me know **3** (in frasi neg. o interr. neg.) anything; (col verbo ingl. in forma afferm.) nothing: *Non vedevo a.*, I couldn't see anything; *Non temo a.*, I fear nothing.

◆**alcùno** Ⓐ a. indef. **1** (al pl.) (in frasi afferm. o con valore positivo) some; a few: *Ho alcuni libri*, I have some (*o* a few) books; **alcune persone che conoscevo**, some people I knew; **per alcuni giorni**, for a few days; **alcuni miei amici**, some friends of mine **2** (al pl.) (in frasi interr. e dubitative) any: *Non so se siano rimasti alcuni biscotti*, I don't know whether there are any biscuits left **3** (in frasi neg. o interr. neg.) any; (come attr. del sogg. e col verbo ingl. in forma afferm.) no: *Non era presente a. studente*, no student was present; *Non c'è alcun libro*, there aren't any books; there are no books; **senza alcun dubbio**, without any doubt; **senza alcun riguardo**, without any (*o* with no) consideration; *Non c'è alcun pericolo*, there is no danger; *Non l'ho visto in alcun luogo*, I didn't see him anywhere; *Non si riusciva a trovarlo in alcun posto*, he was nowhere to be found Ⓑ pron. indef. **1** (al pl.) (in frasi afferm. o con valore positivo) some; a few; (*alcune persone*, *anche*) some people; (*con un partitivo*) some, a few: *Alcuni dicono che è bravo*, some (*o* some people) say he is clever; *«Hai visto degli aerei?» «Ne ho visti alcuni»*, *«Did you see any planes?» «I saw a few»*; *«Li hai visti tutti?» «No, solo alcuni»*, *«did you see all of them?» «no, only some»*; **alcuni di loro**, some of them; **alcuni dei tuoi giocattoli**, some of your toys; *Dammene alcuni*, give me a few; *Alcuni di questi libri non mi servono*, there are some of these books I don't need **2** (in frasi interr. e dubit.) rif. a persona) anyone; anybody; (*negli altri casi*) any; (*con un partitivo*) any, anyone: *Se a. lo dicesse*, should anyone say so **3** (in frasi neg. o interr. neg.: rif. a persona) anyone; anybody; (*negli altri casi*) any; (*con un partitivo*) any, anyone; (come sogg. e col verbo ingl. in forma afferm.) no one, nobody; (*con un partitivo*) none, no one: *Non c'è a. più bravo di lui*, there isn't anyone (*o* anybody) (*o* there is no one) cleverer than he; *«Hai dei romanzi da prestarmi?» «Mi dispiace, non ne ho a.»*, *«have you any novels to lend me?» «I'm sorry, I haven't any (o I have none)»*; *Non ho mai visto a. di quei film*, I've never seen any of those films; *Non vidi a. di voi*, I didn't see any of you; *Non lo dice a.*, no one (*o* nobody)

says so.

aldèide f. (*chim.*) aldehyde: **a. formica**, formic aldehyde; fomaldehyde.

aldèidico a. (*chim.*) aldehydic.

aldilà m. inv. afterlife; hereafter: **credere nell'a.**, to believe in an afterlife.

aldìno a. (*tipogr.*) Aldine.

aldiquà f. this life; (the) present life.

Àldo m. Aldus.

aldosteróne m. (*chim.*) aldosterone.

alé inter. come on!

àlea f. (*lett.*) risk; chance: **correre l'a.**, to run the risk; to take the chance.

aleatorietà f. **1** (*incertezza*) uncertainty; (*rischiosità*) riskiness **2** (*casualità*) randomness.

aleatòrio a. **1** (*incerto*) uncertain, chancy; (*rischioso*) risky, hazardous **2** (*casuale*) chance (attr.); random; aleatory **3** (*leg.*, *mus.*) aleatory.

àlef m. **1** (*prima lettera dell'alfabeto ebraico*) aleph **2** (*mat.*) aleph.

aleggiàre v. i. **1** (*di vento*) to blow* gently; to stir (st.); (*di profumo*) to waft: *Un venticello aleggiava fra le foglie*, a breeze stirred the leaves **2** (*essere diffuso*) to be in the air; to hover (about): *Aleggia un senso di mistero*, there is a sense of mystery in the air **3** (*essere accennato*) to play: *Sulle labbra le aleggiava un sorriso*, a smile played on her lips.

alemànno Ⓐ a. **1** (*stor.*) Alemannic **2** (*poet.*) German Ⓑ m. **1** (*ling.*) Alemannic **2** (al pl.) (*stor.*) Alemanni.

aleṡàggio m. (*mecc.*) **1** bore **2** → **alesatura**.

aleṡàre v. t. (*mecc.*, *a mano*) to ream; (*con alesatrice*) to bore; (*col tornio*) to lathe-bore.

aleṡatóre m. (*mecc.*) **1** (*strumento*) reamer: **a. cilindrico**, straight reamer; **a. fisso**, solid reamer; **a. sferico**, ball reamer **2** (*operaio*) borer.

aleṡatrice f. (*mecc.*) boring machine.

aleṡatùra f. (*mecc.*, *a mano*) reaming; (*con alesatrice*) boring; (*col tornio*) lathe-boring.

Alessàndra f. Alexandra.

Alessàndria d'Egitto f. (*geogr.*) Alexandria.

alessandrinìṡmo m. Alexandrianism; cultured decadence; decadent refinement.

alessandrìno Ⓐ a. **1** (*stor.* e *letter.*) Alexandrian **2** (*metrica*) alexandrine Ⓑ m. (*metrica*) alexandrine.

alessandrìte f. (*miner.*) alexandrite.

Alessàndro m. Alexander: **A. Magno**, Alexander the Great.

alessìa f. (*med.*) alexia.

Alèssio m. Alexis; (*stor.*) Alexius.

alétta f. **1** (*zool.*) winglet; bastard wing; (*pinna*) pinnule, paddle **2** (*di oggetto*) wing; (*che si ripiega o copre*) flap; (*di freccia*) flight: **a. di libro**, book flap; (*autom.*) **a. parasole**, (sun) visor; **tasca ad a.**, flap pocket **3** (*mecc.*) gill; tongue; (*di raffreddamento*) fin; (*di fuso*) flyer **4** (*naut.*) fin; (*di aliscafo*) hydrofoil: **a. di rollio**, anti-roll fin; bilge keel **5** (*aeron.*) tab: **a. di compensazione**, tab; **a. ipersostentatrice**, slat.

alettàre v. t. (*mecc.*) to fin.

alettatùra f. (*mecc.*) finning.

alettóne m. **1** (*aeron.*) aileron **2** (*naut.*) stabilizer **3** (*autom.*) spoiler.

aleuróne m. (*bot.*) aleurone.

àlfa ① Ⓐ m. e f. (*prima lettera dell'alfabeto greco*) alpha ● (*fig.*) **l'a. e l'omega**, alpha and omega □ (*fig.*) **dall'a. all'omega**, from beginning to end; from A to Z Ⓑ a. inv. (*fis.*) alpha: **particella a.**, alpha particle; **raggi a.**, alpha rays.

àlfa ② f. (*bot.*, *Stipa tenacissima*) esparto

(grass); halfa.

alfabèta m. e f. literate.

alfabetàrio m. alphabet blocks (pl.); (*carte*) alphabet cards (pl.), flashcards (pl.).

alfabètico a. alphabetical: **indice a.**, alphabetical index; **in ordine a.**, in alphabetical order; alphabetically.

alfabetière → **alfabetario**.

alfabetìșmo m. literacy.

alfabetizzàre v. t. **1** to teach* to read and write to; to diffuse literacy among **2** (*ordinare alfabeticamente*) to arrange in alphabetical order; to alphabetize.

alfabetizzazióne f. **1** (diffusion of) literacy: **a. di massa**, mass literacy; **a. informatica**, computer literacy; **campagna di a.**, literacy campaign **2** alphabetization.

♦**alfabèto** m. **1** alphabet: **a. latino** [**cirillico**], Roman [Cyrillic] alphabet; **a. fonetico**, phonetic alphabet; **a. Morse**, Morse code **2** (*fig.: rudimenti*) ABC.

alfabloccànte (*farm.*) **A** a. alpha-blocking **B** m. alpha blocker.

alfamimètico a. e m. (*farm.*) alpha-mimetic (drug).

alfanumèrico a. alphanumeric: **carattere a.**, alphanumeric (character).

alfière① m. **1** (*mil. stor.*) ensign; standard bearer **2** (*fig.*) standard bearer **3** (*sport*) captain.

alfière② m. (*scacchi*) bishop.

alfine avv. at last; eventually; in the end.

Alfònso m. Alphonse.

Alfrédo m. Alfred.

♦**àlga** f. (*bot.*) alga*; (*marina*) seaweed ▯: **alghe brune** [**rosse, verdi**], brown [red, green] algae.

algàle a. (*bot.*) algal.

àlgebra f. **1** (*mat.*) algebra **2** (*fig.*) Greek; double Dutch.

algebricaménte avv. algebraically; by means of algebra.

algèbrico a. algebraic.

algebrìsta m. e f. algebraist.

Algèri f. (*geogr.*) Algiers.

algerino a. e m. (f. **-a**) Algerian.

algeșìa f. (*med.*) algesia.

algeșimetrìa f. (*med.*) algometry.

algeșìmetro m. (*med.*) algometer.

alghìcida m. algicide.

àlgico a. (*med.*) pain (attr.); algic (*raro*).

àlgido a. **1** (*lett.*) cold; icy **2** (*med.*) algid.

algìna f. (*chim.*) algin.

alginàto m. (*chim.*) alginate.

algìnico a. (*chim.*) alginic.

algocoltùra f. cultivation of algae.

algofilìa f. (*med.*) algophilia.

algofobìa f. (*psic.*) algophobia.

algolagnìa f. (*psic.*) algolagnia.

algologìa f. (*bot.*) algology.

algòlogo m. (f. **-a**) algologist.

algometrìa f. (*med.*) algometry.

algòmetro m. (*med.*) algometer.

algonchiàno a. (*geol.*) Algonkian; Proterozoic.

algònchino a. e m. **1** Algonquin **2** (*ling.*) Algonquian.

algóre m. (*lett.*) cold; chilliness.

algorìtmico a. (*mat.*) algorithmic.

algorìtmo m. (*mat.*) **1** algorithm **2** (*stor.*) algorism.

algóșo a. infested with algae; covered with seaweed.

aliànte m. (*aeron.*) glider.

aliantìsta m. e f. (*aeron.*) glider pilot.

àlias (*lat.*) avv. alias; also known as (abbr. a.k.a.).

àlibi m. inv. **1** (*leg.*) alibi: **un a. di ferro**, a cast-iron alibi; **provare un a.**, to establish an alibi; **senza a.**, without an alibi **2** (*fig.*) excuse; pretext; alibi: *Non cercare a.!*, don't try to make excuses!

alìce f. (*zool.*, *Engraulis encrasicholus*) anchovy.

Alìce f. Alice.

alicìclico a. (*chim.*) alicyclic.

alidàda f. (*tecn.*) alidade.

alienàbile a. (*leg.*) alienable; transferable.

alienabilità f. (*leg.*) alienability; transferability.

alienaménto m. → **alienazione**, def. 1.

alienànte **A** a. **1** (*leg.*) alienating; transferring **2** stultifying; soul-destroying; alienating **B** m. (*leg.*) transferor; seller.

alienàre **A** v. t. **1** (*leg.*) to alienate; to transfer (ownership of); to convey: **a. un diritto** [**una proprietà**], to alienate a right [a property] **2** (*allontanare*) to alienate; (*inimicare*) to estrange, to turn (sb.) against (one): **alienarsi gli elettori**, to alienate one's voters; **alienarsi le simpatie del pubblico**, to lose one's popularity; *Si alienò il vecchio zio*, he turned his old uncle against him; he estranged his old uncle from him **3** (*psic.*) to alienate **B** **alienàrsi** v. rifl. to estrange oneself; to become* estranged (o alienated).

alienàto **A** a. insane; deranged **B** m. (f. **-a**) **1** (*med.*) insane person; lunatic; (*al pl.*, collett.) (the) insane: **ricovero per alienati**, lunatic asylum; mental home **2** alienated person.

alienazióne f. **1** (*leg.*) alienation; transfer (of ownership); conveyance **2** (*estraniamento*) alienation; estrangement **3** (*psic.*, anche **a. mentale**) alienation; insanity; mental derangement.

alienìsta m. e f. psychiatrist; alienist.

alièno **A** a. **1** (*contrario*) averse (to st., to doing st.); opposed (to st., to doing st.): *È a. dai pettegolezzi*, he dislikes gossiping; gossiping is alien to his nature; he is averse to gossiping (*form.*) **2** (*riluttante*) unwilling; disinclined: *Non è a. dall'accettare denaro*, he is not unwilling to accept some money **3** (*lett.: estraneo*) alien; foreign **B** m. (f. **-a**) (*extraterrestre*) alien.

alifàtico a. (*chim.*) aliphatic: **composti alifatici**, aliphatic compounds; aliphatics.

alifórme a. wing-shaped; aliform.

alighièro m. (*naut.*) boathook; gaff.

alim. abbr. **1** → **alimentare 2** (**alimentazione**) food; (*elettr.*) power supply.

♦**alimentàre**① **A** a. **1** alimentary; food (attr.); dietary: **abitudini alimentari**, dietary habits (*anat.*) **canale a.**, alimentary canal; (*biol.*) **catena a.**, food chain; **generi alimentari**, foodstuffs; **industria a.**, food industry; **sostanza a.**, food; foodstuff **2** (*leg.*) alimony (attr.); maintenance (attr.) (GB) **B** m. (al pl.) foodstuffs; food ▯: **negozio di alimentari**, food shop, grocery, grocer's shop.

♦**alimentàre**② **A** v. t. **1** to feed*; to nourish **2** (*fig.*) to increase; to bolster; to foment; to fuel: **a. le paure**, to increase sb.'s fears; **a. le speranze**, to bolster sb.'s hopes; **a. l'odio**, to foment (o to fuel) hatred **3** (*fuoco*) to add fuel to; to bank up: **a. un incendio**, to add fuel to the fire; **a. un fuoco**, to bank up a fire **4** (*tecn.: fornire carburante a*) to fuel; (*una caldaia*) to stoke; (*fornire energia a*) to supply power; (*una batteria*) to charge; (*riempire*) to feed*: *Due tubi alimentano la vasca*, two tubes feed the tank **B** **alimentàrsi** v. rifl. (*anche fig.*) to feed* (on); to eat* (st.): **alimentarsi di pesce**, to feed on fish; **alimentarsi correttamente**, to follow a healthy diet; to eat correctly.

alimentàrio a. alimentary; food (attr.).

alimentarìsta m. e f. **1** (*dettagliante*) retailer of foodstuffs; grocer **2** (*lavoratore dell'industria*) worker in the food industry **3** (*nutrizionista*) nutritionist.

alimentatóre **A** a. feeding, **B** m. (*fis., mecc.*) feeder; (*di caldaia*) stoker, feeder; (*elettr.*) power supplier.

♦**alimentazióne** f. **1** feeding; nutrition; diet; (*cibo*) food, nourishment: **a. a base di carne**, meat diet; **a. ricca** [**povera**], rich [poor] diet; **esperto di a.**, nutritionist **2** (*mecc., tecn.*) feeding; supply; (*di caldaia, ecc.*) stoking; (*autom.*) fuel supply: **a. elettrica**, power supply; **condotto d'a.**, supply duct; (*autom.*) **pompa d'a.**, fuel pump **3** (*elettr.*) input **4** (*comput.*) feed.

♦**aliménto** m. **1** food (anche ▯); nourishment; nutrient: **alimenti base**, staple foods; staples; **alimenti dietetici**, health food (o foods); **alimenti per cani**, dog food; **alimenti per l'infanzia**, baby foods; *Il latte è un a. energetico*, milk is a good nutrient; **plastica per alimenti**, plastic suitable for food storage (o usage) **2** (*fig.*) food; nourishment; fuel: **trarre a. da qc.**, to feed on st.; to get nourishment from st. **3** (al pl.) (*leg.*) alimony ▯; (*specialm. USA*); maintenance ▯ (GB): **passare gli alimenti**, to pay alimony.

alìnea m. inv. **1** (*leg.*) comma; subsection **2** paragraph.

aliòtide f. (*zool.*, *Haliotis*) abalone; ear shell.

alìquota f. **1** (*quota*) share; quota **2** (*mat., ind.*) aliquot (part) **3** (*fisc.*) rate: **a. costante** [**progressiva**, **proporzionale**], flat [progressive, proportional] rate; **a. d'imposta**, tax rate; **essere tassato all'a. del 35%**, to be taxed at the rate of 35%; **ad a. zero**, zero-rated.

aliscàfo m. (*naut.*) hydrofoil.

alìșei m. pl. trade winds; trades.

alìșșo m. (*bot.*, *Alyssum*) alyssum.

alitàre v. i. **1** to breathe **2** (*fig., di vento*) to blow* gently.

àlite m. – (*zool.*) **a. ostetrico** (*Alytes obstetricans*), midwife toad.

àlito m. (*anche fig.*) breath: **a. cattivo** (o **pesante**), bad breath; **un a. di vento** [**di vita**], a breath of wind [of life].

alitòși f. (*med.*) halitosis*; (*com.*) bad breath.

alizarìna f. (*chim.*) alizarin.

allacciaménto m. **1** (*l'allacciare, il legare*) tying; fastening **2** (*collegamento*) linking; link; connection **3** (*di impianto*) connection; (*installazione*) installation: **a. telefonico**, phone connection; phone installation; *Non ho ancora l'a. al gas*, I haven't been connected to the gas mains yet **4** (*ferr.*) connection **5** (*ferr.*) – **a. ferroviario**, shunting line.

allacciàre v. t. **1** (*legare*) to tie; to lace (up): **a. le scarpe**, to lace up one's shoes; to tie one's shoelaces; (*chir.*) **a. una vena**, to tie a vein **2** (*chiudere*) to fasten; (*abbottonare*) to button up, to do* up; (*affibbiare*) to buckle; (*con una lampo*) to zip up: **allacciarsi la camicia**, to button up one's shirt; **a. una cintura**, to buckle a belt; **allacciarsi la cintura di sicurezza**, to fasten one's seat belt **3** (*collegare*) to link (up); to connect; (*con fili*) to wire (up): **a. due linee ferroviarie**, to link two railway lines; **a. alla rete idrica**, to connect to the water mains **4** (*fig.*) to establish; to form: **a. un'amicizia**, to strike up a friendship; **a. una relazione**, to form a relationship; **a. una relazione commerciale**, to establish a business connection.

allacciatùra f. **1** (*l'allacciare*) tying; fastening; (*con lacci*) lacing; (*con bottoni*) buttoning; (*con fibbia*) buckling **2** (*chiusura*) fastening; (*lacci*) laces (pl.); (*abbottonatura*) buttons (pl.); (*fibbia*) buckle **3** (*chir.*) ligature.

allàccio m. (*bur.*) connection; linking up.

allagaménto m. flooding; (*l'effetto*) flood: **l'a. della campagna**, the flooding of the countryside; **pericolo di a.**, danger of flooding; *Abbiamo avuto un a. in cantina*, our cellar flooded.

allagàre Ⓐ v. t. (*anche fig.*) to flood; to inundate: *Il fiume allagò metà della città*, the river flooded half the city Ⓑ **allagàrsi** v. i. **pron.** to flood; to be flooded: *Mi si è allagato il bagno*, my bathroom has flooded.

Allah m. (*relig.*) Allah.

allampanàto a. lanky; gangling.

allantòide f. (*anat.*) allantois*.

allantoìna f. (*biochim.*) allantoin.

allappàre v. t. to dry up sb.'s mouth; to make* sb.'s mouth furry.

allargaménto m. **1** widening; broadening; enlargement **2** (*apertura*) opening **3** (*ampliamento, estensione*) extension; expansion **4** (*di abiti*) letting out; (*di scarpe*) stretching.

♦**allargàre** Ⓐ v. t. **1** (*rendere più ampio*) to widen; to enlarge: **a. una strada**, to widen a road **2** (*aprire*) to open: **a. le braccia**, to open one's arms; (*fig.*) to be generous **3** (*dilatare*) to expand: **a. il petto**, to expand one's chest **4** (*fig.: estendere*) to widen; to broaden; to extend; to expand: **a. le proprie amicizie**, to widen one's circle of friends; to make new friends; **a. le proprie conoscenze**, to broaden one's knowledge; **a. le ricerche**, to extend the search **5** (*distanziare*) to spread* (out); to move further apart: *Allargai i libri sul tavolo*, I spread out the books on the table **6** (*un abito*) to let* out; (*scarpe*) to stretch **7** (*allentare*) to loosen; to relent; to relax **8** (*calcio*) to open up ● (*fig.*) **a. il cuore**, to comfort; to gladden sb.'s heart □ (*mus.*) **a. il tempo**, to broaden the tempo Ⓑ v. i. **1** (*sport*) to open up **2** (*mus.*) to slow down Ⓒ **allargàrsi** v. rifl. **1** (*estendersi*) to extend; to expand: **allargarsi nel proprio lavoro**, to expand one's business **2** (*esagerare*) to exaggerate: **allargarsi nelle spese**, to spend too much; to exaggerate with expenses Ⓓ **allargàrsi** v. i. pron. **1** to widen: *La strada s'allarga più avanti*, the road widens further on **2** (*ampliarsi*) to expand; to extend; to grow* **3** (*di persone: fare spazio*) to spread* out **4** (*trasferirsi in locali più ampi*) to move into a larger house; (*di ufficio, ecc.*) to move into larger premises ● (*fig.*) **Mi si allargò il cuore**, I felt sudden relief; my heart leapt.

allargàta f. (*di abito, di scarpe*) stretching; letting out: **dare un'a. a una gonna**, to let out a skirt.

allargatóre m. (*mecc.*) counterbore; reaming bit.

allargatrìce f. (*tess.*) stretcher.

allargatùbi m. inv. (*tecn.*) pipe (*o* tube) expander.

allargatùra f. **1** → **allargamento 2** (*punto di allargamento*) widening; enlargement; (*di abito*) let out bit.

allarmànte a. alarming; worrying; disturbing; disquieting.

allarmàre Ⓐ v. t. to alarm; to frighten; to scare; to worry Ⓑ **allarmàrsi** v. i. pron. to be alarmed; to be frightened; to be scared; to be worried.

allarmàto a. **1** alarmed; worried; frightened **2** alarmed: **porta allarmata**, alarmed door.

♦**allàrme** m. **1** (*segnalazione di pericolo*) alarm; alert; warning: **a. aereo**, air-raid warning; **a. per una bomba**, bomb scare; **a. rosso**, red alert; **cessato a.**, all-clear; **falso a.**, false alarm; **dare l'a.** [**il cessato a.**], to give the alarm [the all-clear]; **mettere in stato di a.**, to put on the alert; **campanello**

d'a., alarm bell; (*fig.*) warning (signal); **segnale d'a.**, alarm **2** (*dispositivo*) alarm; (*nei treni*) emergency brake: **a. antifurto** [**antincendio**], burglar [fire] alarm **3** (*timore*) alarm; apprehension; fear: **essere in a.**, to be worried (*o* anxious); **mettere in a.**, to alarm ➊ NOTA: *alarm / allarme* → **alarm**.

allarmìsmo m. **1** scaremongering; alarmism **2** (*stato di allarme*) alarm.

allarmìsta m. e f. scaremonger; alarmist.

allarmìstico a. alarmist; scaremongering: **voci allarmistiche**, alarmist rumours.

allascàre v. t. (*naut.*) to slacken.

allàto (*lett.*) → **accanto**.

allattaménto m. nursing; suckling; (*il periodo*) lactation: **a. al seno** (*o* **materno**), breast-feeding; **a. artificiale**, bottle-feeding.

allattàre v. t. to nurse; to suckle; (*al seno*) to breast-feed*; (*artificialmente*) to bottle-feed: **madri che allattano**, nursing mothers; *Decise di a. lei il bambino*, she decided to breast-feed her child.

alleànza f. alliance: **l'A. Atlantica**, the Atlantic Alliance; **a. offensiva** [**difensiva**], offensive [defensive] alliance; **formare** (*o* **stringere**) **un'a.**, to form (*o* to enter into) an alliance; **rompere un'a.**, to break off an alliance; **fare a.**, to join forces.

alleàre Ⓐ v. t. to ally; to unite Ⓑ **alleàrsi** v. rifl. to ally oneself (with); to join forces (with) Ⓒ **alleàrsi** v. rifl. recipr. to form an alliance; (*unirsi*) to unite, to join forces: *I due paesi si allearono*, the two countries formed an alliance; **allearsi contro un nemico comune**, to join forces against a common enemy; *Vi siete alleati contro di noi*, you are in league against us.

♦**alleàto** Ⓐ a. allied: **le forze alleate**, the allied forces Ⓑ m. (f. *-a*) ally.

allegàre① Ⓐ v. t. **1** (*una scusa, un pretesto*) to adduce; to allege; to plead (as an excuse) **2** (*una ragione, una prova, ecc.*) to produce; to present; to offer.

allegàre② Ⓐ v. t. (*accludere*) to enclose; (*anche comput.*) to attach: **a. un documento**, to enclose a document; *Alleghiamo il nostro preventivo*, please find enclosed our estimate of costs **2** (*i denti*) to dry up sb.'s mouth; to make* sb.'s mouth furry Ⓑ v. i. (*agric.*) to set*.

allegàto Ⓐ a. enclosed; attached Ⓑ m. (*comm.*) enclosure; (*comput.*) attachment.

allegazióne f. (*leg.*) production; exhibition.

alleggeriménto m. **1** lightening **2** (*alleviamento*) easing; relieving; relief; mitigation **3** (*riduzione*) reduction; relief: **a. fiscale**, tax reduction (*o* relief).

alleggerìre Ⓐ v. t. **1** to lighten: **a. un carico**, to lighten a load **2** (*alleviare*) to lessen; to ease: **a. il dolore**, to lessen pain **3** (*ridurre*) to reduce; to ease: **a. le tasse**, to reduce taxation **4** (*liberare*) to relieve; to ease: *Mi alleggerì della valigia*, she relieved me of my suitcase; **alleggerirsi la coscienza**, to ease one's conscience **5** (*eufem.: rubare a*) to relieve: **a. q. del portafoglio**, to relieve sb. of his wallet Ⓑ **alleggerìrsi** v. rifl. e v. i. pron. **1** (*deporre un peso*) to unburden oneself (of); to put* down (st.): **alleggerirsi di un carico**, to put down a load; to unburden oneself of a load **2** (*vestire più leggero*) to put* on lighter clothes **3** (*diventare più leggero*) to become* lighter.

allegorìa f. allegory.

allegòrico a. allegorical.

allegorìsmo m. **1** allegorical system **2** use of allegories **3** allegorical interpretation.

allegorìsta m. e f. allegorist.

allegorizzàre Ⓐ v. t. to allegorize Ⓑ v. i.

to use allegories.

allegraménte avv. **1** cheerfully; merrily **2** (*spensieratamente*) airily; blithely; unconcernedly: *Parlano a. di spendere dieci milioni di euro*, they talk airily of spending ten million euros.

allegrétto m. (*mus.*) allegretto*.

allegrézza f. joy; joyfulness; gaiety.

♦**allegrìa** f. cheerfulness; high spirits (pl.); gaiety; mirth: **a. contagiosa**, infectious gaiety; **pieno di a.**, in high spirits; full of mirth; **prenderla con a.**, to take it cheerfully; **mettere a.**, to cheer up; to put (sb.) in a good mood; **stare in a.**, to have fun; *Qui c'è bisogno di un po' di a.!*, we need some cheering up here!

♦**allégro** Ⓐ a. **1** cheerful; happy; in a good mood (pred.); merry: *È sempre a.*, he is always cheerful (*o* in a good mood); **stare allegri**, to be happy; **tenere a. q.**, to cheer sb. up; **una situazione poco allegra**, a far from cheerful situation **2** (*che dà allegria*) bright; cheerful: **un colore a.**, a bright colour; **musica allegra**, cheerful music; **una stanza allegra**, a cheerful room **3** (*sconsiderato*) thoughtless; irresponsible; (*spendaccione*) spendthrift **4** (*alticcio*) tipsy; merry ● **C'è poco da stare allegri**, there is not much to feel cheerful about □ (*eufem.*) **contabilità allegra**, creative accounting (*fam.*) □ (*eufem.*) **donnina allegra**, free and easy woman; woman of easy virtue Ⓑ m. (*mus.*) allegro*.

allegróne m. (f. *-a*) (*fam.*) comedian; joker; laugh; life and soul of the party.

allèle, allèlo m. (*biol.*) allele; allelomorph.

allelomòrfo a. (*biol.*) allelomorphic; allelic.

allelopatìa f. (*biol.*) allelopathy.

allelùia m. e inter. hallelujah; alleluia.

allemànda f. (*mus.*) allemande.

♦**allenaménto** m. **1** (*addestramento*) training; (*fisico, anche*) work-out; (*esercizio*) practice: **partita d'a.**, practice game; **seduta di a.**, practice session; work-out; **sotto a.**, in training **2** (*l'allenare*) coaching **3** (*forma fisica*) condition; shape (*fam.*) ● (*boxe*) **a. contro l'ombra**, shadow-boxing □ **fuori a.**, (*fisico*) out of condition; out of training; (*non esercitato*) out of practice □ **tenersi in a.**, (*in forma*) to keep in shape; (*in esercizio*) to keep one's hand in; to practise, to practice (*USA*).

♦**allenàre** Ⓐ v. t. **1** to train; (*esercitare*) to exercise: **a. q. alla corsa**, to train sb. for running; **a. il braccio** [**la memoria**], to exercise one's arm [one's memory] **2** (*sport*) to coach Ⓑ **allenàrsi** v. rifl. to train; (*far pratica*) to practise, to practice (*USA*): **allenarsi nel salto**, to train for the high jump; **allenarsi a sparare**, to practise shooting; (*boxe*) **allenarsi contro l'ombra**, to shadow-box.

♦**allenatóre** m. (f. *-trìce*) (*sport*) coach; trainer.

allentaménto m. **1** (*di vite, corda, ecc.*) loosening; slackening **2** (*di passo, ecc.*) slackening; slowing (down) **3** (*rilassamento*) relaxation.

allentàre Ⓐ v. t. **1** to loosen; to unloosen; to release: **a. la cintura**, to unloosen one's belt; (*fig.*) **a. i cordoni della borsa**, to loosen the purse-strings; **a. il freno**, to release the brake; **a. la stretta**, to loosen one's hold; **a. una vite**, to loosen a screw; (*fig.*) to slacken the reins **2** (*rallentare*) to slacken; to slow down: **a. il passo**, to slacken the pace; to slow down **3** (*mitigare*) to relax: **a. la disciplina**, to relax discipline Ⓑ **allentàrsi** v. i. pron. **1** to loosen; to slacken; to grow* loose; (*man mano, da sé*) to work loose: *La corda si era allentata*, the rope had slackened; *La vite si è allentata*, the screw has worked loose; *I nostri rapporti si allentarono*, we moved further apart; we lost touch

(with each other) **2** (*rilassarsi*) to slacken; to relax: *La disciplina si allentò*, discipline was relaxed.

allentàto a. **1** (*di vite, ecc.*) loose; (*di cavo, ecc.*) slack **2** (*sport: del terreno di gioco*) slow; heavy.

allergène m. (*biol.*) allergene.

allergènico a. (*med.*) allergenic.

allergia f. (*med. e fig.*) allergy: **provocare a.**, to cause an allergy; *Ha a. per lo studio*, he has an allergy (*o* she is allergic) to studying.

allèrgico Ⓐ a. (*med. e fig.*) allergic Ⓑ m. (f. *-a*) allergy sufferer.

allergizzànte a. allergenic.

allergizzàre v. t. (*med.*) to cause an allergy to; make* allergic.

allergologìa f. (*med.*) allergology.

allergòlogo m. (f. *-a*) (*med.*) allergist.

all'èrta, **allérta** Ⓐ avv. – **stare all'erta**, to be on the look-out (*o* on the alert) Ⓑ **inter.** look out! Ⓒ f. alarm; alert: **dare l'allerta** to give* the alarm: **mettere in stato di allerta**, to put on the alert.

allertaménto m. alerting.

allertàre v. t. to alert; to warn; to put* on the alert.

allestiménto m. **1** preparation; setting up; organization; (*di una mostra*) mounting; (*di un negozio*) fitting-out; (*di una vetrina*) window dressing: **curare l'a. di una mostra**, to mount an exhibition; **curare l'a. di un negozio**, to fit out a shop **2** (*teatr.*) production; staging: **a. scenico**, stage design; staging **3** (*naut.*) fitting-out.

allestire v. t. **1** (*preparare*) to prepare; (*disporre*) to lay* out; (*organizzare*) to organize, (*una mostra*) to mount; (*un negozio*) to fit out; (*una vetrina*) to dress: **a. una spedizione**, to organize an expedition **2** (*teatr.*) to stage; to put* on; to produce **3** (*naut.*) to fit out (*a* ship).

allestitóre m. (f. *-trice*) **1** organizer **2** (*teatr.*) stager.

allettaménto m. allurement; enticement; lure; attraction.

allettànte a. alluring; tempting; enticing; inviting; attractive.

allettàre① v. t. to allure; to entice; to attract; to tempt.

allettàre② Ⓐ v. t. (*agric.*) to flatten; to beat* down Ⓑ **allettàrsi** v. rifl. (*mettersi a letto*) to take* to one's bed Ⓒ **allettàrsi** v. i. pron. (*agric.*) to be flattened; to be beaten down.

allettàto① a. lured; allured; tempted.

allettàto② a. bedridden; laid-up.

allettatóre Ⓐ m. (f. *-trice*) charmer; enticer Ⓑ a. alluring; enticing.

♦**allevaménto** m. **1** (*di bambini*) bringing up; upbringing; raising **2** (*di animali: l'attività*) breeding; farming; rearing: **a. del bestiame**, cattle-breeding; cattle-farming **a. delle pecore**, sheep-farming; **a. dei polli**, chicken-farming; **a. industriale**, factory farming **3** (*di piante*) growing; cultivation **4** (*luogo, azienda*) farm; ranch (*USA*); station (*Austral.*): **a. di cavalli**, stud farm; **a. di maiali**, pig-farm; piggery; **a. di pecore**, sheep farm; sheep station (*Austral.*); **a. di polli**, chicken farm; **pollo di a.**, battery chicken.

♦**allevàre** v. t. **1** (*un bambino*) to bring* up; to raise; to rear: *Fu allevato dai nonni*, he was brought up by his grandparents **2** (*un animale*) to breed*; to rear; to raise: **a. cavalli** [**cani**], to breed horses [dogs]; **a. galline**, to rear hens; **a. api**, to keep bees **3** (*agric.*) to grow*; to cultivate.

allevatóre m. (f. *-trice*) **1** (*di animali*) breeder; farmer: **a. di bestiame** [**di cani, di cavalli**], cattle [dog, horse] breeder; **a. di**

pecore [**di maiali, di polli**], sheep [pig, poultry] farmer **2** (*di piante*) grower.

alleviaménto m. relief; alleviation; easing; mitigation; (*alleggerimento*) lightening.

alleviàre v. t. to relieve; to alleviate; to ease; to mitigate; (*alleggerire*) to lighten: **a. il dolore**, to relieve pain; **a. la noia**, to relieve boredom; **a. un peso**, to lighten a burden.

allibire v. i. **1** (*impallidire di paura*) to turn pale with fear **2** (*restare esterrefatto*) to be astounded (at); to be staggered (by); to be dumbfounded (at); to be flabbergasted (at); to be dismayed (at): *A quella notizia allibii*, the news staggered me; I was staggered by the news.

allibito a. (*esterrefatto*) astounded; dumbfounded; flabbergasted; dismayed: **lasciare a.**, to astound; to dumbfound; to stagger; to dismay; **restare a.** → **allibire**, def. 2.

allibraménto m. entry; registration.

allibràre v. t. (*leg.*) to enter; to register: **a. un debito**, to register a debt.

allibratóre m. bookmaker; bookie (*fam.*); turf accountant (*form.*).

allicciàre v. t. **1** (*ind. tess.*) to heddle; to thread **2** (*una sega*) to set*.

allicciatùra f. (*ind. tess.*) heddling; threading.

allietàre Ⓐ v. t. to cheer; to gladden; to brighten Ⓑ **allietàrsi** v. i. pron. to rejoice (in, at).

♦**allièvo** m. (f. *-a*) **1** pupil; (*studente*) student: **un mio a.**, a pupil of mine; **allieva infermiera**, student nurse; **ex a.** [**allieva**], former pupil; (*di scuola, collegio, anche*) old boy (f. girl) (*GB*); alumnus (f. alumna) (*USA*) **2** (*apprendista*) apprentice **3** (*mil.*) cadet **4** (*sport*) colt **5** (*bot.*) offshoot.

alligatóre m. (*zool.*, *Alligator*) alligator.

alligazióne f. (*metall.*) alloying.

allignàre v. i. **1** (*di pianta*) to take* root **2** (*fig.: trovarsi*) to be found; to occur; to exist **3** (*fig.: prosperare*) to thrive*; to flourish.

allìle m. (*chim.*) allyl.

allìlico a. (*chim.*) allylic; allyl (attr.).

allineaménto m. **1** alignment; lining up; ranging **2** (*mil., di parata*) dressing; (*di marcia*) forming up **3** (*polit.*) alignment: **non a.**, nonalignment **4** (*econ., fin.*) adjustment: **a. dei prezzi**, price adjustment; **a. valutario**, currency adjustment **5** (*tecn.*) alignment; (*mecc.*) true: (*autom.*) **a. delle ruote**, wheel alignment **6** (*naut.*) range **7** (*tipogr., di riga*) alignment; (*di margine*) justification.

allineàre Ⓐ v. t. **1** to range; to line up; to align: **a. le sedie lungo la parete**, to range the chairs against the wall; *Allineò i libri sul tavolo*, he lined up the books on the table **2** (*mil., per una parata*) to dress; (*per una marcia*) to form up **3** (*polit.*) to align; (*i margini*) to justify Ⓑ **allineàrsi** v. rifl. **1** to form a line; to line up; to fall* into line; to range oneself **2** (*mil.*) to dress: *Allinearsi a destra*, right dress! **3** (*polit.: schierarsi*) to align; (*adeguarsi*) to fall* into line.

allineàto a. **1** in line; aligned; lined up; (*tecn.*) true: *Quel quadro non è a. con gli altri*, that picture is not in line with the others; **non a.**, out of line; out of alignment; not true; out of true **2** (*polit.*) aligned: **non a.**, nonaligned.

allitteràre v. i. (*ling.*) to alliterate.

allitterazióne f. (*ling.*) alliteration.

allocàre v. t. (*econ.*) to allocate; to assign **2** (*comput.*) to allocate.

allocazióne f. **1** (*econ., fin., comput.*) allocation: **a. delle risorse**, allocation of resources **2** (*ipp.*) prize money; stakes (pl.).

allocchìre v. i. to be dumbfounded; to gawk.

allòcco m. **1** (*zool.*, *Strix aluco*) tawny owl **2** (*fig.*) fool; booby; ninny: **far la figura**

dell'a., to look like a fool; **restare come un a.**, to be dumbfounded; to gawk.

allocentrìsmo m. (*psic.*) allocentricity.

allocromàtico a. (*miner.*) allochromatic.

allòctono a. (*geol.*) allochthonous.

allocutìvo → **allocutorio**.

allocutóre m. (f. *-trice*) speaker; orator.

allocutòrio a. (*ling.*) – **pronome a.**, formal pronoun of address; courtesy pronoun.

allocuzióne f. address; allocution; speech.

allodiàle a. (*stor.*) allodial.

allòdio m. (*stor.*) allod; allodium*.

allòdola f. (*zool.*, *Alauda arvensis*) lark; skylark.

allòfono m. (*ling.*) allophone.

allogamìa f. (*biol., bot.*) allogamy; cross-fertilization.

allogènico a. **1** allogenic **2** (*biol.*) allogeneic.

allògeno Ⓐ a. having a different ethnic background; belonging to an ethnic minority Ⓑ m. (f. *-a*) member of an ethnic minority.

alloggiaménto m. **1** accommodation; lodging **2** (*mil.: l'alloggiare*) quartering; (*in casa privata*) billeting **3** (*mil.: il luogo*) quarters (pl.); (*accampamento*) encampment, camp **4** (*mecc.*) housing; seat; bay; (*a scatola*) case; (*a fessura*) slot: **a. per batteria**, battery case; **a. per chiavetta**, keyway; spline; slot; **a. per molla**, spring holder.

alloggiàre Ⓐ v. t. **1** to accommodate; to lodge; to put* up: **a. amici**, to put up friends; **a. studenti**, to lodge students **2** (*mil.*) to quarter; (*in casa privata*) to billet **3** (*mecc.*) to seat; to house; to fit in a slot Ⓑ v. i. **1** to stay; to lodge; to put* up: **a. da amici**, to stay with friends; *Alloggia presso una vedova*, he lodges with a widow **2** (*mil.*) to quarter; (*in casa privata*) to be billeted ● (*prov.*) **Chi tardi arriva male alloggia**, the early bird catches the worm; first come, first served.

♦**allòggio** m. **1** (*sistemazione*) accommodation; lodging: **dare a. a q.**, to accommodate sb.; to lodge sb.; to put sb. up; to take sb. in; **trovare a. presso q.**, to find accommodation with sb.; **vitto e a.**, board and lodging **2** (*abitazione*) housing; house; flat; (*stanze*) lodgings (pl.), digs (pl.) (*fam.*): **alloggi popolari**, council housing; **il problema degli alloggi**, the housing problem; **cambiare a.**, to move (house) **3** (*mil.*) quarters (pl.); (*in casa privata*) billet **4** (*naut.*) living spaces (pl.); quarters (pl.): **a. ufficiali**, officers' quarters.

alloglòtto (*ling.*) Ⓐ a. speaking a different language; belonging to a linguistic minority Ⓑ m. member of a linguistic minority.

allògrafo m. (*ling.*) allograph.

alloinnèsto m. (*chir.*) allograft.

allometrìa f. (*biol.*) allometry.

allomòrfo a. (*ling.*) allomorph.

allontanaménto m. **1** (*l'allontanarsi*) departure **2** (*il mandar via*) removal; sending away **3** (*separazione*) separation; parting; severance **4** (*licenziamento*) dismissal **5** (*l'estraniarsi*) estrangement; alienation **6** (*deroga*) departure; deviation: **a. dalla norma**, deviation from the norm.

♦**allontanàre** Ⓐ v. t. **1** (*porre lontano*) to move away; to push away; to pull away: *Allontanò il piatto*, she pushed the plate away; *Allontana quella seggiola dalla finestra*, move that chair away from the window **2** (*portare via*) to remove, to take* away; (*mandare via*) to send* away, to send* off; (*licenziare*) to dismiss: *Allontanate i bambini!*, take (*o* send) the children away!; *Lo allontanarono in tempo*, they got him

away in time **3** (*eliminare, rimuovere*) to remove; to avert: **a. un dubbio [i sospetti]**, to remove a doubt [suspicion] **4** (*distogliere*) to avert: **a. lo sguardo**, to avert one's eyes **5** (*respingere*) to repel: **un prodotto che allontana le zanzare**, a product which repels mosquitoes **6** (*prevenire, evitare*) to keep* at bay: **misure per a. l'inflazione**, measures to keep inflation at bay **7** (*anche assol.:* tenere lontano) to keep* off; to keep* at distance **8** (*alienare*) to estrange; to alienate B **allontanàrsi** v. rifl. e i. pron. **1** (*andar via*) to go* away; to go* off; to leave*: *Si allontanò borbottando*, he went off mumbling; *Mi allontanai per due minuti*, I left (*o* was away) for two minutes; *L'auto si allontanò*, the car drove off; **allontanarsi da casa**, to leave one's house; **allontanarsi di corsa**, to run off; **allontanarsi di nascosto**, to slip away; to slink off **2** (*tirarsi indietro*) to stand* back; to move back **3** (*deviare*) to stray; to deviate: **allontanarsi dall'argomento**, to stray from the point **4** (*estraniarsi*) to distance oneself; to stop seeing (sb.) C **allontanàrsi** v. rifl. recipr. to become* estranged; to grow* apart.

allopatìa f. (*med.*) allopathy.
allopàtico (*med.*) A a. allopathic B m. (f. *-a*) allopath; allopathist.
♦**allóra** A avv. **1** (*in quel momento*) then; at that moment; (*in quell'occasione*) on that occasion, at that time: *A. lo colpii*, then I hit him; **proprio a.**, right then; at that very moment; *Ci conoscemmo a.*, we met then (*o* on that occasion) **2** (*a quel tempo*) then, at the time; (*in quell'occasione*) on that occasion, at that time; (*a quei tempi*) in those days, then: *A. ero ricco*, I was rich then (*o* in those days); *A. non sapevamo di loro*, we didn't know about them at the time ● **a. a.**, just: *L'avevo incontrato a. a.*, I had just met him □ **a. come a.**, at the time: *A. come a. non dissi nulla*, I said nothing at the time □ **da a.**, since then; since: *Non ci siamo più visti da a.*, we haven't met since □ **da a. in poi**, from then on □ **di a.**, then; at that (*o* the) time; in those days: **il direttore di a.**, the director at the time; the then director (*form.*); **i giovani di a.**, young people in those days □ **fino (ad) a.**, until then; up to then □ **fin da a.**, since then □ **per a.**, (*per quei tempi*) for those days, for the time; (*in quel momento*) at the moment, just then; (*rif. al futuro*) by then: *Per a. sarà tornato*, he'll be back by then B **cong. 1** (*in tal caso*) in that case; then; so: *Piove? A. non esco*, is it raining? in that case I won't go out; *A. non c'è speranza?*, there's no hope, then?; so there's no hope? **2** (*quindi*) so: *Era tardi, e a. me ne tornai a casa*, it was late, so I went back home **3** (*dunque, ebbene*) well; right; now then: *A., vediamo che si può fare*, right, let's see what can be done; *E a.?*, (*che si fa?*) well, what now?; (*e poi?*) well?; (*che m'importa?*) so what? (*fam.*) C **a.** then: **l'a. presidente**, the then president.
allorché cong. (*lett.*) when.
allòro m. **1** (*bot., Laurus nobilis*) laurel; bay (tree); sweet bay: **corona d'a.**, laurel wreath; **una foglia d'a.**, a bay leaf **2** (*fig.: vittoria*) victory; first prize; (al pl.) laurels, honours: **conquistare l'a.**, to take first prize; to triumph; **mietere allori**, to reap honours; **riposare sugli allori**, to rest on one's laurels.
allorquando cong. (*lett.*) when.
allotrapiànto m. (*med.*) allograft.
allotriomòrfo a. (*geol.*) allotriomorphic.
allotropìa f. (*chim.*) allotropy; allotropism.
allotròpico a. (*chim.*) allotropic.
allòtropo m. (*chim.*) allotrope.
àlluce m. big toe; (*scient.*) hallux*.

allucinànte a. **1** hallucinatory; hallucinating: **droga a.**, hallucinatory drug; **sensazione a.**, hallucinating sensation **2** (*abbagliante*) dazzling **3** (*fig.: sconvolgente*) ghastly; shocking **4** (*fam.: pazzesco*) incredible; crazy (*fam.*); unreal (*fam.*).
allucinàre v. t. **1** to hallucinate **2** (*abbagliare*) to dazzle.
allucinàto a. **1** hallucinated: **mente allucinata**, hallucinated mind **2** (*fig.*) dazed; haunted: **sguardo a.**, dazed expression; haunted look **3** (*abbagliato*) dazzled.
allucinatòrio a. hallucinatory.
allucinazióne f. hallucination; **soffrire di allucinazioni**, to suffer from hallucinations; to be seeing things (*fam.*); **È impossibile, devi aver avuto un'a.**, it can't be, you must have been seeing things.
allucinògeno (*chim.*) A m. hallucinogen B a. hallucinogenic; hallucinatory.
allucinòsi f. (*med., psic.*) hallucinosis*.
allùdere v. i. to allude (to); to hint (at); (*menzionare*) to refer (to).
allumàre v. t. (*pelli*) to taw.
allùme m. (*chim.*) alum: **a. di rocca**, rock alum.
allumìna f. (*chim.*) alumina.
alluminàre① v. t. to treat with alum; to alum.
alluminàre② v. t. to aluminize.
alluminatùra f. (*tecn.*) aluminizing.
allumìnico a. (*chim.*) aluminic.
alluminierìa f. aluminium-processing plant.
♦**allumìnio** m. (*chim.*) aluminium (*GB*); aluminum (*USA*).
alluminòsi f. (*med.*) aluminosis*.
alluminosilicàto m. (*miner.*) aluminosilicate.
alluminotermìa f. (*chim.*) aluminothermy.
allunàggio m. moon landing; lunar landing.
allunaménto m. (*naut., di vela*) roach.
allunàre v. i. to land on the moon.
allùnga f. **1** (*tecn.*) extension **2** (*banca*) allonge; rider.
allungàbile a. extendable; extensible; stretchable: **scala [tavolo] a.**, extension ladder [table].
allungaménto m. **1** lengthening; (*prolungamento*) extension, protraction, prolongation: **l'a. delle giornate**, the lengthening of the days **2** (*il diluire*) dilution; (*con acqua*) watering down **3** (*fon.*) lengthening **4** (*tecn.*) stretch; stretching; elongation: **a. da trazione**, elongation due to pull; (*aeron.*) **a. alare**, aspect ratio **5** (*banca*) allonge; rider.
♦**allungàre** A v. t. **1** to lengthen; (*prolungare*) to extend, to prolong: **a. un tavolo**, to extend a table; **a. le vacanze**, to extend one's holidays; **a. un vestito**, to lengthen (*o* to let down) a dress; **a. la vita**, to prolong (*o* to extend) (sb.'s) life **2** (*protendere*) to reach out; to stretch out: **a. una mano per prendere qc.**, to reach out a hand to take st.; to reach out for st.; **a. le gambe**, to stretch out one's legs **3** (*distendere*) to spread* out: **a. una coperta sull'erba**, to spread out a blanket on the grass **4** (*porgere*) to hand; to pass; to give*; (*di nascosto*) to slip: *Allungami quel libro sullo scaffale*, hand me that book on the shelf; *Allungami il sale*, pass me the salt; (*fam.*) *Gli allungai venti euro*, I gave him (*di nascosto* I slipped him) twenty euros **5** (*assestare*) to give*; to fetch **5** (*diluire*) to dilute; (*con acqua*) to water down ● **a. il collo**, to crane one's neck □ **a. le mani**, (*rubare*) to be light-fingered, to pilfer; (*toccare*) to have roaming hands: *Non allunghi le mani!*, keep your hands to yourself! □ **a. le mani su qc.**,

to lay one's hands on st. □ **a. le orecchie**, to strain one's ears □ (*calcio*) **a. la palla**, to pass the ball forward □ **a. il passo**, to quicken one's pace □ **a. la strada**, to take the long way B v. i. (*sport*) to speed* up; to accelerate C **allungàrsi** v. i. pron. **1** (*diventare lungo*) to lengthen; to grow* longer; to stretch; (*delle giornate*) to draw* out: *Le ombre si allungavano*, the shadows were lengthening; *Il golf si è allungato*, the sweater has stretched; *Le giornate cominciano ad allungarsi*, the days are drawing out **2** (*crescere*) to grow* taller; to shoot* up (*fam.*): *Il ragazzo si è allungato quest'anno*, the boy has shot up this year **3** (*protendersi*) to stretch out **4** (*fon.*) to lengthen D **allungàrsi** v. rifl. (*distendersi*) to lie* down; to stretch out: **allungarsi per mezz'ora**, to lie down for half an hour.
allungàto a. **1** lengthened **2** (*oblungo*) elongated; oblong **3** (*disteso*) extended; stretched out **4** (*diluito*) diluted; watered down.
allungatùra f. lengthening; elongation; prolongation; (*di vestito*) letting down.
allùngo m. (*sport*) **1** (*calcio*) forward pass **2** (*boxe*) reach **3** (*scherma*) extended lunge **4** (*atletica, ciclismo*) acceleration; speeding up.
allupàto a. (*pop.*) horny; randy.
allusióne f. allusion; hint; suggestion; (*menzione*) reference: **a. velata [pesante]**, veiled [strong] hint (*o* allusion); *Fece a. a difficoltà finanziarie*, she hinted at financial difficulties; *Nessuno fece a. all'incontro del giorno prima*, no one made reference to (*o* mentioned) the meeting of the previous day.
allusività f. allusiveness.
allusìvo a. **1** (*contenente allusioni*) allusive; hinting; (*carico di sottintesi*) insinuating **2** (*evocativo*) allusive; suggestive; evocative.
alluviàle a. (*geol.*) alluvial.
alluvionàle a. alluvial: **deposito a.**, alluvium*; warp; **terreno a.**, alluvial soil.
alluvionàto A a. flooded; (*danneggiato*) flood-damaged B m. (f. *-a*) flood victim.
♦**alluvióne** f. **1** flood; inundation **2** (*fig.*) flood; stream; torrent: **un'a. di romanzi gialli**, a flood of detective novels **3** (*geol., leg.*) alluvion.
àlma f. (*poet.*) soul.
almagèsto m. almagest.
almanaccàre v. i. **1** (*sforzarsi di capire*) to rack one's brains (about st.); to puzzle (over st.) **2** (*fantasticare*) to dream* (of, about st.) **3** (*congetturare*) to muse (on st.).
almanàcco m. almanac ●**A. di Gotha**, Almanach de Gotha.
almandino m. (*miner.*) almandine.
♦**alméno** avv. **1** at least: *Non parlò per a. un minuto*, he didn't speak for at least one minute; *Mangia a. una mela!*, eat an apple, at least!; *Potevi a. telefonare*, you could at least have phoned **2** (*con valore ottativo*) if only: *A. ti decidessi!*, if only (*o* I wish) you would make up your mind!; *Se a. me l'avesse detto!*, if only he had told me!
àlmo a. (*poet.*) **1** (*che dà vita*) life-giving **2** (*grande*) great; noble.
àlnico m. (*metall.*) alnico.
àlno m. (*bot., Alnus glutinosa*) alder: **a. nero**, alder buckthorn.
alnoìte f. (*geol.*) alnoite.
alòbio a. (*biol.*) halobiontic.
àloe m. e f. inv. (*bot., Aloe*) aloe: **a. americana**, American aloe; century plant.
alofàuna f. halophilic fauna; saltwater fauna.
alòfilo a. halophilic.
alòfita A a. halophytic B f. halophyte.
aloflòra f. halophilic flora; sea flora.

a

alògena f. halogen lamp.

alogenàre v. t. (*chim.*) to halogenate.

alogenàto A m. (*chim.*) halogenated compound B a. halogenated.

alogenazióne f. (*chim.*) halogenation.

alògeno A m. (*chim.*) halogen B a. halogenic; halogen (attr.): **lampada alogena**, halogen lamp.

alogenùro m. (*chim.*) halide.

alògico a. alogical; non-logical.

alòide a. (*chim.*) haloid.

alonàre v. t. to halo.

alóne m. 1 (*astron.*, *fis.*) halo* 2 (*fig.*) halo*; aura; glow 3 (*macchia*) mark; ring.

alopecìa f. (*med.*) alopecia: **a. areata**, alopecia areata.

alòsa f. (*zool.*, *Alosa alosa*) allis shad.

àlpaca m. (*zool.*, *Lama pacos*; *tessuto*) alpaca.

alpàcca m. German silver; nickel silver.

àlpe f. 1 (*montagna*) alp; (*geogr.*) **le Alpi**, the Alps; **le Alpi Cozie** [Giulie, Graie, Lepontine, Marittime, Pennine, Retiche], the Cottian [Julian, Graian, Lepontine, Maritime, Pennine, Rhaetian] Alps 2 (*pascolo*) mountain pasture; alp.

alpeggiàre A v. t. to lead* to mountain pasture B v. i. to graze in mountain pastures.

alpéggio m. 1 (*pascolo*) mountain pasture; alp 2 (*il periodo*) mountain grazing.

Alpenstock (*ted.*) m. inv. alpenstock.

alpèstre a. 1 (*alpino*) alpine 2 (*montano*) mountain (attr.); mountainous.

Àlpi f. pl. → **alpe**.

alpicoltùra f. alpine farming.

alpigiàno A a. alpine; mountain (attr.) B m. (f. *-a*) 1 inhabitant of the Alps 2 (*montanaro*) mountaineer.

alpinìsmo m. mountaineering; (mountain) climbing: **fare dell'a.**, to climb mountains; to be a mountaineer; **a. su roccia**, rock-climbing.

alpinìsta m. e f. mountaineer; (mountain) climber.

alpinìstico a. mountaineering; (mountain-)climbing.

alpìno A a. 1 (*delle Alpi*) Alpine: **guida alpina**, Alpine guide 2 (*di montagna*) mountain (attr.); alpine: **flora alpina**, mountain (o alpine) flora B m. (*mil.*) member of the Italian Alpine troops: **gli alpini**, the Alpine troops.

alquànto A a. indef. a fair amount of; some; quite a bit of; quite a [an]; (al pl.) several, quite a few: **a. interesse**, a fair amount of interest; quite a bit of interest; **alquanta neve**, quite a lot of snow; **a. vino**, a fair amount of wine; **alquante cose**, several things; **alquante persone**, several people; a fair number of (o quite a lot of) people; **con a. ritardo**, with some delay B pron. indef. (al pl.) several; some; quite a few C avv. quite (a bit); considerably; (*alquanto tempo*) for quite some time; (con agg.) rather, somewhat: *Camminammo a.*, we walked for quite some time; **a. stanco**, rather tired; **a. meglio**, (o somewhat) better D m. (*una certa quantità*) some; a fair amount; a fair deal; quite a lot: *Ne bevve a.*, he drank quite a lot.

Alsàzia f. (*geogr.*) Alsace.

alsaziàno A a. Alsatian B m. 1 (f. *-a*) (*abitante*) Alsatian 2 (*zool.*) Alsatian; German shepherd (dog).

alt A inter. halt (*anche mil.*); stop; (*un momento!*) hold it!, hang on B m. halt: **dare l'alt a q.**, to order sb. to stop; **dare l'alt a un progetto**, to call a halt to a plan.

àlta f. (*meteor.*) high-pressure system; area of high pressure; high.

altacàssa f. (*tipogr.*) upper case.

àlta fedeltà A loc. f. hi-fi; high fidelity: **impianto ad alta fedeltà**, hi-fi equipment B a. hi-fi; high-fidelity.

Altài m. pl. (*geogr.*, anche **Monti Altai**) Altai Mountains.

altàico a. 1 (*geogr.*) Altai 2 (*ling.*) Altaic.

♦**altaléna** f. 1 (*sospesa a funi*) swing; (*asse a bilico*) seesaw, teeter-totter (*USA*): **andare in a.**, to go on a swing (o on the seesaw) 2 (*fig.: vicenda alterna*) seesaw; ups and downs (pl.) 3 (*fig.: indecisione*) wavering; dithering.

altalenànte a. (anche *fig.*) seesaw (attr.); swinging.

altalenàre v. i. 1 (*oscillare*) to seesaw; to swing* 2 (*fig.: essere indeciso tra due opinioni, ecc.*) to waver; (*tentennare*) to dither, to vacillate.

altaménte avv. 1 highly; greatly 2 (*nobilmente*) nobly.

altàna f. covered roof-terrace; altana.

altàre m. altar: **a. maggiore**, high altar; **pala d'a.**, altarpiece; **tovaglia d'a.**, altar cloth ● **accostarsi all'a.** (*comunicarsi*), to receive Holy Communion □ **andare all'a.** (*sposarsi*), to get married □ **accompagnare all'a.** (*una sposa*), to give away □ **portare all'a.** (*sposare*), to lead to the altar; to marry; to wed (*form.*) □ **innalzare all'onore degli altari**, to canonize □ (*fig.*) **mettere sugli altari**, to idolize; to extol.

altarìno m. - (*fig.*) **scoprire gli altarini**, to reveal the skeleton(s) in the cupboard (*USA* in sb.'s closet); to blow the whistle (on sb.) (*slang*).

altàzimut m. inv. (*astron.*) altazimuth.

altazimutàle a. e m. (*astron.*) altazimuth.

altèa f. (*bot.*, *Althaea officinalis*) marsh mallow.

alteràbile a. 1 alterable; changeable 2 (*deteriorabile*) perishable; liable to deteriorate 3 (*fig.: irritabile*) irritable; touchy.

alterabilità f. 1 alterability; changeability 2 (*deteriorabilità*) perishability; liability to deterioration 3 (*fig.: irritabilità*) irritability; touchiness.

alteràre A v. t. 1 (*mutare*) to change; to modify 2 (*guastare*) to deteriorate, to spoil; to ruin; (*adulterare*) to adulterate; (*manomettere*) to tamper with: **a. il sapore di qc.**, to spoil the taste of st. 3 (*deformare*) to distort; to twist: **a. i lineamenti**, to distort (sb.'s) features 4 (*falsificare*) to falsify; to forge; to fake; (*camuffare*) to disguise: **a. la voce**, to disguise one's voice 5 (*distorcere, travisare*) to distort; to misrepresent: **a. le parole di q.**, to distort (o to twist) sb.'s words; **a. il pensiero di q.**, to misrepresent sb.'s thought 6 (*irritare*) to irritate 7 (*turbare*) to upset*; to trouble; to affect: **a. la mente**, to affect sb.'s mind B **alteràrsi** v. i. pron. 1 (*mutarsi*) to change: **tinte che si alterano col tempo**, colours that change with age 2 (*guastarsi, del cibo*) to go* bad; (*inacidirsi*) to go* sour; (*di merci*) to deteriorate, to perish 3 (*irritarsi*) to get* angry; to get* worked up 4 (*turbarsi*) to be upset.

alteratìvo a. modifying; (*ling.*) **suffisso a.**, modifying suffix.

alteràto a. 1 (*mutato*) changed; modified 2 (*deformato*) distorted; twisted 3 (*guasto*) gone bad; off; (*adulterato*) adulterated; (*manomesso*) tampered with 4 (*falsificato*) faked, falsified; (*camuffato*) disguised 5 (*distorto, travisato*) distorted; misrepresented; twisted 6 (*irritato*) angry; worked up 7 (*turbato*) upset; (*sconvolto*) disordered: **mente alterata**, disordered mind 8 (*ling.*) modified.

alterazióne f. 1 (*modificazione*) change; modification: (*med.*) **a. del polso**, change in the pulse rate 2 (*deformazione*) distortion 3 (*deteriorazione*) deterioration; (*adulterazione*) adulteration 4 (*falsificazione*) faking; forging; (*manomissione*) tampering 5 (*travisamento*) distortion; twisting; misrepresentation 6 (*irritazione*) irritation; anger 7 (*turbamento*) emotion; perturbation 8 (*mus.*) accidental.

altercàre v. i. to quarrel; to altercate (*form.*).

altercazióne f., **altèrco** m. quarrel; altercation (*form.*).

àlter ègo (*lat.*) loc. m. inv. 1 alter ego; second self 2 (*sostituto*) deputy; substitute; alternate (*USA*).

alterézza f. 1 (*fierezza*) pride 2 (*superbia*) haughtiness; arrogance.

alterìgia f. haughtiness; arrogance.

alterità f. otherness; alterity.

alternànza f. 1 (anche *biol.*, *ling.*) alternation; (*polit.*) **principio dell'a.**, principle of alternate government 2 (*agric.*) (crop) rotation.

alternàre A v. t. 1 to alternate: **a. il lavoro al divertimento**, to alternate work with leisure; **a. il pianto e il riso**, to alternate between crying and laughing 2 (*mecc.*) to reciprocate 3 (*agric.*) to rotate: **a. le colture**, to rotate crops B **alternàrsi** v. rifl. recipr. 1 (*avvicendarsi*) to alternate: *I due colori si alternano*, the two colours alternate 2 (*fare a turno*) to take* turns; to alternate: **alternarsi al volante**, to take turns at the wheel C **alternàrsi** m. alternation; succession: **l'alternarsi dei partiti al governo**, the alternation of parties in power; **l'alternarsi delle stagioni**, the succession of the seasons.

alternataménte avv. alternately; in turns; in rotation.

alternatìva f. 1 alternative; (*scelta, opzione*) choice, option: *Non hai a.*, you have no alternative; **non lasciare a.**, to leave no choice; *Non ci rimangono alternative*, we have no option left; **in a.**, alternatively; **in a. a**, as an alternative to 2 (*avvicendamento*) alternation: **un'a. di paure e speranze**, an alternation of fear and hope.

alternativaménte avv. alternatively.

alternatìvo a. 1 alternative; alternate (*USA*): **itinerario a.**, alternative route; (*leg.*) **obbligazione alternativa**, alternative obligation 2 (*sostitutivo*) that can substitute (st.); that can replace (st.): **un prodotto a. a**, a substitute for 3 (*non tradizionale*) alternative: **cinema a.**, alternative cinema; **energia alternativa**, alternative energy 4 (*mecc.*) reciprocating: **motore [pistone] a.**, reciprocating engine [piston].

alternàto a. alternate; (anche *elettr.*) alternating: **righe bianche e rosse alternate**, alternate red and white stripes; (*poesia*) **rima alternata**, alternate rhyme; **corrente alternata**, alternating current.

alternatóre m. (*autom.*, *elettr.*) alternator.

alternazióne f. → **alternanza**; **rotazione**.

altèrno a. 1 (*alternato*) alternate; every other: **a giorni alterni**, on alternate days; every other day 2 (*variabile*) changeable; variable: **tempo a.**, changeable weather; **le alterne vicende della vita**, life's ups and downs 3 (*bot.*, *geom.*) alternate: **angoli alterni**, alternate angles 4 (*agric.*) rotating.

altèro a. 1 (*fiero*) proud 2 (*superbo*) haughty; arrogant.

♦**altézza** f. 1 height; (*altitudine*) altitude, elevation: **l'a. di un monte**, the height of a mountain; **a. sul livello del mare**, height above sea level; altitude; *Ha un'a. di due metri*, it's two metres high (o in height); **al-**

l'a. delle ginocchia, up to one's knees; knee-high (agg.); **ad a. d'uomo**, at eye-level; man-high (agg.); **a tremila metri di a.**, at an altitude (o elevation) of three thousand metres; **crescere in a.**, to grow in height; to grow higher **2** (*statura*) height; stature; (*statura alta*) tallness: *Qual è la tua a.?*, what is your height? **3** (*profondità*) depth: **l'a. media di un fiume**, the average depth of a river **4** (*della marea*) height **5** (*mus.*) pitch **6** (*fig.*: *grandezza, nobiltà*) nobility; greatness; loftiness **7** (*geom.*) altitude; height **8** (*astron.*) elevation: **determinare l'a. del sole** (*con il sestante*), to shoot the sun **9** (*di stoffa*) width: **doppia a.**, double width **10** (*titolo*) Highness: *Sua A. Reale*, His [Her] Royal Highness; *Vostra A.*, Your Highness ● **all'a. di**, (*di fronte a*) opposite; (*vicino a*) near; (*al livello di*) level with: *L'auto si fermò all'a. del museo*, the car drew up opposite (o in front of) the museum; *Il negozio è all'a. della Posta*, the shop is level with the Post office; *Appendilo all'a. dell'altro quadro*, hang it level with the other picture; **all'a. di Capo Horn**, off Cape Horn □ (*fig.*) **essere all'a. di qc.**, to be up (o equal to) to st.; to measure up to st.: *Non è all'a. del suo compito*, he isn't up to (o equal to) his task; *Non sono all'a. di capire le sue teorie*, his theories are above my head; *Non è certo alla sua a. sociale*, she is certainly not his social equal (o he is certainly not her social equal) □ (*fig.*) **essere all'a. dei tempi**, to be up-to-date; to be abreast of the times.

altezzosità f. haughtiness; hauteur (*franc.*); arrogance.

altezzóso a. haughty; arrogant.

altìccio a. tipsy; tiddly.

altimetrìa f. altimetry.

altimètrico a. altimetric.

altìmetro m. altimeter.

altipiàno → **altopiano**.

altisonànte a. **1** sonorous; resonant; resounding **2** (*iron.*) high-sounding; high-flown; magniloquent.

altìssimo Ⓐ a. **1** very high **2** (*fig.*) exceptional; magnificent; sublime Ⓑ m. – l'A., God; the Almighty.

altìsta m. e f. (*sport*) high jumper.

◆**altitùdine** f. (*geogr.*) altitude; elevation; height: **a un'a. di 3000 metri**, at an altitude of 3,000 metres.

◆**àlto** Ⓐ a. **1** high; tall; (*spesso*) thick: **alte montagne**, high mountains; **un monte a. 2000 metri**, a mountain 2,000 metres high; *Quanto sei a.?*, how tall are you?; *Sono a. uno e settanta*, I am one metre seventy tall; **un albero a.**, a tall tree; **l'edificio più a.**, the tallest building; **erba alta**, tall grass; (*da tagliare*) long grass; **un libro a. tre centimetri**, a book three centimetres thick; **uno strato di polvere a. due dita**, a layer of dust two fingers thick; **a. fino al ginocchio**, knee-high **2** (*profondo*) deep: *L'acqua è alta un metro*, the water is one metre deep; **neve alta**, deep snow **3** (*largo, anche di stoffa*) wide: **una cintura alta**, a wide belt **2** (*elevato*) high: **numero a.**, high (o big) number; **alta quota**, high altitude; **alta velocità**, high speed; **un prezzo a.**, a high price; (*med.*) **pressione alta**, high blood-pressure; **avere un a. concetto di sé**, to have a high opinion of oneself **5** (*che sta in alto, importante*) high; high-ranking; top (attr.): top-level (attr.); upper (attr.): **alta società**, high society; **le classi alte**, the upper classes; **la città alta**, the upper town; **a. dirigente**, top manager; top-level executive; **alta dirigenza**, top (o top-level) management; top administration; **a. funzionario**, high-ranking (o top-level) official; **alta finanza**, high finance; **a. grado gerarchico**, high rank **6** (*di voce, suono*: *forte*) loud; (*acuto*) high, high-

-pitched: **ad alta voce**, in a loud voice; aloud: **leggere ad alta voce**, to read aloud; **le note più alte**, the highest notes **7** (*fig.*: *grande, nobile*) great; noble; lofty: **a. valore**, great value; **a. ingegno**, great genius; **alta impresa**, noble enterprise; **una persona di alti sentimenti**, a high-minded person **8** (*geogr.*) upper; (*settentrionale*) northern: **l'A. Egitto**, Upper Egypt; **l'Alta Italia**, Northern Italy; **l'A. Tamigi**, the upper reaches of the Thames **9** (*di Pasqua, Carnevale, ecc.*) late **10** (*stor.*) early: **l'A. Medioevo**, the Early Middle Ages ● **a. a.**, very high; very tall □ **Alta corte di giustizia**, High Court of Justice □ **alta fedeltà**, high fidelity; hi-fi □ **A. là!** → **altolà** □ **a. mare**, high sea; open sea; deep sea □ **alta marea**, high tide; highwater □ **l'alta matematica**, higher mathematics □ **alta moda**, high fashion □ **alta stagione**, peak (o high) season □ (*ling.*) **a. tedesco**, High German □ (*elettr.*) **alta tensione**, high tension; high voltage □ **a. tradimento**, high treason □ **a notte alta**, late at night □ (*fig.*) **andare a testa alta**, to walk tall □ (*polit.*) **la Camera Alta**, the Upper House □ **tenere a. il proprio nome**, to uphold one's good name □ **tenersi alti** (*nel prezzo*), to ask a high price Ⓑ m. **1** (*cima*) top; summit; (*parte alta di qc.*) upper part: **dall'a. del monte**, from the top (o summit) of the mountain; **dall'a.**, from above; (*anche fig.*) from the top; **ordini dall'a.**, orders from the top **2** (*cielo*) heaven: **un'ispirazione dall'a.**, an inspiration from heaven (o from above); a heaven-sent inspiration; **l'a. dei cieli**, high heaven **3** (*mus.*) treble; alto ● «**A.**» (*su un collo di merce*), «this side up» □ **alti e bassi**, ups and downs: **una vita senza alti né bassi**, an uneventful life □ (*fig.*) **arrivare in a.**, to go far □ (*fig.*) **far cadere una cosa dall'a.**, to do st. as if it were a great favour □ (*fig.*) **guardare q. dall'a. in basso**, to look down one's nose at sb.; to look down on sb. □ **squadrare q. dall'a. in basso**, to look sb. over from head to foot □ **gente molto in a.**, very important people; (*molto influente*) people in high places □ **guardare in a.**, to look up □ **In a. i cuori!**, cheer up! □ **lanciare in a. una palla**, to throw a ball up (into the air) □ **lassù in a.**, up there □ **Mani in a.!**, hands up! □ (*sport*) **salto in a.**, high jump □ **verso l'a.**, upwards; up Ⓒ avv. **1** high; up: **volare a.**, to fly high; (*anche fig.*) **mirare a.**, to aim high **2** (*ad alta voce*) aloud; loudly.

altoatesìno Ⓐ a. of Alto Adige; from Alto Adige Ⓑ m. (f. **-a**) native [inhabitant] of Alto Adige.

altocùmulo m. (*meteor.*) altocumulus*.

altofórno m. (*ind.*) blast furnace.

altolà Ⓐ inter. halt; stop; (*aspetta!*) hold it! Ⓑ m. halt: **dare l'a. a q.**, to order sb. to stop.

altolocàto a. high-ranking; important; high-up (*fam.*).

altòmetro m. (*sport*) crossbar.

altoparlànte m. loudspeaker.

altopiàno m. plateau; tableland.

altorilièvo m. high relief; alto-relievo*.

altostràto m. (*meteor.*) altostratus*.

altresì avv. (*lett.*) also; likewise.

altrettàle a. (*lett.*) similar; like.

◆**altrettànto** Ⓐ a. indef. as much (…as), (pl.) as many (…as); (in frasi neg., anche) so much (…as), (pl.) so many (…as): **con a. interesse**, with as much interest; **dieci mele e altrettante pere**, ten apples and as many pears; *Ho altrettanti soldi quanti ne ha lui*, I have as much money as he has Ⓑ pron. indef. **1** as much (…as), (pl.) as many (…as); (in frasi neg.) so much (…as), (pl.) so many (…as): *Non posso dire a. di te*, I can't say as much about you; *Io ti dò cinque sterline e lui te ne darà altrettanto*, I'll give you five pounds and he will give you as many **2**

(*la stessa cosa*) the same: «*Buon Anno!*» «*A. a voi!*», «a happy new year!» «the same to you!»; *Grazie a.*, thank you and the same to you; *Io mi girai e lui fece a.*, I turned round and so did he (o and he did the same, and he did likewise) Ⓒ avv. **1** (con agg. e avv.) as… (as); (in frasi neg., anche) so… (as…): *È a. alto quanto suo fratello*, he is as tall as his brother; *Sono a. interessata quanto voi in questa faccenda*, I am just as interested as you are in this matter; *È buono, ma non a. dolce*, it's good but it isn't as sweet **2** (con verbi) as much (…as); as hard (…as); as long (…as): *Non lavori a. quanto prima*, you are not working as much as you used to do; *Il film non durò a.*, the film didn't last as long.

àltri pron. indef. sing. (*qualcun altro*) somebody (else); someone (else); (in frasi neg.) anybody (else), anyone (else); (*un'altra persona*) another (person); (*altre persone*) other people, others: *Non può essere a. che lui*, it can't be anyone but him; *Chi a. può essere?*, who else can it be?; *Non c'è a. che lui*, there isn't anybody (o there is nobody) but him; **né io né a.**, neither I nor anyone else.

altrièri avv. e m. (the) day before yesterday; (*qualche giorno fa*) (the) other day.

◆**altriménti** avv. **1** (*diversamente*) otherwise; differently: *Non posso fare a.*, I can't do otherwise; **pensarla a.**, to think differently; **a. detto**, also called; alias; also known as (abbr. a.k.a.) **2** (*in caso contrario*) or else; otherwise: *Certo che mi piace, a. non l'avrei comprato*, of course I like it, otherwise I wouldn't have bought it; *Lo deve fare, a. se ne pentirà*, he must do it, or (else) she'll be sorry; *Dammelo, a...!*, give it to me, or else!

◆**àltro** Ⓐ a. **1** other; (*un altro*) another; (*più*) more; (*ulteriore*) further; (*diverso*) different; (con agg., avv. e pron. interr. o indef.) else: **l'a. uomo**, the other man; *Volevo un a. libro, non questo*, I wanted another book, not this one; *Verrò un a. giorno*, I'll come another (o some other) day; *Ripetilo un'altra volta*, say it once more; say it again; *Dove sono gli altri libri?*, where are the other books?; *Ho altri francobolli*, I have other (o more) stamps; *Non ho altri amici*, I haven't any other (o I have no other) friends; *Ci sono altre sei persone fuori*, there are six other (o more) people outside; *Durò altri cinque minuti*, it lasted another five minutes; *Vuoi dell'a. vino?*, will you have some more wine?; *Ci servono altre informazioni*, we need further information; *Passammo da un'altra strada*, we went by a different (o by another) route; *Si crede un a. Picasso*, he thinks he's another Picasso; *Chiedi a chiunque a.*, ask anyone else; **qualcun a.**, somebody (o someone) else; (in frasi interr.) anybody (o anyone) else; **nessun a.**, nobody (o no one) else; **qualcos'a.**, something else; (in frasi interr.) anything else; *Nient'a., grazie*, nothing else, thank you; *Dev'essere di qualcun a.*, it must be somebody else's; *Chi a. era presente?*, who else was there?; *Che a. vuoi?*, what else do you want?; *Dove a. sei andato?*, where else did you go?; *In che a. modo lo faresti?*, how else would you do it?; **in qualche a. luogo**, somewhere else; **in nessun a. luogo**, nowhere else **2** (*precedente*) other; previous; preceding; (*scorso*) last: **l'a. anno**, last year; **l'a. giorno**, the other day **3** (*prossimo*) next: **quest'a. anno**, next year; **quest'altra settimana**, next week ● **l'a. ieri** (o **ieri l'a.**), the day before yesterday □ **altre volte**, (at) other times □ **ben** (o **tutt'**) **altra cosa**, quite a different thing (o matter) □ **quite another matter** □ **d'a. canto** (o **d'altra parte**), on the other hand □ **senz'a. avviso**, without further warning □ **È un a. uomo** (o **è cambiato**), he is a changed man Ⓑ pron. **1** (*rif. a cosa*) other; (*un altro*) another (one); (*in più*) more: *Uno di questi è mio,*

a

l'a. è tuo [*gli altri sono tuoi*], one of these is mine, the other is yours [the others are yours]; *Fammi vedere l'a.*, show me the other (one); *Questo non mi piace; ne voglio un a.*, I don't like this one; I want another; *Ne voglio dell'a.* (*o degli altri*), I want some more **2** (*rif. a persona*) another (one); other man* (f. woman*); another (person); (*qualcun a.*) somebody (*o* anybody) else; (*chiunque a.*) anybody else: **un a.**, another (person); (**gli**) **altri**, (the) others; other people; *Non ne troverete un a. come lui*, you won't find another like him; *Altri lo diranno*, others (*o* other people) will say so; *E l'a. che ha detto?*, what did the other man say?; **tutti gli altri**, all the others; *Le altre tacevano*, the other women (*o* the others) kept silent; **la roba d'altri**, other people's things; *Non raccontarlo ad altri che al tuo amico*, don't tell anybody but your friend; *Un a. avrebbe taciuto*, anybody else would have kept quiet **C** m. (*altra cosa*) something else; something different; (*qualcosa in più*) some more; (*in frasi interr.*, *dubitative o neg.*) anything else, anything different; (*niente altro*) nothing else; (*qualcosa in più*) some more; (*altre cose*) other things; (*il resto*) the rest: *Parliamo d'a.*, let's talk about something else; *Non voglio a.*, I don't want anything else; I want nothing else; (*Serve*) *a.?*, anything else?; *Ne vorrei dell'a.*, I would like some more; *Non c'era a.*, there wasn't anything else; there was nothing else; *Non potei fare a. che dirmi d'accordo con lei*, I couldn't but agree with her; **penne, matite e a.**, pens, pencils, and other things (besides); *A parte l'anello, non mancava a.*, apart from the ring, nothing else was missing ● **A. che!**, of course!; certainly!; and how! (*fam.*) □ **A. che vacanze! C'è da lavorare**, holidays? we've got to work! □ **C'è ben a.**, and that's not all; there's more to come □ **Ho ben a. da fare!**, I've got more important things to do! □ **Stupido che non sei a.!**, you fool! □ **Ci vuol a.!**, it takes much more than that! □ **È un lavoro come un a.**, it's no different from any other job; it's just a job ● **una ragione come un'altra**, as good a reason as any other □ **come tutti gli altri**, ordinary; like anybody else □ **da un giorno all'a.**, (*all'improvviso*) from one day to the next; (*qualsiasi giorno*) any day (now): *Lo aspettiamo da un giorno all'a.*, we are expecting him any day now □ **parlare di questo e quell'a.**, to talk about this and that □ **diventare un a.**, to change completely □ **un giorno o l'a.**, one of these days; some day or other □ **in un modo o nell'a.**, somehow or other □ **né l'uno né l'a.**, neither; (in presenza di neg.) either □ **nient'a. che**, nothing but □ **Non fa a. che studiare**, he does nothing but study □ **Ho capito, non dire a.!**, say no more! □ **Non può essere a. che così**, it cannot be otherwise □ **Viaggio più che a. in treno**, I mainly travel by train □ **Lo dissi più che a. per sfogarmi**, I said it to let off steam more than anything else ● **e quant'a.**, and what not; and what have you; or whatever □ **se non a...**, at least...; ...if nothing else □ **senz'a.**, certainly; definitely □ **tra l'a.**, among other things; besides □ **Tra l'a., volevo dirti...**, by the way, I meant to tell you... □ **tra una cosa e l'altra**, what with one thing and the other □ **Tutt'a.!** (*niente affatto*), not at all!, of course not!; (*no di certo*) (most) certainly not!; (*al contrario*) quite the opposite □ **tutt'a. che**, anything but; far from: **tutt'a. che chiaro**, far from clear □ **l'un l'a.**, (*fra due*) each other; (*fra più di due*) one another □ **l'uno o l'a.**, one or the other; either □ (*prov.*) **A. è dire, a. è fare**, it's easier said than done □ **Non fare agli altri ciò che non vorresti fosse fatto a te**, do unto others as you would be done by.

♦**altroché** inter. of course!; certainly!; and how! (*fam.*).

altrónde avv. – **d'a.**, on the other hand; however.

♦**altróve** avv. somewhere else; elsewhere: *Eravamo diretti a.*, we were going somewhere else; **in Italia e a.**, in Italy and elsewhere; *Ero a. col pensiero*, my mind was elsewhere.

altrùi **A** a. poss. (*di un'altra persona*) another person's, someone else's; (*di altre persone*) other people's, of others: **in casa a.**, in someone else's house; **la roba a.**, other people's property; **il bene a.**, the good of others; **la quiete a.**, the peace of others **B** m. other people's property.

altruìsmo m. altruism; unselfishness.

altruìsta **A** m. e f. altruist; unselfish person **B** a. altruistic; unselfish.

altruìstico a. altruistic; unselfish.

altùra f. **1** elevation; high ground; rise; (*colle*) hill **2** (*naut.*) high seas (pl.); open sea: **d'a.**, deep-sea (attr.); open-sea (attr.); ocean (attr.); (*di imbarcazione*) ocean-going: **motoscafo d'a.**, powerboat; **pesca d'a.**, deep-sea fishing; **pilota d'a.**, sea pilot; **rotta d'a.**, open-sea route.

alturière m. (*naut.*) sea pilot.

alturièro a. (*naut.*) deep-sea (attr.); open--sea (attr.); ocean (attr.); (*di imbarcazione*) ocean-going.

aluàtta f. (*zool.*) howler (mokey).

alùcce f. pl. water wings.

àlula f. (*zool.*) bastard wing **2** (*aeron.*) slat.

♦**alùnno** m. (f. **-a**) **1** (*allievo*) pupil; (*discepolo*) disciple **2** (*scolaro*) schoolboy (f. schoolgirl); (*studente*) student **3** (*apprendista*) apprentice ● **ex a.** (*di scuola, ecc.*), old boy (f. old girl); alumnus* (f. alumna*) (*USA*).

alveàre m. **1** beehive; hive; apiary **2** (*fig.*: *caseggiato popoloso*) rabbit warren.

àlveo m. river-bed; channel.

alveolàre a. **1** cell-like; alveolar **2** (*anat.*, *fon.*) alveolar.

alveolàto a. (*bot.*) alveolate; locular.

alveolìte f. (*med.*) alveolitis*.

alvèolo m. **1** (*anat.*) alveolus* **2** (*bot.*) alveolus*; loculus*.

alzabandièra m. inv. (ceremony of) hoisting the flag.

alzàbile a. liftable; that can be lifted.

alzacristàllo m. (*autom.*) window winder.

alzàia f. **1** (*fune*) towline **2** (*strada*) towpath.

♦**alzàre** **A** v. t. **1** (*sollevare*) to lift; (*levare*) to raise; (*con fatica*) to heave; (*issare*) to hoist: **a. un peso**, to lift a weight; **a. la testa**, to lift one's head; **a. gli occhi al cielo**, to raise one's eyes to heaven; **a. gli occhi dal libro**, to look up from the book; **a. la mano**, to put up (*o* to raise) one's hand; **a. il sipario**, to raise the curtain; *Alzò il baule e se lo mise sulle spalle*, he heaved the trunk on to his shoulders; **a. la bandiera**, to hoist the flag **2** (*aumentare*) to raise; to put* up: **a. i prezzi**, to raise (*o* to put up) prices; **a. la voce**, (*parlare più forte*) to speak up; (*gridare*) to raise one's voice; **a. il volume**, to raise the volume; (*di TV, ecc.*) to put up the volume **3** (*costruire*) to build*; (*erigere*) to erect, to raise, to put* up: **a. un muro**, to build (*o* to erect) a wall **4** (*rialzare*) to add (st. to st.): **a. un edificio di un piano**, to add another storey to a building **5** (*selvaggina*) to flush; to raise; to start: **a. un fagiano**, to flush a pheasant; **a. una lepre**, to raise (*o* to start) a hare **6** (*sport: pesi*) to lift; (*calcio*) to loft (*a ball*); (*pallavolo*) to set* ● (*fig.*) **a. i bicchieri**, to raise one's glass; to toast (sb., st.) □ **a. le carte** (*da gioco*), to cut (the cards) □ (*fig.*) **a. la cresta**, to get above oneself; to grow insolent; to get cocky (*fam.*) □ (*fig.*) **a. il go-**

mito, to drink too much; to have one too many; to bend (*o* to lift) one's elbow (*fam. USA*) □ **a. la mano su q.**, (*per minaccia*) to raise one's hand against sb.; (*picchiare*) to lay hands on sb. □ **a. le spalle**, to shrug (one's shoulders) □ (*fig.*) **a. i tacchi**, to take to one's heels □ **a. una tenda**, to pitch a tent □ (*fig.*) **non a. un dito**, not to raise a finger **B** **alzàrsi** v. rifl. **1** (*in piedi*) to stand* up; to rise* to one's feet; (*con fatica*) to get* to one's feet, to raise oneself, to heave (*o* to hoist) oneself up; (*da terra*) to get* up: *Il pubblico si alzò in piedi*, the audience rose to their feet; *Alzati in piedi!*, stand up!; *Il vecchio si alzò lentamente*, the old man raised himself slowly **2** (*dal letto*) to get* up **3** (*in volo, di uccello*) to fly* up, to take* off; (*di aeroplano*) to take* off **C** **alzàrsi** v. i. pron. **1** (*sorgere*) to rise*: *Il sole si alza alle cinque*, the sun rises at five **2** (*levarsi*) to rise*; (*di nebbia*) to lift: *Il vento si alzò d'un tratto*, the wind rose suddenly **3** (*crescere*) to grow*; (*di fiume, ecc.*) to rise*: *Il bambino s'è alzato molto*, the boy has grown a lot (*o* has shot up).

alzàta f. **1** (*l'alzare*) lifting up; raising **2** (*l'alzarsi*) rising; getting up: **a. all'alba**, getting up at dawn **3** (*di gradino*) riser **4** (*mil.*: *terrapieno*) mound; (*argine*) embankment **5** (*mecc.*: *delle valvole*) lift **6** (*giochi di carte*) cut **7** (*di mobile*) raised back **8** (*piatto per frutta*) fruitstand; (*per dolci*) cakestand **9** (*sport*: *calcio*) loft, (*passaggio*) lobbed ball; (*pallavolo*) set; (*sollevamento pesi*) full lift ● **a. d'ingegno**, bright (*o* brilliant) idea; stroke of genius; brainwave (*fam.*) □ (*fig.*) **a. di testa**, rash action □ (*fig.*) **a. di scudi**, protest; strong objection □ **a. di spalle**, shrug (of the shoulders) □ **votare per a. di mano**, to vote by a show of hands □ **votare per a. e seduta**, to vote by rising or remaining seated.

alzatàccia f. (*fam.*) early rising; early rise: **fare un'a.**, to get up at an ungodly hour (*fam.*); *Ci aspetta un'a. domani*, we've got an early rise ahead of us tomorrow.

alzàto **A** a. **1** (*sollevato*) raised; up (pred.) **2** (*in piedi*) standing; on one's feet **3** (*dal letto*) up (pred.); out of bed: *Non è ancora a.*, he isn't up yet; **stare a. fino a tardi**, to stay up late **B** m. (*archit.*) elevation; front view.

alzatóre m. (f. **-trìce**) (*pallavolo*) setter.

alzavàlvola m. inv. (*mecc.*) valve lifter.

alzàvola f. (*zool.*, *Anas crecca*) teal.

Alzheimer (*ted.*) m. Alzheimer's (*fam.*); Alzheimer's disease (*med.*).

àlzo m. **1** (*di fucile*) sights (pl.) **2** (*di cannone*) elevation: **con l'a. a zero** (*o* **con a. zero**), at zero elevation.

AM sigla (**Aeronautica militare**) Air Force (AF).

a.m. sigla (*lat.*: *ante meridiem*) (**antimeridiano**) before noon (a.m.).

amàbile a. **1** amiable; pleasant; friendly **2** (*di vino*) sweet; sweetish.

amabilità f. amiability; pleasantness, friendliness; (*gentilezza*) kindness.

amàca f. hammock.

amadrìade f. (*mitol.*; *zool.*, *Papio hamadryas*) hamadryad.

amagnètico a. (*fis.*, *metall.*) nonmagnetic.

amàlgama m. **1** (*chim.*) amalgam **2** (*fig.*) amalgam; mixture; combination **3** (*odontoiatria*) amalgam.

amalgamàre **A** v. t. **1** (*chim.*) to amalgamate **2** (*mescolare, impastare*) to mix; to blend **3** (*fig.*) to amalgamate; to combine; to blend; to merge **B** **amalgamàrsi** v. i. pron. **1** (*chim.*) to amalgamate **2** (*mescolarsi*) to blend; to mix **3** (*fig.*) to coalesce; to merge; to fit in (with): *Non riesce ad amalgamarsi con i compagni di scuola*, she doesn't fit in (well) with her schoolmates;

La squadra non si è ancora amalgamata, there is still a lack of cohesion in the team.

amalgamazióne f. (*chim.*) amalgamation.

Amàlia f. Amelia.

amamèlide f. (*bot.*, *Hamamelis virginiana*) witch hazel; hamamelis.

amanìta f. (*bot.*, *Amanita*) amanita: **a. falloide**, death cap; **a. muscaria**, fly agaric.

♦**amànte** ① **A** a. fond (of); keen (on); -loving: *È molto a. della musica*, he is very fond of music; he is a music-lover; **a. dello sci**, keen on skiing; **a. della pace**, peace-loving **B** m. e f. **1** (*appassionato*) lover; enthusiast; admirer; fan (*fam.*): **un a. del cinema**, a film lover; a film buff (*fam.*) **2** lover; mistress (f., *spesso spreg.*): *Sono amanti*, they are lovers.

amànte ② m. (*naut.*) runner; (*di pennone*) (yard) tie.

amantìglio m. (*naut.*) lift.

amanuènse m. **1** (*stor.*) amanuensis*; (*scrivano*) scribe **2** (*copista*) copyist.

amarànto **A** m. **1** (*bot.*, *Amaranthus*) amaranth; love-lies-bleeding **2** (*colore*) purplish red; reddish purple; amaranth **B** a. purplish red; reddish purple.

amaràsca → **marasca**.

amarascàto a. flavoured with morello-cherry juice.

amaràsco → **marasco**.

amarcòrd m. inv. nostalgic memory; fond memory.

♦**amàre** **A** v. t. **1** to love; (*essere innamorato di*) to be in love with; (*provare affetto per*, *essere amante di*) to be fond of; (*gradire*) to love; to like: **a. i genitori** [**il prossimo**, **la vita**, **Dio**], to love one's parents [one's neighbour, life, God]; **a. alla follia**, to be madly in love with sb.; **a. il ballo**, to love dancing; to be fond of dancing; **a. la buona tavola**, to love (*o* to enjoy) good food; *Non ama essere disturbato quando legge*, he doesn't like to be disturbed while reading; **come ama dire mio padre**, as my father is fond of saying (*o* loves to say) **2** (*fig.*, *di piante*) to like; to need: *una pianta che ama l'ombra*, a plant which likes the shade **B** **amàrsi** v. rifl. recipr. to love each other; (*avere una relazione*) to be in love with each other: *Amatevi l'un l'altro*, love each other; *Si amano da tre anni*, they've been in love (with each other) for three years.

amareggiàre **A** v. t. (*addolorare*) to sadden, to pain, to upset*; (*ferire*) to hurt*; (*deludere*) to disappoint; (*demoralizzare*) to demoralize; (*inasprire*) to embitter **B** **amareggiàrsi** v. i. pron. to be saddened; to be upset.

amareggiàto a. (*addolorato*) saddened, pained, upset; (*ferito*) hurt; (*deluso*) disappointed; (*demoralizzato*) demoralized; (*inasprito*) embittered, bitter, resentful.

amarèna f. **1** (*bot.*) sour black cherry **2** (*bevanda*) sour-cherry drink.

amarèno m. (*bot.*, *Prunus cerasus* varietà *acida*) sour cherry tree.

amarétto m. **1** (*biscotto*) macaroon **2** (*liquore*) amaretto; almond liqueur.

amarézza f. **1** bitterness; bitter taste **2** (*fig.*) bitterness; sadness **3** (al pl.) (*guai*) troubles; sorrows; disappointments.

amaricànte **A** a. giving a bitter taste **B** m. **1** bitter additive **2** bitters (pl. col verbo al sing.).

amàrico **A** a. **1** (*geogr.*) Amhara (attr.) **2** (*ling.*) Amharic **B** m. (*lingua*) Amharic.

amarìlli, **amarìllide** f. (*bot.*, *Amaryllis belladonna*) amaryllis; belladonna lily.

♦**amàro** **A** a. **1** bitter; (*senza zucchero*) without sugar, unsugared: **caffè a.**, coffee without sugar; **cioccolato a.**, dark chocolate;

mandorle amare, bitter almonds; **sapore a.**, bitter taste; «*Hai messo lo zucchero nel tè?*» «*No, è a.*», «did you sugar my tea?» «no, it's unsugared» **2** (*fig.*) bitter: **lacrime amare**, bitter tears; **sorriso a.**, bitter smile ● **a. come il fiele**, as bitter as gall □ **avere la bocca amara**, to have a bitter taste in one's mouth □ (*anche fig.*) **lasciare la bocca amara**, to leave a bad taste in sb.'s mouth □ (*fig.*) **mandare giù un boccone a.**, to swallow a bitter pill **B** m. **1** (*sapore*) bitter taste **2** (*amarezza*, *risentimento*) bitterness; acrimony; resentment **3** (*liquore*) bitters (pl. col verbo al sing.) ● (*fig.*) **lasciare l'a. in bocca**, to leave a bad (*o* sour) taste in sb.'s mouth.

amarógnolo **A** a. bitterish; slightly bitter **B** m. bitterish taste.

♦**amàto** **A** a. beloved; loved; darling **B** m. (f. **-a**) beloved; loved one; sweetheart.

amatóre m. (f. **-trice**) **1** lover: (*scherz.*) **un grande a.**, a Don Juan; a Casanova **2** (*appassionato*) lover; (*intenditore*) connoisseur; (*collezionista*) collector: **prezzo d'a.**, collector's price **3** (*sport*) amateur.

amatoriàle a. **1** collector (attr.); amateur (attr.) **2** (*sport*) amateur (attr.).

amatòrio a. (*lett.*) amatory; love (attr.): **filtro a.**, love philtre.

amauròsi f. (*med.*) amaurosis*.

amàzzone **A** f. **1** (*mitol.* e *fig.*) Amazon **2** (*cavallerizza*) horsewoman* **3** (*abito*) riding habit ● **cavalcare all'a.**, to ride sidesaddle □ (*geogr.*) **il Rio delle Amazzoni**, the Amazon □ **sella da a.**, sidesaddle **B** a. – (*zool.*) **formica a.** (*Poyiergus rufescens*), amazon ant.

amazzoniàno a. Amazonian.

amazzònico a. Amazonian; Amazon (attr.).

amazzonìte f. (*miner.*) amazonite; Amazon stone.

ambàgi f. pl. (*lett.*) – **senz'a.**, plainly; straight out.

ambaradàn m. inv. (*scherz.*) **1** chaos; mess; jumble; shambles **2** (the) whole caboodle (*fam.*); (the) works (pl.) (*fam.*).

ambascerìa f. **1** (*delegazione*) diplomatic mission; legation **2** (*l'incarico*) ambassadorship.

ambàscia f. anguish; distress; misery.

♦**ambasciàta** f. **1** embassy: **l'A. d'Italia**, the Italian Embassy **2** (*messaggio*) message: **fare un'a.**, to deliver a message.

♦**ambasciatóre** m. **1** ambassador **2** (*messaggero*) messenger ● (*prov.*) **A. non porta pena**, don't blame (*fam.* don't shoot) the messenger.

ambasciatrìce f. **1** ambassadress; ambassador **2** (*moglie di ambasciatore*) ambassador's wife **3** (*messaggera*) messenger.

ambàsso m. (*gioco dei dadi*) ambsace; deuce.

ambedùe a. e pron. both; either (+ sing.): **a. le mani**, both hands; **su a. i lati**, on both sides; on either side; *Vennero a.*, they both (*o* both of them) came; *A. le tesi sono sostenibili*, either thesis is tenable.

ambiàre v. i. to amble; to pace (*USA*).

ambiatóre a. ambling; pacing (*USA*): **cavallo a.**, ambling horse; ambler; pacer (*USA*).

ambidestrìsmo m. ambidextrousness; ambidexterity.

ambidèstro a. ambidextrous; (*boxe*, *tennis*) two-fisted; (*calcio*) two-footed.

ambientàle a. **1** (*di un luogo*) ambient; local; environmental: **condizioni ambientali**, environmental conditions; **fattori ambientali**, local factors **2** (*ecol.*) environmental: **danni ambientali**, environmental damage; **politica a.**, environmental policy; **tutela a.**, environmental protection; protection of the

environment.

ambientalìsmo m. (*ecol.*, *psic.*) environmentalism.

ambientalìsta **A** m. e f. **1** (*ecol.*) environmentalist; conservationist **2** (*psic.*) environmentalist **B** a. environmental; conservation (attr.): **associazione a.**, conservation group.

ambientalìstico a. environmental; conservational.

ambientaménto m. **1** (*l'acclimatarsi*) acclimatization; acclimation **2** (*l'adattarsi*) adaptation; adaption; settling in.

ambientàre **A** v. t. **1** to acclimatize; to adapt; to fit in **2** (*un'azione narrativa*) to set*: *La storia è ambientata nella Roma antica*, the story is set in ancient Rome **B** **ambientàrsi** v. rifl. **1** (*acclimatarsi*) to become* acclimatized **2** (*adattarsi*) to settle in; to fit in; to get* used (to): **faticare ad ambientarsi**, to have trouble settling in.

ambientazióne f. **1** (*cinem.*, *teatr.*) setting; set; scenery **2** (*di azione narrativa*) setting: **un romanzo d'a. esotica**, a novel with an exotic setting.

♦**ambiènte** **A** m. **1** (*spazio di vita o attività*) environment; surroundings (pl.); (*retroterra familiare*) background: **a. di lavoro**, working environment; **a. familiare**, home environment; **a. sociale**, social environment; *È cresciuto in un a. difficile*, he comes from a disadvantaged (*o* an underprivileged) background **2** (*cerchia*) milieu (*franc.*); circle; set; (*mondo*) world, sphere; establishment: **ambienti finanziari**, financial circles; **ambienti bene informati**, well-informed circles; **gli ambienti letterari**, the literary circles; the literary set (sing.); **l'a. della moda**, the fashion set; **l'a. sportivo**, the world of sport; *Frequenta tutt'altro a.*, he moves in quite another sphere; *Bazzica un a. poco raccomandabile*, she mixes with dubious people **3** (*ecol.*) environment; (*biol.*) habitat: **tutela dell'a.**, environmental protection; protection of the environment **4** (*atmosfera*) atmosphere; ambience: *È un a. simpatico*, the place has a pleasant atmosphere **5** (*stanza*) room: **un appartamento di cinque ambienti**, a five-room flat **6** (*comput.*) environment ● **un bisogno di cambiare a.**, a need for a change of surroundings □ **sentirsi fuori del proprio a.**, to feel out of place; to feel like a fish out of water □ **sentirsi nel proprio a.**, to feel at home **B** a. surrounding; ambient: **temperatura a.**, ambient (*o* room) temperature.

ambientìsta m. e f. painter [photographer] of interiors.

ambigènere a. inv. (*ling.*) of common gender; common-gender.

ambiguità f. **1** ambiguity; equivocalness; (*indefinitezza*) uncertainty, indeterminateness **2** (*natura equivoca*) dubiousness; questionableness; shadiness.

ambìguo a. **1** ambiguous; equivocal; cryptic; (*fuorviante*) misleading; (*poco chiaro*) unclear; (*indefinito*) uncertain, indeterminate; (*evasivo*) evasive: **discorso a.**, ambiguous remarks (pl.); equivocation; **risposta a.**, ambiguous (*o* cryptic) answer; **di sesso a.**, of indeterminate sex **2** (*equivoco*) dubious; questionable; shady: **fama ambigua**, dubious fame; **tipo a.**, shady individual.

àmbio m. amble; pace (*USA*): **andare all'a.**, to amble; to pace (*USA*).

ambìre v. t. e v. i. to aspire (to); to long (for): **a. a un incarico**, to aspire to a post; **a. ricchezze**, to long for wealth.

ambisessuàle a. (*biol.*) ambisexual.

ambisessualità f. (*biol.*) ambisexuality.

àmbito ① m. **1** (*campo*) scope; extent; range; compass; ambit; field: *Ciò esula dall'a. della mia ricerca*, this lies outside the

a

scope of my research; **l'a. di una scienza**, the field of a science; **nell'a. delle nostre indagini**, in the course of our investigations; **nell'a. della legge**, within the limits (o the ambit) of the law; **nell'a. delle proprie competenze**, within one's competence 2 (*ambiente*) circle: **l'a. di lavoro**, the workplace; **nell'a. familiare**, within the family circle.

ambito ② a. sought-after; much-desired; longed-for; coveted: **un posto molto a.**, a much sought-after job.

ambivalènte a. 1 (*che presenta contrasti*) ambivalent; contradictory; conflicting 2 (*che ha due aspetti*) two-sided; two-faced 3 (*che ha due funzioni*) dual-purpose.

ambivalènza f. 1 (*contrasto*) ambivalence; contradictoriness; conflict 2 (*doppio aspetto*) two sides (pl.) 3 (*doppia funzione*) duality of purpose.

ambizióne f. ambition: **avere grandi ambizioni**, to have great ambitions; *La sua massima a. è di ottenere un posto fisso*, the height of his ambition is to find a secure job.

ambiziosàggine f. petty ambition; ambitiousness.

ambizióso Ⓐ a. 1 ambitious; aspiring: **un giovane molto a.**, a very ambitious young man; **progetti ambiziosi**, ambitious plans 2 (*vano*) vain; conceited Ⓑ m. (f. **-a**) ambitious person.

amblìope a. (*med.*) amblyopic.

ambliopìa f. (*med.*) amblyopia.

àmbo Ⓐ a. num. both; either (+ sing.): **a. le mani**, both hands; *Ci sono negozi su a. i lati della strada*, there are shops on either side of the street; **in a. i casi**, in both cases; in either case Ⓑ m. (*lotto*) double: **fare a.**, to score a double.

ambóne m. (*archit.*) ambo*.

ambosèssi a. inv. of either sex.

àmbra Ⓐ f. (*miner.* e *colore*) amber ● **a. grigia**, ambergris ▢ (*bot.*) **a. liquida**, liquidambar Ⓑ a. inv. (*colore*) amber.

ambràto a. 1 amber 2 (*che profuma d'ambra*) amber-scented.

ambrétta m. → **abelmosco**.

Ambrògio m. Ambrose.

ambròsia f. 1 (*mitol.* e *fig.*) ambrosia 2 (*bot.*, *Ambrosia maritima*) Ambrosia; ragweed.

ambrosiàno Ⓐ a. 1 Ambrosian: (*eccles.*) **rito a.**, Ambrosian rite 2 (*milanese*) Milanese Ⓑ m. (f. **-a**) Milanese.

ambulacràle a. (*zool.*) ambulacral.

ambulàcro m. 1 (*archit.*) ambulatory 2 (*zool.*) ambulacrum*.

ambulànte Ⓐ a. itinerant; walking; strolling; travelling: **biblioteca a.**, mobile library; bookmobile (*USA*); (*fig.*) walking encyclopaedia; (*fig.*) **cadavere a.**, walking corpse; **suonatore a.**, strolling musician; street musician; **venditore a.**, street trader; pedlar; hawker Ⓑ m. e f. street trader; pedlar; hawker.

ambulànza f. (*anche mil.*) ambulance.

ambulatoriàle a. (*med.*) outpatient (attr.): **cura a.**, outpatient treatment.

ambulatorialmènte avv. in an outpatients' clinic; as an outpatient.

ambulatòrio Ⓐ a. ambulatory Ⓑ m. (*di ospedale*) outpatient clinic; (*di medico*) surgery: **a. dentistico**, dentist's surgery: **a. veterinario**, veterinary surgery.

Ambùrgo f. (*geogr.*) Hamburg.

amèba f. 1 (*zool.*, *Amoeba*) amoeba* 2 (*med. pop.*) amoebiasis; amoebic dysentery.

amebìasi f. (*med.*) amoebiasis.

amèbico a. (*med.*) amoebic.

amebòide a. (*biol.*) amoeboid.

Amedèo m. Amadeus.

Amèlia f. Amelia.

àmen Ⓐ inter. 1 amen 2 (*pazienza*) never mind; ok: *A., lasciamo perdere!*, ok, let's forget about it Ⓑ m. inv. 1 amen 2 (*fam.*) – **in un a.**, in a flash; in a trice; in less than no time; **giungere all'a.**, to come to an end.

amenità f. 1 pleasantness; amenity 2 (*facezia*) pleasantry; joke 3 (*sciocchezza*) nonsense ▢; silly talk ▢.

amèno a. 1 (*piacevole*) pleasant; agreeable: **paesaggio a.**, pleasant scenery; **lettura amena**, light reading 2 (*divertente*) entertaining; amusing 3 (*spassoso, bizzarro*) funny; droll: **un tipo a.**, a funny character.

amenorrèa f. (*med.*) amenorrhea.

amènto m. (*bot.*) catkin; ament.

amer. abbr. (**americano**) American.

Amèrica f. (*geogr.*) America: **l'A. del Nord**, North America; **l'A. del Sud**, South America ● (*fig.*) **trovare l'A.**, to strike it rich.

americàna f. (*ciclismo*) relay cycle-race.

americanàta f. (*spreg.*) 1 extravagant feat 2 exhibitionism ▢; showing-off ▢.

americanìsmo m. Americanism.

americanìsta m. e f. 1 Americanist 2 (*ciclismo*) relay-racing cyclist.

americanìstica f. American studies (pl.).

americanizzàre Ⓐ v. t. to Americanize Ⓑ **americanizzàrsi** v. i. pron. to Americanize; to become* Americanized.

americanizzazióne f. Americanization.

americàno Ⓐ a. American; (*degli USA*) United-States (attr.), US (attr.): **all'americana**, American; American-style Ⓑ m. 1 (f. **-a**) American; US citizen 2 (*ling.*) American English 3 (*aperitivo*) vermouth; bitters and soda.

americanòlogo m. (f. **-a**) expert on American affairs.

amerìcio m. (*chim.*) americium.

amerindiàno, **amerindio** Ⓐ a. American Indian; Amerindian Ⓑ m. (f. **-a**) American Indian; Amerindian; Amerind.

ametìsta f. (*miner.*) amethyst ● **color a.**, amethyst (attr.); amethystine.

ametropìa f. (*med.*) ametropia.

amfetamìna f. (*chim.*) amphetamine.

amiànto m. (*miner.*) asbestos; amianthus.

amìca f. 1 friend; girlfriend (*USA*); woman* friend; lady friend (*per gli esempi d'uso* → **amico**) 2 (*amante*) lover; girlfriend (*fam.*); mistress (*spreg.*).

amichétta f. 1 (little) friend 2 (*spreg.*) mistress; girlfriend; bit on the side (*fam.*).

amichétto m. 1 (little) friend 2 (*spreg.*) lover; boyfriend; fancy man*.

♦**amichévole** a. 1 friendly; amicable (*form.*) 2 (*sport*) friendly: **incontro a.**, friendly match; friendly ● **in via a.**, (*in confidenza*) confidentially; (*leg.*) out of court, out-of-court (attr.).

♦**amicìzia** f. 1 friendship: **a. intima**, close (o intimate) friendship; **fare a. con q.**, to make friends with sb.; **essere legati da profonda a.**, to be close friends; **rompere un'a.**, to break a friendship; **stringere un'a.**, to strike up a friendship; to form a friendship; **in a.**, as a friend; (*in confidenza*) confidentially; **in tutta a.**, in all friendship; **per a.**, for friendship's sake 2 (*amico*) friend: **amicizie influenti**, friends in high places; **cattive amicizie**, bad company (sing.); **avere molte amicizie**, to have many friends 3 (*relazione*) relationship: (*eufem.*) **amicizie particolari**, homosexual relationships.

♦**amico** Ⓐ a. 1 friendly: **una parola amica**,

a friendly word; **un viso a.**, a friendly face 2 (*alleato*) allied; friendly: **nazione amica**, allied country 3 (*lett.: propizio*) favourable; propitious Ⓑ m. 1 friend; man* friend; pal (*fam.*); mate (*fam. GB* e *Austral.*); buddy (*fam. USA*): **a. comune**, mutual friend; **a. del cuore**, bosom friend; **a. di famiglia**, family friend; **a. di scuola**, schoolfriend; **a. intimo**, close friend; **a. per la pelle**, bosom friend; great pal (*fam.*); buddy (*fam. USA*); **amici e amiche**, male and female friends; **amici influenti**, influential friends; friends in high places; **il mio consiglio da a.**, my advice as a friend; *È molto a. di mio fratello*, he and my brother are great friends; *Ehi, a., hai da accendere?*, have you got a light, mate?; **diventare amici**, to become friends; **fingersi a. di q.**, to pretend to be friends with sb.; **restare a. di q.**, to stay friends with sb.; **tenersi a. q.**, to remain on good terms with sb.; **tornare amici**, to be friends again 2 (*amante*) lover; friend; boyfriend (*fam.*) 3 (*cultore*) friend; lover: **un a. della musica**, a music lover ● **a. del giaguaro**, person who seems to side with a friend's opponent ▢ (*prov.*) *Gli amici si conoscono nelle avversità*, a friend in need is a friend indeed.

amicóne m. bosom friend; great pal (*fam.*); buddy (*fam. USA*); crony (*fam.*).

amicròbico a. (*biol.*) amicrobic.

amidàceo a. starchy.

amidatùra f. (*ind. tess.*) starching.

àmido m. starch: **dare l'a. a qc.**, to starch st.; **ricco d'a.**, starchy.

amìgdala f. 1 (*anat.*) amygdala* 2 (*miner.*) amygdale 3 (*paletnologia*) flint.

amigdalìna f. (*chim.*) amygdalin.

amigdalòide a. 1 amygdaloid 2 (*geol.*) amygdaloidal.

amilàceo → **amidaceo**.

amilàsi f. (*biol.*) amylase.

amìlico a. (*chim.*) amylic; amyl (attr.).

amilopectìna f. (*chim.*) amylopectine.

amilopsìna f. (*biochim.*) amylopsin.

amilòsio m. (*chim.*) amylose.

amitòsi f. (*biol.*) amitosis*.

amìtto m. (*eccles.*) amice.

amlètico a. 1 (*di Amleto*) Hamlet's 2 (*fig.*) Hamlet-like; (*irresoluto*) irresolute, wavering, indecisive ● **dubbio a.**, dilemma.

amletismo m. Hamlet-like irresolution.

Amlèto m. (*letter.*) Hamlet.

ammaccaménto m. 1 (*di metallo, ecc.*) denting; (*di frutta, ecc.*) brusing 2 (*schiacciamento*) crushing.

ammaccàre Ⓐ v. t. 1 (*metallo, ecc.*) to dent, to make* a dent in; (*frutta, ecc.*) to bruise: **a. una pentola**, to dent a saucepan; **a. una pesca**, to bruise a peach 2 (*schiacciare*) to crush: **a. un cappello**, to crush a hat; **ammaccarsi una costola**, to crush a rib; **ammaccarsi le ossa**, to get battered Ⓑ **ammaccàrsi** v. i. pron. to get* dented; to get* bruised; to get* crushed.

ammaccatùra f. 1 (*di metallo, ecc.*) dent 2 (*di pelle, frutta*) bruise.

ammaestràbile a. trainable.

ammaestraménto m. 1 (*l'istruire*) teaching 2 (*l'addestrare*) training 3 (*insegnamento*) teaching; lesson; instruction: *Questo ti serva d'a.*, let that be a lesson to you.

ammaestràre v. t. 1 (*istruire*) to teach*: **a. q. in qc.**, to teach st. to sb. 2 (*animali*) to train.

ammaestràto a. trained; (*a fare esercizi di destrezza*) performing: **foche ammaestrate**, performing seals; **scimmia ammaestrata**, trained monkey.

ammaestratóre m. (f. **-trìce**) trainer; (*domatore*) tamer.

ammainabandièra m. inv. (the) lower-

ing of the flag.

ammainàre v. t. to lower; to haul down; to strike*: **a. la bandiera**, to lower (*o* to take down) the flag; (*per resa*) to strike the colours; (*naut.*) **a. una lancia**, to lower (*o* to hoist out) a boat; (*naut.*) **a. una vela**, to lower a sail.

♦**ammalàre** A v. t. (*fig.*) to spoil; to corrupt B v. i., **ammalàrsi** v. i. pron. to fall* ill; to be taken ill; *Si ammalò improvvisamente*, he was suddenly taken ill; **ammalarsi di tifo**, to fall ill with typhoid.

♦**ammalàto** A a. 1 (*di persona*) ill (generalm. pred.); (generalm. attr.) sick; unwell (pred.): **un bambino a.**, a sick child; *È a.*, he is ill; **gravemente a.**, seriously ill; **a. di epatite**, ill with hepatitis; **a. di bronchi**, suffering from bronchitis; **cadere a.**, to fall ill; **darsi a.**, to report sick 2 (*di parte del corpo*) diseased 3 (*fig.*) sick (with); suffering (from): **a. di nostalgia**, homesick B m. (f. **-a**) 1 sick person: **gli ammalati**, the sick 2 (*paziente*) patient.

ammaliaménto m. fascination; enchantment.

ammaliànte a. bewitching; charming; fascinating; enchanting; beguiling; captivating.

ammaliàre v. t. to bewitch; to charm; to fascinate; to enchant; to beguile.

ammaliatóre A a. bewitching; charming; fascinating; enchanting B m. enchanter; charmer.

ammaliatrìce f. enchantress; charmer; femme fatale (*franc.*).

ammalinconìre e deriv. → **immalinconìre**, e deriv.

ammànco m. deficit; deficiency; shortage: **a. di cassa**, cash deficit (*o* deficiency); **coprire un a.**, to make up a deficit.

ammandorlàto A a. 1 almond-shaped 2 almond-flavoured B m. 1 (*edil.*) brick lattice 2 grating; lattice.

ammanettàre v. t. 1 to handcuff 2 (*estens.*) to arrest.

ammanicàrsi v. i. pron. (*fam.*) to get* in (with sb.); to get* to know (people that count).

ammanicàto a. (*fam.*) well-connected; well in (with); having friends in high places.

ammanigliàre v. t. (*naut.*) to bend; to shackle.

ammanigliàto a. (*fig.*) well-connected; well in (with); having friends in high places.

ammannàre v. t. (*agric.*) to bind* in sheaves.

ammannìre v. t. 1 (*preparare*) to prepare; to get* ready 2 (*scherz.*: *propinare*) to dish out; to inflict (st. on sb.).

ammansàre, **ammansìre** A v. t. 1 (*rendere mansueto*) to tame 2 (*calmare*) to soothe; to calm (down); to placate B **ammansìrsi** v. i. pron. 1 to become* tame 2 (*calmarsi*) to calm down.

ammantàre A v. t. (*avvolgere*) to wrap; to envelop; to shroud; (*coprire*) to cover, to mantle (*lett.*): *Il silenzio ammantava le case*, silence enveloped the houses; *La neve ammanta i colli*, snow covers the hills B **ammantàrsi** v. rifl. 1 to wrap oneself up 2 (*fig.*: *ostentare*) to affect (st.); to parade (st.): **ammantarsi di onestà**, to parade one's honesty C **ammantàrsi** v. i. pron. (*ricoprirsi*) to be covered; to be mantled (*lett.*): *Il prato s'ammanta di fiori*, the meadow is covered with flowers.

ammàppelo, **ammàppete** → **ammàzzalo**.

ammaràggio m. (*di idroplano*) (water) landing; (*miss.*) splashdown.

ammaràre v. i. (*di idroplano*) to land (on water); (*miss.*) to splash down; (*di aereo, co-*

me manovra di fortuna) to ditch.

ammarràggio m. (*naut.*) mooring.

ammarràre v. t. (*naut.*) to moor.

ammassaménto m. 1 (*l'ammassare*) amassing; hoarding 2 (*mil.*) massing 3 → **ammasso**.

ammassàre A v. t. 1 (*accumulare*) to amass; to accumulate; to heap up; (*raccogliere e conservare*) to store, to stash away; to hoard; (*portare all'ammasso*) to stockpile: **a. ricchezze**, to amass a fortune; **a. il raccolto**, to store the harvest; **a. scorte**, to store provisions; to stockpile 2 (*ammucchiare*) to pile up; to stack 3 (*pigiare*) to cram; to pack: *I prigionieri furono ammassati su camion*, the prisoners were crammed into lorries 4 (*mil.*) to mass: **a. truppe**, to mass troops B **ammassàrsi** v. i. pron. 1 (*affollarsi*) to throng; to crowd together 2 (*ammucchiarsi*) to pile up 3 (*accumularsi*) to accumulate; to mass.

ammassicciàre A v. t. 1 → **ammassare** 2 (*massicciare*) to ballast B **ammassicciàrsi** v. i. pron. to harden; to set*.

ammàsso m. 1 mass; heap; pile; hoard: **un a. di roba vecchia**, a heap of junk; **un a. di detriti**, a pile of debris; **a. di rottami**, scrap heap; (*fig.*) wreck 2 (*fig.*) heap; load: **un a. di sciocchezze**, a load of nonsense; **un a. di bugie**, a pack of lies 3 (*raccolta*) pooling; stockpile: **portare grano all'a.**, to stockpile grain 4 (*scient.*) cluster; (*astron.*) **a. stellare**, star cluster ● (*fig.*) **portare il cervello all'a.**, to follow the party line blindly.

ammatassàre v. t. to wind* into a skein.

ammattìre v. i. 1 to go* mad 2 (*scervellarsi*) to rack one's brains ● **C'è da a.**, it's enough to drive you mad □ **fare a.**, to drive sb. mad; to drive sb. crazy (*fam.*); to drive sb. round the bend (*fam.*).

ammattonàre v. t. (*edil.*) to pave with bricks.

ammattonàto (*edil.*) A a. paved with bricks B m. brick floor; brick pavement.

ammattonatùra f. (*edil.*) brick paving.

ammàzza → **ammazzalo**.

ammazzacaffè m. inv. (*fam.*) chaser.

ammazzacattìvi m. e f. just avenger; (*fig.*) self-appointed judge.

ammàzzalo inter. (*region.*) gee; wow; coo (*GB*).

ammazzaménto m. 1 killing; (*omicidio*) murder; (*di animale*) slaughter.

♦**ammazzàre** A v. t. 1 to kill; (*assassinare*) to murder; (*un animale*) to kill, to slaughter, to butcher: *L'hanno ammazzato come un cane*, they killed him like a dog; **a. il maiale**, to kill the pig 2 (*fig.*) to kill; to destroy; to crush: **a. il tempo**, to kill time; **a. q. di lavoro**, to work sb. to death B **ammazzàrsi** v. rifl. (*anche fig.*) to kill oneself: **ammazzarsi di lavoro**, to work oneself to death; to overwork C **ammazzàrsi** v. i. pron. to be (*o* to get*) killed: **ammazzarsi con la moto**, to get killed on one's motorbike.

ammazzasètte m. inv. braggart; swaggering bully.

ammazzàta f. (*fam.*) hard work; sweat (*fam.*); slog (*fam.*).

ammazzatóio m. slaughterhouse.

ammènda f. 1 (*riparazione*) amends (pl.): **fare a. di qc.**, to make amends for st. 2 (*multa*) fine; penalty: **lieve a.**, small fine; **condannare q. a un'a.**, to sentence sb. to pay a fine; **infliggere un'a.**, to impose a fine.

ammendaménto m. 1 amendment; emendation 2 (*agric.*) improvement of the soil; amendment.

ammendànte m. (*agric.*) amender.

ammendàre v. t. (*agric.*) to amend.

ammennìcolo m. 1 (*fronzolo*) trinket; (al pl., anche) odds and ends, bits and pieces 2 (*pretesto*) pretext; cavil; quibble.

ammésso A a. 1 (*accettato*) admitted: **a. a un esame**, admitted to an exam 2 (*consentito*) allowed; permitted: **a. dalla legge**, permitted by law 3 (*riconosciuto*) admitted; acknowledged: **verità generalmente ammessa**, generally acknowledged truth B **ammésso che** loc. cong. 1 (*se*) if: *Glielo dirò, a. che lo veda*, I'll tell him, if I see him; **anche a. che tu abbia ragione**, even if you are right 2 (*supponendo che*) supposing that: **a. e non concesso che...**, even supposing, for the sake of argument, that... 3 (*purché*) provided (that) C m. (f. **-a**) successful candidate; person admitted (to): **gli ammessi all'orale**, those admitted to the oral examination.

ammettènza f. (*fis.*) admittance.

♦**ammèttere** v. t. 1 (*lasciar entrare*) to admit; to let* in: **a. q. alla presenza del Re**, to admit sb. into the King's presence; **a. q. nella camera del malato**, to let sb. into the patient's room 2 (*accettare*) to admit; to accept: **essere ammesso a un club**, to be admitted to a club 3 (*riconoscere*) to admit; to acknowledge: **a. la verità**, to admit the truth; **a. la sconfitta**, to acknowledge defeat; *È sbagliato, ammettiamolo*, it's wrong, let's face it 4 (*supporre*) to suppose; (*concedere*) to grant: *Ammettiamo che si arrivi in tempo*, (let us) suppose we get there in time; *Ammetto che le cose non vanno troppo bene*, I grant you things are not going very well 5 (*permettere*) to allow; to admit of; to accept: *Non ammetto scuse*, I accept no excuses; **un gesto che non ammette scuse**, an action that admits of no excuse 6 (*tollerare*) to bear*; to tolerate; to countenance; to brook: *Non ammetto una simile insolenza*, I won't bear (*o* brook) such insolence; *Non ammetto che mi si parli così*, I will not be spoken to in that manner.

ammezzàre v. t. 1 to halve 2 (*riempire a metà*) to half-fill 3 (*vuotare a metà*) to half-empty.

ammezzàto m. mezzanine.

ammezzìre v. i. (*bot.*) to become* overripe.

ammiccaménto m. blinking; (*volontario*) winking.

ammiccànte a. 1 winking 2 (*fig.*: *allusivo*) hinting; (*insinuare*) insinuating, suggestive; (*a doppio senso scabroso*) naughty 3 (*fig.*: *invitante*) inviting; alluring; come-on (*fam.*).

ammiccàre v. i. to blink; (*strizzare l'occhio*) to wink (at).

ammìcco m. wink.

ammìde f. (*chim.*) amide.

ammìdico a. (*chim.*) amidic.

ammìna f. (*chim.*) amine.

ammìnico a. (*chim.*) amino: **gruppo a.**, amino group.

amministràre A v. t. 1 (*dirigere*) to run*; to manage: **a. un'azienda**, to run (*o* to conduct) a business; **a. una casa**, to run a house; **a. una proprietà**, to manage an estate; **a. male**, to mismanage 2 (*somministrare*) to administer; to dispense: **a. la giustizia**, to administer the law; to dispense justice 3 (*fare buon uso*) to ration; to organize: **a. le proprie forze**, to ration one's strength; **a. il proprio tempo**, to organize one's time B **amministràrsi** v. rifl. to organize oneself; to organize one's time.

amministrativìsta m. e f. specialist in administrative law.

amministrativo a. administrative: **anno a.**, financial year; **diritto a.**, administrative law; **elezioni amministrative**, local elections; **potere a.**, executive power.

a

amministratóre m. (f. *-trice*) **1** administrator; manager: **a. pubblico**, public administrator; **a. di proprietà**, estate manager; **a. di un condominio**, manager of a condominium **2** (*di società*) (company) director: **a. delegato**, managing director (*GB*); president (*USA*); chief executive officer; **a. unico**, sole director ● (*leg.*) **a. fiduciario**, trustee □ (*leg.*) **a. giudiziale**, receiver.

♦**amministrazióne** f. **1** (*gestione*) administration; management; running: **a. aziendale**, company management; business administration; **a. del personale**, staff (*o* personnel) management; **cattiva a.**, maladministration; (*degli affari, ecc.*) mismanagement; **consigliere di a.**, member of the board of directors; **consiglio di a.**, board of directors; **spese di a.**, administrative costs; running expenses **2** (*gli amministratori*) administration; management **3** (*gli uffici*) administration offices (pl.); administrative headquarters (pl.) **4** (*polit.*) government: **a. centrale**, central government: **a. locale**, local government ● (*leg.*) **a. controllata**, receivership □ **a. della giustizia**, dispensation of justice □ (*leg.*) **a. fiduciaria**, trusteeship; trust □ **a. statale**, civil service □ **ordinaria a.**, ordinary business; (*estens.*) routine: **di ordinaria a.**, routine (attr.); run-of-the-mill (attr.); *Per me queste son cose di ordinaria a.*, it's all in a day's work □ **pubblica a.**, civil service.

amminoàcido m. (*chim.*) amino acid.
amminoàlcol m. (*chim.*) amino alcohol.
amminoglicoşide m. aminoglycoside.
amminoplàsto m. (*chim.*) amino plastic.
amminutàre v. t. (*agric.*) to harrow.
ammiràbile a. admirable.
ammiràglia f. (*naut.*) flagship.
ammiragliàto m. **1** Admiralty **2** (*grado*) admiralship.
ammiràglio m. admiral: **a. di divisione**, vice-admiral; **a. di squadra**, admiral; **grande a.**, high admiral.

♦**ammiràre** v. t. to admire; to appreciate: **a. un quadro**, to admire a painting; *Ammirai la sua forza di volontà*, I admired his willpower; *Ammiro la tua onestà*, I appreciate your honesty.
ammirativo a. admiring; appreciative.
ammiratóre m. **1** (f. *-trice*) admirer; enthusiast; (*di attore, ecc.*) fan **2** (*corteggiatore*) suitor.
♦**ammirazióne** f. admiration: **destare a.**, to excite admiration; **provare** (*o* **nutrire**) **a. per q.**, to feel admiration for sb.
ammirévole a. admirable.
ammissìbile a. **1** admissible; acceptable: **ipotesi a.**, acceptable hypothesis **2** (*tollerabile*) tolerable; acceptable; permissible; allowable: **non a.**, unacceptable; intolerable **3** (*leg.*) admissible; (*di ricorso, ecc.*) receivable: **ricorso a.**, receivable appeal.
ammissibilità f. admissibility (*anche leg.*); acceptability.
ammissióne f. **1** admittance; admission; entrance: **a. a un club**, admission to a club; **a. all'università**, university entrance; matriculation; (*leg.*) **a. di prova**, admission of evidence; **proporre l'a. di q. come socio**, to propose sb.'s admission (to a club, etc.) as a member; **to put sb. up for membership; esame d'a.**, entrance examination; **tassa d'a.**, entrance fee **2** (*riconoscimento*) acknowledgement; admission; avowal: **a. di colpa**, admission of guilt; (*leg.*) **a. di colpevolezza**, plea of guilty; **a. di sconfitta**, acknowledgment of defeat; **per sua stessa a.**, on his own admission; **per comune a.**, by general acknowledgment; admittedly **3** (*tecn.*) inlet.
Amm.ne abbr. (**amministrazione**) ad-

ministration.
ammobiliàre v. t. to furnish.
ammobiliàto a. furnished: **appartamento a.**, furnished flat.
ammodernaménto m. modernization; modernizing.
ammodernàre v. t. to modernize.
ammòdite Ⓐ m. (*zool.*, *Vipera ammodytes*) horned viper Ⓑ f. (*zool.*, *Ammodytes lanceolatus*) sand eel; launce.
ammòdo Ⓐ a. nice; well-bred; respectable Ⓑ avv. properly: **fare le cose a.**, to do things properly.
ammòfila f. **1** (*bot.*, *Ammophila*) marram (grass) **2** (*zool.*, *Ammophila*) sphex.
ammogliàre Ⓐ v. t. to give* a wife to Ⓑ **ammogliàrsi** v. rifl. to get* married (to); to marry (sb.).
ammogliàto Ⓐ a. married Ⓑ m. married man*.
ammollaménto m. softening; soaking.
ammollàre① Ⓐ v. t. **1** (*rendere molle*) to soften **2** (*bagnare*) to soak: **a. la biancheria**, to soak the washing Ⓑ **ammollàrsi** v. i. pron. **1** (*diventare molle*) to soften; to become* soft; to go* soft **2** (*bagnarsi*) to get* soaked; to become* soggy.
ammollàre② v. t. (*allentare*) to slacken.
ammolliménto m. (*anche fig.*) softening.
ammollìre Ⓐ v. t. (*anche fig.*) to soften Ⓑ **ammollìrsi** v. i. pron. (*anche fig.*) to soften; to grow* soft.
ammòllo m. soakage; soaking; soak: **lasciare in a.**, to leave to soak; **mettere in a.**, to soak; **ciclo dell'a.** (*di lavabiancheria*), soak (*o* pre-wash) cycle.
ammoniàca f. (*chim.*) ammonia.
ammoniacàle a. (*chim.*) ammoniacal.
ammoniacàto a. (*chim.*) ammoniated.
ammonìaco a. (*chim.*) ammoniac: **sale a.**, sal ammoniac.
ammònico a. (*chim.*) ammonium (attr.).
ammoniménto m. **1** (*avvertimento*) warning; caution; admonishment **2** (*consiglio*) advice **3** (*rimprovero*) admonition; rebuke; reprimand **4** (*lezione*) lesson ● **Che ti serva da a.**, let that be a warning (*o* a lesson) to you.
ammònio m. (*chim.*) ammonium.
ammonìre v. t. **1** (*avvertire*) to warn; to caution; to admonish: *Lo ammonì di non farlo un'altra volta*, he warned him not to do it again **2** (*consigliare*) to advise **3** (*rimproverare*) to admonish; to rebuke; to reprimand **4** (*dare una lezione a*) to teach* a lesson to **5** (*leg.*) to caution **6** (*sport*) to book.
ammonìte f. (*paleont.*) ammonite.
ammonitivo a. admonitory; cautionary.
ammonitóre Ⓐ a. warning; cautionary: **segni ammonitori**, warning signs Ⓑ m. (f. *-trice*) admonisher; warner.
ammonizióne f. **1** (*avvertimento*) warning; caution; admonition **2** (*rimprovero*) admonition; rebuke; reproof **3** (*leg.*) caution **4** (*sport*) booking.
ammonizzazióne f. (*biol.*) ammonification.
ammontàre Ⓐ v. i. **1** to amount (to); to come* (to); to total; to add up (to): *La spesa ammonta a parecchio*, the total (*o* final) cost amounts (*o* comes) to quite a lot; *I suoi debiti ammontano a sei milioni di euro*, his debts total six million euros **2** (*mat.*, *rag.*) to figure up (at) Ⓑ m. amount; figure: **a. complessivo**, total amount; **l'a. di una ordinazione**, the size of an order; **l'a. delle spese**, total expenditure; **l'a. delle vendite**, the sales figure; **a. lordo** [**netto**], gross [net] amount; the exact figure; **fino all'a. di**, to the extent of; to the amount of; **per un a. di**, for a total of; at a (total) cost of.

ammonticchiàre Ⓐ v. t. to heap up; to pile up Ⓑ **ammonticchiàrsi** v. i. pron. to pile up.
ammorbaménto m. **1** (*infezione*) infection **2** (*puzzo*) stench; stink **3** (*fig.*) corruption.
ammorbàre v. t. **1** (*infettare*) to infect **2** (*di odore, ecc.*) to foul; to pollute **3** (*fig.*) to corrupt.
ammorbidènte Ⓐ a. softening Ⓑ m. softener; (*per bucato*) (fabric) conditioner.
ammorbidiménto m. softening; (*fig.*, *anche*) relaxation: **a. delle regole**, relaxation of rules.
ammorbidìre v. t., **ammorbidìrsi** v. i. pron. (*anche fig.*) to soften.
ammorsàre v. t. **1** to clamp in a vice; to vice **2** (*archit.*) to tooth.
ammorsatùra f. (*archit.*) toothing.
ammortaménto m. (*rag.*, *fin.*) amortization; depreciation; redemption: **a. a quote costanti**, straight-line depreciation; **a. compensativo**, compensating depreciation; depreciation; **a. di un debito**, amortization of a debt; **a. del debito pubblico**, public debt redemption; **a. di un prestito**, redemption of a loan; **a. fiscale**, depreciation allowance; **a. frazionato**, split depreciation; **a. maturato**, accumulated depreciation; **fondo di a.**, sinking fund; **piano di a.**, amortization plan; redemption plan; **quota di a.**, depreciation allowance.
ammortàre v. t. (*rag.*) to amortize; to depreciate; to sink*; to redeem.
ammortizzàbile a. (*rag.*) amortizable; depreciable.
ammortizzaménto m. **1** → **ammortamento 2** (*mecc.*) damping; deadening.
ammortizzàre v. t. **1** (*rag.*, *fin.*) to amortize; to sink*; to write off: **a. un debito** [**un prestito**], to amortize (*o* to sink) a debt [a loan]; **a. il costo di un'immobilizzazione**, to write off the cost of an asset **2** (*attutire*) to damp; to cushion; to deaden; to absorb: **a. un colpo**, to cushion a blow.
ammortizzatóre m. **1** (*mecc.*) shock absorber; vibration damper: **a. a frizione**, friction damper; **a. idraulico**, hydraulic shock absorber **2** (*fig.*) cushion: **a. sociale**, social security cushion; social shock absorber.
ammosciàre, **ammoscìre** Ⓐ v. t. (*rendere moscio*) to make* limp; to make* flabby; to soften; (*rendere vizzo*) to make* (st.) wilt (*o* droop) Ⓑ **ammoscìarsi**, **ammoscìrsi** v. i. pron. **1** to grow* soft; to become* limp; to become* flabby (*anche fig.*); to droop, to sag, to wilt **2** (*intristirsi*) to be dejected; to mope; to be down in the mouth.
ammostaménto m. must preparation.
ammostàre Ⓐ v. t. (*uva*) to press (*grapes*) to make must Ⓑ v. i. to become* must; to yield must.
ammotràgo m. (*zool.*, *Ammotragus lervia*) Barbary sheep; aoudad.
Amm.re abbr. (**amministratore**) administrator.
ammucchiaménto m. (*l'ammucchiare*) piling up; heaping (up); (*di persone*) crowding, cramming.
♦**ammucchiàre** Ⓐ v. t. to pile up; to heap (up); (*neve*) to bank up; (*persone*) to crowd, to cram Ⓑ **ammucchiàrsi** v. i. pron. to pile up; to build* up; (*di neve*) to bank up; (*di persone*) to crowd (together), to cram.
ammucchiàta f. **1** (*fam.*: *insieme disordinato*) heap; jumble; ragbag **2** (*pop.*) sex orgy.
ammuffiménto m. moulding; (*muffa*) mould.
ammuffìre v. i. **1** to go* mouldy (*o* musty); to mould (*di pianta, cibo, carta, an-*

che) to mildew **2** (*fig.*) to moulder away; to languish; to rot; to go* rusty; to gather dust: **a. in prigione**, to rot in prison; **stare in casa ad a.**, to languish (*o* to rot) at home; **lasciar a. i libri**, to leave one's books to gather dust.

ammuffito a. **1** mouldy; musty; (*di pianta, cibo, pelle, anche*) mildewy, mildewed **2** (*fig.*) antiquated; stale; fossilized.

ammuṣare v. i. e t., **ammuṣarsi** v. recipr. to nuzzle.

ammutinaménto m. mutiny; rebellion.

ammutinàrsi v. i. pron. to mutiny; to rebel.

ammutinàto A a. mutinous; rebellious; rebel (attr.) B m. mutineer; rebel.

ammutolìre v. i. (*smettere di parlare*) to fall* silent, to shut* up; (*per sorpresa, paura*) to be struck dumb: **a. dallo spavento**, to be struck dumb with fear; **far a.**, to silence; to shut up; to strike (sb.) dumb.

ammutolito a. struck dumb (pred.); speechless; dumbfounded: **lasciare a.**, to leave speechless; **restare a.**, to be struck dumb; to be left speechless.

amneṣia f. amnesia.

àmnio m. (*biol.*) amnion*.

amniocènteṣi f. (*med.*) amniocentesis*.

amnioscopìa f. (*med.*) amnioscopy.

amnioscòpio m. (*med.*) amnioscope.

amniòtico a. (*biol.*) amniotic: **liquido a.**, amniotic fluid; **membrana amniotica**, amniotic membrane; caul.

amnistìa f. (*leg.*) amnesty; general pardon: **concedere l'a. a**, to grant amnesty (*o* general pardon) to.

amnistiàre v. t. (*leg.*) to grant amnesty (*o* general pardon) to; to amnesty.

amnistiàto (*leg.*) A a. pardoned B m. (f. -a) pardoned person.

àmo m. **1** (fish) hook: **abboccare all'amo**, to bite; to take the bait; **prendere all'amo**, to hook **2** (*fig.*) trap; bait: **abboccare all'amo**, to fall into the trap; to swallow the bait; to fall for it; **tendere l'amo a q.**, to set a trap for sb.

amoèrro m. moire.

amòmo → **cardamomo**.

amoràle a. amoral.

amoralìṣmo m. (*filos.*) amoralism.

amoralità f. amorality.

amoràzzo m. (*spreg.*) love affair; amour.

♦**amóre** m. **1** love; (*affetto*) affection, care: **a. del prossimo [di Dio]**, love of one's neighbour [of God]; **a. di sé**, self-love; (*egoismo*) selfishness; **a. fraterno**, brotherly love; **a. interessato**, cupboard love; **a. paterno**, paternal (*o* father's) love; **a. platonico**, platonic love; **rapporto di a. e odio**, love-hate relationship **2** (*attrazione sessuale*) love; (*rapporto sessuale*) sex: **a. a prima vista**, love at first sight; **a. adolescenziale**, puppy love; **a. di gruppo**, group sex; **a. non corrisposto**, unrequited love; **libero a.**, free love; **fare all'a.** (*o* fare l'a.) (con), to make love (to, with); to have sex (with); **sposarsi per a.**, to marry for love; **canto d'a.**, love song; **lettere d'a.**, love letters; **mal d'a.**, lovesickness; **soffrire di mal d'a.**, to be lovesick; **matrimonio d'a.**, love match; **matrimonio senza a.**, loveless marriage; **pegno d'a.**, love token **3** (*zool.*) mating: **stagione degli amori**, mating season; **andare in a.**, to be in season **4** (*forte interesse*) love; fondness; passion; enthusiasm; (*forte desiderio*) desire, craving: **a. della lettura**, fondness for reading; **a. per gli animali**, love of animals; **a. per i cavalli**, passion for horses **5** (*solerzia, zelo*) zeal; enthusiasm; (*cura*) love, loving care: **fatto con a.**, done with loving care **6** (*persona amata*) love; beloved; darling; (*come appellativo*) love, darling, honey: **un mio vecchio**

a., an old love of mine; *Sei l'a. della mamma*, you are mummy's darling; *Vengo, a.*, I'm coming, darling **7** (*persona o cosa bella*) darling; lovely (agg.); charming (agg.): **un a. di bambina**, a lovely child; a little darling; *Che a. di appartamentino!*, what a charming little flat!; *Che a.!*, how charming!; how sweet! **8** (*avventura amorosa*) love affair; (al pl., *lett. o scherz.*) amours ● **amor proprio**, self-respect; self-esteem; pride □ **andare d'a. e d'accordo**, to be the best of friends □ **d'a. e d'accordo**, in full agreement □ **il grande a. di q.**, the love of sb.'s life □ **per a. di brevità**, for the sake of brevity □ *Per amor di Dio!*, for Heaven's (*o* God's) sake! □ *Fallo per amor mio!*, do it for my sake (*o* for me)! □ **per a. o per forza**, by hook or by crook; willy-nilly.

Amóre m. (*mitol.*) Love; Cupid; Eros.

amoreggiaménto m. flirtation.

amoreggiàre v. i. to flirt.

amorétto m. flirtation; passing fancy.

amorévole a. loving; caring; tender; fond: **un padre a.**, a loving (*o* caring) father; **parole amorevoli**, loving words.

amorevolézza f. lovingness; fondness; tenderness; loving kindness.

amorfìṣmo m. (*chim.*) amorphism.

amòrfo a. **1** amorphous; shapeless **2** (*fig.*) colourless; insipid; characterless; nondescript **3** (*chim., fis.*) amorphous.

amorìno m. **1** (*arte*) cupid; amoretto*; amorino* **2** (*bambino grazioso*) cherub; little darling; little angel **3** (*bot.*, *Reseda odorata*) mignonette **4** (*divano a S*) tête-à-tête (*franc.*) sociable (*GB*).

amoróso A a. **1** loving; affectionate; fond: **figlio a.**, affectionate son; **padre a.**, loving father **2** (*d'amore*) love (attr.); (*erotico*) amatory: **poesia amorosa**, love poetry; amatory verse; **relazione amorosa**, love affair; **vita amorosa**, love life **3** (*mus.*) amoroso B m. (f. -a) **1** fiancé (f. fiancée) (*franc.*); boyfriend (m., *fam.*; f. girlfriend); sweetheart **2** (*teatr.*) young lover.

amovìbile a. **1** removable **2** (*di impiegato, ecc.*) transferable.

amovibilità f. **1** removability **2** (*di impiegato, ecc.*) transferability.

amozióne f. removal; transfer.

ampelografìa f. ampelography.

ampelotecnìa f. wine-growing.

amperàggio m. (*fis.*) amperage.

ampere m. (*fis.*) ampere.

amperòmetro m. (*fis.*) ammeter.

amperóra m. (*fis.*) ampere-hour.

amperspìra f. (*fis.*) ampere-turn.

ampiaménte avv. widely; amply; (*pienamente*) fully: **a. diffuso**, widely known; widely used; widespread; **a. soddisfatto**, amply satisfied.

ampicillìna f. (*farm.*) ampicillin.

ampiézza f. **1** (*larghezza*) width, breadth; (*spaziosità*) spaciousness, roominess; (*vastità*) vastness, broadness, wideness; (*estensione*) extent **2** (*di abito*) fullness; (*comodità*) looseness **3** (*fig.*) extent; amplitude; breadth: **l'a. di un fenomeno**, the extent of a phenomenon; **a. di vedute**, breadth of mind; broadmindedness **4** (*di voce, strumento musicale*) range **5** (*fis., mat.*) amplitude **6** (*geom.*) magnitude **7** (*mecc.*) excursion.

♦**àmpio** a. **1** (*largo*) wide; broad; (*spazioso*) spacious, roomy, vast: **un fiume a.**, a wide (*o* broad) river; **un'ampia sala**, a spacious room **2** (*di abito: ricco*) full; (*comodo*) loose, loose-fitting: **gonna ampia**, full skirt; **vestito a.**, loose-fitting dress **3** (*fig.: esteso*) wide; vast; broad; extensive; (*su vasta scala*) large-scale; (*copioso*) ample, abundant; (*completo*) full, detailed: **ampia conoscenza di una materia**, extensive knowledge of a

subject; **un'ampia gamma di articoli**, a wide range of articles; **ampi mezzi**, ample means; **ampie vedute**, broad views; **di ampia portata**, far-ranging; **di a. respiro**, wide-ranging; **nel senso più a. del termine**, in the broadest sense of the word.

amplèsso m. **1** (*lett.*) embrace **2** (*eufem.*) (sexual) intercourse; intimacy.

ampliaménto m. **1** (*allargamento*) widening; (*ingrandimento*) enlargement; (*accrescimento*) expansion, development, increase, amplification: **a. del capitale**, capital widening; **a. del personale**, staff increase **2** (*edil.*) addition; extension: **lavori di a.**, extension works.

ampliàre A v. t. **1** (*allargare*) to widen; (*ingrandire*) to enlarge, to extend, to broaden; (*accrescere*) to expand, to develop, to increase, to amplify: **a. la propria cultura**, to broaden one's culture; **a. l'organico**, to increase the staff; **a. le proprie relazioni**, to expand one's relationships **2** (*edil.*) to extend B **ampliàrsi** v. i. pron. to become* larger; to expand; to increase.

ampliàto a. enlarged; expanded: **edizione ampliata**, enlarged edition.

amplidìna f., **amplidìnamo** f. inv. (*elettr.*) amplidyne.

amplificàre v. t. **1** to amplify; to enlarge; to broaden; to magnify **2** (*fis.*) to amplify; (*un segnale, anche*) to boost **3** (*fig.: magnificare*) to extol; to magnify; (*esagerare*) to exaggerate.

amplificatóre m. (*radio*) amplifier; (*di segnale*) booster: **a. di alta [bassa] frequenza**, high-frequency [low-frequency] amplifier; **a. di potenza**, power amplifier.

amplificazióne f. **1** amplification; enlargement **2** (*fis.*) amplification: **a. totale**, overall amplification; **coefficiente di a.**, amplification factor **3** (*ling.*) amplification.

amplitùdine f. (*astron.*) amplitude.

ampólla f. **1** (*per olio, aceto*) cruet **2** (*elettr.*) bulb **3** (*eccles.*) ampulla* **4** (*anat.*) ampulla*.

am. pollièra f. cruet stand; cruet.

ampollìna f. **1** (*per olio, aceto*) cruet **2** (*eccles.*) ampulla*.

ampollosità f. pomposity; bombast; inflatedness.

ampollóso a. pompous; bombastic; inflated: **stile a.**, bombastic style.

amputàre v. t. **1** (*chir.*) to amputate; to cut* off **2** (*fig.*) to cut* off; (*mutilare*) to mutilate.

amputàto m. (*chi ha subito un'amputazione*) amputee.

amputazióne f. **1** (*chir.*) amputation **2** (*fig.*) cutting off; (*mutilazione*) mutilation.

amulèto m. amulet; talisman; charm.

AN sigla **1** (*polit.*, **Alleanza nazionale**) National Alliance **2** (**Ancona**).

àna avv. (*farm.*) ana.

ANA sigla (**Associazione nazionale alpini**) National Alpine Regiment Veterans Association.

anàbaṣi f. (*lett.*) anabasis*.

anàbate m. (*zool.*, *Anabas scandens*) anabas; climbing perch.

anabàtico a. (*meteor.*) anabatic.

anabattìṣmo m. (*stor. relig.*) Anabaptism.

anabattìsta m. e f. (*stor. relig.*) Anabaptist.

anabbagliànte (*autom.*) A a. antidazzle; anti-glare; (*autom., di faro*) dipped, dimmed (*USA*); (*autom.*) **specchietto a.**, anti-glare mirror B m. (*autom.*) dipped (*USA* dimmed) headlight; low beam (*USA*): **mettere gli anabbaglianti**, to dip (*USA* to dim) the headlights; to put the low beams on (*USA*).

anabiòsi f. (*biol.*) anabiosis*.

anabòlico a. (*biol.*) anabolic.

anabolismo m. (*biol.*) anabolism.

anabolizzànte Ⓐ a. anabolic Ⓑ m. anabolic steroid.

anacàrdio m. 1 (*bot.*, *Anacardium occidentale*) cashew (tree) 2 (*frutto*) cashew (nut).

anaciàto a. aniseed-flavoured.

anaciclico a. palindromic.

anaclàsi f. 1 (*letter.*) anaclasis* 2 (*fis.*) refraction of light.

anaclàstica f. (*fis.*) dioptrics (pl. col verbo al sing.).

anacolùto m. (*retor.*) anacoluthon*.

anacònda m. (*zool.*, *Eunectes murinus*) anaconda.

anacorèsi f. withdrawal from the world.

anacorèta m. 1 anchorite 2 (*fig.*) hermit; recluse ● **fare vita da a.**, to lead an ascetic life; to live like a recluse.

anacorètico a. anchoritic.

Anacreónte m. (*stor. letter.*) Anacreon.

anacreontèo a. e m. (*poesia*) anacreontic.

anacreòntica f. (*letter.*) anacreontic.

anacreòntico a. (*letter.*) anacreontic.

anacronismo m. anachronism.

anacronistico a. anachronistic.

anacrùsi f. (*ling.*) anacrusis*.

anadiplòsi f. (*retor.*) anadiplosis*.

anàdromo a. (*zool.*) anadromous.

anaelèttrico a. (*elettr.*) anelectric.

anaeròbico a. (*biol.*) anaerobic.

anaeròbio m. (*biol.*) anaerobe.

anaerobiòsi f. (*biol.*) anaerobiosis.

anafàse f. (*biol.*) anaphase.

anafilàssi f. (*med.*) anaphylaxis.

anafilàttico a. (*med.*) anaphylactic: **shock a.**, anaphylactic shock.

anàfora f. (*retor.*) anaphora.

anaforèsi f. (*fis.*) anaphoresis.

anafòrico a. (*retor.*) anaphoric.

anafrodisìaco a. e m. anaphrodisiac.

anagàllide f. (*bot.*, *Anagallis arvensis*) pimpernel; scarlet pimpernel.

anagènesi f. (*biol.*) anagenesis.

anàglifo m. (*fotogr.*, *arte*) anaglyph.

anaglittica f. (*arte*) anaglyphy.

anaglittico a. (*arte*) anaglyphic.

anagogìa f. anagoge.

anagògico a. anagogic.

anàgrafe f. 1 (*registro*) register of births, marriages and deaths: **iscrivere un bambino all'a.**, to register the birth of a child 2 (*ufficio*) registry office 3 (*estens.: archivio*) register: (*fin.*) **a. tributaria**, tax register.

anagràfico a. registry (attr.): **dati anagrafici**, personal data; **ufficio a.**, registry office ● **età anagrafica**, real age.

anagràmma m. anagram.

anagrammàre v. t. to anagrammatize.

anagrammàtico a. anagrammatic.

analcòlico a. non-alcoholic; alcohol-free: **bibita analcolica**, alcohol-free drink; soft drink; **birra analcolica**, alcohol-free beer.

anàle a. (*anat.*, *psic.*) anal.

analècta (*lat.*) m. pl. analects; analecta.

analèmma m. (*astron.*) analemma.

analèssi f. (*retor.*) insistent repetition (of a word).

analèttico a. (*farm.*) analeptic.

analfabèta Ⓐ a. 1 illiterate 2 (*fig.*) ignorant Ⓑ m. e f. 1 illiterate 2 (*fig.*) ignoramus ● **a. di ritorno**, person who has lapsed into illiteracy; functional illiterate.

analfabètico a. analphabetic.

analfabetismo m. illiteracy ● **a. di ritorno**, lost literacy skills (pl.); functional illiter-

acy.

analgesìa f. (*med.*) analgesia.

analgèsico (*farm.*) Ⓐ a. painkilling; pain-relieving; analgesic Ⓑ m. painkilling drug; painkiller; pain-reliever; analgesic.

anàlisi f. 1 analysis*; (*esame*) test, testing: **a. chimica**, chemical analysis; assay; (*rag.*) **a. dei costi**, cost analysis; cost accounting; (*econ.*) **a. costi-benefici**, cost-benefit analysis; (*econ.*) **a. della domanda**, demand analysis; (*econ.*, *stat.*) **a. di dati trasversali**, cross-section analysis; (*econ.*) **a. di mercato**, market analysis (o research); (*med.*) **a. del sangue**, blood test, blood count; (*comput.*, *org. az.*) **a. dei sistemi**, systems analysis; (*med.*) **a. delle urine**, urine test; (*mat.*) **a. combinatoria**, combinatorial analysis; (*ling.*) **a. grammaticale**, parsing; **fare l'a. grammaticale di**, to parse; (*mat.*) **a. infinitesimale**, (infinitesimal) calculus; (*ling.*) **a. logica**, sentence analysis; (*mat.*) **a. matematica**, mathematical analysis; **a. radiocarbonica**, carbon dating; (*econ.*) **a. stratificata**, breakdown analysis; **fare un'a. della situazione**, to do an analysis of (o to analyse) the situation; **sottoporre ad a.**, to analyse; to test; **in ultima a.**, in the final (o last, ultimate) analysis 2 (*psic.*) psychoanalysis; analysis; therapy: **essere in a.**, to be in analysis (o in therapy); **sottoporsi ad a.**, to undergo psychoanalysis.

analìsta m. e f. 1 analyst: **a. dei costi**, cost accountant; **a. di mercato**, market analyst; **a. finanziario**, financial analyst 2 (*psic.*) analyst.

analìtica f. analytics (pl. col verbo al sing.).

analiticità f. analytical character; analytical nature.

analìtico a. analytic (*anche logica*, *ling.*); analytical: **filosofia analitica**, analytical philosophy; **geometria analitica**, analytical geometry; **indice a.**, index; **lingua analitica**, analytic language; **mente analitica**, analytic mind; **metodo a.**, analytic method; **psicologia analitica**, analytical psychology.

analizzàbile a. analysable, analyzable (*USA*).

analizzàre v. t. 1 to analyse, to analyze (*USA*); (*comput.*) to scan: **a. una sostanza chimica**, to analyse a chemical substance; **farsi a. le urine**, to have a urine test 2 (*esaminare*) to analyse; to examine; to scrutinize.

analizzatóre m. 1 (f. **-trìce**) (*persona*) analyst 2 (*strumento*) analyser, analyzer (*USA*); (*comput.*, *TV*) scanner.

anallèrgico a. anallergic.

analogìa f. analogy; (*somiglianza*) similarity: **ragionare per a.**, to reason by analogy; **stabilire un'a. tra A e B**, to draw an analogy between A and B; **per a. con**, by analogy with.

analògico a. 1 analogous 2 (*tecn.*) analogue, analog: **elaboratore a.**, analogue computer; **orologio a.**, analogue clock [watch].

analogismo m. (*filos.*) reasoning by analogy.

anàlogo a. analogous (*anche biol.*); similar; parallel.

anamnèsi f. (*med.*) medical history; case-history; anamnesis*.

anamnèstico a. (*med.*) anamnestic.

anamòrfico a. anamorphic.

anamorfòsi f. anamorphosis*.

ànanas m. inv. **ananàsso** m. 1 (*bot.*, *Ananas sativus*) pineapple 2 (*bomba a mano*) pineapple (hand grenade).

anapèstico a. (*poesia*) anapaestic.

anapèsto m. (*poesia*) anapaest.

anaplasmòsi f. (*vet.*) anaplasmosis*; gall-sickness.

anapodìttico a. non-apodictic; self-evi-

dent.

anaptissi f. (*ling.*) anaptyxis.

anarchìa f. 1 anarchy; lawlessness 2 (*dottrina*) anarchism 3 (*fig.*) anarchy; chaos; disorder.

anàrchico Ⓐ a. 1 anarchic 2 (*rif. alla dottrina*) anarchistic: **movimento a.**, anarchistic movement 3 (*fig.*) chaotic; disordered Ⓑ m. (f. **-a**) anarchist.

anarchismo m. anarchism.

anarcòide Ⓐ a. anarchist (attr.) Ⓑ m. e f. rebellious person; rebel.

ANAS sigla (**Azienda nazionale autonoma delle strade**) (*ora* **Ente nazionale per le strade**) National Highways Authority.

anasàrca m. (*med.*) anasarca.

anastàtico a. (*tipogr.*) anastatic: **ristampa anastatica**, anastatic reprint.

anastigmàtico a. (*ottica*) anastigmatic.

anastomizzàre v. t. (*biol.*, *chir.*) to anastomose.

anastomòsi f. (*anat.*, *chir.*) anastomosis*.

anàstrofe f. (*retor.*) anastrophe.

anatèma m. anathema; (*fig.*, *anche*) curse: **lanciare un a. contro**, to pronounce an anathema upon; (*fig.*) to curse; to anathematize.

anatematizzàre, anatemizzàre v. t. to pronounce an anathema upon; (*fig.*) to anathematize.

anatocismo m. (*fin.*) compounding; accumulation.

anatòlico a. e m. Anatolian.

anatomìa f. 1 anatomy: **a. comparata**, comparative anatomy; **a. patologica**, morbid anatomy 2 (*dissezione*) dissection: **fare l'a. di un cadavere**, to dissect a corpse 3 (*fig.*) anatomy.

anatòmico a. 1 anatomical; anatomy (attr.): **posizione anatomica**, anatomical position; **sala anatomica**, anatomical theatre; **tavolo a.**, dissection table; anatomy table 2 (*rif. alla forma*) anatomically designed: **sedia anatomica**, anatomically-designed chair; **plantare a.**, arch support; **scarpe anatomiche**, shoes with arch supports.

anatomìsta m. e f. anatomist.

anatomizzàre v. t. (*anche fig.*) to anatomize; to dissect.

anatomopatologìa f. morbid anatomy.

anatomopatòlogo m. (f. **-a**) pathologist.

anatossìna f. (*biol.*) anatoxin.

◆**ànatra** f. (*zool.*, *Anas*) duck; (*maschio*) drake: **a. selvatica**, wild duck; mallard ● (*cucina*) **a. all'arancia**, duck à l'orange □ ● **da richiamo**, decoy duck □ **a. mandarina** (*Aix galericulata*), mandarin duck □ **a. muta** (*o muschiata*) (*Cairina moschata*), musk duck □ (*fig.*) **a. zoppa**, lame duck.

anatròccolo m. duckling: **brutto a.**, ugly duckling.

ànca f. 1 hip; haunch: **articolazione dell'a.**, hip joint; **lussazione dell'a.**, dislocation of the hip 2 (*naut.*) quarter.

ancàta f. 1 hip movement 2 (*lotta*) cross-buttock.

ANCE sigla (**Associazione nazionale costruttori edili**) National Association of Building Contractors.

ancèlla f. 1 (*lett.*) maid; maidservant 2 (*fig.*) handmaid.

ancestràle a. ancestral.

◆**ànche** cong. 1 too; also; as well; (*in aggiunta*) besides: *C'era a. lui*, he was there, too; he was there as well; *Vengo anch'io*, I'm coming too (o as well); *A. lui adesso si tira indietro*, he too is pulling back now; *A. noi non ci andiamo*, we are not going either; *Mi occorre a. un cappotto*, I also need a coat;

«*C'è Giorgio?*» «*Sì*» «*E Franco?*» «*A.*», «is Giorgio there?» «yes, he is» «and Franco?» «he's here too»; «*So nuotare*» «*A. io*», «I can swim» «so can I»; *Noi partiamo domani, e a. loro*, we are leaving tomorrow, and so are they; *Io odio i gatti e lei a.*, I hate cats, and so does she; *Non ho fame e poi ho a. mal di testa*, I'm not hungry and besides I've got a headache **2** (*perfino*) even: *A. sua moglie lo accusa*, even his wife accuses him; *Mi ha a. dato dei soldi*, she even gave me some money **3** (*davanti a compar.*) even; still: **a. meglio**, even (*o* still) better **4** (*davanti a gerundio*) even if: *A. volendo, non potrei venire*, even if I wanted to, I wouldn't be able to come **5** (*col verbo «potere» è idiom.*) – *Possiamo a. andare*, we may as well go; *Potevi a. dare una mano*, you might have given a hand; *Potresti a. salutare*, you might (at least) say hello • **a. perché**, partly because; chiefly because □ **a. se** (*o* **quand'a.**), even if; even though: *A. se gli scrivessi, non verrebbe lo stesso*, even if I wrote to him, he still wouldn't come □ **a. se** (*benché*), even though: *Ha venduto tutto, a. se gliel'avevo sconsigliato*, he sold everything, even though I had advised him against it □ **A. se fosse?** what if that were the case?; so what? □ **a. troppo**, far too (+ agg.); far too much: *Sei stato a. troppo buono con lei*, you were far too kind with her; *Ce n'è a. troppo*, there is far too much □ *Ci mancava a. questa!*, that's all we [I, ecc.] need!; as if we [I, ecc.] didn't have enough problems as it is.

ancheggiaménto m. swaying of the hips; hip-wiggling.

ancheggiànte a. hip-swaying; hip-wiggling.

ancheggiàre v. i. to sway one's hips; to wiggle one's hips.

anchilosàre A v. i. **1** (*med.*) to ankylose; to fuse (by ankylosis) **2** (*irrigidire*) to stiffen; to make* stiff B **anchilosàrsi** v. i. pron. **1** (*med.*) to become* ankylosed **2** (*irrigidirsi*) to become* stiff; to go* stiff: *Mi si è anchilosato il braccio*, my arm has gone stiff.

anchilosàto a. **1** (*med.*) ankylosed **2** (*rigido*) stiffened; stiff; stiff in the joints; stiff-jointed.

anchilòsi f. (*med.*) ankylosis*.

anchilòstoma m. (*zool.*) hookworm.

anchilostomìaşi f. (*med.*) ancylostomiasis*; hookworm disease.

anchìna f. nankeen.

ANCI sigla (**Associazione nazionale comuni italiani**) National Association of Italian Municipalities.

ància f. (*mus.*) reed: **a. semplice [doppia]**, simple [double] reed; **strumenti ad a.**, reed instruments; reeds.

ancillàre a. **1** domestic; menial **2** (*fig.*: *secondario*) ancillary.

ancìpite a. **1** double-edged **2** (*lett.*) uncertain; doubtful **3** (*ling.*) which can be either short or long.

ancòna f. **1** (*pala d'altare*) altarpiece **2** (*archit.*) ancon.

anconetàno A a. of Ancona; from Ancona B m. (f. **-a**) native [inhabitant] of Ancona.

♦**àncora** ① f. **1** (*naut.*) anchor: **essere all'a.**, to be (*o* to lie) at anchor; **a. di speranza**, sheet-anchor; **a. di posta**, bower; **a. di tonneggio**, kedge anchor; **a. galleggiante**, sea anchor; **a. impigliata**, foul anchor; **gettare l'a.**, to cast (*o* to drop) anchor; **levare** (*o* **salpare**) **l'a.**, to weigh anchor; **catena [cavo] dell'a.**, anchor chain [cable]; **ceppo dell'a.**, anchor stock; **unghia dell'a.**, anchor bill **2** (*elettr.*) keeper **3** (*di orologio*) lever **4** (*sci*) T-bar: **sciovia ad a.**, T-bar lift • (*fig.*) **a. di salvezza**, sheet-anchor □ (*fig.*): *È ora di togliere le ancore*, it's time we

were under way.

♦**ancòra** ② avv. **1** (*tuttora*) still: *Sono a. in vacanza*, I am still on holiday; *È a. in casa?*, is she still in? *C'è a. tempo*, there is still time **2** (*in frasi neg. o rif. al futuro*) yet: *Non è a. qui*, she isn't here yet; *Non s'è visto a.*, he has not shown up yet; *Non l'avevo a. conosciuto*, I hadn't yet met him; *Potrebbe a. farcela*, he might yet make it **3** (*di nuovo*) again: *Proviamo a.*, let's try again; *Venne a. a trovarci*, he came to see us again **4** (*in aggiunta*) some more; any more: *Dammene a.*, give me some more; *Ne avete a.?*, have you got any more?; *Ne voglio a. due*, I want two more (*o* another two); *Aspetta, c'è dell'altro a.*, wait, there's more to come **5** (*davanti a compar.*) even; still: **a. meglio**, even better; **a. più bella**, even (*o* still) more beautiful; *Ho ancor più paura di te*, I'm even more afraid than you are **6** (*con pron. o agg. di quantità*) more; (*rif. a tempo*) longer: **a. molti giorni**, many more days; **a. un po'**, (*dell'altro*) a little more; (*un po' più a lungo*) a little longer; *Resta a. un po'*, stay a little longer.

ancoràggio m. **1** (*naut.*) anchorage; berth: **diritti d'a.**, anchorage (dues) **2** (*tecn.*) anchorage: **bullone di a.**, anchor bolt **3** (*econ.*) pegging.

ancoràre A v. t. **1** (*naut.*) to anchor **2** (*fissare, anche fig.*) to anchor; to secure; to fasten; to ground: **a. una corda alla roccia**, to anchor a rope to the rock; **a. una scala**, to secure a ladder **3** (*econ.*) to peg B **ancoràrsi** v. rifl. **1** (*naut.*) to anchor; to drop anchor; to cast* anchor **2** (*fig.: aggrapparsi*) to cling* (to): **ancorarsi a un'idea**, to cling to an idea **3** (*fig.: stabilizzarsi*) to tie oneself (down); **ancorarsi a un posto**, to tie oneself to a place.

ancoràto a. **1** (*naut.*) at anchor **3** (*fissato*) fastened; anchored **3** (*econ.*) pegged **4** (*a forma d'ancora*) anchor-shaped.

ancorché cong. (*lett.*) even though; even if.

ancoréssa f. (*naut.*) one-armed anchor.

ancoròtto m. (*naut.*) kedge anchor.

andalùşo a. e m. (f. **-a**) Andalusian.

andaménto m. **1** (*corso*) course, progress; (*stato*) state; (*prestazione*) performance; (*tendenza*) trend, tendency: **l'a. della malattia [dei lavori]**, the progress of the disease [of works]; **l'a. degli affari**, the state of business; **l'a. della Borsa**, the trend of the Stock Exchange; **l'a. della domanda**, the trend of the demand; (*econ.*) **l'a. dei prezzi**, the price trend; **a. scolastico**, school performance; **a. tendenziale**, trend; **occuparsi dell'a. della casa**, to run the house **2** (*mus.*) modulation.

andàna f. **1** pathway; passage **2** (*naut.*) tier: **essere ormeggiato in a.**, to lie in tier.

andànte A a. **1** (*comune*) ordinary; common; plain **2** (*di poco prezzo*) cheap; (*scadente*) poor, middling, second-rate B m. (*mus.*) andante.

andantino m. (*mus.*) andantino.

♦**andàre** A v. i. **1** to go*; (*in auto*) to drive*; (*in aereo*) to fly*; (*a cavallo*) to ride*; (*di treno, ecc.*) to run*: **a. a caccia [a pesca, a far compere]**, to go shooting [fishing, shopping]; **a. a fare una passeggiata**, to go for a walk; **a. a lavorare**, to go to work; **a. a dormire**, to go to bed; **a. a prendere qc.**, to fetch st.; (*mil.*) **a. all'attacco**, to go into action; **a. a cavallo**, to go on horseback; to ride; (*per diporto*) **a. a fare un giro**, to go for a ride; **a. a piedi**, to go on foot; to walk; **a. a piedi in ufficio**, to walk to one's office; **a. in aeroplano**, to go by plane; to fly; **a. in automobile**, to go by car; to drive; to motor; (*per diporto*) to go for a drive; **a. in barca**, to go by boat; (*per diporto*) to go out in a boat; **a. in bicicletta**, to go by bicycle; to ride a bicycle; to cycle; (*per diporto*) to go cycling; *Ci andrò in bicicletta*, I'll cycle there; *Sai a. in bicicletta?*, can you ride a bicycle?; **a. in tassì**, to go by taxi; **a. in treno**, to go by train; **a. per i fatti propri**, to go about one's business; **a. per la propria strada**, to go one's own way; **a. per la via più corta**, to go by the shortest way; to take the shortest route; **a. per mare [per terra, per via aerea]**, to go by sea [by land, by air]; *Lasciami a.*, let me go; *Chi va là?*, who goes there?; *Va' a vedere che fanno*, go and see what they are doing; *Andavamo a cento all'ora*, we were driving (at) a hundred kilometres an hour; *Vai piano, mi raccomando!*, do drive carefully!; *Dove va questa strada?*, where does this road lead (to)?; *Il vaso va sul tavolo*, the vase goes on the table; *Il primo premio andò a Tina*, the first prize went to Tina; *Non sono mai andato in America*, I've never been to America **2** (*andare via, partire*) to go*; to go* away; to go* off; to leave*: **a. in esilio**, to go into exile; **a. in guerra**, to go off to war; **a. in viaggio**, to go on a journey; *È ora di a.*, it's time to go (*o* to leave); *Non a.!*, don't go away; don't leave!; *Andò in Australia*, she went to Australia; *Vado e torno*, I'll be right back **3** (*visitare*) to go* to see; to call (on sb., at a place); to see*; to visit: *Ieri sono andato da Carlo*, I went to see Carlo (*o* I called on Carlo) yesterday; *Dovrò a. al suo ufficio*, I'll have to call at his office; *Andrò da lui domani*, I'll go and see him tomorrow **4** (*essere, stare di salute, procedere*) to be; to get* on: *Va meglio?*, are things better?; (*stai più comodo?*) is that better?; *Come va?, (come stai?)* how are you?; (*come vanno le cose?*) how are things?, how is everything?; (*come procedi?*) how are you getting on?; *Come va la salute?*, how are you?; how are you keeping?; *Come vanno gli affari?*, how is business?; *Gli affari vanno bene [male]*, business is brisk [slack]; *Come va la scuola?*, how are you getting on at school? **5** (*risultare, riuscire*) to go*; to go* off; to do*: **a. bene**, to go well; (*fare bene*) to do well; (*avere successo*) to be successful, to go off well; **a. bene a scuola**, to do well at school; *Lo spettacolo è andato bene*, the show went off well; *Questo tema non va*, this essay won't do; **a. male**, to go badly; (*fare male*) to do badly; (*fallire*) to fail, to be a failure; *È andato male in storia*, he did badly in history; *Le cose sono andate meglio del previsto*, things went better than expected **6** (*agire, comportarsi*) to act; to behave; to be: **a. cauto**, to act (*o* to behave) cautiously; to be wary; **a. orgoglioso**, to be proud; **a. pazzo per qc.**, to be mad (*o* crazy) about st. **7** (*funzionare, operare*) to work; to run*; to go*; to be: *L'ascensore non va*, the lift isn't working; *Va bene il tuo orologio?*, is your watch right?; *Quell'orologio va avanti [va indietro]*, that clock is fast [slow]; **a. a elettricità**, to run on electricity; **a. a gas**, to use gas; **a. a legna**, to burn wood; to be wood-burning **8** (*essere venduto*) to go*; to be sold; to sell*: (*essere richiesto*) to be in (great) demand; to be popular: *La merce andò in un baleno*, the goods went in a flash; **a. a peso [a numero]**, to be sold by weight [by number]; *La birra va molto*, beer sells well (*o* is very popular); **un prodotto che non va molto**, a product that does not sell much (*o* that is not in great demand) **9** (*essere di moda*) to be fashionable; to be (all) the fashion; to be in fashion; to be in (*fam.*): *Scarpe simili andavano anni fa*, shoes like these were fashionable years ago; *Vanno molto le giacche lunghe*, long jackets are all the fashion; *Quest'estate va [non va] il verde*, green is in [is out] this summer **10** (*anche* **a. bene**: *convenire, confarsi*) to suit; to be all right (for): *Ti va bene domani?*, does tomorrow suit you? **11** (*anche* **a. bene**: *di misura*) to fit; (*accordarsi, armonizzare*)

a

to go*, to go* well (together): *Queste scarpe non mi vanno*, these shoes don't fit me; **a. a pennello**, to fit to a T; **a. largo [stretto]**, to be too big [too tight]; *Ti pare che questo golf vada (bene) con questa gonna?*, do you think this pullover goes (well) with this skirt?; *Il formaggio va bene con le pere*, pears and cheese go well together **12** (*gradire, piacere*) to like, to feel* like, to fancy (tutti pers.): *Oggi mi andrebbe una braciola*, I feel like a chop today; *Ti andrebbe di fare una passeggiata?*, do you feel like going for a walk?; *Ti va una birra?*, do you fancy a beer?; *Non mi va a genio l'idea di restare qui sola*, I don't fancy the idea of being left here on my own **13** (*anche* **a. a finire**: *concludersi*) to end; to finish: *Credo che andrà così*, I think it will end like that; *Andò a finire che gli diedi un ceffone*, I ended up by slapping him in the face **14** (**andarci**: *volerci, occorrere*) to take*; to be needed; to be required: *Quanta stoffa ci va per il vestito?*, how much material is needed for the dress? **15** (con valore di ausiliare passivo) to be; to get*: **a. bruciato**, to be burnt; **a. impunito**, to go unpunished; **a. perso**, to get lost **16** (*dover essere*) (pres.) must be; (condiz. pres.) should be, ought to be; (imperf.) should have been, ought to have been: *Questo conto va pagato*, this bill must be paid; *Questo passo va (o andrebbe) letto con più spirito*, this passage should be read with more spirit; *Sono cose che non vanno (o andrebbero) dette*, one shouldn't say such things; *La cosa andava fatta in altro modo*, the thing ought to have been done differently **17** (*seguito da gerundio*) to be; to keep*: *Va dicendo che non l'ho pagato*, he's been saying I haven't paid him; *Il malato va migliorando [va peggiorando]*, the patient is getting better [worse] ● **a. a braccetto**, to walk arm in arm; (*fig.*) to go together □ (*basket*) **a. a canestro**, to score a point □ **a. a dire**, to tell: *Perché sei andato a dirglielo?*, why did you tell him? □ (*fig.*) **a. a Canossa**, to eat humble pie □ **a. a cercarsela**, to ask for it □ **a. a chiamare q.**, to go for sb. □ (*pop.*) **a. a donne**, to go* whoring; to cruise (*slang*) □ **a. a finire**, to end up; to finish up: *Andammo a finire in un pantano*, we ended up in a bog; *È andato a finire all'ospedale*, he finished up in hospital. *V. anche def. 13* □ **a. a fondo**, (*affondare*) to go down, to sink; (*fig.*: *a. in rovina*) to be ruined; (*fig.*: *indagare*) to get to the bottom (of) □ **a. a genio**, *V. def. 12* □ **a. a grandi passi**, to stride □ **a. a male**, to go bad; to go off: *Questo latte è andato a male*, this milk has gone bad □ **a. a monte**, to fail; to fall through □ **a. a pezzi**, to go (*o* to fall) to pieces □ **a. a picco**, to sink; to founder □ (*fig.*) **a. a rotoli**, (*fallire*) to fall through; (*andare male*) to go downhill, to go to the dogs (*fam.*) □ **a. a servizio**, to go into service □ **a. a tastoni** (*o* **a tentoni**), to grope (*o* to feel) one's way □ (*mus.*) **a. a tempo**, to keep time □ **a. a vuoto**, to go wide; (*fig.*) to fail, to come to nothing: *Il colpo andò a vuoto*, the shot went wide; *I suoi sforzi andarono a vuoto*, his efforts failed □ **a. a zonzo** (*o* **a spasso**), to wander about (*o* around); to saunter; to stroll □ **a. al Creatore**, to die; to go to meet one's Maker □ **a. al governo** (*o* **al potere**), to come into power □ **a. al passo**, (*di cavallo*) to walk; (*mil.*) to march; (*fig.*: *all'unisono*) to keep step (with) □ (*fam.*) **a. all'altro mondo**, to die □ **a. alla deriva**, to go adrift; to be adrift □ **a. alla ventura**, to take one's chance; to trust one's luck □ **a. appresso** (*o* **dietro**) **a q.**, to go after sb.; to follow sb. □ **a. avanti**, (*precedere*) to go ahead; (*continuare*) to go on; (*di orologio*) to gain: *Va' avanti col tuo lavoro!*, go on with your work!; *Va' avanti, che io ti seguo*, go ahead, and I'll follow; *Andò avanti a parlare*, she went on talking; (*di orologio*) **a. avanti [indietro] di due minuti al giorno**, to gain [to lose] two minutes a day □ **a. carponi**, to crawl □ (*fig.*) **a. coi piedi di piombo**, to tread carefully □ **a. col pensiero a**, to think of; (*ricordare*) to think back to □ (*fig.*) **a. con la corrente**, to go with the tide □ **a. contro ogni principio**, to go against (*o* to fly in the face of, to defy, to run counter to) all principles □ **a. d'accordo (con)**, to get on well (with); to relate (to): *Non vanno d'accordo*, they don't get on with each other □ **a. dentro**, to go in (*o* inside, indoors); (*fam.*: *in carcere*) to go to jail □ **a. di conserva**, (*naut.*) to sail in company; (*fig.*) to keep in step □ **a. di corpo**, to have a bowel movement; to empty one's bowels □ **a. di corsa**, to run; (*aver premura*) to be in a hurry □ **a. di pari passo (con)**, to keep pace (with) □ **a. di traverso** (*di cosa inghiottita*), to go down the wrong way □ **a. dietro a q.**, to follow sb.; (*fig.*) to chase sb. □ **a. e venire**, to come and go □ **a. fino in fondo** (*non smettere*), to carry on to the end □ **a. forte**, to speed; (*fam.*: *avere successo*) to be going strong □ **a. fuori strada**, to go off the road; (*fig.*: *sbagliare*) to go astray □ **a. giù**, to go down; (*in discesa*) to go downhill; (*cadere*) to fall; (*fig.*: *declinare*) to go downhill; (*fig.*: *deperire*) to get weaker, to go downhill: *La medicina andò giù senza difficoltà*, the medicine went down (*o* was swallowed) without difficulty; *È andato molto giù dopo quella malattia*, he has weakened considerably after that illness; *Non mi va giù quello che ha detto*, his words still rankle; *Sua madre non mi va giù*, I can't stand her mother □ (*leg.*) **a. in appello**, to appeal; to file an appeal □ **a. in bestia** (*o* **fuori dei gangheri, su tutte le furie**), to fly into a rage; to fly off the handle (*fam.*) □ (*fam.*) **a. in bianco**, to draw a blank; (*in un'avventura amorosa*) to fail to score (*slang*) □ **a. in briciole**, to crumble; (*rompersi*) to shatter □ **a. in calore**, to go on heat □ **a. in cerca di guai**, to be looking for trouble □ **a. in collera**, to lose one's temper □ **a. in disuso**, to fall into disuse □ **a. in fumo**, to go up in smoke (*anche fig.*); (*fig.*) to come to nothing, to fall through □ **a. in giro**, to go about (*o* around): *Ora va in giro con una ragazza francese*, he's going about with a French girl now □ **a. in lungo** (*o* **per le lunghe**), to drag on □ (*tipogr.*) **a. in macchina**, to go to press □ **a. in** (*o* **alla**) **malora** (*in rovina*), to go to the dogs; to go down the drain □ (*naut.*) **a. in secco**, to run aground □ **a. in vendita**, to be put up for sale □ **a. incontro**, (*a q.*) to go towards; to go to meet; (*a una difficoltà, ecc.*) to run up against: *Gli andai incontro alla stazione*, I went to meet him at the station; *So di a. incontro a ostacoli*, I know I'll be running into obstacles □ **a. per funghi**, to go mushrooming □ **a. per i settanta**, to be getting on for seventy □ **a. per il sottile** → **sottile** □ **a. per la maggiore**, to be very popular □ **a. per le lunghe**, to drag on □ **a. per le spicce**, to make short work of st.; (*essere sbrigativo*) to be a no-nonsense sort of person □ **a. per terra** (*cadere*), to fall (to the ground) □ **a. soldato**, to join the army □ **a. sotto il nome di**, to go by the name of □ **a. sotto una macchina**, to be run over by a car □ (*anche fig.*) **a. su**, to go up: *I prezzi sono andati su*, prices have gone up □ **a. sul sicuro**, not to take chances □ **a. via**, (*partire*) to go away, to leave; (*scomparire*) to go (away); (*di macchia*) to come out; (*di elettricità, gas*) to go off: *È andata via la luce*, the light has gone off; *Mi è andato via il mal di testa*, my headache has gone □ **andarci di mezzo**, to be (*o* to get) involved; (*scapitarci*) to suffer for it; (*essere incolpato*) to get blamed; (*essere in gioco*) to be at stake: *Non voglio andarci di mezzo io*, I don't want to be involved; *Ci andai di mezzo io, che non c'entravo*, I got blamed, though I had nothing to do with it; *Ne va di mezzo la tua vita* (*o* *ne va della tua vita*), your life is at stake □ **andarci piano**, to take it easy □ **andarci piano con qc.**, to go easy on st. □ **Andiamo!**, come!; come on!: *Andiamo, fatti coraggio!*, come on, cheer up!; *Andiamo! Non dirmi che non lo sapevi!*, come on, don't tell me you didn't know! □ **Come va che...?**, how come...? □ **Così va il mondo**, that's the way things are; that's life □ **È andata!**, (*è finita*) that's it!, (*è riuscita*) it went off very well □ (*fam.*) **Finché la va!**, as long as it works! □ **lasciare a.**, (*lasciare la presa*) to let go; (*smettere*) to stop, to give up; (*lasciare correre*) to let it pass (*o* go); (*trascurare*) to neglect; (*assestare*) to give: *Per questa volta, lasciamo a.!*, we'll let it pass this time!; *È un..., be', lasciamo a.*, he's a..., well, never mind; *Lascia a.!*, forget it!; never mind!; *Hai lasciato a. il giardino*, you've neglected the garden □ **lasciarsi a.**, (*non trattenersi*) to let oneself go; (*rilassarsi*) to let* one's hair down (*fam.*); (*trascurarsi*) to neglect oneself, to go* to seed □ **lasciato a.**, neglected; derelict; (*di giardino e sim.*) run wild (pred.) □ **Ma va'?**, really?, you don't say so! □ **Ma va' là!** (*non ci credo*), go on!; come off it! □ **O la va o la spacca!**, it's now or never!; here goes! □ (*fam.*) **Se la va, la va**, let's see if it works; we've got nothing to lose □ **Se non vado errato**, if I am not mistaken □ **Va' a capire!**, you make sense out of it!; go figure! (*USA*) □ **Va' a fidarti!**, look what comes of trusting people! □ **Va' a indovinare** (*o* **a sapere**)!, who can tell!; it's anybody's guess; go figure! (*USA*) □ **Va' al diavolo** (*o* **in malora**)!, go to hell! □ **Va bene**, all right; OK □ **Va bene così** (*basta così*), that's it; that'll do □ **Va' là, aiutami**, give me a hand, there's a good boy [girl] □ **Va' là, dimmelo!**, come on, tell me! □ **Va' via!**, get out (of here)!; (*smettila*) go on (with you)! □ **Vada come vada!**, come what may! □ (*fam.*) **Va' a contarla a un altro!**, pull the other one! □ **Va da sé**, it goes without saying □ (*prov.*) **Dimmi con chi vai e ti dirò chi sei**, you can tell a man by the company he keeps

B andàrsene v. i. pron. **1** to go*; to go* away (*o* off); to leave*: *Venne alle cinque e se ne andò alle otto*, she came at five and left at eight; *Ora devo andarmene*, I must be going now; *Se ne andò senza dire nulla*, he went away (*o* off) without a word; *Vorrei che questo dolore se ne andasse*, I wish this pain would go; *Vattene!*, go away! **2** (*morire*) to go*; to die* **3** (*consumarsi*) to go*; (*del tempo*) to go* by: *Come se ne vanno i soldi!*, how quickly money goes!; *La mia vista se ne sta andando*, my sight is going **4** (*scomparire*) to disappear; (*di macchia*) to come* out: *La cicatrice se ne andrà col tempo*, the scar will disappear with time; *Queste macchie non se ne vanno*, these stains won't come out **C** m. – **un continuo andare e venire**, a constant coming and going; **a lungo andare**, in the long run; **a tutto andare**, (*a tutta velocità*) at full speed, flat out, full tilt; (*con energia*) flat out, for all one is worth, right, left and centre; **spendere a tutto andare**, to spend money like water; **con l'andare del tempo**, with the passing of time; in time.

andàta f. **1** going; (*viaggio*) trip; (*trasferimento*) move: *La sua a. a Milano fu una sorpresa*, his going (*o* trip) to Milan came as a surprise **2** (*anche* **viaggio di a.**) outward journey; (the) journey there: *L'a. fu molto faticosa*, the outward journey was very tiring; **a. e ritorno**, (going) there and back: *Tra a. e ritorno ci vuole un'ora*, it takes an hour there and back; **viaggio di a. e ritorno**, journey there and back; (*ferr., ecc.*) round trip; (*naut.*) voyage out and home; **biglietto di a. e ritorno**, return ticket (*GB*); round trip ticket (*USA*); **biglietto di (sola) a.**, single ticket (*GB*); one-way ticket (*USA*) ● **a.**

al potere, coming to power □ (*sport*) **girone di a.**, first round.

andàto a. **1** (*scorso*) past; last: **il mese a.**, the past month; last month **2** (*passato*) gone by (pred.); bygone (attr.); former: **nei tempi andati**, in times gone by; in bygone times; in former times **3** (*fig.*: *consunto*) worn out, worn-out (attr.); (*rovinato*) ruined; (*rotto*) broken down: *Queste scarpe sono ormai andate*, these shoes are worn out; *La macchina è andata*, the car is kaput (*o* is a wreck) **4** (*fig.*: *spacciato*) done for, ruined; (*morto*) dead: *È bell'e a.*, he's done for; he's a goner (*fam.*) **5** (*di cibo*) gone bad; gone off.

andatóia f. (*edil.*) ramp.

andatùra f. **1** (*camminata*) walk; gait (*antiq. o lett.*): **a. ciondolante**, slouch; **a. dinoccolata**, shambling gait; shamble; **a. dondolante**, rolling gait; roll; waddle; **a. impettita**, strut; **a. tronfia**, swagger; **a. zoppicante**, limp; *Lo riconobbi dall'a.*, I recognized him by his walk **2** (*portamento*) carriage; bearing: **a. marziale**, military bearing **3** (*velocità*) going; speed; (*anche sport*) pace: **a forte a.**, at great speed; **ad a. sostenuta**, at a brisk pace; at a good clip (*fam.*); (*su veicolo*) at a high speed, fast; **tenere una buona a.**, to keep (up) a steady pace (*o* speed); (*sport*) **fare l'a.**, to set the pace; to make the running; (*sport*) **automobile che fa l'a.**, pace car **4** (*di cavallo*) pace **5** (*naut.*) point of sailing; (*velocità di navigazione*) speed: **a. di bolina**, close-hauling; **a. in poppa**, running before the wind.

andàzzo m. (*spreg.*) (bad) practice; bad habit: *Questo a. deve cessare!*, this practice will have stop!; **prendere un brutto a.**, to get into a bad habit; **l'a. corrente**, the way things are now.

Ànde f. pl. (*geogr.*) (the) Andes.

andeşìte f. (*miner.*) andesite.

àndicap e *deriv.* → **handicap**, e *deriv.*

andino a. Andean.

andirivièni m. inv. **1** coming and going; toing and froing; bustle **2** (*fig.*: *intrico*) maze; labyrinth.

àndito m. (*corridoio*) passage; passageway ● **cercare in ogni a.**, to search in every nook and cranny.

andorràno a. e m. Andorran.

Andrèa m. Andrew.

androcèntrico a. androcentric.

androcèo m. (*bot.*) androecium*.

androfobìa f. (*psic.*) androphobia.

andrògeno (*biol.*) **A** a. androgenic **B** m. androgen.

androginìa f. (*biol.*) androgyny.

andrògino **A** a. (*biol.*) androgynous **B** m. androgyne.

andròide a., m. e f. android.

andrologìa f. (*med.*) andrology.

andròlogo m. (f. *-a*) (*med.*) andrologist.

Andròmaca f. (*letter.*) Andromache.

andromanìa f. (*med.*) nymphomania.

andróne m. entrance hall; lobby; hallway.

andropàuşa f. (*fisiol.*) male climacteric; male menopause.

androsteróne m. (*biol.*) androsterone.

anecòico a. (*fis.*) anechoic.

aneddòtica f. anecdotes (pl.); collection of anecdotes.

aneddòtico a. anecdotal; anecdotic.

aneddotìsta m. e f. anecdotist.

anèddoto m. anecdote.

anelànte a. **1** panting; gasping **2** (*fig.*) eager (for, after); longing (for); yearning (for, after); craving.

anelàre v. i. **1** to pant; to gasp **2** (*fig.*) to be eager (for, after); to long (for); to yearn (for, after); to crave (st., for st.): *Anelava di*

ottenere il posto, she was yearning after that job; *Anelava alle ricchezze*, he craved for wealth.

anelasticità f. (*fis.*) inelasticity.

anelàstico a. (*fis.*, *econ.*) inelastic: (*econ.*) **domanda anelastica**, inelastic demand.

anelèttrico a. (*fis.*) anelectric.

anèlito m. **1** (*lett.*: *respiro*) breath: **l'estremo a.**, the last breath **2** (*fig.*: *brama*) longing; yearning.

anellaménto m. bird-ringing.

anellàto a. (*zool.*) annulate.

anèllide m. (*zool.*) anellid; (al pl., *scient.*) Annelida.

◆**anèllo** m. **1** (*gioiello*) ring: **a. con sigillo**, signet ring; **a. di brillanti**, diamond ring; **a. di fidanzamento** [nuziale], engagement [wedding] ring; **a. di matrimonio**, wedding ring; **a. d'oro**, gold ring; (*eccles.*) **a. pastorale**, bishop's ring **2** (*oggetto o struttura circolare*) ring; link; loop; **a. di catena**, link in a chain; **a. di circonvallazione**, ring-road (*GB*); beltway (*USA*); (*bot.*) **a. di crescita**, annual ring; **a. di fumo**, smoke ring; **fare anelli di fumo**, to blow smoke rings; (*mecc.*) **a. di guarnizione**, packing ring; (*naut.*) **a. di ormeggio**, mooring ring; (*mecc.*) **a. di tenuta**, grommet; (*mecc.*) **a. di trazione**, shackle; (*mecc.*) **a. di unione**, coupling ring; (*mecc.*) **a. distanziatore**, spacer ring; **a. portachiavi**, key-ring; **gli anelli di Saturno**, the rings of Saturn; **ad a.**, ring-shaped; circular **3** (*fig.*) link: **a. di congiunzione**, link; **a. mancante**, missing link; **l'a. più debole di una catena**, the weakest link in a chain **4** (*chim.*, *mat.*) ring: **a. benzenico**, benzene ring **5** (*comput.*) ring; loop **6** (al pl.) (*sport*) rings **7** (*nel gioco del lancio degli anelli*) quoit: **gioco del lancio degli anelli**, quoits (pl. col verbo al sing.).

anemìa f. **1** (*med.*) anaemia: **a. dei minatori**, ancylostomiasis; **a. falciforme**, sickle-cell anaemia; **a. mediterranea**, thalassaemia; **a. perniciosa**, pernicious anaemia **2** (*fig.*) bloodlessness, lifelessness.

anèmico a. **1** (*med.*) anaemic **2** (*fig.*) anaemic; bloodless; lifeless.

anemocòro a. (*bot.*) anemochorous.

anemofilìa f. (*bot.*) anemophily.

anemòfilo a. (*bot.*) anemophilous.

anemògrafo m. (*fis.*) anemograph.

anemometrìa f. (*fis.*) anemometry.

anemomètrico a. (*fis.*) anemometric.

anemòmetro m. (*fis.*) anemometer; wind gauge.

anèmone m. **1** (*bot.*, *Anemone*) anemone; windflower **2** (*zool.*) – **a. di mare** (*Actinia*), sea anemone; actinia.

anemoscòpio m. (*fis.*) anemoscope.

aneròide a. (*fis.*) aneroid: **barometro a.**, aneroid barometer.

anestesìa f. (*med.*) anaesthesia: **a. totale** [**locale**], general [local] anaesthesia; **sotto a.**, under anaesthetic.

anesteşiologìa f. (*med.*) anaesthesiology.

anesteşiòlogo m. e f. anaesthesiologist.

anesteşìsta m. e f. (*med.*) anaesthetist.

anestètico a. e m. (*med.*) anaesthetic.

anestetizzàre v. t. (*med.*) to anaesthetize.

anèto m. (*bot.*, *Anethum graveolens*) dill.

aneurìna f. (*biochim.*) aneurin; thiamine.

aneurìsma m. (*med.*) aneurysm, aneurism.

aneurişmàtico a. (*med.*) aneurysmal, aneurismal.

anfanàre v. i. **1** (*parlare a vanvera*) to waffle; to blather **2** (*affaccendarsi*) to bustle (about).

anfetamina → **amfetamina**.

ANFIA sigla (**Associazione nazionale fra industrie automobilistiche**) Italian Car Manufacturers Association.

anfìbio A a. **1** (*zool.*) amphibious; amphibian **2** (*di automobile, aereo*) amphibious: **mezzi anfibi da sbarco**, amphibious landing force **3** (*fig.*) ambiguous **B** m. **1** (*zool.*) amphibian; (al pl., *scient.*) Amphibia **2** (*veicolo, aereo*) amphibian **3** (al pl.) (*calzature*) army-issue rubber boots.

anfibiòtico a. (*zool.*) amphibiotic.

anfìbolo m. (*miner.*) amphibole.

anfibologìa f. (*ling.*) amphibology; amphiboly.

anfìbraco m. (*poesia*) amphibrach.

anfìdromo a. (*naut.*) double-ended.

anfigonìa f. (*biol.*) amphigony.

anfiòsso m. (*zool.*) lancelet; amphioxus*.

anfìpodo m. (*zool.*) amphipod; (al pl., *scient.*) Amphipoda.

anfişbèna f. (*mitol.* e *zool.*) amphisbaena*.

anfiteàtro m. (*archit.*) amphitheatre, amphitheater (*USA*) ● (*med.*) **a. anatomico**, anatomy theatre.

anfitrióne m. (generous) host.

ànfora f. amphora*.

anfòtero a. (*chim.*) amphoteric.

anfràtto m. narrow gorge; tortuous ravine ● **costa ricca di anfratti**, coastline full of indentations; jagged coastline.

anfrattuosità f. tortuousness; sinuosity; anfractuosity.

anfrattuóso a. tortuous; winding; sinuous; anfractuous.

angariàre v. t. **1** (*opprimere*) to oppress **2** (*tormentare*) to torment; to harass; to tyrannize; to bully.

angelèno A a. of Los Angeles; from Los Angeles; Angeleno (attr.) **B** m. (f. *-a*) Angeleno.

angèlica f. (*bot.*, *Angelica archangelica*) angelica.

angelicàle a. (*lett.*) angelic.

angelicàto a. (*lett.*) angel-like; exalted as an angel.

angelicità f. angelic nature; angelic manner.

angèlico a. (*anche fig.*) angelic: **cori angelici**, angelic choirs; **gerarchie angeliche**, angelic hierarchies; **un viso a.**, an angelic face.

◆**àngelo** m. **1** (*anche fig.*) angel: **a. caduto**, fallen angel; (*anche fig.*) **a. custode**, guardian angel; **l'a. delle tenebre**, the angel of darkness; *Sei un a.!*, you're an angel! **2** (*pattinaggio*) spread eagle ● **un a. di bontà**, an angel □ **a. mio**, my darling; my angel □ **buono come un a.**, as good as gold □ **cantare come un a.**, to sing like an angel □ (*eccles.*) **lunedì dell'A.**, Easter Monday □ (*zool.*) **pesce a.** (*Squatina*), angelfish □ (*nuoto*) **tuffo ad a.**, swallow dive.

angelologìa f. (*teol.*) angelology.

Àngelus (*lat.*) m. (*eccles.*) Angelus: **suonare l'A.**, to ring the Angelus bell.

angherìa f. **1** (*sopruso*) imposition; injustice **2** (al pl.: *vessazioni*) oppression Ⓤ; harassment Ⓤ.

angìna f. (*med.*) angina: **a. pectoris**, angina pectoris.

anginóso (*med.*) **A** a. anginous **B** m. (f. *-a*) sufferer from angina pectoris.

angiochirurgìa f. vascular surgery.

angiocolìte f. (*med.*) angiocholitis*; cholangitis*.

angiogèneşi f. (*fisiol.*) angiogenesis.

angiografìa f. (*med.*) angiography.

angiogràmma m. (*med.*) angiogram.

angioino a. e m. (*stor.*) Angevin.

àngiolo → **angelo**.

angiologìa f. (*med.*) angiology.

angiòlogo m. (f. *-a*) (*med.*) angiologist.

angiòma m. (*med.*) angioma*.

angioneuròsi f. (*med.*) angioneurosis.

angiopatìa f. (*med.*) angiopathy.

angioplàstica f. (*chir.*) angioplasty.

angiosarcóma m. (*med.*) angiosarcoma*.

angiospàṣmo m. (*med.*) angiospasm.

angiospèrma f. (*bot.*) angiosperm; (al pl., *scient.*) Angiospermae.

angiostatìna f. (*med.*) angiostatin.

angiotensìna f. (*biochim.*) angiotensin.

angipòrto m. (*vicolo*) narrow lane; back alley; (*vicolo cieco*) blind alley.

angleṣìte f. (*miner.*) anglesite.

anglicanéṣimo, **anglicaniṣmo** m. (*relig.*) Anglicanism.

anglicàno a. e m. (f. *-a*) (*relig.*) Anglican.

angliciṣmo m. Anglicism.

anglicizzàre v. t. to anglicize.

anglicizzazióne f. anglicization.

ànglico a. Anglian.

angliṣmo → **anglicismo**.

anglista m. e f. Anglicist; Anglist.

anglìstica f. Anglistics (pl. col verbo al sing.); English studies (pl.).

ànglo m. (*stor.*) Angle.

anglo-americàno a. e m. (f. *-a*) Anglo-American.

anglofilìa f. Anglophilia.

anglòfilo m. (f. *-a*) Anglophile.

anglofobìa f. Anglophobia.

anglòfobo m. (f. *-a*) Anglophobe.

anglòfono Ⓐ m. (f. *-a*) English-speaking person; Anglophone Ⓑ a. English-speaking; Anglophone.

anglo-francèṣe a. Anglo-French.

anglo-ispàno a. Anglo-Hispanic.

anglòmane a. e m. e f. Anglomaniac.

anglomanìa f. Anglomania.

anglo-normànno a. e m. Norman English; Anglo-Norman.

anglosàssone a., m. e f. (*spec. stor.*) Anglo-Saxon: **i paesi anglosassoni**, English-speaking nations.

angolàno a. e m. (f. *-a*) Angolan.

angolàre ① Ⓐ a. **1** corner (attr.); angular: **mobile a.**, corner unit; (*archit.*) **pietra a.**, cornerstone; quoin **2** (*fis.*, *mat.*) angular: **velocità a.**, angular velocity Ⓑ m. (*edil.*) angle bar; angle iron.

angolàre ② v. t. (*cinem.*, *sport*) to angle.

angolarità f. angularity.

angolàto a. (*calcio*, *tennis*) angled; angle (attr.); curving; cross (attr.): **tiro a.**, angle shot; diagonal shot; (*tennis*) cross shot.

angolatùra → **angolazione**, *def. 1 e 2*.

angolazióne f. **1** (*cinem.*, *fotogr.*) camera angle; angle shot **2** (*fig.*: *prospettiva*, *punto di vista*) angle; point of view; perspective; (*taglio*) slant **3** (*sport*) angling; angle; (*calcio*) diagonal shot; (*sci*, *scherma*) angulation.

angolièra f. corner cupboard.

♦**àngolo** m. **1** (*geom.*) angle: **a. acuto**, acute angle; **a. al centro** [**al vertice**], central [summit] angle; **a. concavo**, reflex angle; **a. convesso**, convex angle; **a. diedro**, dihedral angle; **a. esterno**, exterior angle; **a. giro**, round angle; perigon; **a. interno**, interior angle; **a. ottuso**, obtuse angle; **a. piano**, plane angle; **a. piatto**, straight angle; **a. retto**, right angle; **angoli complementari**, corresponding angles; **angoli supplementari**, supplementary angles; (**posto**) **ad a. retto con**, at right angles to (o with) **2** (*misura*) angle: (*aeron.*) **a. di atterraggio**, landing

angle; (*fis.*) **a. di deviazione**, angle of deviation; (*mil.*) **a. di direzione**, bearing; (*aeron.*) **a. di freccia**, sweep; (*fis.*) **a. di incidenza**, angle of incidence; (*mil.*) **a. di mira** [**di tiro**], angle of sighting [of fire]; (*fis.*) **a. di riflessione** [**di rifrazione**], angle of reflection [of refraction]; (*aeron.*) **a. di salita**, angle of climb; (*mil.*) **a. morto**, dead ground; **a. visivo**, visual angle **3** (*cantone*, *spigolo*) corner: **il negozio all'a.**, the shop on (o at) the corner; *È qui all'a.*, it's just round the corner; **all'a. fra... e...**, on the corner of... and...; *Aspettami all'a.*, wait for me at the corner; (*di strada*) **fare a. con**, to intersect; to turn off into; **girare** (o **svoltare**) **l'a.**, to turn the corner; to go round the corner; **casa d'a.**, corner house; **tavolo d'a.**, corner table **4** (*fig.*: *luogo*) place, spot; (*parte*, *zona*) part, area: **un a. appartato**, a secluded spot; **a. cottura**, cooking area; kitchenette; **a. riparato**, sheltered corner; **i quattro angoli della terra**, the four corners of the earth; *Abbiamo cercato in tutti gli angoli*, we have looked everywhere (o in every corner, in every nook and cranny) **5** (*calcio*, *boxe*) corner: **calcio d'a.**, corner kick; **mettere all'a.**, to corner.

angolòide m. (*mat.*) solid angle.

angolosità f. (*anche fig.*) angularity.

angolóso a. **1** angular; sharp-edged **2** (*ossuto*) angular; bony **3** (*fig.*: *intrattabile*) difficult; touchy.

àngora f. – **gatto** [**coniglio**] **d'a.**, angora cat [rabbit]; **lana d'a.**, angora (wool).

angòscia f. **1** distress; anguish; agony: **passare ore di a.**, to go through hours of anguish **2** (*psic.*) anxiety.

angosciànte a. distressing; agonizing: **dubbio a.**, agonizing doubt.

angosciàre Ⓐ v. t. **1** to distress; to cause anxiety to; to worry **2** (*fam.*: *infastidire*) to hassle; to pester Ⓑ **angosciàrsi** v. i. pron. to be distressed (o distraught) (about); to worry (about); to torment oneself (over).

angosciàto a. distressed; distraught; upset; desperate; anguished.

angoscióso a. **1** (*pieno di angoscia*) anguished; full of anguish; agonized: **attesa angosciosa**, anguished wait; **grida angosciose**, anguished (o agonized) screams **2** (*che dà angoscia*) distressing; painful; harrowing: **un sogno a.**, a distressing dream.

angostùra f. **1** (*bot.*, *farm.*) angostura **2** (*essenza*) angostura bitters.

anguicrinìto a. (*lett.*) snake-haired.

anguìlla f. **1** (*zool.*, *Anguilla anguilla*) eel*: **a. giovane**, elver; **sfuggente come un'a.**, as slippery as an eel **2** (*zool.*) – **a. di mare** (*Conger conger*), conger (eel); **a. elettrica** (*Electrophorus electricus*), electric eel **3** (*naut.*) carling **4** (*fig.*) eel; slippery person.

anguillàia f. eel pond; eel farm.

anguillésco a. (*fig.*) eely; eel-like; as slippery as an eel.

anguìllula f. (*zool.*, *Anguillula*) eelworm.

angùria f. (*bot.*, *Citrullus vulgaris*) watermelon.

angùstia f. **1** (*ansia*) worry; apprehension: *Sto in a. per te*, I'm worried for you; *Non mi tenere in a.*, don't keep me worried **2** (*lett.*: *scarsità*) lack; paucity; (*povertà*) poverty: **essere in angustie**, to be in financial straits **3** (*rif. a spazio*) lack of space; pokiness; narrowness **4** (*fig.*: *ristrettezza*) narrowness: **a. di mente**, narrowness of mind.

angustiàre Ⓐ v. t. to afflict; to distress; to torment Ⓑ **angustiàrsi** v. i. pron. to become* distressed (over, about); to worry (over, about).

angùsto a. **1** narrow; (*di stanza*) cramped, poky: **locali angusti**, cramped rooms; **sentiero a.**, narrow path **2** (*fig.*) narrow; limi-

ted; small; parochial: **mente angusta**, narrow mind; **vedute anguste**, parochial views.

ANIA sigla (**Associazione nazionale fra le imprese assicuratrici**) National Insurance Companies Association.

ANICA sigla (**Associazione nazionale industrie cinematografiche e affini** (*ora* **audiovisive e multimediali**) Italian Association of Cinematographic, Audiovisual and Multimedia Industries.

ànice m. **1** (*bot.*, *Pimpinella anisum*) anise*: **a. stellato**, star anice; **semi di a.**, aniseed Ⓤ **2** (*liquore*) anisette.

anicìno m. **1** (*biscotto*) aniseed biscuit **2** (*confetto*) aniseed comfit.

anicònico a. aniconic.

anidrìde f. (*chim.*) anhydride: **a. arseniosa**, arsenic trioxide; white arsenic; **a. carbonica**, carbon dioxide; **addizionato di a. carbonica**, carbonated; **a. solforosa**, sulphur dioxide.

anidrìte f. (*miner.*) anhydrite.

ànidro a. (*chim.*) anhydrous.

ANIE sigla (**Associazione** (*ora* **Federazione**) **nazionale industrie elettrotecniche ed elettroniche**) Italian Federation of Electrotechnical and Electronics Industries.

anìle m. (*bot.*, *Indigofera anil*) indigo (plant).

anilìna f. (*chim.*) aniline.

♦**ànima** f. **1** soul; (*spirito*) ghost, spirit: **a. e corpo**, body and soul; (*filos.*) **l'a. del mondo**, the oversoul; **le anime beate** [**dannate**], the blessed [the damned] (souls); **le anime dei defunti**, the departed souls; **evocare l'a. di un defunto**, to call up a spirit from the dead; **pregare per l'a. di q.**, to pray for sb.'s soul; **raccomandare l'a. a Dio**, to commend one's soul to God; **cura d'anime**, cure of souls; **l'immortalità dell'a.**, the immortality of the soul **2** (*fig.*: *elemento essenziale*) soul; lifeblood; essence; life and soul: *La pubblicità è l'a. del commercio*, advertising is the lifeblood of business; **essere l'a. della festa**, to be the life and soul of the party **3** (*persona*) soul; (*abitante*) inhabitant: **un'a. buona**, a kindly soul; **un'a. nera**, a villain; *Non si vedeva a. viva*, there wasn't a living soul to be seen; *Non dirlo ad a. viva!*, don't tell a soul! **4** (*parte centrale*) core; centre; heart; (*nocciolo*) kernel; (*seme*) seed; (*di bottone*) buttonmould; (*di cannone*) tube; (*di fucile o pistola*) bore; (*di matita*) lead; (*di ombrello*) shank; (*di rotaia*) web; (*di timone*) rudderstock; (*di violino e sim.*) soundpost: **l'a. di un'elettrocalamita**, the core of an electromagnet; **l'a. di una fune**, the core (o heart) of a rope; **l'a. del legno**, the heart of wood; (*di fucile*) **a. liscia** [**rigata**], smooth [rifled] bore ● (*iron.*) **a. bella**, person with fine feelings □ **a. candida**, simple soul; pure-minded person □ **l'a. dannata di q.**, sb.'s evil genius □ **a. gemella**, kindred spirit; soulmate □ **a. in pena**, soul in torment: **sembrare un'a. in pena**, to be restless; to be like a cat on hot bricks (*USA* on a hot tin roof) (*fam.*) □ (*scherz.*) **a. lunga**, beanpole; long drink of water (*fam.*) □ (*metall.*) **a. metallica**, mandrel □ **A. mia!**, my love!; my darling!; dearest! □ **arrivare dritto all'a.**, to touch (sb.'s) deepest heart □ **avere qc. sull'a.**, to have st. on one's conscience □ **la buon'a. dello zio**, my uncle, God rest his soul; my dear departed uncle □ **con tutta l'a.**, with all one's heart; wholeheartedly □ **dal profondo dell'a.**, from the bottom of one's heart □ (*fam.*) **dannarsi l'a. per qc.**, to strive desperately for st. □ **darsi a. e corpo a qc.**, to give oneself body and soul to st. □ (*fig.*) **giocarsi l'a.**, to stake everything; to bet one's last penny: *Mi ci giocherei l'a.*, I'd bet my life on it □ **metterci l'a.**, to give one's

all to st. □ **Mettici più a.!**, put more spirit into it! □ **mettersi a. e corpo a qc.** [**a fare qc.**], to throw oneself body and soul into st. □ **pronto a dare l'a. per qc.**, ready to do one's utmost for st. □ **reggere l'a. con i denti**, to be on one's last legs □ **rendere l'a.**, to die; to give up the ghost □ **rodersi l'a.**, to eat one's heart out □ (*fam.*) **rompere l'a. a q.**, to be a pain in the neck (*fam.*); to get on sb.'s wick (*fam.*) □ **sentirsi l'a. in pace**, to have a clear conscience □ **senz'a.**, soulless □ **suonare con a.**, to play with feeling □ (*fam.*) **Mi sta sull'a.**, he gets on my nerves; I can't stand him □ (*fig.*) **toccare l'a.**, to go straight to one's heart; to move deeply ● **vendere l'a. al diavolo**, to sell one's soul to the devil □ **volere un bene dell'a. a q.**, to love sb. dearly.

♦**animàle** Ⓐ m. 1 animal; beast: **a. da compagnia**, pet; **a. da preda**, beast of prey; **a. da soma**, beast of burden; **a. domestico** [**selvatico**], tame [wild] animal; **i diritti degli animali**, animal rights 2 (*fig.*) animal; brute; beast: *Suo marito è un vero a.*, her husband is a real animal (*o* brute); *Mangia come un a.*, he eats like a pig ● (*fig.*) **a. politico**, political animal Ⓑ a. animal: **calore a.**, animal heat; **elettricità a.**, animal electricity; **il regno a.**, the animal kingdom; **gli istinti animali dell'uomo**, man's animal instincts; the beast in man.

animalésco a. 1 animal (attr.) 2 (*fig. spreg.*) bestial; brutish; (*volgare*) coarse, gross.

animalìsmo m. animal-rights movement.

animalìsta m. e f. 1 animalist; animal-rights supporter 2 (*pittore*) animalist.

animalìstico a. (*arte*) animalistic.

animalità f. animality.

animàre Ⓐ v. t. 1 (*dare vita*) to breathe life into; to give* life to; to quicken 2 (*dare vivacità a*) to give* life to; (*avvivare*) to animate, to enliven, to liven up; (*rallegrare*) to cheer up; (*un viso*) to light* up: **a. l'ambiente**, to liven up the atmosphere; (*di una stanza*) to cheer up a room; **a. la conversazione**, to enliven the conversation; *Una folla pittoresca animava la piazza*, a picturesque crowd animated the square; *Il suo volto fu animato da un sorriso*, a smile lit up her face 3 (*stimolare, ispirare*) to stimulate; to inspire; to move; to drive*; (*infondere coraggio*) to encourage, to rouse, (*rallegrare*) to gladden, to elate: *È animata dal desiderio di vincere*, she is moved (*o* driven) by a desire to win; *Le sue parole animarono i soldati*, his words roused the troops; *La notizia ci animò tutti*, the news elated (*o* gladdened) us all 4 (*promuovere, favorire*) to foster; to give* life to; to activate; to invigorate: **a. l'industria**, to foster (*o* to give life to) industry Ⓑ **animàrsi** v. i. pron. 1 (*avvivarsi*) to become* animated; to get* lively; (*di luogo, situazione*) to come* alive, to liven up, to grow* busy; (*di viso*) to light* up: *La discussione s'animò*, the discussion became animated (*o* got lively); *La piazza si anima verso le undici*, the square thrives up (*o* grows busy) towards eleven; *D'un tratto la scena si animò*, suddenly the scene came alive 2 (*accalorarsi*) to heat up 3 (*farsi animo*) to take* heart; to take* courage; to cheer up.

animataménte avv. animatedly; in a lively way; heatedly.

♦**animàto** Ⓐ a. 1 (*vivente*) animate; living: **essere a.**, animate (*o* living) being 2 (*vivace*) animated; lively; spirited; (*affollato*) busy: **discussione animata**, animated (*o* lively) discussion; **festa animata**, lively party; **strada animata**, busy street ● **cartoni** (*o* **disegni**) **animati**, (animated) cartoons Ⓑ m. (*mus.*) animato.

animatóre Ⓐ a. 1 (*che dà vita*) life-giving; quickening 2 (*che ispira*) inspiring; moving

3 (*che avviva*) animating; enlivening Ⓑ m. (f. **-trice**) 1 (*ispiratore*) leading force; mover 2 (*organizzatore*) organizer; promoter 3 (*intrattenitore*) entertainer 4 (*cinem.*) animator ● **a. giovanile**, youth worker □ **a. turistico**, entertainment officer.

animazióne f. 1 (*attività, movimento*) animation; life; activity; bustle; movement: *C'è a. nelle strade oggi*, there is movement in the streets today; the streets are busy today 2 (*vivacità*) animation, liveliness; (*eccitazione*) excitement; (*calore*) heat, enthusiasm: **discutere con a.**, to discuss animatedly (*o* heatedly) 3 (*cinem.*) animation: **cinema d'a.**, cartoons (pl.); **film d'a.**, animated film; animation movie (*USA*); cartoon.

anime Ⓐ m. inv. 1 (*il genere*) anime Ⓤ 2 (*cartone animato*) anime, anime cartoon Ⓑ a. inv. anime (attr.).

animèlla f. (*cucina*) sweetbread.

animìsmo m. (*filos.*) animism.

animìsta m. e f. (*filos.*) animist.

animìstico a. (*filos.*) animistic.

♦**ànimo** m. 1 (*mente*) mind; (*anima*) soul; (*cuore*) heart; (*coscienza*) conscience; (*indole*) nature, character: **mettersi l'a. in pace**, to set one's mind at rest; *Ho l'a. in pace*, my conscience is clear; **nel profondo dell'a.**, deep in one's heart; in one's heart of hearts; **aprire il proprio a. a q.**, to open one's soul to sb.; **toccare l'a. di q.**, to touch sb.'s heart; **essere di a. buono**, to be good at heart; **d'a. gentile**, good-natured; **d'a. cattivo**, wicked 2 (*coraggio*) heart; courage: **fare a. a q.**, to cheer sb. up; **farsi a.**, to take heart; **perdersi d'a.**, to lose heart 3 (*intenzione*) mind; intentions (pl.); thoughts (pl.): **nascondere** [**manifestare**] **il proprio a.**, to hide [to reveal] one's thoughts (*o* intentions) ● **avere in a. di fare qc.**, to intend to do st. □ **essere di buon a.**, to be in a cheerful mood □ **fare qc. di buon a.**, to do st. cheerfully (*o* willingly) □ **fare qc. di mal a.**, to do st. unwillingly (*o* reluctantly, with a bad grace) □ **forza d'a.**, willpower □ **grandezza d'a.**, generosity; nobility of mind □ **leggere nell'a. a q.**, to read sb.'s heart (*o* thoughts) □ **C'è del mal a. fra di loro**, there is bad blood between them □ **nobiltà d'a.**, nobility of mind □ **stato d'a.**, state of mind; mood; (*sentimenti*) feelings (pl.): *Non sono nello stato d'a. adatto* (*per farlo*), I'm not in the (right) mood for that; *Capisco il tuo stato d'a.*, I understand your feelings □ **Sta' di buon a.!**, be cheerful!; cheer up! □ **A.!**, come on!; (*fatti coraggio*) cheer up!, chin up! (*fam.*).

animosità f. (*risentimento*) animosity; hostility; ill will; resentment; animus.

animóso a. 1 (*coraggioso*) brave; bold; fiery: **un giovane a.**, a brave young man; **un'impresa animosa**, a bold enterprise; **un cavallo a.**, a fiery horse 2 (*lett.: ostile*) hostile; resentful.

aninga f. (*zool., Anhinga*) darter; anhinga.

anióne m. (*fis.*) anion.

anisétta f. anisette.

anisocitòsi f. (*biol.*) anisocytosis*.

anisocoria f. (*med.*) anisocoria.

anisofillìa f. (*bot.*) anisophylly.

anisogamìa f. (*biol.*) anisogamy.

anisotropìa f. (*fis.*) anisotropy.

anisòtropo a. (*fis.*) anisotropic.

♦**ànitra** → **anatra**.

ANLAIDS sigla (**Associazione nazionale per la lotta contro l'AIDS**) National AIDS Association.

ANM sigla (**Associazione nazionale magistrati**) National Judges Society.

ANMIC sigla (**Associazione nazionale mutilati e invalidi civili**) National Disabled Association.

ANMIG sigla (**Associazione nazionale**

mutilati e invalidi di guerra) National Association of Disabled Servicemen.

ANMIL sigla (**Associazione nazionale mutilati e invalidi del lavoro**) National Association of Disabled Workers.

Ànna f. Anna; Anne; Ann.

annacquaménto m. 1 watering down; dilution 2 (*econ.*) watering.

annacquàre v. t. 1 to water down; to dilute 2 (*fig.*) to water down; (*attenuare*) to tone down, to play down 3 (*econ.*) to water.

annacquàta f. 1 slight dilution 2 (*breve pioggia*) light shower; sprinkling of rain.

annacquàto a. 1 watered; diluted; watery; thin 2 (*fig.*) watered down; weak; (*pallido*) pale, washed out.

annaffiaménto m. watering; sprinkling.

annaffiàre v. t. 1 to water; (*a spruzzo*) to sprinkle 2 (*fig., con bevanda*) to wash down; to accompany (*form.*).

annaffiàta f. 1 watering; sprinkling 2 (*breve pioggia*) light shower; sprinkling of rain.

annaffiatóio m. watering can.

annaffiatóre Ⓐ a. watering; sprinkling Ⓑ m. (*macchina*) sprinkler.

annaffiatrìce f. street sprinkler.

annaffiatùra f. watering; (*a spruzzo*) sprinkling.

annàli m. pl. (*anche fig.*) annals: **negli a. del calcio**, in the annals of football; **restare negli a.**, to go down in history.

annalìsta m. chronicler; annalist.

annalìstica f. annal-writing; chronicle-writing.

annalìstico a. annalistic; chronicle (attr.).

annamìta a., m. e f. Annamese; Annamite.

annaspàre Ⓐ v. t. (*ind. tess.*) to reel; to wind* (*thread*) on a reel; to spool Ⓑ v. i. (*anche fig.*) to grope about; (*in acqua*) to flounder: **a. in cerca di una risposta**, to grope about for an answer; **a. per stare a galla**, to flounder trying to keep afloat; *Annaspai alla ricerca dell'interruttore*, I groped about for the switch; *Perse il filo e cominciò ad a.*, he lost his thread and started to flounder.

annàta f. 1 (*anno*) year: **un'a. buona**, a good year; **un'a. magra**, a lean year; **un'a. piovosa**, a rainy year 2 (*di raccolto*) crop; harvest; (*di vino*) year, vintage: **un'a. eccezionale**, a bumper harvest; great vintage; **un'a. scarsa**, a poor crop; (*anche fig.*) **d'a.**, vintage (attr.) 3 (*di periodico*) volume 4 (*di pagamento*) year's payment: **un'a. d'affitto**, a year's rent.

annebbiaménto m. 1 fogging over; misting over 2 (*offuscamento*) blurring; dimming 3 (*fig., della mente*) clouding.

annebbiàre Ⓐ v. t. 1 to cloud: *Il fumo annebbiava il locale*, smoke clouded the room 2 (*della vista*) to blur; to dim: **occhi annebbiati di lacrime**, eyes dimmed (*o* misted) with tears 3 (*fig.*) to cloud; to dull: **a. la mente**, to cloud the mind Ⓑ v. i. to cloud over; to get* misty; to get* foggy Ⓒ **annebbiàrsi** v. i. pron. 1 to cloud over; to grow* foggy: *Il cielo s'annebbia*, the sky is clouding over 2 (*della vista*) to blur; to dim; to grow* dim: *Mi s'annebbia la vista*, my eyes are dimming 3 (*fig., della mente*) to cloud.

annebbiàto a. 1 foggy; hazy; misty; cloudy 2 (*della vista*) blurred; dim 3 (*fig.: frastornato*) dizzy; dazed; **avere la testa annebbiata**, to be dazed; to feel woozy (*fam.*).

annegaménto m. drowning: **morire per a.**, to drown; to die by drowning.

annegàre Ⓐ v. t. (*anche fig.*) to drown: **a. un gatto**, to drown a cat; **a. i dispiaceri nel vino**, to drown one's sorrows in wine Ⓑ v. i. to drown; to be drowned: **l'uomo che stava**

per a., the drowning man; *Annegò nel lago [in mare]*, she (was) drowned in the lake [at sea] ● (*fig.*) **a. in un bicchier d'acqua**, to get flustered by the slightest thing ◻ (*fig.*) **a. nei debiti**, to be up to one's eyes in debt **C annegàrsi** v. rifl. to drown oneself.

annegàto A a. drowned **B** m. (f. **-a**) drowned person.

anneràre → annerire.

annerimènto m. blackening; darkening.

annerìre A v. t. to blacken; to darken; (*con tintura*) to black; (*ossidare*) to tarnish; (*abbronzare*) to tan **B** v. i. e **annerìrsi** v. i. pron. to become* black; to go* black; to blacken; (*scurirsi*) to darken; (*ossidarsi*) to tarnish; (*annuvolarsi*) to grow* black.

annessióne f. annexation.

annessionìsmo m. annexationism.

annessionìsta m. e f. annexationist.

annessionìstico a. annexationist.

annessìte f. (*med.*) adnexitis.

annèsso A a. **1** (*appartenente*) part of; belonging to: **il parco a. alla villa**, the grounds of the villa; **la cucina e l'annessa lavanderia**, the kitchen and the scullery **2** (*unito*) attached; appended; (*allegato*) attached, enclosed **B** m. **1** part; (*edificio*) annexe, annex (*USA*) **2** (pl.) (*anat.*) adnexa ● **annessi e connessi**, appurtenances; appendages; accessories: **con tutti gli annessi e connessi**, with all appurtenances; with all accessories; complete with everything.

annèttere v. t. **1** to add; to append; to join; **a. un'ala a un edificio**, to add a wing to a building **2** (*allegare*) to attach; to enclose **3** (*attribuire*) to attribute; to attach **4** (*polit.*) to annex.

Annìbale m. Hannibal.

annichilàre → annichilire.

annichilazióne f. (*anche fis.*) annihilation.

annichilimènto m. annihilation; obliteration; total destruction.

annichilìre v. t. **1** (*annientare*) to annihilate; to obliterate **2** (*fig.*: *abbattere*) to crush; to destroy.

annichilìto a. **1** annihilated; obliterated **2** (*fig.*) crushed; destroyed; (*sbalordito*) flabbergasted, dumbfounded.

annidamènto m. **1** nesting **2** (*biol.*) implantation.

annidàre A v. t. to harbour; to nurse: **a. in animo sentimenti di rancore**, to harbour resentment **B annidàrsi** v. rifl. o i. pron. **1** (*di uccelli*) to nest **2** (*nascondersi*) to hide* **3** (*fig.*) to lie* concealed; to lurk: *L'odio s'annidava nel suo animo*, hatred lurked in his breast.

annientamènto m. destruction; annihilation.

annientàre A v. t. to annihilate; to wipe out; to obliterate; to eliminate; (*sgominare*) to crush, to demolish; (*distruggere*) to destroy, to wreck: **a. la concorrenza**, to crush competition; **a. il nemico**, to wipe out the enemy; **a. ogni ostacolo**, to wipe out all obstacles; **a. l'opposizione**, to crush the opposition **B annientàrsi** v. rifl. (*umiliarsi*) to abase oneself; to belittle oneself.

anniversàrio a. e m. anniversary: **l'a. dell'indipendenza**, the anniversary of independence; independence day; **a. di matrimonio**, wedding anniversary.

◆**ànno** m. **1** year: **a. accademico**, academic year; **a. bisestile**, leap year; **a. civile**, civil year; **l'a. corrente** (*o* **in corso**), the present year; this year; (*comm.*) **a. di esercizio**, trading year; **l'a. di grazia 1516**, the year of our Lord 1516; **a. finanziario** (*o* **di gestione**), financial year; **a. fiscale**, tax year; **a. giuridico**, legal year; **l'a. internazionale del bambino**, the international children's

year; (*astron.*) **a. luce**, light-year; (*eccles.*) **a. Santo**, Holy Year; **l'a. prossimo**, next year; **l'a. scorso**, last year; (*astron.*) **a. sidereo**, sidereal year; **a. solare**, calendar year; **gli anni Venti [Trenta]**, the twenties [the thirties]; **un a. dopo l'altro**, year after year; year in, year out; **anni orsono**, years ago; **con gli anni**, with years; **col passare degli anni**, as years go by [went by]; **di a. in a.** (*o* **da un a. all'altro**), year by year; from year to year; *Migliora di a. in a.*, it is getting better every year; **crescita a. per a.**, yearly (*o* annual, year-on-year) growth; **durante tutto l'a.**, all (the) year round; **entro l'a.**, within the year; **tutti gli anni**, every year; **condannare q. a dieci anni**, to sentence sb. to ten years' imprisonment; to give sb. a ten-year sentence; *Sono anni che non lo vedo* (*o* *Non lo vedo da anni*), I haven't seen him for years (*o fam.*, for ages); it's ages since I saw him last; *Sarà* (*o* *Farà*) *un a. in aprile*, it'll be a year next April; **fare il secondo a. di università**, to be in one's second year at university **2** (*rif. all'età*) year; (al pl., anche) age ◻: **avere dieci anni**, to be ten (years old); **avere meno di vent'anni**, to be under twenty; to be still in one's teens; **avere poco più di quarant'anni**, to be in one's early forties; **avere quarant'anni suonati**, to be well into one's forties; *«Quanti anni hai?» «Venti»*, «how old are you?» «twenty»; **un ragazzo di quattordici anni**, fourteen-year-old boy; a boy of fourteen; **compiere gli anni**, to have one's birthday; *Quando compi gli anni?*, when is your birthday?; *Quanti anni le dai?*, how old do you think (*o* would you say) she is?; **essere avanti negli anni**, to be well on (*o* to be getting on) in years; **levarsi gli anni**, to lie about one's age; **portare bene gli anni**, to look young for one's years (*o* age); not to look one's age; **nel fiore degli anni**, in the prime of life ● **gli anni verdi**, youth; (one's) salad days ◻ **Buon a.!**, Happy New Year! ● (*ipp.*) **un tre anni**, a three-year-old ◻ **il primo (giorno) dell'a.** (*o* **Capo d'a.**), New Year's Day.

annodàre A v. t. **1** (*fare un nodo*) to knot, to tie a knot; (*legare*) to tie: **a. una corda**, to knot a rope; **annodarsi la cravatta**, to knot one's tie; **a. i lacci delle scarpe**, to tie one's shoelaces **2** (*fig.*) to establish: **a. buoni rapporti**, to establish good relations (with) **B annodàrsi** v. i. pron. to become* knotted.

annodatùra f. m. **1** (*l'azione*) knotting **2** (*nodo*) knot.

◆**annoiàre A** v. t. to bore; to tire: **a. a morte**, to bore to death (*o* to tears); to bore stiff **B annoiàrsi** v. i. pron. to be bored; to get* bored: **annoiarsi a morte**, to be bored to death (*o* to tears); to be fed up (*fam.*).

annoiàto a. bored; tired; fed up (*fam.*).

annòna f. food administration.

annonàrio a. concerning provisions; food (attr.); food-rationing: **leggi annonarie**, food-rationing laws; **tessera annonaria**, ration card.

annóso a. **1** (*vecchio*) old; ancient **2** (*che dura da anni*) age-old: **un'annosa questione**, an age-old problem.

annotàre A v. t. **1** (*prender nota*) to write* down; to note down; to make* a note of: *Annotatelo!*, write it down!; make a note of it!; **a. in fretta**, to jot down **2** (*corredare di note*) to annotate **3** (*registrare*) to enter; to record; to book.

annotatóre m. (f. **-trìce**) annotator; commentator.

annotazióne f. **1** annotation; note **2** (*registrazione*) record; entry.

annottàre v. i. impers. to get* dark; to grow* dark: *Stava annottando*, it was getting dark; night was falling.

annoveràre v. t. **1** (*includere*) to count; to number: **a. q. tra i propri amici**, to number sb. among one's friends; *Lo annovero tra i migliori scrittori*, I consider him one of the best writers **2** (*lett.*: *enumerare*) to enumerate.

annuàle A a. **1** (*d'ogni anno*) annual; yearly **2** (*che dura un anno*) annual; year's; one-year: **abbonamento a.**, a year's subscription; **corso a.**, one-year course **B** m. anniversary.

annualità f. annuity (*anche leg.*); (*rata annuale*) yearly instalment, a year's payment: **un'a. anticipata**, a year's payment in advance.

annualizzàre v. t. **1** (*un contratto, un esame, ecc.*) to establish on a yearly basis **2** to update yearly.

annualizzazióne f. **1** (*di contratto, esame, ecc.*) (the) establishing on an yearly basis **2** yearly update.

annualménte avv. **1** (*ogni anno*) yearly; annually **2** (*di anno in anno*) from year to year; year by year.

annuàrio m. yearbook.

annuìre v. i. **1** (*far cenno di sì*) to nod (in assent) **2** (*acconsentire*) to agree; to consent.

annullàbile a. annullable; (*leg.*) voidable, avoidable.

annullamènto m. **1** cancellation: **a. di un ordine**, cancellation of an order; **a. di un volo**, cancellation of a flight; **a. postale**, cancellation **2** (*leg.*) annulment; avoidance; (*di sentenza*) quashing, reversal: **a. di matrimonio**, marriage annulment **3** (*obliterazione*) cancellation.

annullàre A v. t. **1** (*disdire, cancellare*) to cancel: **a. un'ordinazione**, to cancel an order; **a. un volo**, to cancel a flight **2** (*revocare*) to overrule; to revoke; to countermand; to withdraw*: **a. una decisione**, to overrule a decision; **a. un decreto**, to revoke a decree; **a. una nomina**, to rescind an appointment; **a. un ordine** (*un comando*), to countermand an order **3** (*leg.*) to annul; to void; to quash; to reverse: **a. un contratto**, to annul a contract; **a. un matrimonio**, to annul a marriage; **a. un verdetto**, to quash (*o* to reverse) a verdict **4** (*invalidare*) to declare void; to invalidate: **a. un'elezione**, to declare void an election; (*sport*) **a. un gol**, to disallow a goal **5** (*obliterare*) to cancel: **a. un francobollo**, to cancel a stamp **6** (*disfare*) to undo*; (*vanificare*) to nullify; (*distruggere*) to wipe out, to ruin: **a. un lavoro di anni**, to undo the work of years **B annullàrsi** v. rifl. to abase oneself; to efface oneself **C annullàrsi** v. rifl. recipr. (*mat.*, *rag.*) to cancel out.

annùllo m. (*postale*) cancellation.

◆**annunciàre** v. t. **1** to announce; (*dire*) to tell*: **a. un fidanzamento** [**una nascita**], to announce an engagement [a birth]; **a. un visitatore**, to announce a visitor; (*in aeroporto*) **a. un volo**, to call a flight; **a. pubblicamente**, to announce publicly; to make known; *Mi annunciò che stava per sposarsi*, she told me she was getting married; *Chi devo a.?*, what name shall I say?; **farsi a.**, to give (*o* to send in) one's name **2** (*preannunciare*) to herald; (*indicare*) to forecast*: *Le rondini annunciano la primavera*, swallows herald the spring; *Il barometro annuncia tempesta*, the barometer forecasts a storm; *Si annuncia un temporale*, a storm is brewing.

annunciatóre m. (f. **-trìce**) announcer; (*radio, TV, di notizie*) newsreader, newscaster (*USA*).

Annunciazióne f. (*relig.*) **1** Annunciation **2** (*festa*) Annunciation; Lady Day.

annùncio m. **1** announcement; notice; (*notizia*) news ◻ **a. di matrimonio** [**di na-**

scita], wedding [birth] announcement; **a. di morte**, death notice; (*in aeroporto*) **a. di volo**, flight announcement; **un lieto a.**, happy news; **dare un a.**, to make an announcement; **dare l'a. di qc.**, to announce st.; to give notice of st. **2** (*comm.*) advertisement; advert; ad (*fam.*): **annunci economici**, classified advertisements (*o* ads); **a. pubblicitario**, advertisement; (*radio, TV, anche*) commercial; **mettere annunci**, to advertise **3** (*fig.*: *presagio*) sign; harbinger; presage.

annunziàre → **annunciare**.

Annunziàta f. (*relig.*) **1** Our Lady of the Annunciation **2** (*festa*) Annunciation; Lady Day.

ànnuo a. annual; yearly: **abbonamento a.**, yearly subscription; **pianta annua**, annual; **rendita annua**, annuity; **stipendio a.**, annual salary.

♦**annusàre** v. t. **1** to smell*; (*con energia*) to sniff: **a. un fiore [l'aria]**, to smell a flower [the air]; **a. tabacco**, to take snuff; *Il cane mi annusò le scarpe*, the dog sniffed my shoes **2** (*fig.*: *sospettare*) to scent; to smell*; to suspect: **a. un affare [un pericolo]**, to scent a bargain [a danger]; **a. un imbroglio**, to smell a rat (*fam.*).

annusàta f. sniff: **dare un'a.**, to have a sniff.

annuvolaménto m. (*anche fig.*) clouding over.

annuvolàre A v. t. (*anche fig.*) to cloud: *Un fumo denso annuvolava il cielo*, thick smoke clouded the sky B **annuvolàrsi** v. i. pron. to get* cloudy; to become* overcast; to cloud over ● (*fig.*) *Si annuvolò in viso*, his face darkened.

annuvolàto a. **1** cloudy; overcast **2** (*fig.*) clouded; dark; gloomy.

àno m. (*anat.*) anus*; (*di pesci, uccelli*) vent.

anòbio m. (*zool.*, *Anobium*) anobiid; furniture beetle.

anòdico a. (*elettr.*) anodic; anode (attr.).

anòdino a. **1** (*farm.*) anodyne **2** (*fig.*) anodyne; nondescript; flat, dull.

anodizzàre v. t. (*metall.*) to anodize, to anodise.

anodizzàto a. (*metall.*) anodized: **alluminio a.**, anodized aluminium.

ànodo m. (*elettr.*) anode.

anòfele m. (*zool.*, *Anopheles*) anopheles.

anomalìa f. anomaly; abnormality.

anomalìstico a. (*astron.*) anomalistic.

anòmalo a. anomalous; abnormal; irregular: (*fis.*) **dispersione anomala**, anomalous dispersion; (*gramm.*) **verbo a.**, anomalous verb.

anomìa ① f. (*sociol.*) anomie, anomy.

anomìa ② f. (*med.*) anomia.

anòna f. (*bot.*, *Anona reticulata*) custard-apple.

anònima f. **1** (*leg.*) joint-stock company **2** criminal organization; gang: **a. sequestri**, organized kidnappers.

anonimàto m. **1** anonymity; anonymousness: **mantenere l'a.**, to remain anonymous **2** (*oscurità*) obscurity: **vivere nell'a.**, to live in obscurity.

anonimìa f. anonymity.

anònimo A a. **1** anonymous: **lettera anonima**, anonymous letter **2** (*fig.*) anonymous; nondescript; featureless; anodyne: **viso a.**, anonymous face; **vestito in modo a.**, wearing nondescript clothes ● (*comm.*) **società anonima**, joint-stock company B m. **1** (*persona*) anonymous person; (*autore*) anonymous author **2** (*scritto*) anonym **3** (*anonimato*) – **mantenere l'a.**, to remain anonymous.

anorchidìa f. (*med.*) anorchism.

anoressànte a. e m. (*med.*) anorexiant.

anoressìa f. (*med.*) anorexia.

anorèssico a. e m. (f. **-a**) (*med.*) anorexic.

anorgasmìa f. (*med.*) anorgasmia.

anorgàsmico a. (*med.*) anorgasmic.

anormàle A a. abnormal (*anche psic.*); anomalous; (*strano*) odd B m. e f. abnormal person.

anormalità f. abnormality; (*stranezza*) oddness.

anortite f. (*miner.*) anorthite.

anosmìa f. (*med.*) anosmia.

anossìa f. (*med.*) anoxia.

anossiemìa f. (*med.*) anoxaemia.

ANP sigla (**Autorità nazionale palestinese**) Palestinian National Authority (PNA).

ANPI sigla (**Associazione nazionale partigiani d'Italia**) National Association of Italian Partisans.

ànsa f. **1** (*manico*) handle **2** (*di fiume*) bend; loop; meander **3** (*insenatura*) bight; cove **4** (*anat.*) ansa*; loop.

ANSA sigla (**Agenzia nazionale stampa associata**) Italian Associated Press Agency.

ansànte a. panting; gasping; breathless.

ansàre v. i. to pant; to gasp.

ansàto a. with handles; ansate.

anseàtico a. (*stor.*) Hanseatic: **la Lega Anseatica**, the Hanseatic League.

Ansèlmo m. Anselm.

anserìno a. anserine; goose-like.

♦**ànsia** f. **1** anxiety (*anche psic.*); agitation; nervousness; (*preoccupazione*) concern: **essere in a. per qc.**, to be anxious (*o* nervous) about st.; **stare in a. per q.**, to be worried about sb.; **tenere q. in a.**, (*preoccupare*) to keep sb. worried; (*tenere in sospeso*) to keep sb. in suspense; **momenti d'a.**, anxious moments **2** (*forte desiderio*) eagerness: **a. di sapere**, eagerness to know; **aspettare con a. qc.**, to await for st. eagerly; to long for st.

ansietà f. → **ansia**, *def. 1.*

ansimàre v. i. to pant; to gasp.

ansiògeno a. anxiety-inducing.

ansiolìtico a. e m. (*farm.*) anxyolitic.

♦**ansióso** A a. **1** anxious (*anche psic.*); nervous; apprehensive; worried: **sguardo a.**, anxious look; **stato a.**, state of anxiety **2** (*desideroso*) eager; keen: *Sono a. di conoscerlo*, I'm keen to meet him B m. (f. **-a**) anxious person; worrier (*fam.*).

ànsito m. panting; laboured breathing.

ànta ① f. shutter; (*di armadio*) door; (*di politico*) panel.

ànta ② m. pl. (*fam.*) age from forty onwards: **entrare negli a.**, to turn forty; **aver passato gli a.**, to be on the wrong side of forty.

antagonìsmo m. antagonism (*anche anat., biol.*) rivalry.

antagonìsta A m. e f. antagonist (*anche anat., biol.*); opponent; rival B a. antagonistic (*anche anat., biol.*); opposing; rival ● (*mecc.*) **molla a.**, counter spring.

antagonìstico a. (*anche anat., biol.*) antagonistic.

antàlgico a. e m. (*farm.*) analgesic.

antàrtico A a. Antarctic; southern: *Circolo polare a.*, Antarctic Circle; **l'emisfero a.**, the southern hemisphere; **l'Oceano A.**, the Antarctic Ocean; **il polo a.**, the South Pole B m. (the) Antarctic.

Antàrtide f. (*geogr.*) Antarctica.

antebèllico a. prewar (attr.).

antecedènte A a. preceding; previous; prior; earlier B m. (*anche gramm., filos., mat.*) antecedent.

antecedenteménte avv. previously; before.

antecedènza f. antecedence; precedence ● **in a.**, previously.

antecessóre m. predecessor.

antefàtto m. what happened before; background; antecedent: *Mi racconti l'a.*, he told me what had happened before; **l'a. di una vicenda**, the background to a story; **gli antefatti della guerra**, the events leading to the war; the origins of the war.

anteguèrra A a. prewar (attr.) B m. prewar period.

antèlio m. (*astron.*) anthelion*.

ànte litteram (*lat.*) loc. a. ahead of one's time.

antelmìntico → **antielmintico**.

antelucàno a. before dawn (*o* daybreak): **chiarore a.**, first light of dawn; **le ore antelucane**, the hours before dawn.

antelunàre a. (*lett.*) preceeding the new moon.

antemuràle m. **1** (*archit. mil.*) defence wall; barbican **2** (*naut.*) breakwater.

antenàta f. ancestress; female ancestor.

antenatàle a. antenatal.

♦**antenàto** m. ancestor; forefather; forebear; (*al pl., collett., anche*) ancestry (sing.).

♦**antènna** f. **1** (*radio, TV*) aerial; antenna*: **a. parabolica**, satellite dish **2** (*naut.*) lateen yard **3** (*archit.*) pole **4** (*zool.*) antenna*; feeler.

antennàle m. (*naut.*) forward leech; head.

antennària f. (*bot.*, *Antennaria*) cat's foot; mountain everlasting.

antennìsta m. e f. (*radio, TV*) aerial fitter; aerial repairer.

antepórre v. t. to place before; to put* before (*o* above); (*preferire*) to prefer, to give* preference to: **a. il profitto al dovere**, to put profit before duty.

anteprìma f. (*cinem. ed estens.*) preview: **l'a. di un film**, the preview of a film; (*comput.*) **a. di stampa**, print preview; **a. non ufficiale**, sneak preview; **un film in a.**, a film preview; **dare un film in a.**, to show a preview of a film ● **L'ho saputo in a.**, I was told before everybody else (*o* before it was made known) □ **notizia in a.**, advance news.

antèra f. (*bot.*) anther.

anterìdio m. (*bot.*) antheridium.

♦**anterióre** a. **1** (*nello spazio*) front; fore- (pref.): (*autom.*) **faro a.**, a front light; **la parte a.**, the front; **ruote anteriori**, front wheels; **zampe anteriori**, forelegs; forefeet **2** (*nel tempo*) former; previous; preceding; prior; earlier; pre- (pref.): **in tempi anteriori**, in former (*o* earlier) times; **i fatti anteriori alla disgrazia**, the facts prior to the accident; **un poeta a. a Dante**, a pre-Dantean poet ● (*gramm.*) **futuro a.**, future perfect □ (*fon.*) **vocale a.**, front vowel.

anteriorità f. priority; precedence.

anteriorménte avv. **1** (*nel tempo*) formerly; previously: **a. a**, prior to **2** (*nello spazio*) at the front; in front (of).

anterògrado a. **1** (*biol.*) forward-moving **2** (*psic.*) anterograde: **amnesia anterograda**, anterograde amnesia.

anterolateràle a. (*anat.*) anterolateral.

anteroposterióre a. (*anat.*) anteroposterior.

anterozòo m. (*bot.*) antherozoid.

antèsi f. (*bot.*) anthesis.

antesignàno m. (f. **-a**) (*precursore*) precursor; forerunner.

antiabbagliànte A a. antidazzle; antiglare B m. → **anabbagliante**.

antiabortìsta A a. anti-abortion (attr.); pro-life (attr.) B m. e f. anti-abortionist; pro-lifer.

antiabortìvo m. e a. anti-abortifacient.

antiàcido a. e m. (*farm.*) antacid.

antiàcne a. inv. antiacne.

antiaderènte a. non-stick.

antiaèrea f. (*mil.*) anti-aircraft defence; anti-aircraft artillery.

antiaèreo a. (*mil.*) anti-aircraft: **cannone a.**, anti-aircraft gun; **rifugio a.**, air-raid shelter.

antialcòlico a. anti-alcoholic; teetotal: **lega antialcolica**, temperance league.

antialcolista m. e f. teetotaller.

antialisèi → controalisei.

antiallèrgico a. e m. (*farm.*) anti-allergic.

antialònico a. anti-halo.

antiamericanismo m. anti-Americanism.

antiamericàno a. un-American; anti-American: **attività antiamericane**, un-American activities.

antiànsia → ansiolitico.

antiappannànte (*tecn.*) **A** a. demisting **B** m. demister.

antiartrìtico a. e m. (*farm.*) anti-arthritic.

antiasmàtico a. e m. (*farm.*) anti-asthmatic.

antiatòmico a. anti-atomic; anti-nuclear: **difesa antiatomica**, anti-nuclear defence; **rifugio a.**, atomic shelter.

antiàtomo m. (*fis.*) antiatom.

antibàgno m. area preceding a bathroom.

antibattèrico a. e m. (*farm.*) antibacterial.

antibiogràmma m. (*med.*) antibiogram.

antibiòsi f. (*biol.*) antibiosis*.

♦**antibiòtico** a. e m. (*farm.*) antibiotic.

antiblasfèmo a. anti-blasphemy.

antibloccàggio, **antiblòcco** (*autom.*) **A** a. inv. anti-lock **B** m. inv. anti-lock braking system; ABS.

antibolscevico a. anti-Bolshevik.

antiborghése a. anti-burgeois.

anticàccia a. against hunting; anti-hunting.

anticàglia f. **1** (*spreg.*) museum piece; junk ▨ **2** (*oggetto antico*) old curiosity.

anticalcàre **A** a. descaling **B** m. descaler.

anticaménte avv. in ancient (o former) times.

anticàmera f. anteroom; antechamber; (*sala di attesa*) waiting room ● **fare a.**, to be kept waiting □ **far fare a. a q.**, to keep sb. waiting □ **Non mi passò neppure per l'a. del cervello**, it didn't even cross my mind.

anticàncro a. inv. (*farm.*) anticancer.

anticapitalismo m. anticapitalism.

anticapitalìstico a. anticapitalistic.

anticàrie a. inv. (*farm.*) anticarious; anti-caries; anticariogenic, which fights tooth decay.

anticàrro a. inv. (*mil.*) anti-tank.

anticatarràle a. (*med.*) anti-catarrhal.

anticàto a. antiqued; weathered; distressed.

anticàtodo m. (*fis.*) anticathode.

anticattòlico a. e m. (f. **-a**) anti-Catholic.

anticellulìte a. inv. anti-cellulite.

anticheggiàre v. i. to affect old-fashioned manners or an old-fashioned style.

antichìsta m. e f. student of classical antiquity; classical scholar.

antichìstica f. classical antiquity studies (pl.).

♦**antichità** f. **1** antiquity; ancientness: **l'a. di un uso**, the antiquity of a custom; **di grande a.**, very old; ancient **2** (*il tempo antico*) ancient times (pl.); (*l'a. classica*) antiqui-

ty: **nell'a.**, in ancient times **3** (al pl.) (*oggetti antichi*) antiques; (*reperti archeologici*) relics, antiquities: **negozio di a.**, antique shop **4** (al pl.) (*istituzioni antiche*) antiquities.

antichizzàto → anticato.

anticìclico a. (*econ.*) anti-cyclical; counter-cyclical; contracyclical.

anticiclóne m. (*meteor.*) anticyclone; area of high pressure; high.

anticiclònico a. (*meteor.*) anticyclonic: **zona anticiclonica**, high.

anticipàre v. t. **1** (*fare una cosa prima del tempo fissato in precedenza*) to bring* forward; to advance: **a. le nozze**, to bring forward (o to advance) the date of the wedding; **a. la partenza**, to leave earlier (than planned) **2** (*denaro*) to pay* in advance; (*prestare*) to advance: **a. un mese di affitto**, to pay a month's rent in advance; **a. una somma a q.**, to advance sb. a sum **3** (*comunicare in anticipo*) to announce (o to tell*, to reveal) in advance; to disclose: **a. un risultato**, to announce a result in advance **4** (*precedere, prevenire*) to anticipate; to forestall; to pre-empt: **a. una mossa**, to forestall a move; **un pittore che anticipa l'espressionismo**, a painter anticipating Expressionism **5** (*assol.: arrivare in anticipo*) to be early; to arrive early: *La primavera ha anticipato quest'anno*, spring is (o has come) early this year **6** (*assol.: di orologio*) to be fast ● (*mecc.*) **a. l'accensione**, to advance the ignition □ **a. i tempi**, (*affrettare le cose*) to speed things up; (*essere precipitoso*) to rush things.

anticipataménte avv. in advance; beforehand.

anticipàto a. **1** (*spostato in avanti*) brought forward (pred.); earlier; early; ahead of time (pred.): **arrivo a.**, early arrival; **data anticipata**, date brought forward; earlier date; **elezioni anticipate**, early general election; **una partenza anticipata**, a departure earlier than expected; *La nostra è stata una partenza anticipata*, we had to leave earlier than we had planned **2** (*pagato in anticipo*) in advance; advance (attr.): **un mese di stipendio a.**, a month's salary in advance; a month's advance on one's salary; **pagamento a.**, payment in advance; advance payment **3** (*reso noto in anticipo*) advance (attr.); disclosed.

anticipatóre **A** a. anticipating **B** m. (f. **-trice**) (*annunciatore*) harbinger, herald; (*precursore*) precursor, forerunner.

anticipazióne f. **1** (*l'anticipare*) bringing forward **2** (*banca, fin.*) advance; loan; imprest: **a. contro garanzia**, advance against security; **a. in conto corrente**, deposit loan **3** (*notizia*) advance information; (*previsione*) forecast **4** (*preannuncio*) harbinger; herald **5** (*mus.*) anticipation **6** (*editoria*) extracts (pl.) from a forthcoming book.

♦**anticipo** m. **1** (*rif. al tempo*) advance: **in a.**, in advance; beforehand; early; *L'ho saputo in a.*, I was told about it in advance (o beforehand); **pagare in a.**, to pay in advance; *Il treno è in a.*, the train is running early; *L'estate è in a. quest'anno*, summer has come early this year; *Siamo in a.*, we are early; **in a. sull'orario**, ahead of schedule; early; **con mezz'ora di a.**, half an hour early **2** (*di denaro*) advance; (*acconto*) deposit, down payment; (*banca*) **a. in contanti**, cash advance; **a. sui diritti d'autore**, advance of royalties; **a. sullo stipendio**, advance on one's salary; **versare un a.**, to pay money down; **pagare un milione di a.**, to pay one million down **3** (*autom.*) spark lead (o advance) ● **giocare d'a.**, (*tennis*) to strike the ball on the early rebound; (*fig.*) to forestall (sb., st.); to outguess (sb.).

anticlericàle a., m. e f. anticlerical.

anticlericalismo m. anticlericalism.

anticlìmax m. inv. anticlimax.

anticlinàle (*geol.*) **A** a. anticlinal **B** f. anticline.

♦**antìco** **A** a. **1** (*dell'antichità*) ancient: **il mondo a.**, the ancient world; **gli antichi Romani**, the ancient Romans; **storia antica**, ancient history **2** (*vecchio*) old; age-old: **un uso a.**, an age-old custom **3** (*di antiquariato*) antique: **mobili [libri] antichi**, antique furniture [books] **4** (*del passato*) past; former; earlier: **a. splendore**, past splendour ● **l'A. Testamento**, the Old Testament □ **all'antica**, old-fashioned (agg.); in an old-fashioned way (avv.): **vestire all'antica**, to dress in an old-fashioned way □ **di a. stampo**, of the old school □ **finto a.**, reproduction (attr.); repro (attr.) (*fam.*) **B** m. **1** (the) old; (the) antique **2** (al pl.) (the) ancients ❶ NOTA: *antique o ancient?* → antique.

anticoagulànte a. e m. (*farm.*) anticoagulant.

anticomunismo m. anti-communism.

anticomunista a., m. e f. anti-communist.

anticoncezionàle a. e m. contraceptive.

anticonfessionàle a. antireligious.

anticonformismo m. nonconformism; unconventionality.

anticonformista **A** a. nonconformist; unconventional **B** m. e f. nonconformist; unconventional person.

anticonformìstico a. nonconformist; unconventional.

anticongelànte **A** a. antifreezing **B** m. antifreeze.

anticongiunturàle a. (*econ.*) counter-cyclical.

anticonvenzionàle a. unconventional.

anticòrpo m. (*biol.*) antibody.

anticorrosìvo a. e m. anticorrosive.

anticostituzionàle a. unconstitutional; anticonstitutional.

anticostituzionalità f. unconstitutionality.

anticrèsi f. (*leg.*) antichresis*.

anticrimine a. inv. crime-prevention (attr.); anticrime; crime-fighting.

anticrisi a. crisis (attr.); anti-recession (*econ.*); crisis-prevention (attr.); anti-crisis: **piano a.**, crisis plan.

anticristiàno a. anti-christian.

anticristo m. Antichrist.

anticrittogàmico (*agric.*) **A** a. fungicidal **B** m. fungicide.

anticròllo a. inv. (*edil.*) anti-collapse.

anticucina f. small room leading to a kitchen.

antidàta f. antedate.

antidatàre v. t. to antedate: **a. un assegno**, to antedate a cheque.

antideflagrànte a. antiexplosive.

antidemocràtico **A** a. undemocratic; antidemocratic **B** m. (f. **-a**) antidemocrat.

antidepressìvo a. e m. (*farm.*) antidepressant.

antiderapànte a. anti-sideslip; anti-skid.

antidetonànte a. e m. (*chim.*) anti-knock.

antidiabètico a. e m. (*farm.*) antidiabetic.

antidiarròico a. e m. (*farm.*) antidiarrhoeal.

antidiftèrico a. e m. (*farm.*) antidiphtheritic.

antidiluviàno a. (*anche fig.*) antediluvian.

antidistùrbo a. (*radio*) antistatic; anti-interference.

antidiurètico a. antidiuretic.

antidìvo m. (f. **-a**) media-shy star; unconventional star.

antidivorzìsta m. e f. opponent of divorce.

antidivorzìstico a. anti-divorce (attr.).

antidogmàtico a. antidogmatic.

antidogmatìşmo m. anti-dogmatism.

antidolorìfico (*farm.*) **A** a. pain-killing; pain-relieving; analgesic **B** m. pain-reliever; painkiller; analgesic.

antidòping (*sport*) **A** a. inv. dope (attr.): **esame a.**, dope test; drug test **B** m. inv. dope test.

antìdoto m. (*farm. e fig.*) antidote.

antidròga a. inv. anti-drugs (attr.); anti-drug (attr.).

antidumping a. inv. anti-dumping.

antieconòmico a. (*econ.*) uneconomic.

antieffrazióne a. burglar-proof: **serratura a.**, burglar-proof lock.

antielettróne m. (*fis.*) positron.

antielmìntico a. e m. (*farm.*) anthelmintic; vermifuge.

antiemètico a. e m. (*farm.*) anti-emetic.

antiemorràgico a. e m. (*farm.*) antihaemorrhagic.

antiemorroidàle, **antiemorroidàrio** a. e m. (*farm.*) antihaemorrhoidal.

antiepilèttico a. e m. (*farm.*) antiepileptic.

antieròe m. antihero*.

antiestètico a. unsightly; unaesthetic.

antieuropeìsta **A** a. anti-European; Europhobic **B** m. anti-European; Europhobe.

antifascìşmo m. anti-fascism, antifascism.

antifascìsta a., m. e f. anti-fascist, antifascist.

antifebbrìle (*farm.*) **A** a. antipyretic **B** m. antipyretic; febrifuge.

antifecondatìvo a. e m. contraceptive.

antifemminìşmo m. anti-feminism, antifeminism.

antifemminìsta a., m. e f. anti-feminist, antifeminist.

antifermentatìvo a. e m. antifermentative.

antifiàmma a. **1** (*di tessuto*) flameproof; non-flammable **2** (*di prodotto*) flame-retardant **3** (*di processo*) flame-proofing (attr.).

antifiscalìşmo m. tax-reduction doctrine; tax-reduction policy.

antifiscalìsta a. e m. (person) in favour of tax reduction.

antiflogìstico m. e a. (*farm.*) antiphlogistic; anti-inflammatory.

antìfona f. (*mus., eccles.*) antiphon ● (*fig.*) **capire l'a.**, to take the hint; to get the message.

antifonàle a. antiphonal.

antifonàrio m. (*eccles.*) antiphonary.

antifonìa f. (*mus., eccles.*) antiphony.

antifórfora a. inv. anti-dandruff.

antìfraşi f. (*retor.*) antiphrasis*.

antifràstico a. (*retor.*) antiphrastic.

antifrizióne a. (*mecc.*) antifriction: **metallo a.**, antifriction (o white) metal; Babbit metal.

antifùmo a. inv. **1** against smoking (pred.); anti-smoking (attr.): **campagna a.**, anti-smoking campaign **2** smoke-preventing; smoke (attr.): **candela a.**, smokers' candle.

antifùrto **A** a. inv. antitheft; thief-proof (attr.) **B** m. inv. antitheft device; alarm; (*per edifici*) burglar alarm; (*per auto*) car alarm.

antigàs a. inv. antigas; gasproof: **maschera a.**, gas mask.

antigèlo → **anticongelante**.

antìgene m. (*biol.*) antigen.

antigènico a. (*biol.*) antigenic.

antighiàccio a. inv. (*aeron.*) anti-ice: **dispositivo a.**, anti-icer; de-icer.

antigiènico a. unhygienic; unsanitary; unhealthy.

antigiudaìşmo m. anti-Judaism.

antigiuridicità f. illegality; unlawfulness.

antigiurìdico a. illegal; unlawful.

antiglòbal → **no global**.

antiglobalizzatóre m. (f. **-trice**) anti-globalization protestor.

antiglobalizzazióne f. anti-globalization.

antigovernatìvo a. anti-government.

antigràffio a. inv. non-scratch.

antigràndine a. inv. anti-hail.

antigravità f. inv. antigravity.

antiipertensìvo a. e m. (*farm.*) anti-hypertensive.

antileptóne m. (*fis.*) antilepton.

antiliberàle a. anti-liberal.

Antìlle f. pl. (*geogr.*) (the) Antilles: **le Grandi A.**, the Greater Antilles; **le Piccole A.**, the Lesser Antilles.

antilocàpra f. (*zool., Antilocapra americana*) pronghorn.

antilogarìtmo m. (*mat.*) antilogarithm; antilog.

antìlope f. (*zool.*) **1** (*Antilope*) antelope*: **a. cervicapra** (*Antilope cervicapra*), sasin **2** – **a. camoscio** (*Oryx gazella*) gemsbok; **a. d'acqua** (*Kobus*), waterbuck; **a. gigante** (*Taurotragus derbianus*), giant eland; **a. indiana** (*Naemorhedus*), goral; **a. saltante** (*Antidorcas marsupialis*), springbok; **a. sudafricana** (*Alcelaphus caama*), hartebeest.

antimàcchia a. inv. nonstainable; stain-resistant.

antimàfia **A** a. anti-mafia **B** f. anti-mafia parliamentary commission.

antimagnètico a. (*fis.*) antimagnetic.

antimalàrico a. e m. (*farm.*) anti-malarial.

antimatèria f. (*fis.*) antimatter.

antimeridiàno① a. a.m. (*iniz. di ante meridiem*): **le nove antimeridiane**, nine a.m.

antimeridiàno② m. (*geogr.*) antimeridian.

antìmero m. (*zool.*) antimere.

antimicòtico a. e m. (*farm.*) antimycotic.

antimicròbico a. (*farm.*) antimicrobial.

antimilitarìşmo m. antimilitarism.

antimilitarìsta m. e f. antimilitarist.

antimilitarìstico a. antimilitaristic.

antimìne a. inv. anti-mine; mine-disposal.

antimìssile a. inv., **antimissilìstico** a. anti-missile.

antimonàrchico **A** a. (pred.) against the monarchy; anti-monarchist **B** m. (f. **-a**) anti-monarchist.

antimoniàle a. (*chim.*) antimonial.

antimònico a. (*chim.*) antimonic.

antimònio m. (*chim.*) antimony.

antimonióso a. (*chim.*) antimonous.

antimonopòlio m. (*econ., fin.*) antitrust.

antimonopolìstico a. (*econ., fin.*) anti-trust (attr.).

antimperialìşmo m. anti-imperialism.

antimperialìsta m. e f. anti-imperialist.

antimperialìstico a. anti-imperialist.

antimùffa m. e a. inv. anti-mould.

antinazionàle a. anti-national.

antinazìsta a., m. e f. anti-Nazi.

antincèndio a. inv. (*contro gli incendi*) fire (attr.), fire-prevention (attr.); (*che serve a spe-*

gnere gli incendi) fire-fighting; (*a prova di fuoco*) fireproof: **esercitazione a.**, fire drill; **parete a.**, fireproof wall; **porta a.**, fire door; **regolamenti a.**, fire prevention regulations; **scala a.**, fire ladder; **squadra a.**, fire-fighting squad; **uscita a.**, fire escape.

antinébbia a. inv. anti-fog; fog (attr.): **fari a.**, fog lamps.

antineoplàstico a. e m. (*farm.*) antineoplastic.

antineurìtico a. e m. (*farm.*) antineuritic.

antineuròtico a. e m. (*farm.*) antineurotic.

antineutrìno m. (*fis. nucl.*) antineutrino.

antineutróne m. (*fis. nucl.*) antineutron.

antinéve a. inv. snow (attr.): **catene a.**, snow chains; **pneumatici a.**, snow tyres.

antinevràlgico a. e m. (*farm.*) antineuralgic.

antinevrìtico → **antineuritico**.

antinevròtico → **antineurotico**.

antinfettìvo a. (*med.*) anti-infectious.

antinfiammatòrio a. e m. (*farm.*) anti-inflammatory.

antinflatìvo → **antinflazionistico**.

antinflazionìstico a. (*econ.*) counter-inflationary; anti-inflationary; anti-inflation (attr.).

antinfluenzàle a. e m. (*farm.*) influenza (attr.); flu (attr., *fam.*): **vaccino a.**, flu vaccine.

antinfortunìstico a. accident-prevention (attr.): **misure antinfortunistiche**, accident-prevention measures; **legislazione antinfortunistica**, industrial injuries legislation.

antinomìa f. antinomy.

antinòmico a. antinomic.

antinquinaménto a. inv. antipollution.

antintercettazióne a. inv. anti-tapping; scrambling.

antintrusióne a. inv. **1** burglar-proof; burglar (attr.): **finestre a.**, burglar-proof windows **2** (*autom.*) – **barre a.** (**laterali**), side-impact bars.

antinucleàre a. antinuclear; antinuke (*fam.*).

antinùcleo m. (*fis. nucl.*) antinucleus*.

antinucleóne m. (*fis. nucl.*) antinucleon.

Antiòchia f. (*geogr.*) Antioch.

antiofìdico (*farm.*) **A** a. antitoxic; snakebite (attr.): **siero a.**, antivenin; snakebite serum **B** m. antivenin.

antioràrio a. anticlockwise; counterclockwise (*USA*): **in senso a.**, anticlockwise; counterclockwise.

antiossidànte a. e m. antioxidant.

antipànico a. inv. panic (attr.): **maniglione a.**, crash bar; panic push-bar; **porta a.**, panic door.

antipàpa m. antipope.

antipapàle a. antipapal.

antiparassitàrio **A** a. parasiticidal; pesticidal **B** m. parasiticide; pesticide.

antiparlamentàre a. anti-parliamentary.

antiparticèlla f. (*fis. nucl.*) antiparticle.

antipartìto a. inv. anti-party.

antipastièra f. hors d'oeuvre dish.

♦**antipàsto** m. hors d'oeuvre (*franc.*); starter; appetizer; antipasto.

antipatìa f. aversion; dislike: **simpatie e antipatie**, likes and dislikes; **ispirare a.**, to arouse dislike; **prendere q. in a.**, to take a dislike to sb.; to take against sb.; **provare a. per q.**, to dislike sb.

♦**antipàtico** **A** a. **1** (*di persona*) unpleasant; disagreeable; obnoxious: **un uomo a.**, an unpleasant man; *Mi è a.*, I don't like him; **rendersi a. a tutti**, to make oneself unpop-

a

ular with everyone **2** (*di cosa: sgradevole*) unpleasant, obnoxious, irritating; (*poco simpatico*) invidious, odious; (*increscioso*) annoying, irritating: **confronto a.**, invidious comparison; **contrattempo a.**, annoying setback; **posizione a.**, unpleasant position; invidious position **B** m. (f. **-a**) unpleasant (*o* disagreeable) person; beast (*fam.*).

antipatriòttico a. unpatriotic.

antiperistàltico a. (*fisiol.*) antiperistaltic.

antipersóna a. inv. (*mil.*) anti-personnel: **mina a.**, anti-personnel mine.

antipertensìvo a. e m. (*farm.*) anti-hypertensive.

antipièga a. inv. crease-resistant.

antipirètico a. e m. (*farm.*) antipyretic; frebrifuge.

antiplàcca a. inv. anti-plaque.

antìpodi m. pl. antipodes ● (*fig.*) **essere agli a.**, to be poles apart □ (*fig. fam.*) **abitare agli a.**, to live at the back of beyond.

antipoètico a. unpoetic; prosaic.

antipòlio (*farm.*) **A** a. inv. anti-polio; polio (attr.) **B** f. inv. polio vaccination.

antipoliomielìtico a. antipoliomyelitic; anti-polio (*fam.*).

antipolìtica f. anti-politics (pl. col verbo al sing.).

antipolìtico a. **1** antipolitical; unpolitical **2** impolitic: **provvedimento a.**, unpolitical measure.

antipòrta f. outer door.

antiproibizionìsmo m. movement against drug prohibition.

antiproibizionìsta A a. against drug prohibition **B** m. e f. opponent of drug prohibition.

antiproièttile a. inv. bullet-proof: **giubbotto a.**, bullet-proof jacket; bulletproof vest.

antiprotóne m. (*fis. nucl.*) antiproton.

antipsichiatrìa f. antipsychiatry.

antipsicòtico (*farm.*) **A** a. anti-psychotic **B** m. anti-psychotic (drug).

antipùlci a. inv. flea (attr.): **collare a.**, flea collar; **trattamento a.**, defleaing treatment.

antiquària f. **1** antiquarianism **2** → **antiquario**.

antiquariàto m. **1** (*oggetti antichi*) antiques (pl.): **interessarsi di a.**, to be interested in (*o* to be into) antiques; **mobili di a.**, antique furniture; **mostra dell'a.**, antiques exhibition; **negozio di a.**, antique shop; **pezzo di a.**, antique **2** (*commercio*) antique trade (*o* dealing): **occuparsi di a.**, to deal in antiques; to be an antique dealer.

antiquàrio A m. (f. **-a**) antique dealer ● **negozio di a.**, antique shop **B** a. antiquarian.

antiquàrk m. inv. (*fis.*) antiquark.

antiquàto a. (*obsoleto*) obsolete, antiquated, outdated, superannuated; (*fuori moda*) old-fashioned, out of date, outmoded: **idee antiquate**, old-fashioned (*o* outmoded) notions; **macchinario a.**, obsolete machinery; **parola antiquata**, obsolete word; *Veste in modo a.*, her wardrobe is out of date.

antiràbbico a. (*farm.*) antirabies; antirabid; rabies (attr.): **iniezione antirabbica**, antirabies shot; **vaccino a.**, rabies vaccine.

antiràcket a. inv. anti-racket.

antiràdar a. inv. anti-radar.

antirazionàle a. irrational.

antirazzìsmo m. antiracism.

antirazzìsta a., m. e f. antiracist.

antirecessìvo a. (*econ.*) anti-recession; anti-slump.

antireligióso a. irreligious.

antiretòrica f. aversion to rhetoric.

antiretòrico a. unrhetorical.

antiretrovìrale a. (*farm.*) antiretroviral.

antireumàtico a. e m. (*farm.*) antirheumatic.

antiriciclàggio a. inv. against money laundering.

antiriflèsso a. inv. anti-glare; non-reflective; non-glare.

antirivoluzionàrio a. e m. (f. **-a**) antirevolutionary.

antirollànte → **antirollio**.

antirollìo a. inv. anti-rolling; anti-roll (attr.): (*autom.*) **barra a.**, anti-roll bar; (*naut.*) **pinne a.**, anti-rolling (*o* anti-roll) fins.

antiromànzo m. antinovel.

antirómbo (*autom.*, *ind.*) **A** a. inv. antinoise; sound-deadening **B** m. inv. sound deadener; antinoise paint.

antirrìno m. (*bot.*, *Antirrhinum*) antirrhinum; snapdragon.

antirùggine A a. inv. (*chim.*, *ind.*) antirust (attr.); rust-proof; rust-resistant: **sostanze a.**, rust inhibitors; **vernice a.**, antirust paint **B** m. inv. rust preventer.

antirùghe a. inv. anti-wrinkle; wrinkle (attr.): **crema a.**, wrinkle cream; antiaging cream.

antirumóre a. inv. noise-abating.

antisàla f. anteroom.

antiscàsso a. inv. burglar-proof; armoured; reinforced: **porta a.**, armoured door.

antischiavìsmo m. anti-slavery; abolitionism.

antischiavìsta a., m. e f. abolitionist.

antiscientìfico a. unscientific.

antisciòpero a. inv. antistrike.

antiscìppo a. inv. anti-snatch.

antiscìvolo a. inv. non-slip (attr.); (*autom.*) anti-skid (attr.), non-skid (attr.).

antiscorbùtico a. e m. (*farm.*) antiscorbutic.

antiŝdrucciolévole a. (*autom.*) anti-skid (attr.); anti-skid (attr.).

antisèmita A m. e f. anti-Semite **B** a. anti-Semitic.

antisemìtico a. anti-Semitic.

antisemitìsmo m. anti-Semitism.

antisèpsi f. (*med.*) antisepsis.

antisequèstro a. inv. anti-kidnapping.

antisèttico a. e m. (*farm.*) antiseptic.

antisfondamènto a. reinforced; (*di vetro*) shatter-proof.

antisièro m. (*biol.*) antiserum*.

antisilurànte (*naut.*) **A** a. anti-torpedo **B** m. torpedo-boat destroyer.

antisimmètrico a. (*mat.*) antisymmetric.

antisindacàle a. anti-union.

antisìsmico a. aseismic; earthquake-proof.

antiŝlittaménto a. (*tecn.*) anti-skid (attr.): **dispositivo a.**, anti-skid device.

antiŝmòg a. inv. anti-smog; smog-prevention; smog (attr.): **mascherina a.**, smog mask.

antisociàle A a. antisocial **B** m. e f. antisocial person.

antisofisticazióne, **antisofisticazióni** a. inv. against food adulteration; dealing with food fraud; food-control (attr.): **nucleo a.**, food-control (*o* food-fraud) squad.

antisolàre a. sun-protection (attr.): **crema** [**lozione**] **a.**, sun cream [lotion]; sunblock.

antisommergìbile a. e m. inv. (*mil.*) anti-submarine.

antisommòssa a. inv. anti-riot; riot (attr.): **reparti a.**, riot police.

antisoviètico a. anti-Soviet.

antisovietìsmo m. anti-Sovietism.

anti-spam a. em. (*comput.*) anti-spam.

antispàmming a. e m. (*comput.*) anti-spamming; anti-spam (attr.).

antispaŝmòdico, **antispàstico** a. e m. (*farm.*) antispasmodic.

antisportìvo a. unsporting; unsportsmanlike.

antistamìnico a. e m. (*farm.*) antihistamine.

antistànte a. in front of; opposite; facing (attr.): *Il palazzo a. la banca*, the building opposite (*o* facing) the bank.

antistàtico a. (*fis.*) antistatic.

antistèrico a. e m. (*farm.*) antihysteric.

antistoricìsmo m. antihistoricism.

antistòrico a. antihistorical.

antistreptolìŝina f. (*med.*) antistreptolysin.

antìstrofe f. (*letter.*) antistrophe.

antitabàcco a. inv. against smoking.

antitacchéggio a. inv. anti-theft; anti-shoplifting: **dispositivo a.**, anti-theft device.

antitàrlo a. inv. anti-woodworm.

antitàrme → **antitarmico**.

antitàrmico A a. mothproof; moth-repellent **B** m. moth-repellent.

antitàrtaro a. inv. (*farm.*) antitartar.

antiterrorìsmo A m. anti-terrorism **B** a. inv. anti-terrorist: **leggi a.**, anti-terrorist laws.

antiterrorìstico a. anti-terrorist.

antìteŝi f. **1** (*filos.*, *ling.*) antithesis* **2** (*contrasto*) antithesis*; contrast: **essere in a. con qc.**, to be antithetic (*o* in contrast) to st.

antitetànica f. anti-tetanus injection.

antitetànico a. (*farm.*) anti-tetanus; tetanus (attr.): **vaccinazione antitetanica**, (anti-)tetanus injection.

antitètico a. antithetical.

antitìfico a. (*med.*) antityphoid; typhoid (attr.).

antitòssico a. antitoxic.

antitossìna f. (*fisiol.*) antitoxin.

antitrombìna f. (*biochim.*) antithrombin.

antitrust a. (*econ.*) antitrust: **politica a.**, antitrust policy.

antitubercolàre a. (*farm.*) antitubercular; antituberculosis; antituberculous.

antitumoràle a. (*farm.*, *med.*) antitumoral; antitumor (attr.).

antiuòmo a. inv. (*mil.*) anti-personnel: **mina a.**, anti-personnel mine.

antiùrto a. shockproof.

antlusùra a. inv. against usury; usury (attr.) against loan-sharks (*fam.*): **legge a.**, law against usury; usury law; loan shark legislation.

antivaiolósa f. (*med.*) smallpox vaccine.

antivaiolóso a. (*med.*) smallpox (attr.): **vaccino a.**, smallpox vaccine.

antivedére v. t. to foresee*.

antiveggènte a. foreseeing.

antiveggènza f. foresight; foreknowledge.

antiveléno m. antivenin; antivenene.

antivenèreo a. (*med.*) antivenereal.

antivigìlia f. (the) day before the eve: **l'a. di Natale**, two days before Christmas.

antivìpera a. inv. – **siero a.**, viper serum; antivenin.

antivìrale a. (*farm.*) antiviral.

antivìrus a. inv. (*biol.*, *comput.*) antivirus*.

antivivisezióne a. inv. antivivisection.

antivivisezionìsta a., m. e f. antivivisectionist.

antocianina f. (*chim.*) anthocyanin.

antologìa f. anthology ● (*fig.*) **da a.**, classic.

antològica f. retrospective (exhibition); anthological exhibition.

antològico a. anthological.

antologista m. e f. anthologist.

antologizzàre v. t. to anthologize.

antoniàno a. (*relig.*) Antonine; of St Anthony.

antonimìa f. (*ling.*) antonymy.

antonimico a. antonymic.

antònimo (*ling.*) **A** a. antonymous **B** m. antonym.

Antònio m. Anthony; (*stor.*) Antonius.

antonomàsia f. (*retor.*) antonomasia ● **per a.**, par excellence (*franc.*).

antonomàstico a. (*retor.*) antonomastic.

antozòo m. (*zool.*) anthozoan; (al pl., *scient.*) Anthozoa.

antràce m. (*med.*) anthrax*.

antracène m. (*chim.*) anthracene.

antrachinóne m. (*chim.*) anthraquinone.

antracite f. (*miner.*) anthracite.

antracòsi f. (*med.*) anthracosis*.

àntro m. **1** cavern; cave **2** (*fig.*) hovel; pit; hole **3** (*anat.*) antrum*.

antròpico a. anthropic: **geografia antropica**, anthropogeography; **principio a.**, anthropic principle.

antropizzazióne f. (*geogr.*, *ecol.*) transformation of the natural environment to meet human needs.

antropocèntrico a. anthropocentric.

antropocentrìsmo m. anthropocentrism.

antropofagìa f. anthropophagy; cannibalism.

antropòfago **A** a. anthropophagous; man-eating **B** m. (f. *-a*) cannibal; man-eater.

antropogènesi f. anthropogenesis.

antropogènico a. anthropogenic.

antropògeno a. (*ecol.*) anthropogenic.

antropogeografìa f. anthropogeography; human geography.

antropòide a. e m. (*zool.*) anthropoid.

antropologìa f. anthropology: **a. criminale**, criminal anthropology; **a. culturale**, cultural anthropology.

antropològico a. anthropological.

antropòlogo m. (f. *-a*) anthropologist.

antropometrìa f. anthropometry.

antropomètrico a. anthropometric.

antropomòrfico a. anthropomorphic.

antropomorfìsmo m. anthropomorphism.

antropomòrfo a. anthropomorphic; anthropomorphous; (*zool.*) anthropoid: **divinità antropomorfa**, anthropomorphous god; **scimmie antropomorfe**, (anthropoid) apes.

antroposofìa f. anthroposophy.

antropòsofo m. (f. *-a*) anthroposopher.

antropozòico a. e m. Quaternary.

antùrio m. (*bot.*, *Anthurium*) anthurium.

anulàre **A** a. annular; ring-shaped: (*astron.*) **eclisse a.**, annular eclipse; **raccordo a.**, ring road (*GB*); beltway (*USA*) **B** m. ring finger.

anurèsi → **anuria**.

anurìa f. (*med.*) anuria; anuresis*.

anùro (*zool.*) **A** a. anurous **B** m. anuran; (al pl., *scient.*) Anura.

Anvèrsa f. (*geogr.*) Antwerp.

♦**ànzi** **A** cong. **1** (*o meglio*) or rather, or better still; (*di più*) in fact, actually: *Abbassa la TV, anzi, spegnila*, turn down the TV, or bet-

ter still, switch it off; *Sono stanco, a. stanchissimo*, I'm tired, quite exhausted, in fact; *Ti ho portato un regalo, a. due*, I've brought you a present, two presents actually **2** (*al contrario*) on the contrary; not at all; quite the opposite; in fact: «*Disturbo?*» «*A., entra pure!*», «am I disturbing you?» «on the contrary (*o* not at all), do come in!»; *Non ho fame, a.*, I'm not hungry, quite the opposite; *Non ti critico, a. sono d'accordo con te*, I'm not criticizing you; in fact, I agree with you ● **a. che** → **anziché** □ **a. che no**, rather; quite: **vecchio a. che no**, rather (*o* quite) old **B** prep. (*prima di*) before: **a. tempo**, before (one's) time; too soon **C** avv. – **poc'a.**, not long ago; just now; just then.

anzianità f. **1** old age **2** (*di grado*) service; seniority: **a. di servizio**, seniority; length of service; **trent'anni di a.**, thirty years' service; **in ordine di a.**, in order of seniority.

♦**anziàno** **A** a. **1** (*di età*) elderly; aged; old: **un uomo a.**, an elderly man; *È il più a. tra noi*, he is the oldest among us; *È più a. di me di tre anni*, he's three years older than I am; he's my senior by three years **2** (*di grado*) senior: **socio a.**, senior partner **B** m. (f. *-a*) **1** elderly person; (*bur.*) senior citizen: **gli anziani**, the elderly **2** (*stor.*) elder: **gli anziani del villaggio**, the village elders.

anzianòtto a. rather old; rather long in the tooth (*fam.*).

anziché cong. **1** (*invece di*) instead of **2** (*piuttosto che*) rather than.

anzidétto a. aforesaid; above-mentioned.

anzitèmpo avv. (*in anticipo*) ahead of time; (*prematuramente*) prematurely: **muoversi a.**, to start ahead of time; (*troppo presto*) to jump the gun.

anzitùtto avv. first; first of all; in the first place (*o* instance).

AO abbr. (**Aosta**).

AOI sigla (*stor.*, **Africa Orientale Italiana**) Italian East Africa.

aorìstico a. (*ling.*) aoristic.

aorìsto m. (*ling.*) aorist.

aòrta f. (*anat.*) aorta.

aòrtico a. (*anat.*) aortic; aortal.

aortocoronàrico a. aortocoronary.

aostàno **A** a. of Aosta; from Aosta **B** m. (f. *-a*) native [inhabitant] of Aosta.

AP sigla (**Ascoli Piceno**).

apache m. **1** (*pellerossa*) Apache **2** (*teppista parigino*) apache.

apagòge, **apagogìa** f. (*filos.*) apagoge.

apartheid f. (*polit.*) apartheid; racial segregation.

apartiticità f. independence of political parties; non-party nature; nonpartisanship.

apartìtico a. non-party (attr.); nonpartisan.

apatìa f. apathy; indifference; inertia; listlessness: **cadere nell'a.**, to fall into a state of apathy.

apàtico a. apathetic; indifferent; uninterested; listless.

apatite f. (*miner.*) apatite.

♦**àpe** f. bee; (*maschio*) drone: **ape domestica** (*Apis mellifica*), honeybee; **ape operaia**, worker bee; **ape regina**, queen bee ● (*ricamo*) **nido d'ape**, smocking.

Apèlle m. (*mitol.*) Apelles.

aperiodicità f. (*fis.*) aperiodicity.

aperiòdico a. (*fis.*) aperiodic.

aperitivo m. **1** (*bevanda*) aperitif **2** (*stuzzichino*) appetizer.

apertamente avv. openly; frankly.

♦**apèrto** **A** a. **1** open; (*di rubinetto, ecc.*) on (pred.); (*non sigillato*) unsealed; (*sbottonato*) unbuttoned, undone: **busta aperta**, unsealed envelope; **cappotto a.**, unbuttoned coat; (*comm.*) **conto a.**, open account;

(*comm.*) **credito a.**, open credit; **ferita aperta**, an open wound; **lettera aperta**, open letter; **libro a.**, open book; **vocali aperte**, open vowels; **a. al pubblico**, open to the public; **all'aria aperta**, in the open (air); outdoors; **in aperta campagna**, in the open country; **in mare a.**, on the open sea; **gara aperta a tutti**, open competition; **dormire con le finestre aperte**, to sleep with the windows open; **lasciare a. il rubinetto**, to leave the tap on; **ricevere q. a braccia aperte**, to welcome sb. with open arms; **tenere gli occhi aperti**, to keep one's eyes open **2** (*franco*) open; frank; candid; sincere: **un modo di parlare a.**, a frank way of speaking **3** (*chiaro, esplicito*) open; clear; direct; plain: **guerra aperta**, open war; **un'aperta minaccia**, a direct threat; **un'aperta sfida**, a clear challenge **4** (*esposto*) exposed, unprotected; (*indifeso*) undefended, open: **a. ai venti**, exposed to the winds; **una città aperta**, an open city **5** (*sgombro*) clear; unobstructed; open: *La strada era aperta quando io passai*, the road was clear when I passed **6** (*non deciso*) unresolved; undecided; open: **questione aperta**, unresolved question; **una frase aperta a tutte le interpretazioni**, a sentence open to all interpretations ● **a occhi aperti**, with open eyes; open-eyed (agg.) □ **a viso a.**, openly; frankly □ **battaglia in campo a.**, field battle □ **mente aperta**, open mind □ **pronuncia aperta**, broad pronunciation □ **di vedute aperte**, broadminded □ **un uomo dal cuore a.**, an open-hearted man **B** m. (the) open; open air; outdoors: **dormire all'a.**, to sleep in the open; to sleep rough; **passare molte ore all'a.**, to spend many hours outdoors; **uscire all'a.**, to go outside; **piscina all'a.**, outdoor swimming pool; **pranzo all'a.**, alfresco lunch; **spettacolo all'a.**, open-air show; **vita all'a.**, life in the open; outdoor life **C** avv. openly; frankly.

♦**apertùra** f. **1** (*l'aprire, l'aprirsi*) opening: (*comm.*) **l'a. di un conto**, the opening of an account, (*comm.*) **a. di credito**, opening of credit; (*comm.*) **a. di credito in conto corrente**, loan account; (*comm.*) **a. di credito per corrispondenza**, credit opened by correspondence; (*econ.*) **l'a. di nuovi mercati**, the opening up of new markets; (*leg.*) **l'a. di un testamento**, the reading of a will; (*cinem.*, *teatr.*) **a. alle ore venti**, doors open at 8.00 p.m.; **giorno di a.**, opening day; **ora di a.**, opening time; **orario di a.**, opening hours (pl.); (*di negozio*) business hours (pl.); (*di ufficio*) office hours (pl.); (*di museo*) visiting hours (pl.) **2** (*inizio*) opening; beginning: **l'a. della caccia**, the first day of the shooting season; **l'a. di un discorso**, the opening of a speech; **l'a. delle trattative di pace**, the opening of peace talks; **l'a. delle ostilità**, the outbreak of hostilities; (*leg.*) **a. d'udienza**, opening; **discorso di a.**, opening speech; (*comm.*) **prezzo d'a.**, opening price; (*a un'asta*) upset price **3** (*inaugurazione*) opening; inauguration: **l'a. dell'anno accademico**, the opening of the academic year; **l'a. del Parlamento**, the opening of Parliament; (*teatr.*) **serata di a.**, opening night **4** (*varco*) opening; aperture; (*fenditura*) cleft, open crack; (*fessura*) chink, slit, (*di macchina automatica*) slot; (*spacco*) gap; (*buco*) hole: **un'a. in una siepe**, an opening in a hedge; **a. di sfogo**, vent; *C'erano delle aperture nel ghiaccio*, there were cracks in the ice; *Metti una moneta nell'a.*, put a coin into the slot **5** (*imboccatura*) opening; (*di caverna*) mouth **6** (*ampiezza*) width; spread; span: **a. alare**, wingspan; **ali con un'a. di due metri**, wings with a spread of two metres; **l'a. del compasso**, the spread of the compass-legs **7** (*fig.*) openness; (*disponibilità*) sensitivity, receptiveness, willingness: **a. al compromes-**

so, willingness to compromise; **a. mentale**, open-mindedness; broadmindedness; **a. verso una questione**, sensitivity to an issue; **grado di a.**, openness **8** (*fig.*: *approccio*) overture; advances (pl.): **un'a. a sinistra**, an overture to the Left **9** (*fotogr.*) aperture; (*anche* **a. numerica**) f-number: **impostare l'a.**, to set the f-stop **10** (*calcio*, *rugby*) opening; pass **11** (*scacchi*) opening **12** (*poker*) opening; (*le carte*) openers (pl.): **a. al buio**, blind (opening) **13** (*bridge*) lead: **a. a fiori**, lead of clubs **14** (*autom.*, *elettr.*) gap: **registrare l'a. delle puntine**, to reset the gap of the points **15** (*giorn.*) lead; leader.

aperturismo m. (*polit.*) willingness to negotiate.

aperturista a., m. e f. (person) willing to negotiate.

apètalo a. (*bot.*) apetalous.

API sigla (**Associazione piccole e medie industrie** (*o* **imprese**)) Association of Small and Medium-sized Businesses.

apiàrio m. apiary.

apicàle a. (*biol.*, *ling.*) apical.

àpice m. **1** (*vertice*) summit, height, top; (*culmine*) apex, climax, culmination, peak: **all'a. della carriera**, at the height (o apex) of one's career; **all'a. della potenza**, at the height of one's power **2** (*geom.*, *anat.*, *bot.*) apex* **3** (*mat.*, *tipogr.*) prime; superscript.

apicoltóre m. (f. **-trice**) beekeeper; apiarist.

apicoltùra f. beekeeping; apiculture.

apiressìa f. (*med.*) apyrexia.

apirètico a. (*med.*) apyretic.

apìstico a. apiarian; bee- (pref.).

aplanàtico a. (*fis.*) aplanatic.

aplaşìa f. (*med.*) aplasia.

aplìşia f. (*zool.*, *Aplisia*) sea hare.

aplòide a. (*biol.*) haploid.

aplomb (*franc.*) m. inv. **1** (*di abito*) hang **2** (*fig.*) self-possession; aplomb.

aplotìpo m. (*biol.*) haplotype.

apnèa f. (*med.*) apnea • (*sport*) **immergersi in a.**, to free-dive □ **immersione in a.**, freediving.

apneìsta m. (*sport*) free diver.

apnòica a. (*med.*) apneic.

apocalisse f. **1** (*relig.*) Apocalypse; (*il libro della Bibbia, anche*) Book of Revelation, Revelations **2** (*catastrofe*) apocalypse; catastrophe.

apocalìttico a. apocalyptic; (*fig.*, *anche*) catastrophic, doom (attr.).

apòcino m. **1** (*bot.*, *Apocynum cannabinum*) Indian hemp; hemp dogbane **2** (*fibra*) Indian hemp.

apocopàre v. t. (*ling.*) to apocopate.

apòcope f. (*ling.*) apocope.

apòcrifo A a. apocryphal; spurious: **un aneddoto a.**, an apocryphal story; (*relig.*) **i libri apocrifi**, the Apocrypha; **opere apocrife B** m. apocryphal work; (al pl.) apocrypha.

apòcrino a. (*biol.*) apocrine.

apocromàtico a. (*fis.*) apochromatic.

apocromatismo m. (*fis.*) apochromatism.

apodìttico a. **1** (*filos.*) apodictic; apodeictic **2** (*estens.*) irrefutable; undisputable.

àpodo (*zool.*) **A** a. apodal; apodous **B** m. apodan; (al pl., *scient.*) Apoda.

apòdoşi f. (*ling.*) apodosis*.

apoenzima m. (*chim.*) apoenzyme.

apofàntico a. (*filos.*) apophantic.

apòfişi f. (*anat.*) apophysis*.

apofonìa f. (*ling.*) ablaut (*ted.*); apophony.

apofònico a. (*ling.*) apophonic.

apoftègma m. (*retor.*) apophthegm;

apothegm.

apogèo A m. **1** (*astron.*) apogee **2** (*fig.*) apogee; height: **all'a. della fama**, at the apogee (o height) of one's fame **B** a. (*astron.*) apogean.

apògrafo A a. apographal **B** m. apograph.

apòlide A a. stateless **B** m. e f. stateless person.

apoliticità f. non-political nature; apolitical attitude.

apolìtico a. non-political; apolitical.

apollìneo a. **1** (*di Apollo*) Apollonian **2** (*fig.*) classically beautiful; classically handsome.

apòllo m. **1** strikingly handsome youth **2** (*zool.*, *Parnassius apollo*) apollo butterfly.

Apòllo m. (*mitol.*) Apollo.

apologèta m. apologist.

apologètica f. (*teol.*, *retor.*) apologetics (pl. col verbo al sing.).

apologètico a. **1** (*teol.*) apologetic **2** (*di difesa*) apologetic **3** (*elogiativo*) eulogistic; laudatory.

apologìa f. **1** (*difesa*) apologia*; defence **2** (*celebrazione*) praise; exhaltation.

apologìsta m. e f. apologist.

apòlogo m. apologue; moral fable.

aponeuròşi, **aponevròşi** f. (*anat.*) aponeurosis*.

apoplessìa f. (*med.*) apoplexy.

apoplèttico a. (*med.*) apoplectic.

apoptòşi f. (*biol.*) apoptosis.

apoptòtico a. (*biol.*) apoptotic.

aporìa f. (*filos.*) aporia.

aposiopèşi f. (*retor.*) aposiopesis*.

apostaşìa f. apostasy.

apòstata m. e f. apostate.

a posteriòri (*lat.*) **A** loc. agg. a posteriori **B** loc. avv. (*filos.*) a posteriori; (*estens.*) with hindsight, in retrospect.

apostolàto m. **1** (*relig.*) apostolate **2** (*estens.*) mission.

apostolicità f. apostolicity.

apostòlico a. **1** (*degli Apostoli*) of the Apostles; Apostles' (attr.): **il credo a.**, the Apostles' Creed **2** (*del Papa, della Santa Sede*) apostolic; papal: **benedizione apostolica**, apostolic (o papal) blessing; **sede apostolica**, Apostolic See.

apòstolo m. **1** (*anche fig.*) apostle **2** (*naut.*) apostle.

apostrofàre ① v. t. (*interpellare*) to address (sb.) curtly.

apostrofàre ② v. t. (*gramm.*) to apostrophize.

apòstrofe f. (*retor.*) apostrophe.

apòstrofo m. (*ling.*) apostrophe.

apotèma m. (*geom.*) apothem.

apoteòşi f. **1** apotheosis* **2** (*fig.*) apotheosis*; triumph • (*fig.*) **fare l'a. di qc.**, to sing sb.'s praises □ **un'a. di colori**, a riot of colour.

apotropàico a. apotropaic.

app. abbr. (**appendice**) appendix (app.).

appacificàre → **rappacificare**.

appagàbile a. satisfiable; gratifiable: **facilmente a.**, easily satisfied.

appagaménto m. satisfaction; gratification; contentment.

appagànte a. gratifying; rewarding; fulfilling.

appagàre A v. t. to satisfy; to gratify; to fulfil: **a. una curiosità**, to satisfy a curiosity; **a. l'occhio**, to satisfy the eye; *È un lavoro che non mi appaga*, I can't find any satisfaction (o I'm not fulfilled) in this job; **a. la fame**, to appease one's hunger; **a. la sete**, to quench one's thirst **B appagàrsi v. rifl.** to

be satisfied (with); to be contented (with).

appagàto a. contented; satisfied; fulfilled; at peace.

appaiaménto m. pairing; coupling; matching.

appaiàre A v. t. to pair; to couple; (*armonizzando*) to match **B appaiàrsi v. rifl.** to pair; (*di animali*) to mate.

Appalàchi m. pl. (*geogr.*) (the) Appalachian Mountains; (the) Appalachians.

appaleşàre → **palesare**.

appallottolàre A v. t. (*fare una palla*) to roll (o to make*) into a ball; (*fare una pallottolina*) to roll (o to make*) into a pellet; (*carta, ecc.*) to screw up, to scrunch up **B appallottolàrsi v. rifl.** to roll up into a ball.

appaltàre v. t. (*comm.*) **1** (*dare in appalto*) to contract out; to award a contract for: **a. a una ditta uno scavo**, to award a firm a contract for an excavation **2** (*prendere in appalto*) to undertake* on contract; to contract.

appaltatóre A m. (f. **-trice**) contractor **B** a. contracting.

appàlto m. (*comm.*) contract: **aggiudicare un a.**, to award a contract; **aggiudicarsi** (*o vincere*) **un a.**, to win tender for st.; to win (o to be awarded) a contract; **avere l'a. di qc.**, to have a contract for st.; **dare in a.**, to let out on contract; to contract out; **indire una gara d'a. per qc.**, to put st. out to tender; to tender st. out; to call for tenders; to invite bids; **partecipare a una gara d'a.**, to submit a tender; to tender for st.; **prendere in a.**, to contract; to undertake on contract; **lavoro in a.**, contract work.

appannàggio m. **1** annuity; (*stor.*) appanage: **a. reale**, Civil List (*in GB*) **2** (*retribuzione*) salary **3** (*dote*) dowry **4** (*fig.*: *prerogativa*) prerogative.

appannaménto m. **1** (*di vetro, ecc.*) misting **2** (*di metalli*) tarnishing **3** (*della vista, della memoria*) blurring; dimming.

appannàre A v. t. **1** to mist: **a. uno specchio**, to mist a mirror **2** (*un metallo*) to tarnish **3** (*la vista, la memoria*) to blur; to dim **4** (*la voce*) to make* husky **5** (*fig.*: *indebolire*) to dull; to slow down **B appannàrsi v. i. pron. 1** to mist over (o up); to steam up **2** (*di metalli*) to tarnish **3** (*della vista, della memoria*) to blur; to grow* dim **4** (*della voce*) to become* husky **5** (*indebolirsi, rallentare*) to be dulled; to slow down.

appannàto a. **1** (*di vetro, ecc.*) misted over; steamed up **2** (*di metallo*) tarnished **3** (*della vista, della memoria*) dim; blurred **4** (*della voce*) husky **5** (*indebolito, rallentato*) dull; slow: **riflessa a.**, slow reaction.

apparàto m. **1** (*apparecchiatura, anche fig.*) apparatus*; equipment; machinery; machine: **a. bellico**, war machine; **a. burocratico**, bureaucratic machinery; (*filol.*) **a. critico**, apparatus criticus; critical apparatus; **a. culturale**, cultural background; **a. difensivo**, defence; **a. elettrico**, electrical equipment; **l'a. governativo**, the apparatus of government; **a. informativo**, body of information; (*aeron.*, *anat.*) **a. motore**, power plant; (*teatr.*) **a. scenico**, scenery; set **2** (*dispositivo*) apparatus*; device; contrivance **3** (*anat.*, *bot.*) system; apparatus*: **a. digerente**, digestive system (o apparatus) **4** (*spiegamento*) display; (*pompa*) pomp: **un grande a. di forze**, a great display of forces.

♦**apparecchiàre** v. t. **1** (*preparare*) to prepare; to get* (o to make*) ready; (*la tavola*) to lay* (o to set*) the table; **Apparecchia per sei**, lay the table for six **2** (*ind. tess.*) to dress.

apparecchiatùra f. **1** (*attrezzatura*) equipment; apparatus*; (al pl.) fittings, equipment ▣: **le apparecchiature necessarie**, the necessary equipment; **apparecchiature e impianti**, fittings and fixtures **2**

(*ind. tess.*) dressing.

♦**apparécchio** m. **1** apparatus*; instrument; set; (*congegno*) device, appliance: **a. acustico**, hearing aid; **a. compensatore**, compensating device; **a. di alimentazione**, feeding device; **a. di ascolto**, listening apparatus; listening device; (*fis., chim., mecc.*) **a. di prova**, tester; **a. fotografico**, camera; **a. ortopedico**, orthopaedic appliance; **apparecchi sanitari**, sanitary ware **2** (*radio, TV*) set: **a. radio**, radio set; **a. ricevente**, receiving set; receiver; **a. televisivo**, television (*o* TV) set; **a. trasmittente**, transmitter; **a. trasmittente-ricevente**, sending and receiving set **3** (*telef.*) telephone; receiver: **restare all'a.**, to hold the line **4** (*aeron.*) aircraft; aeroplane, airplane (*USA*); plane **5** (*per ortodonzia*) braces (pl.).

apparentaménto m. (*polit.*) alliance; coalition.

apparentàre A v. t. to relate by marriage B **apparentàrsi** v. rifl. **1** to become* related by marriage **2** (*fig.*) to form an alliance (*o* a coalition).

apparènte a. **1** (*che appare ma non è tale*) outward; ostensible; seeming: **calma a.**, outward (*o* apparent) calm; **un a. interesse**, a seeming interest; *Il motivo a. è che…*, the ostensible reason is that… **2** (*visibile, manifesto*) apparent; visible: **senza motivo a.**, for no apparent reason **3** (*astron., fis.*) apparent: **grandezza a.**, apparent magnitude; **moto a.**, apparent motion.

apparenteménte avv. seemingly; on the face of it ❶ **FALSI AMICI** • apparentemente *non si traduce con* apparently.

♦**apparènza** f. **1** appearance; exterior: **in a.**, seemingly; outwardly; on the surface; *È gentile solo in a.*, she only looks kind; **secondo ogni a.**, to all appearances; **un cuor d'oro sotto un'a. burbera**, a warm heart under a rough exterior; **giudicare dall'a.**, to judge by appearances; **salvare le apparenze**, to keep up appearances **2** (*aspetto*) appearance; look: **di bella a.**, good-looking ● **È tutta a.**, it's just a show; it's all sham □ (*prov.*) **L'a. inganna**, appearances can be deceptive.

apparigliàre v. t. to pair; to couple; to team.

♦**apparire** v. i. **1** (*anche in visione, ecc.*) to appear: **a. dal nulla**, to appear out of thin air; **a. in sogno**, to appear in a dream; *Mi apparve in sogno lo zio*, I saw my uncle in a dream; *Le apparve un angelo*, an angel appeared to her; **far a. uno spirito**, to conjure up a ghost **2** (*comparire*) to appear; to come* into sight; (*sorgere*) to rise*; (*in distanza*) to loom: **a. all'orizzonte**, to appear on the horizon; *Il lago apparve in distanza*, the lake came into sight; *Nel cielo apparve la luna*, the moon rose in the sky; *Una linea di monti apparve all'orizzonte*, a mountain range loomed on the horizon **3** (*dimostrarsi*) to be revealed; to be manifest **4** (*sembrare*) to seem; (*avere l'aspetto*) to look: *Mi è apparso triste*, he looked sad **5** (*assol.*) to show off.

appariscènte a. striking; conspicuous; (*vistoso, chiassoso*) showy, flashy, ostentatious, loud.

appariscènza f. conspicuousness; (*vistosità, chiassosità*) showiness, flashiness, ostentation, loudness.

apparizióne f. **1** (*comparsa*) appearance; **fare una veloce a.**, to make (*o* to put in) a brief appearance **2** (*fantasma*) apparition; ghost.

appartamentino m. flatlet; (*da scapolo*) bachelor flat.

♦**appartaménto** m. flat (*GB*); apartment (*USA*); (*di albergo*) suite; (*di rappresentanza*) apartment: **a. ammobiliato**, furnished flat; **a. condominiale**, condominium flat; condo-

minium (*USA*); condo (*fam.*); **a. di stato**, apartment of state; **a. su due piani**, duplex apartment (*USA*); **gli appartamenti reali**, the royal apartments; **casa di appartamenti**, block of flats (*GB*); apartment house (*USA*).

appartàrsi v. rifl. to withdraw*; to retire; (*isolarsi*) to isolate oneself, to keep* (oneself) to oneself.

appartàto a. **1** secluded; isolated; (*di vita*) retired, cloistered, solitary: **luogo a.**, secluded place; **fare vita appartata**, to lead a secluded life **2** (*di persona*) withdrawn; apart (pred.); (*distante*) aloof (pred.): **restare a.**, to keep (oneself) to oneself; to keep aloof.

appartenènte A a. belonging (to); part (of) B m. e f. member: **gli appartenenti al sindacato**, union members.

appartenènza f. **1** (*l'appartenere*) belonging; (*a un'organizzazione*) membership, affiliation: **il gruppo di a.**, the group one belongs to; **requisiti per l'a.**, membership qualifications; **senso di a.**, sense of belonging **2** (*leg.*) appurtenance.

♦**appartenére** v. i. **1** to belong (to): *La casa appartiene a mio padre*, the house belongs to my father; *Mi appartiene di diritto*, it belongs to me by right **2** (*far parte*) to belong (to); to be a part (of); (*essere socio*) to be a member (of): *La Corsica appartiene alla Francia*, Corsica belongs to France; *Appartiene a una specie rara*, it belongs to a rare species; **a. a una famiglia borghese**, to come from a middle-class family; **a. a un circolo**, to be a member of a club **3** (*riguardare*) to belong (to); to pertain (to): *Questo tipo di ricerca appartiene alla fisica*, this type of research pertains to physics.

appassiménto m. **1** (*bot.*) withering; wilting **2** (*fig.*) fading.

appassionànte a. **1** (*emozionante, entusiasmante*) exciting; thrilling; fascinating **2** (*avvincente*) riveting; gripping; engrossing **3** (*stimolante*) stirring; rousing.

♦**appassionàre** A v. t. **1** (*entusiasmare*) to excite; to thrill **2** (*suscitare interesse*) to stir sb.'s interest; to catch* sb.'s imagination; (*avvincere*) to engross, to fascinate; (*commuovere*) to move; to affect **La vicenda appassionò i lettori**, the story stirred the readers' interest; **Le sue lezioni mi appassionarono alla pittura**, his lectures made me love painting B **appassionàrsi** v. i. pron. **1** (*prendere passione*) to develop a deep interest (*o* a passion) (for); to become* very keen (on): **appassionarsi all'archeologia**, to develop a deep interest for archaeology; **appassionarsi alla musica**, to become very keen on music; **appassionarsi a un lavoro**, to warm to a job **2** (*prendere interesse*) to develop a keen interest (in); to be stirred (by) **3** (*scaldarsi*) to get* worked up (about); to warm (to).

♦**appassionàto** A a. **1** passionate; impassioned: **una dichiarazione appassionata**, a passionate declaration; **un discorso a.**, an impassioned speech **2** (*amante*) passionately fond (of); keen (on): *È a. di caccia*, he is passionately fond of hunting; **un a. lettore di gialli**, a keen reader of detective novels B m. (f. **-a**) fan; lover; enthusiast; buff (*fam.*): **a. del calcio**, football fan; **a. di cinema**, film buff (*fam.*); **un a. di musica**, a lover of music; a music lover; **a. dello sci**, skier; **un a. di sport**, a sport enthusiast; **di teatro**, keen theatre-goer.

appassire v. i., **appassirsi** v. i. pron. **1** (*bot.*) to wither; to wilt **2** (*fig.*) to fade; (*avvizzire*) to wrinkle.

appellàbile a. (*leg.*) appealable.

appellabilità f. (*leg.*) appealability.

appellànte (*leg.*) A a. appealing B m. e f. appellant.

appellàrsi v. i. pron. (*anche leg.*) to appeal: **a. alla legge**, to appeal to the law; **a. all'onore di q.**, to appeal to sb.'s sense of honour; **a. contro una sentenza**, to appeal against conviction; to appeal against a sentence.

appellativo m. **1** (*titolo*) title; appellation **2** (*gramm.*) common noun; appellative **3** (*soprannome*) nickname; (*scherz., anche*) sobriquet; (*offensivo*) epithet.

appellàto (*leg.*) A a. appealed B m. (f. **-a**) appellee.

appellatòrio a. of appeal; appeal (attr.).

appèllo m. **1** (*chiamata per nome*) roll; roll-call; (*a nominale*, roll-call; **fare l'a.**, to call the roll; **mancare** (*o* non rispondere) **all'a.**, to be absent; **rispondere all'a.**, to answer the roll-call; **essere presente all'a.**, to be present **2** (*leg.*) appeal: **presentare a. contro una sentenza**, to appeal against a sentence; **respingere una sentenza in a.**, to quash a sentence on appeal; **ricorrere** (*o* andare) **in a.**, to file an appeal; to appeal against a sentence; **vincere una causa in a.**, to win a case on appeal; **atto d'a.**, act of appeal; appeal; *Corte d'A.*, Court of Appeal; Appeal Court; **giudice d'a.**, appeal (*o* appellate) judge; **giudizio senza a.**, final sentence; sentence without appeal; **tribunale d'a.**, appeal court **3** (*invocazione*) appeal; plea; call; (*grido*) cry: **un a. alla vostra generosità**, an appeal to your generosity; **un a. di aiuto**, a call (*o* plea) for help; **appelli disperati**, desperate cries; **fare a. a q.** [qc.], to appeal to sb. [st.]; *Fece a. a tutto il suo coraggio*, she summoned up all her courage; **lanciare un a. per la raccolta di fondi**, to launch an appeal for funds **4** (*all'università*) examination (*o* exam) session.

♦**appéna** A avv. **1** (*a stento*) barely; only just: *Riusciva a camminare*, he could barely walk; *Ci si vedeva a.*, we could barely (*o* only just) see; *Ce n'è a. per due*, there is only just enough for two **2** (*da poco*) just; barely; hardly: *Il sole s'era a. levato*, the sun had just risen; *L'ho a. finito*, I have just finished it; *Ero a. arrivato, che dovetti ripartire*, I had barely arrived, when I had to leave again **3** (*soltanto*) only; just: *Sono a. le dieci*, it's only ten o'clock; *Ce n'è a. mezza bottiglia*, there's only (*o* just) half a bottle; *Costa a. quattro euro*, it only costs (*o* it costs as little as) four euros B cong. as soon as; no sooner… (than) (*form.*): *A. arrivai*, as soon as I arrived; (*Non*) *a. saprò qualcosa, ti scriverò*, as soon as I know something, I'll write to you; (**non**) **a. possibile**, as soon as possible; *Non a. posai il ricevitore, il telefono squillò di nuovo*, I had just hung up, when (*o* no sooner had I hung up than) the telephone rang again.

♦**appèndere** A v. t. **1** (*sospendere*) to hang*; to suspend; to sling*: **a. al muro**, to hang on the wall; **a. al soffitto**, to hang (*o* to suspend) from the ceiling; **a. un'amaca**, to sling a hammock; **a. il cappotto**, to hang up one's coat; (*boxe*) **a. i guantoni al chiodo**, to hang up one's gloves; (*anche fig.*) **essere appeso a un filo**, to be hanging by a thread **2** (*affiggere*) to put* up; (*con puntine, ecc.*) to pin up **3** (*impiccare*) to hang B **appèndersi** v. rifl. - appendersi al braccio di q., to lean* on sb.'s arm; **appendersi al collo di q.**, to throw* one's arms around sb.

appendiàbiti m. inv. (*gruccia*) coat hanger; (*a stelo*) hatstand; (*gancio*) coat hook; (*a rastrelliera*) coat rack.

appendìce f. **1** (*aggiunta*) appendage; addition; addendum* **2** (*di libro*) appendix* **3** (*anat.*) appendix*: **a. cecale**, vermiform appendix **4** (*bot., zool.*) process; appendage: **a. prensile**, clasper.

appendicectomìa f. (*chir.*) appendectomy; appendicectomy (*GB*).

appendicite f. (*med.*) appendicitis*: **es-**

a b c d e f g h i j k l m n o p q r s t u v w x y z

a

sere operato di a., to have one's appendix removed.

appendicolàre a. (*anat.*) appendicular.

appendigónna m. inv. skirt hanger.

appennellàre v. t. (*naut.*) to back.

Appennìni m. pl. (*geogr.*) (the) Apennines.

appennìnico m. (*geogr.*) Apennine (attr.).

appercettìvo a. (*filos., psic.*) apperceptive.

appercezióne f. (*filos., psic.*) apperception.

appesantiménto m. **1** increase in weight **2** (*ingrassamento*) thickening (of features) **3** (*il caricare*) loading; burdening **4** (*pesantezza*) heaviness; (*peso*) weight.

appesantìre Ⓐ v. t. **1** (*rendere più pesante*) to increase the weight of; to make* (st.) heavy (o heavier); (*caricare troppo*) to weigh down, to overload: a. un'auto, to overload a car; a. una valigia, to weigh down a suitcase **2** (*gravare su*) to weigh down; to burden; (*di profumo, ecc.*) to hang* heavy in **3** (*fig.*: *rendere più faticoso*) to make (st.) heavier, to make* (st.) dull; (*opprimere*) to make* (st.) feel heavy: a. il lavoro a q., to make sb.'s job heavier; a. lo stile, to make the style dull; (*di cibo*) a. lo stomaco, to be difficult to digest; a. la testa, to make sb.'s head feel heavy Ⓑ **appesantìrsi** v. i. pron. **1** to become* (o to grow*) heavy (o heavier): Gli occhi gli si appesantirono, his eyes grew heavy with sleep **2** (*ingrassare*) to put* on weight; to grow* stout; (*di viso*) to thicken.

appéso a. (*sospeso*) hanging: (*anche fig.*) a. a un filo, hanging by a thread.

appestàre v. t. **1** (*contaminare*) to infect; to contaminate **2** (*ammorbare*) to stink* out; to make st. stink*; (*inquinare*) to foul, to pollute: L'odore del cavolo ha appestato tutta la casa, the smell of cabbage has stunk the whole house out; a. l'aria, to pollute the air **3** (*fig.*: *corrompere*) to corrupt.

appestàto Ⓐ a. **1** (*colpito dalla peste*) plague-stricken **2** (*contaminato*) infected; contaminated **3** (*fetido*) stinking; foul-smelling; fetid **4** (*fig.*: *corrotto*) corrupt Ⓑ m. (f. **-a**) (*malato di peste*) plague-stricken person; plague victim.

appestatóre Ⓐ a. **1** plague-carrying **2** (*fig.*) corrupting Ⓑ m. (f. **-trice**) **1** plague-carrier **2** (*fig.*) contaminator.

appetìbile a. desirable; attractive; (*scherz., di persona*) tasty.

appetibilità f. desirability; attractiveness.

appetìre v. t. (*lett.*) to crave for; to hunger after.

♦**appetìto** m. **1** appetite: a. robusto, healthy appetite; avere a., to be hungry; farsi venire l'a., to work up an appetite; perdere [riacquistare] l'a., to lose [to recover] one's appetite; rovinare l'a., to spoil sb.'s appetite; stimolare l'a., to act as (o to be) an appetizer; stuzzicare l'a., to whet sb.'s appetite; mangiare con a., to eat heartily; (*prov.*) L'a. vien mangiando, appetite comes with eating; Buon a.!, (*detto da chi sta a tavola*) bon appétit (*franc.*); (*detto da cameriere, ecc.*) enjoy your meal! (*non com.*); dig in! (*fam.*); tuck in! (*fam.*) **2** (*brama*) appetite; craving; lust.

appetitóso a. **1** (*di cibo*) appetizing; inviting; mouth-watering; (*gustoso*) tasty, toothsome (*form.*) **2** (*fig.*) desirable; tempting; inviting; (*scherz., di persona*) tasty.

appètto a loc. prep. (*lett.*) **1** (*di fronte a*) opposite; in front of **2** (*in confronto a*) in comparison with; compared with.

appezzaménto m. plot of land; allotment; lot (*USA*).

appianaménto m. **1** smoothing; level-

ling; flattening **2** (*fig.*) settlement; smoothing out.

appianàre Ⓐ v. t. **1** (*livellare*) to level, to flatten; (*lisciare*) to smooth; (*piallare*) to plane: a. il terreno, to level the ground **2** (*fig.*) to smooth out; to settle; to iron out: a. le difficoltà, to smooth out (o to iron out) the difficulties; a. una lite, to settle a quarrel Ⓑ **appianàrsi** v. i. pron. (*risolversi*) to straighten out; to sort itself out.

appianatóia f. (*edil.*) trowel; float.

appianatóio m. roller.

appianatùra f. **1** levelling; flattening **2** (*punto appianato*) levelled area.

appiattàrsi v. i. pron. (*nascondersi*) to hide* (oneself); (*stare in agguato*) to lie* in wait; (*rannicchiarsi*) to crouch.

appiattiménto m. **1** flattening; levelling **2** (*fig., anche econ.*) levelling out (o off): a. dei salari, levelling out (o off) of wages.

appiattìre Ⓐ v. t. **1** to flatten; to level **2** (*fig., anche econ.*) to level out (o off): a. i salari, to level out (o off) wages Ⓑ **appiattìrsi** v. rifl. e i. pron. **1** (*farsi piatto*) to flatten oneself: Mi appiattii contro il muro, I flattened myself against the wall **2** (*diventare piatto*) to flatten; to become* flat; to level out (o off).

appiccàgnolo m. **1** handhold; peg; hook **2** (*fig.*) pretext; cavil.

appiccàre Ⓐ v. t. **1** (*appendere, sospendere*) to hang*; to suspend; (*impiccare*) to hang **2** (*dare inizio a*) to start; to set*: a. il fuoco a qc., to set fire to st.; to set st. on fire Ⓑ **appiccàrsi** v. i. pron. (*attaccarsi*) to cling* to.

appiccicàre Ⓐ v. t. **1** (*attaccare*) to stick*; (*con colla, anche*) to glue, to paste: a. un'etichetta su una bottiglia, to stick a label on to a bottle; Il nomignolo gli restò appiccicato, the nickname stuck (to him) **2** (*assol.*) to stick*: Questa colla non appiccica, this glue won't stick **3** (*fig.*: *dare*) to give*; to deal*; (*rifilare*) to pass off, to palm off (st. on sb.), to foist (st. on sb.), to unload (st. on sb.): a. un soprannome a q., to give sb. a nickname **4** (*assol.*: *essere adesivo*) to stick*; (*essere appiccicoso*) to be sticky, to be gluey Ⓑ **appiccicàrsi** v. rifl. e i. pron. **1** (*attaccarsi*) to stick*: I cioccolatini si sono tutti appiccicati, the chocolates have all stuck together **2** (*fig.*) to cling* (to); to hang* on (to): Gli è sempre appiccicata, she clings to him like a leech.

appiccicatìccio a. **1** sticky; gluey; (*per sudore*) clammy **2** (*fig., di persona*) clinging.

appiccicatùra f. **1** (*l'appiccicare*) sticking **2** (*cosa malfatta*) patch; patched-up job.

appiccicóso a. **1** sticky; gluey; (*viscoso*) tacky, gooey (*fam.*); (*per sudore*) clammy **2** (*fig., di persona*) clinging.

appiccicùme m. sticky stuff; goo (*fam.*).

appìcco m. pretext; excuse; cavil.

appiedàre v. t. **1** to dismount **2** (*estens.*: *lasciare a piedi*) to leave* without transport; to force to walk.

appiedàto a. **1** dismounted; unmounted (*anche mil.*) **2** (*senza mezzo di trasporto*) without transport; on foot; forced to walk: Oggi sono a., ho la macchina rotta, I am on foot (o I'm walking) today, my car has broken down.

appiè di loc. prep. at the foot of: appiè di pagina, at the foot of the page.

appièno avv. (*lett.*) fully; completely; entirely; thoroughly.

appigionàre v. t. to let* out; to rent out (*USA*).

appigliàrsi v. i. pron. **1** to seize (st.); to get* hold (of) **2** (*fig.*) to cling* (to); to seize (upon); to cluch (at): a. a un pretesto, to seize upon a pretext; a. a qualunque cosa, to clutch at straws.

appìglio m. **1** hold; handhold; (*per i piedi*) foothold, toehold; (*presa*) purchase **2** (*fig.*: *pretesto*) pretext; excuse: dare a. a critiche, to give a pretext to criticism; to lay oneself open to criticism **3** (*fig.*: *occasione*) opportunity; chance.

àppio m. (*bot.*, Apium graveolens) celery.

appiómbo Ⓐ avv. = a piombo → piombo Ⓑ m. plumb; perpendicularity.

appioppàre v. t. **1** (*fam.*: *assestare*) to give*; (*un colpo, anche*) to land (*fam.*), to fetch (*fam.*): a. un pugno a q., to give (o to land) sb. a punch; a. un soprannome a q., to give sb. a nickname; to dub sb. **2** (*fam.*: *rifilare*) to pass; to palm off (st. on sb.): a. un assegno a vuoto a q., to pass sb. a dud cheque **3** (*agric.*) to plant with poplars.

appisolàrsi v. i. pron. to doze off; to nod off.

♦**applaudìre** v. t. e i. **1** to applaud; to clap (hands); (*acclamare*) to cheer: a. (a) un cantante, to applaud a singer; Il pubblico cominciò ad a., the audience started to clap; a. q. alzandosi in piedi, to give sb. a standing ovation; Il discorso fu applaudito dalla folla, the speech was cheered by the crowd **2** (*approvare*) to applaud; to approve of: Applaudo il tuo comportamento, I applaud (o approve of) your behaviour.

applàuso m. **1** applause Ⓤ; clapping Ⓤ; (*acclamazione*) cheers (pl.), cheering Ⓤ: a. in piedi, standing ovation; a. ritmato, slow handclap; applausi a scena aperta, applause in the middle of st.; spontaneous applause; applausi fragorosi, loud applause; Gli applausi scrosciavano, there was thundering applause; Facciamogli un bell'a.!, let's give him a hand!; Ricevetti un bell'a., I got a big round of applause; Il pubblico scoppiò in un a., the audience burst into applause; un uragano d'applausi, a storm of cheering **2** (*approvazione*) approval; applause Ⓤ; (*lode*) plaudit.

applausòmetro m. clapometer.

applicàbile a. **1** applicable **2** (*leg.*) enforceable.

applicabilità f. **1** applicability **2** (*leg.*) enforceability.

♦**applicàre** Ⓐ v. t. **1** (*mettere*) to apply; to put*; (*incollare*) to stick*; (*spalmare*) to spread*: a. un'etichetta a qc., to apply (o to stick) a label on to st.; a. un unguento, to apply (o to spread) an ointment **2** (*mettere in atto*) to apply; (*leg.*) to enforce: a. una legge, to enforce a law; a. una norma a un caso, to apply a rule to a case; a. un rimedio, to apply a remedy; a. una teoria, to apply a theory **3** (*rivolgere*) to apply: a. la mente a qc., to apply one's mind to st. **4** (*infliggere, imporre*) to impose: a. una multa, to impose a fine; to fine; a. una tassa, to impose (o to levy) a tax **5** (*assegnare*) to assign Ⓑ **applicàrsi** v. rifl. **1** to apply oneself to: applicarsi a un lavoro, to apply oneself to a job; È intelligente, ma non si applica, he is bright, but he won't apply himself; applicarsi molto, to work hard.

applicatìvo a. **1** applicative **2** (*leg.*) enforcing **3** (*comput.*) application, applications (attr.): pacchetto a., applications package; programma a., application program.

applicàto Ⓐ a. applied: arti [scienze] applicate, applied arts [sciences] Ⓑ m. (f. **-a**) (*bur.*) clerk.

applicatóre m. (*med., cosmetica*) applicator.

applicazióne f. **1** (*anche med.*) application: l'a. di una crema, the application of a cream **2** (*messa in atto*) application; implementation; (*leg.*) enforcement; (*impiego*) employment; use: l'a. di una legge, the enforcement of a law; l'a. di una norma, the

implementation of a rule; **l'a. di una regola a un caso**, the application of a rule to a case; **l'a. di nuove tecniche**, the employment of new techniques **3** (*impegno*) application; concentration; (*diligenza*) diligence **4** (*sartoria*) appliqué **5** (*mat.*) mapping **6** (*comput.*) application.

applique (*franc.*) f. inv. applique; wall lamp; (*a forma di candela*) sconce.

appoderaménto m. division (*of land*) into farms.

appoderàre v. t. to divide (*land*) into farms.

appoggiacàpo m. inv. **1** (*di stoffa*) antimacassar **2** (*autom.*) headrest.

appoggiafèrro m. inv. iron rest; iron stand.

appoggiamàno m. inv. (*pitt.*) maulstick.

appoggiapièdi m. inv. **1** (*moto*) foot support **2** (*poggiapiedi*) footstool; footrest.

♦**appoggiàre** ◭ v. t. **1** to lean* (*per tenere ritto*) to prop; (*posare*) to put*, to set*, to place, to rest: **a. i gomiti sulla tavola**, to lean one's elbows on the table; **a. una scala al muro**, to lean a ladder against the wall; **a. la testa sul cuscino**, to rest one's head on the pillow; *Dove appoggio il pacchetto?*, where shall I put the parcel?; *La bici era appoggiata a un albero*, the bike was propped against a tree **2** (*fig.: sostenere*) to support; to back, (*una mozione, ecc.*) to second; (*schierarsi con*) to side with; (*patrocinare*) to sponsor, to back: **a. un candidato**, to support (*o* to back) a candidate; **a. una causa [una politica, un'iniziativa]**, to support a cause [a policy, a project]; **a. una mozione**, to second a motion; **a. una proposta**, to back (*o* to second) a proposal **3** (*fig.: fondare*) to ground; to base **4** (*mus.*) to sustain (*a note*) **5** (*sport: calcio*) to pass **6** (*scherz.: appioppare*) to land; to plant ◮ v. i. to rest; to stand* (*fig., anche*) to be based, to be founded: *Il pilastro appoggia sulla roccia*, the pillar rests on rock; *La mia ipotesi appoggia sui fatti*, my thesis is based on facts ◳ **appoggiàrsi** v. rifl. **1** to lean* (on, against); to prop oneself (on): **appoggiarsi al muro**, to lean against the wall **2** (*fig.: affidarsi*) to rely (on); to lean* (on); to depend (on): *Mi sono appoggiato a lui*, I relied on him; *A che banca ti appoggi a New York?*, what's your bank in New York?

appoggiatèsta m. inv. (*autom.*) headrest.

appoggiatóio m. **1** support; rest **2** (*ringhiera*) banisters (pl.); handrail.

appoggiatùra f. (*mus.*) appoggiatura*.

appòggio ◭ m. **1** support; prop; rest; base **2** (*fig.*) support; backing; (*aiuto*) help, assistance: **a. morale**, moral support; **dare il proprio a. a q.**, to give one's support to sb.; to back sb. **3** (*amico influente*) influential friend; connection; (*contatto*) contact: **avere appoggi influenti**, to have friends (*o* connections) in high places **4** (*mil.*) support: **fuoco d'a.**, support fire **5** (*archit.*) bearing **6** (*ginnastica*) support **7** (*alpinismo*) hold; (*per i piedi*) foothold ● (*edil.*) **muro d'a.**, supporting wall □ **punto d'a.**, (*tecn.*) fulcrum; purchase; (*fig.*) base ◮ a. inv. – (*naut.*) **nave a.**, tender; support ship.

appollaiàrsi v. rifl. to roost; (*anche fig.*) to perch.

appollaiàto a. roosting; (*anche fig.*) perched.

appontàggio m. (*aeron., naut.*) deck landing.

appontàre v. i. (*aeron.*) to deck-land.

appoppaménto m. **1** (*naut.*) trim by the stern **2** (*aeron.*) tail heaviness.

appoppàre ◭ v. t. (*naut.*) to trim by the stern ◮ v. i. e **appoppàrsi** v. i. pron. **1**

(*naut.*) to be down by the stern **2** (*aeron.*) to be tail-heavy.

appoppàto a. **1** (*naut.*) down by the stern **2** (*aeron.*) tail-heavy.

appórre v. t. to affix; to append; to put*: **a. la data**, to put (*o* to append) the date; **a. la firma**, to sign; **a. le iniziali a qc.**, to initial st.; **a. il sigillo**, to seal; to affix the seal; **a. il visto a un documento**, to endorse a document.

apportàre v. t. to bring*; to give*; (*causare*) to cause: **a. capitali**, to bring in (*o* to contribute) capital; **a. danno**, to cause harm; to harm; **a. modifiche**, to introduce (*o* to make) changes; **a. nuove prove**, to bring in fresh evidence; **a. ritocchi**, to touch up (st.); **a. tagli al bilancio**, to trim the budget; **a. vantaggio**, to give an advantage.

apportatóre m. (f. **-trice**) bearer; (*comm.*) contributor.

appòrto m. **1** (*contributo*) contribution; input **2** (*fin.*) contribution; injection: **a. di capitale**, contribution of capital **3** (*metall.*) – **materiale [metallo] di a.**, filler metal **4** (*paranormale*) apport.

appositaménte avv. **1** (*espressamente*) specially; expressly; on purpose: **fatto a.**, specially made; purpose-made **2** (*opportunamente*) suitably; appropriately.

appositivo a. (*ling.*) appositive.

♦**appòsito** a. **1** special; (*specially*) provided; relevant: **usare l'a. contenitore**, use the specially provided container; **riempire l'a. modulo**, fill in the relevant form **2** (*adatto*) suitable; proper.

apposizióne f. **1** (*l'apporre*) affixing; appending: (*leg.*) **a. di sigilli**, affixing of seals **2** (*ling.*) apposition.

♦**appòsta** ◭ avv. **1** (*di proposito*) on purpose; deliberately: *L'hai fatto a.!*, you did it on purpose!; **neanche a farlo a.**, by sheer coincidence; as luck would have it **2** (*con lo scopo preciso*) especially, expressly; (*unicamente*) just: *Ci andrò a.*, I'll go there specially; *Te l'ho detto a.*, that's why I told you; *Era venuto a. per te*, he had come especially to see you; *Lo fa a. per irritarti*, she does it just to annoy you ◮ a. inv. (*speciale*) special: *Mi occorre un arnese a.*, I need a special tool.

appostaménto m. **1** (*l'appostarsi*) lying in wait; lying in ambush **2** (*agguato*) ambush: **disporre un a.**, to lay (*o* to set) an ambush; **mettersi in a.**, to lie in ambush **3** (*mil.*) emplacement; position; (*di mitragliatrice*) nest **4** (*caccia*) hide; butt.

appostàre ◭ v. t. **1** (*collocare*) to post; to position; (*nascondere*) to hide* **2** (*fare la posta*) to lie* in wait for ◮ **appostàrsi** v. rifl. to station oneself; to lie* in wait; to lurk; (*in agguato*) to wait in ambush.

appratire v. t. e i. to turn into pasture-land.

♦**apprèndere** v. t. **1** (*comprendere*) to understand*; to grasp; to comprehend **2** (*imparare*) to learn*: **a. un'arte**, to learn an art **3** (*venire a sapere*) to learn*; to hear*; (*scoprire*) to find* out: *L'ho appreso da lui*, I heard it (*o* had it) from him; **a. qc. dai giornali**, to read about st. in the papers; **a. la verità**, to find out the truth.

apprendìbile a. learnable; that can be learned.

apprendiménto m. learning: **l'a. delle lingue**, language learning; **a. a memoria**, rote learning; **difficoltà di a.**, learning difficulties.

♦**apprendìsta** m. e f. **1** apprentice; (*tirocinante*) trainee: **a. falegname**, apprentice carpenter; **a. infermiere**, trainee nurse; **a. stregone**, sorcerer's apprentice; **mettere q. come a. presso q.**, to apprentice sb. to sb. **2** (*principiante*) beginner; novice.

apprendistàto m. apprenticeship; (*tirocinio*) traineeship: **fare a. presso q.**, to serve one's apprenticeship with sb.

apprensióne f. apprehension; anxiety; nervousness; worry; concern: **essere in a.**, to be anxious; to be nervous (*o* apprehensive); to be worried; **mettere q. in a.**, to make sb. nervous; to alarm sb.; **stare in a.**, to worry; **tenere q. in a.**, to have sb. worried.

apprensìvo a. **1** (*che si preoccupa facilmente*) easily worried; that worries easily: *Mia madre è molto apprensiva*, my mother worries easily **2** (*preoccupato*) anxious; worried; nervous: **occhiata apprensiva**, nervous glance.

appressàre v. t., **appressàrsi** v. rifl. → **avvicinare, avvicinarsi**.

apprèsso ◭ avv. **1** (*vicino*) near; nearby; close **2** (*più tardi*) after; later **3** (*dietro*) behind: *Venite a.*, come behind ● (*ferr.*) **bagaglio a.**, accompanied luggage ◮ a. inv. (*seguente*) after; next; following: **il giorno a.**, the day after; the next day; the following day; *A.!*, next (one), please! ◳ **apprèsso a** loc. prep. **1** (*con sé*) along; with: *Portati a. l'ombrello!*, take the umbrella with you!; *Si portò a. il figlio*, he took his son along **2** (*vicino*) close to; near; by: *Stammi a.!*, keep close (to me)! **3** (*dietro*) behind: *Il cane gli trottava a.*, his dog was trotting behind him; **andare a. a q.**, to follow sb.

apprestaménto m. preparation.

apprestàre v. t., **apprestàrsi** v. rifl. to prepare; to get* ready.

apprettaménto m. (*ind. tess.*) sizing; starching.

apprettàre v. t. (*ind. tess.*) to size; to starch.

apprettatrice f. (*ind. tess.*) sizer.

apprettatùra f. (*ind. tess.*) sizing; starching.

apprètto m. (*ind. tess.*) size; starch: **dare l'a.**, to size; to starch.

apprezzàbile a. **1** (*lodevole*) creditable; commendable **2** (*rilevante, considerevole*) appreciable; considerable; significant.

apprezzaménto m. **1** (*stima*) appreciation; recognition **2** (*valutazione*) valuation; appraisal; assessment **3** (*opinione*) opinion; judgment; assessment **4** (*commento*) comment; remark: **fare degli apprezzamenti ironici su q.**, to make ironic remarks on sb. **5** (*econ., aumento di valore*) appreciation; rise: **a. valutario**, currency appreciation.

♦**apprezzàre** ◭ v. t. **1** (*stimare*) to think* a lot of; to regard highly; to appreciate: *È molto apprezzato sul lavoro*, they think a lot of him professionally; he is highly regarded in his profession **2** (*giudicare prezioso*) to value; to cherish; to prize; to treasure; (*gradire*) to appreciate, to welcome: **a. l'amicizia di q.**, to value (*o* to prize) sb.'s friendship; **a. un suggerimento**, to welcome a suggestion **3** (*riconoscere*) to appreciate: **a. la buona volontà di q.**, to appreciate sb.'s willingness **4** (*valutare*) to appraise ◮ **apprezzàrsi** v. i. pron. to appreciate; to increase* in value: *L'euro si è apprezzato rispetto alla maggior parte delle altre valute*, the euro has appreciated against most other currencies.

apprezzàto a. (*stimato*) highly thought of; highly regarded; (*considerato prezioso*) highly valued, prized, treasured.

approcciàre v. t. (*fam.*) to make* advances to; to accost.

appròccio m. **1** (*avvicinamento*) approach **2** (*fig., per conoscere, sondare, ecc.*) approach; overtures (pl.); (*primo contatto*) first contact: **essere ai primi approcci**, to have established first contact; to be at the initial stage (of st.) **3** (*amoroso*) advances (pl.); approaches (pl.): **tentare un a.**, to make ad-

a

vances (to sb.); to accost (sb.) **4** (*metodo*) approach.

approdàre v. i. **1** (*naut.*) to land; (*fare scalo*) to call (at a port): *Approdarono a Genova*, they landed at Genoa **2** (*fig.*) to come* (to); to lead* (to): **a. a una conclusione**, to come to a conclusion; **non a. a nulla**, to get nowhere; to draw a blank; (*di cose*) to come to nothing, to yield no result: *Le trattative non approdarono a nulla*, the talks came to nothing.

appròdo m. **1** (*naut.*) landing; landfall **2** (*naut.: luogo d'approdo*) landing place; berthing **3** (*fig.*) result; achievement.

♦**approfittàre** Ⓐ v. i. **1** (*trarre vantaggio*) to take* advantage (of); to capitalize (on); (*sfruttare*) to exploit; (*sfruttare a fondo*) to make* the most (of); (*servirsi*) to avail oneself (of): **a. dell'assenza di q.**, to take advantage of sb.'s absence; **a. degli errori della concorrenza**, to capitalize on the mistakes of one's competitors; **a. dell'ignoranza di q.**, to exploit sb.'s ignorance; **a. di un'occasione**, to make the most of an opportunity; to seize a chance; **a. dell'occasione per...**, to take the opportunity to...; *Hanno approfittato del fatto che era nuovo del lavoro*, they capitalized on his being new to the job **2** (*abusare*) to impose (on): *Non voglio a. della tua cortesia*, I don't want to impose on your kindness Ⓑ **approfittàrsi** v. i. pron. to take* advantage (of); to use (st.); (*fare cattivo uso*) to abuse (st.): *Vi siete approfittati di me*, you took advantage of me; you used me.

approfittatóre m. (f. *-trìce*) profiteer.

approfondiménto m. (*esame approfondito*) closer examination; in-depth analysis (*o* study).

approfondìre Ⓐ v. t. **1** to deepen **2** (*fig.: intensificare*) to deepen; to intensify; (*aggravare*) to aggravate, to worsen **3** (*fig.: andare a fondo*) to investigate; to go* into; to study in depth: **a. una questione**, to investigate a matter Ⓑ **approfondìrsi** v. i. pron. to become* deeper.

approfondìto a. (*accurato*) thorough; close; (*completo, esauriente*) in-depth, exhaustive: **esame a.**, close examination; **studio a.**, in-depth study.

approntaménto m. preparation.

approntàre v. t. to prepare; to make* (*o* to get*) ready.

approntàto a. ready.

appropinquàre v. i., **appropinquàrsi** v. i. pron. (*lett. o scherz.*) to approach; to come* closer; to draw* near.

appropriaménto m. appropriation.

appropriàrsi v. i. pron. to take* possession (of); to take* (st.); to appropriate (st.); (*indebitamente*) to misappropriate (at.), to usurp (st.): **a. dei beni altrui**, to take possession of other people's property; **a. di denaro pubblico**, to embezzle public money; **a. di un titolo**, to usurp a title.

appropriatézza f. suitability; fittingness, appropriateness; felicity; fitness.

appropriàto a. fit; fitting; suitable; suited; proper; appropriate; (*calzante*) apt, apposite; (*a proposito*) apropos: **a. all'occasione**, fit for (*o* suitable to) the occasion; **un esempio a.**, an apt example; **un'osservazione appropriata**, an apropos remark; **il termine a.**, the appropriate term.

appropriazióne f. appropriation: **a. indebita**, misappropriation; embezzlement.

approssimàre Ⓐ v. t. (*mat., tecn.*) to approximate Ⓑ **approssimàrsi** v. i. pron. to approach (st.); to come* close (to); (*di tempo*) to draw* near: *Ci stiamo approssimando a Torino*, we are approaching Turin; *Si approssima la Pasqua*, Easter is drawing near.

approssimativaménte avv. approximatively; roughly: **calcolare a.**, to calculate roughly; to give a rough estimate.

approssimativo a. **1** approximate; approximative; rough: **cifra approssimativa**, approximate figure; **calcolo a.**, rough calculation; rough estimate **2** (*generico, vago*) sketchy; impressionistic; vague **3** (*poco rigoroso*) superficial; sloppy; shoddy.

approssimàto a. approximate; rough.

approssimazióne f. **1** (*anche mat.*) approximation: **a. per difetto** [**per eccesso**], approximation by defect [by excess]; **per a.**, approximately; roughly **2** (*genericità, vaghezza*) sketchiness; vagueness **3** (*mancanza di rigore*) superficiality; inaccuracy; sloppiness.

approvàbile a. approvable; (*accettabile*) acceptable.

♦**approvàre** v. t. **1** (*stimare buono*) to approve of; to praise: *Non approvo la sua condotta*, I don't approve of his behaviour; *Tutti approvarono quello che aveva detto*, everybody praised what she had said **2** (*condividere*) to agree with; (*accettare*) to accept, to approve, to go along with, to welcome: **a. una decisione**, to agree with (*o* to approve, to welcome) a decision; **a. una mozione**, to approve (*o* to carry) a motion; **a. una proposta**, to accept (*o* to approve, to welcome) a proposal; **a. le scelte di q.**, to agree with (*o* to approve) sb.'s choices; **a. con un cenno del capo**, to nod in agreement **3** (*sanzionare ufficialmente*) to approve; to sanction; to endorse; (*un disegno di legge*) to pass: **a. un bilancio**, to approve a budget; *La legge è stata approvata*, the bill was passed (*o* went through) **4** (*promuovere*) to pass.

approvativo a. approbative; approbatory.

approvazióne f. **1** (*consenso*) approval; agreement; assent; approbation; (*lode*) praise **2** (*accettazione*) acceptance; approval; (*ufficiale*) approval, sanction, endorsement; (*di disegno di legge*) passage; (*econ., di bilancio*) adoption.

approvvigionaménto m. **1** provisioning; supplying; procurement: **a. d'acqua**, watering; **a. viveri**, victualling **2** (*scorta*) store; stock; (al pl.) (*provviste*) provisions; supplies.

approvvigionàre Ⓐ v. t. to provision; to supply provisions to; to supply (sb. with st.): **a. un esercito**, to supply an army; **a. di cibo**, to supply with food; to victual; **a. di combustibile**, to supply with fuel Ⓑ **approvvigionàrsi** v. rifl. to lay* in supplies; to stock.

approvvigionatóre m. (f. *-trìce*) **1** (*fornitore*) supplier **2** (*di viveri*) victualler.

appruaménto m. **1** (*naut.*) trim by the head **2** (*aeron.*) nose-heaviness.

appruàre Ⓐ v. t. (*naut.*) to trim by the head Ⓑ **appruàrsi** v. i. pron. **1** (*naut.*) to be down by the head **2** (*aeron.*) to be nose-heavy.

appruàto a. **1** (*naut.*) down by the head **2** (*aeron.*) nose-heavy.

♦**appuntaménto** m. appointment; date (*fam.*); rendezvous (*franc.*): **a. amoroso**, date; **a. d'affari**, business appointment; **dare a. a q.**, to arrange to meet sb.; **darsi un a. in centro**, to agree to meet in town; **disdire un a.**, to cancel an appointment; **fissare un a.**, to fix an appointment; **mancare a un a.**, to fail to keep an appointment; not to turn up; **prendere a. per lunedì**, to make an appointment for Monday; **ricevere su a.**, to receive by appointment; **rispettare un a.**, to keep an appointment; **luogo dell'a.**, meeting place ● **casa d'appuntamenti**, brothel; house used by call girls □ (*fig.*)

mancare all'a. (*deludere*), to disappoint; to fail to deliver (*fam.*) ❶FALSI AMICI • appuntamento amoroso *non si traduce con* appointment.

appuntàre ① Ⓐ v. t. **1** (*rendere appuntito*) to sharpen; to point **2** (*attaccare con spilli*) to pin: *Appuntò un nastro al vestito*, she pinned a ribbon to her dress **3** (*fig.: rivolgere*) to pin; to set*; to fix: **a. gli occhi su qc.**, to fix one's eyes on st.; **a. le proprie speranze su qc.**, to pin one's hopes on st. Ⓑ **appuntàrsi** v. i. pron. (*rivolgersi*) to turn (to); to be directed (at); to be pinned (on): *Il suo sguardo si appuntò su di noi*, he pinned (*o* fixed) his eyes on us.

appuntàre ② v. t. (*annotare*) to note down; to make* a note of.

appuntàre m. (*mil.*) lance corporal (in the Carabinieri).

appuntellàre v. t. to prop; to stay; to shore up.

appuntino avv. = **a puntino** → puntino.

♦**appuntìre** v. t. to sharpen; to point.

appuntìto a. sharp; pointed: **matita appuntita**, sharp pencil; **mento a.**, pointed chin.

♦**appùnto** ① m. **1** (*nota*) note: **consultare i propri appunti**, to refer to one's notes; **prendere appunti**, to take notes; **prendere un a. di qc.**, to make a note of st. **2** (*critica*) criticism; (*rimprovero*) reproach, reprimand: **fare un a. a q.**, to criticize sb.; to reprimand sb.

♦**appùnto** ② avv. exactly; precisely; (*proprio*) just: *È a. come ti dicevo*, that's exactly as I was telling you; *Cercavo a. te*, you're just the person I was looking for; *È (per l') a. su questo che volevo consultarti*, that is precisely what I wanted to discuss with you; «*Ma non doveva telefonare?*» «*A.*», «wasn't she supposed to phone?» «precisely».

appuraménto m. ascertainment; verification; check: **a. dei fatti**, verification of the facts.

appuràre v. t. **1** (*accertare*) to ascertain; to find* out; to establish; to determine: **a. la verità**, to ascertain (*o* to establish) the truth; *Dobbiamo a. quando arriveranno*, we must determine (*o* find out) when they are arriving **2** (*verificare*) to verify; to check **3** (*chiarire*) to clear up.

Apr. abbr. (**aprile**) April (Apr.).

aprassìa f. (*med.*) apraxia.

apribàlle m. inv. (*ind. tess.*) bale-breaker.

aprìbile a. that can be opened; openable; (*allungabile*) extendable ● (*autom.*) **tetto a.**, sliding roof; sunroof.

apribòcca m. inv. (*med.*) gag.

apribottìglie m. inv. bottle-opener.

apribùste m. inv. envelope-opener.

aprìco a. (*lett.*) sunny.

♦**aprìle** m. April: **l'a. scorso** [**prossimo**], last [next] April; *Oggi è il 15 a.*, today is the 15th of April; today is April the 15th; **nato il 5 (di) a.**, born on the fifth [5th] of April (*o* on April the fifth, on April 5); **in (o di) a.**, in April; **nell'a. del 1994**, in April 1994; **una bella giornata di a.**, a fine April day; **il primo d'a.**, All Fools' Day; April Fools' Day; **pesce d'a.** → pesce ● (*prov.*) A. non ti scoprire, ne'er cast a clout till May is out.

a priòri (*lat.*) Ⓐ loc. agg. a priori Ⓑ loc. avv. a priori; beforehand.

apriorìsmo m. (*filos.*) apriorism.

apriorìstico a. a priori (attr.): **giudizio a.**, a priori judgment.

apriorità f. a priori nature.

apripìsta Ⓐ m. e f. inv. **1** (*sport*) forerunner **2** (*fig.*) trailblazer Ⓑ m. inv. (*mecc.*) bulldozer.

apripòrta m. inv. door remote control.

a
b
c
d
e
f
g
h
i
j
k
l
m
n
o
p
q
r
s
t
u
v
w
x
y
z

◆**aprire** Ⓐ v. t. **1** to open, to open up; (*con chiave*) to unlock; (*con manopola*) to turn on; (*distendere, spiegare*) to open, to unfold, to unfurl; (*scartare*) to unwrap: **a. una bottiglia**, to open a bottle; **a. un cassetto**, to open (*o* to pull open, to pull out) a drawer; (*elettr.*) **a. un circuito**, to open a circuit; **a. il proprio cuore a un amico**, to open one's mind to a friend; **a. il gas**, to turn on the gas; **a. un giornale**, to open (*o* to unfold, to spread out) a newspaper; **a. un libro**, to open a book; **a. la mano**, to open one's hand; (*fig.*) **a. la mente a q.**, to open sb.'s mind; **a. un ombrello**, to open (*o* to unfurl) an umbrella; **a. la porta**, to open the door; (*con chiave*) to unlock the door; **a. la porta con un calcio**, to kick the door open; **a. il pugno**, to unclench one's fist; **a. un regalo**, to open (*o* to unwrap) a present; **a. il rubinetto**, to turn on the tap (*USA* the faucet); **a. le tende**, to draw back the curtains; *A che ora aprite (il negozio)?*, what time do you open up?; *Aprite (la porta) o la sfondo!*, open up or I'll break the door down! **2** (*scavare*) to dig*: **a. un fossato**, to dig a ditch **3** (*cominciare, dare il via*) to open; to begin*; to start: (*comm.*) **a. un conto**, to open an account; **a. un dibattito [una seduta]**, to open a debate [a meeting]; (*mil.*) **a. il fuoco**, to open fire; (*econ.*) **a. un mercato**, to open up a market; **a. una sottoscrizione**, to start up a collection **4** (*inaugurare*) to open; to set* up; to start; to inaugurate: **a. un bar [una scuola]**, to open a bar [a school]; **a. una mostra**, to open (*o* to inaugurate) an exhibition **5** (*essere in testa a*) to head; to lead*: **a. un corteo [un elenco]**, to head a procession [a list]; *La banda apriva la colonna*, the band led the column **6** (*assol., nei giochi di carte*) to open; to lead*: **a. con un cuori**, to lead with a heart; (*poker*) **a. al buio**, to open blind ● **a. bocca**, to open one's mouth: **non a. bocca**, to keep silent (*o* quiet) □ **a. bottega**, to set up shop □ (*fig.*) **a. le braccia a q.**, to welcome sb. with open arms □ **a. la casa** (*agli ospiti*), to throw open one's house □ (*fig.*) **a. una porta a q.**, to give an opening to sb. □ **a. uno spiraglio**, to open a crack; to let in some light (*o* some air) □ (*leg.*) **a. un testamento**, to read a will □ **a. la via a nuovi progressi**, to pave the way for further progress □ **aprirsi la strada a fatica**, to force one's way through □ **aprirsi la via combattendo**, to fight one's way (through st.) □ (*alpinismo*) **a. una nuova via**, to open a new route Ⓑ v. i. **1** to open: *Quando aprono le scuole?*, when do schools open? **2** (*fig. polit.*) to look for a new alliance; to make* overtures; **a. a destra**, to make overtures to the Right Ⓒ **aprirsi** v. i. pron. **1** to open: *La porta si aprì adagio [si aprì con violenza]*, the door opened slowly [burst open]; *La finestra si apre sul cortile*, the window opens on to the courtyard **2** (*allargarsi*) to open out; to widen; to broaden: *La valle si aprì alla vista*, the valley opened (out) before our eyes; *Più avanti la strada si apriva*, the road widened further on; *Il suo viso si aprì in un sorriso*, his face broadened into a smile; *La mente si apre con lo studio*, the mind is broadened through study **3** (*fendersi*) to crack open; to split* open: *La terra si aprì*, the ground split open **4** (*cominciare*) to open; to begin*: *Il racconto si apre con una rapina*, the story opens with a hold-up; *Si apriva un periodo difficile*, a difficult period lay ahead **5** (*rasserenarsi*) to clear up: *Il cielo si è un po' aperto*, the sky has cleared up a little Ⓓ **aprirsi** v. rifl. (*confidarsi*) to open one's mind (to); to confide (in); to open out (*o* up) (to).

apriscàtole m. inv. tin opener; can opener (*USA*).

apritóio m. (*ind. tess.*) willow; opener.

àpside f. (*astron.*) apsis*; apse.

APT sigla (**Azienda di promozione turistica**) Tourism Promotion Agency.

aptène m. (*fisiol.*) hapten.

àptero a. **1** (*zool.*) apterous; wingless **2** (*scult.*) wingless **3** (*archit.*) apteral.

àptica f. (*fisiol., tecn.*) haptics (pl. col verbo al sing.).

àptico a. (*fisiol., tecn.*) haptic.

aptoglobìna f. (*biochim.*) haptoglobin.

AQ abbr. (**L'Aquila**).

aquagym f. (*sport*) aquarobics, aquaerobics, water aerobics (col verbo al sing.).

◆**àquila** f. **1** (*zool., arald., mil.*) eagle: **a. bicipite**, double eagle; **a. ad ali spiegate**, spread eagle; **a. reale** (*Aquila chrysaëtus*), golden eagle; **le aquile romane**, the Roman eagles **2** (*fig.*) genius: *Non è un'a.*, he's no genius **3** (*zool.*) – **a. di mare** (*Haliaëtus albicilla*), erne; sea-eagle; **a. di mare dalla testa bianca** (*Haliaëtus leucocephalus*), bald eagle; **a. marina** (*Myoliobatis aquila*), eagle ray ● **dagli occhi d'a.**, eagle-eyed □ (*fig.*) **occhio d'a.**, eagle eye □ **sguardo d'a.**, piercing eyes.

aquilàno Ⓐ a. of Aquila; from Aquila Ⓑ m. (f. **-a**) native [inhabitant] of Aquila.

aquilègia f. (*bot., Aquilegia vulgaris*) columbine; aquilegia.

aquilino a. **1** eagle (attr.) **2** (*adunco*) aquiline: **naso a.**, aquiline nose; **profilo a.**, aquiline profile.

aquilóne① m. (*vento*) north wind.

◆**aquilóne**② m. **1** (*gioco*) kite **2** (*deltaplano*) hang-glider **3** (*divergente*) otter (board).

aquilòtto m. **1** (*zool.*) eaglet; young eagle **2** (*fig.*) trainee pilot.

AR sigla **1** (**Arezzo**) **2** (*posta*, **avviso di ricevimento o riscossione** (*correntemente* **ricevuta di ritorno**)) return receipt (*of letter or money*).

àra① f. (*lett.: altare*) altar.

àra② f. (*misura*) are.

àra③ f. (*zool., Ara*) macaw.

ARA sigla (**auto respiratore ad aria**) scuba gear.

arabésca f. (*mus., danza*) arabesque.

arabescàre v. t. **1** to decorate with arabesques **2** (*disegnare*) to decorate (with drawings).

arabescàto a. **1** (*decorated in*) arabesque **2** (*decorato*) decorated (with drawings).

arabésco m. **1** arabesque **2** (*disegno elaborato*) arabesque; tracery; curlicue; flourish.

aràbico a. Arabic; Arabian: **il deserto a.**, the Arabian desert; **gomma arabica**, gum arabic.

aràbile a. (*agric.*) arable.

arabìsmo m. Arabism.

arabìsta m. e f. Arabist.

arabizzàre Ⓐ v. t. to Arabize Ⓑ **arabizzàrsi** v. i. pron. to become* Arabized.

àrabo Ⓐ a. Arab; (*dell'Arabia*) Arabian; (*ling.*) Arabic: **costumi arabi**, Arab costumes; **un cavallo a.**, an Arab (horse); **la Lega Araba**, the Arab League; **numeri arabi**, Arabic numbers; **i paesi arabi**, the Arab countries; **il popolo a.**, the Arab people Ⓑ m. **1** (f. **-a**) Arab **2** (*ling.*) Arabic ● *Questo è a. per me*, it's all Greek (*o* double Dutch) to me.

àrabo-israeliàno a. Arab-Israeli.

aràchide f. **1** (*bot., Arachis hypogaea*) peanut **2** (*frutto*) peanut; groundnut: **burro di arachidi**, peanut butter; **olio di arachidi**, peanut oil; arachis oil.

aràcnide m. (*zool.*) arachnid; (al pl., *scient.*) Arachnida.

aracnidìsmo m. (*med.*) arachnidism.

aracnofobìa f. (*psic.*) arachnophobia.

aracnòide f. (*anat.*) arachnoid.

aracnoidèo a. (*anat.*) arachnoid.

aracnoidìte f. (*med.*) arachnoiditis.

Aragóna f. (*geogr.*) Aragon.

aragonése a., m. e f. Aragonese: **gli Aragonesi**, the Aragonese.

aragonìte f. (*miner.*) aragonite.

aragòsta Ⓐ f. (*zool., Palinurus vulgaris*) (spiny) lobster; crayfish*; crawfish* (*USA*) Ⓑ a. inv. lobster (attr.): **color a.**, lobster colour; lobster pink.

aràldica f. heraldry.

aràldico a. heraldic: **insegna araldica**, heraldic device; **stemma a.**, coat of arms.

araldìsta m. e f. heraldist.

aràldo m. (*anche fig.*) herald.

aràlia f. (*bot.*) aralia.

aramàico a. e m. Aramaic.

arancéto m. orange grove.

◆**arància** f. orange: **a. amara**, Seville orange; **a. sanguigna**, blood orange; **buccia** (*o* **scorza**) **d'a.**, orange peel; **marmellata di a.**, (orange) marmalade; **spremuta d'a.**, fresh orange juice, squeezed orange; **succo d'a.**, orange juice.

◆**aranciàta** f. orange drink; orangeade.

aranciàto a. orange, orange-coloured; orange-red.

arancièra f. orangery.

arancìno① a. orangey; orange-like.

arancìno② m. (*cucina*) croquette.

◆**aràncio** m. **1** (*bot., Citrus aurantium*) orange (tree): **fiori d'a.**, orange blossoms **2** (*frutto*) → **arancia 3** (*colore*) orange.

◆**arancióne** Ⓐ a. orange Ⓑ m. **1** orange **2** (*fam.*) Hare Krishna.

◆**aràre** v. t. **1** to plough, to plow (*USA*) **2** (*naut., anche assol.*) to drag.

aratìvo a. arable.

aratóre m. ploughman*, plowman* (*USA*).

◆**aràtro** m. plough, plow (*USA*): **a. talpa**, mole plough.

aratùra f. **1** (*l'arare*) ploughing, plowing (*USA*) **2** (*stagione*) ploughing season.

araucàno a. e m. (f. **-a**) Araucanian.

araucària f. (*bot., Araucaria*) araucaria; monkey puzzle (tree).

arazzerìa f. **1** (*arte*) tapestry weaving **2** (*manifattura*) tapestry manufactory **3** (*arazzi*) tapestries (pl.).

arazzière m. (f. **-a**) tapestry weaver.

aràzzo m. tapestry; arras; hanging: **pareti coperte di arazzi**, walls hung with tapestries.

àrbitra f. → **arbitro**.

arbitràggio m. **1** (*sport: calcio, basket, golf, lotta, boxe*) refereeing; (*baseball, cricket, hockey, polo, sci, nuoto, tennis*) umpiring, umpirage **2** (*leg.*) arbitration: **ricorrere all'a.**, to go to arbitration **3** (*Borsa*) arbitrage; arbitraging.

arbitraggìsta m. e f. (*Borsa*) arbitrageur; arbitrager.

arbitràle a. **1** (*sport*) referee's (attr.): umpire's (attr.): **decisione a.**, referee's decision **2** (*leg.*) arbitral; arbitration (attr.); arbitrator's (attr.): **clausola a.**, arbitration clause; **collegio a.**, board of arbitrators; **lodo a.**, umpirage; arbitrator's award.

arbitràre v. t. **1** (*leg.*) to arbitrate; to umpire; to act as arbitrator **2** (*Borsa*) to arbitrate **3** (*sport: calcio, basket, boxe, ecc.*) to referee; (*baseball, cricket, tennis, nuoto, ecc.*) to umpire.

arbitrarietà f. arbitrariness.

arbitràrio a. arbitrary.

arbitràto m. arbitration; (*leg., anche*) um-

a

piring: **a. internazionale**, international arbitration; **rimettersi all'a. di q.**, to submit to sb.'s arbitration; **risolvere una controversia per a.**, to settle a dispute by arbitration; **sottoporsi ad a.**, to go to arbitration.

arbitratóre m. (*leg.*) arbitrator; umpire.

arbitrio m. **1** (*facoltà di scelta*) will; (*discrezione*) discretion; (*giudizio*) judgment; (*filos.*) **libero a.**, free will; **agire secondo il proprio a.**, to act at one's discretion; to follow one's judgment; **dipendere dall'a. di q.**, to be subject to sb.'s will; **ad a.**, arbitrarily; **a proprio a.**, as one pleases **2** (*licenza*) liberty; licence: **prendersi l'a. di fare qc.**, to take the liberty of doing st. **3** (*atto arbitrario*) arbitrary act; (*sopruso*) abuse.

♦**àrbitro** m. (f. **-a**) **1** (*chi è libero di decidere*) (*fig.*) arbiter (f. arbitress): **a. dell'eleganza**, arbiter of taste; **a. del proprio destino**, arbiter of one's destiny **2** (*leg.*) arbitrator: **fare da a.**, to act as an arbitrator; to arbitrate; **terzo a.**, umpire **3** (*sport*: *calcio, basket, boxe, ecc.*) referee; (*baseball, cricket, tennis, nuoto*) umpire; **fare da a.**, to act as an umpire (*o* a referee) **4** (*di concorso, ecc.*) adjudicator.

arbòreo a. arboreal.

arborescènte a. arborescent.

arborescènza f. arborescence.

arboréto m. arboretum*.

arborìcolo a. arbóreal.

arboricoltóre m. (f. **-trice**) arboriculturist.

arboricoltùra f. arboriculture.

arborizzazióne f. (*anat.*) arborization.

arboscèllo m. sapling.

arbustàceo a. shrubby.

arbustìvo a. shrubby; frutescent.

arbùsto m. shrub.

arbùto m. (*bot., Arbutus*) arbutus.

àrca f. **1** (*sarcofago*) sarcophagus* **2** ark: (*Bibbia*) **l'A. dell'Alleanza**, the Ark of the Covenant; **l'a. di Noè**, Noah's ark ● (*fig.*) **a. di scienza**, walking encyclopaedia □ **vecchio come l'a. di Noè**, as old as the hills; antediluvian.

àrcade **A** a. Arcadian **B** m. **1** (*abitante dell'Arcadia*) Arcadian **2** (*membro dell'Accademia dell'Arcadia*) member of the Arcadian Academy **3** (*fig., letter.*) mannered, mawkish writer.

Arcàdia f. **1** (*geogr.*) Arcadia **2** (*fig.*) Arcadia; Arcady **3** (*Accademia*) Arcadian Academy.

arcàdico a. **1** (*geogr. e fig.*) Arcadian **2** (*dell'Accademia dell'Arcadia*) of the Arcadian Academy **3** (*fig. letter.*) mannered; mawkish.

arcaicità f. antiquity, ancientness; (*antiquatezza*) archaism.

arcaicizzàre e deriv. → **arcaizzare**, e deriv.

arcàico a. archaic; ancient.

arcaìsmo m. archaism.

arcaìsta m. e f. archaist.

arcaìstico a. archaistic.

arcaizzànte a. archaizing.

arcaizzàre v. i. to archaize.

arcàle m. arch; archway.

arcàngelo m. archangel.

arcàno **A** a. arcane; mysterious **B** m. mystery; arcanum*: **svelare l'a.**, to solve the mystery.

arcaréccio m. (*edil.*) purlin.

arcàta f. **1** (*arco*) arch; (*passaggio*) archway; (*serie d'archi*) arches (pl.), arcade **2** (*anat.*) arch: **a. dentale**, dental arch; **a. sopraccigliare**, arch of the eyebrows **3** (*mus.*) bowing.

arcatèlla f. (*archit.*) small arch.

arcàto a. arched.

arcàvolo m. (f. **-a**) great-great-grandfather.

Arch. abbr. (**architetto**) architect (Arch.).

archeggiàre v. i. (*mus.*) to bow.

archeggiatùra f. (*archit.*) series of arches.

archéggio m. (*mus.*) bowing.

archegònio m. (*bot.*) archegonium*.

archeoastronomìa f. archaeoastronomy; astro-archaeology.

archeobiologìa f. archaeobiology.

archeobotànica f. archaeobotany.

archeografìa f. description of ancient monuments.

archeologìa f. archaeology: **a. industriale**, industrial archaeology.

archeològico a. archaeological.

archeòlogo m. (f. **-a**) archaeologist.

archeottèrige m. (*paleont.*) archaeopteryx.

archeozòico a. e m. (*geol.*) Archeozoic.

archetìpico a. archetypal; archetypical.

archètipo **A** m. archetype **B** a. archetypal.

archétto m. **1** (*mus.*) bow **2** (*archit.*) small arch **3** (*caccia*) bird snare.

archiacùto a. (*archit.*) ogival.

archiàtra m. chief physician.

archibugiàta f. **1** (*colpo*) arquebus (*o* harquebus) shot **2** (*ferita*) arquebus (*o* harquebus) wound.

archibugière m. (*stor.*) arquebusier, harquebusier.

archibùgio m. (*stor.*) arquebus, harquebus; hackbut.

archicèmbalo m. (*mus.*) harpsichord.

archidiòcesi f. archdiocese.

archiepiscopàle a. archiepiscopal.

archilochèo a. (*poesia*) Archilochian.

Archìloco m. (*letter.*) Archilocus.

archimandrìta m. (*eccles.*) archimandrite.

Archimède m. (*stor.*) Archimedes.

archipèndolo, archipènzolo m. plumb-rule.

architétta f. → **architetto**.

architettàre v. t. **1** to plan; to design **2** (*fig.*) to plan; to engineer; (*macchinare*) to scheme; to plot; (*inventare*) to think* up: **a. una congiura**, to plan a conspiracy; **a. una manovra**, to engineer a manoeuvre; **a. una scusa**, to think up an excuse; *Chissà cosa sta architettando?*, what is he up to, I wonder?

♦**architétto** m. (f. **-a**) **1** architect: **a. paesaggista**, landscape architect **2** (*fig.*) architect; planner.

architettònico a. architectural; architectonic.

architettùra f. **1** (*anche comput.*) architecture **2** (*fig.*) architecture; structure; construction.

architravàto a. architraved; trabeated.

architravatùra f. (*archit.*) trabeation.

architràve m. architrave; (*di apertura, anche*) lintel.

archiviàre v. t. **1** to place in the archives; to record; (*comm.*) to file, to place on file; to archive: **a. in ordine alfabetico [di data]**, to file alphabetically [by date] **2** (*fig.: accantonare*) to shelve; to table (*USA*); to let* drop **3** (*leg.*) to dismiss: **a. un processo**, to dismiss a case **4** (*comput.*) to store; to archive.

archiviazióne f. **1** registration; recording; (*comm.*) filing **2** (*leg.*) dismissal; closure.

archìvio m. **1** (*raccolta*) archives (pl.); records office; records (pl.): **l'a. di famiglia**, the family records; *A. di Stato*, State Archives; **gli archivi della RAI**, the RAI archives; **materiale d'a.**, records (pl.); archive material; **ricerche d'a.**, archive research **2** (*comm.*) files (pl.); file: **a. centrale**, central files; **in a.**, on the files; **cercare in a.**, to go through the files **3** (*luogo*) archive; (*comm.*) file room **4** (*comput.*) file: **a. permanente**, master file.

archivìsta m. e f. **1** archivist **2** (*comm.*) file (*o* filing) clerk.

archivìstica f. archive-keeping.

archivìstico a. archival; archive (attr.); record (attr.).

archivòlto m. (*archit.*) archivolt.

ARCI sigla (**Associazione ricreativa culturale italiana**) Italian Recreational and Cultural Association.

Arcibàldo m. Archibald.

arcibasìlica f. (main) basilica.

arcibisnònno m. (f. **-a**) great-great-great-grandfather (f. great-great-great-grandmother).

arciconfratèrnita f. archconfraternity.

arcicontènto a. (*fam.*) more than happy; delighted; overjoyed.

arcidiaconàto m. archdeaconry; archdeaconship.

arcidiàcono m. archdeacon.

arcidiàvolo m. **1** archfiend **2** (*bot., pop.*: *Celtis occidentalis*) hackberry.

arcidiòcesi f. archdiocese.

arcidùca m. archduke.

arciducàle a. archducal.

arciducàto m. archduchy.

arciduchéssa f. archduchess.

arcièra f. **1** (*archit.*) loophole; embrasure **2** → **arciere**, *def. 2.*

arcière m. **1** (*mil. stor.*) bowman* **2** (f. **-a**) archer.

arcigno a. (*severo*) stern, forbidding, grim, dour; (*sdegnoso*) scornful; (*acido*) sour.

arciliùto m. (*mus.*) archlute.

arcinòto a. very familiar; known to all and sundry.

arcionàto a. with saddlebows.

arcióne m. **1** (*anteriore*) saddlebow; (*posteriore*) cantle **2** (*sella*) saddle: **montare in a.**, to get into the saddle; to get on horseback; **stare bene in a.**, to hold oneself well in the saddle.

arcipèlago m. archipelago*.

arciprète m. archpriest; dean.

arcipretùra f. archpriesthood; deanship; deanery.

arcistùfo a. fed up; sick and tired.

arcivescovàdo, arcivescovàto m. **1** (*ufficio e giurisdizione*) archbishopric **2** (*sede*) archbishop's palace.

arcivescovìle a. archiepiscopal; archbishop's (attr.): **sede a.**, archbishop's see.

arcivéscovo m. archbishop.

♦**àrco** m. **1** (*arma, sport*) bow: **tendere l'a.**, to draw the bow; **corda d'a.**, bowstring; **tiro con l'a.**, archery **2** (*geom.*) arc: **a. di cerchio**, arc of a circle **3** (*archit.*) **a. a sesto acuto**, pointed (*o* lancet, Gothic) arch; **a. a sesto ribassato**, segmental arch; **a. a tutto sesto**, round (*o* Roman) arch; **a. cieco**, dead arch; **a. rampante**, flying buttress; rampant arch; **a. trionfale**, triumphal arch; **gli archi d'un ponte**, the arches of a bridge **4** (*forma, struttura arcuata*) arc; (*anat.*) **a. dell'aorta**, arch of the aorta; **l'a. del cielo**, the arc of the sky; **a. del piede**, arch (of the foot); **a. delle sopracciglia**, arch of the eyebrows; (*astron.*) **a. diurno [notturno]**, diurnal [nocturnal] arc; (*geol.*) **a. insulare**, island arc; (*fisiol.*) **a. riflesso**, reflex arc; **ad**

a., arched; **piegare qc. ad a.**, to bend st. into an arc; **formare un a. su qc.**, to arch over st.; (*polit. ital.*) **i partiti dell'a. costituzionale**, the parties which drew up the Italian constitution **5** (*mus.*: *archetto*) bow; (al pl.: *strumenti*) strings: **musica per archi**, music for strings; **quartetto d'archi**, string quartet; **strumento ad a.**, string instrument **6** (*fis., mecc.*) arc: **a. d'ingrandimento**, overlap arc; **a. voltaico**, electric arc; **lampada ad a.**, arc lamp **7** (*fig.*: *durata*) span; space: **a. di tempo**, space (*o* period) of time; **l'a. della vita**, the span of sb.'s life; **nell'a. di due anni**, in the space of two years; over two years.

♦**arcobaléno** m. rainbow ● **diventare di tutti i colori dell'a.**, to go every colour of the rainbow.

arcolàio m. wool winder; swift.

arcontàto m. (*stor. greca*) archonship; arcontate.

arcónte m. (*stor. greca*) archon.

arcoscènico m. (*teatr.*) proscenium arch.

arcosecànte f. (*mat.*) arc secant.

arcoséno m. (*mat.*) arcsine.

arcosòlio m. arcosolium*; arched niche (in a catacomb).

arcotangènte f. (*mat.*) arctangent.

arcuàre v. t., **arcuàrsi** v. rifl. e i. pron. (*piegare, piegarsi*) to curve, to bend* (*inarcare, inarcarsi*) to arch.

arcuàto a. arched; curved; bent; arcuate: **gambe arcuate**, bow legs; bandy legs; **schiena arcuata**, bent (*o* curved) back; **soffitto a.**, vaulted ceiling; **sopracciglia arcuate**, arched eyebrows.

ardènte a. **1** burning; blazing; (*infocato*) red-hot: **carboni ardenti**, burning (*o* live) coals; **fiamme ardenti**, burning flames; **una fronte a. di febbre**, a forehead burning with fever **2** (*fig.*: *appassionato*) burning; ardent; fervent; passionate; (*focoso*) fiery, hot-blooded: **animo a.**, fiery spirit; **desiderio a.**, burning (*o* passionate) desire; **passione a.**, burning (*o* ardent) passion; **un a. sostenitore di qc.**, a passionate supporter of st. **3** (*naut.*) griping ● **camera a.**, mortuary chapel; chapel of rest.

ardenteménte avv. passionately; ardently; fervently.

àrdere Ⓐ v. t. **1** (*bruciare, anche fig.*) to burn*: **a. legna**, to burn wood; **legna da a.**, firewood **2** (*disseccare*) to parch; to scorch; to dry up Ⓑ v. i. **1** (*di fuoco*) to burn*; to blaze; (*essere a fuoco*) to be on fire, to be ablaze: *Un lume ardeva alla finestra*, a light was burning in the window; *Questa legna non arde bene*, this wood doesn't burn well; *Un bel fuoco ardeva nel camino*, a strong fire blazed in the fireplace; *La casa ardeva tutta*, the whole house was on fire (*o* was ablaze) **2** (*essere molto caldo*) to burn*: **a. di febbre**, to be burning with fever **3** (*fig.*) to burn*; to glow; to be ablaze: **a. d'amore**, to burn with love; **a. d'ira [di zelo]**, to burn with rage [with zeal] **4** (*infuriare*) to rage: *Ardeva il combattimento*, the fight was raging.

ardèsia Ⓐ f. (*miner.*) slate: **cava di a.**, slate quarry; **coprire con tegole di a.**, to slate; **copertura d'a.**, slating Ⓑ a. inv. slate (attr.); slaty: **grigio a.**, slate grey.

ardiménto m. daring; boldness; bravery.

ardimentóso a. daring; intrepid; bold; brave.

ardìre Ⓐ v. i. to dare*; to venture: *Non ardì protestare*, he didn't dare (to) complain Ⓑ m. **1** (*coraggio*) courage; daring; boldness: **prendere a.**, to pluck up one's courage; **prendersi l'a. di fare qc.**, to venture to do st. **2** (*impudenza*) temerity; impudence: *Ebbe l'a. di chiedere un prestito*, she had

the temerity to ask for a loan.

arditézza f. boldness; temerity.

ardìto Ⓐ a. **1** (*coraggioso*) bold, brave, courageous, daring; (*intrepido*) fearless, intrepid: **parole ardite**, bold words; **farsi a.**, to pluck up one's courage **2** (*rischioso*) risky; hazardous: **un'impresa ardita**, a risky venture **3** (*fig.*: *originale*) daring; bold; audacious: **un'immagine ardita**, a daring image; **teorie ardite**, audacious theories **4** (*insolente*) audacious; impertinent; forward: **complimento a.**, audacious compliment; **essere un po' troppo a.**, to be impertinent; to take too many liberties Ⓑ m. pl. (*mil.*) shock troops.

ardóre m. **1** (*calore*) fierce heat **2** (*fig.*: *passione*) ardour, ardor (*USA*), passion; (*fervore*) fervour, fervor (*USA*), eagerness, heat: **amare con a.**, to love ardently; **lavorare con a.**, to work eagerly.

àrduo a. **1** (*difficile*) arduous; hard; difficult **2** (*ripido*) steep.

♦**àrea** f. **1** (*geom.*) area **2** (*spazio di terreno*) land; site; lot: **a. fabbricabile**, building site; building lot **3** (*zona*) zone; area: (*meteor.*) **a. di alta [bassa] pressione**, high [low] (*econ.*) **l'a. del dollaro**, the dollar area; **a. depressa**, depressed area; **a. di servizio**, service area; **a. edificata**, built-up area; **a. linguistica**, linguistic area; (*polit.*) **partito di a. centrista**, centre party **4** (*ambito*) field: **a. di interesse**, field of interest; line **5** (*sport: calcio*) area: **a. di gioco**, field; **a. di porta**, goal area; goal mouth; **a. di rigore**, penalty area **6** (*comput.*) area: **a. di programma**, program storage.

areàle Ⓐ a. areal: (*fis.*) **velocità a.**, areal velocity Ⓑ m. (*biol.*) distributional area.

arèca f. **1** (*bot.*, *Areca catechu*) areca **2** (*frutto*) areca nut.

areligióso a. areligious.

arèlla f. reed trellis; (*edil.*) reed wattle Ⓤ.

àrem → **harem**.

arèna① f. **1** (*campo di gara, anfiteatro*) arena; (*per corride*) bullring **2** (*fig.*) arena; field: **l'a. politica**, the political arena; **scendere nell'a.**, to enter the lists.

arèna② f. (*sabbia*) sand.

arenaménto m. **1** (*naut.*) running aground; stranding **2** (*fig.*) standstill; deadlock **3** (*deposito di sabbia*) silt; sandbank.

arenàre v. i., **arenàrsi** v. i. pron. **1** (*naut.*) to run* aground; (*anche di balena, ecc.*) to become* stranded **2** (*fig.*) to get* stuck; to come* to a standstill; to reach a deadlock: *Mi sono arenato sul calcolo degli interessi*, I got stuck on the calculation of the interest; *Le trattative si sono arenate*, the talks have reached a deadlock.

arenària f. **1** (*geol.*) sandstone **2** (*bot.*) – **a. comune** (*Arenaria*), sandwort.

arengàrio m. (*stor.*) communal palace.

aréngo m. (*stor.*) communal assembly.

arenìcola f. (*zool.*, *Arenicola*) lobworm; lugworm.

arenìcolo a. arenaceous; arenicolous.

arenìle m. sandy shore.

arenóso a. sandy; sand (attr.); arenaceous (*scient.*).

arèola f. (*anat.*) areola*.

areolàto a. (*anat.*) areolate.

areometrìa f. (*fis.*) areometry; hydrometry.

areòmetro m. (*fis.*) areometer; hydrometer.

areopagìta m. (*stor.*) Areopagite.

areopagìtico a. Areopagitic.

areòpago m. (*stor.*) Areopagus.

aretìno Ⓐ a. of Arezzo; from Arezzo; Arezzo (attr.) Ⓑ m. native [inhabitant] of Are-

zzo.

argàli m. inv. (*zool.*, *Ovis ammon*) argali.

arganìsta m. e f. windlass operator; winch operator; winchman*.

àrgano m. capstan; hoist; (*verricello*) winch: **a. a mano**, monkey winch; (*naut.*) **a. dell'àncora**, capstan; **a. di sollevamento**, hoist; (*naut.*) **a. orizzontale**, windlass.

argentàre v. t. to silver; to silver-plate.

argentàto a. **1** silver-plated **2** (*color argento*) silvery; silver: **foglie argentate**, silvery leaves; **volpe argentata**, silver fox.

argentatóre m. (f. **-trice**) silver-plater.

argentatùra f. silvering; silver-plating.

argènteo a. silver (attr.); silvery: **capelli argentei**, silver hair; **un chiarore a.**, a silvery light.

argenterìa f. **1** silverware; silver; plate: **l'a. di famiglia**, the family silver; **a. da tavola**, silver service **2** (*negozio*) silverware shop; silversmith's.

argentière m. **1** silversmith **2** (*negozio*) silversmith's.

argentìfero a. argentiferous; silver-bearing.

argentìna f. (*moda*) crew-neck sweater.

argentìno① a. silvery: **voce argentina**, silvery voice.

argentìno② a. e m. (f. **-a**) Argentinian; Argentine.

argentìte f. (*miner.*) argentite.

♦**argènto** m. **1** silver: **a. battuto**, wrought silver; **a. dorato**, silver gilt; gilded silver; **capelli d'a.**, silver hair; **un chiarore d'a.**, a silvery light; **un vassoio d'a.**, a silver tray **2** (al pl.) (*lett.*: *argenteria*) silverware Ⓤ ● (*chim.*) **a. vivo**, quicksilver □ (*fig.*) **avere l'a. vivo addosso**, to be restless □ (*color*) **a.**, silver-coloured; (*arald.*) argent □ **nozze d'a.**, silver wedding.

argentóne m. nickel silver; German silver.

argìlla f. (*miner.*) clay: **a. da ceramista**, ball clay; (*edil.*) **a. espansa**, expanded clay; **a. grassa**, loam; rich clay; **a. refrattaria**, fire clay; **a. semiliquida**, slip; **a. smectica**, fuller's earth ● (*fig.*) **avere i piedi d'argilla**, to have feet of clay.

argillàceo a. argillaceous.

argillóso a. clayey; argillaceous.

arginaménto m. **1** banking; dyking, diking **2** (*fig.*) check; containment.

arginàre v. t. **1** (*un corso d'acqua*) to embank; to bank up **2** (*un'emorragia*) to staunch; to stanch **3** (*un terreno*) to dyke, to dike **4** (*fig.*) to check; to stem; to hold* back: **a. la corruzione [l'inflazione]**, to check corruption [inflation]; **a. la folla**, to hold back the crowd; **a. il nemico**, to check the enemy's advance; **a. la piena**, to stem the flood.

arginatùra f. (*argini*) embankment; dyke, dike.

àrgine m. **1** bank; embankment; (*diga*) dyke, dike; (*a. naturale di fiume*) levee (*USA*): *Il fiume ruppe gli argini*, the river burst its banks; **superare gli argini**, to overflow **2** (*fig.*: *ostacolo*) barrier; dyke: **fare da a.**, to act as a barrier; **porre a. a qc.**, to stem st.; **rompere ogni a.**, to break down all barriers **3** (*mil.*) earthwork **4** (*terrapieno*) embankment; earthwork.

argìnnide f. (*zool.*, *Argynnis aglaja*) fritillary.

argirìsmo m. (*med.*) silver-poisoning.

argironèta f. (*zool.*, *Argyroneta aquatica*) water-spider.

argìvo a. (*stor.*) Argive.

àrgo① m. watchful person; vigilant guardian.

àrgo② m. (*zool.*, *Argusianus argus*) great ar-

gus.

àrgo ③ m. (*chim.*) argon.

Àrgo ① m. (*mitol.*) Argus.

Àrgo ② m. (*geogr.*) Argos.

argòlico a. of the Argolis; Argive.

argomentàbile a. inferable; deducible.

argomentàre **A** v. t. to infer; to deduce **B** v. i. to argue; to reason **C** m. reasoning.

argomentativo a. argumentative.

argomentatóre m. (f. *-trìce*) arguer; reasoner.

argomentazióne f. **1** arguing; reasoning **2** argument; reasoning.

♦**argoménto** m. **1** (*materia, oggetto*) subject; subject-matter; matter; topic; point: **a. di conversazione**, topic for conversation; conversation topic; **l'a. del libro**, the subject of the book; **l'a. in discussione**, the matter (*o* point) under discussion (*o* at issue); **affrontare un a.**, to broach a subject; **allontanarsi dall'a.**, to stray from the point; **attenersi all'a.**, to keep to the point; **cambiare a.**, to change the subject; **dichiarare chiuso l'a.**, to declare the matter closed; **entrare in a.**, to come to the point; **esulare dall'a.**, to be beside the point; **trattare un a.**, to discuss a subject (*o* a topic); **un romanzo di a. politico**, a political novel **2** (*ragionamento*) argument: **addurre** [**ribattere**] **un a.**, to advance [to refute] an argument **3** (*motivo, ragione*) motive; reason; grounds (pl.) **4** (*mat.*) argument ● (*leg.*) **a. di difesa**, plea.

àrgon → **argo** ③.

argonàuta ① m. (*zool.*, *Argonauta argo*) argonaut; paper nautilus*.

argonàuta ② m. (*mitol.*) Argonaut.

arguire v. t. to conclude; to gather; to infer; to deduce: *Arguii che non avrebbe accettato*, I concluded she wasn't going to accept; *Dalla sua espressione arguii che mentiva*, from the look on his face I deduced he was lying; *Arguisco che non ti piace*, I gather you don't like it; *Che cosa dovrei arguirne?*, what conclusion should I draw?

argutézza f. wit; wittiness.

argùto a. **1** (*spiritoso*) witty; sharp-witted: **frase arguta**, witty remark; witticism; quip; **una persona arguta**, a witty (*o* sharp-witted) person; a wit **2** (*fig., di viso, ecc.*) humorous; (*penetrante*) sharp, penetrating.

argùzia f. **1** wit **2** (*motto arguto*) witty remark; witticism; quip.

ARI sigla (**Associazione radioamatori italiani**) Italian Association of Radio Amateurs.

♦**ària** f. **1** air: **a. buona**, pure (*o* fresh) air; **a. chiusa**, stale air; **a. di mare** [**di montagna**], sea [mountain] air; **a. ferma**, still air; **a. fine**, rarefied air; **a. viziata** (*o* **pesante**), stuffiness; closeness, foul air; fug (*GB*) *Qui c'è a. viziata*, it's stuffy in here; **cambiare l'a.** (**in una stanza**), to air a room; **a mez-z'a.**, in mid-air; mid-air (attr.); **in a.** (*o* **per a.**), in the air; **camminare col naso in** (*o* **per**) **a.**, to walk with one's nose in the air; **lanciare in a. qc.**, to toss st. in the air; **un soffio** (*o* **un filo**) **d'a.**, a breath of air **2** (*corrente d'a.*) draught, draft (*USA*): *Sento a.*, I can feel a draught; *Tira a.*, it's draughty **3** (*espressione*) expression, air; (*aspetto*) look, aspect; (*modo*) manner: **con a. di trionfo**, with an air of triumph; triumphantly; **con a. indifferente**, with nonchalance; **con a. sbadata**, in a careless manner; **con a. severa**, sternly; **con a. triste**, with a sad expression on one's face; looking sad; *Hai l'a. stanca*, you look tired; *Ha l'a. di un brav'uomo*, he looks like an honest man; *Non hai l'a. di divertirti*, you don't look as if you are enjoying yourself; *Ha un'a. che non mi va*, there's something about him I don't like; *Ha tutta l'a. di voler piovere*, it looks very much like

rain **4** (*autom., fam.*) choke: **tirare l'a.**, to pull out the choke **5** (*mus.*) air; tune; melody; (*d'opera*) aria*, air: **un'a. irlandese**, an Irish air; **un'a. dei «Pagliacci»**, an aria from «Pagliacci»; **da cantarsi sull'a. di...**, to be sung to the tune of... ● (*fam.*) **A.!**, (*vattene!*) go away!; get out!; scram! (*slang*); (*andiamocene!*) let's beat it! (*fam.*) □ (*fis.*) **a. compressa**, compressed air □ **a. condizionata** (*impianto*), air conditioning: **dotato di a. condizionata**, air-conditioned □ **a. di famiglia**, family likeness □ (*fig.*) **a. fritta**, verbiage; hot air; flannel (*GB*) □ (*fis.*) **a. liquida**, liquid air □ **a tenuta d'a.**, air-tight □ **all'a. aperta**, in the open air; outside; outdoor (attr.): **fare vita all'a. aperta**, to lead an outdoor life; **giochi all'a. aperta**, outdoor games □ **una boccata d'a.**, a breath of fresh air: *Andiamo a prendere una boccata d'a.*, let's go and get some fresh air □ **andare all'a.** (*fallire*), to come to nothing □ **buttare all'a.**, to turn upside down: *Aprì il cassetto e buttò tutto all'a.*, she opened the drawer and turned everything upside down (*o* and threw everything out) □ **cambiare a.**, to have a change of air; (*andarsene*) to get away; (*scappare*) to decamp □ **un cambiamento d'a.**, a change of air □ *Ho preso un colpo d'a.*, I've caught a chill □ **corrente d'a.**, draught, draft (*USA*); (*aeron.*) air current □ **dare a. a qc.** (*stanza, ecc.*) to air (*o* to ventilate) st.; (*coperte, ecc.*) to give st. an airing □ **darsi delle arie**, to give oneself airs □ **far saltare in a.**, to blow up □ **in linea d'a.**, as the crow flies □ (*med.*) **mal d'a.**, airsickness □ **Qui manca l'a.**, it's too close (*o* stuffy) in here □ **sentirsi mancare l'a.**, to be suffocating □ (*fig.*) **mandare all'a.**, to upset; to ruin; to spoil; to break: *Questo ha mandato all'a. tutti i miei progetti*, this has upset all my plans; **mandare all'a. un accordo**, to break an agreement □ **Qui non è** (*o* **non tira**) **a. per lui**, this is no place for him; he isn't wanted here □ (*fig.*) **per a.**, (*vago*) up in the air; (*in disordine*) upside down □ **per via d'a.**, by air □ **pressione dell'a.**, air pressure □ **riscontro d'a.**, draught, draft (*USA*) □ (*ing.*) **sacca d'a.**, air lock; air pocket □ **saltare in a.** (*esplodere*), to blow up □ **senz'a.**, airless; stuffy; stale □ **spostamento d'a.** (*d'esplosione*) blast; (*di corpo in moto*) draught, draft (*USA*) □ **Tira una brutta a.**, things are rather unpleasant round here □ **uscire a prendere un po' d'a.**, to go out for a breath of (fresh) air □ (*fig.*) **vedere che a. tira**, to see which way the wind is blowing □ **vivere** (*o* **campare**) **d'a.**, to live on air □ (*aeron.*) **vuoto d'a.**, air pocket.

ària-àcqua loc. agg. (*mil.*) air-to-surface.

ària-ària loc. agg. inv. (*mil.*) air-to-air.

arianésimo m. (*stor. relig.*) Arianism.

Arìanna f. (*mitol.*) Ariadne.

ariàno ① a. e m. (*indoeuropeo*) Aryan.

ariàno ② a. e m. (*stor. relig.*) Arian.

ària-superfìcie loc. agg. inv. (*mil.*) air-to-surface.

ària-tèrra loc. agg. inv. (*mil.*) air-to-ground; air-to-surface.

aridaménte avv. drily; aridly.

aridità f. dryness; (*anche fig.*) aridity.

♦**àrido** **A** a. **1** dry; arid; parched: **una regione arida**, a dry region; **terra arida**, parched land **2** (*fig.*: *sterile*) arid; barren **3** (*fig.*: *insensibile*) cold; insensitive: **cuore a.**, cold heart **B** m. (al pl.) dry substances.

aridocoltùra f. (*agric.*) dry farming.

arieggiàre **A** v. t. **1** (*dare aria*) to air, to ventilate; (*esporre all'aria*) to give* an airing to: **a. una stanza**, to air (*o* to ventilate) a room **2** (*somigliare a*) to look like; to sound like; to be reminiscent of: *Questo pittore arieggia Rosai*, this painter is reminiscent of Rosai **B** v. i. (*darsi arie*) to give* oneself

airs (of); to pose (as); to act (sb.): **a. a gran signora**, to give oneself airs of a great lady; to act the great lady.

arieggiàto a. airy; well-aired; well-ventilated.

Arièle m. (*letter.*) Ariel.

ariète m. **1** (*zool.*) ram **2** (*astron., astrol.*) Aries; the Ram **3** (*astrol., di persona*) Aries **4** (*edil.*) ram: **a. idraulico**, hydraulic ram **5** (*mil.*) battering ram.

ariétta f. **1** breeze: *C'è una bella a. oggi*, it's quite breezy today; **un'a. pungente**, a nip in the air **2** (*mus.*) light tune; arietta.

arìle m. (*chim.*) aryl.

arìllo m. (*bot.*) aril.

arìnga f. (*zool.*, *Clupea harengus*) herring: **a. affumicata**, smoked herring; kipper; **a. salata**, salted herring.

Àrio m. (*stor.*) Arius.

ariosità f. airiness.

arióso **A** a. **1** (*di luogo*) airy; breezy. **2** (*fig.*) airy; light; lively **3** (*mus.*) arioso (attr.) **B** m. (*mus.*) arioso*.

arista ① f. (*bot.*) awn; arista*; (*spiga*) ear.

arista ② f. (*cucina*) chine of pork.

Aristàrco m. Aristarch.

aristàto a. (*bot.*) aristate.

aristocràtico **A** a. **1** aristocratic; upper-class (attr.) **2** (*fig.*) aristocratic; refined **B** m. (f. *-a*) aristocrat.

aristocrazìa f. **1** aristocracy; upper classes (pl.): **l'a. terriera**, the landed aristocracy **2** (*fig.*) aristocracy.

Aristòfane m. (*stor. letter.*) Aristophanes.

aristofanésco a. (*letter.*) Aristophanic.

aristolòchia f. (*bot.*, *Aristolochia clematis*) birthwort.

Aristòtele m. Aristotle.

aristotèlico a. e m. (*filos.*) Aristotelian.

aristotelìsmo m. (*filos.*) Aristotelianism.

aritmètica f. arithmetic.

aritmètico **A** a. arithmetic: **media aritmetica**, arithmetic mean **B** m. (f. *-a*) arithmetician.

aritmìa f. **1** lack of rhythm **2** (*med.*) arrhythmia.

aritmico a. arrhythmic; uneven: (*med.*) **polso a.**, uneven pulse rate.

arlecchinàta f. **1** (*teatr.*) harlequinade **2** (*fig.*: *buffonata*) buffoonery 𝕌; clowning 𝕌; farce.

arlecchinésco a. **1** (*teatr.*) Harlequin (attr.) **2** clownish; farcical.

arlecchìno **A** m. **1** person dressed up as Harlequin **2** (*fig.*: *buffone*) clown; buffoon **B** a. inv. harlequin (attr.); harlequin-patterned.

Arlecchìno m. (*teatr.*) Harlequin.

♦**àrma** f. **1** weapon (*anche fig.*); (al pl.) arms, weaponry 𝕌; (*anche fig.*): **a. a doppio taglio**, double-edged weapon; **a. bianca**, steel weapon; cold steel; bayonet; **a. da fuoco**, firearm; **a. difensiva** [**offensiva**], defensive [offensive] weapon; **armi leggere**, small arms; **armi nucleari** [**biologiche**], nuclear [biological] weapons; **armi di distruzione di massa**, weapons of mass destruction; *Le armi del cane sono i denti*, a dog's weapons are its teeth; *La mia a. è la pazienza*, patience is my weapon; **correre alle armi**, to rush to arms; **deporre le armi**, to lay down one's arms; **essere in armi**, to be up in arms; **levarsi in armi**, to rise up in arms; **prendere le armi**, to take up arms; **presentare le armi** (*in saluto*), to present arms; **fatto d'armi**, feat of arms **2** (*mil.*) force; corps: **l'A. dei Carabinieri**, the corps of the Carabinieri; **l'a. di fanteria**, the infantry; **l'A. del Genio**, the Engineer Corps; (*in GB*) the Royal Engineers; **l'a. azzurra**, the air force **3** (*stemma*) coat of arms; arms (pl.) ● **l'A. be-**

nemerita, the Carabinieri □ **armi e bagagli**, one's bits and pieces; one's stuff: *Prese armi e bagagli e partì*, he gathered his stuff and left □ (*fig.*) **ad armi pari**, on equal terms □ (*fig.*) **affilare le armi**, to get ready to fight □ **All'armi!**, to arms! □ (*fig.*) **essere alle prime armi**, to be a novice; to be new to st. □ **battere q. con le sue stesse armi**, to beat sb. at his own game □ **chiamare sotto le armi**, to call up □ **chiamata alle armi**, call to arms; (*coscrizione*) call-up □ **combattimento all'a. bianca**, bayonet fight; hand-to-hand combat □ **concedere l'onore delle armi**, to grant the honours of war □ **il mestiere delle armi**, soldiering □ **passare q. per le armi**, to shoot sb.; to send sb. before a firing squad □ **sotto la minaccia delle armi**, at gunpoint □ **essere sotto le armi**, to be in the army; to be doing national service □ **uomo d'armi**, man-at-arms □ **venire alle armi**, to begin hostilities; to give battle; to fight.

armacòllo avv. – **ad a.**, slung across the shoulders.

armadiétto m. cupboard; cabinet; (*metallico*) locker: **a. di cucina**, kitchen cupboard; **a. dei medicinali**, first-aid cabinet; medicine cabinet (*USA*).

armadillo m. (*zool.*, *Dasypus*) armadillo*.

♦**armàdio** m. (*guardaroba*) wardrobe; (*credenza*) cupboard; (*per strumenti, ecc.*) cabinet: **a. a muro**, built-in (*o* fitted) wardrobe; built-in cupboard; closet (*USA*); **a. a specchio**, mirror wardrobe.

armaiòlo m. **1** (*fabbricante*) armourer; gunsmith **2** (*venditore*) gun dealer.

armamentàrio m. **1** (*strumenti*) instruments (pl.); equipment; tool-bag: **a. chirurgico**, surgical instruments; **l'a. dell'idraulico**, a plumber's tool-bag **2** (*insieme di oggetti*) stuff; bits and pieces (pl.); paraphernalia (pl.); battery; arsenal: *Prese il suo a. e uscì*, he gathered his stuff and left; *Ha tutto un a. di boccette e vasetti*, she's got a whole arsenal of bottles and jars.

armaménto m. **1** armament; arming ⓤ; weaponry ⓤ; arms (pl.): **a. nucleare**, nuclear weaponry; **controllo degli armamenti**, arms control; **corsa agli armamenti**, arms race; **spese per gli armamenti**, armaments expenditure **2** (*naut.*: *allestimento*) equipment; fitting out: **in a.**, in commission; **entrare in a.**, to be commissioned; **società di a.**, shipping company **3** (*naut.*: *equipaggio*) crew; men (pl.): **a. di un pezzo**, gun crew; **a. di regata**, boat crew **4** (*ferr.*) superstructure: **posa dell'a.**, laying of the superstructure; **a. e inghiaiata**, permanent way.

Armàndo m. Herman.

♦**armàre** Ⓐ v. t. **1** (*anche fig.*) to arm: *Armò i suoi uomini di fucili*, he armed his men with guns **2** (*naut.*: *allestire*) to equip, to fit out; (*fornire di attrezzature*) to rig; (*a. ed equipaggiare*) to commission; (*fornire di uomini*) to man: **a. una lancia**, to man a boat **3** (*un'arma da fuoco*) to load **4** (*edil.*: *sostenere*) to brace, to prop; (*con legname*) to timber: **a. una volta**, to timber a vault **5** (*edil.*: *rinforzare*) to reinforce: **a. il cemento**, to reinforce concrete **6** (*ferr.*) to lay* down ● (*naut.*) **a. i remi**, to ship the oars □ (*stor.*) **a. q. cavaliere**, to dub sb. knight; to knight sb. Ⓑ **armàrsi** v. rifl. **1** to arm oneself: **armarsi di coltello**, to arm oneself; with a knife; **armarsi fino ai denti**, to arm oneself to the teeth **2** (*fig.*) to arm oneself; to summon: **armarsi di carta e penna**, to arm oneself with pen and paper; **armarsi di coraggio**, to summon (up) one's courage; **armarsi di pazienza**, to summon all one's patience.

armàta f. **1** army: **l'ottava a.**, the eighth army; **corpo d'a.**, army corps **2** (*naut.*) fleet **3** (*aeron.*) air force ● **un'a. Brancaleone**, a rag-tag army; a motley band □ (*stor.*) **l'In-**

vincibile A., the (Spanish) Armada.

♦**armàto** Ⓐ a. **1** armed: **forze armate**, armed forces; **pace armata**, armed peace; **a. di pistola**, armed with a pistol; **a. fino ai denti**, armed to the teeth; **girare a.**, to carry a gun; to bear arms; **rapina a mano armata**, armed robbery **2** (*naut.*: *allestito*) fitted out; (*rif. all'attrezzatura*) rigged; (*fornito di equipaggio*) manned **3** (*dotato, fornito*) provided; equipped; furnished: **a. di coraggio [d'informazioni]**, armed with courage [with information]; **a. degli strumenti adatti**, equipped with the right tools for the job **4** (*edil.*) reinforced: **cemento a.**, reinforced concrete **5** (*elettr.*) armoured, armored (*USA*); wired: **cavo a.**, armoured cable Ⓑ m. (*soldato*) soldier.

armatóre Ⓐ m. (f. *-trice*) **1** (*allestitore*) fitter-out **2** (*proprietario*) shipowner Ⓑ a. shipping: **società armatrice**, shipping company.

♦**armatùra** f. **1** (*mil. stor.*) (suit of) armour (*USA* armor) **2** (*telaio*) framework; skeleton **3** (*edil.*) bracing; falsework; (*con legname*) timbering **4** (*intelaiatura di ferro*) reinforcement; reinforcing bars (*o* rods) (pl.); (*di rete*) mesh **5** (*elettr., di cavo*) armour; (*di magnete*) armature; (*di bobina*) coil **6** (*radio, di condensatore*) plate **7** (*ind. tess.*) weave **8** (*mus.*) – **a. di chiave**, key signature.

àrme f. **1** (*arald.*) arms (pl.); armorial bearings (pl.) **2** → **arma**.

armeggiaménto m. fumbling; messing about.

armeggiàre v. i. **1** (*maneggiare, frugare*) to fumble; to fiddle about; to mess about **2** (*affaccendarsi*) to busy oneself; to tinker: **a. intorno a un motore**, to tinker with an engine **3** (*intrigare*) to scheme; to wheel and deal.

armeggìo, **arméggio** m. **1** fumbling; messing about **2** (*intrighi*) scheming; wheeling-and-dealing.

armeggióne m. (f. *-a*) **1** (*pasticcione*) bungler; botcher **2** (*chi intriga*) busybody; schemer; wheeler-dealer (*fam.*).

arméno a. e m. (f. *-a*) Armenian.

arménto m. herd.

armerìa f. **1** armoury, armory (*USA*) **2** (*negozio*) gunshop.

armière m. **1** → **armaiolo 2** (*mil.*) gunner.

armìgero m. **1** (*lett.*) man*-at-arms; soldier **2** (*scherz.*: *guardia del corpo*) bodyguard; heavy (*fam.*).

armìlla f. (*stor.*) armilla*.

armillàre a. armillary: (*astron.*) **sfera a.**, armillary sphere.

armillària f. (*bot.*) armillaria.

armistiziàle a. armistice (attr.).

armistìzio m. armistice.

àrmo m. (*naut.*) (boat's) crew.

armonìa f. **1** (*mus.*) harmony **2** (*fig.*: *musicalità*) music; musicality **3** (*fig.*: *disposizione armonica*) harmony: **l'a. dell'universo**, the harmony of the universe; **a. di colori [di linee]**, harmony of colour [of line] **4** (*fig.*: *concordia, unità*) harmony: **essere in a. con**, to be in harmony with; to fit in with; **vivere in a.**, to live in harmony **5** (*accordo, consonanza*) keeping; accordance: **una scelta in a. con le sue idee**, a choice in keeping with his ideas; **in a. coi suoi desideri**, in accordance with his wishes.

armònica f. **1** (*mus.*: *strumento*) glass harmonica **2** (*fis., mus.*) harmonic; (*mus., anche*) overtone **3** (*mus.*: *scienza*) harmonics (pl. col verbo al sing.) ● (*mus.*) **a. a bocca**, mouth-organ; harmonica.

armònico a. **1** (*fis., mat., mus.*) harmonic: **progressione armonica**, harmonic pro-

gression; **serie armonica**, harmonic series **2** (*fig.*: *armonioso*) harmonious; well-proportioned ● (*mus.*) **cassa armonica**, sound-box.

armònio → **armonium**.

armonióso a. **1** (*di suono*) harmonious; musical; tuneful; melodious **2** (*proporzionato, gradevole*) harmonious; well-proportioned; graceful.

armonìsta m. e f. (*mus.*) harmonist.

armonìstico a. (*mus.*) harmonistic.

armònium m. inv. (*mus.*) harmonium.

armonizzàre Ⓐ v. t. **1** (*mus.*) to harmonize **2** (*fig.*) to harmonize; (*coordinare*) to co-ordinate; (*intonare*) to match: **a. le parti di qc.**, to harmonize the parts of st.; **a. il tappeto con il divano**, to match the carpet and the sofa Ⓑ v. i., **armonizzàrsi** v. i. pron. to harmonize; (*intonarsi*) to match, to tone in, to blend.

armonizzatóre Ⓐ a. harmonizing Ⓑ m. (f. *-trice*) harmonizer.

armonizzazióne f. harmonization.

armoricàno a. e m. (f. *-a*) Armorican.

Arnàldo m. Arnold.

♦**arnése** m. **1** (*attrezzo*) tool; implement; utensil; (al pl., anche) gear ⓤ: **arnesi da giardino**, garden tools; **gli arnesi del mestiere**, the tools of the trade; **borsa degli arnesi**, tool bag **2** (*oggetto non determinato*) thing; gadget; thingummy (*fam.*): *A che serve questo a.?*, what's this thing (o gadget) for?; *Togli di mezzo questo a.*, take away this thing here **3** (*vestito*) getup; rig **4** (*spreg., di persona*) (bad) type; (bad) guy: **a. da galera**, jailbird; **cattivo a.**, nasty bit of work; bad lot; bad guy ● **male in a.**, shabbily dressed; down at heel □ (*fig.*) **rimettere q. in a.**, to help sb. back on his feet again.

àrnia f. beehive; hive.

àrnica f. (*bot.*, *Arnica*) arnica.

arnoglòssa f. (*bot.*, *Plantago*) plantain.

àro m. (*bot.*, *Arum maculatum*) arum.

aròma m. **1** (*profumo*) aroma; fragrance: **l'a. del caffè**, the aroma of coffee **2** (*spezia*) spice; (aromatic) herb **3** (*gusto*) flavour, flavor (*USA*); (*sostanza aromatizzante*) flavouring ⓤ: **aromi artificiali**, artificial flavouring; **all'a. di limone**, lemon-flavoured.

aromaterapìa f. aromatherapy.

aromaticità f. aromatic quality; aroma; fragrance.

aromàtico a. **1** aromatic; fragrant; (*speziato*) spiced: **erbe aromatiche**, (aromatic) herbs; **pianta aromatica**, aromatic (plant); **vino a.**, aromatic (o spiced) wine **2** (*chim.*) aromatic.

aromatizzànte Ⓐ a. aromatizing; flavouring Ⓑ m. flavouring ⓤ; (*spezia*) spice.

aromatizzàre v. t. to flavour, to flavor (*USA*); (*con spezie*) to spice.

Arònne m. Aaron.

àrpa f. (*mus.*) harp ● **a. eolia**, Aeolian harp.

arpagóne① m. (*naut.*) grapnel.

arpagóne② m. (*lett.*: *avaro*) miser; Scrooge.

arpeggiaménto m. **1** (*mus.*) arpeggio playing; arpeggiation **2** (*vet.*) stringhalt.

arpeggiàre v. i. **1** (*mus.*: *suonare l'arpa*) to play the harp **2** (*mus.*) to play an arpeggio **3** (*vet.*) to suffer from stringhalt.

arpeggiàto Ⓐ a. (*mus.*) played as an arpeggio; arpeggiated: **accordo a.**, broken chord Ⓑ m. (*mus.*) chord played as an arpeggio.

arpéggio m. **1** (*mus.*) arpeggio* **2** (*vet.*) stringhalt.

arpeggióne m. (*mus.*) arpeggione.

arpènto m. (*stor.*) arpent.

arpése m. (*edil.*) cramp (iron).

arpia f. 1 (*mitol.*) harpy 2 (*fig.*: *persona avida*) harpy 3 (*fig.*: *megera*) shrew; witch 4 (*zool.*, *Harpya harpya*) harpy eagle 5 (*zool.*, *Cerura vinula*) puss moth.

arpicòrdo m. (*mus.*) harpsichord.

arpionàre v. t. to harpoon.

arpióne m. 1 (*fiocina*) harpoon 2 (*ferr.*) spike 3 (*mecc.*) pawl 4 (*uncino*) hook; grapnel 5 (*cardine*) hinge.

arpionìsmo m. (*mecc.*) ratchet gear.

arpista m. e f. (*mus.*) harpist.

arponàre v. t. to harpoon.

arpóne m. (*fiocina*) harpoon.

arr. abbr. (*ferr.*, *arrivo*) arrival (arr.).

àrra f. 1 (*caparra*) deposit; down payment 2 (*fig.*) token; pledge.

arrabattàrsi v. i. pron. to do* one's best; to muddle along; to struggle.

♦**arrabbiàre** Ⓐ v. i. (*vet.*) to catch* rabies; to become* rabid Ⓑ **arrabbiàrsi** v. i. pron. to get* angry; to get* cross; to get* mad (*fam. USA*); to lose* one's temper; to fly* into a temper: **arrabbiarsi con q.**, to get angry (*o* mad) at sb.; **arrabbiarsi facilmente**, to be easily angered; to get angry easily; **arrabbiarsi per niente**, to fly into a temper for no reason; **fare arrabbiare q.**, to make sb. angry; to anger sb.; to make* sb. mad (*fam.*); **quello che mi fa arrabbiare è...**, what angers me is...

arrabbiàta → **arrabbiatura**.

♦**arrabbiàto** a. 1 (*vet.*) rabid 2 (*stizzito*, *irato*) angry; cross, mad (*fam.*); sore (*fam. USA*): **sguardo a.**, angry look; *Era a. per il mio ritardo*, he was angry at my delay; *Sei a. con me?*, are you angry (*o* cross) with me?; are you mad at me? (*fam.*) 3 (*fam.*: *fanatico*) rabid, fanatical; (*accanito*) incorrigible, inveterate; (*entusiasta*) enthusiastic: **un giocatore a.**, an inveterate gambler.

arrabbiatùra f. fit of anger; rage: **prendersi un'a.**, to fly into a rage; to get* mad (*fam.*); to blow up (*fam.*).

arraffàre v. t. 1 (*afferrare*) to seize; to grab; (*strappar via*) to snatch 2 (*rubare*) to steal*.

arraffatóre m. (f. **-trìce**) grabber.

arraffóne m. (f. **-a**) grabber; greedy person.

♦**arrampicàre** Ⓐ v. i. 1 (*alpinismo*) to climb (st.); to go* climbing 2 (*ciclismo*) to climb Ⓑ **arrampicàrsi** v. i. pron. 1 to climb (st.); to scramble (up, over); to clamber (up, over); (*su un albero*, *un palo*, *ecc.*) to shin (up): **arrampicarsi su una scala**, to climb up a ladder; **arrampicarsi su per le rocce**, to scramble over rocks; **arrampicarsi su un albero**, to climb (*o* to shin) up a tree 2 (*di piante*) to climb; to creep* ● **arrampicarsi socialmente**, to climb up the social ladder □ (*fig.*) **arrampicarsi sugli specchi** (*o sui vetri*), to try to prove that black is white and white black; to clutch at straws.

arrampicàta f. climb; climbing Ⓤ; (*sport*) **a. libera**, free climbing; **a. sociale**, social climbing; *Che a. arrivare fin quassù!*, it's a real climb to get up here!

arrampicatóre m. (f. **-trìce**) 1 climber: **a. sociale**, social climber 2 (*sport*) mountain-climber; (*rocciatore*) rock-climber.

arrancàre v. i. 1 (*zoppicare*) to hobble; to limp 2 (*procedere a fatica*) to plod (on, along); to trudge (*anche fig.*) to struggle on; (*di veicolo*) to trundle (on, along): *Arrancammo su per la salita*, we trudged up the hill; *L'autobus procedeva arrancando*, the bus was trundling along 3 (*naut.*: *vogare*) to lay* on the oars.

arrancàta f. 1 trudging along; struggling on 2 (*naut.*) (series of) fast strokes (pl.); fast stroke.

arrangiaménto m. 1 (*accordo*) agreement; arrangement: **trovare un a.**, to come to an agreement 2 (*mus.*) arrangement.

♦**arrangiàre** Ⓐ v. t. 1 (*sistemare*) to arrange; (*risolvere*) to sort out; (*adattare*) to adapt; (*aggiustare*) to fix, to patch up; (*mettere insieme*) to rustle up, to fix (up); to knock up (*fam.* GB); *Vedi di a. la cosa in qualche modo*, see if you can sort it out somehow or other; **a. qc. alla bell'e meglio**, to fix st. as best one can; **a. qualcosa per cena**, to rustle up (*o* to fix) something for supper; *Ora ti arrangio io!*, I'll soon fix you! 2 (*mus.*) to arrange Ⓑ **arrangiàrsi** v. i. pron. 1 (*cavarsela*) to manage; to make* do (with st.); to get* by; (*con successo*) to cope: *Sa arrangiarsi da solo*, he can manage (*o* cope) on his own; *Cercherò di arrangiarmi con quel che c'è*, I'll try to manage (*o* to make do) with what there is; *Arrangiati!*, (*fa' da te*) do it yourself!; (*fa' come vuoi*) do it your own way!, (*sono problemi tuoi*) it's your problem! *Lascia che si arrangi da sé*, let him shift for himself; *Che si arrangi!*, that's his problem! 2 (*tirare avanti*) to get* by; to cope 3 (*accordarsi*) to come* to an agreement; to settle (st.): *Arrangiatevi tra (di) voi*, settle it among yourselves 4 (*sistemarsi*) to make* oneself comfortable.

arrangiàto a. put together somehow; rustled up; makeshift.

arrangiatóre m. (f. **-trìce**) (*mus.*) arranger.

arrapaménto m. (*pop.*) horniness; randiness.

arrapàre (*pop.*) Ⓐ v. t. to excite sexually; to make* horny (*o* randy) (*fam.*); to give* (sb.) the hots (*fam.*) Ⓑ **araparsi** v. i. pron. to get* sexually excited; to get* hot (*fam.*); to get* the hots (*fam.*); to get* horny (*o* randy) (*fam.*).

arrapàto a. (*pop.*) sexually excited; hot (*fam.*); horny (*fam.*); randy (*fam.*).

arrecàre v. t. 1 (*portare*) to bring* 2 (*fig.*: *causare*) to cause.

arredaménto m. 1 (*l'ammobiliare*) furnishing; fitting (out): **a. di negozi**, shopfitting 2 (*studio*, *arte*) interior design (*o* decoration): **a. di interni**, home furnishing; interior design (*o* decoration); **rivista di a.**, interior design magazine 3 (*i mobili*) furniture Ⓤ; furnishings (pl.) 4 (*teatr.*) stage decoration.

arredàre v. t. 1 (*ammobiliare*) to furnish 2 (*un negozio*, *ecc.*) to fit (out).

arredàto a. furnished.

arredatóre m. (f. **-trìce**) 1 interior decorator (*o* designer); (*di negozi*) shopfitter 2 (*teatr.*) stage decorator.

arrèdo m. furniture Ⓤ; furnishings (pl.): fittings (pl.): **arredi da bagno**, bathroom fittings; **arredi d'ufficio**, office furniture ● (*archit.*) **a. urbano**, street furniture □ (*eccles.*) **arredi sacri**, vestments, altar cloth and holy vessels.

arrembàggio m. (*naut.*) boarding: **andare all'a. di una nave**, to board a ship; **prepararsi all'a.**, to get ready to board; **grappino d'a.**, grapnel ● (*scherz.*) **All'a.!**, at it, folks □ (*fig.*) **andare all'a. di qc.**, to make a rush for st.

arrembàre v. t. (*naut.*) to board.

♦**arrèndersi** v. i. pron. 1 to surrender; to give* oneself up: **a. al nemico**, to surrender to the enemy; *Arrendetevi!*, surrender!; give yourselves up! 2 (*cedere*) to yield; to give* in; to surrender; (*rinunciare*) to give* up: **a. all'evidenza**, to yield before the facts; **a. al destino**, to submit to fate; **non a. facilmente**, not to give in easily; *Non arrenderti*, don't give in!; *Va bene, mi arrendo: dov'è?*, Ok, I give up, where is it?

arrendévole a. 1 (*di persona*) compliant; acquiescent; amenable; docile; yielding 2 (*di cosa*) pliant.

arrendevolézza f. 1 (*di persona*) compliance; acquiescence; amenability; docility 2 (*di cosa*) pliancy.

♦**arrestàre** Ⓐ v. t. 1 (*fermare*) to halt; to stop; to bring* to a halt; to bring* to a standstill; (*bloccare*) to check; (*sangue*) to staunch: **a. il nemico**, to halt the enemy; **a. la produzione**, to bring production to a standstill; *Il masso arrestò la caduta*, the rock checked the fall 2 (*trarre in arresto*) to arrest; to take* into custody; to seize Ⓑ **arrestàrsi** v. i. pron. 1 to halt; to stop; to come* to a halt; to come* to a standstill: **arrestarsi di botto**, to stop suddenly; (*di persona*, *anche*) to freeze in one's track; *Il treno si arrestò improvvisamente*, the train came to a sudden halt 2 (*fare una pausa*) to pause.

arrestàto m. e f. person under arrest.

arrèsto m. 1 (*fermata*) stop; halt; (*fig.*) standstill; (*sosta*) stop, pause, break: **a. del traffico**, traffic hold-up; tie-up (*USA*); *Le trattative hanno subito un a.*, talks have come to a standstill; **segnale di a.**, stop signal 2 (*mecc.*) stop; catch: **a. di sicurezza**, safety catch; **valvola d'a.**, cut-off valve; **vite d'a.**, stop screw 3 (*leg.*) arrest: **a. illegale**, false arrest; **arresti domiciliari**, house arrest; **essere agli arresti domiciliari**, to be under house arrest; **essere in a.**, to be under arrest; **fare un a.**, to make an arrest; **trarre in a.**, to arrest; to apprehend; to take* into custody; **in stato di a.**, in custody; under arrest; **mandato di a.**, warrant of arrest 4 (*al pl.*) (*mil.*) arrest (sing.): **arresti di rigore**, close arrest; **arresti semplici**, open arrest; **mettere agli arresti**, to place under arrest ● (*med.*) **a. cardiaco**, cardiac arrest; heart failure □ (*autom.*) **a. del motore**, stall □ (*comput.*) **a. del sistema**, crash.

arretraménto m. moving back; regression; (*ripiegamento*) withdrawal, retreat.

arretràre Ⓐ v. t. to move back; to pull back; (*ritirare*) to withdraw* Ⓑ v. i. to draw* back; to step back; (*ritirarsi*) to withdraw*, to retreat.

arretratézza f. backwardness.

arretràto Ⓐ a. 1 (*rif. allo spazio*) rear; set back: **posizione arretrata**, rear position; *La casa era arretrata rispetto alla strada*, the house was set back from the road 2 (*rif. al tempo*) back; in arrears; (*comm.*) outstanding, overdue: **affitto a.**, back rent; **debiti arretrati**, outstanding debts; **lavoro a.**, backlog of work; **numero a.**, back issue 3 (*di paese*, *civiltà*, *ecc.*) backward; underdeveloped 4 (*superato*) old-fashioned; outdated; behind the times: **avere una mentalità arretrata**, to have old-fashioned ideas; to be an old fogey (*o* a stick in the mud) (*fam.*) 5 (*fon.*) back: **vocale arretrata**, back vowel ● **avere una fame arretrata**, not to have had a square meal for a long time □ **in a.**, in arrears; behind: **andare in a. con qc.**, to fall behind with st.; **essere in a. con qc.**, to be in arrears (*o* to be behind) with st. Ⓑ m. 1 arrear: **arretrati dello stipendio**, salary arrears; backpay (sing.) 2 (*di lavoro*, *affari*) backlog (of work); arrears (pl.) of work 3 (*di giornale*) back issue 4 (*faccenda in sospeso*) outstanding matter; outstanding business.

àrri inter. gee!; gee up!

arricchiménto m. 1 enrichment; enriching; (*fig.*, *anche*) enlargement, extension 2 (*ind. min.*) dressing; upgrading 3 (*fis. nucl.*) enrichment.

♦**arricchìre** Ⓐ v. t. 1 to enrich; to make* rich 2 (*fig.*) to enrich; to extend; to enlarge; to enhance; (*aumentare*) to increase; (*abbellire*) to adorn, to embellish: **a. la propria cultura**, to extend one's culture; **a. una raccolta**, to enlarge a collection; *Ha arricchito la nostra letteratura*, she has enriched our lit-

erature **3** (*ind. min.*) to dress; to upgrade **4** (*fis. nucl.*) to enrich **B** v. i. e **arricchìrsi** v. rifl. to get* rich; to make* money: **arricchìrsi alla svelta**, to get rich quickly; **arricchìrsi con affari poco puliti**, to make one's money through shady dealing **C** **arricchìrsi** v. i. pron. to be enriched: *Le lingue si arricchiscono continuamente di parole*, languages are constantly being enriched by new words; *La biblioteca si arricchì di nuovi volumi*, new volumes were added to the library.

arricchìto **A** a. **1** nouveau riche (*franc.*) **2** (*anche fis. nucl.*) enriched: **uranio a.**, enriched uranium; **a. di vitamina C**, enriched with vitamin C **B** m. (f. **-a**) new rich; nouveau riche (*franc.*); upstart; parvenu (*franc.*) ● **a. di guerra**, (war) profiteer.

arricciabùrro m. inv. butter curler.

arricciacapélli m. inv. curling tongs (pl.).

arricciaménto m. curling; crimping.

arricciàre **A** v. t. **1** to curl; (*con pieghe fitte*) to crimp; (*increspare*) to pucker: **arricciarsi i capelli**, to curl (o to crimp) one's hair; to have one's hair curled (o crimped); *L'umido mi arriccia i capelli*, my hair curls in damp weather; **a. una stoffa**, to crimp a fabric **2** (*edil.*) to render ● **a. le labbra**, to curl one's lip; to purse one's lips □ **a. il naso**, to crinkle one's nose; (*fig.*) to turn up one's nose, to sniff at st. □ (*di animale*) **a. il pelo**, to bristle **B** **arricciàrsi** v. i. pron. to curl; (*accartocciarsi*) to curl up; (*incresparsi*) to pucker.

arricciatùra f. **1** curling; (*a pieghe fitte*) crimping **2** (*moda*) gathering; gathers (pl.) **3** (*edil.*) rendering.

arricciolàre **A** v. t. to curl **B** **arriccio-làrsi** v. i. pron. to curl; to form curls; (*di capelli*) to go* curly; (*chiudersi a riccio*) to curl up.

arrìdere v. i. to smile (on); to be propitious (to, for): *La fortuna ti arride*, fortune smiles on you.

Arrìgo m. Henry.

arrìnga f. **1** harangue; address **2** (*leg.*) pleadings (pl.); summation (*USA*).

arringàre v. t. to harangue; to address.

arringatóre m. (f. **-trice**) haranguer.

arrischiàre **A** v. t. **1** to risk: **a. la vita [i propri capitali]**, to risk one's life [one's capital] **2** (*azzardare*) to venture; to hazard: **a. una parola**, to venture a word **3** (*assol.*) → **rischiàre** **B** **arrischiàrsi** v. rifl. **1** (*osare*) to dare*: *Non s'arrischia a farsi vedere*, he doesn't dare (to) show up; *Non ti arrischiare!*, don't you dare! **2** (*azzardarsi*) to venture: **arrischiarsi a uscire**, to venture out; **arrischiarsi in un'impresa difficile**, to venture into (o to embark on) a difficult task; *S'arrischiò a dirglielo*, she ventured to tell him.

arrischiàto a. **1** (*rischioso*) risky; hazardous: **progetto a.**, risky plan **2** (*azzardato*) rash; reckless: **giudizio a.**, rash judgment **3** (*audace*) daring; bold.

◆**arrivàre** v. i. **1** to arrive; to come*; (*in un posto e fig.*) to arrive (at, in), to reach (st.), to get* (to), to come* (to): *Sono arrivati*, they've arrived; *Stanno arrivando*, they're coming; *È arrivato proprio ora*, he's just arrived; *Il pacco non è ancora arrivato*, the parcel hasn't arrived yet; *A che ora arriviamo?*, what time do we get there?; *Siamo arrivati?*, are we there?; *Siamo quasi arrivati*, we're nearly there; *È arrivata l'estate*, summer is here; *Arrivi a proposito*, you've come at the right moment; *Arrivo!*, (I'm) coming!; **a. sano e salvo**, to arrive safe and sound; **a. a casa di q.**, to arrive at sb.'s house; **a. all'aeroporto**, to arrive at the airport; **a. a casa**, to get home; **a. a Torino**, to

arrive in (o to get to, to reach) Turin; (*di treno, ecc.*) to get into Turin; **a. fino al ponte**, to go (o to get) as far as the bridge; *È arrivato un pacco per te*, a parcel has come for you; there's a parcel for you; *Ti è arrivata la mia cartolina?*, did you get my postcard?; *Mi sono arrivati molti libri*, I have received a lot of books; **a. a una decisione [a una conclusione]**, to arrive at (o to reach) a decision [a conclusion]; **a. a ottant'anni**, to reach eighty; **a. alla verità**, to get at the truth; **a. a pagina 30**, to get to page 30; *La temperatura arrivò a quaranta gradi*, the temperature went up to (o reached) forty degrees; *L'acqua m'arrivò alla vita*, the water came up to (o reached) my waist; *La neve m'arrivava alle ginocchia*, I was knee-deep in the snow; *Mio figlio m'arriva alle spalle*, my son is up to my shoulder; *Il bosco arriva fino al lago*, the wood extends down to (o reaches as far as) the lake **2** (*durare*) to last; (*sopravvivere*) to survive: *Il povero vecchio non arriverà a domani*, the poor old man won't last until tomorrow; *La statua [La tradizione] è arrivata intatta fino a noi*, the statue [the tradition] has survived intact up to the present day **3** (*accadere*) to happen **4** (*riuscire*) to manage; can (indic. e cong. pres.) could (indic. e cong. pass., condiz.): *Non arrivo a fare tutto*, I can't manage to do everything; *Io non arrivo a capirlo*, I can't understand it; I can't make it out **5** (*riuscire a capire*) (to be able) to understand*; to be able to grasp: *La sua mente non arriva a questo*, his mind cannot grasp this **6** (*spingersi al punto di*) to go* so far as, to get* to the point of; (*essere ridotto a*) to be reduced to: *È arrivato a dire che non l'ho pagato*, he went so far as to say I didn't pay him; *Sono arrivati a non salutarsi*, they've reached the stage (point) where they ignore each other; **a. a chiedere l'elemosina**, to be reduced to begging **7** (*assol.: avere successo*) to be successful; to arrive; to get* to the top: *Il suo scopo è a.*, she's aiming for success; she wants to get to the top **8** (*anche* **arrivarci**: *essere abbastanza lungo o alto*) to reach (st.); to get* at: *Prendi quel libro lassù, se ci arrivi*, take that book up there, if you can reach it; *Ci arrivi a prendere quella mela?*, can you get at that apple? **9** (**arrivarci**: *capire*) to understand*; to get*: *Mi dispiace, ma non ci arrivo*, sorry, but I don't understand it (o I don't get it) ● **a. addosso a q.**, to land on top of sb.: *L'automobile mi è arrivata addosso all'improvviso*, the car was on top of me all of a sudden □ **a. alle spalle di qc.**, to come up on sb. from behind □ **a. all'improvviso**, to turn up □ **a. allo scopo**, to achieve one's aim □ **a. primo [secondo]** (*in una gara*), to come in first [second] □ (*fig.*) **Dove vuoi a.?**, what are you getting at? □ **Sono arrivato a metà del libro**, I am halfway through the book □ **fin dove arriva l'occhio**, as far as the eye can see □ (*prov.*) **Chi tardi arriva, male alloggia**, first come, first served.

❶ Nota: *arrivare*
Davanti a un nome di città o nazione **arrivare a** si traduce in genere con to arrive in: *Arrivammo a Roma in treno*, we arrived in Rome by train; *Quando siete arrivati in Italia?*, when did you arrive in Italy?
Negli altri casi, anche quelli figurati, la preposizione usata è at: *Arriveremo all'aeroporto [al museo] fra circa un'ora*, we will arrive at the airport [at the museum] in about an hour; *Siete arrivati a una decisione?*, have you arrived at a decision?

◆**arrivàto** **A** a. **1** – *Ben a.!*, welcome!; **dare il ben a. a q.**, to welcome sb. **2** (*di successo*) successful: **uno scrittore a.**, a successful author **B** m. (f. **-a**) successful man* (f. woman*) ● **nuovo a.**, newcomer; new arrival □ **l'ultimo a.**, the last to arrive; (*fig.*)

nobody □ **gli ultimi arrivati**, the newcomers, the new arrivals; (*in ritardo*) the latecomers.

◆**arrivedérci** **A** inter. goodbye; so long (*fam.*); see you soon (*fam.*): *A. a domani*, see you tomorrow; until tomorrow; then (*form.*) **B** m. goodbye. **❶ Nota:** *goodbye →* **goodbye**.

arrivìsmo m. social climbing; careerism.

arrivìsta m. e f. social climber; careerist.

◆**arrìvo** m. **1** arrival: **l'a. della primavera**, the arrival of spring; **arrivi e partenze**, arrivals and departures; **al mio a. a Londra**, on my arrival in London; when I arrived in (o got to) London; **all'a. del treno**, when the train gets [got] into the station; **aspettare l'a. di**, to wait for the arrival of; to wait for (sb., st.) to arrive; **essere in a.**, to be on one's way; to be arriving; *Il treno delle 10.30 è in a. al binario 6*, the 10.30 train is now arriving at platform 6; *È in arrivo un temporale*, there's a storm brewing; **ora di a.**, time of arrival; **posta in a.**, incoming mail; **volo in a.**, incoming flight **2** (*sport*) finish: **a. in volata**, close finish; **linea d'a.**, finishing line **3** (*di merce*) arrival; supply: **gli ultimi arrivi**, the latest arrivals; the latest supplies; **il mancato a. della merce**, the non-arrival of the goods; **merce in a.**, goods in arrival.

arroccaménto m. (*scacchi*) castling ● (*mil.*) **linea d'a.**, line of communications.

arroccàre **A** v. t. **1** (*scacchi*) to castle **2** (*mil.*) to move (troops) behind defence lines **B** **arroccàrsi** v. i. pron. **1** (*scacchi*) to castle **2** (*mil.*) to retreat; to entrench oneself **3** (*fig.*) to entrench oneself: *È arroccato nelle sue idee*, he's entrenched in his ideas; (*calcio*) **arroccarsi in difesa**, to tighten up one's defence.

arròcco m. (*scacchi*) castling.

arrochiménto m. (*raucedine*) hoarseness.

arrochìre **A** v. t. to hoarsen; to make* hoarse **B** v. i. e **arrochìrsi** v. i. pron. to become* hoarse.

arrogànte a. arrogant; presumptuous; insolent; (*altezzoso*) haughty, high-and-mighty (*fam.*): **parole arroganti**, arrogant words; **fare l'a.**, to behave with arrogance; to be high and mighty.

arrogànza f. arrogance; presumption; insolence; (*alterigia*) haughtiness.

arrogàre v. t. to arrogate; to claim (unduly): **arrogarsi un diritto**, to arrogate a right to oneself; **arrogarsi un merito**, to claim a merit.

arronzàre v. i. (*region.*) to do* (st.) any old how; to cut* corners.

arrossaménto m. reddening; (*sfogo*) rash.

arrossàre **A** v. t. to redden; (*il viso, anche*) to flush **B** v. i. e **arrossàrsi** v. i. pron. to redden; to turn* red.

arrossàto a. reddened; red; (*di viso, anche*) flushed: **mani arrossate**, reddened hands; **occhi arrossati di lacrime**, eyes red with tears; **viso a.**, flushed face.

arrossìre v. i. (*di piacere, ira*) to flush, to go* red; (*di vergogna*) to blush, to go* red, to redden; (*vergognarsi*) to be ashamed, to feel* shame: **a. di gioia**, to flush with joy; **a. per l'imbarazzo**, to blush with embarrassment; **a. per la vergogna**, to blush in shame; *Arrossisco per te*, I'm ashamed of you; **fare a.**, to make (sb.) go* red; to make (sb.) blush; *Non farmi a.!*, spare my blushes!

arrostiménto m. roasting; (*l'abbrustolire*) toasting.

arrostìre **A** v. t. to roast; (*sulla griglia*) to grill; (*sul fuoco*) to broil **B** **arrostìrsi** v. i. pron. to roast ● (*fig. e fam.*) **arrostirsi al sole**, to bake (o to roast) in the sun.

arrostìta f. roast chestnut.

arrostìto a. → **arrosto**.

♦**arròsto** Ⓐ a. roast (attr.): **carne a.**, roast meat; **patate a.**, roast (*al forno* baked) potatoes; **pollo a.**, roast chicken ● **cuocere** (*o fare*) **a.**, to roast Ⓑ m. roast: **a. di carne**, roast meat; **a. di maiale**, roast pork; **una fetta di a.**, a slice of roast.

arrotàre Ⓐ v. t. 1 (*affilare*) to sharpen; to whet: **a. un coltello**, to sharpen a knife 2 (*molare*) to grind* 3 (*investire*) to run* over ● **a. i denti**, to grind one's teeth □ **a. la erre**, to roll one's r's Ⓑ **arròtarsi** v. i. pron. (*urtarsi con le ruote*) to collide wheel against wheel.

arrotatrìce f. (*mecc.*) grinder.

arrotatùra f. 1 sharpening; whetting 2 (*mecc.*) grinding.

arrotìno m. knife sharpener; knife grinder.

arrotolaménto m. rolling up.

♦**arrotolàre** Ⓐ v. t. to roll; to roll up: **a. un ombrello** [**un tappeto**], to roll up an umbrella [a carpet]; **arrotolarsi le maniche**, to roll up one's sleeves; **arrotolarsi una sigaretta**, to roll a cigarette Ⓑ **arrotolàrsi** v. rifl. e i. pron. to roll up.

arrotondaménto m. 1 (*smussatura*) rounded contour; rounded edge 2 (*fig., di cifra*) rounding off; (*per eccesso*) rounding up; (*per difetto*) rounding down 3 (*l'aggiungere*) supplementing; (*aggiunta*) supplement.

arrotondàre Ⓐ v. t. 1 (*smussare*) to round 2 (*fig.: una cifra*) to round off; (*per eccesso*) to round up; (*per difetto*) to round down: **a. alla terza cifra decimale**, to round off to the third decimal 3 (*aggiungere*) to supplement: **a. lo stipendio**, to supplement one's salary Ⓑ **arrotondàrsi** v. i. pron. 1 to become* round 2 (*fig.: ingrassare*) to put* on weight; (*di viso*) to fill out.

arrovellaménto m. struggling.

arrovellàre Ⓐ v. t. – **arrovellarsi il cervello**, to rack one's brain Ⓑ **arrovellàrsi** v. rifl. (*affannarsi*) to struggle; to do* all one can.

arroventàre Ⓐ v. t. 1 to make* red-hot 2 (*fig.*) to inflame; to scorch Ⓑ v. i. e **arroventàrsi** v. i. pron. to become* red-hot.

arroventàto a. 1 red-hot 2 (*fig.: caldissimo*) scorching; burning: **un'estate arroventata**, a scorching summer 3 (*fig.: focoso*) hot; fierce; heavy: **una polemica arroventata**, a hot (*o* fierce) debate.

arrovesciàre Ⓐ v. t. (*gli occhi*) to roll back; (*la testa*) to throw* back, to let* fall back. → **rovesciare** Ⓑ **arrovesciàrsi** v. i. pron. to fall* backwards; to collapse.

arruffaménto m. 1 (*l'arruffare*) ruffling; tangling 2 (*intrico*) tangle.

arruffapòpoli m. e f. inv. rabble-rouser.

arruffàre Ⓐ v. t. 1 to ruffle: (*capelli, anche*) to muss (*USA*): **a. i capelli a q.**, to ruffle sb.'s hair; to muss sb.'s hair (*USA*); **a. il pelo**, to bristle 2 (*ingarbugliare*) to tangle ● (*fig.*) **a. la matassa**, to confuse (*o* to cloud) the issue Ⓑ **arruffàrsi** v. i. pron. 1 (*di capelli*) to get* ruffled, to get* mussed up (*USA*) 2 (*di pelo*) to bristle; (*di penne*) to ruffle up 3 (*fig.*) to become* entangled; to snarl up.

arruffàto a. 1 (*di capelli*) ruffled, dishevelled, mussed up (*USA*); (*di pelo*) bristling 2 (*ingarbugliato*) tangled; snarled 3 (*fig.: confuso*) confused; muddled.

arruffianaménto m. (*pop.*) sucking up (to sb.) (*fam.*).

arruffianàre Ⓐ v. t. (*pop.: ingraziarsi*) to toady to; to fawn on; to suck up to (*fam.*); (*farsi amico*) to get* on the right side of, to chat up: *Cerca di arruffianarsi il capo*, he is sucking up to the boss; *Me lo sono arruffianato*, I've got on the right side of him Ⓑ **ar-**

---

ruffianarsi v. i. pron. (*pop.*) to collude (with); to be* in cahoots (with) (*fam.*).

arruffìo m. 1 (*garbuglio*) entanglement; tangle 2 (*disordine*) mess; muddle; jumble.

arruffóne m. (f. **-a**) 1 (*pasticcione*) muddler; bungler 2 (*imbroglione*) swindler; cheat.

arrugginiménto m. rusting.

♦**arrugginìre** Ⓐ v. t. to rust ● **a. i muscoli**, to make (sb.'s) muscles stiff Ⓑ v. i. e **arrugginìrsi** v. i. pron. 1 to rust; to get* rusty 2 (*fig.*) to get* rusty; to go* rusty; (*di muscoli*) to get* stiff: *Il mio francese si è arrugginito*, my French has got a bit rusty.

arrugginìto a. 1 rusty 2 (*fig.*) rusty; (*di muscoli*) stiff.

arruolaménto m. (*mil.*) recruitment; enlistment; conscription; induction (*USA*); (*volontario*) enlistment, joining up ● **a. forzato**, impressment.

arruolàre Ⓐ v. t. (*mil.*) to recruit; to enlist; to call up; to draft (*USA*); to induct *USA* ● **a. a forza**, to impress; to press-gang; (*naut., anche*) to shanghai Ⓑ **arruolàrsi** v. rifl. (*mil.*) to enlist; to join up.

arsèlla f. (*zool.*) clam.

arsenàle m. 1 (*cantiere*) shipyard; dockyard 2 (*mil.: fabbrica, deposito d'armi*) arsenal 3 (*fig.: quantità d'armi*) arsenal: *Aveva addosso un vero a.*, she was carrying a regular arsenal 4 (*fig.: quantità di cose*) arsenal; heap.

arsenalòtto m. (*naut.*) dockyardman*.

arseniàto m. (*chim.*) arsenate.

arseniàle a. (*chim.*) arsenical.

arsenicàto a. (*chim.*) arsenicated.

arsenicìsmo m. (*med.*) arsenic poisoning.

arsènico m. (*chim.*) arsenic.

arsenióso a. (*chim.*) arsenious.

arseniùro m. (*chim.*) arsenide.

arsenobenzòlo m. (*chim.*) arsenobenzene.

arsenopirìte f. (*miner.*) arsenopyrite.

àrsi f. (*poesia, mus.*) arsis*.

arsìccio a. 1 scorched 2 (*arido*) parched; arid.

arsìna f. (*chim.*) arsine.

àrso a. 1 burned, burnt 2 (*riarso*) parched; dry.

arsùra f. 1 (*caldo arido*) heat 2 (*siccità*) drought 3 (*sete intensa*) burning thirst; parched: **spegnere l'a.**, to quench one's thirst.

artataménte avv. (*lett.*) astutely; cunningly; deviously.

♦**àrte** f. 1 art: **l'a. del disegno**, drawing; **l'a. del disegno tecnico**, draughtsmanship; **l'a. del ricamo**, the art of embroidery; **a. drammatica**, dramatics (pl. col verbo al sing.); **l'a. greca**, Greek art; **a. muraria**, masonry; **a. navale**, seamanship; **a. oratoria**, oratory; **l'a. per l'a.**, art for art's sake; **a. povera**, Arte Povera; **La settima a.**, cinema; **arti applicate**, applied arts; **belle arti**, fine arts; **arti e mestieri**, arts and crafts; **arti figurative**, figurative arts; **arti grafiche**, graphic arts; **arti liberali**, liberal arts; **arti marziali**, martial arts; **oggetto d'a.**, art object; **opera d'a.**, work of art; **storia dell'a.**, history of art; **storico dell'a.**, art historian 2 (*mestiere*) craft; trade: **esercitare un'a.**, to practise a trade 3 (*maestria, abilità*) ability; skill; craftsmanship; (*fig.*) talent, knack: **a. culinaria**, cookery; cooking; **l'a. di arrangiarsi**, the ability to get by; **a. di governo**, statesmanship; **a. del vendere**, salesmanship; **l'a. di riuscire subito simpatico**, a knack of being liked immediately; **a. marinaresca**, seamanship; **fatto con a.** [*senz'a.*], skilfully [clumsily] done 4 (*astuzia*)

---

art; guile; trick 5 (*stor.: corporazione*) guild: *A. della Lana*, Wool Merchants' Guild; **arti maggiori** [**minori**], major [minor] guilds ● **ad a.**, on purpose, deliberately □ (*teatr.*) **In a. è noto come...**, his stage-name is... □ **non avere né a. né parte**, to be a good-for-nothing.

artefàre v. t. 1 (*adulterare*) to adulterate; to doctor 2 (*falsificare*) to counterfeit; to forge.

artefàtto a. 1 (*adulterato*) adulterated; doctored 2 (*falsificato*) faked; counterfeit 3 (*artificioso*) artificial; affected.

artéfice m. e f. 1 maker; craftsman* (m.); craftswoman* (f.) 2 (*autore*) author: **l'a. di un complotto**, the author of a conspiracy ● **il sommo A.**, the Creator.

Artèmide f. (*mitol.*) Artemis.

artemìsia f. (*bot.*, *Artemisia*) artemisia.

♦**artèria** f. 1 (*anat.*) artery 2 (*via*) artery; major road; arterial route: **a. di grande traffico**, major thoroughfare; major arterial route; **a. ferroviaria**, arterial train route; **a. urbana**, city artery; main road.

arteriàle a. (*anat.*) arterial.

arteriectomìa f. (*med.*) arteriectomy.

arteriografìa f. (*med.*) arteriography.

arteriola f. (*anat.*) arteriole.

arteriopatìa f. (*med.*) arteriopathy.

arteriosclèrosi, **arterioscleròsi** f. (*med.*) arteriosclerosis; hardening of the arteries.

arterioscleròtico Ⓐ a. 1 (*med.*) arteriosclerotic 2 (*fam.*) senile Ⓑ m. e f. 1 arteriosclerosis sufferer 2 (*fam.*) senile person.

arterióso a. arterial: **sangue a.**, arterial blood.

arteriotomìa f. (*chir.*) arteriotomy.

arterìte f. (*med.*) arteritis.

artesiàno a. artesian: **pozzo a.**, artesian well.

arteterapìa f. (*psic.*) art therapy.

àrtico a. (*geogr.*) Arctic; northern: **il circolo polare artico**, the Arctic Circle; **emisfero a.**, northern hemisphere; **l'Oceano A.**, the Arctic Ocean; **il Polo Artico**, the North Pole Ⓑ m. – **l'A.**, the Arctic.

articolàre① a. (*anat.*) articular.

articolàre② Ⓐ v. t. 1 (*un arto*) to flex; to bend* 2 (*pronunciare bene*) to articulate; to enunciate; to pronounce clearly; (*proferire*) to utter: *Non riuscì ad a. parola*, he could not utter a word 3 (*suddividere*) to divide; to organize: **a. un testo in capitoli**, to organize a text into chapters Ⓑ **articolàrsi** v. i. pron. 1 (*di arto*) to articulate; to be articulated 2 (*suddividersi*) to be divided (into); to be composed (of); to be set out (in).

articolàto① Ⓐ a. 1 (*anat.*) articulated 2 (*di suono*) articulate 3 (*mecc.*) articulated, jointed; hinged 4 (*ben congegnato*) well-organized; structured; (*complesso*) complex 5 (*frastagliato*) indented Ⓑ m. (*polit.*) articles (pl.) (of a bill).

articolàto② a. (*gramm.*) – **preposizione articolata**, preposition combined with an article.

articolatóre m. (*anat.*, *fon.*) articulator.

articolazióne f. 1 (*anat.*) articulation; joint: **a. del polso**, wrist joint; *Ho dolori in tutti le articolazioni*, I've got pains in all my joints 2 (*enunciazione*) expression; enunciation 3 (*ling.*) articulation 4 (*mecc.*) articulated joint.

articoléssa f. (*spreg.*) long, boring newspaper article.

articolìsta m. e f. (*giorn.*) columnist; journalist.

♦**articolo** m. 1 (*gramm.*) article: **a. determinativo** [**indeterminativo**], definite [indefi-

nite] article **2** (*comm.*) article; item; (al pl., collett., anche) goods, -ware ⓤ: **un a. molto richiesto**, a very popular article (*o* item); **articoli di cartoleria**, stationery ⓤ; writing materials; **articoli di lusso**, luxury goods; **a. di moda**, fashion accessory; **articoli da cucina**, kitchen utensils; kitchenware; **articoli da spiaggia**, beachwear ⓤ; swimwear ⓤ; **articoli di lana**, woollens; **articoli di vestiario**, clothing ⓤ; **articoli di vetro**, glassware; **articoli vari**, sundries; fancy goods; **trattare un a.**, to deal in an article; **una linea di articoli**, a line **3** (*giorn.*) article: **a. di fondo**, editorial; leading article; leader **4** (*capo, punto, ecc.*) article: **a. di fede**, article of faith **5** (*leg.*) article; paragraph; section: **a. di legge**, article of a statute; **gli articoli di un contratto**, the paragraphs of a contract **6** (*voce di enciclopedia*) entry **7** (*fam.: tipo*) character.

artiere m. (*mil.*) pioneer; sapper.

♦**artificiàle** a. **1** artificial; man-made: **fibra a.**, man-made fibre; **fiori artificiali**, artificial flowers; **ghiaccio a.**, artificial ice **2** (*artefatto*) artificial; affected.

artificialità f. artificiality.

artificière m. **1** (*mil.*: *armiere*) artificer; (*servente ai pezzi*) gunner; (*chi disinnesca bombe*) bomb-disposal expert **2** (*pirotecnico*) pyrotechnist.

artificio m. **1** (*espediente*) device; stratagem; artifice; (*astuzia*) trick, ploy: **ricorrere a un a.**, to have recourse to a stratagem **2** (*affettazione*) affectation **3** (*congegno*) device; mechanism; contrivance ● **fuochi d'a.**, fireworks.

artificiosità f. **1** artificiality **2** (*affettazione*) affectedness.

artificióso a. **1** artificial; contrived **2** (*affettato*) affected.

artifizio → **artificio**.

artigianàle a. **1** (*di artigiani*) craft (attr.); artisan (attr.): **attività a.**, craft; handicraft; **consorzio a.**, craft cooperative **2** (*fatto da artigiano*) handcrafted; craftsmanlike; (*di produzione casalinga*) homemade: **prodotti artigianali**, handicrafts **3** (*dilettantesco*) unprofessional; amateurish.

artigianalménte avv. – **prodotto a.**, (*fatto a mano*) handcrafted; (*di produzione casalinga*) home-produced, homemade.

artigianàto m. **1** (*attività*) crafts (pl.); (*a domicilio*) cottage industry: **fiera dell'a.**, crafts fair; **prodotti dell'a. locale**, local handicrafts **2** (*gli artigiani*) craftsmen (pl.); artisans (pl.) **3** (*insieme di prodotti*) handicrafts (pl.); craftwork.

♦**artigiàno** Ⓐ a. craft (attr.); artisan (attr.): **azienda artigiana**, craft business Ⓑ m. (f. *-a*) craftsman* (f. craftswoman*); artisan.

artigliàre v. t. **1** to claw **2** (*afferrare*) to clutch; to grapple; (*uncinare*) to hook.

artigliàto a. (*di carnivoro*) clawed; (*di rapace*) taloned.

artiglière m. (*mil.*) gunner; artilleryman*.

artiglierìa f. (*mil.*) **1** (*i pezzi*) artillery; ordnance: **a. da campagna**, field artillery; **a. pesante**, heavy artillery; **fuoco d'a.**, artillery fire; **pezzo d'a.**, piece of ordnance **2** (*la specialità*) artillery; gunnery.

♦**artìglio** m. **1** (*di carnivoro*) claw; (*di rapace*) talon ● **tirar fuori gli artigli**, to show one's claws **2** (*fig.*) clutch.

artiodàttilo m. (*zool.*) artiodactyl.

♦**artista** m. e f. **1** artist: **a. di teatro**, actor (m.); actress (f.); **a. del varietà**, variety artist; artiste (*franc.*) entertainer **2** (*fig.*: *persona provetta*) artist; master; wizard.

♦**artìstico** a. artistic; art (attr.): (*teatr.*) **direttore a.**, artistic director; **doti artistiche**, artistic talents; **liceo a.**, art school; **temperamento a.**, artistic temperament.

artistòide m. arty type.

àrto m. (*anat.*) limb: (*med.*) **a. fantasma**, phantom limb; **arti superiori [inferiori]**, upper [lower] limbs.

artocàrpo m. (*bot.*, *Artocarpus integrifolia*) breadfruit (tree).

artralgìa f. (*med.*) arthalgia.

artrìte f. (*med.*) arthritis: **a. reumatoide**, rheumatoid arthritis.

artrìtico a. e m. (*med.*) arthritic.

artrologìa f. (*med.*) arthrology.

artropatìa f. (*med.*) arthropathy.

artroplàstica f. (*chir.*) arthroplasty.

artròpode m. (*zool.*) arthropod; (al pl., *scient.*) Arthropoda.

artroscopìa f. (*med.*) arthroscopy.

artròsi f. (*med.*) arthrosis; (*com.*) arthritis.

artrotomìa f. (*chir.*) arthrotomy.

Artù m. (*letter.*) Arthur.

arturiàno a. (*letter.*) Arthurian.

Artùro m. Arthur.

arùspice m. haruspex*.

aruspicìna f. haruspicy.

arvìcola f. (*zool.*, *Arvicola arvensis*) field vole; short-tailed vole.

arzigogolàre Ⓐ v. i. **1** (*cavillare*) to quibble; to split hairs **2** (*fantasticare*) to daydream; to muse (over st.) Ⓑ v. t. (*escogitare*) to concoct; to dream* up.

arzigogolàto a. (*complicato*) intricate; tortuous; far-fetched.

arzigògolo m. **1** (*cavillo*) quibble; cavil **2** (*giro di parole*) circumlocution **3** (*espediente*) ploy; ruse; stratagem.

arzìllo a. sprightly; spry; hale and hearty: **un a. novantenne**, a sprightly ninety-year-old (man).

AS sigla (**Associazione sportiva**) sporting club.

aşàro m. (*bot.*, *Asarum*) asarabacca.

aşbèsto m. (*miner.*) asbestos.

aşbestòşi f. (*med.*) asbestosis.

aşbùrgico a. Habsburg (attr.).

Aşbùrgo m. Habsburg.

ascàride m. (*zool.*, *Ascaris*) ascarid; ascaris*.

ascaridìaşi f. (*med.*) ascariasis.

àscaro m. (*stor.*) askari.

ascèlla f. **1** (*anat.*) armpit; (*scient.*) axilla* **2** (*bot.*) axil.

ascellàre a. (*anat.*, *bot.*) axillary.

ascendentàle a. **1** ascending; upward **2** (*leg.*) ancestral.

ascendènte Ⓐ a. **1** ascending; rising; upward: (*ling.*) **dittongo a.**, rising diphthong; (*tipogr.*) **asta [lettera] a.**, ascender; (*mus.*) **scala a.**, ascending scale; (*econ.*) **tendenza a.**, upward trend **2** (*astron.*) ascendent, ascendant **3** (*bot.*) assurgent Ⓑ m. **1** (*genealogia*) ascendant; (*antenato*) ancestor **2** (*astron.*) ascendant **3** (*influenza*) ascendancy, ascendency; influence: **avere a. su q.**, to have ascendancy over sb.

ascendènza f. **1** (*antenati*) ancestors (pl.) **2** (*fig.*) origin.

ascéndere Ⓐ v. i. **1** to ascend; to rise*: **a. al cielo**, to ascend into Heaven; **a. al trono**, to ascend the throne **2** (*ammontare*) to amount (to); to come* (to) Ⓑ v. t. (*lett.*) to ascend; to climb.

ascensionàle a. upward; ascensional: (*meteor.*) **corrente a.**, updraught; (*di aria calda*) thermal; **moto a.**, upward motion.

ascensióne f. **1** ascension; ascent; (*alpinistica*) ascent, climb: **a. aeronautica**, ascent by air **2** (*relig.*) Ascension; (*la festa*) Ascension Day **3** (*astron.*) ascension.

♦**ascensóre** m. lift (*GB*); elevator (*USA*): **chiamare [prendere] l'a.**, to call [to take] the lift.

ascensorista m. e f. lift operator; lift attendant.

ascéşa f. **1** ascent; (*anche econ.*) rise: **a. al potere**, rise to power; **a. al trono**, accession to the throne; **in a.**, rising; growing; moving up; *I prezzi sono in a.*, prices are rising; **popolarità in a.**, growing popularity; *Gli affari sono in a.*, business is doing very well **2** (*di monte*) ascent; climb.

ascèşi f. ascesis.

ascèşşo m. (*med.*) abscess.

ascèta m. e f. ascetic: **vivere da a.**, to lead an ascetic life.

ascètica f. ascetical theology.

ascètico a. ascetic.

ascetìşmo m. asceticism.

ASCI sigla (**Associazione scoutistica cattolica italiana**) Association of Italian Catholic Boy Scouts.

àscia f. **1** axe; (*scure*) hatchet: **a. di guerra**, battle-axe; poleaxe; (*di pellerossa*) hatchet, tomahawk ● (*fig.*) **seppellire l'a. di guerra**, to bury the hatchet □ (*fig.*) **tagliato con l'a.**, (*di lavoro*) rough and ready; cobbled together.

ascìdia f. (*zool.*) sea squirt.

ascidìaceo m. (*zool.*) ascidian.

ascìdio m. (*bot.*) pitcher.

ascientìfico a. ascientific; unscientific.

ascìssa f. (*mat.*) abscissa*.

ascìte f. (*med.*) ascites.

ascìtico a. (*med.*) ascitic.

asciugabiancherìa m. o f. inv. clothes dryer; tumble dryer.

asciugacapélli m. inv. hairdryer.

asciugamàno m. towel: **a. a rullo**, roller towel.

♦**asciugàre** Ⓐ v. t. to dry; (*tergere*) to wipe; (*con spugna e sim.*) to mop: **a. i piatti**, to dry the dishes; **asciugarsi le mani**, to dry one's hands; **asciugarsi la bocca**, to wipe one's mouth; **asciugarsi le lacrime**, to dry one's tears; to wipe one's eyes; *Si asciugò il sudore dalla fronte*, he wiped (*o* mopped) the sweat from her forehead Ⓑ **asciugàrsi** v. rifl. to dry oneself Ⓒ v. i. e **asciugàrsi** v. i. pron. **1** to dry; to get* dry: **stendere il bucato ad asciugarsi**, to hang out the washing to dry; *Si è asciugato?*, is it dry? **2** (*dimagrire*) to become* lean.

asciugatóio m. **1** (*asciugamano*) towel **2** (*mecc.*) dryer.

asciugatrice f. clothes dryer; tumble dryer.

asciugatùra f. drying.

asciuttézza f. **1** dryness **2** (*fig.*, *di tono*) brusqueness; curtness **3** (*magrezza*) leanness.

♦**asciùtto** Ⓐ a. **1** dry: **bucato a.**, dry washing; **fiume a.**, dry riverbed; **occhi asciutti**, dry eyes; **tempo a.**, dry weather **2** (*fig.*: *brusco*) brusque; curt: **modi asciutti**, brusque manners; **un no a.**, (*rifiuto*) a curt refusal; (*negazione*) a curt denial; *Gli rispose a. a.*, he replied curtly **3** (*magro*) lean ● **a ciglio a.**, dry-eyed □ **balia asciutta**, dry nurse □ **gola asciutta** parched throat Ⓑ m. dry ground; dry place: **all'a.**, on dry ground; (*non alla pioggia*) out of the rain; (*fig.*: *senza soldi*) penniless, broke (*fam.*), hard up (*fam.*).

asclepìade f. (*bot.*, *Gentiana asclepiadea*) asclepias; milkweed.

asclepiadèo (*poesia*) Ⓐ a. Asclepiadean Ⓑ m. Asclepiad.

Asclèpio m. (*mitol.*) Asclepius.

àşco m. (*bot.*) ascus*.

ascocàrpo m. (*bot.*) ascocarp.

ascogònio m. (*bot.*) ascogonium*.

ascolàno Ⓐ a. of Ascoli; from Ascoli; Ascoli (attr.) Ⓑ m. native [inhabitant] of Ascoli.

a

◆**ascoltàre** v. t. **1** to listen (to sb., st.): **a. la musica**, to listen to the music; **a. la radio**, to listen to the radio; (*leg.*) **a. le testimonianze**, to hear the evidence; *Ti ascolto*, I'm listening (to you); *Ascolta!*, listen!; **a. in silenzio**, to listen in silence; **a. di nascosto**, to eavesdrop (on st.); *Lo ascoltai fino in fondo*, I heard him out **2** (*dare retta*) to listen to; to pay* attention to; to attend to; to heed (*form.*): *Non ascoltarlo, è uno sciocco*, don't listen to him, he's a fool; **a. i consigli di q.**, to take sb.'s advice **3** (*assistere a*) to attend; to hear*: **a. una lezione**, to attend a class; **a. la Messa**, to attend (*o* to hear) Mass; **a. una predica**, to hear a sermon **4** (*esaudire*) to hear*; to grant: *La mia preghiera fu ascoltata*, my prayer was heard **5** (*med.*) to auscultate.

ascoltatóre m. (f. **-trìce**) **1** listener; hearer **2** (al pl.) (*uditorio*) listeners; audience (sing.).

ascólto m. listening; hearing: **durante l'a.**, while listening; **dare a. a q.**, to listen to sb.; (*dare retta, anche*) to pay attention to sb.; **essere** (*o* **stare**) **in a.**, to be listening; **mettersi in a.**, to start listening; (*radio*) to tune in; (*radio, TV*) **indice di a.**, ratings; (*radio, TV*) **ore di maggiore a.**, peak (*USA* prime) (listening, viewing) time.

ASCOM abbr. (**Associazione commercianti**) Traders Association.

Ascomicèti m. pl. (*bot.*, *Ascomycetes*) Ascomycetes.

ascóndere v. t. (*lett.*) to conceal; to hide*.

ascòrbico a. (*chim.*) ascorbic.

ascóso a. (*lett.*) concealed; hidden.

ascrìvere v. t. (*lett.*) **1** (*annoverare*) to count; to number **2** (*attribuire*) to ascribe; to attribute; to put* down: **a. qc. a una coincidenza**, to ascribe st. (*o* to put st. down) to coincidence; **a. qc. a lode [a biasimo] di q.**, to praise [to blame] sb. for st.

ascrivìbile a. that can be ascribed (*o* put down) (to); attributable (to).

asèllo m. (*zool.*, *Asellus aquaticus*) water slater.

asèpsi f. (*med.*) asepsis*.

asessuàle a. (*biol.*) asexual.

asessuàto a. **1** (*biol.*) asexual **2** (*fig.*) sexless; neuter.

asèttico a. **1** (*med.*) aseptic **2** (*fig.*) detached; neutral.

asfaltàre v. t. to asphalt.

asfaltàto a. asphalt (attr.): **strada asfaltata**, asphalt road; **strada non asfaltata**, unpaved road; dirt road.

asfaltatóre m. asphalter.

asfaltatùra f. **1** (*l'asfaltare*) asphalting **2** (*asfalto*) asphalt.

asfàltico a. asphaltic.

asfaltìsta m. asphalter.

asfàlto m. asphalt.

asfissìa f. (*med.*) asphyxia; asphyxiation: **morte per a.**, death by asphyxiation.

asfissiànte a. **1** asphyxiating: **gas a.**, asphyxiating (*o* poison) gas **2** (*fig.*: *opprimente*) stifling; suffocating: **caldo a.**, stifling heat **3** (*fig.*: *fastidioso, esasperante*) irritating, tiresome, exasperating; (*insistente*) relentless.

asfissiàre Ⓐ v. t. **1** to asphyxiate; (*col gas*) to gas **2** (*fig.*: *esasperare*) to exasperate; (*tormentare*) to plague, to nag, to be on (sb.'s) back, (*con domande, ecc.*) to pester Ⓑ v. i. to die of asphyxiation; to be asphyxiated Ⓒ **asfissiàrsi** v. rifl. (*uccidersi col gas*) to kill oneself with gas; to gas oneself.

asfìttico a. **1** (*med.*) asphyxial **2** (*fig.*) weak; feeble.

asfodèlo m. (*bot.*, *Asphodelus*) asphodel*.

ashkenaẓita → **askenaẓita**.

ASI sigla (**Agenzia spaziale italiana**) Italian Space Agency.

asiàtica f. (*med.*) Asian flu.

asiàtico Ⓐ a. Asian; Asiatic; (*orientale*) oriental: **popoli asiatici**, Asian peoples; **lusso a.**, oriental luxury Ⓑ m. (f. **-a**) Asian.

asigmàtico a. (*ling.*) asigmatic.

asillàbico a. (*ling.*) asyllabic.

◆**asìlo** m. **1** (*rifugio*) refuge; shelter; (*polit.*) asylum; (*protezione*) sanctuary: **a. politico**, (political) asylum; **cercare a.**, to seek refuge; **dare a. a q.**, to give sb. shelter; to shelter sb.; **trovare a.**, to find shelter; **diritto d'a.**, (*leg.*) right of sanctuary; (*polit.*) right of asylum; **richiesta di a.**, claim for asylum **2** (*istituto*) – **a. infantile**, kindergarten (*ted., antiq.*); nursery school; pre-school; **a. nido**, crèche (*franc.*), playschool.

asimmetrìa f. **1** asymmetry **2** (*stat.*) skewness.

asimmetricità f. asymmetry; unevenness.

asimmètrico a. **1** asymmetric; uneven; (*sport*) **parallele asimmetriche**, uneven bars **2** (*stat.*) skew.

àsina f. **1** (*zool.*) she-ass **2** (*fig.*) → **asino**, *def. 2*.

asinàggine f. crass ignorance; stupidity.

asinàio m. donkey driver.

asinàta → **asineria**, *def. 2*.

asincronìa f. asynchrony.

asincronìsmo m. (*fis., mecc.*) asynchronism.

asìncrono a. (*fis., mecc.*) asynchronous: **alternatore a.**, asynchronous alternator; **motore a.**, induction motor.

asindètico a. (*ling.*) asyndetic.

asindeto m. (*ling.*) asyndeton*.

asinergìa f. (*med.*) asynergia.

asinerìa f. **1** ignorance **2** (*azione stupida*) foolish action; (*osservazione stupida*) foolish remark, nonsense Ⓤ: *Non dire asinerie!*, don't talk nonsense! **3** (*errore*) gross mistake.

asinésco a. **1** asinine **2** (*fig.*) stupid; foolish.

asinìno a. **1** asinine; ass-like; ass's: **orecchie asinine**, ass's ears **2** (*fig.*) stupid; foolish ● **ignoranza asinina**, crass ignorance □ (*med.*) **tosse asinina**, hooping (*o* whooping) cough.

asinità → **asineria**.

◆**àsino** m. **1** (*zool.*, *Equus asinus*) ass; donkey; (*il maschio*) jackass **2** (*fig.*: *ignorante*) ignoramus; blockhead ● (*fig.*) **a. calzato e vestito**, total ignoramus; proper fool □ (*fig.*) **a. bardato**, upstart □ (*fig. fam.*) **la bellezza dell'a.**, the beauty of youth □ **credere che gli asini volino**, to swallow anything □ **essere come l'a. di Buridano**, to be unable to make up one's mind (between two things) □ (*fig.*) **lavare la testa all'a.**, to waste one's time □ **legar l'a. dove vuole il padrone**, to do as one is told □ (*fig.*) **orecchie d'a.**, dunce's cap □ (*fig.*) **Pezzo d'a.!**, you fool! □ **Quando voleranno gli asini**, when hell freezes over □ **Qui casca l'a.!**, that's the problem □ (*prov.*) **Meglio un a. vivo che un dottore morto**, a living dog is better than a dead lion □ (*prov.*) **Non si può far bere l'a. per forza**, you can lead a horse to the water, but you can't make him drink □ (*prov.*) **Raglio d'a. non arriva in cielo**, the braying of an ass does not reach heaven.

asintomàtico a. (*med.*) asymptomatic.

asintòtico a. (*mat.*) asymptotic.

asìntoto m. (*mat.*) asymptote.

asìsmico a. (*geol., edil.*) aseismic.

askenaẓita a., m. e f. Ashkenazi.

ASL sigla (*med.*, **Azienda sanitaria locale**) Local Health Authority.

àṣma f. *o* m. (*med.*) asthma: **a. allergica** allergic asthma; **a. bronchiale**, bronchial asthma.

aṣmàtico a. e m. (f. **-a**) (*med.*) asthmatic.

asociàle a. asocial.

asocialità f. asociality.

àṣola f. **1** (*di indumento*) buttonhole **2** (*tecn.*) slot.

aṣolàia f. buttonholer.

asparagéto m., **asparagiàia** f. asparagus bed.

asparagìna f. (*chim.*) asparagine.

aspàrago m. (*bot.*, *Asparagus officinalis*) asparagus.

aspartàme m. aspartame.

aspàrtico a. (*chim.*) aspartic.

aspatóio m. (*ind. tess.*) reeling frame.

aspatùra f. (*ind. tess.*) reeling.

aspecìfico a. (*med.*) non-specific.

asperèlla f. (*bot.*) **1** (*Galium aparine*) goosegrass; cleavers **2** (*Equisetum arvense*) horsetail.

aspèrgere v. t. (*lett.*) to sprinkle.

aspergillo m. (*bot.*, *Aspergillus*) aspergillus*.

aspergillòṣi f. (*med.*) aspergillosis.

asperità f. **1** (*scabrosità*) roughness; coarseness **2** (*sporgenza*) irregularity; protuberance **3** (*difficoltà*) trouble; difficulty; hardship.

aspermìa f. (*biol.*) aspermatism.

aspèrrimo a. very bitter; very harsh; very hard.

aspersióne f. sprinkling.

aspersòrio m. (*eccles.*) aspergillum*.

◆**aspettàre** v. t. **1** to wait (for sb., st.); to await (*form.*): **a. un amico [l'autobus, una telefonata]**, to wait for a friend [for the bus, for a phone call]; **a. che accada qualcosa**, to wait for something to happen; *Che cosa aspetti?*, what are you waiting for?; **a. q. alzato**, to wait up for sb.; *Non aspetterò un minuto di più*, I won't wait a minute longer; *Lo aspettai per un'ora*, I waited for him for an hour; *Lo aspettava una sorpresa*, a surprise awaited him; *Ci aspetta una settimana dura*, we have a hard week ahead of us; *Non sapeva che cosa lo aspettava*, he didn't know what was in store for him **2** (*prevedere l'arrivo di*) to expect: *Lo aspettiamo a momenti*, we are expecting him at any moment; *Non vi aspettavo a quest'ora*, I wasn't expecting you at this time **3** (**aspettarsi**) to expect: *Dobbiamo aspettarci un periodo brutto*, we must expect a difficult period; *Non possiamo aspettarci troppo da loro*, we can't expect too much from them; *Da te non me l'aspettavo*, I didn't expect it of you; *Mi aspettavo che dicesse qualcosa*, I expected him to say something; *C'era da aspettarselo*, it was only to be expected; that figures!; *C'è da aspettarsi di tutto*, anything can happen; *Me l'aspettavo!*, I knew it!; **quando meno te l'aspetti**, when you least expect it ● **a. q. al varco**, to lie in wait for sb. □ **a. con ansia qc.**, to look forward to st.: *Aspettavamo con ansia di vederli*, we were looking forward to seeing them □ **a. un figlio**, to be expecting; to be pregnant □ **a. il proprio turno**, to wait one's turn □ **a. visite**, to expect visitors □ **fare a. q.**, to keep sb. waiting □ **farsi a.**, to keep people waiting; (*di cose*) to be late □ (*iron.*) **Aspetta e spera!**, that'll be the day! □ **Aspetta e vedrai**, wait and see; (*minaccia*) just you wait! □ **Qui t'aspetto!**, (*a chi fa o confessa qc.*) I thought I'd catch you out; (*qui sta il difficile*) there's the rub; (*vediamo come te la cavi*) now let's see what you can do □ (*prov.*) **Chi la fa, l'aspetti**, as they sow, so let them reap.

aspettativa f. **1** expectation; anticipation; (*speranza*) hope: **corrispondere all'a.**,

to live up to sb.'s expectations; **deludere le aspettative**, to fall short of sb.'s expectations; **superare ogni a.**, to exceed (*o* to go beyond) all expectations; **contro ogni a.**, against all expectations; (*econ.*, al pl.) **aspettative adattive**, adaptive expectations 2 (*durata presunta*) expectancy; expectation: **a. di vita**, life expectancy 3 (*congedo temporaneo*) leave (of absence); extended leave: **a. per malattia**, sick leave; **a. per maternità**, maternity leave; **essere in a.**, to be on leave; **mettere q. in a.**, to give sb. extended leave; to relieve sb. temporarily of his duties; **mettersi in a.**, to take extended leave; **mettersi in a. per un anno**, to take a year's leave.

aspettazióne f. (*lett.*) expectation; expectancy; (*speranza*) hope.

aspètto ① m. 1 (*attesa*) waiting: **sala d'a.**, waiting-room 2 (*mus.*) pause.

♦**aspètto** ② m. 1 (*di cosa*) appearance; look: **l'a. della città sotto la pioggia**, the look of the city under the rain; *La stanza aveva il solito a.*, the room looked the same as usual; *Che a. ha?*, what does it look like?; **giudicare qc. dall'a.**, to judge st. by its look (*o* appearance); *Allora la faccenda cambia a.*, that puts a different look (*o* complexion) on the matter 2 (*di persona*) appearance; (*del viso*) looks (pl.); (*sembianze*) likeness: **a. giovanile**, youthful appearance; **a. sano**, healthy looks; **bell'a.**, good looks; **di bell'a.**, good-looking; **avere un a. severo** [**allegro**], to look stern [happy]; *Hai un brutto a.*, you don't look well; *La strega assunse l'a. di un gatto*, the witch took on the likeness of a cat 3 (*punto di vista*) aspect; respect; point of view; facet: **gli aspetti pratici di qc.**, the practical aspects of st.; **considerare qc. sotto più aspetti**, to consider st. from various points of view; **per certi aspetti**, in some respects 4 (*ling.*) aspect.

aspettuàle a. (*ling.*) aspectual.

aspic (*franc.*) m. (*cucina*) aspic dish: **a. di pollo**, chicken in aspic.

àspide m. (*zool.*, *Vipera aspis*) asp ● (*zool.*) **a. di Cleopatra** (*Naja haje*), asp.

aspidìstra f. (*bot.*, *Aspidistra elatior*) aspidistra.

aspiRànte A a. 1 aspiring: **a. attore**, aspiring actor 2 (*mecc.*) sucking; suction (attr.): **pompa a.**, suction pump; **cappa a.**, extractor hood B m. e f. 1 aspirant; candidate; (*chi fa domanda*) applicant: **l'a. alla presidenza**, the aspirant to the presidency; **a. a un posto**, candidate for a job; applicant for a job; (*boxe*) **a. al titolo**, challenger 2 (*naut.*) midshipman* 3 (*aeron.*) air-force cadet.

aspirapólvere m. inv. vacuum cleaner; hoover® (*GB*): **passare l'a. sul pavimento**, to vacuum the floor; to hoover the floor (*GB*); **pulizia con l'a.**, vacuum cleaning.

aspiRàre A v. t. 1 to breathe in; to inhale: **a. il fumo**, to inhale smoke 2 (*mecc.*) to suck up 3 (*fon.*, *med.*) to aspirate B v. i. (*desiderare*) to aspire (to); to aim (at); to seek* (st.); to strive* (for): **a. a una nomina** [**alla fama**], to aspire to an appointment [to fame]; **a. alla perfezione**, to seek perfection.

aspiràta f. (*fon.*) aspirate.

aspiràto a. (*fon.*) aspirate.

aspiratóre m. 1 (*ind.*, *mecc.*) aspirator; extractor fan; exhaust fan: **a. da cucina**, extractor fan 2 (*med.*) aspirator.

aspirazióne f. 1 breathing in; inhalation 2 (*mecc.*) suction: **a. della polvere**, dust suction; **impianto di a.**, extractor unit; **tubo di a.**, sucker; **valvola di a.**, suction valve 3 (*fon.*, *med.*) aspiration 4 (*fig.*) aspiration; ambition.

aspirìna® f. (*farm.*) aspirin*.

asplènio m. (*bot.*, *Asplenium*) spleenwort; finger fern.

àspo m. (*ind. tess.*) reel; swift.

asportàbile a. removable.

asportàre v. t. 1 (*portare via*) to carry away; to carry off; to remove; to take* away: *I ladri hanno asportato due quadri*, the burglars carried off two paintings; **cibo da a.**, takeaway (*USA* takeout) food 2 (*chir.*) to remove; to excise.

asportazióne f. (*anche chir.*) removal.

aspórto m. removal ● **da a.**, takeaway (*GB*); takeout (*USA*); to go (*USA*): **pizza da a.**, takeaway pizza; takeout pizza; pizza to go □ (*edil.*) **materiale di a.**, excavated earth.

aspraménte avv. harshly; severely.

asprétto m. (*di vino*) sourish taste.

asprézza f. 1 (*di sapore*) sourness; tartness 2 (*ruvidezza*) roughness; ruggedness 3 (*rigore*) harshness; rigour, rigours: **l'a. di un inverno in montagna**, the rigours of a winter in the mountains 4 (*fig.*: *durezza*) harshness.

asprì m. aigrette; osprey.

asprìgno A a. sourish; acidulous B m. sourish taste.

àspro a. 1 (*di sapore*) sour; tart; bitter: **una mela aspra**, a sour apple; **avere sapore a.**, to taste sour 2 (*di odore*) pungent; acrid 3 (*di suono*) harsh; rasping; grating 4 (*fig.*: *duro*) harsh, bitter; (*arduo*) hard; (*violento*) fierce: **parole aspre**, harsh words; **un a. rimprovero**, a bitter reproach; **aspri combattimenti**, fierce fighting 5 (*ruvido*) rough; rugged: **una superficie aspra**, a rough surface 6 (*scosceso*) steep 7 (*di clima*) severe; hard; harsh: **un inverno a.**, a hard winter 8 (*ling.*) – **spirito a.**, rough breathing.

Ass. abbr. 1 (*posta*, **assicurata**) insured (*letter or parcel*) 2 (**associazione**) association.

assafètida f. (*bot.*, *farm.*) asafoetida.

♦**assaggiàre** v. t. 1 to taste; to try; (*per giudicare*, *anche*) to sample: **a. del cibo**, to taste food; **a. i piatti locali**, to try the local dishes; **a. diverse qualità di vino**, to sample various types of wine; *Assaggia questa salsa*, try this sauce; *Il cameriere mi versò del vino perché lo assaggiassi*, the waiter poured some wine for me to taste; *Fammi a.*, let me try it; let me have a taste 2 (*fig.*) to taste: **a. la vittoria**, to taste victory; **far a. la frusta a q.**, to give sb. a taste of the whip 3 (*mangiare poco*) to take* a bite of; to nibble at.

assaggiatóre m. (f. **-trice**) 1 taster: **a. di vini**, wine taster 2 (*saggiatore*) assayer.

assàggio m. 1 (*l'assaggiare*) tasting 2 (*piccola quantità*) taste; (*di bevanda*, *anche*) sip: *Ne prendo solo un a.*, I'll just have a taste 3 (*fig.*) foretaste: *E questo non è che un a.!*, this is only a foretaste of what's in store 4 (*campione*) sample 5 (*ind. min.*, *chim.*) assay.

♦**assài** A avv. (*molto*) very; (*davanti a compar.*) much, far: **a. tardi**, very late; **a. più vecchio**, much older; **a. prima**, far earlier 2 (*lett.*: *abbastanza*) enough: *Ho già visto a.*, I've already seen enough; **averne a. di q.**, to have had enough of sb. ● **M'importa a.!**, I couldn't care less! □ (*iron.*) **So a., io!**, how would I know? B a. inv. much; (al pl.) many, a lot of: **a. gente**, many people; a lot of people.

assàle m. (*mecc.*) axle: **a. anteriore** [**posteriore**], front [rear] axle; **a. motore**, driving axle.

♦**assalìre** v. t. 1 to attack; to assault: **a. il nemico** [**una fortezza**], to attack the enemy [a fortress]; *Fummo assaliti da banditi*, we were assaulted by bandits 2 (*fig.*) to assail; to overcome*; to seize: *Fu assalito dai dubbi*, he was assailed by doubts; *Mi assalì la paura*, I was seized with fear; *Mi assalì un pensiero*, a thought struck me 3 (*di malattia*) to attack; to strike* down.

assalitóre m. (f. **-trice**) assailant; attacker.

Assalònne m. (*Bibbia*) Absalom.

assaltàre v. t. 1 to assault; to attack 2 (*rapinare*) to raid; to hold* up: **a. una banca**, to hold up a bank.

assaltatóre m. (f. **-trice**) aggressor; assaulter; attacker.

♦**assàlto** m. 1 assault; attack: **dare l'a. a qc.**, to assault st.; (*mil.*) **dare l'a. a una postazione**, to attack a position; **muovere all'a. di**, to make an assault on; to attack; **prendere d'a.**, (*mil.*) to take by storm; (*fig.*) to besiege; to storm: *La gente prese d'a. i negozi*, the shops were stormed by customers; *I fan lo presero d'a.*, he was besieged (*o* stormed) by his fans; **sfuggire all'a. dei giornalisti**, to escape the throng of reporters 2 (*rapina*) raid; robbery; hold-up: **a. a una banca**, raid on a bank; bank hold-up; **a. a un treno**, train robbery 3 (*fig.*: *di malattia*, *ecc.*) attack 4 (*sport*) attack; onrush; (*scherma*) bout; (*boxe*) round ● **All'a.!**, charge! □ **d'a.** (*energico*), aggressive: **giornalismo d'a.**, aggressive journalism □ (*mil.*) **truppe d'a.**, storm troops.

assaporaménto m. savouring; tasting.

assaporàre v. t. (*anche fig.*) to savour; to taste; to relish: **a. un vino**, to savour a wine; **a. la vendetta**, to savour revenge.

assassinàre v. t. 1 to murder; to kill; (*un personaggio pubblico*) to assassinate 2 (*fig.*: *rovinare*) to ruin; to destroy; (*musica*, *ecc.*) to murder, to butcher ❶ **NOTA**: *assassin*, *assassination*, *to assassinate* → **assassin**.

assassìnio m. 1 murder; (*di personaggio pubblico*) assassination: **a. politico**, political assassination 2 (*fig.*: *rovina*) ruin; destruction.

♦**assassìno** A m. (f. **-a**) 1 murderer; (*di personaggio pubblico*) assassin 2 (*fig.*) criminal; butcher 3 (*stor. relig.*) Assassin B a. 1 murderous; homicidal: **impulso a.**, murderous impulse 2 (*fig.*: *seducente*) seductive: **occhiate assassine**, seductive glances.

assatanàto a. (*region.*) 1 (*indemoniato*) possessed 2 (*agitato*) frantic; mad 3 (*eccitato sessualmente*) horny; randy.

àsse ① f. (*di legno*) board; plank: **a. da stiro**, ironing board; (*sport*) **a. di battuta**, take-off board; (*sport*) **a. d'equilibrio**, balance beam; **a. per il bucato**, washboard; **le assi del pavimento**, the floorboards; **chiudere con assi**, to board up.

àsse ② m. (*mat.*, *fis.*, *geogr.*, *bot.*) axis*: **a. di rotazione**, rotation axis; **a. di simmetria**, axis of symmetry; **l'a. orizzontale** (*o* **delle x**), the x-axis; **l'a. verticale** (*o* **delle y**), the y-axis; **l'a. terrestre**, the earth's axis; **gli assi cartesiani**, the Cartesian axes; **ruotare sul proprio a.**, to revolve on one's axis 2 (*mecc.*) axle: **a. fisso** [**mobile**], rigid [turning] axle; (*autom.*) **a. motore**, live axle 3 (*polit.*: *alleanza*) axis*: **l'A. Roma-Berlino**, the Axis.

àsse ③ m. 1 (*stor.*) as* 2 – **a. ereditario**, estate; assets; (*leg.*) – **a. patrimoniale**, estate.

assecondàre v. t. 1 (*appoggiare*) to back; to support; (*aiutare*) to help 2 (*esaudire*) to comply with; to indulge: **a. i desideri di q.**, to comply with sb.'s wishes; **a. i capricci di q.**, to indulge sb.'s whims 3 (*accontentare*) to go* along with; (*per tenere buono*) to humour 4 (*seguire*) to follow.

assediànte A m. e f. besieger B a. besieging.

assediàre v. t. 1 (*mil.*) to besiege; to lay* siege to 2 (*chiudere attorno*, *bloccare*) to block; to isolate 3 (*attorniare*) to surround; to crowd round 4 (*fig.*: *importunare*) to beset*; to pester; to ply: **a. di domande**, to ply with questions; **essere assediato dai dub-**

bi, to be beset with doubts **5** (*fare la corte a*) to pay insistent court to.

assediàto Ⓐ a. **1** (*mil.*) besieged; under siege **2** (*fig.*) tormented; beset: **a. dai dubbi**, tormented by (*o* beset with) doubts Ⓑ m. (f. **-a**) besieged person; (al pl.) (the) besieged.

assediatóre m. (f. **-trìce**) (*leg.*) besieger.

assèdio m. **1** (*mil.*) siege: **stato d'a.**, state of siege; **cingere d'a.**, to lay siege (to); to besiege; **levare l'a.**, to raise the siege; **a. economico**, economic blockade; trade embargo **2** (*fig.*) throng: **sfuggire all'a. dei giornalisti**, to escape the throng of reporters.

assegnàbile a. assignable; awardable.

assegnaménto m. **1** (*affidamento*) reliance; trust: **fare a. su**, to count (*o* to rely) on **2** → **assegnazione**.

♦**assegnàre** v. t. **1** (*destinare a favore*) to assign (*anche leg.*); to allot; to allocate; (*concedere*) to award, to grant: **a. azioni**, to allot shares; **a. una pensione [una borsa di studio]**, to award a pension [a study grant]; **a. terre**, to grant land; **a. un vitalizio**, to assign an annuity **2** (*dare*) to give*; to assign; (*distribuire*) to allocate, to appoint, to distribute, to apportion; (*porre*) to set*; (*fissare*) to fix, to set*: **a. un compito**, to set (*o* to assign) a task; **a. i posti**, to allocate (*o* to appoint) the seats; **a. una scadenza**, to fix (*o* to set) a deadline; **a. un problema agli studenti**, to set the students a problem; **a. le parti di una commedia**, to cast a play; *Le fu assegnata la parte del medico*, she was given the role of the doctor; *Il posto non è stato ancora assegnato*, the post hasn't been filled yet **3** (*aggiudicare*) to award: **a. un premio**, to award a prize **4** (*destinare a un incarico*) to assign; to allocate; to post; (*mil.*) to detail: **a. q. a un incarico**, to assign sb. to a job.

assegnatàrio m. (f. **-a**) (*leg.*) assignee; recipient; assign; allottee; grantee.

assegnazióne f. **1** (*l'attribuire*) assignation, allotment; (*concessione*) awarding, grant: **a. di azioni**, share allotment; **a. di terra**, land grant; **chiedere l'a. di una pensione**, to ask to be awarded a pension **2** (*aggiudicazione*) awarding: **l'a. di un premio**, the awarding of a prize **3** (*leg.*) grant **4** (*stanziamento*) allocation; appropriation **5** (*di persona a un lavoro*) assignment ● (*leg.*) **a. testamentaria**, devise □ (*teatr.*) **a. delle parti**, casting.

♦**asségno** m. **1** allowance; benefit: (*leg.*) **a. alimentare**, alimony; **a. di invalidità**, injury benefit; **a. di studio**, study grant; **a. mensile**, monthly allowance; (*ass.*) **a. vitalizio**, straight life annuity; **assegni familiari**, family allowance; child benefit **2** (*banca*) cheque, check (*USA*): **a. a vuoto** (*o* **scoperto**), dishonoured cheque; bad (*o* dud) cheque (*fam.*); bouncer (*fam.*); **a. al portatore**, cheque to bearer; **a. circolare**, bank (*o* banker's*) draft; **a. di conto corrente**, personal cheque; **un a. di 500 sterline**, a cheque for 500 pounds; **a. in bianco**, blank cheque; **a. sbarrato [non sbarrato]**, crossed [open] cheque; **a. non trasferibile**, non-negotiable cheque; **a. senza copertura**, uncovered cheque; **a. turistico**, traveller's cheque; **incassare un a.**, to cash a cheque; **pagare con a.**, to pay by cheque; **scrivere un a.**, to write a cheque; **versare un a.**, to pay in a cheque ● **contro a.**, cash on delivery (abbr. C.O.D.).

assemblàggio m. **1** (*tecn.*) assembly: **reparto di a.**, assembly plant **2** (*comput.*) assembly **3** (*arte ed estens.*) assemblage.

assemblàre v. t. **1** (*tecn., comput.*) to assemble **2** to put* together.

assemblatóre m. (f. **-trìce**) assembler.

♦**assemblèa** f. **1** (*riunione*) meeting; assembly: **a. aperta**, open meeting; **a. degli azionisti**, shareholders' meeting; **a. di condominio**, residents' meeting; **convocare [aprire, chiudere] un'a.**, to call [to open, to close] a meeting **2** (*polit.*) assembly: **a. costituente**, constituent assembly; **a. legislativa**, legislative assembly **3** (*naut.*) quarters (pl.); divisions (pl.).

assembleàre a. of an assembly; by an assembly; assembly (attr.): **decisione a.**, decision made by an assembly; collective decision; **il sistema a.**, the assembly system.

assembraménto m. gathering; (*folla*) crowd: **un a. di gente**, a crowd; **fare a.**, to form a crowd; **sciogliere l'a.**, to disperse the crowd; *Si formò un a.*, a crowd gathered.

assembràre v. t., **assembràrsi** v. rifl. to assemble; to gather.

assennatézza f. sensibleness; common sense.

assennàto a. sensible; judicious; level-headed: **decisione assennata**, sensible (*o* judicious) decision; **ragazzo a.**, sensible boy.

assènso m. assent; approval; consent; agreement: **dare il proprio a.**, to give one's assent; **senza l'a. dei genitori**, without the parents' approval; **fare cenno di a.**, to give a sign of approval; (*col capo*) to nod one's consent (*o* approval).

assentàrsi v. i. pron. to go* away; to leave*; to absent oneself (*form.*): *Si assentò per qualche giorno*, she left for a few days; she was absent for a few days; **a. senza permesso**, to be absent without leave.

♦**assènte** Ⓐ a. **1** absent; off; (*lontano*) away: **a. da casa**, away from home; **a. da scuola**, absent from school; **a. ingiustificato**, absent without leave; **a. per malattia**, off sick; (*mil.*) **a. senza permesso**, absent without leave **2** (*fig.*) absent; absent-minded; distant; blank: **sguardo a.**, absent (*o* vacant, blank) look; *Mi guardò con aria a.*, he gave me a blank look Ⓑ m. e f. absentee: *C'erano molti assenti alla riunione*, there were many absentees from the meeting; *Eri l'unico a. ieri*, you were the only one missing yesterday; **gli assenti e i presenti**, those absent and those present; *Ricordiamo gli assenti*, let us remember those who are not here **2** (*eufem.: defunto*) (the) departed.

assenteìsmo m. **1** absenteeism **2** (*fig.*) indifference; lack of interest.

assenteìsta m. e f. **1** habitual absentee (from work) **2** (*fig.*) indifferent (*o* disinterested) person.

assentìre v. i. to assent; to consent; to approve; to agree: **a. col capo**, to nod (in agreement).

♦**assènza** f. **1** (*di persona*) absence: **a. dal lavoro**, absence from work; **a. ingiustificata** (*o* **senza permesso**), absence without leave; **a. per malattia** (*dal lavoro*), sick leave; **fare molte assenze** to be absent frequently; (*a scuola*) to miss many classes; *Ci accorgemmo della sua a. solo all'ora di cena*, we first missed him at suppertime; **in mia a.**, in my absence; while I'm away; (*iron.*) **brillare per la propria a.**, to be conspicuous by one's absence **2** (*mancanza*) absence; lack; want: **a. di fantasia**, lack of imagination; **a. di gusto**, lack (*o* want) of taste; tastelessness; **a. di luce**, absence of light; **a. di peso**, weightlessness; **a. di prove**, lack of evidence; **a. di vita su un pianeta**, absence of life (*o* of any life-forms) on a planet; **in a. di**, in the absence of; failing: **in a. di istruzioni**, failing instructions; **in a. di prove**, in the absence of evidence **3** (*leg.*) continued absence; disappearance **4** (*med.*) absence.

assenziènte a. assenting; approving; in agreement.

assènzio m. **1** (*bot., Artemisia absinthium*) wormwood; absinth **2** (*liquore*) absinthe.

asserìre v. t. to declare; to claim; to maintain; (*senza prove*) to allege: *Asserì di non sapere nulla*, she declared she knew nothing about it; *Asserisce di avermi visto*, she claims he saw me.

asserragliaménto m. barricading.

asserragliàre Ⓐ v. t. (*lett.*) to barricade Ⓑ **asserragliàrsi** v. rifl. to barricade oneself: **asserragliarsi in un edificio**, to barricade oneself inside a building.

assertività f. assertiveness.

assertìvo a. assertive.

assèrto m. → **asserzione**.

assertóre m. (f. **-trìce**) (*fautore*) upholder; advocate; champion.

asserviménto m. **1** enslavement; subjection **2** (*mecc.*) interlocking.

asservìre Ⓐ v. t. **1** to enslave (*anche fig.*); to subdue; to subjugate **2** (*mecc.*) to interlock **3** (*tecn.*) to slave Ⓑ **asservìrsi** v. rifl. to become* a slave; to submit.

asserzióne f. assertion; statement; claim; (*senza prove*) allegation.

assessoràto m. **1** (*carica*) councillorship **2** (*sede*) councillor's office.

assessóre m. councillor; councilman* (*USA*): **a. alla sanità**, councillor in charge of the municipal health services; **a. al traffico**, councillor responsible for traffic.

assessorìle a. city council (attr.).

assestaménto m. **1** settling; adjustment: **a. del carico**, settling of the load; **periodo di a.**, period of adjustment; settling-down period **2** (*edil., geol.*) settlement; subsidence: **scossa di a.**, aftershock.

assestàre Ⓐ v. t. **1** to arrange; to settle; (*ordinare*) to put* in order, to tidy (up) **2** (*regolare*) to adjust **3** (*dare*) to deal*; to deliver: **a. un colpo**, to deal a blow Ⓑ **assestàrsi** v. rifl. e i. pron. **1** to settle; to settle down **2** (*edil.*) to settle.

assestàta f. (quick) tidying up (*o* tidy).

assestàto a. (*ordinato*) tidy; orderly.

assetàre v. t. to make* thirsty; to reduce to thirst; (*di terreno*) to parch.

assetàto Ⓐ a. **1** thirsty **2** (*fig.*) thirsting; hungry; craving: **a. d'amore**, hungry for love; **a. di sangue**, thirsting for blood; bloodthirsty; **essere a. di libertà**, to be hungry (*o* hunger) for freedom **3** (*riarso*) parched; dry Ⓑ m. (f. **-a**) thirsty person.

assettàre Ⓐ v. t. (*mettere in ordine*) to put* in order, to tidy (up); (*sistemare*) to arrange: **a. una stanza**, to tidy a room Ⓑ **assettàrsi** v. rifl. to tidy oneself; (*mettersi elegante*) to spruce oneself up.

assettàto a. tidy; orderly; neat.

assètto m. **1** (*ordine*) order; trim **2** (*ordinamento*) arrangement; set-up; structure; lay-out: **l'a. politico**, the political set-up; (*fin.*) **a. societario**, company structure; **a. urbano**, town layout **3** (*equipaggiamento*) gear Ⓤ; trim: **in a. di guerra**, in fighting trim **4** (*disposizione*) tilt: **treno ad a. variabile**, tilting train **5** (*naut.*) trim **6** (*aeron.*) attitude; trim ❶ **FALSI AMICI** ▸ assetto *non si traduce con* asset.

asseveràre v. t. (*lett.*) to assert; to affirm; to declare; to aver: (*leg.*) **a. con giuramento**, to declare on oath.

asseverativo a. (*lett.*) assertive.

asseverazióne f. (*lett.*) asseveration; assertion; affirmation.

assiàle a. axial: **compressore a.**, axial-flow compressor; **motore a.**, axial engine; **piano a.**, axial plane.

assibilàre v. t., **assibilàrsi** v. i. pron. (*fon.*) to assibilate.

assibilazióne f. (*fon.*) assibilation.

assicèlla f. small board; (*edil.*) lath, batten.

assicuràbile a. (*ass.*) insurable.

♦**assicuràre** A v. t. 1 (*dare per sicuro*) to assure (sb. of st.); (*garantire*) to guarantee: *Ti assicuro che non c'è pericolo*, I assure you there is no danger; *Lo assicurai della mia amicizia*, I assured him of my friendship; **a. pronta consegna**, to guarantee prompt delivery; *Non posso a. niente*, I can't guarantee anything 2 (*procurare*) to ensure; to provide: **a. i rifornimenti**, to ensure supplies; **a. un futuro ai figli**, to provide for the future of one's children 3 (**assicurarsi**: *ottenere*) to secure; to get*; to win*: *Sono riuscito ad assicurarmi un posto (a sedere)*, I managed to get a seat; **assicurarsi un contratto**, to win a contract 4 (*ass.*) to insure; (*sulla vita, anche*) to assure (*GB*); (*naut.*) to underwrite*: **a. la casa**, to insure one's house; **a. l'auto contro il furto**, to insure one's car against theft 5 (*posta*) to register 6 (*fissare, legare*) to secure; to fasten; to tie up 7 (*consegnare*) to deliver: **a. un criminale alla giustizia**, to deliver a criminal to justice B **assicurarsi** v. rifl. 1 (*accertarsi*) to make* sure; to assure oneself; to ensure: *Assicuratevi che tutto sia a posto*, make sure everything is all right 2 (*ass.*) to take* out an insurance; to insure: *Mi sono assicurato*, I have taken out an insurance; **assicurarsi contro l'incendio**, to insure against fire; to take out a fire insurance; **assicurarsi sulla vita**, to take out a life insurance 3 (*legarsi*) to fasten (o to secure) oneself; to tie oneself up.

assicuràta f. registered letter.

assicurativo a. (*ass.*) insurance (attr.): **polizza assicurativa**, insurance policy.

assicuràto A a. 1 (*ass.*) insured; (*sulla vita, anche*) assured (*GB*); **non a.**, uninsured 2 (*posta*) registered: **pacco a.**, registered parcel 3 (*sicuro*) guaranteed; assured; certain; sure: **successo a.**, guaranteed success B (*ass.*) m. (f. -a) insured party; policy holder.

assicuratóre (*ass.*) A m. (f. -trìce) insurer; (*naut.*) maritime underwriter B a. insuring; insurance (attr.): **compagnia assicuratrice**, insurance company.

assicurazióne f. 1 (*garanzia*) assurance: **dare a.**, to give assurance 2 (*ass.*) insurance; (*sulla vita, anche*) assurance (*GB*): **a. contro l'incendio [gli infortuni, le malattie]**, fire [accident, health] insurance; **a. contro il furto**, theft insurance; (*contro furto con scasso*) burglary insurance; **a. contro la responsabilità civile professionale**, professional indemnity insurance; **a. contro terzi**, third-party insurance; **a. di una casa**, insurance on a house; **a. sulla vita**, life insurance (*GB anche* assurance); **a. volontaria**, private insurance; **stipulare un'a.**, to take out an insurance; **agente di a.**, insurance agent; **compagnia d'a.**, insurance company; **polizza d'a.**, insurance policy; **premio d'a.**, insurance premium; **coperto da a.**, insured.

assideraménto m. (*med.*) exposure; hypothermia.

assideràre A v. t. to freeze*; to numb (with cold) B v. i. e **assiderarsi** v. i. pron. 1 (*med.*) to suffer from exposure 2 (*estens.*) to freeze* (to death).

assideràto a. 1 (*med.*) suffering from exposure; (*di parte del corpo*) frostbitten: **morire a.**, to die of exposure 2 (*estens.*) frozen (to death); numb with cold.

assìdersi v. i. pron. (*lett.*) to take* one's seat; to sit* (down).

assiduità f. 1 assiduousness; constancy; (*diligenza*) diligence, application; (*premurosità*) attentiveness 2 (*frequenza regolare*) regu-

lar attendance 3 (al pl.) (*gentilezze*) attentions.

assìduo a. 1 (*costante*) assiduous, constant; (*diligente*) diligent, persevering; (*premuroso*) attentive, devoted: **a. sul lavoro**, diligent in one's job 2 (*regolare*) regular: **un visitatore a.**, a regular visitor; *È a. alle lezioni*, he attends lectures regularly.

assiemàggio m. (*comm.*) assembling; assemblage.

♦**assième** → **insieme**.

assiepaménto m. 1 crowding; thronging 2 (*folla*) crowd; throng.

assiepàre A v. t. to crowd; to throng B **assiepàrsi** v. i. pron. to crowd; to close round; to surround (st.).

assìle a. (*bot.*) axile.

assillànte a. (*insistente*) insistent, persistent, pestering; (*tormentoso*) nagging, besetting, gnawing; (*ossessivo*) obsessive; (*opprimente*) overbearing; fussy: **dubbio a.**, nagging doubt; **madre a.**, overbearing mother; **problema a.**, persistent problem; **richieste assillanti**, insistent demands.

assillàre v. t. (*essere insistente*) to be insistent, to pester, to harass; (*essere troppo premuroso*) to fuss (over sb.); (*tormentare*) to worry, to torment, to beset*, to bedevil, to nag, to harass: **a. q. con continue domande**, to pester sb. with contiuous questions; *Mi assilla un pensiero*, I've got a nagging thought; **essere assillato da un dubbio**, to be beset by a doubt; **essere assillato dai creditori**, to be harassed by creditors.

assillo m. 1 (*zool.*, *Asilus*) robber fly 2 (*fig.*: *pensiero tormentoso*) nagging thought; worry; (*dubbio*) besetting doubt.

assimilàbile a. assimilable.

assimilabilità f. assimilability.

assimilàre A v. t. 1 (*lett.*: *rendere simile*) to assimilate 2 (*fisiol.* e *fig.*) to assimilate; to absorb 3 (*ling.*) to assimilate B **assimilàrsi** v. i. pron. (*anche ling.*) to assimilate.

assimilativo a. assimilative.

assimilatóre a. assimilatory.

assimilazióne f. 1 (*fisiol.* e *fig.*) assimilation; absorption 2 (*ling.*) assimilation.

assiòlo m. (*zool.*, *Otus scops*) scops owl.

assiologìa f. (*filos.*) axiology.

assiòma m. axiom.

assiomàtica f. axiomatics (pl. col verbo al sing.).

assiomàtico a. axiomatic.

assiomatizzàre v. t. to axiomatize.

assiomatizzazióne f. axiomatization.

assiòmetro m. (*naut.*) helm indicator; rudder angle indicator.

Assìria f. (*geogr.*, *stor.*) Assyria.

assiriologìa f. Assyriology.

assiriòlogo m. (f. -a) Assyriologist.

assìro a. e m. (f. -a) Assyrian.

assiro-babilonése a. Assyro-Babylonian.

assìsa f. 1 (*geol.*) bed; stratum* 2 (*biol.*) cell layer.

assìse f. pl. 1 (*stor.*) assizes 2 (*leg.*) – *Corte d'A.*, Court of Assizes 3 (*assemblea*) assembly (sing.).

assìso a. (*lett.*) seated.

àssist m. inv. (*sport*) assist.

assistentàto m. assistantship.

assistènte m. e f. 1 assistant; aid; (*polit.*) aide: **a. alla regia**, assistant director; **a. personale**, personal assistant 2 (*a esami scritti*) invigilator; proctor (*USA*) ● **a. di volo**, flight attendant; cabin attendant; steward (m.); stewardess (f.); air hostess (f.) □ **a. sociale**, social worker; welfare officer □ **a. turìstico**, courier.

assistènza f. 1 (*presenza*) presence; attendance 2 (*aiuto*) help; assistance; aid: **a. legale**, legal aid; **a. psichiatrica**, psychiatric help; **prestare a. a q.**, to give assistance to sb.; to help sb.; **fondo di a.**, relief fund 3 (*cura*) care; nursing; treatment: **a. infermieristica**, nursing; **a. medica**, medical treatment; **a. postoperatoria**, aftercare 4 (*servizio sociale*) care; welfare: **a. sanitaria**, health care; **a. sociale**, welfare services (pl.) 5 (*comm.*, *tecn.*) service; servicing: **a. clienti**, customer service; after-sales service; **a. tecnica**, technical assistance; servicing; (*comm.*, *autom.*) **servizio (di) a.**, servicing; (*su strada*) breakdown service 6 (*a un esame*) invigilation; proctoring (*USA*): **fare a.**, to invigilate; to proctor (*USA*).

assistenziàle a. charitable; welfare (attr.): **attività a.**, charity work; **ente a.**, charitable institution; **opere assistenziali**, charities; *Stato a.*, welfare state.

assistenzialismo m. excess of welfarism.

assistenzialìstico a. welfarist; welfare (attr.).

assistenziàrio m. rehabilitation centre.

♦**assìstere** A v. i. 1 (*essere presente*) to be present (at); to witness (st.): **a. a una cerimonia**, to be present at a ceremony; **a. a un incidente**, to witness an accident 2 (*guardare*) to watch (st.): **a. a uno spettacolo [a una partita]**, to watch a show [a match] 3 (*frequentare*) to attend (st.): **a. alle lezioni**, to attend lectures; **a. alla Messa**, to hear Mass B v. t. 1 (*aiutare*) to assist; to give* assistance to; to help 2 (*curare, accudire*) to nurse; to look after 3 (*leg.*) to defend ● **Che Dio ci assista**, God help us □ **Che la fortuna ti assista!**, I wish you the best of luck! □ **Se la fortuna ci assiste**, if luck is on our side.

assistìto A a. 1 (*med.*) assisted: **fecondazione assistita**, assisted conception 2 assisted: (*aeron.*) **volo a.**, assisted flight B m. (f. -a) 1 (*di ente, ecc.*) beneficiary 2 (*leg.*) client.

assìto m. 1 (*tramezzo*) wood partition 2 (*pavimento*) wooden floor; floor boards (pl.); planking.

àsso m. 1 (*carte da gioco, dadi, domino*) ace: **a. di picche**, ace of spades 2 (*fig.*) ace; champion; genius; wizard: **a. del volante**, driving ace; top-racing driver; racing champion; *È un a. in chimica*, he's a genius at chemistry; *È un a. con le carte*, she's a wizard at cards ● (*fig.*) **avere l'a.**, to hold the trump card □ (*fig.*) **avere in mano tutti gli assi**, to have all the aces □ (*fig.*) **avere un a. nella manica**, to have an ace up one's sleeve (o, *USA*, an ace in the hole) □ **piantare in a. q.**, (*andarsene*) to leave sb. standing; (*lasciare nei guai*) to leave sb. in the lurch.

associàbile a. associable; that can be combined.

associabilità f. associability.

♦**associàre** A v. t. 1 to associate; to join; (*collegare*) to link, to connect: **a. idee**, to associate ideas 2 (*rendere partecipe*) to admit, to let* (sb.) join (st.); (*eleggere membro*) to make* (sb.) a member, to admit 3 (*comm.*) to take* (sb.) into partnership 4 (*leg.*: *una ditta, ecc.*) to incorporate ● **a. q. alle carceri**, to commit sb. to prison B **associàrsi** v. rifl. 1 (*farsi socio*) to join (st.); to become* a member (of): **associarsi a un circolo**, to join a club 2 (*partecipare*) to share (st.): **associarsi alla gioia altrui**, to share sb. else's joy 3 (*unirsi*) to join (st.): *Si associa a me per ringraziarvi*, he joins me in thanking you 4 (*unire le forze*) to join forces; to unite; to band together: **associarsi contro q.**, to join forces against sb. 5 (*comm.*) to go* (o to enter) into partnership (with) 6 (*leg.*, *di ditta, ecc.*) to incorporate.

a b c d e f g h i j k l m n o p q r s t u v w x y z

associativo a. **1** (*anche mat.*) associative **2** (*di club*) club (attr.); membership (attr.): **quota associativa**, membership fee.

associàto A a. **1** associate; associated: **professore a.**, associate professor **2** (*comm.*) in partnership B m. (f. *-a*) **1** (*comm.*) partner **2** (*membro*) member **3** (*università*) associate professor.

♦**associazióne** f. **1** (*collegamento*) association; connection **2** (*società*) association; society; union; (*club*) club: **a. culturale**, cultural association; **a. operaia**, trade union; (*leg.*) **a. per delinquere**, criminal association; **a. senza scopo di lucro**, non-profit association; **libertà di a.**, freedom of association **3** (*partecipazione*) participation: **a. a un'impresa**, participation in a venture **4** (*a un club*) membership; (*a una società*) partnership; **quota di a.**, membership fee **5** (*psic.*) association: **a. d'idee**, association of ideas; **a. libera**, free association ● (*econ.*) **a. temporanea di imprese**, joint venture.

associazionismo m. **1** tendency to form associations **2** (*associazioni*) associations (pl.) **3** (*psic.*) associationism.

associazionista a. (*psic.*) associationist.

assodaménto m. **1** consolidation; (*indurimento*) hardening **2** (*accertamento*) ascertainment.

assodàre A v. t. **1** (*irrobustire*) to strengthen; (*indurire*) to harden **2** (*consolidare*) to consolidate: **a. la propria autorità**, to consolidate one's authority **3** (*accertare*) to ascertain; to find* out: **a. la verità**, to ascertain the truth B **assodàrsi** v. i. pron. **1** (*indurirsi*) to harden **2** (*fig.*) to be strengthened.

assoggettàbile a. subduable; that may be subjugated.

assoggettaménto m. **1** (*l'assoggettare*) subjection; subjugation **2** (*l'assoggettarsi*) submission.

assoggettàre A v. t. **1** (*sottomettere*) to subdue; to subjugate **2** (*sottoporre*) to subject: *Lo assoggettarono a dure fatiche*, they subjected him to hard toil B **assoggettàrsi** v. rifl. to submit: **assoggettarsi a lavori umili**, to submit to menial jobs.

assolàto a. sunny.

assolcàre v. t. (*agric.*) to furrow; to plough, to plow (*USA*).

assoldàre v. t. to hire; to recruit.

assòlo m. (*mus.*) solo*: **un a. di violino**, a violin solo; **esibirsi in un a.**, to play [to dance, etc.] a solo; to give a solo performance.

assolutaménte avv. **1** absolutely; completely; totally; utterly. *Hai a. ragione*, you're absolutely right; **avere a. bisogno di qc.**, to need st. badly (*o* desperately); *Voglio a. parlargli*, I absolutely want to speak to him; *Sono a. d'accordo con te*, I totally agree with you; *Non posso a. venire*, I can't possibly come **2** (*ling.*) absolutely.

assolutézza f. absoluteness.

assolutismo m. absolutism.

assolutista m. e f. absolutist.

assolutistico a. absolutist.

♦**assolùto** A a. **1** absolute: **governo a.**, absolute government; **maggioranza assoluta**, absolute majority; **potere a.**, absolute power; **verità assoluta**, absolute truth **2** (*totale*) absolute; total; utter; full: **certezza assoluta**, absolute certainty; **fiducia assoluta**, full confidence; total trust; **padronanza assoluta**, full mastery; **nel più a. silenzio**, in utter silence **3** (*fis.*) absolute: **temperatura assoluta**, absolute temperature; **vuoto a.**, absolute vacuum; **zero a.**, absolute zero ● (*ling.*) **ablativo a.**, ablative absolute □ **il più bello in a.**, by far the most beautiful □ (*mus.*) **orecchio a.**, perfect pitch B m.

(*filos.*) (the) absolute.

assolutóre m. (f. *-trice*) **1** absolver **2** (*leg.*) acquitter.

assolutòrio a. **1** absolving **2** (*leg.*) acquitting: **sentenza assolutoria**, acquittal.

assoluzióne f. **1** (*leg.*) acquittal **2** (*eccles.*) absolution.

assòlvere v. t. **1** (*da un obbligo, ecc.*) to release **2** (*leg.*) to acquit: **a. dall'accusa di omicidio**, to acquit of (the charge of) murder **3** (*eccles.*) to absolve; to pardon **4** (*discolpare*) to exonerate; to exculpate **5** (*compiere*) to discharge; to perform: **a. un dovere**, to perform a duty.

assolviménto m. discharge; performance.

assomigliànte a. like (st.); similar (to); alike (pred.).

♦**assomigliàre** A v. t. (*lett.*) to liken; to compare B v. i. (*essere simile*) to be like (st.); to be similar (to); to resemble (st.); (*nell'aspetto*) to look like (st.); (*nel carattere*) to take* after: **un gioco che assomiglia al tennis**, a game that is similar to tennis; *Assomigli a tuo padre*, you look like your father; you take after your father; *Assomiglia in modo impressionante a Paolo*, he looks strikingly like Paolo; he is the spitting image of Paolo (*fam.*) C **assomigliàrsi** v. rifl. recipr. to be alike; to look alike; to look like each other; to resemble each other: **assomigliarsi in modo impressionante**, to be strikingly alike; **assomigliarsi come due gocce d'acqua**, to be like two peas in a pod; *Non vi assomigliate affatto*, you don't look at all alike.

assommàre① A v. t. (*riunire*) to combine; to unite: **a. in sé molte qualità**, to combine many qualities B v. i. (*ammontare*) to amount (to); to add up (to) C **assommàrsi** v. i. pron. (*aggiungersi*) to add: *Agli altri problemi si assomma il ritardo*, the delay adds to the other problems **2** (*essere racchiuso*) to be combined; to combine.

assommàre② A v. t. **1** (*lett.*) to conclude; to bring* to an end **2** (*pesca*) to raise (*the nets*); to haul up B v. i. to come* to the surface; to surface.

assonànte a. (*ling.*) assonant.

assonànza f. (*ling.*) assonance; half-rhyme.

assóne m. (*anat.*) axon.

assonnàto a. sleepy; drowsy.

assonometrìa f. axonometric projection.

assonomètrico a. axonometric.

assopiménto m. drowsiness; dozing off.

assopìre A v. t. **1** to make* drowsy (*o* sleepy) **2** (*fig.: calmare*) to soothe; to appease; to ease B **assopìrsi** v. i. pron. **1** to doze off **2** (*fig.: calmarsi*) to ease up; to die down.

assopìto a. dozing.

assorbènte A a. **1** absorbing; absorbent **2** (*edil.*) sound-proofing (attr.); sound-absorbing (attr.) ● **carta a.**, blotting paper B m. **1** absorbent **2** – **a. igienico**, sanitary towel; sanitary napkin (*USA*); **a. interno**, tampon.

assorbènza f. absorbency.

assorbiménto m. **1** (*anche chim., fis.*) absorption **2** (*fin., di azienda*) takeover.

♦**assorbìre** v. t. **1** to absorb; (*un liquido*) to soak up: **a. calore**, to absorb heat; *La terra assorbe la pioggia*, the earth soaks up the rain **2** (*assimilare*) to absorb; to assimilate **3** (*fig.: risorse, ecc.*) to absorb; to use up; to take* (up); to swallow: *Il mercato non riesce ad a. la produzione*, the market cannot absorb the output; *L'affitto assorbe metà del mio stipendio*, the rent takes half of my salary **4** (*fig.: impegnare*) to take* up; to en-

gross: *Questo lavoro assorbe tutto il mio tempo*, this work is taking up all of my time; *Era assorbito nella lettura*, he was engrossed in reading **5** (*smorzare*) to deaden; to cushion: **a. il colpo**, to cushion the blow; to deaden the impact **6** (*fin.*) to take* over.

assordaménto m. (*anche fis.*) deafening.

assordànte a. deafening; ear-splitting.

assordàre A v. t. **1** (*anche fig.*) to deafen **2** (*smorzare*) to deaden; to muffle B **assordàrsi** v. i. pron. to be deadened; to be muffled.

assordiménto m. **1** deafening **2** (*fon.*) devoicing; devocalizing.

assordìrsi v. i. pron. (*fon.*) to become* devoiced (*o* devocalized).

assortiménto m. assortment; range; choice; selection: **un bell'a. di cravatte**, a fine assortment (*o* range) of ties; *Il negozio ha un vasto a. di tè*, the shop stocks a wide selection of teas; *C'è poco a.*, the choice (*o* range) is limited.

assortìre v. t. **1** (*ordinare*) to sort out **2** (*abbinare*) to match.

assortìto a. **1** (*misto*) assorted; mixed **2** (*abbinato*) matched; matching (*adatto*) suited: **una coppia bene assortita**, a well-matched couple; **borsetta e guanti assortiti**, handbag and matching gloves; **male a.**, ill-assorted; mismatched.

assortitùra f. (*ind. tess.*) sorting.

assòrto a. absorbed; immersed; engrossed: **a. in pensieri**, absorbed in one's thoughts; deep in thought; **a. nel proprio lavoro**, engrossed in one's work.

assottigliaménto m. **1** thinning; (*affusolamento*) tapering **2** (*diminuzione*) reduction; dwindling; depletion.

assottigliàre A v. t. **1** to make* thin (*o* thinner); to reduce the thickness of; (*affusolare*) to taper: **a. un'asse**, to reduce the thickness of a plank; to plane down a plank; *Il nero assottiglia*, black is very slimming **2** (*aguzzare, anche fig.*) to sharpen: **a. una punta**, to sharpen a point; **a. la mente**, to sharpen sb.'s wits **3** (*ridurre*) to reduce; to diminish; to pare down; (*sfoltire*) to thin out: **a. le spese**, to reduce expenses; *Il freddo assottigliò la coda davanti al museo*, the cold thinned out the queue outside the museum B **assottigliàrsi** v. i. pron. **1** to grow* thin (*o* thinner); (*affusolarsi*) to taper (off) **2** (*dimagrire*) to slim; to thin (down) **3** (*diminuire*) to be reduced; to diminish; to dwindle; to be running out; (*sfoltirsi*) to thin out: *I miei risparmi si assottigliano*, my savings are dwindling.

Assuàn f. (*geogr.*) Aswan, Assuan.

assuefàre A v. t. **1** to accustom; to inure **2** (*un animale, una pianta*) to train B **assuefàrsi** v. rifl. **1** to get* used (*o* accustomed) (to); (*a cosa sgradevole*) to get* inured (to): **assuefarsi al caldo**, to get used to the heat; **assuefarsi alle fatiche**, to get inured to hard work **2** (*med.*) to develop a tolerance (to).

assuefàtto a. **1** used (to); accustomed (to); (*a cosa sgradevole*) inured (to) **2** (*med.*) tolerant (to); (*dipendente*) addicted (to).

assuefazióne f. **1** habit; inurement **2** (*med.*) tolerance; (*dipendenza*) addiction: **che dà a.**, addictive.

Àssuero m. (*Bibbia*) Ahasuerus.

♦**assùmere** v. t. **1** (*prendere*) to put* on; to take*; to take* on; to assume: **a. un'aria rassegnata**, to put on an air of resignation; **a. la forma di qc.**, to take the form of st.; **a. una posa**, to strike a pose; *La sua voce assunse un tono iroso*, his voice took on an angry note; *Il fenomeno ha assunto proporzioni allarmanti*, the phenomenon has assumed (*o* taken) alarming proportions as-

a

b

c

d

e

f

g

h

i

j

k

l

m

n

o

p

q

r

s

t

u

v

w

x

y

z

(*prendere su di sé*) to assume; to take* on; to undertake*: **a. una carica**, to assume office (as); to take up a position; **a. il comando di qc.**, to assume (*o* to take) command of st.; **assumersi un compito**, to take on a task; **a. l'impegno di fare qc.**, to undertake to do st.; **assumersi il merito di qc.**, to take credit for st.; **assumersi la responsabilità di qc.**, to assume responsibility for st.; *Non voglio assumermi questa responsabilità*, I don't want to take on this responsibility; **assumersi tutti i rischi**, to assume all risks **3** (*impiegare, ingaggiare*) to take* on; to recruit; to hire: **a. braccianti**, to hire labourers; **a. nuovo personale**, to take on (*o* to recruit) new staff **4** (*med.*) to take* **5** (*elevare a una dignità*) to raise: *Fu assunto al pontificato*, he was raised to the papacy **6** (*relig.*) – **a. in cielo**, to take* up into Heaven **7** (*ricercare, procurarsi*) to gather: **a. informazioni**, to make inquiries **8** (*leg.: acquisire*) to admit: **a. come prova**, to admit as evidence **9** (*ammettere come ipotesi*) to assume.

Assùnta f. (*relig.*) **1** Our Lady of the Assumption **2** (*festa*) Assumption.

assuntìvo a. assumptive.

assùnto m. **1** (*tesi*) argument; thesis*; case; supposition **2** (*filos.*) assumption **3** (*impegno*) task; undertaking **4** (*dipendente*) employee.

assuntóre A m. contractor B a. contracting.

assunzióne f. **1** (*l'assumere*) assumption; (*di un impegno*) undertaking: **l'a. del comando [della carica]**, the assumption of command [of office] **2** (*impiego*) engagement; employment; recruitment; hiring: **a. di personale**, recruitment; staffing **3** (*med.*) intake; taking; consumption: **ridurre l'a. dei grassi**, to reduce the intake of fats; **a. di droghe**, drug-taking **4** (*elevazione a una dignità*) elevation; ascent: **a. al Papato**, ascent to the papacy **5** (*relig.*) (the) Assumption ● (*comm.*) **a. di debito**, borrowing.

assurdità f. **1** absurdity; ludicrousness; preposterousness: *Che a.!*, how absurd!; how ludicrous! **2** (*frase assurda*) nonsense Ⓤ: *Non dire a.!*, don't talk nonsense!

♦**assùrdo** A a. absurd; ludicrous; ridiculous; preposterous; (*incredibile*) incredible, unbelievable: **idea assurda**, absurd notion; **prezzo a.**, ludicrous price; **richiesta assurda**, preposterous request; *Sembra a., ma è vero*, it sounds incredible, but it's true B m. absurd: **rasentare l'a.**, to border on the absurd; **dimostrazione per a.**, reductio ad absurdum (*lat.*); (*letter.*) **teatro dell'a.**, theatre of the absurd.

assùrgere v. i. to rise*: **a. alle più alte cariche**, to rise to the highest office.

àsta f. **1** (*bastone*) staff; pole; rod; bar; (*del compasso*) arm; leg; (*degli occhiali, della bilancia*) arm: **a. della bandiera**, flagstaff; flagpole; **bandiera a mezz'a.**, flag (flying) at half-mast **2** (*tecn.*) rod; bar: **a. articolata**, trace; **a. di collegamento**, connecting rod; **a. di comando**, push rod; **a. di guida**, slide bar; **a. di livello**, dipstick; gauge rod; **a. di stantuffo**, piston rod **3** (*sport*) pole: **salto con l'a.**, pole-vault **4** (*naut.*) boom; spar: **a. di fiocco**, jib boom; **a. di posta**, lower (*o* swinging) boom **5** (*di lettera*) stroke; (*di chi impara a scrivere*) pothook: **a. ascendente [discendente]**, ascender [descender]; **fare le aste**, to draw pothooks **6** (*comm., econ.*) auction; (*licitazione*) bidding: **a. privata**, private auction; **a. pubblica**, (public) auction; (*di appalto*) invitation for bids; **a. simulata**, mock (*o* Dutch) auction; **a. in busta chiusa**, sealed-bid auction; (*Borsa*) **a. di titoli**, competitive bidding; **andare all'a.**, to be up for auction; **mettere all'a.**, to put up for auction; (*un lavoro*) to put out to tender; **vende-**

re all'a., to sell by auction; to auction; **sala d'aste**, saleroom; **vendita all'a.**, auction sale; sale by auction **7** (*mil. stor.: lancia*) lance; spear.

àstaco m. (*zool.*) crayfish.

astànte m. e f. bystander; onlooker.

astantería f. (*di ospedale*) reception ward.

astàtico a. (*fis., elettr.*) astatic.

astàto ① A a. **1** armed with a lance **2** (*bot.*) hastate B m. (*stor. romana*) lance bearer.

àstato ② m. (*chim.*) astatine.

astèmio A a. teetotal: *No, grazie, sono a.*, no, thanks, I don't drink B m. (f. *-a*) teetotaller ❶ **FALSI AMICI** • astemio *non si traduce con* abstemious.

astenérsi v. rifl. **1** (*tenersi lontano*) to abstain: **a. dal vino [dal fumo]**, to abstain from wine [from smoking] **2** (*trattenersi*) to refrain (from); to keep* (from), to eschew (st.); to forbear* (from): **a. dal criticare**, to refrain from criticizing; **a. dal fare** (*o* dai) **commenti**, to refrain from passing comments **3** (*non votare*) to abstain.

astenìa f. (*med.*) asthenia.

astènico a. e m. (*med.*) asthenic.

astenosfèra f. (*geol.*) asthenosphere.

astensióne f. abstention.

astensionìsmo m. (*polit.*) abstentionism.

astensionìsta m. e f. (*polit.*) abstentionist.

astensionìstico a. abstention (attr.).

astenùto m. (f. *-a*) person who has abstained: *Gli astenuti furono venti*, there were twenty abstentions.

àster m. (*bot., Aster amellus*) aster.

astèrgere v. t. (*lett.*) to wipe away; to cleanse.

astèria f. **1** (*zool., Asterias*) starfish; asteroid **2** (*miner.*) asteriated corundum.

asterìsco m. **1** (*tipogr.*) asterisk; star **2** (*giorn.*) (news) item; paragraph.

asteròide m. (*astron.*) asteroid.

asticcìola f. **1** (small) rod; stick **2** (*di freccia*) shaft **3** (*di penna*) penholder.

àstice m. (*zool., Homarus vulgaris*) (European) lobster.

asticèlla f. **1** (small) rod **2** (*sport*) crossbar.

astigiàno A a. of Asti; from Asti; Asti (attr.) B m. native [inhabitant] of Asti.

astigmàtico A a. (*med.*) astigmatic B m. (f. *-a*) person suffering from astigmatism.

astigmatìsmo m. (*med.*) astigmatism.

àstilo a. (*archit.*) astylar.

astinènte a. abstinent; abstemious.

astinènza f. **1** abstinence: **fare a.**, to observe abstinence; (*eccles.*) **giorno di a.**, day of abstinence; **voto di a.**, vote of abstinence **2** (*withdrawal*): **a. totale** (*da droga, tabacco, ecc.*), complete withdrawal; cold turkey (*slang*); **sindrome da a.**, withdrawal symptoms (pl.).

àstio m. resentment; rancour; grudge; bitterness: **nutrire a. contro q.**, to bear sb. a grudge.

astiosità f. resentfulness; bitterness; (*malevolenza*) spite.

astióso a. resentful; bitter; rancorous; (*malevolo*) spiteful.

astìsta m. e f. (*sport*) pole vaulter.

astóre m. (*zool., Accipiter gentilis*) goshawk.

astòrico a. ahistorical.

astràgalo m. **1** (*anat.*) astragalus*; talus*; ankle bone **2** (*bot., Astragalus*) astragalus*; milk vetch **3** (*archit.*) astragal **4** (*gioco*) knucklebone.

àstrakan, astrakàn m. astrakhan.

astràle a. **1** astral: **corpo a.**, astral body;

influsso a., astral influence **2** (*fig.: smisurato*) immense; infinite.

astràrre A v. t. **1** to abstract; to extract; to separate **2** (*distogliere*) to take* off: **a. la mente dalla realtà**, to take one's mind off reality B v. i. (*non tenere conto*) to disregard; to leave* aside: **a. dai fatti**, to disregard the facts C **astràrsi** v. rifl. to become* abstracted; to forget* about everything else; to withdraw* into oneself; (*divagare*) to let* one's mind wander: *Quando leggo riesco ad astrarmi da tutto*, when I'm reading I forget about everything else; *Invece di ascoltare si astrae*, instead of listening she lets her mind wander.

astrattaménte avv. in abstract terms; in the abstract.

astrattézza f. abstractness.

astrattìsmo m. (*arte*) abstractionism.

astrattìsta (*arte*) A m. e f. abstractionist B a. abstract; abstractionist.

astrattìvo a. abstractive.

astràtto A a. **1** (*anche arte, ling., mat.*) abstract **2** (*con la mente altrove*) abstracted; with one's thoughts elsewhere B m. abstract: **in a.**, in the abstract; in abstract terms.

astrazióne f. **1** abstraction **2** (*concetto astratto*) abstraction; abstract concept **3** (*l'essere con la mente altrove*) abstraction; absent-mindedness ● **fare a. da qc.**, to disregard st.; to leave aside st.

astringènte a. e m. (*farm.*) astringent; astrictive.

àstro m. celestial body; (*stella*) star; (*pianeta*) planet ● (*fig.*) **a. del cinema**, film star □ (*bot.*) **a. della Cina** (*Callistephus chinensis*), China aster □ (*fig.*) **a. nascente**, promising talent; rising star.

astrobiologìa f. astrobiology.

astrobùssola f. (*aeron.*) astrocompass.

astrochìmica f. astrochemistry.

astrodinàmica f. astrodynamics (pl. col verbo al sing.).

astròfico a. (*poesia*) astrophic.

astrofìsica f. astrophysics (pl. col verbo al sing.).

astrofìsico A a. astrophysical B m. (f. *-a*) astrophysicist.

astrofotografìa f. astrophotography.

astrografìa f. astrography.

astrògrafo m. astrograph.

astrolàbio m. astrolabe.

astrolatrìa f. star worship; astrolatry.

astrologàre v. i. **1** to practise astrology **2** (*fig.*) to conjecture (st.); to puzzle (over); (*assol.*) to stargaze.

astrologìa f. astrology.

astrològico a. astrological.

astròlogo m. (f. *-a*) astrologer; astrologist; stargazer (*fam.*).

astrometrìa f. astrometry.

♦**astronàuta** m. e f. astronaut; spaceman* (m.); spacewoman* (f.).

astronàutica f. astronautics (pl. col verbo al sing.).

astronàutico a. astronautical.

♦**astronàve** f. spaceship; spacecraft*.

astronomìa f. astronomy: **a. di posizione**, astrometry.

astronòmico a. (*anche fig.*) astronomical: **cifre astronomiche**, astronomical figures.

astrònomo m. (f. *-a*) astronomer.

astruserìa, astrusità f. **1** abstruseness **2** (*idea astrusa, ecc.*) abstruse notion.

astrùso a. abstruse.

♦**astùccio** m. case; box: **a. degli occhiali**, spectacle case; **a. del violino**, violin case; (*etnol.*) **a. penico**, penis sheath; **a. per gio-**

ielli, jewel case.

asturiàno a. Asturian.

Astùrie f. pl. (geogr.) (the) Asturias.

♦**astùto** a. astute; cunning; crafty; (furbo) sly, shrewd; (scaltro) clever, smart, wily: **un a. affarista**, a shrewd businessman; **una mossa astuta**, a clever move.

♦**astùzia** f. 1 astuteness; cunning; craftiness; (furbizia) slyness, shrewdness; (scaltrezza) smartness, wiliness: **giocare d'a.**, to play it clever 2 (azione astuta) trick; stratagem; ploy; ruse; wile (generalm. al pl.): **le astuzie del mestiere**, the tricks of the trade.

AT sigla 1 (**alta tensione**) high voltage (HV) 2 (**Antico Testamento**) Old Testament (OT) 3 (**Asti**).

atabàgico m. (farm.) anti-smoking product.

atalànta f. (zool., Vanessa atalanta) red admiral.

atamàno m. (stor.) ataman.

atarassìa f. (filos.) ataraxy; ataraxia.

ataràssico a. ataractic; ataraxic.

atassìa f. (med.) ataxy; ataxia.

atàssico a. (med.) ataxic.

atàvico a. atavistic.

atavìsmo m. (biol.) atavism.

atavìstico a. (biol.) atavistic.

ateìsmo m. atheism.

ateìsta m. e f. atheist.

ateìstico a. atheistic; atheist (attr.).

àtele m. (zool., Ateles) spider monkey.

atelettasìa f. (med.) atelectasis.

atelier (franc.) m. 1 (sartoria) (dressmaker's) workroom; atelier 2 (studio di artista) atelier; studio.

atemàtico a. (ling., mus.) athematic.

atemporàle a. timeless; outside time (pred.); atemporal.

atemporalità f. timelessness; atemporality.

Atèna f. (mitol.) Athena.

Atène f. (geogr.) Athens.

atenèo m. 1 (università) university 2 (accademia) academy.

ateniése a., m. e f. Athenian.

àteo A a. atheistic B m. (f. -a) atheist.

aterìna f. (zool., Atherina) silverside.

atermàno a. (fis.) athermanous.

atèrmico a. athermic.

ateròma m. (med.) atheroma*.

aterosclèroṣi, aterosclèrosi f. (med.) atherosclerosis.

ateroscleròtico a. (med.) atherosclerotic.

ateṣino A a. of the Adige Valley B m. (f. -a) native [inhabitant] of the Adige Valley.

atetòṣi f. (med.) athetosis.

atimìa f. (psic.) athymia.

atipicità f. atypicalness; atypicality.

atìpico a. 1 atypical 2 (leg.) innominate.

atlànte ① m. (archit.) atlas*; telamon.

atlànte ② m. atlas: **a. di anatomia**, anatomical atlas; **a. stradale**, road atlas.

Atlànte m. (geogr., mitol.) Atlas.

atlàntico ① a. (di libro) atlas-size.

atlàntico ② a. e m. (geogr.) Atlantic: **corrente atlantica**, Atlantic current; **l'Oceano A.**, the Atlantic Ocean; (stor.) **il Patto A.**, the North Atlantic Treaty.

Atlàntide f. (mitol.) Atlantis.

atlantìsmo m. (polit.) Atlanticism.

atlantìsta m. (polit.) Atlanticist.

atlèta m. e f. 1 (sport) athlete 2 (fig.) champion.

atlètica f. athletics (pl. col verbo al sing.): **a. leggera**, athletics; (le gare) track-and-field

events (pl.); **a. pesante**, boxing, weightlifting and wrestling.

atlètico a. athletic: **federazione atletica**, athletic union; **figura atletica**, athletic build; **gare atletiche**, athletic events.

atletìsmo m. athleticism.

♦**atmosfèra** f. 1 (geogr., fis.) atmosphere: **l'a. terrestre**, the earth's atmosphere; **alta [bassa] a.**, upper [lower] atmosphere 2 (fig.) atmosphere; ambience: **a. piacevole**, pleasant atmosphere (o ambience); **a. tesa**, tense atmosphere; **pieno di a.**, full of atmosphere.

♦**atmosfèrico** a. atmospheric: **circolazione atmosferica**, circulation of air; air flow; **condizioni atmosferiche**, atmospheric conditions; (il tempo) (the) weather; (radio) **disturbi atmosferici**, atmospherics; **pressione atmosferica**, atmospheric pressure.

atòllo m. (geogr.) atoll.

atòmica f. atom bomb; A-bomb.

atomicità f. (chim., fis.) atomicity.

♦**atòmico** a. 1 (chim., fis.) atomic; atom (attr.); nuclear: **bomba atomica**, atom bomb; A-bomb; **energia atomica**, atomic energy; **l'era atomica**, the atomic age; **guerra atomica**, atomic (o nuclear) war (o warfare); **fungo a.**, nuclear mushroom; **numero [peso] a.**, atomic number [weight]; **pila atomica**, atomic pile; nuclear reactor 2 (fig.: travolgente) extraordinary; stunning: **bellezza atomica**, stunning beauty.

atomìsmo m. (filos.) atomism.

atomìsta m. e f. (filos.) atomist.

atomìstico a. (filos.) atomistic.

atomizzàre v. t. to atomize; to vaporize.

atomizzatóre m. atomizer; vaporizer.

atomizzazióne f. atomization; vaporization.

♦**àtomo** m. 1 (chim., fis.) atom 2 (fig.) atom; grain; speck: **un a. di polvere**, a speck of dust; **un a. di verità**, a grain of truth.

atonàle a. (mus.) atonal.

atonalità f. (mus.) atonalism; atonality.

atonìa f. (med., fon.) atony.

atonicità f. (fon.) atonicity.

atònico a. (med.) atonic.

àtono a. 1 (fon.) atonic; unaccented; unstressed 2 (fig.) dull: **con voce atona**, in a dull tone of voice.

atòpico a. (med.) 1 atopic 2 (malposto) atopic; ectopic.

atòssico a. non-toxic.

atout (franc.) m. 1 (a carte) trumps 2 (fig.: vantaggio) trump card; (possibilità) chance: **giocare il proprio a.**, to play one's trump card; **avere dei buoni a.**, to stand a good chance.

atrabile f. 1 (med. stor.) black bile 2 (fig.) melancholy; hypochondria.

atrabiliàre a. atrabilious; melancholic.

atraẓìna f. (chim.) atrazine.

Atrèo m. (mitol.) Atreus.

atrepsìa f. (med.) marasmus; athrepsia.

atreṣìa f. (med.) atresia.

atriàle a. (med.) atrial.

atrichìa f. (med.) atrichia.

Atrìdi m. pl. (mitol.) Atreids.

àtrio m. 1 (entrance) hall; foyer; lobby; atrium* (archeol.) 2 (anat.) atrium*.

atrioventricolàre a. (anat.) atrioventricular.

àtro a. (lett.) 1 black; dark 2 cruel; fierce.

atróce a. 1 (orrendo, crudele) atrocious; cruel; heinous: **delitto a.**, atrocious (o heinous) crime 2 (terribile) horrible; terrible; awful; appalling: **a. delusione**, bitter disappointment; **dolori atroci**, terrible (o excruciating) pains; **dubbio a.**, awful suspicion;

morte a., horrible death 3 (pessimo) atrocious; awful; abominable; ghastly: **gusto a.**, ghastly taste; **un tempo a.**, atrocious weather.

atrocità f. 1 atrociousness; horror 2 (atto atroce) atrocity.

atrofìa f. (med.) atrophy.

atròfico a. (med.) atrophic.

atrofizzàre A v. t. to atrophy B **atrofizzàrsi** v. i. pron. to atrophy; to become* atrophied.

atrofizzazióne f. atrophization.

atropìna f. (chim.) atropine.

àtropo m. (zool., Acherontia atropos) death's-head moth.

Àtropo f. (mitol.) Atropos.

attaccàbile a. 1 attachable 2 (che si può assalire) assailable; vulnerable to attack.

attaccabottóni m. e f. inv. (fam.) chatterer; bore.

attaccabrighe m. e f. inv. quarrelsome person; troublemaker.

attaccamàni m. (bot., Galium aparine) goosegrass; cleavers.

attaccaménto m. attachment; affection; devotion: **a. al dovere**, devotion to duty.

♦**attaccànte** m. e f. 1 attacker 2 (sport) forward; striker.

♦**attaccapànni** m. inv. (a stelo) hatstand; (da parete) coat rack; (gancio) clothes hook.

♦**attaccàre** A v. t. 1 (congiungere, unire, fissare) to attach, to fasten; (applicare) to apply; (legare) to tie, to secure; (agganciare) to hook; (cucire) to sew* on; (appiccicare) to stick*; (incollare) to glue, to paste; (un manifesto, ecc.) to stick* up, to put* up, to post; (appendere) to hang* (up); (con spilli e sim.) to pin: **a. un amo alla lenza**, to tie (o to attach) a hook to the line; **a. un cerotto**, to apply a plaster; **a. due fogli con una graffetta**, to staple two sheets of paper together; **a. un'etichetta su qc.**, to stick a label on st.; **a. i pezzi di un piatto**, to glue the pieces of a plate together; **a. il cappello a un piolo**, to hang (up) one's hat on a peg; **a. un quadro**, to hang a picture; **a. un avviso**, to put up (o to pin up, to post) a notice; (al telefono) **Non a.!**, don't hang up! 2 (elettr.: collegare) to plug in; (fam.: accendere) to switch on: **a. il ferro**, to plug in the iron; (fam.) **Attacca la tele**, switch on the TV 3 (bestie da tiro) to hitch; (aggiogare) to yoke 4 (contagiare) to infect (sb. with st.); to pass on: **a. un raffreddore a q.**, to pass one's cold on to sb.; **Ci ha attaccato il suo entusiasmo**, she has infected us with her enthusiasm 5 (assalire) to attack (anche assol.); to set* upon: **a. il nemico**, to attack the enemy; **una malattia che attacca i polmoni**, a disease which attacks the lungs; **a. la religione**, to attack religion; **Fu attaccato ingiustamente**, he was wrongfully attacked; **Attaccò l'arrosto con appetito**, she tucked into the roast 6 (corrodere, intaccare) to attack; to corrode: **La ruggine attacca i metalli**, rust attacks metals 7 (fam.: cominciare, anche assol.) to begin*; to start; to set* about; (cominciare a cantare) to begin* to sing, to start singing; (cominciare a suonare) to strike* up: **a. a parlare**, to start talking; **Il tenore attaccò l'aria**, the tenor started singing the aria; **La banda attaccò una marcia militare**, the band struck up a march ● **a. battaglia**, to join battle □ **attaccar bottone** → **bottone** □ **a. discorso con q.**, to get talking to sb.; to strike up a conversation with sb. □ **a. lite**, to pick a quarrel B v. i. 1 (appiccicarsi) to stick*; (essere appiccicoso) to be sticky: **Questa colla non attacca bene**, this glue does not stick well 2 (attecchire) to take* root 3 (fig.: avere successo) to catch* on: **una moda che non attaccherà**, a fashion that won't catch on 4 (fig.: funzionare) to work: **Con me non attacca**, it doesn't

work with me; *Guarda che con me non attacca*, it's no use trying it on with me; *È una scusa che non attacca*, the excuse won't wash; it's a petty feeble excuse **5** (*cominciare*) to begin*; to start; (*mus.*) to come* in: **a. a piovere**, to begin to rain; *Attacchiamo a lavorare alle otto*, we start work at eight o'clock; *Qui attaccano i violini*, here the violins come in **C** **attaccàrsi** v. rifl. e i. pron. **1** (*aggrapparsi*) to hang* on (to); to cling* (to); to fasten (on): *Attaccati o cadrai*, hang on or you'll fall; *Attaccati a me!*, hang on to me!; *Il bambino si attaccava alla madre*, the child was clinging to its mother; **attaccarsi a dei pretesti**, to make (*o* start making) excuses; **attaccarsi ai dettagli**, to insist on details; to nit-pick (*fam.*); to be a nit-picker (*fam.*) **2** (*appiccicarsi*) to stick*; (*aderire*) to adhere, to cling*; **Questo francobollo non s'attacca**, this stamp won't stick; **L'arrosto si è attaccato**, the roast has stuck to the bottom of the pan **3** (*essere contagioso*) to be contagious; to be catching: *La varicella si attacca facilmente*, chicken-pox is very catching **4** (*affezionarsi*) to become* attached (to): *Si è molto attaccato al nipote*, he has become very attached to his nephew **5** (*dedicarsi*) to devote oneself • **attaccarsi alla bottiglia**, to pull at the bottle; (*darsi al bere*) to take to the bottle □ (*di neonato*) **attaccarsi al seno**, to start sucking □ **attaccarsi al telefono per ore**, to be on the phone for ages ❶ FALSI AMICI • attaccare *nel senso di fissare o collegare non si traduce con* to attack. **D** **attaccàrsi** v. rifl. recipr. **1** (*appiccicarsi*) to stick* together **2** (*azzuffarsi*) to attack each other.

attaccaticcio **A** a. **1** sticky; gluey; (*di vernice, ecc.*) tacky **2** (*fig., di persona*) clinging **3** (*contagioso*) infectious; contagious **B** m. sticky mess; (*di cosa bruciata*) sticky, burnt mess: **sapere di a.**, to taste burnt.

attaccàto a. **1** (*unito*) tied; (*appiccicato*) stuck; (*appeso*) hanging (from); (*vicino*) close: **stare a.** (*aderire*), to stick; to adhere, (*stare vicino*) to stay close, to keep close; (*seguire dappresso*) to follow closely **2** (*di apparecchio elettrico*) plugged in **3** (*fig.: legato*) attached: **a. alle proprie abitudini**, attached to one's habits; **a. alle proprie idee**, set in one's ideas; **a. ai soldi**, close-fisted; stingy **4** (*fig.: affezionato*) attached (to), (very) fond (of); (*devoto*) close (to): *È attaccato ai nipoti*, he is very fond of his grandchildren; *È molto a. al padre*, he's very close to his father **5** (*fig.: ligio*) devoted (to): **a. al lavoro**, devoted to one's work; hard-working.

attaccatùra f. (*punto d'a.*) join; junction; juncture; (*cucitura*) seam: **a. della manica**, armhole seam • **a. dei capelli**, hairline.

attaccatùtto m. inv. general-purpose adhesive; glue (*fam.*).

attacchinàggio m. billposting; billsticking; placarding.

attacchino m. (f. **-a**) billposter; billsticker.

♦**attàcco** m. **1** (*mil.*) attack; assault; onslaught; raid: **a. aereo**, air attack (*o* raid); **a. frontale [alla baionetta, di sorpresa]**, frontal [bayonet, surprise] attack; **muovere all'a.**, to attack; **sferrare [respingere] un a.**, to launch [to repel] an attack; *All'a.!*, charge!; at them!; **formazione d'a.**, attack formation **2** (*fig.: critica*) attack; (*violento*) onslaught: **un a. al governo**, an attack on the government; **gli attacchi della stampa**, the attacks in the press **3** (*di malattia*) attack; fit; seizure; (*breve periodo*) bout, spell: **a. di bile**, bilious attack; (*fig.*) fit; **un a. di cuore**, a heart attack; **un a. di tosse**, a fit of coughing; **a. epilettico**, epileptic fit; **un a. febbrile**, a bout of fever **4** (*sport: calcio, rugby*) attack; (*lo schieramento, anche*) for-

ward line: **giocare all'a.**, to attack; *Il Foggia ha giocato sempre all'a.*, Foggia was on the attack all the time; **linea d'a.**, (*calcio*) forward line; (*rugby*) front row **5** (*fig.: inizio*) start; opening; beginning: **l'a. di una salita**, the start of a climb; *Dopo un a. incerto, l'oratore trovò il tono giusto*, after a halting start, the speaker struck the right note **6** (*mus.: entrata*) entry; (*inizio*) beginning, opening, attack: **l'a. del flauto**, the entry of the flute; **l'a. di una sinfonia**, the opening bars (pl.) of a symphony; **dare l'a.**, to give the attack; **battuta di a.**, opening bar **7** (*punto d'unione*) junction; join; connection; (*cucitura*) seam: **l'a. di un tubo**, a pipe connection; **l'a. della manica**, the armhole seam **8** (*mecc., elettr.*: *dispositivo di congiunzione*) connection; fitting; mount: **a. a baionetta**, bayonet connection; (*di lampadina*) bayonet base; (*fotogr.*) bayonet mount; **a. a vite**, screw connection; thread mount; **a. di corrente**, socket; **a. elettrico**, connecting plug **9** (*sci*) binding: **attacchi di sicurezza**, safety bindings **10** (*ferr.*) coupling **11** (*di cavalli*) coach and horses: **a. a due**, coach and pair **12** (*alpinismo*) start (of a climb) **13** (*fig. lett.: pretesto*) pretext.

attachment m. inv. (*ingl., comput.*) attachment.

attaglìarsi v. i. pron. to fit (st.); to suit (st.): *La parte non gli s'attaglia*, the part does not fit him.

attanaglìare v. t. **1** (*afferrare con le tenaglie*) to grip (with pincers) **2** (*stringere*) to grip; to clutch **3** (*fig., di sentimento*) to grip; to seize.

attànte m. (*ling.*) agent.

attardàre **A** v. t. to delay **B** **attardàrsi** v. i. pron. (*trattenersi, fermarsi*) to stay* behind; (*indugiare*) to linger, to tarry: **attardarsi in ufficio**, to stay behind in the office; **attardarsi per strada**, to linger in the street; *Ci siamo attardati al bar e abbiamo perso il treno*, we tarried in the bar and so we missed the train.

attecchiménto m. taking root (*anche fig.*).

attecchìre v. i. **1** (*di pianta*) to take* root **2** (*fig.*) to take* root; (*avere successo*) to prove popular, to catch* on (*fam.*).

♦**atteggiaménto** m. **1** attitude; ways (pl.); manner; (*comportamento*) behaviour Ⓤ; (*posa*) pose, air: **un a. distaccato**, aloof behaviour; aloofness; **un a. minaccioso**, a threatening attitude; **atteggiamenti da gran dama**, airs of a lady; **assumere un a. superiore**, to put on an air of superiority **2** (*presa di posizione*) position; stance: **l'a. del governo nei confronti del prezzo della benzina**, the government's position on the price of petrol **3** (*positura*) position; position.

atteggiàre **A** v. t. to arrange; to compose; to set*: **a. le labbra al sorriso**, to put on a smile; **a. le mani a preghiera**, to join one's hands in prayer; **a. il viso a stupore**, to look surprised; to affect surprise **B** **atteggiàrsi** v. rifl. to pose (as): **atteggiarsi a grand'uomo**, to give oneself airs; **atteggiarsi a martire**, to pose as a martyr.

attempàto a. elderly; getting on in years (pred.): *È piuttosto a.*, he's getting on in years.

attendaménto m. camp; encampment.

attendàrsi v. rifl. to camp; to encamp.

attendènte m. (*mil.*) orderly; batman* (GB).

♦**attèndere** **A** v. t. **1** (*aspettare*) to wait (for); to await (*form.*): *Attesi il suo arrivo*, I waited for him to arrive; *Attesi che fosse lui a parlare*, I waited for him to speak; (*al telefono*) *Attenda in linea*, hold the line, please; please hold on **2** (*prevedere*) to expect: *È atteso per oggi*, he is expected today; *Mi at-*

tendevo qualcosa del genere, I was expecting something like that **B** v. i. (*badare*) to attend (to); to look (after); to mind (st.); to nurse (st.) ❶ FALSI AMICI • attendere *nel senso di aspettare non si traduce con* to attend.

attendìbile a. **1** (*di persona*) reliable; trustworthy: **un teste a.**, a reliable witness **2** (*di notizia, ecc.*) reliable; credible: **una fonte a.**, a reliable source.

attendibilità f. **1** (*di persona*) reliability; trustworthiness **2** (*di notizia, ecc.*) reliability; credibility.

attendìsmo m. (*polit.*) wait-and-see policy; fence-sitting.

attendìsta (*polit.*) **A** a. fence-sitting: **fare una politica a.**, to sit on the fence **B** m. e f. fence-sitter.

attenère **A** v. i. to concern (st.); to be relevant (to); to pertain (st.) (*form.*): *Ciò non attiene al fatto*, that is not relevant to the fact **B** **attenérsi** v. rifl. **1** (*seguire*) to follow (st.): **attenersi ai consigli del medico**, to follow the doctor's advice **2** (*limitarsi*) to stick* (to); to keep* (to): **attenersi ai fatti**, to keep (*o* to stick) to the facts; **attenersi alle regole**, to stick to the rules.

attentàre **A** v. i. **1** to make* an attempt (on, against): **a. alla vita di q.**, to make an attempt on sb.'s life **2** (*fig.: attaccare*) to attack (st.): **a. all'onore di q.**, to attack sb.'s good name **B** **attentàrsi** v. i. pron. to dare*; to venture: *Non s'attentò di tornare*, she didn't dare (to) come back.

attentàto m. **1** (*alla vita di qc.*) attempt on sb.'s life, assassination attempt; (*assassinio politico*) assassination; (*atto terroristico*) (terrorist) attack, act of terrorism, bombing: **l'a. contro il presidente**, the attempt on the president's life; **a. dinamitardo**, bomb attack; bombing; *Fu ucciso in un a.*, he died in a terrorist attack; (*di personalità politica*) he was assassinated; **rivendicare un a.**, to claim responsibility for a terrorist attack **2** (*fig.: attacco*) attack: **un a. alla costituzione**, an attack on the constitution.

attentatóre m. (f. **-trice**) terrorist; bomber; attacker; (*alla vita di q.*) assassin; (*che ha fallito*) attempted assassin.

attènti (*mil.*) **A** inter. attention!: **a. a destra [sinistra]!**, eyes right [left]! **B** m. **1** (*posizione*) attention: **mettersi sull'a.**, to stand (*o* to come) to attention; **scattare sull'a.**, to spring to attention; **stare sull'a.**, to stand at attention **2** (*ordine, segnale*) order to stand to attention: **dare l'a.**, to order to stand to attention • (*fig.*) **mettere q. sull'a.**, to take sb. to task; to rap sb.'s knuckles.

♦**attènto** a. **1** (*che dimostra attenzione*) attentive, intent; (*vigile*) alert, watchful; (*prudente*) careful: **espressione attenta**, attentive (*o* intent) expression; **guidatore a.**, careful driver; (*fig.*) **occhio a.**, watchful eye; **osservatore a.**, attentive observer; **sguardo a.**, attentive (*o* intent) look; **stare a. a**, (*fare attenzione*) to pay attention to; (*ascoltare, anche*) to listen carefully to; (*tenere d'occhio*) to mind, to look after, to keep an eye on, to watch; (*stare in guardia*) to be careful with, to beware of: *Sta' a. quando ti parlo*, listen to me when I'm talking to you; **stare a. ai bambini**, look after (*o* keep an eye on) the children; **stare a. al peso**, to watch one's weight; *Sta' a. a non cadere*, be careful not to fall; mind you don't fall; *A.!*, look out!; watch out!; take care!; careful!; attention!; *A. alla macchina [al gradino]!*, mind the car [the step]!; *Attenti al cane!*, beware of the dog! **2** (*diligente*) scrupulous; precise; painstaking **3** (*premuroso, sollecito*) thoughtful; solicitous; considerate **4** (*accurato*) careful; close; thorough: **analisi attenta**, close analysis; **a. esame**, close (*o* careful) examination.

attenuaménto m. → **attenuazione**.

attenuànte A a. extenuating (anche leg.); mitigating: **circostanze attenuanti**, extenuating circumstances B f. **1** (leg.) extenuating circumstance: **concedere le attenuanti**, to grant extenuating circumstances **2** (giustificazione) extenuation; excuse: *Addusse come a. la sua malattia*, he pleaded his illness in extenuation (o as an excuse); *Ha l'a. della giovane età*, she has the excuse of being young; **non avere attenuanti**, to have no excuse.

attenuàre A v. t. **1** (rendere meno forte) to lessen; to attenuate; to mitigate; (alleviare) to ease, to alleviate; (un colpo) to soften, to cushion: **a. un effetto negativo**, to mitigate a negative effect; **a. un dolore**, to ease (o to alleviate) a pain; **a. una caduta**, to soften a fall **2** (ridimensionare) to ease; to mitigate; (smorzare) to dampen; (una colpa) to extenuate: **a. la gravità d'un disastro**, to mitigate the gravity of a disaster; **a. l'entusiasmo**, to dampen sb.'s enthusiasm; *Cercò di a. la sua colpa*, she tried to extenuate her guilt **3** (luce) to soften, to subdue, to dim; (suono) to deaden, to muffle; (colore) to dull, to tone down B **attenuàrsi** v. i. pron. to lessen; to ease; to diminish; (di luce) to dim; (di suono) to fade.

attenuativo a. attenuating; alleviating; mitigating; softening.

attenuàto a. (di luce, colore) subdued, soft; (di suono) hushed, soft.

attenuazióne f. **1** attenuation; alleviation; mitigation; softening; (rif. a dichiarazione) understatement **2** (di luce) softening, dimming; (di suono) reduction, fading **3** (fis., biol.) attenuation.

♦**attenzióne** A f. **1** attention; notice: **con viva a.**, with great attention; **destare** (o **attirare**) **l'a.**, to attract attention (o notice); **prestare** (o **fare**) **a.**, to pay attention (to st.); *Fa' a. a non farti vedere*, make sure you are not seen; **richiamare l'a. di q. su qc.**, to draw sb.'s attention to st.; **sottoporre qc. all'a. di q.**, to bring st. to sb.'s notice; **sviare l'a. di q.**, to divert sb.'s attention; *Alla cortese a. di*, for the attention of **2** (atto gentile) attention; kindness: **colmare q. di attenzioni**, to overwhelm sb. with kindness; *È sempre così pieno di attenzioni*, he is always so kind (o considerate) **3** (cura, diligenza) care; attention: **mettere molta a. in qc.**, to take great care over st. B inter. look out!; watch out!; careful!; (nella segnaletica stradale) caution: *A., passaggio a livello!*, caution, level crossing.

attergàre v. t. (bur.) to endorse; (una pratica) to docket.

attergàto m. (bur.) endorsement; docket.

àttero → **aptero**.

atterràggio m. **1** (aeron.) landing; touchdown: **a. di fortuna** (o **forzato**), emergency (o forced) landing; (senza carrello) crash landing; (miss.) **a. morbido**, soft landing; **a. strumentale** (o **guidato**), instrument landing; **a. senza carrello**, belly-landing; **campo d'a.**, landing ground; **carrello d'a.**, landing gear; undercarriage; **pista d'a.**, runway; airstrip **2** (naut.) landfall **3** (sport) landing.

atterraménto m. **1** (lo stendere a terra) knocking down; (sport) knock-down **2** (il demolire) demolition.

♦**atterràre** A v. t. **1** (stendere a terra) to knock down; to fell **2** (sport) to bring* down; (boxe, anche) to floor; (lotta) to throw* **3** (fig.: prostrare) to prostrate; to crush **4** (fig. lett.: umiliare) to humble B v. i. **1** (aeron.) to land; to touch down: **a. col carrello rientrato**, to belly-land **2** (naut.) to make* a landfall **3** (sport) to land.

atterrìre A v. t. to frighten; to terrify; to terrorize: **a. l'animo**, to terrify the mind; **a.**

con minacce, to terrorize with threats; *L'esplosione ci atterrì*, we were terrified by the explosion B **atterrìrsi** v. i. pron. to be terrified; to panic.

atterrìto a. (badly) frightened; terrified; terror-struck; (in preda al panico) panic-stricken, panic-struck; (inorridito) appalled, horror-struck, aghast (pred.): *Mi ritrassi a.*, I drew back in terror.

♦**attésa** f. **1** waiting; (il periodo) wait: **una lunga a.**, a long wait; **due ore di a.**, a two-hour wait; **essere in a. di qc.**, to be waiting for st.; to await st. (form.); *Siamo in a. di sue notizie*, we are waiting to hear from him; *Nell'a. sfogliai una rivista*, while I was waiting I leafed through a magazine **2** (aspettativa) expectation; anticipation: **superiore a ogni a.**, beyond all expectations ● **In a. di istruzioni, procederemo come al solito**, pending instructions, we will proceed as usual □ **essere in a.** (essere incinta) to be expecting □ **donna in a.**, expectant mother □ (comm.) **Restiamo in a. di una vostra risposta**, we look forward to hearing from you □ (leg.) **in a. di giudizio**, on remand □ **mettere in a.**, to put on hold □ **una telefonata in a.**, a phonecall on hold □ **lista d'a.**, waiting list □ **sala d'a.**, waiting room.

attesìsmo → **attendismo**.

atteso a. **1** expected; due: **l'a. temporale**, the expected thunderstorm; *L'aereo è atteso per le quattro*, the plane is due in at four; **a. da tempo**, long-due; overdue **2** (desiderato) long-awaited: **le attese riforme**, the long-awaited reforms; *Arrivò il giorno a. da tutti*, the day we were all waiting for arrived; **tanto a.**, long-awaited; eagerly awaited, hoped-for; longed-for **3** (bur.) in consideration of: **attesa la Sua domanda...**, in consideration of your application...; **a. che**, in view of the fact that; considering that.

attestàbile a. attestable; certifiable.

attestaménto m. (mil.) establishment of a bridgehead; occupation (of a position).

attestàre① A v. t. **1** to attest; to certify; to testify to; to vouch for: *Attestò la verità del suo racconto*, she vouched for the truth of his story **2** (fig.) to bear* witness to; to document: *Questo libro attesta la sua ignoranza*, this book bears witness to his ignorance.

attestàre② A v. t. **1** (mil.) to draw* up; to range **2** (unire) to join head to head; to place end to end **3** (mecc.) to abut B **attestàrsi** v. rifl. **1** (mil.) to establish a bridgehead; to occupy (a position) **2** (fig.) to stabilize.

attestàto m. **1** certificate: **a. di nascita**, birth certificate; **rilasciare un a.**, to issue a certificate **2** (dichiarazione scritta) testimonial; reference: **a. di buona condotta**, testimonial; **a. di servizio**, reference **3** (prova) proof; (segno) token.

attestazióne f. **1** (dichiarazione) statement; declaration: **a. di solidarietà**, declaration of solidarity **2** (attestato) certificate **3** (dimostrazione) demonstration **4** (fig.) token: **come a. della mia gratitudine**, as a token of my gratitude **5** (di parola) occurrence.

atticciàto a. thickset; stocky.

atticìsmo m. Atticism.

atticista m. Atticist.

atticizzàre v. i. to Atticize.

àttico① A a. Attic: (archit.) **l'ordine a.**, the Attic order; **sale a.**, Attic salt (o wit) B m. (ling.) Attic.

àttico② m. **1** (archit.) attic **2** (edil.) attic; loft; (appartamento) penthouse: **a. a mansarda**, mansard.

attiguità f. adjacency; contiguity; close proximity.

attiguo a. adjoining; next (to); adjacent (to): **l'a. studio**, the adjacent study; *La sua camera è attigua alla mia*, his room is next to mine.

attillàre A v. t. to make* (st.) fit tightly; (stringere) to take* in B **attillàrsi** v. rifl. to dress up.

attillàto a. **1** (aderente) close-fitting; tight: **attillatissimo**, skin-tight; clinging **2** (vestito con ricercatezza) smartly dressed; dressed up.

attillatùra f. **1** (l'essere aderente) tight fit **2** (eleganza) elegance; dressiness.

♦**àttimo** m. moment; instant; second: **l'a. fuggente**, the fleeting moment; **un a. dopo**, the next instant; *Un a., prego*, one moment, please; **di a. in a.**, from second to second; **in un a.**, in a moment; in a flash; **senza un a. di respiro**, without a moment's respite ● (fam.) **un a.** (un poco) a bit; a fraction.

attinènte a. concerning; relating (to); referring (to); pertaining (to); relevant (to): **i documenti attinenti alla questione**, the documents concerning the matter; **faccende attinenti al proprio lavoro**, matters relating to one's work; **non a. al problema in discussione**, not relevant to the problem under discussion.

attinènza f. **1** connection; relation; relevance; bearing: *Non ha nessuna a. col nostro problema*, it is not relevant to (o it has no bearing on) our problem **2** (al pl.) (annessi) appurtenances (pl.).

attingere A v. t. **1** (liquido) to draw*: **a. acqua**, to draw water; **a. il vino dalla botte**, to draw off wine from the cask **2** (ricavare, trarre) to get*; to obtain; to derive; to draw*: **a. dati da**, to get data from; **a. una notizia da buona fonte**, to derive information from a reliable source; **a. dal proprio conto**, to draw on one's account; **a. vigore**, to draw strength **3** (lett.: raggiungere) to reach; to attain B v. i. to reach (st.); to attain (st.).

attìnia f. (zool., Actinia) actinia*; sea anemone.

attinicità f. (chim., fis.) actinism.

attìnico a. (fotogr., fis.) actinic.

attìnide m. (chim.) actinide.

attìnio m. (chim.) actinium.

attinografìa f. (fotogr.) actinography.

attinologìa f. (biol.) actinology.

attinometrìa f. (meteor.) actinometry.

attinomètrico a. (meteor.) actinometric.

attinòmetro m. (meteor.) actinometer.

♦**attiràre** v. t. **1** (attrarre) to attract; to draw*: *La calamita attira il ferro*, magnets attract iron; **a. l'attenzione**, to draw attention; **a. l'attenzione di q. su**, to draw sb.'s attention to; **a. q. con promesse**, to attract sb. with promises; **a. clienti**, to attract (o to draw) customers; **a. il nemico in un agguato**, to draw the enemy into an ambush; **a. tutti gli sguardi**, to attract all eyes; *La commedia attirò molto pubblico*, the play was a crowd-puller **2** (allettare) to attract; to be tempting; to appeal to: *L'idea mi attirava*, the idea appealed to me (o was tempting) **3** (attirarsi: conquistare) to win*; to gain; (tirarsi addosso) to attract, to draw*, incur: **attirarsi critiche**, to attract criticism; to draw flak; **attirarsi le lodi di tutti**, to win general praise; **attirarsi l'odio di q.**, to incur sb.'s hatred.

attitudinàle a. aptitude (attr.): **esame a.**, aptitude test ❶ **FALSI AMICI** ● attitudinale *non si traduce con* attitudinal.

♦**attitùdine①** f. (disposizione naturale) aptitude; bent: **avere a. per le lingue**, to have an aptitude for languages; **avere a. per la matematica**, to have a bent for mathematics; **a. al comando**, leadership ❶ **FALSI AMICI**

• **attitudine** *non si traduce con* attitude.

attitùdine② f. **1** (*posizione del corpo*) posture; pose; attitude **2** (*comportamento*) behaviour **3** (*opinione, punto di vista*) stance; attitude; position; feelings (pl.).

attivànte m. (*chim.*) activator.

attivàre v. t. **1** to activate; to start (up); (*rendere operante*) to put* into operation; (*mettere in moto*) to set* in motion, (*un motore*) to start (up); (*aprire*) to open; (*un congegno*) to set* off, to switch on: **a. un allarme**, to set off an alarm; **a. un dispositivo di emergenza**, to switch on an alarm system; **a. una linea ferroviaria**, to put a new railway line into operation; **a. una macchina**, to start an engine **2** (*bur.: sollecitare*) to expedite **3** (*chim.*) to activate.

attivatóre m. (*chim.*) activator.

attivazióne f. **1** (*chim., fis.*) activation **2** (*messa in atto*) starting up; opening; activation.

attivìsmo m. **1** (*filos.*) activism **2** (*polit.*) activism; militancy **3** (*dinamicità*) energy; activeness.

attivìsta m. e f. **1** (*filos.*) activist **2** (*polit.*) activist; militant.

attivìstico a. activistic.

◆**attività** f. **1** (*operosità*) activeness, industry; (*energia*) energy, drive; (*fermento*) activity: *La sua a. non cessa di stupirmi*, his energy never ceases to amaze me; *Oggi siamo in grande a.*, we are very busy today; *C'è molta a. in paese*, there's a lot of activity in town; **giornate di grande a.**, very busy days **2** (*funzionamento*) operation; working; running: **essere in a.**, to be working; to be operating; to be running; *Tutte le macchine sono in a.*, all the machines are working; **sospendere le a.**, to cease operations **3** (*geol.*) activity: **vulcano in a.**, active volcano; **entrare in a.**, to become active **4** (*insieme di operazioni o azioni*) activity: **a. manuale**, manual work; **a. ricreative**, leisure activities **5** (*econ., comm.*) business; trade; (*occupazione, lavoro*) work, job, line of business; (*mestiere*) trade: **a. alberghiera**, hotel business (*o* trade); **a. bancaria**, banking; **a. commerciale**, business; **a. imprenditoriale**, enterprise; business; **svolgere a. imprenditoriale**, to be an entrepreneur; **a. lavorativa**, work; job; **svolgere un'a. lavorativa**, to work; to have a job; **cessare la propria a.**, to go out of business; **vendere la propria a.**, to sell one's business; *Che a. svolge?*, what does he do (for a living)?; what's his line of business? **6** (*ind.*) industry; **a. estrattiva**, mining industry; mining; **a. primaria**, primary industry **7** (*al pl.*) (*comm.*) assets (pl.): **a. e passività**, assets and liabilities; **a. immateriali**, intangible assets; **a. liquide**, current assets **8** (*scient.*) activity: (*astron.*) **a. solare**, solar activity.

attivizzàre v. t. to activate; to put* into operation; to get* going.

◆**attivo** Ⓐ a. **1** active; (*che lavora*) working; (*operante, funzionante*) working, operating: **partecipazione attiva**, active participation; **vulcano a.**, active (*o* live) volcano; **impianto a.**, working plant; **popolazione attiva**, working population; **i principi attivi di una sostanza**, the active elements in a substance; **prendere parte attiva in qc.**, to take an active part in st.; **un membro a. di un'organizzazione**, a militant member of an organization; an activist; **in servizio a.**, in active service; (*mil.*) on the active list **2** (*dinamico*) active, energetic; (*indaffarato*) busy: **un uomo molto a.**, a very active man; **fare vita attiva**, to lead an active life **3** (*comm., econ., fin.*: *animato*) brisk; lively: **commercio a.**, brisk trade; **mercato a.**, lively (*o* brisk) market **4** (*econ., fin.*: *in attivo*) active, credit (attr.); (*produttivo*) produc-

tive, profit-making; (*esigibile*) receivable: **bilancia commerciale attiva**, active balance of trade; **partite attive**, assets; **saldo a.**, credit balance; **cambiali attive**, receivable bills **5** (*gramm.*) active **6** (*chim.*) active Ⓑ m. **1** (*comm.*) assets (pl.); (*di un conto*) credit side, credit balance: **a. e passivo**, assets and liabilities; **a. circolante**, current assets; **a. mobiliare [immobiliare]**, personal [real] assets; **a. sociale**, company's assets; **all'a.**, on the credit side; **essere in a.**, to be in credit; (*di impresa*) to be making a profit; to be in the black: **impresa in a.**, a profit-making company; (*comm. e fig.*) **al proprio a.**, to one's credit **2** (*gramm.*) active (voice): **verbo all'a.**, verb in the active (voice) **3** (*di partito, sindacato*) activists (pl.); leading members (pl.).

attizzaménto m. **1** (*del fuoco*) poking **2** (*fig.*) inflaming; stirring up.

attizzàre v. t. **1** (*il fuoco*) to poke **2** (*fig.*) to inflame; to stir up: **a. l'odio**, to stir up hatred.

attizzatóio m. poker.

◆**atto**① m. **1** act; action; deed: **un a. brutale**, a brutal act; **un a. di carità**, an act of charity; **un a. di coraggio**, an act of courage; a brave deed; **l'a. sessuale**, the sexual act; **rendere conto dei propri atti**, to answer for one's actions **2** (*atteggiamento*) attitude; (*gesto*) gesture, movement: **in a. di preghiera**, in an attitude of prayer **3** (*leg.*) act; (*strumento*) deed, document; (*certificato*) certificate; (*contratto*) contract: **a. amministrativo**, administrative act (*o* action); **a. apocrifo**, forged deed; **a. autentico**, original deed; **a. costitutivo di una società**, deed of incorporation; memorandum of association; **a. d'accusa**, indictment; **a. di cessione**, deed of transfer; transfer deed; conveyance; **a. di citazione**, summons; **a. di compravendita**, contract of purchase; **a. di donazione**, deed of gift; **a. di nascita [di morte]**, birth [death] certificate; **a. di vendita**, act of sale; (*comm.*) bill of sale; **a. giuridico**, legal transaction; **a. legalizzato**, certified document; **a. notarile**, notarial deed; instrument; **a. pubblico [privato]**, public [private] act (*o* document); **a. unilaterale**, unilateral transaction; **atti societari**, company deeds; **redigere (*o* stendere) un a.**, to draw up a deed; **trascrivere un a.**, to register a deed **4** (*al pl.*) (*di procedimento legale*) proceedings; (*registrazioni*) records; (*di società, assemblea*) proceedings, minutes; (*transazioni*) transactions: **atti di convegno**, conference proceedings; **atti giudiziari**, legal proceedings; **atti parlamentari**, parliamentary proceedings; **atti processuali**, trial records; **mettere agli atti**, (*archiviare*) to file, to place in the archives; (*registrare*) to record (*o* to enter) in the minutes; **passare agli atti una pratica**, to close a case (by placing its file in the archives) **5** (*teatr.*) act: **a. primo, scena terza**, act one, scene three; **a. unico**, one-act play; **una commedia in tre atti**, a play in three acts; a three-act play **6** (*relig.*) act: **a. di dolore**, act of contrition; **a. di fede**, act of faith ● **a. dovuto**, duty □ (*Bibbia*) **gli Atti degli Apostoli**, the Acts of the Apostles □ (*polit.*) **gli Atti del Parlamento**, the Official Records of Parliamentary Proceedings □ (*leg.*) **atti osceni**, indecent behaviour ⓤ □ **all'a. di**, on; upon: **all'a. della consegna**, on delivery; **all'a. della firma del contratto**, on signing the contract; **all'a. del pagamento**, on payment; **all'a. dell'iscrizione**, upon joining □ **all'a. pratico**, in practice; in the event □ **dare a. di qc.**, to acknowledge st.; to admit st.: *Devo darti a. che avevi previsto tutto*, I must admit you had foreseen everything □ **Fece a. di alzarsi**, he made as if to get up □ **fare a. di presenza**, to put in an appearance □ **in a.**, tak-

ing place; under way; in progress: *Sono in a. indagini sul suo conto*, investigations are under way concerning him; he is currently under investigation □ **mettere in a.**, to implement; to carry out; to execute; to put into effect □ **Fu colto nell'atto di rubare**, he was caught in the act of stealing; he was caught stealing □ **prendere a. di qc.**, to take note of st. □ **tradurre in a. qc.**, to carry out st.; to implement st.

◆**àtto**② a. **1** (*idoneo*) able; fit; qualified: **a. al servizio militare**, fit for military service; **a. a ricoprire una posizione**, qualified for a position; *È poco a. agli studi*, he has little disposition for study **2** (*adatto*) fit, suited, suitable; (*appropriato*) proper: **un mezzo a. allo scopo**, a means suited to the end; **terreno a. alla battaglia**, terrain suitable for battle; (*naut.*) **a. alla navigazione**, seaworthy.

attònito a. amazed; astonished; astounded; dumbfounded: **restare a.**, to be astonished.

attoràle → **attoriale**.

attòrcere Ⓐ v. t. to twist; to twine; (*in spire*) to coil; (*strizzare*) to wring* Ⓑ **attòrcersi** v. i. pron. to twist; (*in spire*) to coil.

attorcigliaménto m. **1** (*atto*) twisting; (*in spire*) coiling **2** (*effetto*) twist.

attorcigliàre Ⓐ v. t. to twist; to wind*; (*in spire*) to coil Ⓑ **attorcigliàrsi** v. i. pron. to twist (oneself); to wind* (oneself); (*in spire*) to coil (oneself).

attorcigliatùra, **attorcitùra** f. → **attorcigliamento**.

◆**attóre** m. **1** (*teatr.*) actor; player: **a. comico**, comic actor; comedian; **a. del cinema**, film (*USA* movie) actor; **a. di rivista**, comedian; **a. di teatro** (*o* **di prosa**), theatre actor; **a. di varietà**, (variety) artiste; **a. tragico**, tragic actor; tragedian; **attor giovane**, juvenile; **a. non protagonista**, supporting actor; **attori girovaghi**, strolling players; **primo a.**, leading man; lead; **carriera d'a.**, acting career; **la professione dell'a.**, the acting profession **2** (*fig. spreg.*) play-actor: *Smettila di fare l'a.!*, stop play-acting!; cut the play-acting! **3** (*fig.*) mover; originator; moving force **4** (*leg.*) plaintiff.

attoriàle a. acting (attr.); actor's (attr.): **tecnica a.**, acting technique.

attorniàre Ⓐ v. t. to surround; to gather round: **a. il nemico**, to surround the enemy; *Gli amici lo attorniarono*, his friends gathered round him Ⓑ **attorniàrsi** v. rifl. to surround oneself: **attorniarsi di adulatori**, to surround oneself with flatterers.

◆**attórno** Ⓐ avv. around; round; about: **guardarsi a.**, to look round (*o* around, *o* about); *Non vidi nessuno a.*, I didn't see anybody about; *Dev'essere qui a.*, it must be around here (*o* hereabouts); *È sempre qui a.*, she's always hanging around here ● **levarsi d'a.**, to get out of the way □ **levarsi q. d'a.**, to get rid of sb. Ⓑ **attórno a** loc. prep. **1** (*intorno*) around; round; about: **girare a. al tavolo**, to go round the table; **girare a. a un argomento**, to beat about the bush; **sedere a. al tavolo**, to sit around the table; **stare a. a q.**, to hang around sb.; (*infastidire*) to pester sb. **2** (*circa*) around; about: **a. alle tre**, around (*o* at about) three o'clock.

attortigliàre e *deriv.* → **attorcigliare**, e *deriv.*

attossicàre v. t. (*lett.*) **1** to poison; to pollute **2** (*fig.*) to embitter.

attraccàggio → **attracco**, def. 1.

attraccàre v. t. e i. (*naut.*) to berth; to dock; to moor: **a. una banchina**, to berth at a quay; **a. di prua [di poppa]**, to dock bow-first [stern-first].

attràcco m. (*naut.*) **1** (*l'attraccare*) berthing; docking; mooring **2** (*punto di a.*) berth;

a

mooring.

attraènte a. **1** (*che tira a sé*) attractive: **forza a.**, attractive force **2** (*fig.*, *di cosa*) attractive, engaging, catching; (*invitante*) inviting, appealing, tempting; **maniere attraenti**, engaging manners; **offerta a.**, tempting offer **3** (*fig.*, *di persona*) attractive; charming: **una ragazza a.**, a charming girl.

♦**attràrre** v. t. **1** to attract; to draw*; to pull: *La calamita attrae il ferro*, magnets attract iron; *Fu attratto dall'odore del cibo*, he was attracted by the smell of food; **a. l'attenzione**, to attract (sb.'s) attention **2** (*fig.*: *piacere*) to attract; to charm: *Quella donna mi attrae*, that woman attracts me **3** (*fig.*: *allettare*) to be tempting; to appeal: *L'idea mi attraeva*, the idea was tempting (*o* appealed to me); *Il progetto mi attrae*, I like the plan.

attrattiva f. **1** attraction; appeal; (*fascino*) charm Ⓤ, glamour Ⓤ; (*di luogo*) amenity: **una donna piena di attrattive**, a woman with great charm; **esercitare un'a. su q.**, to appeal to sb.; to attract sb. **2** (*cosa che attrae*) attraction; allurement: **le attrattive della capitale**, the attractions of the capital.

attrattivo a. attractive.

attraversaménto m. crossing: **a. pedonale**, pedestrian crossing.

♦**attraversàre** v. t. **1** to cross; to go* through (*anche fig.*); (*di ponte*, *arco*) to cross, to span; (*di fiume*) to run* through; (*di nave*, *anche*) to sail (across): **a. un campo [una strada]**, to cross a field [a road]; **a. una foresta**, to go through a forest; **a. una siepe**, to pass through a hedge; **a. qc. di corsa [a nuoto, a piedi]**, to run [to swim, to walk] across st.; *Un dubbio gli attraversò la mente*, a doubt crossed his mind; *La strada attraversa da un capo all'altro il paese*, the street goes through (*o* crosses) the village from one end to the other; *Il ponte attraversa il fiume*, the bridge crosses (*o* spans) the river; *L'Arno attraversa Firenze*, the Arno runs through Florence; **a. l'Atlantico in catamarano**, to sail across (*o* to cross) the Atlantic on a catamaran; *La pallottola gli ha attraversato il polpaccio*, the bullet went through his calf; *Sto attraversando un momento difficile*, I'm going through a difficult time **2** (*fig. lett.*: *ostacolare*) to cross; to thwart: **a. il passo (o la strada) a q.**, to get in sb.'s way; to thwart sb.'s plans.

♦**attravèrso** Ⓐ prep. **1** (*da un lato all'altro*) across; (*da parte a parte*) through: *Veniva a. il campo*, she was coming across the field; *Siamo venuti a. il bosco*, we came through the wood; **guardare a. una lente**, to look through a lens; **passare a. una città**, to pass through a town **2** (*di tempo*) over: **a. i secoli**, over the centuries **3** (*per mezzo di*) through; by means of: *L'ho conosciuto a. mio fratello*, I met him through my brother Ⓑ avv. (*lett.*: *obliquamente*) obliquely; crosswise.

♦**attrazióne** f. **1** (*fis.*) attraction; pull: **a. magnetica**, magnetic attraction; **la forza di a. della luna**, the pull of the moon **2** (*fig.*: *fascino*) attraction; fascination; appeal; lure: **a. fisica**, physical attraction; sex appeal; **l'a. della vita nomade**, the lure of nomadic life; **esercitare una forte a. su q.**, to have a strong attraction for sb.; **provare a. per qc.**, to be attracted by st. **3** (*numero sensazionale*) attraction; highlight.

attrezzaménto m. **1** (*l'attrezzare*) equipping; fitting out; furnishing **2** (*attrezzi*) equipment; tools (pl.); gear.

♦**attrezzàre** Ⓐ v. t. **1** (*arredare*) to fit out; to furnish: **a. una stanza a laboratorio**, to fit out a room as a workshop **2** (*equipaggiare*) to equip **3** (*rifornire di attrezzi*) to supply with tools; to tool (up) **4** (*naut.*) to rig; to fit out Ⓑ **attrezzàrsi** v. rifl. to equip oneself;

to get* ready.

attrezzàto a. **1** equipped with st.; with facilities: **parco a.**, park with recreational facilities **2** (*naut.*) rigged: **a. a goletta**, schooner-rigged; **a. a vele quadre**, square-rigged.

♦**attrezzatùra** f. **1** (*l'attrezzare*) equipping; fitting out; (*di fabbrica*) tooling up **2** (*gli attrezzi*) equipment Ⓤ; gear Ⓤ; kit; outfit; apparatus; (*strumenti*) tools (pl.), tool kit: **a. da campeggio**, camping equipment; **a. da falegname**, carpenter's tools; **a. da pesca**, fishing tackle; **a. dentistica**, dentist's outfit; *Ho con me tutta l'a.*, I have all the gear with me **3** (*naut.*) rigging; rig: **a. a brigantino**, brig rig **4** (*macchinario*) plant; machinery **5** (*impianti*) facilities (pl.); equipment Ⓤ: **attrezzature alberghiere**, hotel accommodation (sing.); **attrezzature portuali**, harbour equipment; docking facilities; **attrezzature sportive**, sports facilities; **attrezzature turistiche**, tourist facilities.

attrezzeria f. (*teatr.*) props (pl.); properties (pl.) (*form.*).

attrezzista m. e f. **1** (*teatr.*) property master (f. property mistress); props (sing., *fam.*) **2** (*ginnasta*) gymnast (using apparatus) **3** (*mecc.*) toolmaker.

attrezzistica f. (*sport*) apparatus gymnastics (pl. col verbo al sing.).

attrezzistico a. (*sport*) apparatus (attr.): **ginnastica attrezzistica**, apparatus gymnastics.

♦**attrèzzo** m. **1** tool; implement; utensil: **a. agricolo**, farm tool; **a. di cucina**, kitchen utensil; **gli attrezzi del mestiere**, the tools of the trade **2** (*teatr.*) prop; property (*form.*): **attrezzi di scena**, stage props **3** (*sport*) piece of apparatus: **attrezzi ginnici**, gymnastic apparatus ● **carro attrezzi**, breakdown van (*o* truck); wrecker (*USA*).

attribuibile a. attributable; assignable; ascribable; (*imputabile*) imputable.

♦**attribuire** v. t. **1** (*dare*) to give*, to assign; (*conferire*) to award: **a. un compito a q.**, to assign a task to sb.; **a. un premio a q.**, to award sb. a prize **2** (*ascrivere*) to attribute; to ascribe; to put* down; to credit: **a. la vittoria alla fortuna**, to ascribe victory to luck; *Attribuii il suo ritardo a un malinteso*, I put his delay down to a misunderstanding; **a. un quadro a un pittore**, to attribute a painting to a painter; **attribuirsi un merito**, to take credit for st.; **attribuirsi un privilegio**, to arrogate a privilege **3** (*imputare*) to impute; to blame (sb. for st.): **a. un incidente a q.**, to blame sb. for an accident; **a. a q. la colpa di qc.**, to lay the blame for st. on sb.; to lay st. at sb.'s door **4** (*annettere*) to attach: **a. importanza a qc.**, to attach importance to st.

attributivo a. (*ling.*) attributive.

attribùto m. **1** attribute; characteristic; feature; (*dote*) endowment **2** (*simbolo*) symbol; emblem; attribute **3** (*ling.*) attribute.

attribuzióne f. **1** attribution; assignation; (*assegnazione*) awarding: **un dipinto di a. incerta**, a painting of uncertain attribution; **l'a. di un compito**, the assignation of a task; **l'a. di un premio**, the awarding of a prize **2** (al pl.) (*facoltà*, *poteri*) powers; functions; competence Ⓤ: **conflitto di attribuzioni**, clash of competence.

attrìce f. **1** actress, actor: **a. comica**, comic actress; comedienne; **a. di cinema**, film (*USA* movie) actress, **a. di teatro (*o* di prosa)**, theatre actress; **a. di varietà**, variety artiste; showgirl; **a. tragica**, tragic actress; tragedienne; **prima a.**, leading lady; lead; **carriera d'a.**, acting career **2** (*fig. spreg.*) – **essere un'a.**, to be good at play-acting; *Non fare l'a.!*, stop play-acting!; cut the play-acting! **3** (*leg.*) plaintiff.

attricétta f. starlet; showgirl.

attristàre Ⓐ v. t. (*lett.*) to sadden; to make* sad Ⓑ **attristàrsi** v. i. pron. (*lett.*) to sadden, to become* sad.

attrìto m. **1** (*mecc.*) friction: **fare a.**, to encounter friction; **privo di a.**, frictionless **2** (*sfregamento*) friction; attrition; chafing **3** (*fig.*) friction; dissention: **a. fra vicini**, friction between neighbours; **a. fra partiti**, friction between political parties.

attrizióne f. (*teol.*) attrition.

attruppaménto m. **1** trooping **2** (*assembramento*) crowd; throng.

attruppàre Ⓐ v. t. to crowd together Ⓑ **attruppàrsi** v. i. pron. to crowd (together); to throng.

attuàbile a. feasible; practicable.

attuabilità f. feasibility; practicability.

♦**attuàle** a. **1** (*presente*) present; current; existing; present-day (attr.): **le attuali circostanze**, the present circumstances; **lo stato a. delle nostre finanze**, the current state of our finances; **l'a. governo**, the present government; **nell'Italia a.**, in present-day Italy **2** (*tuttora valido*) topical, relevant; (*alla moda*) fashionable: **un tema a.**, a topical subject; **un libro ancora a.**, a still relevant book; **un modello molto a.**, a very fashionable model **3** (*filos.*) actual ● (*teol.*) **grazia a.**, actual grace ❶FALSI AMICI • *tranne che in senso filosofico, attuale non si traduce con actual.*

attualìsmo m. (*filos.*) actualism.

attualista m. e f. (*filos.*) actualist.

attualità f. **1** (*modernità*) up-to-dateness; novelty; (*voga*) trend, fashion, vogue **2** (*interesse*) topicality; interest; relevance: **essere di a.**, to be topical; to be current; **notizie di a.**, current news; **di grande a.**, highly topical; of great interest; **conservare la propria a.**, to be still relevant; **tornare di a.**, to become topical again; to come back into vogue **3** (pl.) (*fatti recenti*) current events; current affairs; recent news (pl. col verbo al sing.): **programma di a.**, current affairs programme **4** (*cinem.*) newsreel.

attualizzàre v. t. **1** to make* topical; to make* relevant **2** (*econ.*) to discount back.

attualizzazióne f. (*econ.*) discounting back.

attualménte avv. now; currently; at present; nowadays; these days ❶FALSI AMICI • *attualmente non si traduce con actually.*

attuàre Ⓐ v. t. to effect; to put* into effect; to bring* about; to carry out; to implement: **a. una riforma**, to bring about a reform; **a. un progetto**, to carry out a plan Ⓑ **attuàrsi** v. i. pron. to be realized; to be fulfilled; (*avverarsi*) to come* true.

attuariàle a. (*mat.*) actuarial.

attuàrio① a. transport (attr.): (*stor.*) **nave attuaria**, transport ship.

attuàrio② m. (*mat.*) actuary.

attuazióne f. realization; carrying out; implementation.

attutiménto m. easing; reduction; (*di suono*) dampening, muffling.

attutire Ⓐ v. t. **1** (*alleviare*) to ease; (*ridurre*) to reduce, to lessen, to dull **2** (*smorzare*) to soften, to cushion, to break*; (*un suono*) to dampen, to muffle: **a. un colpo**, to soften (*o* to cushion) a blow; **a. una caduta**, to break (*o* to cushion) a fall Ⓑ **attutirsi** v. i. pron. to calm down; to lessen; to ease off; (*di suono*) to become* muffled, to fade.

♦**audàce** a. **1** (*ardito*) bold; daring; audacious; (*rischioso*) risky; (*arrischiato*) reckless, rash; **un'impresa a.**, a risky undertaking **2** (*originale*) bold; daring: **un progetto a.**, a bold plan; **teorie audaci**, daring theories **3** (*sfrontato*) audacious; brash; cheeky (*fam.*) **4** (*provocante*) daring; (*spinto*) racy, risqué

(*franc.*), naughty: **un vestito a.**, a daring dress; **barzelletta a.**, risqué joke; **scollatura a.**, plunging neckline; *Il film ha qualche scena a.*, the film has a few sexually-explicit scenes.

♦**audàcia** f. **1** boldness; daring; audacity; (*temerarietà*) rashness **2** (*sfrontatezza*) audacity; impudence; nerve (*fam.*); cheek (*fam.*): *Ebbe l'a. di venire a trovarmi*, he had the nerve to come and see me.

àudio Ⓐ m. **1** sound; volume: **abbassare l'a.**, to turn down the volume **2** (*il comando*) volume control Ⓑ **a. inv.** audio; sound (attr.).

audiocassétta f. audio cassette.

audiofrequènza f. (*radio, TV*) audio frequency.

audiogràmma m. (*fis.*) audiogram.

audioguìda f. audio guide.

audiolèso a. e m. (f. **-a**) (person) with impaired hearing; hearing-impaired (person); (person) with a hearing disability.

audiolibro m. audiobook; talking book.

audiologìa f. (*fis., med.*) audiology.

audiològico a. (*fis., med.*) audiological.

audiòlogo m. (f. **-a**) audiologist.

audiometrìa f. (*med.*) audiometry.

audiomètrico a. (*med.*) audiometric.

audiòmetro m. audiometer.

audiopròtesi f. (*med.*) hearing aid.

audiovisìvo Ⓐ a. audiovisual: **supporti audiovisivi**, audiovisual aids Ⓑ m. (generalm. al pl.) audiovisual aid.

Àuditel m. inv. system for determining television audience ratings.

auditìvo a. auditory: **canale a.**, auditory canal.

auditòrio m., **auditòrium** m. inv. **1** (*sala per concerti*) concert hall; auditorium* **2** (*radio, TV*) studio*.

auditorium m. inv. auditorium*; concert hall.

audizióne f. **1** (*teatr.*) audition: **sostenere un'a.**, to audition **2** (*leg.*) hearing: **a. dei testi**, hearing (o examination) of witnesses.

àuge f. **1** (*astron.*) apogee **2** (*fig.: sommità*) height; apex*: **essere in a.**, to enjoy great favour; **to be very popular**; **tornare in a.**, to regain favour; to come back into fashion.

augnatùra f. (*falegn.*) chamfer; bevel.

auguràbile a. desirable; to be desired; to be hoped for: *È a. che...*, it is to be hoped that...

auguràle a. **1** (*di augurio*) well-wishing; of good wishes: **espressioni augurali**, well-wishing words; **messaggio a.**, message of good wishes **2** (*stor.*) augural.

♦**auguràre** v. t. **1** to wish: **a. buon viaggio a q.**, to wish sb. a pleasant journey; **a. buona fortuna a q.**, to wish sb. luck; **a. la buona notte**, to say goodnight; **a. ogni bene a q.**, to wish sb. all the best; **a. la morte a q.**, to wish sb. dead; *Non lo augurerei a nessuno*, I wouldn't wish it on anyone **2** (*augurarsi: sperare*) to hope: *Mi auguro che vada tutto bene*, I hope everything goes well; *Mi auguro di avere un po' di pace*, I'm hoping for some peace and quiet **3** (*lett.: predire*) to augur.

àugure m. (*stor.*) augur.

♦**augùrio** m. **1** wish; (al pl., *nelle ricorrenze*) wishes, greetings: *Il mio a. è che diventi ricco*, my wish is that he may get rich; *Auguri!*, best wishes!; (*buona fortuna*) good luck!; (*guarisci presto*) get well soon!; *Auguri per il tuo nuovo lavoro*, all the best for your new job; **fare gli auguri a q.**, to wish sb. all the best; to wish sb. good luck; to wish sb. a happy birthday [a merry Christmas, etc.]; **auguri di Natale [di compleanno]**, Christmas [birthday] greetings; *Auguri di Buon Natale!*, best whishes for Christmas!; Merry (o Happy) Christmas!; **fare gli auguri di Natale a q.**, to wish sb. a merry Christmas; *Tanti auguri di buon compleanno!*, best wishes for your birthday; many happy returns!; **auguri di buone feste**, compliments of the season; **scambiarsi gli auguri**, to exchange greetings; **biglietto di auguri**, greetings card **2** (*presagio*) omen; augury: **di buon a.**, of good omen; auspicious; **di cattivo a.**, inauspicious; ominous; **essere di buon [cattivo] a.**, to augur (o to bode) well [ill].

augustèo a. (*stor.*) Augustan.

augùsto① Ⓐ a. august: **il nostro a. sovrano**, our august sovereign Ⓑ m. (*lett.*) emperor.

augùsto② m. circus clown.

Augùsto m. Augustus.

àula f. hall; room: **a. del tribunale**, courtroom; **a. magna**, great hall; assembly hall; **a. scolastica**, classroom; schoolroom; **a. universitaria**, lecture hall.

àulico a. **1** (*di corte*) courtly; aulic **2** (*solenne*) lofty; elevated **3** (*pomposo*) high-flown; high-sounding.

aumentàbile a. augmentable; increasable.

♦**aumentàre** Ⓐ v. t. to increase; to raise; to put* up; (*incrementare*) to boost, to step up: **a. i prezzi**, to increase (o to put up, USA to hike) prices; **a. la produzione**, to step up (o to boost) production; **a. gli stipendi**, to raise salaries; **a. le tasse**, to increase taxes; **a. la velocità**, to increase one's (o the) speed; (*nel lavoro a maglia*) **a. due punti**, to increase twice Ⓑ v. i. to increase; to rise*; to go* up; to grow*; to mount: *Le difficoltà aumentano*, difficulties are increasing; *I costi sono aumentati*, costs have gone up; *Le vendite sono aumentate del 30%*, sales are up by 30%; *Il rumore aumentò*, the noise got louder; **a. di prezzo**, to increase (o to rise, to go up) in price; **a. di peso**, to become heavier; (*ingrassare*) to put on weight; **far a. i prezzi**, to force up prices.

aumentàto a. (*mus.*) augmented.

aumentìsta m. e f. (*Borsa*) bull.

♦**auménto** m. increase; rise; (*crescita*) growth: **a. di capitale** (*di peso, di valore*), increase in capital [in weight, in value]; **un a. di temperatura**, a rise in temperature; **a. dei prezzi**, rise in prices; price rise; **un a. di stipendio**, a rise (USA raise) in salary; salary increase; **a. dei salari**, wage rise; pay raise (USA); **l'a. del costo della vita**, the rise in the cost of living; **l'a. del latte**, the increase in the price of milk; **l'a. della criminalità**, the rise in the crime rate; **a. della produzione**, production growth; **essere in a.**, to be on the increase; to be going up; to be growing.

au pair (*franc.*) loc. a. inv. e avv. au pair: **ragazza au pair**, au pair (girl).

àura f. **1** (*lett.*) breeze **2** (*fig.: atmosfera*) air; aura; atmosphere: **a. di mistero**, air of mystery; **a. di pace**, aura of peace **3** (*med.*) aura.

auràle a. aural.

àureo a. **1** (*d'oro*) gold (attr.): **moneta aurea**, gold coin; **riserva aurea**, gold reserve; (*fin.*) **sistema a.**, gold standard **2** (*fig.: simile all'oro*) golden: **auree chiome**, golden hair; **aurea mediocrità**, golden mean; **l'epoca aurea della poesia amorosa**, the golden age of love poetry **3** (*fig.: prezioso*) precious; excellent **4** (*scient.*) golden: **numero a.**, golden number; **sezione aurea**, golden section.

auréola f. **1** (*relig.*) halo*; aureole; glory **2** (*fig.*) halo*; radiance **3** (*anat.*) areola*.

aureolàre v. t. (*lett.*) to halo; (*incorniciare*) to frame.

aureomicìna f. (*farm.*) aureomycin.

àurica a. f. (*naut.*) fore-and-aft: **vela a.**, fore-and-aft sail.

àurico a. (*chim.*) auric: **cloruro a.**, auric chloride.

aurìcola f. **1** (*anat.*) auricle **2** (*bot., Primula auricula*) auricula*; bear's-ear.

auricolàre Ⓐ a. auricular; ear (attr.); aural: **padiglione a.**, auricle; **testimone a.**, ear witness Ⓑ m. earphone; (*per cellulare*) hands-free set.

aurìfero a. auriferous; gold-bearing: **terreno a.**, goldfield.

auriga m. charioteer.

aurignaciàno a. (*geol.*) Aurignacian.

auròra f. **1** dawn (anche *fig.*); daybreak; sunrise: **all'a.**, at dawn; at daybreak; **l'a. della civiltà**, the dawn of civilization **2** (*meteor.*) aurora*: **a. boreale [australe]**, aurora borealis [australis]; northern [southern] lights (pl.).

auròrale a. **1** auroral **2** (*fig.: iniziale*) early; first.

auscultàre v. t. (*med.*) to auscultate.

auscultazióne f. (*med.*) auscultation.

ausiliàre Ⓐ a. **1** auxiliary; reserve (attr.) **2** (*gramm.*) auxiliary: **verbo a.**, auxiliary verb Ⓑ m. e f. (*aiutante*) assistant; auxiliary Ⓒ m. (*gramm.*) auxiliary (verb).

ausiliària f. **1** assistant; auxiliary **2** (*mil.*) member of the Women's Army Auxiliary Corps.

ausiliàrio Ⓐ a. auxiliary; reserve (attr.): **motore a.**, auxiliary engine; **truppe ausiliarie**, reserve troops; **posizione ausiliaria**, reserve position Ⓑ m. assistant; auxiliary.

ausiliatóre Ⓐ a. helping; aiding ● (*relig.*) **Maria Ausiliatrice**, Our Lady Help of Christians Ⓑ (f. **-trìce**) (*lett.*) helper; help; aider; aid.

ausìlio m. (*lett.*) help; aid; succour.

AUSL sigla (*med.*, **Azienda unità sanitaria locale**) Local Health Authority.

auspicàbile a. desirable; to be desired; to be hoped for: *È a. che non ci siano ritardi*, it is to be hoped that there be no delay; *È a.!* (*auguriamocelo*), one would hope so.

auspicàre v. t. **1** (*lett.: predire*) to augur; to foretell* **2** (*augurare*) to hope (for, that); to wish.

àuspice m. **1** (*stor.*) auspex* **2** (*fig.: sostenitore*) patron; promoter; sponsor ● *L'accordo fu firmato, a. il ministro*, the agreement was signed under the auspices of the minister.

auspìcio m. **1** (*augurio*) omen: **di buon a.**, of good omen; auspicious; **di cattivo a.**, ominous; inauspicious; *L'affare è partito sotto buoni [cattivi] auspici*, the matter got off to a good [bad] start **2** (*patronato*) patronage; auspice: **sotto gli auspici di**, under the auspices of.

austerità f. austerity (anche *econ.*); severity; sternness.

austèro a. **1** (*sobrio*) austere: **una vita austera**, an austere life **2** (*severo*) stern; strict: **contegno a.**, stern manner; **disciplina austera**, strict discipline.

austràle a. (*geogr.*) southern; south (attr.); austral: **emisfero a.**, southern hemisphere; **il Polo A.**, the South Pole; **primavera a.**, austral spring.

australiàna f. (*ciclismo*) pursuit.

australiàno a. e m. (f. **-a**) Australian.

australòide a. Australoid.

australopitèco m. Australopithecus.

austriacànte a. (*stor. spreg.*) pro-Austria.

austrìaco a. e m. (f. **-a**) Austrian.

àustro m. **1** (*vento*) south wind **2** (*lett.: sud*) south.

austroungàrico a. (*stor.*) Austro-Hungarian.

autarchìa ① f. (*autosufficienza*) autarky.

autarchìa ② f. (*leg.*) self-government; autonomy.

autàrchico ① a. (*autosufficiente*) autarkic; home (attr.): **prodotto a.**, home product.

autàrchico ② a. (*leg.*) self-governing; autonomous.

aut aut loc. m. inv. forced choice; ultimatum*: **imporre un aut aut a q.**, to force sb. to choose.

autèntica f. (*bur.*) authentication.

autenticàre v. t. (*leg.*) to authenticate; to certify; to legalize: **a. un documento**, to authenticate a document; **a. una firma**, to attest a signature; **a. un quadro**, to authenticate a picture; **a. un testamento**, to prove a will; to grant probate.

autenticazióne f. (*leg.*) authentication; legalization: **a. notarile**, notarization.

autenticità f. authenticity; genuineness: **mettere in dubbio l'a. di qc.**, to question the authenticity of st.; **dimostrare l'a. di un testamento**, to prove a will.

autèntico a. 1 (*genuino, vero*) authentic; genuine; original; true: **un Gauguin a.**, a genuine (*o* authentic) Gauguin; *La storia è autentica*, the story is true; **firma autentica**, true signature 2 (*vero e proprio*) real; veritable; regular: **un a. disastro**, a real (*o* veritable) disaster; **un'autentica canaglia**, an out-and-out scoundrel; *Sei un a. cretino!*, you're an utter fool!

autentificàre → **autenticare**.

authority (*ingl.*) f. inv. regulatory body; regulator.

autière m. (*mil.*) driver.

autìşmo m. (*psic.*) autism.

♦**autista** ① m. e f. driver; (*privato*) chauffeur: **a. di piazza**, taxi driver; **noleggiare un'auto con a.**, to hire a chauffeur-driven car.

autìsta ② a., m. e f. (*psic.*) autistic person.

autìstico a. (*psic.*) autistic.

♦**àuto** f. car: **a. blu**, official car; **a. civetta**, unmarked police car: **a. aziendale**, company car → **automobile**.

autoabbronzànte Ⓐ a. self-tanning Ⓑ m. self-tanning cream; self-tanning lotion.

autoaccensióne f. (*mecc.*) self-ignition.

autoaccessòrio m. car accessory.

autoaccùsa f. self-incrimination.

autoaccuşàrsi v. rifl. to accuse oneself.

autoadescànte a. (*tecn.*) self-priming.

autoadeşivo Ⓐ a. self-adhesive Ⓑ m. adhesive label; sticker.

autoaffermazióne f. (*psic.*) self assertiveness.

autoaffondaménto m. (*naut.*) scuttling; scuppering (*fam.*).

autoaiùto m. (*psic.*) self-help (attr.).

autoambulànza f. ambulance.

autoanàlişi f. (*psic.*) self-analysis.

autoanticòrpo m. (*med.*) autoantibody.

autoapprendiménto m. self-learning: **corso di a.**, self-learning course.

autoarticolàto m. (*autom.*) articulated vehicle; artic (*fam., GB*); semitrailer (*USA*).

autoassòlversi v. rifl. to exonerate oneself; to exculpate oneself.

autobetonièra f. concrete mixer.

autobiografìa f. autobiography.

autobiogràfico a. autobiographical.

autobiografìşmo m. autobiographical tendency.

autoblìnda f. → **autoblindo**.

autoblindàto a. (*mil.*) light-armoured.

autoblìndo f. inv., **autoblindomitragliatrice** f. (*mil.*) armoured (*o* light-arm-oured) car.

autobloccànte a. (*mecc.*) self-locking.

autoblù f. official car.

autobómba f. car bomb.

autobótte f. 1 (*per il trasporto di liquidi*) tanker; tank truck (*USA*) 2 (*per la distribuzione dell'acqua*) water (*o* water-supply) truck.

autobrùco m. caterpillar; tracklayer.

♦**àutobus** m. inv. bus; (*per viaggi lunghi*) coach: **a. a due piani**, double-decker; **a. scolastico**, school bus; **a. turistico**, tourist coach ● (*fig.*) **perdere l'a.**, to miss the boat.

autocalùnnia f. (*leg.*) false self-incrimination.

autocamionàle f. road for heavy traffic.

autocampéggio m. 1 (*luogo*) caravan park; caravan site 2 (*attività*) caravanning.

autocàravan m. o f. inv. (*autom.*) motor caravan.

autocarràto a. (*mil.*) transported on trucks.

autocàrro m. lorry (*GB*); truck: **a. a cassone ribaltabile**, tipper truck (*o* lorry); tipper; dump truck (*USA*).

autocefalìa f. (*eccles.*) autocephaly.

autocéfalo a. (*eccles.*) autocephalous.

autocelebrativo a. self-congratulatory; self-praising; smug.

autocelebrazióne f. self-congratulation; self-praise.

autocensùra f. self-censorship.

autocensuràrsi v. rifl. to censor oneself.

autocentrànte Ⓐ a. (*tecn.*) self-centring Ⓑ m. self-centring clamp.

autocèntro m. 1 (*mil.*) motor-vehicle depot 2 car dealer's garage.

autocertificazióne f. self-certification.

autocestèllo m. cherry picker.

autocingolàto m. caterpillar; tracklayer.

autocistèrna f. 1 (*per il trasporto di liquidi*) tanker; tank truck (*USA*) 2 (*per la distribuzione dell'acqua*) water (*o* water-supply) truck.

autocitàrsi v. rifl. to quote oneself.

autocitazióne f. quoting oneself; self-quotation.

autoclàve f. autoclave.

autocolónna f. motor convoy.

autocombustióne f. spontaneous combustion.

autocommişeràrsi v. rifl. to feel* sorry for oneself.

autocommişerazióne f. self-pity.

autocompensazióne f. self-compensation.

autocomplaciménto m. self-satisfaction; self-congratulation; complacency; smugness.

autoconcessionàrio m. car distributor; car dealer.

autoconservazióne f. self-preservation.

autoconsùmo m. private consumption.

autocontròllo m. self-control: **mantenere [perdere] l'a.**, to keep [to lose] one's self-control.

autoconvìncersi v. rifl. to persuade oneself; to convince oneself: *Si è autoconvinto di essere nel torto*, he convinced himself he was wrong.

autoconvinciménto m. self-persuasion.

autoconvòglio m. motor convoy.

autocorrelazióne f. (*stat.*) autocorrelation.

autocorrezióne f. self-correction.

autocorrièra f. motorcoach.

autocoscìenza f. (*filos., psic.*) self-con-

sciousness; self-awareness.

autòcrate m. e f. autocrat.

autocràtico a. autocratical.

autocrazìa f. autocracy.

autocritica f. self-criticism.

autocritico a. self-critical.

autocròss m. (*sport*) autocross.

autoctonìa f. autochthony.

autòctono Ⓐ a. native; autochthonous (*form.*) Ⓑ m. autochthon*.

autodafé m. 1 (*stor.*) auto-da-fé* 2 (*rogo*) pyre; bonfire.

autodecisióne f. self-determination.

autodefinìrsi v. rifl. to call oneself; to style oneself.

autodemolizióne f. car wrecking.

autodenùncia f. 1 self-denunciation 2 (*leg.*) self-accusation; self-incrimination; confession.

autodenunciàrsi v. rifl. to denounce oneself; to accuse oneself; to confess.

autodeterminazióne f. self-determination.

autodiàgnoşi f. (*med.*) self-diagnosis*.

autodichiarazióne f. self-certification; (*GB, dei redditi*) self-assessment.

autodidàtta m. e f. self-taught person; autodidact.

autodidàttico a. self-teaching; autodidactic.

autodifésa f. self-defence.

autodìna f. (*elettron.*) autodyne circuit.

autodirètto a. self-determined.

autodisciplìna f. self-discipline.

autodistrùggersi v. rifl. to destroy oneself; (*di razzo e sim.*) to self-destruct, to auto-destruct (*USA*).

autodistruttivo a. self-destroying; self-destructive; autodestructive (*USA*).

autodistruzióne f. self-destruction; autodestruction (*USA*).

autodonazióne f. (*med.*) auto-donation.

autòdromo m. (*sport*) (motor racing) circuit; racetrack; speedway (*USA*).

autoeccitazióne f. (*elettr.*) self-excitation.

autoeducazióne f. self-education.

autoemarginazióne f. self-alienation.

autoemotèca f. (*autom., med.*) mobile blood bank; bloodmobile (*USA*).

autoemotrasfuşióne f. (*med.*) auto-transfusion.

autoeròtico a. (*psic.*) autoerotic.

autoerotìşmo m. autoeroticism.

autoeşaltazióne f. self-celebration.

autoeşàme m. self-examination.

autoesclùdersi v. rifl. to count oneself out; (*tagliarsi fuori*) to cut* oneself out, to exclude oneself.

autoeterodìna f. (*elettron.*) autodyne circuit.

autofattùra f. (*comm.*) self-invoice.

autofecondazióne f. (*biol.*) self-fertilization.

autoferrotranviàrio a. public-transport (attr.).

autoferrotranvière m. public-transport worker.

autofertilizzànte a. (*fis. nucl.*) breeder (attr.).

autofficìna f. 1 car-repair garage 2 (*su veicolo*) mobile repair unit.

autofilettànte a. (*mecc.*) – **vite a.**, self-tapping screw.

autofilotranviàrio a. surface transport (attr.); bus, trolleybus and tram (attr.).

autofinanziaménto m. self-financing.

autofinanziàrsi v. rifl. to finance one-

self.

autofinanziàto a. self-financed; self-financing.

autoflagellàrsi v. rifl. **1** to flagellate oneself **2** (*criticarsi*) to criticize oneself.

autoflagellazióne f. (*anche fig.*) self--flagellation.

autofócus m. inv. (*fotogr.*) autofocus.

autofurgóne m. motor van.

autogamìa f. (*bot.*) autogamy.

autogènesi f. autogenesis.

autògeno a. autogenous; autogenic: **saldatura autogena**, autogenous welding; (*psic.*) **training a.**, autogenic training.

autogestióne f. self-management.

autogestíre v. t. to run* (*o* to manage) autonomously; to self-manage.

autogiro m. (*aeron.*) autogiro*, autogyro*.

autogòl m. (*sport, anche fig.*) own goal: **fare a.**, to score an own goal.

autogonfiàbile a. self-inflatable.

autogovernàrsi v. rifl. to be self-governing.

autogovèrno m. self-government; self--rule.

autografàre v. t. to autograph.

autografìa f. autography.

autogràfico a. autographic.

autògrafo a. e m. autograph: **una lettera autografa di Rossini**, an autograph letter by Rossini; **gli autografi di Leopardi**, Leopardi's autographs; **fare un a.**, to sign one's autograph.

Autogrill® m. inv. motorway restaurant.

autogrù f. truck crane; (*per soccorso autom.*) breakdown van (*GB*), tow truck (*USA*), wrecker (*USA*).

autoguìda① f. (*miss.*) homing guidance.

autoguìda② f. driving school.

autoguidàto a. (*miss.*) homing.

autoimmondìzie m. inv. dustcart (*GB*); garbage truck (*USA*).

autoimmùne a. (*med.*) autoimmune.

autoimmunità f. (*med.*) autoimmunity.

autoimmunitàrio a. autoimmune.

autoimmunizzazióne f. (*med.*) auto-immunization.

autoimpollinazióne f. (*bot.*) self-pollination.

autoincèndio m. fire engine.

autoincensàrsi v. rifl. to extol oneself; to sing* one's own praise.

autoinduttànza f. (*fis.*) self-inductance.

autoinduzióne f. (*fis.*) self-induction.

autoingànno m. self-deception.

autoinnaffiatrìce f. motor sprinkler.

autoinnèsto m. (*med.*) autograft.

autoinstallànte a. (*comput.*) self--installing.

autointossicazióne f. (*med.*) autointoxication.

autoinvitàrsi v. rifl. to invite oneself; (*a una festa, ecc.*) to gatecrash (*a party, etc.*).

autoipnòsi f. (*med.*) self-hypnosis*.

autoironìa f. self-parody; self-mockery.

autolatrìa f. (*psic.*) self-worship; narcissism.

autolavàggio m. (*autom.*) car wash.

autolesióne f. self-inflicted injury (*o* wound).

autolesionìsmo m. **1** self-mutilation; self-harm **2** (*fig.*) self-destructive behaviour; masochism.

autolesionìsta m. e f. **1** self-mutilator; self-injurer **2** (*fig.*) masochist.

autolesionìstico a. self-destructive; self-damaging; masochistic.

autolettìga f. ambulance.

autolìbro m. mobile library; bookmobile (*USA*).

autolimitàrsi v. rifl. to show self-restraint; to limit oneself; to keep* oneself in check.

autolìnea f. **1** (*percorso*) bus route **2** (*servizio*) bus service; coach service.

autoliquidazióne f. (*fin., rag.*) tax self--assessment.

autòlisi f. (*med.*) autolysis.

autolivellànte a. self-levelling: **malta a.**, self-levelling mortar; (*autom.*) **sospensioni autolivellanti**, self-levelling suspension.

autòma m. (*anche fig.*) automaton*; robot.

automàtica f. **1** automation science **2** automatic (pistol).

automaticità f. automaticity.

♦**automàtico** A a. automatic: **arma automatica**, automatic weapon; **distributore a.**, vending machine; slot-machine (*USA*); **gesto a.**, automatic gesture; **scrittura automatica**, automatic writing B m. **1** (*bottone*) press stud; snap fastener (*USA*) **2** (*fucile*) automatic (rifle).

automatìsmo m. **1** automatism; automatic reaction **2** (*tecn.*) automated equipment ● **a. salariale**, pay indexation.

automatizzàre v. t. to automatize; to automate.

automazióne f. (*tecn.*) automation.

automedicazióne f. self-medication ● **farmaci di a.**, over-the-counter drugs.

automercàto m. **1** car market; auto market **2** (*esercizio commerciale*) car dealer's.

automèzzo m. motor vehicle.

♦**automòbile** A a. self-propelling B f. car; motorcar; automobile (*USA*): **a. a due posti**, two-seater; **a. a tre** (*o* **cinque**) **porte**, hatchback; **a. da corsa**, racing car; **a. d'epoca**, vintage car; **a. di media cilindrata**, intermediate; **a. di serie**, production-model car; **a. familiare**, estate car (*GB*); station wagon (*USA*); **a. fuori serie**, custom-built car; **a. sportiva**, sports car; **a. utilitaria**, small (*o* compact) car; utility car; **accompagnare q. in a.**, to drive sb.; **andare in a.** (*o* **in un posto**), to drive to a place; **fare un giro in a.**, to go for a drive; **salone dell'a.**, motor show.

automobilìna f. **1** (*giocattolo*) toy car **2** (*di autoscontro*) dodgem (car); bumper car (*USA*) **3** (*modellino*) model car.

automobilìsmo m. **1** motoring **2** (*sport*) motor racing.

♦**automobilìsta** m. e f. **1** (car) driver; motorist **2** (*sport*) motor-racing pilot.

automobilìstico a. motor (attr.); car (attr.); auto (attr., *USA*): **corsa automobilistica**, motor (*o* car) race; **incidente a.**, road accident; **industria automobilistica**, car (*o* motor, auto) industry; **patente automobilistica**, driving (*USA* driver's) licence.

automodellìsmo m. **1** (*riproduzione*) making model cars **2** (*collezionismo*) collecting model cars.

automontàto a. motorized: **reparti automontati**, motorized troops.

automorfìsmo m. (*mat.*) automorphism.

automotóre a. self-propelling; self-propelled.

automotrìce f. (*ferr.*) railcar.

automunìto A a. who owns a vehicle B m. vehicle owner.

automutilazióne f. self-mutilation.

autonoleggiatóre m. owner or manager of a car hire firm.

autonolèggio m. **1** car hire; car rental **2** car hire firm; car rental firm.

autonomìa f. **1** (*polit.*) autonomy; (*autogoverno*) self-government: **a. amministrativa**, administrative autonomy; **a. regionale**,

regional self-government **2** (*indipendenza*) independence; autonomy; (*libertà*) freedom, liberty: (*leg.*) **a. contrattuale**, freedom (*o* liberty) of contract; **l'a. dell'ordine giudiziario**, the independence of the judiciary; **conservare la propria a.**, to remain independent; **godere di notevole a.**, to enjoy considerable autonomy; **lasciare troppa a. ai figli**, to give one's children too much free rein; **perdere la propria a.**, to lose one's independence **3** (*autosufficienza*) self-sufficiency **4** (*mecc., di macchina o motore*) endurance **5** (*autom., aeron., naut.*) *distanza percorribile*) fuel distance; (operating) range: (*aeron.*) **a. di crociera**, cruising range; (*aeron.*) **a. di volo**, maximum range; *Quest'auto ha un'a. di 400 kilometri*, this car has a range of 400 kilometres.

autonomìsmo m. autonomism.

autonomìsta m. e f. autonomist.

♦**autònomo** A a. **1** (*che si autogoverna*) autonomous; self-governing: **un ente a.**, a self-governing body **2** (*indipendente*) independent; autonomous; (*libero*) free; (*di lavoratore*) self-employed: **lavoro a.**, self-employment; **sindacati autonomi**, independent trade unions **3** (*autosufficiente*) self-sufficient **4** (*mecc.*) self-contained ● **azienda autonoma di soggiorno**, local tourist office □ (*mil.*) **reparto a.**, self-sufficient unit; (*speciale*) task force □ (*anat.*) **sistema nervoso a.**, autonomic nervous system B m. (f. **-a**) **1** (*sindacalista*) member of an independent trade union **2** (*polit.*) member of Autonomia (an extreme left-wing group).

autopalpazióne f. (*med. spec. del seno*) self-examination: **a. del seno**, breast self--examination.

autoparchéggio m. car park; parking lot (*USA*).

autopàrco m. **1** car park; parking lot (*USA*) **2** (*insieme di autoveicoli*) fleet of cars; car pool.

autopattùglia f. (police) patrol car unit.

autopiàno m. (*mus.*) player piano; pianola.

autopilòta m. (*aeron.*) automatic pilot; autopilot.

autopìsta f. **1** car track **2** (*divertimento*) bumper car (*USA* dodgem) track.

autoplastìa, autoplàstica f. (*med.*) autoplasty.

autopómpa f. fire engine (*GB*); fire truck (*USA*).

autoportànte a. (*edil.*) self-supporting.

autopòrto m. customs inspection area for transport vehicles.

autopropulsióne f. (*mecc.*) self-propulsion.

autopsìa f. autopsy; post-mortem (examination): **eseguire un'a.**, to carry out a post--mortem.

autòptico a. post-mortem (attr.).

autopùbblica f. taxi; cab (*USA*).

autopulènte a. self-cleaning.

autopùllman m. inv. motorcoach.

autopunitìvo a. self-punishing.

autopunizióne f. (*psic.*) self-punishment.

autoràdio m. inv. **1** (*radio per auto*) car radio **2** (*automezzo*) radio car; (*della polizia*) police patrol car.

autoradùno m. motor rally.

♦**autóre** m. (f. **-trìce**) **1** (*ideatore, causa*) originator; maker; person behind st.; author (*form.*); (*di misfatto*) perpetrator; (*causa*) cause: **l'a. del progetto**, the person behind the project; the author of the project; **l'a. del nostro successo commerciale**, the maker of our commercial success; **l'a. della mia rovina**, the cause of my ruin; **l'a. di un delitto**, the perpetrator of a crime; the crim-

a

inal **2** (*di un libro*) author, writer; (*pittore*) painter; (*scultore*) sculptor; (*compositore*) composer; (*drammaturgo*) playwright: **un a. classico**, a classical author; **l'a. del quadro**, the painter of the picture; **l'a. della statua**, the sculptor of the statue; (*leg.*) **diritto d'a.**, copyright; **diritti d'a.** (*compenso*), royalties; **film d'a.**, art film; auteur film; (*pitt.*) **quadro d'a.**, painting by a well-known painter; (*teatr.*) *Fuori l'a.!*, author! **3** (*leg.*) assignor.

autoreattóre m. (*aeron.*) ramjet (engine).

autoreferenziàle a. **1** (*filos.*) self-referential **2** (*di persona, organizzazione, ecc.*) self-regarding.

autoreggènte a. stay-up: **calze autoreggenti**, stay-up stockings; stay-ups; hold-ups.

autoregolamentazióne f. self-regulation.

autoregolazióne f. (*tecn.*) self-regulation; self-adjustment: **fornito di a.**, equipped with a self-regulating device.

autorepàrto m. (*mil.*) motorized unit.

autorespiratóre m. **1** breathing apparatus* **2** (*sport*) aqualung; scuba (*fam.*).

autoréte f. (*sport*) own goal: **fare un'a.**, to score an own goal.

autorévole a. **1** authoritative; (*degno di fiducia*) reliable: **critico a.**, authoritative critic; **fonte a.**, authoritative (*o* reliable) source; **opinione a.**, authoritative opinion **2** (*influente*) influential; weighty: **giornale a.**, influential newspaper.

autorevolézza f. authority; authoritativeness; (*prestigio*) prestige, high status.

autoribaltàbile m. tipper truck (*o* lorry); tipper; dump truck (*USA*).

autoricàmbi m. pl. **1** (*settore*) car accessories industry (sing.) **2** (*pezzi di ricambio*) car accessories **3** (*negozio*) car accessories shop (sing.).

autoriduzióne f. unilateral reduction (as a form of protest).

autoriméssa f. garage.

autoriparazióne f. **1** car repairs (pl.) **2** car repair shop; garage.

♦**autorità** f. **1** (*potere*) authority; power: **l'a. della legge**, the authority (*o* weight) of the law; **a. genitoriale**, parental authority; **avere a. su q.**, to have authority over sb.; **agire d'a.**, to have the authority to act **2** (*organo*) authority: **a. costituita**, legal authority; **a. di vigilanza**, supervisory authority; **l'a. giudiziaria**, (*la magistratura*) the judiciary; (*la legge*) the law; (*il tribunale*) the court; **a. legislativa**, legislative authority **3** (*autorevolezza*) authority, authoritativeness· **l'a. di un testo**, the authority of a text **4** (*prestigio, influenza*) prestige; influence; credit: **godere (di) a.**, to have influence; **uomo di grande a.**, very influential man **5** (*persona autorevole*) authority; expert: **un'a. in fatto di medicina**, an authority on medicine **6** (al pl.) (*polit.*) authorities: **le a. cittadine**, the city authorities; **a. sanitarie**, health authorities.

autoritàrio a. authoritarian (*anche polit.*); domineering; bossy (*fam.*): **governo a.**, authoritarian government; **un padre a.**, an authoritarian father.

autoritarìsmo m. authoritarianism.

autoritràtto m. self-portrait.

♦**autorizzàre** v. t. **1** (*conferire autorità*) to authorize; to empower: **a. q. a dire qc.**, to authorize sb. to say st. **2** (*concedere un permesso*) to authorize; to allow; to give* permission to; to license: **a. q. a fare qc.**, to allow sb. to do st.; to give sb. permission to do st.; **essere autorizzato alla vendita di alcolici**, to be licensed (to sell spirits) **3** (*dare diritto*) to entitle; to give* ground for; to justify: *Le sue parole ci autorizzano a sospet-*

tare di lui, his words entitle us to suspect him **4** (*legittimare*) to sanction.

autorizzazióne f. **1** authorization **2** (*permesso*) authorization; warrant; permission; licence, license (*USA*): **a. edilizia**, planning permission; **a. alla vendita di armi**, licence to sell arms; **a. a procedere**, authorization to proceed; go-ahead; (*leg.*) authorization to investigate **3** (*documento*) permit; licence, license (*USA*).

autosalóne m. car showroom.

autoscàla f. **1** (*scala*) motor turntable ladder; aerial ladder **2** (*veicolo*) ladder truck.

autoscàtto m. (*fotogr.*) automatic release; self-timer.

♦**autoscóntro** m. **1** (*auto*) bumper car; dodgem (car) **2** (*pista*) bumper cars (pl.); dodgems (pl.).

autoscuòla f. driving school.

autoservìzio m. bus service; coach service.

autosilo m. multistorey carpark.

autoșnodàto m. (*autom.*) articulated vehicle.

autosoccórso m. **1** (*veicolo*) breakdown van (*GB*); breakdown lorry (*GB*); tow truck (*USA*) **2** (*servizio*) breakdown service; car recovery service.

autosòma m. (*biol.*) autosome.

autospazzatrìce f. street sweeper.

autospurgatóre m. drain cleaning truck.

autossidazióne f. (*chim.*) autoxidation.

autostàrter m. inv. **1** (*ipp.*) mobile barrier **2** (*autom.*) self-starter.

autostazióne f. **1** (*stazione di servizio*) service station **2** (*terminal di autolinee*) coach station; bus station.

autostima f. self-esteem.

autostòp m. hitchhiking: **fare l'a.**, to hitchhike.

autostoppìsta m. e f. hitchhiker.

♦**autostràda** f. **1** motorway (*GB*); expressway (*USA*); freeway (*USA*); superhighway (*USA*); interstate highway (*USA*): **a. a quattro corsie**, four-lane motorway; **a. a pedaggio**, toll motorway (*GB*); tollway (*USA*); turnpike (*USA*); **a. senza pedaggio**, freeway (*USA*); **entrare in a.**, to join the motorway **2** (*fig.*) highway: **le autostrade informatiche**, information highways.

autostradàle a. motorway (attr., *GB*); expressway (attr., *USA*).

autosufficiènte a. self-sufficient.

autosufficiènza f. self-sufficiency; self-help.

autosuggestionàbile a. (*psic.*) auto-suggestible; (*com.*) highly impressionable, prone to imagining things.

autosuggestionàrsi v. rifl. (*psic.*) to auto-suggest; (*com.*) to imagine things; (*fam.*) to psych oneself up.

autosuggestióne f. (*psic.*) auto-suggestion.

autotassàrsi v. rifl. **1** (*fisc.*) to self-assess one's taxes **2** (*contribuire*) to contribute voluntarily; to chip in (*fam.*).

autotassazióne f. (*fisc.*) self-assessment.

autotelàio m. (*comm.*) chassis*.

autotipìa f. (*tipogr.*) autotype.

autotomìa f. (*zool.*) autotomy.

autotrainàto a. truck-drawn.

autotrapiànto m. (*med.*) autotransplantation.

autotrasformatóre m. (*fis.*) autotransformer.

autotrasfusióne f. (*med.*) autotransfusion.

autotrasportàre v. t. to transport by road; to haul; to truck (*USA*).

autotrasportatóre m. (road) haulage contractor; haulier; hauler (*USA*).

autotraspòrto m. **1** (*di merci*) haulage; road transport **2** (*di persone*) motor transport.

autotrazióne f. haulage ● **gasolio per a.**, diesel fuel; derv (*GB*).

autotrenìsta m. lorry driver (*GB*); truck driver (*USA*); trucker (*USA*); teamster (*USA*).

autotrèno m. articulated lorry (*GB*); trailer truck (*USA*).

autotrofìa f. (*biol.*) autotrophy.

autòtrofo a. (*biol.*) autotrophic.

autotutèla f. (*leg.*) self-protection; self-defence.

autovaccìno m. (*med.*) autogenous vaccine.

autovalutazióne f. self-assessment.

autoveìcolo m. motor vehicle.

Autovélox® m. inv. speed trap; radar trap; speed camera.

autovettùra f. motor car; automobile (*USA*).

autrìce f. → **autore**.

autunìte f. (*miner.*) autunite.

♦**autunnàle** a. autumnal; autumn (attr.); fall (attr., *USA*): **nebbia a.**, autumnal fog.

♦**autùnno** m. autumn; fall (*USA*).

auxìna f. (*bot.*) auxin.

auxologìa f. (*med.*) auxology.

auxometrìa f. auxometry.

AV abbr. (**Avellino**).

àva f. **1** (*lett.: nonna*) grandmother **2** (*antenata*) ancestress; female ancestor.

avallànte m. e f. (*comm.*) guarantor; backer.

avallàre v. t. **1** (*comm.*) to guarantee; to back **2** (*appoggiare*) to endorse, to back; (*confermare*) to corroborate.

avàllo m. **1** (*comm.*) guaranty, guarantee; backing **2** (*appoggio*) endorsement, backing; (*conferma*) corroboration.

avambràccio m. (*anat.*) forearm.

avampòrto m. outer harbour.

avampósto m. (*mil.*) outpost.

avàna m. **1** (*sigaro*) Havana (cigar) **2** (*colore*) light brown; tawny.

Avàna f. (*geogr.*) Havana.

avancàrica f. – **ad a.**, muzzle-loading; **fucile ad a.**, muzzle-loader.

avance (*franc.*) f. advance: **fare un'a.** (*o* **delle avances**) **a q.**, to make advances to sb.; (*solo per avances sessuali*) to make a pass at sb. (*fam.*).

avancòrpo m. (*archit.*) avant-corps.

avancórsa f. (*mecc., autom.*) rake.

avanguàrdia f. **1** (*mil.*) vanguard; van **2** (*fig.*) forefront; lead; cutting edge: **essere all'a.**, to be in the forefront; to be on the cutting edge; to be in the vanguard; (*di prodotto e sim.*) to represent the state of the art; **d'a.**, in the forefront; leading; state-of-the-art (attr.) **3** (*letter., arte*) avant-garde (*franc.*): **scrittore d'a.**, avant-garde writer.

avanguardìsmo m. (*letter., arte*) avant-gardism.

avanguardìsta m. e f. (*letter., arte*) avant-gardist.

avannòtti m. pl. (*zool.*) fry*.

avanscèna m. (*teatr.*) forestage.

avanscopèrta f. (*mil.*) reconnaissance; reconnoitring: **andare in a.**, to reconnoitre; (*fig.*) to investigate, to explore.

avanscòrta f. (*naut.*) advance escort (ship).

avanspettàcolo m. variety act or show (given as a curtain-raiser); burlesque (*USA*).

avantèsto m. **1** drafts (pl.) **2** (*editoria*) preliminary matter; prelims (pl.).

♦**avànti** Ⓐ avv. **1** (*nello spazio*) forward; ahead; on: **andare a.** (*precedere*), to go ahead; **fare un passo a.**, to take a step forward; (*anche fig.*) **guardare a.**, to look ahead; **mandare a. q.**, to send sb. ahead; *Mise a. delle obiezioni*, she put forward objections; **piegarsi in a.**, to lean forward; *Furono spinti* (*in*) *a. dalla folla*, they were pushed forward by the crowd; **movimento in a.**, forward movement; **più a.**, further on; (*in un testo*) below; *A. c'è posto*, there's room in front **2** (*nel tempo*) on; ahead: **andare a.** (*progredire, continuare*), to go on; to get on; *Non puoi andare a. così*, you can't go on like this; *Se si va a. così non arriveremo mai*, at this rate we'll never get there; **essere a. nel lavoro**, to be ahead with one's work; **d'ora** (*o di qui*) **in a.**, from now on; **più a.**, later on **3** (*lett.: in anticipo*) beforehand; in advance ● **a. e indietro**, back and forth; to and fro; backwards and forwards; **camminare a. e indietro**, to walk back and forth (*o* to and fro) □ (*naut.*) **a. adagio** [**mezza, tutta**], slow [half, full] speed ahead □ **non andare né a. né indietro**, to go neither backwards nor forwards; (*essere bloccato, anche fig.*) to be stuck □ (*di orologio*) **essere a. (di 5 minuti)**, to be (5 minutes) fast; (*regolarmente*) to gain (5 minutes) □ (*in una gara e sim.*) **essere a.**, to lead: **essere a. di due punti**, to lead by two points □ (*a scuola*) **essere a. di un anno**, to be a year ahead □ **essere a. negli anni**, to be getting on in years □ **farsi a.**, to come forward; to step forward; (*fig.: farsi valere*) to assert oneself, to speak up □ **mandare a. un'azienda**, to run a business □ **mandare a. la famiglia**, to make ends meet □ (*fig.*) **mettere a.** (*anteporre*), to put first; to prefer □ **mettere a. l'orologio di un'ora**, to put the clock forward an hour □ **passare a. (in una coda)**, to jump the queue (*GB*); to cut in line (*USA*) □ (*sport*) **passaggio in a.**, forward pass Ⓑ inter. **1** (*muoviti!*) move on!; go on!; (*andiamo!*) let's go!; (*continua!*) go on!; (*mil.*) forward! **2** (*vieni dentro!*) come in!; (*va' dentro!*) go in! **3** (*suvvia!*) come (on)!: *A., non fare lo sciocco!*, come on, don't be silly! ● **A. così!**, keep going like that!; keep it like that! □ **A. il prossimo!**, next, please! Ⓒ prep. **1** (*di luogo, anche* **avanti a**) ahead of: **a. a tutti**, ahead of everybody; **passare a. a q.** (*sorpassarlo*), to overtake sb. **2** (*di tempo, anche* **avanti di**) before: **a. Cristo**, before Christ (abbr. B.C.); **avant'ieri**, the day before yesterday Ⓓ **avànti che** (*o* **di**) loc. cong. (*lett.: piuttosto che, di*) before; rather than Ⓔ **a.** previous; preceding; before (*posposto*); earlier (*posposto*): **il giorno a.**, the previous day; the day before; **una settimana a.**, a week before (*o* earlier) Ⓕ m. (*sport*) forward.

avantielènco m. (*telef.*) introductory pages (pl.) (in a telephone directory).

avantièri avv. the day before yesterday.

avantilèttera avv. ahead of time.

avantrèno m. **1** (*autom.*) forecarriage **2** (*mil.*) limber.

avanzaménto m. **1** (l'avanzare) advancing; advance; forward movement; (*lo spostare in avanti*) moving forward **2** (*progresso*) progress; advance; headway: **stato di a.**, progress made; *Non c'è stato nessun a.*, there has been no progress; no headway has been made **3** (*promozione*) promotion; advancement: **a. di grado**, promotion; rise in rank **4** (*mecc.*) feed **5** (*ind. min.*) drive; **fronte di a.**, face.

♦**avanzàre**① Ⓐ v. t. **1** (*spostare in avanti*) to put* (*o* to bring*, to move) forward: *Avanzò il piede destro*, he put forward his right foot **2** (*proporre*) to advance; to propose; to put* forward; to make*: **a. una pretesa** [una proposta], to advance (*o* to put forward, to make) a claim [a proposal]; **a. pretese**, to lay* claims; **a. una teoria**, to put forward a theory **3** (*superare*) to surpass; to outdo*; to exceed **4** (*promuovere*) to promote: **a. q. di grado**, to promote sb. in rank; to upgrade sb. Ⓑ v. i. **1** to advance; to go* forward; to move forward; to step forward; (*procedere*) to proceed, to go* on: *Il nemico avanza*, the enemy is advancing; *Avanzò verso di me*, she advanced (*o* came) towards me; *Avanzò nella stanza*, she stepped into the room; *Era impossibile a.*, it was impossible to proceed (*o* to go on); **a. a tentoni**, to grope one's way forward; to feel one's way; **a. di pochi passi**, to take a few steps; **a. furtivamente**, to creep forward; **far a. le truppe**, to move the troops forward **2** (*progredire*) to proceed; to go* on; to progress; to gain ground: *Il lavoro avanza bene*, work is proceeding (*o* going on, progressing) well **3** (*sporgere*) to project; to jut out **4** (*ind. min.*) to drive* Ⓒ **avanzàrsi** v. i. pron. **1** (*farsi avanti*) to advance; to go* forward; to move forward; to step forward **2** (*avvicinarsi*) to approach; to draw* nearer.

avanzàre② Ⓐ v. i. **1** (*restare*) to be left; to remain: *Non avanza nulla*, there is nothing left; *È avanzata della carne*, there is some meat left; *Se mi avanza tempo*, if I have any time left; if I can spare the time; *Avanzano due sedie* [*biglietti*], there are two extra chairs [tickets] **2** (*sovrabbondare*) to be plenty; to be more than enough: *Il pane basta e avanza*, there is plenty of bread Ⓑ v. t. **1** (*essere creditore*) to be owed: *Non avanzate nulla da me*, I owe you nothing **2** (*risparmiare*) to save (up); to put* away (*o* aside).

avanzàta f. advance (*anche mil.*); progress.

avanzàto① a. **1** (*che sta avanti*) advanced; forward: **posizione avanzata**, advanced position; (*calcio*) **terzino a.**, forward fullback **2** (*inoltrato*) advanced; late; (*di età*) advanced, old: **a notte avanzata**, late at night; in the middle of the night; **a inverno a.**, towards the end of winter; **età avanzata**, old age; **a. negli anni**, advanced (*o* well on) in years **3** (*progredito*) advanced; progressive: **corso a.**, advanced course; **idee avanzate**, progressive (*o* advanced) ideas; **tecnologie avanzate**, state-of-the-art technology.

avanzàto② a. (*di cibo*) leftover: **carne avanzata**, leftover meat.

♦**avànzo** m. **1** remnant; scrap; (al pl., *di cibo*) leftovers: **un a. di stoffa**, a remnant (*o* scrap) of material; **un a. di stufato**, leftover stew; **mangiare gli avanzi**, to eat (the) leftovers **2** (al pl.) (*ruderi*) remains; ruins **3** (*econ., fin.*) surplus **4** (*mat.*) remainder ● (*rag.*) **a. di cassa**, cash in hand □ (*spreg.*) **a. di galera**, jailbird □ **avanzi di magazzino**, old stock □ (*lett.*) **avanzi mortali**, mortal remains □ **Ne ho d'a.**, I've got more than enough.

avarìa f. **1** (*naut.*) damage Ⓤ; (*ass.*) average Ⓤ: **a. alla nave**, damage to the ship; **riportare avarie**, to sustain damage; to be damaged **2** (*ferr., comm.*) damage Ⓤ **3** (*mecc.*) breakdown; failure; trouble Ⓤ: **a. al motore**, engine failure; **avere un'a. al motore**, to have engine trouble; **motore in a.**, engine trouble; engine failure.

avariàre Ⓐ v. t. to damage Ⓑ **avariàrsi** v. i. pron. to deteriorate; to perish; (*di cibo*) to go* bad.

avariàto a. damaged: **merce avariata**, damaged goods.

avarìzia f. meanness; miserliness; avarice (*form.*); stinginess (*fam.*).

♦**avàro**① Ⓐ a. **1** mean; miserly; stingy (*fam.*); avaricious (*form.*) **2** (*parco*) sparing; careful: **a. di lodi**, sparing of praise; *La vita* *è stata avara con lui*, life hasn't been generous to him Ⓑ m. (f. **-a**) miser.

àvaro② m. (*stor.*) Avar.

avatàr m. inv. **1** (*induismo*) avatar **2** (*comput.*) avatar.

àve Ⓐ inter. hail! Ⓑ f. o m. inv. (*avemaria*) Hail Mary ● (*fig.*) **in meno di un'ave**, in less than no time; before you could say Jack Robinson.

avellàna f. (*bot.*) hazelnut.

avellàno m. (*bot., Corylus avellana*) hazel.

avèllo m. (*lett.*) tomb; grave; sepulchre.

avemarìa, avemmarìa f. **1** (*la preghiera*) Hail Mary **2** (*i rintocchi di campane*) Angelus bell; (*l'ora*) Angelus: **sonare l'a.**, to ring the Angelus bell **3** (*grano del rosario*) ave.

♦**avéna** f. (*bot., Avena sativa*) oats (pl.): **farina d'a.**, oatmeal.

avènte m. e f. – (*leg.*) **a. causa**, assign; assignee; (*leg.*) **a. diritto**, assign; assignee; (the) party entitled.

aventinìsmo m. (*polit.*) withdrawal from an assembly on a matter of moral principle.

♦**avére**① Ⓐ v. t. **1** (*possedere*) to have (got), to own; (*essere in possesso di, disporre*) to have (got): *Ha una bella casa*, she has (*o* owns) a beautiful house; *Hai la macchina?*, do you own a car? (*form.*); have you got a car?; do you have a car? (*sei venuto in macchina?*) did you come by car?, did you drive here?; *Hai da accendere?*, have you got a light?; *Non ho soldi*, I have no money; (*in questo momento*) I haven't got any money, I don't have any money; *Ho grosse notizie*, I have big news; *Ha pochi amici*, she has few friends; *Ha moglie e un figlio*, he has (*o* he's got) a wife and child; *Ha marito*, she is married; *Ha molta pazienza*, he has a lot of patience; *Ora non ho tempo*, I don't have (*o* I haven't got) time now; *La porta non ha maniglia*, the door hasn't got a handle; *Ebbi tutti dalla mia*, I had everyone on my side **2** (*possedere fisiche, caratteristiche*) to have; to be (+ agg.): **a. gli occhi azzurri**, to have blue eyes; to be blue-eyed; **a. la barba**, to have a beard; *Ha molto talento*, he is very gifted **3** (*età*) to be: *Quanti anni hai?*, how old are you?; *Ho trent'anni*, I am thirty; *Ha più anni di quel che sembra*, she is older than she looks **4** (*una malattia, ecc.*) to have (got); to suffer from: *Ho la febbre* [*la tosse, il raffreddore, un dolore*], I have (*o* I've got) a temperature [a cough, a cold, a pain]; *Ha il diabete*, he has diabetes; *Ho la gamba che mi fa male*, my leg is sore **5** (*indossare*) to wear*; to have on: *Aveva un cappello nuovo*, she was wearing (*o* she had on) a new hat; *Ha gli occhiali*, he wears glasses; **non a. niente addosso**, to have nothing on **6** (*ottenere, ricevere*) to get*; to have: *Ha avuto un buon posto*, he got a good job; *Hanno avuto quello che si meritavano*, they got what they deserved; *L'ho avuto per poco*, I had it (*o* I got it) for very little; *Ebbi la notizia da buona fonte*, I got the news on good authority; **a. notizie da q.**, to hear from sb.; *Fammi a. una risposta domani*, let me have an answer tomorrow **7** (*sentire, provare, manifestare*) to feel*; to have; to be (+ agg.): **a. odio [ammirazione] per q.**, to feel hatred [admiration] for sb.; **a. pietà di q.**, to have pity on sb.; to feel sorry for sb.; **a. fame [sete, sonno, freddo, caldo, paura, vergogna]**, to be hungry [thirsty, sleepy, cold, hot, afraid, ashamed]; **a. un obbligo verso q. per qc.**, to be under obligation to sb. for st.; *Non ha nessun riguardo per te*, she has no consideration for you; *Non ho alcun dubbio*, I have no doubt **8** (*tenere*) to have; to keep*; to hold*: **a. le mani in tasca**, to keep one's hands in one's pockets; *Aveva in mano un bicchiere*, he had a glass in his hand; he was holding a glass; *Dove hai le scope?*, where do you

a

keep your brooms? **9** (*prendere*) to take*: **a. cura di q.**, to take care of sb.; *Non ha avuto parte in quell'intrigo*, he didn't take part in that intrigue **10** (*compiere, manifestare*) to make*; to look: *Ebbe un gesto di rabbia*, he made an angry gesture; *Ebbe uno sguardo sorpreso*, she looked surprised **11** (*trovare, incontrare*) to have; to meet*: *Abbiamo avuto bel tempo*, we had fine weather; *Non ha avuto ostacoli nella sua carriera*, he met no obstacles (*o* did not run into any obstacles) in his career **12** (**a. da**: *dovere*) to have (got) to: *Ho molte cose da fare*, I have (*o* I've got) a lot of things to do; *Non avete che da dirlo*, you have only to say the word; you need only say the word; *Ho da parlarti*, I have to talk to you; I must talk to you **13** (impers.) there is [are, etc.]: *Non si hanno notizie di loro*, there is no news of them; *Si è avuto un calo nelle vendite*, there has been a drop in sales ● **a. a che dire con q.**, to have words (*o* to quarrel) with sb. □ **a. a che fare con**, to have (got) something to do with: *La cosa ha a che fare con la vendita della casa*, it's got something to do with the sale of the house; *Lo conosco, ma non ho mai avuto niente a che fare con lui*, I know him, but I've never had anything to do with him; *Ebbi a che fare con lui per una faccenda di azioni*, I had dealings with him about some shares; *Avrà a che fare con me!*, he will have me to deal with!; *Il film non ha nulla a che fare col romanzo*, the film bears no relation to the novel □ **a. a cuore qc.**, to have st. at heart □ **a. a mente qc.**, to bear st. in mind □ **a. bisogno di**, to need □ **a. caro**, (*piacere*) to like; (*gradire*) to appreciate □ **a. da fare**, to be busy □ **a. da ridire su**, to find fault with □ **a. del buono**, to have one's good points □ **a. in grande onore**, to honour; to hold in honour □ **a. in odio**, to hate □ **a.** [**non a.**] **memoria**, to have a good [a bad] memory □ **a. pronto qc.**, to have st. ready □ **a. ragione**, to be right □ **a. sentore di**, to get wind of □ **a. torto**, to be wrong □ **a. voglia di**, to feel like: *Ho voglia di una bistecca*, I feel like a steak; *Ho voglia di andare*, I feel like going □ **avercela con q.**, (*essere arrabbiato*) to be cross with sb.; (*avere astio*) to have it in for sb. □ **averla vinta**, to have one's way □ **aversela a male**, to take it amiss; to be offended □ **Che hai?** (*che c'è che non va?*), what's the matter (with you)? □ **e chi più ne ha più ne metta**, and so on and so forth □ **Ha la moglie malata**, his wife is ill □ **Come ebbe a dire il presidente...**, as the chairman said... □ **Che cos'ha di tanto speciale questo posto?**, what is so special about this place? □ **Non ho nulla** (*non ho alcun disturbo, dispiacere, ecc.*), I'm all right □ **Ne avrà per un pezzo** (*di una malattia*), it will take him quite a long time to get well again □ **Ne hai per molto?**, is it going to take you long?; will it take you long?; will you be long? □ (*prov.*) **Chi ha avuto, ha avuto**, let bygones be bygones □ (*prov.*) **Chi più ha, più vuole**, the more you have, the more you want **B** v. i. (*lett.*) to be: *Non v'à dubbio*, there is no doubt **C** v. ausiliare to have: *L'ho appena visto*, I have (*o* I've) just seen him; *Avevano aspettato a lungo*, they had been waiting for a long time; *Se l'avessi saputo!*, if only I had (*o* I'd) known!; *Avendo tempo, si potrebbe arrivare fino a Siena*, if we had time, we could push on as far as Siena. ❶ NOTA: *to have* → **to have**.

avére② m. **1** (anche al pl.) property ⓤ; possessions (pl.); substance ⓤ; fortune; riches (pl.): *Ha sciupato tutti i suoi averi*, she has squandered all her substance (*o* all her property, all she had) **2** (*fin., rag.*) assets (pl.); (*di conto*) credit: **il dare e l'a.**, debit and credit **3** (*il dovuto*) what is due (*o* owing) to sb.: *Dagli il suo a.*, give him what is due to him.

avèrla f. (*zool.*, *Lanius*) shrike; butcher bird.

Avèrno m. (*mitol.*) Avernus.

Averroè m. Averroes.

averroìsmo m. (*filos.*) Averroism.

averroìsta m. (*filos.*) Averroist.

averroìstico a. (*filos.*) Averroistic.

avèstico a. e m. (*ling.*) Avestan; Avestic.

aviàrio **A** a. avian; of birds; bird (attr.): **influenza aviaria**, bird flu; avian influenza **B** m. aviary.

♦**aviatóre** m. (f. **-trìce**) aviator; (*spec. mil.*) airman* (f. airwoman*).

aviatòrio a. (*anche mil.*) air (attr.); aviation (attr.); flying (attr.).

aviatrìce f. → **aviatore**.

♦**aviazióne** f. **1** aviation: **a. civile**, civil aviation; **campo d'a.**, airfield; **scuola di a.**, aviation school **2** (*mil.*) air force.

avìcolo a. avicultural; bird (attr.).

avicoltóre m. (f. **-trìce**) aviculturist; (*di pollame*) poultry farmer.

avicoltùra f. aviculture; (*di pollame*) poultry farming.

avicùnicolo a. poultry and rabbit (attr.).

avicunicoltóre m. (f. **-trìce**) poultry and rabbit farmer.

avicunicoltùra f. poultry and rabbit farming.

avidità f. avidity; eagerness; (*spreg.*) greed; (*brama*) lust; (*sete*) thirst: **a. di denaro**, avarice; **a. di gloria**, lust for glory; **a. di lodi**, eagerness for praise; **a. di sapere**, eagerness to learn; **leggere** [**ascoltare**] **qc. con a.**, to read [to listen to] st. avidly; **mangiare con a.**, to eat greedily.

àvido a. avid; eager; (*spreg.*) greedy; (*assetato*) thirsty: **a. di denaro**, grasping; avaricious; **a. di informazioni**, avid for information; **a. di potere**, thirsty for power; **a. di sapere**, eager to know; **a. di successo**, avid for success; **un a. lettore di fumetti**, an avid reader of comics.

avière m. (*aeron. mil.*) aircraftman* (*GB*); airman* (*USA*).

avifàuna f. (*zool.*) bird population; birdlife; avifauna.

avifaunìstico a. bird (attr.); avifaunal.

Avignóne f. (*geogr.*) Avignon.

àvio a. inv. aviation (attr.); aircraft (attr.): **benzina a.**, aircraft fuel; avgas.

aviocistèrna f. tanker plane.

aviogètto m. jet (plane); jet aircraft.

avioimbàrco m. boarding an aircraft.

aviolanciàre v. t. to air-drop; to parachute.

aviolàncio m. airdrop; parachute jump.

aviolìnea f. airline.

aviònica f. avionics (pl. col verbo al sing.).

avioradùno m. air rally.

avioràzzo m. (*mil.*) rocket plane.

avioriméssa f. hangar.

aviosbàrco m. (*mil.*) airlanding.

aviotrasportàre v. t. to transport by air; to fly*.

aviotrasportàto a. airborne.

aviotraspòrto m. air transport.

aviotrùppa f. (*mil.*) airborne troops (pl.).

AVIS sigla (**Associazione volontari italiani del sangue**) Association of Italian Blood Donors.

avitaminòsi f. (*med.*) vitamin deficiency.

avìto a. (*lett.*) **1** (*degli avi*) ancestral **2** (*ereditario*) hereditary.

àvo m. **1** (*lett.: nonno*) grandfather **2** (*antenato*) ancestor; forefather.

avocàdo m. **1** (*bot.*, *Persea gratissima*) avocado (tree) **2** (*frutto*) avocado (pear).

avocàre v. t. (*leg.*) to take* upon oneself;

to take* over: **a. a sé la facoltà di fare qc.**, to take upon oneself the right to do st.

avocazióne f. (*leg.*) transference (to a higher court).

avocétta f. (*zool.*, *Recurvirostra avocetta*) avocet.

àvolo → **avo**.

avòrio **A** m. **1** (*sostanza*) ivory: **nero d'a.**, ivory black; (*fig.*) **torre d'a.**, ivory tower **2** (*colore*) ivory: **mani d'a.**, ivory hands **3** (*oggetto*) ivory: **avori cinesi**, Chinese ivories **B** a. inv. ivory (attr.): **carnagione a.**, ivory complexion; **di color a.**, ivory (attr.).

avulsióne f. (*leg.*) avulsion.

avùlso a. detached; separated; removed: **una parola avulsa dal contesto**, a word taken out of context; **a. dalla realtà**, remote from reality.

Avv. abbr. (**avvocato**) lawyer; attorney; solicitor.

avvalérsi v. i. pron. to make* use (of); to avail oneself (of); to have recourse (to).

avvallaménto m. **1** depression; hollow; dip **2** (*cedimento*) subsidence **3** (*geol.*) trough.

avvallàrsi v. i. pron. to subside; to sink*.

avvaloraménto m. corroboration; confirmation; substantiation.

avvaloràre **A** v. t. **1** (*confermare*) to corroborate; to confirm; to bear* out **2** (*rafforzare*) to strengthen: *Questo fatto avvalora i miei sospetti*, this fact strengthens my suspicions **B** **avvaloràrsi** v. i. pron. to be strengthened; to become* stronger.

avvampaménto m. **1** (*di fuoco*) flaring up; flare; blaze **2** (*rossore*) blush; flush.

avvampàre v. i. **1** (*incendiarsi*) to flare up; to burst into flame: *Il cielo parve a.*, the sky seemed to burst into flame **2** (*arrossire*) to blush; to flush; to turn crimson **3** (*fig., rif. a emozione*) to flare up: **a. d'ira**, to flare up with anger.

avvantaggiàre **A** v. t. to benefit; to favour; to further: *Questa legge avvantaggia pochi*, this law benefits few people; *Fecero poco per a. l'industria*, they did little to favour industry **B** **avvantaggiàrsi** v. rifl. **1** (*portarsi avanti*) to get* ahead: *Il campione s'avvantaggiò subito*, the champion got ahead immediately **2** (*trarre vantaggio*) to take* advantage (of); to profit (by).

avvedérsi v. i. pron. to notice (st.); to realize (st.); to become* aware (of).

avvedutézza f. (*sagacia*) shrewdness; sagacity; foresight; (*prudenza*) wariness.

avvedùto a. shrewd; sagacious; judicious; well-advised; (*prudente*) wary.

avvelenaménto m. poisoning: **a. da cibo**, food poisoning; **a. da piombo**, lead poisoning; plumbism; **a. del sangue**, blood poisoning.

avvelenàre **A** v. t. **1** to poison: **a. una bevanda**, to poison a drink; **a. l'aria coi gas**, to poison the air with gasses **2** (*fig.*) to poison, to envenom; (*amareggiare*) to embitter: **a. un'amicizia**, to poison a friendship **3** (*fig.: guastare*) to spoil; to mar: *Un incidente avvelenò l'allegria di quella sera*, an incident marred the happiness of that evening **B** **avvelenàrsi** v. rifl. to poison oneself; to take* poison.

avvelenàto a. **1** poisoned: **morire a.**, to die of poisoning **2** (*fig.: irato, rabbioso*) enraged; furious; incensed **3** (*fig.: astioso, cattivo*) venomous; spiteful; (*caustico*) vitriolic.

avvelenatóre m. (f. **-trìce**) poisoner.

avvenènte a. attractive; charming.

avvenènza f. attractiveness; charm.

♦**avvenimént o** m. event; incident: **i principali avvenimenti del secolo**, the main events of the century; **un a. antipatico** [**curioso**], an unpleasant [a curious] incident;

Le nozze furono un a., the wedding was a major event; **ricco di avvenimenti**, eventful; **privo di avvenimenti**, uneventful; **senza avvenimenti di rilievo**, without incident.

♦**avvenire**① v. i. **1** to happen; to occur; to take* place: *Sentite quel che è avvenuto a Gigi*, listen to what has happened to Gigi; *Quando avvenne l'incidente?*, when did the accident occur?; *L'incontro avvenne a Parigi*, the meeting took place in Paris **2** (impers.) to happen: *Avvenne che...*, it so happened that...; **come spesso avviene**, as often happens; *Gli avvenne di trovare un portafoglio*, he happened to find a wallet.

♦**avvenire**② △ m. **1** future: *Pensa al tuo a.*, think of your future; **avere l'a. garantito**, to have an assured future; **in a.** (o **per l'a.**), in (the) future **2** (*probabilità di carriera, successo, ecc.*) prospects (pl.); future: *Ha un brillante a. davanti a sé*, she has a brilliant future ahead of her; **un giovane senza a.**, a young man without prospects **B** a. future; to come (pred.): **le generazioni a.**, future generations; **gli anni a.**, the years to come.

avvenirismo m. optimistic belief in progress.

avvenirista m. e f. person who believes in progress.

avveniristico a. futuristic; ultramodern.

avventàre △ v. t. **1** (*lett.*: *gettare*) to fling*; to hurl: **a. una pietra contro q.**, to fling a stone at sb. **2** (*vibrare*) to let* fly **3** (*fig.*) to say* rashly: **a. un giudizio**, to make a rush judgment **B avventàrsi** v. i. pron. to rush (at, upon); to go* (for); to fling* oneself (at); (*dall'alto*) to swoop down (on): **avventarsi contro q.**, to rush at (o upon) sb.; *Il cane gli si avventò contro*, the dog rushed at him; *Si avventò sul pane*, he fell greedily on the bread.

avventatézza f. **1** rashness; recklessness **2** (*azione avventata*) rash thing (to do).

avventàto a. **1** (*fatto, detto con avventatezza*) rash; hasty; precipitate; reckless: **decisione avventata**, hasty decision; **giudizio a.**, rash (o hasty) judgment **2** (*che agisce con avventatezza*) rash; reckless; **un ragazzo a.**, a reckless boy.

avventismo m. (*relig.*) Adventism.

avventista m. e f. (*relig.*) Adventist.

avventiziàto m. **1** (*lavoro*) temporary employment; casual work **2** (*categoria*) casual labour; casual workers (pl.).

avventizio △ a. **1** (*che viene da fuori*) outside (attr.) **2** (*provvisorio*) temporary; casual: **personale a.**, temporary staff; **operai avventizi**, casual workers **3** (*bot.*) adventitious **B** m. (f. **-a**) temporary employee; casual worker.

avvènto m. **1** (*eccles.*) Advent **2** (*arrivo, comparsa*) advent; coming; appearance: **l'a. di Internet**, the advent of the Internet; **l'a. di tempi migliori**, the coming of better times **3** (*ascesa*) accession: **a. al trono**, accession to the throne.

avventóre m. (f. **-trìce**) regular customer; patron (f. patroness).

♦**avventùra**① f. **1** adventure; (*impresa*) venture; (*avvenimento*) incident; (*esperienza*) experience: **le avventure di Pinocchio**, the adventures of Pinocchio; **una brutta a.**, a nasty incident; a nasty experience; **un viaggio pieno di avventure**, a journey full of incidents; **senza avventure**, without incident **2** (*caso*) chance: **per a.**, by chance **3** (*vicenda amorosa*) (love) affair; fling (*fam.*): *Ha avuto un'a. con la vicina*, he had an affair with his neighbour; *Per lei era solo un'a.*, it was just a fling for her.

avventùra② f. (*lett.*: *sorte*) chance; fortune: **per a.**, by chance.

avventuràre △ v. t. (*lett.*) **1** (*mettere a rischio*) to risk; to venture; to stake: **a. il pro-**

prio patrimonio in qc., to venture one's fortune on st. **2** (*fig.*: *azzardare*) to venture: **a. una domanda**, to venture a question **B avventuràrsi** v. rifl. **1** (*esporsi ai rischi*) to take* risks; to venture: **avventurarsi in mare**, to venture out to sea **2** (*azzardarsi*) to venture: **avventurarsi a fare forti investimenti**, to venture into heavy investments.

avventuratamente avv. by chance.

avventurato a. (*lett.*) fortunate; lucky.

avventurièro m. (f. **-a**) adventurer (f. adventuress); (*spreg.*) chancer, opportunist, speculator.

avventurina f. (*miner.*) aventurine.

avventurismo m. (*polit., fin.*) adventurism.

avventurista m. e f. (*polit., fin.*) adventurist.

♦**avventuróso** a. **1** (*pieno di avventure*) adventurous; eventful: **un viaggio a.**, an eventful journey **2** (*ardimentoso*) adventurous; daring: **spirito a.**, adventurous spirit **3** (*rischioso*) risky; hazardous; chancy.

avveràbile a. realizable; that can be fulfilled; that can come true.

avveramento m. realization; fulfilment.

♦**avveràre** △ v. t. to realize; to fulfil: **a. un sogno**, to realize a dream **B avveràrsi** v. i. pron. to come* true; to be fulfilled: *Il mio sogno si avverò*, my dream came true; *Le profezie non sempre si avverano*, prophecies are not always fulfilled.

avverbiàle a. (*ling.*) adverbial: **locuzione a.**, adverbial phrase.

avvèrbio m. (*ling.*) adverb.

avversàre v. t. to oppose; to be against; (*ostacolare*) to thwart, to hinder: *Ci ha sempre avversato*, she has always opposed us; **a. un progetto**, to oppose (o to be against) a project.

♦**avversàrio** △ m. (f. **-a**) **1** opponent; antagonist; adversary: **a. politico**, political opponent; *Ferì l'a. in un duello*, he wounded his opponent in a duel; *È un a. della riforma*, he is hostile to the reform; **degno a.**, worthy opponent; match **2** (*leg.*) opposing party **B** a. rival; opposing: **la squadra avversaria**, the rival team.

avversativo a. (*ling.*) adversative: **congiunzione avversativa**, adversative conjunction.

avversatóre △ m. (f. **-trice**) opposer **B** a. opposing.

avversióne f. aversion; distaste; (*antipatia*) dislike; (*ripugnanza*) loathing, repugnance: *Ha a. al latte*, he has an aversion to milk; **nutrire a. per q.**, to harbour a dislike for sb.

avversità f. **1** (*ostilità*) hostility: **l'a. della stagione**, the adverseness of the season; the inclemency of the weather; **a. della sorte**, adverse fortune **2** (*difficoltà*) adversity; trouble; trial: **le a. della vita**, life's adversities; **trovare amici nelle a.**, to find friends in the hour of need **3** (*calamità*) adversity; calamity.

avvèrso a. **1** (*ostile*) adverse, hostile; (*contrario*) opposed, against (prep.): **destino a.**, adverse fate; **a. alla pena di morte**, opposed to (o against) the death penalty **2** (*sfavorevole*) unfavourable; contrary, adverse: **tempo a.**, unfavorable weather; adverse weather conditions; **venti avversi**, contrary winds; *La stagione è avversa*, the season is unfavourable **3** (*alieno*) averse; unwilling; against (prep.): *Non sono a. a un po' di divertimento*, I'm not averse to (o I'm not against) a bit of fun **4** (*leg.*) opposing: **parte avversa**, opposing party.

avvertènza f. **1** (*cura*) care; (*attenzione*) attention; (*cautela*) caution; (*precauzione*) precaution, forethought: *Ho avuto l'a. di te-*

lefonare, I took the precaution of phoning; **procedere con a.**, to proceed with caution **2** (*avvertimento*) warning; notice **3** (*editoria*: *nota*) note; (*prefazione*) foreword **4** (al pl.) (*istruzioni*) directions.

avvertibile a. noticeable; perceivable; perceptible.

avvertiménto m. warning; (*consiglio*) advice Ⓤ: **un a. da amico**, a friendly warning; *Che questo vi sia d'a.*, let this be a warning to you; *La bocciatura fu per lui un salutare a.*, his failure taught him a useful lesson **❶ FALSI AMICI •** avvertimento *non si traduce con* advertisement.

♦**avvertire** v. t. **1** (*informare*) to inform; to tell*; to let* (sb.) know; (*segnalare a*) to bring* (st.) to (sb.'s) notice (o attention), to point out (to sb.): *Avvertii che erano arrivato*, tell him that I have arrived; **a. la polizia**, to inform (o to notify) the police; *Ci avvertirono subito dell'omissione*, they promptly brought the omission to our attention; *Voglio avvertirvi di un errore che vi è sfuggito*, I want to point out a mistake which escaped you **2** (*mettere in guardia, ammonire*) to warn (sb. of st.); to alert (sb. to st.); to caution (sb. against st.): **a. q. di un pericolo**, to warn sb. of a danger; to alert sb. to a risk; *Non è uno scherzo, ti avverto*, I'm warning you, I'm serious **3** (*percepire*) to feel*, to sense; to perceive; (*accorgersi di*) to notice: *Avvertii qualcosa di strano*, I sensed something strange; **a. un dolore**, to feel a pain; **a. un rumore**, to hear a noise **❶ FALSI AMICI •** avvertire *non si traduce con* to advertise.

avvertitaménte avv. on purpose; deliberately.

avvertito a. shrewd; sagacious; discerning.

avvezióne f. (*meteor.*) advection.

avvezzàre △ v. t. **1** (*abituare*) to accustom: **a. alla disciplina**, to accustom to discipline **2** (*ammaestrare*) to train; (*educare*) to teach* **B avvezzàrsi** v. rifl. to get* accustomed (o used) (to); to accustom oneself (to); to become* inured (to).

avvézzo a. (*abituato*) used; accustomed; inured: *Sono a. ad alzarmi presto* [*ai rumori*], I am used to getting up early [to noises]; **a. alla vista del sangue**, inured to the sight of blood.

avviaménto m. **1** start; starting: **a. lento**, slow start **2** (*introduzione*) introduction: **a. allo studio del latino**, introduction to the study of Latin **3** (*econ., di impresa e sim.*) establishment; setting up; starting up: **costo di a.**, set-up cost; **capitale di a.**, seed money **4** (*comm., di negozio*) goodwill **5** (*mecc.*) starting; setting in motion; (*meccanismo*) starting device: **a. automatico**, self-starting; **ad a. automatico**, self-starter; **a. elettrico**, electric starting; **manovella d'a.**, starting crank; **motorino d'a.**, starter • **corso di a. professionale**, professional training course.

♦**avviàre** △ v. t. **1** to start; to start off: **a. q. a una professione**, to start sb. off on a career **2** (*iniziare, aprire*) to set* up; to start: **a. un negozio**, to set up a shop; **a. un lavoro**, to start a job; **a. le trattative**, to open negotiations; **a. rapporti d'affari con q.**, to establish business relations with sb. **3** (*mecc., autom.*) to start (up): **a. una macchina** [**un motore**], to start (up) a machine [an engine] **4** (*lavoro a maglia*) – **a. le maglie**, to cast on **B avviàrsi** v. i. pron. **1** (*mettersi in cammino*) to set* off; to set* out; to get* going: **avviarsi al lavoro**, to set out for work; **avviarsi alla porta**, to make for the door; **avviarsi verso casa**, to set off for home; *È ora di avviarci*, it's time to get going (o to be on our way); *Avviatevi, io vi raggiungo*, you go ahead, I'll catch up with

a

you **2** (*fig.*) to be on one's way (to doing st.); to get* off: *Si avvia a diventare un grande scrittore*, he has all the makings of a great writer; *Il lavoro si è avviato bene*, the work has got off to a good start; **avviarsi alla fine**, to draw to an end (*o* to a close); **avviarsi bene**, to get off to a good start.

avviàto a. **1** (*in moto, che procede*) under way; (*di motore*) running: *Il negoziato è a.*, the talks are under way; **lasciare il motore a.**, to leave the engine running; *È a. a una brillante carriera*, he's launched on a brilliant career **2** (*comm.*) going; thriving, prosperous: **un'azienda avviata**, a going concern; **un negozio (bene) a.**, a thriving shop; **bene a. negli affari**, doing well in business.

avviatóre m. (*mecc.*) starter: **a. automatico**, self-starter; **a. a mano**, hand starter.

avviatùra f. (*di lavoro a maglia*) cast--on row.

avvicendaménto m. **1** alternation; succession; rotation: **l'a. delle stagioni**, the alternation of the seasons; **un a. di truppe al fronte**, a rotation of troops at the front **2** (*agric.*) crop rotation **3** (*org. az.*) turnover: **a. del personale**, staff turnover.

avvicendàre Ⓐ v. t. **1** (*alternare*) to alternate: **a. gentilezza e severità**, to alternate kindness with severity **2** (*agric.*) to rotate: **a. le colture**, to rotate crops Ⓑ **avvicendàrsi** v. rifl. recipr. **1** (*alternarsi*) to alternate; (*fare a turno*) to take* turns: **avvicendarsi alla guida**, to take turns at the wheel **2** (*succedersi*) to follow one another.

avvicinàbile a. approachable; accessible.

avvicinaménto m. **1** approach: *Si spera in un a. tra le due parti*, it is hoped that the two sides will move closer **2** (*mil.*) posting closer to home **3** rapprochement (*franc.*).

♦**avvicinàre** Ⓐ v. t. **1** (*oggetti*) to bring* (*o* to move, to draw*, to pull) nearer (*o* closer); to draw* up: *Avvicina il libro agli occhi*, bring the book closer to your eyes; **a. una sedia al tavolo**, to draw a chair up to the table; **a. le labbra all'orecchio di q.**, to put one's lips to sb.'s ear **2** (*una persona*) to approach; to go* [to come*] near (*o* close*); (*con intenti sessuali*) to accost: *Cercai di a. il ministro*, I tried to approach the minister; *Lo avvicinò un vecchio*, an old man came up to him; *Non si lascia a.*, you can't get close to him; *Fu avvicinata da uno sconosciuto*, she was accosted by a stranger Ⓑ **avvicinàrsi** v. i. pron. **1** to go* [to come*] near (*o* nearer); to get* closer; to go* [to come*] up (to); to approach: *Non avvicinarti troppo*, don't come too near; *Mi avvicinai a loro senza essere visto*, I got near them without being seen; *Si avvicinò per vedere meglio*, she got closer to see better; *Avvicinati!*, come closer!; *Ci avvicinammo allo steccato*, we went up to (*o* approached) the fence **2** (*di tempo*) to draw* (*o* to get*) near; to draw* in: *Si avvicina la Pasqua*, Easter is drawing near; *Si avvicinava la notte*, night was drawing in; **avvicinarsi ai cinquant'anni**, to be getting on for fifty **3** (*fig.: essere simile*) to be close (to); to border (on); to verge (on): *Non è uguale, ma ci si avvicina*, it's not the same, but it's fairly close; **un rosso che si avvicina al viola**, a red that verges on purple.

avvilènte a. **1** (*sconfortante*) disheartening; discouraging; depressing; demoralizing **2** (*umiliante*) humiliating; demeaning **3** (*degradante*) degrading.

avviliménto m. **1** (*sconforto*) dejection; depression; disheartenment; low spirits (pl.) **2** (*umiliazione*) humiliation **3** (*degradazione*) degradation; cheapening.

avvilire Ⓐ v. t. **1** (*sconfortare*) to dishearten; to depress; to get* down **2** (*umiliare*) to humiliate; to demean **3** (*degradare*) to de-

grade; to cheapen: *Mi avviliva dover fare quel lavoro*, I felt degraded having to do that job Ⓑ **avvilirsi** v. i. pron. **1** (*scoraggiarsi*) to lose* heart; to be disheartened **2** (*umiliarsi*) to demean oneself; to stoop (to do st.).

avvilito a. (*sconfortato*) disheartened; downhearted; dejected; discouraged; crestfallen.

avviluppaménto m. **1** (*avvolgimento*) envelopment **2** (*intrico*) entanglement; tangle.

avviluppàre Ⓐ v. t. **1** (*avvolgere*) to envelop; to wrap up; to bundle up: *La avviluppò nel suo cappotto*, he wrapped her in his coat **2** (*ingarbugliare*) to tangle up; to entangle Ⓑ **avviluppàrsi** v. rifl. (*avvolgersi*) to wrap oneself up Ⓒ **avviluppàrsi** v. i. pron. (*ingarbugliarsi, anche fig.*) to get* confused (*o* mixed up).

avvinàre v. t. to rinse with wine.

avvinazzàto a. (*fam. spreg.*) drunk; drunken; boozy (*slang*): **un vecchio a.**, an old drunkard; **voce avvinazzata**, drunken voice.

avvincènte a. (*attraente*) engaging; winning; charming; captivating; (*catturante*) engrossing; gripping.

avvincere v. t. **1** (*legare*) to bind*; (*stringere*) to clasp **2** (*fig.: attrarre*) to charm; to captivate **3** (*fig.: assorbire*) to engross; to grip.

avvinghiàre Ⓐ v. t. to clutch; to grasp; (*avvolgendosi*) to coil round: *Gli avvinghiai un braccio*, I clutched his arm; *Il serpente gli avvinghiò una caviglia*, the snake coiled round his ankle Ⓑ **avvinghiàrsi** v. i. pron. to cling* (to); (*avvolgendosi*) to wind* oneself (round), to coil (round): *Il bimbo si avvinghiò alla madre*, the child clung to his mother; *avvinghiarsi al collo di q.*, to throw one's arms round sb.'s neck; *Erano avvinghiati in una lotta disperata*, they were locked in a desperate struggle.

avvinto a. (*fig.*) fascinated; spellbound: **tenere avvinta l'attenzione di q.**, to hold sb.'s attention.

avvìo m. **1** start; beginning: **avere un buon a.**, to get off to a good start; **dare l'a. a qc.**, to start st. off; to get* st. going; to touch off st.: **dare l'a. a una discussione**, to start off a debate; *La sua dichiarazione diede l'avvio a una raffica di domande*, his statement sparked off a barrage of questions; **prendere l'a.**, to start off; to get going; to get under way **2** (*comm., di un'impresa*) start-up; **costi di a.**, start-up costs **3** (*comput., di programma*) start-up.

avvisàglia f. (*indizio*) sign; inkling; symptom: **avvisaglie di ripresa**, signs of recovery.

♦**avvisàre** v. t. **1** (*informare*) to inform; to let* (sb.) know; to tell*; to notify: **a. i passeggeri di un ritardo**, to inform passengers of a delay; **a. la polizia**, to notify the police; *Avvisami del tuo arrivo*, let me know when you arrive; *L'ho avvisato di venire da te domani*, I told him to call on you tomorrow **2** (*mettere in guardia*) to warn; to alert; to give* warning: *Sei avvisato!*, you've been warned! ● (*prov.*) **Uomo avvisato, mezzo salvato**, forewarned is forearmed.

avvisatóre m. (*segnale d'allarme*) warning signal; alarm: **a. acustico**, horn; hooter; **a. d'incendio**, fire alarm.

avvìso m. **1** (*avvertimento*) warning, notice; (*annuncio, comunicazione*) announcement, communication, (*scritto*) notice, note, advice (*form. o bur.*): (*editoria*) **a. al lettore**, foreword; **a. ai naviganti**, notice to mariners; (*naut.*) **a. di burrasca**, gale warning; (*telef.*) **a. di chiamata**, call waiting; (*il servizio*) call waiting service; (*comm.*) **a. di consegna**, delivery note; (*leg.*) **a. di garanzia**, notifica-

tion that one is under investigation; notification of investigation; **a. di pericolo**, warning; (*comm.*) **a. di ricevuta**, acknowledgment of receipt; **a. di sfratto**, eviction notice; (*comm.*) **a. di spedizione**, advice of despatch; shipping notice; **dare a. di qc.**, to give notice of st.; **dare un a.**, to make an announcement; **esporre un a.**, to put up a notice; **pubblicare un a.**, to publish an announcement; **fino a nuovo a.**, until further notice **2** (*opinione*) opinion; view: **a mio a.**, in my opinion; *Io sono dell'a. di aspettare*, in my opinion (*o* I think) we should wait; **essere dello stesso a. di q.**, to share the same views as sb.; to agree with sb.; **essere di a. contrario**, to hold the opposite view; to disagree ● **mettere sull'a.**, to caution; to forewarn □ **stare sull'a.**, to be on one's guard (*o* on the alert).

avvistaménto m. (*anche naut.*) sighting.

avvistàre v. t. to sight (*anche naut.*); to catch* sight of; to spot: **a. terra**, to sight land; *All'alba avvistammo la fregata*, at dawn we sighted the frigate; *Lo avvistai tra la folla*, I caught sight of him in the crowd.

avvitaménto m. **1** (*l'avvitare*) screwing **2** (*aeron.*) spin **3** (*sport*) spin; (*tuffi*) twist.

avvitàre① Ⓐ v. t. to screw: **a. una lampadina**, to screw in a bulb; **a. il coperchio di una cassa**, to screw down the lid of a crate; **a. il coperchio su un barattolo**, to screw the lid onto a jar; **a. una vite**, to drive in a screw; **a. qc. a fondo**, to screw st. tight; to tighten st. Ⓑ **avvitàrsi** v. i. pron. **1** (*di vite, bullone*) to screw in; (*di dado, coperchio, ecc.*) to screw on **2** (*aeron.*) to go* into a spin.

avvitàre② v. t. (*sartoria*) to tighten at the waist.

avvitàta f. **1** twist; screw; turn: *Dagli un'altra a.*, give it another twist **2** (*aeron.*) spin.

avvitàto① a. **1** (*di vite, bullone*) screwed in; (*di dado, coperchio, ecc.*) screwed on **2** (*di tuffo*) twist (attr.).

avvitàto② a. (*di vestito*) tight-waisted; shaped at the waist.

avvitatóre m. e **avvitatrice** f. (*mecc.*) electric screwer.

avvitatùra f. screwing; tightening: **procedere all'a. dei bulloni**, to tighten the bolts; **verificare l'a.**, to check the screws.

avviticchiàre Ⓐ v. t. to twine; to twist Ⓑ **avviticchiàrsi** v. i. pron. **1** (*avvolgersi*) to twine; to twist **2** (*stringersi*) to cling* (to).

avvivàre Ⓐ v. t. **1** (*lett.*) to animate; to revive **2** (*fig.: animare*) to enliven, to vivify; (*ravvivare*) to brighten: **a. la conversazione**, to enliven the conversation Ⓑ **avvivàrsi** v. i. pron. (*fig.*) to brighten up; to grow* animated.

avvizziménto m. withering; shrivelling; fading.

avvizzire Ⓐ v. t. to wither; to shrivel up Ⓑ v. i. **1** (*di fiore*) to wilt; to wither **2** (*fig.: appassire*) to wither; to fade **3** (*fig.: languire*) to wilt; to languish.

avvizzito a. withered; shrivelled; faded: **fiori avvizziti**, withered flowers; **guance avvizzite**, wizened cheeks; **bellezza avvizzita**, faded beauty.

avvocàta f. **1** (*protettrice*) protectress; advocate **2** → **avvocato**.

avvocatésco a. lawyer's (attr.); legal; (*spreg.*) pettifogging.

avvocatéssa f. **1** (woman*) lawyer; → **avvocato 2** (*fig. spreg.*) argumentative woman*.

avvocaticchio m. (*spreg.*) pettifogger.

♦**avvocàto** m. **1** lawyer; counsel*; (*in GB*) solicitor (*procuratore legale e patrocinante nelle corti inferiori*), barrister (*patrocinante nelle*

corti *superiori*); (*in USA*) attorney-at-law, counselor: **a. dell'accusa**, counsel for the prosecution; prosecutor; **a. della difesa**, counsel for the defence; **a. d'ufficio**, counsel appointed by the Court; **consultare un a.**, to consult a lawyer; to seek legal advice **2** (*fig.*: *patrocinante*) advocate; defender **3** (*fig.*: *intercessore*) intercessor ● **a. delle cause perse**, defender of lost causes □ (*eccles.* e *fig.*) **a. del diavolo**, devil's advocate □ (*fig.*) **essere a. in causa propria**, to defend one's own interests □ **parlare come un a.**, to be a slick talker □ **saperne quanto un a.**, to know all the tricks.

avvocatùra f. **1** (*professione*) legal profession; (the) Bar: **esercitare l'a.**, to practise law **2** (*complesso degli avvocati*) (the) Bar.

avvolgènte a. **1** enveloping; encircling; surrounding: **manovra a.**, enveloping manoeuvre; (*stereofonia*) **suono a.**, surround sound **2** (*di vestito e sim.*) roomy; (*che gira intorno al corpo*) wrap-around (attr.), wrap-over (attr.): **cappotto a.**, roomy coat **3** (*di sedile*) comfortable; snug: **poltrona a.**, snug armchair.

♦**avvòlgere** Ⓐ v. t. **1** (*girare intorno*) to wind*; (*arrotolare*) to roll up, (*in spire, ecc.*) to coil (up): **a. una corda intorno a un palo**, to wind a rope round a pole; **a. un tappeto**, to roll up a carpet; **a. una corda**, to coil (up) a rope **2** (*avviluppare*) to wrap (up); to envelop (*anche fig.*): **a. q. in una coperta**, to wrap sb. (up) in a blanket; **a. un libro in carta da regalo**, to wrap (up) a book in gift paper; *Eravamo avvolti dall'oscurità* Ⓑ **avvòlgersi** v. rifl. e i. pron. **1** (*avvilupparsi*) to wrap oneself up **2** (*attorcigliarsi*) to twine; to wind* (oneself); to coil.

avvolgìbile Ⓐ a. roll-up (attr.); roller (attr.): **tendina a.**, roll-up blind; roller blind Ⓑ m. (*persiana*) roll-up shutter; (*tendina*) roll-up (o roller) blind.

avvolgimènto m. **1** wrapping up; rolling up; winding **2** (*fis., elettr.*) winding **3** (*di bobina*) coil-winding **4** (*di molla*) coiling **5** (*cinem.*) winding **6** (*ind. tess.*) taking up **7** (*mil.*) envelopment.

avvolgitóre Ⓐ m. **1** (f. **-trìce**) winder; (*in un involucro*) wrapper **2** (*tecn.*) winder **3** (*cinem.*) take-up spool Ⓑ a. winding; take-up (attr.): **bobina avvolgitrice**, take-up spool; **meccanismo a.**, winding mechanism.

avvòlto a. wrapped up; enveloped; (*fig., anche*) shrouded: **a. nel mistero [nella nebbia]**, shrouded in mystery [in fog].

avvoltóio m. **1** (*zool., Aegypius monachus*) vulture **2** (*zool.*) – **a. dal collo rosso** (*Cathartes aura*), turkey buzzard (o turkey vulture); **a. degli agnelli** (*Gypaëtus barbatus*), bearded vulture; lammergeier **3** (*fig.*) vulture; predator; scavenger.

avvoltolàre Ⓐ v. t. to wrap up; to bundle up; (*arrotolare*) to roll up Ⓑ **avvoltolàrsi** v. rifl. to roll; to wallow: **avvoltolarsi nel fango**, to wallow in mud.

axiologìa f. (*filos.*) axiology.

ayurvèdico a. (*med.*) Ayurvedic.

azalèa f. (*bot., Azalea*) azalea.

azeotropìa f. (*chim.*) azeotropy.

azeotròpico a. (*chim.*) azeotropic.

Azerbaigiàn m. (*geogr.*) Azerbaijan.

azerbaigiàno a. e m. (f. **-a**) Azerbaijani.

azèro m. (f. **-a**) Azeri.

azerty a. inv. (*comput.*) **tastiera a.**, French (o AZERTY) keyboard.

aziènda f. firm; concern; company; business; establishment; enterprise: **a. agricola**, farm; **a. bene avviata**, going concern; **a. di servizio pubblico**, public utility; **a. familiare**, family business (o concern); **a. lea-**der, leading company; **a. municipalizzata**, city-owned enterprise; **a. privata**, private concern; privately-owned enterprise; **a. pubblica**, state-owned enterprise; **a. sanitaria locale**, health authority; **a. vinicola**, wine-producing firm; winery; **aprire un'a.**, to start up a business; **chiudere un'a.**, to close down a firm (o a business); **gestire un'a.**, to manage (o to run) a business.

aziendàle a. business (attr.); firm (attr.); company (attr.); corporate: **economia a.**, business economics; **gestione a.**, business management; **mensa a.**, canteen; **organizzazione a.**, business administration; **politica a.**, company (o corporate) policy; **pubblicazione a.**, house organ; **regolamento a.**, company regulations; **spaccio a.**, company store.

aziendalìsmo m. tendency to favour the corporate sector; tendency to favour one's company; company loyalty.

aziendalìsta Ⓐ m. e f. **1** (*studioso di economia aziendale*) business economist **2** company man* (f. company woman*) Ⓑ a. company (attr.); corporate; business (attr.).

aziendalìstico a. **1** company-oriented **2** company (attr.); corporate; business (attr.).

àzimut m. (*astron.*) azimuth: **a. magnetico**, magnetic azimuth.

azimutàle a. (*astron.*) azimuthal.

azionàbile a. that can be operated.

azionaménto m. activation; operation; working ● (*mecc.*) **dispositivo d'a.**, driving gear.

azionàre v. t. (*mecc.*) to operate; to activate; to set* in motion; to drive*; to run*; to work: **a. l'allarme**, to activate the alarm; (*autom.*) **a. i freni**, to apply the brakes; **a. una leva**, to move (o to operate, to throw) a lever; **a. un motore**, to start an engine; **una macchina azionata dal vapore**, a steam-driven machine; **azionato da un pistone**, worked (o moved) by a piston.

azionariàto m. (*fin.*) **1** shareholding **2** (*gli azionisti*) shareholders (pl.) ● **società ad a. diffuso**, public (o publicly-owned) company.

azionàrio a. (*fin.*) share (attr.); stock (attr.): **capitale a.**, share capital.

♦**azióne**① f. **1** (*l'agire*) action: **libertà d'a.**, freedom of action; **un uomo d'a.**, a man of action **2** (*atto*) action; deed; act; gesture: **buona a.**, good deed; **a. generosa**, generous act (o gesture); *Ciascuno è figlio delle proprie azioni*, we are all judged by our deeds **3** (*funzionamento, effetto*) action; effect: **l'a. di un acido**, the action of an acid; **sotto l'a. dell'anestesia**, under the effect of the anaesthetic; **mettere in a. una macchina**, to operate a machine; **ad a. lenta [rapida]**, slow-acting [fast-acting] **4** (*letter.: intreccio*) action: **l'a. del romanzo**, the action of the novel; **unità d'a.**, unity of action **5** (*mil.*) action; (*scontro*) engagement; (*battaglia*) battle: **un'a. di guerra**, a military action; *L'a. fu breve e brillante*, it was a short and highly successful engagement **6** (*leg.*) action; lawsuit; proceedings (pl.): **intentare un'a. legale contro q.**, to take legal action against sb.; to sue sb.; **a. civile [penale]**, civil [penal] action; **a. di rivalsa**, recourse; **a. giudiziaria**, judicial action; **a. personale [reale]**, personal [real] action; **a. riconvenzionale**, cross action; counteraction **7** (*fis.*) action **8** (*sport*) action ● (*cinem.*) **A.!**, action! □ (*autom., mecc.*) **a. frenante**, braking □ (*teatr.*) **a. mimica**, business □ (*chim.*) **a. reciproca**, interaction □ **a. sindacale**, strike □ **entrare in a.**, to go into action (*anche mil.*); (*fig.*) to come into play □ **essere in a.**, to be active; (*funzionare*) to be in operation, to be operating (o working) □ **romanzo d'a.**, action-packed novel.

♦**azióne**② f. (*fin.*) share; (al pl., anche) stock Ⓤ: **a. al portatore**, bearer share; **a. di risparmio**, savings share; **a. gratuita**, bonus share; **a. liberata**, paid-up share; **a. nominativa**, registered share; **a. ordinaria** [**privilegiata**], ordinary [preferred o preference] share; **azioni quotate in borsa**, listed (o quoted) shares; **emettere azioni**, to issue shares; **investire in azioni**, to invest in shares; **sottoscrivere azioni di una società**, to subscribe (o to buy) shares in a company.

azionìsta① m. e f. (*fin.*) shareholder; stockholder: **a. di maggioranza** [**minoranza**], majority [minority] shareholder; **a. di riferimento**, controlling shareholder; **assemblea degli azionisti**, shareholders' meeting.

azionìsta② m. e f. (*stor.*) member of the Partito d'Azione (1942-47).

azionìstico → azionario.

azocolorànte m. (*chim.*) azo dye.

azocompósto m. (*chim.*) azo compound.

azòico① a. (*geol.*) azoic.

azòico② a. (*chim.*) azo (attr.).

azònio m. (*chim.*) azo group.

azoospermìa f. (*med.*) azoospermia.

azorubìna f. (*chim.*) carmoisine; azorubine.

azotàto a. (*chim.*) nitrogenous.

azotemìa f. (*med.*) azotaemia.

azòto m. (*chim.*) nitrogen.

azotùria f. (*med.*) azoturia.

aztèco a. e m. (f. **-a**) Aztec.

azulène m. (*chim.*) azulene.

àzza f. battle axe.

azzannàre v. t. to sink* one's teeth (o fangs) into; to bite*; to savage: *Il cane azzannò la carne*, the dog sank its teeth into the meat; *Fu azzannato da una tigre*, he was savaged by a tiger.

azzannàta f. **1** (*morso*) bite **2** (*segno*) tooth mark; gash.

azzardàre Ⓐ v. t. **1** (*mettere a repentaglio*) to risk; to hazard; to stake **2** (*proporre timidamente*) to venture; to hazard: **a. un commento**, to venture a comment Ⓑ **azzardàrsi** v. i. pron. (*osare*) to dare*; (*arrischiarsi*) to venture: *Non azzardarti a rispondere!*, don't you dare (to) answer!

azzardàto a. **1** (*rischioso*) risky; hazardous; wild **2** (*avventato*) rash; reckless.

azzàrdo m. **1** (*rischio*) hazard; risk **2** (*azione imprudente*) unwise action; reckless action: *È stato un a. andare da soli*, it was reckless to go alone **3** (*caso*) chance: **gioco d'a.**, game of chance; **giocare d'a.**, to gamble.

azzardóso a. **1** (*di cosa*) risky; hazardous; dicey (*fam.*) **2** (*di persona*) daring; reckless.

azzeccagarbùgli m. inv. (*spreg.*) second-rate shyster (o lawyer).

azzeccàre v. t. **1** (*indovinare*) to guess; to get* (st.) right; to hit* on: **a. la risposta**, to guess right; to get the right answer; **a. il momento giusto**, to hit on the right moment **2** (*vincere*) to win*; to draw*: **a. un numero al lotto**, to draw a winning number in the lottery; **a. un tredici**, to win the pools **3** (*centrare*) to hit* fair and square; (*fig.*) to hit* on: **a. qc. in pieno**, to hit st. spot on; (*fig., anche*) to hit the nail on the head ● (*fam.*) **azzeccarci**, to get it; to guess right: *Bravo! ci hai azzeccato!*, well done! you've got it! □ **azzeccarla**, to hit the mark □ **non azzeccarla**, to miss; to be wide of the mark □ **Non ne azzecca mai una**, (*sbaglia sempre*) he always gets things wrong; he never gets anything right; (*è sfortunato*) he's always out of luck.

azzeccàto a. **1** (*giusto*) just right; perfect; spot-on (*fam.*): **risposta azzeccata**, perfect answer **2** (*ben mirato*) well-aimed; (*ben scelto*) well-timed, well-chosen: **un colpo a.**, a well-aimed blow; **un momento a.**, a well-timed moment; **un colore a.**, a well-chosen colour.

azzeramento m. setting to (*o* at) zero; zeroing; resetting to (*o* at) zero: **a. automatico**, self-zeroing; self-reset.

azzeràre v. t. **1** to set* to (*o* at zero); to zero; to reset to (*o* at zero) **2** (*elettron.*) to clear.

azzeruòlo → lazzeruolo.

àzzima f. unleavened bread Ⓤ.

azzimàre Ⓐ v. t. to spruce up; to deck out Ⓑ **azzimàrsi** v. rifl. to spruce (oneself) up; to deck oneself out.

azzimàto a. spruce; trim; dapper; natty.

àzzimo Ⓐ a. unleavened Ⓑ m. unleavened

bread.

azzittire Ⓐ v. t. to hush; to shush; to silence; to shut* up (*fam.*) Ⓑ **azzittirsi** v. i. pron. to fall* silent; to shut* up (*fam.*).

azzonamento m. (*urbanistica*) zoning.

azzoppamento m. **1** (*l'azzoppare*) laming **2** (*l'azzopparsi*) becoming lame.

azzoppàre, **azzoppire** Ⓐ v. t. to lame; to cripple Ⓑ **azzoppàrsi**, **azzoppirsi** v. i. pron. to become* lame.

Azzòrre f. pl. (*geogr.*) (the) Azores.

azzuffàrsi v. i. pron. to come* to blows; to fight*; to scuffle.

azzurràbile a., m. e f. (*sport*) (athlete) eligible for the Italian national team.

azzurràggio m. (*chim.*) blueing.

azzurraménto m. (*fis.*) blueing.

azzurràre Ⓐ v. t. to blue Ⓑ **azzurràrsi** v. i. pron. to become* (*o* to turn) blue.

azzurràto a. blue-tinted: **lenti azzurrate**, blue-tinted lenses.

azzurrino a. e m. pale (*o* light) blue.

azzurrità f. **1** blueness **2** (*lett.*) azure; clear blue sky; blue expanse of the sky.

azzurrite f. (*miner.*) azurite.

◆**azzùrro** Ⓐ a. **1** blue: **occhi azzurri**, blue eyes; **mare a.**, blue sea **2** (*sport*) of the Italian national team; Italian: **gli sciatori azzurri**, the Italian ski champions ● **il Principe A.**, (*nelle favole*) Prince Charming; (*fig.*) Mr Right Ⓑ m. **1** blue: **a. cielo**, sky blue; **a. polvere**, powder blue **2** (*sostanza colorante*) blue **3** (*poet.*: *cielo*) sky; azure **4** (f. **-a**) (*sport*) Italian athlete; Italian player: **gli azzurri**, the Italian (national) team **5** (*polit.*) supporter of the political party «Forza Italia».

azzurrógnolo a. bluish.

b, B

B ①, **b** f. o m. (*seconda lettera dell'alfabeto ital.*) B, b ● (*telef.*) **b come Bologna**, b for Bravo □ (*sport*) **serie B**, Serie B; (*in GB*) the Championship; (*fig.*) **di Serie B**, second-rate □ **vitamina B**, vitamin B.

B ② sigla **1** (*meteor.*, **bassa pressione**) low pressure **2** (*relig.*, **beato**) blessed **3** (*scacchi*, **bianco**) white.

BA abbr. **1** (**Bari**) **2** (**Belle Arti**) Fine Arts.

babà m. (*cucina*) baba: **b. al rum**, rum baba.

babàco m. (*bot.*, *Carica pentagona*) babaco.

babàu m. bogeyman*; bogey.

babbèo Ⓐ a. foolish; stupid; goofy (*USA*) Ⓑ m. idiot; fool; booby; chump; clot (*GB*); dummy (*USA*); sucker; goof (*USA*).

♦**bàbbo** m. father; dad (*fam.*), daddy (*fam.*); pop (*fam. USA*); pa (*fam. USA*) ● **B. Natale**, Father Christmas; Santa Claus; Santa (*fam.*).

babbùccia f. **1** (*calzatura orientale*) Turkish slipper; babouche **2** (*pantofola*) slipper; mule **3** (*per neonato*) bootee.

babbuíno m. **1** (*zool.*, *Papio cynocephalus*) baboon **2** (*spreg.*) fool; moron.

Babèle f. (*stor.*) Babel: **la torre di B.**, the Tower of Babel.

babèle f. (*confusione*) chaos Ⓤ; babel; bedlam Ⓤ; pandemonium Ⓤ: **una b. di voci**, a babel of voices; *L'ufficio era una b.*, in the office there was total bedlam.

babèlico a. **1** (*lett.*) of Babel **2** (*fig.*) chaotic.

babilonése a., m. e f. Babylonian.

Babilònia f. (*geogr.*, *stor.*) Babylon.

babilònia → **babele**.

babilònico a. **1** Babylonian **2** (*fig. lett.*) opulent and corrupt; Babylonian.

babirùssa m. (*zool.*, *Babirussa babirussa*) babirusa.

babòrdo m. (*com. per il termine naut. «sinistra»*) port; → **sinistra**, def. 2.

baby (*ingl.*) Ⓐ m. e f. inv. baby Ⓑ a. inv. **1** (*per bambini*) children's (*attr.*): **moda b.**, children's fashion; babyware **2** (*piccolo*) baby (*attr.*).

baby-doll (*ingl.*) m. inv. short nightdress; (*pigiama*) baby-doll pyjamas (*USA* pajamas) (pl.).

baby gang f. inv. child gang; juvenile gang.

baby killer m. e f. inv. juvenile killer.

baby parking (*ingl.*) m. inv. crèche (*franc.*).

baby-sitter (*ingl.*) m. e f. inv. baby-sitter; sitter: **fare la** (*o da*) **baby-sitter a q.**, to baby-sit sb.

babysitteràggio m. baby-sitting Ⓤ; childminding Ⓤ.

bacàre Ⓐ v. t. to corrupt (morally); to rot Ⓑ v. i. e **bacàrsi** v. rifl. pron. to become* worm-eaten (*o* wormy); (*marcire*) to rot, to go* bad.

bacàto a. **1** worm-eaten; wormy; (*marcio*) rotten: **mela bacata**, wormy apple **2** (*fig.*) morally corrupt; rotten ● (*fam.*) **avere il cervello b.**, to be crazy; to be nuts.

bacatùra f. decay; rotting.

bàcca f. (*bot.*) berry.

baccagliàre v. i. (*fam.*) to squabble; to brawl.

baccalà m. **1** dried salt cod **2** (*fig.*: *persona stupida*) lump; loon; prat (*GB*) **3** (*fig.*: *persona magra*) beanpole (*fam.*) ● **stare lì come un b.**, to stand there like a stuffed owl.

baccalaureàto m. **1** (*titolo*) bachelor's degree; baccalaureate (*form.*) **2** (*persona*) bachelor.

baccanàle m. **1** (*al pl.*) (*stor.*) Bacchanalia **2** (*fig.*) revelry; orgy.

baccàno m. **1** noise; racket; din: **fare b.**, to make a noise (*o* a racket); *Smettetela di fare b.!*, stop that racket! **2** (*fig.*: *clamore*) fuss; stink (*fam.*): **fare b.**, to make a fuss; to create a stink.

baccànte f. (*anche fig.*) Bacchante; maenad.

baccarà m. baccarat.

baccarat (*franc.*) m. inv. Baccarat glass.

baccellieràto (*lett.*) → **baccalaureato**.

baccellière m. **1** (*stor.*: *aspirante cavaliere*) bachelor-at-arms **2** (*stor.*: *titolo accademico*) bachelor.

baccèllo m. (*bot.*) (seed) pod; hull.

♦**bacchétta** f. **1** stick; rod; cane: **b. divinatoria**, divining rod; **b. magica**, (magic) wand **2** (*mus.*, *di direttore d'orchestra*) baton; (*di tamburo*) drumstick **3** (*per usi speciali: di pittore*) maulstick; (*per indicare*) pointer; (*per punire*) ferule, ruler; (*nella cucina cinese*) chopstick; (*di saldatura*) welding iron; (*di fucile*) ramrod ● **comandare a b.**, to order (sb.) about.

bacchettàre v. t. **1** to rap (with a stick); to cane: **b. q. sulle mani**, to rap sb. over the hand **2** (*fig.*) to rap; to rap over the knuckles.

bacchettàta f. **1** rap (with a stick): **b. sulle dita**, rap over the knuckles **2** (*fig.*) knuckle-rapping: **prendersi una b.**, to be rapped over the knuckles.

bacchétto m. **1** stick **2** (*della frusta*) whip handle.

bacchettóne m. (f. **-a**) **1** (*bigotto*) churchy person; religious person; religionist **2** (*ipocrita*) sanctimonious person; pharisee; bluenose (*fam. USA*).

bacchettonería f. **1** (*bigottismo*) churchiness; religionism **2** (*ipocrisia*) sanctimoniousness; pharisaism.

bacchiàre v. t. (*agric.*) to beat* down (*nuts, olives, etc.*) with a pole.

bacchiatùra f. (*agric.*) (*delle noci*) nut gathering; (*delle olive*) olive gathering.

bàcchico a. Bacchic.

bàcchio m. long pole (for beating down fruit).

baccìfero a. (*bot.*) bearing berries (pred.).

baccifórme a. berry-shaped; bacciform.

Bàcco m. (*mitol.*) Bacchus ● **corpo di B.!**, by Jove! □ **Per B.!** → **perbacco**.

bàcco m. (*scherz.*) (wine) drinking; the bottle (*fam.*): *È dedito a b.* (*o* devoto di b.), he's a tippler; he's fond of the bottle; **indulgere a b.**, to be fond of the bottle.

bachèca f. **1** (*vetrina*) display cabinet; glass showcase **2** (*per avvisi*) noticeboard; bulletin board (*USA*).

bachelite® f. (*chim.*) Bakelite®.

bacheròzzo m. **1** (*verme*) worm; grub; maggot **2** (*region.*: *scarafaggio*) cockroach; roach (*fam. USA*).

bachicoltóre m. (f. **-trice**) sericulturist; silkworm breeder; silk grower.

bachicoltùra f. sericulture; silkworm breeding; silk growing.

baciamàno m. hand-kissing: **fare il b.**, to kiss (sb.'s) hand.

baciapìle m. e f. inv. (*spreg.*) over-devout person; sanctimoniously religious person; religionist.

♦**baciàre** Ⓐ v. t. **1** to kiss; (*in fretta*) to peck (*fam.*): **b. q. sulle labbra**, to kiss sb. on the mouth; **b. la mano a q.**, to kiss sb.'s hand; *Mi baciò frettolosamente*, he pecked me on the cheek **2** (*fig. lett.*: *sfiorare*) to touch lightly; to brush; to kiss; (*lambire*) to lap ● (*fig.*) **b. la terra dove uno passa**, to worship the ground sb. walks on □ **La fortuna l'ha baciato in fronte**, fortune smiled on him □ **Bacio le mani!**, your servant! Ⓑ **baciàrsi** v. rifl. recipr. to kiss (each other, one another) Ⓒ **baciàrsi** v. i. pron. (*fig.*: *toccarsi*) to meet*; (*combaciare*) to fit together.

bacìle m. washbasin; basin; handbasin (*GB*).

bacillàre a. (*biol.*) bacillary; bacillar.

bacillifórme a. bacilliform; rod-shaped.

bacìllo m. **1** (*biol.*) bacillus* **2** (*zool.*, *Bacillus rossii*) stick insect.

bacinèlla f. **1** basin; bowl; (*per lavarsi*) washbasin **2** (*il contenuto*) basinful: **una b. d'acqua**, a basinful of water **3** (*fotogr.*) tray; dish.

bacinétto m. **1** (*mil. stor.*) basinet; basnet **2** (*anat.*) renal pelvis.

bacìno m. **1** (*recipiente*) basin; bowl **2** (*geogr.*) basin; area: **il b. dell'Arno**, the Arno basin; **b. idrografico**, catchment area (*o* basin); drainage basin **3** (*metall.*) basin **4** (*naut.*) dock; basin: **b. a marea**, tidal basin (*o* dock); **b. di carenaggio**, dry dock; **b. di costruzione**, shipbuilding dock; **b. galleggiante**, floating dock; **entrare in b.**, to dock; **mettere in b.**, to dock; **diritti di b.**, dockage (sing.); dock dues; **prova in b.**, dock trial **5** (*idraul.*) reservoir: **b. compensatore**, regulating reservoir; **b. idroelettrico**, hydroelectric reservoir **6** (*geol.*) field: **b. carbonifero**, coal field **7** (*anat.*) pelvis ● (*miner.*) **b. di pompaggio**, sump □ (*amm.*) **b. di utenza**, catchment area.

♦**bàcio** ① m. kiss; (*sonoro, con lo schiocco*) smack, smacker; (*frettoloso*) peck (*fam.*): **b. d'addio**, parting kiss; **b. della buonanotte**, goodnight kiss; **dare a q. il b. della buonanotte**, to kiss sb. goodnight; **b. della pace**, kiss of peace; **dare un b.**, to give a kiss; **scambiarsi baci**, to kiss (each other); **schioccare un b.**, to smack a kiss; *Le stampò un b. sulla guancia*, he planted a kiss on her cheek ● (*fig.*) **b. della morte**, kiss of death □ (*fig.*) **b. di Giuda**, Judas kiss □ **baci e abbracci**, hugs and kisses; hugging and kissing □ (*fam.*) **al b.**, perfect (agg.); excellent (agg.); beautiful (agg.); perfectly (avv.);

b

to a T (avv.); (di cibo) done to a turn (pred.) □ **coprire** (o **mangiare**) **q. di baci**, to smother sb. with kisses.

bacio② m. place facing north: **a b.**, facing north.

backstage m. inv. (ingl., anche fig.) everything that happens behind the scenes; what goes on backstage; behind-the-scenes goings-on.

backup (ingl.) m. **1** (copia) backup (copy) **2** (sistema) backup (system).

bàco m. **1** worm: **b. da seta**, silkworm; **avere il b.**, to be worm-eaten; to be wormy **2** (fam.: larva) grub; maggot **3** (comput., fam.) bug **4** (fig.) obsession; bug.

bacologìa f. sericulture.

bacològico a. sericultural.

bacòlogo m. (f. **-trice**) sericulturist.

Bacóne m. (filos.) Bacon.

baconiàno a. (filos.) Baconian.

bactèrio e deriv. → **batterio**, e deriv.

bacùcco Ⓐ a. (anche **vecchio b.**) ancient; (di cosa, anche) decrepit Ⓑ m. (old) dodderer.

bàda f. – **tenere a b.**, to hold (o to keep) at bay; to hold off; (con un'arma) to cover.

badalóne m. (eccles.) (great) lectern.

badànte Ⓐ a. caring Ⓑ m. e f. carer.

♦**badàre** Ⓐ v. i. **1** (fare attenzione) to mind (st.); to pay* attention (to); to take* notice (of); (nelle esortazioni, anche) to be careful (of), to take* care (of), to watch (st.): Non b. al disordine, pay no attention to the mess; Nessuno badava a me, no one was paying any attention to (o taking any notice of) me; Bada a quel che fai!, mind (o be careful) what you do!; Bada di non romperlo!, be careful not to break it!; mind you don't break it! Bada che c'è una buca!, mind the hole!; Non badargli, don't mind him **2** (dare ascolto) to pay* attention (to); to listen (to): Bada a quel che ti dico!, pay attention to what I'm saying!; Badate alle mie parole!, mark my words!; Bada bene!, mark well! **3** (occuparsi, prendersi cura di) to look (after); to mind (st.); to take* care (of); to tend (st.); (tenere d'occhio) to watch (st.), to keep* an eye (on), to tend (to): **b. alla casa**, to run the house; (essere casalinga) to be a housewife; **b. ai figli**, to look after one's children; **b. al fuoco**, to tend to the fire; **b. al giardino**, to tend the garden; **b. ai propri interessi**, to look after one's own interests; **b. ai preparativi**, to take care of the arrangements; **b. alla propria salute**, to take care of (o to look after) one's health; Chi c'è che bada a lui?, who is looking after him? **4** (custodire animali) to tend (st.); to look after: I pastori buduvano le greggi, the shepherds were tending their flocks ● **b. ai fatti propri**, to mind one's own business; to think of oneself: Bada ai fatti tuoi, mind your own business □ **b. a sé stesso**, to look after oneself; to take care of oneself □ **b. solo al mangiare**, to be only interested in eating □ **Bada solo a divertirsi**, she only thinks of enjoying herself □ **Bada, io non ti ho detto niente**, I never said a word to you, mind you □ (come minaccia) **Bada, eh!**, watch it! □ **non b. a spese**, to spare no expense ● **senza b. ai pericoli** [**alle spese**], regardless of danger [of expenses] Ⓑ v. t. **1** (sorvegliare) to look after; to watch over **2** (custodire) to tend.

badéssa f. abbess; Mother Superior.

badìa f. abbey.

badiàle a. (lett.) **1** abbatial **2** (fig.: spazioso) huge; vast **3** (fig.: gioviale) jovial; genial; good-tempered.

badilànte m. labourer; navvy (GB).

badilàta f. **1** (colpo) blow with a shovel **2** (quantità) shovelful.

badile m. shovel.

badinage (franc.) m. inv. (mus.) badin-

erie.

baffétti m. pl. clipped moustache (sing.).

♦**bàffo** m. **1** moustache (generalm. sing.); (di animale) whisker: **baffi spioventi** [**a manubrio, a tortiglione**], drooping [handlebar, twisted] moustache; **un paio di baffi**, a moustache; **lasciarsi crescere i baffi**, to grow a moustache; **portare i baffi**, to wear a moustache **2** (fig.: sbavatura) smear; smudge **3** (fig.: onda di prora) bow wave **4** (autom.) front spoiler ● (fig. fam.) **coi baffi**, splendid; first-class □ (fig.) **leccarsi i baffi**, to lick one's lips □ **da leccarsi i baffi**, delicious; scrumptious; yummy (fam.) □ (fam.) **Mi fa un b.**, I couldn't care less; it's no skin off my nose □ **ridere sotto i baffi**, to laugh up one's sleeve.

baffùto a. moustached; (di animale) whiskered.

♦**bagagliàio** m. **1** (ferr.) luggage van; baggage car (USA) **2** (deposito bagagli) left luggage (office); checkroom (USA) **3** (aeron.) luggage compartment **4** (autom.) boot (GB); trunk (USA).

♦**bagàglio** m. **1** luggage Ⓤ; baggage Ⓤ (USA); (spec. pl.): **b. a mano**, hand luggage; **b. appresso**, accompanied luggage; **disfare i bagagli**, to unpack; **fare i bagagli**, to pack; (fig.) to pack one's bags; Sono pronti i tuoi bagagli?, are you packed?; **ritirare il b.** (in aeroporto, ecc.), to claim one's luggage; **deposito bagagli**, left luggage (office); checkroom (USA) **2** (fig.) store; fund; wealth: **un b. di cognizioni**, a fund (o a store) of knowledge; **b. di esperienze**, wealth of experience; **b. di ricordi**, store of memories; **b. culturale**, education.

bagarinàggio m. (ticket) touting (GB); scalping (USA).

bagarino m. (ticket) tout (GB); scalper (USA).

bagarre (franc.) f. inv. **1** row; brawl **2** (sport) scrimmage.

bagàscia f. (volg.) whore; slut; trollop; harlot (fam.).

bagàssa f. bagasse.

bagattèlla, bagatèlla f. **1** trifle; bagatelle **2** (mus.) bagatelle **3** (gioco) bagatelle.

bagàtto m. (tarocchi) Juggler.

baggianàta f. **1** (discorso sciocco) stupid remark; nonsense Ⓤ; rubbish Ⓤ: Che b.!, what a stupid thing to say!; what nonsense!; **dire baggianate**, to talk rubbish **2** (azione sciocca) stupid thing: **fare una b.**, to act stupidly; to do a stupid thing.

baggiàno Ⓐ a. stupid; foolish Ⓑ m. (f. **-a**) fool; idiot; simpleton.

Baghdad f. (geogr.) Baghdad.

baghétta f. (di calza) clock.

bàglio m. (naut.) beam: **b. di boccaporto**, hatch-end beam; **b. maestro**, main beam; midship beam.

baglióre m. **1** (lampo) flash, flare; (brillìo) glow, (accecante) glare: Al b. seguì uno scoppio, the flash was followed by an explosion; **il b. del cielo al tramonto**, the glow of the sky at sunset; **il b. della neve**, the glare of the snow **2** (fig.) ray; gleam; (segno) sign; hint: **un b. di speranza**, a ray (o gleam) of hope; **i primi bagliori di una ripresa culturale**, the first signs of a cultural revival.

bagnàbile a. (chim.) wettable.

bagnànte m. e f. bather.

♦**bagnàre** Ⓐ v. t. **1** to wet; (immergere) to dip; (inzuppare) to soak, to steep; (inumidire) to moisten, to damp, to dampen; (spruzzare) to sprinkle; (annaffiare) to water: **b. i fiori**, to water the flowers; **b. il pane nel latte**, to soak bread in milk; **b. le lenzuola prima di stirarle**, to dampen (o to damp) the sheets before ironing them; **bagnarsi la fronte**, to dampen one's forehead; **bagnarsi le lab-**

bra, to wet (o to moisten) one's lips; Le lacrime le bagnavano le guance, her face was wet with tears; Non voglio bagnarmi le scarpe, I don't want to wet my shoes **2** (festeggiare bevendo) to drink* to; (inaugurare) to christen: **b. la promozione**, to drink to sb.'s promotion **3** (di fiume) to flow through; (di mare, lago) to wash; (lambire) to wash, to lap: Il Po bagna molte città, the Po flows through many towns; La città è bagnata dal mare, the city is on the sea ● (eufem.) **b. il letto**, to wet the bed ● **b. una stoffa** (prima di tagliarla), to pre-shrink a material □ **bagnarsi la gola**, to drink; to wet one's whistle (scherz.) Ⓑ **bagnàrsi** v. rifl. **1** (fare il bagno) to bathe **2** (eufem.) to wet oneself Ⓒ **bagnàrsi** v. i. pron. to get* wet; to get* soaked (o drenched): **bagnarsi fino all'osso**, to get soaked through (o to the skin); Uscì con quell'acquazzone e si bagnò tutto, he went out in the pouring rain and got wet through (o drenched); Mi si è bagnato il giornale, my paper has got wet.

bagnaròla f. **1** (region.: tinozza) bathtub **2** (scherz., di imbarcazione) tub, bucket; (di auto) wreck, old banger, jalopy.

bagnasciùga m. **1** (naut.) boot topping: **al b.**, between wind and water **2** (pop.: battigia) shoreline; foreshore; water's edge.

bagnàta f. wetting; (inzuppata) soaking, drenching; (annaffiatura) sprinkling, watering: Mi sono preso una bella b., I got drenched.

♦**bagnàto** Ⓐ a. wet; moist: **abiti bagnati**, wet clothes; **erba bagnata**, wet grass; **guance bagnate di lacrime**, cheeks wet with tears; **terreno b.**, wet ground; **b. di sudore**, moist with sweat; Il bambino è b., devo cambiarlo, the baby is wet, I must change it ● **b. come un pulcino**, drenched to the skin; looking like a drowned rat □ **b. fradicio**, soaked; wet through; dripping wet Ⓑ m. wet ground; wet ● (fig.) Piove sul b., (rif. a disgrazia) it never rains but it pours; (rif. a fortuna) some people get all the luck.

bagnatùra f. **1** soaking; wetting **2** (al pl.) (cura di bagni) course of baths.

bagnìno m. (f. **-a**) bathing attendant; (di salvataggio) lifeguard.

♦**bàgno**① m. **1** (per igiene) bath: **b. di schiuma**, bubble bath; **fare il b.**, to have (USA to take) a bath; to bathe (USA); **fare il b. a q.**, (adulto) to give sb. a bath; (bambino) to bath sb., to bathe sb. (USA); **acqua del b.**, bathwater; bath **2** (in mare, lago, ecc.) bathe; (al pl., collett.) bathing Ⓤ; (nuotata) swim: **bagni di mare**, sea bathing; **fare il b.**, to bathe; (nuotare) to go swimming, to go for a swim; È pericoloso fare il b. qui, it is dangerous to swim (o to bathe) here; **fare il b. nudi**, to bathe in the nude; to skinny-dip (fam.); Andiamo a fare un (o il) b.!, let's go for a swim!; D'estate andavamo a fare i bagni, we used to go to the seaside in summer; **stagione dei bagni**, bathing season **3** (curativo, anche con agenti diversi dall'acqua) bath; (lavanda) wash: **b. di fango**, mud bath; **b. di sole**, sunbathe; sunbath; **fare i bagni di sole**, to sunbathe; **b. di vapore**, steam bath; **b. oculare**, eyewash; **b. turco**, Turkish bath; Guarì coi bagni, she got better by taking baths; **cura di bagni**, course of baths **4** (acqua del bagno) bathwater; bath: Il b. è pronto, your bath is ready; **preparare il b.**, to run a bath **5** (immersione in un liquido) soak; soaking: **lasciare a b.**, to soak; **mettere a b.**, to soak; to put to soak; to immerse **6** (chim., ind., tecn.) bath: (fotogr.) **b. d'arresto**, stop bath; (ind. tess.) **b. di colore**, dye bath; **b. di macerazione**, steep; (mecc.) **b. d'olio**, oil bath; (fotogr.) **b. di sviluppo**, development bath; (metall.) **b. di tempra**, quenching bath; (metall.) **b. galvanico**, electroplating **7** (locale) bathroom; (eufem.:

gabinetto) toilet (*GB*), bathroom (*USA*), washroom (*USA*): **b. di servizio**, second bathroom; (*in albergo*) **b. in camera**, en-suite bathroom; **b. per le signore**, ladies' (room); **b. per gli uomini**, men's toilet (*o* washroom); Gents (*GB*); **chiudersi in b.**, to lock oneself in the bathroom; *Devo andare in b.*, I must go to the toilet; **camera con b.**, room with (en-suite) bathroom; en-suite room; **tutte le camere sono col b.**, all rooms are en-suite **8** (*vasca da bagno*) bath; bathtub: **riempire il b.**, to run a bath **9** (al pl.) (*luogo dove si fanno i bagni*) baths; (*stabilimento balneare*) bathing establishment (sing.), lido (sing.); (*terme*) spa (sing.): **bagni pubblici**, public baths ● (*giorn.*) **b. di folla**, meeting (*o* mixing with) the people; walkabout (*GB*): **fare un b. di folla**, to mix with the people; to go walkabout (*GB*) □ (*fig.*) **b. di sangue**, bloodbath □ (*zootecnia*) **b. disinfettante**, dip □ **b. maria → bagnomaria** □ **in un b. di sudore**, drenched in sweat □ (*fig. pop.*) **mandare q. a fare un b.**, to tell sb. to get lost (*fam.*) □ (*slang*) *Va' a fare un b.!*, get lost!; get knotted! (*GB*).

bàgno ② m. (*anche* **b. penale**) penal colony.

bagnomaria m. (*sistema*) cooking in a bain-marie; (*recipiente*) bain-marie* (*franc.*): **cuocere a b.**, to cook in a bain-marie.

bagnoschiùma m. inv. bubble bath; bath foam.

bagolàro m. (*bot.*, *Celtis australis*) nettle-tree.

bagórdo m. (spec. al pl.) carousal; carousing □; binge (*fam.*); (*divertimento*) night out on the town (*fam.*): **fare bagordi**, to go on a binge (*fam.*); (*divertirsi*) to go out on the town (*fam.*); to paint the town red (*fam.*); **darsi ai bagordi**, to lead a dissipated (*o* debauched) life.

baguette (*franc.*) f. inv. **1** (*di calza*) clock **2** (*oreficeria*) baguette **3** (*pane*) French loaf; baguette.

bah inter. (*per esprimere dubbio, perplessità*) oh, well...

bài vc. – (*fam.*) **non dire né ai né bai**, not to say a word.

bàia ① f. (*geogr.*) bay.

bàia ② f. joke; mockery: **dare la b. a q.**, to make fun of sb.; to tease sb.

baiadèra f. **1** (*in India*) bayadère; Hindu dancing girl **2** oriental dancer.

bailàmme m. inv. hullabaloo; hubbub; kerfuffle; bedlam □; mayhem □.

bàio a. e m. bay.

baiòcco m. (*soldo*) money □ ● **non valere un b.**, to be worth nothing.

baionétta f. **1** bayonet: **assalto alla b.**, bayonet attack; **colpire con la b.**, to bayonet; **inastare le baionette**, to fix bayonets; *B. in canna!*, fix bayonets! **2** (*fig.: soldato*) soldier **3** (*mecc.*) – **innesto a b.**, (*di lampadina*) bayonet fitting; (*fotogr.*) bayonet mount.

baionettàta f. (*colpo*) bayonet thrust; (*ferita*) bayonet wound.

bàita f. mountain hut; chalet.

balafón m. inv. (*mus.*) balafon.

balalàica f. (*mus.*) balalaika.

balanino m. (*zool.*, *Balaninus nucum*) nut-weevil.

bàlano m. (*zool.*, *Balanus tintinnabulum*) acorn barnacle; acorn shell.

balaùsta f. (*bot.*) pomegranate.

balaùstra, **balaustràta** f. banister; banisters (pl.); balustrade.

balaustrino m. bow compass.

balaùstro m. (*archit.*) baluster.

balbettaménto m. stammering; stuttering.

balbettàre Ⓐ v. i. **1** (*essere balbuziente*) to stammer; to stutter; to have a stammer (*o* a stutter): *Da bambino balbettavo molto*, I stammered badly (*o* I had a bad stammer) as a child **2** (*di bambino piccolo*) to babble **3** (*parlare con esitazione*) to stammer; to falter Ⓑ v. t. to stammer (out): **b. una risposta** [**una scusa**], to stammer out an answer [an excuse].

balbettìo m. **1** stammering; stuttering **2** (*di bambino*) babble.

balbùzie f. stammer; stutter: *È affetto da b.*, he stammers; he has a stammer (*o* a stutter).

balbuziènte Ⓐ a. stammering; stuttering Ⓑ m. e f. stammerer; stutterer.

Balcàni m. pl. (*geogr.*) (the) Balkans.

balcànico a. Balkan (attr.).

balcanizzàre v. t. (*polit.*) to Balkanize.

balcanizzazióne f. (*polit.*) Balkanization.

balconàta f. **1** (*archit.*) (long) balcony **2** (*di teatro, ecc.*) circle (*GB*); balcony (*USA*); mezzanine (*USA*) **3** (*naut.*) gallery; balcony.

balconcino m. small balcony ● **reggiseno a b.**, strapless bra.

balcóne m. balcony.

baldacchino m. canopy (*anche archit.* e *fig.*); (*eccles., anche*) baldachin; (*su letto, anche*) tester: **letto a b.**, tester bed; four-poster (bed).

baldànza f. (*sicurezza di sé*) self-confidence; dash; (*spavalderia*) boldness, bravado.

baldanzóso a. self-assured; dashing; (*spavaldo*) bold, full of bravado.

bàldo a. self-confident; dashing; daring
❶ **FALSI AMICI** ● baldo *non si traduce con* bald.

baldòria f. **1** (*allegria rumorosa*) noisy fun □; merry-making □: **far b.**, to have a good time; to live it up (*fam.*); to whoop it up (*fam.*); *Non fate troppa b.!*, don't make too much of a racket! **2** (*festa allegra*) noisy party; shindig (*fam.*) **3** (*gozzoviglia*) binge (*fam.*).

Baldovino m. Baldwin.

baldràcca f. (*volg.*) whore; slut; strumpet; harlot (*lett.*).

Baleàri f. pl. (*geogr.*) (the) Balearic Islands.

◆ **baléna** f. **1** (*zool.*, *Balaena*) whale: **b. bianca**, (*Delphinapterus leucas*), white whale; beluga; **caccia alla b.**, whaling; **grasso di b.**, blubber; **olio di b.**, whale oil; **osso** (*o* **stecca**) **di b.**, whalebone **2** (*fig. spreg.*) grossly fat person; tub of lard (*fam.*); fatty (*fam.*): *È una b.*, she's (*o* he's) like the side of a house.

balenaménto m. flashing.

balenàre v. i. **1** (*impers.*) – *Balenò tutta la notte*, the lightning continued all night **2** (*splendere all'improvviso*) to flash; to flare; to blaze: *Balenò un lampo*, there was a flash of lightning; *In lontananza balenava un incendio*, a fire was blazing in the distance **3** (*fig.*) to flash: *Mi balenò un'idea*, an idea flashed through my mind; **far b. a q. una prospettiva**, to dangle an opportunity before sb.'s eyes.

balenerìa f. whaling.

balenièra f. whaling ship; whaler.

balenière m. whaler.

balenièro a. whaling.

balenio m. flashing; flashes (pl.): **un b. di coltelli**, a flashing of knives.

baléno m. flash; (*lampo*) flash of lightning ● (*fig.*) **in un b.**, in a flash.

balenòttera f. (*zool.*, *Balaenoptera*) rorqual; finback; razorback ● **b. azzurra**, blue whale.

balenòttero, **balenòtto** m. whale calf*.

balèra f. **1** public dance-hall **2** (*all'aperto*) open-air dance floor.

balèstra f. **1** (*arma*) crossbow **2** (*mecc.*) leaf spring **3** (*tipogr.*) galley.

balestrièra f. (*arch.*) loophole.

balestrière m. crossbowman*.

balestrùccio m. (*zool.*, *Chelidon urbica*) house martin.

balì m. (*stor.*) **1** commander; knight commander **2** (*balivo*) bailiff.

bàlia ① f. wet nurse; nurse: **b. asciutta**, dry nurse; nanny (*fam.*); **dare** (*o* **mettere**) **un bambino a b.**, to put a child (out) to nurse; **essere a b.**, to be out to nurse; (*anche fig.*) **fare da b. a q.**, to wet-nurse sb.; *Non ho bisogno della b.!*, I don't need a wet nurse!

balìa ② f. power; authority: **in b. di q.**, in sb.'s power; at sb.'s mercy; **in b. delle onde**, at the mercy of the waves; **in b. della sorte**, at the mercy of fate; **in b. di sé stesso**, on one's own; helpless; (*fuori controllo*) out of control; **lasciare q. in b. di sé stesso**, to leave sb. to fend for himself.

baliàtico m. **1** wet nursing **2** (*compenso della balia*) wet nurse's wages (pl.) **3** (*bambino a balia*) child* out at nurse; nursling.

balìlla m. inv. (*stor.*) member (aged 8 to 14) of the Italian Fascist Youth Movement.

balinése a., m. e f. Balinese.

bàlio m. **1** husband of a wet nurse **2** (*scherz.*) (male) baby minder.

balipèdio m. (*mil.*) artillery range.

balista f. (*stor.*) ballista*.

balìstica f. ballistics (pl. col verbo al sing.).

balìstico a. (*mil.*) ballistic.

balistite f. ballistite.

balivo m. (*stor.*) bailiff.

bàlla f. **1** bale **2** (*fam.: fandonia*) lie; story; rubbish □; bullshit □ (*volg.*); bull (*volg. USA*): **raccontare una b.**, to tell a story; *Balle!*, rubbish!; what a load of balls! (*volg.*); bullshit! (*volg.*) **3** (*region.*) drunken state; drunk (*fam.*): **avere la b.**, to be drunk; to be plastered (*slang*); **prendere la b.**, to get drunk; to get plastered (*slang*) **4** (al pl.) (*volg.*) balls.

ballàbile Ⓐ a. danceable; dance (attr.) Ⓑ m. dance tune.

◆ **ballàre** Ⓐ v. i. **1** to dance: **b. bene**, to dance well; to be a good dancer; **b. come un orso**, to dance clumsily; **andare a b.**, to go dancing; *Vuoi b.?*, would you like to dance? **2** (*saltellare*) to jump; to hop: **b. dalla gioia**, to jump (*o* to dance) for joy **3** (*traballare*) to shake*, to rock; (*di mobile e sim.*) to wobble; (*rollare*) to roll; (*essere mobile*) to be loose: *Questo tavolo balla un po'*, this table wobbles a bit (*o* is a bit wobbly); *Ci fu un rimbombo e tutto cominciò a b.*, there was a low rumble and everything started to shake; *La nave ballava nella tempesta*, the ship rolled (*o* tossed about) in the storm; *Mi balla un dente*, I have a loose tooth; *Questo vetro balla nella cornice*, this glass rattles in its frame ● (*di abito*) **b. addosso**, to be too big (for) □ (*fig. iron.*) **far b. q.**, to make sb. jump □ (*fig. iron.*) *Adesso si balla!*, now we're in for it! Ⓑ v. t. to dance: **b. una polka**, to dance a polka.

ballàta f. **1** (*letter.*) ballad; ballade (*franc.*) **2** (*mus.*) ballade (*franc.*).

ballatista m. e f. ballad writer.

ballatóio ① m. **1** (*balcone esterno*) (running) balcony; (*interno*) gallery; (*pianerottolo*) landing **2** (*alpinismo*) ledge **3** (*naut.*) gallery.

ballatóio ② m. (*per uccelli*) perch.

ballerina f. **1** (female) dancer; dancing girl: **b. classica**, ballet dancer; ballerina; **b. di fila**, chorus girl; **prima b.**, prima ballerina; *Sono una pessima b.*, I'm a poor dancer **2** (*in una coppia che balla*) partner **3** (*scarpa*)

a
b
c
d
e
f
g
h
i
j
k
l
m
n
o
p
q
r
s
t
u
v
w
x
y
z

pump; flat pump (*USA*) **4** (*zool.*, *Motacilla*) wagtail **5** (*bot.*, *Solanum nigrum*) black nightshade.

◆**ballerino** Ⓐ m. **1** (*male*) dancer: **b. classico**, ballet dancer; **b. di fila**, chorus boy **2** (*in una coppia che balla*) partner Ⓑ a. **1** dancing: **un orso b.**, a dancing bear **2** (*fig.: che traballa*) unsteady; shaky; wobbly: **dente b.**, wobbly tooth; **terre ballerine**, quake country (sing.) **3** (*fig.: instabile, mutevole*) changeable; unpredictable: **tempo b.**, changeable weather.

ballettistico a. ballet (attr.).

◆**ballétto** m. **1** (*mus.*, *teatr.*) ballet; (*di varietà*) dance routine **2** (*corpo di ballo*) dance troupe; dancers (pl.); (*classico*) (corps de) ballet (*franc.*); (*di varietà*) chorus line ● **un b. di cifre**, see-sawing figures (pl.) □ **balletti rosa**, sex orgies.

ballista m. e f. (*scherz.*) liar; storyteller; bullshit artist (*volg.*).

◆**bàllo** m. **1** dance; (*il danzare*) dancing: **b. liscio**, ballroom dancing; ballroom dance; *Mi concede questo b.?*, may I have the honour (o pleasure) of this dance?; **fare un b.**, to have a dance; *Mi piace il b.*, I like dancing; **maestro di b.**, dancing master; **musica da b.**, dance music; **sala da b.**, ballroom; dance hall; **scuola di b.**, dance school **2** (*festa danzante*) dance; ball: **b. di Corte**, Court ball; **b. in costume**, fancy dress ball; **b. in maschera**, fancy-dress; ball; masked ball; **dare un b.**, to give a ball ● **b. di S. Vito**, St Vitus' dance ● **avere qc. in b.**, to have got st. on □ **entrare in b.**, (*di cosa*) to come into play; to come up; (*di persona*) to get involved □ (*fig.*) **essere in b.**, (*essere implicato*) to be involved; (*essere a rischio*) to be at stake, to be on the line (*fam.*): *Qui è in b. la chiusura dell'azienda*, what is involved here is a shutdown of the business; *Sono in b. le nostre vite*, our lives are at stake □ **festa da b.**, dancing party; dance; ball □ **mettere** (o **tirare**) **in b.** (*coinvolgere*), to involve (into st.), to drag (into st.); (*menzionare*) to bring up, to drag in □ (*prov.*) *Quando si è in b. bisogna ballare*, in for a penny in for a pound.

ballon d'essai (*franc.*) loc. m. inv. trial balloon: **lanciare un ballon d'essai**, to send up a trial balloon; to fly a kite (*GB*).

ballonzolàre v. i. **1** (*sussultare*) to bounce; to bob; (*saltellare*) to bounce; to skip about **2** (*ballare goffamente*) to shuffle about.

ballòtta f. boiled chestnut.

ballottàggio m. **1** second ballot: **andare al b.**, to go to second ballot; **entrare in b.**, to come up for second ballot **2** (*sport*) playoff.

balneàbile a. suitable for swimming; where swimming is permitted.

balneabilità f. bathing permission; permission to swim.

balneàre a. bathing (attr.); swimming (attr.): **stabilimento b.**, bathing establishment; lido; **stagione b.**, bathing season; **stazione b.**, seaside resort.

balneazióne f. swimming; bathing: *Divieto di b.*, no swimming; *C'è il divieto di b.*, swimming is forbidden.

balneoterapìa f. (*med.*) balneotherapy.

balneoteràpico a. (*med.*) balneotherapeutic.

baloccàre Ⓐ v. t. to entertain; to amuse Ⓑ **baloccàrsi** v. rifl. **1** (*giocare*) to play; (*divertirsi*) to amuse oneself **2** (*gingillarsi*) to toy (with), to fiddle (with), to play around (with): **baloccarsi con un'idea**, to toy with an idea **3** (*perdere tempo*) to fiddle about; to dally.

balòcco m. **1** (*anche fig.*) toy; plaything **2** (*passatempo*) pastime.

balordàggine f. **1** stupidity; foolishness

2 (*azione balorda*) foolish action; stupid (o foolish) thing: *È stata una b., la tua*, that was a foolish thing to do **3** (*discorso balordo*) stupid (o foolish) remark (o remarks); stupid thing; nonsense Ⓤ; rubbish Ⓤ: *Quante balordaggini!*, what nonsense.

balórdo Ⓐ a. **1** (*sciocco*) stupid; foolish **2** (*strampalato*) absurd; daft (*fam.*); harebrained; barmy (*fam.*): **un'idea balorda**, a daft notion; **un piano b.**, a harebrained scheme **3** (*intontito*) befuddled; dazed; light-headed; (*che non sta bene di salute*) off-colour **4** (*malfatto*) bad; poor; (*non affidabile*) unreliable, unsound, chancy: **affare b.**, unsound deal **5** (*del tempo*) unsettled; uncertain Ⓑ m. (f. -a) **1** (*persona stupida*) idiot; fool; twit (*fam.*); (*persona stramba*) crackpot (*fam.*), nut (*fam.*) **2** (*pop.: piccolo malvivente*) small-time criminal; hoodlum.

bàlsa f. balsa (wood).

balsàmico Ⓐ a. **1** balsamic; aromatic **2** (*fig.: odoroso*) balmy; (*salubre*) wholesome, healthy Ⓑ m. (*farm.*) balsam.

balsamìna f. (*bot.*, *Impatiens balsamina*) balsam.

balsamìte f. (*bot.*, *Chrisanthemum balsamita*) costmary.

bàlsamo m. **1** balm; balsam; salve **2** (*per capelli*) hair conditioner **3** (*fig.*) balm; solace; comfort.

bàlteo m. (*mil. stor.*) baldric.

bàltico a. Baltic: **lingue baltiche**, Baltic languages; (*geogr.*) **il (Mar) B.**, the Baltic (Sea).

baltoslàvo a. (*ling.*) Balto-Slavonic.

baluàrdo m. **1** (*mil.*) bulwark; bastion; rampart **2** (*fig.*) bastion; defence; bulwark.

balùba m. (*scherz.*) yokel; yahoo.

baluginàre v. i. **1** to flicker; to glimmer; to blink: *Il chiarore baluginò e scomparve*, the light flickered briefly and was gone **2** (*fig.*) to flicker: *Mi baluginò un sospetto*, a suspicion flickered through my mind.

baluginìo m. flickering; glimmering; blinking.

bàlza f. **1** (*dirupo*) crag **2** (*tratto piano*) ledge; terrace **3** (*di veste*) flounce; (*increspata*) ruffle **4** (*di tenda*, *copertura*) valance.

balzàna f. (*di cavallo*) sock; stocking.

balzàno a. **1** (*di cavallo*) having socks; stockinged **2** (*bizzarro*) odd; eccentric; weird (*fam.*): **un'idea balzana**, a weird notion.

◆**balzàre** v. i. **1** (*saltare*) to leap*; to jump; to spring*; (*lanciarsi*) to dart, to bolt, to shoot*: **b. dal letto**, to jump (o to leap) out of bed; **b. in piedi**, to jump (o to leap) to one's feet; to jump up; **b. in sella**, to leap into the saddle; **b. in testa alla classifica**, to shoot to the top of the charts; **b. su** (o **addosso a**) **q.**, to jump on sb.; (*di animale*) to pounce upon sb.; *Il cuore mi balzava per la gioia*, my heart leapt for joy; *Il cervo balzò via*, the deer bolted off **2** (*rimbalzare*) to bounce **3** (*sobbalzare*) to start; to jump ● (*fig.*) **b. agli occhi**, to leap out at sb.; to strike sb. immediately; (*essere ovvio*) to stand out a mile, to be self-evident □ **b. fuori**, (*spuntare*) to pop up; (*emergere*) to emerge, to come out □ **b. in primo piano**, to leap into the foreground.

balzellàre v. i. to hop; to skip; to trip.

balzèllo m. **1** (*tassa*) iniquitous tax **2** (*fig.*) imposition.

balzellóni avv. **1** (*a piccoli balzi*) by hops; (*con sobbalzi*) joltingly, bumpingly: **procedere (a) b.**, to hop along; to jolt along; to bump along **2** (*fig.*) fitfully; in fits and starts.

◆**bàlzo**① m. **1** (*salto*) leap, bound, jump, bounce; (*slancio*) dart, bolt, dash: **fare un b. in avanti**, to leap forward; *Con un b. fu giù dal letto*, with a leap she was out of bed; she

leapt out of bed; **correre a gran balzi**, to run in great leaps; *Raggiunse la porta con un b.*, he leapt (o shot, darted) to the door; *Da dattilografa a segretaria privata è stato un bel b.*, it was quite a jump from typist to personal secretary **2** (*rimbalzo*) bounce; rebound **3** (*sobbalzo*) jolt; jerk; (*di paura*) start: *A quel rumore ebbe un b.*, he started (o gave a start) at that noise; *Mi hai fatto fare un b.*, you startled me; *Il cuore mi diede un b.*, my heart leapt (o missed a beat) ● **un b. in avanti**, a leap forward (*anche fig.*); (*miglioramento*) a vast improvement □ (*fig.*) **cogliere la palla al b.**, to seize the opportunity; to jump at st. □ (*fig.*) **fare balzi da gigante**, to progress in (o by) leaps and bounds.

bàlzo② m. **1** (*dirupo*) crag **2** (*tratto piano*) ledge; terrace.

bambàgia f. **1** cotton wool (*GB*); (*absorbent*) cotton (*USA*) **2** (*ind. tess.*) raw cotton; (*cascame*) cotton waste ● (*fig.*) **essere di b.**, to be very delicate □ (*fig.*) **conservare qc. nella b.**, to lay st. up in lavender □ (*fig.*) **tenere q. nella b.**, to wrap sb. in cotton wool; to pamper sb.; to mollycoddle sb.

bambagiòso a. as soft as cotton wool; fluffy; fleecy.

bamberòttolo m. (*fig.*) big baby.

bambìna f. **1** little girl, child*, kid (*fam.*); (*neonata*) baby girl; baby; (*che cammina appena*) toddler (*per gli esempi d'uso* → **bambino**) **2** (*vocat.*, *fam.*) baby; babe.

bambinàggine f. **1** childishness; puerility **2** → **bambinata**, def. 1, 2 e 3.

bambinàia f. nursemaid; nanny (*fam.*).

bambinàta f. **1** (*azione da bambino*) childish action; childish thing; (*marachella*) childish prank **2** (*commento da bambino*) childish remark; childish thing **3** (*cosa per bambini*) childish thing; childish stuff Ⓤ **4** (*cosa facilissima*) child's play Ⓤ.

bambineggiàre v. i. to behave like a child.

bambinésco a. (*spreg.*) childish; infantile; puerile.

◆**bambino** Ⓐ m. child*; little boy (m.); kid (*fam.*); (*in fasce*) baby, infant, baby boy (m.); (*che cammina appena*) toddler: *Il cortile era pieno di bambini*, the courtyard was full of children; **da b.** (o **quando ero b.**), as a child; when I was a child (o a kid); *Ci conosciamo fin da bambini*, we've known each other ever since we were children (o kids); **faccia da b.**, baby face; **idee da b.**, childish ideas; **vestiti per bambini**, children's clothes; **filastrocca per bambini**, nursery rhyme ● **b. difficile**, problem child □ **il B. Gesù**, the infant (o baby) Jesus □ **b. in fasce**, baby; babe in arms □ **b. prodigio**, child prodigy □ (*scherz.*) **b. terribile**, little monster; holy terror; little pest □ **a prova di b.**, child-proof □ *Sua sorella ha avuto un b.*, her sister has had a baby □ **aspettare un b.**, to be expecting a baby □ **fare il b.**, to behave like a child: *Smettila di fare il b.!*, stop behaving like a child!; don't be such a baby! □ (*fig.*) **gettare il b. con l'acqua del bagno**, to throw the baby out with the bathwater □ (*fig.*) **gioco da bambini**, child's play □ **perdere il b.**, to miscarry; to have a miscarriage □ **rimanere un b.**, to be still a child; not to have grown up Ⓑ a. immature; (*agli inizi*) infant, in one's infancy: **mente bambina**, immature mind; **una scienza bambina**, a science in its infancy.

bambinóne m. (f. -a) (*anche fig.*) big baby.

bambocceria f. → **bambocciata**, def. 1.

bamboccànte m. (*pitt.*) painter of bambocciade.

bambocciàta f. **1** childish action; childish remark **2** (*pitt.*) bambocciade.

bambòccio m. **1** (*bambino grassoccio*)

chubby child* **2** (*semplicione*) big baby; simpleton **3** (*fantoccio*) (rag) doll.

◆**bàmbola** f. **1** doll: **giocare alle bambole**, to play with dolls; **b. di pezza**, ragdoll **2** (*fig.: ragazza*) doll; chick; (*bella ragazza*) looker, stunner; (*spreg.*) bimbo; (*come vocat.*) doll, chick, baby **3** (*gergo sportivo*) collapse: **andare in b.**, to collapse.

bamboleggiàre v. i. **1** to behave like a child; (*nel parlare*) to use baby talk **2** (*assumere atteggiamenti leziosi*) to simper.

bambolifìcio m. doll factory.

bambolòtto m. **1** doll **2** (*bambino grassoccio*) chubby child*.

bambù m. (*bot.*) bamboo*.

bambusàia f. bamboo plantation.

banàle a. (*ovvio, non originale*) banal, obvious; (*trito*) trite, hackneyed; (*non importante*) trivial, unimportant, commonplace; (*comune*) ordinary, common; (*semplice*) mere; (*senza attrattive*) dull, uninteresting, humdrum: **conversazione b.**, banal conversation; **commenti banali**, trite (*o* commonplace) remarks; **una faccenda b.**, a trivial matter; **osservazione b.**, obvious remark; **un b. raffreddore**, an ordinary cold; **una b. coincidenza**, a mere coincidence; **una persona b.**, an uninteresting person; **vita b.**, humdrum life.

banalità f. **1** (*l'essere banale*) banality; triviality; triteness; ordinariness; dullness **2** (*commento banale*) banality; commonplace; platitude; truism.

banalizzàre v. t. to trivialize.

◆**banàna** f. **1** banana: **casco di banane**, bunch of bananas **2** (*di capelli*) sausage curl **3** (*elettr.*) banana plug.

bananéto m. banana plantation.

bananicoltóre m. (f. **-trice**) banana grower.

bananicoltùra f. banana-growing.

bananièra f. banana boat.

bananièro **A** a. banana (attr.) **B** m. banana grower.

banàno m. (*bot., Musa sapientum*) banana (tree).

banàto m. (*stor.*) banate.

banàusico a. banausic.

◆**bànca** f. **1** bank: **b. centrale**, central bank; **b. commerciale**, commercial (*o* trading) bank; **b. d'affari**, merchant bank; investment bank; *B. dei Regolamenti Internazionali*, Bank for International Settlements; **b. di cambio**, exchange bank; **la B. d'Italia**, the Bank of Italy; **b. di sconto**, discount bank; **b. di Stato**, state bank; government bank; **b. emittente** (*o* **d'emissione**), bank of issue; issuing bank; **b. esattrice**, collecting bank; **la B. Mondiale**, the World Bank; **b. nazionale**, national bank; **b. popolare**, people's bank; **b. rurale**, country bank; **a mezzo b.**, by bank; **andare in b.**, to go to the bank; **versare denaro in b.**, to put money in the bank; **versare in b. un assegno**, to bank a cheque; **biglietto di b.**, banknote; bill (*USA*); **conto in b.**, bank account; **impiegato di b.**, bank clerk **2** (*med.*) bank: **b. degli occhi** [**del sangue, del seme**], eye [blood, sperm] bank **3** (*comput.*) bank: **b. dati**, database; databank.

bancàbile a. bankable; eligible: **non b.**, unbankable; ineligible.

bancabilità f. bankability; eligibility.

bancàle m. **1** (*sedile*) bench **2** (*tecn.*) bed: **b. di tornio**, lathe bed **3** pallet.

◆**bancarèlla** f. stall; booth; stand: **b. di libri**, bookstall; **b. di mercato**, market stall; **comprato su una b.**, bought from a stall.

bancarellìsta m. e f. stall keeper.

bancàrio **A** a. banking; bank (attr.): **assegno b.**, cheque, check (*USA*); **conto b.**, bank account; **istituto b.**, bank; **operazione ban-**

caria, banking transaction; **segreto b.**, banking secret; **sistema b.**, banking system; **spese bancarie**, bank charges; **tratta bancaria**, bank bill **B** m. (f. **-a**) bank clerk; bank employee.

bancarótta f. **1** (*leg.*) bankruptcy: **b. semplice**, bankruptcy; **b. fraudolenta**, fraudulent bankruptcy; **fare b.**, to go bankrupt **2** (*fig.*) bankruptcy; failure: **b. morale**, moral bankruptcy; **fare b.**, to fail.

bancarottière m. (f. **-a**) bankrupt.

banchettànte **A** a. banqueting **B** m. e f. banqueter; guest (at a banquet).

banchettàre v. i. to banquet; to feast.

banchétto m. **1** banquet; (*lauto pranzo*) feast: **b. di nozze**, wedding banquet; **sala dei banchetti**, banqueting hall **2** → **bancarella**.

banchière m. (f. **-a**) banker.

banchìglia f. → **banchisa**.

◆**banchìna** f. **1** (*naut.*) quay; wharf*; dock: **b. di carico** [**di scarico**], loading [unloading] wharf; **b. di ormeggio**, mooring quay; **diritti di b.**, quayage **2** (*ferr.*) platform **3** (*di strada*) hard shoulder; verge; (*sentiero*) footpath; (*per ciclisti*) cycle lane ● **b. spartitraffico**, traffic divider.

banchìsa f. pack ice; ice pack: **b. galleggiante**, ice floe.

banchìsta → **banconiere**.

◆**bànco** m. **1** (*panca*) bench; (*sedile*) seat; (*con scrittoio*) desk, form: (*leg.*) **b. dell'accusa**, prosecution bench; (*leg.*) **b. della difesa**, defence counsel's seats; (*leg.*) **b. della giuria**, jury box; (*leg.*) **b. degli imputati**, dock; **sedere sul b. degli imputati**, to be (*o* to appear) in the dock; **b. dei magistrati**, magistrates' bench; **b. di chiesa**, pew; **b. di scuola**, (*per più studenti*) form; **i banchi del parlamento**, the benches of Parliament; **i banchi dei rematori**, the rowers' benches; the thwarts; (*leg.*) **b. dei testimoni**, witness box; (witness) stand (*USA*) **2** (*di ufficio, ecc.*) desk; (*di negozio*) counter; (*di bar*) bar: **b. delle informazioni**, information desk; **bere un caffè al b.**, to drink a coffee at the bar; **le merci sul b.**, the goods on the counter; (*farm.*) **prodotto da b.**, over-the-counter drug **3** (*bancarella*) stall; booth **4** (*di artigiano*) workbench; bench: **b. del falegname**, carpenter's workbench; **b. di lavoro**, workbench **5** (*ind.*) bench; table; stand: **b. di controllo**, inspection table; **b. di prova**, test bench; test bed; **b. di taratura**, calibrating table; **prova al b.**, bench test **6** (*banca*) bank: **il B. di Napoli**, the Bank of Naples **7** (*al gioco*) bank: *Il b. vince!*, bank wins!; **far saltare il b.**, to break the bank; **tenere** [**perdere**] **il b.**, to hold [to lose] the bank **8** (*geol.*) bed **9** (*ammasso*) mass; (*marino*) bed; (*di pesci*) school, shoal: **b. di corallo**, coral reef; bed of coral; **b. di ghiaccio**, ice pack; ice floe; **b. di nebbia**, fog bank; **b. di nubi**, bank of clouds; **b. di ostriche**, oyster bed; **b. di sabbia**, sandbank; **b. di sardine**, shoal of sardines; **b. di spugne**, bed of sponges; **nebbia in banchi**, fog in patches ● **b. (del) lotto**, state lottery office ● **b. dei pegni**, pawnbroker's (shop); pawnshop □ (*fig.*) **b. di prova**, acid test; testing ground □ (*geogr.*) **i Banchi di Terranova**, Newfoundland Banks □ **sotto b.** (*di nascosto*), under the counter: **vendere qc. sotto b.**, to sell st. under the counter; **roba di sotto b.**, under-the-counter goods □ (*fig.*) **tenere b.**, to dominate the discussion (*o* the conversation); (*iron.*) to hold forth; (*di avvenimento, ecc.*) to be in the foreground ⊕ **FALSI AMICI** • banco *nel senso di sedile lungo o banco di lavoro non si traduce con* bank.

bancogìro m. (*comm.*) giro; money transfer.

Bàncomat® m. inv. (*sistema*) automated

banking; (*sportello*) cashpoint, cash dispenser (*GB*), automated teller machine (abbr. ATM) (*USA*): **carta B.**, cashpoint card; ATM card (*USA*).

bancóne m. **1** (*in ufficio, negozio*) counter; (*di bar*) bar **2** (*tipogr.*) case rack.

banconière m. (f. **-a**) shop assistant; (*di bar*) barman* (*f.* barmaid), bartender (*USA*).

banconìsta → **banconiere**.

banconòta f. banknote; note; bill (*USA*): **una b. da cinque sterline**, a five-pound note; **b. di grosso** [**piccolo**] **taglio**, high [low] denomination banknote.

bànda① f. **1** (*lett. o raro*) (*lato*) side: **da ogni b.**, from all sides **2** (*al pl.*) (*luogo*) place (sing.): *Che ci fai da queste bande?*, what are you doing around here? **3** (*naut.*) side; board: **andare alla b.**, to heel; *Due* [*tre, ecc.*] *alla b.!*, man the side!; *Timone alla b.!*, helm hard over!

◆**bànda**② f. **1** (*striscia*) band; stripe; strip: **b. magnetica**, magnetic strip; **calzoni con la b. rossa**, trousers with red bands down the sides; **capelli divisi in due bande**, hair parted in two bands **2** (*fis., radio*) band: **b. cittadina**, Citizens' Band (abbr. CB); **b. di frequenza**, frequency band; **b. passante**, passband; **larghezza di b.**, bandwidth; **spettro a bande**, band spectrum **3** (*arald.*) bend ● (*comput.*) **b. perforata**, paper (*o* punched, perforated) tape □ (*cinem.*) **b. sonora**, sound track □ (*comput.*) **a b. larga**, broadband.

◆**bànda**③ f. **1** (*di armati*) band; (*di malviventi*) gang: **b. armata**, armed band; **b. criminale**, gang; **b. di partigiani**, band of partisans; *Sono tutti una b. di imbroglioni*, they're all a gang of crooks **2** (*fam.: gruppo di amici, colleghi, ecc.*) gang; mob; *Arrivò con tutta la b.*, he came with the whole gang (*o* mob) **3** (*di suonatori*) band: **b. militare**, military band; **b. di ottoni**, brass band.

bandàna, **bandànna** n. o m. bandanna.

bandéggio m. (*biol.*) banding technique.

bandèlla f. **1** (*di porta*) hinge **2** (*elettr.*) bus bar **3** (*metall.*) strap **4** (*di libro*) jacket flap.

banderuòla f. **1** (*bandiera*) banderole; pennant **2** (*mostravento*) weather vane; weathercock **3** (*fig.*) weathercock.

◆**bandièra** **A** f. **1** flag; banner; (*mil.*) colours (pl.): **b. a mezz'asta**, flag (flying) at half mast; (*sport*) **b. a scacchi**, chequered flag; **b. a stelle e strisce** (*degli USA*), Stars and Stripes; **b. bianca**, white flag; **alzare (la) b. bianca**, to raise (*o* to show) the white flag; **la b. del reggimento**, the regimental colours; (*naut.*) **b. di cortesia**, courtesy ensign; (*naut.*) **b. di segnalazione**, signal flag; **b. gialla** (*o* **di quarantena**), yellow flag; **la b. italiana**, the Italian flag; **b. nazionale**, a country's flag (*o* colours); **b. nera** (*dei pirati*), Jolly Roger; skull and crossbones; (*naut.*) **b. ombra** (*di comodo*), flag of convenience; **b. rossa**, red flag; **b. tricolore**, Italian flag; tricolour (*USA* tricolor) (flag); **ammainare la b.**, to lower (*o* to strike) the flag; **battere b. italiana**, to fly the Italian flag; **esporre la b.**, to put out the flag; **issare la b.**, to hoist the flag; **salutare la b.**, to salute the colours; **spiegare una b.**, to unfurl a flag; **sventolare una b.**, to wave a flag **2** (*fig.*) flag; banner: (*fig.*) **la b. della libertà**, the flag (*o* banner) of liberty ● (*fig.*) **a bandiere spiegate**, with flying colours □ **abbandonare la b.** (*disertare*), to desert one's colours □ (*naut.*) **aiutante di b.**, flag lieutenant □ (*sport*) **punto della b.**, consolation point; face saver □ (*aeron.*) **compagnia di b.**, national flagship airline □ (*fig.*) **mutare b.**, to change sides; (*cambiare opinione*) to change one's mind □ (*fig.*) **tenere alta la b.**, to keep the flag flying □ **spirito di b.**, esprit

de corps (*franc.*) B a. inv. – **rosso b.**, pillar--box red; **verde b.**, bright green.

bandieràio m. flag maker.

bandierìna f. **1** (*small*) flag: **le bandierine su una carta geografica**, the flags on a map; **segnare con una b.**, to mark with a flag; to flag **2** (*sport*) flag ● (*calcio*) **tiro dalla b.**, corner (kick).

bandinèlla f. (*asciugamano a rullo*) roller towel.

bandìre v. t. **1** (*notificare, indire*) to publicize; to publish; to proclaim; to announce: **b. un concorso**, to advertise (*o* to announce) a competition; **b. una gara d'appalto**, to call for tenders (*o* bids) **2** (*esiliare*) to banish; to exile: *Dante fu bandito da Firenze*, Dante was banished from Florence **3** (*proibire*) to ban: **b. la caccia**, to ban hunting **4** (*mettere da parte*) to dispense with; to put* aside: **b. gli scrupoli**, to put aside scruples.

bandìsta m. e f. (*mus.*) bandsman* (m.); bandswoman* (f.).

bandìstico a. (*mus.*) band (attr.).

bandita f. reserve; sanctuary: **b. di caccia**, game sanctuary.

banditésco a. of banditry; bandit (attr.); (*criminale*) criminal.

banditìsmo m. banditry; brigandage; gangsterism.

bandito A a. banished; exiled B m. (f. **-a**) **1** (*persona esiliata*) exile **2** (*fuorilegge*) bandit*; outlaw; gangster; (*brigante*) bandit, brigand, (*stor., di strada*) highwayman* **3** (*fig.*) scoundrel; criminal.

banditóre m. (f. **-trice**) **1** (*stor.*) (town) crier **2** (*in una vendita all'asta*) auctioneer **3** (*fig.: promotore*) advocate; champion.

bàndo m. **1** (*editto*) proclamation; ban **2** (*pubblico annuncio*) public notice; notification; announcement: **b. di asta pubblica**, notification of public auction; **b. di concorso**, announcement of competition; **b. di gara d'appalto**, call for tenders (o bids) **3** (*esilio*) banishment ● **B. alle cerimonie!**, let's not stand on ceremony!◻ **B. alle chiacchiere!**, let's come to the point!; get to the point! ◻ **B. alle formalità!**, let's do away with formalities! ◻ **mettere al b.**, (*proibire*) to ban, to put a ban on; (*accantonare, eliminare*) to put aside; to dispense with; (*escludere*) to exclude, to banish: **essere messo al b. dalla società**, to be excluded from society; to be a social outcast.

bandolièra f. (*mil.*) bandoleer; bandolier ● **a b.**, slung across the shoulder (*o* the chest).

bàndolo m. end (of a skein) ● (*fig.*) **il b. della matassa**, the key to the problem: **perdere il b. (della matassa)**, to get mixed up; **trovare il b. della matassa**, to find a clue to a puzzle; to find a way out of a muddle.

bandóne m. **1** (*lastra di metallo*) sheet metal **2** (*saracinesca*) (rolling) shutter.

bandòra f. (*mus.*) bandora; bandore.

bang inter. e m. inv. bang: (*aeron.*) **b. sonico**, sonic boom.

bangioìsta m. e f. banjo player; banjoist.

bangladése a., m. e f. Bangladeshi.

baniàno m. (*bot., Ficus benghalensis*) banyan (tree).

banjo m. inv. (*mus.*) banjo*.

Bankitalia abbr. (**Banca d'Italia**) Bank of Italy.

bàno m. (*stor.*) ban.

bansìgo m. (*naut.*) bosun's chair.

bàntam m. (*sport*) bantamweight.

bàntu a., m. e f. Bantu.

baobàb m. (*bot., Adansonia digitata*) baobab; monkey-bread.

◆**bar** ① m. inv. **1** bar; (*caffè*) coffee bar **2** (*mobile*) cocktail cabinet; bar.

bar ② m. inv. (*fis.*) bar.

◆**bàra** f. coffin; casket (*USA*).

baràbba m. inv. (*manigoldo*) scoundrel; rascal.

Baràbba m. (*Bibbia*) Barabbas.

baràcca f. **1** (*ricovero*) hut; shed: **b. per gli attrezzi**, tool shed **2** (*catapecchia*) shack; shanty: **quartiere di baracche**, shantytown **3** (*fig. fam.: casa, famiglia*) house, home, family; (*impresa*) business, firm: *È la madre che manda avanti la b.*, it's the mother who earns the money in that house; **stentare a mandare avanti la b.**, to struggle to make ends meet (*o* to keep going); (*rif. a un'impresa*) to struggle to keep things afloat **4** (*cosa malandata*) piece of junk **5** (*baldoria, bisboccia*) fun; good time: **far b.**, to have fun (*o* a good time) ● **piantare b. e burattini**, to give up everything; to pack it in; to chuck it in (*fam.*) ◻ (*fig.*) **tutta la b.**, the lot; the whole shebang (*fam. USA*) ❶ FALSI AMICI ● baracca *non si traduce con* barrack.

baraccaménto m. (*mil.*) hutment.

baraccàto m. (f. **-a**) (*in abitazione di emergenza*) person living in emergency housing; (*in una baraccopoli*) shanty dweller.

baracchìno m. **1** small hut **2** (*chiosco*) kiosk; booth **3** (*gergo dei radioamatori*) ham radio.

baraccóne m. **1** booth; large tent: **b. di fiera**, fun fair booth **2** (*al pl.*) (*luna park*) funfair; fairground; carnival (*USA*) **3** (*fig., di azienda, ecc.*) ramshackle structure ● **fenomeno da b.**, freak; (*fig.*) weirdo (*fam.*), oddball (*fam. USA*).

baracconìsta m. e f. owner of a funfair booth; fairground operator.

baraccòpoli f. inv. shantytown.

baraónda f. **1** (*disordine*) confusion; chaos; bedlam ◻; mayhem ◻; shambles **2** (*gran folla*) bustle **3** (*chiasso*) racket; din.

baràre v. i. to cheat: **b. alle carte**, to cheat at cards; **b. sull'età**, to lie about one's age.

bàratro m. **1** abyss; chasm; precipice: **sprofondare in un b.**, to fall into an abyss **2** (*fig.*) abyss; depths (pl.): **in un b. di disperazione**, in the depths of despair; **trovarsi sull'orlo di un b.**, to be on the brink of a precipice.

barattàre v. t. to barter; to trade; (*scambiare*) to swap (*fam.*): **b. un libro con un disco**, to swap a book for a record.

baratterìa f. (*stor.*) barratry.

barattière m. (*stor.*) barrator.

baràtto m. (*comm.*) barter; (*scambio*) swap (*fam.*): (*econ.*) **economia fondata sul b.**, barter economy.

◆**baràttolo** m. (*di vetro o plastica*) jar, pot; (*di latta*) tin (*GB*), can (*USA*).

◆**bàrba** f. **1** beard: **la b. di una settimana**, a week's growth of beard; **b. dura**, coarse beard; **b. fluente**, flowing beard; **b. incolta**, unkept (*o* straggling) beard; **b. ispida**, stubble; **b. rada**, sparse (*o* thin) beard; **avere la b.**, to wear (*o* to have) a beard; **avere la b. lunga**, to have a long beard; (*doversi radere*) to be in need of a shave; **fare la b. a q.**, to shave sb.; **farsi la b.**, to shave; to have a shave; **farsi crescere la b.**, to grow a beard; **portare la b. corta**, to wear one's beard short; *B. e capelli, signore?*, shave and haircut, sir?; **pennello da b.**, shaving brush; **sapone da b.**, shaving soap; **schiuma da b.**, shaving foam **2** (*bot., di cereali*) awn; (*di granturco*) silk; (*al pl.*) (*radici*) roots, rootlets: **mettere le barbe**, to take root **3** (*fig., di libro, film e sim.*) boring (agg.), yawn (*slang*); (*di attività*) bore, drag (*slang*); (*di persona*) bore, drag (*slang*): *Che b.!*, what a bore!; what a drag! (*slang*); *Non leggerlo, è una b.*, don't read it, it's boring (*o*, *slang*, it's a

yawn); *Che b. d'un uomo!*, what a bore he is! **4** (*di animale*) barb; beard; (*di penna di uccello*) barb **5** (*di libro*) deckle edge ● (*bot.*) **b. di becco** (*Tragopon pratensis*), goat's beard ◻ **farla in b. a.**, to outsmart (sb.); to cheat (st.) ◻ **in b. a**, in defiance of; in spite of ◻ (*fig.*) **servire q. di b. e capelli**, to teach sb. a lesson.

barbabiètola f. (*bot., Beta vulgaris*) beet; (*la radice*) beetroot, beet (*USA*) ● **b. da foraggio**, mangel-wurzel (*ted.*) ◻ **b. da zucchero**, sugar beet ◻ **zucchero di b.**, beet sugar.

Barbablù m. Bluebeard.

barbacàne m. (*mil. stor.*) barbican.

barbafòrte m. (*bot., Armoracia rusticana*) horseradish.

barbagiànni m. **1** (*zool., Tyto alba*) barn owl; screech owl **2** (*fig.*) fool.

barbàglio ① m. dazzle; glare; flash.

barbàglio ② m. glitter; shimmer.

barbanéra m. inv. popular almanac.

barbarésco ① a. barbaric; barbarian.

barbarésco ② A a. (*della Barberia*) Barbary (attr.): **pirati barbareschi**, Barbary pirates B m. (*cavallo della Barberia*) barb.

barbàrico a. barbaric; barbarian: **le invasioni barbariche**, the barbarian invasions; **usanze barbariche**, barbaric customs.

barbàrie f. **1** (*arretratezza, inciviltà*) barbarism; barbarousness: **allo stato di b.**, in a state of barbarism **2** (*crudeltà*) barbarism, savagery, cruelty; (*scempio*) vandalism ◻: *La guerra è una b.*, war is barbarism; **un atto di b.**, a barbarity, an atrocity; (*atto vandalico*) vandalism.

barbarìsmo m. (*ling.*) barbarism.

bàrbaro A a. **1** (*dei barbari*) barbaric; barbarian; (*straniero*) foreign: **invasioni barbare**, barbarian invasions; **i popoli barbari**, barbaric peoples **2** (*incivile*) barbarous; uncivilized; (*rozzo*) rough, uncouth: **pratiche barbare**, barbarous practices; **maniere barbare**, atrocious manners **3** (*orrendo*) awful; atrocious **4** (*crudele*) barbarous; cruel; savage: **un b. assassinio**, a barbarous murder B m. (f. **-a**) barbarian.

barbàsso m. (*bot., Verbascum thapsus*) mullein; Aaron's rod.

barbastèllo m. (*zool., Barbastella barbastellus*) barbastelle.

barbàto a. (*bot.*) barbate.

barbazzàle m. **1** curb chain **2** (*zool.*) wattle.

Barberìa f. Barbary; Barbary States (pl.).

bàrbero m. (*cavallo*) barb.

barbétta f. **1** short beard: **b. a punta**, goatee. **2** (*mil. stor.*) barbette **3** (*naut.*) painter **4** (*di cavallo*) fetlock.

barbicàre v. i. to take* root*; to strike* root.

Bàrbie® f. inv. (*ingl.*) Barbie; (*fig., spec. iron.*) Barbie doll.

◆**barbière** m. barber: **negozio di b.**, barber's (shop) (*GB*); barbershop (*USA*).

barbificàre v. i. to take* root*; to strike* root.

barbìglio m. **1** (*di pesce*) barbel **2** (*di gallinaceo*) wattle **3** (*di freccia*) barb.

barbìno a. **1** (*gretto, meschino*) mean; sordid: **tiro b.**, mean (*o* shabby) trick **2** (*duro, difficile*) hard: **fatica barbina**, hard work; sweat (*fam.*) ● **fare una figura barbina**, to make a fool of oneself.

barbitonsóre m. (*scherz.*) barber.

barbitùrico (*farm.*) A a. barbituric B m. barbiturate.

barbiturìsmo m. (*med.*) barbiturate poisoning.

bàrbo m. (*zool., Barbus barbus*) barbel.

barbògio A a. **1** (*vecchio*) decrepit; doting **2** (*brontolone*) crusty; cantankerous; grum-

py **B** m. old dodderer.

barbóna f. tramp; (*che tiene i suoi averi in sacchetti di plastica*) bag lady.

barbóne m. **1** (*barba lunga*) long beard; bushy beard **2** (*cane*) poodle: **b. nano**, miniature poodle **3** (*vagabondo*) tramp; hobo (*USA*) **4** (*bot.*, *Bryonia dioica*) bryony.

barbóso a. (*fam.*) boring; tedious; tiresome.

barbòzza f., **barbòzzo** m. (*mil. stor.*) beaver.

barbozzàle → **barbazzale**.

barbugliaménto m. mumbling; muttering; stammering.

barbugliàre **A** v. t. e i. to mumble; to mutter; to stammer **B** v. i. (*gorgogliare*) to burble.

bàrbula f. (*zool.*) barbule.

barbùta f. (*mil. stor.*) helmet; basinet.

barbùto a. bearded.

♦**bàrca** ① f. boat: **b. a motore**, motor boat; **b. a remi**, rowing boat; rowboat (*USA*); **b. a vela**, sailing boat; sailboat (*USA*); **b. da pesca**, fishing boat; **b. di salvataggio**, lifeboat; **andare in b.**, to go* boating; (*in barca a vela*) to go* sailing, to sail; *Andiamoci in b.!*, let's go there by boat!; *Sai andare in b. a vela?*, can you sail?; **salire** [**scendere**] **dalla b.**, to get into [out of] the boat; **vacanze in b.**, sailing holidays • (*fig.*) **essere nella stessa b.**, to be in the same boat □ (*fig.*) **mandare avanti la b.**, to keep the ship afloat.

bàrca ② f. **1** (*bica*) stack **2** (*fam.: mucchio*) piles (pl.); stacks (pl.); heaps (pl.): **una b. di soldi**, heaps (o stacks) of money.

barcàccia f. **1** (*naut.*) launch; longboat (*stor.*) **2** (*teatr.*) stage box.

barcaiòlo m. boatman*; waterman*.

barcamenàrsi v. i. pron. **1** (*destreggiarsi*) to get* along; to manage; to cope **2** (*non compromettersi*) to steer a middle course.

barcarìzzo m. (*naut.*) **1** gangway **2** (*scala*) accommodation ladder; gangway ladder.

barcaròla f. (*mus.*) barcarole (*franc.*).

barcàta f. **1** boatful **2** (*fam.: gran quantità*) loads (pl.); stacks (pl.); heaps (pl.).

barchìno m. **1** (*da caccia*) punt **2** (*naut.*) dinghy; skiff.

barcollaménto m. staggering; tottering; reeling.

barcollàre v. i. **1** to stagger; to reel; to totter: **b. sotto i colpi**, to reel under the blows; **b. per lo shock**, to reel from the shock **2** (*fig.*) to totter; to be shaky; to be ready to fall.

barcollìo m. staggering; tottering; reeling.

barcollóni avv. staggeringly: **camminare b.**, to stagger along; to totter along.

barcóne m. barge.

bàrda f. (*mil. stor.*) bard.

bardàna f. (*bot.*, *Arctium lappa*) burdock.

bardàre **A** v. t. **1** to harness **2** (*scherz.*) to rig out **B** **bardàrsi** v. rifl. (*scherz.*) to rig oneself out; to tog up: **bardarsi a festa**, to get all dressed up.

bardatùra f. **1** (*il bardare*) harnessing **2** (*sella e finimenti*) harness; (*ornamentale*) trappings (pl.), caparison **3** (*scherz.: abbigliamento*) rig; trappings (pl.): **b. da sci**, ski rig; **b. di gala**, finery; glad rags (pl., *GB*).

bàrdo m. bard.

bardòtto m. **1** (*zool.*) hinny **2** (*fig.: garzone*) errand boy; apprentice.

barèlla f. **1** (*lettiga*) stretcher **2** (*per materiale*) barrow; handbarrow **3** (*per processioni*) litter • (*sport*) **essere portato via in b.**, to be stretchered off.

barellànte m. e f. stretcher bearer.

barellàre v. t. to carry on a stretcher.

barellière m. (f. **-a**) **1** (*lettighiere*) stretch-er bearer **2** (*manovale*) workman* using a handbarrow.

baréna f. sandbank; sandbar.

barenatrìce f. (*mecc.*) boring machine.

barenatùra f. (*mecc.*) boring.

barèno m. (*mecc.*) boring bar.

barése **A** a. of Bari; from Bari; Bari (attr.) **B** m. e f. inhabitant [native] of Bari.

barestesìa f. (*med.*) baresthesia.

bargèllo m. **1** (*stor.*) head of police **2** (*estens.: poliziotto*) policeman* **3** (*palazzo*) prison.

bargìglio m. wattle; jowl.

bargigliùto a. wattled; jowled.

barìa f. (*fis.*) barye.

baricèntrico a. (*fis.*) barycentric.

baricèntro m. (*fis.*) barycentre; centre of gravity.

bàrico a. (*fis.*) **1** (*rif. a pressione*) pressure (attr.): **gradiente b.**, pressure gradient **2** (*rif. al peso*) weight (attr.).

barilàio m. cooper.

barìle m. barrel (*anche come misura*); cask: **b. di birra**, barrel of beer; **b. di petrolio**, oil barrel; **b. di vino**, barrel (o cask) of wine • **essere (grasso come) un b.**, to be a tub of lard □ (*fig.*) **raschiare il fondo del b.**, to scrape the bottom of the barrel.

barilétto m. (*di orologio*) barrel; box.

barilòtto m. **1** small cask; keg **2** (*di bersaglio*) bull's eye **3** (*fig., di persona*) tubby person; roly-poly.

bàrio m. (*chim.*) barium.

bariòne m. (*fis. nucl.*) baryon.

bariònico a. (*fis. nucl.*) baryonic.

barisfèra f. barysphere.

barìsta m. e f. **1** barman* (m.); barmaid (f.); bartender (*spec. USA*) **2** (*proprietario di bar*) barkeeper; bar owner.

barìte f. (*miner.*) **1** (*ossido*) baryta **2** (*solfato*) barytes; barite (*USA*).

baritìna f. (*miner.*) **1** barytes; barite (*USA*).

baritonàle a. baritone (attr.).

baritoneggiàre v. i. to put* on a baritone voice.

barìtono **A** m. baritone **B** a. (*ling.*) barytone.

barlùme m. (*anche fig.*) glimmer; gleam; flicker; spark: **un b. di speranza**, a ray of hope; **un b. d'intelligenza**, a spark of intelligence.

barn m. inv. (*fis. nucl.*) barn.

Bàrnaba m. (*Bibbia*) Barnabas.

barnabìta m. (*eccles.*) Barnabite.

barnabìtico a. (*eccles.*) of the Barnabites; Barnabite (attr.).

bàro m. (f. **-a**) card sharper; cheat.

baroccheggiànte a. **1** (*arte*) tending to baroque **2** (*fig.*) flamboyant; florid.

barocchétto m. late baroque.

barocchìsmo m. baroque style.

baròccio e deriv. → **barroccio**, e deriv.

baròcco **A** a. **1** baroque **2** (*fig.*) baroque; highly ornate **B** m. baroque.

baroccùme m. (*spreg.*) **1** overdecorativeness **2** (*oggetti*) extravagantly decorated objects (pl.).

barocettóre m. (*biol.*) baroceptor; baroreceptor.

barògrafo m. barograph.

barogràmma m. barogram.

barometrìa f. (*fis.*) barometry.

barométrico a. barometric.

baròmetro m. barometer (*anche fig.*); glass (*fam.*): **b. a mercurio**, cup barometer; **b. aneroide**, aneroid barometer; (*fig.*) **il b. dell'attuale situazione politica**, the barometer of the present political situation; *Il b. sale* [*scende*], the barometer is rising [fall-ing].

baronàggio m. barony.

baronàle a. baronial: **titolo b.**, baronial title.

baronàto m. → **baronia**.

♦**baróne** m. **1** baron **2** (*fig.: magnate*) baron, captain; (*persona potente*) powerful figure: **b. della stampa**, press baron; **b. dell'industria**, captain of industry **un b. della medicina**, a powerful figure in the medical profession; **b. universitario**, university mandarin.

baronésco a. baronial.

baronéssa f. baroness.

baronétto m. baronet: **titolo di b.**, baronetcy.

baronìa f. **1** (*dominio di barone*) barony **2** (*dignità di barone*) baronage; barony **3** (*insieme di nobili*) baronage.

baronìsmo m. wielding of authority.

baroscòpio m. (*fis.*) baroscope.

bàrra f. **1** (*metall.*) bar: **b. d'oro**, gold bar; **oro in barre**, gold in bars **2** (*naut., del timone*) helm; tiller: **cambiare la b.**, to shift the helm; **mettere la b. sottovento**, to put the helm alee; *B. al vento!*, weather the helm!; helm a-weather! *B. sottovento!*, down the helm!; helm a-lee! **3** (al pl.) (*naut.*) crosstrees **4** (*ind., mecc.*) bar; rod: **b. d'accoppiamento**, tie rod; track rod; **b. di guida** (*di tornio*), pilot bar; **b. di rimorchio** (o di traino), towbar; tow rod; (*di locomotiva, trattore, ecc.*) drawbar; **b. di torsione**, torsion bar **5** (*del morso del cavallo*) bit; bar **6** (*in tribunale*) bar **7** (*segno grafico*) stroke; slash: **7 b. 9** (o 7/9), 7 stroke 9; (*mat.*) 7 over 9; **b. rovesciata**, backslash **8** (*geogr.*) bar: **b. di sabbia**, sandbar **9** (*comput.*) bar: **b. degli strumenti**, toolbar; **b. dei menu**, menu bar • (*aeron.*) **b. di comando**, control column; control stick □ (*di tastiera*) **b. spaziatrice**, spacebar □ **codice a barre**, bar code.

barracùda m. (*zool.*, *Sphyraena picuda*) barracuda*.

barrage (*franc.*) m. (*equit.*) playoff.

barramìna f. (*ind. min.*) steel; drill bit.

barrànco m. (*geogr.*) baranca; barranco.

barràre v. t. to bar; to cross: **b. un assegno**, to cross a cheque.

barratùra f. crossing.

barré m. inv. (*franc., mus.*) barré.

barrétta f. bar: **b. di cioccolato**, chocolate bar.

barricadièro a. revolutionary; extremist.

barricàre **A** v. t. **1** to barricade: **b. una strada**, to barricade a street **2** (*chiudere, sbarrare*) to bar: **b. porte e finestre**, to bar doors and windows **B** **barricàrsi** v. rifl. to barricade oneself: **barricarsi in casa**, to barricade oneself in one's house; (*fig.*) to stay shut up in one's house • (*fig.*) **barricarsi nel silenzio**, to retreat behind a wall of silence.

barricàta f. barricade: **erigere barricate**, to put up barricades • (*fig.*) **fare le barricate**, to rise □ (*fig.*) **dall'altra parte della b.**, on the other side of the fence.

♦**barrièra** f. **1** (*sbarramento*) barrier; (*steccato*) fence; (*cancello*) gate; (*muro*) wall: **b. anticarro**, tank barrier; **b. autostradale**, motorway tollgate; **b. stradale** (o di protezione), crash barrier **2** (*geogr.*) barrier: **b. corallina**, barrier reef **3** (*fig.: impedimento*) barrier, bar, obstacle; (*protezione*) barrier, defence: **b. architettonica**, architectural barrier; **b. di classe**, class barrier; **una b. di diffidenza**, a wall of diffidence; **barriere doganali**, customs barriers **4** (*fis.*) barrier: **b. del suono**, sound barrier **5** (*calcio*) wall **6** (*equit.*) rail; **dritto di b.**, straight post and rail; **muro con b.**, wall and rails; **siepe con b.**, brush and rails • (*econ.*) **barriere all'en-**

b

trata, barriers to entry; (*comm. est.*) **barriere agli scambi**, trade barriers.

barrire v. i. to trumpet.

barrito m. **1** trumpeting **2** (*fig.*) roar.

barrocciàio m. carter.

barrocciàta f. cartload.

barroccino m. gig.

barròccio m. **1** (two-wheeled) cart **2** (*il carico*) cartload.

Bartolomèo m. Bartholomew.

barùffa f. quarrel; row; (*tafferuglio*) scuffle, punch-up (*fam.*): **fare b.**, to quarrel; to scuffle.

baruffàre v. i. to quarrel; to scuffle.

♦**barzellétta** f. joke; funny story: **b. spinta**, risqué joke; **raccontare una b.**, to tell a joke ● **buttare qc. in b.**, to laugh st. off □ **Non è affatto una b.**, it's no joke (*o* joking matter) □ **pigliare qc. in b.**, to make light of st.

barzellettìstica f. jokes (pl.).

barzellettìstico a. **1** of a joke; of jokes; joke-telling **2** (*fig.*: *poco raffinato*) low; coarse **3** (*fig.*: *ridicolo*) ridiculous; ludicrous.

basàle a. **1** (*relativo alla base*) basal **2** (*med.*) basal **3** (*fondamentale*) basic; fundamental.

basàltico a. (*miner.*) basaltic.

basàlto m. (*miner.*) basalt.

basaménto m. **1** (*piedistallo*) plinth; base **2** (*di edificio*) podium **3** (*zoccolo di parete*) skirting board; (*di muro esterno*) footing **4** (*mecc.*) bed; bedplate; base: **b. di cemento**, concrete bed **5** (*autom.*) crankcase **6** (*geol.*) basement.

♦**basàre** Ⓐ v. t. to base; to found; (*fig., anche*) to ground Ⓑ **basàrsi** v. rifl. to base oneself (on, upon); to go* (by); (*fare affidamento*) to rely (on): **basarsi su dati di fatto**, to base oneself on facts; **b. sul sesto senso**, to rely on one's sixth sense; *Io mi baso su quello che mi hanno detto*, I go by what I've been told Ⓒ v. i. pron. to be based (on); to rest.

bàsca, baschìna f. (*sartoria*) (skirt) yoke.

bàsco Ⓐ a. Basque ● **palla basca**, pelota; jai alai Ⓑ m. **1** (f. **-a**) Basque **2** (*berretto*) beret **3** (*ling.*) Basque.

bàscula → **basculla**.

basculànte a. (*tecn.*) horizontally pivoted; up-and-over: **porta b.**, up-and-over door; **sedia b.**, tilting (*o* reclining) chair.

bascùlla f. platform balance; platform scale.

♦**bàse** Ⓐ f. **1** base: **la b. di una colonna**, the base of a column; **la b. del cranio**, the base of the skull **2** (*fondamento*) foundation; basis*; ground; footing; (al pl.: *nozioni fondamentali*) grounding (sing.): **le basi della fisica**, the basis of physics; **gettare le basi di qc.**, to lay the foundations (*o* the basis) of st.; **avere una b. solida**, to rest on a solid basis; to be well-grounded; **avere buone basi in matematica**, to have a good grounding in mathematics **3** (*mil.*) base; station: **b. aerea [navale]**, air [naval] base; **b. d'operazione**, operations (*o* operational) base **4** (*econ., fin.*) basis*; base: **b. monetaria**, monetary base; **b. tariffaria**, rate basis; **b. aurea**, gold reserve; **b. di capitale**, capital base **5** (*mat., geom., chim.*) base **6** (*di partito, sindacato*) rank and file; grass roots (pl.) **7** (*baseball*) base **8** (*crema per trucco*) foundation cream ● (*miss.*) **b. di lancio**, launching (*o* launch) site □ (*fig.*) **b. di partenza**, starting point □ (*fisc.*) **b. imponibile**, tax base □ (*aeron.*) **b. spaziale**, space base; (*orbitante*) space station □ **a b. di: dieta a b. di proteine**, protein-based diet; **un piatto a b. di funghi**, a mushroom dish □ **alla b.** (*fondamentalmente*), at heart; at bottom □ **alla b. della questione**, at the root of the question

(*o* issue) □ **di b.**, basic: **regole di b.**, basic rules □ **in b. a**, according to; under; on the basis of: **in b. al vigente regolamento**, under the present rules; **in b. a tali considerazioni**, on the basis of such considerations; **agire in b. a qc.**, to act on st. □ **rientrare alla b.** (*mil.*) to return to base; (*fig.*) to go back □ **su b. annua [mensile]**, on an yearly [monthly] basis □ **su b. teorica**, on a theoretical basis □ **sulla b. di**, on the basis of; on the strength of Ⓑ a. inv. basic; base (attr.): **alimento b.**, basic food; essential nourishment; (*alpinismo*) **campo b.**, base camp; (*mat.*) **numero b.**, radix; **prezzo b.**, base (*o* basic) price; (*fin., di un titolo*) basis price (*espresso in termini di rendimento percentuale alla scadenza*); (*in un'asta*) starting price; **stipendio b.**, basic (*o* base) salary; (*fin.*) **valuta di b.**, base currency.

basedowìsmo m. (*med.*) Basedow's disease.

basétta ① f. side whisker (usato al pl.); sideburn (usato al pl.); side-board (usato al pl., *GB*).

basétta ② f. (*elettr.*) header.

basettino m. (*zool.*, *Panurus biarnicus*) reedling; bearded tit.

basettóni m. pl. long whiskers; mutton-chop whiskers; mutton-chops.

basicità f. (*chim.*) basicity.

bàsico a. **1** (*chim., geol.*) basic **2** → **basilare**.

basìdio m. (*bot.*) basidium*.

Basìdiomicèti m. pl. (*bot.*) Basidiomycetes.

basidiospòra f. (*bot.*) basidiospore.

basificàre v. t. (*chim.*) to basify.

basilàre a. fundamental; basic; key (attr.): crucial; **principi basilari**, fundamental principles; **questioni basilari**, key issues.

basilarità f. fundamental nature.

basìlica f. basilica.

basilicàle a. basilican; basilic.

basìlico m. (*bot.*, *Ocimum basilicum*) (sweet) basil.

basilìsco m. (*zool.*, *Basiliscus*; *mitol.*) basilisk ● (*fig.*) **occhi di b.**, basilisk eyes.

basìre v. i. **1** (*lett.*: *svenire*) to faint; to pass out **2** (*allibire*) to be stunned; to be flabbergasted; (*per paura*) to be paralysed.

basìsta m. e f. **1** (*polit.*) supporter of the line of the rank-and-file **2** (*gergale*) inside man* (in a robbery).

basìto a. stunned; flabbergasted.

♦**bàsket** (*ingl.*) m. inv. (*sport*) basketball.

basofilìa f. (*biol.*) basophilia.

basòfilo a. (*biol.*) basophil.

bàssa ① f. **1** plain, lowlands (pl.) **2** (*meteor.*) low.

bàssa ② f. (*bur., mil.*) pass.

bassacórte f. poultry yard.

bassadànza f. basse danse (*franc.*).

bassaménte avv. **1** (*vilmente*) meanly; basely **2** (*a bassa voce*) softly; in a low voice.

bassarìsco m. (*zool.*, *Bassariscus astutus*) ring-tailed cat.

bassézza f. **1** lowness; (*del terreno*) low altitude; (*di statura*) shortness **2** (*fig.*) baseness; meanness: **b. morale**, moral baseness **3** (*fig.*: *azione bassa*) base act; mean act; vile practice: *Questa insinuazione è una b.*, this is a base insinuation.

bassìsta m. e f. (*mus.*) bass player.

♦**bàsso** Ⓐ a. **1** low; (*di statura*) short: **bassa marea**, low tide; **un muro b.**, a low wall; **tacchi bassi**, low heels; **un uomo b. e grasso**, a short, fat man; **prezzi [salari] bassi**, low prices [wages]; **bassa frequenza**, low frequency; **numero b.**, low (*o* small) number; **carta (da gioco) bassa**, low card; **voto b.**, low mark **2** (*posto in basso*) lower;

(*abbassato*) lowered, downcast: *Il sole era b. sull'orizzonte*, the sun was low on the horizon; **nuvole basse**, low clouds; **soffitto b.**, low ceiling; **i piani bassi di un edificio**, the lower floors of a building; **il b. ventre**, the lower abdomen; **tenere gli occhi bassi**, to keep one's eyes lowered; to look down; **a occhi bassi**, with eyes lowered, looking down; with downcast eyes **3** (*stretto*) narrow; (*sottile*) thin: **nastro b.**, narrow ribbon; **torta bassa**, thin cake **4** (*poco profondo*) shallow: **acqua bassa**, shallow water **5** (*di suono: sommesso*) low, soft: **parlare a bassa voce**, to speak in a low voice; to speak softly; **tenere b. il volume**, to keep the volume low (*o* down) **6** (*mus., di nota*) deep, low-pitched; (*di voce, strumento*) bass: **chitarra bassa**, bass guitar **7** (*di luce*) faint; dim **8** (*geogr.*) low; (*inferiore*) lower; (*merid.*) southern: **i Paesi Bassi**, the Netherlands; (*stor.*) the Low Countries; **il b. Danubio**, the lower Danube; **il b. Egitto**, Lower Egypt; **Bassa Italia**, Southern Italy **9** (*fig.*: *vile, meschino*) base; mean; vile: **un'azione bassa**, a base act; **agire per bassi motivi**, to act from (*o* out of) base motives **10** (*inferiore*) lower; inferior: **le classi basse**, the lower classes; **il b. clero**, the lower clergy **11** (*stor.*: *tardo*) late; low: **il B. Impero**, the Late Roman Empire; **il B. Medioevo**, the Late Middle Ages; **b. latino**, low Latin □ **la bassa forza**, (*mil.*) the ranks; (*naut.*) the lower deck; (*fig.*) the rank and file □ **bassa stagione**, off season □ (*mil.*) **bassa tenuta**, everyday uniform □ (*eccles.*) **altare b.**, side altar □ **avere il morale b.**, to be in low spirits □ **avere la voce bassa**, to speak softly; (*essere roco*) to be hoarse □ (*polit.*) **la Camera Bassa**, the Lower Chamber (*o* House) □ (*boxe* e *fig.*) **colpo b.**, blow below the belt □ **di bassa lega**, (*metall.*) low; (*fig.*) coarse □ **di bassi natali**, baseborn □ (*fig.*) **essere (*o* trovarsi) in acque basse**, to be in low water □ (*eccles.*) **Messa bassa**, Low Mass □ **Pasqua bassa**, early Easter □ (*uncinetto*) **punto b.**, double crochet Ⓑ m. **1** lower part; bottom: **dal b.**, from below; from beneath; **dal b. in alto**, from the bottom upwards; **in b.**, down; down below: **guardare in b.**, to look down; **più in b.**, further down; lower **2** (*mus.*) bass: **un b. famoso**, a famous bass; **b. baritono**, bass baritone; **b. profondo**, bass profundo; **i bassi** (*di un'orchestra*), the bass instruments; **b. continuo**, basso continuo; thorough bass; **b. di viola**, bass viol; **b. numerato**, figured bass; **chiave di b.**, bass clef **3** (*econ., fin.*) low: *Parecchie azioni hanno raggiunto bassi senza precedenti*, several shares have reached unprecedented lows ● (*su un collo di merci*) **«B.»**, «this side down» □ **gli alti e i bassi della vita**, the ups and downs of life □ **cadere in b.**, to fall down; (*fig.*: *degradarsi*) to sink low; (*di condizione sociale*) to come down in the world □ **da b.** → **dabbasso** Ⓒ avv. low: **mirare b.**, to aim low.

bassofóndo m. **1** shallows (pl.); shallow water; shoal **2** (al pl.) (*quartieri poveri*) slums **3** (al pl.) (*strati sociali inferiori*) dregs of society; (*malavita*) low life (sing.), underworld (sing.).

bassopiàno m. lowland.

bassorilièvo m. (*arte*) bas-relief; basso-relievo*.

♦**bassòtto** Ⓐ m. (*cane, anche* **b. tedesco**) dachshund*; badger dog; sausage dog (*fam.*) Ⓑ a. shortish.

bassotùba m. inv. (*mus.*) bass tuba.

bassovèntre m. lower abdomen; (*eufem.*: *genitali*) genitals (pl.), (one's) nether regions (pl.).

bassùra f. depression; lowland.

bàsta ① f. **1** (*imbastitura*) tacking; basting **2** (*piega*) tuck.

♦bàsta ② **A** inter. **1** (*invito a smettere*) (that's) enough; that will do; stop it: *Adesso b.!*, that's enough!; *B. con queste storie!*, enough of this nonsense!; *B. così, grazie*, that will do, thank you; *B., per favore!*, stop it, will you?; *E per oggi b.!*, that's it for to-day!; *Fallo e b.!*, just do it!; *Farai come dico io e b.!*, you'll do as say, and that's final!; (*versando da bere*) *Dimmi b.*, say when **2** (*insomma*) well: *B., vogliamo, well, we'll see* **B** sost. – **averne b. di qc.**, to be fed up with st.; (*fig.*) **dire b.**, to put one's foot down **C** bà-sta loc. cong. provided that; as long as: *B. che non lo si sappia*, as long as no one knows about it; *È vostro, b. che lo chiediate*, you only have to ask for it; it's yours for the asking.

bastànte a. sufficient; enough.

bastardàggine f. illegitimacy; bastardy.

bastàrdo **A** a. **1** bastard; illegitimate: **figlio b.**, bastard (*o* illegitimate) son **2** (*zool., bot.*) hybrid; crossbred: **cane b.**, mongrel; mutt (*fam. USA*) **3** (*fig.: spurio*) spurious; false; bastard: **linguaggio b.**, bastard language ● (*tipogr.*) **carattere b.**, bastard type ☐ **lima bastarda**, bastard file **B** m. (f. -a) **1** bastard; illegitimate child* **2** (*animale*) crossbreed; hybrid; (*cane*) mongrel; mutt (*fam. USA*) **3** (*spreg.*) bastard.

bastardùme m. (*spreg.*) bastards (pl.).

♦bastàre v. i. **1** to be sufficient; to be enough; to suffice: *Bastò una parola*, one word was enough; *Non mi bastano i soldi*, I haven't got enough money; *Il pane che abbiamo non basta per tutti*, we haven't got enough bread for everybody; *Mi pare che basti*, I think that will do; **quel tanto che basta per...**, just enough to...; *Basta guardarlo per capire che è infelice*, you only have to look at him to see he's unhappy; *Mi basterebbe sapere che sono felici*, I'd be satisfied to know they are happy; *Bastava che tu me lo dicessi*, all you had to do was tell me; *Basta chiedere*, you only have to ask; **come se non bastasse**, as if that wasn't enough; *Basti dire che...*, suffice it to say that... **2** (*durare*) to last: **farsi b. qc.**, to make st. last ● **b. a sé stesso**, to be self-sufficient ☐ **Non mi basta l'animo per dirglielo**, I haven't the heart to tell him ☐ **quanto basta**, all that is necessary; (*nelle ricette, ecc.*) sufficient (attr.); as needed.

bastévole a. (*lett.*) sufficient; enough.

bastìa f. fort; stockade.

bastiàn m. – **b. contrario**, contentious person; perverse person; bloody-minded person (*fam. GB*); contrarian (*USA*); contrary Joe (*fam. USA*): **fare sempre il b. contrario**, to be contentious; to be perverse; to be contrary; to be bloody-minded (*fam. GB*); to be a contrarian (*USA*).

Bastìglia f. (*stor.*) Bastille.

bastiménto m. **1** ship; vessel: **b. a vapore**, steamship; **b. da carico**, cargo (boat) **2** (*carico*) shipload.

bastingàggio m. (*naut.*) bulwark.

bastionàre v. t. to fortify with ramparts.

bastionàta f. ramparts (pl.); fortification.

bastióne m. **1** rampart; bulwark **2** (*fig.*) bastion; bulwark.

bàsto m. **1** pack-saddle: **mettere il b. a un mulo**, to pack a mule **2** (*fig.*) load; heavy burden ● **b. rovescio**, gutter ☐ (*fig.*) **mettere il b. a q.**, to subjugate sb.

bastonàre **A** v. t. **1** to beat* (with a stick); to thrash; (*randellare*) to club, to cudgel: **b. q. a sangue**, to beat up sb.; to club sb. to pulp; **b. q. di santa ragione**, to beat sb. soundly; to give sb. a thorough thrashing; to beat sb. black and blue **2** (*fig.: criticare*) to berate; to lambaste; to flay **B** bastonàrsi v. rifl. recipr. to come* to blows.

bastonàta f. **1** blow (with a stick); wal-

lop: **una buona dose di bastonate**, a sound beating; a good walloping **2** (*fig.*) → **bato-sta**.

bastonàto a. **1** beaten up; thrashed **2** (*fig.: avvilito*) dejected; crestfallen; down in the mouth: **avere l'aria bastonata** (*o* **sembrare un cane b.**), to look dejected; to look crestfallen; to have a hangdog look.

bastonatùra f. beating; thrashing; walloping; cudgelling: *Gli diede una solenne b.*, he gave him a sound beating (*o* thrashing).

bastoncèllo m. (*anat.*) (retinal) rod.

♦bastoncìno m. **1** (small) stick: **b. di liquerizia**, liquorice stick **2** (*sci*) ski pole; ski stick **3** (*anat.*) rod ● (*cucina*) **bastoncini di pesce**®, fish fingers (*GB*); fish sticks (*USA*).

♦bastóne m. **1** stick; cane; staff; (*randello*) club, cudgel: **b. animato**, swordstick; **b. bianco** (*per i ciechi*), white stick; **b. da montagna**, alpenstock; **b. da passeggio**, walking stick; cane; **un colpo di b.**, a blow with a stick **2** (*insegna di comando*) baton; staff: **b. di comando**, staff of command; **b. di maresciallo**, field marshal's baton; **b. vescovile**, pastoral staff; crosier **3** (*sport*) club; stick: **b. da golf**, golf club; **b. da hockey**, hockey stick **4** (al pl.) (*nelle carte da gioco*) batons; (*nei tarocchi, anche*) wands **5** (*tipogr.*) sans serif; sanserif **6** (*arald.*) baton; staff **7** (*fig.*) support; staff: *Sarai il b. della mia vecchiaia*, you'll be the staff of my old age **8** (*forma di pane*) French loaf ● (*fig.*) **usare il b. e la carota**, to use a carrot-and-stick approach ☐ (*fig.*) **mettere i bastoni tra le ruote a q.**, to put a spoke in sb.'s wheel.

batàcchio m. doorknocker; knocker.

batàta f. (*bot., Ipomoea batatas*) sweet potato; yam (*fam. USA*).

batàvo a. e m. (*stor.*) Batavian.

batigrafìa f. bathygraphy.

batigràfico a. bathygraphic.

batik m. inv. (*ind. tess.*) batik.

batimetrìa f. bathymetry.

batìmetro m. bathymeter.

batinàuta m. e f. deep-sea explorer.

batiscàfo m. (*naut.*) bathyscaphe.

batisfèra f. (*naut.*) bathysphere.

batìsta f. lawn; cambric; batiste (*franc.*).

batmòtropo a. (*med.*) bathmotropic.

batòcchio → **battaglio**.

batofobìa f. (*psic.*) bathophobia.

batolìte f. (*geol.*) batholith.

batometrìa, **batòmetro** → **batimetrìa**, **batimetro**.

batoscòpico a. bathymetric ● **sfera batoscopica**, bathysphere.

batosfèra → **batisfera**.

batòsta f. **1** (*brutto colpo*) blow; shock; body-blow (*fam.*) **2** (*perdita finanziaria*) setback; reversal; reverse **3** (*sconfitta*) beating; battering; licking; thrashing: **subire una b.**, to take a beating.

bàtrace m. (*lett.*) batrachian; frog; toad.

battage (*franc.*) m. inv. buildup; hype (*fam.*).

♦battàglia f. **1** battle; (*combattimento*) fight: **b. a palle di neve**, snowball fight; **b. aerea**, air battle; **b. campale**, pitched battle; **b. navale**, naval battle; sea fight; (*gioco*) warships; **dare b.**, to give battle; (*fig. anche*) to wage a war (against st.); **morire in b.**, to die in battle; **schierare a b.**, to draw up in battle array; **campo di b.**, battlefield; **ordine di b.**, battle order **2** (*fig.*) fight; battle; (*lotta*) struggle; (*conflitto*) conflict: **b. elettorale**, electoral battle; **b. politica**, political struggle; *La sua vita fu una continua b.*, his life was a constant struggle **3** (*campagna*) campaign: **la b. contro i rumori**, the anti-noise campaign **4** (*pitt.*) battlepiece.

battagliàre v. i. (*anche fig.*) to battle; to

fight*; to struggle.

battaglièro a. **1** bellicose; warlike **2** (*fig.*) bellicose; combative; pugnacious; feisty (*USA*).

battàglio m. **1** (*di campana*) clapper **2** (*di porta*) doorknocker, knocker.

battagliòla f. (*naut.*) guardrail; rail.

battaglióne m. (*mil.*) battalion.

battàna f. (*naut.*) flat-bottomed boat; scull.

battellière m. boatman*; waterman*; (*traghettatore*) ferryman*.

♦battèllo m. boat; (*traghetto*) ferry: **b. a remi**, rowing boat; rowboat (*USA*); **b. a ruote**, paddle steamer; sidewheeler; **b. a vapore**, steamboat; **b. da pesca**, fishing boat; **b. di gomma**, rubber dinghy; **b. di salvataggio**, lifeboat; **b. postale**, mailboat; **b. pneumatico**, inflatable dinghy; **gita in b.**, boating trip.

battènte **A** m. **1** (*imposta, di porta*) leaf; wing; (*di finestra*) shutter: **porta a due battenti**, double door; **finestra a battenti**, casement window **2** (*parte dello stipite, incavo*) rebate; rabbet **3** (*idraul.*) head **4** (*ind. tess.*) batten; sley **5** (*batacchio*) doorknocker, knocker **6** (*di orologio*) hammer **7** (*di boccaporto*) coaming ● (*fig.*) **chiudere i battenti**, to close down **B** a. (*di pioggia*) beating; driving; pouring.

♦bàttere **A** v. t. **1** (*colpire*) to beat*; to strike*; to hit*; to knock; to bang; to pound; (*leggermente*) to rap, to tap; (*percuotere*) to beat*, to beat up: **b. un chiodo**, to hit a nail; **b. un tamburo**, to beat a drum; **b. un tappeto**, to beat a carpet; **b. la carne**, to pound meat; **b. il gomito contro uno spigolo**, to hit one's elbow on the corner of st.; **b. la testa contro il muro**, to knock one's head against the wall; **b. un pugno sul tavolo**, to bang one's fist on the table; **b. un colpo alla porta**, to knock on the door; **b. tre colpi sul tavolo**, to rap three times on the table; **b. q. sulla spalla**, to slap sb. on the shoulder; (*dare una pacca*) to clap sb. on the shoulder; *Quando era ubriaco batteva la moglie*, when he was drunk, he would beat up his wife **2** (*agitare*) to flap; to beat*: **b. le ali**, to flap (*o* to beat) one's wings **3** (*vincere, superare*) to beat*: **b. la concorrenza**, to beat the competition; **b. il nemico**, to beat the enemy; **b. un primato**, to beat a record; *L'ho battuto a carte*, I beat him at cards; *Ci hanno battuto tre a zero*, we were beaten three-nil; *Paolo batte tutti in cucina*, Paolo is an excellent cook **4** (*metall.*) to hammer; to beat* out: **b. un pezzo di metallo**, to hammer a piece of metal flat; **b. l'oro**, to beat out gold **5** (*coniare*) to strike*; to mint; to coin: **b. moneta**, to mint coin; to coin money **6** (*aggiudicare*) to knock down **7** (*agric.*) to beat*; (*trebbiare*) to thresh: **b. la canapa**, to beat hemp; **b. il grano**, to thresh corn; **b. il lino**, to swingle flax **8** (*percorrere*) to beat*, to scour; (*per lavoro*) to work; (*perlustrare*) to comb; to search: **b. i boschi**, to beat the woods; **b. la campagna**, to scour the countryside; (*comm.*) **b. una regione**, to work a district; *La polizia batté tutto il quartiere*, the police combed the whole area; *Ho battuto tutti i mercatini alla ricerca di vecchie cornici*, I combed all the antique markets looking for old frames **9** (*scrivere a macchina*) to type: **b. una lettera**, to type a letter **10** (*mil.*) to pound; to bombard: *L'artiglieria batteva le mura della fortezza*, the artillery was pounding the walls of the fortress; **b. una città con le artiglierie**, to bombard a town **11** (*naut.*) to fly*: **b. bandiera francese**, to fly the French flag ● (*fig.*) **b. l'acqua nel mortaio**, to flog a dead horse ☐ (*fig.*) **b. cassa**, to ask for money ☐ (*fig.*) **b. il chiodo**, to insist; to harp on about st. ☐ *Batteva i denti*, his teeth were chattering ☐

b

(*fig.*) **b. il ferro finché è caldo**, to strike while the iron is hot □ **b. le mani**, to clap (one's hands) □ (*fig.*) **b. il marciapiede**, to walk the streets; to be on the game (*slang*); to hustle (*slang*) □ **b. le ore**, to strike the hours: *L'orologio batté le dieci*, the clock struck ten □ **b. i piedi**, to stamp one's feet; (*fig.*) to be stubborn, to be mulish □ (*sci*) **b. una pista**, to groom a trail □ (*fig.*) **b. la ritirata**, to beat a retreat □ (*calcio*) **b. un rigore**, to kick a penalty; to take a penalty kick □ **b. q. sul tempo**, to get in before sb.; to forestall sb. □ **b. i tacchi**, (*come saluto*) to click one's heels; (*fig.*: *fuggire*) to take to one's heels □ (*mus.*) **b. il tempo**, to beat time □ **b. il tempo col piede**, to tap one's foot to the music □ (*fig.*) **battersi il petto**, to beat one's breast □ **non b. ciglio**, (*non essere sorpreso*) not to bat an eyelid; (*non avere paura*) not to flinch □ (*fig.*) **non sapere dove b. il capo**, not to know which way to turn; to be at one's wits' end **B v. i. 1** (*picchiare, dare colpi*) to beat*; to hit* (st.); to pound; (*leggermente*) to tap (st.); (*pulsare*) to throb; (*bussare*) to knock, to rap: *La pioggia batte sui vetri*, the rain is beating on the windowpanes; *Il sole batteva sulle loro teste*, the sun was beating down on their heads; *Le onde battono contro gli scogli*, the waves are beating against the rocks; *Il suo cuore batteva ancora*, his heart was still beating; *Il cuore mi batteva forte*, my heart was pounding; **b. sui tasti**, to tap the keys; **b. alla porta**, to knock (*o* to rap) at the door **2** (*fig.*: *insistere*) to insist (on), to hammer (on); (*continuare a parlare*) to go* on (about): **b. sulla puntualità**, to insist on punctuality; to be a stickler for punctuality; **b. sempre sullo stesso tasto**, to go on and on about st.; to harp on about st. **3** (*sport*: *calcio*) to kick; (*tennis, pallavolo*) to serve; (*baseball, cricket*) to bat **4** (*fam.*: *prostituirsi*) to walk the streets; to be on the game (*slang*); to hustle (*slang*) ● (*fig.*) **b. in ritirata**, to beat a retreat □ (*di motore*) **b. in testa**, to knock; to pink (*GB*); to ping (*USA*) □ **battersela**, (*scappare*) to take to one's heels; to beat it (*fam.*); to scarper (*slang*); to scram (*slang*); (*svignarsela*) to make oneself scarce, to slink away □ (*fig.*) **b. e ribattere su qc.**, to repeat st. again and again; to insist on st.: *Batti e ribatti, alla fine ha ceduto*, I repeated my arguments over and over again, and in the end she gave in; *Batti e ribatti, ce l'ho fatta*, by dint of insisting I got where I wanted □ **Non capisco dove vada a b. il suo discorso**, I don't know what he is driving at **C battersi v. i. pron. e rifl. recipr.** to fight*: **battersi fino all'ultimo**, to fight to the last; **battersi a duello con q.**, to fight a duel with sb. **D m.** – (*mus.*) **tempo in battere**, down beat; **in un batter d'occhio**, in the twinkling of an eye; in a flash; in no time.

◆**batteria** f. **1** (*mil., naut.*) battery: **b. contraerea**, antiaircraft battery; **b. costiera**, coast battery; **fuoco di b.**, battery fire **2** (*fis., elettr.*) battery; accumulator: **b. d'accumulatori**, storage battery; **b. d'avviamento**, starter battery; **b. ricaricabile**, rechargeable battery; (*anche fig.*) **ricaricare le batterie**, to charge one's batteries; **a b.**, battery-operated **3** (*mus.*) drums (pl.); percussion: **alla b.**, on the drums **4** (*sport*) heat **5** (*insieme, gruppo*) set; battery: **una b. da cucina**, a set of saucepans **6** (*per polli*) battery **7** (*di orologio*) striking mechanism.

battericida **A** m. bactericide **B** a. bactericidal.

battèrico a. bacterial.

battèrio m. (*biol.*) bacterium*.

batteriòfago m. (*biol.*) bacteriophage.

batteriolìsi f. (*biol.*) bacteriolysis.

batteriolìtico a. (*biol.*) bacteriolytic.

batteriologìa f. bacteriology.

batteriològico a. bacteriological ● **guerra batteriologica**, germ (*o* biological) warfare.

batteriòlogo m. (f. **-a**) bacteriologist.

batterioscopìa f. (*med.*) bacterioscopy.

batteriostàtico a. (*biol.*) bacteriostatic.

batterioterapìa f. bacteriotherapy.

batterista m. e f. (*mus.*) drummer; percussionist.

battesimàle a. baptismal: christening: **fonte b.**, (baptismal) font.

battèsimo m. **1** (*relig.*: *il sacramento*) baptism; (*la cerimonia*) baptism, christening: **dare il b.**, to administer baptism; to baptize; **ricevere il b.**, to receive baptism; to be baptized; **tenere q. a b.**, to stand godfather [godmother] to sb.; *Il b. si terrà martedì*, the christening will take place on Tuesday; **certificato di b.**, certificate of baptism; **nome di b.**, Christian name; first name; **veste di b.**, christening robes (pl.) **2** (*fig.*) baptism; (*inaugurazione*) christening, inauguration: **b. dell'aria**, first time sb. has flown; first experience of flying; **b. del fuoco**, baptism of fire; **il b. d'una nave**, the christening of a ship.

battezzàndo m. (f. **-a**) person to be baptized.

battezzànte m. e f. baptizer.

battezzàre **A** v. t. **1** to baptize; (*dare il nome*) to christen: *Fu battezzato col nome di Marco*, he was christened Marco **2** (*fig.*: *chiamare, soprannominare*) to name; to nickname; to dub **3** (*fig.*: *inaugurare*) to inaugurate ● (*scherz.*) **b. il vino**, to water down wine **B battezzàrsi v. i. pron.** to be baptized; to be christened.

battezzatóre m. (f. **-trìce**) baptizer.

battezzatòrio m. baptismal font; (*pr immersione*) baptistery.

battibaléno m. flash; instant: **in un b.**, in a flash; in a twinkling of an eye.

battibeccàre v. i. to squabble; to have words.

battibécco m. squabble; exchange.

battìbile a. beatable; that can be beaten.

batticàrne m. meat mallet; tenderizer.

batticóda f. (*zool., Motacilla flava*) yellow wagtail.

batticuòre m. **1** palpitations (pl.); pounding of the heart: **avere il b.**, to feel one's heart pounding; (*anche fig.*) **dare il b.**, to set sb.'s heart pounding; to give sb. palpitations **2** (*fig.*: *ansia*) trepidation; anxiety; worry: **stare col b.**, to wait with one's heart in one's mouth.

battifiàcca m. e f. inv. slacker; shirker.

battifiànco m. stable rail.

battifrédo m. (*stor.*) watch-tower.

battigia f. shoreline; waterline; water's edge; (*zona intercotidale*) foreshore.

battilàno, battilàna m. wool carder.

battilàrdo m. chopping-board.

battilàstra m. inv. panel beater.

battilòro m. gold beater.

bàttima → **battigia**

battimàno, battimàni m. applause [U]; handclapping [U]; handclap ● **b. ritmato** (*in segno di impazienza, disapprovazione o incitamento*), slow handclap; **fare un b. ritmato** (**a q.**), to slow-clap; to slow-handclap (sb.).

battimàre m. inv. washboard; weatherboard.

battiménto m. **1** (*fis.*) beat **2** (*mecc.*) knock; knocking.

battipàlo m. **1** (*mecc.*) pile driver; rammer: **b. a mano**, handrammer; **b. a vapore**, steam pile driver **2** (*operaio*) pile driver.

battipànni m. inv. carpet beater.

battipénna m. (*mus.*) pickguard.

battipista m. inv. (*sci*) groomer; (*veicolo, anche*) snowcat.

battipòrta m. inv. **1** (*batacchio*) doorknocker; knocker **2** (*doppia porta*) double door.

battiscópa m. inv. (*edil.*) skirting board (*GB*); baseboard (*USA*); mopboard (*USA*).

battista a., m. e f. (*relig.*) Baptist ● **S. Giovanni B.**, St John the Baptist.

battistèro m. (*archit.*) baptistery.

battistràda m. inv. **1** (*staffetta*) outrider; (*stor.*) outrunner **2** (*sport*) pacemaker; pacesetter; pacer **3** (*fig.*) leader; herald; forerunner: **fare da b.**, to lead the way **4** (*di pneumatico*) tread; track: **b. liscio**, smooth tread; **b. scolpito**, moulded (*o* grooved) tread; **ricostruire il b.**, to retread a tyre; **scolpitura del b.**, moulded tread pattern.

battitàcco m. inv. trouser hem binding.

battitappéto m. carpet cleaner; carpet sweeper.

bàttito m. **1** (*pulsazione*) beat; pulsation; palpitation; throbbing [U]: **il battito del cuore**, heartbeat; **b. del polso**, pulse; **il b. delle tempie**, the throbbing of the temples **2** (*ticchettio*) ticking; (*picchiettio*) tapping, pattering: **il b. di un orologio**, the ticking of a clock; **il b. della pioggia**, the tapping (*o* pattering) of the rain **3** (*mecc.*) pant; (*anormale*) rattle; (*di biella, punteria, ecc.*) knock, knocking: **b. in testa**, knock; pink (*GB*); ping (*USA*); **b. dello stantuffo**, piston slap ● **un b. d'ali**, a fluttering of wings □ **b. delle palpebre**, blink.

battitóia f. (*tipogr.*) planer.

battitóio m. (*ind. tess.*) willow; (*per lino, ecc.*) scutcher, beater.

battitóre m. **1** beater; (*di grano*) thresher **2** (*sport*: *baseball*) batter; (*cricket*) batsman*; (*tennis, pallavolo*) server **3** (*caccia*) beater; tracker **4** (*mil.*) scout; explorer **5** (*di asta*) auctioneer **6** (*mecc.*: *di trebbiatrice*) awner; (*di macchina tess.*) beater ● (*calcio*) **b. libero**, libero (*ital.*); sweeper.

battitrice f. **1** → **battitore**, def. 2 **2** (*agric.*) threshing machine.

battitùra f. **1** (*percossa*) blow; whack; beating [U] **2** (*anche b. a macchina*) typing: **velocità di b.**, typing speed **3** (*del grano*) threshing **4** (*metall.*) beating: **b. dell'oro**, gold beating **5** (*ind. tess.*) scutching.

bàttola f. **1** (*caccia*) clapper **2** (*tecn.*) smoother.

battóna f. (*pop.*) streetwalker; hooker (*slang USA*).

◆**battuta** f. **1** beat; beating; (*fam.*) **dare una bella b. a q.**, to give sb. a sound beating; **b. di mani**, clapping of hands **2** (*dattilografia*) stroke; (*carattere*) character; (*spazio*) space: **battute al minuto**, strokes per minute; **velocità di b.**, typing speed; **una cartella di 2000 battute**, a 2,000-character page **3** (*teatr.*) line; lines (pl.); speech: **una lunga b.**, a long speech; **dare la b. a q.**, to give sb. his cue; **dimenticare la b.**, to forget one's lines; to dry up; **perdere la b.**, to miss one's cue; **sbagliare la b.**, to fluff one's lines; **una parte di poche battute**, a bit part **4** (*detto arguto*) quip; one-liner; joke; crack; wisecrack; witty remark; witticism: **avere la b. pronta**, never to be at a loss for an answer; to be quick on the draw (*fam.*); *Era solo una b.!*, I was only joking; **b. finale**, punchline **5** (*breve commento*) brief comment; a few words (pl.) **6** (*mus.*) (*misura*) bar; measure (*USA*); (*tempo*) beat: *Riprendiamo dalla quinta b.*, let's take it from the fifth bar; **entrare sulla b.**, to come in on the beat; **b. d'arresto**, rest **7** (*partita di caccia*) hunt; hunting: **una b. di caccia alla volpe**, a fox hunt **8** (*sport*: *tennis, pallavolo*) service; (*baseball, cricket*) bat; (*nuoto*) stroke; (*di gambe*) kick; (*canottaggio*) stroke;

9 (*polizia: ricerca*) search; (*rastrellamento*) roundup ● (*fig.*) **b. d'arresto**, halt; standstill □ **b. della porta**, doorstop □ **essere alle prime battute**, to have just started; to be just at the beginning □ **in poche battute**, in a few words □ **in prima b.**, in the first instance; to start with □ **non perdere una b. di qc.**, not to miss a word of st.

battùto Ⓐ a. **1** beaten; struck **2** (*sconfitto*) beaten; defeated **3** (*di metallo*) hammered; beaten; wrought: **ferro b.**, wrought iron; **oro b.**, beaten gold **4** (*coniato*) coined; minted **5** (*di strada*) beaten, well-trodden; (*pieno di traffico*) busy ● **b. dalla pioggia**, lashed by the rain □ **b. dal sole**, sunny □ **b. dal vento**, windswept □ **terra battuta**, packed earth; dirt; (*tennis*) clay Ⓑ m. **1** (*cucina*) finely diced vegetables (pl.); mirepoix (*franc.*); (*ripieno*) stuffing: **un b. di aglio e cipolla**, chopped garlic and onion **2** (*pavimento di calcestruzzo*) concrete pavement; concrete flooring.

batùffolo m. **1** (*di lana*) flock; (*di bambagia*) wad **2** (*fig., di bambino*) chubby baby; dumpling **3** (*fig., di animale*) fluffy thing.

bàu vc. onom. bow-wow; woof: **fare bau bau**, to bow-wow.

baud m. inv. (*tel.*) baud.

baùle m. **1** trunk: **fare [disfare] un b.**, to pack [to unpack] a trunk; **b. armadio**, wardrobe trunk **2** (*autom.*) boot (*GB*); trunk (*USA*) ● (*fig.*) **fare i bauli**, to pack one's bags; to pack up and leave.

baulétto m. travelling case; (*per gioielli*) jewel case; (*per trucco*) vanity case.

baùtta f. (*mantellina*) domino*; (*mascherina*) mask.

bauxite f. (*miner.*) bauxite.

bàva f. **1** drool; dribble; slaver; slobber: (*di animale*) foam, froth; (*di lumaca*) slime: **avere la b. alla bocca**, to froth at the mouth; to be foaming at the mouth; to slaver; **un filo di b.**, a trickle of spit **2** (*di baco da seta*) silk filament **3** (*metall.*) burr; flash **4** (*pesca*) leader ● **b. di vento**, breath of wind.

bavaglino m. bib.

bavàglio m. (*anche fig.*) gag: **mettere il b. a q.**, to gag sb.

bavagliòlo → bavaglino.

bavarése Ⓐ a., m. e f. Bavarian Ⓑ f. (*cucina*) Bavarian cream; bavaroise (*franc.*).

bavèlla f. (*ind. tess.*) floss silk.

bàvera f. (*moda: collo*) ruffle; (*mantellina*) tippet.

bàvero m. collar; lapel: **b. di velluto**, velvet collar; **col b. alzato**, with one's collar turned up; *Lo afferrai per il b.*, I grabbed him by the lapels ● (*fig.*) **prendere q. per il b.**, to make a fool of sb.; to take sb. for a ride.

bavétta f. **1** (*bavaglino*) bib **2** (*metall.*) burr; flash **3** (*autom.*) mud flap.

Bavièra f. (*geogr.*) Bavaria.

bavósa f. (*zool., Blennius vulgaris*) blenny.

bavóso a. drooling; dribbling; slobbering; slavering.

bazàr m. inv. **1** (*mercato orientale*) bazaar **2** (*emporio*) emporium; general store **3** (*fig.: luogo disordinato*) mess; jumble.

bazooka, **bazùca** m. inv. (*mil., cinem.*) bazooka.

bàzza① f. (*fortuna*) stroke (o piece) of luck.

bàzza② f. (*mento*) protruding chin.

bazzècola f. **1** (*cosa di poco valore*) (mere) trifle; bauble; gewgaw; nothing **2** (*rif. al denaro*) next to nothing; peanuts (pl.): *L'ho comprato per una b.*, I bought (o got) it for next to nothing (o for a song) **3** (*cosa facile*) child's play; piece of cake (*fam.*); breeze (*fam.*).

bàzzica f. **1** (*gioco di carte*) bezique **2** (*biliardo*) kind of billiard game.

bazzicàre Ⓐ v. t. (*frequentare: un luogo*) to hang* about (o around), to haunt, (*una persona*) to go* around with, to mix with, to associate with: **b. i bar**, to haunt bars; **b. gente losca**, to mix with shady characters Ⓑ v. i. to hang about (o around) (in): *Bazzica da queste parti*, he hangs about in this area.

bazzòtto a. (*di uovo*) coddled; soft-boiled.

b.c. sigla (*mus., basso continuo*) thorough bass; figured bass.

BCE sigla (**Banca centrale europea**) European Central Bank (ECB).

bè, **bèe** inter. baa: *La pecora fa bè*, a sheep baas.

be' → **beh**.

beach volley loc. m. inv. (*ingl., sport*) beach volleyball.

beànte a. gaping; open: **ferita b.**, gaping wound; **vena b.**, open vein.

beàre Ⓐ v. t. to make* happy Ⓑ **bearsi** v. i. pron. to be delighted (by); to relish (st.); to revel (in): **bearsi al pensiero [al suono] di qc.**, to relish the thought [the sound] of st.; **bearsi del proprio successo**, to revel in one's success.

bearnése a. of Béarn; from Béarn ● **salsa b.**, Béarnaise sauce.

beat (*ingl.*) Ⓐ a. inv. beat Ⓑ m. e f. inv. beatnik.

beatificàre v. t. (*eccles.*) to beatify.

beatificazióne f. (*eccles.*) beatification.

beatìfico a. beatific.

beatitùdine f. **1** (*relig.*) beatitude; bliss: **la b. delle anime in cielo**, the bliss of the souls in Paradise; (*relig.*) **le Beatitudini**, the Beatitudes **2** (*felicità*) bliss: **in uno stato di b.**, in a state of bliss.

◆**beàto** Ⓐ a. **1** (*relig.*) blessed: **la Beata Vergine**, the Blessed Virgin; *Beati i miti*, blessed are the meek **2** (*felice*) blissful, happy; (*fortunato*) lucky: **vita beata**, happy life; life of bliss; **beata ignoranza**, blissful ignorance; *B. te [lui]!*, lucky you [him]!; *Beati voi che ve ne andate!*, you're lucky you're leaving **3** (*iron.*) blessed: *B. uomo!*, blessed man! ● (*pitt.*) **il B. Angelico**, Fra Angelico Ⓑ m. (f. **-a**) (*relig.*) blessed soul: **i beati**, the Blessed.

Beatrice f. Beatrice, Beatrix.

beauty-case (*ingl.*) m. inv. vanity case.

beauty center loc. m. inv. (*ingl.*) beauty centre; beauty parlour.

beauty farm loc. f. inv. (*ingl.*) health spa; health farm.

bebè m. baby ● **b. su misura**, designer baby.

beccàccia f. (*zool., Scolopax rusticola*) woodcock ● (*zool.*) **b. d'acqua** (*Limosa*), godwit □ (*zool.*) **b. di mare** (*Haematopus ostralegus*), oyster catcher; sea pie.

beccaccìno m. **1** (*zool., Capella gallinago*) snipe **2** (*naut.*) snipe.

beccafìco m. (*zool., Sylvia borin*) garden warbler ● **grasso come un b.**, as fat as a goose.

beccàio m. (*anche fig.*) butcher.

beccamòrti m. inv. (*spreg.*) gravedigger.

beccamòrto m. womanizer; ladies' man*.

◆**beccàre** Ⓐ v. t. **1** to peck; to peck at: **b. il grano**, to peck corn; *Il gallo mi ha beccato un dito*, the cock pecked my finger **2** (*fam.: pungere*) to sting*; to bite*: *Mi ha beccato una zanzara*, I've been bitten by a mosquito **3** (*mangiucchiare*) to nibble **4** (*fig.: stuzzicare*) to tease; to needle; to taunt; to provoke **5** (*fam.: sorprendere*) to catch*; (*colpire*) to get*; (*arrestare*) to nab (*fam.*): *Fu beccato sul fatto*, he was caught red-handed (o in the

act); *Non mi ci becchi più ad accompagnarti*, you won't catch me going with you again; *Ti ho beccato!*, caught you!; gotcha! (*slang*) **6** (*fam.: ottenere*) to get*; to win*; to cop (*fam.*) (*guadagnare*) to make*: **beccarsi il primo premio**, to win first prize; *Si è beccato una bella eredità*, he's picked up a nice inheritance; *Con quel lavoro si è beccato tre milioni*, he made a cool three million with that job **7** (*fam.: buscare*) to get*; to catch*; to cop (*fam.*): **beccarsi una multa**, to get booked; to cop a fine (*slang*); **beccarsi una polmonite**, to get (o to catch) pneumonia; **b. una sberla**, to get a thick ear (*fam.*); *Beccati questo!*, take this! **8** (*gergo teatr.*) to hiss; to boo Ⓑ **beccàrsi** v. rifl. recipr. **1** to peck (at) each other **2** (*fig.: bisticciarsi*) to bicker; to needle each other.

beccastrino m. hoe; mattock.

beccàta f. **1** peck **2** (*quantità presa col becco*) beakful **3** (*fam.: puntura di insetto*) (insect) sting; bite **4** (*fig.: frecciata*) dig **5** (*gergo teatr.*) hiss; boo ● **ordine di b.**, pecking order.

beccatèllo m. (*archit.*) bracket; corbel **2** (*piolo di attaccapanni*) peg.

beccatóio m. seed tray.

beccatùra f. pecking; (*segno*) peck mark.

beccheggiàre v. i. (*naut., aeron.*) to pitch.

beccheggiàta f. (*naut., aeron.*) pitch; pitching.

becchéggio m. (*naut., aeron.*) pitching.

beccherìa f. butcher's shop.

becchettàre Ⓐ v. t. to peck away at Ⓑ **becchettàrsi** v. rifl. recipr. **1** to peck (at) each other **2** (*fig.*) to bicker; to needle each other.

becchettìo m. pecking.

becchìme m. birdseed; (*per polli*) chicken feed.

beccincróce m. (*zool., Loxia curvirostra*) crossbill.

becchìno m. gravedigger.

◆**bécco**① m. **1** beak; bill: **b. adunco**, hooked beak (o bill); **dal b. adunco**, hook--beaked; hook-billed **2** (*scherz.: bocca*) mouth; trap (*fam.*): *Chiudi il b.!*, shut your mouth (o trap)!; shut up!; **bagnarsi il b.**, to wet one's whistle **3** (*bruciatore*) burner: **b. a gas**, gas burner; **b. (di) Bunsen**, Bunsen burner **4** (*di bricco, ecc.*) lip; (*di teiera, ecc.*) spout ● **b. d'oca** (*per capelli*), (spring) clip □ **a b.**, beak-like □ (*fig.*) **mettere il b. in qc.**, to interfere; to poke one's nose into st. □ **non avere il b. d'un quattrino**, to be broke (*fam.*); to be skint (*slang GB*) □ (*fig.*) **restare a b. asciutto**, to be left without; to miss out (on st.).

bécco② m. **1** (*caprone*) billy goat **2** (*fig. pop.*) cuckold.

beccofrusóne m. (*zool., Bombycilla garrulus*) waxwing.

beccùccio m. **1** (*di bricco, ecc.*) lip; (*di teiera, ecc.*) spout **2** (*per capelli*) (spring) clip **3** (*ugello*) nozzle; jet; tip.

beceràggine f. boorishness.

bécero Ⓐ m. boor; lout; yob (*slang GB*) Ⓑ a. boorish; loutish.

becerùme m. riffraff; louts (pl.); yobs (pl.) (*slang GB*).

béchamel (*franc.*) → **besciamella**.

becher (*ted.*) m. inv. (*chim.*) beaker.

becquerel m. inv. (*fis.*) becquerel.

bedanatrice f. (*tecn.*) mortiser.

bedàno m. (*tecn.*) mortise chisel.

beduino a. e m. (f. **-a**) Bedouin.

bèe → **bè**.

◆**befàna** f. **1** (**B.**) (*pop.*) Epiphany: *Cosa fate per la B.?*, what are you doing on Epiphany? **2** Befana (*kindly old woman who brin-*

gs gifts to children on Epiphany eve) **3** (*strenna*) Epiphany present **4** (*spreg., di vecchia*) ugly old woman*; old hag; old bag; (*donna malvestita*) frump; (*donna brutta*) ugly woman*, dog (*slang*).

bèffa f. **1** (*scherzo*) practical joke; prank; (*montatura*) hoax: **fare una b. a q.**, to play a practical joke on sb.; *L'annuncio del ritrovamento si rivelò una b.*, the news of the finding turned out to be a hoax **2** (*scherno*) mockery Ⓤ; scoffing Ⓤ: **farsi beffe di q.**, to mock sb.; to laugh at sb.; to make fun of sb. ● **aggiungere al danno la b.**, to add insult to injury.

beffàrdo a. mocking; scornful; sneering; scoffing; derisory: **risata beffarda**, mocking laugh; **sorriso b.**, sneering smile; **con un tono b.**, in a scornful (*o* derisory) tone.

beffàre Ⓐ v. t. **1** (*ingannare*) to to trick; to make* a fool of **2** (*schernire*) to mock; to laugh at; to make* fun of Ⓑ **beffàrsi** v. i. pron. to sneer at; to laugh (at); to make* fun (of).

beffatóre m. (f. *-trìce*) mocker; scoffer.

beffeggiaménto m. mocking; mockery; scoffing.

beffeggiàre v. t. to mock; to laugh at.

beffeggiatóre m. (f. *-trìce*) (*lett.*) mocker; scoffer.

bèga f. **1** dispute; quarrel: **cacciarsi in una b.**, to get involved in a dispute **2** (*seccatura*) trouble Ⓤ; hassle (*fam.*): *Non voglio beghe*, I don't want any trouble; **cercare beghe**, to be looking for trouble.

beghìna f. **1** (*eccles.*) Beguine **2** (*spreg.*) over-devout woman*; churchy woman*.

beghinàggio m. (*eccles.*) beguinage.

beghinìsmo m. (*spreg.*) exaggerated piety; churchiness.

beghìno m. **1** (*eccles.*) Beghard; Beguin **2** (*spreg.*) over-devout man*; churchy man*.

begliuòmini m. pl. (*bot., Impatiens balsamina*) balsam (sing.).

begònia f. (*bot., Begonia*) begonia.

beguine (*franc.*) f. inv. (*ballo*) beguine.

◆**bèh** inter. (*fam.*) well: *Beh, cosa vuoi?*, well, what do you want?

behaviorìsmo m. (*psic.*) behaviourism, behaviorism (*USA*).

behaviorista m. e f. (*psic.*) behaviourist, behaviorist (*USA*).

behavioristico a. (*psic.*) behaviouristic, behavioristic (*USA*).

BEI sigla (**Banca europea per gli investimenti**) European Investment Bank (EIB).

bèi → **bey**.

beige (*franc.*) a. e m. inv. beige.

bèl m. inv. (*fis.*) bel.

belàre v. i. **1** to bleat; to baa (*fam.*) **2** (*fig.*) to bleat; (*piagnucolare*) to whine; (*lamentarsi*) to moan; to snivel.

belàto m. **1** bleating; bleat; baa (*fam.*) **2** (*fig.*) bleat; (*piagnucolio*) whine; (*lamento*) moan; snivelling Ⓤ.

belcantìsmo m. bel canto.

belcantìstico a. bel canto (attr.).

belcànto m. bel canto.

bèlga a., m. e f. Belgian.

Bèlgio m. (*geogr.*) Belgium.

Belgràdo f. (*geogr.*) Belgrade.

◆**bèlla** f. **1** (*donna b.*) beautiful woman*; beauty; (*al vocat.*) beautiful, gorgeous, love: **la B. e la Bestia**, Beauty and the Beast; **la B. Addormentata**, Sleeping Beauty; *Ciao, b.!*, hello, gorgeous! **2** (*fidanzata*) girlfriend; sweetheart (*antiq.*) **3** (*bella copia*) fair copy: **mettere qc. in b.**, to write out a fair copy of st. **4** (*spareggio*) playoff; decider; (*a carte*) deciding game, decider ● (*bot.*) **b. di giorno** (*Convolvulus tricolor*), dwarf morning glory; dwarf bindweed □ (*bot.*) **b. di notte** (*Mirabi-*

lis jalapa) four-o'clock; (*eufem.*) lady of the night.

belladònna f. (*bot., Atropa belladonna*) deadly nightshade; belladonna.

bellaménte avv. **1** (*con garbo*) nicely; attractively **2** (*abilmente*) skilfully; artfully **3** (*tranquillamente*) peacefully; (*comodamente*) comfortably.

bellavista f. view; panorama ● (*cucina*) **in b.**, in gelatin and served with vegetables and pickles.

bellétta f. (*lett.*) mire; slime.

belletterìsta m. e f. belletrist.

belletterìstica f. belletrism.

bellétto m. **1** rouge: **darsi il b.**, to rouge one's face **2** (*fig.*) embellishment; flourish.

◆**bellézza** f. **1** beauty; loveliness; (*spec. di uomo*) handsomeness; (*bell'aspetto*) good looks (pl.): *La sua b. comincia a sfiorire*, her beauty is beginning to fade; **concorso di b.**, beauty contest; **cura di b.**, beauty treatment; **istituto di b.**, beauty parlour **2** (*persona bella*) beauty; (al vocat.) beautiful, gorgeous: *Quel bambino è una vera b.*, that little boy is really beautiful; *Non è una b.*, she is no beauty; *Ehi, b.!*, hey, gorgeous! **3** (*cosa bella*) beauty; (al pl.: *luoghi belli*) beauty spots, attractions, sights: **le bellezze della natura**, the beauties of nature; **le bellezze di Napoli**, the sights of Naples; **un diamante che è una b.**, a beauty of a diamond; *È una b. stare qui*, it's so lovely here ● (*fig.*) **la b. dell'asino**, the beauty of youth □ *Ho pagato la b. di un milione*, I paid a good million for it □ *Ci ho messo la b. di dieci ore*, it took me ten whole hours □ *È vissuto la b. di cent'anni*, he lived to the ripe age of a hundred □ *Ha la b. di tre automobili*, she owns no less than three cars □ *Che b.!*, how wonderful!; how lovely! □ *Dorme che è una b.*, he's sound asleep; (*di bambino*) he sleeps like an angel □ *Funziona che è una b.*, it works beautifully; it works like clockwork; it works a treat (*fam.*) □ **chiudere** (*o* **finire**) **in b.**, to end on a high note (*o* with a flourish) □ **per la b. di** (+ cifra), to the tune of □ **solo per b.**, just for show; (*come decorazione*) purely decorative □ **vincere in b.**, to come off with flying colours; to carry all before one.

bellicìsmo m. warmongering.

bellicìsta Ⓐ m. e f. (*guerrafondaio*) warmonger Ⓑ a. warmongering.

bèllico ① a. war (attr.); wartime (attr.); martial; military: **materiale b.**, war material; **periodo b.**, wartime; **sforzo b.**, war effort.

bellìco ② m. (*ombelico*) navel.

bellicosità f. bellicosity; pugnacity.

bellicóso a. **1** warlike; bellicose **2** (*fig.*) bellicose; belligerent; pugnacious.

belligerànte a. e m. belligerent: **non b.**, nonbelligerent.

belligerànza f. belligerence; belligerency.

bellìgero a. (*lett.*) warlike; bellicose.

bellimbùsto m. dandy; fop; coxcomb.

◆**bèllo** Ⓐ a. **1** (*rif. all'aspetto*) fine; nice; lovely; fair (*lett.*); (*di persona*) good-looking; (*molto b.*) beautiful; (*spec. di uomo*) handsome; (*attraente*) lovely, charming, fair; (*grazioso*) pretty; (*ben fatto, spec. di parte del corpo*) beautiful, shapely: **una bella casa**, a nice house; **una casa molto bella**, a beautiful house; **bei vestiti**, fine clothes; **una bella vista**, a fine (*o* lovely) view; **una bella statua**, a beautiful statue; **belle arti**, fine arts; **un bel paesino**, a lovely little village; **una bella ragazza**, a good-looking girl; **una ragazza bellissima**, a beautiful (*o* gorgeous looking) girl; **un bel ragazzo**, a handsome (*o* good--looking) boy; **una bella bambina**, a pretty

little girl; **un bel viso**, a beautiful (*o* lovely) face; **bei capelli**, lovely hair; **belle gambe**, fine (*o* shapely) legs; (*stor.*) *Filippo il B.*, Philip the Fair ❶ NOTA: *handsome, pretty, beautiful* → **handsome 2** (*del tempo*) fine; fair; beautiful; lovely; nice; good: **una bella giornata**, a lovely day; *Speriamo che domani sia* (*o faccia*) *b.*, let's hope it is fine tomorrow **3** (*piacevole, gradevole*) beautiful, lovely, fine, nice; (*buono, ben fatto*) good, handsome; (*gentile*) kind; (*intelligente*) good, clever: **una bella voce**, a beautiful voice; **una bella vacanza**, a lovely holiday; **un bel film**, a good film; **una bella bistecca**, a nice steak; **una bella tazza di tè**, a nice cup of tea; **un bel gesto**, a handsome gesture; **un bel pensiero**, a kind thought; **un bel risultato**, a good result; **una bella occasione**, a fine opportunity; **un bel lavoro**, a good job; **una bella idea**, a good (*o* clever) idea; *Se ci stesse, sarebbe una bella cosa*, if he agreed, it would be a good thing **4** (*elegante*) elegant; smart: **un bel cappotto**, a smart coat **5** (*considerevole*) fair; sizable; considerable; (*generoso*) handsome: **una bella somma**, a fair amount of money; a tidy sum; **una bella altezza**, a considerable height; *È una bella cifra!*, that's a lot of money!; **una bella mancia**, a large (*o* handsome) tip **6** (*iron. spreg.*) fine, pretty, nice; (*brutto*) nasty, dirty: **belle parole**, fine words; **un bel pasticcio**, a fine mess; *Ci hai messo in un bel guaio!*, you've got us into a nice pickle!; *Belle cose ho saputo su di te!*, fine things I heard about you!; *Bella scusa!*, a fine excuse!; *Bell'aiuto!*, a lot of help (you are, that was, *ecc.*)!; some help (he'd be, she was, *ecc.*)! (*fam.*); *Bella roba!*, congratulations!; big deal! (*fam.*); a fine state of affairs!; *Mi ha fatto un b. scherzo*, she played a dirty trick on me; **un bel raffreddore**, a nasty cold **7** (*rafforzativo*) nice and...: **b. caldo**, nice and hot; *Fa un bel calduccio qui*, it's nice and warm here ● **bel b.**, unhurriedly: **camminare bel b.**, to walk unhurriedly; to saunter (along) □ **b. come il sole**, gorgeous □ **bella copia**, fair copy □ **b. da togliere il fiato**, breathtaking; stunning □ **bell'e buono** (*autentico*), real; complete; thorough; utter: *È oro bell'e buono*, it's real gold; **uno stupido bell'e buono**, an utter fool □ **bell'e fatto**, quickly done; ready □ **bell'e morto**, as dead as a doornail □ **bell'e pronto**, nice and ready □ **una bella età** (*avanzata*), a ripe age □ *Un bel giorno...*, one day; (*nei racconti*) one fine day □ **una bella mente**, a fine intelligence □ **belle lettere**, belles lettres (*franc.*); literature □ **un bel mare**, a calm sea □ **il bel mondo**, the smart set; high society □ **un bel niente**, nothing at all; not a thing □ **un bel no**, an emphatic (*o* categorical) no □ **una bella paura**, an awful fright; a terrible scare □ **il bel sesso**, the fair sex □ **un bel sì**, an emphatic yes □ **un b. spirito**, a wit □ **la bella stagione**, fine weather; spring □ **un bel vento**, a strong wind □ **a bella posta**, on purpose □ **ai bei tempi**, in the good old days □ **alla bell'e meglio**, (*in qualche modo*) somehow; (*male*) any old how □ **a bell'agio**, at one's ease □ *Hai un bel dire, tu!* (*è facile a dirsi*), that's easy for you to talk! □ *Hai un bel dire, ma io non mi fido di lui*, you may say what you like, but I don't trust him □ *Hai un bel correre, non lo raggiungerai*, you can run as fast as you like, you won't catch up with him □ *Che b.!*, how lovely!; how nice! □ *Che bei tempi, quelli!*, those were the days! □ **far b.**, to embellish; to beautify; to make beautiful □ **fare una bella vita**, to live well; to live it up □ *L'ho fatta* (*o l'ho detta*) *bella!*, I've put my foot in it □ **farsi b.**, to smarten up; to dress up; (*vantarsi*) to brag (about st.); to show off (about st.); (*attribuirsi un merito*) to take credit (for st.) □ **farsi b. con le penne del pavone**, to dress in bor-

rowed plumes □ **gran bel**, very fine; beautiful: **una gran bella cosa**, a very fine (*o* nice) thing; **una gran bella ragazza**, a very beautiful girl □ **nel bel mezzo**, right (*fam.* smack, plumb) in the middle: *Stava nel bel mezzo della strada*, he stood right in the middle of the road □ **Oh bella!**, bless me!; well well well!; well, I never! □ **Questa è bella!**, that's a good one!; (*che strano*) that's funny! □ **È troppo b. per essere vero**, it's too good to be true • **Viene giù una bell'acqua**, it's pouring down □ (*prov.*) **Non è b. quel che è b., è b. quel che piace**, beauty is in the eye of the beholder **B m. 1** (*fig.*) beautiful; beauty: **il b. ideale**, ideal beauty; **avere il senso del b.**, to have a feeling for beauty **2** (*innamorato*) sweetheart; boyfriend; beau (*iron.*) **3** (*al vezzat*, darling, honey (*USA*); (*scherz. o aggressivo*) mate; buddy (*USA*): **Ehi, tu, b.!**, hey, you, mate! **4** (*la cosa bella, l'aspetto b.*) (the) beauty; (the) best thing; (*il divertente*) (the) fun of it: **il b. della vita**, the beauty of life; *Il b. è che...*, the best of it is that...; *Questo è il b.!*, that's the fun of it; (*iron.*) *Ora viene il b.*, now comes the best of it; (*iron.*) now we're in for it **5** (*bel tempo*) fair (*o* fine) weather: **mettersi al b.**, to turn fine; to clear up • **Che c'è di b. al cinema?**, what's on at the cinema? □ **Che fai di b.?**, what are you doing?; (*scherz.*) what are you up to? □ **Che si dice di b.?**, what's the news? what's new? □ **sul più b.**, at the crucial point; (*all'improvviso*) all of a sudden, when least expected: *Sul più b. del film andò via la luce*, just as the film was getting interesting, there was a power failure □ **Ci volle del b. e del buono per convincerlo**, he took some persuading.

bellòccio a. not bad-looking; quite attractive.

bellóna a. (*fam.*) beauty; dream; looker (*GB*); stunner (*fam.*); eyeful (*fam.*).

bellospìrito m. wit; wag.

belluìno a. (*lett.*) **1** feral; bestial **2** (*selvaggio*) ferocious; wild; savage.

bellunése A a. of Belluno; from Belluno; Belluno (attr.) **B** m. e f. native [inhabitant] of Belluno.

bellùria f. extra embellishment; frill.

beltà f. (*lett.*) beauty.

belùga m. inv. (*zool.*, *Delphinapterus leucas*) beluga; white whale.

bélva f. **1** wild beast; wild animal **2** (*fig.*) monster; fiend • **diventare una b.** (*infuriarsi*), to go wild □ **Lei gli saltò addosso come una b.**, she turned on him like a wildcat.

belvedére m. **1** lookout **2** (*edil.*) belvedere **3** (*naut.*) mizzen topgallant sail • (*ferr.*) **carrozza b.**, observation car.

Belzebù m. Beelzebub.

bemberg® m. inv. (*ind. tess.*) artificial silk.

bemòlle m. (*mus.*) flat: **si b. maggiore**, B flat major; *Ci sono due bemolli in chiave*, there are two flats in the key signature.

bemollizzàre v. t. (*mus.*) to flatten; to flat (*USA*).

benaccètto a. (*lett.*) welcome; agreeable.

benalzàto inter. e m. good morning: **dare il b. a q.**, to wish sb. good morning.

benamàto a. beloved; darling.

benarrivàto inter. e m. welcome: **dare il b. a q.**, to welcome sb.

benaugurànte a. auspicious; well-wishing; of good omen.

◆**benché** cong. although; (even) though: *B. avesse ragione, tacque*, although she was right, she kept quiet; *Rimase ad aiutarmi, b. fossero le undici passate*, he stayed behind to help me, though it was past eleven; *B. lontani per età, sono amicissimi*, for all

their age difference, they are close friends • **il b. minimo**, the slightest: *Non fece il b. minimo sforzo*, she didn't make the slightest effort.

bènda f. **1** (*med.*) bandage: **b. elastica**, elastic bandage; **bende gessate**, plaster bandage (sing.) **2** (*fascia sulla fronte*) headband; (*sugli occhi*) blindfold **3** (*stor.: velo femminile*) veil; wimple: **bende vedovili**, widow's veil **4** (*naut.*, *di terzaroli*) reef band; (*di cavo*) parcelling • (*fig.*) **avere una b. sugli occhi**, to be blind • (*fig.*) **Mi cadde la b. dagli occhi**, the scales fell from my eyes □ (*fig.*) **togliere la b. dagli occhi di q.**, to open sb.'s eyes.

bendàggio m. **1** (*il bendare*) bandaging **2** (*le bende*) bandages (pl.) **3** (*boxe*) hand-wraps (pl.).

bendàre v. t. **1** (*med.*) to bandage; to strap (up) (*GB*); to tape (up) (*USA*) **2** (*gli occhi*) to blindfold **3** (*naut.: un cavo*) to parcel • (*fig.*) **b. gli occhi a q.**, to pull the wool over sb.'s eyes.

bendàto a. **1** bandaged **2** (*degli occhi*) blindfolded: **con gli occhi bendati**, blindfolded (agg.); **blindfold** (avv.); (*fig.*) blindly; **avere gli occhi bendati**, to be blindfolded; (*fig.*) to be blind • **la dea bendata**, the blind goddess; Fortune.

bendatùra f. **1** bandaging **2** (*bende*) bandages (pl.).

bendidìo, **bèn di Dio** m. good things (pl.) (to eat): **ogni ben di Dio**, everything you could wish for; *E adesso che ne faccio di tutto questo ben di Dio?*, what am I going to do with all this good food?

bendispósto a. well disposed (attr. well--disposed); favourably disposed; sympathetic; (*disponibile*) agreeable, willing.

◆**bène①** **A** avv. **1** (*in modo giusto, retto*); well; rightly; fairly: **comportarsi b.**, to behave well; *Hai fatto b.*, you did well; you did the right thing; you were right; **trattare b. q.**, to treat sb. well **2** (*in modo soddisfacente*) well, satisfactorily; (*in modo adeguato*) properly: **mangiare b.**, to eat well; *Si mangia b. in quel ristorante*, the food is good in that restaurant; **sentirci b.**, to have good hearing; *Non ho sentito b.*, I didn't hear properly; *Mi hai sentito b.?*, did you hear what I said?; **vederci b.**, to have good eyesight; *Ci vedi b. da qui?*, can you see all right from here?; **vestire b.**, to dress well **3** (*correttamente*) well; properly; (*esattamente*) correctly: **chiudere b. la porta**, to shut the door properly; **parlare b.**, to speak well (*essere un buon oratore*) to be a good speaker; **rispondere b.**, to answer correctly; *Ben detto!*, well said!; *Ben fatto!*, well done!; *Lo so fin troppo b.*, I know only too well **4** (*facilmente*) easily; nicely; smoothly: *Il chiodo entrò b.*, the nail went in easily **5** (*attentamente*) well; carefully; closely; (*con cura*) carefully; (*completamente*) thoroughly: *Pensaci b. prima di scegliere*, think well before you choose; *Ascolta b.*, listen carefully; **osservare b.**, to study closely **6** (*rafforzativo*) really; very; quite (*o* idiom.): *È ben brutto!*, it's really ugly!; *Ti credo b.*, I quite believe you; *Aveva ben ragione di voler restare*, he was quite right in wanting to stay; **ben altro**, (*molto di più*) much more than that; (*tutt'altro*) quite another matter; **ben oltre la quarantina**, well past forty; **ben due milioni**, a good (*fam.* cool) two million; **ben sei mesi**, no less than six months; *Puoi ben dirlo*, you may well say that; *Lo credo b.!*, I should think so!; *Lo spero b.!*, I should hope so!; *Spero b. che verrai!*, you are coming, aren't you?; *È ben vero che...*, it is indeed true that... • **ben b.**, (*molto bene*) very well, really well; (*completamente*) completely, thoroughly: *Uscì con la pioggia e si bagnò ben b.*, she went out in the rain and got thor-

oughly drenched; *Fu sgridato ben b.*, he got a good scolding □ **ben disposto → bendisposto** □ **ben informato → beninformato** □ **ben intenzionato → benintenzionato** □ **ben messo**, (*ricco*) well-heeled; (*robusto*) well-built, rather large • **b. o male**, somehow or other (*o* altro), to be well; to go well; (*riuscire*) to go off well: *Va tutto b.*, it's all going well; all's well; *Se tutto va b.*, if everything goes well; *Sei andato b.!*, you did very well!; *È andato tutto b.?*, did everything go off well?; *Vengo domani, va b.?*, I'm coming tomorrow, ok?; *Va b.!*, all right!; O.K.!; okay!; very well!; (*d'accordo*) right you are!, agreed! □ **andare b. a q.**, (*essere gradito, comodo, ecc.*) to be convenient for sb., to suit sb.; (*di abito, ecc.*) to fit: *Ti va b. venerdì?*, does Friday suit you?; *Questa gonna non mi va più b.*, this skirt no longer fits me □ *Ti è andata b.!*, you were lucky!; that was a close shave! □ **andare b.**, if everything goes all right; (*almeno*) at least, to say the least; (*nella migliore delle ipotesi*) at best □ **Si comincia b.**, that's a good start! □ **b. in meglio**, better and better □ **dire** (*o* **parlare**) **b. di q.**, to speak well of sb. □ *Dici b., tu!* (*è facile a dirsi*), it's easy for you to talk! □ **È bene che tu resti qui**, you should stay here □ *Sarebbe b. che tu lo facessi al più presto*, you should do it as quickly as possible □ **Sarà b. andare**, we'd better go □ **fare b. a**, to do well to: *Fai b. a restare*, you do well (*o* you are right) to stay; *Faresti b. a tacere*, you'd better keep quiet □ **finire b.**, to end well; to have a happy end □ **nascere b.**, to be well born □ **né b. né male**, so so □ **pensare b.** (*credere opportuno*), to think it better: *Ho pensato b. di restare a casa*, I thought it better to stay at home □ **prenderla b.**, to take it well □ **sentirsi b.** (*di salute*), to feel well □ **stare b.**, (*di salute*) to be well, to feel well; (*stare comodo*) to be comfortable; (*armonizzare*) to go well (with); (*adattarsi*) to suit (st.); (*convenire, addirsi*) to suit (st., sb.), to become (st., sb.), to be proper (*o* right): *Stammi b.!*, look after yourself!; *Stiamo b. dove siamo*, we're very well where we are; *Stai b. in quella poltrona?*, are you comfortable in that armchair?; *Stiamo b. insieme*, we are happy together; *Sta b. questo verde col blu?*, does this green go well with blue?; *Quest'abito ti sta b.*, this dress suits you; *Stai proprio b.*, you look really well; *Ti sta b. lunedì?*, does Monday suit you?; *Non sta b. parlare così*, it isn't right to talk like that; you shouldn't say such things; *Ti sta b.!*, it serves you right! □ **stare b. a soldi**, to be well off □ **stare poco b.** (*di salute*), to be poorly □ **Ti vedo b.** (*hai un bell'aspetto*), you look very well □ **Volevo ben dire!**, I thought as much!; that's what I expected! □ (*prov.*) **Tutto è b. quel che finisce b.**, all's well that ends well **B** inter. **1** (*insomma*) well, well then; (*d'accordo*) all right, okay, O.K., fine!: *B., come stavo dicendo...*, well, as I was saying...; *B., eccoci arrivati!*, well, here we are at last!; *B., basta così*, all right, that'll do; *B., ci vediamo domani!*, okay, see you tomorrow! **2** (*ben fatto, bravo*) well done!, fine!, excellent!, bravo!; (*ben detto*) hear hear! **C** a. inv. (*elegante*) elegant; refined; (*socialmente elevato*) upper-class (attr.), high-society (attr.): **quartiere b.**, elegant district; **gente b.**, high society; top-drawer people (*GB*); **la Milano b.**, Milanese high society.

◆**bène②** **m. 1** (*ciò che è buono*) good; right: **il b. e il male**, good and evil; **distinguere il b. dal male**, to know right from wrong; **fare del b. a q.**, to do good to sb.; to help sb. **2** (*vantaggio*) good; (*benessere*) welfare; **il b. comune**, the common good; **operare per il b. del paese**, to work for the good of the country; **per il tuo b.**, for your own good **3** (*affetto*) fondness, affection; (*amore*) love: **volere b. a q.**, to love sb.; to be fond of sb.;

b

Non sa il b. che gli voglio, he doesn't know how much I love him; **volere un b. dell'anima a q.**, to be very fond of sb.; to love sb. dearly ● **La salute è un gran b.**, good health is a great blessing; *La vita è un b. prezioso*, life is a precious gift **5** (*persona amata*) loved; darling **6** (*piacere*) pleasure; (*soddisfazione*) satisfaction; (*privilegio*) privilege: *Quando avrò il b. di vederti sistemato?*, when will I have the satisfaction of seeing you settled down? **7** (*raro*) (*pace*) peace; peace and quiet: *Non ho più un'ora di b.*, I no longer have a moment's peace **8** (*b. economico*) commodity; (al pl., anche) goods (pl.): **beni di consumo**, consumer goods; **beni di prima necessità**, basic necessities; (*comm.*) **beni rifugio**, safe-haven investments; **investimento in beni rifugio**, non-monetary investment **9** (al pl.) (*proprietà, ricchezze*) possessions; things; assets; (*leg.*) property ⓤ, estate ⓤ: *Perse tutti i suoi beni*, she lost all her possessions; **beni dotali**, dotal property; dowry; **beni ecclesiastici**, church endowments; **beni ereditari**, estate; hereditaments; **beni immobili**, real estate; immovables; **beni mobili**, personal property; movables; **comunione dei beni**, community of property; **divisione dei beni dopo un divorzio**, division of assets after a divorce ● **ben di Dio → bendidio** □ **beni ambientali**, environment (sing.) □ **beni culturali**, cultural (o artistic) heritage ⓤ ● **a fin di b.**, with a good intention; meaning well: **agire a fin di b.**, to mean well; *Glielo dissi a fin di b.*, I told him to help him □ **augurare ogni b. a q.**, to wish sb. well □ **avere beni al sole**, to be a man of property □ **È stato un b. che nessuno ti abbia visto**, thank heaven (o you were lucky) no one saw you □ **È stato un b. essere rimasti**, it's as well (o thank goodness) we stayed behind □ **fare b. a q.**, to be good for sb.; to do sb. good: *Nuotare fa b.*, swimming is good for you; *Questa medicina ti farà b.*, this medicine will do you good; *Le farebbe b. qualche lezione privata*, she could do with some coaching □ **opere di b.**, good works; (*beneficenza*) donations □ **per b.**, (*bene*) well, properly; (*onesto*) honest, decent; (*rispettabile*) respectable; (*educato*) well-bred: *Sistemali per b.*, arrange them properly; **gente per b.**, respectable people; **una ragazza per b.**, a well-bred girl □ (*fam.*) **perdere il ben dell'intelletto**, to lose one's reason □ **il Sommo B.**, the Supreme Good □ **sperare in b.**, to hope for the best □ **la via del b.**, the straight and narrow (path).

beneamàto → benamato.

beneaugurànte → benaugurante.

benedettino a. e m. (f. **-a**) (*eccles.*) Benedictine (f. Benedictine nun).

♦**benedétto** a. **1** blessed; consecrated; holy: **acqua benedetta**, holy water; **pane b.**, consecrated bread; *Sia b. il suo nome*, blessed be his name; *Dio b.!*, Good God!; **b. dalla fortuna**, smiled upon by fortune **2** (*antifrastico*) blessed: *Dove sono quei benedetti occhiali?*, where are those blessed glasses?

Benedétto m. Benedict.

benedicènte a. benedictory.

benedicite (*lat.*) m. inv. (*eccles.*) benedicite; grace: **dire il b.**, to say grace.

♦**benedire** v. t. to bless; to consecrate: **b. una casa**, to bless a house; **b. una chiesa nuova**, to consecrate a new church; *Che Dio ti benedica!*, God bless you!; *Benedì il giorno che l'avevo conosciuto*, I blessed the day I met him ● (*fig. fam.*) **andare a farsi b.** (*andare in malora*), to go to the dogs; to go to pot □ (*fig. fam.*) **mandare q. a farsi b.**, to tell sb. to get lost □ (*fig. fam.*) **Va' a farti b.!**, get lost!

benedizióne f. **1** (*eccles.*) blessing; (*preghiera, gesto, rito*) benediction: **b. papale**, papal blessing; **dare** (*o* **impartire**) **la b.**, to give one's blessing; **gesto di b.**, gesture of benediction **2** (*fig.*) blessing; godsend; gift: *La pioggia fu una vera b.*, the rain was a real godsend; *È la b. della mia vita*, he is the joy of my life.

beneducàto a. well-mannered; well-brought-up; well-bred.

benefattóre m. (f. **-trice**) benefactor (f. benefactress).

beneficàre v. t. to benefit; (*aiutare*) to help, to aid.

beneficènza f. charity; beneficence: **dare qc. in b.**, to give st. to charity; **fare b.**, to give money to charity; **ballo di b.**, charity dance; **ente di b.**, charity; benevolent society; **istituto di b.**, charitable institution; **opere di b.**, charity work (sing.); **dedicarsi a opere di b.**, to do charity work; **vendita di b.**, charity bazaar; fête.

beneficiàle a. (*eccles.*) beneficiary.

beneficiàre Ⓐ v. i. to profit (from, by); to benefit (from, by): **b. delle nuove disposizioni**, to profit from the new regulations; **b. di un'amnistia**, to benefit from an amnesty; **b. di una borsa di studio**, to hold a scholarship Ⓑ v. t. to benefit; to help; to aid.

beneficiàrio Ⓐ a. (*leg.*, *eccles.*) beneficiary Ⓑ m. (f. **-a**) **1** (*leg.*, *econ.*, *di sussidio e sim.*) recipient; (*di titolo di credito*) payee; (*di polizza*) beneficiary; (*di donazione*) grantee; (*di vitalizio*) annuitant **2** (*eccles.*) beneficiary; incumbent.

beneficiàta f. (*teatr.*) benefit (performance).

beneficiàto Ⓐ a. benefited Ⓑ m. **1** (*leg.*) beneficiary **2** (*eccles.*) beneficiary; incumbent.

beneficio m. **1** benefit; (*vantaggio*) advantage: **trarre b. da qc.**, to benefit from st.; **a nostro b.**, for our benefit **2** (*giovamento*) relief **3** (*comm.*) profit **4** (*eccles.*) benefice; incumbency **5** (*leg.*) benefit: **concedere a q. il b. del dubbio**, to give sb. the benefit of the doubt ● (*leg.*) **b. d'inventario**, benefit of inventory □ (*fig.*) **con b. d'inventario**, with reservation; with a pinch of salt.

benèfico a. **1** (*caritatevole*) charitable; benevolent: **ente di b.**, benevolent society; **istituzioni benefiche**, charitable institutions **2** (*giovevole*) beneficial; salutary: **pioggia benefica**, beneficial rain.

benefit → fringe benefit.

benefìzio → beneficio.

benemerènte → benemerito.

benemerènza f. merit: **attestato di b.**, certificate of merit.

benemèrito a. meritorious; well-deserving ● **l'arma benemerita** (*o* **la Benemerita**), the Carabinieri Corps.

beneplàcito m. **1** consent; approval: *L'ha fatto col mio b.*, she did it with my consent **2** (*arbitrio*) will: **agire a proprio b.**, to act according to one's will; to behave as one likes.

benèssere m. **1** wellbeing: **un senso di b.**, a sense of wellbeing **2** (*prosperità*) welfare: **il b. di una nazione [dei figli]**, the welfare of a nation [of one's children]; **b. economico**, economic welfare **3** (*agiatezza*) comfort; affluence: **godere di un certo b.**, to be fairly well-off; **vivere nel b.**, to live in affluence; **economia del b.**, welfare economics; **la società del b.**, the affluent society ● **centro b.**, health club (o centre); wellness centre.

benestànte Ⓐ a. well-off; well-to-do Ⓑ m. e f. well-off person.

benestàre m. consent; approval; go-ahead (*fam.*); okay (*fam.*): **dare il b.**, to

give one's approval; to give the go-ahead.

benevolènte a. (*lett.*) benevolent; well disposed.

benevolènza f. **1** benevolence; kindliness; (*bontà*) kindness **2** (*indulgenza*) benevolence; leniency; indulgence.

benèvolo a. **1** benevolent; kindly; (*buono*) kind **2** (*bendisposto*) well-disposed; sympathetic **3** (*indulgente*) benevolent; lenient; indulgent.

benfàtto a. **1** well done; well made; (*proporzionato*) well proportioned (attr. well-proportioned), shapely **2** (*opportuno*) proper; fitting; seemly.

bengàla m. Bengal light; firework.

Bengàla m. (*geogr.*) Bengal.

bengalése a., m. e f. Bengali*.

bengàli a. e m. Bengali.

bengalino m. (*zool.*, *Amandava amandava*) red avadavat.

bengòdi m. the land of plenty; (*letter.*) Cockaigne.

beniamino m. (f. **-a**) favourite; darling; pet; (*iron.* o *spreg.*) blue-eyed boy (m., *GB*); fair-haired boy (m., *USA*): *È il b. del padre*, he is his father's pet.

Beniamino m. Benjamin.

benignità f. **1** kindness; benevolence: **trattare q. con b.**, to treat sb. with kindness **2** (*mitezza*) mildness: **la b. del clima**, the mildness of the climate.

benigno a. **1** benign; kindly; kind-hearted; benevolent **2** (*indulgente*) indulgent; lenient; clement: **giudice b.**, lenient judge **3** (*mite*) mild: **clima b.**, mild climate **4** (*med.*) benign.

beninformàto Ⓐ a. well informed; in the know (*fam.*) Ⓑ m. (f. **-a**) well-informed person; person in the know (*fam.*).

benino avv. (*discretamente*) fairly well; tolerably well ● **per b.**, nicely; properly.

benintenzionàto a. well-meaning (attr.); well intentioned.

♦**benintéso** avv. of course; naturally: *Passerai prima da me, b.*, of course, you will call on me first.

benìssimo Ⓐ avv. very well; quite well; perfectly well: *È fatto b.*, it's very well done ● **Puoi b. dire che eri malato**, there is nothing to stop you from saying you were ill □ **Possiamo b. farlo domani**, we can just as easily do it tomorrow Ⓑ inter. very well; all right; perfect; great (*fam.*).

bènna f. (*mecc.*) bucket: **b. a gabbia**, skeleton bucket; **b. a valve**, clamshell bucket; **b. mordente**, grab bucket; (*ind. min.*) **b. di caricamento**, skip.

bennàto a. (*lett.*) **1** well-born **2 → beneducato**.

benóne Ⓐ avv. perfectly; splendidly Ⓑ inter. splendid; great (*fam.*).

benpensànte Ⓐ a. conformist; orthodox; moderate Ⓑ m. e f. conformist; orthodox thinker.

benportànte a. youthful-looking; hale and hearty.

benservito m. reference; testimonial ● (*fig.*) **dare il b. a q.**, (*licenziare*) to sack sb.; to fire sb.; (*mandare via*) to give sb. his marching orders (*USA* his walking papers) (*fam.*).

bensì cong. **1** (*ma, invece*) but (rather): *Non fu lui, b. sua moglie*, it wasn't him, it was his wife **2** (*certamente*) indeed: *È b. vero che..., ma...*, it is indeed true that..., but...; though it is true that..., still...

bènthos m. inv. (*biol.*) benthos.

bentonite f. (*miner.*) bentonite.

bentornàto inter. e m. welcome back; welcome home: *B. a casa!*, welcome home!; **dare il b. a q.**, to welcome sb. back.

bentrovàto inter. nice to see you again!
benvenùto a., m. e inter. welcome: *B. a Roma!*, welcome to Rome!; *In casa mia era sempre (il) b.*, he was always welcome in my house; **dare il b. a q.**, to welcome sb.; **parole di b.**, words of welcome.
benvisto a. well thought of (attr. well--thought-of); well-liked; popular.
benvolére v. t. to like; to love: **farsi b.**, to win sb.'s affection; to make oneself liked; **prendere a b. q.**, to take a liking to sb.
benvolùto a. well-liked; loved; popular.
benzaldèide f. (*chim.*) benzaldehyde.
benzedrina® f. (*farm.*) Benzedrine®; amphetamine.
benzène m. (*chim.*) benzene.
benzènico a. (*chim.*) benzene (attr.).
benzidìna f. (*chim.*) benzidine.
benzile m. (*chim.*) benzyl.
benzìlico a. (*chim.*) benzyl (attr.).
◆**benzìna** f. **1** petrol (*GB*); gasoline (*USA*); gas (*USA*): **b. normale**, regular petrol; **b. super**, four-star petrol; premium gasoline (*USA*) **b. senza piombo** (*o* verde), unleaded petrol; **fare b.**, to get some petrol; **fare il pieno di b.**, to fill it up; **rimanere senza b.**, to run out of petrol; **distributore di b.**, petrol (*USA* gas) station; filling station; service station; **latta di b.**, petrol can **2** (*per smacchiare*) benzine.
benzinàio m. (f. *-a*) **1** (*addetto*) (petrol) pump attendant; filling station attendant **2** (*gestore*) filling station keeper.
benzoàto m. (*chim.*) benzoate.
benzocaìna f. (*chim.*) benzocaine.
benzochinóne m. (*chim.*) benzoquinone.
benzodiazepìna f. (*chim.*) benzodiazepine.
benzofenóne m. (*chim.*) benzophenone.
benzòico a. (*chim.*) benzoic.
benzoile m. (*chim.*) benzoyl.
benzoìno m. **1** (*bot.*, *Styrax benzoin*) benjamin bush; spicebush **2** (*chim.*) benzoin.
benzòlo m. (*chim.*) benzol, benzole.
benzopirène m. (*chim.*) benzopyrene.
benzopiridìna f. (*chim.*) quinoline.
bèola f. (*miner.*) (a variety of) gneiss.
beóne m. (f. *-a*) heavy drinker; drunkard; soak (*fam.*); boozer (*fam*); lush (*slang*, *USA*).
beòta Ⓐ m. e f. **1** Boeotian **2** (*spreg.*) fool; moron Ⓑ a. **1** Boeotian **2** (*spreg.*) foolish; moronic.
Beòzia f. (*geogr.*) Boeotia.
bequàdro m. (*mus.*) natural.
bèrbero Ⓐ a. e m. (f. *-a*) Berber Ⓑ m. (*cavallo*) barb.
berceau (*franc.*) m. inv. bower; pergola.
berceuse (*franc.*) f. inv. (*mus.*) berceuse.
berchèlio m. (*chim.*) berkelium.
berciàre v. i. to bawl; to yell.
◆**bére** Ⓐ v. t. **1** to drink*; to have a drink: **b. a garganella**, to drink from the bottle; to pour (st.) down one's throat; **b. alla bottiglia**, to drink from the bottle; **b. alla salute di q.**, to drink sb.'s health; **b. qc. in un sorso**, to drink st. in one gulp; to gulp down; *Bevilo tutto*, drink it up; *Beviamo qualcosa*, let's have a drink; *Bevi qualcosa?*, would you like something to drink (*o* a drink of something)?; *Bevi un whisky?*, will you have a whisky?; *Beviamoci su!*, (*per celebrare*) let's drink on it!; (*per dimenticare*) let's forget about it and have a drink!; **dare da b. a**, to give (sb.) something to drink; (*bestiame*) to water; **offrire da b. a q.**, to offer sb. something to drink; (*al bar*) to buy sb. a drink; **offrire da b. a tutti**, to buy drinks for everyone; **versarsi da b.**, to pour oneself something to drink **2** (*assol.*: *bere alcolici*) to drink*; to be a drinker: **b. come una spu-**

gna, to drink like a fish; *È uno che beve*, he drinks; he is a heavy drinker; *Quando beve diventa violento*, after he's had a few drinks he becomes violent **3** (*assol.*: *inghiottire acqua di mare*) to swallow (sea) water: *Nuotando ho bevuto parecchio*, I swallowed a lot of water while swimming **4** (*assorbire*) to soak up; to suck in: *La terra beve la pioggia*, the ground soaks up the rain **5** (*fig.*: *credere*) to swallow; to fall* for: *Se l'è bevuta*, she fell for it; **darla a b. a q.**, to fool sb. (into believing st.) **6** (*consumare*) to use: **una macchina che beve**, a car that is heavy on petrol ● (*fig.*) **b. l'amaro calice**, to do st. against one's will □ (*fig.*) **b. avidamente le parole di q.**, to drink in sb.'s words □ **b. un uovo**, to suck an egg □ *È come b. un bicchier d'acqua*, it's as easy as falling off a log □ (*di vino*) **lasciarsi b.**, to go down well □ (*fig.*) **O b. o affogare**, sink or swim □ **b. per dimenticare**, to drown one's sorrows Ⓑ m. drink; drinking: **il b. e il mangiare**, eating and drinking; food and drink; **darsi al b.**, to take to drink.
bergamàsco Ⓐ a. of Bergamo; from Bergamo; Bergamo (attr.) Ⓑ m. (f. *-a*) native [inhabitant] of Bergamo.
bergamòtta f. (anche agg.: **pera b.**) bergamot.
bergamòtto m. (*bot.*, *Citrus bergamia*) bergamot orange: **essenza di b.**, essence of bergamot.
bergère (*franc.*) f. bergère.
beribèri m. (*med.*) beriberi.
berìllio m. (*chim.*) beryllium.
berìllo m. (*miner.*) beryl.
beriòlo → **beverino**.
berkèlio → **berchelio**.
berlìcche m. inv. (*pop. antiq.*) devil.
berlìna① f. (*antica pena*) pillory; stocks (pl.) ● (*fig.*) **mettere in** (*o* alla) **b.**, to hold up to ridicule; to pillory.
berlìna② f. **1** (*carrozza di gala*) berlin **2** (*autom.*) saloon (car) (*GB*); sedan (*USA*).
berlinése Ⓐ a. of Berlin; from Berlin; Berlin (attr.) Ⓑ m. e f. Berliner.
Berlìno f. (*geogr.*) Berlin.
bèrma f. (*edil.*) berm.
bermùda m. pl. (*moda*) Bermuda shorts; Bermudas.
Bermùde f. pl. (*geogr.*) (the) Bermudas.
bermudiàna f. (*naut.*) Bermudian mainsail.
Bèrna f. (*geogr.*) Berne, Bern.
Bernàrdo m. Bernard ● (*zool.*) **B. l'eremita** (*Eupagurus bernhardus*), hermit crab.
bernésco a. burlesque.
bernése a., m. e f. Bernese.
bernòccolo m. **1** bump; lump; bulge **2** (*fig.*) natural bent: *Ha il b. della matematica*, he has a natural bent for mathematics **3** (*sporgenza*) knob; bump.
bernoccolùto a. bumpy; lumpy.
berrétta f. **1** cap: **b. da notte**, nightcap **2** (*eccles.*) biretta **3** (*bot.*) – **b. da prete** (*Evonymus europaeus*), spindle tree.
berrettàio m. **1** cap maker **2** cap seller.
berrettifìcio m. cap factory.
◆**berrétto** m. cap; hat; (*basco*) beret: **b. a sonagli**, cap and bells; **b. con visiera**, peaked cap; **b. da fantino**, jockey cap; **b. da notte**, nightcap; **b. da sci**, ski hat; **b. floscio**, cap; **b. frigio**, Phrygian cap; **b. goliardico**, student's cap.
BERS sigla (**Banca europea per la ricostruzione e lo sviluppo**) European Bank for Reconstruction and Development (EBRD).
bersagliàre v. t. **1** to fire on; (*con l'artiglieria*) to shell; (*colpire ripetutamente*) to bombard, to pelt: **b. q. di pietre**, to pelt sb.

with stones **2** (*fig.*: *tempestare*) to bombard: **b. q. di domande**, to bombard sb. with questions; to fire questions at sb.; **b. q. di insulti**, to shower abuse on sb. **3** (*fig.*: *perseguitare*) to torment; to harass: **b. di scherzi**, to torment with practical jokes; **essere bersagliato dalla sfortuna**, to be dogged by misfortune.
bersaglière m. bersagliere (*member of a rifle regiment of the Italian army*) ● (*fig.*) **alla bersagliera**, with a dash □ (*fig.*) **passo da b.**, energetic pace.
bersaglierésco a. resolute; dashing.
bersàglio m. (anche *fig.*) target; mark; butt: **b. fisso** [**mobile**], fixed [moving] target; **il b. delle critiche**, the target of criticism; *Era il b. di ogni scherzo*, she was the butt of every practical joke; **colpire il b.**, to hit the mark (*o* the target); **centrare il b.**, to hit the bull's-eye; (*fig.*) to hit the mark; **mancare il b.**, to miss; (*fig.*) to be wide of the mark; **tiro al b.**, target shooting; target practice ● (*fig.*) **scegliersi q. come b.**, to pick off sb.
bersò → **berceau**.
bèrta① f. (*lett.*) practical joke: **dare la b.**, to jeer; to mock.
bèrta② f. (*mecc.*) pile-driver.
bèrta③ f. (*zool.*, *Puffinus*) shearwater.
bèrta④ f. (*moda*) bertha; cape.
bèrta⑤ f. (*mil.*) – **gran b.**, Big Bertha.
Bèrta f. Bertha.
berteggiàre v. t. (*lett.*) to jeer; to mock.
bertésca f. **1** (*mil. stor.*: *riparo*) brattice; (*torretta*) bartizan **2** (*impalcatura*) scaffolding Ⓤ.
bertòldo m. (*fig.*) wily peasant.
Bertràndo m. Bertrand.
bertùccia f. (*zool.*, *Macaca sylvana*) Barbary ape.
besciamèlla f. (*cucina*) béchamel (sauce).
bestémmia f. **1** blasphemy; (*imprecazione*) swearword, oath (*antiq.*): **tirare bestemmie**, to swear; to curse **2** (*affermazione assurda*) nonsense Ⓤ; absurdity.
bestemmiàre Ⓐ v. t. to blaspheme; (*maledire*) to curse: **b. la propria sorte**, to curse one's fate Ⓑ v. i. (*imprecare*) to swear*; to curse (sb., st.): (*fam.*) **b. come un turco**, to swear like a trooper; *Bestemmiava contro tutti*, he cursed everyone.
bestemmiatóre m. (f. *-trìce*) blasphemer; swearer.
◆**béstia** f. **1** beast; animal: **l'uomo e la b.**, man and beast; **b. da lavoro**, working animal; **b. da macello**, beast for slaughter; **b. da soma**, beast of burden; pack animal; (*fig.*) drudge; slave; **le bestie feroci**, wild animals (*o* beasts); **amare le bestie**, to love animals; *Non voglio bestie in casa*, I don't want animals about the house; **vivere come bestie**, to live like animals **2** (*fig.*: *bruto*) brute; animal **3** (*fig.*: *ignorante*) moron (*fam.*); blockhead: *È una b. in matematica*, he is hopeless in maths ● (*fig.*) **b. nera**, pet hate; bête-noire (*franc.*); (*fig.*) **b. rara**, rarity; rare bird □ **andare** (*o* montare) **in b.**, to fly into a rage; to fly off the handle (*fam.*); to blow one's top (*fam.*) □ (*fig.*) **brutta b.**, ugly (*o* awful) thing: *La miseria è una brutta b.*, poverty is an ugly thing □ (*fig.*) **diventare una b.**, to get violent □ **lavorare** (*o* faticare) **come una b.**, to work like a slave □ **lavoro da bestie**, hard work; drudgery □ **mandare in b.**, to infuriate; to drive (sb.) crazy ▶ **Povera b.!**, poor thing! ❶ FALSI AMICI ▸ *bestia nel senso di individuo ignorante non si traduce con* beast.
bestiàle a. **1** (*di bestia*) animal (attr.); bestial: **istinti bestiali**, animal instinct **2** (*brutale*, *selvaggio*) bestial; brutish; savage:

b

espressione b., brutish expression; **furia b.**, bestial (*o* savage) fury **3** (*fam.*: *terribile*) beastly; awful: **un lavoro b.**, beastly work; *Fa un freddo b.*, it's beastly cold; *Fa un male b.*, it hurts like hell; *Ho una fame b.*, I could eat a horse **4** (*pop.*: *fantastico*) terrific; fabulous; awesome (*slang*).

bestialità f. **1** brutality; bestiality **2** (*fig.*: *sproposito*) gross mistake; blunder; (*sciocchezza*) nonsense ▣: **dire delle b.**, to talk nonsense.

♦**bestiàme** m. livestock; stock; (*bovino*) cattle: **b. da macello**, fat stock; **b. grosso**, cattle; **b. minuto**, smaller livestock; **allevare b.**, to breed cattle; **mille capi di b.**, one thousand head of cattle; (*ferr.*) **carro b.**, livestock van (*GB*); stock-car (*USA*); **fiera del b.**, cattle market.

bestiàrio m. (*letter.*) bestiary.

bestiòla f. little animal; (small) creature: *Povera b.!*, poor little thing!

bestióne m. **1** big animal **2** (*fig.*: *uomo grosso e rozzo*) brute; ape; hulk **3** (*fig.*: *sciocco*) thickhead; blockhead; moron.

bestsellerista m. e f. bestselling author; author of bestsellers.

bèta m. o f. (*seconda lettera dell'alfabeto greco*) beta ● (*fis.*) **raggi b.**, beta rays; (*fin.*) **coefficiente b.**, beta coefficient.

betabloccànte Ⓐ m. (*farm.*) beta-blocker Ⓑ a. beta-blocking.

betaìna f. (*biochim.*) betaine.

betamimètico, betastimolànte a. e m. (*farm.*) beta-mimetic (drug.).

betatróne m. (*fis. nucl.*) betatron.

bètel m. **1** (*bot.*, *Piper betle*) betel: **noce di b.**, betel-nut **2** (*bolo da masticare*) pan.

Betlèmme f. (*geogr.*) Bethlehem.

betòn m. (*edil.*) concrete.

betonàggio m. (*edil.*) concrete-mixing.

betònica → **bettonica**.

betonièra f. (*edil.*) concrete mixer; cement mixer (*fam.*).

betonista m. concrete mixer operator.

bétta f. (*zool.*, *Betta splendens*) fighting fish.

bèttola f. tavern; (*spreg.*) dive (*fam.*) ● **linguaggio da b.**, coarse language.

bettolière m. tavern keeper.

bettolìna f. (*naut.*) lighter; barge.

bettolìno m. (*spaccio*) canteen.

bettònica f. (*bot.*, *Betonica officinalis*) betony ● (*fig.*) **essere conosciuto come la b.**, to be known everywhere.

betùlla f. (*bot.*, *Betula alba*) birch ● **b. bianca** (*Betula verrucosa*), silver birch.

bèuta f. (*chim.*) Erlenmeyer flask.

♦**bevànda** f. drink; beverage: **b. alcolica**, alcoholic drink; **b. analcolica**, soft (*o* non-alcoholic) drink; **i cibi e le bevande**, food and drink.

beveràggio m. **1** (*per bestiame*) bran mash **2** (*pozione*) potion **3** (*scherz.*) beverage; drink.

beverìno m. water-dish (for cage-birds).

beveróne m. **1** (*per bestiame*) bran mash **2** (*spreg.*) swill **3** (*bevanda medicamentosa*) medicinal drink; beverage.

bevìbile a. drinkable.

bevicchiàre v. t. **1** (*bere a piccoli sorsi*) to sip **2** (*bere ogni tanto*) to have the occasional drink; to tipple.

bevitóre m. (f. **-trìce**) drinker: *È un buon b.*, he enjoys his drink; **gran b. di birra**, heavy beer-drinker; **forte b.**, heavy drinker.

bévo 1ª pers. sing. indic. pres. di **bere**.

bevùta f. drink; (*bicchierata*) drinking party, (*bisboccia*) binge; booze-up (*slang*): **fare una bella b.**, to have a good long drink.

bevùto a. (*fam.*: *brillo*) tipsy; (*ubriaco*) drunk, tight (*fam.*).

bévvi 1ª pers. sing. pass. rem. di **bere**.

bèy m. inv. (*governatore turco*) bey.

BG abbr. (**Bergamo**).

bhutanése a., m. e f. Bhutanese.

bi m. o f. (*lettera*) (letter) b.

BI sigla **1** (*o B.I.*) (**Banca d'Italia**) Bank of Italy **2** (**Biella**).

biàcca f. **1** whitener **2** (*anche* **b. di piombo**) white lead; ceruse.

biàcco m. (*zool.*, *Coluber viridiflavus*) coluber.

biàda f. **1** fodder; feed: **dare la b. a un cavallo**, to feed a horse; **sacchetto per la b.**, nosebag; feedbag (*USA*) **2** (al pl.) (*lett.*: *messi*) crops; harvest.

biadeşivo a. biadhesive.

Biàgio m. Blaise ● **Adagio B.**, take it easy!; hold your horses!

biàlbero a. inv. (*autom.*) twin-camshaft (attr.).

biànca f. **1** white woman*; white girl: **tratta delle bianche**, white-slave traffic **2** (*tipogr.*) recto.

Bìanca f. Blanche.

Biancanéve f. Snow White.

biancàstro a. whitish; off-white.

biancheggiaménto m. **1** (*il biancheggiare*) whitening **2** (*biancore*) whiteness.

biancheggiàre Ⓐ v. i. **1** (*essere bianco*) to be white: *La campagna biancheggiava di neve*, the countryside was white with snow **2** (*diventare bianco*) to turn white: *Il cielo cominciò a b.*, the sky began to turn white Ⓑ v. t. (*imbiancare*) to whiten; to bleach.

♦**biancherìa** f. **1** (*intima*) underwear; (*da donna, anche*) lingerie **2** (*da casa*) (household) linen: **b. da bagno**, towels; **b. da lavare**, washing; laundry; **b. da letto**, bedlinen; **b. da letto e coperte**, bedclothes; **b. da tavola**, table linen.

bianchétto m. **1** whitener; (*per scarpe*) shoe whitener; (*per pareti*) whitewash **2** (*correttore*) correction fluid **3** (al pl.) (*alim.*) whitebait ▣ **4** (*vino*) glass of white wine.

bianchézza f. whiteness.

bianchìccio a. whitish; off-white.

bianchìre v. t. **1** to whiten; to bleach **2** (*un metallo*) to polish; to scour **3** (*ind. tess.*) to bleach.

♦**biànco** Ⓐ a. **1** white: **bandiera bianca**, white flag; **pane b.**, white bread; **vino b.**, white wine; **uomo b.**, white man; **b. e rosso** [**nero**], red [black] and white; **gote bianche e rosse**, pink-and-white cheeks; **b. di neve** [**di farina**], white with snow [with flour] **2** (*canuto*) white; hoary (*lett.*); (*grigio*) grey; (*che ingrigisce*) greying: **capelli bianchi**, white hair; grey hair; *Comincio ad avere i capelli bianchi*, my hair is going grey; I'm greying; *Sono cose da far venire i capelli bianchi*, it's enough to turn one's hair grey **3** (*non scritto*) blank: **foglio b.**, blank sheet; **scheda bianca** (*alle elezioni*), blank ballot paper; **spazio b.**, blank (space) ● **b. avorio**, ivory white ▢ **b. come l'argento**, silver-white ▢ **b. come un cencio**, as white as a sheet ▢ **b. come il gesso**, chalk-white ▢ **b. come un giglio**, lily-white ▢ **b. come il latte**, milk-white ▢ **b. come la neve**, as white as snow; snow-white ▢ **b. sporco**, off-white; greyish white ▢ **arma bianca**, cold steel; bayonet ▢ **la Casa Bianca**, the White House ▢ **dare carta bianca a q.**, to give sb. carte blanche ▢ **diventare b.** (*per la paura*) to turn pale ▢ **donna bianca**, white woman ▢ **formica bianca**, white ant; termite ▢ **il Mar B.**, the White Sea ▢ **matrimonio b.**, unconsummated marriage ▢ **il Monte B.**, Mont Blanc ▢ **mosca bianca**, rarity; rare bird ▢ **orso b.**, white bear; polar bear ▢ **settimana bianca**, a week's skiing holiday ▢ (*mus.*) **voce bianca**, treble voice Ⓑ m. **1** (*il colore*)

white: **vestire di b.**, to dress in white; to wear white; *La sposa era in b.*, the bride wore white; **dipingere qc. di b.**, to paint st. white; **in b. e nero**, in black and white; black-and-white (attr.) **2** (*parte bianca*) white; white part: **il b. dell'occhio**, the white of the eye; **b. d'uovo**, egg white **3** (*intonaco*) whitewash: white: **una mano di b.**, a coat of white; **dare il b. a una parete**, to whitewash a wall **4** (*spazio bianco*) blank (space) **5** (*biancheria da casa*) household linen: **fiera del b.**, household linen sale; white sale **6** (*uomo bianco*) white man*: **i bianchi**, (the) whites; white people **7** (*vino*) white wine **8** (*scacchi*) White ● **b. d'Olanda**, Flemish white ● **b. di zinco**, Chinese white ▢ (*comm.*) **abuso di b.**, abuse of blank cheque ▢ (*fig. fam.*) **andare in b.**, to fail; to draw a blank; (*in un'avventura amorosa*) to fail to score (*slang*) ▢ **chi dice b., chi dice nero**, some say one thing, some say another ▢ **cucitrice in b.**, seamstress ▢ (*fig.*) **dare a intendere** (*o far vedere*) **il b. per nero a q.**, to pull the wool over sb.'s eyes ▢ (*fig.*) **dire oggi b. e domani nero**, to keep changing one's mind; to blow hot and cold ▢ **in b.**, (*anche comm.*) blank; (*cucina*) boiled, plain: **accettazione in b.**, blank acceptance; **assegno in b.**, blank cheque; **cambiale in b.**, undated bill; **consegnare il compito in b.**, to hand in a blank paper; **fare una firma in b.**, to sign a blank document; **lasciare in b. una parola**, to leave a blank space; **lasciare in b. una riga**, to leave a line blank; **riso in b.**, boiled rice; **mangiare in b.**, to be on a bland diet ▢ **matrimonio in b.**, unconsummated marriage ▢ **mettere nero su b.**, to set st. down in black and white; to put st. down in writing ▢ **notte in b.**, sleepless night: **passare la notte in b.**, to have a sleepless night; not to sleep a wink (*fam.*).

biancomangiàre m. (*cucina*) blancmange.

biancóne m. (*zool.*, *Circaëtus gallicus*) harrier eagle; short-toed eagle.

biancóre m. (*lett.*) **1** whiteness **2** (*pallore*) paleness; pallor.

biancospìno m. (*bot.*, *Crataegus oxyacantha*) hawthorn; whitethorn ● **bacca di b.**, haw.

biancovestìto a. (*lett.*) dressed in white.

biascicaménto m. **1** chewing; munching **2** (*borbottio*) mumbling; muttering.

biascicàre v. t. **1** to chew; to munch **2** (*borbottare*) to mumble; to mutter.

biaşimàre v. t. to blame; to criticize; to reproach; to accuse; to censure: *Non posso biasimarti*, I can't blame you.

biaşimévole a. reprehensible; blameworthy.

biàşimo m. blame; criticism; censure; disapproval: **meritare b.**, to deserve the blame; **to be reprehensible** (*o* blameworthy); *Non meritano b.*, they are not to blame; **nota di b.**, reprimand.

biassiàle, biàssico a. (*fis.*) biaxial.

biathlèta m. e f. biathlete.

biathlon m. (*sport*) biathlon.

biatlèta → **biathleta**.

biatòmico a. (*chim.*) diatomic.

biauricolàre a. binaural.

bibàgno a. inv. with two bathrooms.

bibàşico a. (*chim.*) dibasic.

Bìbbia f. Bible.

biberòn m. inv. feeding bottle; (baby's) bottle ● (*fig.*) **avere ancora bisogno del b.**, to be still wet behind the ears.

♦**bibita** f. (soft.) drink: **b. analcolica**, soft drink.

biblicìşmo m. (*relig.*) Biblicism.

bìblico a. biblical, Biblical.

bibliobus m. inv. mobile (*o* travelling) li-

brary; bookmobile (*USA*).

bibliofilìa f. love of books; bibliophily.

bibliòfilo m. (f. **-a**) bibliophile; book-lover.

bibliografìa f. bibliography.

bibliogràfico a. bibliographical.

bibliògrafo m. (f. **-a**) bibliographer.

bibliologìa f. bibliology.

bibliòlogo m. (f. **-a**) bibliologist.

bibliòmane m. e f. bibliomaniac.

bibliomanìa f. bibliomania.

bibliomanzìa f. bibliomancy.

bibliometrìa f. bibliometry.

♦**bibliotèca** f. **1** library: **b. circolante**, lending library; **b. pubblica**, public library; **b. scolastica**, school library; **b. universitaria**, university library **2** (*collana di libri*) series **3** (*mobile*) bookcase; bookshelves (pl.) ● (*fig. scherz.*) **b. ambulante**, walking encyclopaedia □ (*fig.*) **topo di b.**, bookworm.

bibliotecàrio m. (f. **-a**) librarian.

biblioteconomìa f. librarianship.

bìblista m. e f. Biblical scholar; Biblicist.

bìblistica f. Biblical studies (pl.).

bìca f. **1** (*agric.*) shock; shook **2** (*estens., lett.*) stack; heap; pile.

bicameràle a. (*polit.*) bicameral.

bicameralìsmo m. (*polit.*) bicameral system; bicameralism.

bicàmere a. inv. two-roomed; two-room (attr.).

bicarbonàto m. (*chim.*) bicarbonate: **b. di potassio**, potassium bicarbonate; **b. di sodio**, sodium bicarbonate; baking soda; bicarb (*fam.*).

bicchieràta f. **1** glassful **2** (*bevuta*) round of drinks; drinking party.

♦**bicchière** m. **1** glass; (*senza stelo*) tumbler; (*di carta, plastica*) cup: **b. a calice**, stem glass; **b. da vino**, wine glass; **b. di carta**, paper cup; dixie cup (*USA*); **b. di cristallo**, crystal glass; **bere qc. dal bicchiere**, to drink st. out of a glass **2** (*contenuto*) glass; glassful: **un b. di birra [di vino]**, a glass of beer [of wine] **3** (*bevanda*) drink: **un b. d'acqua**, a drink of water; *Beviamo un b.*, let's have a drink; **b. della staffa**, stirrup cup; one for the road (*fam.*); **un b. di troppo**, one drink too many ● **b. graduato**, measuring jug □ **affogare in un b. d'acqua**, to get flustered at the slightest thing □ (*fig.*) **fondo di b.**, imitation diamond; paste □ **levare i bicchieri**, to drink to (st., sb.); to toast (sb., st.).

bicchierìno m. **1** small glass; liqueur glass **2** (*quantità da bere*) drop; (*di alcolico*) shot, tot; quick one: **un b. di whisky**, a shot of whisky; *Ne prendo solo un b.*, I'll have just a drop; *Facciamoci un b.*, let's have a quick one.

bicèfalo a. (*lett.*) two-headed; bicephalous.

bicentenàrio a. e m. bicentenary.

♦**bìci** f. (*fam.*) bike.

♦**biciclétta** f. bicycle; bike (*fam.*): **b. da camera**, exercise bicycle; **b. da corsa**, racing bicycle; **b. da uomo [da donna]**, man's [woman's] bicycle; *Sai andare in b.?*, can you ride a bicycle?; *Va a scuola in b.*, she cycles to school; **montare** (*o* **salire**) **in b.**, to get on one's bicycle; to mount a bicycle; **smontare dalla b.**, to get off one's bicycle; **spingere a mano la b.**, to walk one's bicycle; **una gita in b.**, a cycle ride; **girare l'Italia in b.**, to cycle round Italy ● (*fam.*) **Hai voluto la b. e ora pedala!**, you've made your bed and you must lie in (*o* on) it.

bicicletthàta f. cycle ride; cycle trip.

bicìclo m. penny-farthing (*GB*); ordinary (*USA*).

bicilìndrico a. **1** (*fis.*) bicylindrical **2** (*mecc.*) twin-cylinder (attr.).

bicìpite Ⓐ a. **1** two-headed; double-headed: **aquila b.**, double eagle **2** (*anat.*) bicipital; biceps (attr.) Ⓑ m. (*anat.*) biceps*: **b. brachiale**, biceps brachii; **b. femorale**, leg biceps; biceps femoris.

biclorùro m. (*chim.*) bichloride: **b. di mercurio**, mercuric chloride.

bicòcca f. **1** (*casupola*) hovel; shack **2** (*stor.*) small castle (on a hill).

bicolóre Ⓐ a. **1** two-coloured; two-colour (attr.); bicolour **2** (*polit.*) two-party (attr.) Ⓑ f. two-tone printer.

bicomàndo a. inv. dual-control.

bicòncavo a. biconcave.

bicònico a. biconical.

biconvèsso a. biconvex.

bicòppia f. (*tel.*) quad.

bicoriàle a. (*biol.*) dichorial; dichorionic: **gemelli bicoriali**, dichorionic twins.

bicòrne a. two-horned.

bicòrnia f. two-beaked anvil; bickern.

bicòrno m. **1** (*cappello femminile medievale*) horned head-dress **2** (*feluca*) bicorn; cocked hat.

bicromàtico a. dichromatic.

bicromàto m. (*chim.*) dichromate; bichromate.

bicromìa f. (*tipogr.*) duotone.

bicuspidàle, **bicùspide** a. bicuspid.

bidè m. bidet.

♦**bidèllo** m. (f. **-a**) school caretaker; janitor (m.); (*di università*) porter (*GB*).

bidènte m. pitchfork.

bidet (*franc.*) m. inv. bidet.

bidimensionàle a. bidimensional; two--dimensional.

bidimensionalità f. bidimensionality.

bidirezionàle a. two-way (attr.); bidirectional.

bidistillàto a. twice-distilled.

bidonàre v. t. (*pop.*) to swindle; to cheat; to con (*slang*); to gyp (*slang*); to take* for a ride (*fam.*).

bidonàta f. → **bidone**, *def. 2 e 3.*

♦**bidóne** m. **1** tank; drum; bin; can: **b. dell'immondizia**, dustbin (*GB*); garbage can (*USA*) **2** (*fam.: imbroglio*) swindle; con (*slang*); gyp (*slang*): **prendersi un b.**, to be swindled; to be taken for a ride (*fam.*); **tirare un b. a q.**, (*imbrogliare*) to cheat sb., to trick sb., to take sb. for a ride (*fam.*); to con sb. (*slang*); (*non presentarsi a un appuntamento*) to stand sb. up; (*abbandonare, piantare in asso*) to leave sb. in the lurch **3** (*fam.: cosa che non funziona*) dud (*fam.*), lemon (*slang*); (*cosa deludente*) let-down, bummer (*fam.*), dog (*fam. USA*) **4** (*fam.: atleta scadente*) washout.

bidonìsta m. e f. (*fam.*) swindler; con--man* (m., *slang*); con artist (*slang*).

bidonvìa f. gondola cableway.

bidonville (*franc.*) f. inv. shantytown.

bièco a. **1** (*torvo*) glaring; grim; sullen **2** (*sinistro*) sinister; (*minaccioso*) menacing; (*malvagio*) evil, wicked.

bièlica a. (*aeron.*) twin-screw (attr.).

bièlla f. (*mecc.*) connecting rod; piston rod; pitman (*USA*); (*ferr.*) **b. d'accoppiamento**, side rod; **b. madre**, master (connecting) rod; **piede di b.**, small end of the connecting rod; **testa di b.**, big end of the connecting rod.

Bielorùssia f. Belarus; Belorussia; White Russia.

bielorùsso a. e m. (f. **-a**) Belarusian; Belorussian; White Russian.

biennàle Ⓐ a. **1** (*che dura due anni*) two--year (attr.); biennial **2** (*che ricorre ogni due anni*) biennial **3** (*bot.*) biennial Ⓑ f. biennial exhibition; biennale (*ital.*): **la B. di Vene-**zia, the Venice Biennale.

biènne a. (*bot.*) biennial.

biènnio m. two-year period; (*corso di studi*) two-year course.

bièrre m. e f. inv. (*gergo*) member of the Red Brigades.

bieticoltóre m. (f. **-trìce**) sugar-beet grower.

bieticoltùra f. sugar-beet growing.

biètola f. **1** (*bot., Beta vulgaris cicla*) (Swiss) chard **2** → **barbabietola**.

bietolóne m. (f. **-a**) (*semplicione*) simpleton; dupe; booby.

biètta f. **1** (*mecc.*) key: **b. trasversale**, cotter **2** (*cuneo*) wedge; chock.

bifacciàle a. two-faced.

bifamiliàre a. two-flat (attr.); (*muro a muro*) semi-detached (*GB*), duplex (*USA*).

bifàse a. (*elettr., fis.*) two-phase (attr.); biphasic; diphasic: **alternatore b.**, two-phase generator.

bifero a. (*bot.*) biannual.

biffa f. (*topogr.*) sighting stake.

biffàre ① v. t. (*topogr.*) to stake out.

biffàre ② v. t. (*cancellare*) to cross out.

bifido a. forked; bifid: **lingua bifida**, forked tongue.

bifilàre a. (*elettr.*) bifilar.

bifocàle a. (*fis.*) bifocal: **lente b.**, bifocal lens; **occhiali (con lenti) bifocali**, bifocals.

bifólco m. **1** peasant **2** (*fig. spreg.*) bumpkin; boor; yokel.

bifora f. (*archit.*) double lancet window; mullioned window with two lights.

biforcaménto m. **1** (*il biforcarsi*) forking; branching off **2** (*luogo*) fork; branch; bifurcation.

biforcàre Ⓐ v. t. to bifurcate Ⓑ **biforcarsi** v. i. pron. to bifurcate; to fork; to branch off: **una strada che si biforca**, a forked road.

biforcatùra, **biforcazióne** f. fork; (*ferr.*) junction.

biforcùto a. forked; bifurcate; furcate: **lingua biforcuta**, forked tongue; **ramo b.**, bifurcate (*o* forked) branch.

bifrónte a. (*anche fig.*) two-faced **2** (*palindromico*) palindromic.

big (*ingl.*) m. e f. inv. big man* (m.); big woman* (f.); big name; big shot (*fam.*).

bìga f. **1** (*stor.*) biga; two-horse chariot **2** (*naut.*) sheers (pl.); sheer legs (pl.).

bigamìa f. bigamy.

bigamo Ⓐ a. bigamous Ⓑ m. bigamist.

bigèllo m. (coarse grey) homespun cloth.

bigeminìsmo m. bigeminy.

bigèmino a. (*med.*) bigeminal; (*gemellare*) twin (attr.): **parto b.**, twin birth.

bigenitorialità f. co-parenting.

bighellonàre v. i. **1** (*perdere tempo*) to loaf; to lounge about; to laze about; to idle away one's time **2** (*gironzolare*) to wander aimlessly; to hang* about.

bighellóne m. (f. **-a**) loiterer; loafer.

bighellóni avv. loafingly; idly: **andare b. per la città**, to loaf about town.

bigiàre v. t. (*region.*) – **b. la scuola**, to play truant; to play hookey (*USA*); **b. una lezione**, to skip a class.

bigìno m. (*region.*) crib (*GB*); pony (*USA*); trot (*USA*).

bìgio a. dull grey (*USA* gray): **cielo b.**, grey sky; **tempo b.**, cloudy weather.

bigiotterìa f. costume jewellery; bijouterie (*franc.*); (*spreg.*) trinkets (pl.) **2** (*negozio*) costume jeweller's.

bìglia → **bilia**.

bigliàrdo e deriv. → **biliardo**, e deriv.

bigliettàio m. (f. **-a**) (*ferr.: in stazione*)

ticket clerk, booking clerk, (*sul treno*) ticket collector; (*di tram, ecc.*) conductor; (*di cinema, teatro*) box-office attendant.

bigliettazióne f. (*bur.*) ticketing.

biglietteria f. **1** (*servizio*) ticketing **2** (*ufficio, sportello*) ticket office; (*ferr.*) ticket office, booking office; (*di cinema, teatro*) box office.

♦**bigliétto** m. **1** (*contrassegno*) ticket; (*tariffa di viaggio*) fare: **b. aereo**, air ticket; **b. d'andata** (*o di corsa semplice*), single ticket; one-way ticket (*USA*); **b. d'andata e ritorno**, return ticket; round-trip ticket (*USA*); **b. d'entrata** (*o d'ingresso*), entrance (*o* admission) ticket; (*ferr.*) platform ticket; (*prezzo*) admission charge; **b. di favore** (*o gratuito*), complimentary ticket; **b. di lotteria**, lottery ticket; **b. elettronico**, e-ticket; electronic ticket; **b. ferroviario**, train ticket; **b. intero**, (*ferr.*) full fare; (*prezzo pieno*) full price; **b. ridotto**, reduced-rate ticket; **metà b.**, half-fare; **fare il b.**, to buy (*o* to get) one's ticket; **emissione di biglietti**, ticketing; **emettitrice di biglietti**, ticket (*o* ticketing) machine; **vendita di biglietti**, ticketing; (*sportello e sim.*) ticket office **2** (*breve scritto*) note: *Gli scriverò un b.*, I'll write him a note; **b. galante**, billet doux (*franc.*) **3** (*cartoncino*) card: **b. d'auguri**, greetings card; **b. d'invito**, invitation card; **b. di Natale**, Christmas card; **b. da visita**, visiting card; business card; card; **b. postale**, letter card **4** (*banconota*) banknote; bill (*USA*): **un b. da dieci euro**, a ten euro note.

Bignàmi® m. inv. crib (*GB*); pony (*USA*); trot (*USA*).

bignè m. cream puff.

bignònia f. (*bot.*, *Bignonia*) bignonia.

bìgo m. (*naut.*) derrick.

bigodìno m. curler; roller.

bigóncia f. vat; tub ● (*fig.*) **a bigonce**, in great quantities.

bigóncio m. vat; large tub.

bigòtta f. (*naut.*) deadeye.

bigotteria f., **bigottìsmo** m. ostentatious piety; religiosity ❶ **FALSI AMICI** ● bigotteria *non si traduce con* bigotry.

bigòtto Ⓐ a. ostentatiously pious; religiose Ⓑ m. (f. **-a**) ostentatiously pious person; religionist ❶ **FALSI AMICI** ● bigotto *non si traduce con* bigot.

bijou (*franc.*) m. inv. **1** (*gioiello*) jewel **2** (*fig. fam.: cosa o persona bella*) picture, dream; (*persona gentile*) gem, treasure, angel, darling.

bikini m. inv. bikini.

bilabiàle a. e f. (*fon.*) bilabial.

bilabiàto a. (*bot.*) bilabiate.

bilàma a. twin-bladed; twin-blade; double-blade: **rasoio b.**, twin-bladed razor.

bilaminàto m. laminboard.

♦**bilància** f. **1** balance; scales (pl.); scale: **b. a bilico**, platform scales; **b. a molla**, spring balance; **b. a ponte**, weighbridge; platform scale; **b. automatica**, automatic weighing-machine; **b. da cucina**, kitchen scales; **la b. della Giustizia**, the scales of Justice; **b. di precisione**, precision balance; **b. idrostatica**, hydrostatic balance; **b. pesabambini**, baby scales; **b. pesapersone**, bathroom scales; **b. romana** (*stadera*), steelyard; **braccio della b.**, beam; **fulcro della b.**, balance pivot; **piatto della b.**, pan; scale **2** (*econ.*) balance: **b. dei pagamenti**, balance of payments **3** (*rete da pesca*) square fishing net **4** (*dell'orologio*) balance (wheel) **5** (*edil.*) painter's cradle **6** (*astron., astrol.*) (the) Scales **7** (*astrol., di persona*) Libra; Libran ● (*anche fig.*) **dare il tracollo alla b.**, to tip the scales □ (*fig.*) **far pendere la b. da una parte**, to tip the scales (in favour of) □ (*fig.*) **mettere due cose sulla b.**, to weigh

two things against each other □ (*fig.*) **pesare con giusta b.**, to hold the scales even; to judge fairly □ (*fig.*) **pesare qc. con la b. dell'orafo**, to weigh st. carefully □ (*fig.*) **porre sulla b.**, to consider; to weigh.

bilanciaménto m. balance; balancing.

bilanciàre Ⓐ v. t. **1** (*tenere in equilibrio*) to balance: **b. un bastoncino sulla punta di un dito**, to balance a stick on one's fingertip **2** (*soppesare*) to weigh; to consider: **b. il pro e il contro**, to weigh the pros and cons **3** (*pareggiare*) to balance; to even out **4** (*compensare*) to balance, to offset*; (*controbilanciare*) to counterbalance, to trade off: *I profitti non bilanciano le perdite*, the profits don't balance the losses Ⓑ **bilanciàrsi** v. rifl. **1** to balance (oneself): **bilanciarsi su un piede**, to balance (oneself) on one foot **2** (*fig.*) to steer a middle course Ⓒ **bilanciàrsi** v. rifl. recipr. to balance out; to even out: *Vantaggi e svantaggi si bilanciano*, pros and cons even out.

bilancière m. **1** (*mecc.*) rocker arm; equalizer; compensator **2** (*di orologio*) balance (wheel): **molla del b.**, hairspring **3** (*conio*) coining press **4** (*di portatore di pesi*) yoke **5** (*di equilibrista*) balancing pole **6** (*sollevamento pesi*) barbell **7** (*naut.*) outrigger.

bilancìno m. **1** precision balance **2** (*cavallo*) trace horse **3** (*di calesse*) swingletree; whippletree ● (*fig.*) **pesare qc. col b.**, to weigh st. carefully.

♦**bilàncio** m. **1** (*rag.*) balance; balance sheet; (*rendiconto*) statement; (*preventivo*) budget: **b. annuale**, asset and liability statement; **b. attivo [passivo]**, credit [debit] balance; **b. consolidato**, consolidated balance sheet; **b. consuntivo**, final balance; **b. di esercizio**, balance of the business year; **il b. dello Stato**, the Budget; **b. di verifica**, trial balance; **b. familiare**, family budget; **b. in pareggio**, balanced budget; **b. preventivo**, budget; estimate; **b. provvisorio**, temporary balance sheet; **presentare [discutere, approvare] il b.**, to present [to discuss, to pass] the budget; **chiudere il b.**, to balance the books; **chiudere il b. in attivo [in passivo]**, to make a profit [a loss]; **chiudere il b. in pareggio**, to balance the budget; to break even; **fare un b.**, to draw up a balance sheet; **di b.**, budgetary; **fuori b.**, off balance sheet **2** (*fig.*) result; outcome: **il b. di una situazione**, the outcome of a situation; **fare il b. di una situazione**, to take stock of a situation; **fare il b. della propria vita**, to take stock of one's life ● **il b. delle vittime di una sciagura**, the death toll of a disaster □ (*fig.*) **b. fallimentare**, catalogue of failures □ (*fig.*) **mettere qc. in b.**, to take st. into account.

bilateràle a. bilateral: **accordo b.**, bilateral agreement; (*polit.*) **conferenza b.**, bilateral; (*leg.*) **contratto b.**, bilateral contract; (*biol.*) **simmetria b.**, bilateral symmetry.

bilateralìsmo m. bilateralism.

bilateralità f. bilateralism; bilaterality.

bilàtero a. (*geom.*) bilateral.

bìle f. **1** (*fisiol.*) bile **2** (*fig.*) rage; anger: **verde di b.**, livid with rage; **ingoiare b.**, to swallow one's rage; **rodersi dalla b.**, to be consumed with rage; to seethe.

bìlia f. **1** (*palla da biliardo*) billiard ball; (*buca*) pocket: **b. battente**, cue ball; **fare una b.**, to pocket a ball **2** (*pallina di vetro*) marble.

biliardìno m. **1** bar billiards (pl. col verbo al sing.); biliardino elettrico, pinball machine **2** (*calcio balilla*) table soccer; foosball.

biliàrdo m. billiards (pl. col verbo al sing.); snooker; pool (*USA*): **giocare a b.**, to play billiards (*o* snooker); to shoot pool (*USA*); **sala da b.**, billiard room; poolroom (*USA*);

poolhall (*USA*); **stecca da b.**, cue; **tavolo da b.**, billiard table (*GB*); pool table (*USA*) ● **calvo come una palla da b.**, as bald as a coot □ **liscio come un b.**, as flat as a pancake.

biliàre a. (*fisiol.*) biliary; bile (attr.); bilious; **dotto b.**, bile duct.

bìlico m. **1** delicate equilibrium; poise; unstable balance: **essere in b.**, to be balanced; to be precariously placed; to be sitting precariously; (*fig.*) to be on a knife-edge, to hang in the balance, to be poised; **essere in b. tra la vita e la morte**, to be poised between life and death; **mettere in b.**, to balance; to poise; **tenersi in b.**, to keep one's balance; (*fig.*) **tenere qc. in b.**, to keep sb. in suspense (*o* on tenterhooks) **2** (*mecc.*) bascule; (*perno*) pivot; (*ferr.*) **ponte a b.**, platform scale; weighbridge.

bilineàre a. (*mat.*) bilinear: **polinomio b.**, bilinear polynomial.

bilìngue Ⓐ a. in two languages; bilingual: **cartello [iscrizione] b.**, notice [inscription] in two languages; **dizionario b.**, bilingual dictionary; **paese b.**, bilingual country; **segretaria b.**, bilingual secretary Ⓑ m. e f. bilingual.

bilinguìsmo m. bilingualism.

bilióne m. **1** (*mille milioni*) billion **2** (*un milione di milioni*) trillion.

bilióso a. (*fig.*) choleric; peevish.

bilirubìna f. bilirubin.

biliverdìna f. biliverdin.

bilobàto a. (*bot.*) bilobate.

bilocàle m. two-room(ed) flat (*USA* apartment).

bilùstre a. (*lett.*) ten-year-old (attr.); ten years old (pred.).

bìmano a. (*zool.*) bimanous.

♦**bìmbo** m. (f. **-a**) (young) child*; (*da uno a tre anni*) toddler; (*in fasce*) baby ❶ **FALSI AMICI** ● bimbo *non si traduce con* bimbo.

bimensìle a. fortnightly; bimonthly: **rivista b.**, fortnightly review.

bimestràle a. **1** (*che dura due mesi*) two-month (attr.); bimestrial: **corso b.**, two-month course **2** (*che ricorre ogni due mesi*) bimonthly; two-monthly: **pagamento b.**, bimonthly payment.

bimestralità f. **1** bimonthly character **2** (*rata bimestrale*) bimonthly instalment; two months' payment.

bimèstre m. (period of) two months: **pagare a bimestri**, to pay every two months.

bimetàllico a. (*anche econ., fin.*) bimetallic.

bimetallìsmo m. (*econ.*) bimetallism.

bimetàllo m. (*tecn.*) bimetal.

bimillenàrio a. e m. bimillenary.

bimodàle a. (*stat., trasp.*) bimodal.

bimotóre Ⓐ a. twin-engined Ⓑ m. twin-engined plane.

binària f. (*astron.*) binary star.

♦**binàrio** Ⓐ a. (*scient., mus.*) binary Ⓑ m. **1** (*ferr.: rotaie*) (railway) track; line: **b. a scartamento ridotto**, narrow-gauge track; **b. di carico**, siding; **b. di corsa**, through track; **b. di raccordo**, crossover; **b. di smistamento**, marshalling track; **b. doppio**, double track; **b. morto**, dead-end track; siding; **b. principale**, main line; **b. tronco**, siding; **b. unico**, single track; (*far*) **cambiare b.**, to shunt **2** (*ferr.: marciapiede*) platform: *Il treno per Padova parte dal b. numero uno*, the train for Padua will leave from platform one **3** (*mecc.*) track: **b. da tenda**, curtain track ● (*fig.*) **essere su un b. morto**, to have come to a dead-end □ (*fig.*) **rientrare nei binari**, to get back into line □ **uscire dai binari**, to derail; to leave the tracks; (*fig.*) to run off the rails.

binàto a. **1** coupled; twin (attr.): **finestre**

binate, coupled windows; (*mil.*) **torre binata**, twin turret **2** (*bot.*) binate.

binatrìce f. (*ind. tess.*) doubler; doubling machine.

binatùra f. (*ind. tess.*) doubling.

binauràle a. binaural.

bìnda f. (*mecc.*) jack: **b. a cremagliera**, ratchet jack; **b. a vite**, jackscrew.

bindèlla f. **1** ribbon; tape; strip **2** (*di doppietta*) rib.

bìndolo m. **1** (*arcolaio*) winder **2** (*ruota per attingere acqua*) water wheel **3** (*fig.*: *raggiro*) trick; fraud.

bìngo m. bingo.

binòcolo m. binoculars (pl.); pair of binoculars; binocs (pl.) (*fam.*); (*da campagna*) field glasses (pl.); (*da teatro*) opera glasses (pl.) ● **Le vedrai col b. le vacanze!**, you can forget about your holidays!

binoculàre a. binocular.

binomiàle a. (*mat.*, *stat.*) binomial.

binòmio **A** m. **1** (*mat.*) binomial **2** (*fig.*) pair; couple; combination; ticket **B** a. binomial: (*biol.*) **nomenclatura binomia**, binomial nomenclature.

binucleàto a. (*biol.*) binucleate.

bioagricoltùra f. organic farming.

bioarchitettùra f. ecological design.

bioastronàutica f. bioastronautics (pl. col verbo al sing.).

bioattività f. (*biochim.*, *fisiol.*) bioactivity Ⓤ.

bioattìvo a. (*biochim.*, *fisiol.*) bioactive.

biobibliografìa f. bio-bibliography.

biobibliogràfico a. biobibliographical.

biocarburànte m. biofuel.

biocatalizzatóre m. (*biochim.*) biocatalyst.

biòccolo m. (*di lana*) tuft, flock; (*di neve*) snowflake; (*di candela*) wax dripping: **tessuto a bioccoli**, tufted material.

bioccolùto a. tufted; flocculent; floccose.

biocenologìa f. biocoenology.

biocenòsi f. (*biol.*) biocoenosis.

biocentrìsmo m. biocentrism.

biochìmica f. biochemistry.

biochìmico **A** a. biochemical **B** m. (f. *-a*) biochemist.

biocìda **A** a. biocidal **B** m. biocide.

bioclàstico a. (*geol.*) bioclastic.

bioclimatologìa f. bioclimatology.

biocompatìbile a. (*chim.*) biocompatible.

biocompatibilità f. biocompatibility.

bioculàre a. (*fis.*) binocular.

biodegradàbile a. (*chim.*) biodegradable; (*di detersivo*) soft ● **non b.**, hard.

biodegradabilità f. biodegradability.

biodegradàre v. t. to biodegrade.

biodegradazióne f. biodegradation.

biodiesel m. inv. (*chim.*) biodiesel.

biodinàmica f. biodynamics (pl. col verbo al sing.).

biodinàmico a. biodynamic.

biodisponìbile a. (*biochim.*, *fisiol.*) bioavailable.

biodisponibilità f. (*biochim.*, *fisiol.*) bioavailability Ⓤ.

biodiversità f. biodiversity.

biòdo m. (*bot.*, *Sparganium erectum*) bur reed.

bioedilìzia f. organic architecture.

bioelettricità f. bioelectricity.

bioelèttrico a. bioelectric.

bioelettrònica f. bioelectronics (pl. col verbo al sing.).

bioenergètica f. bioenergetics (pl. col verbo al sing.).

bioenergìa f. bioenergy.

bioequivalènte a. (*biochim.*, *fisiol.*) bioequivalent.

bioequivalènza f. (*biochim.*, *fisiol.*) bioequivalence.

bioètica f. bioethics (pl. col verbo al sing.).

bioètico a. bioethical.

biofarmacèutico a. biopharmaceutical.

biofìsica f. biophysics (pl. col verbo al sing.).

biofìsico **A** a. biophysical **B** m. (f. *-a*) biophysicist.

biogàs m. biogas.

biogèneṣi f. biogenesis.

biogenètica f. biogenetics (pl. col verbo al sing.).

biogenètico a. biogenetic.

biògeno (*biol.*) **A** a. biogenous; biogenic **B** m. biogen.

biogeografìa f. biogeography.

biografàre v. t. to write* a biography of.

biografìa f. biography; life: **una b. di Cavour**, a life of Cavour; **b. romanzata**, biographical novel; **scrivere la b. di q.**, to write a biography of sb.

biogràfico a. biographical: **dizionario b.**, biographical dictionary; **saggio b.**, biographical essay.

biògrafo m. (f. *-a*) biographer.

bioindicatóre m. (f. *-trice*) (*biol.*) bioindicator.

bioinformàtica f. (*biol.*) bioinformatics (pl. col verbo al sing.).

bioingegnère m. biological engineer; bioengineer.

bioingegnerìa f. biological engineering; bioengineering.

biologìa f. biology: **b. animale**, animal biology; **b. molecolare**, molecular biology; **b. vegetale**, plant biology.

biològico a. **1** biological; life (attr.): **ciclo b.**, biological cycle; life cycle; **guerra biologica**, biological warfare; **padre b.**, biological father; **scienze biologiche**, life sciences **2** (*rif. al cibo*) organic: **agricoltura biologica**, organic farming.

biòlogo m. (f. *-a*) biologist.

bioluminescènza f. (*biol.*) bioluminescence.

biòma m. (*biol.*) biome.

biomarcatóre m. (*med.*) biomarker.

biomàssa f. (*ecol.*) biomass.

biomatemàtica f. biomathematics (pl. col verbo al sing.).

biomeccànica f. biomechanics (pl. col verbo al sing.).

biomeccànico a. biomechanical.

biomedicàle a. biomedical.

biomedicìna f. biomedicine.

biomèdico a. biomedical.

biometeorologìa f. biometeorology.

biometrìa f. biometry; biometrics (pl. col verbo al sing.).

biomètrico a. biometric.

biometrìsta m. e f. biometrician.

biónda f. **1** fair-haired woman*; blonde: **b. ossigenata**, peroxide blonde **2** (*pop.*: *sigaretta*) cigarette; ciggy (*fam. GB*); smoke (*fam.*).

biondàstro a. blondish.

biondeggiànte a. golden.

biondeggiàre v. i. (*essere giallo*) to be yellow, to be golden; (*diventare giallo*) to turn yellow (*o* golden): **I campi biondeggiano di grano**, the fields are yellow with wheat.

biondèlla f. (*bot.*, *pop.*) centaury; knapweed.

biondézza f. fairness.

biondìccio a. pale blond; blondish.

biondìna f. fair-haired girl; blonde.

biondìno m. fair-haired (*o* blond) boy (*o* young man*).

◆**bióndo** **A** a. **1** (*dei capelli*) fair; blond; (*di persona*) fair-haired, blond: **capelli biondi**, fair hair; **donna bionda**, fair-haired woman; blonde; **b. cenere**, ash-blond; **b. chiaro**, flaxen; **b. ossigenato**, bleached; **b. platino**, platinum blond; **b. ramato**, auburn; **b. scuro**, sandy **2** (*giallo dorato*) golden: **le bionde spighe**, the golden ears of wheat; **il b. metallo**, gold **B** m. **1** (*colore*) fair colour; blond; gold **2** (*uomo biondo*) fair-haired man*; blond man*.

biònica f. bionics (pl. col verbo al sing.).

biònico a. bionic.

bionomìa f. bionomics (pl. col verbo al sing.).

biopàrco m. zoo specifically designed for conservation purposes.

biopiraterìa f. (*biol.*) biopiracy.

bioprocèsso m. (*biochim.*) bioprocess.

bioproteìna f. single-cell protein.

biopsìa f. (*med.*) biopsy.

biòptico a. (*med.*) biopsic.

bioreattóre m. (*biol.*, *ind.*) bioreactor.

bioritmìco a. biorhythmic.

bioritmo m. (*med.*, *sport*) biorhythm.

biorobòtica f. biorobotics (pl. col verbo al sing.).

bìos m. (*comput.*) bios.

biosatèllite m. (*miss.*) biosatellite.

bioscopìa f. (*med.*) bioscopy.

biosensóre m. (*chim.*) biosensor.

biosfèra f. biosphere.

biosicurézza f. (*biol.*, *ecol.*) biosecurity.

biosìnteṣi f. biosynthesis.

biòssido m. (*chim.*) dioxide.

biostratigrafìa f. (*geol.*) biostratigraphy.

biotècnica f. biotechnology.

biotecnologìa f. biotechnology.

biotecnològico a. biotechnological.

biotecnòlogo m. (f. *-a*) biotechnologist.

bioterapìa f. (*med.*) biotherapy.

bioterrorìsmo m. bioterrorism.

bioterrorìsta **A** m. e f. bioterrorist **B** a. bioterrorist (attr.): **attacco b.**, bioterrorist attack.

biòtico a. biotic.

biotìna f. (*chim.*) biotin.

biotìpo m. (*biol.*) biotype.

biotìte f. (*miner.*) biotite.

biòtopo m. (*biol.*) biotope.

biòttico a. twin-lens (attr.).

biòtto a. (*region.*) naked; mother-naked (*fam.*).

biòva f. (*region.*) round loaf of bread.

bip m. inv. **1** (*segnale*) bip; beep **2** (*cicalino*) beeper; pager.

bipàla a. inv. two-bladed: **elica b.**, two-bladed propeller.

bìparo a. (*bot.*) biparous.

bipartìre **A** v. t. to divide into two; to halve **B** **bipartìrsi** v. i. pron. to fork; to bifurcate.

bipàrtisan a. inv. (*polit.*) bipartisan; cross-party.

bipartìtico a. (*polit.*) two-party (attr.); bipartisan.

bipartitìsmo m. (*polit.*) two-party system.

bipartìto ① a. (*bot.*) bipartite: **foglia bipartita**, bipartite leaf.

bipartìto ② a. (*polit.*) two-party (attr.); bipartisan.

bipartizióne f. bipartition; division into two parts.

bip bip m. inv. bip; beep; bleep.

bipede A a. biped; two-footed B m. biped.

bipennàto a. (*bot.*) bipinnate.

bipènne f. two-edged axe.

biplàno m. (*aeron.*) biplane.

bipolàre a. **1** (*fis.*, *biol.*, *psic.*, *fig.*) bipolar: **dinamo b.**, bipolar dynamo; **motore b.**, bipolar engine **2** (*polit.*) bipolar; (*bipartitico*) two-party (attr.).

bipolarìsmo m. **1** (*polit.*) bipolar system; two-party system **2** (*psic.*) bipolarity.

bipolarità f. (*fis.*) bipolarity.

bipolarizzazióne f. bipolarization.

bipòlide A a. holding dual citizenship B m. e f. holder of dual citizenship.

bipòlo m. (*elettr.*) bipole.

bipòsto a. e m. (*autom.*, *aeron.*) two-seater.

bipropellènte m. bipropellant.

biquadràtico a. (*mat.*) biquadratic.

birba f. **1** (*furfante*) scoundrel; rascal **2** (*monello*) little rascal; scamp.

birbantàggine f. rascality; villainy.

birbànte m. **1** (*furfante*) scoundrel; rascal **2** (*monello*) little rascal; scamp.

birbanterìa f. **1** rascality; villainy **2** (*tiro birbone*) dirty trick; (*scherz.*) prank, mischief ▣.

birbantésco a. rascally; roguish.

birbonàggine → **birbanteria**.

birbonàta → **birbanteria**, *def. 2*.

birbóne A m. villain; rascal; scoundrel B a. **1** nasty; dirty: **un tiro b.**, a dirty trick **2** (*fig.*: *rafforzativo*) terrible; beastly: *Fa un freddo b.*, it's beastly cold; **avere una fame birbona**, to be ravenous; **avere una paura birbona**, to be scared stiff.

birbonerìa → **birbanteria**, *def. 1*.

birbonésco a. rascally; roguish.

bireattóre m. (*aeron.*) twin-jet.

birème f. (*stor.*) bireme.

birichinàta f. prank; mischief ▣.

♦**birichino** A a. mischievous; impish; roguish B m. (f. **-a**) scamp; little rascal; little devil.

birifrangènte a. (*fis.*) birefringent.

birifrangènza f. (*fis.*) birefringence.

birifrazióne f. (*fis.*) double refraction; birefringence.

birignào m. (*teatr.*) affected diction.

birìllo m. pin; (*nel gioco dei birilli, anche*) skittle: **giocare ai birilli**, to play skittles (*o* ninepins); *Caddero come tanti birilli*, they went down like ninepins.

Birmània f. (*geogr.*) Burma, Myanmar.

birmàno A a. Burmese; B m. **1** (f. **-a**) Burmese* **2** (*ling.*) Burmese.

biro® f. inv. biro*® (*GB*); ballpoint (pen) (*USA*).

biròccio e *deriv.* → **barroccio**, e *deriv.*

♦**birra** f. beer; ale: **b. alla spina**, draught beer; **b. amara**, bitter; **b. chiara**, light ale; lager; **b. scura**, stout; porter; **fabbricare b.**, to brew beer; **un boccale di b.**, a mug of beer; **fabbrica di b.**, brewery; **fabbricante di b.**, brewer ● (*fig.*) **a tutta b.**, flat out; at top speed: **andare a tutta b.**, to run flat out; to run like the clappers (*fam.*); (*in auto*) to belt along (*fam. GB*); to barrel along (*fam. USA*) □ (*fig.*) **dare la b. a q.**, to leave sb. trailing behind.

birràio m. (f. **-a**) **1** (*proprietario di birreria*) beerhouse keeper **2** (*fabbricante*) brewer.

birrerìa f. pub; tavern; bar.

birrifìcio m. **1** (*fabbricazione*) beer brewing **2** (*fabbrica*) brewery.

BIRS sigla (**Banca internazionale per la ricostruzione e lo sviluppo**) International Bank for Reconstruction and Development (IBRD).

bis A inter. (*teatr.*) encore; more B m. **1** (*teatr.*) encore: **chiedere un bis**, to call for an encore; **concedere il bis**, to give an encore **2** (*seconda porzione*) second helping (of st.); seconds; (*di bevanda*) (the) same again: **fare il bis**, to have seconds; to have the same again; *Ha fatto il bis di lasagne*, she had a second helping of lasagne C a. **1** (*aggiuntivo*) b: **articolo 3 bis**, article 3 b **2** (*numerazione stradale*) a: *Abito al 27 bis*, I live at 27 a **3** (*di treno, ecc.*) additional; relief (attr.) (*GB*).

bisàccia f. knapsack; (*della sella*) saddle-bag.

bisànte m. (*numism.*, *arald.*) bezant.

Bisànzio m. (*stor.*) Byzantium.

bisàrca f. (car) transporter (*GB*); haulaway (*USA*).

bisarcàvola f. great-great-great-grand-mother.

bisarcàvolo m. great-great-great-grand-father.

bisàva, **bisàvo** → **bisavola**, **bisavolo**.

bisàvola f. great-grandmother.

bisàvolo m. great-grandfather.

bisbètico A a. bad-tempered; crabbed; cantankerous; crotchety; grumpy; curmudgeonly (*lett. o scherz.*); (*di donna, anche*) waspish, shrewish, nagging: **un vecchio b.**, a cantankerous old man; **moglie bisbetica**, nagging wife; scold B m. (f. **-a**) crotchety person; cantankerous person; curmudgeon (*lett. o scherz.*); sourpuss (*fam.*); scold (f.); nag (f.); shrew (f.); termagant (f.).

bisbigliaménto → **bisbiglio** ②.

bisbigliàre v. t. e i. **1** to whisper; to murmur: *Mi bisbigliò un nome all'orecchio*, he whispered a name in my ear **2** (*fig.*: *spettegolare*) to gossip (about).

bisbìglio ① m. whisper; murmur: **dire qc. in un b.**, to say st. in a whisper; *Per l'aula corse un b. d'approvazione*, a murmur of approval ran round the hall.

bisbìglio ② m. whispering; murmuring.

bisbòccia f. carousing; drinking session; binge; booze-up (*slang*): **fare b.**, (*bere*) to go on a binge, to have a booze-up (*slang*); (*divertirsi*) to go out on the town (*fam.*); **compagni di b.**, drinking companions.

bisbocciàre v. i. to carouse; to go* on a binge; to have a booze-up (*slang*).

bisboccióne m. carouser; boozer (*slang*).

bìsca f. gambling house; gambling club; (*clandestina*) gambling den.

Biscàglia f. (*geogr.*) Biscay.

biscaglina f. (*naut.*) Jacob's ladder.

biscaiòlo m. gambler; gamester.

biscazzière m. **1** gambling-house keeper **2** (*nel biliardo*) marker.

bischeràggine f. (*pop.*, *region.*) stupidity; foolishness.

bischeràta f. (*pop.*, *region.*) foolish action; foolish thing.

bìschero m. **1** (*mus.*) tuning peg **2** (*volg.*, *region.*) prick; cock **3** (*pop.*, *region.*: *stupido*) fool; prick; jerk (*slang, USA*).

bischétto m. cobbler's bench.

bìscia f. (*zool.*) grass snake: **b. d'acqua**, water snake ● **a b.**, zig-zagging.

biscottàre v. t. **1** to bake twice **2** to toast; to crisp.

biscottàto a. twice-baked; toasted: **fette biscottate**, rusks; crispbread ▣.

biscotterìa f. **1** (*fabbrica*) biscuit (*USA* cookie) factory **2** (*negozio*) biscuit (*USA* cookie) shop **3** (*assortimento di biscotti*) biscuits (pl.); cookies (pl., *USA*).

biscottièra f. biscuit tin (*GB*); cookie can (*USA*).

biscottifìcio m. biscuit (*USA* cookie) factory.

♦**biscòtto** m. **1** biscuit (*GB*); cookie (*USA*) **2** (*naut.*) ship's biscuit **3** (*ceramica*) biscuit*; bisque.

biscròma f. (*mus.*) demisemiquaver; thirty-second note (*USA*).

biscugìno m. (f. **-a**) second cousin.

biscuit (*franc.*) m. inv. (*ceramica*) biscuit*; bisque.

bisdòsso vc. – **a b.**, bareback.

bisdrùcciolo a. stressed on the fourth-last syllable.

bisecànte (*geom.*) A a. bisecting B f. bisector.

bisecàre v. t. (*geom.*) to bisect.

bisecolàre a. two hundred years old (pred.); two centuries old (pred.); two-hundred-year-old (attr.); two-century-old (attr.).

bisellàre v. t. (*tecn.*) to chamfer.

bisèllo m. (*tecn.*) chamfer.

bisènso m. **1** word with a double meaning; homonym **2** (*enigmistica*) punning riddle.

bisessuàle a., m. e f. bisexual.

bisessualità f. bisexuality.

bisessuàto a. bisexual; hermaphroditic.

bisèstile a. – **anno b.**, leap year.

bisèsto m. leap day.

bisettimanàle a. twice-weekly; bi-weekly.

bisettóre a. (*geom.*) bisecting.

bisettrìce f. (*geom.*) bisector; bisecting line.

bisezióne f. (*geom.*) bisection.

bisfenòide m. (*geom.*) disphenoid; bisphenoid.

bisillàbico a. disyllabic; two-syllabled.

bisìllabo A a. disyllabic; two-syllabled B m. disyllable.

bislaccherìa f. oddity; oddness; weirdness.

bislàcco a. odd; weird; bizarre: **idea bisclacca**, weird notion; **un uomo b.**, an odd man; an oddball (*fam.*).

bislùngo a. oblong.

bismùto m. (*chim.*) bismuth.

bisnipóte m. e f. **1** (*di bisnonni*) great-grandchild*; great-grandson (m.); great-granddaughter (f.) **2** (*di prozii*) great-nephew (m.); great-niece (f.).

bisnònna f. great-grandmother.

♦**bisnònno** m. great-grandfather.

bisógna f. (*lett.*) **1** (*compito*) work; task **2** (*necessità*) need; purpose.

♦**bisognàre** v. i. **1** (impers.) to be necessary; (con costr. pers.) to have (got) to, must (pres.); should (condiz. e congiunt.); ought to (condiz. e congiunt.): *Bisognava proprio che tu ci andassi?*, was it really necessary for you to go?; *Bisogna lavorare*, one must work; *Bisogna che tu parta*, you'll have to leave; *Bisogna rifare tutto daccapo*, we must do it all over again; it's got to be done all over again; *Bisogna far aggiustare il tetto*, the roof needs repairing (*o* to be repaired); *Non bisogna credere a quello che dice*, one mustn't (*o* you shouldn't) believe what he says; *Bisognava prima vederlo*, she should have arrived sooner; *Bisognava sentirlo!*, you should have heard him!; *Bisognerebbe prima vederlo*, I [we, etc.] should see it first; I [we, etc.] would have to see it first; *Bisogna dire che sa quel che fa*, you must admit she knows what she's doing; *Bisogna vedere* (*dipende*), we'll see; it depends **2** (*mancare*) to want, to need (tutti e due pers.): *Gli bisogna un po' di coraggio*, he wants a little courage.

bisognatàrio m. (*comm.*) referee (in case of need).

bisognévole Ⓐ a. **1** necessary **2** (*bisognoso*) needy; in need (pred.) Ⓑ m. (the) necessary.

bisognìno m. (*fam. eufem.*) call (of nature): **fare un b.**, to pay a call; to spend a penny (*fam.*).

♦**bisógno** m. **1** need; (*necessità*) necessity: **sentire il b. di qc.**, to feel the need for st.; **provvedere ai bisogni di q.**, to provide for sb.'s needs; *L'ha fatto per b.*, he did it out of need (*o* necessity); **in caso di b.** (*o* **al b.**), in case of need; if need (*o* needs) be; if necessary; **secondo il b.**, according to one's needs; according to necessity; **più del b.**, more than (is) necessary; **avere b. di**, to need; to be in need of; (*mancare di*) to lack; *Non ho più b. di lui*, I don't need him any more; *Quei poveretti hanno b. di tutto*, those poor people lack everything; **avere urgente b. di qc.**, to be in urgent need of st.; to need st. badly; *Se hai b. chiama*, if you need me, just call me; *C'è b. di me*, I am needed; they need me; *C'è un gran b. di un libro su questo argomento*, there is a great need for a book on this subject; *Non c'è b. di gridare*, there's no need to shout; *Non c'è b. che ci vada tu*, you needn't go; there's no need for you to go; *Non c'era b. che si scomodasse*, he shouldn't have troubled himself **2** (*indigenza, povertà*) need; poverty: **trovarsi nel b.**, to be in need **3** (*fam.: urgenza fisiologica*) call (of nature); (*di animale*) business: *Ho un b.*, I must pay a call; I must spend a penny (*fam.*); **fare i propri bisogni**, to relieve oneself; (*di animale*) to do its business ● (*prov.*) **Il b. aguzza l'ingegno**, necessity is the mother of invention □ (*prov.*) **Il b. non ha legge**, necessity knows no law.

bisognóso Ⓐ a. **1** (*che ha bisogno*) in need (of): *È b. d'aiuto*, he is in need of help **2** (*povero*) needy; poor; indigent: **persone bisognose**, poor people Ⓑ m. (f. **-a**) needy person; pauper (*lett.*): **soccorrere i bisognosi**, to help the needy.

bisolfàto m. (*chim.*) bisulphate.

bisolfito m. (*chim.*) bisulphite.

bisolfùro m. (*chim.*) bisulphide.

bisónte m. (*zool., Bison*) bison*: **b. americano** (*Bison bison*), bison; buffalo* ● (*fig.*) **b. della strada**, heavy articulated lorry; heavy tractor trailer; juggernaut (*GB*).

bissàre v. t. **1** (*teatr.*) to give* an encore **2** (*ripetere*) to repeat; (*rif. al cibo*) to have a second helping (of); to have seconds.

bisso m. (*tessuto*) fine linen; byssus* (*stor.*).

bistàbile a. (*fis.*) bistable: **elettron.**) **multivibratore b.**, bistable (multivibrator); flip-flop.

bistabilità f. (*fis.*) bistability.

♦**bistécca** f. (*cucina*) steak; beefsteak: **b. a media cottura**, medium steak; **b. ai ferri**, grilled steak; **b. al pepe**, pepper steak; **b. al sangue**, rare steak; **b. con l'osso**, T-bone steak; **b. di filetto**, fillet steak; **b. molto cotta**, well-done steak.

bistecchièra f. grill.

♦**bisticciàre** v. i., **bisticciàrsi** v. rifl. recipr. to quarrel; to squabble; (*battibeccare*) to bicker: **bisticciarsi con un vicino**, to quarrel with a neighbour.

bisticcio m. **1** quarrel; squabble; tiff; (al pl., anche) quarrelling ⓤ, squabbling ⓤ: **b. tra innamorati**, lovers' tiff **2** (*anche* **b. di parole**) pun **3** (*scioglilingua*) tongue-twister.

bistòrta f. (*bot., Polygonum bistorta*) bistort; snakeweed.

bistràto a. bistred; (*truccato pesantemente*) heavily made-up.

bistrattàre v. t. **1** to ill-treat; to maltreat; (*criticare*) to run* down; to berate **2** (*un oggetto*) to treat roughly; to knock about; to mishandle.

bistro m. bistre.

bisturi m. inv. (*med.*) scalpel; lancet; bistoury.

bisùnto a. very greasy ● **unto e b.**, filthy.

bit (*ingl.*) m. inv. (*comput.*) bit.

bitagliènte a. double-edged.

bitartràto m. (*chim.*) bitartrate.

bitonàle a. **1** (*mus.*) bitonal **2** (*di clacson, ecc.*) two-tone.

bitonalità f. (*mus.*) bitonality.

bitórzolo m. (*verruca*) wart; (*bernoccolo*) bump; (*gonfiore*) lump; (*escrescenza*) growth.

bitorzolùto a. warty; lumpy: **naso b.**, warty nose.

bitta f. (*naut.: su una banchina*) bollard; (*a bordo*) bitt (generalm. al pl.) ● **giro di b.**, bitter.

bitter (*ingl.*) m. inv. bitters (pl.).

bittóne m. (*naut.*) bollard.

bitumàre v. t. to bituminize; (*una barca*) to pitch.

bitumatrice f. (*mecc.*) bitumen-sprayer.

bitumatùra, bitumazióne f. bituminization.

bitùme m. **1** bitumen **2** (*per barche*) pitch.

bituminàre → **bitumare**.

bituminóso a. bituminous.

bitùrbo Ⓐ a. inv. double-turbocharged Ⓑ m. inv. double-turbocharged engine.

biunivocità f. (*mat.*) bijection.

biunìvoco a. (*mat.*) bijective: **corrispondenza biunivoca**, bijective mapping; bijection.

bivaccàre v. i. **1** to bivouac; to camp **2** (*fig.*) to camp out.

bivàcco m. bivouac; camp: **b. ad alta quota**, high altitude camp; **fuoco di b.**, camp-fire.

bivalènte a. **1** (*chim.*) bivalent; divalent **2** (*biol.*) bivalent **3** (*fig.*) two-sided **4** (*eufem.: bisessuale*) bisexual; bi (*fam.*).

bivalènza f. (*chim.*) bivalence.

bivàlve (*zool.*) Ⓐ a. bivalve; bivalved Ⓑ m. bivalve.

bivio m. **1** fork; junction; intersection; crossroads **2** (*fig.*) crossroads; (*alternativa*) alternative, dilemma: **trovarsi a un b.**, to be at a crossroads; to be faced with a choice; **porre q. davanti a un b.**, to put sb. in a dilemma.

bizantineggiàre v. i. **1** to imitate the Byzantine style **2** (*fig.*) to be pedantic; to split hairs.

bizantinìsmo m. **1** Byzantinism **2** (*fig.*) pedantry; hair-splitting.

bizantinìsta m. e f. Byzantinist; Byzantine scholar.

bizantìno Ⓐ a. **1** Byzantine **2** (*fig.: eccessivamente raffinato*) ultra-refined; (*complicato*) complicated, convoluted **3** (*fig.: pedante*) pedantic; hair-splitting: **questione bizantina**, pedantic question Ⓑ m. Byzantine.

bizza f. tantrum: **fare le bizze**, to throw a tantrum; (*fig., di cosa*) to play up.

bizzarria f. **1** (*l'essere bizzarro*) oddness; quirkiness; weirdness; eccentricity **2** (*cosa bizzarra*) oddity; eccentric idea; weird notion; (*capriccio*) whim, vagary, quirk.

bizzàrro a. **1** odd; quirky; bizarre; weird; eccentric; peculiar; (*stravagante*) fanciful, bizarre **2** (*di cavallo*) high-spirited.

bizzèffe vc. – **a b.**, in plenty; galore; **denaro a b.**, money galore; lots of money.

bizzóso a. **1** (*capriccioso*) capricious; wilful; (*di bambino*) naughty **2** (*irascibile*) irascible **3** (*di cavallo*) high-spirited.

BL abbr. (**Belluno**).

blablà, blablablà m. blathering; blethering; claptrap (*fam.*).

black bloc m. (*polit.*) black bloc.

blackout (*ingl.*) m. inv. **1** (*elettr.*) blackout **2** (*fig.: mancanza di notizie*) lack of information; (*silenzio stampa*) press silence, (*imposto*) blackout **3** (*fig.: arresto, cessazione totale*) standstill: *Domani ci sarà il b. dei trasporti*, all transport will come to a standstill tomorrow **4** (*fig.: vuoto di memoria*) memory lapse; blank: *Ho avuto un attimo di b.*, my mind went blank for a second.

blah → **bleah**.

blandiménto m. (*lett.*) blandishment; cajolement; couxing ⓤ; (*adulazione*) flattery ⓤ.

blandire v. t. **1** (*lusingare*) to blandish; to cajole; to coax; to wheedle; (*adulare*) to flatter **2** (*lenire*) to soothe; to alleviate.

blandizia f. (spec. al pl.) blandishment; cajolement; coaxing ⓤ; smooth talk ⓤ; (*adulazione*) flattery ⓤ: **ottenere qc. da q. con blandizie**, to wheedle st. out of sb.; **persuadere q. con blandizie a fare qc.**, to cajole (*o* to coax, to wheedle, to smooth-talk) sb. into doing st.

blàndo a. **1** mild; soft; light; gentle; tame: **rimedio b.**, mild remedy; **b. rimprovero**, gentle rebuke **2** (*fiacco*) half-hearted; feeble: **b. interesse**, feeble interest.

blasfèmo Ⓐ a. **1** blasphemous **2** (*irriverente*) heretical; irreverent Ⓑ m. blasphemer; swearer.

blasonàto Ⓐ a. titled; noble; aristocratic Ⓑ m. (f. **-a**) nobleman* (f. noblewoman*); member of the nobility; aristocrat.

blasóne m. **1** (*stemma*) coat of arms; blazon **2** (*estens.: nobiltà*) nobility; (*nome di famiglia*) family name: **disonorare il proprio b.**, to dishonour the family name **3** (*fig.*) emblem; by-word **4** (*arald.*) blazonry.

blasonìsta m. e f. heraldist.

blastèma m. (*biol.*) blastema.

blàstico a. (*biol.*) tumorigenic; tumoral.

blastocèle f. (*biol.*) blastocoel.

blastocisti f. (*biol.*) blastocyst.

blastodèrma m. (*biol.*) blastoderm.

blastòfaga f. (*zool., Blastophaga psenes*) fig wasp.

blastogènesi f. (*biol.*) blastogenesis.

blastòma m. (*med.*) blastoma.

blastòmero m. (*biol.*) blastomere.

Blastomicèti m. pl. (*bot.*) Blastomycetes.

blàstula f. (*biol.*) blastula.

blateràre v. i. to blather; to waffle; to blabber.

blateróne m. blabbermouth; loudmouth; blatherskite (*fam.*).

blàtta f. (*zool., Blatta orientalis*) cockroach.

bleah inter. yuk!; ugh!; phooey!

blefarìte f. (*med.*) blepharitis.

blefaroplàstica f. (*chir.*) blepharoplasty.

blefarospàsmo m. blepharospasm.

bleffàre e deriv. → **bluffare**, e deriv.

blènda f. (*miner.*) blende.

blènnio m. (*zool., Blennius*) blenny.

blenorràgico a. blennorrhoeal.

blesità f. lisp; lisping.

blèso Ⓐ a. lisping: **pronuncia blesa**, lisp; **essere b.**, to have a lisp Ⓑ m. (f. **-a**) lisper.

bleu → **blu**.

blinda f. armour (plate).

blindàggio m. armour-plating.

blindàre v. t. (*mil.*) to protect with armour-plate; (*veicolo, nave*) to armour(-plate) (*USA*); (*porta*) to reinforce.

blindàto a. **1** (*corazzato*) armoured, armored (*USA*); armour-plated; (*a prova di proiettile*) bullet-proof: **automobile blindata**, armoured car; **camera blindata**, strong room; vault; **porta blindata**, steel-clad door; **treno b.**, armoured train; **vetro b.**,

b

bullet-proof glass **2** (*fig.*: *presidiato*) guarded by the police; policed; under security **3** (*fig.*: *immodificabile*) ironclad.

blindatùra f. **1** (*mil.*) armour-plating; armour (plate) **2** (*aeron.*) metal edging **3** (*mecc.*) sheeting.

blister (*ingl.*) m. inv. blister pack.

blitz (*ted.*) m. inv. **1** (*mil.*) blitz **2** (*polizia*) raid: **un b. della polizia**, a police raid; **fare un b. in un posto**, to raid a place **3** (*fig.*: *colpo di mano*) surprise attack; coup de main ❶ **FALSI AMICI** • *in ambito non militare* blitz *non si traduce con* blìtz.

blob m. inv. (*ingl.*, *fig.*) medley; hotchpotch.

bloccàggio m. blocking; locking: **dispositivo di b.**, locking device.

◆**bloccàre** Ⓐ v. t. **1** (*chiudere*, *ostruire*, *ingorgare*) to block; to obstruct; (*intasare*) to clog: **b. il passaggio**, to block the way; **b. uno scarico**, to clog a drain; **b. le uscite**, to block the exits; *Un tronco bloccava la strada*, a log blocked the road; *La mia macchina era bloccata da un camioncino*, my car was boxed in by a van **2** (*arrestare*) to stop; to halt; (*trattenere*) to hold* up: **b. un assegno**, to stop a cheque; **b. un conto in banca**, to block an account; **b. la macchina**, to stop (o to halt) the car; (*sport*) **b. la palla**, to stop the ball; *Siamo rimasti bloccati sull'autostrada*, we were held up on the motorway; *Blocca tutto!*, stop everything! **3** (*isolare*) to isolate; to cut* off; to seal off: *Fummo bloccati da una valanga*, we were cut off by an avalanche; *La polizia bloccò la zona*, the police sealed off the area **4** (*immobilizzare*, *paralizzare*) to block; to paralyse; to immobilize: *È bloccato dall'artrite*, he is paralysed with arthritis; *Lo sciopero bloccò il paese*, the strike paralysed the country **5** (*mecc.*) to jam; to lock; (*un motore*) to stall: **b. i comandi**, to lock the controls; **b. i freni**, to jam the brakes; **b. una ruota**, to lock a wheel; *La sabbia ha bloccato l'ingranaggio*, sand has jammed the works **6** (*econ.*) to freeze*; to peg; (*porre sotto embargo*) to ban: **b. gli affitti**, to peg rents; **b. i prezzi [i salari]**, to freeze prices [wages] **7** (*mil.*) to blockade Ⓑ **bloccàrsi** v. i. pron. **1** (*arrestarsi*) to halt, to come* to a halt (o standstill), to stop suddenly, to freeze*; (*impuntarsi*) to get* stuck; (*di trattativa e sim.*) to reach a deadlock: **bloccarsi di colpo**, to stop dead; to freeze; *Alla vista della pistola si bloccò*, she froze when she saw the gun; *Alle sei il traffico si blocca regolarmente*, traffic regularly comes to a standstill at six o'clock; *Mi sono bloccato al terzo capitolo*, I got stuck at the third chapter **2** (*incepparsi*) to get* stuck; (*di meccanismo*) to jam, to seize up; (*di motore*) to stall: *Il cassetto si è bloccato*, the drawer is stuck: *L'ascensore si bloccò al sesto piano*, the lift got stuck at the sixth floor; *Si è bloccato il freno*, the brake has jammed.

bloccaruòta m. inv. (*autom.*) wheel clamp.

bloccastèrzo m. inv. (*autom.*) steering lock.

bloccàto a. **1** (*fermo*) stuck; at a standstill; (*impedito*) -bound; (*a un punto morto*) deadlocked: **b. a casa**, stuck at home; **b. dal cattivo tempo**, weatherbound; **b. dai ghiacci**, icebound; **b. dalla nebbia**, fogbound; **b. dalla neve**, snowbound; **negoziato b.**, deadlocked talks; *La produzione è bloccata*, production is at a standstill; *Il traffico è b.*, there is a traffic jam; there is a gridlock; *Le trattative sono bloccate*, the talks have reached a deadlock; **restare b.**, to get stuck; to be held up; **restare b. in ascensore**, to get stuck in a lift; **restare b. nel traffico**, to be held up in traffic **2** (*intasato*) clogged; blocked-up; **naso b.**, blocked-up nose; **scarico b.**, clogged drain **3** (*di oggetto: inceppa-

to) stuck; (*di articolazione*) stiff; (*di meccanismo*) jammed; (*di motore*) stalled: *Il cassetto è b.*, the drawer is stuck; *La porta è bloccata*, the door is stuck (o jammed); **ginocchio b.**, stiff knee; **motore b.**, stalled engine; **portiera bloccata**, jammed car door **4** (*econ.*) blocked; controlled; frozen: **affitto b.**, controlled rent; **conto b.**, blocked account **5** (*fig.*: *inibito*) inhibited, self-conscious; (*paralizzato*) paralyzed, frozen.

blocchétto m. **1** (*cubetto*) block; cube; (*per pavimentazione stradale*) sett **2** (*per scrivere*) pad; notepad; (*tascabile*) notebook **3** (*mazzetto*) book: **un b. di biglietti**, a book of tickets; **b. d'assegni**, chequebook.

blocchìsta m. e f. (clothes) discount dealer.

blòcco① m. **1** (*interruzione*) block; blockage: **b. stradale**, road block; **b. dei rifornimenti**, blockage of supplies; **posto di b.**, road block **2** (*arresto*) arrest; halt; standstill; stoppage; paralysis; (*del traffico*) hold-up, jam; gridlock: **il b. della produzione**, a standstill in production; (*per sciopero*) production stoppage; **un b. del traffico**, a traffic hold-up; a traffic jam **3** (*econ.*) freeze; control; (*embargo*) embargo, ban: **b. degli affitti**, rent freeze; **b. dei licenziamenti**, freeze on lay-offs; **b. dei salari**, freeze on wages; **mettere il b. a** (o **su**) **qc.**, to ban st. **4** (*mil.*) blockade: **b. navale**, blockade; **forzare il b.**, to run the blockade; **levare** (o **togliere**) **il b.**, to lift the blockade **5** (*med.*) failure; arrest: **b. cardiaco**, cardiac arrest; **b. renale**, kidney failure **6** (*psic.*) block: **b. emotivo**, emotional block; **b. mentale**, mental block • (*in una tastiera*) **b. maiuscole**, caps lock □ (*ferr.*) **cabina di b.**, signal box.

blòcco② m. **1** block; cube; (*informe*) lump; (*pane*) cake: **un b. di marmo**, a block of marble; **un b. di cera**, a cake of wax; **un b. di ghiaccio**, a block of ice; (*galleggiante*) an ice floe **2** (*comm.*) stock; bulk: **un b. di merce**, a stock of goods; **vendere in b.**, to sell in bulk **3** (*di fogli*) pad; notepad: **b. da disegno**, drawing pad; **b. per appunti**, notepad **4** (*polit.*, *econ.*) coalition; bloc: **il b. di destra**, the right-wing coalition; **unirsi in b.**, to form a coalition; **b. commerciale**, trade bloc **5** (*comput.*) block: **b. di entrata**, entry block; **b. di memoria**, storage block • (*mecc.*) **b. cilindri**, cylinder block □ (*mecc.*) **b. motore**, motor unit □ (*sport*) **blocchi di partenza**, starting blocks □ **in b.** (*in massa*), en masse (*franc.*); in a body.

bloc-notes m. inv. notepad; writing pad.

blog m. inv. (*ingl.*, *Internet*) blog.

blogosfèra f. (*fam.*, *comput.*) blogosphere.

blónda f. (*moda*, *stor.*) blonde lace.

◆**blu** a. e m. blue; dark blue; navy blue: **blu acciaio**, steel blue; **blu cobalto**, cobalt blue; **blu di metilene**, methylene blue; **blu di Prussia**, Prussian blue; **blu di Sassonia**, smalt; **blu elettrico**, electric blue; **blu marino**, navy blue; **blu notte**, midnight blue; **blu oltremare**, ultramarine (blue); **blu scuro**, navy (blue); (*più scuro*) blue-black; **essere blu dal freddo**, to be blue with cold • **auto blu**, official car □ (*med.*) **bambino blu**, blue baby □ (*fam.*) *Ho avuto una fifa blu*, I was scared stiff; I was in a blue funk □ (*med.*) **morbo blu**, cyanosis □ **sangue blu**, blue blood.

bluàstro a. bluish.

blue-jeans (*ingl.*) m. pl. jeans.

bluette (*franc.*) a. e m. inv. cornflower blue.

bluff (*ingl.*) m. inv. **1** (*a carte*) bluff **2** (*fig.*) bluff; (*montatura*) sham, make-believe.

bluffàre v. i. **1** (*a carte*) to bluff **2** (*fig.*) to bluff; (*mentire*) to lie, to cheat.

bluffatóre m. (f. **-trìce**) (*anche fig.*) bluffer.

blùsa f. **1** (*da donna*) blouse **2** (*camiciotto*) smock.

blusànte a. loose; ample; draped.

blusòtto m. sports shirt.

BM sigla (**Banca mondiale**) World Bank (WB).

BN sigla **1** (**Benevento**) **2** (o **b/n**) (**bianco nero**) black and white (b/w).

BO abbr. (**Bologna**).

bòa① m. **1** (*zool.*, *Boa constrictor*) boa (constrictor) **2** (*moda*) boa.

bòa② f. **1** (*naut.*) buoy; (*di regata*) mark: **boa con campana**, bell buoy; **boa di ormeggio**, mooring buoy; **boa luminosa**, light buoy; beacon; **giro di boa**, rounding of the mark; **compiere un giro di boa**, to round the mark **2** (*per nuotatori*) raft; float • (*fig.*) **giro di boa**, turning point.

boàrio a. cattle (attr.): **mercato b.**, cattle market.

boàro → **bovaro**

boàto① m. rumble; boom; roar: **i boati del terremoto**, the rumble of the earthquake; **il b. di una mina**, the boom of a mine; **b. sonico**, sonic boom; **il b. della folla**, the roar of the crowd; **un b. di risa**, a roar of laughter.

boàto② m. (*gergo giorn.*) rumour.

bob (*ingl.*) m. inv. (*la slitta*) bobsleigh, bobsled (*USA*), bob; (*lo sport*) bobsleighing, bobsledding (*USA*): **bob a due [a quattro]**, two--man [four-man] bob; **pista da bob**, bobsleigh run.

bobbista m. e f. (*sport*) bobsleigh (*USA* bobsled) rider; bobber.

bobìna f. **1** (*fotogr.*, *cinem.*) spool; reel: **b. di avvolgimento**, take-up spool (o reel); **b. svolgitrice** (o **datrice**), delivery (o feed) spool; (*di proiettore*) take-off spool **2** (*elettr.*) coil: **b. a nido d'ape**, honeycomb coil; **b. di accensione**, ignition coil; **b. d'arresto**, choke (coil); **b. di induzione**, induction coil **3** (*ind. tess.*) reel; spool; bobbin **4** (*di macchina da cucire*) bobbin **5** (*tipogr.*) reel **6** (*di canna da pesca*) spool.

bobinàre v. t. (*elettr.*, *ind. tess.*) to wind*; to spool; to reel.

bobinatóre m. (f. **-trìce**) winder; spooler.

bobinatrìce f. **1** (*elettr.*) winding machine; winder; coil winder **2** (*ind. tess.*) winding frame.

bobinatùra f. winding; spooling.

bobìsta → **bobbista**.

◆**bòcca** f. **1** mouth; (*labbra*) lips (pl.): **avere la b. grande [piccola]**, to have a big [small] mouth; **baciare sulla b.**, to kiss on the mouth (o on the lips); **spalancare la b.**, to open one's mouth wide; *Quelle parole suonavano strane in b. a lui*, those words sounded strange on his lips **2** (*fig.*: *apertura*) mouth; opening; (*a fessura*) slot: **la b. di un cannone**, the mouth of a cannon; **la b. d'un vaso**, the mouth of a vase; **la b. di un salvadanaio**, the slot of a money-box **3** (*geogr.*, *di fiume*) mouth; (*passo di montagna*) pass; (*di ghiacciaio*) (glacier) snout • **b. da fuoco** (*cannone*), gun □ **b. da incendio**, fire hydrant; fireplug (*USA*) □ **b. d'acqua**, hydrant □ (*mecc.*) **b. d'entrata dell'aria**, air inlet □ **b. del forno**, stokehole □ (*bot.*) **b. di leone** (*Antirrhinum majus*), snapdragon □ (*edil.*) **b. di lupo**, air vent □ **b. del martello**, hammerhead; hammerface □ (*naut.*) **b. di rancio**, chock □ **la b. dello stomaco**, the pit of the stomach □ **la b. della verità**, the soul of truth □ (*geol.*) **b. vulcanica**, volcanic vent □ **a b. aperta**, open-mouthed; with one's mouth wide open; gaping: **guardare qc. a b. aperta**, to gape at st.; **restare a b. aperta**, to be dumbfounded; to be left gaping □ **a

b. chiusa, with one's mouth shut □ **a mezza b.**, reluctantly; half-heartedly: **ammettere qc. a mezza b.**, to admit st. reluctantly □ **avere la b. amara [buona]**, to have a nasty [a pleasant] taste in one's mouth □ (*fig.*) **avere sempre in b. qc.**, to be always talking of st.; to be always mentioning st. □ **cantare a b. chiusa**, to hum □ **cavare una parola di b. a q.**, to get a word out of sb. □ **chiudere (o tappare) la b. a q.**, to stop sb.'s mouth; (*fig.*) to silence sb. □ **Non ha chiuso b. tutto il giorno**, he didn't stop talking all day □ **di b. in b.**, from mouth to mouth □ (*fig.*) **cucirsi la b.**, to shut up; to seal one's lips; to clam up (*slang*) □ (*fig.*) **avere il cuore in b.**, to have one's heart in one's mouth □ **dire qc. solo con la b.**, to pay lip-service to st. □ (*fig.*) **essere di b. buona**, not to be fussy about one's food; (*fig.*) to be easy to please □ **fare la b. a qc.**, to get to like st.; to get used to st. □ **fare la b. storta**, to make a wry face at st. □ **In b. al lupo!**, good luck!; break a leg! (*fam.*, *spec. teatr.*) □ (*anche fig.*) **lasciare la b. amara (o cattiva)**, to leave a bad taste in sb.'s mouth □ **lasciarsi sfuggire qc. di b.** (*rivelare*), to let slip st. □ (*fig.*) **levare il pane di b. a q.**, to take the bread out of sb.'s mouth □ (*fig.*) **levarsi il pane di b.**, to work one's fingers to the bone □ **mettere b. in qc.**, to interfere in st. □ **mettere parole in b. a q.**, to put words into sb.'s mouth □ **avere molte bocche da sfamare**, to have many mouths to feed □ **non aprire b.**, not to say a word □ **qualcosa da mettere in b.**, something to eat □ **parole che riempiono la b.**, high-sounding words □ (*farm.*, *med.*) **per b.**, to be taken orally □ **respirazione b. a b.**, mouth-to-mouth resuscitation; kiss of life (*fam.*) □ **restare a b. asciutta**, (*senza mangiare*) to go hungry; (*fig.*) to be left empty-handed, to be disappointed □ **rifarsi la b.**, to take an unpleasant taste away □ **M'è scappato di b.**, it just slipped out □ **sulla b. di tutti**, on everybody's lips □ (*fig.*) **tenere la b. chiusa**, to hold one's tongue; (*non rivelare qc.*) to keep one's mouth shut, to keep mum (*fam.*) □ **non saper tenere la b. chiusa**, to have a big mouth □ (*di cavallo*) **tenero di b.**, soft-mouthed □ **togliere la parola di b. a q.**, to take the words out of sb.'s mouth.

boccaccésco a. **1** of Boccaccio; in the style of Boccaccio **2** (*fig.*) licentious; bawdy.

boccàccia f. **1** (*spreg.*) big ugly mouth **2** (*smorfia*) grimace; wry face: **fare una b.**, to make a wry face; to grimace; **fare le boccacce a q.**, to make (o to pull) faces at sb. **3** (*fig.: persona maldicente*) gossip **4** (*persona sboccata*) foul-mouthed person.

boccaciàno a. of Boccaccio; Boccaccio (attr.).

boccadòpera f. (*teatr.*) proscenium*.

boccàglio m. **1** (*idraul.*) nozzle **2** (*imboccatura*) mouthpiece.

boccàle ① m. **1** jug; mug; (*con manico e coperchio*) tankard **2** (*contenuto*) jugful; mugful.

boccàle ② a. (*anat.*) buccal; oral: **cavità b.**, oral cavity.

boccalóne m. (f. **-a**) (*fam.*) **1** (*piagnucolone*) cry-baby **2** (*chiacchierone*) loudmouth; (*maldicente*) gossip **3** (*persona sboccata*) foul-mouthed person.

boccapòrto m. (*naut.*) hatch; hatchway: **chiudere i boccaporti**, to batten down the hatches.

boccascèna m. inv. (*teatr.*) proscenium*.

boccàta f. **1** (*di cibo*) mouthful **2** (*sorsata*) gulp; draught **3** (*di fumo*) puff; drag: **tirare una b. di sigaretta**, to take a puff (o drag) at a cigarette ● (*fig.*) **una b. d'ossigeno**, a shot in the arm □ **uscire a prendere una b. d'aria**, to go out for a breath of air.

boccétta f. **1** (*small*) bottle: **una b. di profumo [d'inchiostro]**, a bottle of scent [of ink]; **b. dei sali**, smelling-bottle **2** → **boccino 3** (*al pl.*) type of bowls played on a billiard table.

boccheggiànte a. **1** gasping (for breath) **2** (*agonizzante*) dying; at one's last gasp; (*fig.*) moribund: **Lo trovai b.**, I found him dying; **economia b.**, moribund economy.

boccheggiàre v. i. **1** to gasp (for breath) **2** (*fig.*) to be moribund.

bocchétta f. **1** (*apertura*) opening; mouth; (*di aereazione*) vent **2** (*di strumento mus.*) mouthpiece **3** (*di serratura*) key plate; selvage **4** (*di scarpa*) tongue **5** (*geogr.*) saddle; col **6 – b. stradale**, manhole cover.

bocchettóne m. **1** (*imboccatura*) filler neck; inlet **2** (*elemento di giunzione*) pipe union.

bocchino m. **1** small mouth **2** (*smorfia*) pursed lips (pl.) **3** (*di pipa*) mouthpiece **4** (*per sigaretta*) cigarette holder **5** (*di strumento mus.*) mouthpiece; (*volg.*) blow job.

bòccia f. **1** (*recipiente*) bowl **2** (*per vino*) decanter; flagon **3** (*sport*) bowl: **campo da bocce**, bowling green; **gioco delle bocce**, (*in Italia e Francia*) boules (*franc.*); (*in GB*) bowls (pl.); **partita a bocce**, game of bowls ● (*fig.*) **ragionare a bocce ferme**, to take stock of the situation; to examine st. when the dust has settled.

bocciàrda f. (*edil.*) bushhammer.

bocciardàre v. t. (*edil.*) to bushhammer.

◆**bocciàre** v. t. **1** (*respingere*) to reject; to defeat; to turn down; (*con votazione*) to vote down; (*non rieleggere*) to vote out; (*agli esami*) to fail, to flunk (*fam. USA*): **Il Parlamento ha bocciato il progetto di legge**, Parliament rejected the bill; **La mozione fu bocciata**, the motion was defeated; **Di questa strega sarò costretto a bocciarti**, if you go on like this I'll have to fail you; **essere bocciato a un esame**, to fail (an exam) **2** (*alle bocce*) to hit*; to strike* **3** (*fam.: urtare*) to collide with; to hit*.

bocciàta f. (*alle bocce*) hit; strike.

bocciàto m. (f. **-a**) failed student: **l'elenco dei bocciati**, the list of the students who failed.

bocciatùra f. defeat; rejection; (*agli esami*) failure, fail (*USA*): **la b. di un progetto**, the rejection of a plan; **la b. di un progetto di legge**, the defeat of a bill: **Dopo la terza b. lasciò l'università**, after failing his third exam, he dropped out of university; **riportare una b.**, to be defeated; (*di studente*) to fail (an exam).

boccino m. (*alle bocce*) jack.

bòccio m. bud: **in b.**, in bud.

bocciòdromo m. bowling green; (*in Italia e Francia*) boules rink.

bocciòfila f. bowling club.

bocciòfilo Ⓐ m. (f. **-a**) bowls (o boules) player Ⓑ a. bowling (attr.): **società bocciofila**, bowling club.

bocciòlo m. **1** bud: **b. di rosa**, rosebud **2** (*di candeliere*) socket **3** (*mecc.*) cam.

bóccola f. **1** (*fibbia*) buckle **2** (*ferr.*) axle box **3** (*mecc.*) bush; bushing.

bóccolo m. curl; ringlet.

bocconcino m. **1** morsel; nibble **2** (*boccone squisito*) titbit (*GB*); tidbit (*USA*); delicacy **3** (*al pl.*) (*cucina*) stew (sing.) **4** (*fig. fam.*: *donna attraente*) babe (*fam.*).

◆**boccóne** m. **1** (*quantità di cibo*) mouthful: **fare i bocconi grossi [piccini]**, to take large [small] mouthfuls (o bites); **mangiarsi qc. in un b.**, to swallow st. in one mouthful; to make one mouthful of st.; **fra un b. e l'altro**, between mouthfuls; (*mangiando*) while eating; **parlare col b. in bocca**, to speak with one's mouth full **2** (*pezzetto*) morsel; bite: **un b. di pane**, a morsel of bread; **b. prelibato**, tasty morsel; delicacy; titbit (*GB*); tidbit (*USA*) **3** (*pasto veloce*) bite; snack: **mangiare un b.**, to have a bite; to grab a snack (*fam.*); *Mangiamo un b. prima di partire*, let's have a bite before leaving; *Ho solo il tempo per un b.*, I've only got the time for a quick snack **4** (*fig.: piccola quantità*) bit: **a pezzi e bocconi**, a bit at a time; in fits and starts ● (*fig.*) **b. amaro**, bitter pill □ **b. avvelenato**, poison bait □ **b. da re**, food fit for a king □ (*cucina*) **b. del prete**, parson's nose □ (*fig.*) **un b. che fa gola**, a plum □ (*fig.*) **avere ancora il b. in bocca**, to have just finished eating □ (*fig.*) **per un b. di pane**, for a song; for next to nothing.

boccóni avv. face downwards; flat on one's face.

boccùccia f. – **fare b.**, to purse one's lips; to turn up one's nose.

bodóni m. inv. (*tipogr.*) Bodoni typeface.

bodoniàno a. Bodoni (attr.): **caratteri bodoniani**, Bodoni typeface; **rilegatura alla bodoniana**, board binding.

body (*ingl.*) m. inv. body; (*per danza, ginnastica, ecc.*) bodysuit, leotard.

Boèmia f. (*geogr.*) Bohemia.

boèmo a. e m. (f. **-a**) Bohemian.

boèro Ⓐ a. Boer Ⓑ m. **1** (f. **-a**) Boer **2** chocolate-coated cherry.

bofonchiàre v. t. e i. to grumble; to mutter; to mumble; to snort.

bòga f. (*zool.*, *Box vulgaris*) bogue; boce.

boh inter. (*non so*) don't know, no idea; (*forse*) who knows, may be.

bohème (*franc.*) f. Bohemianism: **fare vita da b.**, to lead a Bohemian life.

bohémien (*franc.*) m. inv. Bohemian.

bòia Ⓐ m. inv. **1** executioner; (*chi impicca*) hangman*; (*chi decapita*) headsman* (*stor.*) **2** (*assassino*) murderer; butcher **3** (*fig.*) scoundrel; bastard Ⓑ a. inv. (*pop.*) **1** (*orribile, tremendo*) lousy; filthy: **caldo b.**, stifling heat; **freddo b.**, freezing cold **2** (*maledetto*) damn, damned: *Mondo b.!*, damn!

boiàcca f. (*edil.*) grout.

boiàrdo, boiàro m. **1** (*stor.*) boyar; boyard **2** (*fig. spreg.*) top executive: **b. di Stato**, top civil servant; big bureaucrat.

boiàta f. (*pop.*) **1** (*cosa mal fatta*) rubbish Ⓤ; trash Ⓤ: *Il film era una b.*, the film was rubbish **2** (*sciocchezza*) rubbish Ⓤ; crap Ⓤ; bullshit Ⓤ (*volg.*) **3** (*mascalzonaggine*) rotten trick.

boicottàggio m. boycott.

boicottàre v. t. to boycott.

boicottatóre m. (f. **-trice**) boycotter.

bòiler (*ingl.*) m. inv. boiler; water-heater; geyser (*GB*).

boiserie (*franc.*) f. inv. wood panelling; wainscoting.

bold (*ingl.*, *tipogr.*) Ⓐ a. bold Ⓑ m. bold (type).

boldìna f. (*chim.*) boldine.

bòldo m. (*bot.*, *Peumus boldus*) boldo.

Boléna f. (*stor.*) – *Anna B.*, Anne Boleyn.

bolèro m. (*mus.*, *moda*) bolero*.

bolèto m. (*bot.*) **1** (*Boletus*) boletus*; bolete **2** (*Boletus edulis*) cep.

bòlgia f. **1** (*letter.*, *dell'Inferno dantesco*) bolgia **2** (*fig.*) madhouse; bedlam Ⓤ; pandemonium Ⓤ.

bòlide m. **1** (*astron.*) bolide; fireball; meteor; shooting star **2** (*fig.: auto veloce*) racing car **3** (*scherz.: persona corpulenta*) fatty; tub of lard ● **andare come un b.** (*in auto*), to drive flat out; to belt along □ **entrare come un b.**, to storm in □ **passare come un b.**, to zoom past.

bolina f. (*naut.*) **1** (*manovra*) bowline **2**

a b c d e f g h i j k l m n o p q r s t u v w x y z

b

(*andatura*) close-hauling: **andare di b.**, to sail close to the wind; to sail close-hauled; **andare di b. stretta**, to pinch the wind, to sail in the eye of the wind.

bolinàre v. i. (*naut.*) to haul the bowlines.

Bolivia f. (*geogr.*) Bolivia.

boliviàno a. e m. (f. **-a**) Bolivian.

♦**bólla** ① f. **1** bubble (*anche fig.*); (*in superficie verniciata, gomma, ecc.*) blister: **b. d'aria**, air bubble; (*in un tubo*) air lock; **b. di gas**, gas bubble; **b. di sapone**, soap bubble; **fare le bolle di sapone**, to blow soap bubbles; (*econ.*) **b. immobiliare**, real estate bubble; (*fin.*) **b. speculativa**, speculative bubble; (*di liquido*) **fare le bolle**, to bubble; to boil; **far scoppiare una b.**, to burst a bubble **2** (*med.*) blister; pustule ● **finire in una b. di sapone**, to come to nothing; to go up in smoke □ (*tecn.*) **in b.**, level.

bólla ② f. **1** (*editto*) bull: **la B. d'oro**, the Golden Bull; **b. papale**, Papal bull **2** (*sigillo*) seal **3** (*comm.*) bill; note: **b. di accompagnamento**, packing list; **b. di consegna**, delivery note; bill of parcel; **b. doganale**, bill of entry; entry.

bollàre v. t. **1** (*timbrare*) to stamp: **b. il passaporto**, to stamp the passport **2** (*sigillare*) to seal: **b. con ceralacca**, to seal with sealing wax **3** (*fig.*) to brand; to stigmatize: **b. q. d'infamia**, to blacken sb.'s name; to cast a slur on sb.'s character.

bollàto a. **1** stamped: **carta bollata**, stamped paper **2** (*fig.*) branded: **b. a vita**, branded for life.

bollatrìce f. stamping machine.

bollatùra f. stamping.

bollènte a. **1** (*che bolle*) boiling; (*caldissimo*) (boiling) hot, piping hot: **acqua b.**, boiling water; **caffè b.**, hot coffee **2** (*fig.*) ebullient; fiery.

bollétta ① f. bill; (*comm., anche*) note: **b. del gas [del telefono]**, gas [telephone] bill; **b. di consegna**, delivery note; bill of parcel; **b. d'imbarco**, shipping bill; bill of lading; **b. di spedizione**, carriage note; (*ferr.*) consignment note; **b. doganale**, bill of entry; entry.

bollétta ② f. – **essere in b.**, to be broke (*fam.*).

bollettàrio m. receipt book; counterfoil book.

bollettazióne f. (*amm.*) billing: **la b. dell'acqua**, water billing.

♦**bollettìno** m. **1** (*comunicato*) bulletin; report; communiqué (*franc.*): **b. di guerra**, war bulletin; **b. medico**, medical bulletin; **b. meteorologico**, weather report; weather forecast; **b. per naviganti**, shipping forecast **2** (*pubblicazione*) bulletin; journal; newsletter: **b. d'informazione**, newsletter; **b. ufficiale**, gazette **3** (*econ., fin.*) list: **b. commerciale dei prezzi correnti**, current price list; **b. della banca**, bank price list; **b. della Borsa**, Stock Exchange list **4** (*comm.*: *bolla*) bill; note: **b. di spedizione**, carriage note; (*ferr.*) consignment note **5** (*modulo*) form; slip: **b. di versamento**, paying-in slip.

bollilàtte m. inv. milk boiler.

bollìno m. **1** stamp; (*di concorso a punti*) gift stamp **2** (*tagliando*) coupon.

♦**bollìre** Ⓐ v. i. **1** to boil; (*piano*) to simmer: **b. a fuoco lento**, to simmer **2** (*fig.*) to boil; to seethe: **b. di rabbia**, to be seething with anger; *Gli bolliva il sangue*, his blood was boiling **3** (*fig.*: *avere caldo*) to be stifling: *Sto bollendo*, I'm boiling (*fam.*); *In questa stanza si bolle*, this room is stifling Ⓑ v. t. (*portare a bollore*) to boil, to bring* to the boil; (*cuocere*) to cook: **b. il riso**, to boil rice ● (*fig.*) *Cosa bolle in pentola?*, what's brewing? □ *Qualcosa le bolle in testa*, she's cooking up st. □ (*fig.*)

Lascialo b. nel suo brodo, let him stew in his own juice.

bollìta f. boiling: **dare una b. a qc.**, to boil st.

bollìto Ⓐ a. boiled Ⓑ m. (*cucina*) boiled meat.

bollitóre m. **1** (*cucina*) kettle **2** (*tecn.*) boiler.

bollitùra f. boiling.

bóllo m. **1** stamp: **b. a secco**, embossed stamp; **b. postale**, postmark; **carta da b.**, stamped paper; **certificato in b.**, stamped certificate; **marca da b.**, revenue stamp; **soggetto a b.**, subject to duty **2** (*pop.*: *francobollo*) stamp **3** (*fig. fam.*: *livido*) bruise **4** (*autom., anche* **b. di circolazione**) road tax; (*contrassegno*) road tax disc: **pagare il b.**, to pay the road tax ● **Ufficio del B. e Registro**, Registrar's Office.

bollóre m. **1** boil: **alzare** (*o* **levare**) **il b.**, to come to the boil; **portare a b.**, to bring to the boil **2** (*caldo eccessivo*) stifling heat; scorching heat **3** (*fig.*) enthusiasm; ebullience Ⓤ; ardour: **bollori di gioventù**, youthful ebullience; **farsi passare i bollori**, to calm down.

bollóso a. covered with blisters.

bòlo m. **1** (*boccone masticato*) bolus **2** (*miner.*) bole **3** (*med.*) bolus **4** (*zool., di ruminanti*) cud ● (*med.*) **b. isterico**, globus hystericus.

bolognése a., m. e f. Bolognese.

bolòmetro m. (*fis.*) bolometer.

bolsàggine f. **1** (*di cavallo*) heaves (pl.); broken wind **2** (*fig.*) weakness; feebleness.

bolscevìco a. e m. (f. **-a**) Bolshevik*; Bolshevist.

bolscevìsmo m. Bolshevism.

bolscevizzàre v. t. (*polit.*) to bolshevize.

bólso a. **1** (*di cavallo*) broken-winded **2** (*fig.*: *asmatico*) asthmatic; breathless; short of breath (pred.) **3** (*fig.*: *fiacco*) weak; feeble.

bolzóne m. **1** (*mil.*: *ariete*) battering ram **2** (*freccia*) bolt; quarrel **3** (*punzone*) punch.

bòma m. inv. o f. (*naut.*) boom.

♦**bómba** Ⓐ f. **1** bomb: **b. a mano**, hand grenade; **b. a orologeria**, time bomb; **b. a scoppio ritardato**, time bomb; **b. all'idrogeno**, hydrogen bomb; H-bomb; **b. atomica**, atom (*o* atomic) bomb; A-bomb; **b. di profondità**, depth charge (*o* bomb); **b. dirompente** (*o a frammentazione*), fragmentation bomb; **b. fumogena**, smoke bomb; **b. incendiaria**, fire-bomb; **b. lacrimogena**, tear-gas canister (*o* bomb); **b. Molotov**, petrol bomb; **gettare** (*o* **lanciare**) **una b.**, (*dall'alto*) to drop a bomb; (*a mano*) to throw a grenade; **mettere** (*o* **nascondere**) **una b. in un posto**, to plant a bomb in a place **2** (*fig.*: *notizia sensazionale*) bombshell **3** (*pop.*: *sostanza eccitante*) pep pill **4** (*alim.*) puff: **b. alla crema**, cream puff **5** (*gomma da masticare*) bubble gum ● (*med.*) **b. al cobalto**, cobalt bomb □ (*cucina*) **b. di riso**, rice pudding □ (*geol.*) **b. vulcanica** (*o* **lavica**), volcanic bomb □ **a prova di b.**, bombproof; (*fig.*) indestructible; (*di alibi, ecc.*) watertight □ (*fig.*) **tornare a b.**, to get back to the point □ (*fam.*) **Che bomba quella moto!**, Wow! What a bike! Ⓑ a. inv. – **pacco b.**, parcel bomb **2** (*sensazionale*) sensational: **notizia b.**, sensational news; bombshell.

bombàggio m. (*ind.*) swelling.

bombàrda f. **1** (*mil. stor.*) bombard **2** (*naut.*) type of two-masted coaster **3** (*mus.*) bombarde.

♦**bombardaménto** m. **1** bombing Ⓤ; bombardment; (*con artiglieria*) shelling Ⓤ: **b. a tappeto**, carpet bombing; area bombing; **b. aereo**, bombing raid; airstrike; **b. di precisione**, precision bombing; **b. navale**, na-

val bombardment; **aereo da b.**, bomber; **distrutto dai bombardamenti**, bombed-out **2** (*fis.*) bombardment **3** (*fig.*) rapid fire; barrage: **un b. di domande**, a barrage of questions.

bombardàre v. t. **1** to bomb; (*con artiglieria*) to shell: **b. a tappeto**, to carpet bomb; **b. in picchiata**, to dive-bomb **2** (*fis.*) to bombard (*o fig.*) to bombard; to fire: **b. q. di domande**, to bombard sb. with questions; to fire questions at sb.

bombardière m. **1** (*aereo*) bomber **2** (*soldato*) bombardier.

bombardìno m. (*mus.*) baritone, barytone.

bombardóne m. (*mus.*) bombardon.

bombàre v. t. to make* convex; (*edil.*) to camber.

bombaròlo m. (f. **-a**) bomber; terrorist.

bombàto a. convex; rounded; (*di mobile*) bombé (*franc.*).

bombatùra f. convexity; roundness; (*edil.*) camber.

bombé (*franc.*) a. inv. convex; rounded; (*di mobile*) bombé.

bómber (*ingl.*) m. inv. **1** (*calcio*) striker **2** (*moda*) bomber (jacket).

bombétta ① f. (*cappello*) bowler (hat) (*GB*); derby (*USA*).

bombétta ② f. small bomb: **b. puzzolente**, stink bomb.

bómbice m. (*zool., Bombyx*) silkworm.

bómbo m. (*zool., Bombus*) bumblebee.

♦**bómbola** f. bottle; cylinder: **b. di gas**, gas cylinder; **b. di ossigeno**, oxygen bottle; **b. aerosol** (*o* **spray**), aerosol (can).

bombolétta f. – **b. aerosol** (*o* **spray**), aerosol (can).

bómbolo m. (*scherz.*) tubby person; chubby; fatso.

bombolóne m. (*alim.*) puff: **b. alla crema** [**alla marmellata**], cream [jam] puff.

bombonièra f. fancy sweet-box; bonbonnière (*franc.*).

bomprèsso m. (*naut.*) bowsprit ● **inclinazione del b.**, steeve.

bòna a. (*region., fam., di donna*) hot; tasty.

bonàccia f. **1** (*del mare*) calm; flat calm: **mare in b.**, calm sea; *La nave era in b.*, the ship was becalmed **2** (*fig.*) lull; calm.

bonaccióne Ⓐ a. easy-going; good-natured Ⓑ m. (f. **-a**) easy-going person; good sort.

bonapartìsmo m. Bonapartism.

bonapartìsta a., m. e f. Bonapartist.

bonarietà f. good-naturedness; affability; kindliness.

bonàrio a. **1** (*di persona*) good-natured; affable; kindly **2** (*di modi, parole, ecc.*) good-natured; kindly; gentle: **un rimprovero b.**, a gentle rebuke.

bonbon (*franc.*) m. inv. sweet; candy (*USA*); bonbon.

bonderizzazióne f. (*metall.*) bonderizing.

Bonifàcio m. Boniface.

bonìfica f. **1** (*di terreno*) (land) reclamation; drainage **2** (*terreno bonificato*) reclaimed land **3** (*sminamento*) mine clearance; demining **4** (*chim.*) decontamination **5** (*risanamento*) reclamation; redevelopment.

bonificàbile a. reclaimable; drainable.

bonificàre v. t. **1** (*terreno*) to reclaim; to drain: **b. una palude**, to reclaim a marsh **2** (*sminare*) to clear of mines; to demine **3** (*chim.*) to decontaminate **4** (*risanare*) to reclaim; to redevelop **5** (*abbuonare*) to allow; to discount **6** (*banca*) to credit; to transfer.

bonificatóre m. (f. **-trìce**) **1** reclaimer **2**

(*sminatore*) mine clearer.

bonìfico m. **1** (*comm.*) allowance; discount **2** (*banca*) (credit) transfer: **b. bancario**, bank transfer; **ordine di b.**, transfer order.

bonomìa f. good nature; affability; bonhomie (*franc.*).

bonsài m. inv. bonsai.

♦**bontà** f. **1** goodness; kindness: **credere nella b. dell'uomo**, to believe in man's goodness; **b. di cuore** (*o* **d'animo**), goodness of heart; **gesto di b.**, kind gesture; kindness; **una persona piena di b.**, a kind-hearted person; *Mi guardò con b.*, he looked at me kindly; **trattare q. con b.**, to treat sb. with kindness (*o* kindly) **2** (*buona qualità*) good quality; (*eccellenza*) excellence: **la b. del vitto**, the excellence of the food; *La b. della nostra merce è insuperata*, the quality of our goods is unsurpassed **3** (*squisitezza*) tastiness; (*cibo buono*) delicacy: *Che b. questo soufflé!*, this soufflé is delicious! **4** (*mitezza*) mildness; (*salubrità*) healthiness: **la b. del clima**, the mildness (*o* healthiness) of the climate **5** (*efficacia*) effectiveness ● (*iron.*) **B. sua!**, how very kind of him! □ **Ha accettato, b. sua, di rispondere alle mie domande**, he was kind enough to answer my questions □ **Abbia la b. di ascoltarmi**, please be so good (*o* kind) as to listen; please be good (*o* kind) enough to listen to me □ (*form.*) **Abbiate la b. di seguirmi, prego**, will you come this way, please?

bontempóne → **buontempone**.

bon ton (*franc.*) m. inv. good manners (pl.).

bònus m. inv. bonus.

bònus-màlus m. inv. (*ass.*) no-claim bonus.

bónza f. bitumen-sprayer.

bónżo m. bonze.

book m. inv. (*di attore, modello, ecc.*) presentation album; portfolio.

booklet m. inv. pamphlet; instructions leaflet.

booleàno a. Boolean: **algebra booleana**, Boolean algebra; **operatore b.**, Boolean operator.

boom (*ingl.*) m. inv. **1** boom: **b. edilizio**, housing boom; **il b. delle nascite**, the baby boom; **un periodo di b.**, a period of economic boom; **essere in pieno b.**, to be enjoying a boom **2** (*aeron.*) – **b. sonico**, sonic boom.

boomerang m. inv. (*anche fig.*) boomerang: **avere un effetto b.**, to boomerang; to backfire.

booster (*ingl.*) m. inv. booster.

bòra f. (*meteor.*) bora.

boràce m. (*miner.*) borax.

boracìfero a. boraciferous: **soffione b.**, boric-acid fumarole.

boràsso m. (*bot.*, *Borassus flabelliformis*) palmyra.

boràto m. (*chim.*) borate.

borbogliàre v. i. (*lett.*: *gorgogliare*) to gurgle; (*di stomaco, ecc.*) to rumble.

borbóglio m. (*lett.*: *gorgoglio*) gurgling; (*di stomaco, ecc.*) rumbling.

borbònico **A** a. **1** (*stor.*) Bourbon (attr.) **2** (*fig.*: *retrivo*) reactionary **B** m. (f. **-a**) (*stor.*) Bourbonist.

borborìgmo m. (*med.*) borborygmus*; (*com.*) stomach rumbling.

borbottaménto m. **1** (*borbottio*) mumbling; muttering **2** (*brontolio*) grumbling.

♦**borbottàre** **A** v. i. (*parlare in modo confuso*) to mumble; to mutter **2** (*brontolare*) to grumble **3** (*di stomaco, ecc.*) to rumble **B** v. t. to mumble; to mutter: **b. una preghiera**, to mumble a prayer.

borbottìo m. murmuring; muttering; mumbling.

borbottóne m. (f. **-a**) grumbler; grouser; grouch.

bòrchia f. **1** stud; boss; nail; (*chiusura per borsa*) clasp: **cintura con le borchie**, studded belt **2** (*guarnizione rotonda*) boss; knob **3** (*di serratura*) key plate; escutcheon.

bordàme m. (*naut.*) foot* (of a sail).

bordàre v. t. **1** to border; to edge; (*orlare*) to hem **2** (*mecc.*) to bead; (*cerchiare*) to rim **3** (*naut.*) to set*; to flat in.

bordàta f. (*naut.*) **1** tack; beat; stretch: **prendere una b.**, to tack **2** (*di cannoni*) broadside **3** (*fig.*) broadside; barrage.

bordatìno, **bordàto** m. (*ind. tess.*) ticking.

bordatrìce f. (*mecc.*) beading (*o* flanging) machine.

bordatùra f. **1** (*orlo*) border; edge; (*rotondo*) rim **2** (*mecc.*) beading; (*cerchiatura*) rim; (*di scatola di latta*) flange.

bordeaux (*franc.*) **A** m. inv. **1** (*vino*) Bordeaux; claret **2** (*colore*) burgundy; claret; maroon **B** a. inv. maroon; burgundy; claret.

bordeggiàre v. i. **1** (*naut.*) to tack; to beat* to windward **2** (*destreggiarsi*) to manoeuvre.

bordéggio m. (*naut.*) tacking; beating.

bordèllo m. **1** brothel; whorehouse **2** (*fig.*: *ambiente corrotto*) den of iniquity; cesspool **3** (*fig.*: *confusione*) bedlam Ⓤ; madhouse; (*schiamazzo*) racket, din: **far b.**, to make a racket; *Basta con quel b.!*, stop that racket!; **fare un b.** (*protestare con violenza*), to raise hell.

borderò m. **1** (*comm.*) list; note: **b. di sconto**, discount note **2** (*teatr.*) takings book (*o* ledger).

bordìno m. **1** border; edging; (*moda*) trimming Ⓤ; (*profilo*) piping **2** (*mecc.*) flat band **3** (*archit.*) molding **4** (*ferr.*) (wheel) flange.

♦**bórdo** m. **1** (*orlo*) edge, (*di oggetto rotondo*) rim, lip; (*bordura, profilo*) border, trim; (*margine*) margin, perimeter; (*di marciapiede*) kerb, kerbside (*GB*), curb, curbside (*USA*); (*di strada*) edge: **il b. di un'aiuola**, the border of a flower-bed; **il b. di una sedia**, the edge of a chair **2** (*mecc.*) rim; flange **3** (*guarnizione*) border; trimming Ⓤ: **un b. ricamato**, an embroidered border; **un b. di pizzo**, lace trimming **4** (*naut.*: *fianco della nave*) (ship's) side; (*la nave nel suo complesso*) board; **a b.**, on board; aboard; **a b. di una nave**, on board ship; **caricare a b.**, to load on board; **issare a b.**, to haul aboard; **lanciare fuori b.**, to throw overboard; **salire a b.**, to go on board (*o* aboard); **documenti di b.**, ship's papers; **giornale di b.**, log; **medico di b.**, ship's doctor; **b. libero**, freeboard; **franco di b.**, free on board **5** (*naut.*: *bordata*) tack; beat: **virare di b.**, to change tack; to go about ● (*sport*) **bordi del campo**, sidelines; touchlines; touch (sing.) □ (*sport*) **b. campo**, pitch-side (*spec. nel calcio*); courtside (*spec. nel tennis e nel basket*) □ (*aeron., autom.*) **a b.**, aboard; on board; in: **salire a b. di**, to board; to go aboard; (*un'auto*) to get into; *Benvenuti a b.*, welcome aboard; **a b. dell'auto**, in the car □ (*naut.*) **nave d'alto b.**, tall ship □ **d'alto b.**, very important; VIP □ (*aeron.*) **personale di b.**, flight crew □ **prendere a b.**, to take aboard; (*in auto*) to give a lift to □ **Salta a b.!**, jump in! □ (*fig.*) **virare di b.**, to change tack; (*mutare opinione*) to change sides.

bordò → **bordeaux**.

bordocàmpo m. = **bordo campo** → **bordo**.

bordolése a. of Bordeaux; Bordeaux (attr.): (*enologia*) **poltiglia b.**, Bordeaux mixture.

bordóne① m. pilgrim's staff.

bordóne② m. (*mus.*) drone; bourdon; (*d'organo*) bourdon ● (*fig.*) **tener b. a q.**, to aid and abet sb.; to be in league (*fam.* in cahoots) with sb.

bordùra f. **1** border; fringe; hem **2** (*di aiuola*) (herbaceous) border **3** (*arald.*) bordure **4** (*cucina*) garnish.

bòrea m. (*lett.*) Boreas; north wind.

boreàle a. northern; boreal: **aurora b.**, northern lights (pl.); aurora borealis; **emisfero b.**, northern hemisphere.

borgàta f. **1** small village **2** (*a Roma*) working-class suburb; suburban housing estate (*USA* housing development).

borgatàro m. (f. **-a**) (*region.*) inhabitant of a (Roman) working-class suburb.

♦**borghése** **A** a. **1** middle-class (attr.); (*marxista o spreg.*) bourgeois (*franc.*): **una famiglia b.**, a middle-class family; **mentalità b.**, bourgeois mentality; **la rivoluzione b.**, the bourgeois revolution; **valori borghesi**, middle-class values **2** (*civile*) civilian: **abito b.**, civilian clothes (pl.); civvies (pl.) (*fam.*); mufti; (*di poliziotto*) plain clothes (pl.); **in b.**, wearing civilian clothes; in civvies (*fam.*); in mufti; **agente in b.**, plain-clothes detective **B** m. e f. **1** middle-class person; (*marxista o spreg.*) bourgeois* (*franc.*): **piccolo b.**, lower middle-class person; (*spreg.*) petit bourgeois (*franc.*); petty bourgeois **2** (*chi non è militare*) civilian.

♦**borghesìa** f. middle class, middle classes (pl.); (*marxista o spreg.*) bourgeoisie (*franc.*): **la b. e l'aristocrazia**, the middle classes and the aristocracy; **la b. e il proletariato**, the bourgeoisie and the proletariat; **l'alta [la piccola] b.**, the upper [the lower] middle class; **i valori della b.**, middle-class values.

borghesìsmo m. middle-class (*o* bourgeois) attitudes (pl.).

borghigiàno **A** m. (f. **-a**) villager **B** a. village (attr.).

bórgo m. **1** small village **2** (*sobborgo*) suburb.

borgógna m. (*vino*) burgundy.

Borgógna f. (*geogr.*) Burgundy.

borgognóne a. e m. (f. **-a**) Burgundian ● (*enologia*) **poltiglia borgognona**, Burgundy mixture.

borgomàstro m. burgomaster.

bòria f. haughtiness; arrogance; self-importance; airs (pl.): **mettere su b.**, to put on airs; **pieno di b.**, haughty; arrogant.

boriàrsi v. i. to boast; to put* on airs.

bòrico a. (*chim.*) boric: **acido b.**, boric acid.

boriosità → **boria**.

borióso a. haughty; arrogant; self-important; puffed-up; uppish (*fam.*).

bòro m. (*chim.*) boron.

borotàlco® m. talcum powder; talc (*fam.*).

bórra f. **1** (*imbottitura*) stuffing **2** (*ind. della lana*) (wool) droppings (pl.); flocks (pl.) **3** (*di cartuccia*) wad.

borràccia f. water-bottle; flask; (*piatta, per liquore*) hip flask; (*mil.*) canteen.

borraccìna f. (*bot.*, *Sedum acre*) stonecrop.

borràggine, **borràgine** f. (*bot.*, *Borrago officinalis*) borage.

bórro m. gully.

♦**bórsa**① f. **1** bag; (*valigetta*) case; (*borsetta*) handbag, purse (*USA*); (*sacchetto*) bag: **b. a tracolla**, shoulder bag; **b. da spiaggia**, beach bag; **b. della spesa**, shopping bag; **b. da viaggio**, travelling bag; holdall; **b. per documenti**, briefcase; attaché case; **b. termica**, cool bag (*GB*); cooler (*USA*) **2** (*zool.*: *marsupio*) pouch **3** (*anat.*) bursa*; sac **4** (*boxe*) purse ● (*bot.*) **b. di pastore** (*Capsella*

b

bursa-pastoris), shepherd's purse □ **b. di studio**, scholarship; study (*o* education) grant □ **b. per l'acqua calda**, hot-water bottle □ **b. per il ghiaccio**, icepack □ (*fig.*) **borse agli occhi**, bags under one's eyes □ **allentare [stringere, tenere] i cordoni della b.**, to loosen [to tighten, to control] the purse strings □ (*di vestito*) **fare le borse**, to sag; to be baggy □ **mettere mano alla b.**, to dip into one's pocket; to pay; to fork out □ **O la b. o la vita!**, your money or your life! □ **pagare di b. propria**, to pay out of one's own pocket □ **tenere la b. stretta**, to be tight-fisted.

♦**bórsa**② f. **1** stock exchange; (*in un paese non anglosassone, spec. in Francia*) bourse; (*il mercato*) (stock) market, (stock) exchange: **b. al rialzo [al ribasso]**, bullish [bearish] market; *B. dei cereali*, Corn Exchange; **b. merci**, commodity exchange; **b. nera →** **borsanera**; **b. telematica**, computerized trading; *B. valori*, Stock Exchange; **giocare in b.**, to speculate on the stock exchange; to play the market; **lavorare in b.**, to be on the Stock Exchange; **quotare una società in b.**, to list a company at the stock exchange; **agente di b.**, stockbroker; **contratti di b.**, stock exchange transactions; **listino di b.**, stock exchange list; **quotazioni di b.**, stock exchange quotations; **rialzo [ribasso] in b.**, rise [fall] on the stock exchange; **speculazioni di b.**, stock speculation; **titoli quotati [non quotati] in b.**, listed [unlisted] stock; **fuori b.**, over the counter; over-the-counter (attr.) **2** (*estens.: mercato, compravendita*) market: **b. dei calciatori**, football transfer market.

borsàio m. (f. **-a**) **1** (*fabbricante*) bag maker **2** (*venditore*) bag seller.

borsaiòlo m. (f. **-a**) pickpocket.

borsanéra f. black market: **alla b.**, on the black market.

borsanerista m. e f. black marketeer.

borsavalóri f. Stock Exchange.

borseggiàre v. t. to pick (sb.'s) pocket: *Sono stato borseggiato*, someone picked my pocket; I've had my pocket picked.

borseggiatóre m. (f. **-trìce**) pickpocket.

borséggio m. pickpocketing.

♦**borsellìno** m. purse (*GB*); change purse (*USA*).

borsèllo m. man's bag; (man's) shoulder bag.

borsétta f. (lady's) handbag; bag; purse (*USA*); (*a busta*) pochette, pocketbook (*USA*): **b. a tracolla**, shoulder bag; **b. da sera**, evening bag.

borsetterìa f. **1** handbag sector; handbags (pl.) **2** (*negozio*) handbag shop.

borsettifìcio m. handbag factory.

borsétto → **borsello**.

borsìno m. **1** (*banca*) trading desk **2** (*dopoborsa*) kerb market; street market.

borsìsta① m. e f. (*titolare di borsa di studio*) holder of a scholarship (*o* grant).

borsìsta② m. e f. (*chi specula in Borsa*) stock exchange speculator.

borsìstico a. stock-exchange (attr.); trading (attr.).

borsìte f. (*med.*) bursitis*: **b. dell'alluce**, bunion.

borsóne m. travelling bag; holdall.

bort m. inv. bort.

bòsa f. (*naut.*) cringle.

boscàglia f. **1** (*macchia di arbusti*) scrub; brush; undergrowth **2** (*regione*) scrubland; bush **3** (*bosco*) wood.

boscaiòlo m. **1** woodman*; woodcutter; lumberjack (*USA*) **2** (*guardaboschi*) forester.

boscàtico m. (*stor.*) right of estovers.

boscheréccio a. wood (attr.); woodland

(attr.); sylvan (*lett.*): **fragole boscherecce**, wood strawberries.

boschétto m. thicket; grove.

boschìvo a. wooded; woody: **terreno b.**, woodland.

boscimano m. (*anche ling.*) Bushman*; San.

♦**bòsco** m. **1** wood: **b. ceduo**, copse; coppice; **coperto di boschi**, wooded ● (*fig.*) **portare legna al b.**, to carry coals to Newcastle **2** (*bachicoltura*) silkworm food plants.

boscosità f. tree density; woodiness.

boscóso a. woody; wooded.

Bòsforo m. (*geogr.*) (the) Bosporus.

boşnìaco a. e m. (f. **-a**) Bosnian.

boşóne m. (*fis. nucl.*) boson.

boss (*ingl.*) m. inv. boss; baron; big name: **un b. della mafia**, a Mafia boss; **b. della droga**, drug baron; **i b. della finanza**, the big names in finance.

bòsso m. **1** (*bot., Buxus sempervirens*) box* **2** (*legno*) box-wood.

bòssolo m. **1** (cartridge) case: **b. di granata**, shell case **2** (*urna per votazioni*) ballot box **3** (*bussolotto*) dice box.

bostoniàno a. e m. (f. **-a**) Bostonian.

bot, Bot m. inv. (*econ.*) Treasury bill.

botànica f. botany.

botànico Ⓐ a. botanical: **orto b.**, botanical garden Ⓑ m. (f. **-a**) botanist.

bòtola f. trap door.

bòtolo m. mongrel; mutt (*USA*).

botriocèfalo m. (*zool., Diphyllobothrium latum*) fish tapeworm.

botrìte f. (*bot.*) botrytis.

bótro m. ditch; gully.

♦**bòtta** f. **1** (*colpo*) blow; (*urtone*) bump; knock; thump; bash (*fam.*): **b. in testa**, blow on the head; (*data da q.*) knock (*o* thump) on the head; **dare una b. in testa a q.**, to knock sb. on the head; to thump sb. on the head; **prendere una b. contro qc.**, to bang against st.; *Ho preso una b. alla spalla*, I knocked (*o* banged) my shoulder against st.; *Mi hanno dato una b. sul parafango*, the mudguard has been bashed in **2** (*pugno, percossa*) blow; clout (*fam.*); wallop (*fam.*); (al pl.) beating (sing.), thrashing (sing.): **un sacco di botte**, a sound thrashing; a good walloping; **dare una b.**, to hit; **fare (o prendersi) a botte**, to fight; to have a punch-up; **prendere a botte q.**, to beat up sb.; to give sb. a beating (*o* a thrashing); **botte da orbi**, whacking blows; **dare botte da orbi a q.**, to beat sb. black and blue; to beat the living daylights out of sb. (*fam.*) **3** (*livido*) bruise **4** (*ammaccatura*) dent **5** (*fig.: shock*) blow; shock; (*sconfitta*) beating, thrashing: *Fu una b. tremenda per il suo orgoglio*, it was a tremendous blow to his pride; *La nostra squadra ha preso una bella b.*, our team took a sound beating (*o* was thrashed) **6** (*tonfo*) thud; bump; crash **7** (*sparo*) shot; bang **8** (*scherma*) thrust: **parare una b.**, to parry a thrust ● **b. di vita**, splurge: **farsi una b. di vita**, to paint the town red; to go out on the town □ **b. e risposta**, repartee; cut and riposte: **fare a b. e risposta**, to have a sparring match □ (*fig.*) **a b. calda**, on the spot; (*rif. a commento, risposta, ecc.*) off the cuff □ **dare una bella b. a un lavoro**, to break the back of a job □ **tenere b.**, to hold out.

bottàccio m. millpond; mill-race.

bottàio m. cooper.

bottalàre v. t. (*tecn.*) to drum.

bottàle m. (*tecn.*) drum.

bottàme m. casks (pl.); barrels (pl.).

♦**bótte** f. **1** barrel; cask; butt: **b. da vino**, wine cask (*o* barrel); **b. a doppio fondo**, double-bottomed barrel; **fondo di b.**, bot-

tom of a cask; **pancia di b.**, belly of a cask; **mettere in b.**, to barrel; to cask; **spillare una b.**, to broach a cask **2** (*caccia*) hide ● (*fig.*) **dare un colpo al cerchio e uno alla b.**, to run with the hare and hunt with the hounds □ (*fig.*) **essere in una b. di ferro**, to be home and dry; to be as safe as houses □ (*prov.*) **La b. dà il vino che ha**, you can't make a silk purse out of a sow's ear □ **volere la b. piena e la moglie ubriaca**, to want to have one's cake and eat it □ (*archit.*) **volta a b.**, barrel vault.

♦**bottéga** f. **1** shop; store (*USA*); business: **una b. ben fornita**, a well-stocked shop; **una b. ben avviata**, a thriving business; **aprire la b.**, to open the shop; **aprire (o metter su) b.**, to set up shop; (*anche fig.*) **chiudere b.**, to close up shop; **tenere b.**, to keep shop; **garzone di b.**, shop boy **2** (*laboratorio*) workshop; (*di artista*) studio: **b. di falegname**, carpenter's workshop; **la b. di Giotto**, Giotto's studio ● (*scherz.*) **Hai la b. aperta**, your fly is undone □ **mettere q. a b. presso q.**, to apprentice sb. to sb. □ **prendere a b.**, to take on as an apprentice.

bottegàio m. (f. **-a**) shopkeeper; storekeeper (*USA*).

botteghìno m. **1** (*biglietteria*) ticket office; (*di teatro*) box office **2** (*del lotto*) state lottery office.

♦**bottìglia** Ⓐ f. bottle: **una b. di vino**, a bottle of wine; **sturare una b.**, to uncork a bottle; **in b.**, bottled ● (*fis.*) **b. di Leida**, Leyden jar □ **b. Molotov**, Molotov cocktail; petrol bomb □ **attaccarsi alla b.**, to hit the bottle □ **discutere qc. davanti a una b.**, to discuss st. over a bottle □ **vino di b.**, select wine Ⓑ a. inv. **- verde b.**, bottle green.

bottigliàta f. blow with a bottle.

bottiglièra f. bottle section.

bottiglierìa f. **1** wine shop **2** (*cantina*) wine cellar.

bottiglióne m. **1** two-litre bottle **2** (*ind. tess.*) bottle bobbin.

bottinàio m. cesspit cleaner; cesspool cleaner.

bottìno① m. **1** (*di guerra*) booty; plunder: **fare b. di**, to pillage; to plunder **2** (*refurtiva*) loot; haul: **dividersi il b.**, to split the loot; *In casa mia farebbero un magro b.*, in my house they would get a poor haul **3** (*di caccia*) bag; (*di pesca*) haul.

bottìno② m. **1** (*pozzo nero*) cesspool; cesspit **2** (*contenuto*) night soil.

bòtto m. **1** (*colpo*) blow; knock; bash (*fam.*) **2** (*scoppio*) bang; (*sparo*) shot, crack **3** (*region.: mortaretto*) cracker; firework ● **di b.**, suddenly; all of a sudden □ **fermarsi di b.**, to stop dead; to stop in one's tracks □ **in un b.**, in a flash.

bottonàio m. **1** (*fabbricante*) button maker **2** (*venditore*) button seller.

♦**bottóne** m. **1** button: **b. automatico (o a pressione)**, press stud (*GB*); snap fastener (*USA*); **b. del colletto**, collar stud; **allacciare un b.**, to fasten (*o* to do up) a button; **attaccare un b.**, to sew a button on; *Mi è saltato un b. dalla camicia*, a button has come off my shirt **2** (*tecn.: pulsante*) press-button; push-button; button; (*perno*) knob: **b. del campanello**, bellpush **3** (*mecc.*) pin **4** (*scherma, di fioretto*) button **5** (*bot.*) bud: **b. di rosa**, rosebud ● (*bot.*) **b. d'oro** (*Trollius europaeus*), globeflower □ **attaccare b. con q.**, to strike up a conversation with sb.; (*con un secondo fine, spec. con disegni amorosi*) to chat sb. up (*fam.*) □ (*fig.*) **attaccare un b. a q.**, to bore sb. with a long story □ **la stanza dei bottoni**, the control room; (*fig.*) the nerve centre.

bottonièra f. **1** row of buttons **2** (*occhiello*) buttonhole **3** (*quadro con pulsanti*) push--button panel.

bottonière a. button (attr.).
bottonificio m. button factory.
botulinico a. (*med.*, *vet.*) botulin (attr.): **intossicazione botulinica**, botulin poisoning; botulism.
botulino a. (*med.*, *vet.*) – **bacillo b.**, botulin; botulinum (*o* botulinus) toxin.
botulismo m. (*med.*) botulism.
bouclé (*franc.*) a. e m. inv. bouclé.
boule (*franc.*) f. inv. **1** (*chim.*) bubble **2** (*borsa dell'acqua calda*) hot-water bottle **3** (*borsa del ghiaccio*) icepack.
bouquet (*franc.*) m. inv. **1** (*di fiori*) bouquet **2** (*di vino*) bouquet.
boutade (*franc.*) f. inv. witticism; wisecrack; quip.
boutique (*franc.*) f. inv. boutique.
bovarismo m. bovarism.
bovarista a. bovaristic.
bovàro m. cowherd; cowhand; cattleman*.
bòve → **bue**.
bòvide m. (*zool.*) bovid; (*al pl.*, *scient.*) Bovidae.
bovina f. cattle dung.
bovindo m. (*archit.*) bow-window.
bovino A a. (*anche fig.*) bovine: **carne bovina**, beef; **intelligenza bovina**, bovine intelligence; **occhi bovini**, bulging eyes; **tubercolosi bovina**, bovine tuberculosis B m. bovine; (*al pl.*) cattle 🔲 **allevare bovini**, to raise cattle.
bòvo m. (*naut.*) small lateen-rigged vessel.
bòvolo m. spiral.
box (*ingl.*) m. inv. **1** (*per cavalli*) stall **2** (*per auto*) lock-up garage **3** (*automobilismo*) pit **4** (*per bambini*) playpen **5** (*compartimento*) cubicle; stall: **box per doccia**, shower cubicle.
boxàre v. i. (*sport*) to box.
boxe (*franc.*) f. (*sport*) boxing.
bòxer (*ingl.*) m. inv. **1** (*cane*) boxer **2** (*al pl.*) (*calzoncini*) boxer shorts.
boxeur (*franc.*) m. inv. (*sport*) boxer.
boy (*ingl.*) m. inv. **1** (*ballerino*) chorus boy **2** (*d'albergo*) (hotel) attendant; bellboy (*USA*); bellhop (*USA*) **3** (*tennis: raccattapalle*) ball boy **4** (*mozzo di stalla*) stable boy.
bòzza ① f. **1** (*archit.*) rusticated; ashlar **2** (*protuberanza*) swelling; (*bernoccolo*) bump, lump **3** (*naut.*) stopper; stopper knot.
bòzza ② f. **1** (*abbozzo*) draft; (*brutta copia*) rough draft, rough copy: **b. di contratto**, draft contract; **stendere la b. di un documento**, to draft a document **2** (*tipogr.*) proof: **b. finale**, press proof; **b. impaginata**, page proof; **b. in colonna**, galley (proof); **prima b.**, foul proof; **seconda b.**, revise; **terza b.**, second revise; **correggere bozze**, to proofread; **in b.**, in proof.
bozzàto m. (*archit.*) rusticated ashlar (*o* ashlarwork).
bozzèllo m. (*naut.*) block: **b. doppio**, double block; **b. girevole** (*o* **a mulinello**), swivel block; **b. per paranco**, purchase block; **b. semplice**, simple (*o* single) block.
bozzettismo m. penchant for sketch writing.
bozzettista m. e f. **1** sketch writer **2** (*pubblicità*) poster designer.
bozzettistica f. sketch writing.
bozzettistico a. **1** sketch (attr.) **2** (*fig.: vivace*) vivid; realistic; graphic **3** (*schematico*) sketchy.
bozzetto m. **1** (*modellino*) (scale) model; (*di quadro, ecc.*) (preliminary) sketch, drawing, study **2** (*breve narrazione*) sketch.
bòzzima f. **1** (*ind. tess.*) size **2** (*pastone per polli*) bran mash.
bòzzo m. → **bozza** ①, *def. 1 e 2*.

bozzolàia f. cocoon room.
bozzolàio m. **1** (*venditore*) cocoon seller **2** (*locale*) cocoon room.
bòzzolo m. **1** (*di larva*) cocoon: **fare il b.**, to spin the cocoon; to cocoon **2** (*grumo di farina*) lump **3** (*nodo*) knot ● (*fig.*) **chiudersi nel proprio b.**, to withdraw into one's shell 🔲 (*fig.*) **uscire dal b.**, to come out of one's shell.
bozzolóso a. lumpy; knotty.
bozzóne m. (*giorn.*) page proof.
BR sigla **1** (*polit.*, *stor.*, **Brigate rosse**) The Red Brigades **2** (**Brindisi**)
bràca f. **1** (*gamba di calzoni*) trouser leg **2** (*al pl.*) (*calzoni*) trousers; pants (*USA*); (*stor.*, *al ginocchio*) breeches, (*a sbuffo*) trunk hose (sing.) **3** (*al pl.*) (*mutande*) drawers **4** (*per carico*) sling; (*per chi lavora nel vuoto*) harness ● (*fig. pop.*) **calare le brache**, to give in; to chicken out (*fam.*) 🔲 (*fig.*) **restare in brache di tela**, to be left without a penny; to be cleaned out.
bracalóne A a. slovenly; dowdy B m. (f. -*a*) slovenly person; slob.
braccàre v. t. **1** (*caccia*) to hunt; to track **2** (*fig.*) to hunt; to hound; to pursue.
braccétto m. – **a b.**, arm in arm: **andare a b. con q.**, to walk arm in arm with sb.; (*fig.*) to be great friends with sb.; (*spreg.*) to be hand in glove with sb.; **prendere q. a b.**, to link arms with sb.; to slip one's arm under sb.'s arm.
bracchétto m. (*cane*) beagle.
bracchière m. (*caccia*) whipper-in.
bracciàle m. **1** (*braccialetto*) bracelet; (*portato sopra il gomito*) armlet: **b. di brillanti**, diamond bracelet; **b. elettronico**, electronic tag **2** (*fascia*) armband; armlet **3** (*di protezione*) armguard **4** (*al pl.*) (*per nuotare*) inflatable armbands; water wings **5** (*tiro con l'arco*) bracer **6** (*parte dell'armatura*) brassard **7** (*bracciolo*) arm.
braccialétto m. **1** bracelet; (*rigido*) bangle **2** (*di orologio*) wristband; watchband; watchstrap (*USA*) ● (*leg.*) **b. elettronico**, electronic tag.
bracciantàto m. farm labour.
bracciante m. labourer; day labourer; (hired) hand: **b. agricolo**, farm labourer; farm hand.
bracciantile a. labouring; manual.
bracciàre v. t. (*naut.*) to brace: **b. a collo**, to brace aback; **b. di punta**, to brace up; **b. in croce**, to brace in (*o* to).
bracciàta f. **1** armful: **una b. di legna**, an armful of wood; **a bracciate**, in profusion **2** (*nuoto*) stroke.
bràccio m. (pl. **bràccia**, f., *nelle def. 1, 2, 3, 4*; **bràcci**, m., *nelle altre*) **1** arm: **avere le braccia corte**, to have short arms; **stendere il b.**, to stretch out one's arm; **allargare le braccia**, to spread out one's arms; to open one's arms; (*in segno di rinuncia*) to let one's arms fall; **avere un b. al collo**, to have one's arm in a sling; **allungare un b.**, to stretch out one's arm; (*per prendere qc.*) to reach out (for st.); **alzare il b.** (*per votare, ecc.*), to raise one's hand; **dare il b. a q.**, to give one's arm to sb.; **passeggiare dando il b.** (*o* **sotto b.**) **a q.**, to walk arm in arm with sb.; **gettare le braccia al collo a q.**, to throw one's arms around sb.'s neck; to hug sb.; **gettarsi fra le braccia di q.**, to throw oneself into sb.'s arms; **portare in b.**, to carry (in one's arms); **prendere in b.**, to pick up; **prendere q. per un b.**, to seize sb. by the arm; **portare qc. sotto il b.**, to carry st. under one's arm; **stringere q. fra le braccia**, to clasp sb. in one's arms; **a braccia aperte**, with one's arms open wide; (*fig.*) with open arms; **ricevere q. a braccia aperte**, to welcome sb. with open arms; **a**

braccia conserte, with folded arms; *Ho le braccia rotte dalla fatica*, my arms are aching from too much work **2** (*al pl.*) (*manodopera*) hands; labourers; labour 🔲 **3** (*antica misura lineare*) ell **4** (*naut.*: *misura di profondità*) fathom: *Il porto ha una profondità di quattro braccia*, the harbour is four fathoms deep **5** (*oggetto a forma di braccio*) arm; (*di bilancia o stadera*) beam, bar; (*di grammofono*) pick-up, tone arm; (*di lampada*) bracket; (*di gru*) jib: **il b. di un'ancora**, the arm (*o* fluke) of an anchor; **i bracci della croce**, the arms of a cross; **il b. di una leva**, a lever arm; **b. di manovella**, crank arm; **b. portante**, supporting arm **6** (*archit.*: *ala*) wing **7** (*diramazione*) branch **8** (*naut.*: *manovra*) brace; (*di sestante*) bar; (*di remo*) web ● **il b. armato di un movimento**, the armed wing of a movement ○ (*fis.*) **b. della forza**, arm of force 🔲 **il b. della legge**, the long arm of the Law 🔲 (*in una prigione*) **b. della morte**, death row 🔲 (*fig.*) **il b. destro di q.**, sb.'s right hand (*o* right-hand man) ○ **b. di ferro**, arm wrestling; (*fig.*) trial of strength, confrontation, face-off: **fare a b. di ferro**, to arm wrestle; to have a game of arm wrestling; (*fig.*) to have a confrontation 🔲 **b. di mare**, arm of sea; inlet 🔲 **b. di terra**, isthmus 🔲 **il b. e la mente**, brawn and brains 🔲 (*stor.*) **il b. secolare**, the secular arm 🔲 **a braccia** → **portare a braccia** 🔲 **a b.**, improvised (agg.); impromptu (agg. e avv.); extempore (agg. e avv.); unscripted (agg.); off the cuff: **parlare a b.**, to speak extempore (*o* off the cuff); to improvise a speech 🔲 **a forza di braccia**, using sheer force 🔲 (*fig.*) **alzare le braccia**, to surrender 🔲 **alzare le braccia al cielo**, to throw up one's hands 🔲 **avere buone braccia**, to be strong; to be a hard worker 🔲 (*fig.*) **avere le braccia legate**, to have one's hands tied 🔲 (*fig.*) **avere le braccia lunghe**, to have a lot of influence; to have pull 🔲 (*fig.*) **avere q. sulle braccia**, to have sb. on one's hands; to have to support sb. 🔲 (*fig.*) *Mi sono cascate le braccia*, my heart sank; I could have wept 🔲 *Darei il b. destro per...*, I'd give my right arm to... 🔲 **col lavoro delle proprie braccia**, by one's own exertions 🔲 **incrociare le braccia**, to fold one's arms; (*fig.*) to refuse to work, (*scioperare*) to down tools 🔲 **nelle braccia di** (*o* **in b. a**) **Morfeo**, fast asleep 🔲 **portare** (*o* **trasportare**) **q. a braccia**, to carry sb. 🔲 **prendere q. sotto b.**, to link arms with sb.; to slip one's arm under sb.'s arm 🔲 (*fig.*) *Se gli dai un dito, ti prende un b.*, give him an inch, and he will take a yard 🔲 **sedere in b. a q.**, to sit in (*o* on) sb.'s lap 🔲 (*fig.*) **tendere le braccia**, (*chiedere aiuto*) to ask for (sb.'s) help; (*aiutare*) to help, to give a helping hand.
bracciòlo m. **1** (*di poltrona*) arm; arm rest **2** (*corrimano*) handrail; banister **3** (*naut.*) knee; bracket **4** (*al pl.*, *per nuotare*) water wings.
bràcco m. **1** (*cane*) hound **2** (*fig.*) sleuth; bloodhound.
bracconàggio m. poaching: **esercitare il b.**, to poach; to be a poacher.
bracconière m. poacher.
bràce f. embers (pl.); coals (pl.); cinders (pl.) ● **alla b.**, barbecued: **cuocere alla b.**, to barbecue 🔲 (*fig.*) **dalla padella nella b.**, out of the frying pan into the fire 🔲 **rosso come la b.**, as red as fire; scarlet 🔲 **sguardo di b.**, burning eyes 🔲 (*fig.*) **soffiare sulle braci**, to fan the flames 🔲 (*fig.*) **stare sulle braci**, to be like a cat on hot bricks.
brachèssa f. (*generalm. al pl.*) loose breeches.
brachétta f. **1** trouser flap; (*nei costumi antichi*) codpiece **2** (*al pl.*) (*mutandine*) underpants; pants (*GB*); panties **3** (*al pl.*) (*calzoncini*) shorts **4** (*in un'armatura*) cuisse.

b

brachiàle a. (*anat.*) brachial.

brachialgìa f. (*med.*) brachialgia.

brachicardìa → **bradicardia**.

brachicefalìa f. brachycephaly.

brachicèfalo **A** a. brachycephalic; brachycephalous **B** m. (f. **-a**) brachycephal.

brachigrafìa f. brachygraphy.

brachilogìa f. brachylogy.

brachilògico a. brachylogous.

brachimòrfo a. (*zool.*) brachymorphic.

brachiòpode m. (*zool.*) brachiopod; (al pl., *scient.*) Brachiopoda.

brachioradiàle m. (*anat.*) brachioradialis*.

brachistòcrona f. (*mat.*) brachistochrone.

brachitìpo m. (*anat.*) brachytype.

bracière m. brazier.

braciòla f. chop: **b. di maiale**, pork chop.

bracòtto m. (*naut.*) pendant.

bradicardìa f. (*med.*) bradycardia.

bradicàrdico a. (*med.*) bradycardiac.

bradichinìna f. (*chim.*) bradykinin.

bradifasìa f. (*med.*) bradyphasia.

bradilalìa f. (*psic.*) bradylalia.

bràdipo m. (*zool.*, *Bradypus*) sloth: **b. tridattilo**, three-toed sloth; ai.

bradisìsmico a. (*geol.*) bradyseismic.

bradisìsmo m. (*geol.*) bradyseism.

bràdo a. wild: **cavallo b.**, wild horse; **vita brada**, wild living; **allo stato b.**, in the wild state; in a natural state.

bràga f. **1** → **braca 2** (*idraul.*) Y-branch **3** (*naut.*) sling.

braghèssa → **brachessa**.

braghétta → **brachetta**.

bràgo m. (*lett.*) mud; mire.

bragòzzo m. bragozzo (two-masted trawler in the Adriatic).

brahmanèsimo m. Brahmanism; Brahminism.

brahmànico a. Brahmanic.

brahmanìsmo → **brahmanesimo**.

brahmàno m. Brahman; Brahmin.

Braille (*franc.*) m. (*tipogr.*) Braille.

bràma f. longing; yearning; craving; hankering; thirst; lust: **b. di denaro**, craving for wealth; **b. di conoscere**, thirst for knowledge; **b. di potere**, lust for power.

bramàno e deriv. → **brahmano**, e deriv.

bramàre v. t. (*lett.*) to long for; to crave for; to yearn for (o after); to hanker after; to lust after; to covet.

bramino → **brahmano**.

bramìre v. i. **1** (*di cervo*) to bell **2** (*di orso*) to growl **3** (*fig.*) to bellow.

bramìto m. **1** (*di cervo*) bell **2** (*di orso*) growl **3** (*fig.*) bellow.

bràmma f. (*metall.*) slab.

bramosìa f. (*lett.*) **1** longing; yearning; craving; eagerness; covetousness **2** (*avidità*) greed.

bramóso a. (*lett.*) **1** longing (for); eager (for); hankering (after); covetous (of): **b. di avventure**, longing for adventure; **b. di fama**, eager for fame **2** (*avido*) greedy.

brànca f. **1** (*zool.*) claw; (*di rapace, anche*) talon **2** (*fig.*) clutch; grip **3** (*di arnese*) jaw: **le branche delle tenaglie**, the jaws of the pincers **4** (*ramo, anche fig.*) branch: **una b. dello scibile**, a branch of knowledge **5** (*naut.*) claw; bridle **6** (*rampa di scala*) flight (of stairs).

brancarèlla f. (*naut.*) cringle.

brancàta f. handful.

brànchia f. (*spec. al pl.*) gill; branchia*.

branchiàle a. branchial: **fessure branchiali**, branchial (o gill) clefts.

branchiàto a. (*zool.*) branchiate.

brancicaménto m. **1** fumbling; groping **2** (*palpeggiamento*) pawing; groping.

brancicàre **A** v. i. to grope; to fumble about; to feel* one's way: **b. nel buio**, to grope in the dark **B** v. t. (*palpeggiare*) to paw; to grope.

♦**brànco** m. **1** (*di pecore, uccelli*) flock; (*di lupi*) pack; (*di oche*) gaggle; (*di pesci*) shoal, school; (*mandria*) herd **2** (*di persone*) herd; bunch; pack; gang: **un b. di stupidi**, a pack of fools; **un b. di mascalzoni**, a gang of scoundrels; **a branchi**, in crowds; in droves; (*fig.*) **essere nel b.**, to follow the herd; (*fig.*) **mettersi in b.**, to gang up; **mentalità del b.**, herd mentality.

brancolaménto m. groping; fumbling.

brancolàre v. i. to grope about; to fumble about: **b. alla ricerca di qc.**, to grope for st.; *Avanzava brancolando lungo il corridoio*, she was groping her way down the corridor; **b. nel buio**, to grope (o to fumble) in the dark; (*fig.*) **b.** to be groping for clues; **b. nell'incertezza**, to flounder.

brànda f. **1** camp bed; folding (o foldaway) bed; cot (*USA*) **2** (*naut.*) hammock.

brandeburghése **A** a. of Brandenburg; Brandenburg (attr.): **i concerti brandeburghesi di Bach**, Bach's Brandenburg concertos **B** m. e f inhabitant of Brandenburg.

Brandebùrgo m. Brandenburg.

brandeggiàre v. t. to swivel; (*cannone e sim.*) to traverse.

brandéggio m. swivelling; (*di cannone e sim.*) traverse.

brandèllo m. **1** shred; bit; scrap; (al pl., *rif. a vestiti*) rags, tatters: **un b. di carne**, a strip of flesh; **un b. di stoffa**, a scrap of material; **a brandelli**, in shreds (*anche fig.*); (*di abito, ecc.*) in tatters, tattered, in rags, ragged; **cadere a brandelli**, to be in tatters; **fare (o ridurre) a brandelli**, to tear to shreds **2** (*fig.*) bit; shred; scrap; atom; grain: **un b. di ritegno**, a shred of restraint; *Sentiva brandelli di frasi*, she could hear snatches of sentences.

brandìre v. t. to brandish; to wave; to wield.

bràndo m. (*poet.*) sword.

brandy (*ingl.*) m. inv. brandy.

♦**bràno** m. **1** (*brandello*) shred; bit; scrap; piece; fragment: **fare a brani**, to tear to pieces **2** (*di libro*) passage, piece, excerpt; (*di musica*) piece; (*di film*) excerpt; (*di disco*) track: **brani scelti**, chosen passages; **un b. di Chopin**, a piece by Chopin.

branzìno m. (*zool.*, *Perca fluviatilis*) (sea) bass*.

brasàre v. t. **1** (*cucina*) to braise **2** (*mecc.*) to braze.

brasàto (*cucina*) **A** a. braised **B** m. braised meat; pot roast: **b. di manzo**, braised beef.

brasatùra f. (*mecc.*) brazing: **b. ad arco**, arc brazing; **b. a gas**, gas brazing; **b. a immersione**, dip brazing; **b. al cannello**, torch brazing.

brasìle m. brazilwood.

Brasile m. (*geogr.*) Brazil.

brasiliàno a. m. (f. **-a**) Brazilian.

bràssica f. (*bot.*) brassica.

brattàre v. i. (*naut.*) to scull.

bràttea f. (*bot.*) bract.

bratteàto a. (*bot.*) bracteate.

bratteòla f. (*bot.*) bracteole.

bràtto m. (*naut.*) sculling: **remo da b.**, scull; sweep.

bravàccio m. **1** (*prepotente*) bully; thug **2** (*spaccone*) braggart; bragger; blusterer.

bravaménte avv. **1** (*risolutamente*) resolutely **2** (*bene*) cleverly; skilfully.

bravàta f. **1** act of bravado; caper; stunt **2** (*millanteria*) bragging 🅤; brag.

♦**bràvo** **A** a. **1** (*capace, abile*) good; clever; able; smart (*USA*): **un b. insegnante**, a good teacher; **un b. artigiano**, a clever craftsman; **un b. pittore**, a fine painter; **un b. scolaro**, a clever pupil; *È b. in latino*, he's good at Latin; **essere b. a scuola**, to do well at school; **essere b. a trovare scuse**, to be clever at making excuses; *Non sono b. a dire di no*, I can't say no **2** (*buono*) good; (*onesto*) honest, decent: **un brav'uomo**, a good (o an honest) man; a decent fellow; *Se fai il b. ti ci porto*, I'll take you there, if you're good **3** (*lett.: coraggioso*) brave: **fare il b.**, to swagger; to brag **4** (pleonastico, idiom.) – *Ogni giorno fa la sua brava passeggiata*, he takes his regular walk every day; *Ci vorrà il suo b. tempo*, it will take some time ● **B.!** [**Brava!**], well done!; bravo!; (*a teatro*) bravo! □ (*iron.*) **B. furbo!**, very clever! □ **alla brava**, boldly; with a dash; (*alla meglio*) roughly, shoddily; (*alla svelta*) quickly □ **notte brava**, wild night; night on the town □ **Aiutami, da b.**, give me a hand, there's a good boy □ **Su, da b., fallo!**, come on, be a good boy and do it **B** m. **1** (*stor.*) bravo* **2** (*spreg.: guardia del corpo*) hired thug; heavy (*slang*) ❶ **FALSI AMICI** • *nell'italiano non letterario* bravo *non si traduce con* brave.

bravùra f. **1** (*abilità*) cleverness, skill, ability, deftness; (*maestria*) mastery, prowess: **fare qc. con b.**, to do st. skilfully; *Non ci vuole molta b. per farlo*, you don't need to be particularly clever to do it; (*iron.*) *Bella b.!*, how clever of you! **2** (*mus.*) bravura: **pezzo di b.**, bravura piece.

break dance loc. f. inv. (*mus.*) break dancing.

bréccia① f. breach: **aprire una b.**, to make a breach ● (*fig.*) **far b. nel cuore di q.**, to get to sb.'s heart; to move sb. □ (*fig.*) **morire sulla b.**, to die in harness □ (*fig.*) **restare sulla b.**, to stand fast; to carry on.

bréccia② f. **1** (*pietrisco*) rubble; road metal; (*ghiaia*) gravel **2** (*geol.*) breccia.

brecciàme m. rubble; road metal.

brecciolìno m. fine gravel.

brecciòso a. gravelly; metalled.

brefotròfio m. orphanage; children's home; foundling hospital (*stor.*).

brègma m. (*anat.*) bregma*.

Breitschwanz (*ted.*) m. inv. (*moda*) breitschwanz; broadtail.

brénna f. nag; hack; jade.

brènta f. wine keg.

bréntolo m. (*bot.*, *Calluna vulgaris*) heather; ling.

bresàola f. (*cucina*) bresaola (dried salt beef).

bresciàno **A** a. of Brescia; from Brescia; Brescia (attr.) **B** m. (f. **-a**) native [inhabitant] of Brescia.

Bretàgna f. (*geogr.*) Brittany.

bretèlla f. **1** (generalm al pl.) (*per calzoni*) brace; suspender (*USA*) **2** (*spallina*) (shoulder) strap **3** (*autom.*) link road **4** (*aeron.*) – **b. di rullaggio**, taxiway.

brètone, **brèttone** a., m. e f. Breton ● (*letter.*) **il ciclo b.**, the Breton cycle.

♦**bréve** **A** a. **1** (*rapido*) brief; short; quick: **una b. apparizione**, a brief appearance **2** (*corto, conciso*) short; brief: **una b. lettera**, a short letter; **un b. viaggio** [**soggiorno**], a short (o brief) journey [stay]; **a b. distanza**, at a short distance; *Sarò b.*, I'll be brief; *La vita è b.*, life is short **3** (*fon.*) short: **sillaba** [**vocale**] **b.**, short syllable [vowel] ● (*econ.*) **a b.** (**termine**), short-term (attr.) □ **in b.**, in short; briefly; in a few words □ **per farla** (o **per dirla**) **b.**, to make a long story short □ **tra b.**, soon; shortly; in a short while **B** m.

(*lettera pontificia*) (papal) brief; breve **C** f. **1** (*mus.*) breve; double whole-note (*USA*) **2** (*prosodia*) short syllable **3** (*giorn.*) paragraph.

breveménte avv. briefly; in a few words.

brevettàbile a. patentable.

brevettàre v. t. **1** (*ottenere un brevetto*) to patent; to take* out a patent on: **b. un'invenzione**, to patent an invention **2** (*concedere un brevetto*) to license.

brevettàto a. **1** patented; patent (attr.): **un congegno b.**, a patented device; **chiusura brevettata**, patent lock **2** (*fig. scherz.*) infallible; sure-fire: **un sistema b.**, an infallible method.

brevétto m. **1** patent: **un b. d'invenzione**, an invention patent; **b. in corso di registrazione**, patent pending; **concedere un b.**, to grant (*o* to issue) a patent; **fare domanda di b. per qc.**, to apply for a patent on st.; **diritto di b.**, patent right; **titolare di un b.**, patentee; *Ufficio Brevetti*, Patent Office; **violazione di b.**, patent infringement **2** (*attestato di idoneità*) licence, license (*USA*); certificate; ticket; (*mil.*) commission: **b. di pilota**, (*aeron.*) pilot's licence, pilot certificate (*USA*); (*naut.*) pilot's ticket; **b. di ufficiale**, officer's commission **3** (*stor.*) brevet.

brevettuàle a. patent (attr.): **diritto b.**, patent law.

breviàrio m. **1** (*eccles.*) breviary **2** (*fig.*) bible **3** (*sommario*) summary; compendium.

brevilìneo a. short-limbed.

breviloquènte a. (*lett.*) concise; laconic.

breviloquènza f. (*lett.*) conciseness; laconicism.

brèvi mànu (*lat.*) loc. avv. by hand; personally: **consegnare brevi manu**, to deliver by hand; to hand personally.

brevità f. **1** shortness; brevity: **per b.**, for the sake of brevity; in short **2** (*concisione*) concision; conciseness.

brézza f. breeze: **una lieve b.**, a gentle breeze; **b. di mare**, sea breeze; **b. di terra**, land breeze; **b. leggera**, light breeze; **b. tesa**, stiff breeze.

BRI sigla (**Banca dei regolamenti internazionali**) Bank of International Settlements (BIS).

briàco → ubriaco.

bricco ① m. (*cuccuma*) jug; pitcher (*USA*); pot; (*bollitore*) kettle: **b. del latte**, milk jug; **b. del caffè**, coffeepot.

bricco ② m. (*mattone*) brick.

bricconàggine → bricconeria.

bricconàta f. dirty trick; nasty trick.

briccóne **A** m. (f. -**a**) **1** rascal; scoundrel; villain; rogue **2** (*scherz.*) rascal **B** a. rascally; villainous.

bricconeria f. **1** villainy; roguishness **2** → bricconata.

bricconésco a. rascally; villainous.

♦**briciola** f. crumb; bit; (*fig., anche*) grain, shred: **briciole di pane**, breadcrumbs; **briciole di torta**, cake crumbs; **andare in briciole**, to be smashed to bits (*o* to smithereens); **ridurre in briciole**, to crumble; (*infrangere*) to smash to bits; (*per esplosione*) to blow up to smithereens; (*fig.*) *sconfiggere* to make mincemeat of; to take apart; *Gli hanno lasciato solo le briciole*, he was only left the crumbs; → **briciolo**.

briciolo m. bit; grain; shred; scrap; ounce: **un b. di cervello**, a grain of common sense; **un b. di fantasia**, a bit of imagination; **un b. di pietà**, a trace of pity; **un b. di verità**, a scrap of truth; *Non avete un b. di prova*, you haven't got a scrap (*o* shred) of evidence.

bricolage (*franc.*) m. inv. do-it-yourself (abbr. DIY): **un negozio di b.**, a do-it-yourself shop; **fare del b.**, to do things oneself.

bricòlla f. **1** (*sacco*) smuggler's bag **2** (*merce*) smuggled goods (pl.).

bridge (*ingl.*) m. (*gioco*) bridge.

bridgista m. e f. bridge player.

bridgìstico a. bridge (attr.).

briga f. **1** (*seccatura*) trouble ⓤ; bother ⓤ; hassle (*fam.*): **darsi** (*o* **prendersi**) **la b. di fare qc.**, to take the trouble (*o* to go to the trouble) to do st.; (al neg., anche) to trouble, to bother; *Non si è nemmeno preso la b. di telefonare*, he didn't even bother to phone **2** (*lite*) quarrel: **attaccare b. con q.**, to pick a quarrel with sb.; **cercar b.**, to be looking for trouble.

♦**brigadière** m. (*mil.*) **1** (*dei Carabinieri, della finanza*) brigadiere (rank equivalent to that of staff sergeant in the army) **2** – **b. generale**, (*in GB*) brigadier; (*in USA*) brigadier general.

brigantàggio m. **1** banditry; brigandage **2** (*bande di briganti*) bandits (pl.): **infestato dal b.**, bandit-infested.

♦**brigànte** m. **1** bandit*; brigand; (*anche* **b. da strada**) highwayman* **2** (*farabutto*) rogue; rascal; scoundrel **3** (*scherz.*) rascal.

brigantésco a. brigandish.

brigantìno m. (*naut.*) brig: **b. a palo**, bark; **b. goletta**, brigantine.

brigàre v. t. **1** (*intrigare*) to intrigue; to plot; to scheme; to pull strings; to wheel and deal: **b. per ottenere la promozione**, to intrigue for promotion **2** (*affaccendarsi*) to strive*; to busy oneself.

brigàta f. **1** (*mil. e estens.*) brigade: **b. di cavalleria**, cavalry brigade; **b. partigiana**, partisan brigade; **le Brigate Rosse**, the Red Brigades **2** (*comitiva*) group; party; set (*fam.*); brigade (*fam.*); gang (*fam.*): **un'allegra b.**, a merry party; **una b. di ragazzotti**, a gang of youths ● (*prov.*) **Poca b., vita beata**, two's company, three's a crowd; the fewer the better.

brigatìsmo m. organized terrorism.

brigatista m. e f. terrorist belonging to the Red Brigades.

Brigida f. Bridget.

brigidìno m. (*cucina*) aniseed waffle.

briglia f. **1** bridle; (*redini*) reins (pl.): **allentare la b.**, to slacken the bridle; **dare la b. a un cavallo**, to give a horse the bridle (*o* the reins); **mettere la b. a un cavallo**, to bridle a horse; **tirare la b.**, to draw rein, to rein in **2** (*fig.: freno*) rein: **allentare le briglie**, to slacken the reins **3** (al pl.) (*dande*) reins; harness (sing.) **4** (*naut.*) bobstay **5** (*mecc.*) bridle; (*di tornio*) dog **6** (*idraul.*) dyke ● **a b. sciolta**, at full gallop, hell for leather; (*fig., rif. a movimento*) at full speed, (at) full tilt; (*rif. al parlare*) non-stop.

brik m. inv. carton.

brillaménto m. **1** glitter; shine **2** (*di mina*) blasting; firing ● (*astron.*) **b. solare**, solar flare.

brillantànte m. rinse aid.

brillantàre v. t. **1** (*sfaccettare*) to cut*; to facet **2** (*mecc.*) to buff; to polish **3** (*falegn.*) to polish; to furbish **4** (*cucina*) to ice; to frost (*USA*).

brillantatùra f. **1** cutting **2** (*tecn.*) buffing; polishing **3** (*cucina*) icing; frosting (*USA*).

♦**brillànte** **A** a. **1** bright; (*di luce intensa*) brilliant; (*splendente*) shining; (*sfavillante*) sparkling, glittering: **colori brillanti**, bright (*o* vivid) colours; **occhi brillanti**, sparkling (*o* bright, shining) eyes **2** (*fig.: di successo*) brilliant, successful; (*raffinato*) sophisticated; (*vivace*) lively, sparkling, scintillating; (*spiritoso*) witty: **una b. carriera**, a successful career; **conversazione b.**, sparkling (*o* scintillating) conversation; **un b. futuro**, a bright future; **parlatore b.**, brilliant speak-

er; **serata b.**, lively evening; **vita b.**, busy social life; **poco b.**, (*di persona*) rather quiet; (*di cosa*) dull, lacklustre; **un risultato poco b.**, a lacklustre performance **3** (*geniale*) brilliant; bright: **un'idea b.**, a brilliant (*o* bright) idea ● **acqua b.**, tonic water □ (*teatr.*) **attore b.**, comic actor □ (*teatr.*) **commedia b.**, comedy **B** m. **1** diamond: **b. solitario**, solitaire diamond **2** (*anello*) diamond ring.

brillanteménte avv. brilliantly; successfully; with flying colours.

brillantézza f. brilliance; lustre; brightness.

brillantìna f. brilliantine; hair oil; grease.

brillànza f. (*fis.*) brilliancy.

♦**brillàre** ① **A** v. i. **1** to shine*; (*di luce viva*) to blaze, to glare; (*di luce debole*) to gleam, to glint, to shimmer; (*mandare un lampo*) to flash; (*scintillare*) to sparkle, to glitter; (*di stella e sim.*) to twinkle, to scintillate: *Al primo piano brillava una luce*, a light was shining on the first floor; **far b. l'argenteria**, to polish the silver; to make the silver shine; **occhi che brillano di gioia**, eyes shining (*o* sparkling) with joy; *Una luce brillò e si spense*, a light flashed and was gone; *I diamanti brillano*, diamonds sparkle; *Mi piace far b. la casa*, I like to have the house spic and span; **b. di luce riflessa**, to glitter with reflected light; (*fig.*) to bask in reflected glory **2** (*fig.: farsi notare*) to shine*; to stand* out: *Non brilla nella conversazione*, he does not shine in conversation; (*scherz.*) **b. per la propria assenza**, to be conspicuous by one's absence **3** (*di mina*) to explode; to go* off: **far b. una mina**, to explode a mine **B** v. t. (*far esplodere*) to explode; to blast.

brillàre ② v. t. (*il riso, l'orzo e sim.*) to polish; to husk; to hull.

brillatóio m. **1** (*macchina*) polisher **2** (*stabilimento*) rice mill.

brillatùra f. polishing; husking; hulling.

brillìo m. sparkle; sparkling; glitter; glittering; glisten; glistening; twinkling.

brillo ① a. slightly drunk; merry (*fam.*); tipsy (*fam.*); tiddly (*fam.*).

brillo ② m. (*bot., Salix purpurea*) purple willow; red osier.

brina f. (white) frost; hoarfrost ❶ FALSI AMICI • brina non si traduce con brine.

brinàre **A** v. i. impers. – *È brinato stanotte*, there was a frost last night **B** v. t. **1** (*coprire di brina*) to frost over; to cover with frost **2** (*un bicchiere*) to frost.

brinàta f. fall of hoarfrost; (*brina*) frost, hoarfrost.

brinàto a. **1** covered with frost; frosted over. **2** (*di bicchiere*) frosted.

brindàre v. i. to toast (sb., st.); to drink* (a toast) to: **b. agli sposi**, to drink a toast to the bride and bridegroom; **b. alla salute di q.**, to drink sb.'s health; **b. al successo di q.**, to drink to sb.'s success; **b. con q.**, to touch glasses with sb.; *Brindate con noi!*, join us in a toast!

brindèllo → brandello.

brindellóne m. (f. -**a**) slovenly person; slob.

brìndisi m. inv. toast: **fare un b. a q.**, to drink a toast to sb.; **fare un b. alla salute di q.**, to drink sb.'s health; **proporre un b.**, to propose a toast.

brinell m. inv. (*metall.*) Brinell number.

brinóso a. frosty; frost-covered.

brio m. **1** liveliness; vitality; vivacity; sparkle; spirit; gaiety; life; go (*fam.*) **2** (*mus.*) brio.

brioche (*franc.*) f. inv. bun; brioche.

briofita f. (*bot.*) bryophyte; (al pl., *scient.*) Bryophyta.

a
b
c
d
e
f
g
h
i
j
k
l
m
n
o
p
q
r
s
t
u
v
w
x
y
z

b

briologìa f. (*bot.*) bryology.

briònia f. (*bot.*, *Bryonia dioica*) bryony.

briosità f. gaiety; cheerfulness; liveliness.

brióso a. lively; spirited; full of life.

briscola f. **1** (*gioco*) briscola (a card game) **2** (*carta*) trump (card); (*seme*) trumps (pl.): *La b. è picche*, spades are trumps; **battere con una b.**, to trump; **asso di b.**, ace of trumps **3** (al pl.) (*fig.*: *percosse*) blows ● (*fig.*) **essere l'asso di b.**, to be the most important person □ (*fig.*) **contare come il due di b.**, to count for nothing; to carry no weight; (*di persona, anche*) to be a nonentity □ (*fig.*) **giocare l'asso di b.**, to play one's trump card.

briscolàta f. (*fam.*) game of briscola.

brisée (*franc.*) a. (*cucina*) – **pasta b.**, pâte brisée (*franc.*); puff pastry.

brìstol (*ingl.*) m. Bristol board.

Britànnia f. (*geogr.*, *stor.*) Britain.

britànnico ◼A a. British: **cittadino b.**, British citizen; **l'inglese b.**, British English; **l'Impero B.**, the British Empire; *Sua Maestà Britannica*, Her [His] Britannic Majesty ◼B m. (f. **-a**) British person; Briton; Brit (*fam.*): **i Britannici**, the British; British people.

britànno ◼A a. Britannic ◼B m. Briton.

♦**brìvido** m. **1** (*tremore*) shiver; shudder: **un b. di paura**, a shudder of fear; **avere brividi di febbre**, to shiver with fever; *Un b. le scorse per la schiena*, a shiver ran down her spine; *Mi vengono i brividi a pensarci*, I shudder at the thought; **dare** (*o* **far venire, mettere**) **i brividi**, to give the shivers; (*per la paura anche*) to give the creeps (*fam.*); **che mette i brividi**, creepy (agg.) **2** (*emozione, piacere*) thrill: **il b. della velocità**, the thrill of speed ● **da b.**, spine-chilling; (*emozionante*) thrilling □ **classico del b.**, classic thriller.

brizzolàto a. (*di capelli, barba*) greying; grizzled; (*di persona*) grey-haired, greying, grizzled.

brizzolatùra f. greying hair; grizzle.

brocàrdo m. (*leg.*) brocard; principle of law.

♦**bròcca** ① f. **1** jug; pitcher (*USA*); ewer **2** (*il contenuto*) jugful; pitcherful.

bròcca ② f. **1** (*rametto spoglio*) stick; (*germoglio*) bud **2** (*per scarpe*) hobnail.

broccatèllo m. **1** (*tessuto*) brocatelle **2** (*marmo*) brocatello.

broccàto m. brocade.

brocchière m. (*stor.*) buckler.

bròccia f. (*mecc.*) broach.

brocciàre v. t. (*mecc.*) to broach.

brocciatrìce f. (*mecc.*) broaching machine.

brocciatùra f. (*mecc.*) broaching.

bròcco m. **1** (*stecco*) stick **2** (*ronzino*) nag; jade **3** (*fig.*) washout (*fam.*); dead loss (*fam.*); rabbit (*fam.*, GB).

broccolétto m. (spec. al pl.) turnip top.

bròccolo m. **1** (*bot.*, *Brassica oleracea botrytis*) broccoli ◻ **2** (*di cavolo, verza, rapa, ecc.*) sprout; top **3** (*fig.*) blockhead; dolt.

broche (*franc.*) f. inv. brooch.

brochure (*franc.*) f. inv. brochure; pamphlet.

bròda f. **1** (*spreg.*: *cibo brodoso*) dishwater; slops (pl.) **2** (*acqua sporca*) dirty water; slops (pl.) **3** (*per maiali*) swill **4** (*fig.*: *discorso prolisso*) long rigmarole; waffle.

brodàglia → **broda**, def. 1 e 4.

brodétto m. (*cucina*) **1** broth with egg and lemon juice **2** brodetto (fish soup).

bròdo m. **1** stock; (*minestra*) broth, clear soup: **b. di carne**, beef-stock; (*consommé*) broth, beef consommé; **b. di cottura**, liquor; **b. di pollo [di manzo, di pesce]**, chicken [beef, fish] stock (*o* broth); **b. di verdura**, vegetable stock; vegetable soup; **b. lungo**, thin broth; **b. ristretto**, consommé (*franc.*); **dado per b.**, stock (*o* bouillon) cube; **fettuccine in b.**, noodle soup; **riso in b.**, rice soup **2** (*fig.*) → **broda** ● (*biol.*) **b. di coltura**, culture medium; broth □ **b. primordiale**, primordial soup □ **andare in b. di giuggiole**, to go into raptures; to be tickled pink □ (*fig.*) **lasciare (cuocere) q. nel suo b.**, to let sb. stew in his own juice □ (*fig.*) *Tutto fa b.*, every little helps.

brodocoltùra, brodocultura f. (*biol.*) culture medium; broth.

brodolóne m. (f. **-a**) **1** messy eater **2** slovenly person; slob.

brodóso a. watery; thin; weak: **minestra brodosa**, thin soup.

brogliàccio m. **1** (*comm.*) daybook; blotter (*USA*) **2** (*scartafaccio*) scribbling pad; notepad.

brogliàre v. i. to scheme; to intrigue.

bròglio m. intrigue; fraud: **b. elettorale**, electoral fraud; ballot-rigging ◻; vote-rigging ◻; **fare brogli elettorali**, to stuff the ballot box; to rig an election; to rig the electoral results.

broker (*ingl.*) m. inv. (*Borsa, fin.*) broker: **b. di assicurazioni**, insurance broker.

brokeràggio m. (*Borsa, fin.*) brokerage.

brolétto m. (*stor.*) **1** (*piazza*) assembly square **2** (*palazzo*) (medieval) municipal hall.

bromàto m. (*chim.*) bromate.

bromatologìa f. (*chim.*) bromatology.

bromatòlogo m. (f. **-a**) food chemist.

bròmico a. (*chim.*) bromic.

bromìdrico a. (*chim.*) hydrobromic.

bromidròsi f. (*med.*) bromhidrosis.

bromìsmo m. (*med.*) bromism.

bròmo m. (*chim.*) bromine.

bromofòrmio m. (*chim.*) bromoform.

bromògrafo m. (*fotogr.*) contact printer.

bromòlio m. (*fotogr.*) bromoil process.

bromuràto a. (*chim.*) brominated.

bromurazióne f. (*chim.*) bromination.

bromùro m. (*chim.*) bromide: **b. d'argento**, silver bromide; (*fotogr.*) **carta al b.**, bromide paper.

bronchiàle a. (*anat.*) bronchial.

bronchiettasìa f. (*med.*) bronchiectasis.

bronchìolo m. (*anat.*) bronchiole.

bronchìte f. (*med.*) bronchitis*: **b. cronica**, chronic bronchitis.

bronchìtico a. e m. (f. **-a**) (*med.*) bronchitic.

bróncio m. (*espressione*) sulking expression, pout; (*stato d'animo*) sulk, (the) sulks (pl.): **fare il b.**, (*avere la faccia imbronciata*) to have a sulking expression, to pout; (*essere imbronciato*) to be in a sulk; **tenere il b.**, to sulk; to be in a sulk; to have a fit of the sulks; *Mi tiene il b.*, she won't speak to me.

brónco ① m. (spec. al pl.) (*anat.*) broncus*.

brónco ② m. (*ramo nodoso*) knotty branch.

broncodilatatóre m. (*farm.*) bronchodilator.

broncografìa f. (*med.*) bronchography.

broncolìtico a. (*farm.*) broncholythic.

broncóne m. (*agric.*) vine-prop.

broncopatìa f. (*med.*) bronchial disease.

broncopolmonàre a. (*med.*) bronchopulmonary.

broncopolmonìte f. (*med.*) bronchopneumonia; bronchial pneumonia.

broncoscopìa f. bronchoscopy.

broncoscòpio m. bronchoscope.

broncospàsmo m. (*med.*) bronchospasm.

broncostenòsi f. (*med.*) brinchosteno-sis.

brontolaménto → **brontolio**.

♦**brontolàre** ◼A v. i. **1** (*lagnarsi*) to grumble; to moan; to gripe (*fam.*); to grouse (*fam.*) **2** (*borbottare*) to mumble; to mutter **3** (*del tuono, dell'intestino*) to rumble ◼B v. t. to mumble; to mutter.

brontolìo m. **1** grumbling **2** (*borbottio*) muttering; mumbling **3** (*del tuono, dell'intestino*) rumble; rumbling.

brontolóne ◼A m. (f. **-a**) grumbler; moaner; grouch; sorehead (*USA*) ◼B a. grumbling; moaning; grouchy; cantankerous.

brontosàuro m. (*paleont.*) brontosaurus; brontosaur.

brontotèrio m. (*paleont.*) brontotherium.

bronzàre v. t. to bronze.

bronzatùra f. bronzing.

brónzeo a. **1** (*di bronzo*) bronze (attr.) **2** (*fig.*: *tenace*) steely **3** (*rif. a colore*) bronze; (*abbronzato*) tanned **4** (*rif. a suono*) resonant; resounding.

bronzétto m. (*arte*) small bronze.

bronzìna f. (*mecc.*) brass.

bronzìno a. bronze (attr.) ● (*med.*) **morbo b.**, Addison's disease.

bronzìsta m. worker in bronze.

bronzìstica f. bronze sculpture; bronzes (pl.).

brónzo m. **1** bronze: **b. per campane**, bell metal; **l'età del b.**, the Bronze Age; **medaglia di b.**, bronze medal **2** (*oggetto d'arte*) bronze **3** (*medaglia*) bronze (medal) ● (*fig.*) **faccia di b.** → **faccia**, def. 5.

brossùra f. paperback binding; soft cover: **libro in b.**, paperback; (*rilegato*) **in b.**, paperback (attr.); softcover (attr.).

browniàno a. (*fis.*) Brownian: **moto b.**, Brownian motion.

browser m. inv. (*comput.*) browser.

brucàre v. t. **1** to browse (on); to graze; to nibble (at) **2** (*un ramo*) to strip (of leaves); (*olive*) to pick.

brucatùra f. browsing; grazing; nibbling.

Bruce a. (*ingl.*, *naut.*) Bruce anchor.

brucèlla f. (*biol.*) brucella*.

brucellòsi f. (*med.*, *vet.*) brucellosis.

bruciabudèlla m. inv. (*fam.*) rotgut.

bruciacchiàre v. t. to scorch; to sear; to singe; (*pane, arrosto, ecc.*) to burn*.

bruciacchiatùra f. **1** scorching; singeing **2** (*il segno*) singe mark; scorch.

bruciànte a. **1** (*che arde*) burning (*anche fig.*); (*bollente*) hot, scalding: **desiderio b.**, burning desire **2** (*fig.*: *che offende*) burning; stinging; smarting: **una sconfitta b.**, a smarting defeat **3** (*fig.*: *fulmineo*) lightning (attr.): **partenza b.**, lightning start.

bruciapèlo m. – **a b.**, (*da molto vicino*) point-blank, at point-blank range; (*fig.*: *alla sprovvista*) suddenly, point-blank: *Gli sparò a b.*, he fired at him point-blank; **colpo a b.**, point-blank shot; **domanda a b.**, point-blank question.

bruciaprofùmi m. inv. incense burner.

♦**bruciàre** ◼A v. t. **1** to burn* (*anche fig.*); (*distruggere col fuoco*) to burn* down; (*incendiare*) to set* on fire, to set* fire to; (*strinare*) to scorch; to singe: **b. l'arrosto**, to burn the roast; **b. una lettera**, to burn a letter; **b. q. sul rogo**, to burn sb. at the stake; *Mi sono bruciato un dito*, I've burnt my finger; *Ho bruciato la manica col ferro*, I've scorched (o singed) the sleeve with the iron; *L'acquavite gli bruciò la gola*, the brandy burned his throat **2** (*ustionare*) to burn*; (*con liquido o vapore*) to scald: **bruciarsi la lingua**, to scald one's tongue **3** (*consumare*) to burn up: **b. ossigeno**, to burn up oxygen **4** (*corrodere*) to burn* into (o through): *L'acido ha bruciato la stoffa*, the acid has burnt into

the cloth **5** (*cauterizzare*) to cauterize **6** (*inaridire*) to scorch; to parch **7** (*del gelo*) to blacken; to wither; to kill **8** (*fig.*: *consumare, rodere*) to consume; to eat* up: *Lo brucia l'invidia*, he's consumed by envy **9** (*fig.*: *rovinare*) to ruin; to destroy; (*sprecare*) to waste: **bruciarsi la carriera**, to ruin one's career **10** (*fig.*: *superare*) to flash past; to scorch past: **b. gli avversari sul traguardo**, to flash past one's opponents on the finishing line ● (*fig.*) **bruciarsi le ali**, to spoil one's chances □ **b. le distanze**, to burn up the miles □ (*fig.*) **bruciarsi i ponti alle spalle**, to burn one's bridges behind one □ (*fig.*) **b. il semaforo**, to go through a red light; to shoot the lights □ (*fig.*) **b. q. sul filo**, to pip sb. at the post □ (*fig.*) **b. le tappe**, to make lightning progress; to shoot ahead; (*in una carriera*) to shoot to the top □ (*fig.*) **b. i tempi**, to do (st.) in record time **B v. i. 1** to burn*; (*fiammeggiare*) to blaze; (*andare a fuoco*) to be on fire, to be aflame; (*essere distrutto dal fuoco*) to burn* down; (*di arrosto e sim.*) to burn*: *Questa legna non brucia bene*, this wood doesn't burn well; *Il fuoco bruciava allegramente*, the fire was blazing cheerfully; *Sta bruciando il paese*, the village is on fire; *Il teatro bruciò anni fa*, the theatre was burnt down years ago; **b. senza fiamma**, to smoulder; to glow; **lasciar b. una torta**, to burn a cake **2** (*essere molto caldo*) to be hot: *Attento che il piatto brucia!*, careful, the plate is hot!; *La fronte gli brucia dalla febbre*, his forehead is burning with fever; *La donna bruciava di febbre*, the woman was running a high temperature; *Il sole brucia oggi*, the sun is scorching today **3** (*procurare bruciore*) to burn*; to smart; to sting*: *La ferita mi bruciava*, my wound burned; *Il fumo mi faceva b. gli occhi*, the smoke made my eyes smart; *L'alcol mi bruciava sui tagli*, the alcohol stung my cuts **4** (*fig., rif. a emozioni*) to be burning (with); to be itching: **b. di curiosità**, to be burning with curiosity; **b. dalla voglia [dall'impazienza] di fare qc.**, to be burning (*o* to be itching, to be dying) to do st.; to be desperate to do st.; **b. dal desiderio di fare qc.**, to yearn to do st.; to long to do st. **5** (*fig.*: *tormentare*) to rankle; to smart (*pers.*): *Il ricordo di quella sconfitta gli brucia ancora*, the memory of that defeat still rankles; *Gli bruciava l'ingiustizia*, he was smarting under the injustice ● **b. dalla sete**, to have a burning thirst; to be parched □ (*fig.*) **sentirsi b. la terra sotto i piedi**, to have itchy feet **C bruciàrsi** v. rifl. e i. pron. **1** (*ustionarsi*) to burn* oneself; (*con liquido o vapore*) to scald oneself; (*al sole*) to get* sunburnt **2** (*di cibo*) to burn*; to get* burnt **3** (*fig.*: *rovinarsi*) to spoil one's chances; (*esaurirsi*) to burn* out **4** (*di lampadina, valvola*) to burn* out.

bruciàta f. (*caldarrosta*) roast chestnut.

bruciatìccio m. **1** burnt residue (*odore*) smell of burning **3** (*sapore*) burnt taste.

◆**bruciàto A a. 1** burnt, burned; burnt-out: *Non mangiare la parte bruciata*, don't eat the burnt part; **i resti bruciati di una casa**, the burnt-down remains of a house; **un viso b. dal sole**, a sunburnt face **2** (*dal gelo*) frostbitten; blackened **3** (*fig.*: *finito*) finished, ruined; (*sprecato*) wasted; (*esaurito*) burnt-out: *Come uomo politico è b.*, he is finished as a politician; **gioventù bruciata**, wasted youth; (*in USA, negli anni 50*) beat generation **4** (*di lampadina, valvola*) burnt out **5** (*colore*) reddish brown; rust-coloured **B** m. (*sapore*) burnt taste; (*odore*) smell of burning: **sapere di b.**, to taste burnt; **sentire puzza di b.**, to smell something burning; (*fig.*) to smell a rat; *C'è puzza di b.*, I can smell something burning; (*fig.*) there's something fishy here.

bruciatóre m. **1** burner: **b. a ugello**, noz-

---

zle burner; **b. di gas**, gas burner; **b. per nafta**, oil burner **2** (*di rifiuti*) incinerator **3** (*cannello*) torch.

bruciatùra f. **1** (*il bruciare*) burning **2** (*ustione*) burn; (*causata da liquido o vapore*) scald **3** (*strinatura*) scorch; scorch mark; singe **4** (*cauterizzazione*) cauterization.

bruciòre m. **1** burning sensation; smarting; (*causato da fumo, alcol, puntura, ecc.*) smarting, stinging **2** (*fig.*: *desiderio*) burning; yearning **3** (*fig.*: *umiliazione*) sting; smart; bitterness: **il b. di una sconfitta**, the sting of a defeat ● (*med.*) **b. di stomaco**, heartburn; pyrosis.

◆**brùco** m. caterpillar; grub; worm.

brùffolo, brùfolo m. pimple; spot; zit (*USA*).

brufolóso a. pimply; spotty.

brughièra f. moor; moorland; heath.

brùgo m. (*bot.*, *Calluna vulgaris*) heather; ling.

brùgola f. Allen screw ● **chiave a b.**, Allen wrench.

brûlé (*franc.*) a. inv. – **vino b.**, mulled wine.

brulicàme m. swarm.

brulicàre v. i. **1** to swarm (with); to teem (with); to bristle (with); (*di insetti*) to crawl (with), to be alive (with): *La foresta brulicava di vita*, the forest was swarming (*o* teeming) with life; *La piazza brulicava di gente*, the square was swarming with people; **una stanza brulicante di scarafaggi**, a room crawling with cockroaches **2** (*fig.*: *pullulare*) to teem (with): *La testa mi brulicava di progetti*, my head was teeming with plans.

brulichìo m. swarming; swarms (pl.); teeming mass.

brùllo a. bare; naked; bleak; (*arido*) barren: **un monte b.**, a bare mountain.

brulòtto m. (*naut.*) fire ship.

brum m. inv. brougham.

brùma① f. mist; haze; fog.

brùma② f. (*zool.*, *Teredo navalis*) shipworm.

Brumàio m. (*stor. franc.*) Brumaire (*franc.*)

brumìsta m. (*region.*) cab driver; cabman*.

brumóso a. (*lett.*) misty; hazy.

brùna f. dark-haired woman* (*o* girl); brunette.

brunàstro a. brownish.

brunèlla f. (*bot.*, *Brunella vulgaris*) selfheal.

brunimènto m. → **brunitura**.

brunìre v. t. **1** (*lucidare*) to burnish; to polish **2** (*scurire*) to tarnish; (*metall.*) to blue.

brunìto a. **1** (*lucidato*) burnished; polished **2** (*scurito*) tarnished; (*metall.*) blued.

brunitóio m. burnisher.

brunitóre m. (f. **-trìce**) burnisher.

brunitrìce f. (*mecc.*) burnishing machine.

brunitùra f. **1** burnishing; polishing **2** (*metall.*) blueing.

◆**brùno A a.** brown; dark; (*di carnagione*) dark, swarthy; (*scuro di capelli*) dark-haired: **carnagione bruna**, dark complexion; **occhi bruni**, brown eyes; **un ragazzo alto e b.**, a tall, dark-haired boy **B** m. **1** (*colore*) brown **2** (*uomo*) dark-haired man* **3** (*lutto*) mourning.

brùsca① f. scrubbing-brush; (*per cavalli*) horse-brush.

brùsca② f. (*bot.*) scorch.

bruscaménte avv. **1** (*seccamente, con malgarbo*) brusquely; abruptly; bluntly; curtly **2** (*improvvisamente*) suddenly; all at once; all of a sudden.

bruscàre v. t. (*un cavallo*) to groom.

bruscatùra → **brusca②**.

bruschétta f. (*cucina*) garlic bread.

bruschétto m. roundish horse-brush.

---

bruschézza f. **1** brusqueness; abruptness; bluntness; curtness **2** (*asprezza*) sourness; sharpness.

bruschinàre v. t. to scrub.

bruschino m. scrubbing-brush.

◆**brùsco A a. 1** (*ruvido, sgarbato*) brusque, curt, rough; (*secco*) abrupt, blunt, sharp **2** (*aspro*) sharp; sourish; tart: **vino b.**, sharp wine **3** (*stringato*) terse **4** (*improvviso*) abrupt; sudden; sharp: **brusca frenata**, sudden braking; **curva brusca**, sharp bend; **un b. aumento dei prezzi**, a sharp rise in prices; **b. risveglio**, sudden awakening; (*fig.*) rude awakening **B** m. sourish taste.

bruscolìno m. **1** (*alim.*) → **brustolino** (al pl.) chickenfeed Ⓤ; peanuts.

brùscolo m. mote; speck; grain of dust.

brusìo m. (*di insetti*) buzz, buzzing, hum; (*di voci*) hum, (*mormorio*) whispering, murmuring; (*di foglie*) rustling.

brustolino m. (*alim.*) salted and roasted pumpkin seed.

◆**brutàle a. 1** (*da bruto*) brutish **2** (*violento*) brutal; (*feroce*) savage: **un b. assassinio**, a savage murder **3** (*duro, spietato*) brutal; ruthless: **sincerità b.**, brutal sincerity.

brutalìsmo m. (*arte*) Brutalism.

brutalità f. **1** brutishness **2** (*violenza*) brutality; (*ferocia*) savagery **3** (*durezza, spietatezza*) brutality; ruthlessness **4** (*atto brutale*) brutal act; act of violence.

brutalizzàre v. t. **1** to brutalize; to mistreat; to ill-treat; to abuse **2** (*violentare*) to rape.

brùto A a. 1 (*da bruto, animale*) brutal; brutish; animal: **istinti bruti**, brutish instincts; the beast in man; **passioni brute**, animal passions **2** (*brutale, rozzo*) brute: **forza bruta**, brute force **3** (*grezzo*) brute; raw: **materia bruta**, brute matter; raw material; **fatti bruti**, hard facts ● (*chim.*) **formula bruta**, empirical formula **B** m. **1** (*lett.*) brute **2** (*uomo violento*) animal; brute **3** (*maniaco*) psychopath.

Brùto m. (*stor.*) Brutus.

brùtta f. rough copy: **stendere qc. in b.**, to make a rough copy of st.

bruttàre v. t. (*lett.*) **1** to dirty; to soil **2** (*fig.*) to sully; to taint.

bruttézza f. **1** ugliness; unsightliness; unattractiveness; plainness **2** (*sgradevolezza*) unpleasantness, nastiness; (*orrore*) horror **3** (*cosa brutta a vedersi*) ugly sight; eyesore (*fam.*): **bruttezze architettoniche**, architectural eyesores.

bruttino a. (*fam.*) rather plain; homely (*USA*).

◆**brùtto A a. 1** (*a vedersi*) ugly, unsightly; (*poco attraente*) unattractive, plain, homely (*USA*): **un b. edificio**, an ugly (*o* an unsightly) building; **brutte gambe**, ugly legs; **una brutta ferita**, an ugly (*o* nasty) wound; **una brutta cicatrice**, an ugly-looking scar; *Sua moglie è bruttina*, his wife is rather plain; *È b. ma simpatico*, he is not handsome, but he's very pleasant; **b. da far paura**, as ugly as sin **2** (*cattivo, sgradevole*) bad, unpleasant, disagreeable, nasty, ugly, horrible; (*malfatto, scadente*) bad, poor; (*del tempo*) bad, horrible, nasty: **una brutta abitudine**, a bad habit; (*sgradevole*) a nasty habit; **b. tempo**, bad weather; **un b. film**, a bad film; **una brutta faccenda**, an ugly business; **un b. incidente**, a nasty (*o* terrible) accident; **brutte notizie**, bad news; **una brutta giornata**, a terrible day; (*rif. al tempo*) a horrid day; **un b. raffreddore**, a bad (*o* nasty) cold; **un b. segno** (*presagio*), a bad omen; **una brutta voce**, an unpleasant (*o* a disagreeable) voice; **un b. posto**, a horrible place; **un b. voto**, a bad (*o* low) mark; **un b. tipo**, a nasty (*o* mean-looking) individual; *La situa-*

zione è molto brutta, things are looking very bad **3** (*abietto*) base; mean: *È stata una brutta azione*, it was a mean action; it was a base thing to do ● **B. cattivo!**, you naughty boy! □ **b. come la fame** (*o* **come il peccato, come il diavolo**), as ugly as sin □ **B. stupido!**, you idiot! □ **brutta copia**, rough copy □ **brutta figura** → **figura**, *def. 6* □ **brutte parole** (*imprecazioni*), swearwords; four-letter words □ **brutti modi**, bad manners □ **alla brutta**, at (the) worst; if the worst comes to the worst □ **con le brutte**, by recourse to threats (*o* to force); roughly □ **farsi b.** (*del tempo*), to change for the worse □ **mare b.**, rough sea ● **Me la sono vista brutta**, I thought I was done for; I had a narrow escape □ **Ce la vedremo brutta!**, there'll be hell to pay! **B** m. **1** (the) ugly; ugliness **2** (*uomo b.*) ugly man* ● **Il b. è che...**, the worst of it (*o* the trouble) is that... □ **Il tempo si mette al b.**, the weather is changing for the worse **C** avv. **- di b.**, (*all'improvviso*) suddenly, abruptly, rudely; (*furiosamente*) furiously, violently, angrily; **interrompere di b.**, to interrupt suddenly; **guardare (di) b. q.**, to give sb. a nasty (*o* dirty) look; *Pioveva di b.*, it was raining hard; it was coming down in buckets (*fam.*).

bruttùra f. **1** (*cosa brutta*) ugly (*o* awful) thing; monstrosity; eyesore **2** (*sudiciume*) filth □ **3** (*cosa abietta*) shameful thing; (*cosa meschina*) mean thing.

Bruxelles f. (*geogr.*) Brussels.

bruxìsmo m. (*med.*) bruxism.

BS abbr. (**Brescia**).

BT sigla **1** (*fis.*, **bassa tensione**) low voltage (LV) **2** (**buono del Tesoro**) Treasury bond **3** (**Barletta-Andria-Trani**).

BTE sigla (**buono del Tesoro in ECU**) Treasury bond in ECUs.

btg. abbr. (*mil.*, **battaglione**) battalion.

BTP sigla (**buono del Tesoro poliennale**) (long-term) Treasury bond.

BTZ sigla ((**gasolio**) **a basso tenore di zolfo**) low-sulphur diesel.

BU sigla (**bollettino ufficiale**) Official Gazette; Official Journal.

bu, buu, buh inter. e m inv. boo ● (*allo stadio*) **bu razzisti**, racist chants (*o* chanting).

bùa f. (*infant.*) pain; ache; (*ferita*) cut, scratch: **avere la bua al pancino**, to have a tummy-ache; **farsi la bua**, to hurt oneself; **far passare la bua**, to make it all better.

buàggine f. stupidity; foolishness.

bùbalo m. (*zool.*, *Bubalis*) hartebeest; bubal.

bùbbola f. **1** (*fandonia*) lie; fib; story **2** (*inezia*) trifle; bagatelle.

bubbolàre v. i. (*region.*) to rumble.

bubbolièra f. (horse's) collar with bells.

bùbbolio m. (*lett.*) **1** (*rumore sordo*) rumble; roll **2** (*tintinnio*) ringing; tinkling.

bùbbolo m. harness bell.

bubbóne m. **1** (*med.*) bubo*; (*com.*) lump, swelling **2** (*fig.*) cancer; blight.

bubbònico a. (*med.*) bubonic: **peste bubbonica**, bubonic plague.

◆**bùca** f. **1** hole; hollow; (*fossa*) pit, crater; (*di strada*) pothole: **colmare una b.**, to fill in a hole; **scavare una b.**, to dig a hole; **una strada piena di buche**, a road full of potholes **2** (*di biliardo*) pocket: **far b.**, to pocket the ball **3** (*di golf*) hole: **far b.**, to hole out **4** (*tana*) den; lair; hole; (*di coniglio, talpa*) burrow **5** (*di divano, ecc.*) hollow ● **b. delle lettere**, letter box; mailbox (*USA*) □ **b. dell'orchestra**, orchestra pit □ (*teatr.*) **b. del suggeritore**, prompt box □ (*fig.*) **andare a b.**, to succeed.

bucanéve m. (*bot.*, *Galanthus nivalis*) snowdrop.

bucanière m. buccaneer; pirate.

◆**bucàre** **A** v. t. **1** (*fare un buco*) to hole; to make* a hole in; to bore a hole through; (*perforare*) to pierce, to perforate; (*punzonare*) to punch a hole in, to punch: **b. una parete**, to make a hole in (*o* to bore a hole through) a wall; **b. un biglietto**, to punch (a hole in) a ticket; **farsi b. le orecchie**, to have one's ears pierced **2** (*pungere*) to prick; (*ferire*) to pierce: **bucarsi un dito**, to prick a finger **3** (*pneumatico*) to puncture; (*assol.*) to get* a flat (tyre), to get* a puncture **4** (*mancare*) to miss: (*calcio*) to miss-kick; (*giorn.*) **b. una notizia**, to miss out on a story ● (*TV*) **b. lo schermo**, to have natural presence **B** v. intr. pron. e rifl. **1** to have (got) a hole in it; (*di stoffa, ecc.*) to wear* through: *Il sacchetto si è bucato*, the bag's got a hole in it; *Mi si è bucata la giacca sul gomito*, my jacket has worn through at the elbow **2** (*di pneumatico*) to puncture: *A metà strada si bucò una gomma anteriore*, we were half-way there when we got a flat front tyre **3** (*pungersi*) to prick oneself **4** (*gergo della droga*) to shoot* up; to mainline.

Bùcarest f. (*geogr.*) Bucharest.

bucàto ① a. holed; with a hole in it; (*forato*) pierced, perforated; (*punzonato*) punched: **un calzino b.**, a sock with a hole in it; **orecchie bucate**, pierced ears; **un golf b. sui gomiti**, a sweater worn through at the elbows ● (*fig.*) **avere le mani bucate**, to be a spendthrift.

bucàto ② m. wash; washing; laundry: **fare il b.**, to do the washing; **mettere qc. in b.**, to put st. in the wash; **stendere il b.**, to hang out the washing; **stirare il b.**, to do the ironing; **cesta del b.**, laundry basket; (*fresco*) **di b.**, freshly laundered; clean.

bucatùra f. **1** (*il bucare*) holing; piercing; punching: (*di pneumatico*) puncturing **2** (*buco*) hole; (*di pneumatico*) puncture, flat (*fam.*).

◆**bùccia** f. **1** (*di frutto*) peel; skin; (*spessa*) rind; (*di patata*) peel, (al pl.) peelings: **b. di banana**, banana skin; **b. di cocomero**, watermelon rind; **b. di mela [di limone]**, apple [lemon] peel **2** (*corteccia*) bark **3** (*pellicola*) skin: **la b. del salame**, the skin of salami **4** (*fam.: pelle umana*) skin; hide (*fam.*) ● (*fig.*) **avere la b. dura**, to be tough □ (*fig. fam.*) **lasciarci la b.**, to die; to cop it (*slang*); to snuff it (*slang*) □ (*fig.*) **rivedere (o fare) le bucce a q.**, to pick holes in sb.'s work; to find faults with sb.; (*criticare*) to badmouth sb. □ **salvare la b.**, to save one's skin □ (*fig.*) **scivolare su una b. di banana**, to slip on a banana skin.

buccina f. **1** (*conchiglia*) conch **2** (*mus.*, *stor.*) bugle.

buccinatóre m. (*anat.*) buccinator.

bùccola f. **1** (*orecchino*) earring **2** (*ricciolo*) lock; ringlet; curl.

bucèfalo m. (*scherz.*) nag; hack; jade.

Bucèfalo m. (*mitol.*) Bucephalus.

bùcero m. (*zool.*, *Bucerus rhinoceros*) hornbill.

bucherellàre v. t. to perforate; to prick with holes; to riddle with holes.

bucherellàto a. perforated; full of holes; riddled with holes: **una scatola bucherellata**, a perforated box; *La parete era tutta bucherellata*, the wall was riddled with holes.

bucintòro m. (*stor.*) bucentaur.

◆**bùco** ① m. **1** hole: **b. della chiave**, keyhole; **un b. nella tasca**, a hole in one's pocket; **fare un b. in un muro**, to bore a hole through a wall; **chiudere (o tappare) un b.**, to stop up a hole **2** (*fig. fam.*: *bugiattolo*) cubbyhole; (*abitazione*) hole, box: *Dormiva in un b. di stanza*, she slept in a sort of cubbyhole **3** (*vuoto, lacuna*) gap: *C'è un b. di tre ore nel suo alibi*, there is a three-hour gap in his

alibi; **tappare un b.**, to fill a gap; **trovare un b. per q.** (*per un appuntamento*), to slot sb. in **4** (*ammanco*) cash deficit; (*debito*) debt: **un b. di dieci milioni nel bilancio**, a cash deficit of five million in the books; **tappare un b.**, to pay off a debt **5** (*gergo della droga*) shot; fix ● (*naut.*) **b. del gatto**, lubber's hole □ (*astron.*, *fis.*) **b. nero**, black hole □ (*fig.*) **aprire un b. per tapparne un altro**, to rob Peter to pay Paul □ **L'ho cercato in tutti i buchi**, I looked for it everywhere (*o* high and low) □ (*fig.*) **fare un b. nell'acqua**, to fail; to draw a blank (*fam.*) □ **farsi il b. alle orecchie**, to have one's ears pierced □ **Non ho trovato un b. per parcheggiare**, I couldn't find a parking place anywhere □ **vivere nel proprio b.**, to lead a very retired life.

bùco ② a. – (*fam.*) **andare buca**, to fail; (*fam.*) **avere un'ora buca**, to have a free hour; **osso b.** → **ossobuco**.

bucòlica f. pastoral poem; bucolic: **le Bucoliche di Virgilio**, Virgil's Bucolics.

bucòlico a. bucolic; pastoral.

bucòrvo m. (*zool.*, *Bucorax abyssinicus*) African hornbill.

Bùdda, Buddha m. (*relig.*) Buddha ● **sedere alla B.**, to sit cross-legged; to sit in the lotus position □ **viso da B.**, Buddha-like face.

buddhìsmo e deriv. → **buddismo**, e deriv.

buddìsmo m. (*relig.*) Buddhism.

buddista m. e f. (*relig.*) Buddhist.

buddìstico a. (*relig.*) Buddhist.

budèllo m. (pl. **budèlla**, f., *nella def. 1*) **1** (al pl.) (*pop.*) bowels; guts; entrails: **sentirsi torcere le budella**, (*dal dolore*) to have belly-ache; (*dalla paura*) to be scared stiff; **riempirsi le budella**, to stuff oneself **2** (*fig.*: *vicolo stretto*) alley; (*cunicolo*) narrow passage **3** (*tubo sottile*) narrow tube **4** (*filo di minugia*) catgut.

budget (*ingl.*) m. inv. (*fin.*, *rag.*) budget: **b. pubblicitario**, advertising budget.

budgetàrio a. (*fin.*, *rag.*) budgetary.

◆**budino** m. (*cucina*) pudding.

◆**bùe** m. (pl. **buòi**) **1** (*zool.*, *Bos*) ox*: **bue da lavoro**, draught-ox; **aggiogare i buoi**, to yoke the oxen; **carne di bue**, beef **2** (*fig.*) blockhead; dolt ● (*zool.*) **bue marino**, dugong □ (*zool.*) **bue muschiato** (*Ovibos moschatus*), musk ox □ (*zool.*) **bue tibetano**, yak □ (*fig.*) **chiudere la stalla dopo che i buoi sono scappati**, to lock the stable door after the horse has bolted □ (*fig.*) **mettere il carro innanzi ai buoi**, to put the cart before the horse □ (*fig.*) **occhi di bue**, protruding (*o* bulging) eyes □ (*archit.*) **occhio di bue**, bull's eye (window) □ **sangue di bue** (*colore*), dark red; oxblood colour □ **uova all'occhio di bue**, fried eggs.

bùfala f. **1** (*zool.*) cow buffalo*: **latte di b.**, buffalo milk **2** (*fig. scherz.*: *errore marchiano*) blunder; clanger **3** (*giorn.*) spoof story; canard (*franc.*) **4** (*fig. scherz.*: *cosa scadente*) bummer (*slang*); (*film, ecc.*) turkey (*slang USA*).

bùfalo m. **1** (*zool.*, *Bubalus*) buffalo*: **b. indiano** (*Bubalus bubalus*), water buffalo **2** (*fig.*) clumsy man*; big lump of a man*.

bufèra f. **1** storm; tempest: **b. di neve**, snowstorm; blizzard; **b. di vento**, gale; windstorm **2** (*fig.*) storm; turmoil; tumult.

buffàre v. t. (*nel gioco della dama*) to huff.

buffàta f. (*di vento*) gust, flurry; (*di fumo*) puff, whiff.

bufferizzàre v. t. (*comput.*, *elettr.*) to equip with a buffer.

buffet (*franc.*) m. inv. **1** (*credenza*) cupboard; (*tavola di servizio*) sideboard **2** (*rinfresco*) buffet; refreshments (pl.) **3** (*caffè ristorante*) buffet; refreshment bar; snack bar.

buffetteria① f. buffet service.
buffetteria② f. (*mil.*) accoutrements (pl.).
buffétto m. **1** (*schiocco di dita*) flick **2** (*colpo leggero*) pat; (*sotto il mento*) chuck: **dare un b. sulla gota a q.**, to pat sb. on the cheek.
♦**bùffo**① Ⓐ a. **1** (*divertente*) funny; amusing; comical, droll **2** (*strano*) funny; odd **3** (*teatr.*) comic: **opera buffa**, comic opera Ⓑ m. **1** (*cosa buffa*) funny thing; (*aspetto comico*) comic side: *Il b. è che lui non se n'era accorto*, the funny thing was (that) he hadn't noticed; **il b. di una situazione**, the comic side of a situation **2** (*mus., teatr.*) buffo*.
bùffo② m. (*di vento*) gust, flurry; (*di fumo*) puff, whiff.
buffonàta f. **1** (*cosa ridicola*) farce **2** (*comportamento ridicolo*) tomfoolery Ⓤ; clownery Ⓤ; buffoonery Ⓤ; antic.
buffóne m. (*stor.*) jester; fool **2** (*tipo ameno*) joker; (*pagliaccio*) clown, buffoon, fool: **fare il b.**, to play the fool (*o* the clown); to fool around; to horse around **3** (*spreg.*) *persona non seria*) fool; charlatan; fraud.
buffoneggiàre v. i. to play the fool (*o* the clown); to fool around; to horse around.
buffonerìa f. buffoonery Ⓤ; clowning Ⓤ; tomfoolery Ⓤ.
buffonésco a. clownish; buffonish; silly.
buftalmìa f. (*med.*) buphthalmos.
buftàlmo m. **1** (*bot.*, *Buphthalmum salicifolium*) oxeye **2** (*med.*) buphthalmos; congenital glaucoma.
buganvìllea f. (*bot.*, *Bougainvillea spectabilis*) bougainvillea.
buggeràre v. t. (*region.*) to swindle; to cheat; to con (*slang*); to gyp (*slang*).
buggeràta, **buggeratùra** f. (*region.*) swindle; cheat; con (*slang*): **prendere una b.**, to be swindled.
bugìa① f. (*candeliere*) candlestick.
♦**bugìa**② f. **1** lie; (*frottola*) fib: **dire bugie**, to tell lies; to lie; *Non dirmi bugie!*, don't lie to me; **un mucchio di bugie**, a pack of lies **2** (*fam.*) white spot (on a fingernail) • (*prov.*) **Le bugie hanno le gambe corte**, lies soon catch up with you.
bugiardàggine f. untruthfulness; deceitfulness.
bugiardìno m. patient information leaflet (for medicines).
♦**bugiàrdo** Ⓐ a. lying; false; untruthful; deceitful: **lingua bugiarda**, lying tongue; **promessa bugiarda**, vane promise; *Non essere b.*, don't tell lies; don't lie to me Ⓑ m. (f. *-a*) liar: **un b. incorreggibile**, an inveterate liar; **dare del b. a q.**, to accuse sb. of lying; to call sb. a liar.
bugigàttolo m. **1** (*stanzino*) cubbyhole; boxroom (*GB*); closet (*USA*) **2** (*stanza angusta*) poky little room; hole.
bugliòlo m. **1** (*naut.*) bucket **2** (*nelle carceri*) slop pail.
buglòssa f. (*bot.*, *Anchusa officinalis*) bugloss: **b. vera**, borrago.
bùgna f. **1** (*archit.*) rusticated ashlar: **b. liscia [rustica]**, smooth [rough] rusticated ashlar **2** (*naut.*) clue, clew.
bugnàre v. t. (*archit.*) to rusticate.
bugnàto m. (*archit.*) rusticated ashlar-work; rustication: **b. a punta di diamante**, diamond rustication; **b. liscio**, smooth rustication; **b. rustico**, rough rustication.
bùgno m. beehive; skep.
♦**bùio** Ⓐ a. **1** dark: **una notte buia**, a dark night; **un vicolo b.**, a dark alley; **anni bui**, dark years **2** (*fig.*: *accigliato*) frowning; grim; dark: **farsi b. in viso**, to frown Ⓑ m. **1** (*oscurità*) darkness, dark; (*imbrunire*) nightfall: **b. fitto** (*o* pesto), pitch dark; **al b.**,

in the dark; *Si fa b.*, it's getting dark; **partire col b.**, to leave at nightfall; **uscire col b.** (*o* quando fa b.), to go out after dark **2** (*poker, anche* **apertura al b.**) blind; **aprire al b.**, to open blind • (*fig.*) **fare un salto nel b.**, to take a chance.
bulbàre a. bulbar.
bulbicoltùra f. bulb growing.
bulbifórme a. bulb-shaped.
bùlbo m. **1** (*bot.* e *tecn.*) bulb **2** (*dell'occhio*) eyeball **3** (*di pelo*) hairbulb.
bulbocàstano m. (*bot.*, *Bunium bulbocastanum*) earthnut; pignut.
bulbósa f. (*bot.*) bulbous plant; plant growing from a bulb.
bulbóso a. bulbous.
bùlgaro Ⓐ a. Bulgarian Ⓑ m. **1** (f. *-a*) Bulgarian **2** (*cuoio*) Russian leather **3** (*ling.*) Bulgarian.
bulicàme m. **1** (*geol.*) mud volcano **2** (*fig.*) teeming mass; horde.
bulimìa f. (*med.*) bulimia.
bulìmico (*med.*) Ⓐ a. bulimic Ⓑ m. (f. *-a*) bulimic (*scient.*); compulsive eater.
bulinàre v. t. to engrave.
bulinatóre m. engraver.
bulinatùra f. engraving.
bulìno m. burin; graver.
bulldog (*ingl.*) m. inv. (*cane*) bulldog.
bulldozer (*ingl.*) m. inv. bulldozer.
bullétta f. (*chiodo*) tack; (*per scarpe*) hobnail.
bullettàme m. nails and tacks (pl.).
bullettàre v. t. to tack; to nail.
bullìsmo m. bullying, hectoring.
bùllo m. **1** (*tipo spavaldo*) swaggerer: **fare il b.**, to swagger **2** (*teppista*) tough; bully; bullyboy (*fam.*).
bullonàre v. t. (*mecc.*) to bolt.
bullonatùra f. (*mecc.*) bolting.
bullóne m. (*mecc.*) bolt; screw bolt: **b. a chiavetta**, cotter bolt; **b. a occhio**, eye-bolt; **b. a staffa**, lug bolt; strap bolt; **b. con dado**, bolt and nut; **b. passante**, through bolt; **testa del b.**, bolthead.
bulloneria f. **1** (*fabbrica*) bolt factory **2** (*insieme di bulloni*) bolts and nuts (pl.).
bum inter. (*onom.*) boom; bang **2** (*escl. di incredulità*) pull the other one!; come off it!; no kidding! (*USA*).
bùmerang → **boomerang**.
bungalow (*ingl.*) m. inv. bungalow; (*casa per vacanze*) holiday chalet.
bùnker① (*ingl.*) m. inv. **1** (*per combustibile*) (coal) bunker **2** (*golf*) bunker.
bùnker② (*ted.*) m. inv. (*mil.*) bunker • **aula b.**, high-security courtroom.
bunkeràggio m. (*naut.*) bunkering.
bunkeràre v. t. (*naut.*) to bunker.
buonaféde f. **1** good faith: **essere [agire] in b.**, to be [to act] in good faith; (*leg.*) to act bona fide **2** (*fiducia*) trust; (*innocenza*) innocence: **approfittare della b. di q.**, to take advantage of sb.'s trust; **persona di b.**, trusting person.
buonagràzia f. kindness; courtesy: **con b.**, with a good grace; **con vostra b.**, with your permission.
buonalàna f. rascal; scoundrel; scapegrace.
buonamàno f. tip.
buonànima Ⓐ f. (the) dear departed Ⓑ a. late-departed; late-lamented: **mio zio b.** (*o* la b. di mio zio), my late-lamented uncle; my uncle, God rest his soul.
buonanòtte inter. e f. goodnight: **dare [augurare] la b.**, to say [to wish] goodnight; *B. a tutti!*, goodnight everybody!; (*fam.*) *Io me lo tengo e b.!*, I'm going to keep it and that's that! ❶ NOTA: *goodnight* →

goodbye.
♦**buonaséra** inter. e f. good evening; (*come commiato*) goodbye: **dare la b.**, to say good evening. ❶ NOTA: *goodbye* → **goodbye**, ❶ NOTA: *hello* → **hello**.
buoncostùme Ⓐ m. (public) morality; (public) decency • **squadra del b.**, vice squad Ⓑ f. vice squad.
buondì → **buongiorno**.
♦**buongiórno** inter. e m. good day; (*al mattino*) good morning; (*di primo pomeriggio*) good afternoon; (*come commiato*) goodbye: **dare il b.**, to say good day; *B. a tutti!*, good morning everybody! ❶ NOTA: *goodbye* → **goodbye**, ❶ NOTA: *hello* → **hello**.
buongovèrno m. good government.
buongràdo vc. – **di b.**, willingly; with pleasure; gladly.
buongustàio m. (f. *-a*) **1** (*chi ama la buona tavola*) gourmet; gastronome **2** (*intenditore*) food connoisseur; food authority.
buongùsto m. **1** good taste: **avere b.**, to have good taste; **di b.**, in good taste; tasteful (agg.); **tappezzeria di b.**, tasteful wallpaper; **mobili disposti con b.**, tastefully arranged furniture **2** (*fig.*) decency: *Abbi il b. di tacere*, please have the decency not to speak.
buonìsmo m. good feelings (pl.); (*polit.*) conciliatory attitude.
buonìsta Ⓐ a. feel-good (attr.); (*polit.*) conciliatory Ⓑ m. e f. person full of good feelings; (*polit.*) conciliatory person.
♦**buòno**① Ⓐ a. **1** (*che ha bontà d'animo*) good; (*gentile*) kind, kindly; (*di buon carattere*) good-natured: **un uomo b.**, a good man; **un buon uomo**, a good fellow; a good-natured man; a decent man; a good sort; **un'anima buona**, a kind soul; **parole buone**, kind words; **opere buone**, good works; **buoni proponimenti**, good intentions; **essere b. con q.**, to be good (*o* kind) to sb.; *Ha un buon cuore*, he has a kind heart; he is kind-hearted; *Troppo b.!*, you are too kind! **2** (*per bene*) good; decent: **buone maniere**, good manners; **una ragazza di buona famiglia**, a girl of good family **3** (*tranquillo*) quiet; good: *Buoni, ragazzi!*, be good (*o* be quiet), children!; *Se stai b. ti porto al cinema*, if you behave I'll take you to the cinema; **starsene b.**, to be quiet; **starsene b. e zitto**, to be as quiet as a mouse; (*fig. iron.*) to lie low **4** (*bravo, abile, capace*) good; fine; capable: **un buon autista**, a good driver; **un buon insegnante**, a good teacher; **una buona madre**, a good mother; (*region.*) *Non è b. ad allacciarsi le scarpe*, he can't tie his shoelaces; (*region.*) *È solo b. a brontolare*, he does nothing but grumble **5** (*di buona qualità*) good, fine; (*funzionante*) working; (*efficace, adatto*) good, fit: **un buon cavallo**, a fine horse; **terreno b.**, good soil; **vista buona**, good eyesight; *I freni sono buoni?*, are the brakes good?; **una medicina buona per il mal di testa**, a medicine that works for headaches; **b. da mangiare [da bere]**, good (*o* fit) to eat [to drink]; edible [drinkable] **6** (*bello, gradevole, piacevole*) good; nice; lovely; (*di cibo*) good, delicious: **cibo b.** (*o* fine) food; **buone notizie**, good news; *Che b. questo ripieno!*, this stuffing is delicious! **7** (*del tempo*) good, fine; (*del clima*) good, healthy **8** (*valido*) valid; (*genuino*) real, genuine: **una buona scusa**, a good excuse; **oro b.**, real gold; **perle buone**, genuine pearls; *Il biglietto è b. per tre giorni*, the ticket is good (*o* valid) for three days; *Non è un buon motivo per...*, that's no reason to... **9** (*vantaggioso, utile*) good; favourable; profitable: **una buona occasione**, a good opportunity; **un buon affare**, a bargain; *È un buon partito*, he's a good match **10** (*considerevole, abbondante*) good; full; (con sost. pl.) a good;

(*almeno*) at least: *Se ne prese una buona fetta*, she took a nice thick slice; (*fig.*) **una buona lavata di testa**, a good scolding; *Abbiamo fatto un buon tratto di strada*, we've come a good way; **un'ora buona**, a full hour; over an hour; **una buona metà**, a good half; at least half; **due miglia buone**, a good two miles; at least two miles; *Dovrò stare a letto una settimana buona*, I'll have to stay in bed at least one week **11** (*nelle esclamazioni*) good; happy (o idiom.): *Buon compleanno!*, happy birthday!; *Buon divertimento!*, have a good time!; *Buona fortuna*, good luck!; *Buon giorno!* → **buongiorno**; *Buon Natale!*, happy (o merry) Christmas!; *Buona notte!* → **buonanotte**; *Buona permanenza!*, have a nice stay!; enjoy your stay!; *Buon pranzo!*, enjoy your meal!; *Buon riposo!*, sleep well!; *Buon viaggio!*, have a pleasant journey!; bon voyage! (*franc.*) ● **buon'anima** → **buonanima** □ **b. come un agnellino**, as good as gold; (*iron.*) as meek as a lamb ● **b. come il pane**, that has a heart of gold □ **buona condotta**, good behaviour; (*anche leg.*) good conduct □ (*leg.*) **buon costume** → **buoncostume** □ **buon Dio** (*o Dio b.!*), Good Lord!; Goodness gracious! □ (*fig.*) **buona lana** → **lana** □ **Buon pro ti faccia**, enjoy it!; (*iron.*) much good may it do you!, bully for you! (*fam.*) □ **buon senso** → **buonsenso** □ **la buona società**, high society □ (*fig.*) **la buona tavola**, good food □ **buon tempo** → **buontempo** □ **buon umore** → **buonumore** □ **buona volontà**, good will □ **a buon diritto**, by right □ **a buon prezzo**, cheap (agg.); cheaply (avv.) □ **Il lavoro è a buon punto**, the work is making good progress □ **Sono a buon punto**, I'm more than half-way through it; I've almost finished □ **l'abito b.**, one's Sunday best □ **a farla buona**, (*a un dipresso*) broadly speaking, by and large; (*almeno*) at least: *A farla buona ci sono tre kilometri di strada*, it is at least three kilometres away □ **alla buona**, (agg.) informal, unsophisticated, casual, simple; (avv.) informally, simply, casually, plainly; **un discorso alla buona**, an informal speech; **gente alla buona**, (*alla mano*) down-to-earth (o straightforward) people; (*modesta*) simple people; **una ragazza alla buona**, an unsophisticated girl; **vestito alla buona**, casually dressed □ **alla buon'ora!** → **buonora** □ **al momento b.**, at the right moment □ **bello e b.** → **bello** □ **con le buone**, (*con bei modi*) with kindness, gently; (*senza protestare*) quietly, without making a fuss □ **con le buone o con le cattive**, by hook or by crook; by fair means or foul (*lett.*) □ **di buon grado**, willingly; with pleasure □ **di buon mattino**, early in the morning □ **di buon'ora**, early □ **di buona voglia**, willingly; readily; (*con energia*) energetically □ **Dio ce la mandi buona**, let's hope for the best; let's keep our fingers crossed □ **essere in buona**, (*di buon umore*) to be in a good mood; (*in buoni rapporti*) to be on good terms (with sb.) □ (*fig.*) **essere in buone acque**, to be well off □ **mettere una buona parola per q.**, to put in a good word for sb. □ **prendere qc. per b.**, to accept st.; to believe st. □ **stare di buon animo**, to be in good spirits □ **tenersi b. q.**, to keep in with sb.; to keep on the right side of sb. □ **Questa sì che è buona!**, that's really a good one! □ **Questa è un'ora buona**, this is a good moment (*o* a convenient time) □ **Finiscila una buona volta!**, do stop it, will you!; have done with it! **B** m. **1** (*cosa buona*) good; good thing; (*bontà*) goodness: *C'è del b. in questo libro*, there are some good things in this book; *C'è del b. in quel che dici*, there's something in what you say; *C'è niente di b. al cinema stasera?*, is there anything good on at the cinema tonight?; *Che cosa hai mangiato di b.?*, what did you have to eat?; *sapere di b.*, (*al gusto*) to taste

good; (*all'odorato*) to smell good; *Ha questo di b., che...*, one good thing about it is...; *Questa carne è insipida; tutto il b. se n'è andato nella bollitura*, this meat is tasteless; all the goodness has been boiled out of it (*o* was boiled away) **2** (f. **-a**) good person; good man* (m.); good woman* (f.): **i buoni**, good people; the good; (*in un film, ecc.*) the good guys; **i buoni e i cattivi**, the good and the wicked ● **un b. a nulla**, a good-for-nothing □ **Buon per me che...**, it's just as well... □ **Buon per te!**, lucky you!; good for you!; (*iron.*) bully for you! (*fam.*) □ **del bello e del b.** → **bello** □ **fare il b.**, to be good □ **essere un poco di b.**, to be no good; to be a bad lot □ **portare b.**, to bring good luck; to be lucky.

♦**buòno** ② m. **1** (*comm.*, *econ.*) bond; bill; note; order; warrant: **b. di carico** (*di magazzino*), warehouse bond; **b. di consegna**, delivery order; **b. del Tesoro**, Treasury bond (o bill); **buoni di risparmio**, savings bonds **2** (*tagliando*) coupon; voucher: **b. benzina**, petrol coupon; **b. d'acquisto**, purchase voucher; **b. di cassa**, cash voucher; **b. pasto**, luncheon voucher; meal ticket; **b. premio**, gift stamp; **b. sconto**, discount voucher.

buonòra f. – **alla b.!**, at last!; (*grazie a Dio!*) thank goodness!; **di b.**, early.

buonsènso m. common sense: **non avere un briciolo di b.**, not to have an ounce of common sense; **pieno di b.**, sensible; **il comune b.**, common sense.

buontèmpo m. good time: **darsi al b.**, to have a good time; to have fun.

buontempóne A m. (f. **-a**) jolly person; (*burlone*) joker, prankster **B** a. jovial; jolly.

buonumóre m. good mood; high spirits (pl.): **essere [mettere] di b.**, to be [to put] in a good mood.

buonuòmo m. **1** good-natured man*; good fellow; (a) good sort **2** (*come vocat.*) my good man.

buonuscìta f. **1** (*per cessione di locali*) payment for surrender of lease **2** (*indennità di licenziamento*) severance pay; compensation for loss of employment; golden handshake (*fam.*) **3** (*indennità di fine rapporto per pensionamento*) retirement (o leaving) bonus.

buprèste m. (*zool.*, *Buprestis*) buprestid.

burattàre v. t. to sieve; to bolt.

burattinàio m. (f. **-a**) **1** puppeteer; puppet master **2** (*fabbricante*) puppet maker **3** (*fig.*) manipulator; mastermind.

burattinàta f. **1** puppet show **2** (*fig.*) ludicrous show; farce.

burattinésco a. puppet-like; (*sciocco*) foolish, clownish.

♦**burattino** m. **1** puppet; glove puppet; hand puppet: **teatro dei burattini**, puppet theatre; **spettacolo di burattini**, puppet show **2** (*fig.*) puppet; pawn.

buràtto m. **1** (*ind. tess.*) cheesecloth **2** (*tecn.*) sifter; sieve.

bùrba f. (*gergo mil.*) raw recruit; rookie (*fam.*); yardbird (*fam.*, *USA*).

burbànza f. haughtiness; arrogance; self-importance.

burbanzóso a. haughty; arrogant; self-important.

bùrbera f. (*mecc.*) windlass.

bùrbero a. gruff; grumpy; crusty; (*brusco*) rough ● **un b. benefico**, a good man with a rough exterior; a bear with a soft heart □ **un tipo b.**, a grump.

burchièllo m. (*naut.*) wherry.

bùrchio m. (*naut.*) (river) barge.

bùre f. (*di aratro*) beam.

bureau (*franc.*) m. inv. **1** (*mobile*) writing desk; bureau (*GB*) **2** (*in un albergo*) reception desk.

burétta f. (*chim.*) burette.

burgraviàto m. (*stor.*) burgraviate.

burgràvio m. (*stor.*) burgrave.

burgùndo a. e m. (*stor.*) Burgundian.

buriàna f. (*fig. pop.*: *trambusto*) turmoil, bedlam Ⓤ, hullaballoo; (*chiasso*) racket.

burìna ① f. (*spreg.*) **1** (*contadina*) peasant woman* **2** (*donna zotica*) coarse (o vulgar) woman*.

burìna ② → **bolina**.

burìno A m. (*spreg.*) **1** (*contadino*) peasant; yokel **2** (*uomo zotico*) boor; lout; clodhopper **B** a. (*spreg.*) boorish; hick (*USA*).

bùrka → **burqa**.

bùrla f. **1** (*scherzo*) practical joke, prank, trick; (*falso allarme*) hoax; (*presa in giro*) mockery, ridicule Ⓤ: **fare una b. a q.**, to play a trick on sb.; **per b.**, as a joke; for fun; **mettere in b. qc.**, to make light of st.; **da b.**, laughable (agg.); farcical (agg.) **2** (*inezia*) joke; child's play; piece of cake: *Non è mica una b.*, it's is no joke.

♦**burlàre A** v. t. to make a fool of **B** v. i. to joke **C** **burlàrsi** v. i. pron. to make* fun (of); to poke fun (at); to laugh (at).

burlésco a. burlesque; farcical.

burlétta f. joke: **mettere in b.**, to ridicule; to make fun of.

burlóne A m. (f. **-a**) practical joker; prankster; jester **B** a. jocular; playful.

burnùs m. inv. burnous.

buròcrate m. e f. **1** (*impiegato statale*) civil servant **2** (*spreg.*) bureaucrat; apparatchik.

burocratése m. (*spreg.*) officialese.

burocràtico a. bureaucratic; administrative: **apparato b.**, bureaucratic machine; **linguaggio b.**, officialese; **lungaggini burocratiche**, bureaucratic delays; red tape Ⓤ.

burocratìsmo m. bureaucratism.

burocratizzàre v. t. to bureaucratize.

burocratizzazióne f. bureaucratization.

burocrazìa f. **1** bureaucracy; (*spreg.*: *lungaggini*) red tape **2** (*amministrazione statale*) civil service; civil servants (pl.).

buròtica f. office automation.

bùrqa m. o f. inv. burka.

burràsca f. **1** storm; gale; tempest: **b. magnetica**, magnetic storm; **avviso di b.**, gale warning; **mare in b.**, very rough sea; **tempo di b.**, stormy weather **2** (*fig.*) trouble; storm: **b. in famiglia**, trouble in the family; **burrasche finanziarie**, financial troubles; *Tira aria di b.!*, there's a storm brewing!

burrascóso a. (*anche fig.*) stormy: **mare b.**, stormy sea; **riunione burrascosa**, stormy meeting.

burrièra f. butter dish.

burrificàre v. t. to churn.

burrificazióne f. churning; butter-making.

burrifìcio m. creamery; (butter) dairy.

♦**bùrro** m. butter: **b. da tavola**, table butter; **b. fuso**, melted butter; **una noce di b.**, a knob of butter; **un panetto di b.**, a packet of butter; a pat of butter; **pane e b.**, bread and butter; buttered bread; **pasta al b.**, pasta with butter; **uova al b.**, fried eggs ● **b. di arachidi**, peanut butter □ **b. di cacao**, cocoa butter; (*per labbra*) lipsalve (*GB*), chapstick (*USA*) □ (*bot.*) **albero del b.** (*Butyrospermum parkii*), shea □ (*fig.*) **avere le mani di b.**, to be butterfingered □ **Questa carne è un b.!**, this meat melts in your mouth! □ **tenero come il b.**, as soft as butter.

♦**burróne** m. ravine; gully; gulch (*USA*).

burróso a. buttery.

burundèse A a. Burundian; of Burundi; from Burundi **B** m. e f. Burundian; native (o inhabitant) of Burundi.

bus m. inv. **1** → **autobus 2** (*comput.*) bus.

♦**buscàre** v. t. to get*; (*malattia*) to catch*: **buscarsi una pallottola nel braccio**, to get bullet in one's arm; **buscarsi un raffreddore**, to catch a cold; **buscarsi una ramanzina**, to get a scolding; **buscarle**, to catch it.

buscheràre v. t. (*region.*) to cheat; to swindle; to con (*fam.*).

buscheràta f. (*region.*) **1** (*sproposito*) howler; nonsense ⓤ; (*fandonia*) lie, whopper (*fam.*) **2** (*cosa da nulla*) piece of cake (*fam.*); breeze (*fam.*); doddle (*fam.*).

buscheratùra f. (*region.*) swindle; cheat; con (*fam.*).

busìllis m. inv. **1** (*problema*) snag: *Qui sta il b.*, there's the snag **2** (*enigma*) conundrum; enigma; riddle; teaser.

bùssa f. (spec. al pl.) blow; beating ⓤ: **prendere le busse**, to get a beating.

♦**bussàre** Ⓐ v. i. to knock; (*leggermente*) to rap, to tap; (*con forza*) to bang: **b. alla porta**, to knock at (*o* on) the door; *Bussano*, someone is knocking at the door ● (*fig.*) **b. a quattrini**, to ask for money Ⓑ v. t. (*percuotere*) to beat*.

bussàta f. knocking; knock.

bùssola f. **1** (*naut.*) compass: **b. azimutale**, azimuth compass; **b. di declinazione**, variation compass; declinometer; **b. di rotta**, steering compass; **b. giroscopica**, gyrocompass; **ago della b.**, compass needle **2** (*mecc.*) bush **3** (*portantina*) sedan chair **4** (*seconda porta d'ingresso*) inner door; (*il vano*) entrance booth **5** (*porta girevole*) revolving door **6** (*cassetta per elemosine*) poor box; (*urna per votazione*) ballot box ● (*fig.*) **perdere la b.**, to get thoroughly confused, to lose one's head.

bussolòtto m. dice box; dice cup ● **gioco dei bussolotti**, thimblerig; shell game (*USA*); (*fig.*) sleight-of-hand, shell game (*USA*).

♦**bùsta** f. **1** envelope: **b. a finestra**, window envelope; **b. affrancata**, stamped envelope; **b. chiusa [aperta]**, sealed [unsealed] envelope; **b. formato commerciale**, business envelope; **b. imbottita**, padded envelope; Jiffy bag® **2** (*astuccio, custodia*) case: **b. degli occhiali**, spectacle case **3** (*cartella per documenti*) portfolio **4** (*borsetta*) clutch bag; pocketbook (*USA*) **5** (*per alimenti*) packet **6** (*per sapone, ecc.*) bag; pouch ● **b. paga**, pay packet; pay envelope (*USA*); wage packet □ (*filatelia*) **b. primo giorno**, first-day cover ● **compenso fuori b.**, unofficial payment; undeclared earning □ **lettera in b. aperta [chiusa]**, unsealed [sealed] letter □ **in b. a parte**, under separate cover.

bustàia f. corset maker.

bustàio m. envelope maker.

bustarèlla f. (*fig.*) bribe; backhander; payola (*fam. USA*): **prendere bustarelle**, to take bribes; to be on the take (*slang*).

bustìna f. **1** small envelope **2** (*pacchetto, sacchetto*) packet; sachet; bag: **b. di fiammiferi**, matchbook; **b. di tè**, tea bag; **b. di zucchero**, sachet of sugar **3** (*farm.*) dose **4** (*mil.*) peakless cap; garrison cap (*USA*) **5** (*gergo della droga*) bag.

bustìno m. **1** (*corsetto*) corset; corselet **2** (*di abito*) bodice; top.

bùsto m. **1** (*anat., scult.*) bust: **b. di marmo**, marble bust; **sedere a b. eretto**, to sit up straight; **ritratto a mezzo b.**, half-length portrait **2** (*corsetto*) corset (*anche med.*); foundation garment **3** (*di abito*) bodice.

bustòmetro m. envelope template.

bustrofèdico a. boustrophedon.

butadiène m. (*chim.*) butadiene.

butàno m. (*chim.*) butane.

---

butanodòtto m. butane pipeline.

butanòlo m. (*chim.*) butanol.

butìle m. (*chim.*) butyl.

butìlico a. (*chim.*) butyl (attr.).

butìrrico a. (*chim.*) butyric.

butirrificazióne → **burrificazione**.

butirròmetro m. butyrometer.

butirróso a. → **burroso**.

buttafuòri m. inv. **1** (*teatr.*) call-boy **2** (*di locale notturno*) bouncer; chucker-out (*GB*) **3** (*naut.*) bumpkin.

♦**buttàre** Ⓐ v. t. **1** to throw*; (*con energia*) to fling*; (*con noncuranza*) to toss, to chuck; (*dall'alto*) to drop: **b. una palla a q.**, to throw a ball to sb.; *Non b. in terra la cicca*, don't throw the butt on the floor; *Lo buttò a terra con un pugno*, she knocked him down with a blow; **b. in aria il cappello**, to throw one's hat up (in the air); **b. qc. dalla finestra**, to throw (*o* to fling) st. out of the window; **b. una bomba**, to drop a bomb; *Buttò il libro sul tavolo*, she tossed the book on the table; *Mi buttò le braccia al collo*, he threw (*o* flung) his arms round my neck; **buttarsi una sciarpa sulle spalle**, to throw a scarf over one's shoulders **2** (*anche b. via*: *eliminare*) to throw away (*o* out); to chuck out; to get* rid of; (*gettare da parte*) to throw* aside, to chuck aside, to toss away; (*sprecare*) to throw* away, to waste: *Butta (via) quel sigaro!*, throw that cigar away!; *L'hai buttato il giornale di ieri?*, did you throw out yesterday's paper?; **b. via i vestiti** (*svestendosi*), to throw off one's clothes; **b. (via) i propri denari**, to throw away one's money; **b. via il fiato [il tempo]**, to waste one's breath [one's time]; **tempo buttato**, a waste of time; time wasted; **b. via una buona occasione**, to miss a good opportunity; to muff a chance (*fam.*); *Non è affatto da b.* (*via*), it's not at all bad; it's not to be sneezed at (*fam.*) **3** (*anche assol.*: *zampillare*) to spout, to spurt, to gush; (*versare*) to pour; (*emettere*) to discharge, to send* out: **b. acqua**, to spout (*o* to gush) water; **b. pus**, to suppurate; **b. sangue**, to bleed; *La fontana buttava a tratti*, the fountain was playing fitfully **4** (*anche assol.*: *germogliare*) to put* out (*st.*); to shoot*; to sprout: **b. le prime gemme**, to put out the first buds; *Il rosaio butta di nuovo*, the rosebush is shooting again ● **b. all'aria la casa**, to turn the house upside down; *Mi ha buttato all'aria tutte le carte*, she messed up all my papers; **b. all'aria un progetto**, (*guastarlo*) to upset a plan, to ruin a project; (*abbandonarlo*) to scrap a plan □ **b. fuori**, to throw out; to turn out; to chuck out: *L'ubriaco fu buttato fuori*, the drunken man was thrown out; *I suoi l'hanno buttato fuori di casa*, his parents turned him out □ **b. giù**, (*far cadere*) to knock down; (*abbattere*) to knock down, to pull down; (*del vento*) to blow down; (*fig.*: *un governo, ecc.*) to overthrow, to topple, to (*inghiottire*) to gulp down, to knock back; (*scrivere in fretta*) to dash off; (*prendere nota*) to jot down, to scribble down; (*abbozzare*) to sketch; (*criticare*) to run down, to badmouth (*fam. USA*); (*screditare*) to discredit; (*scoraggiare*) to discourage; (*deprimere*) to get down; (*prostrare*) to pull down: **b. giù un vecchio edificio**, to knock down an old building; *Riuscì solo a b. giù due cucchiaiate*, he could only swallow two spoonfuls; *Buttò giù un whisky*, he knocked back a whisky; **b. giù un articolo**, to dash off an article; **b. giù un appunto**, to scribble a note; *L'influenza l'ha buttato giù*, the flu has really left him drained □ **b. giù dal letto**, to get out of bed; to roll out of bed (*USA*) □ **b. indietro la testa**, to throw one's head back; to toss one's head □ **b. là un'idea [un**

---

nome], to throw out an idea [a name] □ **b. lì una scusa**, to apologize casually; to mumble an apology □ **b. gli occhi su qc.**, to glance at st.: *Buttò gli occhi sulla lettera e si rese conto che era tutto vero*, he glanced at the letter and realized it was all true □ **b. la pasta**, to put the pasta in □ **b. via** = *def. 2* → *sopra* □ **un'osservazione buttata là**, a throwaway remark Ⓑ v. i. **1** (*inclinare*) to turn (to); (*di colore*) to verge (on): *Il tempo sembra b. al bello*, the weather looks as if it's going to turn fine; **un verde che butta all'azzurro**, a green verging on blue **2** (*fam.*: *prendere una piega*) to shape: *Vediamo come butta*, let's see how things shape; *Come butta?*, how are things?; *Butta male!*, things are looking grim! Ⓒ **buttàrsi** v. rifl. **1** to throw* oneself; (*con energia*) to fling* oneself; (*lasciarsi cadere*) to drop, to flop, to collapse; (*saltare*) to jump; (*tuffarsi*) to dive, to plunge: **buttarsi dalla finestra**, to throw oneself out of the window; **buttarsi nelle braccia di q.**, to throw oneself into sb.'s arms; **buttarsi sul letto**, to throw oneself on to the bed; *Si buttò ai miei piedi*, he threw himself at my feet; **buttarsi in mare**, to jump into the sea; (*da una nave*) to jump overboard; **buttarsi nell'acqua**, to plunge into the water; *Buttati!*, (*salta*) jump!; (*fig.*) take* the plunge!, have a go at it! **2** (*assalire*) to fall* (upon); to swoop down (on): *Ci buttammo sul nemico*, we fell upon the enemy; *L'aquila si buttò sulla lepre*, the eagle swooped down on the hare **3** (*darsi, dedicarsi a*) to throw* oneself (into); (*lasciarsi coinvolgere*) to get* involved: **buttarsi nel lavoro**, to throw oneself into one's job **4** (*di fiume*) to flow (into) ● **buttarsi allo sbaraglio**, to risk one's life [fortune, reputation, etc.], to jump in at the deep end (*fam.*) □ **buttarsi anima e corpo in qc.**, to throw oneself (heart and soul) into st. □ (*fig.*) **buttarsi giù** (*o a terra*), (*scoraggiarsi*) to get depressed, to lose heart; (*sminuirsi*) to run oneself down □ **buttarsi nel fuoco per q.**, to go through fire and water for sb. □ **buttarsi nella mischia**, to plunge into the fray □ **buttarsi via**, to waste one's talents.

buttasèlla m. inv. (*mil.*) boot and saddle.

buttàta f. **1** throw **2** (*di pianta*) shooting; sprouting.

butteràre v. t. to pockmark; to pit.

butteràto a. pockmarked; pitted: **un viso b.**, a pockmarked face; **superficie butterata**, pitted surface.

butteratùra f. pockmarks (pl.).

bùttero ① m. (*cicatrice*) pockmark.

bùttero ② m. (*mandriano a cavallo*) Maremma cowherd.

bùtto m. **1** (*d'acqua*) jet; spurt **2** (*region.*: *germoglio*) sprout; shoot.

buvette (*franc.*) f. inv. crush bar.

bùzzo m. (*pop.*) belly; paunch ● (*fig.*) **di b. buono**, eagerly; with a will; with enthusiasm: **lavorare di b. buono**, to work with a will; **mettercisi di b. buono**, to get down to it.

buzzùrro m. (*spreg.*) boor; lout; yokel; yahoo.

BVM sigla (**Beata Vergine Maria**) Blessed Virgin Mary (BVM).

by-pass (*ingl.*) m. inv. (*idraul., autom., med.*) bypass.

bypassàre v. t. to bypass.

bypassàto a. e m. (f. **-a**) (person) with a heart bypass.

byroniàno a. (*letter.*) Byron's (attr.); Byronic.

byte (*ingl.*) m. inv. (*comput.*) byte.

BZ abbr. (**Bolzano**).

a
b
c
d
e
f
g
h
i
j
k
l
m
n
o
p
q
r
s
t
u
v
w
x
y
z

c, C

C①, **c** f. o m. (*terza lettera dell'alfabeto ital.*) C, c ● (*telef.*) **c come Como**, c for Charlie □ **vitamina C**, vitamin C.

C② sigla **1** (*geogr.*, **capo**) cape **2** (*scacchi*, **cavallo**) knight (N, Kt) **3** (*num. romano*, **cento**) one hundred **4** (**centrale**) central **5** (*leg.*, **codice**) code, statute.

c. abbr. **1** (*di poema*, **canto**) canto **2** (**circa**) about **3** (*comm.*, **conto**) account **4** (**corso**) avenue (Ave.).

CA abbr. **1** (**Cagliari**). **2** (**cemento armato**) reinforced concrete **3** (**consorzio agrario**) agricultural consortium **4** (*marina*, **contrammiraglio**) rear admiral (*USA*); commodore (*GB*).

ca. abbr. (**circa**) about; circa (c., ca.).

c.a. sigla **1** (**cemento armato**) reinforced concrete **2** (*fis.*, **corrente alternata**) alternating current (AC) **3** (**corrente anno**) of this year **4** (**alla cortese attenzione di**), for the attention of.

CAAF sigla (**Centro autorizzato di assistenza fiscale**) Authorised Tax Assistance Centre.

CAB sigla (*banca*, **codice di avviamento bancario**) bank sorting code.

càbala f. **1** (*stor. relig.*) Kabbalah, Cabbala **2** (*tecnica di previsione*) foretelling system: **c. del lotto**, system for foretelling winning lottery numbers **3** (*intrigo*) intrigue; plot: **far c.**, to intrigue; to plot.

cabalétta f. (*mus.*) cabaletta.

cabalista m. e f. **1** (*stor. relig.*) Kabbalist, Cabbalist **2** (*nel lotto*) foreteller of winning lottery numbers.

cabalìstico a. **1** (*stor. relig.*) Kabbalistic, Cabbalistic **2** (*misterioso, oscuro*) cabbalistic; mysterious.

cabaret (*franc.*) m. inv. cabaret.

cabarettista m. e f. cabaret artiste; (*comico*) stand-up comedian.

cabarettistico a. cabaret (attr.).

cabestàno m. (*naut.*) capstan.

cabila f. **1** Kabyle tribe **2** (the) Kabyles (pl.).

♦**cabina** f. **1** (*di nave*) cabin: **c. di prima classe**, first-class cabin; **c. di lusso**, stateroom **2** (*aeron.*) cabin: **c. di pilotaggio**, cockpit; (*di grande aereo*) flight deck; **c. passeggeri**, passenger cabin **3** (*di ascensore*) car; cage **4** (*di funivia*) cable car, cabin; (*di cabinovia*) gondola **5** (*autom.*, *ferr.*) cab: **c. di guida**, driver's cab **6** (*vano per usi vari*) booth; box; kiosk; cubicle; closet (*USA*): **c. armadio**, walk-in wardrobe; clothes closet; **c. della doccia**, shower cubicle; (*cinem.*) **c. di doppiaggio**, dubbing booth; (*ferr.*) **c. di manovra** (o **di blocco**), signal box (*GB*); signal tower (*USA*); (*cinem.*) **c. di proiezione**, projection booth; (*TV*) **c. di regia**, control room; **c. di registrazione**, recording room; **c. elettorale**, polling booth; **c. elettrica**, electricity substation; **c. telefonica**, telephone kiosk (o box); phone box (*GB*); telephone booth (*USA*) **7** (*sulla spiaggia*) bathing hut; cabana (*USA*).

cabinànte m. e f. cabin attendant.

cabinàto (*naut.*) **A** a. cabin (attr.) **B** m. cabin cruiser.

cabinista m. **1** electrical technician **2** (*cinem.*) projectionist.

cabinovia f. cableway; gondola cableway.

cablàggio m. (*elettr.*) wiring; (*tel.*) cabling.

cablàre v. t. **1** (*elettr.*) to wire; (*tel.*) to cable **2** (*trasmettere*) to cable.

cablàto a. (*elettr.*) wired-up; (*tel.*) cabled.

cablatùra → **cablaggio**.

câblé (*franc.*) **A** a. inv. twisted **B** m. inv. twisted yarn.

càblo m. inv. cable; cablegram.

cablografìa f. transmission by cable.

cablogràfico a. cable (attr.).

cablografìsta m. cabler.

cablogràmma m. cable; cablegram.

cabotàggio m. (*naut.*) coastal (o coasting) navigation; (*commercio*) coastal (o coasting, coastwise) trade: **grande c.**, offshore coastal navigation; **piccolo c.**, local coastal navigation; **nave di piccolo c.**, coaster; coasting (o coastwise) ship.

cabotàre v. i. (*naut.*) to coast; to trade along the coast.

cabotièro (*naut.*) **A** a. coastal; coasting; coastwise **B** m. coaster; coasting vessel.

cabràre **B** v. i. (*aeron.*) to climb steeply; to nose up **B** v. t. to nose up; to hoick (*fam.*).

cabràta f. (*aeron.*) nose-up.

cabriolè, **cabriolet** (*franc.*) m. inv. **1** (*carrozza*) cabriolet **2** (*autom.*) convertible; cabriolet.

cacadùbbi m. e f. inv. (*fam. spreg.*) ditherer; shilly-shallying person.

cacafuòco f. inv. (*scherz.*) old gun; rod (*slang*).

cacào m. **1** (*bot.*, *Theobroma cacao*) cacao **2** (*polvere e bevanda*) cocoa ● **burro di c.**, cocoa butter; (*per le labbra*) lipsalve (*GB*), chapstick (*USA*) □ **semi di c.**, cacao seeds; cacao (o cocoa) beans; cacao Ⓤ.

cacàre v. i. e t. (*volg.*) to shit; to crap ● (*anche fig.*) **cacarsi sotto**, to shit in one's pants □ **Va' a c.!**, piss off!

cacarèlla f. (*pop.*) (the) runs (pl.); (the) trots (pl.) ● (*fig.*) **avere la c.**, to be shitting oneself; to be shitting in one's pants □ (*fig.*) **far venire la c. a q.**, to scare the shit out of sb.

cacasénno m. e f. (*spreg.*) know-all; smart aleck.

cacasótto m. e f. inv. (*volg.*) chicken; shit-scared person; panty-waist (*USA*).

cacàta f. (*volg.*) **1** shit **2** (*fig.*) shit Ⓤ; crap Ⓤ.

cacatòa, **cacatùa** m. (*zool.*, *Cacatua*) cockatoo*.

cacatùra f. (*volg.*, *spec. di insetti*) excrement; dirt.

càcca f. (*pop. infant.*) **1** poo; poo-poo; shit (*volg.*): **fare la c.**, to do a poo; to make poo-poo **2** (*fig.*: *sudiciume*) dirt: *Non toccare, c.!*, don't touch, it's dirty! ● (*fig. volg.*) **avere la c. al culo**, to be shitting in one's pants; to be shitting oneself.

càcchio① **A** inter. (*pop.*) damn; shite; shoot (*USA*) **B** m. → **cazzo**.

càcchio② m. (*getto infruttifero*) non-fruit-

-bearing tendril.

cacchióne m. (*zool.*) **1** (*di ape*) bee-larva* **2** (*di mosca*) flyblow **3** (al pl.) (*di uccello*) first feathers.

♦**càccia**① f. **1** hunting; (*di uccelli, lepri, ecc.*) shooting; (*battuta*) hunt: **c. all'anatra**, duck shooting; **c. alla balena**, whaling; **c. al capanno**, shooting from a hut (*USA* from a blind); **c. al cervo**, deer hunting; **c. al cinghiale**, boar shooting; **c. al fagiano**, pheasant shooting; **c. alla volpe**, fox hunting; **c. col falco**, hawking; falconry; **c. di appostamento**, shooting from a butt; **c. grossa**, big-game hunting; **c. in palude**, waterfowling; wildfowling; **c. subacquea**, underwater fishing; *Qui c'è divieto di c.*, shooting [hunting] is forbidden here; **andare a c.**, to go hunting; to hunt; to go shooting; to shoot; **avere la passione della c.**, to love hunting (o shooting); **vivere di c.**, to live by hunting; **cane da c.**, gun dog; hunting dog; **fucile da c.**, sporting gun; hunting rifle; (*per la caccia agli uccelli*) fowling piece; **licenza di c.**, game licence; shooting licence; hunting licence; **partita di c.**, shooting party; (*a cavallo*) hunting party; **riserva di c.**, game preserve; (*avviso*) shooting forbidden; **stagione della c.**, hunting season **2** (*inseguimento, anche mil.*) chase; pursuit: (*naut.*) **dare c.**, to give chase; to pursue; **essere a c. di**, to chase; to pursue; to be after; **aereo da c.**, fighter plane; **nave da c.**, destroyer **3** (*ricerca*) hunt; search: (*anche fig.*) **c. alle streghe**, witch-hunt; **c. al tesoro**, treasure hunt; **c. all'uomo**, manhunt; **andare a c. di**, to hunt for; to search for; **andare a c. di complimenti**, to fish for compliments; **andare a c. di guai**, to be looking for trouble; **dare la c. a q.**, to hunt sb.; to be after sb.; **essere a c. di qc.**, to be hunting for st. **4** (*cacciagione*) game **5** (*letter.*) caccia.

càccia② m. **1** (*aeron.*) fighter (plane) **2** (*naut.*) destroyer.

cacciabàlle m. e f. inv. (*pop.*) bullshitter (*volg.*); bull artist.

cacciabombardière m. (*aeron.*) fighter-bomber.

cacciachiòdo m. ripping bar; ripper.

cacciafèbbre f. (*bot.*, *pop.*) centaury; knapweed.

cacciagióne f. game; (*carne di cervo, daino, ecc.*) venison.

cacciamìne m. inv. (*naut.*) minesweeper.

♦**cacciàre** **A** v. t. e i. **1** (*di animale*) to hunt; to prey on: *I gufi cacciano di notte*, owls hunt at night **2** (*dell'uomo*) to hunt; to go* hunting; (*uccelli, lepri e sim.*) to shoot*, to go* shooting; (*con trappole e sim.*) to trap, to snare: **c. la tigre**, to hunt tigers; **c. le quaglie**, to shoot quails **3** (*scacciare*) to drive* (o to chase) away; to turn out, to throw* out, to kick out (*fam.*); to boot out (*fam.*); (*espellere*) to expel, to drive* out; (*licenziare*) to sack, to fire, to give* (sb.) the bullet (*fam.*), to boot out (*fam.*), to give* (sb.) the boot (*fam.*); (*esiliare*) to banish: **c. il nemico dal Paese**, to drive the enemy out of the country; *Lo cacciai da casa mia*, I threw him out of my house; *Suo padre l'ha cacciato di casa*, his father turned him out; **c. da scuola**, to expel

from school **4** (*mettere*) to put*, to sling* (*fam.*); (*gettare*) to throw*; (*ficcare*) to shove, to thrust*, to bung (*fam. GB*); (*introdurre*) to drive*, to stick*; (*immergere*) to plunge: *Dove ho cacciato la penna?*, where did I put my pen?; *Cacciò tutto nel cassetto*, she bunged (*o* shoved) everything into the drawer; *Caccialo nel bagagliaio*, sling it into the boot; **c. q. in prigione**, to throw sb. into prison; *Gli cacciò la lama nel ventre*, he plunged the blade into his belly; **cacciarsi in tasca qc.**, to thrust (*o* to shove) st. into one's pocket; **cacciarsi un dito in bocca**, to stick a finger in one's mouth **5** (*fam.*, *anche* **c. fuori**: *estrarre*) to pull out; to put* out; to whip out (*fam.*); to stick* out; (*denaro, anche assol.*) to fork out (*fam.*), to cough up, (*fam.*); to **c. il portafogli**, to pull out one's wallet; **c. fuori un coltello**, to pull out (*o* to whip) out a knife; **c. (fuori) la lingua**, to stick out one's tongue; **c. (fuori) i soldi**, to fork out the money; to cough up **6** (*emettere*) to let* out: **c. un urlo**, to let out a scream ● **c. il naso in faccende altrui**, to poke one's nose into other people's business □ **c. qc. in testa a q.**, to drive st. into sb.'s head; to hammer st. into sb. □ **cacciarsi in testa qc.**, to get st. into one's head □ **c. via**, (*gettare via*) to throw out; (*mandare via*) to chase away; (*scacciare*) to kick out (*fam.*), to boot out (*fam.*); **c. via q. in malo modo**, to chase sb. away; **c. via q. senza tanti complimenti**, to send sb. packing **B cacciàrsi** v. rifl. e i. pron. **1** (*introdursi, ficcarsi*) to plunge; to dive*; (*mettersi*) to get*: **cacciarsi nella mischia**, to plunge into the fray; **cacciarsi nei pasticci**, to get into a mess; **cacciarsi in un'impresa disperata**, to embark on a desperate enterprise **2** (*andare a finire*) to go*; to get* to: *Dove vi eravate cacciati?*, where did you get to? **3** (*nascondersi*) to hide*.

cacciasommergibili m. inv. (*naut.*) submarine chaser.

cacciàta f. (*espulsione*) driving out; expulsion; (*messa al bando*) banishment.

cacciatóra f. – (*giacca alla*) **c.**, shooting jacket; **pollo alla c.**, chicken cacciatore; **coniglio alla c.**, rabbit chasseur; rabbit cacciatore.

♦**cacciatóre** m. **1** hunter; (*di uccelli, lepri e sim.*) shooter; (*a cavallo*) huntsman*; (*con trappole*) trapper: **c. di balene**, whaler; **c. di anitre**, duck shooter; **c. di foche**, sealer; **c. di frodo**, poacher; **c. di leoni**, lion hunter; **c. di palude**, water fowler; **c. di pellicce**, trapper; (*di gatto*) **c. di topi**, mouser; (*etnol.*) **cacciatori e raccoglitori**, hunters and gatherers; hunter-gatherers; **un popolo di cacciatori**, a hunting people **2** (*inseguitore*) pursuer, (*solo nei composti*) chaser; (*cercatore*) hunter: **c. di donne**, skirt chaser, womanizer; **c. di dote**, fortune hunter; **c. di taglie**, bounty hunter; (*anche fig.*) **c. di teste**, headhunter **3** (*mil.*) light infantryman*; (*cavalleggero*) light horseman*: *Cacciatori delle Alpi*, jaeger (*ted.*); Alpine troops **4** (*aeron.*) fighter pilot.

cacciatorpedinière m. inv. (*naut.*) torpedo-boat destroyer.

cacciatrice f. **1** hunter; huntress (*lett.*); (*a cavallo*) huntswoman*; **Diana c.**, Diana the huntress **2** (*fig.*) hunter; (*solo nei composti*) chaser: **c. d'uomini**, man chaser.

♦**cacciavite** m. inv. screwdriver: **c. a stella**, cross-tip screwdriver; Phillips® screwdriver.

cacciù m. (*ind.*) cachou; catechu.

cacciùcco m. (*cucina*) cacciucco; spiced fish soup.

càccola f. **1** (*spec. al pl.*) (*sterco*) droppings (pl.); (*di mosche*) flyspecks (pl.); (*sudiciume*) dirt [U] **2** (*pop.: moccio*) snot [U]; (*cispa*) eye-gum [U], sleep [U].

caccolóso a. (*pop.*) **1** (*moccioso*) snotty; (*cisposo*) gummy **2** (*fig.*) dirty; scruffy.

cache a. e f. inv. (*comput.*) cache: **memoria c.**, cache memory.

cachemire (*franc.*) m. cashmere ● **disegno c.**, paisley pattern.

cache-pot (*franc.*) m. inv. flowerpot holder.

cache-sexe (*franc.*) m. inv. cache-sexe; G-string.

cachessìa f. (*med.*) cachexia; cachexy.

cachet (*franc.*) m. inv. **1** (*farm.: ostia*) wafer, cachet; (*analgesico*) painkiller, headache pill **2** (*per i capelli*) rinse **3** (*eleganza*) cachet **4** (*compenso per artisti*) fee; (*contratto temporaneo*) booking: **lavorare a c.**, to work for a fee; to freelance; to work as a freelancer.

cachèttico a. (*med.*) cachectic.

cachettìsta m. e f. artist paid by performance.

càchi ① a. e m. khaki*: **uniforme c.**, khaki uniform.

càchi ② m. (*bot.*, *Diospyros kaki*; *il frutto*) (Japanese) persimmon; kaki*.

cachinno m. (*lett.*) cachinnation; cackling laughter.

caciàra f. (*region.*) (*chiasso*) racket, din, hubbub; (*gazzarra*) horseplay, rumpus.

caciaróne m. (f. **-a**) (*region.*) noisy person; boisterous person; rowdy person.

cacicco m. (*anche fig.*) cacique.

càcio m. cheese: **una forma di c.**, a (whole) cheese ● **alto come un soldo di c.**, very short; (*di bambino*) kneehigh to a grasshopper (*fam.*) □ **Ci sta come il c. sui maccheroni**, it's the very thing; it's just the job (*fam.*) □ (*fig.*) **essere pane e c.**, to be as thick as thieves; to be hand in glove (with sb.).

caciocavàllo m. caciocavallo (a gourd-shaped cheese from Southern Italy).

caciòtta f. caciotta (a soft cheese from Central Italy).

càco → cachi ②.

cacofagìa f. (*med.*) cacophagy.

cacofonìa f. cacophony.

cacofònico a. cacophonous; harsh-sounding.

cacografìa f. cacography.

cacologìa f. cacology.

cacóne m. (*fig. volg.*) coward; chicken (*slang*).

càcto m. (*bot.*, *Cactus*) cactus*.

cad. abbr. (*comm.*, **cadauno**) each.

cadaùno a. e pron. indef. each: *Le rose costano 5 euro cadauna*, the roses cost 5 euros each.

♦**cadàvere** m. (dead) body; corpse; cadaver (*solo med.*): *Furono recuperati sei cadaveri dal fiume*, six bodies were retrieved from the river; **seppellire i cadaveri**, to bury the corpses ● (*fig.*) **un c. ambulante**, a living corpse □ **freddo come un c.**, as cold as death □ **pallido come un c.**, as white as a ghost □ **Dovrai passare sul mio c.!**, over my dead body!

cadavèrico a. **1** (*di cadavere*) cadaveric: **rigidità cadaverica**, rigor mortis (*lat.*) **2** (*fig.*) cadaverous; deathlike; ghostly; (*pallido*) deadly (*o* deathly) pale: **aspetto c.**, cadaverous appearance; **pallore c.**, deathlike pallor.

cadènte a. **1** falling; (*del sole*) setting: **stella c.**, falling (*o* shooting) star **2** (*di edificio e sim.*) dilapidated; crumbling; ramshackle; tumbledown: **una chiesa c.**, a dilapidated church; **un muro c.**, a crumbling wall; **casupole cadenti**, ramshackle huts **3** (*di persona*) decrepit; feeble: **un vecchio c.**, a feeble old man.

cadènza f. **1** (*della voce*) cadence; inflec-

tion; intonation; (*musicale*) lilt: **la c. ligure**, the Ligurian intonation; **c. monotona**, monotone **2** (*ritmo*) cadence; rhythm; (*frequenza*) rate: **la c. dei remi**, the cadence of the oars; (*balistica*) **c. di tiro**, rate of fire; **in c.**, rhythmically; in time **3** (*mus.*) cadence; (*virtuosistica*) cadenza.

cadenzaménto m. (*trasp.*) public transport (schedule) synchronization.

cadenzàre v. t. to mark (*o* to stress) the rhythm of; to give* a rhythm to: **c. il passo**, to march in time.

cadenzàto a. rhythmic; measured; cadenced: **passo c.**, rhythmic tread.

♦**cadére** A v. i. **1** to fall*; to drop; (*ruzzolare*) to tumble; (*precipitare al suolo*) to crash: **c. a terra**, to fall down; to fall to the ground (*o* to the floor); **c. dalle scale**, to fall down the stairs; **c. da un albero**, to fall from (*o* off) a tree; **c. dalla bicicletta**, to fall off the bicycle; **c. in acqua** (*o* in mare), (*da un'imbarcazione*) to fall overboard; **c. in ginocchio**, to fall on (*o* to) one's knees; to drop to one's knees; (*anche fig.*) **c. in piedi**, to land (*o* to fall) on one's feet; *Cade la neve*, the snow is falling; *Il vaso traballò e cadde*, the vase tottered and fell; *La penna le cadde di mano*, the pen fell (*o* dropped, slipped) from her hand; *Mi cadde di mano la tazza*, the cup slipped (*o* fell) from my hand; I dropped the cup; *Gli cadde l'occhio su un titolo*, his eye fell on a headline; *Il discorso cadde sul divorzio*, the conversation fell on divorce; *L'accento cade sulla prima sillaba*, the accent falls on the first syllable; **far c.**, (*urtando*) to knock over (*o* down); (*con uno sgambetto*) to trip up; (*di mano*) to drop; **lasciar c.**, to drop; to let fall; **lasciarsi c.**, to drop; (*su poltrona e sim., anche*) to flop **2** (*di denti, capelli*) to fall* out **3** (*della notte*) to fall*; (*del vento*) to drop; (*del sole*) to set*, to sink* **4** (*capitolare*) to fall*: *La città cadde dopo tre mesi*, the city fell after three months **5** (*di regime*) to fall*, (*essere rovesciato*) to be overthrown; (*di governo*) to fall*, to be brought down: *Il governo di coalizione è caduto*, the coalition government has been brought down; **far c.**, (*un regime*) to overthrow; (*un governo*) to topple (*o* to bring down); (*con votazione*) to vote out **6** (*essere ucciso*) to fall*; to die*: *Cadde nelle Fiandre*, he fell in Flanders; **c. per una causa**, to die for a cause **7** (*far fiasco*) to fail; (*di spettacolo*) to flop: *È caduto su una domanda tranello*, he tripped up on a tricky question **8** (*ricadere, scendere*) to fall*, to hang*; (*di abito*) to hang*, to fit: *I capelli le cadevano sulle spalle*, her hair fell on her shoulders; *Questo cappotto cade bene*, this coat hangs well **9** (*di ricorrenza*) to fall*: *Natale cade di martedì*, Christmas falls on a Tuesday this year ● **c. a pezzi**, to be falling to pieces □ **c. a proposito**, (*essere tempestivo*) to come at the right moment; (*rivelarsi utile*) to come in handy; (*di parole, ecc.*) to be apt □ (*anche fig.*) **c. ai piedi di q.**, to fall at sb.'s feet □ **c. addormentato**, to fall asleep □ **c. ammalato**, to fall ill □ **c. bocconi**, to fall flat on one's face □ **c. come un sacco**, to fall down; to slump to the ground □ (*fig.*) **c. dalle nuvole**, to be astonished (*o* astounded); (*fingere stupore*) to look astonished □ (*fig.*) **c. dal sonno**, to be half asleep; to be asleep on one's feet □ (*fig.*) **c. dalla padella nella brace**, to fall out of the frying pan into the fire □ (*fig.*) **c. in basso**, (*degradarsi*) to come down in the world; (*degradarsi*) to sink low □ **c. in contraddizione**, to contradict oneself □ **c. in disgrazia**, (*ignominiosamente*) to fall into disgrace; (*perdere il favore di q.*) to fall out of favour (with sb.) □ **c. in disuso**, to fall into disuse □ **c. in errore**, to be mistaken □ **c. in miseria**, to fall into poverty □ **c. in mano a q.**, to fall into sb.'s hands □ **c. in tentazione**, to fall into temptation □ **c. lungo diste-**

so, to fall flat on one's face □ **c. nell'oblio**, to fall into oblivion □ **c. in rovina**, (*di edificio*) to become derelict; (*di istituzione e sim.*) to collapse □ **c. in trappola**, to fall into a trap □ **c. morto**, to fall down dead □ **c. nell'indifferenza generale**, to meet with general indifference □ **c. nel ridicolo**, to become ridiculous □ (*fig.*) **c. nel vuoto**, to fall on deaf ears □ **c. svenuto**, to faint □ **c. vittima di**, to fall victim to □ (*fig.*) **Gli caddero le braccia**, his heart sank □ **Cadrà qualche testa per questo!**, heads will roll! □ (*fam.*) **Cada il mondo**, whatever happens; come what may □ **Non cadrà mica il mondo se...**, it won't be the end of the world if... □ **Ci sei caduto come uno sciocco!**, you fell for it, you ninny! □ (*fig.*) **far c. qc. dall'alto**, to do st. as a special favour □ **far c. le braccia**, to discourage; to dishearten □ **lasciare c. l'argomento**, to drop the subject; to let the matter drop B m. – **al c. della notte**, at nightfall; **al c. del giorno**, at the close of day; **al c. del sole**, at sunset.

cadétto A a. **1** younger; cadet (attr.) **2** (*sport*) lower; B: **la serie cadetta**, the lower league; the B teams (pl.) B m. **1** younger son; cadet **2** (*mil.*) cadet **3** (*sport*) lower league; B teams (pl.).

cadì m. cadi.

Càdice f. (*geogr.*) Cadiz.

caditóia f. **1** (*di fortezza*) machicolation; trapdoor **2** (*stradale*) drain.

cadmiàre v. t. (*metall.*) to cadmium plate.

cadmiatùra f. (*metall.*) cadmium plating.

càdmio m. (*chim.*) cadmium: **giallo di c.**, cadmium yellow.

Càdmo m. (*mitol.*) Cadmus.

caducèo m. (*mitol.*) caduceus*.

caducifòglio a. (*bot.*) deciduous.

caducità f. **1** transience; transitoriness; caducity (*lett.*) **2** (*leg.*) lapse.

cadùco a. **1** short-lived; fleeting; transitory; transient: **bellezza caduca**, transient beauty; **beni caduchi**, temporary riches; **speranze caduche**, short-lived hopes **2** (*bot., zool., med.*) deciduous: **denti caduchi**, deciduous teeth; milk teeth ● (*fam.*) **mal c.**, epilepsy.

◆**cadùta** f. **1** fall; falling Ⓤ; drop; (*ruzzolone*) tumble; (*di aereo*) crash: (*fis.*) **la c. dei gravi**, the fall of bodies; (*Bibbia*) **la c. dell'uomo**, the Fall (of man); **c. libera**, free fall; (*cartello*) **C. massi**, falling rocks; **una brutta c.**, a bad fall; **fare una c.**, to fall; to take a tumble (*fam.*) **2** (*di capelli, denti*) loss: **la c. dei capelli**, loss of hair; hair loss **3** (*diminuzione, abbassamento*) fall; drop; (*perdita*) loss: **c. della temperatura**, drop in temperature; **c. dei prezzi**, fall (*o* drop) in prices; (*elettr.*) **c. di tensione**, voltage drop; **c. di pressione**, loss of pressure; (*fis.*) **c. termica**, heat drop; **brusca c.**, sudden drop; plunge; **essere in c.**, to be falling **4** (*crollo, sconfitta*) fall; downfall; collapse; (*capitolazione*) fall, capitulation: **la c. d'un impero**, the fall of an empire; **la c. di un regime [di un tiranno]**, the downfall of a regime (of a tyrant); **la c. del governo**, the fall of the government; **la c. di una città**, the fall of a city **5** (*naut., di vela*) leech.

cadùto A a. fallen B m. soldier killed in battle: **i caduti**, the fallen; **monumento ai caduti**, war memorial ● **i caduti sul lavoro**, victims of industrial accidents.

CAF sigla **1** (**Centro di assistenza fiscale**) Tax Assistance Centre **2** (*sport*, **Commissione di appello federale**) Federal Committee of Appeal.

◆**caffè** A m. **1** (*pianta, prodotto e bevanda*) coffee: **c. amaro**, coffee without sugar; unsweetened coffee; **c. corretto**, coffee laced with liqueur (*o* with a shot of liquor); **c. decaffeinato**, decaffeinated coffee; decaff

(*fam.*); **c. di montagna**, mountain-grown coffee; **c. dolce**, coffee with sugar; sweetened coffee; **c. doppio**, double espresso; **c. espresso**, espresso coffee; **c. freddo**, iced coffee; **c. in grani**, coffee beans (pl.); **c. in polvere**, instant coffee; **c. lungo**, weak black coffee; **c. macchiato**, coffee with a dash of milk; **c. macinato**, ground coffee; **c. nero**, black coffee; **c. ristretto**, strong coffee; **c. solubile**, instant coffee; **c. tostato**, roasted coffee; **fare il c.**, to make coffee; *Prendiamo un c.*, let's have a (cup of) coffee; *Bevi troppi c.*, you drink too much coffee (*o* too many cups of coffee); **chicchi di c.**, coffee beans; **cucchiaino da c.**, coffee spoon; **fondi di c.**, coffee grounds; **macchinetta per il c.** (*a filtro*), percolator; **macinino da c.**, coffee mill; **pausa per il c.**, coffee break; **piantagione di c.**, coffee plantation; **tazza da c.**, coffee cup **2** (*locale*) café; coffee bar; coffee shop; coffee house (*stor.*): **c. concerto**, café chantant (*franc.*); café with band B a. inv. (*posposto*) coffee (attr.): **color c.**, coffee colour; coffee-coloured (agg.).

caffeàrio a. coffee (attr.).

caffeìcolo a. coffee-growing (attr.).

caffeìfero a. coffee-producing (attr.); coffee-growing (attr.).

caffeìna f. (*chim.*) caffeine.

caffellàtte A m. milk and coffee; white coffee B a. inv. (*posposto*) – **color c.**, pale brown.

caffettàno m. kaftan; caftan.

caffetterìa f. **1** (*generi*) refreshments (pl.) **2** (*locale, di albergo*) breakfast room; (*di stazione, museo, ecc.*) buffet.

caffettièra f. **1** coffee maker; (hob-top) espresso maker; (*a filtro*) (coffee) percolator; (*a pressione-infusione*) cafetière **2** (*bricco*) coffeepot **3** (*scherz., di auto*) old banger, crate, jalopy; (*di locomotiva*) kettle.

caffettière m. (f. **-a**) café owner; coffee--shop owner.

cafóna f. **1** → **cafone**, def. 1 **2** (*donna volgare*) vulgar woman*; coarse woman*; (*maleducata*) rude woman*, insolent woman*.

cafonàggine f. **1** (*comportamento*) boorishness; vulgarity **2** → **cafonata**.

cafonàta f. boorish behaviour Ⓤ; boorish action; boorish words (pl.): *È stata una vera c.*, that was a boorish thing to do [to say]; *Che c. non invitarli!*, how rude not to invite them!

cafóne A m. **1** (*contadino*) (Southern Italian) peasant **2** (*spreg.: zotico*) boor, lout; (*maleducato*) rude man*, insolent man* B a. boorish; vulgar.

cafonésco a. **1** (*zotico*) boorish; (*volgare*) vulgar, coarse **2** (*villano*) rude; insolent.

càfro a. e m. Kafir.

caftàn, caftàno → **caffettano**.

cagàre e deriv. → **cacare**, e deriv.

cagionàre v. t. to cause; to occasion; to provoke; to be the cause of; to bring* about; (*dare origine*) to give* rise to.

cagióne f. cause; motive; reason ● **a c. di**, owing to; due to; because of.

cagionévole a. **1** (*di persona*) delicate; sickly **2** (*di salute*) delicate; weak.

cagionevolézza f. sickliness; weakness; frailty.

cagliàre v. i., **cagliàrsi** v. i. pron. to curdle; to clot.

cagliaritàno A a. of Cagliari; from Cagliari; Cagliari (attr.) B m. (f. **-a**) native [inhabitant] of Cagliari.

cagliàta f. curd; curds (pl.).

cagliatùra f. curdling.

càglio ① m. **1** rennet **2** (*zool.*) fourth stomach; abomasum*.

càglio ② m. (*bot., Galium verum*) lady's bed-

straw.

càgna f. **1** bitch **2** (*spreg., di donna*) slut; whore **3** (*spreg., di attrice*) lousy actress; (*di cantante*) lousy singer.

cagnàra f. (*fam.*) din; hubbub; (*trambusto*) fuss, rumpus, kerfuffle (*GB*), ruckus (*USA*): **far c.**, to make a din; **piantare una c.**, to kick up a fuss.

cagnésco a. – **in c.**, scowling; glowering; balefully; **guardare in c.**, to scowl at; to glower at; **sguardo in c.**, scowl; glower.

cagnolino m. **1** doggy, doggie; little dog **2** (*cucciolo*) puppy **3** (*di lusso*) lapdog.

cagnòtto m. **1** (*sicario*) hired killer, hitman*; (*uomo prezzolato*) hired thug, goon **2** (*esca*) bait.

CAI sigla (**Club alpino italiano**) Italian Alpine Club.

caiàco m. kayak.

caìcco m. (*naut.*) caique.

càieput → **cajeput**.

caimàno m. (*zool., Caiman*) cayman, caiman.

Caìno m. **1** Cain **2** (*fig.*) fratricide; (*traditore*) traitor.

Càio m. Caius ● **Tizio, C. e Sempronio**, Tom, Dick and Harry.

CAI-post abbr. (**Corriere postale accelerato internazionale**) International Express Mail service (EMS).

caìrota A a. of Cairo; Cairene B m. e f. native [inhabitant] of Cairo; Cairene.

càjeput m. inv. (*bot., Melaleuca leucadendron*) tea tree.

càla ① f. (*geogr.*) inlet; cove.

càla ② f. (*naut.: stiva*) hold; (*magazzino*) storeroom.

calabràche m. e f. inv. (*pop.*) wimp (*fam.*); quitter (*fam.*).

calabrése, càlabro a., m. e f. Calabrian.

calabróne m. **1** (*zool., Vespa crabro*) hornet **2** (*fig.: corteggiatore*) persistent suitor.

calafatàggio m. (*naut.*) caulking.

calafatàre v. t. (*naut.*) to caulk.

calafàto m. (*naut.*) caulker.

calamàio m. **1** ink bottle; ink pot; (*con portapenne*) inkstand; (*a pozzetto*) inkwell **2** → **calamaro**.

calamarétto → **calamaro**.

calamàro m. (*zool., Loligo vulgaris*) squid*; (al pl., *alim., anche*) calamari.

calamìna f. (*miner.*) calamine.

calamìnta f. (*bot., Satureja calamintha*) calamint.

calamita f. (*anche fig.*) magnet: **c. naturale**, lodestone ❶ **FALSI AMICI** ● calamita *non si traduce con* calamity.

calamità f. **1** (*sventura*) adversity; misfortune **2** (*disastro*) calamity; disaster: **c. naturale**, natural calamity; (*leg.*) act of God; **c. nazionale**, national disaster.

calamitàre v. t. **1** to magnetize **2** (*fig.*) to attract; to magnetize.

calamitàto a. magnetic.

calamitóso a. (*lett.*) calamitous; disastrous.

càlamo m. **1** (*bot., Calamus*) calamus*: **c. aromatico** (*Acorus calamus*), sweet flag; calamus **2** (*poet.*) reed **3** (*lett.: stelo*) stalk **4** (*zool.*) calamus*; quill **5** (*cannuccia per scrivere*) quill (pen) **6** (*mus.*) pipe.

calànca f. (*geogr.*) cove; inlet.

calànco m. (*geol.*) gully; ravine.

calàndo m. (*mus.*) calando.

calàndra ① f. (*zool., Melanocorypha calandra*) calandra lark.

calàndra ② f. (*zool., Calandra granaria*) grain weevil.

calàndra ③ f. **1** (*mecc.*) calender; (*per tessili*) rotary press; (*per carta*) rolling press **2**

(*autom.*) radiator grill.

calandràre v. t. (*ind.*) to calender.

calandratùra f. (*ind.*) calendering.

calandrìno m. dupe; simpleton.

calàndro m. (*zool.*, *Anthus campestris*) tawny pipit.

calànte a. **1** (*che diminuisce*) falling; dropping; declining **2** (*che tramonta*) setting; declining; sinking; (*della luna*) waning; **luna c.**, waning moon; **sole c.**, setting (*o* sinking) sun **3** (*della marea*) on the ebb; ebb (attr.): **marea c.**, ebb tide **4** (*di peso*) short; below weight **5** (*mus.*) flat ● (*fig.*) **essere in fase c.**, to be declining; to be on the wane.

calào m. (*zool.*) – **c. rinoceronte** (*Buceros rhinoceros*), rhinoceros hornbill.

calàppio m. (*anche fig.*) snare.

calaprànzi m. service lift; dumbwaiter.

♦**calàre** **A** v. t. **1** (*far scendere*, *abbassare*) to lower; to let* down; to bring* down: **c. un carico**, to lower a load; **c. in mare le scialuppe**, to lower the boats; **c. un secchio nel pozzo**, to let down a pail into the well; **c. le reti**, to lower the nets; **c. le vele**, to lower (*o* to haul down) the sails **2** (*lavoro a maglia*) to decrease **3** (*a carte*) to play ● (*fig. pop.*) **c. le brache**, to give in; to chicken out (*fam.*) □ **calarsi il cappello sugli occhi**, to pull one's hat (down) over one's eyes □ **c. un fendente**, to strike a downward blow (with a sword) □ **c. una perpendicolare**, to drop a perpendicular **B** v. i. **1** (*scendere*, *abbassarsi*) to fall*; to drop; to come* down; to go* down; to sink*; (*in picchiata*) to swoop down; (*di marea*) to ebb: *Calò il sipario*, the curtain fell (*o* came down); *È calata la notte*, night has fallen; *La marea calava*, the tide was ebbing; *Un silenzio calò nella sala*, silence fell in the room; *Calammo sul nemico*, we fell upon the enemy **2** (*ridursi*) to fall*; to drop; to come* down; to go* down; to decrease; to decline; to wane; to get* low; to ebb; (*dimagrire*) to lose* weight: *La febbre cominciò a c.*, his temperature began to drop; *Il vento calò all'improvviso*, the wind dropped suddenly; **c. di prezzo**, to come down in price; *Le scorte stanno calando*, supplies are getting low; *La sua fama calò presto*, his fame soon declined; *Il mio entusiasmo stava calando*, my enthusiasm was waning; **c. nella stima di q.**, to fall in sb.'s estimation; *Devo c. di peso*, I must lose weight **3** (*di suono*) to become* lower; to sink*: *La sua voce calò e divenne un sussurro*, his voice sank to a whisper; *M'è calata la voce*, I've grown hoarse **4** (*di sole, luna, ecc.*) to go* down; to get* lower; (*tramontare*) to set*; to sink* **5** (*invadere*) to invade (st.); to descend (on) (*anche fig.*): *L'esercito calò in Lombardia*, the army invaded Lombardy **6** (*mus.*) to be flat **C** **calàrsi** v. rifl. to lower oneself; to let* oneself down: *Si calò lungo la scogliera*, he let himself down the cliff ● (*fig.*) **calarsi in un personaggio**, to identify with a character □ **calarsi in una parte**, to get into a part **D** m. – **al calare della sera**, at dusk; **al calare del sole**, at sunset; **al calare della notte**, at nightfall.

calàta f. **1** (*caduta, discesa*) fall; drop; (*in picchiata*) swoop: **c. del sipario**, fall of the curtain; curtain fall **2** (*invasione*) descent; invasion **3** (*alpinismo*) descent: **c. a corda doppia**, abseil; (*la tecnica*) abseiling **4** (*china*) slope; descent **5** (*banchina di porto*) quay; wharf*: (*comm.*) **diritto di c.**, wharfage; pierage **6** (*cadenza*) intonation; cadence.

calavèrna f. (*brina*) frost, hoarfrost; rime.

calàza f. (*zool.*) chalaza.

calàzio m. (*med.*) chalazion.

càlca f. crowd; throng: **fendere la c.**, to force one's way through the crowd; **fare c.**, to crowd around; to throng around.

calcàgno m. (pl. *calcagni*, m.; *calcagna*,

f., *in alcuni usi fig.*) **1** (*anat.*: *osso*) calcaneus*; calcaneum*; (*com.*) heel bone; (*estens.*: *parte posteriore del piede*) heel **2** (*parte della calza*) heel **3** (*di forbici*) hole ● **avere q. alle calcagna**, to have sb. hot on one's heels □ (*fig.*) **mostrare** (*o* **voltare**) **le calcagna**, to take to one's heels □ **sedersi sui calcagni**, to squat □ **stare alle calcagna di q.**, (*seguire*) to follow sb. closely; (*inseguire*) to be hot on sb.'s heels; (*pedinare*) to tail sb.

calcagnòlo m. (*naut.*) heel; skeg.

calcaneàre a. (*anat.*) calcaneal; heel (attr.).

calcàra f. (*forno da calce*) limekiln.

calcàre ① m. **1** (*geol.*) limestone **2** (*deposito*) limescale; scale; fur: **coprirsi di c.**, to become covered in scale; to fur up; **rimuovere il c. da**, to descale.

calcàre ② v. t. **1** (*calpestare*) to tread* c. **un sentiero**, to tread a path **2** (*pressare*) to press down; (*terreno*) to tamp; (*ficcare*) to squeeze, to cram, to pack, to stuff: **calcarsi il cappello in testa**, to press one's hat down on one's head; **calcarsi il cappello sugli occhi**, to pull one's hat down over one's eyes **3** (*esagerare, sottolineare*) to emphasize; to stress: **c. una parola**, to stress a word; **c. la voce**, to speak emphatically **4** (*ricalcare*) to trace ● (*fig.*) **c. la mano**, (*esagerare*) to exaggerate, to overdo it; (*essere troppo severo*) to be heavy-handed □ (*fig.*) **c. le orme di q.**, to tread in sb.'s footsteps □ **c. le scene**, to tread the boards; to be an actor.

calcàreo a. calcareous.

calcatóio m. **1** (*ind. min.*) tamper; stemming rod; tamping bar **2** (*mil.*) ramrod **3** (*per disegno*) tracer.

calcatréppola f. (*bot.*, *Eryngium amethystinum*) (amethyst) sea holly.

càlce ① f. lime: **c. idraulica**, hydraulic lime; **c. sodata**, soda-lime; **c. spenta**, slaked lime; lime paste; **c. viva**, quicklime; caustic lime; **spegnere la c.**, to slake lime; **acqua di c.**, lime water; **bianco di c.**, whitewash; **latte di c.**, limewash.

càlce ② m. foot; bottom ● (*bur.*) **in c. a**, at the bottom of; at the foot of; below: **in c. alla presente**, (here) below □ **firmare in c.**, to sign below □ **nota in c.**, footnote □ **qui in c.**, (here) below.

calcedònio m. (*miner.*) chalcedony.

calcemìa f. (*med.*) blood calcium.

calceolària f. (*bot.*, *Calceolaria*) calceolaria; slipperwort.

calceolàto a. (*bot.*) calceolate.

calcescìsto m. (*geol.*) calcareous schist.

calcése m. (*naut.*) – **albero a c.**, lateen mast.

calcestrùzzo m. (*costr.*) concrete.

calcétto m. **1** – **calcio-balilla 2** (*sport, calcio a cinque*) five-a-side (football); (*calcio a sette*) seven-a-side (football).

calciàre v. t. e i. to kick: (*sport*) **c. in porta**, to kick the ball into the goal; (*sport*) **c. un rigore**, to take a penalty; (*sport*) **c. da fermo**, to place-kick; (*sport*) **c. di rimbalzo**, to drop-kick.

♦**calciatóre** m. (f. *-trice*) (*sport*) football player; soccer player (*USA*).

calciatùra f. (rifle) stock.

càlcico a. (*chim.*) calcic.

calcicòsi f. (*med.*) calcicosis.

calciferòlo m. (*chim.*) calciferol; ergocalciferol.

calcificàre v. t., **calcificàrsi** v. i. pron. to calcify.

calcificazióne f. (*biol.*, *med.*) calcification; hardening of tissues.

calcifugo a. (*bot.*) calcifuge.

calcimetrìa f. (*chim.*) calcimetry.

calcìmetro m. (*chim.*) calcimeter.

calcìna f. **1** (*calce spenta*) slaked lime **2** (*malta*) (lime) mortar.

calcinàccio m. **1** flake of plaster **2** (al pl.) masonry debris ⓤ; rubble ⓤ.

calcinàio m. **1** (*edil.*) pit for slaking quicklime **2** (*conceria*) limepit **3** (*operaio*) lime-burner.

calcinàre v. t. **1** (*chim.*) to calcine **2** (*conceria, agric.*) to lime.

calcinatùra, calcinazióne f. (*chim.*) calcination.

calcincùlo m. inv. (*pop.*) chairoplane.

calcinòsi f. (*med.*) calcinosis.

calcinóso a. limy.

♦**càlcio** ① m. **1** kick: **dare un c. a q.**, to give sb. a kick; to kick sb.; **dare** (*o* **tirare**) **calci**, to kick out; **assestare un c.**, to give a well-aimed kick; **aprire** [**chiudere**] **la porta con un c.**, to kick the door open [shut]; but-**tar fuori a calci**, to kick out; **prendere a calci**, to kick **2** (*sport*) kick: **c. da fermo**, place-kick; **c. d'angolo**, corner (kick); **segnare su c. d'angolo**, to score from a corner; **deviare la palla in c. d'angolo**, to deflect the ball for a corner; **c. d'inizio**, kick-off; **c. di punizione**, (*calcio*) free kick; (*rugby*) penalty (try); **c. di rigore**, penalty kick; **c. di rimbalzo**, drop-kick; **c. laterale**, cross kick; **c. piazzato**, place-kick **3** (*gioco*) football (*GB*); soccer (*USA*): **giocare a c.**, to play football; **campo di c.**, football field (*o* pitch, ground); **giocatore di c.**, football player; footballer; **squadra di c.**, football team ● (*sport*) **c. a cinque**, five-a-side (football) □ (*sport*) **c. americano**, American football; football (*USA*) □ (*sport*) **c. femminile**, women's football □ **c. storico** (*o* **in costume, fiorentino**), Florentine football pageant □ (*fig.*) **dare un c. alla carriera**, to chuck in one's career □ (*fig.*) **dare un c. alla fortuna**, to turn one's back to fortune □ (*fig.*) **dare a q. il c. dell'asino**, to hit a man when he is down □ (*fig.*) **fare a calci col buon senso**, to fly in the face of common sense; to be preposterous.

càlcio ② m. (*di arma*) butt; (*di fucile, anche*) stock.

càlcio ③ m. (*chim.*) calcium.

calcioantagonìsta m. (*farm.*) calcium antagonist.

càlcio-balìlla m. inv. (*il tavolo*) football table (*GB*); foosball table (*USA*); (*il gioco*) table football (*GB*); foosball (*USA*).

calciocianammìde f. (*chim.*) calcium cyanamide.

calciòfilo m. (f. *-a*) football fan.

calciòlo m. (*di fucile*) butt.

càlcio-mercàto m. (*sport*) transfer market.

calcioscommésse m. inv. illegal betting on football matches; illegal football pools (pl.).

calcioterapìa f. (*med.*) calcium treatment.

calcìstico a. football (attr., *GB*); soccer (attr.): **incontro c.**, football match; **società calcistica**, football club.

calcìte f. (*miner.*) calcite; calcspar.

calcitonìna f. (*med.*) calcitonin.

càlco m. **1** (*arte*) cast; mould: **c. in gesso**, plaster cast **2** (*con carta*) tracing **3** (*tipogr.*) print; imprint **4** (*ling.*) calque; loan translation.

calcocìte m. (*miner.*) chalcocite.

calcografìa f. **1** (*tecnica*) copperplate engraving; chalcography **2** (*incisione*) copperplate.

calcogràfico a. chalcographic.

calcògrafo m. copperplate engraver; chalcographer.

càlcola f. (*ind. tess.*) treadle.

calcolàbile a. calculable; assessable; estimable: *I danni sono calcolabili in decine di milioni di euro*, damage is estimated to reach tens of millions of euros.

♦**calcolàre** v. t. e i. **1** to calculate; to compute; to work out: **c. l'area di un cerchio**, to calculate the area of a circle; **c. una distanza**, to calculate (*o* to work out) a distance; **c. gli interessi su qc.**, to calculate the interest on st.; **c. il totale**, to work out the total; **c. approssimativamente**, to make a rough calculation (of); **c. qc. a occhio e croce**, to make a rough estimate of st.; **c. male**, to miscalculate; to misjudge; *Calcolai male la distanza e urtai contro il palo*, I misjudged the distance and hit the pole **2** (*includere in un calcolo*) to include, to count in; (*mettere in conto*) to take* into account, to allow for, to bargain for; (*considerare*) to consider: *Non calcolatemi*, count me out; **c. un possibile margine d'errore**, to allow for a margin of error; *Non avevo calcolato la possibilità che rifiutasse*, I hadn't bargained for his refusal **3** (*fare una stima*) to estimate; (*valutare*) to assess, to estimate, to reckon; (*considerare*) to consider; (*soppesare*) to weigh; (*progettare*) to plan: **c. il costo**, to estimate the cost; **c. vantaggi e svantaggi**, to weigh the pros and cons; **senza c. le conseguenze**, without reckoning the consequences; *Quanto tempo calcolate che ci vorrà?*, how long do you think (*o* estimate, expect) it will take?

calcolàto a. calculated; considered; (*studiato*) studied; (*deliberato*) deliberate: **rischio calcolato**, calculated risk; **con calcolata indifferenza**, with deliberate (*o* studied) indifference; **tutto calcolato**, all things considered; all in all.

calcolatóre Ⓐ a. **1** calculating: **macchina calcolatrice**, calculating machine; calculator; **regolo c.**, slide rule **2** (*fig.*) calculating; scheming; (*interessato*) self-seeking: **mente calcolatrice**, calculating mind; **un uomo c.**, a shrewd man; a schemer Ⓑ m. **1** calculating man*; schemer **2** (*macchina*) calculator: (*aeron.*, *naut.*) **c. di rotta**, course-line calculator; (*mil.*) **c. di tiro**, director; **c. elettronico → elaboratore**; **c. tascabile**, pocket calculator.

calcolatrice f. **1** calculating woman*; schemer **2** (*macchina*) calculating machine; calculator: **c. da tavolo**, desk calculator; **c. tascabile**, pocket calculator.

calcolista m. e f. reckoner.

calcolitografìa f. (*tipogr.*) copperplate lithography.

calcolitogràfico a. copperplate printing.

♦**càlcolo** m. **1** (*mat.*) calculus*: **c. algebrico [differenziale, infinitesimale]**, algebraic [differential, infinitesimal] calculus; **c. delle probabilità**, calculus of probability **2** (*conteggio*) computation; calculation; reckoning Ⓤ: **sbagliare il c.**, to make a mistake in calculation; to miscalculate (st.); **essere bravo nei calcoli**, to be good with figures; **c. degli interessi**, interest computation; **errore di c.**, mistake in adding up [in subtracting, etc.]; computational error; (*anche fig.*) miscalculation **3** (*stima*) calculation; estimate; reckoning Ⓤ: **il c. delle spese**, an estimate of expenses; **c. approssimativo**, rough estimate; *Tutto si è svolto secondo i nostri calcoli*, everything went according to our calculations; *Secondo i miei calcoli, dovremmo arrivare alle sei*, if my calculations are right, we should get there at six **4** (*med.*) calculus*; (*com.*) stone: **c. epatico (o biliare)**, biliary calculus; gallstone; **c. renale**, renal calculus; kidney stone; **c. vescicale**, vesical calculus; stone in the bladder ● **a calcoli fatti**, all things considered; all in all □ **fare i propri calcoli**, to weigh the pros

and cons □ **fare bene i propri calcoli**, to lay out one's plans well □ **fare male i propri calcoli**, to miscalculate □ **fare qc. per c.**, to do st. out of self-interest □ **agire per c.**, to act out of self-interest.

calcolòsi f. (*med.*) calculosis*.

calcolòso a. (*med.*) calculous.

calcomanìa f. transfer.

calcopirite f. (*miner.*) chalcopyrite; copper pyrites.

calcosiderografìa f. chalcography on steel sheets.

calcotèca f. collection of casts.

calcotipìa f. (*tipogr.*) copperplate printing.

caldàia f. **1** (*calderone*) cauldron; copper **2** (*tecn.*) boiler; furnace: **c. a nafta**, oil-fired boiler; **c. a vapore**, steam boiler; **c. elettrica**, electric boiler; **locale delle caldaie**, boiler room.

caldàio m. cauldron; copper.

caldaista m. boiler man*; boiler engineer.

caldalléssa f. boiled chestnut.

caldaménte avv. warmly; heartily.

caldàna f. **1** (*vampa*) hot flush (*GB*); hot flash (*USA*) **2** (*fig.: scatto d'ira*) fit of anger.

caldàno m. brazier.

caldarerìa f. boiler shop.

caldarina f. (*naut.*) donkey boiler.

caldarròsta f. roast chestnut.

caldarrostàio m. (f. *-a*) roast chestnut vendor.

caldeggiàre v. t. (*raccomandare*) to advocate, to recommend, to push for; (*appoggiare*) to support, to back: **c. riforme**, to advocate reforms; **c. una proposta**, to back a proposal.

caldèo a. e m. (*stor.*) Chaldean; Chaldee.

caldèra f. (*geol.*) caldera.

calderàio m. **1** (*ramaio*) coppersmith **2** (*stagnino*) tinker **3** (*addetto a una caldaia*) boiler man*.

calderóne m. **1** (*recipiente*) cauldron **2** (*fig.*) medley; hotchpotch, hodge-podge (*USA*) **3** (*di razze*) melting pot (of races) □ (*fig.*) **mettere tutto nello stesso c.**, to lump everything together.

♦**càldo** Ⓐ a. **1** warm; (*molto c.*) hot: **acqua calda e fredda**, hot and cold water; **brodo c.**, hot broth; **sangue c.**, warm blood; (*fig.*) hot blood; **animale a sangue c.**, warm-blooded animal; **avere il sangue c.**, to be hot-blooded; **stagione calda**, hot weather; **avere i piedi caldi**, to have warm feet; «*Servire c.*», «serve hot» **2** (*fig.*, *di tinta*, *suono*, *ecc.*) warm: **tinte calde**, warm colours; **voce calda**, warm voice; rich voice **3** (*fig.: caloroso*) warm; hearty; ardent; fervent; passionate: **una calda accoglienza**, a warm (*o* hearty) welcome; **calde preghiere**, fervent prayers **4** (*fig.: difficile*, *critico*) hot; critical; difficult: (*polit.*, *mil.*) **punto c.**, hot spot; **linea calda**, hot line ● **notizie calde calde**, breaking news; last-minute news; news hot from the press □ (*fig.*) **testa calda**, hothead Ⓑ m. **1** (*calore*) heat, warmth; (*tempo caldo*) hot weather: **soffrire il c.**, to feel the heat; **quando verrà il c.**, when the hot weather comes; **c. soffocante**, sweltering heat; **stare al c.**, to keep warm; **starsene al c.**, to stay where it's warm; **scoppiare dal c.**, to be roasting; to be boiling; *Che c.!*, it's so hot!; **ondata di c.**, heat wave **2** (*fig.*) heat; ardour ● (*fig.*) **a c.**, immediately; on the spot; (*d'impulso*) on the spur of the moment; (*di risposta*, *ecc.*) off the cuff: (*chir.*) **operare a c.**, to operate immediately; **parole dette a c.**, words said on the spur (*o* in the heat) of the moment; **un commento a c.**, an off-the-cuff comment; **fare qc. a c.**, to do st. in the heat of the moment □ **avere c.**, to be warm; to be hot □ **avere (o sentire) un gran c.**, to

feel very hot □ **lavorare un metallo a c.**, to hot-work a metal □ **mettere vivande in c.**, to keep food warm □ (*fig.*) **Non mi fa né c. né freddo**, I couldn't care less □ **Vuoi qualcosa di c.?**, would you like something hot? □ (*nelle istruzioni*) **Teme il c.**, keep (*o* store) in a cool place □ (*di indumento*, *ecc.*) **tenere c.**, to be warm □ **tenere caldo a q.**, to keep sb. warm (*anche fig.*) □ **tenere qc. in c.**, to keep st. warm ❶ FALSI AMICI • caldo *non si traduce* con cold.

caldùccio m. warmth: *Restiamo qui al c.*, let's stay here where it's nice and warm.

caldùra f. summer heat; sultriness.

caledonìano m. (*geol.*) Caledonian.

calefazióne f. (*fis.*) calefaction.

caleidoscòpico a. (*anche fig.*) kaleidoscopic.

caleidoscòpio m. kaleidoscope.

calendàrio m. (*in tutti i sensi*) calendar: **c. a fogli mobili**, tear-off calendar; **c. da tavolo**, desk calendar; **c. delle partite**, league match calendar; **c. gregoriano [giuliano]**, Gregorian [Julian] calendar; **c. scolastico**, school calendar; **c. solare [lunare]**, solar [lunar] calendar.

calendaristico a. calendric.

calendarizzàre v. t. (*bur.*) to programme; to schedule; to set a date for; to plan a deadline for.

calendarizzazióne f. (*bur.*) programming; scheduling.

calènde f. pl. kalends, calends ● (*fig.*) **rimandare qc. alle c. greche**, to put st. off till doomsday.

calendimàggio m. (*lett.*) May Day.

calèndola, **calèndula** f. (*bot.*, *Calendula officinalis*) pot marigold; calendula.

calenzuòla f. (*bot.*, *Euphorbia helioscopia*) sun spurge; wartwort.

calepìno m. **1** (*dizionario*) big dictionary **2** (*grosso volume*) big tome **3** (*taccuino*) notebook.

calére v. i. difett. (*lett.*) to matter ● **mettere in non cale**, to disregard; to ignore.

calèsse m. (*senza mantice*) gig; (*con mantice*) calash, calèche (*franc.*), cabriolet.

calétta f. mortise; (*a coda di rondine*) dovetail.

calettaménto m. (*mecc.*) fit; (*a freddo*) keying; (*a caldo*) shrinking on; (*a coda di rondine*) dovetailing.

calettàre Ⓐ v. t. (*mecc.*) to fit flush; to mortise; (*a freddo*) to key, to force-fit; (*a caldo*) to shrink* on; (*a coda di rondine*) to dovetail Ⓑ v. i. to fit perfectly.

calettatùra f. → **calettamento**.

calìa f. (*limatura*) gold dust; gold filings (pl.).

calibràre v. t. **1** (*mecc.: un pezzo cilindrico*) to ream; to gauge **2** (*mecc.: misurare*) to calibrate **3** (*cernere*) to sort; to grade **4** (*adattare*) to adjust; to tailor **5** (*soppesare*) to weigh carefully; to measure carefully.

calibratóio m. **1** (*mecc.*) reamer **2** (*per arma da fuoco*) calibrator; calibre-gauge.

calibratóre m. **1** (*per cernere frutta, ecc.*) grader **2** (f. *-trìce*) calibrator.

calibratùra f. (*cernita di frutta, ecc.*) grading.

càlibro m. (*mecc.*) **1** (*di arma da fuoco*) calibre, caliber (*USA*); bore (diameter): (*mil.*) **piccolo [medio, grosso] c.**, small [medium, large] calibre; **fucile c. dodici**, twelve-gauge (*o* twelve-bore) shotgun; **pistola c. 45**, forty-five; .45; **pistola di grosso c.**, heavy gun; (*mil.*) **grossi calibri**, big guns **2** (*strumento*) callipers (pl.); gauge: **c. a corsoio**, vernier callipers **c. passa**, go gauge; **c. non passa**, no-go gauge; **c. passa e non passa**, go no-go gauge; **c. per esterni [per interni]**, outside [inside] callipers **3** (*fig.*)

calibre, caliber (*USA*): **un uomo del suo c.**, a man of his calibre ● (*fig.*) **grossi calibri**, big names; big shots (*fam.*).

calicànto m. (*bot.*) calycanthus* ● **c. d'estate** (*Calycanthus floridus*), calycanthus; Carolina allspice □ **c. d'inverno** (*Chimonanthus praecox*), Japan allspice.

càlice ① m. **1** goblet; drinking cup (*lett.*); (*estens.*: *bicchiere*) glass: **levare i calici**, to raise the glasses; to make a toast **2** (*eccles.*) chalice; calix* **3** (*anat.*) calyx* ● (*fig.*) **un amaro c.**, a bitter cup.

càlice ② m. (*bot.*) calyx*.

calicétto m. (*bot.*) calycle.

calicifórme a. calyciform.

calicìno a. (*bot.*) calycine.

calicò m. (*ind. tess.*) calico*.

calicòsi f. (*med.*) chalicosis.

calidàrio m. (*archeol.*) calidarium*.

califfàto m. caliphate, califate.

califfo m. caliph, calif.

californiàno a. e m. Californian.

califòrnio m. (*chim.*) californium.

caligine f. **1** haze; fog; mist; (*nebbia mista a fumo*) smog **2** (*fig.*) haze; fog.

caliginóso a. **1** hazy; foggy **2** (*oscuro*) dark; obscure.

caliórna f. (*naut.*) purchase; winding tackle.

calipso m. (*ballo*) calypso.

caliptra f. (*bot.*) calyptra; root-cap.

càlla f. (*bot.*) **1** (*Calla palustris*) calla; water arum **2** (*Zantedeschia aethiopica, anche* **c. dei fioristi**) calla; arum lily.

call center loc. m. inv. (*ingl.*) call centre.

càlle Ⓐ m. (*poet.*) path; lane Ⓑ f. calle (narrow Venetian street).

callicreìna f. (*chim.*) kallicrein.

càllido a. (*lett.*) crafty; cunning.

callifugo Ⓐ m. corn-plaster Ⓑ a. corn (attr.).

calligrafìa f. **1** (*bella scrittura*) calligraphy; penmanship **2** (*grafia*) handwriting; hand: **c. illeggibile**, illegible handwriting.

calligràfico a. **1** handwriting (attr.); calligraphic: **perizia calligrafica**, expert opinion on a sample of handwriting; **saggio c.**, sample of handwriting **2** (*fig.*) formally elaborate; over-stylized; over-refined.

calligrafìsmo m. excessive refinement.

calligrafo m. (f. **-a**) **1** calligrapher; calligraphist; penman* (m.) (*stor.*) **2** (*fig.*) over-stylized stylist ● (*leg.*) **perito c.**, handwriting expert.

calligràmma m. (*poesia*) calligram.

calliònimo m. (*zool., Callyonimus*) dragonet.

callista m. e f. chiropodist.

callistenìa f. callisthenics (pl. col verbo al sing.).

callistènico a. callisthenic.

càllo m. **1** (*med.*) callus*; (*ai piedi*) corn **2** (*bot.*) callus* ● (*fig.*) **fare il c. a qc.**, to get used to st.; to become inured (o hardened) to st. □ (*fig.*) **pestare i calli a q.**, to tread on sb.'s toes.

callorìnco m. (*zool., Callorhyncus*) elephant fish.

callorìno m. (*zool., Callorhinus alascanus*) fur seal; sea bear.

callosità f. **1** (*callo*) callus*; callosity **2** (*l'essere calloso*) callousness; horniness.

callóso a. **1** (*di piede*) having corns; (*di mano*) horny, calloused; (*med.*) callous **2** (*fig.*: *indurito*) hardened; thickened; callous ● (*anat.*) **corpo c.**, corpus callosum.

◆**càlma** f. **1** (*quiete, tranquillità*) calm; quiet; peace; peacefulness; tranquillity: **la c. di un giorno d'estate**, the calm of a summer day; **amare la c.**, to love quiet; **mai un momen-**

---

to di c., never a moment's peace **2** (*pacatezza*) calm, calmness; (*compostezza*) composure; (*agio*) leisure: **con c.**, calmly; *Fa' con calma*, take your time; don't rush; **mantenere la c.**, to keep calm; to keep one's composure; to keep one's cool (*fam.*); **perdere la c.**, to lose one's temper; **prendersela con c.**, (*non agitarsi*) to take things easy; (*non affrettarsi*) to take one's time; *C. e sangue freddo!*, steady!; keep calm!; *Con la c. si fa tutto*, easy does it **3** (*bonaccia*) calm: **c. piatta**, dead calm; *Il mare è in c.*, the sea is calm; (*geogr.*) **la regione delle calme equatoriali**, the doldrums (pl.).

calmànte Ⓐ a. calming; soothing Ⓑ m. (*farm.*) sedative; (*analgesico*) painkiller.

◆**calmàre** Ⓐ v. t. **1** to calm down; (*rabbonire*) to placate, to appease: **c. i nervi [le paure]**, to calm sb.'s nerves [fears]; *Riuscimmo a calmarlo*, we managed to calm him down **2** (*alleviare*) to relieve; to soothe; to ease; to lessen: **c. il dolore**, to ease the pain Ⓑ **calmàrsi** v. i. pron. **1** (*di persona*) to calm down; to cool down: *Finalmente il nonno si calmò*, at last Grandad calmed down; *Calmati!*, calm down!; cool it! (*fam.*) **2** (*placarsi*) to grow* calm; to subside; to die down; (*di mare*) to calm down; (*di tempesta*) to abate; (*di vento*) to drop, to die down; (*di dolore*) to ease.

calmàta f. **1** (*naut.*) lull **2** (*scherz.*) – **darsi una c.**, to calm down; to cool it (*fam.*); to keep one's hair on (*fam.*).

calmieraménto m. price control; fixing a price ceiling.

calmieràre v. t. (*merci*) to fix a price ceiling for; to subject to price control; (*prezzi*) to peg, to control.

calmieratóre a. price-control (attr.); price-fixing (attr.).

calmière m. price ceiling: **prezzo di c.**, ceiling price.

◆**càlmo** a. **1** (*tranquillo*) calm; quiet; peaceful: **un pomeriggio c.**, a calm (o quiet) afternoon; *La situazione è calma*, the situation is quiet **2** (*di persona*) calm; composed; collected: **rimanere c.**, to keep calm; to keep one's composure; *Ne parleremo quando sarai più c.*, we'll discuss it when you've calmed (o cooled) down **3** (*immobile*) calm; still: *Il mare era c.*, the sea was calm; **aria calma**, still air.

calmùcco a. e m. Kalmuck.

càlo m. **1** (*diminuzione*) drop; fall; falling-off; tail-off; tailing-off; reduction; decrease; decline; downturn; (*perdita*) loss; (*econ.*) **c. della domanda**, reduction (o drop) in demand; **un c. di entusiasmo**, a drop in enthusiasm; **un c. d'interesse**, a tailing-off of interest; **c. delle nascite**, decline in birth-rate; **c. di peso**, loss of weight; **c. di prestigio**, loss of prestige; **c. di produzione**, downturn in production; **c. di qualità**, falling-off (o decline) in quality; **c. delle vendite**, drop in sales; (*comm.*) **c. di volume**, shrinkage; **c. rapido**, nose-dive; **c. temporaneo**, dip; *Ho avuto un c. della vista*, my eyesight has worsened; **essere in c.**, to be on the (o in) decline; to be declining **2** (*comm.*: *colaggio*) ullage, leakage; (*perdita di volume*) shrinkage; (*perdita di peso*) shortage; (*perdita per scarti*) wastage.

calomelàno m. (*farm.*) calomel.

◆**calóre** m. **1** heat; (*tepore*) warmth: **c. animale**, animal heat; **il c. del sole**, the heat of the sun; **c. estivo**, summer heat; **mandare c.**, to give off warmth; **provare una sensazione di c.**, to feel warm; (*med.*) **colpo di c.**, heatstroke **2** (*fis.*) heat: **calor bianco**, white heat; (*anche fig.*) **al calor bianco**, white-hot; **c. di fusione**, melting heat; **c. latente**, latent heat; **c. residuo**, afterheat; **calor rosso**, red heat; **c. specifico**, specific

---

heat; **produrre c.**, to produce heat; **conduzione del c.**, heat conduction; **fonte di c.**, heat source; (*tecn.*) **pompa di c.**, heat pump **3** (*fig.*: *calorosità*) warmth; (*entusiasmo*) heat, fervour, passion: **c. umano**, warm-heartedness; caring; *Ci accolsero con c.*, they welcomed us warmly; **nel c. della discussione**, in the heat of the argument; **discutere qc. con c.**, to discuss st. excitedly (o animately): *Parlò con c. a favore dell'abolizione di ogni restrizione*, she argued passionately for the abolition of all restrictions **4** (*med.*) heat rash **5** (*di animale*) heat: **in c.**, on heat (*GB*); in heat (*USA*).

calorìa f. (*fis., biol.*) calorie, calory: **piccola c.**, small calorie; gram calorie; **grande c.**, large calorie; kilogram calorie; **ricco [povero] di calorie**, rich [low] in calories.

calòrico m. **1** (*fis.*) caloric **2** (*rif. al cibo*) caloric; calorific: **valore c.**, calorific value; **cibo altamente c.**, high-calorie food.

calorìfero m. radiator; heater.

calorìfico a. calorific: **potere c.**, calorific value.

calorìgeno a. calorific; thermogenic.

calorimetrìa f. (*fis.*) calorimetry.

calorimètrico a. (*fis.*) calorimetric.

calorìmetro m. (*fis.*) calorimeter.

calorizzazióne f. (*metall.*) calorizing.

calorosità f. warmth; warm-heartedness; cordiality.

caloróso a. **1** (*che non soffre il freddo*) that does not feel the cold **2** (*fig.*: *cordiale*) warm, friendly; cordial; hearty; (*entusiastico*) enthusiastic; (*animato*) heated, animated: **un'accoglienza calorosa**, a warm welcome; **discussione calorosa**, heated argument.

calòscia f. galosh, golosh; overshoe.

calosòma m. (*zool., Calosoma*) ground beetle.

calotipìa f., **calòtipo** m. (*fotogr.*) calotype (process).

calòtta f. **1** (*mat.*) segment of a sphere **2** cap; (*protettiva*) cover, hood: (*anat.*) **c. cranica**, skullcap; crown; (*autom., elettr.*) **c. dello spinterogeno**, distributor cap; (*geogr.*) **c. polare**, (Polar) icecap **3** (*zucchetto*) calotte; (*papalina*) skullcap **4** (*di orologio*) watchcase **5** (*di paracadute*) canopy **6** (*di cappello*) crown **7** (*archit.*) vault (of a dome).

◆**calpestàre** v. t. **1** to tread* on; to step on; to trample; to trample on: *Calpestai la coda al cane*, I trod (o stepped) on the dog's tail; *Fu calpestata dalla folla*, she was trampled by the crowd; *È vietato c. l'erba*, keep off the grass **2** (*fig.*) to trample on; to walk over; to ride* roughshod over: **c. i diritti di q.**, to trample on sb.'s rights; **un popolo calpestato**, a downtrodden people.

calpestìo m. trampling; tread; footfalls (pl.); (*lieve*) pattering of feet; (*scalpiccio*) shuffling of feet; (*rumore di zoccoli*) stamping.

càlta f. (*bot., Caltha palustris*) marsh marigold.

calùgine f. (*zool., bot.*) down.

calumàre (*naut.*) Ⓐ v. t. to pay* out Ⓑ **calumàrsi** v. rifl. to let* oneself down (a cable).

calumet m. inv. peace pipe; calumet: **fumare il c. della pace**, to smoke the peace pipe.

calùnnia f. **1** (*leg.*) slander; defamation **2** (*estens.*) slander; calumny; false accusation; (*menzogna*) lie: **spargere calunnie**, to spread slander; *È una c.!*, it's a lie!

calunniàre v. t. to slander; to defame; to calumniate; to vilify.

calunniatóre m. (f. **-trice**) slanderer; defamer; calumniator; vilifier.

calunnióso a. slanderous; defamatory; calumnious.

calùra f. (*lett.*) great heat; sultriness.

calutróne m. (*fis.*) calutron.

calvàrio m. **1** (*relig.*) Calvary **2** (*fig.*) ordeal; trial; sufferings (pl.); cross.

calvinìsmo m. (*stor. relig.*) Calvinism.

calvinìsta m. e f. (*stor. relig.*) Calvinist.

calvinìstico a. Calvinistic.

calvìzie f. baldness.

càlvo A a. bald (*anche fig.*); bald-headed: **testa calva**, bald head; **uomo c.**, bald man; **diventare c.**, to go bald B m. bald man*; baldhead; baldpate (*fam.*).

♦**càlza** f. **1** (*alla caviglia o al ginocchio*) sock; (*con reggicalze*) stocking; (al pl.: *collant*) tights (*GB*), pantyhose (*sing. USA*): **calze al ginocchio**, knee (o knee-length) socks; **calze a rete**, fishnet stockings; **calze autoreggenti**, stay-ups; **calze con la cucitura**, seamed stockings; **calze di cotone [di lana]**, cotton [woollen] socks; **calze di nylon**, nylon stockings; **calze elastiche**, elastic stockings; **calze senza cucitura**, seamless stockings; **calze velate**, sheer tights; sheer pantyhose; **un paio di calze**, a pair of stockings [of tights]; a pantyhose (*USA*) **2** (*lavoro a maglia*) knitting: **fare la c.**, to knit; **ferro da c.**, knitting needle **3** (*rivestimento di cavi e sim.*) braiding.

calzabràca f. (*stor.*) hose.

calzamàglia f. **1** leotard; body stocking; (*collant*) tights (pl. *GB*), pantyhose (*USA*) **2** (*stor.*) hose.

calzànte A a. **1** comfortably fitting **2** (*fig.*) apt; fitting: **un paragone c.**, an apt comparison; **un esempio c.**, a fitting example; a case in point; **una citazione c.**, an apt quotation B m. (*calzatoio*) shoehorn.

♦**calzàre** ① A v. t. **1** (*avere indosso*) to wear*: *Calzava sandali*, he was wearing sandals **2** (*infilare*) to put* on: *Calzò guanti e cappello*, she put on her gloves and hat **3** (*aiutare a infilare*) to help sb.) on with: *Calza le scarpe al bambino*, help the child on with his shoes **4** (*provvedere di calzature*) to fit out (o to provide, to supply) with shoes: *Calziamo metà città*, we supply half the town with shoes **5** (*una data taglia*) to take*: *Che numero (di scarpe) calzi?*, what size do you take? **6** (*puntellare con biette*) to put* wedges under; to wedge B v. i. **1** (*di scarpe e sim.*) to fit: *Questo guanto calza perfettamente*, this glove fits perfectly **2** (*fig.*) to be fitting; to be apt: *La citazione calzava*, the quotation was apt • **c. a pennello**, to fit perfectly; to fit like a glove; (*fig.*) to be very apt.

calzàre ② m. (*lett.*) shoe; boot; sandal.

calzascàrpe m. inv. shoehorn.

calzàta f. width (of a shoe).

calzàto a. shod • **c. e vestito**, perfect; utter; egregious: *È un idiota c. e vestito*, he's a perfect fool.

calzatóia f. chock; wedge.

calzatóio m. shoehorn.

calzatùra f. shoe; (al pl., collett.) footwear Ⓤ: **calzature per uomo**, men's footwear; **negozio di calzature**, shoe shop.

calzaturière m. (f. *-a*) footwear manufacturer.

calzaturièro A a. shoe (attr.); footwear (attr.); shoe-manufacturing; footwear-factory (attr.): **industria calzaturiera**, shoe (o footwear) industry B m. (f. *-a*) worker in a shoe factory; footwear-factory worker.

calzaturifìcio m. shoe factory; footwear factory.

calzeròtto m. sock.

calzétta f. (*calzino*) (ankle) sock • (*fig.*) **mezza c.**, second-rater; mediocrity.

calzettàio m. (f. *-a*) **1** (*fabbricante*) hosiery manufacturer **2** (*venditore*) hosier.

calzetterìa f. **1** (*fabbrica*) hosiery factory

2 (*negozio*) hosier's **3** (*comm.*) hosiery.

calzettóne m. **1** knee (o knee-length) sock; (*sportivo, di lana*) thick sock, crew sock (*USA*) **2** (al pl.) (*pesca*) waders.

calzifìcio m. hosiery factory.

♦**calzìno** m. (ankle) sock • (*fig. fam.*) **tirare il c.**, to kick the bucket; to croak.

calzolàio m. (f. *-a*) **1** shoemaker; bootmaker **2** (*ciabattino*) shoe repairer; cobbler.

calzolerìa f. **1** (*bottega di ciabattino*) shoemaker's (shop); cobbler's (shop) **2** (*negozio di calzature*) shoe shop.

♦**calzoncini** m. pl. shorts; (*da bagno*) (swimming) trunks.

♦**calzóne** m. **1** (spec. al pl.) trousers; pants (*USA*); (*anche da donna*) slacks; (*al ginocchio*) breeches: **calzoni a zampa di elefante**, bell-bottom trousers; bell-bottoms; **c. alla cavallerizza**, riding breeches; **calzoni alla zuava**, knickerbockers; knickers (*fam. USA*); plus fours; **calzoni corti**, shorts; **calzoni da equitazione**, jodhpurs; **calzoni lunghi**, long trousers; **in calzoni**, wearing trousers; **tasca dei calzoni**, trouser pocket **2** (*gamba dei calzoni*) trouser leg **3** (*cucina*) calzone; folded-over pizza • (*fig. fam.*) **farsela nei calzoni**, to be scared stiff; to shit in one's pants (*volg.*) □ (*fig.*) **portare i calzoni**, to wear the trousers (*USA* pants).

calzuòlo m. (*cuneo, bietta*) wedge; quoin.

Cam m. (*Bibbia*) Ham.

cam → **webcam**.

camacìte f. (*miner.*) kamacite.

camaldolése a e m. Camaldolite; Camaldolese.

camaleónte m. **1** (*zool., Chamaeleo*) chameleon **2** (*fig.*) time-server; chameleon.

camaleòntico a. **1** chameleonic **2** (*fig.*) time-serving; chameleonic.

camaleontìsmo m. (*fig.*) opportunism; time-serving.

camàllo m. (*region.*) docker; longshoreman* (*USA*).

camarìlla (*spagn.*) f. (*cricca*) cabal; clique.

cambiàbile a. changeable; exchangeable.

cambiadìschi m. (automatic) record changer.

cambiàle f. (*comm.*) bill of exchange; bill; draft: **c. a breve [a lunga] scadenza**, short-dated [long-dated] bill; **c. a certo tempo data**, fixed-date bill; after date bill; **c. a certo tempo vista**, term sight bill; bill after sight; **c. a trenta giorni data**, bill at thirty days after date; **c. a vista**, bill at sight; sight bill; **c. all'incasso**, bill for collection; **c. bancaria**, bank bill; banker's bill; **c. di comodo**, accommodation bill; **c. in bianco**, blank bill; **c. in circolazione**, outstanding bill; **c. in sofferenza**, unpaid bill; overdue bill; **c. pagabile all'interno**, inland bill; **c. pagabile su piazza**, local bill; **c. tratta**, draft; **accettare una c.**, to accept (o to take up) a bill; **avallare una c.**, to back a bill; **emettere una c.**, to issue a bill; **girare una c.**, to endorse a bill; **incassare una c.**, to cash (o to collect) a bill; **non pagare una c.**, to dishonour a bill; **protestare una c.**, (*con protesto preliminare*) to note a bill; (*definitivo*) to protest a bill; **scontare una c.**, to discount a bill; **spiccare una c. su**, to draw a bill on.

♦**cambiaménto** m. change; (*rapido*) swing; (*modifica*) alteration: (*anche fig.*) **c. d'aria**, change of air; **c. di casa**, move; **c. d'immagine** (*in un'azienda, ecc.*), facelift; makeover; **c. di marea**, turn of the tide; **c. di scena**, (*teatr.*) change of scene, scene-change; (*fig.*) change of scene; **c. del tempo**, change in the weather; **c. d'umore**, change of mood; mood swing; **c. del vento**, shift in the wind; **c. in meglio [in peggio]**, change for the better [for the worse]; **c. totale** (*o radicale*), changeover; switch-over; turn-

around; **un netto c. nell'opinione pubblica**, a swing in public opinion; *C'è stato un c. di proprietario nella ditta*, the firm has changed hands; **apportare un c. a**, to make a change in; to alter st.; **aver bisogno di un c.** (*di vita, lavoro, aria, ecc.*), to need a change; **odiare i cambiamenti**, to dislike change; *Abbiamo fatto dei cambiamenti in salotto*, we've made some alterations in the lounge; *Ha fatto un gran c.*, he has changed a lot; **produrre un c.**, to bring about a change.

cambiamonéte → **cambiavalute**.

♦**cambiàre** A v. t. **1** to change; (*sostituire, anche*) to replace; (*modificare*) to alter: **c. argomento**, to change the subject; **c. il bambino**, to change the baby; **c. casa**, to move (house); **c. colore**, to change colour; (*impallidire*) to turn pale; **c. idea**, to change one's mind; **c. una lampadina**, to change (o to replace) a bulb; **c. lavoro**, to change one's job; **c. i propri piani**, to change (o to alter) one's plans; **c. posto**, to change (one's) place; (a sedere) to change seat; (*naut. e fig.*) **c. strada**, to take another road; **c. rotta**, to change course; **c. vestito**, to change (clothes); **cambiarsi le scarpe**, to change one's shoes; *Il matrimonio l'ha cambiato*, marriage has changed him; *Allora la cosa cambia aspetto*, that puts a different look on the matter **2** (*scambiare*) to change; to exchange: **c. partito**, to change political parties; **c. posto con q.**, to change places (a sedere, seats) with sb.; *Riportai la camicetta al negozio per cambiarla con una bianca*, I took the blouse back to the shop to change it for a white one **3** (*convertire*) to change; (*in moneta*) to cash: **c. un assegno**, to cash a cheque; **c. euro in dollari**, to change euros into dollars; to exchange euros for dollars; *Puoi cambiarmi cinquanta euro?*, can you change a fifty euro note for me? **4** (*autom.*) to change; to shift (*USA*); (*assol.*) to change gear; **c. marcia**, to change (o to shift) gear (*USA*); **c. e mettere la quarta**, to change (o to shift) into fourth gear **5** (*mezzo di trasporto*) to change: **c. treno**, to change trains; *Devi c. a Firenze*, you've got to change (trains) in Florence • (*fig.*) **c. aria**, to have a change of air; (*andarsene*) to get away; (*scappare*) to decamp □ **c. l'aria in una stanza**, to air a room □ (*sport*) **c. campo**, to change ends □ (*fig.*) **c. le carte in tavola**, not to play fair; to shift one's ground; (*cambiare le regole*) to move the goalposts □ **c. mani** (*o padrone*), to change hands □ (*fig.*) **c. musica**, to change one's tune □ (*di uccello*) **c. le penne**, to moult □ (*fig.*) **c. le regole**, to move the goalposts □ (*fig.*) **c. tono**, to change one's tune □ **c. vita**, to turn over a new leaf; to start a new life □ **tanto per c.**, just for a change B v. i. **1** to change: **c. in meglio [in peggio]**, to change for the better [for the worse]; *Non sei cambiata affatto!*, you haven't changed a bit! **2** (*del vento, ecc.*) to shift; to turn C **cambiàrsi** v. rifl. (*mutarsi d'abito*) to get* changed; to change (out of, into): **cambiarsi per cena [per uscire]**, to change for dinner [before going out]; **cambiarsi e mettersi qualcosa di più leggero [di più elegante]**, to change into something lighter [smarter]; *Sono bagnato, devo cambiarmi*, I must change out of these wet clothes; **avere da cambiarsi**, to have something to change into; to have a change of clothes D **cambiàrsi** v. i. pron. (*mutarsi*) to turn (into); to change (into): *La pioggia si cambiò in nevischio*, the rain turned into sleet.

cambiàrio a. (*comm.*) bill (of exchange) (attr.): **bollo c.**, bill stamp; **effetto c.**, note; **pagherò** (o **vaglia**) **c.**, promissory note; **portafoglio c.**, bill holding; bill portfolio; **protesto c.**, protest.

cambiatensióne m. inv. (*elettr.*) voltage

divider; potential divider.

cambiavalùte m. e f. money changer.

♦**càmbio** m. **1** (*cambiamento*) change: **c. d'indirizzo**, change of address; (*autom.*) **c. di marcia**, gear change; change of gear; **c. di casa**, move **2** (*sostituzione*) change, changing, replacement; (*cosa sostituita*) change, replacement; (*scambio*) exchange; swap (*fam.*): **un c. d'abiti**, a change of clothes; (*sport*) **c. di campo**, changeover; **c. di cavalli**, change of horses; (*anche fig.*) **c. della guardia**, changing of the guard; **in c.**, in return; in exchange; for it: **in c. di**, for; in return for; in exchange for; *Ti do questo CD in c. della videocassetta*, I'll swap you this CD for your video **3** (*avvicendamento*) relief; change; shift: **dare il c. a q.**, to relieve sb. (*anche mil.*): to spell sb. (*USA*); to take over from sb.; **darsi il c.**, to take it in turns; to alternate; to take spells **4** (*econ.: tasso di cambio*) exchange (rate); rate (of exchange): **c. d'apertura [di chiusura]**, opening [closing] exchange; **c. alla pari**, exchange at par; par of exchange; **c. della piazza**, local rate of exchange; **c. favorevole [sfavorevole]**, favourable [unfavourable] exchange; **c. fisso**, fixed (exchange) rate; **c. libero**, free (*o* unofficial) exchange rate; **c. sopra la pari**, exchange at a premium; **c. sotto la pari**, exchange at a discount; **guadagnare al c.**, to gain on (*o* by) the exchange; **agente di c.**, stockbroker; **corso di c.**, rate (of exchange); **lettera di c.**, bill of exchange; **oscillazioni del c.**, fluctuations (in the rate) of exchange **5** (*econ.: valuta estera*) (foreign) exchange: **il c. attuale**, the present rate (*o* rates) of exchange; **c. a consegna**, forward exchange **6** (*mecc.*) gear; gears (pl.); gearchange; (*di bicicletta, anche*) dérailleur (*franc.*): **c. a mano [automatico]**, manual [automatic] gear-change; automatic transmission; **c. a cloche**, gear lever; stick shift (*USA*); manual transmission; **c. a pedale**, pedal gear change; **c. al volante**, gear lever on the steering column; **c. a sei velocità**, six-speed gearbox; **c. in folle**, gear in neutral; **c. sincronizzato**, synchromesh gear; **scatola del c.**, gearbox **7** (*spiccioli*) (small) change: *Mi spiace, non ho c.*, sorry, I haven't any change **8** (*bot.*) cambium.

cambista → **cambiavalute**.

Cambògia f. (*geogr.*) Cambodia.

cambogiàno a. e m. (f. **-a**) Cambodian.

càmbra f. (*edil.*) cramp.

cambrétta f. staple.

cambrì m. cambric.

cambriàno, càmbrico a. e m. (*geol.*) Cambrian.

cambùsa f. (*naut.*) storeroom.

cambusière m. (*naut.*) storekeeper.

camecèraso m. (*bot.*, *Lonicera alpigena*) honeysuckle.

camèlia f. (*bot.*, *Camellia japonica*) camellia.

camèo → **cammeo**.

♦**càmera** ① f. **1** (*stanza*) room: **c. a due letti**, twin-bedded room; **c. a un letto** (*o* singola), single bedroom; **c. con bagno**, bedroom with en-suite bathroom; en-suite bedroom; **c. da letto**, bedroom; (*i mobili*) bedroom suite; **c. degli ospiti**, guestroom; **c. dei bambini**, children's room; nursery; playroom; **c. di servizio**, spare room; **c. doppia**, double bedroom (*o* room); **c. matrimoniale**, double bedroom; **c. sul retro**, back room; **camere da affittare**, rooms to let; *Mario è in c. sua*, Mario's in his room; **un appartamento di tre camere**, a three-roomed flat **2** (*tecn.*) chamber: (*fis.*) **c. a bolle**, bubble chamber; **c. di combustione**, (*di motore*) combustion chamber; (*di forno*) firebox; (*naut.*) **c. di decompressione**, decompression chamber; **c. di scoppio**, (*di motore*) combustion chamber; (*d'arma*) cartridge chamber **3** (*polit.*) Chamber; House: *C. alta*, Higher (*o* Upper) House; *C. bassa*, Lower House; (*in GB*) **la C. dei Comuni**, the House of Commons; the Commons; the House; **la C. dei Deputati** (*o* **la C.**), the Chamber of Deputies; (*in GB*) **la C. dei Pari**, the House of Lords; the Lords; (*in USA*) **la C. dei Rappresentanti**, the House of Representatives; **le due Camere**, (the Houses of) Parliament; **sciogliere le Camere**, to dissolve Parliament **4** (*organo direttivo*) chamber; board: **c. arbitrale**, arbitration board; *C. di Commercio*, Chamber of Commerce; Board of Trade; *C. del lavoro*, Trade-Union Headquarters ● **c. a gas**, gas chamber □ **c. ammobiliata**, furnished room; lodgings (pl.) □ **c. ardente**, mortuary chapel □ **c. blindata**, strongroom □ **c. d'aria**, (*di pneumatico*) (inner) tube; (*di pallone*) bladder; (*intercapedine*) air gap; cavity: (*autom.*) **senza c. d'aria**, tubeless □ (*ind. min.*) **c. da mina**, mine gallery □ (*Banca*) **c. di compensazione**, clearing house □ (*leg.*) **c. di consiglio**, chambers (pl.) □ (*naut.*) **c. di lancio**, torpedo room □ (*mil.*) **c. di punizione**, disciplinary cell □ **c. di sicurezza**, (*cella*) detention room, cell; (*naut.*) strongroom, vault □ (*in albergo*) **c. e prima colazione**, bed and breakfast □ (*fotogr.*) **c. oscura**, dark room □ **compagno di c.**, roommate □ **musica da c.**, chamber music □ **servizio in c.**, room service □ **veste da c.**, dressing gown.

càmera ② f. (*cinem.*, *fotogr.*, *TV*) camera.

cameràle a. Chamber (*attr.*); Chamber's (*attr.*): **deliberazione c.**, Chamber's decision.

cameralìsmo m. (*stor. econ.*) cameralism.

cameràrio m. (*stor.*) chamberlain.

cameràta ① f. **1** (*dormitorio*) dormitory **2** (*le persone*) roommates (pl.) **3** (*stor.*) association; society.

cameràta ② m. e f. **1** comrade; companion; friend; mate (m., *fam.*); buddy (m., *fam. USA*) **2** (*stor.*) camerata (form of address used by members of the Fascist Party).

cameratésco a. comradely; friendly; matey: **solidarietà cameratesca**, comradely solidarity; sense of comradeship; mateship (*Austral.*); esprit de corps (*franc.*); **un ambiente c. e allegro**, a jolly, informal atmosphere.

cameratìsmo m. comradeship; camaraderie; mateship (*Austral.*); fellow feeling.

camerièra f. **1** (*domestica*) maid; housemaid; maidservant: **c. a ore**, daily help; daily (*fam.*); **c. fissa**, live-in maid; **c. personale**, lady's maid **2** (*di ristorante*) waitress **3** (*di albergo*) chambermaid.

♦**camerière** m. **1** (*domestico*) manservant*: **c. personale**, valet **2** (*di ristorante*) waiter: **capo c.**, head waiter.

camerinìsta m. e f. (*teatr.*) dresser.

camerìno m. **1** small room; closet **2** (*teatr.*) dressing room; green room **3** (*naut.*) (officer's) cabin **4** (*fam.*: *latrina*) lavatory; toilet.

camerìsta f. waiting maid; waiting woman*.

camerìstica f. (*mus.*) chamber music.

camerìstico a. (*mus.*) chamber (*attr.*); chamber music (*attr.*).

camerléngo m. (*eccles.*) camerlengo*; camerlingo*.

Càmerun m. (*geogr.*) Cameroon.

camerunése a., m. e f. Cameroonian.

càmice m. **1** white coat; overall; (*di chirurgo*) gown **2** (*eccles.*) alb ● **camici bianchi**, doctors; researchers; technicians.

cameria f. **1** (*negozio*) shirt shop **2** (*fabbrica*) shirt factory.

camicétta f. blouse; (*di foggia maschile*) shirt.

♦**camìcia** f. **1** shirt: **c. di seta**, silk shirt; **in c.**, in one's shirt **2** (*mecc.*, *edil.*, *ecc.*) jacket; lining; case: **c. d'acqua**, water jacket; **c. di raffreddamento**, cooling jacket **3** (*bur.*: *cartella*) folder ● (*stor.*) **camicie brune**, Brownshirts □ **c. da notte**, (*da uomo*) nightshirt; (*da donna*) nightdress (*GB*), nightgown (*USA*), nighty (*fam.*) □ **c. di forza**, straitjacket □ (*stor.*) **camicie nere**, Blackshirts □ (*stor.*) **camicie rosse**, (Garibaldi's) Redshirts □ **giocarsi la c. su qc.**, to put one's shirt on st. □ **in maniche di c.**, in one's shirtsleeves: **mettersi in maniche di c.**, to take off one's jacket □ (*fig.*) **Sei nato con la c.**, you were born lucky □ (*fig.*) **ridursi** (*o* **rimanere**) **in c.**, to lose everything □ (*fig.*) **sudare sette camicie**, to sweat blood; to have a hard job (doing st.) □ (*cucina*) **uova in c.**, poached eggs.

camiciàio m. (f. **-a**) **1** (*fabbricante*) shirtmaker **2** (*venditore*) shirt seller.

camiciàto a. (*di proiettile*) jacketed.

camiciòla f. **1** (*canottiera*) vest (*GB*); undershirt (*USA*) **2** (*camicetta estiva*) light shirt; (*da donna*) light blouse.

camicióne m. loose shirt; overblouse; smock.

camiciòtto m. (*da lavoro*) workblouse; (*da pittore*) smock; (*sportivo*) sports shirt.

caminétto m. fireplace: **raccogliersi davanti [intorno] al c.**, to gather round the fireside.

caminièra f. **1** (*parafuoco*) fireguard; firescreen **2** (*mensola*) mantelpiece; chimneypiece **3** (*specchio*) mantelpiece mirror.

♦**camìno** m. **1** (*focolare*) fireplace: **accendere il c.**, to light the fire; **sedere accanto al c.**, to sit at the fireside; **cappa del c.**, hood; **mensola del c.**, mantelpiece; chimneypiece (*GB*) **2** (*anche* **gola del c.**) chimney; flue **3** (*comignolo*) chimneypot; (*con più canne fumarie*) chimney stack **4** (*ciminiera*) chimney stack **5** (*geol.*) vent **6** (*alpinismo*) chimney.

♦**càmion** m. inv. lorry; truck (*USA*): **c. aperto**, open lorry; **c. con rimorchio**, lorry with trailer; **c. della spazzatura**, dustcart (*GB*); garbage truck (*USA*); **c. per traslochi**, pantechnicon (*GB*); removal truck (*USA*).

camionàbile, camionàle a. e f. (road) open to lorry traffic.

camionàta f. truckload.

♦**camioncìno** m. van; (*scoperto*) pickup (truck).

camionétta f. jeep.

camionìsta m. e f. lorry driver (*GB*); truck driver (*USA*); trucker (*USA*); teamster (*USA*).

camionìstico a. **1** (*di camion*) lorry (*attr.*, *GB*); truck (*attr.*, *USA*) **2** (*di camionista*) lorry driver's (*attr.*, *GB*); truck driver's (*attr.*, *USA*).

camisàccio m. sailor's blouse.

camìta m. e f. Hamite.

camìtico a. Hamitic.

camìto-semìtico a. (*ling.*) Hamito-Semitic.

càmma f. (*autom.*, *mecc.*) cam: **albero a camme**, camshaft.

cammellàto a. camel-borne; camel (*attr.*): **truppe cammellate**, camel troops.

cammellière m. camel-driver; cameleer.

cammèllo A m. **1** (*zool.*) camel; (*a una gobba*: *Camelus dromedarius*) Arabian camel, dromedary; (*a due gobbe*: *Camelus bactrianus*) (Bactrian) camel **2** (*tessuto*) camelhair; camel's hair: **cappotto di c.**, camelhair coat **B** a. inv. (*posposto*) camel (*attr.*): **color c.**, camel; **giacca c.**, camel jacket.

cammellòtto m. (*ind. tess.*) camlet.

cammèo m. cameo*.

camminaménto m. (*mil.*) communica-

a b **c** d e f g h i j k l m n o p q r s t u v w x y z

C

tion trench.

♦**camminàre** v. i. **1** to walk: **c. a grandi passi**, to stride; **c. a passi pesanti**, to tramp; to stomp; **c. a quattro zampe**, to go on all fours; to crawl; **c. di buon passo**, to walk at a brisk pace (*o* briskly); **c. in fretta**, to walk fast; **c. in punta di piedi**, to walk on tiptoe; to tiptoe; **c. per la strada**, to walk along (*o* down, up) the street; **c. senza fretta**, to stroll; to saunter; **c. su e giù**, to walk up and down; to pace (st.); **c. sul sicuro**, to tread on safe ground; **c. zoppicando**, to walk with a limp; *Mi piace c.*, I like walking; **faticare a c.**, to walk with difficulty **2** (*di veicolo: andare*) to travel; to go*; to run* **3** (*funzionare*) to work; to go*; to run*: *Quell'orologio non cammina*, that clock isn't working **4** (*fig.: progredire*) to move; to go*; to proceed; to make* progress: *Gli affari camminano*, business is brisk **5** (*fig., di discorso, ecc.*) to work; to make* sense: **una frase che non cammina**, a sentence that doesn't make sense ● (*nelle fiabe*) **Cammina, cammina, arrivò a un castello**, on and on and on he went, till he got to a castle □ **Il mondo cammina**, life waits for no one □ (*fam.*) **Cammina!**, come on!; get going; get moving!; (*vattene*) go away!

♦**camminàta** f. **1** walk: **una bella c.**, a good walk; **una c. di due ore**, a two-hour walk; **c. faticosa**, trudge; slog (*fam.*); **lunga c.**, long walk; trek; **fare una c.**, to go for a walk; tramp (*fam.*) **2** (*andatura*) walk; gait.

camminatóre m. (f. **-trice**) walker.

camminatùra → **camminata**, *def.* 2.

♦**cammino** m. **1** (*camminata*) walk: **dopo un lungo c.**, after a long walk; **dopo due ore di c.**, after two hours' walk; *È a un'ora di c.*, it's an hour's walk from here; *Ci sono due ore di c.*, it's a two-hour walk **2** (*viaggio*) journey; (*strada, percorso*) way, road: *Il c. fu lungo e disagevole*, the journey was long and difficult; **fare un tratto di c. con q.**, to walk part of the way with sb.; **mostrare il c. a q.**, to show sb. the way; (*precedendolo*) to lead the way; **riprendere il c.**, to resume one's journey; **essere in c.**, to be on one's way; **mettersi in c.**, to set off; **lungo tutto il c.**, along the way **3** (*sentiero*) path; track **4** (*percorso*) course: *Nessuno può distoglierlo dal suo c.*, no one can divert him from his course **5** (*di astro*) path; (*di fiume*) course **6** (*progresso*) progress; march ● (*fig.*) **il c. della gloria**, the path to glory □ (*archit.*) **c. di ronda**, parapet walk; rampart walk ● **cammin facendo**, on the way □ (*fig.*) **il retto c.**, the straight and narrow (path): **lasciare il retto c.**, to go astray; to stray (from the straight and narrow) □ **spianare il c. a**, to pave the way for.

càmola f. (*region.*) **1** (*tarma*) moth **2** (*tarlo*) woodworm.

camolàto a. (*region.*) moth-eaten.

camomìlla f. **1** (*bot., Matricaria chamomilla*) (wild) camomile (*o* chamomile) **2** (*infuso*) camomile tea.

camòrra f. **1** Camorra (Neapolitan secret criminal organization) **2** (*estens.*) extortion racket; gang of racketeers; mob.

camorrista m. e f. **1** Camorrista; Camorrist **2** (*estens.*) racketeer; mobster.

camorrìstico a. Camorra (attr.); Camorra-style.

camòscio m. **1** (*zool., Rupicapra rupicapra*) chamois*: **c. delle Alpi**, Alpine chamois **2** (*pelle*) suede: **pelle di c.**, suede; (*per pulire*) chamois (leather), shammy (leather); **scarpe di c.**, suede shoes.

♦**campàgna** f. **1** (*contrapposto a città*) country; countryside; (*i campi*) fields (pl.): **la c. inglese**, the English countryside; **la c. romana**, the Campagna; *Mi piace vivere in c.*, I like living in the country; **andare in c.**, to

go into the country; **il silenzio della c.**, the silence of the countryside; **gente di c.**, country people; **una casa in c.**, a house in the country; **villa di c.**, country house **2** (*terra coltivata*) farmland; land; fields (pl.): *Questa c. frutta poco*, this land doesn't yield much **3** (*tenuta*) estate; property (in the country); land **4** (*mil.*) campaign: **la c. di Russia**, the Russian campaign; **artiglieria da c.**, field artillery **5** (*fig.: propaganda*) campaign; drive: (*sport*) **c. acquisti**, transfer season; **c. contro il fumo**, campaign against smoking; **c. di iscrizioni**, membership drive; **c. di stampa**, press campaign; **c. elettorale**, electoral campaign; **c. pubblicitaria**, advertising campaign (*o* drive); **fare una c. in favore di [contro]**, to campaign for [against] **6** (*naut.*) cruise.

campagnòlo **A** a. country (attr.); rural; rustic: **ballo c.**, country dance ● **alla campagnola**, country-style **B** m. (f. **-a**) countryman* (f. countrywoman*); (*spreg.*) yokel, clodhopper, hayseed (*USA*), hick (*USA*).

campàle a. field (attr.): **artiglieria c.**, field artillery; **battaglia c.**, pitched battle; **batteria c.**, field battery ● (*fig.*) **una giornata c.**, an exhausting day.

♦**campàna** f. **1** bell: **c. a morto**, knell; *La c. suonava a morto*, the bell was knelling (*o* tolling); **suonare le campane**, to ring the bells; **suonare le campane a stormo** (*o* a martello), to ring the tocsin; **concerto di campane**, peal of bells; chime **2** (*di vetro*) bell jar; bell glass **3** (*naut., di palombaro*) diving bell **4** (*al pl.*) (*mus.*) bells; chimes: **campane eoliche**, wind chimes; **campane tubolari**, tubular bells **5** (*per la raccolta del vetro*) bottle bank **6** (*gioco infant.*) hopscotch ● **a c.**, bell-shaped; (*scampanato, svasato*) flared □ **calzoni a c.**, bell-bottom trousers □ **gonna a c.**, flared skirt □ (*fig.*) **sentire l'altra c.**, to hear what the other side has to say; to hear the other side of the story □ (*fig.*) **sentire tutte e due le campane**, to hear both sides □ **sordo come una c.**, as deaf as a post; stone-deaf □ (*region., fam.*) **stare in c.**, to watch out; to keep one's eyes peeled □ (*fig.*) **tenere q. sotto una c. di vetro**, to pamper sb.; to mollycoddle sb.

campanàccio m. cowbell.

campanàrio a. bell (attr.): **cella campanaria**, belfry; **torre campanaria**, bell tower.

campanàro m. bell-ringer.

campanatùra f. **1** (*autom.*) camber **2** (*forma a campana*) bell shape **3** (*aeron., di elica*) blade tilt.

campanèlla f. **1** (little) bell; (*a scuola*) (school) bell **2** (*anello di tenda*) curtain ring; (*anello per animali*) nose-ring **3** (*battente d'uscio*) (ring-shaped) knocker **4** → **campanula**.

♦**campanèllo** m. **1** (*da tavolo*) handbell; (*elettrico*) (electric) bell; (*di uscio*) bell, door-bell: **c. a più toni**, door-chime; **c. d'allarme**, alarm bell; (*fig.*) warning signal; **suonare il c.**, to ring the bell **2** (*al pl.*) (*mus.*) chimes; glockenspiel (*ted.*) (sing.).

campanifórme a. bell-shaped; campaniform: **fiore c.**, bell-shaped flower.

♦**campanile** m. bell tower; church tower; belfry; (*con guglia*) steeple; (*in Italia, anche*) campanile ● **alto come un c.**, as tall as a beanstalk □ **amore di c.**, love of one's hometown (*o* village) □ **questioni di c.**, local squabbles □ (*calcio*) **(tiro a) c.**, skyer.

campanilìsmo m. local pride; local patriotism; (*spreg.*) parochialism; localism.

campanilìsta m. e f. parochial person; localist.

campanilìstico a. parochial; localist.

campàno ① **A** a. of Campania; from Campania; Campania (attr.) **B** m. native [inhabitant] of Campania.

campàno ② m. cowbell.

campanóne m. **1** big bell; main bell **2** (*mil.*) bombard; mortar.

campànula f. (*bot.*) **1** (*Campanula*) campanula; bellflower **2** (*Campanula rotundifolia*) harebell; bluebell.

campanulàto a. (*bot.*) bell-shaped.

campàre ① **A** v. i. **1** (*vivere*) to live; (*tirare avanti*) to get* by; to scrape along: **c. alla giornata**, to live from day to day; to scrape along; **c. con poco**, to get by on a little; **c. d'aria**, to live on air; **c. di elemosina**, to live off charity; to live off the generosity of others; **c. di lavoretti**, to get by doing odd jobs; **c. fino a cent'anni**, to live to be a hundred; *Con quella paga non si campa*, you can't live on that pay **2** (*lett.: salvarsi*) to survive (st.) ● **Campa cavallo!**, that'll be the day! □ **tirare a c.**, to think only of getting by; to take things easy **B** v. t. (*fam.*) to support; to provide for.

campàre ② v. t. (*mettere in risalto*) to bring* into relief; to set* off.

campàta f. **1** (*d'arco*) span **2** (*di ponte*) span; bay: **c. centrale**, central bay; **c. estrema**, end bay.

campàto a. – **c. in aria**, unrealistic; impractical; fanciful: **un'idea campata in aria**, a fanciful notion; **un progetto c. in aria**, an impractical scheme; pie in the sky (*fam.*); a pipedream (*fam.*).

♦**campeggiàre** v. i. **1** (*accamparsi*) to camp; (*fare campeggio*) to go* camping **2** (*spiccare*) to stand* out; (*dominare*) to dominate: *Nell'affresco campeggiano due figure*, two figures stand out in the fresco.

campeggiatóre m. (f. **-trice**) (holiday) camper.

♦**campeggio** ① m. **1** (*l'attendarsi*) camping **2** (*attendamento*) camp **3** (*il terreno*) camping site; campsite; camping ground ● **c. per roulotte**, caravan site (*o* park); trailer park (*USA*) □ **andare in c.**, to go camping □ **vacanza in c.**, camping holiday.

campéggio ② m. (*bot., Haematoxylon campechianum*) logwood.

campeggista → **campeggiatore**.

campeggìstico a. camping (attr.).

càmper (*ingl.*) m. inv. camper (van).

camperìsta m. e f. camper (van) owner; motorhome owner.

campèstre a. rural; country (attr.): **guardia c.**, country policeman; **vita c.**, rural life; **fiori campestri**, wild flowers ● (*sport*) **corsa c.**, cross-country race.

campétto m. (*sport*) **1** (*calcio*) training pitch **2** (*sci*) nursery slope.

campicchiàre v. i. to get* by; to scrape along (*o* by).

campicèllo m. little (*o* small) field; patch; allotment (*GB*): **c. di cavoli**, cabbage patch.

Campidòglio m. (*stor.*) Capitol.

campièllo m. campiello (small square in Venice).

camping (*ingl.*) m. inv. camping site; campsite; camping ground: **c. per roulotte**, caravan park (*o* site); trailer park (*USA*).

campionaménto m. (*comm., stat.*) sampling: **c. a griglia**, grid sampling; **c. aleatorio**, random sampling; **c. qualitativo**, attribute sampling; **c. sistematico**, patterned sampling.

campionàre v. t. (*comm., stat.*) to sample.

campionàrio **A** m. **1** (*comm.*) collection (*o* set) of samples; samples (pl.); (*di tessuti e sim.*) pattern book **2** (*fig.*) range; cross-section **B** a. – **fiera campionaria**, trade fair.

campionarìsta m. e f. (*comm., stat.*) sampler.

♦**campionàto** m. championship: **c. di cal-**

cio, football championship; league championship; football season; **c. mondiale**, world championship; (*calcio*) **partita di c.**, league match (*o* game).

campionatóre m. (f. **-trìce**) (*comm.*, *stat.*) sampler.

campionatùra f. (*comm.*, *stat.*) sampling.

campioncìno m. **1** sample: **c. di profumo**, perfume sample **2** (*fam.*) budding champion.

♦**campióne** **A** m. **1** (f. **-essa**) (*difensore*) champion; advocate; defensor: **il c. dei deboli**, the champion of the weak; **farsi c. di qc.**, to champion the cause of st. **2** (f. **-essa**) (*sport*) champion: **c. di sci [tuffi, di scacchi]**, ski [diving, chess] champion; **il c. italiano dei pesi massimi**, the Italian heavy-weight champion; **c. del mondo**, world champion; **c. in carica**, reigning champion; title-holder; **c. in erba**, budding champion; **titolo di c.**, title **3** (f. **-essa**) (*asso*) ace (*fam.*); wizard (*fam.*): *In fisica è un c.*, he's an ace at physics **4** (*comm.*) sample; (*di stoffa, anche*) swatch; (*di disegno*) pattern: **prelevare un c.**, to take a sample; **non corrispondere (o non essere conforme) al c.**, not to be up to the sample; **vendita su c.**, sale by sample; **a titolo di c.**, (*o come c.*), as a sample; **come da c.**, as per sample **5** (*stat.*) sample: **c. casuale**, random sample; **c. rappresentativo**, representative sample; cross-section; **metodo del c.**, sample method **6** (*med.*) sample; specimen **7** (*esemplare*) specimen; (*modello*) model, standard ● **«c. senza valore»**, sample only» ○ (*iron.*) **Bel c.!**, a fine specimen! □ **spedire qc. come c. senza valore**, to send st. by sample-post **B** a. **1** (*sport*) winning; champion: **squadra c.**, winning team **2** sample (attr.); specimen (attr.); model (attr.); demonstration (attr.): **indagine c.**, sample investigation; spot check **3** (*elettr., fis., metrologia*) standard (attr.): **metro c.**, standard meter ● **FALSI AMICI** • campione *nei sensi scientifico e commerciale non si traduce con* champion.

campionéssa f. → **campione**, def. *1, 2 e 3*.

campionìssimo m. champion of champions.

campionìsta m. e f. sampler.

campìre v. t. (*pitt.*) to paint (*a background, etc.*): **c. una zona in rosso**, to paint an area in red.

campitùra f. (*pitt.*) **1** painting of the background **2** (*zona*) area, field; (*sfondo*) background.

♦**càmpo** m. **1** (*agric.*) field: **c. a maggese**, fallow field; **c. di grano**, cornfield; **c. arato**, ploughed field; **lavorare nei campi**, to work in the fields; **fiori di c.**, wild flowers; **la vita dei campi**, life on a farm; a farmer's life; (*vita in campagna*) life in the country **2** (*area delimitata*) ground; field: (*aeron.*) **c. d'atterraggio**, landing field; **c. d'aviazione**, airfield; **c. di bocce**, bowling green; (*aeron.*) **c. di fortuna**, emergency landing field; airstrip; **c. di gioco** (*o c. giochi*), playground; (*mil.*) **c. di Marte**, drill ground; parade ground; **c. di neve**, snowfield; **c. di tiro**, (*poligono*) rifle range, firing ground; (*di cannone*) field of fire; (*anche fig.*) **c. minato**, minefield **3** (*sport*) field; ground; pitch; course; court: **c. di calcio**, football ground (*o* field; pitch); **c. di gara**, field; **c. di golf**, golf course; **c. di pallacanestro**, basketball court; **c. di pattinaggio**, skating rink; **c. di tennis**, tennis court; (*erboso*) grass court; (*in terra battuta*) clay court; **c. neutro**, neutral ground; **c. pesante**, heavy pitch; **c. sportivo**, sports ground; (*di scuola, ecc.*) playing field; **abbandonare il c.**, to abandon the match; **cambiare c.**, to change sides; (*calcio*) **giocare a tutto c.**, to be all over the

place; (*essere polivalente*) to be an all-rounder; **mandare in c. una riserva**, to bring on a reserve; **mettere in c.**, to field; **scendere in c.**, to take the field; **cambio di c.**, changeover; **linea di metà c.**, half-way line; **metà c.**, midfield; (*di ciascuna squadra*) end **4** (*accampamento e sim.*) camp: (*alpinismo*) **c. base**, base camp; **c. di concentramento**, concentration camp; **c. di prigionia**, prisoner-of-war camp; **c. di profughi**, refugee camp; **c. di sterminio**, death camp; **c. militare**, army camp; **levare il c.**, to strike (*o* to break) camp; **piantare il c.**, to pitch camp; to make camp; **letto da c.**, camp bed **5** (*mil.*) field: **c. di battaglia**, battlefield; **in c. aperto**, in the open (field); **abbandonare il c.**, to abandon the field, to retreat, to withdraw; **combattere in c. aperto**, to fight a field battle; **morire sul c.**, to die in battle (*o* in action); **artiglieria da c.**, field artillery; **promozione sul c.**, promotion in the field **6** (*scient.*) field: **c. elettrico [magnetico]**, electric [magnetic] field; **c. gravitazionale**, gravitation field; **c. visivo**, field of vision; (*fis.*) **intensità di c.**, field strength **7** (*fig.: ambito*) field; sphere; domain; province: **c. d'azione**, field of action; range; scope; **c. di competenza**, province; **c. d'interesse**, sphere of interest; **il c. della letteratura [della fisica]**, the field of literature [of physics]; *È un'autorità nel suo c.*, she is an authority in her own field; *Esula dal mio c.*, that's outside my field (*o* my province); **un esperto in c. finanziario**, an expert in financial matters; a financial expert **8** (*comput.*) field **9** (*pitt.*) background **10** (*ling.*) field: **c. semantico**, semantic field **11** (*cinem.*) field; angle; (*inquadratura*) shot: **c. americano**, medium close-up shot; **c. fisso**, fixed angle; **c. lunghissimo**, very long shot; extreme long shot; **c. lungo**, long shot; wide (angle) shot; **c. medio**, medium long shot; **c. totale**, full shot; **angolo di c.**, field angle; **fuori c.**, out of frame; out of shot; off screen; **uscire fuori c.**, to cross out; to move out of frame; **voce fuori c.**, off-screen voice; voice off; (*che commenta*) voice over **12** (*arald.*) field: **un giglio rosso in c. argento**, a lily gules on a field argent ● (*radio*) **c. d'onda**, wave band □ (*fig.*) **a tutto c.**, wide-ranging (agg.); all-round (agg.); full-scale (attr.); thorough (agg.): **indagini a tutto c.**, thorough (*o* full-scale) investigation; **ricerca a tutto c.**, wide-ranging research □ (*fig.*) **abbandonare il c.**, to abandon the field; to retreat; to withdraw □ (*fig.*) **avere c. libero**, to have a free hand; to have freedom of action □ **entrare in c.** → **scendere in c.** □ (*fig.*) **lasciare c. libero a**, (*lasciare aperta la strada*) to leave the way open to; (*lasciare libertà d'azione*) to give a free hand to, to give carte blanche to □ (*fig.*) **lasciare libero il c.**, to step aside; to leave (sb.) free range □ (*fig.*) **mettere in c.**, (*dispiegare*) to put into the field, to deploy; (*avanzare*) to put forward: *Mise in c. valide ragioni*, he put forward good reasons □ (*fig.*) **preparare il c. a qc.**, to pave the way for st. □ **ricerca sul c.**, field research □ (*fig.*) **rimanere padrone del c.**, to get the upper hand □ (*fig.*) **fare una scelta di c.**, to choose sides; to take sides □ (*fig.*) **scendere in c.**, to come into action; to enter the lists □ (*fig.*) **sgombrare il c. da**, to clear the ground of □ **studiare qc. sul c.**, to study st. in the field □ (*fig.*) **tenere il c.**, to stand one's ground.

camporèlla f. (*region.*) – (*fig.*) **andare in c.**, to have a roll in the hay.

camposànto m. graveyard; cemetery; (*presso una chiesa*) churchyard ● (*eufem.*) **andare al c.**, to die.

camuffaménto m. **1** disguise; masquerade **2** (*mimetizzazione*) camouflage.

camuffàre **A** v. t. **1** (*travestire*) to dis-

guise; to dress up **2** (*mimetizzare*) to camouflage **3** (*fig.*) to disguise; to hide*: **c. i propri sentimenti**, to disguise one's feelings; **c. la propria gelosia**, to hide one's jealousy **B** **camuffàrsi** v. rifl. (*travestirsi*) to disguise oneself; to dress up: *Si era camuffata da vecchietta*, she had disguised herself as an old woman.

camùno a. of the Valcamonica.

camùso a. snub: **naso c.**, snub nose; **col naso c.**, snub-nosed.

can m. (*principe tartaro*) khan.

can. abbr. **1** (*geogr., canale*) (*artificiale*) canal; (*naturale*) channel **2** (*TV, canale*) channel.

canadése **A** a. Canadian ● **tenda c.**, ridge tent; pup tent **B** m. e f. Canadian: **i Canadesi**, the Canadians **C** f. **1** forearm crutch **2** pup tent

canàglia f. **1** (*mascalzone*) scoundrel; (*anche scherz.*) rascal: **un'emerita c.**, an egregious scoundrel **2** (*lett.: plebaglia*) rabble; riffraff.

canagliàta f. dirty trick.

canagliésco a. rascally; scoundrelly.

canagliùme m. rabble; riffraff; scum.

canàio m. (*chiasso*) din; bedlam ▣.

canalàre a. (*med.*) root canal (attr.): **terapia c.**, root canal treatment (*o* therapy).

♦**canàle** m. **1** (*artificiale*) canal; (*naturale*) channel: **il c. di Bristol**, the Bristol Channel; **il c. della Manica**, the (English) Channel; **il c. di Panama**, the Panama Canal; **il Canal Grande a Venezia**, the Grand Canal in Venice; **c. navigabile**, shipway; ship canal; fairway; **una rete di canali**, a network of canals **2** (*radio, TV*) channel: *C'è un film sul primo c.*, there's a film on channel one **3** (*fig.*) channel: **c. di distribuzione**, distribution channel; **canali burocratici**, bureaucratic channels **4** (*scanalatura*) duct; channel; groove **5** (*metall.*) gate; runner **6** (*anat.*) canal; duct; passage: **c. alimentare**, alimentary canal; **c. biliare**, biliary duct **7** (*comput.*) channel: **c. d'entrata [d'uscita]**, input [output] channel ● **c. di chiusa**, sluice □ **c. di scolo**, drain; ditch; gutter.

canalétta f. **1** (*d'irrigazione*) small ditch; trench; (*di scolo*) gutter **2** (*edil., idraul.*) raceway.

canalìcolo m. (*biol.*) canaliculus*.

canalizzàre v. t. **1** (*idraul.*) to canalize **2** (*fig.*) to canalize; to channel.

canalizzazióne f. **1** (*idraul.*) canalization **2** (*fig.*) canalization; channelling.

canalóne m. gully; canyon.

cananèo **A** a. Canaanitic **B** m. Canaanite.

cànapa f. (*bot., Cannabis sativa*) hemp: **tela di c.**, hempen cloth ● (*bot.*) **c. di Manila** (*Musa textilis*), Manila hemp □ (*bot.*) **c. indiana** (*Cannabis indica*), Indian hemp; cannabis.

canapàia f. hemp field.

canapàio m. **1** (*chi lavora la canapa*) hemp dresser **2** (*chi vende canapa*) hemp dealer.

canapè m. sofa.

canapìcolo a. hemp-growing; hemp (attr.).

canapicoltóre m. hemp grower.

canapicoltùra f. hemp growing.

canapièro a. hemp (attr.): **industria canapiera**, hemp industry.

canapifìcio m. hemp mill.

canapìglia f. (*zool., Anas strepera*) gadwall.

canapìna f. hemp field.

canapìno **A** m. hemp dresser **B** a. hempen: **tela canapina**, hempen cloth.

cànapo m. (thick) hemp (*o* hempen) rope; cable.

canapùle m. hemp stalk.

canard (*franc.*) m. inv. (*giorn.*) canard; un-

founded story; false report.

Canàrie f. pl. (*geogr.*) (the) Canary Islands; (the) Canaries.

♦**canarìno** A m. 1 (*zool.*, *Serinus canarius*) canary 2 (*pop.*: *informatore*) police informer; canary (*slang*); grass (*slang*); snitch (*slang*) B a. (*posposto*) canary yellow.

canàsta f. (*gioco di carte*) canasta.

cancàn m. 1 (*ballo*) (French) cancan 2 (*fig.*: *chiasso*) noise, racket; (*trambusto*) fuss, kerfuffle, uproar: **fare un c.**, to kick up a fuss ● **c. pubblicitario**, hype.

cancellàbile a. erasable; effaceable.

♦**cancellàre** A v. t. 1 to delete; (*con un segno di penna*) to cross out, to strike* (out), to scratch out; (*con la gomma*) to rub out, to erase; (*con cancellino, ecc.*) to wipe out; (*da nastro magnetico e sim.*) to wipe (out): **c. un nome da un elenco**, to strike a name from list; to scratch a name out of a list; **c. dal verbale**, to strike from the minutes; **c. una parola dalla lavagna**, to wipe a word off the blackboard; **c. prove**, to destroy evidence; *L'iscrizione è stata cancellata*, the inscription has been erased (*o* scratched out) 2 (*rimuovere*) to wipe out; to obliterate; (*dimenticare*) to forget*: **c. un'offesa**, to wipe out an offence; **c. il ricordo di qc.**, to efface the memory of st. 3 (*disdire*) to cancel; **c. un appuntamento**, to cancel an appointment ● (*leg.*) **c. una causa dal ruolo**, to cancel an action from the cause list □ (*comm.*) **c. un debito**, to write off a debt B **cancellàrsi** v. i. pron. to fade; to vanish; to perish (*lett.*): **un ricordo che non si cancellerà più**, a memory that will never fade.

cancellàta f. railing; rail fence.

cancellatùra f. erasure; deletion: **una lettera con molte cancellature**, a letter with many words crossed out.

cancellazióne f. 1 deletion; crossing out; striking off: **la c. d'un nome da un elenco**, the crossing out of a name from a list; **c. dall'albo**, striking off the register; **c. d'un debito**, writing-off of a debt 2 (*annullamento*) cancellation: **c. di un volo**, cancellation of a flight.

cancellerésco a. chancery (attr.): **scrittura cancelleresca**, chancery (hand); (*spreg.*) **stile c.**, pedantic style.

cancellerìa f. 1 (*polit.*) chancellery 2 (*leg.*) registry; registrar's office; (*di tribunale*) office of the clerk of a court: **diritti di c.**, registry dues 3 (*articoli per scrivere*) stationery; writing material.

cancellétto m. 1 (small) gate: (*sci*) **c. di partenza**, starting-gate 2 (*fam.*: *il segno #*) hash (sign *o* mark) (*GB*); pound sign (*USA*); number sign (*USA*).

cancellieràto m. chancellorship.

cancellière m. 1 (*polit.*) Chancellor: **il C. della Repubblica Federale**, the Chancellor of the Federal Republic; **il C. dello Scacchiere**, the Chancellor of the Exchequer; **il Gran C.**, the Lord High Chancellor 2 (*leg.*) registrar; (*di tribunale*) clerk of the court, magistrate's clerk.

cancellìno m. duster; blackboard eraser.

♦**cancèllo** m. gate.

cancerizzàrsi v. i. pron. (*med.*) to become* cancerous.

cancerizzazióne f. (*med.*) cancerization.

cancerogènesi f. (*med.*) carcinogenesis.

cancerogenicità f. (*med.*) carcinogenicity.

cancerògeno (*med.*) A a. carcinogenic B m. carcinogen; carcinogenic agent.

cancerologìa f. (*med.*) cancerology.

canceròlogo m. (f. **-a**) (*med.*) cancerologist; cancer specialist.

canceróso (*med.*) A a. cancerous B m. (f.

-a) cancer patient.

cànchero m. (*pop.*) 1 (*malattia*) canker 2 (*fig.*: *scocciatore*) nuisance; bore; pain in the neck (*fam.*) ● **Che ti venga un c.!**, damn you!

cancrèna f. 1 (*med.*) gangrene: **andare in c.**, to gangrene 2 (*fig.*) canker.

cancrenóso a. (*med.*) gangrenous.

♦**càncro** m. 1 (*med.*) cancer: **c. al fegato**, liver cancer; cancer of the liver 2 (*fig.*) cancer; canker: **un c. nella società**, a cancer in society; **il c. del sospetto**, the canker of suspicion 3 (*bot.*) canker.

Càncro m. 1 (*astron.*, *astrol.*) Cancer; the Crab: *Tropico del C.*, Tropic of Cancer 2 (*astrol.*, *di persona*) Cancer.

candeggiànte A a. bleaching B m. bleach; whitener.

candeggiàre v. t. to bleach; to whiten.

candeggiatóre m. (f. **-trice**) bleacher; whitener.

candeggìna f. bleach.

candéggio m. bleaching: **dare il c. a qc.**, to bleach st.

♦**candéla** f. 1 candle: **c. di cera**, wax candle; **c. mangiafumo**, smokers' candle; **c. stearica**, tallow candle; **accendere una c.**, to light a candle; **spegnere una c.**, to blow out (*o* to snuff) a candle; **mozziconi di c.**, candle-ends 2 (*autom.*) sparking plug; spark plug: **puntine delle candele**, sparking-plug points 3 (*fis.*) candela; candle: **lampadina da 25 candele**, 25-candela bulb ● **a c.**, vertically, straight up (*o* down) □ **a lume di c.**, by candlelight; candlelit (agg.): **una cena a lume di c.**, a candlelit dinner □ (*fig.*) **accendere una c. alla Madonna**, to thank one's lucky stars □ (*fig.*) **avere la c. al naso**, to have a snotty nose □ (*calcio*) **calciare a c.**, to balloon □ (*fig.*) **reggere la c.**, to play the unwanted third party; to be an unwanted chaperon; to play gooseberry (*GB*) □ (*calcio*) **tiro a c.**, balloon □ (*prov.*) **Il gioco non vale la c.**, the game isn't worth the candle.

candelàbro m. candelabrum*; candelabra; branched candlestick.

candelàggio m. (*fis.*) candlepower.

candelàio m. (f. **-a**) chandler; candlemaker.

candelétta f. (*farm.*) vaginal suppository.

candelière m. 1 candlestick; (*per più candele*) candelabrum* 2 (*naut.*) stanchion.

candelìna f. (*di compleanno*) (birthday) candle.

Candelòra f. (*eccles.*) Candlemas.

candelòtto m. squat candle ● **c. di dinamite**, stick of dynamite □ **c. fumogeno**, smoke bomb □ **c. lacrimogeno**, tear-gas bomb, tear-gas canister.

càndida f. (*bot.*, *med.*) candida.

candidàre A v. t. to propose as a candidate; to put* forward; to nominate: *L'hanno candidato a sindaco*, he has been nominated for mayor B **candidàrsi** v. rifl. to stand* (as a candidate, for st.); to run* for (*USA*): **candidarsi alla presidenza [al Parlamento]**, to stand for president [for Parliament]; to run for the presidency [for Parliament]; *Non mi candiderò nelle prossime elezioni*, I won't stand (*o* won't be running) in the next election.

♦**candidàto** m. (f. **-a**) 1 candidate; nominee: **c. a sindaco**, mayoral candidate; **essere c. alle elezioni**, to be a candidate in the election; *È c. all'Oscar*, he's been nominated for an Oscar; **essere c. alla promozione**, to be in line for promotion; **presentarsi c.**, to stand (as a candidate); to run (*USA*): *Si presentò c. alla Presidenza*, he stood for president; he ran for the Presidency 2 (*aspirante a un posto*) applicant 3 (*esaminando*) exam-

inee; candidate 4 (*concorrente*) contestant; competitor.

candidatùra f. candidature; candidacy; nomination: **c. al premio Nobel**, nomination for the Nobel Prize; **presentare la propria c.**, to stand (as a candidate); to run (*USA*); **sostenere la c. di q.**, to support sb.'s candidacy.

candidézza f. 1 whiteness 2 (*fig.*) purity; innocence.

candidiàṣi → **candidosi**.

♦**càndido** a. 1 white; snow-white; lily--white: **bianco c.**, pure white; snow-white; immaculate; **lenzuola candide**, snow-white sheets 2 (*fig.*: *senza macchia*) spotless: **coscienza candida**, spotless conscience 3 (*fig.*: *innocente*) innocent; (*sincero*, *schietto*) open, frank, candid 4 (*fig.*: *semplice*) guileless, artless; (*ingenuo*) naive, ingenuous.

candidòṣi f. (*med.*) candidiasis; thrush.

candìre v. t. (*frutta*) to candy; (*zucchero*) to crystallize.

candìto A m. (piece of) candied fruit B a. candied; crystallized: **frutta candita**, candied fruit; **zucchero c.**, crystallized sugar.

canditóre m. (*ind.*) candying machine.

canditùra f. (*ind.*) candying; crystallization.

candóre m. 1 (snowy) whiteness 2 (*fig.*: *purezza*) purity 3 (*fig.*: *innocenza*) innocence; (*schiettezza*) frankness, openness, candour 4 (*fig.*: *semplicità*) lack of guile, artlessness; (*ingenuità*) naivety, ingenuousness.

♦**càne** A m. 1 dog: **c. alsaziano**, Alsatian (dog); **c. a pelo raso [ruvido]**, smooth--haired [rough-haired] dog; **c. barbone**, poodle; **c. bassotto (tedesco)**, dachshund*; sausage dog (*fam.*); **c. bastardo**, cross-bred dog; mongrel; **c. da caccia**, hunting dog; hound; **c. da cerca**, field spaniel; water spaniel; **c. da compagnia**, dog kept for company; pet dog; **c. da corsa**, whippet; **c. da difesa**, guard dog; **c. da ferma**, setter; pointer; (*anche fig.*) **c. da guardia**, watchdog; **c. da lepre**, harrier; **c. da pagliaio**, farm dog; (*spreg.*) cur; **c. da pastore**, sheepdog; **c. da pastore scozzese**, collie; **c. da pastore tedesco**, Alsatian; German shepherd (*USA*); **c. da penna**, bird dog; **c. da punta**, setter; pointer; **c. da riporto**, retriever; gun dog; **c. da salotto**, lapdog; **c. da slitta**, husky; **c. da soccorso**, rescue dog; **c. da traino**, harness dog; **c. di razza**, pure-bred (*o* pedigree) dog; **c. guida**, guide dog; **c. levriere**, greyhound; **c. lupo**, Alsatian; German shepherd (*USA*); **c. randagio**, stray dog; **c. segugio**, bloodhound; *Attenti al c.!*, beware of the dog!; (*sport*) **corse di cani**, dog races; **muta di cani**, pack of hounds 2 (*fig. spreg.*: *bruto*) brute; (*farabutto*) dog 3 (*spreg.*, *di attore*) lousy actor; (*di cantante*) lousy singer; (*di medico*) quack, butcher 4 (*di arma*) cock; hammer: **alzare il c. di una pistola**, to cock a gun; **col c. in sicura**, at half cock 5 (*mecc.*) catch; jaw ● (*zool.*) **c. delle praterie** (*Cynomys ludovicianus*), prairie dog □ (*astron.*) **il C. maggiore**, the Greater Dog □ (*astron.*) **il C. minore**, the Lesser Dog □ **c. poliziotto**, police dog □ (*fig.*) **c. sciolto**, maverick □ **da cani**, very bad; very hard; awful; horrible: **fatto da cani**, very bad; very badly done; slipshod; shoddy; **fatica da cani**, very hard work; *Ho mangiato da cani*, the food was awful; **stare da cani** (*di aspetto*) to look awful; (*di salute*) to feel awful; **tempo da cani**, horrible (*o* foul) weather □ **essere come c. e gatto**, to fight like cat and dog □ (*spreg.*) **figlio di un c.**, son of a bitch □ (*fig.*) **menare il c. per l'aia**, to beat about the bush □ **morire come un c.**, to die like a dog □ **Non c'era un c.**, there wasn't a soul □ **sembrare un c. bastonato**, to have a hangdog look □ **sentirsi come un c. basto-**

nato, to feel dejected □ **sguardo da c. ba-stonato**, hangdog look □ **solo come un c.**, utterly alone; desperately lonely □ (*fig.*) **voler raddrizzare le gambe ai cani**, to attempt a hopeless task □ (*fig.*) **vita da cani**, a dog's life □ (*prov.*) **Can che abbaia non morde**, barking dogs seldom bite; his [her] bark is worse than his [her] bite □ (*prov.*) **C. non mangia c.**, there's honour among thieves □ (*prov.*) **C. scottato dall'acqua calda, ha paura della fredda**, once bitten, twice shy □ (*prov.*) **Non svegliare il c. che dorme**, let sleeping dogs lie **B** a. (*pop.*) **1** (*orribile*) bad; lousy; rotten: *Che mondo c.!*, what a rotten world! **2** (*tremendo*) terrible: *Fa un freddo c.*, it's freezing cold; *Ho una fame c.*, I'm starving; **fare una fatica c.**, to sweat blood.

canèa f. **1** (*caccia*) baying (of hounds) **2** (*muta*) pack of hounds **3** (*fig.: clamore*) uproar; hue and cry **4** (*fig.: schiamazzo*) din; riot.

canèfora f. (*archeol.*) canephora*.

canésca f. (*zool.*, *Galeorhinus galeus*) tope.

canèstra f. wicker basket.

canestràio m. **1** (*fabbricante*) basket maker **2** (*venditore*) basket seller.

canestràta f. basketful.

canestrèllo m. (*naut.*) grommet; hank; traveller.

♦**canèstro**① m. **1** basket; (*con coperchio*) hamper **2** (*contenuto*) basketful **3** (*basket: rete e punto*) basket: **realizzare un c.** (*o* **fare c.**), to shoot a basket.

canèstro② m. can; canister.

cànfora f. (*chim.*) camphor.

canforàceo a. camphoraceous.

canforàre v. t. to camphorate.

canforàto a. camphorated: **olio c.**, camphorated oil.

cànforo m. (*bot.*, *Cinnamomum camphora*) camphor tree.

cangiànte a. **1** (*lett.*) changing **2** iridescent; (*di tessuto*) shot (attr.): **seta c.**, shot silk.

cangiàre (*lett.*) → **cambiare**.

cangùro m. (*zool.*, *Macropus*) kangaroo.

canìcola f. height of summer; dog days (pl.) (*lett.*); (*estens.: caldo estivo*) summer heat, scorching heat.

canicolàre a. scorching hot ● **giorni canicolari**, dog days.

cànide m. (*zool.*) canid; canine; (al pl., *scient.*) Canidae.

canìle m. **1** (*cuccia*) kennel; doghouse **2** (*allevamento, pensione*) kennels (pl. col verbo al sing.) (*GB*); kennel (*USA*): **c. municipale**, dog pound **3** (*fig.: stanza sporca*) pigsty; (*letto sporco*) sty.

canìno **A** a. canine; dog (attr.); of a dog: **fedeltà canina**, canine faithfulness; **mostra canina**, dog show ● **dente c.**, canine tooth □ **rosa canina**, dog rose □ **tosse canina**, whooping cough **B** m. (*dente c.*) canine (tooth*).

canìzie f. **1** white hair* **2** (*fig.*) old age.

canìzza f. **1** (*caccia*) baying (of hounds) **2** (*fig.: gazzarra*) uproar; din; riot.

♦**cànna** f. **1** (*bot.*, *Arundo donax*) reed **2** (*bot.*) – **c. da zucchero** (*Saccharum officinarum*), sugar cane; **c. d'India** (*Calamus rotang*), rattan; **c. di palude** (*Phragmites communis*), ditch reed; **c. indica** (*Canna indica*), canna (lily) **3** (*bastoncino*) stick; cane: **c. da passeggio**, walking stick; cane **4** (*tubo*) pipe **5** (*del fucile*) barrel: **arma a canna corta [lunga]**, short-barrelled [long-barrelled] firearm; **a doppia c.**, double-barrelled; **a c. liscia**, smooth-bore (attr.); **fucile a c. rigata**, rifle; **fucile a canne mozze**, sawn-off shotgun **6** (*dell'organo*) pipe **7** (*anche* **c. da pesca**) (fishing) rod **8** (*di bicicletta*) crossbar

9 (*gergo della droga*) joint; reefer: **farsi una c.**, to smoke a joint ● **c. fumaria**, flue; chimney □ (*fam.*) **bere a c.**, to drink from the bottle □ **essere come una c. al vento**, to bend with the breeze; to be easily swayed □ **povero in c.**, destitute; as poor as a church mouse □ **tremare come una c.**, to shake like a leaf.

Cannabàcee f. pl. (*bot.*, *Cannabaceae*) Cannabaceae.

cannabìna f. (*chim.*) cannabin.

cannabinòide m. (*chim.*) cannabinoid.

cannabìnolo m. (*chim.*) cannabinol.

cannaiòla f. (*zool.*, *Acrocephalus scirpaceus*) reed warbler.

cannàre **A** v. t. (*pop.*) to bungle; to cock up (*GB*); to goof (*USA*); to screw up; (*bocciare, essere bocciato*) to flunk (*USA*) **B** v. i. (*pop.*) to bungle it; to goof it; to blow* it.

cannàta① f. reed screen.

cannàta② f. (*pop.*) bungle; cock-up (*GB*); goof (*USA*).

cannèlla① f. **1** pipe; standpipe; (*rubinetto*) tap, faucet (*USA*) **2** (*di botte*) spigot.

cannèlla② f. (*bot.*, *Cinnamomum zeylanicum*; *alim.*) cinnamon ● **color c.**, cinnamon-coloured.

cannellàto a. ribbed: **tessuto c.**, ribbed cloth.

cannellìno m. (*bot.*) haricot (bean).

cannèllo m. **1** (*bot.*) hollow stem; hollow stalk **2** (*tubetto*) narrow tube; small pipe **3** (*tecn.*) blowlamp; blowtorch (*USA*): **c. per saldature**, welding torch **4** (*di penna*) penholder **5** (*di pipa*) shank **6** (*zool.*) → **cannolicchio 7** (*ind. tess.*) quill; pirn ● **c. di ceralacca**, stick of sealing wax □ (*mil.*) **c. fulminante (a strappo)**, (pull) igniter.

cannellóni m. pl. (*alim.*) cannelloni.

cannetè a. e m. (*ind. tess.*) grosgrain.

cannéto m. bed of reeds; cane thicket; canebrake (*USA*).

cannétta f. **1** (*bastone da passeggio*) cane; walking stick **2** (*di penna*) penholder.

cannettàto → **cannetè**.

cannìbale m. e f. cannibal; man-eater.

cannibalésco a. cannibalistic; cannibal-like.

cannibalìsmo m. (*anche fig.*) cannibalism.

cannibalizzàre v. t. (*tecn., econ.*) to cannibalize.

cannibalizzazióne f. (*tecn., econ.*) cannibalization.

cannicciàta f. trelliswork; latticework.

cannìccio m. **1** (*graticcio di canne*) reed mat **2** (*edil.*) laths (pl.).

cannìsta m. e f. (*pesca*) angler.

cannocchiàle m. telescope; spyglass: **c. astronomico**, astronomic telescope; **c. di mira**, telescopic sight; **c. telemetrico**, range-finder telescope; **a c.** (*munito di c.*), telescopic; (*rientrate su sé stesso*) telescoping; **fucile a c.**, telescopic rifle.

cannolìcchio m. (*zool.*, *Solen vagina*) razor-shell; razor clam (*USA*).

cannòlo m. (*cucina*) cannolo (Sicilian pastry roll with sweet filling).

cannonàta f. **1** (*colpo*) cannon shot; gunshot **2** (*rimbombo*) report (of gunshot); (al pl.: *cannoneggiamento*) cannonade 回 **3** (*calcio*) shot at goal **4** (*fig. fam.*) knockout; stunner; humdinger ● **Non lo svegliano neanche le cannonate**, an earthquake wouldn't wake him; he can sleep through anything.

♦**cannóne** m. **1** (*mil.*) gun; cannon: **c. ad avancarica**, muzzle-loading gun; muzzle-

-loader; **c. a retrocarica**, breech-loading gun; breech-loader; **c. antiaereo [anticarro]**, anti-aircraft [anti-tank] gun; **c. da campagna**, field gun; **c. da costa [da montagna]**, coast [mountain] gun; **affusto di c.**, gun carriage; **colpo di c.**, cannon shot; gunshot; **palla di c.**, cannonball **2** (*piega di abito*) box pleat **3** (*tubo*) pipe; tube **4** (*fig. fam.*) fantastic person; ace; wizard: *Sei un c.!*, you're fantastic!; **un c. in matematica**, a wizard at maths **5** (*gergo della droga*) big joint; bomber ● **c. ad acqua**, water cannon □ **c. sparaneve** (*o* **d'innevamento**), snow cannon; snowmaker □ **la donna c.**, the fat woman (at a fair).

cannoneggiaménto m. cannonade; gunfire; shellfire; shelling.

cannoneggiàre v. t. e i. to shell; to cannonade; to bombard.

cannonièra f. **1** (*naut.: imbarcazione*) gunboat: **politica delle cannoniere**, gunboat diplomacy **2** (*naut.: portello*) gunport **3** (*mil.*) embrasure.

cannonière m. **1** (*naut.*) gunner **2** (*calcio*) goal scorer; top scorer.

cannòtto m. (*tecn.*) metal tube ● **c. reggisella** (*di bicicletta*), seat pin; seat post.

cannùccia f. **1** (*canna sottile*) thin cane **2** (*di pipa*) stem **3** (*di penna*) penholder **4** (*per bibite*) straw, drinking-straw.

cànnula f. (*med.*) cannula*.

canòa f. canoe: **andare in c.**, to canoe; to go canoeing.

canòcchia f. (*zool.*, *Squilla mantis*) squilla; squill; mantis shrimp.

canoìno m. small canoe.

canoìsmo m. (*sport*) canoeing.

canoìsta m. e f. (*sport*) canoeist.

canoìstico a. (*sport*) canoe (attr.).

cànone m. **1** (*norma*) canon; rule; precept: **comportarsi secondo i canoni**, to obey the rules **2** (*somma pagata periodicamente*) fee; (*d'affitto*) rent: **c. agricolo**, ground rent; **c. d'abbonamento**, (*radio, TV*) licence fee; (*telef.*) subscriber's fee; **c. d'affitto**, rent; **equo c.**, controlled rent; fair rent (*GB*) **3** (*eccles.*) canon **4** (*mus.*) canon; round **5** (*letter.*) canon: **il c. shakespeariano**, the Shakespearean canon.

canònica f. presbytery; parsonage; (*di parroco anglicano*) rectory, vicarage.

canonicàle a. canonic; canonical.

canonicàto m. **1** canonicate; canonry **2** (*fig. scherz.*) sinecure.

canonicità f. canonicity.

canònico **A** a. **1** (*secondo le norme*) prescribed; legitimate **2** (*eccles.*) canonical; canon (attr.): **diritto c.**, canon law; **libri canonici**, canonical books; **ore canoniche**, canonical hours **B** m. canon: **c. regolare**, canon regular.

canonìsta m. e f. canonist.

canonizzàre v. t. **1** (*eccles.*) to canonize **2** (*fig.*) to sanction; to ratify; to approve.

canonizzazióne f. (*eccles.*) canonization.

canòpico a. (*archeol.*) Canopic.

canòpo m. (*archeol.*) Canopic jar; Canopic vase.

canorità f. melodiousness.

canòro a. **1** singing (attr.); song (attr.): **uccello c.**, songbird; songster **2** (*melodioso*) melodious; tuneful.

canòtta → **canottiera**, def. 1.

canottàggio m. (*a un remo*) rowing; (*a due remi*) sculling; (*sport*) boat racing: **gara di c.**, boat race.

canottièra f. **1** (*maglia*) singlet; vest (*GB*); undershirt (*USA*); skivvy; (*per sport*) singlet, tanktop **2** (*cappello*) boater.

canottière m. (f. **-a**) oarsman* (f. oars-

woman*), rower • **circolo canottieri**, boat (o rowing) club.

♦**canòtto** m. boat; dinghy; (gommone) rubber dinghy: **c. a motore**, motorboat; **c. a remi**, rowing boat; rowboat (USA); dinghy; **c. di salvataggio**, lifeboat; **c. pneumatico**, inflatable dinghy; rubber dinghy.

canovàccio m. **1** (per asciugare) tea towel (GB); dish towel (USA); drier **2** (tela da ricamo) canvas **3** (schema, abbozzo) draft; outline **4** (trama di un'opera) plot **5** (teatr.) scenario*; (stor.) **commedia a c.**, play with improvised dialogue.

cantàbile Ⓐ a. singable Ⓑ m. (mus.) cantabile.

cantabrigiàno a. Cantabrigian.

cantafàvola f. rigmarole; yarn; tall story.

cantalùpo m. (bot.) cantaloupe (melon).

cantambànco m. **1** (stor.) strolling minstrel; ballad-singer; street singer **2** (ciarlatano) charlatan; mountebank.

♦**cantànte** Ⓐ a. singing Ⓑ m. e f. singer; (di un gruppo jazz o pop) vocalist: **c. di musica leggera**, pop singer; **c. lirico**, opera singer.

♦**cantàre** ① Ⓐ v. i. **1** to sing*: **c. a bocca chiusa**, to hum; **c. a orecchio**, to sing by ear; **c. a voce spiegata**, to sing out; to sing lustily; **c. accompagnato dal piano**, to sing to a piano accompaniment; **c. da soprano**, to sing soprano; to be a soprano; Gli piace c., he loves singing; **mettersi a c.**, to start singing; to burst into song **2** (di uccello) to sing*, (cinguettare) to chirp, (gorgheggiare) to warble; (del gallo) to crow*; (del grillo e sim.) to chirp **3** (fig.: confessare) to talk, to sing* (slang); (fare la spia) to squeal (slang), to rat (slang), to grass (slang) • (fig.) **c. fuori dal coro**, to be a dissenter; to strike a discordant note; to be out of line Ⓑ v. t. **1** to sing: **c. una canzone**, to sing a song; Cantaci qualcosa!, sing someting for us!; give us a song! **2** (celebrare in versi) to sing* (of): to celebrate • (fig.) **cantarla chiara**, to speak one's mind □ (fig.) **cantarle a q.**, to give sb. a piece of one's mind □ **c. le lodi di q.**, to sing sb.'s praises □ (eccles.) **c. messa**, to sing mass □ (fig.) **c. sempre la stessa canzone**, to harp on the same string □ **c. vittoria** → **vittoria**.

cantàre ② m. (letter.) cantare; epic ballad.

cantarèllo m. (bot., Cantharellus cibarius) chanterelle.

cantàride f. **1** (zool., Lytta vesicatoria) Spanish fly **2** (farm.) cantharides (pl.); Spanish fly.

càntaro m. (archeol.) cantharus*.

cantastòrie m. e f. ballad-singer; story--teller.

cantàta f. **1** (fam.) singing; singsong **2** (mus.) cantata.

cantautoràle a. of (o relating to) a singer-songwriter.

cantautóre m. (f. **-trìce**) singer-song-writer.

canteràno m. chest of drawers; bureau (USA).

canterèlla → **cantaride**.

canterellàre v. t. e i. to sing* softly; (a bocca chiusa) to hum.

canterèllio m. soft singing; (a bocca chiusa) humming.

canterino Ⓐ a. singing; warbling; chirping: **grillo c.**, chirping cricket; **uccello c.**, songbird; songster Ⓑ m. (spec. al pl.) (cantore popolare) folk singer.

càntero m. chamber pot.

càntica f. (letter.) **1** religious poem; narrative poem **2** (della Commedia di Dante) part.

canticchiàre → **canterellare**.

càntico m. **1** (letter.) religious poem **2** (eccles.) canticle • (Bibbia) **il C. dei Cantici**,

the Song of Songs; the Canticle of Canticles.

♦**cantière** m. yard; site: **c. di demolizione**, scrapyard; (naut.) **c. di raddobbo**, refitting yard; **c. edile**, building (o construction) site; builders' yard; **c. navale**, shipyard; shipbuilding yard; dockyard; **c. stradale**, road construction site; roadworks (pl.) • (ind. min.) **c. di coltivazione**, stope □ **in c.**, (naut.) on the stocks; (fig.) in the pipeline, in the works □ (fig.) **avere qc. in c.**, to be preparing st.; to have st. going; to have st. in the pipeline □ (fig.) **mettere qc. in c.**, to begin st.; to get st. going.

cantierìstica f. (naut.) shipbuilding industry.

cantierìstico a. **1** (naut.) shipyard (attr.); shipbuilding (attr.): **industria cantieristica**, shipbuilding industry **2** (edil.) (building) site (attr.).

cantierizzazióne f. (edil.) **1** setting up of a building site **2** (cantieri) building sites (pl.).

cantilèna f. **1** (canzoncina) simple song; (canzone monotona) monotonous song **2** (ninna nanna) lullaby **3** (intonazione monotona) sing-song (voice); monotone **4** (discorso uggioso) boring story: **la solita c.**, the same old story.

cantilenàre v. t. e i. to singsong; to chant.

cantilever (ingl.) m. inv. **1** (trave) cantilever **2** (ponte) cantilever bridge.

cantillazióne f. (mus., relig.) cantillation.

♦**cantìna** f. **1** wine cellar; cellar: **avere una buona c.**, to keep a good cellar; **scendere in c.**, to go down to the cellar **2** (per la produzione di vino) winery **3** (osteria) wineshop **4** (luogo umido e buio) dungeon; dark hole • **c. sociale**, wine growers' cooperative ❶ FALSI AMICI • cantina non si traduce con canteen.

cantinèlla f. **1** long wooden strip **2** (teatr.) backdrop lights (pl.).

cantinière m. **1** cellarman* **2** (vinaio) wineshop keeper.

cantìno m. (mus.) E-string.

♦**cànto** ① m. **1** (canzone) song: **c. di guerra** [d'amore], war [love] song; **c. popolare**, folk song **2** (liturgico) chant: **c. fermo**, plainchant; **c. gregoriano**, Gregorian chant **3** (il cantare) singing: **studiare c.**, to study singing; to train as a singer; **lezioni di c.**, singing lessons; **maestro di c.**, singing teacher **4** (di uccello) song; singing ⓤ; (cinguettio) chirrup, chirruping ⓤ; (gorgheggio) warble, warbling ⓤ; (del gallo) crow, crowing ⓤ; (di insetto) chirp; chirping ⓤ: **il c. dell'usignolo**, the song of the nightingale; **al c. del gallo**, at cockcrow **5** (letter.) canto*: **il terzo c. dell''Inferno' di Dante**, the third canto of Dante's Inferno; **i canti di Leopardi**, Leopardi's Canti • **c. a bocca chiusa**, humming □ (fig.) **c. del cigno**, swan song □ **c. di Natale**, Christmas carol.

♦**cànto** ② m. **1** (angolo) corner **2** (lato) side • **da un c...**, **dall'altro c...**, on the one hand..., on the other hand □ **dal c. mio**, as for me; for my part; as far as I am concerned □ **mettere qc. in un c.**, to put st. aside; (trascurare) to neglect.

cantonàle ① a. (geogr., polit.) cantonal: **elezioni cantonali**, cantonal elections.

cantonàle ② m. **1** (mobile) corner cupboard **2** (edil.) angle iron.

cantonàta f. **1** (street) corner **2** (fig.) gross mistake; blunder: **prendere una c.**, to be grossly mistaken; to make a blunder.

cantóne ① m. **1** (angolo) corner; (di strada) (street) corner **2** (arald.) canton • **il gioco dei quattro cantoni**, puss-in-the-corner.

cantóne ② m. (geogr.) district; (della Svizzera) canton: C. Ticino, Ticino Canton; Lago dei Quattro Cantoni, Lake of the Four For-

est Cantons.

cantóne ③ m. (edil.) cornerstone.

cantonése a., m. e f. Cantonese.

cantonièra ① a. femm. (stradale) roadman's house; (ferr.) signalman's house.

cantonièra ② f. (angoliera) corner cupboard; (vetrina) corner cabinet.

cantonière m. **1** (stradale) roadman* **2** (ferr.) signalman*.

cantóre m. **1** (eccles.) chorister; (solista) cantor **2** (poeta) singer; bard; poet.

cantorìa f. (il luogo e i cantori) choir.

cantorino m. (eccles.) psalter; psalm book.

cantùccio m. **1** (angolo) corner **2** (luogo appartato) nook: **un c. accanto al fuoco**, a cosy nook by the fire **3** (di pane, formaggio, ecc.) crust • (fig.) **stare in un c.**, to keep apart.

canutìglia f. **1** (frangia) bullion (fringe) **2** (filo) purl **3** (cannellino di vetro colorato) cylinder-shaped glass bead **4** (per vetrata) cames (pl.); leads (pl.).

canùto a. white-haired; white; hoary (lett.): **barba e baffi canuti**, white hair and moustache; **età canuta**, hoary old age; **un vecchio c.**, a white-haired old man.

canyon m. inv. canyon.

canzonàre v. t. to make* fun of; to poke fun at; to laugh at; to tease, to mock; (schernire) to jeer, to ridicule.

canzonatóre m. (f. **-trice**) mocker; tease (fam.).

canzonatòrio a. mocking; teasing: **sorriso c.**, mocking smile.

canzonatùra f. **1** (il canzonare) mockery ⓤ; banter; teasing ⓤ; (scherno) jeering ⓤ, ridicule ⓤ **2** (parole di c.) jeer; jibe.

♦**canzóne** f. **1** song: **c. popolare**, folk song; **autore di canzoni**, songwriter; **festival della c.**, song festival **2** (letter.) canzone*; lyric poem: **c. a ballo**, ballade; **c. di gesta**, chanson de geste (franc.); **le canzoni di Dante**, Dante's canzoni **3** (fig.: cosa ripetuta) story; tune: È sempre la solita c.!, it's always the same old story!

canzonèlla f. mockery ⓤ; ridicule ⓤ: **mettere in c.**, to mock; to tease; to ridicule.

canzonétta f. **1** light song; pop song: **cantante di canzonette**, pop singer **2** (letter.) canzonet.

canzonettìsta m. e f. music-hall singer; crooner.

canzonière ① m. **1** (letter.) (collection of) lyrics: **il c. del Petrarca**, Petrarch's lyrics (pl.) **2** (raccolta di canzoni) song book.

canzonière ② m. (compositore di canzoni) songwriter.

caolinite f. (miner.) kaolinite.

caolìno m. (miner.) kaolin; china clay.

càos m. **1** (filos., fis.) chaos **2** (fig) chaos; mess; shambles; havoc; mayhem: **gettare nel c.**, to plunge into chaos; **creare il c.**, to create chaos (o havoc); **un c. di gente**, a mass of people; **c. sulle strade**, chaos on the roads.

caòtico a. **1** (confuso) messy; chaotic; (di discorso e sim.) chaotic, garbled **2** (nel caos) chaotic; in shambles; shambolic.

CAP sigla **1** (**Centro di addestramento professionale**) job training centre **2** (**codice di avviamento postale**) postcode (GB); ZIP code (USA). **3** (**consorzio agrario provinciale**) Provincial Agricultural Consortium.

Cap. abbr. (mil., **capitano**) captain (Capt.).

cap. abbr. **1** (**capitale**) capital **2** (**capitolo**) chapter (chap.).

♦**capàce** a. **1** (in grado) able; capable: Non fu c. di resistere, she was unable to resist;

Sei c. di guidare?, can you drive?; *Non è nemmeno c. di farsi un caffè*, he doesn't even know how to make coffee; **c. di badare a sé stesso**, capable of looking after himself **2** (*abile, esperto*) capable; good; clever: **un medico c.**, a good doctor **3** (*disposto*) capable: **c. di tutto**, capable of anything; **capacissimo**, quite (*o* more than) capable **4** (*ampio, capiente*) capacious; large; ample: **tasche capaci**, capacious pockets; **una borsa poco c.**, a bag that holds little **5** (*atto a contenere*) with a capacity (of); holding; seating: **una sala c. di cento persone**, a hall with a seating capacity of one hundred (*o* that can seat one hundred people) **6** (*leg.*) competent; capable; (*idoneo*) eligible: **c. di agire**, legally capable of contracting; **c. di testimoniare**, competent to testify • (*fam.*) **È c. siano usciti**, they may well be out.

capacìmetro m. (*elettr.*) capacitance meter.

♦**capacità** f. **1** (*capienza*) capacity; capaciousness: **c. cubica**, cubic capacity; volume; **una c. di 3000 posti a sedere**, a seating capacity of 3,000; **c. ricettiva**, (*di località*) accommodation; (*di albergo*) number of beds; (*di ospedale*) bedspace; **misure di c.**, cubic measures **2** (*abilità*) ability, capacity, capability, power, faculty; (*attitudine*) aptitude; (*perizia*) competence, skill; (*intelligenza*) cleverness: **c. creativa**, creativeness; **c. di comando**, leadership; **c. di comprensione**, comprehension; grasp; **c. di recupero**, resilience; **c. di resistenza**, stamina; **c. di ricordare**, recall; **c. imprenditoriale**, entrepreneurial ability; **c. intellettiva**, rational power; **c. inventiva**, inventiveness; **c. manuale**, manual skill; **c. mentali**, mental faculties; **un compito che oltrepassa le loro c.**, a task beyond their capability (*o* ability); *Ammiro la sua c. come infermiera*, I admire her competence as a nurse; **una persona di grande c.**, a very able person; a highly competent person; **nel pieno delle proprie c.**, at the height of one's powers **3** (*leg.*) capacity; ability; qualification; eligibility; competency: **c. contributiva**, taxable capacity; **c. d'intendere e di volere**, mental capacity; **avere piena c. d'intendere e di volere**, to be of sound mind; **c. di testare**, testamentary capacity; **c. di testimoniare**, competency to testify; **c. giuridica**, legal capacity **4** (*econ.*) power; capacity: **c. d'acquisto**, purchasing power; **c. di spesa**, spending power; **c. produttiva**, productive capacity **5** (*fis.*) capacity: **c. dell'accumulatore**, capacity of the battery; **c. d'assorbimento**, absorbency; intake; **c. termica**, thermal (*o* heat) capacity **6** (*med.*) – **c. vitale**, vital capacity.

capacitànza f. (*elettr.*) capacitance.

capacitàre Ⓐ v. t. to persuade; to convince Ⓑ **capacitàrsi** v. i. pron. to understand*; to believe: *Non riesce a capacitarsi (di) come sia successo*, she can't understand how it could have happened; *Non si capacitava della sua morte*, he couldn't get over her death.

capacitività f. (*fis.*) dielectric constant; capacitivity.

capacitìvo a. (*fis.*) capacitive: **reattanza capacitiva**, capacitive reactance.

♦**capànna** f. **1** hut; (*di tronchi*) cabin: **c. di fango**, mud hut **2** (*catapecchia*) hut; shack; hovel **3** (*capanno*) shed; shack **4** (*rifugio alpino*) hut; lodge • (*fig.*) **due cuori e una c.**, love in a cottage □ (*archit.*) **facciata a c.**, gabled façade □ (*relig. ebraica*) **Festa delle Capanne**, Feast of the Tabernacles; Sukkoth □ (*archit.*) **tetto a c.**, pitched roof; saddle roof; saddleback □ (*scherz.*) **Ventre mio, fatti c.!**, let's tuck in!

capannèllo m. knot of people; small crowd: **fare c.**, to gather round; to crowd

round.

capannìna f. small hut • **c. meteorologica**, instrument shelter.

capànno m. **1** shed; shack; **c. per attrezzi**, toolshed **2** (*al mare*) bathing hut **3** (*da caccia*) hide; blind (*USA*) **4** (*pergola*) bower; arbour.

♦**capannóne** m. **1** shed; (*industriale*) warehouse; (*agricolo*) barn **2** (*aeron.*) hangar.

caparbietà f. obstinacy; stubbornness; wilfulness; obduracy; doggedness.

capàrbio a. obstinate; stubborn; wilful; obdurate; dogged; headstrong.

capàrra f. **1** deposit; down payment: **pagare una c.**, to leave a deposit; to make a down payment **2** (*fig.*) pledge; token; earnest.

capasànta f. (*zool., Pecten jacobaeus*) scallop.

capàta f. **1** (*colpo dato*) butt; (*colpo ricevuto*) blow on the head: **dare una c. a q.c**, to butt st.; **dare una c. in qc.**, to bang (*o* to bump) one's head on st. **2** → **capatina**.

capataz (*spagn.*) m. inv. (*scherz.*) boss; supremo.

capatìna f. brief visit; flying visit: **fare una c. da q.**, to call on sb.; to drop in on sb. (*fam.*); (*per controllo, ecc.*) to look in on sb.; **fare una c. in**, to call in at; to pop into (*fam.*).

capécchio m. **1** tow **2** (*bot., Rhus cotinus*) smoke-tree.

capeggiàre v. t. to lead*; to head: **c. una banda**, to lead a gang; to be a ringleader; **c. una ribellione [una fazione politica]**, to lead a rebellion [a political faction].

capeggiatóre m. (f. **-trice**) leader, head; (*caporione*) ringleader.

capellatùra (*lett.*) → **capigliatura**.

♦**capéllo** m. **1** hair; (al pl. collett.) hair Ⓤ: **un c. nella minestra**, a hair in the soup; **due capelli bianchi**, two grey hairs; **capelli biondi**, blond (*o* fair) hair; **capelli crespi**, frizzy hair; **capelli folti**, thick hair; **capelli lisci**, smooth hair; **capelli neri**, dark hair; **capelli ondulati**, wavy hair; **capelli radi**, thin hair; **capelli ricci**, curly hair; **avere molti capelli**, to have a lot of hair; *Mi cadono i capelli*, my hair is falling out; **farsi tagliare i capelli**, to have one's hair cut; to get a haircut; **portare i capelli corti**, to wear one's hair short; **raccogliersi [sciogliersi, tirarsi su] i capelli**, to tie back [to let down, to put up] one's hair; *Le sono venuti i capelli bianchi*, her hair has gone grey; **far venire i capelli bianchi a q.**, to turn sb.'s hair grey; (*dal barbiere*) **barba e capelli**, haircut and shave; **spazzola per capelli**, hairbrush; **taglio di capelli**, haircut **2** (*fig.: distanza minima*) hair's breadth; inch; inches (pl.): **essere a un c. da**, to be (*o* to come) within a hair's-breadth (*o* within inches) of; *L'auto mi mancò di un c.*, the car missed me by a hair's breadth (*o* by inches); **salvarsi per un c.**, to escape by a hair's breadth (*o* by the skin of one's teeth); to have a narrow escape; **non spostarsi di un c.**, not to budge an inch • (*cucina*) **capelli d'angelo**, fine vermicelli □ (*fig.*) **a c.**, to a T; perfectly; exactly: *L'hai descritto a c.*, you have described him to a T □ **avere un diavolo per c.**, to be furious; to be in a foul temper; to be hopping mad (*fam.*) □ (*fig.*) **averne fin sopra i capelli (di)**, to be utterly fed up (with); to be sick and tired (of); to be sick to death (of) □ **non avere un c. fuori posto**, not to have a hair out of place □ (*fig.*) **fare i capelli bianchi in un lavoro**, to grow old on a job □ (*fig.*) **avere lavoro fin sopra i capelli**, to be up to one's hair in work □ (*fig.*) **fino alla punta dei capelli**, from top to toe □ (*fig.*) **mettersi le mani nei capelli**, to tear one's hair; to wring one's hands □ (*fig.*) **prender-**

si per i capelli, to quarrel; to fight □ **Le si rizzarono i capelli**, her hair stood on end □ (*fig.*) **sospeso (o attaccato) a un c.**, hanging by a hair □ (*fig.*) **spaccare un c. in quattro**, to split hairs □ (*fig.*) **strapparsi i capelli**, to tear one's hair out □ (*fig.*) **tirato per i capelli**, (*costretto*) dragged in; (*lambiccato*) far-fetched □ (*fig.*) **non torcere un c. a q.**, not to harm (*o* to touch) a hair on sb.'s head.

capellóne Ⓐ m. **1** longhair; mophead; mop top **2** hippie Ⓑ a. **1** (*con capelli molto lunghi*) long-haired; mop-headed **2** hippie: **moda capellona**, hippie fashion (*o* style).

capellùto a. hairy; (*coi capelli lunghi*) long-haired • **cuoio c.**, scalp.

capelvènere m. (*bot., Adiantum capillus Veneris*) maidenhair (fern).

capèstro m. **1** (*per impiccare*) (hangman's) halter; noose; (*estens.: forca*) scaffold: **condannare q. al c.**, to sentence sb. to be hanged; to send sb. to the scaffold **2** (*cavezza*) halter **3** (*cordone di francescano*) girdle • **contratto c.**, binding contract □ **tipo da c.**, gallows-bird.

capetìngio a. e m. (*stor.*) Capetian.

capétto m. petty boss.

capezzàle m. **1** (*guanciale*) bolster **2** (*estens.: letto*) bedside; (*di malato*) sick-bed; (*di moribondo*) death-bed.

capezzièra f. **1** (*di poltrona*) antimacassar **2** (*di amaca*) cords (pl.); clews (pl.).

capezzolàre a. nipple (attr.).

capézzolo m. nipple; (*di animale*) teat, dug.

capibàra m. inv. (*zool., Hydrochoerus hydrochoeris*) capybara.

capidòglio → **capodoglio**.

capiénte a. capacious; large.

capiènza f. capacity; (*di sala, ecc.*) seating capacity; (*di magazzino*) storage capacity: *Il serbatoio ha una c. di cento litri*, the tank has a capacity of (*o* holds) one hundred litres; *Il teatro ha una c. di 300 posti*, the theatre has a seating capacity of 300; the theatre can seat 300 people.

capigliatùra f. hair* Ⓤ; head of hair: **una c. folta**, thick hair; a thick head of hair.

capillàre Ⓐ a. **1** (*fis., anat.*) capillary: **vaso c.**, capillary (vessel) **2** (*fig.: dettagliato*) detailed; minute **3** (*fig.: diffuso*) widespread; all-pervading: **diffusione c.**, widespread distribution Ⓑ m. (*anat.*) capillary.

capillarità f. **1** (*fis., anat.*) capillarity **2** (*fig.*) thoroughness; pervasiveness.

capillariżżàre v. t. to diffuse; to spread* widely.

capillariżżazióne f. widespread distribution.

capillìfero a. hair (attr.); **bulbo c.**, hair bulb.

capinéra f. (*zool., Sylvia atricapilla*) blackcap.

capintèsta m. e f. **1** (*sport*) leader **2** (*spreg. o scherz.*) head; leader; supremo; (*di una banda*) ringleader.

♦**capìre** Ⓐ v. t. **1** to understand*; (*cogliere*) to get*, to catch*; (*dedurre, concludere*) to gather; (*arrivare a capire, interpretare, decifrare*) to make* out, to work out, to figure out, (*alla vista*) to tell*: **c. il danese**, to understand Danish; **c. la pittura astratta**, to understand abstract painting; **c. una barzelletta**, to get a joke; *Non capisco che cosa vuole da me*, I can't understand what she wants from me; *Capisco*, I see; I understand; *Non ho capito l'ultima parola*, I didn't understand (*o* get, catch) the last word; **far c. qc. a q.**, to make sb. understand; to get st. across to sb.; to bring st. home to sb.; (*con energia*) to ram st. home to sb.; (*in modo indiretto*) to intimate st. to sb., to hint st. to sb.; *Fammi capire*, let me get

this straight; **farsi c.**, to make oneself understood; *Mi pare di c. che ha intenzione di candidarsi*, I gather he intends to stand for election: *Non capisco che c'è scritto qui*, I can't make out what's written here; *Non capisco che tipo sia*, I can't figure him out; *Dalla sua faccia si capiva che era seccato*, you could tell from his face he was annoyed; *Mi guardò senza c.*, she looked at me uncomprehendingly **2** (*rendersi conto di*) to realize; to be aware of; to appreciate; to see* (*simpatizzare con*) to understand*: *Capisci cosa vuol dire per me questo viaggio?*, do you realize what this journey means to me?; **c. i giovani**, to understand young people; *Cerca di capirmi*, try and understand ● **c. al volo** qc., to grasp st. at once □ **c. le cose al volo**, to be quick on the uptake (*fam.*) □ (*fig.*) **c. l'antifona**, to take the hint; to get the message □ (*fig.*) **c. fischi per fiaschi**, to get the wrong end of the stick □ **c. male**, to misunderstand; to get (st., sb.) wrong □ (**Come) ti capisco!**, I know!; I know the feeling! □ **Mi capisci?**, do you see my point? □ **Lascialo stare, capito?**, leave it alone, understand (o will you)? □ (*iron*) **Capirai!**, big deal! □ (*iron.*) **Capirai che sforzo!**, it's not exactly going to kill you [him, etc.]; you [he, etc.] didn't exactly kill yourself □ **Chi ci capisce è bravo!**, I can't make head or tails out of it □ **La vuoi c. sì o no?**, will you get that into your head? □ **Non capisco niente di computer**, I don't know the first thing about computers □ **Non hai capito niente**, you've missed the whole point □ **non c. un fico secco** (*o un accidente*), not to understand a blessed thing □ **Non la vuol c.**, he just won't listen □ **Se ho ben capito...**, if I've got it right... □ **Si capisce!**, of course!; naturally!: *«Vieni anche tu?» «Si capisce!»*, «are you coming too?» «of course!» **B capirsi** v. rifl. recipr. to understand* each other: **parlare senza capirsi**, to talk at cross purposes; *Ci siamo capiti?*, is it understood?; is everything clear?

capirósso m. (*zool.*) **1** (*cardellino*) goldfinch **2** (*fischione*) widgeon **3** (*moriglione*) pochard; dun-bird.

◆**capitàle A** a. **1** (*leg.*) capital: **pena c.**, capital punishment; **sentenza c.**, death sentence **2** (*principale*) main (attr.); primary; major; chief (attr.); crucial; capital: **d'importanza c.**, of capital (o crucial) importance; of the utmost importance; (*relig.*) **peccato c.**, deadly (o mortal) sin **B f. 1** capital; capital city: *Roma è la c. d'Italia*, Rome is the capital of Italy; *Milano è la c. della moda*, Milan is the capital of the fashion industry **2** (*tipogr.*) capital letter; block capital **C m. 1** (*fin., su cui è pagato un interesse*) principal; (*ass.*) capital sum; (*econ.*) capital ⦵; (*beni*) assets (pl.): **afflusso di capitali**, capital inflow; **aumento di c.**, capital increase; **c. a fondo perduto**, subsidy; **c. azionario**, share capital; stock capital; **c. circolante**, floating capital; **c. di avviamento**, seed money; **c. di esercizio**, trading capital; working capital; **c. di rischio**, venture capital; **c. e interessi**, principal and interest; **c. e lavoro**, capital and labour; **c. fisso**, capital assets; fixed capital; **c. immobilizzato**, capital assets; **c. interamente versato**, fully paid-up capital; **c. investito**, capital equipment; **c. liquido**, cash assets; fixed capital; **c. mobile**, movable goods (pl.); movables (pl.); **c. sociale**, (capital) stock; company's capital; corporate capital; **costo del c.**, cost of capital; **grossi capitali**, considerable capital; **investire capitali in qc.**, to invest (o to put) capital into st.; *La ditta ha un c. di venti milioni di euro*, the business is capitalized at twenty million euros; **mettere a c.**, to invest; to use as capital; **guadagni da c.**, capital gains; **reddito da c.**, unearned income; **trasferimento di capita-**

li, capital transfer **2** (*ricchezza*) money; fortune: **accumulare un c.**, to accumulate a fortune; **un c. in gioielli**, a fortune in jewels **3** (*grossa cifra*) fortune: **costare [spendere, valere] un c.**, to cost [to spend, to be worth] a fortune **4** (*fig.*) store; wealth; **avere un c. di cognizioni**, to have a store of knowledge.

capitalismo m. capitalism: **c. di Stato**, state capitalism; **c. clientelare**, crony capitalism.

capitalista A a. capitalist **B** m. e f. **1** capitalist **2** (*spreg.*) tycoon.

capitalistico a. capitalistic; capitalist.

capitalizzàre v. t. (*econ.*) to capitalize; (*fin.*) to compound.

capitalizzazióne f. (*econ.*) capitalization; (*fin.*) compounding, accumulation: **c. continua**, continuous compounding.

capitàna f. (*naut.*) flagship.

capitanàre v. t. to lead*; to head; (*sport*) to captain: **c. la pattuglia di soccorso**, to lead the rescue party; **c. una rivolta**, to lead a rebellion; **c. una squadra di calcio**, to captain a football team.

capitanàto m. (*stor.*) captaincy.

capitanerìa f. – **c. di porto**, harbour office.

◆**capitàno** m. **1** (*mil., naut.*) captain (abbr. Capt.): **il c.** Cook, Captain Cook; **c. di corvetta**, lieutenant commander; **c. di fregata**, commander; **c. di lungo corso**, sea captain; **c. di porto**, harbour master; **c. di vascello**, captain; **c. in seconda**, mate; **essere promosso c.**, to be promoted to captain **2** (*aeron.*) flight lieutenant (*GB*); captain (*USA*) **3** (*chi è a capo*) captain; leader; head: **c. d'industria**, captain of industry; tycoon; **il c. dei rivoltosi**, the leader of the rebels; **c. di una squadra**, captain of a team; team-leader; skipper (*fam.*); (*stor.*) **c. di ventura**, mercenary leader; condottiere.

◆**capitàre** v. i. **1** (*accadere*) to happen (anche pers.); to chance (anche pers.); to come* about; to befall* (sb.) (*lett.*): *Capita a tutti*, it happens to everyone; *Mi capitò di rivederla*, I happened (o chanced) to meet her again; *Gli capitò un fatto curioso*, an odd thing happened to him; *Com'è capitato che...?*, how did it happen (o come about) that...?; *Son cose che capitano (o Capita!)*, these things will happen!; *Se ti capita l'occasione*, if you have a chance **2** (*arrivare casualmente*) to come*; to arrive; to get*; to happen to go [to come]; to end up; to find* oneself; (*presentarsi*) to turn up: *Vieni a trovarci se capiti a Torino*, come and see us if you chance to come to Turin; *Dove siamo capitati?*, where have we got to (o ended up)?; *La lettera mi capitò tra le mani qualche giorno dopo*, I came (o chanced) upon the letter a few days later ● **c. a proposito**, to come at the right moment; to be just in time: *Capiti a proposito!*, just in time!; just the person I wanted to see! □ **c. bene [male]**, to turn up at the right [wrong] moment; (*di persona*) to be lucky [unlucky] □ **c. tra capo e collo**, to arrive (o to turn up) unexpectedly □ **A chi capita, capita!**, it's the luck of the draw □ **Capiti quel che vuole**, come what may; whatever happens □ **Capitano tutte a me!**, it always happens to me! □ **come capita**, at random; as it comes; any old how (*fam.*) □ **il primo che capita**, the first person who comes along □ **Se mi capita fra le mani!**, if I get my hands on him! □ (*iron.*) **Siamo capitati bene!**, this is great!

capitàrio a. per capita; per head.

capitàto a. (*bot.*) capitate.

capitazióne f. capitation; poll tax; head tax.

capitèllo m. **1** (*archit.*) capital **2** (*editoria*) headband.

capitolàre ① v. i. **1** (*mil.*) to capitulate; to surrender on terms **2** (*fig.*) to capitulato; to give* in; to surrender.

capitolàre ② m. (*stor.*) capitulary.

capitolàre ③ a. (*eccles.*) capitular; chapter (attr.): **archivio c.**, capitular archives; **sala c.**, chapterhouse.

capitolàto m. specifications (pl.): **c. d'appalto**, tender specifications.

capitolazióne f. **1** (*mil.*) capitulation; terms (pl.) of surrender **2** (*fig.*) capitulation; surrender **3** (al pl.) (*stor.*) Capitulations.

capitolino a. Capitoline.

◆**capitolo** ① m. **1** (*di libro*) chapter **2** (*articolo, voce*) article; head; (*rag.*) item ● **Va bene, c. chiuso**, all right, let's not mention it again □ **Si è concluso un c. della mia vita**, a chapter of my life has come to an end.

capitolo ② m. (*eccles.*) chapter; (*sala del c.*) chapterhouse ● (*fig.*) **avere voce in c.**, to have a say in it.

capitombolàre v. i. to fall* headlong; to tumble: **c. dalle scale**, to tumble down the stairs.

capitòmbolo m. **1** headlong fall; tumble: **fare un c.**, to take a tumble; (*da cavallo, ecc., anche*) to come a cropper (*fam., GB*); **a capitomboli**, headlong **2** (*fig.*) setback; (*crollo*) collapse.

capitóne m. (*zool.*) (female) eel; yellow eel.

capitòzza f. (*agric.*) pollard.

capitozzàre v. t. (*agric.*) to pollard.

capnometrìa f. (*ecol.*) capnometry.

◆**càpo A** m. **1** (*testa*) head: *Mi duole il c.*, my head aches; **alzare [chinare, scuotere] il c.**, to lift [to bend, to shake] one's head; **a c. chino**, with one's head bowed down; **a c. scoperto**, with bared head; bare-headed; (*senza cappello*) hatless **2** (*mente, cervello*) head; *Gli è venuta in c. questa idea*, he's got this notion into his head; *Ho altri problemi per il c.*, I have other things on my mind **3** (*persona autorevole*) head; chief; leader; boss (*fam.*); (*direttore*) manager; (*polit.*) leader; (*di tribù*) chief; (al vocat., *fam.*) boss, chief, (a un pari grado) mate: **c. d'una banda**, gang leader; **il c. (della) famiglia**, the head of the family; **c. del Governo**, head of government; **c. dell'opposizione**, leader of the opposition; **c. di un partito**, leader of a party; party leader; **c. del personale**, personnel manager; **c. di Stato**, head of state; **c. di villaggio**, chieftain; headman; **c. pellerossa**, an Indian chief; (*scherz.*) **il grande c.**, the big boss; the head honcho (*USA*); *Il c. vuole vederti*, the chief (o boss) wants to see you; *È un vero c.*, he is a real leader; *Chi è il c. qui?*, who's in charge here?; *Qui il c. sono io!*, I am the boss here! **4** (*cima, estremità*) end; (*cima*) top, head: **il c. di una corda**, the end of a rope; **da c. a fondo**, from top to bottom; **da un c. all'altro**, from end to end; **all'altro c. della città**, at the other end of town; **in c. alla pagina**, at the head (o top) of the page; **sedere a c. della tavola**, to sit at the head of the table **5** (*singolo animale*) head*; animal: **cinquanta capi di bestiame**, fifty head of cattle; **il più bel c. della mandria**, the finest animal in the herd **6** (*singolo oggetto*) article; item: **un c. di vestiario**, an article of clothing **7** (*sezione, voce*) heading; item: *Dividerò la questione in tre capi*, I shall consider the question under three headings; **c. primo [secondo]**, item one [two] **8** (*di filo, ecc.*) strand; ply: *Questo spago è a tre capi*, this string has three strands; **lana a tre capi**, three-ply wool **9** (*geogr.*) headland; (*anche nei toponimi*) cape: *La nave doppiò il c.*, the ship rounded the headland (o the cape); *C. di Buona Speranza*, Cape of Good Hope; *C.*

Horn, Cape Horn **10** (*naut.*) chief petty officer **11** (*arald.*) chief ● **c. cameriere**, head waiter □ **c. cantiere**, yard foreman □ **c. contabile**, chief accountant □ (*leg.*) **c. d'accusa** (*o* **d'imputazione**), charge; count □ **un c. d'aglio**, a bulb of garlic □ **C. d'Anno** → **Capodanno** □ **il c. dell'Istituto**, the Head; the Principal □ (*naut.*) **c. di prima [seconda, terza] classe**, petty officer □ (*mil.*) **C. di Stato Maggiore**, Chief of Staff □ **c. officina**, chief foreman □ **c. operaio**, foreman □ (*cinem.*) **c. operatore**, first cameraman □ (*org. az.*) **c. progetto**, project leader □ **c. scarico** → **caposcarico** □ **c. storico**, founding father □ (*fig.*) **a c. alto**, with one's head held high □ (*fig.*) **a c. basso**, hanging one's head; humbly; dejectedly □ (*fig.*) **alzare il c.**, to react; to contest; to rebel; (*ribattere*) to answer back, to contradict □ **andare a c.**, to start a new paragraph □ (*dettando*) **A c.**, new line; new paragraph □ (*fig.*) **chinare** (*o* **abbassare**) **il c.**, to resign oneself; to submit □ **Città del C.**, Capetown □ (*mil.*) **comandante in c.**, Commander-in-Chief (abbr. C.-in-C.) □ **da c.**, over again; once more; (*dal principio*) from the beginning; (*mus.*) da capo: **ricominciare da c.**, to start all over again; to go back to square one (*fam.*); (*iron.*) *Siamo da c. !*, here we go again! □ **da c. a piedi**, from head to foot; from top to toe; (*di cosa*) from top to bottom □ **essere a c. di un esercito [di un'azienda]**, to be at the head of an army [of a business] □ **fare c. a**, (*di persona*) to refer to; (*dipendere da*) to be under; (*di strada*) to end up at, to lead to □ **far girare il c. a q.**, (*dare le vertigini*) to make sb.'s head spin; (*fig.*) to turn sb.'s head □ **giramento di c.**, giddiness; dizziness □ **in c. a un mese**, by the end of the month □ **abitare in c. al mondo**, to live at the back of beyond □ **andare in c. al mondo**, to go to the ends of the earth □ (*fig.*) **lavata di c.** → **lavata** □ **mal di c.**, headache □ (*fig.*) **mettersi in c. qc.**, to get st. into one's head □ (*fig.*) **non sapere dove sbattere il c.**, not to know which way to turn; to be at one's wits' end □ (*fig.*) **non avere né c. né coda**, to be meaningless; not to make any sense □ **per sommi capi**, in short; summarily; summary (agg.): **riferire qc. per sommi capi**, to give a summary (*o* the main outline) of st.; **relazione per sommi capi**, summary report □ (*fig.*) **rompersi il c.**, to rack one's brains □ (*fig.*) **tra c. e collo**, unexpectedly; out of the blue □ **venire a c. di qc.**, (*risolvere*) to get to the bottom of st.; (*condurre a termine*) to get to the end of st. □ **Non riesco a venirne a c.**, I can't make head or tail out of it □ (*prov.*) **Cosa fatta c. ha**, what is done is done (and cannot be undone) **B** a. inv. (*posposto*) head; top; chief: **ispettore c.**, chief inspector; (*naut.*) **macchinista c.**, chief engineer; **ragioniere c.**, head accountant.

capoàrea m. e f. (pl. m. *capiarea*; pl. f. inv.) (*org. az.*) area manager.

capoàrma m. (pl. *capiarma*) (*mil.*) machine-gunner.

capobànda m. e f. (pl. m. *capibanda*; pl. f. inv.) **1** (*mus.*) bandmaster **2** (*caporione*) ringleader **3** (*di delinquenti*) head of a gang; gang leader.

capobandìto m. (pl. *capibanditi*) bandit chief.

capobàrca m. (pl. *capibarca*) steersman*, coxwain.

capobastóne m. medium-level mafia boss.

capobrànco m. (pl. *capibranco*) (*zool.*) leader of the pack; leader of the herd.

capobrigànte m. (pl. *capibriganti*) bandit chief.

capòc → **kapok**.

capocàccia m. (pl. *capicaccia*) (chief) huntsman*; master of hounds (*GB*).

capocamerière m. head waiter.

capocannonière m. **1** (*mil.*) master gunner **2** (*sport*) top goal scorer.

capocantière m. foreman*.

capocarcerière m. chief warder (*GB*); head of the prison guards (*USA*).

capocàrico m. (*naut.*) chief petty officer (*GB*); warrant officer (*USA*).

capocàrro m. (*mil.*) tank commander.

capòcchia f. **1** head: **c. di chiodo**, nail head; **c. di fiammifero**, head of a match; **c. di spillo**, pinhead **2** → **capoccia, B** ● (*fam.*) **a c.**, haphazardly; any old how (*fam.*).

capòccia A m. **1** head of a (peasant) family; (the) old man* (*fam.*) **2** (*sorvegliante*) overseer **3** (*di operai*) foreman* **4** (*scherz.*) boss; leader **5** (*spreg.*: *caporione*) ringleader **B** f. (*region.*) head; nut (*fam.*); noddle (*fam.*); noggin (*fam.*).

capocciàta f. blow with the head; (*intenzionale*) thrust of the head, butt, (*generalm. in faccia*) head butt: **dare una c. nel muro**, to bang one's head against the wall; **dare una c. nello stomaco a q.**, to butt sb. in the stomach; *Il teppista mi diede una c. sul naso*, the thug gave me a head butt on the nose.

capoccióne m. (f. *-a*) (*region.*) **1** (*persona con la testa grossa*) big-headed person **2** (*persona testarda*) pig-headed person **3** (*persona intelligente*) genius; brain (*fam.*); brainbox (*fam. GB*) **4** (*persona importante*) big shot (*fam.*); big noise (*fam.*).

capocèllula m. e f. (*polit.*) cell leader.

capoclàn m. **1** head of a clan; chieftain. **2** gang leader; mafia boss.

càpo-claque m. e f. inv. claque leader.

capoclàsse m. e f. form captain (*GB*); class president (*USA*); monitor.

capoclassìfica A a. leading **B** m. e f. **1** (*sport*: *atleta*) leading athlete; (*squadra*) league leader: (*calcio*) **c. cannonieri**, leading goal scorer **2** (*canzone*, *film*, *ecc.*) top of the charts; top hit.

capocòffa m. (*naut.*) topman*.

capocòmico m. (f. *-a*) (*teatr.*) leader of a theatre company; actor-manager (f. actress-manager).

capocomitìva m. e f. tour leader.

capocommèssa m. e f. (*comm.*) prime contractor.

capoconvòglio m. (*naut.*) leader of a convoy; convoy leader.

capocòrda m. **1** → **capocordata 2** (*elettr.*) terminal; lug.

capocordàta m. e f. (*alpinismo*) roped-party leader; rope leader.

capocorrènte m. e f. (*polit.*) leader of a party wing.

capocrònaca m. leading local news article.

capocronìsta m. e f. local news editor; city editor (*USA*).

capocuòco m. (f. *-a*) head cook; chef (*franc.*).

Capodànno m. New Year's Day.

capodibànda m. (*naut.*) gunwale.

capodipartiménto m. e f. head of a department; department head.

capodivisióne m. e f. head of a (Government) department.

capodòglio m. (*zool.*, *Physeter macrocephalus*) sperm whale.

capodòpera m. **1** masterpiece **2** (*fig. fam.*) odd person; oddball (*fam.*).

capoelettricìsta m. e f. (*cinem.*) gaffer.

capofàbbrica m. e f. (*ind.*) works (*o* plant) manager.

capofabbricàto m. (*nella seconda guerra mondiale*) air-raid warden (in a block of flats).

capofacchìno m. head porter.

capofamìglia m. e f. head of a family; householder.

capofficìna m. e f. shop foreman* (m.); shop forewoman* (f.).

capofìla m. e f. **1** head of a queue; first in a line **2** (*fig.*) leader.

capofìtto a. – **a c.**, headlong; headfirst; head foremost: **precipitare a c.**, to fall headlong; to plummet head-first; **tuffarsi a c.**, to dive headfirst; (*fig.*) **buttarsi a c. in un lavoro**, to throw oneself into a job.

capofòsso m. (*agric.*) main ditch.

capogabinétto m. (*polit.*) (ministerial) chief secretary.

capogàtto m. (*vet.*) (the) staggers.

capogìro m. giddiness □; dizziness □; dizzy spell: **avere il c.**, to feel dizzy; to feel giddy; **essere colto da c.**, to feel dizzy; **dare** (*o* **far venire**) **il c. a q.**, to make sb. giddy; **che dà il c.**, dizzy; (*fig.*) **da c.**, staggering; mind-boggling.

capogrùppo m. e f. **1** group leader **2** (*parlamentare*) leader of a parliamentary group **3** (*econ.*) parent company.

capoguàrdia m. **1** (*di guardie carcerarie*) head guard **2** (*di guardie municipali*) head of the municipal guards **3** (*naut.*) petty officer of the watch.

capòk → **kapok**.

♦**capolavóro** m. **1** masterpiece **2** (*fig.*) classic; work of genius.

capolèttera m. (*tipogr.*) initial letter.

capolìnea m. end of the line (*anche fig.*); terminus*; terminal.

capolìno m. **1** – **fare c.**, to peep out [in, etc.]; to poke one's head out [in, through]: *Il sole fece c. da dietro una nuvola*, the sun peeped out from behind a cloud; *Fece c. nella stanza e si ritrasse*, he poked his head in and withdrew; *Sotto al cappotto faceva c. una gonna rossa*, a red skirt peeped out from under the coat **2** (*bot.*) (flower) head.

capolìsta A m. e f. **1** (*persona*) first name on a list; (*polit.*) head of an electoral list: **essere c.**, to head a list **2** (*inizio di lista*) top of a list: **mettere a c.**, to put at the top of a list **B** f. (*sport*) league leader; leader **C** a. leading; list-leading: **candidato c.**, candidate heading the (electoral) list; **squadra c.**, league leader.

capoluògo m. chief town; capital: **c. di regione [di provincia]**, regional [provincial] capital.

capomacchinìsta m. **1** (*ferr.*, *naut.*) chief engineer **2** (*teatr.*) chief stage carpenter.

capomàfia m. mafia boss.

capomàstro m. (*edil.*) master builder; master mason.

capomènsa m. e f. (*org. az.*) canteen manager.

capomissióne m. e f. head of a diplomatic mission.

capomoviménto m. e f. (*ferr.*) traffic manager.

capomùsica m. (*mil.*) bandmaster.

caponàggine f. stubbornness; pig-headedness; cussedness.

caponàre v. t. (*naut.*) to cat.

capóne m. (*naut.*) cathead; cat.

capoofficìna → **capofficìna**.

capopàgina m. **1** (*tipogr.*) headpiece **2** top of a page; beginning of a page.

capopàrte m. e f. (*polit.*) faction leader.

capopàrto m. first menstruation after childbirth.

capopattùglia m. (*mil.*) patrol officer.

capopésca m. master fisherman*.

capopèzzo m. (*mil.*) head gunner; (*naut.*) gun captain.

capopòpolo m. e f. demagogue; mob--leader.

capopósto m. (*mil.*) commander of the guard.

caporalàto m. illegal hiring of farm labourers for very low wages through an agent.

♦**caporàle** m. **1** (*mil.*) corporal: **c. di giornata**, orderly corporal; **caporal maggiore**, corporal **2** (*pop.*, *di operai*) foreman*; ganger **3** (*reclutatore agricolo*) illegal recruiter of farm labourers **4** (f. *-a*) (*fig.*) bossy person; bully.

caporalésco a. (*fig.*) overbearing; bossy.

caporalmaggióre m. (*mil.*) corporal.

caporedattóre m. (f. *-trìce*) editor-in--chief; managing editor.

caporepàrto m. e f. **1** (*di operai*) foreman* (m.); forewoman* (f.) **2** (*di negozio, ufficio*) department head **3** (*di grande magazzino*) shopwalker; floorwalker (*USA*).

caporétto f. inv. crushing defeat; rout; collapse.

caporióne m. ringleader.

caporónda m. (*mil.*) patrol head.

caposàla A m. e f. **1** (*di ufficio*) head clerk **2** (*di officina*) foreman* (m.); forewoman* (f.) **B** f. (*di ospedale*) ward sister.

caposàldo m. **1** (*topogr.*) benchmark; datum point [line, plane] **2** (*mil.*) stronghold; strongpoint **3** (*fig.*) foundation; cornerstone; basis*.

caposcàla m. (staircase) landing.

caposcàlo m. e f. (*aeron.*) traffic manager.

caposcàrico m. madcap; prankster.

caposcuòla m. e f. leader of a movement.

caposervìzio m. e f. **1** department head **2** (*giorn.*) senior editor; desk editor: **c. cronaca cittadina**, local news editor; city editor (*USA*).

caposettóre A a. leading: **azienda c.**, leading company **B** m. e f. department head.

caposezióne m. e f. (*bur.*) department head.

caposquàdra m. e f. **1** (*di operai*) foreman* (m.); forewoman* (f.); chargehand; ganger (*fam.*) **2** (*sport*) team captain **3** (*mil.*) squad leader.

caposquadrìglia m. (*aeron.*) squadron leader.

capostazióne m. e f. stationmaster.

capostìpite m. e f. **1** founder of a family; progenitor **2** (*fig.*) founder; initiator; father (m.) **3** (*solo m.*) (*filol.*) ancestor.

capostórno m. (*vet.*) (the) staggers (pl. col verbo al sing.).

capostruttùra m. e f. head of a sector.

capotàre → **cappottare**.

capotàsto m. (*mus.*) **1** (*di violino, ecc.*) nut **2** (*per chitarra*) capo; capotasto.

capotàvola m. e f. head of the table: **sedere a c.**, to sit at the head of the table.

capote (*franc.*) f. inv. (*autom., aeron.*) hood; top: **c. a mantice**, folding top; **c. di tela**, canvas hood; **c. rigida**, hard top.

capotècnico m. (f. *-a*) (*ind.*) chief technician; chief engineer.

capotrèno m. e f. (*ferr.*) guard; conductor (*USA*).

capotribù m. chief; chieftain.

capòtta f. → **capote**.

capottàre → **cappottare**.

capotùrno m. e f. shift foreman* (m.); shift forewoman* (f.).

capoufficio m. e f. head clerk; chief clerk; office supervisor.

capovèrso m. **1** beginning of a paragraph; (*di verso*) beginning of a line **2** (*rientranza*) indentation; indent **3** (*paragrafo*) paragraph; subsection.

capovóga m. (*sport*) stroke; stroke oar: **fare da c.**, to stroke.

capovòlgere A v. t. **1** (*rovesciare*) to turn upside down; to stand* on its head; to overturn; to turn over; to invert; (*una barca*) to capsize: **c. un bicchiere**, to turn a glass upside down; **c. una clessidra**, to invert an hourglass; *Il vento capovolse la barca*, the wind capsized the boat **2** (*fig.*) to invert; to reverse; to overturn: **c. la procedura**, to reverse the procedure; (*leg.*) **c. una sentenza**, to overturn a verdict **B capovòlgersi** v. i. pron. **1** to overturn; to turn over; (*di barca*) to capsize **2** (*fig.*) to be reversed: *La nostra posizione s'è capovolta*, our position is now reversed.

capovolgiménto m. **1** overturn; upsetting; (*di barca*) capsizing **2** (*fig.*) reversal; inversion; subversion; (*cambiamento radicale*) radical change: **un c. di ruoli**, a reversal of roles; **il c. di una tendenza**, the reversal of a trend; **un c. di tutte le regole**, a subversion of all the rules.

capovòlta f. **1** overturn; upsetting **2** (*capriola*) somersault; flip **3** (*nuoto*) flip turn.

capovòlto a. upside-down; bottom up; head down; upturned; overturned: *Teneva il libro c.*, she was holding the book upside--down; **sistemare le bottiglie capovolte**, to place the bottles head down; **un tavolo c.**, an upturned table.

càppa ① f. **1** (*mantello*) cape; cloak; mantle (*lett.*); (*eccles.*) cape, (*di frate*) cowl **2** (*fig.*: *coltre*) pall: **una c. di nebbia [di fumo]**, a pall of fog [of smoke]; (*fig.*) **c. di piombo**, pall of gloom **3** (*di camino, cucina a gas, ecc.*) hood: **c. aspirante**, extractor hood **4** (*ind., di fucina*) chimney **5** (*naut.: copertura*) hood; cover: **c. dell'argano**, capstan cover; **c. di boccaporto**, companion **6** (*naut.: andatura*) – **essere alla c.**, to be lying to; to be hove-to; **mettersi alla c.**, to heave to; to lay to; **velatura di c.**, storm sails (pl.) ● **la c. del cielo**, the canopy (o the vault) of heaven o **una cappa di nubi in cielo**, a leaden sky □ **c. magna** → **cappamagna** □ (*naut.*) **diritto di c.**, primage o **nero come la c. del diavolo**, as black as soot (o as coal) o **romanzo di c. e spada**, swashbuckling novel □ (*prov.*) **Per un punto Martin perse la c.**, for want of a nail the shoe was lost.

càppa ② f. (*zool.*) bivalve shellfish; clam.

càppa ③ m. o f. (the letter) k.

cappalùnga f. → **cannolicchio**.

cappamàgna f. ceremonial cloak; ceremonial robes (pl.): **in c.**, dressed in ceremonial robes; (*fig.*) wearing one's finery.

cappasànta → **capasanta**.

cappeggiàre v. i. (*naut.*) to lie* to; to be hove to.

cappèlla ① f. **1** (*archit.*) chapel: **c. dedicata alla Madonna**, Lady Chapel; **c. gentilizia**, family chapel; **c. mortuaria**, mortuary chapel; *C. Sistina*, Sistine Chapel **2** (*edicola*) shrine **3** (*cantori*) choir: **maestro di c.**, choirmaster; kapellmeister, capellmeister (*stor.*) ● (*mus.*) **a c.**, a cappella.

cappèlla ② f. **1** (*di fungo*) cap **2** (*di chiodo*) head **3** (*gergo mil.*) raw recruit; rookie (*fam.*) **4** (*volg.: glande*) head **5** (*pop.: errore*) gross mistake; blunder; goof (*fam. USA*): **prendere una c.**, to make a gross mistake; to blunder; to get it all wrong; to goof it up.

cappellàccia f. (*zool.*, *Galerida cristata*) crested lark.

cappellàccio m. (*miner.*) outcrop.

cappellàio m. (f. *-a*) hatter.

cappellanìa f. (*eccles.*) chantry.

cappellàno m. (*eccles.*) chaplain: **c. militare [delle carceri]**, army [prison] chaplain.

cappellàta ① f. hatful; capful ● **a cappellate**, in loads; loads (o heaps, bags) (of st.): **fare denari a cappellate**, to make bags of money.

cappellàta ② f. (*pop.*) bloomer; goof.

cappellerìa f. hat shop; hatter's shop.

cappellétto m. **1** (*elmetto*) helmet **2** (*di calza*) toe **3** (*di scarpa*) toecap **4** (*d'ombrello*) cap **5** (*vet.*) capped hock **6** (*al pl.*) (*cucina*) cappelletti.

cappellièra f. **1** hatbox; bandbox **2** (*autom.*) parcel shelf; rear shelf.

cappellificio m. hat factory.

cappellìno m. **1** small hat; (*berretto*) cap **2** lady's hat.

♦**cappèllo** m. **1** hat: **c. a cencio**, slouch hat; soft hat; trilby; **c. a cilindro** (*o a staio, a tuba*), top hat; (*rivestito di seta*) silk hat; (*gibus*) opera hat; (*stor.*) **c. a cono**, hennin; **c. a lucerna**, cocked hat; **c. a pan di zucchero**, sugarloaf hat; **c. a tesa larga**, broad-brimmed hat; **c. a tre punte**, three-cornered hat; tricorn; **c. cardinalizio**, cardinal's hat; red hat; **c. da cuoco**, chef's hat; **c. da cowboy**, cowboy hat; Stetson; **c. da strega**, witch's hat; **c. di carta**, paper hat; **c. di feltro**, felt hat; trilby; (*lobbia*) homburg; **c. di paglia**, straw hat; (*di paglia di Firenze*) leghorn; **c. di pelliccia**, fur hat; **c. duro**, bowler (hat) (*GB*); derby (*USA*); **c. floscio**, slouch hat; soft hat; trilby; **senza c.**, hatless; bareheaded; **avere il c. in testa**, to have one's hat on; **mettersi il c.**, to put on one's hat; **portare il c.**, to wear a hat; **sollevare il c.**, (*per salutare*) to raise one's hat (to sb.), to doff one's hat; **togliersi il c.**, to take off one's hat **2** (*mecc.*) cap; (*di sicurezza, di mina, ecc.*) safety cover **3** (*capocchia*) head **4** (*copertura*) cap; cover **5** (*paralume*) lampshade **6** (*di fungo*) cap **7** (*fig.: preambolo*) preamble, introduction; (*di articolo*) head ● (*fig.*) **col c. in mano**, hat in hand □ (*fig.*) **far girare il c.**, to pass the hat round □ (*fig.*) **fare tanto di c. a q.**, to take one's hat off to sb. □ **Giù il c.** (*o Tanto di c.*)!, hats off! (*scherz.*) **Mi mangio il c. se...**, I'll eat my hat if... □ (*fig.*) **prender c.**, to take umbrage; to take offence.

cappellóne A m. **1** (*gergo cinem.*) cowboy **2** (*gergo mil.*) recruit; rookie (*fam.*) **B** a. inv. – **film c.**, western; horse opera (*fam.*, *USA*).

cappellòtto m. **1** (*tecn.*) cap **2** (*di arma da fuoco*) percussion cap.

càpperi inter. gosh!; golly!; gee!

càppero m. (*bot.*, *Capparis spinosa*) caper.

càppio m. **1** (*nodo scorsoio*) slipknot **2** (*capestro*) noose ● (*fig.*) **avere il c. al collo**, to have one's hands tied.

cappóna f. poulard.

capponàia f. **1** capon coop **2** (*pop.: prigione*) clink (*slang*).

cappóne m. capon.

cappòtta f. → **capote**.

cappottàre v. i. **1** (*aeron.*) to nose over **2** (*autom.*) to overturn; to roll over.

cappottàta f. **1** (*aeron.*) nose-over **2** (*autom.*) overturn.

cappottatùra f. (*aeron.*) cowling.

♦**cappòtto ①** m. (*indumento*) overcoat; coat; (*mil.*) greatcoat.

cappòtto ② m. **1** (*a carte*) capot; (*nel bridge*) grand slam **2** (*sport*) grand slam; slam victory; shut-out (*USA*); whitewash; (*tennis*) love game ● **fare c.**, (*caccia*) to return empty-handed; (*naut.*) to capsize, to turn turtle o **fare** (*o* **dare**) **c.**, (*a carte*) to win all the tricks, to capot (sb.); (*sport*) to whitewash (sb.), to shut out (sb.) (*USA*).

Cappuccétto Rósso m. Little Red Rid-

ing Hood.

cappuccìna ① f. (*eccles.*) Capuchin nun.

cappuccìna ② f. (*bot.*) **1** (*Lactuca sativa*) lettuce **2** (*Tropaeolum maius*) nasturtium.

cappuccìno ① m. e a. (*eccles.*) Capuchin.

cappuccìno ② m. (*bevanda*) cappuccino*; white coffee.

cappùccio ① m. **1** (*copricapo*) hood; (*spec. eccles.*) cowl: **giacca con c.**, hooded jacket **2** (*di penna*) cap **3** (*di bottiglia*) top **4** (*tecn.*) cap; cover **5** (*autom.; di valvola*) nipple.

cappùccio ② a. – (*bot.*) **cavolo c.** (*Brassica oleracea capitata*), (head) cabbage.

cappùccio ③ → **cappuccino** ②.

♦**càpra** ① f. (*zool., Capra*) goat; (*femmina*) she-goat, nanny goat (*fam.*); (*maschio*) he-goat, billy goat (*fam.*) ● (*fig.*) **posti da capre**, impervious places □ (*fig.*) **salvare capra e cavoli**, to get out of an impasse; to (manage to) have it both ways; to (manage to) keep everybody happy.

càpra ② f. **1** (*cavalletto*) trestle; horse **2** (*naut.*) sheerlegs (pl. col verbo al sing.).

capràio m. (f. **-a**) goatherd.

capraréccia f. goat pen.

caprése A a. of Capri; from Capri B m. e f. native [inhabitant] of Capri C f. salad made of tomatoes, mozzarella and basil.

caprétto m. kid: **carne di c.**, kid; **guanti di c.**, kid gloves.

capriàta f. (*edil.*) truss: **c. semplice**, king truss; **c. trapezoidale**, queen truss; **soffitto a capriate**, trussed roof.

♦**capriccio** m. **1** (*desiderio improvviso*) whim; fancy; caprice; (*ghiribizzo*) vagary, quirk; (*mania*) foible: **togliersi** (*o* **levarsi**, **cavarsi**) **un c.**, to satisfy (*o* to indulge) a whim; **i capricci della moda**, the vagaries of fashion; **a c.**, following one's whim; whimsically; in one's own sweet way **2** (*infatuazione*) infatuation; passing fancy **3** (*bizza*) tantrum: **fare i capricci**, to throw a tantrum; to throw tantrums; to be naughty; to be difficult; (*fig., di macchina*) to act up; to play up; (*del tempo*) to be unsettled: *Non fare i capricci!*, don't be naughty!; don't be a pest! **4** (*fenomeno incomprensibile*) quirk; twist; freak: **un c. della sorte**, a quirk (*o* twist) of fate; **c. di natura**, freak of nature **5** (*mus.*) capriccio*.

capricciosità f. **1** (*bizzarria*) capriciousness; whimsicality **2** (*incostanza*) unpredictability; fickleness **3** (*bizzosità*) naughtiness.

capriccióso a. **1** (*curioso, bizzarro*) quaint; fanciful; whimsical; quirky: **cappellino c.**, quaint little hat **2** (*bizzoso*) petulant; (*di bambino*) naughty, difficult **3** (*imprevedibile*) capricious; unpredictable; freakish; (*incostante*) flighty, fickle: **tempo c.**, unpredictable weather.

capricòrno m: **1** (*zool., Antilope cervicapra*) black buck **2** (*astron., astrol.*): **il C.**) Capricorn: **il Tropico del C.**, the Tropic of Capricorn **3** (*astrol., di persona*) Capricorn.

caprificàre v. t. (*bot.*) to caprify.

caprifìco m. (*bot., Ficus carica caprificus*) wild fig; caprifig.

caprifòglio m. (*bot., Lonicera caprifolium*) honeysuckle; woodbine.

caprìgno → **caprino**.

caprìlico a. (*chim.*) caprylic.

caprimùlgo m. (*zool., Caprimulgus europaeus*) goatsucker; nightjar.

caprìnico a. (*chim.*) capric; caprinic.

caprìno A a. goat (attr.); goat's (attr.); goatish; goat-like; caprine: **barba caprina**, goat's beard; goatish beard; **corna caprine**, goat horns B m. **1** (*zool.*) goat **2** (*odore*) goatish smell **3** (*sterco*) goat manure **4** (*formaggio*) goat's milk cheese.

♦**capriòla** f. **1** somersault: **fare una c.**, to turn a somersault; to somersault **2** (*estens.: salto*) jump, skip, caper; (*scherz.: capitombolo*) tumble: **fare le capriole dalla gioia**, to jump for joy **3** (*equit.*) capriole **4** (*danza classica*) cabriole.

capriòlo m. (*zool., Capreolus capreolus*) roe deer*; (*maschio*) roebuck.

càpro m. he-goat; billy goat (*fam.*) ● (*fig.*) **c. espiatorio**, scapegoat; whipping boy (*fam.*); fall guy (*fam.*).

capròico a. (*chim.*) caproic: **acido c.**, caproic acid.

caprolattàme m. (*chim.*) caprolactam.

capróne m. he-goat; billy goat (*fam.*) ● **puzzare come un c.**, to stink like a goat.

capriònico a. (*chim.*) caproic.

caprùggine f. croze.

càpsico m. **1** (*bot., Capsicum*) capsicum **2** (*farm.*) capsaicin.

càpside f. (*biochim.*) capsid.

càpsula f. **1** (*bot., farm.*) capsule **2** (*anat.*) capsule: **c. interna**, internal capsule; **c. surrenale**, adrenal (*o* suprarenal) gland **3** (*di dente*) crown **4** (*di cartuccia*) (percussion) cap **5** (*chim.: scodelletta*) evaporating dish **6** (*miss.*) capsule: **c. spaziale**, space capsule **7** (*cappuccio di stagnola*) capsule; (*tappo*) cap **8** (*di bottiglia di vino*) capsule.

capsulàre a. capsular; capsulate.

capsulatrìce f. (*tecn.*) capper.

capsulatùra f. (*tecn.*) capping.

capsulìsmo m. (*tecn.*) rotary pump: **compressore** (*o* **pompa**) **a c.**, rotary blower.

captàre v. t. **1** (*accattivarsi, procurarsi*) to win* **2** (*prendere, raccogliere*) to collect; to tap **3** (*radio*) to pick up; to receive: **c. una stazione radio**, to pick up a radio station **4** (*fig.: cogliere*) to catch*; (*percepire, intuire*) to sense, to feel*; (*capire*) to get*, to grasp: *Captai una sua occhiata*, I caught his eye; **c. il significato di qc.**, to get the meaning of st.; to catch (*o* to grasp) the drift of st.; **c. un'ostilità nascosta**, to sense hidden hostility **5** (*sentire di sfuggita*) to catch*; to overhear*; to pick up.

captativo a. (*psic.*) possessive.

captatóre m. (*tecn.*) collector.

captatòrio a. (*leg.*) attempting to exercise undue influence.

captazióne f. **1** (*leg.*) undue influence **2** (*psic.*) possessiveness **3** (*chim.*) captation.

capufficio → **capoufficio**.

Capulèti m. pl. (*letter.*) Capulets.

capziosità f. captiousness; speciousness.

capzióso a. captious; specious; quibbling.

CAR sigla (*mil.*, **Centro addestramento reclute**) Recruit Training Centre.

carabàttola f. (*fam.*) **1** (al pl.) things; odds and ends; bits and pieces; bits and bobs: **pigliare su le proprie carabattole**, to gather one's bits and pieces (*o* one's things) **2** (*fig.*) trifle; bagatelle.

carabìna f. rifle; carbine: **c. ad aria compressa**, air rifle.

♦**carabinière** m. **1** (*stor.*) carabineer; carabinier **2** (*in Italia*) carabiniere **3** (*fig.*) martinet; (*di donna*) dragon, battle-axe, harridan.

càrabo m. (*zool., Carabus*) ground beetle.

carabottìno m. (*naut.*) grating.

caracàl m. inv. (*zool., Lynx caracal*) caracal; African lynx.

caràcca f. (*naut.*) carrack.

carachìri → **harakiri**.

caracollàre v. i. **1** (*equit.*) to caracole **2** (*trotterellare*) to trot; (*di bambino piccolo*) to toddle.

caracòllo m. (*equit.*) caracole.

caracùl → **karakul**.

caràdrio m. (*zool., Charadrius*) plover.

caràffa f. carafe; jug; pitcher; decanter.

Caràibi m. pl. (*geogr.*) (the) Caribbean (sing.): **un'isola dei C.**, a Caribbean island; **il Mar dei Caraibi**, the Caribbean Sea.

caraìbico a. Caribbean.

caràmbola ① f. **1** (*bot., Averrhoa carambola*) carambola **2** (*frutto*) carambola; starfruit.

caràmbola ② f. **1** (*biliardo*) cannon; carom (*USA*); (*il gioco*) carom billiards: **fare c.**, to cannon; to carom (*USA*) **2** (*calcio*) bouncing back; series of rebounds **3** (*fig., autom.*) multiple collision; pileup.

carambolàre v. i. **1** (*biliardo*) to cannon; to carom (*USA*) **2** (*calcio*) to bounce back; to cannon **3** (*fig., autom.*) to collide (with); to hit* (st.); to cannon (into).

♦**caramèlla** A f. **1** (boiled) sweet (*GB*); candy (*USA*); (*morbida*) toffee; (*a pallina*) drop; (*farm.*) drop, pastille: **c. al limone**, lemon sweet (*o* candy); **c. gommosa**, gumdrop; **c. per la gola**, throat pastille; **c. per la tosse**, cough drop; **c. ripiena**, soft-centred sweet **2** (*lente*) monocle; eyeglass B a. inv. – **rosa c.**, candy pink.

caramellàio m. (f. **-a**) confectioner.

caramellàre v. t. **1** (*lo zucchero*) to caramelize **2** (*ricoprire di caramello*) to candy.

caramellàto a. **1** – **zucchero c.**, caramel **2** (*ricoperto di caramello*) candied.

caramèllo m. caramel.

caramellóso a. **1** sweet **2** (*fig.*) sugary; cloying.

carampàna f. **1** (*donna sguaiata e volgare*) coarse woman*; loud-mouthed woman* **2** (*sciattona*) slovenly woman*; slattern **3** (*donna brutta e vecchia*) old bag; old crone; hag.

carapàce m. (*zool.*) carapace.

caràssio m. (*zool., Carassius*) crucian ● **c. dorato** (*Carassius auratus*), goldfish.

caratàre v. t. to weigh in carats.

caratèllo m. keg.

caratìsta m. **1** (*naut.*) part-owner **2** (*econ.*) shareholder.

caràto m. **1** (*rif. a preziosi*) carat: **oro a 24 carati**, 24-carat gold **2** (*econ.*) partnership share **3** (*naut.*) share; ship's part.

caratteràccio m. foul temper: **avere un c.**, to be foul-tempered.

♦**caràttere** m. **1** (*rappresentazione grafica di una lettera*) character; letter; (*di segni di scrittura*) characters, script ⅃: **caratteri a stampatello**, block letters; block capitals; **caratteri cinesi**, Chinese characters; **caratteri cirillici**, Cyrillic characters; Cyrillic script; **caratteri cubitali** (*o* **di scatola**), big block capitals; **caratteri ideografici**, ideograms; **scritto a caratteri d'oro**, written in gold letters **2** (*tipogr.*) type ⅃; typeface; (*anche* **c. di stampa**) print ⅃: **c. aldino**, Aldine type; **c. bodoniano**, Bodoni (type); **c. corsivo**, italic type; italics (pl.); **c. grassetto**, bold (type); **c. gotico**, Gothic type; **caratteri di testo**, book-face; **caratteri mobili**, movable type; **serie di caratteri**, fount, font (*USA*); *Il c. è molto piccolo*, the print is very small; **fonderia di caratteri**, type foundry; **incisore di caratteri**, type cutter **3** (*calligrafia*) hand: **scrivere con un bel c. nitido**, to write a fine clear hand **4** (*indole*) character; nature; temper; disposition: **c. difficile**, difficult character; **c. generoso**, generous nature; **c. facile all'ira**, short temper; **c. focoso**, fiery temper; **buon c.**, good nature; **avere un buon c.**, to be good-natured; **avere un brutto c.**, to be bad-tempered; **avere un c. facile**, to be easy to get on with; **la formazione del c.**, character-building; **forza di c.**, strength of character **5** (*fermezza*) character; firmness; backbone; spirit: **una donna di c.**, a woman of character; **avere c.**, to have character (*o* backbone); **dar prova di**

c., to prove one has character; to show firmness; **mancare di c.**, to lack firmness; to have no backbone; **senza c.**, weak; spineless **6** (*caratteristica*) characteristic; feature; trait **7** (*natura*) nature; kind: **una cerimonia a c. privato**, a private ceremony; **informazioni di c. riservato**, confidential information; information of a confidential nature; **un'indagine di c. storico**, a historical investigation **8** (*comput.*) character: **c. binario**, binary character; **c. di comando**, control character; **c. di commutazione**, escape character; **c. ottico**, optical character; **caratteri alfanumerici**, alphanumeric characters; **caratteri speciali**, special characters **9** (*biol.*) trait; character: **c. dominante**, dominant (trait); **c. recessivo**, recessive (trait) **10** (*stat.*) character • (*relig.*) **c. sacramentale**, sacramental character □ (*teatr.*) **commedia di c.**, character play.

caratteriàle Ⓐ a. **1** character (attr.); personality (attr.): **disturbo c.**, personality problem **2** (*psic.*) (psychologically) disturbed: **bambino c.**, disturbed child; **problem child** Ⓑ m. e f. (*psic.*) disturbed person.

caratterino m. **1** difficult character; (fiery) temper **2** (*persona*) person with a temper.

caratterista m. e f. (*teatr.*) character actor (m.); character actress (f.).

♦**caratteristica** f. **1** (*carattere*) characteristic; (distinguishing) feature; (distinguishing) trait; peculiarity; hallmark: **le caratteristiche di un prodotto**, the features of a product; **È una sua c. di...**, it's part of his character to...; it's typical of him to...; **avere tutte le caratteristiche di**, to have the hallmarks of **2** (*proprietà*) property **3** (*mat.*) characteristic **4** (*radio*) pattern **5** (al pl.) (*tecn.*) specifications.

♦**caratteristico** a. **1** (*proprio*) characteristic; distinctive; typical; individual; distinguishing: **il c. brusio della campagna**, the characteristic sounds of the countryside; *Ha un modo di ridere c.*, he has a distinctive laugh; (*anche bur.*) **segni caratteristici**, distinguishing marks; **tratto c.**, distinguishing feature; peculiarity **2** (*tipico di un luogo*) characteristic (of a place); local: **piatto c.**, local dish; *Le donne portavano il c. cappello a cono*, the women wore the local conical hat **3** (*pittoresco*) full of local colour; picturesque: **un vecchio borgo molto c.**, a picturesque little town.

caratterizzàre v. t. **1** (*contraddistinguere*) to be characteristic (o typical) of; to characterize; to distinguish; to typify **2** (*rappresentare*) to portray; to characterize.

caratterizzazióne f. characterization.

caratterologìa f. (*psic.*) characterology.

caratterològico a. (*psic.*) characterological.

caratteropatìa f. (*psic.*) psychological disturbance; psychopathy.

caratteropàtico Ⓐ a. psychopathic Ⓑ m. e f. psychopath.

caratùra f. **1** weighing in carats **2** (*fig.*) standing; status; importance **3** (*comm.*) partnership share **4** (*naut.*) ship's share.

caravaggésco a. Caravaggio's (attr.); of Caravaggio; in the style (o in the manner) of Caravaggio; Caravaggesque.

caravanista m. e f. caravanner.

caravanserràglio m. **1** caravanserai* **2** (*fig.*) bedlam Ⓤ; madhouse.

caravèlla① f. (*naut.*) caravel; carvel.

caravèlla② f. (*colla*) carpenter's glue.

carbammàto m. (*chim.*) carbamate.

carbàmmico a. (*chim.*) carbamic.

carbazòlo m. (*chim.*) carbazole.

carbène m. (*chim.*) carbene.

carbochìmica f. carbon chemistry.

carbocianìna f. (*chim.*) carbocyanine.

carboidràto m. (*chim.*) carbohydrate.

carbonàdo m. (*miner.*) carbonado*; carbon diamond.

carbonàia f. **1** (*per fare il carbone*) charcoal pile **2** (*deposito*) coal cellar **3** (*naut.*) coal bunker **4** (*fig.*) dungeon.

carbonàio m. **1** (*chi fa il carbone*) charcoal burner **2** (*venditore*) coal merchant.

carbonaménto m. (*naut.*) bunkering; coaling.

carbonàre v. t. (*naut.*) to bunker; to coal.

carbonàro m. e a. **1** (*stor.*) Carbonaro* **2** → **carbonaio**.

carbonàta f. **1** coal heap **2** (*cucina*) barbecued pork.

carbonatazióne f. (*chim.*) carbonation.

carbonàto m. (*chim.*) carbonate: **c. di potassio**, potassium carbonate; **c. di sodio**, sodium carbonate.

carbónchio m. **1** (*vet.*) anthrax; blackleg; carbuncle **2** (*med.*) anthrax; malignant pustule **3** (*agric.*) black blight; smut.

carbonchióso a. **1** (*med.*) carbuncular **2** (*agric.*) smutty.

carboncino m. charcoal (crayon): **disegno a c.**, charcoal (drawing).

♦**carbóne** Ⓐ m. **1** coal: **c. bituminoso**, bituminous coal; soft coal; **c. di legna**, charcoal; **c. fossile**, (fossil) coal; **carboni ardenti**, live coals; (**funzionante**) **a c.**, coal-fired (attr.); **filone di c.**, coal seam; **giacimento di c.**, coalfield; **miniera di c.**, coal mine; colliery; **un pezzo di c.**, a (lump of) coal; **riscaldamento a c.**, coal-fired central heating; **stufa a c.**, charcoal burner **2** (*elettr.*) carbon **3** (*agric.*) → **carbonchio**, def. 3 • (*fig.*) **c. bianco**, white coal □ **c. d'ossa**, boneblack □ (*chim.*) **c. di storta**, retort graphite □ (*naut.*) **fare c.**, to coal; to bunker □ **nero come il c.**, coal black; (*sporco*) as black as soot • **secchio del c.**, coal scuttle □ (*fig.*) **stare sui carboni ardenti**, to be on tenterhooks Ⓑ a. coal (attr.); carbon (attr.); coal-black: **carta c.**, carbon paper; **color c.**, coal-black (sost.); coal-black (agg.); **copia c.**, carbon copy.

carbonèlla f. charcoal slack.

carbonerìa f. (*stor.*) Carbonari movement; Carbonarism.

carbonicazióne f. (*enologia*) carbonation.

♦**carbònico** Ⓐ a. **1** (*chim.*) carbonic; carbon (attr.): **acido c.**, carbonic acid; **anidride carbonica**, carbon dioxide **2** (*geol.*) Carboniferous Ⓑ m. (*geol.*) Carboniferous (period).

carbonièra f. **1** → **carbonaia 2** (*naut.*) collier; (*chiatta*) coal barge **3** (*ferr.*) tender.

carbonière m. **1** (*minatore*) coal miner **2** (*commerciante*) coal merchant.

carbonièra a. coal (attr.): **industria carboniera**, coal industry.

carbonìfero Ⓐ a. **1** coal (attr.): **bacino** (o **giacimento**) **c.**, coalfield; **strato c.**, coal seam **2** (*geol.*) carboniferous Ⓑ m. (*geol.*) Carboniferous (period).

carbonìle① m. (*naut.*) (coal) bunker.

carbonìle② m. (*chim.*) carbonyl.

carbonìlico a. (*chim.*) carbonylic.

carbònio m. (*chim.*) carbon: **c. 14**, carbon-14; **datazione col c. 14**, carbon dating; **acciaio al c.**, carbon steel; (*astron.*) **ciclo del c.**, carbon cycle; **monossido di c.**, carbon monoxide.

carbonióso a. carbonaceous.

carbonìte f. (*miner.*) carbonite.

carbonizzàre Ⓐ v. t. **1** to carbonize **2** (*bruciare*) to burn*; (*parzialmente*) to char; Ⓑ **carbonizzàrsi** v. i. pron. **1** to become*

carbonized **2** (*bruciare*) to burn*; (*parzialmente*) to be charred.

carbonizzàto a. burnt; charred: **pane c.**, burnt bread; **i resti carbonizzati di una casa**, the charred remains of a house; **morire c.**, to be burnt to death.

carbonizzatùra, **carbonizzazióne** f. carbonization • **c. parziale**, charring □ (*ind. tess.*) **forno di c.**, carbonizing stove.

carborùndo → **carborundum**.

carborùndum® m. (*ind.*) carborundum; silicon carbide.

carbosiderùrgico a. coal-and-steel (attr.).

carbossiemoglobìna f. (*biol.*, *chim.*) carboxyhaemoglobin.

carbossilàre v. t. (*chim.*) to carboxylate.

carbossilàsi f. (*chim.*) carboxylase.

carbossilazióne f. (*chim.*) carboxylation.

carbossile m. (*chim.*) carboxyl group (o radical).

carbossìlico a. (*chim.*) carboxylic.

carburànte m. fuel: **fare rifornimento di c.**, to refuel; **rifornimento di c.**, refuelling.

carburàre Ⓐ v. t. **1** to carburet **2** (*metall.*) to carburize Ⓑ v. i. **1** (*autom.*) to run* **2** (*fig. gergale*) to get* one's act together (*fam.*): *Oggi non riesco a c.*, I don't seem to be able to get my act together today.

carburatóre m. (*autom.*, *aeron.*) carburettor, carburetor (*USA*): **c. a iniezione**, injection carburettor; **c. doppio**, twin carburettor; *Il c. si è ingolfato*, the carburettor is flooded; **vaschetta del c.**, carburettor float chamber.

carburaturìsta m. carburettor technician.

carburazióne f. **1** carburation **2** (*metall.*) carburization.

carbùro m. (*chim.*) carbide: **c. di calcio**, calcium carbide; **lampada al c.**, carbide lamp.

carcadè m. **1** (*bot.*, *Hibiscus sabdariffa*) red sorrel **2** (*bevanda*) red sorrel tea.

carcàme m. (*lett.*) carcass, carcase.

carcàssa f. **1** (*di animale morto*) carcass, carcase **2** (*fisico malridotto*) carcass; old bones (pl.) **3** (*struttura portante*) skeleton; frame; framework Ⓤ **4** (*mecc.*: *involucro*) body; shell; (*di macchina*) housing, casing **5** (*naut.*: *nave in disarmo*) hulk **6** (*residuo esterno*) shell; (*rottame*) wreck, carcass **7** (*fig.*: *veicolo sgangherato*) wreck; old crock; crate **8** (*fig.*: *persona malandata*) wreck.

carceràre v. t. to imprison; to jail.

carceràrio a. prison (attr.): **guardia carceraria**, prison guard; jailor, gaoler; warder (m., *GB*); wardress (f., *GB*); **ordinamento c.**, prison regulations (pl.).

carceràto m. (f. *-a*) prisoner; inmate; convict.

carcerazióne f. incarceration; imprisonment; detention: **c. preventiva**, preventive detention; custody; **ordine di c.**, detainer.

♦**càrcere** m. (pl. **càrceri**, f.) **1** prison (*anche fig.*); jail, gaol: **c. di massima sicurezza**, high (o top) security prison; **c. giudiziario**, jail; prison; **c. minorile**, detention centre (*GB*); detention home (*USA*); **le carceri cittadine**, the town prison; **mettere in c.**, to send to prison **2** (*carcerazione*) imprisonment; detention; (*condanna*) prison sentence: **c. a vita**, life imprisonment; **c. preventivo**, preventive detention; custody; *Gli hanno dato dieci anni di c.*, he was sentenced to ten years' imprisonment; he was given a ten-year sentence; **scontare due anni di c.**, to serve a two-year sentence; to do two years (in prison) (*fam.*).

carcerière m. (f. *-a*) jailor, gaoler (*anche*

fig.); prison guard; warder (m., *GB*; f. wardress).

carcinogènesi f. (*med.*) carcinogenesis.

carcinògeno a. carcinogenic.

carcinòma m. (*med.*) carcinoma*.

carcinomatóso a. (*med.*) carcinomatous.

carcinòsi f. (*med.*) carcinosis.

carciofàia f. artichoke bed; artichoke garden.

carciofino m. artichoke in oil.

carciòfo m. **1** (*bot.*, *Cynara cardunculus scolymus*) artichoke **2** (*fig.*) numbskull; booby ● (*bot.*) **c. selvatico** (*Cynara cardunculus silvestris*), cardoon.

Card. abbr. (*relig.*, **cardinale**) cardinal (Card.).

càrda f. (*ind. tess.*) carding machine; card.

cardàmine f. (*bot.*, *Cardamine*) bittercress.

cardamòmo m. (*bot.*, *Elettaria cardamomum*) cardamom.

cardànico a. (*mecc.*) cardan (attr.): (*autom.*) **giunto c.**, cardan (o universal) joint; **sospensione cardanica**, gimbals (pl.).

cardàno m. (*mecc.*) cardan (o universal) joint.

cardàre v. t. (*ind. tess.*) to card; to tease: **lana cardata**, carded wool.

cardatóre m. (*ind. tess.*) carder; teaser.

cardatrìce f. **1** (*operaia*) carder; teaser **2** → **carda**.

cardatùra f. (*ind. tess.*) carding; teasing.

cardellino m. (*zool.*, *Carduelis carduelis*) goldfinch.

carderìa f. (*ind. tess.*) carding-room.

cardéto m. cardoon patch (o field).

càrdia → **cardias**.

cardìaco (*med.*) **A** a. cardiac; heart (attr.): **arresto c.**, cardiac arrest; **attacco c.**, heart attack; coronary (*fam.*); **battito c.**, heartbeat; **collasso c.**, heart (o cardiac) failure; **disturbi cardiaci**, heart trouble ⓤ; **trapianto c.**, heart transplant **B** m. (f. *-a*) heart patient; cardiac (*fam.*).

càrdias m. (*anat.*) cardia.

càrdigan (*ingl.*) m. inv. (*abbigliamento*) cardigan.

cardinalàto m. (*eccles.*) cardinalate; cardinalship.

cardinàle① **A** a. cardinal: **numero c.**, cardinal number; **punto c.**, cardinal point; **virtù cardinali**, cardinal virtues **B** m. (*eccles.*) cardinal: **c. diacono**, cardinal deacon; **c. vescovo**, cardinal bishop ● (*fig.*) **boccone da c.**, titbit **C** a. inv. cardinal: **rosso c.**, cardinal (red); deep scarlet.

cardinàle② m. (*zool.*, *Richmondena cardinalis*) cardinal (bird); cardinal grosbeak; redbird (*USA*).

cardinalésco a. cardinal (attr.); cardinal-like.

cardinalità f. (*mat.*) cardinality.

cardinalìzio a. (*eccles.*) cardinal's (attr.); of a cardinal: **cappello c.**, cardinal's hat; **dignità cardinalizia**, cardinalship; **porpora cardinalizia**, purple; (*dignità di cardinale*) cardinalship; **titolo c.**, title of cardinal.

càrdine m. **1** hinge; pivot: *La porta ruotò sui cardini*, the door turned on its hinges; **uscire dai cardini**, to come off one's hinges **2** (*mecc.*) pintle **3** (*fig.*: *fondamento*, *base*) foundation, cornerstone; (*perno*) pivot, linchpin.

càrdio m. (*zool.*, *Cardium*) cockle.

cardioattìvo (*farm.*) **A** a. cardioactive **B** m. cardioactive drug.

cardiocèntesi f. (*med.*) cardiocentesis; puncture of the heart.

cardiochirurgìa f. heart surgery.

cardiochirùrgico a. heart-surgery

(attr.).

cardiochirùrgo m. heart surgeon.

cardiocinètico (*farm.*) **A** a. cardiokinetic **B** m. cardiokinetic drug; cardiac stimulant.

cardiocircolatòrio a. (*anat.*) cardiovascular.

cardiofrequenzìmetro m. (*med.*) heart rate monitor.

cardiogènico a. cardiogenic.

cardiografìa f. cardiography.

cardiogràfico a. cardiographic.

cardiògrafo m. cardiograph.

cardiogràmma m. cardiogram.

cardiòide f. (*mat.*) cardioid.

cardioipertrofìa f. (*med.*) cardiac hypertrophy.

cardiologìa f. cardiology.

cardiològico a. cardiological.

cardiòlogo m. (f. *-a*) cardiologist; heart specialist.

cardiomegalìa f. (*med.*) cardiomegaly.

cardiomiopatìa f. (*med.*) cardiomyopathy.

cardionevròsi f. (*med.*) cardioneurosis.

cardiopàlmo m. (*med.*) palpitation of the heart ● (*fig.*) **al c.**, nail-biting (attr.): cliff-hanging: *La finale fu al c.*, it was a nail-biting final match; the final match was a cliff-hanger.

cardiopatìa f. (*med.*) heart disease.

cardiopàtico m. (*med.*) person with a heart disease; heart patient.

cardioplegìa f. (*med.*) cardioplegia.

cardiopolmonàre a. (*anat.*) cardiopulmonary.

cardiorespiratòrio a. cardiorespiratory.

cardioscleròsi f. (*med.*) cardiosclerosis.

cardiospàsmo m. (*med.*) cardiospasm.

cardiostenòsi f. (*med.*) cardiostenosis.

cardiostimolànte → **cardiocinetico**.

cardiotocografìa f. (*med.*) cardiotocography.

cardiotocògrafo m. cardiotocographer.

cardiotònico a. e m. (*farm.*) cardiotonic.

cardiovascolàre a. (*anat.*, *med.*) cardiovascular.

cardìte f. (*med.*) carditis.

càrdo m. **1** (*bot.*, *Cynara cardunculus altilis*) cardoon **2** (*bot.*, *Carduus*, *anche* **c. selvatico**) thistle **3** (*bot.*) – **c. benedetto** (o santo) (*Cnicus benedictus*), holy thistle; blessed thistle; **c. dei lanaioli** (*Dipsacus fullonum*), (fuller's) teasel; **c. mariano** (*Silybum marianum*), milk thistle **4** (*ind. tess.*) carding thistle; teasel.

Carèlia f. (*geogr.*) Karelia.

careliàno a. Karelian.

carèna f. **1** (*naut.*) (ship's) bottom; hull: **c. sporca**, foul bottom; **abbattere in c.**, to careen **2** (*zool.*, *anat.*) carina* **3** (*di dirigibile*) hull.

carenàggio m. (*naut.*) careening; dry-docking: **bacino di c.**, dry dock; **mettere in bacino di c.**, to dry-dock; **spese di c.**, careenage.

carenàre v. t. **1** (*naut.*) to careen; (*in bacino di carenaggio*) to dry-dock **2** (*aeron.*) to streamline; to fair.

carenàto a. (*zool.*, *anat.*) carinate.

carenatùra f. (*aeron.*, *naut.*) fairing.

carènte a. **1** lacking (in); deficient (in); wanting (in); poor (at, in): **una dieta c. di ferro**, a diet lacking (o deficient in) iron; an iron-deficient diet; **c. di logica**, lacking in logic **2** (*inadeguato*) inadequate; poor.

carènza f. **1** (*mancanza*) lack, want, deficiency (*anche med.*); (*scarsità*) shortage, scar-

city, dearth: **c. di affetto**, want of affection; **c. di alloggi**, housing shortage; **c. di idee**, lack of ideas; **c. vitaminica**, vitamin deficiency; **malattia da c.**, deficiency disease **2** (*difetto*) shortcoming.

carestìa f. **1** famine: **un'annata di c.**, a year of famine **2** (*penuria*) scarcity; shortage; dearth.

carétta f. (*zool.*, *Caretta caretta*) loggerhead (turtle).

◆**carézza** f. **1** caress; stroke; pat: **una c. affettuosa**, a loving caress; **fare una c. a q.**, to give sb. a caress; to caress sb.; **fare le carezze al gatto**, to stroke the cat **2** (al pl.) (*fig.*: *lusinghe*) blandishments; flatteries.

carezzàre → **accarezzare**.

carezzévole a. caressing; (*dolce*) gentle, soothing; (*tenero*) tender.

càrgo m. **1** (*naut.*) cargo ship; freighter **2** (*aeron.*) cargo plane; freighter.

cariàre v. t., **cariàrsi** v. i. to decay: *Lo zucchero può c. i denti*, sugar can decay the teeth; *Mi si è cariato un molare*, I've got a decayed molar.

cariàtide f. **1** (*archit.*) caryatid* **2** (*fig.*: *persona immobile*) statue; person as still as a post: *Non fare la c., dammi una mano!*, don't just stand there (like a statue), give me a hand! **3** (*fig.*: *persona retriva*) old fogey **4** (*fig.*: *persona vecchia*) old fossil.

cariàto a. (*di dente*) decayed; bad; carious (*scient.*): **avere un dente c.**, to have a decayed (o bad) tooth; to have a cavity in a tooth.

caribico a. Caribbean.

caribo a. e m. Carib*.

caribù m. (*zool.*, *Rangifer caribou*) caribou*.

◆**càrica** **A** f. **1** (*ufficio*, *dignità*) office ⓤ; (*incarico*, *posizione*, *posto*) appointment, post, position: **una c. di grande responsabilità**, a highly responsible position; **c. di presidente**, office of president; presidentship; chairmanship; **c. di primo ministro**, prime ministership; premiership; **c. di tesoriere**, treasurship; office as treasurer; **una c. in un partito**, a party post; **c. ministeriale**, ministerial post; **c. onorifica**, honorary appointment (o position); **una c. universitaria**, a university post; **le più alte cariche dello Stato**, the higher echelons of the state; (*le persone*) high-ranking state officials; **il ministro in c.**, the minister in office; the incumbent minister; **assumere una c.**, to take office; to accede to a post; **assumere la c. di tesoriere**, to take office as treasurer; **dimettersi da una c.**, to resign office; **entrare in c.**, to take (o to come into) office; **essere in c.**, to be in office; to hold office; **lasciare la** (o **uscire di**) **c.**, to leave (o to relinquish) office; **restare in c.**, to continue in office; to stay on; **ricoprire una c.**, to hold office; to occupy a position **2** (*fis.*, *elettr.*) charge: **c. a tensione costante**, constant voltage charge; **c. elementare**, elementary charge; **c. elettrica**, electric charge; **c. positiva [negativa]**, positive [negative] charge; **entità di c.**, charging rate; **potenziale di c.**, charging potential; (*di batteria*) **sotto c.**, on charge **3** (*di meccanismo a molla*) winding: **dare la c. a**, to wind; to wind up; **esaurire la c.**, to wind down; **meccanismo di c.**, winding mechanism **4** (*di arma da fuoco*) charge: **c. di esplosivo**, explosive charge; **c. di lancio**, propelling charge; (*aeron.*) **c. di profondità**, depth charge; (*di mina*, *bomba*) **c. di scoppio**, blasting charge **5** (*chim.*) extender **6** (*ind. tess.*) weighting **7** (*fig.*: *energia*) charge; drive; impetus; boost; power; energy: **c. affettiva**, affective charge; **c. di energia**, drive; store of energy; **c. di fiducia**, injection (o boost) of confidence; **c. emotiva**, emotional charge; **avere una forte c. di**

simpatia, to be a very engaging character; to have a very attractive personality; **dare la c. a q.**, to rouse sb.; to get sb. going; to get sb. keyed up (*fam.*); **dare una nuova c. a qc.**, to give fresh impetus to st. **8** (*mil., polizia*) charge: **c. alla baionetta**, bayonet charge; **c. con gli sfollagente**, baton charge; **c. di cavalleria**, cavalry charge; **andare alla c.**, to charge; **suonare la c.**, to sound the charge **9** (*sport*) tackle: **c. regolare [irregolare]**, fair [unfair] tackle ● (*sport*) **campione in c.**, title-holder □ (*fig.*) **tornare alla c.**, to insist; to make a fresh attempt; to have another go (*fam.*) **B** inter. charge!

caricabàlle m. inv. bale loader.

caricabatterìa m. inv. (*elettr.*) battery charger.

caricabbàsso m. inv. (*naut.*) downhaul.

caricabolìna f. (*naut.*) leech-line.

caricafièno m. inv. (*agric.*) hay loader.

caricaménto m. **1** (*di veicolo*) loading **2** (*di meccanismo a molla*) winding: **orologio a c. automatico**, self-winding watch **3** (*elettr.*) charging **4** (*di arma da fuoco*) loading; charging: **a c. automatico**, self-loading **5** (*di pompa*) priming **6** (*comput.*) loading.

♦**caricàre A** v. t. e i. **1** to load; to load up; to stow: **c. l'auto**, to load the car; to load up; **c. la lavatrice**, to load the washing-machine; **c. un mulo**, to load (up) a mule; (*naut.*) **c. merci**, to load cargo; **c. mobili su un camion**, to load furniture into a van; to load a van (up) with furniture; **c. una nave**, to load a ship; **c. le valigie in macchina**, to load the suitcases into the car; *La nave sta caricando*, the ship is loading; **c. eccessivamente**, to overload **2** (*prendere a bordo*) to take* aboard (*o* on board); to take* on; to pick up: **c. merci [passeggeri]**, to take on freight [passengers]; *L'autobus ci caricò tutti*, the bus took us all aboard; **c. un autostoppista**, to pick up a hitchhiker **3** (*issare*) to hoist: *Si caricò il ferito sulle spalle*, he hoisted the wounded man on his shoulders **4** (*gravare, anche fig.*) to load; to load down; to burden; to weigh down: **c. di bagagli**, to load down with luggage; **c. di lavoro**, to load with work; **c. di regali**, to load with presents; **c. di responsabilità**, to burden with responsibilities; **c. lo stomaco**, to load one's stomach with food; **c. troppo uno scaffale**, to overload a shelf; *Ci caricò di insulti*, he heaped abuse on us **5** (*enfatizzare*) to emphasize; (*esagerare*) to exaggerate, to overdo*: **c. la recitazione**, to overplay; to ham; **c. la voce**, to emphasize one's words **6** (*riempire*) to fill; (*una caldaia*) to stoke; (*un forno*) to charge: **c. la pipa**, to fill one's pipe; **c. la stufa**, to fill the stove **7** (*un'arma da fuoco*) to load; to charge **8** (*fotogr., ecc.*) to load; to thread **9** (*elettr.*) to charge; (*elevare la tensione*) to boost: **c. una batteria**, to charge a battery; **c. eccessivamente**, to overcharge **10** (*un meccanismo a molla*) to wind* (up) **11** (*una trappola*) to set* **12** (*una pompa*) to prime **13** (*mil. ed estens.*) to charge; to attack: *La cavalleria caricò il nemico*, the cavalry charged the enemy; *La polizia ha caricato i dimostranti*, the police charged the demonstrators **14** (*fig.: dare energia*) to rouse; to fire; to get* keyed up (*fam.*) **15** (*sport*) to tackle **16** (*comput.*) to load: **c. un programma**, to load a program **17** (*ind. tess.*) to weigh **18** (*comput.*) to charge; to add: *Caricalo sul mio conto*, charge it to my account ● **c. la dose**, to overdo it; to lay it on thick □ (*mil.*) **c. una mina**, to arm a mine □ (*fig.*) **c. le tinte**, to exaggerate; to embellish (st.); to lay it on thick (*fam.*) □ (*comm.*) **c. il prezzo di qc.**, to raise the price of st.; to overcharge st. □ **c. q. di botte**, to give sb. a sound thrashing; to beat sb. up **B caricàrsi** v. rifl. **1** (*gravarsi*) to burden oneself (with): **caricarsi di debiti**, to plunge into debt; **caricarsi di lavoro**, to take on too much work **2** (*fig.: raccogliere le energie*) to gear oneself up; to work oneself up.

caricascòtte m. inv. (*naut.*) clew-line.

caricàto ① a. **1** (*psic.*) geared up; excited; worked up; keyed up (*fam.*) **2** (*affettato*) affected **3** (*esagerato*) exaggerated; overdone; over-elaborate.

caricàto ② a. (*comput.*) loaded; uploaded; (*est. anche*) installed.

caricatóre A m. **1** (*ind., mil.*) loader **2** (*comm., naut.*) loader; shipper **3** (*di arma da fuoco*) magazine; (*di pellicola*) cartridge; (*per diapositive*) slide tray ● **c. di lamette (di rasoio)**, blade injector **B** a. loading: (*ferr.*) **piano c.**, (loading) platform.

caricatùra f. **1** caricature; parody; burlesque: **fare la c. di** (*o* **mettere in c.**), to caricature **2** (*vignetta*) cartoon **3** (*fig.: goffa imitazione*) caricature; travesty; parody.

caricaturàle a. caricatural; grotesque.

caricaturìsta m. e f. caricaturist; cartoonist.

caricazióne f. (*naut.*) loading: **c. a bordo**, loading aboard.

càrice f. (*bot., Carex*) sedge.

♦**càrico A** m. **1** (*il caricare*) loading: **il c. della merce**, the loading of the goods; **completare il c.**, to finish loading; (*naut.*) **fare il c.**, to take on cargo; **operazioni di c.**, loading **2** (*merce caricata*) load; (*su nave*) cargo, freight, shipload; (*comm.*) shipment: **un c. di legna**, a load of wood; **c. alla rinfusa**, bulk cargo; **c. completo**, full load; **c. di andata**, outward cargo; **c. di ritorno**, return load; (*naut.*) homeward cargo; **c. misto**, general cargo; **c. utile**, pay load; **capacità di c.**, cargo capacity; **a pieno c.**, with a full load; **aereo da c.**, cargo plane; freighter; **nave da c.**, cargo boat (*o* ship); freighter **3** (*peso, anche fig.*) load; weight; burden: **c. di lavoro**, workload; **il c. di un mulo**, the burden of a mule; **un c. di passeggeri** (*di corriera*), a coach-load of passengers; **un c. di responsabilità**, a load of responsibility; **portare un c. sulle spalle**, to carry a load on one's back **4** (*tecn., elettr.*) load: **c. di corrente**, electrical load; **c. di rottura**, breaking load; **c. massimo**, peak load; **fattore di c.**, load factor **5** (*aeron.*) load; loading: **c. alare**, wing load; **c. d'apertura**, span loading ● **un c. di legnate**, a sound thrashing □ (*fisc.*) **c. fiscale**, burden of taxation; tax load □ (*leg.*) **c. ipotecario**, encumbrance □ (*leg.*) **c. pendente**, pending suit; charge pending □ **a c. di** (*mantenuto da*), dependent on: **familiari a c.**, dependent relatives; **persona a c.**, dependant; **avere q. a c.**, to support sb.; **vivere a c. di q.**, to be dependent on sb. □ (*comm.*) **a c. di** (*pagato da*), at sb.'s expense; charged (*o* chargeable) to; to be paid by: **a c. del destinatario**, at consignee's expense; **telefonata a c. del destinatario**, reverse-charge call; (*GB*); collect call (*USA*); **a c. del datore di lavoro**, paid by the employer; *Ogni modifica sarà a vostro c.*, any alteration will be made at your expense; *Il trasporto sarà a vostro c.*, carriage (*o* freight) will be charged to you; *Tutti i costi di manutenzione saranno a nostro c.*, all maintenance costs will be borne by us; **dogana a vostro c.**, customs duty to be paid by you □ **a c. di** (*contro*), against: (*leg.*) **processo a c. di q.**, action against sb.; (*leg.*) **prove [testimone] a c.**, evidence [witness] for the prosecution; **provvedimenti a c. di q.**, measures taken against sb. □ **fare c. a q. di qc.**, to charge sb. with st.; to blame sb. for st. □ **farsi c. di**, to take st. upon oneself (*comm., naut.*) **polizza di c.**, bill of lading □ (*comm.*) **registro di c. e scarico**, stock book

□ **segnare una somma a c. di q.**, to debit sb. with an amount **B** a. **1** (*che porta un peso*) loaded (with); laden (with); (*sovraccarico*) loaded down (with), weighed down (with), burdened (with), heavy (with): **un camion c. d'arance**, a lorry loaded with oranges; **una nave carica di minerale**, a ship laden with ore (*o* with a cargo of ore); **un pesco c. di frutti**, a peach-tree laden with fruit; **c. di doni**, laden with gifts; **c. di valigie**, loaded down with suitcases; **troppo c.**, overloaded; *Sei molto c., dammi una borsa*, you're carrying too much, give me a bag **2** (*oppresso, gravato*) burdened (with); weighed down (with); encumbered (with); full (of): **c. d'affanni**, full of care; care-laden; **c. d'anni**, full of years; laden with years (*lett.*); **c. di debiti**, burdened with (*o* full of) debts; **c. di pensieri**, weighed down with cares **3** (*pieno, colmo*) full; loaded: **pipa carica**, full pipe; **un treno c. di passeggeri**, a train full of passengers; **c. di emozione**, full of excitement; **c. di significato**, pregnant with meaning **4** (*di arma da fuoco*) loaded, charged; (*di proiettile*) live: **fucile c.**, loaded gun **5** (*di caffè, vino*) strong **6** (*di colore*) deep; full **7** (*elettr.*) charged: **batteria carica**, charged battery; **un filo c. d'elettricità**, a live wire **8** (*di meccanismo a molla*) wound up ● **c. di gloria**, covered with glory □ **c. d'onori**, laden with honours □ **c. di sottintesi**, loaded with unsaid things (*o* innuendo) □ **cielo c.**, overcast sky □ **nuvole cariche di pioggia**, rain clouds.

Cariddi f. (*geogr., mitol.*) Carybdis ● (*fig.*) **trovarsi tra Scilla e C.**, to be between the devil and the deep blue sea.

càrie f. **1** (*med.*) caries; decay: **c. dentaria**, tooth decay; dental caries; (*cavità*) cavity, hole: *Ho una c. nel primo molare*, I have a cavity in the first molar **2** (*bot.*) rot: **c. del frumento**, bunt; **c. del legno**, dry rot.

carillon (*franc.*) m. inv. **1** (*serie di campane, congegno*) carillon **2** (*soprammobile*) musical box.

carinerìa f. kindness; act of kindness: **pieno di carinerie e premure**, full of kindnesses and attentions.

♦**carìno** a. **1** (*grazioso: di cosa*) pretty, charming, pleasant, cute (*fam.*); (*di ragazza*) pretty; (*di ragazzo*) attractive, cute **2** (*gentile*) nice; kind **3** (*divertente*) pleasant; amusing.

cariocinèsi f. (*biol.*) karyokinesis.

cariofillàta f. (*bot., Geum urbanum*) avens; herb bennet.

cariogamìa f. (*biol.*) karyogamy.

cariògeno a. (*med.*) cariogenic.

cariologìa f. (*biol.*) karyology.

carioplàsma m. (*biol.*) nucleoplasm.

cariòsside f. (*bot.*) caryopsis*.

cariòtipo m. (*biol.*) karyotype.

carìsma m. **1** (*teol.*) charisma* **2** (*fig.*) charisma.

carismàtico a. (*teol. e fig.*) charismatic.

♦**carità** f. **1** (*teol.*) charity **2** (*generosità*) charity; charitableness: **c. pelosa**, self-serving (*o* self-interested) charity; **spirito di c.**, charitable spirit; charitableness **3** (*beneficienza*) charity: **vivere di c.**, to live on charity; **istituto di c.**, charitable institution; charity; **opere di c.**, good work ⓤ **4** (*elemosina*) alms (pl.): **chiedere la c.**, to beg; **fare la c.**, to give alms **5** (*amore*) love: **c. fraterna**, brotherly love **6** (*piacere*) favour; service: (*iron.*) *Fammi la c. di andartene!*, kindly (*o* please) go away! ● **Per c.!**, (*come implorazione*) for heaven's sake!; (*nessun disturbo*) not at all, it's no trouble at all; (*non ti disturbare!*) please, don't bother!; (*no davvero!*) good heavens, no!; (*figuriamoci!*) you must be joking ● **Suore di C.**, Sisters of Charity.

caritatévole a. charitable; benevolent.

carlìna f. (*bot.*, *Carlina acaulis*) carline (thistle).

carlìnga f. (*aeron.*) **1** (*di motore*) nacelle; (*per equipaggio*) cockpit **2** (*fusoliera*) fuselage; body.

carlìno ① m. (*antica moneta*) carlin.

carlìno ② m. (*cane*) pug (dog.).

carlista a. e m. (*stor.*) Carlist.

Càrlo m. Charles • (*stor.*) C. Magno, Charlemagne; Charles the Great □ (*stor.*) C. Martello, Charles Martel.

Carlomàgno → **Carlo Magno**.

carlóna vc. – alla c., carelessly; in a slapdash way; any old how.

Carlòtta f. Charlotte.

carmagnòla f. (*giacca e ballo*) carmagnole.

càrme m. (*letter.*) poem; ode.

carmelitàno (*eccles.*) **A** a. Carmelite **B** m. (f. **-a**) Carmelite: **carmelitani scalzi**, discalced (*o* barefooted) Carmelites.

carminàre v. t. (*med.*) to carminate.

carminativo a. e m. (*farm.*) carminative.

carmìnio a e m. carmine: **labbra di c.**, carmine lips.

carmoisìna f. (*chim.*) carmoisine; azorubine.

♦**carnagióne** f. complexion: **c. chiara** [olivastra, rosea, scura], fair [olive, pink, dark *o* swarthy] complexion.

carnàio m. **1** (*sepoltura comune*) charnel house **2** (*ammasso di cadaveri*) heap of corpses; (*estens.*: *strage*) carnage, slaughter **3** (*fig.*: *luogo molto affollato*) jam-packed place; (*spiaggia*) seething mass of flesh (*o* of bodies).

carnàle a. **1** (*del corpo*) bodily; physical **2** (*dei sensi, della carne*) carnal; of the flesh; sensual: **peccato c.**, sin of the flesh; **piaceri carnali**, sensual pleasures; **violenza c.**, rape **3** (*rif. a parentela*) – **cugino c.**, first cousin; **fratello c.**, full brother.

carnalità f. carnality; sensuality.

carnallìte f. (*miner.*) carnallite.

carnàme m. **1** mass of rotten flesh **2** (*cumulo di cadaveri*) heap of corpses.

carnascialésco a. (*lett.*) carnival: (*letter.*) **canto c.**, carnival song.

carnaùba f. (*bot.*, *Copernicia cerifera*) carnauba.

♦**càrne** **A** f. **1** (*del corpo*) flesh: **c. viva**, living flesh; quick; **fino alla c. viva**, to the quick; *La punta penetrò nella carne*, the point pierced the flesh; **tentazione della c.**, temptation of the flesh; carnal temptation; **i peccati della c.**, the sins of the flesh; *Lo spirito è pronto, ma la c. è debole*, the spirit is willing, but the flesh is weak **2** (*alim.*) meat: **bianca**, white meat; **c. cruda**, raw meat; **c. di cavallo**, horsemeat; **c. di maiale**, pork; **c. di manzo**, beef; **c. di montone**, mutton; **c. di vitello**, veal; **c. essiccata**, dried meat; **c. in scatola**, tinned (*USA* canned) meat; **c. rossa**, red meat; **c. sotto sale**, salted meat; **c. trita**, minced meat; mince (*GB*); hamburger meat (*USA*); **un piatto di c.**, a meat dish; *Ho abolito la c. dalla mia dieta*, I've eliminated meat from my diet **3** (*al pl.*) (*lett.*: *carnagione*) complexion (sing.) • **c. da cannone** (*o da macello*), cannon fodder • **c. della mia c.**, my own flesh and blood □ **bene in c.**, plump; well-upholstered (*fam.*) □ **essere di c. e ossa**, to be made of flesh and blood □ **Lo vidi in c. e ossa**, I saw him in the flesh □ **mettere su c.**, to put on weight; to fill out □ (*fig.*) **mettere** [**avere**] **troppa c. al fuoco**, to have too many irons in the fire □ **né c. né pesce**, neither fish nor fowl □ (*relig.*) **la resurrezione della c.**, the resurrection of the body □ **rimettersi in c.**, to put on weight again (*after an illness, etc.*) **B** a. flesh (attr.): **color c.**, (the) colour of flesh; flesh-coloured

(agg.); fleshtone (agg., *USA*); **calze color c.**, flesh-coloured tights; fleshtone pantyhose; **rosa c.**, flesh pink.

carnèade m. unknown (person); nobody.

carnéfice m. **1** executioner; (*chi impicca*) hangman*; (*chi decapita*) headsman* **2** (*fig.*) torturer; tormentor.

carneficina f. **1** slaughter Ⓤ; carnage Ⓤ; massacre; butchery Ⓤ; bloodbath: **causare una c.**, to cause carnage; **fare una c.**, to massacre; *È stata una c.*, it was a massacre (*o* a bloodbath) **2** (*fig.*) decimation: *All'esame è stata una c.*, the candidates were decimated.

càrneo a. **1** fleshy **2** (*alim.*) meat (attr.): **alimentazione carnea**, meat diet.

carnet (*franc.*) m. inv. **1** (*libretto*) book: **c. d'assegni bancari**, chequebook, checkbook (*USA*); (*comm.*) **c. d'ordini**, order book **2** (*taccuino*) notebook **3** (*autom.*) carnet **4** – **c. di ballo**, dance card; ball program (*USA*).

carnevalàta f. **1** Carnival merrymaking Ⓤ **2** (*fig. spreg.*) buffoonery Ⓤ; mockery Ⓤ; farce.

♦**carnevàle** m. **1** Carnival; (*Martedì Grasso*) Mardi Gras (*franc.*) **2** (*fig.*: *divertimento*) merrymaking; revelry **3** (*fig. spreg.*) buffoonery; mockery; farce • **fare c.**, to make merry; to have a good time □ (*prov.*) **a c. ogni scherzo vale**, anything goes at Carnival time.

carnevalésco a. **1** carnival (attr.); carnival-like: **carro c.**, carnival float **2** (*fig.*) farcical; grotesque.

carnicìno **A** a. flesh-coloured; pale pink **B** m. flesh colour; pale pink.

càrnico a. (*geogr.*) Carnic: *Alpi Carniche*, Carnic Alps.

carnière m. **1** game-bag **2** (*le prede uccise*) bag.

carnitìna f. (*chim.*) carnitine.

carnìvoro **A** a. **1** (*zool.*) carnivorous; flesh-eating **2** (*bot.*) carnivorous **3** (*di persona*) meat-eating **B** m. (*zool.*) carnivore.

carnosità f. **1** fleshiness; plumpness **2** (*bot.*) fleshiness; (*di frutto*) pulpiness **3** (*med.*) fleshy growth.

♦**carnóso** a. **1** plump; full; fleshy: **braccia carnose**, plump arms; **labbra carnose**, full lips **2** (*carneo*) fleshy: **escrescenza carnosa**, fleshy growth **3** (*bot.*) fleshy; (*di frutto*) pulpy.

carnotìte f. (*miner.*) carnotite.

♦**càro** **A** a. **1** (*amato*) dear; (*gentile*) nice, lovable, sweet, kind: **un mio c. amico**, a dear friend of mine; **una cara vecchietta**, a dear old woman; *Mi è molto c.*, he is very dear to me; (*gli voglio bene*) I'm very fond of him; *Sei molto c.*, you are very kind; you are a dear (*fam.*); *Siete stati molto cari con me*, you've been very kind to me; *Sei tu, c.?*, is that you, dear?; *Cara signora!*, my dear lady!; (*in una lettera*) *Cara* [*Carissima*] *mamma*, dear [dearest] Mother; *C. il mio ragazzo!*, my dear boy!; *Senti, mio c.!*, listen, my dear; (*detto da un uomo*) listen, my dear fellow (*o* old man); *Vuoi un po' di torta, Gianna cara?*, would you like some cake, Gianna dear?; *È una cara ragazza*, she's a sweet (*o* lovable) girl; **conservare un c. ricordo di q.**, to have fond memories of sb.; to cherish the memory of sb. **2** (*costoso*) dear; expensive; costly: **essere c.**, to be dear (*o* expensive); to cost (a lot of) money; **un regalo molto c.**, a very expensive present; **un negozio carissimo**, a very expensive shop • **C. mio**, my dear man [boy]; my dear (+ nome)! □ **Cara mia**, my dear; my dear girl; my dear (+ nome) □ (*nella corrispondenza*) **cari saluti**, best wishes □ **C. te!**, my dear man [woman]!; my dear (+ nome) □ (*anche al vocat.*) **carissimo**, my dear; dearest; darling; beloved (*lett.*): *Come stai, ca-*

rissima?, how are you, my dear?; (*eccles.*) *Fratelli carissimi!*, dearly beloved brethren □ **a c. prezzo**, at a high price; at a price; dearly: **pagare qc. a c. prezzo**, to pay a high price for st.; (*fig.*) to pay dearly for st. □ **aver c. qc.**, to hold st. dear; to value st.; to cherish st.: *Avrei c. che tu mi consigliassi*, I would value your advice very much; *Avrei c. che tu restassi*, I should be grateful if you would stay □ **rendersi c. a q.**, to endear oneself to sb. □ **tenersi c. qc.**, to treasure st. □ **vendere cara la vita**, to sell one's life dear □ (*prov.*) **Patti chiari, amici cari**, short reckonings make long friends **B** m. **1** close relative; (al pl.) family, dear ones: **la morte di un proprio c.**, the death of a close relative; **i miei cari**, my family **2** (*alto costo*) rising cost; high cost: **il c. (dei) viveri** (*il carovita*), the high cost of living **C** avv. dearly; dear: *M'è costato c.*, it cost me dear; *La pagherai* (*o Ti costerà*) *cara!*, you'll pay dearly for it!

carodenàro m. solo sing. rising cost of money; high cost of money.

♦**carógna** f. **1** carrion; carcass **2** (*fig. spreg.*) bastard; swine; louse.

carognàta f. lousy trick: *Che c.!*, what a lousy thing to do!; *Mi ha fatto una c.*, he behaved like a bastard.

carognésco a. (*spreg.*) mean; rotten; lousy.

caròla f. (*letter.*) carol; roundel; roundelay.

carolìna f. (*ind. tess.*) printed cotton material; cotton print.

Carolìna f. Caroline.

carolìngio a. e m. Carolingian; Carlovingian • (*letter.*) **il ciclo c.**, the Charlemagne cycle.

carolìno a. (*di Carlo Magno*) Carolingian; Caroline: **minuscola carolina**, Carolingian (*o* Caroline) minuscule.

Carónte m. (*mitol.*) Charon.

caropàne m. solo sing. high cost of bread; (*estens.*) high cost of living.

caroṡèllo m. **1** (*stor.*) carousel **2** (*evoluzione equestre*) horse parade **3** (*giostra*) merry-go-round; roundabout; carousel (*USA*) **4** (*giro vorticoso*) whirl **5** (*fig.*: *turbinio*) swirl; whirl; maelstrom: **un c. d'idee**, a whirl of ideas.

♦**caròta** **A** f. **1** (*bot.*, *Daucus carota*) carrot **2** (*ind. min.*) core • (*fig.*) **pel di c.**, carrot-top (*slang*) □ (*fig.*) **piantare** (*o vendere*) **carote**, to lie; to tell tall stories **B** a. inv. – **color c.**, carrot colour (sost.); carroty (agg.).

carotàggio m. (*ind. min.*) coring; core sampling; well logging.

carotàre v. t. (*ind. min.*) to core; to log.

carotatóre m., **carotatrice** m. (*ind. min.*) corer.

carotène m. (*biol.*) carotene.

carotenòide m. (*biochim.*) carotenoid.

caròtide f. (*anat.*) carotid (artery).

carotidèo a. (*anat.*) carotid: **ghiandola carotidea**, carotid gland.

carotière m. (*ind. min.*) core barrel.

carovàna f. **1** caravan **2** (*convoglio*) convoy; (*fila di veicoli*) procession, column: **la c. del circo**, the convoy of the circus; **viaggiare in c.**, to travel in convoy **3** (*comitiva*) party; large company.

carovanièra f. caravan route.

carovanière m. caravan guide.

carovanièro a. caravan (attr.): **strada carovaniera**, caravan route.

carovìta, **carovìveri** m. solo sing. rising cost of living; high cost of living: **indennità di c.**, cost-of-living bonus.

càrpa f. (*zool.*, *Cyprinus carpio*) carp*.

carpàccio m. (*cucina*) thinly sliced raw meat dressed with oil and parmesan cheese • **c. di pesce**, thinly sliced raw fish with a

a b c d e f g h i j k l m n o p q r s t u v w x y z

dressing.

carpàle a. (*anat.*) carpal.

carpàtico a. (*geogr.*) Carpathian.

Carpàzi m. pl. (*geogr.*) (the) Carpathian Mountains; (the) Carpathians.

carpèllo m. (*bot.*) carpel.

carpenterìa f. 1 (*l'arte*) carpentry; woodwork 2 (*bottega*) carpenter's workshop 3 (*edil.*) structural work; framing.

carpentière m. 1 carpenter; woodworker 2 (*naut.*) shipwright.

carpétta f. (*bur.*) folder.

carpiàto a. (*sport*) – **posizione carpiata**, pike; **tuffo c.**, jackknife (dive); pike (dive).

càrpine, **càrpino** m. (*bot.*, *Carpinus betulus*) hornbeam.

càrpio m. 1 → **carpione** 2 (*sport*) pike.

carpionàre v. t. (*cucina*) to souse in vinegar.

carpióne m. 1 (*zool.*, *Salmo carpio*) large carp 2 – (*cucina*) **in c.**, soused.

carpire v. t. 1 (*strappare*) to snatch; (*rubare*) to steal*: **c. un bacio**, to steal a kiss; **c. di mano**, to snatch from sb.'s hand 2 (*ottenere con l'astuzia*) to get* (st. out of sb.), to worm, to wheedle; (*con la frode*) to swindle (sb. out of st.), to cheat (sb. out of st.): **c. una promessa a q.**, to get a promise out of sb.; **c. un segreto a q.**, to worm a secret out of sb.; *Mi carpì cento sterline*, he cheated me out of a hundred pounds.

càrpo m. (*anat.*) carpus*; wrist joint.

carpocàpsa f. (*zool.*, *Carpocapsa pomonella*) codling moth.

carpologìa f. (*bot.*) carpology.

carpóni avv. on all fours; on one's hands and knees: **mettersi c.**, to get down on one's hands and knees; **trascinarsi c.**, to crawl on all fours.

carràbile a. suitable for vehicles: **passo c.**, driveway; vehicle entrance; (*cartello*) «keep clear».

carradóre m. 1 cartwright; wheelwright 2 (*region.*: *carrettiere*) carter.

carrageen m. inv. carrageen (moss); carragheen; Irish moss.

carràia f. 1 (*strada*) carriage road; cartroad 2 (*ingresso*) carriage gateway.

carràio Ⓐ a. cart (attr.); carriage (attr.): **passo c.**, driveway; vehicle entrance; **porta carraia**, carriage gateway Ⓑ m. → **carradore**, def. 1.

carraréccia f. 1 cartroad 2 (*traccia delle ruote*) rut; wheel track.

carrarmàto m. 1 (*mil.*) tank 2 (*suola di scarpone*) lug sole; cleated sole.

carràta f. cartful; cartload • (*fig.*) **a carrate**, in abundance; galore.

carré (*franc.*) Ⓐ m. inv. 1 (*sartoria*) yoke 2 (*macelleria*) pork loin 3 (*roulette*) carré 4 (*oreficeria*) square cut Ⓑ a. inv. – **pane c.**, sandwich loaf; tin loaf; (*di capelli*) **taglio c.**, bob.

carreggiàbile Ⓐ a. suitable for four-wheel traffic Ⓑ f. cartroad.

carreggiaménto m. (*geol.*) overthrust.

carreggiàre v. t. to cart.

carreggiàta f. 1 roadway; carriageway: **strada a doppia c.**, dual carriageway (*GB*); divided highway (*USA*); *L'auto uscì dalla c.*, the car ran off the road 2 (*traccia delle ruote*) rut; wheel track 3 (*scartamento*) track; tread; gauge • (*fig.*) **mantenersi in c.**, (*seguire la retta via*) to follow the straight and narrow; (*stare in argomento*) to stick to the point □ (*fig.*) **rimettere q. in c.**, (*rimetterlo sulla retta via*) to set sb. right; (*riportarlo in argomento*) to bring sb. back to the point □ (*fig.*) **rimettersi in c.**, to recover; (*mettersi in pari*) to catch up □ (*fig.*) **uscire di c.**, (*lascia-*

re *la retta via*) to go astray (*o* off the rails); (*uscire d'argomento*) to stray from the point.

carréggio m. 1 (*trasporto con carri*) cartage; carting 2 (*ind. min.*) haulage 3 (*transito intenso*) heavy traffic of vehicles 4 (*mil.*) baggage train.

carrellàre v. i. (*cinem.*, *TV*) to track; to dolly: **c. avanti**, to track (*o* to dolly) in; **c. indietro**, to track (*o* to dolly) out.

carrellàta f. 1 (*cinem.*, *TV*) tracking (*o* running) shot; dolly shot 2 (*fig.*: *scorsa*) brief look; brief overview; (*di notizie*) (news) roundup: **una c. sui fatti di oggi**, a roundup of today's news 3 (*fig.*: *sfilata*) parade.

carrellista m. e f. 1 (*cinem.*, *TV*) dollyman* 2 (*in una stazione*) platform vendor.

♦**carrèllo** m. 1 (*ferr.*: *per ispezionare i binari*) trolley; (*telaio di carrozza*) bogie 2 (*per trasportare oggetti*) trolley (*GB*); pushcart, cart (*USA*): **c. per bagagli**, luggage trolley; baggage cart; **c. per la spesa**, shopping trolley 3 (*anche* **c. portavivande**) serving trolley (*GB*); tea trolley (*GB*); tea wagon (*USA*) 4 (*vagoncino di teleferica*) car; cage; trolley 5 (*ind.*) truck; (*di miniera, anche*) trolley: **c. convogliatore**, conveyor truck; **c. elevatore**, lift truck; **c. ribaltabile**, tip wagon 6 (*aeron.*) undercarriage; landing gear ⑩: **c. a pattini**, ski undercarriage; landing skids (pl.); **c. retrattile**, retractable undercarriage; **abbassare [ritirare] il c.**, to lower [to draw up, to pull in] the undercarriage 7 (*di macchina per scrivere*) carriage 8 (*cinem.*, *TV*) dolly 9 (*di trasformatore elettrico*) truck 10 (*naut.*) – **c. di salvataggio**, breeches buoy.

carrétta f. 1 cart 2 (*naut.*) tramp 3 (*spreg.*: *vecchia auto*) old banger; jalopy; rattletrap • (*fig.*) **tirare la c.**, (*faticare*) to slog; to slave away; (*tirare avanti*) to keep things going, to keep the show on the road.

carrettàta f. cartload; cartful • (*fig.*) **a carrettate**, in abundance; galore (agg. posposto).

carrettière m. carter.

carrétto m. cart: **c. a mano**, handcart; pushcart; barrow.

carriàggio m. (*mil.*) 1 (*carro*) wagon; baggage wagon 2 (*al pl.*) (*salmerie*) baggage train (sing.).

♦**carrièra** f. 1 career: **c. di attore [di scrittore]**, acting [writing] career; **c. di stilista**, career as a fashion designer; **c. giornalistica**, career in journalism; **c. militare [universitaria]**, military [university] career; (*di laurea, ecc.*) **aprire molte carriere**, to offer a wide range of careers; **fare c.**, to get on (in one's job); to go up the ladder; to work one's way up; *Ha fatto una c. rapidissima*, she shot up the ladder; **intraprendere una c.**, to embark on a career; **rovinarsi la c.**, to ruin one's career; **diplomatico di c.**, career diplomat; **donna in c.**, career woman; **prospettive di c.**, openings; hopes of a career; **ufficiale di c.**, regular officer 2 (*estens.*: *corsa*) full speed: **di (gran) c.**, at a gallop; at full speed; full tilt.

carrierìsmo m. careerism.

carrierista m. e f. careerist.

carrierìstico a. careerist.

♦**carrìola** f. wheelbarrow.

carriolànte m. 1 (*manovale*) wheelbarrow-man* 2 (*operaio agricolo*) carter; wagoner.

carrista m. (*mil.*) 1 tankman* 2 (*al pl.*) (*il corpo*) Tank Corps* (sing.).

♦**càrro** m. 1 cart; (*pesante*) wagon: **c. agricolo**, farm cart; farm wagon; **c. trainato da buoi**, ox-cart; **c. da circo**, circus wagon 2 (*contenuto di un c.*) cartload: **sei carri di fieno**, six cartloads of hay 3 (*ferr.*) van; wagon; car (*USA*): **c. bagagli**, luggage van; **c. be-**

stiame, livestock van; stock car (*USA*); boxcar (*USA*); **c. chiuso**, bogie wagon; **c. cisterna**, tank wagon; tanker; tank car (*USA*); **c. merci**, goods (*o* freight) wagon; freight car (*USA*); boxcar (*USA*); **c. ribaltabile**, dumping wagon; **c. senza sponde**, flat wagon 4 (*stor.*) chariot: **c. da guerra**, war chariot; **c. trionfale**, triumphal chariot • **c. armato**, (*mil.*) tank; (*suola di scarpone*) lug sole, cleated sole □ (*autom.*) **c. attrezzi**, breakdown van (*o* lorry) (*GB*); tow truck; wrecker (*USA*) □ **c. dei pionieri**, covered wagon; Conestoga wagon □ **c. dei pompieri** (*o* **c. pompa**), fire engine (*GB*); fire truck (*USA*) □ **c. di carnevale** (*o* **allegorico**), float □ **c. di Tespi**, travelling theatre □ **c. funebre**, hearse □ **c. marsupio**, (car) transporter (*GB*); haulaway (*USA*) □ (*astron.*) **il Gran C.**, the Plough; the Great Bear □ (*fig.*) **mettere il c. davanti ai buoi**, to put the cart before the horse □ (*astron.*) **il Piccolo C.**, the Little Bear □ (*fig.*) **essere l'ultima** (*o* **la quinta**) **ruota del c.**, to count for nothing; to be a cipher □ (*fig.*) **salire sul c. del vincitore**, to side with the winner.

carroattrézzi = **carro attrezzi** → **carro**.

carronàta f. (*naut.*, *stor.*) carronade.

carropónte m. gantry.

♦**carròzza** f. 1 carriage; coach: **c. a due cavalli**, carriage and pair; **c. da nolo** (*o* **di piazza**), hackney coach (*o* cab); **c. di gala**, state-coach; **c. di posta**, mail coach; **andare in c.**, to drive in a coach 2 (*ferr.*) carriage (*GB*); coach (*GB*); car (*USA*): **c. di seconda classe**, second-class carriage; **c. di testa**, front carriage; **c. panoramica** (*o* **belvedere**), observation car; **c. passeggeri**, passenger car; **c. letto**, sleeping car; sleeper; Pullman car; **c. ristorante**, restaurant car; dining car; **c. ristoro**, refreshment car; **c. del personale viaggiante**, guard's van; caboose (*USA*); *In c.!*, all aboard!

carrozzàbile Ⓐ a. suitable for vehicles; vehicular: **strada c.**, vehicular road Ⓑ f. carriage road.

carrozzàio m. 1 coachbuilder; carriage-builder 2 (*region.*) car-body repairer.

carrozzàre v. t. (*autom.*) to fit the body-work onto.

carrozzàto a. 1 (*autom.*) designed (by) 2 (*fig. scherz.*) – **ben carrozzata**, curvaceous.

carrozzèlla f. 1 (*di piazza*) cab 2 (*per invalidi*) wheelchair 3 → **carrozzina**.

carrozzerìa f. 1 bodywork ⑩; body: **c. da corsa**, racing body; **c. portante**, monocoque; **un'automobile con c. italiana**, an Italian-styled car 2 (*reparto*) body shop; (*officina*) car repairer's 3 (*fam. scherz.*: *bel corpo*) curves (pl.); chassis.

carrozzière m. 1 → **carrozzaio** 2 (*progettista*) car designer 3 (*costruttore*) coachbuilder 4 (*riparatore*) auto-body repairer (*USA*); panel beater (*GB*).

carrozzìna f. (*per bambini*) pram (*GB*); perambulator (*form.*, *GB*); baby carriage (*o* buggy) (*USA*): **c. pieghevole**, collapsible pram; **spingere la c.**, to push (*o* to wheel) the pram.

carrozzìno m. 1 light carriage 2 (*di motocicletta*) sidecar 3 → **carrozzina**.

carrozzóne m. 1 large carriage; (*di zingari, di circo, ecc.*) caravan, wagon 2 (*cellulare*) police van; Black Maria (*fam. GB*); patrol wagon (*fam. USA*); paddy wagon (*fam. USA*) 3 (*fig.*, *gergale*) inefficient public body; bureaucratic monster.

carrùba f. (*bot.*) carob.

carrùbo m. (*bot.*, *Ceratonia siliqua*) carob (tree); locust (tree).

carrùcola f. pulley; sheave.

carrucolàre v. t. to hoist with a pulley.

car sharing loc. m. inv. (*ingl.*) car shar-

ing.

càrsico a. (*geol.*) karstic; karst (attr.): **fiume** c., karstic river; **rilievo c.**, karst.

carsismo m. (*geol.*) karstification.

♦**càrta** f. **1** paper: **c. a mano**, hand-made paper; **c. a quadretti**, squared paper; **c. argentata**, foil wrap; tinfoil; baking foil; **c. asciugante** (*o assorbente*), blotting paper; **c. carbone** → **cartacarbone**; **c. copiativa**, carbon paper; **c. crespata**, crepe paper; **c. da disegno**, drawing paper; **c. da forno**, greaseproof paper; **c. da giornale**, newsprint; **c. da lettere**, letter paper; notepaper; **c. da lucidi**, tracing paper; **c. da musica**, music paper; **c. da pacchi** (*o da imballaggio*), wrapping paper; brown paper; **c. da parati**, wallpaper; **c. gommata**, gum-coated paper; **c. igienica**, toilet paper; **c. intestata**, headed notepaper; letterhead; **c. lucida**, glossy paper; **c. millimetrata**, graph paper; **c. moneta**, paper money; paper currency; **c. moschicida**, flypaper; **c. oleata**, greaseproof paper (*GB*); wax paper (*USA*); **c. patinata**, glossy paper; **c. pergamena**, vellum; parchment; **c. regalo**, gift wrapping paper; **c. rigata**, ruled paper; (*fotogr.*) **c. sensibile**, sensitized (*o photographic*) paper; **c. smerigliata**, emery paper; **c. stagnola**, tinfoil; silver foil; **c. straccia** → **cartastraccia**; **c. velina**, tissue paper; (*per copie*) copy paper, flimsy; **c. vetrata**, sandpaper; **foglio di c.**, sheet of paper; **fabbricazione della c.**, paper manufacturing; **industria della c.**, paper industry; **sacchetto di c.**, paper bag **2** (*mappa*) map; chart; plan: **c. astronomica**, star map; **c. automobilistica**, motoring map; **c. d'Italia**, map of Italy; **c. fisica**, physical map; **c. geografica**, map; **c. meteorologica**, weather chart; **c. muta**, blank map; outline map; **c. nautica**, chart; **c. orografica**, relief map; **c. politica**, political map; **c. reticolata**, gridded map; **c. stradale**, road map; (*di città*) street map, street plan; **c. topografica**, topographic map; (*di città*) town plan **3** (*documento*) paper; document: *Tutte le mie carte erano in regola*, all my papers were in order; **fare le carte necessarie**, to get the necessary papers; (*naut.*) **carte di bordo**, ship's papers **4** (*scheda, tessera, contrassegno*) card: **c. assegni**, cheque (*o banker's*) card; **c. di addebito**, debit card; (*ferr.*) **c. d'argento**, senior citizens' railway card; **c. di credito**, credit card; **c. d'identità**, identity card; (*aeron.*) **c. d'imbarco** [**di sbarco**], boarding [landing] card **5** (*statuto*) charter: **la C. Atlantica**, the Atlantic Charter; **c. costituzionale**, constitution; bill of rights; *Magna C.*, Magna Carta **6** (*al pl.*) (*scritti*) papers; writings: **le vecchie carte del nonno**, Grandfather's old papers **7** (*da gioco*) (playing) card: **una c. di picche**, a club; **una c. di cuori**, a heart; **c. scoperta**, uncovered card; card on the table; **carte francesi** (*o da poker*), playing cards; **alzare le carte**, to cut (the cards); **avere buone carte**, to have a good hand; **fare** (*o dare*) **le carte**, to deal (the cards); **giocare a carte**, to play cards; **mescolare le carte**, to shuffle (the cards); **gioco di carte**, card game; **mazzo di carte**, pack (*USA* deck) of cards; **partita a carte**, game of cards **8** (*menu*) menu; list: **c. dei vini**, wine list; **pranzare alla c.**, to dine à la carte **9** (*pop.*: *banconota*) note; bill (*USA*) ● (*fig.*) **c. bianca**, carte blanche (*franc.*): **avere** [**dare**] **c. bianca**, to have [to give] carte blanche (*o a free hand*) □ (*bur.*) **c. bollata** (*o da bollo*), stamped paper □ (*fam.*) **C. canta!**, it's all down here in black and white! □ **c. da zucchero** (*colore*), dark blue □ (*bur.*) **c. di soggiorno**, residence permit □ (*bur.*) **c. libera** (*o semplice*), unstamped paper □ (*fig.*) **la c. più forte**, one's trump card: **scoprire la c. più forte**, to play one's trump

card □ (*chim.*) **c. reattiva**, test paper □ (*med.*) **c. senapata**, mustard plaster □ **c. stampata** (*la stampa*), print media: **giornalisti della c. stampata**, print journalist □ (*autom.*) **c. verde**, green card □ (*fig.*) **c. vincente**, trump (card) □ **carte valori** → **cartevalori** □ **affidare alla c.**, to commit to paper; to write down □ (*fig.*) **avere le carte in regola**, to have all the necessary requirements; (*avere le qualità*) to have all it takes □ (*fig.*) **avere una c. nascosta**, to have an ace up one's sleeve (*USA* in the hole) □ **Non voglio presentarmi alla riunione senza qualche carta in mano**, I don't want to go to the meeting empty-handed □ (*fig.*) **cambiare le carte in tavola**, to shift one's ground □ (*fig.*) **confondere le carte**, to cloud the issue; to prevaricate □ (*fig.*) **fare carte false per ottenere qc.**, to go to any lengths to get st. □ **fare le carte a q.**, to read the cards for sb. □ (*fig.*) **giocare a carte scoperte**, to play fair □ (*fig.*) **giocare bene le proprie carte**, to play one's cards right □ **gioco delle tre carte**, three-card trick (*o* monte) □ (*fig.*) **mettere le carte in tavola**, to show one's hand; (*venire a una spiegazione*) to have a showdown □ (*fig.*) **costringere q. a mettere le carte in tavola**, to force a showdown; to call sb.'s bluff □ **mettere qc. sulla c.**, to put st. (down) on paper; to put st. down in black and white □ **Non vale la c. su cui è scritto**, it's not worth the paper it's written on □ **le sacre carte** (*la Bibbia*), the Holy Writ (sing.); the Scriptures □ **Sulla c. il piano funziona**, the plan works on paper □ (*fig.*) **l'ultima c.**, the last trick in the bag; one's final trump: **tentare l'ultima c.**, to play one's final trump; *E con quello avevo giocato la mia ultima c.*, with that I had shot my bolt (*USA* my wad).

cartacarbóne f. carbon paper ● **copiare con la c.**, to carbon-copy.

cartàccia f. **1** (*cartastraccia*) waste paper Ⓤ; (*carta scadente*) coarse (*o rough*) paper **2** (*alle carte*) bad card; worthless card **3** (*scritto di nessun valore*) rubbish Ⓤ; trash Ⓤ.

cartàceo a. papery; paper (attr.): **moneta cartacea**, paper money; paper currency.

Cartàgine f. (*geogr., stor.*) Carthage.

cartaginése a. e m. Carthaginian.

cartàio m. **1** paper manufacturer **2** (*operaio*) worker in a paper factory.

càrtamo m. (*bot.*, *Carthamus tinctorius*) safflower.

cartamodèllo m. paper pattern.

cartamonéta f. paper money; paper currency.

cartapècora f. vellum; parchment.

cartapésta f. papier-mâché (*franc.*) ● (*fig.*) **eroe di c.**, tin god.

cartàrio a. paper (attr.); papermaking: **industria cartaria**, paper industry.

cartastràccia f. **1** waste paper **2** (*carta scadente*) coarse (*o rough*) paper **3** (*fig.*: *documento senza valore*) worthless paper; junk.

cartàta f. bagful.

cartavetràre v. t. to sand-paper; to sand.

carteggiàre Ⓐ v. i. **1** (*naut.*) to plot a course **2** (*corrispondere*) to correspond (with sb.) Ⓑ v. t. to sand-paper; to sand.

cartéggio m. **1** correspondence **2** (*raccolta di lettere*) (collection of) letters **3** (*naut.*) chartwork; plotting.

♦**cartèlla** f. **1** (*custodia*) folder; (*per disegni, stampe, ecc.*) portfolio **2** (*di scolaro*) satchel; bag, school-bag **4** (*valigetta*) briefcase; attaché case **5** (*pagina dattiloscritta*) (typewritten) page **6** (*scheda di tombola*) bingo scorecard; lottery ticket **7** (*fin.*) certificate; bond: **c. azionaria**, share certificate; **c. obbligazionale**, debenture

certificate **8** (*comput.*) folder **9** (*arte*) tablet ● **c. clinica**, case sheet; medical record □ **c. delle imposte**, tax form; tax return.

cartellièra f. filing cabinet; file.

cartellino m. **1** (*etichetta*) label; tag: **c. del prezzo**, price tag **2** (*modulo*) tally; slip **3** (*scheda*) card: **c.** (**di presenza**), timesheet; timecard; **timbrare il c.**, to punch one's timecard; (*all'entrata*) to clock in, to punch in (*USA*); (*all'uscita*) to clock out (*o* off), to punch out (*USA*); (*estens.*: *avere un posto fisso*) to have a nine-to-five job **4** (*calcio*) - **c. giallo**, yellow card; booking **5** (*sport*: *documento*) contract.

cartellista m. (*econ.*) member of a cartel.

♦**cartèllo①** m. **1** (*avviso*) notice: **c. di divieto**, warning notice; **mettere fuori un c.**, to put up a notice **2** (*indicatore*) signboard; sign; **c. stradale**, road sign **3** (*insegna*) shop sign **4** (*di dimostranti*) placard ● **c. di sfida**, (written) challenge; cartel □ **c. pubblicitario**, (advertising) poster; placard; bill □ **c. teatrale** → **cartellone** □ **attore di c.**, top-billing (*o* box-office) actor.

cartèllo② m. **1** (*econ., fin.*) cartel; syndicate; combine; pool **2** (*polit.*) alliance.

♦**cartellóne** m. **1** (*manifesto pubblicitario*) poster; bill; placard **2** (*teatr.*) playbill; bill; (*programma*) programme: **in c.**, on the bill; **fare c.**, to be a top-of-the-bill attraction; **tenere il c.**, to run: *Tiene il c. da tre mesi*, it has been running for three months **3** (*della tombola*) (bingo) number board.

cartellonista m. e f. poster designer; poster artist.

cartellonistica f. poster designing; poster art.

càrter m. inv. **1** (*di bicicletta, ecc.*) chain guard **2** (*autom.*) crankcase; sump (*GB*).

cartesianìsmo m. (*filos.*) Cartesianism.

cartesiàno a. e m. Cartesian: (*mat.*) **coordinate cartesiane**, Cartesian coordinates.

cartevalóri f. pl. paper money Ⓤ; securities; stamped paper Ⓤ.

cartièra f., **cartificio** m. paper mill; paper factory.

cartiglio m. **1** (*archit.*) cartouche; scroll **2** (*nelle icrizioni egiziane*) cartouche.

cartilàgine f. (*anat.*) cartilage; gristle Ⓤ.

cartilagineo, **cartilaginóso** a. (*anat.*) cartilaginous; gristly.

♦**cartina** f. **1** (*geogr.*) map **2** (*med.*) dose **3** (*per sigarette*) cigarette paper ● **c. al** (*o* **di**) **tornasole**, litmus paper.

cartismo m. (*stor.*) Chartism.

cartista a., m. e f. (*stor.*) Chartist.

cartocciàta f. bagful.

cartòccio m. **1** (paper) bag; (*a cono*) cornet, twist (*GB*) **2** (*archit.*) cartouche; scroll **3** (*mil.*: *artiglieria*) powder charge **4** (*di pannocchia di granoturco*) corn husk; shuck (*USA*) ● (*cucina*) **al c.**, baked in foil.

cartòfilo m. e f. cartophilist.

cartografìa f. cartography; map-making.

cartogràfico a. cartographic.

cartògrafo m. (f. **-a**) cartographer; map-maker.

cartogràmma m. (*stat.*) cartogram.

cartolàio m. (f. **-a**) stationer (*il negozio*) stationer's (shop).

cartolarizzàre v. t. (*econ.*) to securitize.

cartolarizzazióne f. (*econ., fin.*) securitization.

♦**cartolerìa** f. stationer's (shop); stationery shop ● **articoli di c.**, stationery Ⓤ.

cartolibràio m. (f. **-a**) stationer and bookseller.

cartolibràrio a. stationery and bookselling (attr.).

cartolibreria f. (bookshop and) station-

er's.

cartolina f. postcard: **c. illustrata**, picture postcard; **c. con risposta pagata**, reply card ● (*mil.*) **c. precetto**, call-up papers (pl.); draft card (*USA*).

cartomante m. e f. cartomancer; fortune teller.

cartomanzia f. cartomancy; fortune--telling.

cartonaggio m. **1** (*tecnica*) cardboard and pasteboard working techniques (pl.) **2** ready-made cardboard packing.

cartonare v. t. **1** (*incollare su cartone*) to paste on cardboard **2** (*rinforzare con cartone*) to bind* in paperboards.

cartonato a. (*editoria*) bound in paperboards; hardbound.

cartoncino m. **1** cardboard; board: **c. Bristol**, Bristol board **2** (*biglietto*) card: **c. di auguri**, greetings card.

cartone m. **1** cardboard; pasteboard; (*spesso*) millboard: **c. ondulato**, corrugated board; **scatola di c.**, cardboard box; (*grossa*) carton **2** (*arte*) cartoon: **i cartoni di Raffaello**, Raphael's cartoons **3** (*imballaggio*) carton **4** (*custodia*) folder **5** (*cinem.*) – c. **animato**, (animated) cartoon ● (*fig.*) **di c.**, pasteboard (attr.).

cartonfeltro m. (*tecn.*) bituminized felt.

cartongesso m. (*edil.*) plasterboard.

cartonificio m. cardboard factory.

cartonista m. e f. (*cinem.*) cartoonist; animator.

cartoteca f. **1** (*schedario*) card index **2** (*raccolta di carte geografiche*) collection of maps.

cartotecnica f. paper-transformation industry.

cartotecnico Ⓐ a. pertaining to the paper-transformation industry Ⓑ m. (f. -*a*) worker in the paper-transformation industry.

cartuccia f. **1** (*per arma*) cartridge: **c. a (proiettile) tracciante**, tracer cartridge; **c. a salve**, blank (cartridge) **2** (*filtro*) cartridge filter **3** (*per stilografica*) cartridge; refill **4** (*fotogr., cinem.*) cartridge; cassette **5** (*comput.*) cartridge ● (*fig.*) **mezza c.**, second-rater; pipsqueak □ (*fig.*) **sparare l'ultima c.**, to play one's last card; (al pass., anche) to have shot one's bolt (*USA* one's wad).

cartucciera f. cartridge belt.

cartulario m. (*raccolta di documenti*) cartulary.

caruncola f. (*anat., bot., zool.*) caruncle.

carvi m. inv. (*bot.*) caraway.

casa f. **1** (*edificio*) building; (*di abitazione*) house; (*palazzo di appartamenti*) block of flats (*GB*), apartment house (*USA*): **c. colonica**, farmhouse; **c. di mattoni**, brick house; **c. popolare**, council house [flat] (*GB*); public housing unit (*USA*); **quartiere di case popolari**, housing estate (*GB*); housing project (*USA*); **case a schiera**, terraced houses (*GB*); row houses (*USA*); **case in rovina**, dilapidated houses; dilapidated buildings **2** (*abitazione*) house; (*appartamento*) flat (*GB*), apartment (*USA*); (*la propria casa, l'ambiente familiare*) home, (one's) place: **c. al mare**, house at the seaside; **c. d'affitto**, rented house [flat]; **c. di campagna**, country house; (*piccola*) country cottage; **una c. di sei stanze**, a six--room house [flat]; **c. padronale**, manor house; **prima c.**, first home; **chi acquista la prima c.**, first-time buyer; **seconda c.**, holiday home; *Hai una bella c.*, you have a beautiful house; *Ecco laggiù c. mia*, there's my house over there; *Venite a c. nostra*, come to our place; *Ti accompagno a c. con la macchina*, I'll drive you home; *Fai come se fossi a c. tua!*, make yourself at home!; **andare a c.**, to go home; **andare a c. di un**

amico, to go to a friend's place (*o* house); *Sono a c. di Piero*, I'm at Piero's (place); **cambiare c.**, to move; **cercare c.**, to look for a house [for a flat]; **essere in c.**, to be at home; to be in; **mandare avanti la c.**, to run the house; *Dove stai di c.?*, where do you live?; **tornare a c.**, to go back home; **uscire di c.**, to go out; **vivere fuori c.**, to live away from home; **di c. in c.**, from door to door; **in c. mia**, in my house; **via da c.**, away from home; **amante della c.**, (*casalingo*) family person; (*orgoglioso della propria casa*) house-proud; **donna di c.**, (*massaia*) housewife; (*che ama la casa*) house-proud woman; (*che sta in casa*) stay-at-home sort of woman; **faccende** (*o* **lavori**) **di c.**, housework Ⓤ; household chores; **la gestione della c.**, housekeeping; **padrone [padrona] di c.**, master [mistress] of the house; (*proprietario*) householder, house-owner, landlord [landlady]; **la porta di c.**, the front door; **il problema della c.**, the housing problem; **spese di c.**, household expenses; **vestiti da c.**, casual clothes; indoor clothes **3** (*famiglia*) family; home; house; (*le persone che vivono in una casa*) household: **c. Rossi**, the Rossi family; the Rossis; *È una c. per bene*, they are a respectable family; **scrivere a c.**, to write home; **notizie da c.**, news from home (*o* from the family); *Saluti a c.!*, regards to the family! **4** (*casato, dinastia*) house; family: **la c. reale**, the Royal Family; **la c. regnante**, the ruling house; **c. Savoia**, the House of Savoy **5** (*ditta*) firm; company: **c. automobilistica**, car manufacturer; **c. commerciale**, commercial house; **c. di mode**, fashion house; **c. discografica**, record company; **c. editrice**, publishers (pl.); publishing house; *Offre la c.!*, it's on the house! **6** (*istituto*) house; home: **c. di correzione**, reformatory; **c. di cura** (*o* **di salute**), nursing home; **c. di pena**, prison; penitentiary; **c. di riposo**, (rest) home; old people's home; retirement home; **c. per malattie mentali**, mental home **7** (*convento*) religious house; convent **8** (*astrol.*) house **9** (*dama, scacchi*) square ● **c. albergo**, block of service flats (*GB*); apartment hotel (*USA*) □ **la C. Bianca**, the White House □ **c. cantoniera**, roadman's house; (*ferr.*) signalman's house □ **c. d'appuntamenti** (*o* **squillo**), house used by call girls; brothel □ **c. da gioco**, gambling house □ **c. dello studente**, hall of residence; students' hostel □ (*anche fig.*) **c. di bambola**, doll's house □ **c. di Dio**, house of God □ **c. di malaffare** (*o* **malfamata**), house of ill repute □ **c. di tolleranza**, (licensed) brothel □ **c. dolce c.!**, home sweet home! □ **c. galleggiante**, boat-house □ **c. madre**, (*eccles.*) mother house; (*comm.*) head office □ **c. per c.**, house-to--house (attr.): **una ricerca c. per c.**, a house-to-house search □ (*fig.*) **a c. del diavolo**, miles away; miles from nowhere; at the back of beyond □ **A c. mia, questo si chiama rubare**, that is stealing, as far as I'm concerned □ **Ehi, di c.!**, is there anybody in (*o* there)? □ **essere di c.**, (*rif. a casa privata*) to be one of the family, to be an old friend; (*rif. ad altro luogo*) to know one's way (about a place); (*fig.: essere comune*) to be the norm □ **fare gli onori di c.**, to receive one's guests; to play host □ **fatto in c.**, homemade □ (*sport*) **giocare fuori c.**, to play away □ **giocare in c.**, (*sport*) to play at home; (*fig.*) to play on home turf, to be on one's home ground □ **grande come una c.**, huge; colossal □ **mettere su c.**, to set up house; (*sposarsi*) to get married □ **non avere né c. né tetto**, to be homeless □ (*fig.*) **sentirsi a c. propria**, to feel at home □ (*sport*) **la squadra di c.**, the home team □ **Non sa dove sta di c. l'educazione**, he has no idea what good manners are □ **essere tutto c. e chiesa**, to be very religious □ **un uomo tut-**

to c. e famiglia, a real family man □ (*prov.*) **A c. del ladro non ci si ruba**, there's honour among thieves ❶ **Nota**: *home o house?* → **home.**

casacca f. **1** loose jacket **2** (*sport*) shirt; (*di fantino*) jacket **3** (*mil.*) surcoat ● (*fig.*) **voltare** (*o* **mutare**) **c.**, to be a turncoat.

casaccio m. – **a c.**, at random; haphazardly; random (attr.); (*senza cura*) carelessly, any old how: **un colpo sparato a c.**, a random shot; **rispondere a c.**, to answer at random; *Le sedie erano disposte a c.*, the chairs were placed haphazardly; **fare le cose a c.**, to do things carelessly.

casa-famiglia f. care home; halfway house; hospice.

casale m. **1** (*villaggio*) hamlet; group of houses **2** (*casolare*) farmhouse.

casalina f. (*ind. tess.*) striped cotton fabric.

casalinga f. housewife* ● **la c. di Voghera**, the average (TV watching) housewife.

casalingo Ⓐ a. **1** home (attr.); house (attr.); domestic; homely (*GB*); (*fatto in casa*) homemade: **atmosfera casalinga**, home atmosphere; **cucina casalinga**, (plain) home cooking; **pane c.**, homemade bread **2** (*semplice, di poche pretese*) plain; homely (*GB*); unpretentious: **abitudini casalinghe**, homely habits; **alla casalinga**, simply; plainly; unpretentiously **3** (*che ama la casa*) home-loving Ⓑ m. (al pl.) (*oggetti per la casa*) household articles.

casamatta f. (*mil.*) pillbox; casemate; blockhouse.

casamento m. **1** tenement (house); block of flats (*GB*); apartment house (*USA*) **2** (*gli inquilini*) tenants (pl.).

casamobile f. (*autom.*) caravan; mobile home.

casanova m. Casanova; womanizer; philanderer.

casareccio → **casereccio**.

casaro m. dairyman* cheese-maker.

casata f. house; family; (*lignaggio*) lineage.

casato m. **1** (*family*) name; surname **2** (*stirpe*) stock; family; lineage; (*origine*) birth: **di nobile c.**, of noble birth.

casba f. **1** kasbah **2** (*estens.*) seedy district; rough area.

cascame m. **1** (*ind. tess.*) waste Ⓤ: **cascami di seta**, silk waste; floss **2** (*fig.*) cheap version.

cascamorto m. lovesick suitor ● **fare il c. con q.**, to make sheep's eyes at sb.

cascante a. **1** (*flaccido*) flabby; sagging; slack; pendulous: **guance cascanti**, flabby checks; **seni cascanti**, sagging (*o* pendulous) breasts **2** (*fiacco*) feeble; listless **3** (*lett.: svenevole*) languid.

cascara sagrada f. **1** (*bot., Rhamnus purshiana*) cascara buckthorn **2** (*farm.*) cascara sagrada.

cascare v. i. to fall*; to drop; (*ruzzolare*) to tumble: *Cascò dal letto*, he fell out of bed; **c. dalle scale**, to tumble down the stairs; *I piatti cascarono a terra con fracasso*, the dishes crashed to the floor ● (*fig.*) **c. dalle nuvole**, to be astonished (*o* astounded); (*fingere stupore*) to look astonished □ **c. dal sonno**, to be half asleep □ (*anche fig.*) **c. in piedi**, to land on one's feet □ (*fig.*) **c. male**, to be unlucky □ **Qui casca l'asino**, there's the rub □ **A quelle parole, mi cascarono le braccia**, those words made my heart sink □ **Caschi il mondo, domani parto!**, I am leaving tomorrow, come what may (*o* whatever happens) □ **Non cascherà mica il mondo, se...**, it won't be the end of the world if... □ **C'è cascato**, he fell for it. (→ **cadere**)

cascata f. **1** (*caduta*) fall; tumble (*fam.*) **2** (*d'acqua*) waterfall; falls (pl.); cascade: *Arri-*

viamo fino alla c., let's go as far as the waterfall; **le cascate del Niagara**, the Niagara Falls **3** (*di stoffa, perle, ecc.*) cascade **4** (*tecn., comput.*) cascade: **collegamento in c.**, cascade connection.

cascatóre m. (f. **-trìce**) (*cinem.*) stunt man* (f. stunt woman*).

caschétto m. (*acconciatura*) pageboy cut.

♦**cascìna** f. **1** (*casa colonica*) farmhouse; farmstead **2** (*azienda casearia*) dairy farm.

cascinàio m. **1** farmer **2** dairy farmer; cheese-maker.

cascinàle m. **1** (*gruppo di cascine*) group of farmhouses **2** → **cascina**, def. 1.

♦**càsco** ① m. **1** (*copricapo*) helmet; (*di protezione*) safety helmet; (*edil.*) hard hat; (*sport*) headgear; (*di motociclista, sciatore, ecc.*) crash helmet: **c. coloniale**, sun helmet; topee; pith helmet; **i caschi blu dell'ONU**, the UN blue helmets **2** (*per asciugare i capelli*) hairdryer **3** → **caschetto**.

càsco ② m. (*di banane*) bunch; hand.

caseàrio a. dairy (attr.): **industria casearia**, dairy farming; **prodotti caseari**, dairy produce.

caseggiàto m. **1** (*abitato*) built-up area **2** (*gruppo di case*) block **3** (*casamento*) block of flats (*GB*); tenement (house); apartment house (*USA*).

caseificazióne f. **1** (*coagulazione*) curdling **2** (*preparazione del formaggio*) cheese--making.

caseifìcio m. dairy; cheese factory.

caseìna f. (*chim.*) casein.

caseìnico a. casein (attr.).

♦**casèlla** f. **1** (*scomparto*) box; (*di casellario*) pigeonhole: **c. postale**, post-office (*o* P.O.) box **2** (*riquadro*) square; box.

casellànte m. **1** (*ferr.*) signalman*; (*di passaggio a livello*) level-crossing keeper **2** (*stradale*) road tender **3** (*di autostrada*) toll collector.

casellàrio m. **1** row of boxes; pigeonholes (pl.); (*schedario*) files (pl.); (*il mobile*) filing cabinet: **c. postale**, post-office boxes (pl.) **2** (*leg.*) register; records office.: **c. giudiziale** (*o* **giudiziario**), judicial register; (*penale*) criminal records office.

casellìsta m. e f. holder of a post-office box.

casèllo m. **1** (*ferr.*) level-crossing keeper's lodge **2** (*di autostrada*) tollgate; tollbooth ● **c. daziario**, tollhouse.

càseo m. curd.

caseóso a. caseous.

caseréccio a. **1** homemade; home (attr.): **cucina casereccia**, home cooking; **pane c.**, homemade bread **2** (*fig.: semplice*) plain, homespun; (*poco raffinato*) unrefined, crude.

casèrma f. (*mil.*) barracks (pl., spesso col verbo al sing.): **c. di fanteria**, infantry barracks; **c. dei vigili del fuoco**, fire station ● **linguaggio da c.**, coarse language □ **scuola rigida come una c.**, school run like a barracks.

casermàggio m. (*mil.*) barracks equipment.

casermìstico a. barracks (attr.).

casermóne m. (*grossa casa popolare*) ugly barracks-like building.

casertàno Ⓐ a. of Caserta; from Caserta Ⓑ m. (f. **-a**) native [inhabitant] of Caserta.

casétta f. **1** small house; cottage **2** (*tenda*) family tent; frame tent.

cashmere → **cachemire**.

casigliàno m. (f. **-a**) fellow-tenant; neighbour.

casinàro (*region.*) → **casinista**.

casinìsta m. e f. (*fam.*) **1** (*pasticcione*) muddler; bungler; goofer (*USA*) **2** (*persona chiassosa*) rowdy person.

casìno m. **1** (*capanno da caccia*) shooting lodge **2** (*circolo*) club **3** (*pop.*: *bordello*) brothel **4** (*fig. fam.*: *situazione difficile*) mess; fix (*fam.*); pickle (*fam.*); stew (*fam.*): **mettere q. nei casini**, to drop sb. in it; **trovarsi in un bel c.**, to be in a mess (*o* in a nice pickle) **5** (*fig. fam.*: *cosa malfatta*) mess; botch; cock-up (*fam. GB*); balls-up (*volg.*): *Il nuovo orario è un c.*, the new timetable is a mess; *Hai fatto un bel c.!*, you really cocked things up! **6** (*fig. fam.*: *baccano*) din, racket, row; ruckus (*USA*); (*confusione*) mess, shambles: **fare c.**, to make a din; to kick up a racket; (*divertirsi*) to make whoopee; *La tua stanza è un c.!*, your room is a mess!; **fare** (*o* **piantare**) **un c.**, (*arrabbiarsi*) to raise hell; to raise a stink; to raise the roof (*USA*); *Vedrai che c. quando lo sa papà*, Dad will raise hell, when he finds out; *È scoppiato un c.*, all hell broke loose; the shit hit the fan (*volg. USA*) **7** – (*fam.*) un c., a lot: **un c. di gente**, a lot of people; *Mi piace un c.*, I like it a lot.

casinò m. (*casa da gioco*) casino*; gambling house.

casìsta m. (*teol.* e *fig.*) casuist.

casìstica f. **1** (*teol.*) casuistry **2** (*med.*) case histories (pl.) **3** (*serie di casi*) case record; survey.

♦**càso** m. **1** (*destino*) chance; fate: *Lasciai che decidesse il c.*, I left the matter to chance; *Fu colpa del c.*, fate was to blame; *Il c. volle che lo rivedessi il giorno dopo*, as it happened, (o it so happened that) I met him again the next day **2** (*combinazione*) chance; coincidence; accident: *Lo trovai per c. da un antiquario*, I found it by chance at an antique dealer's; **non lasciare nulla al c.**, to leave nothing to chance; *Lo vidi per puro c.*, it was sheer (o pure) chance that I saw him; **per un c. fortunato**, by a happy chance (o accident, coincidence); *Non è un c. che…*, it is no accident that… **3** (*fatto, vicenda, situazione*) case; circumstance; event; affair; matter: **c. clinico**, clinical case; (*fig. scherz.*) oddball (*fam.*); **un c. di coscienza**, a matter of conscience; **un c. di forza maggiore**, an event beyond one's control; an uncontrollable event; **un c. di malaria**, a case of malaria; **un c. di omicidio**, a murder case; **c. disperato**, hopeless case; **il c. Dreyfus**, the Dreyfus affair; **c. fortuito**, fortuitous event; **c. giudiziario**, legal case; **c. imprevisto**, unforeseen event; **c. limite**, extreme (o borderline) case; **c. tipico**, classic case; **i casi della vita**, the events of life; things that happen; **esporre il proprio c. a q.**, to put one's case to sb.; **risolvere un c.**, to solve a case; *Del c. si sta occupando la polizia*, the police are looking into the matter; *Pensa ai casi tuoi!*, mind your own business!; *So di un c. simile*, I know of a similar case; *In questo c. credo d'aver ragione io*, in this case I think I am right **4** (*possibilità, evenienza*) possibility; alternative; opportunity: *I casi sono due*, there are two possibilities; *C'è il c. che arrivi oggi*, he might arrive today **5** (*modo, possibilità*) way; possibility: *Non c'è c. di persuaderlo*, there's no way of persuading him **6** (*gramm.*) case: **c. accusativo**, accusative case; **c. diretto** (*obliquo*) [direct] [indirect] case ● **c. mai** o **casomai** □ (*iron.*) C. strano, oggi è in anticipo, she's early today, for a change □ **a c.**, at random; haphazardly; (*senza badare*) carelessly: *Aprii il libro a c.*, I opened the book at random; *I mobili erano disposti a c.*, the furniture was arranged in a haphazard fashion □ **a seconda del c.**, as the case may be □ **del c.**, (*necessario*) necessary; (*pertinente*) relevant □ È il c. di informarli?, should we tell them?; should they be told? □ **Sarà il c. di andare**, we'd better go □ **Decise che era il c. di fare un discorso**, he decided that a speech would be in or-

der □ «**Passo a prenderti?**» «**No, grazie, non è il c.**», «shall I pick you up?» «thanks, but there's no need to» □ **Non è il caso di preoccuparsi**, there is no need to worry □ **Questo fa al c. mio**, this is exactly what I need; this answers my purpose □ **fare c. a**, to notice; to pay attention to: *Era tedesca? Non ci ho fatto c.*, was she German? I didn't notice; *Non fargli c.!*, pay no attention to him!; don't take any notice of him! □ **guarda c.**, by sheer chance; as chance would have it □ **in c. affermativo**, if that's the case; should that be the case (*form.*) □ **in c. contrario**, otherwise; if not; should that not be the case (*form.*) □ **in c. di bisogno**, in case of need □ **in c. di pioggia**, in case of rain; in the event of rain (*form.*) □ **in certi casi**, in certain cases; (*talvolta*) sometimes □ **in nessun c.**, under no circumstances; on no account; never □ **in ogni c.**, in any case; at any rate □ **in qualunque c.**, in any case; whatever happens □ **in tal c.**, in that case □ **in tutti i casi**, in any case; at all events □ Mettiamo (o poniamo) **il c. che non venga**, (let's) suppose he doesn't come □ **Nel c. tu non lo sapessi**, in case you didn't know □ **Nel c. che non potesse venire**, if he cannot come; should he be unable to come (*form.*); in the case of his being unable to come (*form.*) □ **nel migliore dei casi**, at best □ **nel peggiore dei casi**, at worst □ **nell'uno o nell'altro c.**, in either event □ **Per c., hai visto la mia penna?**, have you seen my pen by any chance? □ **Sai per c. il suo numero di telefono?**, do you happen to know her phone number? □ **secondo i casi**, as the case may be; depending on the case □ **Si dà il c. che io non sia d'accordo**, I happen to disagree.

casolàre m. cottage.

casomài Ⓐ cong. in case; if: *Prendi le chiavi, c. tu tornassi prima*, take the keys, in case you come back first; *C. tu non potessi venire, fammelo sapere*, if you can't come, let me know Ⓑ avv. perhaps; maybe: *Adesso no, c. fra qualche mese*, not now, perhaps in a month or two.

casòtto m. **1** (*capanno*) hut; shed; box; kiosk: **c. da spiaggia**, bathing hut; **c. del cane**, kennerl; doghouse; **c. del giornalaio**, kiosk; **c. della sentinella**, sentry box **2** (*naut.*) house; room: **c. del timone**, pilot house; wheelhouse; **c. di rotta**, chartroom **3** (*pop.*: *bordello*) brothel **4** (*fig. pop.*: *baccano*) racket; row; fuss: **fare** (*o* **piantare**) **c.**, to make a racket; to kick up a fuss.

Càspio a. – (*geogr.*) il Mar C., the Caspian Sea.

càspita, caspiterina inter. **1** (*escl. di meraviglia*) goodness!; good heavens!; crikey! (*fam.*); boy! (*fam., USA*) **2** (*escl. di irritazione*) for goodness' (o heaven's) sake!

♦**càssa** f. **1** (*per trasporto*) chest; box; case; (*a graticcio*) crate: **c. da imballaggio**, packing case; crate; tea chest (*GB*); **una c. di libri**, a chest of books; **una c. di mele**, a crate of apples; **una c. di vino**, a case of wine **2** (*quantità contenuta in una cassa*) chestful; boxful; crateful **3** (*forziere*) coffer: **le casse dello Stato**, the coffers of the state **4** (*di negozio*) cash desk; (*di supermercato e sim.*) checkout counter; (*di cinema, teatro*) box office: *La c. era accanto alla porta*, the cash desk was beside the door; **pagare alla c.**, to pay at the desk (o checkout); **registratore di c.**, cash register; till **5** (*sportello bancario e sim.*) cashier's desk: **c. automatica**, cash dispenser; cashpoint; automated teller machine (abbr. ATM); **c. continua**, night safe **6** (*ufficio cassa*) cash department; cashier's office **7** (*denaro in cassa*) cash on hand; cash: **c. sociale**, company's cash on hand; **disponibilità di c.**, cash on hand; **fondo di c.**, reserve fund; **libro di c.**, cash book; **piccola c.**, petty cash; **a pronta c.**, cash down; in cash; **pagamen-**

a b c d e f g h i j k l m n o p q r s t u v w x y z

to a pronta c., cash-down payment; **scappare con la c.**, to make off with the content of the till; to abscond (*o* to bolt) with the money **8** (*fondo*) fund: **c. comune**, common fund of money; kitty (*fam.*); **fare c. comune**, to pool one's money; to keep a kitty; (*stor.*) *C. del Mezzogiorno*, Southern Italy Development Fund; **c. di ammortamento**, sinking fund; **c. integrazione (salari)**, fund for laid-off workers; redundancy fund; **essere in c. integrazione**, to receive redundancy payment; to have been laid off; **mettere in c. integrazione**, to lay off; **c. malattie**, sickness fund **9** (*istituto bancario*) bank: **c. di risparmio**, savings bank; **c. rurale**, agricultural bank **10** (*contenitore protettivo*) case; casing; housing: **c. dell'orologio**, watchcase **11** (*tipogr.*) case: **c. alta [bassa]**, upper [lower] case **12** (*naut.*) tank: **c. d'aria**, airlock; **c. di rapida immersione**, crash-diving tank **13** (*mus.*) – **c. armonica** (*o* di risonanza), soundbox; body; **c. dell'organo**, wind-chest; **c. del pianoforte**, piano case; **c. del violino**, body of a violin ● **c. acustica**, speaker, loudspeaker ◻ (*ind. tess.*) **c. battente**, beater ◻ **c. da morto**, coffin; casket (*USA*) ◻ **c. del fucile**, rifle stock ◻ (*ind. tess.*) **c. del fuso**, spindle box ◻ (*anat.*) **c. del timpano**, eardrum ◻ (*fig.*) **c. di risonanza**, sounding board: **fare da c. di risonanza**, to act as a sounding board ◻ (*anat.*) **c. toracica**, chest; rib cage ◻ (*fig.*) **battere c.**, to ask for money ◻ **tenere la c.**, to be treasurer; to be in charge of the kitty (*fam.*); (*fig.*) to hold the purse strings.

cassafórma f. (*edil.*) mould; formwork.

cassafòrte f. **1** safe; strongbox **2** (*camera blindata*) strongroom.

cassaintegràto m. e a. (f. **-a**) temporarily laid-off (worker); (worker) receiving redundancy payment.

cassàndra f. prophet of doom; Cassandra; doomsayer; doomster; doom-and-gloom merchant: **fare la c.**, to be a prophet of doom.

cassapànca f. chest; (*con dorsale*) settle: **c. per biancheria**, linen chest.

cassàre v. t. **1** to delete; to cross out; to strike* off: **c. dall'albo**, to strike off the rolls **2** (*leg.: una sentenza, ecc.*) to reverse, to quash, to vacate; (*una legge*) to repeal.

cassàta f. **1** Sicilian cake containing cottage cheese, chocolate chips and candied fruit **2** Cassata (Neapolitan ice cream containing candied fruit and nuts).

cassàva f. (*bot.*, *Manihot*) cassava.

cassavuòta f. (*edil.*) cavity.

cassazióne① f. (*mus.*) cassation.

cassazióne② f. (*leg.*) annulment; cancellation; cassation: (*Corte di*) *C.*, Court of Cassation; **andare in C.**, to have recourse to the Court of Cassation.

cassazionìsta m. e f. lawyer who can appear for a client in the Court of Cassation.

casserétto m. (*naut.*) poop deck.

càssero m. **1** (*naut.*) quarterdeck: **c. di poppa**, poop deck **2** (*edil.*) → **cassaforma** **3** (*di castello*) keep; donjon.

casseruòla f. saucepan; (*di coccio o vetro*) casserole ● (*cucina*) **pollo in c.**, chicken casserole.

◆**cassétta** f. **1** box; (small) case; (*per frutta, ecc.*) crate: **c. degli attrezzi**, toolbox; **una c. di arance**, a crate of oranges; **c. delle elemosine**, poor box; **c. delle lettere**, letter box; (*a colonna*) pillar box; mailbox (*USA*); **c. da fiori**, flowerbox; (*per finestra*) windowbox; **c. di pronto soccorso**, first-aid kit; **c. dei reclami**, complaint (*o* complaints) box; (*banca*) **c. di sicurezza**, safe-deposit box **2** (*per registrazione*) cassette: **registratore a cassette**, cassette recorder **3** (*di carrozza*) box; coachman's seat: **montare a c.**, to

mount to the box; **sedere a c.**, to sit on the box; to drive **4** (*incasso*) takings (pl.); (*di teatro*) box office: **fare c.**, to be a box-office success; **successo di c.**, box-office success; (*di film*) blockbuster; **film di c.**, blockbuster ● **pane a c.**, sandwich loaf; tin loaf ◻ (*Borsa*) **titolo di c.**, long-term security.

cassettièra f. chest of drawers; bureau (*USA*); (*a due corpi*) tallboy (*GB*), highboy (*USA*).

cassettìsta m. e f. **1** (*banca*) renter of a safe-deposit box **2** (*Borsa*) investor in long-term securities; long-term investor.

◆**cassétto** m. **1** drawer **2** – (*di macchina a vapore*) **c. di distribuzione**, slide valve; distributing valve ● **avere un sogno nel c.**, to have a secret dream.

cassettóne m. **1** chest of drawers; bureau (*USA*); (*a due corpi*) tallboy (*GB*), highboy (*USA*) **2** (*archit.*) coffer; lacunar: **soffitto a cassettoni**, coffered (*o* caissoned) ceiling; lacunar (ceiling).

càssia f. (*bot.*, *Cassia*) cassia.

cassìdico (*relig.*) **A** a. Hasidic; Chassidic **B** m. Hasid*; Chassid.

cassidìsmo m. (*relig.*) Hasidism; Chassidism.

cassière m. (f. **-a**) **1** cashier; (*di banca, anche*) teller; (*di supermercato*) check-out clerk: **c. contabile**, cashier and book-keeper **2** (*tesoriere*) treasurer; receiver.

cassinése a. (*eccles.*) of the monastery of Montecassino; Benedictine of Montecassino.

cassino① m. **1** (*di spazzino*) dustcart **2** (*di accalappiacani*) dog catcher's van.

cassino② m. (*per lavagna*) (blackboard) duster.

cassintegràto → **cassintegrato**.

Càssio m. (*stor.*) Cassius.

cassiterite f. (*miner.*) cassiterite.

cassóne m. **1** (large) chest: (*arte*) **c. nuziale**, bride's marriage chest; cassone (*ital.*) **2** (*mil.*) ammunition chest (*o* wagon); caisson **3** (*edil.*) caisson; (*a compartimento stagno*) cofferdam; (*a tenuta idraul.*) tank **4** (*di autocarro*) body; box: **c. ribaltabile**, dump (*o* tipping) body ● (*med.*) **malattia dei cassoni**, decompression sickness; caisson disease; (the) bends (pl.) (*fam.*).

cassonétto m. **1** (*per persiana o tenda*) box **2** (*per spazzatura*) large rubbish container; skip (*GB*); trash container (*USA*); Dumpster® (*USA*).

cast (*ingl.*) m. inv. (*teatr.*, *cinem.*) cast.

cast. abbr. (**castello**) castle.

càsta f. (*anche fig.*) caste.

◆**castàgna** f. **1** chestnut: **c. lessa [arrostita]**, boiled [roast] chestnut; **c. d'India**, horse chestnut; conker; **farina di castagne**, chestnut flour **2** (*vet.*) chestnut **3** (*naut.*) pawl **4** (*boxe*) powerful punch; slug (*fam. USA*) **5** (*calcio*) powerful shot ● (*bot.*) **c. d'acqua** (*Trapa natans*), water chestnut; caltrop ◻ (*bot.*) **c. di terra**, earthnut; pignut ◻ (*fig.*) **cavare le castagne dal fuoco a q.**, to pull sb.'s chestnuts out of the fire ◻ **cogliere q. in c.**, to catch sb. out.

castagnàccio m. (*cucina*) chestnut cake.

castagnàio m. (f. **-a**) **1** (*raccoglitore*) chestnut gatherer **2** (*venditore*) chestnut vendor.

castagnéto m. chestnut wood.

castagnétta① f. (*petardo*) cracker, firecracker; banger.

castagnétta② f. **1** (al pl.) (*mus.*) castanets **2** (*schiocco delle dita*) snap (of the fingers).

castàgno m. **1** (*bot.*, *Castanea sativa*) chestnut (tree) **2** (*legno*) chestnut (wood) ● **c. d'India** (*Aesculus hippocastanum*), horse

chestnut.

castagnòla f. cracker, firecracker; banger.

castàldo m. **1** (*stor.*) steward **2** land agent.

castàle a. caste (attr.).

castàlio a. (*lett.*) Castalian.

castanicoltùra f. chestnut-growing.

◆**castàno A** a. brown; (*di capelli, anche*) chestnut; (*di persona*) brown-haired: **capelli castani**, brown (*o* chestnut) hair; **occhi castani**, brown eyes **B** m. brown; chestnut colour.

castellàna f. lady of a castle; chatelaine (*franc.*); (*di maniero*) lady of a manor.

castellàno m. lord of a castle; (*di maniero*) lord of a manor.

castellatùra f. frame; framework Ⓤ.

castellétto m. **1** (*edil.*) scaffolding Ⓤ; scaffold **2** (*ind. min.*) headframe **3** (*banca*) line of credit; credit line; credit limit.

◆**castèllo** m. **1** castle; (*maniero*) manor; (*fortezza*) stronghold, fortress **2** (*naut.*) castle; deck: **c. di poppa**, quarterdeck; **c. di prua**, forecastle; fo'c'sle **3** (*edil.*) scaffolding Ⓤ; scaffold **4** (*per giochi*) climbing frame **5** (*per tuffi*) diving tower **6** (*per bachi da seta*) frame ● (*anche fig.*) **c. di carte**, house of cards ◻ (*ind. min.*) **c. di estrazione**, headframe ◻ **c. di menzogne**, fabrication; pack of lies ◻ **c. di sabbia**, sandcastle ◻ (*autom.*) **c. motore**, engine mount (*o* mounting) ◻ **fare castelli in aria**, to build castles in the air ◻ **letto a c.**, bunk bed.

castigamàtti m. inv. **1** (*bastone*) stick; cudgel **2** (*persona severa*) martinet; bogeyman*: *Ora viene il c.*, here comes the bogeyman.

castigàre v. t. **1** to punish; to chastise; to discipline **2** (*lett.: emendare*) to chasten; to purify **3** (*purgare*) to expurgate; to bowdlerize.

castigatézza f. **1** (*purezza*) chastity; purity; decency **2** (*correttezza*) propriety; correctness; (*sobrietà*) sobriety.

castigàto a. **1** (*puro*) chaste; pure; decent **2** (*corretto*) proper; correct; (*sobrio*) sober **3** (*purgato*) expurgated; bowdlerized.

castigatóre m. (f. **-trìce**) punisher; chastiser.

Castìglia f. (*geogr.*) Castile.

castigliàno a. e m. (f. **-a**) Castilian.

castigo m. punishment; chastisement; retribution: **il giusto c.**, a well-deserved punishment; **c. divino**, divine retribution; **infliggere un c.**, to inflict a punishment; to punish; **meritare un c.**, to deserve punishment; *Pierino è in c.*, Pierino is being punished; **mettere in c.**, to punish ● (*anche fig.*) **c. di Dio**, scourge; calamity.

castìna f. (*metall.*) flux.

casting m. inv. (*cinem.*) **1** casting **2** (*anche* f.) casting director.

castità f. **1** chastity; celibacy: **voto di c.**, vow of chastity **2** (*fig.: purezza*) chastity; purity.

càsto a. **1** chaste; celibate; continent **2** (*fig.: puro*) chaste; pure; innocent **3** (*fig.: semplice*) sober; simple; stark.

castóne m. collet; setting; bezel.

Càstore m. (*mitol.*) Castor.

castòreo m. (*farm.*, *profumeria*) castor; castoreum.

castorìno m. **1** (*zool.*, *Myocastor coypus*) coypu*; nutria **2** (*pelliccia*) nutria.

castòrio → **castoreo**.

castòro m. **1** (*zool.*, *Castor*) beaver* **2** (*pelliccia*) beaver (fur): **una giacca di c.**, a beaver jacket ● (*zool.*) **c. di montagna** (*Aplodontia rufa*), mountain beaver; sewellel.

castracàni m. inv. **1** dog gelder **2** (*spreg.*,

di chirurgo) butcher.

castrànte a. (*psic.*) castrative; castrating; inhibiting.

castràre v. t. **1** to castrate; to emasculate; (*un animale*) to geld, to spay; (*un cane, un gatto*) to neuter, to spay, to doctor, to alter (*USA*) **2** (*fig.*: *uno scritto, ecc.*) to expurgate; to bowdlerize **3** (*fig.*: *inibire*) to castrate; to inhibit.

castràto A m. **1** gelding, neuter; (*cavallo*) gelding; (*agnello, ariete*) wether; (*bovino*) steer **2** (*cucina*) mutton; lamb **3** (*eunuco*) eunuch; castrate **4** (*mus.*) castrato B a. **1** castrated; emasculated; (*di animale*) gelded, spayed, neutered **2** (*fig.*) expurgated; bowdlerized.

castratóio m. castrating knife*.

castratóre m. **1** castrator; gelder **2** (*fig.*) censor; suppressor.

castratùra f. castration; (*di animale*) gelding, spaying, neutering.

castrazióne f. **1** castration; emasculation; (*di animale*) gelding, spaying, neutering: (*psic.*) **complesso di c.**, castration complex **2** (*fig.*) mutilation.

castrènse a. castrensian • (*eccles.*) **vescovo c.**, bishop in charge of military chaplains.

castrìsmo m. (*polit.*) Castroism.

castrìsta a., m. e f. (*polit.*) Castroist.

castronàggine f. (*pop.*) **1** stupidity; foolishness **2** → **castroneria**.

castróne m. **1** (*agnello castrato*) wether **2** (*cavallo castrato*) gelding **3** (*volg., di uomo*) simpleton; blockhead.

castroneria f. (*pop.*) **1** (*sciocchezza*) rubbish Ⓤ; nonsense Ⓤ: *È una gran c.*, it's sheer rubbish; it's a load of nonsense **2** (*errore*) gross mistake; blunder; (*svarione*) howler (*fam.*).

casual (*ingl.*) (*moda*) A a. inv. casual B m. inv. **1** (*stile*) casual style of dress; (*abbigliamento*) casual clothes (pl.), casuals (pl.), casual wear Ⓤ (*capo di abbigliamento*) item of casual wear; casual jacket [coat, etc.] C avv. – **vestire c.**, to wear casual clothes.

casuàle a. **1** accidental; fortuitous; casual; incidental; chance (attr.); (*fatto a caso*) random: **un incontro c.**, a chance encounter; **controllo c.**, random check **2** (*mat., stat.*) random: **variabile c.**, random variable • (*leg.*) **diritti casuali**, special bonuses.

casualìsmo m. (*filos.*) fortuitism.

casualità f. **1** fortuitousness; casualness **2** → **caso**, *def. 2*.

casualizzàre v. t. **1** to make* casual **2** to consider accidental (*o* casual).

casualménte avv. by chance; accidentally; fortuitously.

casuàrio m. (*zool., Casuarius casuarius*) cassowary.

casuìsta → **casista**.

càsula f. (*eccles.*) chasuble.

casùpola f. humble little house; hut.

càsus bèlli (*lat.*) loc. m. **1** (*polit.*) casus belli **2** (*fig.*) issue; bone of contention: **fare un casus belli di qc.**, to make an issue of st.

cat. abbr. **1** (**catalogo**) catalogue **2** (**categoria**) category.

catabàtico a. (*geogr.*) katabatic.

catabòlico a. (*biol.*) catabolic.

catabolìsmo m. (*biol.*) catabolism.

catabòlite a. (*biol.*) catabolite.

catàclaşi f. (*geol.*) cataclasis.

cataclìşma m. **1** cataclysm; flood **2** (*fig.*) cataclysm; upheaval.

catacómba f. **1** catacomb **2** (*fig.*) dungeon.

catacombàle a. catacomb (attr.); catacomb-like (attr.).

catacrèşi f. (*retor.*) catachresis*.

catadiòttrica f. (*fis.*) catadioptrics (pl. col verbo al sing.).

catadiòttrico a. (*fis.*) catadioptric.

catadiòttro m. **1** reflector **2** (*catarifrangente*) cat's eye.

catàdromo a. (*zool.*) catadromous.

catafàlco m. bier; catafalque.

catafàscio vc. – a c., topsy-turvy; higgledy-piggledy; pell-mell: **andare a c.**, to go down the drain; to be wrecked; to go to the dogs; (*fare fiasco*) to flop; (*fare fallimento*) to go bust; **mandare a c.**, to wreck.

catafillo m. (*bot.*) cataphyll.

catàfora f. (*ling.*) cataphora.

cataforèşi f. **1** cataphoresis; electrophoresis **2** (*ionoforesi*) ionophoresis.

catafràtta f. (*stor.*) cataphract.

catafràtto A a. **1** (*mil. stor.*) in full armour **2** (*fig.*) hardened; inured B m. (*mil. stor.*) cataphract.

catalàno a. e m. (f. -a) Catalan.

catalèssi① → **catalessia**.

catalèssi② f. (*metrica*) catalexis*.

catalessìa f. (*med.*) catalepsy.

catalèttico① a. (*med.*) cataleptic.

catalèttico② a. (*metrica*) catalectic.

catalètto m. (*bara*) coffin; bier.

catàlişi f. (*chim.*) catalysis*.

catalìtico a. (*chim.*) catalytic: (*autom.*) **marmitta catalitica**, catalytic converter.

catalizzàre v. t. (*chim. e fig.*) to catalyse, to catalyze (*USA*).

catalizzàto a. (*autom.*) fitted with a catalytic converter; catalyst-fitted.

catalizzatóre A m. (f. -**trice**) **1** (*chim. e fig.*) catalyst **2** (*autom.*) catalytic converter; catalyst: **auto con c.**, car fitted with a catalytic converter; catalyst-fitted car B a. catalytic.

catalogàbile a. (*classificabile*) classifiable.

catalogàre v. t. **1** to catalogue, to catalog (*USA*); (*classificare, anche fig.*) to classify **2** (*elencare*) to list; to make* a list of; to enumerate.

catalogatóre A m. (f. -**trice**) cataloguer, cataloger (*USA*) B a. cataloguing, cataloging (*USA*).

catalogazióne f. cataloguing, cataloging (*USA*); (*classificazione*) classification.

cataloghìsta m. e f. cataloguer, cataloger (*USA*).

Catalògna f. (*geogr.*) Catalonia.

catalógno m. (*bot., Jasminum grandiflorum*) Spanish jasmin.

catàlogo m. **1** (*elenco e volume*) catalogue, catalog (*USA*): (*di casa editrice*) **c. delle opere disponibili**, backlist; **c. per autori** [**per materie**], author [subject] catalogue; **c. ragionato**, catalogue raisonné (*franc.*); **c. per vendite per corrispondenza**, mail-order catalogue; (*astron.*) **c. stellare**, star catalogue; **consultare un c.**, to consult a catalogue; to look (st.) up in a catalogue **2** (*enumerazione*) list; (*serie*) series.

catalogràfico a. catalogue (attr.); catalogue-compiling (attr.).

catàlpa f. (*bot., Catalpa bignonioides*) catalpa; Indian bean.

catamaràno m. (*naut.*) catamaran.

catameniàle a. (*fisiol.*) catamenial.

catamnèşi f. (*med.*) catamnesis*; follow-up medical history.

catanése A a. of Catania; from Catania B m. e f. native [inhabitant] of Catania.

catapécchia f. hovel; hut; shanty.

cataplàşma m. **1** (*med.*) poultice; cataplasm **2** (*fig.: persona malandata*) old crock (*fam.*) **3** (*fig.: persona noiosa*) bore; pain in the neck (*fam.*).

cataplessìa f. (*med.*) cataplexy.

cataplèttico A a. (*med.*) cataplectic B m. (f. -a) cataplexy sufferer.

catapùlta f. **1** (*mil. stor.*) catapult **2** (*di portaerei*) launching catapult; deck catapult.

catapultàbile a. (*aeron.*) ejectable; ejection (attr.): **seggiolino c.**, ejection seat.

catapultaménto m. catapulting.

catapultàre A v. t. (*anche fig.*) to catapult; to throw* B **catapultàrsi** v. rifl. **1** (*lanciarsi*) to throw* oneself; to rush **2** (*da un aereo*) to eject; to bale out, to bail out (*USA*).

cataràffio m. (*naut.*) caulking iron.

cataràtta → **cateratta**.

catarifrangènte A a. reflecting B m. (*di veicolo*) (rear) reflector; (*di paracarro, ecc.*) cat's eye.

catarifrangènza f. reflection.

catarìşmo m. (*stor. relig.*) Catharism.

càtaro (*stor. relig.*) A a. Catharist B m. Cathar; Catharist.

catarràle a. (*med.*) catarrhal.

catarrìna f. (*zool.*) catarrhine.

catàrro m. (*med.*) catarrh; phlegm.

catarróso a. catarrhal.

catàrsi f. (*anche psic.*) catharsis.

catàrtico a. (*anche psic.*) cathartic.

catàsta f. pile; stack; heap: **una c. di legna**, a stack of wood; a woodpile; **una c. di libri**, a pile of books; **una c. di piatti**, a pile of dishes; **a cataste**, in heaps.

catastàle a. (*leg., econ.*) cadastral; land (attr.): **estratto c.**, abstract of a land title; **imposta c.**, land tax; **mappa c.**, cadastral map; **registro c.**, cadastral register; land register; **ufficio c.**, land (registry) office.

catastàre v. t. to register (in the cadastre).

catàstaşi f. **1** (*ling.*) on-glide **2** (*teatr. greco*) catastasis*.

catàsto m. (*leg., econ.*) **1** cadastre, cadaster; (*registro*) land register: **mettere a c.**, to register; to enter in the land register **2** (*ufficio*) land (registry) office.

catàstrofe f. **1** (*letter.*) catastrophe **2** (*disastro*) catastrophe; disaster; calamity • (*mat.*) **teoria delle catastrofi**, catastrophe theory.

catastròfico a. **1** catastrophic; disastrous: **previsioni catastrofiche**, catastrophic forecast **2** (*di persona*) pessimistic.

catastrofìşmo m. **1** (*geol.*) catastrophism **2** (*fig.*) radical pessimist; doom and gloom (*fam.*): **fare del c.**, to be a radical pessimist; to be a doom-and-gloom merchant (*fam.*).

catastrofìsta m. e f. **1** (*geol.*) catastrophist **2** (*fig.*) prophet of doom; doomster; doom-and-gloom merchant (*fam.*).

catastrofìstico a. catastrophic; full of doom and gloom (*fam.*).

catatonìa f. (*med.*) catatony.

catatònico a. e m. (f. -a) (*med.*) catatonic.

catch (*ingl.*) m. inv. (*sport*) all-in wrestling.

catechèşi f. (*eccles.*) catechesis.

catechètica f. catechetics (pl. col verbo al sing.).

catechètico a. catechetical.

catechìna f. (*chim.*) catechin.

♦**catechìşmo** m. (*eccles.*) catechism: **lezione di c.**, Sunday school class **2** (*fig.*) fundamental tenets (pl.).

catechìsta m. e f. catechist; catechizer.

catechìstica → **catechetica**.

catechìstico a. catechetical.

catechizzàre v. t. **1** (*relig.*) to catechize **2** (*fig.*) to lecture.

catechizzatóre m. (f. -**trice**) catechizer;

catechist.

catecolamìna. catecolammìna f. (*chim.*) catecholamine.

catecù m. **1** (*bot.*, *Acacia catechu*) catechu **2** (*ind.*) cachou; catechu.

catecumenàle a. (*eccles.*) catechumenal.

catecumenàto m. (*eccles.*) catechumenate.

catecùmeno m. (f. **-a**) (*eccles.*) catechumen.

categorèma m. (*filos.*) categorem.

categoremàtico a. (*filos.*) categorematic.

◆**categorìa** f. **1** (*filos.*) category; predicament **2** (*classe, settore*) category; class; type; (*settore*) section, sector; (*sociale*) class, rank; (*di professionisti*) profession: **la c. degli insegnanti**, the teaching profession; teachers; **la c. dei medici**, the medical profession; doctors (pl.); **c. professionale**, professional category; **di prima c.**, first-class; **di seconda c.**, second-class; **suddiviso in categorie**, classified; **rientrare in una c.**, to fall under a category **3** (*di merce*) grade **4** (*naut.*) rating **5** (*sport*) division; (*boxe*) class **6** (*mat.*) category ● (*fisc.*) **c. d'imposta**, tax schedule □ **c. grammaticale**, part of speech ● **sindacato di c.**, professional union; craft union.

categoriàle a. **1** (*filos.*) categorial; categorical **2** sectorial; (*di professione*) professional: **interessi categoriali**, sectorial interests; **rivendicazione c.**, professional claim.

categoricaménte avv. **1** (*rigorosamente*) strictly: **c. vietato**, strictly forbidden **2** (*recisamente*) categorically; point-blank: **negare c.**, to deny categorically; **rifiutare c. qc.**, to refuse st. point-blank.

categòrico a. **1** (*filos.*) categorical: **imperativo c.**, categorical imperative **2** (*assoluto, reciso*) categorical, flat, point-blank (attr.); (*esplicito*) outspoken: **un c. rifiuto**, a categorical (*o* flat, point-blank) refusal **3** (*diviso per categoria*) classified.

categorizzàre v. t. to categorize; to classify.

categorizzazióne f. categorization; classification.

◆**catèna** f. **1** chain: **c. articolata**, flat link (*o* sprocket) chain; (*naut.*) **c. dell'ancora**, anchor chain; **c. della bicicletta**, bicycle chain; **c. dell'orologio**, watch chain; **una c. d'oro**, a gold chain; **c. di trasmissione**, drive chain; (*autom.*) **catene da neve**, snow chains; **in catene**, in chains; **gettare q. in catene**, to have sb. put in chains; **mettere la c. alla porta**, to slip the door chain into place; **mettere un cane alla c.**, to put a dog on the chain; to chain a dog; (*mecc.*) **trasmissione a c.**, chain drive **2** (*fig.*: *vincolo*) chain; bond: **le catene dell'amore**, the chains of love; **spezzare le catene**, to break the bonds **3** (*geogr.*) chain; range: **c. di montagne**, mountain chain (*o* range) **4** (*serie, successione*) chain; sequence; succession: **c. alimentare**, food chain; **c. di avvenimenti**, chain of events; **c. di comando**, chain of command; **c. di giornali**, newspaper chain; syndicate (*USA*); **c. di negozi**, chain of shops; **fare una c. di telefonate**, to make a series of phone calls; **formare una c.** (*di persone*), to form a human chain; (*fis. e fig.*) **reazione a c.**, chain reaction **5** (*fis., chim.*) chain: **c. aperta** [**chiusa**], open [closed] chain (of atoms) **6** (*archit.*) chain; tie rod **7** (*ind. tess.*) chain ● (*ind.*) **c. di montaggio**, assembly line □ **c. di Sant'Antonio**, chain letter □ **effetto a c.**, knock-on effect □ (*fig.*) **tenere q. alla c.**, to keep sb. under.

catenàccio **A** m. **1** bolt: **chiudere col c.**, to bolt; **togliere il c.**, to unbolt **2** (*scherz.*: *vecchia automobile*) old banger; old crock **3** (*calcio*) catenaccio **4** (*gergo giorn.*) summa-

ry title ● (*fig.*) **fare c.**, to put up an all-out resistance; to close ranks **B** a. inv. – **esame c.**, prerequisite examination.

catenària f. (*mat.*) catenary.

catenèlla f. **1** chain: **c. d'oro**, gold chain; **c. dell'orologio**, watch chain; **c. della porta**, door chain **2** (*ricamo*) – **punto c.**, chain stitch.

catenìna f. (thin) chain.

cateràtta f. **1** (*geogr.*) cataract **2** (*chiusura di canale, ecc.*) sluice; sluice-gate **3** (*med.*) cataract ● **piovere a cateratte**, to pour (with rain); to come down in buckets □ **Alle quattro si aprirono le cateratte**, at four it started coming down in buckets.

Caterìna f. Catherine, Catharine; Katherine, Katharine.

caterpillar (*ingl.*) m. inv. (*veicolo*) caterpillar®.

catèrva f. **1** (*di persone*) crowd; horde; masses (pl.) **2** (*di cose*) masses (pl.); heaps (pl.); loads (pl.).

catetère m. (*med.*) catheter: **c. molle**, rubber catheter.

cateterìsmo m. (*med.*) catheterization; catheterism.

cateterizzàre v. t. (*med.*) to catheterize.

catèto m. (*geom.*) cathetus*.

catetòmetro m. (*fis.*) cathetometer.

catgut (*ingl.*) m. inv. (*med.*) catgut; catling.

Catilìna m. (*stor. romana*) Catiline.

catilinària f. (*fig.*) philippic; bitter invective.

◆**catinèlla** f. **1** basin **2** (*il contenuto*) basinful ● **acqua** (*o* **pioggia**) **a catinelle**, downpour; heavy rain □ **piovere a catinelle**, to pour (with rain); to come down in buckets.

catìno m. **1** basin; bowl **2** (*il contenuto*) bowl; bowlful; basin; basinful **3** (*geogr.*) basin **4** (*archit.*) conch **5** (*di stadio*) arena.

catióne m. (*fis.*) cation.

catiònico a. (*chim.*) cationic.

catòdico a. (*fis.*) cathode (attr.): **raggi catodici**, cathode rays.

càtodo m. (*fis.*) cathode.

catóne m. (*fig.*) stern moralist: **fare il c.** → **catoneggiare**.

Catóne m. (*stor.*) Cato: *C. il Censore*, Cato the Censor (*o* the Elder); *C. Uticense*, Cato Uticensis (*o* the Younger).

catoneggiàre v. i. to moralize; to be censorious; to pose as castigator of morals; to take* a high moral tone.

catoniàno a. (*fig.*) stern; moralizing; censorious.

catòrcio m. (*fam.*) **1** wreck; (*veicolo*) old banger; old crock; jalopy; clunker (*USA*) **2** (*persona*) wreck; old crock: *Che mal di schiena, sono proprio un c.*, oh, my poor back, I'm a real wreck.

catòttrica f. (*fis.*) catoptrics (pl. col verbo al sing.).

catòttrico a. (*fis.*) catoptric.

catramàre v. t. to tar.

catramàto a. tarred; tar (attr.): **cartone catramato**, tar paper.

catramatóre m. tar sprayer.

catramatrìce f. tar sprinkler; tar sprayer.

catramatùra f. tarring.

catràme m. tar: **c. di carbon fossile**, coal tar; **c. di legna**, wood tar; **c. di torba**, peat tar.

catramìsta m. tar sprayer.

catramóso a. tarry.

catt. abbr. (*relig.*, **cattolico**) (Roman) Catholic (Cath.).

◆**càttedra** f. **1** (*scrivania*) (teacher's) desk **2** (*posto di ruolo*) teaching post; (*all'università*)

chair, professorship: **avere la** (*o* **essere titolare della**) **c. d'inglese**, to hold the chair of English; **avere la c. di fisica in un liceo**, to be a secondary school teacher of physics **3** (*vescovile*) (bishop's) throne; (episcopal) chair: **la c. di S. Pietro**, St Peter's chair (*o* See) ● (*fig.*) **montare in c.**, to get on one's high horse; to start pontificating □ (*fig.*) **tener c.**, to hold forth.

cattedràle a. e f. cathedral: **chiesa c.**, cathedral church; **la c. di Salisbury**, Salisbury Cathedral; **la c. di S. Pietro**, St Peter's (Cathedral) ● (*fig.*) **una c. della cultura**, a seat of learning □ (*fig.*) **c. nel deserto**, large useless plant or building; abandoned installation.

cattedràtico **A** a. **1** professorial; of (*o* pertaining to) a university chair; university (attr.): **corso c.**, university course; **lezione cattedratica**, (university) lecture **2** (*pedantesco*) pedantic; magisterial **B** m. (f. **-a**) university professor; academic.

cattivàre e deriv. → **accattivare**, e deriv.

cattivèllo **A** a. naughty **B** m. (f. **-a**) little rascal; naughty boy (f. girl).

cattivèria f. **1** (*malvagità*) wickedness, viciousness; (*malevolenza*) malice, meanness, nastiness; (*dispetto*) spite; (*di bambino bizzoso*) naughtiness; **la c. dell'uomo**, man's wickedness; *Parlò con c.*, he spoke with malevolence; *L'ha fatto per pura c.*, she did it out of sheer malice (*o* of sheer spite) **2** (*azione cattiva*) wicked action, unkindness; (*parole cattive*) spiteful words (pl.), nasty (*o* mean) remark: **dire una c.**, to say something unkind; to make a nasty remark; **fare una c. a q.**, to be nasty to sb.; *È una vera c. da parte sua!*, it's really mean of him!

cattività f. (*lett.*) captivity; imprisonment: **la c. babilonese**, the Babylonian captivity; **lunghi mesi di c.**, long months of imprisonment; **un animale nato in c.**, an animal born in captivity.

◆**cattìvo** **A** a. **1** bad; (*malevolo*) mean; nasty; malicious, spiteful; (*non gentile*) unkind; (*malvagio*) wicked, evil, vicious; (*di bambino*) naughty: **cattiva azione**, bad action; misdeed; (*torto*) wrong; **un cane c.**, a vicious dog; **la cattiva matrigna**, the wicked stepmother; **parole cattive**, nasty remarks; **pensieri cattivi**, evil thoughts; **c. soggetto**, bad fellow; bad lot (*fam.*) **2** (*brutto, sgradevole, spiacevole*) bad; nasty; (*disgustoso*) foul; (*di cibo: guasto*) off: **alito c.**, bad breath; **cattive maniere**, bad manners; **cattive notizie**, bad news; **cattiva reputazione**, bad name; **cattiva scelta**, bad choice; **sapore c.**, nasty taste; **tempo c.**, bad weather; *C'è c. odore qui*, there's a foul smell here; *Questa medicina è proprio cattiva*, this medicine is really nasty; *Questo pesce è c.: non lo mangiare!*, this fish is bad (*o* off), don't eat it! **3** (*infausto*) bad; ill; unlucky: **c. augurio**, ill (*o* bad) omen; **cattiva sorte**, bad luck; **nato sotto cattiva stella**, born under an unlucky star **4** (*scadente, insoddisfacente*) bad; poor; (*inetto*) incompetent: **cattive condizioni**, poor condition (sing.); **cattiva digestione**, poor digestion; **un c. insegnante**, a poor teacher; **cattiva memoria**, bad memory; **un c. soldato**, a bad soldier; **vista cattiva**, poor eyesight; *Non è una cattiva idea*, it's not a bad idea; **parlare un c. tedesco**, to speak bad German **5** (*amaro, pungente*) bitter; harsh ● **aria cattiva**, unhealthy air; (*di luogo chiuso*) stuffiness □ **C'è c. sangue fra noi**, there is bad blood between us □ **con le buone o con le cattive**, by fair means or foul □ **provare con le cattive**, to try heavy tactics □ **Sono un c. giudice in fatto di balletto**, I'm a poor judge of ballet □ **dare cattiva prova di sé**, to give a bad account of oneself; to perform badly; to put on a bad show □ **essere di c.**

umore, to be in a bad mood □ **farsi c. sangue per qc.**, (*preoccuparsi*) to worry over st.; (*arrabbiarsi*) to get angry about st. □ **in c. stato**, in disrepair; in poor condition □ **La questione ha un lato buono e uno c.**, there is a good side to the matter and a bad one □ **mare c.**, rough sea **B** m. **1** (f. *-a*) bad person; wicked person; (al pl., collett.) (the) wicked; (*in un romanzo, ecc.*) villain, baddie, bad guy (*USA*): *I cattivi saranno puniti*, the wicked will be punished; (*di bambino*) **fare il c.**, to be naughty **2** (*il male*) (the) bad: **prendere il buono e il c.**, to take the bad with the good **3** (*parte cattiva*) bad (part).

cattlèya f. (*bot.*) cattleya.

cattolicésimo m. (Roman) Catholicism.

cattolicità f. **1** catholicity **2** (*i cattolici*) (the) Catholics (pl.).

cattolicizzàre v. t. to catholicize.

◆**cattòlico** a. e m. (f. *-a*) (Roman) Catholic.

cattùra f. **1** capture; seizure; (*arresto*) arrest: **mandato di c.**, warrant of arrest; **sfuggire alla c.**, to evade capture **2** (*geogr.*) - **c. fluviale**, river capture **3** (*fis.*) capture.

◆**catturàre** v. t. **1** to catch*; to take*; to seize; to capture; (*arrestare*) to arrest, to apprehend (*form.*); (*far prigioniero*) to take* prisoner: **c. un animale**, to catch an animal; **c. l'attenzione di q.**, to catch (o to capture) sb.'s attention; **c. un omicida**, to take (o to seize) a murderer **2** (*sequestrare*) to seize; to sequester **3** (*geogr.*) to capture **4** (*fis.*) to capture.

Catùllo m. (*stor. letter.*) Catullus.

caucàsico a. e m. (f. *-a*) Caucasian.

Càucaso m. (*geogr.*) Caucasus.

caucciù m. caoutchouc; natural rubber.

caudàle a. (*zool.*) caudal: **pinna c.**, caudal fin.

caudatàrio m. **1** (*eccles.*) train bearer **2** (*fig. spreg.*) hanger-on.

caudàto a. **1** (*zool.*) caudate; tailed **2** (*poesia*) – **sonetto c.**, tailed sonnet.

càule m. (*bot.*) stem; stalk; caulis*.

◆**càusa** f. **1** cause: **c. ed effetto**, cause and effect; **la C. prima**, the First Cause; **le cause della guerra**, the causes of war; *Fu la c. della mia rovina*, he was the cause of my ruin; **morte per cause naturali**, death through natural causes **2** (*motivo*) motive; reason; ground; grounds: **c. di divorzio**, grounds for divorce; **c. di fondo**, underlying cause; root cause; core reason; **dare c.**, to give cause; **senza una giusta c.**, without good cause **3** (*ideale*) cause: **operare per una buona c.**, to work for a good cause; **abbracciare** (*o* **sposare**) **la c. della libertà**, to embrace the cause of liberty **4** (*leg.*) suit, lawsuit; action; case: **c. civile**, civil suit; **una c. di divorzio**, a divorce case; **c. penale**, criminal case; *La c. fu giudicata dal giudice X*, the case was tried by Judge X; **abbandonare una c.**, to drop a case; **discutere una c.**, to argue a case; **fare c. a q.**, to sue sb.; to take legal action against sb.; **intentare c. a q.**, to bring a suit against sb.; **perdere** [**vincere**] **una c.**, to lose [to win] a case; **perorare una c.**, to plead a case; **le parti in c.**, the parties ● **c. di forza maggiore**, force majeure (*franc.*) □ (*fig.*) **una c. persa**, a lost cause □ **a c. di**, because of; owing to; on account of; as a result of: *A c. di una bronchite, persi l'occasione*, I missed the opportunity because of bronchitis; *A c. dello sciopero, ci sarano ritardi*, owing to the strike there will be delays □ (*leg.*) **avente c.**, assignee □ **chiamare in c. q.**, to involve sb. into st.; to draw sb. into st. □ **con cognizione di c.**, with authority; with a full knowledge of the facts; from experience □ (*leg.*) **dante c.**, assignor □ **fare c. comune**, to join forces; to band together □ **non essere in c.**, not to be in doubt (o in question):

La sua onestà non è in c., his honesty is not in doubt □ **essere parte in c.**, (*leg.*) to be a litigant; (*fig.*) to be involved (in the matter) □ **licenziamento per c. giusta** [**senza giusta c.**], fair [unfair, wrongful] dismissal □ **per c. tua**, because of you; (*per colpa tua*) through your fault □ (*prov.*) **Chi è c. del suo mal pianga sé stesso**, you've made your bed and you must lie on (o in) it.

causàle **A** a. **1** causal; causative: **rapporto** (*o* **nesso**) **c.**, causal relationship **2** (*gramm.*) causal: (*gramm.*) **congiunzione c.**, causal conjunction **B** f. **1** motive; reason; ground, grounds; cause **2** (*banca, rag.*) description: **c. di versamento**, description of payment **3** (*leg.*) consideration **4** (*gramm.*) causal proposition.

causalgia f. (*med.*) causalgia.

causalità f. (*filos.*) causality.

◆**causàre** v. t. to cause; to be the cause of; to bring* about; to produce; to give* rise to; to engender: **c. danni**, to cause damages; **c. dolore**, to give pain; **c. malcontento**, to give rise to discontent; **c. una trasformazione**, to bring about a change; *Il ritardo fu causato dallo sciopero*, the delay was due to the strike.

causativo a. (*ling.*) causative.

causìdico m. (*spreg.*) pettifogger.

càustica f. (*fis.*) caustic (surface, curve).

causticazione f. (*med.*) cauterization.

causticità f. (*chim. e fig.*) causticity.

càustico a. **1** (*chim.*) caustic **2** (*fig.*) caustic; biting; cutting.

causticàre v. t. (*chim.*) to causticize.

caustificàre v. t. (*chim.*) to causticize.

caustificazione f. (*chim.*) causticization.

cautèla f. (*prudenza*) caution, circumspection, prudence; (*precauzione*) precaution, care: **procedere con c.**, to proceed with caution; **con la dovuta c.**, with due caution; **non usare nessuna c.**, to use no precautions; **maneggiare con c.**, to handle with care.

cautelàre① a. precautionary; protective; preventive: **custodia c.** → **custodia**; **provvedimento c.**, precautionary measure.

cautelàre② **A** v. t. to protect; to safeguard; to insure the safety of **B** **cautelàrsi** v. rifl. to take* precautions (against); to cover oneself (against).

cautelativo a. precautionary; protective; preventive.

cautèrio m. (*med.*) cautery.

cauterizzàre v. t. (*med.*) to cauterize.

cauterizzazione f. (*med.*) cauterization.

càuto a. (*prudente*) cautious; prudent; (*circospetto*) circumspect, wary: **c. ottimismo**, cautious optimism; **andare c.**, to be prudent; to act with caution; to proceed warily.

cauzionàle a. (*leg.*) caution (attr.): **deposito c.**, caution money; security.

cauzionàre v. t. to guarantee.

cauzione f. (*leg.*) caution money; security; (*deposito*) deposit; (*per ottenere la libertà provvisoria*) bail: **depositare una c.**, to give security; to put down a deposit; **rilasciare dietro c.**, to release on bail.

càva f. **1** (*ind. min.*) quarry; pit: **c. di marmo** [**di ardesia, di pietra**], marble [slate, stone] quarry; **c. di gesso**, chalk pit; **c. di sabbia**, sandpit **2** (*elettr.*) slot **3** (*mortasa*) mortise **❶** FALSI AMICI • *cava non si traduce con* cave.

cavadènti m. inv. **1** (*stor.*) tooth drawer **2** (*spreg.*) quack dentist.

cavafàngo m. inv. (*mecc.*) dredge.

◆**cavalcàre** **A** v. i. to ride*: **c. a pelo** (*o* a **bisdosso**), to ride bareback; **c. all'amazzone**, to ride side-saddle; *Sai c.?*, can you ride?; **imparare a c.**, to learn to ride; *Mi*

piace molto c., I love riding **B** v. t. **1** to ride*: **c. un mulo**, to ride a mule; (*fig.*) **c. la tigre**, to ride the tiger **2** (*fig.*) to ride*; to ride* the wave of: **c. il malcontento popolare**, to ride the wave of popular discontent **3** (*stare a cavalcioni*) to straddle; to sit* astride; to bestride* **4** (*di ponte, ecc.*) to span.

cavalcàta f. **1** ride: **fare una c.**, to go for a ride **2** (*comitiva a cavallo*) riding party **3** (*corteo a cavallo*) cavalcade.

cavalcatóre m. (f. *-trìce*) rider; horseman* (f. horsewoman*).

cavalcatùra f. mount.

cavalcavìa m. inv. **1** (*su una strada*) flyover (*GB*); overpass (*USA*) **2** (*ferr.*) railway bridge **3** (*fra edifici*) bridge; covered passageway.

cavalcióni avv. – **a c.** (**di**), astride: *Sedeva a c. del muro*, he sat astride the wall; **mettersi a c. di**, to straddle; **portare q. a c. sulle spalle**, to carry sb. piggy-back.

cavalieràto m. knighthood.

◆**cavalière** m. **1** (*chi va a cavallo*) rider; (*cavallerizzo*) horseman*: *Cavallo e c. apparvero sul ciglio del colle*, horse and rider appeared on the brow of the hill; *È un ottimo c.*, he is an excellent horseman **2** (*stor. medievale*) knight: **c. errante**, knight errant; **i Cavalieri della Tavola Rotonda**, the Knights of the Round Table **3** (*mil.*) cavalryman*; mounted soldier; trooper **4** (*grado di ordine cavalleresco*) knight: **i Cavalieri di Malta**, the Knights of Malta; **creare** (*o* **fare**) **c. q.**, to knight sb.; to confer a knighthood on sb. **5** (*accompagnatore di una donna*) partner; escort; (*nel ballo*) (dance) partner: *Ci andai senza c.*, I went unescorted; *Il mio c. non sapeva ballare*, my partner couldn't dance; **le dame e i cavalieri**, the ladies and the gentlemen **6** (*uomo galante*) gentleman*; gallant man*: **essere c.**, to be a gentleman **7** (*stor. romana*) member of the equestrian order **8** (*nelle fortificazioni*) cavalier ● (*zool.*) **c. d'Italia** (*Himantopus himantopus*), stilt (bird); stilt plover □ (*iron.*) **c. senza macchia e senza paura**, knight in shining armour □ **c. servente**, (*stor.*) (lady's) escort; (*iron.*) devoted slave: **fare da c. servente a q.**, to dance attendance on sb.; (*servire in tutto*) to wait on sb. hand and foot □ (*stor. inglese*) **puritani e cavalieri**, Roundheads and Cavaliers.

cavalierino m. **1** (*di bilancia*) rider **2** (*di schedario*) card-index tab.

cavàlla f. mare.

cavallàio m. **1** (*commerciante*) horse dealer **2** → **cavallante**.

cavallànte m. stable man*; groom.

cavalleggèro m. (*mil.*) light cavalryman*; trooper: **i cavalleggeri del Re**, the King's Light Horse (collett.).

cavalleresco a. **1** (*stor. medievale*) knightly; chivalric; chivalrous; of chivalry: **romanzo c.**, romance **2** (*di, da cavaliere*) knightly; of knighthood: **un ordine c.**, an order of knighthood **3** (*fig.: nobile, generoso*) chivalrous; (*cortese*) courteous, gallant, gentlemanly: **comportamento c.**, chivalrous behaviour.

cavalleria f. **1** (*mil.*) cavalry: **c. leggera**, light cavalry; light horse **2** (*stor. medievale*) chivalry **3** (*galanteria*) chivalry; gallantry **4** (*lealtà*) generosity; fair play.

cavallerizza① f. (*maneggio*) riding school.

cavallerizza② f. **1** (*amazzone*) rider; horsewoman* **2** (*di circo*) circus rider; equestrienne ● **alla c.**, riding (attr.): **stivali alla c.**, riding boots.

cavallerizzo m. **1** rider; horseman* **2** (*maestro di equit.*) riding master **3** (*di circo*) circus rider.

cavallétta f. **1** (*zool.*) grasshopper; locust **2** (*fig.*: *persona avida*) greedy person **3** (*fig.*: *persona fastidiosa*) pest.

cavallétto m. **1** horse; trestle: **tavolo a c.**, trestle table **2** (*mecc.*) stand **3** (*di pittore, di lavagna*) easel **4** (*treppiede*) tripod **5** (*edil.*: *capra*) trestle; (*di gru*) gantry **6** (*per segare*) sawhorse; sawbuck (*USA*) **7** (*stor.*: *strumento di tortura*) rack.

cavallìna f. **1** filly; young mare **2** (*attrezzo ginnico*) vaulting horse **3** (*gioco infant.*) leapfrog ● (*fig.*) **correre la c.**, to sow one's wild oats.

cavallìno ① a. horsy; horse (attr.): **faccia cavallina**, horsy face; **risata cavallina**, horse laugh.

cavallìno ② m. **1** (*puledro*) foal; colt; young horse **2** (*cavallo di razza nana*) pony **3** (*pelle*) pony **4** (*naut.*) sheer **5** (*mecc.*) donkey pump.

cavàllo m. **1** horse; (*di razza nana*) pony: **c. arabo**, Arab; **c. baio**, bay (horse); **c. da battaglia**, warhorse; charger; **c. da caccia**, hunter; **c. da corsa**, racehorse; **c. da lavoro**, workhorse; **c. da monta**, stud horse; **c. da posta**, post horse; **c. da sella**, saddle horse; **c. da soma**, pack horse; **c. da tiro**, draught horse; cart horse; **c. di razza**, thoroughbred; **c. selvaggio**, wild horse; bronco (*USA*); **c. morello**, black horse; **c. sauro**, sorrel; **a c.**, on horseback; mounted (agg.); *Arrivarono a c.*, they arrived on horseback; **polizia a c.**, mounted police; **guardie a c.**, horse guard; **a c. di un mulo**, riding a mule; **andare a c.**, to ride; to ride a horse; to go riding; *Ieri siamo andati a c.*, we went riding yesterday; **cadere da c.**, to fall from (o off) a horse; **montare a c.**, to mount (a horse); **scendere da c.**, to dismount; to get off a horse; **corsa di cavalli**, horse race; **gita a c.**, horse ride **2** (al pl.) (*cavalieri*) cavalry ⓤ; horse (collett., col verbo al pl.): **mille fanti e cinquecento cavalli**, a thousand foot and five hundred horse **3** (*scacchi*) knight **4** (*dei calzoni*) crotch **5** (*attrezzo ginnico*) horse: **c. con maniglie**, pommel horse; side horse; **c. per volteggio**, long horse; **volteggi sul c.** (*specialità*), long horse vault **6** (*alla roulette*) cheval ● **c. a dondolo**, rocking horse □ (*fig.*) **c. di battaglia**, forte; strong point; strong suit; (*argomento favorito*) pet subject; (*teatr.*) pièce de resistence (*franc.*), big number □ (*giorn.*) **c. di ritorno**, old story □ **c. di Troia**, Wooden Horse; (*anche fig.*) Trojan Horse □ (*mecc.*) **c. vapore**, horsepower (abbr. hp): **un motore di 65 cavalli vapore**, a 65 horse-power (o hp) engine □ (*mil.*) **A c.!**, to horse! □ (*fig.*) **essere a c.**, to be in business; to be home and dry (*GB*); to be home free (*USA*) □ **essere a c. di due secoli**, to straddle two centuries □ **a c. tra le due e le tre**, between two and three □ (*fig.*) **andare col c. di S. Francesco**, to ride Shank's mare (o pony) □ **Campa a c.!**, that'll be the day!; dream on! □ **carrozza a cavalli**, horse-drawn carriage □ **coda di c.** (*acconciatura*), ponytail □ **dose da c.**, strong dose; enough to kill a horse □ **febbre da cavallo**, very high fever □ (*anche fig.*) **puntare sul c. perdente**, to back the wrong horse □ (*anche fig.*) **puntare sul cavallo vincente**, to pick a winner □ **sedere** (o **stare**) **a c. di qc.**, to sit astride st.; to straddle st. □ (*prov.*) **A caval donato non si guarda in bocca**, don't look a gift horse in the mouth □ (*prov.*) **L'occhio del padrone ingrassa il c.**, the master's eye maketh the horse fat.

cavallóna f. (*spreg.*) big, awkward girl [woman*]; hoyden.

cavallóne m. **1** big horse **2** (*maroso*) billow; roller; (*frangente*) breaker **3** (*fig.*) clumsy person; bull in a china shop (*fam.*).

cavallòtto m. (*tecn.*) U-bolt.

cavallùccio m. **1** small horse **2** (*cavallo di razza nana*) pony **3** (*giocattolo o in una giostra*) hobbyhorse ● (*zool.*) **c. marino** (*Hippocampus*), sea horse □ **a c. di q.**, on sb.'s shoulders; piggyback □ **portare q. a c.**, to carry sb. piggy-back; to give sb. a piggy-back ride.

cavapiètre m. inv. quarryman*.

cavàre Ⓐ v. t. **1** (*tirare fuori*) to take* out; to draw* out; to pull out; to get* out; to extract: **c. un dente**, to draw a tooth; **farsi c. un dente**, to have a tooth out; **c. gli occhi a q.**, to gouge sb.'s eyes; **c. sangue**, to draw blood; **c. di tasca qc.**, to take (o to pull) st. from one's pocket; *Non riesco a cavarmi dalla testa quel motivo*, I can't get that tune out of my head **2** (*togliersi di dosso*) to take* off; to remove: **cavarsi il cappello**, to take off one's hat **3** (*ottenere*) to get*: *Non le cavai una parola di bocca*, I couldn't get a word out of her **4** (*ind. min.*) to quarry: **c. pietre**, to quarry stone ● **cavarsi di torno q.**, to get rid of sb. □ (*fig.*) **cavarsi gli occhi**, (*affaticarli*) to strain one's eyes, to ruin one's sight; (*litigare furiosamente*) to fight, to be at each other's throats □ **cavarsi la voglia di fare qc.**, to give oneself the satisfaction of doing st. □ **cavarsi una voglia**, to satisfy one's wish □ **cavarsela**, (*arrangiarsi*) to cope; (*non essere punito*) to get off; (*in un esame*) to get through; (*sopravvivere*) to come out (of st.) alive; (*di malato*) to pull through: *In inglese me la cavo*, I can get by in English; **cavarsela da solo**, to manage on one's own; to fend for oneself; to stand on one's two feet; *All'esame se l'è cavata di stretta misura*, she scraped through the exam; **cavarsela alla meno peggio**, to muddle through; *Se la cavò con una condanna a sei mesi*, he got off with a six-month sentence; *Ce la siamo cavata per un pelo*, we got through by the skin of our teeth; it was a close thing (o shave) Ⓑ **cavàrsi** v. rifl. to get* out (of): **cavarsi d'impaccio**, to get out of trouble.

cavastìvali m. inv. bootjack.

cavàta f. **1** extraction **2** (*mus.*) touch.

cavatàppi m. inv. corkscrew.

cavatìna f. (*mus.*) cavatina; air.

cavatóre m. quarryman*; quarrier.

cavatrìce f. (*mecc.*) slotting (o mortising) machine; mortiser.

cavatùberi m. inv. potato harvester.

cavaturàccioli m. inv. corkscrew.

cavazióne f. (*scherma*) disengagement.

càvea f. (*archeol.*) cavea*.

caveau (*franc.*) m. inv. (*banca*) vault.

cavédano m. (*zool.*, *Leuciscus cephalus*) chub*.

cavèdio m. **1** (*archit.*) skylight well **2** (*archeol.*) cavaedium*; atrium*.

cavèrna f. **1** cave; cavern: **uomo [donna] delle caverne**, caveman [cavewoman]; cave dweller **2** (*grotta artificiale*) dugout **3** (*med.*) cavity.

cavernìcolo Ⓐ m. (f. **-a**) cave dweller; (*anche fig.*) caveman* (f. cavewoman*) Ⓑ a. cave (attr.); cave-dwelling (attr.).

cavernóso a. **1** cavernous **2** (*di voce*) hollow; deep ● (*anat.*) **corpo c.**, corpus cavernosum (*lat.*).

cavetterìa f. wiring.

cavétto ① m. (*elettr.*, *telef.*) twin wire.

cavétto ② m. (*archit.*) cavetto*.

cavézza f. halter: **mettere la c. a un cavallo**, to halter a horse ● (*fig.*) **prendere q. per la c.**, to force sb. (to do st.).

càvia Ⓐ f. (*zool.*, *Cavia cobaya*) guinea pig (*anche fig.*); cavy: **fare da c.**, to be a guinea pig Ⓑ a. inv. experimental.

caviàle m. caviar.

cavìcchia f. **1** (*chiavarda*) (screw) bolt **2** large wooden pin; large peg.

cavìcchio m. **1** (*mecc.*) wooden pin; peg **2** (*piolo di scala*) rung **3** (*mus.*) peg **4** (*agric.*) dibble; dibber.

cavicòrno a. (*zool.*) cavicorn; hollow-horned.

cavìglia f. **1** (*anat.*) ankle: **c. slogata**, sprained ankle **2** (*naut.*) belaying pin; (*di legno*) treenail; (*per impiombare*) marlinspike, fid **3** (*ferr.*) screw spike; sleeper screw **4** (*edil.*) wooden peg **5** (*ind. tess.*) spindle.

caviglièra f. **1** (*fascia elastica*) ankle band **2** (*naut.*) belaying pin rack.

caviglière m. (*mus.*) head; peg box.

cavillaménto m. → **cavillatura**.

cavillàre v. i. **1** to quibble; to cavil; to split* hairs (*fam.*) **2** (*di ceramica*) to crackle; to craze.

cavillatóre m. (f. **-trìce**) quibbler; captious person.

cavillatùra f. (*di ceramica*) crackle; craquelure (*franc.*).

cavìllo m. **1** quibble; cavil; pettifogging detail: **c. legale**, legal quibble; **cercare cavilli**, to quibble; to cavil **2** → **cavillatura**.

cavillosità f. captiousness; hair-splitting; pedantry.

cavillóso a. quibbling; captious; hair-splitting.

cavità f. hollow; (*anche anat.*) cavity.

cavitàrio a. (*med.*) cavitary.

cavitazióne f. (*naut.*, *mecc.*) cavitation.

càvo ① Ⓐ a. hollow; hollowed: **tronco c.**, hollow trunk ● (*mil.*) **carica cava**, shaped charge □ (*anat.*) **vena cava**, vena cava Ⓑ m. (*cavità*) hollow; cavity: **il c. della mano**, the hollow of one's hand; (*anat.*) **c. orale**, oral cavity; **il c. dell'onda**, the trough of the wave.

càvo ② m. **1** (*fune*) rope; cable; (*naut.*, *anche*) line, hawser: **c. di traino**, tow rope; towline; (*aeron.*) **c. guida**, trail rope; **c. di ormeggio**, mooring line; hawser; **c. metallico**, wire rope; **c. piano**, hawser-laid (o plain-laid) rope; cable **2** (*elettr.*, *tel.*) cable; line: **c. armato**, armoured cable; **c. di discesa** (*di antenna*), antenna downlead; **c. coassiale**, coaxial cable; **c. elettrico**, power line; **c. parallelo** [**seriale**], parallel [serial] cable; **c. sottomarino**, underwater cable; **c. telefonico**, telephone cable; **via c.**, cable (attr.); **televisione via c.**, cable television.

cavobuòno m. (*naut.*) top-rope.

cavolàia f. **1** (*luogo piantato a cavoli*) cabbage patch **2** (*zool.*, *Pieris brassicae*) garden white; cabbage butterfly.

cavolàta f. (*fam.*) **1** (*cosa o frase sciocca*) silly (o foolish) thing; dumb thing (*fam.*); rubbish ⓤ; trash ⓤ: *Hai detto una c.*, that was a silly (o dumb) thing to say; *Non dire cavolate!*, dont' talk rubbish! **2** (*azione sciocca*) dumb thing (*fam.*); (*errore*) silly mistake, blunder, boob (*fam. GB*), boo-boo (*fam. USA*), goof (*fam. USA*): **fare una c.**, to do something silly; to make a silly mistake; to boob it; to goof it **3** (*cosa molto facile*) child's play, doddle, cinch; (*oggetto da nulla*) trifle.

cavolfióre m. (*bot.*, *Brassica oleracea botrytis*) cauliflower ● (*fig.*) **orecchio a c.**, cauliflower ear.

cavolìno m. – (*alim.*) **c. di Bruxelles**, Brussels sprout.

càvolo Ⓐ m. **1** (*bot.*, *Brassica oleracea*) cabbage **2** (*bot.*) – **c. cappuccio** (*Brassica oleracea capitata*), (head) cabbage; **c. di Bruxelles** (*Brassica oleracea gemmifera*), Brussels sprout; **c. marino** (*Crambe maritima*), sea kale; **c. rapa** (*Brassica oleracea gongylodes*), turnip cabbage; kohlrabi; **c. verde** (*Brassica oleracea acephala*), kale, kail; **c. verzotto** (o **verza**) (*Brassica oleracea sabauda*), savoy **3** (*pop.*, *eufem.*: *niente*) not a thing; not a

damn: *Non me ne importa un c.*, I don't give a damn; *Non capisce un c.*, he doesn't understand a thing ● (*pop.*) **cavoli amari**, big trouble; tough luck; tough titty (*slang USA*) □ (*pop.*) **Cavoli miei!**, it's none of your business! □ (*pop.*) **Cavoli tuoi!**, that's your problem!; tough luck (*slang*) □ (*fig.*) **cavoli riscaldati**, rehash □ (*fig.*) **andare a ingrassare i cavoli**, to go to feed the worms □ (*pop.*) **Che c. vuoi?**, what the hell do you want? □ (*pop.*) **col c.!**, like hell!; my foot! (*slang*) □ (*pop.*) **Col c. che ci vado!**, I'll be damned if I go! □ (*pop.*) **del c.**, stupid; lousy: **un film del c.**, a lousy film □ **entrarci come i cavoli a merenda**, to be totally beside the point □ (*pop.*) **farsi i cavoli propri**, to mind one's own business □ (*pop.*) **Grazie al c.!**, thanks for nothing! □ (*pop.*) **Dov'è quel c. di...?**, where's the blasted...? □ (*pop.*) **testa di c.**, clot; klutz **B** inter. (*pop.*) **1** (*sì, certo!*) you bet!; sure! **2** (*escl. di ira*) damn! **3** (*escl. di sorpresa*) crickey!; gee!

càzza f. **1** (*fonderia*) melting-pot; crucible **2** (*mestolo metallico*) ladle.

cazzàme m. (*naut.*) foot (of a sail).

cazzàre v. t. (*naut.*) to haul aft.

cazzàta f. (*volg.*) **1** (*cosa o frase stupida*) shit (*volg.*); crap ⓤ (*volg.*); bullshit ⓤ (*volg. USA*); bull ⓤ (*volg. USA*); crock of shit (*volg. USA*); **dare cazzate**, to talk crap (o bull); **un mucchio di cazzate**, a load of crap (*o* of bullshit); *Che c. di film!*, what a crappy film! **2** (*azione sciocca*) dumb-ass thing; (*errore*) cock-up (*slang GB*); balls-up (*volg. GB*), fuck-up (*volg.*): *Ho fatto una c.!*, that was bloody stupid of me! (*GB*); I really cocked it (*o* fucked it) up!; *Non fare cazzate, mi raccomando!*, don't cock (o fuck) things up! **3** (*cosa facile*) doddle (*fam. GB*); cinch (*fam.*); pushover (*fam.*).

cazzeggiàre v. i. (*volg.*) **1** (*fare cose sciocche*) to piss about; to fuck around **2** (*dire cose sciocche*) to bullshit; to shoot* the crap.

cazzéggio m. (*volg.*) **1** (*attività*) pissing about ⓤ; fucking around ⓤ **2** (*discorso*) bullshitting ⓤ.

cazziàta f., **cazziatóne** m. (*region.*) bollocking (*volg. GB*); ass-chewing (*volg. USA*): **fare una c. a q.**, to bollock sb. (*volg. GB*); to chew sb. out (*USA*); to chew sb.'s ass (*volg. USA*); to ream sb. out (*volg. USA*).

càzzo (*volg.*) **A** m. **1** cock; prick; dick; pecker (*USA*) **2** (*niente*) not a bloody thing (*GB*); bugger-all; fuck-all: **non fare un c. tutto il giorno**, to fuck around all day; *Non sa un c.*, he doesn't know shit; he knows fuck-all; *Non m'importa un c. di lui*, I don't give a shit about him **B** inter. **1** (*escl. d'ira*) shit!; fuck (it)!; bugger (it)! (*GB*); bloody hell! (*GB*) **2** (*escl. di sorpresa, ammirazione*) (holy) shit!; holy fuck! **3** (*escl. affermativa*) you bet your ass! ● **cazzi amari**, tough shit □ **Cazzi miei!**, it's none of your fucking business! □ **Cazzi tuoi!**, tough shit!; that's your fucking problem! □ **Che c. vuoi?**, what the fuck do you want? □ **Col c. che ci vado**, like fuck I'm going! □ **del c.**, shitty; bloody (*GB*); fucking □ (*fig.*) **testa di c.**, shithead; dickhead.

cazzóne m. (*volg.*) dickhead; prick; asshole (*USA*).

cazzottàre (*pop.*) **A** v. t. to punch; to beat* up **B cazzottàrsi** v. rifl. recipr. to fight*; to have a punch-up (*GB*); to have a punch-out (*USA*).

cazzottàta, **cazzottatùra** f. (*pop.*) punch-up (*GB*); punch-out (*USA*).

cazzòtto m. (*pop.*) punch; sock (*slang*): *Gli mollai un c. sul mento*, I socked him one on the chin; **prendere a cazzotti q.**, to punch sb. up; **fare a cazzotti con q.**, to have a punch-up (*USA* punch-out) with sb.

cazzuòla f. (*edil.*) trowel.

cazzùto a. (*volg.*) **1** (*furbo*) smart; crafty;

---

fly **2** (*grintoso*) tough **3** (*difficile*) hard; tough; tricky.

CB abbr. (**Campobasso**).

CC abbr. **1** (**carabinieri**) 'Carabinieri' Corps **2** (**Corpo consolare**) Consular Corps.

C.C. abbr. **1** (**carabinieri**) 'Carabinieri' Corps **2** (*leg.*, **codice civile**) civil code **3** (**commissione centrale**) central commission **4** (*leg.*, **Corte costituzionale**) Constitutional Court **5** (*leg.*, **Corte dei conti**) State Auditors Department **6** (*leg.*, **Corte di cassazione**) Court of Cassation; Supreme Court.

c.c. sigla **1** (*leg.*, **codice civile**) Civil Code **2** (*leg.*, **codice di commercio**) Commercial Code **3** (*o C/c, c/c*) (**conto corrente**) current account (*GB*); checking account (*USA*) **4** (*fis.*, **corrente continua**) direct current (DC).

CCD sigla (*polit.*, **Centro Cristiano Democratico**) Christian Democrats of the Centre.

CCI sigla (**Camera di commercio internazionale**) International Chamber of Commerce (ICC).

CCIAA sigla (**Camera di commercio, industria, artigianato e agricoltura**) Chamber of Commerce, Industry, Crafts and Agriculture.

CCISS sigla (**Centro di coordinamento informazioni sulla sicurezza stradale**) National Road Safety Co-ordination Centre.

CCNL sigla (**Contratto collettivo nazionale di lavoro**) national collective (bargaining) agreement.

CCT sigla (**Certificato di credito del Tesoro**) Treasury Certificate.

CD①, **cd** m. inv. CD: **lettore CD**, (*di CD audio*) CD player; (*di computer*) CD drive.

CD② sigla **1** (**Commissione disciplinare**) Disciplinary Commission **2** (**Corpo diplomatico**) Diplomatic Corps.

c.d. abbr. (**cosiddetto**) so-called.

C.d'A., **CdA** sigla **1** (**Consiglio d'amministrazione**) board of directors **2** (**Consiglio d'azienda**) workers council **3** (*mil.*, **Corpo d'armata**) Army Corps **4** (*leg.*, **Corte d'appello**) Court of Appeals **5** (*leg.*, **Corte d'assise**) Court of Assizes.

c.d.d. sigla (**come dovevasi dimostrare**) which was to be demonstrated (QED).

C.d.F. sigla (**Consiglio di fabbrica**) works council; factory board.

C.d.G. sigla (**Compagnia di Gesù**) Society of Jesus (SJ).

C.d'I. sigla (*scuola*, **Consiglio d'istituto**) school board (*in a secondary school*).

C.d.L. sigla **1** (**Camera del lavoro**) trade-union regional branch **2** (*polit.*, **Casa delle Libertà**) House of Liberties; Home of Freedom **3** (*università*, **corso di laurea**) university programme; degree program.

CDP sigla (**Cassa depositi e prestiti**) Public Development Fund.

C.d.R. sigla **1** (**cassa di risparmio**) savings bank **2** (**comitato di redazione**) editing board.

CD-Rom, **cd-rom** m. inv. CD-ROM, CD-Rom.

C.d.S. sigla **1** (**Circolo della stampa**) press club **2** (**Codice della strada**) Highway Code; rules of the road **3** (*ONU*, **Consiglio di sicurezza**) Security Council **4** (**Consiglio di Stato**) Council of State (*higher administrative law court*).

CDU sigla **1** (**classificazione decimale universale**) universal decimal classification (UDC) **2** (*polit.*, **Cristiano Democratici Uniti**) United Christian Democrats.

◆ce A pron. pers. us; to us: *Ce l'ha detto ieri*, she told us yesterday; *La lettera ce l'ha mandata venerdì*, he sent us the letter on

---

Friday **B** avv. there: *Ce n'è quanto basta*, there is enough; *Ce ne sono tre*, there are three; *Ce n'è voluto per farglielo capire!*, it took ages to get him to understand!; *Ce l'ho fatta!*, I did it!

CE abbr. **1** (**Caserta**) **2** (**comitato esecutivo**) executive committee **3** (*stor.*, **Comunità europea**) European Community (EC).

cèbo m. – (*zool.*) **c. cappuccino** (*Cebus capucinus*), capuchin monkey.

cèca f. **1** (*zool.*) elver **2** (*tecn.*) countersink; counterbore.

CECA sigla (*stor.*, **Comunità europea del carbone e dell'acciaio**) European Coal and Steel Community (ECSC).

cecàggine → **cecità**.

cecàle a. (*anat.*) caecal.

cecchino m. **1** (*mil.*) sniper **2** (*fig.*, *polit.*) member of parliament who votes against his own party (*in a secret ballot*); defector.

cèce m. **1** (*bot.*, *Cicer arietinum*) chickpea (*GB*); garbanzo (bean) (*USA*) **2** (*fig.*: *escrescenza*) wart.

Cecènia f. (*geogr.*) Chechnya.

cecèno a. e m. (f. *-a*) Chechen.

cecidio m. (*bot.*) cecidium*; gall.

cecidomìa f. (*zool.*, *Cecidomya*) gall midge; gall gnat.

cecìlia f. (*zool.*, *Coecilia*) caecilian.

Cecilia f. Cecily.

Cecilio m. Cecil.

cecità f. **1** blindness: **c. cromatica parziale**, colour blindness; daltonism; **c. da neve**, snow blindness; **c. relativa**, amblyopia **2** (*fig.*) blindness; obtuseness; folly.

cèco a. e m. (f. *-a*) Czech.

cecogràmma m. Braille letter.

Cecoslovàcchia f. (*geogr.*) Czechoslovakia.

cecoslovàcco a. e m. Czechoslovak, Czechoslovakian.

CED sigla (*comput.*, **centro elaborazione dati**) data processing centre.

cedènte m. e f. **1** (*spec. di beni*) alienor; transferor; (*spec. di diritti*) assignor; grantor; (*di beni o di diritti*) releasor **2** (*mecc.*) follower.

cedènza f. (*Borsa*) decline; downswing; downturn: **lievi cedenze alla Borsa di Milano**, a slight downswing in the Milan Stock Exchange.

◆cèdere A v. i. **1** (*arrendersi*) to surrender, to yield, to give* in, to cave in; (*rinunciare*) to give* up; (*acconsentire*) to relent, to give* in, to yield, to bow; (*lasciare spazio a*) to give* way: **c. al nemico**, to surrender to the enemy; **c. alle minacce di q.**, to yield (*o* to bend) to sb.'s threats; **c. alle preghiere di q.**, to yield to sb.'s prayers; **c. allo sconforto [a una tentazione]**, to give in to despair [to a temptation]; **c. di fronte all'evidenza**, to bow to facts; *Dobbiamo tener duro e non c.*, we must hold fast and not give up; *Il timore cedette alla speranza*, fear gave way to hope **2** (*venir meno*) to give* out; (*crollare*) to collapse, to give* way, to yield, (*di tetto e sim.*) to cave in; (*abbassarsi*) to subside, to sag; (*allentarsi*) to give*; (*deformarsi*) to buckle; (*di gamba*) to buckle: *Il suo cuore ha ceduto*, his heart gave out; *La diga ha ceduto*, the dam gave way; *Gli cedettero i nervi*, his nerves snapped; he cracked up; *Il terreno cede*, the ground is subsiding; *Il tetto potrebbe c.*, the roof might cave in; *Il pavimento ha ceduto al centro*, the floor sags; *Il ramo cedette, ma non si spezzò*, the branch gave but didn't break; *Nell'alzarmi mi cedette una gamba*, my leg buckled under me when I tried to get up **B** v. t. **1** (*dare*) to give*; to give* up, **c. il posto a q.**, to give (up) one's place (*o* seat) to sb.; **c. il turno a q.**, to give up one's turn to sb. **2** (*consegna-*

re) to give* up, to surrender, to yield; (*con trattato*) to cede: **c. una città al nemico**, to surrender a town to the enemy; *L'Italia cedette Nizza alla Francia*, Italy ceded Nice to France; **c. terreno a q.**, to yield (*o* to give) ground to sb. **3** (*trasferire*) to make* over; to hand over; (*anche leg.*) to transfer, to assign; (*vendere*) to sell*, to dispose of: **c. la direzione di un'azienda**, to hand over the management of a business; **c. i propri diritti a q.**, to make over (*o* to transfer) one's rights to sb.; **c. una proprietà**, to make over (*o* to transfer) a property; **c. un pacchetto azionario**, to sell a block of shares ● **c. le armi**, to surrender □ **la destra** (*o* **la mano) a q.**, to give sb. the right of way; (*camminando*) to step to sb.'s left □ **c. la parola a q.**, to hand over to sb. □ **c. il passo a q.**, to let sb. pass first □ **c. il passo a qc.**, to give way to st. □ **non cederla a nessuno**, to be second to none.

cedévole a. **1** that gives; yielding; (*malleabile*) malleable, pliable; (*morbido*) soft: **metallo c.**, pliable metal; **terreno c.**, soft ground; loose soil **2** (*fig.: arrendevole*) yielding; malleable; tractable; docile; amenable; accommodating.

cedevolézza f. **1** (*di materiale*) malleability; pliability; (*di terreno*) looseness **2** (*fig.: arrendevolezza*) malleability; amenability; docility.

cedìbile a. (*comm., leg.*) transferable; assignable; **non c.**, not transferable; non--transferable.

cedibilità f. (*comm., leg.*) transferability; assignability.

cedìglia f. (*ling.*) cedilla.

cediménto m. **1** (*avvallamento*) subsidence, subsiding, sag; (*crollo*) collapse; (*di tetto*) cave-in; (*di trave*) yielding: **c. del fondo stradale**, subsidence of the road surface; **il cedimento della diga**, the collapse of the dam **2** (*fig.: di prezzi*) sagging; (*guasto*) failure, breakdown; (*rinuncia, crollo*) giving in, yielding, let-up: **c. strutturale**, structural failure; **c. di nervi**, breakdown; crack-up (*fam.*); *Non mi aspettavo un c. da parte sua*, I didn't think she would give in; *Ha avuto un c. verso la fine della corsa*, he let up towards the end of the race.

ceditóre m. (f. **-trice**) transferor; assignor.

cèdola f. (*fin.*) coupon: **c. di dividendo**, dividend coupon; **c. di interessi**, interest coupon; **a c. zero**, zero-coupon (attr.); dividend off; **titolo ex cedola**, ex coupon stock; **staccare una c.**, to detach a coupon; **con c.**, cum coupon ● **c. di commissione libraria**, bookseller's order form.

cedolàre (*fin.*) **A** a. coupon (attr.) **B** f. (*anche* **imposta c.**) tax on dividends; capital gains tax.

cedràcca f. (*bot., Ceterach officinarum*) finger fern.

cedràngolo → **cetrangolo**.

cedràta f. citron-juice drink.

cedréto m. **1** citron-tree grove **2** cedar--tree wood.

cedrìna f. (*bot., Lippia citriodora*) lemon verbena.

cedrino① a. (*di cedro*) citron (attr.).

cedrino② a. (*di cedro del Libano*) cedar (attr.): **legno c.**, cedar; cedarwood.

cédro① m. (*bot., Citrus medica; frutto*) citron.

cédro② m. **1** (*bot., Cedrus*) cedar: **c. del Libano** (*Cedrus libani*), cedar of Lebanon **2** (*legno*) cedar; cedarwood.

cedróne a. – (*zool.*) **gallo c.** (*Tetrao urogallus*), capercaillie.

ceduazióne f. (*agric.*) felling.

cèduo a. (*bot.*) – **bosco c.**, copse; coppice.

CEE sigla (*stor.*, **Comunità economica europea**) European Economic Community (EEC).

CEEA sigla (**Comunità europea dell'energia atomica**) European Atomic Energy Community (EURATOM).

cefalèa f. (*med.*) headache.

cefàlico a. (*anat.*) cephalic: **indice c.**, cephalic index.

cefalina f. (*biol.*) cephalin.

cefalizzazióne f. (*zool.*) cephalization.

cèfalo m. (*zool., Mugil cephalus*) grey mullet.

cefalocordàto m. (*zool.*) cephalochordate; (al pl., *scient.*) Cephalochordata.

cefaloematòma m. (*med.*) cephalhaematoma.

cefalografia f. cephalography.

cefalòide a. cephaloid.

cefalometria f. cephalometry.

cefalòmetro m. cephalometer.

cefaloplegìa f. (*med.*) cephaloplegia.

cefalòpode m. (*zool.*) cephalopod; (al pl., *scient.*) Cephalopoda.

cefalorachidèo, cefalorachidìano a. (*anat.*) cerebrospinal: **liquido c.**, cerebrospinal fluid.

cefalosporìna f. (*farm.*) cephalosporin.

cefèide f. (*astron.*) chepheid (variable).

cèffo m. **1** (*muso*) muzzle; (*grugno*) snout **2** (*spreg.*) ugly face; sinister face; ugly mug (*fam.*) **3** (*individuo sinistro*) sinister type.

ceffóne m. slap on (*o* across) the cheek; slap in the face; box on the ear (*fam.*): **dare un c. a q.**, to slap sb. on (*o* across) his [her] cheek; to deal sb. a slap; to give sb. a thick ear (*fam.*); to box sb.'s ears (*fam.*); **prendere a ceffoni q.**, to slap sb.'s face; to slap sb. about; **prendersi un c.**, to be slapped in the face; to get a thick ear (*fam.*).

cèfo m. (*zool., Cercopitecus caphus*) moustache monkey.

cèiba f. (*bot., Ceiba casearia*) ceiba; silk-cotton tree; kapok.

celàre **A** v. t. to conceal; to hide*: **c. a q. la verità**, to hide the truth from sb.; **c. i propri sentimenti**, to hide (*o* to conceal) one's feelings **B** **celàrsi** v. rifl. **1** (*nascondersi*) to hide* (oneself); to conceal oneself **2** (*stare nascosto*) to be hidden; to lie* hidden; to hide*; to lurk: *Nelle sue parole si celava una minaccia*, there was a hidden threat in his words; *i dubbi che si celavano nella sua mente*, the doubt lurking in his mind.

celàstro m. (*bot., Celastrus scandens*) bittersweet.

celàta f. (*stor.*) sallet.

celàto a. hidden; concealed; covert; (*segreto*) secret, dark.

celebèrrimo a. world-famous; of great renown.

celebràbile a. worth celebrating.

celebrànte m. (*eccles.*) celebrant; officiant; ministrant.

◆**celebràre** v. t. **1** (*lodare*) to celebrate; to praise; to exalt; to extol **2** (*officiare*) to celebrate; to officiate: **c. la messa**, to celebrate (*o* to say) mass; **c. un matrimonio**, to officiate at a wedding **3** (*festeggiare*) to celebrate; (*commemorare*) to commemorate; (*santificare, osservare*) to observe: **c. il Natale**, to celebrate Christmas; **c. le feste**, to observe feast days (*o* the Sabbath) ● **c. un processo**, to hold a trial.

celebrativo a. celebratory; (*commemorativo*) commemorative.

celebràto → **celebre**.

celebratóre m. (f. **-trice**) celebrator.

celebrazióne f. celebration; (*commemorazione*) commemoration.

◆**cèlebre** a. celebrated; famous; distin-

---

guished; renowned; (*famigerato*) notorious: **diventare c.**, to become famous; **rendere c.**, to make famous.

celebrità f. **1** (*notorietà*) celebrity; fame; popularity; renown: **dare la c. a q.**, to make sb. famous; **raggiungere la c.**, to ride to fame; to become famous **2** (*persona celebre*) celebrity; name; celeb (*fam.*); star.

celenteràto m. (*zool.*) coelenterate; (al pl., *scient.*) Coelenterata.

cèlere **A** a. swift; quick; fast; rapid; prompt; speedy; express: **consegna c.**, express delivery; **decisione c.**, quick (*o* swift) decision; **c. intervento**, prompt intervention; **passo c.**, swift pace; **posta c.**, first--class mail **B** f. riot police.

celerino m. (*pop.*) riot policeman*; riot cop (*fam.*).

celerità f. swiftness; quickness; rapidity; celerity; promptness.

celèsta f. (*mus.*) celesta.

◆**celèste** **A** a. **1** (*del cielo*) celestial; heavenly: **corpi celesti**, celestial (*o* heavenly) bodies; **equatore c.**, celestial equator; **la volta c.**, the heavens (pl.); the sky **2** (*celestiale, divino*) heavenly; celestial: **le gerarchie celesti**, the celestial hierarchies; **grazia c.**, heavenly grace **3** (*azzurro chiaro*) sky-blue; light-blue; powder-blue ● **il C. Impero**, the Celestial Empire **B** m. **1** (*colore*) sky blue; light blue; powder blue **2** (al pl.) (*spiriti celesti*) heavenly spirits; (*dèi*) gods.

celestiàle a. celestial; heavenly.

celestina f. (*miner.*) celestite.

Celestìna f. Celestine.

celestino a. e m. pale blue.

Celestìno m. Celestine.

celétto m. (*teatr.*) border.

cèlia f. jest; joke: **per c.**, as a joke; in jest.

celiachìa f. (*med.*) coeliac disease.

celiaco a. (*anat.*) coeliac.

celiàre v. i. to joke; to jest.

celibàto m. bachelorhood; single state; celibacy: **c. ecclesiastico**, priestly celibacy; **festa di addio al c.**, stag party.

◆**cèlibe** **A** a. unmarried; single; (*anche eccles.*) celibate **B** m. bachelor; unmarried (*o* single) man*; celibate.

celidònia f. (*bot., Chelidonium majus*) celandine; swallow-wort.

celioscopìa f. (*med.*) coelioscopy; peritoneoscopy.

celioscòpio m. (*med.*) coelioscope; peritoneoscope.

celìte f. (*chim., miner.*) celite.

◆**cèlla** f. **1** (*di convento, prigione, alveare*) cell: **c. di isolamento**, isolation cell; **c. di rigore**, solitary-confinement cell; **essere messo in c. di rigore**, to be put in solitary confinement; **c. imbottita**, padded cell **2** (*dispensa*) larder; storeroom **3** (*scient.*) cell: **c. calda**, glovebox; **c. di memoria**, memory cell; **c. elettrolitica**, electrolytic cell; **c. solare**, solar cell; solar battery **4** (*archeol.*) cella*; naos* ● **c. campanaria**, belfry □ **c. frigorifera**, cold store; refrigerator.

celleràio, celleràrio m. (*in un convento*) cellarer.

cèllofan → **cellophane**.

cellofanàre v. t. to wrap in cellophane; (*ind.*) to shrink-wrap.

cellofanatrice f. (*ind.*) shrink-wrapper.

cellofanatùra f. (*ind.*) shrink-wrapping.

cèllophane (*franc.*) m. cellophane.

◆**cèllula** f. **1** (*biol., fis., polit.*) cell: **c. figlia**, sister cell; **c. fotoelettrica**, photoelectric cell; (*l'apparecchio, anche*) electric eye (*fam.*); **c. madre**, mother cell; **c. uovo**, egg-cell; ovum* **2** (*aeron.*) cell; wing cell; wing unit **3** (*meteor.*) – **c. ciclonica [anticiclonica]**, low-pressure [high-pressure] system.

cellulàre **A** a. **1** (*biol.*, *fis.*) cellular; cell (attr.): **divisione c.**, cell division; **tessuto c.**, cellular tissue **2** (*diviso in celle*) divided into cells; cellular ● **carcere c.**, prison divided into cells □ **furgone c.** → **B**, *def. 1* □ **segregazione c.**, solitary confinement □ **telefono c.** → **B**, *def. 2* **B** m. **1** (*furgone*) police van; patrol wagon (*USA*) **2** (*telefono*) cellular telephone; mobile telephone; mobile; cellphone **3** (*tessuto*) cellular material.

cellulite f. (*med.*) **1** (*infiammazione*) cellulitis **2** (*deposito di adipe*) cellulite.

cellulìtico a. (*med.*) cellulitis (attr.); cellulite (attr.).

celluloìde f. celluloid ● (*cinem.*) **il mondo della c.**, the film (*USA* motion-picture) industry.

cellulòsa f. (*biochim.*) cellulose.

cellulòsico a. (*chim.*) cellulosic; cellulose (attr.).

cellulóso a. cellular.

celòma m. (*zool.*) coelom*.

celòsia f. (*bot.*, *Celosia cristata*) celosia; cockscomb.

celòstata, **celòstato** m. (*astron.*) coelostat.

celotomìa f. (*chir.*) herniotomy.

Cèlsius a. inv. Celsius: **scala C.**, Celsius scale; **termometro C.**, Celsius thermometer; **80 gradi C.**, 80 degrees Celsius.

cèlta m. (*stor.*) Celt.

celtibèro a. Celtiberian.

cèltico a. e m. Celtic.

celtìsmo m. (*ling.*) Celticism.

celtista m. e f. Celtic scholar; Celticist.

cembalista m. e f. **1** cymbalist **2** harpsichord player **3** composer of music for the harpsichord.

cembalìstico a. harpsichord (attr.).

cémbalo m. (*mus.*) **1** (*stor.*) cymbal **2** (*clavicembalo*) harpsichord.

cèmbra f. (*archit.*) cimbia.

cèmbro m. (*bot.*, *Pinus cembra*) stone pine.

cementàre v. t. **1** to cement **2** (*metall.*) to case-harden **3** (*fig.*) to cement.

cementàrio a. cement (attr.).

cementazióne f. **1** cementation; cementing **2** (*metall.*) case-hardening.

cementière m. cement manufacturer.

cementièro A a. cement (attr.): **industria cementiera**, cement industry **B** m. cement-maker.

cementìfero a. cement-manufacturing (attr.); cement (attr.).

cementificàre v. t. to overbuild*.

cementificazióne f. overbuilding: **c. selvaggia**, uncontrolled building; uncontrolled development.

cementifìcio m. cement factory.

cementista m. cement layer.

cementìte f. (*metall.*) cementite.

cementìzio a. cement (attr.): **industria cementizia**, cement industry.

ceménto m. **1** (*edil.*) cement; (*calcestruzzo*) concrete: **c. a presa lenta** [**a presa rapida**], slow-setting [quick-setting] cement; **c. amianto**, asbestos cement; **c. armato**, reinforced concrete; ferroconcrete; **c. idraulico**, hydraulic cement; **c. naturale**, natural cement; **intonaco di c.**, cement plastering; **pavimento di c.**, concrete floor **2** (*fig.*) cement; bond **3** (*dentistica*) cement; amalgam **4** (*anat.*) cementum.

CEMM sigla (*mil.*, **Corpo equipaggi militari marittimi**) Naval Crew Corps.

CEN sigla (**Comitato europeo di normalizzazione**) European Committee for Standardization.

céna f. evening meal; supper; (*formale*) dinner: **una c. leggera**, a light supper; (*relig.*) **l'Ultima C.**, the Last Supper; *Mangio poco a c.*, I usually have a light evening meal; **andare fuori a c.**, to dine out; **dare una c.**, to give a dinner; **invitare q. a c.**, to invite sb. for dinner; **andare a letto senza c.**, to go to bed without one's supper; **all'ora di c.**, at supper-time.

cenàcolo m. **1** (*stor.*) dining room; cenacle **2** (*luogo di riunione*) meeting place; salon **3** (*gruppo artistico o letterario*) artistic [literary] coterie ● (*pitt.*) **il C. di Leonardo**, Da Vinci's Last Supper.

cenàre v. i. to have supper; (*di cena formale*) to dine, to have dinner: **c. da amici**, to dine with friends; *Sto cenando*, I'm having supper; *A che ora si cena?*, what time are we having supper?

cenciàio, **cenciaiòlo** m. rag-and-bone man* (*GB*); junkman* (*USA*).

cèncio m. **1** (piece o scrap of) cloth; (*per spolverare*) duster; (*per pavimenti*) floor-cloth; (*straccio*) rag **2** (al pl.) (*vestiti cenciosi*) tattered clothes: **coperto di cenci**, in rags; in tatters ● **cadere come un c.**, to faint; to collapse □ **pallido come un c.** (*lavato*), as white as a sheet □ **essere ridotto a un c.**, (*di vestito*) to be in tatters; (*fig.*) to be a shadow of one's former self □ **sentirsi come un c.**, to feel like a wet rag.

cencióso A a. ragged; tattered; in rags **B** m. (*spreg.*: *povero*) tramp; hobo (*USA*).

ceneràio, **ceneratóio** m. (*di stufa*) ash-pan; (*di fucina*) ash-hole; (*di locomotiva*) ash-pan, ash-pit.

cénere A f. **1** ash; (*spec. di carbone, legna, ecc.*) cinders (pl.): **c. di sigaretta**, cigarette ash; **c. vulcanica**, volcanic ash; *Tolsi la c. dal camino*, I removed the ashes from the fireplace; **finire in c.**, to be burnt to ashes; **ridurre in c.**, to burn; (*un edificio*) to burn down; (*fig.*) to destroy, to wipe out **2** (al pl.) (*di morto*) ashes: **spargere le ceneri di q.**, to scatter sb.'s ashes ● (*eccles.*) **le Ceneri** (*o* **il mercoledì delle Ceneri**), Ash Wednesday □ (*fig.*) **cospargersi il capo di c.**, to wear sackcloth and ashes □ (*fig.*) **covare sotto la c.**, to smoulder □ (*fig.*) **risorgere dalle proprie ceneri**, to rise from one's ashes **B** a. ash (attr.); ash-grey; ashen: **biondo c.**, ash-blond; **grigio c.** (*o* **color c.**), ash grey.

Cenerentola f. (*anche fig.*) Cinderella.

cenerino A a. ashen; pale grey **B** m. ash grey.

cenerógnolo a. ash-grey; ashy.

cenerùme m. (heap of) ashes (pl.); ashy residue.

cenestèsi f. (*psic.*) coenaesthesia.

cenestèsico a. (*psic.*) coenaesthetic.

cenétta f. **1** simple supper **2** (*cena intima*) intimate dinner; romantic dinner.

céngia f. (*alpinismo*) ledge.

cennamèlla f. (*mus.*) shawm.

cénno m. **1** (*segnale*) sign; signal; (*gesto*) gesture; (*con la mano*) wave (of the hand); (*col capo*) nod; (*con gli occhi*) wink: **un c. di risposta**, an answering sign; (*scritto*) a reply; **un c. di approvazione**, a nod of approval; **comunicare a cenni**, to communicate by gestures; **fare un c. a q.**, to gesture to sb.; to signal to sb.; (*col capo*) to nod to sb., to give sb. a nod; *Mi fece c. di fermarmi*, he gestured for (*o* motioned) me to stop; *Mi fece un c. di saluto con la mano*, he waved to me; **chiamare q. con un c.**, to beckon sb.; **fare c. di no**, (*col capo*) to shake one's head; (*col dito*) to shake one's finger; **fare c. di sì**, to nod (one's assent) **2** (*menzione*) mention; (*allusione*) hint, allusion; (*breve annuncio*) short notice: **far c. a** (*o* **di**) **qc.**, to mention st.; *Non ne ho fatto c. a nessuno*, I have mentioned it to no one **3** (generalm. al pl.) (*sunto, traccia*) outline (sing.); notes (pl.): **cenni di letteratura inglese**, an outline of English literature **4** (*indizio, sintomo*) sign; pointer; clue.

cenòbio m. **1** (*biol.*) coenobium* **2** (*eccles.*) coenoby.

cenobita m. (*eccles.*) coenobite ● (*fig.*) **fare il c.**, to lead a retired life.

cenobìtico a. (*eccles.*) coenobitic.

cenobitìsmo m. (*eccles.*) coenobitism.

cenóne m. lavish dinner: **c. di Capodanno**, New Year's Eve dinner; **c. di Natale**, Christmas Eve dinner.

cenotàfio m. cenotaph.

cenozòico (*geol.*) **A** a. Cenozoic, Cainozoic **B** m. Cenozoic (era).

censiménto m. census: **c. della popolazione**, population census; **fare il c. di**, to take a census of; **scheda di c.**, census paper.

censire v. t. **1** (*stat.*) to take* a census of **2** (*iscrivere nei registri del censo*) to register **3** (*fin.*) to assess (property).

CENSIS abbr. (**Centro studi investimenti sociali**) social investments study centre.

cènso m. **1** (*stor. romana*) census **2** (*ricchezza*) wealth; (*patrimonio*) estate, property.

censoràto m. censorship.

censóre m. **1** (*stor. romana*) censor **2** (*chi esercita la censura*) censor **3** (*fig.*) (severe) critic; fault-finder.

censòrio a. **1** censorial **2** (*fig.*) censorious; critical; fault-finding.

censuàle, **censuàrio** a. censual; census (attr.).

censùra f. **1** (*stor. romana*) censorship **2** (*controllo di scritti, spettacoli, ecc.*) censorship; (*l'ufficio addetto*) board of censors: **sottoporre alla c.**, to submit to the board of censors **3** (*sanzione disciplinare*) censure **4** (*biasimo*) censure; disapproval; severe criticism **5** (*psic.*) censorship.

censuràbile a. (*biasimevole*) censurable; reprehensible; blameworthy.

censuràre v. t. **1** (*sottoporre a censura*) to censor: **c. una lettera** [**un film, un libro**], to censor a letter [a film, a book] **2** (*criticare*) to censure; to criticize; to blame; to find* fault with.

censuratóre m. (f. **-trìce**) censurer; (severe) critic.

cent m. inv. **1** (*moneta*) cent **2** (*mus.*) cent.

cent. abbr. (**centesimo**) cent.

centauràa f. (*bot.*, *Centaurea*) centaury; knapweed.

centàuro m. **1** (*mitol.*) centaur **2** (*fig.*: *corridore motociclista*) motorcycle racer; (*estens.*: *motociclista*) motorcyclist, biker (*fam.*).

centellinàre v. t. **1** to sip **2** (*fig.*: *gustare*) to savour; to enjoy every minute of **3** (*fig.*: *dosare*) to measure out.

centellino m. sip: **a centellini**, sip by sip; in sips.

centenàrio **A** a. **1** (*che ha cento anni*) a hundred years old (pred.); hundred-year-old (attr.); centenarian **2** (*secolare*) very old; ancient: **albero c.**, very old (*o* ancient) tree **3** (*che ricorre ogni cento anni*) centenary **B** m. **1** (f. **-a**) (*persona*) centenarian **2** (*commemorazione*) centenary; centennial (*USA*): **il c. di Purcell**, Purcell's centenary; **terzo c.**, tercentenary; tercentennial (*USA*).

centennàle A a. **1** (*che dura cento anni*) centennial; secular **2** (*secolare*) age-old; ancient **3** (*che ricorre ogni cento anni*) centenary; centennial **B** m. centenary; centennial (*USA*).

centènne A a. **1** centenarian **2** age-old; ancient **B** m. e f. centenarian.

centènnio m. one hundred years (pl.); century.

centeṣimàle a. centesimal.

centèṣimo Ⓐ a. num. ord. hundredth Ⓑ m. **1** (a, one) hundredth; (the) hundredth part **2** (di euro) cent; (di sterlina) penny; (di dollaro) cent; (di lira) centesimo*; (di franco francese) centime: **pagare fino all'ultimo c.**, to pay down to the last penny (o cent) ● **calcolare qc. al c.**, to count st. down to the last penny □ **non avere un c.**, to be penniless; to be broke (fam.) □ **non valere un c.**, not to be worth a farthing.

centiàra f. centiare.

◆**centìgrado** a. centigrade; Celsius: **dieci gradi centigradi**, ten degrees centigrade; 10° Celsius; **un termometro c.**, a centigrade thermometer.

centigràmmo m. centigram.

centile → **percentile**.

centìlitro m. centilitre, centiliter (USA).

centìmano a. having a hundred hands.

centimetràre v. t. to divide into centimetres.

centimetràto a. divided into centimetres ● **nastro c.**, tape measure.

◆**centìmetro** m. centimetre, centimeter (USA).

cèntina f. **1** (edil.) centring, centering (USA) **2** (aeron.) rib: **c. alare**, wing rib ● (fig.) **a c.**, arched; curved □ (ricamo) **bordo a c.**, scalloped edge.

◆**centinàio** m. (pl. **centinàia**, f.) (cento unità) (a) hundred; (circa cento) about a hundred: **un c. di persone**, about a hundred people; **un c. di sterline**, about a hundred pounds; **centinaia di libri**, hundreds of books; **centinaia e centinaia**, hundreds and hundreds; **a centinaia**, by the hundred; in hundreds.

centinaménto m. arching; curving; bending.

centinàre v. t. **1** (edil.) to support with a centring (USA centering) **2** (sagomare ad arco) to arch; to curve; to bend **3** (ricamo) to scallop.

centinatùra f. **1** (edil.) centring, centering (USA) **2** (mecc.) camber.

centinòdia f., **centinòdio** m. (bot., Polygonum aviculare) knotgrass.

centista → **centometrista**.

◆**cènto** a. num. card. e m. inv. a hundred; one hundred: **c. sterline**, a (o one) hundred pounds; **un biglietto da c. sterline**, a one--hundred-pound note; **Te l'ho detto c. volte**, I've told you a hundred times; **tutti e c.**, all one hundred of them; **contare fino a c.**, to count up to one hundred; **Ha ottenuto il 20 per c. dei voti**, he got 20 per cent of the votes; **un aumento del dieci per c.**, a ten per cent rise; **Qui siamo al 70 per c. italiani**, we are 70 per cent Italian here; **Sarà a un c. kilometri da qui**, it'll be about a hundred kilometres from here ● (sport) **i c.** (metri) **a ostacoli**, the 100-metre hurdles □ **C. di questi giorni!**, many happy returns (of the day)! □ **C. contro uno che non ce la fai**, I bet you one hundred to one you can't do it □ **i C. giorni di Napoleone**, Napoleon's Hundred Days □ (sport) **i c.** (metri) **piani**, the 100 metres; the 100-metre sprint □ (nuoto) **i c. stile libero**, the 100-metre freestyle □ **al c. per c.**, one hundred per cent: **Ne sono sicuro al c. per c.**, I'm one hundred per cent certain about it; **seta al c. per c.**, hundred--per-cent silk □ **avere c. idee per la testa**, to be full of ideas □ **la guerra dei C. anni**, the Hundred Years' War □ **Ho c. cose da fare**, I've got a million things to do ● **Sono cent'anni che non lo vedo**, I haven't seen him in ages □ **novantanove volte su c.**, ninety--nine times out of a hundred.

centodièci a. num. card. e m. one hundred and ten: **correre i c. ostacoli**, to run the 110-metre hurdles; **laurearsi con c. e lode**, to get a First (GB); to graduate summa cum laude (USA).

centofòglie f. inv. (bot., pop.) milfoil; yarrow.

centokilòmetri f. (sport) (the) one hundred-kilometre race.

centometrista m. e f. **1** (atletica) hundred-metre runner (o sprinter) **2** (nuoto) hundred-metre swimmer.

centomila Ⓐ a. num. card. **1** a (o one) hundred thousand **2** (estens.: moltissimi) thousands; a million: **Sono passato davanti al negozio c. volte senza vederlo**, I've passed the shop thousands of times without noticing it Ⓑ m. a (o one) hundred thousand.

centomillèṣimo a. num. ord. e m. hundred thousandth.

centónchio m. (bot., Stellaria media) chickweed.

centóne① m. **1** (letter.) cento* **2** (spreg.) hotchpotch; medley.

centóne② m. (fam., prima dell'introduzione dell'euro) one-hundred-thousand-lire note.

centopèlle m. inv. (zool.) psalterium*; omasum*; manyplies (pl. col verbo al sing.).

centopièdi m. inv. (zool.) centipede.

centotrédici Ⓐ a. num. card. one hundred and thirteen Ⓑ m. emergency police telephone number; (estens.) (the) Flying Squad.

centrafricàno a. Central African.

centràggio m. → **centratura**.

◆**centràle** Ⓐ a. **1** central; in the centre; (che sta nel mezzo) middle: **riscaldamento c.**, central heating; **l'Italia c.**, Central Italy; **la fila c.**, the middle row; **la zona c. di Milano**, Milan's city centre; downtown Milan (USA); **una strada c.**, a street in the city centre; **Il nostro albergo è molto c.**, our hotel is very central **2** (principale) main; central; chief: **il tema c. di un libro**, the main theme of a book; **il punto c. della questione**, the crux of the matter; **parte** (o **nucleo**) **c.**, core; kernel **3** (ling.) central: **vocale c.**, central vowel ● **banca c.**, central bank □ (comput.) **memoria c.**, core memory □ **posta c.**, general post office (abbr. GPO) □ **sede c.**, head office; headquarters (pl.) □ (comput.) **unità c.**, central processing unit (abbr. CPU) Ⓑ f. **1** (sede c.) head office; headquarters (pl.): **c. di polizia**, police headquarters; **c. operativa**, operation headquarters **2** (ind.) plant; station: **c. atomica**, atomic power plant; **c. elettrica**, power station; power plant; **c. idroelettrica**, hydroelectric power plant ● **c. del latte**, municipal dairy □ (mil.) **c. di tiro**, central control.

centralina f. **1** (telef.) local exchange **2** (elettr.) local plant **3** (comput.) control unit.

centralinista m. e f. (di società telefonica) (telephone) operator; (di centralino privato) (switchboard) operator.

centralino m. **1** (di società telefonica) telephone exchange **2** (di privato) switchboard; PBX (abbr. di private branch exchange) ● **passare attaverso il c.**, to go through an operator □ **C.!**, operator!

centralìsmo m. (polit.) centralism.

centralìsta m. e f. **1** (polit.) centralist **2** (chi lavora in una centrale elettrica) power station worker.

centralìstico a. (polit.) centralistic.

centralità f. **1** centrality; central position **2** (polit.) centre.

centralizzàre v. t. to centralize.

centralizzàto a. centralized; central: **economia centralizzata**, centralized economy; **riscaldamento c.**, central heating.

centralizzatóre Ⓐ a. centralizing Ⓑ m. (f. **-trice**) centralizer.

centralizzazióne f. centralization.

centraménto m. → **centratura**.

centramericàno a. Central American.

centràre Ⓐ v. t. **1** (colpire nel centro) to hit* the centre of; to hit*: **c. il bersaglio**, to hit the centre of the target (o the bull's eye); (fig.) to hit the mark, to hit home, to hit the nail on the head; (basket) **c. il canestro**, to score a basket; **c. in pieno**, to hit squarely; **Centrò il ramo al secondo colpo**, she hit the branch with her second shot **2** (mettere al centro) to centre, to center (USA): **c. una foto**, to centre a photo **3** (mecc.) to centre, to center (USA); to balance; to true: **c. una ruota**, to balance (o to true) a wheel **4** (capire chiaramente) to grasp; to get* to the heart of: **c. un problema**, to grasp a problem; to get to the heart of a problem; to hit the nail on the head Ⓑ v. i. (calcio) to centre, to center (USA); to cross.

centrasiàtico a. Central Asian.

centràto a. **1** (mecc.) true; balanced; centred, centered (USA): **una ruota ben centrata**, a well-balanced wheel **2** (che colpisce il centro) hit squarely; well-aimed **3** (fig.: azzeccato) on the mark; correct; spot on (fam.): **una risposta centrata**, a reply that is right on the mark ● **C.!**, bull's eye!; (fig.) spot on!

centratóre m. (tecn.) centring (USA centering) machine.

centrattàcco → **centravanti**.

centratùra f. (mecc.) centring, centering (USA); balancing; truing.

centravànti m. inv. (sport) centre forward.

centreuropèo → **centroeuropeo**.

cèntrico a. (scient.) centric.

centrìfuga f. **1** centrifuge; centrifugal machine **2** (di lavatrice) spin-dryer; (l'operazione) spin-drying **3** (di spremifrutta) juice extractor; juicer (USA).

centrifugàre v. t. **1** to centrifuge **2** (in lavatrice) to spin-dry.

centrifugàto m. centrifuged juice.

centrifugazióne f. centrifugation.

centrìfugo a. (fis. e fig.) centrifugal: **forza centrifuga**, centrifugal force.

centrìno m. doily.

centriòlo m. (biol.) centriole.

centrìpeto a. (fis.) centripetal: **forza centripeta**, centripetal force.

centrìsmo m. (polit.) centrism.

centrìsta (polit.) Ⓐ a. centre, center (USA) (attr.); moderate; middle-of-the-road (attr.) Ⓑ m. e f. centrist.

centritaliàno → **centroitaliano**.

◆**cèntro** m. **1** (scient., punto centrale) centre, center (USA): (anche fig.) **c. d'attrazione**, centre of attraction; (mecc.) **c. di forza**, centre of force; (fis.) **c. di gravità**, centre of gravity; (geom.) **c. di un poligono**, centre of a polygon; **il c. della terra**, the centre of the earth; (anat.) **c. nervoso**, nerve centre **2** (zona mediana, il mezzo) middle; centre: **nel c. della stanza**, in the middle of the room **3** (luogo abitato) town; township; (di soggiorno) resort: **c. balneare**, seaside resort; **c. industriale**, industrial town; **c. termale**, spa; **c. turistico**, tourist centre (o resort); **c. urbano**, town; **Alcuni centri sono sorti lungo la ferrovia**, a few towns have grown up along the railway **4** (di città) town (o city) centre (GB); centre; downtown (USA); inner city: **c. degli affari**, business centre; **il c. di New York**, downtown New York; **c. storico**, old town centre; **andare in c.**, to go to the city centre; to go into town; to go downtown; **le strade del c.**, the streets in the centre of town (o in the town centre); central streets **5** (complesso, organo) centre, complex; (istituto) institute; (dipartimento) department: **c.**

artistico, artistic centre; **c. commerciale**, trading (o trade) centre; (di negozi) shopping centre, mall (*USA*); **c. di accoglienza**, reception centre; **c. di ricerca**, research center; **c. di raccolta**, collection point; (di profughi) refugee centre; (di immigrati clandestini) detention centre; *C. di Studi Italiani*, Institute of Italian Studies; **c. elettronico**, data-processing centre; **c. meccanografico**, tabulating department; **c. ospedaliero**, hospital complex; **c. sportivo**, sports centre **6** (*fig.*: nucleo, cuore) core; heart; kernel; hub: **il c. della questione**, the heart (o core) of the matter **7** (*polit.*) centre: **partiti di c.**, centrist parties **8** (*sport*: giocatore) centre; (tiro) centre shot; (calcio: dischetto di centrocampo) centre spot: **rimettere la palla al c.**, to put the ball back on the centre spot **9** (del bersaglio) bull's eye: **fare c.**, to hit the bull's eye; (*fig.*) to hit the mark, to hit home **10** (della ruota) hub **11** (centrino) doily ● **c. direzionale**, (da cui si diramano ordini) control room, operations headquarters (pl.); (di affari) business centre, office district □ (org. az.) **c. di costo**, cost centre □ **c. operativo**, nerve centre; operation headquarters (pl.) □ **c. sismico**, epicentre □ **Al c. della presente crisi...**, at the centre of the present crisis... □ **essere al c. dei desideri di q.**, to be sb.'s greatest desire □ (anche fig.) **al c. della mischia**, in the thick of the fray □ **centri vitali**, vital organs.

centroafricàno → **centrafricano**.

centroamericàno → **centramericano**.

centroasiàtico → **centrasiatico**.

centroattàcco → **centrattacco**.

centroavànti → **centravanti**.

centrocampìsta m. (*sport*) centre fielder; (calcio) midfielder, (al pl., collett.) midfield (sing.).

centrocàmpo m. (*sport*: zona e giocatori) midfield.

centroclassìfica m. inv. (*sport*) mid table.

centrodèstra m. (*polit.*) centre-right alliance.

centrodèstro m. (*calcio*) inside right.

centroeuropèo a. Central (o Middle) European; of Central Europe.

centroitaliàno a. Central Italian.

centromediàno m. (*sport, disusato*) centre-half; halfback.

centròmero m. (*biol.*) centromere.

centropàgina m. inv. centrepage article.

centrosinìstra m. (*polit.*) centre-left alliance.

centrosinìstro m. (*calcio*) inside left.

centrosòma m. (*biol.*) centrosome.

centrotàvola m. centrepiece.

cèntum a. inv. (*ling.*) – **lingue c.**, centum languages.

centumviràto m. (*stor. romana*) centumvirate.

centùmviro m. (*stor. romana*) centumvir*.

centuplicàre v. t. **1** to multiply by a hundred; to centuple **2** (*fig.*) to multiply; to increase a hundredfold.

cèntuplo **A** a. centuple; increased a hundredfold; hundredfold: **un rendimento c. rispetto a un anno fa**, a yield a hundred times greater than a year ago **B** m. (a) hundredfold amount; a hundred times (as much): **1000 è il c. di 10**, 1000 is a hundred times 10; **aumentare del c.**, to increase a hundredfold; **rendere il c.**, to yield a hundred times as much.

centùria f. (*stor. romana*) century.

centuriàto a. centurial.

centurióne m. (*stor. romana*) centurion.

céppa f. (*bot.*) **1** underground part (of a

tree trunk) **2** (cavità) hollow (in a tree stump).

ceppàia f. **1** tree stump **2** (bosco ceduo tagliato) felled coppice.

ceppàta f. **1** → **ceppaia** **2** (group of) mooring poles.

céppo m. **1** (d'albero) (tree) stump **2** (fig.: capostipite) family founder; (stirpe) stock: **essere dello stesso c.**, to come from the same stock **3** (biol., med.) strain: **un nuovo c. di virus**, a new strain of virus **4** (da ardere) log **5** (estens.: il Natale) Yule, Yuletide, Christmas **6** (per tagliare la carne) (chopping) block **7** (per la decapitazione) block **8** (mecc., di freno) (brake) shoe; brake block **9** (naut., di ancora) anchor stock **10** (di aratro) plough stock **11** (al pl.) irons; (anche fig.) fetters, shackles: **un prigioniero in ceppi**, a prisoner in irons; **mettere in ceppi**, to put in irons; to shackle; (fig.) **spezzare i ceppi**, to break one's shackles **12** – **ceppi bloccaruota**, wheel clamp.

céra① f. wax; (per lucidare, anche) polish: **c. carnauba**, carnauba wax; **c. d'api** (o vergine), beeswax; **c. da calzolaio**, cobblers' wax; **c. da pavimento**, floor wax; **c. da scarpe**, shoe polish; **c. per mobili**, furniture polish; **di c.**, wax (attr.); (fig.) very delicate; **bambola di c.**, wax doll; **candele di c.**, wax candles; **dare la c. a un'auto** [un pavimento], to wax a car [a floor]; **lucidare a c.**, to polish ● (metall.) **c. persa**, cire perdue (franc.); lost-wax process □ **bianco come la c.**, as pale as a sheet □ **essere come c. nelle mani di q.**, to be like putty in sb.'s hands □ **museo delle cere**, waxworks □ **struggersi come la c.**, to melt like wax.

céra② f. (aspetto) look; appearance: **avere bella** (o buona) **c.**, to look well; **avere brutta c.**, not to look well; to look unwell ● **fare buona c. a q.**, to welcome sb.

ceràio **A** m. candle maker **B** a. wax (attr.).

ceraiòlo m. **1** (fabbricante) candle maker **2** (venditore) candle seller; chandler **3** (modellatore) maker of wax objects.

ceralàcca f. sealing wax.

ceràmica f. **1** (materiale) baked clay; ceramic: **in** (o di) **c.**, in ceramic; ceramic (attr.); **piatti di c.**, ceramic plates **2** (arte) ceramics (pl. col verbo al sing.); pottery: **laboratorio di c.**, pottery **3** (oggetto) piece of pottery; ceramic; (al pl., collett.) ceramic ware Ⓤ, pottery Ⓤ, faience Ⓤ: **le ceramiche di Faenza**, Faenza pottery; **una mostra di ceramiche**, an exhibition of ceramics.

ceràmico a. ceramic; pottery (attr.).

ceramìsta m. e f. ceramist; potter.

ceramografìa f. (art of) pottery decoration.

ceramògrafo m. (f. **-a**) pottery decorator.

cerargirìte f. (miner.) cerargyrite.

ceràşa f. (region.) cherry.

ceràşo m. (region.) cherry-tree.

ceràste m. (zool., Aspis cerastes) cerastes*; horned viper.

ceràstio m. (bot.) cerastium.

ceràta f. (indumento) oilskin.

ceràto a. waxed; wax (attr.) ● **tela cerata**, oilcloth; oilskin.

ceratùra f. waxing; polishing.

ceraunògrafo m. (geofisica) ceraunograph.

cèrbero m. **1** (custode arcigno) watchdog; (persona molto severa) severe disciplinarian, tough taskmaster, martinet; (di donna) dragon, battle-axe **2** (persona intrattabile) cantankerous person.

Cèrbero m. (mitol.) Cerberus.

cerbiàtto m. (f. **-a**) (zool.: sotto l'anno) fawn; (tra uno e due anni) pricket (f. young doe).

cerbottàna f. **1** (arma) blowpipe; blowgun **2** (giocattolo) peashooter.

cérca f. **1** search; quest **2** (questua) collection of alms **3** (di cane da caccia) tracking; scenting ● **andare in c. di**, to look (o to search) for □ **andare in c. di guai**, to be looking for trouble; to invite disaster □ **cane da c.**, field spaniel; water spaniel □ **essere in c. di**, to be looking for; to be in search of □ **mettersi in c. di**, to set out in search of.

cercafàşe m. inv. (elettr.) phase detector.

cercafùghe m. inv. gas leak detector.

cercametàlli m. inv. metal detector.

cercamìne m. inv. mine detector.

cercapersóne m. inv. pager; bleeper (*GB*): **chiamare col c.**, to page; to bleep.

cercapòli m. inv. pole finder.

♦**cercàre** **A** v. t. **1** (per trovare) to look for; to search for; to hunt for; to try to find; (su libro e sim.) to look up: **c. casa**, to look for a house; to go house-hunting; **c. lavoro**, to look for a job; **c. una parola in un dizionario**, to look up a word in a dictionary; **c. una via d'uscita**, to try to find a way out; **c. q. al telefono**, to try to get sb. on the phone; **c. qc. in un cassetto**, to search for st. in a drawer; **c. q. nella folla**, to look for sb. in the crowd; **c. a tastoni**, to grope for; **c. frugando**, to rummage for; to fumble for; *Sto cercando Radiotre*, I'm trying to find (o to get) Radiotre **2** (per ottenere) to seek; to be* after; to pursue: **c. fortuna** [**la gloria**], to seek one's fortune [fame] ● **c. guai** (o briga), to be looking for trouble □ **c. qc. per ogni dove** (o per mare e per terra), to search for st. high and low; to hunt for st. everywhere □ **c. qn per tutto**, to look round for sb. □ (fig.) **c. il pelo nell'uovo**, to split hairs □ **c. oro**, to dig for gold; to prospect; (nei fiumi) to pan for gold □ **Cercasi babysitter**, wanted: babysitter **B** v. i. (tentare) to try; (sforzarsi) to endeavour, to strive*: *Cercai di aprire la scatola*, I tried to open the box; *Cerca di ricordarti!*, try to remember!; *Ho cercato di fare del mio meglio*, I tried (o endeavoured) to do my best; *Cercò di farsi capire*, he strove to be understood ● (prov.) **Chi cerca, trova**, nothing seek, nothing find.

cercàta f. quick look; quick search: **dare una c.**, to give a quick look around.

cercatóre m. (f. **-trìce**) **1** searcher; seeker; hunter; (di minerali) prospector, digger: **c. d'oro**, gold digger; (nei fiumi) gold panner **2** (eccles.) mendicant (o begging) friar **3** (telef.) selector **4** (di telescopio) checker **5** (fis.) finder **6** (radio) detector.

cérchia f. **1** circle; ring: **c. di monti**, ring of mountains; **c. delle mura**, circle of walls **2** (gruppo) circle; group; set: **c. di amici**, circle (o set) of friends; **c. familiare**, family circle; **c. ristretta**, inner circle; **una vasta c. di conoscenze**, a wide circle of acquaintances **3** (ambito) range: **allargare la propria c. di interessi**, to widen one's interests.

cerchiàggio m. (med.) cerclage: **c. dell'utero**, uterine cerclage.

cerchiàre v. t. **1** (serrare con cerchi) to hoop; to ring; to rim: **c. una botte**, to hoop a barrel; **c. una ruota**, to rim a wheel **2** (circolettare) to circle: **c. un nome**, to circle a name **3** (cingere) to encircle; to surround: **c. di mura**, to surround with walls.

cerchiàta f. (per rampicanti) latticework Ⓤ; trellis.

cerchiàto a. ringed; rimmed; circled ● **avere gli occhi cerchiati**, to have rings round one's eyes.

cerchiatùra f. **1** hooping **2** (insieme dei cerchi) hoops (pl.).

cerchiétto m. **1** (braccialetto) bangle **2** (anello) ring; ringlet **3** (per capelli) hairband **4** (al pl.) (gioco) (the) graces (pl. col verbo al

a b c d e f g h i j k l m n o p q r s t u v w x y z

sing.); (*gli anelli*) grace hoops.

♦**cérchio** m. **1** (*mat.*) circle: **c. massimo**, great circle; **la circonferenza del c.**, the circumference of the circle **2** (*anello, disposizione circolare*) ring; circle: **il c. esterno di un bersaglio**, the outer ring of a target; **un c. di curiosi**, a circle of onlookers; **fare c. attorno a q.**, to gather (*o* to form a circle) round sb.; **in c.**, in a circle; in a ring; **danzare in c.**, to dance in a ring; **girare in c.**, to go round and round; **mettersi in c.** (*o* **formare un c.**), to form a circle (*o* a ring) **3** (*di ruota*) rim; (*di botte, di crinolina*) hoop **4** (*giocattolo*) hoop: **giocare col c.**, to play hoop; **far correre un c.**, to bowl a hoop ● **c. alla testa**, headache; (*causato dal bere*) hangover □ **c. della morte**, (*di motociclisti*) wall of death; (*aeron.*) looping the loop: **fare il c. della morte**, to loop the loop □ (*fig.*) **dare un colpo al c. e uno alla botte**, to run with the hare and hunt with the hounds; to keep in with both sides.

cerchiobottìṣmo m. trying to keep in with both sides.

cerchiobottista m. e f. person who always tries to keep in with both sides.

cerchióne m. **1** (*di ruota*) rim **2** (*ferr.*) tread.

cércine m. **1** pad **2** (*acconciatura*) topknot **3** (*bot.*) ring.

cercopitèco m. (*zool., Cercopithecus*) guenon: **c. diana** (*Cercopithecus diana*), diana monkey; **c. grigioverde** (*Cercopithecus pygerythrus*) vervet; **c. pigmeo** (*Cercopithecus talapoin*), talapoin.

cereàle A a. cereal **B** m. cereal; (al pl., collett.) grain Ⓤ, corn Ⓤ: *Grano e orzo sono cereali*, wheat and barley are cereals; **la produzione di cereali**, cereal production; **il prezzo dei cereali**, grain (*o* corn) prices.

cerealìcolo a. cereal (attr.); grain (attr.); corn (attr.); cereal-growing.

cerealicoltóre m. (f. **-trìce**) cereal grower.

cerealicoltùra f. cereal growing.

cerebellàre a. (*anat.*) cerebellar: **peduncolo c.**, cerebellar peduncle.

cerebràle a. **1** (*anat.*) cerebral; brain (attr.): **attività c.**, brain activity; (*form.* o *med.*) cerebration; **emisfero c.**, cerebral hemisphere; **emorragia c.**, cerebral (*o* brain) haemorrhage; **lesione [danno] c.**, brain lesion [damage]; **materia c.**, cerebral matter; **morte c.**, brain death **2** (*mentale*) mental: **sforzo c.**, mental effort **3** (*fig.*) cerebral; intellectual; highbrow.

cerebralìṣmo m. cerebralism; intellectualism.

cerebralità f. excessive cerebralism.

cerebrazióne f. (*med.*) cerebration.

cerebrolèṣo a. e m. (f. **-a**) (*med.*) brain-damaged (person).

cerebropatìa f. (*med.*) brain damage; cerebropathy.

cerebroplegìa f. (*med.*) cerebroplegia.

cerebrospinàle a. (*anat.*) cerebrospinal.

cerebrovaScolàre a. (*anat.*) cerebrovascular.

cèreo a. **1** (*di cera*) wax (attr.) **2** (*color della cera*) waxen; wan; ashen.

cererìa f. (*fabbrica*) candle factory.

cereṣìna f. (*chim.*) ceresin.

cerétta f. **1** (*per depilare*) (depilatory) wax: **farsi la c. alle gambe**, to wax one's legs **2** (*per scarpe*) shoe polish.

cerfìco m. (*bot., Acer platanoides*) Norway maple.

cerfòglio m. (*bot., Anthriscus cerefolium*) chervil.

♦**cerimònia** f. **1** ceremony; ritual: **la c. dell'incoronazione**, the ceremony of the Coronation; **c. di inaugurazione**, opening ceremony **2** (*eccles.*) service: **c. nuziale [funebre]**, wedding [funeral] service **3** (*pompa*) ceremony; pomp: *Le nozze furono celebrate con gran c.*, the wedding was celebrated with great pomp **4** (al pl.: *convenevoli*) ceremony Ⓤ; fuss (sing., *fam.*): **fare cerimonie**, to stand on ceremony; *Quante cerimonie!*, what a fuss! ● **abito da c.**, formal dress □ **maestro delle cerimonie**, master of ceremonies (abbr. MC); emcee (*fam.*) □ **senza cerimonie**, informally; without ceremony; without fuss □ **senza tante cerimonie**, (*bruscamente*) unceremoniously; (*schiettamente*) plainly, bluntly □ **visita di c.**, formal visit.

cerimoniàle A a. (*lett.*) ceremonial; formal **B** m. (*regole*) ceremonial, protocol, etiquette; (*rituale*) ritual: **c. di corte**, court etiquette.

cerimonière m. master of ceremonies.

cerimoniosità f. ceremoniousness; formality.

cerimonióso a. **1** (*formale*) ceremonious; formal **2** (*complimentoso*) overpolite **3** (*di discorso, ecc.*) flowery.

cerino m. **1** (*fiammifero*) wax match; vesta **2** (*stoppino*) taper.

cèrio m. (*chim.*) cerium.

cernécchio m. tangled lock of hair; (*posticcio*) lock of false hair.

cèrnere v. t. (*separare*) to sort (out), to grade, to separate; (*scegliere*) to select, to choose*.

cèrnia f. (*zool., Epinephelus*) grouper*; groper; sea-bass.

cernièra f. **1** (*tecn., geol., zool.* e *fig.*) hinge **2** (*di borsetta*) (metal frame and) clasp ● **c. lampo**, zip (fastener) (*GB*); zipper (*USA*).

cernière m. (*naut.*) scuttlebutt.

cèrnita f. (*suddivisione*) sorting; grading; (*scelta*) selection, choice: **fare la c.**, (*suddividere*) to grade, to sort (out); (*scegliere*) to select, to choose.

cernitóre m. sorter; grader.

cernitrice f. **1** sorter; grader **2** (*mecc.*) grading machine.

céro m. large candle; church candle: **c. pasquale**, Paschal candle.

ceroferàrio m. candle-bearer.

cerografìa f. cerography.

ceróne m. (*teatr., cinem.*) greasepaint.

ceroplàsta m. e f. wax modeller.

ceroplàstica f. wax modelling; ceroplastics (pl. col verbo al sing.).

ceróṣo a. **1** (*che contiene cera*) wax (attr.) **2** (*simile alla cera*) waxy; waxen; wax-like.

ceròtico a. (*chim.*) cerotic.

ceròtto m. **1** (*farm.*) (sticking) plaster: **c. medicato**, medicated plaster; Elastoplast® (*GB*); Band-Aid® (*USA*) **2** (*fig.: persona malaticcia*) sickly person; old crock **3** (*fig.: persona noiosa*) bore; pain in the neck.

cerottoreazióne f. (*med.*) patch test.

cerretàno m. (*lett.*) mountebank; fair-ground quack.

cerréto m. wood of turkey oaks.

cèrro m. (*bot., Quercus cerris*) turkey oak.

cert., **certif.** abbr. **1** (**certificato**) certificate **2** (**certificazione**) certification.

certàme m. (*lett.*) **1** combat; fight: **singolar c.**, single combat **2** (*letter.*) contest: **c. poetico**, poetic contest.

certaménte avv. certainly; surely; definitely; no doubt; of course: *Verrà c.*, she'll definitely come; *Vorrai c. vederlo, no?*, no doubt you'll want to see him; *Ma c.!*, of course!; definitely!; absolutely!

certézza f. **1** (*sicurezza*) certainty; certitude: **c. matematica**, mathematical certainty; **avere poche certezze**, to have few certainties; **sapere qc. con c.**, to know st. for certain (*o* for a fact) **2** (*convinzione*) certainty; conviction; assurance; confidence: **c. morale**, moral certainty; *Ho piena c. della sua competenza*, I have full confidence in his ability **3** (*risultato, evento scontato*) certainty; sure thing.

certificàre v. t. to certify; to attest: **c. un decesso**, to certify a death; (*rag.*) **c. un bilancio**, to audit the accounts; *Io sottoscritto certifico che...*, I, the undersigned, certify that...

♦**certificàto** m. certificate: **c. azionario**, share certificate; (*banca*) **c. di deposito**, certificate of deposit; (*comm.*) **c. di garanzia**, manufacturer's certificate; **c. d'igiene**, sanitary certificate; **c. di matrimonio**, marriage certificate; **c. di nascita**, birth certificate; **c. di navigabilità**, (*naut.*) certificate of navigation (*o* of seaworthiness); (*aeron.*) certificate of airworthiness; (*comm.*) **c. di origine**, certificate of origin; (*fig.*) **c. di qualità**, seal of approval; **c. di sana costituzione**, health certificate; **c. di servizio**, testimonial; **c. medico**, medical certificate; **c. sanitario**, bill of health; **chiedere [rilasciare] un c.**, to apply for [to issue] a certificate.

certificatóre A a. (*econ.*) auditing **B** m. (f. **-trice**) (*econ.*) auditor.

certificatòrio a. certifying.

certificazióne f. certification; authentication: **c. d'un documento**, authentication of a document; (*econ.*) **c. di bilancio**, auditing; **c. notarile**, notarization.

♦**cèrto A** a. **1** (*sicuro, indubitabile*) certain; (*definito*) definite: *Il fatto è c.*, the fact is certain; **morte certa**, certain death; **data certa**, definite (*o* fixed) date; *Non si sa cosa sia successo, c. è che ora sono di nuovo amici*, nobody knows what happened, but they are certainly friends again **2** (*convinto, sicuro*) certain; sure: **c. di vincere**, certain of victory (*o* of winning); *Ne sono più che c.*, I am absolutely sure of it; I'm positive about it; *Sta' pur c. che non verrà*, you can be sure he won't come ❶ **Nota: sure to / sure that →** **sure 3** (*degno di fede*) reliable: **notizie certe**, reliable news ● **dare qc. per c.**, to give st. as a fact □ (*leg.*) **prova certa**, irrefutable evidence □ **sapere per c.**, to know for certain (*o* for a fact) **B** m. certainty: **lasciare il c. per l'incerto**, to give up certainty for the uncertain; to plunge into the unknown **C** a. indef. **1** certain: **una certa persona**, a certain person; **un c. signor Bassi**, a certain Mr Bassi; un c. **Paolo Marini**, one Paolo Marini; **una certa timidezza**, a certain shyness; *Certe parole è meglio non dirle*, certain words are better not said; *Ho visto quella certa persona*, I saw that person you know of **2** (*qualche*) some: **per un c. tempo**, for some time; **un c. qual timore**, a certain fear; some fear; *Certe volte mi fa proprio arrabbiare*, there are times he really makes me angry **3** (*tale, simile*) such: *Mi rifiuto di parlare con certa gente*, I refuse to speak to such people; *Non devi usare certe parole!*, you shouldn't use such words; *Si vede certa gente in giro!*, there are some pretty dubious people around! ● **un c. non so che**, an indefinable something; a certain je ne sais quoi (*franc.*) □ **avere un c. appetito**, to be rather hungry □ **avere una certa premura**, to be rather in a hurry □ **di una certa età**, rather old; oldish; getting on **D** pron. indef. (al pl.) some; some people; (*in senso restrittivo*) some of them [of you, of us]: *Certi dicono che sia in Messico*, some (people) say she's in Mexico; *Tutti i miei amici lessero il libro e a certi piacque*, all my friends read the book and some of them liked it **E** avv. (anche **di c.**) certainly; surely; of course: *C. che lo conosci*, of course you know him; *Avrai c. saputo del suo divorzio*, you must have heard about his divorce; *Non si può c. dire che...*, you can hardly say that...; *C. che*

la situazione non è molto allegra, the situation is not exactly (*o* is hardly) cheerful; *C. le cose possono cambiare, ma per ora non vedo come*, things may change, to be sure, but I don't see how at the moment; *Ma c.!*, of course!; certainly!; (*fa' pure*) by all means!; *No* (*dì*) *c.!*, certainly not!

certòsa f. (*eccles.*) Carthusian monastery; charterhouse.

certosino **A** m. **1** (*eccles.*) Carthusian monk **2** (*fig.*) recluse; hermit ● **lavoro da c.**, painstaking job; (*di lavoro manuale*) fiddly job □ **una pazienza da c.**, the patience of Job; (*meticolosità*) meticulousness **B** a. **1** Carthusian **2** (*fig.*) meticulous; painstaking.

certùno pron. indef. somebody; someone; (al pl.) some people, some: *Certuni cambiarono idea*, some (people) changed their minds.

cerùleo, cerùlo a. (*lett.*) cerulean; sky-blue.

cerùme m. earwax; cerumen (*scient.*).

ceruminóso a. ceruminous.

cerùsico m. **1** (*stor.*) surgeon **2** (*scherz.*) sawbones **3** (*spreg.*) quack; butcher.

cerussite f. (*miner.*) cerussite.

cèrva f. (*zool.*) doe*; (*sopra i 3 anni*) hind.

cervàto a. tawny.

cervellàccio m. eccentric; oddball.

cervellàta f. (*alim.*) spiced meat and brain sausage.

cervellétto m. (*anat.*) cerebellum*.

cervellino m. (*spreg.*) **1** (the) brain of a bird **2** (*persona*) birdbrain; scatterbrain.

◆**cervèllo** m. (pl. **cervèlla**, f., *nel sign. proprio di materia cerebrale*) **1** (*anat.*) brain: **operazione al c.**, brain operation; **tumore al c.**, tumour of the brain; brain tumour **2** (*alim.*) brains (pl.) ● **c. fritto**, fried brains **3** (*fig.*: *intelligenza, senno*) brain, brains (pl.); mind; head: *Usa il c.!*, use your head (*o* brains)!; **avere un gran c.**, to have plenty of brains; **non avere il c. a posto**, not to be quite right in the head; *Gli ha dato di volta il c.*, he's gone off his head; he's taken leave of his senses; *Il vino gli ha dato al c.*, the wine has gone to his head; *Gli si è rammollito il c.*, he's gone soft in the head; *Mi si è svuotato il c.*, my mind has gone blank **4** (*fig.*: *persona di grande intelligenza*) brain; brainy person; egghead **5** (*fig.*: *mente direttiva*) brains (pl. col verbo al sing.): **il c. della banda**, the brains of the gang ● **c. elettronico**, computer □ (*fig.*) **c. balzano**, eccentric; oddball (*fam.*) □ (*fam.*) **avere il c. bacato**, to be crazy; to be nuts □ **avere un c. fine**, to be sharp-witted □ **avere un c. di gallina**, to have the brain of a bird; to be pea-brained; to be a birdbrain □ **Non ha un briciolo di c.**, he hasn't got a grain of sense □ **Dove hai il c.?**, what were you thinking of? □ **bruciarsi** (*o* **farsi saltare**) **le cervella**, to blow one's brains out □ **fare saltare le cervella a q.**, to blow out sb.'s brains □ **fuga dei cervelli**, brain drain □ **lambiccarsi** (*o* **spremersi**) **il c.**, to cudgel (*o* to rack) one's brains □ **lavaggio del c.**, brain-washing □ **mettere il c. a partito**, to come to one's senses; (*cambiar vita*) to turn over a new leaf, to settle down □ **Non mi passò nemmeno per l'anticamera del c.**, it didn't even cross my mind □ (*fig.*) **senza c.**, brainless; scatterbrained.

cervellóne m. **1** (*fam.*) brain; genius; mastermind; egghead; brainiac (*fam.*, *USA*) **2** (*iron.*: *zuccone*) dimwit **3** (*scherz.*) big computer.

cervellòtico a. crazy; wild; hare-brained: **idee cervellotiche**, crazy notions; **progetto c.**, crazy (*o* hare-brained) scheme; **supposizioni cervellotiche**, wild suppositions.

cervellùto a. smart; bright.

cervicàle a. (*anat.*) cervical: **vertebre cervicali**, cervical vertebrae.

cervicàpra f. (*zool.*, *Redunca redunca*) reedbuck*.

cervice f. **1** (*anat.*) cervix*: **c. uterina**, cervix* **2** (*lett.*) neck ● (*fig.*) **piegare la c.**, to bow; to submit.

cervicite f. (*med.*) cervicitis.

cèrvide m. (*zool.*) cervid; (al pl., *scient.*) Cervidae.

cervino a. deer (attr.); cervine.

Cervino m. (*geogr.*) (the) Matterhorn.

◆**cèrvo** m. (*zool.*, *Cervus*) deer*; (*maschio*) stag, hart; (*femmina*) doe, hind: **c. europeo** (*Cervus elaphus*), red deer; **c. pomellato** (*Cervus axis*), chital; **c. unicolore** (*Cervus unicolor*), sambur ● **c. volante**, (*zool.*, *Lucanus cervus*) stag beetle; (*aquilone*) kite □ **carne di c.**, venison.

cèsare m. (*lett.*) Caesar; emperor.

Cèsare m. Caesar: *Date a C. quel che è di C.*, render unto Caesar that which is Caesar's.

cesàreo a. **1** (*di Cesare*) Caesarean, Caesarian; Caesar's **2** (*imperiale*) imperial **3** (*med.*) Caesarean: **parto c.**, Caesarean delivery; Caesarean birth; **taglio c.**, Caesarean section; Caesarean (*fam.*) ● **poeta c.**, court poet; poet laureate.

cesariàno a. Caesarean, Caesarian.

cesarismo m. (*polit.*) Caesarism.

cesaropapismo m. (*polit.*) Erastianism; caesaropapism.

cesaropapista a. e m. Erastianist.

cesellaménto m. chiselling; (*incisione*) chasing, engraving.

cesellàre v. t. **1** to chisel; (*incidere*) to chase, to engrave **2** (*fig.*) to craft; to work finely; to polish.

cesellàto a. **1** chiselled; wrought; chased; engraved: **una scatola di argento c.**, a wrought-silver box **2** (*fig.*) chiselled; polished; finely wrought; finely worked: **lineamenti cesellati**, chiselled features; **versi cesellati**, polished verses.

cesellatóre m. (f. **-trìce**) **1** chiseller; chaser; engraver **2** (*fig.*) fine craftsman* (f. craftswoman*): **un c. di versi**, a writer of polished verse.

cesellatùra f. **1** chisel work; chiselling; chasing; (*incisione*) engraving **2** (*fig.*) painstaking work.

cesèllo m. chisel ● **lavorare di c.**, to chisel; to chase; (*fig.*) to polish.

cesèna f. (*zool.*, *Turdus pilaris*) fieldfare; stormcock.

cèsio m. (*chim.*) caesium.

CESIS sigla (**Comitato esecutivo per i servizi di informazione e sicurezza**) Executive Committee for Intelligence and Security Services.

cesóia f. pl. (spec. al pl.) shears (pl.); clippers (pl.) ● **cesoie da giardiniere**, garden shears; **cesoie da lamiere**, tinner's shears; snips; **cesoie per potare**, pruning shears; secateurs; **cesoie per siepi**, hedge shears (*o* clippers).

cesoiatóre m. (f. **-trìce**) shearer.

cesoiatrice f. (*macchina*) shearing machine; shears (pl.).

cèspite m. **1** (*lett.*) → **cespo 2** (*econ.*) source of income; yielder.

cèspo m. (*bot.*) tuft; head: **un c. di lattuga**, a head of lettuce.

◆**cespùglio** m. **1** (*bot.*) bush; shrub: **un c. di more**, a blackberry bush **2** (*fig.*, *di capelli*) bushy hair; mop (of hair).

cespuglióso a. bushy (anche *fig.*); shrubby.

cèssa f. firebreak.

cessànte a. **1** ceasing **2** – **lucro c.**, loss of profit.

◆**cessàre** **A** v. i. **1** to stop; to cease: *La pioggia cessò*, the rain stopped; *Il rumore cessò improvvisamente*, the noise ceased suddenly; **c. di lavorare**, to stop working; **c. di vivere**, to die **2** (*calmarsi*) to abate; to subside: *La mia febbre era cessata*, my fever had abated **B** v. t. to stop; to cease; to end; to discontinue: **c. l'attività**, (*di persona*) to give up one's business; **c. il fuoco**, to cease fire; **c. le ostilità**, to cease hostilities; (*di azienda*) to close down; **c. la produzione**, to discontinue production ● **cessato allarme** (*o* **pericolo**), all clear.

cessàte il fuòco loc. m. inv. ceasefire: **ordinare il cessate il fuoco**, to order ceasefire.

cessazióne f. **1** cessation; discontinuance; end: **c. delle ostilità**, cessation of hostilities **2** (*econ.*, *leg.*) termination; discontinuance: (*ass.*) **c. di copertura**, termination of cover; **c. di esercizio**, closing-down; **c. di una locazione**, termination of a lease; **c. del rapporto di lavoro**, termination of employment.

cessinàre v. t. (*agric.*) to manure with night soil.

cessino m. (*agric.*) night soil.

cessionàrio m. (*leg.*) transferee; assignee **B** a. transferring; cessionary.

cessióne f. (*leg.*) transfer; assignment; conveyance; disposal: **c. di un brevetto**, assignment of a patent; **c. di contratto**, transfer of contract; **c. di credito**, assignment of a claim; **c. di un diritto**, cession of a right; demise; **c. di immobili**, transfer of real estate; **c. di un territorio**, surrender of a territory; **c. di titoli**, stock transfer; **atto di c.**, deed of transfer (*o* of assignment); (*di proprietà*) conveyance.

cèsso m. **1** (*pop.*: *gabinetto*) lavatory; bog (*slang GB*); can (*slang USA*); (*mil.*) latrine (spesso al pl.) **2** (*fig. volg.*, *di posto*) lousy place; pigsty; shit-hole (*volg.*) **3** (*fig. volg.*, *di cosa*) lousy thing; trash Ⓤ; abortion; shit Ⓤ (*volg.*) **4** (*fig. volg.*, *di persona*) horror; dog (*slang USA*).

◆**cèsta** f. **1** (large) basket; (*con coperchio*) hamper; (*il contenuto*) basketful: **c. del bucato**, laundry basket; **c. della spesa**, shopping basket; **una c. di frutta**, a basketful of fruit **2** (*di aerostato*) basket **3** (*teatr.*) theatrical trunk **4** (*pelota*) cesta.

cestàio m. (f. **-a**) **1** (*fabbricante*) basket maker **2** (*venditore*) basket seller.

cestèllo m. **1** (small) basket **2** (*per bottiglie*) small crate with handles **3** (*di lavabiancheria*) drum **4** (*di lavastoviglie*) rack **5** (*recipiente per sterilizzare*) sterilizer **6** (*tecn.*) cherry-picker.

cestinàre v. t. **1** to throw* away; to trash; to bin (*fam.*) **2** (*fig.*) to turn down; to reject; (*un manoscritto*) to reject for publication; (*giorn.*) to spike.

◆**cestino** m. **1** (small) basket; (*con coperchio*) hamper: **c. da lavoro**, work (*o* sewing) basket; **c. da picnic**, picnic hamper; **c. per la carta straccia**, wastepaper basket; **gettare nel c.**, to throw away; to chuck out (*fam.*) **2** (*comput.*) trash can (*o* bin); recycle bin ● **c. da viaggio**, packed lunch (for travellers) □ **c. dei rifiuti** (in luogo pubblico), litterbin (*GB*); rubbish bin (*GB*); trash can (*USA*); garbage can (*USA*).

cestire → **accestire**

cestista m. e f. (*sport*) basketball player.

◆**cèsto** ① m. **1** basket; (*il contenuto*) basketful **2** (*sport*) basket.

cèsto ② m. (*bot.*) head; tuft: **un c. di lattuga**, a head of lettuce; **fare c.**, to tuft.

cèsto ③ m. (*sport stor.*) cestus*.

C

cestòde m. (*zool.*) cestode; (al pl., *scient.*) Cestoda.

cesùra f. **1** (*poesia*) caesura* **2** (*fig.*: *interruzione*) break; interruption; caesura; (*iato*) gap, hiatus, interval.

cesuràle a. caesural.

cetàceo m. (*zool.*) cetacean; (al pl., *scient.*) Cetacea.

cetàno m. (*chim.*) cetane: **numero di c.**, cetane number.

cetìle m. (*chim.*) cetyl.

cetìlico a. (*chim.*) cetyl (attr.).

cetìna f. **1** (*chim.*) cetin **2** (*estens.*) spermaceti.

cètnico a. e m. Chetnik.

cèto m. (*social*) class; rank; order: **il c. impiegatizio**, white-collar workers (pl.); **il c. medio**, the middle classes (pl.); **il c. operaio**, the working class; blue-collar workers (pl.); **i ceti superiori**, the upper class; **gente di ogni c.**, people of all ranks.

cetologìa f. (*zool.*) cetology.

cetònia f. (*zool.*, *Cetonia*) cetonian beetle; chafer: **c. dorata** (*Cetonia aurata*), goldsmith beetle; rose beetle; rose chafer.

cétra f. **1** (*mus.*: *strumento rinascimentale*) cittern, cither; (*da tavolo*) zither, dulcimer; (*lira*) cithara, lyre **2** (*fig.*: *poesia*) lyre; poetry.

cetràngolo m. bitter orange; Seville orange.

cetriolino m. gherkin: **c. sotto aceto**, pickled gherkin.

cetriòlo m. **1** (*bot.*, *Cucumis sativus*; *frutto*) cucumber **2** (*zool.*) - **c. di mare** (*Holothuria*), sea cucumber.

CF sigla (**codice fiscale**) fiscal code; taxpayer's code number; National Insurance number (*GB*).

CFC abbr. (*chim.*, **clorofluorocarburo**) chlorofluorocarbon (CFC).

CFL sigla (**contratto di formazione e lavoro**) fixed-term apprenticeship.

CFP sigla **1** (**centro di formazione professionale**) vocational training centre **2** (**Certificato di formazione professionale**) vocational training certificate.

cfr. abbr. (*lat.*: *confer*) (**confronta**) compare (cf.).

CFS sigla (**Corpo forestale dello Stato**) National Forestry Corps.

CGIL sigla (**Confederazione generale italiana del lavoro**) Italian General Confederation of Labour.

CGS sigla (*fis.*, (**unità**) **centimetro-grammo massa-secondo**) centimetre, gram, second (unit) (cgs).

CH abbr. (**Chieti**).

cha cha cha (*spagn.*) m. inv. cha-cha: **ballare il cha cha cha**, to cha-cha.

chador m. inv. chador; chuddar.

chakra m. inv. (*filos.*) chakra.

chalet (*franc.*) m. inv. chalet; lodge; cabin; mountain hut.

champagne (*franc.*) **A** m. inv. champagne **B** a. inv. - **color c.**, champagne.

chance (*franc.*) f. inv. chance: **la mia ultima c.**, my last chance; **avere delle buone c.**, to have a good chance of success; **non avere c.**, not to have (o to stand) a chance.

chansonnier (*franc.*) m. inv. chansonnier; cabaret singer.

chanteuse (*franc.*) f. inv. chanteuse; concert-hall singer.

chantilly (*franc.*) **A** m. inv. (*merletto*) Chantilly lace **B** f. inv. (*cucina*) Chantilly cream.

chaperon (*franc.*) f. inv. chaperon.

charity f. inv. charity fund-raising event.

charlotte (*franc.*) f. inv. **1** (*cucina*) char-

lotte **2** (*abbigliamento*) lace cap.

charme (*franc.*) m. inv. charm.

chàrter (*ingl.*) (*aeron.*) **A** m. inv. (*aereo*) chartered plane **B** a. inv. chartered; charter (attr.): **aereo c.**, chartered plane; **volo c.**, charter flight.

chassìdico e deriv. → **cassidico**, e deriv.

châssis (*franc.*) m. inv. **1** (*autom.*) chassis* **2** (*fotogr.*) plate holder.

chat f. inv. (*Internet*) **1** (*la sessione*) chat-room session **2** (*il sito*) chat room.

chattàre v. i. (*Internet*) to chat (on-line).

chauffeur (*franc.*) m. inv. chauffeur; driver.

♦**che**① **A** pron. relat. **1** (*sogg.*: *rif. a persona*) who, that; (*rif. a cosa o ad animale di sesso imprecisato*) which, that: **l'uomo che venne a pranzo**, the man who (o that) came to lunch; **l'erba che cresceva sulla soglia**, the grass that grew on the threshold; *Mio padre, che non ama viaggiare, resterà a casa*, my father, who doesn't like travelling, will stay at home; *La città, che fu fondata dai greci, ha un tempio famoso*, the town, which was founded by the Greeks, has a famous temple **2** (*ogg.*: *rif. a persona*) whom, that; (*rif. a cosa o ad animale di sesso imprecisato*) which, that (*spesso però è omesso in tutti i casi*): **l'uomo che incontrai ieri**, the man I met yesterday; the man whom (o that) I met yesterday; **il libro che ti ho dato**, the book I gave you; the book which (o that) I gave you; *L'uomo che guardavi è mio cugino*, the man you were looking at is my cousin; *Nella stanza c'era anche il direttore generale, che io non avevo mai incontrato prima*, in the room there was also the general manager, whom I had never met before; *Questa è mia moglie, che credo tu conosca già*, this is my wife, I think you've already met her; *È il ragazzo più intelligente che abbia mai incontrato*, he is the smartest boy (that) I have ever met **3** (*in cui, quando*) in which; on which; when (*spesso omessi*): **il giorno che c'incontrammo**, the day we met; the day on which (o when) we met; **l'anno che nascesti**, the year you were born; the year (in which) you were born **4** (*la qual cosa*) which: *In quel caso non potrei venire, il che sarebbe un peccato*, in that case I couldn't come, which would be a pity; *Mi chiese se ero sposato, al che gli dissi ch'ero vedovo*, he asked me if I was married, to which I replied I was a widower; **dopo di che**, after which **5** (*correlativo di «stesso», «medesimo»*) as; that: *Dice le medesime cose che dicevi tu*, he says the same things as you did ● **di che**, something; (*in frasi negative*) anything, nothing: **avere di che sfamarsi**, to have something to eat; *Non c'è di che vergognarsi*, it's nothing to be ashamed of; *Non ha di che vestirsi*, she barely has a thing to wear; *Non ha di che lamentarsi*, he has no reason for complaint ● **Non c'è di che!**, don't mention it!; you're welcome! (*USA*) **B** pron. interr. ❶ **Nota**: *chi* → **chi**① (*che cosa?*) what: *A che pensi?*, what are you thinking of?; *Che hai?*, what's the matter with you?; *Che fare?*, what are we to do? ● **a che?** (*a qual fine?*), what for?; why?; to what end?: *A che seguitare?*, why go on?; what is (o was) the good of going on? **C** a. interr. ❶ **Nota**: *chi* → **chi**① **1** (*rif. a un numero imprecisato*) what; (*che tipo*) what sort: *Che regalo vorresti?*, what present would you like?; *Che uomo è?*, what sort of a man is he?; *Che ora è?* (o *che ore sono?*), what time is it?; what's the time?; *A che pagina?*, on what page?; *Che progetti hai?*, what are your plans? **2** (*rif. a un numero limitato*) which: *Che città avete visto in Spagna?*, which cities did you visit in Spain?; *Che vestito mi metto?*, which dress shall I wear?; *Da che parte è andata?*, which way did she

go? ● **che cosa?**, what?: *Che cosa hai detto?*, what did you say?; *Che cosa succede?*, what's happening?; *Non so che cosa dire*, I don't know what to say; *Che cos'ha questa macchina?*, what's wrong with this car? □ **Che differenza c'è?**, what's the difference? □ **A che scopo?**, what for? **D** pron. escl. what: *Che! già alzato e in giro a quest'ora?*, what! up and about so early? **E** a. escl. what a (+ sost. sing.); what (+ sost. non contabile o pl.); how (+ agg.): *Che bella giornata!*, what a lovely day!; *Che bei fiori!*, what beautiful flowers!; *Che strega!*, what a bitch!; *Che coraggio!*, what courage!; how brave of him [her, etc.]!; (*iron.*) what a nerve!; *Che pazienza!*, what patience!; *Che spavento!*, what a fright!; how frightening!; *Che noia!*, how boring!; *Che seccatura!*, what a nuisance!; *Che peccato!*, what a pity!; *Che stupidi sono!*, what fools they are!; *Che bello!*, how lovely!; *In che stato ti sei ridotto!*, look at the state you're in! **F** pron. indef. something: *C'è un che di strano in quella casa*, there's something strange about that house; **un non so che di ambiguo nel suo sguardo**, something ambiguous in his look; **un certo non so che**, a certain something; a certain je ne sais quoi (*franc.*); **gran che** → **granché**.

♦**che**② cong. **1** (*dichiarativa, dopo verbi che esprimono opinione, sentimento, ecc.*) that (*spesso omesso*): *Mi disse che avrebbe scritto*, she told me (that) she would write; *Mi dispiace che tu non possa venire*, I'm sorry (that) you can't come **2** (*dichiarativa, dopo verbi di volontà o comando, o dopo loc. impers.*) – *Voglio che tu stia in casa*, I want you to stay at home; *Ordinò che i soldati lo seguissero*, he ordered the soldiers to follow him; *Vorrei che capisse che ho ragione io*, I wish she would understand (that) I am right; *È possibile che venga anche lui*, he may come too **3** (*consecutiva*) that (*a volte omesso*): *Era così stanco che non ragionava più*, he was so tired (that) he couldn't think straight **4** (*finale*) that (*spesso sottinteso*); so that: *Bada che non si raffreddi*, mind it doesn't get cold; *Sta' attento che il gatto non scappi*, be careful that the cat doesn't run away **5** (*comparativa*) than: **più fortuna che bravura**, more luck than ability; **più che mai**, more than ever; **prima che tu non creda**, sooner than you think; **più presto che potrò**, as soon as I can **6** (*correlativa di «tanto» e «sia»*) both...and: **tanto noi che i nostri figli**, both we and our children; **sia il cane che il padrone**, both the dog and his master **7** (*causale*) – *Parla forte, che in fondo non ti sentono*, speak up, they can't hear you at the back; *Va' a letto, che stai cascando dal sonno*, you're asleep on your feet, go to bed **8** (*temporale: quando*) when; (*dopo che*) after; (*da quando*) since: *Lo incontrai che era mezzogiorno*, when I saw him, it was noon; *I saw him at noon*; **passata che fu la burrasca**, after the storm was over; *Mangiato che ebbe, si accese la pipa*, when he finished eating, he lit up his pipe; *Sono anni che non lo vedo*, I haven't seen him in years; it's ages since I saw him last; **da che mondo è mondo**, since the beginning of time; from time immemorial **9** (*disgiuntiva*) whether: *Che tu venga o no, mi è indifferente*, it's immaterial to me whether you come or not **10** (*ottativa*) – *Che vada!*, let him go!; *Che Dio t'aiuti*, (*may*) God help you **11** (*eccettuativa*) but; only: *Non fece (altro) che brontolare*, he did nothing but grumble; *Non pensa (ad altri) che a sé*, he thinks only of himself **12** (*concessiva*) that; as far as: *Che io sappia, no*, not as far as I know; not that I know of **13** (*nelle cong. composte*) **già che** → **giacché**; **salvo che** → **salvo**, ecc.

ché cong. (*lett.*) **1** (*causale*) since; as; because; for: *Alzai il bavero, ché s'era fatto*

freddo, I turned up my coat collar, as it had become cold; *Avvicinati, ché voglio vederti meglio*, come closer, I want to see you better; *Ti ringrazio, ché mi hai confortato*, thank you for comforting me **2** (*finale*) so that; so as: *Scivolarono dietro una siepe, ché nessuno li vedesse*, they slipped behind a hedge, (so as) not to be seen.

chécca f. (*spreg.*) queen; nancy; faggot; fairy (*USA*).

checché pron. relat. indef. whatever: **c. tu dica**, whatever you may say; **c. accada**, whatever happens; no matter what happens.

checchessìa pron. indef. (*lett.*) anything.

check-in (*ingl.*) m. inv. **1** (*operazione*) check-in **2** (*banco*) check-in counter (*o* desk).

check-up (*ingl.*) m. inv. **1** (*med.*) checkup **2** (*tecn.*) overhaul.

cheddìte f. cheddite.

chef (*franc.*) m. inv. chef: **specialità dello c.**, chef's speciality.

chèfir m. inv. kefir, kephir.

cheilìte f. (*med.*) cheilitis.

cheilofagìa f. (*med.*) cheilophagy.

cheiloscìṣi f. (*med.*) hare-lip; cheiloschisis.

cheirospàṣmo m. (*med.*) writer's cramp.

chèla f. (*zool.*) chela*; (*com.*) claw, nipper.

chelàto a. e m. (*chim.*) chelate.

chelazióne f. (*chim.*) chelation.

cheliceràto m. (*zool.*) chelicerate; (al pl., *scient.*) Chelicerata.

chelìcero m. (*zool.*) chelicera*.

chelìdra f. (*zool., Chelydra serpentina*) snapping turtle; snapper.

chellerìna f. barmaid.

chelòne m. (*zool.*) chelonian; (al pl., *scient.*) Chelonia.

chemigrafìa f. chemigraphy.

chemiluminescènza f. chemiluminescence.

chèmio f. inv. chemotherapy.

chemiocettóre → **chemiorecettore**.

chemiogèneṣi f. (*biol.*) chemogenesis.

chemioprevenzióne f. (*med.*) chemoprevention.

chemioprofilàssi f. (*med.*) chemoprophylaxis.

chemiorecettóre m. (*biol.*) chemoreceptor; chemoceptor.

chemioṣìnteṣi f. (*biol.*) chemosynthesis.

chemiotàssi f. (*biol.*) chemotaxis.

chemiotattìṣmo m. (*biol.*) chemotaxis.

chemioterapìa f. (*med.*) chemotherapy.

chemioteràpico a. (*med.*) chemotherapeutic.

chemiotropìṣmo m. (*biol.*) chemotropism.

chemisier (*franc.*) m. inv. (*moda*) shirtwaister; shirtwaist (*USA*).

chemocettóre → **chemiocettore**.

chemorecettóre → **chemiorecettore**.

chemosfèra f. (*meteor.*) chemosphere.

chemoṣìnteṣi → **chemiosintesi**.

chemotropìṣmo → **chemiotropismo**.

chenopòdio m. (*bot., Chenopodium*) chenopod; (*com.*) goosefoot ● **c. bianco** (*Chenopodium album*) pigweed; fat hen.

chènzia → **kenzia**.

chepì, cheppì m. kepi.

chéppia f. (*zool., Alosa alosa*) allice shad.

chèque (*franc.*) m. inv. cheque, check (*USA*): **emettere uno c.**, to write out a cheque.

cheratìna f. (*biol.*) keratin.

cheratinizzàre v. t. (*biol.*) to keratinize.

---

cheratinizzazióne f. (*biol.*) keratinization.

cheratìte f. (*med.*) keratitis.

cheratocòno m. (*med.*) keratoconus.

cheratodermìa f. (*med.*) keratoderma.

cheratògeno a. (*biol.*) keratogenous.

cheratolìtico a. e m. (*farm.*) keratolytic.

cheratòma m. (*med.*) keratosis.

cheratoplàstica f. (*med.*) keratoplasty.

cheratòṣi f. → **cheratoma**.

cheratotomìa f. (*chir.*) keratotomy.

cherìgma m. (*teol.*) kerygma.

cherigmàtico a. (*teol.*) kerygmatic.

chèrmes m. (*colorante*) kermes.

chèrmiṣi → **cremisi**.

cheroṣène m. (*chim.*) paraffin (oil) (*GB*); kerosene (*USA*).

cherùbico a. cherubic.

cherubìno m. (*teol.* e *fig.*) cherub*.

chetàre Ⓐ v. t. (*calmare*) to calm, to still; (*placare*) to appease, to placate; (*far tacere*) to quiet down, to hush Ⓑ **chetàrsi** v. i. pron. to quiet down; to hush: *Chetati!*, be quiet!

chetichèlla vc. – **alla c.**, secretly; stealthily; on the sly: **andarsene alla c.**, to steal away; **entrare [uscire] alla c.**, to slip in [out].

chéto a. (*tranquillo*) quiet, calm; (*silenzioso*) still, silent; (*immobile*) still ● (*fig.*) **un'acqua cheta**, a sly one.

chetoàcido m. (*biochim.*) keto acid.

chetògeno a. (*biochim.*) ketogenic.

chetóne m. (*chim.*) ketone.

chetonemìa f. (*med.*) ketonemia.

chetònico a. (*chim.*) ketonic; ketone (attr.): **corpi chetonici**, ketone bodies.

chetòṣo m. (*chim.*) ketose.

chetosteròide m. (*chim.*) ketosteroid.

chewing-gum (*ingl.*) m. inv. chewing-gum Ⓤ: **un chewing-gum**, a piece of chewing-gum.

● **chi** ① Ⓐ pron. relat. (*la persona che*) the person who, the one who; (*colui che*) the man [the boy. etc.] who; (*colei che*) the woman [the girl, etc.] who; (*coloro che*) those who, the people who: *Chi entra per ultimo chiuda la porta*, the person who comes in last should close the door; *Chi era presente ricorderà che cosa fu detto*, those who were there will remember what was said; *Sono gentile con chi è gentile con me*, I am kind to those who are kind to me; *Chi non vuole saperne è suo marito*, it's her husband who doesn't want to hear about it; *Chi vedemmo non era Anna, ma Giulia*, the girl we saw was Giulia, not Anna; *Non mi fido di chi mi ha già imbrogliato*, I don't trust someone who has already cheated me; *Riportalo a chi l'hai preso*, take it back to the person you took it from; *Chi sceglierò dovrà essere pronto a lavorare sodo*, the person I choose must be prepared to work hard ● (*prov.*) **Chi s'aiuta il Ciel l'aiuta**, God helps those who help themselves □ (*prov.*) **Chi la fa l'aspetti**, as you sow, so shall you reap □ (*prov.*) **Chi va piano va sano e va lontano**, more haste less speed □ (*prov.*) **Ride bene chi ride ultimo**, he laughs best who laughs last Ⓑ pron. relat. indef. **1** (*chiunque*) whoever (compl. whomever, *form.*); anyone who; anybody that: *Chi dice ciò, sbaglia*, whoever (*o* anyone who) says that is wrong; *Dàllo a chi vuoi*, give it to whoever (*form.* whomever) you like; *Chiedi a chi vuoi*, ask anyone (you like); *Voglio parlare con chi si occupa delle consegne*, I want to speak to whoever (*form.* whomever) is in charge of deliveries **2** (*qualcuno che*) someone (*o* somebody) who; (*alcuni che*) some who, those who: *Bisogna trovare chi possa farlo*, we must find someone who can do it; *C'è chi lo crede*, there are

---

those who believe it **3** (*se alcuno*) in case you; if one; if you: *Chi non lo sapesse, non c'è più acqua*, in case you don't know it, there's no more water Ⓒ pron. indef. – **chi... chi**, some... some; some... others: *Chi rideva, chi piangeva*, some were laughing, others were weeping; *Chi dice una cosa, chi un'altra*, some say this, some say that Ⓓ pron. interr. **1** (sogg.) who; (ogg. e compl. indir.) who, whom (*form.*): *Chi è quell'uomo?*, who is that man?; *Chi sono quelle donne?*, who are those women?; *«Permesso?» «Chi è?»*, «may I come in?» «who is it?»; *Tito Marchi? Chi è?*, Tito Marchi? who is he?; *Chi te l'ha detto?*, who told you that?; *Mi domando chi sia costui*, I wonder who this man is; *Non so bene chi sia*, I'm not sure who he [she] is; *Guarda chi c'è!*, look who's here!; *Chi preferisci?*, who (*o* whom) do you prefer?; *A chi dovrei scrivere?*, who (*o* whom) should I write to?; *to whom should I write?* (*form.*); *Di chi parlano?*, who (*o* whom) are they talking about?; *Non so a chi darlo*, I don't know who (*o* whom) to give it to; *Per chi lavori?*, who do you work for? **2** (*rif. a un numero limitato di persone*) which: *Chi di voi va a teatro?*, which of you is (*o* are) going to the theatre?; *Chi di noi preferisci?*, which of us do you prefer?; *Con chi di loro vorresti andare?*, which of them would you like to go with? **3** – **di chi** (poss.), whose: *Di chi è?*, whose is it?; *Di chi è quella casa?*, whose house is that?; *Di chi è la colpa?*, whose fault is it? ● **Chi lo sa?**, who knows? □ **Chi me lo fa fare?**, why am I doing this?; why should I do it? □ **chi va là?**, who goes there?

❶ Nota: *chi*

1 Quando i pronomi **chi**, (**che**) **cosa**, **che**, **quale** o **quanto** sono il soggetto di una proposizione interrogativa, diretta o indiretta, nella corrispondente frase inglese l'ausiliare to do di norma non si usa: *Chi te l'ha detto?*, who told you? (anziché who did tell you?); *Che cosa accadde al testimone?*, what happened to the witness? (anziché what did happen to the witness?); *Quale funziona meglio?*, which of them works better?; *Mi chiese quale funzionasse meglio*, he asked me which of them worked better (anziché he asked me which of them did work better).

Lo stesso vale quando il soggetto è un nome preceduto da un aggettivo interrogativo (**che**, **quale**, **quanto**): *Quante persone hanno assistito al concerto?*, how many people attended the concert? (anziché how many people did attend the concert?); *Ignoro quante persone abbiano assistito al concerto*, I don't know how many people attended the concert.

L'ausiliare to do (come accade anche nelle frasi affermative) è usato solo nei casi, abbastanza rari, in cui si intende dare particolare enfasi all'enunciato: *Allora, chi è stato a dirtelo?* (*o* *Chi mai te l'ha detto?*), who did tell you?; *Che cosa accadde effettivamente al testimone?*, what did happen to the witness?

2 Quando i pronomi e gli aggettivi interrogativi non sono soggetto, nelle proposizioni interrogative dirette l'ausiliare to do deve essere usato e precede il soggetto: *A chi l'hai detto?*, who did you tell?; *Che cosa pensate dell'idea?*, what do you think about the idea?

Lo stesso vale per gli altri ausiliari e il verbo to be: *Chi siete?*, who are you? (you è il soggetto, who il nome del predicato); *Che CD hai acquistato?*, what CD have you bought?

Nelle proposizioni interrogative indirette l'ausiliare to do invece non si usa e il verbo to be e gli altri ausiliari normalmente non precedono il soggetto: *Mio fratello le chiese che*

cosa volesse, my brother asked her what she wanted (non ~~My brother asked her what did she want~~); *Non so chi siano*, I don't know who they are (non ~~I don't know who are they~~).

Tuttavia, se il soggetto è composto da parecchie parole, può accadere che sia preceduto anziché seguito da to be o dall'ausiliare: *Le chiesi chi fosse il ragazzo con cui aveva parlato tutta la sera*, I asked her who was the boy she had been talking to the whole evening (in alternativa a I asked her who the boy she had been talking to the whole evening was).

chi ② m. o f. (*ventiduesima lettera dell'alfabeto greco*) chi.

chiàcchiera f. **1** (spec. al pl.) (*conversazione leggera*) chat; chatter ⓤ; chitchat ⓤ (*fam.*); natter (*fam.*): *fare (o scambiare) due (o quattro) chiacchiere*, to have a chat; to pass the time of day (*fam.*); *perdersi in chiacchiere*, to waste time chattering; *Basta con le chiacchiere!*, enough with this chitchat!; that's enough chattering!; **chiacchiere a vuoto**, idle talk ⓤ; prattle ⓤ; waffle ⓤ (*fam.*); claptrap ⓤ (*fam.*) **2** (*pettegolezzo*) gossip; rumour ⓤ; tale; false report: *Ci sono state chiacchiere sul conto di lei*, there has been some gossip about her; *È una c. diffusa dai giornali*, it's a tale (o a rumour) put about by the papers **3** (*parlantina*) (a) glib tongue, (the) gift of the gab (*fam.*); (*loquacità*) chattiness, garrulousness: *avere una bella c.*, to have a glib tongue; to have the gift of the gab **4** (al pl.) (*parole vuote*) empty words; idle talk ⓤ; hot air ⓤ (*fam.*); waffle ⓤ (*fam. GB*) ● **Bando alle chiacchiere!**, let's come to the point; come to the point!; cut the cackle! (*fam.*) □ **A chiacchiere promette tutto**, he is very glib in promising □ **Poche chiacchiere!**, enough with this nonsense!; cut it out! (*fam.*) □ **Troppe chiacchiere!**, too much talk!

◆**chiacchieràre** v. i. **1** to chat; to chatter; to talk; to visit with sb. (*fam. USA*): *c. con gli amici al caffè*, to chat with one's friends at the café; *c. del più e del meno*, to chat about this and that; to chat casually; to pass the time of day (*fam.*); to shoot the breeze (*slang USA*); to natter (*fam.*); to jabber (*fam.*); to yak (*slang USA*); to yackety-yak (*slang USA*) **2** (*fare pettegolezzi*) to gossip; to talk; to spread* rumours: *È uno che chiacchiera*, he's a gossip **3** (*non saper tenere un segreto*) to blab **4** (*parlare molto, ciarlare*) to chatter; to be a chatterbox; to natter, to jabber (*fam.*); to yak (*slang USA*); to yackety-yak (*slang USA*): *Quanto chiacchiera quella donna!*, what a chatterbox that woman is!; how that woman chatters on!

chiacchieràta f. **1** chat; talk; natter (*fam.*); chinwag (*fam. GB*): *fare una bella c.*, to have a good chat **2** (*discorso prolisso*) boring talk; long story.

chiacchieràto a. – *È piuttosto c. in città*, he's been causing some gossip in town.

chiacchierìccio → **chiacchierìo**.

chiacchierìno Ⓐ m. (f. *-a*) **1** chatterer; chatterbox (*fam.*) **2** (*merletto*) tatting Ⓑ a. talkative; chattering; chatty.

chiacchierìo m. chatter; chattering; babble; yackety-yak (*fam. USA*): *Non so come faccia a lavorare in mezzo a tutto quel c.*, I don't know how she can work with all that chattering going on around her.

◆**chiacchieróne** Ⓐ m. (f. *-a*) **1** great talker; chatterer; chatterbox (*fam.*); gasbag (*fam., spreg.*) **2** (*chi non sa tenere un segreto*) bigmouth (*fam.*); blabbermouth (*fam.*) **3** (*pettegolo*) gossip; bigmouth Ⓑ a. **1** talkative; chatty; garrulous; gabby (*fam.*) **2** (*pettegolo*) gossipy.

---

chiàma f. roll call: *fare la c.*, to call the roll.

◆**chiamàre** Ⓐ v. t. **1** (*anche fig.*) to call: *È pronto, chiama papà*, lunch is ready, call Dad; *c. il dottore [la polizia]*, to call the doctor [the police]; *Per salvare il gatto hanno dovuto c. i pompieri*, the firemen had to be called out to rescue the cat; *Chiamò il cane con un fischio*, she whistled for the dog; *Mi chiamò con un cenno [con un gesto]*, he beckoned [gestured] me over; *Il dovere mi chiama*, duty calls; *Chiamami (= svegliami) alle sette*, call me at seven **2** (*imporre un nome*) to name: *La chiamarono Lina come la nonna*, they called her Lina after her grandmother; *L'hanno chiamato come suo zio*, they named him after his uncle **3** (*usare un nome*) to call; to address: *Tutti lo chiamano Dino*, everybody calls him Dino; *c. q. per cognome*, to call sb. by his surname; *c. q. «signor X»*, to address sb. as Mr X; *L'ha chiamato imbroglione*, he called him cheat **4** (*designare*) to call; to appoint: *È stato chiamato a dirigere la ditta*, he's been called to manage the firm; he's been appointed general manager of the firm **5** (*telefonare*) to call (up); to ring* (up); to give sb. a ring (o a call): *Ti chiamo domani*, I'll call (o ring) you tomorrow; *Chiamami quando arrivi a casa*, give me a ring me when you get home **6** (*invocare*) to call for; to call upon; to invoke: *c. aiuto*, to call for help; *c. Dio a testimone*, to call upon God as one's witness **7** (*mil.*) to call up: *È stata chiamata la sua classe*, those of his year have been called up **8** (*alle carte*) to call; to declare; to bid*: *c. due quadri*, to call two diamonds ● *c. a raccolta*, to muster; (*fig.*) to muster up, to gather: *c. a raccolta le forze*, to gather one's strength □ *c. q. a rendere conto di qc.*, to call sb. to account for st. □ (*teatr.*) *c. alla ribalta*, to call out; to call back; (al passivo) to take a curtain call □ *c. alle armi*, to call to arms □ (*leg.*) *c. q. a testimone*, to call sb. to witness; (*con mandato di comparizione*) to subpoena sb. as a witness, to serve sb. with a subpoena □ (*fig.*) *c. le cose col loro nome (o c. pane il pane, vino il vino)*, to call a spade a spade □ *c. q. da parte*, to take sb. to one side □ *c. disgrazia*, to bring bad luck □ (*naut.*) *c. l'equipaggio ai posti di combattimento*, to call all hands to battle stations; to beat to quarters □ (*naut.*) *c. gli uomini in coperta (col fischio)*, to pipe all hands on deck □ *c. in causa*, (*coinvolgere*) to involve, to implicate, to draw in; (*menzionare*) to bring up □ *c. in disparte*, to call aside □ (*leg.*) *c. q. in giudizio*, to summon sb. □ (*mil.*) *c. sotto le armi*, to call up □ *c. un taxi*, (*per strada*) to hail a taxi; (*per telefono*) to call (o to ring for) a taxi □ **mandare a c. q.**, to send for sb. Ⓑ **chiamàrsi** v. i. pron. (*avere nome*) to be called: *Come si chiama questa cosa?*, what's this thing called?; *«Come ti chiami?» «Mi chiamo Andrea»*, «what's your name?» «my name is Andrea»; *Come si chiama il cinema all'angolo?*, what's the name of the cinema on the corner? **2** (*considerarsi*) to count (o to consider) oneself: *Puoi chiamarti fortunato*, you may count yourself lucky **3** (*lett.: dichiararsi*) to declare oneself; to own oneself ● *chiamarsi fuori*, (*nei giochi di carte*) to call oneself out; (*fig.*) to want out, to opt out □ **Questo sì che si chiama un Natale!**, this is a proper Christmas! □ **Questo si chiama parlar chiaro!**, this is plain speaking!

◆**chiamàta** f. **1** call; (*urgente o imperativa*) summons: *accorrere a una c.*, to rush to a call; *Il dottore trovò una c. urgente*, the doctor found an urgent call; *c. telefonica*, telephone call **2** (*leg.*) summons **3** (*appello nominale*) roll call: *fare la c.*, to call the roll **4** (*nomina*) nomination; appointment **5** (*teatr.*) curtain call **6** (*alle armi*) call-up;

---

draft (*USA*) **7** (*vocazione*) calling **8** (*tipogr.: rinvio*) cross-reference mark; (*al piede*) footnote reference ● *c. alle urne*, general election □ *c. in causa*, involvement; implication.

chiamavettùre m. inv. (*di albergo*) commissionaire.

chiàppa f. (*pop.*) buttock; cheek (*fam.*); (al pl.) buttocks, backside (sing.), butt (sing.), ass (sing.): *Alza le chiappe!*, get off your butt!; move your ass!

chiappamèrli m. e f. inv. simpleton; dupe; sucker (*slang*).

chiappamósche → **acchiappamosche**.

chiappanùvole m. e f. inv. daydreamer.

chiappàre v. t. (*pop.*) to catch*; to grap.

chiapparèllo, chiapperèllo m. **1** (*inganno*) catch; trap **2** (*gioco infantile*) tig; tag.

chiàra f. (*fam.*) white (of an egg); egg white: *tre chiare d'uovo*, the whites of three eggs; three egg whites.

Chiàra f. Clara; Clare.

chiaraménte avv. **1** (*in modo chiaro*) clearly; distinctly; plainly **2** (*in modo esplicito*) openly; frankly; candidly **3** (*in modo evidente*) evidently; obviously; plainly.

chiarétto m. (*vino*) light red wine.

◆**chiarézza** f. **1** clearness; clarity: *la c. dell'acqua*, the clearness of the water **2** (*comprensibilità*) clearness; (*lucidità*) clarity; lucidity: *c. d'idee*, clarity of ideas; clear-headedness; *spiegare con c.*, to explain clearly **3** (*franchezza*) openness; frankness: *Ti voglio parlare con c.*, I want to talk to you openly; I want to be open with you ● *fare c. su qc.*, to shed light on st.

chiarificànte Ⓐ a. clarifying Ⓑ m. clarifier; clarifying agent; (*enologia*) fining agent, finings (pl.).

chiarificàre v. t. **1** to clarify; (*enologia*) to fine **2** (*fig.*) to clarify; to explain; to clear up.

chiarificatóre Ⓐ m. clarifier Ⓑ a. clarifying; (*enologia*) fining.

chiarificazióne f. **1** clarification; (*enologia*) fining **2** (*fig.*) explanation; clarification ⓤ; elucidation ⓤ; clearing up ⓤ.

chiariménto m. explanation; elucidation ⓤ; clearing up ⓤ: *Ho letto la tua relazione e desidererei qualche c.*, I have read your report and should like you to clear up one or two points.

chiarìna f. (*mus.*) clarion.

chiarìre Ⓐ v. t. **1** (*spiegare*) to explain, to elucidate; (*precisare*) to make* clear, to clarify: *c. un concetto*, to explain a concept; to make a concept clear; *c. un punto*, to clarify a point; *c. una questione*, to explain a question **2** (*rimuovere ambiguità*) to clear up, to set* straight; (*risolvere*) to unravel, tu untangle; (*dissipare*) to remove: *c. un dubbio*, to remove a doubt; *c. un equivoco*, to clear up a misunderstanding; *c. un mistero*, to clear up (o to unravel) a mystery; **tanto per c. le cose**, just to set things straight **3** (*purificare*) to clarify Ⓑ **chiarìrsi** v. i. pron. to become* clear; to clear up.

chiarìssimo a. **1** (*illustre*) eminent; most distinguished **2** (*nelle lettere*) – *C. Prof. Rossi*, Dear Professor Rossi; (*in un indirizzo*) (*Al*) *C. Prof. G. Verdi*, Prof. G. Verdi.

chiarità f. (*lett.*) clarity; brightness; luminosity; splendour, splendor (*USA*).

chiaritóio m. (*filtro*) filter for liquids.

◆**chiàro** Ⓐ a. **1** (*limpido*) clear; limpid; unclouded; (*luminoso*) bright; (*di colore*) light, pale; (*di suono*) clear, pure, ringing; (*di capelli, pelle*) fair: *acqua chiara*, clear water; *una stanza chiara*, a bright room; *azzurro c.*, light blue; *grigio c.*, pale grey; *una voce chiara*, a clear voice; *carnagione chiara*, fair complexion **2** (*evidente*) clear; plain; ob-

vious; manifest: **una chiara menzogna**, an obvious lie; **una chiara ingiustizia**, a clear (*o* blatant) injustice; **È c. che non lo sa**, it's obvious (*o* plain) she doesn't know; she plainly doesn't know; *Risultò c. che non c'entrava*, it became apparent he had nothing to do with it **3** (*comprensibile*) clear; plain: **una spiegazione chiara**, a clear explanation; *Sono stato c.?*, have I made myself clear? **4** (*netto, deciso*) clear; clear-cut: **un risultato c.**, a clear-cut result **5** (*franco*) clear; frank; open; plain; candid: **sguardo c.**, open (*o* frank) look; *Gli farò un discorso molto c.*, I'll be very frank with him **6** (*illustre*) eminent; celebrated; distinguished: **uno scienziato di chiara fama**, an eminent scientist; **c. ingegno**, distinguished mind ● **c. come il sole**, as clear as day; crystal clear; (*evidentissimo*) self-evident, plain for everyone to see □ **c. e tondo**, plain; outright; round; straight: **un no c. e tondo**, a flat no; **una risposta chiara e tonda**, a straight answer □ **dire a chiare note**, to give (sb.) a piece of one's mind; to do some plain speaking □ **Si fa c.**, it's getting light □ **Fa c. alle sei**, it gets light at six □ **giorno c.**, broad daylight □ **avere le idee chiare**, to have clear ideas; to be clear-headed □ **poco c.**, unclear; (*ambiguo*) dubious, not quite right, shady, fishy (*fam.*) **B** m. **1** (*luminosità*) brightness; lightness **2** (*colore chiaro*) light colour; light colours (*pl.*): **vestire di c.**, to dress in light colours **3** (*al pl.*) (*pitt.*) lights ● **c. di luna**, moonlight; moonshine □ (*fam.*) **c. d'uovo**, white of an egg; egg white □ (*fig.*) **con questi chiari di luna**, the way things are at present; with this state of affairs □ **in c.** (*non in codice*) uncoded (*agg.*); in the clear □ **mettere in c. qc.**, to clarify st.; to make st. clear; to get st. straight: *Mettiamo subito in c. le cose*, let's get things straight immediately **C** avv. **1** clearly **2** (*con franchezza*) frankly; plainly; directly: **parlare c.**, to speak frankly; to make (st.) plain; *Parliamoci c.*, let's be frank; *La legge parla c.*, the law is clear ● **c. e forte**, loud and clear □ **c. e tondo**, plainly; straight out; in no uncertain terms; in plain English: *Glielo dissi c. e tondo*, I told him straight out (*o* in no uncertain terms) □ **Voglio vederci c.**, I want to get to the bottom of this □ **Non ci vedo c.**, there is something not quite right here.

chiaróre m. dim (*o* faint) light; glimmer; glow: **il c. dell'alba**, the first light of dawn; **il debole c. di una candela**, the faint glimmer of a candle; **c. lunare**, moonlight; radiance of the moon.

chiaroscuràle a. chiaroscuro (*attr.*); shaded.

chiaroscuràre v. t. (*pitt.*) to shade.

chiaroscùro m. **1** (*pitt.*) chiaroscuro*: **effetti di c.**, chiaroscuro; light and shade effects **2** (*luce incerta*) twilight **3** (*fig.*) ups and downs (*pl.*).

chiaroveggènte A a. **1** clairvoyant; psychic **2** (*fig.*) clear-sighted; far-seeing **B** m. e f. clairvoyant.

chiaroveggènza f. **1** (*divinazione*) clairvoyance; second sight **2** (*fig.*) far-sightedness.

chiàsma → **chiasmo**, def. 2.

chiaṣmàtico a. (*anat., biol.*) chiasmal; chiasmic.

chiaṣmo m. **1** (*retor.*) chiasmus* **2** (*anat., biol.*) chiasma*: **c. dei nervi ottici**, optic chiasma.

chiassaiòla f. (*agric.*) rainwater ditch.

chiassàta f. **1** (*schiamazzo*) din; racket **2** (*lite clamorosa*) scene; row: **fare una c.**, to make a scene; to kick up a row; to raise Cain (*fam.*).

chiassile m. (*edil.*) window frame.

◆**chiàsso** ① m. **1** (*rumore*) noise; din; racket:

un **c. assordante**, a deafening racket; *Che era tutto quel c.?*, what was all that racket?; **fare c.**, to make a noise; (*di bambini che giocano*) to romp; **fare un c. del diavolo**, to make a hell of a noise (*o* a racket) **2** (*fig.: scalpore*) stir; sensation; fuss; (*pubblicità*) hype (*fam.*): **fare c.**, to cause a stir; to create (*o* to cause) a sensation; **fare un gran c.** (*protestare*), to kick up a fuss.

chiàsso ② m. (*vicolo*) lane; alley.

chiassóne A a. noisy; rowdy **B** m. (f. **-a**) noisy person.

chiassosità f. **1** noisiness; rowdiness **2** (*fig. spreg.*) showiness; loudness; gaudiness; garishness.

chiassóso a. **1** noisy; rowdy: **comitiva chiassosa**, rowdy group **2** (*fig. spreg.*) showy; loud; gaudy; garish: **colori chiassosi**, garish colours; **una cravatta chiassosa**, a loud tie.

chiàstico a. (*retor.*) chiastic.

chiàtta f. (*naut.*) lighter; (*su canale*) barge, flatboat ● **ponte di chiatte**, pontoon bridge □ **trasportare con chiatte**, to lighter.

chiavàccio m. large bolt: **chiudere a c.**, to bolt.

chiavàio, chiavaiòlo m. locksmith.

chiavàrda f. bolt: (*ferr.*) **c. da rotaia**, track bolt; **c. della ganascia**, fishbolt; (*edil., mecc.*) **c. di fondazione**, foundation bolt.

chiavàre v. t. (*volg.*) to screw; to fuck.

chiavàta f. (*volg.*) screw; fuck.

◆**chiàve A** a. **1** key: **c. femmina**, hollow key; **c. maschio**, solid-shafted key; **c. universale**, skeleton key; **aprire con la c.**, to unlock; **chiudere a c.**, to lock; **chiudersi a c.**, to lock oneself in; **girare la c. nella serratura**, to turn the key in the lock; **buco della c.**, keyhole; **giro di c.**, turn of the key; **un mazzo di chiavi**, a bunch of keys **2** (*mus.*) clef: **c. di basso** (*o di fa*), bass (*o* F) clef; **c. di soprano** (*o di do*), alto (*o* C) clef; **c. di violino** (*o di sol*), treble (*o* G) clef **3** (*di un cifrato*) (cipher) key: **conoscere la c. di un codice**, to know the key to a code; **scoprire la c. di un codice**, to crack a code **4** (*mecc.*) spanner (*GB*); wrench (*USA*): **c. a brugola**, Allen key; **c. a forcella**, fork spanner; fork wrench; **c. a stella**, box spanner; box wrench; **c. fissa**, spanner; wrench; **c. inglese** (*o a rollino*), adjustable spanner; monkey wrench; **c. per le candele**, plug spanner **5** (*fig.*) key; (*elemento rivelatore*) clue; solution: **la c. del successo**, the key to success; **la c. d'un enigma**, the clue to a puzzle; *Questa lettera è la c. di tutta la vicenda*, this letter is the key to the whole affair **6** (*fig.: angolazione, carattere*) point of view; slant; angle: **interpretazione in c. psicologica**, psychological interpretation; **commentare qc. in c. politica**, to comment on st. from a political point of view; to give a political assessment of st.; **la storia di Antigone in c. moderna**, a modern transposition of the story of Antigone; **in c. umoristica**, in a humorous vein; with a comic slant ● (*autom.*) **c. d'accensione**, ignition key □ **c. d'accordatore**, tuning key (*o* hammer) □ (*fig.*) **le chiavi del cuore di q.**, the key to sb.'s heart □ (*fig.*) **le chiavi della città**, the freedom of the city □ (*eccles.*) **le chiavi di S. Pietro**, St Peter's keys □ (*archit.*) **c. di volta**, keystone □ **chiavi in mano**, (*di contratto, impianto*) turnkey (*attr.*); (*autom.*) on the road: **impianto chiavi in mano**, turnkey plant; **prezzo chiavi in mano**, price on the road □ **mettere** [**tenere**] **sotto c.**, to put [to keep] under lock and key □ (*letter.*) **romanzo a c.**, roman à clef (*franc.*) **B** a. inv. key (*attr.*): **parola c.**, key word; **personaggio c.**, key figure; **punto c.**, key point; **teste c.**, key witness.

chiavétta f. **1** key; (*per dare la carica, an-*

che) winder: (*autom.*) **c. dell'accensione**, ignition key **2** (*su conduttura*) tap: **girare la c. del gas**, to turn on the gas **3** (*mecc.*) spline; key: **c. conica**, cone key; **c. trasversale**, cotter; **montare una c.**, to spline.

chiàvica f. drain; sewer.

chiavistèllo m. bolt; latch: **c. a saliscendi**, thumb latch; **mettere** [**togliere**] **il c. a una porta**, to bolt [to unbolt] a door.

chiàzza f. **1** (*macchia*) (large) stain; patch; blotch: **c. d'olio**, oil stain; **c. di petrolio** (*sull'acqua*), oil slick; **c. di sangue**, bloodstain; **c. di vino**, wine stain; *Aveva chiazze rosse sul viso*, he had red blotches on his cheeks; **a chiazze**, patchy (*agg.*); blotchy (*agg.*); in patches; in blotches; (*maculato*) mottled (*agg.*); **dipingere qc. a chiazze**, to paint st. in blotches **2** (*area vuota*) patch: *Il cane perdeva il pelo a chiazze*, the dog was losing its hair in patches.

chiazzàre v. t. **1** (*macchiare*) to stain; to spot; to blotch **2** (*variegare*) to mottle; to dapple.

chiazzatùra f. **1** staining; spotting **2** (*insieme di chiazze*) stains (*pl.*); spots (*pl.*); blotches (*pl.*); maculation.

chic (*franc.*) **A** a. inv. chic; stylish; elegant; fashionable: **un abito c.**, an elegant (*o* a stylish) dress; **una donna c.**, a chic woman; **un ristorante c.**, a fashionable restaurant **B** m. chic; elegance; style.

chicane (*franc.*) f. inv. (*bridge, autom.*) chicane.

chicano (*spagn.*) m. (f. **-a**) Chicano*.

chicca f. **1** (*fam.*) sweet; candy (*USA*); sweetie (*fam.*) **2** (*fig.*) gem; find; titbit; tidbit (*USA*).

chìcchera f. cup: **c. da caffè**, coffee cup.

chicchessìa pron. indef. anyone; anybody: *Lo direbbe a c.*, she would tell anybody; *Non aprire a c.*, don't open to anyone.

chicchirìàre v. i. to crow*.

chicchirichì A inter. cock-a-doodle-doo **B** m. **1** cock-a-doodle-doo: **fare c.**, to crow **2** (*crestina di cameriera*) waitress' cap.

◆**chìcco** m. (*di cereale, riso*) grain; (*di caffè*) coffee bean; (*di grandine*) hailstone; (*di uva*) grape; (*di collana, rosario*) bead.

chicle m. chicle.

◆**chièdere A** v. t. **1** (*per ottenere*) to ask (for); (*supplicando*) to beg (for); (*imperiosamente*) to demand; (*cerimoniosamente*) to request: **c. aiuto**, to ask for help; **c. un bis**, to call for an encore; **c. l'elemosina**, to beg (for alms); **c. un favore a q.**, to ask a favour of sb.; to ask sb. a favour; **c. giustizia**, to demand justice; **c. grazia**, to ask for mercy; **c. la mano di una ragazza**, to ask for a girl's hand; to propose to a girl; **c. notizie di q.**, to ask after sb.; **c. un parere a q.**, to ask for sb.'s opinion; **c. il permesso a q.**, to ask sb.'s permission; **c. il permesso di fare qc.**, to ask leave to do st.; **c. scusa a q.**, to apologize to sb.; to beg sb.'s pardon; *Chiedo scusa*, excuse me; I'm sorry; pardon me; *Chiedo scusa, come ha detto?*, I beg your pardon?; **c. qc. in prestito**, to ask for the loan of st.; *Gli ho chiesto un aumento*, I asked him for a wage rise; *Il poliziotto mi chiese i documenti*, the policeman demanded to see my papers; *Chiedo una spiegazione!*, demand an explanation; *Lui la chiese in moglie*, he asked her to marry him; *Chiedo l'onore d'accompagnarla*, I request the honour of accompanying you; *Non chiedo altro*, that's all I want **2** (*un prezzo*) to ask; to charge: *Chiede mille sterline per quel quadro*, she is asking one thousand pounds for that painting; *Quanto chiedono per la pensione completa?*, how much do they charge for full board? **3** (*per sapere*) to ask; (*informarsi*) to inquire; (*domandarsi*) to ask oneself; to wonder: **c. l'ora**, to ask the time; to ask

what time it is; **c. il prezzo**, to ask the price; **c. se c'è un libro in una libreria**, to inquire for a book in a bookshop; *Chiedigli come si chiama*, ask him his name; *Le chiesi dove abitava*, I asked her where she lived; *Mi chiesi in che cosa avessi sbagliato*, I asked myself where I had gone wrong; *Mi chiedo cosa voglia*, I wonder what she wants **4** (*lett.*: *richiedere*) to take*: **c. molto tempo**, to take a lot of time **B** v. i. **1** (*informarsi*) to ask (about); (*chiedere notizie*) to ask (after), to inquire (after): *Gli chiesi del suo lavoro*, I asked him about his work; *Mi ha chiesto di te*, he asked after you **2** (*cercare*) to ask (for); (*voler vedere*) to want to see: *Nessuno ha chiesto di me?*, has anybody asked for me?

chiérica f. **1** (*eccles.*) tonsure **2** (*scherz.*) bald patch.

chiericàto m. (*eccles.*) **1** (*condizione di ecclesiastico*) clerical status; priesthood **2** (*clero*) clergy.

chierichétto m. altar boy: **fare il c.**, to be an altar boy; to serve at the altar.

chiérico m. **1** (*ecclesiastico*) cleric; clergyman* **2** (*seminarista*) seminarist **3** (*chi serve messa*) server **4** (*lett.*) scholar; clerk.

◆**chièsa** f. **1** (*edificio*) church; (*di monastero*) minster: **andare in c.**, to go to church; **entrare in c.**, to go into a church; **musica di c.**, church music **2** (*unione dei fedeli*) Church: **la C. anglicana**, the Church of England; **la C. cattolica**, the (Roman) Catholic Church; **la C. militante**, the Church Militant; **i padri della C.**, the Fathers of the Church ● **essere molto di c.**, to be a regular church-goer; to be very devout □ (*prov.*) **In c. coi santi, in taverna coi fanti**, when in Rome do as the Romans do.

chiesàstico a. ecclesiastical; church (*attr.*); churchy.

chiesuòla f. **1** small church **2** (*fig. spreg.*: *conventicola*) group; clique; coterie **3** (*naut.*) binnacle.

chìfel m. inv., **chìffero** m. (*cucina*) crescent roll; croissant (*franc.*).

chiffon (*franc.*) m. (*tessuto*) chiffon.

chiffonier (*franc.*) m. inv. chiffonier; chest of drawers.

chìglia f. (*naut.*) keel: **c. di rollio**, bilge keel; rolling chock (USA); **c. piatta**, flat keel; **falsa c.**, false keel.

chignon (*franc.*) m. inv. chignon; bun; (*alto*) topknot.

chihuaua (*spagn.*) m. inv. (*zool.*) chihuahua.

chiliàsta m. chiliast; millenarian.

chiliàstico a. chiliastic; millenarian.

◆**chìlo** ① m. kilo: **due chili di pere**, two kilos of pears; **mezzo c.**, half a kilo.

chìlo ② m. (*fisiol.*) chyle ● **fare il c.**, to rest (o to have a nap) after a meal.

chilocaloría → **kilocaloria**.

chilocìclo → **kilociclo**.

chilogràmmetro → **kilogrammetro**.

chilogràmmo → **kilogrammo**.

chilohèrtz → **kilohertz**.

chilòlitro → **kilolitro**.

chilometràggio → **kilometraggio**.

chilometràre → **kilometrare**.

chilomètrico → **kilometrico**.

chilòmetro → **kilometro**.

chilomicróne m. (*biol.*) chylomicron.

chilòpode m. (*zool.*) chilopod; (al pl., *scient.*) Chilopoda.

chilòsi → **chilificazione**.

chìloton → **kiloton**.

chilovòlt → **kilovolt**.

chilowatt → **kilowatt**.

chilowattóra → **kilowattora**.

chimàsi f. (*biol.*) chymase.

chimèra f. **1** (*mitol.*) chimera **2** (*fig.*) chimera; illusion; fancy; pipedream: **correre dietro a una c.**, to chase after an illusion **3** (*zool.*, *Chimaera*) chimera; ratfish: **c. mostruosa** (*Chimaera monstrosa*), rabbit fish; ratfish **4** (*biol.*) chimera.

chimèrico a. chimerical; fanciful; utopistic; visionary.

◆**chìmica** f. chemistry: **c. fisica**, physical chemistry; **c. industriale**, industrial chemistry; **c. organica [inorganica]**, organic [inorganic] chemistry.

◆**chìmico** **A** a. chemical: **composto c.**, chemical compound; **stabilimento c.**, chemical plant **B** m. (f. **-a**) (research) chemist.

chimìsmo m. (*chim.*, *med.*) chemism.

chìmo m. (*fisiol.*) chyme.

chimòno m. kimono: **manica a c.**, kimono sleeve.

chimosìna f. (*fisiol.*) chymosin.

chìna ① f. (*pendio*) slope; declivity; descent: **salire una c.**, to go up a slope (o a hill) ● (*fig.*) **mettersi su una brutta c.**, (*di persona*) to be on the slippery slope; (*di cosa*) to take a turn for the worse □ (*fig.*) **risalire la c.**, to be on the way up again; to get back on top.

chìna ② f. **1** (*bot.*, *Cinchona*) cinchona (tree): **corteccia di c.**, cinchona (bark); Peruvian bark; China bark **2** (*liquore*) cordial made with cinchona bark; china.

chìna ③ f. (*anche* **inchiostro di c.**) Indian ink; India ink (USA); China ink.

◆**chinàre** **A** v. t. to bend*; to bow; to lower: **c. il capo**, to bend one's head; (*per vergogna o dolore*) to bow one's head; (*per dire di sì, per il sonno*) to nod; (*per scansare qc.*) to duck one's head; (*fig.*: *cedere*) to bow one's head, to give in; **c. il busto in avanti**, to bend the bust forward; to bend over; **c. gli occhi**, to lower one's eyes; to look down **B** **chinàrsi** v. rifl. **1** to stoop (down); to bend* (down); (*per scansare qc.*) to duck (down); (*inchinarsi*) to bow: *Mi chinai per raccattare il fazzoletto*, I stooped (o I bent down) to pick up my handkerchief; **chinarsi su q. [qc.]**, to bend (o to lean) over sb. [st.] **2** (*fig.*: *sottomettersi*) to submit; to give* in.

chinàto a. (*che contiene china*) flavoured with cinchona bark.

chincàglia → **chincaglieria**.

chincaglière m. seller of knick-knacks; fancy goods seller.

chincaglieria f. **1** (generalm. al pl.) knick-knacks (pl.); fancy goods (pl.) **2** (*negozio*) gift shop; fancy goods shop.

chiné (*franc.*) a. inv. (*ind. tess.*) chiné.

chinesiterapìa e deriv. → **cinesiterapìa**, e deriv.

chinetopatìa, **chinetòsi** f. (*med.*) kinetosis; motion sickness.

chinidìna f. (*chim.*) quinidine.

chinìna f. (*chim.*) quinine.

chinìno m. (*farm.*) quinine.

chìno a. bowed; bent: *Era c. sui libri*, he was bent over his books; *La madre era china sulla culla*, the mother was bending over the cradle; **a capo c.**, with one's head bowed.

chinolìna f. (*chim.*) quinoline.

chinóne m. (*chim.*) quinone.

chinòtto m. **1** (*bot.*, *Citrus bigaradia sinensis*) myrtle-leaf sour orange; chinotto **2** (*bibita*) myrtle-leaf sour orange drink; chinotto.

chintz (*ingl.*) m. (*ind. tess.*) chintz.

chiocchiolìo → **chioccolio**.

chiòccia f. **1** (*gallina che cova*) broody hen; (*gallina coi pulcini*) hen with a brood of chicks; mother hen **2** (*fig.*) mother hen; protective mother.

chiocciàre v. i. to cackle; to cluck.

chiocciàta f. brood (of chicks).

chiòccio a. clucking; croaking.

chiòcciola f. **1** (*zool.*) snail **2** (*mecc.*) female screw **3** (*anat.*) cochlea* (*di violino, violoncello, ecc.*) scroll **5** (*per nastro adesivo*) sellotape dispenser **6** (*il carattere @*) commercial 'at'; (*negli indirizzi di Internet*) at ● **c. di mare**, winkle □ **scala a c.**, spiral (o winding) staircase.

chiocciolàre v. i. **1** (*di uccelli*) to whistle; to warble **2** (*gorgogliare*) to gurgle.

chiocciolìo m. **1** (*di uccelli*) whistling; warbling **2** (*gorgoglio*) gurgling.

chiòccolo m. **1** (*verso di uccelli*) whistle; warbling birdcall **2** (*richiamo*) bird whistle.

chiodàia f. **1** (*orologeria*) clockmaker's anvil **2** (*mecc.*) swage block.

chiodàio m. nail maker.

chiodaiòlo m. **1** → **chiodaio 2** (*fig. scherz.*) person who always runs up debts.

chiodàme m. (assortment of) nails.

chiodàto a. spiked; nailed: **pneumatico c.**, snow tyre; **scarpe chiodate**, hobnail boots; (*sport*) **scarpette chiodate**, spiked shoes.

chiodatrice f. (*mecc.*) riveting machine; riveter.

chiodatùra f. (*mecc.*) riveting: **c. a caldo**, hot riveting; **c. ermetica**, tight riveting.

chioderìa f. **1** nail factory **2** (*chiodame*) nails (pl.).

chiodìno m. (*bot.*, *Armillaria mellea*) honey agaric; honey mushroom.

◆**chiòdo** m. **1** nail; (*mecc.*) rivet; (*borchia*) stud; (*di scarpone*) hobnail; (*di scarpa da sport, di pneumatico*) spike: **c. senza testa**, headless nail; **c. tubolare**, tubular rivet; **conficcare** (*o piantare*) **un c.**, to drive (o to hammer in) a nail; **ribadire un c.**, to rivet a nail **2** (*fig.*: *idea fissa*) fixed idea; obsession: **avere un c. fisso**, to have a fixed idea; to have a bee in one's bonnet **3** (*fig.*: *dolore, fitta*) pain; pang; stab **4** (*fig. fam.*: *debito*) debt: **piantare chiodi**, to run up debts ● **c. da ghiaccio** (*o roccia*), piton; peg; **c. di garofano**, clove ● (*med.*) **c. solare**, neuralgic headache □ (*fig.*) **attaccare la racchetta [i guantoni] al c.**, to hang up one's racket [one's gloves] □ **magro come un c.**, as thin as a rake □ (*fig.*) **Qui non si batte c.**, we're not getting anywhere □ **Roba da chiodi!**, unbelievable! sheer madness! □ (*prov.*) **C. scaccia c.**, one worry [pain, etc.] drives out another.

chiolìte f. (*miner.*) chiolite.

chiòma f. **1** (*head of*) hair; tresses (pl., *lett.*); (*scherz.*) mane: **una c. fluente**, long thick hair **2** (*criniera*) mane **3** (*di cometa*) coma* **4** (*di albero*) foliage; crown.

chiomàto a. **1** long-haired **2** (*di albero*) leafy **3** (*di elmo*) feathered.

chiòsa f. **1** gloss; note; annotation **2** (*fig.*: *commento*) comment; remark.

chiosàre v. t. to gloss; to annotate.

chiosatóre m. (f. **-trìce**) glossator; glossarist; annotator.

chiòsco m. **1** stall; stand; kiosk; booth: **c. delle bibite**, refreshment booth; **c. dei giornali**, news-stand; newspaper kiosk **2** (*di giardino*) gazebo; summerhouse.

chiòstra f. **1** (*recinto*) enclosure **2** (*di monti*) ring; encircling chain **3** (*di denti*) set of teeth.

chiòstro m. **1** (*archit.*) cloister **2** (*estens.*: *convento*) cloister; monastery; convent.

chiòtto a. quiet; furtive: **andarsene c. c.**, to slip away unseen; to steal away.

chiòvolo m. (*agric.*) yoke peg.

chiozzòtta f. (*naut.*) sailing barge used in the Venetian lagoon; chiozzotta.

chip (*ingl.*) m. inv. (*comput.*) chip.

chiràle a. (*chim.*) chiral.

chirghìso → **kirghiso**.

chirognomìa f. palmistry; chirognomy.

chirografàrio a. (*leg.*) **1** chirograph (attr.) **2 – debito c.**, book debt; **credito c.**, unsecured credit; book debt; **creditore c.**, unsecured creditor; bond creditor.

chiRògrafo m. (*leg.*) chirograph; written document; signed document.

chirologìa f. palmistry; chiromancy.

chiromànte m. e f. palmist; chiromancer; fortune-teller.

chiromàntico a. chiromantic.

chiromanzìa f. palmistry; chiromancy; fortune-telling.

chiromegalìa f. (*med.*) chiromegaly.

chironomìa f. chironomy.

chiropràssi, **chiropràtica** f. chiropractic.

chiropràtico m. (f. **-a**), **chiroterapèuta** m. e f. chiropractor.

chiroterapìa f. chiropractic.

chiroteràpico a. chiropractical.

chiroterapìsta → **chiropratico**.

chiròttero m. (*zool.*) chiropter; chiropteran; (al pl., *scient.*) Chiroptera.

chirurgìa f. surgery: **c. correttiva**, remedial surgery; **c. del freddo**, cryosurgery; **c. estetica**, cosmetic surgery; **c. laparoscopica**, keyhole surgery; **c. non invasiva**, non--invasive surgery; **c. plastica**, plastic surgery.

chirùrgico a. surgical: **guanto c.**, surgical glove; **intervento c.**, (surgical) operation; surgery □; **precisione chirurgica**, surgical precision; **strumento c.**, surgical instrument.

◆chirùrgo m. surgeon: **medico c.**, surgeon.

Chisciòtte m. (*letter.*) Quixote.

◆chissà avv. **1** who knows; I wonder: «*Credi che si sposeranno?*» «*C.!*», «do you think they will get married?» «who knows?» (o «it's anyone's guess!»); *C. che freddo!*, it must have been freezing!; *Crede di aver comprato c. che*, God knows what he thinks he's bought; *È convinto di avere scritto c. che capolavoro!*, he thinks he has written a masterpiece; *Si crede d'essere c. chi*, he thinks he's the bee's knees (o the cat's whiskers) (*fam.*); *C. com'è stato bello!*, it must have been wonderful!; *È riuscita a come a scoprire il mio nome*, somehow she managed to find out my name; *C. cos'è*, I wonder what it is; *C. dove l'ho visto*, I wonder where I can have seen him; *C. perché* (o **come mai**), I wonder why; for some mysterious reason; (come escl. di perplessità, anche) you tell me!, go figure! (*fam. USA*); *C. perché non me l'ha detto*, I wonder why she didn't tell me; *Nessuno, c. perché, ci aveva avvertito*, for some mysterious reason no one had warned us; *C. quanta gente c'era allo stadio*, there must have been quite a crowd at the stadium; *C. se pioverà domani*, I wonder whether it will rain tomorrow; *C. se arriveremo in tempo*, will we get there in time, I wonder?; **da c. quanto**, for ages **2** (*forse*) perhaps; maybe; possibly: «*Verrai a Roma quest'estate?*» «*C.!*», «are you coming to Rome this summer?» «perhaps»; *C. che non possa aiutarti*, perhaps I may be able to help you; *C. che non venga anch'io!*, maybe I'll come too; I might come too.

chissìsìa → **chicchessia**.

◆chitàrra f. guitar: **c. elettrica [acustica]**, electric [acoustic] guitar; **suonare la c.**, to play the guitar; **...e Michele alla c.**, ...and Michele on the guitar.

chitarràta f. **1** piece of guitar music; guitar piece **2** (*spreg.*) shoddy playing □ **3** (*fig.*) adulation; soft soap □ (*fam.*).

chitarrìsta m. e f. guitar player; guitarist.

chitarróne m. (*mus.*) chitarrone; bass lute.

chitìna f. (*biol.*) chitin.

chitinóso a. (*biol.*) chitinous.

chitóne m. (*stor.*) chiton.

chiù → **assiolo**.

◆chiùdere **A** v. t. **1** to shut*; to close; to fasten; (*a chiave*) to lock: **c. un cancello**, to close (o to shut) a gate; **c. un cassetto**, to shut a drawer; **c. un circuito elettrico**, to close an electric circuit; **c. un conto**, to close an account; **c. un libro**, to close (o to shut) a book; **c. la porta**, to close (o to shut) the door; (*anche fig.*) **c. la porta in faccia a q.**, to shut the door in sb.'s face; to shut the door upon sb.; **c. gli occhi**, to close (o to shut) one's eyes; (*eufem.: morire*) to die, to pass away; **c. l'ombrello**, to close one's umbrella; **c. il pugno**, to clench one's fist; **c. una strada al traffico**, to close a road to traffic; **c. a catenaccio**, to bolt; **c. a chiave**, to lock; **c. con un lucchetto**, to padlock; **c. ermeticamente**, to seal; **c. fuori**, to shut out; (*a chiave*) to lock out; *Chiusi la porta con un calcio*, I kicked the door shut; *Chiuse con fracasso il cassetto*, he slammed the drawer shut **2** (*chiudere un locale*) to shut* up; to shut* down; to close down: **c. bottega**, (*per la notte*) to shut up shop; (*definitivamente*) to close down; **c. casa**, to shut up house; **c. una fabbrica**, to shut down a factory **3** (*recingere*) to enclose; (*limitare, circondare*) to shut* in, to surround: *La valle era chiusa da due catene di monti*, the valley was shut in by two mountain ranges **4** (*rinchiudere*) to shut* up; (*a chiave*) to lock up: **c. qc. in cassaforte**, to lock st. up in a safe; **c. q. in prigione**, to lock sb. up (in jail); *Il gatto era chiuso in casa*, the cat was shut up in the house **5** (*concludere*) to conclude; to end; to finish; to wind* up: **c. un caso**, to wrap up a case; **c. un dibattito**, to wind up a debate; **c. un discorso**, to conclude a speech; **c. una lettera**, to close a letter; **c. una riunione**, to close a meeting **6** (*venire per ultimo*) to bring* up the rear of; to come* at the end of: **c. un corteo**, to bring up the rear of a procession **7** (*staccare, spegnere, disinserire*) to shut* off; to turn off; to switch off: **c. il gas**, to shut off (o to turn off) the gas; **c. la luce**, to switch off the light; **c. la radio**, to turn off (o to switch off) the radio; **c. un rubinetto**, to turn off a tap **8** (*tappare*) to stop; to plug; (*con un sughero*) to cork; (*con un tappo di gomma*) to bung: **c. una bottiglia**, to cork a bottle; **c. un buco**, to stop a hole **9** (*sigillare*) to seal: **c. una busta**, to seal an envelope **10** (*lavoro a maglia*) to cast* off (*GB*); to bind* off (*USA*) ● **c. baracca**, to close down; to go out of business; (*lasciare tutto, andarsene*) to pack up, to quit □ (*fam.*) **c. il becco**, to shut one's mouth; to belt up (*slang GB*); to can it (*slang USA*); to keep one's trap shut (*slang*) □ **c. la bocca** (*tacere*), to hold one's tongue; to shut up (*fam.*) □ **c. la bocca a q.**, (*imbavagliare, anche fig.*) to gag sb.; (*eufem.: uccidere*) to shut sb. up □ (*naut.*) **c. i boccaporti**, to batten down the hatches □ **c. con un muro**, to wall (up) □ **c. con uno steccato**, to fence (in) □ **c. i conti**, (*rag.*) to close the accounts; to balance the books; (*fig.*) to square accounts (with sb.) □ **chiudersi un dito nella porta**, to catch a finger in the door □ **c. in una morsa**, to hold in a vice; to grip □ (*fig.*) **c. un occhio** → **occhio** □ **c. il passo**, to block (o to bar) the way □ **non c. occhio** (*non dormire*), not to sleep a wink **B** v. i. **1** to shut*; to close down: *La finestra non chiude*, the window won't shut; *I negozi chiudono alle*

sette, shops close at seven **2** (*finire*) to close; to end; to finish: **c. in bellezza**, to end with a flourish **3** (*cessare un'attività*) to close down; to go* out of business ● (*comm.*) **c. in attivo**, to show a profit □ (*cinem., TV*) **c. in dissolvenza**, to fade out □ (*comm.*) **c. in pareggio**, to balance □ *Si chiude!*, closing time!; we're closing up! **C** **chiùdersi** v. i. pron. **1** to shut*; to close: *Questo cassetto non si chiude*, this drawer won't shut; *La porta si chiuse in silenzio*, the door closed silently; **chiudersi con uno scatto**, to click shut; to snap shut; **chiudersi con fracasso**, to slam (o to bang) shut **2** (*del cielo, del tempo*) to cloud over; to become* overcast **3** (*di ferita: rimarginarsi*) to heal over **4** (*finire*) to close; to end: *La cena si chiuse con un brindisi*, the dinner closed with a toast; *La riunione si chiuse alle 6*, the meeting ended at six **D** **chiùdersi** v. rifl. **1** (*avvolgersi*) to wrap oneself up: *Si chiuse nel cappotto*, he wrapped himself up in his coat **2** (*rinchiudersi, anche fig.*) to shut* oneself up; to withdraw*: **chiudersi in convento**, to retire to a convent; **chiudersi in sé stesso**, to retire (o to withdraw) into oneself; **chiudersi nel silenzio**, to withdraw into silence; *Si chiuse nel suo dolore*, she shut herself (up) in her grief; *Mi sono chiuso fuori di casa*, I've locked myself out.

chiudétta f. sluice (gate).

chiudìbile a. that can be closed (o shut).

chiudilèttera m. inv. charity stamp.

chiudipòrta f. inv. automatic door closer.

◆chiùnque **A** pron. relat. indef. **1** whoever (compl. whomever, *form.*); anyone (o anybody, the person) who (compl. whom, *form.*) (o that): *C. venga, digli di aspettare*, whoever comes, tell him to wait; *C. tu incontri, fermalo*, stop anyone you meet; *C. non fosse d'accordo è libero di andarsene*, anyone that doesn't agree is free to go: *Dallo a c. tu voglia*, give it to whoever (*form.* to whomever) you like; *È una bellissima casa, di c. essa sia*, it's a very fine house, whoever (*form.* whomever) it belongs to (*form.*, whosoever it is); *Farò vedere il quadro a c. lo desideri*, I'll show the picture to anyone who (o to whomever, to whoever) wants to see it **2** (*seguito da partitivo*) whichever; any (o anyone) who (compl. whom, *form.*): *C. di loro mi cerchi, digli che non sono in casa*, whichever of them calls (o may call), tell him I'm not at home; *Lo darò a c. di voi incontrerò per primo*, I'll give it to whichever of you I meet first **B** pron. indef. (*chicchessia*) anyone; anybody: *C. è capace di farlo*, anybody can do that; *C. avrebbe fatto altrettanto*, anyone would have done the same; **meglio di c. altro**, better than anyone else.

chiurlàre v. i. to hoot.

chiùrlo m. (*zool., Numenius arquata*) curlew ● **c. piccolo** (*Numenius phaeopus*), whimbrel.

chiùsa f. **1** (*terreno recintato*) enclosure **2** (*di corso d'acqua*) lock; sluice; (*sbarramento di fiume*) dam, weir **3** (*conclusione*) end; ending.

chiusìno m. **1** cover; trap, trapdoor **2** (*stradale*) manhole cover.

◆chiùso **A** a. **1** closed; shut; (*a chiave*) locked: **cancello c.**, closed gate; **un cassetto c. a chiave**, a locked drawer; **circuito c.**, closed circuit; **libro c.**, closed book; **c. in casa tutto il giorno**, shut up at home the whole day; **c. per ferie**, closed for holidays **2** (*sigillato*) sealed: **busta chiusa**, sealed envelope **3** (*bloccato*) blocked; (*di strada*) blocked off, closed to traffic: *Ho il naso c.*, my nose is blocked; **strada chiusa al traffico**, road closed to traffic **4** (*racchiuso, recintato*) enclosed; closed-in: **luoghi chiusi**, closed-in places; **spazio c.**, enclosed space **5** (*comm.*) balanced; settled: **conto c. il 30 giugno**, account settled on the 30th of June

6 (*fig.*: *riservato*) reserved; withdrawn; uncommunicative **7** (*esclusivo*) exclusive: **circolo c.**, exclusive club **8** (*di tempo*) overcast; cloudy **9** (*di abito*: *accollato*) high-neck (*attr.*); (*abbottonato*) buttoned **10** (*ling.*) closed: **sillaba** [**vocale**] **chiusa**, closed syllable [vowel] ● **Chiuso!**, enough!; that's it! □ **C. al pubblico** (*avviso*), no admittance to the public □ **a occhi chiusi**, with one's eyes closed (*o* shut); (*fig.*: *con fiducia*) blindly, with full confidence □ (*fig.*) **a porte chiuse**, behind closed doors; (*leg.*, *anche*) in camera □ **argomento c.**, closed subject; (come escl.) end of story □ **casa chiusa**, brothel □ **Il caso è c.**, the case is closed □ **essere di mente chiusa**, to have a closed mind; to be narrow-minded □ **mare c.**, inland sea □ (*econ.*) **mercato c.**, closed market □ **numero c.**, fixed number; restricted entry; (*all'università*, *anche*) numerus clausus (*lat.*) **B** m. **1** (*luogo recintato*) enclosure; (*per animali*) pen; (*per pecore*) fold **2** (*aria viziata*) stale air; mustiness; stuffiness: **odore di c.**, musty (*o* stuffy) smell; **sapere di c.**, to smell musty **3** (*mat.*) closed set ● **starsene al c.**, to stay in; to stay indoors.

◆**chiusùra** f. **1** closing; shutting; closure; (*data*) closing date, closing day: **c. anticipata**, early closing; **la c. delle scuole**, the closing of schools; **c. estiva**, summer closure; **la data di c. delle iscrizioni**, the closing day for enrolment; **giorno di c. pomeridiana** (*dei negozi*), early-closing day; **orario di c.**, closing time **2** (*di azienda*, *ecc.*) closing down; closure; (*temporanea*) shutdown **3** (*econ.*, *rag.*) closing; settling: **c. di cassa**, closing of accounts; **la c. di un conto**, the settling of an account; **bilancio di c.**, closing balance; **prezzo di c.**, closing price **4** (*fine*) end, close; (*conclusione*) conclusion, wind-up: **la c. della caccia**, the close of the shooting season; **la c. di un dibattito**, the winding up of a debate; **parole di c.**, closing (*o* concluding) words; **in c. di pagina**, at the end of the page **5** (*fig.*: *opposizione netta*) refusal to collaborate; uncooperative behaviour: *Ha opposto un atteggiamento di totale c.*, he countered with a total refusal to collaborate **6** (*dispositivo per chiudere*) fastening, fastener; (*di bottiglia*, *sacchetto*, *ecc.*) seal; (*serratura*) lock; (*fermaglio*) clasp: **c. a scatto**, (*di porta*) latch; (*di borsa*, *ecc.*) clasp; (*autom.*) **c. centralizzata**, remote central locking; **c. di sicurezza**, safety catch; **c. ermetica**, hermetic sealing; seal; **c. lampo**, zip (*fastener*) (*GB*); zipper (*USA*); **dispositivo a c. automatica**, self-locking device ● (*naut.*) **c. di boccaporto**, hatch □ **c. di Borsa**, close of the Exchange □ (*leg.*) **decreto di c. del fallimento**, discharge in bankruptcy □ **c. mentale**, (*ristrettezza*) narrow-mindedness.

chi va là loc. m. inv. challenge: **dare il chi va là a q.**, to challenge sb.; **mettere q. sul chi va là**, to alert sb. (to st.).

chi vive loc. m. inv. (the) alert; (the) qui vive (*franc.*); (the) lookout: **stare sul chi vive**, to be on the alert (*o* on the qui vive, on the lookout).

choc → **shock**.

choccàre v. t. to shock.

cholo (*spagn.*) a. inv. cholo; mestizo.

chow chow (*ingl.*) m. inv. (*zool.*) chow-chow; chow.

◆**ci** ① **A** pron. pers. m. e f. 1ª pers. pl. **1** (compl. ogg.) us; (compl. di termine) (to) us: *Questo bambino ci ama*, this child loves us; *Dicci la verità*, tell us the truth; *Ci spiegò che cosa fare*, he explained to us what to do; *Ascoltaci*, listen to us; *Ci lavammo le mani*, we washed our hands; *Ci togliemmo il cappotto*, we took off our coats **2** (*fam. per «con lui», «con lei»*) with him [her]; to him [her]: *È arrivata? Vorrei parlarci*, is she here? I'd

like to speak to her **3** (coi v. rifl.) ourselves (o idiom.): *Ci siamo divertiti*, we enjoyed ourselves; *Non ci vediamo come ci vedono gli altri*, we don't see ourselves as others see us; *Ci lavammo e vestimmo in un attimo*, we washed and got dressed in no time **4** (coi v. i. pron.) – *Ci siamo lamentati*, we have complained; *Ci girammo*, we turned around **5** (coi v. recipr.: *fra due*) each other; (*fra più di due*) one another (*talora omesso*): *Ci vedevamo tutti i giorni*, we saw each other every day; *Dobbiamo aiutarci*, we must help one another (*o* each other); *Ci baciammo*, we kissed **6** (*dativo etico*) – *Facciamoci un panino*, let's have a roll **B** pron. dimostrativo (on, of, about) it: *Non ci credo*, I don't believe it; *Ci penso io*, I'll see to it; *Ci penserò*, I'll think about it; I'll think it over; *Ci puoi contare*, you can count on it **C** avv. **1** (*di luogo*: *qui*) here; (*là*, *lì*) there; (*lì dentro*) in it; (*per di là*) that way: **c'è**, there is; *Ci sono due banche*, there are two banks; *Ci sono!*, I'm here!; (*vengo*) I'm coming!; (*capisco*) now I get it!; *Eccoci!*, here we are!; *Ci vengo al martedì*, I come here every Tuesday; *Ci passo spesso*, I often go that way; *Mettici del sale*, put some salt in it; *Dammi un altro turacciolo*, *questo non c'entra*, give me another cork, this one won't go in (*o* won't fit) **2** (*pop.*: compl. di causa) of it; because of it: *Dunque vieni? Ci ho piacere*, so you're coming? I'm glad (of it) ● **Ci sto**, agreed □ *Non ci feci caso*, I didn't take any notice □ *Non ci vedo bene*, I can't see well.

ci ② f. o m. (*lettera*) (letter) c.

CI sigla **1** (**carta d'identità**) identity card **2** (**Carbonia-Iglesias**).

C.ia abbr. (*comm.*, **compagnia**) company (Co.).

CIA sigla (**Confederazione italiana agricoltori**) Italian Confederation of Farmers.

ciabàtta f. **1** (*pantofola*) slipper; (*aperta dietro*) mule: *Mi ricevette in ciabatte*, she received me in her slippers **2** (*scarpa malandata*) worn-out shoe **3** (*forma di pane*) flat loaf; ciabatta **4** (*elettr.*) multiple adapter (*o* adaptor) **5** (*fig.*, *di persona*) wreck ● (*fig.*) **in ciabatte**, informally; comfortably □ (*fig.*) **Mi tratta come una c.**, he treats me like dirt.

ciabattàio m. **1** (*fabbricante*) slipper maker **2** (*venditore*) seller of slippers.

ciabattàre v. i. to shuffle about (in one's slippers); to slop about; to flip-flop about.

ciabattàta f. blow with a slipper.

ciabattìno m. **1** cobbler; shoe repairer **2** (*fig.*) bungler; botcher.

ciabattòna f. **1** (*donna sciatta*) slovenly woman*; slattern **2** → **ciabattone**, *def. 1* e *3*.

ciabattóne m. (f. **-a**) **1** (*chi cammina ciabattando*) shuffler **2** (*fig.*: *persona sciatta*) slovenly person; sloven **3** (*fig.*: *pasticcione*) bungler; botcher.

ciàc A inter. **1** (*sciacquio*) squelch **2** (*rumore di cosa molle*) squash; squish **3** (*cinem.*) slate it!; mark it!: *C., si gira!*, action!; camera! **B** m. **1** (*sciacquio*) squelch **2** (*rumore di cosa molle*) squash; squish; squishy sound **3** (*cinem.*: *tavoletta*) slate, clapperboard; (*ripresa*) take.

ciacchista m. e f. (*cinem.*) clapper boy.

ciaccóna f. (*mus.*) chaconne.

ciàck, ciàk → **ciac**.

ciàcola (*region.*) → **chiacchiera**.

ciacolàre (*region.*) → **chiacchierare**.

ciadiàno a. (f. **-a**) Chadian.

ciàf, ciàffete inter. (*in acqua*) splash!; (*nel fango*) squelch!; (*di colpo*) whack!

ciàlda f. **1** (*anche farm.*) wafer **2** (*per macchine da caffè e simili*) pod.

cialdóne m. (*cucina*) cornet filled with

cream.

cialtróna f. **1** (*mascalzona*) mean woman*; bad lot **2** (*donna sciatta*) slattern **3** (*abborracciona*) sloven; botcher.

cialtronàggine → **cialtroneria**.

cialtronàta f. shabby (*o* rotten) trick.

cialtróne m. **1** (*mascalzone*) scoundrel; bad lot **2** (*uomo sciatto*) slovenly fellow; sloven; slob **3** (*abborraccione*) sloven; botcher.

cialtronerìa f. **1** (*mascalzonaggine*) shabby behaviour Ⓤ **2** (*sciatteria*) slovenliness **3** → **cialtronata**.

cialtronésco a. **1** shabby; mean; dirty **2** slovenly; slobbish.

ciambèlla f. **1** (*cucina*) ring-shaped cake; (*piccola*) doughnut, donut (*USA*) **2** (*di salvataggio*) life belt; lifebuoy **3** (*dentaruolo*) teething ring **4** (*oggetto a forma di ciambella*) ring; hoop **5** (*mat.*) torus **6** (*equit.*) piaffe ● (*prov.*) **Non tutte le ciambelle riescono col buco**, you can't win them all.

ciambellàio m. (f. **-a**) **1** doughnut maker **2** (*venditore*) doughnut seller.

ciambellàno m. chamberlain; steward.

ciampanèlle f. pl. – **andare in c.**, to rave; to talk nonsense.

ciampicàre v. i. **1** (*strasciicare i piedi*) to drag one's feet; to shuffle along **2** (*barcollare*) to stumble along.

cianamide, cianammide f. (*chim.*) cyanamide.

cianàto m. (*chim.*) cyanate.

ciànca f. (*scherz.*) leg; shank.

ciància f. (spec. al pl.) idle talk Ⓤ; prattle Ⓤ; waffle Ⓤ (*fam.*); drivel Ⓤ (*fam.*); claptrap Ⓤ (*fam.*); yackety-yak Ⓤ (*fam. USA*) ● **Bando alle ciancie!**, cut the cackle! (*fam.*).

cianciafrùscola f. trifle; bagatelle.

cianciàre v. i. to talk idly; to prate; to jabber (*fam.*); to natter (*fam.*); to rabbit (*fam. GB*); to yackety-yak (*fam. USA*); (*parlare a vanvera*) to blather, to talk through one's hat (*fam.*).

ciancicàre v. i. (*fam.*) **1** (*pronunciare male*) to mumble; to stammer **2** (*biascicare*) to chew slowly **3** (*lavorare lentamente*) to dawdle; (*pasticciare*) to tinker, to mess about **4** (*region.*: *spiegazzare*) to crumple.

ciancióne m. (f. **-a**) chatterbox; chatterer; prattler; blabbermouth.

cianfrinàre v. t. (*metall.*) to caulk.

cianfrinatóre m. (*metall.*) caulker.

cianfrinatùra f. (*metall.*) caulking.

cianfrìno m. (*metall.*) caulking iron.

cianfrugliàre v. t. e i. (*metall.*) to bungle; to botch.

cianfrugglióne m. (f. **-a**) bungler; botcher.

cianfruṡàglia f. **1** (*ninnolo*) knick-knack; trinket; gewgaw **2** (al pl.) (*ammasso di cose*) bits and pieces; bits and bobs; odds and ends; junk Ⓤ.

ciangottàre A v. i. **1** (*di bambino*) to prattle; to babble **2** (*di uccello*) to twitter; to chirp **3** (*di acqua*) to babble **B** v. t. to stammer; to mutter.

ciangottìo m. **1** (*di bambino*) prattle; prattling; babbling **2** (*di uccello*) twittering; chirping **3** (*di acqua*) babbling.

ciànico a. (*chim.*) cyanic: **acido c.**, cyanic acid.

cianìdrico a. (*chim.*) hydrocyanic: **acido c.**, hydrocyanic acid.

cianìna f. **1** (*bot.*, *chim.*) cyanin **2** (*colorante*) cyanine.

cianìte f. (*miner.*) kyanite; cyanite.

ciàno m. inv. **1** (*tipogr.*) cyan **2** → **cianografica**.

cianobattèri m. pl. (*bot.*) Cyanobacteria; blue-green algae.

cianocobalamina f. (*biochim.*) cyanoco-

balamin.

Cianoficèe f. pl. (*bot.*) cyanophytes; blue-green algae.

cianògeno m. (*chim.*) cyanogen.

cianografìa f. (*tecnica*) blueprint process.

cianogràfica (anche agg.: **bozza c.**) (*tipogr.*) blueprint; cyanotype.

cianogràfico a. blueprint (attr.): **carta cianografica**, blueprint paper.

cianògrafo m. blueprinter.

cianopatìa, **cianòsi** f. (*med.*) cyanosis.

cianòtico a. (*med.*) cyanotic.

cianotipìa → **cianografia**.

cianotìpico → **cianografico**.

cianòtipo m. (*tipogr.*) blueprint; cyanotype.

cianuràre v. t. (*chim.*, *metall.*) to cyanide.

cianurazióne f. **1** (*chim.*) cyanidation **2** (*metall.*) cyanide process.

cianùrico a. (*chim.*) cyanuric.

cianùro m. (*chim.*) cyanide: **c. di argento**, silver cyanide; **c. di potassio**, potassium cyanide; **c. di vinile**, acrylonitrile.

♦**cìao** inter. (*fam.*) **1** (*incontrando q.*) hello; hullo; hi (*USA*); ciao **2** (*lasciando q.*) bye-bye; cheerio! (*GB*); so long (*USA*); ciao ● **fare c. c. con la mano**, to wave one's hand. ❶NOTA: *goodbye* → **goodbye**, ❶NOTA: *hello* → **hello**.

ciàppola f. burin.

ciappolàre v. t. to engrave (with a burin).

ciaramèlla f. (*mus.*) shawm.

ciàrda f. (*danza ungherese*) czardas*.

ciàrla f. **1** (*notizia falsa*) rumour; gossip Ⓤ **2** (al pl.) (*chiacchiere*) chitchat Ⓤ; natter Ⓤ (*fam.*); yakking Ⓤ (*fam. USA*) **3** (*loquacità*) garrulity, loquaciousness; (*parlantina*) glib tongue, gift of the gab (*fam.*).

ciarlàre v. i. to chat; to chatter; to natter (*fam.*); to jabber (*fam.*); to rabbit (*fam. GB*); to yak (*fam. USA*); to shoot* the breeze (*fam. USA*); (*spettegolare*) to gossip.

ciarlàta f. chitchat; natter (*fam.*); chinwag (*fam.*).

ciarlatanàta f. humbug Ⓤ; sham; fraud Ⓤ.

ciarlatanerìa f. charlatanism; fraud; (*di medico*) quackery.

ciarlatanésco a. sham; humbug (attr.); charlatan (attr.); (*rif. alla medicina*) quackish, quack (attr.): **rimedio c.**, quack remedy.

ciarlatàno m. **1** (*imbonitore*) charlatan; mountebank **2** (*medico incapace*) quack **3** (*impostore*) fraud; impostor.

ciarlièro a. talkative; garrulous; loquacious; gabby (*fam.*).

ciarlóne m. (f. **-a**) great talker; chatterer; gasbag (*fam.*).

ciarpàme m. trash; rubbish; junk; garbage (*USA*).

ciaschedùno → **ciascuno**.

♦**ciascùno** Ⓐa. indef. **1** (*ogni*) every: *Ciascun uomo aveva con sé un sacco*, every man had a bag with him **2** (*distributivo*) each: **una firma su ciascun foglio**, a signature on each sheet Ⓑpron. indef. **1** (*ognuno*) everybody; everyone; every person [man, woman]: *C. esitava*, everyone hesitated; *A c. il suo*, to every man his due **2** (*distributivo*) each; each person [one, man, woman]: *Avevano una banana (per) c.*, they had a banana each; *Guardai c. dei presenti*, I looked at each man present; **c. di noi**, each of us; every one of us; *Diedi a c. un biglietto*, I gave each one (of them) a ticket; *Le rose costano 5 euro ciascuna*, roses cost 5 euros each.

ciàto, **ciàzio** m. (*bot.*) cyathium*.

cibàre Ⓐv. t. to feed*; to nourish Ⓑ **cibàrsi** v. i. pron. (*anche fig.*) to feed* (on); to

eat* (st.); to live (on).

cibàrie f. pl. provisions; foodstuff Ⓤ.

cibernètica f. cybernetics (pl. col verbo al sing.).

cibernètico a. cybernetic.

ciberspàzio m. cyberspace.

♦**cibo** m. **1** (*anche fig.*) food Ⓤ; fare Ⓤ; nourishment Ⓤ: **c. abbondante**, plenty of food; plentiful fare; **c. sano**, wholesome food; **cibi e bevande**, food and drink; **cibi grassi**, fat food; **cibi pronti**, fast food; **andare in cerca di c.**, to search for food; **non toccare c.**, not to eat (a thing) **2** (*pietanza*) dish.

cibòrio m. **1** (*archit.*) ciborium* **2** (*eccles.*: *tabernacolo*) tabernacle **3** (*eccles.*: *pisside*) ciborium*; pyx*.

♦**cicàla** f. **1** (*zool.*, *Cicada*) cicada* **2**→ **cicalino** ● (*zool.*) **c. di mare** (*Squilla mantis*), squill; mantis shrimp.

cicalàre v. i. to chatter; to jabber (*fam.*); to natter (*fam.*); to gab (*fam.*); to yak (*fam. USA*).

cicalàta f. long boring talk; twaddle Ⓤ; rigmarole.

cicaléccio m. **1** chatter; chattering; babble; jabbering **2** (*di uccelli o insetti*) chirping; chirruping; twittering.

cicalino m. buzzer.

cicalìo m. buzz; chatter.

cicatrice f. (*anche fig.*) scar; cicatrix* (*scient.*).

cicatriziale a. (*med.*) cicatricial; scar (attr.): **tessuto c.**, scar tissue.

cicatrizzànte a. (*farm.*) cicatrizant.

cicatrizzàre Ⓐ v. t. to heal; to cicatrize (*scient.*). Ⓑ v. i. e **cicatrizzàrsi** v. i. pron. to heal; to form a scar; to cicatrize (*scient.*).

cicatrizzazióne f. healing (process); scar formation; cicatrization (*scient.*).

cìcca ① f. **1** (*di sigaretta*) cigarette end (o stub, butt); (*di sigaro*) cigar end (o butt) **2** (*fam.*: *sigaretta*) smoke; ciggie; fag (*GB*) **3** (*tabacco da masticare*) quid; plug (*USA*) ● (*fam.*) **Non vale una c.**, it isn't worth a bean (o, *USA*, a red cent); (*di scritto*) it isn't worth the paper it's written on.

cìcca ② f. (*fam.*: *gomma da masticare*) piece of chewing-gum.

ciccàiolo m. person who picks up cigarette ends.

ciccàre Ⓐ v. i. **1** to chew tobacco (o a quid) **2** to chew chewing-gum **3** (*region.*, *fig.*) to eat one's heart out Ⓑ v. t. (*gergo sportivo*) to muff; to fluff.

cicchettàre Ⓐv. i. (*fam.*) to tipple Ⓑv. t. **1** (*gergo autom.*) to prime **2** (*fam.*: *rimproverare*) to tell* off; to carpet (*fam.*); to chew out (*fam.*); to climb all over (*USA*).

cicchétto m. (*fam.*) **1** (*bicchierino*) quick drink; nip; dram; bracer (*fam.*); shot (*fam.*) **2** (*fig.*: *rimprovero*) telling-off; carpeting (*fam.*): **fare un c. a q.**, to tell sb. off; to carpet sb. (*fam.*); to chew sb. out (*fam.*) **3** (*gergo autom.*) priming.

cìccia Ⓐ f. **1** (*fam.* o *infant.*) meat **2** (*scherz.*) flesh; (*grasso*) fat, flab, blubber (*fam.*): **bruciare la c.**, to lose weight; **metter su c.**, to put on weight; **rotolo di c.**, roll of fat Ⓑ inter. (*pop.*) nothing doing!; no way!; no dice!; (*nulla*) zero, zilch (*USA*).

cìccio (*fam.*) Ⓐa. chubby; plump Ⓑm. e f. darling; ducky.

cìcciolo m. **1** (al pl.) (*cucina*) cracklings **2** (*pop.*) wart; growth.

cicciòna f. (*fam.*) fat woman* [girl]; fatty (*fam.*).

cicciòne m. (*fam.*) fat man* [boy]; fatty (*fam.*); tub of lard (*fam.*).

cicciòso a. plump.

cicciòtto Ⓐm. wart; growth Ⓑa. plump; chubby.

cicciùto a. (*fam.*) fat; plump.

cicérbita f. (*bot.*, *Sonchus*) sow thistle.

cicérchia f. (*bot.*, *Lathyrus sativus*) chickling pea; grass pea.

cìcero m. (*tipogr.*) pica.

ciceróne m. guide; cicerone*: **fare da c.**, to act as guide; to show sb. around.

Ciceróne m. (*stor.*) Cicero.

ciceroniàno a. (*letter.*) Ciceronian.

cicindèla f. (*zool.*, *Cicindela*) tiger beetle.

cicisbèo m. **1** (*stor.*) cicisbeo* **2** (*estens.*) ladies' man*; gallant; (*damerino*) fop, dandy.

ciclàbile a. for cyclists; for bicycles; cycle (attr.): **pista c.**, cycle path (o track).

ciclamino Ⓐm. (*bot.*, *Cyclamen europaeum*) cyclamen Ⓑa. inv. cyclamen-coloured; cyclamen (attr.).

ciclammàto m. (*chim.*) cyclamate.

ciclicità f. cyclicity; cyclic nature.

cìclico a. cyclic; cyclical: **fasi cicliche**, cyclic phases; (*mat.*) **permutazione ciclica**, cyclic permutation; (*letter.*) **i poeti ciclici**, the cyclic poets; (*econ.*) **fluttuazioni cicliche**.

ciclìsmo m. cycling; (*sport*) cycle racing: **c. su pista**, track racing; **c. su strada**, road racing.

♦**ciclìsta** m. e f. **1** cyclist; cycler; biker (*fam.*) **2** (*sport*) racing cyclist **3** (*region.*: *riparatore di biciclette*) bicycle repairer.

ciclìstico a. bicycle (attr.); cycle (attr.): **gara ciclistica**, bicycle race; **pista ciclistica**, cycle track.

ciclizzàto a. (*chim.*) cyclized.

ciclizzazióne f. (*chim.*) cyclization.

cìclo ① m. **1** cycle: **il c. delle stagioni**, the cycle of seasons; **c. economico**, business cycle; trade cycle; **cicli storici**, historical cycles **2** (*serie*) course; series; (*di cure mediche*) course: **c. di incontri**, series of meetings; **c. di iniezioni**, course of injections; **c. di lezioni**, course of lectures **3** (*letter.*, *mus.*) cycle: **il c. arturiano**, the Arthurian cycle **4** (*mat.*) loop; closed curve ● (*mecc.*) **c. a due tempi**, two-stroke cycle □ (*fisiol.*) **c. cardiaco**, cardiac cycle □ (*chim.*) **c. del carbonio** [**dell'azoto**], carbon [nitrogen] cycle □ (*in lavabiancheria*) **c. dell'ammollo** [**del risciacquo**], soak (o pre-wash) [rinse] cycle □ **c. di avviamento**, starting cycle □ (*fis.*) **c. di isteresi**, hysteresis loop □ (*econ.*) **c. di lavorazione**, operation (o working) schedule □ (*comput.*) **c. di memoria**, memory cycle □ (*astron.*) **c. lunare**, cycle of the moon; lunar cycle □ (*fisiol.*) **c. mestruale**, menstrual cycle □ (*econ.*) **c. produttivo**, production cycle.

cìclo ② m. (*fam.*: *bicicletta*) cycle; bike (*fam.*).

cicloalpinìsmo m. (*sport*) mountain cycling.

cicloalpinìsta m. e f. mountain cyclist.

cicloamatóre m. (f. **-trice**) amateur racing cyclist.

cicloanalìsta m. e f. (*org. az.*) cycle analyst.

ciclocampèstre (*sport*) Ⓐ a. cross-country cycle (attr.) Ⓑf. cross-country cycle race.

ciclocròss m. (*sport*) cyclo-cross.

ciclocrossìsta m. (*sport*) cross-country cyclist.

ciclocrossìstico a. (*sport*) cyclo-cross (attr.).

cicloergòmetro m. (*sport*) cycloergometer.

cicloesàno m. (*chim.*) cyclohexane.

ciclofurgóne m. delivery tricycle.

cicloidàle a. (*geom.*) cycloidal.

cicloìde f. (*geom.*) cycloid.

ciclomanzìa f. cyclomancy.

a b c d e f g h i j k l m n o p q r s t u v w x y z

C

ciclomerìa f. (*biol.*) radial symmetry.

♦**ciclomotóre** m. (small) motorcycle; moped; motorbike (*fam.*).

ciclomotorìsta m. e f. moped rider.

ciclomotorìstica f. moped design and manufacture.

ciclóne m. **1** (*meteor.*) cyclone; depression **2** – (*meteor.*) **c. tropicale**, cyclone; hurricane; (*in Estremo Oriente*) typhoon; **occhio del c.**, eye of the hurricane **3** (*fig., di persona*) ball of fire; tornado*; tearaway (*GB*) ● **entrare come un c.**, to storm in □ (*fig.*) **essere nell'occhio del c.**, to be in the eye of the storm.

ciclònico a. cyclonic.

ciclonìte f. (*chim.*) cyclonite.

cicloparaffìna f. (*chim.*) cycloparaffin; cycloalkane.

ciclòpe m. **1** (*mitol.*) Cyclops* **2** (*zool.*) cyclops*.

ciclopìa f. → **ciclopismo**.

ciclòpico a. **1** (*mitol., archeol.*) cyclopean: **mura ciclopiche**, cyclopean walls **2** (*fig.*) huge; mammoth (attr.): **impresa ciclopica**, mammoth task.

ciclopìsmo m. (*med.*) cyclopia.

ciclopìsta f. cycle path (*o* track); (*corsia di strada*) bicycle lane.

ciclopropàno m. (*chim.*) cyclopropane.

cicloradùno m. cycle rally.

ciclosporìna f. (*farm.*) cyclosporin; cyclosporin A.

ciclostilàre v. t. to cyclostyle; to duplicate.

ciclostìle m. (*mecc.*) cyclostyle; duplicator ● **copie a c.**, duplicated copies □ **matrice per c.**, stencil.

Ciclòstomi m. pl. (*zool.*) Cyclostomata.

ciclotimìa f. (*psic.*) cyclothymia.

ciclotìmico a. (*psic.*) cyclothymic.

ciclotomìa f. (*mat.*) cyclotomy.

ciclòtomo m. (*med.*) cyclotome.

ciclotróne m. (*fis. nucl.*) cyclotron.

cicloturìsmo m. cycle (*o* cycling) tourism.

cicloturìsta m. e f. cycle (*o* cycling) tourist.

cicloturìstico a. bicycle touring (attr.).

cicógna f. **1** (*zool., Ciconia*) stork: (*fig.*) **l'arrivo della c.**, a visit from the stork **2** (*aeron.*) grasshopper **3** (*autom.*) transporter (*GB*); haulaway (*USA*) **4** (*di campana*) stock.

cicòria f. (*bot., Cichorium intybus*) chicory; succory; Belgian endive (*USA*).

CICR sigla **1** (**Comitato interministeriale per il credito e il risparmio**) Interdepartmental Committee for Credit and Savings **2** (*fr.: Comité International de la Croix Rouge*) (**Comitato internazionale della Croce Rossa**) International Committee of the Red Cross (ICRC).

cicùta f. **1** (*Conium maculatum*) hemlock; bennet **2** (*veleno*) hemlock **3** (*bot.*) – **c. acquatica** (*Cicuta virosa*), cowbane; water hemlock; **c. minore** (*Aethusa cynapium*), fool's parsley; **c. rossa** (*Geranium robertianum*), cranesbill.

cicutìna f. (*chim.*) coniine; cicutine.

CID sigla (*assicur.*, **convenzione indennizzo diretto**) knock-for-knock agreement.

ciecaménte avv. blindly; (*avventatamente*) rashly, recklessly.

♦**cièco** A a. (*anche fig.*) blind: **c. da un occhio**, blind in one eye; **c. dalla nascita**, born blind; **c. d'ira**, blind with rage; **diventare c.**, to go (*o* to become) blind; *L'amore è c.*, love is blind; **ubbidienza cieca**, blind obedience ● **c. come una talpa**, as blind as

a bat □ **alla cieca**, (*senza vedere, senza sapere*) blindly; (*a caso*) at random; (*avventatamente*) rashly, recklessly: **andare alla cieca**, to go blindly; to grope one's way; **sparare alla cieca**, to shoot at random; **tirare pugni alla cieca**, to throw wild punches □ **curva cieca**, blind curve (*o* bend) □ (*anat.*) **intestino c.**, caecum; blind gut (*fam.*) □ **mezzo c.**, purblind □ **mosca cieca** (*gioco*), blind-man's buff □ **muro c.**, blind wall □ (*fisiol.*) **punto c.**, blind spot □ **vicolo c.**, blind alley; (*anche fig.*) dead end □ (*aeron.*) **volo c.**, blind flight **B** m. (f. **-a**) blind person; (al pl., collett.) (the) blind: **c. di guerra**, blinded war veteran; **istituto dei ciechi**, institute for the blind.

ciellìno A m . (*polit.*) member of Comunione e Liberazione (→ **CL**) **B** a. relating to Comunione e Liberazione.

♦**cièlo** m. **1** sky; heavens (pl., *lett.*): **c. a pecorelle**, mackerel sky; **c. azzurro**, blue sky; **c. coperto**, overcast sky; **c. da temporale**, stormy sky; **c. grigio**, grey sky; **c. nuvoloso**, cloudy sky; **c. sereno**, clear (*o* cloudless) sky; **c. stellato**, starry sky; **la volta del c.**, the heavens **2** (*paradiso*) Heaven, heaven: **il Regno dei Cieli**, the Kingdom of Heaven; **salire al c.**, to go to heaven **3** (*Dio*) Heaven, heaven; heavens (pl.); God: *Pregai il C.*, I prayed to Heaven; *Il c. mi aiuti!*, heaven help me!; *Il c. non voglia!*, heaven forbid!; *Voglia il c. che...*, I wish to heaven (that)...; *would to heaven (that)...; Volesse il c. che fosse finita!*, if only it were all over!; *Grazie al c.!*, thank heavens!; *Per amor del c.!*, for heaven's sake!; *Santo c.!*, good heavens!; heaven above!; *Lo sa il C. se ci ho provato*, Heaven knows I tried; *Se il c. lo vorrà*, God willing; **mandato dal c.**, heaven-sent; **rassegnarsi ai voleri del C.**, to resign oneself to God's will **4** (*sfera celeste*) heaven: **i cieli del Paradiso di Dante**, the heavens of Dante's Paradise **5** (*lett.: clima, paese*) sky; clime; country: **sotto un c. più benigno**, in a gentler clime; **sotto altri cieli**, under other skies; in another country **6** (*soffitto*) ceiling; (*volta*) vault: **il c. della stanza**, the ceiling of the room **7** (*di automobile*) top **8** (*di galleria*) roof ● **a c. aperto**, (*all'aperto*) in the open, under the open sky; (*in superficie*) open (agg.), surface (attr.); (*di miniera*) opencast (attr.) □ **alzare gli occhi al c.**, to raise one's eyes; to look heavenward □ **Quando l'ho detto in famiglia, apriti cielo!**, when I told the family, all hell broke loose □ **color del c.**, sky-blue □ (*fig.*) **essere al settimo c.**, to be in (the) seventh heaven; to be on cloud nine (*fam.*); to be over the moon (*fam. GB*) □ (*fig.*) **un fulmine a ciel sereno**, a bolt from the blue □ (*fig.*) **muovere c. e terra**, to move heaven and earth □ (*fig.*) **non stare né in c. né in terra**, to be utter nonsense; to be preposterous □ (*fig.*) **piovere dal c.**, to arrive unexpectedly □ **denaro piovuto dal c.**, a windfall □ (*fig.*) **portare q. al (settimo) c.**, to praise sb. to the skies □ **È scritto in c.**, it's written in the stars □ (*fig.*) **toccare il c. con un dito**, to walk on air; to be beside oneself with joy.

cifòsi f. (*med.*) kyphosis*.

cifòtico a. (*med.*) kyphotic.

♦**cifra** f. **1** (*segno numerico*) numeral; digit; figure: **cifre arabe** [**romane**], Arabic [Roman] numerals; *L'ultima c. è un nove*, the last digit is a nine; **numero di tre cifre**, three-figure (*o* three-digit) number; **inflazione a due cifre**, two-figure (*o* double-figure) inflation; **scritto in lettere e in cifre**, written in words and in figures **2** (*numero*) figure: **c. tonda**, round figure; *Facciamo c. tonda*, let's round it off; **calcolare i decimali fino alla terza c.**, to calculate to the third decimal place **3** (*somma di denaro*) figure; sum; amount: *È una bella c.*, it's quite a fig-

ure; it's a hefty sum; **chiedere una c. esagerata**, to name an exorbitant figure (*o* price); *È pronto a pagare qualsiasi c.*, he's ready to pay any price **4** (*gergale*) – **una c.**, a lot; (*come escl.*) you bet! **5** (*monogramma*) initials (pl.); monogram: **le cifre su un fazzoletto**, the initials on a handkerchief **6** (*codice segreto*) cipher, cypher; code: **scrivere in c.**, to write in cipher; **un telegramma in c.**, a ciphered (*o* coded) telegram **7** (*fig.: elemento caratteristico*) key feature; characteristic.

cifràre v. t. **1** (*ricamare in cifra*) to embroider sb.'s initials (*o* monogram) on; to mark (st.) with initials (*o* with a monogram) **2** (*scrivere in cifra*) to code; to cipher, to cypher.

cifràrio m. cipher book.

cifràto a. **1** (*con un monogramma*) monogrammed; initialled; with initials: **fazzoletto c.**, monogrammed handkerchief **2** (*scritto in cifra*) coded; ciphered; in cipher, in cypher: **messaggio c.**, coded message.

cifratùra f. ciphering; coding.

cifrìsta m. e f. coder; cipherer.

CIG sigla **1** (**Cassa integrazione guadagni**) redundancy fund **2** (**Comitato italiano gas**) Italian Gas Committee.

cigliàto a. (*bot., zool.*) ciliate.

♦**cìglio** m. (pl. **cigli**, m., *nella def. 4*; **cìglia**, f., *nelle altre*) **1** (al pl.) eyelashes **2** (*sopracciglio*) eyebrow; (al pl., anche) brows: **aggrottare le ciglia**, to knit one's brows; to frown; **alzare** [**inarcare**] **le ciglia**, to raise [to arch] one's eyebrows **3** (*poet.: sguardo*) eyes (pl.): **abbassare le ciglia**, to lower one's eyes **4** (*orlo*) edge; margin; brink: **il c. d'un burrone**, the edge (*o* brink) of a ravine; **il c. di un fosso**, the edge of a ditch; **c. della strada**, the side of the road; the roadside **5** (al pl.) (*bot., zool.*) cilia ● **a c. asciutto**, dry-eyed □ **in un batter di c.**, in the twinkling of an eye □ **non batter c.**, (*non essere sorpreso*) not to bat an eye (*o* an eyelid); not to turn a hair; (*non aver paura*) not to flinch.

ciglióne m. **1** bank; embankment **2** (*bordo*) edge; brink.

♦**cìgno** m. **1** (*zool., Cygnus*) swan*; (*femmina*) pen; (*giovane*) cygnet: **c. nero** (*Chenopis atrata*), black swan; **c. reale** (*Cygnus olor*), mute swan; **c. trombetta** (*Cygnus buccinator*), trumpeter swan **2** (*fig.*) swan: *Bellini fu detto il c. di Catania*, Bellini was called the swan of Catania **3** (*astron.*) Swan; Cygnus ● (*anche fig.*) **canto del c.**, swan song.

cigolàre v. i. **1** (*di ruota, porta, ecc.*) to creak; to squeak **2** (*di legna che brucia, ecc.*) to hiss.

cigolìo m. **1** squeaking; creaking **2** (*di legna che brucia, ecc.*) hissing.

CIIS sigla (**Comitato interministeriale per l'informazione e la sicurezza**) Interdepartmental Committee for Intelligence and Security.

Cìle m. (*geogr.*) Chile.

cilécca f. – **fare c.**, (*di arma da fuoco*) to misfire, not to go off; (*fig.*) to misfire, to fail, to fall flat, to flop.

cilèno a. e m. (f. **-a**) Chilean.

cilestrìno a. (very) pale blue.

cilèstro a. (*lett.*) sky-blue.

ciliàre a. ciliary; of the eyelashes.

ciliàto a. (*zool.*) ciliate; (al pl., *scient.*) Ciliata.

cilìcio m. **1** (*stoffa*) haircloth; cilice **2** (*indumento penitenziale*) hairshirt, cilice; (*corda*) knotted cord **3** (*fig.: tormento fisico*) torment; agony **4** (*fig.: tormento morale*) cross.

ciliégeto m. cherry orchard.

♦**ciliègia** A f. cherry: **ciliegie sotto spirito**, maraschino cherries; **nocciolo di c.**, cherry stone; *Una c. tira l'altra*, cherries are more-

ish; (*fig.*) one thing leads to another **B a. inv. – color** c., cherry red; cherry-red (*agg.*).

ciliegìna f. candied cherry • (*fig.*) **la c. sulla torta**, the cherry on the cake; (*iron.*) the last straw.

ciliegìno n. (*bot.*, *cucina*) cherry tomato.

•**ciliègio** m. **1** (*bot.*, *Prunus avium*) cherry tree: **fior di** c., cherry blossom **2** (*legno*) cherry-wood • (*bot.*) **c. di montagna** (*Lonicera alpigena*), honeysuckle.

ciliegiòlo **A a.** cherry-red **B m.** cherry liqueur.

cilindràia f. (*tecn.*) roller mill; roller pulverizer.

cilindràre v. t. **1** (*carta*, *stoffa*) to calender **2** (*una strada*) to roll **3** (*metall.*) **– c. a caldo**, to hot-roll; **c. a freddo**, to cold-roll.

cilindràsse m. (*anat.*) axon.

cilindràta f. **1** (*mecc.*, *autom.*) (piston) displacement; swept volume: **un'auto con 1500 di** c., a 1,500cc car; *Il motore ha una c. di 600cc*, the car has a 600cc engine; **auto di grossa [di piccola]** c., high-powered [low-powered] car; *Di che* c. *è?*, what size is the engine? **2** (*ind. cartaria*) charge.

cilindratòio m. (*tecn.*) calender; roller.

cilindratrìce f. **1** (*ind. tess.*) calender **2 – c. stradale**, roller.

cilindratùra f. **1** (*di stoffa*, *carta*) calendering **2** (*di strada*) (road) rolling.

cilìndrico a. cylindrical.

cilìndro m. **1** (*geom.*) cylinder **2** (*autom.*) cylinder: **cilindri in linea**, cylinders in line; **a due cilindri**, twin-cylinder; **rettifica di un** c., grinding of a cylinder **3** (*rullo*) roll; roller **4** (*ind. tess.* e *cartaria*) calender **5** (*cappello*) top hat; silk hat **6** (*tipogr.*) cylinder.

cilindròide m. (*geom.*) cylindroid.

CIM sigla (**centro di igiene mentale**) mental health centre.

•**cìma** f. **1** top; (*vetta*, *anche*) summit, peak: **la c. del colle**, the hilltop; **la c. di una torre**, the top of a tower; **le cime dell'Himalaya**, the Himalayan peaks; **le cime dei monti**, the mountain tops; **scalare una** c., to climb a peak; **arrivare in** c., to get to the top; **per raggiungere la c.** (o the summit); **in c. alla collina**, on the top of the hill; **in c. alle scale [all'armadio]**, at the top of the stairs [of the wardrobe]; **in c. alla classifica**, at the top of the table; **il ripiano in** c., the top shelf; *Mettilo in* c., put it on top **2** (*fam.*: *persona intelligente*) person with brains; genius: *Suo figlio è una* c., his son's got brains; *Non è una* c., he's no genius **3** (*naut.*) line; hawser; rope; cable: **c. da ormeggio**, mooring line • **cime di rapa**, turnip tops □ **da c. a fondo**, from top to bottom; (*completamente*) thoroughly; (*dall'inizio alla fine*) from beginning to end; (*rif. a libro*) from cover to cover: *La casa è stata pulita da c. a fondo*, the house has been cleaned from top to bottom (*o* has been thoroughly cleaned) □ **essere in c. ai pensieri di q.**, to be foremost in sb.'s thoughts; to dominate sb.'s thoughts.

cimàre v. t. **1** (*una siepe*, *ecc.*) to trim; to clip; to prune **2** (*un albero*) to poll; to lop **3** (*ind. tess.*) to shear*; to clip.

cimàsa f. **1** (*archit.*) top moulding **2** (*edil.*) coping **3** (*di mobile*) frieze **4** (*di politico*) upper panel; cimasa.

cimàta f. **1** (*di siepe*, *ecc.*) cropping; trimming **2** (*di albero*) polling; lopping **3** (*ind. tess.*) shearing; clipping.

cimatóre m. **1** (*agric.*) poller **2** (*ind. tess.*) shearer; clipper.

cimatorìa f. (*ind. tess.*) shearing shop.

cimatrìce f. (*ind. tess.*) shearing (*o* clipping) machine.

cimatùra f. **1** (*agric.*) polling; lopping; (*cime tagliate*) toppings (pl.) **2** (*ind. tess.*) shearing; clipping; (*il pelo tagliato*) sheared

nap, shearings (pl.), clippings (pl.).

cìmbalo m. (*mus.*) cymbal.

cìmbro **A a.** Cimbrian; Cimbric **B m.** Cimbrian: **i Cimbri**, the Cimbri.

cimèlio m. **1** relic; memento*; (*di famiglia*) heirloom; (*per collezionismo*) curio, antique, (*al pl. anche*) memorabilia: **cimeli del Risorgimento**, relics of the Risorgimento; **un c. di famiglia**, a family heirloom; **cimeli napoleonici**, Napoleonic memorabilia **2** (*iron.*: *anticaglia*) piece of junk **3** (*iron.*, *di persona*) old fogey, old fossil.

cimène m. (*chim.*) cymene.

cimentàre **A** v. t. **1** (*mettere alla prova*) to put* to the test; to try **2** (*rischiare*) to risk **3** (*provocare*) to provoke; to challenge **4** (*oreficeria*) to assay; to test **B cimentàrsi** v. rifl. **1** (*mettersi alla prova*) to test oneself (against); to measure oneself (against); to have a try (at); (*assol.*) to put* oneself to the test: **cimentarsi con q.**, to measure oneself against sb.; *Ha deciso di cimentarsi col cinese*, she has decided to have a try at (learning) Chinese **2** (*arrischiarsi*, *tentare*) to try; to venture (on, upon); to make* a foray (into); to undertake (st.): **cimentarsi nel giornalismo**, to make a foray into journalism; **cimentarsi in un'impresa**, to venture upon a feat.

ciménto m. **1** (*prova*) test; trial **2** (*rischio*) risk; danger • **mettere a c.**, (*rischiare*) to risk, to endanger; (*provare*) to put to the test.

cìmice f. **1** (*zool.*, *Cimex*) bug; cimex*: **c. dei letti** (*Cimex lectularius*), bedbug **2** (*region.*: *puntina da disegno*) drawing pin **3** (*pop.*: *microspia*) bug: **piazzare cimici in una stanza**, to plant bugs in a room; to bug a room.

cimiciàio m. **1** bug-infested place; place crawling with bugs **2** (*fig.*: *luogo sudicio*) filthy place; pigsty.

cimicióso a. bug-ridden; bug-infested.

cimièro m. **1** (*di elmo e arald.*) crest **2** (*lett.*: *elmo*) helmet.

•**ciminièra** f. **1** (*di fabbrica*) (factory) chimney; smokestack **2** (*di nave*, *locomotiva*) funnel.

cimiteriàle a. **1** graveyard (attr.); churchyard (attr.); cemeterial **2** (*fig.*) funereal; lugubrious.

•**cimitèro** m. **1** graveyard; cemetery; burial ground; (*annesso a una chiesa*) churchyard: **c. di guerra**, war cemetery; **c. degli elefanti**, elephants' burial ground **2** (*fig.*) morgue; dead place: *Il luogo pareva un c.*, the place was like a morgue; *La città in agosto è un cimitero*, the town is dead in August • **c. di automobili**, car cemetery □ **un c. di navi**, a graveyard of ships.

cimmèrio **A a. 1** (*mitol.*) Cimmerian **2** (*fig.*) dark; gloomy **B m.** (*mitol.*) Commerian.

cimòfane m. (*miner.*) cymophane.

cìmolo m. (*bot.*) top; head.

cimòmetro m. (*fis.*) wavemeter.

cimósa f. **1** (*ind. tess.*) selvage; selvedge **2** (*cancellino*) blackboard duster.

cimóso a. (*bot.*) cymose.

cimùrro m. **1** (*vet.*) distemper **2** (*scherz.*) bad cold.

Cìna f. (*geogr.*) China.

cinabrése m. red ochre; reddle.

cinàbro m. **1** (*miner.*) cinnabar **2** vermilion; cinnabar.

cìncia f. (*zool.*, *Parus*) tit; titmouse*: **c. bigia** (*Parus palustris*), marsh tit; **c. mora** (*Parus ater*), coal tit.

cinciallégra f. (*zool.*, *Parus major*) great tit.

cinciarèlla f. (*zool.*, *Parus caeruleus*) blue tit.

cincìlla f. (*zool.*, *Chincilla laniger*) chinchilla.

cincìn, cin cin inter. cheers!; chin-chin! • **fare** c., to clink glasses.

cincischiaménto m. **1** (*lo sgualcire*) crumpling; crushing **2** (*borbottio*) mumbling; muttering **3** (*il perder tempo*) fiddling about; dawdling.

cincischiàre **A** v. t. **1** (*tagliuzzare*) to cut* up clumsily **2** (*sgualcire*) to crumple; to crease; to crush **3** (*borbottare*) to mumble; to mutter **B** v. i. **1** (*perdere tempo*) to fiddle about; to dawdle **2** (*lavorare svogliatamente*) to tinker; to potter about **C cincischiàrsi** v. i. pron. (*sgualcirsi*) to get* crumpled; to crease; to crush.

cincischìo m. **1** fiddling about; dawdling **2** (*lavoro malfatto*) bungled piece of work.

cincóna f. cinchona; China bark.

cinconìna f. (*chim.*) cinchonine.

cìne (abbr. *fam.*) → **cinema**; **cinematografo**.

cineamatóre m. (f. **-trice**) amateur film-maker (*USA* movie-maker).

cineamatoriàle a. amateur film (attr.); amateur movie (*USA*).

cineàsta m. e f. **1** (*in genere*) person in the film industry; person in the movies (*USA*); cineaste (*franc.*) **2** (*regista*) director.

cinebòx m. inv. vide-jukebox.

cinecàmera f. cine camera; movie camera (*USA*).

cinecassètta f. film (*USA* movie) magazine.

cineclùb m. inv. film (*USA* movie) society; film (*USA* movie) club.

cinedilettànte → **cineamatore**.

cinedilettantìsmo m. amateur film-making (*USA* movie-making).

cinefilìa f. love of the cinema.

cinèfilo m. (f. **-a**) film (*USA* movie) expert; film buff (*fam.*).

cinefòrum m. inv. **1** (*dibattito*) debate (after a film at a film club) **2** → **cineclub**.

cinegètica f. cynegetics (pl. col verbo al sing.).

cinegètico a. cynegetic.

cinegiornàle m. newsreel.

•**cìnema** m. **1** (*locale*) cinema; movie theater (*USA*): **c. a luci rosse**, porn cinema; **c. di prima [seconda] visione**, first run [second run] cinema **2** (*forma di spettacolo*) cinema; films (pl.); pictures (pl., *GB*); motion pictures (pl., *USA*); movies (pl., *USA*): **andare al** c., to go to the cinema (*USA* to the movies); **fare del** c., to be in the film business; *Preferisco il* c. *al teatro*, I prefer films to plays; **i divi del** c., film stars; movie stars; **l'industria del** c., cinema (*USA* motion-picture) industry **3** (*forma d'arte*) cinema; motion pictures (pl., *USA*): **il c. italiano del dopoguerra**, postwar Italian cinema **4** (*fig. fam.*) circus; (*persona divertente*) scream, hoot: *La loro casa è un* c., their house is a circus • **c. d'essai**, art cinema; art films (pl.) □ **c. muto**, silent films (*USA* movies) (pl.); silents (pl., *fam.*) □ **c. sonoro**, sound motion pictures (pl., *fam.*) □ **c. verità**, talkies (pl., *fam.*) □ **c. verità**, cinéma-vérité (*franc.*).

cinemascópe® m. Cinemascope®.

cinemateàtro m. cinema theatre; movie theater (*USA*).

cinemàtica f. (*fis.*) kinematics (pl. col verbo al sing.).

cinemàtico a. (*fis.*) kinematic.

cinematìsmo m. (*fis.*) kinematic mechanism.

cinematografàre v. t. to film; to shoot.

cinematografàro m. (f. **-a**) (*spreg.*) **1** person in the film industry **2** (*regista*) second-rate film director.

cinematografìa f. cinematography; cin-

ema: **c. muta**, silent cinema; **c. sonora**, sound cinema.

cinematogràfico a. 1 cinematographic; film (attr.); cinema (attr.); screen (attr.); motion-picture (attr., *USA*); movie (attr., *USA*): **industria cinematografica**, film industry; **sala cinematografica**, cinema; movie theater (*USA*); **spettacolo c.**, film performance; picture (*GB*); movie (*USA*); **studio c.**, film studio; **la versione cinematografica di un romanzo**, the film adaptation of a novel 2 (*fig.*) spectacular.

cinematògrafo → **cinema**.

cinematoscòpio m. kinematoscope.

cineoperatóre m. cameraman*.

cineparchéggio, **cinepàrco** m. drive-in cinema.

cineprésa f. cinecamera; movie camera (*USA*).

cineràma® m. Cinerama®.

cinerària f. (*bot.*, *Senecio cruentus*) cineraria.

cineràrio A a. cinerary: **urna cineraria**, cinerary urn B m. (*di caldaia*) ash pit; ash pan.

cineràstro a. ash-grey.

cinèreo a. ashen; ashy; ash-coloured; ashen-grey; cinereous: **pallore c.**, ashen hue.

cinerino → **cenerino**.

cineromànzo m. photo-strip story.

cinescòpio m. (*TV*) television tube; kinescope (*USA*).

cinése A a. Chinese* B m. e f. 1 Chinese: **i Cinesi**, the Chinese 2 (*ling.*) Chinese.

cineserìa f. 1 chinoiserie Ⓤ (*franc.*) 2 (al pl.) (*fig.*: *complimenti*) ceremony Ⓤ.

cinèsica f. kinesics (pl. col verbo al sing.).

cinesino m. reflecting boundary marker.

cinesiologìa f. (*med.*) kinesiology.

cinesiterapìa f. (*med.*) kinesitherapy.

cinesiteràpico a. (*med.*) kinesitherapeutic.

cinesiterapìsta m. e f. (*med.*) kinesitherapist.

cinestesìa f. (*med.*) kinaesthesia; kinaesthesis.

cinestètico a. (*med.*) kinaesthetic.

cinetèca f. film library; film archives (pl.).

cinètica f. (*fis.*) kinetics (pl. col verbo al sing.).

cinètico a. (*fis.*) kinetic: **energia cinetica**, kinetic energy; **teoria cinetica dei gas**, kinetic theory of gases.

cingalése → **singalese**.

cingallégra → **cinciallegra**.

cingere v. t. 1 (*attorniare, girare intorno*) to surround; to ring; to encircle; to girdle; (*racchiudere*) to enclose: **c. una città di mura**, to surround a city with walls; **c. l'orto con una siepe**, to enclose the kitchen garden with a hedge; **c. con un muro**, to wall in; **c. con un recinto**, to fence in; **c. d'assedio**, to lay siege to; to besiege 2 (*una parte del corpo*) to put* round; (*legare*) to tie round: **c. la fronte di q. di alloro**, to crown sb.'s brow with laurel; **cingersi la vita con una fascia**, to tie a sash round one's waist; *Le cinsi la vita col braccio*, I put an arm round her waist 3 (*legare un oggetto intorno al corpo*) to tie; to fasten; to gird oneself with; to gird on; to put* on: **c. le armi**, to arm oneself; **c. la corona**, to put on the crown; to be crowned; **c. una spada**, to gird on a sword.

cinghia f. 1 strap; thong; **c. per libri**, book strap; **c. dello zaino**, shoulder strap; **c. del fucile**, sling; **c. della sella**, girth; **c. delle staffe**, stirrup strap 2 (*cintura*) belt: **c. dei calzoni**, trouser belt 3 (*mecc.*) belt: **c. ad anello**, endless belt; **c. di trasmissione**, drive belt; (*autom.*) **c. del ventilatore**, fan

belt ● (*fig.*) **tirare la c.**, to tighten one's belt; to scrimp and save.

♦**cinghiàle** m. 1 (*zool.*, *Sus scropha*) wild boar 2 (*pelle*) pigskin: **guanti di c.**, pigskin gloves.

cinghiàta f. lash; blow with a belt: **prendere q. a cinghiate**, to thrash sb. (with a belt).

cingolàto A a. tracked: **trattore c.**, caterpillar tractor; crawler; **veicolo c.**, tracked vehicle; tracklayer B m. tracked vehicle; tracklayer; caterpillar.

cingolétta f. (*mil.*) small tracked vehicle.

cìngolo m. 1 (*mecc.*, *di carro armato, trattore*) track, caterpillar track; (*di ruota*) wheel belt: **c. a catena**, chain track; **maglia di c.**, track link; **trattore a cingoli**, caterpillar tractor; crawler 2 (*eccles.*) surcingle.

♦**cinguettàre** v. i. 1 to chirrup; to chirp; to twitter 2 (*di bambino*) to prattle 3 (*chiacchierare*) to chatter.

cinguettio m. 1 chirruping; chirping; twittering 2 (*di bambino*) prattling 3 (*chiacchierio*) chattering.

cìnico A a. 1 (*stor. filos.*) Cynic 2 cynical B m. 1 (*stor. filos.*) Cynic 2 (f. **-a**) cynic.

ciniglia f. chenille; candlewick.

cìnipe f. (*zool.*, *Cynips*) gall fly; gall wasp.

cinìsmo m. 1 (*stor. filos.*) Cynicism 2 cynicism.

cinnàmico a. (*chim.*) cinnamic.

cinnamòmo m. (*bot.*, *Cinnamomum*) cinnamon.

cinocèfalo A a. (*lett.*) dog-headed; cynocephalous B m. (*mitol.*, *zool.*) cynocephalus*.

cinòdromo m. (*sport*) greyhound (racing) track.

cinofilìa f. love of dogs.

cinòfilo A m. (f. **-a**) dog lover; dog expert B a. 1 (*che ama i cani*) dog-loving 2 (*che usa i cani*) (attr.): **unità cinofile**, dog units.

cinofobia f. fear of dogs.

cinoglòssa f. (*bot.*, *Cynoglossum officinale*) hound's tongue; dog's tongue.

cinòmio m. (*zool.*, *Cynomis ludovicianus*) prairie dog.

cinopitèco m. (*zool.*, *Cynopithecus niger*) cynopithecus.

cinòrrodo, **cinorròdio** m. (*bot.*) (rose) hip.

♦**cinquànta** a. num. card. e m. inv. fifty; (*il numero*) number fifty: **c. giorni**, fifty days; **il c. per cento**, fifty per cent; **le dieci e c.**, ten-fifty; ten to eleven; *Eravamo in c.*, there were fifty of us; *È uscito il (numero) c.*, number fifty has been drawn; *Devi prendere il c.*, you should take bus [tram] number fifty; **avere cinquant'anni**, to be fifty; **andare per i c.**, to be pushing fifty; **essere sopra i c.**, to be over fifty; **essere sui c.**, to be about fifty; to be fiftyish; **essere tra i 50 e i 60**, to be in one's fifties; **un biglietto da c. dollari**, a fifty-dollar note; **nato nel C.**, born in nineteen fifty; **gli anni C.**, the fifties.

cinquantamìla a. num. card. e m. fifty thousand.

cinquantenàrio A a. 1 fifty years old (pred.); fifty-year-old (attr.) 2 → **cinquantennale** B m. fiftieth anniversary.

cinquantennàle A a. 1 (*che dura 50 anni*) fifty-year (attr.); fifty-year agreement 2 (*che dura da 50 anni*) fifty-year-old (attr.); fifty-year-long (attr.): **amicizia c.**, fifty-year-old friendship; **disputa c.**, fifty-year-long debate 3 (*che avviene ogni 50 anni*) occurring every fifty years; held every fiftieth year B m. 1 (*ricorrenza*) fiftieth anniversary 2 (*celebrazione*) fiftieth anniversary celebration.

cinquantènne A a. fifty years old

(pred.); fifty-year-old (attr.) B m. e f. fifty-year-old man* (m.); fifty-year-old woman* (f.); (*sulla cinquantina*) man* (m.) in his fifties; woman (f.) in her fifties.

cinquantènnio m. fifty-year period; period of fifty years; fifty years (pl.): **nell'ultimo c.**, in the past fifty years.

cinquantèsimo a. num. ord. e m. fiftieth.

cinquantìna f. 1 about fifty; fifty or so: **una c. di libri**, about fifty books; **una c. d'anni fa**, about fifty years ago 2 (*50 anni di età*) (age of) fifty: **essere sulla c.** (o **avere una c. d'anni**), to be about fifty; to be fiftyish; (*tra i 50 e i 60*) to be in one's fifties; **aver passato la c.**, to be over fifty; to be in one's fifties; **avvicinarsi alla c.**, to be approaching fifty; to be pushing fifty (*fam.*).

♦**cìnque** a. num. card. e m. inv. five; (*nelle date*) (the) fifth; (*il numero*) number five: **c. libri**, five books; **il c. di luglio**, the fifth of July; July the fifth; **il c. di picche**, the five of clubs; **il c. per cento**, five per cent; **c. o seicento persone**, five or six hundred people; *Sono le c.*, it's five (o'clock); **contare fino a c.**, to count up to five; *Abito al c.*, I live at number five; **un bambino di c. anni**, a five-year-old (child); **un biglietto da c. sterline**, a five-pound note; **la fermata del c.**, the stop for bus [tram] number five; **in gruppi di c.**, in groups of five; in fives.

cinquecentésco a. sixteenth-century (attr.); 16th-century (attr.); (*arte e letter. ital.*, *anche*) of the Cinquecento, Cinquecento (attr.): **pittura cinquecentesca italiana**, Italian sixteenth-century painting; Cinquecento painting.

cinquecentèsimo a. num. ord. e m. five-hundredth.

cinquecentìna f. book published in the sixteenth century.

cinquecentìsta m. e f. 1 (*arte, letter.*) sixteenth-century writer [artist, etc.]; (*rif. all'Italia, anche*) Cinquecento writer [artist, etc.], cinquecentist 2 (*specialista del Cinquecento*) sixteenth-century specialist.

cinquecentìstico → **cinquecentesco**.

cinquecènto A a. num. card. inv. five hundred B m. inv. 1 (*il numero*) five hundred 2 (*il secolo*) (the) sixteenth century; (*arte e letter. ital.*, *anche*) (the) Cinquecento.

cinquefòglie m. 1 (*bot.*, *Potentilla reptans*) cinquefoil 2 (*arald.*) cinquefoil.

cinquemìla A a. num. card. e m. five thousand B m. pl. (*sport*) (the) five-thousand metres.

cinquennàle → **quinquennale**.

cinquènne a. 1 (*che ha cinque anni*) five years old (pred.); five-year-old (attr.); aged five (pred.) 2 (*che dura cinque anni*) five-year (attr.).

cinquènnio → **quinquennio**.

cinquerème → **quinquereme**.

cinquìna f. 1 set of five 2 (*lotto*) set of five winning numbers (in a lottery) 3 (*tombola*) winning line (in bingo) 4 (*mil.*, *teatr.*) five days' pay.

cìnta f. 1 (*mura di città*) city walls (pl.); (*di castello*) castle walls (pl.); (*cinta esterna*) bailey 2 (*perimetro*) boundary: **c. urbana**, city boundary; **muro di c.**, boundary wall 3 (*region.*: *cintura*) belt 4 (*arald.*) orle ● **c. daziaria**, town customs barrier.

cintàre v. t. to surround; to enclose; (*con un muro*) to wall in; (*con un recinto*) to fence in.

cìnto m. girdle; belt ● (*zool.*) **c. di Venere** (*Cestus veneris*), Venus's girdle ◻ (*med.*) **c. erniario**, truss.

cìntola f. 1 (*vita*) waist: *L'acqua mi arrivava alla c.*, the water reached to my waist; **dalla c. in giù [in su]**, below [above] the waist; **che arriva alla c.**, waist-high (agg.)

2 → **cintura**.

♦**cintùra** f. **1** (di indumento) belt; (di gonna, calzoni) waistband: **c. di cuoio**, leather belt; **allacciare [allentare, stringere] la c.**, to fasten [to loosen, to tighten] one's belt **2** (cintola, vita) waist; (sport) belt: **colpire sotto la c.**, to hit below the belt **3** (judo) belt: **c. marrone [nera]**, brown [black] belt **4** (oggetto che cinge) belt: **c. di castità**, chastity belt; (naut.) **c. di salvataggio**, safety belt; life belt; (aeron., autom.) **c. di sicurezza**, seat belt; safety belt; **avere la c. di sicurezza (allacciata)**, to wear one's seat belt **5** (fig.) belt; girdle: **una c. di verde intorno alla città**, a green belt around the town **6** (anat.) girdle: **c. pelvica [toracica]**, pelvic [pectoral] girdle **7** (lotta, ecc.: presa) waistlock.

cinturàre v. t. (sport) to hold by the waist.

cinturàto® a. e m. (autom.) radial-ply (tyre).

cinturino m. strap; (di cuoio, anche) thong: **c. d'orologio**, watch strap; wristband; **c. di sandalo**, sandal strap (o thong).

cinturóne m. (mil.) belt.

cinz → **chintz**.

Cinzia f. Cynthia.

♦**ciò** pron. dimostrativo this; that; it: Con ciò intendo dire che..., by that I mean that...; **ciò detto**, having said that; **malgrado ciò**, in spite of this (o that); **oltre a ciò**, besides (that); moreover; on top of that; Non sapevo tutto ciò, I didn't know all that; **tutto ciò che ho detto**, all (that) I said; **tutto ciò che volete**, anything you want ● **ciò che**, what: Spiegai ciò che volevo, I explained what I wanted □ **ciò nondimeno** (o **nonostante**, **nonpertanto**) → **cionondimeno** □ **a ciò** (o **a questo fine**), to this end; for that purpose □ **con tutto ciò**, for all that; and yet □ **da ciò**, hence: Non ne sapevo nulla, da ciò il mio stupore, I knew nothing about it, hence my surprise □ **E con ciò?**, so what?

CIO sigla (sport, **Comitato internazionale olimpico**) International Olympic Committee (IOC).

ciòcca f. (di capelli) lock ● **cadere a ciocche**, to come out in handfuls.

cioccàre v. t. (naut.) to ease off; to slacken.

ciòcco m. **1** log; block (of wood) **2** (fig.) blockhead; chump ● (fig.) **dormire come un c.**, to sleep like a log □ (fig.) **stare lì come un c.**, to stand there like a fool.

♦**cioccolàta** A f. **1** (bevanda) chocolate: **c. con panna**, chocolate and whipped cream **2** → **cioccolato** B a. inv. chocolate (attr.): **color c.**, chocolate brown.

cioccolatàio m. (f. **-a**) **1** (fabbricante) chocolate manufacturer **2** (venditore) chocolate seller ● (fig.) **fare una figura da c.**, to make a fool of oneself.

cioccolatièra f. (bricco) chocolate pot.

cioccolatière → **cioccolataio**.

♦**cioccolatino** m. chocolate: **c. al liquore**, liqueur chocolate; **c. ripieno**, chocolate cream; chocolate with a soft centre; **una scatola di cioccolatini**, a box of chocolates.

♦**cioccolàto** m. chocolate: **c. al latte**, milk chocolate; **c. amaro** (o **fondente**), plain chocolate (GB); dark chocolate (USA); **c. bianco**, white chocolate; **una tavoletta di c.**, a bar of chocolate; **torta al c.**, chocolate cake.

ciociàro A a. of Ciociaria; from Ciociaria B m. (f. **-a**) native [inhabitant] of Ciociaria.

♦**cioè** avv. **1** (esplicativo) that is (to say) (abbr. scritta i.e.): Vengo il 27, c. tra tre giorni, I'm coming on the 27th, that is in three days time **2** (dichiarativo) namely (abbr. scritta viz.): **due grandi poeti latini, c. Orazio e Ovidio**, two great Latin poets, namely Horace and Ovid **3** (correttivo) or rather; (voglio dire) I mean; (per lo meno) at least: Gliel'abbiamo detto, c. gliel'ha detto mia moglie, we told him, or rather, my wife did; Sono le sei, cioè, le sei e dieci, it's six, I mean, ten past six **4** (interr.) what does that mean?; what do you mean?; meaning what? (fam.): «C'è un problema» «C.?», «there is a problem» «what do you mean?».

ciofèca f. (region., spreg.) dishwater; slop.

ciondolàre A v. i. **1** to hang* loosely; to dangle; (oscillare) to swing* (to and fro); to sway: Dal braccialetto ciondolava un portafortuna, a lucky charm dangled from the bracelet; La lanterna ciondolava al venticello, the lantern swung to and fro in the breeze **2** (fig.) to hang* about; (oziare) to lounge about, to loaf about, to idle: **c. per casa**, to hang about the house; **c. al caffè** B v. t. to loll; to dangle; (far oscillare) to swing*: **c. il capo**, to loll one's head; **c. le gambe**, to dangle one's legs.

ciondolìo m. dangling; swinging.

cióndolo m. pendant.

ciondolóne m. **1** (bighellone) idler; loafer **2** (persona sciatta) slovenly person; slob.

ciondolóni avv. **1** hanging loosely; dangling: Era sdraiato sulla panca con le braccia c., he lay on the bench with his arms dangling **2** (fig.) – **andare c.**, to loaf about.

cionondiméno, **cionostànte**, **ciononpertànto** avv. in spite of this (o that); nevertheless; nonetheless; notwithstanding this; however.

♦**ciòtola** f. **1** bowl **2** (il contenuto) bowl; bowlful.

ciottolàre v. t. to pave with cobblestones; to cobble.

ciottolàta f. blow with a stone.

ciottolàto m. cobblestone paving; cobblestones (pl.).

♦**ciòttolo** m. **1** pebble; cobble; (sasso) stone, rock (USA) **2** (per pavimentazione) cobblestone; cobble: **strada a ciottoli**, street paved with cobblestones; cobbled street **3** (geol.) pebble; cobble.

ciottolóso a. pebbly; stony: **spiaggia ciottolosa**, pebbly beach; **strada ciottolosa**, stony road.

cip ① inter. chirp; cheep; tweet.

cip ② m. (nel poker) ante.

CIPE sigla (**Comitato interministeriale per la programmazione economica**) Interdepartmental Committee for Economic Planning.

cipìglio m. frown; scowl: **fare c.**, to scowl; to frown; to look grim; **guardare q. con c.**, to frown (o to scowl) at sb.

♦**cipólla** f. **1** (bot., Allium cepa) onion: **buccia (o velo) di c.**, onionskin; **zuppa di cipolle**, onion soup **2** (pop.: bulbo) bulb **3** (di annaffiatoio) rose **4** (orologio da taschino) large pocket watch; turnip (fam. antiq.) ● **a c.**, onion-shaped □ (fig.) **mangiare pane e c.**, to live on a poor fare.

cipollàio m. **1** (campo) onion field **2** (venditore) onion seller.

cipollàta f. onion stew.

cipollàto a. (del legno) shaky; split.

cipollatùra f. (del legno) ring shake; cup shake.

cipollina f. spring onion; scallion: **cipolline sottaceto**, pickled onions.

cipollìno m. (miner.) cipolin.

cipollóne m. **1** – (bot.) **c. bianco** (Ornithogalum umbellatum), star of Bethlehem **2** (scherz., di orologio) large pocket watch; turnip (fam. antiq.).

cipollóso → **cipollato**.

cìppo m. **1** (archeol.) cippus* **2** (funerario) memorial stone **3** (di confine) boundary stone.

ciprèa f. (zool., Cypraea) cowrie, cowry.

cipressàia f., **cipressèto** m. cypress grove (o wood).

cipressina f. (bot., Tamarix gallica) tamarisk.

ciprèsso m. (bot., Cupressus sempervirens) cypress.

cipria f. (face) powder: **c. compatta**, compact face powder; **c. in polvere**, loose face powder; **darsi la c.**, to powder one's face; **astuccio della c.**, compact case; **piumino da c.**, powder puff.

ciprinide m. (zool.) cyprinid; (al pl., scient.) Cyprinidae.

ciprino m. (zool.) **c. dorato** (Carassius auratus), goldfish.

cipriòta a., m. e f. Cypriot (f. Cypriot woman*).

cipripèdio m. (bot., Cypripedium calceolus) lady's-slipper; cypripedium; mocassin flower (USA).

Cìpro m. (geogr.) Cyprus.

circ. abbr. (**circolare**) circular (letter).

♦**cìrca** A avv. about (prep.); around (prep.); roughly; approximately; or so; or thereabouts: Il viaggio durerà tre giorni c., the journey will last about three days (o three days or so); **un uomo di c. sessant'anni**, a man of about sixty; Lo stadio contiene c. ventimila spettatori, the stadium seats approximately twenty thousand people; **alle tre c.**, at about three o'clock B prep. (riguardo a) about; with regard to; as to: Devo parlarti c. il nuovo contratto, I must talk to you about the new contract; C. la vostra richiesta, vi comunichiamo che..., with regard to your request, we inform you that...

circadiàle, **circadiàno** a. (biol.) circadian.

circàsso a. e m. (f. **-a**) Circassian.

Cìrce f. **1** (mitol.) Circe **2** (fig.) enchantress; seductress.

circènse a. **1** (stor. romana) circus (attr.): **giochi circensi**, circus games **2** (del circo equestre) circus (attr.): **spettacolo c.**, circus show.

♦**cìrco** m. **1** (stor. romana) circus **2** (anche **c. equestre**) circus: **c. a tre piste**, three-ring circus **3** (geol.) cirque; corrie.

circocèntro m. (mat.) circumcentre.

♦**circolànte** A a. circulating: **biblioteca c.**, lending (o circulating) library; (econ.) **capitale c.**, circulating capital B m. (fin.) circulating medium; money; currency: **scarsità di c.**, stringency of money.

♦**circolàre** ① A a. **1** circular; round: (banca) **assegno c.**, banker's draft; **lettera c.**, circular letter; **moto c.**, circular motion; **sega c.**, circular saw **2** (mat.) circular; of a circle: **segmento c.**, segment of a circle B f. **1** (lettera) circular (letter): **diramare una c.**, to issue (o to send out) a circular **2** (linea di trasporto) circle (line).

circolàre ② v. i. **1** (muoversi, spostarsi) to move about; to circulate; to go* about: **c. in città**, to move about (o to drive) in town; «Circolate, circolate», disse la guardia, «move along, please», said the policeman; In centro è proibito c., traffic is banned from the city centre **2** (di veicolo) to run*: Gli autobus circolano fino a mezzanotte, buses run until midnight **3** (del sangue, dell'aria) to circulate: Il sangue circola nel corpo, blood circulates through the body **4** (di un liquido) to flow **5** (passare di mano in mano) to pass (o to go*) from hand to hand; to be in circulation; to circulate: **far c. un avviso**, to circulate a warning; Firma questa lettera e poi falla c., sign this letter and then pass it on **6** (di denaro) to circulate; to go* around; to be in circulation; to be current: Negli anni del

boom *circolava molto denaro*, in the boom years there was plenty of money going around; *Circolano banconote da 50 euro false*, there are counterfeit 50-euro notes in circulation **7** (*diffondersi*) to circulate; to spread*; to go* about (*o* around): *Circolano voci strane*, there are some strange rumours going about; **cominciare a c.**, to get about; to spread; **far c. notizie false**, to spread (*o* to put about) false news.

circolàre ③ v. t. (*circolettare*) to draw* a line round; to circle.

circolarità f. circularity.

circolarménte avv. circularly; in a circle; round and round.

circolatòrio a. (*scient.*) circulatory: (*anat.*) **apparato c.**, circulatory system; (*med.*) **disturbi circolatori**, circulatory disorders.

♦**circolazióne** f. **1** circulation: **la c. dell'aria**, air circulation; **essere in c.**, to be circulating; to be about; **mettere in c.**, to put into circulation; (*notizie, ecc.*) to put about, to spread; **sparire dalla c.**, to disappear; **far sparire dalla c.**, to remove from sight; to get rid of; **togliere dalla c.**, to withdraw from circulation; to call in; (*eufem.: sbarazzarsi di*) to get rid of, to dispose of; **tornare in c.**, to be back in circulation; to reappear **2** (*autom.*) circulation; (*traffico*) (flow of) traffic: **c. alternata**, single file traffic; **c. intensa**, heavy traffic; **c. stradale**, road traffic; **c. rotatoria**, rotary traffic; **c. vietata** (*cartello*), no thoroughfare; **impedire la c.** (**del traffico**), to hold up the traffic; (*autom.*) **carta di c.**, (car) registration; *C'è divieto di c. dalle otto alle dodici*, traffic is forbidden from eight to twelve noon; (*autom.*) **tassa di c.**, road tax **3** (*econ., fin.*) circulation: **c. monetaria**, money circulation; **valuta in c.**, currency **4** (*fisiol., med.*) (blood) circulation: **problemi di c.**, circulation problems.

♦**cìrcolo** m. **1** (*cerchio*) ring; round; (*geom.*) circle: **disporsi in c.**, to form a ring **2** (*astron., geogr.*) circle: **c. equinoziale**, equator; **c. massimo**, great circle; **c. orario**, hour circle; **il c. polare artico** [**antartico**], the Arctic [Antarctic] Circle **3** (*circolazione del sangue*) circulation; bloodstream: **entrato in c.**, to get into the circulation (*o* into the bloodstream) **4** (*bur.*) district: **c. didattico**, teaching district **5** (*associazione*) club: **c. aziendale**, staff club; **c. sportivo**, sports club **6** (*ambiente, gruppo di persone*) circle; group; set: **un ristretto c. di amici**, a small group (*o* set) of friends; **i circoli letterari della città**, the city's literary circles (*o* literary set, sing.) ● (*econ.*) **c. virtuoso**, virtuous circle □ (*filos. e fig.*) **c. vizioso**, vicious circle.

circoncìdere v. t. to circumcise.

circoncisióne f. circumcision.

circoncìso a. circumcised.

circondàbile a. surroundable.

♦**circondàre** Ⓐ v. t. to surround; to encircle; to enclose: *La folla circondò il campione*, the crowd surrounded the champion; *Il villaggio è circondato da boschi*, the village is encircled by woods ● **c. con un muro**, to wall in □ **c. con uno steccato**, to fence in □ **c. di attenzioni**, to lavish attentions on □ **c. di mistero**, to shroud in mystery Ⓑ **circondàrsi** v. rifl. to surround oneself with; to gather round oneself: *Si era circondato di personaggi ambigui*, he had surrounded himself with dubious characters; *Il grande scrittore si era circondato di giovani di talento*, the great writer had gathered a number of talented young people round himself.

circondariàle a. district (attr.): **casa c.**, district penitentiary.

circondàrio m. **1** (*circoscrizione*) district **2** (*territorio circostante*) neighbourhood,

neighborhood (*USA*); surroundings (pl.); environs (pl.).

circondùrre v. t. (*ginnastica*) to rotate: **c. le braccia**, to rotate one's arms.

circonduzióne f. (*ginnastica*) rotation.

circonferènza f. **1** (*geom.*) circumference **2** (*estens.*) circumference; girth; measurement; (*perimetro*) boundary, perimeter: **la c. del petto**, chest measurement; **la c. d'un tronco**, the girth of a tree trunk; **c. della vita**, waistline; girth.

circonflessióne f. circumflexion.

circonflèsso a. **1** (*piegato ad arco*) bent round; curve; circumflex: **nervo c.**, circumflex nerve **2** – **accento c.**, circumflex (accent).

circonflèttere v. t. **1** to bend* round **2** (*ling.*) to mark with a circumflex.

circonfóndere v. t. (*lett.*) to surround (with); to bathe (in): **c. di luce**, to bathe in light.

circonlocuzióne f. circumlocution.

circonvallazióne f. **1** ring road (*GB*); beltway (*USA*) **2** (*mil.*) circumvallation.

circonvenìre v. t. to deceive; to circumvent.

circonvenzióne f. deception; circumvention; (*leg.*) **c. di incapace**, circumvention of a legally incompetent person.

circonvicìno a. surrounding; neighbouring.

circonvoluzióne f. **1** circumvolution **2** (*anat.*) convolution: **circonvoluzioni cerebrali**, cerebral convolutions.

circoscritto a. **1** (*geom.*) circumscribing: **un cerchio c. a un poligono**, a circle circumscribing a polygon **2** (*fig.: contenuto, limitato*) circumscribed; limited; localized; restricted: **di interesse c.**, of limited interest; **fenomeno c.**, limited (*o* localized) phenomenon.

circoscrìvere v. t. **1** (*geom.*) to circumscribe **2** (*delimitare*) to set* limits to; to limit: **c. l'autorità di q.**, to set limits to sb.'s authority **3** (*contenere*) to get* under control; to contain: **c. un incendio** [**un'epidemia**], to get a fire [an epidemic] under control **4** (*definire*) to define; to specify; to detail: **c. un campo d'indagine**, to define a field of research.

circoscrivìbile a. circumscribable.

circoscrizióne f. district; area; territory: **c. elettorale**, (*in GB*) constituency; (*in USA*) district; **c. giudiziaria**, area of jurisdiction.

circospètto a. circumspect; cautious; wary.

circospezióne f. circumspection; caution; wariness.

circostànte Ⓐ a. surrounding; neighbouring, neighboring (*USA*): **le colline circostanti**, the surrounding hills; **i villaggi circostanti**, the surrounding (*o* neighbouring) villages Ⓑ m. pl. those nearby; those present; (the) bystanders.

♦**circostànza** f. circumstance; (*occasione, evento*) circumstances (pl.), occasion, event: (*leg.*) **c. aggravante**, aggravating circumstance; (*leg.*) **c. attenuante**, extenuating circumstance; **c. favorevole**, favourable opportunity; **felice c.**, happy occasion (*o* event); *Lo conobbi in una c. drammatica*, I met him in dramatic circumstances; **descrivere le circostanze**, to describe the circumstances; **dipendere dalle circostanze**, to depend on circumstances; **regolarsi secondo le circostanze**, to act according to the circumstances; **date le** (*o* **in tali**) **circostanze**, under (*o* in) the circumstances; **insieme di circostanze**, combination of events; **parole di c.**, words suitable (*o* suited) to the occasion; **vittima delle circostanze**, victim of circumstance.

circostanziàle a. circumstantial.

circostanziàre v. t. to describe in detail; to report in detail; to circumstantiate.

circostanziataménte avv. in detail; circumstantially.

circostanziàto a. detailed; circumstantial.

circuìre v. t. (*raggirare*) to get* round; to deceive; to take* in.

circuitàle a. circuit (attr.).

circuitazióne f. (*fis.*) circulation.

circuiterìa f. (*elettr.*) circuitry.

♦**circùito** m. **1** (*mat.*) loop; closed curve **2** (*tracciato, percorso*) route; (*sport*) course, track: **c. a ostacoli**, obstacle course; **c. di gara**, race course; race track; (*autom.*) **c. di prova**, test track; **c. turistico**, tourist route **3** (*fig.: giro di parole*) circumlocution **4** (*elettr., comput.*) circuit: **c. aperto**, open (*o* broken) circuit; **c. chiuso**, closed circuit; **c. di comando**, control circuit; **c. integrato**, integrated circuit; **c. logico**, logic circuit; **c. magnetico**, magnetic circuit; **c. stampato**, printed circuit; (*radio*) **circuiti accoppiati**, coupled circuits; **corto c.**, short circuit; **interrompere il c.**, to break the circuit; **inserire in un c.**, to join up; to connect; **impianto televisivo a c. chiuso**, close-circuit television **5** (*comm., econ.*) chain; (*di capitali*) flow, circulation: **c. di distribuzione**, distribution chain **6** (*cinem.*) (cinema) circuit.

circumlunàre a. (*astron., miss.*) circumlunar.

circumnavigàre v. t. to circumnavigate; to sail round.

circumnavigatóre m. circumnavigator.

circumnavigazióne f. circumnavigation.

circumpolàre a. (*astron.*) circumpolar.

circumsolàre a. (*astron.*) circumsolar.

circumterrèstre a. (*astron., miss.*) circumterrestrial.

circumzenitàle a. (*geogr.*) circumzenithal.

ciré (*franc.*) m. e a. inv. ciré.

Cirenàica f. (*geogr.*) Cyrenaica.

cirenàico a. e m. Cyrenaic.

cirenèo m. **1** inhabitant of Cyrene **2** (*fig.*) altruist.

cirìllico a. Cyrillic: **alfabeto c.**, Cyrillic alphabet.

Cirìllo m. Cyril.

cìrmolo m. (*bot., Pinus cembra*) stone pine.

cirrifórme a. cirriform; cirrus-shaped.

cirrìpede m. (*zool.*) cirripede; (al pl., *scient.*) Cirripedia.

cìrro m. **1** (*meteor.*) cirrus* **2** (*bot.*) cirrus*; tendril **3** (*zool.*) cirrus*; (*di certi pesci*) barbel.

cirrocùmulo m. (*meteor.*) cirrocumulus*.

cirròsi f. (*med.*) cirrhosis*: **c. epatica**, cirrhosis of the liver.

cirróso a. cirrous: **cielo c.**, cirrous sky.

cirrostràto m. (*meteor.*) cirrostratus*.

cirròtico a. e m. (f. **-a**) (*med.*) cirrhotic.

CISAL sigla (**Confederazione italiana sindacati autonomi dei lavoratori**) Italian Confederation of Independent Trade Unions.

cisalpìno a. cisalpine: *Repubblica cisalpina*, Cisalpine Republic.

Cisgiordània f. (*geogr.*) West Bank.

CISL sigla (**Confederazione italiana sindacati lavoratori**) Italian Confederation of Workers Trade Unions.

cislunàre a. (*astron., miss.*) cislunar.

cismontàno a. cismontane.

CISNAL sigla (*stor.*, **Confederazione italiana sindacati nazionali lavoratori** (*ora* **UGL**)) Italian Association of National Trade

cìspa f. (*med.*) eye rheum (*o* gum) Ⓤ; sleep Ⓤ.

cispadàno a. cispadane.

cisposità f. rheuminess; gumminess.

cispóso a. rheumy; gummy: **occhi cisposi**, rheumy eyes.

cissòide f. (*mat.*) cissoid.

cista f. (*archeol.*) cist; kist.

cistalgìa f. (*med.*) cystalgia.

ciste → **cisti**.

cistectomìa f. (*chir.*) cystectomy.

cisteìna f. (*biochim.*) cysteine.

cistercènse Ⓐ a. (*eccles.*) Cistercian Ⓑ m. Cistercian; White Monk.

cistèrna Ⓐ f. **1** tank; cistern; reservoir: **acqua di c.**, rainwater **2** (*anat.*) cistern Ⓑ a. inv. – auto c. → **autocisterna; nave c.**, (*per petrolio, ecc.*) tanker; (*per acqua*) water-supply ship.

cisternièro a. tank (attr.); tanker (attr.).

cisternista m. tanker driver.

cisti f. (*biol., med.*) cyst.

cisticèrco m. (*biol.*) cysticercus*.

cisticercòsi f. (*med., vet.*) cysticercosis; measles (pl. col verbo al sing.).

cìstico a. (*anat.*) cystic: **dotto c.**, cystic duct.

cistifèllea f. (*anat.*) gall bladder.

cistìna f. (*biochim.*) cystine.

cistìte f. (*med.*) cystitis*.

cìsto m. (*bot., Cistus*) cistus; rock rose.

cistoscopìa f. (*med.*) cystoscopy.

cistoscòpio m. (*med.*) cystoscope.

cistostomìa f. (*med.*) cystostomy.

cistotomìa f. (*chir.*) cystotomy.

CIT sigla (**Compagnia italiana turismo**) Italian Travel Bureau.

cit. abbr. (**citato**) quoted.

citàbile a. **1** quotable; citable **2** (*leg.*) suable.

citànte m. e f. (*leg.*) plaintiff; suer.

♦**citàre** v. t. **1** (*leg.: convocare*) to summons, to subpoena; (*chiamare in giudizio*) to sue, to summons: **c. come testimone**, to summons as a witness; **c. in giudizio**, to sue; to file a lawsuit against; **c. per danni**, to sue for damages **2** (*riferire testualmente*) to quote: **c. un articolo di legge**, to quote an article of law; *Citai Tasso*, I quoted Tasso **3** (*menzionare*) to mention, to quote; (*indicare, addurre*) to cite: **c. q. a esempio**, to mention, to quote (*fam.*); **c. calzante**, apt quotation; **c. sbagliata**, misquotation **3** (*menzione*) mention; citation: **c. al merito**, mention.

citarèdo m. (*stor., letter.*) cithara player; citharist.

citarista m. e f. (*mus., lett.*) cithara player; citharist.

citatòrio a. (*leg.*) citatory.

citazióne f. **1** (*leg.*) summons; citation; (*come testimone, anche*) subpoena: **c. in giudizio**, court summons **2** quotation; quote (*fam.*); (*menzione, anche*) subpoena: **c. in giudizio**, court summons **2** quotation; quote (*fam.*); **c. calzante**, apt quotation; **c. sbagliata**, misquotation **3** (*menzione*) mention; citation: **c. al merito**, mention.

citazionìsmo m. (*letter., arte*) tendency to quote from previous authors (*o* artists).

citèllo m. (*zool., Citellus*) ground squirrel; gopher.

citèreo a. Cytherean.

citerióre a. hither.

citìso m. (*bot., Cytisus laburnum*) laburnum.

citoafèreşi f. (*med.*) cytoapheresis.

citochìmica f. (*biochim.*) cytochemistry.

citochìna f. (*biol.*) cytokine.

citocinèşi f. (*biol.*) cytokinesis.

citocròmo, citòcromo m. (*biol.*) cytochrome.

citofonàre v. i. to speak* to (*o* to call) (sb.) on the entryphone (*USA* on the intercom); to give* (sb.) a buzz on the entryphone (*fam.*).

citofònico a. entryphone (attr.) (*GB*); intercom (attr.) (*USA*).

citofonièra f. entryphone® panel (*GB*); intercom panel (*USA*).

citòfono m. entryphone® (*GB*); intercom (*USA*); buzzer.

citogenètica f. (*biol.*) cytogenetics (pl. col verbo al sing.).

citogenètico a. (*biol.*) cytogenetic.

citologìa f. (*biol.*) cytology.

citològico a. (*biol.*) cytological.

citòlogo m. (f. **-a**) cytologist.

citometrìa f. (*med.*) cytometry.

citoplàşma m. (*biol.*) cytoplasm.

citoplaşmàtico a. (*biol.*) cytoplasmic.

citoschèletro m. (*biol.*) cytoskeleton.

citoşìna f. (*chim.*) cytosine.

citostòma m. (*zool.*) cytostome.

citotòssico a. (*biol.*) cytotoxic.

citozòico a. (*biol.*) cytozoic.

citràto m. (*chim.*) citrate: **c. di magnesia**, magnesium citrate.

cìtrico a. (*chim.*) citric: **acido c.**, citric acid.

citrina f. citrin; vitamin P.

citrìno Ⓐ a. (*lett.*) citrine; lemon-coloured Ⓑ m. **1** (*colore*) citrine **2** (*miner.*) citrine.

citronèlla f. (*bot., Cymbopogon nardus*) citronella.

citrullàggine, citrullerìa f. **1** silliness; foolishness **2** (*azione sciocca*) silly (*o* foolish) act; silly (*o* foolish) thing.

citrùllo Ⓐ a. silly; foolish Ⓑ m. (f. **-a**) fool; ninny; simpleton.

♦**città** f. **1** town; (*grande e importante*) city: (*polit.*) **c. aperta**, open city: **c. dell'entroterra**, inland town; **c. di mare**, sea town; **c. di confine**, border town; **c. di provincia**, provincial town; **la c. e la campagna**, town and country; **c. giardino**, garden city; **c. industriale**, industrial town (*o* city); **c. murata**, walled town; **c. natale**, native town; **la c. santa**, the Holy City; **c. satellite**, satellite town; **c.-Stato**, city-state; **c. universitaria**, university town; **in [fuori] c.**, in [out of] town; **abitare in c.**, to live in town; **abitante di c.**, city dweller; city resident; **casa di c.**, town house; **centro (della) c.**, city centre; town centre; downtown (*USA*); **gente di c.**, townspeople; city dwellers; **vita di c.**, town life; city life **2** (*quartiere*) town; district: **la c. alta [bassa]**, the upper [lower] town; **la c. vecchia**, the old (part of) town; **andare in c.** (*in centro*), to go into town; to do downtown (*USA*) **3** (*cittadini, popolazione*) town; city: *Tutta la c. ne parla*, the whole town is talking about it ● (*relig.*) **la C. celeste**, the Heavenly City □ **C. del Capo**, Cape Town □ **C. del Messico**, Mexico City □ **la C. del Vaticano**, the Vatican City □ (*relig.*) **la C. di Dio**, the City of God □ **la C. Eterna**, the Eternal City.

cittadèlla f. citadel; (*anche fig.*) stronghold.

cittadìna f. **1** (*piccola città*) small town; country town **2** → **cittadino**, B.

♦**cittadinànza** f. **1** (*cittadini*) (people of the) town; citizens (pl.): *Tutta la c. partecipò alle celebrazioni*, the whole town took part in the celebrations; *Il sindaco ha invitato la c. a usare i mezzi pubblici*, the mayor encouraged the people to use public transport **2** (*condizione di cittadino*) citizenship; (*nazionalità*) nationality: **c. onoraria**, freedom of the city; **doppia c.**, dual nationality; **fare domanda di c.**, to appeal for citizenship; **prendere la c. italiana**, to obtain Italian citizenship; to become an Italian citi-

zen; **diritto di c.**, right of citizenship.

♦**cittadìno** Ⓐ a. town (attr.); city (attr.); urban; civic: **amministrazione cittadina**, city administration; **il centro c.**, the city centre; the civic centre; downtown (*USA*) **le vie cittadine**, streets of the town; **vita cittadina**, town life Ⓑ m. (f. **-a**) **1** (*chi gode della cittadinanza*) citizen; subject; national: **c. britannico**, British citizen (*o* subject), **c. italiano**, Italian citizen; **c. onorario**, freeman of a city; **c. privato**, private citizen **2** (*abitante di città*) town (*o* city) dweller; (*contrapposto a «campagnolo»*) townsman* (f. townswoman*), (al pl.) townspeople **3** (*stor.*) burgess: **re, baroni e cittadini**, King, barons and burgesses ● **c. del mondo**, citizen of the world □ (*fig.*) **essere libero c.**, to be free of ties □ **il primo c.**, the town mayor.

cittì m. (*sport, =* **CT, commissario tecnico**) coach.

ciucàggine f. stupidity; ignorance.

ciùcca f. (*region.: ubriacatura*) drunken state; drunk: **prendere una c.**, to get drunk; to get tight (*fam.*); to get plastered (*slang*).

ciucciàre v. t. e i. (*fam.*) to suck.

ciucciàta f. (*fam.*) suck; sucking.

ciùccio ① m. (*tettarella*) dummy (*GB*); comforter (*GB*); pacifier (*USA*).

ciùccio ② m. (*region.*) ass; donkey.

ciucciòtto → **ciuccio** ①.

ciùcco a. (*region.: ubriaco*) drunk; tight (*fam.*); plastered (*slang*); sloshed (*slang*).

ciucherìa f. stupidity; ignorance.

ciùco m. **1** (*zool., Equus asinus*) ass; donkey **2** (*fig.*) dunce.

ciùf inter. (*rumore di locomotiva*) chuff; puff.

ciufèca f. (*region., spreg.*) dishwater; slops.

♦**ciùffo** m. **1** (*di capelli*) wisp of hair; tuft of hair; (*sulla fronte*) forelock: *Ciuffi grigi gli uscivano di sotto il cappello*, grey wisps of hair showed under his hat; **prendere q. per il c.**, to seize sb. by the forelock **2** (*di penne, pelo*) tuft: **uccello col c.**, tufted bird **3** (*di erba, ecc.*) tuft; (*mazzetto*) bunch; (*rametto*) sprig: **un c. di menta**, a sprig of mint **4** (*di alberi, ecc.*) clump; thicket.

ciuffolòtto m. (*zool., Pyrrhula pyrrhula*) bullfinch.

ciùnf, ciùnfete inter. splash.

ciurlàre v. i. – (*fig. fam.*) **c. nel manico**, to be unreliable; to wriggle out of st.; to backpedal.

ciùrma f. **1** (*naut.*) crew; (ship's) company; hands (pl.) **2** (*naut. stor., di galea*) galley slaves (pl.) **3** (*fig. spreg.: marmaglia*) gang; rabble; mob.

ciurmàglia f. riff-raff; rabble; scum.

ciurmàre v. t. to swindle; to take* in.

civàda f. (*naut.*) spritsail.

civétta Ⓐ f. **1** (*zool., Carine noctua*) little owl **2** (*fig.*) coquette; flirt; minx: **fare la c.**, to play the coquette; to flirt **3** (*di giornale*) headline French ● **c. delle nevi** (*Nyctea nyctea*), snowy owl □ (*zool.*) **c. zibetto** (*Civettictis civetta*), civet cat; musk cat Ⓑ a. inv. – (*comm.*) **articolo c.**, loss leader; **auto c.**, unmarked police car; **nave c.**, decoy ship; Q-ship.

civettàre v. i. to flirt; to play the coquette.

civetterìa f. **1** coquetry; coquettishness; flirtatiousness: *Sorrise con c.*, she smiled coquettishly; she gave a coquettish smile **2** (*vezzo*) affectation; trick.

civettóne m. (*fig.*) dandy; fop; ladies' man; gallant.

civettuòlo a. **1** coquettish **2** (*grazioso*) pretty; dainty; cute (*USA*): **un cappellino c.**, a cute little hat.

civico Ⓐ a. **1** (*di città*) municipal; town (attr.); city (attr.): **banda civica**, town (*o* municipal) band; **guardia civica**, municipal

(o home) guard; **numero c.**, street number **2** (di cittadino) civic; public: **dovere c.**, civic duty; **educazione civica**, civics (pl. col verbo al sing.); **senso c.**, public spirit; **avere senso c.**, to be public-spirited B m. street number.

♦**civile** A a. **1** (che riguarda il cittadino) civil: **codice c.**, civil code; **diritti civili**, civil rights; **guerra c.**, civil war; **protezione c.**, civil protection **2** (non militare) civilian, civil; (non religioso) civil, secular: **abiti civili**, civilian clothes; mufti Ⓖ; civvies (fam.); (di poliziotto) plain clothes (pl.); **aviazione c.**, civil aviation; **feste civili**, civil holidays; **la popolazione c.**, the civilian population; **sposarsi con rito c.**, to have a civil wedding ceremony; to be married at the registry office **3** (leg.) civil; tort (attr.): **diritto c.**, civil law; **responsabilità c.**, tort liability **4** (civilizzato) civilized: **Paese c.**, civilized country **5** (educato) civil; civilized; proper; polite; urbane: **accoglienza c.**, civil welcome **6** (decoroso) respectable; decent: Il giovane è di famiglia c., the young man comes from a respectable family ● **abitazione c.**, house □ **stato c.**, marital status B m. e f. (borghese) civilian.

civilista m. e f. (leg.) **1** (giurista) expert in civil law **2** (avvocato) civil lawyer.

civilistico a. concerning civil law; civil law (attr.).

civilizzàre A v. t. to civilize B **civilizzàrsi** v. i. pron. to become* civilized; to become* more refined.

civilizzàto a. civilized.

civilizzatóre A a. civilizing: **influsso c.**, civilizing influence B m. (f. **-trice**) civilizer.

civilizzazióne f. civilization.

civilménte avv. **1** civilly (anche leg.): **sposarsi c.**, to have a civil wedding ceremony; to be married before a registrar (o at the registry office) **2** (educatamente) civilly; politely; in a civilized manner.

♦**civiltà** f. **1** civilization: **la c. egiziana**, the Egyptian civilization; **la c. occidentale**, western civilization; **portare la c.**, to bring civilization **2** (gentilezza) civility; politeness.

civismo m. public spirit; good citizenship.

CL abbr. **1** (**Caltanissetta**) **2** (polit., **Comunione e Liberazione**) communion and liberation (organization).

clacchista m. e f. member of the claque; claqueur.

clàcson m. inv. horn; hooter: **suonare il c.**, to sound the horn; to toot (o to hoot) the horn; **colpo di c.**, hoot (on the horn); honk.

clacsonàre v. i. to sound the horn; to toot (o to hoot) the horn; to honk.

cladismo m. (biol.) cladism.

cladistica f. (biol.) cladistics (pl. col verbo al sing.).

cladòdio, **cladofillo** m. (bot.) cladophyll.

cladogènesi f. (biol.) cladogenesis.

clamidàto a. **1** (bot.) chlamydeous **2** (stor.) wearing a chlamys.

clàmide f. (stor.) chlamys*.

clamidia f. (biol.) chlamydia.

clamidospòra f. (bot.) chlamydospore.

clamóre m. **1** clamour, clamor (USA); din; noise **2** (fig.: scalpore) sensation, stir; (indignazione) outcry: **suscitare c.**, to cause a sensation.

clamorosaménte avv. sensationally; spectacularly **2** (fig.: sconfitta) soundly defeated □ Il suo progetto è c. fallito, his plan failed miserably.

clamoróso a. **1** loud; noisy; resounding; clamorous **2** (fig.: spettacolare) spectacular, resounding; (che desta scalpore) sensational, causing a stir; (madornale) egregious: **clamorosa sconfitta**, crushing defeat; **svista clamorosa**, egregious oversight; **vittoria clamorosa**, resounding victory ●**Falsi ami-**

CI ● clamoroso in senso fig. non si traduce con clamorous.

clampàggio m. (med.) clamping.

clan m. **1** (tribù, anche fig.) clan **2** (gruppo) clique; clan; set.

clandestinità f. **1** clandestinity; secrecy; surreptitiousness **2** (polit.: vita clandestina) life underground; (attività) underground activity: **darsi alla c.**, to go underground; **vivere in c.**, to live underground.

clandestino A a. **1** (segreto, nascosto) clandestine; covert; secret; (polit.) underground (attr.): **lotta clandestina**, underground resistance; **matrimonio c.**, secret (o clandestine) marriage; **movimento c.**, underground movement; **stampa clandestina**, underground press **2** (illegale) illegal; unlicensed; pirate: **aborto c.**, backstreet abortion; **bisca clandestina**, illegal gambling house; **immigrato c.**, illegal immigrant; **lotteria clandestina**, unlicensed lottery; **passeggero c.**, stowaway B m. (f. **-a**) **1** (aeron., naut.) stowaway: **imbarcarsi come c.**, to stow away **2** (**immigrato c.**) illegal immigrant.

clangóre m. (lett.) clangour, clangor (USA); clang.

clànico a. clan (attr.); clannish.

claque (franc.) f. (teatr.) claque.

claquettes (franc.) f. pl. taps.

Clàra f. Clare; Clara.

clarina → **chiarina**

clarinettista m. e f. (mus.) clarinet player; clarinettist.

clarinétto m. (mus.) clarinet.

clarinista m. e f. (mus.) clarion player.

clarino m. (mus.) **1** clarino* **2** (clarinetto) clarinet **3** (chiarina) clarion.

clarissa f. (eccles.) Poor Clare; Clarisse.

claróne m. (mus.) **1** bass clarinet **2** clarino*.

classaménto m. (Borsa) placing for long-term investment.

classàre v. t. **1** → **classificare 2** (Borsa) to place for long-term investment.

classazióne f. (stat.) grouping in classes; classification.

♦**clàsse** f. **1** (gruppo, anche sociale) class: **c. dirigente**, ruling class; **c. operaia**, working class; **la c. media**, the middle classes (pl.); **le classi elevate**, the upper class (sing.); **di c. elevata**, upper-class (attr.); **lotta di c.**, class struggle **2** (zool., bot., mat., miner.) class **3** (su mezzo di trasporto) class: **c. turistica** (o economica), tourist class; coach (USA); **prima c.**, first class: **seconda c.**, second class; (naut.) cabin class; (in treno, USA) coach class; **viaggiare in prima c.**, to travel first class **4** (categoria) class; category; bracket; (naut.) class, classification: **la c. degli avvocati**, lawyers as a class; **c. di reddito**, income bracket; **di c. internazionale**, of international class (o level) **5** (a scuola: gli studenti) class; (corso) form (GB), grade (USA), year; (aula) classroom: **una c. numerosa**, a large class; Che c. fai?, which year (o form, grade) are you in?; La c. era deserta, the classroom was empty; **compagno di c.**, classmate; **primo** [ultimo] **della c.**, top [bottom] of the class **6** (mil.: leva) year; contingent; class: **la c. del 1960**, the 1960 contingent **7** (fam.: anno di nascita) year of birth: Di che c. sei?, when were you born? **8** (stile) style; class; elegance: **una donna che ha c.**, a woman with class; **di c.**, high-class; first-rate; elegant; exclusive; classy (fam.) ● (scherz.) **c. di ferro**, the best □ **fare c. a sé**, to be in a class of one's own □ **fuori c.**, in a class apart; of superlative quality; → **fuoriclasse**

clàssica f. (sport) classic.

classicheggiànte a. classicizing; in the

classical style; imitating the classical style (o the classics).

classicheggiàre v. i. to classicize; to imitate the classical style (o the classics).

classicismo m. classicism.

classicista m. e f. classicist.

classicistico a. classicistic; classic.

classicità f. **1** (classicismo) classicism; classical quality **2** (misura, eleganza) balance; harmony; proportion **3** (antichità classica) classical antiquity.

classicizzàre v. t. e i. to classicize.

♦**clàssico** A a. **1** (rif. all'antichità classica) classical: **architettura classica**, classical architecture; **gli autori classici**, the classics; **lettere classiche** (come disciplina), Classics; **il mondo c.**, the classical world **2** (arte, letter., contrapposto a «romantico») classic; classical: **stile c.**, classic style **3** (che obbedisce a una forma riconosciuta) classical: **sonata classica**, classical sonata **4** (sobrio, tradizionale) classic: **un cappotto c.**, a classic coat **5** (tipico) classic; typical: **i classici sintomi dell'influenza**, the classic symptoms of flu **6** (scient., econ., leg.) classical: **la meccanica classica**, classical mechanics ● **danza classica**, ballet (dancing) □ **liceo c.** → **liceo** □ **musica classica**, classical music B m. classic: **un c. del cinema neorealistico**, a classic of the neorealist cinema; **i classici**, the classics; (iron.) È un c.!, how typical!

♦**classifica** f. **1** (il classificare) classification; classing **2** (di gara, ecc.) place list; results (pl.); (sport) placings (pl.), results (pl.), (league) table (GB), standings (pl.); (di canzoni) charts (pl.); (di libri) bestseller list; (di esami) (graded) results (pl.): **c. finale**, final results; (calcio) **c. marcatori**, goalscorers' list; **dare la c.**, to give the results; **essere primo in c.**, to be (o to come) first; to be placed first; **essere al comando della** (o **in testa alla**) **c.** (o **guidare la c.**), to top the (results) list; (calcio, ecc.) to be at the top of the league table; (di canzone) to top the charts, to be a top hit; (di libro) to be top of the bestseller list; **essere terzo in c.**, to be placed third; **essere in fondo alla c.**, to be last; to be in the last place; **entrare in c.**, to be placed; **scalare la c.**, to move up the table (o the charts, the results list); **posto in c.**, place; placing.

classificàbile a. classifiable: **non facilmente c.**, not easy to classify; not easily classified.

♦**classificàre** A v. t. **1** (suddividere in classi) to classify; to grade **2** (assegnare a un gruppo) to class; to pigeonhole; (etichettare) to label **3** (valutare) to assess, to appraise; (uno studente) to grade; (dare un voto) to mark **4** (naut.) to classify; to rate B **classificàrsi** v. i. pron. to come*; to rank: **classificarsi primo**, to be (o to come) first.

classificatóre m. (f. **-trice**) **1** (chi classifica) classifier **2** (cartella) file **3** (per francobolli) (stamp) album **4** (mobile) filing cabinet **5** (mecc., miner.) classifier ● (ind. tess.) **c. della lana**, stapler □ **c. di merci**, classer; grader.

classificatòrio a. classifying; classification (attr.).

classificazióne f. **1** classification; classing: **c. botanica**, botanic classification; (naut.) **c. delle navi**, classification of ships **2** (catalogazione, archiviazione) filing **3** (graduatoria) grading: **c. delle merci**, grading of goods **4** (votazione scolastica) marking; grading; (voto) mark, grade **5** (stima, valore attribuito) rating.

classismo m. **1** class-consciousness **2** defence of class interests.

classista A a. classist; class-conscious; class-based: **mentalità c.**, class-conscious attitude; **politica c.**, classist politics; **visione**

c., class-oriented view 🅑 m. e f. class-conscious person.

classìstico a. class (attr.); classist; class-based; class-conscious.

clàstico a. (*geol.*) clastic.

claudicànte a. **1** lame; limping; hobbling: **essere c.**, to be lame; to have a limp; **camminare con passo c.**, to hobble; to walk with a limp; **camminata c.**, limp **2** (*fig.*) halting: **versi claudicanti**, halting lines.

claudicàre v. t. (*lett.*) to limp; to hobble.

claudicazióne f. claudication (*med.*); lameness; limp.

Clàudio m. Claude; (*stor.*) Claudius.

claunésco a. clownish; clown's (attr.).

clàusola f. **1** (*leg.*) clause; provision; term; condition: **c. aggiuntiva**, additional clause; rider; **c. compromissoria**, arbitration clause; **c. condizionale**, condition; proviso; **c. della nazione più favorita**, most-favoured-nation clause; **c. penale**, penal clause; **c. restrittiva**, restrictive (*o* conditional) clause; **c. risolutiva**, avoidance (*o* defeasance) clause; rescinding clause; **le clausole di un contratto**, the terms of a contract; (*naut.*) **clausole d'ingaggio**, ship's articles; **inserire una c.**, to insert a clause; **clausole d'uso**, customary clauses (*o* terms); **secondo le** (*o* **in base alle**) **clausole**, under the terms **2** (*conclusione*) close **3** (*mus.*) clausula*.

claustràle a. claustral; cloister (attr.); cloistered.

claustrazióne f. (*psic.*) claustration.

claustrofobìa f. (*psic.*) claustrophobia.

claustrofòbico a. (*psic.*) claustrophobic.

claustròfobo m. (f. **-a**) (*psic.*) claustrophobic.

clausùra f. **1** (*relig.*) enclosure: **ordine di c.**, enclosed order; **suora di c.**, enclosed nun; **voto di c.**, vow of seclusion **2** (*fig.*) seclusion; secluded life; cloistered life: **fare vita di c.**, to lead a secluded life; to live in seclusion.

clàva f. **1** (*mazza*) club; cudgel; bludgeon **2** (*da ginnastica*) (Indian) club.

clavària f. (*bot.*, *Clavaria*) clavaria; club fungus.

clavétta f. (*ginnastica*) club.

clavicembalista m. e f. (*mus.*) harpsichordist; harpsichord player.

clavicembalìstica f. (*mus.*) **1** (art of) harpsichord playing **2** (art of) composing for the harpsichord.

clavicembalìstico a. (*mus.*) harpsichord (attr.).

clavicémbalo m. (*mus.*) harpsichord.

clavìcola f. (*anat.*) clavicle; (*com.*) collarbone.

clavicolàre a. (*anat.*) clavicular.

clavicòrdo, **clavicòrdio** m. (*mus.*) clavichord.

clàxon → **clacson**

cleistogamìa f. (*bot.*) cleistogamy.

cleistògamo a. (*bot.*) cleistogamic.

clemàtide f. (*bot.*, *Clematis*) clematis*.

clemènte a. **1** merciful; lenient; clement; mild: *Il sovrano fu c. e perdonò*, the sovereign was merciful and granted pardon; **giudice c.**, lenient judge **2** (*del clima*) mild; clement.

Clemènte m. Clement.

clementìna f. (*bot.*) clementine.

Clementìna f. Clementina; Clementine.

clementino a. (*eccles.*) Clementine.

clemènza f. **1** mercifulness; leniency; mildness; mercy; clemency **2** (*del clima*) mildness; clemency.

cleopàtra f. (*zool.*, *Cleopatra*) cleopatra.

cleptocrazìa f. (*giorn.*) kleptocracy.

cleptòmane a., m. e f. kleptomaniac: **essere c.**, to be a kleptomaniac.

cleptomanìa f. kleptomania.

clèrgyman (*ingl.*) m. inv. clergyman's suit.

clericàle 🅐 a. clerical 🅑 m. e f. clericalist.

clericaleggiàre v. i. to be a clericalist.

clericalìsmo m. (*polit.*) clericalism.

clèro m. clergy; ministry; priesthood: **c. regolare**, regular clergy; **c. secolare**, secular clergy.

cleromanzìa f. cleromancy.

clessìdra f. (*a sabbia*) hourglass, sandglass; (*ad acqua*) water clock, clepsydra*.

clic inter. e m. inv. click: **il c. dell'interruttore**, the click of the switch; **fare c.**, (*fotogr.*) to photograph; (*comput.*) to click.

cliccàre v. i. e t. (*comput.*) to click.

clicchettìo m. clicking; tapping; (*di orologio*) ticking.

cliché (*franc.*) m. inv. **1** (*tipogr.*: *lastra*) stereotype, electrotype, cliché; (*illustrazione*) plate: **c. a mezzatinta**, halftone plate **2** (*fig.*) cliché; commonplace; (*banalità*) platitude; (*stereotipo*) stereotype **3** (*ling.*) cliché; hackneyed phrase.

♦**cliènte** m. e f. **1** (*di negozio, ditta, ecc.*) customer; (*di banca, di professionista*) client; (*di medico*) patient; (*d'albergo*) guest: **c. abituale** (*o* fisso), regular customer; patron; regular (*fam.*); **c. potenziale**, prospective customer; prospective client; **vecchio c.**, long-standing customer **2** (*stor. romana*) client **3** (*spreg.*) hanger-on **4** (*comput.*) client.

♦**clientèla** f. **1** (*di negozio, ecc.*) customers (pl.), custom; (*di albergo*) clientele; (*di professionista*) clients (pl.); (*di medico*) patients (pl.), practice: **un dottore con una vasta c.**, a doctor with a large practice **2** (*stor. romana*) clientele **3** (*spreg.*) hangers-on (pl.).

clientelàre a. (*spreg.*) of patronage; patronage (attr.); client (attr.): **politica c.**, policy of patronage; **rapporto c.**, patronage.

clientelìsmo m. (*spreg.*) patronage; favouritism (*USA* favoritism) and nepotism.

clientelìstico a. patronage (attr.).

♦**clima** m. **1** climate **2** (*fig.*) atmosphere; climate: **un c. d'austerità**, an atmosphere of austerity; **l'attuale c. economico**, the present economic climate **3** (*lett.*) country; region; clime (*lett.*).

climatèrico a. **1** (*med.*) climacteric **2** (*fig.*) critical; dangerous; unpropitious: **anno c.**, critical year.

climatèrio m. (*med.*) climacteric: **c. femminile**, menopause; climacteric; **c. maschile**, (male) climacteric; male menopause.

climàtico a. climatic: **condizioni climatiche**, climatic conditions; climate; **stazione climatica**, health resort.

climatizzàre v. t. to air-condition.

climatizzàto a. air-conditioned.

climatizzatóre m. air conditioner.

climatizzazióne f. air conditioning; air control.

climatogràmma m. climograph.

climatologìa f. climatology.

climatològico a. climatological.

climatòlogo m. (f. **-a**) climatologist.

climatoterapìa f. climatotherapy.

clìmax m. inv. **1** (*retor.*, *ecol.*) climax **2** (*biol.*) (sexual) climax; orgasm **3** (*med.*) crisis*.

clìne m. (*biol.*) cline.

♦**clìnica** f. **1** (*insegnamento*) clinical instruction: **c. medica**, clinical medicine; **c. ostetrica**, clinical obstetrics **2** (*reparto ospedaliero*) hospital department; ward; unit: **c. chirurgica [neurologica]**, surgical [neurological] ward; **c. universitaria**, teaching hospi-

tal **3** (*casa di cura*) nursing home; clinic.

clìnico 🅐 a. (*med.*) clinical: **cartella clinica**, case sheet; medical record; **caso c.**, clinical case; **quadro c.**, clinical picture ● (*fig. scherz.*) **caso c.**, oddball (*fam.*) □ **occhio c.**, experienced eye 🅑 m. **1** (*med.*) clinician; doctor **2** (*docente universitario*) professor of clinical medicine.

clìnker (*ingl.*) m. inv. (*tecn.*) clinker.

clinòmetro m. clinometer.

clinoscopìa f. (*med.*) horizontal X-ray examination.

clinoscòpio m. (*med.*) X-ray table.

clinostatìsmo m. (*fisiol.*) horizontal posture.

clip ① f. inv. **1** (*graffetta*) clip, paperclip **2** (*fermaglio per orecchino*) clip; (*orecchino*) clip-on earring ● **a c.**, clip-on.

clip ② m. inv. **1** film clip **2** videoclip.

clìpeo m. (*stor.*, *zool.*) clypeus*.

clìpper m. inv. **1** (*naut.*) clipper **2** (*elettron.*) limiter; clipper.

clisìmetro m. (*topogr.*) gradiometer.

clìsma m. (*med.*) enema*: **c. opaco**, barium enema.

clistère m. (*med.*) enema*: **fare un c. a q.**, to give sb. an enema.

clìtico a. e m. (*ling.*) clitic.

clitòride f. o m. (*anat.*) clitoris.

clitoridectomìa f. clitoridectomy.

clitoridèo a. clitoral.

clivàggio m. (*miner.*) cleavage: **piano di c.**, cleavage plane.

clivia f. (*bot.*, *Clivia*) clivia; Kafir lily.

clivo m. (*lett.*) hillock; rise; slope.

CLN sigla (*stor.*, **Comitato di liberazione nazionale**) Committee of National Liberation (*during World War II*).

CLNAI sigla (*stor.*, **Comitato di liberazione nazionale alta Italia**) Committee of National Liberation for Northern Italy (*during World War II*).

cloàca f. **1** (*fogna*) sewer; cloaca* **2** (*zool.*) cloaca* **3** (*fig.*) cesspool; sink.

cloacàle a. cloacal.

cloàsma m. (*med.*) chloasma.

clochard (*franc.*) m. inv. tramp; hobo (*USA*).

cloche (*franc.*) f. inv. **1** (*aeron.*) control stick; joystick (*fam.*) **2** (*autom.*) – **cambio a c.**, floor gear lever (*USA* gearshift) **3** (*cappello*) cloche (hat).

cloisonné (*franc.*) a. inv. (*arte*) cloisonné.

clonàggio m. (*biochim.*) cloning.

clonàle a. (*biol.*) clonal.

clonàre v. t. (*biochim.* e *fig.*) to clone.

clonazióne f. (*biochim.* e *fig.*) cloning.

clóne m. (*biol.* e *fig.*) clone.

clònico a. (*med.*) clonic: **spasmo c.**, clonic spasm.

clòno m. (*med.*) clonus*.

clop, **clòppete** inter. (*rumore di trotto*) clip-clop.

cloràcne f. (*med.*) chloracne.

cloràlio m. (*chim.*) chloral: **c. idrato**, chloral hydrate.

cloramfenicòlo m. (*farm.*) chloramphenicol.

cloràto (*chim.*) 🅐 m. chlorate 🅑 a. chlorinated.

cloratóre m. chlorinator.

clorazióne f. (*chim.*) chlorination.

clorèlla f. (*bot.*, *Chlorella*) chlorella.

cloremìa f. (*med.*) chloraemia.

clòrico a. (*chim.*) chloric.

cloridràto m. (*chim.*) hydrochloride.

cloridrico a. (*chim.*) hydrochloric: **acido c.**, hydrochloric acid.

a b c d e f g h i j k l m n o p q r s t u v w x y z

clorite f. (*miner.*) chlorite.

clorito m. (*chim.*) chlorite.

cloritòide m. (*miner.*) chloritoid.

cloritoscisto m. (*geol.*) chlorite-schist.

clòro m. (*chim.*) chlorine: **trattare con c.**, to chlorinate.

cloroborato m. (*chim.*) chloroborate.

Clorochina ® f. (*chim.*) chloroquine.

clorofilla f. (*bot.*) chlorophyll.

clorofilliàno a. (*bot.*) chlorophyll (attr.); chlorophyllous.

Clorofite f. pl. (*bot.*, *Chlorophita*) Chlorophyta; green algae.

clorofluorocarbùro m. (*chim.*) chlorofluorocarbon, CFC.

clorofòrmio m. (*chim.*) chloroform.

cloroformizzàre v. t. to chloroform.

cloroformizzazióne f. (*med.*) chloroforming.

cloromicetìna f. (*farm.*) Chloromycetin®.

cloroplàsto m. (*bot.*) chloroplast.

cloroscìsto m. (*geol.*) chlorate-schist.

cloròsi f. **1** (*med.*) chlorosis*; (*com.*) green sickness **2** (*bot.*) chlorosis*.

clorósò a. (*chim.*) chlorous.

cloròtico a. (*med.*, *bot.*) chlorotic.

cloruràre v. t. (*chim.*) to chlorinate.

cloruràto a. (*chim.*) chlorinated.

clorurazióne f. (*chim.*) chlorination.

cloruremìa f. (*med.*) chloraemia.

cloruria f. (*med.*) chloriduria.

clorùro m. (*chim.*) chloride: **c. d'argento**, silver chloride; **c. di sodio**, sodium chloride; common salt.

clostrìdio m. (*biol.*) clostridium*.

clou (*franc.*) m. inv. highlight; chief attraction; climax*: **il c. della festa**, the highlight of the party; **il c. di una partita**, the climax of a match.

clown (*ingl.*) m. inv. clown.

clownésco a. clownish; clown's (attr.).

◆**club** (*ingl.*) m. inv. club: **c. del libro**, book club; **c. sportivo**, sports club; **diventare socio di un c.**, to join a club; **tesoriere di c.**, club treasurer.

cluniacènse, **cluniacése** a. e m. (*eccles.*) Cluniac.

cluster (*ingl.*) m. inv. (*astron.*, *stat.*, *comput.*) cluster.

c.m. abbr. (**corrente mese**) of this month.

CM sigla (**circolare ministeriale**) departmental circular.

CN sigla **1** (**controllo numerico**) numerical control (NC) **2** (**Cuneo**).

CNA sigla (**Confederazione nazionale dell'artigianato** (*ora e della piccola e media impresa*)) National Confederation for the Craft Sector (*now of Small Businesses*).

CNEL sigla (**Consiglio nazionale dell'economia e del lavoro**) National Council for Economy and Labour.

cnidàrio m. (*zool.*) cnidarian; (al pl., *scient.*) Cnidaria.

cnidoblàsto m. (*zool.*) cnidoblast.

CNR sigla (**Consiglio nazionale delle ricerche**) National Research Council.

CNSAS sigla (**Corpo nazionale soccorso alpino e speleologico**) National Alpine and Cave Rescue Service.

CNVVF sigla (**Corpo nazionale dei vigili del fuoco**) National Fire Brigade.

CO abbr. (**Como**).

coabitàre v. i. to cohabit; to live together.

coabitatóre m. (f. *-trice*) cohabitant; cohabiter.

coabitazióne f. cohabitation; living together; (*tra studenti e sim.*) house-sharing.

coaccusàto m. (f. *-a*) (*leg.*) co-defendant.

coacervàto m. (*biol.*) coacervate.

coacervazióne f. **1** (*lett.*) accumulation; heaping up **2** (*chim.*) coacervation.

coacèrvo m. (*lett.*) **1** accumulation; heap **2** (*fin.*) accumulation; accrual.

coadiutoràto m. (*eccles.*) coadjutorship.

coadiutóre m. **1** (f. *-trice*) assistant; collaborator; aide **2** (*eccles.*) coadjutor: **vescovo c.**, (bishop) coadjutor.

coadiuvànte Ⓐ a. **1** assisting; co-operating **2** (*farm.*) adjuvant: **farmaco c.**, adjuvant (drug) Ⓑ m. e f. assistant; collaborator Ⓒ m. (*farm.*) adjuvant.

coadiuvàre v. t. to co-operate with; to assist; to help.

coadunàre v. t. (*lett.*) to gather; to accumulate.

coagulàbile a. coagulable.

coagulabilità f. coagulability.

coagulaménto m. → **coagulazione**.

coagulànte (*farm.*) Ⓐ a. coagulative Ⓑ m. coagulant.

coagulàre Ⓐ v. t. **1** to coagulate; to clot **2** (*cagliare*) to curdle Ⓑ v. i. e **coagulàrsi** v. i. pron. **1** to coagulate; to clot; to congeal; (*del sangue*) to coagulate, to clot; (*di colloide*) to gel **2** (*cagliare*) to curdle.

coagulativo a. coagulative.

coagulazióne f. **1** coagulation; congealment; (*del sangue*) coagulation, clotting **2** (*cagliatura*) curdling.

coàgulo m. **1** coagulum*; clot: **c. di sangue**, blood clot **2** (*cagliata*) curd (spesso pl.).

coàla → **koala**.

coalescènza f. (*fis.*) coalescence.

coalizióne f. **1** coalition; alliance: **governo di c.**, coalition government **2** (*econ.*, *fin.*) economic coalition; syndicate; trust; combine.

coalizzàre Ⓐ v. t. to form into a coalition; to unite Ⓑ **coalizzàrsi** v. rifl. to form a coalition (*o* an alliance); to unite; to join forces; (*contro q.*, *anche*) to gang up (*fam.*).

coamministratóre m. (f. *-trice*) (*comm.*) joint manager; joint director.

coanocita m. (*zool.*) choanocyte.

coartàre v. t. to coerce; to force: **c. q. a fare qc.**, to coerce sb. into doing st.; to force sb. to do st.

coartazióne f. **1** coercion; constraint; duress **2** (*med.*) coarctation.

coassiàle a. (*mecc.*) coaxial: **cavo c.**, co-axial cable.

coassicurazióne f. (*ass.*) coinsurance.

coattazióne f. (*med.*) coaptation.

coattività f. coerciveness; compulsoriness.

coattivo a. coercive; compulsory: **mezzi coattivi**, coercive measures.

coàtto Ⓐ a. **1** forced; compulsory: (*leg.*, *in passato*) **domicilio c.**, forced residence; **vendita coatta**, forced sale **2** (*psic.*) compulsive Ⓑ m. (f. *-a*) **1** (*leg.*, *in passato*) person under forced residence **2** (*region.*: *detenuto*) prisoner **3** (*sociol.*) underprivileged young person **4** (*pop.*) boor; lout; yob (*GB*).

coautóre m. (f. *-trice*) coauthor; (*leg.*) joint author.

coazióne f. **1** (*leg.*) coercion; compulsion; constraint **2** (*psic.*) compulsion: **c. a ripetere**, repetition compulsion.

cobàlto Ⓐ m. **1** (*chim.*) cobalt: (*med.*) **bomba al c.**, cobalt bomb **2** (*colore*) cobalt blue; cobalt Ⓑ a. inv. cobalt (attr.): **azzurro c.**, cobalt blue.

cobaltoterapìa f. (*med.*) cobalt radiotherapy.

Còbas (*sigla di «comitato di base»*) Ⓐ m. inv. independent trade union Ⓑ a., m. e f.

(member) of an independent trade union.

còbea f. (*bot.*, *Cobaea scandens*) cup-and-saucer vine.

cobelligerànte a. e m. cobelligerent.

cobite m. (*zool.*, *Cobitis taenia*) loach.

còbo m. (*zool.*, *Kobus*) waterbuck.

cobòldo m. (*mitol.*) kobold.

còbra m. (*zool.*, *Naja*) cobra: **c. dagli occhiali** (*o* **indiano**) (*Naja naja*), spectacled cobra; Indian cobra; **c. egiziano**, asp; **c. reale**, king cobra; hamadryad.

còca ① f. (*bot.*, *Erythroxylon coca*) coca.

còca ② f. **1** → **Coca-Cola 2** (*pop.*) → **cocaina**.

Còca-Còla ® f. Coca-Cola®; Coke®.

cocaìna f. cocaine; coke (*slang*); snow (*slang*); (*pop.*) **tirare c.**, to do coke; to coke up; (*pop.*) **fatto di c.**, coked up.

cocaìnico a. cocaine (attr.).

cocaìnòmane m. e f. cocaine addict; coke-head (*slang*).

cocainomanìa f. cocaine addiction.

còcca ① f. (*naut.*) cog.

còcca ② f. (*fam.*: *gallina*) hen.

còcca ③ f. **1** (*di freccia*) nock **2** (*di fazzoletto*, *ecc.*) corner **3** (*di fuso*) tip.

coccàrda f. cockade; rosette.

còcchia f. dragnet.

cocchière m. **1** coachman* **2** (*vetturino di piazza*) cabman*; cab driver; cabby (*fam.*).

còcchio m. **1** coach; carriage **2** (*biga*) chariot.

cocchiùme m. **1** (*foro di botte*) bunghole **2** (*tappo*) bung.

còccia f. **1** (*scorza*) peel rind **2** (*di spada*) sword-guard **3** (*di pistola*) metal decoration (on the grip) **4** (*enfiagione*) swelling **5** (*region.*, *scherz.*: *testa*) head; pate (*slang*); noggin (*slang*).

còccide m. (*zool.*) coccid; (al pl., *scient.*) Coccidae.

coccidiòsi f. (*med.*) coccidiosis.

coccìge m. (*anat.*) coccyx*.

coccìgeo a. (*anat.*) coccygeal.

◆**coccinèlla** f. **1** (*zool.*, *Coccinella*) ladybird (*GB*); ladybug (*USA*) **2** (*nello scoutismo*) Brownie (Guide).

coccinèllo m. (*naut.*) toggle.

coccinìglia f. **1** (*zool.*, *Coccus cacti*) cochineal (insect) **2** (*il colore*) cochineal.

còccio m. **1** (*terracotta*) earthenware; pottery: **ciotola di c.**, earthenware bowl; **stoviglie di c.**, earthenware Ⓤ; crockery Ⓤ **2** (*recipiente*) crock; earthen pot **3** (*frammento*) fragment (of pottery); broken bit; shard; (*archeol.*) potsherd: **andare in cocci**, to be smashed to bits; (*anche fig.*) **raccogliere i cocci**, to pick up the pieces **4** (*fig.*, *di persona*) wreck; crock **5** (*zool.*: *guscio*) shell (*bot.*) seed vessel.

cocciopésto m. (*archeol.*, *edil.*) cocciopesto.

cocciutàggine f. stubbornness; pig-headedness; mulishness.

cocciùto a. stubborn; pig-headed; mulish.

◆**còcco** ① m. (*bot.*, *Cocos nucifera*, *anche* **palma da c.**) coconut (*o* coco) palm; coconut: **burro di c.**, coconut butter; **fibra di c.**, coconut fibre; (*per stuoie*) coconut matting; **latte di c.**, coconut milk; **noce di c.**, coconut; **stuoia di fibra di c.**, coconut mat.

còcco ② m. (*fam.*: *uovo*) (hen's) egg.

còcco ③ m. (*biol.*) coccus*.

còcco ④ m. (f. *-a*) (*fam.*) **1** (*vezzegg.*) love; dearie; pet; poppet (*GB*); honey (*USA*): (*iron.*) *Povero c.!*, poor thing! **2** (*prediletto*) pet; darling: **il c. della maestra**, the teacher's pet; **il c. della mamma**, mummy's darling; (*spreg.*) **c. di mamma**, mother's boy (m.).

coccodè inter. e m. cackle: **fare c.**, to

cackle.

♦**coccodrìllo** m. **1** (*zool.*, *Crocodilus*) crocodile: **c. del Nilo** (*Crocodilus nilòticus*), Nile crocodile; **c. palustre** (*Crocodilus palustris*), marsh crocodile; mugger; (*fig.*) **lacrime di c.**, crocodile tears **2** (*anche* **pelle di c.**) crocodile: **una borsetta di c.**, a crocodile bag **3** (*elettr.*) crocodile clip; alligator clip **4** (*gergo giorn.*) pre-obit.

còccola① f. **1** (*bot.*) berry **2** (spec. al pl.) trifle; bagatelle.

còccola② f. cuddle: **fare le coccole a q.**, to cuddle sb.; **farsi le coccole** (*tra innamorati*), to bill and coo; **volere le coccole**, to want to be cuddled.

♦**coccolàre** v. t. **1** (*vezzeggiare*) to cuddle **2** (*estens.*: *viziare*) to mollycoddle; to pamper.

còccolo (*fam.*) **A** m. (f. **-a**) pet; darling **B** a. (*grazioso*) darling; sweet; cute (*USA*).

coccolóne① m. (f. **-a**) (*fam.*) person [animal] who loves a cuddle; cuddly person [animal].

coccolóne② m. (*fam.*) **1** (*colpo apoplettico*) (apoplectic) stroke **2** (*colpo di sonno*) fit of sleepiness.

coccolóni avv. squatting: **stare c.**, to squat; **to be** squatting.

cocènte a. **1** scorching; burning: **sole c.**, scorching sun **2** (*fig.*: *bruciante*) burning, scorching, searing; (*amaro*) bitter; (*acuto*) keen, acute: **delusione c.**, bitter disappointment; **lacrime cocenti**, burning (*o* scalding) tears; **rimprovero c.**, scorching rebuke.

COCER abbr. (*mil.*, **Consiglio centrale di rappresentanza**) central council of representation.

còche → **coke**.

cochon (*franc.*) a. inv. scurrilous; pornographic.

còcker (*ingl.*) m. inv. (*zool.*) cocker (spaniel).

còcktail (*ingl.*) m. inv. **1** (*bevanda*) cocktail **2** (*ricevimento*) cocktail party **3** (*fig.*: *miscuglio*) mixture; medley; cocktail: **c. di gamberi**, shrimp cocktail; **c. farmacologico**, cocktail of drugs; **un c. micidiale**, a lethal cocktail.

còclea f. **1** (*anat.*) cochlea* **2** (*archeol.*) wild beasts' gate **3** (*mecc.*) Archimedean screw; (*di pompa centrifuga, ecc.*) scroll, volute: **alimentatore a c.**, screw feeder.

cocleàre a. (*med.*) cochlear: **nervo c.**, cochlear nerve.

cocleària f. (*bot.*, *Cochlearia officinalis*) scurvy grass.

cocólla f. (*eccles.*) cowl.

cocomeràio m. (f. **-a**) **1** (*venditore*) watermelon vendor **2** (*agric.*) watermelon patch.

cocómero m. **1** (*bot.*, *Citrullus vulgaris*) watermelon **2** (*region.*: *cetriolo*) cucumber ● **c. amaro** (*Citrullus colocynthis*), colocynth □ **c. asinino** (*Ecballium elaterium*), squirting cucumber.

cocorìta f. (*zool.*, *fam.*) small parrot; parakeet.

cocùzza f. (*region.*) **1** (*zucca*) pumpkin **2** (*scherz.*: *testa*) head; noggin (*slang*); nut (*slang*) **3** (*region.*, spec. al pl.: *soldi*) money; dough (*slang*); lolly (*slang GB*); bucks (pl., *slang USA*).

cocùzzolo m. **1** (*di monte, ecc.*) top; summit; crown **2** (*del capo*) (top of the) head **3** (*di cappello*) crown.

cod. abbr. **1** (*bibl.*, **codice**) codex **2** (*leg.*, **codice**) code.

♦**códa** f. **1** (*di animale*) tail: **c. folta**, bushy tail; (*di volpe*) brush; **c. mozza**, docked tail; (*di cane o cavallo, anche*) bobtail; **con la c. lunga**, long-tailed; **senza c.**, tailless; **dimenare la c.**, to wag one's tail **2** (*parte terminale di qc.*) tail; (*di corteo, treno, ecc.*) rear, rear

end; (*di discorso, scritto, ecc.*) tail end, conclusion: **la c. di un aeroplano**, the tail of an aeroplane; **la c. di un articolo**, the tail end of an article; **c. di cometa**, comet's tail (*o* train); **la c. di una processione**, the rear of a procession; **di c.**, tail (attr.); rear (attr.); last; **fanale di c.**, taillight; rear light; **vagone di c.**, rear carriage; **in c. a**, at the end of; at the tail of; at the bottom of; **in c. alla fila**, at the tail end of the queue; **in c. a un elenco**, at the bottom (*o* foot) of a list; **essere in c.**, to be in the rear; to bring up the rear; **sedere in c.**, to sit in the tail **3** (*di abito: strascico*) tail; train: **un vestito da sposa con la c.**, a wedding dress with a train; **reggere la c.**, to be a train bearer **4** (*fila di persone*) queue; line (*USA*): **fare la c.**, to queue up; (*essere fermo in c.*) to stand in a queue; **mettersi in c.**, (*formare una c.*) to form a queue, to line up, to queue up; (*unirsi a una c.*) to join a queue; **saltare la c.** **12** (*comput.*) queue ● **c. dell'occhio** → **occhio** □ (*bot.*) **c. di cavallo**, (*Equisetum arvense*) common horsetail; (*Hippuris vulgaris*) mare's-tail □ (*naut.*) **c. di rondine** -tail □ (*alim.*) **c. di rospo**, angler fish □ (*bot.*) **c. di topo** (*Phleum pratense*), timothy (grass) □ (*bot.*) **c. di volpe** (*Alopecurus pratensis*), foxtail □ (*anat.*) **c. equina**, cauda equina □ (*zool.*) **c. lunga** (*Alopias vulpinus*), thresher shark; sea fox □ (*zool.*) **c. nera** (*Odocoileus hemionus*), jumping deer ● **a c. di rondine**, swallowtailed; swallowtail (attr.); (*mecc.*) dovetailed, dovetail (attr.): **abito a c. di rondine**, tails (pl.); morning suit; **unire a c. di rondine**, to dovetail □ (*fig.*) **avere la c. di paglia**, to have a guilty conscience □ **colpo di c.**, flick (*o* swish) of the tail; (*fig.*) sudden reversal □ (*fig.*) **con la c. fra le gambe**, with one's tail between one's legs □ **Il diavolo ci ha ficcato la c.**, the devil has had a hand in this □ (*fig.*) **non avere né capo né c.**, to be meaningless; to make no sense □ (*cinem.*) **titoli di c.**, end credits.

codardìa f. cowardliness; cowardice; cravenness (*lett.*).

codàrdo **A** a. cowardly; craven (*lett.*) **B** m. (f. **-a**) coward.

codàta f. swish (*o* flick) of the tail; blow with a tail.

codàzzo m. train (of people); (*folla*) swarm: **un c. di ammiratori**, a swarm of admirers.

codebitóre → **condebitore**.

codeìna f. (*chim.*) codeine.

codésto a. e pron. dimostrativo (*lett.*) that; (*bur.*) this, your.

codétta f. **1** short tail **2** (*di frusta*) tip **3** (*bur.*) addressee's name and address (on a letter) **4** (*segno grafico*) tail **5** (*naut.*) stern rope.

codibùgnolo m. (*zool.*, *Aegithalos caudatus*) long-tailed tit.

còdice m. **1** (*manoscritto*) codex* manuscript **2** (*leg.*) code; law: **c. civile**, civil code; **c. marittimo**, navigation law; **c. penale**, penal (*o* criminal) code; (*fig.*) **inciampare nel c.**, to break the law; **violare il c.**, to break the law **3** (*sistema di norme*) code; rules (pl.): **c. cavalleresco**, code of chivalry; **c. della strada**, rules of the road; highway code; **c.**

di etica professionale, code of conduct; **c. d'onore**, code of honour; **violare il c.**, to break the rules **4** (*sistema di segnali o simboli*) code: **c. cifrato**, code; cipher; **c. a barre**, bar code; **c. cliente**, customer code; **c. di avviamento postale** (**CAP**), postcode (*GB*); zip code (*USA*); (*naut.*, *mil.*) **c. dei segnali**, signal book; **c. fiscale**, taxpayer's code number; (*biol.*) **c. genetico**, genetic code; (*naut.*) **c. internazionale dei segnali**, international code; **c. linguistico**, linguistic code; **c. telegrafico**, telegraphic code; **in c.**, in code; in cipher; coded (agg.); **messaggio in c.**, message written in code; coded message; **decifrare un c.**, to decipher a code; (*trovare la chiave*) to break (*o* to crack) a code **5** (*comput.*) code: **c. di accesso**, password; **c. di funzione**, function code; **c. istruzioni**, instruction code; **c. macchina**, machine code; **c. numerico**, number code; **c. sorgente**, source code.

codicillàre a. (*leg.*) codicillary.

codicillo m. **1** (*leg.*) codicil **2** (*aggiunta*) addition; rider.

codìfica → **codificazione**.

codificàbile a. **1** codifiable; that can be encoded **2** (*fig.*: *definibile*) definable; that can be labelled (as).

codificàre v. t. **1** (*leg. ed estens.*) to codify **2** (*trasporre in codice*) to code; (*anche comput.*) to encode **3** (*fig.*: *definire*) to define; to label.

codificatóre **A** a. **1** (*leg.*) codifying **2** (*che trasporre in codice*) coding; encoding **B** m. (f. **-trìce**) **1** (*leg. ed estens.*) codifier **2** (*chi traspone in codice*) coder **3** (*comput.*) encoder; coder.

codificazióne f. **1** (*leg. ed estens.*) codification **2** (*trasposizione in codice*) coding; (*anche comput.*) encoding.

codimózzo a. (*lett.*) bobtailed.

codinìsmo m. reactionarism.

codìno① m. **1** short tail **2** (*treccina*) pigtail; queue.

codìno② **A** a. reactionary; ultraconservative; blimpish (*GB*) **B** m. (*fig.*) reactionary; obscurantist; old fogey; mossback (*fam. USA*).

codìnzolo m. short tail.

codióne → **codrione**.

codirezióne → **condirezione**.

codirósso m. (*zool.*, *Phoenicurus phoenicurus*) redstart; redtail.

códolo m. (*mecc.*, *di lama*) tang; (*di utensile*) shank.

codóne① m. **1** (*zool.*, *Anas acuta*) pintail (duck) **2** (*di groppiera*) crupper.

codóne② m. (*biol.*) codon.

codrióne m. **1** (*zool.*) rump **2** (*scherz.*: *coccige*) rump.

coeditàre v. t. to co-publish; to publish jointly.

coeditóre m. (f. **-trìce**) co-publisher; joint publisher.

coedizióne f. coedition; joint edition.

coeducazióne f. coeducation.

coefficiènte m. **1** (*mat.*, *fis.*, *chim.*, *mecc.*) coefficient; factor: **c. di assorbimento**, absorption coefficient; **c. di attrito**, friction coefficient; **c. di diffusione**, coefficient of diffusion; **c. di risonanza [di selettività]**, resonance [selectivity] factor; (*scienza delle costr.*) **c. di sicurezza**, coefficient of safety; safety factor; **c. numerico**, numerical coefficient **2** (*econ.*) coefficient; ratio: **c. di produzione**, production coefficient; **c. di perdita**, loss coefficient (*o* ratio); **c. di scambio**, exchange ratio; **c. di spesa**, expense ratio **3** (*concausa*) factor.

coefficiènza f. coefficient cause; cofactor.

coèfora f. (*stor. greca*) libation bearer.

coeguàle a. (*anche teol.*) coequal.

coelètto a. jointly elected.

coenzìma m. (*biol.*) coenzyme.

coercìbile a. **1** coercible **2** (*fis.*) compressible.

coercibilità f. **1** coercibility **2** (*fis.*) compressibility: **c. di un gas**, compressibility of a gas.

coercitivo a. coercive: **misure coercitive**, coercive measures.

coercizióne f. (*anche leg.*) coercion; compulsion; duress: **mezzo di c.**, means of coercion; **ricorrere alla c.**, to have recourse to coercion; *Ho firmato sotto c.*, I signed under duress.

coerède m. e f. joint heir; coheir; joint heiress (f.); coheiress (f.).

coerènte a. **1** (*scient.*) coherent **2** (*fig.*) consistent; logical; sound; coherent: *La sua condotta è sempre stata c.*, his conduct has always been consistent; **un'azione c. coi suoi principi**, an action that is consistent (*o* is in keeping) with his principles; **essere c. con sé stesso**, to be consistent; **agire in modo c.**, to act consistently; **un ragionamento c.**, a sound argument.

coerènza f. **1** (*coesione*) cohesion; coherence **2** (*fig.*) consistency: **dare prova di c.**, to behave consistently; **mancare di c.**, to lack consistency.

coesióne f. **1** (*fis.*) cohesion **2** (*fig.*) cohesion; cohesiveness: *Il partito manca di c.*, the party lacks cohesion.

coesistènte a. coexistent.

coesistènza f. coexistence: **c. pacifica**, peaceful coexistence.

coesistere v. i. to coexist; (*esserci*) to be*.

coesivo a. cohesive; binding.

coèso a. coherent; cohering.

coesóre m. (*elettr.*) coherer.

coetàneo **A** a. (of) the same age (as): *Mio cugino e io siamo coetanei*, my cousin and I are the same age; *Il signor Rossi è mio c.*, Mr Rossi is the same age as I am (*o* is a contemporary of mine) **B** m. (f. *-a*) person of the same age; peer; (*della stessa generazione*) contemporary: *C'erano alcuni miei coetanei*, there were a few people of my age (*o* a few contemporaries of mine); *Non gioca coi suoi coetanei*, she doesn't play with children of her own age; **cercare l'approvazione dei propri coetanei**, to seek the approval of one's peers.

coetèrno a. coeternal.

coèvo a. coeval; contemporary.

còfana f. **1** (*edil.*) bucket **2** (*fig. region.*) huge quantity; heaps (pl.); loads (pl.).

cofanétto m. **1** (*scrigno*) casket **2** (*cassetta*) box; case: **c. dei gioielli**, jewel box (*o* case) **3** (*di libro*) slipcase.

còfano m. **1** chest; (*per oggetti di valore*) coffer **2** (*autom.*) bonnet (*GB*); hood (*USA*).

cofattóre m. (*chim.*) cofactor.

còffa f. (*naut.*) top: **c. di maestra**, maintop; **c. di mezzana**, mizzentop; **c. di trinchetto**, foretop; **c. di vedetta**, crows-nest.

cofirmatàrio m. (f. *-a*) cosignatory.

cofondatóre m. (f. *-trice*) co-founder; joint founder.

cofòsi f. (*med.*) surditas; total deafness.

cogarànte m. e f. joint guarantor.

cogeneratóre m. (*tecn.*) cogenerator.

cogenerazióne f. (*fis.*) cogeneration.

cogènte a. (*leg.*) (legally) binding; mandatory; compulsory.

cogènza f. (*leg.*) compulsoriness; mandatoriness; legal obligation.

cogerènte m. e f. joint manager.

cogestióne f. joint management ● **c.**

aziendale, workers' (*o* worker) participation.

cogestìre v. t. to manage jointly.

cogitabóndo a. (*lett.*) thoughtful; pensive; deep in thought (pred.).

cogitàre v. i. (*lett. o scherz.*) to cogitate; to ponder; to be deep in thought.

cogitazióne f. (*lett. o scherz.*) cogitation; meditation.

◆cògliere v. t. **1** (*fiori, frutta*) to pick; to pluck; (*raccogliere*) to gather **2** (*afferrare, anche fig.*) to catch*; to seize; to seize upon: **c. al volo**, to catch in midair; to seize; **c. l'occasione**, to take the opportunity; to seize one's chance; *Colgo l'occasione per...*, I take this opportunity to...; *Fu colto dal terrore*, he was seized by terror **3** (*sorprendere*) to catch*; to come* upon: *Fummo colti da un temporale*, we got caught in a storm; *La notte ci colse nel canalone*, night came upon us in the gully; *Fu colto che rubava*, he was caught stealing; *La morte lo colse in viaggio*, he died while on a journey; **c. q. alla sprovvista**, to catch sb. unprepared; to catch off guard; **c. q. con le mani nel sacco**, to catch sb. red-handed (*o* in the act); **c. di sorpresa**, to take by surprise (*o* unawares); to catch off guard; **c. q. in fallo**, to catch sb. out **4** (*colpire*) to hit*; to get*: **c. il bersaglio**, to hit the target **5** (*capire*) to understand*, to grasp; to catch*; (*percepire*) to detect, to feel*, to sense: **c. un'allusione**, to catch an allusion; **c. il senso di qc.**, to gather (*o* to grasp, to get) the meaning of st.; *Colsi dell'ironia nella sua voce*, I detected a trace of irony in his voice; *Colsi solo le ultime parole*, I only caught the last words **6** (*naut.*) to coil ● **c. nel segno**, to hit the target (*o* the bull's eye); (*fig.*) to hit the mark, to hit the nail on the head, to be right on the mark □ (*fig.*) **non c. nel segno**, to be off the mark □ (*fig.*) **c. la palla al balzo**, to seize the opportunity; to take one's chance.

coglionàggine f. (*volg.*) crass stupidity; bloody foolishness.

coglionàre v. t. (*volg.*) to take* the piss out of (*GB*); to fuck around with.

coglionàta → **coglioneria**.

coglionatùra f. (*volg.*) mockery; piss-take (*volg. GB*).

coglióne m. (*volg.*) **1** (al pl.) (*testicoli*) balls; bollocks; nuts **2** (*fig.*) dickhead; asshole (*USA*) ● (*fig.*) **avere i coglioni**, to have balls □ **levarsi dai coglioni**, to piss off; to fuck off □ (*fig.*) **rompere i coglioni a q.**, to be a pain in the arse (*USA* ass) □ (*fig.*) **rottura di coglioni**, balls-ache (*GB*); pain in the ass □ (*fig.*) **stare sui coglioni a q.**, to piss sb. off.

coglionerìa f. (*volg.*) **1** (*sciocchezza*) crap Ⓤ; load of balls; bullshit Ⓤ (*USA*): *Sono tutte coglionerie*, it's a load of balls **2** (*errore, pasticcio*) goof (*fam. USA*); balls-up; cockup.

coglitóre m. (f. *-trice*) picker; gatherer.

cognàc (*franc.*) m. inv. cognac.

cognacchino m. (*fam.*) shot of cognac.

◆cognàta f. sister-in-law.

◆cognàto m. brother-in-law.

cognitivìsmo m. (*psic.*) cognitive science.

cognitivìsta (*psic.*) **A** a. cognitive **B** m. e f. cognitive scientist.

cognitìvo a. cognitive.

cògnito a. (*lett.*) known.

cognizióne f. **1** (*lett.*) cognizance: **prendere c. di qc.**, to take cognizance of st. **2** (*nozione*) notion; knowledge Ⓤ; notion: **cognizioni superficiali**, superficial knowledge; **cognizioni utili**, useful knowledge; useful notions; **vaste cognizioni**, extensive knowledge **3** (*leg.*) cognizance; (*competenza*) jurisdiction: **c. di una causa da parte del tribu-**

nale, cognizance of a case by a court **4** (*psic.*) cognition ● **giudicare con c. di causa**, to pronounce judgment with full knowledge of the facts □ **L'ho detto con c. di causa**, I said that advisedly.

◆cognóme m. **1** surname; family name; last name (*USA*): **c. da nubile** [**da sposata**], maiden [married] name; **nome e c.**, first name and surname; *Come si chiama di c.?*, what's his surname? **2** (*stor. romana*) cognomen*.

coguàro m. (*zool.*, *Felis concolor*) puma; cougar* (*USA*).

coibentàre v. t. to insulate.

coibentatóre m. (f. *-trice*) insulation engineer; fitter of insulating material.

coibentazióne f. insulation.

coibènte **A** a. insulating; nonconductive; nonconducting: **materiale c.**, nonconducting (*o* insulating) material **B** m. insulating material; heat insulator; nonconductor.

coibènza f. insulation; nonconductivity.

coiffeur (*franc.*) m. inv. hairdresser; coiffeur.

coiffeuse (*franc.*) f. inv. **1** hairdresser; coiffeuse **2** (*mobile*) dressing-table.

coimputàto m. (f. *-a*) (*leg.*) co-defendant.

coincidènte a. coinciding; coincident; simultaneous.

◆coincidènza f. **1** (*concordanza, corrispondenza*) concurrence; correspondence: **c. di opinioni**, concurrence of opinions **2** (*contemporaneità*) concurrence; simultaneity: **in c. con**, coinciding with; during **3** (*combinazione*) coincidence: *Che c.!*, what a coincidence!; *Fu una pura c.*, it was pure coincidence (*o* chance); *Non è stata una c.*, it was no coincidence **4** (*ferr.*) connection: **perdere la c.**, to miss the connection; *Il treno è in c. con la corriera*, the train connects with the bus **5** (*geom., mat.*) coincidence.

coincìdere v. i. **1** (*collimare*) to coincide; to correspond; to tally; to match (*st.*); to fit (*st.*): *Le mie idee non coincidono con le tue*, my ideas don't coincide with yours; *Le impronte digitali non coincidono*, the fingerprints don't match; *La foto coincideva con la descrizione del testimone*, the photo fitted (*o* corresponded with) the witness's description; *I nostri gusti non coincidono*, our tastes do not coincide **2** (*accadere contemporaneamente*) to coincide; to occur at the same time: *La sua visita coinciderà con l'uscita del suo nuovo film*, his visit will coincide with the release of his new film **3** (*di impegni*) to clash: *Ho due lezioni che coincidono*, two of my lectures clash **4** (*geom., mat.*) to coincide: *I due triangoli coincidono*, the two triangles coincide.

coinquilìno m. (f. *-a*) co-tenant; fellow tenant; (*vicino*) neighbour, neighbor (*USA*).

coinsième m. (*mat.*) coset.

cointeressàre v. t. (*comm.*) to share (profits or losses) with; to associate; to take* on as a partner.

cointeressàto (*comm.*) **A** a. having an interest in; profit-sharing; loss-sharing: **essere c. in un'azienda**, to have an interest (*o* to be an associate) in a business **B** m. associate; profit-sharer; loss-sharer; partner; joint partner.

cointeressènza f. (*comm.*) profit-sharing; loss-sharing; interest; partnership: **avere una c. in qc.**, to have an interest in st.

cointestàre v. t. to register in two people's names; to open (*a bank account*) in two peoples' names.

cointestatàrio m. (f. *-a*) co-holder; co-beneficiary.

coinvolgènte a. absorbing; engrossing; engaging; intriguing; fascinating.

coinvòlgere v. t. **1** (*trascinare, implicare*)

to involve; to implicate; to draw* in; to drag in; (generalm. solo al passivo) to mix up, to embroil: **c. q. in una lite**, to involve sb. in a quarrel; **c. q. in uno scandalo**, to implicate sb. in a scandal; *Mi spiace di averti coinvolto in questo pasticcio*, I'm sorry I dragged you into this mess; *Nell'incidente sono state coinvolte sei auto*, six cars were involved in the accident; *Fu coinvolto in una faccenda di droga*, he got mixed up in a drug affair; **farsi** (*o* **lasciarsi**) **c.**, to get involved; to get mixed up **2** (*interessare, attrarre*) to absorb; to engross; to intrigue.

coinvolgiménto m. involvement; implication; participation.

coitàle a. coital.

còito m. coitus; coition: **c. interrotto**, coitus interruptus; withdrawal; **c. orale**, oral sex.

còke m. coke: **c. di fonderia**, foundry coke; **c. di petrolio**, petroleum coke; **c. minuto**, coke dust.

cokefazióne → **cokificazione**.

cokerìa f. coking plant.

cokificàre v. t. to coke.

cokificazióne f. coking.

Col. abbr. (*mil.*, **colonnello**) colonel (Col.).

còla ① f. (*bot., Cola*) cola, kola: **noci di c.**, cola nuts.

còla ② f. **1** (*edil.*) sieve **2** (*enologia*) strainer.

colà avv. (*lett.*) there; over there; down there; up there.

colabròdo m. colander; strainer • (*fig.*) **essere un c.**, to be full of (*o* riddled with) holes □ **memoria come un c.**, hopeless memory □ (*scherz.*) **ridurre come un c.**, to riddle with (bullet) holes.

colàggio m. (*perdita di liquidi*) leakage; ullage.

colagògo m. (*farm.*) cholagogue.

colangiografìa f. (*med.*) cholangiography.

colangìte f. (*med.*) cholangitis.

colapàsta m. inv. pasta (*o* spaghetti) strainer.

colàre A v. t. **1** (*filtrare*) to strain; to filter: **c. il tè** [**il brodo**], to strain tea [stock] **2** (*scolare*) to strain; to drain: **c. la pasta**, to drain the pasta **3** (*versare*) to pour; (*metall.*) to cast*, to pour: **c. il bronzo nella forma**, to cast the bronze in the mould **4** (*gocciolare*) to drip; (*lasciare scorrere lentamente*) to ooze: *La ferita colava sangue*, blood was dripping (*o* oozing) from the wound; the wound was bleeding **5** (*naut.*) – **c. a fondo** (*o* **a picco**), to sink*; to send* to the bottom B v. i. **1** (*filtrare*) to filter; to percolate; to strain; to drain: *L'acqua cola attraverso il terreno sabbioso*, water strains through sand; *Il caffè non è ancora colato*, the coffee hasn't percolated yet **2** (*gocciolare*) to drip, to trickle; (*per una perdita*) to leak; (*scorrere lentamente*) to ooze, to seep; (*scorrere abbondantemente*) to pour, to run*: *Il sudore gli colava giù per la schiena*, sweat trickled (*più forte*: poured) down his back; *La pioggia colava lungo i vetri*, the rain trickled down the windowpanes; *Gli cola il naso*, his nose is running; *Un filo d'acqua colava dal tubo*, a trickle of water was running from the pipe; *Il rubinetto cola*, (*perché non è chiuso bene*) the tap is dripping; (*perché è guasto*) the tap leaks; *Il sangue colava dalla ferita*, blood was oozing (*a fiotti*: was pouring) from the wound **3** (*sciogliersi*) to melt; (*di candela*) to gutter **4** (*naut.*) – **c. a fondo** (*o* **a picco**), to sink*; to go down; to founder.

colascióne m. (*mus.*) colascione (a type of lute).

colassù avv. (*lett.*) up there; above.

colàta f. **1** (*metall.*) casting; pouring: **c. di-** **retta**, casting; **attacco di c.**, runner; **foro di c.**, gate **2** (*quantità di metallo fuso*) tap; melt; cast **3** (*di fango, lava, ecc.*) flow; stream: **c. di fango**, mudflow; **c. di lava**, lava flow; stream of lava **4** (*geol.: lava consolidata*) bed (*o* sheet) of lava.

colatìccio m. **1** drippings (pl.): **il c. di una candela**, candle drippings **2** (*metall.: scorie*) drippings (pl.) from a mould **3** (*di letamaio*) dung-water.

colàto a. (*raffinato*) pure; refined: **oro c.**, pure gold.

colatóio m. **1** → **colino** **2** (*metall.: crogiolo*) crucible **3** (*alpinismo*) crack.

colatóre m. **1** (*metall.*) caster **2** (*agric.*) drainer ditch.

colatùra f. **1** (*il colare*) straining; filtering; percolating; draining **2** (*metall.*) casting **3** (*il gocciolare*) dripping; trickling **4** (*lo scolare*) straining **5** (*materia colata*) sediment; dregs (pl.); (*di candela*) drippings (pl.) **6** (*materia che trabocca*) overflow.

♦**colazióne** f. **1** (*del mattino, anche prima c.*) breakfast: **una c. abbondante**, a substantial breakfast; **c. all'italiana** [**all'inglese**], continental [English] breakfast; **fare c.**, to have breakfast; to breakfast; *Faccio sempre c. con uno yogurt e un caffè*, I always have a yoghurt and coffee for breakfast; *Che cosa hai mangiato a c.?*, what did you have for breakfast?; **l'ora di c.**, breakfast time **2** (*di mezzogiorno, anche seconda c.*) lunch; luncheon (*form.*): **c. al sacco**, picnic; packed lunch; **c. di lavoro**, business lunch; **una c. veloce**, a quick lunch; *Oggi sono fuori a c.*, I'm lunching out today; *Vieni a c. domani*, come to lunch tomorrow; **fare c.**, to have lunch; to lunch; **invitare q. a c.**, to ask sb. to lunch; **l'ora di c.**, lunch time.

colbàcco m. fur hat; Cossack hat; shapka; (*mil.*) busby, bearskin.

colchicìna f. (*chim.*) colchicine.

còlchico m. (*bot., Colchicum autumnale*) colchicum; autumn crocus; meadow saffron; naked ladies (pl.).

colcòs → **kolchoz**.

colcoşiàno A a. kolkhoz (attr.) B m. (f. *-a*) kolkhoz worker.

COLDIRETTI abbr. (**Confederazione nazionale coltivatori diretti**) National Farmers Federation.

colecistectomìa f. (*chir.*) cholecystectomy.

colecìsti f. (*anat.*) gall bladder.

colecistìte f. (*med.*) cholecystitis.

colecistografìa f. (*med.*) cholecystography.

colectomìa f. (*chir.*) colectomy.

coledocìte f. (*med.*) choledochitis.

colèdoco m. (*anat.*) common bile duct.

colèi pron. dimostrativo f. **1** (*in correlazione con «che»*) the woman* [the girl] (who, whom); the one (who, whom); she (who, whom) (*form.*): *Non conosco c. che prenderà il mio posto*, I don't know the woman who is going to take my place; *Beatrice, c. che Dante amò*, Beatrice, the woman Dante loved **2** (*lett. o spreg.*) she (compl. her); that woman*: *Chi è c.?*, who is that woman?

colelitìaşi f. (*med.*) cholelithiasis*.

colemìa f. (*med.*) cholemia.

colendìssimo a. (*lett. o scherz.*) much esteemed; most revered: most honoured.

coleòptile m. (*bot.*) coleoptile.

coleòttero m. (*zool.*) beetle; coleopter; (al pl., *scient.*) Coleoptera.

colèra m. (*med., vet.*) cholera: **c. asiatico**, Asiatic (*o* malignant, epidemic, spasmodic) cholera; **c. dei suini**, hog cholera; **c. dei polli**, fowl cholera; **epidemia di c.**, cholera epidemic.

colèrico a. (*med.*) choleraic; cholera (attr.): **epidemia colerica**, cholera epidemic.

colerina f. (*med.*) cholerine; summer cholera.

coleróso (*med.*) A a. choleraic B m. (f. *-a*) cholera patient.

colestàşi f. (*med.*) cholestasis.

colesterina f. → **colesterolo**.

colesterolemìa f. (*med.*) cholesterolemia.

colesteròlo m. (*biol.*) cholesterol: **esame del c.**, cholesterol count; **tasso di c.**, cholesterol level (in the blood); **non contenere c.**, to be cholesterol-free.

colétto m. (*agric.*) sieve.

còleus m. (*bot., Coleus*) coleus.

còlf f. inv. (abbr. di «collaboratrice familiare») domestic help; help (*fam.*); daily (*fam.*).

coliàmbico a. (*poesia*) choliambic.

coliàmbo m. (*poesia*) choliamb; scazon.

colibacillo. **colibattèrio** m. (*biol.*) colon bacillus*.

colibrì m. (*zool.*) hummingbird • (*zool.*) **c. dal becco a spada** (*Ensifera ensifera*), swordbill • (*zool.*) **c. topazio** (*Topaza pella*), topaz.

còlica f. (*med.*) colic: **c. epatica**, hepatic (*o* biliary) colic; (*com.*) liver attack; **sofferente di coliche**, colicky.

còlico a. **1** (*med.*) colic (attr.): **dolori colici**, colic pains **2** (*anat.*) colonic; colic: **arteria colica**, colic artery **3** (*chim.*) cholic: **acido c.**, cholic acid.

colifórme a. (*biol.*) coliform.

colìmbo m. (*zool., Gavia*) diver; loon.

colimetrìa f. colimetry; coli count.

colìna f. (*biol.*) choline.

colinèrgico a. e m. (*farm.*) cholinergic.

colinesteràşi f. (*biol., chim.*) cholinesterase.

colìno m. strainer; colander: **c. da tè**, tea strainer; **c. per la pasta**, pasta strainer.

colìte f. (*med.*) colitis.

colìtico (*med.*) A a. colitic; suffering from colitis B m. (f. *-a*) colitic patient.

♦**còlla** f. **1** glue; gum; adhesive; cement: **c. a caldo**, hot glue; **c. all'amido**, starch paste; **c. alla caseina**, casein glue; **c. di farina**, paste; **c. di resina**, resin size; **c. liquida**, liquid glue; **c. solida**, paste; **tinta a c.**, size colour; **tubetto di c.**, tube of glue **2** – **c. di pesce**, isinglass.

collabiménto m. (*med.*) collapsing.

collabìre v. i. (*med.*) to collapse.

collaboràre v. i. **1** to cooperate; to work together; (*anche polit.*) to collaborate: *Abbiamo collaborato nella stesura del rapporto*, we worked together on the report; *Il paziente non collabora*, the patient does not cooperate; **c. al successo di qc.**, to contribute to the success of st.; **c. alle indagini**, to help the police in their investigations; (*leg.*) **c. con la giustizia**, to turn state's evidence; (*in GB*) to turn Queen's (*o* King's) evidence **2** (*a giornale o periodico*) to write* (for); to contribute (to).

collaborativo a. collaborative; cooperative.

collaboratóre m. (f. **-trice**) **1** collaborator; aide; member of a team: **uno dei miei più validi collaboratori**, one of my best collaborators (*o* aides); *Il dizionario fu compilato da tre collaboratori*, this dictionary was compiled by a team of three **2** (*di giornale o periodico*) contributor: **c. fisso**, regular contributor • (*leg.*) **c. di giustizia**, criminal turned state's evidence; state witness □ **domestico** (*o* **familiare**), domestic help □ **c. esterno**, consultant; (*di giornale*) freelancer □ **c. scientifico**, representative of a pharmaceutical firm.

a b c d e f g h i j k l m n o p q r s t u v w x y z

collaborazióne f. **1** collaboration; co-operation; joint work; joint effort; (*servigi*) services (pl.); (*aiuto*) help, assistance: **fare qc. in c.**, to collaborate on st.; to work together on st.; **offrire la propria c.**, to offer to collaborate; to offer one's services; **lavoro di c.**, joint effort; teamwork **2** (*a un giornale*) contribution: **c. fissa**, regular contribution.

collaborazionìsmo m. (*polit.*) collaborationism.

collaborazionìsta m. e f. (*polit.*) collaborationist; quisling.

collage (*franc.*) m. inv. **1** (*arte*) collage **2** (*fig.*) collection; miscellany; collage; medley; patchwork: *Il libro non è che un c. di citazioni*, the book is just a collage (*o* a patchwork) of quotations.

collàgene, collàgeno m. (*biol.*) collagen.

collàggio m. (*ind. cartaria*) sizing.

♦**collàna** f. **1** (*gioiello*) necklace: **una c. di conchiglie**, a necklace of shells; **c. di fiori**, garland; **una c. di smeraldi [di perle]**, an emerald [a pearl] necklace; **c. girocollo**, choker **2** (*di libri*) series*; library: **c. di narrativa**, series of novels; fiction library **3** (*di sonetti e sim.*) collection; sequence.

collant (*franc.*) **A** a. inv. tight-fitting; close-fitting; clinging **B** m. inv. tights (pl. *GB*); pantyhose (*USA*).

collànte A a. adhesive **B** m. **1** glue; adhesive **2** (*fig.*) bond; link: **fare da c. a un gruppo**, to hold a group together.

collàre m. **1** (*per animale*) collar: **c. antipulci**, flea collar **2** (*moda*) neckband; neckpiece; collar **3** (*gioiello*) choker; (*rigido*) torque **4** (*di ordine cavalleresco*) collar; (*catena*) neckchain; (*la persona insignita*) knight: *Gran C.*, Grand Master **5** (*eccles.*) clerical collar; dog collar (*fam.*); (*estens.*) holy orders (pl.), priesthood: **gettare il c.**, to leave the priesthood; **mettersi il c.**, to take holy orders; **portare il c.**, to be in holy orders **6** (*zool.*) collar; ruffle; ring **7** (*mecc.*) collar; band; ring.

collarìna f. (*eccles.*) clerical collar; dog collar (*fam.*).

collarìno m. **1** (*archit.*) necking; annulet **2** (*nastrino da collo*) choker.

collassàre v. t. e i. (*anche med., astron.*) to collapse.

collàsso m. **1** (*med.*) collapse; breakdown; failure: **c. cardiaco**, heart failure; **c. nervoso**, nervous breakdown; collapse; **c. polmonare**, lung collapse **2** (*astron.*) – **c. gravitazionale**, gravitational collapse **3** (*edil.*: *cedimento*) collapse; cave-in **4** (*fig.*) collapse; failure; breakdown: **c. economico**, economic collapse ● **sull'orlo del c.**, on the brink of collapse; (*di persona*) on the verge of a nervous breakdown.

collateràle A a. secondary; side (attr.); (*leg.*) collateral: (*anche farm.*) **effetto c.**, side effect; **parente in linea c.**, collateral relative **B** m. e f. (*parente*) collateral **C** m. (*banca*) collateral (security).

collateralìsmo m. (*polit.*) collaboration; co-operation.

collaudàre v. t. **1** to test; to try out; (*controllare*) to inspect: **c. una macchina**, to test a car **2** (*fig.*) to test; to put* to the test: *Voglio c. la sua sincerità*, I want to test his sincerity.

collaudàto a. tested; well-tested; (*provato*) proven.

collaudatóre A m. (f. **-trice**) tester; (*mecc.*) inspector; (*autom.*) test driver; (*aeron.*) test pilot **B** a. test (attr.).

collàudo m. (*mecc.*) test; (*il collaudare*) testing Ⓤ, trying out Ⓤ; (*controllo*) inspection: **c. definitivo**, final inspection; **c. per campione**, sampling inspection; **fare il c. di un mo-**

tore, to test an engine; **essere sottoposto a c.**, to undergo a test; **superare un c.**, to stand (*o* to pass) a test; **non superare il c.**, to fail the test; **addetto ai collaudi**, test engineer; **volo di c.**, test flight.

collazionaménto m. → **collazione**.

collazionàre v. t. to collate.

collazionatóre m. (f. **-trice**) collator.

collazióne f. **1** collation **2** (*leg.*) hotchpot **3** (*eccles.*) collation; advowson.

♦**còlle** ① m. **1** (*valico*) pass; col **2** (*ansa*) (river) bend.

♦**còlle** ② m. (*altura*) hill: **i sette colli di Roma**, the Seven Hills of Rome; **la cima di un c.**, the top of a hill, the hilltop.

♦**collèga** m. e f. **1** colleague; co-worker; fellow worker: *Siamo colleghi*, we are colleagues; **i miei colleghi insegnanti**, my fellow teachers **2** (*iron.*: *complice*) associate.

collegàbile a. that can be connected; that can be linked.

♦**collegaménto** m. **1** connection; link; contact: **c. ferroviario [marittimo, stradale]**, rail [sea, road] link; *I collegamenti tra i villaggi sono assicurati da un servizio d'autobus*, a bus service links (*o* connects) the villages; **ripristinare i collegamenti con la zona alluvionata**, to re-establish communications (*o* links) with the flooded area **2** (*connessione, rapporto*) connection; link; relation; association: *Non c'è c. tra i due episodi*, there is no relation (*o* link) between the two events; the two events are not related; **mettere in c. due fatti**, to connect two facts **3** (*contatto, punto di contatto*) collaboration; liaison: **fare da c. tra due gruppi**, to liaise between two groups **4** (*mil.*) liaison: **ufficiale di c.**, liaison officer **5** (*elettr., telef., mecc.*) connection: **c. a stella**, star (*o* Y) connection; **c. a terra**, earthing (*GB*); earth connection (*GB*); grounding (*USA*); ground connection (*USA*); **c. in parallelo**, parallel connection; **c. in serie**, series connection; **c. incrociato**, grid connection; **c. telefonico**, telephone connection; **collegamenti elettrici**, electrical connections; wiring Ⓤ; **cavo di c.**, connecting cable; **scatola dei collegamenti**, connection box **6** (*radio, TV*) link; link-up: **c. radiofonico**, radio link; (*TV*) **c. via cavo**, cable link; **c. via satellite**, satellite hook-up; **in c. diretto da New York**, live from New York; **trasmissione in c. diretto**, (*radio*) live broadcast; (*TV*) live telecast; **stabilire un c. radio con**, to get into (*o* to establish) radio contact with **7** (*comput.*) linking; linkage: **c. in rete**, networking; **c. ipertestuale**, hyperlink; hypertext link.

collegànza f. **1** (*lett.*) connection; association **2** (*l'essere colleghi*) colleagueship; working relationship.

♦**collegàre A** v. t. **1** to connect; to link; to link up; (*ad apparecchiatura elettr.*) to hook up: *Una ferrovia collega le due valli*, the two valleys are connected (*o* linked up) by a railway; *L'impianto di riscaldamento è collegato a un computer*, the heating system is linked up to a computer; *Il paziente fu collegato all'elettrocardiografo*, the patient was hooked up to an electrocardiograph **2** (*fig.*) to connect; to link; to relate; to associate: **c. diversi fatti tra di loro**, to connect various facts; **saper c. i concetti**, to be able to link ideas together (*o* to relate ideas); *Collegai la sua scomparsa con la lettera*, I associated his disappearance with the letter **3** (*leg.*: *ditte, ecc.*) to incorporate **4** (*elettr.*) to connect: **c. due fili**, to connect two wires; **c. a terra**, to earth (*GB*); to ground (*USA*) **B collegàrsi** v. rifl. (*mettersi in comunicazione*) to establish communication; to contact; to get* in touch; to communicate; to connect; (*ad apparecchiatura elettr.*) to hook up; (*TV*) to link up; (*comput.*) to connect, to get* on line,

to log on: **collegarsi via satellite**, to link up by satellite; **collegarsi a Internet**, to connect to the Internet; **collegarsi a un sito web**, to log on to a website; **collegarsi telefonicamente con q.**, to communicate by telephone with sb.; to telephone sb.; to get through to sb.; (*radio, TV*) *Ci colleghiamo con Parigi per le ultime notizie*, we are now going over to Paris for the latest news **C collegàrsi** v. rifl. recipr. **1** (*associarsi*) to associate, to join, to unite; (*allearsi*) to confederate, to join in a league **2** (*leg.*: *di ditte, ecc.*) to incorporate **D** v. i. pron. (*essere connesso, concordare*) to be connected; to be linked; to be related.

collegàta → **consociata**.

collegatàrio m. (*leg.*) co-legatee.

collegàto a. **1** connected; linked; linked up; (*comput.*: *in linea*) connected, on-line, logged on: *Il telefono è c.*, the telephone is connected; *Il modem non è c.*, the modem is disconnected; (*elettr.*) **c. a massa**, earthed (*GB*); grounded (*USA*); (*elettr.*) **collegato a stella**, star-connected; (*comput.*) **c. in parallelo**, in parallel; (*comput.*) **c. in serie**, in series; (*comput.*) **computer collegati in rete**, networked computers **2** (*fig.*: *associato*) connected; linked; tied up; related; associated: *I due fatti sono strettamente collegati*, the two facts are closely related **3** (*consociato*) affiliated; allied; associated; united: **società** (*o* **impresa**) **collegata**, affiliated company, affiliate.

collegiàle A a. **1** (*collettivo*) collective; joint (attr.); team (attr.): **decisione c.**, collective decision; **organo c.**, collective body; **responsabilità c.**, joint (*o* corporate) responsibility **2** (*di convitto*) boarding-school (attr.); college (attr.); collegiate: **vita c.**, collegiate (*o* boarding-school) life **B** m. e f. **1** boarder **2** (*fig.*) schoolboy (m.); schoolgirl (f.): **un'aria da c.**, a schoolboy [schoolgirl] look.

collegialità f. **1** collegiate character; joint (*o* collective) nature **2** (*eccles.*, *dei vescovi col papa*) collegiality **3** (*eccles.*: *privilegio di chiesa collegiata*) collegiate church status.

collegialménte avv. jointly; collectively; as (*o* in) a body.

collegiàta f. (*eccles.*) collegiate church.

collegiàto a. – (*eccles.*) **chiesa collegiata**, collegiate church.

collègio m. **1** (*scuola con convitto*) boarding school; (*in GB anche*) public school; college: **c. di musica**, college of music; conservatory; **c. femminile**, girls' (boarding) school; **c. militare [navale]**, military [naval] college; *Eton è un famoso c. inglese*, Eton is a famous English public school **2** (*pensionato universitario*) hall of residence **3** (*consesso di persone*) college; corporation; body; panel: **c. degli avvocati**, the Bar; (*eccles.*) **c. dei cardinali** (*o* **Sacro C.**), College of Cardinals (*o* Sacred College); **c. dei docenti**, teaching body (*o* staff); **c. degli ingegneri**, College of Engineers; (*leg.*) **il c. di difesa**, the defence; the counsel for the defence; (*leg.*) **il c. giudicante**, the panel of judges; the court; the bench **4** (*comitato*) board; committee: **c. arbitrale**, arbitration board; board of arbitrators; **c. dei revisori dei conti** (*o* **c. sindacale**), board of auditors **5** (*circoscrizione elettorale*) constituency; district.

collènchima f. (*bot.*) collenchyma*.

♦**còllera** f. **1** anger; (bad) temper; wrath (*lett.*): **la c. di Dio**, God's wrath; **andare** (*o* **montare**) **in c.**, to lose one's temper; to get angry; **essere facile alla c.**, to be quick-tempered; **essere in c.**, to be angry; **mandare in c. q.**, to make sb. angry; to infuriate sb.; to incense sb.; **impeto di c.**, fit of anger; **parole dette in un momento di c.**, words spoken in anger **2** (*fig.*) fury; rage; vio-

lence: **la c. degli elementi**, the fury of the elements ❶ **FALSI AMICI** • collera *non si traduce con* cholera.

collèrico a. irascible; quick-tempered; choleric.

collètta f. **1** collection (*anche in chiesa*); whip-round (*fam. GB*): **fare una c.**, to collect (*o* to raise) money; to pass the hat round (*fam.*); to have a whip-round (*fam.*); *Stiamo facendo una c. per un regalo a Beppe*, we're having a whip-round to get Beppe a present **2** (*eccles.*) collect **3** (*naut.*) – **caricare a c.**, to load a mixed cargo.

collettàme m. (*comm.*) packaged cargo • (*naut.*) **trasporto a c.**, general cargo service.

collettàneo a. miscellaneous.

collettivìsmo m. collectivism.

collettivìsta a., m. e f. collectivist.

collettivìstico a. collectivistic.

collettività f. **1** (*società*) community; general public **2** (*carattere collettivo*) collective nature.

collettivizzàre v. t. (*polit.*) to collectivize.

collettivizzazióne f. (*polit.*) collectivization.

collettìvo Ⓐ a. **1** collective; general; common; everybody's (attr.); (*di un gruppo*) group (attr.): **il bene c.**, the good of the community; the common good; **biglietto c.**, group ticket; (*econ.*) **contratto c. di lavoro**, collective labour agreement; **l'immaginario c.**, the collective imagination; **interesse c.**, general (*o* common, public) interest; everybody's interest; **passaporto c.**, group passport; **un sentimento c. di ostilità**, a general feeling of hostility; **sicurezza collettiva**, collective security; (*leg.*) **società in nome c.**, general partnership **2** (*solidale*) joint; common: **decisione collettiva**, joint decision; **sforzo c.**, joint effort **3** (*gramm.*) collective: *«Folla» è un nome c.*, «crowd» is a collective noun Ⓑ m. collective: **c. studentesco**, students' collective.

collètto m. **1** collar: **c. alla coreana**, mandarin collar; **c. alla marinara**, sailor collar; **c. di camicia (da uomo)**, shirt collar; **c. di pizzo**, lace collar; **c. duro** (*o* **inamidato**), stiff (*o* starched) collar; **c. floscio**, soft collar; **c. rigido**, stand-up collar; (*mil.*) stock; **c. staccabile**, detachable collar **2** (*bot.*) collar **3** (*di dente*) neck • (*fig.*) **colletti bianchi**, white-collar workers □ (*fig.*) **colletti blu**, blue-collar workers.

collettóre Ⓐ a. collecting; catchment (attr.): (*geol.*) **bacino c.**, catchment basin; **canale c.**, catchment (*o* collection) drain Ⓑ m. (*esattore*) collector: **c. delle imposte**, tax collector **2** (*autom., mecc.*) manifold; (*di caldaia*) header, drum: **c. di aspirazione**, intake manifold; **c. di fango**, mud drum; **c. di scarico**, exhaust manifold **3** (*elettr., della dinamo*) commutator; collector ring **4** (*di tram*) trolley **5** (*elettron.: di transistor*) collector • **c. dei rifiuti**, rubbish (*USA* garbage) chute □ **c. di fognatura**, main sewer □ **c. solare**, solar collector.

collettorìa f. collector's office: **c. delle imposte**, tax-collector's office.

collezionàbile a. e f. collectible, collectable.

collezionàre v. t. to collect; to be a collector of: **c. francobolli**, to collect stamps • **c. debiti**, to run up debts □ **c. sconfitte**, to suffer a series of defeats □ **c. successi**, to score a series of successes.

♦**collezióne** f. **1** collection; (*il collezionare*) collecting: **una c. di francobolli**, a stamp collection; **una c. di bambole antiche**, a collection of old dolls; *La c. di esemplari rari è diventata una mania per lui*, collecting rare specimens has become a mania with

him; **fare c. di qc.**, to collect st.; **pezzo da c.**, collector's item **2** (*collana di libri*) series*; library **3** (*moda*) collection: **la c. autunno-inverno**, the autumn/winter collection.

collezionìsmo m. collecting (things as a hobby): **oggetto da c.**, highly collectable object.

collezionìsta m. e f. collector: **c. di francobolli**, stamp collector.

collezionìstico a. collecting; collectors' (attr.); collector's (attr.): **mercato c.**, collectors' market.

collìdere v. i. to collide.

collie (*ingl.*) m. inv. (*zool.*) collie.

collier (*franc.*) m. inv. necklace.

colligiàno Ⓐ a. hill (attr.); of the hills Ⓑ m. (f. **-a**) hill-dweller.

collimàre Ⓐ v. i. to agree; to coincide; to fit (st.); to match (st.); to tally: *I bordi non collimano*, the edges do not quite coincide; *Le loro versioni collimano*, their versions coincide (*o* agree); *La testimonianza del barista non collima con i fatti*, the barman's evidence does not fit (*o* tally with) the facts Ⓑ v. t. (*scient.*) to collimate.

collimatóre m. (*scient.*) collimator • (*aeron.*) **c. di volo**, head-up display (abbr. HUD).

collimazióne f. **1** correspondence; matching **2** (*scient.*) collimation.

♦**collina** f. **1** hill: **cima della c.**, top of the hill; hilltop; **pendio di c.**, hillside **2** (*zona collinosa*) hills (pl.); hill country: **vivere in c.**, to live in the hills.

collinàre a. hilly; hill (attr.): **regione c.**, hill country.

collinétta f. hillock.

collinóso a. hilly; hill (attr.).

colliquativo a. (*biol.*) colliquative.

colliquazióne f. (*biol.*) colliquation.

collìrio m. (*farm.*) eyewash; collyrium*; eyedrops (pl.).

collisióne f. **1** (*urto*) collision; impact: **una c. tra due camion [due navi]**, a collision between two lorries [two ships] **2** (*fig.*) conflict; collision; clash: **c. d'interessi**, conflict of interests **3** (*fis.*) collision • **entrare in c. con**, to come into collision with; to collide with; (*naut.*) to fall foul of □ (*naut. e fig.*) **in rotta di c.**, on a collision course □ (*naut.*) **paratia di c.**, collision bulkhead.

collisóre m. (*fis.*) collider.

♦**còllo** ① m. **1** (*anat.*) neck: **c. di cigno**, swan neck; **c. taurino**, bull neck; **allungare il c.**, to crane one's neck; **mettersi una sciarpa al c.**, to wrap a scarf round one's neck; *Mi gettò le braccia al c.*, he threw his arms round my neck; **tirare il c. a un pollo**, to wring a chicken's neck; **fazzoletto da c.**, neckerchief; neckscarf **2** (*abbigliamento*) neck; collar: **c. a camicia**, shirt collar; **c. a giro**, round neck; **c. a polo**, polo neck; **c. a scialle**, shawl collar; **il c. di una camicia**, the neck (*o* collar) of a shirt; **un c. di pelliccia**, a fur collar; **c. dolcevita** (*o* **alto**), polo neck; turtleneck; **c. tondo** [**quadrato**], round [square] neck; **numero di c.**, collar size **3** (*di bottiglia, strumento mus., ecc.*) neck **4** (*naut.*) hitch; turn; (*di cavo adugliato*) fake: **doppio c.**, builder's knot; clove hitch; **mezzo c.**, half-hitch; **c. tondo**, round turn; **prendere un c.**, to take a turn • (*naut.*) **c. dell'ancora**, trend □ (*fig.*) **c. di bottiglia**, bottleneck □ (*macelleria*) **c. di bue**, neck of beef □ (*anat.*) **c. del femore**, neck of the femur □ (*mecc.*) **c. d'oca**, gooseneck; crankshaft □ **c. del piede**, instep □ **c. di scarpa**, instep □ (*anat.*) **c. dell'utero**, cervix □ (*fig.*) **c. torto** → **collotorto** □ (*naut.*) **a c.**, aback: **mettere a c.**, to back sails; **prendere a c.**, to be hove in stays □ **a rotta di c.**, at breakneck

speed; headlong □ (*fig.*) **andare a rotta di c.** (*andare male*), to go badly; to go downhill; to go to the dogs (*fam.*) □ **bere a c.**, to drink from (*o* out of) a bottle □ **avere un braccio al c.**, to have one's arm in a sling □ (*fig.*) **essere con la corda al c.**, to have one's back to the wall; to be in a corner □ (*fig.*) **esserci dentro fino al c.**, to be up to one's neck in st. □ (*fig.*) **mettere il piede** (*o* **i piedi**) **sul c. a q.**, to trample on sb.; to bully sb. □ (*fig.*) **essere nei debiti fino al c.**, to be up to one's eyes (*o* ears) in debt □ (*fig.*) **piegare il c.**, to submit; to give in; to resign oneself • **prendere q. per il c.**, to take sb. by the scruff of the neck; (*fig.*) to have sb. over a barrel; to get sb. by the short hairs (*fam.*) □ (*fig.*) **rimetterci l'osso del c.**, to lose the shirt off one's back □ **rischiare il c.**, to stick one's neck out □ **rompersi l'osso del c.**, to break one's neck □ **tenere in c.** (*in braccio*), to carry in one's arms.

còllo ② m. (*pacco*) parcel; package; (*di bagaglio*) item (*o* piece) of luggage: **c. a mano**, small parcel; **c. ingombrante**, bulky parcel; *Il nostro bagaglio superava i dieci colli*, we had over ten pieces of luggage.

collocàbile a. placeable; that can be placed; (*di prodotto*) placeable, saleable.

collocaménto m. **1** placing; arrangement; (*di fili, di cavi, ecc.*) laying: **il c. dei mobili**, the arrangement of the furniture **2** (*impiego*) employment: **agenzia di c.**, employment agency; employment bureau (*USA*); **liste di c.**, unemployment lists; **iscriversi alle liste di c.**, to register as unemployed; **ufficio di c.**, employment (*o* labour) exchange; jobcentre **3** (*comm.*) sale; placement **4** (*fin.*) placing: **c. di titoli**, placing of securities; **c. di una società**, placing of a company's shares • (*bur.*) **c. a riposo**, pensioning off; retirement □ (*bur.*) **c. in aspettativa**, temporary discharge (from one's duties).

collocàre Ⓐ v. t. **1** (*porre, deporre*) to place; to put*; (*cavi e sim.*) to lay*: **c. un vaso su una console**, to place a vase on a console; *Io lo colloco tra i primi musicisti contemporanei*, I place him among the best composers of our time **2** (*disporre*) to arrange: **c. i mobili in una stanza**, to arrange the furniture in a room **3** (*trovare un impiego a q.*) to place; to find* (sb.) a job: *L'agenzia ha collocato venti segretarie*, the agency has placed twenty secretaries **4** (*maritare*) to marry off **5** (*comm.*) to sell*; to place; to find* a market for: **c. un prodotto**, to place (*o* to find a market for) a product **6** (*fin.*) to place: **c. titoli**, to place securities □ (*bur.*) **c. a riposo**, to pension off □ (*bur.*) **c. q. in aspettativa**, to discharge sb. (from his duties); to give sb. extended leave Ⓑ **collocàrsi** v. rifl. **1** (*mettersi*) to place oneself; to take* one's place: *Si collocò a destra dell'oratore*, she placed herself on the speaker's right **2** (*venire a essere*) to take* one's place; to rank; **Con questo romanzo si colloca tra i primi scrittori del paese**, with this novel he takes his place among the foremost writers of his country **3** (*ottenere un impiego*) to find* a job; to settle into a job • **c. a riposo**, to retire.

collocazióne f. **1** (*posizione, anche fig.*) position; placing; place; location **2** (*disposizione*) arrangement: **cambiare la c. dei mobili**, to change the arrangement of the furniture **3** (*fig.: sistemazione*) place; position; (*lavoro*) job **4** (*leg., di creditori*) classification **5** (*biblioteconomia*) classification; (*il numero*) pressmark **6** (*ling.*) collocation.

collòdio m. (*chim.*) collodion.

colloidàle a. (*chim.*) colloidal.

collòide m. (*chim.*) colloid; colloidal solution.

colloquiàle a. colloquial; conversational; informal: **termine c.**, informal (*o* colloquial)

term; **tono c.**, conversational tone.

colloquialismo m. (*ling.*) colloquialism.

colloquiàre v. i. **1** to talk; to converse **2** (*negoziare*) to negotiate; to have talks.

♦**collòquio** m. **1** (*conversazione*) conversation, talk; (*incontro*) talk, interview, meeting: **c. a quattr'occhi**, tête-à-tête; **c. di lavoro**, job interview; **c. informale**, informal talk; **c. privato**, private meeting; **chiedere [concedere] un c.**, to seek [to grant] an interview; **sottoporre a c.**, to interview; *Il segretario è a c. col ministro*, the secretary is meeting the minister; *Il detenuto è a c. con la moglie*, the inmate is meeting his wife **2** (al pl.) (*negoziati*) talks; negotiations: **colloqui di pace**, peace talks **3** (*esame universitario preliminare*) preliminary oral exam.

collosità f. glueyness, (*appiccicosità*) stickiness, tackiness.

collóso a. gluey; glutinous; (*appiccicaticcio*) sticky, tacky.

collotipìa f. (*tipogr.*) collotype.

collotòrto m. **1** sanctimonious person; hypocrite; pharisee; Tartuffe **2** (*zool., Jynx torquilla*) wryneck.

collòttola f. (*fam.*) scruff of the neck; (*nuca*) nape: **afferrare q. per la c.**, to seize sb. by the scruff of the neck.

collovérde m. (*zool.*) male mallard.

collùdere v. i. (*leg.*) to collude; to connive.

collusióne f. **1** (*leg.*) collusion: **essere accusato di c. con q.**, to be accused of colluding with sb. **2** (*estens.: intesa segreta*) secret dealings (pl.); (*polit.*) secret pact (*o* understanding) ● **essere in c. con**, to be colluding with; to be conniving with.

collusìvo a. (*leg.*) collusive.

collùso a. colluding with organized crime.

collutòrio m. (*farm.*) mouthwash; gargle.

colluttàre v. i. (*lett.*) to come* to blows; to scuffle.

colluttazióne f. scuffle; brawl ● **c. verbale**, squabble.

colluviàle a. (*geol.*) colluvial.

collùvie f. inv. **1** (*lett.*) sewage **2** (*fig.*) hotchpotch, hodgepodge (*USA*).

cólma f. high water level.

colmàre A v. t. **1** to fill (to the top, to the brim); to fill up: **c. un bicchiere**, to fill a glass to the brim; to fill up a glass **2** (*fig.*) to fill; (*dare in abbondanza*) to load, to cover, to heap (st. upon sb.); to shower (st. upon sb.): **c. q. di gioia**, to fill sb. with you; **c. q. di lodi**, to cover sb. with praise; **c. di premure**, to overwhelm with kindness; **c. q. di regali**, to shower presents upon sb. **3** (*agric.: bonificare*) to reclaim; to fill: **c. una palude**, to reclaim a marsh **4** (*una strada*) to crown ● (*econ.*) **c. un disavanzo**, to make up a deficit □ **c. un distacco**, to close a gap □ **c. un divario**, to close a gap □ **c. una lacuna**, to fill a gap □ (*fig.*) **c. la misura** (*o* il sacco), to pass all limits; to go too far □ **c. un vuoto**, to fill a gap (*o* a void) B **colmàrsi** v. i. pron. to fill: *I suoi occhi si colmarono di lacrime*, her eyes filled with tears.

colmaréccio m. (*edil.*) ridgepole.

colmàta f. **1** (*edil.*) silting up **2** (*agric.: bonifica*) land reclamation; (*terreno bonificato*) reclaimed area, fill **3** (*di strada*) crowning.

colmatóre m. **1** (*idraul.*) warping canal **2** (*di botti*) cask filler.

colmatùra f. **1** (*il colmare*) filling to the top (*o* to the brim) **2** (*di botti*) filling up **3** → **colmata**.

♦**cólmo** ① a. full; full to the brim; brimful: **un piatto c.**, a full plate; **c. fino all'orlo**, full to the brim; *Il mio cuore era c. di tristezza*, my heart was full of sadness; **occhi colmi di lacrime**, eyes full of (*o* brimming with) tears ● (*fig.*) **La misura è colma**, that's the last

straw; that's the limit.

♦**cólmo** ② m. **1** (*sommità*) top; summit **2** (*fig.: apice*) height; peak; depths (pl.): **il c. della felicità**, the height of happiness; **il c. della sfacciataggine**, the height of effrontery; **essere al c. dell'ira**, to be in a towering rage; **al c. della disperazione**, in the depths of despair **3** (*di strada*) crown **4** (*di tetto*) ridge: **trave di c.**, ridgepole **5** (*di piena*) flood **6** (*di marea*) high tide ● **il c. dei colmi**, the absolute limit □ **È il c.!**, it's too much!; it's the absolute limit!; that beats everything! □ **per c. di sfortuna...**, to crown it all...

còlobo m. (*zool., Colobus*) colobus.

colocàsia f. (*bot., Colocasia antiquorum*) taro.

colofóne m. → **colophon**.

colofònia f. rosin; colophony.

cologarìtmo m. (*mat.*) cologarithm.

colómba f. **1** (*zool.*) dove **2** (*fig., polit.*) dove: **i falchi e le colombe**, hawks and doves **3** (*dolce pasquale*) (dove-shaped) Easter cake.

colombàccio m. (*zool., Columba palumbus*) wood pigeon; ringdove.

colombàia f. dovecote ● (*fig.*) **abitare in c.**, to live on the top floor; to live in a garret □ (*fig.*) **tirare sassi in c.**, to damage oneself; to cut off one's nose to spite one's face.

colombàrio m. **1** (*di cimitero*) vault lined with burial niches **2** (*stor. romana*) columbarium*.

colombèlla f. **1** little dove **2** (*zool., Columba oenas*) stock dove.

colombiàno ① a. (*rif. a Cristoforo Colombo*) Columbian; of (Christopher) Columbus.

colombiàno ② a. e m. (f. **-a**) (*della Colombia*) Columbian.

colombicoltóre m. pigeon breeder.

colombicoltùra f. pigeon breeding.

colombière m. (*naut.*) masthead.

colombìna ① f. **1** small dove **2** (*fig.*) demure girl.

colombìna ② f. (*agric.*) pigeon droppings (pl.).

Colombìna f. (*teatr.*) Columbine.

♦**colómbo** m. **1** (*zool.*) pigeon; dove: **c. viaggiatore**, homing pigeon **2** (al pl.) (*fig.: innamorati*) turtledoves; lovebirds.

Colómbo m. (*stor.*) Columbus.

còlon m. (*anat.*) colon*.

♦**colònia** ① f. **1** colony; (*insediamento*) settlement: **le colonie inglesi**, the English colonies; **c. penale**, penal settlement; **fondare una c.**, to establish a settlement **2** (*gruppo di persone o di animali*) colony: **la c. italiana a Parigi**, the Italian colony in Paris; **una c. di scimmie**, a colony of monkeys; (*med.*) **c. di bacilli**, colony of bacilli **3** (*residenza di vacanze*) holiday home; holiday camp: **c. estiva**, summer camp.

colònia ② f. (anche **acqua di c.**) eau de Cologne.

colonìa ③ f. (*leg.*) farming contract ● (*leg.*) **c. parziaria**, share-cropping.

Colònia ④ f. (*geogr.*) Cologne.

coloniàle A a. **1** colonial: **architettura c.**, colonial architecture; **possedimenti coloniali**, colonies **2** (*biol.*) colonial **3** (*colore*) khaki ● **generi coloniali**, groceries B m. e f. colonial; colonist C m. (al pl.) (*generi coloniali*) groceries.

colonialìsmo m. (*polit.*) colonialism.

colonialìsta A m. e f. **1** (*polit.*) colonialist **2** (*studioso di cose coloniali*) expert in colonial matters B a. colonialist.

colonialìstico a. colonialist: **politica colonialistica**, colonialist policy.

colònico a. farmer's (attr.); farm (attr.): **casa colonica**, farmhouse.

colonizzàre v. t. **1** to colonize; to settle: **c. una regione**, to settle a region **2** (*biol.*) to colonize.

colonizzatóre A a. colonizing B m. (f. **-trìce**) colonizer.

colonizzazióne f. colonization; settlement.

♦**colónna** f. **1** (*archit., edil.*) column; pillar; post: **c. corinzia**, Corynthian column; **c. di sostegno**, supporting column; **c. dorica [ionica]**, Doric [Ionic] column; **la C. Traiana**, Trajan's column; **colonne binate**, twinned columns; (*mitol.*) **le colonne d'Ercole**, the Pillars of Hercules; (*archit.*) **senza c.**, astylar **2** (*fig.: appoggio, sostegno*) mainstay; pillar; stalwart: **una c. della Chiesa**, a pillar of the Church; **la c. della famiglia**, the mainstay of the family; **una c. portante del partito**, a party stalwart; *È una c., non so che farei senza di lui*, he's a pillar of strength, I don't know what I would do without him **3** (*di liquido, gas, ecc.*) column; pillar: **c. d'acqua**, column of water; **c. di fumo**, column (*o* pillar) of smoke; (*Bibbia*) **la c. di fuoco**, the pillar of fire; **c. di mercurio**, column of mercury **4** (*tubatura*) pipe; (*elemento di impianto*) column, tower: (*chim.*) **c. di frazionamento**, fractionating column **5** (*serie di elementi disposti verticalmente*) column: (*giorn.*) **la c. degli annunci**, the ad column; (*rag.*) **c. del dare [dell'avere]**, debit [credit] column; **c. di cifre**, column of figures; **c. di giornale**, newspaper column; **mettere in c. dei numeri**, to draw figures up in a column; **stampato su due colonne**, printed in two columns; (*tipogr.*) **bozza in c.**, galley (proof); **numeri in c.**, a column of figures; (*giorn.*) **titolo a quattro colonne**, four-column headline **6** (*fila*) column: **c. d'attacco**, attack column; **c. di automezzi**, motorized column; **avanzare in c.**, to advance in a column; **mettersi in c.**, to form a column ● **c. armata**, armed faction □ (*autom.*) **c. dello sterzo**, steering column □ (*mecc.*) **c. in ferro**, iron stanchion □ (*stor.*) **c. infame**, pillory; stocks (pl.) □ **c. miliare**, milestone □ (*edil.*) **c. montante**, riser □ (*cinem.*) **c. sonora**, soundtrack □ (*anat.*) **c. vertebrale**, spine; backbone □ (*polit.*) **quinta c.**, fifth column □ **saldo come una c.**, as firm as a rock.

colonnàre a. columnar.

colonnàto A m. (*archit.*) colonnade; (*coperto*) portico B a. colonnaded.

colonnèllo m. (*mil.*) colonel; (*aeron., in GB*) group captain.

colonnétta f. **1** → **colonnina**, def. 1 **2** (*cippo sepolcrale*) memorial stone **3** (*region.*) (round) bedside table.

colonnìna f. **1** small column; (*di balaustra, ecc.*) baluster, (railing) post **2** (*di termometro*) column of mercury; (*estens.*) thermometer **3** (*della benzina*) petrol pump; gas pump (*USA*).

colonnìno m. **1** (*archit.*) baluster; (railing) post **2** (*tipogr.*) half stick **3** (*giorn.*) single column.

colòno m. **1** (*contadino*) farmer; (*affittuario*) tenant farmer; (*mezzadro*) share-cropper **2** (*abitante di colonia*) colonist; settler; planter.

colonscopìa, **colonscòpio** → **coloscopia, coloscopio**.

còlophon m. inv. colophon.

coloquìntide f. (*bot., Citrullus colocynthis e frutto*) colocynth; bitter apple.

colorànte A a. colouring, coloring (*USA*); dyeing: **sostanza c.**, colouring agent; dye; dyestuff B m. (*chim.*) colouring agent; colour, color (*USA*); (*tintura*) dye: **c. per alimenti** (*consentito*), food colouring agent; **prodotto privo di coloranti**, product without artificial colouring.

coloràre **A** v. t. **1** to colour, to color (*USA*); to tinge; to tint; (*con tintura*) to dye **2** (*fig.*: *mascherare*) to mask; to hide* **B** **coloràrsi** v. i. pron. **1** to colour; to turn (+ agg.): *Il cielo si colorò di rosso*, the sky turned red **2** (*arrossire, per imbarazzo, ecc.*) to blush; (*per ira, freddo, ecc.*) to flush.

coloràto a. coloured, colored (*USA*); tinted; stained; (*anche fig.*) tinged: **carta colorata**, coloured paper; **lenti colorate**, tinted lenses; **stoffa colorata**, coloured material; **vetrata colorata**, stained-glass window.

coloratùra f. (*mus.*) coloratura.

colorazióne f. **1** colouring, coloring (*USA*); coloration; (*tinta*) colour, color (*USA*), hue, tint: **una c. rossastra**, a reddish hue; **prendere una c. marrone**, to take on a brown colouring; to turn brown **2** (*tinta*) hue; colouring.

colóre m. **1** colour, color (*USA*); hue; tint: **c. brillante**, bright colour (*o* hue); **c. cinereo**, ashen hue; **c. solido** (*o* **indelebile**), fast colour; **il c. verde**, (the colour) green; **i colori dell'arcobaleno**, the colours of the rainbow; **colori fondamentali**, primary colours; **colori pastello**, pastel tints; **color caffè**, coffee-coloured; **a colori**, in colour; colour (*attr.*); **illustrazione a colori**, colour illustration; **televisione a colori**, colour television; **di c. chiaro**, light-coloured; **di c. rosso**, red; *Il mare era del c. del piombo*, the sea was the colour of lead; *Di che c. è?*, what colour is it?; **cambiare c.**, to change colour; (*fig.*: *impallidire*) to go (*o* to turn) pale, to blanch; **gradazione** (*o* **tonalità**) **di c.**, hue; shade; **senza c.**, colourless **2** (*colorante*) colour; (*tintura*) dye; (*per dipingere*) colour, paint: **c. a tempera**, distemper; tempera; **c. in polvere**, ground paint; **colori a olio**, oils; **colori acrilici**, acrylic paints; **colori ad acquerello**, watercolours; **dare il c. a una parete**, to paint a wall; **bagno di c.**, dye; **mano di c.**, coat of paint; **scatola di colori**, paintbox; box of paints **3** (*al pl.*) (*bandiera, stemma, ecc.*) colours; **i colori nazionali**, the national colours; **i colori di una squadra**, a team's colours; **colori di scuderia**, racing colours **4** (*del viso*) colour; colouring; complexion: **c. acceso**, high colour; ruddy complexion; **c. olivastro**, sallow colour (*o* complexion); **avere un brutto c.**, to look unwell; *Gli tornò il c.*, his colour came back **5** (*fig.*: *vivacità*) vividness; liveliness; colour: **il c. di una descrizione**, the vividness of a description; **privo di c.**, colourless; dull **6** (*seme di carte da gioco*) suit **7** (*poker*) flush: **fare c.**, to have a flush **8** (*mus.*) timbre ● (*fig.*) **c. locale**, local colour □ **c.** (**politico**), (political) leanings (pl.); (political) tendency (*o* colour, bias) □ (*fig.*) **di ogni c.**, of all shades; of all stripes □ (*fig.*) **dirne di tutti i colori a q.**, to call sb. all sorts of names; to lash out at sb. □ (*anche fig.*) **dipingere qc. a vivaci colori**, to paint st. in vivid colours □ (*fig.*) **diventare di mille colori**, to turn every colour of the rainbow □ (*fig.*) **farne di tutti i colori**, to be up to all sorts of mischief (*o* of tricks) □ **Ne ho passate di tutti i colori**, I've been through a terrible time; I've really been through the mill □ (*fig.*) **c.** (**persone di c.**, coloured people □ (*giorn.*) **pezzo di c.**, colour piece □ (*fig.*) **sotto c. di**, in (*o* under) the guise of; under pretext (*o* colour, cover) of □ **stampa a tre colori**, three-colour print.

coloreria f. → **colorificio**, def. 2.

colorificio m. **1** paint factory; colour manufacturer **2** (*negozio*) home decorator shop.

colorimetria f. (*chim., fis.*) colorimetry.

colorimètrico a. colorimetric.

colorimetro m. colorimeter.

colorìre **A** v. t. **1** to colour, to color (*USA*); (*dipingere*) to paint **2** (*fig.*) to enliven; to colour; (*un racconto, anche*) to embroider **B** **co-lorìrsi** v. i. pron. **1** to take* on (*a colour, a hue*); to turn (+ agg.): *Il cielo si colorì di rosa*, the sky took on a rosy hue **2** (*in viso*) to colour up; to flush; (*per imbarazzo*) to blush.

colorìsmo m. (*pitt.*) emphasis on colour.

colorìsta m. e f. **1** (*pitt. ed estens.*) colourist **2** (*cinem.*) colour engineer.

colorìstico a. colour (attr.): **effetti coloristici**, colour effects.

colorìto **A** a. **1** coloured, colored (*USA*) **2** (*di viso*: *roseo*) rosy, pink; (*acceso*) flushed, red **3** (*fig.*) colourful; vivid; lively: **descrizione colorita**, vivid description; **linguaggio c.**, colourful language **B** m. **1** colouring; colour **2** (*carnagione*) complexion: **c. roseo** [**olivastro**], rosy [olive] complexion **3** (*vivacità espressiva*) vivacity; liveliness **4** (*mus.*).

coloritùra f. **1** colouring, coloring (*USA*) **2** (*fig.*) colour, color (*USA*); slant.

colorizzàre v. t. (*cinem.*) to colourize, to colorize (*USA*).

colóro pron. dimostrativo m. e f. pl. **1** (*in correlazione con «che»*) those (who, whom); they (who, whom) (*form.*): *C. che desiderano maggiori informazioni possono...*, those who wish for (*o* those requiring) more information can... **2** (*lett. o spreg.*) they (compl. them); those people: *Chi sono c.?*, who are they?

coloscopìa f. (*med.*) colonoscopy.

coloscòpio m. (*med.*) colonoscope.

colòssal m. inv. (*cinem., TV*) mammoth production; spectacular; epic; blockbuster.

colossàle a. colossal; huge; enormous; tremendous; gigantic; giant (attr.); mammoth (attr.): **fiasco c.**, tremendous failure (*o* flop); bomb (*fam. USA*); **un'impresa c.**, a mammoth task; **statua c.**, colossal statue; colossus; **uno svarione c.**, a colossal howler.

Colossèo m. Colosseum.

colòsso m. **1** (*statua*) colossus*: **il c. di Rodi**, the Colossus of Rhodes **2** (*gigante, anche fig.*) colossus*; giant: **un c. della letteratura**, a literary giant; **un c. industriale**, an industrial colossus; *Era un c. alto più di due metri*, he was a giant over two metres tall **3** (*cinem.*) → **colossal** ● (*fig.*) **essere un c. dai piedi di argilla**, to have feet of clay.

colostomìa f. (*chir.*) colostomy.

colostomizzàto m. (f. **-a**) person who underwent colostomy.

colòstro m. (*biol.*) colostrum.

cólpa f. **1** (*leg.*: *reato*) offence; (*delitto*) crime; (*negligenza*) negligence: **c. grave**, gross negligence; **c. lieve**, slight negligence; **concorso di c.**, contributory negligence; comparative negligence (*USA*) **2** (*fallo*) fault; (*responsabilità*) blame; (*peccato*) sin, wrong, wrongdoing; (*colpevolezza*) guilt: **le colpe dei padri**, the sins of the fathers; *La c. è mia* (*o* *È c. mia*), it's my fault; I am to blame; *Di chi è la c.?*, whose fault is it?; who is to be blamed?; *C. tua!*, it's your own fault; you have only yourself to blame; *Che c. ne ho io?*, it's no fault of mine; *Tu non ne hai c.*, you're not to blame; **per c. mia**, through my own fault; **non per c. mia**, through no fault of my own; **per c. di** (*a causa di*), because of; owing to; thanks to; **senza c.**, (*non responsabile*) blameless; (*innocente*) guiltless; **addossare la c. a q.**, to hang the blame on sb.; **dare la c. a q.**, to lay the blame on sb. (*o* at sb.'s door); to blame sb.; *Diede a me la c. del suo fallimento*, she blamed me for her failure; she blamed her failure on me; **dare la c. ad altri**, to shift the blame; **espiare** (*o* **scontare**) **una c.**, to expiate a sin; **prendersi la c. di qc.**, to take the blame for st.; (*addossarsela*) to shoulder the blame for st.; **sentirsi in c.**, to feel guilty; **ammissione di c.**, admission of guilt; **senso di c.**, guilt; guilty feeling; (*lieve*) compunction; **provare un senso di c.**, to feel guilty (about st.); to have a guilty feeling.

colpàccio m. coup; master stroke.

colpétto m. (*con la mano*) pat; (*con un dito, con un oggetto*: *battendo*) tap, rap, (*spingendo*) poke, prod; (*col gomito*) nudge.

colpévole **A** a. **1** (*in colpa, responsabile*) guilty (of) (*anche leg.*); culpable (for); responsible (for): **c. di furto**, guilty of theft; *Sono c. di averlo trascurato*, I am to be blamed for having neglected him; **dichiararsi c.**, to plead guilty; (*leg., anche*) to enter a plea of guilty; (*leg.*) **essere dichiarato c.**, to be found guilty; (*leg.*) **essere ritenuto c. di qc.**, to be considered responsible (*o* culpable) for st.; **sentirsi c.**, to feel guilty; **rendersi c. di qc.**, to be guilty of st. **2** (*che costituisce una colpa*) culpable; guilty: **pensiero c.**, guilty thought **B** m. e f. **1** culprit; person responsible; (*leg., anche*) offender, guilty party: **gli innocenti e i colpevoli**, the innocent and the guilty; **scoprire il c.**, to find the culprit **2** (*causa*) cause; thing responsible (for st.).

colpevolézza f. guilt; culpability: **provare la c. di q.**, to prove sb.'s guilt.

colpevolìsmo m. attitude of those who consider an accused person to be guilty.

colpevolìsta m. e f. one who considers an accused person to be guilty.

colpevolizzàre **A** v. t. to make* (sb.) feel guilty; to blame **B** **colpevolizzàrsi** v. rifl. to blame oneself; to consider oneself responsible (*o* at fault, to blame).

colpìre v. t. **1** (*battere, percuotere*) to hit*; to strike*; to knock; (*con violenza*) to bang, to thump (*fam. GB*): **c. la palla**, to hit (*o* to strike) the ball; (*calcio*) **c. un palo**, to hit a goal post; **c. q. alla testa**, to hit (*o* to strike, to knock, to bang) sb. on the head; **c. q. al viso**, to strike sb. in the face; **c. q. con un pugno**, to punch sb.; to hit sb.; **c. q. con una sassata**, to hit sb. with a stone; (*calcio*) **c. di testa**, to head **2** (*con arma da lancio*) to hit*; (*con arma da taglio*) to strike*, to stab; (*con arma da fuoco*) to shoot*; (*ferire*) to wound: **c. con la lancia**, to spear; **c. con una pugnalata**, to stab; **c. di piatto**, to hit with the flat (of st.); **c. di striscio**, to graze; **c. di taglio**, to slash at; *Fu colpito alla gamba (da un proiettile)*, he was shot in the leg; *L'edificio fu colpito da una bomba*, the building was hit by a bomb **3** (*centrare*) to hit*; to get*: **c. il bersaglio**, to hit the target; to score a hit; *L'hai colpito?*, did you get it? **4** (*fig.*) to hit*; to strike*; (*danneggiare*) to damage, to affect: *La regione fu colpita da un terremoto*, the region was hit (*o* struck) by an earthquake; *L'albero è stato colpito dal fulmine*, the tree was struck by lightning; *un provvedimento che colpisce i più poveri*, a measure that affects the poorer people; *Fu colpito da paralisi*, he was struck down by paralysis; *Sai della disgrazia che l'ha colpito?*, do you know about the awful thing that happened to him? **5** (*fig., con provvedimenti disciplinari, ecc.*) to clamp down on: **c. gli evasori**, to clamp down on tax evaders **6** (*fig.*: *impressionare*) to strike*; (*fare colpo*) to impress; (*nei sentimenti*) to affect, to move: **c. la fantasia**, to catch (*o* to capture) the imagination; *Mi colpì la sua prontezza*, I was struck by her quickness; *Fu molto colpito da quella vista*, that sight affected him deeply ● (*fig.*) **c. alla radice**, to strike at the root □ (*fig.*) **c. nel segno**, to hit the mark □ (*fig.*) **c. q. nel vivo**, to sting (*o* to cut) sb. to the quick; to touch a raw nerve.

colpìte f. (*med.*) colpitis.

cólpo m. **1** (*percossa, urto*) blow; stroke; knock; bang; (*pugno*) punch: **c. di martello**, stroke of the hammer; hammer stroke; **un c. in testa**, a blow (*o* a knock, a bang) on the

head; **dare un c. a qc.**, to hit (*o* to strike) st.; **assestare un c. a q.**, to deal sb. a blow; to hit sb.; **attutire il c.**, to cushion the blow; **incassare un c.**, to take a blow; **rispondere ai colpi di q.**, to hit back at sb.; **tempestare di colpi**, to rain blows on; to hammer at; **vibrare un c.**, to deliver a blow; to strike (at) **2** (*di strumento o arma tagliente*) stroke, slash, cut, cutting blow; (*fendente*) swipe, swing; (*di punta*) thrust; (*pugnalata*) stab; (*di scure e sim.*) chop: **c. di baionetta**, stab of a bayonet; **c. di spada**, sword stroke; *Gli inferse un c. di pugnale nel petto*, she stabbed him in the chest; *Spaccò il ceppo con un sol c. d'ascia*, he split the log with a single chop (of his axe); **abbattere una porta a colpi di scure**, to hack down a door; **aprirsi un varco a colpi di machete**, to hack one's way with a machete **3** (*d'arma da fuoco*) shot; (*salva*) round: **c. a salve**, blank shot; (*mil.*) **c. con proiettile**, live round; **sparare** (*o* **tirare**) **un c.**, to fire a shot; **mancare il c.**, (*di tiratore*) to miss; to bungle (*o* to muff) a shot; (*di arma*) to misfire **4** (*rumore*) bang; (*sparo*) shot, report; (*c. battuto*) knock, (*leggero*) tap, (*secco*) rap; (*rintocco*) stroke: **un c. alla porta**, a knock (*o* a bang, a rap) on the door; **c. di cannone**, cannon shot; **c. di fucile**, rifle shot, gunshot; **c. di pistola**, pistol shot; report of a pistol; **c. sordo**, thud; thump; *La porta sbatté con un forte c.*, the door shut with a bang; the door banged shut **5** (*fig.*: *shock, dolore*) blow; shock; (*spavento*) fright, turn (*fam.*): *La perdita del figlio fu per lei un grave c.*, the loss of her son came as a great blow to her; *Mi hai fatto venire un c.!*, you gave me such a fright!; **riaversi da un c.**, to recover from a blow; **subire un duro c.**, to suffer a bad blow **6** (*movimento, spinta, impulso*) blow; stroke; touch; push: **c. d'ala**, stroke of the wing; **c. di pedale**, (*di bicicletta*) push at the pedal; (*di pianoforte, ecc.*) touch of the pedal; **c. di remi**, stroke of the oars; **c. di reni**, leap; spring **7** (*tennis*) stroke; drive: **c. di rovescio**, backhand stroke; **c. diritto**, forehand drive; **c. smorzato**, drop shot; **c. tagliato**, chop; **c. con effetto**, spin shot **8** (*boxe*) blow; punch: **c. basso**, hit below the belt; **c. di destro** [**di sinistro**], right-hander [left-hander]; **c. d'incontro**, counter; **c. proibito**, illegal blow; hit below the belt **9** (*golf, biliardo*) shot **10** (*scherma*) thrust **11** (*med., fam.*) stroke: *Gli è venuto un c.*, he had a stroke **12** (*fig.*: *impresa*) coup (*franc.*): **un bel c.**, a coup; a success; **fare un bel c.**, to pull st. off **13** (*fig.*: *rapina*) robbery; job (*fam.*); heist (*fam. USA*): **c. da professionista**, professional job; **un c. in banca**, a bank robbery; **fare un c.**, to pull off a robbery; *Hanno fatto un c. in una gioielleria*, they robbed a jeweller's shop **14** (*giorn.*) scoop ● (*fig.*) **essere un c. basso**, to be below the belt; to hit (sb.) below the belt □ (*med.*) **c. d'aria**, chill □ (*med.*) **c. di calore**, heatstroke □ **c. di coda**, flick (*o* swish) of the tail; (*fig.*) sudden reversal □ **c. di forbici**, snap of the scissors □ **c. di fortuna**, stroke of luck; fluke □ **c. di frusta**, lash of the whip; (*med.*) whiplash (injury) □ (*fig.*) **c. di fulmine**, love at first sight □ (*nuoto*) **c. di gamba**, kick □ **c. di genio**, stroke of genius; brainwave □ (*anche fig.*) **c. di grazia**, finishing stroke; death blow; coup de grâce (*franc.*) □ (*mil.* e *fig.*) **c. di mano**, surprise attack; coup de main (*franc.*) □ **c. di mare**, big wave; breaker □ **c. d'occhio**, (*occhiata*) quick glance; (*veduta*) view: **a c. d'occhio**, at a glance; at first sight; **un bel c. d'occhio**, a fine view □ **c. di pennello**, stroke of the brush; brushstroke □ **c. di scena**, coup de théâtre (*franc.*); dramatic turn of events □ (*med.*) **c. di sole**, sunstroke □ **colpi di sole** (*nei capelli*), highlights: **farsi i colpi di sole**, to have one's hair high-lit □ **c. di sonno**, sudden sleepiness □ **c. di spazzola**, brushstroke □ **c. di Stato**, coup (d'état) (*franc.*) □ **c. di telefono**, call; ring (*GB*) □ **c. di testa**, (*sport*) header; (*fig.*) rash action: *Non fare colpi di testa*, don't do anything rash □ **c. di timone**, (*naut.*) tug at the wheel (*o* the tiller); (*fig.*) change of course □ **c. di tosse**, cough □ **c. di vento**, gust (of wind); (*naut.*) squall □ **c. gobbo** (*o* **mancino**), (*mossa fortunata*) lucky strike; (*imbroglio*) dirty trick, fast one: **tirare un c. gobbo a q.**, to pull a fast one on sb. □ **c. maestro**, master stroke; coup (*franc.*) □ **c. mancato**, miss; (*tennis*) misplay; (*biliardo*) miscue □ **a c. sicuro**, without hesitation □ **andare a c. sicuro**, to be dead certain about st. □ (*fig.*) **accusare il c.**, to feel the blow; to flinch □ (*fig.*) **al primo c.**, at the first attempt; straight off; first time round: **indovinare qc. al primo c.**, to get st. at once (*fam.* in one) □ **Bel c.!**, well done!; bravo! □ (*fig.*) **dare un c. al cerchio e uno alla botte**, to run with the hare and hunt with the hounds □ **dare un c. di spugna a qc.**, to wipe st. with a sponge; to pass a sponge over st.; (*fig.*) to wipe the slate clean □ **di c.**, suddenly; all of a sudden: **arrestarsi di c.**, to halt suddenly; to stop dead in one's tracks; to freeze; *La porta si chiuse di c.*, the door slammed shut □ (*fig.*) **fallire il c.**, to fail □ **fare c.**, to be impressive (*o* striking); to make an impression (on sb.); to impress; to cause a sensation: *È una ragazza che fa c.*, she is a striking girl; *L'ha detto per fare c.*, he said it to impress; *Ha fatto c. su Adriana*, he made a big impression on Adriana □ (*fig.*) **far prendere un c. a q.**, to give sb. a shock (*o* a turn, a fit) □ **in un sol c.**, in one go; at a stroke; in one fell swoop (*fam.*): **bere qc. in un sol c.**, to gulp st. down in one go; *Hanno licenziato trenta impiegati in un sol c.*, they have laid off thirty people in one fell swoop □ **infliggere un duro c. a q.**, to hit sb. hard □ (*fig.*) **non perdere un c.**, to be quick (on the mark); to be on one's toes □ **perdere colpi**, (*autom.*) to misfire; (*fig., di persona*) to slow down, to be on the decline, to lose one's grip; (*di società e sim.*) to be shaky □ **senza c. ferire**, without striking a blow; without firing a shot □ **senza esclusione di colpi**, no holds barred □ **sul c.**, instantly; outright; on the spot; there and then: *È morto sul c.*, he died on the spot (*o* instantly); *Restò ucciso sul c.*, he was killed outright □ (*fig.*) **tentare il c.**, to have a shot (at st.); (*provarci*) to try it on □ (*fam.*) **Che mi venga un c.!**, blow me down!; well, I'll be damned! □ (*fam.*) **Gli** [**Ti**] **venisse un c.!**, damn him [you]!

colposcopìa f. (*med.*) colposcopy.

colposcòpio m. (*med.*) colposcope.

colpóso a. (*leg.*) culpable; without malice aforethought (pred.) ● **omicidio c.**, manslaughter.

coltèlla f. large knife*; kitchen knife*.

coltellàccio m. **1** large knife* **2** (*arma*) cutlass **3** (*vela*) studdingsail.

coltellàme m. knives (pl.).

coltellàta f. **1** (knife) stab; (*ferita*) knife wound: (*anche fig.*) **una c. alla schiena**, a stab in the back; **prendersi una c.**, to get knifed; *Fu ucciso a coltellate*, he was knifed (*o* stabbed) to death **2** (*fig.*) stab to the heart; bitter blow: *La notizia fu una c.*, the news came as a dreadful blow **3** (*edil.*) header brick wall.

coltellàto a. (*edil.*) made with headers; header (attr.).

coltellerìa f. **1** (set of) knives **2** (*fabbrica*) cutlery factory **3** (*negozio*) cutler's (shop).

coltellièra f. knife box; knife case.

coltellìna f. boning knife*.

coltellinàio m. knife maker; knife seller; cutler.

coltellìno m. **1** small knife*; (*da frutta*) fruit knife* **2** (*temperino*) pocket knife*, penknife*.

♦**coltèllo** m. **1** knife*: **c. a molla** (*o* **a scrocco**), flick knife; switchblade (knife) (*USA*); **c. a serramanico**, jack-knife; **c. anatomico**, surgical knife; **c. da caccia**, hunting knife; **c. da cucina**, kitchen knife; **c. da pane**, bread knife; **c. da tasca**, pocket knife; **c. da tavola**, table (*o* dinner) knife; **c. elettrico**, electric knife; **c. per disossare**, boning knife **2** (*della bilancia*) knife edge **3** (*dell'aratro*) coulter **4** (*mecc.*) knife*; cutter; blade: **c. per finitura**, finishing cutter ● (*edil.*) **a c.** (*o* **per c.**), at right angles to the wall; edge-on □ (*fig.*) **avere il c. alla gola**, to have one's back to the wall □ (*fig.*) **avere il c. per il manico**, to have the upper hand; to have sb. over a barrel (*fam.*) □ (*fig.*) **girare il c. nella piaga**, to twist the knife (in the wound) □ **lanciatore di coltelli**, knife thrower.

coltivàbile a. **1** cultivable; tillable **2** (*di miniera e sim.*) workable.

coltivabilità f. cultivability.

♦**coltivàre** v. t. **1** (*agric.*: *la terra*) to cultivate; to till; to farm: **c. la terra**, to till the soil; to farm the land; **c. un terreno a segale**, to plant a field with rye **2** (*agric.*: *far crescere*) to grow*; to cultivate: **c. grano** [**pomodori, fragole**], to grow wheat [tomatoes, strawberries] **3** (*min.*) to work; to exploit **4** (*fig.*) to cultivate; to improve: **c. un'amicizia** [**un interesse**], to cultivate a friendship [an interest]; **c. la mente**, to cultivate (*o* to develop) one's mind; **c. una speranza**, to cherish a hope **❶Nota:** ***to cultivate o to grow?*** → **to cultivate.**

coltivàto **A** a. **1** (*di terra*) cultivated; tilled; under cultivation (pred.); under crop (pred.); planted (with st.) (pred.): **campi coltivati**, fields under crop; tilled land **2** (*non spontaneo*) cultivated; cultured: **funghi coltivati**, cultivated mushrooms; **perle coltivate**, cultured pearls **B** m. (*agric.*) cultivated (*o* tilled) land; fields (pl.) under crop.

♦**coltivatóre** m. **1** (f. **-trìce**) grower; tiller; (*agricoltore*) farmer: **c. di aranci**, orange grower; **c. di tè**, tea planter; **c. diretto**, (small) farmer; **piccolo c.**, small farmer **2** (*attrezzo agric.*) cultivator; (*a lame rotanti*) rotavator®.

♦**coltivazióne** f. **1** (*della terra*) cultivation; tillage; farming: **la c. del suolo**, the cultivation (*o* tillage) of the soil; farming; **c. estensiva** [**intensiva**], extensive [intensive] farming (*o* cultivation) **2** (*coltura*) cultivation, growing: **la c. dell'olivo**, the cultivation of olive trees; **c. del tabacco**, tobacco growing **3** (*terreno coltivato*) land under cultivation; field under crop; plantation **4** (*prodotto coltivato*) crop **5** (*di giacimento minerario*) working; exploitation.

coltivo **A** a. **1** (*coltivabile*) cultivable **2** (*coltivato*) cultivated **B** m. field under crop; tilled land.

♦**cólto** a. educated, well-educated; well-read; (*dotto*) learned; (*raffinato, anche di gusto*) cultivated, cultured: **le persone colte**, educated people; *È una donna colta e amante dell'arte*, she is a cultivated woman and a lover of art; **parola colta**, learned word.

cóltre f. **1** (*coperta*) blanket **2** (*drappo funebre*) pall **3** (*fig.*: *strato*) blanket: **una c. di neve**, a blanket of snow.

cóltro m. (*agric.*) coulter.

coltróne m. **1** (*da letto*) quilt; counterpane **2** (*tenda imbottita*) portière (*franc.*).

coltùra f. **1** (*agric.*) cultivation; farming; growing: **la c. della vite**, vine growing; **c. estensiva** [**intensiva**], extensive [intensive] cultivation (*o* farming); **c. idroponica**, hydroponics (pl. col verbo al sing.); **mettere un terreno a c.**, to put a field to crop **2** (*spe-

cie coltivata) crop: **c. intercalare**, catch crop; **rotazione delle colture**, crop rotation **3** (*allevamento*) breeding; keeping; farming: **c. delle api**, beekeeping; **la c. dei bachi da seta**, silkworm breeding; **c. delle ostriche**, oyster farming **4** (*med.*, *biol.*) culture: **c. di batteri**, culture of bacteria; **c. in vitro**, in-vitro culture; **piattino di c.**, Petri dish.

colturàle a. **1** (*di coltivazione*) cultivation (attr.); of crops **2** (*di allevamento*) breeding (attr.) **3** (*med.*, *biol.*) cultural; culture (attr.).

colturaménto m. (*agric.*) cultivation.

colùbride m. (*zool.*) colubrid; (*al pl.*, *scient.*) Colubridae.

colubrina f. (*mil.*, *stor.*) culverin.

colùbro m. **1** (*zool.*, *Coluber*) coluber **2** (*lett.*) snake; serpent; adder ● (*zool.*) **c. di Esculapio** (*Elaphe longissima*), Aesculapius' snake.

◆**colùi** pron. dimostrativo m. **1** (*in correlazione con «che»*) the man* [the boy] (who, whom); the one (who, whom); the person (who, whom); (*form.*) he (compl. him) (who, whom): **c. che sarà eletto**, the man [the person] who will be elected; *C. che perde la vita per me la troverà*, he who loses his life for my sake shall find it **2** (*lett. o spreg.*) he (compl. him); that man*: *Chi è c.?*, who's he?; *Guardati da c.!*, beware of that man!

columbìte f. (*miner.*) columbite.

columèlla f. (*anat.*) columella* (auris).

colùro m. (*astron.*) colure.

còlza f. (*bot.*, *Brassica napus arvensis*) rape; oil-seed rape; colza: **olio di c.**, rape (*o* rape-seed) oil.

com. abbr. (**comunale**) municipal.

còma ① m. **1** (*med.*) coma: **c. profondo** [**irreversibile**], deep [irreversible] coma; **entrare in c.**, to go into a coma; **essere in c.**, to be in a coma; to be comatose; **uscire dal c.**, to come out of the coma **2** (*fig.: stanchezza*) utter exhaustion; (*stato di shock*) state of shock; (*crisi profonda*) deep crisis: *Sono in c.!*, I'm utterly exhausted!; I'm shattered! (*fam.*).

còma ② f. (*ottica*) coma.

comacino a. of Como; of Lake Como; Comacine: (*stor. arte*) **i Maestri comacini**, the Comacine masters.

comànda f. (*region.*) order (at a restaurant).

comandaménto m. **1** (*relig.*) commandment: **i dieci comandamenti**, the Ten Commandments **2** (*lett.*) command; order.

◆**comandànte** m. **1** (*mil.*) commander, commanding officer (abbr. C.O.); (*di accademia, fortezza, ecc.*) commandant: **il c. della pattuglia**, the officer commanding the patrol **2** (*naut.*) captain; (*di nave da carico*) skipper, (ship's) master **3** (*aeron. civile*) captain: *È il c. che vi parla*, this is the captain speaking ● (*naut.*) **c. di porto**, harbour master ● **c. in capo** (*o supremo*), commander-in-chief □ (*naut.*, *mil.*) **c. in seconda**, second-in-command; executive officer; (*di mercantile*) mate □ **C., è mio dovere informarla...**, Sir, it is my duty to inform you...

◆**comandàre** Ⓐ v. i. to give* orders; to command; to be in charge; to be the boss: **l'arte di c.**, the art of commanding; *Chi comanda qui?*, who's in charge here?; *Qui comando io*, I give orders here; I am the boss here (*fam.*); *Non credere di potermi c., sai!*, don't think you can order me about! Ⓑ v. t. **1** (*ordinare*) to order; to command: **c. il silenzio**, to order silence; *Mi comandò di uscire dalla stanza*, she ordered me to leave the room; *Comandò che si portasse il prigioniero*, he ordered the prisoner to be brought **2** (*essere al comando di*) to be in charge of; (*mil.*) to command, to be in command of: **c. una nave** [**un esercito**], to com-

mand a ship [an army] **3** (*una vivanda*) to order **4** (*mecc.*) to control; to operate; (*azionare*) to drive*: **c. a distanza**, to operate by remote control; to remote-control **5** (*bur.*: *destinare*) to second **6** (*lett.*: *richiedere*) to demand; to require **7** (*lett.*: *dominare dall'alto*) to command ● **c. a bacchetta**, to order (sb.) about □ (*elettr.*) **c. a mezzo di relè**, to relay □ **Comandi!**, yes, sir [madam]!; (*mil.*) Sir! □ **come Dio comanda** (*bene*), properly; as it should be □ (*prov.*) **Al cuore non si comanda**, the heart has its reasons.

comandàta f. (*naut.*) watch: **prima** [**seconda**] **c.**, first [second] watch.

comandàto a. **1** ordered; commanded **2** (*mecc.*) controlled, operated; (*mosso*) driven: **c. a distanza**, remote-controlled; **c. a mano**, hand-driven; **c. meccanicamente**, machine-driven; power-operated **3** (*bur.*) seconded; in secondment; temporarily attached ● (*eccles.*) **feste comandate**, days of obligation.

◆**comàndo** m. **1** (*ordine*) order; command; bidding (*lett.*); (*leg.*) order, injunction: (*mil.*) **c. di «attenti!»** [**«di riposo!»**], order to stand at attention [at ease]; (*leg.*) **un c. del magistrato**, an injunction of the Court; **dare un c.**, to give (*o* to issue) an order; **eseguire un c.**, to carry out an order; **ubbidire a un c.**, to obey an order **2** (*autorità*) command; charge; leadership: **avere il c.** (*o* **essere al c.**) **di un reggimento**, to be in command of a regiment; *Ha cento uomini al suo c.*, he has a hundred men under his command; **esercitare il c.**, to be in command (*o* in charge); **prendere** (*o* **assumere**) **il c.**, to take (*o* to assume) command; to take on the leadership; **prendere il c. delle operazioni di salvataggio**, to take charge of the rescue operations; **attitudine al c.**, leadership **3** (*sede di comandante*) headquarters (pl., *a volte* col verbo al sing.; abbr. HQ): **c. di divisione**, division headquarters; **c. generale**, general headquarters (abbr. GHQ); **riferire al c.**, to report to headquarters **4** (*elettr.*, *aeron.*) control; (*mecc.*) drive: **c. a distanza**, remote control; **c. a pedale**, foot control; **c. a pulsante**, push-button control; **c. ausiliario**, servo-control; **c. centralizzato**, central control system; (*aeron.*) **c. del gas**, throttle control; (*aeron.*) **comandi di volo**, flight controls; (*autom.*) **comandi sul volante**, controls on the steering wheel; **doppio c.**, dual control; **azionare i comandi**, to manipulate the controls **5** (*sport: posizione di testa*) head; lead: **essere al c. della gara**, to be leading; to be in the lead; **prendere il c.**, to forge ahead; **essere al c. della classifica**, to be top of the results list; (*calcio*) to be at the top of the league **6** (*naut.*) captainship **7** (*bur.*) secondment; temporary attachment ● **Ai suoi comandi**, at your service! □ **Non sono mica ai tuoi comandi**, I'm not at your beck and call □ (*fig.*) **avere la bacchetta del c.**, to have full authority.

comàndolo m. (*ind. tess.*) thread.

comàre f. **1** (*madrina*) godmother; sponsor **2** (*amica*) old friend; (*vicina*) neighbour; (*donna*) wife **3** (*donna pettegola*) gossip ● (*nelle fiabe*) **C. Volpe**, Mistress Fox □ **Le allegre comari di Windsor**, The Merry Wives of Windsor □ **storie da comari**, old wives' tales □ *Litigavano come due comari*, they were squabbling like two fishwives.

comàsco Ⓐ a. of Como; from Como; Como (attr.) Ⓑ m. native [inhabitant] of Como.

comatóso a. (*med.*) comatose.

cómba f. (*geogr.*) combe.

combaciaménto m. **1** fitting together; tallying; matching **2** (*giuntura*) joint; point of union **3** (*mecc.*) mating; matching: **c. imperfetto**, mismating; mismatching.

combaciàre v. i. **1** to fit; to fit together; to meet*; to butt; to match; to join: **far c.**,

butt; to match **2** (*fig.*: *coincidere*) to agree; to fit; to fit in (with); to coincide; to tie in (with); to tally: **opinioni che non combaciano**, views which do not agree.

combattènte Ⓐ a. fighting; combatant Ⓑ m. e f. fighter; (*soldato*) combatant; (*mil.*) person in the fighting services; serviceman* (m.), servicewoman* (f.): **c. di prima linea**, front-line fighter; **c. per la libertà**, freedom fighter; **ex c.**, ex-serviceman (m.); ex-servicewoman (f.); (war) veteran (USA); **non c.**, non-combatant Ⓒ m. (*zool.*, *Philomacus pugnax*) ruff.

combattentìsmo m. belligerence.

combattentìstico a. ex-servicemen's (attr.); veteran (attr., USA).

◆**combàttere** Ⓐ v. i. **1** to fight*; (*essere in guerra*) to be at war: **c. accanitamente**, to fight tooth and nail; **c. ad armi pari**, to fight on equal terms; **c. contro q.**, to fight sb. (*o* against sb.); **c. corpo a corpo**, to fight hand-to-hand; **c. per una giusta causa**, to fight for a just cause; *Ha combattuto in Africa*, he fought in Africa **2** (*fig.*) to fight*; to battle; to contend: **c. contro il sonno**, to fight against sleep; **c. per una società migliore**, to fight for a better society; **c. per avere pari diritti**, to battle for equal rights **3** (*sport*) to fight* Ⓑ v. t. **1** to fight*: **c. una battaglia**, to fight a battle **2** (*fig.*) to fight*; to fight* against; to oppose; to combat: **c. l'ingiustizia** [**il razzismo**], to fight (*o* to fight against, to oppose) injustice [racism]; **c. l'inflazione**, to fight against inflation **3** (*sport*) to fight* Ⓒ **combàttersi** v. rifl. recipr. to fight*; to be at war (with each other).

◆**combattiménto** m. **1** fight; combat; battle; action; encounter; fighting Ⓤ: **c. all'ultimo sangue**, a fight to the last; **c. corpo a corpo**, hand-to-hand fighting (*o* combat); **pesanti combattimenti**, heavy fighting; *Il c. durò* (*o I combattimenti durarono*) *tutto il giorno*, the fighting went on all day; *Ai posti di c.!*, battle stations!; **ucciso in c.**, killed in action; **truppe di c.**, combat troops **2** (*lotta*) fight: **c. di cani**, dogfight; **c. di galli**, cockfight **3** (*boxe, ecc.*) match; bout: **fuori c.** → **fuori combattimento 4** (*fig.*) conflict; clash; contest.

combattività f. combativeness; pugnacity; fighting spirit.

combattìvo a. combative; pugnacious; fighting; feisty (USA): **spirito c.**, fighting spirit; pugnacity.

combattùto a. **1** (*contrastato*) hard-fought; hard-won: **gara combattuta**, hard-fought contest; **vittoria combattuta**, hard-won victory **2** (*indeciso*) undecided; uncertain; torn (pred.): *Era c. tra il restare o il partire*, he was uncertain whether to stay or to leave; he was torn between staying and leaving **3** (*travagliato*) troubled; distressed.

combinàbile a. combinable (*anche chim.*); matchable; (*compatibile*) compatible.

◆**combinàre** Ⓐ v. t. **1** (*mettere insieme*) to combine, to put* together; (*accostare*) to match; (*accordare*) to combine, to reconcile: **c. colori**, to match colours; **c. lavoro e piacere**, to combine business with pleasure **2** (*organizzare*) to arrange, to organize, to plan; (*decidere*) to agree: **c. una data per l'incontro**, to fix (*o* to agree on) a date for the meeting; **c. un incontro**, to arrange a meeting; **c. un matrimonio**, to arrange a marriage; *Combinammo di incontrarci in città*, we agreed to meet in town **3** (*concludere*) to conclude; to get* (st.) done; to accomplish; to achieve: **c. un accordo**, to conclude an agreement; **c. un affare**, to make (*o* to strike) a deal; to conclude a transaction (*form.*) **4** (*chim.*) to combine **5** (*fam. fare*) to do*; to get* (st.) done; to be up to (*fam.*): **c. un pasticcio**, to make a mess; **c. poco**, to

get very little done; *Che diamine stai combinando?*, what on earth are you doing?; *Guarda cos'hai combinato!*, look what you've done!; *L'hai combinata grossa!*, now you've done it!; *Non combinerà mai nulla nella vita*, she'll never get anywhere in life; *Che state combinando voi due?*, what are you two up to?; *Ne ha combinata una delle sue*, he's been up to one of his tricks **B** v. i. (*concordare*) to agree, to fit in; (*coincidere*) to coincide, to tally: *Le due versioni non combinano*, the two versions don't agree; *Purtroppo il tuo invito non combina con l'orario dei treni*, unfortunately your invitation doesn't fit in with the times of the trains **C combinàrsi** v. i. pron. **1** (*stare bene insieme*) to go* (with); to go* well together: *Questi grigi e questi rossi si combinano bene*, these greys and reds go well together **2** (*mettersi d'accordo*) to agree; to come* to an agreement; to settle: **combinarsi sul prezzo**, to agree (o to settle) on the price **3** (*chim.*) to combine **4** (*fam.: indossare*) to get* oneself up; to rig oneself up: *Si era combinato in una specie di caftano*, he was rigged up in a sort of kaftan; *Ma come ti sei combinato?*, what sort of a get-up is that?

combinàta f. (*sci*) combined event: **c. nordica**, Nordic combine.

combinàto a. **1** (*predisposto*) arranged; fixed: **matrimonio c.**, arranged marriage; *Era tutta una faccenda combinata*, it was all an arranged thing; it had all been fixed beforehand **2** (*congegnato*) conceived; planned: **un piano ben c.**, a well-conceived scheme **3** (*truccato*) fixed; rigged: **incontro c.**, fixed match **4** (*congiunto*) joint; combined: **comando c.**, joint command; **operazione combinata**, combined operation ● (*fam.*) È c. **male** (*è nei pasticci*), he's in a fix □ **Era combinata da far paura** (*era vestita male*), her dress was a mess.

combinatóre A a. combinatory ● (*telef.*) **disco c.**, dial **B** m. **1** combiner **2** (*elettr.*) controller.

combinatòrio a. combinatorial; combinatory: (*mat.*) **calcolo c.**, combinatorial analysis.

combinazióne① f. **1** (*insieme*, *unione*) combination; conjunction; (*mescolanza*) mix; (*fusione*) fusion: **una c. di circostanze**, a conjunction of events; **c. di colori**, colour scheme **2** (*di cassaforte*) combination: **serratura a c.**, combination lock **3** (*chim.*, *ling.*, *mat.*) combination **4** (*caso*) coincidence; chance; fluke: *Guarda che c.!*, what a coincidence!; *Fu una pura c.*, it was pure coincidence (o sheer chance); **per c.**, by chance **5** (*comm.*, *turistico*) package.

combinazióne② f. **1** (*sottoveste*) lingerie set; camiknickers (pl.) **2** (*tuta*) coverall; boilersuit; suit: **c. di volo**, flight suit; **c. spaziale**, spacesuit.

combine (*franc.*) f. inv. **1** (*sport*) rigging ⊞; fraud: *La partita è stata già decisa da una c.*, the match has been rigged **2** (*estens.*) secret pact; conspiracy.

combìno m. (*pop.*) secret agreement.

cómbo m. inv. **1** (*fotogr.*) montage **2** (*jazz*) combo.

combrìccola f. **1** (*spreg.*) gang; bunch; crew; clique **2** (*compagnia di amici*) band; crowd; set; gang.

comburènte a. e m. comburent.

comburènza f. comburence.

combustìbile A a. combustible; fuel (attr.): **olio c.**, fuel oil; **sostanza c.**, combustible substance **B** m. fuel; combustible (material): **c. a basso [ad alto] potere calorifico**, low-grade [high-grade] fuel; **c. gassoso [liquido, solido]**, gaseous [liquid, solid] fuel; **c. nucleare**, nuclear fuel; **c. per riscaldamento**, heating fuel; (*elettr.*) **pila a c.**,

fuel cell; **rifornire [rifornirsi] di c.**, to refuel.

combustibilità f. combustibility.

combustióne f. combustion; burning: **c. lenta**, slow combustion; **c. spontanea**, spontaneous combustion; **camera di c.**, (*di caldaia*) firebox; (*di motore*) combustion chamber; **gas di c.**, fuel gas; (*mecc.*) **ritardo di c.**, combustion lag; **stufa a c.**, slow-burning stove.

combùsto a. (*lett.*) burnt; combusted.

combustóre m. combustion chamber; combustor.

combùtta f. gang; bunch; crew; clique ● **in c.**, in league; in collusion; hand in glove (*fam.*); in cahoots (*fam.*): *Sono in c. con la mafia*, they are in cahoots with the mafia; **fare** (o **mettersi in**) **c. con q.**, to get in league with sb.; to gang up with sb.

◆cóme A avv. **1** (*simile a*, *uguale a*, *a somiglianza di*) like; (*nei compar. d'uguaglianza*) (as...) as; (*per esemplificare: quale*) such as, like: *Ha una macchina c. la mia*, she has a car like mine; *Siamo c. fratelli*, we are like brothers; **nuotare c. un pesce**, to swim like a fish; **gente c. loro**, people like them; *C. tutti gli altri, anche noi ci fidavamo di lui*, like everybody else, we too trusted him; *È c. parlare al muro*, it's like talking to the wall; **chiaro c. il sole**, as clear as daylight; **grande c. una casa**, as big as a house; *Sei alto c. lui*, you are as tall as he is (*fam.* as him); **animali domestici, c. il gatto e il cane**, domestic animals such as (o like) cats and dogs; **cose c. le vacanze e il tempo**, things like holidays and the weather **2** (*a mo' di*, *alla stregua di*) as; by way of: **un coltello che uso c. tagliacarte**, a knife I use as a letter opener; *C. esempio, posso citare il mio caso*, as (o by way of) an example, I can mention my own case **3** (*in qualità di*, *in quanto*) as: *Lavora c. impiegato*, he works as a clerk; *C. amico, posso dirti che hai torto?*, speaking as a friend, may I tell you that you are wrong?; *C. moglie, non poteva testimoniare contro di lui*, being his wife, she couldn't give evidence against him; *Che opinione hai di lui c. scrittore?*, what's your opinion of him as a writer? **4** (*interr.: in che modo?*) how, how well; (*che cosa*) what; (*di che genere o aspetto*) what... like: *C. stai?*, how are you?; *C. va?*, how are things?; *C. la pensi?*, what's your opinion?; *Com'è il tuo capo?*, what's your boss like?; *Com'era il film [il tempo]?*, what was the film [the weather] like?; *C. fa da mangiare sua moglie?*, what's his wife like as a cook?; *C. le vuoi le uova*, how you want your eggs?; *C. si fa?*, how do you do it?; *C. hai fatto a scoprirlo?*, how did you find out?; *C. facevi a saperlo?*, how did you know?; *C. osi?*, how dare you? **5** (*in correl. con «tanto», «così»*) (both...) and; as well as: **tanto i Greci c. i Romani**, both the Greeks and the Romans; the Romans as well as the Greeks **6** (*escl. con agg., verbi e avv.*) how: *C. sei pallido!*, how pale you are!; *C. sei gentile!*, how kind of you!; *C. canta bene!*, how well she sings!; *C. mi spiace!*, I am terribly sorry!; *C. vorrei che tu fossi qui!*, how I wish you were here!; how I would like you to be here! **7** (*escl. enfatica*) what!: *C.! non è arrivato?*, what? hasn't he arrived?; *Ma c.!*, what! ● **C.?** (o *C. hai detto?*), pardon?; what did you say?; what was that? (*fam.*); come again? (*fam.*) □ (*comm.*) **c. da allegato**, see attached sheet □ (*comm.*) **c. da campione**, as per sample □ **c. d'accordo**, as agreed (upon) □ (*comm.*) **c. da vostra richiesta**, as requested □ **com'è, c. non è**, all of a sudden □ **com'è vero Dio**, as God is my witness □ **c. mai?** (o **com'è che?**), why?; how come?; (*enfat.*) why on earth?; why ever?: *C. mai sei venuto?*, why did you come?; *C. mai non lo sapevi?*, how

come you didn't know?; *Chissà c. mai non è qui*, I wonder why he isn't here □ **C. no!**, of course!; sure! (*fam. USA*) □ **C. non detto!**, never mind; forget it □ **c. prima**, as before □ **c. pure**, as well as; (*se i termini sono due, anche*) both... and...: *Parlo l'italiano c. pure l'inglese*, I speak English as well as Italian; I speak both Italian and English; *Mi piace lo sport, c. pure la musica e la lettura*, I like music and reading, as well as sports □ **c. sempre** (o **c. al solito**), as usual; **sorridendo c. sempre**, smiling as usual; with one's usual smile □ **c. sopra**, as above □ (*telef.*) **A c. Ancona**, A for Andrew □ **c. → eccome** □ **qualcosa c. un milione**, something like a million **B** cong. **1** (*dichiarativo*) that (*spesso sottinteso*); how: *Mi spiegò c. fosse stato tutto un malinteso*, he told me (that) it had all been a misunderstanding **2** (*in quale modo*) how: *Vediamo c. se la cava*, let's see how she manages; *Non so c. cominciare*, I don't know how to begin; *Lo sai c. sono fatto!*, you know what I'm like!; *Ecco c. è successo*, this is how (o the way) it happened; *Bada a c. rispondi*, mind how you answer **3** (*nel modo in cui*) as: *Fa' c. vuoi*, do as you like; *Fa' c. me* (o *c. faccio io*), do as I do; **scrivere c. si parla**, to write as one speaks; *È andata c. pensavo*, it went as I expected; *Mi tratta c. se fossi un estraneo*, she treats me as if I were (o like) a stranger; *Da c. mangia, si direbbe che sia digiuno da una settimana*, (from) the way he's eating, you'd think he'd been fasting for a week **4** (*compar.*) as; (*di c.*) than: *Non è lungo c. vorrei*, it's not as long as I would like; **meglio di c. pensassi**, better than I thought; *È più vecchio di c. l'avevi descritto*, he's older than you described him **5** (*temporale*) as; (*non appena*) as soon as: *C. aprii la porta, squillò il telefono*, as I opened the door, the telephone rang; *C. mi vide, uscì*, as soon as he saw me, he left **6** (*nelle proposizioni incidentali*) as: *C. vedi, qui è tutto tranquillo*, as you can see, everything is quiet here □ **c. che sia**, in any case; anyway □ **c. Dio volle**, eventually; at long last; somehow or other □ **c. eravamo**, the way we were □ **C. sarebbe a dire?**, what do you [does he, etc.] mean by that? □ **c. se**, as though; as if: **c. se fosse colpa mia**, as though (o as if) it were my fault; *C. se non lo sapessi!*, as if I didn't know!; *Fece c. se io nemmeno ci fossi*, he carried on as if I wasn't there □ **c. segue**, as follows □ **c. si suol dire**, as they say; as the phrase (o saying) goes □ (*così*) **c. stanno le cose**, as it is; as things are **C** m. – **il c. e il perché**, the whys and wherefores; *Il c. e il quando restano un mistero*, how and when it happened is still a mystery.

❶ NOTA: *come*

L'avverbio interrogativo **come** si traduce in genere con how quando si chiedono informazioni su caratteristiche soggette a variazione, ad esempio la salute, lo stato d'animo o le impressioni di qualcuno: «*Come sta Peggy?*» «*Bene*», «how's Peggy?» «she's fine»; «*Come va la scuola?*», «how's school?»; *Come hai trovato il film?*, how was the movie?

come si traduce invece con what ... like quando si chiedono informazioni su attributi permanenti come l'aspetto fisico o il carattere: «*Com'è la sua ragazza?*» (= che aspetto ha?)» «*È alta e ha i capelli scuri*», «what does his girlfriend look like?» «she's tall and dark-haired» (non ~~how's his girlfriend?~~); «*Com'è Peggy?*» (= che tipo è?)» «*È una gran chiacchierona*», «what's Peggy like?» «she's a great talker» (non ~~How's Peggy?~~).

comedóne m. (*med.*) comedo*; (*com.*) blackhead.

comènto m. (*naut.*) seam.

cométa f. (*astron.*) comet.

comfort m. inv. comfort; convenience; (*di albergo, ecc.*) facility, luxury.

còmica f. 1 (*cinem.*) (silent) slapstick comedy 2 (*fig.*) farce; joke.

comicità f. comic quality; funniness; (*di situazione*) comedy, funny side; (*umorismo*) humour.

comicizzàre v. t. to turn into comedy; to turn into a joke.

còmico A a. 1 (*buffo*) funny; comic; comical: **un tipo c.**, a funny character; **il lato c. delle cose**, the funny side of things; **situazione comica**, comical situation; **un c. equivoco**, a comical misunderstanding 2 (*teatr.*) comic; comedy (attr.): **attore c.** → B, *def. 2*; **il genere c.**, the comic genre; comedy; (*mus.*) **opera comica**, comic opera; **teatro c.**, comic theatre; comedy B m. 1 (*comicità*) comedy; comic quality; funniness: **buttarla sul c.**, to turn st. into comedy (*o* into a joke); to laugh st. off; *Il c. è che...*, the funny thing is that... 2 (*attore*) comic actor; comedian; comic; (*che si esibisce da solo, cabarettista*) stand-up comedian; (*stor.*) player 3 (*scrittore di commedie*) writer of comedies; comic writer.

comignolo m. 1 (*di camino*) chimney pot 2 (*di tetto*) roof ridge; (*la trave*) ridge piece (*o* tree).

cominciaménto m. (*lett.*) beginning; commencement.

♦**cominciàre** A v. t. 1 to begin*; to start on: **c. un lavoro nuovo**, to start on (*o* to begin) a new job; **c. un libro**, to begin a book; **c. un viaggio**, to begin a journey; to start on a journey 2 (*aprire*) to open: **c. una scatola di cioccolatini**, to open a box of chocolates 3 (+ **a** e inf.) to begin*; to start: **c. a lavorare**, to start work; **c. a leggere**, to begin (*o* to start) to read; *Comincia a farmi male la testa*, my head is beginning to ache; *Cominciò a piovere*, it started to rain; it started raining; *Comincia a far freddo*, it's getting (*o* turning) cold B v. i. to begin*; to start; to start off; to commence (*form.*): **c. da principio**, to begin at (*o* to start from) the beginning; **c. da zero**, to start from scratch; **c. per vocale**, to begin with a vowel; *La gara comincia alle tre*, the race starts at three; *È già cominciato il film?*, has the film started yet?; *Il libro comincia con un dialogo*, the book starts (off) with a dialogue; *Cominciò col dire che...*, he began (*o* started off) by saying that...; *Cominciamo da qui*, let's begin (*o* start) from here; *Da dove cominciamo?*, where do we start?; *Comincia tu!*, you begin!; you start!; *Ecco che cominciano!*, there they go! ● **c. bene [male]**, to get off to a good [bad] start; (*iron.*) *Si comincia bene!*, well, we're off to a fine start! □ **a c. da oggi**, starting from today; from this day (on); as from today (*bur.*) □ **a c. da voi**, starting with you □ (*fig.*) **non sapere nemmeno da che parte si comincia a fare qc.**, not to know the first thing about st. □ **per c.**, to start with; to begin with □ **tanto per c.**, for a start □ (*prov.*) *Chi ben comincia è a metà dell'opera*, well begun is half done C **in funzione di** m. beginning; start; commencement (*form.*).

comìno → **cumìno**.

comitàle a. of (*o* pertaining to) a count (*o*, in GB, an earl); count's (attr.); (*in GB*) earl's (attr.): **corona c.**, count's [earl's] coronet.

comitàto m. committee; board; council: (*polit.*) **c. centrale**, central committee; **c. di consumatori**, consumers' council; **c. di disciplina**, discipline (*o* disciplinary) board; (*leg.*) **c. d'inchiesta**, board of inquiry; **c. di quartiere**, residents' association; (*stor.*) C. *di salute pubblica*, Committee for Public Safety; **c. direttivo**, managing committee; **c. esecutivo** (*di una società*), executive committee; (*econ.*) **c. per la programmazione**,

planning board; **c. permanente**, standing committee; **fare parte di un c.**, to be a member of (*o* to be on) a committee; **riunione del c.**, committee meeting.

comitìva f. party; group; company: **una c. di turisti**, a party (*o* group) of tourists; **viaggiare in c.**, to travel in a group; **sconti per comitive**, group discounts.

comiziàle① a. (*stor. romana*) comitial ● **eloquenza c.**, platform oratory; (*spreg.*) mob oratory, tub-thumping.

comiziàle② a. (*med.*) epileptic: **crisi c.**, epileptic fit; **morbo c.**, epilepsy.

comiziànte m. e f. 1 (*chi tiene un comizio*) speaker at a political meeting 2 (*chi partecipa a un comizio*) person attending a political meeting 3 (*fig. spreg.*) tub-thumper; rabble-rouser.

comìzio m. 1 (*mass*) meeting; rally: **c. elettorale**, electoral (*o* election) meeting; **c. politico**, political meeting; rally; **indire [tenere] un c.**, to call [to hold] a meeting 2 (*stor. romana*) comitia (pl.).

Comm. abbr. (*titolo*, **commendatore**), (*della Repubblica Italiana*) commendatore; (*di un ordine cavalleresco*) commander.

còmma m. 1 (*leg.*) paragraph 2 (*mus.*) comma ● **FALSI AMICI** • comma *in senso legale non si traduce con* comma.

commàndo① m. inv. 1 (*mil.*) commando* 2 (*di terroristi*) terrorist group (*o* squad).

commàndo② m. (*naut.*) spun yarn.

♦**commèdia** f. 1 (*teatr.*: *il lavoro*) play, comedy; (*il genere*) comedy: **le commedie di Pirandello**, Pirandello's plays; *La c. fu un fiasco*, the play was a flop; **c. a tesi**, problem play; **c. brillante**, comedy; (*stor.*) **c. dell'arte**, commedia dell'arte; **c. di carattere**, comedy of character; comedy of humours (*stor.*); **c. di costume**, comedy of manners; **c. d'intreccio**, comedy of intrigue; **c. in tre atti**, three-act play; **c. leggera**, light comedy; **c. musicale**, musical (comedy) 2 (*fig.*: *finzione*) act; sham Ⓤ; pretence; play-acting Ⓤ: *Era tutta una c.*, it was all a pretence; **fare la c.**, to play-act; to sham; to put on an act: *Quando glielo dissi, fece la c. mostrandosi tutto sollecito*, when I told him, he put on the solicitous friend act 3 (*fig.*: *situazione ridicola*) farce; comedy Ⓤ; joke: **finire in c.**, to end in farce; **volgere qc. in c.**, to turn st. into a joke ● (*fig.*) **c. degli equivoci**, comedy of errors □ **la Divina C.**, the Divine Comedy □ **fare più parti in c.**, to act shiftily □ (*fig.*) **personaggio da c.**, figure of fun; clown.

commediànte m. e f. 1 (*teatr.*) actor (m.); actress (f.); (*scherz.*) Thespian; (*spreg.*) third-rate actor (m.), third-rate actress (f.) 2 (*fig.*) play-actor (m.); play-actress (f.); shammer; impostor: **fare il c.**, to put on an act; to play-act.

commediògrafo m. (f. **-a**) playwright; comedy writer.

commemoràre v. t. to commemorate; to celebrate.

commemoratìvo a. commemorative; (*di defunto*) memorial (attr.): **cerimonia commemorativa**, memorial ceremony; **francobollo c.**, commemorative stamp; **lapide commemorativa**, memorial tablet; **monumento c.**, memorial.

commemorazióne f. 1 commemoration; remembrance: **la c. dei defunti**, the commemoration of the dead; **giornata di c.**, memorial day 2 (*eccles.*) commemoration; (*preghiera*) commemoration prayer.

commènda f. 1 (*eccles.*) commendam (*lat.*) 2 title of «**commendatore**».

commendàbile → **commendévole**.

commendàre v. t. (*lett.*: *lodare*) to commend; to praise.

commendatàrio (*eccles.*) A a. commendatory B m. commendator.

commendatìzio a. of recommendation: **lettera commendatizia**, letter of recommendation.

commendatóre m. 1 (*titolo della Repubblica Italiana*) commendatore 2 (*grado di vari ordini cavallereschi*) commander.

commendévole a. (*lett.*) commendable; laudable; praiseworthy.

commensàle m. e f. 1 table companion; fellow guest: **il mio c. di sinistra**, the man sitting on my left; **i commensali**, the people at the table; the guests 2 (*biol.*) commensal.

commensalìsmo m. (*biol.*) commensalism.

commensuràbile a. (*mat.*) commensurable.

commensurabilità f. (*mat.*) commensurability.

commensuràre v. t. (*lett.*) to compare.

commentàre v. t. 1 (*annotare un testo*) to annotate; to edit; (*spiegare*) to expound: **c. un classico**, to annotate (*o* to edit) a classic; **c. Dante**, to expound Dante 2 (*esprimere opinioni su*) to comment on; (*fare osservazioni*) to remark on; (*criticare*) to criticize: **c. un fatto di cronaca**, to comment on an event; *Preferisco non c.*, I'd rather not comment.

commentàrio m. commentary.

commentatóre m. (f. **-trice**) 1 (*annotatore di un testo*) annotator; (*espositore*) expounder 2 (*giorn.*, *radio*, *TV*) commentator: **c. politico**, political commentator.

comménto m. 1 (*di testo*) commentary; notes (pl.); (*la singola nota*) note, (*a piè di pagina*) footnote, annotation 2 (*osservazione*) comment; remark; (*al pl.*: *pettegolezzi*) gossip Ⓤ: *Fu l'unico c. che feci*, it was my only comment (*o* remark); **non fare commenti**, to make no comment; to pass no remark 3 (*radio*, *TV*: *in diretta*) (running) commentary; (*narrazione*) narration; (*voce fuori campo*) voice-over ● (*cinem.*) **c. musicale**, background music.

commerciàbile a. saleable; marketable; tradeable; negotiable; merchantable: **non c.**, unmarketable; (*fin.*) **valuta c.**, negotiable currency.

commerciabilità f. saleability; marketability.

♦**commerciàle** a. 1 commercial; trade (attr.); business (attr.); trading: **direttore c.**, sales manager; (*leg.*) **diritto c.**, commercial law; business law; mercantile law; **impresa c.**, business enterprise; **lettera c.**, business letter; **negoziati commerciali**, trade talks; **scambi commerciali**, trade (exchanges); **valore c.**, commercial value 2 (*che mira al profitto*) commercial: **film c.**, commercial film.

commercialìsta m. e f. 1 (*leg.*) expert in commercial law 2 (*ragioniere o perito libero professionista*) professional accountant 3 (*consulente*) business consultant 4 (*laureato*) graduate in economics and business management.

commercialìstico a. commercial; mercantile; trade (attr.).

commercialità f. marketability.

commercializzàbile a. (*econ.*) marketable; merchandizable.

commercializzàre v. t. 1 (*econ.*) to market; to merchandize; (*rendere più vendibile*) to promote, to push 2 (*fig.*: *sfruttare per profitto*) to commercialize; (*mercificare*) to commodify, to commoditize; to commodify art.

commercializzazióne f. 1 (*econ.*) marketing 2 commercialization; (*mercificazione*) commodification, commoditization.

♦**commerciànte** m. e f. 1 dealer; trader;

C

(*spec. all'ingrosso*) merchant: **c. abusivo**, unlicensed trader; **c. all'ingrosso**, wholesale dealer; wholesaler; **c. al minuto**, retail dealer; retailer; **c. di pellicce**, furrier; **c. di stoffe**, textile dealer; (*negoziante*) draper; **c. di vini**, wine merchant **2** (*negoziante*) tradesman* (m.); shopkeeper.

commerciàre v. i. to deal*; to trade: **c. al dettaglio** (*o al minuto*), to retail; to be in the retail trade; **c. all'ingrosso**, to deal wholesale; to be in the wholesale trade; **c. con l'estero**, to trade abroad; **c. in tessuti**, to deal in textiles.

♦**commèrcio** m. **1** commerce ⓤ; trade ⓤ; trading ⓤ; business ⓤ; (*mercato*) market: **c. abusivo**, unlicensed market; **c. al dettaglio** (*o al minuto*), retail trade; **c. all'ingrosso**, wholesale trade; **c. ambulante**, itinerant peddling; hawking; **il c. con l'estero**, foreign trade; overseas trade; **il c. della lana**, the wool trade; **c. d'importazione ed esportazione**, import and export trade; **il c. e l'industria**, commerce and industry; **il c. fra due Paesi**, the trade between two countries; **c. marittimo**, shipping trade; **c. nazionale**, home trade; **darsi al c.** (*o mettersi in c.*), to go into business (o into trade); (*di prodotto*) **essere in c.**, to be on the market (*o on sale*); **essere nel c.**, to be in trade; to run a commercial business; *È nel c. dei formaggi*, he is in the cheese business; **mettere in c. un prodotto**, to market a product; to put a product on the market; **ritirare dal c.**, to withdraw from the market **2** (*fig. lett.: rapporti*) dealings (pl.); relations (pl.); intercourse: **c. carnale**, sexual intercourse; **c. epistolare**, correspondence ● **Camera di C.**, Chamber of Commerce □ **fuori c.**, not for sale; (*esaurito*) out of stock, (*di libro*) out of print □ **edizione fuori c.**, privately circulated edition □ (*università*) **economia e c.**, economics.

commèssa① f. (*comm.: ordinazione*) order; job order; job: **c. di costruzione**, construction job order; **c. libraria**, book order; **commesse per 30 milioni di euro**, 30 million euros' worth of orders; **lavorare su c.**, to work on order; **fatto su c.**, made to order (*o to specification*).

commèssa② f. (*di negozio*) (female) shop assistant (*GB*); sales clerk (*USA*); salesgirl; saleswoman*.

commèsso m. **1** (*di negozio*) (male) shop assistant (*GB*); sales clerk (*USA*) **2** (*di ufficio*) clerk; (*di banca*) messenger ● **c. viaggiatore**, commercial traveller; (travelling) salesman.

commessùra f. **1** juncture; joint; seam **2** (*anat.*) commissure.

commestibile Ⓐ a. edible; eatable: **non c.**, inedible Ⓑ m. (al pl.) foodstuffs; food ⓤ; eatables; comestibles: **negozio di commestibili**, food shop; food store (*USA*).

commestibilità f. edibility; edibleness.

♦**commèttere** Ⓐ v. t. **1** (*compiere, fare*) to commit; to do*; to make*: **c. un delitto**, to commit a crime; **c. un errore**, to make a mistake; **c. un furto**, to steal; **c. un'ingiustizia**, to act unfairly (*o unjustly*); **c. un omicidio**, to kill **2** (*lett.: affidare*) to entrust; to commit **3** (*ordinare*) to order; to commission **4** (*congiungere, fare combaciare*) to join (together); to joint; to fit (together); (*mecc.*) to assemble Ⓑ v. i. (*combaciare*) to fit (closely) Ⓒ **commèttersi** v. rifl. (*lett.*) to commit oneself (to); to place one's trust (in).

commettitùra f. **1** (*l'unire più parti*) joining together **2** (*punto di unione*) juncture; joint; join; seam: *Non si vede la c.*, you can't see the joint.

commiàto m. **1** leave-taking; (*separazione*) parting; (*addio*) farewell, goodbye: *Venne l'ora del c.*, the time to part (*o to say good-*

bye) came; **prendere c. da q.**, to say goodbye to sb.; to take (one's) leave of sb. (*form.*); **discorso di c.**, farewell speech; valedictory speech; **parole di c.**, parting words; **saluto di c.**, farewell; send-off ❶ **NOTA:** goodbye → **goodbye 2** (*poesia*) envoy, envoi.

commilitòne m. fellow soldier; comrade-in-arms (*lett.*): *Fu mio c. in Africa*, we served together in Africa.

comminàre v. t. (*leg.*) to inflict; to impose.

comminatòria f. (*leg.*) time limit within which an act must be carried out.

comminatòrio a. (*leg.*) threatening; comminatory.

comminazióne f. (*leg.*) infliction; imposition.

comminùto a. (*med.*) comminuted: **frattura comminuta**, comminuted fracture.

comminuzióne f. **1** (*med.*) comminution **2** (*ind. min.*) comminution; pulverization.

commiṣeràbile, **commiṣeràndo** a. (*lett.*) pitiable.

commiṣeràre Ⓐ v. t. to pity; to commiserate (sb. *o* with sb.) Ⓑ **commiṣeràrsi** v. rifl. to feel sorry for oneself.

commiṣerazióne f. pity; sympathy; compassion; commiseration: **parole di c.**, words of sympathy; **sorriso di c.**, smile of compassion; pitying smile.

commiṣerévole → **commiserabile**.

commissariàle a. of a commissioner; by a commissioner.

commissariaménto m. **1** (*il commissariare*) appointment of an external commissioner **2** (*l'essere commissariato*) administration by an external commissioner.

commissariàre v. t. to put* under the administration of an external commissioner.

commissariàto m. **1** (*mil.*) commissariat **2** (*carica*) commissionership; (*ufficio*) commission; (*sede*) commissioner's office **3** (*di polizia*) police station; precinct (*USA*).

commissàrio m. **1** (*funzionario*) commissioner; officer; (*amm.*) external administrator: **c. per gli alloggi**, housing officer; housing magistrate; **alto c.**, high commissioner **2** (*membro di una commissione*) member of a committee (*o of a board*); committee (*o board*) member*: **c. d'esame**, member of an examining board **3** (*mil. stor.*) officer: **c. di leva**, recruiting officer ● (*ass., naut.*) **c. d'avaria**, claim agent □ (*stor., in Unione Sovietica*) **c. del popolo**, People's Commissar □ (*naut.*) **c. di bordo**, purser; (*di nave da carico*) supercargo □ (*sport*) **c. di gara**, steward □ **c. di Pubblica Sicurezza**, police superintendent (*GB*); commissioner of police (*USA*) □ **c. politico**, political advisor □ (*sport*) **c. sportivo**, official; umpire □ (*sport*) **c. tecnico**, manager trainer (of a national team).

commissionàre v. t. **1** (*comm.*) to order; to place an order for **2** (*un'opera d'arte*) to commission.

commissionàrio m. (f. **-a**) (*comm.*) commission (*o selling*) agent: **c. di Borsa**, broker.

♦**commissióne** f. **1** (*leg.*) commission; perpetration: **la c. d'un reato**, the commission of a crime **2** (*incombenza*) errand: *L'ho mandato a fare una c.*, I sent him on an errand; **sbrigare una c.**, to run an errand; *Ho alcune commissioni da fare in città*, I have a few things to do in town **3** (al pl.: *acquisti*) shopping ⓤ: **fare commissioni**, to do some shopping **4** (*incarico*) commission: **comprare [vendere] per c.**, to buy [to sell] on commission; **dipingere su c.**, to paint on commission; **furto su c.**, commissioned theft;

stealing ⓤ to order **5** (*comm.: ordinazione*) order: **fatto su c.**, made to order **6** (*comm.: provvigione*) commission; factorage; charge; fee: **c. bancaria**, bank charges (pl.); bank commission; **una c. sulle vendite**, a commission on sales; **prendere una c. del 10%**, to charge a 10% commission; **contratto di c.**, factor's agreement **7** (*collegio di funzionari o esperti*) committee; board; commission: **c. arbitrale**, committee of arbitration; **c. disciplinare**, discipline (*o disciplinary*) board, **c. d'inchiesta**, commission of inquiry; **c. di vigilanza**, committee of inspection; **c. esaminatrice** (*o d'esame*), examining board; board of examiners; (*in un'industria*) **c. interna**, shop committee; **membro della c. interna**, shop deputy (*o steward*); **c. parlamentare**, parliamentary committee; (*ristretta*) Select Committee; (*polit.*) **c. permanente**, standing committee; **fare parte** (*o essere membro*) **di una c.**, to be (*o to sit, to serve*) on a committee.

commissòrio a. – (*leg.*) **patto c.**, agreement of forfeiture.

commistióne f. (*lett.*) mixture; mingling.

commisto a. (*lett.*) mixed; mingled.

commistùra → **commistione**.

commiṣuràre v. t. to proportion; to adapt; to fit; to suit: **c. la pena al delitto**, to make the punishment fit the crime.

commiṣuràto a. proportionate (to); commensurate (with); in line (with): **uno stipendio c. all'esperienza**, a salary commensurate with experience.

commiṣurazióne f. proportioning; commensuration; fitting.

committènte m. e f. **1** (*comm.*) customer; purchaser; buyer: **spese a carico del c.**, costs to be charged to the buyer **2** (*di opera d'arte*) client **3** (*leg.*) principal; consigner, consignor.

committènza f. **1** commission; order **2** (*i committenti di un'opera d'arte*) clients (pl.); (*stor.*) patrons (pl.).

commode (*franc.*) f. chest of drawers; bureau (*USA*).

commodòro m. (*naut.*) commodore.

commorìenza f. (*leg.*) simultaneous death.

♦**commòsso** a. touched; moved; affected; emotional: **c. fino alle lacrime**, moved to tears; **discorso c.**, emotional speech; **parole commosse**, deeply-felt (*o heartfelt*) words.

commotìvo a. (*med.*) concussive: **stato c.**, concussion.

commovènte a. touching; moving; affecting; (*che suscita pietà*) pitiful, piteous.

commozióne f. **1** emotion; feelings (pl.); (*compassione*) compassion, sympathy: **non potere nascondere la propria c.**, to be unable to hide one's emotion (*o feelings*); **essere sopraffatto dalla c.**, to be deeply moved; to be overcome by emotion; to be overwhelmed; *Non potevo parlare per la c.*, I was too moved to speak; **facile alla c.**, easily moved; very emotional; **suscitare la c. di q.**, to arouse sb.'s compassion (*o sympathy*) **2** (*agitazione*) excitement; stir; commotion: *Il fatto destò viva c.*, the fact caused a great stir (*o a commotion*) **3** (*med.*) – **c. cerebrale**, concussion (of the brain) ❶ **FALSI AMICI** • commozione *in senso psicologico non si traduce con* commotion.

♦**commuòvere** Ⓐ v. t. to move; to touch; to affect; (*impietosire*) to arouse (sb.'s) pity: *Le mie parole lo commossero profondamente*, my words affected him deeply; **lasciarsi c.**, to let oneself be moved; to relent; **c. sino alle lacrime**, to move to tears Ⓑ **commuòversi** v. i. pron. to be moved; to be affected; to be touched; to become* emotional: **commuoversi facilmente**, to be easily moved;

to be very emotional; *Arrivata a quella scena, mi commuovo sempre*, when I get to that scene, I always get a lump in my throat; **essere sul punto di commuoversi**, to begin to soften; (*stare per piangere*) to be close to tears.

commutàbile a. commutable.

commutabilità f. commutability.

commutàre v. t. **1** to commute; to change: (*leg.*) **c. la pena di morte nell'ergastolo**, to commute a death sentence into life imprisonment **2** (*elettr.*) to commutate; to change over; to switch over.

commutatività f. (*leg., mat., ecc.*) commutativity.

commutativo a. commutative: **giustizia commutativa**, commutative justice; (*mat.*) **proprietà commutativa**, commutative law.

commutatóre **A** a. commutating; changing **B** m. **1** (*elettr.*) commutator **2** (*selettore*) selector; (*interruttore*) switch: (*autom.*) **c. delle luci anabbaglianti**, dipping (*USA* dimmer) switch; **c. d'inversione**, rheotrope; (*radio*) **c. d'onda**, band switch; (*TV*) **c. video**, video switcher **3** (*ling.*) deictic; indexical.

commutatrìce f. (*elettr.*) rotary converter; commutator; rectifier.

commutazióne f. **1** (*elettr.*) switching; commutation: (*radio*) **c. d'onda**, band switching; **campo [polo] di c.**, commutating field [pole] **2** (*comput.*) switching: **c. di circuito [di pacchetto]**, circuit [packet] switching **3** (*leg.*) commutation: **c. di una pena**, commutation of a sentence.

comò m. chest of drawers; dresser; bureau (*USA*).

còmoda f. commode.

comodaménte avv. **1** comfortably; at one's ease **2** (*facilmente*) easily.

comodànte m. e f. (*leg.*) bailor.

comodàre① v. t. (*leg.*) to grant the gratuitous loan of.

comodàre② v. i. (*fare comodo*) to suit; (*fare piacere*) to like (pers.), to please (pers.): *Fai pure come meglio ti comoda*, do what suits you best; *Fa' un po' come ti comoda*, please yourself; suit yourself.

comodatàrio m. (*leg.*) recipient of a gratuitous loan; bailee.

comodàto m. (*leg.*) gratuitous loan; bailment.

♦**comodino**① m. bedside table.

comodino② m. **1** (*teatr.*) drop curtain **2** (*gergo teatr.*) last-minute substitute; (*estens.*) bit actor.

♦**comodità** f. **1** (*l'essere confortevole*) comfortableness; (*agio*) comfort: **la c. di una poltrona**, the comfortableness of an armchair; **c. ed eleganza**, comfort and elegance; **amare le c.**, to love comfort; **pensare alla propria c.**, to think of one's own comfort **2** (*c. d'uso, praticità*) convenience; handiness: **c. di accesso**, easy access; **la c. di avere tutti i negozi vicini**, the convenience of having all the shops close by; **per vostra maggiore c.**, for your greater convenience **3** (*cosa comoda*) convenience; facility; amenity: **un appartamento fornito di tutte le c.**, a flat with all modern conveniences (*fam.* all mod cons); *Il cellulare è una gran c.*, a cellphone is a great convenience ❶ FALSI AMICI • comodità *non si traduce con* commodity.

♦**còmodo**① a. **1** (*confortevole*) comfortable; (*agiato*) easy: **poltrona comoda**, comfortable armchair; **viaggio c.**, comfortable journey; **vita comoda**, life of comfort; easy life; **mettersi c.**, to make oneself comfortable; (*sedersi*) to take a seat; (*togliersi la giacca*) to take off one's coat; **stare comodi**, to be comfortable; *Stia c.!* (*non si alzi*) please,

don't get up!; *Questa sedia non è fatta per stare comodi*, this chair is not made for comfort **2** (*di indumento*) loose-fitting; roomy: **giacca comoda**, loose-fitting jacket; **manica comoda**, roomy sleeve; *Mi sta un po' c.*, it's a bit too large **3** (*facile*) easy; (*fatto con agio*) easy, leisurely: **un lavoro c.**, an easy job; (*fam.*) a cushy job; **comode passeggiate**, easy walks; **prendersela comoda**, to take it easy; to take one's time **4** (*agevole, pratico, opportuno*) convenient; handy: **elettrodomestico c.**, handy electrical appliance; **ora comoda**, convenient time; **comode rate**, easy instalments; *Le carte di credito sono molto comode*, credit cards are a great convenience; *È c. avere i negozi così vicini*, it's very convenient (*o* handy) being so near the shops; (*fam.*) **venire (*o* tornare) c.**, (*di situazione*) to be convenient, to suit; (*di oggetto*) to come in handy; (*iron.*) *C. avere qualcuno che lava e stira!*, it's very nice to have someone to do the washing and the ironing for you **5** (*di persona: che non ama le fatiche*) easy-going.

♦**còmodo**② m. **1** (*comodità*) comfort; (*agio*) leisure ⚇: **con c.**, leisurely; at one's leisure; *Fa' pure con c.*, take your time; do it in your own time; **prendersela con c.**, to take one's time **2** (*opportunità, vantaggio*) convenience; benefit; help: **fare c.**, (*convenire*) to suit; (*essere utile*) to be a help, to be useful; *Una borsa da viaggio fa sempre c.*, a travelling bag is always useful; *Ti farà c. sapere l'inglese*, it will be a help for you to know English; *Ti fa c. il martedì?*, does Tuesday suit you?; **con vostro c.**, at your convenience; **soluzione di c.**, convenient arrangement ● **c. di cassa**, (*comm.*) grace, reprieve; (*banca*) short-term credit □ **fare i propri comodi**, (*prendersela calma*) to take one's time; (*fare quel che aggrada*) to do as one likes; (*badare ai propri comodi*) to think only of one's own convenience □ (*fam.*) **fare i propri sporchi comodi**, only to think of number one.

comodóne m. (f. *-a*) (*fam.*) person that likes to take his time; (*spreg.*) slowcoach, slowpoke (*USA*).

còmpact (*disc*) m. inv. compact disc (*o* disk) (abbr. CD): **lettore di compact (disc)**, compact disc (*o* CD) player.

compadróne m. (f. *-a*) co-proprietor; joint owner.

compaeşàno m. (f. *-a*) **1** person from the same village [town]; fellow townsman* (f. townswoman*) **2** (*compatriota*) fellow countryman* (f. countrywoman*) • **Siamo compaesani**, we come from the same village [town, country].

compàgine f. **1** (*struttura*) structure; compages (pl. col verbo al sing.) **2** (*insieme di parti*) sum; aggregate; body; whole; system **3** (*squadra*) team: **c. sportiva**, (*sports*) team.

compàgna f. **1** companion; (*amica*) friend, (*nei composti*) mate; fellow: **c. di classe**, classmate; **c. di giochi**, playmate; playfellow; **c. di scuola**, schoolfriend; schoolmate; **la c. della mia vita**, my life-companion. Per altri esempi → **compagno**, *def. 1* **2** (*moglie*) wife*; spouse; (*convivente*) partner. Per le altre accezioni → **compagno**, *def. 3, 4, 5* e *fraseologia*.

♦**compagnìa** f. **1** company; companionship; society; people (pl.): *Con una così gradevole c. il viaggio sembrò breve*, in such pleasant company the journey seemed short; **non amare la c.**, not to like company; *Mi piace la c.*, I like to be with people; *Si era abituato alla mia c.*, he had got used to my company; *Non cerco la loro c.*, I do not seek their society; **essere [non essere] di c.**, to be good [bad] company; **fare (*o* tenere) c. a q.**, to keep sb. company; *Mi fai c. a pranzo?*, would you join me for lunch?; **bere in**

c., to drink in company; *Era venuto in c. della moglie*, he had come with his wife; *È sempre in c. di uomini molto più anziani*, he's always in the company of much older men; *Entrò in c. di due sconosciuti*, he came in accompanied by two strangers; **in c. dei propri pensieri**, with only one's thoughts for company **2** (*fin., leg.: società*) company; corporation (*USA*): **c. di assicurazioni**, insurance company; (*aeron.*) **c. di bandiera**, national airline; **c. di navigazione**, shipping company (*o* line) **3** (*gruppo di persone*) company; group; party; band; set: *Spero che farai parte della c.*, I hope you'll be of the party; *Renzo, Beppe e tutta la c.*, Renzo and Beppe and the whole band (*o* gang) **4** (*mil.*) company **5** (*teatr.*) company; troupe: **c. drammatica**, theatrical company; **c. di giro**, touring company; **c. stabile**, repertory company (*GB*); stock company (*USA*) ● (*mil.*) **c. da sbarco**, landing party; landing force □ (*stor.*) **C. del Canale**, Suez Canal Co. □ (*stor.*) **la C. delle Indie Orientali**, the East India Company □ (*eccles.*) **la C. di Gesù**, the Society of Jesus □ (*stor.*) **c. di ventura**, free company □ **cane da c.**, dog kept for company; pet dog □ **dama di c.**, (*a corte*) lady-in-waiting; (*di signora anziana*) lady companion □ (*fam.*) **e c. bella**, and so on; and all the rest; and all that jazz (*USA*) □ **frequentare cattive compagnie**, to keep bad company □ (*scherz.*) **in dolce c. di q.**, tête-à-tête with sb.

♦**compàgno** **A** m. **1** companion; partner; (*nei composti*) mate, fellow; (*amico*) friend, mate: *Il mio c. era molto silenzioso*, my companion was very silent; **un c. fedele**, a faithful companion (*o* friend); **il c. della mia vita**, my life-companion; **c. d'armi**, fellow soldier; *È stato mio compagno d'armi*, we were in the army together; we served together; **c. di bevute**, drinking partner; (*naut.*) **c. di bordo**, shipmate; **c. di camera**, roommate; **c. di carcere**, prisonmate; fellow inmate; **c. di classe**, classmate; **c. di giochi**, playfellow; playmate; **c. di lavoro**, fellow worker; colleague; **c. di prigionia** (*politico, di guerra, ecc.*), fellow prisoner □ **c. di scuola**, schoolfriend; schoolfellow; schoolmate; **c. di sofferenze**, fellow sufferer; **c. di squadra**, team-mate; **c. di stanza**, roommate; **c. di studi**, fellow student; **c. di sventura**, companion in misfortune; **c. di viaggio**, fellow traveller; travelling companion **2** (*marito*) husband; spouse; (*convivente*) partner **3** (*polit.*) comrade **4** (*al gioco, nel ballo*) partner **5** (*di un paio d'oggetti*) other; companion; fellow: *Non trovo il c. di questo guanto*, I can't find the other glove (*o* the glove that matches this one) ● (*polit.*) **c. di strada**, fellow traveller **B** a. alike; similar; (*the*) same: *Il secondo pasto fu c. al primo*, the second meal was like the first.

compagnóne m. jolly fellow; one of the boys (*fam.*) ❶ FALSI AMICI • compagnone *non si traduce con* companion.

companàtico m. something to go with bread: **pane e c.**, bread and something; **pane senza c.**, just bread.

comparàbile a. comparable.

comparabilità f. comparability.

comparàre v. t. to compare; to liken.

comparatìsta m. e f. comparatist.

comparatìstica f. comparative studies (pl.).

comparatìvişmo m. comparative methodology.

comparativìsta → **comparatista**.

comparatìvo **A** a. comparative: **aggettivo c.**, comparative adjective; **metodo c.**, comparative method **B** m. (*gramm.*) comparative (degree). ❶ NOTA: *comparative* → **comparative**.

comparàto a. comparative: **filologia [anatomia] comparata**, comparative philology [anatomy].

comparatóre m. (*tecn.*) comparator.

comparazióne f. comparison: **senza c.**, without comparison; (*gramm.*) **gradi di c.**, degrees of comparison.

compàre m. **1** (*padrino*) godfather; sponsor: **fare da c. a q.**, to stand godfather to sb. **2** (*anche* **c. di matrimonio** *o* **d'anello**) best man* **3** (*amico*) friend; mate; crony (*fam.*); buddy (*fam. USA*) **4** (*spreg.*) associate; (*chi fa da spalla*) stooge; (*complice*) accomplice **5** (*davanti a un nome proprio*) master.

comparènte m. e f. (*leg.*) appearer; appearing party.

♦**comparire** v. i. **1** (*apparire*) to appear; (*mostrarsi*) to show* oneself; (*arrivare*) to arrive, to turn up, to show* up (*fam.*): **c. all'improvviso**, to appear unexpectedly; **c. all'orizzonte**, to appear on the horizon; **c. in pubblico**, to appear in public; to show oneself in public; **c. in sogno**, to appear in a dream; **c. sulla scena**, to arrive on the scene; *Il mio nome non compare nell'elenco*, my name doesn't appear on the list **2** (*essere pubblicato*) to appear; to come* out: *Una nuova edizione comparirà in estate*, a new edition will appear (*o* come out) in the summer **3** (*leg.*) to appear: **c. davanti a un giudice**, to appear before a judge; **c. in tribunale**, to appear before a court **4** (*fare mostra di sé*) to show* off; to be noticed: *Le piace c.*, she likes to show off.

comparizióne f. (*leg.*) appearance: **mancata c.**, nonappearance; default; **mandato di c.**, summons (to appear); (*writ of*) subpoena; **termine di c.**, time limit for appearance.

compàrsa f. **1** (*il comparire*) appearance: **la c. di un sintomo**, the appearance of a symptom; **la c. della febbre**, the outbreak of the fever; **fare la propria c.**, to make one's appearance; to appear; **fare una breve c.**, to put in an appearance **2** (*teatr.*) walk-on; super; (*cinem.*, *opera*) extra: **fare la c. nell'«Amleto»**, to have a walk-on (part) in «Hamlet»; **fare la c. in un film**, to appear as an extra in a film **3** (*leg.*) statement; brief; pleading: **c. conclusionale**, final statement of the case **4** (*fig.: persona senza importanza*) (*mere*) cipher; nobody; nonentity ● (*fig.*) **fare da c.**, to be a mere onlooker.

comparsàta f. (*gergo cinem.*) part as an extra; (*con battute*) bit part.

compartecipàre v. i. **1** to share (in); to participate (in) **2** (*comm.*) to be a shareholder; to have a financial stake (in).

compartecipazióne f. **1** sharing; participation; (*cointeressenza*) stake: **c. agli utili**, profit sharing **2** (*leg.*) copartnership **3** (*parte*) share ● **in c.**, jointly.

compartécipe a. sharing; participating; having a stake: **c. agli utili**, profit-sharing; **essere c. in un affare**, to have a stake in a deal.

compartimentàle a. departmental.

compartimentazióne f. division into compartments; compartmentation.

compartiménto m. **1** section; compartment **2** (*amm.*) district; area **3** (*naut.*) compartment: **c. stagno**, watertight compartment **4** (*ferr.*) compartment: **c. per fumatori**, smoking compartment; smoker ● **ragionare a compartimenti stagni**, to think in straight lines.

compartire v. t. (*lett.*) to divide; to share out; to distribute; to apportion.

compartizióne f. division; section; compartment.

compàrto m. **1** compartment; section **2** (*econ.*) sector.

compassàto a. (*misurato*) composed, self--possessed; (*molto controllato*) formal, dignified, stiff, starchy, buttoned-up.

compassionàre v. t. (*lett.*) to sympathize with; to feel* pity for.

compassióne f. (*pietà*) compassion, pity; (*comprensione*) sympathy: **avere** (*o* **provare**) **c. per q.**, to feel* pity for sb.; to have pity on sb.; **fare c.**, to arouse pity; to be an object of pity; *Mi facevano c.*, I felt pity for them; I felt sorry for them; (*iron.*) *Mi fai c.*, I pity you; you are pathetic; **guardare q. con c.**, to look on sb. with pity; **muovere a c.**, to move to compassion (*o* to pity); **un'occhiata di c.**, a pitying look; (*iron.*) a look of commiseration.

compassionévole a. **1** (*che fa compassione*) pitiful; pitiable; piteous; pathetic: *Era in uno stato c.*, she was in a piteous state **2** (*che ha compassione*) compassionate; sympathetic; humane; pitying.

compàsso m. pair of compasses; compasses (pl.); compass; (*per misure*) calipers (pl.): **c. a punte fisse**, dividers (pl.); **c. a punte regolabili**, scribing compasses; **c. da disegno**, drawing compasses; **c. di riduzione**, proportional compass; **c. di spessore**, outside calipers; **scatola di compassi**, set of drawing instruments ● (*fig.*) **fare qc. col c.**, to be very meticulous.

compatibile a. **1** (*conciliabile*) compatible; consistent: *I nostri progetti non sono compatibili*, our plans are not compatible; *La sua pratica non è c. con le sue teorie*, his practice is not consistent with his theories **2** (*da compatire*) excusable; forgivable; justifiable **3** (*tecn.*, *comput.*, *med.*) compatible.

compatibilità f. (*anche tecn.*, *comput.*, *med.*) compatibility.

compatibilménte avv. – **c. con**, depending on; ...permitting; **c. col tempo**, depending on the weather; weather permitting.

compatiménto m. **1** (*pietà*) pity; commiseration **2** (*condiscendenza*) condescension; patronizing attitude **3** (*indulgenza*) forbearance; indulgence; understanding.

♦**compatire** A v. t. **1** (*provare compassione*) to pity; to be (*o* to feel*) sorry for; to sympathize with: *Bisogna compatirlo anziché punirlo*, he should be pitied rather than punished; *Lo compatisco e vorrei aiutarlo*, I am sorry for him, and would like to help him **2** (*scusare*) to forgive*; to be indulgent with; to make* allowances for; to bear* with: *Lo compatisca! non conosce i nostri usi*, please forgive him, he doesn't know our ways; *È giovane, bisogna compatirlo*, you should make allowance for his youth **3** (*disprezzare*) to look down on ● **farsi c.** (*esporsi alle critiche*), to make a pitiful exhibition of oneself; to be pathetic B **compatirsi** v. rifl. recipr. to stand* each other; to bear* with each other.

compatriòta m. e f. (fellow) countryman* (m.); (fellow) countrywoman* (f.); compatriot.

compatròno m. (f. **-a**) (*eccles.*) joint patron saint.

compattaménto m. compressing; compacting.

compattàre A v. t. **1** (*comprimere*) to compress; to compact; (*edil.: terreno*) to tamp **2** (*fig.*) to consolidate; to unite **3** (*comput.*) to compress; to zip B **compattàrsi** v. i. pron. **1** to become* compact **2** (*fig.*) to consolidate; to unite.

compattatóre m. (*tecn.*) compactor.

compattazióne f. compression; compaction.

compattézza f. **1** (*solidità*) compactness, compactedness, firmness; (*densità*) denseness, thickness, cohesion **2** (*fig.*) unity; unanimity; solidarity; close-knit quality.

compàtto a. **1** (*solido*) solid, firm, compact, hard; (*denso*) dense, thick, closely packed; (*ravvicinato*) close, packed; (*di stoffa*) close-woven, close-knit: **folla compatta**, solid crowd; **una massa compatta**, a solid mass; **terreno c.**, firm soil; **in schiera compatta**, in close formation; **marciare compatti**, to march in close formation **2** (*di dimensioni ridotte*) compact **3** (*fig.: unito*) close-knit, united; (*unanime*) unanimous, to a man (pred.): **un fronte c.**, a united front; *Se saremo compatti, vinceremo*, if we stick together we shall win; *Aderirono compatti allo sciopero*, they supported the strike to a man **4** (*mat.*) compact.

compendiàbile a. that can be summarized (*o* summed); condensable.

compendiàre A v. t. **1** (*ridurre in compendio*) to abridge; to digest: **c. un romanzo**, to abridge a novel **2** (*riassumere*) to sum up; to summarize; to condense **3** (*fig.: condensare in sé*) to epitomize; to encapsulate B **compendiàrsi** v. i. pron. to be summed up; to be epitomized.

compendiàrio a. summarized; condensed; abridged.

compendiatóre m. (f. **-trice**) abridger; summarizer.

compèndio m. **1** abridged version; (*di un libro*) abridged edition **2** (*riassunto*) outline; summary; abstract; digest: **un c. di storia inglese**, an outline of English history; **c. statistico**, abstract (*o* digest) of statistics **3** (*sintesi*) epitome; sum: **un c. di vizi**, a sum of all vices **4** (*fig.: serie*) series; sequence: *Il libro è un c. di idee trite*, the book is a sequence of trite notions.

compendiosità f. conciseness; compendiousness.

compendióso a. concise; compendious.

compenetràbile a. penetrable; permeable.

compenetrabilità f. penetrability; permeability.

compenetràre A v. t. to penetrate; to imbue; to permeate B **compenetràrsi** v. i. pron. **1** (*essere conscio*) to be [to become*] fully aware (of); to appreciate (st.) in full; to grasp (st.) **2** (*immergersi*) to identify (with); to immerse oneself (in) **3** (*essere pervaso da un sentimento*) to be filled (with); to be overwhelmed (with) C **compenetràrsi** v. rifl. recipr. to interpenetrate.

compenetrazióne f. interpenetration; permeation.

compensàbile a. **1** that can be compensated; that can be balanced **2** (*risarcibile*) reparable; repayable.

compensabilità f. compensability.

compensàre A v. t. **1** (*controbilanciare*) to compensate for; to make* up for; to offset*; to counterbalance: **c. uno squilibrio**, to compensate for an imbalance; *Le uscite compensano le entrate*, expenses balance income; *La sua inesperienza era in parte compensata dalla buona volontà*, his eagerness partially made up for his lack of experience **2** (*risarcire*) to indemnify; to give* compensation to; to make* good: **c. una perdita**, to make good a loss **3** (*ripagare, premiare*) to repay*; to reward: *Il successo mi compensò di tutte le fatiche*, success repaid me for all my efforts **4** (*remunerare*) to pay* (sb., for st.); to remunerate: *Mi hanno compensato bene*, I have been well paid **5** (*biol.*, *psic.*, *tecn.*) to compensate **6** (*nuoto subacqueo*) to equalize B **compensàrsi** v. rifl. recipr. to compensate each other; to balance each other; to complement each other; to be complementary.

compensativo a. compensating; compensative; compensatory; compensation

(attr.): **riposo c.**, time off in lieu; **a titolo c.**, by way of compensation.

compensàto m. (anche agg.: **legno c.**) plywood.

compensatóre **A** a. compensatory; compensating; compensation (attr.) **B** m. **1** (*elettr.*) compensator; phase advancer **2** (*aeron.*) tab **3** (*radio*) trimmer; trimming condenser: **c. di antenna**, aerial trimmer **4** (*naut.*) compass corrector; compensator.

compensatòrio a. compensatory; compensational; compensation (attr.).

compensazióne f. **1** compensation; making up; (*leg.*) compensation, redress, reparation; (*comm.*, *di debito*) set-off **2** (*fin.*, *banca*) clearing; clearance: **stanza di c.**, clearing house **3** (*tecn.*) compensation; adjustment; correction: (*naut.*) **c. della bussola**, compass compensation; **pendolo a c.**, compensation pendulum **4** (*aeron.*) balance **5** (*fisiol.*, *psic.*) compensation: **meccanismo di c.**, compensation **6** (*nuoto subacqueo*) equalization.

♦**compènso** m. **1** (*pagamento*) remuneration; pay; payment; (*onorario*) fee; (*provvigione*) commission: **il c. pattuito**, the payment agreed upon; **c. aggiuntivo**, extra pay; **c. simbolico**, token payment; *Non chiedo un c.*, I don't want to be paid; *I cantanti famosi possono chiedere compensi enormi*, famous singers can command enormous fees; **rinunciare al c.**, to waive one's fee **2** (*ricompensa*) recompense; reward: **un lauto c.**, a generous reward **3** (*contropartita*) compensation; making up • **come c. di**, in return for; in exchange for □ **in c.**, by way of compensation; to make up for it; (*d'altro canto*) on the other hand; (*in cambio*) in return (for), in exchange (for): *La casa è un po' isolata, ma in c. c'è molto silenzio*, the house is rather isolated, but on the other hand it's very quiet.

cómpera f. purchase; (al pl., anche) shopping Ⓤ: **fare una c.**, to make a purchase; **fare compere**, to do some shopping; **andare a far compere**, to go shopping; *Che compere hai fatto?*, what have you bought?; what did you buy?

♦**comperàre** → **comprare**.

competènte **A** a. **1** (*esperto*) qualified; competent; expert: **meccanico c.**, expert engineer; **essere c. a svolgere un lavoro**, to be qualified for a job; *È c. in materia di legge* [*in fatto di musica*], she is an expert on law [on music]; *Chiedi a chi è c. in materia*, ask someone who is qualified; ask an expert **2** (*leg.*) having jurisdiction; competent; cognizant: **tribunale c.**, court having jurisdiction; cognizant court • **le autorità competenti**, the relevant authorities □ **l'ufficio c.**, the proper office **B** m. e f. expert; (*d'arte, anche*) connoisseur.

competènza f. **1** (*abilità, capacità*) competence, capacity, ability, expertise; (*autorevolezza*) authority: *La sua c. non si discute*, his expertise (o competence, authority) is beyond dispute; *Ha una grande c. in materia di pietre preziose*, he is an expert on precious stones **2** (*leg.*) jurisdiction; competence; cognizance: **c. territoriale**, territorial jurisdiction; **rientrare nella** [**esulare dalla**] **c. di un tribunale**, to fall under [to go beyond] the jurisdiction of a court; **conflitto di c.**, conflict of jurisdiction **3** (*pertinenza*) competence; authority; province: *La pratica è di c. dell'ufficio visti*, the case falls within the competence of the visa office; **esulare dalla c. di q.**, to be beyond sb.'s authority; to lie outside one's province; *Questo non è di mia c.*, this is not within my province **4** (al pl.) (*compenso*) fee (sing.); commission (sing.); charges: **competenze bancarie**, bank commission; bank charges **5** (*ling.*) competence • (*org. az.*, *di un'impresa*)

competenze distintive, core competencies.

compètere v. i. **1** (*gareggiare*) to compete; to vie; to rival (sb.): **c. per il titolo mondiale**, to compete for the world title; *Non possiamo c. con loro*, we can't compete with them; we're no match for them **2** (*rientrare nella competenza*) to be within (sb.'s) province; (*leg.*) to fall* under (sb.'s) authority; to fall* within (sb.'s) competence **3** (*essere compito*) to be up (to); to be (sb.'s) province (o duty); to lie* (with): *La decisione compete a te*, the decision is up to you (o lies with you); *Non compete a me dirglielo*, it is not my duty to tell him **4** (*essere dovuto*) to be due; to be coming: *Dategli quel che gli compete*, give him what is due to him.

competitività f. competitiveness; competitive edge: **la c. di un prodotto**, the competitiveness of a product; **perdere c.**, to lose one's competitive edge; to be no longer competitive.

competitivo a. competitive: **prezzo** [**prodotto**] **c.**, competitive price [product]; **sport c.**, competitive sport; (*org. az.*) **vantaggio c.**, competitive advantage.

competitóre m. (f. **-trìce**) competitor; contestant; rival.

competizióne f. **1** competition; contest: **essere in c. con**, to be in competition with; to be competing with **2** (*gara*) competition; (*incontro*) game, match; (*corsa*) race: **partecipare a una c.**, to take part in a competition; **c. sportiva**, sports competition; **vettura da c.**, racing car **3** (*ecol.*) competition.

compiacènte a. **1** (*gentile*) obliging; considerate; (*disposto*) willing **2** (*che chiude un occhio*) willing to turn a blind eye; complaisant: **funzionario c.**, official willing to turn a blind eye; **marito c.**, complaisant husband **3** (*eufem.*) - **donna c.**, woman of easy virtue.

compiacènza f. **1** (*soddisfazione*) satisfaction; pleasure **2** (*il compiacere*) obligingness; kindness: **fare qc. per c.**, to do st. out of kindness; to do st. to oblige; (*form.*) *Abbia la c. di aspettare qui*, please be so kind as to wait here **3** (*degnazione*) condescension; patronizing attitude: **un sorriso di c.**, a condescending smile.

compiacére **A** v. t. e i. to please (sb.); to gratify (st.); to indulge; to humour (sb.): *Per compiacerla le dissi che aveva una bella voce*, to please her, I told her she had a fine voice; **c. i capricci di q.**, to indulge sb.'s whims; to humour sb. **B** **compiacérsi** v. i. pron. **1** (*provare piacere*) to be pleased (with); to rejoice (at, in); to be delighted (o glad) (of): **compiacersi della propria vittoria**, to rejoice in one's victory; *Me ne compiaccio*, I am (very) glad of it **2** (*congratularsi*) to congratulate (sb. on st.): *Si compiacque con me per la mia promozione*, he congratulated me on my promotion **3** (*lett.* o *iron.*: *degnarsi*) to condescend; to deign; to be so good (as to do st.): *Si compiacque di venire a trovarmi*, she deigned to pay me a visit.

compiacimènto m. **1** gratification; satisfaction; (*spreg.*) smugness: **c. di sé**, self-satisfaction; self-congratulation; (*spreg.*) complacency, smugness: **esprimere il proprio c.**, to express one's satisfaction; **un sorrisetto di c.**, a smug smile **2** (*congratulazioni*) congratulations (pl.).

compiaclùto a. pleased; satisfied; (*spreg.*) smug: **c. di sé**, pleased with oneself; self-satisfied; (*spreg.*) complacent, smug.

♦**compiàngere** v. t. **1** to pity; to be sorry for; to sympathize with: *È da c.*, he is to be pitied; *Non compiangerlo, non se lo merita*, don't be sorry for him, he doesn't deserve it **2** (*lamentare*) to lament; (*un morto*) to mourn.

compiànto **A** a. (late) lamented; late: **il**

suo c. marito, her late husband **B** m. **1** lament; mourning **2** (*poesia*) lament; dirge.

compiegàre v. t. (*bur.*) to enclose; to attach.

♦**cómpiere** **A** v. t. **1** (*completare, finire*) to finish; to complete; to conclude; to bring* to an end; to round off; to conclude: **c. gli studi**, to complete one's studies (o one's education) **2** (*effettuare, fare*) to do*; to make*; to perform; to carry out; to accomplish; to achieve; (*commettere*) to commit: **c. una buona azione**, to do a good deed; **c. un delitto**, to commit a crime; **c. il proprio dovere**, to do one's duty; **c. un furto**, to steal (something); to commit theft (*form.*); **c. grandi cose**, to achieve great things; **c. una missione**, to carry out a mission; **c. una prodezza**, to perform (o to accomplish) a feat; **c. un sacrificio**, to make a sacrifice; **c. uno sforzo**, to make an effort; **c. studi di musica**, to study music **3** (*gli anni*) to be; to turn: *Compirò 15 anni lunedì*, I'll be fifteen on Monday; *Ha appena compiuto tre anni*, he's just turned three; *Quando compi gli anni?*, when is your birthday?; *Quanti anni compi?*, how old will you be? • (*fig.*) **per c. l'opera**, to crown (o to top) it all; on top of it all; into the bargain **B** **cómpiersi** v. i. pron. **1** (*giungere a termine*) to end; to come* to an end: *Si è compiuto un periodo*, a period has ended; *La mia vita si è compiuta*, my life has come to an end **2** (*avverarsi*) to be fulfilled; to come* true: *La profezia si compì*, the prophecy was fulfilled.

compiéta f. (*eccles.*) compline.

compilàre v. t. **1** (*comporre raccogliendo materiale*) to compile; to put* together; (*un'antologia e sim.*) to edit: **c. un dizionario**, to compile a dictionary **2** (*redigere, stendere*) to draw* up; to make* out; to write*: **c. un assegno**, to make out (o to write) a cheque; **c. un documento**, to draw up a document; **c. un elenco**, to draw up (o to make out) a list **3** (*riempire*) to fill in; to fill out (*USA*): **c. un modulo**, to fill in a form; to fill out a blank (*USA*) **4** (*comput.*) to compile.

compilation (*ingl.*) f. inv. compilation (record).

compilativo a. compilation (attr.); derivative.

compilatóre m. **1** (f. **-trìce**) compiler; (*di antologia*) anthologist, editor; (*redattore*) writer, author: **il c. del rapporto**, the author (o writer) of the report **2** (*comput.*) compiler.

compilatòrio → **compilativo**.

compilazióne f. **1** (*il compilare*) compilation; editing; (*il redigere*) writing up, drawing up; (*di un modulo*) filling in, filling out (*USA*) **2** (*opera compilata*) compilation; anthology.

compimènto m. **1** (*conclusione*) ending; end; conclusion; completion: **giungere a c.**, to come to an end; **portare a c.**, (*concludere*) to bring to an end, to complete, to round off **2** (*adempimento*) carrying out; achievement; discharge; fulfilment, fulfillment (*USA*): **il c. di un dovere**, the discharge (o carrying out) of a duty; **nel c. del dovere**, in the line of duty; **durante il c. della missione**, while carrying out the mission.

♦**compire** → **compiere**.

compitàre v. t. **1** to spell* (out) **2** (*leggere stentatamente*) to read* laboriously.

compitazióne f. spelling.

compitézza f. (*cortesia*) politeness, courtesy; (*educazione*) good manners (pl.).

cómpito① a. (*garbato*) polite, courteous; (*educato*) well-mannered.

♦**cómpito**② m. **1** task; job; (*dovere*) duty; (*funzione*) function; (*incarico specifico*) assignment: **un c. di grande responsabilità**, a highly responsible task (o job); **essere**

all'altezza di un c., to be equal to (o up to) a task (o a job); *Non è un c. facile*, it's not an easy task; *I suoi compiti non sono ben definiti*, his duties are rather undefined; *Il mio c. era di catalogare i libri*, my job was to catalogue the books; *Non è c. mio* (*non mi riguarda*), it is not my duty (*fam.* job) **2** (*di scuola*) exercise; (*componimento*) essay; (*a casa*) homework ⓤ, (home) assignment (*USA*); (*in classe*) test; (*di esame*) paper: **c. di geometria**, geometry exercises (pl.); **c. in classe di francese**, French test; **compiti a casa**, homework; home assignment; *Il professore ci dà un sacco di compiti*, our teacher gives us loads of homework; **fare i compiti**, to do one's homework.

compiutaménte avv. fully; entirely; completely.

compiutézza f. completeness.

compiùto a. finished; completed; done (pred.); over (pred.): *Il mio lavoro era ormai c.*, my task was over ● **fatto c.**, fait accompli (*franc.*) □ **avere vent'anni compiuti**, to be over twenty; to have turned twenty.

complanàre a. (*mat.*) coplanar.

complanarità f. (*mat.*) coplanarity.

♦**compleànno** m. birthday: *Buon c.!*, happy birthday!; many happy returns (of the day)!; **festeggiare il c.**, to celebrate one's birthday; **fare a q. gli auguri di c.**, to wish sb. a happy birthday; **festa di c.**, birthday party.

complementàre a. complementary; additionary; subsidiary: **angoli [colori] complementari**, complementary angles [colours]; (*econ.*) **beni complementari**, complementary goods; **materia c.**, subsidiary subject; (*fisc.*) **imposta c.**, income tax.

complementarità f. complementarity.

compleménto m. **1** complement; completion: **fare da c.**, to complement **2** (*gramm.*) object; adverbial (o adverb) phrase: **c. diretto** (o oggetto), direct object; **c. di specificazione**, genitive case; **c. di tempo**, adverbial phrase of time; **c. di termine**, dative case; **c. indiretto**, indirect object **3** (*mat.*) complement: **c. di un angolo**, complement of an angle **4** (*mil.*) reserve: **truppe di c.**, reserves; **ufficiale di c.**, reserve officer.

complessàre Ⓐ v. t. (*psic.*) to give* (sb.) a complex Ⓑ **complessàrsi** v. i. pron. (*fam.*) to develop a complex.

complessàto (*psic.*) Ⓐ a. suffering from a complex; (*fam.*: *pieno di complessi*) full of complexes, complex-ridden, neurotic, full of hang-ups (*fam.*) Ⓑ m. (f. **-a**) complex-ridden person.

complessazióne f. (*chim.*) complexation; complexing.

complessióne f. constitution; built: *È di c. robusta*, he has a strong constitution.

complessità f. **1** complexity; intricacy **2** (*complesso*) entirety; totality; globality.

complessivaménte avv. (*in tutto*) in all, altogether; (*nella totalità*) as a whole; (*tutto considerato*) on the whole, all in all: *Ha scritto c. quindici libri*, she has written fifteen books in all; *La riunione durò c. sei ore*, all in all, the meeting lasted six hours; *C. non posso lamentarmi*, I can't complain, on the whole; all in all, I can't complain.

complessìvo a. general; overall (attr.); total; comprehensive; (*econ.*) gross, global: **cifra complessiva**, total (figure); **costo c.**, total cost; **effetto c.**, general (o overall) effect; **entrata complessiva**, gross income; **giudizio c.**, overall judgment; **produzione complessiva**, global output; **uno studio c. della seconda guerra mondiale**, a comprehensive study of World War II; **una visione complessiva**, an overall (o comprehensive) view.

♦**complèsso**① a. **1** complex; elaborate; (*complicato*) intricate, involved; (*pieno di sfumature*) subtle: **disegno c.**, intricate pattern; **procedimento c.**, elaborate procedure; **questione complessa**, complex question; **stile c.**, subtle style; (*gramm.*) **proposizione complessa**, complex sentence **2** (*fis., chim., mat.*) complex: **numero c.**, complex number; **molecole complesse**, complex molecules; **organismo c.**, complex organism.

♦**complèsso**② m. **1** (*insieme, somma*) sum (total); (*totalità*) whole: **il c. delle nostre esperienze**, the sum (total) of our experiences; **il c. degli insegnanti**, the whole teaching staff; all the teachers; **un c. armonico**, a harmonic whole; **la situazione nel suo c.**, the whole situation; the situation as a whole; **in** (o **nel**) **c.**, (*in generale*) on the whole, (taken) all in all; (*in tutto*) altogether, in all **2** (*serie, gruppo*) complex; combination; number, set, series*; body: **un c. di circostanze**, a set (o series) of circumstances; **un c. di edifici**, a building complex; **un c. organico di leggi**, an organic body of laws **3** (*grande struttura o organizzazione*) complex, group, unit; (*impianto*) plant: **c. editoriale**, publishing group; **c. industriale**, industrial complex; **c. ospedaliero**, hospital complex; **c. residenziale**, residential estate; **c. sportivo**, sports complex **4** (*mus.*) band; ensemble: **un c. jazz [rock]**, a jazz [rock] band; **un c. vocale e strumentale**, a vocal and instrumental ensemble **5** (*psic.*) complex: **c. di colpa**, guilt complex; **c. d'inferiorità**, inferiority complex; **c. edipico**, Oedipus complex; **avere il c. di**, to have a complex about; to be sensitive about; **farsi venire il c. di**, to get a complex about **6** (*chim., mat.*) complex.

completaménte avv. completely; totally; entirely; fully; wholly; thoroughly: **c. aperto**, fully open; **c. fradicio**, thoroughly drenched; wet through and through; **c. nudo**, stark naked; **c. sveglio**, wide awake; *Se n'era c. dimenticato*, he had completely (o entirely) forgotten about it; **essere c. d'accordo**, to agree entirely.

completaménto m. completion: **al c. degli studi**, on completion of one's studies; **in via di c.**, near completion.

♦**completàre** v. t. to finish; to complete; to conclude ● (*iron.*) **per c. l'opera**, to crown (o to top) it all.

completézza f. completeness; entirety.

♦**complèto** Ⓐ a. **1** (*compiuto, intero*) complete; entire; whole; full; (*esauriente*) thorough, comprehensive: **un quadro c. della situazione**, a complete picture of the situation; **l'elenco c. degli abbonati**, the full list of subscribers; **una descrizione completa**, a comprehensive description; **un pasto c.**, a full meal; **le opere complete di Manzoni**, Manzoni's complete works; **edizione completa**, unabridged edition; *Il latte è un alimento c.*, milk is a complete food; **c. di tutti gli accessori**, complete with all attachments **2** (*assoluto, totale*) complete; full; entire; absolute; total; utter; outright: *Il medico ha ordinato c. riposo*, the doctor has ordered complete rest; **completa fiducia**, total confidence; **un c. imbecille**, an utter fool; **un silenzio c.**, perfect silence **3** (*pieno*) full (up): *Il teatro è c.*, there is a full house **4** (*versatile*) all-round: **atleta c.**, all-round athlete Ⓑ m. **1** (*abito da uomo*) suit; (*abito da donna*) suit, costume; (*tenuta*) outfit: **c. giacca e pantaloni**, trouser suit; pants suit (*USA*); **c. da sci**, ski outfit **2** (*insieme di oggetti*) set: **c. da scrivania**, writing set; **c. da toletta**, dressing-table set **3** (*teatr.*) full house: **fare il c.**, to sell out; to have a full house ● **al c.**, (*pieno*) full up; (*con tutti presenti*) whole (agg.): *L'albergo è al c.*, the hotel is

full up; **la famiglia al c.**, the whole family □ **presentarsi al gran c.**, to turn up in full force.

complicànza f. (*med.*) complication.

complicàre Ⓐ v. t. to complicate; to make* (st.) difficult; (*peggiorare*) to worsen: **c. le cose**, to complicate things (o matters); **complicarsi la vita**, to make life difficult for oneself Ⓑ **complicàrsi** v. i. pron. **1** to become* (o to get*) complicated **2** (*di malattia*) to get* worse **3** (*di trama e fig.*) to thicken.

♦**complicàto** a. complicated; (*complesso*) complex, elaborate, intricate; (*difficile*) difficult, tricky (*fam.*), knotty (*fam.*): **un meccanismo c.**, a complicated mechanism; **un problema c.**, a complex (o knotty) problem; **una spiegazione complicata**, an elaborate explanation; **stile c.**, intricate style; *Ha un carattere c.*, he is a difficult man to get on with; *Come sei c.!*, how complicated you are!

complicazióne f. **1** complication; problem: **creare complicazioni**, to complicate things; to cause complications; *È sorta una c.*, a problem has cropped up; **salvo complicazioni**, if no complications arise **2** (*med.*) complication.

còmplice Ⓐ m. e f. **1** accomplice; associate; (*leg.*) accessory, abettor: **c. in un delitto**, accessory to a crime; *Fu tradito dal suo c.*, his accomplice informed on him; **avere come c. q.**, to be abetted by sb.; **essere c. di q.**, to be an accomplice of sb.; to abet sb. **2** (*fig.*) help; partner Ⓑ a. conspiratorial; knowing: **occhiata c.**, conspiratorial look; **sorriso c.**, knowing smile.

complicità f. **1** (*l'essere complice*) complicity; (*leg.*) abetment, abettal; (*connivenza*) connivance **2** (*fig.*) help; aid: **con la c. del buio**, with the help of darkness.

complimentàre Ⓐ v. t. to compliment (sb. on st.) Ⓑ **complimentàrsi** v. i. pron. to congratulate (sb. on st.).

♦**compliménto** m. **1** compliment: **fare un c. a q.**, to pay a compliment to sb.; **ricambiare un c.**, to return a compliment **2** (al pl.) (*ossequi*) regards: *I miei complimenti a sua moglie*, my regards to your wife **3** (al pl.) (*rallegramenti*) congratulations: **fare i complimenti a q. per qc.**, to congratulate sb. on st.; *Complimenti per la torta, era squisita*, your cake was simply delicious **4** (al pl.) (*cortesia eccessiva*) (elaborate) courtesy ⓤ; ceremony ⓤ; fuss (sing.) (*fam.*): **fare complimenti**, to stand on ceremony; *Tutti quei complimenti mi dettero fastidio*, all that fuss irritated me; *Venga pure quando vuole, senza complimenti*, feel free to come when you wish; *Grazie, no, senza complimenti*, no, thank you, I really mean it; **senza tanti complimenti**, without ceremony; (*con franchezza*) without mincing one's words; (*bruscamente*) none too gently; *Si è servito per primo senza tanti complimenti*, he helped himself first without so much as a by your leave ●**FALSI AMICI** • complimenti nel senso di cerimonie non si traduce con compliments.

complimentóso a. **1** full of compliments; ceremonious; obsequious; (*manierato*) affected **2** (*fatto o detto per complimento*) flattering; complimentary.

complottàrdo m. (f. **-a**) conspirator; plotter; schemer.

complottàre v. i. **1** to conspire; to plot; to scheme **2** (*fig.*) to whisper in corners.

complottìsmo m. **1** conspiring; plotting; scheming **2** conspiracy obsession.

complottìstico a. conspiratorial.

complòtto m. conspiracy; plot; scheme: **ordire un c.**, to hatch (o to engineer) a plot; **scoprire un c.**, to uncover a plot; **smascherare un c.**, to expose a plot; **teoria del c.**,

conspiracy theory.

complùvio m. **1** (*archeol.*) compluvium* **2** (*archit.*) valley.

♦**componènte** **A** a. component; constituent: (*fis.*) **forze componenti**, component forces **B** m. e f. **1** (*membro*) member; component: **i componenti la squadra [la giuria]**, the members of the team [of the jury] **2** (*ingrediente*) component (part); ingredient; constituent **C** m. (*chim.*, *fis.*, *ling.*, *mat.*, *tecn.*) component **D** f. (*fig.*: *elemento costitutivo*) constituent; component: **le componenti del pensiero moderno**, the constituents of modern thought.

componentìstica f. **1** components production; components industry **2** components (pl.).

componentìstico a. components (attr.).

componìbile a. (*ind.*) sectional; modular: **cucina c.**, modular (*o* fitted) kitchen; **mobili componibili**, modular furniture; knock-down furniture.

componibilità f. modularity.

componiménto m. **1** (*scolastico*) essay; composition; theme (*USA*): **c. d'inglese**, English essay **2** (*mus.*) composition **3** (*letter.*) work: **c. poetico**, poetic work; (*poesia*) poem **4** (*accordo*) settlement.

♦**compórre** **A** v. t. **1** (*costituire*) to make* up; to constitute; to form; (al passivo, anche) to be composed (of); to consist (of): *La giuria era composta tutta da donne*, the jury was entirely made up (*o* was composed entirely) of women **2** (*creare*) to compose; to create; to write*: **c. un'opera lirica**, to compose an opera; **c. una poesia**, to write a poem **3** (*ordinare, disporre*) to tidy (up); to arrange; (*un cadavere*) to lay* out: **c. il viso a indifferenza**, to assume an air of indifference **4** (*conciliare*) to compose; to settle; to arrange: **c. una lite**, to settle (*o* to compose) a quarrel; **c. le proprie differenze**, to arrange one's differences **5** (*tipogr.*) to set* **6** (*chim.*) to compound **7** (*telef.*) to dial: **c. un numero**, to dial a number; *Compose il 187*, he dialled 187 **B** **compórsi** v. i. pron. to consist (of); to be made up (of); to be composed (of): *Il documento si compone di tre sezioni*, the documents consists of three sections; *La mia famiglia si compone di quattro persone*, my family is made up of four people.

comportamentàle a. behavioural, behavioral (*USA*): **finanza c.**, behavioural finance; **psicologia c.**, behaviourism.

comportamentìsmo m. (*psic.*) behaviourism, behaviorism (*USA*).

comportamentìsta m. e f. behavioural (*USA* behavioral) scientist; behaviourist, behaviorist (*USA*).

comportamentìstico a. behavioural, behavioral (*USA*).

♦**comportaménto** m. behaviour, behavior Ⓤ (*USA*) (*anche psic., tecn.*); conduct Ⓤ; way one behaves: **c. aggressivo**, aggressive behaviour; **il c. di un atomo**, the behaviour of an atom; *Il suo c. fu molto strano*, he behaved very oddly; *Approvo il suo c.*, I approve of the way he behaved; **tenere un c. corretto**, to behave properly.

♦**comportàre** **A** v. t. to involve; to entail; (*richiedere*) to require: **c. spese enormi**, to involve an enormous expenditure; *I diritti comportano anche dei doveri*, rights imply duties as well; **un lavoro che comporta alcuni rischi**, a job involving a certain amount of risk; *La mia ricerca comportò alcuni viaggi all'estero*, my research entailed a few trips abroad **B** **comportàrsi** v. i. pron. to behave; to act: **comportarsi da eroe**, to behave like a hero; **comportarsi bene**, (*educatamente*) to behave (oneself); (*agire bene*) to behave well, to acquit oneself

well; **comportarsi da sciocco**, to behave like a fool; **comportarsi male**, to behave badly; to misbehave.

compòrto m. **1** (*leg.*) grace; respite: **due giorni di c.**, two days' grace **2** (*ferr.*) maximum waiting time (for a connection).

compòsita f. (*bot.*) composite; (al pl., *scient.*) Compositae.

compositìvo a. **1** component; constituent: **elemento c.**, component element **2** (*rif. al comporre*) compositional: **dal punto di vista c.**, from a compositional point of view; **avere attitudini compositive**, to have a bent for composition.

compòsito a. **1** (*anche archit., bot.*) composite **2** (*mecc.*) compound: **macchina composita**, compound machine.

compositóio m. (*tipogr.*) composing stick.

compositóre m. (f. **-trìce**) **1** (*mus.*) composer **2** (*tipogr.*) typesetter; compositor.

compositrìce f. (*tipogr.*: *macchina*) typesetter; typesetting machine.

composizióne f. **1** composition; (*costituzione, anche*) making, make-up: **c. chimica**, chemical composition; (*arte*) **tecnica di c.**, composition technique **2** (*mus., letter., ecc.*) composition; work **3** (*tema scritto*) essay; composition; theme (*USA*); (*d'esame*) paper **4** (*accomodamento*) composition; settlement; agreement; reconciliation **5** (*fis., mecc.*) composition: **c. di forze**, composition of forces; **c. di vettori**, addition of vectors **6** (*tipogr.*) setting, composition; typesetting; (*piombo*) matter: **c. a mano**, hand composition; setting by hand; **c. interlineata**, leaded matter; **c. stretta**, close spacing; **sala di c.**, composing room **7** (*di fiori, ecc.*) arrangement: **c. floreale**, floral arrangement.

composseditrìce f. (*leg.*) joint owner.

compossèsso m. (*leg.*) joint possession.

compossessóre m. (*leg.*) joint possessor.

compósta f. **1** (*cucina*) compote **2** (*agric.*) compost.

compostàggio m. (*agric.*) composting.

compostàre v. t. (*agric.*) to compost.

compostézza f. **1** composure; self-possession; sedateness **2** (*decoro*) decorum; propriety **3** (*ordine*) neatness; tidiness.

compostièra f. compote.

♦**compósto** **A** a. **1** – **c. di** (*o* **da**), composed of; consisting of; made up of: **un appartamento c. di due camere**, a flat made up of two rooms **2** (*calmo*) composed; self-possessed; sedate **3** (*decoroso*) seemly; decorous; proper; dignified: **sedere c.**, to sit properly; to sit straight; (*a un bambino*) *Sta' c.!*, sit straight! **4** (*ordinato*) neat; tidy **5** (*disciplinato*) orderly; peaceful: **una folla composta**, an orderly crowd **6** (*non semplice*) compound: (*comm.*) **interesse c.**, compound interest; (*mat.*) **numero c.**, compound number; **parola composta**, compound word; (*gramm.*) **tempo c.**, compound tense **7** (*bot.*) composite; compound: **infiorescenza composta**, composite inflorescence **B** m. **1** mixture; compound **2** (*chim.*) compound **3** (*ling.*) compound. ❶ **NOTA:** *compounds →* **compound**①.

cómpra → **compera**.

compràbile a. buyable; purchasable.

♦**compràre** v. t. **1** to buy*; to purchase (*form.*); to get* (*fam.*): **c. azioni**, to buy (*o* to purchase) shares; **c. una casa in campagna**, to buy a house in the country; (*sport*) **c. un giocatore**, to buy a player; **c. a buon mercato**, to buy cheap; **c. a credito**, to buy on credit; **c. a metri [a peso]**, to buy by the metre [by weight]; **c. a rate**, to buy on hire purchase (*USA*, on the installment plan); (*Borsa*) **c. a termine**, to buy forward; **c. al**

minuto, to buy retail; **c. qc. all'asta**, to buy (*o* to purchase) st. at an auction; **c. all'ingrosso**, to buy wholesale; **c. qc. di seconda mano**, to buy st. second-hand; **c. qc. d'occasione**, to buy st. at a bargain sale; **c. in blocco**, to buy up; **c. in contanti**, to buy for cash; **c. qc. per pochi soldi**, to buy st. for a song; *L'ho comprato da un amico*, I bought it from a friend; *L'ho comprato dal fornaio*, I bought it at the baker's; *Ti compro il giornale?*, shall I get you the paper? **2** (*corrompere*) to bribe: **c. i giurati**, to bribe the jurors ● (*fig.*) **c. a peso d'oro**, to pay a fortune for st. □ **c. a scatola chiusa**, to buy blind; to buy sight unseen □ **c. il silenzio di q.**, to buy sb.'s silence □ **c. una partita**, to fix a match.

compratóre m. (f. **-trìce**) **1** buyer; purchaser; (*in un negozio*) customer, shopper **2** (*org. az.*) buyer.

compravéndita f. **1** (*fin., comm.*) sale; purchase; trading: **c. a termine**, forward sale; forward purchase; **c. d'immobili**, transfer of real estate; **operazioni di c.**, trading **2** (*leg.*: *il contratto*) contract of sale; deed of sale; purchase deed.

comprendènte a. including; comprising; containing; covering.

♦**comprèndere** **A** v. t. **1** (*contenere, racchiudere*) to include; to comprise; to contain; to encompass; to cover: **c. varie sezioni**, to comprise (*o* to include) various sections; *Il libro comprende un capitolo sulla scherma*, the book includes a chapter on fencing; *La nuova legge comprende anche questo caso*, the new law also covers this case; *La quota non comprende le bevande e gli extra*, drinks and extras are not included in the price **2** (*capire*) to understand*; (*rendersi conto*) to realize, to appreciate: *Cerca di c. quello che ti dirò*, try and understand what I'm going to tell you; *Non comprese la mia allusione*, he didn't get my hint; *A casa non lo comprendono*, his family don't understand him; *Compresi di essermi perduto*, I realized I was lost **B** **comprèndersi** v. rifl. recipr. to understand* each other (*o* one another) ● **Ci siamo compresi?**, are we understood?; is that clear?

comprendònio m. (*fam. scherz.*) understanding; brains (pl., *fam.*); wits (pl., *fam.*); **duro di c.**, slow-witted; slow on the uptake (*fam.*).

comprensìbile a. **1** (*intelligibile*) intelligible; understandable; clear; comprehensible: **un ragionamento c.**, an intelligible argument; **una spiegazione c.**, a clear explanation; **usare un linguaggio c.**, to speak plainly; to use plain language **2** (*giustificabile*) understandable: **un punto di vista c.**, an understandable point of view.

comprensibilità f. intelligibility; comprehensibility.

♦**comprensióne** f. **1** (*il capire*) understanding; grasp; comprehension: **una buona c. del problema**, a good grasp of the problem; **al di là della mia c.**, beyond my understanding (*o* my grasp); **di facile c.**, easy to understand **2** (*partecipazione a sentimenti altrui*) sympathy; understanding.

comprensività f. comprehensiveness; inclusiveness.

♦**comprensìvo** a. **1** comprehensive; inclusive: **c. di tutte le spese**, inclusive of all charges **2** (*che dimostra comprensione, indulgenza*) understanding; sympathetic ❶ **FALSI AMICI** • comprensivo *nel senso di indulgente non si traduce con* comprehensive.

comprensòrio m. area; district; territory.

comprešènte a. present at the same time; simultaneously present; (*concomitante*) concurrent.

comprešènza f. contemporary (*o* simul-

taneous) presence; (*concomitanza*) concurrence.

compréso a. **1** included (pred.); inclusive: **fino al 10 aprile** c., up to and including the 10th of April; up to the 10th of April inclusive (*GB*); **da lunedì a venerdì** c., Monday to Friday inclusive (*GB*); Monday through Friday (*USA*); **tutti, me** c., all of us, including me (*fam.* me included); *Batterie non comprese* (*nella confezione*), batteries not included; **tutto** c., everything included (pred.); (*di prezzo*) all-inclusive (attr.) **2** (*capito*) understood: *Non mi sento* c., I don't feel understood **3** (*conscio*) fully aware; fully conscious **4** (*compenetrato*) filled (with); overwhelmed (by): **c. di stupore**, filled with wonder **5** (*assorto*) involved (in); taken up (with): **c. nel proprio lavoro**, involved in one's job.

compréssa f. **1** (*di garza*) compress **2** (*pastiglia*) tablet ❶**FALSI AMICI** • compressa *nel senso di pastiglia non si traduce con* compress.

compressìbile a. (*fis.*) compressible.

compressibilità f. (*fis.*) compressibility.

compressióne f. **1** compression; pressure; constriction: (*med.*) **c. cerebrale**, cerebral compression; **camera di** c., compression chamber; (*fis.*) **grado di** c., compression ratio; (*mecc.*) **prova a** c., compression test; (*autom.*) **rapporto di** c., compression ratio **2** (*stretta, anche fig.*) squeeze: **c. creditizia**, credit squeeze.

compressìvo a. compressive • **fasciatura compressiva**, bandage.

comprèsso a. **1** compressed; pressed: **aria compressa**, compressed air; **freno ad aria compressa**, compressed-air brake; air brake **2** (*fig.*) suppressed; repressed.

compressóre Ⓐ a. compressing: (*anat.*) **muscolo** c., compressor Ⓑ m. **1** (*mecc.*) compressor: **c. d'aria**, air compressor; **c. stradale**, roadroller; (*a vapore*) steamroller **2** (*di motore a scoppio*) supercharger **3** (*ind. tess.*) condenser.

compressorista m. compressor operator.

comprimàrio Ⓐ m. (f. **-a**) **1** (*teatr.*) second lead: (*teatr.* e *fig.*) **avere un ruolo da** c., to play second lead **2** (*med.*) co-head (*o* joint head) physician Ⓑ a. – **medico** c. → **A**, def. 2.

comprìmere v. t. **1** to press (hard); (*anche fis., med.*) to compress: **c. una ferita con la mano**, to press one's hand on a wound; **c. un'arteria**, to compress an artery; **c. un gas**, to compress a gas **2** (*fig.: reprimere, contenere*) to repress; to suppress; to restrain: **c. lo sdegno**, to restrain one's indignation **3** (*econ.*) to squeeze: **c. la spesa pubblica**, to squeeze public expenditure.

comprimìbile a. **1** (*fis.*) compressible **2** (*econ.*) squeezable; that can be squeezed **3** (*reprimibile*) restrainable.

comprimibilità f. **1** (*fis.*) compressibility **2** (*econ.*) compressibility; squeezability.

comprométtere Ⓐ v. t. **1** (*mettere a repentaglio*) to compromise, to endanger, to

jeopardize; (*danneggiare*) to prejudice, to damage: *C'è il rischio di* c. *tutto*, there is the risk of jeopardizing everything; **una scelta che potrebbe** c. **la sua carriera**, a decision that might prejudice his whole career; (*med.*) **c. un organo**, to damage an organ **2** (*coinvolgere*) to implicate: *Fu compromesso nello scandalo*, he was implicated in the scandal **3** (*leg.*) to refer to arbitration Ⓑ **comprométtersi** v. rifl. **1** to compromise oneself; (*lasciarsi coinvolgere*) to get* involved **2** (*impegnarsi*) to commit oneself: *Gli ho chiesto la sua opinione, ma non ha voluto compromettersi*, I asked him his opinion, but he refused to commit himself.

compromissòrio a. (*leg.*) arbitration (attr.): **clausola compromissoria**, arbitration clause.

comproprietà f. (*leg.*) joint ownership; co-ownership.

comproprietàrio m. joint owner; co--owner; co-proprietor.

compròva f. proof; evidence; confirmation; substantiation.

comprovàbile a. provable; demonstrable.

comprovàre v. t. to prove; to confirm; to substantiate; to attest.

compulsàre v. t. to consult; to study; to inspect; to go* through.

compulsióne f. compulsion (*anche psic.*); constraint; coercion.

compulsìvo a. (*psic.*) compulsive.

compùnto a. compunctious; repentant; contrite; penitent; (*spreg.*) affecting compunction.

compunzióne f. **1** compunction; regret; (*spreg.*) affected compunction **2** (*relig.*) remorse; repentance.

computàbile a. calculable; computable.

computabilità f. computability; calculability.

computàre v. t. **1** (*includere in un conteggio*) to calculate; to take* into account **2** (*calcolare*) to compute; to reckon **3** (*addebitare*) to charge; to debit.

computazionàle a. computational: **linguistica** c., computational linguistics.

♦computer (*ingl.*) m. inv. computer: **c. da tavolo**, desktop computer; **c. portatile**, portable computer; laptop (computer); notebook; **animazione al** c., computer animation; **giochi al** c., computer games.

computeróse m. computer jargon; computerese.

computerìstico a. computer (attr.).

computerizzàre v. t. to computerize.

computerizzàto a. computerized; computer-aided: **progettazione computerizzata**, computer-aided design (abbr. CAD).

computerizzazióne f. computerization.

computìsta m. e f. (*contabile*) book-keeper; (*ragioniere*) accountant.

computìsteria f. **1** (*mat.*) business mathematics (pl. col verbo al sing.) **2** (*contabilità*) book-keeping.

còmputo m. **1** calculation; reckoning; computation: **c. delle spese**, calculation of expenses; **fare il** c. **di qc.**, to calculate st.; to count st.; **mettere nel** c. **qc.**, to take st. into account **2** (*eccles.*) – c. **ecclesiastico**, ecclesiastical calendar.

♦comunàle a. municipal; town (attr.); city (attr.): **amministrazione** c., municipal administration; **consiglio** c., town council; city council (*USA*); **elezioni comunali**, local elections; (*stor.*) **l'epoca** c., the period of the medieval city-republics; **impiegato** c., municipal employee; **palazzo** c., town hall; city hall (*USA*).

comunànza f. **1** community; commonality: **c. d'interessi**, community (*o* commonality) of interests; common interests; **c. di beni**, community of goods (*o* property) **2** (*lett.: comunità*) community.

comunàrdo m. (*stor.*) Communard.

♦comùne ① Ⓐ a. **1** (*pertinente a più persone*) common, mutual; (*generale*) general: **amico** c., mutual friend; **il bene** c., the common (*o* general) good; **una lingua** c., a common language; **pascolo** c., common land; **un problema** c. **a molte persone**, a problem common to (*o* shared by) a lot of people; **uso** c., general practice; **di** c. **accordo**, by common (*o* mutual) consent **2** (*abituale, normale*) common; ordinary; normal; everyday (attr.); usual; (*senza particolarità*) unexceptional, unremarkable; (*medio*) average: *Le cose più comuni acquistavano un significato nuovo*, the most ordinary things acquired a new meaning; *Questo è l'uso* c., this is the usual practice; **oggetti di uso** c., objects of everyday use; **una** c. **valigia marrone**, an ordinary brown suitcase; **gente** c., ordinary people; **statura [intelligenza]** c., average height [intelligence] **3** (*diffuso*) common; widespread: **cognome** c., common surname; **errore** c., common mistake; **opinione** c., widespread opinion **4** (*ordinario, volgare*) common; cheap: *È un tipo abbastanza* c., he's rather common; **vino** c., cheap wine **5** (*ling.*) common: **nome** c., common noun ● **i comuni mortali**, common humanity; mankind □ **cassa** c., common fund of money; kitty (*fam.*) □ **delinquente** c., common criminal □ (*mat.*) **denominatore** c., common denominator □ (*comm.*) **conto** c., joint account □ **non** (*o* **poco**) c., uncommon; unusual □ **luogo** c., cliché; commonplace □ **Mercato** C., Common Market □ **reati comuni**, non-political crimes □ **senso** c., common sense □ **l'uomo** c., the common man; the man in the street □ (*prov.*) **Mal** c. **mezzo gaudio**, a trouble shared is a trouble halved Ⓑ m. **1** (the) common; (the) ordinary; (la media) average: **fuori del** c., out of the ordinary; uncommon; exceptional; **più intelligente del** c., above average intelligence; **in** c., in common; jointly (agg.); shared (agg.): **avere qc. in** c., to share st.; (*gusti, qualità, ecc.*) to have st. in common; **mettere in** c., (*raccogliere*) to pool; (*condividere*) to share; **vita in** c., shared life; life together **2** (*naut.*) (ordinary) seaman: **c. di prima classe**, able seaman **3** (*mil.*) private Ⓒ f. (*teatr.*) main stage door ● (*fig.*) **uscire dalla** c., to leave.

♦comùne ② m. **1** (*ente amministrativo*) municipality, municipal district; (*in Italia, Francia, ecc.*, anche) commune; (*estens.: città*) town; (*paese*) village **2** (*le autorità comunali*) town council; city council (*USA*); local government **3** (*sede del* c.) town hall; city hall (*USA*): **sposarsi in** c., to get married in the town hall; (*estens.*) to have a civil wedding ceremony **4** (*stor.*) (medieval) commune; free city; (*in Italia*) city-republic **5** (al pl.) – (*in GB*) **la Camera dei Comuni** (*o* **i Comuni**), the House of Commons; the Commons.

comùne ③ f. **1** – (*stor.*) **la** C., the (Paris) Commune **2** (*polit.*) commune **3** (*comunità*) commune.

comunèlla f. **1** league; clique: **fare** c., to be in league; to gang up **2** (*chiave*) master key.

comuneménte avv. **1** (*di solito*) usually; generally; commonly; normally: **c. detto**, commonly called; **come** c. **si dice**, as they say **2** (*in comune*) jointly.

comunicàbile a. communicable.

comunicabilità f. communicability.

comunicàndo m. (f. **-a**) (*eccles.*) communicant.

comunicànte Ⓐ a. communicating: **stanze comunicanti**, communicating

rooms; **vasi comunicanti**, communicating vessels **B** m. (*eccles.*) priest administering Holy Communion **C** m. e f. (*eccles.*) communicant.

◆**comunicàre** **A** v. t. **1** (*trasmettere*) to communicate; to convey; to impart; to give*: **c. il proprio entusiasmo a q.**, to communicate one's enthusiasm to sb.; **c. un'idea**, to convey an idea; **c. una notizia a q.**, to give sb. a piece of news; *Non mi è stato ancora comunicato*, I haven't been informed yet; *Si comunica con la presente che...*, notice is hereby given that... **2** (*trasmettere per contagio*) to transmit: **c. una malattia a q.**, to transmit a disease to sb.; to infect sb. with a disease **3** (*eccles.*) to administer Holy Communion to **B** v. i. **1** (*essere in comunicazione*) to communicate: *La camera comunica col bagno*, the bedroom communicates with the bathroom **2** (*trasmettere messaggi, essere in relazione*) to communicate: **c. a gesti [per telefono, via radio]**, to communicate through signs [by telephone, by radio]; **c. in francese**, to communicate in French; *Io e mio figlio non riusciamo a c.*, my son and I can't communicate **C** **comunicàrsi** v. i. pron. **1** (*trasmettersi*) to be communicated; to be transmitted; (*diffondersi*) to spread* **2** (*eccles.*) to receive Holy Communion; to communicate.

comunicativa f. communicativeness: **avere c.**, to be communicative; to be expansive; to be a good communicator.

comunicativo a. **1** (*contagioso, anche fig.*) contagious; infectious **2** (*cordiale*) communicative; expansive; sociable; open.

comunicàto m. **1** bulletin; communiqué (*franc.*); communication; announcement; statement; notice: (*radio, TV*) **c. commerciale**, commercial; **c. di guerra**, war bulletin; **c. medico**, medical bulletin; **c. stampa**, press release; **c. ufficiale**, official statement (*o announcement*) communiqué **2** (*eccles.*) person who has received Holy Communion.

comunicatóre m. (f. **-trice**) communicator.

comunicatòrio a. communicating; communication (attr.).

◆**comunicazióne** f. **1** (*scambio di informazioni*) communication ⓥ: **la c. delle idee**, the communication of ideas; **essere in c. con**, to be in communication with; **mezzi di c.**, means of communication; **mezzi di c. di massa**, mass media **2** (*messaggio*) communication, message; (*comunicato, annuncio*) announcement, statement; (*notifica*) notice: **c. scritta**, written communication; **c. sociale**, Public Service Announcement (PSA); **c. verbale**, verbal message; *Non ho ricevuto nessuna c. da loro*, I have received no communication from them; *Devo fare una c.*, I have an announcement to make; **dare c. di qc.**, to make st. known; to inform (sb.) of st. **3** (*relazione scritta a un convegno*) paper: **presentare una c.**, to read a paper **4** (*collegamento*) communication: **comunicazioni ferroviarie [stradali]**, railway [road] communications; **vie di c.**, lines of communication; **interrompere tutte le comunicazioni**, to cut off (*o* sever) all communications **5** (*telef.*) telephone connection, line; (*telefonata*) (telephone) call: **c. interurbana**, long-distance call; toll call (*USA*) **avere la c.**, to be put through; to get through; *È caduta la c.*, the line has gone dead; **chiedere la c.**, to ask to be put through; **dare la c. a q.**, to put sb. through; **togliere la c. a q.**, to cut sb. off; to disconnect sb. **6** (*trasmissione*) transmission; conveyance: **c. del calore**, transmission of heat **7** (*ling.*) communication ● **essere in c.**, (*di cose*) to be in touch □ **Questa porta mette in c. con la cucina**, this door leads to (*o* into) the kitchen □ **mettersi in c. con q.**,

to get in touch with sb.; to contact sb. □ **porta di c.**, communicating door □ **strada di grande c.**, arterial road.

◆**comunióne** f. **1** (*comunanza*) community; commonality: **c. di interessi**, community of interests; **c. di vedute**, common views (pl.) **2** (*unione spirituale*) communion: **c. con Dio [con la natura]**, communion with God [with nature]; **essere in c. con**, to commune with **3** (*insieme dei fedeli di una stessa chiesa*) communion: **la c. greco-ortodossa**, the Greek-Orthodox communion; (*teol.*) **la c. dei Santi**, the communion of Saints **4** (*relig.*: *eucarestia*) Holy Communion: **prima c.**, First Communion; **dare la c.**, to administer Holy Communion; **ricevere (o fare) la c.**, to receive (*o* to take) Holy Communion **5** (*leg.*) community; co-ownership: **c. dei beni**, joint property (*GB*); community of property (*USA*); **c. ereditaria**, co-ownership by the heirs; (*posseduto*) **in c.**, jointly owned; common (agg.).

comunìsmo m. (*polit.*) communism.

◆**comunìsta** (*polit.*) **A** a. communist: **il partito c.**, the Communist Party **B** m. e f. communist.

comunistizzàre v. t. to communize; to make* communist.

comunistòide a., m. e f. (*spreg.*) (person) leaning towards communism.

◆**comunità** f. **1** community: *C. Economica Europea*, European Economic Community; **c. familiare**, family; **c. etnica**, ethnic community; **c. montana**, consortium of municipalities in a mountain area; **c. per tossicodipendenti**, drug rehabilitation centre; **c. religiosa**, religious community; **c. terapeutica**, rehabilitation centre; **a spese della c.**, at public expense; at the taxpayer's expense; **per il bene della c.**, for the good of the community; **vivere in c.**, to live communally **2** (*zool., ecol.*) community **3** (*comune*) municipality **4** (*comunanza*) community: **c. di interessi**, community of interests.

◆**comunitàrio** a. **1** community (attr.) **2** (*rif. alla Comunità Europea*) European Community (attr.); EC (attr.): **disposizioni comunitarie**, EC regulations.

◆**comùnque** **A** avv. (*in ogni caso*) in any case; anyway; (*ugualmente*) all the same, though (*posposto*): *Partirò c.*, I will leave in any case; *C., una telefonata potevi farmela*, you could have rung me, though **B** cong. **1** however; no matter how; whatever: **c. vadano le cose**, whatever happens; come what may; **c. (si) sia**, however that may be **2** (*ma, però*) but; though (*posposto*); (*tuttavia*) however: *Ha avuto una brutta influenza*, *ora sta meglio*, she's had a bad bout of flu, but she's getting better.

◆**con** prep. **1** (*compagnia, comparazione*) with; (*relazione, anche*) to, towards: *Porta con te tua moglie*, bring your wife with you; *Ho passato la serata con amici*, I spent the night with friends; *Ho parlato con loro*, I spoke to them; *È gentile con tutti*, he is kind to everybody; *Non hai pazienza con me*, you have no patience with me; *È sposato con Marta*, he is married to Marta; **tenersi in contatto con q.**, to keep in touch with sb.; **essere generoso con i vinti**, to be generous with (*o* towards) the conquered; *L'olio non si mescola con l'acqua*, oil will not mix with water; *Uscì con guanti e cappello*, he went out wearing gloves and hat; *Uscii con la chiave in tasca*, I went out with the key in my pocket; **confrontare l'originale con la copia**, to compare the original with the copy; **caffè con panna**, coffee and cream **2** (*contro*) with; against: **litigare con q.**, to quarrel with sb.; **essere in guerra con q.**, to be at war with sb.; **combattere con un drago**, to fight with (*o* against) a dragon; to fight a dragon **3** (*mezzo o strumento*) with;

by; by means of; (*rif. a mezzo di trasporto*) by: *Vediamo con gli occhi e udiamo con le orecchie*, we see with our eyes and hear with our ears; **tagliare qc. con il coltello**, to cut st. with a knife: *L'ho fatto con le mie mani*, I did it with my own hands; **assicurato con una catena**, fastened by means of a chain; **ottenere qc. con la forza**, to get st. by force; **arrivare col treno [col battello]**, to arrive by train [by boat]: *Si guadagna il pane con l'insegnamento*, he earns his living by teaching; **con l'aiuto di Dio**, with God's help **4** (*materia*) from; out of: *Il vino si fa con l'uva*, wine is made from grapes; *Con una vecchia cassa, ho fatto questo tavolino*, I made this table out of an old box **5** (*modo, maniera*) with; in: **fare qc. con cura [facilità, difficoltà]**, to do st. with care [ease, difficulty]; **procedere con cautela**, to proceed with caution (*o* cautiously); **accogliere q. con un sorriso**, to welcome sb. with a smile; **con tutto il cuore**, with all one's heart; **con sforzo**, with an effort; **con tono irato**, in an angry tone **6** (*causa*) with: **a letto con la febbre**, in bed with a temperature **7** (*caratteristica, proprietà*) with: **un uomo con i capelli bianchi**, a man with white hair; **una giacca con tre tasche**, a jacket with three pockets **8** (*temporale*) with; at; on; in: **con l'arrivo dell'inverno**, with the coming of winter; *Con lunedì si apre la campagna elettorale*, the electoral campaign begins on Monday; *Con marzo sarà tutto finito*, it'll all be over by March **9** (*nonostante*) with; for; in spite of: *Con tutti i suoi difetti, lo trovo simpatico*, with (*o* in spite of) all his faults, I like him; *Con tutto ciò, non lo biasimo*, for all that, I don't mean to criticize him **10** (*consecutiva*) to: **con nostra grande gioia [stupore, fastidio]**, to our great delight [astonishment, annoyance] **11** (*canottaggio*) coxed: **due con**, coxed pair; **quattro con**, coxed four; **otto con**, coxed eight ● **Aveva studiato con Fermi**, he had studied with (*o* under) Fermi □ **Hai denaro con te?**, have you any money on you? □ **cominciare col dire**, to begin by saying □ **conosciuto col nome di**, known as □ **Ci riuscì, ma con un lavoro durissimo**, she succeeded only by dint of hard work □ **Come va col tedesco?**, how's your German coming along? □ **Come va con quel braccio?**, how's your arm? □ **Sono indietro col lavoro**, I'm behind with my work □ **un borsellino con dentro pochi spiccioli**, a purse with some small change □ **un campo con intorno uno steccato**, a field surrounded by a fence □ **un uomo con in mano un pacchetto**, a man carrying a parcel □ **Con ciò (o col che) s'alzò in piedi e lasciò la stanza**, with that, he got up and left the room □ **Con tutto che si vogliono bene, non fanno che bisticciare**, although they are fond of each other, they are always bickering □ **insieme con**, with; together with; along with.

conativo a. (*ling.*) conative.

conàto m. **1** (*sforzo*) effort; attempt **2** (*impulso*) impulse: **c. di vomito**, spasm of vomiting; retching ⓥ; **avere conati di vomito**, to retch.

conazióne f. (*psic.*) conation.

cónca f. **1** (*tinozza*) (earthenware) basin **2** (*region.*: *recipiente di rame*) copper vessel **3** (*vasca*) basin **4** (*geogr.*) basin; bowl; hollow; (*valle*) valley, dell **5** (*anche c. di navigazione*) lock **6** (*lett.*: *conchiglia*) shell; conch **7** (*anat.*) concha* **8** (*archit.*) **c. absidale**, conch; concha □ **far c. con le mani**, to cup one's hands.

concàmbio m. (*fin.*) share swap; **rapporto di c.**, share swap ratio.

concameràto a. (*bot.*) concamerated.

concamerazióne f. (*bot.*) concameration.

a
b
c
d
e
f
g
h
i
j
k
l
m
n
o
p
q
r
s
t
u
v
w
x
y
z

concàta f. basinful.

concatenaménto m. concatenation; connection; linkage.

concatenàre **A** v. t. to link together; to connect; to concatenate **B** **concatenàrsi** v. rifl. recipr. to be linked together; to be connected; to interlink.

concatenàto a. linked together; connected; linked; interlinked: **idee logicamente concatenate**, logically connected (o linked) ideas; (fis.) **flusso c.**, (flux) linkage; (comput.) **lista concatenata**, linked list; (elettr.) **tensione concatenata**, line voltage.

concatenazióne f. **1** concatenation; linking; connection **2** (chim.) linkage.

concàuṣa f. **1** concomitant cause **2** (leg.) joint cause.

concavità f. **1** (l'essere concavo) concavity **2** (cavità) cavity; concavity; hollow.

còncavo a. concave (anche fis., mat.); hollow: **lente concava**, concave lens; **specchio c.**, concave mirror; (fis.) **c. convesso**, concavo-convex.

concedènte m. e f. (leg.) grantor.

♦**concèdere** **A** v. t. **1** to grant; to allow; to accord; to give*; to award; to bestow: **c. un brevetto d'invenzione**, to issue (o to grant) a patent; **c. la cittadinanza a q.**, to naturalize sb.; **c. una dilazione**, to grant an extension; **c. un favore a q.**, to bestow a favour on sb.; **c. la grazia a q.**, to pardon sb.; **c. un prestito**, to grant a loan; (calcio) **c. una punizione [un rigore]**, to allow (o to award) a free kick [a penalty kick]; **c. un rinvio**, to grant an extension; (leg.) to adjourn a suit; **c. uno sconto**, to grant a discount; **c. più tempo a q.**, to give (o to allow) sb. more time; **c. un'udienza**, to grant an audience; **concedersi il lusso di qc.**, to allow oneself the luxury of st.; **concedersi un po' di riposo**, to allow oneself a moment's rest; **concedersi un vestito nuovo**, to treat oneself to a new dress; **non c. nulla alla frivolezza**, to show few signs of frivolity **2** (permettere) to allow; to let*: *Mi hanno concesso di restare*, they've allowed me to stay; they've let me stay **3** (ammettere) to concede; to grant; to admit: *«Forse hai ragione» concesse Sergio*, «you may be right» conceded Sergio; *Te lo concedo*, I grant you; I'll give you that **B** **concèdersi** v. rifl. (accettare un rapporto sessuale) to yield; to give* oneself.

concedìbile a. allowable; grantable.

concelebrànte (eccles.) **A** a. concelebrating **B** m. concelebrant.

concelebràre v. t. (eccles.) to concelebrate.

concelebrazióne f. (eccles.) concelebration.

concènto m. (lett.) harmony; concord.

concentraménto m. **1** concentration: **c. di truppe**, concentration (o massing) of troops; (mil.) **c. di tiro**, convergence of fire; **campo di c.**, concentration camp **2** → **concentrazione**, def. 5.

♦**concentràre** **A** v. t. **1** to concentrate; to assemble; to gather together; (mil.) to mass; to concentrate: **c. il fuoco dell'artiglieria**, to concentrate artillery fire; **c. truppe**, to mass (o to concentrate) troops **2** (fig.) to concentrate; to centre; to focus: **c. la propria attenzione su qc.**, to focus one's attention on st.; **c. i propri sforzi su qc.**, to concentrate one's efforts on st.; **c. le proprie speranze su qc.**, to centre one's hopes on st.; *Il corso di quattro settimane è stato concentrato in cinque giorni*, the entire four-week course was concentrated into five days **3** (chim.) to concentrate **4** (econ., fin.: aziende e sim.) to combine; to amalgamate; to merge **B** **concentràrsi** v. rifl. e pron. **1** (raccogliersi mentalmente) to concentrate:

concentrarsi su qc., to concentrate on st.; *Non posso concentrarmi con la radio accesa*, I cannot concentrate with the radio on **2** (radunarsi, raccogliersi) to gather; to assemble; to concentrate; to converge (on); to congregate **3** (econ., fin.) to combine; to amalgamate; to merge.

concentràto **A** a. **1** concentrated: (mil.) **fuoco c.**, concentrated fire **2** (fig.: intento) absorbed; wrapped (up); concentrated: *Era c. nei suoi pensieri*, he was absorbed in his thoughts; he was wrapped in thought; **c. nella lettura di un libro**, absorbed in a book **3** (condensato, ristretto) concentrated; strong: **caffè c.**, strong coffee; **succo c. di mela**, concentrated apple juice **4** (fig.: intenso) intense; concentrated: **sforzo c.**, concentrated (o concerted) effort **5** (fig.: sintetico) concise; terse; compact; compendious **B** m. **1** (chim.) concentrate: **c. di allume**, concentrated alum **2** (di conserva, ecc.) concentrate: **c. di pomodoro**, tomato concentrate **3** (fig.: cumulo) load; heap: **un c. di sciocchezze**, a load of nonsense.

concentratóre m. **1** (mecc.) concentrator; thickener **2** (cinem.) condenser.

concentrazionàrio a. concentration camp (attr.).

concentrazióne f. **1** concentration: **c. di capitali**, concentration of capital; (mil.) **c. di truppe**, concentration (o massing) of troops; (mil.) **c. di fuoco**, concentration of fire; **c. urbana**, urban concentration **2** (raccoglimento) concentration: **capacità di c.**, powers of concentration; **perdere la c.**, to lose one's concentration; *Ho bisogno di c.*, I need to concentrate; **un lavoro che richiede c.**, a work requiring concentration **3** (chim.) concentration; strength: **aumentare [diminuire] la c. della soluzione**, to strengthen [to dilute] the solution **4** (fis.) focusing **5** (econ., fin.) concentration; combination; amalgamation; consolidation; merger: **c. di imprese (o aziendale)**, business combination (o combine); **c. industriale**, industrial concentration; **c. orizzontale [verticale]**, horizontal [vertical] combination (o trust); **indice di c. industriale**, concentration index.

concentrazionìṣmo m. (econ.) tendency towards combination.

concentricità f. (geom.) concentricity.

concèntrico a. (geom.) concentric.

concepìbile a. conceivable; imaginable.

concepibilità f. conceivability.

concepiménto m. (biol. e fig.) conception.

concepìre v. t. **1** (biol.) to conceive: **c. un figlio**, to conceive a child **2** (cominciare a provare) to conceive; to entertain; to form: **c. avversione per qc.**, to conceive an aversion for st.; **c. speranze [sospetti, dubbi]**, to entertain hopes [suspicions, doubts] **3** (intendere, immaginare) to conceive of, to imagine; (comprendere) to understand*: *Non concepisco un pasto senza pane*, I can't conceive of a meal without bread; *Non concepisco come si possa rifiutare una simile offerta*, I can't understand how anyone could turn down such an offer; **il mio modo di c. l'amicizia**, my conception of friendship **4** (ideare) to conceive; to think* up; (progettare) to design; (escogitare) to contrive, to devise; (formulare) to draw* up: **c. un'idea [un progetto]**, to conceive an idea [a plan]; **c. un piano di fuga**, to contrive (o to devise) a plan of escape; **c. un piano di risanamento dei quartieri poveri**, to draw up a redevelopment plan for the poorer districts; *Il romanzo fu concepito come trilogia*, the novel was conceived as a trilogy.

concepìto **A** a. **1** conceived **2** (formulato) worded: **un telegramma così c.**, a telegram

worded as follows; *Il biglietto era così c.*, the note read as follows **B** m. child in the womb; (leg.) conceptus.

conceria f. **1** (locale) tannery **2** (tecnica) tanning; tannage.

concèrnere v. t. to concern; to regard; to affect: *La faccenda concerne anche me*, the matter concerns (o affects) me too; **per quanto concerne le regole**, as regards (o with regard to) the rules; **per quanto mi concerne**, as for me; speaking for myself.

concertànte a. (mus.) concertante: **brano c.**, concertante (passage); **sinfonia c.**, sinfonia concertante.

concertàre **A** v. t. **1** (mus.: accordare) to orchestrate **2** (mus.: preparare) to rehearse; to conduct a rehearsal of **3** (fig.) to plan; to concert; to arrange: **c. la fuga [un piano di lavoro]**, to plan an escape [a work schedule] **B** **concertàrsi** v. rifl. (accordarsi) to agree.

concertàto **A** a. **1** (mus.) polyphonic; concerted: **pezzo c.**, concerted piece **2** (predisposto) planned; arranged; agreed upon; concerted: **azione concertata**, concerted action; **piano c.**, arranged plan; plan agreed upon; agreed-upon plan **B** m. (mus.) concertato.

concertatóre m. (f. **-trice**) (mus.) conductor (of rehearsals) ● **maestro c. e direttore d'orchestra**, conductor.

concertazióne f. **1** (polit.) consultation; dialogue; conciliation (quando c'è già un conflitto in atto) **2** (mus.) orchestration; orchestral arrangement.

concertìno m. (mus.) concertino.

concertìṣmo m. **1** concert playing; concert performance: **c. da camera e sinfonico**, performance of chamber-music and symphonic concerts **2** (concertisti) concert scene; concert artists (pl.): **i nomi più prestigiosi del c. internazionale**, the greatest names on the world concert scene; world-famous concert artists.

concertìsta m. e f. (mus.) concert artist; concert performer.

concertìstico a. concert (attr.): **stagione concertistica**, concert season.

♦**concèrto** m. **1** (mus.: esecuzione) concert; (di solista) recital: **c. sinfonico**, symphony concert; **dare un c.**, to give a concert; **sala per concerti**, concert hall; auditorium **2** (mus.: composizione) concerto*: **c. grosso**, concerto grosso; **c. per violino e orchestra**, violin concerto **3** (iron.) chorus; symphony: **un c. di bambini che strillano**, a chorus of screaming children; **un c. di asini che ragliano**, a symphony of braying asses **4** (complesso di suonatori) orchestra **5** (fig.: accordo) agreement; concert; harmony; (cooperazione) cooperation, collaboration: **agire di c.**, to act in concert (o in agreement) ● **c. di campane** (carillon), chimes (pl.).

concessionàrio (leg., comm.) **A** a. concessionary: **ditta concessionaria**, concessionary firm; concessionaire **B** m. (f. **-a**) **1** concessionaire; grantee; agent: **c. di brevetto**, patentee; **c. di licenza**, licensee **2** (distributore) distributor; (authorized) dealer: **c. d'auto**, car dealer ● **c. esclusivo**, sole (o exclusive) agent; sole (o exclusive) dealer.

concessióne f. **1** (il concedere) granting; accordance; concession; (autorizzazione) authorization, permit: **la c. d'un permesso**, the accordance of a permit; **la c. d'un prestito**, the granting of a loan; **ottenere la c. di un prestito**, to be granted a loan; **per gentile c. di**, courtesy of **2** (leg.) concession; granting; grant; (comunale, governativa, ecc.) franchise; (licenza) permit, licence: **c. di brevetto**, grant of a patent; **c. di porto d'armi**, gun licence; **c. di terra**, concession of land; **c. edilizia**, building permit; **c. mine-**

raria, mining concession; claim; **c. petroli-fera**, oil concession; **c. televisiva**, TV franchise; **gestire un servizio di trasporti in c.**, to operate a transport service in concession **3** (*comm.*) franchise: **c. di marchio**, franchising; **c. di vendita**, sales rights (pl.); **c. in esclusiva**, sole agency; franchise **4** (*condiscendenza*) concession: **una c. ai gusti del momento**, a concession to current taste **5** (*ammissione*) admission; acknowledgment.

concessìva f. (*gramm.*: *congiunzione*) concessive conjunction; (*proposizione*) concessive clause.

concessìvo a. **1** (*anche gramm.*) concessive **2** (*permissivo*) permissive.

concèsso a. – *Dato e non c. che...*, even granting for the sake of argument that...

concessóre m. **1** (*largitore*) bestower **2** (*leg.*) grantor.

concettìsmo m. **1** (*letter.*) concettism; (*letter. ingl.*) euphuism **2** (*stile elaborato*) convoluted style.

concettìsta m. e f. (*letter.*) follower of concettism; (*letter. ingl.*) euphuist.

concettìstico a. (*letter.*) pertaining to concettism; (*letter. ingl.*) euphuistic.

concètto m. **1** (*filos.*) concept; idea: **il c. di giustizia**, the concept (*o* idea) of justice; **c. matematico [filosofico]**, mathematical [philosophical] concept **2** (*idea*) idea, concept; (*opinione*) opinion, conception: **un c. ardito**, a bold idea; *Ha uno strano c. del dovere*, she has a curious concept of duty; **formarsi un chiaro c. di qc.**, to get a clear idea of st.; *Che c. ti sei fatto di lui?*, what's your opinion of him? **3** (*concezione, progetto*) conception; plan; project; **un c. grandioso**, a magnificent conception; a great design **4** (*letter.*) conceit ● **afferrare il c.**, to understand; to get the point; to get the message □ **impiegato di c.**, employee having certain responsibilities □ **lavoro di c.**, job involving responsibility.

concettosità f. **1** (*densità di concetti*) pithiness **2** (*involutezza*) convolutedness; abstruseness **3** (*letter.*) frequent (*o* excessive) use of conceits.

concettóso a. **1** (*denso di concetti*) pithy **2** (*involuto*) convoluted; abstruse; recondite; full of conceits.

concettuàle a. conceptual: **arte c.**, conceptual art.

concettualìsmo m. (*arte, filos.*) conceptualism.

concettualìsta m. e f. (*arte, filos.*) conceptualist.

concettualizzàre v. t. to conceptualize.

concettualizzazióne f. conceptualization.

concezionàle a. conceptional.

concezióne f. **1** (*ideazione*) conception; conceiving; planning; ideation: **la c. di un romanzo**, the conception of a novel; **una lavapiatti di nuova** c., a new-concept dishwasher **2** (*idea, opinione*) idea, notion, thought, view, conception; (*concetto*) concept: **c. del mondo**, world view; **la mia c. della vita**, my view of life; **la moderna c. del matrimonio**, the modern concept of marriage; **avere una c. sbagliata di qc.**, to have the wrong idea (*o* notion) about st. **3** (*concepimento*) conception: (*teol.*) **l'Immacolata C.**, the Immaculate Conception.

conchìfero a. (*zool., geol.*) conchiferous.

♦**conchìglia** f. **1** (*zool.*) shell, conch; (*di ciprea*) cowrie, cowry **2** (*archit.*) shell; conch **3** (*metall.*) chill (mould) **4** (*sport*) cup protector **5** (*di giradischi*) stylus cartridge.

conchiliàceo a. shelly.

conchilìfero a. (*geol.*) shelly.

conchilifórme a. (*scient.*) shell-shaped.

conchiliologìa f. conchology.

conchiliòlogo m. (f. **-a**) conchologist.

conchìno m. (*gioco di carte*) conquian.

conchiùdere → **concludere**.

cóncia f. **1** (*di pelli*) tanning; dressing **2** (*del tabacco*) curing **3** (*delle olive*) pickling **4** (*delle sementi*) treatment; immersion **5** (*di tessuti*) dressing **6** (*sostanza*) tan; tanning **7** (*conceria*) tannery.

conciànte m. (*ind.*) tanning; tan.

conciaóssa m. **1** bone-setter **2** (*spreg., di chirurgo*) sawbones.

conciapèlli m. inv. tanner.

conciàre A v. t. **1** (*pelli*) to tan; to dress; (*con allume*) to taw **2** (*tabacco*) to cure **3** (*olive*) to pickle **4** (*tessuti*) to dress **5** (*pietre*) to cut*; to hew* **6** (*fig.: rovinare*) to ruin; to spoil; to make* a mess of; (*sporcare*) to dirty: **c. qc. da buttar via**, to ruin st. completely; *Guarda come hai conciato il vestito!*, look at the state of your dress **7** (*fig.: malmenare*) to beat* up; to thrash; to tan (*fam.*): *L'hanno conciato male* (*o per le feste*), they beat him up; they beat him black and blue B **conciàrsi** v. rifl. **1** (*insudiciarsi*) to get* into a filthy mess: *Guarda come s'è conciato!*, look at the state he is in! **2** (*vestirsi in modo strano o ridicolo*) to get* oneself up; to rig oneself out; to deck oneself out in ridiculous clothes.

conciàrio A m. tanner B a. tanning: **industria conciaria**, leather tanning industry.

conciàto a. **1** tanned **2** (*fig.: malconcio*) in a mess; in a sorry state; looking the worse for wear: *Era c. da far pietà*, he looked a mess **3** (*rif. al vestire*) got up; rigged out: *Era conciato in un modo ridicolo*, he was got up in the most ridiculous outfit.

conciatóre m. **1** tanner **2** (*di tabacco*) curer.

conciatùra f. **1** (*di pelli*) tanning; dressing: **c. vegetale**, vegetable tanning **2** (*di tabacco*) curing **3** (*di olive*) pickling.

conciliàbile a. compatible; consistent; reconcilable.

conciliabilità f. compatibility; reconcilability.

conciliàbolo m. secret meeting; secret parley; huddle (*fam.*): **fare c.**, to go into a huddle; (*scherz.*) *È in c. col direttore*, he's in with the manager.

conciliànte a. **1** conciliating; conciliatory; placatory; accommodating **2** (*arrendevole*) yielding; pliable.

conciliàre① A v. t. **1** (*mettere d'accordo*) to reconcile; to conciliate: **c. due avversari**, to reconcile two enemies; to bring about a reconciliation between two enemies; **c. il lavoro col piacere**, to reconcile work with pleasure **2** (*procurare, ottenere*) to gain; to win*: *Il gesto gli conciliò la simpatia di tutti*, that gesture won him general favour; **conciliarsi la stima di q.**, to win (*o* to gain) sb.'s appreciation; **conciliarsi q.**, to win* sb. over (to one's side) **3** (*favorire*) to induce; to encourage; to help: **c. la digestione**, to help digestion; **c. il sonno**, to make (sb.) sleepy; to have a soporific effect; to induce sleep ● (*leg.*) **c. una lite**, to make up a quarrel □ (*leg.*) **c. una contravvenzione**, to pay a fine on the spot: *Concilia?*, are you going you pay now? B **conciliàrsi** v. i. pron. e rifl. **1** (*andare d'accordo*) to be compatible; to agree: *Studio e pigrizia non si conciliano*, study and laziness are incompatible **2** (*mettersi d'accordo*) to become* reconciled; to make* up **3** (*fig.: conformarsi*) to conform (to).

conciliàre② (*eccles.*) A a. council (attr.); conciliar B m. member of a council.

conciliarìsmo m. (*eccles.*) conciliarism.

conciliatìvo a. conciliatory; conciliating; conciliatory.

conciliatóre A a. conciliatory; placatory

● (*leg.*) **giudice c.**, Justice of the Peace B m. (f. **-trìce**) peacemaker; conciliator.

conciliatòrio a. conciliatory; conciliative; conciliating.

conciliatorìsmo m. tendency to conciliate opposing points of view.

conciliazióne f. **1** reconciliation; (*leg.*) conciliation; settlement: **fare opera di c.**, to bring about a reconciliation; to act as a peacemaker; **venire a una c.**, to come to a conciliation; **c. di una contravvenzione**, immediate payment of a fine **2** – (*stor.*) **la C.**, the 1929 Concordat between the Vatican and the Italian State.

concìlio m. **1** (*eccles.*) council: *C. di Trento*, Council of Trent; **c. ecumenico**, ecumenical council; *C. Vaticano II*, Second Vatican Council; **tenere un c.**, to hold a council **2** (*fam. scherz.*) council; confabulation; pow-wow.

concimàia f. (*a buca*) manure (*o* dung) pit; (*a mucchio*) manure heap, dunghill.

concimàre v. t. to fertilize; (*con letame*) to manure; (*in superficie*) to top-dress.

concimatrìce f. (*agric.*) fertilizer spreader.

concimazióne f. fertilizing; (*con letame*) manuring; (*in superficie*) top-dressing.

concìme m. fertilizer; dressing; (*letame*) manure, dung: **c. chimico**, (chemical) fertilizer; chemical (*o* artificial) manure; **c. organico**, compost; **c. stallatico**, stable manure.

concimière m. manure processing machine.

concinnità f. (*lett.*) concinnity.

cóncio① a. **1** (*di pelle*) tanned **2** – **pietra concia** → **concio**②.

cóncio② m. (*archit.*) ashlar: **c. d'angolo**, quoin, **c. di chiave**, keystone.

concionàre v. i. e t. **1** (*lett.*) to harangue **2** (*iron.*) to hold* forth; to speechify; to rant.

concionatóre m. (f. **-trìce**) **1** (*lett.*) haranguer **2** (*iron.*) speechifier; tub-thumper.

concionatòrio a. (*iron.*) speechifying; tub-thumping; ranting.

concióne f. **1** (*lett.*) harangue; public speech **2** (*iron.*) harangue; tirade; rant.

conciossiaché, **conciossiacosaché** cong. (*lett. o scherz.*) insomuch as; since.

concisióne f. concision; conciseness; terseness; brevity; succinctness.

concìso a. concise; terse; (*succinto*) brief, succinct: **stile c.**, concise (*o* terse) style.

concistoriàle a. (*eccles.*) consistorial.

concistòro m. (*eccles.*) consistory.

concitaménto m. (*lett.*) agitation; excitement.

concitàto a. excited; agitated: **parlare in tono c.**, to speak excitedly; *Arrivò tutto c.*, he arrived in great agitation.

concitazióne f. excitement; agitation.

concittadìno m. (f. **-a**) **1** fellow citizen; fellow townsman* (f. townswoman*): *Miei cari concittadini*, my dear fellow townsmen; *Siamo concittadini*, we come from the same town **2** → **connazionale, B**.

conclamàre v. t. (*lett.*) **1** (*acclamare*) to acclaim; to hail **2** (*proclamare*) to proclaim.

conclamàto a. **1** acclaimed; hailed **2** (*evidente*) clear; self-evident **3** (*med.*) evident; full-blown.

conclàve m. (*eccles.*) conclave.

conclavìstico a. (*eccles.*) conclave (attr.).

concludènte a. **1** (*convincente*) conclusive; convincing: **prova c.**, conclusive proof; **poco c.**, inconclusive; unconvincing **2** (*di persona*) energetic; efficient; businesslike.

♦**conclùdere** A v. t. **1** (*portare a compimento: un accordo ecc.*) to conclude; to clinch; to reach; to make*; to settle: **c. un accordo**, to reach an agreement; **c. un affare**, to con-

clude (o to clinch, to strike) a deal; **c. un'alleanza**, to form an alliance; **c. un trattato**, to conclude a treaty; **c. una vertenza**, to settle a dispute **2** (*fare, combinare*) to achieve; to get* done: *Oggi ho concluso poco*, I got very little done today; *Vedi di c. qualcosa*, try and get something done **3** (*chiudere*) to conclude; to close; to finish; to end off; to bring* an end; to wind* up; to round off (*fam.*): *Concluse il discorso con una battuta*, she concluded (o closed) her speech with a quip; *Un coro marziale conclude felicemente il primo atto*, a martial chorus brings the first act to a successful end; *Un buon pranzo concluse la giornata*, a good dinner rounded off the day; *Concludi quello che stavi dicendo*, finish off what you were saying; *Conclusi col dire che...*, I concluded (o ended off) by saying that ...; **per c.** (o **concludendo**), in conclusion; to sum up **4** (*dedurre*) to conclude; to infer; to deduce: *Conclusi che doveva essere malato*, I concluded that he must be ill **B** v. i. to be conclusive: *Il tuo ragionamento non conclude*, your argument is not conclusive **C** **concludersi** v. i. pron. to end; to end up; to come* to an end; to close: *La riunione si concluse alle dieci*, the meeting ended at ten; *Tutto si concluse in un fallimento*, it all ended in failure; **concludersi improvvisamente**, to come to a sudden end.

conclusionale a. – (*leg.*) **comparsa c.**, final statement (of a case).

♦**conclusione** f. **1** (*di accordo e sim.*) conclusion; settlement: **la c. di una vertenza**, the settlement of a dispute **2** (*fine, termine*) end; ending; close; conclusion: **la c. della questione**, the end of the affair; *Il libro non ha una vera c.*, the book hasn't got a proper ending; *Mancano tre giorni alla c. della campagna elettorale*, there are three days to go before the end of the electoral campaign; **giungere [portare] a c.**, to come [to bring] to an end (o to a close) **3** (*esito, risultato*) result; outcome; upshot: **una c. soddisfacente.**, a satisfactory outcome (o result). *La c. fu che dovemmo ricominciare da capo*, the upshot was we had to start again from the beginning **4** (*deduzione*) conclusion; inference: **giungere a una c.**, to come to a conclusion; **saltare alle conclusioni**, to jump to conclusions; **trarre una c.**, to draw a conclusion **5** (*al pl.*) (*di un'inchiesta, ecc.*) findings **6** (*al pl.*) (*leg.*) final plea ● **in c.**, in short; to sum up; in conclusion; (*insomma*) well: *In c., abbiamo motivo di credere che le prove siano truccate*, to sum up, we have reason to believe that the evidence is faked □ **senza c.**, inconclusively.

conclusivo a. **1** (*definitivo*) definitive; conclusive: **risposta conclusiva**, definitive answer **2** (*finale*) concluding; closing; final: **le frasi conclusive di un discorso**, the closing sentences of a speech; **parte conclusiva**, final part.

concluso a. **1** (*compiuto*) closed; made (pred.); on (avv.) (*finito*) finished, over (pred.); (*stabilito*) settled: *Affare c.!*, the deal is on!; **una faccenda conclusa**, a closed matter; *Non c'è nulla di c.*, nothing is settled yet; **a riunione conclusa**, after the meeting **2** (*completo, esauriente*) complete; thorough; exhaustive **3** (*lett.: racchiuso*) enclosed.

concoide **A** f. (*geom.*) conchoid **B** a. conchoidal.

concologia f. conchology.

concomitante a. concomitant; attendant; concurrent: **causa c.**, concomitant cause; (*med.*) **sintomi concomitanti**, attendant symptoms.

concomitanza f. concomitance; concomitancy; concurrence ● **Il libro uscirà in c. con il centenario**, the book will come out to coincide with the centenary.

concordabile a. **1** reconcilable; compatible **2** (*di prezzo e sim.*) negotiable **3** (*gramm.*) that can be made to agree.

concordante a. **1** concordant (with); agreeing (with); accordant (with); harmonious **2** (*geol.*) conformable.

concordanza f. **1** concordance; agreement; concurrence; consistency: **c. di opinioni**, concordance of opinions; *Non c'è c. tra le sue parole e le sue azioni*, there is no consistency between his words and his actions **2** (*gramm.*) agreement; concord: **c. di genere, numero e caso**, agreement in gender, number and case **3** (al pl.) (*di testo letterario*) concordance (sing.) **4** (*geol.*) conformability.

concordare **A** v. t. **1** (*mettere d'accordo*) to reconcile: **c. diverse esigenze**, to reconcile different needs **2** (*stabilire insieme*) to agree on (o upon): **c. il prezzo**, to agree upon the price; **c. una versione dei fatti**, to agree on a version of the facts **3** (*combinare*) to arrange; to fix; (*negoziare*) to negotiate: **c. una data**, to fix a date; **c. un incontro**, to arrange a meeting; **c. una tregua**, to negotiate a truce **4** (*gramm.*) to make* (st.) agree: **c. l'aggettivo col sostantivo**, to make the adjective agree with the noun **B** v. i. **1** to agree (*anche gramm.*); to be in agreement; to concur: *Tutti i testi concordano*, all the texts agree; *Il participio concorda col soggetto*, the participle agrees with the subject **2** (*collimare*) to agree; to tally; to match: *I nostri risultati non concordano*, our results do not tally.

concordatario a. **1** (*eccles., polit.*) pertaining to (o in accordance with) a concordat **2** (*leg.*) composition (attr.).

concordato **A** a. agreed (upon); arranged; settled; fixed **B** m. **1** (*accordo*) agreement; pact; covenant **2** (*eccles., polit.*) concordat **3** (*leg.*) arrangement; composition; settlement; (*il documento*) deed of arrangement: **c. amichevole**, out-of-court settlement; **c. fallimentare**, composition in bankruptcy; composition with creditors; **c. fiscale**, arrangement with the Revenue Office.

concorde a. **1** (*d'accordo*) in agreement; concordant; united; unanimous; of the same opinion (o mind); like-minded: **essere concordi sui punti essenziali**, to be in agreement on the main issues; *I due autori sono concordi nel sostenere che...*, the two authors concur that...; *Fummo concordi nel verdetto*, we were unanimous in our verdict; **essere di parere c.**, to be of the same opinion **2** (*in armonia*) concordant; harmonious.

concordemente avv. in agreement; with one accord; unanimously.

concordia f. (*accordo*) agreement; (*armonia*) harmony; (*tra gruppi, nazioni*) concord, goodwill: **la c. in famiglia**, harmony in the family; **la c. fra i popoli**, goodwill among nations.

♦**concorrente** **A** a. **1** (*competitivo*) competing; rival: **imprese concorrenti**, competing (o rival) firms **2** (*mat.*) concurrent: **linee concorrenti**, concurrent lines **B** m. e f. **1** (*in una gara, un concorso*) competitor; contestant; entrant: **c. a un premio**, competitor for an award **2** (*candidato*) candidate; applicant: **c. a una cattedra**, candidate for a chair **3** (*comm.*) competitor; rival; (*in una gara d'appalto*) bidder, tenderer: **un c. temibile**, a serious rival.

concorrenza f. **1** (*comm.*) competition: **c. imperfetta [perfetta]**, imperfect [perfect] competition; **c. sleale**, unfair competition; unfair trade practices (pl.); **c. spietata**, ruthless (o cut-throat) competition; **battere la c.**, to beat the competition; **fare fronte alla c.**, to meet competition; to compete;

farsi c., to be in competition (with each other); to compete; **fare c. a un'altra impresa**, to compete with another firm; (*di imprese, prodotti, ecc.*) **in c.**, competing: **imprese in c.**, competing firms; **essere in c. per qc.**, to compete for st.; **libertà di c.**, free competition; **prezzi che non temono la c.**, prices that defy all competition; **regime di c.**, competitive system **2** (collett.: *i concorrenti*) competition (spesso col verbo al pl.); competitors (pl.): *Stiamo a vedere che cosa farà la c.*, let's see what the competition come up with; **un prodotto della c.**, a rival product **3** (*afflusso di persone*) concourse ● (*scherz.*) **Vedo che mi fai c.!**, I see I have a competitor! □ (*bur.*) **fino alla c. di**, to the extent of ● **FALSI AMICI** • concorrenza *in senso economico non si traduce con* concurrence.

concorrenziale a. competitive; **prezzi concorrenziali**, competitive prices; **mercato c.**, competitive market; **offerta c.**, competitive supply.

concorrenzialità f. competitiveness.

concorrere v. i. **1** (*cooperare, contribuire*) to contribute (to, towards); to concur (in); to cooperate (in); to help; to take* part (in): **c. alla guarigione [alla rovina] di q.**, to contribute to sb.'s recovery [ruin]; **c. a un'impresa**, to take part in an enterprise; **c. alla spesa**, to contribute to the expense; *Vari motivi concorsero alla mia decisione*, various motives contributed to my decision **2** (*gareggiare*) to compete (for); to be in competition (for); to be up (for); (*facendo domanda*) to apply (for): **c. a un appalto**, to tender a bid for a contract; **c. a una cattedra universitaria**, to be up for a university chair; **c. a un posto di giardiniere comunale**, to apply for the post of municipal gardener; **c. a un premio**, to compete for a prize **3** (*lett.: concordare*) to concur; to agree: *Tutti concorrono a credere che...*, all concur in the belief that... **4** (*lett.: affluire*) to converge **5** (*mat.*) to meet*.

concorsista m. e f. **1** (*rif. a un concorso pubblico*) candidate (in a competitive state examination) **2** (*rif. a un concorso a premi*) competitor; entrant.

♦**concorso** m. **1** (*afflusso*) concourse; gathering; crowd: **c. di pubblico**, attendance; turnout **2** (*concomitanza*) concurrence; combination: **per un c. di circostanze favorevoli**, through a concurrence of favourable circumstances **3** (*partecipazione*) contribution; (*aiuto*) help, assistance: **c. alla spesa**, contribution to expenses; **con il c. dello Stato**, with state aid **4** (*gara*) competition; contest; (*esame*) competitive examination: **c. a cattedra**, competition for a university chair; **c. a premi**, prize contest; **c. d'appalto**, call for bids; **c. di bellezza**, beauty contest; **c. ippico**, horse show; **c. libero**, open competition; **c. musicale**, musical contest; **c. per esami**, competitive examination; **c. per titoli**, competition based on qualifications; **c. pubblico**, competitive state examination; **bandire un c.**, to announce a competition; **partecipare a un c.**, to enter a competitor; **bando di c.**, announcement of competition; **fuori c.**, not for competition; not competing **5** (*leg.*) complicity; concurrence: **c. di colpa**, contributory negligence; comparative negligence (*USA*); **c. dei creditori**, concurrence of creditors; **c. di reato**, complicity in a crime.

concorsuale a. (*bur.*) competition (attr.); examination (attr.).

concreato a. (*innato*) innate; inborn; congenital.

concrescente a. (*biol.*) concrescent.

concrescenza f. (*biol.*) concrescence.

concrescere v. i. to grow* together.

concrescimento m. (*miner.*) inter-

growth.

concretaménte avv. concretely; positively; in real (o practical) terms; in actual fact: **agire c.**, to act concretely (o positively); to take positive action; **per parlare c.**, to speak in real terms; *Non so che fare c.*, I don't know what to do in practical terms (o in actual fact).

concretàre A v. t. **1** to concretize; to give* concrete form to; (*incarnare*) to embody: **c. un'idea**, to concretize an idea **2** (*realizzare*) to realize, to fulfil, to achieve; (*concludere*) to get* done: **c. un progetto**, to realize a plan; **c. un sogno**, to make a dream come true **3** (*assol.: venire al sodo*) to get* down to facts B **concretàrsi** v. i. pron. (*realizzarsi*) to be realized; to become* a concrete reality; to come* true; (*prendere forma*) to take* shape, to gel.

concretézza f. **1** concreteness; concrete form; (*sostanza*) substance **2** (*senso pratico*) pragmatism; realism; matter-of-factness; (*praticità*) practicalness, feasibility.

concretismo m. (*arte*) concrete art.

concretista m. e f. (*arte*) concretist.

concretizzàre → **concretare**.

concretizzazióne f. concretization; realization.

concrèto A a. **1** concrete; (*fattuale, preciso, anche*) actual, positive, real, tangible, solid: **affermazione concreta**, positive statement; **aiuto c.**, tangible help; **un caso c.**, an actual case; **fatti concreti**, actual (o hard) facts; **gli oggetti concreti**, concrete objects; **prova concreta**, concrete proof; solid evidence; **risultati concreti**, tangible (o solid) results **2** (*pratico, realistico*) practical; realistic; down-to-earth; matter-of-fact (*fattivo, intraprendente*) proactive: **esperienza concreta**, practical (o direct) experience; **una persona concreta**, a practical (o matter-of-fact) person ● **arte concreta**, concrete art □ **musica concreta**, concrete music □ (*gramm.*) **nome c.**, concrete noun B m. **1** (the) concrete: **in c.**, in actual fact; specifically; *Veniamo al c.!*, let's get down to facts (o, *fam.*, to brass tacks) **2** (*gramm.*) concrete noun.

concrezionàle a. (*geol.*) concretionary.

concrezionàto a. (*miner.*) concretionary.

concrezióne f. **1** (*geol., med.*) concretion **2** (*ling.*) agglutination.

concubìna f. concubine.

concubinàrio a. concubinary.

concubinàto m. concubinage.

concubìno m. concubinary.

conculcàbile a. (*lett.*) breakable; that can be violated.

conculcaménto m. (*lett.*) violation; trampling down.

conculcàre v. t. **1** (*violare*) to violate; to break*; to trample upon: **c. un diritto**, to trample upon a right; **c. le leggi**, to break the laws **2** (*lett.: opprimere*) to oppress.

conculcazióne f. → **conculcamento**.

concupìre v. t. (*lett.*) to covet; to lust after (o for).

concupiscènte a. concupiscent; lustful.

concupiscènza f. **1** (*forte brama*) strong desire; craving; greed; covetousness **2** (*desiderio erotico*) lust; concupiscence.

concupiscìbile a. **1** (*lett.*) desirable; covetable **2** (*filos.*) concupiscible.

concussionàrio m. (*leg.*) extortioner; extortionist.

concussióne f. (*leg.*) extortion; graft ❶ **FALSI AMICI** • concussione *non si traduce con* concussion.

concùsso m. (f. **-a**) (*leg.*) victim of an extortion ❶ **FALSI AMICI** • concusso *non si traduce con* concussed.

concussóre → **concussionario**.

condànna f. **1** (*leg.: dichiarazione di colpevolezza*) conviction; (*pena*) sentence: **c. a morte** (o capitale), death (o capital) sentence; **una c. a tre anni di prigione**, a three-year sentence; **c. a vita**, life sentence; **c. condizionale**, suspended sentence; **una c. mite**, a light sentence; **condanne penali precedenti**, previous convictions; *La sua c. era data per certa*, his conviction was considered a certainty; **emettere una c.**, to pass a sentence; (*fig.*) **firmare la propria c. a morte**, to sign one's own death warrant; **revocare una c.**, to revoke a sentence; **scontare una c.**, to serve a sentence; **verdetto di c.**, conviction **2** (*riprovazione*) condemnation; blame; censure: *Ci fu una c. generale della sua condotta*, his conduct met with general condemnation (o was blamed by all).

condannàbile a. condemnable; (*riprovevole, anche*) blameworthy, reprehensible.

◆**condannàre** v. t. **1** (*leg.: riconoscere colpevole*) to convict; (*a una pena*) to sentence, to condemn: **c. a morte**, to sentence (o to condemn) to death; **c. a vent'anni**, to sentence to twenty years' imprisonment; **c. q. per furto [per omicidio]**, to convict sb. of theft [of murder]; **essere condannato all'ergastolo [a dieci anni]**, to be given a life sentence [a ten-year sentence] **2** (*biasimare*) to condemn; to blame; to censure; to damn: **c. una decisione**, to condemn a decision **3** (*fig.: rivelare colpevole*) to condemn **4** (*fig.: obbligare*) to condemn; (*destinare*) to doom: *La cattiva sorte lo condannò alla povertà*, bad luck condemned him to poverty **5** (*dichiarare inguaribile*) to pronounce incurable; to give up*.

condannàto A a. **1** (*leg.*) convicted; sentenced; condemned **2** (*fig.*) condemned; (*destinato*) doomed: **c. a una vita di miseria**, condemned to a life of poverty; **c. al fallimento**, doomed to failure; (*di malato*) *È c.*, there's no hope for him; he's a dying man B m. (f. **-a**) (*leg.*) condemned person; (*prigioniero*) prisoner, convict: **c. a morte**, person sentenced to death (o under a death sentence); **cella dei condannati a morte**, condemned cell.

condebitóre m. (f. **-trice**) (*comm., leg.*) joint debtor.

condégno a. proportionate; fitting; condign (*form.*).

condènsa f. (*tecn.*) condensation.

condensàbile a. **1** (*fis.*) condensable **2** (*riassumibile*) that can be summed up.

condensaménto m. condensation; condensing.

condensànte (*chim.*) A a. condensing B m. condensing agent.

condensàre A v. t. **1** (*chim., fis.*) to condense **2** (*fig.*) to condense; to compress; to concentrate B **condensàrsi** v. i. pron. to condense.

condensàto A a. (*anche chim.*) condensed: **latte c.**, condensed milk B m. **1** (*compendio*) summary; digest **2** (*fam.: mucchio*) load; heap: **un c. di stupidaggini**, a load of rubbish; *Questa traduzione è un c. di errori*, this translation is full of mistakes.

condensatóre m. **1** (*fis., chim.*) condenser: **c. di vapore**, steam condenser **2** (*tecn.*) capacitor; (*radio*) **c. di blocco**, blocking capacitor; stopping condenser; (*radio*) **c. di sintonia**, tuning capacitor; **c. ottico**, optical condenser; **c. variabile**, variable condenser (o capacitor).

condensazióne f. **1** (*fis., chim.*) condensation: (*chim.*) **reazione di c.**, condensation reaction; (*aeron.*) **scia di c.**, condensation (o vapour) trail; contrail **2** (*psic.*) condensation.

còndilo m. (*anat.*) condyle.

condilòma m. (*med.*) condyloma*.

condiménto m. **1** (*il condire*) seasoning, flavouring; (*l'insalata*) dressing **2** (*ciò che condisce*) seasoning; condiment; (*salsa*) sauce; (*per l'insalata*) dressing: **senza c.**, unseasoned; undressed **3** (*fig.*) sauce; spice.

condìre v. t. **1** to season; to flavour; (*con spezie*) to spice; (*con una salsa*) to serve with a sauce; (*l'insalata*) to dress: **c. con pepe e sale**, to season with salt and pepper; **c. i maccheroni con sugo di carne**, to serve the macaroni with a meat sauce; **una pietanza molto condita**, a very rich dish **2** (*fig.*) to season; to spice; to lace; (*costellare*) to sprinkle, to pepper: **un discorso condito di citazioni latine**, a speech seasoned with Latin quotations.

condirettóre m. (f. **-trice**) co-director; joint director; joint manager (f. manageress); (*di giornale, ecc.*) coeditor, associate editor.

condirezióne f. joint management; joint directorship; (*di giornale, ecc.*) joint editorship.

condiscendènte a. **1** (*arrendevole*) compliant, yielding; (*indulgente*) amenable, lenient **2** (*che mostra degnazione*) condescending; patronizing.

condiscendènza f. **1** (*arrendevolezza*) compliance; (*indulgenza*) amenability, lenience **2** (*degnazione*) condescension; patronizing attitude: **trattare q. con c.**, to patronize sb.

condiscéndere → **accondiscendere**.

condiscépolo m. (f. **-a**) fellow student; fellow disciple (*lett.*).

condividere v. t. to share: **c. l'opinione di q.**, to share sb.'s opinion; **c. i sentimenti di q.**, to share sb.'s feelings; to sympathize with sb.

condivisìbile a. that can be shared (pred.); shareable.

condivisióne f. (*anche comput.*) sharing.

condizionàle A a. conditional: (*gramm.*) **proposizione [modo] c.**, conditional clause [mood]; (*leg.*) **sospensione c. della pena**, suspended sentence; probation B m. (*gramm.*) conditional (mood) C f. **1** (*gramm.*) conditional clause **2** (*leg.*) suspended sentence: **condannare q. a un anno con la c.**, to give sb. a year's suspended sentence.

condizionaménto m. (*anche psic.*) conditioning Ⓤ: **c. dell'aria**, air conditioning; **subire condizionamenti**, to be conditioned.

condizionàre v. t. **1** to condition (*anche psic.*); (*influenzare*) to influence: **essere condizionato dalla propria educazione**, to be conditioned by one's upbringing **2** (*sottoporre a condizioni*) to make* (st.) conditional on: *Condizionai la mia partecipazione a una nostra vittoria elettorale*, I made my participation conditional on our winning the election **3** (*tecn.*) to condition: **c. l'aria di una stanza**, to air-condition a room.

condizionàto a. **1** (*sottoposto a condizioni*) conditional; qualified; (*subordinato*) conditional (on), dependent (on): **accettazione condizionata**, qualified acceptance; **assenso c.**, conditional assent; (*leg.*) **libertà condizionata**, probation **2** (*med., psic., ling., tecn.*) conditioned: **aria condizionata** (*l'impianto*), air conditioning; **riflesso c.**, conditioned reflex; **stimolo c.**, conditioned stimulus.

condizionatóre A m. conditioner: **c. d'aria**, air conditioner B a. conditioning: **apparecchio c.**, air conditioner.

condizionatrice f. **1** (*tecn.*) baling machine; baler **2** (*ind. tess.*) conditioner **3** (*agric.*) pressure baler.

condizionatùra f. (*tecn.*) conditioning.

condizióne f. **1** condition; proviso; (*clausola*) term: **le condizioni della resa**, the terms of surrender; **le condizioni contrattuali**, the terms of a contract; *Quali sono le sue condizioni?*, what are his terms?; *A quale c.?*, on what condition?; **a una c.**, on one condition; **a c. che**, on condition that; provided that; providing; under the proviso that; *A c. che venga anche lui*, on condition that (*o* provided that) he comes too; **a nessuna c.**, under no circumstances; on no account; *Non devi uscire a nessuna c.*, under no circumstance (*o* on no account) must you go out; **dettare le proprie condizioni**, to dictate one's conditions (*o* terms); **porre condizioni**, to make (*o* to lay down) conditions; **porre come c. necessaria**, to stipulate; **senza condizioni**, without reserve; unconditional; **resa senza condizioni**, unconditional surrender; **sotto c.**, conditionally; under condition; with a proviso; provisional (agg.) **2** (*leg.: clausola contrattuale*) condition; clause; provision: **c. espressa**, express condition; **c. potestativa**, potestative condition; **c. risolutiva**, resolutory condition; **c. sospensiva**, suspensive condition; **c. tacita**, implied condition **3** (al pl.) terms: **condizioni agevolate**, easy terms; **condizioni di vendita [di pagamento]**, terms of sale [of payment]; **alle solite condizioni**, on the usual terms **4** (*circostanza, situazione*) condition; situation: **condizioni ambientali**, environment; **condizioni del tempo**, weather conditions; **condizioni di lavoro**, working conditions; **condizioni di vita**, living conditions; **condizioni economiche**, (*di un paese*) economy; (*di una persona*) financial situation, circumstances; **in buone condizioni finanziarie**, (*di ditta*) in a good financial situation; (*di persona*) well off; *È in condizioni finanziarie migliori delle mie*, he is better off than I am; **in condizioni favorevoli**, under favourable conditions; **creare le condizioni di una ripresa**, to create the conditions for a recovery **5** (*posizione*) position: **essere in c. di fare qc.**, to be in a position to do st.; to be able to do st.; *Non sono in c. di rispondere*, I am not in a position to answer; *Mi trovo nelle condizioni di dover rifiutare*, I find myself obliged to refuse; **in c. di svantaggio**, at a disadvantage **6** (*situazione fisica, psicologica, ecc.*) condition (generalm. al sing.); (*stato*) state: **la c. umana**, the human condition; **le condizioni del paese dopo la guerra**, the condition (*o* state) of the country after the war; **condizioni di salute**, health; state of (sb.'s) health; **in buone [cattive] condizioni di salute**, in good [poor] health; **in buone condizioni fisiche**, in good condition (*o* shape); *Non sono nelle condizioni di spirito ideali per andare a una festa*, I'm not in the best frame of mind to go to a party; *Le sue condizioni sono peggiorate*, his condition has worsened; *Nelle mie condizioni preferirei di no*, I'd rather not, in my condition; *In che condizioni ti sei ridotto!*, look at the state you are in!; *Non è in condizioni di viaggiare*, he is in no condition (*o* he is unfit) to travel; *Non sei in condizioni di guidare*, you're in no fit state to drive; **mettere in c. di**, to enable; *L'ha messo in c. di completare gli studi*, he enabled him to complete his education; **versare in gravi condizioni**, to be in a bad way **7** (al pl.) (*di oggetto*) condition ▯, (*di macchina e sim., anche*) (state of) repair ▯: **in buone condizioni**, in good condition; in good repair; in a good state of repair; *La merce è in buone condizioni*, the goods are in good condition; *L'auto era in buone condizioni*, the car was in good condition (*o* in a good state of repair); **un motore in buone condizioni**, an engine in good working order; **in cattive condizioni**, in poor condition; in bad repair; **in condizioni**

disastrose, beyond repair; **in ottime condizioni**, in very good condition; in an excellent state of repair; in good nick (*fam. GB*); **in perfette condizioni**, in perfect condition; in mint condition **8** (*ceto, ambiente*) social background; class: **c. sociale**, social status; position in society; **di c. borghese [operaia]**, middle-class [working-class]; *La ragazza era di buona c.*, the girl came from a good family **9** (*requisito*) qualification; requirement: *Non ha le condizioni richieste per il posto*, she lacks the necessary qualifications (*o* requirements) for the job.

condogliànza f. (spec. al pl.) condolence; sympathy ▯: **sentite condoglianze**, heartfelt sympathy; *Gli feci le mie condoglianze per la morte della madre*, I offered him my condolences (*o* I expressed my sympathy to him) on his mother's death; **lettera di condoglianze**, letter of condolence.

condolérsi v. i. to condole (with); to sympathize (with).

condominiàle a. relative to a block of individually owned flats; relative to a condominium (*USA*): **riunione c.**, residents' meeting; **spese condominiali**, service expenses; (shared) running expenses (in a condominium); communal expenses

◆**condomìnio** m. **1** (*leg.*) joint ownership: **c. internazionale**, condominium **2** (*caseggiato*) block of (individually owned) flats (*GB*); condominium (*USA*): **spese di c.**, (shared) running expenses (in a condominium); communal expenses **3** (collett.: *i condòmini*) residents (pl.): **riunione di c.**, residents' meeting.

condòmino m. (f. *-a*) joint owner; (*di appartamento*) (flat) owner (*GB*), (apartment, condominium) owner (*USA*); resident: *Siamo condomini al N° 33*, we both own flats at No. 33; *Bisogna chiederlo agli altri condomini*, we must ask the other owners.

condonàbile a. **1** (*di debito*) remissible **2** (*lett., di colpa*) forgivable; excusable.

condonàre v. t. **1** to remit: **c. un debito [una pena]**, to remit a debt [a penalty] **2** (*lett.: perdonare*) to condone; to forgive*; to excuse.

condonazióne f. remission.

condóno m. (*leg.*) remission; pardon; amnesty: **c. della pena**, remission of sentence; pardon; **c. edilizio**, amnesty for infringement of building regulations; **c. fiscale**, tax amnesty.

còndor m. inv. (*zool.*, *Vultur gryphus*) condor.

◆**condótta** f. **1** (*comportamento*) conduct; behaviour, behavior (*USA*); demeanour, demeanor (*USA*): **buona c.**, good behaviour (*o* conduct); *La sua c. è sempre stata irreprochable*, his conduct has always been irreproachable; **tenere una buona c.**, to behave well; **tenere una cattiva c.**, to behave badly; to misbehave; (*leg.*) **certificato di buona c.**, good conduct certificate; **linea di c.**, line of conduct; (*normativa*) guidance, guidelines (pl.); (*a scuola*) **voto di c.**, mark for conduct **2** (*conduzione*) conduct, handling; (*gestione*) running, management **3** (*med., vet.*) district served by a municipal doctor [veterinary surgeon] **4** (*tubazione*) pipe; conduit; duct; (*di sistema pubblico*) main: **c. dell'acqua**, water main; **c. forzata**, penstock; **c. principale**, main **5** (*ferr.*) goods train **6** (*teatr.*) costumes and props (pl.).

condottièro m. **1** (*stor.*) condottiere*; leader of a mercenary company **2** (*comandante*) leader; captain; commander.

condótto① a. – **medico a.**, district doctor; **veterinario c.**, district veterinary surgeon.

condótto② m. **1** (*tubo, canale, ecc.*) pipe; channel; conduit; duct; (*se flessibile, anche*)

tube; (*spec. per il petrolio*) pipeline; (*di caldaia*) flue: **c. dell'aria**, air duct; ventiduct; **c. di aerazione**, local vent; **c. fumario**, flue; **c. principale**, main **2** (*anat.*) duct; canal: **c. lacrimale [biliare]**, lacrimal [hepatic] duct.

condrìna f. (*biol.*) chondrin.

condrìoma m. (*biol.*) chondriome.

condriosòma m. (*biol.*) chondriosome; mitochondrion*.

condrite① f. (*med.*) chondritis.

condrite② f. (*miner.*) chondrite.

condrologìa f. chondrology.

condrosarcòma m. (*med.*) chondrosarcoma*.

conducènte m. e f. **1** driver: **c. di autobus**, bus driver **2** (*mil.*) mule-driver; muleteer **3** (*leg.*) lessee; tenant.

conducìbile a. **1** that can be carried (pred.); that can be taken (pred.); conducible **2** (*fis.*) conductive.

conducibilità f. (*fis.*) conductivity; conduction.

condùplex m. e f. inv. (*telef.*) sharer of a party line.

◆**condùrre** Ⓐ v. t. **1** (*dirigere, amministrare, gestire*) to manage; to conduct; to run*: **c. un'azienda**, to manage a firm; to run a business; **c. un affare**, to negotiate a deal; **c. male i propri affari**, to manage (*o* to conduct) one's affairs badly; to mismanage one's affairs; **c. un dibattito**, to conduct a debate; **c. le trattative**, to conduct negotiations; to negotiate **2** (*svolgere, effettuare*) to conduct; to carry out; to pursue; to effect: (*leg.*) **c. un'azione legale contro q.**, to proceed against sb.; **c. un'inchiesta**, to conduct a survey; **c. una politica di investimenti**, to pursue (*o* to carry out) a policy of investments **3** (*accompagnare*) to accompany; to take*; (*verso chi parla*) to bring*; (*portare, guidare*) to lead*: **c. i bambini a scuola**, to take the children to school; **c. le bestie al pascolo**, to take the animals to graze; **c. le truppe alla vittoria**, to lead the troops to victory; **c. q. all'altare**, to lead sb. to the altar; **c. per mano**, to lead by the hand; *Lo condussi all'indirizzo che cercava*, I took him to the address he was looking for **4** (*essere alla testa di*) to lead*; to head: **c. la gara**, to lead the race; **c. i lavori**, to head the works **5** (*essere in cima a*) to top: **c. la classifica**, to top the (results) list; (*calcio, ecc.*) to be at the top of the league table **6** (*un'auto, ecc.*) to drive*; (*una nave*) to steer: **c. un'automobile**, to drive a car; (*una bicicletta a mano*, to push (*o* to walk) a bicycle **7** (*radio, TV: presentare, animare*) to host; to compere (*GB*); (*un notiziario e sim.*) to anchor: **c. un programma di quiz**, to host a quiz show; **c. un programma di attualità**, to anchor a current affairs programme **8** (*trasportare*) to take*; to bring*; to carry; to lead*: *Questo tubo conduce l'acqua alla fontana*, this pipe carries water to the fountain **9** (*fis., elettr.*) to conduct; to transmit **10** (*fig.: portare, ridurre*) to bring*; to lead*; to drive*: **c. a buon fine**, to bring to a successful conclusion; to bring off; **c. alla disperazione**, to drive to despair; **c. q. alla follia**, to drive sb. mad; **c. alla rovina**, to lead to ruin; **c. al suicidio**, to drive to suicide; **c. a termine**, to bring to an end; to see through; **c. q. alla tomba**, to cause sb.'s death; to be the death of sb. **11** (*fig.: trascorrere, vivere*) to lead*; to live: **c. un'esistenza felice**, to lead a happy life; **c. una doppia vita**, to lead a double life **12** (*geom.: tracciare*) to draw*: **c. una retta**, to draw a straight line Ⓑ v. i. **1** (*radio, TV*) to be the host; to be the compere (*GB*); (*rif. a notiziario e sim.*) to be the anchorman (m., anchorwoman, f.): *Conduce XY*, our host is XY **2** (*sport*) to lead*: **c. per tre a zero**, to

be leading three-nil **3** (*di strada e sim.*) to go*; to lead*: (*prov.*) *Tutte le strade conducono a Roma*, all roads lead to Rome **C condùrsi** v. rifl. (*comportarsi*) to behave; (*dare prova di sé*) to acquit oneself: *Si è sempre condotto benissimo*, he has always behaved very well.

conduttànza f. (*fis.*) conductance.

conduttività f. (*fis.*) conductivity.

conduttìvo a. (*fis.*) conductive.

conduttometrìa f. (*chim., fis.*) conductometry.

conduttòmetro m. (*chim., fis.*) conductometer.

conduttóre A a. leading; guiding ● (*fig.*) **filo c.**, thread (running through st.); underlying theme □ **motivo c.**, (*mus. e fig.*) leitmotiv (*ted.*); (*fig.*) recurring (*o* constant) theme **B** m. (f. **-trice**) **1** (*conducente*) driver **2** (*ferr.*) guard; conductor (*USA*) **3** (*sport*) pilot **4** (*radio, TV*) host; compere (*GB*); (*di notiziario e sim.*) anchorman* (f. anchorwoman*), anchor **5** (*leg.*) lessee; tenant **6** (*gestore*) manager; operator **7** (*addetto a impianto e sim.*) operator **C** m. **1** (*fis.*) conductor: **buon** [**cattivo**] **c.**, good [bad] conductor **2** (*elettr.*) conductor; wire: **c. isolato**, insulated conductor (*o* wire); **c. pilota**, pilot wire.

conduttùra f. (*sistema di tubi*) conduits (pl.); pipes (pl.); ductwork 🇬🇧; piping 🇬🇧; plumbing 🇬🇧; (*di sistema pubblico*) main: **c. dell'acqua** [**del gas**], water [gas] main; *Bisogna riparare tutta la c.*, all the plumbing has to be overhauled.

conduzióne f. **1** (*amministrazione, gestione*) management; running; direction; administration: **la c. di un'azienda**, the management of a firm; the running of a business; **impresa a c. familiare**, family-owned (*o* family-run) business **2** (*radio, TV: presentazione*) hosting: *La c. del programma è affidata a Mr Smith*, the programme is hosted (*GB*, anche compered) by Mr Smith; (*rif. a notiziario e sim.*); Mr Smith anchors the programme **3** (*fis.*) conduction **4** (*leg.*) leasehold; tenancy: **avere 2000 ettari in c. diretta**, to be the leaseholder of 2,000 hectares.

conestàbile m. (*stor.*) constable.

confabulàre v. i. **1** to talk tête-à-tête; to whisper together; (*scherz.*) to plot **2** (*psic.*) to confabulate.

confabulazióne f. **1** private talk; tête-à-tête; (*scherz.*) plotting **2** (*psic.*) confabulation.

confacènte a. (*adatto*) suitable (for); suited (to); fitting (for); appropriate (for); (*che si addice*) befitting (st.), proper (for): **un clima c. ai malati di polmoni**, a climate suitable for people with lung disorders; **un lavoro c. alle proprie esigenze**, a job suited to one's requirements; **c. al proprio rango**, befitting one's rank.

confagrìcolo a. of the Italian Farmers' Confederation.

Confagricoltùra f. Italian Farmers' Confederation.

confamiliàre a. (*biol.*) belonging to the same family.

CONFAPI abbr. (**Confederazione generale della piccola e media industria**) General Federation of Small and Medium-sized Businesses.

confàrsi v. i. pron. **1** (*essere adatto*) to be suited (to); to be suitable (for); to be appropriate (to); to fit (sb., st.); (*addirsi*) to befit (st., sb.), to become* (sb., st.): **un vestito che si confà all'occasione**, a dress suitable (*o* fit) for the occasion; **un linguaggio che non le si confà**, a manner of speaking that does not become her **2** (*giovare, essere gradito*) to suit (sb.); to agree (with): *Questo clima mi si confà*, this climate suits me (*o* agrees with me).

Confcommercio abbr. (**Confederazione generale italiana del commercio, del turismo, dei servizi e delle PMI**) General Federation of Italian Commerce, Tourism, Services and Small and Medium-sized Enterprises.

Confcooperative abbr. (**Confederazione cooperative italiane**) Italian Cooperatives Federation.

confederàle a. confederal.

confederàre A v. t. to confederate **B confederàrsi** v. rifl. to form a confederation; to confederate; to federate.

confederatìvo a. confederative.

confederàto a. e m. (f. **-a**) confederate: (*stor. USA*) **gli Stati Confederati**, the Confederate States.

confederazióne f. **1** confederation; federation: **la C. elvetica**, the Swiss Confederation; **c. sindacale**, federation of trade unions; (*in GB*) Trade Union Congress **2** (*polit.*) confederacy; league: (*stor. USA*) **la C. sudista**, the Confederacy.

Confedilizia abbr. (**Confederazione italiana della proprietà edilizia**) Federation of Italian Real Estate Owners.

conferènza f. **1** (*public*) lecture: **una c. su Verga**, a lecture on Verga; **tenere una c. su qc.**, to lecture on st.; to give a lecture on st.; **un giro di conferenze**, a series of lectures; a lecture tour **2** (*riunione, assemblea*) conference: **c. al vertice**, summit (conference); **c. stampa**, press conference; news conference; **c. telefonica**, telephone conference **3** (*consorzio tra armatori*) shipping conference.

conferenzière m. (f. **-a**) (*public*) lecturer; speaker.

conferiménto m. **1** (*di diploma*) conferring, conferment, bestowal; (*di premio, ecc.*) awarding; (*di carica*) appointment (to an office): **il c. di una borsa di studio**, the awarding of a study grant; **il c. di una laurea**, the conferring of a degree; **il c. di un premio**, the awarding of a prize **2** (*fin.*) contribution; underwriting: **c. di capitale**, contribution of capital.

conferìre A v. t. **1** to give*; (*un diploma*) to confer; (*un premio, una borsa*) to award; (*un incarico*) to assign (sb. to st.), to appoint (sb.): **c. a q. una laurea ad honorem**, to confer an honorary degree on sb.; **c. a q. l'incarico di supervisore**, to appoint sb. supervisor; *Gli fu conferito il titolo di baronetto*, he was made a baronet **2** (*aggiungere, infondere*) to lend*; to give*: *Guanti e cappello le conferivano un'aria raffinata*, the hat and gloves lent her an air of refinement; *Il basilico conferisce alla salsa un sapore particolare*, basil gives a special flavour to the sauce **3** (*fin.*) to contribute; to underwrite*: **c. una somma di denaro a una società**, to contribute an amount of money to a partnership **B** v. i. (*avere un colloquio*) to confer (with); to consult (sb.).

confèrma f. confirmation; corroboration; (*di ricevimento*) acknowledgment; (*comm.*) **c. di un ordine**, confirmation (*o* acknowledgment) of an order; **la c. di una prenotazione**, the confirmation of a booking; **la c. di un sospetto**, the confirmation of a suspicion; **c. di ricevuta**, acknowledgment of receipt; **c. verbale**, verbal confirmation; *Si rivolse a me per avere c.*, he turned to me for confirmation; **dare c. di qc.**, to confirm st.; (*di ricevuta*) to acknowledge st.; **a c. di**, in confirmation of; in corroboration of.

♦**confermàre A** v. t. **1** (*rafforzare*) to strengthen; to reinforce; to buttress: **c. un'opinione**, to strengthen (*o* to reinforce) an opinion; **c. le speranze di q.**, to strengthen sb.'s hopes **2** (*ribadire*) to confirm; (*leg.*) to uphold*: **c. un appuntamento**, to con-

firm an appointment; (*leg.*) **c. una condanna**, to uphold a conviction; **c. una notizia**, to confirm a report; **c. una prenotazione**, to confirm a booking; *Il teste conferma la sua versione dei fatti*, the witness confirms his story **3** (*comprovare, corroborare*) to confirm; to bear* out; to corroborate; (*dimostrare*) to show; to prove: **c. un sospetto**, to confirm a suspicion; **c. una teoria**, to corroborate a theory; *Le sue capacità furono confermate dalla sua rapida carriera*, his abilities were borne out by his rapid career; (*prov.*) *L'eccezione conferma la regola*, the exception proves the rule **4** (*ratificare*) to ratify: **c. una nomina**, to ratify an appointment **5** (*riconfermare*) to confirm; (*rieleggere*) to re-elect: **c. una carica a q.**, to confirm sb. in office; **c. q. presidente**, to re-elect sb. chairman **6** (*eccles.*: *cresimare*) to confirm **B confermàrsi** v. rifl. **1** (*rafforzarsi*) to be strengthened: *Mi confermai nel proposito di...*, I was even more resolved to... **2** (*dimostrarsi*) to prove oneself; to prove to be: *Si è confermato un ottimo cuoco*, he proved to be an excellent cook **C confermàrsi** v. i. pron. (*dimostrarsi fondato*) to prove founded; to prove right.

confermatìvo a. confirmative; confirmatory.

confermazióne f. (*anche eccles.*) confirmation.

Confesercenti abbr. (**Confederazione italiana esercenti commercio, turismo e servizi**) Federation of Italian Trade, Tourism and Services.

confessàbile a. that can be confessed; admissible.

♦**confessàre A** v. t. **1** to confess (to st.); to own up (to st.); to come* clean about: **c. un delitto**, to confess to a crime: *Confessò di aver ucciso tre persone*, she confessed to having murdered three people; *Confessò di aver rotto lui il vetro*, he owned up to having broken the windowpane **2** (*rivelare*) to confide; to reveal; to tell*: *Mi confessò il suo più grande desiderio*, she confided me her greatest wish; *Ti confesso un segreto*, I'm going to tell you a secret; *Confessò tutto al padre*, he told his father everything **3** (*eccles.*) to confess; (*assol.*) to hear* confessions: **c. i propri peccati**, to confess one's sins; *Chi ti ha confessato?*, who heard your confession? **4** (*ammettere*) to confess; to admit (to st.); to acknowledge; to come* clean about: *Devo c. che in principio non gli credetti*, I must confess that at first I did not believe him; *Confesso che non lo sapevo*, I confess (*o* I must admit) I didn't know **5** (*professare, attestare*) to confess; to attest: **c. la propria fede**, to confess one's faith **B confessàrsi** v. rifl. **1** to confess (to); to acknowledge: **confessarsi colpevole**, to confess one's guilt; to plead guilty **2** (*eccles.*) to confess; to be at confession; to go* to confession: **confessarsi in punto di morte**, to confess before dying; *Mi sono confessato stamattina*, I went to confession this morning **3** (*confidarsi*) to confide (in); to talk (to).

confessionàle A a. **1** (*eccles.*) confessional: **segreto c.**, secret of the confessional **2** (*rif. a una fede religiosa*) denominational; confessional: **partito c.**, confessional political party; **scuola c.**, denominational school; *Stato c.*, state having an established church or religion **B** m. (*eccles.*) confessional.

confessionalìsmo m. confessionalism.

♦**confessióne** f. **1** (*leg.*) confession; (*in una causa civile*) admission, concession: **c. firmata**, signed confession; **c. giudiziale** [**stragiudiziale**], judicial [extrajudicial] admission (*o* confession); **c. in punto di morte**, deathbed confession; **estorcere una c. da q.**, to force a confession out of sb. **2** (*eccles.*) confession: **la c. dei propri peccati**,

the confession of one's sins; **ascoltare una c.**, to hear a confession; **il sacramento della c.**, the sacrament of confession; **il segreto della c.**, the secret of the confessional; **sotto il sigillo della c.**, under seal of confession **3** (*ammissione*) confession; avowal; admission; acknowledgment: (*relig.*) **c. di fede**, confession of faith; *Devo farti una c.*, I must confess something to you **4** (*fede religiosa*) denomination; church: **di c. luterana**, of the Lutheran denomination; Lutheran; *Di che c. è?*, which church does he belong to? **5** (al pl.) (*letter.*) confessions: **le Confessioni di S. Agostino**, the Confessions of St Augustine.

confèsso a. self-confessed; self-acknowledged; avowed: **criminale c.**, self-confessed criminal; **essere reo c.**, to be a self-confessed criminal; to have confessed; (*leg.*) to have pleaded guilty.

confessóre m. (*eccles.*) confessor.

confettàre v. t. to candy; to coat with sugar.

confettatrìce f. sugar-coating machine.

confettatùra f. candying; sugar-coating.

confetterìa f. **1** (*negozio*) confectioner's (shop); sweet shop **2** (*assortimento di dolci*) confectionery; sweets (pl.).

confettièra f. (*scatola*) sweet box; (*vaso*) sweet jar.

confettière A m. (f. *-a*) confectioner **B** a. sugar-coating (attr.); confectionery (attr.).

♦**confètto** m. **1** comfit; (*con mandorla*) sugared almond **2** (*farm.*) (sugar-coated) pill ● (*scherz.*) **confetti di piombo**, bullets; slugs (*fam.*) □ (*cucina*) **confettini multicolori** (*per decorare dolci*), hundreds and thousands □ (*fig.*) **mangiare i confetti**, to celebrate a wedding ❶ **FALSI AMICI** • confetti *non si traduce con* confetti.

confettùra f. (*marmellata*) jam; preserve; (*di agrume*) marmalade.

confetturièro a. jam (attr.); jam-making (attr.): **industria confetturiera**, jam manufacturing.

confezionaménto m. **1** packaging; packing **2** (*di capo d'abbigliamento*) manufacturing; sewing.

♦**confezionàre** v. t. **1** (*imballare*) to pack, to package; (*avvolgere*) to wrap up: **c. un pacco**, to make up a parcel; **c. come regalo**, to gift-wrap; **c. in una scatola**, to pack in a box **2** (*un capo d'abbigliamento*) to make*; to manufacture; (*cucire*) to sew*; (*a maglia*) to knit: **c. un abito**, to make (o to sew) a suit [a dress]; **c. un maglione**, to knit a sweater; **c. a macchina**, to manufacture; **c. a mano**, to make by hand; *Si fa c. tutti gli abiti*, he has all his clothes made to measure.

confezionàto a. **1** (*di pacco, merce*) packed; packaged; (*avvolto*) wrapped-up: **già c.**, prepackaged; prepacked; **non c.**, loose **2** (*di capo d'abbigliamento*) made (pred.); (*in serie*) ready-made, ready-to-wear, off-the-peg (*fam.*): **c. a mano**, hand-made; **c. a macchina**, machine-made; manufactured; **c. su misura**, made to measure (pred.); tailor-made **3** (*fig.*) ready-made.

confezionatóre m. (f. *-trìce*) **1** (*di pacchi, merci*) packer; wrapper **2** → **confezionista**.

confezionatrìce f. (*macchina*) packer.

confezióne f. **1** (*imballaggio*) packaging; packing; wrapping up: *La c. carica il prezzo*, packaging adds to the price **2** (*involucro*) packaging; packing; wrapping: **c. regalo**, gift wrapping; **in c. regalo**, gift-wrapped **3** (*merce confezionata*) package; packet; pack (*USA*); (*scatola*) box: **c. da sei**, packet of six; six pack (*USA*); **una c. di biscotti**, a packet (*USA* pack) of biscuits; **una c. di vini**, a box of wines; **c. famiglia**, family pack; family-size packet; **c. risparmio**, economy packet;

c. regalo, gift pack **4** (*il confezionare capi di abbigliamento*) making; making up; manufacturing: *Per la c. del vestito ci vorrà una settimana*, the suit will take a week to make **5** (*industria dell'abbigliamento*) clothing industry: **lavorare nel settore della c.**, to work in the clothing industry **6** (al pl.) (*abiti*) clothes; garments; (nei composti, anche) wear ⊞: **confezioni per donna**, ladies wear; **confezioni per uomo**, menswear; **reparto confezioni**, clothes department **7** (*farm.*) confection.

confezionìsta m. e f. (*di capi di abbigliamento*) garment maker; maker-up.

conficcàre A v. t. **1** to drive*; to stick*; to run*; to thrust*: **c. un chiodo nel muro**, to drive (o to hammer) a nail into the wall; **c. un palo nel terreno**, to drive a pole into the ground; **c. una piccozza nella neve**, to stick an ice axe into the snow; **c. le unghie in qc.**, to dig one's nails into st.; **conficcarsi un ago in un dito**, to stick a needle into one's finger; *Gli conficcò la spada nel ventre*, he thrust (o ran) his sword into his belly **2** (*fig.: imprimere*) to drive*; to hammer; to impress: *C. un'idea in testa a q.*, to hammer an idea into sb.'s head (o into sb.) **B conficcàrsi** v. i. pron. to stick*; to get* stuck; to lodge itself: *La pallottola gli si era conficcata nella spalla*, the bullet had lodged itself in his shoulder; *La lancia gli si conficcò nel fianco*, the spear pierced his side; *Mi si è conficcata una scheggia nel piede*, a splinter has got stuck in my foot.

♦**confidàre A** v. i. (*avere fiducia*) to confide (in), to trust (sb., st.), to put* one's trust (in), to be (o to feel*) confident (of); (*fare affidamento*) to rely (on), to count (on): **c. in q.**, to trust (o to confide in) sb.; **c. nella Provvidenza**, to put one's trust in Providence; **c. nella vittoria**, to feel confident of victory; *Confido nella tua discrezione*, I rely on your discretion **B** v. t. **1** (*rivelare*) to confide; to tell*: **c. un segreto a q.**, to confide a secret to sb.; *Mi confidò i suoi timori*, she confided me (o she told me about) her fears **2** (*sperare*) to expect; to be (o to feel*) confident; to feel* sure: *Confido che il dottore verrà presto*, I expect the doctor will come soon; *Confido che vincerai*, I am confident you will win; *Confido che saprai trovare la soluzione*, I trust you will find the solution **C confidàrsi** v. i. pron. to confide (in); to take* (sb.) into one's confidence; to open one's heart (to): *Sua madre si confidò con me*, his mother opened her heart to me.

confidènte A a. **1** (*fiducioso*) confident; optimistic **2** (*lett.: sicuro di sé*) self-assured; self-confident **B** m. e f. **1** (*amico fidato*) confidant (m.); confidante (f.) **2** (*della polizia*) (police) informer ❶ **FALSI AMICI** • confidente *nel senso di amico fidato non si traduce con* confident.

confidènza f. **1** (*familiarità*) intimacy; familiarity: *Non ho abbastanza c. con lui per chiederglielo*, I'm not intimate enough (o on close enough terms) with him to ask him; **dare c. a q.**, to treat sb. with familiarity; (*come rimprovero*) to be too familiar with sb.; **non dare c. a q.**, to keep sb. at a distance; **essere in c. con q.**, to be on close terms with sb.; **prendere c. con qc.**, to familiarize oneself with st.; to get to know st.; **prendersi delle confidenze con q.**, to take liberties with sb.; (*fare avances*) to get too friendly with sb., to get fresh with sb. (*fam.*); **prendersi troppa c. con q.**, to get too familiar with sb. **2** (*fiducia*) confidence; trust **3** (*rivelazione*) secret; confidence: **una c. imbarazzante**, an embarrassing secret; **fare una c. a q.**, to tell sb. something in confidence; **in c.**, in confidence; confidentially; between you and me; *Glielo dissi in c.*, I told him in confidence; *In c., non credo che sia all'al-*

tezza, between you and me, I don't think he is up to it.

confidenziàle a. **1** (*cordiale*) friendly; familiar: **in rapporti confidenziali**, on friendly terms **2** (*riservato*) confidential; private: **informazione c.**, confidential information; **a titolo c.**, confidentially; in confidence; **in via strettamente c.**, strictly in confidence; strictly off the record.

confidenzialità f. **1** confidential nature **2** (*cordialità*) friendliness; familiarity.

configgere v. t. → **conficcare**.

configuràbile a. (*spec. comput.*) configurable.

configuràre A v. t. **1** to depict; to represent; to make* out; to shape **2** (*comput.*) to configure **B configuràrsi** v. i. pron. to take* shape (o form); to emerge: *Si configura una nuova possibilità*, a new possibility is taking shape; *Si sta configurando una nuova figura di insegnante*, a new type of teacher is emerging.

configurazionàle a. (*chim.*) configurational.

configurazióne f. **1** configuration; shape; pattern; contour; outline **2** (*geogr.*) configuration; comformation; contour; geography: **la c. del terreno**, the contour of the land; **la c. di una regione**, the geography of a region **3** (*fis., chim.*) configuration; conformation **4** (*astron., comput.*) configuration.

confinànte A a. neighbouring, neighboring (*USA*); adjoining; bordering (st., on st.) (*anche fig.*); abutting (st., on st.) adjacent (to): **paesi confinanti**, neighbouring countries; *Il mio giardino è c. con il suo*, my garden borders on (o abuts) his **B** m. e f. neighbour, neighbor (*USA*).

confinàre A v. t. **1** (*leg.*) to intern; to confine: *Fu confinato in una piccola isola*, he was interned on a small island **2** (*fig.*) to confine; to restrict; to relegate: *È confinato nella sua stanza*, he's confined to his room **B** v. i. **1** to border (st.); to adjoin (st.); to abut (st., on st.); to be bounded (by): *La Svizzera confina con l'Italia*, Switzerland borders Italy; *Il paese confina col mare a est*, the country is bounded by the sea to the east; *Le nostre proprietà confinano*, our estates border each other **2** (*fig.*) to border (on); to verge (on): **una franchezza che confina con l'impertinenza**, a frankness bordering on impertinence **C confinàrsi** v. rifl. to withdraw*; to retire; to seclude oneself; to shut* oneself up.

confinàrio a. **1** (*rif. a confini di Stato*) border (attr.): *Paese c.*, border country; **polizia confinaria**, border police **2** (*rif. a proprietà, ecc.*) boundary (attr.): **cippo c.**, boundary stone.

confinàto A a. **1** (*leg.*) interned; confined (to a place) **2** confined; bound: **c. a letto**, confined in bed; bedridden; **c. in casa**, house-bound **B** m. (f. *-a*) (*leg.*) political internee.

Confindùstria f. Confederation of Italian Industry.

confindustriàle a. of (o relating to) the Confederation of Italian Industry.

♦**confìne** m. **1** (*fra terreni, ecc.*) boundary: **il c. fra i due poderi**, the boundary between the two farms; **i confini cittadini**, the city boundaries; **confini di regione**, regional boundary; **segnare il c.**, to mark the boundary; **cippo [muro, palo] di c.**, boundary stone [wall, post] **2** (*fra Stati*) border; frontier; (*negli USA*) state line: **c. artificiale**, artificial frontier; **c. naturale**, natural boundary; **il c. tra l'Italia e l'Austria**, the border (o the frontier) between Italy and Austria; *Chiasso è al c.*, Chiasso is on the frontier; **passare** (o **varcare**) **il c.**, to cross the bor-

der; *Passò il c. ed entrò in Francia*, he crossed the border into France; **controlli al c.**, border checks; **incidente di c.**, border incident; **polizia di c.**, border police; **zona di c.**, borderland **3** (*segno indicatore*) boundary marker, landmark; (*cippo*) boundary stone; (*palo*) boundary post **4** (*fig.*) boundary; frontier; borderline; (*limite*) limit, bound: **c. linguistico**, linguistic boundary (*o* frontier); **il c. tra fisica e chimica**, the boundary between physics and chemistry; **il c. tra la vita e la morte**, the border between life and death; **i confini della mente umana**, the boundaries of the human mind; **i confini della scienza**, the frontiers of science; **i confini dell'universo conosciuto**, the outer limits of the known universe; **non conoscere confini**, to know no bounds (*o* limits); **oltrepassare ogni c.** (*esagerare*), to go beyond the limit; to overstep the mark; to be beyond the pale; **rasentare i confini del lecito**, to be on the borderline of legality; to sail close to the wind (*fam.*); **ai confini del mondo**, at the ends of the earth; at the edge of the world; **linea di c.**, borderline; **senza confini**, boundless; unbounded.

confino m. **1** (*leg.*: *la condanna*) internment **2** (*il luogo*) place of internment: **mandare q. al c.**, to intern sb.

confisca f. (*leg.*) confiscation; seizure; (*perdita del diritto di proprietà*) forfeiture: **la c. di merce di contrabbando**, the confiscation (*o* seizure) of smuggled goods; **subire la c. dei beni**, to forfeit one's estate.

confiscàbile a. confiscable; forfeitable.

confiscàre v. t. (*leg.*) to confiscate; to seize: **c. un'arma**, to seize a weapon; **c. un carico di droga**, to seize a consignment of drugs; *Il professore gli confiscò il temperino*, the teacher confiscated his pocketknife.

confiscatóre **A** m. (f. -*trice*) confiscator **B** a. confiscating.

confìteor (*lat.*) m. inv. (*eccles.*) Confiteor • (*fig.*) **recitare il c.**, to admit one's faults; to put on sackcloth and ashes.

conflagràre v. i. **1** (*lett.*) to burst into flames; to flare up **2** (*fig.*) to break* out: *Gli scontri sono conflagrati in seguito all'arresto dei due rivoltosi*, armed clashes broke out after the arrest of the two rebels.

conflagrazióne f. **1** (*lett.* e *filos.*) conflagration **2** (*fig.*) outbreak of hostilities.

confliggere v. i. to be in conflict; to clash.

conflìtto m. **1** (*scontro*) conflict, fight; (*guerra*) conflict, war: **c. a fuoco**, gunfight; shoot-out; **c. mondiale**, world war; *Il c. si estese ai Paesi confinanti*, the conflict (*o* the war) spread to the neighbouring countries; **essere in c. con**, to be at war with; **scatenare un c.**, to spark off a conflict **2** (*fig.*: *contrasto*) conflict, clash, collision; (*disputa*) dispute: (*leg.*) **c. di competenza**, conflict of jurisdiction; **c. d'interessi**, conflict (*o* clash) of interests; **c. di poteri**, conflict of powers; **conflitti sindacali**, industrial disputes; **entrare in c. (con)**, to come into conflict (with); to clash (with); **essere in c. (con)**, to conflict (with); to clash (with); (*di persone*) to be at loggerheads (with); **interessi in c.**, conflicting interests **3** (*psic.*) conflict.

conflittuàle a. marked by conflict; conflictual; **situazione c.**, conflict; confrontation; **rapporto c.**, conflicts (pl.); (*tra persone*) turbulent relationship.

conflittualità f. (*spec. in campo sindacale*) conflict; unrest: **c. permanente**, permanent (*o* continual) conflict.

confluènte **A** a. confluent **B** m. confluent.

confluènza f. **1** (*geogr.*) confluence; meeting; (*di valli, strade*) meeting, merging **2** (*fig.*: *incontro*) meeting, converging; (*fusione*) merging; (*unione*) unity.

confluìre v. i. **1** (*di corsi d'acqua*) to flow (into), to merge (with); (*di valli, di strade*) to meet*, to join; to merge: *Il Missouri e il Mississippi confluiscono*, the Missouri merges with the Mississippi; *La Dora confluisce nel Po*, the Dora flows into the Po **2** (*fig.*) to merge; to converge; (*raccogliersi*) to come* together: **c. in un partito**, to merge with a party; *Le due colonne armate confluirono sulla città*, the two armed columns converged on the city; **far c. i voti su un unico candidato**, to concentrate all votes on a single candidate; *Nell'«Encyclopédie» confluì tutto il sapere dell'epoca*, the sum of contemporary knowledge was brought together in the «Encyclopédie».

confocàle a. (*mat.*) confocal.

♦confóndere **A** v. t. **1** (*mescolare*) to mix up; to muddle up: *Non confondere le ricevute*, don't muddle up the invoices **2** (*scambiare*) to confuse; to mistake*; to mix up: **c. due nomi**, to mix up two names; to get two names mixed up; **c. «ingenuo» con «ingenoso»**, to confuse «ingenuous» with «ingenious»; *Guardi che mi confonde con un altro*, you must be confusing me with someone else; *Scusi, l'avevo confuso con suo fratello*, I'm sorry, I mistook you for your brother; *È facile confonderli, sono quasi uguali*, it's easy to confuse them (*o* get them mixed up), they're almost identical **3** (*disorientare*) to confuse, to fluster, to confound, to perplex; (*mettere in imbarazzo*) to embarrass, to overwhelm: *Il suo sguardo severo mi confuse*, his stern look confused me; *Tutte quelle luci lo confondevano*, all those lights dazzled him; *Mi confondi con la tua gentilezza*, you embarrass me with all your kindness **4** (*rendere indistinto*) to blur; to muddle: *L'età confonde i ricordi*, age blurs one's memories; **c. la vista**, to blur the vision; (*abbagliare*) to dazzle (sb.) **5** (*lett.*: *umiliare*) to confound; to bring* low • **c. le acque**, (*di fiumi*) to join; (*fig.*) to cloud the issue, to obfuscate (*USA*) □ **c. la questione**, to confuse the issue □ **c. le idee a q.**, to muddle sb.; to confuse sb. **B confóndersi** v. i. pron. **1** (*fare confusione*) to get* confused; to get* mixed up; to get* muddled up; to get* into a muddle; to find* (st.) confusing: *Mi confondo con tutti quei nomi russi*, I get mixed up with all those Russian names; I find all those Russian names confusing; *Carlo non è medico, tu ti confondi con il fratello*, Carlo is not a doctor, you're mixing him up with his brother **2** (*essere disorientato*) to get* confused; to get* flustered; (*essere imbarazzato*) to be embarrassed, to be discomposed; to be overwhelmed: *Davanti alla telecamera si confuse e balbettò poche parole*, she got flustered in front of the camera, and mumbled a few words; *Si confuse con tutti quei complimenti*, he was discomposed by all those compliments **3** (*mescolarsi*) to mingle; (*di colori*) to blend; **confondersi tra la folla**, to mingle with the crowd **4** (*diventare indistinto*) to become* confused; to become* blurred; to blur: *I suoi ricordi si confondevano*, her memories were blurred.

confondìbile a. likely to be confused; easily mistaken.

conformàbile a. conformable; adaptable.

♦conformàre **A** v. t. **1** to shape; to fashion; to mould; to form; (*adattare*) to adapt, to suit, to conform: **c. la propria vita a un'idea**, to fashion one's life on an ideal; **c. le proprie maniere all'ambiente**, to conform one's manners to the place **B conformàrsi** v. rifl. **1** (*adeguarsi, adattarsi*) to adapt; to conform oneself **2** (*uniformarsi*) to conform (to); to comply (with): **conformarsi alle usanze locali**, to conform to local customs **C conformàrsi** v. i. pron. (*essere conforme*)

to conform (to, with); to meet* (st.): **conformarsi alla legge**, to comply with the law; **conformarsi alle norme di sicurezza**, to conform to security regulations; **conformarsi alle regole**, to conform to (*o* to comply with) the rules.

conformatóre m. (*per cappellai*) conformator.

conformazionàle a. (*chim.*) conformational.

conformazióne f. conformation; shape; structure; configuration: **la c. del cranio**, the shape of the skull; **la c. del terreno**, the configuration of the land; **c. mentale**, psychological make-up.

confórme **A** a. **1** (*corrispondente, in accordo*) corresponding (to); conformable (to); consistent (with); in line (with); in keeping (with): **un comportamento c. all'età del bambino**, behaviour consistent with the child's age; **c. alle regole**, in keeping with (*o* that meets) the regulations; *La decisione non è c. alla politica del governo*, the decision is not in line with government policy; *Tutte le sue scelte sono conformi alle tradizioni di famiglia*, all his choices conform to family traditions **2** (*simile*) similar; analogous; like: **c. all'originale**, similar to (*o* like) the original; **un contratto c. a quello dell'altro inquilino**, a contract analogous to the one drawn up for the other tenant; (*comm.*) **essere c. al campione**, to be up to sample • (*leg.*) **copia c.**, certified copy; conformed copy **B avv.** in conformity (with); in accordance (with): **agire c. al regolamento**, to act in conformity (*o* conformance) with the regulations; **c. ai vostri desideri**, in accordance with your wishes.

conformeménte avv. accordingly • **c. a**, according to; in conformity with; in compliance with: **c. a quanto stabilito**, in conformity with what has been decided; as agreed; **c. al vostro ordine**, in compliance with your order.

conformìsmo m. conformism; conventionality; conventional behaviour.

conformìsta m. e f. conformist; conventional person.

conformìstico a. conformist; conventional.

conformità f. conformity; conformance; compliance; accordance; (*somiglianza*) similarity: **in c. a** (*o* di, con), in compliance with; in accordance with; **in c. con le disposizioni di legge**, in accordance with the law; **in c. con quanto annunciato**, as has been announced.

confòrt → **comfort**.

confortàbile a. consolable.

confortànte a. comforting; (*rassicurante*) reassuring: **notizie confortanti**, reassuring news.

confortàre **A** v. t. **1** (*consolare*) to comfort, to console, to cheer; (*rassicurare*) to reassure: *Cercai di c. il bambino in lacrime*, I tried to comfort the child in tears; *Mi conforta sapere che non sono solo*, it cheers me (*o* it's a consolation) to know I'm not alone **2** (*incoraggiare*) to encourage; to cheer up **3** (*confermare, sostenere*) to bear* out; to support; to corroborate: **c. l'accusa con prove**, to support the accusation with evidence **B confortàrsi** v. rifl. to console oneself; to take* comfort **C confortàrsi** v. rifl. recipr. to console each other.

confortatóre **A** m. (f. -*trice*) comforter **B** a. comforting; reassuring.

confortatòrio a. consolatory; comforting.

confortévole a. **1** (*consolante*) comforting; consoling, cheering **2** (*comodo*) comfortable: **poltrona c.**, comfortable armchair.

confòrto m. **1** (*consolazione*) consolation;

C

solace; comfort; sympathy: **cercare c. nella preghiera**, to seek solace in prayer; *Il figlio è il suo unico c.*, her son is her only consolation; *Mi fu di grande c. averlo vicino*, it was a great comfort to me to have him with me; **dare c.**, to give comfort; **parole di c.**, words of sympathy **2** (*sostegno*) support: **a c. di questa teoria**, in support of this theory **3** (*incoraggiamento*) encouragement: *La sua fiducia in me mi fu di c. a proseguire*, his trust in me was an encouragement to go on **4** (*agio*) comfort ● (*eccles.*) **i conforti religiosi**, the last rites □ **generi di c.**, refreshments.

confratèllo m. (*eccles.*) brother*.

confratèrnita f. brotherhood; confraternity.

confricàre v. t. to rub.

confrontàbile a. comparable; that can be compared.

♦**confrontàre** ⒜ v. t. **1** (*comparare*) to compare: **c. la copia con l'originale**, to compare the copy with the original; **c. i prezzi**, to compare prices **2** (*mettere di fronte, a confronto*) to confront: **c. due testimoni**, to confront two witnesses **3** (*collazionare*) to collate ❶ **FALSI AMICI** ● confrontare *si traduce con* to confront *solo in ambito giuridico* ⒝ **confrontàrsi** v. rifl. (*misurarsi*) to face (st.); to meet* (st.); to deal* (with); to confront (st.): **confrontarsi coi fatti**, to face the facts ⒞ **confrontàrsi** v. rifl. recipr. (*affrontarsi*) to face each other; (*discutere*) to have a debate; (*scontrarsi*) to have a confrontation.

♦**confrónto** m. **1** (*paragone*) comparison: **fare un c.**, to make a comparison; *Tra i due non c'è c.*, there is no comparison between the two; *Il c. non regge*, the comparison does not hold (o stand up); **a c. di** (*o* **in c. a**), in comparison with; compared with (o to); **mettere a c.**, to compare; **reggere al c.**, to stand (o to bear) comparison; to compare favourably (with); **non reggere al c.**, to compare unfavourably (with); not to compare (with); **non temere confronti**, to be unequalled; to be as good as any; **al c.**, in (o by) comparison; **senza confronti**, beyond comparison; incomparably; by far; *Il fratello è un musicista migliore, senza confronti*, his brother is a better musician by far **2** (*leg.*) confrontation: **c. all'americana**, identification parade; line-up (*USA*); **mettere a c.**, to confront **3** (*collazione*) collation **4** (*sport*) contest; encounter; match ● **nei confronti di**, towards; to; with; (*contro*) against: **aggressivo nei miei confronti**, aggressive towards me; **accuse nei loro confronti**, accusations against them; **la linea dura del governo nei confronti degli evasori**, the government's tough line with tax evaders; **la solidità del dollaro nei confronti dello yen**, the solidity of the dollar against the yen.

confucianésimo m. Confucianism.

confuciàno a. e m. Confucian.

Confùcio m. Confucius.

confusaménte avv. **1** confusedly; vaguely: **ricordare qc. c.**, to remember st. vaguely; **rispondere c.**, to give a garbled answer **2** (*alla rinfusa*) haphazardly; anyhow: **cose ammucchiate c.**, things heaped together haphazardly.

confusionàle a. – (*med.*) **stato c.**, state of mental confusion; **essere in stato c.**, to be in a daze; (*fam.*) **entrare in stato c.**, to get completely flustered.

confusionàrio ⒜ a. muddling; muddle-headed ⒝ m. (f. **-a**) muddler.

♦**confusióne** f. **1** (*disordine*) confusion; mess; muddle; clutter; chaos; disarray: *In tutta questa c. non trovo niente*, I can't find a thing in this mess (o chaos); **fare** (o **mettere**) **c.**, to mess up (st.); to make a mess

(of); *Non toccare niente, non fare c.!*, don't touch anything; don't mess things up **2** (*mescolanza*) jumble; muddle; mess; hotchpotch, hodgepodge (*USA*); mishmash; farrago: **una c. di ricordi**, a jumble of memories; **una c. di stili diversi**, a mishmash of styles **3** (*trambusto*) bustle; confusion; commotion; stir; (*di gente*) crowd, throng; (*baccano*) noise, din, racket: **la c. delle ore di punta**, the bustle of the rush hour; *Nella c. ci perdemmo di vista*, in the confusion we lost sight of each other **4** (*equivoco, scambio*) confusion; mix-up; muddle: *C'è stata c. nell'orario*, there has been a mix-up in the timetable; *Dobbiamo evitare ogni c. tra i due problemi*, we must avoid any confusion between the two issues; we must be careful not to muddle up the two issues; **fare c.**, to get (st.) mixed up, to mix (st.) up; to muddle things up; *Ho fatto c. fra le due date*, I got the two dates mixed up; *È un caro uomo, ma fa tanta c.*, he's a dear fellow, but he really muddles things up **5** (*disorientamento*) confusion, bewilderment, bafflement; (*imbarazzo*) embarrassment; (*mortificazione*) confusion, shame: **con mia grande c.**, much to my embarrassment **6** (*med.*) – **c. mentale**, mental confusion **7** (*leg.*) merger; confusion.

confusionìsmo m. **1** (*tendenza alla confusione nel pensare, ecc.*) muddle-headedness; vagueness; woolliness **2** (*tendenza a creare confusione*) disorderliness **3** (*psic.*) confused behaviour.

confusionìsta m. e f. muddler.

♦**confùso** a. **1** (*in disordine*) confused; messed up **2** (*mescolato*) mixed; mixed up; jumbled **3** (*non chiaro*) confused, vague, nebulous, woolly, muddled; (*indistinto*) blurred, indistinct, vague: **idee confuse**, confused (o vague) ideas; woolly thinking; **immagine confusa**, blurred picture; **ricordo c.**, vague (o hazy) memory; **spiegazione confusa**, muddled explanation; *Arrivano solo notizie confuse*, only vague news is coming through **4** (*disorientato*) confused, disoriented, bewildered, baffled; (*imbarazzato*) embarrassed, overwhelmed; (*mortificato*) ashamed; very sorry.

confutàbile a. confutable; refutable; disprovable; (*spec. leg.*) rebuttable.

confutàre v. t. to confute; to refute; to disprove; (*spec. leg.*) to rebut.

confutatóre m. (f. **-trice**) confuter; refuter; rebutter.

confutatòrio a. confuting; refuting; disproving; (*spec. leg.*) rebutting.

confutazióne f. confutation; refutation; (*spec. leg.*) rebuttal.

cònga f. (*danza*) conga.

congedaménto m. (*mil.*) release; discharge.

congedàre ⒜ v. t. **1** (*mandare via*) to send* away, to dismiss; (*salutare*) to say* goodbye to, (*accompagnando alla porta*) to see* out: *Congedato il segretario, si rivolse a me*, he dismissed his secretary and turned to me; *Mi congedò in fretta*, he said a hurried goodbye **2** (*mil.*) to release; to discharge; (*smobilitare*) to demobilize, to demob (*fam.*) ⒝ **congedàrsi** v. rifl. (*andare via*) to leave* (sb.); (*salutare*) to say* goodbye (to); (*form.*) to take* (one's) leave (of) (*form.*): *Si congedò senza un commento*, she left without a comment; *Mi congedai dal padrone di casa*, I said goodbye to my host.

congedàto a. e m. released (soldier); discharged (soldier).

congèdo m. **1** (*commiato*) leave; leave-taking; goodbye; farewell; (*separazione*) parting: **prendere c. da q.**, (*lasciare*) to take* leave of sb.; (*salutare*) to say goodbye to sb., to take (one's) leave of sb. (*form.*); **visita di c.**, farewell vis-

it ❶ **NOTA:** *goodbye* → **goodbye 2** (*permesso*) leave (of absence); (*di diplomatico*) furlough: **c. con stipendio pieno [ridotto]**, leave on full [on reduced] pay; **c. matrimoniale**, marriage leave; **c. per maternità**, maternity leave; **c. per motivi di salute**, sick-leave; **c. retribuito [non retribuito]**, leave with [without] pay; **andare in c.**, to go on leave; **chiedere un c.**, to apply for leave; **essere in c.**, to be on leave; **mandare in c.**, to send on leave **3** (*mil.*) discharge: **c. assoluto**, discharge; **c. illimitato**, discharge to the reserve; **c. temporaneo**, furlough; **mandare in c.**, to discharge; **foglio di c.**, discharge papers; **ufficiale in c.**, officer of the reserve **4** (*poesia*) envoy.

congegnàre v. t. **1** (*mecc.*) to assemble; to fit together **2** (*fig.*) to devise; to plan; to contrive; to concoct; (*costruire*) to construct: **c. un piano**, to devise (o to concoct) a plan; **un romanzo ben congegnato**, a well-constructed novel.

congégno m. (*mecc.*) device; contrivance; apparatus; (*meccanismo*) mechanism; (*scherz.*) contraption: **c. antifurto**, burglar alarm; (*mil.*) **c. di puntamento**, sighting system; **c. di sicurezza**, safety device; **un piccolo c. che aziona automaticamente l'innaffiatore**, a small device that automatically starts the sprinkler; *Un c. complesso riproduce il suono dai vari punti della sala*, a complex apparatus reproduces the sound from various points of the room.

congelaménto m. **1** freezing: **il c. dei cibi**, food freezing; (*fis.*) **metodo [punto] di c.**, freezing process [point] **2** (*med.*) frostbite: **principio di c.**, incipient frostbite **3** (*fig.: arresto*) suspension: **c. della trattativa**, suspension in the talks **4** (*econ.*) freeze: **c. dei prezzi [dei crediti]**, price [credit] freeze.

congelàre ⒜ v. t. **1** to freeze* **2** (*fig.: raggelare*) to freeze*: **c. q. con un'occhiata**, to freeze sb. with a look **3** (*fig.: accantonare*) to put* on ice (o in cold storage) **4** (*econ.*) to freeze*: **c. i prezzi**, to freeze prices ⒝ **congelàrsi** v. i. pron. **1** to freeze*: *Rientriamo, mi sto congelando*, let's go in, I'm freezing **2** (*med.*) to become* frostbitten.

congelàto a. **1** (*alim.*) frozen: **carne congelata**, frozen meat **2** (*med.*) frostbitten: **avere un piede c.**, to have a frostbitten foot **3** (*econ.*) frozen: **crediti congelati**, frozen assets.

congelatóre ⒜ m. deepfreeze; deep-freezer ⒝ a. freezing.

congelazióne f. (*med.*) frostbite.

congènere a. **1** similar; akin **2** (*biol.*) congeneric; congenerous.

congeniàle a. congenial.

congenialità f. congeniality.

congènito a. (*med.* e *fig.*) congenital.

congèrie f. jumble; heap; mass.

congestionàre ⒜ v. t. **1** (*med.*) to congest **2** (*fig.*) to congest; to crowd; to overfill; to clog; to jam (up): **c. il traffico**, to congest traffic; **c. le linee telefoniche**, to congest (o to jam) telephone lines ⒝ **congestionàrsi** v. i. pron. **1** (*med.*) to get* congested **2** (*fig.*) to become* congested; to get* jammed up.

congestionàto a. **1** (*med.*) congested; (*estens.: arrossato*) flushed: **viso c.**, flushed (o red) face **2** (*fig.*) congested; overcrowded; jammed: **traffico c.**, congested traffic; **linee telefoniche congestionate**, jammed telephone lines.

congestióne f. **1** (*med.*) congestion **2** (*fig.*) congestion; overcrowding: **c. del traffico**, traffic congestion.

congettùra f. **1** conjecture; supposition; guess; surmise: **fare una c.**, to make a conjecture; **fare congetture**, to conjecture; to

speculate **2** (*filol.*) conjectural reading.

congetturàbile a. conjecturable.

congetturàle a. conjectural.

congetturàre **A** v. t. to conjecture; to suppose; to surmise **B** v. i. to conjecture; to speculate.

congiùngere **A** v. t. **1** (*unire*) to join (together); to unite: **c. le proprie forze**, to join forces; (*mat.*) **c. due punti**, to join two points; **c. in matrimonio**, to join in matrimony **2** (*collegare*) to join; to connect; to link up: **c. due paesi con un servizio d'autobus**, to connect (*o* to link up) two villages with a bus service ● (*mecc.*) **c. a incastro**, to cog □ (*mecc.*) **c. a mortasa**, to mortise **B** **congiùngersi** v. i. pron. e rifl. recipr. **1** to join; to be joined; to unite: **congiungersi in matrimonio**, to be joined in matrimony **2** (*incontrarsi*) to join, to meet*; (*confluire*) to merge: *Le due strade si congiungono a un miglio da qui*, the two roads meet one mile from here; *Il sentiero si congiunge alla strada*, the path joins the main road ● **congiungersi carnalmente**, to copulate; to have sexual intercourse.

congiungiménto m. **1** joining; connecting; union **2** (*lett.*: *unione sessuale*) copulation; sexual intercourse.

congiuntaménte avv. jointly; conjointly.

congiuntiva f. (*anat.*) conjunctiva*.

congiuntivàle a. (*anat.*) conjunctival.

congiuntivite f. (*med.*) conjunctivitis.

congiuntivo **A** a. **1** conjunctive **2** (*gramm.*) subjunctive: **modo c.**, subjunctive mood **B** m. (*gramm.*) subjunctive: *Il verbo deve essere al c.*, the verb should be in the subjunctive. **❶ NOTA:** *subjunctive → subjunctive*.

congiùnto **A** a. **1** (*unito*) joined; joint; united; combined; concerted: **sforzi congiunti**, united (*o* combined, concerted) efforts; **in seduta congiunta**, in joint session **2** (*collegato*) connected; linked **B** m. (f. *-a*) relative; relation; kinsman* (f. kinswoman*): **un mio c.**, a relative of mine.

congiuntùra f. **1** (*punto di unione*) joint; join; seam **2** (*anat.*) joint; articulation **3** (*fig.*: *circostanza*) circumstance, opportunity; (*generalm. critica*) juncture, conjuncture: **approfittare della c. favorevole**, to exploit the favourable opportunity **4** (*econ.*: *situazione*) economic situation; (*tendenza*) economic trend; (*prospettiva*) economic outlook: **c. alta**, boom; expansion; **c. bassa**, slump; depression; **c. negativa**, recession.

congiunturàle a. (*econ.*) related to the current economic situation; trend (attr.); (*ciclico*) cyclical: **crisi c.**, cyclical crisis; **situazione c.**, business climate.

congiunzióne f. **1** conjunction; junction; joining; meeting: **punto di c.**, (point of) junction; join; (*fig.*) meeting point; **in c. con**, in conjunction with **2** (*gramm.*) conjunction: **c. coordinativa [subordinativa]**, coordinating [subordinating] conjunction **3** (*astron.*, *astrol.*) conjunction: **pianeti in c.**, planets in conjunction.

congiùra f. conspiracy; plot: **c. del silenzio**, conspiracy of silence; **c. di palazzo**, palace plot; **ordire una c.**, to hatch a plot; to conspire; **sventare una c.**, to foil a plot; *Fu accusato di c. contro lo Stato*, he was accused of conspiring against the state.

congiuràre v. i. to conspire; to plot: **c. ai danni di q.**, to plot (*o* to conspire) against sb.; *Congiurarono per deporre il re*, they plotted to depose the king; *Tutto congiura contro di noi*, everything is conspiring against us **❶ FALSI AMICI** ● *congiurare non si traduce con* to conjure.

congiuràto m. (f. *-a*) conspirator; plotter.

conglobaménto m. combining (*anche di crediti, imposte, ecc.*); consolidating; (*di retribuzioni*) incorporation.

conglobàre v. t. to combine (*anche di crediti, imposte, ecc.*); to consolidate; (*retribuzioni*) to incorporate.

conglobazióne f. → **conglobamento**.

conglomeràre v. t., **conglomeràrsi** v. i. pron. to conglomerate.

conglomeràta f. (*econ.*) conglomerate.

conglomeràto m. **1** conglomeration (*anche fig.*); grouping: **c. etnico**, conglomeration of races; **un c. di idee**, a conglomeration of ideas **2** (*econ., geol.*) conglomerate **3** (*edil.*) mix: **c. cementizio**, concrete.

conglomerazióne f. conglomeration.

congolése a., m. e f. Congolese*.

congratulàrsi v. i. pron. to congratulate (sb. on st.): *Mi congratulai con lui per la promozione*, I congratulated him on his promotion.

congratulazióne f. (generalm. al pl.) congratulation: **fare le congratulazioni a q.**, to congratulate sb. (on st.); to offer sb. one's congratulations; **ricevere le congratulazioni di q.**, to be congratulated by sb.; *Congratulazioni!*, congratulations!

congrèga f. **1** (*eccles.*) congregation; confraternity **2** (*spreg.*) bunch; set; gang; clique.

congregaménto m. congregation; gathering.

congregàre **A** v. t. to assemble; to congregate; to gather together; to call together **B** **congregàrsi** v. i. pron. to assemble; to congregate; to come* together.

congregazionalìsmo m. (*relig.*) Congregationalism.

congregazionalìsta a., m. e f. (*relig.*) Congregationalist.

congregazióne f. **1** (*adunanza*) assembly; gathering **2** (*confraternita*) congregation; confraternity **3** (*nelle chiese protestanti: i fedeli*) congregation.

congregazionìsta m. e f. member of a congregation.

congressìsta m. e f. participant (in a congress, a conference, a convention).

congressìstico a. congress (attr.); conference (attr.); convention (attr.).

◆**congrèsso** m. **1** (*polit., tra Stati*) congress: **il C. di Vienna**, the congress of Vienna **2** (*assemblea, convegno*) conference; congress: **c. di ministri degli esteri**, conference of foreign ministers; **c. di partito**, party congress (*o* conference); party convention (*USA*); (*eccles.*) *C. Eucaristico*, Eucharistic Congress; **c. medico**, medical congress (*o* conference); **c. sul disarmo**, conference on disarmament **3** (*in USA*) – **il C.**, Congress: *Il C. si è espresso a sfavore*, Congress voted against.

congressuàle a. congressional; congress (attr.); conference (attr.).

còngrua f. (*eccles.*) stipend.

congruènte a. **1** congruent; congruous; consonant; (*coerente*) consistent **2** (*mat.*) congruent.

congruènza f. **1** congruence; consonance; (*coerenza*) consistency **2** (*mat.*) congruence; congruency.

congruità f. **1** appropriateness; suitability **2** reasonableness; adequacy.

còngruo a. **1** (*conveniente*) suitable; fitting; proper **2** (*sufficiente, adeguato*) sufficient; reasonable; realistic; fair; adequate: **un c. compenso**, a fair remuneration; **con c. anticipo**, well in advance **3** (*mat.*) congruent.

conguagliàre v. t. (*fin., rag.*) to balance; to adjust; to settle.

conguàglio m. (*fin., rag.*) balance; adjustment; settlement: **il c. degli arretrati**, the balance of arrears; **c. monetario**, currency adjustment; **a c.**, in settlement.

CONI sigla (*sport*, **Comitato olimpico nazionale italiano**) Italian National Olympic Committee.

coniàre v. t. **1** to mint; to coin; to strike*: **c. una moneta**, to mint a coin; **c. una medaglia per un evento**, to strike a medal to commemorate an event **2** (*fig.*) to coin: **c. una parola**, to coin a word.

coniatóre m. (f. *-trìce*) coiner (*anche fig.*); minter.

coniatùra, coniazióne f. coinage (*anche fig.*); mintage.

cònica f. (*mat.*) conic section; conic.

conicità f. **1** conicalness; conicity **2** (*forma conica*) conic shape.

cònico a. **1** conical; cone-shaped: (*geogr.*) **proiezione conica**, conical (*o* conic) projection **2** (*mat.*) conic: **sezioni coniche**, conic sections; **la teoria delle sezioni coniche**, conics (pl. col verbo al sing.).

conidiàle a. (*bot.*) conidial.

conìdio m. (*bot.*) conidium*.

conìfera f. (*bot.*) conifer; (al pl., *scient.*) Coniferae.

conìfero a. (*bot.*) coniferous.

conìglia f. → **coniglio**.

coniglicoltóre → **cunicoltore**.

coniglicoltùra → **cunicoltura**.

coniglièra f. **1** (*gabbia*) rabbit hutch **2** (*recinto*) warren.

conigliésco a. **1** rabbit-like; rabbity **2** (*fig.: codardo*) cowardly; chicken-hearted; lily-livered.

conigliétta f. (*fig.*) bunny girl.

◆**conìglio** m. (f. *-a*) **1** (*zool., Oryctolagus cuniculus*) rabbit; (*infant. o fam.*) bunny (rabbit); (*femmina*) doe rabbit, doe **2** (*fig.: codardo*) chicken; coward ● (*zool.*) **c. coda di cotone** (*Sylvilagus*), cottontail □ **pelliccia di c.**, rabbit fur; cony, coney.

conìina f. (*chim.*) coniine.

cònio m. **1** (*coniatura*) coinage (*anche fig.*); mintage **2** (*punzone*) minting die **3** (*impronta*) stamp (on a coin); mint mark **4** (*fig.*) type; sort: *Sono dello stesso c.*, they belong to the same sort; they are birds of a feather; **di basso c.**, lowly ● **di nuovo c.**, newly minted; (*fig.*) newly coined, brand new □ **parola di c. recente**, recent coinage.

coniugàbile a. (*fig.*) that can coexist (with); that can be combined (with).

coniugàle a. marriage (attr.); conjugal; marital: **amore c.**, married love; **diritti coniugali**, conjugal rights; **impegno c.**, marital vows (pl.); **vincolo c.**, marriage tie; **vita c.**, married life.

coniugàre **A** v. t. **1** (*gramm.*) to conjugate; to inflect: **c. un verbo al passato**, to conjugate a verb in the past **2** (*unire in matrimonio*) to marry; to wed **3** (*fig.*) to combine; to marry **B** **coniugàrsi** v. i. pron. **1** (*gramm.*) to conjugate **2** (*fig.*) to combine (with); to accompany (st.) **C** **coniugàrsi** v. rifl. to get* married.

coniugàto **A** a. **1** (*sposato*) married **2** (*fis., mat., bot.*) conjugate **3** (*chim.*) conjugate; conjugated: **coppia acid-base coniugata**, conjugate acid-base pair; **proteina coniugata**, conjugated protein **B** m. (f. *-a*) married man* (f. woman*).

coniugazióne f. (*gramm., biol., chim.*) conjugation.

còniuge m. e f. spouse; consort; (*marito*) husband; (*moglie*) wife; (al pl.) married couple, husband and wife: **i coniugi Rossi**, Mr and Mrs Rossi; the Rossis; **rapporti fra coniugi**, husband-and-wife relationships.

a b **c** d e f g h i j k l m n o p q r s t u v w x y z

connàto a. **1** (*congenito*) connate; innate; inborn **2** (*bot.*) connate.

connaturàle a. **1** connatural **2** (*innato*) connatural; innate, inborn.

connaturalità f. connaturality.

connaturàre A v. t. (*lett.*) to make* (st.) connatural B **connaturàrsi** v. i. pron. to become* second nature; to become* natural; to become* ingrained.

connaturàto a. **1** (*innato*) connate; innate; inborn **2** (*radicato*) innate, inborn, inbred; ingrained; deeply rooted: **abitudine connaturata**, ingrained habit.

connazionàle A a. (coming) from the same country (pred.) B m. e f. fellow countryman* (m.); fellow countrywoman* (f.).

connessióne f. **1** (*falegn.*) joint; join **2** (*mecc.*) connection; link **3** (*nesso*) connection; link; association; (*attinenza*) relevance (to), bearing (on): *Tra i due episodi non c'è c.*, there is no connection between the two events **4** (*tecn.*) connection; (*linea*) line; (*elettr.*) **c. dei fili**, connection between the wires; (*elettr.*) **c. in serie**, mesh connection; (*telef.*) **c. fissa**, landline **5** (*comput., Internet*) connection; login; logon: **c. a Internet**, Internet connection; **terminare la c.**, to log off (o out); **procedura di c.**, login (procedure).

connèsso A a. **1** (*mecc.*) linked; joined **2** connected; associated; linked; related; relevant: **strettamente c.**, closely related (o linked) **3** (*elettr., mar.*) connected; joined **4** (*comput., Internet*) connected; logged on; logged in: **c. a un sito**, logged into a website B m. – **annessi e connessi** → **annesso**.

connessùra f. joint; join; seam.

connestàbile → **conestabile**.

connèttere A v. t. **1** (*unire*) to join; to connect; to link **2** (*fig.*) to connect; to link; to associate: **c. due fatti**, to link two facts **3** (*assol.: ragionare*) to think* straight; to be coherent: *Ho tanta fame che non riesco a c.*, I'm so hungry I can't think straight B **connèttersi** v. i. pron. **1** to be connected; to be linked; to be related **2** (*comput., Internet*) to log in (o on): **connettersi a un sito**, to log into a website.

connettivàle a. (*anat.*) connective.

connettività f. (*comput., tel.*) connectivity.

connettivite f. (*med.*) inflammation of the connective tissue.

connettìvo A a. **1** (*anat.*) connective: **tessuto c.**, connective tissue; (*fig.*) fabric, underlying structure, warp and weft **2** (*fig.*) linking; common B m. (*anat., ling., logica*) connective.

connettóre m. **1** (*tecn.*): (*elettr.*) **c. a spina**, jack connector; **c. multipolare**, edge connector **2** (*ling.*) connective.

connivènte A a. (*leg.*) conniving: **essere c.**, to connive B m. e f. conniver.

connivènza f. (*leg.*) connivance; conniving: **accuse di c.**, charges of conniving.

connotàre v. t. (*filos., ling.*) to connote.

connotatìvo a. connotative.

connotàto m. personal characteristic; (al pl.) description (sing.): *I connotati dell'uomo furono comunicati a tutte le questure*, a description of the man was circulated to all police stations; **prendere nome, indirizzo e connotati**, to register name, address and personal characteristics • (*fam.*) **cambiare i connotati a q.**, to bash sb.'s face in.

connotazióne f. (*filos., ling.*) connotation.

connùbio m. **1** (*lett.*) matrimony; marriage **2** (*fig.: accordo armonico*) union, marriage; (*alleanza*) alliance: **un c. tra il centro e la destra**, an alliance between the centre and the right.

còno ① m. **1** (*geom. ed estens.*) cone: (*geol.*) **c. avventizio**, side vent; **c. circolare retto**, right circular cone; **c. gelato**, ice-cream cone; (*geol.*) **c. vulcanico**, volcanic cone; **a (forma di) c.**, cone-shaped; cone (attr.); conical **2** (*anat.*) (retinal) cone **3** (*bot.*) cone **4** (*astron.*) – **c. d'ombra**, umbra; **c. di penombra**, penumbra.

còno ② m. (*zool., Conus*) cone shell.

conòcchia f. **1** bunch of flax [wool, etc.] wound round a distaff **2** (*rocca*) distaff.

conoidàle a. (*mat.*) conoidal.

conòide m. **1** (*mat., geom.*) conoid **2** (*geol.*) – **c. di deiezione**, alluvial cone.

conoscènte m. e f. acquaintance.

conoscènza f. **1** (*il sapere*) knowledge Ⓤ: **una buona c. del francese**, a good knowledge of French; **una c. superficiale**, a superficial knowledge; a smattering **2** (*il conoscere una persona*) acquaintance: **fare la c. di q.**, to make sb.'s acquaintance; to meet sb.; *Lieto di fare la sua c.*, pleased to meet you; *Feci la sua c. a Messina*, I first met him in Messina; *La nostra è una c. di vecchia data*, we've know each other for many years; **un tale di mia c.**, an acquaintance of mine; someone I know **3** (*persona conosciuta*) acquaintance; (al pl.: *contatti utili*) contacts: *Ha molte conoscenze ma pochi amici*, she has many acquaintances but few friends; **avere conoscenze al ministero**, to have contacts in the ministry; (*scherz.*) *È una vecchia c. della polizia*, he is well known to the police **4** (*leg., bur.*) cognizance **5** (*filos.*) cognition **6** (*l'essere cosciente*) consciousness: **perdere c.**, to lose consciousness; **riprendere c.**, to recover (o to regain) consciousness; to come round; **privo di c.**, unconscious • **c. carnale**, carnal knowledge □ **essere a c. di qc.**, to be acquainted with st. (*form.*); to know st.; to know about st.; to be aware of st.; (*qc. di segreto*) to be privy to st.: *Non ero a c. di questo particolare*, I didn't know about (o I was unaware of) this detail; *Si sposò senza che i genitori ne fossero a c.*, he married without the knowledge of his parents □ **È giunto a nostra c. che...**, it has come to our knowledge that... □ **mettere q. a c. di qc.**, to acquaint sb. with st. (*form.*); to inform sb. of st. □ (*nelle lettere*) **per c.**, copy to □ **per vostra c.**, for your information □ **portare qc. a c. di q.**, to acquaint sb. with st. (*form.*); to bring st. to sb.'s knowledge; to inform sb. of st. □ **prendere c. di qc.**, to acquaint oneself with st.; (*bur.*) to acknowledge st. □ **venire a c. di qc.**, to learn about st.; to find out about st.

conóscere A v. t. **1** to know*: **c. tutti**, to know everybody; **c. un Paese**, to know a country; **c. q. di nome [di fama]**, to know sb. by name [by reputation]; **c. q. di vista**, to know sb. by sight; to have a nodding acquaintance with sb.; *La conosco da anni*, I've known her for years; *Lo conosco appena*, I barely know him; *Ti piacerà, quando lo conoscerai meglio*, you'll like him, when you get to know him better **2** (*sapere*) to know*; (*essere a conoscenza*) to know* of, to be acquainted with, to be familiar with: **c. le lingue [la strada, il proprio dovere]**, to know languages [the way, one's duty]; **c. la musica**, to read music; **c. bene i motori**, to know a lot about engines; *Non si conosce ancora il numero delle vittime*, the number of casualties is not yet known; *Conosco un ristorantino simpatico*, I know of a pleasant little restaurant **3** (*c. per esperienza pratica*) to know*; to have experience of; to be acquainted with: **c. le gioie e le pene dell'amore**, to know the joys and pains of love; **le fatiche dell'insegnamento**, to know how demanding teaching is; **c. il funzionamento di qc.**, to know how st. works; **non c. il mondo**, to be ignorant of (o to have no ex-

perience of) the world **4** (*apprendere*) to learn*; (*sperimentare*) to experience, to go* through, to learn* what st. is like (o what it means to...): *Conobbi la verità solo in seguito*, I only learnt the truth later; *Ho conosciuto la miseria*, I have known (o experienced) poverty; I know what poverty is like; *In quei mesi conobbi la vera fame*, in those months I learnt what it meant to starve **5** (*fare la conoscenza di q.*) to meet*; (*trovare, ottenere*) to meet* with: **c. un buon successo**, to meet with considerable success; **non c. ostacoli**, to meet with no obstacle **7** (*distinguere*) to be able to tell; to know*: **non c. il bene dal male**, not to be able to tell good from evil **8** (*riconoscere*) to recognize; to know*: *Lo conobbi dalla voce*, I recognized (o I knew) him by his voice **9** (*leg., bur.*) to take* cognizance of **10** (*eufem.: avere rapporti sessuali*) to know* • **c. a fondo qc.**, to have in-depth knowledge of st.; to know st. inside out (*fam.*) □ **c. carnalmente**, to have sexual intercourse with □ **c. qc. come le proprie tasche**, to know st. like the back of one's hand; to know every inch of st. □ **c. qc. per filo e per segno**, to know st. thoroughly (o from A to Z) □ **avere conosciuto giorni migliori**, to have known better days □ *Conosci te stesso*, know thyself □ (*fam.*) **Ti conosco, sai!**, I know you!; you can't fool me! □ **far c.**, (*presentare*) to introduce; (*rendere famoso*) to make (sb., st.) known; (*reclamizzare*) to advertise; (*rivelare*) to reveal: *Fammelo c.*, introduce me to him; *Ti voglio far c. un amico*, I want you to meet a friend; *Mi fece c. le opere di Eliot*, he introduced me to Eliot's works □ **farsi c.**, to make oneself known; (*acquistare fama*) to make a name for oneself, to become well known □ **imparare a c. q.**, to get to know sb. □ **Non l'ho mai visto né conosciuto**, I've never set eyes on him; I don't know him from Adam (*fam.*) □ **non c. limiti**, to know no bounds (o limits) □ **Non conosce ragione**, he won't listen to reason B v. i. **1** (*lett.: essere cosciente*) to be conscious **2** (*leg.*) – **c. di una causa**, to hear a case; to entertain a case C **conóscersi** v. rifl. to know* oneself D **conóscersi** v. rifl. recipr. **1** to know* each other: *Ci conosciamo fin da bambini*, we've known each other since we were children (o from childhood) **2** (*far conoscenza*) to meet*: *Ci conoscemmo a Parigi*, we met in Paris; *Ci siamo già conosciuti?*, have we met before?

conoscìbile A a. knowable B m. (the) knowable.

conoscibilità f. knowability; knowableness.

conoscitìvo a. **1** (*del conoscere*) cognitive: **atto c.**, cognitive act **2** (*che ha lo scopo di conoscere*) fact-finding (attr.): **indagine conoscitiva**, (*polit.*) fact-finding inquiry; (*estens.*) survey.

conoscitóre m. (f. **-trice**) expert; connoisseur; good judge: **un c. di vecchie porcellane**, a connoisseur of old china; **un c. di musica classica**, an expert in classical music.

conosciùto A a. well known; known: **uno specialista c.**, a well-known specialist; **fatti conosciuti**, known facts; **poco c.**, little known B m. (*ciò che si conosce*) (the) known.

conquassàre v. t. (*lett.*) **1** to shake* (st.) violently **2** (*fracassare*) to smash up; to shatter.

conquibus m. inv. (*scherz.*) hard cash; (the) necessary (*fam.*).

conquista f. **1** conquest; (*di città, altura, ecc.*) capture, occupation; (*con un assalto*) storming, seizure; (*assoggettamento*) subju-

gation: **la c. del Messico**, the conquest of Mexico; **la c. del potere** (*con la forza*), the seizure of power; **la c. dello spazio**, the conquest of space; **andare alla c. di q.**, to (set out to) conquer st.; **terra di c.**, conquered country 2 (*territorio conquistato*) conquest; conquered territory 3 (*fig.: raggiungimento*) attainment; (*successo*) achievement, breakthrough, success, victory: **la c. della libertà**, the attainment of freedom; **una c. sindacale**, a trade union victory; **le conquiste della fisica**, the achievements (*o* breakthroughs) of physics; *Lottarono per la c. del suffragio universale*, they fought to win the franchise 4 (*fig.: successo amoroso, persona conquistata*) conquest: *È l'ultima c. di Corinna*, he's Corinna's latest conquest; **vantarsi delle proprie conquiste**, to boast about one's conquests; *Ha fatto molte conquiste ai suoi tempi*, he had a lot of success with women in his day (*o* she had a lot of success with men in her day).

conquistàbile a. conquerable.

♦**conquistàre** v. t. 1 (*mil.*) to conquer; to capture; (*con un assalto*) to storm, to seize: **c. una fortezza**, to capture (*o* to storm) a fortress; **c. un territorio**, to conquer a territory 2 (*fig.: raggiungere, ottenere*) to attain; to get*; to win*: **c. la libertà [il successo]**, to attain freedom [success]; **c. il potere**, to come to power; (*con la forza*) to seize power; **c. un seggio in parlamento**, to win a seat in Parliament; **c. qc. a caro prezzo**, to have to fight for st.; **conquistarsi il rispetto di tutti**, to win everybody's respect; *Si è conquistato un bel posto in banca*, he has got himself a nice job with a bank 3 (*fig.: una persona*) to win* (sb.) over; (*far innamorare*) to conquer: **conquistarsi il pubblico**, to win over one's audience.

conquistatóre A m. 1 conqueror 2 (*fig.: seduttore*) lady-killer; Don Juan; philanderer; womanizer B a. conquering.

conquistatrice f. 1 conqueress 2 (*fig.: seduttrice*) seductress; vamp; femme fatale (*franc.*).

cons. abbr. 1 (*consigliere*) councillor 2 (*comm., consigliere*) director 3 (*consiglio*) council; board.

consacrànte → **consacratore**.

consacràre A v. t. 1 (*relig.*) to consecrate; (*una chiesa, anche*) to dedicate; (*un sacerdote*) to ordain; (*un re*) to anoint: **c. l'ostia**, to consecrate the host; **c. il pane e il vino**, to consecrate bread and wine; **c. un vescovo**, to consecrate a bishop; *Fu consacrato re*, he was anointed king 2 (*fig.: convalidare*) to consecrate; to hallow; to sanction: **usi consacrati dalla tradizione**, usages consecrated (*o* hallowed) by tradition; **una parola consacrata dall'uso**, a word sanctioned by usage 3 (*fig.: dedicare*) to devote; to consecrate: **c. tutto il proprio tempo al lavoro**, to devote all one's time to work B **consacràrsi** v. rifl. (*fig.*) to devote oneself.

consacràto a. 1 (*relig.*) consecrated; hallowed; holy; sacred; (*unto*) anointed: **terra consacrata**, hallowed (*o* consecrated) ground; **re c.**, anointed king 2 (*fig.*) hallowed; sanctioned.

consacratóre A a. consecratory B m. (f. **-trìce**) consecrator.

consacrazióne f. 1 (*relig.*) consecration; (*di chiesa, anche*) dedication; (*di sacerdote*) ordination; (*di re*) anointment: **la c. del pane e del vino**, the consecration of bread and wine 2 (*fig.: dedizione*) consecration; commitment; dedication 3 (*fig.: convalida, legittimazione*) seal of approval; endorsement; sanctioning.

consanguineità f. blood relationship; consanguinity.

consanguìneo A a. blood-related; consanguineous B m. (f. **-a**) blood relation; kinsman* (m.); kinswoman* (f.).

consapévole a. 1 aware (of); conscious (of); mindful (of): **c. del pericolo**, aware of the danger; **c. delle proprie responsabilità**, fully conscious of one's responsibilities 2 (*informato*) aware (of); acquainted (with): **rendere q. c. di qc.**, to acquaint sb. with st.; to make sb. aware of st.

consapevolézza f. awareness; consciousness: **agire con piena c. di qc.**, to act in full awareness of st.; **avere piena c. di qc.**, to be fully aware of st.

consapevolizzàre A v. t. to make* (sb.) aware (of) B **consapevolizzàrsi** v. i. pron. to become* aware (of); to become* conscious (of).

consapevolizzazióne f. becoming aware; (gained) awareness.

consapevolménte avv. consciously; deliberately: *Agì c.*, she was fully aware of what she was doing.

cònscio A a. 1 (*consapevole*) conscious; aware; mindful: **essere c. dei propri limiti**, to be aware of one's limitations 2 (*psic.*) conscious B m. (*psic.*) (the) conscious.

consecùtio tèmporum (*lat.*) loc. s. (*gramm.*) sequence of tenses.

consecutiva f. (*gramm.*) 1 (*congiunzione*) consecutive conjunction 2 (*proposizione*) consecutive clause.

consecutivaménte avv. consecutively; in succession; on end; in a row.

consecutivìsta m. e f. consecutive translator.

consecutìvo a. 1 consecutive; running (*posposto*); in a row (loc. avv.): **per tre giorni consecutivi**, for three consecutive days; for three days running; *Il suo partito vinse tre elezioni consecutive*, his party won three elections in a row; **traduzione consecutiva**, consecutive translation 2 (*successivo*) following; next: **c. a qc.**, following st.; after st. 3 (*gramm.*) consecutive: **proposizione consecutiva**, consecutive clause 4 (*geom.*) adjacent: **angoli consecutivi**, adjacent angles 5 (*mat.*) consecutive.

consecuzióne f. (*successione*) close succession.

conségna f. 1 delivery; (*a mano*) handover: **c. a domicilio**, home delivery; **c. a un mese**, delivery within a month; **c. a termine**, forward delivery; **c. di un riscatto**, the handover of a ransom; **c. in conto deposito**, consignment; **c. in deposito franco**, delivery in bond; **c. sul luogo**, spot delivery; **mancata c.**, nondelivery; **pronta c.**, prompt delivery; **spese di c.**, delivery charges; **franco c.**, free delivery 2 (*consegna di merce*) consignment: *La prima c. è arrivata ieri*, the first consignment arrived yesterday 3 (*anche leg.: deposito*) consignment: **merce in c.**, goods on consignment 4 (*mil.: ordine*) orders (pl.): *Ho la c. di non far passare nessuno*, my orders are to let no one through; **mancare** (*o* **venir meno**) **alla c.**, to disobey orders; not to carry out an order 5 (*mil.: punizione*) confinement to barracks; stoppage of leave: **tre giorni di c.**, three days' confinement to barracks; **essere in c.**, to be confined to barracks ● **passare le consegne a q.**, to hand over to sb. □ **prendere le consegne**, to take over (formally) □ **prendere** (*o* **ricevere**) **in c.**, to be given; (*merce*) to take delivery of; (*un prigioniero*) to take custody of; (*avere cura di q.*) to be entrusted with, to take into one's care.

♦**consegnàre** A v. t. 1 (*dare*) to give*; (*a persona di autorità*) to hand over; (*dietro ordine*) to surrender, to give* up; (*un oggetto ritrovato, un elaborato d'esame*) to hand in; (*un riconoscimento*) to present; (*distribuire*) to give* out, to hand out: **c. q. alla polizia**, to hand sb. over to the police; **c. le chiavi alla reception**, to hand in the keys at the reception desk; **c. i propri effetti personali**, to hand over (*o* to surrender) one's personal belongings; **c. le pagelle**, to hand out the school reports; *Mi consegnò la lettera senza una parola*, she gave me the letter without a word; *I temi devono essere consegnati fra tre ore*, all essays must be handed in at the end of three hours; *Gli fu consegnata una targa d'argento*, he was presented with a silver shield 2 (*comm.*) to deliver; to consign: **c. un pacco**, to deliver a parcel 3 (*affidare*) to entrust (sb. with st., st. to sb.); to put* (st.) in (sb.'s) care; to leave*: *Consegnai i documenti a una persona fidata*, I entrusted a reliable person with the documents 4 (*cedere*) to surrender: **c. la città al nemico**, to surrender the city to the enemy 5 (*mil., come punizione*) to confine to barracks; (*in un'emergenza*) to keep* on stand-by B **consegnàrsi** v. rifl. (*arrendersi*) to surrender, to give* oneself up; (*costituirsi*) to hand oneself over.

consegnatàrio m. (f. **-a**) 1 (*comm.*) consignee; receiver; recipient 2 (*leg.*) bailee; consignee; trustee.

consegnàto A a. (*comm.*) delivered 2 (*mil., come punizione*) confined to barracks; (*in un'emergenza*) on stand-by B m. (*mil.*) soldier confined to barracks; defaulter.

conseguènte A a. 1 consequent; attendant 2 (*coerente*) consistent; consequent: **c. a sé stesso**, self-consistent B m. (*mat.*) consequent.

conseguenteménte avv. as a consequence; consequently; as a result; therefore; hence.

♦**conseguènza** f. 1 (*filos.*) consequence; (*di sillogismo*) conclusion 2 (*risultato*) consequence, result, outcome; (*effetto*) effect; (*ripercussione*) repercussion; (*c. negativa*) after-effect, aftermath (solo sing.): *L'inflazione è c. diretta di quelle misure*, inflation is the direct consequence (*o* result) of those measures; **subire le conseguenze**, to take the consequences; **le conseguenze di una guerra**, the aftermath of a war; **di c.**, as a result; consequently; therefore; **agire di c.**, to act accordingly; **in c. di**, as a consequence of; **in c. di ciò**, as a consequence, therefore 3 (*med.*) sequela*; after-effect 4 (*lett.: importanza*) importance; import.

conseguenziàle e *deriv.* → **consequenziale**, e *deriv.*

conseguìbile a. achievable; attainable.

conseguiménto m. achievement; attainment: **il c. di un fine**, the attainment of a goal; **dopo il c. della laurea**, after graduating; after one's graduation.

conseguìre A v. t. (*ottenere*) to achieve; to attain; to win*; to get*; to obtain: **c. la fama**, to win fame; **c. la laurea**, to get one's degree; to graduate; **c. uno scopo**, to achieve an end B v. i. to follow; to ensue: *Ne consegue che...*, it follows that...; **i vantaggi che ne conseguono**, the ensuing advantages; *Ne conseguì una rottura delle relazioni diplomatiche*, the result was a severance of diplomatic relations.

consensìvo a. consenting; permitting.

♦**consènso** m. 1 consent (*anche leg.*); assent; (*accordo*) agreement; (*permesso*) permission: **c. generale**, consensus; **dare il proprio c.**, to give* one's consent; **per comune c.**, by common consent; **senza il mio c.**, without my consent (*o* permission) 2 (*giudizio favorevole*) approval; (*successo*) success: **un vasto c. popolare**, a widespread success.

consensuàle a. (*leg.*) consensual; by mutual consent: **contratto c.**, consensual con-

C

tract; **separazione c.**, separation by mutual consent.

consensualità f. mutual consent.

consensualménte avv. by mutual consent; by common consent; consensually.

♦**consentire A** v. i. **1** (*essere d'accordo*) to agree: *Consento pienamente con te*, I entirely agree with you **2** (*acconsentire*) to consent; to assent: **c. a una proposta**, to assent to a proposal; *Consentì alle nozze della figlia*, he consented to his daughter's marriage **B** v. t. **1** (*concedere, permettere*) to allow; to let*; to give*: *Il nuovo orario gli consente di stare di più con la famiglia*, the new timetable allows him to see more of his family; *Consentì che restassimo*, he let us stay on; *Consentimi di spiegare*, let me explain; allow me to explain; *Mi consenta...*, allow me...; *Non è consentito ricevere telefonate*, telephone calls are not allowed **2** (*dare la possibilità*) to enable: *Il nuovo macchinario ci consentirà di raddoppiare la produzione*, the new machinery will enable us to double our production **3** (*ammettere*) to admit; to acknowledge: *Consento che un po' di torto l'ho anch'io*, I admit I am partly to blame.

consenziènte a. agreeable (to); consenting (with): **essere c. a una proposta**, to be agreeable (*o* to assent) to a proposal; *Firmò, c. il marito*, she signed with the consent of her husband.

consequenziàle a. consequential; consistent.

consequenzialità f. consequentiality; consistency.

consèrto a. (*intrecciato*) intertwined; interwoven ● **braccia conserte**, folded arms.

consèrva ① f. **1** (*alim.*) preserve: **conserve alimentari**, preserves; **c. di arance**, marmalade; **c. di frutta**, fruit preserve; jam; **c. di pomodoro**, tomato purée; **in c.**, preserved; (*sotto vetro*) bottled; (*in lattina*) tinned (*GB*), canned (*USA*); **mettere in c.**, to preserve; to bottle; to can **2** (*serbatoio*) reservoir.

consèrva ② f. – (*mil.*) **navigare di c.**, to sail in convoy; (*fig.*) **di c.**, with one accord; together; **procedere di c.**, to act together.

conservàbile a. preservable; storable.

conservabilità f. storability.

conservànte a. e m. (*ind.*) preservative ● (*su prodotto*) **Senza conservanti o coloranti**, without additives or artificial colouring.

♦**conservàre A** v. t. **1** (*preservare intatto*) to preserve; to conserve; (*alimento sotto vetro*) to bottle, (*in lattina*) to tin, to can; (*pelli, tabacco, prosciutto*) to cure: **c. le forze**, to conserve one's strength; **c. sotto aceto**, to pickle; **c. qc. sott'olio**, to preserve st. in oil; **c. sotto sale**, to salt **2** (*custodire*) to keep*: **c. un documento**, to keep a document; **c. lo scontrino**, to keep the docket; **c. al fresco [in frigorifero]**, to keep in a cool place [in the fridge] **3** (*mantenere*) to keep*, to retain; (*possedere ancora*) to keep*, still to have: *I mattoni conservano il calore*, bricks retain the heat; *Il nonno conserva la sua ottima memoria*, grandfather still has his excellent memory **4** (*accantonare*) to put* by; to save; to store: **c. una certa somma per le emergenze**, to put by a sum of money for emergencies **B conservàrsi** v. i. pron. **1** (*mantenersi*) to keep*: **conservarsi in buona salute**, to keep fit; *Le mele si conservano a lungo*, apples keep a long time **2** (*rimanere*) to remain; to stay: **conservarsi immutato [intatto]**, to remain unchanged [intact].

conservatìvo A a. (*anche fis.*) conservative ● (*leg.*) **sequestro c.**, attachment **B** m. → **conservante**.

conservàto a. **1** preserved; kept: **ben c.**, well-preserved; (*in buono stato*) still in good

condition **2** (*alim.*) preserved; (*sotto vetro*) bottled; (*in lattina*) tinned, canned.

conservatóre A m. (f. **-trice**) **1** (*tradizionalista*) conservative **2** (*polit.*) Conservative; (*in GB* e *Canada, anche*) Tory **3** (*di archivio, museo, ecc.*) curator; keeper **4** (*di registro pubblico*) registrar: **c. delle ipoteche**, registrar of mortgages; **c. dei registri immobiliari**, land registrar **B** a. **1** conservative: **politica conservatrice**, conservative policy **2** (*polit.*) Conservative; (*in GB* e *Canada, anche*) Tory: **il partito c.**, the Conservative Party.

conservatoria f. (*leg.*) registry: **c. delle ipoteche**, mortgage registry.

conservatòrio m. (*mus.*) conservatoire; conservatory (*USA*); college of music ❶ **NOTA:** *conservatory / conservatorio →* **conservatory**.

conservatorìşmo m. (*polit.*) conservatism.

conservazióne f. **1** preservation; conservation: **la c. dell'ambiente**, environmental conservation; **la c. dei cibi**, food preservation; **la c. dei monumenti**, the preservation of monuments; **istinto di c.**, instinct of self-preservation; **latte a lunga c.**, long-life milk; **stato di c.**, condition; (state of) repair; **in buono stato di c.**, well-preserved; in good repair; **in cattivo stato di c.**, in bad repair; in disrepair **2** (*fis.*) conservation: **la c. dell'energia**, the conservation of energy **3** (*polit.*) conservatism: **le forze della c.**, conservative forces.

conservazionìşmo m. (*ecol.*) conservationism.

conservière m. (f. **-a**) **1** (*industriale*) cannery owner **2** (*operaio*) cannery worker.

conservièro a. canning (attr.); cannery (attr.): **industria conserviera**, canning industry.

conservifìcio m. cannery.

consèsso m. assembly; meeting.

♦**consideràre A** v. t. **1** (*esaminare, riflettere su*) to consider; to examine; to think* over; to ponder; to weigh: **c. le conseguenze**, to consider the consequences; **c. bene la faccenda**, to examine the matter carefully; **c. la possibilità di fare qc.**, to consider (*o* to contemplate) doing st.; **c. i pro e i contro**, to weigh the pros and cons; *È una proposta interessante, lascia che la consideri*, it's an interesting proposal; let me think it over **2** (*osservare*) to look carefully at; to study; to regard: *Considerò a lungo la statua*, she studied the statue for a long time **3** (*tenere in considerazione*) to take* into consideration; to consider; to bear* (*o* to keep*) in mind; to allow for: *Bisogna c. che...*, it should be borne in mind that...; *Considera che è solo una bambina*, keep in mind that she's just a child **4** (*ritenere*) to consider; to think* of; to regard; to view; to look upon: *Consideralo fatto*, consider it done; *È forte, considerata la sua età*, he is strong, considering his age; *L'ho sempre considerato un amico*, I have always thought of (*o* regarded, looked upon) him as a friend **5** (*stimare*) to think* highly of; to value: *Il suo capo lo considera molto*, his boss thinks highly of him **6** (*contemplare*) to provide for: *La legge non considera questo caso*, the law does not provide for this case **7** (*assol.: riflettere*) to reflect; to ponder; to stop to think **B consideràrsi** v. rifl. to consider oneself; to regard oneself as: *Si considera un genio*, she regards herself as a genius; *Mi considero responsabile dei risultati*, I consider myself responsible for the results.

consideratamente avv. deliberately; (*a ragion veduta*) advisedly, after due consideration.

consideràto a. **1** (*preso in considerazione*)

considered: **c. che**, since; considering that; **tutto c.**, all things considered; all in all **2** (*stimato*) highly thought of; highly rated; valued: *È molto c. tra i colleghi*, he is highly thought of by his colleagues **3** (*prudente*) cautious; wary; careful; prudent; well-advised ❶ **FALSI AMICI ●** *considerato non si traduce con* considerate.

considerazióne f. **1** (*riflessione*) consideration; reflection; thought; deliberation: **agire dopo debita c.**, to act after due reflection (*o* deliberation); **in c. di**, in consideration of; in view of; in the light of; **prendere qc. in c.**, to consider st.; to take st. into consideration; **senza c.**, inconsiderately; thoughtlessly **2** (*stima*) regard; esteem; (*rispetto*) respect: **godere di grande c.**, to be highly thought of; **tenere q. in grande c.**, to hold sb. in great esteem; to look up to sb. **3** (*attenzione*) consideration; notice; regard: **degno di c.**, worth considering; worthy of notice; noteworthy; *Non ha nessuna c. per sua moglie*, he has no consideration for his wife; **avere poca c. per le esigenze altrui**, to show little regard for other people's needs; to be inconsiderate **4** (*avvedutezza*) prudence; caution **5** (*osservazione, commento*) observation; remark; comment: *Desidero fare un'ultima c.*, I'd like to make a final comment (*o* remark).

considerévole a. considerable; substantial; significant; appreciable; (*ragguardevole*) sizeable: **un c. miglioramento**, a significant improvement; **una perdita c.**, a considerable loss; **una somma c.**, a sizeable sum of money.

consigliàbile a. advisable; recommendable; wise: *Non è c. girare soli*, it's not advisable to walk about on one's own.

♦**consigliàre** ① **A** v. t. to advise; to recommend; to suggest; to counsel (*form.*): **c. un libro**, to recommend a book; **c. prudenza**, to counsel caution; *I dottori gli hanno consigliato un mese di riposo*, the doctors have advised him to take a month's rest; *Consigliamo l'applicazione di questa crema tutte le sere*, we recommend applying this cream every night; *Mi consiglia di non vendere*, he has advised me against selling; *Che mi consigli di fare?*, what do you suggest I should do?; what's your suggestion?; *Non si lascia c.*, she doesn't accept advice ❶ **NOTA:** *to suggest → to suggest* **B consigliàrsi** v. i. pron. to ask* (*o* to seek*) (sb.'s) advice; to consult (sb.); to take* counsel (with); to advise (with) **consigliarsi con un avvocato**, to consult a lawyer; to seek legal advice; *Consigliati con tua moglie*, ask your wife's advice; consult your wife.

consigliàre ② → **consiliare**.

consigliàto a. **1** (*raccomandato*) recommended; (*prudente*) sensible, advisable, prudent, wise **2** (*lett.: assennato*) considered.

♦**consiglière** m. (f. **-a**) **1** adviser, advisor; counsellor, counselor (*USA*): **un saggio c.**, a wise counsellor; **c. spirituale**, spiritual advisor **2** (*membro di un consiglio*) council member; councillor, councilor (*USA*): **c. comunale**, town councillor; city councilman* (m., *USA*); city councilwoman* (f., *USA*); **c. d'amministrazione**, director; **c. del Consiglio di Stato**, councillor of the Council of State; **c. della Corte dei Conti**, councillor of the State Auditors' Department; **c. delegato**, managing director; (*leg.*) **c. di cassazione**, judge of the Court of Cassation; (*leg.*) **c. di corte d'appello**, judge of the Court of Appeal.

♦**consiglio** m. **1** (*avvertimento, suggerimento*) advice Ⓤ; suggestion; recommendation; counsel Ⓤ: **un buon c.**, sound advice; a good piece of advice; *È solo un c.*, it is only a suggestion; *Si era ritirato dalla politica, ma il suo c. era sempre ricercato*, he had retired

from politics, but his counsel was still sought after; **chiedere (un) c. a q.**, to ask sb. for advice; to ask (o to seek) sb.'s advice; to consult sb.; **dare [offrire] consigli**, to give [to offer] advice; *Posso darti un c.?*, may I give you some advice?; may I make a suggestion?; **rifiutare un c.**, to reject sb.'s advice; **seguire il c.** (*o* **i consigli**) **di q.**, to follow (o to take) sb.'s advice; **dietro mio c.**, on my advice **2** (*senno*) wisdom; sense **3** (*proposito*) mind: **venire a più miti consigli**, to see reason; to relent **4** (*riunione*) council; meeting: **c. di famiglia**, family council; **chiamare a c.**, to call to council; to convene **5** (*organo o ente collegiale*) council; board; committee: **c. comunale**, town council (*GB*); city council (*USA*); **c. di amministrazione**, (*di azienda*) board of directors; (*di scuola, istituzione filantropica, ecc.*) board of governors, governing body; **far parte del c. di amministrazione**, to sit on the board; **c. d'azienda [di fabbrica]**, works council; (*stor.*) *C. della Corona*, Privy Council; (*scuola*) **c. di classe**, parent-teacher class committee; **c. di disciplina**, disciplinary board; (*università*) **c. di facoltà**, Faculty Board; Faculty Council; (*polit.*) **c. di gabinetto**, Cabinet; (*mil.*) **c. di guerra**, council of war; (*polit.*) *C. dei ministri*, Council of Ministers; *C. dell'ordine degli avvocati*, Bar Council; *C. di sicurezza dell'ONU*, UN Security Council; *C. di Stato*, Council of State; *C. Superiore della Magistratura*, Magistrates' Governing Council; **riunione** (*o* **seduta**) **di c.**, board meeting; council meeting.

consiliàre a. board (attr.); council (attr.); **sala c.**, council chamber; **seduta c.**, council meeting; board meeting.

consìmile a. (*lett.*) similar; like (attr.); suchlike (anche pron.): **penne, matite e articoli consimili**, pens, pencils and suchlike (o and the like, and similar articles).

consistènte a. **1** (*fermo, solido*) solid; firm; compact: *Una stoffa più c. cadrà meglio*, a firmer material will hang better **2** (*denso*) stiff; thick; dense: **un impasto c.**, a stiff dough; *Il minestrone deve essere piuttosto c.*, minestrone should be rather thick **3** (*considerevole*) substantial; sizeable; considerable: **consistenti vantaggi**, substantial advantages; **somma c.**, sizeable sum; **successo c.**, considerable success **4** (*fig.: valido*) sound; convincing; valid ● **poco c.**, (*leggero*) light, flimsy, slight; (*scarso di contenuto*) thin, meagre ● **FALSI AMICI** ● consistente *non si traduce con* consistent.

consistènza f. **1** (*solidità*) consistency; (*al tatto*) texture (*robustezza*) firmness, body; **la c. della panna montata**, the consistency of whipped cream; **una c. cremosa**, a creamy texture; **la c. di una stoffa**, the firmness of a material **2** (*fig.*) substance; substantial character: **un'eredità di una certa c.**, an inheritance of some substance; a rather substantial inheritance; **acquistare c.**, to gain substance **3** (*fig.: validità*) soundness; validity ● (*comm.*) **c. di cassa**, cash on hand □ (*comm.*) **c. di magazzino**, stock on hand □ **c. patrimoniale**, assets (pl.) □ **di poca c.**, (*leggero*) light, flimsy; (*scarso di contenuto*) thin, meagre; (*debole*) weak, poor □ **senza** (*o* **privo di**) **c.**, (*vago*) vague, flimsy, insubstantial; (*senza contenuto*) poor, weak; (*senza fondamento*) groundless, unfounded: **scuse senza c.**, flimsy excuses; **sospetti senza c.**, groundless suspicions.

◆**consìstere** v. i. **1** (*essere fondato*) to consist (in); to lie* (in); to be: *Il gioco consiste nel mandare la palla nella buca*, the game consists in sending the ball into the hole; *Il segreto consiste nel mescolare adagio il composto*, the secret lies in stirring (o is to stir) the mixture slowly; *In che consiste il tuo lavoro?*, what does your job involve? **2**

(*essere costituito*) to consist (of); to be composed (of); to be made up (of): *La famiglia consiste di cinque persone*, the family consists of five people.

CONSOB abbr. (**Commissione nazionale per le società e la borsa**) Securities and Exchange Commission (*USA*); Financial Services Authority (*GB*).

consociàbile a. associable.

consociàre v. t., **consociàrsi** v. rifl. to associate; to consociate.

consociàta f. **1** (*fin.*) subsidiary company; subsidiary **2**→ **consociato, B**.

consociativìsmo m. (*polit.*) consociationalism.

consociatìvo a. (*polit.*) consociational.

consociàto **A** a. **1** consociate; associated **2** (*fin.*) subsidiary: **società consociata**, subsidiary company **B** m. (f. **-a**) partner; associate; fellow member.

consociazióne f. **1** (*l'associarsi*) association; consociation; copartnership **2** (*società*) club; society; union **3** (*agric.*) intercropping.

consociazionìsmo m. (*polit.*) consociationalism.

consòcio m. (f. **-a**) consociate; copartner; fellow member.

consolàbile a. consolable.

consolànte a. consoling; comforting; cheering: **poco c.**, of little comfort; depressing.

◆**consolàre**① **A** v. t. **1** to console; to comfort: *Per consolarmi, mi raccontò del suo caso*, she tried to console me by telling me her story; *Mi consola sapere che ci sarai anche tu*, it's a comfort to know you will be there too; *Cercai di c. il bambino che piangeva*, I tried to comfort the crying child **2** (*rallegrare*) to cheer up: *La mia visita consolò il malato*, my visit cheered up the sick man **3** (*ricreare, ristorare*) to cheer; to revive; to do* (sb.) good: **un pensiero che consola**, a cheering thought ● (*iron.*) **Ha una faccia da idiota che consola**, he looks an utter fool **B** **consolàrsi** v. i. pron. **1** (*trovare conforto*) to console oneself; to take* comfort; to get* over (st.): *Mi consolai pensando che sarebbe durata poco*, I consoled myself with the thought that it would be short **2** (*rallegrarsi*) to cheer up; to take* heart: *Si consolò subito quando promisi d'aiutarlo*, he cheered up at once when I promised to help him.

consolàre② a. (*stor.*) consular: **strada c.**, consular road **2** (*amm.*) consular; consul's (attr.): **agente c.**, consular agent; **residenza c.**, consul's residence; **visto c.**, consular visa.

consolàto m. consulate.

consolatóre **A** a. consoling; comforting **B** m. (f. **-trice**) consoler; comforter.

consolatòrio a. consolatory; consoling; comforting.

consolazióne f. **1** consolation; comfort; solace (*lett.*): **magra c.**, small consolation; cold comfort; *La figlia è la sua sola c.*, her daughter is her one consolation; *È una bella c.!*, it's a great comfort!; **trovare c. in qc.**, to find comfort in st.; **premio di c.**, consolation prize **2** (*gioia, allegrezza*) joy; delight.

cònsole① m. (*stor. e amm.*) consul: **c. generale**, consul general.

console② (*franc.*) f. **1** console table **2** (*tastiera, quadro di comando*) console.

consòlida f. (*bot.*) **1** any plant of the borage family **2** (*Symphytum officinale*) comfrey.

consolidaménto m. **1** (*anche fig.*) consolidation; strengthening; reinforcing **2** (*fin.*) consolidation; funding: **il c. del debito pubblico**, the consolidation (o funding) of the national debt.

consolidàre **A** v. t. **1** (*rendere solido*) to

---

consolidate; to stiffen: **c. le fondamenta**, to consolidate the foundations **2** (*rinsaldare*) to consolidate; to strengthen; to entrench; to cement: **c. un'alleanza [un'amicizia]**, to cement an alliance [a friendship]; (*anche mil.*) **c. la propria posizione**, to consolidate one's position; **c. il proprio potere**, to consolidate (o to entrench) one's power **3** (*fin.*) to consolidate; to fund; **c. un debito**, to consolidate a debt **B** **consolidàrsi** v. i. pron. **1** (*indurirsi*) to harden; to stiffen; to firm up **2** (*rafforzarsi*) to become* consolidated; to become* established; to strengthen **C** **consolidàrsi** v. rifl. (*mil.*) to consolidate one's positions.

consolidàto **A** a. **1** (*saldo*) strong; firm; well-established; settled: **abitudine consolidata**, settled habit; **fama consolidata**, well-established fame **2** (*fin.*) consolidated; funded: **bilancio c.**, consolidated balance sheet; **debito c.**, consolidated (o funded) debt **B** m. (*fin.*) consolidated (o funded) debt.

consolidatóre **A** a. consolidative **B** m. (f. **-trice**) consolidator.

consolidazióne f. **1** (*econ.*) → **consolidamento 2** (*med.*) joining; (*di osso*) setting.

consolìsta m. e f. (*tecn.*) console operator.

consòlle → **console**②.

consommé (*franc.*) m. inv. (*cucina*) clear soup; consommé.

consonànte **A** a. **1** (*mus.*) consonant **2** (*fig.*) consonant (with); in accord (with); consistent (with) **B** f. (*ling.*) consonant.

consonàntico a. (*ling.*) consonantal; consonant (attr.): **gruppo c.**, consonantal cluster; **suono c.**, consonant (sound).

consonantìsmo m. (*ling.*) consonantism.

consonantizzazióne f. (*ling.*) consonantization.

consonànza f. **1** consonance; harmony; agreement **2** (*ling., mus.*) consonance.

cònsono a. consistent (with); consonant (with); in keeping (with); fit (for): **un comportamento c. ai propri principi**, behaviour consistent with one's principles; **un vestito c. alla circostanza**, a dress fit for the occasion; **c. alla propria posizione sociale**, in keeping with one's position.

consorèlla **A** f. **1** (*eccles.*) sister **2** (*fin.: società*) sister company; (*filiale*) sister branch **B** a. related; sister (attr.): **nazione c.**, sister country.

consòrte **A** m. e f. husband (m.); wife* (f.); (*solo form. o bur.*) consort, spouse **B** a. – **principe c.**, prince consort.

consorterìa f. **1** (*stor.*) guild **2** (*spreg.*) faction; clique; cabal.

consortìle, consorziàle a. consortium (attr.); (*fin.*) syndicated.

consorziàre **A** v. t. to syndicate; to associate; (*risorse, fondi, ecc.*) to pool **B** **consorziàrsi** v. rifl. to form a consortium [a syndicate, a cartel]; to syndicate; to associate; to pool.

consòrzio m. **1** (*lett.*) society: **il c. umano**, human society **2** (*dir., di imprenditori*) consortium*; syndicate; (*monopolistico*) cartel, trust; (*di imprese*) pool; (*associazione*) association, union: **c. agrario**, farmers' association; **c. del porto**, port authority; **c. di banche**, bank syndicate; **costituirsi in c.**, to form a consortium [a syndicate, a cartel]; to syndicate; to pool **3** (*lett.: compagnia*) company; group.

constàre v. i. **1** (*essere costituito*) to consist (of); to be composed (of); to be made up (of): *Il libro consta di venti capitoli*, the book consists of twenty chapters **2** (*risultare*) – *Mi consta che ci siano diverse proposte*, there are various proposals, to my

knowledge; *Ti consta che...?*, do you happen to know...?; **a quanto mi consta**, to my knowledge; as far as I know.

♦**constatàre** v. t. **1** (*accertare*) to ascertain; to establish; (*verificare*) to verify: **c. un decesso**, to ascertain death; to certify a death; **c. l'entità del danno**, to ascertain the extent of the damage; **c. la veridicità di un'affermazione**, to establish the truth of a statement; *Dopo aver constatato che tutti erano presenti, il presidente aprì la seduta*, after verifying everybody was there, the chairman opened the meeting **2** (*notare*) to notice; to observe; to see*: *Come puoi c...*, as you can see...

constatazióne f. **1** (*accertamento*) ascertainment; establishment: **la c. di un danno**, the ascertainment of a damage **2** (*osservazione*) observation; statement of fact: *Faccio solo una c.*, I'm only stating a fact.

consuèto A a. usual; customary; habitual: **all'ora consueta**, at the usual time; **la consueta gita domenicale**, the usual (*o* customary) Sunday outing B m. (the) usual way: **come di c.**, as usual; as is [was] customary; **di c.**, usually; **mangiare più del c.**, to eat more than usual.

consuetudinàrio A a. **1** customary; habitual; (*di persona*) of fixed habit (pred.), set on one's ways (pred.) **2** (*leg.*) customary: **diritto c.**, customary law B m. (f. -**a**) creature of habit.

consuetùdine f. **1** (*abitudine*) custom; habit: *È mia c. fare un sonnellino dopo pranzo*, I usually take (*o* I'm in the habit of taking) a nap after lunch; **com'è sua c.**, as is his habit (*o* custom) **2** (*usanza*) custom; usage; tradition: **secondo la c.**, according to custom **3** (*regola*) rule **4** (*lett.*: *dimestichezza*) familiarity.

consulènte A m. e f. consultant; advisor; counsellor: **c. finanziario**, financial advisor; **c. fiscale**, tax consultant; **c. d'impresa**, business consultant; **c. legale**, legal advisor; **c. matrimoniale**, marriage counsellor; (*leg.*) **c. tecnico**, expert witness; **c. urbanistico**, town-planning consultant B a. consulting; consultant (attr.).

consulènza f. advice U; guidance U; counselling U; (*fornita da professionista*) professional advice; (*fornita da società*) consultancy: **c. legale**, legal advice; **c. prematrimoniale**, marriage guidance; **chiedere una c.**, to seek professional advice; **società di c.**, consulting firm; consultancy.

♦**consultàre** A v. t. **1** (*interrogare*) to consult; (*chiedere consiglio*) to ask (sb.'s) advice (*o* opinion), to seek* advice, to advise with (*USA*): **c. un avvocato**, to consult a lawyer; to seek legal advice; **c. un medico**, to consult (*o* to see) a doctor; *Consulterò i miei soci*, I will ask my partners' opinion; I will advise with my partners (*USA*) **2** (*un libro e sim.*) to consult; to look at; to look (st.) up in; to refer to: **c. una mappa**, to look at (*o* to study) a map; **c. un orario ferroviario**, to consult a railway guide; *Non so la data: consulterò l'enciclopedia*, I don't know the date, I'll look it up in the encyclopaedia; *Consultò i suoi appunti prima di rispondere*, he referred to his notes before answering ● **c. le fonti originali**, to go to the original sources □ **c. l'orologio**, to look at one's watch □ **c. l'oroscopo**, to examine one's horoscope B **consultàrsi** v. i. pron. (*discutere*) to consult (sb., with sb.), to discuss (st. with sb.), to talk (st.) over (with) (*fam.*); (*chiedere consiglio*) to seek* the advice (of); (*tenere una consultazione*) to confer (with): *Mi consultai con il mio professore*, I sought the

advice of my professor; *Mi sono consultata con la famiglia*, I've consulted the family; I've talked it over with the family; *I capi dei dicasteri si consultarono con il primo ministro*, the heads of departments conferred with the prime minister C **consultàrsi** v. rifl. recipr. to consult (with) each other; to consult together; to confer: *I quattro si consultarono tra di loro*, the four consulted among themselves.

consultazióne f. **1** consultation **2** (al pl.) (*polit.*) meetings; discussions; talks: **un giro di consultazioni con le forze della maggioranza**, a series of meetings with the representatives of the majority **3** (*med.*) visit **4** (*di testo*) consultation: **la c. di un manoscritto**, the consultation of a manuscript; **opera di c.**, reference book; work of reference; **sala di c.**, reference room ● (*polit.*) **c. elettorale**, election □ (*polit.*) **c. popolare**, general election; referendum; plebiscite.

consultìvo a. advisory; consultative; consultatory: **assemblea consultiva**, consultative body; (*leg.*) **comitato c.**, advisory committee; (*leg.*) **parere c.**, consultative advice.

consùlto m. (*med.*) consultation: **chiamare a c.**, to call for a consultation; **chiedere un c.**, to ask for a second opinion; **riunisi a c.**, to consult; to have a consultation.

consultóre m. (f. -**trice**) **1** consultant; counsellor **2** (*membro di una consulta*) member of a council **3** (*eccles.*) consultor.

consultòrio m. guidance council; advisory (*o* guidance) centre; advisory bureau (*USA*): **c. civico**, citizens' guidance council (*o* advisory bureau); **c. prematrimoniale**, marriage guidance centre.

consumàbile a. consumable.

♦**consumàre**① A v. t. **1** (*logorare*) to wear* out; (*corrodere*) to corrode, to eat* into, to eat* away; (*fig.*) to consume, (*di malattia*) to waste away: **c. le scarpe [i vestiti]**, to wear out one's shoes [clothes]; **consumarsi gli occhi**, to ruin one's eyes; *È consumato dall'amore*, he is consumed by love **2** (*fig.*: *sciupare, dissipare*) to consume; to waste; to squander; to dissipate; to get* through: **c. il proprio talento**, to squander one's talent; **c. tempo ed energia**, to waste time and energy **3** (*usare*) to use; to consume; to get* through; (*usare fino in fondo, esaurire*) to use up; (*bruciare*) to burn*: **c. acqua [elettricità]**, to use (*o* to consume) water [electricity]; *La mia auto consuma troppo*, my car uses too much petrol (*o* is heavy on petrol); *Le lampade alogene consumano molto*, halogen lamps use a lot of electricity; **una stufa che consuma molta legna**, a stove that burns up (*o* gets through) a lot of wood; *Hai consumato tutto il detersivo!*, you've used up all the detergent! **4** (*mangiare*) to eat*; (*bere*) to drink*: **c. un pasto**, to eat (*o* to have) a meal; *Uscì dal caffè senza c.*, she left the café without ordering anything; (*alim.*) **da consumarsi entro il...**, best (used) before... B **consumàrsi** v. i. pron. **1** (*logorarsi*) to wear* out; (*di combustibile*) to burn* out **2** (*fig.*: *scemare*) to wear* thin; (*spegnersi*) to exhaust itself, to burn* out: *La mia pazienza si sta consumando*, my patience is wearing thin **3** (*fig.*: *struggersi*) to be consumed; to pine; (*per malattia*) to waste away: **consumarsi di desiderio**, to be consumed by desire; **consumarsi dal desiderio di**, to be longing to; **consumarsi nel dubbio**, to be consumed with doubt; *Si consuma pensando a lei*, he's pining for her.

consumàre② v. t. (*compiere*) to commit; to perpetrate; to carry out; to consummate: **c. un delitto**, to commit (*o* to perpetrate) a crime; **c. un matrimonio**, to consummate a marriage.

consumàto① a. **1** (*logoro*) worn (out),

frayed; (*di stoffa*) threadbare; (*corroso*) eaten away: **maniche consumate ai gomiti**, sleeves worn at the elbows **2** (*fig.*: *roso*) consumed: **c. d'invidia**, consumed with envy **3** (*esaurito*) used up; spent **4** (*sprecato*) wasted; squandered; dissipated; useless.

consumàto② a. (*perfetto*) consummate; (*di persona, anche*) accomplished: **abilità consumata**, consummate skill; **attore [bugiardo] c.**, accomplished actor [liar].

consumatóre m. (f. -**trice**) **1** (*econ.*) consumer: **tutela del c.**, consumer protection; consumerism **2** (*avventore*) customer.

consumazióne① f. **1** (*consumo*) consumption **2** (*al bar: ordinazione*) order; (*bibita*) drink; (*spuntino*) snack: **pagare la c.**, to pay for one's drink; to pay for what one has had; *Il cameriere sta portando la tua c.*, the waiter is bringing your order.

consumazióne② f. (*compimento*) committing; carrying out; perpetration; consummation: **la c. di un delitto**, the perpetration of a crime; **la c. del matrimonio**, the consummation of marriage.

consumerìsmo m. consumerism; consumer protection.

consumerìstico a. consumerist.

consumìsmo m. (*econ.*) consumerism.

consumìsta m. e f. (*econ.*) consumerist.

consumìstico a. (*econ.*) consumer (attr.); consumeristic: **società consumistica**, consumer society.

♦**consùmo** m. **1** (*uso, utilizzo*) consumption U; use: **c. di carne**, meat consumption; **c. domestico**, home consumption; **fare largo c. di qc.**, to make extensive use of st.; **fare largo c. di birra**, to drink a lot of beer; **pagare qc. a c.**, to pay for st. according to consumption; **per proprio uso e c.**, for one's private (*o* one's own) use; **vino a c.**, wine paid for according to consumption **2** (*econ.*) consumption U: **consumi energetici**, consumption of energy; **incoraggiare i consumi**, to boost consumption; **incrementare i consumi**, to boost consumption; **beni di c.**, consumer goods; (*econ.*) **imposta sui consumi**, consumption tax; **prezzi al c.**, consumer prices; **la società dei consumi**, consumer society **3** (*logorio, usura*) wear **4** (*dispendio*) expenditure: **c. di energie**, expenditure of energy **5** (*tecn., autom.*) consumption: **c. di carburante**, fuel consumption ● **letteratura [programma] di c.**, entertainment (*o* light) literature [programme]; (*più spreg.*) commercial literature [programme].

consuntìvo A a. (*rag.*) final; closing B m. **1** (*rag.*) final balance **2** (*fig.*) stock-taking: **fare il c. della propria vita [di un anno di lavoro]**, to take stock of one's life [of a year's work].

consùnto a. **1** (*logoro*) worn (out); (*di stoffa, anche*) threadbare; (*dal tempo*) weatherworn **2** (*di persona*) run down; (*smunto, dimagrito*) wasted; (*sfinito*) worn out.

consunzióne f. (*med.*) consumption.

consuòcera f. son's [daughter's] mother-in-law.

consuòcero m. son's [daughter's] father-in-law.

consustanziàle a. (*teol.*) consubstantial.

consustanzialità f. (*teol.*) consubstantiality.

consustanziazióne f. (*teol.*) consubstantiation.

cónta f. **1** count: **fare la c.**, to do the count **2** (*nei giochi infant.*) counting rhyme: **fare la c.**, to count to see who's going to be it.

contabàlle m. e f. inv. (*pop.*: *bugiardo*) liar; storyteller (*fam.*); (*spaccone*) big-mouth (*fam.*), blowhard (*fam. USA*), bullshitter (*volg. USA*).

contàbile **A** a. book-keeping (attr.); accounting (attr.): **errore c.**, book-keeping error; **libri contabili**, (accounts) books; **sistema c.**, book-keeping system; **valore c.**, book value ❶ FALSI AMICI • contabile *non si traduce con* countable **B** m. e f. book-keeper; accounts clerk; (*ragioniere*) accountant.

contabilità f. (*rag.*) **1** (*la tecnica*) book-keeping; accountancy; accounting: **c. a partita doppia [semplice]**, double-entry [single-entry] book-keeping; **c. a ricalco**, machine accounting; **c. dei costi**, cost accounting; **c. di Stato**, public accountancy; **c. gestionale**, management accounting; **c. industriale**, cost accounting; costing; **studiare c.**, to study accountancy **2** (*i conti*) accounts (pl.); (*libri contabili*) books (pl.): **c. familiare**, family accounts; **tenere la c.**, to keep the accounts (o the books); **libri di c.**, (accounts) books; **ufficio c.**, accounts department ❶ FALSI AMICI • contabilità *non si traduce con* countability.

contabilizzàre v. t. **1** (*registrare*) to enter; to record **2** (*computare*) to reckon; to compute.

contabilizzazióne f. **1** (*registrazione*) entering; recording **2** (*computo*) count; computation.

contachilòmetri → **contakilometri**.

contacòpie m. inv. copy counter.

contadìna f. countrywoman*; (*stor.* o *spreg.*) peasant woman*.

contadinàme m. (*spreg.*) peasantry; peasant rabble.

contadinésco a. **1** country (attr.); peasant (attr.); rustic: **ballo c.**, country dance; **trattenimento c.**, rustic entertainment **2** (*spreg.: rozzo*) rustic; boorish.

♦**contadìno** **A** m. **1** (*fittavolo*) tenant farmer; (*bracciante*) farm worker; (*stor.* o *spreg.*) peasant: **fare il c.**, to be a farmer; **una famiglia di poveri contadini**, a peasant family **2** (*chi abita in campagna*) countryman*; (al pl.) country people, country folk **B** a. **1** (*campagnolo*) country (attr.); rustic; peasant (attr.): **società contadina**, peasant society; **tradizioni contadine**, country traditions **2** (*spreg.*) rustic; boorish: **modi contadini**, rustic manners.

contàdo m. country (round a town); countryside: **gente del c.**, (local) country people.

contafìli m. inv. (*tecn.*) counting glass; pick glass.

contafotogràmmi m. inv. (*cinem.*, *fotogr.*) frame counter.

contafròttole m. e f. inv. (*fam.*) liar; fibber; storyteller (*fam.*).

contagiàre **A** v. t. **1** (*med.*) to infect **2** (*fig.*) to infect; to be infectious; (*corrompere*) to contaminate, to taint: *Il suo entusiasmo contagiò tutti*, his enthusiasm was infectious **B** contagiàrsi v. i. pron. to be infected.

contàgio m. **1** (*med.*) contagion; infection: **pericolo di c.**, danger of infection; **diffondere il c.**, to spread contagion **2** (*malattia*) contagious disease; (*epidemia*) epidemic **3** (*fig.*) contagion.

contagiosità f. contagiousness; infectiousness.

contagióso **A** a. **1** (*med.*) contagious; infectious; catching (*fam.*): **malattia contagiosa**, contagious (o infectious) disease **2** (*fig.*) contagious; infectious: **risate contagiose**, contagious laughter **B** m. (f. **-a**) contagious patient.

contagìri m. inv. (*autom.*, *mecc.*) revolution counter; rev counter; tachometer.

contagócce m. inv. dropper: **bottiglietta a c.**, dropping bottle ● (*fig.*) **col c.**, a little at a time; in dribs and drabs; parsimoniously □ **Mi dà i soldi col c.**, he counts every penny

he gives me □ **spendere col c.**, to be very careful with one's money.

container (*ingl.*) m. inv. (freight) container.

containerizzazióne f. (*comm.*) containerization.

contakilòmetri m. inv. **1** (*autom.*, *sport*) kilometer indicator; (*per miglia*) mileometer (*GB*), odometer (*USA*); clock (*fam.*): *Il c. segna duemila km*, the car has 2,000 km on the clock; **azzerare il c.**, to reset the clock (o mileometer) **2** (*tachimetro*) speedometer; speed indicator.

contamètri m. inv. (*cinem.*) speedometer; tachometer; metre counter; (*in piedi*) footage counter.

contaminàbile a. contaminable.

contaminànte a. contaminating; polluting.

contaminàre v. t. **1** to contaminate; to infect; to taint; (*inquinare*) to pollute **2** (*fig.*: *corrompere*) to contaminate; to corrupt; to taint; to defile **3** (*letter.*) to contaminate.

contaminatóre **A** m. (f. **-trice**) contaminator; corruptor; tainter; polluter **B** a. contaminating; polluting.

contaminazióne f. **1** contamination; infection; (*inquinamento*) pollution: **c. radioattiva**, radioactive contamination; **c. dell'atmosfera**, pollution of the atmosphere **2** (*fig.*) corruption **3** (*letter.*, *ling.*) contamination.

contaminùti m. inv. timer.

contamonéte m. inv. coin-counting machine; coin counter.

contànte **A** m. (anche al pl.) cash Ⓤ; ready money Ⓤ: (*rag.*) **c. netto**, net cash; *Non ho contanti*, I have no cash; **in contanti**, cash; cash down; cash in hand; **mille euro in contanti**, one thousand euros in cash; **pagare in contanti**, to pay cash; (*subito*) to pay cash down; *Pagherò la metà in contanti e il resto fra tre mesi*, I'll pay half the sum down, and the rest in three months' time; **pagamento in (o per) contanti**, cash (o prompt, down) payment; **pagamento in contanti alla consegna**, cash on delivery **B** a. – **denaro c.**, ready money; cash.

contapàssi m. inv. pedometer.

♦**contàre** **A** v. t. **1** to count; (*numerare*) to number, to enumerate: **c. i presenti**, to count the people present; *Contai venti motorini sul marciapiede*, I counted twenty mopeds on the pavement; *Conto le ore che mancano al suo arrivo*, I'm counting the hours until she comes; I can't wait for her to come; *I bravi traduttori si contano sulle dita di una mano*, good translators can be counted on the fingers of one hand; *Gli errori non si contano*, there are countless mistakes **2** (*considerare*) to consider; (*includere*) to count: *Saremo in cinque senza c. l'autista*, there will be five of us, not counting the driver **3** (*avere*) to have; (*anni, età*) to be: *Conta molti amici in paese*, he has many friends in town; *Conto più di trent'anni di servizio in questa ditta*, I have been with this firm for over thirty years **4** (*prevedere*) to expect, to reckon; (*intendere*) to plan, to propose, to intend, to mean*; (*sperare, confidare*) to reckon (on); to bank (on): *Conto di non restare più di tre giorni*, I don't expect to stay for more than three days; *Che cosa conti di fare?*, what do you intend (o are you planning) to do?; *Contavo di andare a Londra e invece...*, I had intended to go to London, but...; *Contavo che tu gli avessi scritto*, I had reckoned on your writing to him **5** (*fig.*: *lesinare*) to begrudge; to stint (on); to be stingy (with): *Gli conta i bocconi in bocca*, he begrudges his every mouthful; he even grudges him the food he eats **6** (*fam.*: *raccontare*) to tell*; **c. una storia**, to tell a

story; **c. storie** (*mentire*), to tell stories (*fam.*); *Me ne ha contate delle belle su di lei*, he told me some fine things about her; *Contala a chi vuoi, ma non a me!*, you can tell that to anybody else, but not to me! **7** (*annoverare*) to count; to number: *L'ho sempre contato fra i miei amici*, I've always counted him among my friends ● (*fig.*) **c. le pecore**, to count sheep □ (*boxe*) **c. un pugile**, to count a boxer out **B** v. i. **1** to count: **c. ad alta voce**, to count out loud; **c. alla rovescia**, to count down; **c. sulla punta delle dita**, to count on one's fingers; *Contai fino a dieci e aprii gli occhi*, I counted to ten and opened my eyes; *Sa c. fino a dieci*, she can count up to ten **2** (*importare, aver valore*) to count, to be of importance; (*importare*) to matter; (*significare*) to mean*: *Ogni minuto conta*, every minute counts; *Contano più i fatti che le parole*, it's the facts that count; *Gli anni di università mi contano per la pensione*, my university years count towards my pension; *Voglio c. qualcosa nella tua vita*, I want to count for something in your life; *Lui non conta un bel nulla*, he counts for nothing; **una persona che non conta nulla**, a person of no importance; **gente che conta**, people that count; *Che cosa vuoi che conti?*, what do you think it matters?; **ciò che più conta è che...**, what is more...; what really matters is that...; *Questo viaggio conta molto per lui*, this trip means a lot to him; *È il pensiero che conta!*, it's the thought that counts! **3** (*fare assegnamento*) to count (on); to rely (on); to depend (on); to bank (on): *Puoi c. su di me [sul mio aiuto]*, you can rely on me [on my help]; *Contiamo sulla tua venuta*, we count on your coming; *È uno su cui non si può c.*, he is unreliable; *Allora ci conto!*, I can count on it, then; *Non ci conterei*, I wouldn't bank on it; (*fam. iron.*) *Puoi contarci!*, you bet!

contarìghe m. inv. line counter.

contascàtti m. inv. (*telef.*) (telephone) meter.

contasecóndi m. inv. stopwatch.

contastòrie m. e f. inv. liar; storyteller; fibber (*fam.*).

contàta f. quick count: *Diede una c. ai soldi*, he made a quick count of the money.

contàto a. numbered: **avere il denaro c.**, (*averne poco*) to have no money to spare; (*avere solo quanto basta*) to have just enough money; (*avere la somma esatta*) to have the exact amount; *Il governo ha i giorni contati*, the government's days are numbered; *Ha i mesi contati, poveretto*, he's only got a few months to live, poor soul; **avere i minuti contati** → **minuto**②.

contatóre m. (*di un consumo*) meter; (*di movimenti, operazioni*) counter: **c. del gas [dell'acqua]**, gas [water] meter; **c. della luce** (o **dell'elettricità**), electricity meter; (*fis.*) **c. di impulsi**, pulse counter; scaler; **c. (di) Geiger**, Geiger counter; (*fis.*) **c. registratore**, recording meter.

contatorìsta m. meter engineer; meterman*.

contattàbile a. that can be contacted; that can be got in touch with; contactable.

contattàre v. t. to contact; to get* in touch with: *Devo contattarlo oggi stesso*, I must get in touch with him today.

♦**contàtto** m. **1** (*il toccare, il toccarsi*) contact; touch: **c. diretto**, direct contact; **c. fisico**, physical contact; **c. visivo**, eye contact; **essere a c. di qc.**, to be in contact with st.; (*toccare*) to touch st.; *A c. con l'aria cambia colore*, it changes colour when in contact with the air; *Evitare il c. con la pelle*, avoid contact with the skin **2** (*elettr.*) contact: **c. a terra**, (contact to) earth (*GB*); ground (*USA*); **c. ausiliario**, auxiliary contact; **c. mobile**,

movable contact; *Dev'essere un contatto che è saltato*, it must be a loose contact; **fare c.**, to touch; **stabilire il c.**, to make contact; **togliere il c.**, to break contact; **filo di c.**, contact wire; **spina di c.**, contact plug **3** (*fig.*: *rapporto*) contact; touch: **essere in c. con q.**, to be in contact (*o* in touch) with sb.; **mantenere i contatti con**, to keep in contact with; **mettersi in c. con**, to contact; to get in touch with; *Mi mise in c. con il loro agente*, he put me in contact (*o* in touch) with their agent; **perdere i contatti con q.**, to lose touch with sb.; **tenersi in c. con q.**, to keep in touch with sb.; *Non intendo avere contatti con loro*, I'll have nothing to do (*o* no dealings) with them **4** (*fig.*: *conoscenza*) contact; connection: *Ho dei contatti utili in Brasile*, I've got some useful contacts in Brazil ● (*aeron.*) **C.!**, contact! □ **c. radio**, radio contact: **mettersi in c. radio con q.**, to radio sb. □ **a stretto c.**, in close contact □ **lenti a c.**, contact lenses □ **mettersi in c. telefonico con q.**, to telephone sb. □ **prendere c. con**, to make contact with: (*mil.*) **prendere c. con il nemico**, to make contact with (*o* to engage) the enemy □ **stare a c. col pubblico**, to deal with the public.

contattòlogo m. (f. **-a**) specialist in contact lenses.

contattóre m. (*elettr.*) contactor.

♦**cónte** m. count; (*in GB*) earl: **c. palatino**, count palatine; *Signor c.*, your excellency; (*a un c. inglese*) my lord, your lordship.

contèa f. **1** (*titolo*) countship; (*in GB*) earldom **2** (*territorio*) county; (*in GB*) earldom **3** (*divisione amministrativa*) county; (*in GB, nei composti*) shire: **la c. di York**, Yorkshire; **capoluogo di c.**, county town.

conteggiàre A v. t. **1** (*mettere nel conto*) to include (in the bill); (*far pagare*) to charge for **2** (*calcolare*) to calculate; to reckon; to count B v. i. to calculate; to count.

contéggio m. **1** calculation; count; reckoning; tally: **c. alla rovescia**, countdown; **c. delle spese**, calculation of expenses; **c. dei voti**, vote count; **fare un c. di qc.**, to calculate st.; **rifare il c.**, to recount; **tenere il c. di qc.**, to keep count (*o* tally) of st. **2** (*sport*) count.

contégno m. **1** (*comportamento*) behaviour, behavior (*USA*) Ⓤ; conduct Ⓤ; (*atteggiamento*) attitude, manners (pl.), bearing, demeanour, demeanor (*USA*): **un c. superbo**, proud manners (*o* bearing); **c. tranquillo**, calm demeanour **2** (*atteggiamento dignitoso*) composure; (*riservato*) reserve; (*altero*) aloofness: **darsi un c.**, to affect composure.

contegnóso a. composed; dignified; (*riservato*) reserved; (*altero*) aloof, stiff; (*severo*) stern.

contemperaménto m. **1** (*adattamento*) adaptation; (*accordo*) reconciliation **2** (*moderazione*) mitigation; moderation; tempering; softening.

contemperàre v. t. **1** (*adattare*) to adapt; (*accordare*) to reconcile **2** (*moderare*) to mitigate; to moderate; to temper; to soften.

contemplàre v. t. **1** (*ammirare*) to admire; to gaze at; to contemplate: **c. un panorama**, to gaze at a landscape; **c. un quadro**, to admire a painting **2** (*fig.*: *considerare*) to consider; (*leg.*) to provide for: **non contemplato nel contratto**, not provided for in the agreement **3** (*meditare*) to contemplate; to meditate upon.

contemplativo a. e m. contemplative.

contemplatóre A m. (f. **-trice**) contemplator B a. (*anche relig.*) contemplative.

contemplazióne f. (*anche relig.*) contemplation: **la c. della natura**, contemplation of nature; **vita di c.**, contemplative life; (*iron.*) *Se ne stava lì in c.*, she just stood

there staring.

contèmpo m. – **nel c.**, at the same time; meanwhile; in the meantime.

contemporaneaménte avv. at the same time; simultaneously.

contemporaneista m. e f. expert on contemporary history [contemporary literature].

contemporaneità f. contemporaneity; contemporaneousness; simultaneousness; synchronicity.

♦**contemporàneo** A a. **1** (*che avviene nello stesso tempo*) contemporaneous; synchronous; concurrent (to): **avvenimenti contemporanei**, contemporary events; *Il suo arrivo fu c. al mio*, he arrived at the same time as I did; **in contemporanea (con)**, at the same time (as); simultaneously (with) **2** (*della stessa epoca*) contemporary: *Le fonti contemporanee non ne parlano*, contemporary sources do not mention it; *Dante e i poeti suoi contemporanei*, Dante and the poets of his days **3** (*dei giorni nostri*) contemporary; present-day (attr.): **un poeta c.**, a present-day poet B m. (f. **-a**) contemporary: *Fu osteggiato dai contemporanei*, he was opposed by his contemporaries.

contendènte A a. contending; opposing; rival: **le parti contendenti**, the opposing parties; (*leg.*) the litigants B m. e f. **1** (*in una contesa*) opponent, adversary, rival; (*in una gara*) competitor, contestant **2** (*leg.*) litigant.

contèndere A v. t. to contend; to dispute; to contest: **c. il primato a q.**, to contend with sb. for the first place; **c. una posizione al nemico**, to dispute a position with the enemy; **c. il terreno palmo a palmo**, to dispute every inch of ground B v. i. **1** (*gareggiare*) to compete; to contend; to vie **2** (*litigare*) to dispute; to quarrel: **c. per futili motivi**, to quarrel over trifles C **contèndersi** v. rifl. recipr. to contend (for); to compete (for); to be rivals (for); to dispute: **contendersi un'eredità**, to contend for an inheritance; **contendersi il potere**, to compete for power; **contendersi un premio**, to compete (*o* to be rivals) for a prize D m. – **l'oggetto del contendere**, the point at issue; the matter under dispute; the bone of contention.

contendìbile a. (*econ.*) vulnerable to takeover (*di impresa*); contestable: **mercato c.**, contestable market.

contendibilità f. (*econ.*) contestability.

contenènte A a. containing B m. container: **il c. e il contenuto**, container and content.

contenènza f. (*capacità*) capacity.

♦**contenére** A v. t. **1** (*avere all'interno*) to contain; (*comprendere*) to include, to comprise; (*consistere di*) to consist of; (*avere la capacità di*) to hold*; (*di teatro e sim.*) to seat: *La stanza conteneva pochi mobili*, the room contained few pieces of furniture; *Non contiene zucchero*, it does not contain sugar; *Che cosa contiene questo pacco?*, what's inside this parcel?; *Il fiasco contiene due litri*, (*ha la capacità di 2 l*) the flask holds two litres; (*li contiene in questo momento*) the flask contains two litres; *Lo stadio può c. diecimila spettatori*, the stadium holds ten thousand people; *Il libro contiene alcuni lavori giovanili*, the book includes some juvenilia **2** (*reprimere, frenare*) to contain, to restrain, to check, to control, to keep* down, to curb; (*trattenere*) to hold* back: **c. la curiosità**, to contain one's curiosity; **c. un impulso**, to check an impulse; **c. la folla**, to hold back the crowd; **c. l'inflazione**, to curb (*o* to control) inflation; **c. l'ira**, to restrain one's anger; **c. le spese**, to curb spending B **contenèrsi** v. rifl. (*dominarsi*) to contain oneself:

to control oneself: *Alla fine non potei più contenermi*, in the end I could no longer contain myself; *Non si conteneva dalla gioia*, he was beside himself with joy.

contenimént o m. (*freno, limitazione*) containment; control; curb; restraint: **il c. di un'epidemia**, the containment of an epidemic; **c. dell'inflazione**, curb on inflation; **c. dei salari**, wage restraint; **c. delle spese**, control of expenditure.

contenitivo a. – **guaina contenitiva**, girdle; corset.

♦**contenitóre** m. container; holder; (*involucro rigido, vano*) case, housing.

contentàbile a. satisfiable: **facilmente c.**, easy to please; easily pleased.

contentàre A v. t. to satisfy; (*assecondare*) to please; (*accondiscendere*) to give* in to, to do* what (sb.) wants: *La spiegazione non mi contenta*, the explanation doesn't satisfy me; *Fa di tutto per contentarmi*, she does her best to please me; *Alla fine lo contentai*, in the end, I gave in to him (*o* I did what he wanted) B **contentàrsi** v. i. pron. to be content; to be satisfied; to be happy: **contentarsi di poco**, to be content with little; **saper contentarsi**, to be satisfied with what one has ● (*prov.*) **Chi si contenta, gode**, enough is as good as a feast.

contentatùra f. – **di difficile c.**, exacting; hard to please; fussy (*fam.*); **di facile c.**, easy to please; easily pleased; easy-going.

contentézza f. happiness; joy; gladness; content: **non stare nella pelle dalla c.**, to be beside oneself with joy.

contentino m. little extra; (*per placare*) sweetener; sop: **dare un c. a q.**, to throw a sop to sb.; to give sb. a sweetener; **meritarsi un c.**, to deserve a little extra; *Non è che un c.*, it's just a sop.

contentivo (*med.*) A a. retentive B m. truss.

♦**contènto**① a. (*soddisfatto*) satisfied, pleased, content, contented; (*lieto, felice*) glad, happy, contented: **c. come una Pasqua**, as pleased as Punch; **c. dei risultati**, pleased with the results; **sorriso c.**, happy smile; **una vita placida e contenta**, a placid, contented life; **mai c.**, never satisfied; never pleased; *Sono c. che tu sia venuto*, I am glad you've come; *Bravo! Sono c. di te!*, well done! I'm very pleased with you; *Non c. di aver guastato la serata...*, not content with having spoiled the evening...; *C. te...!*, as long as you're satisfied; (*fa' come vuoi*) suit yourself!; **fare c. q.**, to please sb.; to make sb. happy; **ritenersi c.**, to consider oneself satisfied; *E vissero a lungo felici e contenti*, and they lived happily ever after.

contènto② m. (*lett.*) content; contentment; satisfaction; happiness.

contenutézza f. self-restraint; sobriety; moderation.

contenutìsmo m. (*letter., arte*) emphasis on content over form.

contenutista (*letter., arte*) A a. emphasizing content over form B m. e f. artist [writer, critic] who emphasizes content over form.

contenutìstico a. of (*o* relating to) content.

♦**contenùto** A m. **1** contents (pl.); **il c. di una borsa [di una lettera]**, the contents of a handbag [of a letter] **2** (*quantità contenuta*) content: **un alto c. alcolico**, a high alcohol content; **formaggio a basso contenuto di grassi**, low-fat cheese **3** (*argomento*) content, subject-matter, matter; (*tenore*) substance, gist, tenor: **lo stile e il c. di un articolo**, the style and content of an article; **un film a forte c. sociale**, a film with a marked social content **4** (*ling.*) content B a. **1** (*riser-*

vato) reserved; undemonstrative **2** (*misurato, sobrio*) measured; restrained; sober **3** (*tenuto a freno*) restrained: **emozione contenuta**, restrained emotion **4** (*non elevato*) reasonable; moderate: **prezzo c.**, reasonable price.

contenzióne f. (*med.*) containment; compression; constriction.

contenziosità f. (*leg.*) contentiousness.

contenzióso (*leg.*) **A** a. contentious: **affare c.**, contentious business **B** m. **1** (*la giurisdizione*) contentious jurisdiction; (*il procedimento*) contentious procedure **2** (*il complesso delle cause*) cases (pl.); litigations (pl.): **c. amministrativo**, administrative cases; **c. tributario**, fiscal cases **3** (*nelle aziende: ufficio o reparto*) legal department (*o* office).

conterìe f. pl. glass beads.

contèrmine a. conterminous (with); bordering (on); adjacent (to).

conterràneo **A** a. of the same country **B** m. (f. **-a**) fellow countryman* (f. countrywoman*).

contésa f. **1** (*controversia*) argument; dispute: *La c. degenerò in rissa*, the argument degenerated into a brawl **2** (*lite*) quarrel; altercation **3** (*gara*) contest; competition.

contéso a. **1** (*disputato*) contested; disputed; (*di territorio*) debated **2** (*richiesto*) in great demand; (*ambito*) sought after.

contéssa f. countess: *Signora c.*, your excellency; (*a una c. inglese*) my lady, your ladyship.

contèssere v. t. (*lett.*) to weave* together; to interweave*.

contessìna f. daughter of a count; young countess.

contestàbile a. contestable; challengeable; questionable.

contestàre **A** v. t. **1** (*leg.*) to notify; to charge: **c. una contravvenzione a q.**, to fine sb. **2** (*negare formalmente*) to challenge; to impugn; (*opporsi a*) to contest: **c. una nomina**, to contest an appointment; **c. la validità di un trattato**, to challenge the validity of a treaty **3** (*mettere in dubbio, in discussione, criticare*) to dispute; to question: **c. una decisione**, to question a decision; **c a q. il diritto di fare qc.**, to dispute sb.'s right to do st. **4** (*protestare contro, attaccare*) to protest against; to attack; (*rifiutare*) to reject the values of: **c. il preside**, to protest against the headmaster; **c. la società**, to protest against society **B** v. i. to protest.

contestatàrio **A** a. dissenting, protesting; protest (attr.) **B** m. (f. **-a**) dissenter; critic; protester.

contestativo a. protest (attr.).

contestatóre **A** m. (f. **-trìce**) (*critico, oppositore*) dissenter; critic; detractor; opponent; (*delle istituzioni*) protester **B** a. protesting; protest (attr.): **movimento c.**, protest movement.

contestazióne f. **1** (*leg.: notificazione*) formal notice; notification; intimation: **c. di un'accusa**, notification of a charge; **c. d'una multa**, intimation of a fine **2** (*impugnazione*) challenge; refutation **3** (*obiezione, critica*) objection, criticism, opposition; (*controversia*) dispute: **sollevare contestazioni**, to raise objections; **fuori c.**, beyond dispute; **in caso di c.**, in case of dispute **4** (*protesta*) protest: **c. studentesca**, student protest; **gli anni della c.**, the years of global protest against society.

contèste. **contestimóne** m. e f. co-witness; fellow witness.

contestimoniànza f. (*leg.*) evidence given by a co-witness.

contèsto m. **1** context: **isolare una parola dal c.**, to isolate a word from its context; *La frase era innocua fuori dal c.*, taken out

of context, the words were quite innocent **2** (*fig.*) context; framework; (*ambiente*) environment, background: *Bisogna esaminare il c. storico*, we must examine the historical context; **il c. economico**, the economic framework; **c. familiare**, family environment (*o* background).

contestuàle a. **1** contextual **2** (*simultaneo*) concomitant; simultaneous.

contestualità f. **1** contextuality **2** (*simultaneità*) concomitance; simultaneousness.

contestualizzàre v. t. to contextualize.

contestualizzazióne f. contextualization.

contestualménte avv. concomitantly; at the same time.

contiguità f. **1** contiguity; contiguousness **2** (*fig.: connivenza*) collusion; connivance.

contìguo a. **1** adjoining; adjacent; next (to); next-door: **l'appartamento c.**, the adjoining (*o* next-door) flat; **stanze contigue**, adjoining rooms; *La sua stanza è contigua alla mia*, his room adjoins (*o* is next to) mine **2** (*geom.*) contiguous: **angoli contigui**, contiguous angles.

continentàle **A** a. continental; mainland (attr.): **clima c.**, continental climate; **l'Europa c.**, continental Europe; mainland Europe; (*geogr.*) **piattaforma c.**, continental shelf **B** m. e f. continental; (*in Italia*) inhabitant of mainland Italy.

continentalità f. continentality.

◆**continènte** ① m. **1** continent: **il C. antico**, the Old Continent; **il C. nero**, the Black Continent; **il C. nuovissimo**, Australia; **il C. nuovo**, the New World **2** (*terraferma*) mainland: **andare a vivere sul c.**, to move to the mainland.

continènte ② a. **1** temperate; moderate: **essere c. nel mangiare**, to eat in moderation **2** (*med.*) continent.

continènza f. **1** temperance; moderation: **c. nel bere**, moderation in drinking; **c. sessuale**, continence **2** (*med.*) continence.

contingentaménto m. (*econ.*) **1** (*il contingentare*) imposition of a quota (to imports or exports); curtailing; curtailment **2** (*il sistema*) quota system **3** (*razionamento*) rationing.

contingentàre v. t. (*econ.*) **1** to fix a quota for (imports ot exports); to curtail **2** (*razionare*) to ration.

contingènte **A** a. **1** (*filos.*) contingent **2** contingent; fortuitous; accidental; incidental: **spese contingenti**, contingent expenses **B** m. **1** (*mil.*) contingent; force: **un c. di fanteria**, an infantry force; **c. di leva**, conscriptable men of a given age **2** (*econ.*) quota: **c. d'importazione**, import quota **3** (*filos.*) contingent.

contingentìsmo m. (*filos.*) philosophy of contingency.

contingènza f. **1** (*filos.*) contingency **2** (*circostanza*) occasion; circumstance; contingency; event: **una c. dolorosa**, a sad occasion; **una c. imprevista**, an unforeseen event; *Che fare in una simile c.?*, what can [should] one do in such a circumstance (*o* contingency)? **3** (*econ., anche* **indennità di c.**), cost-of-living bonus (*o* allowance).

contìno m. son of a count; young count.

continuaménte avv. **1** (*ininterrottamente*) continuously; unceasingly; non-stop **2** (*ripetutamente*) continually; constantly; all the time: *Mi chiede di te*, he's always asking (*o* he keeps asking) about you; *Non interrompermi c.*, stop interrupting me all the time.

◆**continuàre** **A** v. t. **1** (*proseguire*) to continue; to go* on with; to keep* up; to up-

hold*; to carry on: **c. l'opera di q.**, to carry on sb.'s work; **c. gli studi**, to continue (*o* to go on with) one's studies; **c. una tradizione**, to keep up (*o* to uphold) a tradition; *Il ministro continuò la politica del suo predecessore*, the minister continued his predecessor's policy **2** (*riprendere*) to resume (*anche assol.*); to take* up again: *Dopo una pausa, continuò il suo racconto*, after an interval, he resumed his story **B** v. i. **1** to go* on; to continue; to keep* on; to keep*: *Continua, ti ascolto*, go on, I'm listening; *La vita continua*, life goes on; **c. a fare qc.**, to go on (*o* to keep on) doing st.; to keep (*o* to continue) doing st.; **c. a dormire**, to go on sleeping; to sleep on; **c. a combattere**, to go on fighting; to fight on; *L'acqua continuava a bollire*, the water boiled on; *Continua a mescolare!*, keep stirring!; *Mi continuano a cadere gli occhiali*, my glasses keep falling; *Continua a fare bello*, the weather is keeping fine; the fine weather is keeping up; *Continuammo a piedi*, we continued (*o* proceeded) on foot; *Non possiamo c., la strada è sbarrata*, we can't go on, the road is blocked; *Non si può c. così!*, we can't go on (*o* continue) like this!; (*di uno scritto a puntate*) *Continua*, to be continued; *Continua a p. 34*, continued on p. 34 **2** (*estendersi*) to continue; to extend; to stretch on: *Il mio giardino continua sino al fiume*, my garden extends as far as the river.

continuativo a. continuative; ongoing; (*di lavoro, ecc.*) permanent.

continuàto a. continuous; uninterrupted; non-stop: **orario c.** (*di negozi o sim.*), all-day opening.

continuatóre m. (f. **-trìce**) continuator; continuer; follower.

continuazióne f. continuation; continuance; prosecution; (*seguito*) sequel: **la c. di una storia**, the continuation of a story ● **in c.**, continually; (*più e più volte*) over and over again: *Si lamentava in c.*, he complained continually; he kept complaining; *Parla in c.*, she never stops talking.

continuità f. continuity ● **con c.**, uninterruptedly; regularly □ **soluzione di c.** → **soluzione**, *def.* 7.

◆**contìnuo** **A** a. **1** (*ininterrotto*) continuous; uninterrupted; unbroken: **tre giorni di febbre continua**, three days of continuous fever; **una linea continua**, an unbroken line **2** (*incessante*) incessant, unceasing, endless, perpetual; (*costante*) constant; (*frequente*) continual, repeated: **pioggia continua**, incessant rain; **dolore c.**, unceasing pain; *I figli sono una preoccupazione continua*, children are a constant worry; **un andirivieni c.**, an incessant coming and going; **una ricerca continua**, an endless search; **continui progressi**, constant progress; **attenzione continua**, constant attention; *La loro vita è un c. bisticciarsi*, their life is a perpetual quarrel (*o* one long quarrel); **continue richieste di denaro**, repeated requests for money **3** (*mat.*) continuous ● (*mus.*) **basso c.**, basso continuo; thorough bass ▷ (*ling.*) **consonante continua**, continuant □ **di c.**, continually; constantly; all the time: *Mi interrompeva di c.*, he kept interrupting me; *Piove di c.*, it rains and rains; it rains on and on □ (*elettr.*) **corrente continua**, direct current □ (*mat.*) **funzione continua**, continuous function □ (*edil.*) **trave continua**, continuous beam **B** m. **1** (*mat.*) continuum **2** – (*fam.*) **un c. di**, incessant (agg.); endless (agg.); **un c. di lamentele**, incessant complaints ● (*fis.*) **c. spazio-tempo**, space-time □ (*med.*) **soluzione di c.**, solution of continuity.

contìnuum m. inv. continuum*.

contitolàre m. e f. (*fin., leg.*) co-owner; joint owner.

cónto m. 1 (*calcolo*) calculation, reckoning; (*conteggio*) count, tally; (*somma*) sum: **un c. approssimato**, a rough calculation (*o* reckoning); **c. alla rovescia**, countdown; **fare un c.**, to do a calculation; (*sommare*) to add up, to tot up (*fam.*); **un errore nel c.**, an error in the calculation; **perdere il c. di**, to lose count of; **sbagliare il c.**, to make a mistake in the calculation; (*fam.*) to add st. up wrong; **tenere il c. di qc.**, to keep count (*o* tally) of st.; **bravo nei conti**, good at figures (*o* at sums) 2 (*rag.*) account: **c. cassa**, cash account; **c. profitti e perdite**, profit and loss account; **c. spese**, expense account; **mettere in c. spese**, to charge to (sb.'s) expense account; **c. vendite**, sales account; **c. economico consolidato**, consolidated profit and loss account; **fare i conti**, (*in un'azienda, ecc.*) to draw up the accounts; (*fam.*) to do the accounts; **far tornare i conti**, to balance the accounts (*o* the books); *Non mi tornano i conti*, the accounts don't balance; **manipolare i conti**, to manipulate the accounts; to cook the books (*fam.*); **tenere i conti**, to keep accounts; **libro dei conti**, account book; **revisione dei conti**, audit of accounts 3 (*banca*) (bank) account: **c. a firme congiunte**, joint account; **c. bloccato**, blocked account; **c. corrente**, (*anche comm.*) current account; check account (*USA*); **c. scoperto**, overdrawn account; **c. vincolato**, deposit account; **accreditare [addebitare] in c.**, to credit [to debit] to an account; **aprire [chiudere] un c.**, to open [to close] an account 4 (*comm.*) account; (*fattura*) bill; (*di ristorante, d'albergo, ecc.*) bill (*GB*), check (*USA*): **c. aperto**, credit (*o* charge) account; **il c. del macellaio**, the butcher's bill; **c. in sospeso**, outstanding account; **mandare il c.**, to send (in) the bill; **mettere in** (*o* sul) **c.**, to charge to (sb.'s) account; *Mi porta il c.?*, may I have the bill (*USA* the check), please?; **saldare un c.**, to pay a bill; to settle an account (*anche fig.*); *Chi paga il c. poi sono io*, I have to foot the bill (*USA* pick up the tab) in the end 5 (*importanza, valore*) account; importance; worth: **di gran c.**, of great account; **di nessun c.**, of no account; unimportant; (*senza valore*) worthless; **di poco c.**, of little account; trifling; **tenere qc. in gran c.**, to set great store by st. ● (*econ.*) **i conti con l'estero**, the balance of payments □ (*comm. est.*) **c. capitale**, capital account; (*comm.*) **c. corrente postale**, postal giro account □ (*comm.*) **c. di acquisto**, bought note □ (*avv.*) **a ogni buon c.**, in any case; at all events □ **a conti fatti**, all things considered; on balance; when you tot things up □ **È un altro c.**, that's another matter; that's different □ (*fig.*) **avere un c. da regolare** (*o* **in sospeso**) **con q.**, to have a score to settle with sb. □ **Ha diversi conti da regolare con la giustizia**, he is wanted by the police on various accounts □ **chiedere c. di qc.**, to demand an explanation for st. □ (*fig.*) **I conti tornano**, it tallies; it all adds up □ (*fig.*) **I conti non tornano**, there's something wrong here; it doesn't add up □ **Un c. è dire, un c. è fare**, (it's) easier said than done □ **dare c. di qc.**, to give an account of st.; to account for st. □ **estratto c.**, (*comm.*) statement of account; (*banca*) bank statement □ **far c.** (**che, di**), (*immaginare*) to imagine, to suppose; (*ripromettersi*) to expect: *Fai c. di essere su una nave*, imagine you are on board a ship; *Fai c. che io non l'abbia detto*, disregard (*o* ignore) what I said; *Faccio c. di tornare venerdì*, I expect to be back on Friday □ **fare c. su**, to count on; to rely on: *Puoi farci c.*, you can count on it □ (*fam.*) **fare di c.**, to count □ **leggere, scrivere e far di c.**, reading, writing and arithmetic (*o* reckoning); the three R's □ **fare bene i propri conti**, to weigh the pros and cons □ (*eufem.*) **Con te**

faremo i conti dopo!, I'll sort you out later! □ **dover fare i conti con qc.** (*rif. a difficoltà*), to have st. to reckon with □ **Dovrà fare i conti con me!**, he'll have me to reckon with □ **fare i conti in tasca a q.**, to pry into sb.'s financial affairs □ **fare i conti senza l'oste**, to count one's chickens before they're hatched □ (*fig.*) **fare male i propri conti**, to be out in one's reckonings □ (*comm.*) **in c. deposito**, on consignment; on a sale or return basis □ **mettere in c.**, (*calcolare*) to take into account, to calculate, to bargain for; (*prevedere*) to calculate for, to count on, to reckon with, to bargain on for; (*preventivare*) to estimate, to budget for: *Non avevo messo in c. il suo rifiuto*, I hadn't bargained (*o* counted) on his refusing □ **mettere qc. in c. a q.**, (*addebitare*) to charge st. to sb.'s account; (*attribuire*) to put st. down to st. □ **per c. di q.**, (*a nome di*) on behalf of sb.; (*da parte di*) from sb.: *L'avvocato agisce per c. mio*, the solicitor is acting on my behalf; *Diglielo per c. mio*, tell him from me □ **per c. mio** (*quanto a me*), as for me; as far as I am concerned □ **per c. proprio** (*da solo*), on one's own; for oneself; by oneself; alone: *Vive per c. suo*, he lives on his own (*o* alone); *Voglio andarci per c. mio*, I want to go there on my own; **starsene per c. proprio**, to keep oneself to oneself; **mettersi (in affari) per proprio c.**, to set up (in business) for oneself □ **per c. terzi**, on somebody else's behalf; for somebody else; (*su commissione*) on commission □ (*fig.*) **rendere c. di qc.**, to answer for st.; to be accountable for st.: *Devo rendergli c. di tutto*, I have to account (*o* I am accountable) to him for everything; *Non devo rendere c. a nessuno*, I answer (*o* I'm accountable) to no one □ **rendersi c.** → **rendere** □ **sapere il c. proprio**, to know one's job; to know what one is about □ **prendere informazioni sul c. di q.**, to get information about (*o* regarding) sb. □ **Non ci sono rimostranze sul suo c.**, there are no complaints against him □ **tenere c.**, **tenere da c.** → **tenere**.

contòrcere A v. t. to twist; to contort B **contòrcersi** v. rifl. to wriggle; to twist about; to squirm; (*di dolore*) to writhe; (*dal ridere*) to roll about, to double up: **contorcersi dal dolore**, to writhe in pain; **contorcersi dalle risa**, to roll about laughing; **contorcersi per liberarsi**, to twist about to free oneself; to try to wriggle free.

contorcimento m. contortion; twisting; writhing; wriggling; squirming.

contornàre v. t. 1 (*circondare*) to surround (*anche fig.*); to encircle: *Era contornato dagli amici*, he was surrounded by friends 2 (*bordare*) to edge; to border (all round); to decorate (round the edge): **un'aiuola contornata da viole del pensiero**, a flowerbed bordered with pansies 3 (*disegnare il contorno*) to outline: **c. le figure di nero**, to outline the figures in black.

♦contórno m. 1 (*profilo, sagoma*) contour; outline; profile; silhouette 2 (*fregio, bordura, ecc.*) edging; border 3 (*gruppo di persone*) crowd; train 4 (*cucina*) side dish; (*di verdura*) vegetables (pl.): **un arrosto con c.**, a roast with vegetables; **carne con c. di patate**, meat with potatoes.

contorsióne f. 1 contortion; wriggling; squirming 2 (*fig.*) contortion; (*viluppo*) intricacy, convolution: **contorsioni mentali**, mental contortions.

contorsionìsmo m. (*anche fig.*) contortionism.

contorsionìsta m. e f. (*anche fig.*) contortionist.

contòrto a. 1 twisted; contorted: **un ferro c.**, a twisted iron bar; **rami contorti**, twisted branches 2 (*fig.*) convoluted; twisted; tortuous; (*deformato*) warped: **mente contorta**, twisted (*o* warped) mind; **ragio-**

namento c., tortuous reasoning; **stile c.**, convoluted style.

contoterzìsta m. e f. commission manufacturer.

contrabbandàre v. t. 1 to smuggle: **c. droga**, to smuggle drugs 2 (*fig.*) to pass off: **c. qc. per autentico**, to pass st. off as genuine.

contrabbandière A m. (f. **-a**) smuggler; runner; (*di liquori*) bootlegger: **c. d'armi**, gun-runner; **c. di sigarette**, cigarette smuggler B a. – **nave contrabbandiera**, smuggler.

contrabbàndo m. smuggling; contraband: **c. d'armi**, arms smuggling; **c. di droga**, drug smuggling; **c. di sigarette**, contraband of cigarettes; **fare del c.**, to smuggle; to be a smuggler; **di c.**, smuggled (agg.); contraband (attr.); (*fig.*) stealthily, on the sly: **merce di c.**, smuggled (*o* contraband) goods; **far entrare** (*o* **introdurre**) **di c.**, to smuggle in; **far uscire di c.**, to smuggle out.

contrabbassìsta m. e f. (*mus.*) double--bass player.

contrabbassìstico a. (*mus.*) for double bass; double-bass (attr.).

contrabbàsso m. (*mus.*) 1 double bass; contrabass 2 (*registro d'organo*) bourdon ● (*scherz.*) **fare il c.**, to snore like a foghorn.

contraccambiàre v. t. to return; to reciprocate; (*ripagare*) to repay*: **c. gli auguri**, to reciprocate sb.'s good wishes; **c. un favore**, to return a favour; **c. un sentimento**, to return (*o* to reciprocate) a feeling; *Dobbiamo invitarli a cena per c.*, we must invite them to dinner in return.

contraccàmbio m. return; reciprocation; quid pro quo; (*scambio*) exchange, swap (*fam.*): **in c. di qc.**, in exchange (*o* in return) for st. ● **rendere il c.**, to give as good as one gets; to give tit for tat (*fam.*).

contraccàrico m. counterbalance; counterweight.

contraccettìvo a. e m. contraceptive.

contraccezióne f. contraception.

contraccólpo m. 1 counterblow; (*rimbalzo*) rebound 2 (*di arma da fuoco e mecc.*) kick; recoil 3 (*fig.*) repercussion; consequence.

contraccùsa f. (*leg.*) countercharge.

contràda f. 1 (*quartiere*) quarter; district 2 (*lett.: paese, regione*) land; country.

contraddànza f. contredanse; contradance.

contraddìre A v. t. 1 (*dire il contrario*) to contradict: *Non contraddirmi!*, don't contradict me! 2 (*essere in contrasto*) to contradict; to clash with; to be contrary to: *La sua espressione contraddiceva le sue parole*, his expression contradicted his words; *La mia tesi contraddice la sua*, my thesis contradicts (*o* clashes with) his; **c. le previsioni**, to be contrary to expectations B **contraddìrsi** v. rifl. to contradict oneself C **contraddìrsi** v. rifl. recipr. to contradict each other; (*di affermazioni, ecc.*) to conflict, to clash.

contraddistìnguere A v. t. 1 (*con un segno*) to mark 2 (*caratterizzare*) to mark out; to distinguish; to typify: **con l'ironia che lo contraddistingue**, with his usual (*o* typical) irony B **contraddistìnguersi** v. i. pron. to distinguish oneself; to stand* out; to be notable.

contraddittóre m. (f. **-trice**) opposer; contradictor.

contraddittorietà f. contradictoriness; inconsistency.

contraddittòrio A a. contradictory; contradicting; conflicting; (*che contraddice sé stesso*) inconsistent, self-contradictory: **dichiarazioni contraddittorie**, contradictory statements; **sentimenti contraddittori**,

conflicting emotions; **versioni contraddittorie dei fatti**, conflicting versions of the facts B m. **1** debate; discussion **2** (*leg., di testimony*) cross-examination: **interrogare in c.**, to cross-examine.

contraddizióne f. contradiction; discrepancy: **c. in termini**, contradiction in terms; **cadere in c.**, to contradict oneself; **essere in c. con**, to contradict; to conflict with; **essere in c. (reciproca)**, to contradict each other; (*filos.*) **principio di non c.**, principle of non-contradiction; **spirito di c.**, contrariness.

contraènte (*leg.*) A a. contracting: **parte c.**, contracting party B m. e f. contractor; contracting party.

contraèrea f. (*mil.*) anti-aircraft artillery: **il fuoco della c.**, anti-aircraft fire.

contraèreo a. (*mil.*) anti-aircraft (attr.).

contraffàre A v. t. **1** (*imitare*) to imitate; to copy; to counterfeit; (*mettendo in ridicolo*) to mimic* **2** (*alterare, travestire*) to disguise: **c. la voce**, to disguise one's voice **3** (*falsificare: firme, banconote, ecc.*) to counterfeit, to forge; (*documenti in genere*) to falsify **4** (*sofisticare*) to adulterate B **contraffàrsi** v. rifl. to disguise (oneself).

contraffàtto a. **1** (*falsificato*) counterfeit; forged; falsified; (*falso*) false, fake: **firma contraffatta**, forged signature; **monete contraffatte**, counterfeit coins **2** (*alterato, travestito*) disguised **3** (*sofisticato*) adulterated.

contraffattóre m. (f. **-trìce**) **1** imitator; mimic **2** (*falsario*) counterfeiter; forger; falsifier **3** (*sofisticatore*) adulterator.

contraffazióne f. **1** imitation; mimicry **2** (*falsificazione*) counterfeiting; counterfeit; forging; forgery: **c. di sigilli**, counterfeit of seals **3** (*sofisticazione*) adulteration **4** (*cosa falsificata*) imitation; copy; fake; (*firma, documento*) forgery **5** (*violazione*) infringement: (*leg.*) **c. di brevetto**, infringement of a patent.

contraffilàre v. t. to trim the outer edge of (the welt).

contraffilo m. outer edge (of the welt).

contraffòrte m. **1** (*archit.*) buttress; counterfort **2** (*geogr.*) spur.

contraggènio m. – **a** (**o di**) **c.**, reluctantly; unwillingly; against the grain.

contràgo m. (*ferr.*) stock rail.

contraìbile a. **1** contractable **2** (*di malattia*) that can be caught; infectious.

contràlbero m. (*mecc.*) countershaft.

contralisèi → **controalisei**.

contraltàre m. **1** (*archit.*) opposite altar **2** (*fig.*) counterpart; parallel; opposite: **fare da c. a**, to correspond to; to counterbalance; to oppose.

contraltino m. (*mus.*) contraltino.

contraltista m. (*mus.*) male alto; countertenor.

contràlto (*mus.*) A m. (*voce e cantante*) contralto; alto B a. inv. alto: **sassofono c.**, alto saxophone.

contrammiràglio m. (*naut.*) rear admiral.

contrappàsso m. retaliation; talion.

contrappèllo m. second roll-call.

contrappélo → **contropelo**.

contrappesàre A v. t. **1** to balance (st.) against (st. else); to counterbalance; to counterweigh; (*compensare*) to compensate **2** (*fig.*) to examine thoroughly; to weigh: **c. il pro e il contro**, to weigh the pros and cons B **contrappesàrsi** v. rifl. recipr. (*anche fig.*) to counterbalance; (*fig.*) to even out: *I vantaggi e gli svantaggi si contrappesano*, the pros and cons even out; the pros counterbalance the cons.

contrappéso m. (*anche fig.*) counterpoise; counterbalance; counterweight: **fare da c. a qc.**, to act as a counterweight to st.

contrapponìbile a. opposable.

contrappórre A v. t. **1** (*opporre, mettere contro*) to oppose; to contrast; to counter: **c. all'argomentazione dell'accusa un nuovo testimone per la difesa**, to counter the arguments of the prosecution with a new witness for the defence **2** (*mettere a confronto*) to set* up (st. against st.): **c. la propria opinione a quella di un altro**, to set up one's opinion against someone else's B **contrappórsi** v. rifl. **1** (*opporsi*) to oppose (st.); to contrast (st.) **2** (*contrastare*) to clash (with); to contrast (st.) C **contrappórsi** v. rifl. recipr. to clash; to be in contrast; to contradict each other.

contrapposizióne f. contrast; opposition; conflict: **essere in c. con**, to be in contrast (o in conflict) with.

contrappósto A a. opposing; opposed; (*in conflitto*) conflicting; (*antitetico*) opposite, antithetical: (*autom.*) **cilindri contrapposti**, opposed cylinders; **eserciti contrapposti**, opposing armies; **interessi contrapposti**, conflicting interests B m. opposite; contrary.

contrappuntàre v. t. (*mus.*) to counterpoint.

contrappuntista m. e f. (*mus.*) contrapuntist.

contrappuntìstico a. (*mus.*) contrapuntal; counterpoint (attr.).

contrappùnto m. (*mus. e fig.*) counterpoint.

contràre① v. t. (*bridge*) to double.

contràre② v. t. (*boxe*) to counter **2** (*calcio*) to tackle.

contràrgine m. counterdike.

contrariaménte avv. **1** (*in modo contrario*) contrary: **c. a quanto pensavo**, contrary to what I thought **2** (*in senso contrario*) contrarily; contrariwise.

contrariàre v. t. **1** to cross; to thwart; to oppose: *Non è bene contrariarlo*, it doesn't do to cross him; **c. q. in tutto**, to thwart sb. in (o over) everything **2** (*irritare*) to annoy; to irritate; to put* out; to vex; to upset* **3** (*contraddire*) to contradict.

contrariàto a. **1** (*irritato*) annoyed; put out; vexed; upset **2** (*dispiaciuto*) sorry; disappointed.

contrarietà f. **1** (*l'essere contrario*) contrariety; contrariness **2** (*impedimento*) setback; impediment; (*problema*) trouble ⃞, problem; (*avversità*) adversity, misfortune: **c. imprevista**, unexpected setback (o impediment) **3** (*sentimento d'avversione*) aversion; dislike; opposition.

♦**contràrio** A a. **1** (*che è in contrasto*) contrary; opposite; (*estraneo*) alien: **effetto c.**, opposite effect; (*leg.*) **prova contraria**, evidence to the contrary; (*leg.*) **c. alla legge**, unlawful; contrary to law; **c. alla mia natura**, alien to my nature; **un'idea contraria a ogni logica**, an idea that flies in the face of all logic; **opinioni contrarie alle mie**, opinions opposite to mine **2** (*che si oppone*) opposed (to); against (prep.); (*riluttante*) unwilling, reluctant, averse: **c. alle regole**, against the rules; **c. alla violenza**, against violence; *Mio marito è c.*, my husband is against it; *Ero c. ad accettare*, I was unwilling to accept **3** (*di senso opposto*) contrary; opposite: **direzione contraria**, opposite direction; **vento c.**, contrary wind; headwind; *Abbiamo il vento c.*, the wind is against us; **in senso c.**, the opposite way; the other way; **in senso c. alle lancette dell'orologio**, anticlockwise; counterclockwise (*USA*); **senso c. al traffico**, against the traffic **4** (*sfavorevole*) unfavourable; adverse; unpropitious; ill: **sorte contraria**, ill luck ● **fino ad avviso c.**, until you hear otherwise ☐ **fino a prova contraria**, until proved otherwise ☐ **in caso c.**, otherwise; failing this ☐ (*leg.*) **salvo patto c.**, unless otherwise provided for B m. **1** opposite; contrary: **l'esatto c.**, the direct opposite; *È vero il c.*, the opposite is true; *Lui è il c. di lei*, he is her opposite; *Ho prova del c.*, I have evidence to the contrary **2** (*ling.*) antonym ● **al c.**, (a ritroso) backwards; (*in ordine inverso*) in reverse order; (*alla rovescia*) the wrong way round; (*col davanti dietro*) back to front; (*con l'interno all'esterno*) inside out; (*capovolto*) upside down; (*anzi*) on the contrary ☐ **Al c.!**, quite the reverse!; far from it! ☐ **Al c. di mia moglie, preferisco la campagna**, unlike my wife, I prefer the countryside ☐ **Hai qualcosa in c.?**, do you have any objections?; (*iron.*) do you mind? ☐ **Non ho nulla in c.**, I have no objection; I have nothing against it.

contràrre A v. t. **1** (*sottoporre a contrazione*) to contract, to twitch; (*corrugare*) to twist: **c. le labbra**, to twist one's mouth; **c. un muscolo**, to contract (o to tense) a muscle **2** (*ridurre*) to reduce; to cut*: **c. le spese**, to cut expenditures **3** (*prendere*) to contract; to form; to acquire; to develop; to get* into: **c. un'abitudine**, to form (o to develop) a habit; **c. una malattia** [**un virus**], to contract an illness [a virus]; **c. un vizio**, to acquire a vice; to contract (o to get into) a bad habit **4** (*assumere*) to contract; to incur: **c. un debito**, to contract (o to incur) a debt; **c. un mutuo**, to contract a loan **5** (*stipulare, stringere*) to contract; to enter into; to make*; to strike*: **c. un'alleanza**, to contract (o to make) an alliance; **c. matrimonio**, to marry B **contràrsi** v. i. pron. **1** (*subire contrazione*) to contract, to twitch; (*corrugarsi*) to twist: *Il metallo si contrae raffreddandosi*, metal contracts as it cools **2** (*restringersi*) to shrink* **3** (*econ., della domanda, ecc.*) to fall* off; (*di prezzi, ecc.*) to fall*, to decline, to drop **4** (*ling.*) to contract.

contrassàlto m. (*mil.*) counterattack.

contrassegnàre v. t. **1** to mark; to earmark; to countermark; (*con un segno di penna*) to tick, to check (*USA*); (*con un cartellino*) to label, to tag; (*con colori diversi*) to colour-code **2** (*fig.*) to mark: **un anno contrassegnato da eventi cruciali**, a year marked by crucial events.

contrasségno① m. **1** (*identification*) mark; (*simbolo*) symbol; (*cartellino*) tag: **c. elettorale**, party symbol; party emblem; **apporre un c. su qc.**, to put a mark on st.; to mark st. **2** (*distintivo*) badge; (*mil.*) badge of rank **3** (*di un aereo, ecc.*) marking **4** (*fig.: attestato*) token; mark: **c. di stima**, token of esteem **5** (*comput.*) mark; tag.

contrasségno② avv. cash on delivery (abbr. COD): **pagamento c.**, cash on delivery; **spedire qc.**, to send st. COD.

contrastàbile a. contestable; questionable.

contrastànte a. contrasting; conflicting: **colori contrastanti**, contrasting colours; **idee contrastanti**, conflicting ideas.

contrastàre A v. t. **1** (*impedire*) to impede; to hinder; (*contendere*) to dispute: **c. una la vittoria**, to dispute a victory **2** (*opporsi a*) to oppose; to counter; (*una persona*) to cross, to thwart; (*resistere a*) to resist, to fight: **c. i desideri di q.**, to oppose sb.'s wishes **3** (*calcio*) to tackle B v. i. **1** (*essere in conflitto*) to be at odds (with); to contradict (st.); to contrast (with); to clash (with): **un comportamento che contrasta con i suoi principi**, behaviour that is at odds with (o that contradicts) his principles **2** (*fare contrasto*) to contrast (st.); (*mettendo in risalto*) to set off (st.); (*sgradevolmente*) to clash (with), to jar (with): *Il colore delle poltrone*

a
b
c
d
e
f
g
h
i
j
k
l
m
n
o
p
q
r
s
t
u
v
w
x
y
z

contrasta con quello del divano, the colour of the armchairs contrasts with (o sets off) that of the sofa **3** (*lett.*: *lottare*) to struggle; to fight* **C contrastàrsi** v. rifl. recipr. (*contendersi*) to struggle (for st.); to contend (for st).

contrastàto a. **1** (*combattuto*) closely-fought; hard-won: **un successo c.**, a hard-won success **2** (*ostacolato*) meeting strong opposition: **una decisione contrastata**, a decision that met with strong opposition; **un matrimonio c.**, a marriage opposed by the family **3** (*discusso*) (much) disputed **4** (*fotogr.*, *tipogr.*) contrasty.

contrastivo a. (*ling.*) contrastive.

contràsto m. **1** (*opposizione*) contrast; (*scontro*) clash; (*conflitto*) conflict: *Il c. dei due colori era di molto effetto*, the contrast between the two colours was very effective; **forte c.**, high (o striking) contrast: **c. d'interessi**, conflict (o clash) of interests **2** (*dissidio*) disagreement; difference; clash; conflict; (*litigio*) quarrel, dispute: **contrasti in famiglia**, family disagreements; *Abbiamo avuto un c.*, we quarrelled; we had a difference; we fell out **3** (*calcio*) tackle **4** (*fotogr.*) contrast: **forte c.**, high contrast **5** (*letter.*) disputation in verse; contrasto ● **essere in c.**, to be in contrast (to); (*scontrarsi*) to be in conflict (o at odds) (with); to clash (with); (*contraddire*) to contradict; (*essere molto diverso*) to be in contrast (to): **due teorie in c. fra di loro**, two conflicting theories □ (*di tinte, ecc.*) **fare c.**, to create a contrast; to set off; (*reciprocamente*) to set each other off; (*sgradevolmente*) to clash; to jar □ **in c. con**, (*a differenza di*) as opposed to, contrary to, in contrast to (o with); (*in conflitto con*) at odds with; (*contro*) against (prep.) □ **in netto c.**, in marked contrast (with) □ (*fis., med.*) **mezzo di c.**, contrast medium □ **motivo di c.**, quarrel; difference □ **per c.**, by contrast □ **senza c.**, without opposition; unopposed □ **venire a c. con q.**, to have a disagreement with sb.; to quarrel with sb.

contrattàbile a. negotiable.

contrattaccàre v. t. (*mil.* e *fig.*) to counterattack; to strike* back.

contrattàcco m. (*mil., scherma* e *fig.*) counterattack: **lanciarsi al c.**, to launch a counterattack; **passare al c.**, to make a counterattack.

contrattàre A v. t. **1** (*un acquisto*) to bargain over; to haggle over; to negotiate: **c. il prezzo di un quadro**, to bargain over the price of a painting **2** (*una rivendicazione*) to negotiate: **c. un aumento dei nuovi salari**, to negotiate a wage rise B v. i. **1** (*discutere*) to negotiate; to talk **2** (*mercanteggiare*) to bargain; to haggle (*fam.*): *È brava a c.*, she's good at bargaining; *Contrattammo per mezz'ora e alla fine lo ottenni per la metà*, we haggled for half an hour and in the end I got it half-price.

contrattazióne f. **1** negotiation; bargaining ⓤ; (*trattativa*) negotiations (pl.), talks (pl.): **c. collettiva**, collective bargaining; **contrattazioni salariali**, wage bargaining; pay negotiations **2** (*compravendita*) dealing ⓤ; trading ⓤ: (*Borsa*) **sospendere le contrattazioni**, to suspend trading; (*Borsa*) **sala delle contrattazioni**, floor; pit (*USA*) **3** (*mercanteggiamento*) bargaining ⓤ; haggling ⓤ.

contrattémpo m. **1** mishap; accident; complication; setback; hitch (*fam.*): *Una serie di contrattempi mi fece perdere il treno*, a series of mishaps made me miss my train; *Il piano funzionò senza nessun c.*, the plan worked without a hitch; *L'acquazzone fu l'unico c.*, the shower was the only setback **2** (*mus.*) syncopation.

contràttile a. (*anche anat.*) contractile; contractible.

contrattilità f. (*scient.*) contractility; contractibility.

contrattìsta m. e f. **1** contract worker **2** (*università*) contract researcher; contract lecturer.

contràtto① a. contracted; convulsed; (*rattrappito*) shrunk; (*teso*) tense, drawn.

♦**contràtto**② m. **1** (*anche leg.*) contract; agreement; articles (pl.); deed: **c. a termine**, (*di lavoro*) fixed-term contract; (*Borsa*) forward contract; **c. aleatorio**, wagering contract; **c. bilaterale**, bilateral contract; **c. d'acquisto**, contract of purchase; **c. d'affitto**, lease; **c. d'apprendistato**, indentures (pl.); (*naut.*) **c. di arruolamento**, ship's articles; **c. d'associazione**, deed (o articles) of partnership; (*Borsa*) **c. di borsa**, broker contract; (*banca*) **c. di credito**, credit agreement; **c. di formazione**, training contract; **c. di gestione**, franchise; **c. (collettivo) di lavoro**, collective agreement; **c. di matrimonio**, marriage contract; **c. di noleggio**, lease; (*naut.*) charter party, contract of affreightment; **c. formale**, formal agreement; **c. ipotecario**, mortgage deed; (*filos., polit.*) **c. sociale**, social contract; **c. verbale**, gentleman's agreement; verbal agreement; **risolvere un c.**, to rescind (o to void) an agreement; **stabilire per c. di fare qc.**, to contract to do st.; **stilare un c.**, to draw up a contract; **stipulare un c.**, to enter into a contract; **come da c.**, as per contract; **lavoro a c.**, contract work **2** (*bridge*) contract.

contrattuàle a. **1** (*di contratto*) of (o pertaining to) a contract; contractual; contract (attr.): **clausola c.**, contractual clause; **inadempienza c.**, breach of contract; **obbligo c.**, contract obligation **2** (*di contrattazione*) bargaining; negotiating: **potere c.**, bargaining power.

contrattualìsmo m. (*filos., polit.*) contractualism.

contrattualìstica f. rules (pl.) for drawing up a contract.

contrattùra f. (*med.*) contracture.

contravveléno m. antidote (*anche fig.*); (*spec. contro il veleno di animali*) antivenin.

contravvenìre v. i. (*leg.*) to transgress (st.); to contravene (st.); to infringe (st.); to offend against; to break* (st.): **c. a un obbligo**, to fail to meet an obligation; **c. a una regola**, to contravene (o to break) a rule.

contravventóre m. (f. **-trìce**) (*leg.*) transgressor; infringer; offender.

contravvenzióne f. **1** (*leg.*) transgression; contravention; infringement; offence; violation **2** (*multa*) fine; ticket: **c. per divieto di sosta**, parking ticket; **conciliare una c.**, to pay a fine on the spot.

contrazióne f. **1** contraction; twitch; spasm: **contrazioni uterine**, uterine contractions **2** (*econ., comm.*) contraction; shrinkage; decline; drop; fall-off; tail-off: **c. della domanda**, drop (o fall) in demand; **c. dei prezzi**, shrinkage of prices; **c. delle esportazioni**, fall-off in exports **3** (*ling.*) contraction.

contre m. inv. (*bridge*) double.

contribuènte m. e f. (*di imposte statali*) taxpayer; (*di imposte locali*) ratepayer: **a spese del c.**, at the taxpayer's expense; **ruolo dei contribuenti**, taxpayers' roll.

♦**contribuìre** v. i. **1** (*cooperare*) to contribute (to); to help: **c. alla diffusione di una teoria**, to help to spread a theory; **c. al progresso**, to contribute to progress; *Lo sciopero contribuì a far cadere il governo*, the strike contributed to toppling the government **2** (*partecipare*) to contribute (towards); to take* part (in); (*con una donazione*) to make* a contribution (to); to contribute (towards): **c. a un'impresa**, to take part

in a venture; **c. alle spese**, to contribute towards the expenses; *Facciamo un regalo a Marco, vuoi c.?*, we're buying Marco a present, would you like to chip in? (*fam.*).

contributìvo a. contributing; contributive; contributory.

contribùto m. **1** (*partecipazione, apporto*) contribution: **un c. a un'impresa**, a contribution to an enterprise; **c. in denaro**, contribution in money; **dare un c. a qc.**, to make a contribution to st. **2** (*donazione*) contribution; donation; (*sussidio, sovvenzione*) aid, subsidy, grant: **c. alla ricerca**, grant for research; **c. statale**, grant-in-aid **3** (*leg.*) contribution; due; (*tributo*) tax, levy: **contributi a carico del datore di lavoro**, employer's contributions; **c. di miglioria**, improvement tax; betterment levy; **contributi previdenziali**, national insurance (*USA* social security) contributions; **contributi sindacali**, union dues **4** (*saggio, ricerca, ecc.*) essay; note.

contribuzióne f. (*contributo*) contribution; (*quota*) share; (*imposta*) levy, tax.

contristàre A v. t. to sadden; to afflict; to distress; to grieve B **contristàrsi** v. i. pron. to be distressed; to grieve.

contrìto a. contrite; penitent.

contrizióne f. (*anche relig.*) contrition.

♦**cóntro** A prep. **1** (*in opposizione, in contrasto*) against; counter to; contrary to; in opposition to; anti- (pref.): **c. la mia volontà** [**i miei principi**], against my will [my principles]; **c. di me** [**te, lui, ecc.**], against me [you, him, etc.]; **c. la legge**, against the law; **c. ogni previsione**, against all expectations; **agire c. i desideri di q.**, to act counter to sb.'s wishes; **agire c. l'opinione pubblica**, to act in opposition to public opinion; **combattere c. q.** [**qc.**], to fight against sb. [st.]; **votare c. una mozione**, to vote against a motion; *Non ci sono prove c. di lui*, there is no evidence against him; **la mia parola c. la tua**, my word against yours; **manifestazione c. l'apartheid**, anti-apartheid demonstration; *Tutti gli sono c.*, everybody is against him; *Li ho tutti c.*, they are all against me **2** (*verso*) to; (*con ostilità*) against, at: *Si girò c. il muro*, she turned to face the wall; **marciare c. il nemico**, to march against the enemy; *Mi puntava c. la pistola*, he was aiming the gun at me; **sparare c. q.**, to shoot at sb.; **in guerra c. q.**, at war with sb.; *Gli si avventò c.*, he rushed at him **3** (*a contatto, addosso*) against; into: *Spingi il tavolo c. il muro*, push the table against the wall; *Ho picchiato la testa c. lo scaffale*, I knocked my head against the shelf; *Girò l'angolo e andò a sbattere c. un poliziotto*, he turned the corner and bumped into a policeman; *L'auto andò a sbattere c. un albero*, the car crashed into a tree **4** (*sullo sfondo di*) against: *La torre si staglia c. il cielo*, the tower is silhouetted against the sky **5** (*leg., sport*) against; versus (abbr. v., vs): **procedere c. qc.**, to take legal action against sb.; *Il Genoa ha vinto c. l'Arsenal*, Genoa won against Arsenal; *Inter c. Lazio*, Inter v. Lazio **6** (*comm.*) against; on: **c. assegno**, cash on delivery; **c. pagamento**, on payment; **pagamento c. documenti**, payment against documents ● **c. corrente** → **controcorrente** □ **c. luce** → **controluce** □ **c. mano** → **contromano** □ **c. natura**, against nature; unnatural (agg.) □ **c. vento** → **controvento** □ **c. voglia** → **controvoglia** □ **dare c. a q.**, to contradict sb. □ **di c. a**, as compared to; as opposed to □ **scommettere tre c. uno**, to bet three to one B avv. against: *Votai c.*, I voted against; *Sei pro o c.?*, are you for or against it? ● **di c.**, opposite: **la casa di c.**, the house opposite □ **per c.**, (*ma*) but; (*tuttavia*) on the other hand **C** m. cons (pl.): **valutare il pro e il c.**, to weigh

the pros and cons.

controaccùsa → **contraccusa**.

controaliṣèi m. pl. (*geogr.*) antitrades.

controavvìṣo m. countermand.

controazióne f. **1** (*scherma*) counter-riposte; (*estens.*, *sport*) counterattack **2** (*fig.*) counteraction; countermeasure.

controbàttere v. t. **1** (*mil.*) to counter; to return fire **2** (*ribattere*) to counter; to answer **3** (*confutare*) to refute; to rebut.

controbatterìa f. (*mil.*) counterbattery.

controbattùta f. rejoinder; rebuttal; repartee.

controbelvedére m. (*naut.*) mizzen royal.

controbilanciàre **A** v. t. **1** to counterbalance **2** (*fig.*) to counterbalance; to countervail; to counterweigh; to offset* **B** **controbilanciàrsi** v. rifl. recipr. to balance each other.

controbórdo m. – (*naut.*) **di c.**, on opposite tacks.

controbracciàre v. t. (*naut.*) to counterbrace.

controbràccio m. (*naut.*) preventer brace.

contro-buffet m. inv. second sideboard.

controcàmpo m. (*cinem.*) reverse (angle) shot; reverse angle.

controcànto m. (*mus.*) countermelody.

controcarèna f. (*naut.*) bulge.

controcàrro a. inv. (*mil.*) antitank (attr.).

controcàssa f. outer casing.

controcaténa f. (*archit.*) collar beam.

controchiàve f. (*mecc.*) **1** (*chiave di riserva*) duplicate key **2** (*chiave di altra serratura*) key to a second lock **3** (*seconda mandata*) second turn (of a key) **4** (*chiave falsa*) false (o skeleton) key.

controchìglia f. (*naut.*) upper keel; deadwood.

controcifra f. cipher key; key.

controcopèrta f. (*naut.*) spar deck.

controcopertina f. **1** (*tipogr.*) inside cover **2** (*TV*) closing report (o item).

controcorrènte **A** f. countercurrent **B** avv. **1** against the current, countercurrent; (*rif. a fiume*) upstream: **remare c.**, to row upstream **2** (*fig.*) against the general trend: **andare c.**, to oppose the general trend; to swim against the tide.

controcrìtica f. countercriticism.

controcultùra f. counterculture.

controcùrva f. curve (o bend) in the opposite direction: **una strada tutta curve e controcurve**, a road full of twists and turns.

controdàdo m. (*mecc.*) lock nut; jam nut; check nut.

controdàta f. **1** (*data posteriore*) new date **2** (*data di arrivo*) date of arrival; (*data di registrazione*) date of registration.

controdatàre v. t. **1** to put* a new date to **2** to add the date of arrival [of registration] to.

controdecréto m. counter decree.

controdeduzióne f. counter deduction.

controdenùncia f. counteraccusation; countercharge.

controdichiarazióne f. **1** counterdeclaration; counterstatement **2** (*bridge*) overbid.

controdòte f. (*stor.*) paraphernalia (sing. o pl.).

controeccitàre v. t. (*elettr.*) to counter-excite.

controeṣàme m. (*leg.*) cross-examination.

controeṣèmpio m. counter-example.

controèṣodo m. return en masse from the holidays.

controfagòtto m. (*mus.*) double bassoon; contrabassoon.

controfàscia f. (*mus.*) rib.

controfasciàme m. (*naut.*) bulge.

controfàṣe f. (*elettr.*) – **in c.**, push-pull (attr.); **amplificatore [oscillatore] in c.**, push-pull amplifier [oscillator].

controfattuàle a. counterfactual.

controffensìva f. (*mil.* e *fig.*) counteroffensive: **lanciare una c.**, to launch a counteroffensive; **passare alla c.**, to counterattack.

controffensìvo a. (*mil.*) counteroffensive (attr.).

controffèrta f. counteroffer; (*in un'asta, una gara*) counterbid.

controfigùra f. **1** (*cinem.*) double; (*per scene pericolose*) stuntman* (m.), stuntwoman* (f.): **fare la c. di q.**, to double sb. **2** (*fig.*) stand-in.

controfilétto m. **1** (*alim.*) sirloin **2** (*nei galloni, ecc.*) second stripe.

controfìlo m. cross grain.

controfinèstra f. double (o outer) window; storm window (*USA*); (*a ghigliottina*) storm sash.

controfiòcco m. (*naut.*) flying jib.

controfirma f. countersignature.

controfirmàre v. t. to countersign.

controfòdera f. interlining; interfacing.

controfóndo m. false bottom.

controfòrza f. (*mecc.*) counterforce; opposing force.

controfòsso m. **1** (*mil.*) countertrench **2** (*agric.*) head ditch.

controfùga f. (*mus.*) counterfugue.

controfùne f. (*mecc.*) countercable.

controfuòco m. backfire.

controgambétto m. (*scacchi*) gambit by the black.

controgirèllo m. (*alim.*) topside.

controguàrdia f. **1** (*archit. mil.*) counterguard **2** (*tipogr.*) flyleaf*; endpaper.

controguerrìglia f. counter-insurgency; anti-guerrilla activity.

controinchièsta f. parallel inquiry.

controindicàre v. t. (*med.*) to contraindicate.

controindicàto a. (*med.*) contraindicated (anche *med.*); not recommended; (*non adatto*) unsuitable.

controindicazióne f. (*med.*) contraindication.

controinformazióne f. alternative (o unofficial) information.

controinterrogatòrio m. (*leg.*) cross--examination.

controintuitìvo a. counterintuitive.

controlateràle a. contralateral.

controllàbile a. controllable; checkable; verifiable.

◆**controllàre** **A** v. t. **1** (*verificare, riscontrare*) to check, to verify; (*eṣaminare*) to inspect, to examine: **c. cifre [biglietti]**, to check figures [tickets]; **c. una macchina [uno strumento]**, to inspect a machine [an instrument]; **c. i passaporti**, to examine passports; **c. che ogni cosa sia al suo posto**, to check (o to make sure) that everything is in its place; **c. una seconda volta**, to double--check; **far c. i freni**, to have the brakes checked; **farsi c. la vista**, to have one's eyes examined; **farsi c. la pressione**, to have one's blood pressure measured **2** (*sovrintendere*) to supervise; (*sorvegliare*) to watch, to monitor, to keep* an eye on: **c. i movimenti di q.**, to watch sb.'s movements; to keep tabs on sb. (*fam.*); *L'ingresso è controllato da una telecamera*, the entrance is monitored by a TV camera **3** (*avere il controllo, il*

dominio di) to control: **c. un mercato**, to control a market; **c. la situazione**, to control the situation **4** (*tenere a freno*) to control; to restrain: **c. le proprie emozioni**, to control one's emotions; **c. i propri nervi**, to control oneself; *Non sa c. i suoi studenti*, he has no control over his pupils **5** (*rag.*) to audit: **c. i conti**, to audit the books ● **c. il telefono a q.**, to tap sb.'s telephone □ (*sport*) **c. la palla**, to control the ball **B** **controllàrsi** v. rifl. to control oneself; to exercise self-control: *Controllati!*, control yourself!; get hold of yourself!; pull yourself together!; **non saper controllarsi**, to have no self-control; **controllarsi nel bere**, to moderate one's drinking.

controllàta f. **1** quick check; once-over (*fam.*): **dare una c. a qc.**, to check st. quickly; to give st. the once-over **2** (*econ.*) controlled company; subsidiary (company).

controllàto a. **1** controlled: **amministrazione controllata**, receivership; **economia controllata**, controlled economy; **società controllata**, controlled (o subsidiary) company; **c. dallo Stato**, state-controlled **2** (*padrone di sé*) self-controlled; (*misurato*) composed.

◆**contròllo** m. **1** (*verifica*) check; (*iṣpezione*) inspection, examination, control: **c. dei biglietti**, ticket inspection; **c. di qualità**, quality control; **c. doganale**, customs examination; **c. passaporti**, passport control; **c. sanitario**, sanitary inspection; (*aeron.*) **controlli a terra**, ground checks; **controlli fiscali**, fiscal controls; **fare un c. di qc.**, to check st.; to inspect st.; **fare un secondo c. di qc.**, to double-check st.; *Facciamo un ultimo c.*, let's make a final check; *Un sorvegliante, facendo un giro di c., ha notato il fumo*, a guard noticed the smoke while doing his rounds; **posto di c.**, checkpoint; control station; **senza controlli**, without checking; unchecked (agg.); unmonitored (agg.) **2** (*med.: eṣame*) test; (*viṣita*) visit, examination, checkup: *Dovrai fare qualche c.*, you'll have to do a few tests; **c. della vista**, eye examination; **viṣita di c.**, checkup **3** (*dominio, comando*) control; command: **assumere il c. di una società**, to take over a company; **avere il c. d'una società**, to control a company; **avere il c. delle vie marittime**, to command the sea lanes; **dare a q. il c. di qc.**, to put sb. in control of st.; **eṣercitare il proprio c. su una regione**, to be in control of a region; **perdere il c. di qc.**, to lose control of st.; **prendere [riprendere] il c. di qc.**, to get [to regain] control over (o of) st.; (*di situazione*) **sfuggire al c.**, to get out of control (o out of hand); **tenere sotto c.**, to keep under control **4** (*sorveglianza*) watch; monitoring; surveillance: **tenere sotto c. le mosse di q.**, to keep watch on (o to monitor) sb.'s moves; to keep tabs on sb. (*fam.*); **mettere sotto c. un telefono**, to tap a telephone; **telefono sotto c.**, tapped telephone **5** (*naut.: viṣita di c.*) search **6** (*rag., della contabilità*) audit; auditing **7** (*autocontrollo*) self--control: **perdere il c. (di sé)**, to lose one's self-control; (*infuriarsi*) to fly into a rage; **riprendere il c. di sé**, to regain one's self--control; to get a grip on oneself ● **c. delle nascite**, birth control □ **c. del traffico**, traffic control □ (*aeron.*) **c. del traffico aereo**, air traffic control □ **c. della velocità di crociera**, cruise control □ (*radio, TV*) **c. del volume**, volume control □ **fuori c.**, runaway (agg.) □ **gruppo di c.**, control group □ **organo di c.**, watchdog □ **pannello di c.**, control panel; (*aeron.*) instrument panel.

controllóre m. **1** controller; inspector; supervisor; superintendent **2** (*rag., della contabilità*) auditor **3** (*ferr.*) ticket collector; (*autobus, tram*) conductor ● (*aeron.*) **c. di volo**, air traffic controller □ (*comput.*) **c. orto-**

a b c d e f g h i j k l m n o p q r s t u v w x y z

grafico, spelling checker.

controlúce A m. (fotogr., cinem.) backlighting; counter light; reverse lighting B avv. 1 (con la luce alle spalle) with one's back to the light; against the light; backlit (agg.): È una brutta foto, sei (in) c., this photo is bad, you have your back to the sun; **fotografare (in) c.**, to take a photograph against the light 2 (in trasparenza) against the light: **guardare qc. (in) c.**, to hold st. up against the light.

contromanifestànte m. e f. counterdemonstrator.

contromanifestazióne f. counterdemonstration.

contromàno avv. on the wrong side of the road; against the traffic.

contromanòvra f. countermeasure.

contromàrca f. 1 (gettone) check, token; (tagliando) ticket, tally 2 (numism.) countermark.

contromarcàto a. (numism.) countermarked.

contromàrcia f. 1 (mil.) countermarch 2 (naut.) tacking in succession 3 (mecc.) reverse motion; reverse gear.

contromezzàna f. (naut.) mizzen topsail.

controminàre v. t. (mil. e fig.) to countermine.

contromisùra f. countermeasure: **prendere contromisure**, to take countermeasures.

contromòssa f. (anche scacchi) countermove: **fare una c.**, to countermove; **giocare in c.**, to be the second to move; to play the black.

contromùro m. supporting wall.

contronóce m. (alim.) round.

contronominàle a. (logica) contrapositive.

contronotàre v. t. to annotate in the margin.

contropàlo m. strut.

controparòla f. countersign.

contropàrte f. 1 (leg.) counterparty; opposite party 2 (mus.) partner's part (in a duet) 3 (teatr.) opposite role.

contropartita f. 1 (rag.) set-off 2 (fig.: contraccambio) return; quid pro quo: **come c.**, in return; as a quid pro quo.

contropedàle m. (tecn.) coaster brake.

contropélo A avv. against the lay of the hair; (di tessuto) against the nap: **accarezzare il gatto c.**, to stroke the cat the wrong way; **spazzolare il velluto c.**, to brush velvet against the nap B m. – **radere il c.**, to shave against the growth ● (fig.) **prendere q. di c.**, to rub sb. the wrong way.

contropendènza f. reverse gradient; counterslope.

controperizia f. additional expert report (contradicting a previous one).

contropèzza f. (naut.) butt plate.

contropiède m. (sport: calcio) counter-attack, fast break; (tennis) wrong-footing: (tennis) **essere in c.**, to be wrong-footed ● (fig.) **in c.**, unprepared; off balance □ (fig.) **cogliere q. in c.**, to take sb. by surprise; to catch sb. on the wrong foot (o off balance); to wrongfoot sb.; to throw sb. a curve (fam. USA).

contropièga f. counter fold.

controplància f. (naut.) upper bridge.

contropòrta f. outer door; storm door (USA).

contropotére m. (polit.) counter-power.

contropreparazióne f. (mil.) counter-preparation.

contropressióne f. back pressure.

controprestazióne f. (valuable) consideration.

controproducènte a. counterproductive; self-defeating: **rivelarsi (o risultare) c.**, to prove self-defeating; to backfire.

controprogètto m. counterplan; opposite plan.

contropropórre v. t. to make* a counter-offer.

contropropósta f. counterproposal; counter-offer.

contropròva f. 1 double check; counter-check 2 (in una votazione) second vote 3 (leg.) rebutting evidence.

contropùnta f. (tecn.) footstock; tailstock ● **c. fissa**, dead centre.

controquerèla f. (leg.) countercharge; cross-complaint.

controquerelàre v. t. (leg.) to countercharge: to bring* a countercharge against.

controrànda f. (naut.) gaff topsail.

contrordinàre v. t. to countermand.

contrordine m. countermand; counter-order: **c. di pagamento**, countermand of payment; **dare un c.**, to cancel (o to revoke, to countermand) an order; **salvo c.**, unless instructed otherwise (form.); unless we [you, etc.] hear to the contrary.

controreazióne f. counter-reaction; (scient.) negative feedback.

controrelatóre m. (f. -trice) examiner (in the discussion of a graduation thesis).

controrelazióne f. (polit., amm.) minority report.

controrèplica f. rejoinder; (leg.) rebutter.

controreplicàre v. t. to rejoin; to retort; (leg.) to rebut.

controricórso m. (leg.) counterclaim.

Controrifórma f. (stor. relig.) Counter-Reformation.

controriformista m. (stor. relig.) supporter of the Counter-Reformation.

controriformìstico a. Counter-Reformation (attr.).

controrìpa, **controrìva** f. opposite bank.

controrivoluzionàrio a. e m. (f. -a) counter-revolutionary.

controrivoluzióne f. counter-revolution.

controrotàia f. (ferr.) checkrail; guard-rail.

controrotànte a. (mecc.) contra-rotating: **elica c.**, contra-rotating propeller.

controsàrtia f. (naut.) preventer shroud.

controscàrpa f. (edil., mil.) counter-scarp.

controscèna f. (teatr.) by-play.

controscòtta f. (naut.) clew line.

controscritta f. (leg.) counterpart.

controsènso m. contradiction in terms; (assurdità) absurdity, nonsense ▣: È un c.!, it's absurd!; it doesn't make sense!

controserratùra f. double (o extra, safety) lock.

controsigillo m. counterseal.

controsoffittàre v. t. to install a false (o suspended) ceiling.

controsoffittatùra f. 1 (l'operazione) installation of a false (o suspended) ceiling 2 → **controsoffitto**.

controsoffitto m. false ceiling; suspended ceiling.

controsoggètto m. (mus.) countersubject.

controsóle avv. facing the sun; **Ero c. e non l'ho visto**, I had the sun in my eyes and I didn't see it.

controspallina f. shoulder strap.

controspinta f. counterthrust.

controspionàggio m. (mil.) counterespionage; counterintelligence.

controstallìa f. (naut., comm.) 1 (generalm. al pl.) demurrage day 2 (indennizzo) demurrage.

controstàmpa f. 1 (impressione) counterproof 2 (tipogr.) set-off; offset*.

controstampàre v. t. 1 to run* a counterproof of 2 (tipogr.) to set* off; to offset.

controstàmpo m. (tecn.) die.

controsterzàre v. i. (autom.) to counter-steer.

controsterzàta f., **controstèrzo** m. (autom.) countersteer; countersteering.

controstìmolo m. counterstimulus*.

controstòmaco A m. 1 repugnance; disgust 2 (nausea) nausea B avv. → **controvoglia**.

controstràglio m. (naut.) preventer stay; jackstay.

controtàglio m. 1 (incisione) intersecting line: **lavorare di c.**, to cross-hatch 2 (di sciabola) back edge.

controtelàio m. (edil.) subchassis; secondary frame.

controtèmpo m. 1 (mus.) offbeat rhythm; syncopation: **fare il c.**, to sing [to play] offbeat 2 (sport) counter.

controtendènza f. – **in c.**, (Borsa) against the run of the market; (fig.) against the current trend, not trendy, untrendy, offbeat; (Borsa) **operare in c.**, to go against the run of the market; **essere in c.**, (Borsa) to buck the trend; to be a contrarian; (fig.) to oppose the current trend; to be offbeat; **gusti in c.**, offbeat tastes.

controtenóre m. (mus.) countertenor.

controterrorìsmo m. counter-terrorism.

controtèsta f. (di tornio) tailstock.

controtipo m. (fotogr., cinem.) duplicate.

controtrànsfert m. inv. (psic.) counter-transference.

controvalóre m. 1 equivalent (value) 2 (econ.) exchange value.

controvapóre m. (mecc.) reverse steam: **dare il c.**, to reverse steam.

controvelaccìno m. (naut.) fore royal.

controvelàccio m. (naut.) main royal.

controventaménto f. (edil.) bracing.

controventàre v. t. (edil.) to brace.

controvènto A avv. 1 (con verbi di moto) into (o against) the wind; (aeron.) with a headwind; (naut.) to windward, into the wind: **navigare c.**, to sail into the wind; Ho fatto tutto il tragitto c., I had the wind against me all the way 2 (rif. a cosa o persona ferma) facing the wind B m. 1 (edil.) brace 2 (naut.) preventer stay.

controvèrsia f. 1 controversy; dispute; argument; debate: **comporre una c.**, to settle a dispute; **suscitare controversie**, to give rise to controversy 2 (leg.) litigation; dispute: **c. di lavoro**, trade dispute; **c. internazionale**, international dispute; **c. salariale**, wage dispute; **c. sindacale**, labour dispute.

controversìsta m. (teol.) controversialist.

controvèrso a. much-discussed; controversial; disputed; (discutibile) debatable, contentious: **un libro molto c.**, a much-discussed book; **un punto c.**, a controversial point; **un'attribuzione controversa**, a debatable attribution.

controvèrtere v. i. (leg.) to argue.

controvertìbile a. controvertible; disputable; questionable.

controvértice m. (polit.) counter summit; alternative summit.

controviàle m. service road (GB); front-

age road (*USA*).

controvòglia avv. unwillingly; reluctantly.

contubernàle m. (*scherz.*) comrade; companion; contubernal.

contumàce (*leg.*) **A** a. contumacious **B** m. e f. defaulter: **essere c.**, to default.

contumàcia f. 1 (*leg.*) default; absence; contumacy; absentia (*lat.*): **condannare q. in c.**, to sentence sb. by default; **essere condannato in c.**, to be condemned in absentia; *Fu processato in c.*, he was tried in his absence; **sentenza in c.**, judgment by default; default judgment 2 (*med.*: *quarantena*) quarantine.

contumaciàle a. 1 (*leg.*) by default: **sentenza c.**, judgment by default; default judgment 2 (*med.*) quarantine (attr.).

contumèlia f. (*lett.*) insult; invective; abuse ▥: **coprire q. di contumelie**, to heap abuse on sb.

contundènte a. contusive; bruising; dangerous: **oggetto c.**, dangerous object.

contùndere v. t. to bruise; to contuse.

conturbaménto m. perturbation; agitation; excitement; confusion.

conturbànte a. 1 perturbing; upsetting; disturbing 2 (*eccitante*) provocative; exciting.

conturbàre **A** v. t. to perturb; to upset*; to disturb **B** **conturbàrsi** v. i. pron. to get* upset; to be disturbed; to be perturbed; (*commuoversi*) to be moved.

contusióne f. bruise; contusion.

contùso **A** a. bruised; contused **B** m. (f. *-a*) injured person.

contuttoché cong. although; though.

contuttociò cong. nevertheless; however; all the same; but.

conurbaménto m., **conurbazióne** f. conurbation.

convalescènte a., m. e f. (*med.*) convalescent.

convalescènza f. (*med.*) convalescence: **essere in c.**, to be convalescing; **licenza per c.**, convalescent leave.

convalescenziàrio m. (*med.*) convalescent home.

convàlida f. 1 (*conferma*) corroboration; confirmation 2 (*ratifica*) ratification; endorsement 3 (*leg.*) validation; confirmation.

convalidàre v. t. 1 (*confermare*) to bear* out; to confirm; to corroborate: *Questa notizia convalida la mia tesi*, this news bears out my point; **c. una testimonianza**, to corroborate (*o* to confirm) sb.'s evidence 2 (*rafforzare*) to strengthen: **c. un dubbio**, to strengthen a doubt 3 (*ratificare*) to confirm; to endorse; to ratify: **c. una nomina**, to confirm an appointment 4 (*leg.*) to validate; to confirm; to affirm; to sanction.

convalidazióne → **convalida**.

convallària f. (*bot.*, *Convallaria majalis*) lily of the valley.

convàlle f. 1 (*geogr.*) valley (leading into another valley) 2 (*poet.*) valley; vale (*poet.*).

convegnista m. e f. person attending a conference [a convention, a congress]; conventionee.

convegnìstica f. activity of organizing conferences, conventions or congresses.

convégno m. 1 meeting; (*congresso*) conference, convention, congress: **c. di studi medievali**, conference on medieval studies; **sala per convegni**, conference room 2 (*appuntamento*) meeting; rendezvous (*franc.*): **c. amoroso**, assignation; **darsi c.**, to arrange a meeting; to agree to meet 3 (*luogo di c.*) meeting place; rendezvous (*franc.*).

convenévole **A** a. (*lett.*) convenient;

suitable; proper **B** m. 1 what is suitable 2 (al pl.) (*cortesie*) courtesies, civilities; (*saluti*) greetings: **scambiarsi convenevoli**, to exchange civilities; *Lasciamo perdere i convenevoli*, let's not stand on ceremony.

conveniènte a. 1 (*adatto*) suitable; fitting: **vestirsi in modo c. all'occasione**, to wear a dress suitable for the occasion 2 (*decoroso*) proper; decorous 3 (*di prezzo*) moderate, reasonable; (*di articolo*) cheap, good value (pred.), value for money (pred.): *Compralo, è c.*, buy it, it's good value 4 (*opportuno*) expedient ❶FALSI AMICI • conveniente *non si traduce con* convenient.

conveniènza f. 1 (*l'essere adatto*) suitability; fitness 2 (*l'essere decoroso*) propriety 3 (al pl.: *norme di comportamento*) proprieties; conventions: **convenienze sociali**, social conventions 4 (*opportunità*) expedience, expediency; (*vantaggio*) advantage, profit; (*interesse*) self-interest: **non trovarci la propria c.**, not to find it worthwhile 5 (*di prezzo*) moderateness; (*di articolo*) cheapness: *C'è c. a comprare la frutta al mercato*, it's cheaper to buy fruit at the market ● **matrimonio di c.**, marriage of convenience ▢ **visita di c.**, courtesy call ❶FALSI AMICI • convenienza *non si traduce con* convenience.

♦**convenìre** **A** v. i. 1 (*riunirsi*) to gather; to assemble; to meet*: *Siamo qui convenuti per...*, we are (*o* have gathered) here to... 2 (*concordare*) to agree: **c. su un prezzo**, to agree upon a price; *Convennero di ritrovarsi sei mesi dopo*, they agreed to meet again in six months' time; **in data da c.**, on a date to be agreed 3 (*riconoscere*) to recognize; (*ammettere*) to admit, to grant: *Convengo che questa volta hai ragione*, I admit (*o* grant) that you are right this time 4 (*essere appropriato*) to suit; to befit 5 (*valere la pena*) to be worth it, to be worthwhile; (*tornare utile*) to suit; (*essere vantaggioso*) to be profitable, to pay: *La riparazione non conviene*, it's not worthwhile repairing it; it's not worth repairing; *Le condizioni mi convengono*, the conditions suit me; *Non credo che convenga vendere adesso*, I don't think it's profitable to sell at the moment; *Mentire non conviene mai*, lying never pays; *Ti conviene tenertelo amico*, you'd better keep on good terms with him 6 (*essere economico*) to be cheaper: *Trovi che conviene fare la spesa al mercato?*, do you find it cheaper to shop at the market? **B** v. i. impers. (*essere doveroso*) should (difett., pers.); (*essere opportuno*) to be better, had better (difett., pers.): *Conviene avvertirlo*, we should warn him; he should be warned; *Conviene lasciarla fare*, it's better to (*o* we had better) leave her alone **C** v. t. 1 (*pattuire*) to agree upon; to settle on; to negotiate: *Abbiamo convenuto il prezzo*, we have agreed upon the price 2 (*leg.*) to summon: **c. q. in giudizio**, to summon sb. (to appear in court); to sue sb. **D** **convenìrsi** v. i. pron. to befit; to become*: **come si conviene a una signora**, as befits a lady; **maniere che non le si convengono**, manners that do not become her.

conventìcola f. 1 (*lett.*) secret meeting 2 (*gruppo ristretto*) circle; (*spreg.*) bunch, clique, cabal.

convention f. inv. (*ingl.*, *spec. polit. e market.*) convention: **la c. democratica**, the Democratic Convention.

♦**convènto** m. (*di frati*) monastery; (*di suore*) convent, nunnery: **entrare in c.**, to enter a convent [a monastery], to become a nun [a monk] ● (*scherz.*) **contentarsi di quello che passa il c.**, to make the best of things ▢ (*scherz.*) **mangiare quello che passa il c.**, to take pot luck.

conventuàle a. 1 (*eccles.*) conventual; convent (attr.); monastic: *Frati Minori Conventuali*, Friars Minor Conventual 2 (*fig.*

austero) austere; stark.

convenùto **A** a. agreed; agreed upon (pred.): **il prezzo c.**, the agreed price; the price agreed upon; **come c.**, as agreed; **al segnale c.**, at the agreed signal **B** m. 1 (*cosa convenuta*) – **due ore prima del c.**, two hours before the appointed time; **pagare meno del c.**, to pay less than the agreed sum 2 (f. *-a*) (*leg.*) defendant; (*in una causa di divorzio*) co-respondent 3 (al pl.) (*i presenti*) those present; the people (*o* persons) present; the participants.

convenzionàle **A** a. 1 (*stabilito*, *concordato*) agreed; prearranged; set: **segno c.**, prearranged sign 2 (*conforme a un uso stabilito*) conventional: **linguaggio c.**, conventional language 3 (*non originale*) conventional; commonplace; (*banale*) banal, stock, hackneyed: **espressioni convenzionali**, stock (*o* hackneyed) phrases; **persona c.**, conventional person 4 (*mil.*) conventional **B** m. (*stor.*) Conventionalist.

convenzionalìsmo m. conventionalism.

convenzionalìsta m. e f. conventionalist.

convenzionalità f. conventionality.

convenzionalménte avv. conventionally; by convention.

convenzionàre **A** v. t. to agree upon; to settle on; to arrange **B** **convenzionàrsi** v. rifl. to come* to an agreement: *Ci siamo convenzionati con alcuni fornitori*, we have an agreement with a number of suppliers.

convenzionàto a. (*che ha una convenzione*) that has an agreement (with); (*di ospedale, medico, ecc.*) operating within the national health service.

convenzióne f. 1 (*leg.*) agreement; convention; (*clausola*) provision: **la c. di Ginevra**, the Geneva Convention; **c. internazionale**, international convention 2 (*intesa generale*) convention: *Per c. il rosso significa alt*, red means halt by convention 3 (*polit.*) convention; (*stor.*) **la C. nazionale**, the National Convention 4 (al pl.) (*consuetudine*) convention ▥: **sfidare le convenzioni**, to defy (*o* flout) convention; *Vuole rispettare le convenzioni e sposarsi in chiesa*, he wants to observe convention and get married in church; **essere schiavo delle convenzioni**, to be a slave to convention.

convergènte a. 1 converging; convergent: **interessi convergenti**, convergent interests; **lente c.**, converging lens 2 (*mat., biol.*) convergent.

convergènza f. 1 (*scient.*) convergence 2 (*autom.*) toe-in 3 (*fig.*) concurrence; confluence; meeting: **una c. d'interessi**, a concurrence (*o* meeting) of interests.

convèrgere **A** v. i. 1 to converge; to meet*; (*essere rivolto*) to be directed, to be focused: *I due sentieri convergevano vicino a una sorgente*, the two paths met near a spring; *I nostri interessi convergono*, our interests meet; *Tutti gli sguardi convergevano su di lui*, all eyes were focused on him 2 (*mat.*) to converge **B** v. t. to converge.

convèrsa ① f. (*eccles.*) lay sister.

convèrsa ② f. (*edil.*) valley.

conversàre v. i. to talk; to converse (*form.*).

conversatóre m. (f. *-trìce*) talker; conversationalist.

conversazionàle a. conversational; conversation (attr.).

♦**conversazióne** f. 1 (*dialogo*, *chiacchierata*) conversation; talk: *La c. languiva*, the conversation was languishing; **fare c.**, to make conversation; **fare una lunga c. telefonica**, to have a long telephone conversation; **partecipare alla c.**, to take part in the

conversation; **persona di piacevole c.**, pleasant conversationalist **2** (*telef.*) (telephone) call: **c. ordinaria [urgente]**, ordinary [urgent] call **3** (*breve discorso*) talk: **una serie di conversazioni alla radio**, a series of talks on the radio ● **tenere c.**, to hold a salon.

conversévole a. **1** (*di persona*) that enjoys conversation; sociable **2** (*di stile, modi, ecc.*) conversational.

conversióne f. **1** (*trasformazione*) conversion (*anche scient., fin.*); change; turning: **c. del debito pubblico**, debt conversion; **la c. di un castello in un albergo**, the turning (*o* the conversion) of a castle into a hotel; **c. di un decreto in legge**, passing of a bill; (*radio*) **c. di frequenza**, frequency conversion; **c. di kilometri in miglia**, conversion of kilometres into miles; **c. di obbligazioni in azioni**, conversion of bonds into shares; (*astron.*) **angolo di c.**, conversion angle; (*fis.*) **coefficiente di c.**, conversion ratio **2** (*passaggio, cambiamento radicale*) conversion (*anche relig., ecc.*); changeover; switch: **c. al cristianesimo**, conversion to Christianity; **c. all'economia di mercato**, changeover to a market economy; **c. all'euro**, changeover to euros; **c. dal carbone al gasolio**, switch from coal to oil **3** (*mil.*) wheeling; wheel: *C. a destra [a sinistra]!*, right (left) wheel! **4** (*autom., anche* **c. a U**) U-turn: **fare una c.**, to do a U-turn; **divieto di c.**, no U-turn.

convèrso ① m. (*eccles.*) lay brother*.

convèrso ② m. **– per c.**, conversely; viceversa.

convertìbile Ⓐ a. convertible: **obbligazione c.**, convertible bond; **valuta c.**, convertible currency Ⓑ f. (*autom.*) convertible (car).

convertibilità f. convertibility: **c. valutaria**, currency convertibility.

convertiplàno m. (*aeron.*) convertiplane.

convertìre Ⓐ v. t. **1** (*trasformare*) to convert (*anche scient., fin.*); to change; to turn: **c. kili in libbre**, to convert kilos into pounds; **c. il vapore in energia**, to convert steam into energy; **c. una villa in un albergo**, to turn (*o* to convert) a villa into a hotel; **c. titoli di stato**, to convert bonds; **c. in denaro**, to convert into cash; to cash; **c. in legge un decreto**, to pass a bill **2** (*relig., ecc.*) to convert: **c. q. al cristianesimo**, to convert sb. to Christianity Ⓑ **convertìrsi** v. rifl. (*relig., ecc.*) to be converted: **convertirsi al buddismo**, to be converted to Buddhism; to become a Buddhist Ⓒ **convertìrsi** v. i. pron. (*trasformarsi*) to change (to, into); to turn (into): *La timidezza del ragazzo si convertì in cordialità*, the boy's shyness changed to cordiality.

convertìto m. (f. **-a**) convert.

convertitóre m. **1** (f. **-trice**) (*chi converte*) converter **2** (*elettr., comput., mecc.*) converter, convertor: (*comput.*) **c. analogico-digitale**, analog-to-digital converter; **c. Bessemer**, Bessemer converter; **c. di fase**, phase converter; (*comput.*) **c. di codice**, transcoder; (*autom.*) **c. di coppia**, torque converter.

convertitrìce f. (*elettr.*) rotary converter; dynamotor.

convessità f. convexity.

convèsso a. convex: **lente convessa**, convex lens; **c.-concavo**, convexo-concave.

convettìvo a. (*fis.*) convective; convectional; convection (attr.): **corrente convettiva**, convection current; (*meteor.*) **nube convettiva**, convective cloud.

convettóre m. convector.

convezióne f. (*fis.*) convection.

convincènte a. **1** convincing; persuasive: **spiegazione c.**, convincing explanation; **poco c.**, not very convincing; unconvincing; **essere c.**, to be convincing; to carry conviction **2** (*soddisfacente*) satisfactory.

♦**convìncere** Ⓐ v. t. to convince (of st., that...); to persuade (to do st.); (*con la discussione*) to argue (sb. into st.): *Lo convincerò della mia buonafede*, I'll convince him of my good faith; *Mi convinse che era meglio aspettare*, she convinced me that I had better wait; she persuaded me to wait; **un'offerta che non mi convince**, an offer that does not convince me; *Il suo film non mi ha convinto*, I wasn't really taken by (o I didn't really take to) his film; **c. q. con blandizie a fare qc.**, to cajole (*o* to wheedle) sb. into doing st. Ⓑ **convìncersi** v. rifl. to convince oneself; (*lasciarsi convincere*) to become* convinced.

convincìbile a. convincible.

convincimènto m. (*opinione, convinzione*) conviction; persuasion; belief: *È mio c. che...*, it is my belief that...; **formarsi il c. che...**, to convince oneself that...

♦**convìnto** a. **1** convinced; persuaded; (*sicuro*) sure: *Sono c. della mia scelta*, I'm convinced of my choice; *Non ne sono molto c.*, I'm not so convinced; I'm not so sure; **più che c.**, absolutely sure; positive **2** (*saldo nelle proprie idee*) fervent; keen; out-and-out: **un repubblicano c.**, a fervent (o out-and-out) republican; **un vegetariano c.**, a keen vegetarian.

convinzióne f. **1** conviction; (firm) belief: *È mia c. che...*, I am convinced that...; **senza c.**, without conviction; **fare opera di c. su q.**, to try to persuade sb. **2** (*al pl.*) (*opinioni*) convictions; beliefs; opinions: **convinzioni politiche**, political convictions.

convitàre v. t. (*lett.*) to invite (sb.) to dinner.

convitàto m. (f. **-a**) dinner guest.

convìto m. (*lett.*) banquet; feast.

convìtto m. **1** boarding school: **c. maschile [femminile]**, boys' [girls'] boarding school **2** (*insieme dei convittori*) boarders (pl.).

convittóre m. (f. **-trice**) boarder.

convivènte Ⓐ a. living together; live-in (attr.); cohabiting (*bur.*) Ⓑ m. e f. live-in lover; (*life*) partner; cohabitant (*bur.*).

convivènza f. **1** living together; communal life; life in common; (*di coppia*) living together, cohabitation (*bur.*): **c. familiare**, family life; life in the family; *La c. con lui non è facile*, living with him isn't easy; *Si sono lasciati dopo tre anni di c.*, they split up after living together for three years; **rapporti di c.**, life in common **2** (*fig.*) coexistence.

convìvere v. i. **1** to live together; (*di coppia, anche*) to cohabit (*bur.*): *I due convivevano da anni*, the two had been living together for years; **c. coi genitori**, to live with one's parents **2** (*fig.*) to coexist; to be.

conviviàle a. convivial.

convivialità f. conviviality.

convìvio m. (*lett.*) banquet; feast.

convocàre v. t. **1** (*riunire*) to call together; to assemble; to gather; (*un'assemblea e sim.*) to convene, to convoke: **c. gli azionisti**, to convene a meeting of the shareholders; **c. il Consiglio dei ministri**, to convoke the Council of Ministers; *Il preside ci convocò in aula magna*, the headmaster called us together in the main hall; *Il consiglio sarà convocato il 7*, the board will meet on the 7th. **2** (*mandare a chiamare*) to send* for; to call; to summon (*form. o leg.*): **c. un esperto**, to send for an expert; *Fui convocato dal direttore*, I was called to the director's office; *Mi convocarono d'urgenza*, I was summoned urgently **3** (*sport*) to call up.

convocàto m. (f. **-a**) **1** person convened **2** (*sport*) called-up member of a national team.

convocatóre m. (f. **-trice**) summoner; convener.

convocazióne f. **1** convocation; summons: **la c. di un'assemblea**, the convocation of a meeting **2** (*riunione*) meeting: *L'assemblea si terrà in prima c. il...*, the first meeting will be on the... **3** (*sport*) call-up.

convogliàre v. t. **1** (*dirigere*) to direct; to route: **c. i profughi verso i centri di raccolta**, to direct refugees towards refugee camps; **c. il traffico sulla circonvallazione**, to re-route traffic onto the ringroad **2** (*fig.*) to channel; to focus: **c. aiuti e viveri**, to channel aid and supplies; **c. i propri sforzi su qc.**, to focus one's efforts on st. **3** (*trasportare*) to carry; to convey; (*con tubazioni*) to pipe: *Il fiume convoglia grandi quantità di sabbia*, the river conveys large quantities of sand; *Il petrolio è convogliato attraverso il deserto*, the petrol is piped across the desert.

convogliatóre m. (*ind.*) conveyor.

convòglio m. **1** (*mil.*) convoy; (*di automezzi, anche*) column: **viaggiare [navigare] in c.**, to travel [to sail] in convoy **2** (*anche c. ferroviario*) train **3** (*corteo*) procession: **c. funebre**, funeral procession.

convolàre v. i. – (*scherz.*) **c. a (giuste) nozze**, to get married.

convolùto a. (*bot.*) convolute.

convòlvolo m. (*bot., Convolvulus*) convolvulus*; bindweed.

convulsionàrio a. (*med.*) convulsionary.

convulsióne f. **1** (*med.*) convulsion; seizure; (*com.*) fit: **c. epilettica**, epileptic fit **2** (*fig.*) fit; convulsion; paroxysm: **c. di riso**, fit (o paroxysm) of laughter; convulsive laughter **3** (*fig.: cataclisma*) upheaval; convulsion.

convulsivaménte avv. convulsively; frantically.

convulsivànte a. e m. (*farm.*) convulsant.

convulsìvo a. convulsive.

convùlso Ⓐ a. **1** convulsive; spasmodic: **pianto c.**, convulsive (o spasmodic) weeping; sobbing; **tosse convulsa**, whooping cough **2** (*fig.: scomposto*) violent, convulsive; (*spasmodico*) spasmodic, jerky, fitful, erratic; (*frenetico*) hectic, frenzied, frantic; (*febbrile*) feverish: **attività convulsa**, feverish activity; **danza convulsa**, frenzied dance; **movimenti convulsi**, jerky movements; **lavorare a ritmo c.**, to work at a hectic pace Ⓑ m. **1** (*pop.: convulsione*) fit **2** (*accesso*) fit; paroxysm: **un c. di pianto**, a fit of tears; **un c. di riso**, a fit of laughter; convulsions (pl.).

coobàre v. t. (*chim.*) to cohobate.

coobazióne f. (*chim.*) cohobation.

coobbligàto a. (*leg.*) jointly liable.

coobbligazióne f. (*leg.*) joint obligation.

cooccupànte m. e f. (*leg.*) joint occupier.

cool a. inv. (*ingl.*) **1** (*freddo, distaccato*) cool; aloof **2** (*alla moda*) cool; trendy.

coonestàre v. t. (*lett.*) to justify; to excuse.

còop → **cooperativa**.

coop. abbr. (**cooperazione**) co-operation.

cooperànte Ⓐ a. cooperating; collaborating Ⓑ m. e f. aid-worker.

cooperàre v. i. to cooperate; to collaborate; (*contribuire*) to contribute: **c. alla buona riuscita di un progetto**, to cooperate in bringing a plan into effect; *Cooperò con me alla stesura dell'articolo*, she collaborated with me in writing the piece; *Il tempo cooperò al successo della spedizione*, the weather contributed to the success of the expedition.

cooperativa f. (*econ.*) cooperative; co-op (*fam.*): **c. agricola**, farmers' cooperative; **c. di consumo**, consumers' cooperative; (*banca*) **c. di credito**, cooperative bank; **c. edilizia**, housing association.

cooperativismo m. cooperative movement.

cooperativistico a. cooperative.

cooperativo a. cooperative.

cooperatóre m. (f. **-trìce**) cooperator; collaborator.

cooperazióne f. **1** cooperation; collaboration **2** (*econ.*) cooperation.

cooptàre v. t. to co-opt.

cooptazióne f. (*leg.*) co-optation; co-option.

coordinàbile a. (*di abito*) that can be matched; mix-and-match (attr., *fam.*).

coordinaménto m. coordination.

coordinànte m. (*fis.*) coordination complex.

coordinàre v. t. **1** to coordinate; (*organizzare*) to organize, to orchestrate **2** (*mettere in relazione*) to connect; to associate; (*adeguare, mettere in sintonia*) to tune **3** (*abbigliamento*) to match; to coordinate **4** (*gramm., scient.*) to coordinate.

coordinàta f. (*mat., gramm., geogr.*) coordinate: **coordinate geografiche**, terrestrial coordinates; **coordinate cartesiane**, Cartesian coordinates.

coordinativo a. coordinative; coordinating; (*gramm.*) **congiunzione coordinativa**, coordinating conjunction.

coordinàto A a. coordinate (*anche gramm., chim.*); coordinated; connected: (*gramm.*) **proposizioni coordinate**, coordinate clauses B m. matching set; (*di abbigliamento*) outfit, coordinates (pl.); (*di biancheria intima*) matching underwear: **c. per il bagno**, matching set for the bathroom; **c. per il tennis**, tennis outfit.

coordinatóre A m. (f. **-trìce**) coordinator B a. coordinating.

coordinazióne f. (*anche gramm., chim.*) coordination.

coòrte f. **1** (*stor. romana*) cohort **2** (*schiera*) band; troop.

copàive f. (*bot., Copaifera*) copaiba, copaiva: **balsamo di c.**, copaiba balsam (*o* resin).

copàle m. e f. **1** (*resina*) copal **2** (*pelle verniciata*) patent leather: **scarpe di c.**, patent-leather shoes.

copèco m. (*moneta*) kopeck, copeck.

Copenàghen f. (*geogr.*) Copenhagen.

♦**copèrchio** m. cover; lid; (*di pentola, scatola, cassa*) lid; (*di barattolo, bottiglia*) top, cap; (*mecc.*) cap: **c. a vite**, screw top; screw cap.

copernicàno a. Copernican.

Copèrnico m. (*stor.*) Copernicus.

♦**copèrta** f. **1** (*da letto*) blanket; (*imbottita*) quilt, comforter (*USA*); (*copriletto*) bedspread, counterpane: **c. da viaggio**, (*travelling*) rug; **c. elettrica**, electric blanket; **ficcarsi sotto le coperte**, to snuggle down under the blankets; (*fig.*) to go to bed **2** (*fodera*) cover **3** (*naut.*) main deck; upper deck; deck: **sotto c.**, below deck; *Tutti in c.!*, all hands on deck!; **marinaio di c.**, deckhand.

copertaménte avv. **1** (*di nascosto*) secretly; stealthily **2** (*velatamente*) covertly.

copertina A f. (*di libro, rivista*) cover; (*sopraccoperta*) dust jacket, dust wrapper; (*di disco*) sleeve, jacket (*USA*): **c. rigida**, stiff cover; **prezzo di c.**, cover price; **seconda di c.**, inside cover; **terza di c.**, inside back cover; **quarta di c.**, back cover B a. inv. – **ragazza c.**, cover girl.

♦**copèrto** ① A a. **1** covered: **c. di polvere**, covered in (*o* with) dust; **c. di sudore**, covered with sweat; **c. di vegetazione**, covered

with vegetation **2** (*riparato*) covered; sheltered; (*nascosto*) hidden, masked; (*al chiuso*) indoor: (*mil.*) **batteria coperta**, masked battery; (*mil.*) **cammino c.**, path sheltered from enemy fire; **ponte c.**, covered bridge; **piscina coperta**, indoor (*o* covered) swimming pool **3** (*vestito*) clothed: **essere ben c.**, to wear warm clothes; to be wrapped up; **troppo c.**, too heavily clothed **4** (*del sole*) covered, hidden; (*del cielo*) overcast, cloudy **5** (*fig.: velato*) veiled; (*nascosto*) hidden, concealed, covert; (*soffocato*) smothered; (*segreto*) secret: **coperte minacce**, veiled threats; *La voce del cantante era coperta dall'orchestra*, the singer's voice was smothered by the orchestra **6** (*econ., ass.*) covered: **assegno c.**, covered cheque; **rischio c.**, covered risk B m. (*luogo protetto, riparato*) cover; shelter: **al c.**, under cover; under shelter; (*dal vento*) out of the wind; (*dalla pioggia*) out of the rain; (*fig.*) safe, secure; **mettersi al c.**, to take cover; (*dalla pioggia*) to get out of the rain.

♦**copèrto** ② m. **1** place (at table); place setting; cover: **aggiungere un c.**, to add another place; **una tavola con dieci coperti**, a table set for ten **2** (*prezzo del c.*) cover charge.

copertóne m. **1** (*incerata*) tarpaulin **2** (*pneumatico*) tyre, tire (*USA*).

copertùra f. **1** (*il coprire*) covering **2** (*cosa che copre*) cover; covering; (*tecn.: rivestimento*) covering, sheeting; (*edil.*) roofing, ceiling: **c. con lamiere di ferro**, iron sheeting; **c. con tegole**, tile covering; **c. di un tetto**, roof covering; roofing; **c. in cemento armato**, reinforced concrete ceiling; **materiali da c.**, roofing **3** (*econ., ass., banca*) cover; covering; coverage; backing: **c. assicurativa**, insurance cover; **c. aurea**, gold coverage; **c. contro il furto**, cover against theft; **c. delle spese**, covering of expenses; **c. finanziaria**, financial backing; **rapporto di c.**, coverage ratio **4** (*fig.: mascheramento*) cover; (*facciata*) front: *Vende libri usati come c.*, he sells second-hand books as a cover; *Il negozio è solo una c.*, the shop is just a front **5** (*mil.*) cover: **fuoco di c.**, covering fire; **unità di c.**, covering troops (pl.) **6** (*sport*) defence: **fare un gioco di c.**, to play a defensive game **7** (*giorn.*) coverage.

♦**còpia** ① f. (*lett.: abbondanza*) abundance; plenty; profusion.

♦**còpia** ② f. **1** (*trascrizione*) copy; transcript; (*stesura, anche*) draft: **bella c.**, fair copy; **scrivere in bella c.**, to make a fair copy of; **brutta c.**, rough copy; draft **2** (*riproduzione*) copy; reproduction; replica; (*duplicato*) copy, duplicate: **c. carbone**, carbon copy; (*leg.*) **c. conforme**, conformed (*o* certified) copy; (*comput.*) **c. di sicurezza**, backup copy; **c. fedele**, accurate copy; **c. fotostatica**, photostatic copy; photostat; **c. notarile**, counterpart; **fare dieci copie di una lettera**, to make (*o* to run off) ten copies of a letter; **in duplice c.**, in duplicate; **in triplice c.**, in triplicate **3** (*imitazione*) copy; imitation: **brutta c.**, poor imitation **4** (*sosia*) double; ringer; (*di parente*) spitting image **5** (*esemplare di opera stampata*) copy; (*di periodico, anche*) number: **c. arretrata**, back copy; back number; **c. di saggio** sample copy; **c. omaggio**, complimentary copy **6** (*fotogr., cinem.*) print.

copiacommissióne m. inv. (*comm.*) order book.

copiafattùre m. inv. invoice book; invoice ledger.

copialèttere m. inv. **1** (*registro*) letter book **2** (*macchina*) copying press; letterpress.

♦**copiàre** v. t. **1** (*fare una copia*) to copy; (*ricopiare*) to copy out; (*trascrivere*) to transcribe; (*riprodurre*) to duplicate: **c. a macchina**, to type out; **c. dal vero**, to copy from life;

c. qc. in bella, to make a fair copy of st.; to write st. out; **c. una cassetta**, to duplicate a cassette; **c. una lettera**, to copy out a letter; **c. un quadro**, to copy a painting **2** (*plagiare*) to copy, to lift; (*a scuola, anche*) to crib; (*fare copie abusive*) to pirate: **c. da un compagno**, to copy a classmate's work; to crib off a classmate; *Ha copiato un intero capitolo dal mio libro*, he has lifted a whole chapter from my book **3** (*imitare*) to copy; to imitate; to copycat (*fam.*); (*nei gesti*) to mimic; (*scimmiottare*) to ape.

copiativo a. copying; indelible: **carta copiativa**, carbon paper; **matita copiativa**, indelible pencil.

copiatóre m. (f. **-trìce**) **1** (*imitatore*) imitator; copycat (*fam.*) **2** → **copista**.

copiatrice f. (*macchina*) copying machine; copier.

copiatùra f. **1** (*il copiare*) copying; duplicating; transcribing; transcription: **errore di c.**, error of transcription **2** (*plagio*) plagiarism; (*a scuola*) crib, cribbing ◻: *Questo tema è una c.*, this essay has been cribbed (*o* copied from somewhere) **3** (*imitazione*) copying ◻; imitation; copycatting ◻ (*fam.*).

copìglia f. (*mecc.*) cotter; cotter pin; split pin: **c. di sicurezza**, safety pin.

copilòta m. e f. (*aeron.*) co-pilot.

copióne ① m. **1** (*teatr.*) script; (*del suggeritore*) promptbook **2** (*cinem., radio*) script ● (*fig.*) **come da c.**, as expected.

copióne ② m. (f. **-a**) (*fam.*) copycat.

copiosaménte avv. abundantly; profusely; in profusion.

copiosità f. (*lett.*) copiousness; plenty; abundance.

copióso a. (*lett.*) copious; plentiful; abundant.

copìsta m. e f. **1** copyist; copier **2** (*dattilografo*) typist.

copisterìa f. **1** (*dattilografica*) typing office (*o* agency) **2** (*centro fotocopie*) photocopy shop.

copolimerizzazióne f. (*chim.*) copolymerization.

copolìmero m. (*chim.*) copolymer: **c. a innesto**, graft copolymer.

♦**còppa** ① f. **1** (*per bere*) (drinking) cup; (*arte o lett.*) goblet; (*tipo di bicchiere*) (drinking) glass: **c. d'argento**, silver cup; **c. per champagne**, champagne glass **2** (*per frutta, ecc.*) bowl; (*di cartone, per gelato*) tub: **una c. di macedonia**, a bowl of fruit salad; **c. lavadita**, finger bowl **3** (*contenuto di una c.*) cupful; bowlful; cup; bowl **4** (*sport*) cup: *C. Davis*, Davis Cup; *C. del mondo*, World Cup; *C. delle coppe*, Cup Winners' Cup; **finale di c.**, Cup Final **5** (*di bilancia*) scale; dish of balance **6** (*di reggiseno*) (bra) cup **7** (al pl.) (*nelle carte da gioco*) cups **8** (*mecc.*) – (*autom.*) **c. dell'olio**, sump (*GB*); oil pan (*USA*); (*autom.*) **c. della ruota**, hub cap.

còppa ② f. **1** (*lett.: nuca*) nape (of the neck) **2** (*alim.*) pork neck salami.

coppàle → **copale**.

coppèlla f. **1** (*crogiolo*) cupel; test: **oro di c.**, finest gold **2** (*bot.*) thalamus.

coppellàre v. t. (*metall.*) to cupel; to assay; to refine.

coppellazióne f. (*metall.*) cupellation; assaying: **sottoporre a c.**, to cupel; to assay; to refine.

coppètta f. **1** (*piccola coppa*) (small) bowl: **c. per macedonia**, fruit salad bowl **2** (*med.*) cupping glass: **applicazione di coppette**, cupping **3** (al pl.) (*calzature*) pasties ● **coppette reggiseno adesive**, stick-on bra (sing.).

♦**còppia** f. **1** pair; twosome; couple; (*maschio e femmina di animali*) couple; (*di animali aggiogati*) yoke; (*di selvaggina*) brace*: **una c.**

di ballerini, a pair of dancers; **una c. di buoi**, a yoke of oxen; **una c. di cavalli**, a pair of horses; **una c. di uova**, two eggs; a couple of eggs; **tre coppie di quaglie**, three brace of quails; **a coppie**, in pairs; two by two; in twos; **in c.**, in pairs; paired (agg.); **in c. con**, paired off (o up) with; in tandem with; **disporre a coppie**, to pair off; to form into pairs; **disporsi a coppie**, to form pairs; to pair off; **fare c. con**, to be paired up with; to form a tandem with; *Formiamo le coppie!*, let's pair off!; (*sport*) **giocare in c.**, to partner up (with sb.); to play in pairs; **pattinaggio artistico a coppie**, pairs figure skating **2** (*di persone unite da legame affettivo*) couple; (*marito e moglie*) husband and wife; (*sposini*) newlyweds, bride and bridegroom: **c. di fatto**, de facto couple; **c. sposata**, married couple; **la giovane c.**, the young married couple; *Sono una bella c.*, they make a lovely couple; *La coppia partì per la luna di miele*, the newlyweds left for their honeymoon; **fare c. fissa**, to go steady (with sb.); to be an item (*fam.*); **vita di c.**, life as a couple **3** (*fis.*) couple; torque: **c. antagonista**, restoring torque; **c. di lavoro**, working torque **4** (*mat.*) dyad **5** (*carte da gioco*) pair: **una coppia di re**, a pair of kings; (*poker*) **doppia c. all'asso**, two pairs and an ace.

coppière m. (f. **-a**) (*lett.*) cupbearer.

coppiétta f. couple; (pair of) lovers.

coppiglia → copiglia.

coppiòla f. double shot.

còppo m. **1** (*orcio*) oil jar **2** (*tegola*) pantile **3** (*di elmo*) skull.

còppola f. flat cap; cloth cap.

còpra f. (*ind.*) copra.

coprènte A a. covering; coating; (*di calze*) opaque B m. foundation cream.

copresidènte m. e f. co-president; co--chairman*; co-chairperson.

copresidènza f. co-presidentship; co--chairmanship.

copribùsto m. inv. camisole.

copricalorifero m. inv. radiator cover.

copricànna m. inv. handguard.

copricàpo m. headdress; headgear Ⓤ; (*cappello*) hat: **un c. di piume**, a feather headdress.

copricaténa m. inv. (*mecc.*) chain guard.

copricérchio m. (*autom.*) wheel cover.

copricostùme m. inv. beach robe.

copridivàno m. sofa cover.

coprifàsce m. inv. baby's smock.

coprifiàmma m. inv. flash hider.

coprifilo m. (*edil.*) staff bead.

coprifuòco m. curfew: **imporre il c.**, to impose a curfew; **suonare il c.**, to sound the curfew.

coprigiùnto m. inv. (*mecc.*) butt strap; (*ferr.*) fishplate; (*edil.*) staff bead.

coprilètto m. inv. bedspread; bedcover; counterpane; coverlet.

coprimateràsso m. mattress cover.

coprimorsétto m. (*fis.*) terminal cover.

coprimòzzo m. (*autom.*) hubcap.

copripiàtti m. inv. dish cover.

copripièdi m. inv. foot coverlet.

copripìsside m. (*eccles.*) ciborium veil.

copripiumìno m. duvet cover; quilt cover.

copripiumóne® m. inv. eiderdown cover; duvet cover; quilt cover.

copripudènde m. inv. loincloth.

♦**coprìre** A v. t. **1** (*completamente*) to cover up: **c. il pavimento con un tappeto**, to cover the floor with a carpet; **coprirsi la testa [le orecchie]**, to cover one's head [one's ears]; **c. una pentola**, to put the lid on a pot; **c. un tetto con tegole**, to tile a

roof; *La neve copriva ogni cosa*, the snow covered everything **2** (*avvolgere*) to wrap up: *Coprì il bambino con la sua giacca*, she wrapped the baby up in her jacket **3** (*celare*) to cover up; to conceal; to hide*; to mask: **c. il proprio imbarazzo**, to cover up one's embarrassment; **c. le proprie intenzioni**, to conceal one's intentions; *Rovesciò il vino per c. le macchie di sangue*, he upset the wine to cover up the bloodstains **4** (*proteggere*) to cover; (*per evitare una punizione*) to cover up for; (*fare scudo*) to shield: (*mil.*) **c. uno sbarco [una ritirata]**, to cover a landing [a retreat]; **c. le spalle a q.**, to cover sb.; *Coprimi!*, keep me covered!; *Lo coprì col suo corpo*, he shielded him with his own body; *Si è assentato e il compagno l'ha coperto*, he left his post and his partner covered up for him **5** (*un suono*) to cover; to drown (out) *Un tuono coprì le mie parole*, a clap of thunder drowned my words **6** (*soddisfare*) to meet*; to cover: **c. le spese**, to cover the expenses **7** (*occupare*) to hold*; to fill: **c. un posto (o un impiego)**, to hold a position; *Fu chiamato a c. un'alta carica*, he was called to fill a high office **8** (*uno spazio, una distanza, un periodo*) to cover: **c. una distanza [trenta miglia]**, to cover a distance [thirty miles]; *Il libro copre il periodo dal 1814 al 1870*, the book covers the period from 1814 to 1879 **9** (*ass.*) to cover: **c. contro ogni rischio [contro l'incendio]**, to cover against all risks [against fire] **10** (*fig.: colmare, riempire*) to cover; to shower: **c. q. di regali [di onori]**, to shower sb. with presents [with honours]; **c. q. di baci**, to smother sb. with kisses: **c. q. d'ingiurie (o d'insulti)**, to shower sb. with abuse; to rain abuse on sb.; *Siamo coperti per il turno di domani?*, are we covered for tomorrow's shift? **11** (*di animale: montare*) to cover: **c. una cavalla**, to cover a mare B **coprìrsi** v. rifl. **1** to cover oneself; to cover up; to wrap up: *Mi coprii alla meglio e uscii in giardino*, I covered myself as best I could and went out into the garden; *Fa freddo, copriti bene*, it's very cold, wrap up well; **non avere di che coprirsi**, to have no clothes **2** (*fig.*) to cover oneself: **coprirsi di gloria [di ridicolo]**, to cover oneself with glory [with ridicule] **3** (*la testa*) to put* on one's hat [one's cap] **4** (*ass.*) to cover oneself; to insure oneself **5** (*scherma*) to be on (one's) guard C **coprìrsi** v. i. pron. **1** (*ricoprirsi*) to become* covered; to be covered: *La sua pelle si coprì di bolle*, his skin became covered with boils; **coprirsi di eczema**, to erupt in eczema **2** (*del cielo*) to become* overcast; to cloud over.

copriréte m. inv. sprung bed cover.

copririsvòlto m. lapel.

copriruòta m. inv. **1** (*copricerchio*) wheel cover **2** (*coprimozzo*) hub cap.

coprisedìle m. (*autom.*) seat cover.

coprisèlla m. saddle cover.

coprisèsso m. minislip.

copritastièra m. keyboard cover.

copritàvolo m. inv. table cover; table carpet.

copriteièra m. tea cosy.

copritermosifóne m. radiator cover.

copritóre a. covering.

copritrìce f. (*zool.*, anche agg.: **penna c.**) covert; tectrix*.

coprivivànde → copripiatti.

coprocessóre m. (*comput.*) co-processor.

coproduttóre m. (f. **-trìce**) (*cinem.*) co--producer.

coproduzióne f. (*cinem.*) co-production.

coprofagìa f. (*psic.*) coprophagy.

copròfago A a. **1** (*psic.*) coprophagous **2** (*zool.*) coprophagus; dung-eating B m. (f.

-a) (*psic.*) coprophagist.

coprofilìa f. (*psic.*) coprophilia.

coprolalìa f. (*psic.*) coprolalia.

coprolàlico (*psic.*) A a. coprolalic B m. (f. **-a**) person affected with coprolalia.

copròlito m. **1** (*geol.*) coprolite **2** (*med.*) coprolith.

coprologìa f. (*med.*) study of faeces.

coprostàsi f. (*med.*) faecal retention; costiveness.

coprotagonista m. e f. co-star.

còpto A a. Coptic B m. (f. **-a**) Copt C m. (*lingua*) Coptic.

còpula f. **1** (*gramm.*) copula*; (*congiunzione copulativa*) copulative (conjunction) **2** (*accoppiamento*) copulation; coitus; coition.

copulànte m. **1** (*chim.*) nucleophilic reagent **2** (*fotogr.*) - **c. cromogeno**, chromogen.

copulàre A v. t. **1** (*lett.*) to join together; to couple **2** (*chim.*) to couple B v. i., **copulàrsi** v. rifl. (*lett.*) to copulate; to mate.

copulativo a. (*gramm.*) copulative: **congiunzione copulativa**, copulative (conjunction).

copulatóre a. copulatory; copulating: **apparato c.**, sexual organs (pl.).

copulatòrio a. copulatory.

copulazióne f. **1** copulation **2** (*chim.*) colour coupling.

copy m. (*ingl., pubbl.*) **1** (*testo pubblicitario*) copy **2** → copywriter.

copywriter m. o f. (*ingl., pubbl.*) copywriter.

coque (*franc.*) f. – (*cucina*) à la (o alla) c., soft-boiled; **uovo alla c.**, soft-boiled egg.

coquette (*franc.*) f. inv. coquette; flirt.

♦**coràggio** m. **1** courage; bravery; (*valore*) valour, valor (USA), gallantry; (*morale*) heart, fortitude; (*ardimento*) boldness, spirit, pluck (*fam.*); (*audacia*) daring, fearlessness; (*fegato*) nerve (*fam.*), guts (pl.) (*fam.*): **il c. degli insorti**, the bravery of the rebels; *L'oratore elogiò il c. dei caduti*, the speaker praised the valour of the dead; **mostrare c. nell'avversità**, to show fortitude in adversity; **il c. della disperazione**, the courage of despair; **il c. delle proprie opinioni**, the courage of one's convictions; *Era un ragazzetto con molto c.*, he was a little boy with plenty of pluck; **con c.**, bravely; courageously; boldly; *Non ho avuto il c. di abbandonarlo*, I didn't have the heart to leave him; *Scommetto che non ne hai il c.*, I bet you haven't got the guts to do it; *Non ebbe il c. di lanciarsi*, she didn't have the nerve to jump; *Vieni giù, se hai il c.!*, come down, if you dare!; **dar prova di c.**, to show one's mettle; **infondere c. a q.**, to put (some) heart into sb.; *All'ultimo momento gli mancò il c.*, he chickened out (o he got cold feet) at the last moment (*fam.*); **mettere alla prova il c. di q.**, to test sb.'s mettle; **trovare il c. di fare qc.**, to pick up the courage to do st. **2** (*iron.: sfacciataggine*) impudence; gall; cheek (*fam.*); nerve (*fam.*): *Ha avuto il c. di criticarmi*, he had the nerve to criticize me; *Ci vuole un bel c.!*, it really takes some nerve!; *Che c.!*, what a cheek!; the cheek of it! ● **C.!**, (*forza!*) come on!; (*tirati su*) cheer up! □ **armarsi di c.**, to steel (o to nerve) oneself (to do st.) □ **avere un c. da leone**, to be as brave as a lion □ **fare c. a q.**, (*consolarlo*) to comfort sb.; (*incoraggiarlo*) to encourage sb.; (*fargli animo*) to cheer sb. up □ **farsi c.**, (*per fare qc.*) to pluck up (o to screw up) one's courage; (*moralmente*) to bear up, to cheer up □ **prendere il c. a due mani**, to take one's courage in both hands.

♦**coraggióso** a. brave; courageous; (*valoroso*) gallant; (*intrepido*) fearless; (*audace*) bold, daring, gutsy (*fam.*), (*generalm. di bambino*) plucky; (*focoso*) spirited

coràle ⏹A a. 1 choral: canto c., choral singing; choral song; **musica c.**, choral music 2 (*unanime*) unanimous; (*concertato*) concerted, team (attr.): **consenso c.**, unanimous consent; (*sport*) **gioco c.**, team (*o* concerted) play; **sforzo c.**, concerted effort 3 (*fig.*, *rif. a romanzo*, *film*, *ecc.*) vivid and many-voiced ⏹B m. 1 (*mus.*) chorale 2 (*eccles.*) book of anthems; choir book ⏹C f. choir; choral society; chorale (*USA*): **c. universitaria**, university choir.

coralità f. 1 (*unanimità*) unanimity 2 (*l'essere concertato*) concerted nature 3 (*di romanzo*, *film*) richness of representation.

corallàio m. (f. **-a**) (*intagliatore*) coral cutter.

corallière m. coral fisher.

corallìfero a. coral (attr.): **banco c.**, coral reef.

corallìna f. 1 (*bot.*, *Corallina officinalis*) coralline 2 (*miner.*) coral limestone 3 (*barca*) coral-fishing boat.

corallìno a. 1 (*di corallo*) coral (attr.): **barriera corallina**, coral reef; barrier reef; **isola corallina**, coral island 2 (*simile al corallo*) coral (attr.); coralline: **labbra coralline**, coral lips.

coràllo ⏹A m. 1 coral: **banco di c.**, coral reef; **collana di c.**, coral necklace; (*geogr.*) **il Mar dei Coralli**, the Coral Sea 2 (*fig. lett.*: *color c.*) coral: **labbra di c.**, coral lips ● (*bot.*) **albero del c.** (*Erythrina corallodendron*), coral tree ⏹B a. coral (attr.): **rosso c.**, coral red.

coràme m. stamped leather.

coramèlla f. strop.

Coramìna® f. (*farm.*) Coramine.

còram pòpulo (*lat.*) loc. avv. in public; publicly; openly.

corànico a. (*relig.*) Koranic.

Coràno m. (*relig.*) Koran.

coràta f. offal; pluck.

coratèlla f. lamb, hare or rabbit offal.

coràzza f. 1 (*di guerriero*) cuirass 2 (*sport*) chest protector 3 (*zool.*) armour; carapace; (*guscio*) shell 4 (*naut.*) armour plate 5 (*involucro*) shell; jacket 6 (*fig.*) shield; defence; protection: *Il cinismo è la sua c.*, cynicism is his (form of) defence.

corazzàre ⏹A v. t. 1 to armour, to armor (*USA*) 2 (*fortificare*) to strengthen; to fortify 3 (*naut.*) to plate 4 (*fig.*: *difendere*) to defend; to protect; (*rafforzare*) to harden ⏹B **corazzàrsi** v. rifl. (*fig.*: *proteggersi*) to protect oneself; (*rafforzarsi*) to harden oneself, to steel oneself.

corazzàta f. (*naut.*) battleship; ironclad: **c. tascabile**, pocket battleship.

corazzàto a. 1 (*mil.*) armoured, armored (*USA*); armour-plated, armor-plated (*USA*): **divisione corazzata**, armoured division; **mezzi corazzati**, armour ⏹ armoured vehicles; **truppe corazzate**, armoured troops 2 (*fig.*) hardened; armed; steeled.

corazzatùra f. 1 (*naut.*) armour (*USA* armor) plating 2 (*tecn.*) armour, armor (*USA*).

corazzière m. 1 (*mil.*) cuirassier 2 (*fig.*) strapping fellow.

corazzìno m. (*scherma*) fencing jacket.

còrba ① f. oblong wicker basket.

còrba ② f. (*vet.*) curb.

còrba ③ f. (*naut.*) rib.

corbàccio m. (*zool.*) large crow; large raven.

corbàme m. (*naut.*) framework ⏹.

corbeille (*franc.*) f. inv. 1 corbeille; basket of flowers 2 (*Borsa*) floor; pit (*USA*).

corbellàre v. t. (*pop.*) 1 (*canzonare*) to tease; to mock; to ridicule 2 (*ingannare*) to trick; to take* in; to cheat.

corbellatóre m. (f. **-trìce**) (*pop.*: *canzonatore*) teaser; practical joker; mocker.

corbellerìa f. (*pop.*) 1 (*azione*) foolish action; foolishness ⏹ 2 (*parole*) stupid remark; nonsense ⏹; rubbish ⏹: *È una c. bella e buona*, it's utter nonsense; **un sacco di corbellerie**, a lot of rubbish 3 (*svarione*) howler.

corbèllo ① m. basket: **un c. di mele**, a basket full of apples.

corbèllo ② m. (*pop.*) 1 (al pl.) balls (*volg.*) 2 (*fig.*: *persona sciocca*) twit; prat ● (*fig.*) **rompere i corbelli**, to be a pain in the ass (*volg.*).

corbézzola f. (*bot.*) arbutus berry.

corbézzoli inter. (*pop.*) gosh!; gee!; crikey!

corbézzolo m. (*bot.*, *Arbutus unedo*) arbutus; strawberry tree.

corcontènto m. e f. inv. easy-going person; jolly person; happy-go-lucky person.

◆**còrda** f. 1 (*fune*) rope, line; (*cavo*) cable; (*di metallo*) (*sottile*) string; (*cordone*) cord: **c. di canapa** [**nailon**], hempen [nylon] rope; **c. dell'arco**, bowstring; **c. del bucato**, clothes-line; washing line; **c. di funambolo**, tightrope; high wire; **c. di trazione**, towline; (*boxe*) **le corde del ring**, the ropes; **le corde di una racchetta**, the strings of a racket; **c. intrecciata**, braided rope; **c. per arrampicarsi**, climbing rope; **c. per impiccare**, hangman's rope; **c. per saltare**, skipping rope (*GB*); jump rope (*USA*) **allentare una c.**, to slacken a rope; **un rotolo di c.**, a coil of rope; (*di spago*) a ball of string; **scala di c.**, rope ladder 2 (*mus.*) string: **la c. del sol**, the G string; **c. di risonanza**, sympathetic string; **c. picchiata** [**pizzicata**], struck [plucked] string; **c. di pianoforte**, piano wire; **corde melodiche**, melody strings; **tendere una c.**, to tighten a string; **strumenti a c.**, stringed instruments; strings 3 (*geom.*) chord (of an arc) 4 (*archit.*) span of an arch) 5 (*anat.*) cord; nerve; sinew; tendon: **c. del collo**, neck sinews (pl.); **c. del timpano**, tympanic nerve; chorda tympani; **c. ombelicale → cordone**; **c. spinale**, spinal cord; **corde vocali**, vocal cords (*o* chords) 6 (*fig.*) chord; note: **la c. del sentimento**, the chord of feeling; **le corde del cuore**, the heartstrings; **toccare la c. giusta**, to strike the right chord ● (*fig.*) **avere la c. al collo**, to have one's back to the wall □ (*fig.*) **avere un'altra c. al proprio arco**, to have another string to one's bow □ (*fig.*) **dare c. a q.**, to give sb. leeway; to encourage sb.; (*lasciar parlare*) to let sb. talk □ (*alpinismo*) **discesa a c. doppia**, abseiling; rappelling □ **essere alle corde**, (*boxe*) to be on the ropes; (*fig.*) to have one's back to the wall, to be in a tight corner □ **giù di c.**, depressed; down in the mouth □ (*fig.*) **mettere q. alle corde**, to drive sb. into a corner □ (*fig.*) **mettere la c. al collo a q.**, to rope sb. in □ (*fig.*) **mostrare la c.**, (*di tessuto*) to be threadbare; (*fig.*) to be wearing thin □ **parlare di c. in casa dell'impiccato**, to put one's foot in it (by mentioning a delicate subject) □ **saltare con la c.**, to skip (*GB*) □ (*alpinismo*) **scendere a c. doppia**, to abseil; to rappel □ (*fig.*) **tagliare la c.**, to slink off; to clear out; to beat it (*fam.*); to scarper (*slang*, *GB*) □ (*fig.*) **tenere q. sulla c.**, to keep sb. dangling (*o* on tenterhooks); to keep sb. guessing □ **teso come la c. d'un violino**, highly strung □ (*fig.*) **tirare troppo la c.**, to go too far; to push one's luck.

cordàio m. 1 (*fabbricante*) ropemaker; roper 2 (*venditore*) rope seller.

cordàme m. 1 ropes (pl.); cordage 2 (*naut.*) rigging; cordage.

cordàta f. 1 (*alpinismo*) roped party; roped climbers (pl.): **essere in c.**, to be roped together; to be on the rope; **il primo della c.**, the first one on the rope; **ascensione in c.**, rope climb; **capo c.**, roped-party

leader; rope leader; **legarsi in c.**, to rope up 2 (*econ.*) consortium*; cartel.

cordàto m. (*zool.*) chordate; (al pl., *scient.*) Chordata.

cordatrìce f. rope-laying machine.

cordatùra f. rope-making; rope-laying.

cordèlla f. drawstring; (*fettuccia*) tape.

cordellìna f. (*mil.*) aiguillette.

corderìa f. rope factory; ropery.

cordiàle ⏹A a. 1 warm; hearty; friendly; cordial; affable; good-natured; genial: **accoglienza c.**, friendly (*o* warm) welcome; **persona c.**, friendly (*o* affable) person 2 (*profondamente sentito*) heartfelt; cordial; hearty: **c. antipatia**, cordial loathing 3 (*che fa bene al cuore*) heart-warming ● (*nelle lettere*) **cordiali saluti**, best (*o* kindest) regards; best wishes; (*più form.*) yours sincerely ⏹B m. (*liquore*) cordial.

cordialità f. 1 warmth; friendliness; cordiality; affability; warm-heartedness; geniality: **accogliere con c.**, to welcome warmly; to give a warm welcome; **un clima di c.**, a friendly atmosphere 2 (al pl.) (*saluti*) regards; (*nelle lettere*) best regards, best wishes.

cordialménte avv. 1 cordially; warmly; heartily 2 (*profondamente*) heartily; cordially: *Mi è c. odioso*, I heartily dislike him ● (*nelle lettere*) **C.**, regards; best wishes; (*più form.*) yours sincerely.

cordialóne m. (f. **-a**) (*fam.*) jolly person; jovial type.

cordièra f. (*mus.*) tailpiece.

cordierite f. (*miner.*) cordierite.

cordiglièra f. (*geogr.*) cordillera.

cordìglio m. (*di frate*) knotted cord; (*di prete*) girdle.

cordìno m. 1 (*spago*) (piece of) string; (piece of) twine 2 (*alpinismo*) sling 3 (*naut.*) lanyard.

cordìte ① f. (*esplosivo*) cordite.

cordìte ② f. (*med.*) chorditis.

cordless a. e m. inv. (*telef.*) cordless.

cordòfono m. (*mus.*) chordophone.

cordòglio m. sorrow; grief; affliction; (*lutto*) mourning; (*condoglianza*) condolence: **esprimere il proprio c.**, to offer one's condolences; **parole di c.**, words of condolence.

còrdolo m. 1 (*di marciapiede*) kerb, curb (*USA*) 2 (*edil.*, *anche* **c. marcapiano**) stringcourse.

cordonàre v. t. 1 (*cartone*) to pre-crease 2 (*circondare*, *presidiare*) to cordon off.

cordonàta f. 1 (*di aiola*) border 2 (*rampa*) graded ramp ● **volta a c.**, ribbed vault.

cordonàto a. (*ind. tess.*) ribbed.

cordonatùra f. 1 (*archit.*) (cable) moulding 2 (*di cartone e sim.*) pre-creasing 3 (*su ceramica*) cable decoration.

cordoncìno m. 1 cord; string; (*per decorazione*) piping 2 (*cucito*, *anche* **punto a c.**) couching stitch.

cordóne m. 1 cord; (*spago*) string; (*elettr.*) cord, flex: **c. del campanello**, bell pull; **c. della tenda**, curtain cord 2 (*cintura*) girdle 3 (*di ordine cavalleresco*) cordon; ribbon: **gran c.**, grand cordon 4 (*fila di persone*) line; (*di polizia*, *ecc.*) cordon: **c. di polizia**, police cordon; **c. di scioperanti**, picket line; **due cordoni di folla**, two lines of people 5 (*di marciapiede*) kerb, curb (*USA*) 6 (*archit.*) cordon; stringcourse 7 (*anat.*) cord: **c. ombelicale**, umbilical cord 8 (*naut.*: *legnuolo*) strand; (*per calafatare*) pledget 9 (*geogr.*) – **c. litoraneo**, sandbank; sand bar; **c. morenico**, morainic ridge ● (*fig.*) **i cordoni della borsa**, the purse strings: **stringere** [**allentare**] **i cordoni della borsa**, to tighten up [to loosen] the purse strings □ (*tecn.*) **c. di saldatura**, weld bead □ **c. sanitario**, cordon

sanitaire (*franc.*).

cordonétto m. cordonnet.

cordotomìa f. (*med.*) chordotomy.

cordovàno **A** a. Cordovan **B** m. **1** (f. *-a*) (*abitante di Cordova*) Cordovan **2** (*varietà di marocchino*) cordovan (leather).

corèa f. (*med.*) chorea; St Vitus's dance.

Corèa f. (*geogr.*) Korea.

coreàno a. e m. (f. *-a*) Korean ● **colletto alla coreana**, mandarin collar.

CORECO abbr. (**Comitato regionale di controllo**) regional auditing committee.

coreferènte m. (*ling.*) co-referent.

coreferènza f. (*ling.*) co-reference.

corèggia → **correggia**

corègo m. (*teatr.*) choragus*.

corègono m. (*zool.*, *Coregonus*) whitefish*.

corèo m. (*poesia*) choreus; trochee.

coreografìa f. (*teatr.*) choreography: **curare la c. di qc.**, to choreograph st. **2** (*fig.*) animated setting; lights and crowd.

coreogràfico a. **1** (*teatr.*) choreographic **2** (*estens.*) spectacular.

coreògrafo m. (f. *-a*) (*teatr.*) choreographer.

corettóre m. (f. *-trìce*) co-chancellor.

corèuta m. **1** (*teatr. greco*) choral dancer; member of a chorus **2** (*lett.*) chorister.

corèutica f. (*lett.*) art of dancing.

coriàceo a. **1** leathery; tough; coriaceous: **carne coriacea**, tough meat **2** (*fig.*, *di persona*) tough; hard.

coriàle a. (*anat.*) chorionic; chorion (attr.).

coriàmbico a. (*poesia*) choriambic.

coriàmbo m. (*poesia*) choriambus*; choriamb.

◆**coriàndolo** m. **1** (*bot.*, *Coriandrum sativum*) coriander (*GB*); cilantro (*USA*): **semi di c.**, coriander seeds (*GB*); coriander (*USA*) **2** (al pl.) confetti Ⓤ.

coribànte m. (*stor. relig.*) Corybant*.

coribàntico a. **1** (*stor. relig.*) Corybantic; Corybantian **2** (*lett.*) frenzied; orgiastic; chorybantic.

◆**coricàre** **A** v. t. **1** (*adagiare*) to lay* horizontally; (*posare a terra*) to lay* down **2** (*mettere a letto*) to put* to bed **B** **coricàrsi** v. rifl. **1** (*adagiarsi*) to lie* down **2** (*andare a letto*) to go* to bed; to retire (*form.*) **3** (*tramontare*) to set*.

còrifa f. (*bot.*, *Corypha umbraculifera*) talipot.

corifèna f. (*zool.*, *Coryphaena hippurus*) dolphin; dorado.

corifèo m. **1** (*teatr. greco*) coryphaeus* **2** (*fig.*) leader; coryphaeus*.

corìmbo m. (*bot.*) corymb.

corindóne m. (*miner.*) corundum.

Corìnna f. Corinne.

corìnzio a. e m. Corinthian: (*archit.*) **ordine c.**, Corinthian order.

còrion, **còrio** m. **1** (*biol.*) chorion **2** (*anat.*) dermis; corium.

corìsta (*mus.*) **A** m. e f. **1** (*di coro eccles.*) member of (o singer in) a choir; choir member; choirman (*GB*); (*ragazzo*) chorister, choirboy **2** (*di coro non eccles.*) member of a chorus; chorus singer **B** m. (*diapason*) tuning fork; (*estens.: suono*) pitch, diapason.

còriza, **còrizza** f. (*med.*) coryza.

còrmo m. (*bot.*) corm.

cormòfita f. (*bot.*) cormophyte.

cormoràno m. (*zool.*, *Phalacrocorax carbo*) cormorant.

cornàcchia f. **1** – (*zool.*) **c. nera** (*Corvus corone*), carrion crow; **c. grigia** (*Corvus cornix*), hooded crow **2** (*fig.: persona pettegola*) busy-body; blabbermouth **3** (*fig.: persona di cattivo augurio*) prophet of doom; (*pessimista*) pessimist, killjoy.

cornalìna f. (*miner.*) cornelian; carnelian.

cornamùsa f. (*mus.*) bagpipes (pl.): **suonatore di c.**, piper.

cornàta f. (*urto*) butt (with the horns); (*incornata*) goring Ⓤ: **dare una c. a**, to butt; (*incornare*) to gore; **ricevere una c.**, to be butted; (*essere incornato*) to be gored.

còrnea f. (*anat.*) cornea.

corneàle a. (*anat.*) corneal ● **lenti corneali**, contact lenses.

cornéggio m. (*vet.*) roaring.

corneificazióne f. (*med.*) hornification.

còrneo a. horny; corneous: **strato c.**, horny layer.

còrner (*ingl.*) m. inv. (*calcio*) corner (kick): **salvare in c.**, to concede a corner; **bandierina del c.**, corner flag ● (*fig.*) **salvarsi in c.**, to wriggle out (of st.).

cornétta① f. **1** (*mil.*) cornet **2** (*cuffia di suora*) cornet.

cornétta② f. **1** (*mus.*) cornet **2** (*del telefono*) receiver; handset: **riagganciare la c.**, to replace the receiver; to hang up.

cornettìsta m. (*mus.*) cornet player; cornettist.

cornétto m. **1** (*amuleto*) horn-shaped amulet **2** (*brioche*) croissant (*franc.*) **3** (*mus.*) cornet **4** (*anche* **c. gelato**) cornet (*GB*); (ice-cream) cone **5** – **c. acustico**, ear trumpet **6** (al pl.) (*region.: fagiolini*) French beans.

◆**cornìce** f. **1** frame: **c. di quadro**, picture frame; **c. dorata**, gilt frame; **mettere in c.**, to set in a frame; to frame; **senza c.**, unframed **2** (*archit.*) cornice; (*modanatura*) moulding **3** (*cengia*) ledge; (*di neve*) cornice **4** (*fig.*) frame; framework; (*ambientazione*) setting; (*sfondo*) background, backdrop: **una c. di monti**, a ring of mountains; **una c. mondana**, a glamorous setting; **fare da c. a qc.**, to frame st.; (*fare da sfondo*) to act as a background to st.

cornicìaio m. (f. *-a*) **1** (*fabbricante*) frame maker **2** (*negoziante*) frame seller.

corniciatùra f. framing.

cornicióne m. (*archit.*) cornice; (*modanatura*) moulding; (*di gronda*) eaves (pl.).

cornificàre v. t. (*pop.*) to be unfaithful to; to cheat on; (*il marito, anche, lett.*) to cuckold.

còrniola① f. (*bot.*) cornel; cornelian cherry.

cornìola② f. (*miner.*) cornelian; carnelian.

còrniolo m. (*bot.*, *Cornus mas*) cornel tree; cornelian cherry tree.

cornìsta m. e f. (*mus.*) horn player.

◆**còrno** m. (pl. **corna**, f., *nella def. 1*; **corni**, m., *nelle altre*) **1** (*zool.*) horn; (*ramificato*) antler: **il c. del rinoceronte**, the horn of a rhinoceros; **le corna di una lumaca**, the horns of a snail; **le corna di un cervo**, the antlers of a deer; **corna di toro**, bull horns; **a corna cave**, hollow-horned; **a corna piene**, solid-horned; **privo di corna**, hornless **2** (*sostanza*) horn: **bottoni di c.**, horn buttons **3** (*mus.*) horn: **c. a pistoni**, valve horn; **c. da caccia**, hunting horn: **c. di bassetto**, basset horn; **c. inglese**, cor anglais* (*franc.*); English horn; **suonare il c.**, to play the horn; (*dar segnali di suono*) (o to blow) the horn **4** (*di montagna*) peak **5** (*anat.*) cornu* **6** (*scherz.: bernoccolo*) bump **7** (*pop.: niente*) damn; damned thing; fig: *Non me ne importa un c.*, I don't care a damn; *Non hai capito un c.*, you haven't understood a damned thing; *Non vale un c.*, it isn't worth a fig; «*Un c.!*», (*schiocchezze!*) rubbish!; (*niente affatto*) like hell!; the hell you are [he is, she does, etc.]! ● **c. da nebbia**, foghorn □ **c. dell'abbondanza**, horn of plenty □ **i corni della luna**, the horns of the moon □ **i corni del dilemma**, the horns of a dilemma □ (*geogr.*)

il C. d'Africa, the Horn of Africa □ (*stor.*) **c. dogale** (o **ducale**), doge's cap □ (*fis.*) **c. polare**, pole horn; pole tip □ (*fig.*) **alzare le corna**, to get above oneself; to get cocky □ (*pop.*) **avere qc. sulle corna**, to be fed up with st. □ **dire (peste e) corna di**, to run down; to badmouth (*USA*) □ **fare le corna**, (*come scongiuro*) to touch wood; (*come gesto volgare*) to make a rude gesture (by extending the first and fourth fingers) □ (*pop.*) **mettere le corna a**, to be unfaithful to; to cheat on; (*al marito, anche, lett.*) to cuckold □ (*pop.*) **portare le corna**, (*di uomo*) to be a cuckold; (*di donna*) to have an unfaithful husband □ (*fig.*) **ritirare (o abbassare) le corna**, to draw in one's horns □ (*fig.*) **rompere le corna a q.**, to give sb. a good thrashing □ (*fig.*) **rompersi le corna**, to get the worst of it.

Cornovàglia f. (*geogr.*) Cornwall.

cornucòpia f. cornucopia; horn of plenty.

cornùto **A** a. **1** (*zool.*) horned; with horns **2** (*a forma di corno*) horned; crescent-shaped **3** (*pop.*) betrayed; (*di marito, anche*) cuckolded ● (*logica*) **argomento c.**, dilemma **B** m. (*pop.*) **1** cuckold **2** (*insulto generico*) bastard; sod.

◆**còro** m. **1** (*mus.: composizione*) chorus: **il c. dei «Lombardi»**, the chorus of «I Lombardi» **2** (*mus.: i cantanti*) (*di chiesa, scuola*) choir; (*d'opera e sim.*) chorus: **c. di chiesa**, church choir; **c. di voci bianche**, boys' choir; **un c. d'angeli**, a choir of angels; **il c. della Scala**, the La Scala chorus; **fare parte del c.**, (*di un'opera, di una rivista*) to be a member of the chorus; (*di una chiesa*) to be a member of (o to sing in) the choir; **maestro del c.**, choirmaster **3** (*teatro greco*) chorus **4** (*insieme di voci, ecc.*) chorus: **un c. di lodi** [di proteste], a chorus of praise [of complaints]; **un c. di grilli**, a chorus of crickets **5** (*archit.*) choir: **seggio del c.**, choir stall ● (*fig.*) **fuori del c.**, dissenting; discordant; out of line □ **in c.**, (*all'unisono*) in chorus; in unison; (*fig.*) with one voice □ **Forza, tutti in c.!**, come on, all together!

corografìa f. (*geogr.*) chorography.

corogràfico a. (*geogr.*) chorographic.

corògrafo m. (*geogr.*) chorographer.

coròide, **coroidèa** f. (*anat.*) choroid.

coroidèo a. (*anat.*) choroidal.

coroidìte f. (*med.*) choroiditis.

coròlla f. (*bot.*) corolla ● **gonna a c.**, full-flared skirt.

corollàrio m. **1** (*filos.*, *mat.*) corollary **2** (*aggiunta*) addition; appendix* **3** (*conseguenza*) corollary; consequence.

◆**coróna** f. **1** crown; (*nobiliare*) coronet; (*estens.: potere regio*) crown, throne: **c. ducale** [**comitale, di pari**], ducal [earl's, count's, peer's] coronet; **c. di martire** [di poeta], martyr's [poet's] crown; **c. di spine**, crown of thorns; **c. ferrea**, Iron Crown; **aspirare alla c.**, to lay claim to the crown (o to the throne); **rinunciare alla c.**, to renounce the crown (o the throne); **discorso della C.**, King's [Queen's] speech; (*in GB, all'apertura del parlamento*) speech from the throne; **gioielli della c.**, crown jewels; **principe della c.**, crown prince **2** (*ghirlanda*) wreath; garland; crown; chaplet: **c. d'alloro**, laurel wreath; crown of laurel; **c. di fiori**, wreath of flowers; garland; **c. mortuaria**, (funeral) wreath; **deporre una c. sulla tomba di q.**, to lay a wreath on sb.'s tomb **3** (*cerchio di persone o cose*) circle; ring: **una c. di monti**, a ring of mountains; **a c.**, in a ring; **fare c. a**, to form a ring (o a circle) round **4** (*serie*) set; sequence: **una c. di sonetti**, a sonnet sequence **5** (*anat.*) crown; corona: **c. dentale**, dental crown **6** (*odontotecnica*) crown: **mettere la c. a un dente**, to crown a tooth **7** (*mus.*) fermata; pause

(sign) **8** (*moneta inglese, stor.*) crown: **mezza c.**, half-crown; (*il valore*) half a crown **9** (*unità monetaria danese e norvegese*) krone; crown **10** (*unità monetaria svedese*) krona; crown **11** (*astron.*) corona*: **c. solare**, solar corona; aureole **12** (*d'albero*) crown; head **13** (*mecc.*) rim; crown: **c. dentata**, crown wheel ● (*geom.*) **c. circolare**, annulus □ **c. del rosario**, rosary; beads (pl.) □ (*bot.*) **c. imperiale** (*Fritillaria imperialis*), crown imperial □ (*elettr.*) **effetto c.**, corona discharge.

coronàle a. (*anat.*, *astron.*) coronal: **sutura c.**, coronal suture.

coronaménto m. **1** (*compimento*) completion, happy conclusion; (*realizzazione*) realization, achievement; (*ultimo tocco*) finishing touch; (*di una vita, di una carriera*) crowning achievement: **il c. di un sogno**, the realization of a dream; **a c. di**, as a conclusion to **2** (*edil.*) crowning; coping **3** (*naut.*) taffrail.

coronàre **A** v. t. **1** (*incoronare*) to crown **2** (*premiare*) to crown; to reward: *I miei sforzi furono coronati dal successo*, my efforts were crowned with success **3** (*concludere*) to complete, to round off; (*realizzare*) to realize, to achieve: **l'opera che corona tutta la sua vita**, the crowning achievement of his life; **c. un sogno**, to realize a dream **4** (*circondare*) to surround; to encircle; to ring ● (*iron.*) **Per c. l'opera...**, to top (*o* to cap, to crown) it all... □ (*prov.*) **Il fine corona l'opera**, the end crowns the work **B** **coronàrsi** v. rifl. to crown oneself.

coronària f. (*anat.*) coronary artery.

coronàrico a. (*anat.*) coronary: **insufficienza coronarica**, coronary insufficiency; **trombosi coronarica**, coronary thrombosis; coronary (*fam.*); **unità coronarica**, coronary unit.

coronàrio a. (*anat.*) coronary: **arteria coronaria**, coronary artery.

coronarografia (*med.*) f. coronary radiography.

coronaropatìa f. (*med.*) coronary disease.

coronàto a. crowned: **testa coronata**, crowned head ● **c. da successo**, successful.

coronavirus m. (*med.*) coronavirus.

coronèlla f. (*zool.*, *Coronella*) horned snake.

corònide f. (*ling.*) coronis*.

coronìlla f. (*bot.*, *Coronilla varia*) crown vetch.

coronògrafo m. (*astron.*) coronograph.

coronòide a. (*anat.*) coronoid.

coroplàstica f. (*archeol.*) coroplastics (pl. col verbo al sing.) pottery.

coròzo (*spagn.*) m. (*bot.*) ivory nut; tagua nut.

corpacciùto a. corpulent; stout.

corpétto m. **1** (*corpino*) bodice; top **2** (*panciotto*) waistcoat (*GB*); vest (*USA*).

corpino m. bodice; top.

♦**còrpo** m. **1** body; (*la carne*) flesh; (*corporatura*) figure, build; (*cadavere*) (dead) body, corpse: **anima e c.**, body and soul; **il c. umano**, the human body; **un c. slanciato**, a slender body (*o* figure); **c. tozzo**, squat (*o* stocky) body (*o* build); **un c. senza vita**, a lifeless body; a corpse; *Ha un bel c.*, he has a great body; she has a good figure; **di corpo robusto**, strongly built; **i piaceri del c.**, the pleasures of the flesh; **mortificare il c.**, to mortify the flesh; *I corpi non sono stati ancora trovati*, the bodies haven't been found yet; **senza c.**, bodiless **2** (*oggetto*) body: **c. celeste**, heavenly body; **c. contundente**, blunt instrument; **c. estraneo**, foreign body; **c. semplice**, simple body **3** (*anat.*) corpus* (*lat.*): **c. calloso**, corpus callosum; **c. cavernoso**, corpus caverno-

sum; **c. luteo**, corpus luteum; **corpi striati**, corpora striata **4** (*insieme di persone organizzate*) body; corps*; (*personale*) staff: **c. consultivo**, advisory body; **c. di ballo**, corps de ballet (*franc.*); **c. diplomatico**, diplomatic corps; corps diplomatique (*franc.*); **c. insegnante**, teaching staff **5** (*mil.*, *polizia, ecc.*) corps*; force; brigade: **c. d'armata**, army corps; **c. di guardia**, (*gli uomini*) guard; (*il locale*) guardroom; **c. di polizia**, police force; **c. dei pompieri**, fire brigade (*GB*); fire department (*USA*); **c. di spedizione**, expeditionary force **6** (*parte principale*) main body; (*parte centrale*) core, kernel: **il c. dell'edificio**, the main body of the building; **il c. d'un discorso**, the core of a speech **7** (*consistenza, corposità*) substance; shape; (*peso*) weight: **dare c. a qc.**, to give substance to st.; to lend weight to st.; **prendere c.**, (*concretarsi*) to take shape, to materialize; (*di notizie*) to gain credit **8** (*di voce*) volume; range **9** (*enologia*) body: **un vino con un c. pieno**, a wine with a full body **10** (*raccolta di scritti*) corpus*; body; (*leg.*) **c. del diritto**, corpus iuris; **c. di leggi**, body of laws; **il c. delle opere dantesche**, the corpus of Dante's works; the Dantean corpus **11** (*di nave*) hull **12** (*cassa, custodia*) body; casing: (*mecc.*) **c. del filtro**, filter casing **13** (*tipogr.*) type size; body: **un titolo in c. 16**, a 16-point heading **14** (*di pompa*) body; casing; (*di caldaia*) boiler shell ● **c. a c.**, hand-to-hand fighting Ⓤ; wrestling Ⓤ; (*boxe*) in-fighting: **ingaggiare un c. a c. con q.**, to grapple with sb. □ (**a**) **c. a c.**, hand to hand (avv.); hand--to-hand (agg.). **combattimento c. a c.**, hand-to-hand fighting □ (*leg.*) **c. del reato**, physical evidence Ⓤ □ **c. di Bacco** (*o di mille bombe*)!, by Jove!; Great Scott! □ **c. elettorale**, electorate □ (*fis.*) **c. nero**, black body □ **a c. morto**, (*pesantemente*) like a dead weight; (*con accanimento*) wholeheartedly, headlong: **cadere a c. morto**, to fall like a dead weight; to fall heavily □ **andare di c.**, to empty one's bowels; to evacuate: **avere difficoltà ad andare di c.**, to be constipated; (*eufem.*) to be irregular □ **buttarsi anima e c. nel lavoro**, to throw oneself headlong into work □ (*fig.*) **avere il diavolo in c.**, to be like one possessed; (*non stare mai fermo*) to be a live wire (*fam.*) □ **avere una gran rabbia in c.**, to be furious □ (*fig.*) **dare c. alle ombre**, to imagine things □ (*ginnastica*) **esercizi a c. libero**, floor exercises □ **guardia del c.**, bodyguard ● **mettere qc. in c.**, to eat sb. □ **Se vuoi entrare qui dovrai passare sul mio c.**, you'll get in here over my dead body □ **spirito di c.**, esprit de corps (*franc.*); team spirit.

corpomòrto m. (*naut.*) dolphin; pile mooring; buoy mooring.

corporàle① a. corporal; bodily; physical: **bisogno c.**, bodily need; **pene corporali**, corporal punishment (sing.).

corporàle② m. (*eccles.*) corporal.

corporalménte avv. bodily; corporally; physically ● **punire c.**, to administer corporal punishment.

corporativìsmo m. corporatism; corporativism.

corporativìstico a. corporatist.

corporativizzazióne f. corporatization.

corporatìvo a. corporative: **diritto c.**, corporative law; **regime c.**, corporative regime.

♦**corporatùra** f. build; physique (*franc.*): **un uomo di c. media**, a man of medium build.

corporazióne f. **1** (*stor. medievale*) guild **2** (*categoria professionale*) profession; association: **la c. dei medici**, the medical profession.

corporeità f. corporeity; corporeality.

corpòreo a. physical; body (attr.); corporeal: **calore c.**, body heat; **piacere c.**, physical pleasure; **temperatura corporea**, body temperature.

corposità f. density; solidity; (*anche di vino*) fullness, body.

corpóso a. dense; solid; substantial; (*di vino*) full-bodied, robust.

corpulènto a. **1** corpulent; stout; heavy; portly; (*grasso*) fat **2** (*fig.*) crude; gross.

corpulènza f. corpulence; stoutness; portliness; (*grassezza*) fatness.

còrpus (*lat.*) m. inv. corpus*; body.

corpuscolàre a. (*fis.*) corpuscular: **teoria c.**, corpuscular theory.

corpùscolo m. (*anat.*, *fis.*) corpuscle.

Còrpus Dòmini m. (*eccles.*) Corpus Christi.

corradicàle a. (*ling.*) having the same root; cognate.

Corràdo m. Conrad, Konrad.

corrasióne f. (*geol.*) corrasion.

corredàre **A** v. t. **1** (*fornire*) to equip; to supply; to furnish: **c. una biblioteca di dizionari**, to supply a library with dictionaries; **c. un testo di note**, to annotate a text; *L'apparecchio è corredato di una serie di accessori*, the machine comes with a set of attachments; **corredato di tutto**, fully equipped **2** (*accompagnare*) to accompany; (*aggiungere*) to add: *La domanda deve essere corredata da due fotografie formato tessera*, applications must be accompanied by (*o* must include) two passport-size photographs **B** **corredàrsi** v. rifl. to supply (*o* to provide) oneself with.

corredàto a. equipped (with); supplied (with); provided (with): *Il giubbotto è c. di tasche impermeabili e cappuccio staccabile*, the jacket comes with waterproof pockets and a detachable hood.

corredino m. layette; baby's clothes (pl.).

corrèdo m. **1** outfit; equipment; kit; set: **c. di accessori**, set of attachments; **c. di attrezzi**, tool kit; **c. di bordo** (*di marinaio*), sea kit; **un c. per le riparazioni**, a repair outfit **2** (*di sposa*) trousseau; bottom drawer (*GB*); hope chest (*USA*) **3** (*fig.*: *insieme, apparato*) set: **c. bibliografico**, (extended) bibliography; **c. di illustrazioni**, set of illustrations; **c. di note**, (set of) notes; apparatus; **a c. di**, accompanying (st.) **4** (*fig.*: *bagaglio*) store; fund; wealth: **un vasto c. di cognizioni**, a rich store of knowledge; **c. di erudizione**, fund of learning **5** (*biol.*) **c. cromosomico**, chromosome complement.

♦**corrèggere** **A** v. t. **1** to correct; (*rettificare*) to rectify, to right; (*emendare, modificare*) to amend, to modify; (*regolare*) to adjust: **c. bozze**, to read proofs; **c. i compiti**, to correct students' papers; (*dando un voto*) to mark (*USA* to grade) students' papers; **c. un giudizio avventato**, to amend a rash judgment; **c. la pronuncia di una parola**, to correct the pronunciation of a word; **c. la rotta**, to correct one's course; **c. il tiro**, to adjust one's aim; *Correggimi se sbaglio*, correct me if I'm wrong; *Lo strabismo si può c.*, a squint can be corrected **2** (*rimproverare*) to scold, to reprimand; (*ammonire*) to admonish **3** (*una bevanda*) to lace; to spike (*USA*): **c. il caffè con cognac**, to lace one's coffee with cognac **B** **corrèggersi** v. rifl. **1** to correct oneself: *Mi corressi subito, ma era troppo tardi*, I corrected myself at once, but it was too late; *Il giorno 7... mi correggo, il 6*, on the 7th, I mean (*o* no, sorry), on the 6th **2** (*emendarsi*) to mend one's ways.

corrèggia f. (leather) strap.

correggiàto m. (*agric.*) (thresher's) flail.

correggìbile a. corrigible; rectifiable.

corregionàle a., m. e f. (person) coming from the same part of the country.

correità f. (*leg.*) complicity.

correlàre v. t. to correlate; to connect.

correlatìvo a. (*anche gramm.*, *geom.*) correlative.

correlatóre m. (f. **-trìce**) (*università*) co-examiner (during the discussion of a graduation thesis).

correlazióne f. 1 (*anche scient.*) correlation: *Non c'è c. tra i due fenomeni*, there is no correlation between the two events; **essere in c.**, to be correlated; **coefficiente di c.**, correlation coefficient 2 (*ling.*) – **c. dei tempi**, sequence of tenses.

correligionàrio A a. of the same religion B m. (f. **-a**) coreligionist.

♦**corrènte** ① A a. 1 running; flowing: **acqua c.**, running water 2 (*attuale*, *in vigore*) current, going; (*comm.*, *di mese*) instant (*posposto*): **opinione [prezzo] c.**, current opinion [price]; **il c. anno [mese]**, the current year [month]; **il giorno 10 del c. mese**, on the 10th of this month 3 (*di lingua*, *stile*) fluent: *Parla un francese c.*, he speaks fluent French 4 (*comune*, *ordinario*) ordinary; everyday (attr.); common; (*diffuso*) current: **un modo di dire c.**, a common idiom; **nel linguaggio c.**, in current speech; **l'uso c.**, the current use; **d'uso c.**, in current use; ordinary; everyday (attr.); **opinione c.**, common opinion; **vino c.**, ordinary wine 5 (*comm.*) middling: **merce c.**, middling goods ● **conto c.**, current account; checking account (*USA*) □ (*naut.*) **manovre correnti**, running rigging Ⓤ □ (*econ.*) **moneta c.**, currency □ (*comm.*) **qualità c.**, going (*o* standard) quality □ (*tipogr.*) **titolo c.**, running headline B m. – **essere al c. di**, to know about; to be aware of; to be acquainted with; **mettere q. al c. di**, to inform sb. about; **tenere q. al c. di**, to keep sb. informed about; to keep sb. posted on; **tenersi al c.**, to keep up to date (with).

♦**corrènte** ② f. 1 (*d'acqua*) current; stream: **la c. del fiume**, the river current; **la C. dei Caraibi**, the Carribean Current; **la C. del Golfo**, the Gulf Stream; **la C. del Labrador**, the Labrador Current; **c. di marea**, ebb current; tidal current; **correnti oceaniche**, ocean currents; **c. sottomarina**, undercurrent; **contro (la) c.**, against the current; (*di fiume*) upstream; **secondo (la) c.**, with the current; (*di fiume*) downstream; **essere trasportato dalla c.**, to drift; to be drifting; **lasciarsi trasportare dalla c.**, to drift 2 (*d'aria*) current of air; airstream; draught, draft (*USA*): **c. a getto**, jet stream; **c. ascensionale**, updraught; (*di aria calda*) thermal; **c. di convezione**, convection current; **correnti occidentali**, westerlies; **correnti orientali polari**, polar easterlies; *C'è c.*, there is a a draught; **fare c.**, to create a draught; **un locale pieno di correnti d'aria**, a draughty room 3 (*flusso*) stream; flow: **la c. del traffico**, the flow of traffic; **correnti migratorie**, migratory streams 4 (*mecc. dei fluidi*) flow 5 (*elettr.*) current; (*energia elettrica*) electricity, power: **c. a bassa [alta] tensione**, low [high] voltage current; **c. alternata**, alternating current; **c. continua**, direct current; **c. di compensazione**, equalizing current; **c. parassita** (*o* **vorticosa**, **di Foucault**), eddy (*o* Foucault) current; **dare c.**, to turn the power on; *Manca la c.*, there's no power; there has been a power cut; *È saltata la c.*, the power has gone; **erogazione della c.**, electricity supply; **generatore di c.**, current generator; **presa di c.**, power point; socket 6 (*fig.*: *movimento*) current; (*tendenza*) trend, tendency; (*moda*) fashion: **c. di pensiero**, current of thought; **c. letteraria**, literary current (*o* movement) 7 (*polit. e sim.*) wing; faction: **la c. di sini-**

stra, the left wing ● (*fig.*) **contro c.** → **controcorrente** □ (*fig.*) **seguire la c.**, to go (*o* to swim) with the tide; to follow the trend.

corrènte ③ m. 1 (*edil.*) batten; stringer 2 (*naut.*) stringer 3 (*ginnastica*) bar.

corrènte ④ f. (*mus.*: *danza*) courante; coranto.

correnteménte avv. 1 (*speditamente*) fluently: **parlare c. il russo**, to speak Russian fluently; to be fluent in Russian 2 (*comunemente*) commonly; generally.

correntìno m. (*edil.*) batten.

correntìsmo m. (*polit.*) factionalism.

correntìsta m. e f. (*comm.*) holder of a current (*USA* check) account; account holder: **essere c. presso una banca**, to have a current account with a bank.

correntìzio a. (*polit.*, *spreg.*) factional; party faction (attr.).

correntocrazìa f. (*polit.*) faction power.

còrreo m. (*leg.*) co-defendant; accomplice: **chiamata di c.**, charge of conspiracy.

♦**córrere** A v. i. 1 to run*; to race; (*affrettarsi*) to hurry, to speed*; (*precipitarsi*) to rush; (*andare veloce*) to go* fast; (*su veicolo*) to drive* fast: **c. a chiamare aiuto**, to run for help; **c. a gambe levate**, to run like the wind; to race; (*scappare*) to take to one's heels; **c. come una lepre**, to run like a hare; **c. come il vento [come il lampo]**, to run like the wind [like lightning]; **c. dietro a q.**, to run after sb.; **c. in aiuto di q.**, to run to sb.'s help; (*fig.*) to rally to the aid of sb.; **c. incontro a q.**, to run to meet sb.; **c. qua e là**, to run about; **c. via**, to run off; to hurry away; to dash off; *Dovrai c. per prendere il treno*, you'll have to run (*o* to hurry, to rush) to catch the train; *Corri o faremo tardi*, hurry or we'll be late; *Corri troppo*, you're going too fast; (*in auto*) you drive too fast; *Il ciclista correva giù per la china*, the cyclist was racing down the slope; *Il sentiero correva sopra il crinale*, the path ran along the crest 2 (*di veicolo con ruote*) to run*, to speed* along; (*di nave*) to run*, to race, to crack on: *I tram corrono su rotaie*, trams run on rails; *La macchina correva sulla strada*, the car was speeding along the road; **c. col vento in poppa**, to run before the wind 3 (*gareggiare*) to race; to compete: *Corre la Ferrari*, he races for Ferrari; **c. in bicicletta**, to compete in bicycle races; to be a racing cyclist 4 (*scorrere*, *anche fig.*) to run*; to flow: *I fiumi corrono al mare*, rivers run to (*o* flow into) the sea; *Un brivido mi corse lungo la schiena*, a shiver ran down my spine 5 (*fig.*: *di parti del corpo*, *del pensiero*, *ecc.*) to run*; to fly*; to turn; to go*: *L'occhio mi corse alla firma*, my eyes flew to the signature; *La mano gli corse alla pistola*, his hand went for the gun; *Il mio pensiero corse a quel primo incontro*, my thoughts turned to that first meeting; *Corsi con il pensiero subito a te*, I immediately thought of you; *Un mormorio corse fra il pubblico*, a whisper ran through the audience 6 (*fig.*: *affrettarsi*, *essere di fretta*) to hurry; to race: **c. per finire un lavoro**, to hurry to finish a job; **c. troppo**, to be too fast; (*essere precipitoso*) to rush things; to jump the gun; (*saltare alle conclusioni*) to jump to conclusions 7 (*intercorrere*) to be: *Tra me e lui ci corre una grande differenza*, there is a big difference between us; *Fra noi corre un abisso*, we are poles apart; *Ce ne corre!*, there's a huge difference! 8 (*di orologio*) to be fast 9 (*circolare*, *diffondersi*) to circulate; to go* round: *Corrono strane voci sul suo conto*, strange rumours are circulating about him; *Corre voce che...*, there is a rumour that...; it is rumoured that...; **far c. una voce**, to spread rumours (*o* a rumour) 10 (*candidarsi*) to run*: **c. per la presidenza**, to run for the presidency ● **c. ai ripari**, to take measures

immediately; to take remedial action; to do something (about it) quickly □ **c. alle armi**, to fly to arms; to take up arms □ **c. dietro alle donne**, to chase women □ **Correva l'anno 1805**, it was the year 1805 □ **Sono corse parole grosse**, there was an exchange of insults □ **coi tempi che corrono**, the way things are at present □ (*fig. fam.*) **far c.** (*mandare via*), to send sb. packing; to give sb. his marching orders (*USA* walking papers) □ **lasciar c. qc.**, to let st. pass; let it go; to turn a blind eye on st. □ **Lascia c.!**, let it go; never mind! □ (*iron.*) **Lasciamo c.!**, the less said (the better) □ (*fig.*) **lasciar c. l'acqua per la sua china**, to let things take their course B v. t. 1 to run*: **c. il rischio di morire**, to run the risk of dying; **c. un pericolo**, to be in danger; *Ricordò il pericolo corso*, she remembered the risk she had run 2 (*sport*) to run*; to race in: **c. i cento metri**, to run the hundred metres; **c. una corsa**, to run a race; **c. il Giro di Francia**, to race in the Tour de France ● (*fig.*) **c. la cavallina**, to sow one's wild oats □ **c. i mari**, to sail the seas; (*di pirata*) to rove the seas.

corresponsàbile A a. jointly responsible; (*leg.*) jointly liable B m. e f. person jointly responsible; (*leg.*: *civilmente*) person jointly liable, (*penalmente*) accomplice.

corresponsabilità f. joint responsibility; (*leg.*: *civile*) joint liability, (*penale*) complicity.

corresponsióne f. 1 (*pagamento*) payment: **dietro c. della somma pattuita**, on payment of the amount agreed upon 2 (*contraccambio*) return; reciprocation.

correttaménte avv. 1 correctly; rightly: **rispondere c.**, to answer correctly; to give the correct answer 2 (*educatamente*) properly 3 (*onestamente*) fairly.

correttézza f. 1 (*esattezza*) correctness 2 (*educazione*) politeness; propriety 3 (*onestà*, *serietà*) honesty; fairness: **c. commerciale**, fair trade practices (pl.); *Te lo dico per c.*, I'm telling you in fairness.

correttìvo a. e m. corrective.

♦**corrètto** a. 1 (*esatto*) correct; right: **pronuncia corretta**, correct pronunciation 2 (*educato*) proper; correct; civil: **comportamento c.**, proper behaviour 3 (*onesto*) honest; upright; (*leale*) fair: **comportamento c.**, fair play; *La sua condotta fu molto corretta*, his behaviour was above reproach 4 (*di bevanda*) laced; spiked (*USA*): **caffè c.**, black coffee laced with brandy [rum, etc.] ● **politicamente c.**, politically correct; (*come sost.*) political correctness.

correttóre A m. (f. **-trìce**) corrector; (*tipogr.*, *anche* **c. di bozze**) proofreader B m. 1 (*tecn.*) control; compensator; (*aeron.*) **c. di miscela**, mixture control; (*aeron.*) **c. di quota**, altitude control 2 (*anche* **c. liquido**) correcting (*o* correction) fluid.

correzionàle m. community home (*GB*); detention centre (*GB*); detention home (*USA*); approved school (*stor.*, *GB*); reformatory (*stor.*, *USA*).

correzióne f. 1 correction; rectification; (*di compiti*) correction, (*dando un voto*) marking (*GB*), grading (*USA*): **la c. di un difetto visivo**, the correction of a sight defect; **la c. dei temi**, essay marking; **c. di bozze**, proofreading 2 (*modifica*) correction; adjustment; alteration: **c. del tiro**, ballistic correction 3 (*rimprovero*) reprimand; admonition; lesson: *Gli servirà da c.*, it'll be a lesson to him; **misure di c.**, corrective measures ● **casa di c.** → **correzionale**.

córri córri loc. m. rush; running up and down; stampede.

corrìda f. bullfight.

♦**corridóio** m. 1 corridor; passage: *Il bagno è in fondo al c.*, the bathroom is at the end

of the corridor; **il c. tra la cucina e la sala**, the passage between the kitchen and the dining room; **c. d'albergo**, hotel corridor **2** (*di treno*) corridor; (*tra file di sedili*) aisle **3** (*naut.*) between decks; 'tween-decks **4** (*corsia di strada*) traffic lane; lane **5** (*fig.*: *passaggio*) lane; path **6** (*tennis*) tramlines (pl.) ● (*aeron.*) **c. aereo**, air corridor □ (*stor.*) **il c. polacco**, the Polish Corridor □ (*polit.*) **manovre di c.**, lobbying ⓤ □ **voci di c.**, rumours; unconfirmed reports; backstairs gossip ⓤ.

corridóre Ⓐ a. **1** running; (*sport*) racing **2** (*zool.*) cursorial Ⓑ m. **1** (*sport*: *atleta*) runner; (*su veicolo*) racer: **c. automobilista**, motor racer; **c. ciclista**, racing cyclist **2** (*cavallo da corsa*) racehorse; racer **3** (*zool.*) courser.

♦**corrièra** f. **1** coach; (*di linea*) local bus **2** (*stor.*: *diligenza*) mailcoach; stagecoach.

corrière m. **1** (*messaggero*) courier; messenger: **c. diplomatico**, diplomatic courier (*o messenger*) **2** (*chi recapita lettere o pacchi*) courier; (*spedizioniere*) carrier, forwarding agent: **spedire un pacco per c.**, to send a parcel by courier; **servizio di c.**, courier service **3** (*posta*) mail; post: **il c. dall'estero**, the overseas mail; **c. diplomatico**, diplomatic bag; **a volta di c.**, by return (of post) **4** (*titolo di giornale*) courier; mail **5** (*zool.*) – **c. grosso** (*Charadrius hiaticula*) ringed plover; **c. piccolo** (*Charadrius dubius*) little ringed plover ● **c. della droga**, drug runner.

còrrige (*lat.*) m. inv. errata (pl.).

corrigèndo m. (*leg.*) young offender; juvenile delinquent.

corrimàno m. handrail; rail.

corrispettività f. correspondence.

corrispettivo Ⓐ a. corresponding; correspondent; equivalent Ⓑ m. **1** equivalent (*comm.*, *leg.*) consideration: **per un c. in denaro**, for a money consideration.

corrispondènte Ⓐ a. **1** corresponding; (*equivalente*) equivalent: (*geom.*) **angoli corrispondenti**, corresponding angles **2** – **socio c.**, corresponding member Ⓑ m. e f. **1** (*c. epistolare*) correspondent **2** (*giorn.*) correspondent: **c. di guerra**, war correspondent **3** (*comm.*: *impiegato*) correspondence clerk; (*agente*) agent.

corrispondènza f. **1** correspondence; parallel; (*somiglianza*) similarity; (*armonia*) agreement, harmony **2** (*c. epistolare*) correspondence; letters (pl.); (*posta*) mail: **c. amorosa**, love letters; **c. commerciale**, commercial correspondence; **c. in arrivo [in partenza]**, incoming [outgoing] mail; **entrare in c. con q.**, to enter into correspondence with sb.; **insegnare qc. per c.**, to teach st. by correspondence; **scuola per c.**, correspondence school; **vendita per c.**, mail-order selling **3** (*giorn.*) report **4** (*reciprocità*) reciprocity; exchange: **c. di affetti**, reciprocity of feeling; mutual affection **5** (*ling.*) relationship **6** (*mat.*) – **c. biunivoca**, bijection ● **C'è una macchia d'umido in c. del tubo**, there's a damp patch just next to the pipe □ **Sento un dolore in c. del fegato**, I feel a pain near (*o somewhere around*) the liver.

♦**corrispóndere** Ⓐ v. i. **1** (*concordare*) to correspond (to, with); to agree (with); (*di cifre*) to tally (with); (*coincidere*) to coincide (with); (*fare il paio*) to match (st.); (*essere simmetrico*) to parallel (st.): *Le due versioni non corrispondono*, the two versions do not correspond; *Ciò non corrisponde a quanto lei ha affermato la scorsa settimana*, that does not agree with what you stated last week; *I totali corrispondono*, the totals tally; **far c.**, to match **2** (*essere equivalente*) to be equivalent (to); to be equal (to): *Una libbra corri-*

sponde a 0,453 kg, one pound is equivalent to 0.453 kg; **c. a verità**, to be true **3** (*essere in relazione epistolare*) to correspond (with) **4** (*essere all'altezza*) to be up (to); to meet* (with); to answer: **c. alle aspettative**, to be up to expectations; **c. alle esigenze di q.**, to meet with sb.'s requirements; **c. alle proprie speranze**, to answer one's hopes; (*comm.*) **c. al campione**, to be up to sample **5** (*contraccambiare*) to return (st.); to reciprocate (st.): **c. all'amore di q.**, to return sb.'s love **6** (*di luogo: comunicare*) to open (onto); to give* (onto); to communicate (with): *Questa porta corrisponde con la biblioteca*, this door communicates with (*o* opens onto) the library; *Questo muro corrisponde alla cucina*, behind this wall there is the kitchen Ⓑ v. t. **1** (*contraccambiare*) to return; to reciprocate; to repay*: *Il suo amore non era corrisposto*, his love was not returned; *Mi corrispose con l'ingratitudine*, he repaid me with ingratitude **2** (*pagare*) to pay*; to pay* out; to give*: *Le sarà corrisposta la somma di... euro*, you will be paid... euros; **c. a q. un assegno mensile**, to give sb. a monthly allowance Ⓒ **corrispóndersi** v. rifl. recipr. **1** (*concordare*) to agree; to match; to tally **2** (*di edifici e sim.*) to face one another.

corrispósto a. **1** (*scambievole*) returned; reciprocated; mutual: **amore c.**, reciprocated (*o* requited) love **2** (*pagato*) paid out: **la somma corrisposta**, the amount paid out.

corrività f. **1** (*indulgenza*) lenience; leniency; indulgence **2** (*avventatezza*) rashness **3** (*superficialità*) shallowness.

corrìvo a. **1** (*indulgente*) easy-going; lenient **2** (*avventato*) rash; hasty **3** (*superficiale*) facile; shallow.

corroboraménto m. corroboration.

corroborànte Ⓐ a. **1** (*fortificante*) fortifying; invigorating; bracing **2** (*che conferma*) corroborative Ⓑ m. **1** corroborant **2** (*liquore tonico*) tonic; cordial; pick-me-up (*fam.*).

corroboràre Ⓐ v. t. **1** (*fortificare*) to fortify; to invigorate; to brace: *La disciplina corrobora lo spirito*, discipline fortifies the mind; **bevanda che corrobora**, invigorating drink **2** (*confermare*) to corroborate; to confirm; to bear* out: **c. un'ipotesi**, to corroborate (*o* to confirm, to bear out) a hypothesis Ⓑ **corroboràrsi** v. rifl. (*ritemprarsi*) to fortify oneself.

corroborativo → **corroborante**, Ⓑ.

corroborazióne f. **1** (*rinvigorimento*) fortification: invigoration **2** (*conferma*) corroboration; confirmation.

corródere Ⓐ v. t. **1** to corrode; to eat* away; to eat* into; (*dell'acqua*) to erode, to wear* away; (*arrugginire*) to rust: **un acido che corrode il ferro**, an acid that corrodes (*o* eats into) iron **2** (*fig.*: *consumare*) to consume, to eat* into; (*guastare*) to corrode, to ruin, to destroy: *L'invidia corrode l'amicizia*, envy destroys friendship Ⓑ **corródersi** v. i. pron. to corrode; to wear* away.

corrodibilità f. corrodibility.

corrómpere Ⓐ v. t. **1** to corrupt; (*far marcire*) to rot, to spoil **2** (*contaminare, anche fig.*) to contaminate; to infect; to taint **3** (*traviare*) to corrupt; to deprave; to pervert; to lead* astray **4** (*comprare*) to bribe; (*subornare*) to suborn: **lasciarsi c.**, to take bribes; **c. un testimone**, to suborn a witness Ⓑ **corrómpersi** v. i. pron. **1** (*putrefarsi*) to rot; to putrefy; to decay **2** (*traviarsi*) to become* corrupt.

corrompibile a. corruptible.

corrompiménto m. corruption.

corrosióne f. corrosion.

corrosività f. corrosiveness.

corrosivo Ⓐ a. **1** corrosive **2** (*fig.*: *caustico*) caustic; corrosive; scathing; vitriolic: **sa-**

tira corrosiva, vitriolic satire; **spirito c.**, caustic wit Ⓑ m. corrosive.

corrótto a. **1** (*depravato*) corrupt; depraved **2** (*disonesto*) corrupt; crooked (*fam.*) **3** (*contaminato*) contaminated; polluted; tainted; foul **4** (*putrefatto*) rotten; putrid **5** (*di lingua, testo*) corrupt: **manoscritto c.**, corrupt manuscript.

corrucciàrsi v. i. pron. **1** (*adirarsi*) to get* angry; (*irritarsi*) to be vexed; (*aggrondarsi*) to frown, to grow* sullen; (*di viso, ecc.*) to darken **2** (*fig., del tempo*) to look menacing; to become* overcast.

corrucciàto a. (*adirato*) angry, cross; (*irritato*) vexed, annoyed; (*aggrondato*) frowning, sullen.

corrùccio m. (*ira*) anger; (*irritazione*) vexation, annoyance.

corrugaménto m. **1** wrinkling; creasing **2** (*geol.*) folding ⓤ; fold.

corrugàre Ⓐ v. t. to wrinkle; to crease; to corrugate: **c. la fronte**, to wrinkle one's forehead; (*per ira o preoccupazione*) to knit one's brows, to frown; **c. le sopracciglia**, to frown Ⓑ **corrugàrsi** v. i. pron. **1** (*incresparsi*) to wrinkle; to crease; to corrugate: *La sua fronte si corrugò*, he frowned **2** (*geol.*) to fold.

corrugàto a. wrinkled; creased; corrugated: **fronte corrugata**, corrugated brow; *Mi guardò con la fronte corrugata*, he looked at me with knitted brows; he frowned at me.

corruscàre v. i. (*lett.*) to coruscate; to flash; to sparkle; to glitter.

corrùsco a. (*lett.*) coruscating; flashing; sparkling; glittering.

corruttèla f. moral corruption; depravity.

corruttìbile a. **1** corruptible; perishable **2** (*di persona*) corruptible; bribable.

corruttibilità f. **1** corruptibility; perishability **2** (*di persona*) corruptibility.

corruttóre Ⓐ a. corrupting Ⓑ m. (f. **-trìce**) **1** corrupter **2** (*con denaro*) briber.

corruzióne f. **1** (*putrefazione*) corruption; decay; putrefaction: **la c. del corpo**, the corruption (*o* putrefaction) of the body **2** (*morale*) (moral) corruption; depravity; moral decay: **la c. dei costumi**, the corruption of morals; (*leg.*) **c. di minorenne**, corruption of a minor **3** (*disonestà*) corruption; bribery; graft; (*subornazione*) subornation: *Fu accusato di c.*, he was accused of corruption (*o* of taking bribes); **tentativo di c.**, bribery attempt; (*leg.*) **c. di testimone**, subornation of witness **4** (*di lingua, testo, ecc.*) corruption; deterioration.

♦**córsa** f. **1** (*il correre*) running; (*come esercizio fisico, anche*) jogging; (*una c.*) run, jog: **la c. e il salto**, running and jumping; *Ansimavo dopo la c.*, I was panting after the run; **fare una c.**, to run; (*come esercizio*) to go for a run; (*affrettarsi*) to run, to race, to hurry: *Ho dovuto fare una c. per prendere il treno*, I had to race to catch the train; **fare una c. in macchina**, to go for a drive; to drive (to a place); *Faccio una c. a casa a prendere l'ombrello*, I'll run home and get my umbrella; *Faccio una c. e torno (= ci metto poco)*, I'll be straight back; I won't be a minute; **fare una c. al bar [in città]**, to pop down to the bar [into town]; **di c.**, (*correndo*) running, at a run, on the run; (*in fretta*) in a hurry; **andare di c.**, to run; to race; to rush; (*avere premura*) to be in a hurry; **andarsene di c.**, to leave in a hurry; to rush away; *Feci tutta la strada di c.*, I ran all the way; **fare le cose di c.**, to do things in a hurry (*o* in a rush, at a gallop); to rush things; **mangiare di c.**, to rush through one's meal; *mangiare un boccone di c.*, to grab a bite; **partire di c.**, to set off at a run; **uscire di c.**, to run out; to leave in a hurry **2** (*lo sport*) racing; (*gara*) race: **le corse dei cavalli**, horse racing

[races]; the races; **le corse dei cani**, greyhound racing [races]; **vincere alle corse**, to win at the races; **la stagione delle corse**, the racing season; **c. a cronometro**, time trial; **c. a ostacoli**, (*atletica*) hurdle race, hurdles (pl.); (*ipp.*) steeplechase; (*per gioco e fig.*) obstacle race; **c. a staffetta**, relay race; **c. a tappe**, stage race; **c. al trotto**, trotting; **c. automobilistica**, car race; **c. campestre**, cross-country race; **c. ciclistica**, bicycle race; **c. piana**, flat race; **c. podistica**, foot-race; **c. su pista [su strada]**, track [road] race; **disputare una c.**, to run a race; **automobile [bicicletta] da c.**, racing car [bicycle]; **cavallo da c.**, racehorse 3 (*di treno, bus, ecc.*) run; trip; journey; ride: **una c. in autobus**, a bus ride; **c. in taxi**, taxi ride; **corse giornaliere**, daily runs; **l'ultima c.**, the last bus [train, etc.]; *Questo treno finisce la sua c. a Sestri*, this train finishes its journey at Sestri; **treno in c.**, moving train; *Non scendere mentre il treno è in c.*, don't get out while the train is moving; **prezzo della c.**, fare; *Fine della c.!*, all change! 4 (*fig.*) race; rush: **c. agli armamenti**, arms race; **c. all'oro**, gold rush; **c. al successo [al guadagno]**, race for success [for profit]; **la c. alla presidenza**, the race for the presidency; **c. contro il tempo**, race against the clock 5 (*mecc., di pistone*) stroke: **c. a vuoto**, idle stroke; **c. ascendente**, upstroke; **c. di ritorno**, return stroke; **c. discendente**, downstroke 6 (*aeron.*) run: **c. di atterraggio**, landing run; **c. di decollo**, take-off run 7 (*baseball, cricket*) run ● **c. nei sacchi**, sack race □ **a passo di c.**, at a run; at the double □ **di gran c.**, at full speed; (*in fretta*) in great haste □ **essere in c. per qc.**, to be competing for st.; to be running for st. □ (*stor.*) **guerra di c.**, privateering □ (*stor.*) **nave da c.**, privateer.

corsalétto m. 1 (*leggera corazza*) breastplate; corselet 2 (*soldato*) soldier (wearing a corselet) 3 (*zool.*) corselet.

♦**corsàro** Ⓐ m. 1 (*con patente sovrana*) privateer; (*spec. nel Mediterraneo*) corsair 2 (*pirata*) pirate; freebooter; buccaneer ● **fare il c. → corseggiare** Ⓑ a. privateering; corsair (attr.); pirate (attr.): **nave corsara**, (*con patente sovrana*) privateer; (*di pirati*) pirate ship.

♦**corseggiàre** Ⓐ v. i. 1 (*con patente sovrana*) to privateer 2 (*fare il pirata*) to practice piracy; to buccaneer Ⓑ v. t. – **c. i mari**, to roam the seas for plunder.

corsettería f. 1 corsetry 2 (*fabbrica*) corset factory 3 (*negozio*) corsetry shop.

corsétto m. 1 corset; (*busto elastico*) girdle 2 (*med.*) corset 3 → **corsaletto**.

corsìa f. 1 (*corridoio*) passage; gangway; (*anche di supermercato*) aisle 2 (*di ospedale*) ward 3 (*di strada*) lane: **c. di accelerazione [decelerazione]**, acceleration [deceleration] lane; **c. di accesso**, slip road (*GB*); ramp (*USA*); **c. d'emergenza**, emergency lane; hard shoulder (*GB*); **c. di marcia**, traffic lane; middle lane; **c. di sorpasso**, outside lane; fast lane; **c. preferenziale**, reserved lane; (*fig.*) fast track; **c. riservata agli autobus**, bus lane; **cambiare c.**, to change lanes; **autostrada a quattro corsie**, four-lane motorway; **salto di c.**, going through the crash barrier; **traffico a c. unica**, one-lane traffic; contraflow (*GB*) 4 (*sport*) lane 5 (*passatoia*) runner.

corsièro m. (*lett.*) horse; steed (*lett.*); (*da battaglia*) charger.

corsista m. e f. person who attends a course.

corsivista m. e f. (*giorn.*) writer of short polemical articles; commentator.

corsivo Ⓐ a. 1 (*di grafia*) cursive 2 (*tipogr.*) italic Ⓑ m. 1 (*grafia*) cursive 2 (*tipogr.*) italics (pl.): **note in c.**, notes in italics;

mettere in c., to italicize 3 (*giorn.*) short polemical article (in italics); comment: *I suoi corsivi hanno creato scompiglio*, his polemical pieces have caused quite a stir.

♦**córso** ① m. 1 (*percorso*) course; path: **il c. di un fiume**, the course of a river; **seguire il proprio c.**, to take (*o* to run) one's course; *La legge deve seguire il suo c.*, the law must take its course 2 (*di lezioni, ecc.*) course; classes (pl.); (*anno di studio*) year: **c. accelerato**, crash course; **c. biennale**, two-year course; **c. di aggiornamento**, refresher course; **un c. di inglese**, a course of English; **c. di recupero**, remedial course; **c. per principianti**, beginners' course; **un c. sul Settecento**, a course (*o* a series of lectures) on the 18th century; **c. serale**, evening classes; **seguire un c.**, to follow (*o* to do) a course; **tenere un c.**, to give (*o* to teach) a course; **studenti del primo c.**, first-year students 3 (*strada principale*) main street; (*di città ital. anche*) corso 4 (*andamento, direzione*) course; direction: **il c. degli avvenimenti**, the course of events; **il c. dei propri pensieri**, one's train of thought; **il nuovo c. del partito**, the new party policy 5 (*corteo*) procession; parade: **c. di carnevale** (*o* **c. mascherato**), carnival procession 6 (*econ.*: *andamento*) course, trend; (*di valuta*) rate; (*prezzo*) price: **il nuovo c. dell'economia**, the new trend in the economy; **il c. dei cambi**, the rate of exchange; the exchange rate; **il c. dell'oro**, the price of gold; **c. azionario**, share price 7 (*di moneta: circolazione*) circulation: **c. forzoso**, forced circulation; **moneta a c. forzoso**, inconvertible money; **avere c. legale**, to be legal tender; **fuori c.**, no longer in circulation; **essere messo fuori c.**, to go out of circulation; **in c.**, in circulation; valid; **mettere in c.**, to put into circulation; **valuta in c.**, currency; legal tender 8 (*naut., del fasciame*) strake: **c. di rivestimento**, skin strake ● **c. d'acqua**, river; stream; waterway □ (*comm.*) **affari in c.**, outstanding business □ **dare c. a**, to start; to initiate: **dare c. ai lavori**, to start the works; **dare c. a una pratica**, to initiate proceedings (for); (*comm.*) **dare c. a un'ordinazione**, to carry out an order □ **dare libero c. alla fantasia**, to give free play (*o* rein) to one's imagination □ **in c.**, (*in circolazione*) in circulation; (*attuale*) current, present; (*in svolgimento*) in progress, under way, on: **francobolli in c.**, stamps in circulation; **l'anno in c.**, the current year; **lavori in c.**, work in progress; (*cartello stradale*), roadworks ahead; men at work; *La riunione è in c.*, the meeting is in progress; *È in c. un'inchiesta*, an enquiry is being held □ **in c. di allestimento** (*o* **di realizzazione**), under way □ **in c. d'anno**, over the year □ **in c. di costruzione**, under (*o* in course of) construction □ **in c. d'opera**, during the execution (of st.) □ **in c. di stampa**, in press; in printing □ **nel c. delle indagini [del viaggio]**, in the course of (*o* during) the investigation [the journey] □ **Nel c. della giornata lo vidi due volte**, I saw him twice during that day □ **Te lo restituirò nel c. del mese**, I'll give it back to you within the month □ **nel c. di questi anni**, over the last few years □ **studente fuori c. → fuoricorso**, def. 2.

córso ② a. e m. (f. **-a**) Corsican.

corsóio m. 1 (*guida*) slider 2 (*di regolo calcolatore*) cursor.

♦**córte** f. 1 (*di sovrano, ecc.*) court: **la c. di Spagna**, the Spanish Court; **la C. papale**, the Papal Court; **essere presentato a c.**, to be presented at court; **ambasciatore alla c. di Francia**, ambassador at the French court; **il re e la sua c.**, the king and his court; **ballo a c.**, court ball; **dama di c.**, female courtier; lady at court; **uomo di c.**, courtier; **poeta di c.**, court poet 2 (*seguito*)

retinue; train 3 (*cortile*) court; courtyard; yard 4 (*leg.*) law court; court: **alta c.**, High Court; **C. d'Appello**, Court of Appeal; Appeal Court; **C. d'Assise**, Court of Assizes; **C. di Cassazione**, Court of Cassation; **c. di giustizia**, court of law; court of justice; **C. costituzionale**, Constitutional Court; (*in Italia*) **C. dei Conti**, State Auditors' Department; (*mil.*) **c. marziale**, court martial; **deferire alla c. marziale**, to court-martial; *La c. si ritira!*, the court will rise; *Entra la c.!*, all rise! 5 (*corteggiamento*) courting; courtship; wooing: (*anche fig.*) **fare la c. a q.**, to court sb.; to woo sb.; *Fa la c. a tutte le ragazze*, he flirts with all the girls; **fare una c. spietata a q.**, to pursue sb. relentlessly ● **c. dei miracoli**, cour des miracles (*franc.*) □ **tenere c.**, to hold court.

♦**cortéccia** f. 1 (*bot.*) bark; rind 2 (*anat.*) cortex*: **c. cerebrale**, cerebral cortex; **c. surrenale**, adrenal cortex 3 (*fig.*) exterior; surface.

corteggiaménto m. courtship (*anche zool.*); courting; wooing.

corteggiàre v. t. (*anche fig.*) to court; to woo.

corteggiatóre m. suitor; wooer; (*ammiratore*) admirer.

cortéggio m. retinue; suite; train (*lett.*).

cortèo m. 1 (*processione*) procession; cortège (*franc.*); (*sfilata*) parade: **c. d'automobili**, procession of cars; motorcade (*USA*); **c. funebre**, funeral procession; cortege; **c. nuziale**, bridal procession 2 (*dimostrazione*) march; (*le persone*) crowd, demonstrators (pl.): **il c. degli scioperanti**, the strikers; **organizzare un c.**, to organize a march; **sfilare in c.**, to march; to parade 3 (*fila di persone*) crowd; stream (of people) 4 (*seguito*) retinue; train.

♦**cortése** a. 1 (*educato*) polite, courteous; (*gentile*) kind 2 (*affabile*) affable; urbane; gracious 3 (*letter.*) courtly: **amor c.**, courtly love; **romanzo c.**, courtly romance ● **armi cortesi**, blunted weapons.

cortesìa f. 1 (*educazione*) courtesy, politeness; (*gentilezza*) kindness: *Grazie della sua c.*, thank you for your kindness (*o* for being so kind); **mancare di c.**, to be unkind; **usare c. verso q.**, to be polite to sb.; **per c.**, (*per favore*) please, kindly; (*per ragioni di cortesia*) out of politeness, for politeness' sake: *Per c., chiuda la porta*, please shut the door; *L'ho ascoltato per c.*, I listened to him out of politeness 2 (*affabilità*) affability; urbanity; graciousness 3 (*atto cortese*) attention; kindness; (*favore*) favour: **chiedere una c. a q.**, to ask sb. a favour; **colmare q. di cortesie**, to shower one's attentions on sb.; *Mi faccia (o Abbia) la c. di*, would you be so kind as to...?; (*più secco*) please be so kind as to..., please have the goodness to...; *Mi fece la c. di...*, she was kind (*o* good) enough to...

cortézza f. shortness ● (*fig.*) **c. di mente**, dullness; obtuseness.

corticàle a. (*anat., bot.*) cortical.

corticàto a. (*bot.*) corticated.

corticòide, corticosteròide m. (*biochim.*) corticoid; corticosteroid.

corticosteróne m. (*biochim.*) corticosterone.

corticosurrenàle a. (*anat.*) adrenocortical: **ormone c.**, adrenocortical hormone.

corticotropìna f. (*biochim.*) corticotrophin; corticotropin.

cortigiàna f. 1 (*dama di corte*) (female) courtier 2 (*prostituta*) courtesan.

cortigianerìa f. 1 courtier's behaviour Ⓤ 2 (*adulazione*) flattery, adulation; (*servilità*) obsequiousness, fawning.

cortigianésco a. 1 (*di cortigiano*) like a courtier; courtier's (attr.) 2 (*spreg.*) obse-

quious; flattering; adulatory; fawning.

cortigiàno **A** a. **1** court (attr.); courtly **2** (*adulatorio*) obsequious; adulatory; fawning **B** m. **1** (*uomo di corte*) courtier **2** (*adulatore*) flatterer.

♦**cortìle** m. courtyard; yard; court: **c. anteriore**, forecourt; **c. centrale**, central court; **c. di fattoria**, farmyard; barnyard; **c. di locanda**, coachyard; **c. di scuola**, playground; schoolyard; **c. quadrato**, quadrangle; quad; **c. sul retro**, back yard; **animali da c.**, poultry (collett.).

cortìna f. **1** (*tenda*) curtain: **cortine del letto**, bed curtains **2** (*fig.*) curtain; screen; wall: (*polit.*) **la C. di ferro**, the Iron Curtain; **una c. di silenzio**, a wall of silence; a veil of silence; (*mil.*) **c. fumogena**, smokescreen; *I pioppi formavano una c.*, the poplars formed a screen **3** (*mil.*) barrage; curtain.

cortinàggio m. curtains (pl.); hangings (pl.).

cortìsolo m. (*biochim.*) cortisol; hydrocortisone.

cortisóne m. (*biochim.*) cortisone.

cortisònico a. (*biochim.*) cortisone (attr.); cortisone-based.

♦**córto** **A** a. short: **calzoni corti**, short pants; shorts; **capelli corti**, short hair; **fiato c.**, short breath; **vacanza corta**, short holiday ♦ **a c. di**, short of; running out of: **a c. di soldi**, short of money; **a c. di manodopera**, short-handed; *Siamo a c. di benzina*, we're running out of petrol; **rimanere a c. di qc.**, to run short of st. □ **Alle corte!**, come to the point; stop beating about the bush (*fam.*) □ (*anche fig.*) **avere la vista corta**, to be short-sighted □ **mare c.**, choppy sea □ **memoria corta**, poor memory □ **per farla corta**, in short; to cut a long story short □ **settimana corta**, five-day week **B** m. **1** (*fam.*, *elettr.*) short circuit; short (*fam.*): **andare in c.**, to short (*fam.*) **2** (*fam.*, *cinem.*) short film; short (*fam.*) **C** avv. – (*fig.*) **tagliar c.**, to close the argument; (*venire al dunque*) to get to the point; to stop beating about the bush; (*sbrigarsi*) to hurry things up; **per tagliar c.**, to make a long story short; to put it briefly ⨀ **FALSI AMICI** • corto *non si traduce con* curt.

cortocircuitàre v. t. (*elettr.*) to short-circuit.

cortocircùito m. (*elettr.*) short circuit: **andare in c.**, to short-circuit; (*fig.*) to seize up, to go haywire; **causare un c.**, to short-circuit; (*fig.*) to short-circuit.

cortometràggio m. (*cinem.*) short film; short (*fam.*).

corvè f. inv. **1** (*stor.*) corvée **2** (*mil.*) fatigue (duty): **essere di c.**, to be on fatigue; (*fig.*) to be sb.'s turn (to do st.) **3** (*fig.*: *cosa faticosa*) tiring task; thankless job; drudgery; sweat (*fam.*): *Traslocare è una c.*, moving is a thankless job.

corvètta ① f. (*naut.*) corvette • **capitano di c.**, lieutenant commander.

corvètta ② f. (*equit.*) curvet.

corvettàre v. i. (*equit.*) to curvet.

còrvide a. (*zool.*) corvid; (al pl., *scient.*) Corvidae.

corvìno a. (*nero*) jet-black; raven (attr., *lett.*): **capelli corvini**, jet-black hair; **dai capelli corvini**, with raven hair; raven-haired.

♦**còrvo** m. **1** (*zool.*, *Corvus*) crow; raven: **c. comune** (o **nero**) (*Corvus frugilegus*), rook; **c. imperiale** (*Corvus corax*), raven; **nero come un c.**, as black as a raven **2** (*naut. stor.*) grappling iron; grapple **3** (*fig.*: *autore di lettere anonime*) writer of poison-pen letters **4** (*astron.*) – **il C.**, Corvus → (*fig.*) **c. del malaugurio**, bird of ill omen.

♦**còsa** f. **1** thing; (*situazione*, *fatto*) it, things (pl.): *È una c. difficile da spiegare*, it's a difficult thing to explain; *È stata una c. meravigliosa*, it was wonderful; *Le cose vanno bene*, things are going well; **se le cose vanno lisce**, if things go smoothly; if all goes well; **vedere come si mettono le cose**, to see how things turn out; **così come stanno le cose**, the way things are; as it is; *Dimmi una c.*, tell me something; *È successa una c. spaventosa*, something awful has happened; *È una c. che non mi interessa*, it doesn't interest me; *È c. passata*, it's a thing of the past; **fare le cose una per volta**, to do things one at a time; **prendere le cose alla leggera**, to take things lightly; *Ho fatto tutte le cose che dovevo*, I did everything I had to do **2** (anche al pl.) (*faccenda*) matter; affair; business ⓤ; it; this: *La c. deve restare tra noi*, this is strictly between ourselves; *La c. sta in questi termini*, the matter stands thus; *Così stanno le cose*, that's the way it is; *Non è una c. da ridere*, it's no laughing matter; *Pensa alle cose tue*, mind your own business; *Non sono cose che mi riguardino*, it's none of my business **3** (*opera*) work: *È una delle cose più belle del Fattori*, it's one of Fattori's finest works **4** (al pl.: *oggetti personali*) things; belongings; possessions; gear ⓤ; bits and pieces; (*roba*) stuff ⓤ: *Passerò a prendere le mie cose con la macchina*, I'll come and fetch my things with the car; *Prendi su le tue cose e vattene!*, pack up your things and get out! **5** (escl. e interr.: *che cosa*) what: (*Che*) *c. importa?*, what does it matter?; (*Che*) *c. vuoi?*, what do you want?; (*Che*) *c. hai?*, what's the matter with you?; what's with you? (*USA*); (*Che*) *cos'ha questa radio?*, what's the matter with (o what's wrong with) this radio?; *C. vuoi che mi interessi!*, what the hell do I care!; *In che c. posso servirla?*, can I help you?; *So che c. sia la timidezza*, I know what it is like to be shy; *Non so* (*che*) *c. farmene*, I don't know what to do with it; I've no use for it ❶NOTA: chi → chi①. **6** (*leg.*) property ⓤ: **cose assicurate**, (the) insured property; **cose immobili**, real property (o estate); immovables; **cose mobili**, personal property; chattels; movables **7** (*fam.*, *al posto del nome di un oggetto*) thing; thingummy (*fam.*); thingumajig (*fam.*) **8** (*fam.*, *al posto del nome di una ragazza o donna*) what's-her-name; whatsit **9** (al pl.) (*fam.*: *mestruazioni*) period (sing.); curse (sing., *scherz.*) • **c. che**, which: *Quando mi svegliai pioveva, c. che mi mise subito di cattivo umore*, it was raining when I woke up, which put me in a bad mood straight away □ **Cose che capitano!**, it's just one of those things!; these things happen! □ **una c. da nulla**, nothing; a mere nothing; a trifle; a minor point □ **Cose dell'altro mondo!**, it's unbelievable!; that beats everything! (*fam.*) □ (*leg.*) **c. giudicata**, final judgment; res judicata (*lat.*) □ **C. Nostra**, Cosa Nostra; the Mafia □ **la c. pubblica**, the state; the general (o common) good; the common weal; the commonwealth □ **La c. va da sé**, it's a matter of course □ **C. vuoi...**, well...; you know...; after all... □ **a cose fatte**, when it is [was] all over □ **Belle cose si dicono sul suo conto!**, I've heard some nice things about him! □ **capire una c. per l'altra**, to misunderstand st.; to misinterpret st. □ **Che c. costa?**, how much is it? □ **Consideralo c. fatta**, you can regard it as done □ **È una c. sicura**, it's a sure thing; it's a dead cert (*fam.*) □ **Da c. nasce c.**, one thing leads to another □ **dire una c. per un'altra**, to mix up two words □ **Fa' una c.: paga e non pensarci più**, take my advice: pay up, and think no more about it □ **fare la c. giusta**, to do the right thing □ **Fai** (*hai intrapreso*) **troppe cose**, you've taken on too much; you've got too much on your plate □ **fra le altre cose**, among other things □ **fra una c. e l'altra**, what with one thing and

another □ **nessuna c.**, nothing: *Nessuna c. al mondo può dividerci*, nothing in the world can divide us □ (*region.*) **Non è c.**, it's impossible; it can't be; it's absurd □ **ogni c.**, everything: *Ogni c. a suo tempo*, there's a time for everything □ **qualche c.** → **qualcosa** □ **per la qual c.**, for which reason; wherefore □ **per prima c.**, first of all □ **qualsiasi c.**, anything; whatever: *Farei qualsiasi c. per lui*, I'd do anything for him; *Qualsiasi c. dica, non credergli*, whatever he says, don't believe him □ **la qual c.**, which □ **Sai una c.?**, you know something?; you know what; I'll tell you what □ **sopra ogni c.**, above all; more than anything else □ **Tante cose!**, goodbye!; all the best! □ **Tante cose a...!**, regards to...! □ (*prov.*) **C. fatta capo ha**, what is done is done (and can't be undone).

cosà avv. (*fam.*) **1** – **così e c.**, like this; like that; **così o c.**, this way or that way **2** – **così c.**, so-so: *Il tema va così c.*, the essay was so-so; **un lavoro fatto così c.**, a so-so job.

cosàcco a. e m. Cossack.

cosàre v. t. (*fam.*) to do* (*ma spesso non ha equivalente*): *Che state cosando?*, what are you doing?; *Cosa la luce*, (*accendila*) put on the light; (*spegnila*) put off the light; *Cosami il giornale* (*passamelo*), pass me the paper.

còsca f. Mafia clan; (*estens.*) gang.

♦**còscia** f. **1** (*anat.*) thigh **2** (*alim.*) leg; haunch: **c. di cervo**, haunch of deer; **c. di pollo**, chicken leg; drumstick (*fam.*); **c. di tacchino**, leg of turkey **3** (*di calzoni*) leg **4** (*edil.*) haunch; abutment **5** (*mecc.*) jaws (pl.).

cosciàle m. **1** (*indumento protettivo*) thigh guard; thigh protector; (*sport*) thigh pad **2** (*di armatura*) cuisse; thigh piece **3** (*protesi*) artificial thigh.

cosciènte a. **1** (*consapevole*) aware (pred.); conscious (pred.): **c. dei propri limiti**, aware of one's limits **2** (*coscienzioso*) conscientious; scrupulous **3** (*ponderato*) deliberate; (*responsabile*) responsible **4** (*in sé*) conscious (pred.).

♦**coscienza** f. **1** conscience: **avere la c. pulita** [**sporca**], to have a clear [guilty] conscience; **avere qc. sulla c.**, to have st. on one's conscience; *Ho la c. a posto*, my conscience is clear; **mettersi la c. a posto**, to set one's conscience at rest; **mettersi una mano sulla c.**, to put a hand on one's heart; **pesare sulla c.**, to lie heavy on sb.'s conscience; *Mi rimordeva la c.*, my conscience was bothering me; I was conscience-stricken; **togliersi un peso dalla c.**, to clear one's conscience; to take a weight off one's mind; **venire a patti con la propria c.**, to compromise with one's conscience; **contro c.**, against one's conscience; **per scarico di c.**, (*per togliersi un peso dalla coscienza*) to clear one's conscience; (*per dovere*) as a matter of duty; **secondo c.**, according to one's conscience; **caso di c.**, matter of conscience; **esame di c.**, examination of one's conscience; soul-searching; **fare un esame di c.**, to examine one's conscience; to search one's soul; **rimorsi di coscienza**, pangs of conscience; qualms; **scrupolo di c.**, scruple of conscience; **per scrupolo di c.**, for conscience's sake; to be on the safe side; **la voce della c.**, the voice of one's conscience **2** (*consapevolezza*) consciousness; awareness: **c. di classe**, class consciousness; **c. politica** [**sociale**], political [social] awareness; **avere piena c. di qc.**, to be fully aware of st.; **prendere c. di qc.**, to awaken to st.; to become aware of st.; to realize; **presa di c.**, becoming aware; realization **3** (*conoscenza*, anche *fig.*) consciousness: **perdere** [**riacquistare**] (**la**) **c.**, to lose [to recover] consciousness **4** (*coscienziosità*) conscientiousness; scrupulousness; care **5** (*onestà*) hon-

esty; fairness: **persona di c.**, honest person ● **in (tutta) c.**, in all conscience □ **senza c.**, (senza scrupoli) unscrupulous (agg.); unscrupulously (avv.); (irresponsabile) irresponsible.

coscienziàle a. (psic.) consciousness (attr.); conscious.

coscienziosità f. conscientiousness; scrupulousness.

coscienzióso a. conscientious; scrupulous.

còscio, cosciòtto m. (di ovino, di vitello) leg; (di selvaggina) leg, haunch.

coscritto A a. – (stor. romana) **padri coscritti**, conscript fathers **B** m. (mil.) conscript; recruit; draftee (USA).

coscrivere v. t. (mil.) to conscript; to recruit; to draft (USA); to induct (USA).

coscrizióne f. (mil.) conscription; call-up (GB); draft (USA); induction (USA).

cosecànte f. (mat.) cosecant (abbr. cosec).

coseità f. (filos.) thingness.

coséno m. (mat.) cosine (abbr. cos).

cosfì m. (elettr.) power factor.

cosfìmetro m. (elettr.) power factor meter.

◆**così A** avv. **1** (in questo modo) like this; like that; this way; so; thus (lett.); (questa, quella cosa) this, that: Io lo faccio sempre c., I always do it like that (o this way); È un uomo fatto c., he is like that; Prova a girarlo (per) c., try turning it this way (o like this); Non fare c., ti prego!, please, don't do that!; please, don't'!; Mettiamola c.: nessuno ti obbliga, let's put it like this (o this way): no one's forcing you; Continua c., go on like that; Io la penso c., that's what I think; È finita c., that's how it ended; È andata c., that's the way it went; Ha detto c., that's what he said; Non ho detto c., I didn't say that; that is not what I said; C. è!, that's the way it is; È davvero c.?, is that really so?; C. pare, so it seems; C. facendo non otterrai nulla, behaving like that won't get you anywhere; C. parlò Zarathustra, Thus Spake Zarathustra **2** (rif. a misure) so; (facendo il gesto) this, that: **una zanzara grossa c.**, a mosquito this (o so) big; Tagliane via tanto c., cut off this much **3** (altrettanto) so; likewise: Mi alzai, e c. fece lui, I stood up, and so did he (o and he did likewise) **4** (tanto) so (+ avv. o agg.); such (+ agg. e sost.): È c. facile!, it is so easy!; Sono c. contento di vederti, I'm so glad to see you; È una ragazza c. intelligente, she is such a clever girl; Non m'aspettavo un conto c. salato, I didn't expect such a stiff bill; Non è poi c. ingenuo, he isn't all that innocent ● **c. che → cosicché** □ **c. com'è**, just as it [he, etc.] is (o cosà), so-so: «Come vanno gli affari?» «C. c.», «how's business?» «so-so» □ **Basta c.!** (smettila), that's enough; that will do!, enough of that! □ **Basta c., grazie**, that's enough, thank you; that will do, thank you □ **E c.?**, well?; what about it?: E c., com'è andata?, well, how did it go? □ **e c. via**, and so on; and so forth □ **È c. o non è c.?**, isn't that so? □ **Mi disse di fare c. e c.**, she told me exactly what to do □ **Il telegramma era concepito**: «Arrivo lunedì 7. Vieni stazione», the telegram read: «Arriving Monday 7th. Meet me at station» □ **meglio c.**, it's all for the best; just as well □ **Meglio di c.!**, what more could one want? □ (fam.) **o c. o cosà**, either this way or that way □ **per c. dire**, so to speak; as it were; sort of □ **proprio c.**, just so; quite so □ **Se è c.**, if that is the case... **B** a. (tale, siffatto) like that (o this); such (attr.): Non avevo mai visto un posto c., I'd never seen a place like that (o this) before; Come puoi dire delle cose c.?, how can you say such things?; **c. c.**, so-so **C** cong. **1** (dunque, allora) so; then: C. non sei stato tu, so it wasn't you; C. hai perso il posto, eh?,

so you've lost your job! **2** (perciò, quindi) so; therefore: Era tardi, e c. andammo a casa, it was late, so we went home **3** (correl. di «come» e «quanto») as... as; (in frasi neg., anche) so... as: È c. pigro come una volta?, is he as lazy as he used to be?; Non sono c. agile come vorrei, I am not as (o so) nimble as I'd like to be **4** (correl. di «che» e «da») so... (that); so... as: Il rumore fu c. debole che nessuno lo udì, the noise was so faint (that) no one heard it; Sia c. gentile da chiudere la porta, would you be so kind as to close the door?; Fui c. fortunato da scamparla, I was lucky enough to escape **5** (correl. di «come», nel senso di «parimenti, entrambi») both... (and): **c. il marito come la moglie**, both husband and wife; C. come lo zucchero, anche il formaggio fa ingrassare, cheese, as well as sugar, is fattening **6** (ottativo) – C. m'assista Iddio!, so help me God!; C. volesse il Cielo!, God willing!; C. sia, so be it; amen.

cosicché cong. **1** (affinché) so that; that **2** (perciò) so: Restò via trent'anni, c. quando tornò nessuno lo riconobbe, he was away for thirty years, so when he came back no one recognized him.

cosiddétto a. so-called.

cosiffàtto a. like that; such (attr.): Cosa vuoi fare con un uomo c.?, what can you do with a man like that (o such a man)?

cosificàre v. t. to reify.

cosìno m. **1** little thing **2** (fig.: persona piccola) little man*; tiny woman*; slip of (a girl, a man, etc.); shrimp (scherz.); squirt (scherz.) **3** (bambino piccolo e debole) little thing; little mite.

cosinuşòide f. (mat.) cosine curve.

coşmatésco a. (archit.) in the Cosmati style.

coşmèşi f. **1** beauty treatment; cosmetics Ⓤ **2** (fig.) cosmetic measures (pl.); window-dressing: **c. di bilancio**, creative accounting; window-dressing.

coşmètica f. beauty treatment; cosmetics Ⓤ.

coşmètico A a. cosmetic; beauty (attr.): **prodotti cosmetici**, beauty products; cosmetics **B** m. cosmetic.

coşmetìsta f. e m. beautician; cosmetologist.

coşmetologìa f. cosmetology.

coşmetològico a. cosmetologic.

coşmicità f. universality.

còşmico a. **1** cosmic: **polvere cosmica**, cosmic dust; **raggi cosmici**, cosmic rays **2** (universale) universal: **dolore c.**, universal sorrow.

còşmo m. cosmos; universe; outer space.

coşmobiologìa f. exobiology; astrobiology.

coşmochìmica f. cosmochemistry.

coşmòdromo m. (miss.) cosmodrome.

coşmogonìa f. cosmogony.

coşmogònico a. cosmogonic.

coşmografìa f. cosmography.

coşmogràfico a. cosmographic.

coşmògrafo m. cosmographer.

coşmologìa f. cosmology.

coşmològico a. cosmological: (filos.) **prova cosmologica**, cosmological argument.

coşmòlogo m. (f. -a) cosmologist.

coşmonàuta m. e f. astronaut; spaceman* (m.); spacewoman* (f.); (russo, anche) cosmonaut.

coşmonàutica f. astronautics (pl. col verbo al sing.).

coşmonàutico a. astronautical; space (attr.).

coşmonàve f. spaceship; spacecraft*.

coşmonavigazióne f. space navigation.

coşmòpoli f. cosmopolis.

coşmopolìta A a. cosmopolitan **B** m. e f. cosmopolitan; cosmopolite.

coşmopolìtico a. cosmopolitan.

coşmopolitìşmo m. cosmopolitanism; cosmopolitism.

coşmoràma m. cosmorama.

còşo m. (fam.) **1** thing; whatsit; what's-its-name; thingummy; thingumajig; (di oggetto) doings (GB), doodah (GB), doodad (USA), doohickey (USA), (aggeggio) contraption, gismo, gizmo (USA) **2** (di uomo) what's-his-name; whoosis (USA).

cospàrgere v. t. **1** to sprinkle; to strew* (generalm. al passivo); (sparpagliare) to scatter; (coprire) to cover: **c. di zucchero**, to sprinkle with sugar; **c. qc. di fiori**, to scatter flowers over st.; **cosparso di petali**, strewn with petals; La valle era cosparsa di casette, cottages were scattered along the valley; the valley was scattered with cottages **2** (di liquido) to sprinkle; (versare) to pour: **c. con acqua santa**, to sprinkle with holy water; **c. di rum e servire caldo**, pour rum over it and serve hot ● (fig.) **cospargersi il capo di cenere**, to eat humble pie.

cospètto A m. **1** presence; sight: **al c. di**, in the presence of; before; in front of: **al c. di Dio**, before God; in the presence of God; **al c. di tutti**, in front of everybody **2** (lett.) face; countenance **B** inter. by Jove!; good gracious!

cospicuità f. **1** remarkableness; prominence; (rif. a quantità) considerableness **2** (evidenza) conspicuousness; conspicuity.

cospìcuo a. **1** remarkable; outstanding; (notevole) appreciable, prominent; (ingente) considerable, substantial, sizeable: **le differenze più cospicue**, the more prominent differences; **una somma cospicua**, a considerable sum **2** (lett.: visibile) conspicuous **❶ Falsi amici** • cospicuo nel senso di considerevole non si traduce con conspicuous.

cospiràre v. i. **1** to conspire; to plot: **c. contro un tiranno**, to conspire against a tyrant; Cospirarono per rovesciare il regime, they plotted to overthrow the regime; Tutto sembrava c. contro di noi, everything seemed to conspire against us **2** (fig.: contribuire) to conspire; to concur.

cospirativo a. conspiratorial.

cospiratóre m. (f. -trìce) conspirator; plotter ● **aria da c.**, conspiratorial air.

cospiratòrio a. conspiratorial.

cospirazióne f. conspiracy; plot.

còssi 1ª pers. sing. pass. rem. di **cuocere**.

còsso m. (zool., Cossus cossus) carpenter moth.

Cost. abbr. (leg., **costituzione**) constitution (Cost.).

◆**còsta** f. **1** (anat., bot., zool.) rib **2** (fianco, lato) side; edge: **di c. a**, next to; side by side to **3** (naut., di nave) rib; frame; timber **4** (di coltello) back **5** (di libro) spine; back **6** (lavoro a maglia) rib: **a coste**, ribbed; **lavorazione a coste**, ribbing; **punto a coste**, rib stitch; **velluto a coste**, corduroy **7** (geogr.) coast; coastline; seaboard; (litorale) shore: **la c. atlantica**, the Atlantic coast (o seaboard); **la C. Azzurra**, the Côte d'Azur; **la C. d'Avorio**, the Ivory Coast; **la C. d'Oro**, the Gold Coast; **c. frastagliata**, indented coastline; **c. rocciosa [sabbiosa, sassosa]**, rocky [sandy, pebbly] coast; (naut.) **c. sopravvento [sottovento]**, weather [lee] shore; **lungo la c.**, along the coast; coastwise; **sotto c.**, close to the shore; close inshore; (naut.) **tenersi sotto c.**, to keep close inshore; to hug the shore **8** (di monte) side; hillside; mountainside; (pendio) slope: **una c. ripida**, a

steep slope; *La pista prosegue a mezza c.*, the track continues across the mountainside; (*alpinismo, sci*) **traversare a mezza c.**, to traverse; (*alpinismo, sci*) **traversata a mezza c.**, traverse.

costà → **costì**.

costaggiù avv. down there.

costàle a. (*anat.*) costal.

costantàna f. (*metall.*) costantan.

costànte [A] a. 1 (*perseverante*) constant; persevering; steadfast; firm: **c. nello studio**, persevering in one's studies; **c. negli affetti**, steadfast in one's affections; **c. in un proposito**, firm in a decision 2 (*continuo*) continuous; incessant; steady: **aumento c.**, continuous (*o* steady) increase; **pioggia c.**, steady (*o* incessant) downpour 3 (*invariato, stabile*) constant; steady; even; unchanged; invariable: **preoccupazione c.**, constant worry; **temperatura c.**, even temperature; **vento c.**, steady wind 4 (*fis., mat.*) constant [B] f. 1 (*mat.*) constant 2 (*fig.*) constant; standard feature.

costantiniàno a. Constantinian.

Costantìno m. Constantine.

Costantinópoli f. (*geogr.*) Constantinople.

costànza f. 1 constancy; steadfastness; perseverance; firmness; (*tenacia*) tenacity 2 (*scient.*) immutability.

Costànza f. Constance.

costardèlla f. (*zool., Scomberesox saurus*) saury pike.

◆**costàre** v. i. 1 to cost*; (*assol.*: *essere costoso*) to be expensive, to be dear, to cost* money: *Mi è costato dieci sterline*, it cost me ten pounds; *Quanto costa?*, how much does it cost?; how much is it?; *Ti costerà parecchio*, it'll cost you a lot; *Tutto costa*, everything costs money; you have to pay for everything; **c. caro**, to be expensive; **c. poco**, to be cheap; **c. un occhio** (*o* **salato**), to cost a fortune (*o, fam.*, an arm and a leg, a packet, a bomb) 2 (*fig.*) to cost*: *Potrebbe costarci la vita*, it could cost us our lives; *L'incidente costò la vita a dieci persone*, ten people were killed in the accident; *Il suo errore gli è costato caro*, his error cost him dear; *Che cosa ti costava telefonare?*, what would it have cost you to phone? 3 (*fig.*: *essere doloroso*) to be a great pain (to), to pain (sb.), to hurt (sb.); (*essere uno sforzo*) to cost a lot (to): *Mi costò molto lasciarla andare*, it pained me (*o* it was a great wrench for me) to let her go; *Mi costa ammetterlo, ma aveva ragione lui*, it hurts to admit it, but he was right ● **c. fatica**, (*essere faticoso*) to be demanding; to be a hard job; (*essere un fastidio*) to be a bother □ **c. lacrime**, to be the cause of much suffering □ **Costi quel che costi**, no matter what it costs; (*fig., anche*) come hell or high water.

Costarica f. (*geogr.*) Costa Rica.

costaricàno a. e m. (f. **-a**) Costa Rican.

costassù avv. up there.

costàta f. (*alim.*) chop: **c. d'agnello**, lamb chop.

costeggiàre v. t. 1 (*naut.*) to sail along; to coast along; (*assol.*) to sail along (*o* to hug) the coast: **c. un promontorio**, to sail along a promontory 2 (*andare lungo*) to go* [to walk, to run*, to drive*, etc.] along; to skirt; (*di strada*) to skirt, to run* along: *Costeggiammo il lago*, we went (*in automobile*: we drove) along the edge of the lake 3 (*di strada, fiume, ecc.*) to skirt; to run* along; (*di alberi*) to border, to line: *La strada costeggia il monte e poi il fiume*, the road skirts the mountain and then runs along the river; **un**

viale costeggiato da pioppi, an avenue bordered (*o* lined) with poplars 4 (*agric.*) to plough along the ridges of.

costeggiatùra f. (*agric.*) ploughing along the ridges.

costèi pron. dimostrativo f. she (sogg.); her (compl.); this [that] woman* [girl]: *Chi è c.?*, who is that woman?

costellàre v. t. to stud; to spangle; to dot; to pepper; to strew*.

costellàto a. studded; spangled; covered; peppered; dotted: **un diadema c. di smeraldi**, a tiara studded with emeralds; **un lago c. di barche**, a lake dotted with boats; **un discorso c. di citazioni**, a speech peppered with quotations; **un compito c. di errori**, an exercise full of mistakes.

costellazióne f. 1 (*astron.*) constellation: **le costellazioni dello Zodiaco**, the constellations of the Zodiac 2 (*fig.*) constellation; galaxy: **una c. di divi**, a galaxy of film stars.

costernàre v. t. to fill with dismay (*o* consternation); to dismay (generalm. al passivo); to upset*: *La notizia mi costernò*, I was dismayed at the news.

costernàto a. 1 (*colpito, afflitto*) dismayed; filled with dismay; upset; desolated; devastated: *Rimase c. a quella notizia*, he was dismayed at (*o* devastated by) the news; *Sono c., non intendevo*, I'm terribly sorry, I didn't mean to 2 (*che manifesta costernazione*) dismayed; upset; desolate; distressed; **occhiate costernate**, dismayed glances; **tono c.**, desolate tone.

costernazióne f. dismay; consternation; distress.

costì avv. there; over there: *Come vanno le cose c.?*, how are things at your end?

costièra f. 1 (*stretch of coast*): **la c. amalfitana**, the Amalfi coast 2 (*pendio*) slope.

costièro a. (*della costa*) coastal, coast (attr.); (*vicino alla costa*) inshore, coastal, coasting: **difesa costiera**, coast (*o* coastal) defences (pl.); **commercio c.**, coasting trade; **nave costiera**, coaster; **navigazione costiera**, coastal (*o* inshore) navigation; **un tratto c.**, a stretch of coast.

costina f. (*alim.*) spare rib.

costipaménto m. 1 (*edil.*) tamping; compaction 2 → **costipazione**.

costipàre [A] v. t. 1 (*il terreno*) to pack down; to tamp 2 (*med.*: *rendere stitico*) to constipate [B] **costipàrsi** v. i. pron. 1 (*med.*: *diventare stitico*) to become* constipated 2 (*fam.*: *prendersi un raffreddore*) to catch* a bad cold.

costipàto a. 1 (*med.*: *stitico*) constipated; costive 2 (*fam.*: *raffreddato*) with a bad cold.

costipazióne f. 1 (*del terreno*) subsidence 2 (*med.*: *stipsi*) constipation; costiveness 3 (*fam.*: *raffreddore*) bad cold.

costituènte [A] a. 1 constituting 2 (*polit.*) constituent: **assemblea c.**, constituent assembly [B] m. 1 (*chim., ling.*) constituent 2 member of a constituent assembly [C] f. constituent assembly.

◆**costituìre** [A] v. t. 1 (*fondare, stabilire*) to constitute; to form; to establish; to set* up: **c. un comitato**, to set up (*o* to constitute) a committee; **c. un ente governativo**, to establish (*o* to set up) a government body; **c. una società**, to form a partnership; (*commerciale*) to set up a company 2 (*formare, comporre*) to constitute; to form; to make* up; to compose: *La casa è costituita di sei locali*, the house consists of six rooms; **gli elementi che costituiscono il sangue**, the elements that make up blood 3 (*essere, rappresentare*) to be; to represent; to constitute; to account for: **c. una minaccia per**, to be (*o* to pose) a threat to; (*leg.*) **c. un reato**, to

constitute (*o* to be, to amount to) a crime; *Il terziario costituisce i due terzi dell'attività economica del paese*, services represent (*o* account for) two-thirds of the country's economy 4 (*eleggere, nominare*) to constitute; to appoint; to make*: *Lo zio lo costituì suo unico erede*, his uncle constituted (*o* made) him his sole heir; *Lo costituii mio consulente principale*, I appointed (*o* constituted) him my chief adviser 5 (*assegnare, dare*) to give*; to settle: **c. una rendita a q.**, to settle an annuity on sb. [B] **costituìrsi** v. i. pron. 1 (*formarsi*) to develop; to grow* up; to spring* up: *Si sono costituite altre abitudini*, other habits have developed; *Si costituirono comitati di quartiere*, residents' associations sprang up 2 (*leg.*: *presentarsi alla polizia*) to give* oneself up (to the police); to turn oneself in 3 (*leg.*) – **costituirsi in giudizio**, to appear before a court; **costituirsi parte civile**, to sue for damages in a criminal court 4 (*organizzarsi*) to constitute oneself; to become*; to form (st.): *Vogliono costituirsi in comitato*, they want to constitute themselves into a committee; *L'Italia si costituì in repubblica*, Italy became a republic 5 (*nominarsi, erigersi*) to appoint oneself: *Si è costituito giudice della mia condotta*, he has appointed himself a judge of my conduct.

costituìto a. constituted; established; set up: **l'autorità costituita**, the (established) authorities (pl.).

costitutivo a. 1 constitutive (*anche scient.*); constituent: **le parti costitutive di un reattore nucleare**, the constituent parts of a nuclear reactor 2 (*leg.*) – **atto c.**, deed (of partnership); (*di società per azioni*) memorandum of association.

costitutóre m. (f. **-trice**) constituter, constitutor.

costituzionàle a. (*polit., leg., med.*) constitutional: **carta c.**, constitution; **diritto c.**, constitutional law; **malattia c.**, constitutional disease; **monarchia c.**, constitutional monarchy.

costituzionalìsmo m. (*polit.*) constitutionalism.

costituzionalìsta m. e f. (*polit.*) constitutionalist.

costituzionalità f. (*polit.*) constitutionality.

◆**costituzióne** f. 1 (*fondazione*) constitution; establishment; setting up: **la c. di una società commerciale**, the establishment of a company; **la c. di un fondo**, the setting up of a fund 2 (*struttura*) structure; (*composizione*) composition, constitution: **la c. geologica di un terreno**, the geological structure of a soil; **la c. di un composto**, the constitution of a compound 3 (*fisico*) constitution: **c. robusta**, strong constitution; **persona di sana c.**, healthy person 4 (*polit.*) constitution: **c. repubblicana [monarchica]**, republican [monarchic] constitution 5 (*leg.*) – **c. in giudizio**, appearance before a court.

◆**còsto** m. (*econ., comm.*) cost; expense; (*prezzo*) price: (*naut.*) **c., assicurazione e nolo**, cost, insurance and freight; **c. del danaro**, cost of money; **c. del lavoro**, cost of labour; labour cost; **c. di conservazione**, carrying cost; **c. di produzione**, production cost; prime cost; factory cost; **costi di trasporto**, transport costs; haulage (sing.); freight (sing.); **il c. di un viaggio**, the cost of a journey; **c. della vita**, cost of living; **costi di esercizio**, operating costs; running costs; **costi di manutenzione**, maintenance costs; upkeep (sing.); **analisi costi-benefici**, cost-benefit analysis; **c. evitabile**, avoidable cost; **a basso c.**, cheaply (avv.); cheap (agg.); **a prezzo di c.**, at cost (price); **sotto c.**, below cost; under price ● **a c. di**, at the cost of; at the risk of; (*anche se*) even if, even though:

a c. della propria vita, at the cost of one's life; a c. di sembrare noioso, at the risk of appearing tedious □ a nessun c., on no account □ a qualunque c. (o a tutti i costi), at all costs; at any cost.

còstola f. 1 (anat., archit., alim.) rib: (anat.) falsa c., false rib 2 (bot.) midrib; costa 3 (di coltello) back; blunt edge 4 (di libro) back; spine 5 (naut.) rib; frame ● (fig.) rompere le costole a q., to break sb.'s bones □ (fig.) stare alle costole di q., (stare vicino) to stick close to sb.; (inseguirlo) to be hot on sb.'s heels; (pedinarlo) to dog sb.'s steps □ (fig.) Gli si vedono (o contano) le costole, he's skin and bone.

costolàto Ⓐ a. ribbed Ⓑ m. (alim.) loin.

costolatùra f. 1 rib structure 2 (archit.) ribbing; ribs (pl.).

costolétta f. (alim.) cutlet; (braciola) chop: c. di vitello, veal cutlet; c. d'agnello [di maiale], lamb [pork] chop.

costolóne m. (archit.) groin; rib.

costóne m. (geogr.) ridge; rib.

costóro pron. dimostrativo pl. they (sogg.); them (compl.); these [those] men [women]; these [those] people: Chi sono c.?, who are these people?

♦**costóso** a. 1 dear; expensive; costly: progetto c., expensive plan; poco c., cheap; inexpensive 2 (fig.) dear; costly.

costrétto a. 1 forced; obliged: c. a scegliere, forced to choose; Non sentirti c. a venire, don't feel obliged to come; Sono c. a casa da un brutto raffreddore, I am stuck at home (o I'm housebound) with a bad cold; essere c. a letto, to be laid up in bed; to be bedridden 2 (stretto) constricted; constrained.

♦**costringere** v. t. 1 to compel; to force; to oblige; to constrain: Mi costrinse a seguirlo, he compelled me to follow him; c. q. alla resa, to force sb. to surrender; Mi costringerai a punirti, you'll oblige me to punish you; c. q. col ricatto a fare qc., to blackmail sb. into doing st. 2 (lett.: comprimere) to compress; to press; to squeeze.

costrittivo a. 1 (che costringe) compelling; compulsive; coercive 2 (che stringe) constrictive: (med.) fasciatura costrittiva, constrictive bandage 3 (ling.) fricative.

costrittóre a. – (anat.) muscolo c., constrictor; retractor.

costrizióne f. 1 coercion; compulsion; constraint; duress: agire sotto c., to act under constraint (o duress) 2 (compressione) constriction; pressure.

costruibile a. that can be built (pred.); constructible.

♦**costruire** v. t. 1 (un edificio e sim.) to build*; to construct; to erect; to raise: c. una casa [un muro, una nave, una diga], to build a house [a wall, a ship, a dam]; c. una diga su un fiume, to dam a river; c. strade, to make (o to build) roads; c. in economia, to build cheaply; (con materiale scadente) to jerry-build; Si è costruito molto in questi anni, there has been a lot of building going on in these last few years 2 (fabbricare) to construct; to assemble; to make*; to manufacture; (produrre) to produce: c. un motore, to construct an engine; c. una radio, to assemble a radio; una ditta che costruisce apparecchi di precisione, a firm that makes (o produces) precision instruments 3 (fig.) to build*; (congegnare) to construct: c. un impero, to build an empire; c. una teoria, to construct a theory 4 (ling.) to construct; to construe: c. un periodo, to construct a sentence; un verbo che si costruisce col dativo, a verb that is construed with (o that takes) the dative 5 (mat.) to construct ● (sport) c. un'azione, to organize an attack □ (fig.) c. sulla sabbia, to build (o

to erect) on sand.

costruito a. (edificato) built-up (attr.); developed: zone costruite, built-up areas; non c., undeveloped.

costruttivo a. 1 (edil.) constructional; structural; building (attr.): materiale c., building materials (pl.) 2 (fig.) constructive; positive: una politica costruttiva, a constructive policy; atteggiamento c., positive attitude.

costrùtto m. 1 (ling.) construction; (frase) construct, sentence 2 (senso) sense; meaning: Le sue parole erano senza c., his words didn't make sense (o were meaningless); chiacchiere senza c., empty words; empty talk; mere verbiage 3 (profitto) profit; advantage; (risultato) result: attività senza c., pointless activity; darsi da fare senza c., to bustle about without concluding much.

costruttóre Ⓐ m. (f. -trice) builder; maker; constructor: c. d'automobili, car maker (o manufacturer); c. edile, building contractor; builder; c. navale, shipbuilder; c. stradale, road builder (o maker) Ⓑ a. building (attr.): impresa costruttrice, building firm.

♦**costruzióne** f. 1 (l'attività) construction, building; (fabbricazione) manufacture: la c. di una fabbrica, the construction of a factory; c. in appalto, construction under public contract; strada in c., road under construction; La nave è in c., the ship is on the stocks; durante la c. della casa, while the house is [was] being built; difetto di c., fault in (the) construction; impresa di costruzioni, building firm; building contractors (pl.); materiali da c., building materials; permesso di c., building licence; scienza delle costruzioni, structural engineering; tectonics (pl. col verbo al sing.) 2 (edificio); (struttura) construction, structure: c. in cemento armato, concrete building; una c. di metallo, a metal structure (o construction); c. antisismica, earthquake-resistant building 3 (ling.) construction.

costruzionìsmo m. (filos., sociol., ecc.) Constructionism.

♦**costùi** pron. dimostrativo m. he (sogg.); him (compl.); this [that] man*; this [that] fellow: Chi è c.?, who is this man?

costumànza f. custom; usage; tradition.

costumàre v. i. (lett.) 1 (avere l'usanza di) to have a custom of; (al passato) used to (difett.) 2 (essere tradizione, usanza, anche costumarsi) to be the custom (o the fashion); to be customary; to be a tradition: Da noi si costuma così, this is the custom in our country 3 (avere l'abitudine di, solere) to be in the habit of (doing st.); (al passato) used to (do st.) (difett.).

costumatézza f. 1 (buone maniere) good (o polite) manners (pl.); propriety 2 (buoni costumi) decency; civility.

costumàto a. 1 (di buone maniere) well-behaved; well-mannered; well-bred; civilized; polite; proper 2 (di buoni costumi) decent; civil; virtuous.

♦**costùme** m. 1 (consuetudine, abitudine) habit: Era mio c. uscire verso sera, it was my habit to go out towards evening; I was in the habit of going out towards evening; com'è c., as is the custom; according to custom; com'è suo c., as is his wont 2 (usanza collettiva) custom; usage; (tradizione) tradition: un vecchio c. irlandese, an old Irish custom (o tradition); critica di c., social criticism; critique on society 3 (al pl.) morals; morality (sing.); (comportamento) behaviour 国 di buoni costumi, moral; decent; civil; di cattivi costumi, bad; immoral; una donna di facili costumi, a woman of easy virtue; a loose woman 4 (abbigliamento) costume; dress 国: c. d'epoca, (period) cos-

tume; ballo in c., fancy-dress (o costume) ball; corteo in c., parade in period costume; film in c., costume film; (teatr.) prova in c., dress rehearsal; (teatr.) produzione in c. d'epoca, period production; storia del c., history of costume 5 (indumento, abito) dress; habit; (per sport e sim.) outfit; (tipico di un luogo) costume; (teatr.) costume; (in maschera) (fancy-dress) costume: c. da amazzone, riding habit; c. da carnevale, Carnival (fancy-dress) costume; un c. da Pierrot, a Pierrot costume; costumi tradizionali, traditional costumes; traditional dress 国; Ha disegnato i costumi per l'«Enrico V», she designed the costumes for «Henry V»; noleggiatore di costumi, costumier 6 (anche c. da bagno) swimming costume; swimsuit; bathing suit; bathing costume; (da uomo) swimming trunks (pl.): c. intero, one-piece (swimsuit) ● contrario al buon c., immoral; indecent; offensive □ la buon c., the vice squad □ (scherz.) in c. adamitico, in one's birthday suit; in the altogether (fam.).

costumìsta m. e f. 1 (teatr., cinem.: creatore) costume designer; costume director 2 (teatr., cinem., TV: addetto) wardrobe master (m.); wardrobe mistress (f.).

costùra f. seam.

cotàle a. indef. (lett.) such: in cotal guisa, in such a way; thus.

cotangènte f. (mat.) cotangent (abbr. cotan).

cotànto Ⓐ a. indef. (lett.) 1 (così grande) so great a; such a big 2 (al pl.) (così numerosi) so many Ⓑ avv. 1 so much 2 (così a lungo) so long.

còte f. whetstone; hone: affilare sulla c., to hone.

cotechìno m. cotechino (type of Italian pork sausage).

coténna f. 1 (pelle di suino) hide; pigskin; (alim.) pork rind 2 (pelle dura, anche fig.) thick skin; hide: avere la c. dura, to have a thick skin; to be thick-skinned 3 (pelle del cranio) scalp ● c. erbosa, turf □ (fig. scherz.) salvare la c., to save one's bacon.

cotennóso a. – (med.) angina cotennosa, diphtheritic angina.

cotésto ① → codesto.

cotésto ② m. (ling.) cotext.

còtica f. 1 (alim.) pork rind 2 (manto erboso) turf.

cotidàle a. (geogr.) cotidal: linea c., cotidal line.

còtile f. (anat.) cotyloid cavity.

cotiledonàre a. (bot., biol.) cotyledonary.

cotilèdone m. (bot.) cotyledon.

cotillon (franc.) m. inv. 1 (regalo) present (given during a ball or a show) 2 (ballo) cotillion.

cotógna f. (bot., anche mela c.) quince.

cotognàstro m. (bot., Cotoneaster integerrima) cotoneaster.

cotognàta f. (alim.) quince jam.

cotognìno a. quince (attr.).

cotógno m. (bot., Cydonia vulgaris) quince.

♦**cotolétta** f. (alim.) cutlet: c. di vitello, veal cutlet; c. alla milanese, Wiener schnitzel (ted.).

cotonàceo a. cottony.

cotonàre v. t. 1 (ind. tess.) to tease 2 (i capelli) to back-comb.

cotonària f. (bot., Lychnis coronaria) rose campion; dusty miller.

cotonàto Ⓐ a. 1 cotton (attr.); cottony; (ind. tess.) teased 2 (di capelli) back-combed Ⓑ m. 1 cotton fabric 2 mixed cotton fabric.

cotonatùra f. (di capelli) back-combing.

♦**cotóne** m. 1 (bot., Gossypium) cotton 2 (fibra, tessuto, peli) cotton; (filo) sewing cotton, cotton thread: c. da imbottitura, wadding,

c. da rammendo, darning thread; (*med.*) **c. emostatico**, styptic cotton; **c. greggio**, raw cotton; **c. idrofilo**, cotton wool (*GB*); cotton (*USA*); **camicia di c.**, cotton shirt; **filo ritorto di c.**, cotton twist; **olio di c.**, cottonseed oil; **rocchetto di c.**, reel of cotton **3** (*chim.*) – **c. fulminante**, guncotton ● (*fig.*) **avere il c. nelle orecchie** to be deaf; to refuse to listen □ (*fig.*) **tenere q. nel c.**, to cosset sb.; to mollycoddle sb. □ (*fig.*) **vivere nel c.**, to be pampered.

cotonerìe f. pl. cotton fabrics; cotton goods.

cotonicoltóre m. (f. *-trice*) cotton grower.

cotonicoltùra f. cotton-growing.

cotonière m. **1** (*industriale*) cotton manufacturer **2** (*operaio*) cotton-mill worker.

cotonièro a. cotton (attr.): **industria cotoniera**, cotton industry.

cotonifìcio m. cotton mill.

cotonìna f. (*ind. tess.*) **1** calico **2** (*tela per vele*) cotton canvas; duck.

cotonizzàre v. t. (*ind. tess.*) to cottonize.

cotonóso a. **1** cottony **2** (*simile al cotone*) fluffy; (*coperto di peluria*) downy **3** (*ricco di cotone*) cotton-rich.

còtta ① f. **1** (*cottura*) cooking; (*in forno*) baking **2** (*infornata*) batch; (*ind.*) kilnful **3** (*fam.: innamoramento*) infatuation; (*spec. di ragazzi*) crush: *Si è presa una c. per te*, she has a crush on you **4** (*pop.: sbornia*) drunken state; drunk: *Ha la c.*, he is drunk **5** (*sport*) crack-up; collapse; breakdown ● **furbo di tre cotte**, crafty person; sly one.

còtta ② f. **1** (*eccles.*) surplice **2** (*stor.: tunica*) surcoat ● **c. d'arme**, tabard □ **c. di maglia**, chain mail; coat of mail.

còttile a. (*lett.*) brick (attr.); earthen.

cottimìsta m. e f. pieceworker; jobber.

còttimo m. piece rate: **a c.**, by the piece; by the job; **lavoro a c.**, piecework; jobwork; **lavorare a c.**, to do piecework; **lavoratore a c.**, pieceworker; jobber; **pagato a c.**, paid by the piece; **retribuzione a c.**, piece rate; piece wage.

♦**còtto** Ⓐ a. **1** cooked; done (pred.); (*al forno*) baked; (*ai ferri*) grilled; (*stufato*) stewed: **carne cotta**, cooked meat; **frutta cotta**, stewed fruit; *Le patate sono cotte*, the potatoes are done; **c. ai ferri**, grilled; **c. al forno**, baked; (*di carne*) roasted; **c. a puntino**, cooked to perfection; done to a turn; **c. e stracotto**, overdone; **ben c.**, well cooked; (*di carne*) well done; **poco c.**, (*di pane e sim.*) half-baked, doughy; (*di carne*) underdone; **troppo c.**, overcooked **2** (*fam.: infatuato*) infatuated; madly in love: *È c. di lei*, he's madly in love with her; **innamorato c.**, head over heels in love **3** (*sport ed estens.*) exhausted; addled; groggy: *Sono c.!*, I'm exhausted!; I'm whacked! (*fam.*) **4** (*fam.: ubriaco*) drunk; plastered (*slang*) ● **c. dal sole**, (*bruciato*) scorched; burnt; (*di viso*) sunburnt □ (*fig.*) **farne di cotte e di crude**, to be (*o* to get) up to all sorts of tricks □ (*fig.*) **né c. né crudo**, neither one thing nor the other □ (*fig.*) **Chi la vuole cotta, chi la vuole cruda**, some want it one way, some another Ⓑ m. **1** (*mattone*) fired brick **2** (*lavoro in c.*) brickwork; brick decoration **3** (*piastelle*) terracotta tiles (pl.): **pavimento in c.**, terracotta-tiled floor.

Cotton fioc® m. cotton bud.

cottùra f. **1** (*cucina*) cooking; (*al forno*) baking; (*di arrosto*) roasting: **la c. della carne**, meat cooking; (*al forno*) meat roasting; **c. a fuoco lento**, slow cooking; **c. a fuoco vivace**, cooking on a high flame; *Questa pasta necessita di 8 minuti di c.*, this pasta cooks in 8 minutes; **portare a c.**, to cook; **di facile c.**, easy to cook; **a mezza c.**, half way through (the cooking); **passato di c.**, over-

cooked; overdone; **angolo c.**, cooking area; kitchenette; **piano di c.**, cooking top; hob; **punto di c.**, cooking point; **tempo di c.**, cooking time **2** (*ind., di mattoni, ceramica*) firing: **camera di c.**, firing chamber.

coturnàto a. (*lett.*) **1** buskined **2** (*fig., di stile*) solemn; elevated.

coturnìce f. (*zool., Alectoris graeca*) Greek partridge.

cotùrno m. (*archeol., teatr.*) buskin: (*fig.*) **calzare il c.**, to put on the buskin.

coulisse (*franc.*) f. inv. **1** (*scanalatura*) groove: **porta a c.**, sliding door **2** (*teatr.*) wing flat; coulisse **3** (*di strumento mus.*) slide **4** (*Borsa*) coulisse; street market **5** (*sartoria*) casing.

coulomb m. inv. (*fis.*) coulomb.

coulombòmetro m. (*fig.*) coulometer.

country (*ingl.*) m. inv. (*mus.*) country (and western) music.

coup m. (*franc.*) coup: **c. de foudre**, coup de foudre; love at first sight; **c. de théâtre**, coup de théâtre; unforeseen turn of events.

coupé (*franc.*) m. inv. (*carrozza e auto*) coupé.

coupon (*franc.*) m. inv. coupon; slip.

coùso m. co-use; joint use.

coutènte m. e f. **1** co-user **2** (*telef.*) subscriber to a party line.

coutènza f. co-use; joint use.

cóva f. (*il covare*) brooding, sitting on eggs; (*il periodo*) brooding time: **fare la c.**, to brood; **mettere in c.**, to put to brood.

covalènte a. (*chim.*) covalent.

covalènza f. (*chim.*) covalence.

covàre Ⓐ v. t. **1** to brood; to sit* (on eggs); (*fino alla schiusa*) to hatch: *La chioccia sta covando*, the hen is brooding; *I rettili non covano le uova*, reptiles do not hatch their eggs **2** (*fig.*) to harbour; to nurse; to brood over: **c. un piano**, to be hatching a plot; to be scheming; **c. un progetto**, to nurse a plan; **c. rancore**, to harbour hard feelings; **c. risentimento contro q.**, to bear a grudge against sb.; *Sta covando qualcosa*, she has something on her mind ● **c. l'influenza**, to have the flu coming on; to be coming down with the flu □ **c. q. con gli occhi**, to look fondly at sb. □ **Gatta ci cova!**, there is something fishy going on here Ⓑ v. i. **1** (*di fuoco e fig.*) to smoulder: (*fig.*) **c. sotto la cenere**, to lie smouldering **2** (*di malattia*) to be latent.

covariànte a. e f. (*mat.*) covariant.

covàta f. **1** (*uova*) clutch, set; (*i nati*) brood, hatch: **una c. di pulcini**, a brood of chicks **2** (*fig.*) brood.

covatìccio a. broody: **gallina covaticcia**, broody hen.

covatùra → *cova.*

coventrizzàre v. t. to raze to the ground (by bombing).

cover f. inv. (*mus.*) cover; cover version.

covìle m. **1** (*tana*) den; lair **2** (*cuccia di cane*) dog's bed **3** (*fig.*) hovel; hole.

cóvo m. **1** (*tana*) den; lair **2** (*fig.: nascondiglio*) hideout; lair; (*luogo di incontro*) den, haunt: **c. di ladri**, den of thieves; **c. di rivoluzionari**, haunt of revolutionaries.

covolùme m. (*fis.*) covolume.

covóne m. sheaf*.

cowboy (*ingl.*) m. inv. cowboy; cowherd; cowhand: **cappello da c.**, cowboy hat; Stetson; **film di c.**, cowboy film (*USA* movie); western; horse opera (*fam.*).

coxalgìa f. (*med.*) coxalgia.

coxartròsi f. (*med.*) coxarthrosis.

coxofemoràle a. (*anat.*) coxofemoral.

coyote m. inv. (*zool., Canis latrans*) coyote; prairie wolf*.

còzza f. **1** (*zool., Mytilus edulis*) mussel **2** (*region.*) ugly girl; dog (*slang*).

cozzàre Ⓐ v. i. **1** (*con le corna o col capo*) to butt **2** (*urtare*) to bang (into); to knock (into); to bump (into, against); (*di veicoli, ecc., con violenza*) to crash (into), to collide (with): *L'auto sbandò e andò a c. contro un palo*, the car skidded and crashed into a lamp-post **3** (*fig.*) to clash (with); to collide (with): *La sue opinioni cozzano con le mie*, his views clash with mine; *Il nostro progetto cozzò contro la volontà del capo*, our plan collided with the boss's intentions Ⓑ v. t. (*urtare*) to bang; to knock; to bump into (*o* against); (*con violenza*) to collide with: *Cozzai la testa contro il bordo del tavolo*, I bumped my head against the edge of the table Ⓒ **cozzàrsi** v. rifl. recipr. **1** to butt each other **2** (*fig.*) to clash; to quarrel; to be in conflict.

cozzàta f. → **cozzo.**

còzzo m. **1** (*con le corna o col capo*) butt; butting: **dar di c. in**, to butt; (*fig.: imbattersi*) to bump into **2** (*urto*) knock; bang; bump; (*violento*) crash, collision: *Il c. fra le due auto fu violento*, there was a violent collision between the two cars **3** (*fig.*) clash; conflict: **c. di idee**, clash of ideas.

cozzóne m. (*region.*) horse dealer.

CP sigla (*polit.*, **Cattolici Popolari**) Catholic Peoples Party.

c.p. sigla (**cartolina postale**) postcard (p.c.).

CPC sigla (*leg.*, **codice di procedura civile**) Code of Civil Procedure (CCP).

CPP sigla (*leg.*, **codice di procedura penale**) Code of Criminal Procedure.

c.p.r. sigla (**con preghiera di restituzione**) please return.

CR sigla (**Cremona**).

crac Ⓐ m. **1** (*rumore*) crack; crash; (*breve e secco*) snap **2** (*rovina, tracollo*) crash, collapse; (*sconfitta*) debacle: **c. finanziario**, financial crash (*o* collapse); **il c. di una banca**, the collapse of a bank; **c. in Borsa**, stock-market crash Ⓑ inter. crack!; crash!

craccàre v. t. (*comput.*) to crack; to decode.

cràce m. (*zool., Crax globicera*) curassow.

crack m. **1** (*ipp.*) crack **2** (*droga*) crack (cocaine).

crackàre → **craccare.**

cracker (*ingl.*) m. inv. **1** (*biscotto*) cracker; water biscuit **2** (*chim.*) catalytic cracker; cat cracker.

cràcking (*ingl.*) m. (*chim.*) cracking.

Cracòvia f. (*geogr.*) Cracow.

cràfen → **krapfen.**

cràmpo m. (*med.*) cramp (anche Ⓜ): **c. dello scrittore**, writer's cramp; **crampi allo stomaco**, (*per fame*) hunger pangs; (*per paura*) knot (sing.) in the stomach; *Ho un c. alla gamba*, I've got (a) cramp in my leg; *Mi venne un c.*, I was seized by (a) cramp; I got (a) cramp.

craniàle a. (*anat.*) cranial.

craniàta (*fam.*) → **testata**®.

crànico a. (*anat.*) cranial: **fossa cranica**, cranial fossa; **nervo c.**, cranial nerve; **scatola cranica**, cranium; brainpan; skull.

♦**crànio** m. **1** skull; cranium* **2** (*fig.: testa, cervello*) head; brain; mind: *Ha il c. duro*, (*è testardo*) he's pigheaded; (*è stupido*) he's a blockhead; *Non riesco a farglielo entrare nel c.*, I can't get it into his head **3** (*fig. fam.: genio*) brain; genius ● (*fam.*) **a c.**, each; a (*o* per) head.

craniografìa f. craniography.

craniolèso a. e m. (f. *-a*) (*med.*) (person) having a cranial lesion.

craniologìa f. craniology.

craniològico a. craniological.

craniòlogo m. (f. **-a**) craniologist.

craniometrìa f. craniometry.

craniomètrico a. craniometric.

craniòmetro m. craniometer.

craniòpago m. (*med.*) craniopagus*.

cranioresezióne f. (*chir.*) craniotomy.

craniòstato m. (*med.*) head support; craniophore.

craniotomìa f. (*chir.*) craniotomy.

craniòtomo m. (*chir.*) craniotome.

cràpa f. (*region.*) head; nut (*fam.*).

cràpula f. guzzling ⓤ; gluttony ⓤ; debauch; crapulence ⓤ.

crapulóne m. (f. **-a**) guzzler; glutton; debauchee; crapulent.

craquelé (*franc.*) (*ceramica*) Ⓐ a. craquelé; crackled Ⓑ m. crackle.

craquelure (*franc.*) f. (*ceramica*) craquelure; crackle.

crash (*ingl.*) Ⓐ inter. (*onom.*) crash!; crack! Ⓑ m. inv. **1** (*rumore*) crash; crack **2** (*Borsa, comput.*) crash.

crash test loc. m. inv. (*autom.*) crash test: **eseguire il crash test di**, to crash test; **superare il crash test**, to be successfully crash tested.

cràsi f. (*med., gramm.*) crasis*.

craspedòta a. (*zool.*) craspedote.

cràsso Ⓐ a. **1** (*lett.: fitto, denso*) dense; thick **2** (*grossolano*) gross; crass: **ignoranza crassa**, gross (*o* crass) ignorance **3** (*anat.*) – **intestino c.**, large intestine Ⓑ m. (*anat.*) large intestine.

cratère m. **1** (*geol., astron.*) crater: **c. avventizio**, side crater; **c. da meteorite**, meteorite crater; **c. lunare**, lunar (*o* moon) crater **2** (*archeol.*) crater; bowl; cup **3** (*astron.*) – **il C.**, the Cup.

cratèrico a. (*geol.*) crater (attr.).

craterizzazióne f. (*metall.*) pitting.

cratóne m. (*geol.*) craton.

cràuti m. pl. (*alim.*) sauerkraut ⓤ (*ted.*).

♦**cravàtta** f. **1** tie; necktie (*USA*); (*a fascia*) cravat: **c. a farfalla**, bow-tie; **allentare il nodo della c.**, to loosen one's tie; **fare il nodo alla c.**, to knot (*o* to do up) one's tie; **in giacca e c.**, wearing a suit and tie **2** (*tecn.*) clamp: **c. fermatubi**, hose clamp **3** (*lotta*) neck-lock; stranglehold **4** (*med.*) cravat bandage.

cravattàio m. **1** (*fabbricante*) tie manufacturer **2** (*venditore*) tie seller **3** (*pop.: strozzino*) loan shark.

cravattino m. bow-tie; dickie bow (*GB*).

crawl (*ingl.*) m. (*nuoto*) crawl: **nuotare a c.**, to swim (*o* to do) the crawl.

crawlìsta m. e f. (*nuoto*) crawl swimmer.

creànza f. manners (pl.); politeness; decency: **buona c.**, politeness; decency; *Sarebbe buona c. lasciare a lei la scelta*, it would be polite to let her choose; **mala c.**, bad manners; **non avere c.**, to have no manners; *Restai solo per c.*, I stayed out of politeness: *Abbi la c. di...*, have the decency to...

♦**creàre** v. t. **1** to create; to make*; (*inventare*) to invent: *Dio creò il cielo e la terra*, God created heaven and earth; **c. una forma musicale nuova**, to invent a new musical form; **c. un'illusione**, to create an illusion; **c. un personaggio**, to create a character **2** (*nominare*) to create; to make*; to appoint: **c. q. barone**, to create sb. a baron; **c. q. console**, to make sb. a consul **3** (*procurare, suscitare*) to make*; to create; (*causare, determinare*) to cause, to give* rise to, to originate: **c. delle difficoltà**, to make difficulties; to pose difficulties; **c. imbarazzo**, to cause embarrassment; **c. un precedente**, to establish (*o* to set) a precedent; **c. dei problemi a q.**, to

give sb. problems; **c. scandalo**, to cause a scandal; **c. sospetti**, to give rise to suspicion; *Si creò molti nemici*, he made lots of enemies **4** (*fondare, costituire*) to found; to establish; to set* up; to constitute: **c. un'associazione**, to set up an association; **c. una città**, to found a city; **c. una società**, to constitute a company.

creatìna f. (*biochim.*) creatine.

creatinìna f. (*biochim.*) creatinine.

creatinurìa f. (*med.*) creatinuria.

creatività f. creativity; creativeness; inventiveness.

creativo Ⓐ a. **1** (*della creazione*) of creation: **atto c.**, act of creation **2** (*che può creare, inventivo*) creative; inventive Ⓑ m. (f. **-a**) **1** (*pubblicitario*) creative: **ideas man*** (f. woman*) **2** (*persona inventiva*) creative person.

creàto Ⓐ a. created Ⓑ m. creation; universe: **le meraviglie del c.**, the wonders of the universe; **in tutto il c.**, in the whole of creation.

creatóre Ⓐ m. (f. **-trìce**) creator; maker; (*inventore*) inventor; (*fondatore*) founder: *Dio C.*, God the Creator (*o* the Maker); **il c. di una nuova linea di prodotti**, the creator of a new line of products; **c. di moda**, fashion designer ● **andare al C.**, to die; to go to meet one's Maker □ (*fam.*) **mandare q. al C.**, to kill sb. Ⓑ a. creative: **potenza creatrice**, creative power.

♦**creatùra** f. **1** creature; being: **creature angeliche**, angelic beings; **creature umane**, human beings; **creature viventi**, living creatures; **amare tutte le creature**, to love all creatures **2** (*bambino*) baby; infant; little thing; little mite; (*region.: figlio*) child*: *La c. era un amore*, the baby was a darling; *«È la mia c.!», gridò la madre*, «it's my baby!» the mother cried; *La povera c. morì*, the poor little thing died **3** (*persona, essere*) person; (*uomo*) man*; (*donna*) woman*; (*ragazza*) girl; (*commiserativo*) creature, soul: *Ha sposato una c. adorabile*, he has married an adorable girl; *Un'altra disgrazia, povera c.*, another blow for her, poor creature **4** (*favorito*) protégé (*franc.*) **5** (*spreg.: strumento*) creature: *Era una c. del dittatore*, she was a creature of the dictator.

creaturàle a. creatural.

♦**creazióne** f. **1** (*il creare*) creation; making: **la c. del mondo**, the creation of the world; **c. di posti di lavoro**, job creation **2** (*il creato*) creation: **in ogni angolo della c.**, in every corner of creation **3** (*oggetto creato*) creation; (*composizione*) composition: **le creazioni di un artista**, an artist's creations; **una c. d'alta moda**, a haute-couture creation; **c. poetica**, poetic composition **4** (*nomina*) appointment **5** (*costituzione*) creation; foundation; establishment: **la c. di un nuovo ente**, the creation of a new institute; **la c. di una nuova ditta**, the establishment of a new firm.

creazionìsmo m. creationism.

creazionìsta Ⓐ m. e f. creationist Ⓑ a. creationistic.

creazionìstico a. creationistic.

credènte Ⓐ a. believing Ⓑ m. e f. believer.

♦**credènza**① f. (*anche relig.*) belief: **c. popolare**, popular belief; popular fallacy; **falsa c.**, fallacy; **credenze superstiziose**, superstitious beliefs; **rispettare le credenze altrui**, to respect other people's beliefs **2** (*convinzione*) belief; conviction: *Io ho la ferma c. che...*, it is my (firm) belief that... **3** (*credito*) credence: **dare c. a**, to give credence to **4** (*comm.: credito*) credit: **comprare [vendere] a c.**, to buy [to sell] on credit.

♦**credènza**② f. (*di sala da pranzo*) sideboard, buffet (*USA*); (*con alzata*) dresser; (*di cucina*) cupboard.

credenziàle Ⓐ a. – **lettera c.**, letter of credence; credentials (pl.) Ⓑ f. **1** bank (*o* banker's) draft **2** (al pl., *anche fig.*) credentials.

credenzière m. steward.

♦**crédere** Ⓐ v. i. **1** (*avere fede*) to believe (in): **c. in Dio [nel progresso]**, to believe in God [in progress]; *Di fronte a quel miracolo, credette*, on witnessing that miracle, he believed **2** (*prestare fede*) to believe (st., sb.); (*a cosa improbabile, anche*) to credit (st.): **c. ai dottori [a un testimone, ai giornali]**, to believe doctors [a witness, the papers]; *Certo che ti credo!*, of course I believe you!; *Crede a tutto ciò che gli si dice*, she believes everything she's told; *Non credevo ai miei occhi*, I could scarcely believe my eyes; *Non ci posso c.*, I can't believe it **3** (*avere fiducia*) to have faith (in); to trust (sb., st.); to believe (in): **c. poco nei medici**, not to have much faith in doctors; *Puoi credergli, te lo dico io*, you can trust him, I assure you Ⓑ v. t. **1** (*reputare, immaginare*) to think*; to reckon; (*ritenere, considerare*) to consider; (*ritenere certo, vero*) to believe: *Lo credo un imbecille*, I think he is a fool; I consider him a fool; *Tutti lo credono colpevole*, everyone believes him to be guilty; *L'hanno creduto morto*, they thought he was dead; he was believed dead; *Credo che farà bello*, I think (*o* reckon) it'll be fine; *Credo che sia già arrivato*, I think (*più convinto* I believe) he has already arrived; *Credevo di essere in ritardo*, I thought I was late; *Credi che ce la faremo?*, do you think (*o* reckon) we'll make it?; *Non l'avrei mai creduto*, I'd never have thought it; *Credo di sì*, I think so; I believe so; *Credo di no*, I don't think so; I think not; *Ho creduto bene [giusto] informarti*, I thought (*o* reckoned) it best [right] to tell you **2** (*piacere, parere*) to like; to think* fit; to think* best: *Fa' come credi*, do as you think best; do as you like; *Credi solo a te stesso!*, (*brusco*) suit yourself ● **c. a q. sulla parola**, to take sb.'s word (for st.) □ **Ci credo!**, I can well believe it! □ **Mi ha fatto c. che era tutto a posto**, he gave me to understand that everything was all right □ **Lo crederesti?**, would you believe it? □ **Lo credo bene!**, I should think so! □ (*nelle lettere*) **Mi creda, Suo...**, Yours sincerely □ **Non riesco ancora a crederci**, I still can't believe it □ **Voglio c. che sia stato uno sbaglio**, I'd like to believe it was a mistake □ **Voglio c. che verrai**, I trust you will come □ **Mi vuole far c. che...**, she wants me to think that... Ⓒ **crédersi** v. rifl. to think* (*o* to reckon) one is; to consider oneself; to believe oneself to be: *Si crede un genio*, she thinks she is a genius; *Mi credetti perduto*, I thought myself finished; I reckoned I was done for; *Chi ti credi d'essere?*, who do you think you are?; *Si crede d'essere chissà chi*, (*si crede speciale*) he thinks he is the bee's knees (*o* the cat's whiskers) (*fam.*); (*si crede importante*) he thinks he's Mr Big (*o* such a big shot) (*fam.*). Ⓓ m. judgment; opinion; belief: **a mio credere**, in my opinion; to my mind; **oltre ogni credere**, unbelievably (avv.); beyond (*o* past all) belief.

credìbile a. **1** (*attendibile, plausibile*) credible; believable; plausible; likely: **poco c.**, hard to believe; unlikely; implausible **2** (*degno di fede*) trustworthy; (*di affermazione, ecc.*): **poco c.**, untrustworthy; unreliable.

credibilità f. **1** (*plausibilità*) credibility; believableness **2** (*attendibilità*) trustworthiness, reliability **3** (*prestigio, credito*) credibility: **perdita di c.**, loss of credibility.

CREDIOP abbr. (*stor.*, **Consorzio di credito per le opere pubbliche**) (*ora* **Dexia Crediop S.p.A.**) credit union for public works.

creditìzio a. credit (attr.): **restrizioni creditizie**, credit restrictions; **stretta crediti-**

zia, credit squeeze.

♦**crédito** m. **1** (*il credere*) credit, credence; (*fiducia*) trust: **dare c. a qc.**, to give credit (*o* credence) to st.; to credit st.; to believe st.: *Non gli do nessun c.*, I have no trust in him; **degno di c.**, creditworthy; **l'esser degno di c.**, creditworthiness; **trovare c.**, to gain credit; **una teoria che non ha più c.**, a theory that no longer has credit (*o* enjoys any credit) **2** (*buona reputazione*) reputation; credit: **godere di molto c.**, to have a good reputation **3** (*econ.*, *comm.*) credit; (*prestito*) loan: **c. a breve [a medio, a lungo] termine**, short-term [medium-term, long-term] credit [loan]; **c. a interessi zero**, interest-free credit; **c. agrario** (*o fondiario*), land (*o* agricultural) credit; **c. agevolato**, subsidized credit; **c. allo scoperto**, open credit; **c. bancario**, bank credit; **c. di emissione**, carbon credit; **c. d'imposta**, tax credit; **c. immobiliare**, credit guaranteed by mortgage; **c. ipotecario**, mortgage credit; **c. sussidiario**, back-to-back credit; **aprire un c.**, to open a credit; **far c. a q.**, to give sb. credit; (*avviso*) *Non si fa c.*, no credit; **ottenere c. presso un negozio**, to open a credit account at a shop; **riscuotere un c.**, to recover a credit; **comperare a c.**, to buy on credit; **essere in c. con q.**, to be sb.'s creditor; to be owed money by sb.; **carta di c.**, credit card; **debito e c.** (*dare e avere*), debit and credit; **istituto di c.**, credit institution; joint-stock bank; **lettera di c.**, letter of credit; **titolo di c.**, instrument of credit; credit intrument **4** (*banca: concessione di prestiti*) lending **5** (*leg.*) debt: **c. inesigibile**, bad debt; **c. privilegiato**, privileged debt; **crediti ammessi al fallimento**, debts which have been proved and admitted ● (*leg.*) **millantato c.**, false pretences (pl.); fraudulent representation.

creditóre △ m. (f. -*trice*) **1** (*comm.*) creditor: **c. garantito**, secured creditor; **c. ipotecario**, mortgagee; **c. privilegiato**, preferential creditor; **creditori diversi**, sundry creditors **2** (*persona a cui si deve qc.*) person in credit (of st.): *Mi è c. della vita*, I owe him my life △ a. creditor (attr.); credit (attr.): **società creditrice**, creditor company.

crèdo m. **1** (*relig.: insieme di dottrine*) creed; faith; belief: **il c. cristiano [islamico, ebraico]**, the Christian [Islamic, Jewish] creed **2** (*simbolo apostolico*) Creed; (*anche mus.*) Credo: **il c. niceno**, the Nicene Creed; **cantare il c.**, to sing the Credo **3** (*fig.*) creed; credo; beliefs (pl.): **c. letterario [politico]**, literary [political] creed.

credulità f. credulity; naivety; gullibility.

crèdulo a. credulous; naive; gullible.

credulóne △ a. naive; gullible; simple △ m. (f. -*a*) gullible person; dupe; mug (*fam.*); sucker (*slang*).

♦**crèma** f. **1** (*del latte*) cream **2** (*dolce*) cream: **c. di cioccolato**, chocolate cream; **c. pasticcera**, custard; **bigné alla c.**, cream puff; **cioccolatini ripieni di c.**, chocolates with a cream filling **3** (*purée di verdura*) puree, cream; (*minestra*) cream (soup): **c. di spinaci**, spinach puree; creamed spinach; **c. di pomodoro**, cream of tomato soup **4** (*composto cremoso*) cream (*anche in cosmesi*); creamy substance: **c. antirughe**, anti-wrinkle cream; **c. da barba**, shaving cream; **c. depilatoria**, depilatory cream; **c. detergente**, cleansing cream; (*non cosmetico*) cream cleanser; **c. di bellezza**, beauty cream; **c. emolliente**, cold cream; **c. idratante**, moisturizing cream; **c. nutriente**, nourishing cream; **c. per le mani**, hand cream; **c. protettiva**, barrier cream; *Sbattere il composto fino a ottenere una c. uniforme*, stir the mixture to a smooth cream; *Il barattolo conteneva una c. inodore*, the jar contained an odourless creamy substance **5** (*liquore*) crème (*franc.*); cream: **c. di menta**,

de menthe (*franc.*) **6** (*fig.*) cream; pick; crème de la crème (*franc.*): **la c. della società**, the cream of society △ a. inv. cream (attr.); cream-coloured: **color c.**, cream colour; cream-coloured (agg.).

cremaglièra f. (*mecc.*) rack: **c. campione**, master rack; **c. divisoria**, indexing rack; **ferrovia a c.**, rack railway; cog railway.

cremàre v. t. to cremate.

crematóio m. cremator; cinerator (*USA*).

crematòrio △ a. crematory; crematorial: **forno c.**, crematorium; crematory (*USA*) △ m. crematorium*; crematory (*USA*).

cremazióne f. cremation.

crème (*franc.*) f. (*fig.*) cream: **la c. dell'aristocrazia**, the cream of the aristocracy.

crème caramel (*franc.*) loc. f. (*alim.*) crème caramel.

cremìno m. (*cioccolatino*) chocolate cream.

crèmişi, **cremişino** a. e m. crimson.

Cremlino m. Kremlin.

cremlinologìa f. (*giorn.*) Kremlinology.

cremlinòlogo m. (f. -*a*) (*giorn.*) Kremlinologist.

cremonése △ a. of Cremona; from Cremona; Cremona (attr.) △ m. e f. native [inhabitant] of Cremona.

cremortàrtaro m. (*chim.*) cream of tartar.

cremóso a. creamy.

crèn m. **1** (*bot.*, *Armoracia rusticana*) horseradish **2** (*salsa*) horseradish sauce.

crenàto a. (*bot.*) crenate.

crenatùra f. (*bot.*) crenature.

crènico a. (*chim.*) crenic.

crenologìa f. crenology.

crenoterapìa f. (*med.*) thermal treatment; crenotherapy.

creodónte m. (*paleont.*) creodont.

creolìna f. creolin.

crèolo a. e m. (f. -*a*) Creole.

creoşòlo m. (*chim.*) creosol.

creoşòto m. (*chim.*) creosote.

crèpa f. **1** crack; split; crevice; cranny; chink; (*profonda*) fissure, cleft **2** (*fig.*: *dissapore*) division; disagreement.

crepàccio m. **1** (*nella roccia*) cleft; crevice **2** (*di ghiacciaio*) crevasse.

crepacuòre m. heartbreak; broken heart: **morire di c.**, to die of a broken heart.

crepapància, **crepapèlle** vc. – **ridere a c.**, to burst one's sides with laughter; to fall about laughing; **mangiare a c.**, to eat to bursting point; to gorge oneself.

crepàre △ v. i., **crepàrsi** v. i. pron. **1** (*formare crepe*) to crack; (*spaccarsi*) to split*, to fissure **2** (*screpolarsi*) to chap; to crack △ v. i. (*fam.*) **1** (*scoppiare*) to burst*: *Se mangio un altro po'. crepo*, if I eat any more, I'll burst; **crepare dal caldo**, to be boiling; to be baking; **crepare dalle risa**, to laugh fit to burst; **crepare d'invidia**, to be green with envy; to eat one's heart out; **crepare di rabbia**, to be eaten up with rage; **crepare di salute**, to be bursting with health; **crepare di sete**, to be dying of thirst **2** (*morire*) to die*; to croak (*slang*); to snuff it (*slang*): **crepare solo come un cane**, to die like a dog; *Crepa!*, drop dead! ● **Crepi l'avarizia!**, to hell with the expense! □ **Crepi l'astrologo!**, heaven forbid!

crepatùra f. **1** crack; crevice; chink; fissure **2** (*di ceramiche*) fire crack.

crêpe (*franc.*) △ m. (*ind. tess.*) crêpe: **c. georgette**, georgette △ f. (*alim.*) crêpe; pancake.

crepèlla f. (*ind. tess.*) wool crêpe.

creperìa f. crêperie (*franc.*); crêpe shop.

crepitàcolo m. (*mus.*) rattle.

crepitàre v. i. (*scoppiettare*) to crackle; to

pop; (*picchiettare*) to rattle; (*frusciare*) to rustle: *Il fuoco crepita*, fire crackles; *La legna secca crepita*, dry wood pops; *La grandine crepitava sul tetto*, the hail was rattling on the roof; *Le foglie crepitano al vento*, the leaves are rustling in the wind.

crepitazióne f. (*med.*) crepitus Ⓤ; crepitation.

crepitìo m. **1** (*scoppiettio*) crackling; crackle; (*picchiettio*) rattling, rattle; (*fruscio*) rustling: **il c. di un falò**, the crackling of a bonfire; **il c. della fucileria**, the rat-tat-tat of gunshots **2** → **crepitazione**.

crèpito m. (*lett.*) crackle; rattle.

crepuscolàre △ a. **1** crepuscular; twilight (attr.): **bagliore c.**, twilight glow; **insetto c.**, crepuscular insect; **luce c.**, twilight; (*astron.*) **raggi crepuscolari**, crepuscular rays; (*psic.*) **stato c.**, twilight state **2** (*letter. ital.*) of the «crepuscolare» school of poetry △ m. (*letter. ital.*) poet of the «crepuscolare» school of poetry.

crepuscolarìsmo m. (*letter. ital.*) «crepuscolare» school of poetry.

crepùscolo m. **1** twilight; (*imbrunire*) dusk **2** (*fig.*) twilight; decline: **il c. della vita**, the twilight of life; (*letter.*) **il c. degli dèi**, the twilight of the gods; the Götterdämmerung (*ted.*).

crescèndo m. inv. (*mus.* e *fig.*) crescendo*: **un c. di delusioni**, a crescendo of disappointments; **in c.**, growing; increasing.

crescènte △ a. **1** growing; rising; mounting; increasing: **un c. interesse**, a growing interest; **costi crescenti**, rising (*o* mounting) costs **2** (*della luna*) waxing **3** (*mat.*) increasing △ m. (*lett.*: *falce di luna*) crescent.

crescènza f. **1** growing; growth; (*med.*) **dolori di c.**, growing pains **2** crescenza (a soft cheese from Lombardy).

♦**crescere** △ v. i. **1** (*di statura*) to grow*; to grow* taller; (*in fretta*) to shoot* up: *Il ragazzo mi sembra cresciuto*, I think the boy has grown taller; *È cresciuto di tre centimetri*, he's grown by three centimetres; *Com'è cresciuto tuo figlio*, your son has really shot up; *È cresciuto molto e niente le va più bene*, she has grown out of all her clothes **2** (*diventare adulto*) to grow* up; (*maturare*) to mature: *Sono cresciuto in campagna*, I grew up in the country; *Ormai sei cresciuto*, you're a big boy now; *Lo capirai quando crescerai*, you'll understand it when you are older **3** (*di capelli, unghie*) to grow*: **farsi c. la barba**, to grow a beard; **farsi c. i capelli**, to let one's hair grow **4** (*di pianta*) to grow*; to come* up; (*essere coltivato*) to be grown: *Le rose crescono bene*, the roses are growing (*o* coming up) well; **far c. una siepe [una pianta]**, to grow a hedge [a plant] **5** (*aumentare di volume, intensità*) to rise*, to grow* (+ compar.), to get* (+ compar.); (*aumentare di numero*) to increase, to go* up; (*aumentare di peso*) to put* on (weight); (*di emozione*) to rise*, to surge: *La pasta non è cresciuta*, the dough hasn't risen; *Il vento è cresciuto*, the wind has risen; *La popolazione è cresciuta*, the population has increased; *Il numero dei candidati è cresciuto*, the number of candidates has gone up; *Le esigenze del cliente crescevano*, the customer was getting more and more exacting; *La mia fame cresceva* (*o non faceva che c.*), I was getting hungrier and hungrier; *Sono cresciuta di tre chili*, I've put on three kilos; **c. nella stima di q.**, to rise in sb.'s esteem; to go up in sb.'s estimation **6** (*di prezzi*) to go* up; to rise*: *È cresciuto il prezzo del latte*, (the price of) milk has gone up; *I prezzi cresceranno ancora di più*, prices will rise still further; **c. vertiginosamente**, to spiral upward; to sky-rocket **7** (*della luna*) to wax **8** (*avanzare*) to be left; (*es-*

sere *eccedente*) to be in excess; (*essere troppo lungo*) to be too long: *Quello che cresce lo prendo io*, I'll take whatever is left; *Crescono due biglietti*, there are two extra tickets **9** (*mus.*, *di nota*) to sound sharp **B** v. t. **1** (*fam.: allevare*) to bring* up; to raise: *I miei figli li ho cresciuti da sola*, I brought up (*o* raised) my children on my own **2** (*fam.: pianta, ecc.*) to grow* **3** (*fam.: aumentare*) to raise; to put* up: **c. lo stipendio a q.**, to raise sb.'s pay **4** (*lavoro a maglia*) to increase.

crescióne m. (*bot.*, *Nasturtium officinale*, anche **c. d'acqua**) watercress ● (*bot.*) **c. degli orti** (*o* **inglese**) (*Lepidium sativum*), garden cress.

créscita f. growth; (*aumento*) increase, rise: **c. dei capelli**, hair growth; **c. della popolazione**, population growth; **la c. dei prezzi**, the rise in prices; **c. economica zero**, zero economic growth; **impedire la c. di**, (*un organismo*) to stunt the growth of; (*un fenomeno*) to keep st. under control; **essere in c.**, to be growing; to be increasing; **in rapida c.**, fast-growing; fast-increasing.

cresciùto a. **1** grown; (*adulto*) grown-up **2** (*aumentato*) increased **3** (*allevato*) brought up; raised.

crèsima f. (*eccles.*) confirmation; **impartire la c.**, to confirm; **tenere a c. q.**, to be sb.'s sponsor at confirmation.

cresimàndo m. (f. **-a**) (*eccles.*) candidate for confirmation.

cresimànte (*eccles.*) **A** a. confirming **B** m. confirming bishop.

cresimàre (*eccles.*) **A** v. t. to confirm **B** **cresimàrsi** v. i. pron. to be confirmed.

Crèso m. (*stor.*) Croesus **2** (*ricco*) Croesus; very rich person.

cresòlo m. (*chim.*) cresol.

créspa f. **1** (*di vestito*) gather; crimp; (*cucita*) plait **2** (*grinza, ruga*) wrinkle; crinkle; pucker **3** (*piccola onda*) ripple.

crespàto a. crimped; wrinkled; crinkled; puckered ● **carta crespata**, crepe paper.

crespèlla f. (*alim.*) crêpe; pancake.

crespìno m. (*bot.*, *Berberis vulgaris*) barberry, berberry.

créspo **A** a. **1** (*di capelli, barba*) frizzy; kinky **2** (*di tessuto*) crimped; wrinkled; crinkled **B** m. (*ind. tess.*) crape: **c. di Cina**, crêpe de Chine.

crésta f. **1** (*zool.*) comb; crest **2** (*crinale*) ridge; (*spartiacque*) watershed **3** (*cima*) crest; peak; top: **c. di un'onda**, crest of a wave **4** (*cuffia, un tempo*) frilly cap; (*di cameriera, ecc.*) white starched cap **5** (*di solco e sim.*) edge **6** (*dell'elmo*) crest **7** (*fis.*) crest; peak; (*mecc.*) crest, tip; (*fis.*) **valore di c.**, crest value **8** (*anat.*) crest: **c. iliaca**, iliac crest ● **c. di gallo**, (*bot.*, *Celosia cristata*), cockscomb; (*med.*) condyloma acuminatum □ (*fig.*) **abbassare la c.**, to come off one's high horse □ (*fig.*) **alzare la c.**, to get cocky □ (*fig.*) **con la c. abbassata**, crestfallen □ (*fig.*) **far abbassare la c. a q.**, to take sb. down a peg or two; to put down sb. (*USA*) □ (*fam.*) **fare la c. sulla spesa**, to pocket some of the shopping money □ (*fig.*) **essere sulla c. dell'onda**, to ride on the crest of a wave; to be riding high.

crestàia f. milliner.

crestàto a. **1** (*zool., bot.*) cristate; crested **2** (*di elmo*) crested.

crestìna f. white starched cap.

crestomazìa f. (*letter.*) chrestomathy; anthology.

crèta f. **1** clay; chalk: **vaso di c.**, clay pot; **la c. mortale**, the mortal clay; **pollo alla c.**, chicken baked in a clay mould **2** (*oggetto di c.*) clay object; (*vaso*) pot: **una raccolta di crete**, a collection of clay objects.

Crèta f. (*geogr.*) Crete.

cretàceo **A** a. **1** cretaceous; clayey **2** (*geol.*) Cretaceous **B** m. (*geol.*) Cretaceous (period).

cretése a., m. e f. Cretan.

crètico (*poesia*) **A** a. cretic **B** m. cretic; amphimacer.

cretinàta f. **1** (*azione*) stupid act; stupid thing; (*parole*) stupid remark, stupid thing, rubbish ⓤ: *Che c.!*, what a stupid thing to do [to say]!; what rubbish! *Non dire cretinate!*, don't talk rubbish!; don't be silly! **2** (*cosa stupida*) stupid thing; rubbish ⓤ: *Questo romanzo è una c.*, this novel is rubbish; *Che c. di film!*, what a stupid film! **3** (*cosa facilissima*) joke; doddle (*fam.*); cinch (*fam.*) **4** (*cosa da nulla*) nothing; trifle: *Mi è costato una c.*, I got it for a song.

cretinerìa f. **1** (*l'essere cretino*) foolishness; stupidity **2** → **cretinata**.

cretinétti m. e f. inv. idiot: fool; nitwit (*fam.*); twit (*fam. GB*).

cretinìsmo m. **1** (*med.*) cretinism **2** (*estens.*) stupidity; idiocy.

♦**cretìno** **A** a. **1** (*med.*) cretinous **2** (*estens.*) stupid; foolish **B** m. (f. **-a**) **1** (*med.*) cretin **2** (*estens.*) stupid (person); fool; idiot.

cretinòide m. e f. **1** (*med.*) cretinoid **2** (*estens.*) fool; idiot.

cretonne (*franc.*) m. o f. (*ind. tess.*) cretonne.

cretóso a. clayey; chalky.

CRI sigla (**Croce Rossa italiana**) Italian Red Cross.

cri → **cri cri**.

crìbbio inter. **1** (*di sorpresa*) crikey (*GB*); gee! (*USA*) **2** (*di irritazione*) damn!; blast!

cribróso a. cribrose; cribriform: (*anat.*) **lamina cribrosa**, cribriform plate.

cric① m. (*onom.*) crack; crackle; creak.

cric② m. (*mecc.*) jack; car jack: **sollevare col c.**, to jack up.

cricca① f. **1** (*spreg.*) gang; clique; cabal **2** (*fam.: combriccola*) band; bunch; set; gang.

cricca② f. (*metall.*) crack.

criccàre v. i. (*metall.*) to crack.

criccatùra f. (*metall.*) cracking.

cricchete → **cric**①.

cricchétto m. (*mecc.*) pawl; ratchet; click.

cricchiàre v. i. to crack; to crackle; to crunch.

cricchio m. cracking; crackling; crunching.

cricco → **cric**②.

♦**cricèto** m. (*zool.*, *Cricetus cricetus*) hamster.

cri cri loc. m. (*onom.*) chirring; chirping: **il cri cri dei grilli**, the chirring (*o* chirping) of crickets.

criminàle **A** a. criminal: **diritto c.**, criminal law; **indagine c.**, criminal investigation; **manicomio c.**, criminal lunatic asylum **B** m. e f. **1** criminal; felon; crook (*fam.*): **c. di guerra**, war criminal **2** (*fig.*) criminal; mad person: *Sei un c. a dare l'accendino al bambino!*, you are mad to give the lighter to the child!; *Guida come un c.*, he drives like a maniac; **c. della strada**, reckless driver; road hog (*fam.*).

criminalìsta m. e f. (*leg.*) criminal lawyer.

criminalità f. **1** criminal character; criminality **2** crime: **c. giovanile**, youth crime; **c. organizzata**; organized crime; *La c. è in aumento*, crime is increasing (*o* on the increase); **lottare contro la c.**, to fight crime.

criminalizzàre v. t. to criminalize; to treat as a criminal.

criminalizzazióne f. criminalization.

Criminalpol abbr. (**Polizia criminale**) Crime Squad.

crìmine m. **1** crime; felony: **crimini di guerra**, war crimes; **c. contro l'umanità**, crime against humanity **2** (*criminalità*) crime ⓤ: **lotta al c.**, crime fighting; **sindacato del c.**, crime syndicate.

criminologìa f. criminology.

criminòlogo m. (f. **-a**) criminologist.

criminosità f. criminality.

criminóso a. criminal; felonious: **atto c.**, criminal act; **fatto c.**, crime; felony; **proposito c.**, criminal intent.

crinàle① m. **1** (*pettine*) comb **2** (*spillone*) hairpin.

crinàle② m. (*geogr.*) crest; ridge.

crìne m. **1** horsehair **2** (*lett.: capelli*) hair; locks (pl.) **3** (*per imbottitura*) horsehair: **materasso di c.**, horsehair mattress; **c. vegetale**, vegetable hair **4** (*mus., di archetto*) hair.

♦**crinièra** f. **1** (*zool.*) mane **2** (*astron.*) tail (of a comet) **3** (*scherz., di capelli*) mop (of hair); mane.

crinìto a. (*lett.*) **1** (*di cavallo*) with a flowing mane **2** (*di persona*) with flowing locks; longhaired.

crinòide m. (*zool.*) crinoid; sea lily; (al pl., *scient.*) Crinoidea.

crinolìna f. crinoline.

crioanestesìa f. (*med.*) cryanesthesia.

criobiologìa f. cryobiology.

criòcera f. (*zool.*, *Crioceris*) crioceris.

criochirurgìa f. cryosurgery.

crioconservazióne f. (*med.*) cryopreservation.

crioelettrònica f. cryoelectronics (pl. col verbo al sing.).

criogenìa f. (*fis.*) cryogenics (pl. col verbo al sing.).

criogènico a. (*fis.*) cryogenic.

criògeno a. (*fis.*) cryogenic: **sostanza criogena**, cryogen.

criolìte f. (*miner.*) cryolite; Greenland spar; ice stone.

criopatologìa f. (*med.*) cryopathology.

crioscopìa f. (*chim.*) cryoscopy.

crioscòpico a. (*chim.*) cryoscopic.

crioscòpio m. (*chim.*) cryoscope.

criosfèra f. (*geogr.*) cryosphere.

criosónda f. (*med.*) cryoprobe.

criòstato m. (*fis.*) cryostat.

criotècnica f. cryogenic engineering.

crioterapìa f. (*med.*) cryotherapy.

crìpta f. (*archit.*) crypt; vault.

criptàggio m. (*TV, comput.*) encryption; encrypting.

criptàre v. t. (*TV, comput.*) to encrypt.

criptàto a. (*TV, comput.*) encrypted.

crìptico a. (*lett.*) cryptic.

crìpto m. (*chim.*) krypton.

criptocomunìsta m. e f. crypto-communist.

criptogenètico a. (*med.*) cryptogenetic.

criptografìa e *deriv.* → **crittografia**, e *deriv.*

cripton → **cripto**.

criptònimo m. cryptonym.

criptopòrtico m. (*archit.*) cryptoporticus*.

criptorchidìa f., **criptorchidìsmo** m. (*med.*) cryptorchidism.

crisàlide f. (*zool.*) chrysalis*; chrysalid; pupa*.

crisantèmo m. (*bot.*, *Chrysanthemum*) chrysanthemum.

criselefantìno a. (*arte*) chryselephantine.

♦**crìsi** f. **1** (*med. ed estens.: attacco, parossismo*) fit; seizure; attack; paroxysm: **c. cardiaca**, heart attack; **c. d'astinenza**, with-

drawal symptoms (pl.); **c. di nervi**, attack of nerves; **c. di pianto**, fit (*o* paroxysm) of tears; **avere una c. di pianto**, to cry uncontrollably; **c. di gelosia**, fit of jealousy; **c. epilettica**, epileptic fit; **c. isterica**, fit of hysterics **2** (*personale*) crisis*: **c. di identità**, crisis of identity; **c. religiosa [spirituale]**, religious [spiritual] crisis **3** (*difficoltà*, *problema*) crisis*; problem; trouble ⓤ; (*periodo difficile*) difficult period, bad patch (*fam.*): (*scherz.*) **c. del settimo anno**, seven-year itch; **c. del traffico**, traffic problem; **entrare in c.**, to find oneself in difficulties (*o* in a tight spot); (*sentirsi depresso*) to start feeling depressed; **essere in c.**, (*essere in difficoltà*) to be in crisis, to be having problems (*o* trouble); to be going through a bad patch; (*essere sotto tensione*) to be under strain; (*essere nei guai*) to be in a tight spot (*o* in a fix); (*essere depresso*) to be feeling depressed (*o* low); **mettere in c. q.**, (*mettere in difficoltà*) to create difficulties for sb., to give sb. trouble; (*mettere sotto tensione*) to put strain on sb.; (*sconcertare*) to disconcert, to baffle; (*deprimere*) to depress sb.; **una coppia in c.**, a couple going through a difficult period; **matrimonio in c.**, marriage in crisis; **punto di c.**, crisis point **4** (*econ.*) crisis*; slump; down; (*carenza*) shortage: **c. degli alloggi**, housing crisis (*o* shortage); **una c. della Borsa**, a slump on the Stock Exchange; **la c. del 1929** (*o* **la Grande C.**), the (Great) Depression; **c. economica**, economic crisis; slump; depression; doldrums (pl.); **c. energetica**, energy crisis; **c. petrolifera**, oil crisis; **c. stagionale**, seasonal down **5** (*polit.*, *anche* **c. di governo**) fall of a government; period following a government's resignation; **Il partito è contrario a una c. di governo**, the party is against asking the government to resign; **La c. di governo è stata evitata**, the government survived.

crìsma m. **1** (*eccles.*) chrism **2** (*fig.*) official blessing; sanction; approval ● **con tutti i crismi**, properly; strictly according to the rules; by the book.

crismàle (*eccles.*) Ⓐ a. chrismal Ⓑ m. **1** (*panno*) chrisom **2** (*vaso*) chrismatory.

crisoberìllo m. (*miner.*) chrysoberyl.

crisoelefantìno → criselefantino.

crisografia f. chrysography.

crisòlito m. (*miner.*) chrysolite.

crisopàzio, **crisopràsio**, **crisòpraso** m. (*miner.*) chrysoprase.

Crisòstomo m. (*stor.*) Chrysostom.

crisòtilo m. (*miner.*) chrysotile.

Crispìno m. Crispin.

cristalleria f. **1** (*fabbrica*) crystal factory; glassworks (pl.) **2** (*negozio*) glassware shop **3** (*oggetti di cristallo*) crystal; glassware.

cristallièra f. glass (*o* display) cabinet.

cristallìno Ⓐ a. **1** crystalline; crystal (attr.): **roccia cristallina**, crystalline rock; (*miner.*) **sistema c.**, crystal system **2** (*fig.*: *limpido*, *puro*) crystal-clear; crystalline; crystal (attr.): **acqua cristallina**, crystal-clear water; **coscienza cristallina**, crystal-clear conscience; **prosa cristallina**, crystalline prose; **voce cristallina**, ringing voice Ⓑ m. (*anat.*) crystalline lens.

cristallizzàbile a. crystallizable.

cristallizzàre Ⓐ v. t. **1** (*miner.*) to crystallize **2** (*fig.*) to fix; to settle Ⓑ v. i. e **cristallizzàrsi** v. i. pron. **1** (*miner.*) to crystallize **2** (*fig.*) to crystallize; (*fissarsi*) to set*, to become* fixed; (*irrigidirsi*) to fossilize: **cristallizzarsi in un convincimento**, to become fixed in a belief.

cristallizzàto a. **1** (*miner.*) crystallized **2** (*di zucchero*) granulated **3** (*fig.*) fossilized; fixed: **atteggiamento c.**, fossilized attitude.

cristallizzatóre m. (*chim.*) crystallizer; crystallization vessel.

cristallizzazióne f. **1** (*miner.*) crystallization: **c. frazionata**, fractional crystallization **2** (*fig.*) crystallization; (*irrigidimento*) fossilization.

◆**cristàllo** m. **1** (*miner.*) crystal: **c. di quarzo [di rocca]**, quartz [rock] crystal **2** (*in lastra*) (plate) glass; (*la lastra*) sheet glass; (*di finestra*) windowpane; (*di vetrina*) shop window; (*parabrezza*) glass: **c. blindato**, armoured glass; **c. molato**, bevelled glass; **i cristalli della macchina**, the car windows; **lastra di c.**, sheet glass; **mezzo c.**, medium-thick plate glass **3** (*per bicchieri*, *vasi*) crystal (glass); **c. di Boemia**, Bohemian glass **4** (al pl.) (*oggetti di cristallo intagliato*) crystal □: *I cristalli luccicavano sulla tavola da pranzo*, the dinner table sparkled with crystal ● **c. di neve**, snow crystal □ **c. fluorescente**, phosphor □ (*fis.*) **cristalli liquidi**, liquid crystals □ (*autom.*) **c. orientabile** quarterlight □ **un cielo di c.**, a crystalline sky □ **limpido come il c.**, crystal clear □ **sfera di c.**, crystal ball.

cristalloblàstico a. (*miner.*) crystalloblastic.

cristallochìmica f. chemical crystallography.

cristalloclàstico a. (*miner.*) crystalloclastic.

cristallofìsica f. physical crystallography.

cristallografìa f. crystallography.

cristallogràfico a. crystallographic.

cristallògrafo m. (f. **-a**) crystallographer.

cristallòide a. e m. crystalloid.

cristalloterapìa f. crystal healing; crystal therapy.

cristianaménte avv. like (*o* as) a Christian; in a Christian way.

cristianèsimo m. Christianity.

cristiàna m. (*sci*) Christie: **fare il c.**, to stem-turn.

cristianità f. **1** Christianity **2** (*il mondo cristiano*) Christendom.

cristianizzàre v. t. to Christianize; to convert to Christianity.

cristianizzazióne f. Christianization; conversion to Christianity.

◆**cristiàno** Ⓐ a. **1** Christian: **èra cristiana**, Christian era; **letteratura cristiana**, Christian literature; **carità cristiana**, Christian love; charity **2** (*fig.*: *decente*) decent; proper: **un pasto c.**, a proper (*o* decent) meal Ⓑ m. (f. **-a**) **1** Christian **2** (*fam.*: *persona*) soul; fellow; human being: *Non c'era un cristiano*, there wasn't a soul; **un buon c.**, a good soul; a decent fellow; **un povero cristiano**, a poor soul; a poor fellow ● **comportarsi da c.**, to behave oneself □ **mangiare da cristiani**, to eat properly; to have a decent meal □ **Questo è un parlare da cristiani**, this is the way to speak □ **Questo non è cibo da cristiani**, this is no food to give a man.

cristiàno-sociàle a. e m. (*polit.*) Christian Socialist.

Cristìna f. Christine; Christina.

crìsto m. (*fam.*) – **un povero c.**, a poor devil.

◆**Crìsto** m. **1** Christ: **avanti C.**, Before Christ (abbr. B.C.); **dopo C.**, After Christ; Anno Domini (abbr. A.D.); **nel 313 dopo C.**, in 313 A.D.; A.D. 313 **2** (*crocifisso*) crucifix ● (*pop.*) **Non ci sono cristi** (*o* **Non c'è C.**), it's all useless; nothing doing (*fam.*).

cristocèntrico a. Christocentric.

cristocentrìsmo m. Christocentrism.

Cristòforo m. Christopher.

cristolatrìa f. Christolatry.

cristologìa f. Christology.

cristològico a. Christological.

critèrio m. **1** criterion*; standard; yardstick; principle; rule: **fissare un c.**, to fix a standard; *Hanno usato criteri diversi per valutarci*, they have applied different criteria to assess us; **seguire un c.**, to follow a criterion; *Con che c. hai disposto i libri?*, what criterion did you follow to arrange your books?; **giudicare tutti secondo lo stesso c.**, to measure all people by the same yardstick; **c. approssimativo**, rough rule; rule of thumb; **criteri-guida**, guide-lines **2** (*fam.*: *senno*) (common) sense: **agire con c.**, to behave sensibly; to act prudently; **essere senza c.**, to lack common sense; *Non hai un briciolo di c.*, you haven't got an ounce of common sense; **un giovane di c.**, a sensible young man.

criteriologìa f. (*filos.*) criteriology.

critèrium m. inv. (*sport*) restricted competition.

crìtica f. **1** (*esame critico*) criticism; critique: **c. costruttiva**, constructive criticism; *C. della ragion pura*, Critique of Pure Reason; **sottoporre a c.**, to subject to criticism **2** (*letter.*, *arte*, *ecc.*) criticism: **c. d'arte**, art criticism; **c. letteraria**, literary criticism **3** (*saggio critico*) piece of criticism; critique; critical essay **4** (*recensione*) review, notice, write-up (*fam.*): **scrivere la c. di una commedia**, to write the review of a play; **critiche avverse**, poor notices; bad press; *Non leggo mai le critiche*, I never read write-ups; *Il suo ultimo romanzo ha ricevuto critiche feroci*, his latest novel was torn to shreds by the critics **5** (*l'insieme dei critici*) (the) critics (pl.): **il favore della c.**, the approval of the critics; **successo di c.**, critical success; *La c. è unanime nello stroncare il libro*, the critics are unanimous in slating the book **6** (*biasimo*) criticism ⓤ; censure; blame ⓤ; flak ⓤ (*fam.*): *La mia non vuole essere una c.*, I don't mean it as criticism; **prestare il fianco** (*o* **esporsi**) **alle critiche**, to lay oneself open to criticism; **rivolgere critiche a q.**, to criticize sb.; **ricevere critiche**, to be criticized; **essere esente da critiche**, to be free from blame; **essere oggetto di critiche**, to come in for criticism.

criticàbile a. **1** open to criticism **2** (*biasimabile*) blamable; censurable.

criticàre v. t. **1** to criticize **2** (*biasimare*) to criticize; to censure; to blame; to find* fault with: **essere aspramente criticato**, to be severely criticized (*o* censured); (*spec. di politico*, *ecc.*) to come in for (*o* to receive, to take) a lot of flak; *Ha sempre da c.*, she finds fault with everything; she is always grumbling about something; **c. duramente**, to criticize severely; to attack fiercely; **farsi c.**, to lay oneself open to criticism.

criticìsmo m. **1** (*filos.*) critical philosophy; criticism **2** (*atteggiamento critico*) criticism.

criticità f. (*fis.*) criticality.

◆**crìtico** Ⓐ a. **1** critical: **analisi critica**, critical analysis; **saggio** (*o* **studio**) **c.**, critical essay; **edizione critica**, critical edition **2** (*che biasima*) critical; fault-finding; censorious: **atteggiamento c.**, critical attitude; **essere c. nei confronti di**, to be critical of; **parlare in modo c. di qc.**, to speak critically of st. **3** (*di crisi*) critical; crucial; decisive; (*difficile*) difficult: (*med.*) **fase critica**, critical phase; **momento c.**, crucial moment; crunch (*fam.*); **situazione critica**, critical situation; (*di malato*) **in condizioni critiche**, in critical condition; critically ill; critic (pred.) **4** (*chim.*, *fis.*) critical: **massa critica**, critical mass; **temperatura critica**, critical temperature ● **età critica**, difficult age; (*pubertà*) puberty; (*menopausa*) change of life □ (*eufem.*) **giorni critici** (*mestruazioni*), (one's) period Ⓑ m. (f. **-a**) **1** critic; (*recensore*) reviewer: **c. drammatico**, drama critic; **c. let-**

terario, literary critic; **c. musicale**, music critic **2** (*chi condanna*) critic; opponent; (*spreg.*) fault-finder.

criticóne m. (f. **-a**) (*fam.*) fault-finder; (*pignolo*) nitpicker; (*brontolone*) grumbler.

criticùme m. (*spreg.*) so-called critics (pl.).

crittàre → **criptare**.

crittògama f. (*bot.*) cryptogam ● **c. della vite**, powdery mildew.

crittogàmico a. (*bot.*) cryptogamic; cryptogamous.

crittografìa f. cryptography.

crittogràfico a. cryptographic.

crittògrafo m. (f. **-a**) **1** (*persona*) cryptographer **2** (*macchina*) decoder; cryptograph.

crittogràmma m. cryptogram; cryptograph.

crivellàre v. t. **1** to riddle: **c. q. di pallottole**, to riddle sb. with bullets **2** (*vagliare*) to sieve; to sift.

crivellatùra f. **1** (*il passare al crivello*) sifting; siftage; screening **2** (*ind. min.*) jigging **3** (*ciò che resta nel crivello*) siftings (pl.).

crivèllo m. **1** sieve; riddle; screen: (*ind. tess.*) **c. per bozzoli**, cocoon sieve **2** (*ind. min.*) jig ● (*mat.*) **c. di Eratostene**, sieve of Eratosthenes.

croàto A a. Croatian B m. (f. **-a**) Croat; Croatian C m. (*lingua*) Croatian.

Croàzia f. (*geogr.*) Croatia.

croccànte A a. crisp; crackling; crunchy: **biscotto c.**, crunchy biscuit; **pane c.**, crisp bread; **patatine croccanti**, (potato) crisps (*GB*); chips (*USA*) B m. (*alim.*) almond brittle; almond toffee.

crocchétta f. (*alim.*) croquette; rissole: **c. di pesce**, fish cake.

cròcchia f. bun; chignon: *Portava i capelli in una c.*, she wore her hair rolled into a bun.

crocchiàre v. i. **1** (*scricchiolare*) to crackle; to crack; (*spec. di cosa calpestata*) to crunch **2** (*di chioccia*) to cluck.

cròcchio m. knot (of people); small group: **un c. di curiosi**, a knot of onlookers; **fare c.**, to gather (in a group): *Si formò un c.*, a knot of people gathered.

crocchiolàre, **croccolàre** v. i. to cluck; to cackle.

croccolóne m. (*zool.*, *Capella media*) great snipe.

◆**cróce** f. **1** (*anche arald.*) cross: **c. di cavaliere**, knight's cross; knight's insignia (pl.); (*estens.*: *cavalierato*) knighthood; **c. di guerra**, (*in Italia*) War Cross; (*in GB*) Distinguished Service Cross; **c. latina** [**greca**, **di S. Andrea** *o* **decussata**, **di Lorena**, **di Malta**], Latin [Greek, St Andrew's, Lorraine, Maltese] cross; **C. Rossa**, Red Cross; **c. uncinata** (*o* **gammata**), swastika; fylfot; *Cristo in c.*, Christ on the Cross; **fare una c. sopra qc.**, (*segnare*) to mark st. with an X (*o* with a cross); (*cancellare*) to cross st. out; **firmare con una c.**, to sign with a cross; to put one's mark; **morire in c.**, to die on the cross; **a forma di c.**, in the shape of a cross; cross-shaped **2** (*fig.*: *tribolazione*) (sore) trial; constant worry; (heavy) burden: *Ciascuno ha la sua c.*, everyone has a cross to bear; *Il figlio è la sua c.*, her son is a constant worry to her **3** (*tipogr.*) dagger □ (*astron.*) **la C. del Sud**, the Southern Cross □ (*bot.*) **c. di Malta** (*Lychnis chalcedonica*), London pride; **c. e delizia**, a source of joy and torment; a curse and a blessing □ (*fig.*) **abbracciare la c.**, to become a Christian; to convert to Christianity □ **condannare q. alla c.**, to sentence sb. to the cross (*o* to be crucified) □ (*fig.*) **farci una c. sopra**, to write it off; to forget about it. □ (*fig.*) **gettare la c. addosso a q.**, to throw the blame on sb. □ **in c.**, crosswise; (*di oggetti disposti a c.*)

crossed; set crosswise to each other: **legare in c.**, to tie crosswise □ (*fig.*) **mettere in c.**, (*criticare*) to crucify; (*assillare*) to torment, to pester □ (*stor.*, *di crociati*) **prendere la c.**, to take the cross □ **punto (in) c.**, cross-stitch □ (*fig.*) **tenere q. in c.**, to keep sb. on tenterhooks □ **segno della c.**, sign of the cross: **fare il segno della c.** (*per benedire*, *ecc.*), to make the sign of the cross; **fare** (*o* **farsi**) **il segno della c.**, to cross oneself □ **Testa o c.?**, heads or tails?; → **testa** □ **tirare una c. su un debito**, to cancel a debt □ **tre parole in c.**, a few words □ **Non sa dire tre parole in c.**, he can't put two words together.

crocefìggere e *deriv.* → **crocifiggere**, e *deriv.*

cròceo a. (*lett.*) saffron (yellow); croceous.

crocerìsta m. e f. passenger on a cruise.

crocerossìna f. Red Cross nurse.

crocesegnàre v. t. to put* one's mark on.

croceségno m. cross; mark.

crocétta f. **1** (*segno*) (small) cross **2** (*bot.*, *Onobrychis viciaefolia*) sainfoin **3** (*naut.*) crosstree.

crocevìa m. crossroads* (*anche fig.*); intersection: (*fig.*) **trovarsi a un c.**, to be at the crossroads.

crochet (*franc.*) m. inv. **1** (*uncinetto*) crochet hook: **lavorare a c.**, to crochet; **fare qc. a c.**, to crochet st.; (*fatto*) **a c.**, crocheted **2** (*lavoro all'uncinetto*) crochet **3** (*boxe*) hook.

crocianésimo m. (*filos.*) Crocean philosophy.

crociàno A a. of B. Croce; Crocean B m. (f. **-a**) follower of B. Croce.

crociàta f. (*stor.* e *fig.*) crusade: **bandire una c.**, to proclaim a crusade; **una c. contro la droga**, an crusade against drugs.

crociàto A a. **1** cruciform; cross-shaped **2** – **parole crociate** → **parola** B m. (*stor.*) crusader.

◆**crocìcchio** m. crossroads*.

crocidàre v. i. (*lett.*) to caw.

crocièra① f. **1** (*archit.*) cross: **volta a c.**, cross vault; cross vaulting **2** (*mecc.*) spider; cross: **c. del giunto cardanico**, universal joint spider (*o* cross).

crocièra② f. (*naut.*, *aeron.*) cruise: **c. di addestramento [di piacere]**, training [pleasure] cruise; **c. intorno al mondo**, round-the-world cruise; **andare in c.** (*o* **fare una c.**), to go on a cruise; (*mil.*) **essere di c.**, to be cruising; **nave da c.**, holiday cruiser; (*aeron.*, *autom.*) **velocità di c.**, cruising speed.

crocière m. (*zool.*, *Loxia curvirostra*) crossbill.

crocierìsta → **crocerista**.

crocìfera f. (*bot.*) crucifer; (al pl., *scient.*) Cruciferae.

crocìfero A a. **1** carrying a cross; (*munito di croce*) cross-bearing: **asta crocifera**, processional cross; (*arte*) **Cristo c.**, Christ carrying the Cross **2** (*bot.*) cruciferous B m. **1** crucifer; cross-bearer **2** (*stor.*) Crutched Friar.

crocifìggere A v. t. **1** to crucify **2** (*fig.*) to torment; to persecute B **crocifìggersi** v. rifl. (*fig.*) to torture oneself; to mortify oneself.

crocifissióne f. crucifixion; (*relig.*) Crucifixion.

crocifìsso A a. crucified B m. **1** crucifix **2** – (*relig.*) **il C.**, the Crucified.

crocifissóre m. crucifier.

crocifórme → **cruciforme**.

crocióne m. → **crociere**.

cròco m. **1** (*bot.*, *Crocus*) crocus* **2** (*bot.*, *Crocus sativus*) saffron.

crocoìte f. (*miner.*) crocoite.

cròda f. crag.

crodaiòlo m. cragsman*.

crogiolàre A v. t. to cook on a slow fire B **crogiolàrsi** v. i. pron. (*fig.*) to bask; to luxuriate; to be snug: **crogiolarsi a letto**, to be snug in bed; **crogiolarsi al sole**, to bask in the sun; **crogiolarsi in un pensiero**, to relish a thought; **crogiolarsi nei ricordi**, to indulge in memories.

crogiòlo m. **1** (*metall.*) crucible; melting pot: **c. per filtrazione**, filter crucible; **c. per vetro**, glass pot; **acciaio al c.**, crucible steel **2** (*chim.*) boat **3** (*fig.*) melting pot: **un c. d'idee**, a melting pot of ideas; **un c. di nazionalità**, a melting pot of nationalities.

croissant (*franc.*) m. inv. (*cucina*) croissant.

◆**crollàre** A v. i. **1** (*cadere al suolo*) to collapse, to fall* down; (*abbattersi*) to come* crashing down; (*sotto un peso*) to give* way; (*di tetto e sim.*) to cave in: *Il muro crollò con fragore*, the wall collapsed noisily; *L'albero crollò al suolo*, the tree crashed to the ground; *Presto, il ponte sta crollando!*, quick, the bridge is about to give way; *Il peso della neve fece c. il tetto*, the weight of the snow caused the roof to cave in **2** (*fig.*: *essere in rovina*) to be falling to pieces: *La vecchia villa sta crollando*, the old villa is falling to pieces **3** (*stramazzare*) to fall* down; to collapse: **c. a terra**, to fall to the ground; to collapse in a heap **4** (*lasciarsi cadere*) to drop; to flop down; to slump: *Crollai sul divano ansimando*, I dropped on the sofa panting **5** (*fig.*: *essere annientato*, *fallire*) to collapse; to crumble; to be shattered: *Vidi c. i nostri piani*, I saw our plans collapse; **speranze che crollano**, crumbling hopes; *Le pressioni interne ed esterne fecero c. l'impero*, internal and external pressures caused the empire to collapse **6** (*fig.*: *cedere*) to give* way; to break* down; to cave in: *Davanti alle prove l'omicida crollò*, faced with the evidence, the murderer caved in **7** (*avere un cedimento fisico*) to collapse; (*avere un crollo emotivo*) to crack up, to break* down, to go* to pieces **8** (*econ.*, *fin.*) to collapse; to plummet; to fall*: *Il mercato azionario è crollato*, stock prices have plummeted; *La notizia fece c. il mercato delle carni*, the news knocked the bottom out of the beef market ● **c. dalla stanchezza**, to be ready to drop □ **Sto crollando dal sonno**, I can't keep my eyes open; I'm falling asleep on my feet □ **far c. un alibi**, to demolish an alibi B v. t. (*scuotere*) to shake*; to toss: **c. il capo**, to shake one's head; **c. le spalle**, to shrug one's shoulders.

cròllo m. **1** collapse; (*di tetto e sim.*) cave-in: **il c. di una torre [di un ponte]**, the collapse of a tower [of a bridge]; *Il c. ha fatto tre vittime*, three people died when the building collapsed **2** (*fig.*: *rovina*) collapse; fall; breakdown; ruin: **il c. delle proprie speranze**, the collapse of one's hopes; **il c. dell'Impero romano**, the fall of the Roman Empire **3** (*fig.*: *collasso*) collapse; breakdown: **un c. del sistema nervoso**, a nervous breakdown; **avere un c.**, to collapse; (*emotivamente*) to break down, to crack up **4** (*scossa*) shake: **al primo c.**, at the first shake **5** (*econ.*, *fin.*) slump; collapse; fall; crash: **un c. dei prezzi**, a slump in prices; **un c. in Borsa**, a crash on the Stock Exchange; **c. finanziario**, financial crash; *C'è stato un c. delle vendite*, the bottom has fallen out of the market.

cròma f. (*mus.*) quaver; eighth note (*USA*).

cromagnoniàno a. Cro-Magnon (attr.).

cromàre v. t. (*ind.*) to chromium-plate.

cromaticità f. chromaticity.

cromàtico a. **1** chromatic: (*fis.*) **aberra-**

zione cromatica, chromatic aberration; **visione cromatica**, chromatic vision; *Ha un buon senso c.*, he has a good sense of colour **2** (*mus.*) chromatic: **scala cromatica**, chromatic scale.

cromatidio m. (*biol.*) chromatid.

cromatina f. (*biol.*) chromatin.

cromatismo m. **1** (*fis.*) chromatism **2** (*pitt.*) emphasis on colour **3** (*mus.*) chromaticism.

cromatizzàre v. t. (*mus.*) to make* chromatic.

cromàto① a. (*ind.*) chromium-plated; (*autom., ecc.*) chrome (attr.).

cromàto② m. (*chim.*) chromate: **c. di piombo**, lead chromate.

cromatòforo m. (*biol.*) chromatophore.

cromatografia f. (*chim.*) chromatography.

cromatogràfico a. (*chim.*) chromatographic.

cromatògrafo m. cromatograph.

cromatùra f. **1** (*operazione*) chromium-plating **2** (*superficie cromata*) chrome Ⓤ.

cromìa f. (*pitt.*) shade of colour; tone.

cròmico① a. (*chim.*) chromic.

cròmico② a. (*pitt.*) chromatic.

crominànza f. (*TV*) chrominance.

cromismo m. (*med.*) chromium poisoning.

cromìte f. (*miner.*) chromite.

cròmo Ⓐ m. (*chim.*) chromium: (*ind.*) **c. puro**, straight chromium; **di [al] c.**, chrome (attr.); **concia al c.**, chrome tanning Ⓑ a. inv. chrome (attr.): **giallo c.**, chrome yellow.

cromòforo m. (*chim.*) chromophore.

cromògeno a. chromogenic.

cromolitografia f. **1** (*procedimento*) chromolithography **2** (*riproduzione*) chromolithograph (abbr. chromo).

cromolitogràfico a. chromolithographic.

cromoplàsto m. (*bot.*) chromoplast.

cromoproteìna f. (*chim.*) chromoprotein.

cromoscopìa f. (*med.*) chromoscopy.

cromoscòpio m. chromoscope.

cromosfèra f. (*astron.*) chromosphere.

cromosfèrico a. (*astron.*) chromospheric.

cromosòma m. (*biol.*) chromosome.

cromosòmico a. (*biol.*) chromosome (attr.); chromosomal: **corredo c.**, chromosome complement; **mappa cromosomica**, chromosome map; **numero c.**, chromosome number.

cromoterapìa f. (*med.*) chromotherapy.

cromotipìa f. (*tipogr.*) chromotypography.

♦**crònaca** f. **1** (*stor.*) chronicle **2** (*giorn.*) news Ⓤ; report; (*rubrica*) page, column: **c. cittadina**, local news; **c. giudiziaria**, law reports (pl.); **c. letteraria**, book news; literary pages (pl.); **c. mondana**, society news; **c. nera**, crime news; crime pages (pl.); **c. rosa**, gossip column; **c. teatrale**, theatre news; **fatto** (*o* **notizia**) **di c.**, news item; **piccola c.**, announcements (pl.); **giornalista di c.**, reporter **3** (*resoconto*) account; report; (*radio, TV*) commentary: **fare la c. di qc.**, to give an account of st.; to report on st.; **fare la c. di una partita**, to give a running commentary on a match.

cronachìsmo m. chronicling.

cronachìsta m. chronicler.

cronachìstica f. **1** chronicle studies (pl.). **2** chronicles (pl.).

cronachìstico a. of chronicles; chronicle (attr.).

cronicàrio m. hospital for the chronically ill.

cronicità f. chronicity.

cronicizzàre Ⓐ v. t. to make* chronic Ⓑ **cronicizzarsi** v. i. **pron.** to become* chronic.

crònico Ⓐ a. **1** (*med.*) chronic: **bronchite cronica**, chronic bronchitis **2** (*radicato*) chronic; inveterate; entrenched; **disoccupazione cronica**, chronic unemployment; **vizio c.**, entrenched habit Ⓑ m. (f. **-a**) chronic invalid.

cronista m. e f. **1** (*stor.*) chronicler **2** (*giorn.*) reporter; newspaperman* (m.); newspaperwoman* (f.): **c. di cronaca nera**, crime reporter; **c. mondano**, society reporter; **c. sportivo**, sports reporter.

cronistòria f. **1** chronicle **2** (*fig.*) detailed account.

cròno Ⓐ m. (*sport*) time Ⓑ f. (*ciclismo*) time trial.

cronobiologìa f. chronobiology.

cronofotografìa f. chronophotography.

cronografìa f. (*metrologia*) chronography.

cronogràfico a. chronographic.

cronògrafo m. chronograph.

cronòide (*farm.*) Ⓐ a. e m. delayed-action: **capsula c.**, delayed-action capsule Ⓑ m. delayed-action drug.

cronologìa f. chronology.

cronològico a. chronological.

cronologìsta m. e f., **cronòlogo** m. (f. **-a**) chronologist.

crònoman m. inv. (*ciclismo*) time-trial specialist.

cronometràggio m. (precision) timing.

cronometràre v. t. to time: *L'ho cronometrato: ci vogliono sei minuti esatti*, it takes exactly six minutes – I timed it.

cronometrìa f. chronometry.

cronomètrico a. **1** chronometrical **2** (*fig.*) absolute; exact: **puntualità cronometrica**, absolute punctuality.

cronometrìsta m. e f. timekeeper ● **c. analista** (*o* **industriale**) → **cronotecnico**.

cronòmetro Ⓐ m. chronometer: (*a scatto*) stopwatch: **c. marino**, box (*o* marine) chronometer ● (*sport*) **gara** (*o* **prova**) **a c.**, time trial Ⓑ f. (*ciclismo*) time trial.

cronopatologìa f. chronopathology.

cronoscalàta f. (*ciclismo*) uphill time trial.

cronoscòpio m. chronoscope.

cronostratigrafìa f. (*geol.*) chronostratigraphy.

cronotachìgrafo m. tachograph.

cronotàppa f. (*ciclismo*) time trial.

cronotècnica f. (*ind.*) time-and-motion study; time study.

cronotècnico m. (*ind.*) time-and-motion study engineer; time-and-motion study expert.

cronotermòstato m. time thermostat.

cronòtopo m. (*fis.*) space-time.

cronòtropo a. (*fisiol.*) chronotropic.

croquet m. inv. (*gioco*) croquet.

croquette (*franc.*) → **crocchetta**.

crosciàre v. i. (*lett.*) **1** (*della pioggia*) to pelt; to beat* down **2** (*delle foglie*) to rustle.

cròscio m. (*lett.*) **1** pelting; beating **2** rustling.

cross (*ingl.*) m. inv. (*sport*) **1** (*calcio, boxe*) cross **2** (*tennis*) cross-court (drive).

crossàre v. i. (*sport*) to cross (*the ball*).

cròssdromo, **crossòdromo** m. (*sport*) motocross track.

♦**cròsta** f. **1** crust: **c. di formaggio**, cheese rind; **c. di ghiaccio**, crust of ice; **c. del pane**, breadcrust; **una c. di pane**, a crust of bread; **formare una** (*o* **fare la**) **c.**, to form a crust; to crust over **2** (*incrostazione*) scale **3** (*med.*) scab: **c. lattea**, cradle cap; **pieno di croste**, covered with scabs; scabby; **fare la c.**, to form a scab **4** (*geol.*) crust: (*geol.*) **c. terrestre**, earth's crust **5** (*di crostaceo*) shell **6** (*metall.*) skin **7** (*fig.*: *apparenza*) veneer **8** (*spreg., di quadro*) daub.

crostàceo m. (*zool.*) crustacean; shellfish*; (al pl., *scient.*) Crustacea.

crostàle a. (*geol.*) crustal.

crostàta f. (*alim.*) jam tart.

crostino m. (*alim.*) **1** canapé (*franc.*) **2** (*per brodo*) crouton (*franc.*).

crostóne m. **1** (*alim.*) large piece of toast (served with meat) **2** (*geol.*) hardpan.

crostóso a. **1** crusty **2** (*med.*) covered with scabs; scabby.

cròtalo m. **1** (*zool., Crotalus*) rattlesnake **2** (spec. al pl.) (*nacchere*) crotalum*.

cròton m. (*bot., Croton; Codiaeum variegatum*) croton.

croupier (*franc.*) m. inv. croupier.

crown (*ingl.*) m. inv. crown glass.

crucciàre Ⓐ v. t. to trouble; to worry; to distress; to pain Ⓑ **crucciàrsi** v. i. **pron.** to worry; to fret.

crucciàto a. worried.

crùccio m. worry; torment: *Ho un c.*, I have a worry; something worries me; *Quel figlio è il suo c.*, his son is a source of worry to him.

crùcco m. (f. **-a**) (*spreg.*) Kraut; Hun.

cruciàle a. crucial; critical.

crucìfero → **crocifero**.

crucifige (*lat.*) Ⓐ inter. crucify him! ● **gridare c. contro q.**, to want sb.'s head Ⓑ m. (*fig.*) persecution.

crucifórme a. **1** cruciform; cross-shaped **2** (*bot.*) cruciate.

crucivèrba m. crossword (puzzle).

cruciverbìsta m. e f. **1** (*autore*) crossword compiler **2** (*solutore*) person who does crossword puzzles.

♦**crudèle** a. **1** cruel; (*spietato*) merciless, ruthless; (*malvagio*) wicked **2** (*doloroso*) cruel; painful; bitter: **morte c.**, cruel death; **spasimi crudeli**, painful (*o* excruciating) spasms; **una vista c.**, a painful (*o* distressing) sight.

crudeltà f. **1** cruelty; (*spietatezza*) mercilessness, ruthlessness; (*malvagità*) wickedness: **trattare q. con c.**, to treat sb. cruelly; to be cruel to sb.; (*leg.*) **c. mentale**, mental cruelty **2** (*cosa crudele*) cruel thing; cruelty: *È stata una c. trattarlo così*, it was cruel to treat him like that; *Che c.!*, what a cruel thing to do! **3** → **crudezza**, def. 2.

crudézza f. **1** (*di cibo*) rawness **2** (*asprezza*) harshness; severity; rigour: **la c. del clima**, the harshness (o rigours) of the climate **3** (*brutalità*) crudeness; crudity **4** (*estremo realismo*) crude realism, explicitness; (*volgarità*) crudity, crudeness, coarseness: **c. di immagini**, crudeness of images; **c. di linguaggio**, coarseness of speech.

crudismo m. raw-food diet.

crudìsta Ⓐ m. e f. person who only eats raw food Ⓑ a. entirely made up of raw food; raw-food (attr.).

crudità f. **1** → **crudezza** **2** (al pl.) raw vegetables.

crudivorìsmo → **crudismo**.

♦**crùdo** a. **1** (*non cotto*) raw, uncooked; (*poco cotto*) half-cooked: **carne cruda**, raw meat; **un uovo c.**, a raw egg **2** (*fig.: rigido, aspro*) harsh; severe: **giudizio c.**, severe judgment **3** (*brusco, brutale*) crude, harsh, blunt; (*crudele*) cruel: **c. realismo**, crude realism; **la cruda realtà**, harsh reality; plain facts (pl.); **risposta cruda**, blunt reply ● (*chim.*) **acqua**

cruda, hard water □ **mattoni crudi**, unbaked bricks □ **metallo c.**, crude metal □ **nudo e c.** → **nudo** □ **seta cruda**, raw silk; shantung.

cruènto a. bloody; sanguinary; blood (attr.): **combattimento c.**, bloody fight; (*med.*) **intervento c.**, surgery 🄤; **sport cruenti**, violent sports; (*caccia*) blood sports.

cruise (*ingl.*) m. inv. (*mil.*) cruise missile.

cruiser (*ingl.*) m. inv. (*naut.*) cabin cruiser.

crumiràggio m. strike-breaking; scabbing (*spreg.*); blacklegging (*spreg.*).

crumiro m. strike-breaker; scab (*spreg.*); blackleg (*spreg.*).

crùna f. eye (of a needle).

crup m. (*med.*) croup.

cruràle a. (*anat.*) crural.

crùsca f. **1** bran **2** (*pop.*: *lentiggini*) freckles (pl.) **3** – (**Accademia della**) C., Accademia della Crusca (Florentine literary academy).

cruscànte 🄰 m. **1** Della Cruscan; member of the Accademia della Crusca **2** (*estens.*) purist **3** (*scherz.*) pedant; affected writer (*o talker*) 🄱 a. **1** Della Cruscan **2** puristic; pedantic.

cruscheggiàre v. i. to be a purist; to affect purity of language.

cruschèllo m. fine bran; sharps (pl.).

cruscóne m. coarse bran.

cruscóso a. branny.

cruscòtto m. (*autom.*) dashboard; (*aeron.*) instrument panel.

CS sigla **1** (**collegio sindacale**) Board of Auditors **2** (*mil.*, **Comando supremo**) Supreme Headquarters **3** (*ONU*, **Consiglio di sicurezza**) Security Council (SC) **4** (*leg.*, **Corte suprema**), Supreme Court **5** (**Co-senza**).

c.s. sigla (**come sopra**) as above.

CSA sigla (**Centro servizi amministrativi**), Local Education Authority.

CSC sigla (**Centro sperimentale di cinematografia**) Experimental Centre for Italian Cinema.

CSCE sigla (**Conferenza sulla sicurezza e la cooperazione in Europa**) Conference on Security and Co-operation in Europe (CSCE).

CsdPI sigla (**Consiglio superiore della pubblica istruzione**) Governing Board of the Ministry of Education.

CSI sigla **1** (*leg.*, **Centro sportivo italiano**) Italian Sport Centre **2** (**Comunità di Stati Indipendenti**) Commonwealth of Independent States (CIS).

csi → **xi**.

CSM sigla **1** (*leg.*, **Consiglio superiore della magistratura**) Governing Council of the Judiciary **2** (*med.*, **centro di salute mentale**) mental health centre.

C.so abbr. (**Corso**) Avenue (Ave.).

CSS sigla (**Consiglio superiore di sanità**) Health Service Governing Board.

CT abbr. **1** (**Catania**) **2** (**certificato del tesoro**) Treasury Certificate **3** (*sport*, **commissario tecnico**) coach **4** (*leg.*, **consulente tecnico**) expert (witness).

CTE sigla (**Certificato di credito del Tesoro in ECU**) ECU Treasury Certificate.

ctenìdio m. (*zool.*) ctenidium*.

ctenòforo m. (*zool.*) ctenophore; (al pl., *scient.*) Ctenophora.

CTO sigla **1** (*med.*, **Centro traumatologico ortopedico**) orthopaedic trauma unit **2** (**Certificato del Tesoro con opzione**) Option Treasury Certificate.

ctònio a. chthonian; chthonic.

CTP sigla **1** (**Certificato del Tesoro poliennale**) (Long-term) Treasury Certificate **2**

(*leg.*, **consulente tecnico di parte**) (party-appointed) expert (witness) **3** (*scuola*, **Centro territoriale permanente**) local continuing education centre.

CTZ sigla (**Certificato del Tesoro zero coupon**) Zero-coupon Treasury Certificate.

cu m. e f. (*lettera*) (the letter) q.

cubàno 🄰 a. e m. (f. **a**) Cuban 🄱 m. (*sigaro*) Havana.

cubàre v. t. (*mat.*) to cube.

cubatùra f. (*misura*) cubage; cubic content; cubic volume; (*calcolo*) cubature: **c. di spedizione**, shipment cubage.

cubèbe m. (*bot.*) **1** (*Piper cubeba*) Java pepper; cubeb **2** (*il frutto*) cubeb.

cubettatrìce f. (*tecn.*) cuber.

cubétto m. (small) cube: **c. di ghiaccio**, ice cube; **c. per pavimentazione**, Belgian block; **tagliare in cubetti**, to cut into small cubes; to dice; **zucchero a cubetti**, cube sugar.

cubìa f. (*naut.*) hawse, hawse-hole: **occhio di c.**, hawse-hole.

cùbica f. (*mat.*) cubic (curve).

cùbico a. (*mat.*): **curva cubica**, cubic curve; cubic; **equazione cubica**, cubic equation; cubic; **radice cubica**, cube root.

cubìcolo m. **1** (*stor. romana*) cubicle **2** (*di catacomba*) niche (in a catacomb).

cubifórme a. cubiform; cube-shaped.

cubilòtto m. (*metall.*) cupola.

cubìsmo m. (*arte*) cubism.

cubìsta ① a., m. e f. (*arte*) cubist.

cubìsta ② m. e f. (*arte*) podium dancer; go-go dancer.

cubìstico a. (*arte*) cubist; cubistic.

cubitàle a. **1** (*anat.*) cubital **2** (*di lettera, ecc.*) very large; big: **lettere cubitali**, big block capitals; **titolo a lettere cubitali**, banner headline.

cùbito m. **1** (*anat.*) ulna* **2** (*lett.*: *gomito*) elbow **3** (*antica unità di misura*) cubit.

cùbo 🄰 a. (*mat.*) cubic: **metro c.**, cubic metre 🄱 m. **1** (*geom., mat.*) cube: **elevare al c.**, to cube; **sei al c.**, six cubed **2** (*oggetto cubico*) cube; block: **un c. di granito**, a block of granite; **c. di Rubik**, Rubik's cube **3** (*in discoteca*) podium.

cubòide 🄰 a. (*geom.*) cuboid 🄱 m. **1** (*geom.*) cuboid **2** (*anat.*) cuboid (bone).

cuccàgna f. **1** (*abbondanza*) abundance; plenty; feast **2** (*allegria*) fun; merrymaking (*lett.*); (*vita facile, pacchia*) easy living, good time: **fare c.**, to have a high old time; *Che c.!*, what a feast!; how great!; *È finita la c.*, the party is over ● **albero della c.**, greasy pole □ **il paese di C.**, Cockaigne; the land of Plenty.

cuccàre v. t. (*fam.*) **1** (*imbrogliare*) to trick; to cheat; to take* in; to diddle (*fam.*) **2** (*prendere*) to get*; to bag (*fam.*); to score (*slang*); (*cosa spiacevole*) to catch*, to cop (*slang*): *Si è cuccato una multa*, he copped a fine; **cuccarsi un raffreddore**, to catch a cold **3** (*afferrare, arrestare*) to catch*; to get*; to nab (*fam.*) **4** (**cuccarsi**: *sopportare*) to put* up with; to take* care of **5** (*fare conquiste*) to score (with sb.) (*fam.*); to make* out (with sb.) (*USA*): *Hai cuccato ieri sera?*, did you score last night?

cuccétta f. **1** (*ferr.*) berth; couchette **2** (*naut.*) berth; bunk.

cuccettìsta m. (*ferr.*) couchette attendant.

cucchiàia f. **1** big spoon **2** (*di scavatrice*) scoop; spoon; shovel **3** (*di muratore*) (mason's) trowel.

cucchiaiàta f. spoonful.

cucchiaìno m. **1** (*da tè*) teaspoon; (*da caffè*) coffee spoon **2** (*quantità*) teaspoonful, coffeespoonful; (*misura*) teaspoon **3** (*per la*

pesca) spoon (bait).

◆**cucchiàio** m. **1** spoon: **c. da minestra**, tablespoon; soup spoon; **c. da portata**, serving spoon **2** (*cucchiaiata*) spoonful; (*misura*) tablespoon **3** (*chir.*) cuvet **4** (*mecc.*) spoon; scoop ● (*fig.*) **da raccogliere col c.**, dog-tired; dead on one's feet; worn to a frazzle.

cucchiaióne m. (*mestolo*) ladle; (*per farina, gelato, ecc.*) scoop.

◆**cùccia** f. **1** (*giaciglio di cane*) dog's bed; (*canile*) kennel, doghouse: *(Va')* a c.!, to your bed! **2** (*posizione di cane*) lying position: *A c.!*, down! **3** (*fam.*: *letto*) bed; sack (*fam.*): **andare a c.**, to hit the sack.

cucciàre v. i., **cucciàrsi** v. rifl. (*di cane*) to lie* down: *Cuccia!*, down!

cucciolàta f. **1** litter **2** (*fam.*: *figliolanza*) brood.

◆**cùcciolo** 🄰 m. **1** young; baby (attr.); (*di cane*) pup, puppy; (*di gatto*) kitten; (*di animale selvatico*) cub; (*di cetaceo*) calf*, pup: **un c. di tigre**, a tiger cub; a baby tiger **2** (*bambino*) youngest (child*); baby; (*cocco*) pet **3** (*giovane inesperto*) novice; greenhorn (*fam.*) 🄱 a. – **cane c.**, puppy; **leone c.**, lion cub.

cùcco ① m. **1** → **cuculo 2** (*sciocco*) fool; simpleton; gawk: **vecchio c.**, old dodderer ● **vecchio come il c.**, (*di persona*) as old as Methuselah; (*di cosa*) decrepit, as old as the hills.

cùcco ② → **cocco** ③.

cuccù → **cucù**.

cùccuma f. **1** (*per latte*) milk jug; pitcher (*USA*); (*per caffè*) coffeepot **2** (*bollitore*) kettle.

◆**cucìna** f. **1** (*locale, luogo*) kitchen: **c. abitabile**, large kitchen; kitchen/dining-room; (*mil. ed estens.*) **c. da campo**, field kitchen; cookhouse; **c. di bordo**, (*naut.*) galley, cookroom, ship's kitchen; (*aeron.*) galley; **con uso c.**, with the use of kitchen **2** (*i mobili*) fitted kitchen; kitchen units (pl.) **3** (*il cucinare*) cooking; (*arte del cucinare*) cookery, cuisine (*franc.*); (*il cibo*) food: **c. casalinga**, home cooking; **la c. bolognese**, Bolognese cuisine (*o cooking*); **la c. cinese**, Chinese food; **c. vegetariana**, vegetarian food; **alta c.**, haute cuisine (*franc.*); **libro di c.**, cookery book; cookbook (*USA*) **4** (*fornelli*) cooker; (*kitchen*) range; stove: **c. a gas**, gas cooker; **c. economica**, stove; Aga; **c. elettrica**, electric cooker **5** (*gergo giorn.*) news editing; (*estens.*: *la redazione*) news-room ● **È bravo in c.** (*o per la c.*), he's a good cook.

◆**cucinàre** v. t. **1** to cook; (*assol., anche*) to do* the cooking: **c. la cena**, to cook supper; **saper c.**, to be a good cook; *Oggi cucino io*, I'm going to do the cooking today **2** (*fig. fam.*) to fix; to arrange: **c. q. per le feste** (*o per benino*), to fix sb.

cucinière m. (f. **-a**) person in charge of the kitchen; (*cuoco*) cook.

cucinìno, **cucinòtto** m. kitchenette.

◆**cucìre** v. t. **1** to sew*; to stitch; (*assol.*) to sew*, to do* needlework: **c. un vestito**, to sew a dress; **c. una tasca**, to sew (*o* to stitch) on a pocket; **c. a macchina**, to sew on a (sewing) machine; to machine-sew; **c. a mano**, to hand-sew; to sew by hand; **macchina da** (*o* **per**) **c.**, sewing machine **2** (*med.*) to suture; to stitch: **c. una ferita**, to stitch a wound **3** (*con punti metallici*) to staple **4** (*fig.*: *frasi, ecc.*) to string* together (*o* one after the other): **luoghi comuni cuciti insieme**, a string of clichés ● (*fig.*) **c. la bocca a q.**, to stop sb.'s mouth; to shut sb. up □ (*fig.*) **cucirsi la bocca** (*o* **le labbra**), to shut up; to keep one's mouth shut; to button one's lips (*fam.*); to clam up (*slang*).

cucirìno m. sewing thread.

cucìta f. stitching; sewing up: *Darò una c. allo strappo nei tuoi calzoni*, I'll sew up that tear in your trousers.

◆**cucito** 🅐 a. **1** sewn: **c. a macchina**, machine-sewn; **c. a mano**, hand-sewn **2** (*con punti metallici*) stapled ● (*fig.*) **essere c. a filo doppio con q.**, to be hand in glove with sb. □ **Ho la bocca cucita**, my lips are sealed 🅑 m. **1** (*il cucire*) sewing **2** (*il lavoro*) sewing; needlework.

cucitóio m. (*tipogr.*) sewing press.

cucitóre m. sewer.

cucitrìce f. **1** seamstress; needlewoman* **2** (*macchina*) sewing machine; (*per carta*) stapler, stapling machine; (*per libri*) stitcher.

cucitùra f. **1** (*il cucire*) sewing; stiching **2** (*punto cucito*) seam; (*i punti*) stitching: **la c. della manica**, the sleeve seam; **calze senza c.**, seamless stockings **3** (*di fogli di carta*) stapling **4** (*di fogli di libro*) stitch; stitching.

cucù 🅐 m. **1** → **cuculo 2** (*canto del cuculo*) cuckoo ● **orologio a c.**, cuckoo clock 🅑 inter. **1** (*canto del cuculo*) cuckoo! **2** (*nel gioco del nascondino*) boo!; peek-a-boo!: **fare c.**, to play peek-a-boo (*o* bo-peep) **3** (*iron.*) no way!

cucùllo m. hooded gown; cagoule (*franc.*).

cucùlo m. (*zool.*, Cuculus canorus) cuckoo*.

cucùrbita f. **1** (*bot.*, Cucurbita) cucurbit; gourd **2** (*di alambicco*) retort.

cucurbitàcea f. (*bot.*) cucurbit; (al pl., *scient.*) Cucurbitaceae.

cucùzza → **cocuzza**.

cucùzzolo → **cocuzzolo**.

cudù m. (*zool.*, Strepsiceros strepsiceros) koodoo*; kudu.

cùffia f. **1** cap: **c. da bagno**, bathing cap; **c. da infermiera**, nurse's cap; **c. da neonato**, baby's cap; **c. da notte**, nightcap; **c. per doccia**, shower cap **2** (*cappellino*) bonnet **3** (*di suora*) coif **4** (*radio, tel.*) headphones (pl.); earphones (pl.); headset: **c. stereofonica**, stereo headphones (pl.); **ascoltare qc. in c.**, to listen to st. on the headphones **5** (*mecc.*) casing; shroud; cowling; hood ● (*teatr.*) **c. del suggeritore**, prompt (*o* prompter's) box □ (*bot.*) **c. radicale**, root cap □ (*fig.*) **uscirne per il rotto della c.**, to get out of (st.) by the skin of one's teeth □ (*fig., di esami e sim.*) **passare per il rotto della c.**, to scrape through.

cùfico a. Kufic, Cufic.

cuginànza f. cousinhood; cousinship.

◆**cugìno** m. (f. **-a**) cousin: **cugini e cugine**, male and female cousins; **c. germano**, cousin german; **primo [secondo] c.**, first [second] cousin; **figlio di un primo c.**, first cousin once removed.

◆**cùi** pron. relat. m. e f., sing. e pl. **1** (*nei casi obliqui, rif. a persona*) whom; (*rif. ad animale o cosa*) which (*entrambi spesso sottintesi posponendo la prep.*): **l'uomo di cui ti parlavo**, the man I was speaking of; the man of whom I was speaking (*form.*); **la donna da cui ricevette una lettera**, the woman he got a letter from; the woman from whom he received a letter (*form.*); **il libro di cui parlavo**, the book I was speaking of; the book of which I was speaking; **il paese da cui viene**, the country she comes from; the country from which she comes; **la città in cui nacqui**, the town in which (*o* where) I was born; **il giorno in cui mi sposai**, the day in which (*o* when) I got married; **il modo in cui si è tenuta la riunione**, the way (in which) the meeting was held **2** (= *a cui*: rif. a persona*) to which (*entrambi form. e spesso sottintesi posponendo la prep.*): **la persona cui mi rivolsi**, the person I turned to; the person to whom I turned (*form.*); **la medicina cui ricorsi**, the medicine I resorted to; the medicine to which I resorted (*form.*) **3** (*genitivo poss., anche di cui: rif. a persona*) whose; (*rif. ad animale o cosa*) of which, whose: **la persona di cui ti dissi il nome**, the person whose

name I mentioned; *I Clark, di cui vedi la casa, sono all'estero*, the Clarks, whose house you can see, are abroad; **la scatola di cui hai rotto il coperchio**, the box whose lid (*form.* the lid of which) you broke; **la signora del cui figlio mi parlavi**, the lady of whose son you were talking ● **per cui** (*perciò*), so; therefore □ **ragion per cui**, which is why □ **la ragione per cui te lo dissi**, the reason (why) I told you □ **tra cui** (*incluso*), including.

cui pròdest (*lat.*) 🅐 loc. interr. cui bono? (*lat.*); who stands to gain? 🅑 loc. m. inv. advantage; benefit.

culàccio m. (*cucina*) rump.

culàco m. kulak.

culàta f. (*volg.*) **1** (*caduta*) pratfall (*fam.*); fall on one's arse (*USA* ass): **prendere una c.**, to fall on one's arse (*USA* ass) **2** (*urtone*) shove with one's arse (*USA* ass).

culatèllo m. culatello (kind of ham).

culàtta f. **1** (*di arma da fuoco*) breech **2** (*di pantaloni*) seat **3** (*cucina*) rump.

culattóne m. (*spreg.*) passive homosexual; fag, nancy (*slang, spreg.*).

culbiànco m. (*zool.*, Oenanthe oenanthe) wheatear.

cul-de-sac (*franc.*), **culdisàcco** m. inv. (*anche fig.*) cul-de-sac*; blind alley.

culdoscopìa f. (*med.*) culdoscopy.

culinària f. gastronomy; cookery: **lezioni di c.**, cookery lessons.

culinàrio a. culinary; gastronomic; cookery (attr.): **l'arte culinaria**, cookery; the art of cooking; **gara culinaria**, cookery competition; **specialità culinaria**, culinary specialities.

◆**cùlla** f. **1** cot; crib; (*a dondolo*) cradle; (*di vimini e con cappuccio*) bassinet: **c. portatile**, carrycot; **c. termica**, incubator; **dalla c. alla tomba**, from the cradle to the grave; **fin dalla c.**, from the cradle **2** (*tecn.*) cradle **3** (*fig.*) birthplace: **la c. della civiltà**, the cradle of civilization.

cullàre 🅐 v. t. **1** to rock; (*fra le braccia*) to cradle; (*sulle ginocchia*) to dandle: **c. un bambino finché non si addormenta**, to rock a baby to sleep; *Le onde cullavano piano la barca*, the wavers rocked the boat gently **2** (*fig.: illudere*) to lull (into st.); to fool **3** (*fig.: custodire un sentimento*) to cherish; to nurse 🅑 **cullàrsi** v. rifl. **1** to rock (oneself) **2** (*fig.: illudersi*) to delude oneself; to fool oneself (into doing st.) (*fam.*): *Mi cullavo nella speranza di succedergli*, I fooled myself into thinking I would be his successor; **cullarsi in un'illusione**, to cherish an illusion.

culminàle a. (*geogr.*) peak (attr.); summit (attr.).

culminànte a. (*astron.*) culminant **2** culminating: **punto c.**, culminating point; climax.

culminàre v. i. **1** (*astron.*) to culminate **2** (*fig.*) to culminate; to reach its climax (*o* a peak).

culminazióne f. (*astron., geol.*) culmination.

cùlmine m. **1** (*cima*) summit; top; peak: **il c. d'un monte**, the top of a mountain **2** (*apice*) apex*, height, peak, top, culmination, acme, zenith; (*momento culminante*) height, climax, highlight: **essere al c. della carriera**, to have reached the peak of one's career; **il c. della felicità**, the height of happiness.

cùlmo m. (*bot.*) culm; (*di cereali, fagioli, ecc.*) haulm, halm.

cùlo m. **1** (*pop.*: sedere) bum (*slang GB*); buns (*pl., fam. USA*); butt (*slang*); arse (*volg. GB*); ass (*volg. USA*) **2** (*volg., anche* **buco del c.**) arsehole (*volg. GB*); asshole (*volg. USA*) **3**

(*fondo di qc.*) bottom; end **4** (*fig.: fortuna*) luck: *Hai proprio c.!*, you're a lucky bastard! ● **c. di bicchiere**, fake diamond □ (*fig. scherz.*) **c. di pietra**, workhorse □ (*volg.*) **c. rotto**, nancy (*slang*); fairy (*slang*); poof (*slang*) □ (*volg.*) **alzare il c.**, to get off one's ass □ (*fig.*) **essere c. e camicia**, to be as thick as thieves □ (*fig. volg.*) **fare il c. a q.** (*imbrogliare*), to screw sb.; to fuck sb. around □ (*fig. volg.*) **farsi un c. così**, work one's ass off; to bust one's ass □ (*fig. volg.*) **leccare il c. a q.**, to arse-lick sb. (*GB*); to ass-lick sb. (*USA*); to brown-nose sb. (*fam. USA*) □ (*volg.*) **mandare q. a fare in c.**, to tell sb. to fuck off □ (*fig. volg.*) **metterlo in c. a q.**, to fuck sb. around □ (*volg.*) **muovere il c.**, to shift one's ass □ (*volg.*) **portar via il c.**, to haul ass □ (*fig. volg.*) **prendere q. per il c.**, to take the piss out of sb. (*GB*); to bullshit sb. (*USA*); to fuck around with (*USA*) □ (*volg.*) **presa per il c.**, pisstaking (*GB*); bullshitting (*USA*); fucking around (*USA*).

culóne m. (f. **-a**) (*pop.*) broad-arsed (*USA* broad-assed) person.

culottes f. pl. panties.

cult (*ingl.*) 🅐 a. inv. cult (attr.) 🅑 m. inv. cult book (*o* film, object, ecc.).

cùltivar f. (*orticultura*) cultivar.

cùlto ① m. **1** (*adorazione*) cult; worship: **il c. della Madonna**, the cult of the Virgin; **il c. dei morti**, the cult of the dead; **libertà di c.**, freedom of worship; **luogo di c.**, place of worship **2** (*religione*) religion; creed; faith; (*setta*) cult, sect: **genti di ogni c.**, people of all creeds; **un c. esotico**, an exotic cult **3** (*fig.*) cult; devotion; veneration: **il c. dell'eleganza**, the cult of elegance; **c. della personalità**, personality cult; *Ha un vero c. per la madre*, he has a real veneration for his mother ● **film di c.**, cult film; cult movie (*USA*).

cùlto ② → **colto**.

cultóre m. (f. **-trice**) (*studioso*) student; (*esperto*) expert, connoisseur; (*appassionato*) lover, enthusiast, buff (*fam.*): **un c. di storia greca**, a student of Greek history; **c. di balletto**, ballet lover; **c. di cinema**, film expert; **c. di lettere**, man of letters.

◆**cultùra** f. **1** culture: **c. europea**, European culture; **c. di massa**, mass culture **2** (*conoscenze*) knowledge; education; learning: **c. generale**, general knowledge; **c. scientifica**, scientific knowledge; **avere una buona c.**, to have a good general knowledge; **avere una c. classica**, to have a classical education; **farsi una c. su qc.**, to learn about st.; to read (up) about st.; **uomo di c.**, learned man; intellectual; **le pagine della c.** (*di un giornale*), the books and arts pages **3** (*antrop.*) culture: **la c. megalitica**, the Megalithic culture **4** (*giorn.: coscienza, mentalità*) awareness; attitude; ethos: **la c. dell'ambiente**, environmental awareness; **c. operaia**, working-class ethos **5** (*agric.*) → **coltura 6** – **c. fisica**, physical culture.

culturàle a. **1** cultural: **livello c.**, cultural level; **beni culturali**, cultural (*o* artistic) heritage Ⓤ; **la Rivoluzione C.** (*cinese*), the Cultural Revolution **2** (*che diffonde cultura*) educational.

culturalìsmo m. **1** ostentatious display of culture **2** excessive importance given to cultural aspects.

culturalìstico a. characterized by excessive attention to cultural aspects.

culturìsmo m. body-building.

culturìsta m. e f. body-builder.

culturìstico a. body-building (attr.).

cumàrico a. (*chim.*) coumaric.

cumarìna f. (*chim.*) coumarin.

cumaróne m. (*chim.*) coumarone; benzofuran.

cumarònico a. (*chim.*) coumarone (attr.).

cumène m. (*chim.*) cumene.

cum gràno sàlis (*lat.*) loc. avv. with a grain of salt.

cumìno m. (*bot.*, *Cuminum cyminum*) cumin ● (*bot.*) c. dei prati (*o* tedesco) (*Carum carvi*), caraway.

cumulàbile a. accumulable; cumulative.

cumulabilità f. cumulativeness.

cumulàre v. t. to accumulate; to cumulate; to build* up; (*interessi*) to compound: c. più incarichi, to hold a number of offices; c. due stipendi, to draw two salaries.

cumulativo a. cumulative; total; overall (attr.); inclusive; (*collettivo*) group (attr.), combined: biglietto c., group ticket; effetto c., cumulative effect; interessi cumulativi, cumulative interest; prezzo c., inclusive price; trasporto c., combined transport.

cumuliforme a. (*meteor.*) cumuliform.

cùmulo m. 1 (*mucchio*) heap; mound: un c. di neve, a heap of snow; a snowdrift; un c. di rottami, a heap of scrap; un c. di terriccio, a mound of earth 2 (*fig.*: *gran quantità*) lot; load: c. di lavoro arretrato, backlog; un c. di scemenze, a load of nonsense 3 (*concentrazione*) plurality; aggregation: (*fisc.*) c. di imposte, cumulative taxation; c. d'incarichi, plurality of offices; (*leg.*) c. di pene, aggregation of sentences; consecutive sentences; c. di redditi, aggregation of incomes; (*fisc.*) joint taxation 4 (*insieme*) series: un c. di circostanze, a series of circumstances 5 (*meteor.*) cumulus*.

cumulonémbo m. (*meteor.*) cumulonimbus*.

cumulostràto m. (*meteor.*) stratocumulus*.

CUN sigla (**Consiglio universitario nazionale**) National University Council.

cùna f. (*lett.*) cradle.

cuneàto a. cuneate; wedge-shaped.

cuneiforme Ⓐ a. cuneiform; wedge-shaped: caratteri cuneiformi, cuneiform characters; (*anat.*) osso c., cuneiform (bone) Ⓑ m. cuneiform (writing).

cùneo m. 1 (*anche mat.*, *mil.*, *fig.*) wedge: c. di arresto, grip wedge; fermare con un c., to wedge; a forma di c., wedge-shaped 2 (*archit.*) quoin; wedge 3 (*archeol.*) cuneus*.

cunétta f. 1 (*canale di scolo*) gutter 2 (*del fondo stradale*) (road) bump.

cunìcolo m. 1 underground passage; narrow tunnel 2 (*di tana*) burrow 3 (*min.*) drift; (*verticale*) shaft: c. di comunicazione, staple; c. di ventilazione, ventilation shaft.

cunicoltóre m. (f. **-trice**) rabbit breeder.

cunicoltùra f. rabbit breeding.

cunnilìncto. **cunnilìngio** m. cunnilingus.

cuòca f. (woman*) cook.

◆**cuòcere** Ⓐ v. t. 1 to cook 2 (*ceramiche*, *mattoni*) to bake; to fire; to kiln 3 (*bruciare*, *inaridire*) to burn*; to bake Ⓑ v. i. 1 to cook: *Il riso ci mette del tempo a c.*, rice cooks slowly 2 (*ceramiche*, *mattoni*) to bake 3 (*inaridire*) to burn*; to parch 4 (*essere umiliante*, *offensivo*) to stung*; to rankle ● c. a bagnomaria, to cook bain-marie (*o* a fuoco lento, to cook on a slow heat; (*liquidi*) to simmer □ c. a fuoco vivo, to cook on a high flame □ c. al forno, (*pane*, *torte*, *ecc.*) to bake; (*carne*) to roast □ c. alla griglia, (*o ai ferri*), to grill □ c. arrosto, to roast □ c. in umido, to stew □ c. troppo, to overcook □ far c., to cook □ (*fig.*) lasciar c. q. nel suo brodo, to let sb. stew in his own juice Ⓒ **cuòcersi** v. i. pron. to cook.

◆**cuòco** m. cook: primo c., head cook; chef (*franc.*).

cuoiàio m. 1 (*conciatore*) leather dresser;

tanner 2 (*venditore*) dealer in leather and hides.

cuoiàme m. leather and hides (pl.); (*oggetti di cuoio*) leather goods (pl.).

cuoieria f. leather goods shop.

◆**cuòio** m. (pl. **cuòi**, m. *nella def. 1*; **cuòia**, f. *nella def. 2*) 1 leather; hide: c. artificiale, imitation leather; c. conciato, dressed leather; c. di Russia, Russian leather; c. verniciato, patent leather; articoli di c., leather goods; scarpe di vero c., genuine leather shoes 2 (*fig. scherz.*: *pelle*) skin; hide: lasciarci le cuoia, to die; to cop it (*slang*); rischiare le cuoia, to risk one's skin; tirare le cuoia, to kick the bucket (*slang*); to croak (*slang*) 3 (*anat.*) – c. capelluto, scalp.

cuòra f. (*geogr.*) floating bog.

cuorcontènto→ corcontento

◆**cuòre** m. (*anat.*) heart: c. artificiale, artificial heart; attacco di c., heart attack; heart failure; battiti del c., heartbeats; malattia di c., heart disease; essere malato (*o* soffrire) di c., to have a bad heart; to have heart trouble; chirurgia a c. aperto, open-heart surgery; trapianto di c., heart transplant 2 (*sede dei sentimenti*) heart: aprire il proprio c. a q., to open one's heart to sb.; avere un c. di leone, to be lion-hearted; avere un c. di pietra, to have a heart of stone; to be stony-hearted; avere un c. duro, to be hard-hearted; avere il c. gonfio, to be heavy-hearted; avere il c. libero, to be unattached; avere il c. spezzato, to be heartbroken; avere il c. tenero, to have a soft heart; to be soft-hearted; avere buon c., to be kind-hearted; *Mi si allargò il c.*, hope surged within me; *Il cuore mi dice che tornerà*, I feel in my heart he will come back; far bene al c., to be heart-warming; con tutto il c., with all one's heart; whole-heartedly; dal profondo del c., from the bottom of one's heart; in fondo al (*o* nel profondo del) c., deep in one's heart; in one's heart of hearts; affari di c., affairs of the heart; i moti del c., the impulses of the heart; una donna di gran c., a warm-hearted woman; senza c., heartless 3 (*oggetto a forma di c.*) heart: un c. d'argento, a silver heart 4 (*fig.*: *centro*) heart; centre; core: il c. della città, the heart of the city; il c. di un frutto, the core of a fruit; il c. industriale del Paese, the industrial heartland of the country; cuori di carciofo, artichoke hearts; nel c. dell'Africa, in the heart of Africa; nel c. dell'inverno [della notte], in the dead of winter [of night] 5 (al pl.) (*seme di carte*) hearts: dama di cuori, queen of hearts 6 (*ferr.*) frog ● cuor contento→ corcontento □ (*fig.*) c. di coniglio, coward; chicken □ (*fig.*) c. di leone, brave person; lion □ (*fig.*) c. d'oro, heart of gold; (*persona*) angel □ C. mio!, my love!; my heart! (*lett.*) □ c. solitario, lonely heart □ (*fig.*) a c. aperto, openly; freely: parlare a c. aperto, to speak openly; conversazione a c. aperto, heart-to-heart conversation □ a cuor leggero, light-hearted (agg.); cheerful (agg.); light-heartedly (avv.); cheerfully (avv.) □ a forma di c., heart-shaped □ amico del c., best (*o* bosom) friend □ avere a c. q. (*o* qc.), to have st. at heart □ (*fig.*) avere il c. sulle labbra, to wear one's heart on one's sleeve □ (*fig.*) col c. in gola, panting; (*per l'emozione*) with one's heart in one's mouth □ (*fig.*) col c. in mano, in all sincerity □ Con che c. potrei chiederle questo?, how could I ever ask her that? □ la c. di c., favourite: la squadra del c., one's favourite team □ di c. (*volentieri*), gladly; with pleasure □ di tutto c., with all one's heart; wholeheartedly □ due cuori e una capanna, love in a cottage □ fare qc. col c., to put one's heart into st. □ farsi c.,

take heart □ **In alto i cuori!**, cheer up! □ leggere nel c. di q., to see into sb.'s heart □ mettersi il c. in pace, (*tranquillizzarsi*) to set one's mind at rest; (*rassegnarsi*) to resign oneself □ avere la morte nel c., to be sick at heart □ *Mi piange il c. a vedere questo spreco*, it breaks my heart to see such waste □ prendere a c. qc., to take st. to heart □ Non mi regge il c. di dirglielo, I haven't the heart to tell him □ ridere di c., to laugh heartily □ ringraziare di c., to thank heartily □ spezzare il c. di q., to break sb.'s heart: una vista che spezza il c., a heart-breaking (*o* heartrending) sight □ Mi sta a c. la tua felicità, I have your happiness at heart □ *Il progetto mi sta molto a c.*, I'm very keen on this plan □ Mi si strinse il c., my heart ached □ (*fig.*) toccare il c. di q., to touch sb.; to move sb. □ Ho avuto un tuffo al c., my heart leapt; my heart missed a beat □ che viene dal c., heartfelt (agg.); from the heart □ (*prov.*) Cuor contento il ciel l'aiuta, heaven helps the happy.

cuoriforme a. heart-shaped.

cupézza f. 1 (*oscurità*) darkness; murkiness 2 (*tristezza: di cosa*) gloom, gloominess; (*di persona*) gloom, despondency; (*tetraggine*) glumness, sullenness, moroseness 3 (*di suono*) depth.

cupidìgia f. cupidity; covetousness; greed: basse cupidigie, base cupidity.

cùpido a. (*lett.*) covetous; greedy ❶FALSI AMICI • cupido *non si traduce con* cupid.

Cupìdo m. (*mitol.* e *fig.*) Cupid.

◆**cùpo** a. 1 (*scuro*) dark: rosso c., dark red 2 (*triste*) dark; gloomy; sombre; (*tetro*) dismal, glum, sullen: cupe previsioni, gloomy prospects; silenzio c., gloomy silence; c. in volto, with a sullen face 3 (*di suono*) deep; low; hollow; dull: un tonfo c., a dull thud; una voce cupa, a deep voice 4 (*profondo*) deep 5 (*minaccioso*) grim; sinister: cupa collera, grim anger 6 (*taciturno*) taciturn.

cùpola f. 1 (*archit.*) dome; (*più piccola*) cupola: c. a sesto ribassato, flat dome; a c., dome-shaped; domed 2 (*bot.*) cupule 3 (*di cappello*) crown 4 (*geol.*) plug 5 (*fig.*) Mafia bosses (pl.).

cupoliforme a. dome-shaped; domed.

cupolóne m. 1 big dome 2 (*a Roma*) dome of St Peter's; (*a Firenze*) dome of Santa Maria del Fiore.

cupralluminio m. (*metall.*) aluminium bronze.

cùpreo a. (*lett.*) copper (attr.); coppery: di colore c., copper-coloured.

cùprico a. (*chim.*) cupric.

cuprìfero a. cupriferous.

cuprìsmo m. (*med.*) copper poisoning.

cuprìte f. (*miner.*) cuprite.

◆**cùra** f. 1 (*attenzione*) care Ⓤ; (*premura*, *anche*) attention: c. del corpo, care for one's body; body care; cure genitoriali, parental care, *Ha bisogno di cure affettuose*, she needs tender care; una pianta che richiede cure, a plant that needs attention; avere c. della propria salute, to take care of oneself; *Fu affidato alle mie cure*, he was left in my care; prendersi c. di q., to take care of sb.; to look after sb.; mettere c. nel proprio abbigliamento, to dress with care 2 (*cosa che sta a cuore*) thing one cares about: *L'unica sua c. è il computer*, his computer is the only thing he cares about 3 (*accuratezza*, *precisione*) care; carefulness; accuracy; attention: con c., with care; carefully; con la massima c., with the greatest care; senza c., carelessly 4 (*responsabilità*) care, responsibility; (*amministrazione*, *conduzione*) running, keeping, management, administration: la c. della casa, the running of the house; the housekeeping; la c. della famiglia, the care of the family 5 (al pl.) (*lett.*)

preoccupazioni) cares **6** (*med.*: *metodo di c.*) (course of) treatment; (*metodo di guarigione*) cure; (*l'accudire il malato*) care ⬚, nursing ⬚: **c. a base di calcio**, calcium treatment; **c. ambulatoriale**, out-patient treatment; **c. del sonno**, deep-sleep treatment; **c. di fanghi**, course of mud baths; **una c. per l'AIDS [per il cancro]**, a cure for AIDS [for cancer]; **cure infermieristiche**, skilled nursing; **cure postoperatorie**, aftercare ⬚; *Sta facendo una c. per la sua allergia*, he is having treatment (*o* is taking medicines) for his allergy; **avere un malato in c.**, to have a patient in one's care; *Sono in c. con il Dott. X*, I'm a patient of Dr. X's; **prestare le prime cure a q.**, to give sb. first-aid (treatment); **provare varie cure**, to try different kinds of treatment **7** (*eccles.*) → **canonica** ● (*eccles.*) **c. d'anime**, cure of souls □ **c. di bellezza**, beauty treatment □ **c. del sole**, sunbathing □ **c. dimagrante**, (slimming) diet □ **cure termali**, hydrotherapy □ **fare una c. termale**, to take the waters □ (*di libro*) **a c. di**, by; edited by □ **note a c. di M. Rossi**, notes by M. Rossi □ **avere c. di fare qc.**, to be careful to do st. □ **casa di c.**, nursing home □ **non darsi c. di**, to ignore; to disregard; to be indifferent to □ **Lasciate a me la c. di quest'affare**, leave this matter to me □ **luogo di c. termale**, spa □ **Sarà mia c. impedirlo**, I'll see that it doesn't happen.

curàbile a. curable.

curabilità f. curability.

curandàio m. (*ind. tess.*) bleacher.

curànte a. – **medico c.**, doctor in charge (of a case); **il nostro medico c.**, our family doctor; our G.P. (*GB*, *iniziali di* General Practitioner).

curapìpe m. inv. pipe cleaner.

♦**curàre A** v. t. **1** (*aver cura di*) to take* care of; to look after: **c. i propri affari**, to take care of one's business; **c. il proprio aspetto**, to be careful about one's appearance; to be always very neat; **c. il giardino**, to look after the garden; *Devi c. di più la pronuncia*, you must concentrate more on your pronunciation **2** (*sovrintendere*) to supervise; to be in charge of; (*amministrare*) to run*: **c. una traduzione**, to supervise a translation **3** (*un libro*) to edit: **c. le lettere di Cicerone**, to edit Cicero's letters **4** (*provvedere, badare*) to see* to it (that); to make* sure (that): *Curate che tutto sia pronto*, see to it that everything is ready **5** (*fam.: tenere d'occhio*) to have one's eye on: *Farà bene a rigar dritto, perché io lo curo*, I have my eye on him, so he'd better toe the line **6** (*med.*) to treat; (*guarire*) to cure; (*accudire*) to nurse: **c. l'insonnia con una nuova terapia**, to treat insomnia by a new therapy; **curarsi l'influenza**, to take something for the flu; *Lo curano a casa*, they are nursing him at home; *Fatti curare quella tosse*, you should get that cough seen to **7** (*comm.*) to see* to; to attend to; to arrange: **c. la spedizione della merce**, to see to the forwarding (*o* shipment) of the goods; **c. l'assicurazione della merce**, to effect insurance of the goods ● (*eccles.*) **c. le anime**, to have the cure of souls **B curàrsi** v. rifl. **1** (*rif. alla salute*) to take* care of one's health; (*seguire una cura*) to follow (*o* to undergo*) a treatment: *Ha una brutta tosse, dovrebbe curarsi*, she has a bad cough, she should do something about it **2** (*badare al proprio aspetto*) to be very careful about one's appearance; to be very neat **C curàrsi** v. i. pron. **1** (*badare a, occuparsi di*) to look (after); to take* care (of); to mind; to see* (to); to attend (to): *Curati tu di loro*, you take care of them; *Nessuno si è curato di noi (siamo stati trascurati)*, no one looked after us; (*in un negozio, ecc.*) no one attended to us, we were left unattended **2** (*fare attenzione, notare*) to

pay* attention (to); to take* notice (of); to disregard st.; **non curarsi di un avvertimento**, to disregard a warning; **Non curarti di loro**, don't pay any attention to them; just ignore them; **Nessuno si curò di noi** (*non fummo notati*), no one paid any attention to us; no one took any notice of us **3** (*preoccuparsi, avere a cuore*) to care (about): *Si cura molto di quello che pensano di lei*, she cares a lot about what people think of her **4** (*interessarsi*) to care (about): *Non si cura di nessuno*, he doesn't care about anyone.

curàrico A a. **1** (*chim.*) curare (attr.) **2** (*farm.*) curariform **B** m. (*farm.*) curariform drug.

curarìna f. (*chim.*) curarine.

curarizzàre v. t. (*med.*) to curarize.

curarizzazióne f. (*med.*) curarization.

curàro m. curare.

curaṣnétta f. (*vet.*) farrier's knife.

curatèla f. (*leg.*) **1** trusteeship **2** (*tutela*) guardianship; (*in Scozia*) curatorship **3** (*fallimentare*) (*in GB*) receivership; (*in USA*) trusteeship **4** (*di un libro*) editorship.

curativo a. (*med.*) curative.

curàto ① a. **1** (*fatto con cura*) very accurate; thorough **2** (*ben tenuto*) well-kept; well-tended; well-trimmed: **giardino ben c.**, well-tended garden; **siepe ben curata**, well-trimmed hedge; **poco c.**, untidy; shabby **3** (*di persona*) neat; well-groomed.

curàto ② m. (*eccles.*) curate.

curatóre m. (f. **-trice**) (*leg.*) **1** trustee; administrator **2** (*tutore*) guardian **3** (*fallimentare*) (*in GB*) receiver; (*in USA*) trustee (in bankruptcy) **4** (*di libro*) editor.

curazìa f. (*eccles.*) curacy.

curbàscio m. kurbash, curbash.

cùrcas m. (*bot.*, *Jatropha curcas*) physic nut ● **olio di c.**, curcas oil.

curculióne m. (*zool.*, *Curculio*) snout beetle; weevil; curculio.

cùrcuma f. (*bot.*, *Curcuma longa*) curcuma; turmeric.

curcumìna f. (*chim.*) curcumin; turmeric yellow; turmeric.

cùrdo A a. Kurdish **B** m. (f. **-a**) Kurd **C** m. (*lingua*) Kurdish.

cùria f. **1** (*stor.*, *archeol.*) curia* **2** (*eccles.*) Curia*; Papal Court: **la c. romana**, the Roman Curia; **c. vescovile**, diocesan administration.

curiàle a. **1** (*stor.*, *archeol.*) curial **2** (*aulico*) courtly.

curialésco a. (*spreg.*) quibbling.

curiàto a. (*stor. romana*) – **comizi curiati**, comitia curiata (*lat.*).

Curiàzi m. pl. (*stor.*) Curiatii.

curie m. inv. (*fis.*) curie: **c.-ora**, curie hour; **punto di c.**, curie temperature.

cùrio m. (*chim.*) curium.

curiosàggine f. inquisitiveness; nosiness (*fam.*).

curiosaménte avv. **1** (*stranamente*) curiously; oddly; strangely **2** (*con curiosità*) curiously; inquisitively.

♦**curiosàre** v. i. **1** (*in un negozio e sim.*) to look about; to have a look around; (*tra libri e sim.*) to browse **2** (*girare con curiosità indiscreta*) to nose around, to fish about (*o* around); (*girare di soppiatto*) to snoop around; (*frugare*) to rummage: **c. in casa di q.**, to nose around sb.'s place; *Lo sorpresi a c. fra le mie carte*, I caught him rummaging among my papers **3** (*voler sapere a tutti i costi*) to be inquisitive; to pry; to be nosy (*fam.*); to poke one's nose (into st.) (*fam.*). **c. nel passato di q.**, to pry into sb.'s past.

♦**curiosità** f. **1** curiosity; inquisitiveness: **suscitare la c. di q.**, to arouse sb.'s curiosity; *Mi è venuta la c. di sapere...*, I'm curious

to know...; **per** (*pura*) **c.**, out of curiosity **2** (*spreg.*) inquisitiveness; nosiness (*fam.*) **3** (*stranezza*) strangeness; oddity; peculiarity; quaintness **4** (*oggetto raro*) curiosity; curio*.

♦**curióso A** a. **1** curious; enquiring; inquisitive: **essere c. di sapere**, to be curious to know **2** (*spreg.*) inquisitive; prying; nosy (*fam.*) **3** (*strano*) curious; funny; odd; quaint: **un c. copricapo**, a curious headdress; *È successo un fatto c.*, a funny thing happened; **una sensazione curiosa**, an odd sensation **B** m. (f. **-a**) **1** (*chi si ferma a guardare*) onlooker; gawker (*spreg.*); gawper (*spreg. fam. GB*); rubberneck (*spreg. fam. USA*): **una folla di curiosi**, a crowd of onlookers **2** (*impiccione*) inquisitive person; nosy parker (*fam.*).

curicolàre a. curricular.

curricolo m., **curriculum** m. inv. **1** record; track record **2** → **curriculum vitae**.

curriculum vìtae (*lat.*) loc. m. inv. curriculum* vitae (abbr. CV); résumé (*USA*).

curry (*ingl.*) m. inv. (*alim.*) curry: **c. di verdure**, vegetable curry; **pollo al c.**, curried chicken.

cursóre m. **1** (*stor.: corriere*) messenger; courier **2** (*scient.*, *mecc.*) slider; sliding vector **3** (*elettr.*) slider **4** (*comput.*) cursor **5** (*di cerniera lampo*) slide fastener; (*sliding*) tab.

curtòsi f. (*stat.*) kurtosis.

curùle a. (*archeol.*) curule: **sedia c.**, curule chair.

♦**cùrva** f. **1** (*mat.*, *scient.*) curve: **c. a 180°**, return bend; **c. algebrica**, algebraic curve; **c. chiusa**, closed curve; loop; **c. di cedimento**, stress-strain curve; (*econ.*) **c. di domanda [di offerta]**, demand [supply] curve; **c. esponenziale**, exponential curve; **descrivere una c.**, to curve **2** (*andamento arcuato*) curve; arc: **disegnare una c.**, to form a curve (*o* an arc) **3** (*di strada*) bend, curve; (*svolta*) turn; (*di fiume*) bend: **c. a destra [a sinistra]**, curve to the right [to the left]; **c. a forcella** (*o* a U), hairpin bend; **c. a gomito**, sharp bend; corner; **c. a S**, S-bend; S-curve; **c. stretta**, sharp bend; **c. soprelevata**, banked curve; **una strada tutta curve**, a road full of bends; **prendere una c.**, to take a bend; **rallentare in c.**, to slow down when taking a curve; **sorpassare in c.**, to overtake on a bend; (*autom.*) **tagliare una c.**, to cut a corner **4** (*di stadio*) curved sector (of a stadium); (*estens.*: *gli spettatori*) spectators in the curved sector: **c. sud**, rowdy supporters (pl.) **5** (*del corpo*) curve: *Il vestito le segnava le curve*, the dress underlined her curves; *È tutta curve*, she is all curves; she is very curvaceous **6** (*di proiettile*) trajectory **7** (*geogr.*: *altimetrica o di livello*) contour (line).

curvàbile a. bendable.

curvadòrsi m. inv. (*legatoria*) backing press.

curvàre A v. t. to bend*; to bow: **c. il capo**, to bend one's head; (*per salutare*) to bow one's head; **c. la schiena**, to bend one's back; (*fig.*) to submit **B** v. i. **1** (*svoltare*) to turn; to take* a bend; (*di colpo*) to swerve, to swing* round **2** (*formare una curva*) to bend; to curve **C curvàrsi** v. rifl. **1** to bend* (down); to stoop: **curvarsi fino a terra**, to bend down to the ground; *Si curvò sul letto*, he bent over the bed: *Mi curvai a raccogliere la moneta*, I stooped to pick up the coin **2** (*fig.*) to submit; to yield **D curvàrsi** v. i. pron. (*incurvarsi*) to bend*; (*per vecchiaia o malattia*) to become* bent; (*di legno*) to warp.

curvatóre m. (f. **-trice**) bender.

curvatrice f. (*mecc.*) bending machine; bender: **c. a ingranaggi**, geared bender; **c. per legno**, wood-bending machine.

curvatùra f. **1** (*il curvare*) bending **2** (*an-

damento curvo) curvature: **la c. della super-ficie terrestre**, the curvature of the earth: **la c. della spina dorsale**, curvature of the spine; (_mat._) **c. gaussiana**, Gaussian curvature; (_ottica_) **centro di c.**, centre of curvature; **raggio di c.**, bending radius **3** (_bombatura_) camber **4** (_naut._, _della carena_) bilge **5** (_deformazione del legno_) warp.

curvilineo Ⓐa. **1** (_anche mat._) curvilinear **2** (_con andamento a curve_) winding Ⓑm. (_grafica_) French curve.

curvìmetro m. opisometer.

cùrvo a. **1** curved: **linea curva**, curved line **2** (_piegato_) bent; (_ingobbito_) stooping, bent; (_rannicchiato_) hunched: **un albero c. per la neve**, a tree bent under the snow; _Riconobbi la sua figura un po' curva_, I recognized his slightly stooping figure; **c. per gli anni**, bent with years; **camminare c.**, to walk with a stoop; **spalle curve**, round shoulders; **stare c. sui libri**, to bend over one's books; _Non sedere così c._, don't sit so hunched up.

CUS sigla (**Centro universitario sportivo**) University Sport Centre.

cuscinàta f. blow (_o_ swipe) with a cushion [with a pillow].

cuscinétto Ⓐm. **1** pad; (_anat._) **c. adiposo**, pad; **c. per timbri**, ink pad; **c. puntaspilli**, pincushion **2** (_mecc._) bearing: **c. a rulli**, roller bearing; **c. a sfere**, ball bearing; **c. antifrizione**, antifriction bearing; **c. di spinta**, thrust bearing; **c. intermedio**, intermediate bearing; **c. liscio**, friction (_o_ plain) bearing; **c. oscillante**, self-aligning bearing; **sede di c.**, bearing housing ● (_fig._) **fare da c.**, to act as a buffer Ⓑa. inv. buffer (attr.): _Stato_ [_zona_] _c._, buffer state [zone].

◆**cuscìno** m. **1** cushion; (_guanciale_) pillow; (_capezzale_) bolster; (_per inginocchiatoio_) hassock **2** (_mecc._: ammortizzatore) pad ● **c. d'aria** (_o pneumatico_), air cushion □ **un c. di fiori**, a wreath.

cuscita m. e f. Cushite.

cuscitico a. e m. (_ling._) Cushitic.

cùsco m. (_zool._) cuscus.

cuscùs m. (_alim._) couscous.

cùscuta f. (_bot._, _Cuscuta_) dodder; hellweed.

cuspidàle a. cuspidal; pointed.

cuspidàto a. (_bot._, _anat._) cuspidate.

cùspide f. **1** (_archit._) spire; flèche (_franc._) **2** (_punta_) cusp; point; tip **3** (_anat._, _di cuore e di dente_) cusp **4** (_mat._, _astron._) cusp.

◆**custòde** Ⓐm. e f. **1** (_sorvegliante_) keeper; watchman* (m.); guard; attendant; caretaker; custodian; (_a un cancello_) gatekeeper: **c. di museo**, museum attendant; **c. delle carceri**, prison guard; jailer **2** (_portiere_) porter, concierge, superintendent (_USA_), super (_USA_); (_bidello_) janitor **3** (_fig._) guardian; custodian; (_depositario_) repository: **c. della libertà**, guardian of freedom; **c. di una tradizione**, repository of a tradition **4** (_leg._) receiver Ⓑa. – (_anche fig._) **angelo c.**, guardian angel.

custòdia f. **1** care; custody; safekeeping: _Ho in c. i suoi gioielli_, I have her jewels in my care; _Mi ha dato in c. i suoi quadri_, he left his pictures with me for safekeeping; **affidare un bambino alla c. di q.**, to entrust a child to sb.'s care; **lasciare qc. in c. alla reception**, to deposit st. with the reception **2** (_leg._, _di detenuto_) custody; detention: **c. cautelare**, custody; preventive detention; (_in GB_) remand; **ordinare la c. cautelare di q.**, to remand sb. in custody **3** (_leg._, _di minore_) custody; guardianship: _La c. dei figli andò alla madre_, custody of the children was granted to their mother; **sotto la c. del padre**, in the custody of one's father **4** (_astuccio_, _ecc._) case, holder, box, container; (_fodero_) sheath; (_di disco_) sleeve, jacket (_USA_): **c. degli occhiali**, spectacle case; **c. di violino**,

violin case ● **agente di c.**, prison guard; warder (_GB_) □ **camera di c.**, strongroom □ (_banca_) **spese di c.**, safe custody charges.

◆**custodìre** Ⓐv. t. **1** (_conservare_) to keep*; to guard; to preserve: **c. in cassaforte**, to keep in a safe; **c. sotto chiave**, to keep under lock and key; **c. qc. con cura**, to guard st. with care; **c. un segreto**, to guard (_o_ to keep) a secret **2** (_avere cura di_) to take* care of; to look after; to watch over **3** (_badare ad animali_) to tend **4** (_leg._: _una persona_) to hold* in custody **5** (_fig._: _serbare con cura_) to cherish Ⓑ **custodìrsi** v. rifl. to take* care of oneself.

cutàneo a. cutaneous; skin (attr.): **malattia cutanea**, skin disease; **test c.**, patch test.

cùte f. (_anat._) cutis*; (_com._) skin.

cuticàgna f. (_scherz._) nape; scruff of the neck.

cutìcola f. (_bot._, _anat._) cuticle.

cuticolàre a. (_scient._) cuticular.

cutìna f. (_bot._) cutin.

cutréttola f. (_zool._, _Motacilla flava_) yellow wagtail.

cutter (_ingl._) m. inv. (_naut._) cutter.

CV, C.V. sigla **1** (_mecc._, **cavallo vapore**) horse-power (HP) **2** (**curriculum vitae**) curriculum vitae; résumé (CV).

c.v.d. sigla (**come volevasi dimostrare**) which was to be demonstrated (QED).

cyberbullismo m. cyber-bullying.

cybernàuta m. e f. (_comput._) Internet surfer.

cyborg m. inv. (_fantascienza_) cyborg.

Cyclètte® f. inv. exercise bicycle; gym bike (_fam._).

CZ abbr. (**Catanzaro**).

czar → zar.

czàrda → ciarda.

czèco → ceco.

d, D

D① , **d** f. o m. (*quarta lettera dell'alfabeto ital.*) D, d • (*telef.*) **d come Domodossola**, d for Delta.

D② sigla **1** (*num. romano*, **cinquecento**) five hundred **2** (*leg.*, **decreto**) decree **3** (**domenica**) Sunday **4** (*scacchi*, **donna**) queen (Q) **5** (*ferr.*, (**treno**) **diretto**) through train.

d sigla **1** (*mat.*, **diametro**) diameter. **2** (*sui veicoli*, **derrate deperibili**) perishable goods.

♦**da** prep. **1** (*agente, causa efficiente*) by: *Fu ucciso da una freccia*, he was killed by an arrow; **scritto da Chaucer**, written by Chaucer; **spinto dalla curiosità**, driven by curiosity **2** (*causa*) for; with: **piangere dalla gioia**, to cry for joy; **tremare dalla paura**, to tremble with fear; **malattie da carenza**, deficiency diseases **3** (*stato in luogo*) at: **comprare qc. dal farmacista**, to buy st. at the chemist's; *Sto da un amico*, I'm staying at a friend's (place); *Sono a cena dai Rossi*, I'm dining at the Rossis' **4** (*moto da luogo*) from; (*fuori da*) from, out of, (*giù da*) off, down from: **arrivare da Roma [da scuola]**, to arrive from Rome [from school]; **sporgersi dal balcone**, to lean from the balcony; **cadere dal tetto**, to fall from the roof; **buttare qc. dalla finestra**, to throw st. out of the window; *Si alzò dalla sedia*, she got off the chair; *Esci da lì*, come out of there; *Estrasse dalla tasca una chiave*, he took a key out of (o from) his pocket; **scendere dall'auto**, to get out of the car; **scendere dall'aereo**, to get off the plane; **scendere [cadere] dal cielo**, to come down [to fall] from heaven; **da dentro**, from within; **da lontano**, from afar; **da fuori**, from outside **5** (*moto a luogo*) to: *Vai da Paola?*, are you going to Paola's?; *Vado dal dentista*, I'm going to the dentist's; *Vengono da noi stasera*, they're coming to our place tonight; *Va' da un medico*, go and see a doctor **6** (*moto attraverso luogo*) through: **passare da Bologna**, to pass through Bologna; **entrare dalla finestra**, to come in through the window; *Non ci passa dalla porta*, it won't go through the door **7** (*origine, derivazione*) from; of: **derivato dal greco**, derived from Greek; *L'ho saputo dai giornali*, I learned of it from the papers; **sant'Antonio da Padova**, St Anthony of Padua **8** (*separazione, allontanamento, distanza*) from: **separarsi da q.**, to part from sb.; **proteggere q. da qc.**, to protect sb. from st.; **guarire da una malattia**, to recover from an illness; **a trenta metri dal fiume**, thirty metres from the river **9** (*tempo: durata*) for; (*decorrenza*) since: *Aspetto da un'ora*, I've been waiting (for) an hour; *Aspetto dalle sei* (o *È dalle sei che aspetto*), I've been waiting since six o'clock; *Ci conosciamo da dieci anni*, we've known each other for ten years; *Non lo vedo da un mese*, I haven't seen him for a month; *Da quanto sei qui?*, how long have you been here?; *Da quant'è che non ti vedo!*, I haven't seen you for ages!; **da secoli** (o **da un'eternità**), for ages; **dall'ultima volta che lo vidi**, since I saw him last; **da allora**, since then; **dal 1911**, since 1911; **da allora in poi**, from then on ❶ NOTA: *present perfect /*

*simple past → present*① **10** (**da... a**) (*tempo*) from... (*to*); (*stima*) between... (*and*): **dagli otto ai dodici anni** (*di età*), from eight to twelve years of age; **dal 1950 al 1980**, from 1950 to 1980; 1950 through 1980 (*USA*); **da lunedì a venerdì**, Monday to (*USA* through) Friday; *Avrà dai venti ai venticinque anni*, he must be between twenty and twenty-five; *C'erano dalle due alle trecento persone*, there were between two and three hundred people **11** (*mezzo*) from: *Capii dal suo silenzio che...*, I understood from his silence that...; **riconoscere q. dal passo**, to recognize sb. from his step **12** (*uso, scopo: corrisponde a costruz. attributive o nomi composti*) – **occhiali da sole**, sunglasses; **ferro da calza**, knitting needle; **scarpe da passeggio**, walking shoes; **bestia da soma**, beast of burden; **vestito da sera**, evening dress; **cavallo da corsa**, race horse; **macchina da scrivere**, typewriter **13** (*caratteristica*) with (o costruz. aggettivale): **una casa dal tetto rosso**, a house with a red roof; **un uomo dai capelli ricci**, a man with curly hair; a curly-haired man; **un giovane dalle grandi ambizioni**, a young man with great ambitions **14** (*limitazione*) in: **cieco da un occhio**, blind in one eye; **sordo da un orecchio**, deaf in one ear **15** (*valore, misura*) – **una bottiglia da due litri**, a two-litre bottle; **una lampadina da 100 watt**, a 100-watt bulb; **roba da quattro soldi**, cheap stuff; **un uomo da poco**, an inept (o a worthless) man **16** (*pred.*) as: **lavorare da segretaria**, to work as a secretary; **fare da guida**, to act as a guide; *Da bambino mi piaceva*, I used to like it as (o when I was) a child; *Da grande farà il pilota*, he's going to be a pilot when he grows up **17** (*modo*) like; as: **comportarsi da uomo**, to behave like a man; **comportarsi da villano**, to behave rudely; *Parliamoci da amici*, let's talk as friends; *Non è da lui*, it's not like him; it's unlike him; **da buon romano**, like a good Roman; *Non è da lui ritardare così*, it's not like him to be so late; *Questo non è da te*, this is not worthy of you; **clima da tropici**, tropical climate **18** (*seguito da un infinito*) – **avere da fare**, to have things to do; to be busy; *Dammi da bere*, give me something to drink; **un film da vedere**, a film worth seeing; **una storia da ridere**, a funny story; **una decisione da prendere**, a decision that has to be made **19** (*consecutivo, in correl. con «tanto» o «così»*) (as) to; that (+ frase finita): *Sia così gentile da aspettare*, be so good as to wait; *Ero così stanco da non poter quasi parlare*, I was so tired (that) I could hardly speak; *Ne comprai tanto da sfamarli tutti*, I bought enough to feed them all • (*fam.*) **Da bravo!**, that's (o there's) a good boy! □ **da capo**, (*dall'inizio*) from the beginning; (*di nuovo*) over again; (*mus.*) da capo □ **da capo a piedi**, from head to foot □ **da un lato**, (*stato*) on one side; (*moto*) to one side; (*fig.*) on the one hand □ **da mattina a sera**, from morning to (o till) night □ **da oggi in poi**, from today onwards □ **da parte**, apart; aside □ **dalla parte del torto**, in the wrong □ **dalle mie parti**, in my part of the country; where I come from □ **da qualche parte**, somewhere

(here, there); hereabouts; thereabouts □ **dal principio**, from the beginning □ **fare da sé**, to do (st.) by oneself; to manage on one's own.

La preposizione di tempo **da** si traduce di norma con:

1 for (spesso omesso in contesti colloquiali) per indicare la durata di un'azione o una situazione iniziata nel passato e che continua nel presente o continuava nel passato: *Aspetto da un'ora*, I've been waiting (for) an hour; *Aspettavo da un'ora*, I had been waiting (for) an hour; *Lo amo da molto tempo*, I have loved him for a long time;

2 since per indicare il momento di inizio di un'azione o una situazione che continua nel presente o continuava nel passato: *Aspetto dalle sei*, I've been waiting since six o'clock (non I've been waiting from six o'clock); *Aspettavo dalle sei*, I had been waiting since six o'clock (non I had been waiting from six o'clock);

3 from in quasi tutti gli altri casi: *Lavoro da lunedì a venerdì*, I work from Monday to (USA: through) Friday; *Ho studiato a Cambridge dal 1997 al 2001*, I studied at Cambridge from 1997 to 2001; *Da adesso in poi ogni errore può risultare fatale*, from now on every mistake may prove fatal.

Come si può ricavare dagli esempi sopra riportati, le frasi con for e since richiedono il present perfect o il past perfect, mentre quelle con from devono avere il simple past, il presente semplice o il futuro.

Nelle domande, **da quanto** si traduce con how long ... for (spesso quest'ultima preposizione è omessa): «*Da quanto lavori qui?*» «*Da dieci anni*», «how long have you worked here (for)?» «ten years»; **da quando** si traduce invece since when: «*Da quando lavori qui?*» «*Dal 1995*», «since when have you worked here?» «since 1995». Anche **da quando in qua** corrisponde a since when: *Da quando in qua rispondi male a tua madre?*, since when do you answer your mother back?

dabbàsso avv. **1** (*giù, sotto*) (down) below; down **2** (*al piano di sotto*) downstairs.

dabbenàggine f. **1** credulity; gullibility; foolishness **2** (*azione*) foolish (o stupid) thing: *La tua è stata una d.*, it was foolish of you; it was a foolish thing to do.

dabbène a. inv. honest; decent; respected: **un uomo d.**, an honest (o a respected) man; **gente d.**, decent people • (*iron.*) **dabben uomo**, simpleton; fool.

daccànto avv. nearby; (*a fianco*) beside: *La bambina mi sedette d.*, the little girl sat beside me.

daccàpo Ⓐ avv. (*di nuovo*) over again; once more; (*dal principio*) from the beginning: **ricominciare d.**, to go back to the beginning; to start over (*USA*); **ricominciare tutto d.**, to begin all over again; to start all over again; to start again from scratch; to go back to square one • (*fam.*); (*iron.*) *Eccolo d.!*, there he goes again!; (*iron.*) *Siamo d.!*, here we go again!; *Siamo punto e d.*, we're back at the

beginning; we're back to square one (*fam.*) **B** m. (*mus.*) da capo.

dacché cong. **1** (*da quando*) since: *D. sono partiti, non mi hanno mai scritto*, since they left, they've never written to me **2** (*poiché, dal momento che*) since; as; because: *Gli scriverò, d. tu lo vuoi*, I shall write to him since you want me to.

dàcia f. dacha, datcha.

dacite f. (*miner.*) dacite.

dàco a. e m. (*stor.*) Dacian.

dacriocisti f. (*anat.*) dacryocyst; lacrimal sac.

dàcron ® m. inv. (*chim.*) Dacron.

dada (*franc.*) (*arte*) **A** m. **1** (*dadaismo*) Dada; Dadaism **2** (*dadaista*) Dadaist **B** a. Dadaistic.

dadaìsmo m. (*arte*) Dadaism.

dadaista (*arte*) **A** m. e f. Dadaist **B** a. Dadaistic.

♦**dàdo** m. **1** dice*: **dadi truccati**, loaded dice; **giocare a dadi**, to play dice; **giocarsi qc. a dadi**, to dice for st.; **lanciare i dadi**, to throw (*o* to cast) the dice **2** (*mecc.*) (screw) nut: **d. a corona**, castellated nut; **d. cieco**, cap nut; **d. zigrinato**, knurled nut **3** (*archit.*) die*; dado **4** (*cubetto*) cube: **tagliare qc. a dadi**, to cut st. into cubes; to dice st. **5** (*alim.*) stock cube ● **Il d. è tratto**, the die is cast □ (*fig.*) **gettare il d.**, to try one's luck.

dadòforo m. torch-bearer.

dadolàta f. (*cucina*) diced vegetables, meat and bread (*served with soups or as as a side-dish*).

da fàrsi loc. m. inv. what to do; what is to be done; what needs doing; course of action: **decidere il da farsi**, to decide what to do; **incerto sul da farsi**, irresolute.

daffàre m. (*lavoro*) work; things (pl.) to do; grind (*fam.*); (*attività frenetica*) bustle, to-do: **avere un gran d.**, to have a lot of things to do; to be very busy; **con tutto il d. che ho**, with all the things (*o* the work) I have to do; *Avrà il suo bel d. a convincerla*, he'll have his work cut out convincing her; **darsi un gran d.**, to bustle about.

dàfne f. (*bot.*, *Daphne*) daphne.

Dàfne f. (*mitol.*) Daphne.

dàfnia f. (*zool.*, *Daphnia pulex*) daphnia; water flea.

dàga f. dagger.

dagherrotipìa f. (*fotogr.*) **1** daguerreotypy **2**→ **dagherrotipo**.

dagherròtipo m. (*fotogr.*) daguerreotype.

dàgli inter. (*fam.*) – *D.!*, at him [her, etc.]!; let him [her, etc.] have it!; *D. al ladro!*, stop thief!; *E d.!* (*escl. di irritazione*), there we go again!; there he goes [they go, etc.] again!; **d. oggi, d. domani**, by dint of insisting; *D. e d., è riuscito a convincerlo*, after much insistence, he managed to convince him.

dài inter. (*fam.*) **1**→ **dàgli** **2** (*esortazione*) come on!; (*incitamento*) go!: *Dài, vieni con noi!*, come on, do come with us!; *Ma dài!* (*escl. di incredulità*), you don't say so!; you're kidding!; go on with you!; *Dài che ce la fai!*, come on, you can do it!; *Dài, corri!*, run!; *Dài e ridài*, after much insistence.

dàino m. **1** (*zool.*, *Dama dama*) fallow deer*; (*di età inferiore a un anno*) fawn; (*maschio*) buck; (*femmina*) doe **2** (*anche pelle di d.*) deerskin; buckskin; (*per lucidare*) chamois leather.

dalai-làma m. inv. Dalai Lama.

dàlia f. (*bot.*, *Dahlia*) dahlia.

Dàlila f. (*Bibbia*) Delilah.

dallàto avv. (*lett.*) on one side; to one side.

dàlli → **dagli**.

dàlmata **A** a. Dalmatian **B** m. e f. Dalmatian **C** m. (*cane*) Dalmatian.

dalmàtica f. (*eccles.*) dalmatic.

dalmàtico a. Dalmatic.

Dalmàzia f. (*geogr.*) Dalmatia.

dàlton m. inv. (*chim.*) dalton.

daltònico **A** a. colour-blind **B** m. (f. *-a*) colour-blind person.

daltonìsmo m. (*med.*) colour-blindness; daltonism.

d'altrónde avv. **1** (*d'altra parte*) on the other hand **2** (*del resto*) anyway; in any case.

♦**dàma** ① f. **1** lady: **d. di compagnia**, lady companion; **d. di corte** (*o* d'onore), lady-waiting; **d. di carità**, member of a charitable organization; **fare la** (*o* darsi arie da) **gran d.**, to put on the airs of a great lady **2** (*nel ballo*) (dance) partner; lady: *Scegliete la vostra d.*, choose your partners; *Le dame a sinistra, i cavalieri a destra!*, ladies to the right, gentlemen to the left! **3** (*carte da gioco*) queen: **d. di picche**, queen of spades **4** (*metall.*) dam.

♦**dàma** ② f. **1** (*il gioco*) draughts (pl. col verbo al sing., *GB*); checkers (pl. col verbo al sing., *USA*): **fare** (*o* andare a) **d.**, to crown a king; **giocare a d.**, to play draughts (*USA* checkers); **pedina della d.**, draughtsman* (*GB*); checker (*USA*); man*; piece: **la d. avversaria**, the opposing man **2** (*pedina raddoppiata*) king **3** (*scacchiera*) draughtboard (*GB*); checkerboard (*USA*) ● **d. cinese**, Chinese checkers.

dàma ③ (*tecn.*) → **chiodaia**.

damalìsco m. (*zool.*) damaliscus.

damàre v. t. to crown: **d. una pedina**, to crown a king.

damascàre v. t. **1** (*ind. tess.*) to damask **2**→ **damaschinare**.

damascàto a. (*ind. tess.*) damask (attr.).

damascatùra f. **1** (*ind. tess.*) damasking **2**→ **damaschinatura**.

damascèno a. (*lett.*) Damascene; Damascus (attr.) ● (*bot.*) **rosa damascena** (*Rosa damascena*), damask rose.

damaschinàre v. t. (*metall.*) to damascene.

damaschinàto a. damascened.

damaschinatùra f. (*metall.*) damascening.

damaschìno **A** a. damascene; Damascus (attr.) **B** m. **1** (*ind. tess.*) damask **2** (*metall.*) damascened work; Damascus steel **3** (*bot.*) damson.

damàsco m. (*stoffa*) damask.

Damàsco f. (*geogr.*) Damascus.

damerìno m. **1** (*elegantone*) dandy; fop **2** (*bellimbusto*) gallant; ladies' man*; beau*.

Damiàno m. Damian.

damièra f., **damière** m. draughtboard (*GB*); checkerboard (*USA*).

damigèlla f. **1** damsel; (*a corte*) maid of honour **2** (*di sposa, anche* **d. d'onore**) bridesmaid **3** (*zool.*) – **d. di Numidia** (*Anthropoides virgo*), demoiselle.

damigiàna f. **1** (*per vino e sim.*) demijohn **2** (*per prodotti chimici*) carboy.

damìsta m. e f. draughts (*USA* checkers) player.

dammàr f. inv. (*chim.*) dammar.

damméno a. inv. inferior; (*peggiore*) worse: *Non sono d. di te*, I am no more than you; I'm every bit as good as you are.

Dàmocle m. Damocles: **la spada di D.**, the sword of Damocles.

DAMS sigla (*università*, **Discipline delle arti, della musica e dello spettacolo**) Arts, Music and Entertainment Studies.

danàro → **denaro**.

danaróso a. wealthy; rich; moneyed.

dàncalo a. e m. (f. *-a*) Danakil; Afar.

dancing (*ingl.*) m. inv. dance-hall.

dànde f. pl. leading reins; leading strings (*USA*).

dandìsmo m. dandyism.

dandìstico a. dandyish.

danése **A** a. Danish **B** m. e f. Dane: **i Danesi**, the Danes **C** m. **1** (*ling.*) Danish **2** (*cane*) Great Dane.

Danièle m. Daniel.

Danimàrca f. (*geogr.*) Denmark.

dannàre **A** v. t. to damn ● (*fig.*) **dannarsi l'anima**, to do one's utmost; to work like crazy □ (*fig.*) **far d. q.**, to drive sb. mad (*o* crazy) **B** **dannàrsi** v. rifl. **1** to be damned **2** (*tormentarsi*) to worry; to torment oneself.

dannàto **A** a. **1** damned: **le anime dannate**, the damned souls; the damned **2** (*fig.: maledetto*) damned; cursed; blasted: *Dov'è quel d. ombrello?*, where's the blasted umbrella?; **avere una paura dannata**, to be scared stiff **B** m. (f. *-a*) damned soul; (al pl., collett.) (the) damned ● (*fig.*) **anima dannata**, wicked person; (*istigatore*) (sb.'s) evil angel □ **correre come un d.**, to run like mad □ (*fam.*) **lavorare come un d.**, to work like crazy □ **urlare come un d.**, to scream like someone possessed.

dannazióne **A** f. **1** damnation: **d. eterna**, eternal damnation **2** (*fig.*) trial; curse; pest: *Quel ragazzo è la mia d.*, that boy'll be the death of me **B** inter. damn (it)!

danneggiaménto m. **1** (*il danneggiare*) damaging **2** (*danno*) damage.

♦**danneggiàre** **A** v. t. **1** (*far danno a*) to damage; to cause damage to; (*sciupare*) to spoil*: *L'incendio ha gravemente danneggiato gli ultimi piani*, the fire has severely damaged the upper floors; *La grandine danneggiò il raccolto*, the harvest was damaged by the hail **2** (*menomare*) to impair; to injure; to harm: **d. la salute di q.**, to damage (*o* to impair) sb.'s health; *Troppi grassi possono danneggiare il fegato*, too much fat can harm the liver **3** (*ledere, nuocere a*) to damage; to harm; to have a damaging (*o* harmful) effect on: *Lo scandalo danneggiò gravemente la sua reputazione*, the scandal seriously damaged (*o* harmed) his reputation; *Lo sciopero dei voli ha danneggiato il turismo estivo*, the plane strike has had a damaging effect on summer tourism **B** **danneggiàrsi** v. rifl. to injure oneself **C** **danneggiàrsi** v. i. pron. to suffer damage; to be damaged.

danneggiàto **A** a. damaged; (*logorato dall'uso*) deteriorated; (*leso*) injured: **merci danneggiate**, damaged goods; (*leg.*) **la parte danneggiata**, the injured party; **reputazione danneggiata**, damaged reputation **B** m. (f. *-a*) injured party; victim: **i danneggiati del terremoto**, the victims of the earthquake.

♦**dànno** m. **1** (*anche leg.*) damage Ⓤ; (al pl.: *risarcimento*) damages: **d. diretto**, immediate damage; (*leg.*) **d. emergente**, consequential damage; **d. morale**, moral damage; **i danni del maltempo**, the damage caused by the weather; *La tempesta causò gravi danni*, the storm caused extensive damage; **chiedere i danni**, to claim damages (*o* compensation); **citare per danni**, to sue for damages; **pagare** (*o* risarcire) **i danni**, to pay (compensation for) damages; **recare d. a qc.**, to cause damage to st.; **ricuperare i danni**, to recover damages; **subire un d.**, to suffer damage; to be damaged; **valutare i danni**, to assess damages; (*comm.*) **in caso di perdita o d.**, in case of loss or damage; **risarcimento dei danni**, damages (pl.); **chiedere il risarcimento dei danni**, to claim damages (*o* compensation); **reclamo per danni**, claim for damages **2** (*ferita e sim.*) harm; injury; **Non ci fu nessun**

d. alle persone, nobody was hurt; there were no casualties; **riportare danni in un incidente**, to be injured (*o* to suffer injuries) in an accident **3** (*med.*) damage: **d. cerebrale**, brain damage **4** (*nocumento*) damage; harm; detriment; prejudice: **un d. al mio buon nome**, a damage to my good name; **andare a d. di**, to be detrimental to; to damage; **arrecare** (*o* **causare**) **d. a**, to damage; to do damage to; to prove harmful for; *Il fatto causò un d. irreparabile alla sua reputazione*, the fact did irreparable damage to his reputation; **a mio d.**, to my prejudice; to my detriment; (*a mie spese*) at my expense ● **aggiungere al d. la beffa**, to add insult to injury.

dannosità f. harmfulness; noxiousness.

♦**dannóso** a. harmful (to); damaging (to); detrimental (to); noxious (for); bad (for): **d. per l'ambiente**, harmful to the environment; **d. alla salute**, detrimental to (*o* bad for) sb.'s health; **effetti dannosi**, harmful effects; **insetti dannosi**, noxious insects; pests.

dannunzianésimo m. **1** (*letter.*) literary style imitating that of D'Annunzio **2** style of life inspired by D'Annunzio.

dannunziàno A a. of D'Annunzio; in the style of D'Annunzio **B** m. (f. **-a**) follower (*o* imitator) of D'Annunzio.

dànte càusa loc. m. inv. (*leg.*) assignor.

dantésca f. (*sedia*) Dante chair; Savonarola chair.

dantésco a. Dantesque; Dantean; Dante's (attr.); Dante (attr.): **studi danteschi**, Dante studies; **la visione dantesca**, the Dantean vision; Dante's vision.

dantìsmo m. **1** (*ling.*) Dantean coinage; Dantean expression **2** (*studio di Dante*) study of Dante.

dantista m. e f. Dante scholar.

dantìstica f. Dante studies (pl.); Dante scholarship.

dantologìa → **dantìstica**.

Danùbio m. (*geogr.*) (the) Danube.

♦**dànza** f. **1** dance; (*il danzare, il ballo*) dancing: **d. classica**, ballet dancing; (classical) ballet; **d. del ventre**, belly dance; belly dancing; **d. di guerra** [**della pioggia**], war [rain] dance; **d. macabra**, dance of death; danse macabre (*franc.*); **d. popolare**, folk dance; folk dancing; *Mi piace la d.*, I like dancing; **aprire le danze**, to lead off the dance; to open the ball; **studiare d.**, to learn dancing; **lezioni di d.**, dancing lessons; dance classes; **salone delle danze**, dance hall; **scuola di d.**, dancing school; **una storia della d. moderna**, a history of modern dance **2** (*mus.*) dance: **le danze ungheresi di Brahms**, Brahms' Hungarian dances **3** (*zool.*) dance.

♦**danzàre** v. i. e t. (*anche fig.*) to dance: **d. un valzer**, to waltz; to dance a waltz; *Danzammo fino a tarda notte*, we danced late into the night; *Fiocchi di neve danzavano nell'aria*, snowflakes were dancing in the air.

danzaterapìa f. dance therapy.

danzatóre m. (f. **-trìce**) dancer.

DAP sigla (**Dipartimento amministrazione penitenziaria**) Department for Prison Administration.

♦**dappertùtto** avv. everywhere; all over the place (*fam.*): *Ho cercato d.*, I've looked everywhere; *C'erano vestiti e giornali sparsi d.*, clothes and newspapers were scattered all over the place.

dappiè, dappiède avv. (*lett.*) at the foot; at the bottom.

dappiù a. inv. **1** (*migliore*) better **2** (*più importante*) more important; superior.

dappocàggine f. worthlessness; ineptitude.

dappòco a. inv. **1** (*di persona*) worthless; inept **2** (*di cosa: poco importante*) minor, trivial; (*che vale poco*) worthless, petty, paltry.

dapprèsso avv. **1** (*vicino*) near; nearby; close at hand **2** (*da vicino*) closely; at close quarters; close up: **seguire q. d.**, to follow sb. closely; to be close behind sb.

♦**dapprìma** avv. at first; initially.

dapprincìpio avv. at first; at the beginning; initially.

dàra f. (*naut.*) spars (pl.).

Dardanèlli m. pl. (*geogr.*) (the) Dardanelles.

dardeggiàre v. t. e i. to dart; (*fig., anche*) to blaze (on), to flash: *Il sole dardeggiava i campi*, the sun was blazing down on the fields.

dàrdo m. **1** dart; (*freccia*) arrow: **i dardi d'amore**, Cupid's darts; **scagliare un d.**, to shoot a dart **2** (*fig. lett.: fulmine*) bolt; (*raggio infocato*) scorching ray ● (*fis.*) **d. elettronico**, electron beam.

♦**dàre A** v. t. **1** to give*: **d. un bacio** [**una spiegazione, dei consigli, piacere**], to give a kiss [an explanation, advice, pleasure]; *Dammi quel coltello*, give me that knife; *Glielo darò appena lo ricevo*, I'll give it to him as soon as I get it; *Non so cosa darei per essere lì*, I'd give anything to be there; **d. a q. il permesso di fare qc.**, to give sb. permission to do st.; **dare via qc.**, to give away st.; **d. la vita per una causa**, to give one's life for a cause **2** (*accordare*) to grant; (*assegnare*) to award; (*fare una donazione*) to donate: **d. il proprio perdono**, to grant one's pardon; *Gli fu dato il primo premio*, he was awarded (*o* given) the first prize **3** (*produrre*) to bear*; to yield; to produce: *Quest'albero non dà frutti*, this tree does not yield fruit **4** (*fruttare*) to bear*; to yield; to bring* in: *Questi investimenti danno il 10% di interesse*, these investments yield 10% interest; *Non mi dà di che vivere*, it doesn't bring in enough to make a living **5** (*mettere in scena*) to put* on; (*essere in programma*) to show, to be on: *L'anno prossimo daremo l'«Orestea»*, we are going to put on the «Oresteia» next year; *Che cosa danno all'Odeon?*, what's on (*o* what are they showing) at the Odeon? **6** (*chiamare*) to call: **d. del ladro** [**del cretino**] **a q.**, to call sb. a thief [an idiot] **7** (*augurare*) to say*: **d. il buongiorno a q.**, to say good morning to sb. ● (*V. anche sotto i vari sost.*) **d. a intendere a q. che...**, to give sb. to believe that... □ **d. a bere qc. a q.**, to get sb. to swallow st. □ **d. alla luce q.**, to give birth to sb. □ **d. alle fiamme**, to burn □ **d. alle stampe**, to print; to publish □ **d. allo stomaco**, to sicken; to nauseate; to revolt □ **d. ascolto a**, to listen to □ **d. l'assalto a**, to attack □ **d. atto di**, to acknowledge □ **d. il benvenuto a**, to welcome □ **d. un calcio a q.**, to kick □ **d. le carte**, to deal (the cards) □ **d. la colpa a q.**, to lay the blame on sb.; to say that it is sb.'s fault □ **d. da bere a q.**, to give sb. a drink □ **d. da dormire a**, to offer (sb.) a bed; to put (sb.) up; (*di albergo e sim.*) to sleep; to accommodate □ **d. da mangiare a q.**, to give sb. something to eat; to feed sb. □ **d. da** (*o* **a**) **pensare**, to give (sb.) food for thought; to make (sb.) think □ **dar da sedere a q.**, to give sb. a chair; to let sb. sit down □ **d. un esame**, to take an examination; to sit for an examination □ **d. una festa**, to give (*fam.* to throw) a party □ (*naut.*) **d. fondo all'ancora**, to drop (*o* to cast) anchor □ **d. fuoco a**, to set fire to □ **d. in affitto**, to let; to

rent □ **d. in matrimonio**, to give (sb.) in marriage □ **d. in prestito**, to lend □ **d. una lezione a q.**, to give sb. a lesson; (*fig.*) to teach sb. a lesson □ **d. la mano a q.**, to shake sb.'s hand □ **d. qc. per certo**, to be sure of st. □ **d. qc. per fatto**, to assure that st. is already done □ **d. q. per morto**, to give sb. up for dead □ **d. q. per spacciato**, to say that sb. is done for □ **d. ragione** → **ragione** □ **d. spazio a qc.**, to allow room for st. □ **d. una spinta a**, to push; to shove □ **d. un suono**, to sound; to give out a sound □ **d. torto** → **torto** □ **d. la vernice a**, to paint □ (*fig.*) **d. il via a**, to begin; to start; to set in motion: **d. il via ai lavori**, to begin work; **d. il via a una gara**, to start a race □ **dare il via libera**, to give the all-clear □ (*fig.*) **d. vita a**, (*dare inizio*) to initiate; to start off; (*fondare*) to found □ **d. voce a qc.**, to voice st. □ (*volg.*) **darla (via)**, to give it away □ **darle a q.**, to give sb. a good hiding (*o* beating); to thrash sb. □ **darle tutte vinte a q.**, to give in to sb. all along the line □ **darsela a gambe**, to take to one's heels; to bolt □ **Quanti anni le dài?**, how old do you think she is? □ **Le darei cinquant'anni**, I'd say she was fifty □ (*nelle scommesse*) **Lo danno dieci a uno**, the odds (against him) are ten to one □ **Lo danno come vincitore**, he's tipped to win □ **per quanto ci è dato sapere**, as far as we know; to the best of our knowledge **B** v. i. **1** (*battere, urtare*) to hit*; to bump; to bang: **d. nella porta con la testa**, to hit one's head against the door; to bump one's head on the door **2** (*di finestra, ecc.*) to look out (onto); to open (onto); to give* (onto); to face (onto); to overlook; (*sul retro*) to back (onto): *La finestra dà sul giardino*, the window looks onto the garden; *La porta dà sul cortile*, the door opens into the courtyard; **una camera che dà sul mare**, a room with a sea-view **3** (*di colore*) to tend (towards); to verge (on): **d. sul verde** [**sul rosso**], to verge on green [on red] ● (*fig.*) **d. addosso a**, to criticize; to go for; to knock (*fam.*) □ (*anche fig.*) **d. alla testa**, to go to one's head: *Il vino mi dà alla testa*, wine goes to my head; *Il successo gli diede alla testa*, success went to his head □ **d. contro a q.**, to contradict sb.; to criticize sb.; to attack sb. □ **dar di piglio a**, to get hold of; to catch (*o* to grab) hold of; to seize □ **d. di sprone a**, to spur □ (*fam.*) **d. fuori di matto**, (*impazzire, anche fig.*) to start raving, to go off one's head; (*infuriarsi*) to get mad, to flip one's lid (*fam.*) □ (*naut.*) **d. in secco**, to run aground; to strand □ **d. in smanie**, to rant; to rage; to have a tantrum; to have hysterics □ **d. nell'occhio**, to attract attention; to stand out □ **d. sui nervi a q.**, to get on sb.'s nerves □ **Dàgli!, Dài!**, *V. i relativi lemmi* □ (*fam.*) **darci dentro** (*o* **sotto**), (*sgobbare*) to work hard, to slog away (*fam.*); (*mettersi al lavoro*) to put one's back into st.; (*mangiare di gusto*) to tuck in (*fam.*) □ **darsi dattorno** → **dattorno** □ **darsi da fare**, (*essere attivo*) to be very active; (*affacendarsi*) to be busy; (*prodigarsi*) to go to a lot of trouble; (*agire*) to do something; (*sbrigarsi*) to get on with it □ **Ti ha dato di volta il cervello?**, have you gone off your head? **C dàrsi** v. rifl. e i. pron. **1** (*dedicarsi*) to devote oneself (to); (*cominciare a occuparsi di*) to take* up (st.), to go* (into), to start (st.): **darsi allo studio**, to devote oneself to study; **darsi alla politica**, to go into politics; **darsi al bere**, to take to drinking **2** (*cominciare*) to start; to begin*: *Si diede a correre*, he started running; he broke into a run **3** (*concedersi sessualmente*) to give* oneself (to); to yield (to) ● **darsi al bel tempo**, to have a good time □ **darsi alla bella vita**, to gad about □ **darsi malato**, to say one is ill; report sick □ **darsi per vinto**, to give in; to admit defeat; to throw in the sponge □ **darsi prigioniero**, to give oneself up **D dàrsi** v. rifl. recipr. to

give* to each other; to exchange: **darsi un bacio**, to kiss (each other); **darsi la mano**, to shake hands; **darsi dei regali**, to exchange presents; **darsi spintoni**, to shove each other; **darsele**, to fight; to have a fight ▣ **dàrsi v. i. impers.** to happen; to chance: *Si dà il caso che...*, it so happens that...; *Si dette il caso che quel giorno io fossi assente*, I happened to be away on that particular day; **può darsi**, perhaps; maybe: *Può darsi che tu abbia ragione, ma...*, you may be right, but...; *Può darsi che arrivino domani*, they may arrive tomorrow ▣ **dàre m.** (*comm.*) debit; (*lato del d.*) debit side: **dare e avere**, debit and credit; **colonna del dare**, debit column; **dalla parte del dare**, on the debit side.

dark (*ingl.*) a., m. e f. inv. goth: **stile d.**, goth style.

dàrsena f. (*naut.*) **1** wet dock; basin **2** (*cantiere*) shipyard; dockyard.

darwiniàno, darviniàno a. e m. (f. *-a*) Darwinian; Darwinist.

darwinìsmo, darvinìsmo m. Darwinism.

darwinìsta, darvinìsta m. e f. Darwinist; Darwinian.

dasiùro m. (*zool.*, *Dasyurus*) dasyure; (*com.*) (Australian) native cat.

♦**dàta** f. **1** date: **d. di emissione**, date of issue; **d. di nascita**, date of birth; **la d. di oggi**, today's date; **d. di scadenza**, expiry date; (*di consegna*) date due; (*su alimento*) use-by date, best-before date; (*su medicinale*) use-by date; (*comm.*) date of maturity; **d. ultima di scadenza**, deadline; **fissare la d. di un incontro**, to fix the date of a meeting; **mettere la d. a qc.**, to date st.; *La lettera porta la d. del 2 marzo*, the letter is dated March 2nd; **rimandare ad altra d.** [**a d. da destinarsi**], to put off to a later date [indefinitely]; **stabilire la d. dei reperti**, to date the findings; **a far d. da oggi**, dating (*o* as) from today; **in d. odierna**, under today's date; **in d. da destinarsi**, at some future date; **senza d.**, undated **2** (*nei giochi di carte*) shuffling and dealing; (*le carte date*) deal ● **d'antica d.**, old; long-standing (attr.) ▫ **di fresca d.**, recent; of recent date ▫ (*geogr.*) **linea del cambiamento di d.**, (International) Date Line.

database, data base (*ingl.*) loc. m. inv. (*comput.*) database: **d. relazionale**, relational database.

datàbile a. datable, dateable.

datàre ▣ v. t. (*mettere o stabilire la data*) to date: **d. un testo** [**un fatto**], to date a text [an event]; **a d. da**, dating from; as from; (*con effetto da*) with effect from ▣ v. i. (*avere inizio*) to date back (*o* from): *Il castello data dal decimo secolo*, the castle dates back to the 10th century; *I primi segnali datano dal marzo scorso*, the first signs date from last March.

datàrio m. **1** (*timbro*) date stamp **2** (*di orologio*) calendar.

datàto a. dated: **una lettera datata 3 aprile**, a letter dated April 3rd; **stile d.**, dated style.

datazióne f. dating: **d. col carbonio 14**, carbon dating; **di difficile d.**, difficult to date.

datìsmo m. (*ling.*) **1** needless repetition of synonyms **2** error made by a foreign-language speaker.

datità f. (*filos.*) actuality.

datìvo a. e m. (*gramm.*) dative: **d. etico**, ethical dative.

♦**dàto** ▣ a. **1** (*determinato*) given; certain: **in una data situazione**, in a given situation; **in dati casi**, in certain cases **2** (*in considerazione di*) given; in view of; considering: *Data la situazione, dovremmo...*, given the situation, we should...; *Data la sua esperienza...*, in view of his experience... **3** (*dedito*) given; addicted: **d. al bere**, given to drink ● **d. che**, since; as; seeing that: *D. che non ho denaro, non posso comperarlo*, since I have no money, I can't buy it ▫ **d. e non concesso che**, even supposing that; granting for the sake of argument that ▣ **m.** datum*; (*fatto*) fact: **un d. certo** (**o di fatto**), a fact; **i dati di un problema**, the data of a problem; **dati anagrafici**, personal data; **dati contabili**, accounting data; (*comput.*) **dati di ingresso** [**di uscita**], input [output] data; **dati non elaborati**, raw data; **dati segnaletici**, detailed description; **dati statistici**, statistical data; statistics (pl. col verbo al sing.); **dati tecnici**, specifications; **elaborazione (dei) dati**, data processing; **reperimento dei dati**, data retrieval.

datóre m. (f. *-trìce*) giver ● **d. di lavoro**, employer ▫ (*teatr.*, *TV*) **d. di luci**, light engineer.

datoriàle a. (*econ.*) concerning employers; employer (attr.).

dàttero m. **1** (*bot.*, *Phoenix dactylifera*) date palm **2** (*il frutto*) date ● (*zool.*) **d. di mare** (*Lithodomus lithophagus*), date mussel (*o* shell).

dattìlico a. (*poesia*) dactylic.

dattilìfero a. – (*bot.*) **palma dattilifera**, date palm.

dàttilo m. (*poesia*) dactyl.

dattilografàre v. t. to type; to typewrite*.

dattilografìa f. typing; typewriting.

dattilogràfico a. typing (attr.); typewriting (attr.).

dattilògrafo m. (f. *-a*) typist.

dattilogràmma m. fingerprint; dactylogram (*USA*).

dattilologìa f. dactylology; sign language.

dattiloscopìa f. dactyloscopy.

dattiloscòpico a. dactyloscopic; fingerprint (attr.).

dattiloscritto ▣ a. typewritten; typed ▣ m. typescript.

dattiloscrittùra → **dattilografia**.

dattiloscrivere → **dattilografare**.

dattilòttero m. (*zool.*, *Dactylopterus volitans*) flying gurnard.

dattórno avv. around; round about: *Non lo voglio d.*, I don't want him around; **darsi d.**, (*darsi da fare*) to get busy, to do all one (*comincia a cercare*) to start looking around; **levarsi d.**, to get out of the way; **togliersi q. d.**, to get rid of sb.

datùra f. (*bot.*, *Datura*) datura.

♦**davànti** ▣ avv. in front; (*più avanti*) ahead: *D. marciava la banda*, the band marched in front; **sedere d.**, (*in auto*) to sit in front; (*al cinema, ecc.*) to sit at the front; *Guarda d.!*, look in front of you!; look ahead!; *Gli altri sono d.*, the others are ahead; *Ho d. una giornata campale*, I have a very busy day before me; *Hai d. tutta la vita*, you have a whole lifetime ahead of you; *Ce l'hai d.!*, it's right in front of you! ▣ **davànti a** loc. prep. **1** in front of; before; (*all'esterno*) outside; (*dirimpetto a*) opposite; (*al cospetto di*) before; in the presence of: *Si fermò d. a una vetrina*, she stopped in front of a shop-window; *Passa le sere d. alla televisione*, he spends his evenings in front of (*o* before) the TV; *La mia casa è d. al teatro*, my house is opposite the theatre; *Sedeva d. a me*, (*dandomi le spalle*) she was sitting in front of me; (*di fronte*) she was sitting opposite me; *D. a noi si apriva una valle*, a valley opened before us; *Mi mise d. un libro*, he put a book before me; *C'è un camion davanti alla casa*, there

is a lorry parked outside the house; *Troviamoci d. al cinema*, let's meet outside the cinema; **guardare d. a sé**, to look ahead; **fuggire d. a q.**, to fly before sb.; **comparire d. al giudice**, to appear before a judge; **parlare d. a un folto pubblico**, to talk to a large audience; **d. a Dio**, before God; **d. ai miei occhi**, before my eyes; **d. al pericolo**, in the face of danger; **d. alla morte**, in the presence of death; *Non venirmi più d.!*, I don't want to see your face again!; **Levatemelo (da) d.!**, get him out of my sight!; (*fig.*) *Ce l'ho ancora d. agli occhi*, I can still see it **2** (*prima di*) before: *C'erano sei persone d. a me*, there were six people before me ▣ **m.** front: **il d. del cappotto**, the front of the coat; **il d. di una busta**, the front of an envelope ▣ **a.** inv. front; fore (attr.): **ruote d.**, front wheels; **le stanze d.**, the front rooms; **zampe d.**, forelegs.

davantino m. dicky.

♦**davanzàle** m. windowsill.

♦**davànzo** avv. more than enough.

Dàvide m. David.

davidico a. of David; David's (attr.): **salmi davidici**, David's psalms.

♦**davvéro** avv. really; indeed: *Sono d. gentili!*, they are really nice!; «*Ti piace d. quel libro?*» «*Sì, d.*», «do you really like that book?» «yes, I do»; «*Ho vinto!*» «*D.?*», «I've won» «have you really?»; *Sì, è d. molto bello*, yes, it's very beautiful indeed; *D. non ti spiace?*, are you sure you don't mind?; *Non vorrà comprare d. quella casa!*, surely he is not going to buy that house!; *Dico d.*, (*sono sincero*) I mean it; (*non scherzo*) I'm being serious; *No d.!*, not at all!; of course not!; **per d.**, really and truly.

davvicino avv. from close up.

day hospital m. inv. day hospital.

dazebào m. dazibao; wall newspaper; wall poster.

daziàre v. t. to put* a duty on.

daziàrio a. customs (attr.); excise (attr.): **casello d.**, customs house; **cinta daziaria**, customs boundaries; **guardia daziaria**, exciseman*.

dazière m. exciseman*.

dàzio m. **1** duty; excise duty; tax: **d. ad valorem**, ad valorem duty; **d. d'entrata** [**d'uscita**], import [export] duty; **d. di consumo**, excise duty; **d. doganale**, customs (duty); **d. interno**, excise duty; **esentare dal pagamento del d.**, to exempt from duty; **imporre un d.**, to levy a duty; **pagare il d. su qc.**, to pay duty on st.; **esente da d.**, duty-free; **soggetto a d.**, liable to duty **2** (*ufficio, casello daziario*) customs house.

D.C. sigla (*stor.*, **Democrazia Cristiana**) Christian Democratic Party.

d.C. sigla (**dopo Cristo**) in the year of the Lord; Anno Domini (AD).

d.c. sigla (*mus.*, **da capo**) repeat from the beginning; da capo (DC).

DCSA sigla (**Direzione centrale per i servizi antidroga**) Central Narcotics Investigation Department

DDA sigla (**Direzione distrettuale antimafia**) Local Anti-Mafia Investigation Department

DDL, d.d.l. sigla (*leg.*, **disegno di legge**) (parliamentary) bill.

ddp sigla (*fis.*, **differenza di potenziale**) potential difference.

dèa f. (*anche fig.*) goddess: **la dea Diana**, the goddess Diana; **la dea dell'amore**, the goddess of love.

DEA sigla (*med.*, **Dipartimento di emergenza e accettazione**) accident & emergency; emergency room.

deaeràre v. t. (*tecn.*) to deaerate.

deaerazióne f. (*tecn.*) deaeration.

deafferentazióne f. (*med.*) deafferentation.

deaggettivàle a. (*ling.*) formed from an adjective • **verbo [sostantivo] d.**, backformation from an adjective.

dealfabetizzazióne f. loss of literacy.

deambulànte a. walking about; mobile; (*med.*) ambulant • **persona non d.**, person with limited mobility; person unable to walk.

deambulàre v. i. (*lett.* o *scherz.*) to walk about; to stroll about; to ambulate (*scient.*).

deambulatóre m. (*med.*) walking frame; walker; Zimmer® (frame).

deambulatòrio A m. (*archit.*) ambulatory B a. (*lett.*) ambulatory.

deambulazióne f. walking about; ambulation (*scient.*).

deamiciṣiàno a. **1** of or concerning E. De Amicis **2** (*fig.*: *patetico*) pathetic, sentimental; (*moralistico*) moralistic.

deamplificàre v. t. (*tecn.*) to deamplify.

deamplificazióne f. (*tecn.*) deamplification.

deasfaltizzazióne f. (*chim.*) deasphalting.

deaspirazióne f. (*ling.*) deaspiration.

débâcle (*franc.*) f. inv. debacle; fiasco.

debbiàre v. t. (*agric.*) to burnbeat*.

debbiatùra f., **débbio** m. (*agric.*) burnbeating.

débbo 1ª pers. sing. indic. pres. di **dovere**.

debellàre (*lett.*) v. t. **1** to vanquish; to defeat; to crush **2** (*fig.*) to overcome*; to subdue; (*estirpare*) to eliminate, to eradicate: **d. una malattia**, to eradicate a disease.

debilitànte a. weakening; debilitating; enfeebling.

debilitàre A v. t. to weaken; to debilitate; to enfeeble B **debilitàrsi** v. i. pron. to weaken; to grow* weak (o weaker).

debilitazióne f. weakening; debilitation; enfeeblement.

debitaménte avv. (*dovutamente*) duly; (*al momento dovuto*) in due course; (*nel modo giusto*) properly, rightly.

♦**débito** ① a. due; proper; right: **a tempo d.**, in due time; in due course; **con le debite precauzioni**, with due caution; **con la debita cura**, with proper care; **nel modo d.**, in the right way.

♦**débito** ② m. **1** (*comm.*, *leg.*, *fig.*) debt: **d. consolidato**, founded (o fixed) debt; **d. di gioco**, gambling debt; **d. di gratitudine**, debt of gratitude; **d. d'onore**, debt of honour; **d. fluttuante**, floating (o unfunded) debt; **d. ipotecario**, mortgage debt; **d. prescritto**, time-barred debt; **d. privilegiato**, preferential debt; **il d. pubblico**, the national debt; **accumulare debiti**, to run up debts; **addossarsi** (o **accollarsi**) **un d.**, to take a debt upon oneself; *Ho un d. di tremila euro*, I am three thousand euros in debt; **avere un d. con q.**, to be in debt to sb.; **avere molti debiti**, to be heavily (o deep) in debt; to be up to one's ears (o neck) in debt (*fam.*); **essere in d. verso q.**, to be in debt to sb.; to owe sb. a debt; *Ti sono in d. di una risposta*, I owe you an answer; **fare debiti**, to get into debts; **pagare un d.**, to pay off a debt; (*fig.*) **in d. con q.**, indebted to sb. **2** (*rag.*) debit: **nota di d.**, debit note; **segnare una somma a d. di q.**, to debit sb. with an amount • **d. di coscienza**, matter of conscience; moral duty □ **comprare [vendere] a d.**, to buy [to sell] on credit □ (*fig.*) **pagare il d. alla natura**, to die.

debitóre A m. (f. **-trice**) debtor: **d. inadempiente** (o **moroso**), debtor in default; defaulter; **d. insolvente**, insolvent debtor;

debitori diversi, sundry debtors; **essere d. di qc. a q.**, to owe sb. st.; to be in sb.'s debt for st.; to be indebted to sb. for st.; *Gli sono d. della vita*, I owe him my life; *Ti sono d. per quel consiglio prezioso*, I'm in your debt for your valuable advice B a. indebted: **paesi debitori**, indebted countries.

debitòrio a. (*leg.*) debt (attr.); of the debtor: **situazione debitoria**, indebtedness.

♦**débole** A a. **1** weak; feeble; frail; (*scarso*) poor; (*fievole*) faint; (*arrendevole*) weak, soft: **uomo [stomaco, governo] d.**, weak man [stomach, government]; **polso d.**, weak pulse; **d. protesta [tentativo, scusa]**, feeble protest [attempt, excuse]; **d. speranza**, faint hope; **punto d.**, weak point; weakness; **vista d.**, weak (o poor) eye-sight; **ragionamento d.**, feeble argument; **il sesso d.**, the weaker sex; **d. di carattere**, weak; (*troppo arrendevole*) too soft; **d. di mente**, weak-minded; **d. in francese**, weak in French; **essere d. di memoria**, to have a poor memory; **sentirsi d.**, to feel weak; **avere le gambe deboli**, to be weak in the legs; **avere un aspetto d.**, to look frail **2** (*di luce*) dim, indistinct, faint; (*di colore*) dull, dim; (*di suono*) faint **3** (*gramm.*) weak: **verbo d.**, weak verb B m. **1** (*punto debole*) weak point; weak spot; weakness: *La timidezza è il tuo d.*, shyness is your weak point **2** (*persona debole*) weak person; (*spreg.*) weakling: *Suo padre è un d. e lui ne approfitta*, his father is weak and he takes advantage of it; **aiutare i deboli**, to help the weak **3** (*inclinazione*) weakness; fondness; soft spot; partiality; (*vizio*) weakness: **avere un d. per**, to have a weakness for; to be very fond of; to be partial to; **avere un d. per i gelati**, to have a weakness (o a fondness) for ice cream; *Ha un d. per te*, he has a soft spot for you; (*è innamorato*) he fancies you.

debolézza f. **1** weakness; feebleness; frailty; faintness: *La sua d. gli impedì di alzarsi*, his weakness prevented him from standing up; **avere d. di stomaco**, to have a weak stomach **2** (*difetto*) weakness; frailty; (*carenza*) failing: **le debolezze umane**, human weaknesses (o frailties, failings); *È una sua d. non saper dire di no*, it's a weakness of his not to be able to say no; **d. di vista**, weak (o poor) eye-sight; **d. di udito**, poor hearing.

Dèbora f. Deborah.

debordàre v. i. **1** (*traboccare*) to overflow; (*anche fig.*) to spill over **2** (*fig.: esagerare*) to exaggerate (st.); to overdo* it **3** (*fig.: uscire di argomento*) to stray (from the point).

debosciàto A a. debauched; dissolute B m. (f. **-a**) debauchee.

debraglià ta, **débrayage** (*franc.*) f. (*autom.*) declutching: **fare una d.**, to declutch; **doppia d.**, double declutching.

debuttànte A m. e f. (*principiante*) beginner; novice; (*esordiente*) person making his [her] debut B f. (*ragazza che entra in società*) debutante; deb (*fam.*).

debuttàre v. i. (*teatr.*) to make* one's debut; to debut; (*estens.*) to begin*, to start off: **d. nell'«Aida»**, to make one's debut (o to debut) in «Aida»; **d. come scrittore**, to begin as a writer; **d. in società**, to come out.

debùtto m. (*teatr.*) debut; (*estens.*) beginning, start: *Fece il suo d. alla Fenice*, she made her debut (o she debuted) at La Fenice; *Questo romanzo è il suo d. come romanziere*, this is his first novel; **fare il proprio d. in società**, to come out.

dèca A f. (*stor. romana*) decade: **la prima d. di Livio**, Livy's first decade B m. (*pop.*: *biglietto da diecimila lire*) ten-thousand-lire note.

decabrista m. (*stor. russa*) Decembrist.

dècade f. **1** (*dieci giorni*) (period of) ten

days: **la prima d. del mese**, the first ten days of the month **2** (*mil.*) ten days' pay **3** (*tecn.*) decade❶ **FALSI AMICI** • decade *nel senso di dieci giorni non si traduce con* decade.

decadènte a., m. e f. **1** in decline; declining; in decay **2** (*letter.*, *arte*) decadent.

decadentiṣmo m. (*letter.*, *arte*) decadent movement.

decadentìsta m. e f. (*letter.*, *arte*) decadent.

decadentìstico a. (*letter.*, *arte*) decadent.

decadènza f. **1** decline; decay; falling off; (*spec. morale*) decadence: **la d. dell'Impero Romano**, the decline of the Roman Empire; **la d. dei costumi**, the decline in morals; **in d.**, declining; on the decline **2** (*letter.*, *arte*) decadence **3** (*leg.*, *per mancato esercizio*) lapse; (*per inadempienza*) loss, forfeiture, withdrawal: **d. della cittadinanza**, loss (o withdrawal) of nationality; **d. di un diritto**, forfeiture (o loss) of a right; **d. dalla patria potestà**, loss of parental authority.

decadére v. i. **1** to decline; to fall* off; to decay **2** (*leg.*) to lose* (st.); to forfeit (st.): **d. da un diritto**, to lose (o to forfeit) a right.

decàdico a. **1** of ten days; ten-days' (attr.) **2** (*elettr.*, *elettron.*) decade (attr.): **contatore d.**, decade scaler (o counter).

decadiménto m. **1** → **decadenza**, *def. 1 e 3* **2** (*fis. nucl.*) decay: **d. alfa [beta]**, alpha [beta] decay.

decadùto a. (*impoverito*) impoverished; **nobile d.**, impoverished aristocrat.

decaèdrico a. (*geom.*) decahedral.

decaèdro m. (*geom.*) decahedron*.

decaffeinàre v. t. to decaffeinate.

decaffeinàto A a. decaffeinated; caffeine-free B m. decaffeinated coffee; decaf (*fam.*).

decaffeinazióne f. decaffeination.

decaffeinizzàre e *deriv.* → **decaffeinare**, e *deriv.*

decagonàle a. (*geom.*) decagonal.

decàgono m. (*geom.*) decagon.

decagràmmo m. decagramme.

décalage (*franc.*) m. inv. difference; gap.

decalcàre v. t. to transfer.

decalcificàre v. t. (*chim.*, *med.*) to decalcify.

decalcificazióne f. (*chim.*, *med.*) decalcification.

decàlco m. transferring; transfer printing.

decalcomania f. **1** (*procedimento*) decalcomania **2** (*foglio con immagine*) transfer; decal (*fam.*) **3** (*immagine decalcata*) transfer.

decàlitro m. decalitre, decaliter (*USA*).

decàlogo m. **1** (*relig.*) Decalogue **2** (*estens.: insieme di norme*) set of rules; (*manuale*) guide, handbook.

decàmetro m. decametre, decameter (*USA*).

decampàre v. i. (*fig.*) to recede; to abandon; to give* up; to climb* down (*fam.*).

decanàto m. (*eccles.*) deanery.

decàno m. **1** (*eccles.*) dean **2** (f. **-a**) doyen; (*membro anziano*) senior member: **il d. dei giornalisti sportivi**, the doyen of sports reporters; **il d. del corpo accademico**, the senior member of the academic staff **3** (*astrol.*) decan.

decantàre ① v. t. (*magnificare*) to extol; to sing* the praises of; to praise (st.) to the skies❶ **FALSI AMICI** • decantare *non si traduce con* to decant.

decantàre ② A v. t. **1** (*chim.*) to settle; to allow to settle; (*due liquidi*) to separate **2** (*fig.*) to purify B v. i. (*chim.*) to settle; (*di due liquidi*) to separate❶ **FALSI AMICI** • decantare *non si traduce con* to decant.

decantatóre m. (*ind.*) settler; separator **❶ FALSI AMICI** • decantatore *non si traduce con* decanter.

decantazióne f. **1** (*chim.*) settling; (*di due liquidi*) separation **2** (*fig.*) purification.

decapàggio m. (*metall.*) pickling.

decapàre v. t. (*metall.*) to pickle.

decapitàre v. t. **1** to decapitate; (*come pena, anche*) to behead **2** (*recidere alla sommità*) to cut* off the top of; to decapitate **3** (*fig., rif. a un'organizzazione*) to deprive (st.) of its leadership; to decapitate.

decapitazióne f. decapitation; (*come pena, anche*) beheading.

decàpode m. (*zool.*) decapod; (al pl., *scient.*) Decapoda.

decappottàbile a. e f. (*autom.*) convertible.

decappottàre v. t. (*autom.*) to fold back (*o* to remove) the roof of.

decapsulazióne f. (*med.*) decapsulation.

decarbossilàre v. t. (*tecn.*) to decarboxylate.

decarbossilazióne f. (*tecn.*) decarboxylation.

decarburàre v. t. (*chim.*) to decarbonize; to decarburize.

decarburazióne f. (*chim.*) decarbonization; decarburization.

decasìllabo (*poesia*) **A** a. decasyllabic **B** m. decasyllable.

decàstilo a. (*archit.*) decastyle.

dècathlon m. (*sport*) decathlon.

decathonèta → **decatleta**.

decatissàggio m. (*ind. tess.*) delustring.

decatizzàre v. t. (*ind. tess.*) to delustre.

decatlèta m. (*sport*) decathlete.

dècatlon → **decathlon**.

decauville (*franc.*) f. inv. Decauville railway; narrow-gauge railway.

decèdere v. i. to die*; to decease (*form.*).

deceduto a. dead; deceased (*form.*).

deceleràre v. t. e i. to decelerate; to slow down.

deceleratóre a. decelerating.

decelerazióne f. deceleration; slowing down.

decemviràle a. (*stor. romana*) decemviral.

decemviràto m. (*stor. romana*) decemvirate.

decèmviro m. (*stor. romana*) decemvir*.

decennàle **A** a. **1** (*che dura 10 anni*) ten-year (attr.); ten-year long: **periodo d.**, ten-year period; decade; **piano d.**, ten-year plan **2** (*che dura da 10 anni*) ten-year-old (attr.); ten-year-long (attr.): **amicizia d.**, ten-year-old friendship; **lite d.**, ten-year-long dispute **3** (*che ricorre ogni 10 anni*) ten-yearly; decennial **B** m. tenth anniversary.

decènne **A** a. ten years old (pred.); ten-year-old (attr.); aged ten (pred.) **B** m. e f. ten-year-old.

decènnio m. decade; ten-year period; (period of) ten years; decennium*: **nell'ultimo d.**, in the past decade; in the last ten years.

decènte a. **1** (*decoroso*) decent; decorous; presentable; proper; respectable: **abiti decenti**, decent clothes; **rientrare a un'ora d.**, to come home at a respectable time; **vestito in modo d.**, presentably dressed **2** (*accettabile*) reasonable; satisfactory; decent: **pranzo d.**, decent dinner; **stipendio d.**, reasonable salary.

decentralizzàre v. t. to decentralize.

decentralizzazióne f. → **decentramento**, def. 1.

decentraménto m. **1** decentralization; (*econ.*) hiving off: **d. dei servizi**, service de-

centralization; **d. aziendale**, hiving off **2** (*polit.*) decentralization; (*devoluzione*) devolution.

decentràre v. t. **1** to decentralize; (*econ.*) to hive off **2** (*polit.*) to decentralize; (*devolvere*) to devolve.

decènza f. decency; propriety; respectableness; (*regole del vivere civile*) decorum, common decency: **un'offesa alla d.**, an offence against decorum (*o* common decency); **pubblica d.**, public decency • **luogo di d.**, toilet.

decerebellàre v. t. (*chir.*) to decerebellate.

decerebellazióne f. (*chir.*) decerebellation.

decerebràre v. t. (*chir.*) to decerebrate.

decerebrazióne f. (*chir.*) decerebration.

decespugliatóre m. (*agric.*) trimmer.

decèsso m. (*bur.*) death; decease (*form.* o *leg.*): **le cause del d.**, the causes of death; **constatare un d.**, to ascertain death; to certify a death; (*leg.*) **atto di d.**, death certificate.

decibèl m. (*fis.*) decibel.

♦**decìdere** **A** v. t. **1** to decide (on st., to do st.); to resolve (to do st., on doing st.); (*fissare*) to agree (on st., to do st.); (*scegliere*) to choose* (st.); (*assol.*: *prendere una decisione*) to make* up one's mind, to decide; (*prendere decisioni*) to make* (*o* take*) decisions: *Decise di vendere l'auto*, he decided to sell his car; **d. di non fare qc.**, to decide not to do st.; to decide against doing st.; **d. una data**, to agree on a date; to fix a date; **d. la guerra**, to decide on war; *Abbiamo deciso per il Messico per il nostro viaggio*, we've decided on Mexico for our trip; *Decisero di rincontrarsi di lì a un mese*, they agreed to meet in a month's time; *Devi d. tra me e lei*, you must choose between me and her; *Ormai ho deciso*, my mind is made up; *Avanti, decidi qualcosa!*, do make up your mind (one way or the other)!; *Qui decido io*, I make decisions here; *Decidi tu*, you decide **2** (*risolvere, definire*) to decide; to settle: **d. una questione**, to settle (*o* to decide) a question **3** (*leg., di tribunale*) to rule (on st., that) **B** v. t. e i. (*determinare*) to decide; to determine: *Quella lettera decise il (o del) nostro destino*, that latter decided (*o* determined) our fate **C** **decìdersi** v. i. pron. to make* up one's mind (to do st.); to decide (on st.); (*risolversi*) to bring* oneself round (to do st.): *Deciditi una buona volta!*, make up your mind once and for all!; *Allora, ti decidi?* (*sbrigati*), well? what are you waiting for?; *Non so decidermi*, I can't make up my mind about it.

decidìbile a. (*logica*) decidable.

decidibilità f. (*logica*) decidability.

decìdua f. (*anat.*) decidua.

deciduàle a. (*anat.*) decidual; deciduate.

decìduo a. (*bot., zool.*) deciduous: **denti decidui**, deciduous teeth; **foglie decidue**, deciduous leaves.

decifràbile a. decipherable.

decifrabilità f. decipherability.

deciframénto m. **1** deciphering; decipherment **2** (*di messaggio cifrato*) decoding.

decifràre v. t. **1** (*un testo scritto*) to decipher, to read*; (*riuscire a capire*) to make* out: **d. un manoscritto**, to decipher (*o* to read) a manuscript; **d. una scrittura antica**, to read an ancient script; *Riesci a d. questo biglietto?*, can you make out what's written in this note? **2** (*decodificare*) to decipher; to decode; (*un codice segreto*) to break*, to crack: **d. un messaggio**, to decode a message; *Il nemico riuscì a d. il nostro codice*, the enemy broke (*o* cracked) our code **3** (*fig.*: *capire*) to make* out; (*inter-*

pretare) to work* out; (*risolvere*) to solve: *Non riesco a d. le sue intenzioni*, I cannot make out his intentions; **d. un enigma**, to solve a riddle **4** (*mus.*) to sight-read*.

decifratóre **A** a. deciphering; cipher (attr.) **B** m. **1** (f. **-trice**) decipherer **2** (*macchina*) cipher machine.

decifrazióne f. deciphering; decipherment; decoding.

decìgrado m. decigrade.

decigràmmo m. decigramme.

decìle m. (*stat.*) decile.

decìlitro m. decilitre, deciliter (USA).

dècima f. **1** (*stor.*) tithe **2** (*mus.*) tenth.

decimàle① **A** a. decimal: **frazione d.**, decimal fraction; **sistema d.**, decimal system; **convertire al sistema d.**, to decimalize **B** m. decimal: **d. periodico**, recurring decimal; **ridurre in decimali**, to reduce to decimals.

decimàle② a. (*stor.*) of a tithe; tithe (attr.).

decimalizzàre v. t. to decimalize; (*rif. ai sistemi di misura*) to metricate.

decimàre v. t. **1** (*mil. stor.*) to decimate **2** (*fig.*: *fare strage*) to decimate; (*danneggiare*) to ruin, to cause extensive damage to; (*ridurre di numero*) drastically to cut* down the number of.

decimazióne f. **1** (*mil.*) decimation **2** (*fig.*) decimation; (*grave danno*) extensive damage; (*forte riduzione*) drastic reduction in numbers.

decìmetro m. decimetre, decimeter (USA).

decimilionèsimo → **diecimilionesimo**.

decimillèsimo a. num. ord. e m. ten thousandth.

decimilligràmmo m. decimilligramme.

decimillìmetro m. decimillimetre, decimillimeter (USA).

♦**dècimo** a. num. ord. e m. tenth: **la decima parte**, the tenth part; a tenth; **i nove decimi della popolazione**, the nine tenths of the population; **dieci decimi di vista**, twenty-twenty vision.

decimoprìmo a. num. ord. eleventh.

decimosecóndo a. num. ord. twelfth.

decìna f. **1** (*dieci*) ten: **la prima d.**, the first ten; **due decine**, twenty; a score; **tre decine**, thirty **2** (*circa dieci*) about ten; ten or so; roughly ten; (*quantità imprecisata*) dozen (= *dozzina*): **una d. di quadri**, about ten pictures; *Eravamo una d.*, there were about ten of us; *Te l'ho detto almeno una d. di volte*, I have told you a dozen times at least; **poche decine di persone**, a few dozen people • **decine e decine**, scores; lots; loads □ **a decine**, (*a gruppi di dieci*) by tens; (*in grande quantità*) by the dozen, by the score, in large number.

decisaménte avv. **1** (*con risolutezza*) resolutely **2** (*senza dubbio*) decidedly; definitely; positively: *È d. superiore all'avversario*, he is definitely superior to his opponent; *La metropolitana è diventata un luogo d. pericoloso di notte*, the underground has become a positively dangerous place at night.

decisionàle a. decision-making: **organo d.**, decision-making body; **potere d.**, power to decide.

decisionalità f. decision-making; (*potere*) power to decide.

♦**decisióne** f. **1** decision: **d. imparziale**, fair decision; **d. unilaterale**, unilateral decision; **giungere a (o maturare) una d.**, to come to (*o* to arrive at, to reach) a decision; **prendere una d.**, to make (*o* to take) a decision; to make up one's mind **2** (*di assemblea*) resolution: **prendere una d.**, to pass a reso-

lution **3** (*leg.*) judgment; ruling; decision **4** (*risolutezza*) decision; resolution; decisiveness; firmness: **mancare di d.**, to lack decision.

decisionismo m. decision-making ability.

decisionista **A** m. e f. efficient decision-maker **B** a. efficient decision-making (attr.).

decisivo a. **1** decisive; conclusive: **una battaglia decisiva**, a decisive battle; **una prova decisiva**, conclusive evidence; **essere l'elemento d.**, to be the decisive factor; to tip the balance **2** (*cruciale*) crucial; critical: **momento d.**, crucial moment.

♦**deciso** a. **1** (*stabilito*) definite; settled: *La faccenda è decisa*, the question is settled; *Non c'è niente di d.*, there is nothing definite **2** (*risoluto*) firm; resolute; decided; (*pronto*) ready, determined: *Sono d. a farlo*, I'm determined to do it; *La nuova segretaria è un tipo d.*, the new secretary is a no-nonsense type; *Parlò con tono d.*, she spoke with determination **3** (*netto*) clean; sharp; clear; clear-cut: **un taglio d.**, a clean cut; **profilo d.**, sharp profile; **risposta decisa**, clear-cut answer **4** (*spiccato*) decided; marked: **un d. miglioramento**, a marked improvement.

decisore m. (f. **deciditrice**) decision-maker.

decisorio a. decisive.

deck (*ingl.*) m. inv. (*mus.*) tape deck.

declamare **A** v. t. to declaim; to recite **B** v. i. to declaim.

declamato **A** a. declaimed; recited **B** m. (*mus.*) recitative.

declamatore m. (f. **-trice**) declaimer; reciter; orator.

declamatorio a. (*retorico*) declamatory.

declamazione f. **1** (*il declamare*) declamation; recitation **2** (*discorso*) declamation; rhetorical (*o set*) speech.

declaratoria f. (*leg.*) declaratory judgment.

declaratorio a. (*leg.*) declaratory.

declassamento m. downgrading; (*retrocessione*) demoting.

declassare v. t. to downgrade; (*retrocedere*) to demote, to reduce in rank.

declassificare v. t. to declassify.

declinabile a. (*gramm.*) declinable.

declinare **A** v. t. **1** (*rifiutare*) to decline; to turn down; to refuse: **d. un'offerta [un invito]**, to decline an offer [an invitation]; **d. ogni responsabilità**, to decline all responsibility; to accept no responsibility **2** (*gramm.*) to decline **3** (*bur.: dichiarare*) to state; to give*: **d. le proprie generalità**, to give one's particulars; to identify oneself **B** v. i. **1** (*digradare*) to slope down: **terreno che declina verso il mare**, ground that slopes down to the sea **2** (*tramontare*) to set*; to sink* **3** (*volgere alla fine*) to draw* to an end; to decline: *Il giorno declinava*, the day was drawing to an end **4** (*diminuire*) to decline; to wane; to ebb: *La sua popolarità declinò rapidamente*, his popularity waned rapidly **5** (*deviare*) to deviate **C** m. close; end; wane: **essere al d.**, to be on the decline (*o* on the wane); **sul d. del giorno**, at dusk.

declinatoria f. (*leg.*) declinatory exception.

declinatorio a. (*leg.*) declinatory: **eccezione declinatoria**, declinatory exception; **pronuncia declinatoria**, declinature.

declinazione f. **1** (*gramm.*) declension **2** (*astron., geofisica*) declination: **d. magnetica**, (magnetic) declination (*o* variation) **3** (*fig., spec.* al pl.) variety; manifestation; aspect: *affrontare un problema in tutte le sue declinazioni*, to handle every single aspect of a problem.

declino m. **1** decline; decay; wane: **il d. di un impero**, the decline of an empire; **un d. dell'occupazione**, a decline in job vacancies; **andare in d.**, to fall (*o* to go) into decline; **essere in d.**, to be in (*o* on) decline; to be declining; to be on the wane **2** (*del sole*) setting.

declinòmetro m. (*astron.*) declinometer; variation compass.

declive a. (*lett.*) sloping (downwards); declivous.

declivio m. (downward) slope; declivity: **terreno in d.**, sloping ground.

declività f. declivity; slope.

declorare v. t. to dechlorinate.

decloratore m. dechlorinator.

declorazione f. dechlorination.

declorurare v. t. (*chim.*) to dechloridate.

declorurazione f. (*chim.*) dechloridation.

déco (*franc.*) **A** a. inv. Art Deco (attr.): **stile d.**, Art Deco style **B** m. Art Deco.

decoder (*ingl.*) m. (*tecn.*) decoder; (*per digitale terrestre*) (digital terrestrial) receiver.

decodifica f. (*ling.*) decoding.

decodificàbile a. that can be decoded; decipherable.

decodificare v. t. to decode; to decipher.

decodificatóre m. decoder.

decodificazione f. decoding; deciphering.

decollàggio → **decollo**.

decollàre① v. i. **1** (*aeron.*) to take* off **2** (*fig.*) to take* off; to get* off the ground.

decollàre② v. t. (*decapitare*) to behead; to decollate (*lett.*).

decollàto a. – *S. Giovanni D.*, St John Decollate.

decollazione f. beheading; decollation (*lett.*): **la d. di S. Giovanni**, the decollation of St John.

décolleté (*franc.*) **A** m. inv. **1** (*scollatura*) low neckline; décolletage **2** (*abito*) low-cut dress: *Le signore erano in d.*, the ladies wore low-cut dresses **3** (*collo e spalle*) décolletage **B** a. inv. décolleté; low-cut • **scarpa d.**, court shoe.

decòllo m. (*aeron.* e *fig.*) take-off: **d. verticale**, vertical take-off; (*fig.*) **d. industriale**, industrial take-off; **pista di d.**, take-off runway.

decolonizzàre v. t. to decolonize.

decolonizzazione f. decolonization.

decolorànte **A** a. decolorizing; bleaching **B** m. decolorant; bleach.

decoloràre v. t. to decolorize; to bleach.

decolorazione f. decolorization; bleaching: **d. dei capelli**, hair bleaching; **d. del cotone**, cotton bleaching.

decombènte a. (*bot., zool.*) decumbent.

decomponìbile a. decomposable.

decomponibilità f. decomposability.

decompórre **A** v. t. **1** (*chim.*) to decompose; to break* down **2** (*mat.*) to factorize **3** (*putrefare*) to decompose; to rot; to putrefy **B** decompórsi v. i. pron. **1** (*chim.*) to decompose; to break* down **2** (*putrefarsi*) to decompose; to decay; to rot; to putrefy.

decomposizióne f. **1** (*chim.*) decomposition; breaking down **2** (*mat.*) factorization **3** (*putrefazione*) putrefaction; decay.

decompressìmetro m. decompression meter; decometer.

decompressióne f. decompression: **camera di d.**, decompression chamber.

decomprìmere v. t. (*anche comput.*) to decompress; to unzip (*solo comput.*).

decomunistizzazióne f. (*polit.*) decommunization.

deconcentràre **A** v. t. to make* (sb.)

lose (his, her) concentration (*o* lose track); to distract **B** **deconcentràrsi** v. i. pron. to lose* one's concentration; to lose* track (of what one is doing).

deconcentràto a. lacking concentration; that has lost his [her] concentration.

deconcentrazióne f. lack of concentration; loss of one's concentration.

decondizionaménto m. (*anche med.*) deconditioning.

decondizionàre v. t. (*anche med.*) to decondition.

decongelaménto → **decongelazione**.

decongelàre v. t. **1** (*scongelare*) to thaw (out); to defrost; to unfreeze* **2** (*fig., econ.*) to unfreeze*.

decongelazióne f. thawing; defrosting; unfreezing.

decongestionaménto m. **1** (*med.*) decongestion **2** (*fig.*) decongestion; relief; easing.

decongestionànte m. (*med.*) decongestant.

decongestionàre v. t. **1** (*med.*) to decongest **2** (*fig.*) to relieve the congestion of; to decongest; to ease: **d. il traffico**, to relieve traffic congestion; to decongest traffic.

decongestióne f. → **decongestionaménto**.

decontaminàre v. t. to decontaminate.

decontaminazióne f. decontamination.

decontestualizzàre v. t. to isolate (st.) from (its) context; to decontextualize.

decontestualizzazióne f. decontextualization.

decontràrre v. t., **decontràrsi** v. i. pron. to relax.

decontratturànte a. e m. (*med.*) muscle relaxant.

decontrazióne f. relaxation.

♦**decoràre** v. t. **1** (*adornare*) to decorate; to ornament: **d. di bandiere**, to decorate with flags **2** (*insignire di decorazione*) to decorate; to award (st. to sb.): **d. al valore**, to decorate for bravery; *Fu decorato con la croce di guerra*, he was awarded the military cross.

decorativìsmo m. (*arte*) predominance of decoration.

decorativo a. decorative; ornamental: **arti decorative**, decorative arts; **un ruolo unicamente d.**, a purely decorative role.

decoràto **A** a. **1** (*ornato*) decorated; ornamented: (*archit. ingl.*) **stile D.**, Decorated Style **2** (*insignito di decorazione*) decorated **B** m. (f. **-a**) holder of decoration: **un d. di guerra**, a holder of a war decoration; a man awarded a war decoration.

decoratóre m. (f. **-trice**) decorator.

decorazióne f. **1** decoration; ornamentation **2** (*ornamento*) decoration; ornament **3** (*medaglia*) decoration, medal; (*nastro*) ribbon; (*croce*) cross: **insignire q. di una d.**, to award sb. a decoration.

decornàre v. t. to dehorn.

decòro m. **1** (*dignità*) dignity; (*proprietà*) propriety, decorum; (*eleganza sobria*) sober elegance: **essere privo di d.**, to lack dignity; **senso del d.**, sense of decorum (*o* propriety); **venir meno al d.**, to sin against propriety; **vestirsi con d.**, to dress soberly **2** (*onore, prestigio*) good name; reputation **3** (*lustro*) ornament; credit: *Il dottor X è il d. della nostra professione*, Dr X is a credit to our profession **4** (*ornamento*) decoration; embellishment; (*motivo ornamentale*) motif **❶ FALSI AMICI** • decoro *non si traduce con* decor.

decoróso a. (*dignitoso*) decorous; proper; respectable; (*decente*) decent, presentable, satisfactory: **condotta decorosa**, proper be-

haviour; **stipendio d.**, decent salary; **risultato d.**, satisfactory result; **vestito in modo d.**, presentably dressed; **poco d.**, improper; unbecoming.

decorrènza f. starting date: **d. degli interessi**, start of interest accrual; **con d. da**, starting from; as from; with effect from; **avere d. da**, to become effective from; to come into effect from.

decórrere v. i. **1** (*trascorrere*) to pass; to elapse (*entrare in vigore*) to take* effect; to become* effective; to come* into effect: *Le nuove misure decorrono dal mese prossimo*, the new measures will take effect next month **3** (*cominciare a essere calcolato*) to start; (*di interessi*) to accrue: *L'aumento decorre dal prossimo mese*, the increase starts from next month ● **a d. da oggi**, starting (o as, with effect) from today.

decórso A a. **1** elapsed; past **2** (*scaduto*) due; overdue B m. **1** (*il decorrere*) passing **2** (*periodo*) lapse: **un lungo d. di tempo**, a long lapse of time **3** (*svolgimento*) course: **il d. della malattia**, the course of the illness.

decorticàre v. t. **1** (*agric.*) to decorticate; to strip; to bark **2** (*alim.*) to hull.

decorticazióne f. **1** (*agric.*) decortication; stripping; barking **2** (*alim.*) hulling.

decostruíre v. t. to deconstruct.

decostruttìvo a. deconstructive.

decostruzióne f. **1** deconstruction **2** deconstructionism.

decostruzionìsmo m. deconstructionism.

decostruzionìsta m. e f. deconstructionist.

decòtto ① m. decoction.

decòtto ② A a. (*econ.*, *leg.*) bankrupt; insolvent; (*di credito*, *ecc.*) frozen: **azienda decotta**, insolvent firm; **debito d.**, frozen debt B m. insolvent debtor.

découpage (*franc.*) m. inv. (*cinem.*) shooting script; continuity.

decozióne ① f. decoction.

decozióne ② f. (*econ.*, *leg.*) bankruptcy; insolvency; (*di credito*, *ecc.*) freezing: **la d. di un'azienda**, the state of bankruptcy of a firm; **d. di un credito**, freezing of a credit.

decreménto m. **1** decrease; decrement; reduction **2** (*fis.*) decrement.

decrepitàre v. i. (*chim.*) to decrepitate.

decrepitazióne f. (*chim.*) decrepitation.

decrepitézza f. decrepitude.

decrèpito a. **1** decrepit: **età decrepita**, decrepit old age **2** (*spreg.*) decrepit; superannuated; (*cadente*) dilapidated, ramshackle: **un edificio d.**, a decrepit building; **idee decrepite**, superannuated notions; **istituzioni decrepite**, decrepit institutions.

decrepitùdine f. decrepitude.

decrescèndo m. inv. (*mus.*) decrescendo.

decrescènte a. **1** decreasing; diminishing: **produttività d.**, diminishing returns; **in fase d.**, decreasing; on the decrease; (*della luna*) waning; (*di livello d'acqua*) subsiding; (*della marea*) ebbing; **in ordine d.**, in descending order **2** (*mat.*) decreasing.

decrescènza f. decrease; diminution: **popolazione in d.**, decreasing population.

decréscere v. i. to decrease; to diminish; to drop; (*della luna*) to wane; (*di livello d'acqua*) to subside; (*della marea*) to ebb; (*di suono*) to die* down, to fade away; (*di emozioni e qualità*) to ebb, to subside, to wane.

decretàle a. e f. (*eccles.*) decretal.

decretalìsta m. (*eccles.*) decretist; decretalist.

decretàre v. t. **1** (*statuire*) to decree; to ordain **2** (*tributare*) to confer; to award; to give*: *Gli decretarono accoglienze trionfali*, he was given a triumphal welcome.

decretazióne f. decreeing.

decréto m. **1** (*leg.*) decree; order; warrant; writ: **d. di citazione (in giudizio)**, summons; writ; **d. d'ingiunzione**, injunction; **d. di nomina**, decree of appointment; **d. di sfratto**, eviction order; **d. legge**, (emergency) decree; law by decree; **d. legislativo**, legislative decree; **d. penale**, (criminal) judgment **2** (*fig.*) decree: **i decreti di Dio**, God's decrees; **per d. del fato**, by decree of Fate.

decriminalizzàre v. t. (*leg.*) to decriminalize.

decriminalizzazióne f. (*leg.*) decriminalization.

decriptàre, **decrittàre** v. t. to decrypt; (*decifrare*, *anche*) to decipher.

decriptàto a. decrypted; decoded; (*illegalmente*) cracked.

decriptatòrio, **decrittatòrio** a. decrypting; deciphering.

decriptazióne, **decrittazióne** f. decryption; cryptanalysis; (*decifrazione*) decipherment.

decùbito m. (*med.*) decubitus*: **piaga da d.**, bedsore; decubitus ulcer.

de cùius (*lat.*) loc. m. e f. inv. (*leg.*) testate.

deculminazióne f. (*geogr.*) orographic erosion.

decumàna f. (*stor. romana*) decuman gate.

decumàno A a. decuman: (*lett.*) **onda decumana**, decuman wave; (*stor. romana*) **porta decumana**, decuman gate B m. **1** (*stor. romana*: *via dell'accampamento*) decumanus* **2** (al pl.) decuman soldiers.

decùria f. (*stor. romana*) decury.

decurionàto m. (*stor. romana*) decurionate.

decurióne m. (*stor. romana*) decurion.

decurtàre v. t. to curtail; to reduce; to dock; to cut* down; to retrench: **d. un debito**, to reduce a debt; **d. uno stipendio**, to reduce (o to dock) a salary.

decurtazióne f. curtailment; reduction; retrenchment; cut; cutback.

decussàre v. t. to decussate.

decussàto a. (*arald.*, *bot.*) decussate: **croce decussata**, decussate cross.

decùsse f. (*arald.*) decussate cross.

dèdalo m. maze; labyrinth: **un d. di vicoli**, a maze of alleys.

Dèdalo m. (*mitol.*) Daedalus.

dèdica f. dedication; inscription: **fare una d. su un libro**, to write a dedication on a book; *La d. diceva: «A Gianna con affetto»*, the inscription read, «to Gianna, with love»; **foto con d.**, inscribed photo.

♦**dedicàre** A v. t. **1** to dedicate; (*intitolare alla memoria*) to name after: *Dedico il libro a mio padre*, I dedicate this book to my father; *Il monumento fu dedicato alla memoria dei caduti*, the monument was dedicated to the soldiers who died in the war; *Il teatro è dedicato a Chiabrera*, the theatre is named after Chiabrera **2** (*destinare*) to devote; to give*: *Dedica tutto il suo tempo allo studio*, she devotes all her time to study; **ore dedicate alla meditazione**, hours given to meditation; **d. poco spazio a una notizia**, to give little space to a news item B **dedicarsi** v. rifl. to devote oneself (to).

dedicatàrio m. (f. **-a**) dedicatee.

dedicàto a. (*tecn.*) dedicated.

dedicatóre m. (f. **-trice**) dedicator.

dedicatòria f. dedicatory epistle.

dedicatòrio a. dedicatory: **lettera dedicatoria**, dedicatory epistle.

dedicazióne f. (*anche relig.*) dedication.

dèdito a. **1** (*appassionato*) devoted (to); committed (to); fond (of): **essere d. alla ricerca**, to be devoted to research; to be a committed researcher; **d. ai viaggi**, fond of travelling **2** (*rif. a vizio*) addicted (to): **d. al bere**, addicted to drink.

dedizióne f. devotion; (*impegno*) dedication, commitment: **d. a una causa**, devotion to a cause.

deducìbile a. **1** (*desumibile*) deducible; inferable **2** (*detraibile*) deductible: **d. dal reddito**, tax-deductible; **non d.**, non-deductible.

deducibilità f. **1** deducibility; deducibleness; inferability **2** (*detraibilità*) deductibility.

dedùrre v. t. **1** to deduce, to infer; (*desumere*) to work* out; (*arguire*, *concludere*) to gather, to conclude: *Dalle sue parole dedussi che si erano visti*, I deduced from his words that they had met; *Ne deduco che l'offerta vi interessa*, I gather you are interested in the offer **2** (*sottrarre*) to deduct; to subtract: *Dall'importo finale bisogna d. le spese di spedizione*, postal charges should be deducted from the total; **dedotte le spese**, after expenses have been deducted **3** (*derivare*) to draw*; to take*: *La trama è stata dedotta da una leggenda*, the plot was taken from a legend **4** (*leg.*) to infer.

deduttìvo a. deductive: **metodo d.**, deductive method; **ragionamento d.**, deductive reasoning.

deduzióne f. **1** deduction, inference; (*conclusione*) conclusion **2** (*detrazione*) deduction; allowance; abatement: **d. dallo stipendio**, deduction from salary; stoppage (*GB*); **d. fiscale**, tax deduction; tax allowance **3** (*leg.*) inference.

défaillance (*franc.*) f. inv. (*spec. sport*) collapse; breakdown.

defalcàre v. t. to deduct; to subtract.

defalcazióne f., **defàlco** m. deduction; abatement; subtraction.

defascistizzàre v. t. (*polit.*) to purge of fascists.

defaticaménto m. (*sport*) winding-down; (*esercizi*) winding-down exercises (pl.).

defaticàrsi v. rifl. (*sport*) to do* winding-down exercises; to wind* down.

defatigànte a. wearying; stressful.

defatigàre v. t. to weary; to stress.

default m. inv. (*ingl.*, *econ.*, *comput.*) default.

defecàre A v. i. to defecate B v. t. (*chim.*) to clarify; to defecate.

defecazióne f. **1** defecation **2** (*chim.*) clarification; defecation.

defedàto a. (*med.*) debilitated; exhausted.

defenestràre v. t. **1** to throw* (sb.) out of a window **2** (*fig.*) to remove from office; to dismiss; to oust.

defenestrazióne f. **1** defenestration: (*stor.*) **la d. di Praga**, the Defenestration of Prague **2** (*fig.*) sudden removal from office; sudden dismissal.

defensionàle a. (*leg.*) of the defence; for the defence.

deferènte a. **1** deferential; respectful: **un d. silenzio**, a respectful silence; **mostrarsi d. verso q.**, to be deferential towards sb. **2** (*anat.*) deferent: **canale d.**, deferent duct.

deferènza f. deference; respect: **salutare q. con d.**, to greet sb. deferently; **per d. verso q.**, in deference to sb.

deferiménto m. referring; submitting.

deferìre A v. t. (*leg.*) to refer; to submit: **d. una causa al tribunale**, to refer (*o* to submit) a case to court ● (*leg.*) **d. un giuramento**, to tender (*o* to administer) an oath □ **d. q. alla giustizia**, to hand sb. in to the police B v. i. to defer (to).

deferrizzazióne f. (*ind.*) deferrization.

defervescènza f. (*med.*) defervescence.

defettìbile a. (*lett.*) liable to fail; liable to fall short; defectible.

defezionàre v. i. to defect; to desert.

defezióne f. defection; desertion: **una d. massiccia dal partito**, a mass defection from the party.

defezionìsta m. e f. defector.

defibrillatóre m. (*med.*) defibrillator.

defibrillazióne f. (*med.*) defibrillation.

defibrinazióne f. (*med.*) defibrination.

deficiènte A a. 1 (*mancante*) deficient, defective, lacking (st.); (*insufficiente*) insufficient, inadequate 2 (*med.*) mentally deficient 3 (*spreg.*) stupid; moronic B m. e f. 1 (*med.*) mental defective; (*spreg.*) halfwit 2 (*spreg.*) fool; moron: *Sei un povero d.!*, you're just a fool ❶ FALSI AMICI ▪ deficiente *in senso spregiativo non si traduce con* deficient.

deficiènza f. 1 (*mancanza*) deficiency; lack; want: **d. di calcio**, deficiency of calcium; **d. di denaro**, lack of money; **supplire a una d.**, to make up for a deficiency 2 (*scarsità*) shortage; insufficiency: *C'è d. di acqua*, there is a shortage of water 3 (*lacuna*) gap, weakness; (*difetto*) inadequacy, shortcoming: *Il ragazzo ha deficienze in chimica*, the boy is weak in chemistry; **essere consapevole delle proprie deficienze**, to be aware of one's shortcomings 4 (*med.*) mental deficiency.

◆**dèficit** m. inv. 1 (*econ., rag.*) deficit: **d. della bilancia commerciale**, trade gap; **d. di bilancio**, budget deficit; **un d. di trenta milioni**, a deficit of thirty million; **colmare il d.**, to make up the deficit; **essere in d.**, to show a deficit; to be in the red (*fam.*) 2 (*rag.: perdita*) loss; (*ammanco*) shortage, shortfall 3 (*fig.: insufficienza*) deficiency; lag; inadequacy; failure: **d. culturale**, cultural lag; **d. morale**, moral failure 4 (*med.*) deficiency; impairment; defect: **d. visivo**, sight (*o* visual) defect; **d. vitaminico**, vitamin deficiency.

deficitàrio a. 1 (*insufficiente*) insufficient; inadequate; poor; scanty: **alimentazione deficitaria**, insufficient nourishment; **risorse deficitarie**, scanty resources 2 (*econ., rag.*) showing a deficit (*o* a loss); deficit (attr.): *Il bilancio pubblico è d.*, the budget shows a deficit.

defilaménto m. 1 (*mil.*) defilade 2 (*naut.*) passing astern.

defilàre A v. t. (*mil.*) to defilade B v. i. (*naut.*) to pass astern C **defilàrsi** v. rifl. 1 (*allontanarsi*) to sneak off; to make* oneself scarce 2 (*tenersi appartato*) to remain in the background; to keep* a low profile; (*estens.: evitare*) to steer clear (of), to shirk (st.).

défilé (*franc.*) m. inv. (*sfilata di moda*) fashion parade (*o* show).

definìbile a. definable.

◆**definìre** v. t. 1 (*descrivere con esattezza*) to define; to set* out: **d. un confine**, to define a boundary; **d. i termini di una questione**, to set out the terms of a matter 2 (*spiegare, dare il significato*) to define: **d. una parola**, to define a word; **una sensazione che non so d.**, a sensation I can't define 3 (*stabilire, fissare*) to fix; to set: **d. una data**, to fix a date; **d. un orario**, to draw up a timetable 4 (*risolvere*) to settle, to resolve; (*concludere*) to conclude, to finalize: **d. un accordo**, to finalize an arrangement 5 (*chiamare, descrivere*) to call; to term; to describe; to label:

L'hanno definita «una nuova Callas», she has been called «a second Callas»; *Io lo definirei un pasticcio*, I would describe it as a mess.

definitézza f. definiteness.

definitivaménte avv. definitively; finally; once and for all; (*per sempre*) for good.

definitìvo a. definitive; final: **risposta definitiva**, final answer; (*leg.*) **sentenza definitiva**, final judgment ● **in definitiva**, (*in conclusione*) in conclusion, in short; (*in fin dei conti*) in the end, after all □ **in via definitiva**, definitively; once and for all.

definìto a. (*preciso*) definite; precise; determinate; clear-cut; fixed: **una posizione definita**, a precise position; **ben d.**, very definite; very clear; clear-cut; **non ben d.**, indefinite; indeterminate; vague; **contorni poco definiti**, blurred contours; **contratto a tempo d.**, fixed-term contract.

definitóre m. 1 (f. **-trice**) definer 2 (*eccles.*) definitor.

definizióne f. 1 definition; (*nelle parole crociate*) clue: **dare la d. di un termine**, to give the definition of a term; **per d.**, by definition 2 (*risoluzione*) settlement 3 (*ottica*) definition: **alta d.**, high definition; **ad alta d.**, high-definition (attr.).

defiscalizzàre v. t. 1 to remove the fiscal nature of 2 to revoke exemption from payment of (*a tax, a duty, etc.*): **d. gli oneri sociali**, to revoke exemption from payment of social-security contributions.

defiscalizzazióne f. 1 removal of the fiscal nature 2 revocation of exemption from payment of (*a tax, a duty, etc.*).

deflagrànte a. deflagrating; deflagrable.

deflagràre v. i. 1 (*chim.*) to deflagrate 2 (*estens.: scoppiare*) to explode; to blow* up 3 (*fig.*) to break* out; to flare up; to erupt.

deflagrazióne f. 1 (*chim.*) deflagration 2 (*estens.: scoppio*) explosion; blast 3 (*fig.*) outbreak; flaring up; outburst: **la d. del conflitto**, the outbreak of war; **una d. di violenza**, a flaring up of violence.

deflatìvo a. (*econ.*) deflationary.

deflatóre m. (*econ.*) deflator.

deflatòrio a. (*econ.*) deflationary.

deflazionàre v. t. (*econ.*) to deflate.

deflazióne① f. (*econ.*) deflation.

deflazióne② f. (*geol.*) deflation.

deflazionìsta m. e f. (*econ.*) deflationist.

deflazionìstico a. (*econ.*) deflationary.

deflemmàre v. t. (*chim.*) to dephlegmate.

deflemmatóre m. (*chim.*) dephlegmator.

deflemmazióne f. (*chim.*) dephlegmation.

deflessióne f. (*fis.*) deflection, deflexion: **la d. della luce**, the deflection of light; **bobina di d.**, deflection coil.

deflèttere v. i. 1 to deflect; to deviate; to bend*: **d. da una linea di azione**, to deviate from a course of action 2 (*fig.: cedere*) to yield; to give* in.

deflettóre m. 1 (*mecc.*) deflector; baffle 2 (*aeron.*) flap 3 (*autom.*) quarterlight; quarter vent window; butterfly window.

defloràre v. t. to deflower.

deflorazióne f. defloration; deflowering.

defluìre v. i. 1 to flow (out, away, down); to run*: **far d.**, to drain off; to channel off 2 (*fig.*) to flow; (*di folla*) to stream: *La gente defluiva dalla piazza*, people were streaming out of the square.

deflùsso m. 1 flow; downflow; outflow; (*scarico*) discharge; (*med.*) effluent 2 (*di marea*) ebb, reflux; (*di onda*) backwash 3 (*fig.*) flow; stream; streaming out; outflow: **il d. della folla dallo stadio**, the stream of people coming out of the stadium; the crowd leaving the stadium; (*econ.*) **d. di capitali**,

outflow of capital.

deflussóre m. (*med.*) tube (for intravenous drip).

defogliànte m. (*agric., chim.*) defoliant.

defogliàre v. t. (*agric.*) to defoliate.

defogliazióne f. defoliation.

defoliàre e *deriv.* → **defogliare**, e *deriv.*

deforestazióne f. deforestation; disafforestation.

deformàbile a. deformable; capable of being deformed.

deformabilità f. deformability.

deformànte a. deforming; distorting; disfiguring: (*med.*) **artrite d.**, deforming arthritis; **specchio d.**, distorting mirror.

deformàre A v. t. 1 to deform; to distort; to disfigure; to misshape; (*metallo, plastica*) to buckle; (*legno*) to warp: *L'artrite gli ha deformato le mani*, arthritis has deformed his hands; **uno specchio che deforma le immagini**, a mirror that distorts reflections 2 (*fig.: alterare*) to distort; to warp: **d. la verità**, to distort the truth; *I giornali hanno deformato i fatti*, the papers gave a distorted account of the facts 3 (*edil.*) to strain B **deformàrsi** v. i. pron. to get* deformed; to lose* one's shape; to become* misshapen; to go* out of shape; (*di metallo, plastica, anche*) to buckle; (*di legno*) to warp: *Il secchio si era deformato col calore*, in the heat the bucket had lost its shape (*o* had buckled).

deformàto a. deformed; misshapen; distorted; out of shape; (*di legno*) warped; (*senza più forma*) shapeless: **dita deformate**, deformed (*o* misshapen) fingers; **un viso d. dall'ira**, a face distorted with anger; **un'asse deformata**, a warped plank; **un golf tutto d.**, a jumper grown shapeless.

deformazióne f. 1 deformation; distortion; disfigurement; (*alterazione*) distortion, warp: **d. della realtà**, distortion of facts; (*fig.*) **d. professionale**, professional bias 2 (*med.*) deformity; (*congenita*) malformation; (*stortura*) distortion 3 (*di metallo, plastica*) buckling 4 (*del legno*) warping 5 (*edil.*) strain: **d. elastica**, elastic strain; **d. permanente**, permanent set.

defórme a. deformed; misshapen; (*dalla nascita*) malformed: **fisico d.**, misshapen figure; **mani deformi**, misshapen hands; **piede d.**, deformed (*o* malformed) foot.

deformità f. deformity; (*congenita*) malformation.

defosforàre v. t. (*metall.*) to dephosphorize.

defosforazióne f. (*metall.*) dephosphorization.

deframmentàre v. t. (*comput.*) to defragment.

deframmentazióne f. (*comput.*) defragmentation; defrag.

defraudàre v. t. to defraud; to deprive; to rob; to cheat; to swindle: **d. q. dei suoi diritti**, to deprive (*o* to rob) sb. of his rights; **d. q. del suo denaro**, to cheat sb. out of his money; *Mi sentii defraudato*, I felt cheated.

defraudatóre m. (f. **-trice**) defrauder; cheater; swindler.

defraudazióne f. defrauding; robbing; cheating; swindling.

defùngere v. i. to die*; to decease.

defùnto A a. 1 (*morto*) dead; late (attr.); deceased (*leg.*): **il mio d. marito**, my late husband 2 (*fig.: finito*) dead; defunct; extinct B m. (f. **-a**) 1 dead person; deceased (*leg.*) 2 (al pl., collett.) (the) dead.

degassaménto m. (*tecn.*) degassing; outgassing.

degassàre v. t. (*tecn.*) to degas; to outgas.

degassatóre m. (*tecn.*) degasser.

degassificàre v. t. (*tecn.*) to degas.

degeminazióne f. (*ling.*) degemination.

degeneràre A v. i. 1 (*tralignare*) to degenerate 2 (*cambiare in peggio*) to degenerate; to deteriorate; to worsen: *La lite degenerò in un pestaggio*, the quarrel degenerated into a punch-up 3 (*biol.*, *med.*) to degenerate B v. t. to corrupt.

degeneratìvo a. (*biol.*, *med.*) degenerative.

degeneràto a. e m. (f. *-a*) degenerate.

degenerazióne f. 1 degeneration; degeneracy; (*degradazione*) decay, decline: **d. morale**, moral decay 2 (*biol.*, *med.*, *mat.*) degeneration.

degènere a. 1 degenerate; depraved 2 (*fis.*) denegerate.

degènte A a. ill in bed; bedridden: *È d. all'ospedale*, he is in hospital B m. e f. (*bedridden*) patient; (*in ospedale*) in-patient.

degènza f. period in bed; (*in ospedale*) stay in hospital, hospitalization; (*di partoriente*) lying-in: *La sua d. durò due mesi*, he had to stay in bed (*o* he was bedridden) for two months; he was in hospital (*o* was hospitalized) for two months.

deglassàre v. t. (*cucina*) to thin.

deglutire v. t. to swallow.

deglutizióne f. swallowing; deglutition (*scient.*).

degnàre A v. t. to deign (to do st.); to condescend (to do st.): *Non lo degnai d'una risposta*, I did not deign to answer him (*form.*); I decided he was not worthy of an answer; *Non mi degnò d'uno sguardo*, she didn't so much as look at me; (*iron.*) *Ci ha degnato di una visita*, he condescended to pay us a visit B **degnàrsi** v. i. pron. to deign; to condescend; to be kind enough (*o* so kind as): *Non si è degnato di venire*, he did not deign to come; *Degnati almeno di rispondermi*, at least be so kind as to answer me.

degnazióne f. condescension: **con aria di d.**, with a condescending air; **avere la d. di** → **degnarsi**; (*iron.*) *Quanta d.!*, how very kind!

◆**dégno** a. 1 (*meritevole*) worthy; -worthy; worth (+ gerundio): **d. di ammirazione**, worthy of admiration; **d. di essere ricordato**, worth remembering; **d. di fiducia**, trustworthy; (*affidabile*, *credibile*) reliable, credible; **d. di lode**, praiseworthy; **d. della massima lode**, worthy (*o*, *form.*, deserving) of the highest praise; **d. di nota**, noteworthy; *Non sono d.*, I am not worthy; I am unworthy; *Non è d. di vivere*, he does not deserve to live; *Non ho fatto vacanze degne di questo nome*, I had no holidays to speak of 2 (*meritorio*) deserving; noble: **una degna causa**, a deserving cause 3 (*che si addice*) worthy; fit: **versi degni di un grande poeta**, lines worthy of a great poet; *Non è d. di te*, it's not worthy of you; **d. di un re**, fit for a king 4 (*che merita rispetto*) worthy; (*rispettabile*) respectable, reputable: **un d. avversario**, a worthy opponent 5 (*proporzionato*) commensurate; fit.

degradàbile a. (*chim.*) degradable.

degradabilità f. (*chim.*) degradability.

degradànte a. degrading; demeaning.

degradàre A v. t. 1 (*mil.*) to demote; (*naut.*, *di marinaio*) to disrate 2 (*eccles.*) to degrade 3 (*fig.*: *avvilire*) to debase; to degrade 4 (*geol.*, *fis.*, *chim.*) to degrade B v. i. (*declinare*) to slope down; to decline C **degradàrsi** v. rifl. (*umiliarsi*) to degrade oneself; to demean oneself D **degradàrsi** v. i. pron. 1 (*chim.*) to degrade 2 (*deteriorarsi*, *subire un degrado*) to deteriorate; to degenerate; to decay.

degradàto a. 1 (*mil.*) demoted; disrated 2 (*deteriorato*) degraded; decayed: **quartie-**

re degradato, degraded district; urban blight.

degradazióne f. 1 (*mil.*) demotion; (*naut.*, *di marinaio*) disrating 2 (*eccles.*) degradation 3 (*morale*) degradation; degeneration 4 (*geol.*, *fis.*, *chim.*) degradation.

degràdo m. 1 deterioration; decay; blight: **il d. dell'ambiente**, the deterioration of the environment; **il d. di un edificio**, the dilapidated state of a building; **d. urbano**, urban decay (*o* blight) 2 (*condizioni miserabili*) squalor: *Vivono nel d. più assoluto*, they live in utter squalor.

degrassàggio m. degreasing.

dègu m. (*zool.*, *Octodon degus*) degu.

degusciàre v. t. (*tecn.*) to dehull; to unhusk.

degustàre v. t. to taste; to sample.

degustatóre m. (f. *-trice*) taster.

degustazióne f. 1 tasting; sampling: **d. comparativa**, benchmark tasting 2 (*locale*) wine bar.

deh inter. (*lett.*) (*ti prego*) pray; (*per pietà*) for pity's sake; (*ahimè*) alas.

deicìda m. e f. deicide.

deicìdio m. deicide.

deidratàre e deriv. → **disidratare**, e deriv.

deidrocongelazióne f. (*ind.*) dehydrofreezing.

deidrogenàre v. t. (*chim.*) to dehydrogenate.

deidrogenàsi f. (*chim.*) dehydrogenase.

deidrogenazióne f. (*chim.*) dehydrogenation.

deiezióne f. 1 (*geol.*) alluvium; alluvial deposit: **cono di d.**, alluvial cone 2 (*di vulcano*) spell of activity 3 (*med.*) defecation 4 (al pl.) (*feci*) faeces; dejecta.

deificàre v. t. 1 to deify; to make* a god of 2 (*fig.*) to exalt; to worship.

deificazióne f. 1 deification 2 (*fig.*) glorification; apotheosis.

deìfico a. deifying.

deifórme a. (*lett.*) godlike (attr.).

deindicizzàre v. t. (*econ.*) to de-index.

deindicizzazióne f. (*econ.*) de-indexation.

deindustrializzàre v. t. to deindustrialize.

deindustrializzazióne f. deindustrialization.

deionizzàre v. t. (*fis.*) to deionize.

deionizzazióne f. (*fis.*) deionization.

deiscènte a. (*bot.*) dehiscent.

deiscènza f. (*bot.*) dehiscence.

deìsmo m. (*filos.*) deism.

dèissi f. (*ling.*) deixis.

deìsta m. e f. (*filos.*) deist.

deìstico a. (*filos.*) deistic.

deità f. (*lett.*) 1 (*essenza divina*) deity; godhead 2 (*potenza divina*) divine power 3 (*dio*) deity; god (m.); goddess (f.).

dèittico a. (*ling.*) deictic.

déjà vu (*franc.*) A a. inv. unoriginal; stereotyped; hackneyed; stale B m. inv. (*psic.*) déjà vu.

delatóre m. (f. *-trice*) informer; spy; grass (*slang*, *GB*); fink (*slang*, *USA*).

delatòrio a. informing.

délavé (*franc.*) a. inv. (*ind. tess.*) faded; délavé.

delazióne f. 1 informing □; information □; betrayal □; grassing □ (*slang*, *GB*) 2 (*leg.*) transference; transmission.

delèbile a. delible.

dèlega f. delegation; authorization; (*leg.*: *procura*) power of attorney, proxy: **d. scritta**, written authorization; **atto di d.**, proxy; **fare una d.**, to sign a proxy statement; **agire**

per d. di q., to act as proxy for sb. ● **legge d.**, delegated law.

delegànte m. e f. delegator; delegating party.

delegàre v. t. 1 to delegate; to appoint (as a representative): *Mi ha delegato a rappresentarlo*, he delegated (*o* appointed) me to represent him 2 (*leg.*) to delegate: **d. la propria autorità**, to delegate one's powers.

delegatàrio m. (f. *-a*) (*leg.*) delegatee.

delegatìzio a. pertaining to a delegation; delegatory: **autorità delegatizia**, delegatory powers (pl.); **incarico d.**, delegation.

◆**delegàto** A a. delegated; deputed ● **amministratore d.**, managing director (*GB*); chief executive officer (abbr. CEO); president (*USA*) □ **consigliere d.**, managing director □ (*leg.*) **giudice d.** (*nel fallimento*), official receiver B m. (f. *-a*) 1 (*rappresentante*) delegate; representative; (*eccles.*) **d. apostolico**, Apostolic Delegate; **d. di fabbrica**, shop steward; **d. di partito**, party delegate; **d. sindacale**, union representative 2 (*leg.*) deputy; proxy.

delegazióne f. 1 (*leg.*) delegation: **d. legislativa**, legislative delegation 2 (*gruppo di rappresentanti*) delegation; deputation: *Il presidente ha accolto la d. tedesca*, the president welcomed the German delegation; **una d. di maestranze**, a deputation of workers 3 (*commissione*) committee 4 (*sede di delegato*) delegation.

delegiferàre v. i. to reduce the numbers of laws passed; to refrain from passing petty laws.

delegificàre v. t. (*leg.*) to deregulate.

delegificazióne f. (*leg.*) deregulation.

delegittimàre v. t. 1 to delegitimize; to deprive (sb.) of authority 2 (*estens.*: *minare l'autorità di*) to undermine (sb.'s) authority.

delegittimazióne f. delegitimization; deprivation of authority.

deletèrio a. harmful; deleterious; noxious; bad; detrimental: **abitudine deleteria**, harmful habit; **cibi deleteri per lo stomaco**, food that is bad for the stomach.

delezióne f. (*biol.*) delection.

Dèlfi m. (*geogr.*) Delphi ● **l'oracolo di D.**, the Delphic oracle.

dèlfico a. Delphic; Delphian.

delfinàre v. i. (*naut.*, *aeron.*) to porpoise.

delfinàrio m. dolphinarium*.

delfinàttero m. (*zool.*, *Delphinapterus*) beluga; white whale.

delfinièra f. 1 (*rete*) dolphin net 2 (*arpone*) harpoon 3 (*naut.*) dolphin-striker.

delfìnio m. (*bot.*, *Delphinium*) delphinium*; larkspur.

delfinìsta m. e f. (*sport*) dolphin butterfly swimmer.

◆**delfìno** ① m. 1 (*zool.*, *Delphinus delphis*) dolphin 2 (*nuoto*) dolphin butterfly (stroke): **nuotare a d.**, to do the dolphin butterfly stroke 3 – (*astron.*) **il D.**, Delphinus; the Dolphin.

delfìno ② m. 1 (*stor. franc.*) Dauphin 2 (*fig.*) probable successor; heir apparent.

delìaco a. (*lett.*) Delian.

delibàre v. t. 1 (*lett.*: *assaggiare*) to taste; (*sorseggiare*) to sip 2 (*lett. fig.*: *gustare*) to relish; to savour (*lett.*) 3 (*lett. fig.*: *accennare a*) to touch upon; to hint at 4 (*leg.*) to recognize (*a foreign judgment*); to enforce (*a foreign judgment*).

delibazióne f. 1 (*lett.*) tasting; sipping; relishing; savouring 2 (*leg.*) enforcement (*of a foreign judgment*): **giudizio di d.**, enforcement proceedings.

delìbera f. 1 decision; (*di assemblea*) resolution: **approvare una d.**, to pass (*o* to adopt) a resolution 2 (*in un'asta*) knocking

deliberànte a. (*polit.*) deliberative: **assemblea [organo] d.**, deliberative assembly [body].

deliberàre A v. t. **1** (*decidere, risolvere*) to decide; to resolve: **d. di continuare lo sciopero**, to decide to continue the strike; **d. misure urgenti**, to decide on urgent measures **2** (*aggiudicare in un'asta*) to knock down B v. i. **1** (*lett.: riflettere*) to deliberate (on); to take* counsel (on) **2** (*disporre*) to rule; to decree; to decide.

deliberataménte avv. deliberately; on purpose.

deliberatàrio m. **1** (*in un'asta*) highest bidder **2** (*in un appalto*) lowest bidder.

deliberativo a. (*leg.*) deliberative.

deliberàto A a. **1** (*risoluto*) determined; firm; resolved **2** (*intenzionale*) deliberate, intentional, express, conscious; (*studiato*) studied: **deliberata indifferenza**, studied indifference; **col d. scopo di offendere**, with a conscious aim to offend B m. decision; resolution.

deliberazióne f. **1** (*decisione*) decision; (*di assemblea*) resolution: **d. a maggioranza**, majority resolution **2** (*lett.: fermo proposito*) intention; determination **3** (*psic.*) deliberation.

delicatézza f. **1** delicacy; subtlety; gentleness; softness; mildness: **la d. del disegno**, the delicacy (*o* subtlety) of the drawing; **d. di lineamenti**, delicacy of features; **la d. di un sapone**, the mildness of a bar of soap; **d. di sentimenti**, delicacy of feeling; *Sollevò il velo con d.*, he gently lifted the veil **2** (*fragilità*) fragility; (*di salute*) delicate health, frailty **3** (*tatto*) tact; discretion; (*sensibilità*) sensitivity, consideration, thoughtfulness **4** (*atto gentile*) attention; kindness **5** (*cibo squisito*) delicacy; dainty **6** (al pl.) (*lett.: agi*) luxury ⓤ.

♦**delicàto** a. **1** delicate; tender; soft; gentle; quiet; subtle: **un'operazione delicata**, a delicate operation; **profumo d.**, subtle scent; **tinte delicate**, soft colours; **un tocco d.**, a delicate (*o* soft, gentle) touch **2** (*fragile*) delicate, fragile; (*sensibile*) sensitive; (*di salute*) delicate, frail: **un bambino d.**, a delicate child; **un congegno d.**, a delicate machine; **pelle delicata**, sensitive skin; **essere d. di stomaco**, to have a weak stomach **3** (*raffinato*) refined; exquisite; dainty; fine: **gusti delicati**, refined tastes **4** (*fine, gentile*) refined; sensitive: **animo d.**, a sensitive soul **5** (*pieno di tatto*) tactful; discreet; thoughtful: **allusione delicata**, tactful allusion **6** (*che richiede tatto*) delicate; (*difficile*) difficult, ticklish, tricky; (*scabroso*) awkward: **un argomento d.**, a delicate subject; **una domanda delicata**, an awkward question; **una situazione delicata**, a difficult (*o* tricky) situation.

delimitàre v. t. **1** to delimit; to mark the boundary of; to bound: *Il campo era delimitato da pioppi*, poplars marked the boundary of the field **2** (*definire*) to define: **d. i poteri di q.**, to define sb.'s powers.

delimitativo a. delimitative.

delimitazióne f. **1** delimitation **2** (*limite*) limits (pl.); (*confine*) boundary.

delineaménto m. outline; delineation.

delineàre A v. t. to outline; to sketch out; to delineate: **d. brevemente la situazione**, to outline the situation in brief B **delinearsi** v. i. pron. **1** (*essere visibile*) to be outlined **2** (*emergere lentamente*) to come* into sight; to emerge; to take* shape (*o* form) slowly; (*indistintamente*) to loom: *Si delinea una nuova politica*, a new policy is taking shape; *La sagoma di una nave si delineò nella nebbia*, the outline of a ship loomed through the fog.

delineàto a. defined; delineated: *Ha una personalità già delineata*, his personality is already delineated; *Questo progetto non è ancora ben d.*, this project is not yet well defined.

♦**delinquènte** m. e f. **1** criminal; felon (*USA*); delinquent: **d. abituale**, habitual criminal; **d. comune**, common criminal; **d. minorenne**, juvenile delinquent; young offender: **una banda di delinquenti**, a gang of criminals; **agire da d.**, to act criminally **2** (*fig.*) criminal; (*anche scherz.*) scoundrel, rascal.

delinquènza f. **1** (*l'essere criminale*) criminality; delinquency: **la d. minorile**, juvenile delinquency **2** (*l'insieme dei crimini*) crime; delinquency: **d. organizzata**, organized crime; **aumento della d.**, increase in the crime rate.

delinquenziàle a. delinquent (attr.).

delìnquere v. i. (*leg.*) to commit a crime (*o* crimes): **associazione a d.**, criminal association; **istigazione a d.**, instigation to commit a crime.

dèlio → **deliaco**.

deliquescènte a. (*chim., bot.*) deliquescent.

deliquescènza f. (*chim., bot.*) deliquescence.

deliquio m. (*lett.*) swoon; fainting fit: **cadere in d.** (*o* **avere un d.**), to faint; to swoon.

deliránte a. **1** delirious; raving **2** (*fig., di gioia, di entusiasmo*) delirious; raving: **folla d.**, delirious crowd **3** (*folle*) mad; insane: **affermazione d.**, insane statement; **passione d.**, mad passion **4** (*frenetico*) wild; frenzied; delirious: **entusiasmo d.**, wild enthusiasm.

deliràre v. i. **1** (*med.*) to be delirious; (*vaneggiare*) to rave: *Il paziente delirava*, the patient was delirious; *Cominciò a d.*, she started to rave **2** (*fig.: dire cose insensate*) to rave; to talk utter nonsense: *Scusa, ma ora stai delirando*, now you're talking utter nonsense; **d. d'amore**, to be madly in love **3** (*fig.: entusiasmarsi*) to be mad about: **d. per un cantante**, to be mad about a pop singer.

delirio m. **1** (*med.*) delirium ⓤ; ravings (pl.); **essere [entrare] in d.**, to be [to become] delirious **2** (*psic.*) delusion: **d. di onnipotenza**, delusions (pl.) of omnipotence **3** (*fig.: entusiasmo*) delirium; raptures (pl.): **un d. di applausi**, wild (*o* rapturous) applause; **un d. di gioia**, a delirium of joy; *La folla era in d.*, the crowd was wild (*o* delirious) with excitement; **andare in d. per**, to go wild about; to be mad about; **mandare in d.**, to send into raptures.

delirium trèmens (*lat.*) loc. m. inv. delirium tremens; D.T.

♦**delitto** m. **1** (*leg.*) crime; (*reato*) offence, offense (*USA*); felony: **d. capitale**, capital crime (*o* offence); **d. colposo**, crime committed without malice aforethought; **d. doloso**, wilful and malicious crime; **d. perfetto**, perfect crime; **accusare q. di un d.**, to charge sb. with a crime; **commettere un d.**, to commit a crime; **macchiarsi di un d.**, to be guilty of a crime **2** (*omicidio*) murder **3** (*fig.*) crime: *Sarebbe un d. demolire quell'edificio*, it would be a crime to pull down that building.

delittuóso a. criminal; felonious: **azione delittuosa** (*o* **fatto d.**), crime; **intenzione delittuosa**, criminal intention.

delizia f. pleasure; joy; delight: **una d. per gli occhi**, a pleasure to look at; *Questo libro è la d. degli eruditi*, this book is a scholar's delight; *Le sue torte sono una d.*, her cakes are delicious; *Canta che è una d.*, she (*o* he) sings beautifully.

deliziàre A v. t. to fill with pleasure; to give* great pleasure to; to charm B **deliziàrsi** v. i. pron. to relish (in); to luxuriate (in); to enjoy every minute (of).

♦**delizióso** a. charming; lovely; sweet; delightful; (*di sapore, profumo*) delicious: **un appartamentino d.**, a charming little flat; **una ragazza deliziosa**, a charming girl; **una serata deliziosa**, a lovely evening; *Che cos'è? Ha un profumo d.*, what is it? it smells delicious.

delocalizzàre v. t. to delocalize.

delocalizzazióne f. delocalization.

dèlta ① A m. o f. **1** (*quarta lettera dell'alfabeto greco*) delta. **2** (*mat.*) delta ● (*aeron.*) **ala a d.**, delta wing B a. inv. – (*fis.*) **raggi d.**, delta rays.

dèlta ② a. (*geogr.*) delta: **il d. del Nilo**, the Nile Delta.

deltaplàno m. **1** (*velivolo*) hang-glider **2** (*sport*) hang-gliding.

deltazióne f. (*geol.*) deltafication.

deltìzio a. (*geogr.*) deltaic; delta (attr.).

deltòide A a. deltoid: **muscolo [foglia] d.**, deltoid muscle [leaf] B m. (*anat.*) deltoid.

deltoidèo a. (*anat.*) deltoid (attr.).

delucidàre ① v. t. to explain; to elucidate; to clarify.

delucidàre ② v. t. (*ind. tess.*) to decatize.

delucidazióne ① f. explanation; elucidation; clarification.

delucidazióne ② f. (*ind. tess.*) decatizing.

deludènte a. disappointing: *È stato un film d.*, it was a disappointing film; the film was a disappointment.

♦**delùdere** v. t. **1** to disappoint; to let* (sb.) down; (*assol.*) to be a disappointment (*o* a letdown): *Non ti deluderò*, I won't disappoint you (*o* let you down); I won't fail you; **d. l'aspettativa di q.**, to disappoint sb.'s expectations; *Il suo nuovo romanzo ha deluso un po'*, his new novel has been a bit of a disappointment **2** (*lett.: trarre in inganno*) to delude; to deceive ❶ FALSI AMICI • deludere *nel significato corrente non si traduce con* delude.

♦**delusióne** f. disappointment; letdown: *Il pranzo fu una d.*, the dinner was a disappointment; *Che d.!*, how disappointing!; what a letdown!; **dare una d. a q.**, to disappoint sb.; to let sb. down; to be a disappointment to sb.; **con mia grande d.**, to my great disappointment ❶ FALSI AMICI • delusione *non si traduce con* delusion.

♦**delùso** a. disappointed; (*senza più illusioni*) disillusioned; **rimanere d.**, to be disappointed; *Era un uomo profondamente d.*, he was a deeply disillusioned man.

delusòrio a. delusive; delusory.

demagnetizzàre v. t. (*fis.*) to demagnetize; (*elettron.*) to degauss.

demagnetizzazióne f. (*fis.*) demagnetization; (*elettron.*) degaussing.

demagogìa f. demagogy; demagoguery.

demagògico a. demagogic.

demagògo m. demagogue.

demandàre v. t. to refer; to transfer.

demaniàle a. owned by the state; state (attr.): **proprietà d.**, state property; **strada d.**, state road.

demanialità f. state ownership.

demanializzàre v. t. (*bur.*) to bring* under state ownership.

demànio m. **1** state property; (*in GB*) Crown property; (*in USA*) federal property **2** (*ufficio*) State Property Office.

démaquillage (*franc.*) m. inv. **1** make-up removal **2** (*pulizia*) cleansing.

demarcàre v. t. to demarcate.

a b c **d** e f g h i j k l m n o p q r s t u v w x y z

demarcazióne f. demarcation: **linea di d.**, line of demarcation; boundary line.

demènte Ⓐ a. **1** (*med.*) demented **2** (*pazzo*) insane; mad Ⓑ m. e f. **1** (*med.*) dementia patient **2** (*pazzo*) insane person; madman* (m.); madwoman* (f.) **3** (*fig.*) lunatic.

demènza f. **1** (*med.*) dementia: (*stor.*) **d. precoce**, dementia praecox; **d. senile**, senile dementia **2** (*follia*) insanity; madness **3** (*fig.*) madness; lunacy; insanity.

demenziàle a. **1** (*med.*) demential **2** (*fig.*) mad; crazy; (*svitato*) zany (*fam.*), screwy, screwball (*fam.*): *È d. voler costruire qui*, they are mad if they want to build here; *Mezzo miliardo? Ma è d.!*, half a billion? they must be nuts!; **comicità d.**, screwball comedy; **comico d.**, zany comedian.

demenzialità f. madness; craziness; zaniness (*fam.*).

demeritàre Ⓐ v. t. to fail to deserve; to forfeit; to lose*: **d. la stima dei propri amici**, to forfeit the good opinion of one's friends Ⓑ v. i. (*meritare biasimo*) to deserve censure.

demèrito m. **1** demerit **2** (*biasimo*) discredit ● (*a scuola*) **nota di d.**, bad mark; demerit.

Demètra f. (*mitol.*) Demeter.

Demètrio m. Demetrius.

demielinizzànte a. (*med.*) demyelinating.

demielinizzazióne f. (*med.*) demyelination.

demilitarizzàre v. t. to demilitarize.

demilitarizzazióne f. demilitarization.

demineralizzàre v. t. to demineralize.

demineralizzazióne f. demineralization.

demi-sec (*franc.*) a. inv. medium dry.

demistificàre v. t. to demystify; to debunk.

demistificatòrio a. demystifying; debunking.

demistificazióne f. demystification Ⓤ; debunking Ⓤ.

demitizzàre v. t. **1** demythologize **2**→ **smitizzare**.

demitizzazióne f. **1** demythologization **2**→ **smitizzazione**.

demiùrgico a. demiurgic.

demiùrgo m. (*filos.*, *stor. greca*) demiurge.

démmo 1ª pers. pl. pass. rem. di **dare**.

dèmo ① m. (*stor. greca*) deme.

dèmo ② f. o m. inv. (*comput.*) demo.

democraticìsmo → **democratismo**.

democraticità f. democratic nature; democratic feelings (pl.).

democràtico Ⓐ a. **1** democratic: **partito d.**, democratic party; **stato d.**, democratic state; **rendere d.**, to democratize **2** (*affabile*) informal; affable Ⓑ m. (f. **-a**) democrat.

democratìsmo m. show of democratic feelings.

democratizzàre v. t. to democratize: **d. le istituzioni**, to democratize public institutions.

democratizzazióne f. democratization.

democrazìa f. democracy: **d. diretta**, direct democracy; **d. parlamentare**, parliamentary democracy; **d. partecipativa**, participatory democracy; **d. rappresentativa**, representative democracy; (*polit.*) *D. Cristiana*, Christian Democrat Party.

democristiàno (*polit.*) Ⓐ a. Christian Democratic Ⓑ m. (f. **-a**) Christian Democrat.

Demòcrito m. (*stor.*, *filos.*) Democritus.

---

démodé (*franc.*) a. inv. démodé; outmoded; old-fashioned; out-of-date.

demodossologìa, **demodossalogìa** f. study of the formation of public opinion.

demodulàre v. t. (*elettron.*) to demodulate.

demodulatóre Ⓐ m. (*elettron.*) demodulator Ⓑ a. demoduating.

demodulazióne f. (*elettron.*) demodulation.

demoecologìa f. human ecology.

demofobìa f. (*psic.*) obsessive fear of crowds; ochlophobia.

demografìa f. demography.

demogràfico a. **1** (*rif. alla demografia*) demographic: **indagine demografica**, demographic survey **2** (*rif. alla popolazione*) population (attr.): **calo d.**, fall in population; **campagna demografica**, propaganda for an increase in births; **controllo d.**, population control; **pianificazione demografica**, family planning; **sviluppo d.**, population increase.

demògrafo m. (f. **-a**) demographer.

♦**demolìre** v. t. **1** (*abbattere*) to demolish, to pull down, to tear* down; (*rottamare*) to break* up, to scrap; (*distruggere*) to destroy, to wreck: **d. vecchi edifici**, to demolish (*o* to pull down, to tear down) old buildings; **d. una nave**, to break up a ship; *Ha demolito la macchina in un incidente*, she wrecked her car in an accident **2** (*fig.: un argomento, ecc.*) to demolish, to overthrow*, to refute, to explode; (*stroncare*) to tear* apart, to slate: **d. un alibi**, to demolish (*o* to crack) an alibi; *Il film fu demolito dai critici*, the critics tore the film apart **3** (*fig.: screditare*) to demolish; to destroy: **d. una reputazione**, to destroy a reputation **4** (*fam.*, *rif. al cibo*) to demolish; to eat* up; to gobble up (*fam.*).

demolitìvo a. **1** destructive; demolishing **2** (*med.*) radical: **intervento d.**, radical surgery.

demolitóre Ⓐ m. (f. **-trìce**) **1** demolisher; destroyer **2** (*operaio*) demolition worker; (*di auto e sim.*) wrecker, breaker (*GB*): **d. d'auto**, car wrecker; **d. navale**, ship breaker Ⓑ a. destroying; wrecking.

demolizióne f. **1** demolition; (*di auto, ecc.*) breaking up, scrapping; (*di nave*) ship-breaking: **andare in d.**, to be broken up; **mandare in d.**, to scrap; **cantiere di d.**, breaker's yard; **squadra di d.**, demolition squad **2** (*fig.: confutazione*) demolition; explosion: **la d. di una teoria**, the demolition of a thesis.

demologìa f. folklore.

demològico a. folklore (attr.); folkloric.

demòlogo m. (f. **-a**) folklorist.

demoltìplica f. **1**→ **demoltiplicazione 2** (*mecc.*, *anche* **meccanismo di d.**) reduction gear.

demoltiplicàre v. t. **1** (*mecc.*) to gear down **2** (*elettron.*) to scale.

demoltiplicatóre m. **1** (*mecc.*) reduction gear **2** (*elettron.*) scaler: **d. di frequenza**, frequency divider.

demoltiplicazióne f. **1** (*mecc.*) gearing down **2** (*elettron.*) scaling.

dèmone m. **1** (*spirito*, *genio ispiratore*) daemon, demon **2** (*spirito malvagio*) demon, evil spirit **3** (*lett.: diavolo*) devil; fiend **4** (*fig.: passione*) demon: **il d. dell'alcol**, the demon drink; **il d. della gelosia [del gioco]**, the demon of jealousy [of gambling].

demonetizzàre v. t. (*econ.*) to demonetize.

demonetizzazióne f. (*econ.*) demonetization.

demonìaco a. **1** (*del demonio*) demoniac; demoniacal; satanic: **riti demoniaci**, satan-

---

ic rites **2** (*fig.: perverso*) diabolical; devilish; fiendish: **astuzia demoniaca**, diabolical (*o* devilish) cunning.

demònico Ⓐ a. **1** (*lett.*) demonic, daemonic **2** (*filos.*) daemonic; daimonic Ⓑ m. (*filos.*) daemon.

demònio m. **1** devil; demon; fiend: **adorazione del d.**, devil worship; **le arti del d.**, Satan's wiles; **posseduto dal d.**, possessed (by the devil) **2** (*fig.: persona malvagia*) devil; fiend **3** (*fig.: persona molto abile*) demon; wizard; ace (attr.): *Sei un d.!, come hai fatto?*, you old devil! how did you manage?; **un d. al volante**, an ace driver **4** (*ragazzo vivace*) imp; little devil; scamp; terror ● **brutto come il d.**, as ugly as sin □ (*fig.*) **diventare un d.**, to become a fury □ **gridare come un d.**, to scream like one possessed.

demonìsmo m. demonism.

demonizzàre v. t. to demonize.

demonizzazióne f. demonization.

demonofobìa f. (*psic.*) demonophobia.

demonolatrìa f. demonolatry.

demonologìa f. demonology.

demoplutocrazìa f. pluto-democracy.

demopsicologìa f. folk psychology.

demoralizzànte a. demoralizing; depressing; discouraging.

demoralizzàre Ⓐ v. t. to demoralize; to depress; to discourage Ⓑ **demoralizzàrsi** v. i. pron. to become* demoralized; to let* (st.) get one down: *Non demoralizzarti per una sciocchezza simile*, don't let such a silly thing get you down.

demoralizzàto a. demoralized; depressed; (*avvilito*) downhearted, discouraged.

demoralizzazióne f. demoralization; depression.

demòrdere v. i. (generalm. al neg.) to give* up; to quit; to throw* in the towel: **non d.**, not to give up; (*insistere*) to keep at it.

demoscopìa f. public opinion survey.

demoscòpico a. (public) opinion (attr.): **indagine demoscopica**, (public) opinion poll.

demòscopo m. public opinion expert.

Demòstene m. (*stor.*) Demosthenes.

demòtico a. e m. demotic: **scrittura demotica**, demotic script.

demotìsmo m. (*ling.*) popular word; popular idiom.

demotivàre Ⓐ v. t. to demotivate Ⓑ **demotivàrsi** v. i. pron. to become* demotivated.

demotivàto a. demotivated.

demotivazióne f. demotivation.

demulcènte a. e m. (*farm.*) demulcent.

demuscazióne f. fly disinfestation.

♦**denàro** m. **1** (*moneta*) money Ⓤ: **d. contante**, ready money; (loose) cash; **d. spicciolo**, change **2** (*soldi*) money Ⓤ: **d. liquido**, cash; **d. pubblico**, public money; **d. sporco**, dirty money; **riciclare d. sporco**, to launder money; **buttare il d.**, to squander money; **fare denari a palate**, to make money hand over fist **3** (*ricchezza*) wealth Ⓤ; riches (pl.) **4** (al pl.) (*nelle carte da gioco antiche o region.*) coins, pentacles; (*in quelle moderne*) diamonds **5** (*moneta romana*) denarius* **6** (*ind. tess.*) denier ● **a corto di d.**, short of money; hard up □ **avere il d. contato**, (*averne poco*) to have no money to spare; (*avere solo quanto basta*) to have just enough money; (*avere la somma esatta*) to have the exact amount □ **sciupare tempo e d.**, to waste time and money.

denaróso → **danaroso**.

denasalizzàre Ⓐ v. t. (*fon.*) to denasalize Ⓑ **denasalizzàrsi** v. i. pron. to become* denasalized.

denasalizzazióne f. (*fon.*) denasalization.

denatalità f. fall in the birth rate.

denaturànte (*chim.*) **A** a. denaturing **B** m. denaturant.

denaturàre v. t. (*chim.*) to denature.

denaturàto a. (*chim.*) denatured: **alcol d.**, denatured alcohol; (*com.*) methylated spirits.

denaturazióne f. (*chim.*) denaturation.

denazificazióne f. denazification.

denazionalizzàre v. t. (*econ.*) to denationalize.

denazionalizzazióne f. (*econ.*) denationalization.

dendrite ① m. (*anat.*) dendrite; dendron.

dendrite ② f. (*miner.*) dendrite.

dendritico ① a. (*anat.*) dendritic.

dendritico ② a. (*miner.*) dendritic.

dendroclimatologia f. dendroclimatology.

dendrocronologìa f. dendrochronology.

dendrologìa f. (*bot.*) dendrology.

dendrològico a. (*bot.*) dendrological.

dendrometrìa f. (*bot.*) dendrometry.

dengue f. inv. (*med.*) dengue (fever).

denigràre v. t. to denigrate; to disparage; to run* down (*fam.*); to defame: **d. i colleghi**, to run down one's colleagues.

denigratóre m. (f. **-trìce**) disparager; detractor; defamer.

denigratòrio a. disparaging; defamatory: **campagna denigratoria**, smear campaign; **commenti denigratori**, defamatory remarks.

denigrazióne f. denigration; disparagement; aspersion; defamation.

denim (*ingl.*) m. inv. (*ind. tess.*) denim.

denitrificazióne f. (*chim.*) denitrification; denitrifying.

denocciolàre v. t. to stone; to pit: **prugne denocciolate**, pitted prunes.

denocciolatrice f. (*tecn.*) stoner.

denominàle → **denominativo**.

denominàre **A** v. t. to name; to call; to denominate **B** **denominàrsi** v. i. pron. to be named (o called); to take* the name of.

denominativo (*gramm.*) a. denominative.

denominatóre m. (*mat.*) denominator: **minimo comun d.**, lowest (o least) common denominator.

denominazióne f. **1** (*il nominare*) denominating; denomination **2** (*nome*) name; designation; appellation **3** (*relig.*) denomination ● **d. d'origine controllata**, appellation contrôlée (*franc.*); registered designation of origin □ (*leg.*) **d. sociale**, firm name; company name □ (*gramm.*) **complemento di d.**, genitive (case).

denotàre v. t. **1** (*indicare*) to denote, to indicate; (*mostrare*) to show; (*rivelare*) to reveal **2** (*simboleggiare, designare*) to stand* for; to mean*.

denotativo a. (*ling.*) denotative.

denotazióne f. (*filos., ling.*) denotation.

densimètrico a. (*fis.*) hydrometric.

densimetro m. (*fis.*) densimeter; hydrometer.

densità f. **1** (*anche fis.*) density: (*fis.*) **d. di corrente**, current density; (*fis.*) **d. di flusso**, flux density; (*fis.*) **d. di popolazione**, population density; **a bassa [alta] d.**, low-density [high-density] **2** (*fittezza*) density; thickness; denseness: **la d. di una foresta**, the density (o thickness) of a forest **3** (*consistenza*) thickness: **la d. di una crema**, the thickness of a cream **4** (*fig.*) wealth: **d. di concetti**, conceptual wealth.

densitometrìa f. densitometry.

densitòmetro m. densitometer.

♦**dènso** a. **1** dense; (*fitto*) thick: **buio d.**, thick darkness; **fumo d.**, dense (o thick) smoke; **vegetazione densa**, dense (o thick) vegetation; **poco d.**, (*rado*) sparse; (*di liquido*) thin **2** (*consistente, compatto*) thick; firm: **crema densa**, thick cream **3** (*fig.: colmo*) thick (with); crammed (with); packed (with): **un anno d. di avvenimenti**, a year full of events; **un cielo d. di stelle**, a sky thick with stars; **un libro d. d'idee**, a book crammed with ideas; **d. di significato**, charged (o pregnant) with meaning.

dentàle ① a. **1** (*anat.*) dental; tooth (attr.): **igiene d.**, dental hygiene **2** (*fon.*) dental **B** f. (*fon.*) dental.

dentàle ② m. (*agric.*) share-beam.

dentàlio m. (*zool., Dentalium entalis*) tooth shell.

dentària f. (*bot., Dentaria bulbifera*) toothwort; crinkleroot.

dentàrio a. (*med.*) dental; tooth (attr.): **placca dentaria**, dental plaque; **protesi dentaria**, dentures (pl.).

dentaruòlo m. teething ring.

dentàta f. **1** (*morso*) bite **2** (*segno*) toothmark.

dentàto a. **1** toothed **2** (*bot., zool.*) dentate: **foglia dentata**, dentate leaf **3** (*mecc.*) toothed; (*di ruota*) cogged; (*di sega*) serrated: **corona dentata**, crown wheel; **ruota dentata**, cogwheel.

dentatrice f. (*mecc.*) gear cutter; gear cutting machine.

dentatùra f. **1** teeth (pl.); set of teeth; dentition: **una bella d.**, a fine set of teeth; **d. di latte**, milk teeth (pl.) **2** (*mecc.*) toothing; teeth (pl.); (*di sega*) serration.

♦**dènte** m. **1** tooth*; (*d'animale feroce*) fang; (*zanna*) tusk: **d. cariato**, decayed tooth; **d. del giudizio**, wisdom tooth; **d. di latte**, milk tooth; **denti anteriori**, front teeth; **denti falsi**, false teeth; **denti guasti**, bad teeth; **denti inferiori**, lower teeth; **denti posteriori**, back teeth; **denti sporgenti**, buck teeth; **denti storti**, crooked teeth; **denti superiori**, upper teeth; **avere i denti radi**, to be gap-toothed; **Battevo i denti**, my teeth were chattering; **lavarsi i denti**, to brush one's teeth; **Il piccolo sta mettendo i denti**, the baby is cutting its teeth (o is teething); **farsi togliere un d.**, to have a tooth (o pulled) out; **farsi otturare un d.**, to have a tooth filled (o stopped); **mal di denti**, toothache; **senza denti**, toothless **2** (*di pettine, sega*) tooth*; (*di forchetta, rastrello, tridente*) prong; (*di ingranaggio*) cog; (*di cremagliera*) rack tooth*; (*di ancora*) fluke; (*di stanghetta di serratura*) talon **3** (*di montagna*) jag; peak **4** (*fig.: morso*) sting: **il d. dell'invidia**, the sting of envy **5** (*di muratura*) toothing **6** (*bot.*) – **d. canino** (*Agropyrum repens*), dog-grass, dog's-grass; shear-grass; couch grass; **d. di cane** (*Erythronium dens-canis*), dog's-tooth; **d. di leone** (*Taraxacum officinale*), dandelion ● (*mecc.*) **d. d'arresto**, catch; pawl; detent; click □ **a d. di sega**, saw-toothed □ **a denti stretti**, through clenched teeth; (*controvoglia*) reluctantly, grudgingly; (*con accanimento*) doggedly, grimly: **lottare a denti stretti**, to fight grimly □ (*cucina*) **al d.**, al dente; firm □ **armato fino ai denti**, armed to the teeth □ (*fig.*) **avere il d. avvelenato contro q.**, to bear sb. a grudge □ **dire qc. fra i denti**, to mutter st. under one's breath; to mumble st. □ (*fig.*) **mostrare i denti**, to show one's teeth □ **mettere qualcosa sotto i denti**, to have something to eat □ **Non è pane per i miei denti**, it's not my cup of tea □ (*fig.*) **parlare fuori dei denti**, to speak one's mind □ (*fig.*) **reggere l'anima con i denti**, to be at one's last gasp □ **restare a denti**

asciutti, to go hungry; (*fig.*) to be disappointed □ **stringere i denti**, to clench one's teeth; (*fig.*) to grit one's teeth, to brace oneself (for st.) □ (*fig.*) **tirato coi denti** (*lambiccato*), far-fetched.

dentellàre v. t. **1** to indent; to notch **2** (*i francobolli*) to perforate **3** (*una stoffa*) to pink.

dentellàto a. **1** indented; notched; serrated **2** (*archit.*) denticulate **3** (*bot., zool.*) dentate; crenate; serrate **4** (*di francobollo*) perforated.

dentellatùra f. **1** indentation; notching; (*a denti di sega*) serration **2** (*archit.*) denticulation **3** (*mecc.: tacca a V*) notch **4** (*bot., zool.*) dentation; crenation; crenature; serration **5** (*di francobollo*) perforation **6** (*ind. tess.*) pinking.

dentèllo m. **1** (*archit.*) dentil **2** (*mecc.*) tooth* **3** (*di francobollo*) perforation.

dentellòmetro m. (*filatelia*) perforation gauge.

dèntice m. (*zool., Dentex dentex*) dentex.

denticolàto a. (*bot.*) denticulate; serrate.

dentièra f. **1** dentures (pl.); set of false teeth: **portare la d.**, to wear dentures; to wear false teeth **2** (*mecc.: cremagliera*) rack: **ferrovia a d.**, rack railway.

dentifricio **A** a. tooth (attr.): **pasta dentifricia**, toothpaste **B** m. (*in crema*) toothpaste; (*in polvere*) toothpowder, dentifrice.

dentìna f. (*anat.*) dentine.

♦**dentìsta** m. e f. dentist; dental surgeon.

dentistico a. dental; dentist's (attr.): **gabinetto d.**, dental (o dentist's) surgery; **laboratorio d.**, dental laboratory.

dentizióne f. teething; dentition; cutting one's teeth: **prima [seconda] d.**, primary [secondary] dentition; **età della d.**, teething age.

♦**déntro** **A** avv. **1** in; inside; (*rif. a un edificio, anche*) indoors, within: **spingere (in) d.**, to push in; **volto (o girato) in d.**, turned in; **là d.**, in there; **qui d.**, in here; **Che cosa c'è d.?**, what's inside?; **una scatola con d. molti giocattoli**, a box with a lot of toys in it; **Esci di là d.!**, come out of there!; **Venite d.**, come inside; **È più fresco d.**, it's cooler inside (o indoors); **O d. o fuori!**, come in or go out!; (*fig.*) **make up your mind!** **2** (*fig.: internamente*) inwardly; inside; in one's mind: **Tremavo d. al pensiero**, I trembled inwardly (o inside) at the thought; **D. fremevo di rabbia**, I was seething with rage; **tenersi tutto d.**, to keep everything bottled up **3** (*fam.: in prigione*) in jail; inside: **Ha passato tre anni d.**, he did three years inside; **È d. per furto**, he's doing time for theft (*fam.*); **andare d.**, to go to jail; **mettere q. d.**, to send sb. to jail; to lock sb. up (*fam.*) **B** prep. **1** (*stato*) in; (*all'interno*) inside; (*entro*) within: **d. la busta**, inside the envelope; **d. casa**, indoors; **d. i confini [le mura]**, within the boundaries [the walls]; **d. la stanza**, in (o inside) the room; **d. di sé**, inwardly; inside; to oneself; **Pensò d. di sé che...**, he thought to himself that... **2** (*moto*) into: **Mi spinse d. la stanza**, she pushed me into the room **3** (*rif. a tempo*) → **entro** ● **darci d.** → **dare** □ **esserci d. fino al collo**, to be up to one's neck in it **C** m. (*anche di d.*) inside: **il (di) d. del vaso**, the inside of the vase; **La porta s'apre dal di d.**, the door opens from the inside; **È chiuso dal di d.**, it's locked on the inside.

denuclearizzàre v. t. to denuclearize.

denuclearizzàto a. denuclearized; nuclear-free.

denuclearizzazióne f. denuclearization.

denudaménto m. stripping; denudation.

denudàre **A** v. t. to bare; to strip (naked);

to lay* bare: *Mi denudai la gamba*, I bared my leg; *Lo denudarono*, they stripped him naked; **d. una chiesa degli arredi**, to strip a church; **la verità denudata d'ogni fronzolo**, the truth stripped of all frills; the truth laid bare **B denudàrsi** v. rifl. to strip; to undress.

denudazióne f. **1** denudation; stripping ● (*eccles.*) **la d. degli altari**, stripping the altars **2** (*geol.*) denudation.

denùncia ① f. **1** (*dichiarazione ufficiale*) declaration; registration; statement; (*fisc.*) return: **d. delle nascite**, registration of births; **d. dei redditi**, income-tax return **2** (*notifica*) report (*anche ass.*); notification: **di un sinistro**, report of an accident **3** (*accusa pubblica*) denunciation, condemnation; (*rivelazione*) exposure: **una d. dei mali della società**, a denunciation of the evils of society; **la d. di uno scandalo**, the exposure of a scandal **4** (*leg.*, *alla polizia*) information Ⓤ; report; complaint: **fare** (*o* **sporgere**) **d.** (**alla polizia**), to report (st., sb.) to the police; to inform the police; **ritirare una d.**, to withdraw charges; to decide not to press charges.

denùncia ② f. (*disdetta*) denunciation: **d. di un accordo**, denunciation of an agreement.

♦**denunciàre** ① v. t. **1** (*dichiarare*) to declare; to notify; to register: **d. le proprie entrate**, to declare one's income; **d. una nascita**, to register a birth **2** (*ass.*) to report: **d. un sinistro**, to report an accident **3** (*alla polizia*) to report; (*alle autorità, facendo di spia*) to denounce: **d. un furto**, to report a theft; *Ti denuncerò alla polizia*, I'll report you to the police; *Il delitto non fu denunciato*, the crime went unreported **4** (*rivelare, rendere pubblico*) to denounce; to expose: **le malefatte di q.**, to expose sb.'s evil doings; to blow the whistle on sb. (slang); *Il film denuncia apertamente il regime*, the film openly denounces the regime **5** (*rendere evidente*) to reveal; to show*: **parole che denunciano la sua malafede**, words that reveal his bad faith.

denunciàre ② v. t. (*disdire*) to denounce: **d. un trattato**, to denounce a treaty.

denunciatóre m. (f. **-trice**) denouncer; informer.

denunziàre e *deriv.* → **denunciare**, e *deriv.*

denutrìto a. underfed; undernourished.

denutrizióne f. undernourishment; (*med.*) malnutrition.

deodorànte A a. deodorant **B** m. deodorant; deodorizer.

deodoràre v. t. to deodorize.

deodorizzàre v. t. to deodorize.

deodorizzazióne f. deodorization.

Dèo gràtias (*lat.*) loc. escl. thank goodness!; (*finalmente*) at long last!

deonomàstica f. (*ling.*) study of eponymous words.

deonomàstico A a. (*ling.*) concerning eponymous words **B** m. eponymous word.

deòntico a. (*filos.*) deontic.

deontologìa f. **1** code of conduct; ethics (pl.): **d. professionale**, professional ethics **2** (*filos.*) deontology.

deontològico a. **1** ethical **2** (*filos.*) deontological; deontic.

deorbitàre A v. t. to deorbit **B** v. i. to deorbit; to go* out of orbit.

deorbitazióne f. deorbit.

deospedalizzàre v. t. **1** to discharge (sb.) from hospital **2** to release (*a mental patient*) into the community.

deospedalizzazióne f. **1** discharge from hospital **2** release (of a mental patient) into the community.

deossiribonuclèico a. (*biol.*) – **acido d.**, deoxyribonucleic acid; DNA.

deossiribòsio. **deossiribóso** m. (*chim.*) deoxyribose.

deostruìre v. t. to unblock; to clear: **d. una conduttura**, to unblock a pipe.

depauperaménto m. impoverishment; depletion.

depauperàre v. t. to impoverish; to pauperize; to depauperate; (*esaurire*) to deplete, to drain.

depenalizzàre v. t. (*leg.*) to decriminalize.

depenalizzazióne f. (*leg.*) decriminalization.

dépendance (*franc.*) f. inv. annexe; outhouse.

depennaménto m. deletion; striking out; crossing out; (*da albo professionale*) striking off.

depennàre v. t. to delete; to strike* out; to cross out; (*da albo professionale*) to strike* off: **d. un nome da un elenco**, to strike a name from a list.

deperìbile a. perishable: **merce d.**, perishable goods (pl.); perishables (pl.).

deperibilità f. perishability.

deperiménto m. **1** (*di persona*) run-down condition; poor state of health; decline; wasting away **2** (*di cosa*) deterioration; (*per usura*) wear and tear: **merce soggetta a d.**, perishable goods **3** (*econ.*) depreciation.

deperìre v. i. **1** (*di persona*) to lose* strength; to waste away; to decline **2** (*di cosa*) to deteriorate **3** (*di pianta*) to wither.

deperìto a. run-down; emaciated; debilitated: **un bambino d.**, an emaciated child; **viso d.**, gaunt face; *L'ho trovato molto d.*, I found him very run-down.

depersonalizzazióne f. (*psic.*) depersonalization.

depicciolàre v. t. (*agric.*) to remove the stalk from (*fruit*).

depigmentàto a. (*biol.*) depigmented.

depigmentazióne f. (*biol.*) depigmentation.

depilàre v. t. **1** to depilate; to remove hair from; (*con ceretta*) to wax; (*con pinzetta*) to pluck; (*con rasoio*) to shave: **depilarsi le gambe**, to depilate one's legs; **depilarsi le sopracciglia**, to pluck one's eyebrows **2** (*conceria*) to unhair.

depilatóre m. hair remover; depilatory.

depilatòrio A a. depilatory: **crema depilatoria**, depilatory cream **B** m. depilatory.

depilatrice f. (*conceria*) unhairing machine.

depilazióne f. depilation; hair removal.

depistàggio m. sidetracking; diversion: **il d. di un'indagine**, the sidetracking of an investigation; **un'operazione di d.**, an attempt at sidetracking st.; a smokescreem operation.

depistàre v. t. to sidetrack; to divert; to derail; to put* (*o* to throw*) (sb.) off the scent; to lead* (sb.) on a wild-goose chase: **d. le indagini**, to derail investigations; **d. la polizia**, to put the police off the scent; to lead the police on a wild-goose chase.

depletìvo a. depletive.

deplezióne f. (*med.*) depletion.

dépliant (*franc.*) m. inv. leaflet; brochure; pamphlet; folder (*USA*).

deploràbile a. **1** (*biasimevole*) deplorable **2** (*lamentevole*) lamentable; regrettable.

deploràre v. t. **1** (*biasimare*) to deplore; to disapprove of; to censure **2** (*lamentare*) to lament; to regret.

deplorazióne f. (*biasimo*) disapproval; blame; censure.

deplorévole a. **1** (*biasimevole*) deplorable **2** (*lamentevole*) lamentable; regrettable.

depolarizzànte (*fis.*) **A** a. depolarizing **B** m. depolarizer.

depolarizzàre v. t. (*fis.*) to depolarize.

depolarizzatóre m. (*fis.*) depolarizer.

depolarizzazióne f. (*fis.*) depolarization.

depolimerizzàre v. t. (*chim.*) to depolymerize.

depolimerizzazióne f. (*chim.*) depolymerization.

depoliticizzàre v. t. to depoliticize.

depoliticizzazióne f. depoliticization.

depolverizzàre v. t. (*tecn.*) to free from dust.

depolverizzatóre m. (*tecn.*) dust exhaust; dust remover.

depolverizzazióne f. (*tecn.*) dust collection.

deponènte ① (*banca*) **A** a. depositing **B** m. e f. depositor.

deponènte ② **A** a. (*gramm.*) deponent: **verbo d.**, deponent verb **B** m. **1** (*gramm.*) deponent **2** (*tipogr., mat.*) subscript.

♦**depórre A** v. t. **1** (*porre giù*) to put* down; to set* down; to lay* down: **d. le armi**, to lay down (one's) arms; to cease hostilities; **d. un pacco sul tavolo**, to put a parcel down on the table; **d. uova**, to lay eggs; (*di pesci, molluschi, ecc.*) to spawn **2** (*sistemare, collocare*) to place; to deposit: **d. la scheda nell'urna**, to place one's ballot in the ballot box; to vote; *I manoscritti furono deposti nella Biblioteca Nazionale*, the manuscripts were placed (*o* deposited) in the National Library **3** (*togliersi di dosso*) to take* off; to remove: **d. i guanti**, to take off one's gloves; **d. la veste talare**, to unfrock oneself; to leave the priesthood **4** (*rimuovere da una carica*) to remove from office; (*un sovrano*) to depose **5** (*depositare*) to deposit; (*ostruendo, colmando*) to silt up **6** (*fig.: rinunciare*) to give* up, to renounce; (*abbandonare*) to put* aside, to abandon: **d. la corona**, to renounce the crown; to abdicate; **d. l'idea di partire**, to set aside any idea of leaving **B** v. t. e i. (*leg.*) to testify; to give* evidence: **d. a carico di** (*o* **contro**) **q.**, to give evidence against sb.; **d. a favore di q.**, to testify (*o* to give evidence) in sb.'s favour; **d. il falso**, to give false testimony; **d. in giudizio**, to give evidence in court; *Il testimone depose che aveva visto il ladro*, the witness testified that he had seen the burglar; **essere chiamato a d.**, to be called to give evidence (*o* to testify) **C** v. i. to be; to speak*; to testify: **d. a favore di**, (*comprovare*) to speak of; to testify to; (*andare a merito di*) to be to (sb.'s) credit; **d. a sfavore di**, to be against; to testify against.

deportànza f. (*aeron.*) **1** lift decrease **2** negative lift.

deportàre v. t. to deport; to transport (*stor.*): *Fu deportato in Germania*, he was deported to Germany.

deportàto A a. deported; transported (*stor.*) **B** m. deportee; (deported) convict (*stor.*).

deportazióne f. deportation; transportation (*stor.*): **la d. nelle colonie**, transportation to the colonies; **essere condannato alla d.**, to be sentenced to deportation; **colonie di d.**, penal colonies.

depòrto m. (*banca*) backwardation.

deposìtànte A a. depositing **B** m. e f. **1** (*fin., banca*) depositor **2** (*leg.*) bailor.

♦**depositàre A** v. t. **1** (*affidare in custodia*) to deposit; to lodge (st. with sb.); to leave* (st. with sb.): **d. i bagagli alla stazione**, to leave one's luggage at the station; **d. gioielli in cassetta di sicurezza**, to deposit jewellery in a safe-box; **d. merci in magazzino**,

to store goods; **d. i propri risparmi alla Banca X**, to lodge one's savings with the X Bank; **d. una somma in banca**, to deposit a sum of money in a bank account; **d. valori alla reception**, to deposit valuables with the reception **2** (*registrare*) to lodge; to register; to file: **d. la propria firma**, to lodge one's signature; **d. un marchio**, to register a trademark **3** (*posare giù*) to put* down; to place; to deposit **4** (*di fiume, ecc.*) to deposit: *La piena depositò fango e sabbia*, the flood deposited mud and sand **B** v. i. (*di liquido*) to make* a deposit **C depositàrsi** v. i. pron. to settle; to collect: *La sabbia si depositò sul fondo del secchio*, the sand settled on the bottom of the bucket.

depoṣitàrio m. (f. **-a**) **1** depositary; trustee; consignee **2** (*leg., comm.*) bailee **3** (*fig.*: *custode*) custodian; keeper; guardian; (*di informazioni, ecc.*) repository: **d. di un segreto**, entrusted with a secret; **d. della storia di famiglia**, repository of the family history; **d. delle tradizioni**, guardian of tradition.

depoṣitàto a. **1** deposited; on deposit; left in safekeeping: **valori depositati**, valuables and securities deposited in a safe **2** (*registrato*) registered: **marchio d.**, registered trademark; **modello d.**, registered model.

♦**depòṣito** m. **1** (*il depositare*) depositing; (*in magazzino*) storing, storage: *Ho messo i mobili in d.*, I put my furniture in storage **2** (*banca*) deposit: **d. a risparmio**, savings deposit; **d. fruttifero**, interest-bearing deposit; **d. vincolato**, time deposit; **denaro in d.**, money on deposit **3** (*leg.*) deposit: **d. cauzionale**, bailment **4** (*consegna, affidamento*) deposit; trust: **dare qc. in d. a q.**, to entrust sb. with st.; to leave st. with sb.; **ricevere qc. in d.**, to be given st. in trust **5** (*registrazione*) registration: **d. della firma**, registration of sb.'s signature; **d. di un marchio**, registration of a trademark **6** (*anticipo*) deposit; down payment: **lasciare un d.**, to put down a deposit **7** (*luogo di d.*) depository; depot; store; dump; yard; (*locale*) store-room; (*capanno*) shed; (*magazzino*) warehouse, storehouse; (*nascosto*) cache: **d. bagagli**, left-luggage office; checkroom (*USA*); **d. degli attrezzi**, toolshed; **d. degli autobus**, bus depot; **d. di carbone**, coal depot; coal yard; **d. di legname**, timber yard; **d. di munizioni**, ammunition depot (*o* dump); (*naut.*) powder magazine; (*comm.*) **d. doganale**, bonded warehouse; **d. ferroviario**, engine shed; yard (*USA*); **d. franco**, entrepôt; **d. merci**, goods warehouse; (*naut., aeron.*) cargo warehouse; **d. sotterraneo**, storage vault; *La polizia ha scoperto un d. di armi*, the police have discovered an arms cache; **mettere in d.**, to store **8** (*mil.*) depot **9** (*sedimento*) deposit; sediment **10** (*med.*) deposit; accumulation **11** (*geol.*) deposit: **d. alluvionale**, drift; **d. di limo**, silting; **d. di sabbie aurifere**, placer; **d. glaciale**, glacial deposit; **d. morenico**, boulder clay.

depoṣizióne f. **1** (*il deporre*) putting down; laying down; (*di uova*) laying **2** (*relig., arte*) – **la D.**, the Deposition (from the Cross) **3** (*rimozione da una carica*) removal (from office); dismissal; (*di sovrano*) deposition: **la d. di un ministro**, the dismissal of a minister; **la d. dal trono**, the deposition from the throne **4** (*leg.*) deposition; testimony; evidence Ⓤ; (*scritta e giurata*) affidavit: **fare una d.**, to make a deposition; to give evidence; to testify; **raccogliere una d.**, to take sb.'s testimony.

depotenziaménto m. reduction; weakening.

depotenziàre v. t. to reduce; to weaken.

depravàre v. t. to corrupt; to deprave; to pervert; to debauch.

depravàto A a. depraved; perverted; de-

bauched; corrupt **B** m. (f. **-a**) pervert; degenerate.

depravazióne f. **1** (*il depravare*) depravation; corruption; perversion **2** (*l'essere depravato*) depravation; depravity; corruption.

deprecàbile a. **1** (*deplorevole*) deplorable **2** (*malaugurato*) unfortunate; regrettable.

deprecàre v. t. **1** (*biasimare*) to deplore; to disapprove of; to deprecate **2** (*lett.*) to pray that (st.) be averted.

deprecativo a. deprecating; deprecatory; disapproving.

deprecàto a. **1** (*biasimato*) deplored; disapproved **2** (*malaugurato*) unfortunate; regrettable: **nella deprecata ipotesi che...**, in the unfortunate event that...

deprecatòrio a. deprecatory.

deprecazióne f. **1** (*lett.*: *invocazione*) deprecation **2** (*biasimo*) disapproval; condemnation.

depredàre v. t. **1** (*saccheggiare*) to plunder; to pillage **2** (*spogliare*) to despoil; (*derubare*) to rob.

depredatóre (*lett.*) **A** m. (f. **-trìce**) plunderer; pillager; spoiler **B** a. plundering.

depredatòrio a. predatory; plundering.

depredazióne f. depredation; plundering.

depressionàrio a. (*meteor.*) depression (attr.): **area depressionaria**, depression; low-pressure area.

depressióne f. **1** (*geol.*) depression; sag: **d. del terreno**, depression in the ground **2** (*avvallamento*) depression; hollow **3** (*meteor.*) depression; low; trough **4** (*econ.*) depression; slump: **la grande d.**, the Great Depression **5** (*med.*) depression **6** (*abbattimento*) depression; despondency; low spirits (pl.); dejection: **cadere in d.**, to fall into a depression **7** (*astron., fis.*) depression.

depressivo a. **1** (*che deprime*) depressing; (*med.*) depressive: **esercitare un'azione depressiva**, to have a depressive effect **2** (*di depressione*) of depression; depressed: **crisi depressiva**, fit of depression; **stato d.**, state of depression; depressed state.

deprèsso A a. **1** (*di terreno e sim.*) sunk; low-lying **2** (*econ.*) depressed: **aree depresse**, depressed areas **3** (*med.*) depressed **4** (*avvilito*) depressed; dispirited; dejected; low; in low spirits; down (*fam.*) **B** m. (f. **-a**) (*med.*) depressive.

depressóre A m. **1** (*anat.*) depressor (muscle) **2** (*mecc.*) vacuum pump **B** a. (*anat.*) depressor.

depressurizzàre v. t. to depressurize.

depressurizzazióne f. depressurization.

deprezzaménto m. (*econ.*) depreciation; fall in value; debasement (*in regime di cambi flessibili*) **d. valutario**, currency depreciation.

deprezzàre A v. t. **1** (*econ.*) to devalue; to lower the value of; to debase: **d. una casa**, to lower the value of a house **2** (*fig.*: *svilire*) to run* down; to belittle; to depreciate **B deprezzàrsi** v. i. pron. to depreciate; to fall* in value; to lose* value: *Il dollaro si è deprezzato rispetto all'euro*, the dollar has depreciated against the euro.

deprimènte a. **1** depressing; discouraging; dispiriting; dismal; gloomy; bleak: **esperienza d.**, depressing experience; **notizie deprimenti**, depressing news; **tempo d.**, gloomy weather **2** (*farm.*: *sedativo*) depressant; sedative.

deprimere A v. t. **1** (*abbassare*) to depress; to press down **2** (*fig.*) to depress; to demoralize; to discourage; to get* down: *Leggere i giornali mi deprime*, reading the papers depresses me; *La bocciatura lo depresse*, he was dejected at being failed **3**

(*med.*) to depress **B deprimersi** v. i. pron. **1** (*abbassarsi*) to sink*; to subside **2** (*fig.*) to become* depressed; to become* demoralized; to lose* heart.

deprivàre v. t. to deprive.

deprivàto a. deprived.

deprivazióne f. deprivation.

depsichiatrizzàre v. t. to remove from psychiatric care; no longer to consider (sb.) a psychiatric case.

depuraménto → **depurazione**.

depuràre A v. t. **1** to purify (*anche med.*); (*filtrare*) to filter: **d. l'aria**, to purify the air; **d. il sangue**, to purify the blood **2** (*chim.*) to purify; (*gas*) to scrub **3** (*fig.*) to purify; to refine **B depuràrsi** v. i. pron. to be purified; (*chim.*) to purify.

depurativo a. e m. (*med.*) depurative.

depuratóre A a. purifying; cleansing; cleaning, purification (attr.): **filtro d.**, cleaning filter; **impianto d.**, purification plant **B** m. **1** (f. **-trìce**) (*operaio*) purification plant worker **2** (*apparecchio*) purifier; cleaner; (*filtro*) filter: **d. d'acqua**, water purifier; (*di acqua dura*) water conditioner (*o* softener); **d. d'aria**, air purifier; **d. del gas**, scrubber; **d. d'olio**, oil cleaner **3** (*impianto*) purification plant.

depuratòrio A a. purifying **B** m. water purifier.

depurazióne f. purification; (*filtraggio*) filtering; (*ind.*) washing; (*chim., di gas*) scrubbing: **impianto di d.**, purification plant.

deputàre v. t. **1** to depute; to delegate **2** (*assegnare, designare*) to appoint.

♦**deputàto** ① a. (*designato*) appointed; fixed: **il giorno d.**, the appointed day.

♦**deputàto** ② m. (f. **-a**) **1** (*polit.*: *in Italia*) deputy; (*in GB*) member of parliament (abbr. MP); (*in USA*) congressman* (f. congresswoman*): *Camera dei Deputati*, Chamber of Deputies; (*in GB*) House of Commons; (*in USA*) House of Representatives **2** (*delegato*) delegate; representative.

deputazióne f. **1** (*il deputare*) deputation **2** (*delegazione*) deputation; delegation.

dequalificàre A v. t. to downgrade; (*sminuire*) to devalue; (*screditare*) to discredit: **d. la produzione**, to downgrade production **B dequalificàrsi** v. i. pron. to be devalued; (*professionalmente*) to accept a downgrading (in one's career).

dequalificazióne f. downgrading (*anche professionale*); devaluation; (*discredito*) discredit.

deragliaménto m. derailment.

deragliàre v. i. to run* off the rails; to be derailed ● **far d.**, to derail.

deragliatóre m. (*mecc.*) dérailleur (gear).

dérapage (*franc.*) m. inv. **1** (*autom.*) skid **2** (*aeron., sci*) sideslip.

derapàre v. i. **1** (*autom.*) to skid **2** (*aeron., sci*) to sideslip.

derapàta f. **1** (*autom.*) skid; skidding **2** (*aeron., sci*) sideslip ● **fare una d.**, to skid; to sideslip.

derattizzànte m. rat poison.

derattizzàre v. t. to rid* of rats; to exterminate rats in.

derattizzazióne f. rat extermination.

dèrby (*ingl.*) m. inv. **1** (*calcio*) derby **2** (*ipp.*) Derby: **il d. di Epsom**, the (Epsom) Derby.

derealizzazióne f. (*psic.*) derealization.

deregolamentàre v. t. to deregulate.

deregolamentazióne f. deregulation.

deregolàre v. t. to deregulate.

deregolazióne f. deregulation.

derelitto A a. **1** (*abbandonato*) forlorn;

abandoned; uncared-for; helpless: **infanzia derelitta**, waifs (pl.) **2** (*disabitato, in abbandono*) derelict; untended; abandoned: **campi derelitti**, untended fields; **edificio d.**, derelict building **B** m. (f. **-a**) destitute person; derelict; down-and-out; outcast: **ospizio per derelitti**, hostel for down-and-outs.

derelizióne f. (*leg.*) dereliction.

derequisìre v. t. to derequisition.

derequisizióne f. derequisitioning.

deresponsabilizzàre **A** v. t. to relieve of responsibilities **B** **deresponsabilizzàrsi** v. i. pron. to lose* one's sense of responsibility; to shirk one's responsibilities.

deretàno m. posterior; buttocks (pl.); backside (*fam.*); behind (*fam.*); bottom (*fam.*).

derìdere v. t. to deride; to mock; to laugh at; to scoff at; to jeer at.

derisióne f. derision; mockery; scoffing; jeering: **un'occhiata di d.**, a look of derision; **essere oggetto di d.**, to be an object of derision; to be a laughing-stock.

derisóre m. derider; mocker; scoffer; jeerer.

derisòrio a. derisive; derisory; mocking; scoffing.

derìva f. **1** (*naut., aeron.: spostamento laterale*) drift; driftage; leeway: **angolo di d.**, drift angle; **correzione di d.**, correction for drift; (*anche fig.*) **alla d.**, adrift; **andare alla d.**, to drift; (*fig.*) to go adrift **2** (*naut., anche* **chiglia di d.**) fin keel; board: **d. mobile**, centreboard; sliding keel; drop keel **3** (*naut.: imbarcazione*) centreboarder **4** (*aeron., anche* **piano di d.**) fin: **pennone di d.**, fin post **5** (*geogr., biol.*) drift: **d. dei continenti**, continental drift; **d. genetica**, genetic drift **6** (*fig.*) drift; shift: **d. conservatrice**, drift towards conservativism.

derivàbile a. derivable.

derivabilità f. derivability.

♦**derivàre** **A** v. t. **1** (*trarre*) to derive; to get*: **prodotti derivati dal petrolio**, products derived from petrol; *Da dove deriva la sua sicurezza?*, where does she get her sense of certainty from? **2** (*dedurre*) to deduce; to infer **3** (*un fiume, ecc.*) to divert **4** (*elettr.*) to shunt **5** (*mat.*) to derive **B** v. i. **1** (*avere origine*) to derive (from); to come* (from, of); to arise* (from); to grow* (out of); to originate (in, from); to stem (from); (*risultare*) to result (from), to be the result (of); (*seguire*) to follow (from): *Le lingue romanze derivano dal Latino*, Romance languages derive from Latin; *I suoi difetti derivano da un'educazione permissiva*, his defects are the result of a permissive upbringing; *Ciò deriva dal fatto che...*, that is because...; *Ne* (*o Da ciò*) *deriva che...*, it follows that... **2** (*per nascita*) to be descended (from); to come* (of): **d. da ceppo illustre**, to be descended from noble stock **3** (*di fiume, ecc.*) to rise* (from); to issue (from) **4** (*naut., aeron.*) to drift; to make* leeway.

derivàta f. (*mat.*) derivative.

derivativo a. (*anche med., ling.*) derivative.

derivàto **A** a. **1** derived: **circuito d.**, derived circuit; **corrente derivata**, derived current **2** (*di acque*) diverted **B** m. **1** (*sottoprodotto*) by-product: **i derivati del petrolio**, the by-products of oil **2** (*prodotto o applicazione secondaria*) spin-off; offshoot **3** (*chim.*) derivative; derivate **4** (*ling.*) derivative (word).

derivatóre **A** a. diverting; (*elettr.*) shunting ● **canale d.**, penstock **B** m. (*elettr.*) shunt.

derivazionàle a. (*ling.*) derivatioal.

derivazióne f. **1** (*origine*) derivation; origin **2** (*mat.*) differentiation **3** (*ling.*) deriva-

tion **4** (*elettr.*) shunt; by-pass; branch; derivation: **d. magnetica**, magnetic shunt; **in d.**, shunt (attr.); **punto di d.**, branch point; node **5** (*telef.*) extension **6** (*med.*) shunt **7** (*di acque*) diversion; deviation.

derivòmetro m. (*aeron.*) drift indicator; drift meter.

dèrma m. (*anat.*) dermis; derm.

dermalgìa f. (*med.*) dermatalgia.

dermaschèletro m. (*zool.*) dermoskeleton.

dermatalgìa → **dermalgia**.

dermatìte f. (*med.*) dermatitis.

dermatofìta m. (*biol.*) dermatophyte.

dermatògeno m. (*bot.*) dermatogen.

dermatoglìfo m. (*anat.*) dermatoglyphics (pl.).

dermatologìa f. (*med.*) dermatology.

dermatològico a. (*med.*) dermatological.

dermatòlogo m. (f. **-a**) (*med.*) dermatologist.

dermatomicòsi f. (*med.*) dermatomycosis*.

dermàtomo m. (*chir., anat., fisiol.*) dermatome.

dermatoplàstica f. (*chir.*) dermatoplasty; grafting.

dermatòsi f. (*med.*) dermatosis*.

dermatozòo m. (*zool.*) dermatozoon*.

dermàttero m. (*zool.*) dermapteran; (al pl., *scient.*) Dermaptera.

dermèste m. (*zool., Dermestes lardarius*) larder beetle.

dèrmico a. (*anat.*) dermic; dermal.

dermoabrasióne f. (*chir.*) dermabrasion.

dermòide **A** m. leatherette **B** a. (*med.*) dermoid: **cisti d.**, dermoid (cyst).

dermopatìa f. (*med.*) dermatopathy.

dermopàtico a. e m. (*med.*) dermatopathic.

dermoprotettìvo a. (*fam.*) skin-care (attr.).

dèrno m. – (*naut.*) **bandiera in d.**, rolled-up flag (*as a signal of distress*); waft (*stor.*).

dèroga f. departure; deviation; (*anche leg.*) derogation; exception: **una d. alle norme**, a departure (o derogation) from the rules; **in d. a**, departing from; making an exception to; *Non si ammettono deroghe*, no exceptions will be made.

derogàbile a. that can be derogated.

derogàre v. i. **1** to depart (from); to deviate (from); (*anche leg.*) to derogate (from); to make an exception (to) **2** (*rinunciare*) to renounce (st.); to abdicate (st.) **3** (*contravvenire*) to contravene (st.); to fail to comply (with); to go* (against).

derogatòrio a. (*leg.*) derogatory; exemption (attr.); (*exoneration* (attr.).

derogazióne → **deroga**.

derràta f. **1** commodity; (*merce*) goods (pl.): **derrate alimentari**, foodstuffs; **derrate deperibili**, perishable goods; perishables; **scarsità di derrate**, scarcity of commodities **2** (al pl.) (*vettovaglie*) victuals; foodstuffs.

derrick (*ingl.*) m. inv. (*ind. min.*) derrick.

derubàre v. t. to rob (sb. of st.) (*anche fig.*); to steal* (st. from sb.): *È stato derubato per strada*, he was robbed in the street; *Fui derubato dell'orologio*, I was robbed of my watch; I had my watch stolen.

derubàto m. (f. **-a**) victim of a theft.

derubricàre v. t. (*leg.*) to reduce: **d. un reato**, to reduce a charge.

derubricazióne f. (*leg.*) reduction (*of a charge*).

deruralizzazióne f. flight from the

land.

dervìscio m. (*relig.*) dervish.

desacralizzàre v. t. **1** (*sconsacrare*) to deconsecrate **2** (*estens.*) to secularize.

desacralizzazióne f. **1** (*sconsacrazione*) deconsecration **2** (*estens.*) secularization.

desalinizzàre e *deriv.* → **dissalare**, e *deriv.*

deschétto m. (*di calzolaio*) cobbler's bench.

désco m. (*lett.*) (dinner) table: **il d. familiare**, the family table.

descolarizzazióne f. deschooling.

descrittivìsmo m. (*arte*) minutely descriptive style.

descrittìvo a. descriptive: **geometria descrittiva**, descriptive geometry; **grammatica descrittiva**, descriptive grammar.

♦**descrìvere** v. t. **1** to describe; to depict; (*raccontare*) to tell*; (*fare un resoconto*) to give* an account of; (*esporre*) to set* out: **d. nei particolari**, to describe in detail; to specify; **d. per sommi capi**, to outline; to sketch; *Non ci sono parole per descriverlo*, words cannot describe it; *Me l'avevano descritto come un bonaccione*, he had been described to me as an easygoing sort of man; *Mi descriva quello che è successo*, tell me what happened **2** (*tracciare*) to describe; to draw*; to trace: **d. una curva**, to describe a curve.

descrivìbile a. describable.

♦**descrizióne** f. description; depiction; portrayal; (*resoconto*) account, story: **d. accurata**, accurate description; **d. per sommi capi**, outline; sketch; **fare una d. di un incidente**, to describe how an accident happened; to give an account of an accident; **rispondere alla d.**, to fit the description.

desegregazióne f. desegregation.

desegretàre v. t. (*leg.*) to declassify.

desemantizzàre (*ling.*) **A** v. t. to cause (a word) to lose its original meaning **B** **desemantizzàrsi** v. i. pron. to lose* the original meaning.

desemantizzazióne f. (*ling.*) weakening or loss of the original meaning (*of a word*).

desensibilizzàre v. t. (*fotogr., med.*) to desensitize.

desensibilizzatóre m. (*fotogr.*) desensitizer.

desensibilizzazióne f. desensitization.

desèrtico a. desert (attr.): **zona desertica**, desert zone.

desertìcolo a. that lives in the desert; desert (attr.).

desertificazióne f. desertification.

♦**desèrto** **A** a. **1** (*disabitato*) desert (attr.); (*abbandonato dagli abitanti*) deserted; (*vuoto*) empty: **isola deserta**, desert island; **strade deserte**, empty (o deserted) streets; **teatro d.**, empty theatre **2** (*desolato*) deserted; desolate; lonely **3** (*incolto*) waste; (*spoglio*) bare: **terre deserte**, waste lands **4** (*di asta*) having no bidders: *L'asta andò deserta*, there were no bidders at the auction **B** m. desert; (*territorio desolato, anche fig.*) wilderness; wasteland: **il D. del Sahara**, the Sahara Desert; **d. culturale**, cultural wasteland ● **In città c'è il d.**, the town is deserted □ **Intorno a lui si è creato il d.**, he has been left utterly alone □ **predicare** (*o parlare*) **al d.**, to talk to the winds; to talk to deaf ears.

desessualizzàre **A** v. t. to desexualize **B** **desessualizzàrsi** v. i. pron. **1** to become* desexualized; to lose one's sexual qualities **2** (*psic.*) to undergo* desexualization.

desessualizzazióne f. (*psic.*) desexualization.

déshabillé (*franc.*) m. inv. (*vestaglia*) negligée: **essere in d.**, to be wearing a negligée; (*fig.*) to be half-dressed, to be in a state of undress.

desiàre (*poet.*) → **desiderare**.

desideràbile a. desirable; (*opportuno*) advisable, worthwhile: *Sarebbe d. che...*, it would be advisable to...; **poco d.**, undesirable.

desiderabilità f. desirability; advisability.

♦**desideràre** v. t. **1** (*ambire, aspirare a*) to desire: **d. la pace**, to desire peace **2** (*volere*) to wish; to like; would like (difett.); to want; to desire (*form.*): *Desideri partire subito?*, do you wish to leave at once?; *Desidero che tu lo sappia*, I want you to know; *Era da tanto che desideravo dirtelo*, I had been wanting to tell you for a long time; *Vieni quando lo desideri*, come whenever you like; *Non desidero di meglio*, I couldn't wish for anything better; *Desidererei aiutarti*, I'd like to help you; *Desidererei un bicchiere d'acqua*, I'd like a glass of water; *Desideriamo molto rivederti*, we are longing to see you again; *Desidero esprimere la mia gratitudine*, I wish to express my gratitude; I want to say how grateful I am; **d. ardentemente qc. [fare qc.]**, to long for st. [to do st.]; to yearn for st. [to do st.]; **d. qc. da q.**, to want st. from sb.; *Che cosa desidera?*, (*che cosa preferisce?*) what would you like?; (*che cosa posso fare per lei?*) what can I do for you?; (*nei negozi*) can I help you?; (*al ristorante*) would you like to order? **3** (*richiedere*) to want; to require; to expect: *Sei desiderato al telefono*, you are wanted on the phone; *È desiderata la Sua presenza*, your presence is required **4** (*desiderare sessualmente*) to desire ● **far d. qc. a q.**, to keep sb. waiting for st. □ **farsi d.**, (*farsi aspettare*) to keep (people) waiting; (*fare il prezioso*) to play hard to get □ **lasciare (molto) a d.**, to leave much (o a lot) to be desired □ **lasciare un po' a d.**, to leave something to be desired □ (*Bibbia*) **Non d. la donna d'altri**, thou shalt not covet thy neighbour's wife.

desideràta (*lat.*) m. pl. desiderata; requirements.

desiderativo a. (*gramm.*) desiderative; optative.

desideràto a. (*voluto*) desired, intended; (*ricercato*) sought-after; (*sospirato*) longed-for; long-awaited: **l'effetto d.**, the desired effect; **un figlio molto d.**, a much longed-for child; **il momento tanto d.**, the long-awaited moment.

♦**desidèrio** m. **1** wish; desire (*lett.*): **d. ardente**, burning desire; eagerness; longing; yearning; **d. di morte**, death wish; **d. di pace**, desire for peace; *Il mio unico d. è che...*, my only wish is that...; **accondiscendere al d. di q.**, to grant sb.'s request; to satisfy sb.'s desire; **esprimere (o formulare) un d.**, to make a wish; **realizzare i propri desideri**, to see one's dreams come true; **rispettare i desideri di q.**, to respect sb.'s wishes **2** (*sessuale*) desire; lust ● **un pio d.**, a vain hope; a pipe dream; wishful thinking ⬚: *Le previsioni di un calo dei prezzi sono solo un pio d.*, forecasts of a drop in prices are mere wishful thinking.

desideróso a. anxious (to); eager (to); longing (for); yearning (for, after); desirous (of) (*form.*): *È d. di conoscerti*, he is anxious to meet you; **d. di piacere**, eager to please.

designàre v. t. **1** (*scegliere*) to designate; (*nominare*) to nominate, to appoint: *Lo designò come suo successore*, he nominated him as his successor **2** (*stabilire*) to set*; to fix; to appoint: **d. un giorno per l'incontro**, to set a day for the meeting **3** (*denotare, significare*) to indicate; to denote: *Il termine designa due oggetti diversi*, the word indicates two separate objects.

designàto a. (*stabilito*) appointed; (*eletto*) designate (*posposto*); (*prescelto*) intended: **l'amministratore d.**, the director designate; **il luogo d.**, the appointed place; **la vittima designata**, the intended victim.

designatóre m. (f. **-trice**) appointer; nominator.

designazióne f. designation; nomination; appointment.

desinàre ① m. (*pasto*) meal; (*cena*) dinner; (*pranzo*) lunch.

desinàre ② v. i. (*cenare*) to dine, to have dinner; (*pranzare*) to lunch, to have lunch.

desinènte a. (*gramm.*) ending (in): **verbo d. in -are**, verb ending in -are.

desinènza f. (*gramm.*) ending; desinence; termination.

desìo m. (*poet.*) desire; wish.

desióso a. (*poet.*) desirous.

desistènza f. (*leg.*) abandonment; discontinuance: **d. da un'azione giudiziaria**, discontinuance of action.

desistere v. i. **1** to desist (from); to leave* off (st.); (*rinunciare*) to give* up (st., doing st.), to abandon (st.): **d. dal porre delle domande**, to desist from asking questions; *Non intende d. dal suo proposito*, she will not give up her plan **2** (*leg.*) to discontinue (st.): **d. da una querela**, to discontinue a lawsuit.

desktop (*ingl.*) m. (*comput.*) desktop.

dèsman m. inv. (*zool., Desmana muschata*) desman.

desmodròmico a. (*mecc.*) desmodromic.

desmosòma m. (*biol.*) desmosome.

desolànte a. (*doloroso*) distressing, painful; (*triste*) sad, sorry, melancholy: **notizie desolanti**, distressing news; *I campi riarsi erano uno spettacolo d.*, the parched fields were a sorry sight.

desolàre v. t. **1** (*lett.: devastare*) to lay* waste **2** (*affliggere*) to distress; to sadden; to grieve.

desolàto a. **1** (*triste, solitario*) desolate; deserted; bleak; lonely: **paesaggio d.**, desolate landscape **2** (*devastato*) devastated **3** (*sconsolato*) disconsolate; distressed **4** (*spiacente*) very sorry; terribly sorry: *Sono d. del ritardo*, I'm terribly sorry I'm late.

desolazióne f. **1** (*abbandono*) desolation; neglect; (*squallore*) bleakness; (*nudità*) bareness, starkness **2** (*devastazione*) devastation **3** (*dolore*) sorrow; distress; misery; grief.

desolforàre v. t. (*chim.*) to desulphurize.

desolforatóre m. (*chim.*) desulphurizer.

desolforazióne f. (*chim.*) desulphurization.

desonorizzàre v. t. (*ling.*) to devoice.

desonorizzazióne f. (*ling.*) devoicing.

desorbiménto m. (*chim.*) desorption.

desossidàre e deriv. → **disossidare**, e deriv.

desossiribonuclèico → **deossiribonucleico**.

desossiribòsio, **desossiribóso** → **deossiribosio**.

desovranizzàre v. t. to remove the sovranity of; to depose.

dèspota m. (*anche fig.*) despot; tyrant.

despòtico → **dispotico**.

despotìsmo → **dispotismo**.

desquamàre Ⓐ v. t. to scale; to exfoliate Ⓑ **desquamàrsi** v. i. pron. to scale off; to desquamate; to exfoliate; to flake off.

desquamativo a. desquamative.

desquamazióne f. **1** (*med.*) desquamation; scaling off; exfoliation; flaking off **2** (*geol.*) exfoliation.

dessert (*franc.*) m. inv. dessert: **cucchiaino da d.**, dessert spoon; **vini da d.**, dessert wines.

déssi 1^a e 2ª pers. congiunt. imperf. di **dare**.

dessiografia f. writing from left to right.

désso pron. dimostrativo (*poet.*) he himself; the very one.

dest inter. → **destr**.

destabilizzànte a. destabilizing.

destabilizzàre v. t. to destabilize.

destabilizzatóre Ⓐ a. destabilizing Ⓑ m. (f. **-trice**) destabilizer.

destabilizzazióne f. destabilization: **fare opera di d.**, to destabilize.

destagionalizzàre v. t. (*stat.*) to adjust seasonally; to deseasonalize.

destagionalizzàto a. (*stat.*) seasonally adjusted.

destagionalizzazióne f. (*stat.*) seasonal adjustment.

destalinizzàre v. t. (*polit.*) to de-Stalinize.

destalinizzazióne f. (*polit.*) de-Stalinization.

destàre Ⓐ v. t. **1** to wake* (up); to awake*; (*con fatica*) to rouse (from one's sleep) **2** (*scuotere dal torpore*) to wake* up; to rouse **3** (*suscitare*) to cause; to arouse; to awake; to stir: **d. curiosità [compassione, sospetto]**, to arouse curiosity [pity, suspicion]; **d. interesse**, to awaken interest; **d. meraviglia**, to cause amazement Ⓑ **destàrsi** v. i. pron. **1** to wake* up; to awake* **2** (*fig.: scuotersi, nascere*) to rise*; to stir.

désti 2ª pers. sing. pass. rem. di **dare**.

♦**destinàre** v. t. (→ **destinato**) **1** (*dare in sorte*) to destine (generalm. al passivo); to have in store; (*assol.*) to decree: *Che cosa ci destina il futuro?*, what has the future in store for us?; *La sorte destinò altrimenti*, fate decreed otherwise **2** (*assegnare*) to assign; (*nominare*) to appoint; (*inviare*) to post: **d. a nuovi compiti**, to assign sb. to new duties; **d. all'estero**, to post abroad; *Gli fui destinato per compagno*, I was assigned to him as his partner; *Mi destinarono a dirigere una filiale*, I was appointed director of a branch office **3** (*avviare a una carriera*) to destine: *Il padre lo aveva destinato alla carriera militare*, his father had destined him for the Army **4** (*decidere*) to appoint; to fix; to decide; (*progettare*) to plan, to design: **d. un luogo per un incontro**, to appoint a venue for a meeting; **rinviare a data da destinarsi**, to postpone indefinitely **5** (*stanziare*) to set* aside; to earmark; to allocate; to appropriate: **d. una cifra per beneficenza**, to set aside a sum for charity; **d. fondi per la costruzione di una nuova ala**, to earmark (o to appropriate) funds to build a new wing **6** (*riservare*) to set* aside; to intend: **d. due ore al pianoforte**, to set aside two hours for piano practice; *Questo anello l'ho destinato in eredità a mia nipote*, I intend my niece to inherit this ring **7** (*adibire*) to use: **d. un locale alla lavanderia**, to use a room as a scullery **8** (*dedicare*) to devote: **d. la propria vita alla ricerca**, to devote one's life to research.

destinatàrio m. (f. **-a**) **1** receiver **2** (*di lettera, ecc.*) addressee **3** (*di merce*) consignee ● (*comm.*) **spese a carico del d.**, charges forward.

destinàto a. **1** destined; fated; bound; (*con sign. negativo*) doomed, marked out: *Eravamo destinati a incontrarci*, we were destined to meet; *I prezzi sono destinati a crescere*, prices are bound to go up; **una ragazza destinata a un brillante avvenire**, a girl destined for a brilliant future; *Era d. a non avere quel posto*, he was fated not to

d

get that job; *Il tuo piano è d. al fallimento*, your plan is doomed to failure (*o* bound to fail) **2** (*deciso*) appointed; fixed: **il luogo d. per l'incontro**, the place appointed for the meeting **3** (*stanziato*) set aside; earmarked; appropriated **4** (*inteso*) intended (for); meant (for); for (prep.); (*dedicato*) devoted (to): *Quel commento era d. a me*, that remark was intended (*o* meant) for me; *Il film è d. a un pubblico adulto*, the film is for an adult audience; **un locale d. a uso privato**, a room for private use; *Il pomeriggio sarà d. alle spese*, the afternoon will be devoted to shopping **5** (*indirizzato*) addressed: *La lettera è destinata a me*, the letter is addressed to me.

destinazióne f. **1** (*meta*) destination: **arrivare a d.**, to reach one's destination; *Il pacco non giunse mai a d.*, the parcel never arrived; **partire per d. ignota**, to leave for an unknown destination; **passeggeri con d. Los Angeles**, passengers destined for (*o* bound for, travelling to) Los Angeles; **una nave con d. Londra**, a ship bound for London; **porto di d.**, port of destination **2** (*posto assegnato*) posting; post: *Gli hanno assegnato come d. la Thailandia*, he's been posted to Thailand **3** (*scopo, uso*) purpose; use **4** (*stanziamento*) allocation; appropriation; earmarking.

♦**destino** m. **1** (*fato*) destiny; (*spesso negativo*) fate; (*nefasto*) doom: **un d. di gloria**, a glorious destiny; **abbandonare q. al suo d.**, to leave sb. to his fate; **affidarsi al d.**, to leave things to destiny; to let fate decide; **credere al d.**, to believe in fate (*o* destiny); **essere perseguitato dal d.**, to be hounded by fate; **prendersela col d.**, to curse one's fate (*o* luck); **rassegnarsi al proprio d.**, to be reconciled (*o* resigned) to one's fate; *Non si sfugge al d.*, you can't escape your fate; **voluto dal d.**, destined; fated; **uno scherzo del d.**, a twist of fate **2** (*sorte*) lot; (al pl.) fortunes: *È d. comune*, it's the common lot; **i destini dell'Italia**, the fortunes of Italy **3** → **destinazione**, *def. 1* □ **Era d. che quel giorno tutto riuscisse male**, that day everything was destined to go wrong □ **Era d. che si rivedessero**, they were fated to meet again □ **Era d. che accadesse prima o poi**, it was bound to happen sooner or later □ **Si vede che non era d.**, obviously it wasn't meant to be.

destituire v. t. **1** to dismiss; to remove (from office) **2** (*mil.*) to demote.

destituito a. **1** (*rimosso*) dismissed **2** (*privo*) devoid (of); destitute (of); lacking (in); without (prep.): **d. di fondamento**, without foundation; groundless (agg.); unfounded (agg.).

destituzióne f. **1** dismissal; removal **2** (*mil.*) demotion.

désto a. **1** (*sveglio*) awake; wide-awake **2** (*fig., lett.*: *vigile*) alert; lively; quick ● **Sogno o son d.?**, am I dreaming? □ **tener desta l'attenzione di q.**, to hold sb.'s attention.

destoricizzàre v. t. to remove (st.) from its historical context.

dèstr inter. e m. (*mil.*) right: **attenti a d.!**, eyes right!; **fianco d.!**, right turn!; **fronte d.!**, right face!; **squadra a d.!**, squad right turn!

♦**dèstra** f. **1** (*mano*) right hand: **alzare la d.**, to raise one's right hand; **usare la d.**, to use one's right hand **2** (*lato*) right; right side; right-hand side: **non distinguere la d. dalla sinistra**, not to know one's left from one's right; **tenere la d.**, to keep (to the) right; **cedere la d.**, to let sb. walk on one's right side; **a d.**, on the right; to the right; **alla mia d.**, on my right; to my right; *La chiesa è a d.*, the church is on the right; **a d. del cinema**, to the right of the cinema; **guardare [volta-**

re] a d., to look [to turn] right; **la seconda svolta a d.**, the second turning to (*o* on) one's right; *Prendi la prima (strada) a d.*, take the first right; *Da d. arrivava una piccola folla*, a small crowd was coming from the right; **sulla d. della piazza**, on the right-hand side of the square; (*autom.*) **guida a d.**, right-hand drive **3** (*polit.*) Right; right wing: *La d. ha vinto le elezioni*, the Right won the election; **la d. laburista**, the right wing of the Labour Party; **estrema d.**, far right; **governo di d.**, rightist government; **idee di d.**, right-wing ideas; **partito di d.**, right-wing party; **uomo di d.**, rightist; right-winger.

destraménte avv. dexterously; deftly; adroitly.

destreggiàrsi v. i. pron. **1** (*cavarsela*) to manage; to cope; to get* by: **d. nella vita**, to get by in life; *Si destreggia col russo*, she gets by in Russian; **far fatica a d. con la casa e il lavoro**, to find it difficult to cope with the house and a job; *Vedrò di destreggiarmi in qualche modo*, I'll try and manage somehow; *Non riesco a destreggiarmi con tutte queste cifre*, I'm lost with all these figures **2** (*muoversi con abilità, anche fig.*) to navigate; to manoeuvre: **d. nel traffico**, to manoeuvre through traffic; *Riuscirà a d. nel traffico di Roma?*, will he be able to cope with the Rome traffic?; **sapersi destreggiare in un ambiente**, to know one way around a particular milieu.

destrézza f. **1** (*abilità*) adroitness; skill; cleverness; (*spec. manuale*) dexterity; deftness: **d. di mano**, adroitly; skilfully; deftly; **gioco di d.**, sleight of hand; legerdemain **2** (*agilità*) agility; nimbleness ● **FALSI AMICI** • *destrezza non si traduce con* distress.

destriéro m. (*lett.*) steed; (*da battaglia*) war-horse; charger.

destrimano a. right-handed.

destrìna f. (*chim.*) dextrin.

destrismo m. **1** right-handedness **2** (*polit.*) right-wing ideas (pl.); rightism.

♦**dèstro** [A] a. **1** right; right-hand: **braccio d.**, right arm; **lato d.**, right-hand side; **riva destra** (*di fiume*), right bank; **tasca destra**, right-hand pocket **2** (*abile*) clever (at); adroit (in); skilful (at, in); (*di mano*) deft **3** (*arald.*) dexter [B] m. **1** opportunity; chance: *Mi si offrì il d. di parlare*, I was given a chance to speak **2** (*boxe*) right; right-hander.

destrocardìa f. (*med.*) dextrocardia.

destrogiro a. **1** clockwise **2** (*fis.*) dextrorotatory.

destròide (*scherz.*) [A] a. right-wing [B] m. e f. person with right-wing leanings; rightist.

destrórso a. **1** left-to-right; (*rif. a rotazione*) clockwise (attr.): **scrittura destrorsa**, left-to-right handwriting; **ruotare in senso d.**, to turn in a clockwise direction **2** (*mecc.*) right-hand (attr.); right-handed (attr.): **vite destrorsa**, right-hand screw **3** (*mat., miner.*) right-handed **4** (*biol.*) dextrose **5** (*fis.*) dextrorotatory **6** (*polit., scherz.*) right-winger; rightist.

destròsio m. (*chim.*) dextrose; glucose.

destrutturàre [A] v. t. to destructure; to take* apart [B] **destrutturàrsi** v. i. pron. to fall* apart.

destrutturàto a. **1** destructured; taken apart **2** (*senza coerenza*) confused; incoherent; structureless **3** (*moda*) unstructured.

destrutturazióne f. destructuring; (*l'essere destrutturato*) falling apart; disintegration.

desuèto a. (*lett.*) outmoded; outdated; obsolete.

desuetùdine f. **1** (*lett.*) disuse; desue-

tude (*form.*): **cadere in d.**, to become obsolete; to fall into disuse **2** (*leg.*) desuetude.

desùmere v. t. **1** (*trarre, ricavare*) to gather; to get*: *Che cosa hai desunto dalla sua dichiarazione?*, what did you gather from his statement?; *L'ho desunto dai giornali*, I got it from the papers; I read it in the papers **2** (*arguire*) to deduce; to infer; to gather; to conclude: *Desunsi dal suo pallore che non stava bene*, I deduced from her pallor that he was unwell; *Ne desumo che voi volete...*, I gather you want... **3** (*congetturare*) to conjecture; to guess.

desumìbile a. deducible; inferable.

detassàre v. t. to lift the tax on.

detassazióne f. (*riduzione*) tax reduction; tax abatement; (*abolizione*) tax cut.

detèctive (*ingl.*) m. inv. detective: **d. privato**, private detective; private investigator; private eye (*fam.*).

detèctor (*ingl.*) m. inv. (*elettron.*) detector.

deteinàto a. detheinated.

detenére v. t. **1** to hold*: **d. una carica**, to hold an office; **d. il controllo di**, to control; **d. il potere**, to be in power; **d. un primato**, to hold a record **2** (*leg.: possedere*) to hold*; to possess; to own: **d. una licenza**, to hold a licence; *Fu accusato di d. armi abusivamente*, he was charged with illegal possession of arms **3** (*tenere in prigione*) to hold* in custody.

detentìvo a. prison (attr.); detention (attr.); custodial: **pena detentiva**, prison sentence; imprisonment.

detentóre [A] m. (f. **-trice**) **1** holder: **d. di una carica**, holder of an office; **d. di un titolo**, holder of a title; title-holder **2** (*leg.: possessore*) holder; possessor; owner: **d. di brevetto**, patent holder; **d. di un immobile**, possessor (*o* owner) of a property [B] a. holding.

detenùto m. (f. **-a**) prisoner; convict; (*in una data prigione*) inmate; (*spec. polit.*) detainee: **d. in attesa di giudizio**, prisoner awaiting trial.

detenzióne f. **1** (*il detenere*) holding **2** (*leg., di un bene*) possession, (*illegale, di bene altrui*) detainer: **d. abusiva**, illegal possession; **d. di droga**, possession of drugs; possession (*fam.*) **3** (*pena*) detention; custody; imprisonment: **d. preventiva**, custody.

detergènte [A] a. cleansing; detergent: **crema [latte] d.**, cleansing cream [milk] [B] m. detergent; cleansing agent; cleanser; (*cosmesi*) skin cleanser.

detergènza f. detergence; detergency.

detèrgere v. t. **1** (*pulire*) to cleanse; (*lavare*) to wash: **d. una ferita**, to cleanse a wound **2** (*asciugare*) to wipe: **detergersi il sudore dalla fronte**, to wipe the sweat off one's forehead.

deterioràbile a. subject to deterioration; (*di merce*) perishable.

deterioraménto m. **1** (*scadimento*) deterioration; worsening: *C'è stato un d. nei nostri rapporti*, there has been a deterioration in our relationship; **subire un d.**, to deteriorate **2** (*leg., di bene immobile*) waste; wastage **3** (*alterazione*) deterioration; decay; (*di merce*) spoilage; (*usura*) wear and tear: **merci soggette a d.**, perishable goods.

deterioràre [A] v. t. to deteriorate; to damage; (*guastare*) to spoil [B] **deterioràrsi** v. i. pron. **1** to deteriorate; to decline; (*peggiorare*) to worsen **2** (*alterarsi*) to decay; to be damaged; (*di merce*) to perish; (*di cibo, bevanda*) to go* bad.

deterióre a. inferior; second-rate (attr.); poor ● **nel senso d. del termine**, in the worst sense of the word.

determinàbile a. determinable; definable.

determinànte **A** a. conclusive; determining; (*cruciale*) decisive, instrumental, crucial; (*significativo*) significant: **fattore d.**, decisive factor; **prove determinanti**, conclusive evidence Ⓤ; *Ha avuto un ruolo d. nelle trattative*, he played an instrumental (o crucial) role in the negotiations; *La vostra presenza domani è d.*, your presence tomorrow is crucial; *Il suo intervento fu d.*, his intervention was a decisive factor **B** m. e f. **1** decisive factor; determinant **2** (*ling.*) determiner **3** (*biol., mat.*) determinant.

determinàre **A** v. t. **1** (*definire*) to define, to set* out; (*fissare, stabilire*) to fix: **d. un prezzo** [**una data**], to fix a price [a date]; **d. il significato di un termine**, to define a word **2** (*delimitare*) to define; to mark out: **d. i confini di una proprietà**, to mark out the boundaries of an estate **3** (*accertare*) to determine, to establish, to ascertain; (*calcolare*) to reckon, to calculate; (*stimare*) to assess: **d. l'ammontare dei danni**, to assess the amount of damages; **d. le cause della morte**, to determine the causes of death; **d. una distanza**, to calculate a distance; **d. i tempi di qc.**, to time st.; **d. il valore di qc.**, to assess the value of st.; to estimate st. **4** (*decidere*) to decide; to resolve **5** (*causare*) to bring* about; to cause: **d. un cambiamento**, to bring about a change; **d. un rialzo della temperatura**, to cause a rise in temperature **6** (*influenzare*) to affect; to shape **7** (*indurre*) to induce; to persuade **B determinàrsi** v. i. pron. **1** (*risolversi*) to decide; to determine; to resolve **2** (*verificarsi*) to occur; to arise*; to come* about.

determinatamènte avv. determinately; with determination.

determinatézza f. **1** (*risolutezza*) determination **2** (*precisione*) precision; exactness.

determinativo a. **1** determinative **2** (*gramm.*) definitive: **articolo d.**, definite article.

♦**determinàto** a. **1** (*particolare*) particular: **in quel d. giorno**, on that particular day **2** (*certo, speciale*) certain; special: **in determinate situazioni**, under certain circumstances **3** (*dato*) certain, given; (*convenuto*) fixed, agreed: **in un giorno d.**, on a given day; **quantità determinata**, fixed quantity **4** (*limitato*) limited: **valido solo per un d. numero di casi**, valid only for a limited number of cases **5** (*risoluto, deciso*) determined; resolute: **Sono d. a restare**, I'm determined to stay; **comportamento d.**, determination **6** (*mat.*) determinate.

determinazióne f. **1** (*lo stabilire*) determination; (*definizione*) definition; (*calcolo*) reckoning, calculation; (*valutazione*) assessment: **la d. delle cause dell'incidente**, the determination of the causes of the accident; (*comm.*) **d. dei costi**, costing; **la d. dei limiti territoriali**, the definition of territorial boundaries; (*aeron., naut.*) **d. della posizione**, reckoning; **d. del reddito**, income assessment; **d. dei tempi di lavorazione**, scheduling **2** (*decisione*) decision; resolve: **prendere una d.**, to make a decision; to make up one's mind; to resolve **3** (*risolutezza*) determination; resolution.

determinìsmo m. (*filos.*) determinism.

determinìsta m. e f. (*filos.*) determinist.

deterministico a. (*filos.*) deterministic.

deterrènte a. e m. deterrent: **d. nucleare**, nuclear deterrent; **agire** [**servire**] **da d.**, to act [to serve] as a deterrent.

deterrènza f. deterrence.

detersióne f. cleansing.

♦**detersivo** **A** a. (*lett.*) cleansing **B** m. detergent; cleansing agent: **d. per bucato**, (*in polvere*) washing powder; (*liquido*) washing liquid; **d. (liquido) per piatti**, washing-up (*USA* dishwasing) liquid; **d. per pavimenti**,

floor cleaner.

detestàbile a. detestable; hateful; odious.

♦**detestàre** **A** v. t. to detest; to hate; to loathe; (*avere in orrore*) to abhor: *Detesto gli impiccioni*, I detest meddlers; *Detesto gli spinaci*, I hate spinach; *Detesto dover aspettare*, I hate to be kept waiting; *Detesto alzarmi presto*, I loathe getting up early **B detestàrsi** v. rifl. recipr. to detest (o to hate) each other.

detestazióne f. detestation; hatred; loathing; abhorrence.

detonànte **A** a. detonating; explosive: **capsula d.**, percussion cap; **miscela d.**, explosive mixture **B** m. explosive.

detonàre v. i. to detonate; to explode ● **fare d.**, to detonate.

detonatóre m. detonator: **d. a miccia**, fuse detonator; **d. elettrico**, electric detonator; **d. meccanico**, percussion detonator; **d. secondario**, booster charge.

detonazióne f. **1** detonation; (*scoppio*) explosion, blast; (*di arma da fuoco*) report, bang **2** (*mecc.*) detonation; pinking Ⓤ; knocking Ⓤ.

detonòmetro m. (*mecc.*) detonation meter.

detraìbile a. deductible: **d. dalle imposte**, deductible from tax; tax-deductible; **spese detraibili**, deductible expenses; **non d.**, non-deductible.

detraibilità f. deductibility.

detràrre v. t. to deduct; to allow; (*sottrarre*) to subtract: **d. una somma dallo stipendio**, to deduct a sum from sb.'s salary; **d. le spese**, to deduct expenses.

detrattivo a. detractive.

detrattóre m. (f. **-trice**) denigrator.

detrazióne f. (*deduzione, trattenuta*) deduction: **d. degli interessi**, deduction of interest; **d. dallo stipendio**, deduction from salary; stoppage (*GB*); **portare in d.**, to deduct; **ammesso in d.**, deductible **2** (*riduzione*) relief; allowance: **d. fiscale**, tax allowance; **d. per figli a carico**, children's allowance.

detriménto m. detriment; harm; damage: **a d. di**, to the detriment of; **senza d. per**, without detriment to.

detritico a. (*geol.*) detrital.

detritivoro a. (*biol.*) (*di organismo*) detritivore, detrivore.

detrìto m. **1** (*geol.*) detritus*; debris Ⓤ; drift Ⓤ: **d. alluvionale**, alluvium; silt; **d. glaciale**, glacial drift; **d. sabbioso**, sand drift **2** (*frammento*) fragment; (al pl.) rubbish Ⓤ, waste Ⓤ, debris* Ⓤ; (*calcinacci, ecc.*) rubble Ⓤ **3** (*residuo*) scrap.

detronizzàre v. t. **1** to dethrone; to depose **2** (*fig.: sconfiggere*) to dethrone; (*mandare via*) to drive*, to drive* out, to unseat; (*abbattere*) to overthrow*.

detronizzazióne f. **1** dethronement; deposition **2** (*fig.*) ousting; overthrow.

detrusóre m. (*anat.*) detrusor.

détta f. – **a d. di**, according to; **a d. di tutti**, by all accounts; **a d. sua**, according to him [to her].

dettagliànte m. e f. (*comm.*) retailer; retail trader.

dettagliàre v. t. **1** (*raccontare nei particolari*) to give* full details of; to relate in detail; to specify **2** (*elencare*) to detail; (*comm.*) to itemize **2 le spese**, to itemize expenses **3** (*comm.: vendere al dettaglio*) to retail; to sell* (by) retail.

dettagliatamènte avv. in detail; with full particulars.

dettagliàto a. **1** detailed; in detail; circumstantial: **un resoconto d.**, a circumstan-

tial report; **raccontare qc. in modo d.**, to tell st. in detail **2** (*comm.*) itemized: **fattura dettagliata**, itemized invoice.

♦**dettàglio** m. **1** detail: **entrare nei dettagli**, to go (o to enter) into details; **perdersi nei dettagli**, to get lost in details; not to see the wood for the trees (*fam.*); **fino all'ultimo d.**, (down) to the last detail **2** (*comm.*) retail: **comprare** [**vendere**] **al d.**, to buy [to sell] (by) retail; **prezzi al d.**, retail prices; **vendita al d.**, retailing; **venditore al d.**, retailer.

dettàme m. dictate; precept; principle: **i dettami della coscienza**, the dictates of one's conscience; **i dettami della moda**, the dictates of fashion.

♦**dettàre** v. t. **1** to dictate: **d. una lettera**, to dictate a letter **2** (*indicare, suggerire*) to tell*; to suggest; to advise: *Fa' come ti detta il cuore*, do as your heart tells you; **norme dettate dal buon senso**, rules suggested by common sense **3** (*imporre*) to dictate; to impose; to prescribe: **d. le proprie condizioni**, to dictate one's terms ● (*fig.*) **d. legge**, to lay down the law.

dettàto① m. **1** dictation: **fare un d.**, to have a dictation **2** (*lett.*) diction; style: **d. poetico**, poetic diction.

dettàto② m. **1** (*massima*) saying; maxim **2** (*testo*) text; provisions (pl.): **il d. di una legge**, the text of a law.

dettatùra f. dictation: **scrivere sotto d.**, to write from dictation; to take dictation (from sb.).

dètti 1ª pers. sing. pass. rem. di **dare**.

détto **A** a. **1** called; (*soprannominato*) known as: *Angelo Beolco d. il Ruzzante*, Angelo Beolco called (o known as) Ruzzante **2** (*sopraddetto*) above-mentioned; above-named; said ● **D. fatto**, no sooner said than done ☐ **d. fra noi**, between you and me; between ourselves ☐ **Come non d.**, forget it; forget I ever mentioned it ☐ (*iron.*) È **d. tutto**, need I say more?; (*ho capito*) say no more ☐ (*iron.*) È **presto d.!**, it's easier said than done ☐ **propriamente d.**, more properly known as; (*vero e proprio*) in itself, as such ☐ **Tientelo per d.**, keep that in mind **B** m. **1** (*motto*) saying; maxim; (*proverbio*) proverb **2** (*parola*) word **3** (*facezia*) witticism; joke.

detumescènza f. (*med.*) detumescence.

deturpaménto m. → **deturpazione**.

deturpàre v. t. **1** to disfigure; to mar; (*rovinare*) to spoil; (*sfregiare*) to deface: **un viso deturpato dal vaiolo**, a face disfigured (o ravaged) by small-pox; *Una cicatrice le deturpava la guancia*, a scar marred her cheek; *Orribili palazzoni deturpano la costa*, ugly blocks of flats spoil the coastline; **d. un dipinto**, to deface a painting; (*di edificio, ecc.*) **d. il paesaggio**, to be a blot on the landscape **2** (*corrompere*) to corrupt; to defile.

deturpatóre **A** m. (f. **-trice**) disfigurer; spoiler; defacer **B** a. disfiguring.

deturpazióne f. disfigurement; defacement.

deumidificàre v. t. to dehumidify.

deumidificatóre m. dehumidifier.

deumidificazióne f. dehumidification.

dèus ex màchina (*lat.*) loc. m. inv. **1** (*teatr., letter.*) deus ex machina **2** (*fig.*) rescuer; last-minute saviour; problem solver.

deutèrio m. (*chim., fis.*) deuterium.

deuterocanònico a. (*relig.*) deuterocanonical.

Deuteronòmio m. (*Bibbia*) Deuteronomy.

deutóne m. (*fis.*) deuteron.

deutoplàsma m. (*biol.*) deutoplasm.

dèutzia f. (*bot.*, *Deutzia*) deutzia.

devalutazióne f. (*econ.*) devaluation.

devascolarizzazióne f. (*med.*) devascularization.

devastànte a. devastating; disastrous.

♦**devastàre** v. t. **1** to devastate; to lay* waste; to ravage (*anche fig.*): *L'esercito nemico devastò il territorio*, the enemy army devastated (o laid waste) the territory; **città devastate dalla guerra**, towns devastated by war; **un viso devastato dalla malattia**, a face ravaged by disease **2** (*di insetto nocivo e fig.*) to blight: **d. il raccolto**, to blight the crop.

devastàto a. devastated; ravaged; laid waste (pred.).

devastatóre Ⓐ a. devastating Ⓑ m. (f. **-trice**) ravager; devastator.

devastazióne f. devastation; depredation; destruction; ravages (pl.).

deverbàle, **deverbativo** (*ling.*) Ⓐ a. deverbal; deverbative Ⓑ m. deverbative (word).

devetrificazióne f. (*ind.*) devitrification.

deviaménto m. deflection; deviation; (*ferr.*) shunting.

deviànte (*med., psic.*) Ⓐ a. deviant Ⓑ m. deviant; deviate.

deviànza f. **1** (*med., psic.*) deviance; deviancy **2** (*aeron.*) deviation; yaw.

deviàre Ⓐ v. t. **1** to divert; to deflect; (*ferr.*) to shunt: **d. un fiume**, to divert a river; (*calcio*) **d. la palla in calcio d'angolo**, to deflect the ball for a corner; **d. il traffico**, to divert the traffic; *La fibbia deviò la pallottola*, the buckle deflected the bullet **2** (*fig.: sviare*) to divert; to deflect; to sidetrack: **d. il discorso**, to change the subject; **d. le indagini**, to sidetrack investigations; to put the investigators off the scent; **d. i sospetti**, to divert suspicions Ⓑ v. i. **1** (*allontanarsi*) to deviate; to swerve; to veer; to diverge: **d. a sinistra**, to swerve to the left; to veer left; **d. dalla rotta**, to deviate from one's course **2** (*fare una deviazione*) to turn off; to make* a detour: **d. dalla strada principale**, to turn off the main road **3** (*fig.*) to deviate; to stray: **d. dall'argomento**, to wander from the subject; to get off the point; to get sidetracked; **d. dalla norma**, to deviate from the standard; **d. dalla retta via**, to go astray; to stray from the straight and narrow.

deviàto a. diverted; re-routed: **traffico d.**, diverted traffic; **treno d.**, re-routed train **2** (*fig.*) deviant.

deviatóio m. (*ferr.*) points (pl.) (*GB*); switch (*USA*).

deviatóre m. **1** (*ferr.*) signalman*; pointsman* (*GB*); switchman* (*USA*) **2** (*elettr.*) switch.

deviazióne f. **1** (*cambiamento di direzione*) deviation; (*stradale*) diversion, detour: **la d. di un fiume**, the deviation of a river; **d. del traffico**, traffic deviation; (*su una sola carreggiata*) contraflow (*GB*); **fare una d. per...**, to make a detour via... **2** (*spostamento*) deviation; curvature: **d. della colonna vertebrale**, curvature of the spine; **d. magnetica**, compass deviation **3** (*fis., mecc.*) deflexion: **d. elettromagnetica**, electromagnetic deflexion **4** (*stat.*) deviation: **d. standard**, standard deviation **5** (*ferr.*) shunting; shunt **6** (*fig.*) deviation; departure; straying: **d. dalla linea di partito**, departure from the party line; **d. da una norma**, deviation from a norm **7** (*psic.*) deviation.

deviazionìsmo m. (*polit.*) deviationism.

deviazionìsta m. e f. (*polit.*) deviationist.

deviazionìstico a. (*polit.*) deviationist (attr.).

devisceràre v. t. to eviscerate; to disembowel; to gut.

de visu (*lat.*) loc. avv. with one's own eyes; personally; directly.

devitalizzàre v. t. (*med.*) to devitalize.

devitalizzazióne f. (*med.*) devitalization.

devitaminizzàre v. t. (*med.*) to devitaminize.

Dev.mo abbr. (*nelle lettere*, **devotissimo**) yours truly.

dèvo 1ª pers. sing. indic. pres. di **dovere**.

devocalizzazióne f. (*ling.*) devoicing; devocalization.

devoltàre v. t. (*elettr.*) to step down voltage in.

devoltóre m. (*elettr.*) negative booster.

devolutìvo a. devolutionary.

devoluzióne f. **1** (*anche leg.*) devolution; transfer **2** (*assegnazione*) assignment; allocation.

devòlvere v. t. **1** to transfer; to convey; to make* over; (*estens.: donare*) to donate, to give*: **d. una somma a scopo benefico**, to donate a sum of money to charity; *L'incasso fu devoluto a una casa di riposo*, the proceeds went to a rest home **2** (*demandare*) to devolve; to refer.

devoniàno, **devònico** a. e m. (*geol.*) Devonian.

♦**devòto** Ⓐ a. **1** (*lett.: consacrato*) devoted; vowed: **d. a alla patria**, devoted to one's country **2** (*che ha una dedizione speciale*) devotee (sost.): *È d. a sant'Antonio*, he is a devotee of St Anthony **3** (*pio*) devout; pious: **un d. cattolico**, a devout Catholic **4** (*che ispira devozione*) devotional; prayer (attr.); (*religioso*) religious: **libro d.**, devotional (o prayer) book **5** (*compreso di devozione*) devout; religious; reverent: **in d. silenzio**, in reverent silence **6** (*affezionato*) devoted, loving; (*fedele*) faithful, loyal Ⓑ m. (f. **-a**) **1** devout (o pious) person **2** (*chi pratica un culto*) devotee; worshipper; (al pl.) (*fedeli*) congregation (sing.) **3** (*seguace*) faithful follower.

devozióne f. **1** piety; devoutness; devotion **2** (al pl.) (*preghiere*) devotions; prayers **3** (*dedizione*) devotion; attachment **4** (*affetto*) affection **5** (*fedeltà*) loyalty.

D.G. sigla **1** (**direttore generale**) general manager (GM) **2** (**direzione generale**) head office; headquarters **3** (*lat.: Deo gratias*) (**rendiamo grazie a Dio**) thanks be to God.

♦**di** ① prep. **1** (*specificazione, denominazione, possesso, appartenenza*) of; (nel senso di possesso e appartenenza, spesso il genitivo sassone o una costruz. attr.): **il rumore del treno**, the noise of the train; **il ricordo di quel giorno**, the memory of that day; **il film dell'anno**, the film of the year; **l'amore dei libri**, love of books; **l'amore di un padre**, a father's love; **per amore dei figli**, out of love for one's children; **l'autista dell'autobus**, the driver of the bus; the bus driver; **il mese di maggio**, the month of May; **l'isola di Capri**, the isle of Capri; **il titolo di cavaliere**, the title of knight; **il figlio del dottore**, the doctor's son; **i giocattoli dei miei bambini**, my children's toys; **la lettera di tuo padre**, your father's letter; **l'ostilità dei suoi**, her parents' hostility; **il futuro dell'Europa**, Europe's future; the future of Europe; **il colore del berretto**, the colour of the hat; **la posta di oggi**, today's mail; **l'orario dei treni**, the train timetable; **gli scrittori del ventesimo secolo**, 20th-century authors **2** (*per indicare l'autore*) by; of (o il genitivo sassone): **un quadro di Tiziano**, a painting by Titian; **i quadri di Tiziano**, Titian's paintings; the paintings of Titian; **un concerto di Mozart**, a concerto by Mozart; **il romanzo di un giovane scrittore**, a novel by a young author; **l'«Aida» di Verdi**, Verdi's «Aida» **3** (con valore indefinito: in

frasi afferm. e interr.) some; (in frasi neg. e interr.) any: *Vorrei del pane*, I'd like some bread; *Vuoi del vino?*, would you like some wine?; *C'è del latte?*, is there any milk?; *Durerà per degli anni*, it will last for years; *Ha dei begli occhi*, he (o she) has beautiful eyes **4** (*partitivo*) of: **uno di noi**, one of us; **qualcosa di nuovo**, something new; **un che di misterioso**, something mysterious; **niente di meglio**, nothing better **5** (*paragone*: nei compar.) than; (nei superl.) of, in: *È più vecchio di te*, he is older than you; **il migliore di tutti**, the best of all; **il più grande della città**, the biggest in town **6** (*argomento*) about; of; on: *So poco di lui*, I know little about him; **discutere di sport**, to talk about sport; **dire bene di q.**, to speak well of sb.; *Mi ha parlato di te*, she spoke to me about you; **parlare di affari [di politica]**, to talk business [politics]; **un testo di chimica**, a chemistry book; **un trattato di fisica**, a treatise on physics; *«Dell'amicizia»*, «On Friendship» **7** (*moto da luogo, separazione*) from (o idiom.); (*con l'idea di uscita*) (out) of: **di città in città**, from town to town; *M'è caduto di mano*, it fell from my hand; **uscire d'Italia**, to leave Italy; **uscire di casa**, to go out; **andarsene di casa**, to leave home **8** (*provenienza, origine*) from: *Sono di Venezia*, I come (o I'm) from Venice; *Di dove viene?*, where does he come from?; where is he from?; *Sono del Nord*, I'm from the North; *È di buona famiglia*, she is from a good family **9** (vari compl. di luogo: stato, moto verso) – **di qua**, over here; **di là**, in there; (*da quella parte*) that way; through there; **di là in cucina**, in the kitchen; *Andiamo di qua*, let's go this way; **transitare di qua**, to go through here **10** (*abbondanza*) of; in; with: **pieno di soldi**, full of money; **ricco di proteine**, rich in proteins **11** (*privazione*) of; in: **mancanza di idee**, lack of ideas; **povero di contenuti**, poor in content; **privo di importanza**, of no importance; **privo di intelligenza**, lacking intelligence; *Fu derubato di tutto*, he was robbed of everything **12** (*mezzo, strumento*) with; of; by; on; off: **un colpo di martello**, a blow with a hammer; **ferire di spada**, to wound with a sword; **ungere di olio**, to grease with oil; **vivere di elemosina [di un'eredità, dei frutti della terra]**, to live on charity [off an inheritance, off the land] **13** (*modo, maniera*) in; with (o una forma avverbiale): **mangiare di buon appetito**, to eat with a good appetite; to eat heartily; **camminare di fretta**, to walk hurriedly; to hurry along; **fermarsi di colpo**, to stop suddenly; **vestito di bianco**, dressed in white **14** (*causa*) with; for; of: **tremare di paura**, to tremble with fear; **piangere di gioia**, to cry for joy; **morire di meningite**, to die of meningitis; **ammalarsi di epatite**, to fall ill with hepatitis; **vergognarsi di qc.**, to be ashamed of st.; **soddisfatto di un risultato**, satisfied with a result **15** (*fine, scopo*) of (o una costruz. attr.): **società di costruzione**, building society; **metodo di recitazione**, acting method; method of acting; **istituto di ricerca**, research institute; institute of research; **squadra di soccorso**, rescue team; **sala di lettura**, reading room **16** (*limitazione*) by: **allungare di un metro**, to lengthen by a metre **17** (*tempo*) in; by; (*coi giorni della settimana*) on: **di primavera**, in (the) spring; **di mattina**, in the morning; **di giorno**, by day; in the daytime; **di sera**, in the evening; **di notte**, by (o at) night; in the night; **di sabato**, on Saturday, on Saturdays **18** (*misura, quantità, peso*) of (o una costruz. attr.): **una distanza di 6 kilometri**, a distance of 6 kilometres; **una corda di tre metri**, a three-metre rope; **una multa di cinque sterline**, a five-pound fine **19** (*età*) of: **un uomo di trent'anni**, a man of thirty; a thirty-year-old man **20** (*materia*) of (o co-

struz. attr.): **fatto di legno**, made of wood; **una casa di pietra**, a house of stone; **un tetto d'ardesia**, a slate roof; **un vassoio d'argento**, a silver tray; **un flan di spinaci**, a spinach flan **21** (*qualità*) of: **uno sguardo di stupore**, a look of amazement; **uomini di buona volontà**, men of good will; **un uomo di poche parole**, a man of few words **22** (*attributivo*) – *Quel diavolo di sua moglie!*, that devil of a wife of his!; *Quello stupido di Daniele non ha telefonato*, that stupid Daniele didn't phone **23** (*davanti all'inf.*) – *Sono lieto di accettare*, I am glad to accept; *Non ho intenzione di venire*, I have no intention of coming; *Smettila di ridere*, stop laughing; *Cerca di comportarti bene*, try and behave; *Mi impedì di cadere*, he prevented me from falling **24** (*retto da verbi di dire, pensare, ecc.*) that (spesso omesso, + costruz. pers.): *Ammetto di avere avuto torto*, I admit (that) I was wrong; *Credo di avere ragione*, I think (that) I am right; *Dice di non sapere*, she says she doesn't know; *Mi rendo conto di saperne ben poco*, I realize I know very little about it; *Penso di poter venire*, I think I can come; *Pensavo di andarmene*, I was thinking of going **25** (*dopo alcune preposizioni*) – **fra di noi**, between us; **verso di me**, towards me; **senza di te**, without you **26** (*figlio di*) son of; (*figlia di*) daughter of: *Matteo di Giovanni*, Matthew son of John ● **di buon'ora**, early □ **di certo**, surely □ **di là delle colline**, over the hills; beyond the hills □ **di male in peggio**, from bad to worse □ **di nascosto**, secretly □ **di nuovo**, again □ **di quando in quando**, from time to time; now and then □ **di recente**, recently □ **di solito**, usually.

di ② m. o f. (*lettera*) (letter) d.

◆**dì** m. (*lett.* o *region.*: *giorno*) day.

dia 1ª, 2ª e 3ª pers. sing. congiunt. pres. di **dare**.

DIA sigla (**Direzione investigativa antimafia**) Anti-Mafia Investigation Department.

diabàse f. (*geol.*) diabase.

diabàtico a. (*fis.*) diabatic.

diabète m. (*med.*) diabetes: **d. insipido [mellito]**, diabetes insipidus [mellitus].

diabètico a. e m. (f. **-a**) (*med.*) diabetic: **coma d.**, diabetic coma; **dieta per diabetici**, diabetic diet.

diabetògeno a. (*med.*) diabetogenic.

diabetologìa f. study of diabetes.

diabetòlogo m. (f. **-a**) diabetes specialist.

diabòlico a. **1** diabolic; demoniacal; satanic **2** (*fig.*) diabolical; satanic; devilish; fiendish: *Iago è un personaggio d.*, Iago is a satanic character; **piano d.**, diabolic (o fiendish) plan.

diàbolo m. (*gioco*) diabolo.

diàclaşi f. (*geol.*) joint.

diacòlor f. inv. (*gergo pubblicitario*) colour slide; colour transparency.

diaconàle a. (*eccles.*) diaconal.

diaconàto m. (*eccles.*) deaconship; diaconate.

diaconéssa f. (*eccles.*) deaconess.

diaconìa f. (*eccles.*) **1** (*titolo*) cardinal deaconship **2** (*stor.*) deaconship.

diacònio m. (*archit.*) diaconicon.

diàcono m. (*eccles.*) deacon: **cardinale d.**, cardinal deacon.

diacrìtico a. diacritic, diacritical: (*ling.*) **segno d.**, diacritic (mark).

diacronìa f. (*ling.*) diachrony.

diacrònico a. (*ling.*) diachronic; diachronistic: **linguistica diacronica**, diachronic linguistics.

dìade f. (*scient.*) dyad.

diadèlfo a. (*bot.*) diadelphous.

diadèma m. **1** (*stor.*: *benda*) diadem **2** (*corona*) diadem; crown **3** (*gioiello*) tiara.

diàdico a. (*mat.*) dyadic.

diàdoco m. (*stor.*) diadochos*.

diafanità f. diaphaneity; diaphanousness; transparency.

diàfano a. **1** diaphanous; transparent **2** (*fig.*: *delicato*) delicate; (*pallido*) pale.

diafanoscopìa f. (*med.*) diaphanoscopy.

diafanoscòpio m. (*med.*) diaphanoscope.

diàfişi f. (*anat.*) diaphysis*.

diafonìa f. **1** (*mus.*) diaphony **2** (*tel., radio*) crosstalk.

diafònico a. (*mus.*) diaphonic.

diaforèşi f. (*med.*) diaphoresis.

diaforètico a. e m. (*farm.*) diaphoretic.

diafràmma m. **1** (*anat.*) diaphragm **2** (*fis., fotogr.*) diaphragm; lens stop: **d. a iride**, iris diaphragm; **d. variabile**, compensator **3** (*tel.*) diaphragm; tympan **4** (*mecc.*) baffle **5** (*divisorio*) wall; screen; partition: **un d. di roccia**, a wall of rock **6** (*fig.*) wall; barrier: *Tra di noi c'è un d.*, there is a wall between us **7** (*anticoncezionale*) diaphragm.

diaframmàre v. t. **1** (*fotogr.*) to stop; to regulate the diaphragm of **2** (*tecn.*) to provide with a diaphragm.

diaframmàtico a. (*anat.*) diaphragmatic.

diagèneşi f. (*geol.*) diagenesis.

diaglìptica f. intaglio.

diaglìpto m. diaglyph; intaglio.

diàgnoşi f. **1** (*med.*) diagnosis*: **d. differenziale**, differential diagnosis; **d. prenatale**, antenatal diagnosis; **d. sbagliata**, mistaken diagnosis; misdiagnosis; **fare una d.**, to make a diagnosis; to diagnose **2** (*fig.*) analysis*: **fare una d. della situazione**, to analyse the situation.

diagnòsta m. e f. diagnostician.

diagnòstica f. (*med., comput.*) diagnostics (pl. col verbo al sing.) ● **d. per immagini**, medical imaging.

diagnosticàre v. t. (*med.* e *fig.*) to diagnose.

diagnòstico A a. diagnostic B m. (f. **-a**) (*med.*) diagnostician.

diagonàle A a. diagonal; oblique; crosswise: **linea d.**, diagonal line; **stoffa con disegno in d.**, diagonal fabric; **taglio d.**, diagonal cut; (*in una stoffa*) bias cut, cut on the bias ● **in d.**, diagonally; across; cater-cornered (*USA*); (*di stoffa*) on the bias B f. diagonal; **condurre la d.**, to draw the diagonal C m. **1** (*tessuto*) twill **2** (*sport: calcio*) cross; (*tennis*) cross-court drive.

diagràmma m. diagram; chart; (*grafico*) graph; (*curva*) curve: **d. ad albero**, tree diagram; **d. a blocchi**, block diagram; **d. a torta**, pie chart; **d. della distribuzione** (*di un motore*) timing diagram; (*edil.*) **d. delle sollecitazioni**, stress diagram; (*fis.*) **d. di carico**, load curve; (*stat.*) **d. di causa ed effetto**, fish-bone chart; (*comput.*) **d. di flusso**, flowchart; **d. di produzione**, production curve; (*comput.*) **d. reticolare**, network chart; **riportare su un d.**, to chart; **tracciare un d.**, to draw a diagram.

diagrammàre v. t. **1** to chart; to plot **2** to draw* a diagram.

diagrammàtico a. diagrammatic.

diagrammatóre m. (*comput.*) plotter.

dialettàle a. dialectal; dialect (attr.); (*in dialetto*) in dialect: **accento d.**, dialectal accent; **commedia d.**, play in dialect; **termine d.**, dialect word.

dialetteggiànte a. having dialect elements.

dialettalìşmo m. dialectalism.

dialettalità f. dialectal character.

dialettalizzàre A v. t. to make* dialectal B **dialettizzàrsi** v. i. pron. to become* dialectal.

dialettalizzazióne f. (*ling.*) **1** assumption of dialectal characteristics **2** dialect distribution.

dialèttica f. **1** (*arte del ragionare*) dialectics (pl. col verbo al sing.); dialectic **2** (*filos. ed estens.*) dialectic: **la d. hegeliana**, Hegelian dialectic **3** (*abilità nel discutere*) debating ability; articulacy; way with words (*fam.*): **una d. travolgente**, a formidable way with words.

dialèttico (*filos.*) A a. dialectic, dialectical B m. dialectician.

dialettìşmo → **dialettalismo**.

dialètto m. dialect: **il d. genovese**, the Genoese dialect; **parlare in d.**, to speak (in) dialect.

dialettòfono m. (f. **-a**) dialect speaker.

dialettologìa f. dialectology.

dialettòlogo m. (f. **-a**) dialectologist.

diàlişi f. **1** (*chim.*) dialysis* **2** (*fisiol., med.*) dialysis*, haemodialysis*: **essere in d.**, to be under dialysis; **sottoporre a d.**, to submit to dialysis; to dialyse; **essere sottoposto a d.**, to undergo dialysis; **macchina per d.**, dialysis machine; artificial kidney; kidney machine.

dialìtico a. **1** (*chim.*) dialytic **2** (*fisiol., med.*) dialytic, haemodialytic.

dializzàre v. t. **1** (*chim.*) to dialyse, to dialyze (*USA*) **2** (*med.*) to submit to dialysis; to dialyse.

dializzàto A a. dialysed, dialyzed (*USA*) B m. (f. **-a**) dialysed patient.

dializzatóre A a. dialysing B m. (*med.*) dialysis machine; artificial kidney; kidney machine.

diàllage f. (*retor.*) diallage.

diallàgio m. (*miner.*) diallage.

diallèlo, **diallèle** m. (*filos.*) vicious circle.

dialogàre A v. i. **1** (*discutere*) to negotiate; to hold* talks: **d. con la parte avversa**, to hold talks with one's opponents **2** (*conversare*) to talk **3** (*comunicare*) to communicate; to connect: *In casa mia non si dialoga*, we don't communicate at home B v. t. (*teatr.*) to write* the dialogue of; to put* into dialogue form.

dialogàto A a. in the form of a dialogue: **parti dialogate**, dialogues B m. (*letter., cinem., TV*) dialogue.

dialògico a. dialogue (attr.); dialogic.

dialogìşmo m. (*retor.*) dialogism.

dialogìsta m. e f. dialogist; writer of dialogues.

dialogizzàre → **dialogare, B.**

diàlogo m. **1** dialogue, dialog (*USA*): **i dialoghi di Platone**, Plato's dialogues; *I dialoghi sono doppiati*, the dialogue is dubbed **2** (*conversazione*) talk; conversation; exchange of views **3** (*polit.*) dialogue Ⓤ; (*negoziato*) talks (pl.), negotiation: **il d. nord-sud**, the North-South dialogue; **aprire un d. con la controparte**, to start talks with the opposition; **cercare un d. coi sindacati**, to seek dialogue with the unions **4** (*comunicazione*) communication; (*rapporto*) relationship; rapport: **il d. tra genitori e figli**, the parent-child relationship; *Tra noi non c'è più d.*, we don't communicate any more; we don't connect any more.

diamagnètico a. (*fis.*) diamagnetic.

diamagnetìşmo m. (*fis.*) diamagnetism.

diamantàre v. t. (*tecn.*) to machine [to finish] with a diamond tool.

diamantàto a. (*tecn.*) diamond (attr.).

diamantatùra f. (*tecn.*) diamond-

a b c d e f g h i j k l m n o p q r s t u v w x y z

-tooling.

◆diamànte m. **1** (*miner.*) diamond: **d. grezzo**, rough diamond; **d. industriale**, industrial diamond; **bort** Ⓤ **2** (*tagliavetro*) glazier's diamond; glass--cutter **3** (*tipogr.*) diamond **4** (*di ancora*) crown **5** (*nel baseball*) diamond; infield ● (*archit.*) **a punta di d.**, diamond-point (attr.) □ **duro come il d.**, as hard as rock □ **nozze di d.**, diamond wedding □ (*fig.*) **essere la punta di d. di qc.**, to be at the cutting edge of st.

diamantifero a. diamantiferous; diamond-yielding.

diamantino a. (*lett.*, *anche fig.*) adamantine.

diametràle a. (*mat.*) diametral.

diametralménte avv. **1** along the diameter **2** (*fig.*) diametrically: **opinioni d. opposte**, diametrically opposed opinions.

diàmetro m. (*mat.*) diameter: (*astron.*) **d. apparente**, apparent diameter; (*mecc.*) **d. interno**, inside diameter; bore; **misurare 10 metri di d.**, to have a diameter of 10 metres; to be 10 metres across.

diàmine inter. **1** (*rafforzativa*) on earth; the heck (*fam.*): **Che d. ci fai qui?**, what on earth are you doing here?; **Dove d. s'è cacciato Gino?**, where the heck has Gino gone? **2** (*escl. di impazienza*) for heaven's sake!: **D., che modi!**, can't you be more careful, for heaven's sake!; **Che d.!**, what the devil! **3** (*escl. affermativa*) of course; I should say so!; you bet! (*fam.*).

diammìna f. (*chim.*) diamine.

diàmo 1ª pers. pl. indic. pres. e congiunt. pres. di **dare**.

diàna f. **1** (*astron.*, *lett.*) morning star; Lucifer **2** (*mil.*) reveille: **suonare la d.**, to sound the reveille **3** (*naut.*) morning watch.

Diàna f. (*mitol.*) Diana.

dianoètico a. (*filos.*) dianoetic.

diànoia f. (*filos.*) dianoia.

diànto m. (*bot.*, *Dianthus*) dianthus.

diànzi avv. (*lett.*) **poco fa**) a little while ago; (*or ora*) just, just now.

diàpason m. **1** (*estensione di voce o strumento*) range; reach; compass **2** (*mus.*: *suono*) pitch: **dare il d.**, to set the pitch **3** (*mus.*: *strumento*) tuning fork **4** (*fig.*) maximum pitch; climax: **raggiungere il d.**, to reach maximum pitch; to reach a climax.

diapàusa f. (*biol.*) diapause.

diapedèsi f. (*med.*) diapedesis.

diapènte m. (*mus.*) diapente.

diapìrico a. (*geol.*) diapiric.

diapirìsmo m. (*geol.*) diapirism.

diàpiro m. (*geol.*) diapir.

diapnòico → diaforetico.

diapositìva f. slide; transparency.

diaproiettóre m. slide projector.

diarchìa f. diarchy.

diària f. daily allowance.

◆diàrio m. **1** (*personale*) diary; journal: **d. di viaggio**, journal; **d. scolastico**, homework diary; **tenere un d.**, to keep a diary **2** (*registro giornaliero*) book; register: (*naut.*) **d. di bordo**, logbook; **d. di classe**, class register **3** (*calendario*) timetable: **d. degli esami**, examination timetable.

diarista m. e f. diarist.

diaristica f. journal writing.

diaristico a. diary (attr.); journal (attr.).

diarrèa f. (*med.*) diarrhoea.

diarròico a. (*med.*) diarrhoeal; diarrhoeic.

diartròsi f. (*anat.*) diarthrosis*.

diascopìa f. **1** slide projection **2** (*med.*) diascopy.

diascòpio m. diascope; slide projector.

diàspora f. diaspora.

diàsporo m. (*miner.*) diaspore.

diàspro m. (*miner.*) jasper ● **d. sanguigno**, bloodstone.

diastaşàto a. pre-digested.

diàstaşi f. **1** (*med.*) diastasis* **2** (*biol.*) diastase.

diastèma m. (*zool.*) diastema*.

diàstilo a. (*archit.*) diastyle.

diàstole f. (*med.*, *metrica*) diastole.

diastòlico a. (*med.*) diastolic.

diastrofìşmo m. (*geol.*) diastrophism.

diatèca f. collection of slides.

diatermanità f. (*fis.*) diathermaneity; diathermancy.

diatermàno a. (*fis.*) diathermanous; diathermic.

diatermìa f. (*med.*) diathermy.

diatèrmico a. (*med.*) diathermic.

diàteşi f. (*med.*, *gramm.*) diathesis*.

diatèşico a. (*med.*) diathetic.

diatomèa f. (*bot.*, *Diatoma*) diatom.

diatòmico a. (*chim.*) diatomic.

diatomite f. (*miner.*) diatomite.

diatonìa f. (*mus.*) diatonicism.

diatònico a. (*mus.*) diatonic: **scala diatonica**, diatonic scale.

diatonìşmo m. (*mus.*) diatonicism.

diàtriba f. diatribe; attack; invective.

diàvola f. (*fam.*, con agg.: *donna*) woman*; soul: **una brava d.**, a good woman; a good soul; **povera d.**, poor woman; poor soul.

diavolerìa f. **1** (*perfidia*) devilry Ⓤ; wicked action **2** (*stratagemma*) stratagem; trick; ruse; dodge **3** (*cosa strana*) weird (o bizarre) thing; oddity; (*aggeggio*) contraption: **diavolerie moderne**, new-fangled contraptions; modern gizmos.

diavolésco a. devilish.

diavoléssa f. she-devil; fiend.

diavolétto m. **1** little devil **2** (*scherz.*, *di bambino*) imp; little terror **3 → diavolino** ● (*fis.*) **d. di Cartesio**, Cartesian diver.

diavolìno m. (*bigodino*) curler, hair-curler; curl-paper.

diavolìo m. **1** (*scompiglio*) hubbub, rumpus (*USA*); (*fracasso*) din, bedlam Ⓤ **2** (*fam.*: *gran numero*) a devil of a lot.

◆diàvolo Ⓐ m. **1** devil; demon; fiend; (*Satana*) Satan, (the) Devil: **Che il d. ti porti!**, the devil take you! **2** (*persona malvagia*) devil; devilish person **3** (*fam.*, con agg.: *uomo*) devil; sort; bloke (*fam. GB*); chap (*fam. GB*); guy (*fam. USA*): **un buon d.**, a good sort; a good chap (*GB*); a good guy (*USA*); **Povero d.!**, poor devil!; poor soul **4** (in loc. pred.) devil: **D. di un uomo!**, clever devil!; **Ha vinto di nuovo, d. d'un Pippo!**, Pippo's won again, the lucky devil! **5** (*zool.*) – **d. di mare**, (*Manta birostris*) sea-devil; (*Mobula*) devil-fish; **d. orsino** (*Sarcophilus harrisii*), Tasmanian devil; **d. spinoso** (*Moloch horridus*), moloch ● (*scherz.*, *di bambino*) **d. scatenato**, little terror □ **a casa del d.**, miles from anywhere; at the back of beyond □ **Al d. i soldi!**, blow the money! □ **Al d. tutto!**, to hell with everything! □ **andare al d.**, (*rif. a persone*) to go to hell; (*rif. a cose*) to go to pot, to go down the tubes (*USA*): **Va' al d.!**, go to hell!; damn you! □ **avere il d. in corpo** (o **addosso**), (*essere irrequieto*) to be restless; to have ants in one's pants (*fam.*); (*essere pieno di energia*) to be a live wire; (*essere dispettoso*) to be full of mischief; (*essere indemoniato*) to be possessed □ **avere un d. per capello**, to be in a foul temper; to be hopping mad (*fam.*); to be like a bear with a sore head (*fam.*) □ **avvocato del d.**, the devil's advocate: **fare l'avvocato del d.**, to play the devil's advocate □ **brutto come il d.**, as ugly as sin □ (*rafforzativo*) **del d.**, the devil (o the hell) of a; damned (o idiom.): **Ho**

fatto una fatica del d. a trovarli, I had the devil of a time finding them; it was the devil's own job to find them; **una fortuna del d.**, the luck of the devil; **Fa un caldo del d.**, it's boiling; **Fa un freddo del d.**, it's freezing; **Ho una fame del d.**, I'm simply starving; **avere una paura del d.**, to be scared to death □ **Che il d. mi porti se lo so!**, devil take me if I know! □ **Che il d. se lo porti!**, devil take him!; damn him! □ **Corpo del d.!**, damn! □ **essere come il d. e l'acqua santa**, to be like cat and dog □ **Il d. ci ha messo la coda** (o **le corna**), the devil has had a hand in this □ **fare il d. a quattro**, to raise hell (o the devil); to raise Cain (*fam.*); to kick up a shindy (*fam.*); (*di bambino*) to be up to all kinds of mischief □ **mandare q. al d.**, to tell sb. to go to hell □ **Non è mica il d.!**, he's not going to eat you! □ **Per mille diavoli!**, hell and damnation! □ (*fig.*) **sapere dove il d. tiene la coda**, to know a thing or two □ (*prov.*) **Un d. caccia l'altro**, one evil drives out another □ (*prov.*) **Il d. non è così brutto come lo si dipinge**, the devil is not as black as he is painted Ⓑ inter. **1** (*rafforzativa*) the devil; the hell: **Che d. fai?**, what the devil are you doing?; **Dove d. sei?**, where the devil are you?; **Perché d...?**, why the hell...? **2** (*di irritazione*) damn!; blast! **3** (*affermativa*) you bet! Ⓒ loc. avv. – **alla diavola**, (*cucina*) devilled; (*di pollo*) grilled.

diazocompósto m. (*chim.*) diazo compound.

diazometàno m. (*chim.*) diazomethane.

diaẓònio m. (*chim.*) diazonium.

diaẓoreazióne f. (*chim.*) diazo reaction.

diaẓotàre v. t. (*chim.*) to diazotize.

diaẓotazióne f. (*chim.*) diazotization.

diaẓotipìa f. (*fotogr.*) diazotype.

dibàşico a. (*chim.*) dibasic.

dibàttere Ⓐ v. t. **1** (*lett.*: *sbattere*, *agitare*) to flap; to flail; to thrash: **d. le ali**, to flap one's wing; **d. le braccia**, to flail one's arms; to thrash one's arms **2** (*fig.*: *discutere*) to debate; to discuss **3** (*fig.*: *considerare*) to consider Ⓑ **dibàttersi** v. rifl. **1** (*divincolarsi*) to struggle; (*agitarsi*) to flail about, to thrash about, (*in acqua*) to flounder; (*contorcersi*) to writhe **2** (*fig.*) to struggle; to be torn (by st.): **dibattersi nel dubbio**, to be torn by doubts.

dibattimentàle a. (*leg.*) of (o concerning) a trial.

dibattiménto m. **1** (*discussione*) debate; discussion **2** (*leg.*) trial; hearing.

dibàttito m. **1** debate; discussion: **d. parlamentare**, parliamentary debate; **d. televisivo**, TV forum; **La questione è al d.**, the question is under discussion **2** (*disputa*) controversy; dispute.

dibattùto a. much-discussed; (*controverso*) controversial.

diboscàre e deriv. → **disboscare**, e deriv.

Dic. abbr. (**dicembre**) December (Dec.).

dicarbossìlico a. (*chim.*) dicarboxylic.

dicàşio m. (*bot.*) dichasium*.

dicastèro m. ministry; (government) department (*USA*): **d. degli Esteri**, Foreign Ministry; (*in GB*) Foreign Office; (*in USA*) State Department.

dicatalèttico a. (*metrica*) dicatalectic.

dìcco m. (*geol.*) dike, dyke.

◆dicèmbre m. December. (*Per gli esempi d'uso → aprile*).

dicembrìno a. of December; December (attr.).

dicèntra f. (*bot.*, *Dicentra*) dicentra.

dicerìa f. rumour; gossip Ⓤ: **Circola (o Corre) la d. che...**, there is a rumour about that...; it is rumoured that...; **le solite dicerie**, the usual gossip.

dicéssi 1ª e 2ª pers. sing. congiunt. imperf. di **dire**.

dicésti 2ª pers. sing. pass. rem. di **dire**.

dichiarànte A a. declaring B m. e f. 1 (leg.) declarant 2 (nei giochi di carte) bidder; (nel bridge) declarer.

♦**dichiaràre** A v. t. 1 to declare; to announce; to proclaim; to make* known; (affermare ufficialmente) to state, to pronounce; (sostenere) to state, to maintain, to assert, to allege: (leg.) d. qc. alla dogana, to declare st. at customs; d. il proprio amore a q., to declare oneself (o one's love) to sb.; d. q. colpevole, to find sb. guilty; d. guerra a q., to declare war on sb.; d. q. in arresto, to declare sb. under arrest; (leg.) d. q. innocente, to find sb. not guilty; d. le proprie intenzioni, to declare one's intentions; d. q. morto, to pronounce sb. dead; d. qc. nullo, to declare st. null and void; d. per iscritto, to certify; d. al fisco un reddito di quarantamila euro, to return one's income as 40 thousand euros on the tax declaration; d. q. vincitore, to declare sb. the winner; Dichiarò alla questura quel che aveva visto, he made a statement to the police as to what he had witnessed; Dichiara che non ne sa nulla, she maintains she knows nothing about it; Furono dichiarati marito e moglie, they were pronounced man and wife; (bur.) Si dichiara che…, it is hereby certified that… 2 (nei giochi di carte) to bid*; (nel bridge) to declare B **dichiaràrsi** v. rifl. 1 to declare oneself; to call oneself; (sostenere d'essere) to claim: (leg.) dichiararsi colpevole, to plead guilty; dichiararsi contrario a, to declare oneself against; dichiararsi estraneo a qc., to claim one has nothing to do with st.; dichiararsi favorevole a, to declare oneself for; (leg.) dichiararsi innocente, to plead not guilty; dichiararsi soddisfatto, to declare oneself satisfied; dichiararsi vinto, to acknowledge defeat 2 (fare una dichiarazione d' amore) to propose 3 (manifestare le proprie opinioni) to commit oneself; to come* out (fam.).

dichiaratamènte avv. declaredly; professedly.

dichiarativo a. 1 (ling.) predicative 2 (leg.) declaratory: clausola dichiarativa, declaratory clause.

dichiaràto a. 1 (manifesto) declared; avowed; professed; self-confessed; open; explicit: femminista dichiarata, professed feminist; interesse d., explicit interest; nemico d., sworn enemy; d. proposito, declared (o avowed) intention; scopo d., avowed aim 2 (denunciato) reported; declared; stated: (fin.) capitale d., stated capital; reddito d., reported (o declared) income.

dichiaratóre m. (f. -trice) 1 declarer 2 (leg.) declarant.

♦**dichiarazióne** f. 1 declaration; announcement; (affermazione) statement, claim; (osservazione) remark: d. alla stampa, statement to the press; d. d'amore, declaration of love; fare una d. d'amore a una ragazza, to propose to a girl; d. dei diritti dell'uomo, declaration of rights; bill of rights; d. di guerra, declaration of war; d. di indipendenza, declaration of independence; d. di intenti, declaration of intent; d. per la dogana, customs declaration; fare una d., to make (o to issue) a statement 2 (documento) written statement; attestation; certificate: (leg.) d. giurata, sworn statement; affidavit; firmare una d., to sign a statement 3 (nei giochi di carte) bid; bidding ● (naut.) d. di avaria, ship's protest □ (leg.) d. di colpevolezza [non colpevolezza], plead of guilty [not guilty]; (verdetto) conviction [acquittal] □ (naut., di carico, nave, ecc.) d. di entrata, entry □ (leg.) d. di fallimento, adjudication

in bankruptcy □ (leg.) d. dei redditi, statement of income; income-tax return: fare la d. dei redditi, to do (o to make out) one's income-tax return □ d. doganale, (dell'esportatore) specification, entry outwards; (dell'importatore) (customs) entry; (per pacco spedito all'estero) customs declaration □ (leg.) d. IVA, VAT declaration.

♦**diciannòve** a. num. card. e m. nineteen ● alle d., at seven p.m.

diciannovènne A a. nineteen years old (pred.); nineteen-year-old (attr.) B m. e f. nineteen-year-old (boy, m.; girl, f.; youth, m.).

diciannovèsimo a. num. ord. e m. nineteenth.

♦**diciassètte** a. num. card. e m. seventeen ● alle d., at five p.m.

diciassettènne A a. seventeen years old (pred.); seventeen-year-old (attr.) B m. e f. seventeen-year-old (boy, m.; girl, f.; youth, m.).

diciassettèsimo a. num. ord. e m. seventeenth.

dicìbile a. expressible (in words); utterable.

diciottènne A a. eighteen years old (pred.); eighteen-year-old (attr.) B m. e f. eighteen-year-old (boy, m.; girl, f.; youth, m.).

diciottèsimo a. num. ord. e m. eighteenth.

♦**diciòtto** a. num. card. e m. eighteen ● alle d., at six p.m.

dicitóre m. (f. -trice) 1 speaker; (di versi) reciter: (iron.) fine d., affected speaker (o reciter) 2 (teatr.) reciter.

dicitùra f. 1 (le parole) wording ⓤ; words (pl.): la d. esatta, the exact wording (o words) 2 (frase scritta) caption; inscription: la d. sull'etichetta, the caption on the label.

diclìno a. (bot.) diclinous.

dìco 1ª pers. sing. indic. pres. di **dire**.

dicogamìa f. (bot.) dichogamy.

dicòrdo m. (mus.) dichord.

dicoriàle a. (biol.) dichorial.

dicotilèdone A a. (bot.) dicotyledonous B f. dicotyledon; (al pl., scient.) Dicotyledones.

dicotomìa f. dichotomy.

dicotòmico a. dichotomous; dichotomic; (bot.) ramificazione dicotomica, dichotomous branching.

dicòtomo a. dichotomous.

dicròico a. (fis.) dichroic.

dicroìsmo m. (fis.) dichroism.

dicroìte f. (miner.) dichroite.

dicromàtico a. dichromatic; two-coloured.

dicromatìsmo m. (med.) dichromatism.

dicromìa f. duotone.

dicromìsmo m. 1 (fis.) dichroism 2 (zool.) dichromatism.

dìcromo a. two-tone (attr.).

dicrotìsmo m. (med.) dicrotism.

dicròto a. (med.) dicrotic.

dicumarìna f., **dicumaròlo** m. (chim.) dicoumarin; dicoumarol.

didascalìa f. 1 (teatr.) stage directions (pl.) 2 (cinem.) subtitle; (di film muto) caption 3 (di illustrazione) caption.

didascàlico① a. didactic: poesia didascalica, didactic poetry.

didascàlico② m. (tipogr.) dash.

didàtta m. e f. 1 teacher 2 (psic.) training analyst.

didàttica f. teaching methodology; didactics (pl. col verbo al sing).

didàttico a. 1 (rif. all'insegnamento) educational; teaching (attr.): centro d., education-

al centre; metodo d., teaching method; programma d., syllabus; teaching programme 2 (istruttivo) educative; educational; didactic ● direttore d., (elementary school) headmaster.

didattìsmo m. didacticism; pedantry.

didéntro, di déntro A avv. → dentro, A B m. inv. → dentro, C.

didiètro A m. 1 (di cosa) back; rear 2 (di animale) rump 3 (fam. sedere) backside; behind B avv. → dietro, A C a. inv. → dietro, C.

didìmio m. (chim.) didymium.

dìdimo a. (biol.) twofold; twin.

Didóne f. Dido.

♦**dièci** a. num. card. e m. ten; (nelle date) tenth; (il numero) number ten: i d. comandamenti, the Ten Commandments; il d. aprile, the tenth of April; April 10th; il d. di picche, the ten of spades; a gruppi di d. (o d. alla volta), in tens; Sono le (ore) d., it's ten (o'clock); Di qui passa il d., bus number ten comes this way; Ho preso d. nel tema, I got ten (out of ten) for my essay; il cliente del d., (al ristorante) the man at table ten; (in albergo) the guest in room ten ● mangiare per d., to eat like a horse.

diecimila A a. num. card. e m. inv. ten thousand: (prima dell'introduzione dell'euro) un biglietto da d., a ten-thousand-lire note B m. pl. (sport) (the) ten-thousand-metre race (sing.).

diecimilionèsimo a. num. ord. e m. ten millionth.

diecimillèsimo → decimillesimo.

diecìna → decina.

dièdi 1ª pers. sing. pass. rem. di **dare**.

dièdro A a. (mat.) dihedral B m. (mat., aeron.) dihedral.

dieffenbàchia f. (bot.) dieffenbachia.

diegèsi f. diegesis*.

diegètico a. diegetic.

dielettricità f. (fis.) non-conductivity.

dielèttrico a. e m. (fis.) dielectric: costante dielettrica, dielectric constant.

diencefàlico a. (anat.) diencephalic.

diencèfalo m. (anat.) diencephalon.

diène m. (chim.) diene.

dièresi f. 1 (ling.) diaeresis* 2 (med.) separation of tissues.

dièsel (mecc.) A a. diesel: motore d., diesel engine; diesel B m. inv. 1 (motore) diesel engine 2 (auto) diesel car.

dies irae (lat.) loc. m. inv. 1 (inno) Dies Irae 2 (fig.) (the) day of reckoning.

dièsis m. inv. (mus.) sharp: re d., D-sharp; due d. in chiave, two sharps in the key signature; sonata in do d. minore, sonata in C-sharp minor.

diesizzàre v. t. (mus.) to sharpen.

dièsse a. e n. → diessino.

diessìno a. e m. (polit.) (member of the) Democrats of the Left.

♦**dièta**① f. diet: d. a base di frutta, fruit diet; d. dimagrante, slimming diet; d. ferrea, strict diet; d. idrica, water-only diet; d. ipocalorica, low-calorie diet; d. liquida, liquid diet; d. mediterranea, Mediterranean diet; essere a d., to be on a diet; fare una d., to follow a diet; to diet; mettere q. a d., to put sb. on a diet; mettersi a d., to go on a diet; to start dieting; tenere q. a d., to keep sb. on a diet; (fig., scherz.) to keep sb. on short rations (fam.).

dièta② f. (stor., polit.) diet: la D. di Worms, the Diet of Worms.

dietètica f. (med.) dietetics (pl. col verbo al sing.).

dietètico a. 1 (rif. a una dieta) dietary; dietetic; diet (attr.): bevanda dietetica, diet

drink; **consigli dietetici**, dietary (o dietetic) advice; **prodotto d.**, dietetic product; **regime d.**, diet **2** (rif. alla dietetica) dietetic.

dietim, **dietimo** m. (banca) day-by-day interest.

dietista m. e f. dietitian, dietician; nutritionist.

dietologia f. dietetics (pl. col verbo al sing.).

dietologo m. (f. **-a**) → **dietista**.

dietoterapia f. (med.) dietotherapy.

dietrismo m. (giorn., polit.) tendency to believe in conspiracy theories.

dietrista m. e f. (giorn., polit.) conspiracy theorist.

♦**dietro A** avv. (anche **di d.**, **in d.**) behind; at [in, to] the back; (sul retro) at the back, in back (USA); (sul rovescio) on the back; (alla retroguardia) in the rear: È qui d., it's behind here; (autom.) **salire d.**, to get in the back; **sedersi d.**, to sit at the back; (in auto) to sit in the back; Silenzio, là d.!, silence at the back!; Si abbottona d., it buttons at the back; **arrivare da d.**, to arrive from behind; **passare (da) d.**, to go round the back; Da d. non l'avevo riconosciuto, I hadn't recognized him from behind; Carlo scappò e Maria d., Carlo ran away and Maria ran after him **B** prep. **1** (anche **d. a**) behind; after; round; (sul retro di) at the back of; in back of (USA): **d. il tavolo**, behind the table; **d. la (o alla) casa**, behind (o at the back of, USA in back of) the house; **d. a noi**, behind us; **d. l'angolo [la curva]**, round the corner [the bend]; **d. il foglio**, on the back (o the reverse) of the sheet; Mi studiava da d. le lenti, she was studying me from behind her lenses; **uno d. l'altro**, one after the other; **correre d. a q.**, to run after sb.; Mi gridò d. di aspettare, he shouted after me to wait; **tirare qc. d. a q.**, to throw st. after sb. **2** (comm., bur.) on; upon; by; against: **d. appuntamento**, by appointment; **d. cauzione**, on bail; **d. consegna**, on delivery; **d. ricevuta**, against receipt; **d. richiesta**, (orale) on demand; (scritta) on application ● (anche fig.) **andare d. a q.**, to follow sb.; (imitare) to imitate sb. □ (ciclismo) **corsa d. motori**, motor-paced (o motorcycle-paced) race □ (region.) **essere d. a fare qc.**, to be busy doing st.; to be in the middle of doing st. □ Ci lasciammo d. Ferrara [la nebbia], we left Ferrara [the fog] behind us □ **Ci lasciammo d.** (sorpassammo) l'altra macchina, we got ahead of the other car; the other car fell behind □ (fig.) **mettersi (o gettarsi) tutto d. le spalle**, to put it all behind one □ **portarsi d. q.**, to bring sb. along (with one) □ **portarsi d. qc.**; to take st. with one □ **ridere d. a q.**, to laugh at sb.; to laugh behind sb.'s back □ **stare d. a q.**, (seguire) to follow sb.; (tenere d'occhio) to keep an eye on sb.; (corteggiare) to hang round sb. □ (anche fig.) **tenere d. a q.**, to keep up with sb. **C a. inv.** (anche **di d.**) back; rear; hind: **stanza d.**, back room; **zampe d.**, hind legs; **ruota d.**, rear wheel **D** m. inv. (anche **di d.**) back; rear: È sul d. della casa, it is at the back of the house (→ **dietro, A**).

dietrofront A inter. about-turn; about-face **B** m. inv. about-turn; about-face; (fig., anche) U-turn: **fare d.**, to do an about-turn (anche mil., fig.); to face round.

dietrologia f. obsessive search for a hidden agenda (o for hidden reasons); belief in a conspiracy theory: **fare della d.**, to hypothesize a hidden agenda (o hidden reasons).

dietrologico a. that hypothesizes a hidden agenda (o for hidden reasons); that believes in a conspiracy theory.

dietrologo m. (f. **-a**) person who searches for a hidden agenda (o for hidden

reasons); believer in conspiracy theories.

♦**difatti** cong. → **infatti**.

♦**difèndere A** v. t. **1** to defend; (proteggere) to protect, to safeguard: **d. i propri interessi**, to defend (o to safeguard) one's interests; **d. il proprio Paese**, to defend one's country; **d. il proprio posto di lavoro**, to defend one's job; **d. dalle infezioni**, to protect from infection **2** (leg.) to defend; to plead (sb.'s case) **3** (sostenere) to support; to uphold*; to stand* up for; to champion: **d. la causa dei disabili**, to champion the cause of the disabled; **d. la condotta di q.**, to uphold sb.'s conduct; **d. i diritti di q.**, to uphold sb.'s rights; **d. i propri diritti [ciò in cui si crede]**, to stand up for one's rights [for what one believes]; **d. una tesi**, to support an argument **4** (prendere le parti di) to stand* up for; to take* (sb.'s) side: **d. un amico**, to stand up for a friend; Sua madre lo difende sempre, his mother always takes his side **B difèndersi** v. rifl. **1** to defend oneself; (proteggersi) to protect oneself: **difendersi dall'attacco nemico**, to defend oneself against enemy attack; **difendersi dal freddo**, to protect oneself against the cold; **sapersi difendere**, to know how to look after oneself **2** (far valere le proprie ragioni) to stand* up for oneself; (giustificarsi) to justify oneself, to defend oneself **3** (resistere) to put* up a defence; to withstand*: **difendersi brillantemente**, to put up a spirited defence; **difendersi fino all'ultimo**, to fight on to the bitter end **4** (fam.: cavarsela) to manage; to get* by: In francese mi difendo, I can get by in French.

difendibile a. **1** defensible **2** (sostenibile) defensible; tenable.

difenditrice f. → **difensore**, B.

difenilchetóne m. (chim.) diphenylketone; benzophenone.

difenile m. (chim.) diphenyl.

difensiva f. defensive: **essere (o stare) sulla d.**, to be on the defensive (anche mil.); to be defensive; **mettersi sulla d.**, to take up a defensive position; to become defensive.

difensivìsmo m. **1** defensiveness **2** (sport) defensive tactics (pl.).

difensivista A a. defensive **B** m. e f. (sport) upholder of defensive tactics.

difensivo a. defensive: **atteggiamento d.**, defensive attitude; **arma [guerra] difensiva**, defensive weapon [warfare].

difensóre A a. **1** defending: **avvocato d.** → **B**, def. 2 **2** (sostenitore) supporting; upholding **B** m. (f. **difenditrice**; **-a**) **1** defender; (protettore) preserver, keeper: **d. civico**, ombudsman; **il d. dei nostri diritti**, the defender of our rights; D. della fede (titolo dei sovrani inglesi dal 1544), Defender of the Faith; **d. della tradizione**, keeper of tradition **2** (leg.) counsel for the defence; defense attorney (o lawyer) (USA): **d. di fiducia**, hired counsel; **d. d'ufficio**, counsel appointed by the court; public defender (USA) **3** (sostenitore) advocate; supporter; upholder: **d. della politica del governo**, supporter of the government's policy; **farsi d. di una causa**, to become the advocate of a cause **4** (sport) defender; back.

♦**difésa** f. **1** defence, defense (USA); protection: **d. dell'ambiente**, protection of the environment; **le difese dell'organismo**, the body's defence system; **difese immunitarie**, immunity (sing.); resistance (sing.); **privo di difese immunitarie**, immune-deficient; **difese naturali**, natural defences; **arma da d.**, weapon of defence; (leg.) **diritto alla d.**, right of defence; **guerra di d.**, defensive warfare; (psic.) **meccanismo di d.**, defence mechanism; **senza d.**, defenceless; unprotected; helpless **2** (mil.) defence: **d. antiaerea**, antiaircraft defence; **d. costiera**,

coastal defence; **opere di d.**, defensive works; defences; **spese per la d.**, money spent on defence **3** (leg., in un processo) defence, defense (USA); (avvocato difensore) counsel for the defence (GB), defense attorney (o lawyer) (USA): **la d. e l'accusa**, the defence and the prosecution; **d. d'ufficio**, legal aid (GB); public defense (USA); **dare la parola alla d.**, to give the defence leave to speak **4** (riparo) defence; protection; shelter: **cercare d. dalla pioggia**, to seek shelter from the rain; **mura di d.**, defensive walls **5** (sostegno) defence; support **6** (discolpa) defence; excuse; justification: **a propria d.**, in one's defence; (in order) to justify oneself **7** (sport) defence: **essere in d.**, to have a strong defence; **giocare in d.**, to defend **8** (scacchi) defence ● **eccesso di d.**, excessive self-defence □ (leg.) **per legittima d.**, in self-defence □ (mil.) **mettere un paese in stato di d.**, to fortify a country □ **mettersi in posizione di d.**, to take up a defensive position; to stand on one's guard □ **prendere le difese di q.**, to take sb.'s side □ (prov.) La miglior d. è l'attacco, attack is the best form of defence.

diféso a. **1** (riparato) sheltered; protected **2** (fortificato) fortified.

difettàre v. i. **1** (mancare) to be lacking (in); to be wanting (in); to lack (st.): **d. di tatto**, to be lacking (o wanting) in tact; to be tactless **2** (essere difettoso) to be defective (impers.): Tu difetti nella pronuncia, your pronunciation is defective.

difettìvo a. (anche gramm.) defective: **verbo d.**, defective verb.

♦**difètto** m. **1** (mancanza) lack; want; shortage; deficiency; dearth: **d. di denaro**, lack of money; C'è d. di buoni fisici, there's shortage (o dearth) of good physicists **2** (imperfezione) defect; fault; flaw; blemish: **d. di costruzione**, construction defect; design fault; **d. di pronuncia**, speech defect; **d. fisico**, physical defect; **un d. in un carattere altrimenti perfetto**, a flaw in an otherwise perfect character; Il tecnico non ha trovato il d., the engineer couldn't find the fault; Tutti abbiamo i nostri difetti, we all have our faults (o shortcomings); Ci dev'essere un d. nella trasmissione, there must be something wrong with the transmission; Quella casa ha un solo d.: è molto umida, there is only one thing wrong with that house, it's very damp **3** (cattiva abitudine) bad habit: È un mio d., it's a bad habit I have ● **approssimazione per d.**, approximation by defect □ **essere in d.**, to be at fault □ **fare d.**, (mancare) to lack (pers.); (venir meno) to fail; (di abito) to have a fault, to be badly cut □ Gli fa d. la prudenza, he lacks caution □ Se la memoria non mi fa d., if my memory serves me □ (bur.) **in d. di ciò**, failing that □ **senza difetti**, flawless; faultless.

difettosità f. defectiveness; faultiness.

difettóso a. defective; faulty; imperfect: **apparecchio d.**, faulty machine; **merce difettosa**, defective goods.

diffalcàre → **defalcare**.

diffamàre v. t. (anche leg.) to defame; to slander; (con scritti o immagini) to libel.

diffamatóre m. (f. **-trice**) (anche leg.) defamer; slanderer; (con scritti o immagini) libeller.

diffamatòrio a. (anche leg.) defamatory; slanderous; (di scritto o immagine) libellous: **affermazioni diffamatorie**, slanderous statements; **articolo d.**, libellous article; **scritto d.**, libel.

diffamazióne f. (anche leg.) defamation; slander; (con scritti o immagini) libel: **campagna di d.**, slander campaign; **querela per d.**, libel suit; action for libel.

♦**differènte** a. different (from); differing;

(from); (*dissimile*) unlike (st.), dissimilar (to): *È d. dai soliti romanzi gialli*, it's different from the usual thrillers; *Quei gemelli sono molto differenti*, those twins are very unlike; *Le due edizioni sono molto differenti*, the two editions differ considerably (*o* are quite different).

differenteménte avv. **1** differently; in a different way **2** (*altrimenti*) otherwise.

♦**differènza** f. (*anche mat.*) difference: **d. d'età**, age difference; difference in age; **d. di temperatura**, difference in temperature; **una d. enorme**, an enormous difference; a world of difference; *Non vedo la d.*, I can't see the difference; *La d. fra quindici e dieci è cinque*, the difference between fifteen and ten is five; **pagare la d.**, to pay the difference; *Non fa nessuna d.*, it makes no difference; *Per me non fa d.*, it's all the same to me; I don't mind either way; *C'è una bella d.!*, that makes a big difference! that's completely different!; that's something else entirely; *C'è una bella d. tra il film e il romanzo*, the film is a far cry from the novel • (*rag.*) **d. a saldo**, balance □ (*rag.*) **d. in meno**, deficiency □ (*rag.*) **d. in più**, excess □ **a d. di**, unlike: *A d. dei suoi amici, è sempre presente*, unlike his friends, he's always present.

differenziàbile a. differentiable.

differenziàle A a. differential: (*mat.*) **calcolo d.**, differential calculus; (*mecc.*) **moto d.**, differential motion; (*mus.*) **suono d.**, differential tone; (*ferr.*) **tariffa d.**, differential tariff B m. **1** (*mecc.*) differential gear; differential: **scatola del d.**, differential carrier **2** (*mat. ed estens.*) differential: **d. di inflazione**, inflation differential; **d. salariale**, differential in pay; wage differential.

differenziaménto m. differentiation.

differenziàre A v. t. **1** (*distinguere*) to differentiate; to distinguish; (*rendere diverso da tutti*) to make* different **2** (*mat.*) to differentiate B **differenziàrsi** v. i. pron. **1** (*essere differente*) to be different; to differ; to be unlike (sb., st.) **2** (*diventare differente*) to become* different; to differentiate.

differenziàto a. **1** (*distinto*) differentiated; distinct: **organi sessuali differenziati**, differentiated sexual organs **2** (*diversificato*) differential; specialized; special: **insegnamento d.**, teaching children with special needs; **raccolta differenziata dei rifiuti**, separate collection of household waste; trash separation and collection (*USA*); **trattamento d.**, differential treatment.

differenziatóre A a. differentiating; distinguishing B m. differentiator.

differenziazióne f. differentiation.

differìbile a. postponable; deferrable.

differiménto m. postponement; deferment.

differìre A v. t. to postpone; to put* off; (*anche leg.*) to defer, to adjourn, to delay: (*comm.*) **d. un pagamento**, to defer payment; **d. la partenza di una settimana** [**a martedì**], to put off one's departure to the following week [to Tuesday]; **d. una riunione**, to postpone a meeting; (*se già iniziata*) to adjourn a meeting; (*comm.*) **d. la scadenza di una cambiale**, to extend the maturity of a bill; **d. a data da stabilirsi**, to postpone indefinitely B v. i. to differ (from); to be different (from, to); to vary (from); to be unlike (sb., st.): *Le nostre idee differiscono notevolmente*, our ideas differ greatly; *Il nuovo modello differisce dal precedente per pochi particolari*, the new model differs from the earlier one in only a few details.

differìta f. (*radio, TV*) recorded broadcast; recording: **trasmettere qc. in d.**, to broadcast the recording of st.

differito a. deferred; extended: **credito d.**, deferred credit; extended credit.

♦**difficile** A a. **1** (*arduo*) difficult, hard, tough; (*spinoso, complicato*) awkward, tricky (*fam.*): **decisione d.**, difficult decision; tough decision; **digestione d.**, poor digestion; **momento d.**, difficult moment; awkward moment; **scelta d.**, difficult choice; **situazione d.**, tricky situation; awkward situation; **tempi difficili**, hard times; **di d. accesso**, difficult to access; of difficult access; **d. da capire**, hard (*o* difficult) to understand; **d. da credere**, hard to believe; **d. da trasportare**, difficult (*o* awkward) to carry; **rendere la vita a q.**, to make life difficult for sb. **2** (*oscuro*) difficult; obscure; involved: **versi difficili**, obscure lines **3** (*rif. al carattere*) difficult; awkward; problem (attr.): **bambino d.**, difficult child; problem child; **cliente d.**, awkward customer; *È un tipo d. da trattare*, he is difficult to get on with **4** (*esigente*) difficult; hard to please; fussy; exacting; fastidious: **d. nel mangiare**, fussy about one's food; **gusti difficili**, fastidious tastes **5** (*improbabile*) unlikely; improbable: *È d. che torni*, she is unlikely to come back; *È d. che io lo incontri*, I'm not likely to meet him; *È d. che lo si veda senza la sigaretta in bocca*, he's hardly ever seen without a cigarette in his mouth B m. difficulty; difficult (*o* hard) part (*o* bit); what is difficult: *Qui sta il d.*, here lies the difficulty; *Ora arriva il d.*, now comes the difficult bit C m. e f. difficult (*o* fussy, awkward) person: *Non fare il d.!*, don't be so difficult (*o* fussy, awkward)!

difficilménte avv. **1** (*con difficoltà*) with difficulty; hardly **2** (*con poche probabilità*) unlikely (agg.): *Tim d. proverà di nuovo*, Tim is unlikely to try again.

♦**difficoltà** f. **1** difficulty; intricacy; trickiness (*fam.*): **le d. della faccenda**, the intricacies of the matter **2** (*problema, ostacolo*) difficulty; trouble; problem: **le d. della vita**, life's troubles; **d. iniziali**, initial difficulties; (*di un'attività*) growing pains (*fam.*), teething problems (*fam.*): *La d. sta nel fatto che*, the trouble is that...; **avere d. a fare qc.**, to have difficulty (*o* trouble) (in) doing st.; to find it difficult (*o* hard) to do st.; *Ho d. a piegare la gamba*, I have difficulty bending my leg; *Ho avuto qualche d. a trovarti*, I had some trouble finding you; **avere d. a trovare lavoro**, to find it difficult to find a job; **creare d.**, to create difficulties; to cause trouble; (*di persona*) to make trouble, to be difficult; **incontrare d.**, to run into difficulties; **superare una d.**, to overcome a difficulty **3** (*sforzo*) difficulty; effort: **muoversi con d.**, to move with difficulty **4** (*posizione difficile*) difficulty; trouble ⓤ **d. finanziarie**, financial difficulties (*o* straits); (*di persona, anche*) difficult circumstances; **trovarsi in d.**, to be in difficulties (*o* in trouble); (*gravi*) to be in a tight corner, to be in deep water (*o* waters); **un amico in d.**, a friend in trouble **5** (*obiezione*) objection: *Non ho alcuna d. ad andarci io*, I have no objection to going myself; *Non ho d. a dirtelo*, I don't mind telling you; **fare** (*o* **sollevare**) **d.**, to raise objections; **mettere q. in d.**, to create trouble for sb.; to put sb. in a spot (*fam.*); to give sb. a hard time; (*con una domanda*) to ask a difficult question.

difficoltóso a. difficult; hard; tricky.

diffida f. **1** (*leg.*) warning; notice; injunction: **d. di pagamento**, notice to pay **2** (*calcio*) official warning (issued to a player one booking away from a one match ban).

diffidàre A v. i. **1** (*non fidarsi di*) to mistrust; to distrust; to be suspicious of: **d. di q.**, to mistrust (*o* to distrust) sb.; **d. di tutto**, to be suspicious of everything **2** (*guardarsi da*) to beware of: *Diffidate delle imitazioni*, beware of imitations B v. t. (*leg.*) to warn (against doing st.); to enjoin (from doing st.) (*USA*).

diffidàto a. (*sport: calcio*) yellow-carded; on a booking (pred.).

diffidènte a. mistrustful; distrustful; suspicious ❶ FALSI AMICI • diffidente *non si traduce con* diffident.

diffidènza f. mistrust; distrust; suspicion; suspiciousness: **provare d. verso q.**, to be suspicious of sb.; to mistrust sb; *Guardò la torta con d.*, he looked at the cake suspiciously; *Guarda con d. a tutto ciò che è straniero*, she looks on everything foreign with distrust; she is suspicious of everything foreign ❶ FALSI AMICI • diffidenza *non si traduce con* diffidence.

♦**diffóndere** A v. t. **1** (*spargere*) to spread*, to scatter; (*irradiare*) to diffuse, to give* off, to shed*, to radiate: **d. calore** to radiate (*o* to give off) heat; **d. luce**, to diffuse (*o* to shed) light: *La luna diffondeva una pallida luce*, the moon shed a pale light; **d. una malattia**, to spread a disease; **d. un profumo**, to diffuse (*o* to give off) a scent; **d. il buon umore intorno a sé**, to radiate cheerfulness **2** (*divulgare*) to spread*; to put* about; to publicize; to circulate: **d. notizie** [**voci**], to spread news [rumours] **3** (*distribuire*) to release: **d. un film**, to release a film **4** (*radio, TV: trasmettere*) to broadcast*; (*TV, anche*) to telecast* **5** (*comm.*) to launch; to promote; to advertise; to push: **d. un prodotto sul mercato**, to launch a product on the market B **diffóndersi** v. i. pron. **1** (*espandersi*) to spread*; to propagate; to become* widespread; to grow*; (*di suono, profumo, ecc.*) to waft, to drift; (*di calore*) to radiate: *L'infezione si diffuse rapidamente*, the infection spread rapidly; *un'abitudine che va diffondendosi*, a custom that is spreading (*o* becoming widespread) **2** (*dilungarsi*) to expatiate; to dwell*: **diffondersi su un argomento**, to expatiate upon a subject.

difförme a. unlike (st.); dissimilar (to); different (from, to): **una copia d. dall'originale**, a copy unlike the original.

difformità f. diversity; dissimilarity; difference.

diffràngersi v. i. pron. (*fis.*) to diffract.

diffrattòmetro m. (*fis.*) diffractometer.

diffrazióne f. (*fis.*) diffraction.

diffusaménte avv. at length; in detail.

diffusìbile a. diffusible.

diffusibilità f. diffusibility.

diffusionàle a. (*fis., chim.*) diffusional.

diffusióne f. **1** (*chim., fis.*) diffusion; (*fis. nucl.*) scattering: **la d. della luce**, the diffusion of light **2** (*propagazione*) diffusion; spread; spreading; propagation; dissemination: **la d. di un contagio**, the spread (*o* spreading) of an infection; **la d. del cristianesimo [dell'inglese]**, the spread of Christianity [of the English language] **3** (*divulgazione*) diffusion; circulation; publicity: **la d. di informazioni false**, the circulation of false information **4** (*radio, TV*) broadcast; (*TV, anche*) telecast* **5** (*di giornale, rivista*) circulation: **a larga d.**, with a high circulation; widely circulated **6** (*di film*) release.

diffusionìsmo m. (*antrop.*) diffusionism.

diffusività f. (*chim., fis.*) diffusivity.

♦**diffùso** a. **1** (*generalizzato*) common; popular: **un'opinione diffusa**, a widespread opinion; **un prodotto d.**, a popular product **2** (*fis.*) diffused: **luce diffusa**, diffused lighting **3** (*di giornale, rivista*) widely read; popular **4** (*prolisso*) diffuse; long-winded; prolix (*lett.*) **5** (*bot.*) ranging.

diffusóre A m. **1** (*chi diffonde*) spreader; propagator **2** (*tecn.*) diffuser; spreader; (*mecc., di carburatore*) choke (tube) **3** (*fis.*

nucl.) scatterer **4** (*radio*, *stereofonia*) – **d. sonoro**, loudspeaker; speaker **B** a. diffusing; diffusion (attr.): (*fotogr.*) **filtro d.**, diffuser.

difilàto avv. **1** (*direttamente*) straight; directly: *Me ne andai a casa d.*, I went straight home **2** (*subito*) straightaway; straight off.

difiodónte a. (*biol.*) diphyodont.

difrónte **A** a. inv. e avv. opposite: **la casa d.**, the house opposite; *Abitano qui d.*, they live opposite us (*o* in the house opposite, across the road) **B** **difrónte** a loc. prep. opposite; facing: *Sedeva d. a me*, he sat facing me.

diftèrico a. (*med.*) diphtheric; diphtheritic; diphtherial.

difterite f. (*med.*) diphtheria.

difteròide a. diphtheroid.

difuòri **A** avv. → fuori, **A** **B** m. inv. = **di fuori** → fuori, C.

♦**diga** f. **1** dam; (*di sbarramento*) weir: **d. a contrafforti**, buttress dam; **d. a scogliera**, rock-fill dam; **d. a volta**, arch dam **2** (*argine*) dike, dyke; (*terrapieno*) embankment **3** (*frangiflutto*) breakwater; sea wall: **d. foranea**, outer breakwater **4** (*fig.*) barrier; dike; check ● (*fig.*) **rompere le dighe**, to burst out; to break all bounds.

digàmma m. (*ling.*) digamma.

digàstrico a. (*anat.*) digastric.

digerènte a. digestive: (*anat.*) **apparato d.**, digestive tract.

digerìbile a. **1** digestible **2** (*fig.*) tolerable.

digeribilità f. digestibility.

♦**digerìre** v. t. **1** to digest: **d. bene** [**male**], to have a good [a bad] digestion; **d. qc. con difficoltà**, to have difficulty digesting st.; *Alcuni cibi si digeriscono meglio di altri*, some foods are digested (*o* digest) more easily than others; *Non digerisco l'aglio*, garlic doesn't agree with me; *Non ho digerito*, I've got indigestion **2** (*fig.*: *capire*, *assimilare*) to master; to understand* **3** (*fig.*: *tollerare*) to stomach; to stand*; to abide; to put* up with: *Non posso d. la sua impudenza*, I cannot stomach his impudence; *Il mio capo non lo digerisco proprio*, I can't stand my boss **4** (*fig.*: *accettare*) to get* over: **d. una sconfitta**, to get over a defeat **5** (*fig.*: *credere*) to swallow: *Questa non la digerisco*, I can't swallow that **6** (*fig.*: *un concetto*, *un'idea*) to digest; to absorb ● (*fig.*) **d. la bile**, to cool off □ **d. la sbornia**, to sleep it off.

digestióne f. digestion: **aiutare la d.**, to aid digestion; **avere una buona** [**cattiva**] **d.**, to have a good [a bad] digestion ● (*fig.*) **guastarsi la d.**, to worry; to get* worked up.

digestìvo **A** a. digestive **B** m. digestif.

digèsto m. (*leg. stor.*) digest.

digestóre m. (*tecn.*) digester.

digiàmbico a. (*poesia*) diiambic.

digiàmbo m. (*poesia*) diiamb, diamb.

digitàle ① a. (*di dito*) digital; finger (attr.): **impronta d.**, fingerprint.

digitàle ② a. (*numerico*) digital: **orologio d.**, digital clock ● **d. terrestre**, digital terrestrial (television).

digitàle ③ f. (*bot.*, *Digitalis purpurea*) digitalis; (*com.*) foxglove.

digitàlico a. digitalis (attr.).

digitalìna f. (*farm.*) digitalin.

digitalizzàre v. t. (*comput.*) to digitize.

digitalizzàto a. (*comput.*) digitalized.

digitalizzatóre m. (*comput.*) digitizer.

digitàre v. t. e i. **1** (*mus.*) to finger **2** (*comput.*) to type in, to enter, to key in; (*telef.*) to dial, to punch.

digitàto a. **1** (*zool.*) digitate **2** (*bot.*) digitate; fingered.

digitatùra f. (*mus.*) fingering.

digitazióne f. **1** (*bot.*, *zool.*) digitation **2** (*mus.*) fingering **3** (*comput.*) typing in; keying in.

digitifórme a. digitiform; fingerlike.

digitìgrado a. (*zool.*) digitigrade.

digitoclasìa f. (*chir.*) finger-fracture technique.

digitossìna f. (*chim.*) digitoxin.

digiunàre v. i. **1** to go* without food; to go* hungry; to refrain from eating; to stay off food; (*per motivi religiosi*) to fast; (*per mancanza di cibo*) to starve; (*per protesta*) to go* [to be] on a hunger strike **2** (*fig.*: *fare una dieta rigorosa*) to be on a strict diet ● (*fig.*) **far d. q.**, to starve sb.; (*scherz.*) to keep sb. on short rations.

digiunatóre m. (f. **-trìce**) faster.

digiùno ① m. **1** abstinence from food; (*rituale*) fast: **d. di protesta**, hunger strike; **d. quaresimale**, Lenten fast; **bere alcol a d.**, to drink alcohol before meals; **essere a d.**, not to have eaten anything; **fare d.**, to go without food; to fast; **osservare il d.**, to observe one's fast; (*farm.*) **da prendersi a d.**, to be taken on an empty stomach; **rompere il d.**, to break one's fast; **tenere q. a d.**, not to give sb. anything to eat **2** (*fig.*) abstinence; privation **3** (*anat.*) jejunum.

digiùno ② a. **1** – **essere d.**, not to have eaten: *Sono d. da ieri*, I haven't eaten since yesterday; *Non riesco a dormire se sono d.*, I can't go to sleep on an empty stomach **2** (*fig.*) lacking (in); devoid (of): **d. di esperienza**, lacking in (*o* devoid of) experience; inexperienced; **essere completamente d. di latino**, to know no Latin at all **3** (*anat.*) – **intestino d.**, jejunum.

diglòssico a. (*ling.*) diglossic.

dignità f. **1** dignity: **pieno di d.**, full of dignity; dignified; **privo di** (*o* **senza**) **d.**, undignified; **difendere la propria d.**, to defend one's dignity **2** (*rispetto di sé*) dignity; self-respect; pride: *Non ha un briciolo di d.*, he has no pride at all **3** (*decoro*) decorum; decency **4** (*ufficio elevato*) high office; rank **5** (al pl.) (*dignitari*) dignitaries.

dignitàrio m. (f. **-a**) dignitary.

dignitosaménte avv. **1** (*con dignità*) with dignity; in a dignified manner; dignifiedly **2** (*decorosamente*) decorously; decently.

dignitóso a. **1** (*pieno di dignità*) dignified; full of dignity: **un d. signore**, a dignified gentleman; **una risposta dignitosa**, an answer full of dignity; **poco d.**, undignified; beneath sb.'s dignity **2** (*decoroso*) decorous; respectable; seemly: **aspetto d.**, decorous appearance; **un lavoro d.**, a respectable job.

DIGOS sigla (*polizia*, **Divisione investigazioni generali e operazioni speciali**) general investigation and special branch.

digossìna f. (*chim.*) digoxin.

digradànte a. sloping; dipping.

digradàre v. i. **1** to slope down; to sink* gradually; to descend gradually; to decline; to dip: *Il prato digrada verso il ruscello*, the lawn slopes down to the stream **2** (*fig.*) to decline; to diminish; to fade off (*o* away): **monti che digradano in lontananza**, ridge after ridge fading off into the distance **3** (*sfumare*) to shade: **un viola che digrada nel rosa**, a purple shading into pink.

digradazióne f. **1** slope; sloping down; dip **2** (*di colore*) shading off.

digràmma m. (*ling.*) digraph; digram.

digrassàre v. t. **1** (*carne*) to remove fat (*o* grease) from **2** (*schiumare*) to skim **3** (*ind. tess.*) to degrease.

digrassatùra f. **1** removal of fat (*o* grease) **2** (*schiumatura*) skimming **3** (*ind. tess.*) degreasing.

digressióne f. **1** (*deviazione*) detour **2** (*divagazione*) digression: **fare una d.**, to make a digression; to digress; to wander (*o* to stray) from the point **3** (*astron.*) digression.

digressìvo a. digressive; rambling; wandering (*o* straying) from the point.

digrignaménto m. grinding; gnashing.

digrignàre v. t. to grind*; to gnash: **d. i denti**, to grind one's teeth.

digrossaménto m. **1** reducing; thinning down **2** (*sbozzo*) rough-hewing; roughing out; rough-shaping **3** (*fig.*: *istruzione*) teaching (sb.) the rudiments **4** (*fig.*: *raffinamento*) refining; polishing.

digrossàre **A** v. t. **1** (*sgrossare*) to reduce; to thin down **2** (*sbozzare*) to rough-hew; to rough out; to rough-shape **3** (*fig.*: *istruire*) to teach* (sb.) the rudiments (of st.) **4** (*fig.*: *affinare*) to refine; to polish **B** **digrossàrsi** v. i. pron. to become* refined.

diguazzaménto m. (*nell'acqua*) splashing about, sloshing about; (*nel fango*) wallowing, squelching.

diguazzàre v. i. (*nell'acqua*) to splash about; to slosh about; (*nel fango*) to wallow, to squelch.

dik dik m. inv. (*zool.*, *Madoqua*) dik-dik.

dilaceràre v. t. (*lett.*) to tear* to pieces; to lacerate; to rend*.

dilacerazióne f. (*spec. med.*) laceration.

dilagànte a. widespread; rampant; rife (pred.): **corruzione d.**, rampant corruption.

dilagàre v. i. **1** to flood **2** (*fig.*) to be widespread; to be rampant; to be rife; (*far furore*) to be all the rage.

dilaniàre **A** v. t. **1** to tear* to pieces; to tear* (*o* to pull) apart; to mangle: **d. una preda**, to tear a prey to pieces; *Fu dilaniato da una mina*, he was torn to pieces by a mine; *La macchina gli dilaniò una mano*, the machine mangled his hand **2** (*fig.*) to tear*; to pull apart; to rack: *Il paese era dilaniato dalle fazioni in lotta*, the country was torn by warring factions; *Il rimorso lo dilaniava*, he was racked by remorse **B** **dilaniàrsi** v. rifl. recipr. (*anche fig.*) to tear* each other to pieces.

dilapidàre v. t. to squander; to dissipate ❶ **Falsi amici** ● dilapidare *non si traduce con* to dilapidate.

dilapidatóre **A** m. (f. **-trìce**) squanderer **B** a. squandering.

dilapidazióne f. squandering; dissipation ❶ **Falsi amici** ● dilapidazione *non si traduce con* dilapidation.

dilatàbile a. expansible; expanding; dilatable.

dilatabilità f. expansibility; expansibleness; dilatability.

dilataménto m. → **dilatazione**.

dilatàre **A** v. t. **1** to dilate; to enlarge; to extend; to expand; to broaden; (*ampliare*) to widen; (*gonfiare*) to distend; to swell: **d. le narici**, to dilate (*o* to flare) one's nostrils; **d. lo stomaco**, to distend the stomach **2** (*fis.*) to expand **B** **dilatàrsi** v. i. pron. **1** to dilate; to expand; (*gonfiarsi*) to distend, to swell*; (*allargarsi*) to widen out **2** (*fis.*) to expand.

dilatatóre **A** m. **1** (*mecc.*) expansion bend (*o* joint) **2** (*med.*) dilatator; dilator **B** a. (*anche anat.*) dilator (attr.); dilating: **muscolo d.**, dilator (muscle).

dilatatòrio a. dilator (attr.).

dilatazióne f. dilatation; dilation; expansion (*anche fis.*); swelling; (*med.*) distension: **d. dei gas**, expansion of gases; **d. della pupilla**, dilation of the pupil; **d. dello stomaco**, distension of the stomach; **d. termica**, thermal expansion; **curva di d.**, expansion bend.

dilatometria f. (*fis.*) dilatometry.

dilatòmetro m. (*fis.*) dilatometer.

dilatòrio a. (*anche leg.*) dilatory; delaying; suspensive: **eccezione dilatoria**, dilatory plea; **tattica dilatoria**, delaying tactic.

dilavaménto m. (*geogr.*) washing away.

dilavàre v. t. (*geogr.*) to wash away.

dilavàto a. 1 washed away 2 (*scolorito*) faded; colourless; (*pallido*) pale.

dilazionàbile a. (*comm.*) extendible; extendable.

dilazionàre v. t. 1 (*ritardare*) to defer; to extend: **d. il pagamento di un debito**, to extend payment of a debt 2 (*rinviare*) to delay; to put* off.

dilazionàto a. deferred; extended: **credito d.**, extended credit.

dilazionatòrio a. dilatory.

dilazióne f. delay; deferment; (*di pagamento*) extension, respite: **accordare una d.**, to grant an extension; **senza d.**, without delay.

dileggiaménto → **dileggio**.

dileggiàre v. t. to mock; to deride; to scoff at.

dileggiatóre Ⓐ m. (f. **-trìce**) mocker; scoffer Ⓑ a. mocking; scoffing.

diléggio m. mockery Ⓤ; derision; scoffing Ⓤ.

dileguàre Ⓐ v. t. to disperse; to dispel; to dissipate: *Il vento dileguò le nubi*, the wind dispersed the clouds; **d. ogni dubbio**, to dispel all doubt Ⓑ v. i. e **dileguàrsi** v. i. pron. 1 (*svanire*) to dissolve; to vanish; to fade away; to melt away: *La nebbia si dileguò presto*, the fog soon dissolved; *Le tue speranze di successo si sono dileguate*, your prospects of success have vanished 2 (*allontanarsi, scomparire*) to vanish; to disappear: *L'uomo si dileguò nella notte*, the man vanished into the night.

dilèmma m. 1 (*filos.*) dilemma 2 (*estens.*) dilemma; quandary: **essere in un d.**, to be in a dilemma (*o a quandary*); **trovarsi davanti a un d.**, to be faced by a dilemma; **i corni di un d.**, the horns of a dilemma.

dilemmàtico a. dilemmatic.

♦dilettànte Ⓐ a. amateur (attr.): **attore [atleta] d.**, amateur actor [athlete] Ⓑ m. e f. 1 amateur: **campionato dilettanti**, amateur championship; (*teatr.*) **compagnia di dilettanti**, amateur players (pl.); **fare del calcio come d.**, to play football as an amateur (*o on an amateur basis*) 2 (*spreg.*) dilettante*; dabbler: *È solo un d.*, he is a mere dilettante; *Dipinge da d.*, he is a dabbler in painting.

dilettantésco a. dilettante (attr.); amateurish; unprofessional.

dilettantìsmo m. 1 amateurism 2 (*spreg.*) amateurishness; dilettantism; unprofessionalism.

dilettantìstico a. 1 amateur (attr.) 2 (*spreg.*) amateurish; dilettante (attr.); unprofessional.

dilettàre Ⓐ v. t. to give* pleasure to; to delight Ⓑ **dilettàrsi** v. i. pron. 1 to take* pleasure (*o delight*) (in st., doing st.); to enjoy (st., doing st.): *Mi diletto di ascoltarli*, I enjoy listening to them 2 (*occuparsi per diletto*) to dabble (in): **dilettarsi di critica d'arte**, to dabble in art criticism.

dilettazióne f. (*lett.*) pleasure; enjoyment; delight.

dilettévole Ⓐ a. pleasant; agreeable Ⓑ m. pleasure: **unire l'utile al d.**, to combine business with pleasure.

dilètto ① Ⓐ a. dearest; darling; beloved: **amico d.**, dearest friend; *Miei diletti figli*, my beloved children; **sposa diletta**, beloved wife Ⓑ m. (f. **-a**) (*lett.*) beloved; darling.

dilètto ② m. 1 pleasure; delight: **con nostro grande d.**, to our great delight; **viaggiare per d.**, to travel for pleasure 2 (*occupazione favorita*) pleasure; hobby: **Il suo d. è il giardinaggio**, gardening is his hobby; **per d.**, for pleasure; (*come hobby*) as a hobby.

dilettóso a. (*lett.*) pleasurable; delectable.

♦diligènte a. 1 (*assiduo*) industrious; hard-working; diligent: **uno scolaro d.**, an industrious (*o a hard-working*) pupil 2 (*accurato*) conscientious; careful; painstaking; diligent: **un lavoro d.**, a conscientious (*o a careful*) piece of work; **un'esecuzione d. della sonata**, a diligent execution of the sonata.

diligènza ① f. 1 conscientiousness; diligence; care; attention: **porre grande d. nel fare qc.**, to take great care in doing st. 2 (*premura*) effort; eagerness; solicitude 3 (*leg.*) diligence; care: **d. del buon padre di famiglia**, due diligence; reasonable care; **normale d.**, ordinary diligence.

diligènza ② f. (*corriera*) stagecoach.

diliscàre v. t. to fillet; to bone.

dilombàto a. (*vet.*) broken-backed.

dilombatùra f. (*vet.*) broken back.

dilucidàre e deriv. → **delucidare**, def. 1, e deriv.

diluènte Ⓐ m. diluent; (*per vernici*) thinner Ⓑ a. diluent; diluting.

diluìre v. t. 1 to dilute; (*annacquare*) to water down; (*rendere meno denso*) to thin 2 (*sciogliere*) to dissolve 3 (*fig.*) to water down.

diluìto a. 1 (*anche fig.*) diluted; watered down 2 (*fig.*) long-winded; lengthy: **un discorso d.**, a long-winded speech.

diluizióne f. dilution; (*di vernice*) thinning.

dilungàrsi v. i. pron. 1 (*trattare diffusamente*) to talk at length; to expatiate: **d. su un argomento**, to expatiate upon a subject 2 (*trattenersi*) to linger; to tarry 3 (*ipp.*) to outdistance.

diluviàle a. torrential; pouring.

diluviàre v. i. 1 (impers.) to pour (with rain); to come* down in buckets (*fam.*); to bucket (*fam.*): *Sta diluviando*, it's pouring (with rain); *Cominciò a d.*, the rain (*o it*) started to pour 2 (*fig.*) to pour; to rain down; to flood in: *Diluviarono le proteste*, complaints flooded in; there was a flood of complaints.

dilùvio m. 1 deluge; pouring rain; downpour: *Non esco con questo d.*, I'm not going out in this pouring rain; *È venuto giù un d.*, it rained in torrents 2 (*inondazione*) flood: (*Bibbia*) **il D. universale**, the Flood 3 (*fig.: grande quantità*) shower; flood; torrent: **un d. di lacrime**, a flood of tears; **un d. di parole**, a torrent of words.

dìma f. (*tecn.*) template.

dimagraménto m. 1 → **dimagrimento** 2 (*agric.*) impoverishment.

dimagrànte a. slimming: **dieta d.**, slimming diet.

dimagràre v. i. → **dimagrire**.

dimagriménto m. loss of weight; (*per dieta*) slimming.

♦dimagrìre v. i. to lose* weight; (*per malattia, ecc., anche*) to grow* (*o to become**) thin (*o thinner*); (*per dieta*) to slim: *Voglio d. un po'*, I want to lose some weight; *È molto dimagrito*, he has grown very thin; **sono dimagrito di sei kili**, I lost six kilos; *Devo d. sui fianchi*, I must lose weight around the hips; **far d.**, to make (sb.) lose weight; to slim.

dimagrìto a. thinner; slimmer: *Ti trovo d.*, you look thinner; you've lost weight.

dimàne (*lett.*) Ⓐ avv. tomorrow Ⓑ f. 1 the next day 2 the following morning.

dimenaménto m. 1 (*il dimenare*) wagging; wag; waggling; waggle; swinging; swaying 2 (*il dimenarsi*) tossing.

dimenàre Ⓐ v. t. to wag; to waggle; to sway; to swing*: **d. le braccia**, (*camminando*) to swing one's arms; (*sbracciarsi*) to wave one's arms; **d. la coda**, to wag one's tail; **d. i fianchi**, to sway (*o to wiggle*) one's hips Ⓑ **dimenàrsi** v. rifl. (*lottando*) to struggle; (*contorcersi*) to wriggle, to writhe; (*a letto*) to toss and turn; (*per irrequietezza*) to fidget; (*per imbarazzo*) to squirm; (*camminando*) to sway (*o to wiggle*) one's hips; (*gesticolare*) to gesticulate wildly.

dimenìo m. (incessant) wagging; swinging; swaying.

dimensionàle a. dimensional.

dimensionaménto m. dimensioning.

♦dimensióne f. 1 (*mat.*) dimension: **la quarta d.**, the fourth dimension; **a due dimensioni**, two-dimensional; **a tre dimensioni**, tridimensional (abbr. 3-D) 2 (spesso al pl.) (*misure*) measurement, dimension; (*grandezza*) size (solo sing.): **dimensioni d'ingombro**, overall dimensions; **le dimensioni di una stanza**, the measurements of a room; the size of a room; *Non avevo tenuto conto delle dimensioni dell'armadio*, I hadn't considered the size of the wardrobe; **di grandi dimensioni**, large; large-sized; **di medie dimensioni**, medium-sized; **di piccole dimensioni**, small; small-sized 3 (*estensione*) scale (solo sing.); extent (solo sing.); proportion; **le dimensioni di un compito**, the scale of a task; **le dimensioni di un danno**, the extent of a damage; **di dimensioni preoccupanti**, of alarming proportions 4 (*carattere*) nature; (*importanza*) value, significance: **la d. politica di una questione**, the political nature of an issue; **ricondurre un fatto alle sue dimensioni**, to see an episode in its true light.

dimenticàbile a. forgettable; likely to be forgotten: **facilmente d.**, easily forgotten.

dimenticànza f. 1 (*mancanza di memoria*) forgetfulness Ⓤ; (*distrazione*) lapse of memory, instance (*o case*) of forgetfulness: *Fu una pura d.*, it was sheer forgetfulness 2 (*svista*) oversight; (*omissione*) omission; (*negligenza*) carelessness Ⓤ: **una d. imperdonabile**, an unpardonable oversight; **per d.**, inadvertently; thoughtlessly 3 (*oblio*) oblivion: **cadere in d.**, to fall (*o to sink*) into oblivion.

♦dimenticàre Ⓐ v. t. 1 to forget*: *Ho dimenticato il suo nome*, I've forgotten his name; *Dimentichi sempre tutto!*, you're always forgetting things!; *Ho dimenticato di chiudere a chiave*, I forgot to lock up 2 (*trascurare*) to neglect; to forget* 3 (*omettere*) to omit; to leave* out; to fail (to do st.) 4 (*lasciare per distrazione*) to leave*; to leave* behind: *Dimenticò l'ombrello dal barbiere*, he left his umbrella at the barber's; *Dimentico sempre le chiavi*, I'm always leaving my keys behind 5 (*perdonare*) to forgive*: **d. un'offesa**, to forgive an offence ● **riuscire a far d. un errore**, to live down a mistake □ **Dimentichiamo il passato!**, let bygones be bygones!; let's forget the past! Ⓑ **dimenticàrsi** v. i. pron. to forget*: *Mi sono dimenticato di dirtelo*, I forgot to tell you; *Mi ero dimenticato di averlo già incontrato*, I forgot I'd already met him; *Mi ero dimenticato che era la sua festa*, I had forgotten it was his birthday; *Non dimenticarti di noi*, don't forget us; *Non dimenticartene!*, don't forget about it! Ⓘ **Nota**: *to forget* → *to forget*.

dimenticatóio m. – **cadere nel d.**, to fall (*o to sink*) into oblivion; **mettere qc. nel d.**, to forget all about st.

dimèntico a. 1 forgetful (of); forgetting (st.): **d. di sé**, forgetting oneself 2 (*incurante*) oblivious (of, to); unmindful (of): **d. dei**

propri doveri, unmindful of one's duties.

dìmero A a. (*bot.*) dimerous B m. (*chim.*) dimer.

dimésso a. **1** (*modesto*) modest, unassuming, unobtrusive; (*umile*) humble; (*trascurato*) shabby; (*povero*) poor **2** (*di voce*) low; quiet; humble.

dimestichézza f. **1** (*intimità*) familiarity; familiar terms (pl.): *Ho più d. con lui che con lei*, I am better acquainted with him than with her; **trattare qc. con d.**, to be on familiar terms with sb. **2** (*esperienza, pratica*) knowledge; familiarity: *Ho poca d. col francese*, I don't know French very well; *Ho più d. con il francese che con il tedesco*, I'm (o I feel) more at home in French than in German; **prendere d. con qc.**, to familiarize oneself with st.; to get the hang of st. (*fam.*); (*di lavoro, anche*) to learn the ropes (*fam.*); (*di luogo*) to get to know one's way about st.

dimètrico a. dimetric.

dìmetro m. (*poesia*) dimeter.

dimèttere A v. t. **1** (*dall'ospedale, dal carcere*) to discharge: *Il paziente sarà dimesso dall'ospedale domani*, the patient will be discharged from hospital tomorrow; *Il prigioniero fu riconosciuto innocente e dimesso*, the prisoner was found not guilty and discharged **2** (*da un pubblico ufficio*) to remove (from office); to dismiss; to discharge: *Fu dimesso dal suo posto di segretario*, he was removed from his post as secretary B **dimèttersi** v. rifl. to resign; to step down: *Il presidente si è dimesso*, the president has resigned.

dimezzaménto m. halving ● (*fis. nucl.*) **periodo di d.**, half-life.

dimezzàre v. t. to halve; (*ridurre della metà, anche*) to cut* by half: **d. le spese**, to halve expenses; to cut expenses by half; *Il personale è stato dimezzato*, the staff has been halved.

diminuèndo m. **1** (*mat.*) minuend **2** (*mus.*) diminuendo*.

diminuìbile a. diminishable.

♦**diminuìre** A v. t. **1** to reduce; to lower; to decrease; to lessen; to cut* down; to make* a cut in: **d. l'affitto**, to lower the rent; **d. le spese [il prezzo di qc.]**, to cut down expenses [the price of st.]; **d. lo stipendio a q.**, to reduce sb.'s salary; **d. la velocità**, to slow down; to reduce speed; **d. il volume della radio**, to turn down the radio **2** (*lavoro a maglia*) to decrease B v. i. to fall*; to go* down; to diminish; to decrease; to grow* less; to lessen; (*decadere*) to decline; (*del vento, ecc.*) to drop, to abate; (*di suono o immagine*) to fade out: *La febbre diminuì*, his [her, etc.] temperature went down; *La popolazione diminuisce*, the population is decreasing; *Il caldo è diminuito*, the heat has decreased; *I prezzi sono diminuiti*, prices have gone down (o fallen); *Il costo della vita è diminuito rispetto a sei mesi fa*, the cost of living is down compared to six months ago; **d. d'importanza [di valore]**, to lose importance [value]; to decrease in importance [value]; **d. di peso**, to lose weight; **d. di due kili**, to lose two kilos.

diminuìto a. (*mus.*) diminished: **terza diminuita**, diminished third.

diminutivàle a. (*ling.*) diminutive.

diminutìvo a. e m. (*ling.*) diminutive: *Gianni è un d. di Giovanni*, Gianni is a diminutive of (o is short for) Giovanni. ❶ **NOTA:** *diminutive, pejorative, terms of endearment* → **diminutive**.

diminutóre m. (*mat.*) subtrahend.

♦**diminuzióne** f. **1** decrease; lowering; lessening; fall-off; drop; (*riduzione, ribasso*) reduction; (*di vento, ecc.*) drop, abatement: **d. della domanda**, fall-off in demand; **d. di peso**, loss of weight; **d. dei prezzi**, drop in

prices; **d. della temperatura**, drop in temperature; **essere in d.**, to be on the decrease; to be falling **2** (*lavoro a maglia*) decrease; decreasing ⓤ **3** (*mus.*) diminution.

dimissionàre v. t. (*bur.*) to force (sb.) to resign; to dismiss.

dimissionàrio a. resigning; outgoing: **governo d.**, outgoing government; *Il governo è d.*, the government has resigned; **ministro d.**, resigning minister.

dimissióni f. pl. resignation (sing.): **le d. del governo**, the government's resignation; **chiedere le d. di q.**, to ask for sb.'s resignation; **dare (o presentare, rassegnare) le d.**, to hand in (o to tender) one's resignation; to resign; **minacciare le d.**, to threaten resignation; **respingere le d. di q.**, to reject sb.'s resignation; **lettera di d.**, letter of resignation.

dimissòrio a. dimissory: (*eccles.*) **lettera dimissoria**, letters dimissory (pl.).

dimodoché cong. so that.

dimóra f. **1** (*abitazione*) residence; house; abode (*leg.*); dwelling (*lett.*): **d. di campagna**, country house; **d. temporanea**, temporary residence; **umile d.**, humble dwelling; **stabilire la propria d. in un luogo**, to take up one's residence in a place; to settle in a place; **senza fissa d.**, of no fixed abode **2** (*permanenza*) stay; sojourn; residence: **breve [lunga] d.**, short [long] stay **3** (*lett.*: *indugio*) delay ● (*agric.*) **mettere a d.**, to plant out; (*una pianta annuale*) to bed out.

dimoràre v. i. to live; to reside (*form.*); to dwell* (*lett.*); (*temporaneamente*) to stay.

dimòrfico → **dimorfo**.

dimorfìsmo m. (*biol., chim.*) dimorphism.

dimòrfo a. (*biol., chim.*) dimorphic; dimorphous.

dimostràbile a. demonstrable; provable.

dimostrabilità f. demonstrability.

dimostrànte m. e f. demonstrator, protester.

♦**dimostràre** A v. t. **1** (*manifestare*) to show*: **d. fiducia**, to show confidence; **d. la propria gratitudine**, to show one's gratitude; **d. interesse**, to show interest **2** (*mostrare nell'aspetto*) to look; to appear: **d. l'età che si ha**, to look one's age; *Ha cinquant'anni, ma non li dimostra*, she's fifty, but she doesn't look it; **d. più della propria età**, to look older **3** (*provare*) to prove; to show; (*scientificamente*) to demonstrate: **d. la propria innocenza**, to prove one's innocence; **d. l'esistenza di Dio**, to demonstrate the existence of God; *L'esperienza dimostra che...*, experience has shown that...; *I fatti dimostreranno che avevo ragione*, facts will prove I was right; *Ciò dimostra la sua ignoranza in materia*, that shows (o demonstrates) his ignorance of the subject **4** (*spiegare, far vedere*) to demonstrate; to show*: **d. il funzionamento di una macchina**, to demonstrate (o to show) how a machine works; to demonstrate a machine **5** (*assol.*: *partecipare a una dimostrazione*) to demonstrate ● **come volevasi d.**, (*mat.*) q.e.d., QED (abbr. del *lat.* quod erat demonstrandum); (*scherz.*) it was only to be expected, I told you so; (*all'inizio di frase*) sure enough B **dimostràrsi** v. rifl. to prove (to be): *Si dimostrò uno sciocco*, he proved to be a fool; **dimostrarsi utile**, to prove useful; **dimostrarsi interessato**, to show interest.

dimostratìvo a. **1** demonstrative: (*mil.*) **azione dimostrativa**, demonstration; **a scopo d.**, as a demonstration **2** (*gramm.*) demonstrative: **aggettivo [pronome] d.**, demonstrative adjective [pronoun].

dimostratóre m. (f. **-trìce**) demonstrator.

dimostrazióne f. **1** (*manifestazione, an-*

che non sincera) show; display; (*segno*) sign: **una d. di affetto**, a display of affection; **una d. di fiducia**, a sign of trust; **una d. di forza**, a display (o show) of strength **2** (*prova*) demonstration; proof; evidence ⓤ: **la d. d'un teorema**, the proof of a theorem; **d. matematica**, mathematical demonstration; **d. per assurdo**, reductio ad absurdum (*lat.*); *Ecco la d. di quel che dicevo*, here is the proof of what I was saying; **a d. della mia buona fede**, as evidence of my good faith **3** (*manifestazione di protesta*) demonstration: **d. di protesta**, protest demonstration; **dimostrazioni di piazza**, street demonstrations; **fare una d.**, to demonstrate **4** (*di prodotto, ecc.*) demonstration (abbr. demo): **fare la d. di qc.**, to give a demonstration of st.; to demonstrate st.

dìna f. (*fis.*) dyne.

Dìna f. Dinah.

dinàmetro m. (*ottica*) dynameter.

dinàmica f. **1** (*fis.*) dynamics (pl. col verbo al sing.): **d. dei fluidi**, fluid dynamics **2** (*fig.*) dynamics; (*svolgimento*) sequence of events, how (st.) happened: **la d. dei rapporti sociali**, the dynamics of social relations; (*psic.*) **d. di gruppo**, group dynamics; **la d. di un incidente**, how an accident happened **3** (*mus.*) dynamics (*pl*).

dinamicità f. (*anche fig.*) dynamism; energy.

dinàmico a. **1** (*fis.*) dynamic: **elettricità dinamica**, dynamic electricity; **forza dinamica**, dynamic force; **unità dinamica**, dynamic unity **2** (*in varie discipline*) dynamic: **psicologia dinamica**, dynamic psychology **3** (*fig.*: *attivo*) dynamic; energetic; active; vivacious: **persona dinamica**, dynamic (o energetic) person; **vita dinamica**, very active life **4** (*econ.*) booming **5** (*mus.*) – **segno d.**, expression mark.

dinamìsmo m. **1** (*fis., filos.*) dynamism **2** (*fig.*) dynamism; energy.

dinamitàrdo A m. (f. **-a**) bomber B a. dynamite (attr.); bomb (attr.): **attentato d.**, bomb attack; bombing.

dinamìte f. (*anche fig.*) dynamite: **fare saltare con la d.**, to blow up with dynamite; to dynamite; *Questa notizia è d.*, this news is dynamite.

dinamìtico a. dynamite (attr.).

dinamizzàre v. t. (*anche med.*) to dynamize.

dinamizzazióne f. (*med.*) dynamization.

dìnamo f. (*fis.*) dynamo; generator: **d. per carica di batterie**, battery charging generator.

dinamoelèttrico a. (*elettr.*) dynamo-electric.

dinamometamorfìsmo m. (*geol.*) dynamic metamorphism.

dinamomètrico a. (*fis.*) dynamometric.

dinamòmetro m. (*fis.*) dynamometer.

♦**dinànzi** prep., avv. e a. → **davanti**.

dìnaro m. dinar.

dinàsta m. dynast.

dinastìa f. dynasty: **la d. dei Borboni**, the Bourbon dynasty.

dinàstico a. dynastic.

dìndi m. pl. (*infant.*) money ⓤ; pennies.

dindìn, din din A inter. ding-ding; (*di campanello*) ting-a-ling; (*di monete*) jingle-jangle B m. (*di campanello*) tinkling, ting-a-ling; (*di cristallo*) clinking; (*di monete*) jingling.

dindirindìna inter. – *Per d.!*, goodness gracious me!

dìndo m. (*region.*) turkey.

dindòn, din don inter. e m. ding-dong.

dìne → **dina**.

dìnghy m. inv. (*naut.*) dinghy.

dìngo m. (*zool.*, *Canis dingo*) dingo*.

diniègo m. denial; (*rifiuto*) refusal: **un secco d.**, a flat denial; a curt refusal; **opporre un d.**, to oppose a refusal; **scuotere il capo in segno di d.**, to shake one's head in denial [as a sign of refusal].

dinnànzi → dinanzi.

dinoccolàto a. loose-limbed; shambling; slouching; gangling; lanky: **andatura dinoccolata**, shambling gait; shamble; slouch; **camminare con passo d.**, to shamble; to slouch; **alto e d.**, (tall and) lanky; gangling.

♦**dinosàuro** m. **1** (*paleont.*) dinosaur **2** (*fig.*) dinosaur; fossil.

dintórni m. pl. environs; outskirts; surrounding area (sing.); (*vicinanze*) vicinity (sing.); (*quartiere*) neighbourhood (sing.): *Roma e i suoi dintorni*, Rome and its environs; **in questi dintorni**, in this neighbourhood (*o* vicinity); **abitare nei dintorni**, to live nearby (*o* not very far away).

♦**dintórno** → intorno.

♦**Dìo** m. **1** God: *Dio onnipotente*, God Almighty; the Omnipotent God; **Dio Padre**, God the Father; **il buon Dio**, the good Lord; **credere in Dio**, to believe in God; **Dio voglia che...**, would to God (that)...; please God (that)...; *Che Dio t'assista!*, God be with you; God help you!; *Che Dio ti benedica*, may God bless you; (*escl.*) (God) bless you!; *Se Dio vorrà*, God willing; *Sia lode a Dio*, praise be to God; **timorato di Dio**, God-fearing; **la grazia di Dio**, God's grace; the grace of God; **l'ira di Dio**, the wrath of God; **parola di Dio**, word of God; **in nome di Dio**, in God's name; in the name of God **2** (come escl.) God; goodness: **Dio mio** (*o* **mio Dio**)!, my God!; *Dio, che disgrazia!*, my God, how dreadful!; **Dio del cielo!**, good God!; goodness me!; *Dio mio, quanto è noioso quell'uomo!*, God, what a bore that man is!; *Sta' attento, Dio santo!*, be careful, for God's (*o* for goodness') sake! ● **Dio (ce) ne scampi** (*o* **non voglia**), God forbid □ **Dio sa quando** [**dove**, **ecc.**], God knows when [where, etc.] □ **Dio sa se ci ho provato**, God knows I tried □ **Dio sia lodato!**, thank God! □ **a Dio piacendo**, God willing □ **andarsene con Dio**, (*andare via*) to go off; to go about one's business; (*morire in pace*) to die peacefully □ **Che Dio ce la mandi buona!**, let's hope for the best; let's keep our fingers crossed □ **Che Dio te la mandi buona!**, good luck to you! □ **Che Dio mi fulmini se...**, God strike me dead if... □ **come Dio comanda**, properly □ **com'è vero Dio**, as God is my witness □ **grazie a Dio** (*o* **se Dio vuole**), thank God □ **Lo sa Dio**, God knows □ **ogni ben di Dio**, all sorts of good things □ **per amor di Dio**, for God's sake □ **un senza Dio**, an atheist □ **Va' con Dio**, God be with you □ **Piove che Dio la manda**, it's coming down in buckets □ (*prov.*) **Dio li fa e poi li accoppia**, birds of a feather flock together □ (*prov.*) **Dio non paga il sabato**, the mills of God grind slowly □ (*prov.*) **Ognuno per sé e Dio per tutti**, each man for himself, and God for us all.

♦**dìo** m. **1** god: **il dio della guerra** [**dell'amore**], the god of war [of love]; **il dio del sole**, the sun-god; **gli dèi dell'Olimpo**, the gods of Olympus; *Il guadagno è il suo unico dio*, money is his only god; **simile a un dio**, godlike **2** (*fig.*: *persona abilissima*) wizard; ace (attr.): **un dio alla tromba**, a wizard with the trumpet; **un dio al volante**, an ace driver ● **il dio denaro**, Mammon □ **come un** (*o* **da**) **dio** (*benissimo*), beautifully; divinely: **cantare da dio**, to sing beautifully; to be a wonderful singer □ **Si crede un dio**, he thinks he is wonderful.

dioceşàno a. (*eccles.*) diocesan.

dìoceşi f. (*eccles.*) diocese (*anche stor.*); see.

Diocleziàno m. (*stor. romana*) Diocletian.

dìodo m. (*elettr.*) diode: **d. a emissione luminosa**, light-emitting diode (abbr. LED); **d. a gas**, gaseous diode; **d. rivelatore**, detector diode.

diodónte m. (*zool.*, *Diodon hystix*) porcupine fish; globe fish.

Diògene m. Diogenes.

dìoico a. (*bot.*) dioecious.

diolefìna f. (*chim.*) diene.

Diomède m. (*mitol.*) Diomedes; Diomed.

diomedèa f. (*zool.*, *Diomedea exulans*) wandering albatross*.

dionèa f. (*bot.*, *Dionaea muscipula*) Venus's (*o* Venus's) flytrap.

Dionìgi m. Dennis; Denys.

dionişìaco a. **1** Dionysian; Dionysiac: **culto d.**, Dionysian cult; **le feste dionisiache**, Dionysia; **i misteri dionisiaci**, Dionysian mysteries; **spirito d.**, Dionysian spirit **2** (*estens.*: *orgiastico*) orgiastic: **delirio d.**, orgiastic frenzy.

Dionìso m. (*mitol.*) Dionysus.

diòpside f. (*miner.*) diopside.

dioràma m. diorama.

diorìte f. (*miner.*) diorite; greenstone.

Diòscuri m. pl. (*mitol.*) Dioscuri.

diòspiro → cachi②.

diossàno m. (*chim.*) dioxane.

diòssido m. (*chim.*) dioxide.

diossìna f. (*chim.*) dioxin.

diòttra f. **1** (*topogr.*) diopter **2** (*su armi da fuoco*) peep sight.

diottrìa f. (*fis.*) dioptre, diopter (*USA*).

diòttrica f. (*fis.*) dioptrics (pl. col verbo al sing.).

diòttrico a. (*fis.*) dioptric.

diòttro m. (*fis.*) dioptric surface.

dipanàre Ⓐ v. t. **1** to wind* (*a skein*) into a ball **2** (*fig.*) to disentangle; to sort out; to unravel: **d. la matassa**, to unravel the mystery; to sort out the problem; **d. una questione intricata**, to sort out a knotty problem Ⓑ **dipanàrsi** v. i. pron. **1** to unravel **2** (*fig.*) to unravel; to sort itself out.

dipanatóio m. (*ind. tess.*) swift.

dipartimentàle a. departmental.

dipartiménto m. **1** (*ministero*) department: (*in USA*) **D. di Stato**, State Department **2** (*circoscrizione territoriale*) district; area; (*in Francia*) département (*franc.*): **d. navale**, naval district **3** (*università*) department.

dipartìrsi v. i. pron. **1** (*lett.*: *partire*) to depart; to go* away **2** (*lett. eufem.*: *morire*) to pass away; to depart this life **3** (*fig.*: *discostarsi*) to stray; to depart: **d. dalla retta via**, to stray from the straight and narrow; to go astray **4** (*di strada*) to branch off.

dipartìta f. (*lett.*) **1** (*partenza*) departure **2** (*eufem.*: *morte*) death; passing away.

dipendènte Ⓐ a. dependent; subordinate: **impiegato d. dal Comune**, municipal employee; **personale d.**, employees (pl.); staff; (*gramm.*) **proposizione d.**, subordinate (*o* dependent) clause; (*mat.*) **variabile d.**, dependent variable Ⓑ m. e f. (*impiegato*) employee; (*subordinato*) subordinate; (al pl. collett.) staff, personnel: **d. statale**, state employee; (*in GB*) civil servant ❶ FALSI AMICI ● dipendente *nel senso di impiegato non si traduce con* dependent Ⓒ f. (*gramm.*) subordinate (*o* dependent) clause.

-dipendènte secondo elemento addict: **videodipendente**, TV addict; **calcio-dipendente**, football addict.

dipendènza f. **1** dependence (on, upon): **la diffusa d. dai computer**, the widespread dependence on computers; **d. economica**, economic dependence; **d. reciproca**, interdependence; **essere in posizione di d. rispetto a q.**, to be subject to sb.; to be dependent on sb. **2** (*med.*) addiction (to): **d. dalla droga**, drug addiction; **d. da un farmaco**, addiction to a drug; (*di sostanza*) **dare d.** (*o* **creare una d.**), to be addictive **3** (*edificio annesso*) annexe; outbuilding ● **avere q. alle proprie dipendenze**, to have sb. in one's employment (*o* as one's employee) □ **essere alle dipendenze di q.**, to be employed by sb.; to be under sb. □ **prendere q. alle proprie dipendenze**, to employ sb.; to give sb. a job.

♦**dipèndere** v. i. **1** (*derivare*) to be the result (of); to come* (from); to be due (to): *Il suo mal di testa dipende da cattiva digestione*, her headaches are due to poor digestion **2** (*essere subordinato*) to depend (on); (*alla decisione di q.*) to be up (to): *Dipende dalle circostanze*, it depends on the circumstances; *Dipende da chi viene*, it depends on who's coming; **Dipende!**, it depends; *Tutto dipende da te ora*, it's all up to you now; *Se dipendesse da me...*, if it were up to me... **3** (*essere alle dipendenze di*) to be under; to be subordinate (to); to be under the authority (of): **d. dal ministero dei Trasporti**, to be under the authority of the Ministry of Transport; *Tutto il personale di pulizia dipende da lui*, he has the whole cleaning staff under him; **non d. che da sé stesso**, to be one's own master **4** (*essere a carico di*) to be depend (on); to be dependent (on): **d. dai genitori**, to depend on one's parents **5** (*gramm.*) to depend (on).

♦**dipìngere** Ⓐ v. t. **1** to paint: **d. un paesaggio**, to paint a landscape; **d. un quadro**, to paint a picture; **d. a olio**, to paint in oils; **d. dal vero**, to paint from life; **d. su tela** [**su tavola**], to paint on canvas [on a panel]; *Lo dipinse a cavallo*, she painted him on horseback **2** (*pitturare*, *verniciare*) to paint: **d. una parete**, to paint a wall; **d. qc. di** (*o* **in**) **rosso**, to paint st. red **3** (*fig.*) to paint; to depict; to describe; (*evocare*) to convey: *Me l'avevi dipinto come un cretino*, you had described him to me as a fool; **dipingersi qc. nella fantasia**, to conjure up st. **4** (*truccare*) to make* up; to paint: **dipingersi le labbra**, to put on lipstick; to paint one's lips; to wear lipstick; **dipingersi gli occhi**, to make up one's eyes Ⓑ **dipìngersi** v. rifl. (*truccarsi*) to make* up; to put* on make-up; (*usare il trucco*) to wear* make-up: **dipingersi troppo**, to wear too much make-up Ⓒ **dipìngersi** v. i. pron. **1** (*apparire*) to appear; to show: *La delusione gli si dipinse sul viso*, disappointment showed on his face **2** (*colorirsi*) to turn: *Il cielo si dipinse di rosso*, the sky turned red.

♦**dipìnto** Ⓐ a. painted ● **Non lo voglio vedere neanche d.**, I don't want to set eyes on him □ **Che bello! sembra d.!**, it's as pretty as a picture! Ⓑ m. painting: **d. a olio**, oil painting; **d. su tela**, painting on canvas.

dipl. abbr. (*scuola*, **diploma**) certificate; diploma.

diplegìa f. (*med.*) diplegia.

diploacuşìa f. (*med.*) diplacusis.

diplocòcco m. (*biol.*) diplococcus*.

diplodòco m. (*paleont.*) diplodocus.

diplòide a. (*biol.*) diploid.

diplòma m. **1** diploma; certificate: **d. di laurea**, degree certificate; **d. di scuola superiore**, secondary-school diploma (*USA* degree); school-leaving certificate; **d. in pedagogia**, teacher's training diploma; **d. in ragioneria**, diploma in accountancy; **d. universitario**, university degree; **essere in possesso di un d.**, to have (*o* to hold) a diploma **2** (*atto solenne emanato da re, papi, ecc.*) diploma.

diplomàre Ⓐ v. t. to confer a diploma on; to graduate (*USA*) Ⓑ **diplomàrsi** v. i. pron.

to take* a diploma (in); to graduate (in) (*USA*); to qualify (as).

diplomàtica f. diplomatics (pl. col verbo al sing.); palaeography.

diplomaticaménte avv. **1** diplomatically; by diplomatic means **2** (*fig.*) diplomatically; in a diplomatic way; tactfully.

diplomàtico Ⓐ a. **1** (*che concerne la diplomazia*) diplomatic: **corpo d.**, diplomatic corps; **immunità diplomatica**, diplomatic immunity; **incidente d.**, diplomatic incident; **intraprendere la carriera diplomatica**, to enter the diplomatic service **2** (*che concerne i documenti antichi*) diplomatic; palaeographic: **edizione diplomatica**, diplomatic transcription **3** (*fig.*) diplomatic; tactful: **un suggerimento d.**, a diplomatic (*o* tactful) suggestion; **in modo d.**, in a diplomatic way; tactfully Ⓑ m. (f. *-a*) (*anche fig.*) diplomat.

diplomatista m. e f. palaeographer.

diplomàto Ⓐ a. trained; professional; qualified: **infermiera diplomata**, trained nurse; **essere d. in radiotecnica**, to be a qualified radio engineer; to hold a diploma in radio engineering Ⓑ m. (f. *-a*) holder of a diploma; graduate (*USA*): **i diplomati delle scuole di informatica**, holders of a computer science diploma; people qualified in computer science; **un d. in ragioneria**, a qualified accountant.

diplomazìa f. **1** (*scienza*) diplomacy **2** (*il corpo*) diplomatic corps; (*la professione*) diplomatic service: **entrare in d.**, to enter the diplomatic service **3** (*fig.*) diplomacy; tact.

diplopìa f. (*med.*) diplopia; double vision.

dipòi (*lett.*) Ⓐ avv. afterwards; later Ⓑ a. following; next.

dipolàre a. (*fis.*) dipolar.

dipòlo m. (*fis.*) dipole.

diportìsmo m. yachting; pleasure boating.

diportìsta m. e f. yachtsman* (m.); yachtswoman* (f.).

dipòrto m. recreation; pastime; hobby: **per d.**, for recreation; as a pastime; as a hobby; **imbarcazione da d.**, pleasure boat; yacht; **nautica da d.**, yachting; sailing.

diprèsso avv. – **a un d.**, roughly; about; approximately.

dipsòmane (*med.*) Ⓐ a. affected with dipsomania Ⓑ m. e f. dipsomaniac.

dipsomanìa f. (*med.*) dipsomania.

diptero a. (*archit.*) dipteral.

diradaménto m. **1** (*di vegetazione*) thinning out; (*di rami*) pruning **2** (*di nebbia e sim.*) clearing, lifting; (*di gas*) rarefaction **3** (*nel tempo*) reduction.

diradàre Ⓐ v. t. **1** (*rendere meno fitto*) to thin out; (*rami e sim.*) to prune: **d. la vegetazione**, to thin out the vegetation **2** (*disperdere*) to disperse; to scatter: *Il vento diradò le nuvole*, the wind scattered the clouds **3** (*nel tempo*) to reduce; to cut* down on; to do* (st.) less frequently: **d. le visite**, to cut* down on one's visits; to reduce one's calls Ⓑ **diradàrsi** v. i. pron. **1** to thin out; (*di capelli*) to thin **2** (*disperdersi*) to disperse; to scatter: *La folla si diradava*, the crowd was dispersing **3** (*dissolversi*) to clear; to disperse; to lift: *Il fumo cominciò a diradarsi*, the smoke began to clear; *La nebbia non accennava a diradarsi*, the fog showed no sign (*o* signs) of lifting **4** (*nel tempo*) to become* less frequent.

diradicàre v. t. to uproot.

diramàre Ⓐ v. t. (*diffondere*) to issue; to circulate; to spread*; (*per posta*) to send* out (*o* round); (*per radio, TV*) to broadcast*: **d. un bollettino**, to issue a bulletin; **d. una circolare**, to send out a circular; **d. notizie**, to spread news; **d. un ordine**, to issue an or-

der Ⓑ **diramàrsi** v. i. pron. **1** to branch off; to divide; to fork **2** (*derivare, discendere*) to derive **3** (*diffondersi*) to spread*.

diramazióne f. **1** (*diffusione*) issuing; circulation; (*invio*) sending out; (*per radio, TV*) broadcasting **2** (*fig.: ramo*) branch; ramification; fork **3** (*ferr.*) branch line.

♦**dire** Ⓐ v. t. **1** (*affermare, enunciare, recitare; col discorso diretto*) to say*: **d. grazie**, to say thank you; **d. una poesia**, to say a poem; **d. le preghiere**, to say one's prayers; *Io non ho detto nulla*, I didn't say anything; *Mi sono detto*, I said to myself; *«Non posso partire» mi disse*, «I cannot leave» he said to me; *«È tardi» disse Carlo*, «it's late» Carlo said; *Si dice che sarà eletto*, they say he'll be elected; *Si dice che sia un buon oratore*, he is said to be (*o* they say he is) a good public speaker; *Questo è quanto si dice*, this is what is being said; *La ricetta dice due uova intere*, the recipe says two whole eggs; *Non dico che sia un capolavoro, ma non è affatto brutto*, I'm not saying it's a masterpiece but it isn't at all bad; *Come si dice «maniglia» in inglese?*, how do you say «maniglia» in English?; what's the English for «maniglia»? **2** (*ordinare, riferire, comunicare, raccontare*) to say*, (*quando è indicata la persona a cui si dice*) to tell*; (*parlare di*) to talk about: *Ha detto di non aspettarlo*, he said not to wait for him; *Non credere a quello che dicono*, don't believe what people say; *Così dice lui*, so he says; *Dillo alla mamma*, tell mother; *Che cosa ti ha detto?*, what did she tell you?; *Dimmi che ne pensi*, tell me what you think; *Ma che dici?*, what are you talking about?; *Mi ha detto di darti questo*, she told me to give you this; *Te lo dicevo io!*, I told you so!; *«Caro?» «Dimmi», «Darling?» «yes, what is it?»* **3** (*assol.: parlare*) to speak*: *Dice a me?*, are you speaking to me?; *Di' pure*, go ahead; *Lascialo d.*, let him talk **4** (*dimostrare*) to show*: *Questo ti dice il tipo che è*, this shows you what sort of a man he is **5** (*pensare*) to think*: *Che ne dici di questo libro?*, what do you think of this book?; *Io dico che è troppo tardi*, I think it's too late; *Che ne diresti di...?*, what would you say to...?; what about...?; *E d. che doveva essere uno scherzo!*, and to think it was meant to be a joke! **6** (*ritenere, generalm. al condiz.*) to think*; to guess; to reckon (*fam.*): *Non direi*, I don't think so; I guess not; *Direi che così basta*, I think (*o* I reckon) this is enough ● **d. qc. a chiare lettere** (*o* **senza mezze parole**), to spell st. out; not to mince words □ **d. a mezza bocca**, to say under one's breath □ **d. bugie**, to tell lies □ **d. davvero** (*o* **sul serio**), to mean it; to be serious: *Dici sul serio?*, do you really mean it?; are you (being) serious? □ **d. di no**, to say no; to refuse; to say one won't [wouldn't, didn't, etc.] □ **d. di sì**, to accept; to agree; to say one well [would, has, etc.]; to say yes □ **d. e ridire** → **ridire** □ **d. a q. il fatto suo**, to give sb. a piece of one's mind; to let sb. have it □ **d. qc. fra i denti**, to mutter st. under one's breath □ **d. qc. fra sé**, to say st. to oneself □ **d. Messa**, to say Mass □ **d. l'ora**, to tell the time □ **d. qc. per scherzo**, to be joking; to say st. as a joke □ **d. la propria**, to have one's say □ **d. il rosario**, to tell one's beads □ **d. stupidaggini**, to talk nonsense □ **d. la verità**, to tell the truth □ **dirla lunga**, to speak volumes □ **dirne un sacco e una sporta a q.**, to give sb. a piece of one's mind □ **A chi lo dici!**, don't I know it!; you're telling me! □ **a dir poco**, to say the least; at the very least; to put it mildly: *Costerà tre milioni a dir poco*, it'll cost three million at the very least; *È un mascalzone, a dir poco*, he is a scoundrel, to put it mildly □ **a d. il vero**, to tell the truth □ **avere da d.**

con q., to have a bone to pick with sb. □ **avere da d. su qc.**, to find fault with st. □ **Si ha** (*o* **Hai**) **un bel d.**, it's all very well; you can say what you like □ **Che** (*o* **Come**) **hai detto?** (*puoi ripetere?*), I beg your pardon?; pardon?; come again? (*fam. USA*) □ (*fam.*) **Che si dice di bello?**, what's new?; what's the buzz? (*fam.*) □ **Chi mi dice che...?**, how do I know...? □ **Come sarebbe a d.?**, what do you mean by that? □ **come si suol d.**, as they say □ **così dicendo...**, with these words... □ **da non dirsi** (*o* **che non ti dico**), terribly; incredibly: *C'era un freddo che non ti dico*, it was terribly cold □ **detto fatto**, straightaway; no sooner said than done □ **detto fra noi**, between you and me □ **È detto tutto!**, need I say more?; (*ho capito*) say no more! □ **Di' su!**, go on, tell me [us] □ **Dica, dica!**, do tell us!; do go ahead □ **Diciamolo: non è un gran che come pittore**, he's not much of a painter, let's face it □ **Non hanno invitato nemmeno il console, dico nemmeno il console!**, they didn't even invite the consul, just think, not even the consul! □ **senza d. be'**, without a peep; without a whimper □ **prima che potesse d. be'**, before he could say Jack Robinson □ **Direi!**, of course!; I should hope so!; you bet! (*fam.*) □ **inutile d. che...**, needless to say...; it goes without saying that... □ **L'hai detto!** (*è proprio così*), quite so!; exactly! □ **L'avevo detto io!**, I told you so! □ **E lo dici a me!**, don't I know it! □ **Lo dici tu!**, that's what you say; says you (*fam.*) □ **mandare a d.**, to send word □ **Ti dice niente questo nome?**, does this name mean anything to you? □ (*iron.*) **Non mi d.!**, you don't say so! □ **Non c'è che d.**, there's no denying it □ **Non dico di no**, I won't deny it □ (*fig.*) **non d. nulla** (*essere insipido, banale*), not to appeal (to sb.); to leave (sb.) cold □ **Non faccio per d., ma...**, I don't want to boast about it, but... □ **Non se l'è fatto d. due volte**, he didn't wait to be told twice □ **Non sia mai detto che...**, never let it be said that...; God forbid that... □ **Non ti dico gli applausi!**, you can imagine the cheering! □ **non mandarle a d.**, not to be afraid to speak one's mind; not to mince words □ **per così d.**, as is were; so to speak; in a manner of speaking □ **per dirla in breve**, to put it briefly □ **per dirla in maniera semplice**, to put it simply □ **per meglio d.**, to be more precise □ **se così posso d.**, if I can put it like that □ **Puoi ben dirlo!**, you can say that □ **a sentir d.**, to hear: *Ho sentito d. che è arrivato*, I've heard he has arrived □ **Lo so solo per sentito d.**, it's just something I heard □ **Si fa per d.**, it's (only) in a manner of speaking □ **Finirai male, te lo dico io**, you'll come to a bad end, you mark my words □ **vale a d.** (*o* **cioè a d.**), that is to say; in other words □ **voler d.**, to mean: *Non capisco che cosa vuoi d.*, I don't understand what you mean □ **Vuol d. che un'altra volta mi saprò regolare**, well, next time I'll know what to do □ **Vedi che vuol d. non darmi retta?**, you see what comes of not listening to me □ (*prov.*) **D. pane al pane** (**e vino al vino**), to call a spade a spade □ **dirsi** v. rifl. to say* one is; (*definirsi*) to style oneself; (*professarsi*) to profess to be; to claim to be; (*ritenersi*) to count oneself: *Si diceva gravemente malato*, he said he was seriously ill; *Si diceva mio amico*, he professed to be my friend; *Si diceva laureato*, he claimed to have a degree Ⓒ m. talk; (*parole*) words (pl.), remarks (pl.): *Interruppe il suo dire*, she broke off; **stando al tuo dire**, according to what you say □ **a dire di tutti**, by all accounts □ **l'arte del dire**, rhetoric; elocution □ **oltre ogni dire**, beyond all description □ **Hai un bel dire**, it's easy for you to talk; you can say what you like, but... □ (*prov.*) **Tra il dire e il fare c'è di mezzo il mare**, saying is one thing, and doing an-

other.

directory f. inv. (*ingl.*, *comput.*) directory.

dirètta f. (*radio*, *TV*) live broadcast: **trasmettere in d.**, to broadcast live; **programma in d.**, live programme; **seguire una partita in d.**, to watch the live broadcast of a match.

direttaménte avv. **1** (*in modo diretto*) directly **2** (*senza deviazioni*) straight; direct **3** (*senza intermediari*) personally; directly.

direttìssima f. **1** (*ferr.*) shortest route **2** (*alpinismo*) direct ascent **3** (*leg.*) – **per d.**, summarily: **processare per d.**, to try summarily; **processo per d.**, summary trial.

direttìssimo m. (*ferr. stor.*) express (train).

direttìva f. **1** (*disposizione*) directive; direction; instruction; brief: **una d. di partito**, a party directive **2** (*linea di condotta*) course (of action); policy.

direttività f. (*radio*) directivity.

direttìvo A a. **1** directive; guiding; leading **2** (*polit.*) governing; executive **3** (*amm.*) managing; managerial; executive: **comitato d.**, executive committee; **consiglio d.**, (*di azienda*) board of directors; (*di ente, istituto, ecc.*) board of governors; **funzioni direttive**, executive functions B m. **1** (*amm.: di azienda*) board of directors; (*di ente, istituto, ecc.*) board of governors **2** (*di partito, sindacato*) executive committee; executive.

♦**dirètto** A a. **1** (*indirizzato*) addressed (to); intended (for): *La lettera è diretta a me*, the letter is addressed to me; **parole dirette a noi**, words intended for us **2** (*che va verso*) on one's way; going (to); heading (for); bound (for); -bound: **d. a casa**, on one's way home; (*generalm. dopo un viaggio*) bound for home, homeward bound; **d. a sud**, heading south; southbound; **un autobus d. alla stazione**, a bus going to the station; **i passeggeri diretti a Londra**, passengers going to (*o* bound for) London; *Dove sei d.?*, where are you going (*o* heading)? **3** (*rivolto*) turned; facing; -ward: **d. in su**, upward; **d. in giù**, downward **4** (*che non presenta deviazioni*) direct; straight: **colpo d.**, direct hit; **luce diretta**, direct light; **risposta diretta**, straight answer; (*mil.*) **tiro d.**, direct fire; **la via più diretta**, the shortest route **5** (*immediato*) direct; immediate: **conseguenza diretta**, immediate consequence; **discendente d.**, direct descendant; **il d. erede al trono**, the immediate heir to the throne; **imposta diretta**, direct tax; **d. superiore**, immediate superior; **essere in d. contatto con q.**, to be in immediate contact with sb. **6** (*gramm., ling.*) direct: **complemento d.**, direct object; **discorso d.**, direct speech ● **coltivatore d.**, farmer □ (*radio*, *TV*) **cronaca diretta**, running commentary □ (*autom.*) **presa diretta**, top gear B avv. direct; straight: *Se ne andò d. a casa*, he went straight home C m. **1** (*boxe*) straight (punch): **d. destro** [**sinistro**], straight right [left] **2** (*ferr. stor.*) train calling at major towns.

♦**direttóre** m. (f. **-trice**) **1** (*amm., org. az.*) manager (f. manageress); director: **d. amministrativo**, (administrative) director; controller (*o* comptroller); **d. amministrativo e finanziario**, chief financial officer; **d. commerciale**, sales manager; **d. d'albergo**, hotel manager; **d. del personale**, personnel manager; **d. di banca**, bank manager; **d. di fabbrica**, works manager; **d. di filiale**, branch manager; **d. delle poste**, Postmaster; **d. delle vendite**, sales manager; **d. generale**, general manager; chief operating officer; **d. informatico**, chief information officer **2** (*di giornale, ecc.*) editor (in chief) **3** (*d'orchestra*) conductor; (*di banda*) bandleader **4** (*di scuola*) headmaster (f. headmistress); head; principal; (*di «college» universi-*

tario) principal, master, warden **5** (*di museo, istituto culturale*) director **6** (*di prigione*) governor (*GB*); warden (*USA*) **7** (*in altre attività*) director; manager; controller: (*teatr.*) **d. artistico**, artistic director; (*cinem.*) **d. della fotografia**, cinematographer; (*sport*) **d. di gara**, referee; (*edil.*) **d. dei lavori**, site engineer; (*naut.*) **d. di macchina**, chief engineer; (*aeron.*) **d. di pista**, runway controller; (*cinem.*) **d. di produzione**, production manager; (*cinem., teatr.*) **d. di scena**, (*teatr.*) stage manager; (*cinem.*) floor manager; (*naut.*) **d. del tiro**, fire-control officer; (*sport*) **d. tecnico**, team manager **8** (*TV*) director.

direttoriàle a. **1** directorial; (*comm.*) managerial; manager's **2** (*autoritario*) dictatorial; bossy.

direttòrio m. **1** directorate; board of directors **2** (*stor. franc.*) Directoire; Directorate ● **alla d.**, Directoire (attr.).

direttrìce A f. **1** → **direttore**, *def. 1-7* **2** (*geom.*) directrix* **3** (*fig.*) guiding principle; policy B a. guiding; guide (attr.): **linea d.**, guiding principle; policy.

direzionàbile a. adjustable; rotary.

direzionàle A a. **1** directional; direction (attr.): **antenna d.**, directional antenna; **freccia d.**, direction arrow **2** (*comm.*) managerial; directional; executive: **gruppo d.**, executive group; **norme direzionali**, managerial norms ● **centro d.**, office district B m. (*aeron.*) direction indicator.

♦**direzióne** f. **1** (*senso, verso*) direction; way; (*di corrente, ecc.*) set; (*geol.*) strike: **la d. della corrente**, the direction (*o* the set) of the current; **la d. della marea**, the set of the tide; **d. di marcia**, line of march; **la d. del vento**, the direction of the wind; **cambiare d.**, to change direction; *Vai nella mia d.?*, are you going my way?; **in d. nord**, in a northerly direction; bearing north; northwards; **in d. di**, in the direction of; towards; **nella d. del vento**, to windward; **in tutte le direzioni**, in all directions; **nella d. giusta**, in the right direction; *In che d. è andato?*, which way did he go?; (*topogr.*) **angolo di d.**, bearing; **indicatore di d.**, directional sign **2** (*mat.*) direction **3** (*fig.: indirizzo, corso*) direction; course; bearing: **fare un passo nella d. giusta**, to take a step in the right direction **4** (*il dirigere*) direction; management; running; supervision; (*di giornale*) editing; (*il guidare*) leading: **d. aziendale**, company management; business management; **la d. dei lavori**, the supervision of works; **d. vendite**, sales management; **assumere la d. di un'azienda**, to take up the management of a firm; **occuparsi della d. di una scuola**, to be in charge of the running of a school; *Gli fu affidata la d.*, he was appointed manager [director, editor, etc.] **5** (*incarico di direttore*) directorship; managership; (*di giornale*) editorship; (*di partito*) leadership; (*di scuola*) headmastership **6** (*collett.: i direttori*) board of directors, management; (*di giornale*) leaders (pl.); leadership **7** (*sede di direzione*) administrative department; (*ufficio del direttore*) director's (*o* manager's) office: **d. generale**, head office; headquarters (pl.); (*naut.*) **d. marittima**, harbour master's office **8** (*mus.*) conducting: **studiare d.**, to study conducting; **sotto la d. di X**, with X conducting; under X's baton.

♦**dirigènte** A a. **1** leading; ruling: **la classe d.**, the ruling class **2** (*comm.*) managing B m. **1** (*amm., comm.*) manager; executive: **alto d.**, top manager; senior executive; **d. d'azienda**, business executive; business manager; **i dirigenti**, the management **2** (*polit.*) leader: **d. di partito**, party leader; **d. sindacale**, union leader.

dirigènza f. **1** (*direzione*) management; direction: **dare la d. a q.**, to make sb. a

manager **2** (collett.: **i dirigenti**) management; (*polit.*) leadership: **alta d.**, top (*o* top-level) management.

dirigenziàle a. managerial; executive.

♦**dirìgere** A v. t. e i. **1** to direct; to be at the head of; to be in charge of; to run* (*amm.*) to manage; (*un giornale*) to be the editor of, to edit; (*mus.*) to conduct; (*sovrintendere*) to supervise: **d. un'azienda**, to be at the head of a firm; **d. i lavori**, to supervise works; **d. le operazioni di soccorso**, to direct rescue operations; **d. una scuola**, to be headmaster of a school; to run a school; **d. il traffico**, to direct the traffic **2** (*volgere*) to direct; to turn: **d. lo sguardo verso qc.**, to turn one's eyes towards st. **3** (*indirizzare*) to address: *La lettera era diretta a mia madre*, the letter was addressed to my mother **4** (*rivolgere*) to direct; to address; to level; to aim; (*puntare*) to point: **d. un'accusa a q.**, to level an accusation at sb.; **d. un cannone verso il nemico**, to point a cannon at the enemy; (*mil.*) **d. il fuoco**, to direct the fire; **d. i propri sforzi verso qc.**, to direct one's energies towards st.; *Le mie osservazioni non erano dirette a te*, my remarks were not directed to (*o* intended for) you B **dirìgersi** v. rifl. **1** to go* (towards); to come* (towards); to set* out (for); to head (for); to make* (for): **dirigersi verso q.**, to go towards sb.; *Mi diressi verso il paese*, I set out for the village; *La nave si diresse verso il porto*, the ship headed for the harbour; *Mi diressi alla porta*, I made for the door **2** (*rivolgersi*) to turn (to).

dirigìbile m. (*aeron.*) dirigible; airship.

dirigibilìsta m. e f. airship crew member.

dirigìsmo m. (*econ.*) state control; dirigisme (*franc.*): **d. economico**, planned economy.

dirigìsta (*econ.*) A a. → **dirigìstico** B m. e f. advocate of dirigisme.

dirigìstico a. (*econ.*) planned; state-controlled; dirigiste (*franc.*): **economia dirigìstica**, planned economy.

dirimènte a. diriment; (*leg.*) **impedimento d.**, diriment impediment.

dirìmere v. t. to settle; to resolve: **d. una controversia**, to settle a controversy.

dirimpettàio m. (f. **-a**) person living opposite; neighbour living across the road.

dirimpètto A avv. opposite B **dirimpètto a** loc. prep. opposite; facing: **la casa d. alla nostra**, the house opposite ours.

diritta f. **1** (*lett.: mano*) right hand **2** → **dritta**.

dirittézza → **dirittura**.

♦**diritto**① A a. **1** (*non storto*) straight; (*verticale*) upright; (*eretto*) erect; straight: **linea [strada] diritta**, straight line [road]; **gambe diritte**, straight legs; *È d. il mio cappello?*, is my hat straight?; **sedere d.**, to sit up straight; **stare d.**, to stand straight (*o* erect) **2** (*destro*) right; right-hand: **a mano diritta**, on the right; to the right **3** (*lavoro a maglia*) plain; knit: **ferro d.**, plain (*o* knit) row; **maglia diritta**, plain (*o* knit) stitch ● **d. come un fuso**, as straight as a poker (*o* a ramrod) □ (*fig.*) **la diritta via**, the straight and narrow (path) B avv. straight; directly: **guardare d. davanti a sé**, to look straight ahead; *Vada sempre d.*, go straight on; **non reggersi d.**, not to be able to stand (*o* to hold oneself) up straight ● **andare** (*o* **tirare**) **d. per la propria strada**, to go one's way □ *Andai d. filato a casa*, I went straight home □ (*lavoro a maglia*) **lavorare un ferro a d.**, to knit a row □ **rigar d.**, to behave; to toe the line C m. **1** (*lato d.*) right side; (*di medaglia o moneta*) obverse **2** (*tennis*) forehand (drive) **3** (*lavoro a maglia*) plain (*o* knit) stitch: **due diritti e un rovescio**, two plain, one purl; **fare due diritti**, to knit two ●

(*fig.*) **per d. e per traverso**, (*in ogni direzione*) right and left; every which way; (*in un modo e nell'altro*) both ways □ (*prov.*) **Ogni d. ha il suo rovescio**, every medal hath its reverse.

♦**diritto**② m. 1 (*norme giuridiche*) law: **d. canonico**, canonic law; **d. civile**, civil law; **d. commerciale**, commercial (*o* business) law; **d. comparato**, comparative law; **d. del lavoro**, labour (*o* industrial) law; **il d. delle genti**, the law of nations; **d. fallimentare**, bankruptcy law; **d. marittimo**, maritime law; **d. naturale**, natural law; law of nature; **d. penale**, criminal (*o* penal) law; **d. privato**, private law; **d. pubblico**, public law; **d. romano**, Roman law; **d. societario**, company law; **d. tributario**, taxation law 2 (*giurisprudenza*) law; jurisprudence: **studiare d.**, to study law; **cattedra di d.**, chair of jurisprudence; **filosofia del d.**, philosophy of law 3 (*facoltà legittima*) right, power; (*ciò che spetta*) right, entitlement: **d. acquisito**, entitlement; vested right; (*leg.*) **d. alla difesa**, right of defence; **d. di asilo**, right to asylum; (*leg.*) **d. di appello**, right of appeal; **d. di associazione**, right of assembly; **d.** (*o* **diritti**) **d'autore**, (*proprietà letteraria*) copyright; (*di opera teatr.*) performing rights; (*competenze*) royalties (pl.); **d. di brevetto**, patent (right); **d. di nascita**, birth right; **d. di passaggio**, right of way; **d. di precedenza**, precedence; (*autom.*) right of way; **d. di recesso**, right to cancel; **d. di rinnovo**, right of renewal; **d. di sciopero**, right to strike; **d. di veto**, power of veto; **d. di vita e di morte su q.**, power of life and death over sb.; **d. di voto**, (*polit.*) right to vote, franchise; (*di azionista*) voting right; **d. esclusivo**, exclusive rights (pl.): preserve; **diritti e doveri**, rights and obligations; *Con che d. me lo chiedi?*, by what right are you asking me?; **a buon d.**, rightly; **di d.**, by rights; **di pieno d.**, by full right; **avanzare diritti su qc.**, to lay claim to st.; **avere d. a qc.**, to have a (*o* the) right to st.; to be entitled to st.; *Ho d. di saperlo*, I have a right to know; **avere d. a un rimborso**, to be entitled to a refund; *Non hai nessun d. di dirmi cosa fare*, you have no right (*o* business) to tell me what to do; *Chi gli ha dato il d. di vendere?*, who gave him the right to sell?; *È un mio d.*, it is my right; **far valere i propri diritti**, to stick to one's rights; **rivendicare un d.**, to claim a right; **vantare un d. su qc.**, to have a claim to st.; **gli aventi d.**, those entitled; **rivendicazione di un d.**, claim 4 (*tassa, tributo*) duty, fee, due; (*spesa*) fee, charge: **diritti bancari**, bank charges; **diritti consolari**, consular fees; (*naut.*) **d. di banchina**, wharfage; quayage; pierage; **d. di bollo**, stamp duty; (*naut.*) **diritti d'ormeggio**, moorage; **diritti di segreteria**, administrative charges; **diritti doganali**, customs duties; **diritti portuali**, harbour dues.

dirittura f. 1 (*sport*) – **d. d'arrivo**, home straight; home stretch: (*anche fig.*) **essere in d. d'arrivo**, to be on the home straight 2 (*fig.*) rectitude; uprightness; integrity: **un uomo di grande d. morale**, a man of unquestioned integrity.

dirizzóne m. (*cantonata*) blunder; goof: **prendere un d.**, to make a blunder; to goof.

diroccaménto m. demolition; dismantlement.

diroccàre v. t. to demolish; to dismantle: **d. una fortezza**, to dismantle a fortress.

diroccàto a. ruined; in ruins (pred.): **un castello d.**, a ruined castle.

dirofilària f. (*zool.*, *Dirofilaria immitis*) heart-worm.

dirompènte a. 1 bursting; disruptive: **esplosivo d.**, high explosive; **granata [bomba] d.**, fragmentation grenade [bomb] 2 (*fig.: che causa sensazione*) sensational; unsettling 3 (*fig.: travolgente*) devas-

tating; breath-taking.

dirompènza f. disruptiveness.

dirómpere Ⓐ v. t. (*lino*, *canapa*) to scutch; to break* Ⓑ **diròmpersi** v. i. pron. (*lett.: frangersi*) to break*.

dirottaménte = **a dirotto** → **dirotto**.

dirottaménto m. 1 (*cambiamento di rotta*) change of course 2 (*per pirateria*) hijacking; hijack 3 (*deviazione*) diversion; deviation; re-routing.

dirottàre Ⓐ v. t. 1 (*aeron.*, *naut.*) to change the course of 2 (*per pirateria*) to hijack 3 (*fin.*) to re-route; to siphon off 4 (*far deviare*) to divert; to re-route; to redirect: **d. il traffico**, to divert traffic Ⓑ v. i. 1 (*naut.*, *aeron.*) to change course 2 (*deviare*) to deviate; to turn off.

dirottatóre m. (f. -*trìce*) hijacker; (*di aereo, anche*) air pirate.

diròtto a. 1 abundant; uncontrollable: **un pianto d.**, an uncontrollable fit of weeping 2 (*lett.: scosceso*) precipitous; steep ● **a d.**, in torrents: **piovere a d.**, to rain in torrents; to bucket (*fam.*); **piangere a d.**, to cry one's eyes out.

dirozzaménto m. 1 rough-hewing 2 (*fig.*) refinement; polishing.

dirozzàre Ⓐ v. t. 1 (*sbozzare*) to rough-hew* 2 (*fig.*) to refine; to polish (up) Ⓑ **dirozzàrsi** v. i. pron. (*fig.*) to improve one's manners; to get* some refinement.

dirozzàto a. 1 rough-hewn 2 (*fig.*) refined; polished (up).

dirugginìre v. t. 1 to remove the rust from; to de-rust 2 (*fig.: ridare agilità*) to loosen, to stretch; (*riattivare*) to refresh, to brush up.

dirupàrsi v. i. pron. to descend steeply; to become* precipitous.

dirupàto a. precipitous; steep; abrupt.

dirùpo m. crag; rock; (*precipizio*) precipice.

dirùto a. (*lett.*) ruined; in ruins (pred.).

disabbellìre (*lett.*) Ⓐ v. t. to spoil* the beauty of Ⓑ **disabbellìrsi** v. i. pron. to lose* one's beauty.

disabbigliàre v. t., **disabbigliàrsi** v. i. pron. to undress.

disàbile Ⓐ a. disabled; handicapped Ⓑ m. e f. disabled (*o* handicapped) person: **i disabili**, the disabled.

disabilità f. disability; handicap.

disabilitàre v. t. 1 to incapacitate; to disable 2 (*tecn.*) to disable; to disconnect 3 (*comput.*) to disable.

disabitàto a. uninhabited; (*abbandonato*) deserted, derelict; (*di casa*) empty, unoccupied.

disabituàre Ⓐ v. t. to make* (sb.) lose the habit (of); to get* (sb.) out of the habit (of); (*gradatamente*) to wean (sb. from st., sb. away from st.); to disaccustom (sb. to st.) Ⓑ **disabituàrsi** v. i. pron. to lose* (*o* to get* out of) the habit (of); (*gradatamente*) to grow* out (of); (*rinunciare*) to give* up (st.).

disaccaridàsi f. (*chim.*) disaccharidase.

disaccàride m. (*chim.*) disaccharide.

disaccentàre v. t. to remove the accent from.

disaccentàto a. unaccented.

disaccóncio a. (*lett.*) unbecoming (to); unsuitable (for).

disaccoppiàre v. t. to uncouple.

disaccòrdo m. 1 (*mus.*) discord 2 (*dissenso*) disagreement; variance; (*discordia*) division, dissension: **essere in d.**, to disagree; to be at variance (*o* at odds).

disacerbàre (*lett.*) Ⓐ v. t. to mitigate; to ease; to assuage; to appease Ⓑ **disacerbàrsi** v. i. pron. to soften; to ease.

disacidàre v. t. to deacidify.

disacidificazióne f. deacidification.

disacidìre v. t. to deacidify.

disacusìa f. (*med.*) dysacousia.

disadattaménto m. (*psic.*) maladjustment.

disadattàre v. t. (*psic.*) to engender maladjustment in; to make* a misfit of.

disadattàto (*psic.*) Ⓐ a. maladjusted Ⓑ m. (f. -*a*) maladjusted person; misfit.

disadàtto a. 1 unsuitable (for); unsuited (to) 2 (*non idoneo*) unfit (for).

disaddobbàre v. t. to remove the decorations from; to strip (st.) of its decorations.

disadórno a. unadorned; plain; (*spoglio*) bare; (*fig., anche*) unvarnished: **una stanza disadorna**, a bare room.

disaeràre v. t. to deaerate.

disaeratóre m. deaerator.

disaerazióne f. deaeration.

disaffezionàre Ⓐ v. t. (*lett.*) to estrange; to alienate Ⓑ **disaffezionàrsi** v. i. pron. to lose* one's affection (for sb.); to lose* interest (in st.); to lose* one's enthusiasm (for st.).

disaffezionàto a. estranged (from); alienated (from); indifferent (to).

disaffezióne f. estrangement; alienation; indifference: **d. dalla famiglia**, estrangement from one's family; **d. al lavoro**, alienation from one's job.

disagévole a. 1 (*scomodo*) uncomfortable; inconvenient: **viaggio d.**, uncomfortable journey 2 (*difficile*) difficult; hard; awkward: **sentiero d.**, difficult path; **vivere in condizioni disagevoli**, to live in difficult circumstances.

disàggio m. (*econ.*) disagio.

disaggregàre Ⓐ v. t. 1 to separate; (*suddividere*) to partition; (*una società*) to break* up, to demerge, to unbundle 2 (*scient.*) to disaggregate Ⓑ **disaggregàrsi** v. i. pron. to separate; to break* up.

disaggregazióne f. 1 separation; break-up; (*suddivisione*) partition; (*fin.*) unbundling 2 (*scient.*) disaggregation.

disagiàto a. 1 (*scomodo*) uncomfortable; comfortless 2 (*povero*) poor; needy: **i ceti più disagiati**, the poorer classes; **condizioni disagiate**, straitened circumstances; **famiglie disagiate**, needy families; **vita disagiata**, hard life.

disàgio m. 1 (*scomodità*) discomfort: **disagi e privazioni**, discomforts and hardships; **un viaggio pieno di disagi**, a very uncomfortable journey 2 (*disturbo*) inconvenience; trouble: **arrecare disagi a**, to inconvenience; to trouble 3 (*al pl.*) (*privazioni*) hardships; privation ⓤ: **estremo d.**, poverty; **una vita di disagi**, a hard life; a life full of hardships 4 (*fig.: difficoltà, imbarazzo*) awkwardness; embarrassment; unease: **mettere a d.**, to make (sb.) feel uneasy (*o* uncomfortable); **sentirsi a d.**, to feel ill at ease; to feel awkward.

disagriménto m. (*enologia*) chaptalization.

disagrìre v. t. (*enologia*) to chaptalize.

disalberaménto m. (*naut.*) dismasting.

disalberàre v. t. (*naut.*) to dismast.

disalimentàre v. t. (*elettr.*) to disconnect.

disallineaménto m. misalignment.

disallineàre v. t. to break* up the alignment of; to throw* out of alignment.

disalveàre v. t. to divert (*a river*).

disàmara f. (*bot.*) double-winged samara.

disambientàto a. out of place; ill at ease.

disambiguàre v. t. (*ling.*) to disambiguate; to make* unambiguous.

disambiguazióne f. (*ling.*) disambiguation.

disàmina f. close examination; close scrutiny: **sottoporre qc. a un'attenta d.**, to scrutinize st. closely.

disamoraménto m. estrangement; alienation; (*spec. polit.*) disaffection.

disamoràre A v. t. to estrange; to alienate; (*spec. polit.*) to disaffect B **disamoràrsi** v. i. pron. to become* estranged (from sb.); to fall* out of love (with sb.); to lose* interest (in st.); to lose* one's enthusiasm (for st.).

disamoratàmente avv. with one's heart elsewhere.

disamoràto a. estranged; alienated; indifferent; (*spec. polit.*) disaffected.

disamóre m. lack of love; estrangement; indifference; (*avversione*) dislike.

disancoràre A v. t. 1 (*naut.*) to unanchor 2 (*fig., econ.*) to unpeg B **disancoràrsi** v. i. pron. 1 (*naut.*) to break* loose from one's moorings 2 (*fig.*) to break* away (from); to break* free (from).

disanimàre A v. t. to discourage; to dishearten B **disanimàrsi** v. i. pron. to lose* heart; to get* discouraged.

disanimàto a. discouraged; disheartened; dispirited.

disappagàto a. dissatisfied; frustrated.

disappannaménto m. demisting (*GB*); defogging (*USA*).

disappannàre v. t. to demist (*GB*); to defog (*USA*).

disappassionàre A v. t. to make* (sb.) lose (his, her) enthusiasm (for) B **disappassionàrsi** v. i. pron. to lose* one's enthusiasm (for); to become* indifferent (to).

disappetènte a. inappetent.

disappetènza f. lack of appetite; poor appetite; inappetence: **avere d.**, to suffer from lack of appetite.

disapplicàrsi v. rifl. to neglect.

disapprovàre v. t. to disapprove of; to object to: *Credo che disapprovi la mia decisione*, I think she disapproves of my decision; *Disapprovo recisamente*, I disapprove strongly; I'm definitely against it.

disapprovazióne f. disapproval; objection; censure: **un silenzio carico di d.**, a silence charged with disapproval; **parole di d.**, disapproving words.

disappùnto m. (*delusione*) disappointment; (*irritazione*) annoyance, vexation: **con mio grande d.**, to my great disappointment.

disarcionàre v. t. to unseat; to unsaddle; to unhorse.

disarmànte a. disarming: **sorriso d.**, disarming smile; **in modo d.**, disarmingly.

disarmàre A v. t. 1 (*anche fig.*) to disarm: **d. un soldato**, to disarm a soldier; *La sua sincerità mi disarmò*, his sincerity disarmed me 2 (*una fortezza*) to dismantle 3 (*naut.: una nave*) to lay* up, to put* out of commission; (*i remi*) to ship; (*una lancia*) to unman 4 (*edil.*) to take* (o to pull) down the scaffolding from 5 (*un'arma da fuoco*) to uncock B v. i. 1 to disarm 2 (*fig.*) to give* in; to yield: *Non disarma di fronte alle difficoltà*, he doesn't give in in the face of difficulty.

disarmàto a. 1 (*privato delle armi, anche fig.*) disarmed; (*non armato*) unarmed 2 (*fig.: inerme*) defenceless; helpless 3 (*di fortezza*) dismantled 4 (*naut., di nave*) laid up; out of commission.

disàrmo m. 1 (*il disarmare*) disarming 2 (*riduzione degli armamenti*) disarmament 3 (*di una fortezza*) dismantlement 4 (*naut.*) laying up.

disarmonìa f. 1 (*mus.*) discord 2 (*mancanza di armonia*) lack of harmony 3 (*fig.: disaccordo*) disharmony; discordance.

disarmònico a. 1 (*mus.*) discordant; (*poco melodioso*) unmelodious, dissonant, tuneless, harsh: **orecchio d.**, tuneless ear; **voce disarmonica**, harsh voice 2 (*sproporzionato*) disharmonious; asymmetrical.

disarmonizzàre v. i. to clash; to disagree.

disarticolàre A v. t. 1 (*med.*) to disarticulate; to put* out of joint; to dislocate 2 (*fig.*) to disjoint B **disarticolàrsi** v. i. pron. (*med.*) to become* dislocated.

disarticolàto a. 1 (*med.*) disarticulated; (*slogato*) dislocated 2 (*fig.*) disjointed; incoherent.

disarticolazióne f. 1 (*med.*) disarticulation; dislocation 2 (*fig.*) disjointedness; incoherence.

disartrìa f. (*med.*) dysarthria.

disasprìre v. t. 1 (*enologia*) to take* the sharpness out of 2 (*fig.*) to soften; to sweeten; to mollify.

disassaménto m. (*mecc.*) shift.

disassociàre A v. t. to dissociate; to separate B **disassociàrsi** v. rifl. to withdraw* one's support (from); to discontinue one's membership (of); to opt out (of).

disassortìto a. odd; unmatched.

disassuefàre A v. t. to make* (sb.) lose the habit (of); to get* (sb.) out of the habit (of); (*da un vizio*) to wean (sb. from o away from) B **disassuefàrsi** v. i. pron. to disaccustom oneself (to); to grow* out (of).

disassuefazióne f. weaning (from).

disastràre v. t. to damage heavily.

disastràto A a. (*di cosa*) heavily damaged, devastated; (*di persona*) badly-hit (*by a disaster*) B m. (f. **-a**) (disaster) victim.

♦**disàstro** m. 1 (*calamità*) disaster; calamity: **d. finanziario**, financial disaster; crash 2 (*grave incidente*) serious accident; disaster; (*scontro, d. aereo*) crash: **d. aereo**, air disaster; air crash; **d. ferroviario**, railway accident; **il luogo del d.**, the site of the accident 3 (*danno*) damage; disaster: **il d. causato dal terremoto**, the damage caused by the earthquake 4 (*fam., di cosa, situazione*) disaster; mess; (*fiasco*) failure, flop, fiasco, washout (*fam.*): *Che disastro hai combinato in cucina!*, what a mess you've made in the kitchen!; *La festa fu un completo d.*, the party was a total failure; *Questo tema è un d.*, this essay is hopeless 5 (*fam.: persona incapace*) hopeless person; failure; dead loss; walking disaster; disaster area: *A scuola era un d.*, he was hopeless at school; *A carte sono un d.*, I'm a dead loss at card games 6 (*fam.: bambino vivace*) little terror; pest.

disastróso a. 1 (*che causa disastri, rovinoso*) disastrous; devastating; calamitous: **errore d.**, disastrous mistake; **incendio d.**, disastrous fire; **piena disastrosa**, devastating flood 2 (*che è pieno di disastri, fallimentare*) disastrous; terrible: **annata disastrosa**, disastrous year; **in condizioni disastrose**, in a terrible state; **risultato d.**, disastrous result.

disatomizzàre v. t. to denuclearize.

disatomizzazióne f. denuclearization.

disattèndere v. t. to fail to comply with; to disregard; to ignore: **d. le norme**, to fail to comply with the regulations; **d. il parere di q.**, to disregard sb.'s advice.

disattènto a. inattentive; absent-minded; unmindful; (*negligente*) careless, negligent.

disattenzióne f. 1 inattention; absent-mindedness; (*negligenza*) carelessness, negligence 2 (*svista*) oversight; slip ● **un errore di d.**, (*scrivendo*) a slip of the pen; (*parlando*) a slip of the tongue.

disattéso a. disregarded; ignored.

disattivàre v. t. 1 (*disinnescare*) to defuse; to neutralize; to disarm 2 (*un impianto, ecc.*) to deactivate; to disconnect.

disattivazióne f. 1 (*disinnesco*) defusing; neutralization 2 (*di impianto, ecc.*) deactivation; disconnection.

disattrezzàre v. t. (*naut.*) to strip; to unrig.

disautoràre v. t. (*lett.*) to deprive of authority.

disavànzo m. (*econ.*) deficit; gap: **d. complessivo**, aggregate deficit; **d. della bilancia commerciale**, deficit in the balance of trade; trade gap; **d. di bilancio**, budget deficit; **d. di cassa**, cash deficit; **colmare il d.**, to make up the deficit; **essere in d.**, to have a deficit.

disavvedutézza f. carelessness; thoughtlessness; heedlessness.

disavvedùto a. careless; thoughtless; heedless.

disavventùra f. 1 (*avvenimento sgradito*) unfortunate accident; misadventure; mishap 2 (*sfortuna*) misfortune; bad luck; mischance (*form.*): **per mia d.**, unluckily for me; it was my bad luck that...

disavvertènza f. carelessness Ⓤ; inadvertence Ⓤ.

disavvezzàre A v. t. to disaccustom (sb. to st.); to get* (sb.) out of the habit (of); to wean (sb. from, away from) B **disavvezzàrsi** v. i. pron. to lose* the habit (of); to grow* out (of).

disavvézzo a. (*non abituato*) unaccustomed; not used; unused; (*non più abituato*) no longer used: **d. a fare qc.**, unaccustomed to doing st.

♦**disboscaménto** m. clearing of trees; deforestation; disafforestation.

disboscàre v. t. to clear of trees; to deforest; to disafforest.

disbrigàre A v. t. to dispatch; to get* through B **disbrigàrsi** v. i. pron. (*lett.*) to extricate oneself (from); to get* rid (of).

disbrigo m. handling; dealing; getting through; sorting through: **il d. delle faccende di casa**, doing the housework; **il d. della corrispondenza**, sorting through the mail; **occuparsi del d. degli affari ordinari**, to deal with ordinary business.

disbrogliàre v. t. to disentagle; to unravel.

discacciàre v. t. (*lett.*) to expel.

discàle a. (*med.*) disk (attr.).

discantàre v. t. (*mus.*) to descant.

discantista m. e f. (*mus.*) descanter.

discànto m. (*mus.*) descant.

discapitàre v. i. to lose* out; to be damaged.

discàpito m. detriment; damage; prejudice: **a d. di**, to the detriment of; **andare a d. di**, to be detrimental (*o* damaging, prejudicial) to.

discàrica f. 1 dump; dumping ground; tip; (*di rifiuti*) (rubbish) tip (*GB*), (garbage) dump (*USA*): **d. di rifiuti tossici**, toxic-waste dump 2 (*naut.*) unloading.

discaricàre v. t. 1 to unload; to discharge; to unburden 2 (*fig.: alleviare*) to relieve; (*discolpare*) to clear.

discàrico m. (*discolpa*) defence; justification: **a mio d.**, in my defence; (*leg.*) **testimone [prova] a d.**, witness [evidence] for the defence.

discàro a. (*lett.*) displeasing; disagreeable.

discendènte A a. descending; falling; downward (attr.); down (attr.): (*anat.*) **colon d.**, descending colon; **corrente d.**, down current; (*meteor., anche*) down draught; (*di pistone*) **corsa d.**, downstroke; **fase d.**, (*decli-*

no) decline, wane; *(contrazione)* downswing, downturn; **essere in fase d.**, to be in the downward phase; *(essere in declino)* to be on the decline *(o on a downward trend)*; *(leg.)* **linea d.**, descending line; *(mus.)* **scala d.**, descending scale B m. e f. descendant: **d. in linea retta**, lineal descendant.

discendènza f. 1 descent; extraction: **di nobile d.**, of noble descent 2 *(i discendenti)* descendants (pl.); offspring; issue; progeny: **morire senza d.**, to die without issue.

♦**discéndere** v. i. e t. 1 to descend; to go* down; to come* down; to get* down; *(da un veicolo)* to get* off (st.), to get* out (of), to alight (from); *(da cavallo, bicicletta)* to get* off (st.), to dismount (from): **d. le scale**, to go down the stairs; **d. in un pozzo**, to go down a well; **d. da un'auto**, to get out of a car; **d. da un autobus**, to get off *(o to alight from)* a bus; **d. dal treno**, to get off the train; *Enea discese agli Inferi*, Aeneas descended into the Netherworld 2 *(declinare, digradare)* to descend; to slope down; to fall* away: *Il prato discende verso il lago*, the lawn slopes down to the lake 3 *(di temperatura, prezzi, ecc.)* to fall*; to drop 4 *(del sole, ecc.)* to sink*; to set* 5 *(trarre origine)* to be descended (from); to come* (from) 6 *(conseguire)* to follow (from); to proceed (from): *Ne discende che...*, it follows that...

discenderìa f. *(ind. min.)* inclined shaft.

discensionàle a. *(fis.)* descensional.

discensìvo a. descending.

discènte m. e f. pupil; learner.

discentràrsi v. i. pron. to move away from the centre.

discepolàto m. discipleship; apprenticeship.

discépolo m. (f. **-a**) 1 *(allievo)* pupil 2 *(seguace)* disciple; follower: *Gesù e i suoi discepoli*, Jesus and his disciples; **un d. di Croce**, a follower of Croce.

discèrnere v. t. 1 *(vedere distintamente)* to discern; to make* out 2 *(differenziare)* to distinguish; to tell* apart.

discernìbile a. discernible.

discernimènto m. understanding; *(acume)* discernment, discrimination; *(giudizio)* wisdom, judgment: **l'età del d.**, the age of understanding; *Si è comportato con grande d.*, he showed great wisdom; **mancare di d.**, to lack judgment.

♦**discésa** f. 1 *(movimento discendente)* descent; downward movement; *(di ascensore e sim.)* way down: **fare una rapida d.**, to make a quick descent; *L'aereo iniziò la d. su Roma*, the aircraft began its descent into Rome airport; **corsa di d.** *(di stantuffo)*, downstroke; **manovra di d.**, descent manoeuvre 2 *(strada in discesa)* descent, downhill road; *(percorso)* way down; *(declivio, pendio)* slope, declivity: **d. ripida**, steep descent; steep slope; **sentiero in d.**, downhill path; *La strada è tutta in d.*, the road is all downhill; *Ci sono 10 km di d. prima del ponte*, the road goes downhill for 10 km before reaching the bridge; **lungo la d.**, on the way down 3 *(tecn., ferr.)* downgrade 4 *(caduta, abbassamento)* fall; drop: **d. dei prezzi**, fall in prices; **prezzi in d.**, falling prices; *La temperatura è in d.*, the temperature is dropping 5 *(calata)* descent; *(invasione)* invasion: **le discese del Barbarossa**, Barbarossa's descents 6 *(calcio, rugby)* attack; forward run: **d. a rete**, run on goal 7 *(sci)* **d. libera**, downhill (race) ● *(alpinismo)* **d. a corda doppia**, abseiling; rappel □ *(aeron.)* **d. a vite**, tailspin □ *(aeron.)* **d. in picchiata**, nose-dive □ *(fig.)* **in d.**, *(in diminuzione)* falling, on a downswing; *(in declino)* in decline, on the wane.

discesìsmo m. *(sci)* downhill racing.

discesìsta m. e f. 1 *(sci)* downhill skier 2

(ciclismo) downhill racer.

discettàre v. i. e t. 1 *(lett.)* to debate 2 *(iron.)* to hold* forth; to speechify.

discettatóre m. (f. **-trice**) 1 *(lett.)* debater 2 *(iron.)* speechifier.

discettazióne f. 1 lengthy examination 2 *(iron.)* lecture.

dischétto m. 1 small disc 2 *(calcio)* penalty spot: **tiro dal d.**, penalty kick 3 *(ferr.)* point signal 4 *(comput.)* diskette; floppy disk.

dischiùdere A v. t. 1 to open (slightly); to part: **d. le labbra**, to part one's lips; **d. gli occhi**, to open one's eyes 2 *(manifestare)* to disclose; to reveal B **dischiùdersi** v. i. pron. to open; to open out; to part.

dischiùso a. (slightly) open; *(di porta, ecc., anche)* ajar (pred.).

discifórme a. *(bot.)* disc-shaped.

discinesìa f. *(med.)* dyskinesia.

discinètico *(med.)* A a. dyskinetic B m. (f. **-a**) dyskinesia sufferer; dyskinetic patient.

discìngere v. t. *(lett.)* to ungird; to unfasten.

discìnto a. scantily dressed; half-dressed; *(scherz.)* in a state of undress.

disciògliere, **disciògliersi** → **sciogliere**, **sciogliersi**.

disciplìna f. 1 discipline: **d. di partito**, party discipline; **d. ferrea**, strict discipline; rod of iron; **d. militare**, military discipline; **imporre la d.**, to enforce discipline; **mantenere la d.**, to maintain discipline; to keep order; **un insegnante che non sa mantenere la d. in classe**, a teacher that cannot keep order in his classroom; **commissione di d.**, disciplinary commission 2 *(materia di studio)* subject; discipline; branch of learning: **discipline giuridiche**, branches of the law; **discipline scientifiche**, scientific subjects 3 *(regolamentazione)* rules and regulations (pl.); control: **d. delle importazioni**, rules and regulations governing imports; **d. del traffico**, traffic control 4 *(sport)* discipline 5 *(flagello penitenziale)* discipline; scourge: **darsi la d.**, to discipline *(o to scourge)* oneself 6 *(fig.: insegnamento)* school; teaching: **la d. della povertà**, the school of poverty 7 *(bot., Polygonum orientale)* knotweed; smartweed.

disciplinàbile a. disciplinable.

disciplinaménto m. disciplining.

disciplinàre① A v. t. 1 to discipline; to impose discipline upon; to enforce order on 2 *(regolare)* to regulate; to control: **d. il traffico**, to regulate the traffic 3 *(relig.)* to chastise; *(flagellare)* to scourge B **disciplinàrsi** v. rifl. 1 to discipline oneself 2 *(flagellarsi)* to scourge oneself.

disciplinàre② A a. disciplinary: **provvedimento d.**, disciplinary measure B m. *(di prodotto)* specifications (pl.); *(di attività)* rules and regulations (pl.).

disciplinataménte avv. in an orderly way; dutifully.

disciplinatézza f. submissiveness to discipline.

disciplinàto a. 1 *(ubbidiente)* disciplined; obedient; well-behaved: **poco d.**, undisciplined; unruly 2 *(ordinato)* orderly; *(di manovra mil., ballo, ecc.)* well-drilled.

♦**disco①** m. 1 disc, disk *(USA)*: **d. orario**, parking disc; **d. solare**, solar disc 2 *(di fonografico)* record; disc: **d. microsolco**, long-playing (record); **incidere un d.**, to cut a disc *(o a record)* 3 *(atletica)* disc*: **lancio del d.**, discus throwing 4 *(hockey sul ghiaccio)* puck 5 *(ferr.)* disc signal 6 *(anat.)* disc, disk: *(med.)* **ernia del d.**, slipped disc 7 *(bot.)* disc, disk; discoid floret: **d. fiorale**, flower disc 8 *(mecc., aeron.)* disc, disk;

wheel; plate: **d. dell'elica**, propeller disc; **d. della frizione**, clutch disc *(o plate)*; **d. dentato**, toothed disc; **freni a d.**, disc brakes 9 *(comput.)* disk: **d. di avvio**, start-up disk; **d. ottico**, optical disk; **d. rigido** *(o fisso)*, hard disk; **memoria su d.**, disk memory 10 *(lama trituratrice)* blade ● *(telef.)* **d. combinatore**, dial □ *(fig.)* **d. rosso**, red light □ *(fig.)* **d. verde**, green light □ **d. volante**, flying saucer □ *(fig.)* **cambiare d.**, to change the record.

disco② f. inv. 1 *(musica)* disco music 2 *(ballo)* disco dance 3 *(locale)* disco.

discòbolo m. *(sport: stor.)* discobolus*; *(moderno)* discus thrower.

discòfilo m. (f. **-a**) record collector.

discòforo m. *(arte)* discus bearer.

discografìa f. 1 *(tecnica)* recording; *(produzione)* record-making 2 *(industria)* record industry 3 *(elenco)* discography.

discogràfico A a. record (attr.): **casa discografica**, record company; **registrazione discografica**, recording; **successo d.**, hit B m. e f. 1 person working in the record industry 2 *(industriale)* record-company owner.

discoidàle a. discoid, discoidal; disc-shaped.

discòide A a. discoid, discoidal; disc-shaped B m. *(farm.)* tablet.

discola f. naughty girl; *(maschiaccio)* tomboy, hoyden.

discolìbro m. book accompanied by one or more records.

dìscolo A a. *(birichino)* naughty; *(scapestrato)* wild, rebellious B m. naughty boy; little rascal; scamp.

discoloràre v. t., **discoloràrsi** v. i. pron. to discolour.

discólpa f. defence; exoneration: **a mia d.**, in my defence 2 *(giustificazione, scusa)* justification; excuse: *A mia d. posso dire che...*, to justify myself *(o in excuse for what I did)* I can say that...

discolpàre A v. t. 1 to clear (sb. of st.); to exonerate 2 *(giustificare)* to excuse; to justify B **discolpàrsi** v. rifl. 1 to clear oneself; to prove one's innocence 2 *(giustificarsi)* to justify oneself.

disconnessióne f. 1 disconnection 2 *(comput., Internet)* disconnection; log-out; log-off.

disconnèttere A v. t. 1 to disconnect; to separate 2 *(telef.)* to disconnect; to cut* off 3 *(comput., Internet)* to disconnect B **disconnèttersi** v. rifl. *(comput., Internet)* to disconnect; to log out; to log off.

disconoscènte a. ungrateful.

disconóscere v. t. 1 *(rifiutarsi di riconoscere)* to disown; to disavow; to refuse to acknowledge; *(leg.)* to disclaim: **d. un figlio**, to disclaim paternity of a child; **d. una firma**, to disown a signature 2 *(fingere di non conoscere)* to ignore.

disconoscimènto m. *(leg.)* disownment; disavowal; disclaimer: **d. di paternità**, disclaimer of paternity.

disconosciùto a. unacknowledged; unrecognized.

discontinuità f. 1 discontinuity *(anche scient.)*; irregularity; *(interruzione)* gap 2 *(intermittenza)* fitfulness: **con d.**, fitfully; in fits and starts; irregularly.

discontìnuo a. 1 discontinuous; intermittent; broken: **linee discontinue**, broken lines 2 *(incostante)* erratic, *(di persona, anche)* temperamental; *(disuguale)* uneven; *(sporadico)* sporadic, fitful, desultory: **atleta d.**, erratic athlete; **rendimento d.**, uneven *(o erratic)* performance.

discoprìre v. t. *(lett.)* → **scoprire**.

discordànte a. **1** discordant; dissonant; (*in disaccordo*) conflicting, clashing, disagreeing **2** (*di suoni*) discordant; dissonant; jarring **3** (*di colori*) clashing **4** (*geol.*) discordant; unconformable.

discordànza f. **1** (*disarmonia*) discordance; dissonance; clash: **d. di colori**, clash of colours; **d. di suoni**, dissonance; discord **2** (*disaccordo*) variance; disagreement; clash: **d. di opinioni**, clash of opinions **3** (*geol.*) discordance.

discordàre v. i. **1** to disagree; to clash; to be at variance **2** (*di suoni*) to be discordant **3** (*di colori*) to clash.

discòrde a. discordant; contradictory; (*in disaccordo*) conflicting, disagreeing, clashing: **essere discordi**, to differ; to disagree; to be at variance; *I pareri sono discordi*, opinions differ (*o* vary); *I soci erano discordi*, the members differed (*o* disagreed).

discòrdia f. **1** discord; conflict; (*diversità di opinioni*) variance, disagreement: *In quella casa regna la d.*, there is constant strife in that house; **seminare la d.**, to sow discord; to stir up trouble; **il pomo della d.**, apple of discord; bone of contention **2** (*discrepanza*) discrepancy: *C'è d. tra la mia testimonianza e la tua*, there is a discrepancy between my evidence and yours.

discórrere A v. i. **1** to talk; (*chiacchierare*) to chat: **d. del più e del meno**, to talk about this and that; to chat; **d. tra amici**, to chat among friends **2** (*region.*) to be courting ● **e via discorrendo**, and so on; and so forth B m. talk: *Si fa un gran d. sul tuo film*, everybody is talking about your film.

discorsività f. **1** conversational style **2** (*loquacità*) talkativeness **3** (*filos.*) discursiveness.

discorsivo a. **1** conversational: **stile d.**, conversational style **2** (*loquace*) talkative **3** (*filos.*) discursive.

◆**discórso** m. **1** (*formale, pubblico*) speech; address: **il d. della Corona**, the speech from the Throne; **d. di ringraziamento**, speech of thanks; **d. inaugurale**, opening address; **d. preparato** [**improvvisato**], set [impromptu] speech; **fare** (*o* **tenere**) **un d.**, to make (*o* to give) a speech; to address (sb.); *Mi fece un lungo d. sui doveri del cittadino*, she gave me a long speech (*o* she lectured me) on a citizen's duties **2** (*colloquio*) talk; (*conversazione*) talk, conversation: **d. a quattrocchi**, tête-à-tête; **discorsi animati**, lively conversation; **discorsi oziosi**, idle talk (sing.); **attaccare d. con q.**, to get talking to sb.; *Il d. cadde sulla nuova riforma*, the subject of the new reform cropped up in the conversation; **far cadere il d. su qc.**, to bring the conversation round to st.; *Devo farti un d.*, I must have a talk with you **3** (*argomento*) subject; (*faccenda*) matter; (*questione*) question; (*storia*) story: **affrontare un d.**, to broach a subject; to deal with a question; **cambiare d.**, to change the subject; **lasciar cadere il d.**, to let the matter drop; *Questo è un altro d.*, that's a different matter; *È un lungo d.*, it's a long story; *Riprenderemo il d. la settimana prossima*, we'll come back to this next week **4** (*parole, osservazioni*) words (pl.); remarks (pl.); things (pl.): *Sono discorsi che non mi piacciono*, I'd rather not hear such things **5** (*ling.*) speech: **d. diretto** [**indiretto**], direct [indirect] speech; **analisi del d.**, sentence analysis; **le parti del d.**, the parts of speech **6** (al pl.) (*sciocchezze, chiacchiere*) nonsense Ⓤ; words: *Che discorsi!*, what nonsense!; *Che discorsi sono questi?*, what nonsense is this?; (*che vuoi dire?*) what on earth do you mean by that?; *Pochi discorsi, se no chiamo le guardie*, no nonsense now, or I'll call the police; **dire qc. senza tanti discorsi**, to come straight to the point; not to waste

words; *Basta coi discorsi e dimmi la verità*, stop beating about the bush and tell me the truth ● **Se guardiamo alla scuola, il d. non cambia**, the same holds true for education □ **lo faccio un d. di principio**, I'm talking about principles □ **Se facciamo un d. di prezzo, posso venirvi incontro**, if price is the matter, I can meet you halfway □ **Fine del d.!**, subject closed! □ **perdere il filo del d.**, to lose the thread (of what one was saying) □ **portare avanti un d.**, to be active in (doing st.); to work actively at (st.).

discostàrsi v. rifl. e i. pron. **1** (*fig.: allontanarsi*) to stray (from); to wander off (*a subject*) **2** (*fig.: divergere*) to diverge (from); to differ (from): **d. dalle previsioni**, to diverge from the forecasts.

discòsto A a. (*lett.: lontano*) B avv. C (*discòsto da* loc. prep.) far from; at some distance from: **poco d. dalla scuola**, not far from the school.

discotèca f. **1** record library **2** (*locale*) disco; discothèque (*form.*).

discotecàrio m. (f. **-a**) record librarian.

discount (*ingl.*) m. discount supermarket.

discrasìa f. (*med.*) dyscrasia.

discreditàre, discreditàrsi → screditare.

discrédito m. disrepute; bad name; discredit: **cadere in d.**, to fall into disrepute; **gettare d. su q.** [**qc.**], to bring discredit on sb. [st.]; *Questo tornerà a tuo d.*, this will bring discredit on you.

discrepànte a. conflicting; contradictory.

discrepànza f. (*differenza, divario*) discrepancy; difference; variance; (*contrasto, disaccordo*) contrast: **d. tra parole e azioni**, discrepancy between words and actions.

discretaménte avv. **1** (*con tatto, con discrezione*) discreetly; tactfully **2** (*abbastanza*) fairly; reasonably; quite (*GB*): *Fa d. caldo*, it's fairly hot **3** (*abbastanza bene*) reasonably well; fairly well; not too badly: **cavarsela d.**, to do reasonably well; *«Come ti senti?» «D.»*, «how are you?» «not too bad».

discretézza f. **1** → **discrezione 2** (*mat.*) discreteness.

◆**discréto** a. **1** (*che ha discrezione*) discreet; (*che ha tatto*) tactful, delicate; (*non vistoso*) discreet, subdued, muted **2** (*moderato*) moderate: **essere d. nei desideri**, to be moderate in one's desires **3** (*abbastanza buono*) fairly good; fair; reasonable; (*sufficiente*) reasonable, adequate: **una discreta quantità**, a fair amount; **un vino d.**, a fairly good wine; **stipendio d.**, reasonable salary; **giornata discreta**, reasonably fine day; *Il cibo è d.*, the food is not too bad; **un d. successo**, a moderate success; **una discreta conoscenza dell'inglese**, a fairly good (*o* competent) knowledge of English; *Ho un d. appetito*, I'm fairly hungry **4** (*mat.*) discrete.

discrezionàle a. (*anche leg.*) discretionary: **poteri discrezionali**, discretionary powers.

discrezionalità f. discretionary power.

discrezióne f. **1** (*lett.: discernimento*) discrimination; discernment **2** (*tatto*) discretion; tact: **agire con d.**, to use tact; **fidarsi della d. di q.**, to rely on sb.'s discretion **3** (*arbitrio*) discretion: **a d. di**, at the discretion of; **a mia d.**, at my discretion **4** (*moderazione*) moderation: **chiedere con d.**, to be moderate in one's requests ● **a d.** (*a volontà*), as much as one likes □ **arrendersi a d.**, to surrender at discretion □ **senza d.**, (*smoderatamente*) immoderately; (*senza tatto*) indiscreetly.

discriminànte A a. discriminating; discriminant B m. (*mat.*) discriminant C f. (*leg.*) extenuating circumstance.

discrimináre v. t. **1** to discriminate; to differentiate; to distinguish **2** (*fare discriminazioni*) to discriminate.

discriminativo a. discriminating.

discriminatóre m. **1** (f. **-trìce**) discriminator **2** (*elettron.*) discriminator.

discriminatòrio a. discriminatory; discriminating.

discriminazióne f. discrimination: **d. razziale** [**sessuale**], racial [sex] discrimination; **fare discriminazioni**, to make discriminations; to discriminate ● **d. positiva**, affirmative action.

discrìmine m. dividing line; watershed.

discromatopsìa f. (*med.*) dyschromatopsia.

discromìa f. (*med.*) dyschromia.

◆**discussióne** f. **1** (*dibattito*) discussion; debate: **d. animata**, heated debate; **d. del bilancio pubblico**, budget debate; **d. di un progetto di legge**, hearing of a bill; **d. in parlamento**, parliamentary debate; **aperto alla d.**, open for debate; **argomento di d.**, subject for discussion **2** (*disputa, battibecco*) argument; disagreement: **d. violenta**, violent argument; **avere una d. con q.**, to have an argument (*o* to have words) with sb. **3** (*leg.*) hearing; trial: **la d. di una causa**, the hearing of a case ● **d. di una tesi di laurea**, discussion of a graduation thesis; viva voce □ **fare discussioni**, to argue □ **fuori d.**, beyond dispute; indisputable □ **in d.**, under discussion; under consideration; at issue; (*controverso*) in dispute; (*in dubbio*) in question □ **mettere in d.**, (*sottoporre a dibattito*) to bring forward; (*sollevare dubbi su*) to question; (*contestare*) to challenge; (*criticare*) to criticize □ **E niente discussioni!**, and no buts about it! □ **Su questo non c'è d.**, that is indisputable □ **rimettere tutto in d.**, to reopen the whole question □ **senza discussioni**, (*senza discutere*) without objections; without argument.

discùsso a. **1** debated; argued **2** (*che provoca polemiche*) controversial; (*criticato*) criticized.

◆**discùtere** v. t. e i. **1** to discuss; to debate; to talk (st.) over; to talk about; (*parlare*) to talk: **d. un progetto di legge**, to debate a bill; **d. di politica** [**di affari**], to talk politics [business]; **d. sul prezzo**, to haggle (over the price); *Stavamo discutendo se andare*, we were discussing (*o* debating) whether to go; *Discutiamone prima di impegnarci*, let's talk it over before committing ourselves; **una decisione che farà d.**, a decision that will raise a lot of discussion **2** (*leg.*) to hear: **d. una causa**, to hear a case **3** (*mettere in dubbio*) to question; to raise doubts on; (*sollevare obiezioni su*) to raise objections on; (*contestare*) to argue, to challenge; **Non discuto che sia abile, ma...**, I am not questioning his ability, but...; **d. un ordine**, to challenge an order; **obbedire senza d.**, to obey without arguing; **Questo non si discute**, there's no question about that **4** (*litigare*) to argue; to quarrel: *Non fanno che d.*, they are always quarrelling; *Non perdere tempo a d. con lui*, don't waste time arguing with him.

discutìbile a. (*controverso*) debatable; (*a cui si può obiettare*) questionable, open to question; (*dubbio*) doubtful, dubious; (*criticabile*) that may be criticized: **gusto d.**, doubtful taste; **reputazione molto d.**, highly dubious reputation; **scelta d.**, questionable choice; *Il metodo è d., ma i risultati sono buoni*, the method may be criticized, but the results are good.

discutibilità f. disputableness; questionableness; doubtfulness.

disdegnàre v. t. **1** to disdain; to scorn **2** (*respingere*) to turn down; to spurn.

disdégno m. disdain; scorn.

disdegnóso a. disdainful; scornful.

disdétta f. **1** (*leg.*) notice (of termination of a contract): **dare la d.**, (*di locatore*) to give notice to quit; (*di locatario*) to give notice **2** (*comm.*) cancellation: **la d. di un'ordinazione**, the cancellation of an order **3** (*sfortuna*) bad luck Ⓤ; misfortune: *Che d.!*, what bad luck!

disdettàre v. t. **1** (*leg.*) to give* notice (of termination) **2** (*comm.*) to cancel; to rescind.

disdétto a. cancelled.

disdicévole a. (*lett.*) unbecoming; inappropriate; unseemly.

disdìre ① v. t. **1** (*ritrattare*) to retract, to take* back, to withdraw*; (*negare*) to deny **2** (*sciogliere, rescindere*) to rescind; to terminate: **d. un contratto**, to rescind (*o* to terminate) a contract **3** (*annullare*) to cancel; (*non rinnovare*) to discontinue: **d. un abbonamento**, to cancel (*o* to discontinue) a subscription; **d. un appuntamento**, to cancel an appointment; **d. una prenotazione**, to cancel a booking.

disdìre ② v. i., **disdìrsi** v. i. pron. (*lett.*: *essere sconveniente*) to ill become* (*sb.*); to be unbecoming (to); to be inappropriate (to).

disdòro m. shame; disgrace; discredit: **con mio d.**, to my shame.

diseccitàre v. t. (*elettr.*) to de-energize.

diseconomìa f. **1** diseconomy: **diseconomie di scala**, diseconomies of scale **2** (*squilibrio economico*) economic gap.

diseconomicità f. expensiveness; inefficiency.

diseconòmico a. uneconomical; wasteful; inefficient.

diseducàre v. t. (*educare male*) to bring* up badly; (*essere di cattivo esempio*) to set* a bad example for; (*essere moralmente dannoso*) to be morally harmful for.

diseducativo a. setting a bad example (pred.); morally harmful.

diseducazióne f. (*cattiva educazione*) bad upbringing; (*cattivo esempio*) bad example.

♦**disegnàre** v. t. **1** to draw*; (*a contorno*) to outline: **d. a matita [a carboncino, a penna]**, to draw in pencil [in charcoal, in pen and ink]; **d. a mano libera**, to draw freehand; **d. dal vero**, to draw from life; **d. in scala**, to draw to scale; *Non so d. bene*, I'm not a good draughtsman **2** (*progettare*) to design; to style; (*di vestiti*) **d. un vestito [mobili]**, to design a dress [furniture] **3** (*fig.: delineare*) to outline: *Gli disegnai il mio piano*, I outlined my plan to him **4** (*stabilire*) to plan: *Avevo disegnato di partire*, I had planned to leave.

disegnatóre m. (f. **-trìce**) **1** drawer; artist; (*abile* o *d. tecnico*) draughtsman*, draftsman* (*USA*) (f. draughtswoman*, draftswoman*): **d. pubblicitario**, commercial artist **2** (*progettista*) designer: **d. di moda**, fashion designer; **d. di stoffe**, textile designer.

♦**diségno** m. **1** (*oggetto disegnato*) drawing; (*schizzo*) sketch: **un d. a colori**, a colour drawing; **un d. a carboncino**, a charcoal drawing; **un d. a mano libera**, freehand drawing; **d. a matita [a pastello, a penna]**, pencil [crayon, pen-and-ink] drawing; (*cinem.*) **d. animato**, (animated) cartoon; (*archit.*) **d. in alzata**, elevation; (*archit.*) **d. in pianta**, plan; **d. in scala**, scale drawing; (*pittura*) **d. preparatorio**, preparatory drawing; cartoon; **d. satirico**, cartoon **2** (*motivo*) pattern: (*autom.*) **d. del battistrada**, tread pattern; **d. scozzese**, tartan; *Tende e copriletto hanno lo stesso d.*, curtains and bedspread have the same pattern; *L'ombra delle foglie formava un d. sul mu-*

ro, the shadows of the leaves made a pattern on the wall **3** (*attività, arte*) drawing; (*tecnica*) draughtsmanship, draftsmanship (*USA*): **d. industriale**, industrial drawing; **d. pubblicitario**, commercial art; **essere bravo nel d.**, to be good at drawing; **esercitarsi nel d.**, to practise draughtsmanship; **studiare d.**, to study drawing; **carta da d.**, drawing paper; **insegnante di d.**, drawing-master; **professore di d.**, art teacher; **tavolo da d.**, drawing board **4** (*progetto tecnico*) design; (*edil., anche*) plan: **d. industriale**, industrial design; **il d. per la realizzazione di una macchina**, a design for a machine **5** (*fig.: intenzione*) intention; (*piano, progetto*) design, plan, scheme: **d. criminale**, criminal plan; *Il suo d. è di stabilirsi qui*, his plan is to settle here **6** (*traccia, abbozzo*) outline; sketch **7** (*leg.*) – **d. di legge**, bill; **approvare [bocciare] un d. di legge**, to pass [to defeat] a bill; **presentare un d. di legge**, to introduce a bill.

diseguàle → **disuguale**.

disellàre → **dissellare**.

disequazióne f. (*mat.*) inequality: **disequazioni lineari**, linear inequalities.

disequilìbrio m. imbalance; lack of balance; (*econ.*) disequilibrium.

diserbàggio m. (*agric.*) weeding.

diserbànte (*agric.*) Ⓐ a. herbicidal Ⓑ m. herbicide; weedkiller.

diserbàre v. t. (*agric.*) to free from weeds; to weed.

diserbatùra f., **diserbo** m. (*agric.*) weeding; weedkilling.

diseredàre v. t. to disinherit; to cut* (*sb.*) off without a penny.

diseredàto Ⓐ a. **1** disinherited **2** (*fig.*) deprived; destitute Ⓑ m. deprived (*o* destitute) person; outcast: – **i diseredati**, the destitute; the have-nots (*fam.*).

diseredazióne f. (*leg.*) disinheritance.

disergìa f. (*med.*) dysergia.

disertàre Ⓐ v. t. **1** (*abbandonare*) to leave*; to abandon; to desert: **d. la campagna**, to abandon the countryside **2** (*non presentarsi*) to fail to attend; to stay away from: **d. le lezioni [la scuola]**, to stay away from classes [from school]; **d. una riunione**, to fail to attend a meeting; **d. le urne**, not to vote **3** (*trascurare*) to neglect: **d. gli amici**, to neglect one's friends Ⓑ v. i. **1** (*mil.*) to desert: **d. dall'esercito**, to desert from the army **2** (*fig.*) to defect.

disertóre m. **1** (*mil.*) deserter **2** (*fig.*) defector.

diserzióne f. **1** (*mil.*) desertion **2** (*fig.*) defection.

disfaciménto m. **1** (*putrefazione*) decay; decomposition; rot **2** (*sfacelo, rovina*) decay; ruin; disintegration; break-up: **il d. di una famiglia [di un impero]**, the break-up of a family [of an empire].

disfagìa f. (*med.*) dysphagia.

♦**disfàre** Ⓐ v. t. **1** (*distruggere, scomporre*) to undo*: **d. il lavoro già fatto**, to undo what had been done **2** (*una cosa legata*) to undo*: **d. un nodo [una benda]**, to undo a knot [a bandage] **3** (*una cosa fasciata*) to unwrap; (*una cosa imballata*) to unpack: **d. un pacchetto**, to unwrap a parcel **4** (*punti di cucito*) to unpick; (*lavoro a maglia e sim.*) to unravel: **d. una cucitura**, to unpick a seam; **d. un maglione**, to unravel a sweater **5** (*smontare*) to take* apart; to dismantle **6** (*esaurire*) to exhaust; to wear* out **7** (*liquefare*) to melt* • **d. un letto**, to strip a bed **d. le valigie**, to unpack Ⓑ **disfàrsi** v. i. pron. **1** (*ridursi in pezzi*) to fall* to pieces; (*sbriciolarsi*) to crumble, to disintegrate **2** (*decomporsi*) to decay; to rot **3** (*slacciarsi, slegarsi*) to come* undone **4** (*di lavoro a maglia e sim.*) to un-

ravel **5** (*liquefarsi*) to melt • **disfarsi in lacrime**, to ment into tears Ⓒ **disfàrsi** v. rifl. (*liberarsi di*) to get* rid (of); to discard (st.): **disfarsi di vecchi mobili**, to get rid of old furniture.

disfasìa f. (*med.*) dysphasia.

disfàsico (*med.*) Ⓐ a. dysphasic Ⓑ m. (f. **-a**) dysphasic person; sufferer from dysphasia.

disfàtta f. (*mil.* e *fig.*) defeat; rout.

disfattìsmo m. defeatism.

disfattìsta a., m. e f. defeatist.

disfàtto a. **1** (*di nodo e sim.*) undone **2** (*di tessuto*) unpicked; (*di maglia*) unravelled **3** (*di letto*) stripped **4** (*di bagaglio*) unpacked **5** (*di pacco*) unwrapped **6** (*liquefatto*) melted **7** (*decomposto*) decayed; rotten **8** (*sconfitto*) defeated **9** (*distrutto*) destroyed, ruined; (*fig.*) shattered, crushed, devastated; (*esausto*) worn-out, exhausted.

disfavóre m. **1** (*lett.*) disfavour: **cadere in d.**, to fall into disfavour **2** (*svantaggio*) disadvantage: **a d. di q.**, to sb.'s disadvantage.

disféci 1ª pers. sing. pass. rem. di **disfare**.

disfìda f. (*lett.*) challenge: **mandare una d.**, to issue a challenge.

disfonìa f. (*med.*) dysphonia.

disfònico a. (*med.*) dysphonic.

disforìa f. (*psic.*) dysphoria.

disfòrico a. (*psic.*) dysphoric.

disfrasìa f. (*med.*) dysphrasia.

disfunzionàle a. **1** (*med.*) dysfunctional **2** inefficient; inadequate.

disfunzióne f. **1** (*med.*) trouble; disorder; dysfunction: **d. epatica**, liver trouble; **d. ormonale**, hormone disorder **2** (*fig.*) inefficiency Ⓤ; failing; (*di macchina*) malfunction.

disgàggio m. (*ind. min.*) scaling.

disgelàre Ⓐ v. t. to thaw; (*scongelare, anche*) to defrost Ⓑ v. i. to thaw.

disgèlo m. (*anche fig.*) thaw.

disgiùngere Ⓐ v. t. **1** (*disunire*) to separate; to disjoin **2** (*considerare separatamente*) to separate; to disassociate Ⓑ **disgiùngersi** v. rifl. e rifl. recipr. to separate; to part.

disgiungiménto m. separation; disjunction.

disgiuntaménte avv. separately.

disgiuntìvo a. (*gramm.*) disjunctive: **congiunzione disgiuntiva**, disjunctive conjunction.

disgiùnto a. separate; (*non connesso*) disconnected, unlinked.

disgiunzióne f. **1** disjunction; separation **2** (*telef.*) disconnection.

disgrafìa f. (*med.*) dysgraphia.

disgràfico a. dysgraphic.

♦**disgràzia** f. **1** (*sfavore*) disgrace: **cadere in d.**, to fall into disgrace; *È in d.*, he is under a cloud; his name is mud (*fam.*); he's in the doghouse (*fam.*); *È in d. presso il capo*, she is out of favour with the boss; she fell foul of the boss; she is in the boss's bad books (*fam.*) **2** (*sfortuna*) bad luck Ⓤ, misfortune; (*avversità, guaio*) trouble: *È stata una vera d.*, it was sheer bad luck; *Ha la d. di avere un marito che beve*, she is cursed with an alcoholic husband; *Gli raccontai le mie disgrazie*, I told him my troubles; **portare d.**, to bring bad luck; to be unlucky; **per d.**, unfortunately; unluckily; as luck would have it **3** (*incidente involontario*) accident, mishap (*incidente grave, disastro*) accident, disaster; (*evento terribile*) something terrible: *È stata una d., non l'ho rotto apposta*, it was an accident, I didn't break it on purpose; *È successa una d.*, there has been an accident; something terrible has happened; *Che disgrazia!*, how terrible!; how dreadful!

● (*prov.*) **Le disgrazie non vengono mai sole**, it never rains but it pours ❶ **FALSI AMICI** • disgrazia *nei sensi di sfortuna e sciagura non si traduce con* disgrace.

disgraziàta f. **1** (*poveretta*) wretched woman*; wretch **2** (*sciagurata*) foolish woman*; damn woman* **3** (*idiota*) fool; idiot ❶ **FALSI AMICI** • disgraziata *non si traduce con* disgraced.

disgraziataménte avv. unfortunately; unluckily; as luck would have it.

◆**disgraziàto** Ⓐ a. **1** (*sfortunato*) unfortunate; unlucky; ill-fated; disastrous; wretched: **un anno d.**, a disastrous year; **una famiglia disgraziata**, a family dogged by misfortune; **idea disgraziata**, wretched idea; **nascere d.**, to be born unlucky (*o* under an evil star) **2** (*eufem.*: *deforme*) misshapen **3** (*infelice*) wretched; miserable: **una vita disgraziata**, a wretched life **4** (*spreg.*) wretched; damned Ⓑ m. **1** (*poveretto*) wretch; wretched man* **2** (*sciagurato*) fool, damn man*; (*farabutto*) scoundrel, rogue: *D.! sei stato tu?*, so it was you, you scoundrel! **3** (*idiota*) fool; idiot: *Lascialo perdere, è un povero d.*, leave him be, he's just a poor fool ❶ **FALSI AMICI** • disgraziato *non si traduce con* disgraced.

disgregàbile a. that can be broken up; separable.

disgregaménto m. **1** breaking up **2** (*fis.*) disgregation.

disgregàre Ⓐ v. t. **1** to break* up; to disintegrate; (*sbriciolare*) to crumble **2** (*fig.*) to break* up; to disrupt; to disperse; to separate; to disunite: **d. un partito**, to break up (*o* to disrupt) a party Ⓑ **disgregàrsi** v. i. pron. **1** to disintegrate; to break* up (*o* down) **2** (*fig.*) to break* up; to be dispersed: *La famiglia si disgregò*, the family broke up.

disgregatìvo a. disintegrating; disruptive; that may cause the break-up (of).

disgregatóre a. disintegrating; disruptive.

disgregazióne f. break-up; disruption; disintegration.

disguìdo m. **1** (*postale*) misdelivery; postal error: **perdersi per un d.**, to be lost in the mail; to miscarry **2** (*contrattempo*) hitch, snag, contretemps (*franc.*); (*malinteso*) misunderstanding.

◆**disgustàre** Ⓐ v. t. **1** to nauseate; to make* (sb.) feel sick: *Il fritto mi disgusta*, I can't stand fried things; fried things nauseate me **2** (*fig.*) to disgust; to sicken; to nauseate: *Mi disgusta vedere tanto spreco*, I am disgusted by all this waste; *Mi disgustarono il sudiciume e la brutalità*, the dirt and brutality sickened me Ⓑ **disgustàrsi** v. i. pron. to become* disgusted (with sb.): at, by, with st.).

disgustàto a. disgusted; nauseated; sickened; revolted.

◆**disgùsto** m. disgust; (*ripugnanza*) repugnance, revulsion; (*avversione*) aversion, distaste: **avere d. per qc.**, to feel disgust at st.; *Provo d. per la carne*, I have an aversion for meat; **con d.**, with a feeling of disgust; (*disgustato*) in disgust; **non riuscire a vincere il proprio d. per qc.**, to be unable to overcome one's revulsion for st.

disgustóso a. disgusting; repugnant; revolting; repulsive; sickening; nauseating: **un odore d.**, a disgusting smell; **uno spettacolo d.**, a revolting (*o* sickening) sight.

disidratànte (*chim.*) Ⓐ a. dehydrating Ⓑ m. dehydrator.

disidratàre Ⓐ v. t. **1** (*chim. e med.*) to dehydrate **2** (*ind. min.*) to dewater Ⓑ **disidratàrsi** v. i. pron. to dehydrate.

disidratatóre m. **1** (*chim.*) dehydrator **2**

(*ind. min.*) dewaterer.

disidratazióne f. **1** (*chim. e med.*) dehydration **2** (*ind. min.*) dewatering.

disillàbico a. dissyllabic.

disìllabo Ⓐ a. dissyllabic Ⓑ m. dissyllable.

disillùdere Ⓐ v. t. **1** to disillusion; to disenchant; (*disingannare*) to disabuse, to undeceive **2** (*deludere*) to disappoint Ⓑ **disillùdersi** v. i. pron. to be disillusioned; to be disenchanted.

disillusióne f. disillusion; disenchantment: **avere una d.**, to be disillusioned.

disillùso a. disillusioned; disenchanted.

disimballàggio m. unpacking.

disimballàre v. t. to unpack.

disimpacciàre Ⓐ v. t. **1** disencumbered; disburdened **2** (*fig.*: *disinvolto*) confident; self-assured.

disimparàre v. t. **1** to unlearn*; (*dimenticare come si fa*) to forget*: *È una cosa che non si può d.*, it's something you cannot unlearn; *Ho disimparato a guidare*, I have forgotten how to drive **2** (*perdere l'abitudine*) to get* out of the habit (of doing st.); to learn* not to (do st.).

disimpegnàre Ⓐ v. t. **1** (*cosa data in pegno*) to get* out of pawn; to redeem: **d. la collana**, to redeem one's necklace **2** (*liberare da un impegno*) to release (sb. from st.); to relieve (sb. of st.) **3** (*liberare*) to free; to clear; (*med.*) to disengage **4** (*mil.*) to disengage; to relieve **5** (*naut.*) to clear; to free: **d. un'ancora**, to clear an anchor **6** (*sport*) to clear **7** (*una stanza, ecc.*) to make (a room, etc.) independent; to give* free access to **8** (*adempiere*) to carry out; to do*; to perform: **d. i propri doveri**, to carry out one's duties; **d. le faccende di casa**, to do the housework Ⓑ **disimpegnàrsi** v. rifl. **1** to get* out (of); to disengage (*o* to release) oneself (from); to extricate oneself (from); (*liberarsi*) to free oneself (from): **disimpegnarsi da una promessa**, to disengage oneself from a promise; *Si è disimpegnato da ogni obbligo verso di loro*, he is free of all obligations towards them **2** (*cavarsela*) to manage; to cope: **disimpegnarsi senza aiuto**, to manage without help **3** (*mil.*) to disengage **4** (*naut.*) to disengage **5** (*sport*) to clear.

disimpegnàto a. **1** (*riscattato*) redeemed **2** (*libero*) free; (*di locale*) independent, with free access **3** (*in senso sociale, politico*) uncommitted.

disimpégno m. **1** (*di cosa data in pegno*) redemption; redeeming **2** (*da un obbligo*) release **3** (*sociale, politico*) lack of commitment **4** (*adempimento*) execution; performance; fulfilment **5** (*mil.*) disengagement: **azione di d.**, disengaging action **6** (*med.*) disengagement **7** (*locale*) access: **corridoio di d.**, access corridor; **stanza di d.**, boxroom **8** (*sport*) clearance; relief.

disimpiègo m. unemployment.

disincagliàre Ⓐ v. t. **1** (*naut.*) to refloat; to get* afloat again **2** (*fig.*) to get* going again Ⓑ **disincagliàrsi** v. i. pron. **1** (*naut.*) to get* afloat again **2** (*fig.*) to get* going (*o* under way) again.

disincàglio m. (*naut.*) refloating.

disincantàre v. t. to disenchant; to disillusion.

disincantàto a. disenchanted; disillusioned; (*scettico*) sceptical.

disincànto m. disenchantment; disillusionment; (*scetticismo*) scepticism.

disincarnàre Ⓐ v. t. to disembody Ⓑ **disincarnàrsi** v. rifl. to become* disembodied.

disincentivàre v. t. to discourage; to deter.

disincentivazióne f. discouragement; determent.

disincentìvo m. disincentive; deterrent.

disincrostànte m. (*tecn.*) descaling agent; scale remover; (*di caldaie*) boiler compound, anti-incrustator.

disincrostàre v. t. (*tecn.*) to scale; to descale.

disincrostazióne f. (*tecn.*) scaling; descaling.

disindustrializzàre v. t. to deindustrialize.

disindustrializzazióne f. deindustrialization.

disinfestànte (*chim.*) Ⓐ a. disinfesting; pesticidal Ⓑ m. pesticide.

disinfestàre v. t. to disinfest.

disinfestatóre m. exterminator.

disinfestazióne f. disinfestation; pest control.

disinfettànte a. e m. disinfectant.

disinfettàre v. t. to disinfect.

disinfettóre m. (f. **-trice**) disinfector.

disinfezióne f. disinfection.

disinfiammàre v. t. (*med.*) to reduce inflammation in.

disinflazionàre v. t. (*econ.*) to reduce inflation in.

disinflazióne f. (*econ.*) disinflation.

disinflazionìstico a. (*econ.*) disinflationary.

disinformàre v. t. to disinform; to misinform.

disinformàto a. (*non informato*) uninformed; (*male informato*) misinformed.

disinformazióne f. **1** (*mancanza di informazioni*) lack of information **2** (*informazione errata*) misinformation; (*informazione distorta*) disinformation.

disingannàre Ⓐ v. t. **1** (*togliere dall'errore*) to undeceive; to disabuse **2** (*deludere*) to disillusion; to disappoint Ⓑ **disingannàrsi** v. i. pron. to be undeceived; to become* disillusioned.

disingànno m. **1** undeceiving; disillusionment **2** (*delusione*) disappointment.

disingranàre v. t. (*mecc.*) to disengage; to throw* out of gear (*o* of mesh): **d. la prima**, to disengage first gear.

disinibìre Ⓐ v. t. to uninhibit Ⓑ **disinibìrsi** v. i. pron. to become* uninhibited.

disinibìto a. uninhibited.

disinibitòrio a. (*med., psic.*) disinhibitory.

disinibizióne f. (*psic.*) disinhibition.

disinnamoraménto m. falling out of love; estrangement; (*per qc.*) loss of interest.

disinnamoràre Ⓐ v. t. to estrange; to alienate Ⓑ **disinnamoràrsi** v. i. pron. to fall* out of love (with sb.); to lose* interest (in st.).

disinnamoràto a. no longer in love; (*di qc.*) no longer interested.

disinnescàre v. t. (*anche fig.*) to defuse.

disinnésco m. defusing.

disinnestàre Ⓐ v. t. **1** (*autom.*) to disengage; to disconnect: **d. la frizione**, to disengage the clutch; to declutch **2** (*un contatto elettrico, ecc.*) to switch off, to unswitch; (*una spina*) to unplug Ⓑ **disinnestàrsi** v. i. pron. (*autom.*) to slip out of gear.

disinnestàto a. (*autom.*) disengaged; off (pred.); out (pred.): *La frizione è disinnestata*, the clutch is off.

disinnèsto m. (*mecc.*) disengagement; release; (*autom.*) declutching.

disinquinaménto m. freeing from pollution; cleaning up.

disinquinàre v. t. to free from pollution; to clean up: **d. le acque di un fiume**, to clean up a river.

disinserìre v. t. (*elettr., mecc.*) to disconnect; to unplug; to disable: **d. l'allarme**, to

disable the alarm.

disinserito a. 1 (*elettr.*) disconnected; unplugged; off (*pred.*): disabled 2 (*fig.*) not belonging (to); left out (of).

disinserzióne f. (*elettr.*) disconnection.

disinstallàre v. t. (*comput.*) to uninstall.

disinstallazióne f. 1 dismantling 2 (*comput.*) uninstallation; uninstalling.

disintasàre v. t. to clear; to unblock; to unclog; to free: **d. il lavandino**, to unclog the sink; **d. un tubo di scarico**, to unblock a drain.

disintegràre 🅰 v. t. 1 to disintegrate; (*fis. nucl., anche*) to split*: **d. l'atomo**, to disintegrate (*o* to split) the atom 2 (*fig.*) to disintegrate; to break* up; to shatter; to crumble 🅱 **disintegràrsi** v. i. pron. to disintegrate; to break* up; to fall* apart; to shatter; to crumble.

disintegratóre m. (*mecc.*) disintegrator.

disintegrazióne f. (*anche fis., fig.*) disintegration: **d. dell'atomo**, atomic disintegration; splitting of the atom.

disinteressàre 🅰 v. t. to cause (sb.) to lose interest (in st.) 🅱 **disinteressàrsi** v. i. pron. (*non provare interesse*) to take* no interest (in); to lose* one's interest (in); (*non prestare attenzione*) to take* no notice (of); (*non curarsi*) not to care (about), to wash one's hands (of); (*trascurare*) to neglect (st.).

disinteressataménte avv. disinterestedly; with no ulterior motive.

disinteressàto a. 1 (*che non è interessato*) uninterested; not interested 2 (*che non agisce per interesse*) disinterested.

disinterèsse m. 1 (*mancanza di interesse*) lack of interest, no interest, indifference; (*noncuranza*) disregard: **mostrare d. per qc.**, to show no interest for st.; **guardare qc. con d.**, to look at st. with indifference 2 (*indifferenza al proprio utile*) disinterestedness; unselfishness.

disintermediazióne f. (*banca*) disintermediation.

disintossicànte 🅰 a. detoxicating; detoxifying 🅱 m. detoxicant.

disintossicàre 🅰 v. t. (*med.*) to detoxify; to detoxicate; (*dall'alcol o dalla droga*) to treat for alcohol [drug] addiction, to detoxify; (*dall'alcol, anche*) to dry out 🅱 **disintossicàrsi** v. rifl. 1 to detoxify; (*dall'alcol o dalla droga, anche*) to be treated for alcoholism [for drug addiction]; to break* the drinking [drug] habit; (*dall'alcol, anche*) to dry out (*fam.*): *È in clinica per disintossicarsi*, he is in a detoxification clinic; he's in detox (*fam.*) 2 (*fig.*) to clear one's system.

disintossicazióne f. (*med.*) detoxification; detoxication; detox (*fam.*); (*dall'alcol o dalla droga*) detoxification, (*dall'alcol, anche*) drying out: **centro di d.**, detoxification centre; detox centre (*fam.*).

disinvestiménto m. (*econ.*) disinvestment; negative investment.

disinvestìre v. t. (*econ.*) to disinvest.

disinvòlto a. 1 (*sicuro di sé*) self-assured, relaxed, unselfconscious; (*che sfoggia sicurezza*) nonchalant, insouciant, casual, airy, breezy: **un giovane d.**, a self-assured young man; *Le accese la sigaretta con aria disinvolta*, he lit her cigarette with a nonchalant air 2 (*sciolto*) free; easy; natural; fluent: **stile d.**, easy style; *Parla un inglese d.*, she speaks fluent English 3 (*disinibito*) uninhibited; free and easy; (*spregiudicato*) unscrupulous 4 (*sfacciato*) impudent; cheeky (*fam.*).

disinvoltùra f. 1 (*sicurezza di sé*) self-assurance, naturalness, unselfconsciousness; (*di modi*) ease, nonchalance, insouciance, casualness: **camminare con d.**, to move naturally; to walk with assurance (*o* with an easy gait); **vincere con d.**, to win easily 2

(*leggerezza*) casualness; carelessness 3 (*sfacciataggine*) impudence; cheek (*fam.*): **negare qc. con d.**, to deny st. boldly (*o* shamelessly) ● **con la massima d.**, (*con grande sicurezza*) with total confidence, as if to the manner born; (*allegramente*) happily, airily; (*come se niente fosse*) coolly, without batting an eye □ **spendere con d.**, to spend freely.

disìstima f. low opinion; discredit; lack of esteem; (*disprezzo*) contempt: **cadere in d.**, to fall into discredit.

disistimàre v. t. to have a low opinion of; (*disprezzare*) to despise.

disitalianizzàre v. t. to de-Italianize.

dislalìa f. (*med.*) dyslalia.

disleàle a. (*lett.*) disloyal.

dislealtà f. (*lett.*) disloyalty.

dislessìa f. (*med.*) dyslexia.

dislèssico a. (*med.*) dyslexic.

dislivèllo m. 1 difference in level; difference in height; (*caduta*) drop; (*salita*) rise: **un d. di 30 metri**, a drop of 30 metres; **d. stradale**, gradient; *Superato il d., c'è un pianoro*, there is flat ground, over the rise; **coprire un d. di 800 metri**, to climb 800 metres; (*di acque in aumento*) *C'è un d. di parecchi centimetri*, the water has risen by several centimetres 2 (*fig.: disuguaglianza*) gap; difference; imbalance; inequality: **d. economico**, economic gap; **d. sociale**, social inequality (*o* gap).

dislocaménto m. 1 (*naut.*) displacement: **d. a pieno carico normale**, full-load displacement; **d. leggero**, light displacement 2 (*mil.*) stationing; (*di truppe*) deployment.

dislocàre v. t. 1 (*naut.*) to displace 2 (*mil.*) to station; (*truppe*) to deploy: *Furono dislocate forze dell'ordine lungo il percorso*, policemen were stationed along the route 3 (*collocare*) to position, to place; (*distribuire*) to distribute.

dislocazióne f. 1 (*distribuzione*) distribution 2 (*geol., miner.*) dislocation 3 (*med.*) dislocation 4 (*psic.*) displacement.

dismenorrèa f. (*med.*) dysmenorrhoea.

dismésso a. disused; dismantled; (*scartato*) discarded, cast-off: **area industriale dismessa**, dismantled industrial area; **linea ferroviaria dismessa**, disused railway line; **vestito d.**, cast-off dress.

dismetabòlico a. (*med.*) 1 caused by a metabolic disorder 2 (*di persona*) suffering from a metabolic disorder.

dismetabolìsmo m. (*med.*) metabolic disorder.

dismetrìa f. (*med.*) dysmetria.

disméttere v. t. 1 to use no longer; (*scartare*) to discard, to cast* off: **d. un abito**, to cast off a dress 2 (*econ.: cedere*) to divest oneself of.

dismissióne f. (*econ.*) divestment; divestiture.

dismisùra f. excess: **a d.**, to excess; immoderately; out of all proportion; **crescere a d.**, to grow out of all proportion.

dismnesìa f. (*psic.*) dysmnesia.

dismorfìa f. (*med.*) dysmorphia.

dismòrfico a. (*med.*) dysmorphic.

dismorfìsmo m. (*med.*) dysmorphism.

dismuschiatùra f. (*agric.*) removal of moss and lichen.

dismutazióne f. (*chim.*) dismutation.

disneyàno a. Disney (attr.): **personaggio d.**, Disney character.

disobbedìre e deriv. → **disubbidire**, e deriv.

disobbligàre 🅰 v. t. to release; to relieve: **d. q. da un impegno**, to release sb. from an obligation 🅱 **disobbligàrsi** v. rifl.

(*sdebitarsi*) to return a favour; to repay* a kindness; to do* st. in return (for st.).

♦**disoccupàto** 🅰 a. 1 unemployed; jobless; out of work (*pred.*): **giovani disoccupati**, jobless youths; **operai disoccupati**, unemployed workers; **essere d.**, to be out of work 2 (*senza impegni*) having nothing to do, at a loose end (*GB*), at loose ends (*USA*); (*ozioso*) idle: **Sono d., posso darti una mano**, I've got nothing to do at the moment, so I can give you a hand 🅱 m. (f. *-a*) unemployed (*o* jobless) person; person out of work: **i disoccupati**, the unemployed; the jobless.

♦**disoccupazióne** f. unemployment; joblessness: **d. crescente**, mounting unemployment; (*econ.*) **d. congiunturale**, cyclical unemployment; **d. giovanile**, youth unemployment; **d. tecnologica**, technological unemployment; **liste di d.**, unemployment lists; **iscriversi alle liste di d.**, to register as unemployed; **sussidio di d.**, unemployment benefit ⓤ; (*in USA anche*) unemployment compensation ⓤ; dole ⓤ (*GB, fam.*); **ricevere il sussidio di d.**, to get unemployment benefit; to be on the dole (*fam.*); **tasso di d.**, jobless rate; unemployment rate.

disoleàre v. t. to extract oil from.

disoleazióne f. oil extraction.

disolfòrico a. (*chim.*) pyrosulphuric; disulphuric.

disomogeneità f. lack of homogeneity.

disomogèneo a. not homogeneous.

disonestà f. 1 dishonesty; (*ingannevolezza*) deceit, deceitfulness; (*scorrettezza*) unfairness 2 (*atto disonesto*) dishonest act; fraud; (al pl. anche) underhand dealings: *È una vera d.*, it's really dishonest 3 (*immoralità*) immorality.

disonèsto 🅰 a. 1 dishonest; deceitful; underhand; fraudulent; crooked; (*scorretto*) unfair: **amministratore d.**, crooked administrator; **metodi disonesti**, underhand means; *È d. approfittarsi di lui*, it is not fair to take advantage of him 2 (*immorale*) immoral; indecent 🅱 m. (f. *-a*) dishonest person; cheat.

disonorànte a. dishonourable, dishonorable (*USA*); shameful; disgraceful.

disonoràre 🅰 v. t. 1 to dishonour, to dishonor (*USA*); to disgrace; to put* to shame 2 (*sedurre*) to seduce 🅱 **disonoràrsi** v. rifl. to bring* dishonour upon oneself.

disonóre m. 1 dishonour, dishonor (*USA*); shame: *Fuggire sarebbe un d.*, to run away would be dishonourable; **recare d. a q.**, to bring dishonour (*o* shame) on sb.; to dishonour sb. 2 (*cosa o persona disonorevole*) disgrace: *Sei il d. della famiglia*, you are a disgrace to your family.

disonorévole a. dishonourable, dishonorable (*USA*); shameful; disgraceful.

disontogènesi f. (*biol.*) dysontogenesis.

disópra. di sópra 🅰 avv. e a. → **sopra** 🅱 m. (*parte superiore*) top, upper part; (*lato superiore*) top side.

disordinàre v. t. 1 (*scompigliare*) to disarrange; to throw* into disorder; to mess up; to mix up 2 (*confondere*) to muddle (up), to confuse.

disordinataménte avv. untidily; unmethodically; irregularly; (*confusamente*) confusedly; (*alla rinfusa*) pell-mell, every which way (*fam. USA*); (*capricciosamente*) in a wayward fashion.

♦**disordinàto** 🅰 a. 1 untidy; messy; disorderly: **capelli disordinati**, untidy hair; **un cassetto d.**, an untidy drawer; **folla disordinata**, disorderly crowd; *Sono molto d.*, I am very untidy (*o* messy) 2 (*confuso*) confused; muddled; jumbled; chaotic: **pensieri disordinati**, confused (*o* muddled) thoughts

3 (*sregolato*) disorderly; irregular: **vita disordinata**, irregular life; **mangiare in modo d.**, not to eat proper meals **B** m. (f. **-a**) untidy person; disorderly person; muddler.

♦**disórdine** m. **1** disorder; untidiness; mess; clutter; disarray (*form.*): **odiare il d.**, to hate disorder (*o* untidiness); *C'è d. sulla mia scrivania*, my desk is cluttered with things; *Che d.!*, what a mess!; **in d.**, in disorder; untidy; in a mess; messy; **capelli in d.**, untidy hair; *La stanza era nel più completo d.*, the room was in a state of complete disorder (*o* in total chaos, in a shambles) **2** (*confusione*) muddle; confusion; chaos **3** (*sregolatezza*) excess; intemperance **4** (*disservizio*) disorganization; dysfunction **5** (al pl.) (*tumulti*) disorders; disorder Ⓤ; disturbances: **disordini politici**, political disturbances; **violenti disordini**, riots; rioting Ⓤ.

disorganicità f. lack of organization; disjointedness.

disorgànico a. unsystematic; disjointed; fragmentary; sketchy; patchy; bitty.

disorganizzàre **A** v. t. to disorganize; to upset* **B** **disorganizzàrsi** v. i. pron. to become* disorganized.

disorganizzàto a. disorganized; badly organized; messy; confused.

disorganizzazióne f. disorganization; lack of organization; confusion.

disorientaménto m. **1** disorientation **2** (*fig.*) confusion; bewilderment; puzzlement.

disorientàre **A** v. t. **1** to disorientate; to cause (sb.) to lose (his) sense of direction (*o* bearings) **2** (*fig.*) to confuse; to bewilder; to disconcert; to puzzle **B** **disorientàrsi** v. i. pron. **1** to get* disorientated; to lose* one's sense of direction (o one's bearings) **2** (*fig.*) to get* confused.

disorientàto a. **1** disorientated **2** (*fig.*) confused; bewildered; puzzled; nonplussed; lost.

disorlàre v. t. to unpick the hem of.

disormeggiàre v. t. e i. (*naut.*) to unmoor.

disorméggio m. (*naut.*) unmooring.

disortografìa f. (*med.*) dysgraphia; writing disorder.

disosmìa f. (*med.*) dysosmia.

disossàre v. t. to bone.

disossàto a. boned; boneless.

disossidànte (*chim.*) **A** a. deoxidizing **B** m. deoxidizer.

disossidàre v. t. (*chim.*) to deoxidize; to deoxidate.

disossidazióne f. (*chim.*) deoxidization.

disostruire v. t. to unblock; to clear; to unclog.

disostruzióne f. unblocking; clearing; unclogging.

disotterràre → **dissotterrare**.

disótto, **di sótto** **A** avv. e a. → **sotto** **B** m. inv. underside; lower side; bottom.

dispàccio m. dispatch, despatch; message ● **d. telegràfico**, telegram.

disparatézza f. variety; diversity; multiplicity.

disparàto a. varied; diverse: **gli argomenti più disparati**, the most varied subjects; **i mestieri più disparati**, all kinds of jobs.

dispareunìa f. (*med.*) dyspareunia.

♦**dìspari** a. **1** (*mat.*) odd: **numeri d.**, odd numbers; **pari e d.**, odd and even **2** (*diseguale*) unequal: **forze d.**, unequal forces.

disparità f. disparity; inequality; difference: **d. di condizioni sociali**, difference in social conditions; **d. d'età**, disparity in age; age difference; *C'è d. di forze tra le due squadre*, the two teams are unevenly

matched.

dispàrte avv. – **in d.**, aside; on one side; to one side; (*da solo*) by oneself: **lasciare in d.**, to leave on one side; (*escludere*) to leave out; **mettere in d.**, to put aside (*o* to one side); **prendere q. in d.**, to take (*o* to draw) sb. aside (*o* to one side); *Se ne stava [Sedeva] in d.*, he stood [sat] there by himself; **tenersi in d.**, to stand on one side; to stand off; (*starsene per conto proprio*) to keep to oneself; (*per distacco*) to stand aloof; to keep one's distance; (*per ritrosia*) to efface oneself.

dispèndio m. **1** (*spesa eccessiva*) high expenditure; great expense; extravagance **2** (*spreco*) waste: **d. di tempo e denaro**, waste of time and money.

dispendiosaménte avv. expensively; extravagantly: **vivere d.**, to lead an expensive life; to live extravagantly.

dispendióso a. expensive; costly; extravagant: **un tenore di vita d.**, an expensive lifestyle.

dispènsa f. **1** (*locale*) larder; pantry **2** (*mobile*) sideboard; cupboard **3** (*esenzione*) exemption; (*anche eccles.*) dispensation: **d. dal servizio militare**, exemption from national service **4** (*fascicolo periodico*) instalment: **corso di francese a dispense**, French course in instalments **5** (*università*) lecture notes (pl.).

dispensàbile a. dispensable.

dispensàre **A** v. t. **1** (*lett. o iron.: distribuire*) to dispense; to distribute; to bestow (st. upon sb.) (*lett.*): **d. favori**, to dispense (*o* to bestow) favours; **d. intorno sorrisi**, to distribute smiles all around **2** (*esimere*) to dispense; to exempt; to release; to let* off; to grant an exemption: (*eccles.*) **d. q. dal digiuno**, to dispense sb. from fasting; **d. da un obbligo**, to dispense from an obligation; **d. q. dal servizio militare**, to exempt sb. from national service; *Chiesi di essere dispensato*, I asked to be let off; **farsi d.**, to get an exemption; (*eccles.*) to get a dispensation **B** **dispensàrsi** v. rifl. to refrain; to abstain; to get* out (of).

dispensariàle a. (*med.*) dispensary (attr.).

dispensàrio m. (*med.*) dispensary.

dispensatóre m. (f. **-trìce**) distributor; dispenser; bestower (*lett.*).

dispènser (*ingl.*) m. inv. dispenser.

dispensière m. (f. **-a**) **1** (*lett.*) dispenser; bestower **2** (*chi sovrintende alla dispensa*) steward (f. stewardess).

dispepsìa f. (*med.*) dyspepsia.

dispèptico a. e m. (*med.*) dyspeptic.

disperànte a. (*grave*) very serious; hopeless; desperate.

♦**disperàre** **A** v. t. e i. to despair; to give* up hope; to lose* all hope; to have no hope (of): *Non devi d.*, you should not despair; *Mai d.!*, never give up hope!; never say die! (*fam.*); *Disperava di riuscire*, she despaired (*o* had no hope) of succeeding; *I dottori disperano di salvarlo*, the doctors have given up hope of saving him ● **far d.**, to drive (sb.) mad; to drive sb. to distraction: *Quel bambino [questo esercizio] mi fa d.*, that child [this exercise] is driving me mad **B** **disperàrsi** v. i. pron. (*abbandonarsi alla disperazione*) to despair; to give* up hope; to lose* heart; (*essere disperato*) to be disconsolate: *Non disperarti, tornerà*, don't despair, he'll come back; *Si disperava per la perdita dell'anello*, he was disconsolate because he'd lost his ring.

disperataménte avv. desperately: **piangere d.**, to weep desperately (*o* bitterly); to cry one's eyes (*o* heart) out; *Cercò di aggrapparsi alla corda*, he made a desperate grab for the rope; **lottare d.**, to fight desper-

ately.

♦**disperàto** **A** a. **1** (*esprimente disperazione*) (full) of despair; agonized; anguished; inconsolable: **grida disperate**, cries of despair; anguished cries; **pianto d.**, inconsolable tears **2** (*che si dispera*) in despair (pred.); disconsolate; inconsolable; (*sconvolto*) distraught: *Venne a trovarmi d.*, he came to me in despair; *D., si uccise col gas*, driven to despair, he gassed himself **3** (*estremo*) desperate; reckless: **decisione disperata**, desperate decision; **gesto d.**, reckless gesture; **tentativo d.**, desperate (*o* last-ditch) attempt **4** (*pericoloso, senza speranza*) desperate; hopeless: **un caso d.**, a desperate case; **in condizioni disperate**, in a desperate state; in dire straits; (*di malato*) far gone; past (hope of) recovery **5** (*furioso, fortissimo*) desperate; furious: **lotta disperata**, desperate struggle; **d. inseguimento**, furious pursuit; **un d. bisogno di riposo**, a desperate need for rest **6** (*miserabile*) wretched; (*senza un soldo*) penniless; down-and-out ● **in caso d.**, if the worst comes to the worst **B** m. (f. **-a**) **1** wretch; (*derelitto*) derelict; (*spiantato*) penniless wretch, down-and-out **2** (*forsennato*) madman* (f. madwoman*); one possessed: **gridare come un d.**, to shout like a madman (*o* like one possessed); **lavorare come un d.**, to work like a madman; to slave away; **un'impresa da disperati**, a mad attempt.

♦**disperazióne** f. **1** despair; hopelessness; (*che porta ad azioni estreme, esasperazione*) desperation: **essere assalito dalla d.**, to be overcome by despair (*o* by a sense of hopelessness); **gettare nella d.**, to plunge sb. into the depths of despair; **ridurre q. alla d.**, to drive sb. to despair; **spinto dalla d.**, driven by despair (*o* desperation); **per la d.**, in desperation; *Alla fine, per d., staccai il telefono*, finally, in desperation, I disconnected the telephone; **il coraggio della d.**, the courage of despair **2** (*persona o cosa che fa disperare*) despair; (*incubo*) nightmare: *È la d. di tutti gli insegnanti*, he is the despair of all his teachers; he drives all his teachers mad; *Tu sei la mia d.!*, you're driving me mad!; *Che d. questo disordine!*, this mess is hopeless!; this mess is driving me mad!

disperdènte m. (*chim.*) dispersant.

dispèrdere **A** v. t. **1** (*sparpagliare*) to disperse; to scatter: *La polizia disperse la folla*, the police dispersed (*o* scattered) the crowd; *Il vento disperse le nuvole*, the wind scattered the clouds **2** (*dissolvere*) to dissipate; to dispel: *Il sole disperse la nebbia*, the sun dispelled the fog **3** (*mettere in rotta*) to rout **4** (*sprecare*) to waste; to squander: **d. le energie**, to waste one's efforts **5** (*chim., fis.*) to disperse ● **Non d. nell'ambiente** (*avviso*), please dispose of carefully **B** **dispèrdersi** v. i. pron. **1** (*sparpagliarsi*) to disperse; (*sbandarsi*) to scatter; (*dividersi*) to be broken up: *La folla presto si disperse*, the crowd soon dispersed; *La famiglia si è dispersa*, the family was broken up **2** (*andare perduto*) to be lost; (*andare sprecato*) to be wasted: *In questo modo il calore si disperde*, heat is lost in this way **3** (*fig.*) to waste one's time (*o* one's efforts) **4** (*scomparire, svanire*) to disappear; to be lost: **disperdersi tra la folla**, to disappear in the crowd.

dispermìa f. (*fisiol.*) dispermia.

dispersióne f. **1** (*sparpagliamento*) dispersion; dispersal; scattering: **ordinare la d. della folla**, to order the dispersal of the crowd **2** (*dissoluzione*) dispersal: **d. della nebbia**, fog dispersal **3** (*fig.: spreco*) waste; dissipation; (*perdita*) loss: **d. di calore**, loss of heat; **d. di forze**, waste of energy; **d. di voti**, vote waste **4** (*fis.*) dissipation; dispersion; leakage: **d. dell'energia**, energy dissipation; **d. del suono**, acoustic dispersion; **d.**

d

magnetica, magnetic leakage; **d. ottica**, optical dispersion **5** (*chim.*) dispersion **6** (*stat.*) dispersion; spread.

dispersività f. **1** lack of organization; unsystematicity **2** (*fis.*) dispersivity.

dispersivo a. **1** (*non sistematico*) unsystematic, disorganized, unmethodical; (*distraente*) distracting: **essere d. nel lavoro**, to be unmethodical; **studiare in modo d.**, to be disorganized in one's studies; **ambiente d.**, distracting environment **2** (*fis., chim.*) dispersive; dispersion (attr.).

disperso △ a. 1 (*sparpagliato*) scattered; dispersed (pred.): *La biblioteca andò dispersa*, the library was dispersed **2** (*smarrito*) lost; astray (avv.): *La lettera andò dispersa*, the letter went astray **3** (*di persona*) missing; (*mil.*) missing in action (pred.), missing **B** m. (f. -*a*) missing person; (*mil.*) missing soldier: *I dispersi erano cinquanta*, there were fifty people missing; **due morti e un d.**, two people dead and one missing; **dare q. per d.**, to report sb. missing (*mil.* missing in action).

dispersore m. (*elettr.*) earth (*USA* ground) plate (*o* electrode).

♦**dispetto** m. **1** spite ⓤ; (*azione dispettosa*) spiteful trick, thing done to spite sb.; (al pl.) teasing ⓤ: **fare (un) d. a q.**, to spite sb.; *La vicina mi fa continuamente dei dispetti*, my neighbour is always doing things to spite me; (*tra bambini*) **fare i dispetti a q.**, to tease sb.; **a d. di**, in spite of; **per d.**, out of spite **2** (*stizza, irritazione*) vexation; annoyance; irritation: **provare d. per qc.**, to be irritated by st.; *La mia vittoria l'ha riempito di d.*, he was highly annoyed by my victory; **con mio grande d.**, much to my annoyance.

♦**dispettoso** a. **1** spiteful; (*di bambino*) teasing, naughty **2** (*irritante*) annoying; irritating.

dispiacente a. (*dolente*) sorry.

♦**dispiacere**① **△ v. i. 1** (*riuscire sgradito*) to be displeasing (*o* unpleasant); not to like, to dislike, to hate (tutti pers.); (al neg.: *trovare piacevole*) rather like (pers.): *La tua uscita è dispiaciuta a tutti*, everyone found your remark in poor taste; *Il film non mi è dispiaciuto*, I rather liked the film; *Non mi dispiace un liquore dopo il pranzo*, I rather like a liqueur after a meal **2** (*essere causa di rammarico*) to be sorry (pers.); (*non fare piacere*) not to like, to hate (tutti pers.); (*nelle formule di cortesia*) to mind (pers.): *Mi dispiace disturbarti, ma…*; I'm sorry to trouble you, but…; *Mi dispiace disturbarlo mentre lavora*, I don't like to disturb him while he's working; *Mi dispiace deluderti, ma…*, I hate to disappoint you, but…; *Mi dispiace che tu non stia bene*, I'm sorry you're not feeling well; *Ci dispiacque della sua sconfitta*, we were sorry to hear about his defeat; *Come mi dispiace!*, I am terribly sorry!; (*che peccato*) what a shame!, what a pity!; *Ti dispiace aprire la finestra?*, would you mind opening the window?; *Se non ti dispiace*, if you don't mind; *Mi dispiace, ma è uscito*, I'm afraid he's gone out **B dispiacersi** v. i. pron. to be sorry; to regret: *Si dispiace di non poter essere presente*, she is sorry she cannot be here; she regrets not being able to attend (*form.*); *Mi dispiaccio dell'accaduto*, I am sorry for what happened.

♦**dispiacere**② m. **1** (*afflizione*) affliction, sadness ⓤ; (*dolore*) sorrow, grief; (*rammarico*) regret: *La partenza del figlio fu per lui un grosso d.*, he was very upset when his son left; **avere (o provare) d.**, to be sorry (for); to regret; **dare un d. a q.**, to upset sb.; to cause pain to sb.; to make sb. suffer; **con mio grande d.**, to my great regret; *Che d.!*, what a pity!; what a shame! **2** (*preoccupazione*) worry; trouble: *I dispiaceri l'hanno in-*

vecchiata, her troubles have aged her; *Quel figlio gli dà solo dispiaceri*, his son is a constant source of worry for him **3** (*delusione*) disappointment **4** (*disapprovazione*) displeasure ❶ **FALSI AMICI** • dispiacere *nei sensi di afflizione, preoccupazione o delusione non si traduce con displeasure.*

dispiacimento → **dispiacere**.

dispiaciuto a. **1** (*dolente*) sorry: **essere d.**, to be (*o* to feel*) sorry **2** (*contrariato*) annoyed; vexed.

dispiegamento m. deployment.

dispiegare △ v. t. (*lett.*) **1** (*distendere*) to open out; to spread*; to unfold; to unfurl: **d. le ali**, to spread (out) one's wings; **d. una bandiera [le vele]**, to unfurl a flag [the sails] **2** (*fig.*) to disclose; to unfold **B dispiegarsi** v. i. pron. **1** to unfold; to unfurl; to spread* out **2** (*fig.*) to spread*.

displasia f. (*med.*) dysplasia.

displàsico a. (*med.*) dysplastic.

displuviale a. (*geogr.*) watershed (attr.).

displuviato a. (*edil.*) pitched: **tetto d.**, pitched roof; ridged roof.

displùvio m. **1** (*geogr.*) slope; mountainside: **linea di d.**, watershed **2** (*archit.*) hip; (*di tetto*) ridge.

dispnèa f. (*med.*) dyspnoea.

dispnòico (*med.*) **△ a.** dyspnoeic **B m.** (f. -*a*) dyspnoea sufferer.

dispondèo m. (*poesia*) dispondee; double spondee.

♦**disponibile △ a. 1** (*a disposizione*) available; at hand; (*a propria disposizione*) at one's disposal, (*fin.*) disposable; (*di merce*) in stock: **articoli disponibili**, articles in stock; **biglietti disponibili**, available tickets; (*leg.*) **quota d.**, disposable portion; **reddito d.**, disposable income **2** (*libero*) vacant; spare; **camera d.**, vacant room; **posto d.**, vacancy **3** (*di persona*) available; free; (*senza legami*) unattached: *Il preside non è d.*, the principal is not available at present; *Sei d. per martedì?*, are you free for Tuesday? **4** (*sollecito*) helpful; ready to help; willing **5** (*fig.*: *aperto a esperienze nuove*) open-minded; receptive **6** (*incline*) ready to do st.; willing to do st.: **d. alle avventure**, ready to launch on an adventure; **d. al compromesso**, willing to compromise **B f.** (*leg.*) disposable portion.

disponibilità f. 1 availability; (*sul mercato, anche*) supply **1**: **d. di capitali**, availability of capital; **d. di manodopera**, labour supply; **d. di posti di lavoro**, job vacancies (pl.); **ampia d. di posti a sedere**, ample sitting accommodation; plenty of seats available; **avere la d. di una somma**, to have a sum of money at one's disposal **2** (*libero uso*) free use; freedom to use: *Hai la d. del mio appartamento*, you are free to use my flat **3** (*di persona*) accessibility; (*volontà*) willingness; (*sollecitudine*) helpfulness, readiness to help: **d. al dialogo**, willingness to talk about things **4** (*fig.*: *apertura a esperienze nuove*) open-mindedness; receptiveness **5** (spec. al pl.) (*econ.*) current assets (pl.); available funds (pl.); (*contante*) cash ⓤ: **d. liquide** (*o di cassa*), cash on hand; available cash • **essere in d.**, (*bur.*) to be unattached; (*mil.*) to be on half-pay; (*naut.*) to be in dry dock.

♦**disporre △ v. t. 1** (*collocare*) to place; to put*; (*in un certo ordine*) to arrange, to set* out; (*schierare*) to range; (*mettere in mostra*) to display: **d. i commensali**, to place guests around a table; **d. i mobili in una stanza [i libri in uno scaffale]**, to arrange the furniture in a room [the books on a shelf]; **d. in ordine di altezza [in ordine alfabetico]**, to arrange by height [in alphabetical order]; **gli articoli disposti in una vetrina**, the goods displayed in a shop-window **2** (*organizzare*) to prepare; to make* arrangements;

to arrange: **d. tutto per la propria partenza**, to make all arrangements for one's departure; **d. q.** to prepare oneself (for st., to do st.) **3** (*stabilire*) to decide; (*prendendo accordi*) to arrange (for), to make* arrangements (for); (*dando ordini*) to order (st.), to give* orders (for that); (*di legge e sim.*) to provide; (*per testamento*) to make* over (st. to sb.): *La legge dispone che gli impiegati siano assicurati*, the law provides that employees should be insured; *Ho disposto che comincino lunedì*, I've arranged for them to begin on Monday; *Ha disposto che la casa vada ai figli*, he has made his house over to his children **4** (*predisporre*) to incline; to dispose: **d. benevolmente q.**, to win over sb. **B v. i. 1** (*decidere*) to decide; to give* orders; (*combinare*) to make* arrangements: *Disporrò come meglio credo*, I will decide as I think fit; I will make what arrangements I think necessary; (*leg.*) **d. dei propri beni**, to make one's disposition by will; to make a will **2** (*avere a disposizione*) to have; to have at one's disposal: **d. di molto denaro**, to have a lot of money; *Dispongono solo di due stanze*, they have only two rooms; *Disponevo solo di una piccola somma*, I only had a small sum at my disposal; *Ricorsi a tutti i mezzi di cui disponevo*, I had recourse to all the means at my disposal; *Disponi pure di noi*, we are entirely at your disposal **3** (*essere dotato*) to have: *L'albergo dispone di 200 letti*, the hotel has 200 beds (*o* can accommodate 200 people) **4** (*comm.*: *di merce*) to have in stock; to stock • (*prov.*) **L'uomo propone e Dio dispone**, man proposes, God disposes **C disporsi** v. rifl. **1** (*sistemarsi, mettersi*) to arrange oneself; to place oneself; to form (st.): **disporsi in cerchio**, to form a circle; **disporsi in fila**, to line up; *Ci disponemmo intorno alla scrivania*, we formed a circle round the desk **2** (*prepararsi*) to prepare; to get* ready: **disporsi ad ascoltare**, to prepare to listen; **disporsi all'azione**, to prepare for action; **disporsi a morire**, to prepare to die; **disporsi a partire**, to get ready to leave.

dispositivo① a. (*leg.*) directory; dispositive.

dispositivo② m. **1** (*mecc.*) device; appliance; system; (*complesso*) apparatus; (*accessorio*) attachment: **d. di allarme**, alarm device; **d. di blocco**, locking device, locking system; **d. di comando**, control device; **d. di riscaldamento**, heater; **d. di sicurezza**, safety device; (*in arma da fuoco*) safety catch **2** (*mil.*) disposition **3** (*leg.*) purview.

♦**disposizione f. 1** (*leg.*) disposition: **d. testamentaria**, disposition by will; **potere di d.**, power to dispose (of st.) **2** (*sistemazione, collocamento*) arrangement; placing; layout; (*mil.*) disposition: **d. dei fiori**, flower arrangement; **d. dei mobili**, the arrangement of the furniture; (*tipogr.*) **la d. di una pagina**, the layout (of a page); **d. dei posti a sedere**, seating arrangement; **d. delle stanze**, layout of the rooms; **la d. delle truppe**, the disposition of the troops; *I tuoi libri hanno una d. particolare?*, are your books arranged in any special way? **3** (*stato d'animo*) mood; frame of mind: **d. d'animo**, state (*o* frame) of mind; *Non sono nella d. più adatta per una festa*, I'm not in the right mood for a party **4** (*attitudine*) (natural) gift; bent: **una d. per le lingue**, a natural bent for languages; *Non ha studiato, ma ha d.*, he has not been trained, but he has a natural gift (*o* he is gifted) **5** (*facoltà di disporre*) disposal: **essere a d.**, to be available; to be at sb.'s disposal; *Il denaro è a tua d.*, the money is at your disposal; **tempo a d.**, spare time; time on one's hands; **mettere qc. a d. di q.**, to place st. at sb.'s disposal; **mettersi a d. di**

q., to place oneself at sb.'s disposal **6** (*ordine*) order, direction; (*istruzione, direttiva*) instruction; (*volontà*) wish; (*regolamento*) regulation; (*provvedimento*) provision; (*misura*) measure: **disposizioni di legge**, provisions of the law; **disposizioni valutarie**, currency regulations; **le ultime disposizioni di q.**, sb.'s last wishes; (*leg.*) sb.'s disposition; **attenersi alle disposizioni**, to follow sb.'s instructions; **dare disposizioni**, to give orders; to make arrangements; to arrange (for st.); **emanare disposizioni**, to issue instructions; **fino a nuove disposizioni**, till further instructions; **per d. superiore**, by order of (one's superiors); **salvo diversa d. di legge**, if there is no provision to the contrary ● (*bur.*) **essere a d.**, to be unattached; to be on half-pay.

dispósto **A** a. prepared; willing; (*propenso*) disposed, inclined, open: *Sono d. ad accettare a una condizione*, I am willing to accept on one condition; *Sei d. a testimoniare?*, are you prepared to give evidence in court?; *Sono d. a credergli*, I am inclined to believe him; *Non sono d. a tollerarlo*, I am not prepared to (*o* I will not) put up with it; **d. a tutto**, willing to do anything; **ben d. verso q.**, well-disposed (*o* favourably disposed) towards sb.; **mal d.**, not well-disposed; ill-disposed (*lett.*); **non d.**, unwilling **B** m. (*leg.*) provisions (pl.): **secondo il d. di legge**, under (*o* according to) the provisions of the law.

dispòtico a. **1** despotic **2** (*fig.*) despotic; tyrannical; dictatorial; domineering: **maniere dispotiche**, despotic manners; **marito d.**, domineering husband; **padre d.**, tyrannical father.

dispotìsmo m. **1** despotism **2** (*fig.*) despotism; tyranny.

dispregiativo **A** a. **1** disparaging; derogatory; depreciative **2** (*gramm.*) pejorative **B** m. (*gramm.*) pejorative.

dispregiatóre m. (f. **-trìce**) (*lett.*) disparager; despiser.

disprègio m. (*lett.*) disparagement; contempt: **avere a d.**, to hold in contempt; to disdain; to despise.

disprezzàbile a. **1** contemptible; despicable **2** (*di poco conto*) negligible; trifling; petty ● **non d.**, not inconsiderable; no mean (attr.): **un successo non d.**, a not inconsiderable achievement; no mean achievement.

♦**disprezzàre** **A** v. t. **1** to despise; to hold* in contempt; (*considerare di poco conto*) to look down on: **d. gli adulatori**, to despise flatterers; **d. il denaro**, to despise money; *Disprezza tutto quello che faccio*, she looks down on everything I do **2** (*disdegnare, rifiutare*) to disdain; to scorn; to spurn **3** (*non tenere conto di*) to scoff; to disregard: **d. i pericoli**, to disregard dangers **B** **disprezzàrsi** v. rifl. to despise oneself; to feel* contempt for oneself **C** **disprezzàrsi** v. rifl. recipr. to despise each other.

disprèzzo m. **1** contempt; scorn; disdain: **nutrire d. verso q.**, to feel contempt for sb.; to despise sb.; **trattare q. con d.**, to show one's contempt for sb. **2** (*noncuranza*) disregard; unconcern; scoffing attitude: **d. delle leggi**, disregard of the law; **d. del pericolo**, disregard of danger.

dispròsio m. (*chim.*) dysprosium.

dìsputa f. **1** (*dibattito*) debate; dispute; disputation **2** (*lite*) quarrel; argument; difference of opinion; disputation **3** (*filos.*) disputation **4** (*sport*) holding: *La d. della finale avverrà martedì*, the final will be held on Tuesday.

disputàbile a. debatable; disputable; questionable; open to discussion.

disputabilità f. disputableness.

♦**disputàre** **A** v. i. **1** (*dibattere*) to have a debate; to discuss (st.); to debate (st.): **d. di politica**, to discuss politics **2** (*gareggiare*) to contend; to compete; to vie: **d. per il primo posto**, to contend (*o* to compete) for first position **B** v. t. **1** (*contrastare*) to dispute: **d. il passo a q.**, to dispute sb.'s right of way **2** (*sport*) to take* part in; to play; (al passivo: *aver luogo*) to be held: **d. una corsa**, to run a race; **d. il Giro d'Italia**, to take part in the Tour of Italy; **d. una partita**, to play a match; *Dove è stata disputata l'ultima Olimpiade?*, where were the last Olympics held? **C** **disputàrsi** v. rifl. recipr. **1** (*lottare per*) to fight* over: *I due cani si disputavano un osso*, the two dogs were fighting over a bone **2** (*in una gara, ecc.*) to contend for; to compete for; to vie for; to dispute: **disputarsi il comando della gara**, to dispute the lead; **disputarsi un premio**, to contend for a prize.

disputatóre m. (f. **-trìce**) disputant.

disputazióne f. **1** disputation **2** (*dissertazione scritta*) dissertation.

disquisìre v. i. to discourse; to expatiate.

disquisitóre m. (f. **-trìce**) disquisitor; dissertator.

disquisizióne f. disquisition; dissertation.

dişruptìvo → disruttivo.

dişrupzióne f. (*elettr.*) disruption.

dişruttìvo a. (*fis.*) disruptive.

dişruttóre m. (*aeron.*) spoiler.

dissabbiatóre m. (*idraul.*) settling basin.

dissacrànte a. **1** desecrating **2** (*fig.*) irreverent; scoffing; debunking.

dissacràre v. t. **1** to desecrate **2** (*fig.*) to scoff at; to ridicule; (*un mito e sim.*) to debunk.

dissacratóre **A** m. (f. **-trìce**) **1** desecrator **2** (*fig.*) scoffer; despiser; debunker **B** a. **1** desecrating **2** (*fig.*) irreverent; scoffing; debunking.

dissacrazióne f. **1** desecration **2** (*fig.*) scoffing; ridiculing; (*di mito e sim.*) debunking.

dissalaménto m. (*chim.*) desalination.

dissalàre **A** v. t. **1** (*acqua di mare*) to desalinate; to desalinize (*USA*); to desalt **2** (*alim.*) to remove salt from; (*grattando*) to scrape* the salt off: **d. le acciughe**, to scrape the salt off anchovies **B** **dissalàrsi** v. i. pron. to desalt; to desalinate.

dissalatóre m. (*chim.*) desalter; desalinator.

dissalazióne f. desalination; desalinization (*USA*).

dissaldàre v. t. (*mecc.* e *fig.*) to unsolder.

dissanguaménto m. **1** bleeding; loss of blood: **morire per d.**, to bleed to death. **2** (*fig.*) draining; impoverishment.

dissanguàre **A** v. t. **1** to bleed*; to drain of blood **2** (*fig.*) to exhaust; to drain; (*rif. a denaro*) to bleed* white (*o* dry): *Il fisco mi ha dissanguato*, I've been bled white by the tax people **B** **dissanguàrsi** v. i. pron. **1** to lose* a lot of blood; (*fino a morirne*) to bleed* to death **2** (*fig.*) almost to ruin oneself; nearly to go* bankrupt: *Mi sono dissanguato per comprare questa casa*, I almost ruined myself to buy this house.

dissanguàto a. **1** bloodless: **morire d.**, to bleed to death **2** (*fig.*) exhausted; (*rif. a denaro*) bled white (*o* dry).

dissanguatóre m. (f. **-trìce**) (*fig.*) exploiter; extortioner; vampire; bloodsucker (*fam.*).

dissapóre m. misunderstanding; disagreement: **dissapori fra coniugi**, misunderstandings between husband and wife.

dissecàre v. t. (*anat.*) to dissect.

disseccàre **A** v. t. **1** to parch; to dry up;

(*essiccare*) to desiccate **2** (*fig.*) to dry up; to desiccate **B** **disseccàrsi** v. i. pron. (*anche fig.*) to dry up: *Il fiume si dissecca in estate*, the river dries up in the summer.

disseccativo a. desiccative.

disselciàre v. t. to unpave.

dissellàre v. t. to unsaddle.

disseminàre v. t. **1** to disseminate; to scatter (abroad): **d. filiali in tutto il paese**, to disseminate agencies throughout the country; **d. i vestiti per tutta la stanza**, to scatter one's clothes about the room **2** (*diffondere*) to sow* (the seeds of); to spread* (abroad): **d. il panico**, to spread panic; **d. sospetti**, to sow the seeds of suspicion.

disseminativo a. (*bot.*) disseminative.

disseminàto a. scattered; strewn: *Il colle era d. di villette*, the hillside was scattered with cottages; **un compito d. di errori**, an exercise strewn with mistakes; **un cielo d. di stelle**, a star-spangled sky; *Ho amici disseminati per tutto il mondo*, I have friends scattered all over the world.

disseminatóre m. (f. **-trìce**) spreader; sower: **d. di notizie**, spreader of news; **d. di zizzania**, sower of discord.

disseminazióne f. **1** (*bot.*) (seed) dispersion: **d. anemocora [idrocora, zoocora]**, wind [water, animal] dispersion **2** (*fig.*) dissemination; spreading.

dissennatézza f. madness; foolishness; craziness.

dissennàto a. mad; foolish; crazy.

dissensióne f. dissension; disagreement.

dissènso m. **1** dissent; disapproval; criticism; disagreement **2** (*contrasto, disaccordo*) disagreement; difference; clash of opinions; variance **3** (*polit.*) dissidence; (*relig.*) dissent: **i cattolici del d.**, dissenting Catholics; **scrittori del d.**, dissident writers.

dissenterìa f. (*med.*) dysentery.

dissentèrico (*med.*) **A** a. dysenteric **B** m. (f. **-a**) dysenteric patient.

dissentìre v. i. to dissent (from); to differ (from); to disagree (with).

dissenziènte **A** a. dissenting; in disagreement (pred.); dissentient: **voci dissenzienti**, dissenting voices **B** m. e f. **1** dissentient **2** (*polit.*) dissident.

disseppelliménto m. **1** (*esumazione*) exhumation; disinterment **2** (*con scavi*) digging up; unearthing; (*archeol.*) excavation. **3** (*fig.*) digging up; unearthing.

disseppellìre v. t. **1** (*esumare*) to exhume; to disinter **2** (*togliere dalla terra*) to dig* up; to unearth; (*archeol.*) to excavate: **d. un'antica città**, to excavate an ancient city; **d. un tesoro**, to dig up (*o* to unearth) a treasure **3** (*fig.*) to dig* up; to unearth; to bring* to light.

dissequestràre v. t. (*leg.*) to release from seizure.

dissequèstro m. (*leg.*) release from seizure.

disserràre v. t., **disserràrsi** v. i. pron. (*lett.*) to open; (*con chiave*) to unlock.

dissertàre v. i. to discourse; to expatiate; (*iron.*) to lecture, to hold* forth.

dissertatóre m. (f. **-trìce**) dissertator.

dissertatòrio a. dissertational.

dissertazióne f. dissertation; discourse: **d. di laurea**, dissertation; graduation thesis; **tenere una d.**, to deliver a dissertation.

disservìzio m. **1** (*cattivo funzionamento*) inefficiency; disorganization; dysfunction; poor service: **il d. ferroviario**, the inefficiency of the railways **2** (*cattivo servigio*) disservice.

dissestàre v. t. (*sconvolgere*) to upset; to disrupt; (*rovinare*) to damage; (*mandare in rovina*) to lead* to ruin, to ruin, to wreck: **d.**

un'azienda, to ruin a firm; **d. il fondo stradale**, to damage the road surface.

dissestàto a. **1** upset; disrupted; damaged; (*sconnesso*) uneven: **fondo stradale d.**, uneven road surface **2** (*fig.*: *in dissesto*) disorganized; upset; (*econ.*, *fin.*) in financial difficulties, in the red; shaky, (*rovinato*) ruined, bankrupt: **azienda dissestata**, company in financial difficulties; **economia dissestata**, shaky economy.

dissèsto m. **1** (*econ.*, *fin.*) financial difficulties (pl.); (*rovina*) ruin, failure; (*leg.*: *fallimento*) bankruptcy: **d. finanziario**, financial difficulties; **azienda in d.**, company in financial difficulties **2** (*fig.*) upheaval; disruption; disorder; breakdown: **d. ambientale**, environmental upheaval; **d. sociale**, social disruption; breakdown of society.

dissetànte **A** a. refreshing; thirst-quenching **B** m. refreshing drink; thirst-quenching drink.

dissetàre **A** v. t. **1** to quench (sb.'s) thirst; to refresh **2** (*fig.*) to satisfy **B** **dissetàrsi** v. rifl. to quench one's thirst; to refresh oneself; (*bere*) to drink*; (*di animale*) to water.

dissettóre m. (*med.*) dissector.

dissezionàre v. t. (*anche fig.*) to dissect.

dissezióne f. (*anche fig.*) dissection: **d. anatomica**, anatomical dissection; **sala di d.**, dissecting room.

dissi **1ª** pers. sing. pass. rem. di **dire**.

dissidènte **A** a. dissident; dissenting; dissentient; nonconformist: **l'ala d. d'un partito**, the dissident faction in a party **B** m. e f. dissident; dissenter; nonconformist.

dissidènza f. **1** dissidence; dissent; nonconformism **2** (collett.: *i dissidenti*) dissidents (pl.); dissenters (pl.).

dissìdio m. difference; disagreement; dissension; (*conflitto*) conflict; (*spaccatura*) rift; (*lite*) quarrel, falling-out: **d. insanabile**, irreconcilable difference; **un profondo d. nel partito**, a deep rift in the party; **C'è d. nel gruppo**, there is dissension in the group; **comporre un d.**, to settle a quarrel.

dissigillàre v. t. to unseal; to break* the seal of; to remove the seal from.

dissimilàrsi v. i. pron. (*fon.*) to dissimilate; to undergo* dissimilation.

dissìmile a. unlike (sb., st.); different (from, to); dissimilar (to): **Il suo piano non è d. dal mio**, his plan is not dissimilar to mine; **Siamo dissimili per gusti**, we have different tastes.

dissimilitùdine f. (*lett.*) dissimilitude; dissimilarity.

dissimmetrìa f. dissymmetry; lack of symmetry.

dissimmètrico a. dissymmetric.

dissimulàre v. t. **1** (*nascondere*) to disguise; to conceal; to mask; to dissemble: **d. la paura sotto l'indifferenza**, to disguise one's fear under a show of indifference: **Cercai di d. la mia ansietà di fronte agli amici**, I tried to conceal my anxiety from my friends **2** (*fingere*) to dissemble; to pretend; to simulate: **non saper d.**, to be unable to dissemble; to be no good at pretending.

dissimulàto a. disguised; concealed; masked; dissembled: **disprezzo mal d.**, ill-concealed contempt.

dissimulatóre **A** m. (f. **-trice**) dissembler; dissimulator **B** a. disguising; dissembling.

dissimulazióne f. **1** dissimulation; dissembling; concealment **2** (*finzione*) pretence.

dissintonìa f. **1** (*radio*) lack of tuning **2** (*fig.*) disagreement; disharmony: **d. di idee**, disagreement; **Siamo in d.**, we are out of

---

tune with each other.

dissipàbile a. dispersible; that can be dispersed (o dissipated).

dissipaménto m. → **dissipazione**.

dissipàre **A** v. t. **1** (*dissolvere*, *disperdere*) to disperse; to dispel; to dissipate: **d. la nebbia**, to disperse (o to dispel) the fog; **d. un dubbio**, to dispel a doubt **2** (*sprecare*) to waste; to fritter away; to dissipate; (*scialacquare*) to squander, to run* through: **d. energie**, to waste (o to dissipate) energy; **d. un patrimonio**, to squander (o to run through) a fortune; **d. il proprio tempo**, to waste one's time; **d. al gioco**, to gamble away **B** **dissipàrsi** v. i. pron. to disperse; to dissolve; to melt away.

dissipatézza f. dissipation; profligacy; debauchery.

dissipativo a. (*fis.*) dissipative.

dissipàto **A** a. dissipated; profligate; debauched **B** m. (f. **-a**) profligate; debauchee; rake (m.).

dissipatóre m. **1** (f. **-trice**) spendthrift; squanderer **2** (*elettr.*) heatsink; dissipator **3** (*elettrodomestico*) waste disposal unit.

dissipazióne f. **1** dissipation; waste; (*di denaro*, *anche*) squandering: **la d. di una fortuna**, the squandering of a fortune **2** (*fis.*) dissipation: **d. dell'energia**, dissipation of energy **3** → **dissipatezza**.

dissociàbile a. dissociable; separable.

dissociabilità f. dissociability; separability.

dissocialità f. (*psic.*) unsociableness.

dissociàre **A** v. t. **1** to dissociate; to disassociate; to separate; to divorce **2** (*chim.*) to dissociate **B** **dissociàrsi** v. rifl. **1** to dissociate oneself; to disassociate oneself; to distance oneself; (*ritirarsi*) to withdraw* (from), to opt out (of): **dissociarsi da una decisione**, to dissociate oneself from a resolution **2** (*chim.*) to dissociate.

dissociativo a. dissociative.

dissociàto **A** a. (*anche chim.*, *psic.*) dissociated: (*psic.*) **personalità dissociata**, dissociated (o multiple) personality **B** m. (f. **-a**) **1** (*psic.*) sufferer from dissociation **2** (*estens.*) weird person; oddball (*fam.*); weirdo (*fam.*) **3** (*polit.*) ex terrorist (on trial) who has distanced himself from terrorism but refuses to collaborate with the police.

dissociazióne f. **1** dissociation; disassociation; distancing; separation; divorce; (*ritiro*) withdrawal, opting out **2** (*chim.*, *psic.*) dissociation: **d. elettrolitica [termica]**, electrolytic [thermal] dissociation; **d. psichica**, psychic dissociation.

dissodaménto m. (*agric.*) breaking up; digging up; tillage.

dissodàre v. t. **1** (*agric.*) to break* up; to dig* up; to till **2** (*fig.*) to open up; to cultivate.

dissolùbile a. dissoluble; soluble; dissolvable.

dissolubilità f. dissolubility; solubility; dissolvability.

dissolutézza f. dissoluteness; dissipation; licentiousness; depravity; debauchery.

dissolutivo a. dissolving; dissolutive.

dissolùto **A** a. dissolute; dissipated; licentious; depraved; debauched **B** m. (f. **-a**) dissolute person; debauchee; rake (m.).

dissolutóre m. (f. **-trìce**) dissolver.

dissoluzióne f. **1** (*disfacimento*, *anche fig.*) dissolution; disintegration; decay; breaking up; break-up: **la d. del corpo**, the dissolution of the body; **la d. della società**, the break-up of society **2** (*leg.*) dissolution: **d. d'un contratto**, dissolution of a contract **3** → **dissolutezza**.

---

dissolvènza f. (*cinem.*, *TV*) fading; fade; dissolve: **d. in apertura**, fade-in; **d. in chiusura**, fade-out; **d. incrociata**, cross-fade; lap dissolve; **d. sonora**, sound fading; **aprire in d.**, to fade in; **chiudere in d.**, to fade out.

dissòlvere **A** v. t. **1** (*sciogliere*) to dissolve **2** (*disunire*, *disgregare*, anche *fig.*) to dissolve; to break* up **3** (*dissipare*, *disperdere*) to disperse; to dissipate; to dispel: **d. la nebbia**, to disperse the fog; **d. ogni dubbio**, to dispel all doubts **B** **dissòlversi** v. i. pron. **1** (*sciogliersi*) to dissolve **2** (*disgregarsi*) to break* up; to disperse **3** (*fig.*: *svanire*) to dissolve; to fade away; to clear away.

dissolviménto m. → **dissoluzione**, def. 1.

dissomigliànte a. dissimilar (to); different (from, to); unlike (sb., st.).

dissomigliànza f. **1** (*l'essere dissomigliante*) unlikeness; dissimilarity; lack of resemblance **2** (*elemento di dissomiglianza*) (point of) difference; dissimilarity.

dissomigliàre **A** v. i. to be unlike (sb., st.); to differ (from) **B** **dissomigliàrsi** v. i. pron. to be unlike each other; to differ: **Ci dissomigliamo nei gusti**, we differ in our tastes.

dissonànte a. **1** (*mus.*) dissonant **2** (*fig.*) discordant; dissonant; clashing; jarring; conflicting.

dissonànza f. **1** (*mus.*) dissonance; discord **2** (*fig.*) discordance; dissonance; clash; conflict.

dissonàre v. i. **1** (*mus.*) to produce dissonance; to be dissonant **2** (*fig.*) to disagree; to clash.

dissotterràre v. t. **1** (*esumare*) to disinter; to exhume **2** (*togliere dalla terra*) to dig* up; to unearth; to excavate (*archeol.*): **d. patate**, to dig up potatoes; **d. un tesoro**, to dig up (o to unearth) a treasure **3** (*fig.*) to dig* up; to unearth; to bring* to light: **d. un vecchio scandalo**, to dig up an old scandal.

dissuadére v. t. to dissuade (sb. from st.); to talk (o to argue) (sb. out of st.); (*scoraggiare*) to deter, to discourage: **Lo dissuasi dal partire**, I dissuaded him from leaving; I talked him out of leaving; **Le difficoltà non lo dissuaderanno**, difficulties won't deter him.

dissuasióne f. dissuasion; determent; discouragement: **fare opera di d.**, to try to dissuade.

dissuasivo a. dissuasive; discouraging.

dissuasóre m. dissuader ● (*autom.*) **d. di sosta**, bollard □ (*autom.*) **d. di velocità**, speed bump; speed hump (*GB*); sleeping policeman (*GB*).

dissuèto a. **1** (*lett.*: *disavvezzo*) disaccustomed **2** → **desueto**.

dissuetùdine f. **1** lack of habit; lack of use **2** → **desuetudine**.

dissuggellàre → **disigillare**.

distaccaménto m. **1** detachment; separation **2** (*mil.*) detachment; detail.

distaccàre **A** v. t. **1** (*togliere*) to take* off; to detach, to remove; (*cogliere*) to pick, to pluck; (*cosa incollata*) to unstick*, to peel off: **d. un affresco**, to detach a fresco; **d. un francobollo**, to peel off a stamp; **d. un frutto**, to pick a fruit **2** (*allontanare*) to take* away; to get* away; to remove; (*estraniare*) to alienate; to estrange: **d. un ragazzo dalla famiglia**, to take a boy away from his family; **Non lo si può d. dalla televisione**, you can't get him away from the TV **3** (*mil.*) to detach; to detail: **d. un reparto speciale**, to detail a special force **4** (*bur.*: *trasferire*) to move; (*temporaneamente*) to second; **d. q. ad altro ufficio**, to move sb. to a different office **5** (*sport*) to leave* behind; to outdistance: **d.**

gli avversari di sei metri, to leave one's opponents six metres behind **6** (*miss.*) to undock **B** **distaccàrsi** v. i. pron. **1** to come* off, to come* unstuck; (*spezzandosi*) to break* off, to become* detached; (*di etichetta, intonaco e sim.*) to peel off **2** (*allontanarsi*) to leave (sb., st.); to part company (with); to break* away (from); (*estraniarsi*) to grow* apart (from); to estrange oneself (from); (*ritirarsi*) to withdraw* (from), to retire (from): **distaccarsi dagli amici**, to leave one's friends; (*allontanarsene*) to estrange oneself from one's friends; **distaccarsi da un gruppo**, to break away from a group; **distaccarsi dal mondo**, to withdraw from the world **3** (*distinguersi*) to stand* out: *La sua opera si distacca da quella degli altri*, his work stands out from that of the others.

distaccàto a. **1** detached; separated **2** (*fig.*) detached; distant; aloof; (*indifferente*) indifferent **3** (*bur.*) attached; (*temporaneamente*) seconded: **d. presso la sede centrale**, attached to headquarters; **ufficio d.**, branch office.

distàcco m. **1** detachment; separation; (*il distaccare*) detaching; (*med.*) **della retina**, detachment of the retina **2** (*separazione*) separation; (*partenza*) leaving; (*commiato*) parting, leave-taking: **il momento del d.**, the moment of parting **3** (*fig.*) detachment; aloofness; distance; (*indifferenza*) indifference: **d. dalla realtà**, detachment from reality; *Ora ne posso parlare con d.*, I can talk about it with detachment now; **trattare q. con d.**, to be aloof (*o* distant) with sb.; *Mi guardò con d.*, he looked at me distantly **4** (*sport*) lead; gap: **un d. di 7 minuti**, a 7-minute lead; **dare a q. un forte d.**, to outdistance sb.; **vincere con ampio d.**, to win by a wide margin; **annullare il d.**, to close the gap **5** (*aeron.*) take-off **6** (*miss.*) undocking.

distàle a. (*anat.*) distal.

♦**distànte A** a. **1** far-away; far-off; far; distant; remote: **un suono d.**, a far-away (*o* distant) sound; **una terra d.**, a far-off (*o* remote) land; **un paese d. dalla città**, a village far from the town; **poco d. da casa mia**, not far from where I live; **d. cinque miglia**, five miles away; **d. un'ora da qui**, one hour from here; **d. nel tempo**, remote in time; *Natale non è molto d.*, Christmas is not far off; **due eventi distanti tra loro**, two episodes separated in time **2** (*fig.*: *distaccato*) detached, indifferent; (*freddo*) distant; (*altero*) aloof; (*vago, perso nel vuoto*) faraway: *Lo sento d.*, there is a distance between us; **sguardo d.**, faraway look **B** avv. far; far away; far off: **abitare d.**, to live far away; *Non ci vedo così d.*, I can't see as far as that; **da molto d.**, from far off; from a long way away.

♦**distànza** f. **1** (*nello spazio*) distance; (*spazio vuoto, stacco*) space, gap; (*raggio di azione, portata*) range: **una d. di tre kilometri**, a distance of three kilometres; **una d. di sei metri**, a space of six metres; a six-metre space; **la d. tra Milano e Pavia**, the distance between Milan and Pavia; **d. ravvicinata**, close range; point-blank distance; *La d. è molta*, it's a long way away; *Che d. c'è tra qui e Chiusi?*, how far is Chiusi from here?; **abolire le distanze**, to abolish distance; *Le due auto erano a una d. di mezzo metro l'una dall'altra*, the two cars were half a metre apart; **a poca d. da qui**, at a short distance from here; not far from here; **a pochi passi di d.**, a few feet away; **a poca d. dalla costa**, not far from the coast; (*al largo*) just off the coast; *Abito a una certa d. dal paese*, I live a fair distance from the village; *Non ci vedo a questa d.*, I can't see from this distance; **una corsa sulla d. di dieci miglia**, a race over a distance of ten miles **2** (*nel tempo*) distance; interval; (*time*) gap: **una d. di**

tre secoli, an interval of three centuries; **a due anni di d.**, two years later; after two years; *Adesso, a d. di anni*, now, at a distance of years (*o* after so many years); **a d. di un'ora l'uno dall'altro**, with an interval of one hour between each other; at hourly intervals; *I segnali si succedono a d. di tre minuti*, the signals are repeated at intervals of three minutes; **a d. di pochi minuti l'uno dall'altro**, every few minutes; *I furti sono stati commessi a d. di pochi giorni uno dall'altro*, the thefts were committed within a few days of each other **3** (*mat.*) distance **4** (*differenza*) difference; disparity; (*divario*) gap: **una d. incolmabile**, an unbridgeable gap; **una notevole d. tra le due posizioni**, a considerable difference between the two positions; **le distanze sociali**, social distances ● (*naut.*) **d. al traverso**, distance on beam □ **d. di sicurezza**, (*autom.*) braking distance; (*mil.*) safety range □ (*mil.*) **d. di tiro**, gunfire range □ (*aeron., naut.*) **d. di visibilità**, range of visibility □ (*fis.*) **d. focale**, focal length □ (*fis.*) **d. frontale**, working distance □ **d. in linea d'aria**, distance as the crow flies □ (*mil.*) **d. massima**, maximum range □ (*mil.*) **d. media**, mean range □ (*mecc.*) **d. tra due perni**, spread □ (*mecc.*) **d. tra due centri**, distance between centres □ (*fis.*) **d. visiva**, optical range □ (*naut.*) **d. zenitale**, zenith distance □ **a d. di tiro**, within striking distance; (*mil.*) within gunfire range □ **colmare le distanze**, to fill the gap; to catch up □ (*mecc.*) **comando a d.**, remote control □ **mantenere le distanze**, to keep one's distance □ **prendere le distanze da**, to dissociate oneself from; to distance oneself from □ **seguire q. a d.**, to follow sb. at a distance □ (*fig.*) **tenere q. a d.**, to keep sb. at a distance □ (*fig.*) **tenere le distanze**, to keep one's distance; to hold (*o* to keep oneself) aloof □ **tenersi a rispettosa** (*o debita*) **d. da**, to keep at a safe distance from; to keep well off; to keep (*o* to stay) clear of □ (*sport e fig.*) **vincere alla d.**, to win in the long run.

distanziàle A a. distance (attr.) **B** m. (*tecn.*) spacer.

distanziaménto m. **1** (*sport*) outdistancing **2** (*aeron.*) separation.

distanziàre v. t. **1** (*allontanare*) to move away; (*separare*) to space out: **d. un divano dal muro**, to move a sofa away from the wall; **d. le sedie**, to space out the chairs **2** (*lasciare indietro*) to leave* behind; to outdistance: **d. gli inseguitori**, to outdistance one's pursuers **3** (*fig.*) to outstrip.

distanziàto a. **1** (*separato*) at a distance; apart: *Sedeva un po' d. dagli altri*, he sat at some distance (*o* somewhat apart) from the others **2** (*sport*) outdistanced; lagging behind (pred.).

distanziatóre A a. spacing; spacer (attr.): **anello d.**, spacer ring **B** m. (*mecc.*) spacer; spreader.

distanziomètrico a. distance-measuring; distance (attr.): **cannocchiale d.**, diastimeter; **relé d.**, distance relay.

distanziòmetro m. distance meter.

distàre v. i. **1** to be far; to be... away: *Quanto distano i due paesi?*, how far from each other are the two villages?; **d. parecchio**, to be very far; to be a long way away; *Dista tre kilometri da Roma*, it's three kilometres (away) from Rome; *Dista due miglia da qui*, it is two miles away (*o* from here) **2** (*fig.*) to differ; to be far apart: *Le nostre posizioni non distano molto*, our positions do not differ much (*o* are not very distant).

♦**distèndere A** v. t. **1** (*allargare*) to spread*; to spread* out; to lay* out; (*tirando*) to stretch: *L'uccello distese le ali*, the bird spread its wings; **d. un foglio**, to spread out

a sheet of paper; **d. una mano**, to spread a hand; **d. una mappa sul tavolo**, to lay out a map (*o* to spread a map out) on the table; **d. la tovaglia sulla tavola**, to spread the tablecloth on the table; **d. le vele**, to stretch the sails **2** (*allungare*) to stretch out: **d. le gambe**, to stretch out one's legs **3** (*mettere a giacere*) to lay*: *Lo distesero sul letto*, they laid him on the bed **4** (*rilassare*) to relax: **d. i muscoli**, to relax one's muscles; **d. i nervi**, to relax; **una musica che distende**, relaxing music **5** (*ind. tess.*) to tenter **B** **distèndersi** v. rifl. **1** (*sdraiarsi*) to lie* down; to stretch out: *Mi distesi sulla sabbia*, I lay down on the sand **2** (*rilassarsi*) to relax **C** **distèndersi** v. i. pron. (*estendersi*) to spread* out; to stretch.

distensióne f. **1** stretching **2** (*rilassamento*) relaxation: **la d. dei muscoli**, the relaxation of the muscles; **un periodo di d.**, a period of relaxation **3** (*polit.*) détente (*franc.*).

distensivo a. **1** relaxing: **esercizio d.**, relaxing exercise **2** (*fig.*: *riposante*) restful: **clima d.**, relaxing climate; **giornata distensiva**, restful day **3** (*fig.*: *pacificatore*) conciliatory: **politica distensiva**, conciliatory policy.

♦**distésa** f. **1** expanse; stretch; tract: **la d. del mare**, the expanse of the sea; **una d. di terra coltivabile**, a tract of arable land **2** (*fila*) line, row; (*grande quantità*) sea: **una d. di panni stesi**, a line of washing; **una d. di ombrelloni**, a sea of beach umbrellas ● **a d.**, uninterruptedly; continuously □ **cantare a d.**, to sing out □ **gridare a d.**, to cry out □ (*di campane*) **suonare a d.**, to peal out.

distesaménte avv. in detail; in full.

♦**distéso** a. **1** extended; outstretched; stretched out: **ali distese**, outstretched wings; *Tieni le braccia distese*, keep your arms out straight; **vele distese**, taut sails; *La tovaglia era distesa sul prato*, the tablecloth had been spread on the lawn **2** (*sdraiato*) stretched out; lying: **d. sulla schiena**, lying flat on one's back; *L'uomo era d. sull'erba*, the man was lying on the grass; **lungo d.**, stretched out (at full length); flat; **cadere lungo d.**, to fall flat on one's face **3** (*vasto*) wide; spacious; widespread **4** (*rilassato*) relaxed; (*riposato*) rested ● **per d.** → **distesamente**.

distico① m. (*poesia*) couplet; (*classico*) distich: **d. elegiaco**, elegiac couplet; **d. rimato**, rhymed (*o* rhyming) couplet.

distico② a. (*bot.*) distichous.

distillàbile a. distillable.

distillàre A v. t. **1** (*chim.*) to distil **2** (*estrarre*) to extract **3** (*stillare*) to distil; to trickle **B** v. i. to distil; to trickle.

distillàto A a. distilled **B** m. (*chim., enologia*) distillate: **d. di vino**, wine distillate.

distillatóio m. distiller; (*per alcolici*) still.

distillatóre m. **1** (f. **-trice**) (*operaio*) distiller **2** (*apparecchio*) distiller; still.

distillazióne f. (*chim.*) distillation: **d. a secco**, dry distillation; **d. clandestina**, illicit distillation; bootlegging; **d. continua**, continuous distillation; **d. discontinua**, batch distillation; **d. frazionata**, fractional distillation; **d. in corrente di vapore**, steam distillation; **d. nel vuoto**, vacuum distillation; **prodotto di d.**, distillate.

distilleria f. distillery.

distilo a. **1** (*archit.*) distyle **2** (*bot.*) distylous.

distimia f. (*psic.*) dysthymia.

distimico a. (*psic.*) dysthymic.

♦**distinguere A** v. t. **1** (*notare la differenza*) to distinguish (between st. and st., st. from st.), to tell* (st. from st.), to tell* (*o, alla vista*, to see*; *all'udito*, to hear*; *al tatto*, to feel*) the difference (between); (*fare distinzione*) to

distinguish (between), to draw* (*o to make**) a distinction (between): **d. il bene dal male**, to distinguish between good and evil; to distinguish right from wrong; *Non li distinguo uno dall'altro*, I can't tell them apart; I can't tell which is which; *Non distingue il verde dall'azzurro*, he can't tell the difference between green and blue; *La lingua gallese non distingue il verde dall'azzurro*, Welsh does not distinguish between green and blue; *La legge distingue nettamente i due casi*, the law draws a sharp distinction between the two cases **2** (*scorgere*) to make* out; to discern; to see*: *Li distinguevo appena*, you could just make them out; *Non si distingueva nulla nella nebbia*, you couldn't discern anything in the fog; **d. qc. chiaramente**, to see st. clearly **3** (*dividere*) to divide; (*separare*) to separate: **d. un compito in tre fasi**, to divide a task into three stages **4** (*contrassegnare*) to mark; (*caratterizzare*) to distinguish, to characterize, to set* apart; (*differenziare*) to differentiate; (*far spiccare, far emergere*) to mark out; (*contraddistinguere, rendere diverso*) to set* apart, to put* in a class apart: *Li distingueremo con un nastro rosso*, we'll mark them with a red ribbon; *Che cosa distingue questo periodo storico?*, what characterizes this historical period?; *La ragione distingue l'uomo dalle bestie*, reason distinguishes (*o* differentiates) man from beasts; **d. qc. a tutto il resto**, to put (*o* to set) st. in a class apart; **con la cortesia che lo distingue**, with his usual (*o* customary) politeness ▣ **distinguersi** v. i. pron. **1** (*essere distinguibile*) to differ, to be distinguishable; to be recognizable; (*essere contraddistinto*) to be distinguished; (*emergere*) to stand* out: *Si distinguono per un piccolo particolare*, they differ in a small detail; *Si distingueva per la sua statura*, he stood out for his height **2** (*emergere, farsi notare*) to stand* out; to excel; to distinguish oneself: *Si distinse nell'ultima guerra*, he distinguished himself in the last war.

distinguibile a. **1** distinguishable **2** (*visibile*) discernible; visible **3** (*che si fa notare*) that stands out.

distinguo m. inv. fine distinction; (*spreg.*) petty distinction, hairsplitting Ⓤ, nitpicking Ⓤ.

distinta f. **1** (*comm.*) list; note; specification: **d. di accompagnamento**, remittance slip; **d. di acquisto**, purchase note; **d. dei prezzi**, price list; **d. di spedizione**, packing list; docket (*GB*) **d. doganale**, customs specification **2** (*banca*) note; slip: **d. di sconto**, discount note; **d. di versamento**, paying-in slip; deposit slip.

distintamente avv. **1** (*nettamente*) distinctly; clearly **2** (*signorilmente*) with distinction; elegantly **3** (*separatamente*) separately; severally **4** (*nelle lettere*) – D. (*Vi salutiamo*), Yours faithfully.

distintissimo a. (*nello stile epistolare*) – D. *Signor Rossi*, (*sulla busta*) Mr Rossi; (*in apertura di lettera*) Dear Mr Rossi.

distintivo ▣ a. distinguishing; characteristic: **segno d.**, distinguishing mark ▣ m. **1** badge; (*da occhiello*) button; (*emblema*) emblem **2** (*fig.*) characteristic; feature **3** (*naut.*) pennant.

♦**distinto** a. **1** (*differenziato*) distinct; separate: **due cose distinte**, two distinct things; **tenere d.**, to separate **2** (*nitido*) distinct; clear: **nota distinta**, clear note; **pronuncia distinta**, clear pronunciation **3** (*raffinato*) distinguished; refined; elegant: **modi distinti**, distinguished (*o* refined) manners; **un signore d.**, a distinguished gentleman **4** (*stimato*) distinguished; celebrated ● (*nelle lettere*) **Distinti saluti**, Yours faithfully; Yours truly □ (*teatr.*) (*posti*) **distinti**, stalls.

distinzione① f. **1** distinction; difference; (*discriminazione*) discrimination: **una d. sottile**, a fine distinction; **d. di razza [di religione]**, racial [religious] discrimination; **fare d.**, (*distinguere*) to draw (*o* to make) a distinction; to distinguish; (*discriminare*) to discriminate; (*vedere, sentire la differenza*) to see [to hear] the difference, to be able to tell the difference; **senza d.**, without distinction; (*indiscriminatamente*) indiscriminately; (*in modo equo*) impartially, fairly; **senza d. di grado**, without distinction of rank **2** (*onorificenza*) distinction: **conferire una d. a q.**, to confer a distinction on sb. **3** (*riguardo*) consideration; regard.

distinzione② f. (*raffinatezza, signorilità*) distinction; refinement; style.

distiroidismo m. (*med.*) thyroid disorder.

distocia f. (*med.*) dystocia.

distòcico a. (*med.*) dystocic.

distògliere v. t. **1** (*dissuadere*) to dissuade (sb. from doing st.), to persuade (sb. not to do st.), to talk (sb. out of st.), to sway; (*trattenere*) to deter: *Lo distolsi dal suo proposito di dare le dimissioni*, I dissuaded him from resigning; I talked him out of resigning; *Nulla lo distoglierà*, nothing will sway him **2** (*distrarre*) to take* (sb.) away (from); to take* (sb.'s) mind off (st.): *Non distoglierlo dal lavoro*, don't take his mind off his work **3** (*allontanare*) to distract; to take* off: **d. l'attenzione**, to distract sb.'s attention; **d. il pensiero da qc.**, to take one's mind off st.; **d. lo sguardo**, to look away; to avert one's eyes.

distoma m. (*zool., Fasciola hepatica*) liver fluke.

distomatòsi f. (*med.*) distomatosis.

distonìa f. (*med.*) dystonia.

distònico a. e m. (*med.*) dystonic.

distopìa① f. (*med.*) dystopia.

distopìa② f. (*med.*) dystopia.

distòrcere ▣ v. t. **1** to distort: **d. le membra**, to distort the limbs **2** (*fig.*) to distort; to twist: *Ha distorto le mie parole*, she distorted what I had said; she twisted my words **3** (*fis.*) to distort ▣ **distòrcersi** v. i. pron. to contort; to twist.

distorsione f. **1** (*med.*) sprain; distortion: **riportare una d. alla caviglia**, to sprain one's ankle **2** (*fig.*) distortion; perversion: **la d. della verità**, the distortion of the truth **3** (*fis.*) distortion: (*TV*) **d. del quadro**, frame distortion; **d. del suono**, sound distortion.

distorsòre m. (*mus.*) distortion pedal.

distòrto a. **1** (*fig.: falsato*) distorted: **un quadro d. della situazione**, a distorted view of the situation **2** (*fig.: contorto, perverso*) twisted; warped: **mente distorta**, twisted (*o* warped) mind **3** (*med.*) sprained; twisted: **piede d.**, sprained foot **4** (*fis.*) distorted: **immagine distorta**, distorted image.

♦**distràrre** ▣ v. t. **1** (*sottrarre e destinare ad altro uso*) to divert; (*indebitamente*) to misappropriate **2** (*distogliere, sviare*) to distract: **d. l'attenzione di q.**, to distract sb.'s attention; (*attirandola*) to engage sb.'s attention; *Cerca di distrarlo mentre apro il cassetto*, try and keep him occupied while I open the drawer; *Il rumore della radio mi distrae*, the noise of the radio distracts me **3** (*rif. a preoccupazione*) to take* (sb.'s) mind (off st.); (*rilassare*) to relax; (*svagare*) to entertain, to amuse: *La lettura mi distrae*, I find reading relaxing; *Aiutami a distrarlo*, help me entertain him ▣ **distràrsi** v. i. pron. **1** to be distracted; (*divagare coi pensieri*) to let* one's mind (*o* one's thoughts) wander: **distrarsi facilmente**, to be easily distracted; to have a limited attention span; *Non distrarti!*, pay

attention!; *Mi distrassi sentendo delle voci*, a sound of voices distracted my attention; *Dopo i primi cinque minuti, si distrasse*, after the first five minutes, his mind began to wander **2** (*riposare la mente*) to take* one's mind off things; to have* a break; to relax: *Ho bisogno di distrarmi dal lavoro*, I need to take my mind off work; I need a break from work; *Vado qualche giorno a Parigi per distrarmi un po'*, I'm going to Paris for a few days for a bit of a break; I'm taking a few days off in Paris; *Mi distraggo lavorando a maglia*, knitting is my way of relaxing.

distrattamente avv. (*svagatamente*) absent-mindedly, absently; (*inavvertitamente*) inadvertently, unthinkingly.

♦**distratto** ▣ a. (*svagato*) absent-minded; (*sbadato*) careless; (*veloce e superficiale*) cursory; (*vago*) casual, vague; (*disattento*) inattentive: *È il classico professore d.*, he's the typical absent-minded professor; *Scusa, ero d.*, I'm sorry, I was thinking of something else (*o* I wasn't paying attention); **occhiata distratta**, cursory glance; **un ciao d.**, a casual goodbye; *Il ragazzo è d. in classe*, the boy is generally inattentive in class ▣ m. (f. **-a**) absent-minded person.

distrazione f. **1** (*svagatezza*) absent-mindedness; (*disattenzione*) distraction, in-attention; (*sbadataggine*) carelessness: *La sua d. è proverbiale*, his absent-mindedness is proverbial; *Un attimo di d. e il bambino era scomparso*, a moment's inattention and the child had gone; **un incidente provocato da d.**, an accident caused by carelessness; **fonte di d.**, (source of) distraction; **errore di d.**, careless mistake; **per d.**, inadvertently; unthinkingly **2** (*divertimento*) amusement; entertainment; distraction: **le distrazioni della grande città**, the distractions of a big city; *Mi serve un po' di d.*, I need a break **3** (*di cosa detratta e destinata ad altro uso*) diversion; (*indebitamente*) misappropriation **4** (*med.*) sprain.

distrétto m. **1** district; zone; precinct (*USA*); (*zona*) area, zone: **d. postale**, postal district (*o* zone); **d. scolastico**, school district **2** (*mil.*) recruiting office (*o* centre) **3** (*anat.*) region; zone.

distrettuàle a. district (*attr.*).

distribuìbile a. distributable.

♦**distribuìre** v. t. **1** to distribute; to give* out; to dispense; (*a mano*) to hand out; (*suddividere*) to share (out); (*assegnare*) to assign, to award, to allot, to allocate; to issue: **d. le carte**, to deal the cards; **d. denaro**, to distribute money; **d. lodi**, to dispense praise; (*teatr.*) **d. le parti** (*di un dramma*), to cast a play; **d. la posta**, (*di postino*) to deliver the mail; (*a mano*) to hand out the mail; **d. i posti**, to assign seats; **d. i profitti di un'azienda**, to allot the profits of a business; **d. le provviste**, to hand out food; (*bur., mil.*) to issue provisions; **d. pugni**, to deal out punches; **d. regali**, to hand out presents; **d. le proprie ricchezze ai poveri**, to give out one's riches to the poor; **d. sorrisi [strette di mano]**, to smile [to shake hands] all around; **d. volantini**, to hand out leaflets; **d. qc. nel tempo**, to spread st. over a period of time; to stagger st.; **d. cento sterline tra cinque persone**, to share (out) a hundred pounds among five persons **2** (*spargere*) to spread*: **d. la vernice in modo uniforme**, to spread the paint evenly **3** (*disporre, collocare*) to arrange; to place; to put*; (*mil.*) to station, to deploy: **d. i libri nella libreria**, to arrange the books in the bookcase; *Le truppe furono distribuite lungo il canale*, the soldiers were stationed along the canal **4** (*diffondere: giornali, libri, ecc.*) to distribute; (*film, anche*) to release **5** (*erogare*) to supply: **d. l'elettricità [l'acqua]**, to supply electric-

ity [water].

distributività f. (*mat.*) distributivity.

distributivo a. distributive: **giustizia distributiva**, distributive justice; (*mat.*) **proprietà distributive**, distributive property.

distributóre **A** a. distributing; dispensing **B** m. **1** (f. *-trice*) distributor; dispenser (*lett.*): **d. autorizzato**, authorized distributor (*o* dealer) **d. cinematografico**, film distributor **2** (*erogatore*) dispenser: **d. automatico** (*a moneta*), vending machine; slot-machine; **d. di bibite [di sigarette]**, drinks [cigarettes] machine **3** (*anche* **d. di benzina**) petrol pump (*GB*); gas pump (*USA*); (*stazione*) petrol station (*GB*), filling station; service station (*USA*), gas station (*USA*) **4** (*mecc.*) distributor: (*autom.*) **d. d'accensione**, ignition distributor.

distribuzionàle a. (*ling.*) distributional.

distribuzionalìsmo m. (*ling.*) distributionalism.

distribuzióne f. **1** (*ripartizione*) distribution; giving out, (*a mano*) handing out, (*bur.*) issuing; (*assegnazione*) allotment, allocation, awarding: **la d. del carico**, load distribution; **la d. dei costi**, the allocation of costs; costs allocation; **la d. del lavoro**, work allocation; (*teatr.*) **la d. delle parti**, the casting of a play; **la d. della posta**, (*fatta dal postino*) the delivery of the mail; (*a mano*) the handing out of the mail; **la d. dei premi**, the awarding of prizes; prize-giving; **la d. dei regali**, the handing out of presents; **la d. della ricchezza**, the distribution of wealth; **la d. delle risorse**, resource allocation; **la d. dei viveri**, the distribution of food supplies; **la d. degli utili**, profit distribution; **cattiva d.**, maldistribution **2** (*sistemazione, disposizione*) arrangement; lay-out: **la d. delle camere in un appartamento**, the arrangement of the rooms in a flat **3** (*diffusione: di libri, film, ecc.*) distribution; (*di film, anche*) release **4** (*erogazione*) supply: **la d. dell'acqua**, water supply **5** (*mecc., autom.*) valve gear; timing gears **6** (*econ.*) distribution; retail trade: **catena di d.**, chain of distribution; **canali di d.**, distribution channels; **grande d.**, large-scale retail trade **7** (*ling., stat.*) distribution.

districàre **A** v. t. **1** (*sciogliere*) to disentangle; to unravel; (*fig., anche*) to solve: **d. una corda**, to disentangle a rope; **d. un mistero**, to unravel a mystery; **d. un nodo**, to untie a knot **2** (*liberare*) to extricate; (*fig., anche*) to get* out (of): **d. un amico da una difficoltà**, to extricate a friend from a tight spot **B** **districàrsi** v. rifl. **1** (*liberarsi*) to disentangle (*o* to extricate) oneself; to free oneself; to get* out (of) **2** (*cavarsela*) to manage; to cope.

distrofìa f. (*med.*) dystrophy: **d. muscolare**, muscular dystrophy.

distròfico (*med.*) **A** a. dystrophic **B** m. (f. *-a*) sufferer from dystrophy.

♦**distrùggere** **A** v. t. **1** to destroy; (*demolire*) to demolish, to knock down; (*fare a pezzi*) to wreck; (*col fuoco*) to burn* down; (*con esplosivo*) to blow* up: **d. una città**, to destroy a city; **d. le prove**, to destroy (the) evidence; *Ha distrutto la macchina*, she wrecked the car; *Il teatro fu distrutto da un incendio*, the theatre was destroyed by a fire (*o* was burnt down); *Il male lo sta distruggendo*, he's ravaged by the disease **2** (*fig.*) to destroy; to wreck; to shatter; to devastate; (*logorare*) to wear* out: **d. l'avversario**, to demolish one's opponent; **d. le speranze [le illusioni] di q.**, to shatter (*o* to destroy) sb.'s hopes [illusions]; *I bambini mi hanno distrutto*, the children have worn me out; *La notizia l'ha distrutta*, she was devastated by the news **B** **distrùggersi** v. rifl. to destroy oneself.

distruggitóre → **distruttore**.

distruttìbile a. destroyable; destructible.

distruttività f. destructiveness.

distruttìvo a. destructive.

♦**distrùtto** a. **1** destroyed; wrecked; in ruins: **una città distrutta**, a city in ruins; *L'auto è completamente distrutta*, the car is a total wreck; **d. dal fuoco**, destroyed by fire; burnt down **2** (*rovinato*) ruined; shattered; ravaged; consumed: **carriera distrutta**, ruined career; **vite distrutte**, shattered lives; **d. dalla malattia**, consumed by illness; **d. dal dolore**, devastated; shattered **3** (*fig.: esausto*) exhausted; shattered; worn-out.

distruttóre **A** a. destroying; destructive **B** m. (f. *-trice*) destroyer; wrecker ● **d. di documenti**, shredder.

♦**distruzióne** f. destruction; (*rovina*) ruin; (*crollo*) collapse: (*econ.*) **d. creativa**, creative destruction.

♦**disturbàre** **A** v. t. **1** to disturb; to trouble; (*importunare*) to bother, to be a nuisance to; (*creare fastidio*) to inconvenience: *Si prega di non d.*, please do not disturb; *La disturbo?*, am I disturbing you?; *Posso disturbarti un momento?*, may I trouble you for a minute?; *Scusa se ti disturbo, ma...*, sorry to bother you, but...; *Ti disturbo se mi siedo qui?*, am I in your way if I sit here?; *La disturbo se fumo?*, do you mind if I smoke?; *Le mosche mi disturbavano*, the flies bothered me **2** (*turbare*) to disturb; to upset*: **d. la pubblica quiete**, to disturb the peace; *Quella vista mi disturbò*, that sight disturbed me **3** (*sconvolgere*) to upset*; to disrupt: **d. le lezioni**, to disrupt classes **4** (*indisporre*) to upset*: **d. lo stomaco**, to upset (sb.'s) stomach **5** (*tel.*) to interfere; (*intenzionalmente*) to jam **B** **disturbàrsi** v. rifl. to trouble; to bother; to put* oneself out; to take* the trouble (to do st.); to go* to the trouble (of doing st.): *Non voglio che tu ti disturbi*, I don't want you to go to any trouble; *La prego, non si disturbi!*, please don't bother; (*non si alzi*) please don't get up; *Non dovevi disturbarti!* (*formula di ringraziamento*), you shouldn't have!

disturbàto a. **1** (*infastidito*) disturbed; troubled **2** (*interrotto*) disrupted; upset **3** (*indisposto*) upset; unwell **4** (*psic.*) disturbed **5** (*tel.*) full of interference; (*intenzionalmente*) jammed.

disturbatóre **A** a. disturbing; troubling; upsetting: **cause disturbatrici**, causes of disturbance **B** m. (f. *-trice*) disturber; disruptor; trouble-maker.

♦**distùrbo** m. **1** (*turbamento*) disturbance: **d. della quiete pubblica**, disturbance (of the peace) **2** (*fastidio*) trouble; bother; inconvenience: *Non voglio darti nessun q.*, I don't want to give you any trouble (*o* to bother you); *Scusi il d.*, (*scusi se la disturbo*) I'm sorry to bother you; (*scusi se l'ho disturbata*) I'm sorry if I bothered you; **se non ti è di troppo d.**, if it isn't too much trouble; **causare d. a q.**, to cause inconvenience to sb.; to inconvenience sb.; *Siamo spiacenti per il d. arrecato*, we are sorry for any inconvenience this may have caused you; *Nessun d.!*, no trouble at all!; **prendersi** (*o* **darsi**) **il d. di fare qc.**, to take the trouble to do st.; to go to the trouble of doing st.; (*fig.*) **togliere il d.**, to go; to be off; to be on one's way; (*eufem. scherz.*) **to make oneself scarce 3** (*med.*) ailment; complaint; trouble; disorder; disturbance: **un d. al fegato**, a liver disorder; **disturbi del ritmo cardiaco**, heart rhythm disturbances; **d. di stomaco**, stomach upset; **disturbi di cuore**, heart trouble; **disturbi mentali**, mental disorders; **piccoli disturbi**, minor ailments **4** (*mecc.*) trouble; **disturbi al motore**, en-

gine trouble **5** (*tel.*) disturbance; noise; interference; (*intenzionale*) jamming: **disturbi atmosferici**, atmospherics (pl.); **disturbi di statica**, statics (pl.); **ricezione senza disturbi**, noise-free reception.

disubbidiènte **A** a. disobedient **B** m. e f. disobedient person.

disubbidiènza f. **1** disobedience: **d. agli ordini**, disobedience to orders; **d. civile**, civil disobedience **2** (*atto*) act of disobedience; (*trasgressione*) transgression: **una lieve d.**, a minor act of disobedience; **commettere una d.**, to commit (*o* to be guilty of) an act of disobedience.

disubbidìre v. i. et. **1** to disobey (sb.): **d. alla mamma**, to disobey mother **2** (*trasgredire*) to disobey (st.); to break* (st.): **d. agli ordini**, to disobey orders; **d. a una legge**, to break a law.

disuguaglianza f. **1** (*differenza*) difference; (*disparità*) disparity, inequality: **disuguaglianze sociali**, social inequalities; **forte d.**, marked disparity **2** (*irregolarità*) unevenness: **la d. del terreno**, the unevenness of the ground **3** (*mat.*) inequality.

disuguàle a. **1** (*non pari*) unequal; (*dissimile*) different, dissimilar; **condizioni disuguali**, different conditions **2** (*irregolare*) uneven; rough: **terreno d.**, uneven ground **3** (*discontinuo*) uneven; (*mutevole*) changeable, erratic: **rendimento d.**, erratic performance; **stile d.**, uneven style; **umore d.**, changeable mood.

disumanàre (*lett.*) **A** v. t. to dehumanize; to render inhuman; to brutalize **B** **disumanàrsi** v. i. pron. to become* brutish.

disumanità f. inhumanity; brutality.

disumanizzàre **A** v. t. to dehumanize; to brutalize; to turn into a beast **B** **disumanizzàrsi** v. i. pron. to be dehumanized; to become* brutal.

disumanizzazióne f. dehumanization; brutalization.

disumàno a. **1** (*indegno dell'uomo*) inhuman; (*crudele*) cruel; (*senza umanità*) inhumane: **condizioni disumane**, inhuman (*o* inhumane) conditions; **trattamento d.**, inhumane treatment **2** (*che non sembra umano*) inhuman: **grido d.**, inhuman cry **3** (*fig.*) terrible; cruel: **dolore d.**, terrible pain.

disunióne f. **1** disunion; disjunction; separation **2** (*discordia*) disunity; dissension; discord.

disunìre **A** v. t. **1** to disunite; to disjoin; to divide **2** (*fig.*) to disunite; to break* up; to split* **B** **disunìrsi** v. rifl. e i. pron. to become* disunited; to break* up; to split*.

disunitaménte avv. separately; without unity.

disunìto a. **1** disunited; disjoined; divided: **famiglia disunita**, divided family; **gruppo d.**, disunited group **2** (*irregolare*) uneven **3** (*scomposto, scoordinato*) uncoordinated; disjointed.

disurìa f. (*med.*) dysuria.

disusàto a. old-fashioned; out-of-use; obsolete: **parola disusata**, obsolete word.

disùso m. disuse; desuetude; neglect: **in d.**, (*abbandonato*) disused; (*obsoleto*) obsolete; **magazzino in d.**, disused warehouse; **termine in d.**, obsolete word; **cadere in d.**, to fall into disuse; to become obsolete.

disutilàccio m. (f. *-a*) (*spreg.*) good-for-nothing; no-good.

disùtile **A** a. (*lett.*) useless; of no use (pred.); worthless; (*di persona, anche*) unhelpful **B** m. e f. good-for-nothing **C** m. (*danno*) damage; (*perdita*) loss.

disutilità f. **1** uselessness **2** (*econ.*) disutility.

disvalóre m. **1** (*filos.*) disvalue; negative value **2** (*econ.*) fall in value.

dişvelàre → **svelare**.

dişvèllere → **svellere**.

dişviàre (*lett.*) **A** v. t. **1** to misdirect **2** (*fig.*) to lead* astray **B dişviàrsi** v. i. pron. to go* astray.

dişvìo m. (*lett.*) leading astray; going astray.

dişvitaminòşi f. (*med.*) vitamin deficiency.

dişvolére v. t. (*lett.*) no longer to want; to cease to want ● **volere e d.**, to change one's mind continually; to chop and change (*fam.*); to blow hot and cold (*fam.*).

dişvòlgere → **svolgere**.

ditàle m. **1** thimble **2** (*med.*) fingerstall.

ditàta f. **1** (*impronta*) fingermark; fingerprint: **una d. di unto**, a greasy fingermark **2** (*colpo*) poke (*o* jab) (with a finger) **3** (*quantità raccolta col dito*) dab.

Dìte m. (*mitol.*) Dis.

diteggiàre v. t. e i. (*mus.*) to finger.

diteggiatùra f. (*mus.*) fingering.

ditionàto m. (*chim.*) dithionate.

ditiònico a. (*chim.*) dithionic.

ditiràmbico a. (*letter.*) dithyrambic.

ditiràmbo m. (*letter. e fig.*) dithyramb.

ditìsco m. (*zool.*, *Dytiscus*) water beetle.

♦**dito** m. (pl. **dita**, f.; **diti**, m., *se si specifica il nome*) **1** (*della mano, di un guanto*) finger; (*del piede*) toe: **d. anulare**, ring finger; **d. grosso** (**del piede**), big toe; **d. indice**, forefinger; **d. medio**, middle finger; **d. mignolo**, little finger; **d. pollice**, thumb; **punta di un d.**, fingertip **2** (*misura*) finger; (about an) inch; (*di bibita*) drop: **un d. d'acqua**, a finger of water; **un d. di vino**, a drop of wine; **allungare l'orlo di tre dita**, to take down the hem a couple of inches **3** (*anat.*, *zool.*) digit ● (*med.*) **d. di gomma**, fingerstall □ (*med.*) **d. a martello**, hammertoe □ **a un d. da qc.**, within a hair's breadth (*o* an inch) of st. □ (*fig.*) **non alzare un d.**, (*non lavorare*) not to do a stroke of work; (*per aiutare*) not to lift (*o* to raise) a finger (to help sb.) □ (*fig.*) **alzare un d. su q.**, to lay a finger on sb. □ **non avere la forza di alzare un d.**, not to have the strength to lift a finger; to be as weak as a kitten (*fam.*) □ **Li si conta sulle dita di una mano**, you can count them on the fingers of one hand □ **dalle dita rosee**, rosy-fingered □ (*fig.*) **Gli dai un d. e si prende la mano**, give him an inch, and he'll take a mile □ **incrociare le dita** (*per scaramanzia*), to keep one's fingers crossed □ **indicare con un d.**, to point out □ (*fig.*) **leccarsi le dita**, to lick (*o* to smack) one's lips □ **da leccarsi le dita**, delicious; lip-smacking; yummy (*fam.*) □ (*fig.*) **Se li legata al d.**, she took it badly □ (*fig.*) **Questa me la lego al d.**, I certainly won't forget that □ (*fig.*) **mettere il d. sulla piaga**, to touch on a sore point □ **mettersi le dita nel naso**, to pick one's nose □ **minacciare q. con un d.**, to wag one's finger at sb. □ (*fig.*) **mordersi le dita**, (*dalla rabbia*) to fume with rage; (*dal pentimento*) to repent bitterly □ **Non voglio essere mostrato a d.**, I don't want to make an exhibition of myself □ (*fig.*) **non muovere un d. per q.**, not to lift (*o* not to raise) a finger to help sb. □ (*fig.*) **scottarsi le dita**, to get one's fingers burnt □ (*prov.*) **Tra moglie e marito non mettere il d.**, when man and wife squabble, 'tis wise not to meddle.

ditòla f. (*bot.*, *Clavaria*) coral fungus.

ditóne m. **1** big finger; big toe **2** (*fam.: alluce*) big toe.

dìtono m. (*mus.*) ditone.

ditrochèo m. (*poesia*) ditrochee.

♦**dìtta** f. **1** firm; business; concern; house: **d. concorrente**, rival firm; **d. di importazione**, import firm; **d. familiare**, family business; **d. fornitrice**, (firm of) suppliers; **d. in-** dividuale, sole-proprietor firm; **la d. Bianchi e figli**, Bianchi & Sons; **macchina della d.**, company car **2** (*teatr.*) company ● **Offre la d.!**, it's on the house! □ **Spett. D.**, (*negli indirizzi*) Messrs.; (*in apertura di lettera*) Dear Sirs (*GB*); Gentlemen (*USA*).

dittàfono® m. dictaphone.

dìttamo m. (*bot.*, *Dictamnus albus*) burning bush; dittany; fraxinella; gas plant.

dittatóre m. **1** (*stor. romana*, *polit.*) dictator **2** (*fig.*) dictator; despot; tyrant.

dittatoriàle, **dittatòrio** a. **1** dictatorial **2** (*prepotente*) dictatorial; despotic; bossy.

dittatrice f. **1** female dictator; dictatress; dictatrix **2** (*fig.*) bossy woman*; tyrant.

dittatùra f. **1** (*stor. romana*, *polit.*) dictatorship **2** (*fig.*) dictatorship; tyranny.

dìttero m. (*zool.*) dipteran; (al pl., *scient.*) Diptera.

dìttico m. (*arte*, *archeol.*) diptych.

dittiosòma m. (*biol.*) dictyosome.

dittografìa f. (*filol.*) dittography.

dittogràfico a. (*filol.*) dittographic.

dittologìa f. (*ling.*) repetition (of parts of a word or a sentence).

dittològico a. (*ling.*) repetitive; iterative.

dittongaménto m. (*fon.*) diphthongization.

dittongàre v. t. e i. (*fon.*) to diphthongize.

dittongazióne f. (*fon.*) diphthongization.

dittòngo m. (*fon.*) diphthong.

diurèşi f. (*med.*) diuresis.

diurètico a. e m. (*farm.*) diuretic.

diurnìsta m. e f. temporary worker; temp (*fam.*).

diùrno **A** a. **1** day (attr.); daytime (attr.): **ore diurne**, daytime; (*teatr.*) **spettacolo d.**, matinée (*franc.*) **2** (*zool.*, *astron.*) diurnal: **animali diurni**, diurnal animals; **moto d.**, diurnal motion **B** m. **1** (*eccles.*) diurnal **2** (*anche* **albergo d.**) public baths and conveniences (pl.).

diuturnità f. (*lett.*) diuturnity; long duration.

diutùrno a. (*lett.*) diuturnal; lasting.

dìva f. **1** (*lett.: dea*) goddess **2** (*fig.*) star: **d. del cinema**, film star; **d. della lirica**, opera star; prima donna; **darsi arie da d.**, to behave like a star.

divagàre **A** v. i. to stray (from the topic); to wander (off the point); to digress; to ramble: **d. dal tema**, to stray from the topic; **Non d.**, don't digress, keep to the point **B divagàrsi** v. rifl. to amuse oneself.

divagazióne f. digression.

divampàre v. i. **1** (*incendiarsi*) to burst* into flames, to flare up; (*ardere*) to be ablaze **2** (*fig.*) to flare up; to break* out: *Nella città divampò la rivolta*, rebellion broke out in the town; **d. d'ira**, to flare up; to blaze with anger.

♦**divàno** m. sofa; couch; settee; (*senza schienale*) divan: **d. alla turca**, ottoman; **il d. dello psicoanalista**, the psychoanalyst's couch; **d. letto**, sofa bed; studio couch; davenport (*USA*).

divaricaménto m. → **divaricazione**.

divaricàre v. t. to spread* apart; to stretch apart; to open wide; to divaricate: **le gambe**, to spread one's legs.

divaricàto a. **1** wide apart (pred.); spread apart (pred.): **a gambe divaricate**, with one's legs wide apart **2** (*bot.*, *zool.*) divaricate.

divaricatóre m. (*med.*) retractor.

divaricazióne f. spreading apart; divarication.

divàrio m. difference; (*scarto*) gap: **d. cul-** turale, cultural difference; **d. generazionale**, generation gap; **d. tecnologico**, technological gap; **colmare un d.**, to close a gap.

diveggiàre v. i. to act like a (film) star; to be a prima donna.

divèllere v. t. to uproot; to eradicate (*anche fig.*).

♦**divenìre** **A** v. i. → **diventare** **B** m. (*filos.*) becoming: **l'essere e il d.**, being and becoming.

♦**diventàre** v. i. to become*; to go* (+ agg.); to get* (+ agg.); (*per gradi*) to grow* (+ agg.); to grow* into (+ sost.); (*rapidamente o con un peggioramento*) to turn (+ agg.); (*di colore*) to turn, to go* (+ agg.); (*trasformarsi: di cosa concreta*) to turn into (+ agg.), (*di cosa astratta*) to turn to; (*essere nominato, eletto, ecc.*) to be made, to be elected: **d. un'abitudine**, to become a habit; to grow into a habit; **d. acido**, to turn sour; **d. amici**, to become friends; **d. azionista**, to become a share-holder; **d. cattivo**, to turn nasty; (*di cibo*) to go bad; **d. cieco** [**pallido**, **matto**], to go blind [pale, mad]; **d. famoso**, to become famous; **d. generale**, to be made a general; **d. ghiaccio**, to turn into ice; **d. grande**, to grow up (*o* to grow) big; (*di bambino*) to grow up; **d. pericoloso**, to become dangerous; **d. più facile**, to become (*o* to get) easier; **d. rosso**, to turn red; to go red; (*arrossire*) to blush; **d. sindaco**, to be elected mayor; **d. un traditore**, to turn traitor; *La ragazzina è diventata una bella donna*, the little girl has grown into a beautiful woman; *Il bruco diventò farfalla*, the worm turned into a butterfly; *È diventato un marito affettuoso*, he has turned into a loving husband; *Diventerà un buon attore*, he will make a good actor ● (*fig.*) **d. di mille colori**, to turn every colour of the rainbow □ **C'è da d. matti!**, it's enough to drive you mad □ **far d. matto q.**, to drive sb. mad.

divèrbio m. argument; disagreement; squabble; altercation (*form.*).

divergènte **A** a. **1** divergent; diverging: (*fis.*) **lente d.**, diverging lens; **opinioni divergenti**, divergent opinions **2** (*mat.*) divergent **3** (*bot.*, *zool.*) divaricate **B** m. (*naut.*) kite; (*per pesca*) otter (board).

divergènza f. **1** (*scient.*) divergence; divergency **2** (*fig.*) divergence; difference: **d. di opinioni**, divergence of views; difference of opinion; **divergenze di fondo**, fundamental differences; **appianare le divergenze**, to smooth out the differences.

divèrgere v. i. to diverge: *Le due strade divergono*, the two roads diverge **2** (*fig.*: *essere diverso*) to diverge; to differ: *Le nostre idee divergono*, our ideas differ; *Le economie dei due paesi divergono sempre di più*, the economies of the two countries are progressively diverging.

diversaménte avv. **1** (*in modo diverso*) in a different way; differently; otherwise: **pensarla d.** (**da q.**), to think otherwise **2** (*altrimenti*) otherwise; if not; or else ● **d. da** (*a differenza di*), unlike.

diversificàre **A** v. t. **1** (*rendere diverso, distinguere*) to distinguish; to differentiate **2** (*rendere vario*) to vary; to diversify **3** (*econ.*) to diversify: **d. la produzione**, to diversify production; to diversify into new products **B diversificàrsi** v. rifl. e i. pron. **1** (*essere diverso*) to differ; to be different **2** (*diventare diverso*) to become* different; to diversify.

diversificàto a. diversified (*anche econ.*); varied.

diversificazióne f. **1** differentiation; variation; variety **2** (*econ.*) diversification.

diversióne f. **1** diversion; deviation; deflection; (*di percorso*) detour: **d. di un fiume**, deviation of a river **2** (*mil.*) diversion: **fare una d.**, to create a diversion.

diversità f. **1** (*differenza*) difference: **d. di**

gusti, difference in tastes; *Dobbiamo accettare le nostre d.*, we must accept our differences 2 (*varietà*) variety; diversity: **d. di opinioni**, diversity of views.

diversivo Ⓐ a. 1 (*che devia*) diversion (attr.); diversionary: **canale d.**, diversion channel 2 (*che distrae*) diversionary: **tattica diversiva**, diversionary tactics Ⓑ m. 1 (*cosa che distrae*) diversion 2 (*distrazione*) distraction; (*sollievo*) relief; (*svago*) diversion; (*cambiamento*) change: **un d. alla monotonia**, a relief from monotony, *Fu un d. piacevole*, it was a pleasant change; *È un d. ai suoi guai, poverina*, it takes her mind off her worries, poor thing 3 (*idraul.*) diversion canal.

◆**diverso** Ⓐ a. 1 different (from); unlike (st.); dissimilar (to); distinct (from): **prendere strade diverse**, to take different roads; *Sono diversi tra di loro*, they're different (from each other), they are unlike each other; *Hai un aspetto d.*, you look different; **avere idee diverse su qc.**, to differ in one's views on st.; *In questo sono d. da te*, in this I am different (o I differ) from you 2 (*vari*) various: **per diverse ragioni**, for various reasons; *Questo articolo esiste in diversi colori*, this article comes in various colours Ⓑ a. indef. (al pl.) (*parecchi*) several; quite a few; a number of; various; (*comm.*) sundry: **diversi giorni fa**, several days ago; *Me l'hanno detto diverse persone*, a number of people have told me so; *Provammo metodi diversi*, we tried various methods; **per diverse ragioni**, for various (o a number of) reasons; **creditori [debitori] diversi**, sundry creditors [debtors]; **spese diverse**, sundry expenses; (*comm.*) **generi diversi**, sundries Ⓒ pron. indef. (al pl.) several (people); a number of people; many (people) Ⓓ m. 1 person who deviates from accepted standards 2 (*eufem. spreg.*) deviant; homosexual.

❶ NOTA: *diverso*

Quando traduce l'espressione **diverso da**, differente può essere seguito da from, to o than.

La forma più comune, sia nell'inglese britannico che in quello americano, è **different from**: *Che cosa lo rende diverso dagli altri?*, what makes him different from other people?; *La situazione non è diversa da ciò che mi aspettavo*, the situation is not different from what I expected.

La forma **different to** è usata nell'inglese britannico: *Mi accorsi immediatamente che era diversa da tutti noi*, I realized at once that she was different to the rest of us; *Fare qualcosa come hobby è diverso dal farlo come un vero lavoro*, doing something as a hobby is different to doing it as a real job.

Different than è invece usato soprattutto nell'inglese americano: *Il suo nuovo disco è diverso da tutti quelli precedenti*, his new record is different than all his previous ones; *Oggi il clima è molto diverso da come era intorno al 1900*, the climate today is very different than what it was around 1900.

◆**divertènte** a. amusing; entertaining; enjoyable; fun; (*comico*) funny: **una storiella d.**, an amusing story; a funny story; **una serata d.**, an enjoyable evening; *È stato (molto) d.*, it was (great) fun; *Non sei affatto d.*, you're not at all funny.

diverticolàre a. (*anat.*) diverticular.

diverticolìte f. (*med.*) diverticulitis.

divertìcolo m. 1 (*lett.*) byway; side-street 2 (*lett., fig.*) subterfuge 3 (*anat.*) diverticulum*.

diverticolòsi f. (*med.*) diverticulosis*.

◆**divertiménto** m. 1 entertainment; enjoyment; amusement; fun ⓤ; (*passatempo*) pastime, recreation: **d. infantile**, childish pastime; **d. preferito**, favourite pastime;

hobby; **con gran d. di tutti**, to everybody's enjoyment; (*rif. a cosa comica*) to everybody's amusement; **fare qc. per d.**, to do st. for fun; *Non sarà un gran d.*, it won't be much fun; *Pensa solo ai divertimenti*, he only thinks of having a good time; **Buon d.!**, enjoy yourself!; have a good time!; (*anche iron.*) have fun!; (*iron.*) Bel d.! (*o Sai che d.!*), what fun!; some fun!; **parco dei divertimenti**, amusement park; fun fair 2 (*mus.*) divertimento*; divertissement.

◆**divertìre** Ⓐ v. t. 1 (*lett.: allontanare*) to divert 2 to amuse; (*intrattenere*) to entertain; (*far ridere*) to make* (sb.) a laugh Ⓑ **divertìrsi** v. rifl. 1 to enjoy oneself; to have a good time; to have fun; (*intrattenersi*) to amuse oneself: *Ti sei divertito?*, did you enjoy yourself?; did you have a good time?; *Divertiti!*, have a good time!; enjoy yourself!; (*anche iron.*) have fun!; **divertirsi un mondo** (o **da matti**), to have the time of one's life; to have a ball (*fam.*); **divertirsi alle spalle di q.**, to have fun at sb.'s expense; *Ti diverti proprio a stuzzicarlo*, you really enjoy teasing him; **pensare solo a divertirsi**, only to think of having a good time; **tanto per divertirsi**, just for fun; just for kicks (*fam.*) 2 (*avere avventure amorose*) to have fun; to play around: *Per me lui vuole solo divertirsi*, I think he is only after some fun; *Da giovane si è divertito parecchio*, he sowed his wild oats in his youth.

divertito a. amused: *La guardò con aria divertita*, he gave her an amused look.

divétta f. starlet.

divezzaménto m. weaning.

divezzàre Ⓐ v. t. (*anche fig.*) to wean Ⓑ **divezzàrsi** v. i. pron. to give* up (st.); to wean oneself from: **divezzarsi dal fumo**, to give up smoking.

dividèndo m. 1 (*mat.*) dividend 2 (*econ.*) dividend: **d. di fine anno**, year-end dividend; **d. in azioni**, stock dividend; **d. straordinario**, bonus; extra dividend; **d. cumulativo**, cumulative dividend; **copertura dei dividendi**, dividend cover; **reddito da dividendi**, dividend income; con d., with (o cum) dividend; **senza d.**, ex dividend.

◆**divìdere** Ⓐ v. t. 1 to divide; to split* (o qc. a metà), to divide st. in half; to halve st.; **d. una pagnotta in due**, to cut a loaf in two; **d. qc. in quattro**, to quarter; to divide st. into four parts; **d. qc. in dieci parti**, to divide st. (up) into ten parts; **dividersi i profitti**, to split the profits; *Il paese fu diviso in sei regioni*, the country was split up into six regions; *Il referendum divise il paese*, the referendum split the country 2 (*mat.*) to divide: **d. 20 per 5**, to divide 20 by 5; **x diviso y**, x divided by y; x over y 3 (*ripartire*) to divide; to share (out): **d. le spese**, to share the costs; **d. il proprio tempo tra lavoro e famiglia**, to divide one's time between work and one's family; **d. la vincita tra 10 giocatori**, to divide the winnings among 10 betters; *Divisi ciò che rimaneva fra i bambini*, I shared out what was left among the children 4 (*fare la cernita*) to sort (out): **d. i bottoni per colore**, to sort the buttons by colour 5 (*creare una divisione*) to divide; (*separare*) to separate, to part: *La politica ci divise*, politics divided us; *Il fiume divide la città*, the river divides the town in two (o cuts through the town); *Non volle essere divisa dal figlio*, she refused to be parted from her son; *Cercai di dividerli*, I tried to separate them 6 (*condividere*) to share: **d. una stanza**, to share a room; *Ha sempre diviso i nostri dolori*, he has always shared our sorrows Ⓑ **divìdersi** v. rifl. 1 (*separarsi*) to separate; to part; to leave* (sb.): **dividersi dalla famiglia**, to leave (o to part from) one's family; **dividersi dal marito**, to separate from one's husband 2 (*suddividersi*) to

split*: *Ci dividemmo in tre gruppi*, we split into three groups; **dividersi in fazioni**, to split into factions 3 (*svolgere più attività*) to divide one's time: *Si divide tra la casa e il lavoro*, she divides her time between house and work Ⓒ **dividersi** v. rifl. recipr. 1 (*separarsi*) to part company 2 (*di coppia*) to separate; to split* up Ⓓ **dividersi** v. i. pron. 1 (*biforcarsi*) to divide; to fork; to branch out: *Il Po si divide alla foce*, the Po divides at its mouth 2 (*fendersi*) to split*; to break*: *La lastra si divise in quattro parti*, the slab broke into four parts 3 (*suddividersi*) to be divided. ❶ NOTA: *to divide in o to divide into?* → **to divide**

dividìvi m. inv. (*bot.*, *Caesalpinia coriaria*) divi-divi.

divièto m. prohibition; ban: **d. d'accesso**, prohibition to enter; (*avviso*) no entry; *C'è d. di accesso*, entry is prohibited; there is a no-entry sign; **d. d'affissione**, prohibition to post bills; (*avviso*) no billposting, stick no bills; **d. di caccia**, ban on hunting; (*avviso*) no hunting, hunting prohibited; **d. di fumare**, prohibition to smoke; ban on smoking; (*avviso*) no smoking; *Qui c'è d. di fumare*, you can't smoke here; **d. di importazione**, ban on imports; **d. di parcheggio** (*avviso*) no parking; **d. di sosta** (*avviso*), no waiting; **posteggiare l'auto in d. (di sosta)**, to park one's car in a no-waiting area; **d. di transito** (*avviso*), no thoroughfare; *Ci è stato fatto d. di...*, we are forbidden to...; **imporre un d.**, to prohibit (st.); to forbid (st.); to impose a ban (on st.); **non osservare un d.**, not to observe a prohibition; **rispettare un d.**, to obey a prohibition; **cartello di d.**, prohibition notice.

divinaménte avv. divinely; superbly; excellently; beautifully (*fam.*); **d. bello**, divinely beautiful; **cantare d.**, to sing beautifully.

divinàre v. t. to divine; (*predire*) to foretell*; (*prevedere*) to foresee*.

divinatóre Ⓐ m. (f. *-trice*) diviner; soothsayer; foreteller Ⓑ a. divining; prophetic: **mente divinatrice**, prophetic mind.

divinatòrio a. divinatory; prophetic: **arte divinatoria**, art of divination.

divinazióne f. 1 divination; soothsaying 2 (*predizione*) foretelling ⓤ; prediction; prophecy.

divincolaménto m. wriggling; writhing; twisting.

divincolàre Ⓐ v. t. to wriggle; to writhe; to twist Ⓑ **divincolàrsi** v. rifl. to wriggle; to struggle; (*liberarsi*) to wriggle free: *L'anguilla si divincolò dalle mie dita*, the eel wriggled out of my fingers; *Sa divincolarsi da ogni difficoltà*, she can wriggle out of any difficulty.

divinità f. 1 (*essenza, natura divina*) divinity; divine nature; godhead 2 (*essere divino*) god (m.); goddess (f.); divinity; (*di religione politeista, anche*) deity: **d. pagane**, pagan gods (o deities) 3 (*fig.*) sublimity.

divinizzàre v. t. 1 to deify; to divinize 2 (*fig.*) to glorify; to exalt.

divinizzazióne f. 1 deification; divinization 2 (*fig.*) glorification; exaltation.

◆**divìno** Ⓐ a. 1 (*di Dio, dato da Dio*) divine; of God; God's (attr.): **la divina provvidenza**, divine providence; **la grazia divina**, God's (o divine) grace; **la parola divina**, God's word, the word of God; **servizio d.**, divine service; **re per diritto d.**, king by divine right 2 (*di natura divina*) divine; (*simile a un dio*) godlike: **un essere d.**, a divine being; **aspetto d.**, godlike aspect; **poteri divini**, divine powers 3 (*fig.*) divine; sublime; heavenly; fabulous; gorgeous; (*squisito*) divine, delicious: **una voce divina**, a heavenly voice; **la Divina Commedia**, the Divine Comedy; *Questa pesca è divina*, this peach

is delicious (*o* tastes divine) **B** m. (*essenza divina*) (the) divine; godhead.

◆**divisa** ① f. **1** (*uniforme*) uniform: **d. collegiale**, school uniform; (*mil.*) **d. di gala**, full dress; **d. militare**, military uniform; (*mil.*) **d. ordinaria**, service uniform **2** (*livrea*) livery **3** (*arald.*) device.

divisa ② f. (*fin.*) foreign currency (*o* exchange): **d. convertibile**, convertible currency.

divisare v. t. (*lett.*) to plan; to consider.

divisibile a. (*anche mat.*) divisible: **d. per tre**, *Il diciotto è d. per sei*, three divides into eighteen.

divisibilità f. (*anche mat.*) divisibility.

divisionale a. **1** (*mil.*) divisional **2** (*mat., fin.*) divisional; fractional: **moneta d.**, divisional coin.

divisionàrio → **divisionale**, def. 2.

◆**divisióne** f. **1** (*suddivisione*) division: (*leg.*) **d. dei beni**, division of assets; (*econ.*) **la d. del lavoro**, the division of labour; **la d. di un terreno in appezzamenti**, the division of a piece of land into plots **2** (*ripartizione*) partition; (*distribuzione*) distribution, sharing out: **la d. del bottino**, the sharing out of the booty; (*econ.*) **d. degli utili**, profit-sharing; (*leg.*) **d. ereditaria**, partition of a succession **3** (*separazione*) separation; (*scioglimento*) break-up, dissolution; (*smembramento*) dismemberment, partitioning: **la d. di due coniugi**, the separation of a married couple; (*polit.*) **la d. dei poteri**, the separation of powers; **linea di d.**, dividing line; (*edil.*) **muro di d.**, partition (wall) **4** (*confine*) boundary **5** (*disaccordo*) division; discord; deep disagreement: **divisioni intestine**, internal divisions; factions **6** (*mat.*) division: **segno di d.**, division sign; **fare le divisioni**, to do division **7** (*biol.*) fission; division: **d. binaria**, binary fission; **d. cellulare**, cell division **8** (*mil.*) division: **d. corazzata**, armoured division; **d. motorizzata**, mechanized division **9** (*bur., org. az.*) division; bureau: **d. marketing**, marketing division; **d. vendite**, sales division **10** (*sport*) division **11** (*elettron.*) – **d. di frequenza**, frequency division.

divisionìsmo m. (*pitt.*) pointillism.

divisionìsta m. e f. (*pitt.*) pointillist.

divisionìstico a. (*pitt.*) pointillistic; pointillist (attr.).

divìsmo m. **1** (*infatuazione per i divi*) star worship **2** (*comportamento da divo*) prima donna behaviour.

divìso a. **1** divided: **d. per sei**, divided by six; **d. in tre parti**, divided into three parts **2** (*separato*) separated; apart (avv.): *È d. dalla moglie*, he is separated from his wife; **un Paese d.**, a divided country; **vivere divisi**, to live apart **3** (*discorde*) divided; differing; discordant: *La critica è divisa*, critics are divided; **pareri divisi**, discordant opinions.

divisóre m. **1** (*mat.*) divisor: **massimo comun d.**, greatest common divisor (abbr. GCD); highest common factor (abbr. HCF) **2** (*mecc.*) dividing head; index head **3** (*elettron.*) – **d. di frequenza**, frequency divider; **d. di tensione**, voltage divider; potential divider.

divisòrio **A** a. dividing; partition (attr.): **muro d.**, partition wall **B** m. partition.

divìstico a. film star (attr.); prima donna (attr.): **atteggiamenti divistici**, airs of a prima donna.

divo **A** a. (*lett.*) divine; godlike **B** m. **1** (*lett.*) god **2** (*attore o cantante famoso*) star: **d. dello schermo**, film star; movie star (*USA*); **d. della canzone**, popstar; **darsi arie da d.**, to behave like a star.

◆**divorare** **A** v. t. **1** to devour; to eat* up; (*trangugiare*) to wolf down, to gobble up: **d. un pollo intero**, to devour a whole chicken;

---

essere divorato da un leone, to be devoured by a lion **2** (*fig.*) to devour; to eat* up; to consume; to rack: **d. un libro**, to devour a book; **d. q. con gli occhi**, to devour sb. with one's eyes; **d. la strada**, to eat up the miles; *Le fiamme divorarono la foresta*, the flames devoured the forest; **essere divorato dalla gelosia**, to be devoured by (*o* consumed with) jealousy **B** **divorarsi** v. i. pron. (*struggersi*) to be consumed (with).

divoratóre **A** a. devouring; consuming: **fuoco d.**, consuming fire **B** m. (f. **-trice**) devourer; big eater: *Sono un d. di gelati*, I eat a lot of ice cream; **d. di libri**, avid reader; **divoratrice di uomini**, man-eater.

divorziàre v. i. to divorce (sb.); to get* divorced (from): **d. dalla moglie**, to divorce one's wife; *Hanno deciso di d.*, they have decided to get divorced; *Divorziarono dopo un anno*, they divorced a year later; *Stanno divorziando*, they're getting divorced.

divorziàta f. divorced woman*; divorcee; divorcée (*franc.*).

divorziàto **A** a. divorced **B** m. (f. **-a**) divorced man*; divorcee; divorcé (*franc.*).

divorzile a. divorce (attr.).

divòrzio m. (*anche fig.*) divorce: **d. sensuale**, amicable divorce; **chiedere il d.**, to apply for a divorce; to file for divorce; **ottenere il d.**, to get a divorce; *Il loro matrimonio si concluse con un d.*, their marriage ended in divorce; **causa di d.**, grounds (pl.) for divorce; **sentenza di d.**, decree of divorce.

divorzìsmo m. advocacy of divorce.

divorzìsta **A** m. e f. **1** supporter (*o* advocate) of divorce **2** (*leg.*) divorce lawyer **B** a. divorce (attr.).

divorzìstico a. divorce (attr.).

divulgàbile a. that may be divulged.

divulgàre **A** v. t. **1** (*diffondere*) to spread*; (*sulla stampa*) to publish; (*per radio, TV*) to broadcast*; (*rivelare*) to divulge, to disclose, to reveal: **d. la notizia**, to spread the news; **d. a mezzo stampa**, to publish in the press; **d. un segreto**, to divulge (*o* to disclose) a secret **2** (*esporre in forma facile*) to popularize: **d. la fisica**, to popularize physics **B** **divulgarsi** v. i. pron. **1** (*diffondersi*) to spread* **2** (*entrare nell'uso comune*) to become* popular; to catch* on.

divulgativo a. popular: **testo d.**, popular work.

divulgatóre **A** m. (f. **-trice**) **1** spreader; divulger **2** (*chi fa opera di divulgazione*) popularizer **B** a. popular ● **fare opera divulgatrice**, to popularize.

divulgazióne f. **1** spreading; (*rivelazione*) divulgation, disclosure **2** (*esposizione in forma facile*) popularization: **libro di d. scientifica**, popular scientific book; **fare opera di d.**, to popularize.

divulsióne f. (*med.*) divulsion.

divulsóre m. (*med.*) dilator; divulsor.

dizigòte **A** m. (*biol.*) dizygotic twin **B** a. dizygotic.

dizigòtico a. (*biol.*) dizygotic; dizygous.

◆**dizionàrio** m. dictionary: **d. bilingue**, bilingual dictionary; **d. dei sinonimi**, dictionary of synonyms; thesaurus; **d. di psicologia**, dictionary of psychology; **d. etimologico**, etymological dictionary; **d. geografico**, geographical dictionary; gazetteer; **d. illustrato**, pictorial dictionary; **d. monolingue**, monolingual dictionary; **compilare un d.**, to compile a dictionary; **consultare un d.**, to consult a dictionary; to look st. up in a dictionary.

dizionarìsta m. e f. compiler of a dictionary; lexicographer.

dizionarìstica f. dictionary making; lexicography.

---

dizionarìstico a. dictionary (attr.); lexicographic.

dizióne f. **1** (*enunciazione*) delivery; (*pronuncia*) pronunciation; (*elocuzione*) elocution **2** (*recitazione*) recitation; recital; reading **3** (*locuzione*) phrase; idiom.

D.L. sigla (*leg.*, **decreto legge**) (emergency) decree; executive order.

D.M. sigla (*leg.*, **decreto ministeriale**) ministerial order (or decree).

DNA ① m. inv. **1** (*biol.*) DNA: **DNA ricombinante**, recombinant DNA **2** (*fig.*) genes (pl.); origins (pl.).

DNA ② sigla (*polizia*, **Direzione nazionale antimafia**) National Anti-Mafia Unit.

do ① m. inv. **1** (*mus.*) C; (*nel solfeggio*) doh, do*: **do diesis minore**, C sharp minor; **do di petto**, high C; **chiave di do**, C clef.

do ② 1ª pers. sing. indic. pres. di **dare**.

dobbiàmo 3ª pers. pl. indic. pres. di **dovere**.

dòbermann (*ted.*) m. inv. (*cane*) Dobermann (pinscher).

doblóne m. (*stor.*) doubloon.

doc a. inv. **1** DOC (attr.); quality (attr.): **vini doc**, quality wines **2** (*fig., scherz.*: *autentico*) genuine, real; (*di pregio*) high-quality, first-class.

DOC sigla (*enol.*, **denominazione d'origine controllata**) registered designation of origin.

◆**dòccia** f. **1** shower: **fare la d.**, to have (*o* to take) a shower; to shower; *Sono sotto la d.*, I'm under the shower **2** (*condotto*) conduit; pipe; (*di scarico*) drainpipe; (*grondaia*) gutter **3** (*di mulino*) millrace; millrun **4** (*med.*) plaster cast ● (*fig.*) **d. fredda**, check on sb.'s enthusiasm; damper; anticlimax □ **d. scozzese**, shower alternating hot and cold water; (*fig.*) see-saw of good and bad news.

docciaschiùma f. inv. shower gel.

docciatùra f. (*med.*) douche; douches (pl.).

doccionàta f. (*edil.*) downpipes (pl.).

doccióne m. **1** (*arch.*) spout; (*scolpito*) gargoyle; (*tubo*) downpipe, drainpipe **2** (*alpinismo*) crack.

docènte **A** a. teaching: **il corpo d.**, the teaching staff; the teachers (pl.); (*università*) the academic staff **B** m. e f. teacher: **d. universitario**, university teacher; lecturer; professor; (*in passato*) **libero d.**, qualified university teacher.

docènza f. teaching; teaching qualification; teaching appointment; (*università*) professorship: **libera d.**, university teaching qualification; **ottenere la libera d.**, to qualify for university teaching.

docèta m. e f. (*stor. relig.*) Docete; Docetist.

docetìsmo m. (*stor. relig.*) Docetism.

docetìsta → **doceta**.

DOCG sigla (*enol.*, **denominazione d'origine e garantita**) registered and certified designation of origin.

dòcile a. **1** (*arrendevole*) docile; amenable; manageable; pliant; pliable; (*remissivo*) submissive; (*obbediente*) obedient **2** (*mansueto*) meek; (*di animale*) tame, docile **3** (*di materiale*) malleable, pliable, soft; (*di macchina, strumento, ecc.*) easy to handle, manageable.

docilità f. **1** docility; amenability; submissiveness **2** (*mansuetudine*) meekness; tameness; docility **3** (*di materiale*) malleability; pliability; softness.

docimasìa f. (*med., chim.*) docimasy.

docimàstico a. (*chim.*) docimastic.

docimologìa f. study of testing and assessment techniques.

docimològico a. assessment (attr.).

docimòlogo m. (f. **-a**) expert in testing and assessment techniques.

documentàbile a. documentable; provable; verifiable.

documentàle a. documental; documentary: (*leg.*) **prova d.**, documentary evidence (*o proof*) ⓤ.

documentalista m. e f. documentalist.

documentàre Ⓐ v. t. to document; to substantiate; to prove with documents; to supply with documentary evidence Ⓑ **documentàrsi** v. rifl. to gather information; (*leggendo*) to read* up.

documentàrio a. e m. documentary: **fonti documentarie**, documentary sources; **materiale d.**, documentation.

documentarista m. e f. **1** documentalist **2** (*cinem.*) documentary film maker; documentarian; documentarist.

documentarìstico a. (*cinem.*) documentary.

documentàto a. **1** documented; substantiated; (*fondato*) well-grounded: **notizie ben documentate**, well-grounded news; **tesi ben documentata**, well-documented thesis **2** (*di persona*) well-informed.

documentatóre m. (f. **-trìce**) documentalist.

documentazióne f. **1** documentation: **ricca d.**, extensive documentation **2** (*documenti*) record; records (pl.); documents (pl.): **d. contabile**, records; **d. di vendita**, sales records; **fornire le necessaria d.**, to supply the necessary documents **3** (*ricerca*) research.

♦**documénto** m. **1** document; papers (pl.); (*registrazione*) record: **d. d'identità**, identity papers; identification (abbr. ID); (*naut.*) **documenti di bordo**, ship's papers; **documenti di lavoro**, work papers; **documenti falsi**, forged documents; false papers; **documenti fiscali**, tax records; **documenti giustificativi**, supporting documents; vouchers; **autenticare un d.**, to certify a document; **esibire i propri documenti**, to produce one's identity papers; **Documenti, prego!**, can I see your papers (*o* documents)? **2** (*testimonianza*) document; evidence ⓤ; proof ⓤ; record **3** (*materiale di documentazione*) document; source of information **4** (*comput.*) file; document.

documentografìa f. documentary publications (pl.).

documentologìa f. documentation studies (pl.).

documentotèca f. collection of documents; archive (of documents).

dodecaèdrico a. (*geom.*) dodecahedral.

dodecaèdro m. (*geom.*) dodecahedron*.

dodecafonìa f. (*mus.*) twelve-note system; dodecaphony.

dodecafònico a. (*mus.*) twelve-note (attr.); twelve-tone (attr.); dodecaphonic: **musica dodecafonica**, twelve-note music.

dodecàgono m. (*geom.*) dodecagon.

dodecasìllabo (*poesia*) Ⓐ a. twelve-syllable (attr.); dodecasyllabic Ⓑ m. twelve-syllable line; dodecasyllable.

dodecàstilo a. (*archit.*) dodecastyle.

dodecilbenzène m. (*chim.*) dodecylbenzene.

dodicènne Ⓐ a. twelve years old (pred.); twelve-year-old (attr.) Ⓑ m. e f. twelve-year-old.

dodicènnio m. period of twelve years; twelve-year period; twelve years (pl.).

dodicèsima f. (*mus.*) twelfth.

dodicèsimàle a. duodecimal.

dodicèsimo a. num. ord. e m. twelfth ● (*tipogr.*) **in d.**, in duodecimo (abbr. 12mo).

♦**dódici** a. num. card., m. e f. twelve; (*nelle date*) twelfth: **i d. apostoli**, the twelve apostles; **il d. luglio**, the twelfth of July; July the

twelfth; **un servizio da d.**, a dinner-set for twelve; **capitolo d.**, chapter twelve; **alle d.**, at twelve (o'clock); at noon.

dodicista m. e f. person who has scored twelve in the football pools.

dòdo m. (*zool.*, *Raphus cucullatus*) dodo.

dóga f. (*di botte, ecc.*) stave.

dogàle a. (*stor.*) of a doge; doge's.

dogàna f. **1** customs (pl.): **passare la d.**, to go (*o* to get) through customs; **fermo in d.**, held up in customs; **dichiarazione per la d.**, customs declaration; **funzionario di d.**, customs officer (*o* official) **2** (*sede*) customs (*o* custom) house **3** (*dazio*) customs duty: **pagare la d. per q.**, to pay customs duty on st.; **franco di d.**, duty free.

doganàle a. customs (attr.): **barriera d.**, customs barrier; **dazi doganali**, customs duties; **dichiarazione d.**, customs declaration (*o* report); customs bill of entry; **formalità doganali**, customs formalities; **magazzino d.**, bonded warehouse; **unione d.**, customs union; **visita d.**, customs inspection; **sotto vincolo d.**, in bonds.

doganière m. customs officer.

dogàre v. t. to stave; to fit with staves.

dogaréssa f. (*stor.*) doge's wife; dogaressa.

dogàto m. (*stor.*) dogeate: **nel d. del Michieli**, under (the rule of) doge Michieli.

dòge m. (*stor.*) doge.

doghettàto Ⓐ a. staved; fitted with staves Ⓑ m. staving.

dòglia f. **1** (*lett.*) pain; throe **2** (*al pl.*) (*del parto*) labour pains: **avere le doglie**, to be in labour.

dogliànza f. (*lett.*) **1** (*lamentela*) complaint; grievance; gravamen (*leg.*) **2** (*dolore*) pain; grief; anguish.

dòglio m. **1** (*archeol.*) dolium* **2** (*barile*) barrel, cask; (*orcio*) jar.

doglióso a. (*lett.*) sorrowful; grief-stricken; sad.

dògma m. **1** (*relig.*) dogma* **2** (*estens.*) dogma*; tenet: (*biol.*) **d. centrale**, central dogma; *Quello che dice è d.*, his word is law.

dogmàtica f. (*teol.*) dogmatics (pl. col verbo al sing.).

dogmàtico Ⓐ a. **1** (*relig.*) dogmatic **2** (*estens.*) dogmatic; categorical: **affermazioni dogmatiche**, dogmatic assertions; **tono d.**, dogmatic tone Ⓑ m. (f. **-a**) dogmatist.

dogmatìsmo m. dogmatism.

dogmatizzàre v. i. to dogmatize.

dògre m. (*naut.*) dogger.

Dolby® (*ingl.*) m. (*elettr.*) **1** Dolby **2** (= **D. surround**, *per cinema e apparecchi TV*) Dolby (surround sound).

♦**dólce** Ⓐ a. **1** (*rif. al gusto e all'odorato*) sweet; (*zuccherato*) sugared; (*non piccante*) mild: **caffè d.**, sugared coffee; **formaggio d.**, mild cheese; **patata d.**, sweet potato; **d. profumo**, sweet smell; **vino d.**, sweet wine **2** (*fig.*) sweet; (*lieve, delicato, tenero*) gentle, tender, soft; (*mite*) mild; (*gentile, buono*) kind; (*amato*) beloved: **dolci sogni** [**ricordi**], sweet dreams [memories]; **carattere d.**, sweet temper; **musica d.**, soft music; **una salita d.**, a gentle slope; **una d. brezza**, a gentle breeze; **clima d.**, mild climate; **d. rimprovero**, mild (*o* gentle) reproof; **parole dolci**, tender words; **paroline dolci**, sweet nothings; **il mio d. tesoro**, my sweetheart; **la mia d. terra natia**, my beloved homeland **3** (*facile da lavorare*) soft; pliable: **ferro** [**legno**] **d.**, soft iron [wood]; **una pietra d.**, a soft stone **4** (*di acqua: non dura*) soft; (*non salata*) fresh **5** (*ecologia*) soft **6** (*fon.*) soft: *Ci sono due* «c» *dolci in* «church», there are two soft «c's» in «church» ● **d. di sale**, (*senza sale*) without salt; tasteless; (*fig. fam.*) sil-

ly, soft in the head □ **d. far niente**, dolce far niente; pleasant idleness □ **la d. vita**, (la) dolce vita; a life of heedless pleasure Ⓑ m. **1** (*sapore*) sweet taste; (*cose dolci*) sweet things (pl.), sweets (pl.): *Il d. fa male ai denti*, sweets (*o* sweet things) are bad for one's teeth **2** (*cibo dolce*) sweet; (*portata, anche*) dessert; (*caramella, ecc.*) sweet, candy (*USA*); (*torta*) cake: **dolci per i bambini**, sweets for the children; *Mi piaccioni i dolci*, I like sweet things (*o* sweets); I have a sweet tooth (*fam.*); **servire il d. prima della frutta**, to serve a dessert (*o* a sweet) before the fruit; **essere al d.**, to be having the dessert; to be finishing (one's meal); **una fetta di d.**, a slice of cake **3** (*lett.: dolcezza*) sweetness.

dolceamàro a. bitter-sweet.

dolcestilnovista → **stilnovista**.

dolcétta f. (*bot.*, *Valerianella olitoria*) corn salad; lamb's lettuce.

dolcevita Ⓐ a. polo-neck (attr.); turtleneck (attr.) Ⓑ f. o m. inv. polo-neck jumper; turtleneck jumper.

♦**dolcézza** f. **1** sweetness: **la d. del miele**, the sweetness of honey **2** (*fig.*) sweetness; gentleness; tenderness; (*bontà*) kindness; (*mitezza*) mildness; (*di colore, suono*) softness; (*di profumo*) fragrance: **la d. del suo carattere**, the sweetness of her character; **la d. del clima**, the mildness of the climate; **la d. della sua voce**, the softness of her voice; **trattare q. con d.**, to treat sb. with kindness **3** (*al pl.*) (*gioie*) pleasures; joys **4** (*come vocat.*) darling; sweetie.

dolciàna f. (*mus.*) dulcian.

dolciàrio Ⓐ a. confectionery (attr.): **l'industria dolciaria**, the confectionery industry Ⓑ m. (f. **-a**) confectionery worker.

dolciàstro a. **1** sweetish; (*stucchevole*) sickly-sweet **2** (*fig.*) sugary; saccharine (attr.); mawkish; cloying.

dolcière m. (f. **-a**) confectioner.

dolcificànte Ⓐ a. sweetening Ⓑ m. sweetener.

dolcificàre v. t. **1** to sweeten; to add sugar to **2** (*l'acqua dura*) to soften.

dolcificazióne f. sweetening.

dolcìgno a. sweetish.

dolcisonànte a. (*poet.*) sweet-sounding; sweet-toned.

dolciùme m. **1** (*spec. al pl.*) sweet; candy (*USA*); confectionery ⓤ: *Non mangiare troppi dolciumi*, don't eat too many sweets!; **negozio di dolciumi**, sweet shop; candy store (*USA*) **2** (*dolcezza stucchevole*) cloying sweetness.

dolènte a. **1** (*triste*) sorrowful; sad **2** (*spiacente*) (very) sorry; regretful: *Sono d. per ciò che è accaduto*, I am very sorry for what has happened; *Siamo dolenti di informarla che...*, we regret to inform you that... **3** (*che duole*) sore; painful; aching: **punto d.**, sore spot; (*fig.*) sore point.

dolére Ⓐ v. i. **1** (*di parte del corpo*) to ache; to hurt*: *Mi dolgono le giunture*, my joints are aching; *Duole quando lo tocco*, it hurts when I touch it; **d. al tatto**, to be tender **2** (*rincrescere*) to regret (pers.); to be sorry (pers.): *Mi duole di non poter venire*, I regret being unable to come (*form.*); I am sorry I can't come; *Ci duole comunicarle che...*, we regret to inform you that... Ⓑ **dolèrsi** v. i. pron. **1** (*lamentarsi*) to complain (of, about): **non avere di che dolersi**, to have nothing to complain of **2** (*rammaricarsi*) to be (very) sorry, to regret; (*pentirsi*) to repent (st.): *Mi dolgo di non averlo fatto*, I am sorry (*o* I regret) I did not do it; I regret not having done it; **dolersi dei propri peccati**, to repent one's sins.

dòlico m. (*bot.*, *Dolichos melanophtalmus*) dolichos.

dolicocefalìa f. dolichocephaly; dolicho-cephalism.

dolicocèfalo **A** a. dolichocephalic **B** m. (f. **-a**) dolichocephal.

dolicomòrfo a. dolichomorphic.

dolicònice f. (zool., *Dolichonyx oryzivorus*) bobolink; ricebird.

dolìna f. (geol.) doline.

dollarizzazióne f. (fin., econ.) dollariza-tion.

♦**dòllaro** m. dollar (abbr. $); buck (slang USA): **d. americano [australiano, canade-se]**, US [Australian, Canadian] dollar; **mez-zo d.**, half a dollar; **mille dollari**, one thou-sand dollars; **area del d.**, dollar area; **bi-glietto da cinque dollari**, five-dollar bill.

dòlly m. inv. (cinem., TV) dolly.

dòlman m. inv. dolman.

dòlmen m. inv. (archeol.) dolmen; crom-lech.

dolmènico a. (archeol.) dolmen (attr.).

dòlo m. **1** (leg.) intent; wilfulness; malice; fraud: **agire con d.**, to act with malice (o fraudulently); **commesso con d.**, fraudu-lent; with intent; with malice; **assenza di d.**, absence of malice **2** (lett.: *inganno*) fraud; deceit.

dolòmia f. (geol.) dolomite; dolomitic rock.

dolomite f. (miner.) dolomite.

Dolomìti f. pl. (geogr.) (the) Dolomites.

dolomìtico a. **1** (miner.) dolomitic **2** (geogr.) of the Dolomites.

dolomitizzazióne f. (geol.) dolomitiza-tion.

doloránte a. aching; sore; painful: **essere tutto d.**, to be aching all over.

♦**dolóre** m. **1** (fisico) pain; ache; (soffe-renza) suffering: **d. acuto**, sharp pain; **d. costante**, ache; **d. lancinante**, agonizing pain; **d. sor-do**, dull ache; **un d. al fianco [alla gamba]**, a pain in the side [in the leg]; **d. di denti**, toothache; **d. di testa**, headache; **d. di sto-maco**, stomach-ache; **dolori addominali**, stomach pains; **dolori articolari**, pains in the joints; **dolori reumatici**, rheumatic pains; **alleviare il d. di q.**, to relieve sb.'s pain; **calmare il d.**, to ease the pain; **grida-re per il d.**, to cry with pain; **pieno di dolo-ri**, aching all over; **grido di d.**, cry of pain **2** (morale) sorrow; grief; pain; misery; dis-tress; (rincrescimento) regret: **d. inconsolabi-le**, unconsolable grief; **d. sincero**, sincere grief (o sorrow); **esprimere il proprio pro-fondo d.**, to express one's deep sorrow (o grief); **dare un d. a q.**, to cause sb. grief (o pain); **abbandonarsi al d.**, to give way to grief; **morire di d.**, to die of grief (o of a bro-ken heart); **distrutto dal d.**, shattered by grief; **sconvolto dal d.**, overwhelmed with grief; deeply distressed **3** (cosa o persona che causa d.) trial: *Quel ragazzo è un gran d. per la famiglia*, that boy is a sore trial to his family • (relig.) **atto di d.**, act of contrition □ **letto di d.**, sick bed □ **la Madonna dei Sette Dolori**, Our Lady of the Seven Sorrows □ **Se lo scopre son dolori!**, there'll be trouble if he finds out!

dolorìfico a. **1** (che dà dolore) painful; causing pain **2** (relativo al dolore) – **sensibi-lità dolorifica**, sensitivity to pain.

dolorimetrìa f. (med.) dolorimetry.

dolorosità f. painfulness.

doloróso a. **1** (che procura dolore fisico) painful **2** (che procura dolore morale) painful; distressing; (triste) sad: **d. distacco**, sad parting; **intervento d.**, painful operation; *È troppo d. parlarne*, it's too painful to talk about it **3** (pieno di dolore) sad; sorrowful: **vita dolorosa**, sad life.

dolosità f. (leg.) malice; wilfulness.

dolóso a. (leg.) malicious; wilful; fraudu-lent: **fallimento d.**, fraudulent bankruptcy; **incendio d.**, arson.

Dom. abbr. (**domenica**) Sunday (Sun.).

domàbile a. tamable; (di cavallo) that can be broken in.

♦**domànda** f. **1** question: **d. imbarazzan-te**, embarrassing question; **d. trabocchet-to**, trick question; **domande e risposte**, questions and answers; **eludere una d.**, to elude a question; **fare (o rivolgere) una d. a q.**, to ask sb. a question; **rispondere a una d.**, to answer a question; *La d. rimase sen-za risposta*, the question went unanswered; *Ma che d.!*, what a ridiculous question!; of course! *Son domande da farsi?*, how can you ask such a question? **2** (richiesta) re-quest; (perentoria) demand; (scritta) applica-tion; (di cosa che si rivendica) claim: **d. di am-missione** (o d'iscrizione), application; **d. d'impiego**, application for a job; job appli-cation; **d. di pensione**, pension claim; **d. di trasferimento**, application for a transfer; **accogliere una d.**, to grant a request; **com-pilare una d.**, to fill in (o to write) an appli-cation; **fare d. d'impiego**, to apply for a job; **presentare una d.**, to send in an applica-tion; **respingere una d.**, to refuse (o to turn down) an application (o a request) **3** (econ.) demand: **d. di manodopera**, labour de-mand; **la legge della d. e dell'offerta**, the law of supply and demand **4** (leg.) petition; request; action; claim: **d. di divorzio**, di-vorce petition; **d. di grazia**, request for a pardon; **d. di risarcimento**, claim for dam-ages; **d. riconvenzionale**, counterclaim • **d. di matrimonio**, marriage proposal □ (comm.) **d. di rappresentanza**, application for an agency.

♦**domandàre** **A** v. t. **1** (per sapere, per otte-nere) to ask; (supplicando) to beg: **d. consiglio a q.**, to ask sb.'s advice; to ask sb. for ad-vice; **d. l'elemosina**, to beg; **d. notizie della salute di q.**, to inquire after sb.'s health; **d. la parola**, to ask leave to speak; **d. perdono**, to ask sb. to forgive one; to ask sb.'s forgive-ness; **d. il permesso a q.**, to ask sb.'s per-mission; **d. scusa (a q.)**, to beg sb.'s pardon; to say one is sorry (for st.): *«Che cosa fai qui?» mi domandò*, «What are you doing here?» she asked; *Lo domanderò al dottore*, I'll ask the doctor; *Domanda quanto costa*, ask how much it is **2** (esigere) to demand: **d. giustizia**, to demand justice **3** (chiedersi) to wonder; to ask oneself: *Mi domando se è sincero*, I wonder whether he is sincere; *Me lo sono domandato spesso*, I've often won-dered • *Domando e dico se è questo il mo-do di rispondere*, is this the way to answer, I ask you? **B** v. i. **1** (chiedere notizie) to ask (after); to inquire (after): *Mi hanno doman-dato di te*, they asked after you **2** (chiedere informazioni) to inquire (about); to ask (about): *Ho domandato di quel pacco*, I've inquired about that parcel **3** (chiedere di ve-dere) to ask to see; to ask (for); to want to see; to want to speak (to): *Quando arrivi, domanda di Marco*, ask to see Marco when you get there; *C'è uno che domanda di te*, there is someone asking for you (o who wants to see you) **◑Nota: to demand o to ask? → to demand.**

♦**domàni** **A** avv. tomorrow: **d. mattina [po-meriggio, sera]**, tomorrow morning [after-noon, evening]; *D. pioverà*, it will rain to-morrow; **d. alle sette**, tomorrow at seven; **d. l'altro** (o dopo d.), the day after tomor-row; *A d.!*, see you tomorrow; **il giornale di d.**, tomorrow's paper; **oggi o d.**, today or to-morrow; (prima o poi) sooner or later • **dal-l'oggi al d.**, from one day to the next; sud-denly; overnight: *Dall'oggi al d. ho dovuto cambiare tutti i miei progetti*, I had to change all my plans from one day to the

next □ (iron.) Sì, d.!, (figuriamoci!) some hope!; (niente affatto) you must be joking! □ *Dev'essere quasi pronto: se non è oggi è d.*, it must be nearly ready, if not today then tomorrow or the day after □ (prov.) **Oggi a me, d. a te**, I today, you tomorrow □ *Oggi è qui, d. chissà*, here today, gone tomorrow **B** m. **1** tomorrow; (l'indomani) (the) next day; (the) following day: *D. sarà domenica*, tomorrow is Sunday **2** (il futuro) tomorrow; (the) future: *Il d. è sempre incerto*, the fu-ture is always uncertain; **un d. migliore**, a better tomorrow; **forse, un d...**, some day, perhaps...; **preoccuparsi del d.**, to worry about the future; **il mondo di d.**, tomor-row's world.

domàre v. t. **1** to tame; (un cavallo) to break* in: **d. un leone**, to tame a lion; **d. un puledro**, to break in a pony **2** (ammansire) to tame: **d. un ragazzo ribelle**, to tame an unruly boy **3** (stroncare, soffocare) to crush; to put* down: **d. una ribellione**, to crush a rebellion **4** (assoggettare) to conquer; to sub-due: **d. un popolo**, to subdue a people **5** (un incendio, ecc.) to put out **6** (tenere a freno) to curb; to control: *Cercai di d. la mia rabbia*, I tried to control my anger.

domatóre m. (f. **-trìce**) tamer: **d. di ca-valli**, horse-breaker; **d. di leoni**, lion-tamer.

domattìna avv. tomorrow morning.

domatùra f. taming; (di cavalli) breaking-in.

♦**domènica** f. Sunday. (Per gli esempi di uso → **martedì**) ● **d. delle Palme**, Palm Sunday; **d. di Pasqua**, Easter Sunday □ **d. in Albis**, Low Sunday □ (fig.) **nato di d.**, born lucky □ **pittore della d.**, amateur painter ● **il vesti-to della d.**, one's Sunday best.

domenicàle a. **1** Sunday (attr.): **chiusu-ra d.**, Sunday closure; **riposo d.**, Sunday rest **2** (fig.) holiday (attr.); festive: **atmo-sfera d.**, holiday air.

domenicàna f. (eccles.) Dominican nun.

domenicàno (eccles.) **A** a. Dominican **B** m. Dominican; Black Friar.

Domènico m. Dominic.

domèstica f. maid; domestic help; serv-ant; (non fissa) daily help: **d. a ore**, part-time help; **d. fissa**, resident maid; **d. tuttofare**, general maid.

domesticàbile a. (biol.) domesticable.

domesticàre v. t. (biol.) to domesticate.

domesticazióne f. (biol.) domestica-tion.

domestichézza f. **1** (di pianta, animale) domesticity **2** → **dimestichezza**.

domesticità f. (di pianta, animale) domes-ticity.

♦**domèstico** **A** a. **1** (della casa) domestic; household (attr.); home (attr.); house (attr.): **economia domestica**, domestic economy; home economics; **lavori domestici**, house-work ⓤ; **vita domestica**, domestic (o family) life; life at home; **fra le pareti domestiche**, at home; in the family **2** (di famiglia) family (attr.); home (attr.): **azienda domestica**, family business **3** (di animale) domestic **4** (di pianta) cultivated **5** (familiare, semplice) homelike; homely (GB) **B** m. man-servant; servant; domestic: **i domestici**, the serv-ants; the household staff.

domiciliàre ① a. house (attr.); domicili-ary: **arresti domiciliari**, house arrest; **assi-stenza d.**, domiciliary care; **perquisizione d.**, house search; **visita d.**, domiciliary visit.

domiciliàre ② **A** v. t. (comm.) to domi-cile: **d. una cambiale**, to domicile a bill **B** **domiciliàrsi** v. rifl. to take* up residence.

domiciliatàrio m. **1** (leg.) addressee **2** (banca) paying agent.

domiciliàto a. **1** (residente) residing; liv-ing: **d. a Roma**, living in Rome; residing in

Rome (*form.*); **d. in Via del Pozzo**, living in Via del Pozzo **2** (*banca*) – **bollette domiciliate**, bills paid by direct debit (*o* through a standing order); **cambiale domiciliata**, domiciled bill.

domiciliazióne f. (*banca*) domiciliation; (*di bollette*) payment (of bills) by direct debit (*o* through a standing order).

domicìlio m. **1** (*leg.*) domicile; (*residenza*) habitual residence: (*leg.*) **d. coatto**, compulsory residence; **d. elettivo**, domicile of choice; **d. fiscale**, residence for tax purposes; **d. legale**, legal residence; **avere il proprio d. a**, to reside in; to be domiciled in (*USA*); **prendere d.**, to take up residence **2** (*abitazione*) house; home; (*indirizzo*) address: **cambiare d.**, to change address; to move; **lavorare a d.**, to work from home; **consegna a d.**, home delivery; **lavoro a d.**, outwork; cottage industry; **vendite a d.**, door--to door sales; (*leg.*) **violazione di d.**, housebreaking **3** (*astrol.*) house.

dominàbile a. controllable.

dominànte A a. **1** (*che comanda*) dominant; ruling: **la classe d.**, the ruling class **2** (*che predomina*) dominant; predominant; chief; main; (*prevalente*) prevalent, prevailing: **carattere d.**, main feature; (*biol.*) dominant character; **caratteristica d.**, dominant characteristic; key feature; **il colore d.**, the dominant colour; **moda d.**, prevailing fashion; **nota d.**, (*mus.*) dominant; (*fig.*) main feature; **opinioni dominanti**, prevailing opinions; **il partito d.**, the strongest party; **qualità d.**, chief quality; (*meteor.*) **vento d.**, prevailing wind **3** (*soprelevato*) commanding: **in posizione d.**, in a commanding position **B** f. (*mus.*) dominant.

dominànza f. (*biol.*) dominance; dominancy.

♦**dominàre A** v. t. **1** (*comandare*) to dominate; to rule; to hold* sway over: **d. i mari**, to rule the seas; **d. i mercati**, to dominate the market; **lasciarsi d. dai sentimenti**, to let oneself be ruled by one's feelings; to let one's heart rule one's head **2** (*imporsi*) to dominate; to have a hold over; to control; (*tenere sotto controllo*) to be in control of: *È dominato dal fratello*, he is dominated by his brother; his brother has a complete hold over him; *Non sa d. i suoi allievi*, she can't control her pupils; **d. la situazione**, to be in control of a situation **3** (*sovrastare*) to dominate; to overlook: *La torre domina la piazza*, the tower dominates the square; *Da quell'altezza dominavo tutta la scena*, from that height I dominated the whole scene; *La mia finestra domina il lago*, my window overlooks the lake **4** (*tenere a freno*) to master; to control: **non riuscire a d. l'ira**, to be unable to control one's anger **5** (*conoscere bene*) to have a good command of; (*arrivare a conoscere bene*) to master: **d. una lingua**, to have a good command of a language; *Non domino ancora la nuova tecnica*, I haven't mastered the new technique yet **B** v. i. **1** (*comandare*) to rule: *Gli Arabi dominavano in Sicilia*, the Arabs ruled over Sicily **2** (*eccellere, emergere*) to excel; to stand* out; to outshine* (sb.): **d. sui propri contemporanei**, to outshine (*o* to stand out above) one's contemporaries **3** (*ergersi*) to dominate; to tower; (*incombere*) to loom **4** (*prevalere*) to dominate; to predominate; to prevail; to reign supreme: *Dominava la confusione*, confusion reigned supreme **C dominàrsi** v. rifl. to control oneself: *Cerca di dominarti!*, try to control yourself!; get a grip on yourself!; **non sapere dominarsi**, to have no self-control; *Non riuscii più a dominarmi*, I could no longer contain myself.

dominatóre A a. ruling; dominating; dominant **B** m. (f. **-trìce**) ruler; master (f. mistress).

dominazióne f. **1** rule; domination; sway: **sotto la d. straniera**, under foreign rule **2** (al pl.) (*teol.*) Dominations.

Domineddìo m. (*fam.*) the Lord; the Good Lord; God Almighty.

dominicàle a. **1** (*del Signore*) dominical; of the Lord; the Lord's (attr.): **l'orazione d.**, the Lord's Prayer **2** (*padronale*) of the landlord; landlord's (attr.): **diritti dominicali**, landlord's rights; **reddito d.**, income from an estate.

dominicàno A a. Dominican; of the Dominican Republic **B** m. (f. **-a**) Dominican.

domìnio m. **1** (*autorità, potere*) rule; supremacy; dominion; domination; sway; power: **sotto d. britannico**, under British rule; **sotto il d. di un dittatore**, under the rule of a dictator; **il d. spirituale della Chiesa**, the spiritual supremacy of the Church; **avere il d. dei mari**, to rule the seas; **avere** (*o* **esercitare**) **il d. sopra q.** (*o* **qc.**), to have control over sb. (*o* st.); **tenere q. sotto il proprio d.**, to keep sb. under one's control; **sete di d.**, thirst for power **2** (*padronanza*) mastery; command; control: **il d. di una lingua**, the mastery of a language; **un ottimo d. della materia**, an excellent command of the subject; **d. dei propri nervi**, control of one's nerves; **d. di sé**, self-control **3** (*territorio*) dominion **4** (*proprietà*) property; ownership **5** (*campo, settore*) domain; field: **il d. della letteratura**, the domain of literature **6** (*mat., Internet*) domain ● **essere di d. pubblico**, to be in the public domain; (*essere noto a tutti*) to be common knowledge □ **rendere qc. di pubblico d.**, to make st. public; (*rivelare*) to disclose.

dominion (*ingl.*) m. inv. (*stor. inglese*) Dominion.

dòmino① m. (*mantello e persona*) domino.

dòmino② m. (*il gioco*) dominoes (pl. col verbo al sing.); (*le tessere*) set of dominoes: **giocare a d.**, to play dominoes; **fare d.**, to call domino; **tessera di d.**, domino ● **effetto d.**, domino effect; knock-on effect (*GB*).

Domiziàno m. (*stor. romana*) Domitian.

dòmma → **dogma**.

dòmo① m. **1** (*lett.*: *cupola*) dome **2** (*geol.*) → **duomo**③.

dòmo② a. (*lett.*) subdued; tamed.

domòtica f. domotics (pl. col verbo al sing.).

♦**don**① m. **1** (*eccles.*) Father; (*per i Benedettini e alcuni altri ordini monastici*) Dom **2** (*titolo spagn. o ital.*) Don: *Don Giovanni*, Don Juan; *Don Chisciotte*, Don Quixote; *Don Alfio*, Don Alfio.

♦**don**② inter. e m. dong: **din don**, ding dong.

donànte m. e f. (*leg.*) donor.

♦**donàre A** v. t. **1** to give*; to present (sb. with st.); (*anche leg.*) to donate: **d. gioia**, to give joy; **d. sangue** [**organi**], to donate blood [organs]; *Le donò una collana*, he gave her a necklace; *Sono lieto di donarle questo orologio*, it is my pleasure to present you with this watch; *Donò il palazzo alla città*, he donated his palace to the city **2** (*fig.*: *conferire*) to give*; to lend* **B** v. i. (*addirsi*) to suit (sb.): *Quel cappello non le dona*, that hat doesn't suit her **C donàrsi** v. rifl. (*lett.*) to devote one's life (to).

donatàrio m. (*leg.*) donee; volunteer.

donatìsmo m. (*stor. relig.*) Donatism.

donatìsta m. (*stor. relig.*) Donatist.

donatìvo m. **1** (*dono*) gift; donation **2** (*mancia*) gratuity.

donatóre m. (f. **-trìce**) donor (*anche leg., med.*); giver: **d. di sangue**, blood donor.

donazióne f. (*leg.*) donation; gift; (*lascito*) endowment: **d. di organi**, organ donation; **d. testamentaria**, testamentary donation;

fare una d., to make a donation; **atto di d.**, deed of gift.

donchisciòtte m. Don Quixote: **fare il d.**, to behave quixotically; to be quixotic.

donchisciottésco a. quixotic.

donchisciottìsmo m. quixotism; quixotry.

dónde avv. (*lett.*) **1** (*da dove*) from where; whence (*lett.*): *D. vieni?*, where do you come from?; **il punto d. eravamo partiti**, the place from where we had started **2** (*dal che*) whence; wherefrom **3** (*per quale motivo*) why: *D. tanti timori?*, why such fears? ● **averne ben d.**, to have good reason (for st.).

dondolaménto m. swinging; rocking.

♦**dondolàre A** v. t. **1** (*far oscillare*) to swing*; to dangle: *Dondolava le braccia nel camminare*, she swung her arms as she walked **2** (*cullare*) to rock; **d. un bambino nella culla**, to rock a baby in its cradle **B** v. i. **1** (*oscillare*) to swing*; to dangle: *Mi fece d. l'orologio davanti agli occhi*, he dangled the watch before my eyes **2** (*di sedia, barca, ecc.*) to rock **C dondolàrsi** v. rifl. **1** to swing*; (*cullarsi*) to rock (backwards and forwards) **2** (*fig.*: *bighellonare*) to loaf about.

dondolìo m. rocking; swinging.

dóndolo m. (*pop.*: *altalena*) swing; (*per giardino*) lawn swing ● **cavallo a d.**, rocking horse □ **sedia** (*o* **poltrona**) **a d.**, rocking chair.

dondolóni avv. swinging; dangling.

dong → **don**②.

dongiovannésco a. Don Juanesque.

dongiovànni m. Don Juan; womanizer; ladies' man*; lady-killer (*fam.*).

dongiovannìsmo m. Don Juanism.

♦**dònna** f. **1** woman*; female (*form. o spreg.*): **d. d'affari**, businesswoman; **d. di casa**, (*casalinga*) housewife; (*che fa vita di casa*) stay-at-home woman; **d. di campagna**, countrywoman; **una d. di classe**, a woman with class; **d. di facili costumi**, woman of easy virtue; **d. di mondo**, woman of the world; **d. in carriera**, career woman; **d. lavoratrice**, working woman; **d. magistrato**, female (*o* woman) judge; **d. poliziotto**, policewoman; **d. sportiva**, sportswoman; sporting woman; **l'essere d.**, womanhood; **vestirsi da d.**, to dress as a woman; to wear women's clothes; **abito da d.**, dress; frock; **calzature da d.**, women's shoes; **i diritti delle donne**, women's rights; **paure da d.**, womanish fears; **l'uguaglianza della d.**, female equality; **una voce di d.**, a woman's voice **2** (*moglie*) wife*; (*compagna*) girlfriend, partner, woman*: **la d. di mio cugino**, my cousin's girlfriend; *Sei la mia d.*, you are my woman **3** (*anche* **d. di servizio**) maid; help; (*a giornata*) daily help: **d. a ore**, part-time help; **d. delle pulizie**, cleaning lady; cleaner; **d. fissa**, live-in maid; *Hai la d.?*, do you have a help? **4** (*titolo italiano*) Donna **5** (*lett.*: *signora*) lady **6** (*a carte*) queen: **la d. di picche**, the queen of spades ● **d. cannone**, fat lady □ **d. di malaffare**, prostitute □ **d. di strada**, streetwalker □ **d. perduta**, lost woman □ **andare a donne**, to chase women □ (*iron.*) **buona d.**, slut; whore □ **movimento di liberazione della d.**, Women's Liberation (Movement); Women's Lib □ **prima d.** → **primadonna**.

donnàccia f. **1** bad woman* **2** (*donna immorale*) woman* of loose morals, slut; (*prostituta*) whore.

donnaiòlo, donnaiuòlo m. womanizer; philanderer.

donnésco a. womanly; feminine; female (attr.); (*spreg.*) womanish: **astuzie donnesche**, feminine wiles; **lavori donneschi**, (*di casa*) housework; (*di cucito*) needlework; **virtù donnesche**, womanly virtues.

a b c d e f g h i j k l m n o p q r s t u v w x y z

donnétta f. **1** little woman*: **una cara d.**, a dear little woman **2** (*spreg.*) humble woman*; ordinary woman*; (*donna sciocca*) silly woman* • **storie da donnette**, old wives' tales.

donnicciòla f. **1** silly woman* **2** (*spreg.*, *di uomo*) wimp; sissy • **fantasie da d.**, silly notions.

donnìna f. **1** (pretty) little woman* **2** (*eufem.*) loose (*o fast*) woman* • **d. allegra**, lady of easy virtue.

donnìno m. **1** (*donna piccola*) tiny woman* **2** (*bambina giudiziosa*) little woman*.

dònnola f. (*zool.*, *Mustela nivalis*) weasel.

donnóne m. big woman*; stout woman*.

♦**dóno** m. **1** gift; present: **un d. del Cielo**, a gift from Heaven; a blessing; a godsend; **i doni di Natale**, Christmas presents; **in d.**, as a gift; **fare d. di qc.** (*o* **offrire qc. in d.**), to give st. (as a gift); to donate; **pacco d.**, gift parcel **2** (*virtù*, *disposizione*) gift; talent: **il d. della parola**, the gift of speech; **d. di natura**, natural gift; **avere un d. per qc.**, to have a (natural) gift for st.; (*iron.*) *Ha il d. di dire sempre la cosa sbagliata*, he has a genius for saying the wrong thing.

dont m. inv. (*Borsa*) buyer's option; call option.

donzèlla f. (*lett.*) damsel; maiden.

donzèllo m. (*lett.*: *paggio*) page; (*scudiero*) squire; (*giovane nobile*) knight bachelor.

DOP sigla (**denominazione d'origine protetta**) protected designation of origin (PDO).

dòpa f. (*chim.*) dopa.

dopamìna, **dopammìna** f. (*biochim.*) dopamine.

dopàre [A] v. t. to dope [B] **dopàrsi** v. rifl. to dope; to take* dope.

dopàto (*sport*) [A] a. doped [B] m. doper.

dòping (*ingl.*) m. inv. (*sport*) doping.

♦**dópo** [A] avv. **1** (*di tempo*) after; afterwards, afterward (*USA*); (*più tardi*) later (on); (*poi*) then; next: **l'anno d.**, the year after; the following year; **un anno d.**, a year later; **il giorno d.**, the day after; on the following (*o* next) day; **né prima né d.**, neither before nor after; **subito d.**, straight after; **molto d.**, a long time after (*o later*); long afterwards; **poco d.**, a short time later; shortly after (*o* afterwards); *A d.!*, see you later!; *Lascialo per d.*, leave it till later; *Me ne accorsi d.*, I found out later on; I found out afterwards; *Successe alcuni giorni d.*, it happened a few days later; *Prima mangio e d. esco*, I'll eat first, and then I'll go out; *Che cosa viene d.?*, what comes next?; *E d.* (*che successe?*), what happened next (*o* then)? **2** (*di luogo*) after; next; (*dietro*) behind: *Che strada viene d.?*, which street comes next?; *La mia casa è quella d.*, my house is the next one [B] prep. **1** (*di tempo*, *anche* **dopo di**) after; (*oltre*) past; (*a partire da*) since: **d. cena**, after supper; *Vediamoci d. il concerto*, let's meet after the concert; *Non ci siamo più visti d. Pasqua*, we haven't met since Easter; *Sono nato d. di lui*, I was born after him; *Prego, d. di lei*, after you; *D. tutto quello che ti ho detto*, after everything I said to you; *Non sarò libero fin d. le cinque*, I shan't be free until past five o'clock **2** (*di luogo*) after; beyond; past: *Viene d. di te nell'elenco*, he comes after you in the list; *Il bosco è d. quei campi*, the wood is beyond those fields; *Il negozio è subito d. la chiesa*, the shop is just after (*o* past) the church • **d. di che** → **dopodiché** □ **d. tutto**, after all □ **il d. elezioni**, the post-election period □ **uno d. l'altro**, one after the other [C] cong. after; when: *D. averlo detto, mi accorsi della gaffe*, after I said it, I realized my blunder; **d. mangiato**, after a meal; after lunch; after dinner; *D. dormito, ti sentirai meglio*, when you've had a sleep (*o* after a sleep, after sleeping), you'll feel better; **d. che**, after; when; (*da quando*) since; *D. che ho letto il libro, ho cambiato idea*, after reading the book, I changed my mind; *D. che ci siamo lasciati, non l'ho più visto*, I haven't seen him since we split up [D] m. (what comes) afterwards; (the) future: *Non pensare al d.*, don't think about what comes afterwards; don't worry about the future.

dopobàrba [A] m. inv. aftershave (lotion) [B] a. inv. aftershave (attr.): **crema d.**, aftershave cream.

dopobórsa m. inv. (*Borsa*) kerb market; after hours market.

dopocéna m. inv. evening; after dinner: **dare un d.**, to invite people after dinner.

dopoché = **dopo che** → **dopo, C**.

dopodiché, **dópo di che** avv. (and) then; after which; afterwards.

♦**dopodomàni** avv. the day after tomorrow.

dopoguèrra m. inv. postwar period: **il secondo d.**, the years after the Second World War; **una casa costruita nel d.**, a house built in the postwar period; **la generazione del d.**, the postwar generation.

dopolavorìsta m. e f. member of a working men's club.

dopolavorìstico a. of (*o* pertaining to) a working men's club.

dopolavóro m. inv. working men's club: **d. ferroviario**, railwaymen's club.

dopolistìno → **dopoborsa**.

dopopartìta m. inv. (*sport*) post-match period.

dopoprànzo [A] avv. after lunch; in the afternoon: *Vieni d.*, come in the afternoon [B] m. inv. afternoon.

doposcì a. e m. inv. après-ski: **scarpe d.**, après-ski shoes; **articoli per il d.**, après-ski wear (collett.).

doposcuòla m. inv. after-school activities (pl.).

doposóle [A] m. inv. after-sun lotion [cream] [B] a. inv. after-sun (attr.).

dopoteàtro [A] m. inv. time after a show [B] a. inv. after-the-show (attr.).

♦**dopotùtto** avv. after all.

dóppia f. (*fam.*) double letter.

doppiàggio① m. (*sport*) lapping.

doppiàggio② m. (*cinem.*) dubbing: **fare il d. di un film**, to dub a film; **direttore del d.**, dubbing director; **sala di d.**, dubbing room.

doppiaménte avv. **1** doubly; twice as (+ agg.): **d. caro**, twice as dear **2** (*fig.*: *falsamente*) deceitfully; with duplicity.

doppiàre① v. t. **1** (*raddoppiare*) to double **2** (*foderare*) to line **3** (*naut.*) to round; to double: **d. un capo**, to round a cape **4** (*sport*) to lap; (*boxe*) to deliver a one-two.

doppiàre② v. t. (*cinem.*) to dub: **d. un attore**, to dub an actor; **d. un film in italiano**, to dub a film into Italian.

doppiàto (*cinem.*) [A] a. dubbed [B] m. dub; dubbed sound-track.

doppiatóre m. (f. **-trìce**) (*cinem.*) actor (f. actress) who dubs: **il d. italiano di De Niro**, the Italian actor who dubs De Niro.

doppiatùra① f. doubling.

doppiatùra② f. → **doppiaggio**②.

doppière m. (*lett.*) two-branched candlestick (*o* chandelier).

doppiétta f. **1** (*fucile*) double-barrelled gun: **d. giustapposta**, side-by-side gun; **d. sovrapposta**, over-and-under gun **2** (*colpo doppio di fucile*) double shot **3** (*autom.*) double-declutching (*GB*); double-clutching (*USA*): **fare la d.**, to double-declutch (*GB*); to double-clutch (*USA*) **4** (*sport*) two points

(pl.); (*calcio*) two goals (pl.); (*doppia vittoria*) double **5** (*boxe*) one-two.

doppiétto m. → **doppietta**, def. *2* e *3*.

doppiézza f. **1** doubleness; (*di filo*, *ecc.*) double thickness **2** (*fig.*) duplicity; deceitfulness; double-dealing.

doppìno m. **1** (*naut.*) bight **2** (*telef.*) duplex cable.

♦**dóppio** [A] a. **1** double; (*duplice*) dual, twofold; (*nelle comparazioni*) twice as (+ agg.): **d. altezza** (*di stoffa*), double width; **d. effetto**, twofold effect; **doppia funzione**, dual function; **doppia nazionalità** [**cittadinanza**], dual nationality [citizenship]; (*naut.*) **d. scafo**, double keel; **d. whisky**, double whisky; (*aeron.*, *autom.*) **doppi comandi**, dual controls; **doppi vetri** (*di finestra*), double glazing [Ⓤ]; (*bot.*) **fiore d.**, double flower; **paga doppia**, double pay; (*comm.*) **partita doppia**, double entry; *Questo metodo ha un d. vantaggio*, the advantages of this method are twofold: **a d. petto**, double-breasted; (*anche fig.*) **a d. taglio**, double-edged; *Questa stoffa ha un'altezza doppia di quella*, this fabric is as wide as that one **2** (*fig.*: *finto*, *ipocrita*) two-faced; double-dealing: *È un uomo d.*, he is two-faced; he is a double-dealer • **d. fondo**, false bottom: **baule a d. fondo**, false-bottomed trunk □ **d. gioco**, double-cross: **fare il d. gioco con q.**, to double-cross sb. □ **d. lavoro**, second job □ (*chim.*) **d. legame**, double bond □ **d. mento**, double chin □ (*econ.*) **d. mercato**, two-tier market □ **d. senso**, (*verbale*) double meaning, (*spec. se scabroso*) double entendre (*franc.*); (*di strada*) two-way traffic: **frase [parola] a d. senso**, double entendre (*franc.*); **strada a d. senso**, two-way street □ **avere una doppia vita**, to lead a double life □ **fucile a doppia canna** → **doppietta**, *def. 1* □ **in d. esemplare**, in duplicate □ **numero d.** (*di rivista*), double number □ (*balistica*) **palla doppia**, double-headed shot □ (*mecc.*) **pompa a d. effetto**, double-acting pump □ **serrare a d. giro** (*o* **mandata**), to double-lock [B] m. **1** (*doppia quantità*) double the quantity; twice the amount; twice as much; (*rif. a un sost. pl.*) twice as many: *Posso sollevare il d. rispetto a te*, I can lift twice the amount (*o* twice as much as) you can; *Tu mangi il d.*, you eat twice as much as I do; *Questo libro ha cento pagine e quello ne ha il d.*, this book has a hundred pages and that one has twice as many; *Ho il d. della tua età*, I am twice your age; **più caro del d.**, twice as expensive; *Dieci è il d. di cinque*, ten is twice five **2** (*teatr.*) understudy **3** (*aspetto contrario o complementare*) double **4** (*tennis*) doubles (pl.): **d. maschile [femminile, misto**], men's [women's, mixed] doubles; **fare un d.**, to have a game of doubles • (*di campane*) **sonare a d.**, to ring a full peal [C] avv. double (*anche fig.*): **vederci d.**, to see double.

doppiofóndo m. **1** (*naut.*) double bottom **2** (*di valigia*, *ecc.*) false bottom.

doppiogiochìsta m. e f. double-crosser; double-dealer.

doppiolavorìsta m. e f. person who has a second job; moonlighter (*fam.*).

doppióne m. **1** duplicate; double **2** (*ling.*) doublet **3** (*spreg.*: *imitazione*) copy **4** (*teatr.*) dual role; double part **5** (*bozzolo doppio*) double cocoon.

doppiopesìsmo m. (*giorn.*) tendency to apply double standards.

doppiopesìsta m. e f. (*giorn.*) person who applies double standards.

doppiopètto [A] m. inv. (*giacca*) double-breasted jacket; (*cappotto*) double-breasted coat [B] a. inv. double-breasted.

doppiovétro m. double glazing [Ⓤ].

doppìsta m. e f. (*tennis*) doubles player.

Dòppler a. Doppler (attr.): (*fis.*) **effetto D.**, Doppler effect; (*med.*) **esame D.**, Doppler test.

dopplersonografìa f. (*med.*) Doppler ultrasonography; (*il test*) Doppler ultrasound test.

doràre v. t. **1** to gild*; (*placcare*) to gold--plate **2** (*fig. lett.*) to gild* **3** (*cucina: rosolare*) to brown, to fry (st.) to a golden brown; (*spennellare con tuorlo d'uovo*) to brush with egg yolk ● (*fig.*) **d. la pillola**, to sweeten the pill.

♦**doràto** a. **1** gilt; gilded; (*placcato*) gold--plated: **argento d.**, silver gilt; gilded silver; **libro coi margini dorati**, gilt-edged book; **mobili dorati**, gilt furniture **2** (*fig.*) gilded: **gabbia dorata**, gilded cage; **gioventù dorata**, gilded youth **3** (*color d'oro*) golden: **castano d.**, golden brown; **luce dorata**, golden light **4** (*cucina: rosolato*) golden brown; (*spennellato di tuorlo d'uovo*) brushed with egg yolk.

doratóre m. (f. **-trìce**) gilder.

doratùra f. **1** (*processo*) gilding; (*placcatura*) gold-plating **2** (*rivestimento*) gilding Ⓤ; (*ornamento*) gilt ● **un vaso di Sèvres carico di dorature**, a Sèvres vase heavy with gilt.

Dòri m. pl. (*stor.*) Dorians.

doricìsmo → **dorismo**.

dòrico Ⓐ a. **1** (*stor.*) Dorian **2** (*ling.*) Doric **3** (*archit.*) Doric: **l'ordine d.**, the Doric order **4** (*mus.*) Dorian: **modo d.**, Dorian mode Ⓑ m. (*ling.*) Doric.

dorìfora f. (*zool.*, *Leptinotarsa decemlineata*) potato beetle; Colorado beetle (*USA*).

dorìforo m. (*stor.*) spear-carrier.

dorìsmo m. (*ling.*) Dorism; Doricism.

dormeuse (*franc.*) f. inv. sofa; lounger.

dormicchiàre v. i. **1** to doze; to snooze; to drowse **2** (*fig.: essere distratto*) to nod.

dormiènte Ⓐ a. **1** sleeping; asleep (pred.) **2** (*bot.*) dormant **3** (*naut.*) – **manovre dormienti**, standing rigging Ⓤ Ⓑ m. e f. sleeper Ⓒ m. **1** (*edil.*) sleeper; joist; wall plate **2** (*naut.: trave*) shelf*; (*di paranco*) standing part.

dormiènza f. (*bot.*) dormancy.

dormiglióne m. (f. **-a**) **1** late sleeper; late riser; (*anche vocat.*) sleepyhead **2** (*fig.*) sluggard.

♦**dormìre** Ⓐ v. i. **1** to sleep*; (*essere addormentato, anche*) to be asleep: **d. all'aperto**, to sleep out; **d. abbastanza**, to get enough sleep; **d. bene**, to sleep well; (*non soffrire d'insonnia*) to be a good sleeper; **d. fino a tardi**, to sleep in; **d. male**, to sleep badly; not to sleep well; (*d'abitudine*) to be a bad sleeper; **d. per ventiquattr'ore filate**, to sleep round the clock; **d. supino** [**a pancia in giù, su un fianco**], to sleep on one's back [on one's stomach, on one's side]; **d. tranquillamente**, to sleep peacefully; *Dormi?*, are you asleep?; *Sta dormendo*, she's sleeping; she's asleep; *Dormivo quando successe*, I was asleep when it happened; *Ha dormito per tutto il film*, he slept through the film; *Cerca di d. un po'*, try to get some sleep; **andare a d.**, to go to bed; to turn in (*fam.*); **continuare a d.**, to sleep on; **dare da d.**, to put up; (*di albergo, ecc.*) to accommodate, to have rooms for; **impedire a q. di dormire** (*o non far d. q.*), to keep sb. awake; **mettere** [**mandare**] **a d.**, to put [to send] sb. to bed; **restare a d. da q.**, to stay with sb. for the night (*o overnight*); *Non riesco a d.*, I can't get to sleep; **non trovare da d.**, to find nowhere to sleep; **pillola per d.**, sleeping pill **2** (*fig.: essere immobile, silenzioso*) to be asleep; to slumber: *La città dorme*, the city is asleep **3** (*fig.: essere inattivo*) to be dormant; to be in abeyance; (*di pratica*) to lie: *La natura dorme d'inverno*, Nature is

dormant in winter; *È un pezzo che quella pratica dorme*, the matter has been lying for some time ● (*fig.*) **d. a occhi aperti**, (*essere assonnato*) to be half asleep; (*essere distratto*) to daydream □ **d. come un ghiro** (*o* **come un masso**), to sleep like a log □ (*fig.*) **d. con gli occhi aperti**, to be vigilant all the time □ **d. della grossa**, to be fast asleep; to be dead to the world (*fam.*) □ **d. in pace** (*essere morto*), to rest in peace □ **Dormivo in piedi**, I could hardly keep my eyes open □ **d. nel Signore** (*essere morto*), to sleep in the Lord □ (*fig.*) **d. sugli allori**, to rest on one's laurels □ **Puoi d. tra due guanciali**, you can set your mind at rest; you have nothing to worry about □ **Dormiamoci su**, let's sleep on it □ **dormirsela**, to be sound asleep □ *Non d., sta' attento!*, wake up! □ (*prov.*) *Chi dorme non piglia pesci*, the early bird catches the worm Ⓑ v. t. to sleep*: **d. il sonno del giusto**, to sleep the sleep of the just; **d. sonni tranquilli**, to sleep peacefully.

dormìta f. sleep: **fare una bella d.**, to have a good sleep; (*di notte*) to have a good night's rest; **farsi una d. di dodici ore filate**, to sleep like a log for twelve hours solid.

dormitìna f. short sleep; nap; snooze (*fam.*); forty winks (pl.) (*fam.*); shut-eye (*fam.*); kip (*fam. GB*): **fare una d.**, to have a sleep; to have (*o* to take) a nap; to have a snooze; to snatch (*o* to grab) some sleep; to have forty winks.

dormitòrio Ⓐ m. dormitory ● **d. pubblico**, free hostel; dosshouse (*slang GB*); flophouse (*slang USA*) Ⓑ a. inv. dormitory (attr.): **città d.**, dormitory town.

dormivéglia m. inv. drowse: **essere nel d.**, to be drowsing; to be half-asleep; *Nel d. lo sentii alzarsi*, I was half-asleep and I heard him get up.

dormizióne f. (*relig.*) Dormition.

Dorotèa f. Dorothy; Dorothea.

dorsàle Ⓐ a. (*anat.*, *bot.*, *zool.*) dorsal: **pinna d.**, dorsal fin; (*anat.*) **spina d.**, backbone ● (*sport*) **salto d.**, Fosbury flop Ⓑ m. **1** (*di sedia, divano, ecc.*) back **2** (*di letto*) bedhead; headboard **3** (*anat.*) latissimus (dorsi) (*lat.*) Ⓒ f. **1** (*geogr.*) ridge: **d. oceanica**, ocean ridge **2** (*comput.*) backbone.

dorsalgìa f. (*med.*) back pain.

dorsìsta m. e f. (*nuoto*) backstroke swimmer.

♦**dòrso** m. **1** back: **il d. della mano**, the back of the hand; **giacere sul d.**, to lie on one's back; **a d. di cammello**, on camel--back **2** (*di libro*) spine **3** (*geogr.*, *geol.*) ridge **4** (*aeron.*) top surface **5** (*nuoto*) backstroke: **nuotare a d.**, to do the backstroke; **i 200 d.**, the 200-meter backstroke.

dorsoventràle a. **1** (*anat.*) dorsoventral **2** (*bot.*) dorsiventral.

dosàggio m. **1** (*il dosare*) measuring out **2** (*dose*) dosage; amount; (*quantità*) quantities (pl.): **seguire il d. consigliato**, to follow the recommended dosage; **modificare il d.**, to modify the amount; **sbagliare il d.**, to make a mistake with the quantities **3** (*econ.*) mix **4** (*naut.*) trimming.

dosàre v. t. **1** to measure out; (*pesare*) to weigh out: **d. gli ingredienti**, to measure out the ingredients **2** (*fig.: distribuire con parsimonia*) to ration; to use sparingly; (*soppesare*) to weigh: **d. le forze**, to use one's strength sparingly; **d. le parole**, to weigh one's words.

dosatóre m. measuring device; dispenser (*a cucchiaio*) scoop.

dosatùra f. → **dosaggio**.

♦**dòse** f. **1** (*quantità*) amount; quantity; dose; (*di liquore*) measure: **le dosi di una ricetta**, the quantities of a recipe; (*anche fig.*) **a piccole dosi**, in small doses; **in giusta d.**, in the right amount; (*in una ricetta*) *Dosi per 4 per-*

sone, serves 4 **2** (*farm.*, *chim.*) dose; (*dosaggio*) dosage: **d. di mantenimento**, maintenance dose; **d. eccessiva**, overdose; **d. massima** [**minima, letale**], maximum [minimum, lethal] dose; **d. robusta**, stiff dose **3** (*di droga*) fix (*fam.*); (*da inalare*) snort (*fam.*) **4** (*fig.*) – **una buona d. di fortuna**, a good deal of luck; **una buona d. di sfacciataggine**, plenty of cheek; **una buona d. di bastonate**, a sound thrashing; **rincarare la d.**, to add to it.

dosimetrìa f. (*fis.*) dosimetry.

dosimètrico a. (*fis.*) dosimetric.

dosìmetro m. (*fis.*) dosimeter.

dossàle m. **1** ornamental cover **2** (*di altare*) dossal; (*paliotto*) frontal.

dossier (*franc.*) m. inv. file; dossier.

dòsso m. **1** – **di d.**, off: **levarsi i vestiti di d.**, to take off one's clothes; *Toglimi le mani di d.!*, take your hands off me!; *Mi sono levato di d. questo pensiero*, that's a big weight off my mind **2** (*prominenza*) prominence, rise; (*cima*) top, summit **3** (*di fondo stradale*) hump; brow of a hill ● (*autom.*) **d. artificiale**, speed bump; speed hump (*GB*); sleeping policeman (*GB*).

dossògrafo m. (*stor.*) doxographer.

dossologìa f. (*eccles.*) doxology.

dotàle a. of (*o* pertaining to) a dowry; dotal: (*leg.*) **beni dotali**, dotal property.

♦**dotàre** v. t. **1** (*dare in dote*) to settle money (*o* property) upon; to assign a dowry to (*lett.*) **2** (*un istituto o ente*) to endow: **d. un ospedale**, to endow a hospital **3** (*fornire, equipaggiare*) to furnish; to provide; to supply; to fit out; to equip: **d. un ufficio di nuove scrivanie**, to furnish an office with new desks; **d. i soldati di uniformi e armi**, to equip soldiers with uniforms and weapons **4** (*fig.*) to endow: *La natura l'ha dotato di un'ottima memoria*, he has been endowed by nature with an excellent memory.

dotàto a. **1** (*ricco di doti*) gifted; talented: **un musicista d.**, a gifted musician **2** (*avente*) having; (*attrezzato*) equipped (with), provided (with), fitted (with): **d. dei requisiti richiesti**, (*di persona*) having the necessary qualifications; qualified; (*di cosa*) with the required specifications; **un uomo di buon senso**, a man of common sense; *L'albergo è d. di piscina*, the hotel has a swimming pool **3** (*rif. a dono naturale*) endowed (with): *È d. di un cervello di prim'ordine*, he is endowed with a first-class brain.

dotazióne f. **1** (*assegnazione di beni*) endowment: **fondo di d.**, endowment fund **2** (*attrezzatura*) equipment; outfit; supply: **la d. di un laboratorio**, the equipment of a laboratory; **l'attrezzatura in d. di una palestra**, the equipment belonging to a gymnasium; **avere in d. qc.**, to be equipped (*o* supplied) with st.; **strumenti in d.**, tool kit (sing.); equipment (sing.) **3** (*mil.*) equipment; kit: **d. personale**, army kit; **dare qc. in d. a q.**, to issue sb. with st. **4** (*naut.*) store: **dotazioni di bordo**, ship's stores.

♦**dòte** f. **1** (*di sposa*) marriage settlement; dowry: **dare qc. in d.**, to give st. as a dowry; **portare in d. qc.**, to bring a dowry of st.; **una ragazza senza d.**, a girl with no dowry; **cacciatore di d.**, fortune-hunter **2** (*a istituto o ente*) endowment **3** (*dono, talento*) gift, endowment; (*qualità*) quality: *La sincerità è una delle sue doti*, sincerity is one of his qualities; **un uomo di molte doti**, a man of parts.

Dott. abbr. **1** (**dottore**) doctor **2** (**dottore**) (*laureato non medico*) graduate.

dòtta f. → **dòtto**①, B.

dottaménte avv. learnedly; in a scholarly fashion.

dòtto① Ⓐ a. learned; scholarly; erudite:

un uomo d., a learned man; **studi dotti**, scholarly studies; **essere d. in qc.**, to be learned in st. **B** m. (f. **-a**) scholar; learned man* (f. woman*); man* (f. woman*) of learning; polymath.

dótto ② m. (*anat.*) duct: **d. biliare**, bile duct; **d. lacrimale**, tear duct.

dottoràggine f. (*lett.*, *scherz.*) pedantry; pontification.

dottoràle a. **1** doctoral; doctor's: **laurea d.**, doctor's degree **2** (*iron.*) pedantic: **tono d.**, pedantic tone; **assumere atteggiamenti dottorali**, to put on learned airs.

dottoràme m. (*spreg.*) bunch of doctors.

dottoràndo m. (f. **-a**) candidate for a doctor's degree; graduate student.

dottoràto m. doctorate; doctor's degree: **d. di ricerca**, research doctorate; (*nelle università anglosassoni*) PhD (abbr. di *Philosophiae Doctor*); **conseguire il d.**, to take one's doctorate; to get one's PhD.

♦**dottóre** m. **1** (*erudito*) doctor: (*eccles.*) **i dottori della Chiesa**, the Doctors of the Church **2** (*laureato in genere*) graduate; (*il titolo*) Doctor; (*davanti a nome*) Mr; (*al vocat.*) Mr..., (*a un superiore*) sir: **d. in lettere**, arts graduate; person with an arts degree; (*titolo*) Master of Arts; *Il dottor Scarpa è il mio avvocato*, Mr Scarpa is my lawyer; *Buongiorno, d.!*, good morning, Mr...; good morning, sir **3** (*medico*) doctor; physician; (*davanti a nome*) Dr; (*al vocat.*) doctor: **chiamare il d.**, to call the doctor; *Manderò a chiamare il d.*, I'll send for the doctor; **farsi vedere da un d.**, to see a doctor; *Da grande vuole fare il d.*, he wants to be a doctor when he grows up; *Il dottor Watson è il nostro medico di famiglia*, Dr Watson is our family doctor ● **parlare come un d.**, to talk like a book □ **saperne quanto un d.**, to be very wise □ (*prov.*) *Meglio un asino vivo che un d. morto*, a living dog is better than a dead lion.

dottoreggiàre v. i. (*scherz. o spreg.*) to pontificate; to show off one's learning.

dottorésco a. (*spreg.*) pedantic; donnish.

dottoréssa f. **1** (*laureata*) graduate; (*davanti al nome*) Mrs, Miss; (*al vocat.*) Mrs..., Miss...: *La d. Bianchi è assente*, Mrs Bianchi is away **2** (*medico*) doctor; woman* doctor; (*davanti a nome*) Dr; (*al vocat.*) doctor: *La d. la riceverà subito*, the doctor will see you straightaway.

dottrìna f. **1** (*erudizione*) learning; erudition: **un uomo di vasta d.**, a man of great learning **2** (*principi teorici*) doctrine: **la d. del libero scambio**, the free-trade doctrine **3** (*catechismo*) catechism: **andare a d.**, to attend catechism classes **4** (*leg.*) jurisprudence; (*gli studiosi*) authors (pl.), authorities (pl.).

dottrinàle a. **1** doctrinal **2** (*leg.*) based on the authorities **3** (*pedante*) bookish; pedantic.

dottrinàrio a. e m. doctrinaire; doctrinarian.

dottrinarìsmo m. doctrinairism.

Dott.ssa abbr. (**dottoressa**) (woman) doctor; (woman) graduate.

doublé a. inv. (*franc.*) **1** plated **2** (*sartoria*) lined.

double-face (*franc.*) a. inv. (*di tessuto*) reversible; double-faced.

douglàsia f. (*bot.*, *Pseudotsuga douglasii*) Douglas fir.

do ut des (*lat.*) loc. m. inv. quid pro quo (*lat.*); mutual assistance; (*scherz. o spreg.*) back-scratching.

♦**dóve** **A** avv. **1** (anche interr.) where: *Dov'è la macchina?*, where is the car?; *D. vai?*, where are you going?; *È andato non so d.*, I don't know where he went; *Guardai d. mi dissero*, I looked where they told me to; **la**

casa d. sono cresciuto, the house where I grew up; *Da d. chiami?*, where are you coming from?; *Da d. sei passato?*, which way did you go?; (*per entrare*) which way did you come in?; *È lontano un miglio da d. abito*, it's a mile from where I live; *Non so da d. cominciare*, I don't know where to begin; *Fin d. sei arrivato?*, how far did you go?; *Ti accompagno fin d. vuoi*, I'll take you as far as you like **2** (*dovunque*) wherever: *Mettilo d. vuoi*, put it wherever you like; **d. che sia** → **dovechessìa** **B** cong. **1** (*lett.*: *se*) if **2** (*laddove*) whereas **C** m. where; (the) whereabouts: (*il d. e il quando*, the where and when; **in** (*o* per) **ogni d.**, everywhere.

dovechessìa, **dovecchessìa** avv. anywhere: *Mettilo d.!*, put it anywhere!

♦**dovére** ① v. i. e t. **1** (*per obbligo, comando*) must (difett., al pres.), (*meno forte, quasi consiglio*) should (difett., nella 2ª e 3ª pers. sing. e pl.); (*essere costretto*) to have to (+ inf.); (*essere obbligato, forzato*) to be compelled (o obliged, forced) to (+ inf.): *Dovete tacere quando parlo io*, you must keep silent when I speak; *Non devi dirlo*, you mustn't say that; (*meno forte*) you shouldn't say that; *Devi essere più puntuale*, you should be more punctual; *Dovetti andarmene prima della fine*, I had to leave before the end; *Devo chiederti di non farlo*, I must ask you not to do that; *Devo darti ragione*, I have to agree with you; *Ho dovuto proprio ridere a quell'uscita*, I really had to laugh at that remark; *Devi proprio andartene?*, must you really leave?; *Se non ci pagate subito, dovremo adire le vie legali*, if you don't pay us at once, we shall be obliged to take legal steps; *Le domande devono essere spedite entro il 1° ottobre*, all applications must be in by (o not later than) October 1st **2** (*necessità, opportunità*: *«occorre», «mi tocca», ecc.*) to have to; to have got to; to need; (solo in frasi neg.) need (difett.): *A che ora devi partire?*, what time do you have to leave?; *Devo finire questo lavoro per stasera*, I have to finish this work by tonight; *Devi passare qui la notte perché non ci sono più treni*, you'll have to stay the night, because there are no more trains; *Non devi farlo se non vuoi*, you don't have to do it, if you don't want to; *Quante volte ci devi andare?*, how often do you have to go?; *Domani non devo alzarmi presto*, I needn't (o I don't have to) get up early tomorrow; *Secondo l'orario, non devo cambiare*, according to the time-table, I don't have to (o don't need) to change trains; *Non devi alzarti presto domattina?*, don't you have to get up early tomorrow morning?; *Devo dormire un po'*, I have to get (o I need) some sleep; *Questa camicia deve essere lavata*, this shirt needs washing **3** (*per accordo, impegno, programma, regolamento*) to be to (+ inf.); (*rif. a mezzi di trasporto*) to be due: *Chi deve parlare ora?*, who is to speak next?; *A che ora devi incontrarlo?*, what time are you to meet him?; *Deve presentarsi alla polizia lunedì*, he is to report to the police on Monday; *Il treno doveva arrivare alle 8*, the train was due in at 8 o'clock; *La nave doveva arrivare ieri*, the ship was due yesterday; *Doveva versare il denaro oggi, ma non l'ha fatto*, she was to (o she should) have paid in the money today, but she didn't do it; *In quelle condizioni, che cosa dovevo fare?*, what was I to do under the circumstances? **4** (*forte probabilità*) must (difett.); (*certezza, destino*) to be bound to (+ inf.); (*fatalità, inevitabilità*) to be to (+ inf.): *Dev'essere tardi*, it must be late; *Dovevano esserci almeno cinquanta invitati*, there must have been at least fifty guests; *Si chiama Bianchi, perciò dev'essere italiano*, his name is Bianchi, he must be Italian; *Non deve essere ancora arrivato*, I don't think he has

arrived yet; *Deve per forza saperlo!*, he's bound to know!; *Doveva accadere, prima o poi*, it was bound to happen, sooner or later; *Il peggio deve ancora venire*, the worst is still to come; *Quel giovane doveva in seguito diventare mio genero*, that young man was to become my son-in-law **5** (in frasi interr., alla 1ª pers., per chiedere istruzioni: «vuoi che...?») shall I?; shall we?: *Devo aprire la finestra?*, shall I open the window?; *Dobbiamo aspettarti?*, shall we wait for you? **6** (al condiz.: *consiglio, probabilità, opportunità*) should (difett.); (*dovere morale, rimprovero*) ought to (+ inf.): *Dovrebbe venire oggi*, she should come today; *Perché non dovrei dirtelo?*, why should I not tell you?; *Non avresti dovuto dirglielo*, you shouldn't have told him; *Dovresti stare più attento*, you should (o you ought to) be more careful; *Dovresti aiutarlo*, you ought to help him **7** (al congiunt. imperfetto: *eventualità*) should (difett.); were to (+ inf.): *Se dovesse arrivare, digli di attendere*, if he should arrive (o should he arrive), tell him to wait; *Se dovessi incontrarlo, lo riconoscerei*, if I were to meet him, I would recognize him **8** (al passivo: *essere da pagare*) to be due: *Questo è il saldo che ci è dovuto*, this is the balance due to us **9** (al passivo: *essere causato*) to be due: *A che cosa fu dovuto l'incidente?*, what was the accident due to?; *Lo si dovette alla negligenza del guidatore*, it was due to the driver's negligence **10** (*essere debitore di*) to owe: *Ti devo dieci sterline* [*la vita, una spiegazione*], I owe you ten pounds [my life, an explanation]; *Se sono ancora vivo, lo devo a te*, I owe it to you that I am still alive; *Quanto ti devo?*, how much do I owe you? ● **ciò che si deve fare e ciò che non si deve fare**, the do's and don'ts □ **come si deve** (*per bene*), properly; the way it should be □ **Lo si deve a lui se...**, it's thanks to him that...

♦**dovére** ② m. **1** duty: **il mio dovere di insegnante**, my duty as a teacher; **i nostri doveri verso gli altri**, our duties to others; **doveri sociali**, social duties; *Ho il d.* (o *È mio d.*) *aiutarlo*, it is my duty to help him; *Ho il d. di* (o *È mio d.*) *avvertirvi che...*, I must warn you that...; **avere il senso del d.**, to have a sense of duty; **fare il proprio d.**, to do one's duty; **mancare al proprio d.**, to fail to do one's duty; to fail in one's duty; **com'è mio d.**, as is my duty; **per senso del d.**, out of a sense of duty **2** (*leg.*) obligation; debt **3** (al pl.) (*ossequi*) respects; compliments ● **a d.**, properly; as it should be done □ **chi di d.**, the person responsible (o in authority) □ **credersi in d. di fare qc.**, to think it one's duty to do st. □ **sentirsi in d. di fare qc.**, to feel bound to do st.; to feel under an obligation to do st. □ **visita di d.**, duty call ● **Morì vittima del d.**, he died while doing his duty; he fell a victim to duty □ (*prov.*) **Prima il d. e poi il piacere**, business before pleasure.

doverosaménte avv. duly; properly.

doveróso a. (*dovuto*) due; (*giusto*) right, proper: **doverosa obbedienza**, due obedience; **d. riserbo**, due reserve; *Mi è parso d. informarti*, I thought it proper to tell you; *È d. ricordare che...*, it should be remembered that...; *È d. riconoscere che...*, it must be admitted that...

dovizia f. (*lett.*) abundance; copiousness; wealth; plenty: **d. di esempi**, wealth of examples; **con d. di particolari**, with a wealth of details; **a d.**, in plenty.

dovizióso a. (*lett.*) **1** (*abbondante*) abundant; plentiful; copious **2** (*ricco*) wealthy; rich.

♦**dovùnque** avv. **1** (*dappertutto*) everywhere: *Ho cercato d.*, I've looked everywhere **2** (*come cong.*: *in qualsiasi luogo*) wherever; anywhere: **d. io sia**, wherever I am; **d. tu voglia**, anywhere you like.

dovutaménte avv. duly.

dovùto Ⓐ a. 1 (che si deve pagare) due (posposto); payable: **il prezzo d.**, the price payable; **la somma dovuta**, the amount due 2 (causato) due: *Il mio mancato arrivo fu d. a un malinteso*, my non-arrival was due to a misunderstanding 3 (debito) due; rightful; proper; necessary: **atto d.**, duty; **col d. rispetto**, with due respect; **nella forma dovuta**, in due form; **nel modo d.**, the proper way Ⓑ m. (amount) due: *Ebbi più del d.*, I got more than my due.

down a., m. e f. inv. (med.) (person) suffering from Down's syndrome.

download m. inv. (ingl., comput.) download.

♦**dozzìna** f. 1 dozen: **una mezza d.**, half a dozen; **sei dozzine di matite**, six dozen pencils; **3 euro alla d.**, 3 euros a dozen; *Ce ne saranno una d.*, there must be a dozen; **a dozzine**, by the dozen; in dozens 2 (antiquato) board and lodging: **stare a d.**, to lodge.

dozzinàle a. cheap; second-rate; ordinary; common.

dozzinalità f. cheapness; commonness.

dozzinànte m. e f. (antiquato) lodger.

D.P. sigla 1 (**decreto penale**) penal writ 2 (**decreto presidenziale**) presidential decree, presidential executive order 3 (polit., stor., **Democrazia proletaria**) Proletarian Democracy Party.

D.P.C.M. sigla (leg., **Decreto del Presidente del consiglio dei ministri**) prime ministerial decree.

DPEF sigla (**documento di programmazione economica e finanziaria**) finance and planning document (in Parliament, for budget discussion).

D.P.R. sigla (leg., **decreto del Presidente della Repubblica**) presidential decree.

Dr. abbr. (**dottore**) doctor.

dracèna f. (bot., Dracaena) dracaena; dragon-tree.

dràcma f. (anche stor.) drachma*.

draconiàno a. (severo) draconian; draconic.

dracònico a. (astron.) draconic: **mese d.**, draconic period.

dracontìasi f. (med.) dracontiasis; guinea-worm disease.

dracònzio m. (bot., Dracontium) dracontium*.

dràga f. 1 (mecc.) dredge: **d. a secchie**, bucket dredge; **d. aspirante**, suction dredge; **d. galleggiante**, floating dredge 2 (naut.) drag anchor; sea anchor.

dragàggio m. 1 (con draga) dredging: **impianto di d.**, dredging plant 2 (di mine) sweeping: **d. di mine**, mine sweeping.

dragamine m. (naut.) minesweeper.

dragànte m. (naut.) transom beam.

dragàre v. t. 1 to dredge 2 (mine) to sweep*.

draghìsta m. dredger.

dràglia f. (naut.) stay: **d. dei fiocchi**, jib-stay.

♦**dràgo** m. 1 (mitol., zool.) dragon 2 (fam.) demon; ace (attr.): *È un d. al volante*, he is an ace driver ● **d. volante**, (aquilone) kite; (zool., Draco volans) (flying) dragon, flying lizard □ (aeron.) **pallone d.**, observation balloon; kite balloon.

dragomànno m. dragoman*.

dragóna f. (mil.) sword knot.

dragonàto a. (arald.) dragonné.

dragoncèllo m. 1 (bot., Artemisia dracunculus) tarragon 2 (zool., Dracunculus medinensis) guinea worm.

dragóne m. 1 (mitol.) dragon 2 (mil.) dragoon 3 (naut.) Dragon class yacht.

dragonéssa f. 1 she-dragon 2 (fig.) termagant; battle-axe.

dràlon® m. inv. Dralon®.

dràmma① m. 1 (lavoro teatrale) play, drama; (genere teatr.) drama: **un d. elisabettiano**, an Elizabethan play; **il d. elisabettiano**, Elizabethan drama; **i drammi storici di Shakespeare**, Shakespeare's historical plays; (mus.) **d. giocoso**, dramma giocoso; (mus.) **d. per musica**, music drama; dramma musicale 2 (fig.: evento drammatico) tragedy; (situazione drammatica) predicament, plight: *Quel d. gli rovinò la carriera*, that tragedy ruined his career; *Capisci il mio d.?*, can you see my predicament (o my situation, the mess I'm in)? 3 (fam.) major tragedy; fuss; song and dance: *Ogni volta che rompo qualcosa ne fa un d.*, every time I break something, it's a major tragedy (o, fam., he makes a song and dance about it); *Fai sempre un d. di tutto*, you make a drama of everything; you always dramatize things; *Non facciamone un d.!*, let's not make a fuss about it!

dràmma② f. 1 → **dracma** 2 (misura di peso) dram; drachm 3 (fig., lett.) dram; mite.

drammàtica f. 1 dramatics (pl. col verbo al sing.); dramatic art; drama 2 (genere letterario) drama.

drammaticità f. (forza drammatica) dramatic force; (carattere drammatico) drama: **la d. della situazione**, the drama of the situation.

drammàtico a. 1 (teatr.) dramatic; play (attr.); theatrical: **arte drammatica**, dramatics (pl. col verbo al sing.); drama; **studiare arte drammatica**, to study drama; **scuola di arte drammatica**, drama school; **compagnia drammatica**, (theatrical) company; **rappresentazione drammatica**, dramatic production; play; **scrittore d.**, playwright; dramatist; (mus.) **soprano d.**, dramatic soprano 2 (fig.) dramatic: **una situazione drammatica**, a dramatic situation.

drammatizzàre v. t. 1 (teatr.) to dramatize 2 (fig.) to make* a drama of; to dramatize; to make* a fuss about: *Deve sempre d.*, he always makes a drama of everything; *Non d.! È solo un taglietto*, don't be so tragic, it's only a little cut!; *Non drammatizziamo!*, let's not make a fuss about it.

drammatizzazióne f. dramatization.

drammaturgìa f. dramaturgy.

drammatùrgico a. dramaturgic; drama (attr.).

drammatùrgo m. (f. -a) playwright; dramatist.

drammóne m. 1 (film, romanzo) blood-and-thunder story; (film, anche) romantic spectacular; (che fa piangere) tear-jerker 2 (vicenda patetica) melodrama.

drap m. inv. broadcloth.

drappeggiàre Ⓐ v. t. to drape Ⓑ drappeggiarsi v. rifl. to drape oneself.

drappéggio m. drape; (anche in arte) drapery: **il d. di una tenda**, the drape of a curtain; **un abito con un d. sul davanti**, a dress with a drape in the front; **i drappeggi alle spalle del trono**, the draperies behind the throne; **i drappeggi del manto della Vergine**, the drapery in the Virgin's mantle.

drappèlla f. (mil.) banderole.

drappèllo m. 1 (mil.) squad; platoon 2 (gruppo di persone) squad; group; party: **un d. di poliziotti**, a police squad; **un d. di turisti**, a party of tourists.

drapperìa f. 1 fabrics (pl.); drapery; draper's stock 2 (negozio) draper's (shop); drapery store (USA).

drappière m. draper.

dràppo m. cloth; fabric: **d. d'oro**, cloth of gold; gold brocade; **d. funebre**, pall.

dràstico a. drastic; extreme: **metodi drastici**, extreme measures; **provvedimenti drastici**, drastic measures; **rimedio d.**, drastic remedy.

dràvida a. e m. Dravidian.

dravìdico a. Dravidian.

drenàggio m. 1 (tecn., chir.) drainage: **canale di d.**, drainage canal; drain; **sonda di d.**, drainage tube. 2 (econ.) clawback ● **d. fiscale**, fiscal drag.

drenàre v. t. (tecn., chir.) to drain.

drepanocìta m. (med.) sickle cell.

drepanocitemìa f. (med.) sickle-cell anemia.

drepanocìtico (med.) Ⓐ a. sickle-cell (attr.) Ⓑ m. (f. -a) sufferer from sickle-cell anemia.

drepanocìto → **drepanocita**.

drepanocitòsi → **drepanocitemia**.

dressage (franc.) m. inv. (ipp.) dressage.

dressàre v. t. to train (dogs, race horses).

drìade f. (mitol.) dryad; wood-nymph 2 (bot., Dryas octopetala) mountain avens.

dribblàggio m. (sport) dribbling; dribble.

dribblàre Ⓐ v. t. 1 (sport) to dribble past (sb.) 2 (fig.) to sidestep; to dodge; (eludere) to evade parry Ⓑ v. i. (sport) to dribble (the ball).

dribblatóre m. (sport) dribbler.

drìbbling m. inv. (sport) dribbling; dribble: **eseguire un d.**, to dribble the ball; **disimpegnarsi da q. con un d.**, to dribble past sb.

drìllo m. (zool., Mandrillus leucophaeus) drill.

drìndrin Ⓐ inter. ting-a-ling Ⓑ m. ringing; tinkle: **il d. del telefono**, the ringing of the telephone.

drink (ingl.) m. inv. drink: **offrire un d.**, to offer a drink; **invitare q. per un d.**, to invite sb. round for drinks.

drìtta f. 1 (mano destra) right hand 2 (lato destro) right (o right-hand) side: **a d. e a manca**, right and left 3 (naut.) starboard: **a d.**, on the starboard side; **accostare a d.**, to come to starboard; *Tutto a d.!*, hard-a-starboard! 4 (fam.: consiglio) tip: **dare una d. a q.**, to tip sb. off.

drìttata f. (fam.) smart idea; clever trick.

♦**drìtto** Ⓐ a. 1 → **diritto**① 2 (fam.: astuto) crafty; pretty smart; sly Ⓑ m. 1 → **diritto**① 2 (f. -a) (fam.: persona astuta) crafty person; sly one: *Non fare troppo il d.*, don't try to be too smart 3 (naut.) – **d. di poppa**, sternpost; **d. di prua**, stem; **d. del timone**, rudder post Ⓒ avv. straight; directly.

drittofìlo m. 1 (di stoffa) grain: **tagliare in d.**, to cut on the grain 2 (nel cucire) straight line (marked with needle before sewing).

drittóne m. (f. -a) (fam.) crafty person; sly one.

drive (ingl.) m. inv. (tennis, comput.) drive.

drive-in (ingl.) m. inv. drive-in.

driver (ingl.) m. inv. (comput.) driver: **d. per stampante**, printer driver.

drìzza f. (naut.) halyard, halliard.

drizzàre Ⓐ v. t. 1 (raddrizzare) to straighten 2 (rivolgere) to turn 3 (mettere in posizione verticale) to put* up; (rizzare) to prick up: (naut.) **d. un albero**, to spring a mast; **d. un'antenna**, to put up an aerial; **d. le orecchie**, to prick up one's ears 4 (erigere) to erect; to raise: **d. un muro**, to erect a wall Ⓑ **drizzàrsi** v. rifl. (alzarsi) to rise*; (in piedi) to stand* up: **drizzarsi a sedere**, to sit up; *Mi si drizzarono i capelli*, my hair stood on end.

drizzìsta m. e f. (naut.) halyardman*.

♦**dròga** f. 1 (spezia) spice 2 (stupefacente) drug; narcotic; dope (fam.); (come fenomeno sociale) drugs (pl.); (dipendenza dalla d.) drug

addiction, habit (*slang*): **droghe leggere [pesanti]**, soft [heavy] drugs; **d. sintetica**, synthetic drug; *La cocaina è una d.*, cocaine is a drug; **fare uso di d.**, to take drugs; to be on drugs; **chi fa uso di d.**, drug user; drug consumer; **essere schiavo della d.**, to be a drug addict; **decriminalizzare la d.**, to decriminalize drugs; **uscire dalla d.**, to free oneself from drug addiction; to kick the habit (*slang*); **detenzione di d.**, drug possession; **il problema della d.**, the drug problem; the problem of drugs; **spaccio di d.**, drug peddling (*o* dealing, pushing); **trafficante di d.**, drug dealer; **traffico di d.**, drug traffic 3 (*fig.*) drug: *Il computer è una d. per lui*, his computer is like a drug to him.

drogàggio m. (*sport*, *tecn.*) doping.

♦**drogàre** A v. t. 1 (*speziare*) to spice 2 (*somministrare droghe*) to drug; (*spec. sport*) to dope: *Il vino era stato drogato*, the wine had been drugged; **d. un cavallo**, to dope a horse 3 (*fig.*) to doctor: **d. una statistica**, to doctor some statistics 4 (*tecn.*) to dope B **drogàrsi** v. rifl. to take* drugs; to be on drugs.

♦**drogàto** A a. 1 (*speziato*) spiced 2 (*contenente droga*) drugged; doped: **bevanda drogata**, drugged drink 3 (*sotto l'influsso della droga*) drugged; doped (*anche sport.*); high (*fam.*); stoned (*slang*): *È drogato fino agli occhi*, he is doped up (to his eyeballs); **cavallo d.**, doped horse B m. (f. *-a*) drug addict; dopehead (*slang*).

drogatóre m. (f. *-trice*) seasoner.

♦**drogheria** f. grocer's (shop); grocery (*USA*) ● **generi di d.**, groceries.

♦**droghière** m. (f. *-a*) grocer.

dromedàrio m. (*zool.*, *Camelus dromedarius*) dromedary; Arabian camel; one--humped camel.

dròmo m. (*naut.*) 1 landmark 2 mooring post.

dromomania f. (*med.*) dromomania.

dromóne m. (*naut.*, *stor.*) dromond.

drone (*ingl.*) m. inv. (*mil.*) drone.

dròngo m. (*zool.*, *Dissemurus paradiseus*) drongo.

drónte m. (*zool.*, *Raphus cucullatus*) dodo.

drop① (*ingl.*) m. inv. (*calcio*, *rugby*) drop kick.

drop② (*ingl.*) m. inv. (*caramella*) fruit drop.

dròsera f. (*bot.*, *Drosera*) sundew; drosera.

drosòfila f. (*zool.*, *Drosophila melanogaster*) drosophila; fruit fly.

Dr.ssa abbr. (**dottoressa**) (woman) doctor.

drùdo m. (*lett.*) paramour; lover.

drùida m. (*stor.*) Druid.

druidico a. (*stor.*) Druidic; Druid (attr.).

druidìsmo m. (*stor.*) Druidism.

drùido m. (*stor.*) Druid.

drùpa f. (*bot.*) drupe; stone fruit.

drupàceo a. (*bot.*) drupaceous.

drùsa f. (*miner.*) druse.

drùso m. Druse, Druze.

DS sigla (*polit.*, **Democratici di Sinistra**) Democrats of the Left.

DSP sigla (**diritti speciali di prelievo**) special drawing rights (SDR).

DU sigla (*università*, **diploma universitario**) university degree.

duàlberi m. (*naut.*) two-master.

duàle A a. (*ling.*, *mat.*) dual B m. (*ling.*) dual.

dualìsmo m. 1 (*filos.*) dualism 2 (*fig.*: *antagonismo*) antagonism; contrast; rivalry.

dualista m. e f. (*filos.*) dualist.

dualìstico a. dualistic.

dualità f. duality.

♦**dùbbio** A a. 1 (*incerto*) doubtful; uncertain: **autenticità [attribuzione] dubbia**, doubtful authenticity [attribution]; **esito d.**, uncertain result; *Il tempo è d.*, the weather is uncertain 2 (*che genera dubbi*, *sospetto*, *ambiguo*) dubious; doubtful; questionable: **dubbia fama**, dubious reputation; **d. gusto**, poor taste; **un individuo d.**, a doubtful character; **dubbia pulizia**, dubious cleanliness; **utilità dubbia**, questionable usefulness B m. 1 (*perplessità*, *incertezza*) doubt: *È soltanto un d. che mi è venuto*, it's just a doubt that crossed my mind; *Non avevo dubbi sul risultato delle elezioni*, I had no doubt about the outcome of the election; *Ho i miei dubbi*, I have my doubts (about it); I doubt it; **essere in d. sul da farsi**, to be in doubt (about) what to do; *Non c'è d. che il suo sia il piano migliore*, there is no doubt that his plan is the best; **essere in d. se**, to be in doubt (*o* to hesitate) whether; *La riuscita dell'impresa è in d.*, the outcome of the enterprise is in doubt; **dissipare un d.**, to remove a doubt; **sollevare un d.**, to raise a doubt; **rimanere nel d.**, to remain in doubt; *Mi sorge un d.*, a doubt has just crossed my mind; **elementi di d.**, elements of doubt; **fuor di dubbio**, beyond doubt; unquestionable; indisputable; **senza d.**, no doubt; without (a) doubt; doubtless (agg.); undoubtedly (avv.) 2 (*punto oscuro*) doubtful point; uncertainty: *Ci sono ancora molti dubbi*, there are still many doubtful points 3 (*sospetto*) suspicion, doubt; (*timore*) misgiving: *Ho avuto effettivamente qualche d. che fosse lui*, I did have a suspicion (*o* half suspect) that it was he; *Ho il d. che sia troppo tardi*, I suspect it is too late; *I miei dubbi erano fondati*, my misgivings were grounded; *Non è che un d.*, it's only a suspicion ● **d. amletico**, Hamlet-like dilemma □ **al di là di ogni d.**, beyond all doubt □ **avere** (*o* **nutrire**) **dubbi**, (*essere molto incerto*) to have doubts; (*essere sospettoso*) to have strong suspicions □ **mettere in d.**, to call into question; to cast doubts on; to question; to doubt: *Metto in d. l'opportunità di dire tutto*, I question the advisability of saying everything; **mettere in d. l'affermazione di q.**, to challenge sb.'s statement; *Non lo metto in d.*, I don't doubt it □ (*prov.*) **Nel d. asteniti**, when in doubt, do nowt.

dubbiosità f. doubtfulness; uncertainty.

dubbióso a. 1 (*che dubita*) doubtful; uncertain; unsure: *Sono d. sul da farsi*, I'm doubtful (as to) what I ought to do 2 (*che esprime dubbio*) doubtful; puzzled; unsure; *Aveva un'aria dubbiosa*, she looked doubtful 3 (*che genera dubbi*) dubious; doubtful; questionable 4 (*lett.*: *che dà timore*) uncertain; dangerous.

♦**dubitàre** v. i. 1 (*avere dubbi su*, *mettere in dubbio*) to doubt (st.): *Dubiti della mia parola?*, do you doubt my word? 2 (*credere improbabile*) to doubt; to have one's doubts (about): *Dubito che vengano*, I doubt (*o* I don't think) they will come; *Ne dubito*, I have my doubts (about it); I doubt it 3 (*credere probabile*, *temere*) to suspect; to be afraid: *Dubito che sia tardi*, I suspect (*o* I'm afraid) it is late 4 (*diffidare*) not to trust (st.); to distrust (st.); to be doubtful (about): **d. delle proprie forze**, not to trust one's strength; *Dubitavo del risultato*, I was doubtful about the result; **d. di tutto e di tutti**, to distrust everything and everyone 5 (*esitare*) to hesitate; to waver ● **Me la pagherai, non d.!**, you'll pay for it and no mistake! □ **Ti aiuterò, non d.!**, I will help you, never fear.

dubitativo a. 1 doubting 2 (*gramm.*) dubitative ● (*leg.*) **assoluzione con formula dubitativa**, acquittal for insufficiency of evidence.

dubitóso a. (*lett.*) full of doubts; (*timoroso*)

fearful; (*sospettoso*) suspicious.

dublinése A a. of Dublin; from Dublin; Dublin (attr.) B m. e f. Dubliner.

Dublino f. (*geogr.*) Dublin.

♦**dùca** m. duke.

ducàle a. ducal.

ducàto① m. 1 (*titolo*) dukedom 2 (*territorio*) dukedom; duchy.

ducàto② m. (*numism.*) ducat.

dùce m. 1 (*lett.*) leader; chief 2 (*rif. a B. Mussolini*) duce.

ducésco a. (*spreg.*) authoritarian; dictatorial; bossy.

ducétto m. (*spreg.*) petty boss; bossyboots (*fam.*).

duchéssa f. duchess.

duchessina f. duke's daughter.

duchìno m. duke's son.

♦**dùe** a. num. card. e m. 1 two; (*nelle date*) (the) second (2nd): **due uova**, two eggs; *Due più due fa quattro*, two and two is four; **le due di notte**, two in the morning; **il due di ottobre**, the 2nd of October; October the 2nd; *Arriverò il due*, I'll arrive on the 2nd; **due volte**, twice; **due volte tanto**, twice as much; (*rif. a sost. pl.*) twice as many; **due volte più veloce**, twice as fast; **un bambino di due anni**, a child of two; a two-year-old (child); **a due a due**, two by two; by twos; *Siamo in due*, there are two of us; *Siamo in due nella stessa stanza*, we share a room; **piegare qc. in due**, to fold in half (*o* in two) 2 (*fig.*: *quantità indeterminata*) a few; one or two; a couple of: *Vorrei dire due parole*, I'd like to say a few words; *Starò via un'ora o due*, I'll be away for a couple of hours; *Ci metto due minuti*, it'll take me just a couple of minutes; **fare due chiacchiere**, to have a chat; *Ho da dirgli due parole*, I want to have a word with him 3 (*canottaggio*) pair, pair-oar: **due con**, coxed pair; **due senza**, coxless pair ● (*naut.*) **due alberi**, two-master; (*ipp.*) **due anni**, two-year-old □ (*fig.*) **due di picche**, nonentity; zero □ **due pezzi** → **duepezzi** □ (*autom.*) **due posti**, two-seater □ **due salti** (*ballo alla buona*), hop (*fam.*) □ **a due direzioni**, two-way □ **cenetta a due**, intimate dinner □ **Delle due una: o è un farabutto o è un cretino**, he's either a scoundrel or an idiot, there are no two ways about it □ **E due!**, that's the second time!; there we [you, etc.] go again! □ (*fig.*) **fare due più due**, to put two and two together □ **lavorare per due**, to work twice as hard as anybody else; to be a hard worker; to beaver away (*fam.*) □ **mangiare per due**, to eat twice as much as anybody else; to eat like a horse □ **marciare per due**, to march in twos □ **nessuno dei due**, neither □ **ogni due giorni**, every other day □ **tiro a due**, carriage and pair; two in hand □ **tutti e due**, both: *Sono qui tutti e due*, both of them are here; they are both here ● **l'uno o l'altro dei due**, either □ **usare due pesi e due misure**, to apply double standards □ **Una delle due, o la smetti o ti caccio fuori**, you've got a choice: either you stop it, or out you go □ (*prov.*) **Due torti non fanno una ragione**, two wrongs don't make a right □ (*prov.*) **Non c'è due senza tre**, troubles come in threes.

duecentésco a. thirteenth-century (attr.); 13th-century (attr.); (*arte e letter. ital.*, *anche*) of the Duecento, Duecento (attr.): **un pittore d.**, a thirteenth-century painter; a Duecento painter.

duecentèsimo a. num. ord. e m. two--hundredth.

duecentista m. e f. 1 (*arte*, *letter.*) thirteenth-century writer [artist, etc.]; (*rif. all'Italia*, *anche*) Duecento writer [artist, etc.] 2 → **duecentometrista**.

duecènto A a. num. card. inv. two hun-

dred: **correre i d. metri**, to run the two hundred metres; *Costa d. sterline*, it costs two hundred pounds B m. inv. **1** (*il numero*) two hundred **2** (*il secolo*) (the) thirteenth century; (*arte e letter. ital., anche*) (the) Duecento: **la letteratura del D.**, the literature of the thirteenth century; thirteenth-century literature; **un castello del D.**, a thirteenth--century castle; *Pisa e il D.*, Pisa and the Duecento **3** (al pl.) (*sport*) (the) two hundred metres.

duecentometrista m. e f. (*sport.: atletica*) two hundred metres sprinter; (*nuoto*) two hundred metres swimmer.

duellante m. e f. duellist.

duellàre v. i. to fight* a duel; to duel.

duellista m. expert (*o* habitual) duellist.

duèllo m. **1** duel: **d. alla sciabola** [**alla pistola**], duel fought with sabres [with pistols]; **d. all'ultimo sangue**, duel to the death; **d. rusticano**, knife duel; **battersi in d.**, to fight a duel; **morire in d.**, to die in a duel; **sfidare q. a d.**, to challenge sb. (to a duel); **le regole del d.**, the duelling code **2** (*fig.*) duel; fight; combat; contest: **d. aereo**, aerial combat; dogfight; **d. impari**, uneven contest; **d. letterario**, literary contest; **d. mortale**, mortal combat.

duemìla a. num. card. e m. inv. two thousand: **d. dollari**, two thousand dollars; **il D.**, (*anno*) the year two thousand; (*secolo*) the twenty-first century.

duepèzzi m. inv. **1** (*costume da bagno*) two--piece bathing-suit; bikini **2** (*abito*) two--piece (suit).

duepónti f. inv. (*naut.*) two-decker.

duèrno m. half a quire.

duettàre v. i. to sing* a duet; to duet.

duétto m. (*mus.* e *fig.*) duet.

dùglia f. (*naut.*) fake.

dugòngo m. (*zool., Dugong dugong*) dugong*; sea cow.

duìna f. (*mus.*) duplet.

dulcamàra f. (*bot., Solanum dulcamara*) woody nightshade; bitter-sweet.

dulciàna f. (*mus.*) **1** (*registro d'organo*) dulciana **2** (*strumento*) dulcian.

dulcimer m. inv. (*mus.*) dulcimer.

dulcìna f. (*chim., ind.*) dulcin.

dulcinèa f. (*scherz.*) Dulcinea; sweetheart.

dulcis in fundo (*lat.*) loc. avv. to top it all.

dulcìte f. (*chim.*) dulcite; dulcitol.

dulìa f. (*relig.*) dulia; douleia.

dùma f. (*polit.*) Duma.

dum-dùm a. inv. – **proiettile dum-dum**, dumdum (bullet).

dùmo m. thorny bush; bramble.

dumper (*ingl.*) m. inv. dumper (truck) (*GB*); dump truck (*USA*).

dumping (*ingl.*) m. inv. (*econ.*) dumping.

dùna f. dune: **d. di sabbia**, sand dune; **d. eolica**, eolian dune.

dunóso a. duny.

♦**dùnque** A cong. **1** (*per indicare conclusione, conseguenza*) so; therefore: *Ho detto che ci sarei andata, e d. ci andrò*, I said I would go, so I will **2** (*rafforzativo*) then; so: *Perché d. dovrei farlo?*, why then should I do it?; so why should I (do it)?; *Sbrigati d.!*, go get a move on! **3** (*allora?*) well (then)?: *D., cosa facciamo?*, well, what shall we do? **4** (*incominciando o riprendendo un discorso*) well; so: *D., devi sapere che...*, well, you should know that... B m. – **venire al d.**, to get to the point; to get down to business; to get down to brass tacks (*fam.*); *Vieni al d.!*, get to the point!; *Per venire al d...*, to get straight to the point...; *Quando si viene al d...*, when it comes to the crunch...; when push comes to shove (*fam.*).

dùo m. inv. **1** (*mus.*) duo; duet **2** (*coppia di artisti*) duo **3** (*coppia di persone*) duo; pair; twosome.

duodècima f. (*mus.*) twelfth.

duodecimàle a. duodecimal; duodenary: **sistema d.**, duodecimal system.

duodècimo a. num. ord. e m. (*lett.*) twelfth.

duodenàle a. (*anat.*) duodenal: **ulcera d.**, duodenal ulcer.

duodenìte f. (*med.*) duodenitis.

duodèno m. (*anat.*) duodenum*.

duòlo m. (*lett.*) grief; sorrow.

♦**duòmo**① m. cathedral; (*in Italia, anche*) duomo ❶ **FALSI AMICI** • **duomo** *nel senso di cattedrale non si traduce con* dome.

duòmo② m. (*mecc.*) dome; steam dome.

duòmo③ m. (*geol.*) dome: **d. salino**, salt dome.

duopòlio m. (*econ.*) duopoly.

dùplex A a. (*tecn., metall.*) duplex B m. (*telef.*) party line.

duplicàre v. t. (*copiare*) to duplicate; to copy: **d. una chiave**, to duplicate a key; **d. una cassetta**, to copy a cassette.

duplicàto m. **1** duplicate; copy: **il d. di un documento**, the duplicate of a document; **il d. della patente**, a duplicate driving licence; **in d.**, in duplicate **2** (*copia esatta*) copy: **il d. di un gioiello**, the copy of a piece of jewellery.

duplicatóre m. **1** duplicator; duplicating machine **2** (*radio*) doubler: **d. di frequenza**, frequency doubler; **d. di tensione**, voltage doubler.

duplicazióne f. duplicating; (*biol.*) duplication.

dùplice A a. double; twofold: **d. effetto**, twofold effect; **d. vantaggio**, double (*o* twofold) advantage; **in d. copia**, in two copies; in duplicate B f. (*ipp.*) double.

duplicità f. **1** doubleness **2** (*fig.: doppiezza, finzione*) duplicity; double-dealing; deceitfulness.

dùra f. (*bot., Sorghum vulgare*) Indian millet; durra.

duràbile → **durevole**.

durabilità f. durability; durableness.

duràcino a. (*bot.*) clingstone: **pesca duracina**, clingstone peach.

duràle a. (*anat.*) of (*o* pertaining to) the dura mater; dural.

duralluminio m. (*metall.*) Duralumin®.

duramàdre f. (*anat.*) dura mater.

duràme m. (*bot.*) duramen; heartwood.

duraménte avv. **1** (*in modo duro, anche fig.*) hard: **essere d. colpito**, to be hard hit; **lavorare d.**, to work hard **2** (*aspramente*) harshly; (*in malo modo*) roughly: **trattare q. d.**, to treat sb. roughly.

♦**durànte** A prep. **1** during; in; on: **d. il cammino**, on the way; **d. il concerto**, during the concert; **d. l'estate**, in (*o* during) the summer; **d. il viaggio**, on the journey **2** (*per un intero periodo*) all through; during (*o* for) the whole of; throughout: **d. tutta la notte**, all through the night; **d. tutto il Seicento**, throughout the 17th century B a. – **vita naturale d.**, for the whole of one's life; for life.

♦**duràre** A v. i. **1** (*continuare*) to last; to go* on; to hold*: **d. in eterno**, to last forever; to go* on forever; **d. per anni**, to go on for years; *Quanto credi che durerà?*, how long do you think it will last?; *Lo spettacolo durava due ore*, the show had been going on for three hours; *Così non può d.*, it can't go on like this; *La guerra durò sei anni*, the war lasted six years; *Il bel tempo non durerà*, the good weather won't last; *Purché duri!*, long may it last! **2** (*non consumarsi*) to last; (*di abito, scarpe, anche*) to wear* well; (*di* cibo) to keep*: **un'auto fatta per d.**, a car built to last; *I calzini che fanno ora durano poco*, the socks they make now don't wear well; *Questa carne non durerà fino a domani*, this meat won't keep until tomorrow; **fiori che durano**, long-lasting flowers **3** (*rimanere*) to remain; (*resistere*) to hold* out: **d. in carica**, to remain in office; **d. fino alla fine**, to hold out to the end **4** (*persistere*) to persist; to survive: *Dura ancora la credenza nel potere degli astri*, the belief in the power of stars still persists **5** (*perseverare*) to persevere ● (*prov.*) **Un bel gioco dura poco**, brevity is the soul of wit B v. t. (*lett.*) (*sopportare*) to bear*; to stand*; to endure: **d. fatica**, to have a hard job (doing st.); to find it difficult (to do st.): *Durai fatica a imparare la lingua*, I found it difficult to learn (*o* I had difficulty in learning) the language ● (*prov.*) **Chi la dura la vince**, slow and steady wins the race.

♦**duràta** f. **1** duration; length (of time): **la d. della guerra**, the duration of the war; **la d. di una visita**, the length of a visit; **di breve d.**, short; of short duration; **di lunga d.**, lasting; long-lasting; **un soggiorno di una certa d.**, a stay of some length; **avere una d. di**, to last for **2** (*periodo*) period; term: **d. di una carica**, term of office; tenure; **d. di un mutuo**, term of a loan; *Il film sarà programmato per la d. di dieci giorni*, the film will be on for a period of ten days; **per tutta la d. di**, all through; throughout **3** (*di un motore, un prodotto, ecc.*) life: **la d. media di un'automobile**, the average life of a car; **pile a lunga d.**, long-life batteries **4** (*di abito, scarpe, ecc.*) wear: **scarpe di (lunga) d.**, shoes that wear well; hard-wearing shoes **5** (*di film, videocassetta, ecc.*) running time; (*di disco*) playing time ● **d. di una cambiale**, currency of a bill □ **d. di un contratto**, life of a contract □ **d. della vita**, lifespan; lifetime □ (*ass., stat.*) **d. media della vita**, life expectancy □ (*di motore*) **prova di d.** (*al banco*), endurance test.

durativo a. (*ling.*) durative.

duratùro a. lasting; abiding; enduring; durable; (*solido*) sound: **fama duratura**, lasting (*o* enduring) fame; **un'istituzione duratura**, a sound institution; **pace duratura**, durable peace.

durévole a. lasting; abiding; durable; permanent: **beni (di consumo) durevoli**, durable goods; durables; **stoffa d.**, durable (*o* hard-wearing) material.

durevolézza f. lastingness; durability; durableness.

durézza f. **1** hardness (*anche dell'acqua*); (*tenacia*) toughness; (*rigidità*) stiffness, rigidity: **la d. della pietra**, the hardness of stone; **la d. di una bistecca**, the toughness of a steak; **di grande d.**, very hard **2** (*fig.*) hardness; (*severità*) hardness, severity, strictness; (*asprezza*) harshness: **d. di cuore**, hardness of heart; **d. di lineamenti**, harshness of features; **la d. della sua voce**, the harshness of his voice; **trattare q. con d.**, to be very hard on sb.; to treat sb. harshly **3** (*ostinazione*) obstinacy.

durlindàna f. **1** (*spada di Orlando*) Durendal **2** (*scherz.*) sword.

♦**dùro** A a. **1** hard (*anche di acqua*); (*tenace, coriaceo*) tough; (*di meccanismo, ecc.*) stiff: **acqua dura**, hard water; **carne dura**, tough meat; **legno d.**, hard wood; **materasso d.**, hard mattress; **sterzo d.**, stiff gear lever; **terreno d.**, hard soil; **d. come il cuoio**, as tough as leather; **d. come la pietra**, as hard as rock **2** (*severo*) hard; harsh; strict: *Sei troppo d. con lui*, you're too hard on him; *Fu un d. colpo*, it was a hard blow; **dura disciplina**, strict discipline **3** (*insensibile, crudele*) hard: **cuore d.**, hard heart; **d. di cuore**, hard-hearted **4** (*aspro, rigido*) hard; harsh:

d

inverno d., hard winter; **parole dure**, harsh words; **una voce dura e sgradevole**, a harsh, unpleasant voice; **lineamenti duri**, harsh features **5** (*ostinato*) obstinate; mulish; pig-headed (*fam.*) **6** (*difficile, faticoso*) hard; tough; stiff: **un compito d.**, a tough job; **esame d.**, tough (*o* stiff) exam; **tempi duri**, hard times; **vita dura**, hard life; *È d. ricominciare la vita a cinquant'anni*, it's hard (*o, fam.*, tough) to begin life again at fifty; *È d. per lui dover ubbidire a un ragazzino*, it's hard on him having to obey a mere youngster; **rendere la vita dura a q.**, to make life hard for sb. **7** (*ottuso*) thick; dense **8** (*ecologia*) hard **9** (*fon.*) hard: **consonanti dure**, hard consonants ● **d. di comprendonio**, thick; dense; slow on the uptake (*fam.*) □ (*anat.*) **dura madre** → **duramadre** □ **la dura realtà**, harsh reality □ **la dura verità**, the plain, unvarnished truth □ **una dura verità**, a bitter truth □ **barba dura**, coarse beard □ **cappello d.**, bowler hat □ **carcere d.**, rigorous imprisonment □ **colletto d.**, stiff collar □ (*di credenza, ecc.*) **essere d. a morire**, to die hard □ (*fig.*) **essere d. da mandar giù**, to be a bitter pill to swallow □

(*di cavallo*) **d. di bocca** (*o* **di bocca dura**), hard-mouthed □ **essere d. d'orecchio**, to be hard of hearing; (*fig.*) to turn a deaf ear □ **grano d.**, durum wheat □ **pane d.** (*vecchio*), stale bread □ **avere la pelle dura**, to be tough; to be thick-skinned □ **pietra dura**, semiprecious stone □ **avere il sonno d.**, to sleep like a log □ **metterla giù dura** → **mettere** □ **sport duri**, rough sports □ **avere la testa dura**, (*essere ostinato*) to be stubborn, to be pig-headed; (*essere ottuso*) to be thick, to be a blockhead □ **uova dure**, hard-boiled eggs **B** *m.* **1** something hard: *Sento del d. qui sotto*, I can feel something hard under here; *Mi piace dormire sul d.*, I like sleeping on a hard surface; I like a hard bed **2** (*fig.: difficoltà*) hard bit: *Adesso viene il d.*, this is the hard bit **3** (f. **-a**) (*fam.: persona grintosa*) tough one; (*polit.*) hardliner; (*irriducibile*) diehard **4** (*fam.: prepotente*) tough guy (m.); tough; bully; thug: **una banda di duri**, a bunch of tough guys; **fare il d. con q.**, to bully sb. **C** *avv.* hard; rough: **giocare d.**, to play rough; **lavorare d.**, to work hard; **picchiare d.**, to hit hard; **tener d.**, to hold out; to grit one's teeth; to stick to one's guns

(*fam.*); to soldier on; to stick it out (*fam.*) ● (*fam.*) **andare giù d. con q.**, not to mince words with sb.

duròmetro m. (*fis.*) durometer.

duróne m. callus; callosity; corn.

dùrra → **dura**.

dùttile a. **1** ductile; pliable; pliant; plastic **2** (*fig.: arrendevole*) malleable; amenable; pliable **3** (*fig.: agile, versatile*) flexible; versatile.

duttilità f. **1** ductility; pliability; plasticity **2** (*fig.: arrendevolezza*) malleability; amenability; pliability **3** (*fig.: agilità, versatilità*) flexibility; versatility.

duunviràto m. (*stor. romana*) duumvirate.

duùnviro m. (*stor. romana*) duumvir*.

duvet (*franc.*) m. inv. duvet (jacket).

duvetìna, duvetine f. (*ind. tess.*) duvetyn.

DVD m. inv. DVD: **lettore DVD**, DVD player; (*di computer*) DVD drive.

Dx abbr. (**destro, destra**) right.

e, E

E ①, e f. o m. (*quinta lettera dell'alfabeto ital.*) E, e ● (*telef.*) **e come Empoli**, e for Echo □ **e commerciale**, ampersand □ **vitamina E**, vitamin E.

E ② sigla **1** (*geogr.*, **est**) east (E) **2** (**itinerario europeo**) European road sign **3** (*ferr.*, (**treno**) **espresso**) express train.

♦**e** cong. **1** and; (*in nomi di ditte, scritto*) &: **pane e vino**, bread and wine; **per miglia e miglia**, for miles and miles; *Il film è lungo e noioso*, the film is long and boring; **un ragazzo alto e magro**, a tall, thin boy; **un metro e venti**, one metre twenty; *A me piace e a te?*, I like it, what about you?; *John Martin e Co.*, John Martin & Co **2** (*con valore avversativo*) but; yet: *Ha detto che veniva e non si è visto*, he said he would come, but he hasn't turned up **3** (*con valore enfat.*, è idiom.) – **bell'e finito**, over and done with; **bell'e guarito**, up and about; *L'ho bell'e fatto*, I've already done it; **tutti e due**, both; both of us [of them, etc.]; **tutti e tre**, all three; the three of us [of you, of them] **4** (*all'inizio di frase, con valore esortativo*) – E compralo!, go on, buy it!; *E smettila!*, oh, stop it!; *E vattene!*, get lost!; *E tre!*, and that makes three!; (*iron.*) there you go [he goes, etc.] again! **5** (*all'inizio di frase interr.*) what about; what: *E Gigi?*, what about Gigi?; *E se venissi anch'io?*, what if I came too? **6** (*correl.*) both... and: *Conosco e lui e la moglie*, I know both him and his wife **7** (*nelle somme*) and: **sei e due fa otto**, six and two is eight **8** (*nell'indicazione delle ore*) – **le dieci e un quarto**, it's a quarter past ten; **le diciotto e ventidue**, twenty-two minutes past six pm.

è 3ª pers. sing. indic. pres. di **essere**.

EA sigla (**ente autonomo**) independent body; autonomous agency.

EAD sigla (**elaborazione automatica dei dati**) automatic data processing (ADP).

ebanìsta m. cabinet-maker.

ebanisterìa f. **1** (*arte*) cabinet-making **2** (*negozio*) cabinet-maker's (shop).

ebanìte f. (*ind.*) ebonite; vulcanite.

èbano A m. (*bot.*, *Diospyros ebenum*; *il legno*) ebony: **un bastone d'e.**, an ebony stick; **nero come l'e.**, ebony-black B a. inv. ebony (attr.).

♦**ebbène** cong. **1** (*conclusivo*) all right; well; well then: *E., verrò io*, all right, I'll come; *E., sì, può essere vero*, well, yes, it may be true **2** (*interr.*) well; so: *E., che vuoi?*, so (o well,) what do you want?; «*Ti ricordi di Dino?*» «*E.?*», «do you remember Dino?» «what about him?».

èbbi 1ª pers. sing. pass. rem. di **avere**.

èbbio m. (*bot.*, *Sambucus ebulus*) danewort; dwarf elder.

ebbrézza f. **1** (*ubriachezza*) drunkenness; intoxication; inebriation (*form.*) **2** (*fig.*) exhilaration; thrill; elation; euphoria; intoxication: **l'e. del successo**, the intoxication of success; **l'e. della velocità**, the thrill of speed.

èbbro a. **1** (*ubriaco*) drunk (pred.); drunken (attr.); intoxicated (*form.*): **e. di birra**, drunk with beer **2** (*fig.*) drunk (with); mad (with); elated (with); euphoric (with): **e. di**

gioia, mad (o beside oneself) with joy; **e. di libertà**, drunk with freedom.

ebdomadàrio A a. weekly B m. weekly publication.

Èbe f. (*mitol.*) Hebe.

ebefrenìa f. (*med.*) hebephrenia.

ebefrènico a. e m. (f. **-a**) hebephrenic.

ebetàggine f. stupidity; idiocy.

èbete A a. half-witted; idiotic; stupid: **sguardo e.**, vacant stare; idiotic stare; **sorriso e.**, stupid smile B m. e f. half-wit; moron; idiot.

ebetìsmo m. **1** stupidity; idiocy **2** (*med.*) hebetude.

ebollizióne f. **1** (*fis.*) boiling; boil; ebullition (*scient.*): **entrare in e.**, to start boiling; to come to the boil; **portare a e.**, to bring to the boil; **in e.**, boiling; **punto di e.**, boiling point **2** (*fig.*) ferment; turmoil; agitation: **essere in e.**, to be in a ferment (o a turmoil) to be seething.

ebraicità f. Jewishness.

ebràico A a. Jewish; Hebraic; (*anche rif. alla lingua*) Hebrew: **l'alfabeto e.**, the Hebrew alphabet; **il calendario e.**, the Jewish calendar; **letteratura ebraica**, Hebraic literature; **il popolo e.**, the Jewish people; **rito e.**, Jewish rite B m. (*la lingua*) Hebrew.

ebraìsmo m. **1** Judaism; Hebraism **2** (*ling.*) Hebraism.

ebraìsta m. e f. Hebraist.

ebraizzàre v. t. to Hebraize.

♦**ebrèo** A a. Jewish; Hebrew B m. (f. **-a**) **1** Jew (f. Jewess); Hebrew: **l'e. errante**, the wandering Jew; **l'Epistola agli ebrei**, the Epistle to the Hebrews **2** (*spreg.*) miser; skinflint.

Èbridi f. pl. (*geogr.*) (the) Hebrides.

ebrietà → **ebbrezza**.

ebulliometrìa, **ebulliòmetro** → **ebullioscopia**, **ebullioscopio**.

ebullioscopìa f. (*chim.*) ebullioscopy.

ebullioscòpio m. (*chim.*) ebulliometer.

eburneazióne f. (*med.*) eburnation.

ebùrneo a. **1** (*lett.*) ivory (attr.) **2** (*fig.*) ivory-like; ivory (attr.).

EC sigla (*ferr.*, (**treno**) **eurocity**) Eurocity train.

E/C, e/c sigla (*banca*, **estratto conto**) bank statement; statement of account.

ecatómbe f. (*stor.*) hecatomb **2** (*fig.*) mass slaughter; massacre.

ecatòstilo m. (*archit.*) hecatonstylon.

Ecc. abbr. (**Eccellenza**) (*in genere*) Excellency; (*a un vescovo*) Lordship.

eccedentàrio a. (*econ.*, *fin.*) surplus (attr.): **bilancio e.**, surplus (budget).

eccedènte A a. **1** excess (attr.); in excess (pred.); surplus (attr.); (*in soprannumero*) redundant: **manodopera e.**, surplus labour; **personale e.**, redundant staff; **peso e.**, excess weight; overweight **2** (*mus.*) augmented: **quarta e.**, augmented fourth B m. excess; surplus.

eccedènza f. excess; surplus; surfeit; glut: **eccedenze agricole**, surplus produce;

eccedenze alimentari, food surpluses; (*comm.*) **e. di cassa**, cash surplus; (*comput.*) **e. di dati**, data overflow; (*econ.*) **e. di domanda**, overdemand; (*econ.*) **e. di offerta**, oversupply; **e. di peso**, excess weight; **e. di manodopera**, surplus of labour; **e. di scorte**, surplus of stock; overstock; **un'e. di cento euro**, a hundred euros in excess; (*fin.*) **un'e. di dollari**, dollar glut; **svendere le eccedenze**, to sell off the surplus; **in e.**, in excess; (*in soprannumero*) redundant (agg.).

eccèdere A v. t. to exceed; to surpass; to go* beyond: **e. un limite**, to go beyond a limit; **e. la misura**, to go too far; **e. ogni previsione**, to exceed all expectations B v. i. **1** (*esagerare*) to... too much; to over...; to take* (st.) too far; to overdo* (st.); to go* too far: **e. nel bere**, to drink too much; **e. nel mangiare**, to eat too much; to overeat; **e. nelle spese**, to spend too much; to overspend; *Ho ecceduto con l'aglio*, I've overdone the garlic; **e. in prudenza**, to err on the side of caution; **senza e.**, without exaggerating; with moderation **2** (*trascendere*) to get* carried away: *Scusami, ho ecceduto*, I'm sorry, I really got carried away.

ècce hòmo (*lat.*) loc. m. inv. (*arte*) Ecce Homo.

ecceità f. (*filos.*) haecceity.

eccellènte a. **1** excellent; first-rate; first-class; high-class; outstanding; top-drawer (attr.) (*fam.*): **un cuoco e.**, a first-class cook; **un'idea e.**, an excellent idea; **un pranzo e.**, an excellent meal; **progetto e.**, top-drawer plan; **di umore e.**, in high spirits **2** (*giorn.*: *importante*) prominent; high-ranking: **arresti eccellenti**, arrests of high-ranking officials; **un indagato e.**, a prominent public figure under investigation.

eccellentìssimo a. superl. assol. Most Excellent; (*al vocat.*) Your Excellency: **l'e. Duca di...**, His Excellency the Duke of...

♦**eccellènza** f. **1** excellence; (*grandezza*) greatness, pre-eminence **2** (*titolo*) Excellency: **Sua E.**, His [Her] Excellency; (*abbr.* H. E.); (**Vostra**) E., Your Excellency ● **per e.**, pre-eminently; par excellence (*franc.*).

eccèllere v. i. to excel; to surpass; to outstrip: **e. in qc.**, to excel at st.; **e. sugli** (*o* **tra gli**) **altri**, to surpass (o to outstrip) all others.

eccèlso A a. **1** very high; lofty **2** (*fig.*) sublime; lofty B m. – *L'E.*, the Most High.

eccentricità f. **1** (*mat.*) eccentricity **2** (*mecc.*) eccentricity; throw: **grado di e.**, degree of eccentricity **3** (*stravaganza*) eccentricity; oddity; idiosyncrasy.

eccèntrico A a. **1** (*mat.*) eccentric: (*astron.*) **orbita eccentrica**, eccentric orbit **2** (*lontano dal centro*) outlying **3** (*stravagante*) eccentric; odd; peculiar; quirky; bizarre B m. **1** (*mecc.*) eccentric; cam: **scatola degli eccentrici**, cam box **2** (f. **-a**) eccentric (*o* odd) person; odd fish (*fam.*); oddball (*fam.*) **3** (*teatr.*) variety artist.

eccepìbile a. objectionable; exceptionable.

eccepìre v. t. to object (to); to have objections (to); to take* exception (to); (*leg.*) to demur (at): **trovare da e.**, to have objec-

tions; *Qualcosa da e.?*, any objection?

eccessivaménte avv. excessively; exceedingly; too (+ agg.); too much; to (an) excess: **e. severo**, too strict; **caricare e.**, to overload; **mangiare e.**, to eat too much; to overeat.

eccessività f. excessiveness; exorbitance.

eccessivo a. excessive; exaggerated; inordinate; exorbitant; (*troppo*) too much: **prezzo e.**, exorbitant price; **far pagare un prezzo e.**, to charge too much; to overcharge; *Non diedi eccessiva importanza alle sue parole*, I didn't attach too much importance to his words; **tenere una velocità eccessiva**, to drive too fast.

eccèsso m. 1 excess; over (pref.): **un e. di gentilezza**, an excess of kindness; (*leg.*) **e. di legittima difesa**, excessive self-defence; **un e. di peso**, excess weight; overweight; (*autom.*) **e. di velocità**, speeding; exceeding the speed limit; **un e. di zelo**, an excess of zeal; overzealousness; **bagaglio in e.**, excess baggage; **peccare per e. di zelo**, to be overzealous 2 (*intemperanza*) excess; immoderacy: **bere all'e.**, to drink to excess (*o* immoderately); **commettere degli eccessi**, to commit excesses 3 (*estremo*) extreme; limit: **spingere qc. all'e.**, to push st. to the limit; to overdo st.; *La tua impertinenza è giunta all'e.*, your cheek has reached the limit 4 (*eccedenza*) surplus; surfeit; over (pref.): **e. di domanda [di offerta]**, excess demand [supply]; **e. di produzione**, overproduction ● **approssimazione per e.**, approximation by excess □ **dare in eccessi**, to fly into a temper; to go off the deep end □ **fino all'e.**, to excess; to a fault.

♦**eccètera** avv. et cetera (abbr. etc.); and so forth; and so on.

eccètto A prep. except (for); excepting; but; save; bar; barring: **qualunque giorno e. domani**, any day except (*o* but) tomorrow; *Ci siamo tutti, e. Marco*, we're all here, except for Marco; *La guerra non portò nulla e. (che) miseria*, the war brought nothing but misery; *E. un paio di chiese, non ci sono edifici interessanti*, excepting (*o* barring) a couple of churches, there are no building of any interest; **e. i presenti**, present company excepted B **eccètto che** loc. cong. 1 (*a meno che*) unless: *Verrò, e. che piova*, I shall come, unless it rains 2 (*tranne che*) except (that): *Tutto è permesso e. che uscire*, everything is allowed except leaving; you can do anything except leave.

eccettuàre v. t. to except; to exclude.

eccettuativo a. exceptive: (*gramm.*) **congiunzione eccettuativa**, exceptive conjunction; (*logica*) **proposizione eccettuativa**, exceptive proposition.

eccettuàto a. except (for); excepting; bar; excepted (pred.); excluded (pred.): **tutti i giorni e. il lunedì**, every day except Monday; *Tutti i paesi, e. il Belgio...*, all countries, Belgium excepted...; **nessuno e.**, without exception; no one excepted.

♦**eccezionàle** a. 1 (*che costituisce eccezione*) exceptional; (*speciale*) special: **circostanze eccezionali**, exceptional circumstances; **leggi eccezionali**, special laws; **niente di e.**, nothing exceptional; (*comm.*) **offerta e.**, special offer; bargain; **in via e.**, as (*o* by way of) an exception; exceptionally 2 (*straordinario*) exceptional; extraordinary; outstanding: **bellezza e.**, extraordinary beauty; **capacità eccezionali**, exceptional abilities.

eccezionalità f. exceptionality; exceptional nature.

eccezionalménte avv. 1 (*facendo un'eccezione*) exceptionally; as an exception 2 (*straordinariamente*) exceptionally; extraordi-

narily.

♦**eccezióne** f. 1 exception: **un'e. alla regola**, an exception to the rule; **fare e.**, to be an exception; to be exceptional; **fare un'e.**, to make an exception; **a e. di** (*o* **fatta e. per**) with the exception of; excepting; except (for); **in via d'e.**, as (*o* by way of) an exception; **salvo alcune eccezioni**, with a few exceptions; **senza eccezioni**, without exception 2 (*obiezione, critica*) objection; criticism: **superiore a ogni e.**, above all criticism 3 (*leg.*: *obiezione*) objection; plea; exception; (*riserva*) saving clause, reservation: **e. di incompetenza**, declinatory exception; **e. di prescrizione**, plea of laches; **accogliere un'e.**, to sustain an objection; **sollevare un'e.**, to raise an objection; to demur 4 (*critica*) criticism: **muovere delle eccezioni a q.**, to criticise sb. ● **d'e.**, exceptional; outstanding; very special □ (*prov.*) **L'e. conferma la regola**, the exception proves the rule.

ecchìmosi f. (*med.*) ecchymosis*; (*com.*) bruise.

ecchimòtico a. (*med.*) ecchymotic.

eccì inter. (*suono di starnuto*) atishoo.

eccìdio m. (*mass*) slaughter; massacre; extermination; carnage.

eccìmero m. (*chim.*) excimer.

eccipiènte a. e m. (*farm.*) excipient.

eccitàbile a. excitable; easily excited; highly strung.

eccitabilità f. (*anche biol.*) excitability.

eccitaménto m. 1 excitement; arousal: **e. nervoso**, nervous excitement; **e. sessuale**, excitement; sexual arousal 2 (*incitamento*) incitement 3 (*biol.*) stimulation.

eccitànte A a. exciting; thrilling; stirring B m. (*farm.*) stimulant; excitant.

♦**eccitàre** A v. t. 1 (*suscitare, destare*) to arouse; to excite; to stir; to stimulate: **e. la curiosità [l'interesse]**, to arouse curiosity [interest]; **e. l'invidia di q.**, to arouse (*o* to excite) sb.'s envy 2 (*istigare*) to stir up; to rouse; to incite: **e. il popolo**, to stir up the people; **e. q. alla rivolta**, to rouse sb. to revolt 3 (*agitare*) to agitate; (*assol.*) to be a stimulant: *Il caffè eccita*, coffee is a stimulant 4 (*stimolare, elettrizzare*) to excite; to thrill; to stir; to fire; to electrify: **e. la fantasia**, to stir (*o* to fire) the imagination; *La notizia della vittoria eccitò tutti*, everybody was excited (*o* stirred) by the news of the victory 5 (*suscitare desiderio sessuale*) to excite; to arouse; to turn on (*pop.*) 6 (*elettr., fis.*) to excite B **eccitàrsi** v. i. pron. to get* excited; (*agitarsi*) to get* overexcited; to get* worked up (*fam.*); (*sessualmente*) to become* aroused.

eccitàto a. 1 (*emozionato*) excited; thrilled; enthusiastic; elated 2 (*agitato*) agitated; worked up 3 (*sessualmente*) aroused 4 (*fis.*) excited.

eccitatóre A m. (*elettr.*) exciter B a. exciting; excitant.

eccitatrìce f. (*elettr.*) exciter; exciting dynamo.

eccitazióne f. 1 excitement; thrill; (*esultanza*) elation; (*fermento*) stir, ferment: *La notizia provocò grande e.*, the news caused great excitement (*o* a great stir); **e. nervosa**, (nervous) tension; *C'era grande e. tra la folla*, the people were very excited; **nell'e. del momento**, in the heat of the moment 2 (*elettr.*) excitation: **energia di e.**, excitation energy.

ecclèsia f. (*stor. greca*) ecclesia.

ecclesiàle a. ecclesial; ecclesiastical.

ecclesiàste m. 1 (*stor.*) ecclesiast 2 – (*Bibbia*) l'E., Ecclesiastes.

ecclesiàstico A a. ecclesiastic, ecclesiastical; church (attr.); clerical: **abito e.**, cler-

ical dress; **diritto e.**, ecclesiastical law; **storia ecclesiastica**, church history; **vita ecclesiastica**, ecclesiastic (*o* clerical) life B m. 1 clergyman; priest; ecclesiastic 2 – (*Bibbia*) l'E., Ecclesiasticus.

ecclesiologìa f. ecclesiology.

ecclesiològico a. ecclesiological.

ecclesiòlogo m. (f. *-a*) ecclesiologist.

ecclìmetro m. (*topogr.*) clinometer.

♦**ècco** A avv. 1 (*qui*) here; (*là*) there: *E. la ricetta che cercavo*, here is the recipe I was looking for; *E. (qui) le tue camicie*, here are your shirts; *E., è li sotto il tavolo*, there it is, under the table; *E., questo è il mio indirizzo*, here is my address; *E., (prendi)*, here you are; *E. l'autobus*, here comes the bus; *E. fatto!*, there, that's that!; that's done!; *E. tutto*, that's all; **quand'e.**, when all of a sudden 2 (*con particelle pron. enclitiche*) here; there: *Eccomi*, here I am; *Eccoci*, here we are; *Eccoli che passano*, there they go; *Eccoti finalmente*, here you are at last; *Eccone uno*, here is one; *Eccoti i soldi*, here is the money 3 (*seguito da proposizione*) this is; that is: *E. come andarono le cose*, that's how things went; *E. perché non te lo avevo detto*, that's why I hadn't told you B inter. well; there you are!; so there!: **Be', e., veramente...**, well, actually...; *E.! Che ti dicevo?*, there you are! what did I tell you?; (*fam. o infant.*) *Non te lo dico, e.!*, I won't tell you, so there!

eccóme avv. yes, indeed; absolutely; certainly; and how (*fam.*); sure (*fam. USA*); you bet (*fam. USA*): «*Sei d'accordo?*» «*E.*», «do you agree?» «absolutely!»; «*Ti piace davvero?*» «*E. no?*» «do you really like it?» «of course I do»; «*Ti piace ballare?*» «*E.!*», «you like dancing?» «you bet!»; *E. se lo conosco!*, I know him all right!

éccrino a. (*med.*) eccrine.

ecdèmico a. (*med.*) ecdemic.

ecdòtica f. textual criticism.

ecdòtico a. of textual criticism; critical.

ECG abbr. (*med., elettrocardiogramma*) electrocardiogram (ECG, EKG).

echeggiaménto m. echoing; resounding.

echeggiàre v. i. 1 to echo (with); to resound (with); to echo with songs 2 (*fig.*) assomigliare) to resemble; (*ricordare*) to recall; (*imitare*) to imitate.

echidna f. (*zool., Tachyglossus aculeatus*) echidna; spiny anteater.

echidnìna f. (*chim.*) echidnine.

echinàto a. (*bot.*) echinate.

echìno m. 1 (*zool., Echinus*) sea urchin; echinus* 2 (*archit.*) echinus*.

echinocàctus m. (*bot.*) echinocactus.

echinocòcco m. (*zool., Echinococcus granulosus*) echinococcus.

echinococcòsi f. (*med.*) hydatid disease.

echinodèrma m. (*zool.*) echinoderm; (al pl., *scient.*) Echinodermata.

echinòide m. (*zool.*) echinoid; (al pl., *scient.*) Echinoidea.

èchio m. (*bot., Echium*) echium.

eclampsìa f. (*med.*) eclampsia.

eclàmptico a. (*med.*) eclamptic.

eclatànte a. 1 (*evidente*) manifest; evident; glaring: **contraddizione e.**, manifest contradiction; **un esempio e. di incompetenza**, a glaring example of incompetence 2 (*che colpisce*) sensational; striking: **annuncio e.**, sensational announcement.

ecletticismo → **eclettismo**.

ecletticità f. eclecticism; eclectic quality; wide-ranging character.

eclèttico A a. 1 (*filos.*) eclectic 2 (*fig.*) eclectic; wide-ranging; versatile: **gusti eclettici**, catholic tastes; **persona dalla cul-**

tura eclettica, polymath; **stile e.**, eclectic stile B m. (f. **-a**) (*filos., arte ed estens.*) eclectic.

eclettìsmo m. 1 (*filos.*) eclecticism 2 (*fig.*) eclecticism; versatility.

eclissàre A v. t. 1 (*astron.*) to eclipse 2 (*fig.*) to eclipse; to outshine*; to overshadow; to surpass B **eclissàrsi** v. i. pron. 1 (*astron.*) to suffer an eclipse 2 (*fig.: svanire*) to disappear; to vanish 3 (*fig.: squagliarsela*) to do a disappearing act (*fam.*), to make* oneself scarce (*fam.*); (*scappare*) to make* off, to decamp (*fam.*).

eclissi f. 1 (*astron.*) eclipse: **e. di sole [di luna]**, eclipse of the sun [of the moon]; solar [lunar] eclipse; **e. parziale [totale]**, partial [total] eclipse 2 (*fig.*) eclipse; disappearance.

eclìttica f. (*astron.*) ecliptic: **piano dell'e.**, plane of the ecliptic.

eclìttico a. (*astron.*) ecliptic.

ècloga → **egloga**.

ecmnesìa f. (*psic.*) ecmnesia.

♦**èco**① m. o f. (pl. **èchi**, m.) 1 (*anche mus., tel. e fig.*) echo*: **camera a eco**, echo chamber 2 (*fig.: commenti*) comment; stir: **sollevare molta eco**, to cause a great deal of comment (*o quite a stir*) ● (*giorn.*) **echi di cronaca**, news items □ **fare eco alle parole di q.**, to echo sb.'s words.

èco② f. (inv.) → **ecografia**.

ecocardiografìa f. (*med.*) echocardiography.

ecocardiògrafo m. echocardiograph.

ecocardiogràmma m. (*med.*) echocardiogram.

ecocatàstrofe f. ecological disaster.

ecocìdio m. ecocide.

ecocompatìbile a. environmentally compatible; environmentally friendly.

ecodiesel m. inv. (*autom.*) biodiesel.

ecodòppler m. inv. (*med.*) Doppler ultrasonography; (*l'esame*) Doppler (ultrasound) test.

ecoetichétta f. eco-label.

ecofobìa f. (*psic.*) ecophobia; oikophobia.

ecogenètica f. genecology.

ecogoniòmetro m. (*naut.*) sonar; echosounder.

ecografìa f. (*med.*) 1 (*tecnica*) ultrasonography; ultrasound scanning 2 (*esame*) ultrasound scan.

ecogràfico a. (*med.*) ultrasound (attr.): **esame e.**, ultrasound scan.

ecografìsta m. e f. 1 (*naut.*) echograph operator 2 (*med.*) ultrasound technician.

ecògrafo m. 1 (*naut.*) echograph 2 (*med.*) ultrasound scanner.

ecogràmma m. (*naut.*) echogram.

ecòico a. echoic.

ecòide m. (*ecol.*) ecoid.

ecoincentìvo m. (generalm. al pl.) ecological incentive.

ecolalìa f. (*med.*) echolalia.

ecologìa f. ecology.

ecològico a. 1 ecological; environmental 2 (*di prodotto*) ecological; green; eco-friendly (*fam.*); (*di alimento*) organic; (*di detersivo*) ecological, biodegradable ● **pelliccia ecologica**, fake fur.

ecologìsmo m. environmentalism.

ecologìsta A a. ecological; environmental B m. e f. ecologist; (*ambientalista*) environmentalist.

ecologìstico a. ecological; environmental.

ecòlogo m. (f. **-a**) ecologist.

ecomàfia f. environmental crime; ecomafia.

ecometrìa f. echo-sounding.

ecòmetro m. (*naut.*) echo-sounder.

ecomòstro m. eyesore; monstrosity.

ecomusèo m. ecomuseum.

economàto m. 1 (*carica*) stewardship; treasurership; (*di collegio e sim.*) bursarship 2 (*sede*) steward's office; treasurer's office; (*di collegio e sim.*) bursar's office, supplies office.

econometrìa f. (*econ.*) econometrics (pl. col verbo al sing.).

econometrìco a. (*econ.*) econometric.

econometrìsta m. e f. (*econ.*) econometrician; econometrist.

econòmetro m. (*autom.*) econometer.

♦**economìa** f. 1 (*sistema economico*) economy: **e. di mercato**, market economy; **e. mista**, mixed economy; **e. pianificata**, planned (*o* state-planned) economy; **e. sommersa**, black economy; underground economy; **un paese a e. agricola**, a country with an agricultural economy 2 (*scienza, teoria*) economics (pl. col verbo al sing.): **e. aziendale**, business economics; business management; **e. classica**, classical economics; **e. politica**, economics; political economy; **professore di e.**, professor of economics 3 (*risparmio*) economy; saving; (al pl.: *denaro risparmiato*) savings: (*econ.*) **e. di scala**, economy of scale; **fare e.**, to economize (on st.); to save; to tighten one's belt: **fare e. d'acqua**, to save water; **fatto in e.**, done cheaply; done on the cheap (*fam.*) 4 (*organizzazione*) plan; distribution; organization 5 (*fig., arte, letter.*) economy; (*struttura*) structure, organization ● **e. domestica**, domestic science; home economics □ **senza e.**, (*senza badare a spese*) without stinting; no expense spared; (*generosamente*) liberally; (*abbondantemente*) freely, abundantly.

economicaménte avv. 1 economically: **e. poco sviluppato**, economically undeveloped 2 (*in economia*) economically; cheaply; on the cheap (*fam.*).

economicìsmo m. economism.

economicìstico a. economism (attr.).

economicità f. 1 economic character 2 (*convenienza*) inexpensiveness; low costs (pl.); cheapness.

♦**econòmico** a. 1 (*che riguarda l'economia*) economic; (*finanziario*) financial; (*rif. agli affari*) business (attr.): **attività economica**, business activity; **ciclo e.**, economic cycle; **crescita economica**, economic growth; **difficoltà economiche**, financial difficulties; **danno e.**, financial loss; **miracolo e.**, economic miracle; **politica economica**, economic policy; **ripresa economica**, economic recovery; **scienze economiche**, economics 2 (*poco costoso*) inexpensive, low-cost, cheap; (*che fa risparmiare*) economical, economy (attr.); budget (attr.); (*vantaggioso*) economic, cost-effective, good value (pred.): **automobile economica**, economy car; **classe economica**, economy class; coach (*USA*); **edizione economica**, popular (*o* paperback) edition; **ristorante e.**, inexpensive (*o* cheap) restaurant; **vacanze economiche**, budget holidays; *Se si è in cinque è più e. viaggiare in auto*, if there are five of you it's more economical to travel by car.

economìsta m. e f. economist: **e. capo**, chief economist.

economìstico a. economics (attr.); economic.

economizzàre A v. t. to economize on; to be sparing with; to cut* down on; (*risparmiare*) to save: **e. l'acqua [la benzina]**, to economize on water (*o* petrol); **e. il tempo [le forze]**, to save time [strength] B v. i. to economize; to cut* costs.

economizzatóre m. 1 (f. **-trìce**) economizer; saver 2 (*tecn.*) economizer.

econòmo A m. (f. **-a**) steward; treasurer; (*di collegio e sim.*) bursar, supply officer; (*di amministrazione pubblica*) accountant, financial officer B a. economical; thrifty: **massaia economa**, economical housewife.

economy (*ingl.*) f. inv. economy class.

ecopacifìsta m. e f. ecopacifist; eco-warrior.

ecopèlle f. imitation leather.

ecoscandàglio m. (*naut.*) echo-sounder.

ecosfèra f. ecosphere.

ecosistèma m. ecosystem.

ecostòria f. ecohistory.

ecotàssa f. pollution tax; (*autom.*) carbon tax.

ecoterrorìsmo m. ecoterrorism.

ecoterrorìsta m. e f. ecoterrorist.

ecotìpo m. (*biol.*) ecotype.

ecotomografìa f. (*med.*) ultrasonography; ultrasound scanning.

ecotòno m. (*ecol.*) ecotone.

ecoturìsmo m. ecotourism Ⓔ.

écru (*franc.*) a. e m. inv. ecru; light fawn; off-white.

ectipografìa f. (*tipogr.*) embossed print.

ectoblàstico a. ectoblastic.

ectoblàsto m. (*biol.*) ectoblast.

ectodèrma m. (*biol.*) ectoderm.

ectodèrmico a. ectodermal.

ectoparassìta m. (*biol.*) ectoparasite.

ectòpico a. (*med.*) ectopic: **gravidanza ectopica**, ectopic pregnancy.

ectoplàsma m. (*biol., parapsicologia*) ectoplasm.

ectoplasmàtico a. ectoplasmic.

ectosàrco m. (*biol.*) ectoplasm.

ectoscopìa f. (*med.*) ectoscopy.

ectotermìa f. (*fisiol.*) ectothermy.

ectotèrmico a. (*fisiol.*) ectothermic.

ectotèrmo m. (*zool.*) ectotherm.

ectròpion m. (*med.*) ectropion.

ecu m. inv. ecu*; ECU*.

ecuadoriàno a. e m. (f. **-a**) Ecuadorian.

Ècuba f. (*mitol.*) Hecuba.

ecùleo m. (*stor.*) rack.

ecumène f. 1 (*geogr.*) inhabited world 2 (*relig.*) Christian world.

ecumenicità f. ecumenical nature.

ecumènico a. ecumenical: (*eccles.*) **concilio e.**, ecumenical council; **movimento e.**, ecumenical movement.

ecumenìsmo m. ecumenism; ecumenicalism.

eczèma m. (*med.*) eczema.

eczemàtico, eczematóso a. (*med.*) eczematous.

ed cong. → **e**.

ed. abbr. (**edizione**) edition (ed.).

edàce a. (*lett.*) edacious; voracious; devouring.

edàfico a. (*biol.*) edaphic: **fattore e.**, edaphic factor.

edafìsmo m. (*biol.*) edaphic adaptation.

edafologìa f. edaphology.

èdafon m. (*biol.*) edaphon.

èddico a. (*letter.*) Eddaic; Eddic.

Edelweiss (*ted.*) m. inv. (*bot., Leontopodium alpinum*) edelweiss.

edèma m. (*med.*) edema*, oedema*: **e. polmonare**, pulmonary edema.

edemàtico, edematóso a. (*med.*) edematous.

èden m. (*anche fig.*) Eden; earthly paradise.

edènico a. 1 (*dell'Eden*) Edenic 2 (*fig.*) Edenic; Eden-like; paradisiacal.

édera f. (*bot.*, *Hedera helix*) ivy ● **e. del Canada** (*Rhus toxicodendron*), poison ivy □ **e. terrestre** (*Nepeta hederacea*), ground ivy □ **avvinto come l'e.**, clinging like ivy □ **coperto d'e.**, ivy-covered; ivy-clad.

ederèlla f. (*bot.*, *Veronica arvensis*) veronica; speedwell.

Edgàrdo m. Edgar.

edìbile a. edible.

edìcola f. **1** (*di giornali*) newspaper kiosk; news-stand; newsagent's (*GB*) **2** (*nicchia*) niche; (*tabernacolo*) shrine.

edicolànte, **edicolista** m. e f. newsagent (*GB*); news dealer (*USA*).

edificàbile a. suitable for building; building (attr.): **terreno e.**, building site.

edificabilità f. suitability for building.

edificànte a. edifying; uplifting.

edificàre 🅐 v. t. **1** (*costruire*) to build*; to erect; to construct: **e. un palazzo**, to erect a house **2** (*fig.*: *fondare*) to build*; to construct; to found; to set* up: **e. un impero**, build an empire; **e. un sistema filosofico**, to construct a philosophical system **3** (*condurre al bene*) to edify; to uplift ● (*fig.*) **e. sulla sabbia**, to build on sand □ (*fig.*) **e. sulla roccia**, to build on a firm foundation 🅑 **edificàrsi** v. i. pron. to be edified.

edificatóre 🅐 a. building (attr.) 🅑 m. (f. *-trice*) **1** builder **2** (*fig.*) builder; founder.

edificatòrio → **edificante**.

edificazióne f. **1** building; erection; construction **2** (*morale*) edification.

◆**edifìcio** m. **1** (*costruzione*) building; edifice (*form.*): **un bell'e.**, a fine building; **edifici pubblici**, public buildings **2** (*struttura*) structure; framework Ⓤ; (*sistema filos.*, *ecc.*) edifice: **l'e. sociale**, the structure of society; the social order **3** (*complesso di ragionamenti*) arguments (pl.); case: **smantellare l'e. della difesa**, to demolish the arguments of the defence.

edìle 🅐 a. building (attr.); construction (attr.): **impresa e.**, building contractors (pl.); construction firm; **ingegnere e.**, structural engineer; **operaio e.**, building worker; construction worker; **perito e.**, building surveyor; master builder 🅑 m. **1** (*stor. romana*) aedile **2** (*operaio*) building worker; construction worker.

edilìzia f. building; (*l'industria*) building industry, building trade, construction: **e. abitativa**, housing; **e. privata [pubblica]**, private [public] building; **e. popolare**, public housing; **e. residenziale**, residential housing; **e. sovvenzionata**, subsidized housing; **lavorare nell'e.**, to work in the building industry (o in construction); **materiale per l'e.**, building material.

edilìzio a. building (attr.); construction (attr.): **commissione edilizia**, building commission; planning committee; **concessione edilizia**, building licence; **licenza edilizia**, building licence; planning permission (*GB*); **speculazione edilizia**, property speculation.

Edimbùrgo f. (*geogr.*) Edinburgh.

edipèo a. (*letter.*) Oedipus (attr.).

edìpico a. (*psic.*) Oedipus (attr.); Oedipal: **complesso e.**, Oedipus complex; **connotazioni edipiche**, Oedipal connotations.

edipìsmo m. (*psic.*) Oedipism.

edìpo m. (*psic.*) Oedipus complex.

Edìpo m. (*mitol.*) Oedipus ● (*psic.*) **complesso d'E.**, Oedipus complex.

editàbile a. (*spec. comput.*) editable.

editàre v. t. (*editoria*) to edit.

editing (*ingl.*) m. inv. editing: **fare l'e. di qc.**, to edit st. (for publication).

editio prìnceps (*lat.*) loc. f. inv. editio princeps; first printed edition.

èdito a. published; (*stampato*) printed ❶ Falsi amici • edito non si traduce con edited.

editor (*ingl.*) m. inv. (*editoria*, *comput.*) editor; (*responsabile di un settore*) commissioning editor.

editóre 🅐 a. publishing: **casa editrice**, publishers (pl.); publishing house (o firm, company) ● **libraio e.**, bookseller and publisher 🅑 m. (f. *-trice*) publisher ❶ Falsi amici • editore non si traduce con editor.

editorìa f. publishing; book trade: **e. elettronica**, computer-aided publishing; **e. individuale** (*o da scrivania*), desktop publishing; **e. scolastica**, textbook publishing.

editorìale① a. (*rif. all'editoria*) publishing: **direttore e.**, managing director (of a publishing house); **l'industria e.**, the publishing industry; publishing; **svolgere attività e.**, to work (o to be) in publishing; **successo e.**, publishing success; (*libro di successo*) bestseller.

editorìale② (*giorn.*) 🅐 m. editorial; leading article; leader 🅑 a. editorial; leading.

editorialista m. e f. (*giorn.*) leader writer.

edittàle a. **1** (*stor.*) edictal **2** (*leg.*) law (attr.); statutory.

editto m. edict.

edizióne f. **1** (*di libro*, *giornale*) edition: **e. a tiratura limitata** (*o* **e. numerata**), limited edition; **e. critica**, critical edition; (*di giornale*) **e. del mattino [della sera]**, morning [evening] edition; **e. delle opere complete**, collected edition (of sb.'s works); **e. di lusso**, de luxe edition; **e. economica**, popular (*o* paperback) edition; **e. integrale**, unabridged edition; **e. fuori commercio**, privately printed edition; **e. in folio [in ottavo]**, folio [octavo] edition; (*di giornale*) **e. locale**, local edition (*GB*); city edition (*USA*) **e. riveduta e corretta**, revised edition; **e. ridotta**, abridged edition; **e. straordinaria**, (*di giornale*) special (edition), extra; **e. tascabile**, pocket edition; paperback edition **2** (*versione*) edition, version; (*formato*) format; (*di spettacolo*) production: **un'e. molto discussa della «Turandot»**, a controversial production of «Turandot»; **la 3ª e. della Fiera del Libro**, the 3rd Book Fair; **in e. ridotta**, in a shortened version; with a reduced format; (*cinem.*) **e. in lingua originale**, original-language version **3** (*radio*, *TV*) edition; broadcast: **questa e. del telegiornale**, this news broadcast; **l'e. della notte del telegiornale**, the late-night news; **e. straordinaria**, newsflash **4** (*fig.*, *scherz.*: *aspetto*) version; look.

Edmóndo m. Edmund.

Edoàrdo m. Edward.

edochiàno 🅐 a. Tokyo (attr.): **folclore e.**, Tokyo folklore 🅑 m. (f. *-a*) inhabitant of Tokyo.

edonìsmo m. (*filos.*) hedonism.

edonista m. e f. (*filos.*) hedonist.

edonìstico a. (*filos.*) hedonistic.

edòtto a. informed (about); acquainted (with): **rendere e. q. su qc.**, to inform sb. about st.; to acquaint sb. with st.

edredóne m. (*zool.*, *Somateria mollissima*) eider (duck): **piume di e.**, eiderdown.

educàbile a. educable; teachable; (*addestrabile*) trainable.

educabilità f. educability; teachability; trainability.

educànda f. **1** (girl) boarder **2** (*fig.*) convent girl; prim girl: **vestita da e.**, dressed like a convent girl.

educandàto m. girls' boarding school; (*annesso a un convento*) convent school.

◆**educàre** v. t. **1** (*allevare*) to bring* up: *L'hanno educato male*, he has been badly brought up; **e. i bambini al rispetto degli anziani**, to bring up children to respect old

people **2** (*formare*, *coltivare*) to educate: **e. il proprio gusto musicale**, to educate one's musical taste; **e. l'orecchio**, to educate the ear **3** (*addestrare*, *abituare*) to train: **e. un cane**, to train a dog; (*insegnarli a non sporcare in casa*) to house-train; **e. il corpo alla fatica**, to train the body to endure hardships ❶ Falsi amici • educare nel senso di formare le qualità intellettuali e morali non si traduce con to educate.

educataménte avv. politely.

educatìvo a. **1** (*che riguarda l'educazione*) educational **2** (*istruttivo*) instructive; educational.

◆**educàto** a. **1** polite; (*beneducato*) well-bred, well-mannered; (*cortese*) civilized, civil; (*di bambino*) well-brought-up, well-behaved: **modi educati**, good manners; **una ragazza educata**, a well-brought-up girl; *Era troppo e. per commentare*, he was too polite to comment; *Non è e. fare così*, it's bad manners (o it's not nice) to do that **2** (*raffinato*) refined; cultivated **3** (*addestrato*) trained ❶ Falsi amici • educato non si traduce con educated.

educatóre 🅐 a. educational; teaching; training: **la funzione educatrice della famiglia**, the educational role of the family 🅑 m. (f. *-trice*) **1** educator; (*insegnante*) teacher **2** (*pedagogista*) educationalist.

◆**educazióne** f. **1** (*l'allevare*) upbringing: **l'e. dei figli**, the upbringing of one's children; **ricevere una sana e.**, to be given a good upbringing; to be brought up well **2** (*formazione*) education, cultivation; (*addestramento*) training: **e. fisica**, physical training; **e. permanente**, continuing education; **e. sessuale**, sex education **3** (*nel nome di alcune materie scolastiche*) **– e. artistica**, art; **e. civica**, civics (pl. col verbo al sing.); **e. fisica**, gymnastics (pl. col verbo al sing.); gym (*fam.*); physical education (o training) (abbr. P.E. o P.T.); **e. musicale**, music appreciation **4** (*buone maniere*) (good) manners (pl.), good breeding; (*cortesia*) politeness: *Chi ti ha insegnato l'e.?*, who taught you your manners?; **mancanza di e.**, bad manners; *È regola di buona e. non interrompere*, interrupting is not good manners ❶ Falsi amici • educazione nel senso di comportamento corretto non si traduce con education.

edulcorànte 🅐 a. sweetening 🅑 m. sweetener.

edulcoràre v. t. (*attenuare*) to soften; to tone down.

edùle a. edible.

eduzióne f. (*ind. min.*) dewatering.

EE sigla (*targa autom.*, **escursionisti esteri**) foreign visitors (*temporary registration plates*).

EEG sigla (*med.*, **elettroencefalogramma**) electroencephalogram (EEG).

efèbico a. ephebic.

efèbo m. **1** (*stor. greca*) ephebe **2** (*lett.*) youth **3** (*spreg.*) effeminate youth.

efedrìna f. (*chim.*) ephedrine.

efèlide f. freckle; ephelis* (*scient.*): **coperto di efelidi**, freckled.

efèmera f. (*zool.*, *Ephemera*) ephemera*; (*com.*) mayfly.

efemèride → **effemeride**.

efèmero m. (*bot.*, *Colchicum autumnale*) meadow saffron; naked ladies; autumn crocus.

efeşìno a. e m. (f. *-a*) Ephesian.

efèşio a. Ephesian; Ephesine.

èffe f. o m. inv. **1** (*lettera*) (letter) f **2** (*mus.*, *di violino*) soundhole.

effemèride f. **1** (*astron.*, *astrol.*) ephemeris* **2** (*rassegna periodica*) periodical; journal ● (*naut.*) **effemeridi astronomiche**, nautical almanac (sing.).

effeminàre **A** v. t. to make* effeminate; to effeminize **B** **effeminàrsi** v. i. pron. to become* effeminate.

effeminatézza f. effeminacy.

effeminàto a. effeminate; womanish; effete; unmanly.

effèndi m. effendi.

efferatézza f. **1** ferocity; barbarity; savagery; brutality **2** (*azione efferata*) atrocity; crime.

efferàto a. ferocious; brutal; heinous; savage: **delitto e.**, brutal murder; heinous crime; **strage efferata**, savage massacre.

efferènte a. (*anat.*) efferent: **vaso e.**, efferent duct.

efferènza f. (*anat.*) efferent duct; efferent nerve.

effervescènte a. **1** effervescent; sparkling; fizzy: **compressa e.**, effervescent tablet **2** (*fig.*) effervescent; bubbly; sparkling; fizzy; exuberant.

effervescènza f. **1** effervescence; (*di bibita, anche*) fizz **2** (*fig.: di carattere*) effervescence; bubbliness; exuberance **3** (*fig.: fermento*) excitement; commotion.

effettàto a. (*sport*) with a spin (pred.); spinning; curving; swerving: **tiro e.**, spinning shot; curve ball; swerving shot (*o* drive).

effettìsmo m. sensationalism.

effettìstica f. **1** tendency to sensationalism **2** (*cinem., teatr.*) special effects (pl.).

effettivaménte avv. **1** really; actually: *È e. un fatto molto strano*, it's really a very strange business; *E. non posso darti torto*, I can't really say you're wrong; *Be', e. no*, well, actually, no **2** (*come risposta di assenso*) quite; indeed ⚠ **FALSI AMICI** • *effettivamente non si traduce con* effectively.

effettività f. **1** reality; actuality **2** (*entrata in vigore*) effect: **con e. da...**, with effect from...

effettìvo **A** a. **1** (*reale, vero*) real; actual: **danno e.**, actual damage; **entrate effettive**, actual (*o* real) income; **un e. miglioramento**, a real improvement; **tempo di lavoro e.**, worked time; (*sport*) **tempo e.**, (actual) time played **2** (*efficace*) effective: (*fis.*) **valore e.**, effective value **3** (*rif. a carica o ufficio*) permanent; regular (*anche mil.*); on the regular staff; (*di ruolo*) tenured: **personale e.**, regular staff; **socio e.**, permanent member; (*mil.*) **ufficiale e.**, regular officer; officer on the active list **B** m. **1** (*impiegato*) permanent employee; (*socio*) permanent member; (*sport*) member (of a team); (al pl., collett.) permanent staff ⓤ, members: **gli effettivi della scuola**, the permanent school staff; **gli effettivi di una squadra**, the members of a team **2** (anche al pl.) (*mil.*) (effective) strength; force; effectives (pl.) **3** (anche al pl.) (*naut.*) ship's complement **4** (*consistenza concreta*) sum total: **l'e. di un patrimonio**, the sum total of an estate.

♦**effètto** ① m. **1** effect: **e. collaterale**, side effect; **l'e. di una medicina**, the effect of a medicine; **e. ritardato**, delayed effect; after--effect; **e. secondario**, secondary effect; side effect; **l'e. voluto**, the desired effect; *È e. del caldo*, it's the effect of the heat; **avere e.**, to have an effect; (*agire*) to work; (*entrare in vigore*) to take effect; **avere uno strano e. su**, to have a strange effect on; to do something strange to; *Le sue parole non ebbero (o non sortirono) alcun e.*, his words had no effect (*o* were useless, were to no avail); **avere l'e. contrario**, to have the opposite effect; (*ritorcersi*) to backfire; **causa ed e.**, cause and effect; **con e. immediato**, with immediate effect; **senza e.**, of no effect; useless; (*inutilmente*) to no effect, to no avail; **sotto l'e. di**, under the effect of; (*rif. ad alcol, ecc.*) under

the influence of **2** (*impressione*) impression; effect: **fare e.**, (*colpire*) to make an impression; (*sembrare strano*) to feel strange; (*turbare*) to affect, to upset; *La notizia fece un grande e.*, the news made a big impression (*o* created a sensation); *Mi fa e. essere qui dopo tanti anni*, it feels strange (*o* it gives me a strange feeling) to be here after so many years; *Quella sciagura mi ha fatto molto e.*, that terrible accident upset me deeply; *La pianta fa un bell'e. in questo angolo*, the plant looks good in this corner; **fare l'e. di**, to give the impression of; to look like; **vedere che e. fa**, to see how it feels; to see how it looks; **di (grande) e.**, very effective; striking; (*clamoroso*) sensational **3** (*sport*) spin; (*biliardo*) screw: **palla con l'e.**, spin ball; **tiro a e.**, spin shot; swerving shot (*o* drive) **4** (*comm.*) bill; note; paper: **e. a vista**, bill on demand; sight bill; **e. cambiario**, bill of exchange; **effetti attivi [passivi]**, bills receivable [payable]; **effetti ipotecari**, mortgage bills; **effetti sull'estero**, foreign bills **5** (*scient., tecn.*) effect: **e. acustico [di luce]**, sound [lighting] effect; **e. Doppler**, Doppler effect; (*fis.*) **e. Faraday**, Faraday effect; (*mecc.*) **e. frenante**, braking effect; (*TV*) **e. neve**, snow; **e. serra**, greenhouse effect; (*aeron.*) **e. suolo**, ground effect ● **e. domino**, domino effect; knock-on effect (*GB*) □ (*teatr.*) **effetti scenici**, stage effects □ (*cinem.*) **effetti speciali**, special effects □ (*mecc.*) **a doppio e.**, double-acting □ **a e.** (*o* **d'e.**), (*che vuole colpire*) meant for effect; meant to impress; (*che fa colpo*) striking; dramatic; sensational: **frase a e.**, words meant to impress; **scena d'e.**, coup de théâtre (*franc.*) □ (*leg.*) **a ogni e. di legge**, for all legal purposes □ **a tutti gli effetti**, for all practical purposes; to all intents and purposes □ **cercare l'e.**, to try to impress; (*di attore*) to play to the gallery □ **in effetti**, actually; in actual fact; (*come risposta di assenso*) quite, indeed □ **mandare qc. a e.**, to carry out st. □ **per e. di**, as a consequence of; because of; owing to □ (*leg.*) **prendere e.**, to take effect; to become operative; to come (*o* to go) into operation (*o* into effect); to come into force.

effètto ② m. (spec. al pl.: *beni*) belongings (pl.); goods (pl.): **effetti patrimoniali**, personal estate (sing.); **effetti personali**, personal belongings; effects (pl.).

effettóre m. (*anat., autom., ind.*) effector.

effettuàbile a. practicable; feasible; viable; workable.

effettuabilità f. practical possibilities (pl.); practicability; feasibility; viability; workability.

effettuàle a. actual; real.

♦**effettuàre** **A** v. t. to effect; to make*; to carry out; (*realizzare*) to put* into effect: **e. una fermata**, to make a stop; to stop; **e. un'ispezione**, to carry out an inspection; to check; **e. un pagamento**, to effect (*o* to make) a payment; **e. un progetto**, to put a plan into effect; **e. dei test**, to carry out tests **B** **effettuàrsi** v. i. pron. to take* place; to occur.

effettuazióne f. execution; implementation.

♦**efficàce** a. **1** effective; effectual; efficacious; good; successful: **argomenti efficaci**, strong arguments; **cura e.**, effective treatment; **un esempio e.**, a good example; **misure efficaci**, effective (*o* effectual) measures; **una politica e.**, an effective policy; **rimedio e.**, efficacious remedy **2** (*vivace, incisivo*) effective; vivid; incisive; forceful: **descrizione e.**, vivid description; **discorso e.**, forceful speech; **un e. uso del colore**, an effective use of colour **3** (*fis.*) effective: **valore e.**, effective value; root-mean-square

value.

efficaceménte avv. effectively; efficaciously; successfully: **descrivere qc. e.**, to give an effective description of st.

efficàcia f. **1** effectiveness; efficaciousness; efficacy: **l'e. delle sue parole**, the effectiveness (*o* efficacy) of his words; **avere e.**, to be effective; **di provata e.**, of proven effectiveness (*o* efficacy); **di scarsa e.**, lacking effectiveness; **scrivere con e.**, to write with incisiveness **2** (*leg.*) effect; force: **e. retroattiva**, retroactive effect.; **avere e. da**, to take effect from; to be effective as from; **avere e. retroattiva da**, to be backdated to; to have retroactive effect as of.

efficiènte a. **1** (*di cosa*) efficient; well-run; (*funzionante*) in working order (pred.); (*produttivo*) productive, cost-effective: **azienda e.**, productive firm; **motore e.**, engine in working order; **organizzazione e.**, efficient organization; **rendere più e.**, to increase the efficiency of; to streamline; to rationalize; to upgrade **2** (*di persona*) efficient; able; competent: **una segretaria e.**, an able (*o* competent, efficient) secretary ● (*filos.*) **causa e.**, efficient cause.

efficientìsmo m. (show of) great efficiency.

efficiènza f. **1** efficiency; (*di persona, anche*) competence; (*di macchina e sim.*) working order: **migliorare l'e. di qc.**, to improve the efficiency of st.; **in piena e.**, (*di macchinario*) in perfect working order; (*di un'azienda*) working full-time; (*di persona*) in peak condition; **livello di e.**, level of efficiency **2** (*econ.*) efficiency; effectiveness: **e. in termini di costi**, cost efficiency; **e. della manodopera**, worker effectiveness.

effigiàre v. t. (*rappresentare, ritrarre*) to portray; (*dipingere*) to paint; (*scolpire*) to sculpt, to sculpture.

effìgie f. **1** effigy; image; (*ritratto*) portrait: **bruciare q. in e.**, to burn sb. in effigy **2** (*sembiante*) aspect; appearance; features (pl.).

effìmera → **efemera**.

effìmero **A** a. ephemeral (*anche bot., zool.*); short-lived; fleeting: **gioia effimera**, fleeting joy; **moda effimera**, short-lived (*o* ephemeral) fashion; fad; **pianta effimera**, ephemeral (plant); **un successo e.**, a short--lived success **B** m. ephemeral fashions (pl.); ephemera (pl.).

efflorescènte a. (*chim.*) efflorescent.

efflorescènza f. (*chim.*) efflorescence.

effluènte **A** a. effluent **B** m. (*ind.: liquido*) effluent ⓤ; (*gas*) emission ⓤ.

efflùsso m. outflow; outflux; efflux; discharge.

efflùvio m. **1** (*profumo*) smell; (*gradevole*) scent, fragrance; (*sgradevole*) effluvium*; exhalation **2** (*elettr.*) – **e. elettrico**, glow discharge.

effóndere **A** v. t. **1** (*versare*) to pour out (*o* forth); (*emanare*) to give* off, to exhale; (*spargere*) to shed* **2** (*sfogare*) to give* vent to **B** **effóndersi** v. i. pron. to spread*.

effossòrio a. digging; excavating: **macchina effossoria**, excavator; digger.

effrazióne f. **1** (*forzatura*) forcing; (*scasso*) break-in: **e. di una serratura**, forcing of a lock; **segni di e.**, signs of having been forced; signs of a break-in **2** (*leg.*) breaking and entering; (*di abitazione privata*) housebreaking: **furto con e.**, burglary **3** (*fig.*) breaking; infraction.

effumazióne f. **1** (*geol.*) exhalation **2** (*mil.*) smoke signal.

effusiòmetro m. (*fis.*) effusiometer.

effusióne f. **1** (*fis., geol.*) effusion **2** (*spargimento*) shedding; effusion: **e. di sangue**, shedding of blood **3** (*fig.: espressione di*

sentimenti) effusion; outpouring; gush (*spreg.*); (*espansività*) warmth, show of affection: *La sua occhiata frenò le mie effusioni*, her glance checked my effusions; **abbandonarsi a effusioni di ammirazione**, to gush; *Mi salutò con e.*, she greeted me warmly.

effusivo a. **1** (*geol.*) effusive: **rocce effusive**, effusive rocks **2** (*fig.*) effusive; demonstrative; gushing (*spreg.*).

effusóre m. (*tecn.*) spreader; (*mecc.*) jet nozzle.

èfod m. (*relig.*) ephod.

eforàto m. (*stor. greca*) ephorate.

èforo m. (*stor. greca*) ephor.

ègagro m. (*zool., Capra hircus*) bezoar goat; wild goat.

egalitàrio e *deriv.* → **egualitario**, e *deriv.*

egèmone Ⓐ m. leader Ⓑ a. hegemonic: **politica e.**, hegemonic policy; **stato e.**, hegemonic state.

egemonìa f. **1** (*polit.*) hegemony; dominance; leadership **2** (*fig.: supremazia*) supremacy; superiority: **e. incontrastata**, uncontested superiority.

egemònico a. hegemonic; ruling; dominant; leading.

egemonìsmo m. tendency to hegemony.

egemonìstico a. hegemonic.

egemonizzàre v. t. to dominate; to control.

egemonizzazióne f. domination; control.

egèo a. Aegean: **isole egee**, Aegean islands; **il mare E.**, the Aegean sea.

Egèo m. **1** (*geogr.*) Aegean **2** (*mitol.*) Aegeus.

Egèria f. (*mitol.*) Aegeria, Egeria.

ègida f. **1** (*scudo*) aegis **2** (*fig.: protezione*) shield; protection: **sotto l'e. della legge**, under the protection of the law **3** (*auspici*) aegis: **sotto l'e. del Ministero degli Interni**, under the aegis of the Ministry of the Interior.

Egìdio m. Giles.

ègira f. (*stor.*) hegira, hejira.

Egìsto m. (*mitol.*) Aegisthus.

Egìtto m. (*geogr.*) Egypt.

egittologìa f. Egyptology.

egittològico a. Egyptological.

egittòlogo m. (f. *-a*) Egyptologist.

egizìaco a. (*lett.*) Egyptian.

egizìano Ⓐ a. Egyptian Ⓑ m. **1** (f. *-a*) Egyptian **2** (*ling.*) Egyptian.

egìzio a. e m. (f. *-a*) (*stor.*) (ancient) Egyptian: **arte egizia**, (ancient) Egyptian art; **gli (antichi) egizi**, the ancient Egyptians.

eglefino m. (*zool., Gadus aeglefinus*) haddock.

♦**égli** pron. pers. m. 3ª pers. sìng. sogg. he: **e. stesso**, he himself.

ègloga f. (*poesia*) eclogue.

ègo m. (*psic.*) ego.

egocentricità f. egocentricity; self-centredness.

egocèntrico Ⓐ a. egocentric; self-centred Ⓑ m. (f. *-a*) egocentric (o self-centred) person.

egocentrìsmo m. egocentricity; egocentrism; self-centredness.

egoìsmo m. selfishness; egoism (*anche filos.*).

♦**egoìsta** Ⓐ a. selfish Ⓑ m. e f. selfish person; egoist: *Non fare l'e.*, don't be selfish; *È la solita e.*, she's her usual selfish self.

egoìstico a. selfish; egoistic; self-interested; self-seeking; self-serving.

egolatrìa f. self-worship.

egotìsmo m. egotism.

egotìsta m. e f. egotist; self-centred.

egotìstico a. egotistic; self-centred.

Egr., Egr. Sig. abbr. (*negli indirizzi*, **Egregio (Signor)**) Dear Sir.

egrègio a. **1** eminent; excellent; remarkable; distinguished; outstanding **2** (*nelle lettere*) – E. Signore, Dear Sir; *E. Professor Rossi*, Dear Professor Rossi; (*All'*) *E. Prof. [Signor] Mario Rossi*, Prof. [Mr] Mario Rossi ❶ FALSI AMICI • egregio *non si traduce con* egregious.

egressìvo a. (*fon.*) plosive.

egrétta f. **1** (*zool., Egretta*) egret **2** (*pennacchio*) plume **3** (*moda*) aigrette (*franc.*).

eguàle e *deriv.* → **uguale**, e *deriv.*

egualitàrio a. e m. egalitarian; egalitarian.

egualitarìsmo m. egalitarianism; equalitarianism.

♦**eh** inter. **1** (*di rimprovero*) ah!; hey! **2** (*di dubbio*) well...; hum... **3** (*interr.*) eh?; what?: *Bella trovata, eh?*, that was clever, eh?; *Eh? Che hai detto?*, eh? what was that? **4** (*fam.*, *in risposta a una chiamata*) what? ● **eh, eh!** (*avvertimento*), now, now!

♦**éhi, ehilà** inter. **1** hey!; hullo!: *Ehi, tu in terza fila*, hey, you (o you there,) in the third row!; **ehi, dico!**, I say!; *Ehi, ma hai sentito?*, did you hear that? **2** well!; now then!; gosh!: *Ehi, che bello!*, well! that's marvellous!

♦**ehm** inter. hum; humph; (*per indicare un dubbio*) hem, ahem.

EI sigla (**Esercito italiano**) Italian Army.

eiaculàre v. i. to ejaculate.

eiaculatóre, eiaculatòrio a. (*anat.*) ejaculatory: **dotto e.**, ejaculatory duct.

eiaculazióne f. ejaculation.

eidètico a. (*psic.*) eidetic.

eidophòr ® m. inv. (*TV*) Eidophor®.

eiettàbile a. (*aeron.*) ejector (attr.); ejection (attr.): **sedile e.**, ejector (o ejection) seat.

eiettàre v. t. (*mecc.*) to eject.

eiettóre m. (*mecc.*) ejector.

eiezióne f. ejection.

einsteiniàno a. Einsteinian.

einstèinio m. (*chim.*) einsteinium.

elaboràre v. t. **1** to elaborate; to work out; to develop; to formulate; (*un testo*) to draft: **e. una legge**, to draft a law; **e. un progetto**, to elaborate (o to work out) a plan **2** (*digerire*) to digest **3** (*biol., fisiol.*) to elaborate **4** (*dati*) to process **5** (*psic.*) to work through ❶ FALSI AMICI • elaborare *in senso informatico non si traduce con* to elaborate.

elaboratézza f. elaborateness.

elaboràto Ⓐ a. elaborate Ⓑ m. **1** (*compito scritto*) paper **2** (*biol., fisiol.*) secretion **3** (*comput.*) printout.

elaboratóre Ⓐ a. elaborating Ⓑ m. **1** (f. *-trice*) elaborator **2** (*elettronico* → **computer**) computer; processor: **e. centrale**, mainframe; host computer; **e. di dati**, data processor; **e. di testo**, word processor; **e. elettronico**, computer.

elaborazióne f. **1** elaboration; working-out; drafting; (*di un progetto*) formulation **2** (*comput.*) processing: **e. a blocchi**, batch processing; **e. dei dati**, data processing; **e. di testi**, word processing; **e. sequenziale**, sequential processing **3** (*psic.*) working-through.

elàbro → **elleboro**.

elàfide, èlafe m. (*zool., Elaphe longissima*) Aesculapian snake.

èlafro m. (*zool., Elaphrus riparius*) ground beetle.

elaidìna f. (*chim.*) elaidin.

elaidìnico a. (*chim.*) elaidic: **acido e.**, elaidic acid.

elaidinizzazióne f. (*chim.*) elaidinization.

elaiotècnica f. oil production.

elàmico a. Elamitic.

elamìta m. Elamite.

elamìtico a. Elamitic.

elàpide m. (*zool.*) elapid; (al pl., *scient.*) Elapidae.

elargìre v. t. to give* generously (o freely); to lavish (st. on sb.); to bestow: **e. cure e affetto**, to lavish care and affection; **e. denaro**, to lavish money; **e. favori**, to bestow favours.

elargitóre m. (f. *-trice*) (generous) giver; bestower.

elargizióne f. donation; gift.

elasticità f. **1** (*fis.*) elasticity; resilience; (*di molla*) springiness; (*di tessuto*) stretch: (*scienza costr.*) **e. di torsione**, torsional elasticity; (*scienza costr.*) **limite di e.**, limit of elasticity (o elastic limit) **2** (*agilità, anche fig.*) nimbleness; suppleness: **e. di mente**, quickness of mind **3** (*fig.: flessibilità*) elasticity; flexibility: **e. della domanda** [**dell'offerta**], elasticity of demand [of supply].

elasticizzàre v. t. to elasticize; to elasticate; to make* elastic.

elasticizzàto a. elasticized; elasticated; stretch (attr.): **tessuto e.**, stretch fabric.

elàstico Ⓐ a. **1** elastic; resilient; (*di molla*) springy; (*di tessuto*) stretch (attr.): **calze elastiche**, support (o surgical) stockings; **deformazione elastica**, elastic deformation; **materiale e.**, elastic material; **tessuto e.**, (*anat.*) elastic tissue; (*ind. tess.*) stretch fabric **2** (*fig.*) elastic; flexible; adaptable: **coscienza elastica**, accommodating conscience; (*econ.*) **domanda elastica**, elastic demand; **orario e.**, flexible working hours; flexitime; *È una regola elastica*, it's a rule that can be stretched; it's not a hard and fast rule **3** (*agile*) nimble; agile; supple; springy: **mente elastica**, quick mind; **passo e.**, springy step Ⓑ m. **1** (*anello di gomma*) elastic (o rubber) band **2** (*nastro*) elastic Ⓤ: **l'e. delle calze**, the elastic of the socks; **una gonna con l'e. in vita**, a skirt with an elasticated waist; **stivaletti con l'e.**, elastic-sided boots **3** (*del letto*) sprung (bed) base; springs (pl.).

elastìna f. (*biol.*) elastin.

elastòmero m. (*chim.*) elastomer.

elatère m. (*zool., Elater*) click beetle; skipjack.

elaterìna f. (*chim.*) elaterin.

elatèrio① m. **1** (*bot., Ecballium elaterium*), squirting cucumber **2** → **elatere**.

elatèrio② m. (*chim.*) elaterium.

elatìvo a. (*ling.*) elative.

élce m. o f. (*lett.*) → **leccio**.

eldoràdo m. El Dorado; eldorado.

eleàgno m. (*bot., Elaeagnus angustifolia*) oleaster; Russian olive (*USA*).

eleàte m. (*filos.*) Eleatic.

eleàtico a. e m. (*filos.*) Eleatic.

eleatìsmo m. (*filos.*) Eleaticism.

elèctron, èlectron m. (*metall.*) electron, elektron.

♦**elefànte** m. **1** (f. *-essa*) elephant: **e. africano** (*Loxodonta africana*), African elephant; **e. femmina**, cow elephant; **e. indiano** (*Elephas indicus*), Asiatic (o Indian) elephant; **e. maschio**, bull elephant; **piccolo di e.**, calf elephant **2** – (*zool.*) **e. marino** (*Mirounga leonina*), sea elephant; elephant seal ● (*fig.*) **fare di una mosca un e.**, to make a mountain out of a molehill □ **una memoria da e.**, the memory of an elephant □ **muoversi come un e. in una cristalleria**, to be like a bull in a china shop.

elefantésco a. (*anche fig.*) elephantine.

elefantéssa f. (*zool.*) cow elephant.

elefantìaco a. **1** (*med.*) elephantiasic **2** (*fig.*) elephantine; massive; oversize.

elefantìasi f. (*med.* e *fig.*) elephantiasis*.

◆elegànte a. (*di persona*) elegant, well--dressed, smart, smartly dressed, spruce; (*di indumento, ecc.*) elegant, smart, dressy, stylish, spruce; (*aggraziato*) graceful; (*alla moda*) fashionable; (*dello stile, ecc.*) polished: **un e. abito nero**, an elegant (*o* stylish) black dress; **una donna e.**, an elegant (*o* well--dressed) woman; **una figura e.**, a graceful figure; **una frase e.**, a well-turned phrase; **un matrimonio e.**, a fashionable wedding; **scarpe eleganti**, dressy shoes; (*anche scient.*) **una soluzione e.**, an elegant solution; *Come sei e.!*, you do look smart!; (*a un uomo*) you're looking very spruce!; **mettersi qualcosa di e.**, to wear something dressy; *Te la sei cavata in modo e.*, you got out of it with style.

elegantóne m. (f. **-a**) smartly dressed person*; (*spreg.*) dandy (m.).

◆elegànza f. elegance; (*nel vestire, anche*) style, smartness.

◆elèggere v. t. **1** to elect; (*nominare*) to appoint, to nominate: **e. q. presidente**, to elect sb. president (*o* to the presidency) **2** (*bur.: fissare*) to fix: **e. il proprio domicilio a Roma**, to fix one's residence in Rome.

eleggìbile a. that can be elected; eligible for election; eligible as a candidate ❶ **FALSI AMICI •** eleggibile *in senso politico o amministrativo non si traduce con* eligible.

eleggibilità f. eligibility for election ❶ **FALSI AMICI •** eleggibilità *in senso politico o amministrativo non si traduce con* eligibility.

elegìa f. (*poesia*) elegy.

elegìaco a. (*poesia ed estens.*) elegiac: **distico e.**, elegiac couplet; **poeta e.**, elegiac poet; elegist.

elèktron → electron.

◆elementàre 🅰 a. **1** (*chim., fis.*) elemental; elementary: **analisi e.**, elemental analysis; **particella e.**, elementary particle **2** (*iniziale, basilare*) elementary; basic; fundamental: **bisogni elementari**, basic needs; **maestro e.**, elementary schoolteacher; **nozioni elementari**, elementary (*o* basic) knowledge ▣; rudiments; **principi elementari**, basic principles; **scuola e.**, elementary (*o* primary) school **3** (*facile, semplice*) elementary; simple; easy: **concetti elementari**, simple concepts 🅱 f. pl. elementary (*o* primary) school (sing.).

elementarità f. **1** elementariness **2** (*semplicità*) simplicity.

elementarizzàre v. t. to simplify; to make* elementary.

◆eleménto m. **1** (*anche meteor.*) element: **i quattro elementi**, the four elements; **la furia degli elementi**, the fury of the elements; (*fig.*) **essere nel proprio e.**, to be in one's element **2** (*chim.*) (chemical) element **3** (*tecn.*) part; piece; unit; element; section: **e. di batteria**, battery cell; **e. di cerniera**, knuckle; (*mecc.*) **e. di rinforzo**, stiffener; **e. di fissaggio**, fastener; (*fis.*) **e. isolante**, insulating piece **4** (*componente*) component, constituent, item; (*ingrediente*) ingredient; (*fattore*) (contributing) factor; (*caratteristica*) feature: **gli elementi del carattere di un uomo**, the ingredients of a man's character; **un e. della prosperità nazionale**, a (contributing) factor (*o* an element) in national prosperity; **un e. destabilizzante**, a destabilizing force **5** (*fatto, dato*) fact; (al pl., anche) data: (*leg.*) **elementi costitutivi di un reato**, facts that constitute an offence; **elementi di giudizio**, data (*o* facts) on which to base one's opinion; *Non abbiamo in mano elementi per accusarlo*, we haven't got any-

thing to go on **6** (al pl.) (*rudimenti*) rudiments; elements; first principles: **i primi elementi di geometria**, the rudiments of geometry **7** (*individuo*) person, individual, character; (*membro*) member; (*lavoratore*) worker: **e. sovversivo**, subversive individual; **i peggiori elementi del quartiere**, the worst characters in the neighbourhood; *Ci sono buoni elementi in questa fabbrica*, there are good workers in this factory; (*scherz.*) *Che e.!*, he is a character!

elemòsina f. alms (pl.); alms-giving; (*beneficenza*) charity ▣: **chiedere l'e.**, to beg; **dare** (*o* **fare**) **l'e.**, to give alms; **ridursi all'e.**, to be reduced to begging; **vivere di e.**, to live on charity; **cassetta per l'e.**, alms box.

elemosinàre v. t. e i. to beg (for st.); to beg (st. from sb.): **e. favori da q.**, to beg favours from sb.; **e. il pane**, to beg for bread.

elemosinière m. (*stor., eccles.*) almoner.

Èlena f. Helen; Helena.

◆elencàre v. t. **1** to list; to draw* up a list of; (*catalogare*) to catalogue, to catalog (*USA*) **2** (*enumerare*) to enumerate; to list.

elencatòrio a. enumerative.

elencazióne f. listing **2** (*enumerazione*) enumeration; listing.

elènco m. list: **e. alfabetico**, alphabetical list; **e. di nomi**, list of names; **e. dei passeggeri**, passenger list; **fare un e.**, to make (*o* to draw up) a list **• e. telefonico**, telephone directory (*form.*); (the) White Pages (pl.) (*USA*); phone book; book (*fam.*): *Sono sull'e.*, I'm in the book □ (*telef.*) **informazioni e. abbonati**, directory inquiries □ (*telef.*) **numero fuori e.**, ex-directory (*USA* unlisted) number.

elènio m. (*bot., Inula helenium*) elecampane.

Eleonòra f. Eleanor, Elinor; Leonora.

elettìvo a. **1** (*per elezione*) elective: **carica elettiva**, elective office **2** (*di scelta*) elective; chosen: **affinità elettiva**, elective affinity; **domicilio e.**, domicile of choice **3** (*farm.*) elective.

elètto 🅰 a. **1** elected; (*non ancora insediato*) elect (*posposto*): **il presidente e.**, the president elect **2** (*scelto, prescelto*) chosen: **il popolo e.**, the chosen people **3** (*pregiato, distinto*) select; choice (attr.); superior; (*nobile*) noble, lofty: **mente eletta**, superior mind; **spiriti eletti**, noble minds 🅱 m. (f. **-a**) **1** (*persona scelta mediante elezione*) elected person; elected member: **gli eletti al Parlamento**, members of Parliament **2** (al pl.) (*relig.*) the elect; the chosen: **gli eletti del Signore**, the Lord's elect; **...perché molti sono i chiamati, pochi gli eletti**, ...for many be called, but few chosen.

elettoràle a. **1** electoral; election (attr.); (*rif. a votazione*) ballot (attr.), polling: **cabina e.**, polling booth; **campagna e.**, election campaign; **circoscrizione e.**, constituency; **collegio e.**, constituency; **corpo e.**, electorate; (*di un collegio*) constituency; **liste elettorali**, (*registro degli elettori*) electoral roll (*o* register); (*elenco dei candidati*) lists of candidates; **propaganda e.**, electioneering; **periodo e.**, election time; **riforma e.**, electoral reform; **risultati elettorali**, election result; result of the poll; **scheda e.**, ballot paper; **sistema e.**, electoral (*o* voting) system **2** (*stor.*) electoral.

elettoralìsmo m. (*polit.*) the making of political decisions on the basis of their appeal to the electorate; pork-barreling (*fam. USA*).

elettoralìstico a. (*polit.*) determined by electoral considerations; pork-barrel (attr.) (*fam. USA*).

elettoràto m. **1** (*polit.*) electorate; (*di un*

collegio) constituency **2** (*stor.*) Electorate **• diritto di e. attivo**, franchise □ **diritto di e. passivo**, eligibility for election.

◆elettóre m. **1** (f. **-trìce**) elector; voter; (*di un collegio*) constituent **2** (*stor.*) Elector: *E. Palatino*, Elector Palatine **• (*giorn.*) grande e.**, person who controls a large number of votes; (*nell'ordinamento italiano*) member of parliament voting in a presidential election.

Elèttra f. (*mitol.*) Electra.

elettràuto m. inv. **1** (*officina*) car electrical repairs shop **2** (*operaio*) car electrician **3** (*negozio*) car electric parts shop.

elettrète m. (*elettr.*) electret.

elettrice f. **1** → **elettore**, def. **1 2** (*stor.*) Electress.

◆elettricista m. e f. **1** (*tecnico*) electrician **2** (*installatore di impianti*) electrical contractor.

◆elettricità f. **1** (*fis.*) electricity: **e. di contatto**, contact electricity; **e. di strofinamento**, frictional electricity; **e. negativa [positiva]**, negative [positive] electricity **2** (*fam.: energia elettrica*) electricity; power: *È andata via l'e.*, there has been a power cut; *Manca l'e.*, there is no power; *È tornata l'e.*, the electricity (*o* the power) is back on; **tagliare l'e.**, to cut off the electricity **3** (*fig.*) electricity; (*nervosismo*) nervous tension.

◆elèttrico 🅰 a. **1** (*fis.*) electric; electrical; (*relativo all'elettricità, anche*) power (attr.): **campo e.**, electric field; **centrale elettrica**, power station; **corrente elettrica**, electric current (*o* power); **energia elettrica**, electric energy; **filo e.**, electric wire; **impianto e.**, electrical system; **linea elettrica**, power line **2** (*che funziona a elettricità*) electric; electrical: **apparecchiature elettriche**, electrical equipment; **chitarra elettrica**, electric guitar; **cucina elettrica**, electric cooker; **luce elettrica**, electric light; **motore e.**, electromotor; (*generatore di elettricità*) generator; **sedia elettrica**, electric chair; **a funzionamento e.**, electrically operated; power operated **3** (*fig.*) electric; (*nervoso*) tense, edgy: **blue e.**, electric blue 🅱 m. (*operaio*) electrical industry worker.

elettrificàre v. t. to electrify.

elettrificazióne f. electrification.

elettrizzànte a. **1** electrifying **2** (*fig.*) electrifying; thrilling; exhilarating.

elettrizzàre 🅰 v. t. **1** to electrify; to charge with electricity **2** (*fig.*) to electrify; to thrill; to exhilarate: **e. la folla**, to electrify the crowd; *L'idea mi elettrizzò*, the idea thrilled me 🅱 **elettrizzàrsi** v. i. pron. **1** to become* electrified; to become charged with electricity **2** (*fig.*) to be electrified (*o* thrilled, exhilarated).

elettrizzàto a. **1** electrified **2** (*fig.*) thrilled; enthusiastic; exhilarated.

elettrizzazióne f. electrification.

elèttro m. **1** (*lett.*) yellow amber **2** (*metall.*) electrum.

elettroacùstica f. (*fis.*) electroacoustics (pl. col verbo al sing.).

elettroacùstico a. (*fis.*) electroacoustic.

elettroaffinità f. (*chim.*) electronegativity.

elettroanàlisi f. (*chim.*) electroanalysis.

elettrobistùri m. inv. (*chir.*) electrosurgical knife.

elettrocalamìta f. → **elettromagnete**.

elettrocapillarità f. electrocapillarity.

elettrocardiografìa f. (*med.*) electrocardiography.

elettrocardiogràfico a. (*med.*) electrocardiographic.

elettrocardiògrafo m. (*med.*) electrocardiograph.

elettrocardiogràmma m. (*med.*) elec-

trocardiogram.

elettrocauterizzazióne f. (*chir.*) electrocautery.

elettrochìmica f. electrochemistry.

elettrochìmico **A** a. electrochemical **B** m. (f. *-a*) electrochemist.

elettrochirurgìa f. (*chir.*) electrosurgery.

elettrochirùrgico a. electrosurgical.

elettrochòc → **elettroshock**.

elettrocinètica f. electrokinetics (pl. col verbo al sing.).

elettrocoagulazióne f. **1** (*chir.*) electrocoagulation **2** (*metodo di depilazione*) electrology; electrolysis.

elettrocomandàto a. electrically operated.

elettrocontàbile a. electric accounting (attr.).

elettroconvulsìvo a. (*med.*) electroconvulsive.

elettrocuzióne f. electrocution.

elettrodeposizióne f. (*metall.*) electroplating.

elettrodiàgnosi f. (*med.*) electrodiagnosis*.

elettrodiagnòstica f. (*med.*) electrodiagnostics (pl. col verbo al sing.).

elettrodiàlisi f. (*chim.*) electrodialysis*.

elettròdico a. (*chim.*) electrode (attr.).

elettrodinàmica f. electrodynamics (pl. col verbo al sing.).

elettrodinàmico a. electrodynamic.

elettrodinamìsmo m. electrodynamic phenomena (pl.).

elèttrodo m. (*elettr.*) electrode.

elettrodomèstico m. electrical (household) appliance.

elettrodótto m. long-distance power line.

elettroencefalografìa f. (*med.*) electroencephalography.

elettroencefalogràfico a. (*med.*) electroencephalographic.

elettroencefalògrafo m. (*med.*) electroencephalograph.

elettroencefalogràmma m. (*med.*) electroencephalogram (abbr. EEG).

elettroerosióne f. (*tecn.*) spark erosion; spark machining.

elettroesecuzióne f. electrocution.

elettròfilo a. (*chim.*) electrophilic.

elettrofìltro m. (*chim.*) electrostatic separator.

elettrofìsica f. electrophysics (pl. col verbo al sing.).

elettrofisiologìa f. (*med.*) electrophysiology.

elettrofisiològico a. (*med.*) electrophysiological.

elettrofonìa f. electronic sound production.

elettroforèsi f. (*chim.*) electrophoresis: **sottoporre a e.**, to electrophorese.

elettroforètico a. (*chim.*) electrophoretic.

elettroformatùra f. (*elettr.*) electroforming.

elettròforo m. (*fis.*) electrophorus*.

elettrofusióne f. arc melting; induction melting.

elettrògeno a. electricity-generating (attr.) ● **gruppo e.**, generating set; power unit.

elettròlisi f. (*chim., fis.*) electrolysis.

elettròlita → **elettrolito**.

elettrolìtico a. (*chim., fis.*) electrolytic: **dissociazione elettrolìtica**, electrolytic dissociation.

elettròlito m. (*chim., fis.*) electrolyte.

elettrolizzàre v. t. (*chim., fis.*) to electrolyse.

elettrolizzatóre m. electrolyser.

elettrolizzazióne f. (*chim., fis.*) electrolysation.

elettrologìa f. (*fis.*) electrophysics (pl. col verbo al sing.).

elettroluminescènte a. (*fis.*) electroluminescent.

elettroluminescènza f. (*fis.*) electroluminescence.

elettromagnète m. electromagnet: **e. di campo**, field magnet; **e. di sollevamento**, lifting magnet.

elettromagnètico a. electromagnetic.

elettromagnetìsmo m. electromagnetism.

elettromeccànica f. electromechanics (pl. col verbo al sing.).

elettromeccànico **A** a. electromechanical **B** m. electrician.

elettromedicàle a. electromedical.

elettrometallurgìa f. electrometallurgy.

elettrometrìa f. (*fis.*) electrometry.

elettròmetro m. electrometer: **e. a bilancia [a filo]**, balance [string] electrometer.

elettromiografìa f. (*med.*) electromyography.

elettromiògrafo m. (*med.*) electromyograph.

elettromiogràmma m. (*med.*) electromyogram.

elettromotóre **A** a. electromotive: **forza elettromotrice**, electromotive force **B** m. electromotor.

elettromotrice f. (*ferr.*) electric locomotive.

elettróne m. (*fis.*) electron: (*chim.*) **e. di valenza**, valence electron; **e. positivo**, positive electron; positron; **e. rotante**, spinning electron; **acceleratore di elettroni**, electron accelerator; **fascio [flusso] di elettroni**, electron beam [flow].

elettronegatività f. (*fis., chim.*) electronegativity.

elettronegativo a. (*fis., chim.*) electronegative.

elettrònica f. electronics (pl. col verbo al sing.).

♦**elettrònico** a. electron (attr.); electronic: **calcolatore e.**, computer; **cannone e.**, electron gun; **editoria elettronica**, electronic publishing; e-publishing; **elaborazione elettronica di dati**, electronic data processing; **flusso e.**, electron flow; **musica elettronica**, electronic music; **posta elettronica**, electronic mail; e-mail; **tubo e.**, electron tube.

elettronucleàre a. nuclear-power (attr.).

elettronvòlt m. inv. (*fis.*) electronvolt (*simbolo* eV).

elettroosmòsi → **elettrosmosi**.

elettroòttica f. (*fis.*) electro-optics (pl. col verbo al sing.).

elettropneumàtico a. (*mecc.*) electropneumatic.

elettropómpa f. (*mecc.*) motor-driven pump.

elettropositività f. (*fis., chim.*) electropositivity.

elettropositivo a. (*fis., chim.*) electropositive.

elettrosaldàto a. (*tecn.*) arc-welded.

elettroscòpio m. electroscope.

elettroshòck m. (*med.*: *cura*) electroshock (*o* shock) treatment; (*singola applicazione*) electroshock.

elettroshockterapìa f. (*med.*) electroshock (*o* shock) therapy.

elettrosiderurgìa f. iron electrometallurgy.

elettrosincrotróne m. (*fis. nucl.*) electron synchrotron.

elettrosmòg m. electromagnetic pollution.

elettrosmòsi f. electro-osmosis.

elettrosmòtico a. electro-osmotic.

elettrostàtica f. electrostatics (pl. col verbo al sing.).

elettrostàtico a. electrostatic.

elettrostimolatóre m. (*med.*) electrical stimulator; electrical stimulation device.

elettrostrittìvo a. (*fis.*) electrostrictive.

elettrotècnica f. electrotechnics (pl. col verbo al sing.); electrotechnology; electrical engineering.

elettrotècnico **A** a. electrotechnical **B** m. electrical engineer.

elettroterapìa f. (*med.*) electrotherapeutics (pl. col verbo al sing.); electrotherapy.

elettroteràpico a. (*med.*) electrotherapeutic.

elettrotermìa f. (*fis.*) **1** (*scienza*) electrothermics (pl. col verbo al sing.) **2** (*fenomeno*) thermoelectricity.

elettrotèrmico a. (*fis.*) electrothermic; electrothermal.

elettrotrazióne f. electric traction.

elettrotrèno m. (*ferr.*) electric (express) train.

elettrovalènza f. (*chim.*) electrovalence; electrovalency.

elettrovàlvola f. (*tecn.*) electromagnetic valve.

elettuàrio m. (*farm.*) electuary.

Elèusi f. (*geogr., stor.*) Eleusis.

eleusìno a. Eleusinian: **misteri eleusini**, Eleusinian mysteries.

elevaménto m. raising; lifting (up); elevation.

♦**elevàre** **A** v. t. **1** (*alzare, innalzare*) to raise; to lift (up); **e. un edificio di un piano**, to raise a building by a storey; **e. al trono**, to raise to the throne **2** (*promuovere*) to promote; to elevate: **e. q. a direttore**, to promote sb. to director **3** (*aumentare, far crescere*) to increase; to raise; to put* up; (*incrementare*) to step up: (*elettr.*) **e. la tensione**, to step up the tension **4** (*migliorare*) to raise; to improve; to better: **e. il tenore di vita**, to improve the standard of living **5** (*costruire*) to raise; to erect: **e. un monumento**, to raise (o to erect) a monument **6** (*mat.*) to raise: **e. a potenza**, to raise to power; **e. un numero al cubo**, to raise a number to the third power; to cube a number; **e. un numero al quadrato**, to raise a number to the second power; to square a number ● **e. (una) contravvenzione a q.**, to fine sb. □ **e. una protesta**, to protest; to complain **B** **elevàrsi** v. i. pron. **1** (*aumentare*) to rise*; to increase **2** (*migliorare*) to improve; to rise*: *Il tenore di vita si è elevato*, the standard of living has risen **3** (*ergersi*) to rise* (above st.), to overlook (st.); (*torreggiare*) to tower (over st.): **elevarsi sopra le nubi**, to rise above the clouds **C** **elevàrsi** v. rifl. to raise oneself; to better oneself.

elevatézza f. **1** elevation; height **2** (*fig.*) loftiness; (*nobiltà*) nobility, high-mindedness: **e. di sentimenti**, nobility of feelings; highmindedness; **e. di stile**, loftiness of style.

♦**elevàto** a. **1** elevated; raised; high: **una posizione elevata nell'azienda**, an elevated position in the company; **prezzo e.**, high price; **velocità elevata**, high speed; **social-**

zione) electroshock.

mente e., upper-class (attr.) **2** (*fig.*) elevated; lofty; (*nobile*) noble, high-minded: **pensieri elevati**, lofty thoughts; **stile e.**, elevated style.

elevatóre A a. elevatory • (*anat.*) **muscolo e.**, elevator B m. **1** (*mecc.*) elevator; hoist: **e. a nastro**, belt (*o endless*) elevator; **e. a tazze**, bucket elevator; (*ind.*) **e. per carbone**, coal heaver **2** (*di arma da fuoco*) magazine.

elevazióne f. **1** elevation; raising; lifting up: (*mat.*) **e. a potenza**, raising to power; **e. al trono**, raising to the throne **2** (*eccles.*) Elevation **3** (*mil.*) elevation: **angolo di e.**, angle of elevation **4** (*geogr.*) rise; elevation; height **5** (*astron.*) elevation; altitude **6** (*sport*) elevation.

elevóne m. (*aeron.*) elevon.

♦**elezióne** f. **1** election: **l'e. del nuovo consiglio amministrativo**, the election of the new board of directors; **e. al Senato**, election to the Senate; **elezioni amministrative**, local elections; **elezioni anticipate**, early election (sing.); **elezioni parziali**, by-election (sing.); **elezioni politiche**, general election (sing.); polls; **essere candidato alle elezioni**, to run (*o* to stand) in an election; **indire le elezioni**, to call a general election; **vittoria alle elezioni**, victory at the election (*o* at the polls) **2** (*scelta*) choice; (*leg.*) **e. di domicilio**, choice of domicile; **patria d'e.**, adopted country; **di mia libera e.**, of my own free will.

èlfo m. (*mitol.*) elf: **di e.** [**degli elfi, simile a un e.**], elfish; elvish.

Elia m. Elias; (*Bibbia*) Elijah.

elìaco a. (*astron.*) heliacal.

eliambulànza f. helicopter ambulance.

eliàntemo m. (*bot.*, *Helianthemum vulgare*) rock rose.

eliànto m. (*bot.*, *Helianthus*) helianthus.

eliappròdo m. emergency helipad.

èlibus m. helibus.

èlica f. **1** (*geom.*) helix*: (*biol.*) **doppia e.**, double helix **2** (*mecc.*) propeller; screw **3** (*naut.*, *aeron.*) (screw) propeller; screw; (*di elicottero*) rotor: **e. a due pale**, two-bladed propeller; **e. a passo variabile**, variable-pitch propeller; **e. destrorsa**, right-hand propeller; (*aeron.*) **e. di coda**, tail rotor; (*naut.*) **e. di prua**, bow thruster; **e. sinistrorsa**, left-hand propeller; **e. tripala**, three-bladed propeller; **a e.**, helical; **pala dell'e.**, (screw) blade; **passo dell'e.**, (*aeron.*) propeller pitch; (*naut.*) screw pitch.

èlice ① → **elce**.

èlice ② f. **1** (*anat.*, *archit.*) helix* **2** (*zool.*, *Helix*) helix*.

elicicoltóre m. (f. **-trice**) breeder of edible snails.

elicicoltùra f. breeding of edible snails.

Elìcidi m. pl. (*zool.*, *Helicidae*) Helicidae.

elicoidàle a. helicoidal; helical; spiral: **ingranaggio e.**, helical gear; **scala e.**, spiral staircase.

elicòide a. e m. (*geom.*) helicoid.

Elicóna m. (*geogr.*, *mitol.*) Helicon.

elicóne m. (*mus.*) helicon.

elicònio a. (*lett.*) Heliconian.

elicotterista A m. e f. helicopter pilot B a. helicopter (attr.): **industria e.**, helicopter industry.

♦**elicòttero** m. helicopter; chopper (*fam.*): **e. da battaglia**, gunship.

elìdere A v. t. **1** to annul **2** (*ling.*) to elide **3** (*mat.*: *fattori comuni*) to cancel B **elidersi** v. rifl. recipr. to cancel (each other) out.

eliminàbile a. eliminable.

eliminacòde m. inv. (*nelle banche, supermercati, ecc.*) queue management system.

♦**eliminàre** v. t. **1** to eliminate; (*togliere*) to remove, to exclude; (*estirpare*) to eradicate, to wipe out; (*sbarazzarsi di*) to get* rid of; (*cancellare*) to delete, to wipe out; (*scartare*) to discard, to drop, to scrap; (*concorrenti, candidati, ecc.*) to weed out; (*smaltire*) to dispose of: **e. un dubbio**, to remove (*o* to get rid of) a doubt; **e. l'inflazione**, to eliminate inflation; **e. un'ipotesi**, to eliminate (*o* to exclude) a hypothesis; **e. una macchia**, to remove a stain; **e. un ostacolo**, to remove an obstacle; **e. rifiuti**, to dispose of waste; **e. gradualmente**, to phase out **2** (*espellere*) to eliminate; to expel; to excrete: **e. le tossine dall'organismo**, to eliminate toxins from the body **3** (*sport*) to eliminate; to knock out **4** (*sopprimere*) to eliminate; to liquidate; to dispose of: **e. un testimone**, to eliminate a witness.

eliminatòria f. (*sport*) qualifying round; preliminary heat, qualifier: **superare le eliminatorie**, to qualify; **non superare le eliminatorie**, to fail to qualify.

eliminatòrio a. eliminating; preliminary: **girone e.**, qualifying round; qualifier; preliminary heat.

eliminazióne f. **1** elimination; (*rimozione*) removal; (*esclusione*) exclusion; (*cancellazione*) deletion; (*smaltimento*) disposal: **l'e. delle armi nucleari**, the elimination of nuclear weapons; **l'e. dei rifiuti**, waste disposal; **e. graduale**, phase-out; **per e.**, by a process of elimination **2** (*sport*) elimination: **gara a e.**, knockout competition **3** (*soppressione*) elimination; liquidation; disposal.

èlio m. (*chim.*) helium.

eliocèntrico a. (*astron.*) heliocentric.

eliocentrìsmo m. (*astron.*) heliocentric theory.

elioelèttrico a. helioelectric.

eliofanògrafo m. (*meteor.*) sunshine recorder.

eliofilìa f. (*bot.*) heliophilia.

eliòfilo a. (*bot.*) heliophilous.

eliofobìa f. (*bot.*, *med.*) heliophobia.

eliòfobo a. (*bot.*, *med.*) heliophobic; heliophobous.

eliografìa f. heliography.

eliogràfico a. (*astron.*, *tipogr.*) heliographic.

eliografìsta m. e f. heliographer.

eliògrafo m. (*astron.*, *telegr.*) heliograph.

eliomagnetìsmo m. solar magnetism.

eliòmetro m. (*astron.*) heliometer.

elióne m. (*fis.*) helion.

elioscòpico a. (*astron.*) helioscopic.

elioscòpio m. (*astron.*) helioscope.

eliosfèra f. (*astron.*) heliosphere.

eliòstato m. (*astron.*) heliostat.

eliotassìa, **eliotàssi** f., **eliotattìsmo** m. (*bot.*) heliotaxis.

eliotëìsmo m. (*relig.*) heliolatry; sun-worship.

elioterapìa f. (*med.*) heliotherapy.

elioteràpico a. (*med.*) heliotherapeutic: **cura elioterapica**, sun treatment.

eliotipìa f. (*fotogr.*) heliotypy.

eliotìpico a. (*fotogr.*) heliotypic.

eliotròpia ① f. (*miner.*) bloodstone.

eliotropìa ② f. → **eliotropismo**.

eliotròpico a. (*bot.*) heliotropic.

eliotròpio m. **1** (*bot.*, *Heliotropium europaeum*) heliotrope **2** (*miner.*) bloodstone.

eliotropìsmo m. (*bot.*) heliotropism.

elipàrco m. **1** helidrome **2** (*flotta di elicotteri*) helicopter fleet.

elipòrto m. heliport.

eliportuàle a. heliport (attr.).

Elìsa f. Eliza.

Elisabètta f. Elizabeth, Elisabeth.

elisabettiàno a. e m. (*stor.*) Elizabethan.

eliscàlo m. heliport.

elìsio A m. Elysium* B a. (*mitol. e fig.*) Elysian: **i Campi Elisi**, the Elysian Fields.

elisióne f. (*ling.*) elision.

elisìr, **elisìre** m. elixir; (*filtro, posizione*) philtre, potion: **e. d'amore**, love philtre; love potion; **e. di lunga vita**, elixir of life.

Elìso m. (*mitol.*) Elysium*.

elisoccórso m. helicopter rescue.

elitàrio a. elitist; elite (attr.): **circolo e.**, elite circle; **politica elitaria**, elitist policy.

elitarìsmo m. elitism.

elitàxi, **elitassì** m. inv. helitaxi.

élite (*franc.*) f. inv. elite: **un'élite intellettuale**, an intellectual elite; **di élite**, elite (attr.); elitist.

elitìsta m. e f. elitist.

elitìstico a. elitist; elite (attr.).

èlitra f. (*zool.*) elytron*; wing case.

elitrasportàre a. (*mil.*) to transport by helicopter; to helicopter.

élla f. **1** (pron. pers. 3ª pers. sing. sogg.) she: *Ella vestiva di rosso*, she was dressed in red; **e. stessa**, she herself **2** (*lett.*: pron. di cortesia) you: *Vuole E. farci l'onore d'una visita?*, will you honour us with a visit?

Èllade f. Hellas.

ellàdico a. Helladic.

èlle f. o m. inv. (*lettera*) (letter) l; L: **a e.**, L-shaped.

elleborìna f. (*farm.*) helleborin.

ellèboro m. (*bot.*, *Helleborus*) hellebore: **e. puzzolente** (*Helleborus foetidus*), stinking hellebore; setterwort.

ellènico a. Hellenic.

ellenìsmo m. Hellenism.

ellenìsta m. e f. Hellenist; Greek scholar.

ellenìstico a. Hellenistic.

ellenizzànte a. Hellenizing.

ellenizzàre v. t. e i. to Hellenize.

ellenizzazióne f. Hellenization.

ellèno A a. Hellenic B m. Hellene.

ellepì m. LP (album).

ellìsse f. (*mat.*, *astron.*) ellipse.

ellìssi f. (*ling.*) ellipsis*.

ellissògrafo m. trammel.

ellissoidàle a. (*mat.*) ellipsoidal.

ellissòide m. (*mat.*) ellipsoid.

ellìttico ① a. (*mat.*) elliptical: **arco e.**, elliptic arc; **funzione ellittica**, elliptic function; **geometria ellittica**, elliptic geometry; (*astron.*) **orbita ellittica**, elliptical orbit.

ellìttico ② a. (*ling.*) elliptical.

elmétto m. helmet; (*di operaio, ecc.*) hard hat.

Elmìnti m. pl. (*zool.*) helminths; parasitic worms.

elmintìasi f. (*med.*) helminthiasis.

elmìntico a. (*zool.*, *med.*) helminthic.

elmintologìa f. helminthology.

elmintològico a. helminthological.

elmintòlogo m. (f. **-a**) helminthologist.

elmintòsi → **elmintiasi**.

élmo m. helmet.

elocuzióne f. elocution.

elodèa f. (*bot.*, *Elodea canadensis*) Canadian pondweed.

elodèrma m. (*zool.*, *Heloderma*) Gila monster.

elogiàre v. t. to praise; to commend.

elogiativo a. laudatory: **parole elogiative**, words of praise; laudatory terms (*form.*); **parlare di q. in termini elogiativi**, to speak highly of sb.; to sing sb.'s praise.

elogiatóre A a. praising; laudatory B m. (f. **-trice**) praiser; eulogist.

elògio m. **1** (*discorso laudativo*) eulogy; oration: **e. funebre**, funeral oration **2** (*lode*) praise; commendation: **fare gli elogi di q.**, to praise sb.; to sing sb.'s praise; **fare i propri elogi a q.**, to congratulate sb. (on st.); **meritare un e.**, to deserve praise; to deserve to be praised.

elogista m. e f. eulogist.

elogistico a. eulogistic.

elongazióne f. (*astron.*, *fis.*) elongation.

eloquènte a. **1** eloquent **2** (*fig.*: *espressivo*) eloquent, meaningful; (*rivelatore*) revealing, telltale (attr.): **risultati eloquenti**, results that speak for themselves; **segno e.**, telltale sign; **sguardo e.**, meaningful look; **silenzio e.**, eloquent silence.

eloquènza f. **1** eloquence; (*arte oratoria*) oratory **2** (*fig.*) eloquence; meaningfulness.

elòquio m. (*lett.*) speech; language.

élsa f. hilt ● (*fig.*) **Tenere la mano sull'e.**, to be on one's guard.

èlson f. inv. (*lotta*) nelson.

elucubràre v. t. (*lett.*) **1** (*meditare*) to lucubrate; to ponder **2** (*escogitare*) to think* up; to concoct: **e. un piano**, to concoct a plan.

elucubrazióne f. lucubration.

elùdere v. t. to evade; to escape; to elude; to dodge (*fam.*); (*aggirare*) to sidestep; to circumvent: **e. una domanda**, to evade a question; **e. il fisco**, to evade paying one's taxes; to dodge tax; **e. la legge**, to evade the law; **e. la sorveglianza di q.**, to escape sb.'s vigilance.

eludìbile a. escapable; avoidable.

eluènte m. (*chim.*) eluant.

eluire v. t. (*chim.*) to elute.

eluìto a. (*chim.*) eluate.

eluizióne f. (*chim.*) elution.

elusióne f. evasion; sidestepping; (*fisc.*) avoidance: **e. fiscale**, tax avoidance; tax dodging (*fam.*).

elusività f. elusiveness; evasiveness.

elusìvo a. elusive; evasive.

eluviàle a. (*geol.*) eluvial.

eluviazióne f. (*geol.*) eluviation.

elùvio m. (*geol.*) eluvium.

eluzióne → **eluizione**.

elvèlla f. (*bot.*, *Helvella crispa*) helvella.

elvètico A a. Swiss; (*stor.*) Helvetic, Helvetian B m. (f. **-a**) Swiss*; (*stor.*) Helvetian.

elzeviriàno a. (*tipogr.*) Elzevir (attr.): **carattere e.**, Elzevir type.

elzevirista m. e f. (*giorn.*) writer of cultural articles; essayist.

elzevìro A a. → **elzeviriano** B m. **1** (*carattere*) Elzevir (type); (*edizione*) Elzevir edition **2** (*giorn.*) cultural article (published in a daily newspaper).

e.m. abbr. (*fis.*, *elettromagnetico*) electromagnetic.

emaciaménto m. emaciation.

emaciàre A v. t. to waste B **emaciàrsi** v. i. pron. to become* emaciated; to waste away.

emaciàto a. emaciated; gaunt.

emaciazióne f. (state of) emaciation; gauntness.

emagràmma m. (*meteor.*) emagram.

e-mail m. o f. inv. email, e-mail: **indirizzo e-mail.**, email address: *Te lo mando via e--mail*, I'll e-mail it to you.

emàle a. (*biol.*) haemal.

emanàre A v. t. **1** to exhale; to give* off; to give* out; (*irradiare*) to radiate; to shed*: **e. calore**, to give off (*o* to radiate) heat; **e. luce**, to radiate (*o* to shed) light; **e. odore**, to emanate (*o* to give off) scent; **e. vapori**, to exhale vapours **2** (*fig.*) to radiate; to exude: **e. fiducia**, to radiate confidence **3** (*promul-*)

gare) to issue; to promulgate; to enact: **e. una legge**, to issue a law; **e. regolamenti**, to enact regulations B v. i. to emanate; (*irradiarsi*) to radiate; (*avere origine*) to issue; (*derivare*) to derive, to proceed.

emanatìsmo m. (*filos.*) emanationism.

emanatista m. e f. (*filos.*) emanatist.

emanazióne f. **1** emanation; (*esalazione*) exhalation, emission: **e. radioattiva**, radioactive emanation; **emanazioni vulcaniche**, volcanic emissions **2** (*promulgazione*) issuing; promulgation; enactment: **e. di una legge**, issuing of a law **3** (*fig.*: *derivazione*) emanation **4** (*filos.*) emanation.

emanazionìsmo → **emanatismo**.

emancipàre A v. t. **1** (*leg.*) to emancipate; to free: **e. un minore**, to emancipate a minor; **e. uno schiavo**, to emancipate a slave **2** (*fig.*) to emancipate; to set* free; to free B **emancipàrsi** v. rifl. to become* emancipated; to free oneself.

emancipàto a. (*leg.*) emancipated; freed: **schiavo e.**, freed slave **2** (*fig.*) emancipated; free; (*disinibito*) uninhibited: **modi emancipati**, uninhibited ways; **ragazza emancipata**, emancipated girl.

emancipatóre A a. emancipating B m. (f. **-trice**) emancipator.

emancipazióne f. (*anche leg.*) emancipation: **l'e. della donna**, the emancipation of women; **l'e. di un minore**, the emancipation of a minor.

emangiòma m. (*med.*) haemangioma*.

Emanuèle m. Emmanuel.

emarginàre v. t. **1** (*bur.*) to make* marginal notes on; to annotate **2** (*fig.*) to marginalize, to isolate; (*ostracizzare*) to ostracize, to segregate; (*ignorare*) to ignore: **e. gli anziani [le minoranze]**, to marginalize the aged [minorities].

emarginàto A a. **1** (*bur.*) with marginal notes; annotated **2** (*fig.*) marginalized; isolated; (*escluso*) left out; (*ostracizzato*) ostracized, segregated; (*ignorato*) ignored: **classi emarginate**, marginalized classes; **sentirsi e.**, to feel isolated; to feel left out B m. (f. **-a**) marginalized person; social outcast; pariah.

emarginazióne f. marginalization; isolation; (*ostracismo*) ostracism; segregation.

emàrtro m. (*med.*) haemarthrosis*.

emasculazióne f. (*med.*) emasculation.

ematèmesi f. (*med.*) haematemesis.

emàtico a. (*med.*) haematic; blood (attr.): **coagulo e.**, blood clot.

ematìna f. (*biol.*) haematin.

ematìte f. (*miner.*) haematite.

ematocèle m. (*med.*) haematocele.

ematòcrito m. (*med.*) haematocrit.

ematòfago a. (*zool.*) haematophagous.

ematògeno a. (*med.*) haematogenous.

ematologìa f. (*med.*) haematology.

ematològico a. (*med.*) haematologic.

ematòlogo m. (f. **-a**) haematologist.

ematòma m. (*med.*) haematoma*.

ematopatìa f. haemopathy.

ematopoièsi f. (*fisiol.*) haemopoiesis; haematopoiesis.

ematopoiètico a. (*fisiol.*) haemopoietic; haematopoietic.

ematòsi f. (*fisiol.*) haematosis.

ematossilìna f. (*chim.*) haematoxylin.

ematùria f. (*med.*) haematuria.

emàzia f. (*biol.*) erythrocyte.

embàrgo m. (*naut.*, *econ.*) embargo*: **e. sulle vendite d'armi**, embargo on arms sales; arms embargo; **porre un e. a** (*o* su), to put an embargo on; **togliere un e.**, to lift (*o* to raise) an embargo; **sottoposto a e.**, under embargo **2** (*estens.*) restriction; gag.

embè inter. well; (*che m'importa?*) so what;

(*sai che roba!*) big deal!

emblèma m. emblem; device; badge; (*simbolo*) symbol; (*di partito*, *ecc.*) logo: **e. araldico**, heraldic device; **un e. di pace**, an emblem of peace.

emblemàtica f. study of emblems.

emblemàtico a. **1** emblematic; symbolic **2** (*fig.*) typical.

emblematista m. e f. emblematist.

embolìa f. (*med.*) embolism ● **e. gassosa**, decompression sickness; caisson disease; (the) bends (pl.) (*fam.*).

embolismàle a. embolismic; intercalary: **mese e.**, intercalary month.

embolìsmo① m. (*med.*) embolism.

embolìsmo② m. **1** (*anno*) embolismic year **2** (*relig.*) embolism.

èmbolo m. (*med.*) embolus*.

embricàre A v. t. to imbricate B **embricàrsi** v. rifl. recipr. to imbricate; to overlap.

embricàto a. (*archit.*, *bot.*, *zool.*) imbricate.

embricatùra f. imbrication.

èmbrice m. flat roof tile.

embriciàta f. tiled roof.

embriogènesi, **embriogenìa** f. (*biol.*) embryogenesis; embryogeny.

embriogènico a. (*biol.*) embryogenic.

embriologìa f. (*biol.*) embryology.

embriològico a. (*biol.*) embryological.

embriòlogo m. (f. **-a**) embryologist.

embrionàle a. **1** (*biol.*) embryonic; embryonal; embryo (attr.): **differenziazione e.**, embryonic differentiation; **sacco e.**, embryo sac **2** (*fig*) embryonic; embryo (attr.); (*rudimentale*) rudimental, undeveloped, primitive: **allo stato e.**, in embryo; in one's embryonic stage (*o* stages).

embrionàrio a. (*biol.*) embryonal; embryonic.

embrióne m. (*biol.* e *fig.*) embryo: **in e.**, in embryo; in one's embryonic stage.

embriònico a. (*biol.*) embryonic.

embriopatìa f. (*med.*) embryopathy.

embriotomìa f. (*chir.*) embryotomy.

embrocàre v. t. (*med.*) to embrocate.

embrocazióne f. (*med.*) embrocation; liniment.

ème m. (*biol.*) haem; heme.

emendàbile a. amendable; correctable.

emendaménto m. **1** (*correzione*) correction; (*di un testo*) emendation **2** (*modifica*, *anche leg.*) amendment: **un e. alla costituzione**, an amendment to the constitution; **votare un e.**, to vote an amendment **3** (*agric.*) amendment.

emendàre A v. t. **1** (*correggere*) to correct; to emend: **e. un testo**, to correct (*o* to emend) a text **2** (*modificare*, *anche leg.*) to amend: **e. un progetto di legge**, to amend a bill **3** (*migliorare*) to improve; to better **4** (*agric.*) to amend B **emendàrsi** v. rifl. to mend one's ways; to reform.

emendàtio (*lat.*) f. (*filol.*) emendation.

emendatìvo a. corrective; emendatory.

emendatóre m. (f. **-trice**) amender; (*di un testo*) emender, emender.

emendazióne f. (*filol.*) emendation.

emeralopìa f. (*med.*) hemeralopia; day blindness.

emergènte A a. **1** (*affiorante*) visible above the water; rising out of the water; awash (pred.): **scoglio e.**, rock awash **2** (*fig.*) emergent; emerging; (*promettente*) up-and-coming: **classi emergenti**, emergent classes; **paesi emergenti**, emergent countries; **un giovane attore e.**, an up-and-coming young actor **3** (*leg.*) – **danno e.**, consequential damage B m. e f. up-and-coming person.

emergènza① f. **1** (*l'emergere*) emergence **2** (*ciò che emerge, sporgenza*) outcrop; rise; spur: **e. rocciosa**, rocky outcrop **3** (*fenomeno*) phenomenon*, fact; event; (*reperto*) finding **4** (*bot.*) emergence.

emergènza② f. **1** emergency: **atterraggio di e.**, emergency landing; crash landing; **freno di e.**, emergency brake; **situazione di e.**, emergency; **stato di e.**, state of emergency; **in caso di e.**, in an emergency **2** (*nei composti: problema*) problem: **l'e. droga**, the drug problem.

emergenziàle a. emergency (attr.).

emèrgere v. i. **1** (*affiorare*) to surface (*anche naut.*); to come* to the surface; (*sporgere dall'acqua*) to be visible above the water, to rise out of the water **2** (*venire fuori*) to emerge; to come* out; to appear: **e. dalla nebbia**, to come out of (*o* to emerge from) the fog **3** (*fig.: risultare*) to emerge; to surface; to come* out; to transpire: *Il vero motivo emerse dopo un'ora*, the real motive came out (*o* transpired) an hour later; *Sono emersi nuovi fatti*, new facts have emerged **4** (*fig.: distinguersi*) to stand* out; to distinguish oneself; to rise* above the others.

emèrito a. **1** (*insigne*) distinguished; celebrated; eminent; renowned: **un e. scienziato**, a distinguished scientist **2** (*università*) emeritus: **professore e.**, emeritus professor **3** (*iron.*) egregious; regular; out-and-out: **un e. bugiardo**, an egregious (*o* out-and-out) liar; **un e. imbroglione**, a regular cheat.

emerocàllide f. (*bot.*, *Hemerocallis fulva*) hemerocallis; day lily.

emerografìa f. bibliographic research relative to newspapers.

emerotèca f. newspaper and periodical library.

emersióne f. **1** (*anche naut.*) surfacing; emersion: **navigare in e.**, to sail (*o* to proceed) on the surface; **velocità in e.**, surface speed; **sottomarino in e.**, surfaced submarine **2** (*astron.*) emergence.

emèrso a. rising out of the water; (*di sottomarino*) surfaced ● (*geol.*) **terre emerse**, lands above sea level.

emésso a. issued: **francobollo e.**, issued stamp.

emètico a. e m. (*farm.*) emetic.

emetìna f. (*chim.*) emetine.

emetìsmo m. (*med.*) pathological vomiting.

♦**eméttere** v. t. **1** (*voce, suono*) to emit; to give*; to let* out; to utter: **e. un grido**, to give out (*o* to emit, to let out) a cry; **e. un fischio**, to whistle; **e. un lamento**, to let out (*o* to utter) a groan; **e. segnali**, to send out (*o* to emit) signals; **e. un sospiro**, to give (*o* to heave) a sigh **2** (*emanare*) to emit; (*calore, luce, anche*) to give* out (*o* off), to let* out, to send* out (*o* forth); to emanate, to radiate; (*gas, ecc., anche*) to let* out, to discharge; (*sudore, umidità*) to exude: **e. calore**, to give off heat; **e. fumo**, to emit (*o* to give off) smoke; *La lampada emetteva una luce pallida*, the lamp gave off a pale light **3** (*mettere in circolazione*) to issue; (*assegno, cambiale, ecc.*) to draw*: **e. un assegno**, to draw a cheque; **e. azioni**, to issue shares; **e. banconote**, to issue banknotes; **e. un francobollo**, to issue a stamp; **e. un prestito**, to issue (*o* to float) a loan **4** (*esprimere, emanare, rendere noto*) to express, to announce; (*promulgare*) to promulgate, to issue; (*leg.*) to pronounce, to pass, to bring* in: **e. un giudizio**, to pass a comment; **e. un mandato di cattura**, to issue a warrant of arrest; **e. un'ordinanza**, to promulgate a decree; (*leg.*) **e. una sentenza**, to pass a sentence; (*leg.*) **e. un verdetto**, to bring in (*o* to return) a verdict.

emettitóre m. (*elettron.*) emitter.

emettitrìce f. (*di biglietti*) ticket machine.

emianopsìa f. (*med.*) hemianopia; hemianopsia.

emiatrofìa f. (*med.*) hemiatrophy.

emicellulósa f. (*chim.*) hemicellulose.

emicìclo m. hemicycle; semicircle ● **l'e. della Camera dei Deputati**, the floor of the House of Deputies.

emicrània f. (*med.*) migraine; (*mal di testa*) headache: **scatenare un'e.**, to bring on a migraine; **soffrire di e.**, to suffer from migraine.

emicrànico a. (*med.*) migrainous; migraine (attr.).

emidàttilo m. (*zool.*) hemidactylus.

èmide f. (*zool.*, *Emys orbicularis*) European pond terrapin (*o* turtle).

emièdrico a. (*miner.*) hemihedral.

emigrànte **A** a. emigrating; emigrant **B** m. e f. emigrant.

emigràre v. i. to emigrate; (*zool.*) to migrate.

emigràto m. (f. **-a**) emigrant; migrant; expatriate ● **e. politico**, political exile; émigré (*franc.*).

emigratòrio a. emigratory; (*zool.*) migratory.

emigrazióne f. **1** emigration; (*zool.*) migration: **e. in massa**, mass emigration; **e. stagionale**, seasonal emigration **2** (*insieme degli emigrati*) emigrants (pl.); (*politica*) émigré community **3** (*fig., di capitali, ecc.*) flow; outflow; flight: **e. di capitali all'estero**, flow (*o* flight) of capital abroad.

Emìlia f. Emily; Emilia.

emiliàno **A** a. Emilian; of Emilia **B** m. (f. **-a**) Emilian; native [inhabitant] of Emilia.

Emìlio m. Emil.

emimetàbolo a. (*zool.*) hemimetabolous.

emimorfìte f. (*miner.*) hemimorphite.

eminènte a. **1** (*alto*) high **2** (*fig.: illustre*) eminent, distinguished; (*importante*) outstanding, notable: **eminenti meriti**, outstanding merits.

eminenteménte avv. eminently.

eminentìssimo a. superl. (*titolo*) His Eminence; (*vocat.*) Your Eminence.

eminènza f. **1** (*elevazione*) eminence; height; rise **2** (*sporgenza*) prominence **3** (*fig.*) excellence; prominence; greatness **4** (*titolo*) Eminence: *Sua E.*, His Eminence; (*vocat.*) Your Eminence ● (*fig.*) **e. grigia**, éminence grise (*franc.*).

emiòlia f. (*mus.*) hemiola; triplet.

emìono m. (*zool.*, *Equus hemionus*) kiang; Asian wild ass.

emiopìa → **emianopsia**.

emiparassìta m. e f. (*bot.*) hemiparasite.

emiparèsi f. (*med.*) hemiplegia; hemiparesis.

emiparètico a. (*med.*) hemiplegic.

emiplegìa f. (*med.*) hemiplegia.

emiplègico a. e m. (*med*) hemiplegic.

emiràto m. emirate.

emìro m. emir.

emisfèrico a. hemispheric.

emisfèro m. hemisphere: (*geogr.*) **e. boreale [australe]**, northern [southern] hemisphere; (*anat.*) **e. cerebrale**, cerebral hemisphere.

emisferoidàle a. hemispheroidal.

emissàrio① m. **1** (*geogr.*) outflowing stream; effluent **2** (*anat.*) emissary (duct, vein) **3** (*idraul.*) outlet; drain.

emissàrio② m. (*persona*) emissary.

emissióne f. **1** (*anche fis.*) emission: **e. di luce [di calore]**, emission of light [of heat]; **e. di segnali**, emission of signals; (*radio*) **e. diretta**, beam emission; (*radio*) **e. termoio-**

nica, thermionic emission **2** (*messa in circolazione*) issue: **e. di francobolli**, issue of stamps; **data di e.**, date of issue **3** (*econ., fin.*) issue; drawing: **e. di un assegno**, issue (*o* drawing) of a cheque; **e. di obbligazioni**, issue of bonds; **e. di un prestito**, issue (*o* floating) of a loan; **all'e.**, upon (the) issue; **banca d'e.**, issuing bank **4** (*tel.: trasmissione*) transmission; broadcasting 🔟; broadcast: **antenna d'e.**, transmitting (*o* sending) aerial; **stazione d'e.**, transmitting (*o* broadcasting) station **5** (*mus.*) emission.

emissìvo a. emissive.

emistìchio m. (*poesia*) hemistich.

emìtrago m. (*zool.*, *Hemitragus jemlahicus*) tahr.

emittènte **A** a. **1** (*econ.*) issuing: **banca e.**, issuing bank **2** (*tel.*) transmitting; broadcasting: **stazione e.**, broadcasting station **B** f. **1** (*tel.*) broadcaster; (*stazione*) broadcasting station; (*canale*) channel; (*rete*) network: **e. privata**, independent station; **e. pubblica**, public broadcaster; public network; **e. televisiva**, television station [channel, network] **2** (*fin.*) issuer **C** m. e f. (*leg., comm., di assegno, cambiale*) drawer; (*di pagherò*) maker.

emittènza f. **1** (*la diffusione*) broadcasting **2** (*le reti*) networks (pl.); television: **l'e. pubblica**, public television.

emìttero m. (*zool.*) hemipteran; (al pl., *scient.*) Hemiptera.

emivìta f. (*scient.*) half-life.

emizigòte a. (*biol.*) hemizygous.

Èmma f. Emma.

èmme f. o m. inv. (*lettera*) (letter) m.

emmenagògo (*farm.*) m. emmenagogue.

Emmental m. Emmental, Emmenthal.

emmetropìa f. (*med.*) emmetropia.

emoangiòma → **emangioma**.

emocatèresi → **eritrocateresi**.

emocianìna f. (*biol.*) haemocyanin.

emoclasìa f. (*med.*) haemoclasis.

emoclàstico a. (*med.*) haemoclastic.

emocoltùra f. (*biol.*) blood culture.

emocròmo m. **1** (*biol.*) haemochrome **2** (*med.*) blood count.

emocromocitomètrico a. (*med.*) – **esame e.**, blood count.

emocultùra → **emocoltura**.

emoderivàto m. (*med.*) blood product; blood derivative.

emodialìsi f. (*med.*) haemodialysis.

emodializzàto a. e m. (f. **-a**) (patient) undergoing haemodialysis.

emodinàmica f. haemodynamics (pl. col verbo al sing.).

emodinàmico a. haemodynamic.

emofilìa f. (*med.*) haemophilia.

emofilìaco, emofìlico (*med.*) **A** a. haemophiliac; haemophilic **B** m. (f. **-a**) haemophiliac.

emofobìa f. (*psic.*) haemophobia.

emoftalmìa f. (*med.*) haemophthalmia.

emogènico a. (*med.*) haemogenic.

emoglobìna f. (*biol.*) haemoglobin.

emoglobinemìa f. (*med.*) haemoglobinaemia.

emoglobinùria f. (*med.*) haemoglobinuria.

emolìnfa f. haemolymph.

emolìsi f. (*med.*) haemolysis.

emolisìna f. (*biol.*) haemolysin.

emolìtico a. (*med.*) haemolytic.

emolliènte a. e m. (*farm.*) emollient.

emoluménto m. emolument; fee; honorarium*.

emometrìa f. haemoglobinometry; hae-

mometry.

emopatìa f. (*med.*) haemopathy.

emopoièṣi, emopoiètico→**ematopoieṣi, ematopoietico**.

emoreologìa f. (*fisiol.*) blood rheology; blood flow studies (pl.).

emorragìa f. **1** (*med.*) haemorrhage **2** (*fig.*) drain; haemorrhage.

emorràgico a. (*med.*) haemorrhagic.

emorroidàle, emorroidàrio a. (*med.*) haemorrhoidal.

emorroidectomìa f. (*chir.*) haemorrhoidectomy.

emorròidi f. pl. (*med.*) haemorrhoids; (*com.*) piles.

emòstaṣi f. (*med.*) haemostasis.

emostàtico **A** a. haemostatic; styptic: **laccio e.**, tourniquet **B** m. haemostat.

emotèca f. (*med.*) blood bank.

emoterapìa f. (*med.*) haematotherapy.

emotìṣi→**emottiṣi**.

emotività f. emotiveness; emotivity; (*facilità alla commozione*) emotionalism.

emotìvo **A** a. **1** (*relativo alle emozioni*) emotional: **legame e.**, emotional tie; **trauma e.**, emotional trauma **2** (*che suscita emozioni*) emotive **3** (*facile alle emozioni*) sensitive, easily upset, excitable, highly strung; (*facile alla commozione*) emotional **B** m. (f. **-a**) sensitive person; emotional person.

emotrasfuṣióne f. (*med.*) blood transfusion.

emotrasfùṣo a. e m. (f. **-a**) (person) that has undergone a blood transfusion; transfused (patient).

emòtrofo m. (*biol.*) haemotrophe.

emottìṣi f. (*med.*) haemoptysis.

emozionàbile a. emotionable; excitable.

emozionabilità f. emotionalism; emotionality; excitability.

emozionàle a. emotional.

♦**emozionànte** a. **1** (*eccitante*) exciting; thrilling **2** (*commovente*) moving; affecting; touching.

♦**emozionàre** **A** v. t. **1** (*eccitare*) to excite; to thrill **2** (*agitare*) to work up; to make* nervous **3** (*commuovere*) to move; to affect; to touch **B** **emozionàrṣi** v. i. pron. **1** (*eccitarsi*) to get* excited; (*agitarsi*) to get* worked up, (*essere in apprensione*) to get* nervous, to get* butterflies in one's stomach (*fam.*), (*prima di parlare o parlare in pubblico*) to get* stage fright: **emozionarsi prima degli esami**, to get nervous before an exam **2** (*commuoversi*) to be moved.

emozionàto a. **1** (*eccitato*) excited; thrilled **2** (*agitato*) worked up; (*per l'apprensione*) nervous: **essere e.**, to be worked up; to be nervous; (*per l'apprensione, anche*) to have butterflies in one's stomach (*fam.*).

♦**emozióne** f. **1** (*psic.*) emotion: **controllare le emozioni**, to control one's emotions **2** (*eccitazione*) excitement; thrill: *Deve evitare le emozioni*, she must avoid all excitement; **andare in cerca di emozioni**, to look for excitement **3** (*apprensione*) nervousness; nerves (pl.); butterflies in one's stomach (*fam.*); (*di chi deve parlare in pubblico*) stage fright: **l'e. prima d'un esame**, the nervousness before an examination **4** (*turbamento*) distress; (*commozione*) emotion: **L'e. gli impedì di rispondere**, he was too moved to answer.

empatìa f. (*filos., psic.*) empathy.

empàtico a. empathetic.

émpiere→**empire**.

empietà f. **1** impiety; godlessness **2** (*malvagità*) wickedness **3** (*atto empio*) impious act; (*atto malvagio*) wicked act.

émpio a. **1** impious; godless; ungodly;

(*blasfemo*) blasphemous **2** (*spietato*) cruel, pitiless; (*malvagio*) wicked: **un'empia sorte**, a cruel fate.

empire→**riempire**.

empìreo **A** a. empyreal; empyrean **B** m. empyrean.

empireumàtico a. (*chim.*) empyreumatic.

empirìa f. (*filos.*) empirics (pl. col verbo al sing.).

empìrico **A** a. empiric, empirical: (*chim.*) **formula empirica**, empirical formula; **medicina empirica**, empiric medicine; **metodo e.**, empirical method **B** m. (*med.*) empiric.

empirìṣmo m. (*filos., med.*) empiricism: (*filos.*) **e. logico**, logical empiricism; logical positivism.

empirìsta m. e f. (*filos.*) empiricist.

empirìstico a. (*filos.*) empiristic.

émpito m. **1** (*forza travolgente*) vehemence; violence; force; fury: **l'e. del suo amore**, the vehemence of his love **2** (*impulso*) impulse; surge; rush: **un e. di generosità**, a generous impulse; **un e. d'ira**, a rush of anger.

empòrio m. **1** (*negozio*) emporium*, general shop (*o* store); (*grande magazzino*) department store **2** (*centro commerciale*) emporium*; trading centre; market; mart **3** (*fig.*) store; mine.

emù m. (*zool.*, *Dromiceius novae-hollandiae*) emu.

emulàre v. t. to emulate (*anche comput.*); to match.

emulatìvo a. emulative.

emulatóre **A** a. emulative **B** m. **1** (f. **-trice**) emulator **2** (*comput.*) emulator.

emulazióne f. **1** emulation; competition; rivalry: **spirito di e.**, spirit of emulation; competitive spirit **2** (*comput.*) emulation.

èmulo **A** a. emulous **B** m. (f. **-a**) emulator; competitor; rival.

emulsìna f. (*biol.*) emulsin.

emulsiòmetro m. air lift pump.

emulsionàbile a. (*chim.*) emulsifiable.

emulsionànte (*chim.*) **A** a. emulsifying **B** m. emulsifier; emulsifying agent.

emulsionàre v. t. (*chim.*) to emulsify.

emulsionatóre **A** a. emulsifying **B** m. (*chim.*) emulsifier.

emulsióne f. (*chim., fotogr.*) emulsion.

emuntóre m. (*geogr.*) outflowing stream; effluent.

emuntòrio m. (*anat.*) emunctory.

EN abbr. **1** (**Enna**) **2** (*ferr.*, (**treno**) **euronight**) Euronight train.

enàgra f. (*bot.*, *Oenothera biennis*) common evening primrose.

ENAL sigla (*stor.*, **Ente nazionale assistenza lavoratori**) National Workers Assistance Board.

enàllage f. (*retor.*) enallage.

ENALOTTO abbr. (**Concorso pronostici abbinato al lotto e gestito dall'ENAL**) lottery (*originally run by ENAL*).

enantèma m. (*med.*) enanthem; enanthema*.

enantiomorfìṣmo m. (*scient.*) enantiomorphism.

enantiomòrfo a. (*scient.*) enantiomorphic; enantiomorphous.

enantiopatìa f. (*med.*) allopathy.

enarmonìa f. (*mus.*) enharmonic relation.

enarmònico a. (*mus.*) enharmonic.

enartròṣi f. (*anat.*) enarthrosis*; ball-and-socket joint.

ENASARCO abbr. (**Ente nazionale assistenza agenti e rappresentanti di com-**

mercio) (*ora* **Fondazione Enasarco**) National Assistance Board for Commercial Agents and Representatives.

encàrpo m. (*archit.*) festoon.

encàustica f. (*pitt.*) encaustic.

encàustico a. (*pitt.*) encaustic.

encàusto m. (*pitt.*) encaustic.

encefàlico a. (*anat.*) encephalic.

encefalìna f. (*chim.*) enkephalin.

encefalìte f. (*med.*) encephalitis*: e. **letargica**, encephalitis lethargica; (*com.*) sleepy (*USA* sleeping) sickness.

encefalìtico **A** a. (*med.*) encephalitic **B** m. (f. **-a**) encephalitic sufferer.

encèfalo m. (*anat.*) encephalon*.

encefalografìa f. (*med.*) encephalography.

encefalogràmma m. (*med.*) encephalogram ● (*anche fig.*) **avere l'e. piatto**, to be brain dead.

encefalòide a. (*med.*) encephaloid.

encefalomielìte f. (*med.*) encephalomyelitis.

encefalopatìa f. (*med.*) encephalopathy.

encefalospinàle a. (*anat.*) cerebrospinal; encephalospinal.

ENCI sigla **1** (**Ente nazionale della cinofilia italiana**) Italian Kennel Club **2** (*stor.*, **Ente nazionale per il cavallo italiano**) (*ora* **UNIRE**) Italian National Horse-Racing Association.

encìclica f. (*eccles.*) encyclical.

encìclico a. (*eccles.*) encyclical: **lettera enciclica**, encyclical.

enciclopedìa f. encyclopedia ● (*scherz.*) **un'e. ambulante**, a walking encyclopedia.

enciclopèdico a. encyclopedic.

enciclopedìṣmo m. encyclopedism.

enciclopedìsta m. e f. encyclopedist.

enclave (*franc.*) f. inv. enclave.

èncliṣi f. (*gramm.*) enclisis*.

enclìtica f. (*gramm.*) enclitic.

enclìtico a. (*gramm.*) enclitic.

encòlpio m. encolpion.

encomiàbile a. praiseworthy; commendable; laudable; meritorious.

encomiàre v. t. to praise; to commend; to laud.

encomiàstico a. (*lett.*) laudatory; eulogistic; encomiastic; panegyrical.

encomiatóre m. (f. **-trice**) eulogist; encomiast.

encòmio m. **1** (*letter.*) encomium*; panegyric; eulogy **2** (*lode*) praise; commendation: **tributare un e. a q.**, to bestow praise on sb.; to eulogize sb.; **degno di e.**, praiseworthy; **parola di e.**, word of praise **3** (*mil.*) mention in dispatches; citation (*USA*).

ENDAS sigla (**Ente nazionale democratico di azione sociale**) Democratic National Association for the Promotion of Sport.

endecaèdro m. (*geom.*) hendecahedron.

endecàgono m. (*geom.*) hendecagon.

endecasìllabo (*poesia*) **A** a. hendecasyllabic **B** m. hendecasyllable; hendecasyllabic line.

endemìa f. (*med.*) endemic disease.

endemicità f. endemicity.

endèmico a. (*scient. e fig.*) endemic: **malattia endemica**, endemic disease; **mali endemici**, endemic problems; **pianta endemica**, endemic (plant).

endemìṣmo m. endemism.

endèrmico a. (*med.*) endermic.

endìadi f. (*retor.*) hendiadys.

éndice m. (*uovo di richiamo*) nest-egg.

endoarterioso a. (*med.*) intra-arterial.

endoarterite f. (*med.*) endarteritis.

endocàrdico a. (*anat.*) endocardial; intracardial.

endocàrdio m. (*anat.*) endocardium*.

endocardite f. (*med.*) endocarditis.

endocàrpo m. (*bot.*) endocarp.

endocellulàre a. (*biol.*) intracellular.

endocèntrico a. (*ling.*) endocentric.

endocitòsi f. (*biol.*) endocytosis.

endocrànico a. **1** (*anat.*) endocranial **2** (*med.*) intracranial.

endocrànio m. (*anat.*) endocranium.

endocrìnico · endòcrino a. (*anat.*) endocrine.

endocrinologìa f. (*med.*) endocrinology.

endocrinòlogo m. (f. **-a**) endocrinologist.

endodèrma m. **1** (*anat.*) endoderm **2** (*bot.*) endodermis.

endodèrmico a. (*anat.*) endodermal; endodermic.

endodonzìa f. (*med.*) endodontia.

endofasìa f. **1** (*psic.*) aural hallucination **2** (*letter.*) inner monologue.

endòfita (*bot.*) **A** m. endophyte **B** a. endophytic.

endofìtico a. endophytic.

endogamìa f. (*etnol.*, *biol.*) endogamy.

endogàmico a. (*etnol.*, *biol.*) endogamic; endogamous.

endògamo a. (*etnol.*) endogamic.

endogènesi f. (*biol.*, *geol.*) endogenesis; endogeny.

endògeno a. endogenous; (*geol.*) endogenic.

endogèo a. (*biol.*) underground (attr.).

endolinfa f. (*anat.*) endolymph.

endometamorfìsmo → **endomorfismo.**

endomètrio m. (*anat.*) endometrium*.

endometriòsi f. (*med.*) endometriosis.

endometrite f. (*med.*) endometritis.

endomitòsi f. (*biol.*) endomitosis.

endomorfìsmo m. (*geol.*) endomorphism.

endomòrfo a. (*geol.*) endomorphic.

endomuscolàre → **intramuscolare.**

endooculàre a. (*anat.*) intraocular.

endoparassita m. (*biol.*) endoparasite.

endoplàsma m. (*biol.*) endoplasm.

endoplasmàtico a. (*biol.*) endoplasmic: **reticolo e.**, endoplasmic reticulum.

endoreattóre m. (*aeron.*) rocket engine.

endorfìna f. (*chim.*) endorphin.

endoschèletro m. (*biol.*) endoskeleton.

endoscopìa f. (*med.*) endoscopy.

endoscòpico a. (*med.*) endoscopic.

endoscòpio m. (*med.*) endoscope.

endospèrma m. (*bot.*) endosperm.

endòsseo a. (*anat.*) intraosseous.

endostatìna f. (*chim.*) endostatin.

endòstio m. (*anat.*) endosteum.

endoteliàle a. (*anat.*) endothelial.

endotèlio m. (*anat.*) endothelium.

endotèrmico a. (*chim.*) endothermic.

endotèrmo m. (*zool.*) endotherm.

endotossina f. (*biol.*) endotoxin.

endotracheàle a. (*med.*) endotracheal.

endòttico a. (*anat.*) endoptic.

endovéna (*med.*) **A** f. intravenous injection **B** avv. intravenously.

endovenósa f. intravenous injection.

endovenóso a. (*med.*) intravenous: **per via endovenosa**, intravenously.

endurance (*ingl.*) f. inv. (*sport*) endurance race.

endùro m. inv. (*sport*) **1** (*gara*) enduro **2** (*moto*) enduro motorcycle.

ENE sigla (*geogr.*, **est-nord-est**) east-north-east (ENE).

Enèa m. (*mitol.*) Aeneas.

ENEA sigla (**Ente nazionale per l'energia atomica**) (*ora* **Ente per le nuove tecnologie, l'energia e l'ambiente**) National Council for New Technology, Energy and the Environment.

Enèide f. (*letter.*) Aeneid.

ENEL sigla (**Ente nazionale per l'energia elettrica**) (*ora* **ENEL S.p.A.**) National Electricity Board.

eneolìtico a. e m. (*geol.*) Eneolithic; Chalcolithic.

energètica f. (*fis.*) energetics (pl. col verbo al sing.).

energètico **A** a. **1** (*relativo all'energia*) energy (attr.); energetic: **crisi energetica**, energy crisis; **fabbisogno e.**, energy requirements; **fonti energetiche**, energy sources; **il problema e.**, the energy problem **2** (*che dà energia*) energizing; energy-giving; invigorating: **alimento e.**, energy-giving food **B** m. (*farm.*) energizer; tonic.

energetìsmo m. (*filos.*) energism.

♦**energìa** f. **1** (*vigore*) energy, vigour; (*forza*) strength; (*impegno*) energy, energies (pl.): *Non ho l'e. di protestare*, I haven't the energy to protest; **concentrare tutta la propria e. in qc.**, to put all one's energies into st.; *Mettici un po' di e.*, put some energy into it; **risparmiare le energie**, to save one's energy; **protestare con e.**, to protest vigorously; **pieno di e.**, full of vigour; vigorous, energetic; (*di medicina, detersivo, ecc.*) **agire con e.**, to be powerful **2** (*fis.*) energy; (*meccanica o termica*) power: **e. alternativa**, alternative energy; **e. atomica**, atomic energy; **e. cinetica**, kinetic energy; (*chim.*) **e. di legame**, binding energy; **e. elettrica**, electric energy; power; **e. idrica**, water power; **e. latente**, latent energy; **e. nucleare**, nuclear energy; nuclear power; **e. radiante**, radiant energy; **e. solare**, solar energy; **e. sonica**, sonic energy; **fonte di e.**, energy source **3** (*fig.: risolutezza*) energy; determination; resolution **4** (*fig.: forza, intensità*) force; power; vigour.

energicaménte avv. vigorously; actively; forcefully; hard.

♦**enèrgico** a. vigorous; (*forte*) strong, hard, forceful; (*attivo*) energetic, dynamic, brisk; (*risoluto*) determinate, forceful, firm; (*potente*) powerful, strong, drastic: **carattere e.**, strong character; **energica protesta**, vigorous (*o* forceful) protest; **misure energiche**, strong measures; **rimedio e.**, strong remedy; **spinta energica**, hard push; *Devi essere più e. con lui*, you must be firmer with him.

energìsmo → **energetismo.**

energizzànte → **energetico.**

energizzàre v. t. to energize, to energise.

energùmena f. (*donna infuriata*) madwoman*, maniac, fury; (*donna temibile*) termagant, virago.

energùmeno m. **1** (*uomo infuriato*) madman*, maniac; (*uomo violento*) rough violent man* **2** (*omaccione*) ugly brute.

enervàre v. t. (*med.*) to denervate.

enervazióne f. (*med.*) denervation.

enfant gâté (*franc.*) loc. m. inv. enfant gâté.

enfant prodige (*franc.*) loc. m. inv. **1** child prodigy **2** (*fig.*) wonder boy; wunderkind (*ted.*).

enfant terrible (*franc.*) loc. m. inv. enfant terrible.

ENFAP sigla (**Ente nazionale per la formazione e l'addestramento professionale**) National Vocational Training Association.

ènfasi f. **1** (*forza*) emphasis*: **parlare con e.**, to speak with emphasis; *Respinse con e. ogni accusa*, he emphatically denied all the charges **2** (*pomposità*) pomposity; bombast; grandiloquence **3** (*rilievo*) emphasis*; stress: **dare e. a qc.**, to emphasize st; to stress st.; **dare troppa e. a qc.**, to overemphasize st.

enfàtico a. **1** emphatic; forceful **2** (*pomposo*) pompous; bombastic; grandiloquent.

enfatizzàre v. t. **1** to emphasize; to stress **2** (*ingigantire*) to overemphasize; to exaggerate; to blow* up.

enfatizzazióne f. **1** emphasizing; stressing **2** (*esagerazione*) overemphasizing; exaggeration.

enfiagióne f. (*med.*) swelling; distension.

enfiàre **A** v. t. to inflate; to distend; to blow* up **B** v. i. e **enfiàrsi** v. i. pron. to swell*.

énfio a. (*lett.*) swollen.

enfisèma m. (*med.*) emphysema: **e. polmonare**, pulmonary enphysema.

enfisemàtico a. (*med.*) emphysematous.

enfisematóso **A** a. (*med.*) emphysematous **B** m. (*f.* **-a**) emphysema sufferer; emphysematous patient.

enfitèusi f. (*leg.*) emphyteusis*.

enfitèuta m. (*leg.*) emphyteuta*.

enfitèutico a. (*leg.*) emphyteutic.

engagé (*franc.*) a. inv. committed; dedicated; engagé.

engagement (*franc.*) m. inv. commitment; dedication.

engràmma m. (*fisiol.*) engram.

ENI sigla (**Ente nazionale idrocarburi**) (*ora* **ENI S.p.A.**) National Hydrocarbon Corporation.

enidrocoltùra → **idrocoltura.**

enìgma m. **1** enigma*; riddle; puzzle; conundrum: **l'e. della Sfinge**, the riddle of the Sphynx; **parlare per enigmi**, to speak in riddles **2** (*fig.*) enigma*; mystery; puzzle: *Quell'uomo è un e.*, that man is an enigma; *Il suo comportamento è un e.*, his behaviour is very puzzling; **l'e. della loro scomparsa**, the mystery of their disappearance.

enigmaticità f. enigmatic character; cryptic character; inscrutability; mystery.

enigmàtico a. enigmatic; mysterious; inscrutable; cryptic; puzzling: **parole enigmatiche**, cryptic words; **sorriso e.**, enigmatic smile; **uomo e.**, mysterious man*.

enigmista m. e f. **1** (*inventore di enigmi*) riddle maker; puzzle composer **2** (*solutore di enigmi*) puzzle enthusiast.

enigmìstica f. **1** (*l'inventare enigmi*) riddle making; puzzle composing **2** (*il risolvere enigmi*) puzzle solving **3** (*enigmi*) puzzles (pl.): **appassionato di e.**, puzzle enthusiast; **rivista di e.**, puzzle magazine.

enigmìstico a. puzzle (attr.): **gioco e.**, puzzle; **settimanale e.**, puzzle weekly.

enìmma → **enigma.**

ENIT sigla (**Ente nazionale italiano per il turismo**) Italian State Tourist Board.

enjambement (*franc.*) m. inv. (*poesia*) enjambement.

ennagonàle a. (*geom.*) enneagonal.

ennàgono m. (*geom.*) enneagon.

ènne f. o m. inv. (*lettera*) (letter) n.

ennèsimo a. **1** (*mat.*) nth: **elevare all'ennesima potenza**, to raise to the nth power **2** (*fig.*) umpteenth: **l'e. tentativo**, the umpteenth try; **per l'ennesima volta**, for the umpteenth time.

ènnupla f. (*mat.*) n-tuple.

enocianina f. (*chim.*) oenocyanine.

enòfilo A a. wine (attr.); wine-growers' (attr.); wine-tasting (attr.): **circolo e.**, wine society; winegrowers' association; wine-tasting club B m. (f. **-a**) **1** (*intenditore*) oenophile; oenophilist **2** (*scherz.*: *bevitore*) tippler; wine-bibber.

enogastronomìa f. food-and-wine connoisseurship.

enogastronòmico a. food-and-wine (attr.); gourmet (attr.): **raduno e.**, gourmet convention.

enòico a. (*del vino*) wine (attr.); (*della vite*) vine (attr.).

enòlo m. (*chim.*) enol.

enologìa f. oenology; art of wine-making.

enològico a. oenological; wine-making (attr.): **industria enologica**, wine-making industry.

enòlogo m. (f. **-a**) oenologist; wine-making expert.

enopòlio m. co-operative wine cellar.

◆**enòrme** a. enormous; huge; vast; tremendous; (*di cosa neg.*) monstrous, shocking: **una differenza e.**, an enormous (o a huge) difference; **perdita e.**, huge loss; **quantità e.**, enormous amount; massive quantity; **enormi ricchezze**, enormous wealth; **e. successo**, tremendous success.

enormità f. **1** enormousness; hugeness; immensity; (*vastità*) vastness; (*dimensioni*) size, extent: **l'e. del disastro**, the extent of the disaster **2** (*fig.*: *assurdità*) nonsense Ⓤ; absurdity; (*sproposito*) howler **3** (*grossa somma*) fortune **4** (*azione malvagia*) enormity.

enostòsi f. (*med.*) enostosis.

enotèca f. **1** (*raccolta*) (wine) cellar; stock of vintage wines **2** (*luogo di vendita*) wine bar; wine merchant's.

enotècnica f. wine-making; wine-production techniques.

enotècnico A a. wine-growing (attr.); wine-making (attr.); wine-production (attr.) B m. (f. **-a**) wine-grower.

enoteìsmo m. (*relig.*) henotheism.

enòtera f. (*bot.*, *Oenothera*) evening primrose; sundrops.

ENPA sigla (**Ente nazionale per la protezione degli animali**) National Society for the Prevention of Cruelty to Animals.

ENPAS sigla (**Ente nazionale di previdenza e assistenza per i dipendenti statali**) National Board of Social Insurance and Welfare for Civil Servants.

en passant (*franc.*) loc. avv. en passant; in passing; by the way; incidentally; (*di sfuggita*) cursorily, casually.

en plein (*franc.*) loc. m. inv. (*nella roulette*) en plein ● (*fig.*) **fare (un) en plein**, to hit the jackpot; to sweep the board.

Enrìco m. Henry; Harry.

ensemble (*franc.*) m. inv. (*moda*, *mus.*) ensemble.

ensifórme a. (*bot.*) ensiform; sword-shaped.

enstatite f. (*miner.*) enstatite.

entalpìa f. (*fis.*) enthalpy.

entàlpico a. (*fis.*) enthalpy (attr.).

èntasi f. (*archit.*) entasis.

ènte m. **1** (*relig.*, *filos.*) being: **l'E. Supremo**, the Supreme Being **2** (*leg.*) body; authority; board; institution; organization; agency (*USA*); corporation (*USA*): **e. autonomo**, autonomous board; (*naut.*) **e. del porto**, port authority; **e. di ricerca**, research organization; **e. governativo**, government body; government agency; **e. internazionale**, international body; international agency; **E. Italiano per il Turismo**, Italian Tourist Board; **e. locale**, local authority; **e. morale**, non-profit organization; foundation; **e. privato**, private institution;

corporation; **e. pubblico**, public body (o authority, corporation); state agency; **e. statale**, government body (o agency); state company.

entelechìa f. (*filos.*) entelechy.

entèllo m. (*zool.*, *Presbytis entellus*) entellus.

enteràle a. (*med.*) enteral.

enterectomìa f. (*med.*) enterectomy.

entèrico a. (*med.*) enteric; intestinal.

enterìte f. (*med.*) enteritis.

enterocèle m. (*med.*) enterocele.

enterocettóre m. (*fisiol.*) interoceptor.

enterocezióne f. (*fisiol.*) interoception.

enterocìto, **enterocita** m. (*med.*) enterocyte.

enteroclìsi f. (*med.*) enema*.

enteroclìsma m. (*med.*) **1** → **enteroclisi** **2** (*apparecchio*) enema syringe.

enterocolìte f. (*med.*) enterocolitis.

enteroepàtico a. (*med.*) enterohepatic.

enterolitìasi f. (*med.*) enterolithiasis.

enterologìa e deriv. → **gastroenterologìa**, e deriv.

enteròlogo m. (f. **-a**) enterologist.

enteropatìa f. (*med.*) enteropathy.

enteroscopìa f. (*med.*) enteroscopy.

enterostomìa f. (*chir.*) enterostomy.

enterotomìa f. (*chir.*) enterotomy.

enterotossìna f. (*med.*) enterotoxin.

enterovìrus m. (*med.*) enterovirus.

entimèma m. (*filos.*) enthymeme.

entimemàtico a. (*filos.*) enthymematic.

entità f. **1** (*filos.*) entity **2** (*importanza*) importance; (*gravità*) gravity; (*grandezza*) size, extent, magnitude: **l'e. dei danni**, the extent of damage; **l'e. di un debito**, the size of a debt; **di una certa e.**, of some importance; fairly substantial (agg.); **di lieve e.**, limited (agg.); slight (agg.); **di notevole e.**, of a considerable order; considerable (agg.).

entomocorìa f. (*bot.*) insect pollination.

entomòcoro a. (*bot.*) **1** insect-pollination (attr.) **2** (*di pianta*) entomophilous.

entomòfago a. e m. (*zool.*) entomophagous (insect).

entomofàuna f. (*zool.*) insect fauna.

entomofilìa f. (*bot.*) entomophily; insect pollination.

entomòfilo a. (*bot.*) entomophilous.

entomologìa f. entomology.

entomològico a. entomological.

entomòlogo m. (f. **-a**) entomologist.

entòttico a. (*med.*) entoptic.

entourage (*franc.*) m. inv. entourage; attendants (pl.); (*cerchia di conoscenti*) people one mixes with.

entracte (*franc.*) m. inv. entr'acte.

entraîneuse (*franc.*) f. inv. (night-club) hostess.

◆**entràmbi** a. e pron. m. pl. (f. **-e**) both: **e. i libri**, both books; *Scegliemmo e. vino rosso*, we both chose red wine; *Le vidi entrambe*, I saw them both (o both of them).

❶ NOTA: *entrambi*

Davanti a un nome, **entrambi** si può tradurre both, both of o both the (quest'ultima forma non è ovviamente possibile davanti a un aggettivo possessivo): perciò **entrambe le sorelle** può essere tradotto both sisters, both of the sisters o both the sisters; *Ho letto entrambi i libri*, I read both (of) the books; I read both books; *Entrambi i loro figli sono avvocati*, both (of) their children are lawyers. Con i pronomi personali la forma usata è both of: *Entrambi hanno visitato il museo*, both of them visited the museum; *Mi fido di entrambi voi*, I trust both of you. In alternativa, è possibile porre both dopo il pronome, purché quest'ultimo abbia funzione di soggetto

o complemento oggetto: they both visited the museum, I trust you both.

entrànte a. **1** (*prossimo*) next; coming: **la settimana [il mese] e.**, next week [month]; the coming week [month] **2** (*di persona eletta*) newly appointed **3** (*fig.*: *invadente*) pushy; intrusive.

◆**entràre** v. i. **1** (*andare dentro*) to go* in; (*venire dentro*) to come* in, to enter (st.) (*form.*); (*in luoghi piccoli*, *penetrare*) to get* in: *Sei tu? Entra*, is it you? come in; *Entri pure!*, do come in!; *Bussa prima di e.*, knock before going in (o entering); **e. in una casa [un cinema, un bosco]**, to go into a house [a cinema, a wood]; **e. in ascensore**, to get into the lift; **e. in macchina**, to get into the car; **e. nel letto**, to get into bed; **e. in convento**, to enter a convent; **e. in politica**, to enter politics; **e. dalla porta di servizio**, to come [to go] in by the back door; *Il ladro è entrato dalla finestra*, the burglar got in through the window; *Il treno entrò in una galleria*, the train entered a tunnel; *Il treno entrò in stazione*, the train pulled into the station (o pulled in); *Da dove si entra?*, which is the way in?; how do you get in?; *L'acqua entra da questo buco*, the water gets (o comes) in through this hole; **e. in automobile**, to drive in; (*autom.*) **e. in retromarcia**, to back in; **e. a forza**, to force one's way in; **e. all'improvviso**, to burst in; **e. di corsa**, to run in; to rush in; **e. furtivamente (o di soppiatto)**, to steal in; **e. precipitosamente**, to rush in; *Entrò nello studio in punta di piedi*, he tiptoed into the study; *M'è entrato qualcosa in un occhio*, I've got something in my eye; *Il processo è entrato nella sua seconda settimana*, the trial has entered its second week; *Il sole entra in Ariete*, the sun enters Aries; *Fammi e.!*, let me in!; *Lo faccia pure e.*, show him in **2** (*trovare posto*, *starci*) to get* in; to go* in; to fit in: *È troppo grosso, non c'entra*, it's too big, it won't go in; *Riuscii a far e. tutto in valigia*, I managed to get everything into the suitcase; *Queste date non mi entrano in testa*, I can't get these dates into my head; *Non mi c'entra di andare anche alla mostra*, I can't fit in the exhibition too; (*mat.*) *Il tre entra nel quindici cinque volte*, three goes into fifteen five times **3** (*adattarsi*, *essere della misura giusta*) to fit: *La chiave non entra nella serratura*, the key doesn't fit the lock; *Le scarpe non gli entrano più*, his shoes no longer fit; he can't get into his shoes any more **4** (*associarsi*, *iscriversi*, *arruolarsi*) to enter; to join; (*a una scuola e sim.*) to enrol: **e. nell'esercito [nella polizia]**, to join the army [the police]; **e. all'università**, to enrol at (o to enter) university; **e. a far parte di qc.**, to join st. **5** (*incominciare*) to enter (st., into st.); to start (st.); to begin* (st.): **e. in convalescenza**, to start one's convalescence; **e. nel secondo anno**, to enter one's second year; **e. in relazioni d'affari con**, to enter into business with; **e. in servizio**, to come on duty; **e. nel quinto mese di gravidanza**, to be five months pregnant **6** (**entrarci**) *avere a che fare*) to have to do (with), to enter (into); (*essere pertinente*) to be relevant (to); (*essere coinvolto*) to be involved: *Cosa c'entra?*, what's that got to do with it?; *Questo non c'entra*, this has got nothing to do with it; this is beside the point; this is not relevant; *Non c'entrano le questioni di denaro*, money doesn't enter into it; *Io non c'entro*, I've got nothing to do with it; *Non voglio entrarci*, I don't want to get involved; *Tu che c'entri?*, what's that got to do with you?; (*più ostile*) what business is it of yours? **7** (*immischiarsi*) to meddle (with); to interfere; to poke one's nose (into) (*fam.*): **e. negli affari altrui**, to meddle with other people's business ● (*naut.*) **e. in bacino**, to dock ▢

(fig.) e. in ballo → e. in gioco □ (sport) e. in campo, to take the field □ **e. in carica**, to take up office; to come into office □ **e. in collisione con**, to collide with; (anche fig.) to fall foul of □ (med.) **e. in coma**, to go into a coma □ **e. in funzione**, (di persona) to begin one's duties, to enter upon one's duties; (di cosa) to begin working □ (fig.) **e. in gioco**, to come into play □ **e. in guerra**, to enter the war; to go to war □ (teatr.) **e. nel personaggio**, to get inside the character □ (naut.) **e. in porto**, to enter port (o harbour) □ **e. in possesso di**, to come into possession of □ **e. in scena**, (teatr.) to enter; (fig.) to come in □ **e. in vigore**, to come into force; to become effective (o operative) □ (di età) **e. nei quaranta**, to enter one's forties □ **e. nei particolari**, to go into details □ **e. nel vivo della questione**, to get to the heart of the matter □ (sport) **e. su un avversario**, to tackle an opponent □ (sport) **e. sulla palla**, to move in; to kick at the ball □ (teatr.) **Entra Lelio**, enter (3ª pers. dell'imper.) Lelio □ **fare e. qc. in testa a q.**, to get sb. to understand st.; to drive st. into sb.'s head; to ram st. home to sb.

♦**entràta** f. **1** (l'entrare) entry; entrance; arrival; admission: **l'e. dell'America in guerra**, America's entry into the war; **l'e. delle truppe in città**, the entry of the troops into the town; **e. in carica**, entrance into office; **e. libera**, free admission; admission free; **e. trionfale**, triumphant entry; **impedire l'e.**, to prevent access; to prevent people from going in; **Si paga all'e.**, you pay before going in; **biglietto di e.**, admission ticket; **Divieto d'e.** (cartello), no entrance; no entry **2** (luogo di accesso) entrance; entry; way in; gateway; door: **e. di servizio**, tradesmen's entrance; **e. laterale**, side entrance; (teatr.) **e. per gli attori**, stage door; **e. principale**, main entrance; **e. sul retro**, back entrance; **all'e. del teatro**, at the entrance of the theatre; **Ci sono due entrate alla stazione**, there are two ways into the station **3** (locale di ingresso) hall: **Tutte le stanze danno sull'e.**, all the rooms open into the hall **4** (reddito) income; (guadagno) earning; (rendita) unearned income; (provento) revenue; (al pl.: incassi) takings; receipts **5** (al pl.) (fin., econ.) revenue Ⓤ; income Ⓤ: **entrate fiscali**, tax revenue; **entrate pubbliche**, public revenue **6** (mus.) entrance; cue **7** (lemma di dizionario) entry **8** (sport) tackle: **e. a gamba tesa**, studs-up tackle; **e. fallosa**, foul tackle **9** (comput.) input ● (miniera) **e. del pozzo**, shaft top □ (rag.) **entrate e uscite**, debit and credit □ **e. in possesso**, taking possession □ (teatr.) **e. in scena**, entrance □ **e. in vigore**, coming into effect (o into force) □ (rag.) **segnare in e.**, to enter on the credit side.

entratùra f. **1** (possibilità di accesso) introduction; foot in the door (fam.) **2** (contatto, aggancio) connections (pl.): **avere le entrature giuste**, to have the right connections; to know the right people.

entrecôte (franc.) f. inv. entrecôte.

entre-deux (franc.) m. inv. (sartoria) insertion; entre-deux.

entrée (franc.) f. inv. **1** (cucina) first course after the soup; (portata tra la carne e il pesce) entrée **2** (scherz.) grand entry; entrée.

entremets (franc.) m. inv. (cucina) entremets.

entrismo m. (polit.) entryism.

entrista a., m. e f. (polit.) entryist.

♦**éntro** prep. **1** (di luogo) in; inside **2** (di tempo, rif. a un periodo) within; (rif. a un giorno o una data) not later than, by: **e. l'anno**, within the year; **e. domani**, by tomorrow; **e. questa settimana**, within this week; **e. il 2010**, by 2010; **e. martedì**, by Tuesday; **e.**

la fine del mese, by the end of the month; (bur.) **e. e non oltre il ...**, no later than ...

entrobórdo (naut.) **Ⓐ** a. inboard (attr.) **Ⓑ** m. inv. **1** (motore) inboard engine **2** (imbarcazione) inboard motorboat: **e. da corsa**, inboard racer.

entropìa f. (fis.) entropy.

entròpico a. (fis.) entropic; entropy (attr.).

entròpio, entròpion m. (med.) entropion.

entrotèrra m. inv. (geogr.) hinterland; interior; inland: **l'e. ligure**, the Ligurian hinterland; **popolazioni dell'e.**, inland people.

entusiasmànte a. exciting; thrilling; stirring.

♦**entusiasmàre Ⓐ** v. t. to excite; to thrill; to arouse (sb.'s) enthusiasm: **e. la folla**, to arouse the enthusiasm of the crowd; La prospettiva del viaggio lo entusiasmava, he was thrilled at the prospect of the trip; Il progetto non mi entusiasma, the plan doesn't appeal to me very much; I'm not very keen on the plan **Ⓑ entusiasmàrsi** v. i. pron. to become* enthusiastic (about st.); to be excited (o thrilled) (by, about st.); to get* carried away (by st.).

♦**entusiàsmo** m. enthusiasm; excitement: **destare e.**, to arouse enthusiasm; **lasciarsi prendere dall'e.**, to get carried away; **spegnere ogni e.**, to dampen all enthusiasm; **facile all'e.**, easily excited; easily fired; **con grande e.**, very enthusiastically; eagerly; **con scarso e.**, with little enthusiasm; unenthusiastically; (di malavoglia) half-heartedly.

♦**entusiàsta Ⓐ** a. **1** (pieno d'entusiasmo) enthusiastic; excited; thrilled: **essere e. di qc.**, to be enthusiastic about (o for) st.; **parlare in modo e. di qc.**, to speak of st. in enthusiastic terms (o with enthusiasm); (iron.) to enthuse over st. (fam.) **2** (lietissimo, molto soddisfatto) thrilled; delighted; extremely pleased: **e. per la bella notizia**, thrilled about the news; **e. del risultato**, delighted with the result **Ⓑ** m. e f. **1** enthusiastic person **2** (appassionato di qc.) enthusiast; (nei composti, anche) buff (fam.); (tifoso) enthusiastic supporter, fan (fam.): **un e. di balletto**, a ballet buff; **una folla di entusiasti**, a crowd of fans.

entusiasticaménte avv. enthusiastically; with enthusiasm.

entusiàstico a. enthusiastic: **accoglienza entusiastica**, enthusiastic welcome; **grida entusiastiche**, enthusiastic cheering.

enucleàre v. t. **1** (spiegare) to explain; to clarify; to set* out; (mettere in evidenza) to highlight; (individuare) to pinpoint **2** (chir.) to enucleate.

enucleazióne f. (chir.) enucleation.

ènula campàna f. → **elenio.**

enumeràre v. t. to enumerate; (fare un elenco) to list.

enumerazióne f. enumeration; (elenco) list.

enunciàre v. t. to enunciate; to enounce; to express; to state; to set* out: **e. i fatti**, to state (o to set out) the facts; **e. le proprie richieste**, to set out one's demands; **e. una teoria**, to enunciate a theory.

enunciatìvo a. enunciative.

enunciàto m. **1** proposition; statement; (formulazione) terms (pl.): (mat.) **l'e. di un problema**, the terms of a problem **2** (ling.) utterance; enunciation.

enunciazióne f. **1** enunciation; statement **2** (dicitura) wording; phrasing.

enurèsi f. (med.) enuresis.

enzìma m. (biol.) enzyme.

enzimàtico a. (biol.) enzymic; enzymatic.

enzimologìa f. (biol.) enzymology.

enzoozìa f. (vet.) enzootic (disease).

EO sigla (Estremo Oriente) Far East (FE).

eocène m. (geol.) Eocene.

eocènico a. (geol.) Eocene (attr.).

Èoli m. pl. (stor.) Aeolians.

eòlico ① a. **1** (di Eolo) Aeolian **2** (del vento, operato dal vento) aeolian; wind (attr.): (geol.) **depositi eolici**, aeolian deposits; **energia eolica**, wind energy.

eòlico ② a. (dell'Eolide) Aeolic; Aeolian: **il dialetto e.**, the Aeolic dialect.

Eòlide f. (geogr., stor.) Aeolis; Aeolia.

eòlio ① a. (di Eolo) Aeolian: (mus.) **arpa eolia**, Aeolian (o aeolian, wind) harp.

eòlio ② a. Aeolian: (mus.) **modo eolio**, Aeolian mode.

eolìsmo m. Aeolism.

eolìte f. (geol.) eolith.

Èolo m. (mitol.) Aeolus.

eóne m. (filos.) aeon.

eosìna f. (chim.) eosin.

èpa f. (lett.) paunch; belly.

epagòge f. (filos.) epagoge; argument by induction.

epagògico a. (filos.) epagogic; inductive.

epagòmeni m. pl. epagomenal (o intercalary) days.

epanadiplòsi f. (retor.) epanadiplosis*.

epanàfora f. (retor.) epanaphora.

epanalèssi f. (retor.) epenalepsis*.

epànodo m. (retor.) epanodos.

epanortòsi f. (retor.) epanorthosis*.

eparchìa f. (stor.) eparchy.

epàrco, epàrca m. (stor.) eparch.

eparìna f. (biol.) heparin.

epàtica a. (bot., Anemone hepatica) liverwort; hepatic.

epàtico Ⓐ a. (anat., med.) hepatic; liver (attr.): **colica epatica**, liver attack; **vene epatiche**, hepatic veins **Ⓑ** m. (f. -a) liverish person **Ⓒ** m. (chim.) hepar.

epatìte f. (med.) hepatitis: **e. A [B]**, hepatitis A [B]; **e. virale**, viral hepatitis.

epatizzazióne f. (med.) hepatization.

epatobiliàre a. (anat.) hepatobiliary.

epatocìta, epatocito m. (biol.) hepatocyte.

epatologìa f. (med.) hepatology.

epatòlogo m. (f. -a) hepatologist.

epatomegalìa f. (med.) hepatomegaly.

epatopàncreas m. (zool.) hepatopancreas.

epatopatìa f. (med.) hepatopathy.

epatoprotettìvo a. hepatoprotective.

epatoprotettóre (farm.) **Ⓐ** a. hepatoprotective **Ⓑ** m. hepatoprotective substance; hepatoprotective drug; liver tonic.

epatoscopìa f. (relig.) hepatoscopy.

epatotossìna f. (med.) hepatotoxin.

epàtta f. (astron.) epact.

epèira f. (zool., Araneus diadematus) garden spider.

epeirogènesi → **epirogenesi.**

epèndima f. (anat.) ependyma.

epèntesi f. (ling.) epenthesis*.

epentètico a. (ling.) epenthetic.

eperlàno m. (zool., Osmerus eperlanus) smelt.

epeṣegèṣi f. (gramm.) epexegesis*.

epeṣegètico a. (gramm.) epexegetic.

èpica f. epic poetry; epic.

epicànto m. (med.) epicanthus.

epicàrdio m. (anat.) epicardium*.

epicardìte f. (med.) epicarditis.

epicàrpo, epicàrpio m. (bot.) exocarp.

epicèdico a. (lett.) epicedial; epicedian.

epicèdio m. (lett.) epicedium*; epicede.

epicèno a. (*gramm.*) epicene.

epicèntro m. **1** (*geol.*) epicentre, epicenter (*USA*) **2** (*fig.*) epicentre; centre; heart.

epicìclo m. (*astron.*) epicycle.

epicicloidàle a. (*geom.*) epicycloidal.

epiciclòide f. (*geom.*) epicycloid.

epicità f. epic character (*o* nature, quality).

epiclèsi f. (*eccles.*) epiclesis*.

èpico **A** a. (*anche fig.*): **poesia epica**, epic poetry; **poema e.**, epic; **gesta epiche**, epic deeds; *Fu un viaggio e.*, it was an epic journey **B** m. epic poet.

epicondilìte f. (*med.*) epicondylitis.

epicòndilo m. (*anat.*) epicondyle.

epicontinentàle a. (*geogr.*) epicontinental.

epicòtile m. (*bot.*) epicotyl.

epicureggiàre v. i. to lead* the life of an epicure.

epicureìṣmo m. **1** (*filos.*) Epicureanism **2** (*estens.*) epicurism.

epicurèo **A** a. (*filos.*) Epicurean **B** m. **1** (*filos.*) Epicurean **2** (*estens.*) epicurean; epicure.

Epicùro m. (*filos.*) Epicurus.

epidemìa f. (*med.* e *fig.*) epidemic: **e. d'influenza**, flu epidemic; **e. di furti**, epidemic of thefts.

epidemicità f. epidemicity; epidemic nature.

epidèmico a. (*med.* e *fig.*) epidemic: **malattia epidemica**, epidemic disease.

epidemiologìa f. (*med.*) epidemiology.

epidemiològico a. (*med.*) epidemiological.

epidemiòlogo m. (f. *-a*) epidemiologist.

epidèrmico a. **1** (*anat.*) epidermic; epidermal **2** (*fig.*) superficial; skin-deep.

epidèrmide f. **1** (*anat.*) skin; (*anche bot.*) epidermis **2** (*fig.*) surface; skin: **scalfire solo l'e.**, to be skin-deep; not to go below the surface.

epidiascòpio m. epidiascope.

epidìdimo m. (*anat.*) epididymis*.

epidìttico a. epideictic.

epìdoto m. (*miner.*) epidote.

epiduràle a. (*anat.*) epidural.

Epifanìa f. **1** Epiphany: **la notte dell'E.**, the Twelfth Night **2** (*fig., lett.*) epiphany; manifestation.

epifànico a. epiphanic.

epifenomènico a. epiphenomenal.

epifenòmeno m. (*med., filos.*) epiphenomenon*.

epifiṣàrio a. (*anat.*) epiphyseal; epiphysary.

epìfiṣi f. (*anat.*) **1** (*estremità delle ossa lunghe*) epiphysis* **2** (*ghiandola*) epiphysis*; pineal gland.

epìfita (*bot.*) **A** f. epiphyte **B** a. epiphytal; epiphytic.

epifonèma m. (*retor.*) epiphonema.

epifràgma m. (*zool.*) epiphragm.

epigàstrico a. (*anat.*) epigastric.

epigàstrio m. (*anat.*) epigastrium*.

epigèneṣi f. (*biol.*) epigenesis.

epigenètico a. (*biol., geol.*) epigenetic.

epigenìa f. (*geol.*) epigenesis.

epigèo a. (*bot.*) epigeal; epigean.

epiglòttico a. (*anat.*) epiglottal; epiglottic.

epiglòttide f. (*anat.*) epiglottis*.

epìgono m. **1** (*seguace*) epigone*; follower; (*imitatore*) imitator **2** (*discendente*) descendant; successor.

epìgrafe f. **1** (*iscrizione*) epigraph; inscription **2** (*su libro*) epigraph.

epigrafìa f. epigraphy.

epigràfico a. **1** epigraphic **2** (*fig.: conciso*) terse; compendious; lapidary.

epigrafìsta m. e f. **1** (*studioso*) epigrapher; epigraphist **2** (*scrittore*) writer of epigraphs.

epigràmma m. (*letter.*) epigram.

epigrammàtica f. (*letter.*) **1** art of writing epigrams **2** (*genere*) epigrammatic poetry **3** (*insieme di epigrammi*) epigrams (pl.); epigrammatic production.

epigrammàtico a. epigrammatic.

epigrammatìsta, epigrammìsta m. e f. epigrammatist.

epilatóre m. depilatory razor.

epilatòrio a. depilatory.

epilazióne f. depilation.

epilessìa f. (*med.*) epilepsy.

epilèttico a. e m. (f. *-a*) (*med.*) epileptic.

epilettòide a., m. e f. (*med.*) epileptoid.

epilimnio m. (*biol.*) epilimnion*.

epìllio m. (*letter.*) epyllion*.

epilòbio m. (*bot., Epilobium*) willowherb.

epìlogo m. **1** (*letter.*) epilogue **2** (*fig.: conclusione*) ending; conclusion; ending; (*fine*) end: **un lieto e.**, a happy ending; **l'e. della guerra**, the end of the war; **giungere all'e.**, to come to an end.

epìmaco m. (*zool., Epimachus fastosus*) black sickle-bill.

epìmero m. **1** (*chim.*) epimer **2** (*anat.*) epimere.

epinefrìna f. (*biol.*) epinephrine; adrenalin.

epinìcio (*letter.*) **A** m. song of victory; celebratory song; epinikion **B** a. epinician.

epiornìte m. (*paleont.*) Aepyornis.

epiplòon m. (*anat.*) omentum*.

Epiro m. (*geogr.*) Epirus.

epirogèneṣi f. (*geol.*) epeirogenesis.

epirogenètico a. (*geol.*) epeirogenic; epeirogenetic.

epiròta **A** a. of Epirus **B** m. e f. Epirote.

episcopàle a. episcopal; bishop's (attr.): **sede e.**, episcopal see; **sedia e.**, bishop's throne; *Chiesa e.*, Episcopal Church.

episcopaliàno a. Episcopalian.

episcopalìṣmo m. episcopalianism; episcopalism.

episcopàto m. (*eccles.*) **1** (*i vescovi*) episcopacy; episcopate **2** (*dignità, durata della carica*) episcopate; bishopric.

episcòpico a. episcope (attr.).

episcòpio ① m. (*lett.*) bishop's palace.

episcòpio ② m. (*fis.*) episcope.

episcopo m. (*arc.*) bishop.

episiotomìa f. (*med.*) episiotomy.

episodicità f. **1** (*frammentarietà*) fragmentariness; sketchiness **2** (*sporadicità*) episodic character (*o* nature).

episòdico a. **1** (*letter.: a episodi*) episodic **2** (*frammentario*) fragmentary; sketchy **3** (*sporadico*) episodic; occasional; sporadic; intermittent; erratic **4** (*marginale*) marginal; minor; incidental: **un fatto e.**, a minor episode.

◆**epiṣòdio** m. **1** (*evento*) event; episode; incident: **un e. di cronaca**, a real-life event; **un e. isolato**, an isolated episode **2** (*letter., mus., med., radio, TV*) episode.

epispadìa f. (*med.*) epispadias.

epìstaṣi f. (*biol.*) epistasis*.

epistàssi f. (*med.*) epistaxis; (*com.*) nosebleed.

epistemàtico a. (*filos.*) deductive.

epistème m. o f. (*filos.*) episteme; knowledge.

epistèmico a. (*filos.*) epistemic.

epistemologìa f. **1** (*teoria della conoscenza*) epistemology **2** (*filosofia della scienza*) philosophy of science.

epistemològico a. (*filos.*) epistemological.

epistemòlogo m. (f. *-a*) epistemologist.

epistìlio m. (*archit.*) epistyle; architrave.

epìstola f. **1** (*letter., relig.*) epistle **2** (*scherz.*) long, boring letter.

epistolàre a. epistolary; letter (attr.): **genere e.**, epistolary genre; **rapporti epistolari**, correspondence; exchange of letters; **romanzo e.**, epistolary novel; *Siamo in contatto e.*, we write to each other; **in forma e.**, in letter form.

epistolàrio m. **1** (*eccles.*) epistolary **2** (*raccolta di lettere*) (collection of) letters; correspondence: **l'e. del Foscolo**, Foscolo's letters.

epistolarménte avv. by letter.

epistolografìa f. letter-writing; epistolography.

epistologràfico a. **1** letter-writing (attr.); epistolographic: **genere e.**, letter-writing **2** (*lett.: epistolare*) epistolary.

epistològrafo m. **1** epistoler; epistler **2** letter-writer.

epistrofe f. (*retor.*) epistrophe.

epistrofèo m. (*anat.*) axis*.

epitàffio m. epitaph.

epitalàmico a. (*letter.*) epithalamic.

epitalàmio m. (*letter.*) epithalamium*.

epitàlamo m. (*anat.*) epithalamus*.

epitassìa, epitàssi f. (*miner.*) epitaxy.

epitassiàle a. (*miner.*) epitaxial.

epiteliàle a. (*anat.*) epithelial.

epitèlio m. (*anat.*) epithelium*.

epiteliòma m. (*med.*) epithelioma*.

epitelizzànte a. (*med.*) epithelizing.

epitèma m. (*bot.*) epithem.

epìteṣi f. (*ling.*) paragoge.

epitètico a. (*ling.*) paragogic.

epìteto m. **1** epithet **2** (*insulto*) term of abuse; name; insult: **lanciare epiteti a q.**, to call sb. names; to pour abuse on sb.; **una sfilza di epiteti**, a torrent of abuse.

epitomàre v. t. to summarize; to condense; to epitomize.

epitomatóre m. (f. *-trìce*) epitomist; epitomizer.

epìtome f. epitome; summary; abstract.

epitrìto m. (*poesia*) epitrite.

Epittèto m. (*filos.*) Epictetus.

epiżòo m. (*zool.*) epizoon*.

epizootìa → **epizoozia**.

epiżoòtico a. (*vet.*) epizootic.

epiżoozìa f. (*vet.*) epizootic (disease).

◆**època** f. **1** (*età, era*) epoch; era; age; period: **l'e. classica**, the classical age; **l'e. elisabettiana**, the Elizabethan age; **l'e. napoleonica**, the Napoleonic era; **costruito in e. romana**, built in the Roman period; **la fine di un'e.**, the end of an era; **segnare un'e.**, to mark an epoch **2** (*tempo*) time; days (pl.); (*periodo*) period; (*stagione*) season: **l'e. del raccolto**, the harvest season; **a quell'e.**, at that time; in those days; **all'e. del film muto**, in the days of silent films; **all'e. in cui andavo a scuola**, when I was a schoolboy; *Fu su tutti i giornali dell'e.*, it was in all the newspapers of the time; **in e. successiva**, at a later time **3** (*astron., geol.*) epoch: **l'E. glaciale**, the Glacial Epoch ● **l'epoca d'oro di qc.**, the golden age of st.; the heyday of st. □ **d'e.**, vintage (attr.); period (attr.): **auto d'e.**, vintage car; **mobili d'e.**, period furniture; (*teatr.*) **in costumi d'e.**, in period costume; in contemporary dress □ **fare e.**, to be epoch-making; (*di scandalo, ecc.*) to cause a stir.

epocàle a. **1** of a period; of an age; epochal **2** (*che fa epoca*) epoch-making.

epochè f. (*filos.*) epoche.

epòdo m. (*poesia*) epode.

eponimìa f. eponymy.

epònimo A a. eponymous B m. eponym.

epopèa f. **1** (*poema epico*) epic **2** (*genere letter.*) epic (poetry), epic poems (pl.); (*insieme di narrazioni epiche*) epos: **l'e. greca**, Greek epic; **l'e. cavalleresca**, the epic poems of chivalry **3** (*fig.: fatti eroici*) heroic deeds (pl.): **l'e. risorgimentale**, the heroic deeds of the Risorgimento.

èpos m. (*letter.*) epos.

epossìdico a. (*chim.*) epoxy: **resina epossidica**, epoxy (resin).

epòssido m. (*chim.*) epoxide.

♦**eppure** cong. and yet; but; still; though: *È vero, e. stento a crederci*, it's true, and yet I can hardly believe it; *Arrivai in ritardo, e. mi aspettarono*, I arrived late, but they waited for me; *E. è vero*, it is true, though; *E. qualcuno dovrà farlo*, still, someone will have to do it.

èpsilon m. o f. inv. (*quinta lettera dell'alfabeto greco*) epsilon.

epsomite f. (*miner.*) epsomite; hydrated magnesium sulphate.

EPT sigla (**Ente provinciale per il turismo**) Provincial Tourist Board.

eptacòrdo m. (*mus.*) heptachord.

eptaèdro → **ettaedro**.

eptafònico → **eptatonico**.

eptàno m. (*chim.*) heptane.

eptasillabo (*poesia*) A a. heptasyllabic B m. heptasyllable; heptasyllabic line.

èptathlon m. (*sport*) heptathlon.

eptatlèta m. e f. (*sport*) heptathlete.

èptatlon → **eptathlon**.

eptatònico a. (*mus.*) heptatonic.

eptavalènte a. (*chim.*) heptavalent.

èptodo m. (*fis.*) heptode.

epùlide f. (*med.*) epulis*.

epulóne m. **1** (*ghiottone*) glutton **2** (*stor. romana*) epulo* ● (*nel Vangelo*) **il ricco E.**, Dives.

epuràre v. t. **1** (*purificare*) to purify; to cleanse **2** (*fig.*) to purge; (*rif. a persone, anche*) to remove (from office), to oust, to liquidate.

epuràto A a. purged; removed from office B m. (f. *-a*) victim of a purge.

epuratóre m. (f. *-trice*) purger.

epurazióne f. purge.

equàbile a. **1** (*lett.*) → **equo 2** (*mus.*, *di temperamento*) equal.

equabilità (*lett.*) → **equità**.

equadorégno → **ecuadoriano**.

equalizzàre v. t. to equalize; to level.

equalizzatóre m. (*mus.*, *fis.*) equalizer.

equalizzazióne f. **1** (*elettr.*) equalization **2** (*econ.*) equalization; levelling, leveling (*USA*).

equànime a. impartial; fair; fair-minded; unbiased; dispassionate: **giudice e.**, impartial judge; **giudizio e.**, unbiased opinion.

equanimità f. impartiality; fairness; fair-mindedness ❶ **FALSI AMICI** • *equanimità non si traduce con* equanimity.

equatóre m. (*geogr.*, *astron.*) equator: **e. terrestre** [**magnetico, celeste, galattico**], terrestrial [magnetic, celestial, galactic] equator.

equatoriàle A a. (*geogr.*, *astron.*) equatorial: **clima e.**, equatorial climate; **foresta e.**, rain forest B m. (*astron.*) equatorial telescope.

equazióne f. **1** (*mat.*) equation: **e. algebrica**, algebraic equation; (*chim.*) **e. chimica**, chemical equation; (*fis.*) **e. del moto**, equation of motion; (*astron.*) **e. del tempo**, equation of time; **e. di primo grado**, simple (o first degree) equation; **e. di secondo grado**, quadratic equation; **e. di terzo grado**, cubic equation; **e. differenziale**, differential equation; **risolvere un'e.**, to solve an equation **2** (*fig.*) equation; correspondence: **stabilire un'e.**, to draw an equation.

equèstre a. **1** equestrian: **circo e.**, circus; **monumento e.**, equestrian monument; (*stor. romana*) **ordine e.**, equestrian order; **sport equestri**, equestrian sports **2** (*cavalleresco*) of knighthood: **onorificenza e.**, order of knighthood.

equiàngolo a. (*geom.*) equiangular.

equide m. (*zool.*) equid; (al pl., *scient.*) Equidae.

equidistànte a. **1** (*geom.*) equidistant **2** (*fig.: neutrale*) impartial; neutral.

equidistànza f. **1** (*geom.*) equidistance **2** (*fig.: neutralità*) impartiality; neutrality.

equidistàre v. i. to be equidistant.

equilàtero a. (*geom.*) equilateral: **triangolo e.**, equilateral triangle.

equilibraménto m. (*mecc.*) balancing; equilibration.

equilibràre A v. t. (anche *fig.*) to balance; to counterbalance B **equilibràrsi** v. rifl. (anche *fig.*) to balance C **equilibràrsi** v. rifl. recipr. (anche *fig.*) to balance each other; to counterbalance each other.

equilibràto a. **1** (*bilanciato*) balanced; well-balanced: **composizione equilibrata**, well-balanced composition; **dieta equilibrata**, balanced diet **2** (*sensato*) balanced; level-headed; sensible **3** (*imparziale*) balanced; impartial; unbiased: **giudizio e.**, balanced (o impartial) judgment.

equilibratóre A m. **1** (*mecc.*, *fis.*) equalizer: **e. di spinta**, thrust equalizer **2** (*aeron.*) elevator **3** (*mil.*) equilibrator B a. (anche *fig.*) balancing.

equilibratùra f. (*mecc.*) balancing.

♦**equilibrio** m. **1** (*scient.*) equilibrium*: **e. chimico**, chemical equilibrium; **e. stabile** [**instabile, indifferente**], stable [unstable, neutral] equilibrium **2** (*com. e fig.*) balance; equilibrium: **e. mentale**, mental equilibrium; **e. sociale**, social balance (o equilibrium); **essere in e.**, to be balanced; **essere in precario e.**, to be precariously balanced; **mantenere l'e.**, to keep one's balance; **perdere l'e.**, to lose one's balance; **far perdere l'e. a q.**, to throw sb. off balance; **ristabilire l'e.**, to restore the balance; to redress the imbalance; **stare in e. su una gamba**, to balance on one leg; **tenere qc. in e.**, to balance st. **3** (*aeron.*) stability **4** (*fig.: misura, buon senso*) common sense; level-headedness; wisdom; moderation; poise.

equilibrismo m. acrobatics (pl. col verbo al sing.); (*sulla corda e fig.*) tightrope walking: **numero di e.**, balancing act (anche *fig.*); feat of balancing.

equilibrista m. e f. acrobat; equilibrist; (*sulla corda e fig.*) tightrope walker.

equino A a. equine; horse (attr.); of horses: **carne equina**, horse meat; **razza equina**, breed of horses ● (*med.*) **piede e.**, club-foot B m. (*zool.*) equid; equine.

equinoziàle a. equinoctial: **linea e.**, equinoctial line.

equinòzio m. equinox: **e. di primavera** [**d'autunno**], vernal [autumnal] equinox; **precessione degli equinozi**, precession of the equinoxes.

equipaggiaménto m. **1** (*l'equipaggiare*) equipping; fitting out; kitting out **2** (*attrezzatura*) equipment; outfit; kit; gear: **e. antisommossa**, riot gear; **e. da sci**, ski gear; (*mecc.*) **e. di prova**, test set-up.

equipaggiàre A v. t. **1** (*fornire di equipaggiamento*) to equip; to fit out; to kit out: **e.**

un esercito, to equip an army; **e. una spedizione**, to fit out an expedition **2** (*naut.: fornire di equipaggio*) to man; (*attrezzare*) to rig B **equipaggiàrsi** v. rifl. to equip oneself; to kit oneself out.

equipaggiàto a. equipped (with); fitted out (with); kitted out (with).

♦**equipàggio** m. **1** (*naut.*) crew, ship's company, hands (pl.); (*aeron.*) crew, aircrew; (*sport*) crew: **e. di terra**, ground crew; **con e.**, manned (attr.); **senza e.**, unmanned (attr.) **2** (*carrozza e addetti*) equipage **3** (*elettr.*) element.

equiparàbile a. comparable.

equiparàre v. t. **1** (*pareggiare*) to equalize; to level; to put* on the same level **2** (*paragonare*) to compare; to equate.

equiparàto a. equivalent; on the same level.

equiparazióne f. **1** (*pareggiamento*) equalization; equalizing; levelling, leveling (*USA*) **2** (*paragone*) comparison.

equipartizióne f. equipartition; equal distribution.

équipe (*franc.*) f. inv. team: **équipe di ricercatori**, research team; **lavorare in équipe**, to work as a team; **lavoro d'équipe**, teamwork.

equipollènte a. equivalent; equipollent.

equipollènza f. equivalence; equipollence.

equipotènte a. (*mat.*) equipotent.

equipotenziàle a. (*fis.*) equipotential.

equiprobàbile a. (*stat.*) equiprobable.

equisèto m. (*bot.*, *Equisetum*) equisetum*; horsetail.

equisonànza f. (*mus.*) equisonance.

equità f. **1** (*leg.*) equity: **e. fiscale**, equity of taxation **2** (*imparzialità*) impartiality; equity; fairness; equitableness: **giudicare con e.**, to judge impartially (o with equity).

equitazióne f. **1** horse-riding; riding; (*l'arte*) horsemanship, equitation (*form.*): **fare e.**, to ride; to go riding; **scuola d'e.**, riding school **2** (*sport*) equestrianism: **gare di e.**, equestrian events (pl.).

equivalènte A a. equivalent; equal; corresponding; comparable; tantamount (to) (pred.): **pesi equivalenti**, equivalent weights; **titoli equivalenti**, comparable qualifications; **una riduzione e. al tre per cento**, a three-per-cent reduction; *Ciò è e. a dire che...*, that is tantamount to saying that... B m. **1** equivalent: **l'e. italiano del Master's Degree**, the Italian equivalent of a Master's Degree **2** (*chim.*) equivalent (weight).

equivalènza f. equivalence: (*mat.*) **relazione di e.**, equivalence relation.

equivalére A v. i. **1** (*corrispondere*) to be equivalent (to); to amount (to); to be as good (as); (*di azione*) to be tantamount (to); (*essere uguale*) to be the same (as): *A quanto equivalgono tre dollari in euro?*, what is the equivalent of three dollars in euros?; *La sua risposta equivale a un rifiuto*, his reply amounts to a refusal; *Ciò equivale a dire che...*, that is as much as to say (o is tantamount to saying, the same as saying) that... **2** (*avere lo stesso valore*) to have the same value (as) B **equivalérsi** v. rifl. recipr. to be equally [good, bad, etc.]; (*avere lo stesso valore*) to have equal value; to be equal, to be the same; (*essere pari*) to come* to the same thing.

equivocàre v. i. to misunderstand* (st.); to misconstrue (st.); to get* (st.) wrong; to make* a mistake; to get* hold of the wrong end of the stick (*fam.*): *Hai equivocato su quel che ho detto*, you misunderstood what I said ❶ **FALSI AMICI** • *equivocare non si traduce con* to equivocate.

equivocità f. equivocality; equivocalness; ambiguousness.

equìvoco Ⓐ a. **1** (*ambiguo*) equivocal; ambiguous: **risposta equivoca**, equivocal reply **2** (*dubbio, sospetto*) doubtful; dubious; suspicious; shady; questionable; (*poco onesto*) disreputable: **condotta equivoca**, suspicious behaviour; **individuo e.**, shady individual; **locale e.**, disreputable place; low dive (*fam.*); **reputazione equivoca**, dubious fame **3** (*poesia*) – **rima equivoca**, perfect rhyme Ⓑ m. ambiguity; (*malinteso*) misunderstanding; (*fraintendimento*) misinterpretation; (*errore*) mistake: *C'è stato un e.*, there has been a misunderstanding; *Mi scusai dell'e.*, I apologized for the mistake; **cadere in un e.**, to misunderstand; **dare adito a equivoci**, to give rise to misunderstandings; (*di cosa, anche*) to lay itself open to misinterpretations; **giocare sull'e.**, to equivocate; *Non c'è possibilità d'e. sulle sue intenzioni*, there is no mistaking his intentions; **non ammettere equivoci**, to leave no room for misinterpretations; to be unequivocal; **uscire dall'e.**, to clear up the misunderstanding; **a scanso d'equivoci**, to avoid any misunderstanding; **commedia degli equivoci**, comedy of errors ⦿ **FALSI AMICI** • equivoco *non si traduce con* equivoke.

èquo a. **1** (*imparziale*) fair; impartial; unbiased; (*giusto*) even, equitable: **giudizio e.**, fair judgment; **un'equa distribuzione della ricchezza**, an even distribution of wealth **2** (*proporzionato*) fair; reasonable: **e. canone**, fair rent; **prezzo e.**, fair (o reasonable) price **3** (*leg.*) equitable; rightful.

♦ **èra** f. era; age; epoch: **l'era atomica**, the atomic age; (*geol.*) **l'era paleozoica**, the Paleozoic Era; **l'era spaziale**, the space age; **l'era volgare**, the Christian era; **segnare una nuova era**, to mark a new era (o age).

Èra f. (*mitol.*) Hera.

Èracle m. (*mitol.*) Heracles.

Eraclèa f. (*geogr.*) Heraclea.

eraclitèo a. Heraclitean.

eraclitismo m. (*filos.*) Heracliteanism.

Eràclito m. (*filos.*) Heraclitus.

eradicazióne f. (*med.*) eradication.

erariàle a. (*fin.*) revenue (attr.); fiscal: **imposta e.**, revenue tax; **introiti erariali**, revenues; **ufficio e.**, tax office.

eràrio m. (*fin.*) **1** national (o inland) revenue; (*amministrazione finanziaria*) (the) Treasury; (*in GB*) (the) Exchequer **2** (*stor. romana*) public money.

erasmiàno a. Erasmian.

Eràsmo m. Erasmus.

erastianésimo, **erastianismo** m. Erastianism.

♦ **èrba** Ⓐ f. **1** (*bot.*) – **e. acciuga**, oregano; **e. aglina** (*Aethusa cynapium*), fool's parsley; **e. amara** (*Chrysanthemum balsamita*), costmary; **e. argentata** (*Dryas octopetala*), mountain avens; **e. bacaia** (*Ononis natrix*), goat root; **e. baccellina** (*Genista tinctoria*) dyer's broom; greenweed; **e. calderina** (*Senecio vulgaris*), groundsel; **e. calì** (*Salsola kali*), saltwort; **e. cicutaria** (*Erodium cicutarium*), stork's bill; **e. cimicina** (*Geranium robertianum*), herb Robert; common cranesbill; **e. cipollina** (*Allium schoenoprasum*), chive; **e. cipressina** (*Euphorbia cyparissias*), cypress spurge; **e. codina** (*Alopecurus agrestis*), golden foxtail grass; **e. da porri** (*Chelidonium majus*), celandine; **e. del cucco** (*Silene inflata*), bladdercampion; catchfly; **e. di S. Giacomo** (*Senecio jacobaea*), ragwort; **e. di S. Giovanni** (*Hypericum*), Saint John's wort; **e. di S. Pietro → e. amara**; **e. dorata** (*Ceterach officinarum*), stonewort; ceterach; **e. fragolina** (*Sanicula europaea*), sanicle; **e. galletta** (*Lathyrus pratensis*), vetchling; **e. gattaria** (*Nepeta cataria*), catmint; **e. luisa** (*Lippia citriodora*), lemon-plant; lemon verbena; **e. luna** (*Lunaria annua*), honesty; moonwort; satinpod; **e. mazzolina** (*Dactylis glomerata*), cock's foot; **e. medica** (*Medicago sativa*), lucerne; alfalfa (*USA*); **e. morella** (*Solanum nigrum*), morel; **e. pepe** (*Polyganum hydropiper*), water pepper; smartweed; **e. peperina** (*Filipendula hexapetala*), dropwort; **e. seta** (*Vincetoxicum officinale*), swallow-wort; **e. spagna → e. medica**; **e. trinità** (*Anemone hepatica*), hepatic; liverwort; **e. vellutina** (*Cynoglossum officinale*), hound's tongue; dog's tongue; **e. vetturina** (*Melilotus officinalis*), yellow melilot; **e. zolfina** (*Galium verum*), cheese-rennet **2** grass; (*infestante*) weed; (*aromatica, medicinale*) herb: **e. cattiva**, weed; *Vietato calpestare l'e.*, keep off the grass; **coperto d'e.**, grassy; (*tennis*) **campo d'e.**, grass court; **filo d'e.**, blade of grass; **infuso d'erbe**, herbal (o herb) tea; tisane (*franc.*); **macchia d'e.**, grass stain; **merenda sull'e.**, picnic on the grass **3** (al pl.) (*verdure*) vegetables; greens **4** (*gergale: marijuana*) grass; weed; pot ● **in e.**, green; unripe; (*fig.*) budding, fledgling; **grano in e.**, green corn; **dottore in e.**, budding doctor □ (*fig.*) **fare d'ogni e. un fascio**, to lump everything together; to generalize □ **mal'e.**, weed; tare □ (*fig. scherz.*) **vedere l'e. dalla parte delle radici**, to be dead; to push up the daisies (*scherz.*) □ (*prov.*) L'e. «voglio» **non cresce neanche nel giardino del re**, you can't have everything you want □ (*prov.*) **L'e. cattiva cresce in fretta**, ill weeds grow apace □ (*prov.*) **L'e. del vicino è sempre più verde**, the grass is always greener on the other side (of the fence) Ⓑ a. inv. – (*ricamo*) **punto e.**, stem stitch; **verde e.**, grass-green.

erbàccia f. (*bot.*) weed: **togliere le erbacce da qc.**, to weed st.

erbàceo a. grassy; herbaceous: **piante erbacee**, herbaceous plants.

erbàggio m. vegetable; (al pl., anche) greens.

erbàio m. grass meadow.

erbaiòlo m. (f. **-a**) greengrocer.

erbàrio m. **1** (*bot.*) herbarium **2** (*libro*) herbal.

erbàtico m. (*leg.*) herbage.

erbatùra f. grass-growing period.

erbétta f. **1** (*region.: prezzemolo*) parsley **2** (al pl.: *erbe odorose*) herbs **3** (al pl., *region.*: *bietole*) (Swiss) chard (sing.).

erbicida m. (*agric., chim., mil.*) herbicide; weedkiller.

èrbio m. (*chim.*) erbium.

erbivéndolo m. (f. **-a**) greengrocer.

erbivoro (*zool.*) Ⓐ a. herbivorous; grass-eating Ⓑ m. (f. **-a**) **1** herbivore **2** (*scherz.*) vegetarian.

erboràre v. i. to gather herbs; to herborize; to botanize.

erborazióne f. herborization; botanizing; herb-gathering.

erborinàto a. (*di formaggio*) marbled.

erborìsta m. e f. herbalist.

erboristerìa f. **1** herbal medicine **2** (*negozio*) herbalist's shop; health-food shop.

erborìstico a. herbal.

erborizzàre → erborare.

erbóso a. grassy; grass (attr.): (*tennis*) **campo e.**, grass court; **tappeto e.** (*prato*), green turf; lawn; **terreno e.**, grassland.

ercìnico a. (*geol.*) Hercynian.

ercogamìa f. (*bot.*) hercogamy, herkogamy.

Ercolàno m. (*geogr.*) Herculaneum.

èrcole m. (*uomo forte*) Hercules; big, brawny man*.

Èrcole m. (*mitol.*) Hercules: **le colonne d'E.**, the Pillars of Hercules; **le fatiche d'E.**, the Labours of Hercules.

ercolìno m. (*scherz.*) sturdy little boy.

ercùleo a. Herculean.

èrebo m. (*mitol.*) Erebus.

erède m. e f. **1** (*leg.*) heir; inheritor: **e. al trono**, heir to the throne; **e. diretto**, heir apparent; **e. illegittimo**, wrongful heir; **e. legittimo**, legal (o rightful) heir; heir-at-law; **e. testamentario**, testamentary heir; **e. presunto**, heir presumptive; **e. universale**, sole heir; **essere e. di qc.**, to be heir to st.; **nominare q. e.**, to appoint (o to constitute) sb. as one's heir; **senza eredi**, heirless **2** (*scherz.: figlio maschio*) son and heir; son **3** (*fig.*) inheritor; heir; successor; continuator: **e. spirituale**, spiritual heir; **gli eredi di Freud**, Freud's successors.

eredità f. **1** (*leg.*) inheritance; (*asse ereditario*) hereditament: **e. giacente**, vacant succession; **entrare in possesso di un'e.**, to take possession of (o to come into) an inheritance; **lasciare in e.**, to leave; to bequeath (*form.*); **ricevere in e.**, to be left (st.) **2** (*fig.: retaggio*) legacy; heritage: **raccogliere l'e. spirituale di qc.**, to be sb.'s spiritual heir **3** (*biol.*) heredity; inheritance: **e. genetica**, genetic heredity.

ereditàbile a. (*leg.*, *biol.*) heritable; inheritable.

ereditabilità f. (*leg.*, *biol.*) heritability; inheritability.

ereditàre v. t. **1** (*leg.*) to inherit; to come* into; (*assol.*) to come* into an inheritance **2** (*fig.*) to inherit.

ereditarietà f. **1** hereditariness **2** (*biol.*) heredity.

ereditàrio a. (*leg.*, *biol.*) hereditary: **asse e.**, assets (pl.); estate; **carattere e.**, hereditary character; **diritto e.**, hereditary right; right of inheritance; **fattori ereditari**, inheritance (sing.); **principe e.**, crown prince; **principio e.**, hereditary principle.

ereditièra f. heiress.

eremacàusi f. (*biol.*) eremacausis.

eremìta m. e f. **1** hermit; (*anche fig.*) recluse: **fare vita da e.**, to lead the life of a recluse **2** (*zool.*) – *Bernardo l'e.*, hermit crab.

eremitàggio m. **1** hermitage **2** (*estens.*) (place of) retreat; hideaway.

eremitàno m. (*eccles.*) Augustinian hermit.

eremìtico a. hermitic; hermit's (attr.): **una vita eremitica**, a hermit's life; the life of a recluse.

èremo m. **1** hermitage **2** (*estens.*) (place of) retreat.

erepsina f. (*chim.*) erepsin.

eresìa f. **1** (*relig.*) heresy **2** (*fig.*) heresy; (*sciocchezza*) rubbish Ⓤ, nonsense Ⓤ; (*sproposito*) foolish mistake, howler: *Non dire eresie!*, don't talk nonsense!

eresiàrca m. heresiarch.

eresiologìa f. heresiology.

eresiòlogo m. (f. **-a**) heresiologist.

ereticàle a. heretical.

erètico Ⓐ a. heretical Ⓑ m. **1** (*relig. ed estens.*) heretic **2** (*fam.: ateo*) unbeliever.

eretìsmo m. (*med.*) erethism.

eretìstico a. (*med.*) erethistic.

erèttile a. (*anat., bot.*) erectile: **tessuto e.**, erectile tissue.

erètto a. (*dritto*) erect; straight; upright: **busto e.**, straight back; **portamento e.**, upright stance; **camminare con portamento e.**, to walk upright; **sedere e.**, to sit straight; **in posizione eretta**, (standing) straight.

erettóre a. e m. (*anat.*) erector.

erezióne f. **1** (*costruzione*) erection; building **2** (*fondazione*) foundation; establishment **3** (*fisiol.*) erection.

erg m. (*fis.*) erg.

èrga òmnes (*lat.*) **A** loc. avv. universally **B** loc. agg. universally valid.

ergastolàno m. (f. *-a*) convict serving a life sentence; life convict.

ergàstolo m. **1** (*pena*) life imprisonment: **condanna all'e.**, life sentence; **condannare all'e.**, to sentence to life imprisonment; *Gli hanno dato l'e.*, he's been given a life sentence; he got life (*fam.*) **2** (*prigione*) prison (for convicts serving a life sentence).

ergativo a. e m. (*ling.*) ergative.

èrgere **A** v. t. **1** (*lett.*: *levare, innalzare*) to raise **2** (*erigere*) to erect; (*costruire*) to build* **B** **èrgersi** v. rifl. to rise*; (*anche fig.*) to stand* up: *Si erse in tutta la sua altezza*, he rose to his full height; **ergersi a difesa di q.**, to stand up in defence of sb. **C** **èrgersi** v. i. pron. to rise*; to stand*: *Dietro il paese si erge un monte*, a mountain rises behind the village; *Al centro della piazza si erge una statua*, a statue stands in the middle of the square.

èrgo cong. (*scherz.*) ergo; therefore.

ergòdico a. (*fis.*) ergodic.

ergògrafo m. (*fisiol.*) ergograph.

ergologìa f. ergology.

ergometrìa f. (*med.*) ergometry.

ergòmetro m. (*med.*) ergometer.

ergonomìa f. ergonomics (pl. col verbo al sing.).

ergonòmico a. ergonomic.

ergònomo m. (f. *-a*) ergonomist.

ergosterina f., **ergosteròlo** m. (*chim.*) ergosterol.

ergotècnica f. applied ergonomics (pl. col verbo al sing.).

ergoterapìa f. (*med.*) ergotherapy.

ergotina f. (*chim.*) ergot.

ergotìsmo m. (*med.*) ergotism.

èrica f. (*bot.*, *Erica*) heather; heath.

erigèndo a. (*da erigersi*) to be built (pred.); (*da istituirsi*) to be founded (pred.): **l'e. ospedale**, the hospital that is going to be built.

erìgere **A** v. t. **1** (*innalzare*) to erect, to put* up, to raise; (*costruire*) to build*, to construct **2** (*fig.*: *fondare*) to found; (*istituire*) to institute, to set* up **3** (*fig.*: *costituire*) to raise the status of **B** **erigersi** v. rifl. **1** to set* oneself up (as); to claim to be: **erigersi a giudice**, to set oneself up as a judge; to presume to pass judgment **2** (*drizzarsi*) to straighten oneself; to stand* up straight **3** (*costituirsi*) to organize (into); to form (st.): **erigersi a cooperativa**, to form a cooperative.

erigeróne m. (*bot.*, *Erigeron*) erigeron; fleabane.

erìngio m. (*bot.*, *Eryngium*) eryngium.

Erìnni f. (*mitol.*) Erinys*; Fury.

erinòsi f. (*agric.*) erineum.

eriodinamòmetro m. eriodynamometer.

erìoforo m. (*bot.*, *Eriophorum*) cotton grass.

erìometro m. eriometer.

eriosòma m. (*zool.*, *Eriosola lanigerum*) woolly apple aphid.

erişipela f. (*med.*) erysipelas.

erìstica f. (*filos.*) eristic.

erìstico a. (*filos.*) eristic.

eritèma m. (*med.*) erythema: **e. solare**, sun-rash.

eritematóso a. (*med.*) erythematous; erythematic.

eritremìa f. (*med.*) erythremia.

eritrèo a. e m. (f. *-a*) Eritrean.

eritrina f. (*bot.*, *Erythrina*) erythrina.

eritrite f. **1** (*miner.*) erythrite **2** (*chim.*) erythritol.

eritroblàsto m. (*biol.*) erythroblast.

eritroblastòşi f. (*med.*) erythroblastosis.

eritrocatèreşi f. (*fisiol.*) destruction of red blood cells.

eritrocita, **eritrocito** m. (*anat.*) erythrocyte.

eritrodermìa f., **eritrodèrma** m. (*med.*) erythrodermia; erythema.

eritrofobìa f. (*psic.*) erythrophobia.

eritromicina f. (*farm.*) erythromycin.

eritropoièşi f. (*biol.*) erythropoiesis.

eritropsìa f. (*med.*) erythropsia.

eritrosedimentazióne f. (*med.*) erythrosedimentation: **test di e.**, sedimentation test.

eritròşi f. (*med.*) erythrosis.

eritroşina f. (*chim.*) erythrosin.

èrma f. (*archeol.*) herm; terminus.

ermafroditìşmo m. (*biol.*) hermaphroditism.

ermafrodito **A** a. hermaphroditic; hermaphrodite **B** m. (*biol.*) hermaphrodite.

Ermànno m. Herman.

ermellinàto a. **1** (*di mantello equino*) white with small back patches **2** (*arald.*) ermined.

ermellino m. **1** (*zool.*, *Mustela erminea*) stoat; (*spec. nel mantello invernale*) ermine* **2** (*pelliccia*) ermine **3** (*arald.*) ermine.

ermenèuta m. e f. hermeneut.

ermenèutica f. hermeneutics (pl. col verbo al sing.).

ermenèutico a. hermeneutic.

Èrmes, **Ermète** m. (*mitol.*) Hermes.

ermeticaménte avv. **1** hermetically: **e. chiuso**, hermetically sealed **2** (*oscuramente*) obscurely; cryptically.

ermeticità f. **1** airtightness; watertightness; hermetic (*o* airtight) sealing **2** (*fig.*) obscurity; inscrutableness; inscrutability.

ermètico **A** a. **1** (*filos.*) Hermetic: **libri ermetici**, Hermetic books **2** (*stagno*) hermetic; airtight; (*a tenuta d'acqua*) watertight; (*a tenuta di gas*) gas-proof: **chiusura ermetica**, hermetic seal **3** (*fig.*: *oscuro*) cryptic; obscure; hermetic; (*indecifrabile*) inscrutable: **linguaggio e.**, cryptic (*o* obscure) language; **sorriso e.**, hermetic smile **4** (*letter. it.*) belonging to the Ermetismo school of poetry **B** m. (f. *-a*) **1** (*filos.*) Hermeticist; Hermetist **2** (*letter. it.*) poet of the Ermetismo school of poetry.

ermetìşmo m. **1** (*filos.*) hermeticism; hermetism **2** (*fig.*: *oscurità*) obscurity; inscrutability **3** (*letter. it.*) Ermetismo (school of poetry).

érmo a. (*lett.*) solitary; lonely; secluded.

Ernèsto m. Ernest.

èrnia f. **1** (*med.*) hernia*; rupture: **e. addominale**, ventral hernia; **e. del disco**, slipped (*o* herniated) disc; **e. strozzata**, strangulated hernia **2** (*bot.*) clubroot.

erniària f. (*bot.*, *Herniaria glabra*) herniaria; rupturewort.

erniàrio a. (*med.*) hernial; hernia (attr.): **cinto e.**, truss; **strozzamento e.**, hernia strangulation.

erniàto a. (*med.*) herniated.

erniazióne f. (*med.*) herniation.

erniòso (*med.*) **A** a. herniated **B** m. (f. *-a*) hernia sufferer.

erniotomìa f. (*med.*) herniotomy.

èro [1] 1ª pers. sing. indic. imperf. di **essere**.

èro [2] f. (*gergale*: *eroina*) heroin; smack (*slang*).

Èro f. (*mitol.*) Heros.

Eròde m. (*stor.*) Herod ● (*fig.*) **mandare q. da E. a Pilato**, to send sb. from pillar to post.

eródere v. t. to erode; to wear* away; to eat* away.

erodìbile a. erodible.

♦**eròe** m. **1** hero*: **e. di guerra**, war hero; **morire da e.**, to die like a hero; to die a hero's death; **culto degli eroi**, hero-worship **2** (*iron.*) hero*: **e. da operetta**, stage hero; **fare l'e.**, to act the hero **3** (*protagonista di romanzo, ecc.*) hero*; protagonist; main character: **e. negativo**, dark hero; villain; **il nostro e.**, our hero **4** (*estens.*) hero*; star: **l'e. del giorno**, the hero of the hour.

erogàbile a. **1** (*di denaro*) distributable; that can be allocated; earmarked; set aside **2** (*di energia, acqua, ecc.*) suppliable; deliverable.

erogàre v. t. **1** (*spendere*) to allocate; to pay* out; to disburse; (*donare*) to donate **2** (*fornire*) to supply (sb. *o* st. with st.); to distribute; to deliver: **e. luce a una città**, to supply a city with light; **e. 1000 litri al minuto**, to deliver 1,000 litres per minute.

erogatóre **A** a. supplying; distributing **B** m. (*tecn.*) distributor.

erogazióne f. **1** (*spesa*) allocation; outpayment; disbursement; (*donazione*) donation: **e. di fondi**, allocation of funds; **e. di un mutuo**, disbursement of a loan; **azienda di e.**, non-profit enterprise **2** (*fornitura*) supply; distribution: **e. della corrente elettrica**, power supply; **sospendere l'e. di**, to cut off; **interruzione dell'e.**, cut.

erògeno a. erogenous; erotogenous; erotogenic: **zone erogene**, erogenous zones.

eroicaménte avv. heroically: **morire e.**, to die like a hero; to die a hero's death; **sopportare qc. e.**, to bear st. heroically.

eroicità f. heroic character [manner, quality].

eroicizzàre v. t. to make* a hero of; to heroize.

eròico a. heroic: **decisione eroica**, heroic decision; **l'età eroica della Grecia**, the heroic age of Greece; **morte eroica**, heroic death; **verso e.**, heroic verse.

eroicòmico a. **1** (*letter.*) mock-heroic: **poema e.**, mock-heroic poem **2** (*estens.*) mock-heroic; burlesque.

eroìna [1] f. **1** heroine **2** (*protagonista di romanzo, ecc.*) heroine; protagonist; main character **3** (*estens.*) heroine; star.

eroìna [2] f. (*chim.*) heroin.

eroinòmane m. e f. heroin addict.

eroinomanìa f. heroin addiction.

eroìşmo m. heroism ● **atto d'e.**, heroic deed □ (*iron.*) **Bell'e.!**, very heroic!

erómpere v. i. **1** (*di liquido*) to gush out, to spurt; (*di lava*) to erupt **2** (*fig.*) to burst* out; to break* out; to erupt: *La folla eruppe dallo stadio*, the crowd burst out of the stadium; **e. in applausi**, to break out into applause; **e. in imprecazioni**, to break out into curses.

èros m. (*psic.*) eros.

Èros m. (*mitol.*) Eros.

erosióne f. (*geol., med., econ.*) erosion: **e. del suolo**, soil erosion; **e. del potere d'acquisto di una moneta**, erosion of the purchasing power of a currency; **e. marina**, marine erosion; (*geol.*) **e. regressiva**, headward erosion.

erosìvo a. erosive.

eroticità f. erotic character [manner, quality]; eroticism.

eròtico a. erotic; (*afrodisiaco*) aphrodisiac: **desiderio e.**, erotic desire; **romanzo e.**, erotic novel.

erotìşmo m. erotism; eroticism.

erotizzàre v. t. (*psic.*: *rendere erotico*) to eroticize; (*rendere sessuale*) to erotize.

erotizzàto a. **1** (*psic.*) eroticized; erotized **2** (*eccitato sessualmente*) eroticized; sexually aroused **3** (*carico di erotismo*) erotically charged.

erotizzazióne f. (*psic.*) eroticization.

erotògeno → **erogeno**.

erotologìa f. erotology.

erotòmane m. e f. **1** (*med.*) erotomaniac **2** (*scherz.*) sex maniac.

erotomanìa f. (*med.*) erotomania.

èrpete m. (*med.*) herpes (→ **herpes**).

erpètico Ⓐ a. (*med.*) herpetic Ⓑ m. (f. **-a**) sufferer from herpes.

erpetologìa f. herpetology.

erpetòlogo m. (f. **-a**) herpetologist.

erpicàre v. t. (*agric.*) to harrow.

erpicatùra f. (*agric.*) harrowing.

érpice m. (*agric.*) harrow: **e. a denti fissi**, peg-tooth harrow: **e. a dischi**, disc harrow; **e. frangizolle**, pulverizer.

errabóndo a. (*lett.*) wandering; roving; roaming.

erràte a. wandering; roving; roaming: **cavaliere e.**, knight errant; **l'Ebreo e.**, the Wandering Jew; **stella e.**, wandering star.

erràre v. i. **1** (*vagare*) to wander; to roam; to rove; to ramble: **e. per i boschi**, to roam the woods; **e. per il mondo**, to wander about the world; **e. con la fantasia**, to let one's imagination wander **2** (*sbagliare*) to be mistaken; to be wrong; to err (*lett.*): *E. è umano*, to err is human; *Se non erro*, if I am not mistaken; *Se erro, correggimi*, correct me if I'm wrong; *Errando s'impara*, we learn from our mistakes.

erràta còrrige (*lat.*) loc. m. inv. errata (pl.).

erraticità f. **1** nomadism **2** (*fig.*) instability; volatility.

erràtico a. **1** (*vagante*) wandering; nomadic **2** (*geol.*) erratic: **masso e.**, erratic block **3** (*bot.*) creeping; wandering **4** (*med.*) erratic.

erràto a. wrong; incorrect; mistaken: **giudizio e.**, mistaken judgment; **impressione errata**, mistaken (*o* wrong) impression; **informazioni errate**, incorrect information; **interpretazione errata**, wrong interpretation; *Se non vado e.*, if I am not wrong (*o* mistaken); unless I am mistaken.

èrre f. o m. inv. (*lettera*) (letter) r: **e. moscia**, French (*o* uvular) r; **arrotare la e.**, to roll one's r's.

erroneità f. erroneousness; mistakenness; wrongness.

erròneo a. erroneous; mistaken; incorrect; wrong.

♦**erróre** m. **1** mistake; (*form. o scient.*) error; (*morale*) fault; (*lieve*) slip; (*grossolano*) blunder; (*svarione*) howler: **e. accidentale**, accidental error; **e. di battitura**, typing mistake; **e. di calcolo**, miscalculation; **e. di disattenzione**, careless mistake; slip; lapse; **e. di gioventù**, youthful error; **e. di giudizio**, error of judgment; **e. d'ortografia**, spelling mistake; (*comput.*) **e. di programmazione**, program error (*o* fault); bug (*fam.*); **e. di stampa**, misprint; **e. di trascrizione**, clerical error; slip of the pen; **e. madornale**, glaring mistake; blunder; gross mistake; clanger (*fam.*); (*scient.*) **e. sistematico**, systematic error; **e. umano**, human error; **commettere un e.**, to make a mistake; to go wrong; **correggere un e.**, to correct a mistake; **cadere in e.**, to err; to be mistaken; **essere in e.**, to be mistaken; to be wrong; **imparare dai propri errori**, to learn from one's mistakes; **indurre q. in e.**, to lead sb. into error; **rilevare un e.**, to spot a mistake; **per e.**, by mistake; **salvo errori e omissioni**, errors and omissions excepted

2 (*leg.*) mistake; error: **e. di diritto**, mistake of law; **e. di fatto**, mistake of fact; **e. giudiziario**, miscarriage of justice **3** (*lett.: peregrinazione*) wandering.

èrta f. **1** (*salita*) steep ascent; steep incline **2** – **stare all'e.**, to be on the alert (*o* on the look-out, on one's guard); *All'e.!*, look out!

èrto a. steep; precipitous.

erubescènte a. (*lett.*) erubescent; reddening; blushing.

erùca f. **1** (*bot.*, *Eruca*) eruca; rocket **2** (*zool.*) caterpillar.

erùcico a. – (*chim.*) **acido e.**, erucic acid.

erudìre Ⓐ v. t. **1** (*istruire*) to educate; to teach*; to instruct **2** (*scherz.*) to enlighten Ⓑ **erudìrsi** v. i. pron. to become* educated; to acquire knowledge.

eruditìsmo m. pedantry.

erudìto Ⓐ a. learned; erudite; scholarly: **opera erudita**, learned (*o* scholarly) work; **uomo e.**, learned man Ⓑ m. (f. **-a**) scholar; man* (f. woman*) of learning; (*spreg.*) pedant: **lavoro da e.**, scholarly work.

erudizióne f. learning; erudition; scholarship; (*spreg.*) pedantry: **persona di vasta e.**, person of vast learning; **fare sfoggio di e.**, to parade one's learning.

eruttaménto m. **1** (*eruzione*) eruption **2** (*rutto*) belch; burp.

eruttàre Ⓐ v. t. **1** to erupt; to belch out **2** (*fig.*) to pour out Ⓑ v. i. to eruct; to belch out.

eruttazióne f. belching; burping.

eruttivo a. (*geol.*, *med.*) eruptive: **rocce eruttive**, eruptive rocks.

eruzióne f. **1** (*geol.*) eruption: (*astron.*) **e. solare**, solar flare; **e. vulcanica**, volcanic eruption; **entrare in e.**, to start erupting **2** (*med.*) eruption; rash: **e. cutanea**, skin eruption; rash **3** – **e. dentaria**, tooth eruption.

Erzegòvina f. (*geogr.*) Herzegovina.

erziàno → **hertziano**.

Es m. (*psic.*) id.

ES sigla (*ferr.*, (*treno*) **eurostar**) Eurostar train.

esacerbaménto → **esacerbazione**.

esacerbàre Ⓐ v. t. to exacerbate; to worsen; to intensify; to aggravate; to embitter Ⓑ **esacerbàrsi** v. i. pron. to be exacerbated; to be exasperated; to grow* worse; to worsen.

esacerbàto a. exacerbated; exasperated; embittered.

esacerbazióne f. exacerbation; exasperation; embitterment.

esacisottaèdro m. (*miner.*) hexoctahedron*.

esacistetraèdro m. (*miner.*) hexatetrahedron*.

esaclorofène m. (*chim.*) hexachlorophene.

esacòrdo m. (*mus.*) hexachord.

esadattilìa f. (*med.*) hexadactylism.

esadecimàle a. (*mat.*) hexadecimal.

esaèdro m. (*geom.*) hexahedron*.

esafònico → **esatonico**.

♦**esageràre** Ⓐ v. t. to exaggerate; to magnify; to overdo*; to overemphasize; (*gonfiare*) to inflate, to blow* up; (*assol.*) to exaggerate, to lay it on (*fam.*): **e. l'importanza di qc.**, to exaggerate (*o* to magnify) the importance of st.; **e. un incidente**, to blow up an incident; **e. i propri guai**, to exaggerate one's troubles; to pile on the agony (*fam.*); *Non esagero!*, I'm not exaggerating Ⓑ v. i. (*eccedere*) to overdo* (st.); to go* too far: **e. con le lodi**, to overdo one's praises; to lay it on thick (*fam.*); **e. nel mangiare**, to overeat; *Ho esagerato col sale*, I overdid the salt;

Non e. col whisky!, go easy on the whisky!; *Stavolta hai esagerato!*, this time you've gone too far!

♦**esageràto** Ⓐ a. excessive; disproportionate; overdone; extravagant; (*smodato*) immoderate; (*di prezzo*) exhorbitant, too high: **lodi esagerate**, excessive praise; **quantità esagerata**, excessive quantity; **pretesa esagerata**, excessive demand; tall order (*fam.*); **reazione esagerata**, disproportionate reaction; **essere e. nello spendere**, to spend extravagantly; *Non è e. dire che...*, it's no exaggeration to say that... Ⓑ m. (f. **-a**) person who exaggerates: *È il solito e.*, he exaggerates, as usual.

esagerazióne f. exaggeration: **senza e.**, without exaggerating; *Dieci kili di pane! Che e.!*, ten kilos of bread? how exaggerated!; *L'ha pagato un'e.*, she paid a fortune for it.

esageróne m. (f. **-a**) (*fam.*) person who exaggerates.

esagitàre v. t. (*lett.*) to excite; to agitate; to upset.

esagitàto Ⓐ a. overexcited; frantic Ⓑ m. (f. **-a**) overexcited person.

esagitazióne f. overexcitement; agitation.

esagonàle a. (*geom.*) hexagonal; six-sided.

esàgono m. (*geom.*) hexagon.

esalaménto m. → **esalazione**.

esalàre Ⓐ v. t. to exhale; to give* off; to emit: **e. fumo**, to exhale smoke; **e. un profumo**, to give off a scent; **e. l'ultimo respiro** (*o* lo spirito), to breathe one's last Ⓑ v. i. to emanate; to come* (out): *Dal terreno esalava un odore mefitico*, a foul smell emanated from the soil.

esalatóre Ⓐ m. vent; outlet Ⓑ a. exhaling; exhalant; exhalation (attr.).

esalazióne f. exhalation; emission; (*ciò che esala*) fumes (pl.), vapour: **e. vulcanica**, volcanic exhalation; **esalazioni tossiche**, toxic fumes.

esaltànte a. exciting; thrilling; exhilarating; stirring; rousing: **discorso e.**, rousing (*o* stirring) speech; **esperienza e.**, exciting experience; **gara e.**, thrilling competition.

esaltàre Ⓐ v. t. **1** (*magnificare*) to exalt; to extol; to praise to the skies: **e. i meriti di qc.**, to extol the merits of st.; *Il film fu esaltato dalla critica*, the film was praised to the skies by critics **2** (*innalzare a una dignità*) to exalt; to elevate; to raise **3** (*entusiasmare*) to excite; to thrill; to exhilarate; to elate; to rouse: **e. la folla**, to stir (*o* to inflame) the crowd **4** (*accentuare, mettere in risalto*) to heighten; to enhance: **e. la bellezza di qc.**, to enhance the beauty of st. Ⓑ **esaltàrsi** v. i. pron. **1** to get* excited (*o* elated); to get* carried away **2** (*vantarsi*) to boast; to exalt oneself.

esaltàto Ⓐ a. **1** (*euforico*) greatly excited; exalted; exhilarated; intoxicated; carried away: **e. dal successo**, exhilarated by his success **2** (*fanatico*) fanatical; hot-headed: **testa esaltata**, hot-head Ⓑ m. (f. **-a**) fanatic; hot-head.

esaltatóre m. (f. **-trìce**) exalter; extoller.

esaltazióne f. **1** (*l'esaltare*) exaltation; extolling **2** (*innalzamento a una dignità*) exaltation; elevation **3** (*infervoramento*) exaltation; exhilaration; fervour; frenzy; intoxication **4** (*fanatismo*) fanaticism; mania **5** (*astrol*) exaltation.

♦**esàme** m. **1** (*disamina*) examination; (*studio*) study, consideration; (*indagine*) investigation: **e. approfondito**, close study; close investigation; **e. di coscienza**, examination of one's conscience; self-examination; heart-searching; (*leg.*) **l'e. di un teste**, the

examination of a witness; **fare un e. della situazione**, to consider (*o* to study) the situation; *Il progetto è all'e.*, the plan is under examination (*o* is being examined); **prendere in e.**, to consider; to take into consideration **2** (*scolastico e sim.*) examination (*form.*); exam; test: **e. attitudinale**, aptitude test; **e. di ammissione**, entrance examination; **e. di concorso**, competitive examination; **e. di guida**, driving test; **e. di laurea**, discussion of a thesis; **e. di maturità**, school-leaving examination; **e. orale**, oral examination; viva (voce); **e. scritto**, written examination; **esami finali**, finals; **dare un e.**, to sit (*o* to take) an exam; **essere bocciato** (*o* **respinto**) **a un e.**, to fail an exam; **sostenere un e.**, to take (*o* to sit) an examination; to be examined; **superare** (*o* **passare**) **un e.**, to pass an exam; to get through (*fam.*); **testo di e.**, examination paper **3** (*med.*) test: **e. del sangue**, blood test; **e. di idoneità fisica**, fitness test; **esami clinici**, clinical tests; **sottoporre a e.**, to test **4** (*ispezione*) inspection; (*verifica*) check, control: **e. dei bagagli**, baggage check.

esàmetro m. (*poesia*) hexameter.

esamifìcio m. (*spreg.*) (the university seen only as an) examination factory.

esaminàndo m. (f. **-a**) candidate (for an examination); examinee.

♦**esaminàre** v. t. **1** (*prendere in esame*) to examine, to consider; (*studiare*) to study: **e. la propria coscienza**, to examine one's conscience; to search one's soul; **e. un problema**, to study a problem; **e. le prove** [**i dati**], to examine the evidence [the data]; **e. una richiesta**, to consider a request; (*leg.*) **e. un teste**, to examine a witness **2** (*sottoporre a controllo*) to test; to check: **e. i freni e le ruote**, to check the brakes and the tyres; **e. la vista**, to test sb.'s sight **3** (*osservare con cura, ispezionare*) to examine, to inspect, to go* through; (*investigare*) to investigate, to look into: **e. un caso**, to look into a matter; **e. i conti**, to inspect (*o* to look into) the accounts; **e. i documenti di q.**, to inspect sb.'s papers; **e. il luogo del delitto**, to examine (*o* to inspect) the scene of the crime **4** (*a scuola, ecc.*) to examine, to test; (*per un posto di lavoro*) to interview: **e. q. in francese**, to examine sb. in French; **e. un candidato a un posto**, to interview an applicant for a job.

esaminatóre A m. (f. **-trice**) examiner B a. examining • **commissione esaminatrice**, board of examiners.

esàngue a. **1** (*senza sangue*) bloodless **2** (*fig.: pallidissimo*) (deadly) pale; colourless; wan **3** (*fig.: senza nerbo*) nerveless: **stile e.**, nerveless style.

esanimàre A v. t. (*lett.*) to discourage; to dishearten B **esanimàrsi** v. i. pron. to become* discouraged.

esànime a. lifeless; (*morto*) dead.

esàno m. (*chim.*) hexane.

esantèma m. (*med.*) exanthema*.

esantemàtico a. (*med.*) exanthematous; exanthematic.

esapodìa f. (*poesia*) hexapody.

esàpodo m. (*zool.*) hexapod; (al pl., *scient.*) Hexapoda.

esarazióne f. **1** (*geol.*) glacial (*o* ice) erosion **2** (*paleografia*) erasure.

esàrca m. (*stor.*) exarch.

esarcàto m. (*stor.*) exarchate.

esasperànte a. exasperating; infuriating; maddening: **un ronzio e.**, an exasperating drone; **ritardo e.**, infuriating delay; **con lentezza e.**, at a maddeningly slow pace.

esasperàre A v. t. **1** (*irritare*) to exasperate; to infuriate; to madden; to drive* (sb.) mad: *La nuova tassa esaspererò la popolazione*, the new tax exasperated the people;

Riesce sempre a esasperarmi, he always manages to infuriate me (*o* to drive me mad) **2** (*inasprire*) to exacerbate; to aggravate; to heighten: **e. una crisi**, to aggravate a crisis; **e. un dolore**, to exacerbate a grief B **esasperàrsi** v. i. pron. to become* exasperated.

esasperàto a. **1** (*irritato*) exasperated; furious; mad (*fam.*) **2** (*spinto all'eccesso*) extreme; exaggerated.

esasperazióne f. **1** (*irritazione*) exasperation; (extreme) irritation: **portare q. all'e.**, to drive sb. mad **2** (*inasprimento*) exacerbation; heightening; aggravation; (*massima intensità*) utmost degree; peak.

esàstico (*poesia*) A a. hexastichal B m. hexastich.

esàstilo a. (*archit.*) hexastyle.

esatòmico a. (*chim.*) hexatomic.

esatonàle a. (*mus.*) whole-tone (attr.).

esatonìa f. (*mus.*) whole-tone system.

esatònico → **esatonale**.

esattaménte avv. **1** (*precisamente*) exactly; precisely: *È e. lo stesso*, it's exactly the same; *Dov'eri e.?*, where were you exactly?; «*Vuoi dire che è troppo tardi?*» «*E.*», «you mean it's too late?» «exactly (*o* precisely)»; «*È tuo amico?*» «*Non e.*», «is he a friend of yours?» «not exactly» **2** (*proprio*) exactly; precisely; just: *È e. quello che volevo*, it's exactly (*o* just) what I wanted **3** (*in modo giusto*) correctly: **rispondere e.**, to answer correctly **4** (*puntualmente*) punctually; exactly: **e. alle sei**, punctually at six; at exactly six o'clock.

esattézza f. **1** exactness; exactitude; (*giustezza*) correctness **2** (*precisione*) precision; accuracy: **per l'e.**, to be precise **3** (*puntualità*) punctuality.

♦**esàtto** a. **1** (*preciso*) exact; accurate; (*giusto*) correct, right: **calcolo e.**, correct calculation; **l'e. contrario**, the exact (*o* direct) opposite; **copia esatta**, exact copy; **un kilo e.**, exactly one kilo; **l'ora esatta**, the right (*o* correct) time; **informazioni esatte**, correct information; **scienze esatte**, exact sciences; **tra cinque minuti esatti**, in exactly five minutes **2** (*accurato*) precise; accurate: *Sarebbe più e. dire che...*, it would be more accurate to say that... **3** (*puntuale*) punctual; (*di ora: in punto*) sharp, exactly (avv.): **e. nei pagamenti**, punctual in paying up; **alle dieci esatte**, at ten sharp; at exactly ten o'clock; on the dot of ten o'clock (*fam.*) **4** (*scrupoloso*) diligent; accurate; conscientious **5** – (*come risposta*) *E.* (*o È è!*), (*è giusto*) correct!, that's it!; (*sì*) that's right.

esattóre m. (f. **-trice**) collector: **e. delle imposte**, tax collector; **e. del gas**, gasman (m.).

esattorìa f. **1** (*concessione*) collectorship **2** (*sede*) collector's (*o* tax) office; **e. comunale**, municipal rates office; **e. delle imposte**, tax office.

esattoriàle a. **1** of the collector's office; collector's (attr.); collecting **2** (*delle imposte*) tax (attr.); rates (attr.): **cartella e.**, tax form (*o* return); rates form.

esaudìbile a. grantable; that may be granted.

esaudiménto m. granting; fulfilment; satisfaction.

esaudìre v. t. to grant; to fulfil; to satisfy: **e. un desiderio**, to fulfil a wish; **e. una preghiera**, to answer a prayer; *Signore, esaudisci la mia preghiera!*, Lord, hear my prayer!; **e. una richiesta**, to grant a request; to satisfy a demand.

esaurìbile a. exhaustible; depletable; **risorse esauribili**, depletable resources.

esauribilità f. exhaustibility.

esauriènte a. exhaustive; thorough; ex-

tensive; comprehensive; full: **risposta e.**, full answer; **spiegazione e.**, exhaustive (*o* full) explanation; **trattazione e.**, extensive discussion; **in modo e.**, thoroughly; exhaustively.

esauriménto m. **1** exhaustion; depletion; drain: **e. delle risorse**, exhaustion (*o* depletion) of resources; (*comm.*) **e. delle scorte**, selling out; **fino a e. delle scorte**, until (*o* while) stocks last **2** (*med.*) exhaustion; tiredness; breakdown: **stato di e. fisico**, state of exhaustion; **e. nervoso**, nervous breakdown; **avere un po' di e.**, to feel a bit tired; to be run down **3** (*idraul.*) draining; drainage.

♦**esaurìre** A v. t. **1** to exhaust; to deplete; to drain; to run* out of; (*usare fino in fondo*) to use up; (*vendere sino all'esaurimento*) to sell* out: **e. un argomento**, to exhaust a topic; **e. una miniera**, to exhaust a mine; **e. la pazienza**, to run out of patience; **e. le proprie forze**, to use up (*o* to spend) all one's strength; **e. la scorta di benzina**, to run out of petrol **2** (*fig.: stancare*) to wear* out; to exhaust; to sap sb.'s strength: *Questi viaggi mi esauriscono*, these journeys wear me out (*o* exhaust me) B **esaurìrsi** v. rifl. (*stancarsi*) to wear* oneself out; to work oneself out; to get* exhausted C **esaurìrsi** v. i. pron. (*di provviste*) to run* out; (*di merce*) to sell* out; (*di miniera*) to be worked out; (*di ispirazione*) to dry up; (*di energie*) to drain away: *Le nostre scorte di viveri si esaurirono*, our food supplies ran out; *La prima edizione si è già esaurita*, the first edition has already sold out.

esaurìto a. **1** (*consumato, usato*) consumed; used up; exhausted; spent; drained: **miniera esaurita**, exhausted mine; **pozzo e.**, exhausted (*o* dried-up) well; *Le provviste sono esaurite*, food supplies have run out **2** (*di merce*) sold-out, out of stock; (*di biglietti*) sold out; (*di libro*) out of print **3** (*stanco*) worn-out; run-down • **tutto e.**, (*di albergo*) fully booked up; (*teatr.*) sold out; **fare il tutto e.**, to have a full house.

esaustività f. (*lett.*) exhaustiveness.

esaustìvo a. (*lett.*) exhaustive; thorough.

esàusto a. **1** (*vuoto*) empty; exhausted **2** (*di batteria*) flat **3** (*spossato*) exhausted; fatigued; worn out.

esautoràre v. t. to deprive of authority (*o* of power); to remove from office.

esautorazióne f. deprivation of authority (*o* of power); removal from office.

esavalènte a. (*chim.*) hexavalent.

esazióne f. collection; levy: **e. di crediti**, collection of debts; **e. delle imposte**, collection of taxes; tax collection.

esborsàre v. t. (*bur.*) to disburse; to pay* out; to lay* out.

esbórso m. (*bur.*) disbursement; outlay; pay-out; expenditure: (*rag.*) **e. di cassa**, cash outlay.

èsca f. **1** (*per amo*) bait; (*richiamo*) decoy: **e. artificiale**, artificial bait; **e. viva**, live bait; **mettere l'e. all'amo**, to bait the hook **2** (*fig.*) bait; decoy; (*tentazione*) temptation: **fare da e.**, to act as a bait (*o* as a decoy) **3** (*sostanza infiammabile*) tinder; (*per esplosivo*) fuse • (*fig.*) **prendere q. all'e.**, to trick sb.; to hook sb.

escamotage (*franc.*) m. inv. subterfuge; ploy; ruse; dodge.

escandescènza f. outburst of rage; flare-up: **dare in escandescenze**, to fly into a rage; to fly off the handle (*fam.*); to blow one's top (*fam.*).

escapìsmo m. escapism.

èscara f. (*med.*) eschar.

escardinazióne f. (*eccles.*) transferral to a different diocese.

a
b
c
d
e
f
g
h
i
j
k
l
m
n
o
p
q
r
s
t
u
v
w
x
y
z

escarificazióne f. (*med.*) scab formation; eschar formation.

escaròtico m. escharotic.

escatologìa f. (*teol.*) eschatology.

escatològico a. (*teol.*) eschatological.

escatologìsmo m. eschatology.

escavatóre ◰ a. excavating; digging ◱ m. 1 (*mecc.*) excavator; digger: **e. a cucchiaia [a vapore]**, shovel [steam] excavator 2 (*med.*) excavator.

escavatorìsta m. e f. excavator operator.

escavatrìce f. → **escavatore**, **B**, *def. 1.*

escavazióne f. excavation.

escherìchia f. (*biol.*) escherichia: **e. coli**, E coli.

eschilèo a. (*letter.*) Aeschylean.

Èschilo m. (*letter.*) Aeschylus.

eschimése a., m. e f. Eskimo*; Inuit.

èschimo → **eskimo** ①.

eschimotàggio → **eskimo** ②.

escissióne f. (*med.*) excision.

escìsso a. (*med.*) excised.

♦**esclamàre** v. t. to exclaim; to cry (out): «*Guarda!*» esclamò, «look!» she cried.

esclamatìvo a. exclamatory; exclamation (attr.): **punto e.**, exclamation mark.

esclamazióne f. (*anche ling.*) exclamation.

♦**esclùdere** ◰ v. t. 1 (*non ammettere*) to exclude; not to admit; (*da un diritto*) to debar; (*lasciare, tenere fuori*) to leave* out: **e. dal voto**, to debar from voting; *Siamo stati esclusi dai negoziati*, we've been excluded from the talks 2 (*eccettuare*) to exclude; to except 3 (*eliminare*) to exclude; to rule out: **e. ogni possibilità di dubbio**, to exclude all possibility of doubt; *Una cosa non esclude l'altra*, one thing does not rule out the other; *La polizia ha escluso il suicidio*, the police ruled out suicide; *Escludo che fosse Enzo*, I am certain it wasn't Enzo; *Non escludo che potresti aver ragione*, you might be right after all; you could be right; *Lo escludo!*, it's out of the question! 4 (*elettr.*) to cut* out; to switch off; to disconnect 5 (*comput.*) to bypass ◱ **esclùdersi** v. rifl. recipr. to cancel (each other) out; (*essere incompatibili*) to be mutually exclusive.

escludìbile a. that can be excluded; that can be ruled out.

esclusióne f. 1 exclusion; (*eccezione*) exception: **l'e. di una squadra**, the exclusion of a team; **e. dal voto**, exclusion from voting; **procedere per e.**, to follow a process of elimination; **a e. di** (*o* **fatta e. per**), to the exclusion of; (*a eccezione di*) with the exception of; **senza e.**, without exception; (*anche fig.*) **senza e. di colpi**, no holds barred 2 (*elettr.*) cutting out; switching off; disconnecting.

esclusìva f. 1 (*comm.*) exclusive (*o* sole) right; franchise; (*rappresentanza in e.*) sole agency; (*licenza*) exclusive licence; (*brevetto*) patent: **e. di vendita**, sole selling right; franchise; **e. per la fabbricazione di qc.**, exclusive manufacturing rights; **avere l'e. di qc. per l'Italia**, to be the sole agent for st. in Italy; **dare l'e. a q. per qc.**, to make sb. the sole agent for st.; **uso in e.**, exclusive use 2 (*giorn.*) exclusive: **ottenere l'e.**, to get the exclusive; **intervista in e.**, exclusive interview; **notizia in e.**, exclusive news; scoop.

esclusivaménte avv. exclusively; only; solely.

esclusivìsmo m. 1 (*polit., econ.*) exclusivism 2 (*intransigenza*) intolerance; dogmatism.

esclusivìsta ◰ m. e f. 1 (*comm.*) sole agent 2 (*intransigente*) intolerant (*o* dogmatic) person ◱ a. 1 (*polit., econ.*) exclusive; monopolistic 2 intolerant; dogmatic.

esclusivìstico a. exclusivist.

esclusività f. 1 exclusiveness 2 → **esclusiva**.

esclusìvo a. 1 (*unico, anche comm.*) exclusive; sole: **diritto e.**, exclusive right; **diritto di vendita e.**, sole selling right; franchise; **modello e.**, exclusive model 2 (*scelto, riservato*) select; exclusive: **i circoli più esclusivi**, the most exclusive clubs 3 (*possessivo*) possessive: **amore e.**, possessive love.

esclùso ◰ a. 1 (*lasciato fuori*) excluded; left out; (*tagliato fuori*) cut off: **e. dalla società**, excluded from society; **sentirsi e. da qc.**, to feel left out of st.; **voler essere e. da qc.**, to ask to be left out (*o* counted out) of st.; to want out of st. (*fam.*); **da pagina 4 a pagina 10 esclusa**, pages 4 to 10 exclusive 2 (*non incluso*) not included; exclusive (of): **e. il servizio**, service not included; *Dal prezzo è esclusa l'IVA*, the price is exclusive of VAT 3 (*eccettuato*) excepted; except (prep.); excluding (prep.): **esclusi i presenti**, present company excepted; **nessuno e.**, none excepted; bar none; **tutti i giorni e. il sabato**, all days except Saturday 4 (*impossibile*) impossible; out of the question: *È e. che si parta con questo tempo*, leaving in this weather is out of the question; we can't possibly leave in this weather; *Non è e. che arrivino in tempo*, they could well arrive in time ◱ m. (f. -a) 1 excluded person 2 (*emarginato*) outcast.

esclusòrio a. exclusive; exclusion (attr.): **clausola esclusoria**, exclusion clause.

èsco 1ª pers. sing. indic. pres. di **uscire**.

escogitàre v. t. to devise; to think* out; to think* up; to contrive; to concoct.

escogitazióne f. contrivance; device.

escomiàre v. t. (*leg.*) to evict.

escòmio m. (*leg.*) eviction; (*notifica*) notice to quit.

escoriàre v. t. to excoriate; (*com.*) to graze: **escoriarsi un ginocchio**, to graze one's knee.

escoriazióne f. excoriation; (*com.*) graze.

escreàto m. (*med.*) sputum*; expectoration.

escrementìzio a. excremental; excrementitious.

escreménto m. excrement ⓤ; faeces (pl.); (*di animale*) dung ⓤ, droppings (pl.).

escrescènza f. 1 (*med.*) excrescence; abnormal outgrowth; (*verruca*) wart 2 (*protuberanza*) bulge; protuberance; excrescence.

escretìvo a. (*anat.*) excretory; excretive.

escrèto ◰ a. excreted ◱ m. excretion ⓤ; excreta (pl.).

escretóre, escretòrio a. (*anat.*) excretory.

escrezióne f. (*med.*) 1 (*processo*) excretion 2 (*sostanza*) excretion; excreta (pl.).

Esculàpio m. Aesculapius.

esculènto a. esculent; edible.

escursióne f. 1 excursion; trip; tour; (*a piedi*) hike: **e. a piedi**, walking tour; hike: **e. in macchina**, car trip; drive; **e. in montagna**, hike in the mountains; mountain hike; **fare un'e.**, to make (*o* to go on) an excursion (*o* a trip); **organizzare un'e. a Pompei**, to organize an excursion to Pompeii 2 (*scient.*) range: (*meteor.*) **e. annua**, annual range; **e. termica**, temperature range 3 (*tecn.*) travel 4 (al pl.) (*mil.*) exercises.

escursionìsmo m. touring; (*a piedi*) walking, hiking.

escursionìsta m. e f. excursionist; tourist; (*a piedi*) walker, hiker.

escursionìstico a. excursion (attr.).

escussióne f. (*leg.*) examination: **e. dei testi**, examination of witnesses.

escùtere v. t. (*leg.*) 1 to examine: **e. un teste**, to examine a witness 2 – **e. un debitore**, to levy execution on a debtor.

ESE sigla (*geogr.*, **est-sud-est**) east-south-east (ESE).

esecràbile a. execrable; abominable; odious; despicable: **condotta e.**, despicable conduct; **delitto e.**, odious crime.

esecrabilità f. abominableness; despicableness.

esecràndo a. execrable; abominable; detestable; despicable; (*maledetto*) accursed.

esecràre v. t. to execrate; to abhor; to abominate; to loathe.

esecratòrio a. execratory.

esecrazióne f. execration; abhorrence; loathing.

esecutàre v. t. (*leg.*) to enforce a writ of execution against; to start execution proceedings against.

esecutività f. (*leg.*) enforceability.

esecutìvo ◰ a. 1 (*che può essere eseguito*) working; operational: **progetto e.**, working plan 2 (*leg.*) executive; enforceable: **comitato e.**, executive committee; **mandato e.**, executive order; **potere e.**, executive power; **sentenza esecutiva**, enforceable judgment; (*leg.*) **titolo e.**, document of execution ◱ m. 1 (*polit.*) executive 2 (*comitato e.*) executive.

esecutóre m. (f. -**trice**) 1 executor; person who carries out st.: **l'e. del progetto**, the person who carried out the plan; **un mero e.**, one that merely carries out orders 2 (*mus.*) performer; interpreter 3 (*leg.*: **e. testamentario**) executor (f. executrix*).

esecutorietà f. (*leg.*) enforceability: **l'e. d'una sentenza**, the enforceability of a judgment.

esecutòrio a. (*leg.*) executive; executory; enforceable.

esecuzióne f. 1 (*attuazione*) execution; realization; implementation; (*adempimento*) carrying out, fulfilment: **l'e. di un compito**, the execution (*o* completion) of a task; **e. di un contratto**, performance (*o* completion) of a contract; **mettere in e. un progetto**, to put a plan into execution; to carry out a plan; **di difficile e.**, difficult (to carry out *o* to do); **in corso di e.**, in progress; in hand; **nell'e. delle proprie funzioni**, in the execution of one's duty 2 (*perpetrazione*) commission 3 (*fattura*) workmanship; execution 4 (*leg.*) enforcement: **e. della legge**, enforcement of the law; **e. d'una sentenza**, enforcement of a judgment; **e. forzata**, levy; **dare e. a qc.**, to enforce st. 5 (*anche* **e. capitale**) execution: **plotone d'e.**, firing squad 6 (*mus.*) performance; interpretation; rendition; playing ⓤ 7 (*ling.*) performance.

esèdra f. (*archit.*) exedra*.

esègèsi f. exegesis*.

esègèta m. e f. exegete.

esègètica f. exegetics (pl. col verbo al sing.).

esègètico a. exegetic.

eseguìbile a. 1 that can be carried out; feasible; practicable: **difficilmente e.**, impracticable; unfeasible 2 (*mus.*) performable; playable 3 (*comput.*) executable.

eseguibilità f. 1 feasibility; practicability 2 (*mus.*) performability; playability 3 (*comput.*) executability.

♦**eseguìre** v. t. 1 (*compiere, realizzare*) to execute; to put* into execution (*o* practice); to carry out; to perform; to do*; to effect: **e. una danza**, to perform (*o* to do) a dance; (*chir.*) **e. un'operazione**, to perform an operation; **e. un pagamento**, to effect (*o* to

make) a payment; **e. un progetto**, to execute (*o* to carry out) a plan; **e. riparazioni**, to carry out repairs; **e. un ritratto**, to paint a portrait **2** (*adempiere*) to execute; to carry out; to fulfil: **e. un ordine**, to carry out an order; **e. gli ordini di q.**, to execute sb.'s orders **3** (*mus.*) to play; to execute: **e. una sinfonia**, to play a symphony; **e. Bach**, to play Bach.

♦**esèmpio** m. **1** example; instance: **e. calzante**, perfect (*o* apt) example; **e. tipico** (*o classico*), classic example (*o* instance); **gli esempi dell'uso di un verbo**, the examples of the use of a verb; **citare** (*o* **fare**) **un e.**, to give (*o* to quote) an example; **dare il buon e.**, to set an example (*o* a good example); **dare il cattivo e.**, to set a bad example; **essere di e.**, to set an example; **prendere e. da q.**, to follow sb.'s example; **seguire l'e. di q.**, to follow sb.'s example; to take a leaf out of sb.'s book; **citare q. ad e.**, to cite sb. as an example; **servire da e.**, to serve as an example; *Che ti serva d'e.!*, let that be a lesson to you!; **a mo' d'e.**, by way of an example; **ad e.** (*o* **per e.**), for instance; for example; (*scritto, anche*) e.g. (abbr. di *exempli gratia*); (*prima di un elenco, anche*) such as; (*interr.*) such as; **come e.**, as an example: *«Ci sono diverse possibilità» «Per e.?»*, «there are various possibilities» «such as?»; **sull'e. di**, following the example of **2** (*modello*) model; paragon: **un e. di decoro**, a model of propriety; **un e. di virtù**, a paragon of virtue **3** (*esemplare*) example; specimen: *È un bell'e. di pittura murale romana*, it is a fine example of Roman mural painting; **essere un tipico e. di**, to be a typical example of; to typify.

esemplàre ① a. exemplary; model (attr.): **condotta e.**, exemplary conduct; **punizione e.**, exemplary punishment; **dare a q. una punizione e.**, to make an example of sb.; **studente e.**, model student; **vita e.**, exemplary life.

esemplàre ② m. **1** (*modello*) model; original; exemplar **2** (*oggetto, individuo tipico*) example; specimen (*anche scient.*); (*copia*) copy: **un e. di sigillo egiziano**, an example of Egyptian seal; **un bell'e. di flora alpina**, a fine specimen of Alpine flora; **dieci esemplari di una stampa**, ten copies of a print; (*fig., iron.*) **bell'e.**, fine specimen; **in duplice e.**, in duplicate **3** (*comm.*: *campione*) sample.

esemplàre ③ v. t. (*lett.*) **1** (*imitare*) to model **2** (*trascrivere*) to copy.

esemplarità f. exemplarity; exemplariness.

esemplificàre v. t. to exemplify; to illustrate.

esemplificativo a. exemplifying; illustrative: **a titolo e.**, by way of an example.

esemplificazióne f. **1** exemplification; illustration **2** (*esempi*) examples (pl.): **una ricca e.**, a wealth of examples.

esencèfalo m. (*med.*) exencephalus*.

esentàre v. t. to exempt (from); to excuse (from); to release (from); to relieve (of): **e. dalla frequenza delle lezioni**, to excuse from attending classes; **e. q. da un incarico**, to relieve sb. of a job; **e. dal pagamento di una tassa**, to exempt from paying a tax; **e. dal servizio militare**, to exempt from national service.

esentàsse a. inv. (*bur.*) tax-free; free of tax.

esènte a. **1** (*dispensato*) exempt; free: **e. da dazio**, exempt from payment of duty; duty-free; **e. da imposte**, tax-free; exempt from tax; tax-exempt **2** (*immune*) immune; free: **e. da colpa**, blameless; **e. da contagio**, immune from contagion; **e. da difetti**, free from defects; without faults; faultless.

esenzióne f. exemption: **e. dall'imposta sul reddito**, exemption from income tax; **e. dal servizio militare**, exemption from military service; **e. doganale**, exemption from payment of duty; **in e. doganale**, free of duty; duty-free; **e. fiscale**, tax exemption.

esèquie f. pl. funeral rites; funeral service (sing.); obsequies (*form.*); exequies (*form.*): **celebrare le e. di q.**, to celebrate the funeral service for sb.; **tributare solenni e. a q.**, to give sb. an imposing funeral.

esercènte m. e f. shopkeeper; storekeeper (*USA*); tradesman* (m.); tradeswoman* (f.): **gli esercenti**, tradespeople; **per esercenti**, trade (attr.).

esercire v. t. **1** (*gestire*) to run*: **e. un negozio**, to run a shop **2** → **esercitare**, def. 3.

esercitàbile a. exercisable.

♦**esercitàre** Ⓐ v. t. **1** (*tenere in esercizio*) to exercise; to practise, to practice (*USA*): **e. i muscoli del braccio**, to exercise the arm muscles; **e. una lingua**, to practise a language; **e. la pazienza** to practise patience **2** (*addestrare, assuefare*) to train, to drill: **e. il corpo alla fatica**, to train one's body to withstand fatigue **3** (*usare, attuare*) to exercise; to exert; to wield: **e. la censura**, to censor; **e. un diritto**, to assert a right; **e. i propri diritti**, to exercise one's rights; **e. un'influenza**, to wield influence; to have an influence; **e. il potere**, to wield power; **e. pressioni su q.**, to exert pressure on sb. **4** (*svolgere un'attività*) to practise, to practice (*USA*); to pursue; to follow; to carry on; to ply: **e. la medicina [l'avvocatura]**, to practise medicine [law]; **e. un mestiere**, to follow a trade; *Eserciti ancora?*, are you still working?; *È medico ma non esercita*, he's a doctor, but he's not practising; **non e. più**, to have retired; to be retired; (*di medico*) to have retired from practice **5** (*mil.*) to drill Ⓑ **esercitàrsi** v. rifl. to practise (st.); to get* some practice; (*allenarsi*) to train, to drill; (*fare esercizio fisico*) to exercise: **esercitarsi al piano**, to practise on the piano; **esercitarsi nel salto [nel francese]**, to practise jumping [one's French]; **esercitarsi in palestra**, to train in the gym.

esercitàto a. exercised; trained, well--trained: **avere l'occhio [l'orecchio] e.**, to have a well-trained eye [ear].

esercitazióne f. **1** practice Ⓤ; drill; (*esercizio*) exercise; (*allenamento*) training Ⓤ: **e. antincendio**, fire drill; **e. (di tiro) al bersaglio**, target practice; **e. di conversazione**, conversation practice; **esercitazioni militari**, military exercises; **far fare esercitazioni a q.**, to drill sb. **2** (*lezione pratica*) practical (lesson); (*prova*) test.

♦**esèrcito** m. **1** army: **e. di occupazione**, army of occupation; **e. di terra**, land army; **e. permanente**, standing army; *E. della Salvezza*, Salvation Army **2** (*fig.*: *gran numero*) crowd; host; army: **un e. di scioperanti**, a crowd of strikers; **un e. di cavallette**, an army of locusts.

♦**esercizio** m. **1** exercise; (*mil.*) drill: **un e. di latino**, a Latin exercise; (*naut.*) **e. di salvataggio**, boat drill; (*ginnastica*) **esercizi a terra** (*o corpo libero*), floor exercises; **esercizi al pianoforte**, piano exercises; **esercizi di respirazione**, breathing exercises; **esercizi ginnici**, gymnastic exercises; **esercizi spirituali**, spiritual exercises; **fare un e.**, to do an exercise; **un libro di esercizi**, a book of exercises **2** (*addestramento*) practice Ⓤ; training Ⓤ; (*moto*) exercise: **e.**, to practise; to train; *Facciamo un po' di e.*, let's do some practice; let's practise a bit; **fare dell'e. (fisico)**, to take some exercise; **tenersi in e.**, to keep in practice; to keep one's hand in; **fuori e.**, out of practice **3** (*uso, pratica, svolgimento*) exercise; exertion;

practice; execution: **l'e. dell'autorità**, the exercise (*o* exertion) of authority; **e. dell'avvocatura**, law practice; **e. di un culto**, practice of a religion; **e. di un diritto**, exercise of a right; **e. d'una professione**, practice of a profession; **nell'e. delle mie funzioni**, in the execution (*o* discharge) of my duties **4** (*gestione*) management, running; (*periodo di gestione*) financial year, fiscal year; (*rag.*) accounting period, trading year: **l'e. del 1999**, the 1999 financial year; **e. finanziario**, financial year; fiscal year; (*polit.*) **e. provvisorio**, provisional budget; **costi di e.**, running expenses **5** (*ind.*: *funzionamento*) running; working; operation: **entrare in e.**, to go (*o* to be put) into operation; **essere fuori e.**, not to be operating; **porre in e.**, to put into service; **costi di e.**, operating costs **6** (*attività commerciale*) business; concern; (*negozio*) shop; (*ristorante*) restaurant; (*bar*) bar; (*attività di vendita*) trading: **pubblico e.**, commercial business; **aprire un e.**, to set up a business; to open a shop [a bar, etc,]; **capitale di e.**, trading capital; **cessazione di e.**, closing down; **licenza di e.**, trading licence.

esèrgo m. (*numism.*) exergue.

esfoliànte Ⓐ a. **1** (*cosmetica*) scrubbing; exfoliating: **crema e.**, scrub **2** (*med.*) exfoliating Ⓑ m. (*med., cosmetica*) exfoliator.

esfoliàre v. t., **esfoliàrsi** v. i. pron. (*med.*) to exfoliate.

esfoliativo a. (*med.*) exfoliative.

esfoliazióne f. (*med.*) exfoliation.

♦**esibìre** Ⓐ v. t. **1** (*mostrare*) to show*; to produce: **e. i documenti**, to show (*o* to produce) one's papers; *Favorisca e. la patente*, may I see your licence please? **2** (*mettere in mostra*) to display; (*ostentare*) to show off: **e. la propria bravura**, to show off one's ability **3** (*leg.*) to produce; to exhibit; to submit: **e. testimoni**, to produce witnesses **4** (*lett.*: *offrire*) to offer Ⓑ **esibìrsi** v. rifl. **1** (*mettersi in mostra*) to show* off **2** (*teatr.*) to perform; to play; to dance: **esibirsi al pianoforte**, to play the piano; **esibirsi in pubblico**, to perform in public; **esibirsi in un tango**, to dance a tango; *La compagnia si esibì davanti alla corte*, the company performed for the Court **3** (*lett.*: *offrirsi*) to volunteer.

esibizióne f. **1** (*presentazione*) presentation; production: **dietro e. di**, on presentation of **2** (*il mettere in mostra*) display; exhibition; show; (*ostentazione*) ostentation, showing off, posturing: *Che e. di cattivo gusto!*, what an exhibition of bad taste! **3** (*teatr.*) performance; show; (*di attore*) appearance; (*numero*) number **4** (*sport*) spectacular match; spectacular event **5** (*lett.*: *offerta*) offer.

esibizionìsmo m. **1** exhibitionism; showing off; posturing **2** (*psic.*) exhibitionism; (*leg.*) indecent exposure.

esibizionista m. e f. **1** exhibitionist; show-off **2** (*psic.*) exhibitionist; (*leg.*) person guilty of indecent exposure, flasher (*fam. GB*).

esibizionìstico a. exhibitionist, exhibitionistic.

esicàsmo m. (*relig.*) Hesychasm.

esicàsta m. (*relig.*) Hesychast.

esigènte a. exacting; exigent; demanding; (*per raffinatezza*) fastidious, particular; (*per pignoleria*) hard to please, fussy, choosy: **un capo e.**, an exacting boss; **cliente e.**, demanding customer; **e. in fatto di abbigliamento**, very particular about clothes.

esigènza f. (*richiesta*) demand, requirement; (*bisogno*) need, exigency: **soddisfare le esigenze di q.**, to meet sb.'s requirements; *Quali sono le tue esigenze?*, what are your requirements?; **essere pieno di esigenze**, to be very demanding; *Sentii l'e.*

di..., I felt the need to...; **per esigenze di servizio**, for work reasons; **secondo le esigenze del caso**, according to need; as the occasion requires.

♦**esigere** v. t. **1** (*chiedere con forza*) to require; to demand; to insist on; to exact; to request; (*pretendere*) to demand, to ask, to expect: **e. una risposta [soddisfazione, delle scuse]**, to demand an answer [satisfaction, an apology]; **e. obbedienza**, to exact obedience; **e. il pagamento di un credito**, to request payment of a debt; **e. troppo da sé**, to expect too much of oneself; *Esigo che ci sia anche tu*, I insist on your being there as well **2** (*richiedere come necessario*) to require; to call for: *Questo lavoro esige molta pazienza*, this sort of work calls for great patience; **e. sacrifici**, to require sacrifice **3** (*riscuotere*) to collect: **e. un credito**, to collect a credit.

esigibile a. (*comm.*) due; payable; (*riscuotibile*) collectable: **credito e.**, collectable credit.

esigibilità f. pl. (*comm.*) current liabilities.

esiguità f. smallness; exiguity; exiguousness; slightness; (*scarsità*) meagreness, scantiness.

esiguo a. small; exiguous; slight; slender; (*scarso*) meagre, scanty.

esilarante a. **1** very funny; hilarious: **battuta [vignetta] e.**, hilarious one-liner [cartoon] **2** – **gas e.**, laughing gas ❶ FALSI AMICI • esilarante *non si traduce con* exhilarating.

esilarare Ⓐ v. t. to amuse; to make* (sb.) laugh Ⓑ **esilararsi** v. i. pron. to have great fun; to enjoy oneself ❶ FALSI AMICI • esilarare *non si traduce con* to exhilarate.

esile a. **1** (*sottile*) thin; slight; slender: **braccia esili**, thin arms; **figura e.**, slight figure **2** (*fig.: debole*) feeble; weak; faint; thin; (*tenue*) slender, tenuous: **voce e.**, thin (*o* faint) voice; **un'e. speranza**, a slender (*o* tenuous) hope **3** (*fig.: poco efficace*) weak; flimsy; insubstantial; (*scarso, striminzito*) thin, skimpy: **argomenti esili**, weak arguments.

esiliare Ⓐ v. t. to exile (generalm. al passivo); to send* into exile; to banish Ⓑ **esiliarsi** v. rifl. **1** to go* into exile **2** (*appartarsi*) to withdraw*; to retire.

esiliato Ⓐ a. exiled; banished Ⓑ m. (f. **-a**) exile: **e. politico**, political exile.

♦**esilio** m. **1** exile; banishment: **e. volontario**, self-imposed exile; **andare in e.**, to go into exile; **mandare in e.**, to send into exile; to exile (generalm. al passivo); to banish; **vivere in e.**, to live in exile; **dall'e.**, from exile **2** (*fig.*) withdrawal; isolation: **e. dal mondo**, withdrawal from the world.

esilità f. **1** thinness; slightness; slenderness **2** (*fig.: debolezza*) feebleness, faintness, weakness; (*tenuità*) slightness, slenderness **3** (*fig.: inconsistenza*) flimsiness; thinness.

esimente f. (*leg.*) exempting.

esimere Ⓐ v. t. to exempt; to dispense; to excuse; to free; to release; (*sollevare*) to relieve, to absolve: **e. q. da un dovere [da una responsabilità]**, to relieve sb. of a duty [of a responsibility]; **e. q. dal servizio militare**, to exempt sb. from military service Ⓑ **esimersi** v. rifl. to get* out (of); to avoid (doing st.); to refuse (to do st.): **esimersi dal proprio dovere**, to avoid doing one's duty; *Non posso esimermi dall'andarci*, I can't possibly refuse to go.

esimio a. **1** distinguished; eminent; illustrious: **il mio e. collega**, my illustrious colleague; **un e. scienziato**, a distinguished scientist; *E. signore*, my dear sir **2** (*iron.*)

thorough; downright; first-class: **un e. birbante**, a thorough scoundrel.

esiodèo a. (*letter.*) Hesiodic.

Esiodo m. (*letter.*) Hesiod.

esistènte a. existing; in existence; (*attuale*) present, current; (*vivente*) living: **le condizioni esistenti**, the existing (*o* present) conditions; **il miglior detersivo e. sul mercato**, the best washing powder on the market; **tuttora e.**, (*di persona*) surviving, still alive; (*di cosa*) extant.

♦**esistènza** f. **1** existence: **l'e. di Dio**, the existence of God; **l'e. di difetti**, the existence of defects; *Sei sicuro della sua e.?*, are you sure it exists? **2** (*vita*) existence; life: **un'e. travagliata**, a troubled life (*o* existence); **diritto all'e.**, right to life; *Minacciavano la nostra stessa e.*, they threatened our very existence; **avvelenare l'e. di q.**, to poison sb.'s whole life; *Dopo pochi mesi di e. l'impresa fallì*, the business only lasted a few months and then folded up.

esistenziale a. (*anche filos.*) existential.

esistenzialismo m. (*filos.*) existentialism.

esistenzialista a., m. e f. (*filos.*) existentialist.

esistenzialistico a. existentialist.

♦**esistere** v. i. **1** to exist; to be: *Esistono i fantasmi?*, do ghosts really exist?; *I fondi necessari esistono già*, the necessary funds already exist; *Per lui esiste solo suo figlio*, only his son exists for him; **un problema che esiste da secoli**, a problem that has been around for centuries; *In paese esistono ancora vecchie superstizioni*, old superstitions still exist (*o* still survive, are still alive) in the village; *Non esiste nessuna differenza*, there is no difference; *Non esiste scusa*, there is no excuse; *La perfezione non esiste*, there is no such thing as perfection; (*fam.*) *Non esiste!*, it's absurd!; it's out of the question! **2** (*essere vivo*) to be alive; to live.

esitàbile a. (*comm.*) saleable, salable.

esitabilità f. (*comm.*) saleability, salability.

esitabóndo a. hesitating; uncertain; indecisive; dithering.

esitànte a. **1** (*incerto*) hesitating; hesitant; uncertain; wavering; doubtful; (*di voce*) faltering **2** (*cauto*) hesitant; gingerly.

esitànza f. (*lett.*) hesitation; wavering.

♦**esitàre**① v. i. to hesitate; to hang* back; (*titubare*) to waver, to dither; (*essere irresoluto*) to be unable to make up one's mind; (*di voce*) to falter: **e. a rispondere**, to hesitate before answering; **e. fra due opinioni**, to waver between two opinions; **senza e.**, without hesitation; unhesitatingly; **senza e. un istante**, without a moment's hesitation.

esitàre② v. t. **1** (*comm.*) to sell* **2** (*bur.*) to deliver.

esitàre③ v. i. (*med.*, *di malattia*) to resolve.

esitazióne f. hesitation Ⓤ; wavering Ⓤ; (*irresolutezza*) dithering Ⓤ: **un attimo di e.**, a moment's hesitation; **dopo molte esitazioni**, after much hesitation; **senza e.**, without hesitation; unhesitatingly; **essere pieno di esitazioni**, to be irresolute; *Basta con le esitazioni!*, stop dithering!

èsito m. **1** result; outcome; upshot; issue: **l'e. delle elezioni**, the outcome of an election; **l'e. degli esami**, the examination results; (*med.*) the results of the tests; **l'e. di una malattia**, the outcome of an illness; **e. felice**, happy ending (*o* conclusion); (*riuscita*) success; **e. negativo**, negative result (*anche med.*); failure; **e. positivo**, success; (*med.*) positive result; **non avere e.**, to come to nothing; to be unsuccessful; **avere buon e.** (*o* **e. positivo**), to be successful; to suc-

ceed; **avere e. negativo**, to be unsuccessful; to fail; (*med.*) **dare e. negativo [positivo]**, to prove negative [positive]; **giudicare dall'e.**, to judge from results; **senza e.**, insuccessful; (*inutile*) fruitless **2** (*comm.*) sale **3** (*bur.*) answer: **dare e. a una lettera**, to answer a letter **4** (*ling.*) reflex.

esiziale a. disastrous; ruinous; (*mortale*) fatal, lethal, deadly: **politica e.**, ruinous policy; **malattia e.**, fatal illness.

èskimo① m. (*giaccone*) parka; anorak.

èskimo② m. (*sport*) Eskimo roll.

eslège a. extra-legal.

esobiologìa f. exobiology.

esobiòlogo m. (f. **-a**) exobiologist.

esocàrpo m. (*bot.*) exocarp; epicarp.

esocèto m. (*zool.*, *Exocoetus*) flying fish.

esocitòsi f. (*biol.*) exocytosis.

esocrino a. (*anat.*) exocrine.

esodèrma m., **esodèrmide** f. (*bot.*) exodermis.

esodinàmica f. (*geol.*) exodynamics.

èsodo m. **1** exodus; mass migration: **l'e. dei profughi**, the exodus of the refugees; **l'e. per le vacanze estive**, the summer exodus; **l'e. dalle campagne**, the exodus from the countryside; **e. in massa**, mass exodus; mass migration **2** (*di capitali*) flight; drain **3** – **l'E.**, (*stor. ebraica*) the Exodus; (*libro biblico*) Exodus.

esofagèo a. (*anat.*) esophageal, oesophageal.

esofagìsmo m. (*med.*) esophagism, oesophagism.

esofagìte f. (*med.*) esophagitis, oesophagitis.

esòfago m. (*anat.*) esophagus*, oesophagus*.

esoftàlmo m. (*med.*) exophthalmus; exophthalmos; exophthalmia.

esogamìa f. (*antrop.*, *biol.*) exogamy.

esogàmico a. exogamic; exogamous.

esògamo a. (*antrop.*) exogamous.

esogènesi f. exogenesis.

esògeno a. (*bot.*, *geol.*, *med.*) exogenous • (*bot.*) **pianta esogena**, exogen.

esomorfìsmo m. (*geol.*) exomorphism.

esomòrfo a. (*geol.*) exomorphous.

esondàre v. i. to overflow.

esondazióne f. overflow.

esóne m. (*biol.*) exon.

esoneràre Ⓐ v. t. **1** (*dispensare*) to excuse (from); to exempt (from); to release (from); to exonerate (from); (*da un onere*) to free (from), to relieve (of): **e. da una lezione**, to excuse from a class; **e. da un obbligo**, to exonerate (*o* to release) from a duty; **e. da una responsabilità**, to relieve of a responsibility; **e. dal servizio militare**, to exempt from national service **2** (*destituire*) to relieve (of); to dismiss: **e. dal comando**, to relieve of command Ⓑ **esoneràrsi** v. rifl. to excuse oneself.

esoneràto a. **1** (*dispensato*) excused; exempt: **e. dalle tasse**, exempt from taxation; **e. dall'obbligo di leva**, exempt from national service **2** (*destituito*) dismissed.

esònero m. **1** (*esenzione*) exemption; release; relief: **e. da un dovere**, exemption from a duty; **e. dalle lezioni di ginnastica**, exemption from the PE hour; **e. dalle tasse**, exemption from taxation; tax relief **2** (*allontanamento*) dismissal.

esònimo m. exonym.

esòpico a. (*letter.*) Aesopic.

Esòpo m. (*letter.*) Aesop.

esorbitànte a. exorbitant; excessive; inordinate; (*di costo*) extortionate, iniquitous.

esorbitànza f. exorbitance; excessiveness.

esorbitàre v. i. to exceed; to go* beyond; to lie* outside: **e. dal compito** (o **dalle mansioni**) **di q.**, to lie outside sb.'s duties.

esorcìsmo m. exorcism: **fare un e.**, to perform an exorcism.

esorcìsta m. e f. (anche eccles.) exorcist.

esorcìstico a. exorcistic.

esorcizzàre v. t. **1** (eccles.) to exorcize **2** (fig.) to exorcize; to avert; to ward off.

esorcizzatóre **A** a. exorcizing **B** m. exorcist.

esorcizzazióne f. exorcism.

esordiènte **A** a. making one's debut: **un attore e.**, an actor making his debut **B** m. e f. person making his [her] debut; beginner; novice; neophyte.

esòrdio m. **1** (di discorso) exordium*; preamble; introduction **2** (inizio) beginning; start; opening: **gli esordi della civiltà**, the beginnings of civilization; **l'e. di un romanzo**, the opening of a novel; *La sua carriera era agli esordi*, he was just beginning his career **3** (debutto) debut; first appearance: **un cantante al suo e.**, a singer making his debut.

esordìre v. i. **1** (cominciare) to begin*; to start off: *L'oratore esordì con una battuta*, the speaker started off with a joke **2** (in un'attività, una professione) to begin*; to make* one's debut: **e. come attore**, to begin as an actor; to make one's debut in the theatre; **e. in una carriera**, to begin one's career **3** (teatr.) to make* one's debut; to debut: *Esordì nella parte di Cordelia*, she made her debut as Cordelia.

esoreattóre m. (aeron.) air-breathing engine.

esorèico a. (geogr.) exhoreic.

esornàre v. t. (lett.) to adorn; to decorate.

esornativo a. (lett.) ornamental; decorative.

esortàre v. t. to urge; to exhort: *Lo esortai a continuare*, I urged him to go on.

esortativo a. exhortative; exhortatory: *Feci loro un discorsetto e.*, I gave them a pep talk (fam.).

esortatóre m. (f. -trìce) exhorter.

esortazióne f. exhortation; incitement; advice.

esoschèletro m. (zool.) exoskeleton.

esosfèra f. (geol.) exosphere.

esòsio m. (chim.) hexose.

esosità f. **1** (avarizia) meanness, stinginess; (avidità) greed, rapaciousness **2** (di prezzo) exorbitance.

esòso① a. **1** (avaro) mean, stingy; (avido) greedy, rapacious **2** (di prezzo) exorbitant.

esòso② → **esosio**.

esostòrico a. outside history.

esostòsi f. (med.) exostosis*.

esotèrico a. esoteric.

esoterìsmo m. esotericism; esoterism.

esotèrmico a. (fis., chim.) exothermic.

esoticità f. exotic character; exoticism; (stravaganza) outlandishness.

esòtico **A** a. e m. exotic; (straniero) foreign; (stravagante) outlandish: **fiore e.**, exotic flower; **mode esotiche**, exotic fashions **B** m. esotic: **gusto dell'e.**, taste for the exotic.

esotìsmo m. exoticism; (stravaganza) outlandishness.

esotìsta m. e f. lover of the exotic.

esotizzànte a. tending to the exotic; indulging in exoticism.

esotossìna f. (biol.) exotoxin.

esotropìa f. (med.) convergent strabismus; esotropia.

espàndere **A** v. t. **1** (estendere) to expand; to extend; to spread* out; (allargare) to enlarge: **e. le proprie attività**, to expand (o to extend) one's activities; *Vuole e. la sua azienda*, she wants to expand her business **2** (diffondere) to give* off; to diffuse **B** **espàndersi** v. i. pron. **1** (aumentare di volume) to expand: *I gas si espandono*, gasses expand **2** (estendersi) to expand **3** (diffondersi) to spread*; to extend; to become* widespread.

espandìbile a. (comput.) expandable.

espansìbile a. expansible; expansile; expandable.

espansibilità f. expansibility.

espansióne f. **1** expansion; spread; (crescita) growth: **e. commerciale**, trade expansion; **e. economica**, economic expansion (o growth); **e. urbana**, expansion of urban areas; urban sprawl; **un'azienda in e.**, a growing business; *L'industria nazionale è in e.*, the national industry is booming; **in rapida e.**, rapidly expanding; (econ.) **fase di e.**, boom **2** (chim., fis., mat.) expansion: **l'e. di un gas**, the expansion of a gas; (fis.) **e. polare**, pole piece; **l'universo in e.**, expanding universe **3** (fig.: effusione) effusion; warmth ⓤ; expansiveness ⓤ.

espansionìsmo m. expansionism.

espansionìsta a., m. e f. expansionist.

espansionìstico a. expansionist, expansionistic.

espansività f. (calore) demonstrative nature; outgoing character; expansiveness; warmth.

espansìvo a. demonstrative; expansive; warm; outgoing: **carattere e.**, outgoing character; **poco e.**, undemonstrative; reserved.

espànso a. (anche chim.) expanded: **gas e.**, expanded gas; **polistirolo e.**, expanded polystyrene.

espatriàre v. i. to leave* one's country; to expatriate.

espàtrio m. expatriation; (emigrazione) emigration; (bur.) viaggio all'estero) travel abroad: **e. clandestino**, illegal emigration; **non valido ai fini dell'e.**, not valid for travel abroad; **permesso di e.**, authorization to leave the country; (documento) emigration permit.

espediènte m. expedient; device; way; (trucco) ploy, trick, dodge (fam.): **un utile e.**, a useful expedient; **un e. per guadagnare tempo**, a ploy to buy time; **un e. per non pagare le tasse**, a dodge to avoid paying taxes; **escogitare un e.**, to think up a device; to contrive st.; **ricorrere a ogni e. per ottenere qc.**, to try every trick in the book to get st.; **vivere d'espedienti**, to live by one's wits.

espèllere v. t. **1** (cacciare) to expel; to drive* out; to turn out; (da un Paese) to expel, to deport; (sport) to order off the field; to send* off (GB): **e. un ragazzo dalla scuola**, to expel a boy from school; **e. da un Paese**, to expel from a country; **e. gli immigrati clandestini**, to deport illegal immigrants; *Fu espulso dal partito*, he was expelled from the party; *Fu espulso al quinto minuto di gioco*, he was sent off after five minutes' play **2** (emettere) to eject; to discharge **3** (med.: eliminare) to expel; to excrete.

esperantìsta m. e f. Esperantist.

esperànto a. e m. Esperanto.

espèria f. (zool., Hesperia) hesperid; hesperiid; skipper butterfly.

Espèria f. (geogr.) Hesperia.

esperìbile a. **1** accomplishable **2** attemptable.

Espèridi f. pl. (mitol.) Hesperides.

esperìdio m. **1** (bot.) hesperidium* **2** (zool.) → **esperia**.

◆**esperiènza** f. **1** experience: **e. di lavoro**, work experience; **un'e. spiacevole**, an unpleasant experience; *Abbiamo bisogno della tua e.*, we need your experience; **avere molta esperienza**, to have a lot of experience; to be experienced; **non avere nessuna e.**, to be completely inexperienced; *Non ho nessuna e. di guida*, I have no driving experience; **farsi un'e.**, to gain experience; **fare molte esperienze**, to have many experiences; (eufem.) *È una che ha fatto molte esperienze*, she has had a rather promiscuous life; **parlare per e.**, to speak from experience; **sapere per e.**, to know by experience; **senza e.**, inexperienced **2** (esperimento) experiment; trial; test.

esperienziàle a. experiential.

esperimentàre → **sperimentare**.

◆**esperiménto** m. (scientifico) experiment; (prova tecnica) test, trial: **e. di laboratorio**, laboratory experiment; laboratory test; **fare un e.**, to perform an experiment; to do a test; **fare esperimenti su animali**, to experiment on animals; *Aspetta, voglio fare un e.*, wait, I want to try something out; **sottoporre qc. a e.**, to carry out an experiment on st.

espèrio a. (lett.) **1** (occidentale) Hesperian; western **2** (italico) Hesperian; Italic.

esperìre v. t. (leg.) - **e. un'indagine**, to carry out an investigation; **e. le vie legali**, to take legal steps.

èspero m. (lett.) **1** (astron.) Hesperus; evening star **2** (occidente) west **3** (vento di ponente) west wind.

◆**espèrto** **A** a. (che ha esperienza) experienced; (abile) expert, skilled, adept, practised: **un avvocato e.**, an experienced lawyer; **un guidatore e.**, an experienced driver; **un tecnico e.**, a skilled engineer; **occhio e.**, expert (o practised) eye; (comput.) **sistema e.**, expert system; **essere e. di computer**, to know a lot about computers; **e. della vita**, worldly-wise; having experience of life **B** m. (f. -a) expert; adept; specialist; (consulente) consultant, adviser: **un e. di elettronica**, an expert on electronics; **e. finanziario**, financial expert; investment adviser; **consultare un e.**, to consult an expert; *È un e. nell'arte di scansare il lavoro*, he's very adept at shirking work; **opera di esperti**, expert job; **il parere di esperti**, an expert opinion; expert advice.

espettorante a. e m. (farm.) expectorant.

espettoràre v. t. to expectorate; to hawk.

espettorativo → **espettorante**.

espettoràto (med.) **A** a. expectorated **B** m. sputum ⓤ; expectoration.

espettorazióne f. (med.) expectoration.

espiàbile a. expiable.

espiantàre v. t. (biol., chir.) to explant.

espiantazióne f. (biol., chir.) explantation.

espiànto m. (chir.) **1** (operazione) explantation **2** (organo o tessuto) explant.

espiàre v. t. **1** to expiate; to atone for; to make* amends for: **e. una colpa**, to expiate a wrong one has done; **e. i propri peccati**, to atone for one's sins **2** (leg.) to serve: **e. la pena**, to serve one's sentence.

espiatòrio a. expiatory ● (anche fig.) **capro e.**, scapegoat.

espiazióne f. expiation; atonement.

espiràre v. t. e i. to breathe out; to exhale; to expire.

espiratóre a. (anat.) expiratory: **muscolo e.**, expiratory muscle.

espiratòrio a. expiratory.

espirazióne f. breathing out; exhalation; expiration.

espletaménto m. (bur.) execution; carrying out; fulfilment; completion; dispatch:

l'e. di un incarico, the fulfilment of a task; **l'e. delle formalità necessarie**, the completion of all the necessary formalities; **nell'e. delle proprie funzioni**, in the execution of one's duties.

espletàre v. t. to execute; to carry out; to fulfil; to perform; to attend to; to dispatch: **e. un compito**, to perform (o to fulfil) a task; **e. le formalità necessarie**, to complete all the necessary formalities; **e. le operazioni di carico**, to carry out the loading operations; **e. lo sdoganamento di un carico**, to see a load through customs.

espletivo a. (ling.) expletive; pleonastic: **particella espletiva**, pleonastic particle.

esplicàre v. t. 1 (svolgere) to perform; to carry on; to carry out: **e. un'attività**, to carry on an activity 2 (lett.: spiegare) to expound; to explain.

esplicativo a. explicative; explanatory.

esplicazióne f. 1 (svolgimento) execution; performance; carrying out 2 (lett.: spiegazione) explication; explanation.

esplicitaménte avv. 1 (chiaramente) explicitly; expressly; unequivocally 2 (francamente) frankly; freely; openly.

esplicitàre v. t. to make* explicit; (chiarire) to make* clear, to express clearly.

esplicitazióne f. clarification; elucidation.

esplicito a. 1 (chiaro) explicit; express; unequivocal; definite: **un'affermazione esplicita**, an explicit statement; **desiderio e.**, express wish; **ordine e.**, express order; **e. rifiuto**, unequivocal refusal 2 (franco) frank; outspoken; direct 3 (mat.) explicit.

esplodènte a. e m. explosive.

esplòdere [A] v. i. 1 to explode; (di bomba, ecc.) to explode; to blow* up; to go* off; (scoppiare) to burst*: **un gas che esplode facilmente**, a gas that explodes easily; La bomba esplose a pochi metri dalla casa, the bomb exploded (o went off) a few metres from the house; Il palloncino mi esplose in faccia, the balloon burst in my face; **far e.**, to explode; to blow up; to set off; (far scoppiare) to burst 2 (fig., di persona) to burst* out; to break* out; (infuriarsi) to explode, to blow* one's top (fam.): **e. in una risata**, to burst out laughing; to explode into laughter; «Basta!» esplose, «enough of that!» he burst out; A quelle parole esplosi, at those words I exploded 3 (fig., di gioia) to burst* out; to erupt; to flare up: Esplosero gli applausi, applause burst out; Nelle strade esplose la violenza, street-fights flared up; È esplosa l'estate, summer has burst [B] v. t. to fire: **e. un colpo di rivoltella**, to fire a (revolver) shot.

esploditóre m. blaster; exploder; detonator.

esploràbile a. explorable.

♦**esploràre** v. t. 1 to explore; (perlustrare) to search, to scout; (mil.) to reconnoitre, to scout: **e. le regioni artiche**, to explore the Arctic regions; **e. il terreno circostante**, to search the ground all around 2 (osservare attentamente) to scrutinize; to scan; to search: **e. l'orizzonte col binocolo**, to scan the horizon through the binoculars 3 (med.) to explore; to probe; to sound: **e. una ferita**, to probe a wound 4 (fig.: indagare) to explore; to search; to inquire into; to investigate: **e. una possibilità**, to explore a possibility 5 (fig.: sondare) to probe into; to sound out: **e. il cuore di q.**, to probe into sb.'s heart; **e. le intenzioni di q.**, to sound sb. out 6 (TV) to scan.

esplorativo a. exploratory; explorative: (chir.) **intervento e.**, exploratory operation; **sondaggio e.**, exploratory survey.

esploratóre [A] a. exploring; inquiring;

investigating; searching: **mente esploratrice**, inquiring mind [B] m. 1 (f. -trice) explorer 2 (mil.) scout 3 (naut.) scout (ship) ● **giovane e.**, boy scout (f. girl guide).

esploratòrio a. exploratory: (chir.) **intervento e.**, exploratory operation.

esplorazióne f. 1 exploration: **l'e. dell'Africa**, the exploration of Africa; **l'e. dello spazio**, the exploration of space; space exploration; **viaggi di e.**, voyages of exploration 2 (mil.) reconnaissance; scouting: **e. strategica**, strategic reconnaissance; **mandare in e.**, to send out on a scouting expedition 3 (med.) exploration; probing; sounding 4 (fig.: investigazione) exploration, investigation; (sondaggio) sounding, probe 5 (TV) scanning.

esplosióne f. 1 explosion; (spec. di bomba) blast; (detonazione) explosion, bang, report: **e. nucleare**, nuclear explosion; L'e. fece molte vittime, the blast caused many casualties 2 (fig.) explosion; outburst; outbreak; eruption; flare-up: **e. demografica**, population explosion; **e. di gioia**, explosion of joy; **e. d'ira**, outburst of anger; **l'e. di un'epidemia**, the outbreak of an epidemic; **e. di proteste**, explosion of protest; **e. di violenza**, eruption (o explosion, flare-up) of violence 3 (ling.) explosion.

esplosivista m. e f. specialist in exploded diagrams.

esplosività f. (anche fig.) explosiveness.

esplosivo [A] a. 1 explosive; blasting (attr.): **lettera esplosiva**, letter-bomb; **miscela esplosiva**, explosive mixture; **ordigno e.**, explosive contrivance; device; bomb 2 (fig.: violento) explosive; violent; (improvviso) explosive; sudden: **carattere e.**, explosive temper; **notizia esplosiva**, bombshell 3 (fig.: pericoloso) explosive; critical; loaded: **situazione esplosiva**, explosive (o loaded) situation 4 (ling.) plosive; explosive [B] m. explosive: **e. dirompente**, high explosive; **e. plastico**, plastic explosive; **alto e.**, high explosive; **carica di e.**, charge.

esplòso [A] a. exploded: **disegno e.**, exploded drawing (o diagram) [B] m. exploded drawing (o diagram).

esponènte [A] m. e f. 1 (persona rappresentativa) exponent; (rappresentante) representative: **un e. dell'avanguardia**, a leading exponent of the avant-garde; a leading avant-garde figure; **un e. del partito**, a party representative; **un e. di spicco**, a leading exponent (o figure) 2 (bur.) applicant; petitioner [B] m. 1 (ling.: lemma) headword; entry word 2 (mat.) exponent; index* 3 (tipogr.) superscript: **scrivere in e.**, to superscribe; **in e.**, superscript (agg.) 4 (naut.) – **e. di carico**, deadweight capacity (o tonnage).

esponenziàle (mat.) [A] a. exponential: **crescita e.**, exponential growth; **curva e.**, exponential curve; **funzione e.**, exponential function [B] f. exponential curve.

♦**espórre** [A] v. t. 1 (mettere fuori) to expose; to put* out; (affiggere) to put* up, (con puntine) to stick* up, to pin up; (mettere in vista, in mostra) to display, to show*: **e. qc. alla luce [al sole]**, to expose st. to the light [to sunlight]; **e. un avviso**, to stick up a notice; **e. una bandiera**, to hang out a flag; **e. in bacheca**, to put up on the noticeboard; **e. merci in vetrina**, to display goods in the shop-window; (relig.) **e. il Santissimo**, to expose the Blessed Sacrament 2 (abbandonare, sottoporre) to expose: **e. alle critiche**, to expose to criticism; **e. alle intemperie**, to expose to the elements; **e. a un rischio**, to expose to a risk 3 (mettere a repentaglio) to put* at risk; to risk; to endanger: **e. un amico**, to put a friend at risk; **e. la vita**, to risk one's life; to expose oneself 4 (di artista, an-

che assol.) to exhibit: **e. i propri quadri**, to exhibit one's paintings; Esporrò alla galleria Mirage, I will exhibit at the Mirage Gallery 5 (spiegare) to expound, to explain; (descrivere) to present, to state; (raccontare) to tell*, to relate; (manifestare) to express: **e. un dubbio [un desiderio]**, to express a doubt [a wish]; **e. il proprio caso**, to present (o to tell) one's case; **e. i fatti**, to tell the facts; to give an account of what happened; **e. le proprie idee**, to state one's ideas; **e. il proprio punto di vista**, to explain one's point of view; **e. una teoria**, to expound a theory 6 (fotogr.) to expose [B] espórsi v. rifl. 1 to expose oneself; to lay* oneself open to: **esporsi alle critiche**, to lay oneself open to criticism; **esporsi a un rischio**, to expose oneself to risk; **esporsi al sole**, to expose oneself to sunlight 2 (rischiare) to take* risks; to stick one's neck out (fam.) 3 (compromettersi) to compromise oneself 4 (indebitarsi) to incur debts: **esporsi per tre miliardi**, to incur debts for three billion.

esportàbile a. exportable.

♦**esportàre** v. t. (anche fig., comput.) to export.

esportatóre [A] a. exporting; export (attr.): **ditta esportatrice**, export firm; **paese e. di petrolio**, oil-exporting country [B] m. (f. -trice) exporter.

♦**esportazióne** f. (attività) exportation, export; (al pl.: merci, prodotti) exports: **e. di capitali**, capital export; **l'e. di materie prime**, the exportation of raw materials; **e. di manodopera**, export of labour; **e. sottocosto**, dumping; **le principali esportazioni di un paese**, a country's main exports; **aumentare le esportazioni**, to step up exports; **destinato all'e.**, for export; **licenza d'e.**, export licence; **merci d'e.**, export goods; exports.

esposìmetro m. (fotogr.) exposure meter.

esposìtivo a. 1 expository; expositive 2 (rif. a una mostra) exhibition: **area espositiva**, exhibition area.

espositóre [A] a. exhibiting: **ditta espositrice**, exhibiting firm [B] m. (f. -trice) 1 (chi mette in mostra) exhibitor 2 (chi spiega) expositor; narrator [C] m. (supporto per esporre) display stand.

♦**esposizióne** f. 1 exposure; (di merce, avviso, ecc.) display: **e. al pericolo**, exposure to danger; **e. al sole**, exposure to sunlight; **l'e. degli articoli in vetrina**, the display of goods in the shop-window; (relig.) **l'E. del Santissimo**, the Exposure of the Blessed Sacrament; **in e.**, on view; on display 2 (orientamento) exposure; aspect: **una casa con e. a sud**, a house with a southern exposure (o aspect) 3 (mostra pubblica) exhibition; show; (fiera internazionale) exposition, expo (fam.): **e. di opere d'arte**, art exhibition; **e. industriale**, industrial exhibition (o exposition); **palazzo delle esposizioni**, exhibition building; expo building; (comm.) **sala d'e.**, show-room 4 (presentazione, spiegazione) exposition; (descrizione) description, account; (dichiarazione) statement; (narrazione) description, account: **e. dei fatti**, account of the events (o of what happened); statement of fact; (comm.) **e. della situazione finanziaria**, statement of affairs 5 (abbandono) exposition: **l'e. dei neonati**, the exposition of infants 6 (fotogr., radiografia) exposure: **doppia e.**, double exposure; **tempo di e.**, exposure time; (fotogr.) shutter speed 7 (mus.) statement 8 (fin., comm.) exposure 9 (alpinismo) exposure.

espósto [A] a. 1 exposed; (di avviso) displayed, (put) up; (di merce, ecc.) displayed, on display, on show; (di oggetto artistico) on view, on display, exhibited, on exhibition: il

espressamente | **essere** 1809

fianco e., the exposed side; **e. al sole** [**ai venti**], exposed to sunlight [to the wind]; **le merci esposte**, the goods on display; **i quadri esposti**, the exhibited paintings; **i bronzi esposti al Museo Nazionale**, the bronzes on display (*o* on exhibition) at the National Museum; *I risultati sono esposti in municipio*, the results are up in the Town Hall **2** (*rivolto*) facing: **edificio e. a nord**, building facing north **3** (*presentato, spiegato*) explained; (*descritto*) stated; (*manifestato*) expressed: *La situazione esposta non sembra grave*, the situation as stated doesn't seem to be serious **4** (*soggetto*) open; (*vulnerabile*) exposed, vulnerable, liable: **e. alle critiche**, open to criticism; **e. a contagio**, exposed to contagion; **e. a danneggiamenti**, liable to be damaged; **e. ai pericoli**, exposed to danger; **e. a rischio**, unsafe **5** (*econ.*) liable **6** (*med.*) exposed; open: **frattura esposta**, open (*o* exposed) fracture **7** (*alpinismo*) exposed **B** m. **1** (*leg., bur.*) statement; account (of facts); exposé (*franc.*); (*petizione*) petition; (*denuncia*) complaint **2** (f. **-a**) (*trovatello*) foundling.

espressaménte avv. **1** (*chiaramente*) explicitly; specifically: *È detto e. nel regolamento*, it is explicitly stated in the regulations **2** (*apposta*) expressly; especially: *L'hanno dovuto fare e. per me*, they had to make it especially for me.

♦**espressióne** f. **1** (*manifestazione*) expression: **l'e. della volontà di q.**, the expression of sb.'s will **2** (*parole, frase*) words (pl.); expression: **espressioni di affetto**, affectionate words; **espressioni di ringraziamento**, words of thanks; **espressioni di solidarietà**, expressions of sympathy **3** (*locuzione*) phrase; expression: **e. colloquiale**, colloquial expression (*o* phrase); **e. idiomatica**, idiom **4** (*del viso, ecc.*) expression; look: **l'e. dei suoi occhi**, the look in his eyes; **un'e. sorpresa**, a surprised expression; a look of surprise; **sguardo senza e.**, vacant stare; **viso senza e.**, blank face **5** (*espressività, anche mus.*) expression; feeling: **leggere con e.**, to read with expression; **ricco di e.**, full of expression **6** (*mat.*) expression.

espressionìsmo m. (*arte, letter.*) expressionism.

espressionìsta a., m. e f. (*arte, letter.*) expressionist.

espressionìstico a. (*arte, letter.*) expressionist, expressionistic.

espressivìsmo m. stylistic vividness; inventive style.

espressività f. expressiveness.

espressìvo a. **1** expressive; full of expression; (*eloquente*) eloquent, meaningful: **voce espressiva**, expressive voice; **sguardo e.**, expressive look; **silenzio e.**, eloquent silence **2** (*mus.*) espressivo.

esprèsso① a. **1** (*formulato*) expressed; worded **2** (*esplicito*) express; explicit: **e. desiderio**, express wish; **per e. ordine di**, by explicit order of; **su espressa richiesta di**, at the explicit request of.

esprèsso② **A** a. **1** (*celere, rapido*) express; fast: **treno e.**, express (*o* fast) train **2** (*fatto apposta*) made to order (pred.): **caffè e.**, espresso (coffee); **piatto e.**, dish made to order **B** a. inv. express; fast: **consegna e.**, express delivery; **francobollo e.**, express stamp; **lettera e.**, express letter; special delivery letter (*USA*); **servizio e.**, express service **C** m. **1** (*treno*) express (train) **2** (*caffè*) espresso* **3** (*lettera*) express letter, special delivery letter (*USA*); (*consegna*) express delivery: **mandare qc. per e.**, to send st. express (*o* by express delivery) **4** (*francobollo*) express stamp.

♦**esprìmere** **A** v. t. **1** (*manifestare*) to express; (*con parole*) to express, to give* expression to, to voice, to give* voice to; (*indicare, significare*) to indicate, to convey; (*mostrare*) to show, to reveal: **e. un desiderio**, to express a wish; **e. la propria gratitudine**, to express one's gratitude; **e. un'opinione**, to express an opinion; **e. il sentimento di tutti**, to voice the general feeling; *Le elezioni non hanno espresso una chiara maggioranza*, the election didn't indicate a clear majority **2** (*ritrarre, rendere*) to render; to express; to portray **3** (*mat.*) to express; (*rif. a valutazione, misura, ecc., anche*) to give*: *I prezzi devono essere espressi in euro*, prices must be expressed (*o* given) in euros; *Nelle scuole inglesi i voti sono espressi in lettere*, marks are given in letters in British schools **B** **esprimersi** v. i. pron. to express oneself; to articulate one's thought; (*parlare*) to talk, to speak*, to communicate: **esprimersi in una lingua straniera**, to express oneself (*o* to communicate) in a foreign language; **esprimersi a gesti**, to talk in sign language; *Non riesco a esprimermi come vorrei*, I can't express myself as well as I would like; *Non mi sono espresso bene*, I didn't put it very well; **sapere esprimersi**, to be able to communicate; (*parlare bene*) to be articulate; **non sapersi esprimere**, (*in una circostanza*) to be unable to express oneself; to be unable to find the right words; (*d'abitudine*) to be inarticulate.

esprimìbile a. expressible.

espromissióne f. (*leg.*) expromission.

espromissóre, **espromittènte** m. (*leg.*) expromissor.

espropriàbile a. than can be expropriated.

espropriàre **A** v. t. (*leg.*) to expropriate (st., sb.); (*anche estens.*) to dispossess (sb. of st.) **B** **espropriàrsi** v. rifl. to waive; to give* up.

espropriazióne f., **espròprio** m. (*leg.*) expropriation; (*anche estens.*) dispossession: **e. per pubblica utilità**, expropriation for public use; compulsory purchase (*GB*); eminent domain (*USA*).

espugnàbile a. that can be taken by storm; conquerable.

espugnàre v. t. **1** to take* by storm; to storm; to conquer **2** (*fig.*) to overcome*.

espugnatóre m. (f. **-trìce**) conqueror.

espugnazióne f. assault and capture; storming; conquest.

espulsióne f. **1** (*allontanamento*) expulsion; (*sport*) sending off; dismissal; (*rimpatrio*) deportation: **l'e. di un socio**, the expulsion of a member; **l'e. degli immigrati clandestini**, the deportation of illegal immigrants; **ordine di e.**, expulsion order, deportation order **2** (*mecc.*) ejection: **e. del bossolo**, ejection of the cartridge **3** (*med.*) expulsion; discharge; **l'e. del feto**, the expulsion of the foetus.

espulsìvo a. expulsive.

espùlso **A** a. expelled; (*sport*) sent off (pred.); (*rimpatriato*) deported; (*mecc.*) ejected **B** m. (f. **-a**) person who has been expelled.

espulsóre m. (*di arma da fuoco*) ejector.

espulsòrio a. expulsive.

espùngere v. t. to expunge.

espunzióne f. expunction.

espurgàre v. t. to expurgate; to bowdlerize.

espurgatóre m. (f. **-trìce**) expurgator.

espurgazióne f. expurgation; bowdlerization.

Esquilìno m. (*geogr.*) Esquiline.

esquimése → **eschimese**.

éssa pron. pers. femm. 3ª pers. sing. (*rif. a cosa o ad animale di sesso imprecisato*) it (sogg. e compl.); (*rif. a femmina d'animale, a imbarcazione o, fam., a persona di sesso femm.*) she (sogg.), her (compl.): *Vidi la brocca e accanto ad e. il coltello*, I saw the jug and next to it the knife; *Chiunque e. sia*, whoever she may be; *Di e. non abbiamo notizie*, we have no news of her; **e. stessa**, itself; (she) herself.

ésse① pron. pers. femm. 3ª pers. pl. they (sogg.); them (compl.): *Chiamai ma e. non mi sentirono*, I called but they didn't hear me; *Due di e. sono state comprate*, two of them have been bought.

èsse② f. o m. inv. (*lettera*) (letter) s; S: **disegnare una e.**, to draw an S; **fatto a e.**, S-shaped; **curva ad e.**, S.

essènico a. (*stor. relig.*) Essenian; Essenic.

essèno m. (*stor. relig.*) Essene.

essènza f. **1** (*filos.*) essence **2** (*parte fondamentale*) essence, core, heart, fundamentals (pl.); (*sostanza*) substance, gist: **l'e. di un discorso**, the essence (*o* the gist) of a speech **3** (*chim.*) essence; (essential) oil: **e. di bergamotto**, essence of bergamot; **e. di mandorle**, oil of almonds; **e. di rose**, attar of roses **4** (*specie di albero*) species (of a tree); (*legno*) type of wood.

♦**essenziàle** **A** a. **1** essential; fundamental; basic: **la qualità e.**, the essential quality; **requisito e.**, essential requisite; **garantire i servizi essenziali**, to maintain essential services **2** (*conciso*) terse; crisp **3** (*chim.*) essential: **olio e.**, essential oil **B** m. (the) essential thing [things]; the main thing; (*i punti essenziali*) (the) main points (pl.); (*l'indispensabile*) (the) bare essentials (pl.): *L'e. è restare uniti*, the essential thing is to stay together; **badare all'e.**, to stick to (the) essentials; *L'appartamento era arredato con l'e.*, the flat was furnished with the bare essentials.

essenzialìsmo m. (*filos.*) essentialism.

essenzialità f. essentiality.

essenzialménte avv. essentially; fundamentally; basically.

♦**èssere**① **A** v. i. **1** (*esistere*) to be: *Penso, dunque sono*, I think, therefore I am; *E la luce fu*, and there was light **2** (*come copula*) to be: *È onesto*, he is honest; *Sono un medico*, I am a doctor; *Chi è?*, who is it?; *Sei Dino?*, is that Dino?; *Sì, sono io*, yes, it's me; yes, it is I (*form.*); *Non è niente*, it's nothing **3** (*trovarsi, stare*) to be: *Il lago è da quella parte*, the lake is over there; *Dove eravate?*, where were you? **4** (*accadere, avvenire*) to be; to happen; to become*: *Che è stato?*, what was it?; *Fu nel 1948*, it happened in 1948; *Che ne sarà di noi?*, what will become of us? **5** (*diventare*) to be; to get*: **quando sarò medico**, when I am a doctor; **quando sarai grande**, when you get older **6** (*andare, venire*) to be; (*arrivare*) to get*: *Sono stato due volte a Londra*, I have been to London twice; *Sarò da te fra un minuto*, I'll be with you in a moment; *Siamo stati a trovarlo*, we've been to see him; *Quando saremo a Mestre?*, when do we get to Mestre? **7** (*provenire*) to be; to come*: *Sono di Napoli*, I'm (*o* I come) from Naples; *Di dove sei?*, where are you from?; where do you come from? **8** (*ausiliare nel passivo*) to be: *Fu ucciso in combattimento*, he was killed in action **9** (*ausiliare nei tempi composti*) to have: *È appena arrivato*, he has just arrived; *È piovuto*, it has been raining; *Saranno state le due circa*, it must have been around two; *Si sono avute alcune proteste*, there have been some complaints; *Non ti sei ancora lavato?*, haven't you washed yet? **10** (*consistere*) to consist; to lie*: *La vera felicità non è nella ricchezza*, true happiness doesn't lie in wealth **11** (*costare*) to be, to cost*; (*pesare*)

a b c d e f g h i j k l m n o p q r s t u v w x y z

to weigh; (*essere lungo*) to be... long: *Quant'è?*, how much is it?; *Sono cinquanta euro in tutto*, it's fifty euros; (*Io*) *sono ottanta kili*, I weigh eighty kilos; *Questa pertica è due metri*, this pole is two metres long **12** (in varie loc. temporali) to be (o idiom.): *Sono ore che t'aspetto*, I've been waiting for you for hours; *Sono vent'anni che ti conosco*, I've known you for twenty years; *È un pezzo che lavoriamo insieme*, we've been working together for quite some time **13** (**e. da** + inf.: *addirsi*) to be worthy of; (*essere tipico*) to be like: *Questo non è da te*, this is not worthy of you; *Non è da lui tardare tanto*, it's not like him to be so late **14** (**e. da** + inf.: *dovere*) – *È da aggiustare*, it should be fixed; it has to be fixed; *Era da prevedere*, it was to be expected **15** (**e. di**: *appartenere a*) to be (con un poss.); to belong to: *Di chi è questo libro?*, whose book is this?; *È di mio padre*, it is my father's; *Di chi è quella villa sulla collina?*, whose villa is that on the hill?; who (*form.* whom) does that villa on the hill belong to? **16** (**e. di**: *essere fatto da*), to be by: *Di chi è quest'articolo?*, who is this article by?; who wrote this article? **17** (**e. di**: *essere fatto di*) to be made of: *La tazza era d'argento*, the cup was made of silver; it was a silver cup **18** (**e. in** + numero) – *Saremo in sei*, there will be six of us; *Erano in tre*, there were three of them **19** (**e. per**: *parteggiare*) to be on (sb.'s) side; to be for; to be in favour of **20** (**esserci**) to be: *C'è un cane in giardino*, there's a dog in the garden; *C'è del vino?*, is there any wine?; *Titti non c'è*, Titti is not here; *Quanta gente c'era?*, how many people were there?; *Ci saranno state venti persone*, there must have been twenty people; *C'è qualcuno in casa?*, is there anyone at home (o in)?; *Non ci sono per nessuno*, I'm not in for anyone; *Quanto c'è di qui al duomo?*, (*distanza*) how far is it from here to the cathedral?; (*tempo*) how long does it take from here to the cathedral?; *Cosa c'è?*, (*che vuoi?*) what do you want?; (*che succede?*) what's the matter?; *Non c'è da preoccuparsi*, there is nothing to worry about; *Ci siamo!*, (*eccoci*) here we are!; (*ora viene il difficile*) here we go!; *Ci sono!* (*ho capito*), I've got it!; *C'era una volta...*, once upon a time there was... ● **che è che non è** (*o* **com'è come non è**), all of a sudden □ **Com'è che non vi siete visti?**, how come you didn't meet? □ **Com'è che non risponde?**, how come she doesn't answer?; why doesn't she answer? □ **come se niente fosse**, as if nothing was the matter □ **Così sia**, so be it; (*nelle preghiere*) amen □ **E sia!**, very well, then; all right, then; agreed □ **Ebbene, sia!**, so be it, then! □ **or sono**, ago: *tre giorni or sono*, three days ago □ **Per e. un bambino è molto responsabile**, he is very responsible for a child □ **Per essere nuovo, è nuovo, ma...**, all right, it's new, but...; I'm not saying it isn't new, but... □ **per e. sinceri**, to be honest □ **quel che è stato è stato**, let bygones be bygones □ **Sarà!**, (*può darsi*) may be, possibly; (*ne dubito*) I have my doubts □ **Sarà quel che sarà**, what (o whatever) will be will be □ **Sarà vero?**, is it true, I wonder? □ **Se fossi in te**, if I were you □ **Se non fosse stato per te sarei morto**, if it hadn't been for you (o but for you), I would be dead □ **sia come sia**, however that may be; be that as it may □ **nei tempi che furono**, in time past; in times gone by **B** v. i. impres. to be: *Sono le due*, it's two (o'clock); *Era il 1978*, it was 1978; *Era Natale*, it was Christmas; *Non può e.!*, it can't be!; it's not possible!; *È che non ti avevo visto*, the fact is I hadn't seen you; *È per questo che sono venuto*, that's why I have come.

◆**èssere** ② m. **1** (*filos.*) being; (*esistenza*) existence: **l'e. e il divenire**, being and becoming; **l'e. dello spirito**, the existence of the spirit **2** being; (*individuo*) individual; (*creatura*) creature: **l'E. Supremo**, the Supreme Being: **e. vivente**, living being; living creature; **gli esseri umani**, human beings; humans; **un povero e.**, a poor creature; **un e. spregevole**, a despicable individual.

esserìno m. little creature; little thing: **un e. delizioso**, a delightful little creature; *Povero e.!*, poor little thing!

éssi pron. pers. masch. 3ª pers. pl. they (sogg.); them (compl.): *E. verranno domani*, they will come tomorrow; *Due di e. se ne andarono*, two of them went away.

essiccaménto m. → **essiccazione**.

essiccànte A a. desiccative; drying **B** m. desiccant; siccative; drying agent.

essiccàre A v. t. **1** to desiccate; to dry: **e. al forno**, to kiln-dry; **e. al sole**, to dry in the sun; to sun-dry **2** (*prosciugare*) to drain **B essiccàrsi** v. i. pron. (*anche fig.*) to dry up: *Il fiume si è essiccato quest'estate*, the river dried up this past summer; *La sua vena poetica si è essiccata*, his poetic vein has dried up.

essiccativo a. desiccative; desiccatory; exsiccative.

essiccàto a. dried: **e. all'aria**, air-dried; **e. al sole**, sun-dried.

essiccatóio m. **1** (*ind.*) dryer, drier **2** (*chim.*) desiccator **3** (*locale*) drying room; (*ind. tess.*) drying chamber; (*per legname*) dry kiln; (*per ceramica*) kiln.

essiccatóre m. **1** → **essiccatoio**, def. 1 **2** (*operaio*) drier.

essiccazióne f. drying (process); desiccation: **e. al forno**, oven-drying.

◆**èsso** pron. pers. masch. 3ª pers. sing. (*rif. a cosa o ad animale di sesso impreciato*) it (sogg. e compl.); (*rif. a imbarcazioni*) she (sogg.), her (compl.); (*rif. ad animale maschio, o, fam., a persona di sesso masch.*) he (sogg.), him (compl.): *Cercai di prendere l'uccellino, ma e. volò via*, I tried to catch the little bird, but it flew away; *Alzai il libro e sotto di e. trovai la lettera*, I lifted the book and found the letter under it; **e. stesso**, itself; (he) himself.

essotèrico a. exoteric: **dottrine essoteriche**, exoteric doctrines.

essoterìsmo m. exoteric nature; exotericism.

essudàre v. i. (*med., biol.*) to exude.

essudativo a. (*med.*) exudative.

essudàto m. (*med.*) exudate.

essudazióne f. (*med.*) exudation.

◆**est A** m. east: **l'est dell'Europa**, the east of Europe; Eastern Europe; **a est**, in the east; **a est di**, (to the) east of; *Venezia è a est di Milano*, Venice is (to the) east of Milan; **essere esposto a est**, to be facing east; **andare all'est**, to go east; **diretto a est**, eastbound (agg.); **venire da est**, to come from the east; **da est a ovest**, from east to west; **più a est**, further east; **i paesi dell'Est**, the Eastern countries; **verso est**, east (avv.); eastward (o eastwards) (avv.); eastward (agg.); **un viaggio verso est**, an eastward journey; **vento dell'est**, east wind; **vento da est**, easterly wind **B** a. inv. east; eastern; easterly: **lato est**, east side; **il lato est della casa**, the side of the house facing east; **in direzione est**, in an easterly direction; eastward (o eastwards); **trenta gradi di longitudine est**, thirty degrees longitude east.

èstasi f. **1** (*relig.*) ecstasy: **essere rapito in e.**, to be in ecstasy **2** (*estens.*) ecstasy; rapture: **andare in e. per qc.**, to go into ecstasies (o into raptures) over st.; **essere in e.**, to be in ecstasies (o in raptures); **mandare in e.**, to sent into ecstasies (o in raptures).

estasiàre A v. t. to send* into ecstasies (o into raptures); to enrapture **B estasiàrsi** v. i. pron. to go* into ecstasies (o into raptures); to be enraptured.

estasiàto a. enraptured; ecstatic; in ecstasies; in raptures: *La guardavo e.*, I was gazing at her enraptured (o in raptures).

◆**estàte** f. summer: **l'e. del 1983**, the summer of 1983; **l'e. di San Martino**, Indian summer; **l'e. della vita**, the summer of life; **l'e. scorsa [prossima]**, last [next] summer; **in** (o di) **e.**, in (the) summer; in the summertime; **in piena e.**, in high summer; **un giorno d'e.**, a summer's day; a day in summer; **tempo** (o **periodo**) **d'e.**, summertime.

estàtico a. **1** (*di estasi*) ecstatic: **rapimento e.**, ecstasy; **visione estatica**, ecstatic vision **2** (*estasiato*) enraptured; ecstatic; rapt **3** (*fig.*) entranced; still: **silenzio e.**, entranced silence.

estemporaneaménte avv. extempore; extemporarily; extemporaneously.

estemporaneità f. extemporaneousness.

estemporàneo a. extemporary; impromptu; extempore; extemporaneous: **discorso e.**, extempore (o impromptu) speech; **un poeta e.**, an extemporary poet.

◆**estèndere A** v. t. **1** (*una superficie*) to extend; to spread* out; to enlarge: **e. i confini**, to extend the frontiers **2** (*allungare*) to lengthen; (*prolungare*) to extend, to prolong **3** (*fig.: ampliare, espandere*) to extend; to expand; to widen; to broaden: **e. l'ambito di un'inchiesta**, to widen the range of an inquiry; **e. la cerchia degli affari**, to expand one's range of business; **e. le proprie conoscenze**, to broaden one's knowledge; **e. un invito a q.**, to extend an invitation to sb. **4** (*una legge, un diritto*) to give*; to grant: **e. il (diritto di) voto alle donne**, to give women the vote **B estèndersi** v. i. pron. **1** to extend; to stretch; (*allargarsi*) to spread*, (*disordinatamente*) to sprawl: *Il giardino si estende fino al fiume*, the garden extends as far as the river; **estendersi per miglia e miglia**, to extend (for) miles and miles; **estendersi al nord**, to stretch to the north **2** (*diffondersi*) to spread*: *L'uso di quella parola si è esteso dopo la guerra*, that word has spread since the war; *L'infezione si estende*, the infection is spreading.

estendìbile a. extensible.

estènse A a. of the House of Este **B** m. e f. member of the House of Este: **gli Estensi**, the Estensi; the House of Este.

estensibile a. **1** extensible; stretchable **2** (*fig.*) that can be extended.

estensìmetro m. (*mecc.*) extensometer; strain gauge.

estensionàle a. (*filos.*) extensional.

estensióne f. **1** (*ampliamento*) extension; expansion; (*diffusione*) spread: **l'e. del conflitto**, the spread of the war; **e. territoriale**, territorial expansion; **per e.**, by extension **2** (*di legge, diritto, ecc.*) widening; (*concessione*) granting, grant **3** (*di arto*) extension **4** (*distesa*) expanse; stretch: **l'ampia e. del Pacifico**, the broad expanse of the Pacific **5** (*ampiezza*) extent, range; (*dimensioni*) size: **l'e. delle sue conoscenze**, the range of his knowledge; **l'e. del fenomeno**, the extent of the phenomenon **6** (*mus.*) range; compass **7** (*filos.*) extension **8** (*comput.*) extension **9** (*di capelli*) extension.

estensivo a. **1** extensive: **coltura estensiva**, extensive cultivation **2** (*fig.*) extended; broad: **interpretazione estensiva di una legge**, broad interpretation of a law; **uso e. di un termine**, broad (o extended) use of a term **3** (*chim., fis.*) extensive.

estensóre A a. extensor (attr.): (*anat.*) **muscolo e.**, extensor (muscle) **B** m. **1** (*compilatore*) writer; compiler; author; (*leg.*)

drafter: **e. di un articolo**, author of an article; **e. di un atto**, drafter of a deed **2** (*attrezzo ginnico*) chest expander **3** (*anat.*) extensor (muscle).

estenuànte a. exhausting; wearing; gruelling: **attesa e.**, exhausting wait; **lavoro e.**, gruelling work (*o* task); **viaggio e.**, exhausting journey.

estenuàre Ⓐ v. t. to wear* out; to tire out; to exhaust Ⓑ **estenuàrsi** v. i. pron. to tire oneself out; to exhaust oneself; to get* exhausted ❶ FALSI AMICI • estenuare *non si traduce con* to extenuate.

estenuatìvo a. exhausting.

estenuàto a. **1** (*molto stanco*) worn out; tired out; exhausted **2** (*fig.*) languid.

estenuazióne f. exhaustion; weariness.

Èster f. Esther.

esteràsi f. (*biochim.*) esterase.

èstere m. (*chim.*) ester.

esterificàre v. t. (*chim.*) to esterify.

esterificàto a. (*chim.*) esterified: **olio e.**, esterified oil.

esterificazióne f. (*chim.*) esterification.

esterióre Ⓐ a. **1** external; outer (attr.); outside (attr.); outward (attr.); exterior: **aspetto e.**, outward appearance; **il mondo e.**, the outside (*o* the external) world **2** (*apparente*) outward (attr.); (*di facciata*) cosmetic, for appearances' sake; (*superficiale*) superficial, skin-deep: **calma e.**, outward calm; *La loro cordialità è solo e.*, their friendliness is mere show **3** (*senza contenuto*) superficial; shallow Ⓑ m. **1** (*parte e.*) exterior (*anche archit.*); outside **2** (*apparenza e.*) outward appearance.

esteriorità f. outward appearance; appearances (pl.); (*superficialità*) superficiality: **curare l'e.**, to pay attention to outward appearance.

esteriorizzàre v. t. to externalize; to exteriorize (*anche psic.*).

esteriorizzazióne f. externalization; exteriorization (*anche psic.*).

esteriorménte avv. **1** (*all'esterno*) externally; (*dall'esterno*) from the outside **2** (*all'apparenza*) outwardly; on the surface: **essere calmo e.**, to be outwardly calm.

esternalità f. (*anche econ.*) externality.

esternalizzàre v. t. (*econ.*) to externalize; (*il lavoro*) to outsource.

esternalizzazióne f. (*econ.*) externalization; (*del lavoro*) outsourcing.

esternaménte avv. externally; on the outside; from the outside.

esternàre Ⓐ v. t. **1** (*esprimere*) to express; to manifest; to voice: **e. un dubbio**, to express a doubt; **e. a q. la propria ammirazione**, to express one's admiration to sb. **2** (*assol.*, *polit.*) to express one's opinions (on institutional or political matters) Ⓑ **esternàrsi** v. rifl. to open one's heart (to) Ⓒ **esternàrsi** v. i. pron. to be expressed; to become* manifest.

esternàto m. day-pupil status.

esternazióne f. **1** expression; manifestation **2** (*polit.*) (expression of one's) opinions on institutional or political matters (by the President of the Republic) **3** (*estens.*, *spreg.*) outpourings (pl.).

♦**estèrno** Ⓐ a. **1** external; exterior; outer (attr.); outside (attr.); outward (attr.); (*all'aperto*) outdoor (attr.); (*extramurale*) extramural: **allievo e.**, (*di collegio*) day-pupil; (*candidato e.*) external candidate; **aspetto e.**, outward (*o* external) appearance; (*di oggetto*) outside; **corsi esterni**, extramural courses; **involucro e.**, outer wrapping; **lato e.**, outer side; outside; **mondo e.**, outside world; **parte esterna**, outer part; exterior; outside; **rumori esterni**, exterior noises;

scala esterna, outside staircase; (*di medicina*) **per uso e.**, for external application only **2** (*sport*) away: **incontro e.**, away match **3** (*di personale*) non-resident; **medico e.**, non-resident doctor **4** (*geom.*) exterior: **angolo e.**, external angle Ⓑ m. **1** (*parte esterna*) outside; exterior: *L'e. dell'edificio è moderno*, the exterior of the building is modern; **all'e.**, outside; on the outside; **dall'e.**, from the outside **2** (f. *-a*) (*allievo*) day-pupil; day-boarder; (*candidato e.*) external candidate **3** (f. *-a*) (*medico d'ospedale*) non-resident doctor **4** (*teatr.*) exterior **5** (*cinem.*) location; exterior: **ripresa in esterni**, location shooting; **scena in e.**, exterior scene; *Hanno girato gli esterni in Scozia*, they shot on location in Scotland **6** (*sport*: *basket*) outside; (*baseball*) outfielder.

♦**èstero** Ⓐ a. foreign; (*oltremare*) overseas: **affari esteri**, foreign affairs; **capitali esteri**, foreign capital; **commercio e.**, foreign trade; overseas trade; **politica estera**, foreign policy Ⓑ m. **1** foreign countries (pl.): **mantenere buone relazioni con l'e.**, to keep good relations with foreign countries; **commercio con l'e.**, foreign (*o* overseas) trade; **all'e.**, abroad; (*oltremare*) overseas; **andare all'e.**, to go abroad; **trasferirsi all'e.**, to go to live abroad; to expatriate; **notizie dall'e.**, news from abroad; foreign news **2** (al pl.) (*affari esteri*) foreign affairs: *Ministero degli Esteri*, Ministry of Foreign Affairs; (*in GB*) Foreign Office; (*in USA*) State Department; *Ministro degli Esteri*, Minister of Foreign Affairs; (*in GB*) Foreign Secretary; (*in USA*) Secretary of State **3** (al pl.) (*giorn.*) foreign news (sing.).

esterocettóre m. (*fisiol.*) exteroceptor.

esterocezióne f. (*fisiol.*) exteroception.

esterofilìa f. love of all things foreign; xenophilia.

esteròfilo Ⓐ a. xenophilous; xenophilic Ⓑ m. xenophile.

esterofobìa f. xenophobia.

esterrefàtto a. **1** (*atterrito*) terrified; aghast (pred.) **2** (*sbalordito*, *sbigottito*) amazed; astonished; appalled; stunned; horrified.

estesaménte avv. **1** widely; extensively **2** (*dettagliatamente*) in detail; in full.

estesïologìa f. (*med.*) aesthesiology.

estesïòmetro m. (*fisiol.*) aesthesiometer.

estéso a. **1** (*ampio*) vast; wide; broad; large; extended; extensive: **un'area estesa**, a vast area; **un'estesa gamma di articoli**, a wide range of articles; **estese ricerche**, extensive research; thorough search; **trattazione estesa**, full discussion **2** (*diffuso*) widespread: **un fenomeno e.**, a widespread phenomenon ● **per e.**, (*dettagliatamente*) in detail; (*senza abbreviazioni*) in full: **firmare per e.**, to write one's name in full.

estèta m. e f. aesthete.

estètica f. **1** (*filos.*) aesthetics (pl. col verbo al sing.) **2** (*aspetto esterno*) appearance; (*bellezza*) beauty; (*armonia*) harmony; (*eleganza*) elegance: **l'e. di un edificio**, the harmony of a building; **fatto solo per l'e.**, purely cosmetic; **rovinare l'e. di qc.**, to spoil the beauty of st.; (*di edificio e sim.*, *anche*) to be an eyesore; **trattamento di e.**, beauty treatment.

esteticaménte avv. aesthetically; from an aesthetic point of view.

esteticità f. aesthetic quality (*o* character); (*valori formali*) aesthetic values (pl.), aesthetic features (pl.).

estètico a. **1** aesthetic: **critica estetica**, aesthetic criticism; **senso e.**, aesthetic sense **2** (*gradevole a vedersi*) aesthetic; attractive; pleasant to look at **3** (*rif. al fisico*) beauty

(attr.); cosmetic: **chirurgia estetica**, cosmetic surgery; **trattamento e.**, beauty treatment.

estetìsmo m. (*filos.*, *arte*) aestheticism.

estetìsta m. e f. beautician.

estetìstico a. of (*o* pertaining to) aestheticism.

estetizzànte a. **1** leaning towards aestheticism; with aesthetic leanings **2** (*di persona*) posing as an aesthete.

estetizzàre v. i. to pose as an aesthete.

estimàbile a. assessable; calculable.

estimàre → stimare.

estimativa f. (*lett.*) critical judgment.

estimatìvo a. evaluative; appraising; critical: **giudizio e.**, critical judgment; appraisal.

estimatóre m. (f. *-trice*) **1** appreciator; admirer; connoisseur **2** → stimatore.

estimatòrio a. evaluating; valuation (attr.); **rapporto e.**, valuation report.

èstimo m. estimate; valuation; (*a fini fiscali*) assessment, assessable value: **e. catastale**, land (*o* property) assessable value.

estìnguere Ⓐ v. t. **1** (*spegnere*) to extinguish; to put* out: **e. un incendio**, to extinguish (*o* to put out) a fire **2** (*la sete*) to quench **3** (*annullare*, *cancellare*) to extinguish; to wipe out: **e. il ricordo di qc.**, to extinguish all memory of st. **4** (*pagare*, *saldare*) to pay* off; to settle; to discharge; (*riscattare*) to redeem: **e. un debito**, to pay off (*o* to settle, to discharge) a debt; **e. un'ipoteca**, to redeem a mortgage; **e. un mutuo**, to pay off of a loan; (*leg.*) **e. un'obbligazione**, to pay off a debt; to discharge an obligation Ⓑ **estìnguersi** v. i. pron. **1** (*spegnersi*) to die out **2** (*lett.*: *morire*) to die; to pass away **3** (*finire*) to come* to an end; to end; to go*: *La dinastia si estinse con lui*, his dynasty ended with him **4** (*scomparire*) to become* extinct; to die out: *Il dronte si è estinto due secoli fa*, the dodo became extinct two centuries ago **5** (*leg.*: *cessare*) to be terminated; (*decadere*) to lapse.

estinguìbile a. **1** extinguishable **2** (*pagabile*) payable; (*riscattabile*) redeemable.

estìnto Ⓐ a. **1** (*spento*) extinguished; extinct; quenched: **incendio e.**, extinguished fire; **vulcano e.**, extinct volcano **2** (*morto*) dead; deceased; defunct **3** (*scomparso*) extinct: **specie estinta**, extinct species **4** (*pagato*) paid off; discharged; (*riscattato*) redeemed: **debito e.**, paid off (*o* discharged) debt; **ipoteca estinta**, redeemed mortgage Ⓑ m. (f. *-a*) (the) deceased; (the) departed: **il caro e.**, the dear departed.

estintóre m. (fire) extinguisher: **e. a schiuma**, foam extinguisher.

estinzióne f. **1** extinction; (*di un incendio*) putting out: **l'e. di un vulcano**, the extinction of a volcano **2** (*pagamento*) settlement; paying-off; discharge; (*riscatto*) redemption: **l'e. di un debito**, the paying off (*o* settlement, discharge) of a debt; **l'e. di un'ipoteca**, the redemption of a mortgage **3** (*leg.*: *cessazione*) termination; (*decadenza*) lapse; (*annullamento*) cancellation: **l'e. di una pena**, the termination of a sentence **4** (*biol.*) extinction; disappearance: **l'e. di una specie**, the extinction of a species; **l'e. dei dinosauri**, the disappearance of the dinosaurs; **essere in via d'e.**, to be dying out; **specie in via d'e.**, dying species **5** (*di famiglia*, *stirpe*) extinction.

estirpàbile a. eradicable; that may be extirpated.

estirpàre v. t. **1** (*agric.*) to uproot; to pull out: **e. le erbacce**, to pull out (*o* to remove) weeds **2** (*fig.*) to eradicate; to root out; to extirpate: **e. la corruzione**, to eradicate (*o* to root out) corruption; **e. una malattia**, to

eradicate (*o* to root out) a disease **3** (*chir.*) to remove, to excise; (*un dente*) to extract, to pull out.

estirpatóre **A** a. extirpating; eradicating **B** m. **1** (f. **-trice**) (*anche fig.*) extirpator; eradicator **2** (*agric.*) grubber; cultivator.

estirpatùra f. (*agric.*) weeding; grubbing.

estirpazióne f. **1** uprooting **2** (*fig.*) extirpation; eradication; rooting out **3** (*chir.*) excision; (*di dente*) extraction, pulling out.

estivàre v. t. (*zootecnia*) to summer.

estivazióne f. **1** (*zool., bot.*) aestivation **2** (*alpeggio*) summering.

♦**estìvo** a. summer (attr.); summery: **corso e.**, summer course; **mese e.**, summer month; **la moda estiva**, summer fashion; **vacanze estive**, summer holidays; **vestito e.**, summer (*o* summery) dress; **avere un'aria estiva**, to look summery.

èstone a. e m. (f. **-a**) Estonian.

Estònia f. (*geogr.*) Estonia.

estòrcere v. t. to extort; to wring* (st. out of sb.); (*con la violenza*) to force (st. out of sb.), to coerce (st. out of sb.): **e. una confessione da q.**, to wring a confession out of sb.; **e. denaro a q.**, to extort money from sb.; **e. una promessa a q.**, to extort (*o* to wring) a promise out of sb.

estorsióne f. (*leg.*) extortion ● **racket delle estorsioni**, protection racket □ **rapimento a scopo di e.**, kidnapping for ransom.

estorsivo a. extortive; extortionate ● **sequestro di persona a scopo e.**, kidnapping for ransom.

estorsóre m. extortioner; extortionist.

estòrto a. (*leg.*) extorted.

estraconiugàle → **extraconiugale**.

estracontrattuàle → **extracontrattuale**.

estradàbile a. extraditable.

estradàre v. t. (*leg.*) to extradite.

estradiòlo m. (*chim.*) estradiol.

estradizióne f. (*leg.*) extradition.

estradòsso m. **1** (*archit.*) extrados* **2** (*aeron.*) upper surface (of a wing).

estradotàle → **extradotale**.

estraeuropèo → **extraeuropeo**.

estragalàttico → **extragalattico**.

estragiudiziàle a. (*leg.*) out-of-court (attr.); extrajudicial: **accordo e.**, out-of-court settlement; **raggiungere un accordo e.**, to settle out of court; **risoluzione e. di contratto**, extrajudicial avoidance.

estragóne m. (*bot., Artemisia dracunculus*) tarragon.

estraìbile a. extractable; extractible; pull-out (attr.).

estràle a. (*chim., biol.*) estrous, oestrous: **ciclo e.**, estrous cycle.

estralegàle a. extralegal.

estramuràle → **extramurale**.

estraneazióne → **estraniazione**.

estraneità f. **1** extraneousness; non-involvement: *Ha dichiarato la propria e. al fatto*, she declared she was not involved (*o* had nothing to do) with the matter **2** (*non attinenza*) irrelevance.

♦**estràneo** **A** a. **1** extraneous; foreign; alien; (*sconosciuto*) strange: **ambiente e.**, strange (*o* alien) environment; (*biol.*) **corpo e.**, foreign body; **gente estranea**, strangers (pl.); *La crudeltà era estranea alla sua natura*, cruelty was foreign (*o* alien) to his nature **2** (*non attinente*) extraneous; unrelated; irrelevant; having no bearing (on): **e. all'argomento**, extraneous (*o* unrelated) to the subject; irrelevant **3** (*non coinvolto*) not involved (with); unconnected (with): **mantenersi e. a qc.**, to refuse to be involved

with st.; to take no part in st. **B** m. (f. **-a**) stranger; (*non appartenente*) outsider; (*persona non autorizzata*) unauthorized person: **un perfetto e.**, a total stranger; *Non parliamone davanti ad estranei*, let's not talk about it in front of strangers; **trattare q. come un e.**, to treat sb. like a stranger; *Mi sentivo un'estranea in quell'ambiente*, I felt like an outsider; **accesso vietato agli estranei**, entry forbidden to unauthorized persons.

estraniaménto m. estrangement; alienation.

estraniàre **A** v. t. to estrange; to alienate **B** **estraniàrsi** v. rifl. to become* estranged; to estrange oneself; to cut* oneself off; to isolate oneself: **estraniarsi dagli amici**, to become estranged from one's friends; **estraniarsi dalla conversazione**, to keep out of the conversation; **estraniarsi dal mondo**, to withdraw into oneself; **estraniarsi dalla realtà**, to cut oneself off from reality.

estraniazióne f. estrangement; alienation.

estraparlamentàre → **extraparlamentare**.

estrapolàre v. t. (*mat. ed estens.*) to extrapolate.

estrapolazióne f. (*mat. ed estens.*) extrapolation.

estraprocessuàle a. (*leg.*) extrajudicial.

♦**estràrre** v. t. **1** (*tirar fuori*) to extract; to take* out; to draw*: (*esercitando forza*) to pull out; (*scavando*) to dig* out; (*minerale*) to extract, to mine; (*da una cava*) to quarry: **e. acqua da un pozzo**, to draw water from a well; **e. un chiodo dal muro**, to pull a nail out of a wall; **e. carbone**, to mine coal; **e. un dente**, to extract (*o* to pull out) a tooth; **farsi e. un dente**, to have a tooth out; **e. petrolio**, to extract oil; **e. una pistola**, to pull out (*o* to draw) a gun; **e. un proiettile**, to extract a bullet; **e. la spada dal fodero**, to draw one's sword from the scabbard; *Aprì la valigia e ne estrasse un pacchetto*, he opened his suitcase and took out a parcel **2** (*tirare a sorte*) to draw*: *Hanno estratto il mio numero*, my number has been drawn (*o* has come out); *Estrarremo a sorte chi deve andare*, we'll draw lots for who has to go **3** (*mat., chim.*) to extract: **e. una radice**, to extract a root.

estrasistole → **extrasistole**.

estrasolàre → **extrasolare**.

estratemporale → **extratemporale**.

estraterritoriàle e *deriv.* → **extraterritoriale**, e *deriv.*

estrattivo a. extractive; mining; (*rif. a cava*) quarrying: **industria estrattiva**, extractive (*o* mining) industry.

estràtto **A** a. **1** extracted; drawn out: **il dente e.**, the extracted tooth **2** (*tirato a sorte*) drawn (pred.); (*vincente*) winning: **i nomi estratti**, the names drawn; **il numero e.**, the number drawn; the winning number **B** m. **1** (*succo concentrato*) extract; (*essenza*) essence: **e. di carne**, meat extract; **e. di manzo**, beef extract; **e. di vaniglia**, vanilla extract **2** (*articolo o capitolo ristampata a sé*) offprint; reprint **3** (*riassunto*) abstract, summary; (*brano*) excerpt **4** (*di documento*) abstract; (*certificato*) certificate; (*di atto giudiziario*) estreat: **e. di nascita**, certificate of birth; **e. di un titolo di proprietà**, abstract of a title **5** (*banca*) – **e. conto**, bank statement; statement of account **6** (*numero, biglietto sorteggiato*) number [ticket] drawn; (*numero, biglietto vincitore*) winning number [ticket]: *Il primo n. vince un'automobile*, the first number drawn will win a car.

estrattóre m. **1** (*mecc.*) extractor; puller;

stripper; (*espulsore*) expeller, knockout: **e. per ruote**, wheel puller **2** (*di arma da fuoco*) extractor; ejector **3** (*chim.*) extractor; stripper.

estravagànte a. **1** → **stravagante** **2** (*letter.*) uncollected.

estrazióne f. **1** (*il tirar fuori*) extraction; drawing; pulling out; (*da una miniera*) mining, digging out; (*da una cava*) quarrying: **l'e. d'un dente**, the extraction (*o* drawing) of a tooth; **l'e. del petrolio**, the extraction of oil **2** (*il sorteggiare*) drawing; (*il sorteggio*) draw: **il giorno dell'e.**, the day of the draw; **assegnare qc. per e.**, to draw lots for st. **3** (*mat.*) extraction: **l'e. d'una radice**, the extraction of a root **4** (*chim.*) extraction **5** (*fig.: origine*) (social) origin; background; birth: **e. sociale**, social origin; background; *È di e. borghese*, he comes from a middle-class family; he has a middle-class background; **di bassa e.**, low-born; lower-class (attr.); **di e. umile**, of humble origin.

estrèma f. (*sport: calcio*) wing.

estremaménte avv. extremely; in the extreme; exceedingly: **e. gentile**, extremely kind; kind in the extreme (*form.*).

estremìsmo m. extremism.

estremìsta **A** a. extreme: **idee estremiste**, extreme opinions **B** m. e f. extremist: **e. di destra**, right-wing extremist; extreme right-winger.

estremìstico a. extreme; extremist (attr.).

estremità f. **1** (*parte estrema*) extremity; end; (*punta*) tip, point: **l'e. di una corda** [*di un tavolo*], the end of a rope [of a table]; **l'e. di un dito** [*di un'ala*], the tip of a finger [of a wing]; **l'e. di un ago**, the point of a needle; **l'e. superiore** [*inferiore*] **di un lago**, the head [the foot] of a lake; **da un'e. all'altra**, from one end to the other **2** (*fig. lett.: apice*) height, peak, acme; (*abisso*) depths (pl.) **3** (*al pl.*) (*anat.*) extremities; limbs; arms and legs; hands and feet: **le estremità superiori e inferiori**, the upper and lower limbs: *Avevo le e. gelate*, my hands and feet were frozen.

♦**estrèmo** **A** a. **1** (*il più lontano*) extreme; (the) farthest; (the) furthermost: **l'e. Nord**, the extreme north; **l'E. Oriente**, the Far East; **il limite e.**, the farthest (*o* the extreme) limit; **l'e. orizzonte**, the farthest horizon; (*polit.*) **l'estrema sinistra** [*destra*], the extreme Left [Right] **2** (*ultimo, finale*) last; final: **un e. saluto**, one last farewell; **un e. tentativo**, a final attempt; one last attempt; **rendere gli estremi onori**, to pay a final tribute (in a funeral ceremony) **3** (*rif. a intensità, gravità*) extreme; (*massimo*) utmost: **un caso e.**, an extreme case; **freddo e.**, extreme cold; **misure estreme**, extreme (*o* drastic) measures: *Ho e. bisogno di vederti*, I need to see you with the utmost urgency; **con estrema cautela**, with the utmost caution; **con estrema pazienza**, with the utmost patience **4** (*sport*) extreme: **alpinismo** [*sci*] **e.**, extreme climbing [skiing] ● (*relig.*) **l'Estrema Unzione**, the Anointing of the sick; the Extreme Unction □ (*prov.*) **A mali estremi, estremi rimedi**, desperate diseases must have desperate remedies (*o* cures) **B** m. **1** (*estremità*) extreme; extremity; end; (*punto più alto*) height; (*punto più basso*) depth; (*eccesso*) extreme: *Gli estremi si toccano*, extremes meet; **arrivare agli estremi**, to go to extremes; **portare qc. agli estremi**, to take (*o* to carry) st. to extremes; **da un e. all'altro**, from one extreme to the other; (*da un capo all'altro*) from end to end; **all'e. della disperazione**, in the depths of despair; **prudente all'e.**, extremely cautious; cautious in the extreme **scrupoloso all'e.**, scrupulous to a fault **2** (*momento ulti-*

mo) end, last; (*limite*) limit: **fino all'e.**, till the end; to the last; **essere agli estremi**, (*essere morente*) to be dying; (*essere sul punto di cedere*) to be at the limit of one's endurance; (*essere prossimo a finire*) to be at the very end; *La mia pazienza è giunta all'e.*, my patience has reached its limits **3** (al pl.) (*bur.*, *leg.*) details; data: **gli estremi del fatto**, the details of what happened; *Fatti dare i suoi estremi*, get his personal details; (*leg.*) **ravvisare gli estremi di un reato**, to recognize sufficient grounds for prosecution **4** (*rugby*) fullback **5** (*mat.*) extreme.

estrinsecàre **A** v. t. to express; to manifest **B** **estrinsecàrsi** v. i. pron. to be expressed; to become* manifest.

estrinsecazióne f. expression; manifestation.

estrìnseco a. extrinsic.

èstro m. **1** (*zool.*, *Oestrus*) gadfly **2** (*biol.*) estrus, oestrus; heat **3** (*ispirazione*) inspiration, (creative) impulse; (*inventiva*) creativity, inventiveness, flair; (*talento*) natural bent, gift: **e. poetico**, poetic inspiration; **avere e. per l'arredamento**, to have a flair for interior design; **seguire il proprio e.**, to follow one's bent **4** (*ghiribizzo*) fancy; whim; caprice (*lett.*): **e. improvviso**, sudden whim; sudden fancy; **quando mi salta l'e.**, when the fit (*o* the mood) is on me; **secondo l'e.**, according to one's whim.

estroflessióne f. (*med.*) eversion; extroversion.

estroflèsso a. (*med.*) everted.

estroflèttersi v. i. pron. (*med.*) to become* everted.

estrogènico a. estrogenic, oestrogenic.

estrògeno (*biol.*) **A** a. estrogenic, oestrogenic **B** m. estrogen, oestrogen.

estrométtere v. t. to exclude; to oust; (*espellere*) to expel; to eject.

estromissióne f. exclusion; ousting; (*espulsione*) expulsion, ejection.

estróne m. (*biol.*) estrone, oestrone.

estròrso a. (*bot.*) extrorse.

estrosità f. **1** (*originalità*) inventiveness; creativity; flair **2** (*azione, idea bizzarra*) whim; caprice.

estróso a. **1** (*originale*) inventive; creative; imaginative **2** (*capriccioso*) fanciful; whimsical; capricious.

estroversióne f. (*psic.*) extroversion; (*estens.*) outgoing personality.

estrovèrso **A** a. (*psic.*) extrovert; (*estens.*) outgoing, expansive, sociable: **carattere e.**, outgoing personality **B** m. (f. *-a*) (*psic. ed estens.*) extrovert.

estrovèrtere **A** v. t. to turn outwards **B** **estrovèrtersi** v. i. pron. to take* an interest in the outside world; to open out.

estrovertìto → **estroverso**.

estrùdere v. t. (*tecn.*) to extrude.

estrusióne f. (*geol.*, *tecn.*) extrusion.

estrusìvo a. (*geol.*, *tecn.*) extrusive: **rocce estrusive**, extrusive rocks.

estrusóre m. (*tecn.*) extruder.

estuàrio m. (*geogr.*) estuary.

esuberànte a. **1** (*abbondante*) plentiful; bountiful; lavish: **vegetazione e.**, lush vegetation **2** (*eccedente*) superabundant; excess (attr.); redundant: **manodopera e.**, excess labour **3** (*fig.*: *brio*) exuberant; ebullient; bubbly; in high spirits (pred.): **un temperamento e.**, an exuberant personality.

esuberànza f. **1** (*abbondanza*) abundance; exuberance; plenty; lavishness **2** (*sovrabbondanza*) superabundance; superfluity; surplus; excess; surfeit; redundancy: **e. di personale**, excess of staff **3** (*fig.*: *brio*) exuberance; ebullience; bounce; high spirits (pl.).

esùbero m. **1** (*bur.*: *eccedenza*) surplus; excess: **e. di personale**, excess of staff; **in e.**, excess (attr.); redundant **2** (*lavoratore in e.*) redundant worker; redundancy.

esulàre v. i. (*fig.*) to be (beyond); to lie* (outside): *Questo esula dalle mie competenze*, this lies outside my province.

esulceràre v. t. **1** (*med.*) to ulcerate **2** (*fig.*) to exacerbate; to embitter.

esulceratìvo a. **1** (*med.*) ulcerative **2** (*fig.*) exacerbating; embittering.

esulcerazióne f. **1** (*med.*) ulceration **2** (*fig.*) exacerbation; embitterment.

èsule **A** a. exiled; in exile: **andare e.**, to go into exile; *Andò e. in Francia*, he went to France as an exile **B** m. e f. exile.

esultànte a. exultant; exulting; elated; overjoyed; jubilant; triumphant: *Era e. per la promozione*, she was elated at her promotion; **folla e.**, jubilant (*o* rejoicing) crowd.

esultànza f. exultation; elation; jubilation; great joy.

esultàre v. i. to exult (at, in); to rejoice (over, at); to be elated (by): **e. per una vittoria**, to rejoice over a victory; **e. per un successo**, to be elated by a success; *Il mio cuore esultava*, I was exultant.

esumàre v. t. **1** to exhume; to disinter **2** (*fig.*) to unearth; to dig* up; to revive; to resurrect: **e. un documento**, to unearth a document; **e. un'usanza**, to revive a custom.

esumazióne f. **1** exhumation; disinterment **2** (*fig.*) unearthing; revival; resurrection.

esùvia f. inv. (*zool.*) exuviae (pl.).

èta m. o f. inv. (*settima lettera dell'alfabeto greco*) eta.

•**età** f. **1** age: **età adulta**, adulthood; **età anagrafica**, real age; **età giovanile**, youth; **età matura**, maturity; **età mentale**, mental age; **età virile**, manhood; *Qual è la tua età?*, what age are you?; how old are you?; **avere la stessa età di q.**, to be the same age as sb.; to be as old as sb. is; **avere l'età per capire**, to be of an age (*o* to be old enough) to understand; **chiedere a q. la sua età**, to ask sb. how old he [she] is; **all'età di sei anni**, at the age of six; at six years of age; **in giovane età**, at an early age; **in tarda età**, in one's old age; **in età da marito**, of a marriageable age; **maggiore d'età**, older; **limite d'età**, age limit **2** (*epoca*) age; period; times (pl.): **l'età della pietra**, the Stone Age; **l'età del ferro** [del bronzo, del rame], the Iron [Bronze, Copper] Age; **l'età dell'oro**, the Golden Age ● **l'età critica**, the awkward age □ **età del consenso**, age of consent □ **l'età della ragione**, the age of reason □ **l'età di mezzo**, the Middle Ages □ **età evolutiva**, years of growth □ **età feconda**, childbearing age □ **età pensionabile**, retirement age □ **avere l'età per...**, to be old enough to... □ **Ha la sua età**, he's getting on; he's rather long in the tooth (*fam.*) □ **non avere più l'età**, to be too old □ **Novant'anni è una bella età**, ninety is a good age □ **alla bella età di...**, at the ripe old age of... □ **avere una certa età**, to be getting on (in years) □ **Che età gli dai?**, how old would you say he is? □ **denunciare l'età di**, to date □ **dimostrare la propria età**, to look one's age □ **essere in età avanzata**, well on in years □ **maggiore età**, legal age; majority: **raggiungere la maggiore età**, to come of age; to reach one's majority □ **la mezza età**, middle age □ **di mezza età**, middle-aged (attr.) □ **minore età**, minority: **essere in età minore**, to be under age; to be a minor □ **portare bene la propria età**, not to show one's age □ **senza età**, ageless □ **tenera età**, infancy; childhood; earliest years;

(*anche iron.*) tender age: **dalla più tenera età**, from one's earliest years □ **la terza età**, old age; (*le persone*) elderly people (pl.), senior citizens (pl., *bur.*) □ **veneranda età**, ripe old age □ **la verde età**, one's green years; one's salad days.

étagère (*franc.*) f. inv. étagère; whatnot.

étamine (*franc.*) f. inv. etamine.

etàno m. (*chim.*) ethane.

etanòlo m. (*chim.*) ethanol; ethyl alcohol.

etcì, **etciù** → **ecci**.

etèra f. **1** (*stor.*) hetaera*; hetaira* **2** (*lett.*, *eufem.*) courtesan; prostitute.

ètere ① m. **1** (*poet.*: *aria*) aether, ether; air **2** (*poet.*: *cielo*) sky; (the) heavens (pl.) (*lett.*) **3** (*elettr.*, *radio*, *TV*) air; ether: **la spartizione dell'e.**, the allocation of airwaves; **via e.**, over the air.

ètere ② m. (*chim.*) **1** ether **2** (*anche* **e. etilico**) ether; diethyl ether.

etèreo ① a. **1** (*dell'etere*) ethereal **2** (*poet.*: *celeste*) heavenly; ethereal; celestial **3** (*fig.*) ethereal; celestial: **bellezza eterea**, ethereal beauty.

etèreo ②, **etèrico** a. (*chim.*) ethereal; etheric.

eterificàre (*chim.*) **A** v. t. to etherify **B** **eterificàrsi** v. i. pron. to undergo* etherification; to be converted into an ether.

eterificazióne f. (*chim.*) etherification.

eterizzàre v. t. (*chim.*, *med.*) to etherize.

eterizzazióne f. (*med.*) etherization.

eternaménte avv. **1** eternally; forever: **e. grato**, eternally grateful **2** (*continuamente*) always; forever: **e. in ritardo**, forever late.

eternàre **A** v. t. to immortalize; (*rendere perenne*) to perpetuate **B** **eternàrsi** v. i. pron. to become* eternal.

eternit ® m. (*edil.*) asbestos cement.

eternità f. **1** eternity; timelessness: **per l'e.**, for all eternity; forever **2** (*fig.*) ages (pl.); **durare un'e.**, to last for ages; to go on for ages; **metterci un'e.**, to take ages; **È un'e. che non lo vedo**, I haven't seen him for ages (*o*, *fam.*, for donkey's years).

•**etèrno** **A** a. **1** (*senza tempo*) eternal; timeless: **il Padre E.**, the Eternal Father; **verità eterne**, eternal truths **2** (*senza fine*) eternal; everlasting; undying: **amore e.**, undying love; **la Città Eterna**, the Eternal City; **fama eterna**, everlasting fame; **l'eterna giovinezza**, eternal youth; **gratitudine eterna**, undying gratitude; **l'e. riposo**, the eternal rest; **la vita eterna**, eternal life **3** (*fam.*: *interminabile*) eternal; endless; never-ending: **un lavoro e.**, a never-ending job; **e. pessimista**, eternal pessimist; *Il viaggio parve e.*, the journey seemed endless **B** m. **1** (*eternità*) eternity: **in e.**, for all eternity; forever **2** – **l'E.**, the Eternal.

ètero a., m. e f. inv. (*gergale*) hetero.

eteroàtomo m. (*chim.*) hetero-atom.

eterocentrìsmo m. (*psic.*) allocentrism.

eterocìclico a. (*chim.*) heterocyclic.

eteròclito a. **1** (*gramm.*, *psic.*) heteroclite **2** (*fig.*) irregular; anomalous.

eterocromìa f. (*med.*) heterochromia.

eteròcrono a. (*med.*) heterochronous; arrhythmic.

eterodìna f. (*radio*) heterodyne.

eterodirètto a. controlled; manipulated.

eterodònte a. (*zool.*) heterodont.

eterodossìa f. heterodoxy.

eterodòsso a. heterodox.

eterofillìa f. (*bot.*) heterophylly.

eterofìllo a. (*bot.*) heterophyllous.

eterofonìa f. (*mus.*) heterophony.

eteroforìa f. (*med.*) heterophoria.

eterogamìa f. (*biol.*) heterogamy.

eterògamo a. (*biol.*) heterogamous.

eterogeneità f. heterogeneity; heterogeneousness, variety; diversity.

eterogèneo a. heterogeneous (*form.*, *anche gramm.*); miscellaneous; mixed; varied; diverse: **ambiente e.**, mixed environment; **merci eterogenee**, miscellaneous goods; **pubblico e.**, mixed audience; **raccolta eterogenea**, heterogeneous collection.

eterogènesi f. (*biol.*) heterogenesis.

eterogonìa f. (*biol.*) heterogony.

eteroinnèsto m. (*chir.*) xenograft; heterograft.

eteròlogo a. (*chim.*, *biol.*) heterologous.

eteròmane m. e f. (*med.*) etheromaniac; ether addict.

eteromorfìṣmo m. (*biol.*) heteromorphism.

eteromòrfo a. (*biol.*) heteromorphic; heteromorphous.

eteronimìa f. (*ling.*) heteronymous relationship.

eterònimo (*ling.*, *letter.*) A a. heteronymous B m. heteronym.

eteronomìa f. (*filos.*) heteronomy.

eterònomo a. (*filos.*) heteronomous.

eteropàtico a. (*med.*) allopathic.

eteropolàre a. (*chim.*, *fis.*) heteropolar.

eteropòlio m. (*econ.*) heteropoly.

eteropsònio m. (*econ.*) heteropsony.

eterosessuàle a. m. e f. heterosexual.

eterosessualità f. heterosexuality.

eterosfèra f. (*geogr.*) heterosphere.

eterosòmo a. (*biol.*, *zool.*) heterosomatous.

eterotàllico a. (*bot.*) heterothallic.

eterotassìa f. (*biol.*) heterotaxy; heterotaxis.

eterotèrmico a. (*fisiol.*) heterothermic.

eterotèrmo a. (*zool.*) heterothermal.

eterotopìa f. (*med.*) heterotopy.

eterotrapiànto m. (*chir.*) xenograft; heterograft; heterotransplant.

eterotrofìa f. (*biol.*) heterotrophy.

eteròtrofo a. (*biol.*) heterotrophic.

eterozigòṣi f. (*biol.*) heterozygosity.

eterozigòte (*biol.*) A a. heterozygous B m. heterozygote.

etèṣii m. pl. Etesian winds; meltemi (winds).

èthos m. inv. ethos.

ETI sigla (**Ente teatrale italiano**) Italian Theatre Board.

ètica f. **1** (*filos.*) ethics (pl. col verbo al sing.) **2** (*estens.*) ethics (pl.); ethic: **l'e. cristiana**, Christian ethic; **l'e. del lavoro**, work ethic; **e. professionale**, professional ethics; **contrario all'e.**, unethical.

etichétta ① f. **1** label; tag; tab: **e. autoadesiva**, sticky (*o* self-sticking) label; **e. del produttore**, manufacturer's label; **e. del prezzo** (*o* segnaprezzo), price tag; **e. per bagaglio**, luggage label; **attaccare un'e. a qc.**, to stick a label on st.; to tie a tag on st.; to label st. **2** (*fig.*) label; classification: **attribuire a q. l'e. di conservatore**, to label sb. as a conservative; **classificare sotto l'e. di**, to label as; to pigeonhole as; **sfuggire a ogni e.**, to defy classification.

etichétta ② f. (*cerimoniale*) etiquette: **badare all'e.**, to follow etiquette; to be a stickler for etiquette; **infrazione dell'e.**, breach of etiquette; **senza e.**, informal (agg.); informally (avv.).

etichettàre v. t. **1** to label; to tag **2** (*fig.*) to label: **e. q. come seccatore**, to label sb. as a nuisance.

etichettatrice f. labelling machine.

etichettatùra f. labelling.

eticità f. ethicality; ethical character (*o* nature).

e-ticket (*ingl.*) m. e-ticket; electronic ticket.

ètico ① a. **1** (*filos.*) ethic, ethical; moral: **principi etici**, ethical (*o* moral) principles **2** (*estens.*) ethical: **comitato e.**, ethical committee; **standard etici**, ethical standards **3** (*gramm*) – **dativo e.**, ethical dative **4** (*farm.*) ethical.

ètico ② a. e m. (f. -**a**) (*med.*) hectic; consumptive.

etìle m. (*chim.*) ethyl.

etilène m. (*chim.*) ethylene.

etilènico a. (*chim.*) ethylene (attr.).

etìlico a. (*chim.*) ethyl (attr.): **alcol e.**, ethyl alcohol; ethanol.

etilìṣmo m. (*med.*) alcoholism.

etilìsta m. e f. alcoholic.

etilòmetro m. breathalyser; Breathalyzer® (*USA*).

etilotèst m. inv. breath test: **sottoporre a e.**, to breath-test; to breathalyse, to breathalyze.

ètimo m. etymon*; derivation.

etimologìa f. etymology: **e. popolare**, folk etymology.

etimològico a. etymological.

etimologìsta m. e f. etymologist.

etimologiẓẓàre v. i. to etymologize.

etimòlogo m. (f. -**a**) etymologist.

etiologìa, **etiològico** → **eziologia**, **eziologico**.

etìope a., m. e f. Ethiopian.

Etiòpia f. (*geogr.*) Ethiopia.

etiòpico A a. Ethiopian B m. (*lingua*) Ethiopic.

etiṣìa f. (*med.*) phthisis; consumption.

etmoidàle a. (*anat.*) ethmoidal.

etmòide m. (*anat.*) ethmoid.

etnàrca m. (*stor.*) ethnarch.

etnèo a. (*geogr.*) Etnean.

etnìa f. ethnic group.

etnicità f. ethnicity.

ètnico a. ethnic: **gruppo e.**, ethnic group; **minoranza etnica**, ethnic minority.

etnocèntrico a. ethnocentric.

etnocentrìṣmo m. ethnocentrism.

etnocìdio m. ethnocide.

etnografìa f. ethnography.

etnogràfico a. ethnographic.

etnògrafo m. (f. -**a**) ethnographer.

etnolinguìstica f. ethnolinguistics (pl. col verbo al sing.).

etnologìa f. ethnology.

etnològico a. ethnologic.

etnòlogo m. (f. -**a**) ethnologist.

etnomuṣicologìa f. ethnomusicology.

etnomuṣicòlogo m. (f. -**a**) ethnomusicologist.

etnònimo m. ethnonym; ethnicon.

etnopsichiatrìa f. ethnopsychiatry.

etnostòria f. ethnohistory.

etòlico a. (*geogr.*) Aetolian.

etologìa f. ethology.

etològico a. ethological.

etòlogo m. (f. -**a**) ethologist.

etossilazióne f. (*chim.*) ethoxylization.

etossìlico a. (*chim.*) ethoxyl (attr.).

ETR abbr. (*ferr.*, **elettrotreno**) electric train.

♦**etrùsco** a. e m. (f. -**a**) Etruscan.

etruscologìa f. Etruscan studies (pl.); Etruscology.

etruscòlogo m. (f. -**a**) Etruscologist.

ettacòrdo → **eptacordo**.

ettaèdro m. (*geom.*) heptahedron*.

ettagonàle a. (*geom.*) heptagonal.

ettàgono (*geom.*) A a. heptagonal B m. heptagon.

♦**èttaro** m. hectare.

ètte m. (*fam. antiq.*) jot; whit: **Non m'importa un e.**, I don't care a jot; I couldn't care less; **Non ci capisco un e.**, I don't understand a thing of it; I haven't a clue.

ètto m. (*fam.*), **ettogràmmo** m. hectogram; (a) hundred grams (pl.): **Vorrei un e. di prosciutto**, I'd like a hundred grams of ham.

ettòlitro m. hectolitre, hectoliter (*USA*).

ettòmetro m. hectometre, hectometer (*USA*).

Èttore m. Hector.

EU abbr. (**Europa**) Europe.

eubiòtica f. nutritional rules (pl.).

eucalìpto m. (*bot.*, *Eucalyptus*) eucalyptus*; eucalypt; (*com.*) gum-tree.

eucaliptòlo m. (*farm.*) eucalyptus oil.

eucarestìa, **eucaristìa** f. (*relig.*) Eucharist; Holy Communion; (the) Lord's Supper.

eucarìstico a. (*relig.*) Eucharistic.

euclàṣio m. (*miner.*) euclase.

Euclìde m. Euclid.

euclidèo a. Euclidean: **geometria euclidea**, Euclidean geometry.

eudemonìa f. (*filos.*) eudaemonia.

eudemònico a. eudaemonic.

eudemonìṣmo m. (*filos.*) eudaemonism.

eudemonìsta m. e f. eudaemonist.

eudemonìstico a. (*filos.*) eudaemonistic.

eudiometrìa f. (*chim.*) eudiometry.

♦**eudiòmetro** m. (*chim.*) eudiometer.

eufemìṣmo m. euphemism.

eufemìstico a. euphemistic: **espressione eufemistica**, euphemistic expression; euphemism.

eufonìa f. euphony.

eufònico a. euphonic; euphonious.

eufònio m. (*mus.*) euphonium.

eufòrbia f. (*bot.*, *Euphorbia*) euphorbia; spurge.

euforìa f. euphoria, elation; exhilaration; high spirits (pl.): **e. in Borsa**, euphoria on the Stock Exchange; **pieno di e.**, euphoric; full of high spirits; **in uno stato di e.**, in a state of euphoria.

eufòrico a. euphoric; elated; exhilarated; in high spirits.

euforizzànte a. e m. (*farm.*) euphoriant.

euforiẓẓàre v. t. to make* euphoric; to induce euphoria.

♦**eufòtide** m. (*miner.*) euphotide; gabbro.

eufràṣia f. (*bot.*, *Euphrasia officinalis*) euphrasia; eyebright.

Eufràte m. (*geogr.*) Euphrates.

eufuìṣmo m. (*letter.*) euphuism.

eufuìsta m. (*letter.*) euphuist.

eufuìstico a. (*letter.*) euphuistic.

eugàneo a. (*geogr.*) Euganean: **i Colli Euganei**, the Euganean Hills.

eugenètica f. (*biol.*) eugenics (pl. col verbo al sing.).

eugenètico a. (*biol.*) eugenic; eugenist.

eugènia f. (*bot.*, *Eugenia*) eugenia.

eugènica → **eugenetica**.

eugènico → **eugenetico**.

Eugènio m. Eugene.

eugenìsta m. e f. eugenist; eugenicist.

eugenòlo m. (*farm.*) eugenol.

euleriàno a. of Euler; Euler's.

Eumènidi f. pl. (*mitol.*) Eumenides.

eunuchìṣmo m. (*med.*) eunuchism.

eunùco m. eunuch.

eunucòide a. e m. eunuchoid.

eunucoidìsmo m. (*med.*) eunuchoidism.

eupatòrio m. (*bot.*, *Eupatorium cannabinum*) hemp agrimony.

eupepsìa f. (*med.*) eupepsia; eupepsy.

eupèptico a. (*med.*) eupeptic.

euphònium → **eufonio**.

euplòide a. (*biol.*) euploid.

eupnèa f. (*med.*) eupnea, eupnoea.

EUR sigla (**Esposizione universale di Roma**) (*a residential district of Rome built for the 1942 Universal Exhibition*).

eur. abbr. (**europeo**) European.

euraşiàno, **euraşiàtico** a. e m. (f. *-a*) Eurasian.

èureka inter. eureka.

eurialìno a. (*biol.*) euryhaline.

euribate a. (*biol.*) eurybathic.

euricòro a. (*biol.*) eurytopic.

Euridìce f. (*mitol.*) Eurydice.

Euripide m. Euripides.

euripidèo a. (*letter.*) Euripidean.

euristica f. heuristics (pl. col verbo al sing.).

euristico a. heuristic.

euritèrmo a. (*biol.*) eurythermal; eurythermic: **organismo e.**, eurytherm.

euritmìa f. (*anche med.*) eurhythmy.

euritmico a. eurhythmic.

èuro m. inv. euro: **centesimo di e.**, cent.

euroamericàno a. Euro-American.

euroaşiàtico → **eurasiano**.

eurobbligazióne f. (*econ.*) Eurobond.

euroccidentàle a. West European.

eurocènt m. inv. eurocent.

eurocèntrico a. Eurocentric.

eurocentrìşmo m. Eurocentrism.

eurochèque m. inv. Eurocheque.

eurocity m. inv. (*ferr.*) high-speed transEuropean train.

eurocomunìşmo m. Eurocommunism.

eurocomunìsta a., m. e f. Eurocommunist.

eurocomunitàrio a. European Community (attr.); EC (attr.).

euròcrate m. e f. Eurocrat.

eurodeputàto → **europarlamentare**, **B**.

eurodèstra f. European right.

eurodivìşa f. (*fin.*) Eurocurrency.

eurodòllaro m. (*fin.*) Eurodollar.

Eurolàndia f. (*econ.*) Euroland; Eurozone.

euromercàto m. (*econ.*) Euromarket.

euromissilìstico a. of (o pertaining to) Euromissiles.

euromonéta f. (*fin.*) Eurocurrency.

Euròpa f. (*geogr.*) Europe.

europarlamentàre **A** a. European Parliament (attr.) **B** m. e f. Euro-MP; member of the European Parliament.

europarlaménto m. European Parliament.

europeìşmo m. Europeanism.

europeìsta m. e f. supporter of Europeanism; pro-European.

europeìstico a. supporting Europeanism; pro-European.

europeiẓẓàre **A** v. t. to Europeanize **B** **europeiẓẓàrsi** v. i. pron. to become* Europeanized.

europeiẓẓazióne f. Europeanization.

♦**europèo** a. e m. (f. *-a*) European.

euròpio m. (*chim.*) europium.

euroscetticìşmo m. Euro-scepticism.

euroscèttico a. e m. (f. *-a*) Euro-sceptic.

eurosinìstra f. European left.

Eurostàr m. inv. (*ferr.*) high-speed passenger train; Eurostar.

euroterrorìşmo m. Euro-terrorism.

euroterrorìsta m. e f. Euro-terrorist.

eurovalùta f. (*fin.*) Eurocurrency.

eurovişióne f. (*TV*) Eurovision.

eurovişìvo a. (*TV*) Eurovision (attr.).

eurozòna f. (*fin.*) Eurozone.

èuscaro a. e m. Euskarian.

Euşèbio m. Eusebius.

Eustàchio m. Eustace ● (*anat.*) **tromba d'E.**, Eustachian tube.

eustàtico a. (*geol.*) eustatic.

eustatìşmo m. (*geol.*) eustasy.

eutanaşìa f. euthanasia.

eutènica f. euthenics (pl. col verbo al sing.).

eutènico a. euthenic.

eutèrio m. (*zool.*) eutherian; (al pl., *scient.*) Eutheria.

Eutèrpe f. (*mitol.*) Euterpe.

eutèttico a. e m. (*chim.*) eutectic: **lega eutèttica**, eutectic alloy.

eutettòide a. e m. (*chim.*) eutectoid.

eutocìa f. (*med.*) eutocia.

eutòcico a. (*med.*) – **parto e.**, natural childbirth.

eutonìa f. eutony.

eutònico a. eutonic.

eutrofìa f. (*med.*) eutrophy.

eutròfico a. (*biol.*, *ecol.*) eutrophic.

eutrofiẓẓàre v. t. (*biol.*) to eutrophicate.

eutrofiẓẓazióne f. (*biol.*) eutrophication.

EV sigla (**Eccellenza Vostra**) Your Excellency.

Èva f. Eve.

evacuaménto m. evacuation.

evacuànte a. e m. (*farm.*) evacuant.

evacuàre **A** v. t. **1** (*anche tecn.*) to evacuate **2** (*fisiol.*) to evacuate; to discharge; (*assol.*) to void one's bowels **B** v. i. to evacuate; to leave* (st.); to withdraw*.

evacuatìvo a. (*farm.*) evacuative; evacuant.

evacuàto **A** a. evacuated **B** m. (f. *-a*) evacuee.

evacuatóre (*farm.*) **A** a. evacuative **B** m. evacuator; evacuant.

evacuazióne f. **1** evacuation **2** (*fisiol.*) evacuation; bowel movement.

evàdere **A** v. i. **1** (*di prigione e sim.*) to escape; to make* one's escape: **e. di prigione**, to escape from prison **2** (*fig.*) to escape; to get* away; **e. dalla realtà**, to escape from reality; **Ho bisogno di e.**, I need to get away from it all **3** (*fisc.*) to evade (o to dodge) taxes **B** v. t. **1** (*sbrigare*) to deal* with; to dispatch; to process; to clear: **e. la corrispondenza**, to clear the mail; **e. un ordine**, to deal with (*USA* to fill) an order; **e. una pratica**, to deal with a case; to process a file **2** (*fin.*) to evade; to dodge: **e. le imposte**, to evade taxes ⬥ FALSI AMICI • *evadere nei sensi di fuggire e di sbrigare non si traduce con* to evade.

evaditrìce f. → **evasore**.

evaginàrsi v. i. pron. (*biol.*) to evaginate.

evaginazióne f. (*biol.*) evagination.

evanescènte a. **1** fading; faint; evanescent (*lett.*): **ricordo e.**, fading (o faint) memory; **suono e.**, faint sound **2** (*ling.*) indistinct.

evanescènza f. **1** evanescence **2** (*radio*, *TV*) fading.

evangelàrio, **evangeliàrio** m. evangeliary.

evangelicaménte avv. evangelically.

evangèlico **A** a. **1** (*rif. al Vangelo*) evan-gelical; Gospel (attr.): **un brano e.**, a passage from the Gospels; **messaggio e.**, evangelic message **2** (*protestante*) Evangelical: *Chiesa evangelica*, Evangelical Church **B** m. (f. *-a*) Evangelical.

Evangelina f. Evangeline.

evangelìşmo m. evangelism.

evangelìsta m. evangelist.

evangelistàrio m. evangelistary.

evangeliẓẓàre v. t. to evangelize.

evangeliẓẓatóre m. (f. *-trìce*) evangelizer.

evangeliẓẓazióne f. evangelization.

Evangèlo → **Vangelo**.

evaporàbile a. volatile.

evaporaménto m. → **evaporazione**.

♦**evaporàre** v. t. e i. to evaporate; to vaporize.

evaporàto a. evaporated; vaporized: **latte e.**, evaporated milk.

evaporatóre m. **1** (*ind.*) evaporator **2** (*per caloriferi*) humidifier.

evaporazióne f. (*fis.*) evaporation; vaporization.

evaporìmetro m. (*fis.*) evaporimeter.

evaşióne f. **1** (*fuga*) escape (from prison); jailbreak; breakout; getaway (*fam.*): **e. in massa**, mass breakout; **piano di e.**, plan of escape **2** (*fig.*) escape: **letteratura d'e.**, escapist literature **3** (*fisc.*) evasion: **e. fiscale**, tax evasion **4** (*bur.*, *comm.*: *disbrigo*) clearing; dispatching: **l'e. della corrispondenza**, the clearing of the mail; **e. delle pratiche**, paperwork; **dare e. a un ordine**, to carry out (*USA* to fill) an order ⬥ FALSI AMICI • *evasione nel senso di fuga non si traduce con* evasion.

evaşività f. evasiveness.

evaşìvo a. evasive: **essere e.**, to be evasive; to prevaricate; **risposta evasiva**, evasive answer; prevarication.

evàşo **A** a. escaped from prison (pred.) **B** m. (f. *-a*) escaped prisoner; runaway; escapee; fugitive.

evaşóre m. (*anche* **e. fiscale**) tax evader; tax-dodger.

Evelina f. Eveline, Evelyn.

evemerìşmo m. euhemerism.

eveniènza f. event; eventuality; occurrence; circumstance: **nell'e. di una guerra**, in the event of a war; **pronto a ogni e.**, prepared for any eventuality; **per ogni e.**, for all eventualities; **all'e.**, in case of need.

♦**evènto** m. **1** event; occurrence: **un e. inaspettato**, an unexpected event; **lieto e.**, happy event; **attendere gli eventi**, to await events; to wait and see (*fam.*); **in ogni e.**, in any case; **secondo gli eventi**, depending on what happens **2** (*esito*) result.

eventuàle a. possible; (*probabile*) probable, prospective: **eventuali complicazioni**, possible complications; **un e. cliente**, a prospective customer; **gli eventuali errori rimasti**, any mistakes that may remain; **salvo eventuali cambiamenti di programma**, unless there are changes in the programme; **varie ed eventuali**, any other business ⬥ FALSI AMICI • *eventuale non si traduce con* eventual.

eventualità f. **1** (*possibilità*) possibility: **l'e. di un fallimento**, the possibility of bankruptcy **2** (*evento*) event; eventuality; contingency: **nell'e. di un ritardo**, in the event of a delay; should there be a delay; **pronto a ogni e.**, ready for any eventuality (o contingency); **per ogni e.**, just in case ⬥ FALSI AMICI • *eventualità nel senso di possibilità non si traduce con* eventuality.

eventualménte avv. in case; if necessary; in the event that: *E. ti tornasse in mente, questo è il mio numero di telefono*, in

case (*o* should) you remember it, this is my phone number; *E. si potrebbe comprarne uno nuovo*, we might buy a new one, if it is really necessary ❶ **FALSI AMICI •** eventualmente *non si traduce con* eventually.

evergreen (*ingl.*) m. inv. e a. inv. evergreen (*fig.*).

eversióne f. **1** subversion **2** (*leg.*) abolition **3** (*lett.*) destruction; overthrow.

eversivo a. subversive: **piano e.**, subversive plot.

eversóre m. **1** subverter **2** (*lett.*) destroyer.

evezióne f. (*astron.*) evection.

♦**evidènte** a. evident; obvious; plain; clear; manifest; palpable: **e. nervosismo**, evident agitation; **un'e. menzogna**, a palpable lie; **un motivo e.**, an obvious reason; **segni evidenti di effrazione**, clear signs of housebreaking; «*Quindi tu hai visto tutto*» «*È e.*» «so you saw everything» «of course»; *È e. che non lo sa*, it's obvious that he doesn't know; he obviously doesn't know.

evidenteménte avv. evidently; obviously; clearly.

evidènza f. **1** obviousness; plainness: **l'e. della sua buona fede**, the obviousness of his good faith; **l'e. dei fatti**, facts; *È di un'e. lampante*, it is glaringly obvious **2** (*realtà dei fatti*) facts (pl.): **arrendersi all'e.**, to bow to the facts; *È smentito dall'e.*, the facts prove him wrong; **negare l'e.**, to negate the facts **3** (*efficacia*) force; vividness: **l'e. di un'immagine**, the force of an image **4** (*bur.*) record: **evidenze contabili**, accounting records ● **essere in e.**, to be in evidence □ **mettere in e.**, to point out; to emphasize; (*dare risalto a*) to highlight; to bring* out □ **mettersi in e.**, to get oneself noticed; to draw attention to oneself □ **tenere in e.**, to keep in evidence.

evidenziàre v. t. **1** to point out; to highlight; to emphasize; (*rivelare*) to reveal **2** (*con l'evidenziatore*) to highlight.

evidenziatóre m. highlighter.

evìncere v. t. **1** (*dedurre*) to deduce; to infer **2** (*leg.*) to evict.

eviràre v. t. to emasculate (*anche fig.*); to castrate.

eviràto ▲ a. emasculated; castrated ▐ m. **1** castrate; eunuch **2** (*mus.*) castrato*.

evirazióne f. emasculation; castration.

evisceràre v. t. (*chir.*) to eviscerate; (*un pollo e sim.*) to gut; to draw*.

evisceràto a. gutted.

eviscerazióne f. (*chir.*) evisceration.

evitàbile a. avoidable.

♦**evitàre** ▲ v. t. **1** (*schivare*) to avoid, to shun; (*eludere*) to evade, to elude, to sidestep; to dodge, to steer clear of; (*sfuggire a*) to escape: **e. un colpo**, to avoid (*o* to dodge) a blow; **e. le conseguenze**, to avoid the consequences; **e. di attraversare il centro**, to avoid crossing the city centre; **e. le cattive compagnie**, to shun bad company; **e. una discussione**, to avoid a discussion; **e. una domanda**, to evade a question; **e. la morte** [**una punizione**], to escape death [a punishment]; (*naut.*) **e. uno scoglio**, to steer clear of a reef; *Fu facile evitarlo nella calca*, it was easy to dodge him in the crowd; *Lo evito quando è arrabbiato*, I steer clear of him when he's angry **2** (*impedire, prevenire*) to prevent; to avert: **e. un disastro**, to prevent a disaster; **e. un incidente**, to avert an accident; **come e. l'infarto**, how to prevent a heart attack **3** (*risparmiare*) to spare; to save: **e. una spesa a q.**, to spare sb. an expense; **e. a q. il disturbo di fare qc.**, to spare sb. the trouble of doing st.; *Puoi evitarti il disturbo*, you can spare yourself the trouble; *Mi evita di dover tornare indietro*,

it saves me from having to go back **4** (*astenersi*) to avoid; to keep* from; to try not to; to refrain from: **e. l'alcol**, to avoid alcohol; *Evita di fumare col mal di gola*, try not to smoke with a sore throat; **e. di far domande**, to refrain from asking questions **5** (*impedirsi*) to help: *Non posso e. d'ammirarlo*, I cannot help admiring him ▐ **evitàrsi** v. rifl. recipr. to avoid each other.

evitazióne f. (*etnol.*) avoidance relationship.

evizióne f. (*leg.*) eviction.

èvo m. epoch; era; ages (pl.); times (pl.): **il Medio Evo**, the Middle Ages; **l'evo moderno**, the modern era.

♦**evocàre** v. t. **1** to raise; to conjure up; to summon; to evoke: **e. gli spiriti**, to raise (*o* to conjure up) spirits **2** (*ricordare*) to evoke; to recall.

evocativo a. evocative.

evocazióne f. **1** (*di spiriti*) conjuring up; summoning; evocation **2** (*ricordo*) evocation.

evoluire v. i. (*mil., naut.*) to perform evolutions; to manoeuvre.

evolùta f. (*mat.*) evolute.

evolutivo a. evolutionary; evolutive: **processo e.**, evolutionary process; evolution; **età evolutiva**, age of development.

evolùto a. **1** (*maturo*) evolved; fully developed **2** (*progredito*) advanced; (*civilizzato*) highly civilized **3** (*privo di pregiudizi*) open-minded; uninhibited.

♦**evoluzióne** f. **1** (*scient.*) evolution: **la teoria dell'e.**, the theory of evolution **2** (*sviluppo*) evolution; development; (*progresso*) progress; (*crescita*) growth; (*mutamento*) change **3** (*movimento*) evolution; (*aeron., naut.*) manoeuvre.

evoluzionìsmo m. (*biol., filos.*) theory of evolution; evolutionism.

evoluzionìsta m. e f. evolutionist.

evoluzionìstico a. evolutionist.

evolvènte f. (*mat.*) involute.

evòlvere v. t., **evòlversi** v. i. pron. to evolve.

evònimo m. (*bot., Euonymus*) euonymus.

evvài inter. (*fam.*) excellent!; brilliant!; go for it!

♦**evvìva** ▲ inter. long live; hooray; hurrah; yippee (*fam.*): *E. la Regina!*, long live the Queen!; *E.! ci sono riuscito!*, hooray! I've done it!; (*iron.*) *E. la modestia!*, there's nothing like being modest! ▐ m. inv. cheer; cheering Ⓤ; hurrah: *Tre e. per il vincitore!*, three cheers for the winner!; *Al passaggio del corteo esplosero gli e.*, as the procession passed by there was a burst of cheering.

ex ▲ pref. ex; former; old: **ex allievo** [**allieva**], former pupil; (*di scuola, collegio, anche*) old boy [girl] (*GB*), alumnus [alumna] (*USA*); **ex combattente**, ex-serviceman; veteran (*USA*); **il mio ex capo**, my old boss; **l'ex Iugoslavia**, former Yugoslavia; **ex marito**, ex-husband; former husband ▐ m. e f. (*fam.*) *L'ho incontrata col suo ex*, I met her with her ex.

ex abrùpto (*lat.*) loc. avv. suddenly.

ex aequo (*lat.*) loc. avv. – **classificarsi primi ex aequo**, to come equal first.

ex ante (*lat.*) ▲ loc. avv. retroactively ▐ loc. agg. inv. ex ante: **risparmio ex ante**, ex ante savings.

esarazióne → **esarazione**.

ex càthedra (*lat.*) loc. avv. **1** (*eccles.*) ex cathedra; authoritatively **2** (*fig.*) dogmatically ● (*fig.*) **sentenziare ex cathedra**, to lay down the law.

excèntro m. (*mat.*) excentre, excenter (*USA*).

excèrpta (*lat.*) m. pl. excerpta.

exclave f. inv. exclave.

excùrsus (*lat.*) m. inv. **1** excursus* **2** (*digressione*) digression.

exequàtur (*lat.*) m. inv. (*leg.*) exequatur.

exèreşi f. (*chir.*) exeresis*.

exeùnte (*lat.*) a. (*lett.*) closing; expiring.

èxit m. inv. (*teatr. ed estens.*) exit.

exit poll (*ingl.*) m. inv. (*polit.*) exit poll.

ex lège (*lat.*) loc. avv. by law; under the law; according to the law.

ex lìbris (*lat.*) loc. m. inv. ex libris; bookplate.

ex nòvo (*lat.*) loc. avv. from the beginning; all over again; from scratch: **rifare tutto ex novo**, to do everything all over again.

expertise (*franc.*) f. inv. expert appraisal; expertise.

exploit (*franc.*) m. inv. feat; achievement; exploit: **fare un e.**, to perform a feat (*o* an exploit); **un e. notevole**, a remarkable achievement.

expo (*franc.*) f. inv. Expo.

ex post (*lat.*) ▲ loc. avv. in retrospect; retrospectively; ex post facto ▐ loc. agg. inv. ex post (attr.).

ex professo (*lat.*) loc. avv. **1** deliberately; intentionally; wilfully **2** (*in modo esperto*) expertly; in a businesslike manner.

exsanguinotrasfuşióne f. (*med.*) exchange transfusion.

èxtra ▲ a. inv. **1** (*speciale*) superior; choice (attr.); super; first-rate: **il modello e.**, the super model **2** (*con agg.: molto*) very; extra: **e. rapido**, very fast; **e. largo**, outsize (*GB*); extra-large (*USA*) **3** (*aggiuntivo*) extra; additional: **costi e.**, extra costs; **spese e.**, additional expenses ▐ m. inv. **1** (*spesa*) extra; extra charge; supplement: **cento dollari al giorno, più gli e.**, a hundred dollars a day plus extras; *Ho dovuto pagare un e.*, I had to pay an extra charge **2** (*guadagno*) extra earnings (pl.) ▐ prep. outside: **e. bilancio**, outside the budget.

extracellulàre a. (*biol.*) extracellular.

extracomunitàrio ▲ a. not belonging to the European Union; non-EU; (*in passato*) non-EEC ▐ m. (f. **-a**) (*immigrato*) non-EU immigrant; (*lavoratore*) non-EU worker; (*cittadino*) non-EU national.

extraconiugàle a. extramarital.

extracontrattuàle a. outside the terms of a contract; not provided for by a contract.

extracorpòreo a. **1** (*med.*) extracorporeal **2** (*parapsicologia*) out-of-body.

extracorrènte f. (*elettr.*) extra current.

extracurriculàre a. extracurricular.

extradomèstico a. outside the home; non-domestic: *In passato alle donne era spesso negato il lavoro e.*, in the past women were often forbidden to work outside their homes.

extradotàle a. extradotal ● (*leg.*) **beni extradotali**, paraphernalia.

extraeuropèo a. non-European.

extragalàttico a. (*astron.*) extragalactic.

extragiudiziàle → **estragiudiziale**.

extralegàle a. (*leg.*) extralegal.

extralinguìstico a. extralinguistic.

extramoènia a. inv. extramural.

extramuràle a. **1** outside the city walls **2** (*di attività, ecc.*) extramural.

extramuràrio a. extramural.

extranazionàle a. non-national.

extraoràrio a. outside working hours; after hours.

extraospedalièro a. non-hospital.

extraparlamentàre (*polit.*) ▲ a. **1** (*che avviene fuori del parlamento*) extraparliamentary **2** (*non rappresentato in parlamento*) not represented in Parliament; extraparliamen-

tary **B** m. e f. member of a party not represented in Parliament.

extrapiramidàle a. (*med.*) extrapyramidal.

extraprocessuàle → **estraprocessuale**.

extraprofìtto m. abnormal profit, excess profit.

extraràpido a. (*fotogr.*) ultrasensitive.

extrascolàstico a. afterschool (attr.).

extrasensoriàle a. extrasensory: **percezione e.**, extrasensory perception.

extrasìstole f. (*med.*) extrasystole.

extrasistòlico a. (*med.*) extrasystolic.

extrasolàre a. (*astron.*) extrasolar.

extrasottìle a. ultrathin.

extrastallìa f. (*naut.*) extra demurrage.

extrastrong (*ingl.*) a. e f. inv. extra strong (paper).

extratemporàle a. outside time (pred.); timeless; supratemporal.

extraterrèstre **A** a. extraterrestrial **B** m. e f. extraterrestrial; being (*o* alien) from outer space.

extraterritoriàle a. (*leg.*) extraterritorial; exterritorial.

extraterritorialità f. (*leg.*) extraterritoriality; exterritoriality.

extraurbàno a. suburban: **strade extraurbane**, suburban roads.

extrauterìno a. (*med.*) extrauterine: **gravidanza extrauterina**, extrauterine pregnancy.

extravagànza f. (*mus.*) extravaganza.

extravérgine a. inv. extra-virgin: **olio e.**, extra-virgin olive oil.

extrèmis → **in extremis**.

ex vóto (*lat.*) loc. m. inv. ex voto; votive offering.

Ezechìa m. (*Bibbia*) Hezekiah.

Ezechièle m. (*Bibbia*) Ezekiel.

eziolaménto m. (*bot.*) etiolation.

eziolàto a. etiolated.

eziologìa f. (*med.*) aetiology.

eziològico a. (*med.*) aetiological.

f, F

F ① , f f. o m. (*sesta lettera dell'alfabeto ital.*) F, f • (*telef.*) **f come Firenze**, f for Foxtrot.

F ② sigla **1** (*carte*, **fante**) knave, jack (J) **2** (**femmina**) female.

f abbr. **1** (*mus.*, **forte**) forte (loud) **2** (*o f.*) (**foglio**) sheet.

fa ① 3ª pers. sing. indic. pres. di **fare**.

fa ② m. (*mus.*) F; (*nel solfeggio*) fah: **chiave di fa**, F clef.

fa ③ avv. ago: **un anno fa**, a year ago; **non molto tempo fa**, not long ago.❶ **NOTA**: *present perfect / simple past* → **present** ①.

❶ **NOTA:** *fa*

Il verbo inglese della frase in cui compare ago va sempre coniugato al passato e non al present perfect: *Le ho mandato un SMS qualche minuto fa*, I sent her a text message a few minutes ago (non ~~I have sent her a text message a few minutes ago~~); *Mi sono laureato tre anni fa*, I got my degree three years ago.

fabbisógno m. requirements (pl.); needs (pl.): **f. alimentare**, food requirements; **f. energetico**, energy requirements.

♦**fàbbrica** f. **1** factory; manufacturing firm; works; (*di tessili o di carta*) mill: **una f. di automobili**, a car factory; a motor-works; **f. di birra**, brewery; **f. di conserve alimentari**, cannery; **f. di giocattoli**, toy factory; **f. di mattoni**, brickworks; brickyard; **f. di scarpe**, shoe facory; **lavorare in f.**, to work in a factory; *È proprietario di una piccola fabbrica*, he owns a small manufacturing firm; **consiglio di f.**, factory board; works committee; **direttore di f.**, factory manager **2** (*costruzione*) making; building; construction **3** (*edificio*) edifice; building • **f. di chiacchiere**, hotbed of gossip □ **marchio di f.**, trademark □ **nuovo di f.**, brand new; just out of the factory □ **prezzo di f.**, factory-gate price □ **L'università è una f. di disoccupati**, universities churn out people heading straight for the dole queue ❶ **FALSI AMICI** • fabbrica *non si traduce con* fabric.

fabbricàbile a. **1** (*di prodotto*) manufacturable **2** (*di terreno*) building (attr.): **area f.**, building site.

fabbricabilità f. suitability for building.

♦**fabbricànte** m. e f. maker; manufacturer: **f. di scarpe**, shoe manufacturer; **f. di birra**, brewer; *È un f. di scatole*, he is a box manufacturer; he runs a box factory.

♦**fabbricàre** v. t. **1** (*costruire*) to build*; to put* up; to construct **2** (*fare, produrre*) to make* (*industrialmente*) to manufacture, to produce: **f. scarpe**, to manufacture shoes; **f. in serie**, to mass-produce **3** (*fig.: inventare*) to make* up; to fabricate; to concoct; to invent: **f. un alibi**, to fabricate an alibi; **f. prove**, to fabricate evidence; **f. scuse**, to make up excuses.

fabbricativo a. building (attr.).

♦**fabbricàto** Ⓐ a. **1** (*costruito*) built; constructed **2** (*fatto, prodotto*) made; manufactured; produced: **f. in serie**, mass-produced; **f. su ordinazione**, made to order **3** (*fig.: inventato*) fabricated; invented; concocted: **alibi f.**, fabricated (*o* invented) alibi

Ⓑ m. building; edifice; (*casa*) house: **f. annesso**, outbuilding, **f. per abitazione** [**per uffici**]; residential [office] building; (*leg.*) **imposta sui fabbricati**, property tax.

fabbricatóre Ⓐ a. **1** making; manufacturing **2** (*costruttore*) building Ⓑ m. (**f. -trìce**) **1** (*fabbricante*) maker; manufacturer **2** (*costruttore*) builder; constructor **3** (*fig.*) fabricator; inventor; concocter.

fabbricazióne f. **1** (*produzione, lavorazione*) making, manufacturing, production; (*fattura*) make, manufacture: **f. della birra**, brewing; **f. della carta**, paper making; **f. in serie**, mass-production; **f. nazionale**, home manufacture; **di f. italiana**, made in Italy; Italian-made; **difetto di f.**, manufacturing defect; **imposta di f.**, excise tax; **numero di f. di motore**, engine serial number; **processo di f.**, manufacturing process; **segreto di f.**, trade secret **2** (*fig.: invenzione*) fabrication; invention; concoction.

fabbricerìa f. (*eccles.*) vestry board.

fabbricière m. (*eccles.*) vestryman*; churchwarden.

fabbricóne m. big block of flats (*GB*); big apartment house (*USA*).

♦**fàbbro** m. **1** smith; (*maniscalco*) blacksmith; (*di serrature*) locksmith: **f. ferraio**, blacksmith; **f. stagnaio**, tinsmith; **bottega di f.**, smithy; forge **2** (*fig. lett.*) craftsman*; artificer; maker: **il f. dell'universo**, the maker of the universe; **un f. d'inganni**, an artificer of fraud.

fabianismo m. (*stor., polit.*) Fabianism.

fabiàno a. (**f. -a**) (*stor., polit.*) Fabian.

Fàbio m. Fabius.

fàbula f. (*letter.*) plot.

fabulatòrio a. (*psic.*) confabulating.

fabulazióne f. **1** (*psic.*) confabulation **2** (*letter.*) narrative; fabulation.

♦**faccènda** f. **1** (*cosa da fare*) thing: *Ho alcune faccende da sbrigare*, I've got a few things to do **2** (*questione*) matter; affair; business; thing; it's: **una brutta f.**, a bad business; **una f. complessa**, a complex matter; **tutt'altra f.**, a completely different matter (*o* thing); *È una f. di cui mi dovrò occupare*, it's a matter (*o* it's something) I'll have to go into; *Non è f. che vi riguardi*, it's no business of yours; **badare alle proprie faccende**, to mind one's own business; **chiudere la f.**, to close the matter; to wrap it up (*fam.*) **3** (*al pl., anche* **faccende domestiche**) housework Ⓤ; household chores: **accudire alle faccende** (*di casa*), to be busy about the house (*o* with the housework); **sbrigare le faccende**, to do the housework • **essere in faccende**, to be busy □ **in tutt'altre faccende affaccendato**, taken up by wholly different matters.

faccendière m. shady operator; wheeler-dealer.

faccendóne m. (**f. -a**) (*fam.*) bustler; busy bee.

faccétta f. **1** (*visetto*) little face **2** (*di pietra preziosa*) facet: **lavorato a faccette**, faceted **3** (*anat., zool.*) facet.

faccettàre → **sfaccettare**.

facchinàggio m. (*attività e spese*) porter-age.

facchinàta f. **1** (*parola triviale*) vulgar (*o* coarse) word **2** (*atto triviale*) vulgar (*o* coarse) action **3** → **sfacchinata**.

facchinésco a. (*fig.: triviale*) vulgar; coarse.

facchino m. **1** porter: **f. di stazione**, railway porter **2** (*fig.*) boor • (*fig.*) **fare il f.**, to slave away □ **lavoro da f.**, hard work; drudgery.

fàccia ① 1ª, 2ª, 3ª pers. sing. congiunt. pres. di **fare**.

♦**fàccia** ② f. **1** (*anat. e fig.*) face: **f. amica**, a friendly face; *Hai la f. sporca*, your face is dirty; *Ha una f. che non mi piace*, I don't like his face; **lavarsi la f.**, to wash one's face; (*fig.*) **mostrare la f.**, to show one's face; **guardare q. in f.**, to look sb. in the face; *Mi scoppiò in f.*, it blew up in my face; **con la f. al muro**, facing the wall; **rosso in f.**, red in the face **2** (*espressione, aspetto*) expression; look; mien: **avere una bella f.** (*stare bene*), to look well; **avere una brutta f.**, (*un'aria malaticcia*) not to look well, (*un'aria triste*) to look sad; (*un'aria truce*) to look grim; *Che f. hai! Cos'è successo?*, you look sad [furious, pale, etc.]; what's happened?; **avere una f. da stupido**, to look a fool; **avere una f. triste**, to have a sad expression (on one's face); to look sad; **fare una f. divertita**, to look amused; **fare la f. sorpresa** (*fingere sorpresa*), to feign surprise; *Fece la f. di chi non ha capito niente*, she put on a vacant look **3** (*lato, anche geom.*) face; side: **la f. della luna**, the face of the moon; **l'altra f. della luna**, the other side of the moon; **la f. di una moneta**, the face (*o* headside) of a coin; **le facce di un cubo**, the faces (*o* sides) of a cube; **le due facce di un foglio**, the two sides of a sheet of paper **4** (*fig.: aspetto*) side: **le due facce di una questione**, the two sides of a matter **5** (*anche* **f. tosta, di bronzo**) face; nerve; gall; cheek: *Non ho la f. di chiederglielo*, I haven't the face to ask him; *Che f. tosta* (*o che f. di bronzo*)!, what a cheek!; **cavarsela con una buona dose di f. tosta**, to brazen st. out **6** (*smorfia*) face; grimace: *Quando glielo dissi, fece una f.*, he made a face, when I told him; **fare le facce**, to make (*o* to pull) faces • **f. a f.** → **faccia a faccia**, m., a. e avv. □ **f. da schiaffi**, cheeky face; (*persona*) cheeky person □ (*volg.*) **f. da culo** (*sfacciataggine*), damn cheek; bloody cheek: **avere una f. di culo**, to be a cheeky bastard (*o* sod) □ **facce poco rassicuranti**, dubious characters □ **avere una f. da luna piena**, to be moon-faced □ **a due facce**, double-faced; double-dealing; (*fig.*) two-faced, double-dealing □ **a f. in giù** [**in su**], face down [up] □ (*fig.*) **a** (*o* **dalle**) **molte facce**, many-faceted □ **Alla f.!**, good God! □ **alla f. di** (*a dispetto di*), in the teeth of; despite; for all; regardless of: *Ci andrò lo stesso, alla f. dei loro consigli*, for all their advice, I'm going anyway □ **Alla f. delle sue promesse!**, so much for all his promises! □ (*pop.*) **Alla f. tua!**, nuts to you; sucks to you! □ **cambiare f.** (*sembrare nuovo*), to look like new □ (*fig.*) *Lui cambiò f.*, (*per la delusione*) his face fell; (*per la gioia*) his face lit up; (*per la paura*) he changed colour □ **La stanza ha cambiato f.**,

the room has changed face; (*è migliorata*) the room looks infinitely better □ **di f.**, opposite; facing: **l'albergo di f. alla stazione**, the hotel facing (*o* opposite) the station; *Era seduta in f. a me*, she sat facing (*o* opposite) me □ **Glielo dissi in f.**, I told him to his face □ **farle la f. lunga**, to pull a long face □ **guardare in f. il pericolo**, to face up to the danger □ **guardare in f. la realtà**, to face facts □ **in f. → di f.** □ **Glielo si legge in f.**, it's written all over his face (*o* him) □ (*fig.*) **non guardare in f. a nessuno**, to go ahead regardless of everyone; (*parlare schietto*) to speak one's mind □ (*fig.*) **perdere la f.**, to lose face □ **ridere in f. a q.**, to laugh in sb.'s face □ (*fig.*) **salvare la f.**, to save (one's) face: **una mossa per salvare la f.**, a face-saving move □ **Ce l'ha scritto in f.**, it's written all over his face (*o* him) □ **sulla f. della terra**, on the face of the earth; under the sun □ (*naut., aeron.*) **vento in f.**, head wind □ **visto di f.**, seen from the front.

fàccia a fàccia **A** m. inv. face-to-face (*o* one-to-one) meeting **B** a. inv. face-to-face; one-to-one: **un incontro faccia a faccia**, a face-to-face (*o* one-to-one) meeting **C** avv. (*di fronte*) facing each other; (*in un confronto diretto*) face to face, one to one, eyeball to eyeball (*fam.*): *Sedevamo faccia a faccia*, we were sitting facing each other; **affrontare q. faccia a faccia**, to confront sb. face to face (*o* one to one); **mettere due testimoni faccia a faccia**, to confront two witnesses; **trovarsi faccia a faccia con q.**, to come face to face with sb.

facciàle a. **1** facial: **angolo f.**, facial angle; (*anat.*) **nervo f.**, facial nerve **2** (*econ., filatelia, ecc.*) – **valore f.**, face value.

◆**facciàta** f. **1** (*archit.*) front; façade, facade **2** (*pagina*) side (of a sheet); page: **una lettera di sei facciate**, a six-page letter **3** (*fig.*: *esteriorità*) outside, surface; (*apparenza*) appearances (pl.), false front: **giudicare dalla f.**, to judge by appearances; **di f.**, outward; feigned; token (attr.); cosmetic (attr.); **cortesia di f.**, outward (*o* feigned) courtesy; **operazione di f.**, cosmetic exercise; window-dressing **4** (*fig.*: *copertura*) front; cover.

facciavista f. – (*edil.*) a **f.**, rough (agg.).

faccìna f. (*comput.*) emoticon; smiley (*fam.*).

faccìno m. **1** little face **2** pretty face.

fàccio 1ª pers. sing. indic. pres. di **fare**.

facciòla f. band (of a gown or a cassock).

fàce f. (*lett.*) **1** torch **2** (*estens.*: *luce*) light.

facènte part. pres. – **f. funzione** (sost.), deputy; stand-in; **f. funzione di** (agg.), acting; pro-: **il mio f. funzione**, my deputy; **il f. funzione di direttore**, the acting manager.

facésti 2ª pers. sing. pass. rem. di **fare**.

facéto **A** a. humorous; jocular; facetious; witty; **detto f.**, witticism; **osservazione faceta**, humorous (*o* witty) remark; **un uomo f.**, a facetious man; **in tono f.**, humorously; jocularly **B** m. – **tra il serio e il f.**, half seriously, half in jest.

facèzia f. witty remark; joke; pleasantry; witticism.

fachirìsmo m. fakirism.

fachìro m. fakir.

fàcies f. inv. (*med., geol.*) facies*.

◆**fàcile** a. **1** easy; simple: **un compito f.**, an easy (*o* a simple) task; **guadagni facili**, easy money; **f. preda**, easy prey; **vittoria f.**, easy victory; **f. come bere un bicchier d'acqua**, as easy as pie; *È più f. dirlo che farlo*, it's easier said than done; **scritto in un italiano f.**, written in simple Italian; **fin troppo f.**, almost too easy **2** (*incline*) prone: **f. alla commozione**, easily moved; **f. all'ira**, prone to anger; quick-tempered; **f. al pianto**, prone to tears **3** (*pronto*) ready; quick: **f. alle pro-**

messe, quick to promise; **avere la parola f.**, (*saper parlare bene*) to be articulate; (*avere una buona parlantina*) to have a way with words; to have the gift of the gab (*fam., spesso iron.*); **avere il grilletto f.**, to be quick on the trigger; to be trigger-happy; **avere le lacrime facili**, to be easily moved to tears; (*spreg.*) to be a crybaby **4** (*arrendevole, trattabile*) amenable; yielding; tractable: **di carattere f.**, easy-going; easy to get along with **5** (*probabile*) likely: *È f. che piova*, it's likely to rain; *È f. che Leo non venga*, Leo is unlikely to come; Leo may well not come **6** (*poco serio*) promiscuous: **ragazza f.**, promiscuous girl ● **di f. contentatura**, easily pleased; easy-going □ **donna di facili costumi**, woman of easy virtue □ **fare tutto f.**, to make light of everything ❶ **FALSI AMICI** • facile non si traduce con facile.

◆**facilità** f. **1** (*l'essere facile*) easiness; facility: **la f. d'un esame**, the easiness of an exam; *La f. del lavoro mi sorprese*, I was surprised by how easy the job was **2** (*assenza di fatica, agio*) ease; facility; (*nel parlare*) fluency; (*prontezza*) readiness: *Superai l'esame con f.*, I passed the test with ease; **parlare l'inglese con f.**, to speak English fluently; **con estrema f.**, with the greatest ease; **arrabbiarsi con f.**, to be quick to lose one's temper; to be quick-tempered; to have a short fuse (*fam.*); **deprimersi con f.**, to get easily depressed; **fare amicizia con f.**, to make friends readily **3** (*attitudine*) aptitude; facility; flair: **avere f. per le lingue**, to have an aptitude (*o* a facility) for languages; to be a linguist; **avere f. di parola**, to be very articulate; to have a way with words **4** (*tendenza*) tendency; proneness: **f. ad arrabbiarsi**, proneness to anger; quick temper; *Ha f. a scoraggiarsi*, he gets easily discouraged.

◆**facilitàre** v. t. **1** (*rendere facile*) to make* easy (*o* easier); to facilitate (*form.*); (*semplificare*) to simplify: **per f. il tuo compito**, to make your task easier; *Voglio facilitarti le cose*, I want to make it easier for you **2** (*aiutare*) to help: **f. la digestione**, to help digestion **3** (*concedere crediti*) to accommodate: **f. un cliente**, to accommodate a client.

facilitàto m. (f. **-a**) (*banca*) short-term borrower.

facilitazióne f. **1** facilitation; easing **2** (*agevolazione*) facility; concession; accommodation; (al pl., *anche*) special terms (*o* conditions): **f. di credito**, credit facilities; **facilitazioni di pagamento**, facilities of payment; easy terms; **facilitazioni per gli abbonati**, special conditions for subscribers.

facilménte avv. **1** (*senza difficoltà*) easily; (*prontamente*) readily: **f. riparabile**, easily repaired; easy to repair; **f. reperibile**, readily available; **commuoversi f.**, to be easily moved; **arrabbiarsi f.**, to be quick to anger; to be quick-tempered; to have a short fuse (*fam.*) **2** (*probabilmente*) probably; (*molto probabilmente*) very likely.

facilóne m. (f. **-a**) careless person; sloppy person.

faciloneria f. superficiality; slipshod attitude; slipshod way of doing things.

facinoróso **A** a. rowdy; lawless **B** m. (f. **-a**) rioter; troublemaker; hooligan.

facocèro m. (*zool.*, Phacochoerus aethiopicus) warthog.

fàcola f. (*astron.*) facula*.

facoltà f. **1** faculty: **f. mentali**, mental faculties; (*leg.*) mental powers; **essere in pieno possesso di tutte le f.**, to be in full possession (*o* command) of one's faculties **2** (*potere, autorità*) power, authority; (*diritto*) right; (*permesso*) leave, licence, permission: **f. di parlare**, leave to speak; **f. di scelta**, option;

f. di vendita, power of sale; **avere la f. di**, to be empowered to; to have the authority to; to have the right to; *Non ho la f. di proibirlo*, I have no authority to forbid it; *Hai f. di accettare o rifiutare*, you have the right to accept or refuse; *Non è nelle mie f.*, it is not within my powers **3** (*di cosa: proprietà*) property **4** (*di università*) faculty; school (*USA*); (*corpo docente*) faculty: **f. di legge**, Law Faculty; **f. di lettere**, Faculty of Arts; **consiglio di f.**, faculty board; (*riunione*) faculty meeting **5** (al pl.: *averi*) means.

facoltatività f. optional character.

facoltativo a. optional; facultative: **corso f.**, optional course; **fermata facoltativa**, request stop.

facoltóso a. wealthy; rich.

facóndia f. (*lett.*) eloquence; fluency.

facóndo a. (*lett.*) eloquent; fluent.

facsìmile m. **1** (*riproduzione esatta*) facsimile; (*modello*) specimen: **f. di firma**, specimen signature; **edizione in f.**, facsimile edition **2** (*copia, imitazione*) double; replica; copy **3** telefax.

factòtum m. e f. factotum; (*aiuto tuttofare*) man* (f. girl) Friday (*fam.*); chief cook and bottle-washer (*scherz., fam.*): **il f. del direttore**, the director's man Friday; *Mi tocca fare il f.*, I have to be chief cook and bottle-washer.

faentìna f. Faenza ceramic; (*imitazione*) faience.

faènza f. faience.

faesìte f. hardboard.

faggéta f., **faggéto** m. beechwood; beech grove.

faggìna f. (*bot.*) beech-mast; beech-nut.

fàggio m. **1** (*bot.*, Fagus silvatica) beech; beech-tree: **f. rosso** (Fagus silvatica atropunicea), copper beech **2** (*legno*) beechwood.

faggiòla → **faggina**.

fagiàna f. (*zool.*) hen-pheasant.

fagianèlla f. (*zool.*, Otis tetrax) little bustard.

fagiàno m. **1** (*zool.*, Phasianus colchicus) pheasant*; (f. giovane) poult **2** (*zool.*) – **f. alpestre** (Tetrao urogallus), capercaillie; **f. argentato** (Gennaeus nychtemerus), silver pheasant; **f. di monte** (Lyrurus tetrix), black grouse; heathcock; **f. dorato** (Chrysolophus pictus), golden pheasant.

fagiolàta f. **1** big dish of beans **2** (*minestra di fagioli*) bean soup.

fagiolìno m. French bean; string bean.

◆**fagiòlo** m. **1** (*bot.*, Phaseolus vulgaris) (French) bean; kidney bean **2** (*bot.*) – **f. americano** → **fagiolone**; **f. bianco**, haricot bean; **f. cinese**, soya bean; **f. dall'occhio**, black-eyed bean; cow pea; **f. di Lima**, lima bean; butter bean; **f. di Spagna**, runner bean; scarlet runner **3** (*cucina*) bean: **fagioli lessi**, boiled beans; **fagioli stufati**, baked beans; **pasta e fagioli**, pasta-and-bean soup **4** (*all'università, scherz.*) second-year university student; sophomore (*USA*) ● (*fam.*) **capitare a f.**, to come at the right moment □ **Capiti a f.!**, just the person I need! □ (*fam.*) **Mi va a f.**, it suits me to a T (*o* down to the ground).

fagiolóne m. (*bot.*, Phaseolus coccineus) runner bean; scarlet runner.

fàglia ① f. (*geol.*) fault: **f. a gradinata**, step fault; **f. diretta**, normal fault; **f. inversa**, thrust fault; **f. longitudinale**, strike fault; **f. trasforme**, transform fault; **linea di f.**, fault line; **piano di f.**, fault plane; **tetto di f.**, hanging wall.

fàglia ② f. (*tessuto di seta*) faille.

fàgo m. (*biol.*) bacteriophage; phage.

fagocìta → **fagocito**.

fagocitàre v. t. **1** (*biol.*) to phagocytize;

to phagocytose **2** (*fig.*) to absorb; to engulf; to swallow up.

fagocitàrio a. (*biol.*) phagocytic.

fagocitazióne f. (*fig.*) absorbing; engulfing; swallowing up.

fagocito m. (*biol.*) phagocyte.

fagocitòsi f. (*biol.*) phagocytosis.

fagopirìsmo m. (*vet.*) fagopyrism.

fagòpiro m. (*bot.*) buckwheat.

fagottista m. e f. (*mus.*) bassoonist.

fagòtto ① m. **1** bundle; (*pacco*) parcel: **f. di vestiti**, bundle of clothes; **fare un f. di qc.**, to make st. into a bundle; to bundle up st.; **carico di fagotti**, laden with parcels **2** (*fig.*) awkward person; (*donna trascurata*) frump ● (*fam.*) **far f.**, (*andarsene*) to pack up (o to pack one's bags) and leave; to clear out; (*di vestito*) to bunch up □ **sembrare un f.**, to look like a sack of flour ❶ FALSI AMICI ● *fagotto non si traduce con* faggot.

fagòtto ② m. (*mus.*) **1** bassoon **2** → **fagottista** ❶ FALSI AMICI ● *fagotto non si traduce con* faggot.

fài 2ª pers. sing. indic. pres. di **fare**.

FAI sigla **1** (**Federazione autotrasportatori italiani**) Italian Road Haulage Association **2** (*stor.*, **Fondo aiuti italiani**) Italian Aid Fund **3** (**Fondo per l'ambiente italiano**) Italian National Trust Fund.

fàida f. (*stor.*) **1** (*il diritto*) right of feud **2** (*lotta*) (blood) feud; vendetta.

fài da té Ⓐ loc. m. inv. do-it-yourself (abbr. DIY) Ⓑ loc. agg. inv. do-it-yourself; independent; self-managing: **elettricista fai da te**, do-it-yourself electrician.

faille → **faglia** ②.

faìna f. **1** (*zool.*, *Martes foina*) stone marten; beech marten **2** (*fig.*) cunning person; sly fox; weasel.

fainésco a. **1** marten (attr.); marten-like **2** (*fig.*: *astuto*) cunning, sly; (*infido*) devious; (*maligno*) malicious.

FAL sigla **1** (*leg.*, **Foglio annunzi legali**) Journal of Legal Notices **2** (*mil.*, **fucile automatico leggero**) light automatic rifle.

falànge ① f. **1** (*stor. greca*) phalanx* **2** (*fig.*) host; army **3** (*polit.*, *stor.*, *in Spagna*) Falange; (*in Libano*) Phalange.

falànge ② f. (*anat.*) phalanx*.

falangétta f. (*anat.*) terminal phalanx*.

falangìna f. (*anat.*) middle (o second) phalanx*.

falangìsmo m. (*polit.*, *stor.*) Falangism.

falangìsta ① m. e f. (*polit.*, *stor.*, *in Spagna*) Falangist; (*in Libano*) Phalangist.

falangìsta ② m. (*zool.*, *Trichosurus vulpecula*) brush (o brushtail) opossum; phalanger; cuscus.

falanstèrio m. **1** (*econ.*, *stor.*) phalanstery **2** (*grosso caseggiato*) big tenement house.

falaròpo m. (*zool.*, *Phalaropus*) phalarope.

falascià m. e f. inv. Falasha.

falàsco m. (*bot.*, *Carex*) sedge.

falbalà → **falpalà**.

fàlca f. (*naut.*) washboard.

falcàta f. **1** (*equit.*) falcade; curvet **2** (*di marciatore*) stride: **camminare a grandi falcate**, to stride (along) **3** (*di falco*) swoop.

falcàto a. **1** sickle-shaped; curved; crescent-shaped; (*bot.*, *zool.*) falcate: **luna falcata**, crescent **2** (*di carro da guerra*) scythed.

falcatùra f. crescent; curvature.

fàlce f. **1** sickle; (*polit.*) **f. e martello**, hammer and sickle **2** (*anche* **f. fienaia**) scythe **3** – **f. di luna**, crescent.

falcèmia f. (*med.*) sickle-cell anaemia.

falcétto m. pruning hook; billhook.

falchétta f. (*naut.*) gunwale.

falchétto m. (*zool.*) **1** (*falco giovane*) eyas

2 → **gheppio**.

falciànte a. – (*mil.*) **tiro f.**, raking fire.

falciàre v. t. **1** (*agric.*) to scythe; to cut* down; (*a macchina*) to mow* **2** (*fig.*: *uccidere*) to mow* down; (*di epidemia e sim.*) to wipe out **3** (*calcio*) to bring* down.

falciàta f. **1** (*colpo di falce*) sweep of the scythe **2** (*quantità falciata*) swath ● **dare una f. a un prato**, to cut the grass; to mow the lawn.

falciatóre Ⓐ a. mowing Ⓑ m. mower.

falciatrìce f. **1** mower **2** (*macchina*) mowing machine; mower; (*da giardino*) lawnmower.

falciatùra f. **1** (*operazione*) mowing; scything; cutting **2** (*periodo*) mowing time.

falcidia f. (*leg.*, *stor.*) Falcidian law **2** (*fig.*: *riduzione*) drastic reduction; drastic cut; (*eliminazione*) decimation: **subire una vera f.**, to be drastically reduced **3** (*strage*) massacre; slaughter; extermination: **una f. di animali**, a massacre of animals.

falcidiàre v. t. **1** (*ridurre*) to reduce drastically; to cut* (down); (*eliminare*) to decimate **2** (*massacrare*) to massacre; to mow* down.

falcifórme a. falcate; falciform (*anat.*); sickle-shaped; (*med.*) **cellula f.**, sickle cell; (*anat.*) **legamento f.**, falciform ligament.

falciòla f. billhook.

falcióne m. **1** (*agric.*, *di seminatrice*) seeder blade; (*per foraggio*) fodder cutter **2** (*mil.*, *stor.*) falchion.

♦**fàlco** m. **1** (*zool.*, *Falco*) hawk; (*addestrato*) falcon; (*il maschio*, *spec. in falconeria*) tercel **2** (*zool.*) – **f. barletta** (o **lodolaio**) (*Falco subbuteo*), hobby; **f. di palude** (*Circus aeruginosus*), marsh harrier; duck-hawk; **f. lanario** (*Falco biarmicus feldeggi*), lanner (falcon); (*in falconeria*, *la femmina*) lanner, (*il maschio*) lanneret; **f. pescatore** (*Pandion haliaetus*), osprey; fish hawk; **f. pellegrino** (*Falco peregrinus*), peregrine falcon; **f. sacro** (*Falco cherrug*), saker **3** (*fig.*: *persona rapace*) vulture **4** (*polit.*) hawk: **falchi e colombe**, hawks and doves ● **con occhi di f.**, hawk-eyed □ **piombare come un f. su qc.**, to swoop on st.

falconàra → **falconiera**.

falcóne m. **1** (*zool.*) falcon: **caccia col f.**, falconry; hawking **2** (*mil.*, *stor.*) falcon ● (*zool.*) **f. montanaro**, kestrel.

falconeria f. falconry; hawking.

falconétto m. (*mil.*, *stor.*) falconet.

falconièra f. (*mil.*, *stor.*) embrasure.

falconière m. falconer.

fàlda f. **1** (*geol.*) stratum*; layer: **f. acquifera**, aquifer; **f. impermeabile**, impermeable stratum; **f. di scorrimento**, thrust nappe; **f. freatica**, water table; groundwater level **2** (*di neve*) flake: *Nevica a larghe falde*, the snow is falling in large flakes **3** (*di giacca*) (coat) tail; (*di cappotto*, *vestito*) skirt **4** (*di cappello*) brim **5** (*di monte*) slope: **alle falde di un monte**, at the foot of a mountain **6** (*di armatura*) backpiece **7** (*di sella*) skirt **8** (*di tetto*) pitch **9** (*ind. tess.*) lap.

faldàto a. (*geol.*) stratified; layered.

faldìglia f. crinoline; farthingale.

faldistòrio, **faldistòro** m. (*eccles.*) faldstool.

faldóne m. (*bur.*: *cartella*) folder; (*documenti*) file.

faldóso a. stratified; layered.

falecèo, **falècio** m. (*poesia*) phalaecean.

♦**falegnàme** m. carpenter; (*che fa porte*, *finestre*, *ecc.*) joiner; (*mobiliere*) cabinetmaker: **arnesi da f.**, carpenter's tools; **banco da f.**, carpenter's bench.

falegnameria f. **1** carpentry; joinery; cabinetmaking; woodwork **2** (*bottega*) carpenter's (o joiner's) shop.

falèna f. (*zool.*) moth.

fàlera f. (*archeol.*) phalera*.

falèrno m. Falernian (wine).

falèsia, **falésa** f. (*geol.*) cliff.

fàlla f. **1** leak; hole: (*radio*) **f. di griglia**, grid leak; *Si è aperta una f. nel serbatoio*, the tank has sprung a leak; **avere delle falle**, to be leaky; **chiudere** (o **tappare**) **una f.**, to stop a leak; (*fig.*) **tamponare una f.**, to plug a hole; *Il liquido usciva da una f. sul fianco*, the liquid was leaking from a hole in the side **2** (*mil.*) breach.

fallàce a. **1** (*ingannevole*) fallacious, misleading, deceptive, unsound, spurious; (*falso*) false, vain, illusory: **argomento f.**, unsound (o fallacious, spurious) argument; fallacy; **sogni fallaci**, illusory dreams; **speranze fallaci**, false (o vain) hopes **2** (*di colore*) not fast.

fallàcia f. fallacy; fallaciousness; falseness: **la f. di un argomento**, the fallacy of an argument.

fallàto a. faulty; flawed: **calice f.**, flawed stem-glass.

fallìbile a. fallible.

fallibilìsmo m. (*filos.*) fallibilism.

fallibilità f. fallibility.

fàllico a. phallic; (*psic.*) **fase fallica**, phallic phase; **simbolo f.**, phallic symbol.

fallimentàre a. **1** (*leg.*) bankruptcy (attr.); in bankruptcy: **attivo f.**, bankruptcy assets (pl.); **curatore f.**, trustee in bankruptcy; official receiver; **istanza f.**, bankruptcy petition; **passivo f.**, bankruptcy liabilities (pl.); **procedimento f.**, bankruptcy proceedings (pl.); **tribunale f.**, bankruptcy court; **in stato f.**, going bankrupt **2** (*fig.*: *disastroso*) ruinous; disastrous: **esperienza f.**, failure; **politica f.**, disastrous policy; (*comm.*) **prezzo f.**, drastically reduced price.

fallimentarìsta m. e f. expert in bankruptcy law.

fallimènto m. **1** (*leg.*) bankruptcy; failure: **il f. di una società**, the failure of a company; **fare f.** (o **andare in f.**), to go bankrupt; to fail; **fare richiesta di f.**, to file a petition in bankruptcy; to file for brankruptcy; **mandare in f.**, to bankrupt; (*fig.*) to ruin; **rischiare il f.**, to be facing bankruptcy; **sull'orlo del f.**, on the verge (o brink) of bankruptcy; **curatore del f.**, trustee in bankruptcy; official receiver; **dichiarazione di f.**, adjudication in bankruptcy **2** (*fig.*) failure; miscarriage; (*rottura*) breakup, breakdown; (*crollo*) collapse; (*disastro*) disaster; (*fiasco*) failure, fiasco, flop: **il f. di un piano**, the failure (o miscarriage) of a plan; **il f. di un matrimonio** [**di un'amicizia**], the breakup of a marriage [of a friendship]; **il f. delle trattative**, the breakdown in the talks; **f. completo**, complete (o total) failure; total fiasco; *La festa fu un f.*, the party was a failure (o a fiasco) **3** (*di persona*: *fallito*) failure; (*pasticcione*, *incapace*) dead loss.

♦**fallìre** Ⓐ v. i. **1** (*leg.*) to go* bankrupt; to fail; to go* under (*fam.*); to fold (*fam.*); to go* bust (*fam.*) **2** (*di persona*: non riuscire, venir meno) to fail: *Ho fallito nel mio tentativo*, I failed in my attempt **3** (*di cosa*) to fail; to be unsuccesful; to miscarry; to fall* through; to flop (*fam.*); (*fare cilecca*) to misfire, to fall* flat: *Il suo piano è fallito*, his plan failed (o fell through, was unsuccessful); *Le trattative sono fallite*, the talks have failed **4** (*venir meno*) to fall* short (of): **f. all'aspettativa**, to fall short of expectations Ⓑ v. t. (*mancare*) to miss: **f. il colpo**, to miss the mark (*anche fig.*); to muff the shot (*fam.*); (*calcio*) **f. un rigore**, to miss a penalty (kick).

fallìto Ⓐ a. **1** (*leg.*) bankrupt; bust (*fam.*): **dichiarare q. f.**, to declare (o to adjudicate) sb. bankrupt **2** (*non riuscito*) unsuccessful; failed; (*mancato*) missed: **scrittore f.**, failed

author; **tentativo f.**, failed (*o* unsuccessful) attempt; **tiro f.**, missed shot; **f. in partenza**, doomed to fail **B** m. (f. **-a**) **1** (*leg.*) bankrupt: **f. riabilitato**, discharged bankrupt; **albo dei falliti**, register of bankrupts **2** (*fig.*) failure; loser.

fàllo ① m. **1** (*errore*) error; fault; (*lieve*) slip; (*morale*) lapse; (*peccato*) sin, wrong: **f. di gioventù**, youthful error; youthful slip; **commettere un f.**, to make an error; to do a wrong; **essere in f.**, to be at fault **2** (*sport*) foul; (*tennis*) fault: (*calcio*) **f. di mano**, handball; (*tennis*) **f. di piede**, foot fault; line fault; (*tennis*) **f. di rete**, net fault; (*calcio*) **f. intenzionale**, professional foul; (*calcio*) **calciare in f. laterale**, to kick the ball into touch; **commettere f. su q.**, to foul sb.; **subire un f.**, to be fouled: *Fu allontanato dal campo per un f. su un avversario*, he was sent off the field for a foul against an opponent (*o* for fouling an opponent); (*tennis*) **doppio f.**, double fault **3** (*imperfezione*) fault; flaw; blemish ● **cogliere q. in f.**, to catch sb. out □ **mettere un piede in f.**, to slip; to trip; to miss one's footing; (*fig.*) to take a false step □ **senza f.**, without fail.

fàllo ② m. (*anat.*) phallus*.

fallocèntrico a. phallocentric.

fallocentrìsmo m. phallocentricity; phallocentrism.

fallòcrate m. phallocrat.

fallocràtico a. phallocratic.

fallocrazìa f. phallocracy.

falloidìna f. (*chim.*) phalloidin.

fallosità f. **1** faultiness; defectiveness **2** (*sport*) foul play.

fallóso a. **1** faulty; defective **2** (*sport*) foul; (*di giocatore*) rough, dirty: **gioco f.**, foul play; **intervento f.**, foul tackle.

fall-out (*ingl.*) m. inv. **1** (*nucleare*) fallout **2** (*fig.*) fallout; consequence; side effects (pl.).

falò m. bonfire; (*per segnalazione*) beacon: **fare un f.**, to make a bonfire.

falòppa f. defective cocoon.

falòtico a. (*lett.*) bizarre; fantastic.

falpalà m. flounce; furbelow; frill.

falsachìglia f. (*naut.*) false keel.

falsàre v. t. **1** (*deformare, travisare*) to distort; to misrepresent: **f. la realtà** [**la verità**], to distort reality [the truth] **2** (*falsificare*) to falsify; (*monete*) to counterfeit; (*documenti o, banconota, firma*) to forge.

falsarìga f. **1** guide sheet of ruled paper **2** (*fig.*) model; example; lines (pl.): **dare la f.**, to set the example; **sulla f. di**, along the lines of.

falsàrio m. (f. **-a**) (*di firma, scrittura, documento, banconote*) forger, falsifier, counterfeiter; (*di monete*) coiner.

falsatùra f. (*sartoria*) insertion.

falsettìsta m. (*mus.*) falsettist; falsetto singer.

falsétto m. (*mus.*) falsetto*: **cantare in f.**, to sing falsetto.

falsificàbile a. falsifiable (*anche filos.*); forgeable.

falsificabilità f. (*filos.*) falsifiability.

falsificàre v. t. **1** to falsify; (*una firma*) to forge, to fake, to counterfeit; (*un documento*) to forge, to falsify; (*denaro*) to forge, to counterfeit; (*un'opera d'arte*) to fake: **f. i conti**, to falsify the accounts; to cook the books (*fam.*); **f. un dipinto**, to fake a painting; **f. una firma**, to forge a signature; **f. le prove**, to falsify the evidence; **f. un testamento**, to forge a will **2** (*filos.*) to falsify.

falsificàto a. forged; faked; counterfeit.

falsificatóre m. (f. **-trìce**) falsifier; forger, counterfeiter.

falsificazióne f. **1** falsification; forgery;

faking; counterfeiting: **f. d'una firma**, forgery of a signature; **accusa di f.**, charge of forgery **2** (*documento falsificato*) forgery.

falsificazionìsmo m. (*filos.*) falsification theory.

falsità f. **1** falseness; falsity; (*fallacia*) fallacy **2** (*ipocrisia, doppiezza*) insincerity; duplicity; deceitfulness **3** (*menzogna*) lie; falsehood; untruth; (*invenzione*) fabrication: **dire una f.**, to tell a lie.

♦**fàlso** **A** a. **1** (*erroneo*) false, wrong, spurious, bogus; (*infondato*) unfounded: **f. allarme**, false alarm; **conclusione falsa**, wrong (*o* false) conclusion; (*fig.*) **nota falsa**, wrong note; **notizia falsa**, unfounded (*o* false) report; (*sport e fig.*) **falsa partenza**, false start; **un f. problema**, a spurious problem; **f. sospetto**, unfounded suspicion; (*anche fig.*) **fare un passo f.**, to take a false step **2** (*non vero, menzognero*) false, untrue, lying; (*ingannevole*) deceitful: **amico f.**, false friend; **dichiarazione falsa**, lying statement; **falsa modestia**, false modesty; **f. nome**, false (*o* assumed) name; **sorriso f.**, false smile; **suonare f.**, to sound untrue; (*insincero*) to ring hollow, to strike a false note; *È tutto f., non c'è una parola di vero*, it's all lies, there's not a word of truth in it **3** (*finto*) false, bogus; sham, phoney; (*falsificato*) forged, falsified, counterfeit, bogus; (*spec. di oggetto artistico*) fake; (*di gioiello, ecc.*) imitation (attr.): **denti falsi**, false teeth; **documenti falsi**, forged papers; **firma** [**banconota**] **falsa**, forged signature [banknote]; **moneta falsa**, counterfeit coin; **passaporto f.**, false passport; **prove false**, false evidence; **un f. Rubens**, a fake Rubens; **rubino f.**, imitation ruby ● (*fis.*) **falsa immagine**, ghost ● **essere un f. magro**, not to be as thin as one looks □ **falsa strada**, wrong track □ (*leg.*) **falsa testimonianza**, perjury □ (*anat.*) **costola falsa**, false rib □ **mossa falsa**, false move □ (*fig.*) **mettere in falsa luce**, to misrepresent **B** m. **1** falsehood: **dire il f.**, to lie; **distinguere il vero dal f.**, to distinguish truth from falsehood (*o* what is true from what is false); **giurare il f.**, to commit perjury; (*leg.*) **testimoniare il f.**, to bear false witness **2** (*falsificazione*) falsification; forgery: (*leg.*) **f. ideologico**, fraudulent misrepresentation; falsification; (*leg.*) **f. in atto pubblico**, forgery (of a public deed); **f. in bilancio**, falsification of the account; false accounting; *Questa firma è un f.*, this signature is a forgery **3** (*oggetto contraffatto*) fake; (*imitazione*) imitation: **f. d'autore**, authentic art fake.

falsobordóne m. (*mus.*) faburden.

falsobràccio m. (*naut.*) warp.

falsopiàno m. apparently flat ground.

♦**fàma** f. **1** (*celebrità*) fame; renown: **f. imperitura**, undying fame; **acquistare gran f.**, to win fame; **di f. mondiale**, world-famous (agg.) **2** (*reputazione*) reputation; name; repute (*form.*): *Ha f. di giudice severo*, he has a reputation for being (*o* is reputed to be) a stern judge; **godere buona f.**, to enjoy a good reputation; to have a good name; **conoscere q. di f.**, to know sb. by reputation; **un uomo di dubbia f.**, a man of dubious reputation **3** (*voce*) rumour, rumor (*USA*): *Corre f. che...*, there is a rumour that...

♦**fàme** f. **1** hunger; (*inedia*) starvation: **la f. nel mondo**, hunger in the world; world famine; **avere f.**, to be hungry; *Ho una f. da lupo*, I'm starving; I'm famished; I could eat a horse; **cascare dalla f.**, to be faint with hunger; **essere alla f.**, to be practically starving; **fare la f.**, to go hungry; to starve; (*fig.: essere povero*) to be on the breadline; **mettere f.**, to give (sb.) an appetite; **morire di f.**, to die of hunger (*o* of starvation); to starve to death; (*fig.: essere affamato*) to be starving; **far morire q. di f.**, to starve sb. to

death; **far patire la f. a q.**, to starve sb.; **soffrire la f.**, to lack food; to starve; **i morsi della f.**, the pangs of hunger **2** (*fig.*) hunger; eagerness; crave; (*avidità, cupidigia*) greed: **f. di avventura** [**di piaceri**], hunger for adventure [for pleasure]; **avere f. di affetto**, to be hungry for love; **avere f. di gloria**, to hunger for glory **3** (*carestia*) famine; hunger ● **brutto come la f.**, as ugly as sin □ **lungo come la f.**, interminable □ (*fig.*) **un morto di f.**, a penniless wretch □ (*mil.*) **prendere per f.**, to starve into submission □ **salari da f.**, starvation wages □ **sciopero della f.**, hunger strike.

famèdio m. memorial chapel.

famèlico a. **1** ravenous; famished; starving **2** (*fig.: avido*) greedy.

famigeràto a. notorious; ill-famed.

♦**famìglia** f. **1** family; (*le persone che vivono in una stessa casa*) household; (*come sede degli affetti*) home: **f. allargata**, extended family; **un'antica f.**, an old family; **una f. numerosa**, a large family; **f. nucleare**, nuclear family; **famiglie ad alto reddito**, high-income households; **avere f.**, to have a wife and children; **avere la f. a carico**, to have a family to support; **essere di f.**, to be one of the family; **passare la serata in f.**, to spend the evening at home (with one's family); **scrivere alla f.**, to write home; **sentirsi in f.**, to feel at home; **tornare in f.**, to go back home; **vivere in f.**, to live at home; **di buona f.**, of good family; **amico di f.**, family friend; **aria di f.**, family likeness; **medico di f.**, family doctor; **vincoli di f.**, family ties; **liti in f.**, domestic quarrels; **un lutto in f.**, a death in the family **2** (*zool., bot., ling.*) family **3** (*stor.: corte*) household: **la f. del duca**, the duke's household ● **farsi una f.**, to marry and have children □ **formato f.**, family size □ **mettere su f.**, to marry and set up house □ **madre di f.**, mother □ **padre di f.**, father □ **la Sacra F.**, the Holy Family □ **un segreto di f.**, a skeleton in the cupboard (*USA* in the closet) □ (*fig.*) **stare in f.**, not to stand on ceremony □ (*bur.*) **stato di f.**, family certificate □ (*fig.*) **il sostegno della f.**, the breadwinner □ **un uomo tutto f.**, a family man.

famigliàre e deriv. → **familiare**, e deriv.

famigliàstra f. (*scherz.*) extended step-family.

famìglio m. (*lett.*) servant; attendant.

famigliòla f. – (*bot.*) **f. buona** (*Armillaria mellea*), honey mushroom.

♦**familiàre** **A** a. **1** (*della famiglia, di famiglia*) family (attr.); domestic; household (attr.): **bilancio f.**, household budget; **legami familiari**, family ties; **liti familiari**, domestic quarrels; **problemi familiari**, domestic problems; **questioni familiari**, family matters **2** (*noto*) familiar; well-known: **paesaggio f.**, familiar landscape; *La storia di quegli anni mi è f.*, I am familiar with the history of those years; **poco f.**, unfamiliar **3** (*semplice, alla buona*) informal; friendly; easy: **accoglienza f.**, friendly welcome; **atmosfera f.**, friendly atmosphere; **trattamento f.**, informal treatment **4** (*confidenziale*) familiar; confidential **5** (*consueto*) ordinary; everyday; (*di parola, ecc.*) informal: **linguaggio f.**, ordinary (*o* everyday) language; **espressione f.**, informal phrase **B** m. family member; (*parente*) relative, relation: **f. a carico**, dependant; **i miei familiari**, my family; *I familiari sono stati avvertiti*, the relatives have been informed **C** f. (*autom.*) estate car (*GB*); station wagon (*USA*).

familiarità f. **1** (*confidenza*) familiarity; informality: **rapporti di f.**, terms of familiarity; familiar terms; **trattare q. con f.**, to treat sb. with familiarity; **prendersi troppa f. con q.**, to be too familiar with sb. **2** (*dime-*

stichezza) familiarity: **la mia f. con il dialetto locale**, my familiarity with the local dialect; **avere f. con qc.**, to be familiar with st.; **prendere f. con qc.**, to get used to st.; to get the hang of st.

familiarizzàre A v. i. to get* to know (sb.); to become* friendly (with); to hit* it off (with) (*fam.*): **f. con i nuovi colleghi**, to get* to know one's new colleagues; *Abbiamo familiarizzato subito*, we got on well together from the start; we hit it off immediately B **familiarizzàrsi** v. i. pron. (*impraticchirsi*) to get* used (to); to get* the hang (of); **familiarizzarsi con le nuove procedure**, to get used to the new procedures; **familiarizzarsi con un lavoro**, to get the hang of a job.

familiarménte avv. in a friendly way; informally.

familìsmo m. familism; family spirit.

familìsta m. e f. familist.

familìstico a. familistic.

◆**famóso** a. famous; celebrated; renowned; (*molto amato*) popular; (*famigerato*) notorious: **un quadro f.**, a famous painting; **un f. imbroglione**, a notorious swindler; **f. in tutto il mondo**, world-famous; **tristemente f.**, ill-famed; notorious; **diventare f.**, to become famous; **essere f. per qc.**, to be famous (*o* renowned, celebrated) for st.; *Hai poi dato il tuo f. pranzo?*, did you give that dinner of yours in the end?; *Ho conosciuto il f. fidanzato di Paola*, I've met Paola's fiancé we've heard so much about; **le ultime parole famose**, famous last words.

fàmulo m. (f. *-a*) (*stor. o lett.*) servant; attendant.

◆**fan** (*ingl.*) m. e f. inv. fan.

fanàle m. **1** (*di veicolo*) light; lamp: **f. anteriore**, (*autom.*) headlight, headlamp; (*di bicicletta*) front lamp; **f. antinebbia**, fog lamp; **f. da carrozza**, carriage lamp; **f. posteriore**, (*autom.*) rear light, rear lamp, tail light; (*di bicicletta*) tail light, rear lamp; **a fanali spenti**, with the lights off **2** (*naut.*) light: **f. di fonda**, riding light; **f. di poppa**, stern light; **fanali di via**, navigation lights **3** (*lampione*) streetlamp, streetlight; (*lanterna*) lantern.

fanalerìa f. lighting equipment; lights (pl.); lamps (pl.).

fanalìno m. – **f. di coda**, (*autom.*) rear light, taillight; (*fig.*) tail-end Charlie, straggler (*fam.*).

fanalìsta m. **1** (*di faro*) lighthouse keeper **2** (*di lampioni*) lamplighter.

fanàtico A a. **1** fanatic, fanatical: **credente f.**, fanatical believer; **religioso f.**, religious fanatic (*o* zealot) **2** (*appassionato*) mad (about st.); crazy (about st.): *È f. per le moto*, he's crazy about bikes; *È f. dei Pink Floyd*, he is a Pink Floyd fanatic B m. (f. *-a*) **1** fanatic; zealot **2** (*appassionato*) enthusiast, buff (*fam.*); addict; (*sostenitore accanito*) fanatic, fan (*fam.*); (*maniaco*) stickler, fiend (*fam.*): **f. del calcio**, football fan; **f. della disciplina**, martinet; **f. del lavoro**, workaholic (*fam.*); **f. dell'opera**, opera buff; **f. della puntualità**, stickler for punctuality; **f. dello sport**, sports fanatic.

fanatìsmo m. **1** fanaticism; zealotry: **f. religioso**, religious fanaticism **2** (*eccessivo entusiasmo*) wild enthusiasm; mania; craze.

fanatizzàre v. t. to arouse fanaticism in; to fanaticize.

fanciùlla f. (young) girl; maiden (*poet.*); (*bambina*) little girl, child*.

fanciullàccia f. (*bot.*, *Nigella damascena*) love-in-a-mist.

fanciullàggine f. **1** (*atteggiamento*) childishness; puerility **2** (*azione*, *discorso*) childish thing; (*parole*) childish words (pl.):

dire **fanciullaggini**, to say childish things.

fanciullàta → **fanciullaggine**, *def. 2*.

fanciullésco a. **1** childish; childlike; children's (attr.) **2** (*puerile*, *sciocco*) childish; puerile.

fanciullézza f. **1** childhood; (*masch.*, *anche*) boyhood; (*femm.*, *anche*) girlhood **2** (*fig.*) infancy; childhood; dawn.

◆**fanciùllo** A m. (young) boy; (*bambino*) little boy, child*: **letture per fanciulli**, books for children ● (*fig.*) **eterno f.**, one who has not grown up B a. **1** (*lett.*) young **2** (*fig.*: *agli inizi*) in its early stages; in its infancy; young.

fanciullóne m. (f. *-a*) (*fig.*) big baby; booby.

fancùlo inter. (*volg.*) fuck; (*come insulto*) fuck you.

fandàngo m. (*mus.*) fandango.

fandònia f. lie; story; tall tale (*fam.*); whopper (*fam.*); eyewash Ⓤ (*fam.*): **raccontare fandonie**, to tell lies; to tell stories; *Sono tutte fandonie*, it's all lies.

fané (*franc.*) a. inv. faded; past its prime (pred.).

fanèllo m. (*zool.*, *Carduelis cannabina*) linnet ● **f. nordico** (*Carduelis flavirostris*), twite.

fanerògama f. (*bot.*) phanerogam; (al pl., *scient.*) Phanerogamae.

fanerogàmico a. (*bot.*) phanerogamous; phanerogamic.

fanfalùca f. (piece of) nonsense; story; rubbish Ⓤ; eyewash Ⓤ (*fam.*).

fanfàra f. (*mus.*) **1** (*banda*) brass-band: **f. militare**, military band **2** (*composizione*) fanfare.

fanfaronàta f. brag; bragging Ⓤ; boast; braggadocio Ⓤ.

fanfaróne m. (f. *-a*) braggart; boaster; blowhard (USA): **fare il f.**, to brag.

fangàia f. muddy stretch of road; muddy place; mud bath.

fangatùra f. (*med.*) mud bath.

fanghìglia f. **1** soft (*o* wet) mud; slush; slime; (*come deposito*) sludge **2** (*geol.*) ooze.

fanghìno m. (f. *-a*) attendant (at mud baths).

◆**fàngo** m. **1** mud; slush; (*viscido*) slime; (*di pantano o lett.*) mire: **sporcare di f.**, to muddy; **sporco di f.**, muddy; mud-spattered; **vulcano di f.**, mud volcano **2** (al pl., *anche* **fanghi termali**) (*med.*) mud baths: **cura di fanghi**, mud-bath treatment; **fare i fanghi**, to take mud baths **3** (al pl.) (*ind.*) mud Ⓤ; sediment Ⓤ; sludge Ⓤ **4** (*geol.*) mud; ooze: **f. calcareo**, calcareous ooze; **fanghi blu [verdi]**, blue [green] mud **5** (*fig.*: *miseria morale*) degradation; filth ● (*fig.*) **cadere nel f.**, to fall very low □ (*fig.*) **gettare f. addosso a q.**, to sling mud at sb. □ (*fig.*) **raccogliere q. dal f.**, to take sb. out of the gutter □ (*anche fig.*) **rotolarsi (o sguazzare) nel f.**, to wallow in mud □ (*fig.*) **trascinare nel f. il nome di q.**, to drag sb.'s name through the mud.

fangosità f. muddiness.

fangóso a. **1** muddy; slimy **2** (*fig.*) depraved; corrupt; low.

fangoterapìa f. (*med.*) mud-bath treatment.

fannullóne m. (f. *-a*) idler; loafer; layabout; slacker: **fare il f.**, to idle (*o* to loaf) about.

fannullonerìa f. idleness; laziness.

fanóne ① m. whalebone Ⓤ; baleen Ⓤ.

fanóne ② m. (*eccles.*) fanon.

fànotron m. (*elettron.*) phanotron.

FANS sigla (*farm.*, **farmaco antinfiammatorio non steroideo**), non steroidal anti-inflammatory drug (NSAID).

Fantacàlcio® m. fantasy football.

fantaccìno m. foot soldier; infantryman*; footman*; (*scherz.*) footslogger, doughboy (USA).

fantapolìtica f. **1** (*letter.*) political fiction; political fantasy **2** (*estens.*) unrealistic politics; fantasy politics.

fantapolìtico a. political fantasy (attr.).

fantascièntifico a. science-fiction (attr.); sci-fi (*fam.*, attr.).

fantasciènza f. science fiction; sci-fi (*fam.*).

◆**fantasìa** A f. **1** (*facoltà immaginativa*) imagination, fancy; (*attività*) imagination, fantasy: **f. accesa [morbosa]**, vivid [morbid] imagination; **non avere f.**, to have no (*o* to lack) imagination; **colpire la f.**, to catch (*o* to take) sb.'s fancy; to capture sb.'s imagination; **dare libero corso alla f.**, to give free rein to one's imagination; **lavorare di f.**, to let oneself be carried away by one's imagination; to imagine things; (*inventare cose false*) to fabricate things; **il mondo della f.**, the realm of fantasy; **di f.**, imaginary; fictional; **un paesaggio di f.**, an imaginary landscape; **opera di f.**, fictional work; (*fiaba*, *avventura fantastica*, *ecc.*) fantasy; **volo della f.**, flight of fancy **2** (*cosa immaginata*) fantasy; fancy; fiction; (al pl., *anche*) imaginings; (*sogno a occhi aperti*) day-dream: **f. e realtà**, fantasy and reality; *Sono tutte fantasie!*, it's all fantasy; these are all fantasies; (*sono congetture*) it's all conjecture; **fantasìe di donnette**, old women's fancies; **fantasie che spariscono con la luce del giorno**, fancies that disappear in the light of day; *Queste sono solo tue fantasie*, these are just your own imaginings; **un miscuglio di fatti e f.**, a mixture of facts and fiction; **perdersi in fantasie**, to lose oneself in day-dreams **3** (*fisima*, *capriccio*) fancy; whim; caprice: *Gli venne la f. di tornare in quel luogo*, he took it into his head to go back to that place **4** (*rif. a tessuto*: *disegno*, *motivo*) pattern; design; (*stoffa stampata*) print: *Vorrei una f. a fiori per le tende*, I'd like a flowery design for the curtains; *Portava una f. bianca e nera*, she was wearing a black-and-white print **5** (*mus.*) fantasy; fantasia; (*di motivi*) medley B a. inv. **1** (*di tessuto*) patterned; print (attr.): **seta f.**, patterned silk; **stoffa f.**, print fabric **2** (*di gioiello*) imitation (attr.); costume: **collana f.**, imitation necklace.

fantasiosità f. **1** (*estrosità*) imaginativeness; inventiveness **2** (*stravaganza*) fancifulness.

fantasióso a. **1** (*estroso*) imaginative; inventive **2** (*stravagante*) fanciful; bizarre.

fantasìsta m. e f. variety artiste; entertainer.

fantasìstico a. variety (attr.).

◆**fantàsma** A m. **1** (*spettro*) ghost; phantom; spectre: *Un f. si aggira ogni notte nella biblioteca*, a ghost haunts the library every night; **un f. del passato**, a ghost from the past; **credere ai fantasmi**, to believe in ghosts; *C'è un f. in questa casa*, this house is haunted; **infestato dai fantasmi**, haunted; **storie di fantasmi**, ghost stories; *Sei pallido come un f.*, you look as though you had seen a ghost **2** (*prodotto della fantasia*) phantom; fantasy; figment: **fantasmi di una mente malata**, fantasies of a sick mind **3** (*psic.*) phantasm ● **essere il f. di sé stesso**, to be the shadow of one's former self B a. inv. phantom (attr.); ghost (attr.): (*med.*) **arto f.**, phantom limb; **città f.**, ghost town; **governo f.**, phantom government.

fantasmagorìa f. **1** phantasmagoria; phantasmagory **2** (*fig.*) fancy; dream.

fantasmagòrico a. phantasmagorical.

fantasmàtico a. **1** ghostly; spectral **2** (*fig.*) imaginary; phantom (attr.); mysterious; unreal **3** (*psic.*) phantasmal.

fantasticàre A v. t. to dream* about: *Cosa stai fantasticando?*, what are you dreaming about? B v. i. to daydream*; to let* one's imagination wander.

fantasticherìa f. daydream; reverie; imaginings (pl.); idle thoughts (pl.): **perdersi in fantasticherie**, to daydream; to be lost in reverie.

♦**fantàstico** A a. 1 (*della fantasia*) imaginative; of the imagination 2 (*prodotto dalla fantasia*) imaginary; fanciful; fantastic; fantasy (attr.): **elementi reali e fantastici**, real and imaginary elements; **letteratura fantastica**, fantasy; **paesaggio f.**, imaginary landscape; **romanzo f.**, fantasy novel 3 (*straordinario*) extraordinary; wonderful; fantastic (*fam.*); terrific (*fam.*); fabulous (*fam.*): **spiagge fantastiche**, wonderful beaches; **un'idea fantastica**, a terrific idea 4 (*lett.: bizzarro*) bizarre; odd; whimsical B inter. fantastic; terrific C m. 1 (the) fantastic 2 (*genere letter.*) fantasy 3 (*cosa incredibile*) incredible thing: *Il f. è che è tutto gratis*, the incredible thing is that it's all free.

fantastiliàrdo, **fantastiliòne** m. (*scherz.*) zillion; squillion.

fantasy (*ingl.*) m. inv. e a. inv. (*lett.*) fantasy.

fànte m. 1 (*soldato*) infantryman*; foot soldier 2 (*di carte da gioco*) jack; knave: **f. di cuori**, jack of hearts.

fanterìa f. (*mil.*) infantry: **f. a cavallo**, mounted infantry; **f. di marina**, marines (pl.); **il 12° F.**, the 12th Foot; **reggimento di f.**, infantry regiment; **soldato di f.**, infantryman; foot soldier.

fantésca f. (*lett. o scherz.*) maid; maidservant.

fantìno m. jockey.

fantòccio A m. 1 (*pupazzo*) puppet; (*di cenci*) ragdoll 2 (*spaventapasseri*) scarecrow 3 (*fig.*) puppet; tool; stooge (*fam.*): **essere solo un f. nelle mani di q.**, to be a mere tool in sb.'s hands B a. inv. – **governo f.**, puppet government.

fantolino m. (f. **-a**) (*lett.*) infant; baby (in arms); child*.

fantomàtico a. 1 (*spettrale*) spectral; phantom (attr.); ghostly 2 (*inafferrabile*) elusive; mysterious.

fantozziàno a. 1 (*goffo*) awkward; gawky; bumbling 2 (*grottesco*) grotesque; tragicomical.

fanzìna f. fanzine.

far m. → **fare**, def. 2.

farabùtto m. louse; scoundrel; (*imbroglione*) crook, cheat, swindler.

fàrad m. (*elettr.*) farad.

faraday m. (*elettr.*) faraday.

faràdico a. (*elettr.*) faradaic; faradic.

faraglióne m. (*geogr.*) stack.

faràndola f. farandole.

faraóna f. (*zool.*, *Numida meleagris*) guinea-fowl; (*la femmina*) guinea-hen.

♦**faraóne** ① m. (*stor.*) Pharaoh.

faraóne ② m. (*gioco*) faro.

faraònico a. 1 (*stor.*) pharaonic 2 (*fig.*) colossal; sumptuous; magnificent.

fàrcia f. (*cucina*) stuffing; filling.

farcìno m. (*vet.*) farcy; glanders.

farcìre v. t. 1 (*cucina*) to stuff; to fill 2 (*fig.*) to stuff; to cram.

farcìto a. (*cucina*) stuffed; filled: **pollo f.**, stuffed chicken; **pomodori farciti**, stuffed tomatoes.

farcitùra f. (*cucina*) stuffing; filling.

fard m. inv. rouge; blusher.

fardèllo m. 1 (*fagotto*) bundle 2 (*fig.*) burden; load; weight: **il f. degli anni**, the weight of years; **il f. della responsabilità**, the burden (o load) of responsibility.

♦**fàre** A v. t. 1 (*generico, astratto e nel senso di «agire»*) to do*: *Che stai facendo?*, what are you doing?; *Che fa tuo padre?*, what does your father do?; *E ora che si fa?*, what are we going to do now?; *Ho da f.*, I have things to do; I'm busy; **f. bene qc.**, to do st. well; **f. del proprio meglio**, to do one's best; **f. presto**, to be quick; *Sa f. di tutto*, she's good at everything; *Chi me lo fa f.?*, why should I do it?; *Non si fa così*, that's not the way you do it; (*non sta bene*) that's not the way to behave 2 (*porre in essere, compiere, eseguire*) to do*, to make*; (*creare, fabbricare, produrre, formare, costruire, ecc.*) to make* (*ma V. anche sotto i vari sost.*): **f. i compiti**, to do one's homework; **f. un errore**, to make a mistake; **f. la guerra**, to make war; **f. una legge**, to make a law; **f. la pace**, to make peace; **f. un piacere a q.**, to do sb. a favour; **f. posto a q.**, to make room for sb.; **f. una promessa**, to make a promise; **f. una scoperta**, to make a discovery; **f. soldi**, to make money; **f. la spesa**, to do the shopping; **f. un vestito**, to make a dress; **farsi un nemico di q.**, to make an enemy of sb.; *Non fa differenza*, it makes no difference; *Si sono fatte molte supposizioni*, many suppositions have been made; *Ne hanno fatto un eroe*, they've made a hero of him 3 (*rendere*) to make*; (*trasformare*) to turn into: *Quella ragazza lo farà felice*, that girl will make him happy; **f. bello qc.**, to make st. beautiful; *Hai fatto di questa casa un porcile!*, you've turned this house into a pigsty!; *Della cantina ne faremo una stanza da giochi*, we'll turn the cellar into a games room 4 (*cucinare*) to make*; to cook: **f. una torta**, to make a cake; **f. da mangiare**, to cook; to do the cooking; **f. qc. arrosto**, to roast st.; **f. qc. a lesso**, to boil st. 5 (*rifornirsi di, raccogliere*) – **f. benzina**, to get some petrol; (*in viaggio*) to stop for petrol; **f. legna**, to gather wood 6 (*pulire, rassettare*) to clean; to do* (*fam.*); (*lavare*) to wash: **f. i letti**, to make the beds; **f. i piatti**, to wash the dishes; to do the washing-up (*GB, fam.*); **f. una stanza**, to clean, (o fam., to do) a room 7 (*dire*) to say*: *«Non posso» fece lui*, «I can't» he said 8 (*recitare*) to act (in st.); to play: *Faccio una particina*, I play a minor role; I have a bit part; *Chi faceva Don Marzio?*, who played Don Marzio? 9 (*comportarsi come*) to be; to play; (*fingere*) to pretend to be (+ agg.), to feign (+ astratto): **f. il buffone**, to play the clown; **f. l'ingenua**, to act the innocent girl; **f. l'indifferente**, to pretend to be indifferent; to feign indifference; **f. il morto**, to pretend to be dead; to feign death; *Non f. lo stupido*, don't be a fool 10 (*dedicarsi a, praticare*) – **f. del nuoto**, to swim; **f. dello sci**, to ski; **f. politica**, to be in politics; to go into politics; (*occuparsene*) to be involved in politics; **f. del teatro**, to act; to be an actor; **f. del cinema**, to be in films; to get into films; **f. musica**, to play music; to be a musician 11 (*esercitare un mestiere*) to be: **f. il marinaio [l'attore, il chirurgo]**, to be a sailor [an actor, a surgeon] 12 (*fam.: credere, reputare*) to think*; to believe: *Non lo facevo così suscettibile*, I didn't think he was so touchy 13 (*procreare*) to bear*; to have: **f. figli**, to bear children; *La nostra gatta ha fatto tre gattini*, our cat has had three kittens 14 (*dare come risultato*) to be; to make*: *Tre più quattro fa sette*, three and four is (o makes) seven; *Fanno 32 euro in tutto*, that's 32 euros in all 15 (*rif. alle ore*) to make*; to be: *Il mio orologio fa (o Faccio) le tre*, it's six o'clock by my watch; I make it three o'clock; *Chiacchierando abbiamo fatto le due*, it was two in the morning when we finally stopped talking 16 (*fam.: trascorrere, passare*) to spend*; to do*: **f. le vacanze**, to go on holiday; to spend one's holidays; to vacation (*USA*); *Ha fatto cinque anni di prigione*, he did five years in prison 17 (*percorrere*) to

go* (o altro verbo di moto); to do*: **f. 50 km**, to walk [to drive, etc.] 50 km; *Ho fatto un pezzo di strada con lui*, I went with him part of the way; *L'ho fatta tutta a piedi*, I walked all the way; **f. venti miglia a piedi [a cavallo, in automobile]**, to walk [to ride, to drive] twenty miles; *La mia auto fa i 200 all'ora*, my car does 200 km an hour 18 (*per evitare la ripetizione di un verbo*) to do*: *Rispondi come fa Agnese*, answer as Agnese does; *«Posso guardare?» «Faccia pure!»*, «may I have a look?» «please do» 19 (*seguito da inf. con senso attivo: obbligare, imporre*) to make*; (*persuadere*) to get*; (*permettere*) to let*; (*fare in modo che*) to cause; (*ordinare*) to order, to bid* (*V. anche sotto l'inf.*): **f. piangere q.**, to make sb. cry; *Non farmi ridere*, don't make me laugh; *Non mi f. arrabbiare*, don't make me angry; *Me lo fece riscrivere*, he made me write it again; *Lo farò f. a lui*, I'll get him to do it; *Fu un guasto ai motori che fece cadere l'aeroplano*, it was a mechanical fault that caused the plane to crash; *Il generale fece costruire un ponte di legno*, the general ordered a wooden bridge to be built; **f. affondare**, to sink; **f. aspettare q.**, to keep sb. waiting; **far entrare**, to let in; to show in; **f. morire**, to kill; **f. notare qc.**, to point st. out **f. pagare qc.**, to charge for st.; **f. venire il dottore**, to send for the doctor; **f. uscire**, to let out; *Fammi vedere*, let me see; show me; *Fammi capire*, let me get this straight; *Fammi sapere*, let me know ❶ **NOTA:** *to make* → *to make* 20 (*seguito da inf. con senso passivo*) to have; to get*: *Fallo f. subito*, get (o have) it done at once; *Lo feci f. in pelle*, I had it made in leather; *Da chi ti fai tagliare i capelli?*, where do you have your hair cut?; *Devo f. imbiancare la cucina*, I must have the kitchen painted 21 (*fam.*) (**farsi**) – **farsi una moto**, to get oneself a motorbike; **farsi una coca e un panino**, to fix oneself a coke and a roll; **f. una sigaretta**, to smoke a cigarette ● **f. acqua**, (*di nave, secchio, ecc.*) to leak; (*fig., di ragionamento*) to be full of holes □ **f. attenzione**, to pay attention; to be careful □ **f. bene** → **bene** ② □ **f. un brindisi**, to drink a toast □ **f. del bene a q.**, to help sb. □ **f. del male a q.**, to harm sb.; (*far soffrire*) to hurt sb.; → **male** ② □ **f. quattro chiacchiere**, to have a nice chat □ **f. cilecca**, to misfire □ **f. colazione**, to have breakfast □ **f. un esame**, to take (o to sit for) an examination □ **f. esplodere**, to blow up □ **f. finta** → **finta** □ **far fronte** → **fronte** □ (*fam.*) **f. fuori** (*uccidere*) to kill, to do in (*slang*), to bump off (*slang*); (*licenziare*) to sack, to give (sb.) the elbow (*fam.*); (*estromettere*) to oust; (*consumare*) to get through; (*logorare*) to wear out; (*spendere*) to go through, to run through; (*mangiare*) to polish off; (*finire*) to finish; (*distruggere*) to wreck □ **f. male** (*dolere*) → **male** ② □ **f. due passi**, to go for a stroll □ **f. un passo**, to take a step □ (*di colla*) **f. presa**, to stick □ **f. proprio qc.** (*appoggiarlo*), to endorse st.: *Faccio mia la richiesta dei colleghi*, I endorse my colleagues' request □ (*nei giochi*) **f. un punto**, to score a point □ **f. il ritratto a q.**, to paint a portrait of sb. □ **f. scattare una trappola**, to spring a trap □ **f. scuola**, to teach; (*essere d'esempio*) to set an example; (*essere imitato*) to be imitated; to have imitators □ **Fa lo stesso**, it makes no difference; (*non importa*) it doesn't matter □ **f. visita a q.**, to call on sb. □ **Faresti meglio a studiare**, you'd better study □ **farcela**, (*riuscire*) to make it; (*cavarsela*) to manage, to cope: *Ce l'ho fatta!*, I've made it!; *Ce la fai da solo?*, can you manage on your own?; *Non ce la faccio a finire stasera*, I won't manage to finish it tonight; *Non ce la faccio più*, I can't go on; I can't stand it any longer □ **farci su un pensierino**, to think it over □ **Che vuoi farci?**, what can you do about it?

a b c d e f g h i j k l m n o p q r s t u v w x y z

□ **farla a q.** (*imbrogliarlo*), to trick sb.; to take sb. in □ **farla da padrone**, to play the boss; to order people about □ **farla finita**, (*smetterla*) to stop it, to put an end to it; (*eufem.*: *uccidersi*) to end it all □ **farla finita con qc.**, to have done with st. □ **farla franca**, to get away with it □ **farla lunga**, to draw things out □ (*fam.*) **farsela addosso**, to wet oneself; to do it in one's pants □ (*pop.*) **farsela con q.** (*avere una relazione*), to have a thing going with sb. □ (*fig. pop.*) **farsela sotto**, (*aver paura*) to wet one's pants; (*tirarsi indietro*) to chicken out □ **Che te ne fai?**, what use is it to you? □ **Non me ne faccio niente**, I've got no use for it □ (*pop.*) **farsi q.**, to lay sb.; to score with sb. □ **farsi gli affari propri**, to mind one's business □ **farsi piacere qc.**, to put up with st. □ **farsi la barba**, to shave □ **farsi male** → **male**② □ **farsi un nome**, to make a name for oneself □ **farsi le unghie**, to trim (*o* to pare) one's nails □ **avere a che f. con q.**, to be dealing with sb.; to have to do with sb.: *Ho a che f. con ragazzi difficili*, I'm dealing with problem children □ **Come fai a saperlo?**, how do you know? □ **Come faccio a saperlo?**, how should I know? □ **Come facevo a saperlo?**, how could I (*o* was I to) know? □ **da farsi**, to be made; to be prepared; → **da farsi**, m. □ **Non fa nulla**, it doesn't matter; never mind □ **Non posso farci molto**, I can't do much about it □ **Non posso farci niente: mi è antipatico**, I can't help it, I don't like him □ **L'hai fatta bella!**, you've made a fine mess of it!; now you've done it! □ **Fai pure**, go ahead □ **Fai tu**, (*lascio fare a te*) I leave it to you; (*fa' come vuoi*) do as you please, (*più brusco*) suit yourself □ **Lascia f.!**, never mind!; don't worry about it! □ **Lascialo f.**, leave him!; let him be! □ **Niente da f.!**, nothing doing □ **Non è il modo di f.**, that is not the way to behave □ **Non mi fa né caldo né freddo**, it's all the same to me □ **saperci f.** → **sapere** □ (*prov.*) **Chi fa da sé, fa per tre**, if you want something done, do it yourself □ (*prov.*) **Chi la fa, l'aspetti**, as they sow, so let them reap □ **Non f. agli altri quello che non vorresti fosse fatto a te**, do as you would be done by **B** v. i. **1** (*impers.*: *del tempo*) to be: *Fa caldo* [*freddo*], it's hot [cold]; *Fa bel tempo*, it's (*o* the weather is) fine **2** (*compiersi*) to be: *Oggi fanno due anni che è morto*, it's two years today since he died **3** – **f. a** (*giocare*), to play at: *f. a mosca cieca*, to play at blindman's bluff **4** – **f. da**, (*di qualcuno*) to be (like), to act as; (*di cosa*) to serve as (*o* for): *Le ha fatto da padre*, he was (like) a father to her; *Questa cassa farà da sedile*, this box will serve as a seat **5** – **f. per** (*essere adatto*), to suit: *Sarà un buon posto, ma non fa per me*, it may be a good job, but it doesn't suit me (*o* it's not for me); *la ragazza che fa per me*, the girl I've been looking for; just the girl for me; *Non fa per me* (*non è il mio genere*), it isn't my thing (*o* my cup of tea) **6** – **f. per** (*accingersi a*), to be about to; to be on the point of; to make* to; to start: *Fece per entrare, ma poi ci ripensò*, he was about to enter, but then thought better of it; *Fece per prendere i soldi*, he made to pick up the money; *Fece per andarsene, ma poi si sedette di nuovo*, she was on the point of leaving (*o* she made for the door), but then sat down again ● **f. all'amore**, to make love □ **f. a meno di**, (*rinunciare*) to give up; (*fare senza*) to do without, to spare; (*vivere senza*) to live without; (*astenersi da*) to refrain from: *Dice che non può f. a meno di fumare*, he says he cannot give up smoking; *Non posso f. a meno di lui* [*del dizionario*], I cannot do without him [without a dictionary]; *Non possiamo fare a meno di nessun uomo al momento*, we cannot spare a single man at the moment; *Puoi f. a meno di venire*, you needn't come; *Potevo f. a meno di venire*, I needn't have come; *Non pos-*

so f. a meno di ridere, I cannot help laughing □ **f. a metà**, to go halves □ **f. a pugni**, to fight; to come to blows; (*fig.*) to clash □ **f. al caso di q.**, to suit sb. □ **f. in modo di**, (*cercare di*) to try and; (*badare a*) to take care (that): *Fa' in modo di venire!*, try and come!; *Fa' in modo di non farti vedere*, take care you are not seen □ **f. in tempo a**, to be in time to: *Feci appena in tempo a prendere l'autobus*, I was just in time to catch the bus □ **f. sì che**, (*provvedere*) to see to it that; (*combinare*) to arrange that; (*causare*) to cause: *Fa' che siano puntuali*, see to it that they are punctual; *Il ritardo fece sì che perdessi la coincidenza*, the delay caused me to miss the connection □ **f. presto**, to be quick □ **Si fa presto a dire**, it's easy enough to talk **C fàrsi** v. rifl. **1** (*rendersi*) – **farsi bello**, to smarten oneself up; **farsi in quattro**, to do one's utmost; to bend over backwards (*fam.*) **2** (*portarsi*) to go*; to come*; to step: **farsi avanti**, to come (*o* to step) forward; **farsi in là**, to step to one's side; to get out of the way **3** (*seguito da inf.*) to get* oneself; to have oneself; to make* oneself: **farsi annunciare**, to have oneself announced; **farsi capire**, to make oneself understood; **farsi notare**, to attract attention; to get oneself noticed; **farsi rispettare**, to win respect; **farsi valere**, to assert oneself; to put one's foot down **4** (*gergale*: *drogarsi*) to do* drugs; to shoot* up: *Si fa di coca*, he does coke **D fàrsi** v. i. pron. **1** (*diventare*) to become*; to grow*: **farsi prete**, to become a priest; *S'è fatto meno timido* [*più alto*], he's grown less shy [taller] **2** (*del tempo: divenire*) to get*; to grow*: *Si fa buio* [*tardi*], it's getting dark [late]; **farsi sereno**, to clear up **E** m. **1** (*modo di fare*) manner; manners (pl.); ways (pl.); behaviour: *Ha un fare molto simpatico*, he is very pleasant **2** (*anche* **far**: *inizio*) beginning; dawn: **sul far del giorno**, at daybreak; **sul far della notte**, at nightfall; **sul far della vita**, at the beginning of life.

farètra f. quiver.

farétto m. spotlight; spot.

♦**farfàlla** f. **1** (*zool.*: *diurna*) butterfly; (*crepuscolare o notturna*) moth **2** (*fig.*: *persona leggera*) butterfly; flibbertigibbet **3** (*nuoto*) butterfly (stroke): **nuotare a f.**, to do the butterfly; **i 200** (**a**) **f.**, the 200-metre butterfly ● (*zool.*) **f. di mare** (*Pholis gunnellus*), gunnel □ (*fig.*) **andare a caccia di farfalle**, to fritter away one's time □ **cravatta a f.**, bow tie □ (*mecc.*) **valvola a f.**, butterfly valve; throttle valve.

farfallaménto m. (*autom.*, *di ruota*) wobble; (*di valvola*) flutter, dancing.

farfallìno m. **1** (*cravatta*) bow tie; dicky bow (*GB*) **2** (*fig.*) flighty young man*.

farfallìsta m. e f. (*nuoto*) butterfly (stroke) swimmer.

farfallóne m. **1** large butterfly; (*notturno*) large moth **2** (*fig.*: *uomo fatuo*) frivolous man*; flibbertigibbet **3** (*errore*) blunder, goof (*USA*); (*svarione*) howler.

fàrfara f. → **farfaro**.

farfaràccio m. (*bot.*, *Petasites officinalis*) butterbur.

fàrfaro m. (*bot.*, *Tussilago farfara*) coltsfoot.

farfugliàre v. i. to slur one's words; to mumble.

♦**farìna** f. flour; (*grossa*) meal: **f. d'avena**, oatmeal; **f. di castagne**, chestnut flour; **f. di frumento**, (wheat) flour; **f. di riso**, ground rice; **f. doppio zero**, fine-ground flour; **f. gialla** (*o* di granturco), corn meal; **f. integrale**, wholemeal flour; **fior di f.**, (superfine) flour ● (*fig.*) **f. del proprio sacco**, one's own work □ (*agric.*) **f. d'ossa**, bone meal □ (*geol.*) **f. fossile**, infusorial earth; diatomite □ **f. lattea**®, mixed-cereals flour and milk proteins □ **ridurre qc. in f.**, to pulverize st.

farinàceo A a. farinaceous; starchy **B** m. (spec. al pl.) farinaceous (*o* starchy) food.

faringàle a. (*fon.*) pharyngeal.

faringe f. o m. (*anat.*) pharynx*.

faringectomìa f. (*chir.*) pharyngectomy.

faringèo a. (*anat.*) pharyngeal.

faringite f. (*med.*) pharyngitis.

faringoiatrìa f. (*med.*) pharyngology.

faringoscopìa f. (*med.*) pharyngoscopy.

faringotomìa f. (*chir.*) pharyngotomy.

farinóso a. **1** (*contenente farina*) farinaceous, mealy; (*che dà farina*) farinose **2** (*simile a farina*) flowry; powdery: **patate farinose**, floury potatoes; **neve farinosa**, powdery snow.

farisàico a. **1** Pharisaic; Pharisean **2** (*fig.*) pharisaic; hypocritical; self-righteous.

farisèismo m. **1** Pharisaism, Phariseeism **2** (*fig.*) pharisaism; hypocrisy; self-righteousness.

farisèo m. (f. **-a**) **1** Pharisee **2** (*fig.*) pharisee; hypocrite.

farmacèutica f. pharmacology.

farmacèutico a. (*chim.*) pharmaceutical; drug (attr.): **armadietto f.**, medicine cabinet; **chimica farmaceutica**, pharmaceutical chemistry; **prodotto f.**, pharmaceutical product; drug; **società farmaceutica**, pharmaceutical company.

♦**farmacìa** f. **1** (*scienza*) pharmacy; pharmaceutics (pl. col verbo al sing.) **2** (*negozio*) chemist's (shop) (*GB*); drugstore (*USA*, vende anche articoli vari); pharmacy; (*in ospedale*) dispensary, pharmacy: **f. di turno**, chemist's open on a holiday; **f. notturna**, all-night chemist's; all-night drugstore; **vasi da f.**, apothecary's pots **3** (*insieme di medicine*) medicines (pl.): **f. da viaggio**, medicine case.

♦**farmacìsta** m. e f. chemist (*GB*); druggist (*USA*); pharmacist.

fàrmaco m. medicine; drug.

farmacobotànica f. pharmaceutical botany.

farmacochìmica f. pharmaceutical chemistry.

farmacocinètica f. (*farm.*) pharmacokinetics (pl. col verbo al sing.).

farmacodinàmica f. (*farm.*) pharmacodynamics (pl. col verbo al sing.).

farmacodipendènte A m. e f. person dependent on drugs; drug addict **B** a. drug dependent.

farmacodipendènza f. drug dependency.

farmacogenètica f. pharmacogenetics (pl. col verbo al sing.).

farmacognosìa f. pharmacognosy.

farmacologìa f. pharmacology.

farmacològico a. pharmacological.

farmacòlogo m. (f. **-a**) pharmacologist.

farmacopèa f. pharmacopoeia.

farmacoresistènte a. (*med.*) drug-resistant; drug-fast.

farmacoresistènza f. (*med.*) drug resistance.

farmacosorveglìanza → **farmacovigilanza**

farmacoterapìa f. pharmacotherapy.

farmacovigilànza f. drug control.

farneticaménto m. delirium; raving.

farneticànte a. **1** raving; delirious **2** (*fig.*) raving; incoherent; wild.

farneticàre v. i. **1** to rave; to be delirious **2** (*fig.*) to rave; to talk nonsense.

fàrnia f. (*bot.*, *Quercus pedunculata*) common oak; English oak; pedunculate oak.

♦**fàro** m. **1** (*naut.*: *il fanale*) (beacon) light; (*la torre*) lighthouse: **f. a lampi**, flashing light; **f.**

a luce fissa, fixed light; **f. galleggiante** (*o* **battello f.**), floating lighthouse; lightship; light vessel; **guardiano del f.**, lighthouse keeper **2** (*aeron.*) beacon: **f. d'aeroporto**, airport beacon; **f. d'atterraggio**, landing beacon; landing light; **radio f.**, radio beacon **3** (*autom.*) headlight; headlamp: **fari abbaglianti**, headlights on full (*USA* high) beam; brights (*fam. USA*); **fari anabbaglianti**, dipped (*USA* dimmed) headlights; headlights on low beam; low beams (*USA*); **fari antinebbia**, fog lights; **lampeggiare i fari**, to flash one's headlights **4** (*riflettore*) floodlight **5** (*fig.*) beacon: **un f. di civiltà**, a beacon of civilization.

farràgine f. jumble; hotchpotch, hodgepodge (*USA*); medley; farrago*.

farraginóso a. (*disordinato*) jumbled, chaotic; (*confuso*) muddled, woolly: **un elenco f.**, a chaotic (*o* jumbled) list; a hotchpotch (*USA* hodgepodge) of a list; **ragionamento f.**, muddled (*o* woolly) reasoning.

fàrro m. (*bot., Triticum dicoccum*) emmer.

fàrsa f. **1** (*teatr.*) farce **2** (*fig.*) farce; mockery: *Il processo fu una f.*, the trial was a farce; **trasformare qc. in f.**, to turn st. into a farce; to make a mockery of st.

Fàrsalo f. (*geogr.*) Pharsalus.

farsésco a. **1** (*teatr.*) of a farce; farce (*attr.*) **2** (*fig.*) farcical; ludicrous.

farsétto m. doublet; jerkin.

fasatùra f. (*mecc.*) timing.

fasc. abbr. (**fascicolo**) issue; file.

fascétta f. **1** (narrow) band **2** (*per spedizione postale*) wrapper **3** (*pubblicitaria*) blurb band **4** (*busto*) girdle **5** (*mecc.*) clamp; clip **6** (*mil.*) shoulder loop.

fascettàrio m. mailing wrappers (pl.).

fascettatrice f. wrapper; wrapping machine.

♦**fàscia** f. **1** band: **f. al braccio**, armband; **f. del cappello**, hatband; **f. di cuoio**, leather band; strap; **f. per capelli**, hairband; **f. tergisudore**, sweatband **2** (*fusciacca*) sash; (*intorno alla vita, anche*) cummerbund **3** (*fascetta di carta*) wrapper: **spedire sotto f.**, to send under wrapper **4** (*med.*) bandage: **f. elastica**, elastic bandage **5** (al pl.) (*di neonato*) swaddling clothes: **essere in fasce**, to be a baby; to be in swaddling clothes; (*fig., di cosa*) to be in its infancy; **bambino in fasce**, baby (in arms); infant **6** (al pl.) (*mil.*) puttees **7** (*zona*) zone; area; belt; strip: **f. costiera**, coastal strip; **f. equatoriale**, equatorial zone; **f. smilitarizzata**, demilitarized zone **8** (*strato*) layer; (*di metallo, anche*) sheet **9** (*fig.: settore, categoria*) segment; sector; (*anche fisc.*) bracket: **una f. della popolazione**, a segment of the population; **f. d'età**, age bracket; **f. di mercato**, segment of the market; (*fisc.*) **f. contributiva**, taxation bracket **10** (*di tempo*) time: **f. d'ascolto**, (*radio*) listening time; (*TV*) viewing time; **f. massima di ascolto**, peak listening [viewing] time; prime time **11** (*anat.*) fascia* **12** (*archit.*) fillet; fascia*; (*ornamentale*) frieze **13** (*arald.*) fesse **14** (*astron.*) belt; fascia*: **f. di Van Allen**, Van Allen belt **15** (*autom.*) ring: **f. elastica**, piston ring **16** (*mecc.*) band **17** (*mus., di tamburo*) sides (pl.); (*di violino*) rib **18** (*agric.*) terrace **19** (*calcio*) – **fasce laterali**, touch (sing.).

fasciàle a. (*anat.*) fascial.

fasciàme m. (*naut., di legno*) planking; (*di metallo*) plating: **f. esterno**, outside planking; shell-plating; **f. interno**, inside planking; inner plating; **a f. accavallato** (*o* **sovrapposto**), clinker-built; **a f. affrontato**, carvel-built.

fasciànte a. (*moda*) close-fitting; clinging.

fasciàre A v. t. **1** (*bendare*) to bandage; to bind* up; to dress: **f. una ferita**, to bandage (*o* to dress) a wound; **f. una gamba rotta**, to bind up a broken leg **2** (*un neonato*) to swaddle **3** (*avvolgere*) to wrap; to swathe (*lett.*): **f. un libro di plastica**, to wrap a book in plastic **4** (*di abito*) to cling* to; (*assol.: essere aderente*) to be close-fitting **5** (*aeron., naut.: una struttura, con legno*) to plank; (*con metallo*) to plate **6** (*naut.: cordame*) to serve **7** (*elettr., con nastro isolante*) to tape ● (*fig.*) **Non fasciamoci la testa prima di essercela rotta**, we'll cross that bridge when we come to it B **fasciàrsi** v. rifl. **1** (*bendarsi*) to bandage oneself; to bind* oneself up **2** (*avvolgersi*) to wrap oneself **3** (*con abiti aderenti*) to wear* close-fitting clothes.

fasciàto A a. bandaged; bound-up; dressed: **caviglia fasciata**, bandaged ankle; *Era a letto, tutto f.*, he was lying in bed, all bandaged up B m. (*arald.*) barry escutcheon.

fasciatóio, **fasciatóre** m. baby-changing unit.

fasciatùra f. **1** bandaging; binding; dressing **2** (*fasce*) bandage, bandages (pl.); dressings (pl.): **f. di compressione**, pressure bandage; **f. elastica**, elastic bandage **3** (*naut.*) service.

fascicolàre① a. (*anat.*) fascicular: **contrazione f.**, fascicular contraction.

fascicolàre② v. t. to bind* together; (*bur.*) to file.

fascicolàto a. (*bot.*) fascicled; fasciculate; fasciated.

fascicolatóre m., **fascicolatrice** f. sorter.

fascicolatùra f. sorting; binding.

fascicolazióne f. **1** fascicle arrangement **2** (*med.*) fasciculation.

fascìcolo m. **1** (*dossier*) file **2** (*di pubblicazione periodica*) instalment; fascicle; number: **vendere a fascicoli**, to sell in instalments **3** (*inserto*) pull-out; (*opuscolo*) booklet; pamphlet **4** (*anat.*) fasciculus*; fascicle.

fascìna f. faggot; bundle of sticks or twigs; (*per ripari*) fascine.

fascinàme m. sticks (pl.); twigs (pl.); brushwood.

fascinàre v. t. to bind* in faggots; to make* into faggots; to faggot.

fascinàta f. (*per opera di difesa*) fascines (pl.); (*per argini*) mattress.

fascinatóre A a. charming B m. (f. **-trice**) (*lett.*) charmer.

fascinazióne f. (*lett.*) enchantment; bewitchment.

fàscino m. fascination; charm; glamour, glamor (*USA*); appeal; allure: **essere ricco di f.**, to have great charm; to be fascinating; to be glamorous; **subire il f. di q.**, to be fascinated by sb.; to be under sb.'s spell.

fascinóso a. fascinating; charming; glamorous; bewitching.

fàscio m. **1** bundle; bunch; sheaf*: **un f. di carte**, a sheaf (*o* bundle) of papers; **un f. di fieno**, a sheaf of hay; **un f. di fiori**, a bundle of flowers; (*fig.*) **un f. di nervi**, a bundle of nerves; **fare un f. di qc.**, to bundle up st. **2** (*di luce*) beam; shaft; (*sottile*) pencil **3** (*mat.*) sheaf*: **f. di rette**, sheaf of straight lines **4** (*fis.*) – **f. di elettroni**, electron beam; (*mat.*) **5** (*anat.*) fasciculus*; fascicle; bundle: **f. muscolare**, fascicle of muscles; **f. vascolare**, vascular fascicle (*o* bundle) **6** (*stor. romana*) fasces (pl.) **7** (*polit. stor.*) political group; (*partito fascista*) Fascist Party ● (*fig.*) **fare d'ogni erba un f.**, to lump things together without discrimination; to have no discrimination □ (*fig.*) **mettere in un sol f.**, to lump together.

fasciòla f. (*zool.*) – **f. epatica** (*Fasciola hepatica*), fluke.

fascìsmo m. (*polit.*) fascism.

fascìsta a., m. e f. fascist.

fascistizzàre v. t. (*polit.*) to fascistize.

fascistizzazióne f. (*polit.*) fascistization.

fascistòide a., m. e f. fascistoid.

♦**fàse** f. **1** phase; stage; period: **f. critica**, critical stage; (*econ.*) **f. di espansione**, upward phase; (*econ.*) **f. di flessione**, downward phase; (*med.*) **f. di latenza**, lag phase; (*leg.*) **f. istruttoria**, instruction phase; **f. preparatoria**, preliminary stage; **le fasi d'una malattia**, the phases of an illness; **attraversare una brutta f.**, to go through a bad phase (*o, fam.*, a bad patch); **entrare in una nuova f.**, to enter a new phase; **in f. avanzata**, at an advanced stage; (*aeron.*) **in f. di decollo**, during take-off; **in f. di esecuzione**, in course of execution; **in f. di miglioramento**, getting better; improving; **in f. di sviluppo**, developing **2** (*astron., chim., elettr., fis.*) phase: **le fasi lunari**, the phases of the moon; the lunar phases; **fuori f.**, out of phase; (*fis.*) **angolo di f.**, phase angle; (*chim.*) **regola delle fasi**, phase rule **3** (*mecc.*) stroke: **f. di compressione**, compression stroke; **f. di espansione**, expansion stroke; **f. di scarico**, exhaust stroke; **messa in f.**, timing ● (*fig.*) **essere fuori f.**, to be out of sorts.

FASI sigla **1** (**Federazione arrampicata sportiva italiana**) Italian Competition Climbing Association **2** (**Fondo assistenza sanitaria integrativa**) Supplementary Health Care Fund.

fasòmetro m. (*elettr.*) phase meter; phasemetre.

fastèllo m. bundle; sheaf; faggot.

fast food (*ingl.*) loc. m. inv. **1** (*pasto*) fast-food meal **2** (*locale*) fast-food restaurant.

fàsti m. pl. **1** (*stor. romana*) Fasti **2** (*fig.: fatti gloriosi*) memorable events, glories; (*imprese eroiche*) deeds.

♦**fastìdio** m. **1** (*disturbo, seccatura*) nuisance Ⓤ, trouble Ⓤ, bother Ⓤ, bore (*fam., GB*), hassle (*fam.*); (*scomodità*) inconvenience: **fastidi al fegato**, liver trouble; **mille piccoli fastidi**, a thousand small inconveniences; *Non è nessun f. per me*, it's no bother at all for me; **avere dei fastidi con la polizia**, to be in (*o* to get into) trouble with the police; **creare fastidi a q.**, to cause some trouble (*o* problems) to sb.; **dare f.**, to bother; to be a nuisance; to cause trouble (*o* inconvenience); to be an inconvenience; *Le mosche ci hanno dato f.*, flies were a bother; we were bothered by flies; *Mi dà f. il rumore* [*il fumo*], I can't stand noise [people smoking]; *Le dà f. se fumo?*, do you mind if I smoke?; *Mi spiace di darti questo f.*, I'm sorry to put you to this trouble; **prendersi il f. di**, to take the trouble of; to go to the trouble of; *Che f.!*, what a nuisance!; what a hassle! **2** (*irritazione*) annoyance; irritation: **un gesto di f.**, a gesture of annoyance; **provare f.**, to be annoyed (*o* irritated) **3** (spec. al pl.: *preoccupazione*) trouble; worry; anxiety: **avere molti fastidi**, to have many worries (*o* troubles) **4** (*region.: nausea*) queasiness; nausea: *L'odore della benzina mi dà f.*, the smell of petrol makes me sick.

fastidiosità f. irritating quality; troublesomeness; unpleasantness.

fastidióso a. bothersome; irksome; tiresome; irritating; annoying; (*noioso*) boring: **gente fastidiosa**, bothersome people; **rumore f.**, irritating noise; *Non essere f.!*, don't be tiresome; don't be such a nuisance!

🅰 **FALSI AMICI** • fastidioso *non si traduce con* fastidious.

fastigiàto a. (*bot.*) fastigiate.

fastìgio m. **1** (*archit.*) fastigium*; pediment **2** (*fig.*) apex*; height; peak: **giunge-**

re ai più alti fastigi, to reach great heights.
fàsto ① a. propitious; auspicious.
fàsto ② m. pomp; magnificence; splendour, splendor (*USA*); (*ostentazione*) display, ostentation.

fastosaménte avv. splendidly; sumptuously; lavishly; (*con ostentazione*) ostentatiously, with ostentation.

fastosità f. pomp; magnificence; splendour; splendor (*USA*).

fastóso a. grand; magnificent; sumptuous; (*con ostentazione*) ostentatious.

fasùllo a. false; fake; bogus; sham; phoney; (*contraffatto*) counterfeit, fake: **certificato f.**, fake certificate; **dati fasulli**, false (*o* bogus) data; **indirizzo f.**, phoney address; **moneta fasulla**, counterfeit coin.

♦**fàta** f. 1 fairy: **f. madrina** (*o, anche fig.*, **f. buona**), fairy godmother; **racconti di fate**, fairy tales; **il paese** (*o il regno, il mondo*) **delle fate**, Fairyland 2 (*fig.*: *benefattrice*) benefactress; angel 3 (*fig.*: *donna bellissima*) beautiful woman*; beauty ● **la F. Morgana** (*sorella di Re Artù*), Morgan le Fay (*o* **f. morgana** (*miraggio*), mirage, Fata Morgana.

fatàle a. 1 (*inevitabile*) fated; destined; ordained by fate: *Era f. che lo rivedessi*, I was destined to see him again 2 (*disastroso*) disastrous; ruinous; fateful; fatal: *Quella decisione si rivelò f.*, that decision proved disastrous; **un errore f.**, a fatal mistake 3 (*mortale*) fatal; deadly; lethal: *La caduta gli fu f.*, the fall proved fatal 4 (*irresistibile*) irresistible: **sguardo f.**, irresistible look; **donna f.**, femme fatale (*franc.*); vamp.

fatalìsmo m. fatalism.
fatalìsta m. e f. fatalist.
fatalìstico a. fatalistic.

fatalità f. 1 (*inevitabilità*) inevitability 2 (*destino*) fate; destiny; luck: *È stata la f.*, it was destiny; *F. volle che non lo vedessi più*, as luck would have it, I never saw him again 3 (*incidente*) fatal accident; (*disavventura*) unfortunate circumstance, mishap, piece of bad luck.

fatalménte avv. 1 (*inevitabilmente*) fatally; inevitably 2 (*per disgrazia*) fatally; unfortunately.

fatalóna f. (*iron.*) vamp; femme fatale (*franc.*); siren.

fatalóne m. (*iron.*) lady-killer; Casanova.

fatàto a. (*incantato*) enchanted; (*stregato*) bewitched; (*magico*) magic: **una foresta fatata**, an enchanted forest; **anello f.**, magic ring 2 (*di fata*) fairy (attr.).

♦**fatìca** f. 1 (*sforzo*) effort, exertion; (*difficoltà*) difficulty: **f. fisica [mentale]**, physical [mental] exertion; *Fa f. a parlare*, it's an effort for him to talk; *Ho fatto f. a capire*, I had difficulty in understanding; I found it difficult (*o* hard) to understand; *Feci f. a convincerlo*, I had a hard job convincing him; *Feci una grossa f. a non ridere*, it was all I could do not to laugh; **a f.** (*o* **con f.**), with difficulty; (*a stento*) barely, hardly; **camminare [respirare] con f.**, to walk [to breathe] with difficulty; **procedere a f.**, to struggle along; to plod on; to toil on; *Riuscivo a f. a leggere la scrittura*, I could barely read the words; **senza f.**, effortlessly 2 (*duro lavoro*) labour, labor (*USA*); hard work 🔛; toil: **le fatiche di Ercole**, the Labours of Hercules; *È stata una grossa f.*, it's been hard work; **f. ingrata**, thankless task; drudgery 3 (*fastidio*) trouble; bother; hassle (*fam.*): **risparmiarsi la f. di fare qc.**, to save oneself the trouble of doing st.; *Potevi risparmiarti la f.*, you could have saved yourself the trouble; you needn't have bothered 4 (*stanchezza*) tiredness; exhaustion; fatigue: **accusare f.**, to feel tired; **non reggersi in piedi dalla f.**, to be dropping with ex-

haustion 5 (*opera*) work; effort; opus (*scherz.*): *Ecco la mia ultima f.*, here is my latest work (*o* effort); *Fu l'ultima sua f.*, it was the last thing he did 6 (*tecn.*) fatigue: **limite [prova] di f.**, fatigue limit [test] ● **È tutta f. risparmiata!**, that's one job less to do; it's (all) effort saved □ **È f. sprecata**, it's a waste of energy □ **abiti da f.**, working clothes □ **animale da f.**, beast of burden; draught animal □ **donna di f.**, drudge □ **resistenza alla f.**, endurance; stamina; staying power □ **resistere alla f.**, to stand up to hard work; to have stamina □ (*mil.*) **uniforme di f.**, fatigues (pl.) □ **uomo di f.**, man employed for heavy work; dogsbody; odd-job man.

faticàccia → **faticata**.

♦**faticàre** v. i. 1 to toil; to work hard; to labour; to slog away (*fam.*): **f. tutto l'anno**, to toil (*o* to slog away) all through the year; *Ho dovuto f. per finire in tempo*, I had to work hard to finish in time; *Tocca sempre a me f.*, I am always the one who has to do all the hard work 2 (*stentare*) to have difficulty (in doing st.); to find* it difficult (to do st.); to have a job (doing st.) (*fam.*); can hardly (*o* barely) (*difett.*): **f. a capire**, to have difficulty in understanding; to find it difficult to understand; *Ho faticato a raggiungerlo*, I had a job catching up with him; *Faticavo a credere quel che vedevo*, I could hardly believe what I was seeing; *Faticai a non dargli una rispostaccia*, it was all I could do not to snap back at him.

faticàta f. 1 (*sforzo*) exertion; effort 2 (*lavoro faticoso*) hard work 🔛, toil 🔛, sweat (*fam.*), slog (*fam.*); (*lavoro ingrato*) drudgery 🔛 (*fam.*), grind (*fam.*); (*camminata, viaggio faticoso*) real hike, trek, footslog.

fàtico a. (*ling.*) phatic.

faticosaménte avv. laboriously; with difficulty.

♦**faticóso** a. 1 (*stancante*) tiring; exhausting; fatiguing: **una giornata faticosa**, an exhausting day; **un viaggio f.**, a tiring journey 2 (*difficile*) difficult; hard; laborious; arduous; demanding; taxing; tough.

fatìdico a. 1 (*lett.*: *profetico*) prophetic 2 (*fatale, decisivo*) fateful; decisive; momentous: **giorno f.**, fateful day.

fatimita a. (*stor.*) Fatimid; Fatimite.

fatiscènte a. dilapidated; crumbling; run-down; decrepit; decaying: **abitazioni fatiscenti**, run-down houses; **sistema politico f.**, crumbling political system.

fatiscènza f. dilapidation; dilapidated state; state of disrepair; decrepitude; decay.

fàto m. fate; destiny; (*sorte individuale*) lot: **un tragico f.**, a tragic destiny; *Il f. ha voluto che ci ritrovassimo*, we were fated to meet again; it was fated that we should meet again; **opporsi al f.**, to oppose (*o* to go against) fate; **il volere del f.**, the will of fate.

fatt. abbr. (*comm.*, **fattura**) invoice (inv.).

fàtta ① f. (*specie, genere*) kind; sort: **gente d'ogni f.**, people of every kind (*o* of every sort); **un uomo di tal f.**, a man like that; such a man.

fàtta ② f. (*escrementi di uccello*) (bird) droppings (pl.).

fattàccio m. 1 wicked (*o* foul) deed 2 (*delitto*) crime.

fatterèllo m. 1 minor event; minor matter; curious episode 2 (*raccontino*) anecdote.

fattézze f. pl. features.

fattìbile Ⓐ a. feasible; practicable; possible Ⓑ m. what can be done; what is feasible.

fattibilità f. feasibility; practicability.

fatticità f. (*filos.*) facticity.

fattispècie f. (*leg.*) case in point; matter in hand: **nella f.**, in the case in point; in this case.

fattitìvo a. (*ling.*) 1 (*iterativo*) iterative 2 (*causativo*) factitive.

fattività f. effectiveness; efficaciousness.

fattìvo a. 1 effective; positive 2 (*attivo*) active; energetic; proactive.

♦**fàtto** ① a. 1 done; (*fabbricato, costruito*) made; (*formato*) shaped; (*di abito*) ready-made; **f. a macchina**, machine-made; **f. a mano**, hand-made; **f. di ferro**, made of iron; iron (attr.); **f. di legno**, made of wood; wooden; **f. in casa**, home-made; **f. su misura**, made to measure (pred.); tailor-made; **f. su ordinazione**, custom-built; **ben f.**, well done; (*di oggetto*) well-made; **un lavoro ben f.**, a job well done; **un corpo ben f.**, a good figure; **una donna ben fatta**, a woman with a good figure; *Ben f.!*, well done!; *Io sono f. così*, that's the way I am 2 (*adatto*) fit; made; cut out: *È f. per l'insegnamento*, he's cut out to be a teacher; *Non sono f. per questa vita*, I'm not fit (*o* cut out) for this sort of life; *È un lavoro f. per te*, it's the right job for you; it's your sort of job; **fatti l'uno per l'altra**, made for each other 3 (*adulto*) grown; full-grown: **donna fatta**, grown woman; **uomo f.**, full-grown man 4 (*maturo*) ripe: **formaggio [melone] f.**, ripe cheese [melon] 5 (*fam.*: *stanchissimo*) exhausted; dead beat (*fam.*); fagged out (*fam. GB*); pooped (*fam. USA*) 6 (*gergo della droga*) stoned; zonked ● **a conti fatti**, all things considered; when all is said and done □ **a notte fatta**, when it is [was] quite dark □ **È fatta!**, that's it! □ **È presto f.**, it's soon done □ **Ecco f.**, here you are □ **Ormai è fatta**, well, it's done now; it can't be helped □ **frase fatta**, cliché; stock phrase □ **giorno f.**, broad daylight □ **Mi venne f. di pensare che...**, it occurred to me that... □ **Se ti vien f. di...**, if you happen to...

♦**fàtto** ② m. 1 (*azione*) deed; action: **fatti e non parole**, actions, not words; **passare dalle parole ai fatti**, to pass from words to action; (*eufem.*) to come to blows 2 (*accaduto*) fact; (*avvenimento*) event, (al pl., anche) things; (*faccenda*) thing, matter, business 🔛: **fatti concreti**, hard facts; **i nudi fatti**, the bare facts; **i fatti del giorno**, the events of the day; **un f. personale**, a personal thing; **un f. strano**, something strange; *Il f. strano è che nessuno lo vide*, the curious thing is that nobody saw him; *I fatti parlano chiaro*, the facts are clear; *Il f. della loro scomparsa ci preoccupava*, we were worried by their disappearance; **come si sono svolti i fatti**, how things went; *Bada ai* (*o Fatti i*) *fatti tuoi*, mind your own business; **immischiarsi nei fatti altrui**, to meddle in other people's business; **basato sui fatti**, based on facts; factual 3 (*azione di romanzo, ecc.*, anche pl.) action; story: *Il f. si svolge a Milano*, the action takes place in Milan; the story is set in Milan ● **f. compiuto**, fait accompli (*franc.*); **mettere q. di fronte al f. compiuto**, to present sb. with a fait accompli; **a f. compiuto**, after the fact □ **f. d'arme**, skirmish; action; engagement □ **f. di cronaca**, news item; story □ **f. di sangue**, (*ferimento*) wounding; (*omicidio*) murder; (al pl.) bloodshed 🔛 □ (*leg.*) **f. illecito**, tort; unlawful act □ **F. sta che...**, the fact is (that)...; (*comunque*) anyway □ **andarsene per i fatti propri**, to go about one's business □ **cogliere q. sul f.**, to catch sb. out; (*in flagrante*) to catch sb. red-handed, to catch sb. in the act □ **dato di f.**, fact □ **di f.**, (*in realtà*) in (actual) fact; (*in sostanza*) effectively, to all intents and purposes; (*effettivo, sostanziale*) effective: *Si dice direttore di produzione, ma di f. è solo un impiegato*, he calls himself production manager, but in fact he is just a clerk □ **di f. se non di nome**, in all but name □ **dire a q. il f. suo**, to give sb. a piece of one's mind □ **errore di f.**, factual error □ **Il f. è che...**, the

fact is (that)... □ **Il f. vero è che...**, the fact of the matter is that... □ **in f. e in diritto**, in fact and in law □ **in f. di**, (*intorno*) about, on, as regards; (*quanto a*) as for, when it comes to: *È un esperto in f. di computer*, he is an expert on computers; *In f. di motori non sono secondo a nessuno*, when it comes to engines, I'm second to none □ **questioni di f.**, issues of fact □ **Resta il f. che...**, the fact remains that... □ **sapere il f. proprio**, to know one's job; to know what's what □ **sicuro del f. proprio**, sure of oneself □ **venire** (*o scendere, passare*) **a vie di f.**, to come to blows □ **venire al f.**, to get to the point.

fattòra → fattoressa.

fattóre m. **1** (*creatore*) maker **2** (*amministratore di beni rurali*) land agent; (*di una grande tenuta*) bailiff **3** (*elemento*) factor; element; ingredient: **f. chiave**, key factor; **f. produttivo**, factor of production; **il f. tempo**, the time factor; *Molti fattori contribuirono al nostro successo*, many factors contributed to our success; *La velocità è un f. essenziale*, speed is an essential element **4** (*scient.*) factor; (*mat., econ., stat.*) **fattori di conversione**, conversion factors; (*biol.*) **f. di crescita**, growth factor; (*radio*) **f. di perdita**, loss factor; (*fis.*) **f. di potenza**, power factor; (*biol.*) **f. Rh**, Rhesus factor; (*mat.*) **scomposizione in fattori**, factorization.

fattoréssa f. bailiff's wife.

♦**fattoria** f. **1** (*azienda agricola*) farm; (*composta di vari poderi*) estate: **f. collettiva**, collective farm; **lavorare in una f.**, to work on a farm **2** (*casa con fabbricati agricoli*) homestead; (*casa colonica*) farmhouse **3** (*casa del fattore*) bailiff's house ❶ **FALSI AMICI** • fattoria non si traduce con factory.

fattoriàle ◮ a. (*scient.*) factorial; factor (attr.) (*stat.*) **analisi f.**, factor analysis; (*mat.*) **prodotto f.**, factorial; (*mat.*) **serie f.**, factorial series ◳ m. (*mat.*) factorial.

fattorino m. **1** messenger; errand boy; (*di ufficio*) office boy; (*di azienda*) floor boy **2** (*per consegne*) deliveryman*; (*per telegrammi*) telegraph messenger **3** (*di albergo*) page; bellboy; bellhop (*USA*) **4** (*bigliettaio*) conductor.

fattorizzàre v. t. (*mat., econ.*) to factorize; to factor.

fattorizzazióne f. (*mat., econ.*) factorization.

fattrice f. (*cavalla*) brood mare; (*vacca*) brood cow.

fattuàle a. factual.

fattucchièra f. witch; sorceress.

fattucchière m. wizard; magician; sorcerer.

fattucchieria f. witchcraft; sorcery.

fattùra f. **1** (*fabbricazione*) manufacture; make: **di f. italiana**, manufactured in Italy; Italian-made; **di f. casalinga**, home-made **2** (*confezione*) making-up; (*taglio*) cut; (*modello*) model, design: **la f. di un abito**, the making-up of a suit; *Non mi piace la f.*, I don't like the cut (*o* the model); I don't like the way it is made **3** (*lavorazione*) workmanship; craftsmanship: **di squisita f.**, of excellent workmanship; beautifully crafted; **di buona f.**, well-made **4** (*comm.*) invoice; bill of sale; (*conto*) bill: **f. dettagliata**, itemized invoice; **f. per l'esportazione**, export invoice; **f. saldata**, receipted invoice; **f. pro forma** (*o* simulata), pro forma invoice; **emettere una f.**, to make out an invoice; to invoice (sb., st.); **prezzo di f.**, invoice price; **come da f.**, as per invoice **5** (*pop.: incantesimo*) charm; spell: **fare una f. a q.**, to cast (*o* to put) a spell on sb.; (*gettare il malocchio*) to put the evil eye on sb.

fatturàre v. t. **1** (*adulterare*) to adulterate **2** (*comm.*) to invoice; to bill: **f. qc. a fine mese**, to invoice st. at the end of the month; **f.**

grosse cifre, to have a high turnover.

fatturàto (*comm.*) ◮ a. invoiced; billed ◳ m. sales (pl.); turnover; billing (*USA*): **f. annuo**, yearly turnover; **f. delle esportazioni**, export sales; **f. giornaliero**, daily sales; **accrescere il f.**, to increase sales.

fatturatrice f. (*comm.*) invoicing machine; billing machine.

fatturazióne f. (*comm.*) invoicing; billing: **f. del venduto**, sales invoicing; **f. trimestrale**, quarterly invoicing.

fatturista m. e f. (*comm.*) invoice clerk; billing clerk.

fatuità f. fatuity; fatuousness; silliness.

fàtuo a. fatuous; vain; silly • **fuoco f.**, ignis fatuus; will-o'-the-wisp; (*fig.*) nine-day's wonder.

fatwa (*arabo*) f. inv. (*relig., polit.*) fatwa; fatwah.

fàuci f. pl. **1** (*di animale*) jaws; (*di persona*) mouth (sing.), throat (sing.); (*anat.*) fauces **2** (*fig.: grinfie*) clutches **3** (*fig.: apertura*) mouth (sing.): **le f. di una caverna**, the mouth of a cave.

fàuna f. fauna*: **f. abissale**, deep-sea fauna; **f. alpina** [**marina**], alpine [marine] fauna; **la flora e la f. di una regione**, the flora and fauna of a region; (*allo stato naturale*) the wildlife of a region.

faunésco a. (*di fauno*) faun (attr.); (*simile a fauno*) faun-like.

faunistica f. study of the fauna of a particular region.

faunistico a. faunal; faunistic; fauna (attr.): **patrimonio f.**, fauna; **regione faunistica**, faunal (*o* zoogeographical) region.

fàuno m. (*mitol.*) faun.

faustiàno a. Faustian.

fàusto a. **1** (*propizio*) propitious; auspicious: **f. presagio**, good omen **2** (*fortunato*) fortunate; lucky; happy: **evento f.**, happy event; **giorno f.**, lucky day.

Fàusto m. Faustus.

fautóre m. (f. **-trice**) (*sostenitore*) advocate, supporter, champion; (*promotore*) promoter: **f. della libertà**, champion of freedom; **f. della pace** [**delle riforme**], advocate of peace [of reforms].

fauve (*franc.*) (*arte*) ◮ a. Fauvist ◳ m. inv. Fauve; Fauvist.

fauvismo m. (*arte*) Fauvism.

fàva f. **1** (*bot.*, *Vicia faba*; *il seme commestibile*) broad bean; fava bean (*USA*) **2** (*volg.*) cock; prick • (*fam.*) **Non vale una f.**, it isn't worth a bean □ (*fig.*) **prendere due piccioni con una f.**, to kill two birds with one stone.

favagèllo m. (*bot.*, *Ranunculus ficaria*) lesser celandine; pilewort.

favèlla f. **1** (*facoltà di parlare*) (power of) speech: **perdere la f.**, to lose the power of speech **2** (*idioma*) tongue; language.

favellàre v. i. (*lett.*) to speak*; to talk.

favilla f. (*anche fig.*) spark: **la f. dell'odio**, the spark of hatred □ (*fig.*) **fare faville**, to shine □ *La ragazza mandava faville dagli occhi*, the girl's eyes flashed.

favismo m. (*med.*) favism.

fàvo m. **1** honeycomb **2** (*med., vet.*) favus.

♦**fàvola** f. **1** (*fiaba*) story, tale; (*con una morale*) fable; (*di fate*) fairy tale; (*leggenda*) fable, legend: **la f. di Cenerentola**, the story of Cinderella; **le favole di Esopo**, Aesop's fables; **favole popolari**, folk tales **2** (*fandonia*) fairy tale; story; yarn (*fam.*) **3** (*oggetto di pettegolezzi*) talk; (*zimbello*) laughing-stock: **essere la f. del paese**, to be the talk (*o* the laughing-stock) of the town • **da f.**, fabulous; fairy-tale (attr.); dream (attr.): **una villa da f.**, a fabulous villa; **un paesino da f.**, a fairy-tale village; **vacanze da f.**, dream hol-

idays □ **Morale della f.**, **non ci siamo incontrati**, the long and the short of it is we didn't meet.

favoleggiàre v. i. **1** (*raccontare favole*) to tell* tales; to recount legends **2** (*narrare*) to tell* (fabulous) tales: *Si favoleggiava dei suoi tesori*, tales were told about his treasures.

favoleggiatóre m. (f. **-trice**) fabler; fabulist; story-teller.

favolèllo m. (*letter.*) fabliau* (*franc.*).

favolista m. e f. fabulist; writer of fables.

favolistica f. **1** fables (pl.); folk tales (pl.): **la f. medioevale**, medieval fables **2** (*disciplina*) fable studies (pl.).

favolistico a. pertaining to fables; fable (attr.).

♦**favolóso** a. **1** fabulous; fabled; legendary: **creature favolose**, fabulous creatures **2** (*enorme*) fabulous; enormous; staggering: **una cifra favolosa**, a staggering sum; **ricchezze favolose**, fabulous wealth **3** (*fam.*) straordinario) wonderful; fabulous; fantastic; terrific (*fam.*): **una vacanza favolosa**, a fantastic holiday.

favònio m. (*lett.*) west wind.

♦**favóre** m. **1** (*simpatia, popolarità, successo*) favour, favor (*USA*); popularity; (*approvazione*) approval: **il f. della critica**, critical approval; **il f. del re**, the royal favour; **il f. popolare**, popularity; **godere del f. di q.**, to be in favour with sb.; to be popular with sb.; **godere del f. del pubblico**, to enjoy public approval; to be very popular; **non godere del f. di q.**, to be out of favour with sb.; to be in sb.'s bad books (*fam.*); **incontrare il f. di q.**, to find favour with sb.; to meet with sb.'s approval; to be popular with sb.; **trovare scarso f. presso qc.**, not to be popular (*o* to be unpopular) with sb.; **guardare con f. a qc.**, to look with favour on st.; to favour st.; *Accolsero la proposta con molto f.*, the proposal was very well received **2** (*gesto di benevolenza*) favour, favor (*USA*); (*gentilezza*) kindness: **chiedere un f. a q.**, to ask a favour of sb.; **contraccambiare un f.**, to reciprocate (*o* to return) a favour; **fare un f. a q.**, to do sb. a favour; *Fammi il f. di lasciarmi stare*, do me a favour and leave me alone; (*fam.*) *Ma fammi il f.!*, nonsense!; don't be ridiculous!; **scambio di favori**, exchange of favours **3** (*vantaggio, aiuto*) favour, favor (*USA*): **a f. di**, for; in sb.'s favour; **un assegno a f. di**, a cheque in favour of (*o* payable to); *A f. di chi devo fare l'assegno?*, to whom shall I make out the cheque?; who shall I make the cheque payable to?; **una sottoscrizione a f. dei superstiti**, a money appeal for the survivors; **essere a f. di qc.**, to be in favour of st.; to be for st.; to favour st.; **intervenire a f. di q.**, to intervene in sb.'s favour; **parlare in f. di qc.**, to speak in favour of st. • **biglietto di f.**, complimentary ticket □ (*comm.*) **cambiale di f.**, accommodation bill □ **col f. della notte**, under cover of darkness □ **col f. del vento**, at a fair wind □ (*eufem.*) **concedere a q. i propri favori**, to grant one's favours to sb. □ (*comm.*) **condizioni di f.**, favourable terms □ **per f.**, please □ **prezzo di f.**, special price □ (*leg.*) **testimone a f.**, witness for the defence □ **vento a f.**, favourable (*o* fair) wind.

favoreggiaménto m. (*leg.*) aiding and abetting.

favoreggiàre v. t. to abet; to connive with; to aid and abet.

favoreggiatóre m. (f. **-trice**) (*leg.*) abetter; abettor.

♦**favorévole** a. **1** (*che approva*) in favour (of); for: **essere f. a qc.**, to be in favour of st.; to be for st.; **risposta f.**, positive answer; favourable response; **sei voti favorevoli e tre contrari**, six votes in favour (*o* for) and

three against **2** (*propizio*) favourable; propitious: **occasione f.**, favourable opportunity; **vento f.**, favourable (*o fair*) wind; **in una luce f.**, in a favourable light.

•**favorire** A v. t. **1** (*avvantaggiare*) to favour, to favor (*USA*); (*aiutare*) to help, to assist, to aid, to facilitate: *La fortuna favorisce gli audaci*, fortune favours the brave; *La fitta nebbia favorì la loro fuga*, a thick fog assisted their escape; **f. un concorrente**, to help a competitor; **f. la digestione**, to aid digestion **2** (*promuovere, incoraggiare*) to foster; to promote; to encourage; (*appoggiare, sostenere*) to support; **f. l'amicizia fra i popoli**, to foster friendship among peoples; **f. le arti**, to promote the arts; **f. la crescita**, to encourage growth; **f. lo sviluppo**, to foster development **3** (*bur.*: *dare, consegnare*) to give*; to pass: *Mi favorisca la patente*, may I see your licence, please?; *Favorite i biglietti!*, tickets, please! B v. i. (*nelle formule di cortesia*) – *Favorite da questa parte*, (come) this way, please; *Favorisca alla cassa*, please pay at the cash desk; *Vuole f.?*, (offrendo qc.) would you like some?; (*invitando qc. alla propria tavola*) woud you like to join us?; *Tanto per f.* (accettando qc. da mangiare o bere), just a taste, thank you.

favorita f. **1** (*prediletta*) favourite, pet; (*amante*) mistress: **la f. della maestra**, the teacher's favourite (*o* pet); **la f. del re**, the king's mistress **2** → **favorito, B**, *def. 2*.

favoritismo m. favouritism; partiality.

favorito A a. **1** (*preferito*) favourite; favoured: **il mio ristorante f.**, my favourite restaurant **2** (*avvantaggiato*) with an advantage: *È il dal nome che porta*, his name is an advantage for him; **partire f.**, to start with an advantage **3** (*in una gara*) tipped to win (pred.): **la squadra favorita del torneo**, the team tipped to win the tournament B m. (f. *-a*) **1** (*prediletto*) favourite; blue-eyed boy (*fam. GB*); fair-haired boy (*fam. USA*); pet: **il f. del re**, the king's favourite; **il f. del direttore**, the director's blue-eyed boy; **il f. dell'insegnante**, the teacher's pet; *È il f. di sua madre*, he is his mother's favourite (*o* darling) **2** (*in una gara*) favourite: **puntare sul f.**, to bet on the favourite **3** (al pl.) (*fedine*) side-whiskers.

fax m. inv. **1** (*documento*) fax: **mandare un fax**, to send a fax; to fax (sb.) **2** (*macchina*) fax (machine): **a mezzo** (*o via*) **fax**, by fax.

faxare v. t. to fax (st.).

fazione f. **1** faction **2** (*sport*) side; team.

faziosità f. factiousness; factionalism; sectarianism; party spirit; (*all'interno di un gruppo*) faction.

fazioso A a. **1** factious; sectarian; partisan **2** (*ribelle*) seditious; rebellious B m. (f. *-a*) factionalist; partisan; sectarian.

•**fazzoletto** m. (*da naso*) handkerchief*, hanky (*fam.*); (*da collo*) neckerchief*, scarf*; (*da testa*) headscarf*; **f. di carta**, (cleaning-)tissue; paper handkerchief; kleenex (*USA*) • (*fig.*) **un f. di terra**, a small plot of land □ **un giardino grande come un f.**, a garden the size of a pocket handkerchief.

FC sigla (**Forlì-Cesena**).

FCI sigla (*CONI*, **Federazione ciclistica italiana**) Italian Cycling Federation.

f.co abbr. (*comm.*, **franco**) free.

F.d.S. sigla (*polit.*, **Fronte** (ora **Federazione) dei Socialisti**) Socialist Federation (*political party*).

FE abbr. (**Ferrara**).

fé → **fede**.

Feb., Febb. abbr. (**febbraio**) February (Feb.).

•**febbràio** m. February. (*Per gli esempi d'uso* → **aprile**).

•**fèbbre** f. **1** (*med.*) temperature; (*generalm.*

alta, *o nel nome di certe malattie*) fever: **f. da cavallo**, very high fever; **f. da fieno**, hay fever; **f. di crescenza**, growing pains (pl.); **f. gialla**, yellow fever; **f. intermittente**, intermittent fever; **f. leggera**, slight temperature; **febbri malariche**, malarial fever; **f. ondulante** (*o maltese*), undulant (*o* Malta) fever; **f. quartana**, quartan; **f. reumatica**, rheumatic fever; **f. terzana**, tertian; **f. tifoidea**, typhoid fever; *La f. è calata*, the temperature has gone down; **avere la f.**, to have (*o* to be running) a temperature; **essere a letto con la f.**, to be in bed with a temperature; **misurarsi la f.**, to take one's temperature; **sentirsi la f. addosso**, to feel feverish; **grafico della f.**, temperature chart; **raffreddore con f.**, feverish cold **2** (*fam.*, anche **f. sulle labbra**) cold sore; fever blister (*USA*) **3** (*fig.*) fever; thirst; excitement: **f. del gioco**, fever for gambling; **f. dell'oro**, gold fever; (*corsa all'oro*) gold rush; **mettere la f. addosso**, to excite.

febbriciàttola f. persistent slight temperature.

febbricitànte a. feverish; (*in preda a febbre forte*) shaking (*o* racked) with fever.

febbricola f. slight temperature.

febbrifugo a. e m. (*farm.*) febrifuge.

febbrile a. **1** (*med.*) feverish; febrile: **attacco f.**, bout of fever; **stato f.**, feverish state **2** (*fig.*) feverish; restless: **attività f.**, feverish (*o* restless) activity; **ricerca f.**, feverish search.

febbróne m. very high fever.

Fèbe f. (*mitol.*, *astron.*) Phoebe.

Fèbo m. (*mitol.*) Phoebus.

fecàle a. faecal.

fecalizzazióne f. discharge of sewage in lakes, rivers or the sea.

fecalòma m. (*med.*) faecal mass.

fèccia f. **1** (*di vino*) dregs (pl.); lees (pl.): (*fig.*) **bere il calice sino alla f.**, to drain the cup to the lees **2** (*estens.*: *sedimento*) sediment **3** (*fig.*) dregs (pl.); scum: **la f. della società**, the dregs of society; **la f. della terra**, the scum of the earth.

feccióso a. full of dregs; dreggy.

fecciùme m. **1** dregs (pl.); lees (pl.) **2** (*fig.*) scum; rabble.

féci① f. 1ª pers. sing. pass. rem. di **fare**.

fèci② f. pl. (*fisiol.*) faeces.

fècola f. starch; flour: **f. di patate**, potato flour.

fecondàbile a. fertilizable.

fecondabilità f. fertilizability.

fecondàre v. t. **1** (*biol.*) to fertilize; to inseminate: **f. artificialmente**, to inseminate artificially **2** (*fig.*: *rendere fertile*) to make* fruitful (*o* fertile); to fructify; (*arricchire*) to enrich; **f. la terra**, to make the earth fruitful.

fecondativo a. fertilizing; fertility (attr.).

fecondatóre A a. fertilizing B m. (f. *-trice*) fertilizer.

fecondazióne f. (*biol.*) fertilization; insemination: **f. artificiale**, artificial insemination; (*bot.*) **f. incrociata**, cross-fertilization.

fecondità f. **1** (*biol.*) fertility **2** (*fig.*) fertility; fruitfulness; fecundity: **la f. di un terreno**, the fertility of a field; **f. d'ingegno**, fertility of the mind; intellectual fecundity.

fecóndo a. **1** (*biol.*) fertile: **in età feconda**, fertile; of child-bearing age **2** (*produttivo*, anche *fig.*) fruitful; rich; prolific; productive; fecund: **albero f.**, fruitful tree; **un incontro f. di promesse**, a meeting rich in promise; **lavoro f.**, productive labour; **scrittore f.**, prolific writer; **terreno f.**, fertile (*o* rich) soil.

fedain m. inv. (*polit.*) fedayee*.

•**féde** f. **1** (*il credere*) faith; belief: **f. in Dio**, faith (*o belief*) in God; **avere f. in Dio** [**nella scienza**], to believe in God [in science]; **prestare f. a**, to credit; to believe; **atto di f.**, act of faith; **un uomo di poca f.**, a man of little faith **2** (*credo religioso*) faith: **la f. cristiana** [**ebraica, maomettana**], the Christian [Jewish, Mohammedan] faith; **rinnegare la propria f.**, to renounce one's faith; **un martire della f.**, a martyr to one's faith **3** (*credo politico, ecc.*) (political) creed; convictions (pl.); beliefs (pl.) **4** (*fedeltà*) loyalty; faithfulness; (*parola data*) word: **giurare f.**, to give (*o* to pledge) one's word; **tener f.** [**non tener f.**] **alla parola data**, to keep [to break] one's word; **tener f. ai propri principi**, to stand by (*o* to remain faithful to) one's principles; **tener f. a una promessa**, to keep (*o* to stand by) a promise; **di f. provata**, of proved (*o* proven) loyalty; trustworthy **5** (*fiducia*) faith; trust; confidence: **f. cieca**, blind faith; **avere f. in q.**, to trust sb.; to have faith in sb.; *Abbi f.*, have faith!; **riporre la propria f. in qc.**, to pin one's faith on (*o* upon) st.; **degno di f.**, trustworthy **6** (*anello matrimoniale*) wedding ring **7** (*attestato*) warrant; certificate; receipt: (*comm.*) **f. di credito**, deposit receipt; (*leg.*, *comm.*) **f. di deposito**, warehouse warrant; **f. di nascita**, birth certificate • (*fig.*) **f. greca** (*o* **punica**), Punic faith □ **buona f.**, (*leg.*) bona fide: **possessore di buona f.**, bona fide holder; → **buonafede** □ **far f.**, (*attestare*) to bear witness, to attest; (*dimostrare*) to prove, to be evidence of: *Questi monumenti fanno f. della civiltà raggiunta*, these monuments bear witness to the degree of civilization attained; *Non c'è nulla che ne faccia f.*, there is nothing to prove it □ (*leg.*) **in f. di che**, in witness thereof □ **In f. mia!**, upon my word!; honestly! □ **mala f.** → **malafede** □ (*leg.*) **violazione della f. data**, breach of faith.

fedecommésso m. (*leg.*) entail; entailment; fideicommissum*.

fedecomméttere v. t. (*leg.*) to entail.

fedecommissàrio a. e m. (f. *-a*) (*leg.*) fideicommissary.

fededégno a. true; trustworthy.

•**fedéle** A a. **1** faithful; loyal; true; (*degno di fiducia*) trustworthy: **amico f.**, faithful (*o* loyal) friend; **cane f.**, faithful dog; **marito** [**moglie**] **f.**, faithful husband [wife]; **suddito f.**, loyal subject; **mantenersi f. a un patto**, to honour an agreement; **restare f. alla parola data**, to keep one's word; **restare f. a una promessa**, to keep (*o* to abide by) a promise **2** (*veritiero*) true, faithful; (*preciso*) accurate, exact; (*di persona*) reliable, accurate: **copia f.**, accurate (*o* faithful) copy; **descrizione f.**, exact (*o* accurate) description; **interprete f.**, accurate interpreter; **traduttore f.**, reliable translator; **traduzione f.**, faithful translation B m. e f. **1** (*credente*) believer: **i fedeli**, the believers; the faithful; (*i partecipanti a un rito, i membri di una parrocchia*) the congregation (sing.) **2** (*devoto*) devotee: **un f. di S. Antonio**, a devotee of St Anthony **3** (*seguace*) (faithful) follower.

fedelissimo m. (f. *-a*) **1** faithful follower **2** (*sport*) fan; (al pl., collett., anche) fan base.

fedelménte avv. **1** faithfully; loyally **2** (*esattamente*) faithfully; accurately.

fedeltà f. **1** fidelity; loyalty; faithfulness; (*di persona fidata*) trustworthiness; (*al sovrano, alla patria, ecc.*) allegiance; loyalty: **f. ai propri ideali**, fidelity to one's ideals; **f. coniugale**, conjugal fidelity; **giurare f.**, to swear to be faithful; **giurare f. alla repubblica** [**al nuovo sovrano**], to swear allegiance (*o* to take one's oath of allegiance) to the republic [to the new sovereign] **2** (*esattezza*) accuracy; fidelity: **la f. di una traduzione**, the accuracy of a translation **3** (*radio, dischi*) fidelity: **alta f.**, high fidelity; Hi-

Fi.

fèdera f. pillowcase; pillowslip.

federàle Ⓐ a. federal: **governo f.**, federal government Ⓑ m. (*stor.*, *nel Partito fascista*) provincial party secretary.

federalismo m. federalism.

federalista a., m. e f. federalist.

federalìstico a. federalistic; federalist.

federàre v. t., **federàrsi** v. i. pron. to federate; to confederate.

federativo a. federative.

federàto a. federate; federated; confederate.

♦**federazióne** f. **1** (*polit.*) federation; confederation **2** (*associazione*) federation; league; association: **f. calcistica**, football league; **f. sindacale**, trade union federation **3** (*sede di f.*) (federation) headquarters (pl.).

FEDERCACCIA abbr. → **FIdC.**

FEDERCALCIO abbr. → **FIGC.**

FEDERCONSORZI abbr. (*stor.*, **Federazione italiana dei consorzi agrari**) Italian Federation of Farmers Unions.

Federìca f. Frederica.

federiciàno a. of Frederick; relating to Frederick; Frederick's (attr.).

Federìco m. Frederick.

FEDERMECCANICA abbr. (**Federazione sindacale dell'industria metalmeccanica italiana**) Italian Engineering Union Federation.

FEDERTERRA abbr. (**Federazione dei lavoratori della terra**) National Union of Farm Workers.

fedìfrago Ⓐ a. faithless; treacherous; unfaithful: **marito f.**, unfaithful husband Ⓑ m. (f. **-a**) faithless person; traitor.

fedìna f. – **f. penale**, criminal record; police record; form (*fam. GB*); rap sheet (*fam. USA*): **avere la f. penale pulita**, to have a clean record; **avere la f. penale sporca**, to have a criminal record.

fedìne f. pl. side-whiskers.

Fèdra f. Phaedra.

Fèdro m. Phaedrus.

feeling (*ingl.*) m. inv. affinity; rapport: *Ci fu un f. immediato tra di noi*, we immediately felt an affinity; we hit it off at once (*fam.*); **stabilire un f. col pubblico**, to establish a rapport with the audience ❶ FALSI AMICI • feeling *non si traduce con* feeling.

fegatàccio m. (*fig.*) daredevil; person with guts (*fam.*).

fegatèlla f. (*bot.*, *Marchantia polymorpha*) (common) liverwort.

fegatèllo m. (*cucina*) piece of pig's liver (cooked with herbs).

fegatìno m. (*di pollo*) chicken liver; (*di piccione*) pigeon's liver.

♦**fégato** m. **1** (*anat.*) liver: **f. ingrossato**, enlarged (*o* swollen) liver; **soffrire di f.**, to be liverish; **malattia di f.**, liver disease **2** (*cucina*) liver: **f. d'oca**, goose liver; **f. di vitello**, calf's liver; **pâté di f.**, liver pâté **3** (*fig.: coraggio*) courage, pluck, guts (pl., *fam.*), bottle (*slang*); (*faccia tosta*) nerve (*fam.*), gall (*fam.*): **un uomo di f.**, a man with plenty of guts (*Hai un bel f.!*, you have a (*o* some) nerve! • (*fig.*) **farsi venire il mal di f. per qc.**, to get all worked up (*o* to worry oneself sick) about st. □ (*fig.*) **mangiarsi** (*o* **rodersi**) **il f.**, to eat one's heart out.

fegatóso Ⓐ a. **1** (*med.*) liverish; hepatic **2** (*fig.*) bilious; irritable; peevish Ⓑ m. (f. **-a**) **1** (*med.*) sufferer from liver trouble **2** (*fig.*) irritable (*o* bilious) person.

feijoa, feìoca f. (*bot.*, *Feijoa*) feijoa.

félce f. (*bot.*) fern: **f. comune** (*o* **aquilina**) (*Pteris aquilina*), bracken; brake; **f. dolce** (*o* **quercina**) (*Polypodium vulgare*), (common) polypody; **f. femmina** (*Athyrium filix-femina*),

---

lady-fern; **f. fiorita** (*Osmunda regalis*), flowering fern; royal (*o* king) fern; **f. maschio** (*Dryopteris filix-mas*), male fern.

felcéta f., **felcéto** m. fernery; bracken.

feldmaresciàllo m. (*mil.*) field marshal.

feldspàtico a. (*miner.*) feldspathic.

feldspàto m. (*miner.*) feldspar.

♦**felìce** a. **1** happy; (*per una ragione specifica*) pleased, glad, (*più forte*) delighted: **un matrimonio** [**una moglie, un pensiero**] **f.**, a happy marriage [wife, thought]; **giorni felici**, happy days; **f. della notizia** [**della promozione**], pleased with the news [the promotion]; **f. e contento**, very pleased; delighted; *F. di conoscerla* (*o di fare la sua conoscenza*), pleased to meet you; how do you do?; *Sono f. di vederti*, I'm glad (*o* delighted) to see you; *Sono f. di vedere che stai così bene*, I'm glad to see you looking so well; **rendere** (*o* **far**) **f. q.**, to make sb. happy **2** (*fortunato*) lucky, fortunate, happy; (*ben riuscito*) successful: **una f. coincidenza**, a happy coincidence; **esito f.**, success; **avere un esito f.**, to be successful; **scelta f.**, lucky (*o* happy) choice **3** (*ben trovato, ben scelto*) apt; well-chosen: **una definizione f.**, an apt description; **un'osservazione poco f.**, an unfortunate remark • *E vissero felici e contenti*, and they lived happily ever after □ *F. notte!*, good night!

Felìce m. Felix.

feliceménte avv. **1** happily **2** (*con successo*) successfully **3** (*senza incidenti*) safely.

♦**felicità** f. **1** happiness; contentment; (*per una ragione specifica*) gladness, (*più forte*) delight, joy; (*beatitudine*) bliss, blissfulness: **la sua f. per aver vinto il premio**, his delight at having won the prize; *Che f.!*, I'm so happy!; how happy I am!; *Che f. avervi qui con noi!*, how happy I am (*o* what joy it is) to have you here with us!; *Ti auguro ogni f.*, I wish you all the best; **fare la f. di q.**, to delight sb.; **raggiungere la f.**, to find happiness **2** (*di cosa detta*) felicity; aptness **3** (*abilità*) ability; skill; deftness.

felicitàrsi v. i. pron. to congratulate (sb. on st.): *Mi felicitai con lui per il buon esito della prova*, I congratulated him on his success in the test.

felicitazióni f. pl. congratulations: **f. vivissime**, hearty congratulations; **porgere le proprie f. a qc.**, to offer one's congratulations to sb.

felìde m. (*zool.*) felid; (al pl., *scient.*) Felidae.

felìno Ⓐ a. **1** (*zool.*) feline **2** (*fig.*) catlike; feline: **agilità felina**, feline (*o* catlike) agility; **passi felini**, catlike steps Ⓑ m. (*zool.*) feline; cat.

fellàh m. inv. fellah*.

fellàndrio m. (*bot.*, *Oenanthe aquatica*) water dropwort.

fellàtio (*lat.*) f. inv. fellatio.

felliniàno a. Fellini's (attr.); (*estens.*) Fellinesque: **bellezza felliniana**, Fellinesque beauty.

fellodèrma m. (*bot.*) phelloderm.

fellògeno m. (*bot.*) phellogen.

fellóne Ⓐ a. (*lett.*) treacherous; villainous Ⓑ m. **1** (*lett.: traditore*) traitor **2** (*scherz.: briccone*) rascal; rogue; villain.

fellonésco a. (*lett.*) traitorous; treacherous.

fellonìa f. (*lett.*) treachery; betrayal.

félpa f. **1** (*tessuto*) plush; (*per indumenti*) brushed fabric **2** (*indumento*) sweatshirt.

felpàre v. t. **1** to upholster with plush; to line with plush **2** (*attutire*) to deaden; to muffle.

felpàto Ⓐ a. **1** (*di tessuto*) plush (attr.); brushed **2** (*rivestito di felpa*) plush-covered;

---

plush-lined **3** (*fig.*) soft; muffled; silent: **a passi felpati**, with silent steps; stealthily Ⓑ m. (*tessuto*) plush.

feltràbile a. (*ind. tess.*) that can be felted; that can felt.

feltrabilità f. (*ind. tess.*) felting property.

feltràio m. (*ind. tess.*) felter.

feltràre Ⓐ v. t. **1** (*ind. tess.*) to felt **2** (*foderare di feltro*) to cover with felt; to line with felt Ⓑ **feltràrsi** v. i. pron. **1** to felt **2** (*di erbe, radici*) to mat.

feltratùra f. (*ind. tess.*) felting.

feltrìno m. felt pad.

féltro m. **1** (*stoffa*) felt **2** (*cappello*) felt hat; soft hat **3** (*panno di f.*) felt cover; (*pezzo di f.*) felt pad • (*edil.*) **f. bitumato**, tarred felt.

felùca f. **1** (*naut.*) felucca **2** (*cappello*) bicorn; cocked hat **3** (*fig.*, *giorn.*) ambassador; diplomat.

félze m. cabin (on a gondola).

f.e.m. abbr. (**elettr.**, **forza elettromotrice**) electromotive force (emf).

♦**fémmina** Ⓐ f. **1** (*biol.*) female: **la f. della specie**, the female of the species **2** (*donna*) woman*, female; (*bambina, ragazza*) girl: **i maschi da una parte e le femmine dall'altra**, the men on one side and the women on the other; *Ho due figli, un maschio e una f.*, I have two children, a boy and a girl; *Gli è appena nata una f.*, he's just had a baby girl; *A scuola non gioca con le femmine*, he doesn't play with girls at school **3** (*di animale*) female; she (attr.); (*di volatile*) hen; (*di bovino, elefante, foca, balena*) cow; (*di cervide, lepre, coniglio*) doe: **f. di fagiano**, hen pheasant; **f. di elefante**, cow elephant; **f. di lupo**, she-wolf; **f. di puma**, female puma; **f. di rospo**, female toad; *In molte specie di uccelli il maschio è colorato e la f. no*, in many bird species the male is brightly coloured, while the hen is plain **4** (*mecc.*) female part **5** (*spreg.*, *di uomo*) sissy; milksop Ⓑ a. **1** (*femminile*) feminine; womanly **2** (*biol.*) female: **nipote f.**, niece; granddaughter **3** (*di animale*) female; she (attr.); (*di volatile*) hen (attr.); (*di bovino, elefante, foca, balena*) cow (attr.); **lepre f.**, female hare; **passero f.**, hen sparrow **4** (*mecc.*) female (attr.): **vite f.**, female screw.

femminèlla f. **1** little woman* **2** (*spreg.*, *di uomo*) sissy; milksop **3** (*naut.*) brace **4** (*mecc.*) eye.

femmìneo a. (*lett.*) **1** feminine; womanly **2** (*effeminato*) effeminate; womanish.

♦**femminìle** Ⓐ a. **1** (*di femmina*) female: **il sesso f.**, the female sex **2** (*di donna*) woman's (attr.), female; (*di donne*) women's (attr.); (*di ragazza*) girl's (attr.); (*di ragazze*) girls' (attr.): **collegio universitario f.**, women's college; **corpo f.**, female body; **gare femminili**, women's competitions; **linea f.**, female line; **le professioni femminili**, women's jobs; **rivista f.**, women's magazine; **scuola f.**, girls' school **3** (*femmineo*) feminine; womanly: **occupazione f.**, feminine occupation; **qualità f.**, womanly quality; **tratti femminili**, feminine traits **4** (*gramm.*) feminine: **il genere f.**, the feminine gender; **poco f.**, unfeminine Ⓑ m. **1** (*gramm.*) feminine (gender); feminine (form): **al f.**, in the feminine **2** (*sport*) women's tournament: **il f. di scherma**, women's fencing tournament **3** (*rivista*) women's magazine • **letteratura al f.**, women's literature.

femminilìsmo m. (*biol.*) feminization.

femminilità f. womanliness; femininity: **piena di f.**, very feminine.

femminilizzàre v. t. **1** (*fisiol.*) to feminize **2** to make* more feminine; (*una professione, ecc.*) to feminize.

femminilizzazióne f. (*fisiol. ed estens.*) feminization.

femminilménte avv. in a feminine way; femininely; in a womanly way.

femmìnino (lett.) **A** a. feminine; womanly **B** m. feminine: **l'eterno f.**, the eternal feminine.

femminìsmo m. feminism.

femminìsta a., m. e f. feminist.

femminìstico a. feministic.

femminùccia f. **1** baby girl; little girl **2** (spreg.) sissy; milksop; lily-livered man*; panty-waist (fam. USA).

femorale a. (anat.) femoral.

fèmore m. (anat.) femur*; thigh-bone: **collo del f.**, neck of the femur; **rompersi il f.**, to break one's femur.

fenacetìna f. (chim.) phenacetin.

fenantrène m. (chim.) phenanthrene.

fenàto m. (chim.) phenate.

fenazìna f. (chim.) phenazine.

fendènte m. **1** (di sciabola) downward blow; cutting blow; slash: **menare un f.**, to strike a downward blow; to slash; **menare fendenti a qc.**, to hack at st. **2** (sport) powerful shot; scorcher (fam. GB).

fèndere **A** v. t. **1** to cut* through; to slice through; to cleave*; to split*: **f. la terra con l'aratro**, to cut through (o to break up) the soil with a plough **2** (fig.) to cleave*; to pierce; to rend*; to cut* through; to break*: **f. l'aria** [**le nubi**], to rend the air [the clouds]; **f. le onde**, to part the waves; La luce dei fari fendeva la nebbia, the beam of the headlights pierced the fog **B** **fèndersi** v. i. pron. to split*; to cleave*; to crack open.

fendinébbia m. inv. (autom.) fog lamp; fog light.

fenditòio m. **1** (agric.) grafting knife **2** cleaver.

fenditóre m. (tecn.) cleaver.

fendìtura f. crack; split; fissure; cleft; crevice: **una f. nel legno**, a split in the wood; **una f. nella roccia**, a cleft in the rock.

feneratìzio a. (leg.) usurious; usury (attr.)

fenestràto a. (bot.) fenestrate.

fenestratùra f. fenestration.

fenestrazióne f. (chir.) fenestration.

fenianìsmo m. (stor.) Fenianism.

feniàno a. e m. (stor.) Fenian.

fenicàto a. (chim.) phenolic.

fenìce f. **1** (mitol.) phoenix **2** (anche araba f.) rarity; (di persona, anche) rare bird.

Fenicia f. Phoenicia.

♦**fenìcio** a. e m. (f. -a) Phoenician.

fènico a. – (chim.) **acido f.**, phenol; carbolic acid.

fenicòttero m. (zool., Phoenicopterus) flamingo*.

fenilalanìna f. (biochim.) phenylalanine.

fenilchetonùria f. (med.) phenylketonuria.

fenìle m. (chim.) phenyl.

fenìlico a. (chim.) phenyl (attr.).

fennèc m. (zool., Fennecus zerda) fennec.

fenocristàllo m. phenocryst.

fenolftaleìna f. (chim.) phenolphthalein.

fenòlico a. (chim.) phenolic: **resine fenoliche**, phenolic resins.

fenòlo m. (chim.) phenol; carbolic acid.

fenologìa f. (biol.) phenology.

fenològico a. (biol.) phenological.

fenomenàle a. **1** phenomenal **2** (eccezionale) phenomenal; extraordinary; prodigious; remarkable: **memoria f.**, phenomenal (o prodigious) memory; Non è niente di f., it's nothing extraordinary.

fenomenicità f. (filos.) phenomenality.

fenomènico a. (filos., scient.) phenom-

enal.

fenomenìsmo m. (filos.) phenomenalism; phenomenism.

♦**fenòmeno** **A** m. **1** (filos., scient.) phenomenon*: **f. acustico**, acoustic phenomenon; **i fenomeni sociali**, social phenomena **2** phenomenon*; (esempio, caso) case, instance: **il f. della disoccupazione giovanile**, the phenomenon of youth unemployment; È stato un f. di suggestione collettiva, it was a case (o an instance) of collective suggestion **3** (persona o cosa straordinaria) wonder; marvel; prodigy; phenomenon*: **un f. vivente**, a living wonder; Quel bambino è un f., that child is a prodigy; Sei proprio un f.!, you are phenomenal! (fam.); **f. da circo** (o da baraccone), (circus o fairground) freak **B** a. inv. (fam.: straordinario) extraordinary; exceptional; phenomenal: **carriera f.**, phenomenal career; **una ragazza f.**, an extraordinary girl.

fenomenologìa f. (filos.) phenomenology.

fenomenològico a. (filos.) phenomenological.

fenomenòlogo m. (f. -a) phenomenologist.

fenoplàsto m. (chim.) phenol-phormaldehyde resin; phenolic plastic.

fenòssido m. (chim.) phenoxide.

fenotìpico a. (biol.) phenotypical.

fenotìpo m. (biol.) phenotype.

feràce a. (lett., anche fig.) fertile; fruitful: **immaginazione f.**, fertile imagination; **suolo f.**, fertile soil.

feracità f. (lett., anche fig.) fertility; fruitfulness.

feràle a. (lett.) fatal; deadly; feral; (funesto) dismal, gloomy, tragic.

Ferdinàndo m. Ferdinand.

ferecratèo m. (poesia) Pherecratean.

fèretro m. coffin (covered with a pall): **seguire il f.**, to follow the coffin.

fèria f. **1** (eccles.) ferial day; weekday **2** (al pl.) holidays; vacation (sing., USA); leave (sing.): **ferie estive**, summer holidays; **ferie pagate**, paid holidays; **ferie parlamentari**, parliamentary recess; **andare in ferie**, to start one's holidays; to go on holiday; **essere in ferie**, to be on holiday (o on leave); **prendersi le ferie**, to take one's holidays; **prendersi un giorno di ferie**, to take a day off; **diritto alle ferie**, holiday entitlement.

feriàle a. **1** (eccles.) ferial **2** (non festivo) week (attr.); work (attr.); working (attr.): **giorno f.**, weekday; working day; **orario f.**, weekday timetable **3** (di ferie) holiday (attr.).

feriménto m. injuring; (con arma o fig.) wounding.

ferinità f. wildness; feral nature.

ferìno a. (lett.) wild; feral; ferine; savage: **istinto f.**, wild instinct.

♦**ferìre** **A** v. t. **1** to injure; to hurt*; (con arma) to wound; (con arma da fuoco, anche) to shoot*: **f. a morte**, to wound fatally; **f. di striscio**, to wound superficially; to graze; Fu ferito in un incidente, he was injured (o hurt) in an accident; L'hanno ferito al ginocchio, he was wounded (sparando, shot) in the knee **2** (fig.) to hurt*; to wound; to injure; (offendere) to offend: **f. q. nell'onore**, to wound sb.'s honour; **f. q. nell'orgoglio**, to hurt (o to wound, to injure) sb.'s pride; **f. q. nei sentimenti**, to hurt sb.'s feelings **3** (fig.: colpire) to hurt*; to assail: La luce mi feriva gli occhi, the light hurt my eyes; Un urlo terribile mi ferì gli orecchi, a terrible cry assailed my ears ● **f. q. nel portafogli**, to hit sb. for money (fam.) □ **senza colpo f.**, without striking a blow **B** **ferìrsi** v. rifl. e i. pron. to hurt* oneself; (volontariamente) to

wound* oneself: **ferirsi a una gamba** [**alla testa**], to hurt one's leg [one's head].

♦**ferìta** f. **1** injury; hurt; (di arma) wound; (lacerazione) gash, slash: **f. al braccio**, wound in the arm; arm wound; **f. aperta**, gaping wound; **f. di arma da fuoco**, gunshot wound; **f. di guerra**, war wound; **f. di pallottola**, bullet wound; **f. leggera**, slight injury (o wound); flesh wound; **f. lacero-contusa**, lacerated and contused wound; **f. mortale**, fatal injury (o wound); **f. superficiale**, flesh wound; scratch; **curare una f.**, to treat a wound; **guarire una f.**, to heal a wound; **medicare una f.**, to dress a wound; **procurarsi una f.**, to give oneself a wound; to injure oneself; **riportare gravi ferite**, to suffer serious injuries; to be seriously injured; (fig.) **leccarsi le ferite**, to lick one's wounds **2** (fig.) wound; hurt; sore; (antica) scar: **f. d'amore**, love wound; **vecchie ferite** (d'amore, d'orgoglio, ecc.), old scars; **riaprire una f.**, to open an old wound.

♦**ferìto** **A** a. **1** injured; hurt; (da arma) wounded: **il braccio f.**, the wounded (o injured) arm **2** (fig.) hurt; wounded: **orgoglio f.**, wounded pride; **sentimenti feriti**, wounded feelings **B** m. (f. -a) wounded (o injured) person; victim; casualty: **un f. grave**, a seriously injured person; **i morti e i feriti**, the dead and the wounded; I feriti più gravi furono ricoverati, the more seriously wounded (o injured) were taken to hospital; the worst casualties were taken to hospital; **prestare soccorso a un f.**, to aid an injured person.

feritóia f. **1** (archit.) loophole; embrasure **2** (di cantina e sim.) opening; small window **3** (fessura, anche mecc.) slit.

feritóre m. (f. -trìce) wounder; injurer: **il mio f.**, the man who wounded me.

fèrma f. **1** (mil.) (period, term of) service: **f. di due anni**, two years' national service; **f. di leva**, conscription **2** (caccia) pointing; setting: **cane da f.**, pointer; setter.

fermacalzóni m. inv. bicycle clip; trouser clip.

fermacampióne m. inv. paper fastener.

fermacapélli m. inv. hair clip; (barretta) hair slide, barrette (USA).

fermacàrro m. (ferr.) buffer stop.

fermacàrte m. inv. paperweight.

fermacravàtta m. inv. tie-pin.

fermadeviatòio m. (ferr.) switch lock.

fermàglio m. fastener; clasp; clip; (fibbia) buckle; (spilla) brooch: **f. di collana**, necklace clasp; **f. per capelli** → **fermacapelli**; **f. per carte**, paper clip.

fermaménte avv. firmly; steadfastly; resolutely.

fermanèllo m. guard ring.

fermapàlle m. inv. (in un poligono di tiro) stop butt.

fermapiède m. inv. (di bicicletta) toe-clip.

fermapòrta m. inv. doorstop; doorstopper.

♦**fermàre** **A** v. t. **1** (arrestare, trattenere) to stop; to halt; to arrest; to bring* to a halt; to bring* to a standstill; to check; (mil.) **f. un attacco**, to check an attack; **f. un autobus**, to stop a bus; **f. la crescita di qc.**, to arrest the growth of st.; **f. un'emorragia**, to stop (o to check) a haemorrhage; **f. il gioco**, to stop play; **f. la produzione**, to bring production to a standstill; **f. il progresso**, to stop (o to block) progress; **f. il sangue**, to staunch the blood; Un poliziotto ci fermò, a policeman stopped (o halted) us; La macchina davanti al negozio, she pulled up in front of the shop; Ferma (tutto)!, hold it! **2** (fissare, assicurare) to fasten; to secure; to hold* in place; (qc. che traballa o che oscilla) to steady; (cucendo) to sew* on firmly: **f. una cravatta**

con una spilla, to fasten a tie with a pin; **f. la lama nel manico**, to fasten the blade in the handle; **f. le persiane**, to secure the shutters **3** (*soffermare*) to stop; to fix: **f. l'attenzione su qc.**, to fix one's attention on st.; to concentrate on st.; **f. gli occhi su qc.**, to fasten (*o* to fix) one's eyes on st. **4** (*leg.*) to arrest; to hold*; to detain; to take* into custody **5** (*fam.*: *prenotare*) to book: **f. una camera in un albergo**, to book a hotel room **6** (*cucina*) – **f. la carne**, to cook meat partially **7** (*di cane da ferma*) to point; to set* **B** v. i. to stop: *L'autobus ferma laggiù*, the bus stops down there; *Ferma!*, stop! **C fermàrsi** v. i. **pron. 1** to stop; to come* to a halt (*o* to a standstill); (*di persona in marcia*) to halt; (*di veicolo che accosta*) to pull over, to pull up; (*fare sosta*) to stop off; (*di treno*) to call; (*fare scalo*) to stop over; (*per una visita*) to call (at, in); (*trattenersi*) to stay: **fermarsi di botto** (*o di colpo*), to stop short; to stop dead; **fermarsi lungo il cammino**, to stop on one's way; *Fermati!*, stop!; (*per interrompere, anche*) hold it!; *La pattuglia si fermò*, the patrol halted; *Fermiamoci un po'*, let's stop for a bit; *Mi fermerò a Pisa per uno spuntino*, I'll stop off at Pisa for a snack; *Sulla strada di casa mi fermai da Gino*, on the way home I called in on Gino; *Mi sono fermato una settimana a Parigi*, I stayed in Paris for a week; *Fermati da noi per cena*, stay for dinner; (*mil.*) **dare ordine di fermarsi**, to call a halt **2** (*di meccanismo*) to stop; (*per guasto*) to stop working; (*di cuore*) to stop, to fail: *L'orologio s'è fermato alle due*, the watch stopped at two o'clock **3** (*indugiare*) to pause, to linger; (*soffermarsi*) to dwell*; (*degli occhi*) to settle, to alight, to rest: *Si fermò a leggere il cartello*, he paused to read the notice.

fermascàmbio m. (*ferr.*) switch lock.

♦**fermàta** f. **1** (*arresto*) stop; (*in una marcia*) halt; (*in un viaggio*) stopover: **una f. di due ore**, a two-hour stop; **f. facoltativa**, request stop; **f. obbligatoria**, regular stop; *La prima f. è Bologna*, Bologna is the first stop; **fare una f.**, to make a stop; to stop; *Il treno non fa fermate fino a Roma*, this train doesn't stop until Rome; (*mil., fig.*) **ordinare una f.**, to call a halt; **divieto di f.** (*cartello*), no stopping; **un viaggio senza f.**, a non-stop journey **2** (*luogo di sosta*) stop; stopping-place: **f. d'autobus**, bus stop; **scendere alla prima f.**, to get off at the first stop **3** (*mus.*) fermata.

fermàto m. (f. **-a**) (*leg.*) person held by the police; detained person.

fermatùra f. fastening.

fermentàbile a. fermentable.

fermentàre v. i. **1** to ferment; to work: *Il lievito comincia a f.*, the yeast is beginning to work; **far f.**, to ferment; to leaven **2** (*fig.*) to ferment; to seethe (*di malcontento, ecc.*) to brew.

fermentatìvo a. fermentative; fermentation (attr.).

fermentàto a. fermented: **formaggio f.**, fermented cheese.

fermentatóre m. (*chim.*) fermenter.

fermentazióne f. fermentation: **f. alcolica**, alcoholic fermentation; **f. lattica**, lactic fermentation.

ferménto m. **1** (*chim.*) ferment; enzyme: **fermenti lattici**, milk enzymes **2** (*alimentare*) leaven; (*lievito*) yeast: **f. della birra**, brewer's yeast; **f. dell'uva**, wine yeast; **f. selezionato**, clean yeast **3** (*fig.*: *eccitazione*) excitement, flurry; (*agitazione*) ferment, agitation, commotion, unrest: **un f. di attività**, a flurry of activity; **f. sociale**, social unrest; **fermenti di rivolta**, rebellious stirrings; *I ragazzi erano in f.*, the children were wild with excitement; *Il paese è in f. per le recenti disposizioni*, the country is in a state of

ferment over the recent measures.

fermézza f. **1** steadiness: **la f. del braccio**, the steadiness of the arm **2** (*fig.*) firmness; steadfastness; resoluteness; determination: **f. d'animo**, strength of mind; **f. di propositi**, firmness of purpose; **agire con f.**, to act firmly (*o* with determination).

férmi m. (*fis. nucl.*) fermi.

fèrmio m. (*chim.*) fermium.

fermióne m. (*fis.*) fermion.

♦**férmo** **A** a. **1** (*che non si muove*) still; motionless; at a standstill; (*in piedi*) standing; (*di veicolo*) stationary: **acque ferme**, still waters; **un'automobile ferma**, a stationary car; **le auto ferme al semaforo**, the cars waiting at the traffic lights; *Era f. davanti a me*, he was standing in front of me; *Il treno era f. al binario*, the train was standing at the platform; *I lavori sono fermi*, work is at a standstill; *Gli affari sono fermi*, business is stagnant (*o* at a standstill); *Tenetelo f.!*, hold him still!; *F. con le mani!*, keep your hands still!; (*detto a chi allunga le mani*) keep your hands to yourself!; **stare f.**, (*essere immobile*) to be still; to be motionless; (*non muoversi*) to keep still; *Non riuscivo a star f.*, I couldn't keep still; **un bambino che non sta mai f.**, a very lively child; (*scherz.*) a holy terror; *F.!*, don't move!; stay where you are!; *F. là!*, stop there!; freeze!; *Fermi tutti!*, stop everybody!; (*saldo*) stable; steady; unwavering: **f. sulle gambe**, steady on one's feet; **mano ferma**, steady hand; **voce ferma**, unwavering voice **3** (*fisso*) fixed: **con gli occhi fermi sulla scena**, with his eyes fixed on the scene **4** (*non funzionante*) not working; (*di motore*) not running; (*guasto*) out of order: *Il mio orologio è f.*, my watch has stopped **5** (*fig.*: *costante, deciso*) firm; steadfast; resolute: **ferma convinzione**, steadfast belief; **f. rifiuto**, firm refusal; **rimanere f. nel proprio proposito**, to be firm (*o* steadfast) in one's resolve; to be resolute in one's intentions **6** (*fig.*: *severo*) firm: *Sii f. con i bambini*, be firm with the children ● **f. in posta**, awaiting collection at the post office □ **f. restando che...**, it being understood that... □ (*mus.*) **canto f.**, plainsong; Gregorian chant □ **punto f.**, fixed point; (*segno di interpunzione*) full stop, period (*USA*) □ (*fig.*) **tenere per f. qc.**, to be certain (*o* to feel sure) about st. □ **terra ferma**, dry land **B** m. **1** (*leg., di polizia*) detention; provisional arrest: *È in stato di f.*, she is under detention; she is being held by the police; **trattenere in stato di f.**, to detain; to hold **2** (*leg.*: *confisca*) seizure **3** (*leg., di nave, merci*) embargo **4** (*dispositivo per bloccare*) catch; lock; stop; latch: **f. automatico**, self-stopping device; **f. di persiana**, shutter latch; **f. di sicurezza**, safety catch ● (*TV*) **f. immagine**, freeze-frame □ (*cucina*) **dare un f. alla carne**, to cook meat partially.

fermopòsta, **férmo pòsta** **A** avv. e a. poste restante (*GB*); general delivery (*USA*): **spedire una lettera fermo posta**, to send a letter poste restante; **lettere fermo posta**, poste restante letters **B** m. (*ufficio*) poste restante office (*GB*); general delivery (*USA*).

fernèt® m. fernet (kind of Italian bitters).

fernétta f. (*mecc.*) ward.

♦**feróce** a. **1** ferocious; fierce; savage; (*crudele*) cruel, ruthless: **animale f.**, ferocious (*o* fierce) animal; **cane f.**, savage dog; **scherzo f.**, cruel joke; **f. tiranno**, cruel tyrant **2** (*fig.*: *violento*) ferocious; fierce; savage; bitter: **critica f.**, savage (*o* vitriolic) criticism; **fame f.**, ravenous appetite; **lotta f.**, ferocious struggle; bitter fight; **mal di testa f.**, ferocious headache; **sole f.**, ferocious (*o* fierce) sun.

feròcia f. **1** ferocity; fierceness; savagery; cruelty (*atto feroce*) cruel act; savagery.

feròdo® m. (*mecc.*) brake lining.

fèrola f. (*bot.*, *Ferula communis*) ferula.

feromóne, **ferormóne** m. (*biol.*) pheromon.

ferràccio m. (*ghisa*) pig-iron.

ferràglia f. scrap iron ● **rumore di f.**, clanking noise.

ferragostàno a. mid-August (attr.).

ferragòsto m. **1** (*il giorno*) 15th of August; August 15th; feast of the Assumption **2** (*vacanze di f.*) mid-August holidays.

ferràio m. (anche agg.: **fabbro f.**) blacksmith.

ferraiòlo m. short cloak.

ferràme m. ironware; scrap iron.

ferraménta f. pl. **1** ironmongery Ⓤ (*GB*); hardware Ⓤ (*USA*): **commerciante in f.**, ironmonger (*GB*); hardware dealer (*USA*) **2** (*negozio*) ironmonger's (shop) (*GB*); hardware store (*USA*).

ferraménto m. iron tool.

ferràre v. t. **1** to fit with iron; to reinforce with iron: **f. una botte**, to hoop a barrel; **f. una porta**, to reinforce a door **2** (*cavalli*) to shoe **3** (*scarpe*) to set* with hobnails.

ferrarése **A** a. of Ferrara; from Ferrara; Ferrara (attr.) **B** m. e f. native [inhabitant] of Ferrara.

ferrarista m. e f. **1** owner of a Ferrari **2** driver of a Ferrari.

ferràta f. (*alpinismo*) route with fixed ropes, iron steps, etc.

ferràto① a. **1** reinforced with iron **2** (*di cavallo*) shod **3** (*di scarpa*) hobnailed **4** (*fig.*: *edotto*) well-versed (in); well-up (in); very knowledgeable (about); (fully) conversant (with) ● **strada ferrata**, railway □ (*alpinismo*) **via ferrata** → **ferrata**.

ferràto② m. (*chim.*) ferrate.

ferratóre m. (*edil., ind. min.*) layer of rails.

ferratùra f. **1** (*di cavallo*) shoeing **2** (*elementi in ferro*) iron fittings (pl.).

ferravécchio → **ferrovecchio**.

fèrreo a. **1** iron (attr.): **corona ferrea**, Iron Crown **2** (*fig.*: *inflessibile*) iron (attr.); rigid; inflexible; hard and fast: **mano ferrea**, iron hand; **regola ferrea**, hard and fast rule; **volontà ferrea**, iron will **3** (*fig.*: *robusto*) strong; tough; cast-iron (attr.): **braccia ferree**, strong arms; **memoria ferrea**, excellent memory; **salute ferrea**, cast-iron constitution.

ferretizzazióne f. (*geol.*) ferritization.

ferrétto m. (*geol.*) infertile leach soil.

fèrrico a. (*chim.*) ferric.

ferrièra f. ironworks (pl. o sing.); (iron-) foundry.

ferrìfero a. ferriferous; iron-yielding.

ferrigno a. **1** (*contenente ferro*) iron (attr.); (*ferruginoso*) chalybeate: **acqua ferrigna**, chalybeate water; **minerale f.**, iron ore **2** (*fig.*) iron-like; iron (attr.); steel (attr.); steely: **colore f.**, steel grey.

ferrista m. e f. (*chir.*) theatre nurse; scrub nurse (*GB*).

ferrite f. (*metall.*) ferrite.

ferritina f. (*chim.*) ferritin.

♦**fèrro** **A** m. **1** (*elemento*) iron: **f. battuto**, wrought iron; **f. dolce**, soft iron; **f. fuso**, ingot iron; (*in stato di fusione*) molten iron; (*non battuto*) cast iron; **f. laminato**, rolled iron; **f. lavorato**, wrought iron; **f. zincato**, galvanized iron; **articoli di f.**, ironware Ⓤ; **filo di f.**, (*iron.*) wire; **lamiera di f.** (*o* **in lamiera**), sheet iron; **minerale di f.**, iron ore; **ponte di f.**, iron bridge; **tondo** (*o tondino*) **di f.**, iron rod; **rivestito di f.**, (*fasciato*) lined with iron; (*ricoperto*) iron-plated; (*spec. di corazzata*) ironclad **2** (*oggetto di f.*) piece of iron; (*sbarra*) bar: **f. a I** [**a T, a U**], I-bar; [T-bar, U-bar]; **f. per marchiare**, branding iron **3**

(*anche* **f. da stiro**) iron; (*non elettrico*) flatiron: **f. a vapore**, steam iron; **dare un colpo di f. a qc.**, to give st. a quick ironing; to run the iron over st. **4** (*lavoro a maglia*: *lo strumento, anche* **f. da calza**) knitting needle; (*riga di punti*) row: **due ferri a diritto**, two knit rows; **lavorare ai ferri**, to knit; **coperta (fatta) ai ferri**, knitted blanket **5** (*per capelli*) curling tongs (*o* irons) (pl.) **6** (*anche* **f. di cavallo**) horseshoe (*anche l'amuleto*); shoe: **mettere i ferri a un cavallo**, to shoe a horse; **a f. di cavallo**, horseshoe shaped; horseshoe (attr.); **tavolo a f. di cavallo**, horseshoe table **7** (*naut.*: *grappino*) grapnel; grappling hook; killick **8** (*lett.*: *spada*) sword **9** (al pl.) (*ceppi*) irons; chains; fetters: **avere i ferri ai piedi**, to wear chains round one's ankles; **mettere q. ai ferri**, to put sb. in irons **10** (al pl.) (*strumenti*) instruments; tools: **i ferri del chirurgo**, surgical instruments; (*anche fig.*) **i ferri del mestiere**, the tools of the (*o* one's) trade ● (*zool.*) **f. di cavallo** (*Rhinolophus*), horseshoe bat □ (*cucina*) **ai ferri**, grilled (agg.) □ (*fig.*) **essere ai ferri corti con q.**, to be at daggers drawn with sb. □ **alibi di f.**, cast-iron alibi □ (*fig.*) **battere il f. finché è caldo**, to strike while the iron is hot □ (*cucina*) **cuocere ai ferri**, to grill □ (*archeol.*) **l'età del f.**, the Iron Age □ **memoria di f.**, excellent memory □ **mettere a f. e fuoco**, to lay waste □ **morire sotto i ferri**, to die under the knife □ **salute di f.**, cast-iron constitution □ **essere sotto i ferri (del chirurgo)**, to be under the (surgeon's) knife □ **Tocchiamo f.!**, (*speriamo di sì!*) let's keep our fingers crossed!; (*speriamo di no!*) touch wood! (*GB*), knock on wood! (*USA*) □ (*fig.*) **un uomo di f.**, a man of iron **B** a. inv. iron (attr.): **grigio f.**, iron grey.

ferrobattèrio m. (*biol.*) iron bacterium*.

ferrocemènto m. ferro-cement.

ferrocianidrico a. – (*chim.*) **acido f.**, ferrocyanic acid.

ferrocianùro m. (*chim.*) ferrocyanide.

ferrocròmo m. (*metall.*) ferrochromium.

ferroelettricità f. (*fis.*) ferroelectricity.

ferrofilotranviàrio a. pertaining to rail, trolleybus and tram transport; rail, trolleybus and tram (attr.); public transport (attr.).

ferrolèga f. (*metall.*) ferroalloy.

ferromagnètico a. (*fis.*) ferromagnetic.

ferromagnetìsmo m. (*fis.*) ferromagnetism.

ferromodellìsmo m. model railway collecting; model railway construction.

ferromodellìsta m. e f. model railway collector; model railway constructor.

ferroprìvo a. (*med.*) iron-deficient.

ferróso a. (*miner., chim.*) ferrous: **solfato f.**, ferrous sulphate.

ferrotipìa f., **ferròtipo** m. ferrotype.

ferrotranviàrio a. rail and tram (attr.); public transport (attr.).

ferrotranvière m. rail and tram worker; public transport worker.

ferrovècchio m. **1** (*comm.*) scrap-metal dealer; scrap-iron dealer **2** (*di oggetto, spreg.*) piece of junk; wreck **3** (*di persona, spreg.*) old crock; wreck.

◆**ferrovìa** f. **1** railway (*GB*); railroad (*USA*): **f. a un binario**, single-line (*o* single-track) railway; **f. a cremagliera**, rack railway; **f. a doppio binario**, double-line (*o* double-track) railway; **f. a scartamento normale [ridotto]**, standard-gauge [narrow-gauge] railway; **f. aerea**, elevated railway; **f. monorotaia**, monorail **2** (*il servizio*) railway; rail; (al pl.: *l'amministrazione*) railways: *Ferrovie dello Stato*, national railways; (*in Italia*) Italian Railways; **spedire per f.**, to send by rail; **impiegato delle ferrovie**, railway

employee; **trasporto per f.**, rail transport **3** (*stazione*) railway station.

◆**ferroviàrio** a. railway (attr. *GB*); railroad (attr. *USA*); rail (attr.); train (attr.): **incidente f.**, railway accident; train crash; **linea ferroviaria**, railway line; **materiale f.**, rolling stock; **orario f.**, train (*o* railway) timetable; **rete ferroviaria**, railway network; **stazione ferroviaria**, railway station; **tariffe ferroviarie**, railway (*o* rail) fares; **vagone f.**, railway carriage.

ferrovière m. (f. *-a*) railwayman* (m.); railroader (*USA*).

ferrùgine f. iron liquor.

ferruginosità f. ferruginous quality.

ferruginóso a. ferruginous; chalybeate: **acqua ferruginosa**, chalybeate water.

ferruminatòrio a. – (*metall.*) **cannello f.**, blow tube; blowpipe.

ferry-boat (*ingl.*) m. inv. ferry; ferryboat.

FERT sigla (*lat.*: *Fortitudo Eius Rhodum Tenuit*) (**il suo coraggio tenne Rodi**) (*motto di casa Savoia*), his bravery held Rhodes (*motto on the Savoy coat of arms*).

fèrtile a. (*anche fig.*) fertile; fruitful; rich: **età f.**, fertile (*o* child-bearing) age; **fantasia f.**, fertile imagination; (*fis. nucl.*) **materiale f.**, fertile material; **terreno f.**, rich (*o* fertile) soil.

fertilità f. (*anche fig.*) fertility; fruitfulness.

fertilizzànte **A** a. fertilizing **B** m. fertilizer.

fertilizzàre v. t. to fertilize; to enrich ● **f. con farina d'ossa**, to bone □ **f. con gesso**, to chalk.

fertilizzazióne f. fertilization.

fèrula f. **1** (*per punire*) cane; ferule; rod **2** (*di dignitario*) ferula; staff **3** (*med.*) splint.

fervènte a. fervent; ardent; passionate.

fèrvere v. i. **1** (*lett.*: *ardere*) to blaze; to be burning **2** (*fig.*: *essere in piena attività*) to be in full swing; to proceed actively: *Fervevano i preparativi*, preparations were in full swing; *Il lavoro ferve*, the place is a hive of activity; *Ferveva la battaglia*, the battle was raging.

fèrvido a. (*ardente*) fervent, ardent, fervid; (*vivace*) lively: **immaginazione fervida**, lively imagination; **fervida preghiera**, fervent prayer; **fervida speranza**, ardent hope.

fervóre m. **1** (*calore*) heat: **il f. dell'estate**, the summer's heat **2** (*fig.*: *ardore, impeto*) heat; excitement; ardour; fervour, fervor (*USA*); zeal: **il f. di una preghiera**, the fervour of a prayer; **f. patriottico**, patriotic fervour; **nel f. della battaglia**, in the heat of the battle; while the battle was raging; **nel f. della discussione**, in the heat of the debate; *Nel f. dei preparativi dimenticammo di comprare il vino*, in the excitement of the preparations we forgot to buy the wine; **lavorare con f.**, to work with zeal.

fervorìno m. **1** (*eccles.*) exhortation **2** (*scherz.*) lecture; pep talk (*fam.*).

fervoróso a. fervent; ardent; passionate.

fèrzo m. (*naut.*) (sail) cloth.

FES sigla (**Fondo europeo di sviluppo**) European Development Fund (EDF).

fèṣa f. (*macelleria*) rump: **fetta di f.**, rump steak.

fescennìno a. (*poesia*) Fescennine.

fèssa f. **1** → **fesso**, **B** **2** (*volg.*) pussy; fanny (*GB*); cunt (*molto volg.*).

fessàggine f. stupidity; foolishness.

fesserìa f. (*pop.*) **1** (*l'essere sciocco*) stupidity; foolishness **2** (*parole stupide*) stupid (*o* foolish) remark; nonsense Ⓤ; rubbish Ⓤ; baloney Ⓤ (*fam. USA*); bull Ⓤ (*fam.*); hogwash Ⓤ (*slang*); poppycock Ⓤ (*slang*): **dire fesserie**, to talk rubbish; *È una f.!*, that's a stupid thing to say!; that's a piece of nonsense!;

that's pure rubbish!; **un mucchio di fesserie**, a load of rubbish; a load of codswallop (*slang GB*); *Fesserie!*, nonsense!; rubbish!; bull!; baloney! **3** (*azione stupida*) foolish (*o* stupid) thing: *Ho fatto una f.*, I've done something stupid; *Hai fatto una bella f.*, that was a really stupid thing to do; *Hai fatto una f. ad andartene*, you were a fool to leave; *Vendere la casa è una f.*, it's foolish to sell the house **4** (*cosa di nessun conto*) trifle; nothing: **prendersela per una f.**, to get worked up over nothing.

fésso ① a. **1** (*incrinato*) cracked; (*spaccato*) cleft, cloven: **una campana fessa**, a cracked bell **2** (*di suono*) cracked; (*stridulo*) harsh, shrill: **suono f.**, cracked sound; **voce fessa**, harsh voice.

fésso ② (*pop.*) **A** a. (*sciocco*) stupid; foolish; daft **B** m. (f. *-a*) fool; twit (*GB*); twerp (m., *GB*); jerk (m., *USA*): **fare il f.**, to act (*o* to play) the fool; **fare la figura del f.**, to make a fool of oneself; **fare f. q.**, to fool sb.; to cheat sb.

◆**fessùra** f. **1** (*spaccatura*) crack; cleft; fissure; gap **2** (*apertura*) chink; crack; (*per gettone o moneta*) slot.

fessuràrsi v. i. pron. to split; to crack; to fissure.

fessurazióne f. splitting; cracking; fissuring.

◆**fèsta** f. **1** (*religiosa*) feast; holy day: **f. comandata** (*o di precetto*), day of obligation; **la f. dell'Assunta**, the Assumption; Assumption Day; **la f. della Natività**, the feast of the Nativity; **la f. di Ognissanti**, All Saints' Day; **f. mobile**, movable feast; **santificare le feste**, to observe (*o* to keep) holy days **2** (*giorno festivo, vacanza*) holiday: **f. civile** (*o nazionale*), public holiday: *Domani è f.*, tomorrow is a holiday **3** (*celebrazione tradizionale*) festival, fete, fête (*franc.*): **la f. del paese**, the village festival; (*del santo patrono*) the patron saint's day; (*in GB*) the village fete; **f. del raccolto**, harvest festival; **f. di primavera**, spring festival **4** (al pl.) holiday time; (*feste di Natale*) Christmastime, Christmas (holidays); (*di Pasqua*) Eastertime, Easter (holidays): *Si avvicinano le feste*, it's almost Christmastime; *Vado via per le feste*, I'm going away for Christmas [for Easter]; **augurare (le) buone feste a q.**, to wish sb. a happy Christmas [Easter]; *Buone feste!*, season's greetings!; Merry Christmas!; Happy Easter!; **sotto le feste**, at Christmastime **5** (*compleanno*) birthday; (*onomastico*) name-day, saint's day **6** (*gioia*) great joy; (*divertimento*) treat; (*allegria, giubilo*) merrymaking Ⓤ, celebration: *Sarà una f. per me vederlo*, it'll be a great joy for me to see him; *Andare al luna park è stata una f. per i bambini*, going to the fun fair was a treat for the children; *La città è tutta in f.*, the whole town is celebrating; **aria di f.**, festive air **7** (*accoglienza calorosa*) warm welcome: **fare f. a q.**, to give sb. a warm welcome; (*di cane, anche* **f. le feste**) to jump all over sb. **8** (*ricevimento*) party, do (*fam. GB*), bash (*fam. USA*); (*celebrazioni*) festivities (pl.); (*banchetto*) feast: **f. da ballo**, dance; (*formale*) ball; **f. di addio**, farewell party; **f. di beneficenza**, fete, fête (*franc.*); **f. di compleanno**, birthday party; **f. di laurea**, graduation party; **f. in maschera**, fancy-dress party; **dare una f.**, to give (*o* to throw) a party; *La f. durò diversi giorni*, the festivities lasted several days; (*anche fig.*) **rovinare la f. a q.**, to spoil sb.'s party ● **F. del lavoro** (*o dei lavoratori*), Labour Day □ **la F. della mamma [del papà]**, Mother's [Father's] Day □ (*fig.*) **una f. di colori**, a riot of colour □ **conciare q. per le feste** (*picchiare*), to beat sb. up; to beat sb. black and blue; (*per punizione*) to tan sb.'s hide, to give sb. a good thrashing □ **fare f.**, (*fare vacanza*) to have a holiday; (*stare allegri*) to have a good time, to have fun, to make

merry; (*celebrare qc.*) to celebrate □ (*pop.*) **fare la f. a q.**, to do sb. in (*fam.*); to bump sb. off (*fam.*) □ (*fam.*) **I bambini fecero la f. alla torta**, the children ate up the whole cake □ **Oggi è un giorno di f. per me**, today is a red-letter day for me □ (*fig.*) **La f. è finita!**, the fun is over □ (*fig.*) **guastare la f.**, to be a spoilsport (*o* a killjoy) □ (*di campane*) **suonare a f.**, to ring a joyous peal ▪ **vestito a f.**, in one's Sunday best □ (*prov.*) **Passata la f., gabbato lo santo**, once on shore, we pray no more.

festaiòlo Ⓐ a. fun-loving; (*che va spesso a feste*) party-going (attr.), fond of parties (pred.) Ⓑ m. (f. **-a**) fun-loving person; (*chi dà molte feste*) person who entertains a great deal.

festànte a. (*lett.*) festive; joyful; jubilant.

festeggiaménto m. **1** (*il festeggiare*) celebration **2** (spec. al pl.) festivities (pl.); celebration: **festeggiamenti per l'indipendenza**, independence celebrations; **unirsi ai festeggiamenti**, to join the festivities (*o* the celebrations).

♦**festeggiàre** v. t. **1** to celebrate: **f. un anniversario**, to celebrate an anniversary **2** (*accogliere festosamente*) to give* a warm welcome to; (*dare una festa*) to give* a party for; (*fare festeggiamenti*) to fête.

festeggiàto m. (f. **-a**) person being fêted; guest of honour.

festévole a. festive; joyous; merry.

festicciòla f. small, informal party; get-together.

festino m. **1** (*ricevimento*) party **2** (*banchetto*) feast; banquet.

♦**fèstival** m. inv. festival: **f. cinematografico**, film festival; **f. della canzone**, song festival.

festività f. **1** holiday; (*religiosa*) feast, holy day: **f. civile**, public holiday; (*in GB*) bank holiday; **la f. del Natale**, Christmas day; **le f. natalizie**, the Christmas holidays **2** (*lett.*) joyousness; gaiety.

festivo a. **1** holiday (attr.); Sunday (attr.): **biglietto f.**, weekend ticket; **giorno f.**, holiday; **giorni festivi**, Sundays and public holidays; **orario f.**, holiday timetable; **riposo f.**, Sunday's rest; Sabbath **2** (*lett.*: *lieto*) festive; merry ❶ Falsi Amici ▪ festivo *nel senso di un giorno di festa non si traduce con* festive.

festonàto a. **1** festooned **2** (*smerlato*) scalloped.

festóne m. **1** (*anche* archit.) festoon **2** (*smerlo*) scallop.

festosità f. **1** festiveness; joyfulness; gaiety **2** (*calorosità*) warmth; heartiness **3** (*giocosità*) playfulness.

festóso a. **1** festive; merry; joyful **2** (*caloroso*) warm; hearty **3** (*giocoso*) playful.

festùca f. **1** straw **2** (*bot.*, *Festuca*) fescue (grass).

fetàle a. (*biol.*) fetal.

fetazióne f. (*biol.*) fetation.

fetènte Ⓐ a. **1** stinking; fetid **2** (*fig.*) stinking; damn; bloody (*volg. GB*) Ⓑ m. e f. bastard (m.); stinker (m.); bitch (f.): *Non fare il f.!*, don't be a stinker!

fetìccio m. (*anche fig.*) fetish.

feticìdio m. (*leg.*) feticide.

feticìsmo m. (*anche psic.*, *fig.*) fetishism.

feticista (*anche psic.*, *fig.*) Ⓐ a. fetishistic Ⓑ m. e f. fetishist.

feticìstico a. fetishistic.

fètido a. fetid; stinking; rank; foul-smelling.

fetidùme m. **1** stench; stink **2** (*insieme di cose fetide*) stinking matter; rotten matter.

fèto m. (*biol.*) fetus: **f. vitale**, viable fetus.

fetologìa f. (*med.*) fetology.

fetòlogo m. (f. **-a**) fetologist.

fetónte m. (*zool.*, *Phaeton*) tropic bird; bos'n bird.

Fetónte m. (*mitol.*) Phaethon.

fetóre m. stench; stink; pong (*GB*).

♦**fétta** f. **1** (*di cibo*) slice; (*a triangolo*) piece, wedge: **f. di pane**, slice of bread; **f. di torta**, piece of cake; **una grossa f.**, a thick slice; **tagliare a fette**, to cut into slices; to slice; **pane a fette**, sliced bread **2** (*fig.*: *pezzo*) slice; piece; bit; (*grosso pezzo*) chunk; (*striscia*) strip: **una f. di cielo**, a patch of sky; **una f. di luna**, a sliver of moon; **una f. di mercato**, a slice of the market; **una f. dei profitti**, a slice of the profits; **una f. di terra**, a piece of land; **una f. della torta**, a slice of the cake **3** (*region.*: *piede*) foot* (al pl.) dogs (*slang*) ● **fette biscottate**, rusks; crispbread ▣ □ (*fig.*) **fare a fette q.**, to make mincemeat of sb.

fettìna f. (*di carne*) minute steak.

fettùccia f. **1** (*nastro*) tape; (*sartoria*) bias binding; (*sport*) **la f. d'arrivo**, the finishing tape **2** (*nastro metrico*) tape measure; measuring tape **3** (*rettilineo*) straight stretch (of road).

fettuccìne f. pl. (*cucina*) fettuccine; ribbons of pasta.

feudàle a. (*stor.*) feudal.

feudalésimo, **feudalismo** m. (*stor.*) feudalism.

feudalità f. feudality.

feudatàrio (*stor.*) Ⓐ m. **1** feudal lord; (*vassallo*) feudatory, vassal **2** (*latifondista*) big landowner Ⓑ a. feudal.

fèudo m. **1** (*stor.*) feud; fief **2** (*grande proprietà terriera*) large estate **3** (*fig.*) domain: *L'orto era il f. della nonna*, the kitchen garden was Granny's domain.

feuilleton (*franc.*) m. inv. **1** (*giorn.*) feuilleton **2** (*spreg.*) potboiler.

fez m. inv. fez.

feziàle a. e m. (*stor. romana*) fetial.

ff abbr. (*mus.*, **fortissimo**) fortissimo (*very loud*).

f.f. sigla (**facente funzione**) acting.

FF.AA. sigla (*mil.*, **Forze armate**) Armed Forces.

fff abbr. (*mus.*, **più che fortissimo**) extremely loud.

FG abbr. (**Foggia**).

fi m. o f. (*ventunesima lettera dell'alfabeto greco*) phi.

FI abbr. **1** (**Firenze**) Florence **2** (*polit.*, **Forza Italia**) 'Go Italy' (*political party*).

♦**fiàba** f. **1** fairy tale; story: **la f. di Cenerentola**, the story of Cinderella; **libro di fiabe**, book of fairy tales **2** (*fig.*: *fandonia*) fairy tale; story; fabrication ● **da f.**, fabulous; fairy-tale □ **un mondo di f.**, a fairy-tale world.

fiabésco a. **1** fairy-tale (attr.); fabulous; mythical: **racconto f.**, fabulous story; **stile f.**, fairy-tale style **2** (*fig.*: *irreale*) imaginary; utopian **3** (*fig.*: *favoloso*) fairy-tale (attr.); fantastic; magic; fabulous.

fiabìstica f. fairy tales (pl.).

fiàcca f. (*stanchezza*) tiredness, weariness; (*debolezza*) weakness; (*svogliatezza*) laziness, sluggishness, indolence, listlessness: **avere la f. addosso**, to be lazy; to be half-asleep; **battere la f.**, to slack; to be sluggish; *Non battere la f.!*, stop slacking!; on your toes!

fiaccaménte avv. (*stancamente*) tiredly; (*debolmente*) weakly; (*svogliatamente*) listlessly; (*lentamente*) slowly; (*senza convinzione*) without conviction, half-heartedly.

fiaccàre Ⓐ v. t. **1** (*stancare*) to tire, to weary; (*spossare*) to exhaust, to tire out **2** (*indebolire*) to weaken **3** (*logorare*) to wear* down (*o* out); to break* down: **f. la resistenza di q.**, to wear down sb.'s resistance

4 (*scoraggiare*) to depress; to dispirit **5** (*rompere*) to break*: **fiaccarsi il collo**, to break one's neck Ⓑ **fiaccàrsi** v. i. pron. to wear* oneself down.

fiaccheràio m. (*region.*) cabman*.

fiacchézza f. (*stanchezza*) tiredness, weariness, lassitude; (*debolezza*) weakness; (*svogliatezza*) sluggishness, slackness, listlessness: **f. morale**, moral weakness.

fiàcco a. (*stanco*) tired, weary; (*debole*) weak; (*poco animato*) slack, sluggish, dull; (*svogliato*) listless, lackadaisical; (*poco entusiasta*) lukewarm, half-hearted: **applausi fiacchi**, half-hearted applause; **discorso f.**, weak speech; (*econ.*) **mercato f.**, slack (*o* dull) market; **stile f.**, dull style.

fiàccola f. (*anche fig.*) torch: **la f. della libertà**, the torch of liberty ● (*fig.*) **mettere la f. sotto il moggio**, to hide one's light under a bushel.

fiaccolàta f. torch-light procession.

fiacre (*franc.*) m. inv. horse cab; hackney coach; fiacre.

fiàla f. **1** (*boccetta*) phial; vial **2** (*per iniezione*) ampoule, ampule.

♦**fiàmma** Ⓐ f. **1** flame; (*molto viva*) blaze; (*mossa*) flare; (al pl.: *incendio*) fire (sing.): **andare in fiamme**, (*prendere fuoco*) to catch fire; to burst into flames; (*bruciare*) to go up in flames; **dare alle fiamme**, to set on fire; to burn; **essere in fiamme**, to be on fire; to be ablaze; to be in flames; **lottare contro le fiamme**, to fight the fire; **morire tra le fiamme**, to die in the fire; **distrutto dalle fiamme**, destroyed by fire; **il calore delle fiamme**, the heat from the flames **2** (*fig.*) flame: **la f. dell'amore [della libertà]**, the flame of love [of freedom] **3** (*colore*) bright red; scarlet; orange red: **di f.**, flame-coloured; bright red; scarlet; **cielo di f.**, orange-red sky; **farsi di f.**, to go scarlet **4** (*naut.*: *bandiera*) pennant; pennon; streamer **5** (*mil.*: *mostrina*) flash **6** (*persona amata*) flame; love: **una mia vecchia f.**, an old flame of mine; **una nuova f.**, a new love ● le fiamme dell'inferno, Hell fire □ le Fiamme gialle, the Italian Financial Police ● f. ossidrica, oxyhydrogen flame; (*strumento*) blowlamp, blowtorch (*USA*): **tagliare con la f. ossidrica**, to flame-cut □ (*cucina*) **alla f.**, flambé □ **pollo alla f.**, chicken flambé □ **Le salirono le fiamme al viso**, she blushed; she went scarlet; (*di rabbia*) she went red in the face □ (*di occhi*) **lanciare** (*o* **mandare fiamme**), to blaze (with anger) □ (*autom.*) **ritorno di f.**, backfire Ⓑ a. inv. **1** – **color f.** (*o* **rosso f.**), bright red, scarlet **2** (*ricamo*) – **punto f.**, bargello.

fiammànte a. flaming; blazing; fiery: **rosso f.**, bright red ● **nuovo f.**, brand new.

fiammàta f. **1** blaze; flare; burst of flame **2** (*fig.*) blaze; flare-up; burst.

fiammàto a. (*di filato o tessuto*) streaked; shot.

fiammeggiànte a. **1** flaming; blazing; (*sfavillante*) flashing, ablaze (pred.): **occhi fiammeggianti d'ira**, eyes flashing with anger **2** (*architt.*) – **gotico f.**, flamboyant Gothic.

fiammeggiàre Ⓐ v. i. **1** (*bruciare*) to be aflame; to blaze; to be on fire **2** (*splendere*) to be ablaze; to glow Ⓑ v. t. to flame; to singe: **f. un pollo**, to singe a chicken.

fiammeràio m. (f. **-a**) **1** (*fabbricante*) match maker **2** (*venditore*) match seller.

♦**fiammìfero** m. match; (*spec. se usato*) matchstick: **f. da cucina**, household match; **f. di sicurezza** (*o* **svedese**), safety match; **f. usato**, spent match; burnt matchstick; **accendere un f.**, to strike (*o* to light) a match; **una scatola di fiammiferi**, a box of matches; **scatola per fiammiferi**, matchbox ● (*fig.*) **accendersi come un f.**, to be

a b c d e **f** g h i j k l m n o p q r s t u v w x y z

quick-tempered; to flare up easily; to have a short fuse (*fam.*).

fiammìnga f. (*region.*) oval dish.

fiammìngo ① **Ａ** a. Flemish **Ｂ** m. (f. *-a*) Fleming: **i Fiamminghi**, the Flemings; the Flemish **Ｃ** m. (*lingua*) Flemish.

fiammìngo ② m. (zool., *Phenicopterus*) flamingo*.

fiancàle m. (*mil., stor.*) tuille.

fiancàta f. **1** (*fianco, lato*) side; flank: **la f. di una nave**, the side of a ship; the ship's side **2** (*colpo dato col fianco*) blow on one's side (*o* hip): **dare una f. a qc.**, to hit st. with one's hip; to bang one's hip against st.

fiancheggiaménto m. **1** (*mil.*) flanking (support): **fuoco di f.**, flanking fire **2** (*fig.: appoggio*) support; backing; backing up.

fiancheggiàre v. t. **1** to flank; to line; to border: **una strada fiancheggiata da alberi**, a tree-lined road; a road flanked (*o* lined) with trees **2** (*mil.*) to cover the flank of; to flank **3** (*fig.: spalleggiare*) to support; to back; to back up.

fiancheggiatóre m. (f. *-trìce*) **1** (*polit.*) supporter; fellow-traveller **2** (*mil.*) flanker.

◆**fiànco** m. **1** (*del corpo*) side; (*anca*) hip; (*di animale*) flank: **fianchi larghi [stretti]**, broad [narrow] hips; **avere i fianchi larghi**, to be broad-hipped; to be broad in the beam (*scherz.*); **dimagrire sui fianchi**, to lose weight off (*o* from, around) the hips; **dormire sul f.**, to sleep on one side; **una fitta al f.**, a stitch in one's side; **con le mani sui fianchi**, with one's hands on one's hips; with one's arms akimbo; **al f. di**, at (*o* by) sb.'s side; *Aveva ai fianchi due poliziotti*, he had a policeman on either side **2** (*parte laterale di qc.*) side: **il f. di una collina**, the side of a hill; the hillside; **f. di nave**, ship's side **3** (*mil.*) flank: **il f. sinistro dell'esercito**, the left flank of the army; *Ci avvicinammo al f. del nemico*, we came up on the enemy's flank ● **a f.**, side by side; (*fig.: insieme con*) alongside □ (*mil.*) **fianc'arm!**, order arms! □ (*mil.*) **f. destr', destr'!**, right about turn! □ (*mil.*) **f. sinistr', sinistr'!**, left about turn! □ **a f.** (*accanto*), next: **la porta a f.**, the next door □ **di f.** (*su un f.*) on the (*o* one) side; (*di sghembo*) sideways: *Il granchio procedeva di f.*, the crab proceeded sideways; the crab sidled along □ **di f. a qc.**, at (*o* by) sb.'s side; beside sb.; next to sb.: **di f. alla porta**, beside the door; **l'uomo di f. a me**, the man next to (*o* beside) me □ **offrire** (*o* **prestare**) **il f. alle critiche**, to lay oneself open to criticism □ (*fig.*) **restare al f. di q.**, to stand by sb. □ **stare a f. di q.**, to stand by sb.; (*aiutarlo*) to give sb. one's help (*o* one's support) □ **tenersi i fianchi dal ridere**, to split one's sides laughing; to be in stitches.

fiàndra f. (*ind. tess.*) Flanders linen; damask.

Fiàndre f. pl. (*geogr.*) Flanders.

fiàsca f. (*hip*) flask.

fiaschétta f. **1** (*borraccia*) hip flask **2** (*per polvere da sparo*) powder flask; (*ricavata da un corno*) powder horn.

fiaschetterìa f. wine-shop; (*con cucina*) tavern, eating house.

fiàsco m. **1** (straw-covered) flask: **un f. di vino**, a flask of wine; **olio in fiaschi**, oil in flasks **2** (*fig.*) fiasco*; failure; (*di film, libro, ecc.*) flop (*fam.*), turkey (*fam. USA*): *La cena fu un f.*, the dinner was a fiasco; **f. assoluto**, complete fiasco; total flop; washout (*fam.*); **fare f.**, (*di persona*) to fail, to draw a blank; (*di progetto, ecc.*) to fail, to be a fiasco; (*di film, ecc.*) to be a flop (*fam.*), to bomb (*slang USA*): *La commedia fece f.*, the play was a flop; the play bombed; *Ho fatto f. nelle mie ricerche*, I drew a blank in my search.

fiat (*lat.*) m. – **in un f.**, in the twinkling of an eye; in no time at all.

---

fiatàre v. i. to breathe (*o* to say*) a word; to open one's mouth: *Non fiatai*, I didn't open my mouth; *Non f. con nessuno!*, don't breathe a word to anyone!; mum's the word! (*fam.*); **senza f.**, without (saying) a word.

◆**fiàto** m. **1** (*alito*) breath; (*forza di respirare*) wind: **f. cattivo**, bad breath; **f. grosso**, breathlessness; **avere il f. corto**, to be short of breath (*o* short-winded); **avere il f. grosso**, to be out of breath; to be panting; to be puffed out (*fam.*); **essere senza f.**, to be out of breath; to be breathless; (*per un colpo*) to be winded; **riprendere f.**, to get one's breath back; to catch one's breath; to get one's wind back; **fermarsi per riprendere f.**, to pause for breath; **sentirsi mancare il f.**, to be breathless; to have difficulty breathing; (*anche fig.*) **trattenere il f.**, to hold one's breath; **scaldarsi le mani col f.**, to breathe on one's hands to warm them; **analisi** (*o* **prova**) **del f.**, breath-test **2** (*resistenza*) stamina, staying power; (*forza*) strength: *È uno sport che richiede molto f.*, it's a sport that requires stamina (*o* staying power); **avere poco f.**, not to have much strength (*o* stamina); **fare il f.**, to train **3** (al pl.) (*strumenti a f.*) wind instruments; (*sezione dell'orchestra*) woodwind and brass ● (*lett.*) **f. di vento**, breath of wind □ **È f. sprecato**, it's a waste of breath □ **bere qc. tutto d'un f.**, to drink st. in one gulp; to toss st. off □ **col f. sospeso**, with bated breath □ **dare f. alle trombe**, to sound the trumpets; (*fig.*) to shout from the rooftops □ *Lo dirò finché avrò f.* (**in corpo**), I shall say so as long as I live □ **con quanto f. si ha in gola**, at the top of one's voice □ **lasciare senza f.**, to take (sb.'s) breath away; to leave speechless □ **mozzare** (*o* **togliere**) **il f.**, to take (sb.'s) breath away □ (*fig.*) **restare senza f.**, to catch one's breath; to be speechless; to be thunderstruck □ **Sprechi il f. a dirmelo**, you can save your breath to cool your porridge (*fam.*) □ **tirare il f.**, to draw breath; (*fig.: fare una pausa*) to have a breather; (*essere sollevato*) to breathe again □ **togliere il f. a q.**, to wind sb.; (*fig.*) to take sb.'s breath away; (*assillare*) to pester □ **una bellezza da togliere il f.**, a breath-taking beauty □ (*fig.*) **tutto d'un f.**, without drawing breath; in one go □ **leggere un libro tutto d'un f.**, to read a book in one sitting; to be unable to put down a book □ **libro che si legge tutto d'un f.**, un-putdownable book (*fam.*); page-turner (*fam.*).

fiatóne m. breathlessness: **avere il f.**, to be out of breath; to be panting; to be puffed out; *Mi è venuto il f.*, I'm out of breath.

FIB sigla (*CONI*, **Federazione italiana bocce**) Italian Bowls ('Bocce') Association.

fìbbia f. buckle.

fìbra f. **1** (*anat., biol.*) fibre, fiber (*USA*): (*anat.*) **f. nervosa**, nerve fibre; **una dieta ricca di fibre**, a diet rich in fibre **2** (*ind.*) fibre: **f. di carbonio**, carbon fibre; **f. di cotone**, cotton fibre; **f. di vetro**, glass fibre; (*il materiale*) fibreglass; **f. ottica**, optical fibre; **f. sintetica**, man-made fibre; **f. tessile**, textile fibre; (*ind. tess.*) **qualità della f.**, staple **3** (*sorta di cartone*) fibre; fibreboard: **valigia di f.**, fibre suitcase **4** (*fig.: parte intima*) fibre: **con ogni f. del mio essere**, with every fibre of my being **5** (*fig.: costituzione*) constitution: **un uomo di f. robusta**, a man with a strong constitution **6** (*fig.: carattere*) fibre: **f. morale**, moral fibre.

fibràto a. fibrous; fibred, fibered (*USA*); (*venato*) veined, streaked.

fibratùra f. (*bot.*) wood fibre.

fibrìlla a. (*biol.*) fibril.

fibrillàre ① a. fibrillar; fibrillary.

fibrillàre ② v. i. (*med.*) to fibrillate.

---

fibrillazióne f. **1** (*med.*) fibrillation **2** (*fig.*) state of excitement; state of agitation; nerves (pl.): **entrare in f.**, to become agitated; **essere in f.** (*o* **a tizzy**), to be very nervous; to have the jitters (*fam.*).

fibrìna f. (*biol.*) fibrin.

fibrinògeno m. (*biol.*) fibrinogen.

fibrinolìsi f. (*med.*) fibrinolysis.

fibrinóso a. fibrinous.

fibroadenòma m. (*med.*) fibroadenoma*.

fibroblàsto m. (*biol.*) fibroblast.

fibrocèllula f. (*anat.*) fibrocell.

fibroceménto m. (*edil.*) asbestos cement.

fibrocìta, **fibrocìto** m. (*biol.*) fibrocyte.

fibròide a. fibroid.

fibroìna f. (*chim.*) fibroin.

fibròma m. (*med.*) fibroma*.

fibromatóso a. (*med.*) fibromatous.

fibroplasìa f. (*med.*) fibroplasia.

fibrosarcòma m. (*med.*) fibrosarcoma*.

fibroscòpio m. (*med.*) fibrescope.

fibròsi f. (*med.*) fibrosis: **f. cistica**, cystic fibrosis.

fibrosità f. fibrousness.

fibróso a. **1** fibrous **2** (*di verdura*) stringy; (*di carne*) stringy, tough.

fibrovascolàre a. fibrovascular.

FIBS sigla (*CONI*, **Federazione italiana baseball softball**) Italian Baseball and Softball Association.

fìbula f. (*anat., archeol.*) fibula*.

fibulàre a. (*anat.*) fibular.

FIC sigla (*CONI*, **Federazione italiana canottaggio**) Italian Rowing Association.

fìca f. (*volg.*) **1** (*vulva*; *estens.*: *le donne*) pussy; ass (*USA*); cunt (*molto volg.*) **2** (*donna desiderabile*) piece of crackling (*fam. GB*); piece of ass (*o* of tail) (*USA*).

FICC sigla (**Federazione internazionale circoli cinema**) International Federation of Film Societies (IFFS).

ficcanasàre v. i. to poke one's nose (into st.); to nose about; to nose (into st.); to snoop.

ficcanàso m. e f. inv. nosey parker; busybody.

ficcànte a. incisive; penetrating.

ficcàre **Ａ** v. t. **1** (*infilare*) to thrust*; (*con forza*) to ram; (*con impeto*) to poke, to stick*, to drive*: **f. un chiodo nel muro**, to drive a nail into the wall; **f. un dito nell'occhio a q.**, to poke one's finger in sb.'s eye; **ficcarsi le mani in tasca**, to thrust one's hands into one's pockets; **f. una mano nella borsa**, to dive into one's handbag; **f. un palo in terra**, to stick (*o* to drive) a pole into the ground **2** (*fam.: riporre, mettere*) to put*; to stuff; to shove; to pop: *Ficca queste scartoffie nel cassetto*, put these papers into the drawer; *Si ficcò la lettera in tasca*, he shoved the letter into his pocket; *Ficcai la roba in valigia*, I stuffed my things into the suitcase; *Ficcalo dove ti pare*, just shove it anywhere; *Si ficcò in bocca una pastiglia*, she popped a pill into her mouth ● (*fig.*) **f. gli occhi addosso a q.**, to stare hard at sb. □ (*fig.*) **f. qc. in testa a q.**, to ram st. home to sb. □ (*fig.*) **f. il naso nei fatti altrui**, to poke one's nose into other people's business □ **ficcarsi le dita nel naso**, to pick one's nose □ (*fig.*) **ficcarsi in testa qc.**, to get st. into one's head **Ｂ** **ficcàrsi** v. rifl. (*cacciarsi, introdursi*) to get*; (*nascondersi*) to hide*: **ficcarsi in un imbroglio**, to get into a scrape; **ficcarsi sotto le lenzuola**, to hide under the blankets; *Dove si sarà ficcato il mio cappello?*, where has my hat got to?; *Dove ti eri ficcato?*, where have you been

hiding?

fiche (*franc.*) f. inv. **1** (*gettone*) chip; counter **2** (*scheda*) index card.

fichétto m. (*gergale*) dandy; dude (*USA*).

fichu m. inv. (*moda*) fichu.

FICK sigla (*CONI*, **Federazione italiana canoa kayak**) Italian Canoeing and Kayaking Association.

fico① m. **1** (*bot.*, *Ficus carica*) fig-tree **2** (*frutto*) fig: **f. secco**, dried fig; **f. settembrino**, late summer fig; **foglia di f.**, fig leaf; **dolce come un f.**, as sweet as a nut ● **f. d'India** → **ficodindia** □ **non capire un f. secco**, not to understand a (damn) thing □ **Non me ne importa un f.**, I don't care a fig; I don't give a damn □ **Non vale un f. secco**, it's not worth a fig.

fico② (*pop.*) **A** a. **1** (*di uomo*) dishy (*fam. GB*); dreamy (*USA*); hunky (*USA*) **2** (*di cosa*) cool; fly **B** m. (*uomo attraente*) babe; dish (*GB*); hunk (*USA*); stud (*USA*).

ficocianìna f. (*biochim.*) phycocyanin.

ficodìndia, fico d'India m. (*bot.*, *Opuntia vulgaris*; *il frutto*) prickly pear.

ficologìa f. (*bot.*) phycology.

ficòlogo m. (f. **-a**) phycologist.

ficosécco = **fico secco** → **fico**①.

fiction (*ingl.*) f. inv. **1** (*letter.*) fiction ⓤ **2** (*TV: genere*) TV fiction ⓤ; (*lavoro*) TV drama; (*serie*) serial.

ficus m. inv. (*bot.*, *Ficus decora*) ficus.

FIDAL sigla (*CONI*, Federazione italiana di atletica leggera) Italian Track and Field Association.

fidanzaménto m. engagement; betrothal (*form.* o *antiq.*).

◆**fidanzàre** **A** v. t. to affiance; to promise; to betroth (*form.* o *antiq.*) **B** **fidanzàrsi** v. rifl. e rifl. recipr. to get* engaged: **fidanzarsi con q.**, to get engaged to sb.; (*per estens.*) to start going out with sb.; to start a relationship; *Ci siamo fidanzati ieri*, we got engaged yesterday.

fidanzàta f. fiancée; (*estens.*) girlfriend.

◆**fidanzàto** **A** a. engaged (to be married); betrothed (*form.* o *antiq.*): **essere f. con** (*o* **a**) **q.**, to be engaged to sb. **B** m. **1** fiancé; (*estens.*) boyfriend **2** (*al pl.*) engaged couple (sing.).

◆**fidàre** **A** v. t. (*lett.: affidare*) to entrust **B** v. i. (*confidare*) to trust (to); to put* one's trust (in); to rely (on): **f. in Dio**, to put one's trust in God **C** **fidàrsi** v. i. pron. **1** to trust (sb., st.); to put* one's trust (in); to have confidence (in); (*fare affidamento*) to rely (on), to depend (on): **fidarsi della memoria**, to rely on (*o* to trust) one's memory; **fidarsi delle proprie forze**, to rely on one's strength; *Mi fido di loro*, I trust them; *Non ci si può fidare di lui*, (*non è affidabile*) you can't rely (*o* depend) on him; (*è infido*) you can't trust him; *Mi fido della tua parola*, I trust your word; *Non mi fido a mangiare questi funghi*, I don't trust the look of these mushrooms; *Dobbiamo fidarci a lasciargli organizzare tutto?*, can he be trusted with all the arrangements?; *Non ti fidare*, be careful!; be on your guard! **2** (*osare*) to dare (difett.); (*sentirsela*) to feel* safe, to feel* up (to): *Non mi fido a lasciarlo solo*, I daren't leave him alone; *Non mi fido a guidare di notte*, I don't feel safe driving at night; *Non mi fido ancora a uscire*, I don't feel up to going out yet ● (*prov.*) **Fidarsi è bene, ma non fidarsi è meglio**, you can never be too careful.

fidatézza f. trustworthiness; reliability.

fidàto a. trustworthy; reliable; dependable; honest ● **non f.**, untrustworthy; unreliable.

FidC sigla (**Federazione italiana della caccia**) Italian Hunting and Shooting Association.

fidecomméttere e *deriv.* → **fedecommettere**, e *deriv.*

fideìsmo m. (*relig.*, *filos.*) fideism.

fideìsta m. e f. (*relig.*, *filos.*) fideist.

fideìstico a. (*relig.*, *filos.*) fideistic.

fideiussióne f. (*leg.*) guaranty, guarantee; suretyship; surety bond; bail: **f. bancaria**, bank guaranty; **prestare f.**, to guarantee; to stand surety; **contratto di f.**, guaranty bond.

fideiussóre m. (*leg.*) guarantor; surety.

fideiussòrio a. (*leg.*) guaranty, guarantee (attr.); security (attr.).

fidelity card loc. f. inv. (*ingl.*) loyalty card; club card.

fidelizzàre v. t. (*econ.*) to retain (*customers*); to foster (*customers'*) loyalty.

fidelizzazióne f. (*econ.*) customer retention; customer loyalty schemes (pl.).

fidènte a. (*lett.*) confident; confiding (in st.); trustful.

Fìdia m. (*stor.*) Phidias.

fidìaco a. Phidian.

fido① **A** a. (*lett.*) faithful; loyal; true; staunch; devoted **B** m. faithful attendant; devoted follower.

fido② m. (*banca*) credit; (*anche* **limite di f.**) line of credit, credit line, credit limit.

◆**fidùcia** f. **1** confidence; reliance; (*più solenne e interiore*) trust, faith: **f. completa**, complete confidence; absolute (*o* implicit) trust; **f. illimitata**, boundless faith; **f. in Dio**, faith in God; **f. in sé stesso**, (*sicurezza*) confidence (in oneself); self-confidence; self-assurance; **f. nella sterlina**, confidence in the pound; **f. reciproca**, mutual trust; **avere f.**, to be confident; **avere f. in q.**, to trust (*o* to have faith in sb.; *Ho f. nelle sue capacità*, I have faith in his abilities; **non avere f. in sé**, to lack confidence; **guardare all'avvenire con f.**, to look to the future with confidence; **perdere [conquistarsi] la f. di q.**, to lose [to gain] sb.'s confidence; **riporre la propria f. in q. [qc.]**, to place one's trust (*o* faith) in sb. [st.]; **tradire la f. di q.**, to betray sb.'s trust **2** (*polit.*) confidence: **ottenere la f.**, to win a vote of confidence; (*di un nuovo governo*) to be voted into office; **porre la questione della f.**, to call for a vote of confidence; **dibattito sulla f.**, confidence debate; **voto di f.**, vote of confidence ● (*leg.*) **abuso di f.**, breach of trust ● **accordo basato sulla f. reciproca**, gentlemen's agreement □ **banca di f.**, one's bank □ **degno di f.**, reliable; dependable; **fonti degne di f.**, reliable sources □ **la f. dei consumatori**, consumer confidence □ **incarico di f.**, position of trust; confidential task □ **mancanza di f.**, mistrust; suspicion □ **mancanza di f. in sé stessi**, lack of confidence; diffidence □ **medico di f.**, one's doctor □ **persona di f.**, person one can trust □ **uomo di f.**, trustworthy man; man one can trust; (*braccio destro*) right-hand man.

fiduciànte m. e f. (*leg.*) truster.

fiduciàrio (*leg.*, *econ.*) **A** a. fiduciary; trust (attr.): **amministrazione fiduciaria**, trust; **atto f.**, trust deed; **circolazione fiduciaria** (*di carta moneta*), fiduciary circulation; **contratto f.**, fiduciary contract; **erede f.**, fiduciary heir; **fondo f.**, trust fund; **prestito f.**, fiduciary loan; **proprietà fiduciaria**, property held in trust; **rapporti fiduciari**, fiduciary relations; **società fiduciaria**, trust company **B** m. (f. **-a**) trustee; fiduciary.

fiduciosaménte avv. (*con fiducia*) confidently, with confidence; (*con speranza*) hopefully; (*fidandosi*) trustingly.

fiducióso a. (*che si fida*) trustful, trusting; (*speranzoso*) hopeful; (*sicuro*) confident: **carattere f.**, trusting nature; **f. nelle proprie**

capacità, confident in one's ability.

FIEG sigla (**Federazione italiana editori giornali**) Italian Federation of Newspaper Publishers.

fièle m. **1** (*anat.*) bile; gall **2** (*fig.*) gall; acrimony; (*rancore*) rancour, bitterness: **amaro come il f.**, as bitter as gall; **intingere la penna nel f.**, to dip one's pen in gall.

fienagióne f. **1** (*l'operazione*) haymaking **2** (*l'epoca*) haymaking time.

fienàio a. hay (attr.): **forca fienaia**, hayfork; pitchfork.

fienaròla f. (*bot.*, *Poa pratensis*) bluegrass.

fienicoltùra f. (*agric.*) hay cultivation.

fienile m. (*edificio*) barn; (*sopra alla stalla*) hayloft.

◆**fièno** m. **1** hay: **f. fresco**, new-mown hay; **fare il f.**, to make hay; **covone di f.**, haystack; hayrick; **falce da f.**, hayfork; pitchfork; **mucchio di f.**, haycock **2** (*bot.*) – **f. d'Ungheria**, lucerne; alfalfa; **f. greco** (*Trigonella foenumgraecum*), fenugreek; **f. santo** (*Onobrychis viciaefolia*), sainfoin ● (*med.*) **febbre** (*o* **raffreddore**) **da f.**, hay fever.

◆**fièra**① f. **1** (*mercato*, *esposizione*) fair; show; exhibition: **f. campionaria**, trade fair; **f. dell'antiquariato**, antiques fair; **f. del bestiame**, cattle fair; **f. del libro**, book fair; **f. del paese**, village fair **2** (*vendita benefica*) fair; fete, fête (*franc.*); bazaar: **f. di beneficenza**, charity fair (*o* fete, bazaar) **3** (*vendita in saldo*) sale: **f. del bianco**, household linen sale; white sale; white goods sale (*USA*) **4** (*fig.*) chaos; mess ● (*fig.*) **alla fin della f.**, when all is said and done; at the end of the day.

◆**fièra**② f. (*zool.*) wild beast; wild animal.

fierézza f. **1** (*dignità*) dignity; nobility **2** (*orgoglio*) pride **3** (*arditezza*) daring; intrepidness.

fieri → **in fieri**

fieristico a. fair (attr.): **complesso f.**, fair complex; **durante il periodo f.**, when the fair is on.

◆**fièro** a. **1** (*orgoglioso*) proud: *Sono f. di te*, I am proud of you; **andare f. di qc.**, to be proud of st.; to pride oneself on st. **2** (*nobile*, *dignitoso*) noble **3** (*altero*) haughty **4** (*audace*) daring; bold; intrepid **5** (*lett.: severo*) stern, grim; (*feroce*) fierce, savage, harsh; (*crudele*) cruel; (*guerresco*) war-like **6** (*lett.: veemente*) vehement; ardent; fierce.

fièvole a. faint; feeble; weak; (*di luce*, *suono*) dim, faint; (*di respiro*) shallow: **f. speranza**, faint (*o* dim) hope; **voce f.**, faint voice.

fifa① f. (*fam.*) (the) jitters; (the) heebie-jeebies: **avere f.**, to be scared; to have the jitters; **avere una f. tremenda** (*o* f. blu), to be scared stiff (*o* to death); to be scared silly; *Prima dell'esame avevo una f.!*, I had butterflies in my stomach before the exam; **farsi prendere dalla f.**, to panic; (*e tirarsi indietro*) to get cold feet (*fam.*), to chicken out (*of* st.), to bottle out (*slang*); **un attacco di f.**, a fit of the jitters.

fifa② f. (*zool.*, *Vanellus vanellus*) lapwing; peewit, pewit.

fifóne (*fam.*) **A** a. lily-livered; yellow **B** m. (f. **-a**) coward; chicken; scaredy-cat; panty-waist (*USA*).

FIG sigla (*CONI*, **Federazione italiana golf**) Italian Golf Association.

fig. abbr. (**figura**) figure (fig.).

figa → **fica**

figaro m. **1** (*scherz.*) barber **2** (*giubbetto*) bolero.

figàta f. (*gergale*) cool thing; (the) bollocks (*GB*).

FIGC sigla (*CONI*, **Federazione italiana giuoco calcio**) Italian Football Association.

figgere v. t. (*lett.*) **1** (*fissare*) to fix: **f. gli**

occhi su qc., to fix one's eyes on st. **2** (*conficcare*) to drive* in; to stick*.
fighétto → **fichetto**.
fighièra f. (*naut.*) jackstay.
Fìgi f. pl. (*geogr.*) (the) Fiji Islands; Fiji.
figiàno a. e m. (f. **-a**) Fijian.
♦**fìglia** f. **1** daughter; child*; girl; **f. maggiore**, eldest (*tra due*, elder) daughter (*o child*); **f. minore**, youngest (*tra due*, younger) daughter (*o child*); **f. unica**, only child; **la f. di mio cugino**, my cousin's daughter; **Ascolta, f. mia**, listen, my child; **Povera f.!**, poor girl!; poor child! **2** (*comm.*: *tagliando*) counterfoil **3** (*fig.*) daughter; child* ● **È proprio f. di sua madre**, like mother like daughter.
figliàre v. t. (*zool.*) to breed*; to give* birth to; to bring* forth; (*specificamente: di mucca*) to calve; (*di pecora*) to lamb; (*di cavalla*) to foal; (*di capra*) to pup, to whelp, to litter; (*di gatta*) to kitten, to litter; (*di scrofa*) to farrow, to pig, to litter; (*di lupa, orsa, leonessa, ecc.*) to cub.
figliàstra f. stepdaughter; stepchild*.
figliàstro m. stepson; (*generico*) stepchild*.
figliàta f. litter; (*di scrofa*) farrow.
♦**fìglio** m. **1** (*maschio*) son, child*, boy; (*generico*) child*; **f. adottivo**, adopted child; **f. illegittimo**, illegitimate child; **f. maschio**, male child; son; **f. maggiore**, the eldest (*di due*, elder) child [son]; **f. minore**, youngest (*di due*, younger) child [son]; **f. naturale**, natural child; **f. unico**, only child; **i figli d'Israele**, the Children of Israel; **due figli e tre figlie**, two sons and three daughters; *Quanti figli hanno?*, how many children do they have?; *Ascolta, f. mio*, listen, (my) son; listen, my boy; *Non permetterei mai a mio f. di far così*, I would never let a child of mine do that; **aspettare un f.**, to be expecting (a baby); **fare un f.**, to have a baby **2** (*fig.*: *prodotto, frutto*) child*; fruit ● **f. dell'amore**, love child □ **f. del secolo**, man of his age □ (*scherz.*) **f. della serva**, nobody; nonentity □ (*relig.*) **il F. di Dio**, the Son of God □ **f. di primo [secondo] letto**, child of the first [second] marriage □ **f. di un cane** (*o, volg., di puttana*), bastard; son of a bitch □ **f. di mammà**, spoilt boy (*o young man*); mummy's boy □ **f. di nessuno**, foundling □ **f. di papà**, rich boy; spoilt young man; spoilt brat □ (*relig.*) **F. Unigenito**, Only-Begotten Son □ **figli dei fiori**, flower children □ **i figli di Adamo**, Adam's breed; mankind □ **essere f. d'arte**, (*di attore, musicista, artista*) to be born into a theatrical [musical, artistic] family; (*estens.*) to have followed in the family tradition □ **È proprio f. di suo padre**, like father like son.
figlióccia f. goddaughter; godchild*.
figliòccio m. godson; (*generico*) godchild*.
figliòla f. **1** (*figlia*) daughter; child* **2** (*ragazza*) girl; lass; (al voc.) child*, my girl, dear; **una bella f.**, a good-looking girl; *Senti, f.*, listen, child; **f. mia**, my dear child; my dear girl.
figliolànza f. progeny; offspring; children (pl.).
figliòlo m. **1** (*figlio maschio*) son, child*, boy; (*generico*) child*; **il figliol prodigo**, the Prodigal Son **2** (*ragazzo*) boy; lad; (al voc.) son, my boy, lad; *Povera f.!*, poor boy!; **un bravo f.**, a good lad; *Non farlo, f.*, don't do it, son (*o lad*).
fìgo → **fico**②.
♦**figùra** f. **1** figure; (*forma, sagoma*) shape, form; (*contorno*) outline: **la f. a destra del quadro**, the figure on the right of the painting; **f. di bronzo**, bronze figure; **f. materna**, mother figure; **f. paterna**, father figure; **f. retorica**, figure of speech; **paesaggio con**

figure, landscape with figures; **ritratto a mezza f.** [**a f. intera**], half-length [full-length] portrait **2** (*corporatura*) figure: **f. snella**, slim figure **3** (*geom.*) figure: **f. piana [solida]**, plane [solid] figure **4** (*illustrazione*) picture; illustration; (*tavola*) plate: **f. a colori**, colour picture **5** (*personaggio*) figure; character: **una f. di primo piano nella politica europea**, a leading figure in European politics; *È una f. ambigua ma interessante*, he is an ambiguous but interesting character **6** (*simbolo*) figure: *Giacobbe è f. di Cristo*, Jacob is a figure of Christ **7** (*apparenza, impressione*) show; impression: **fare f.**, to look smart; to be pretty: **fare bella f.**, to make an impression; (*di cosa*) to look well; **fare brutta f.**, to make a bad impression; to make a fool of oneself; (*di persona pubblica*) to be left (*o* to end up) with egg on one's face; (*in una gara e sim.*) to put up a poor show; **la brutta f. della nostra squadra ai mondiali**, the poor showing of our team in the world championship. **fare una f. vergognosa**, to disgrace oneself; **fare la f. dell'ignorante**, to look an ignorant; **fare la f. dello sciocco**, to look a fool; to make a fool of oneself; **fare la propria f.**, to look well; to look good; **far fare brutta f. a q.**, to make sb. feel ashamed; to show sb. up (*fam.*); (*iron.*) *Bella f.!*, a fine show!; *Che f.!*, how embarrassing!; how disgraceful!; **di f.**, just for show; **fatto per f.**, done for show **8** (*leg.*) type; kind: **f. di reato**, type of offence **9** (*danza, pattinaggio*) figure **10** (*mus.*) (written) note **11** (*nelle carte da gioco*) court card; face card (*USA*).
figuràccia f. disgraceful impression; poor show: **fare una f.**, to make a complete fool of oneself; to disgrace oneself; (*di persona pubblica*) to be left (*o* to end up) with egg on one's face; (*essere sconfitto*) to put on a very poor show; **far fare una f. a q.**, to make sb. feel ashamed; to show sb. up (*fam.*).
figuràle a. figural.
figurànte m. e f. **1** (*teatr.*) walk-on **2** (*fig.*) minor figure; nonentity.
♦**figuràre** **A** v. t. **1** (*rappresentare*) to represent: *La scena figura una taverna*, the scene represents a tavern **2** (*simboleggiare*) to symbolize; to stand* for: *Il leone figura la forza*, the lion stands for strength **3** (*immaginare*) to imagine; to picture; (*pensare*) to think*: *Il Me lo figuravo più vecchio*, he's older than I had imagined (*o than I thought*); *Non riesco a figurarmelo sposato*, I can't picture him as a married man; *Mi figuravo d'essere ricevuto come un re*, I thought I would be given a royal reception; *Figurati che si è sposato quattro volte!*, he got married four times, would you believe it!; *Figurati se lo invito!*, I'm certainly not going to invite him!; *«Do noia?» «Ma no, si figuri!»*, «am I disturbing you?» «of course not (*o* not at all)!»; *«Le sono infinitamente grata!» «Si figuri!»*, «I'm really very grateful to you!» «my pleasure (*o* please do not mention it)»; *Figurarsi! (o Figuriamoci!)*, (*macché*) nonsense!, it's out of the question!; (*non ci credo*) go on!, come off it!; (*iron.: c'era da aspettarselo*) you [he, etc.] would! **4** (*fingere*) to pretend: *Lui figura di non conoscermi*, he pretends he doesn't know me **B** v. i. **1** (*fare figura*) to look smart, to cut* a fine figure; (*spiccare*) to show* up; (*farsi notare*) to show* off: *Su quello sfondo le dalie non figurano*, the dahlias don't show up against that background **2** (*trovarsi, esserci*) to figure; to be; (*apparire*) to appear: *Il suo nome non figura nell'elenco*, his name doesn't figure (*o* isn't, does not appear) on the list; *Preferisco non f. come autore*, I'd rather not appear as the author.
figurataménte avv. figuratively; in a figurative sense.

figurativìṣmo m. (*arte*) representational art; representationalism.
figuratività f. figurativeness; representativeness.
figurativo a. **1** figurative: **arti figurative**, figurative arts; **pittore f.**, representational painter **2** (*econ.*) imputed; notional: **affitto f.**, imputed rent; **reddito f.**, notional income; **valore f.**, imputed (*o* notional) value.
figuràto a. **1** (*illustrato*) illustrated **2** (*metaforico*) figurative: **in senso f.**, in a figurative sense; **parlare in termini figurati**, to speak figuratively **3** (*danza*) figure (attr.): **ballo f.**, figure dance.
figurazióne f. **1** figuration; representation **2** (*disegno*) pattern; figures (pl.) **3** (*danza*) figures (pl.) **4** (*mus.*) figuration.
♦**figurìna** f. **1** (*statuetta*) figurine: **f. di Tanagra**, Tanagra figurine **2** (*per raccolta*) card; (*autoadesiva*) sticker.
figurinista m. e f. (*moda*) dress designer.
figurìno m. **1** fashion plate: **sembrare un f.**, to look like a fashion plate **2** (*rivista*) fashion magazine.
figurista m. e f. (*pitt.*) figure painter.
figùro m. suspicious character; shady (*o* mean) customer.
figuróne m., **figuróna** f. terrific impression: **fare un f.**, to be a success; to make a terrific impression; *Con questo dolce farai un f.*, you'll be a success with this dessert.
♦**fìla** f. **1** line; file; (*riga*) row, rank: **una f. di auto**, a line of cars; **una f. di bicchieri**, a row of glasses; **una f. di denti**, a row of teeth; **una f. di pioppi**, a row of poplars; **una f. di soldati**, a line of soldiers; **posti di seconda f.**, seats in the second row; **il primo tassì della f.**, the taxi at the head of the rank; **in f.**, in a line; in a row; **in f. indiana** (*o per uno*), in single (*o* Indian) file; **in f. per due [per tre]**, two [three] abreast; **in prima f.**, in the front row; **in f. per tre**, in the front line; *Misi i bambini in f.*, I lined up the children; *I bambini si misero in f.*, the children lined up **2** (*coda in attesa*) queue (*GB*); line (*USA*); (*di veicoli, anche*) tailback (*GB*), backup (*USA*): **la f. davanti al cinema**, the queue (*USA* the line) outside the cinema; **una lunga f. di auto al casello**, a long queue of cars at the toll-booth; **essere in f.** (*o fare la f.*), to queue (up) (*GB*); to stand in a queue (*GB*); to wait in line (*USA*); **mettersi in f.**, to queue up (*GB*); to line up (*USA*); **mettersi in f. con gli altri**, to join the queue (*USA* the line); **passare davanti alla f.** (*o non fare la f.*), to jump the queue (*GB*); to cut in line (*USA*) **3** (*al pl.*) (*mil. e fig.: ranghi*) ranks: *Le file si spezzarono*, the ranks were broken; **disertare le file**, to desert; **rompere le file**, to break ranks; *Rompete le file!*, dismiss!; (*anche fig.*) **serrare le file**, to close ranks; **andare a ingrossare le file dei senza lavoro**, to swell the ranks of the unemployed **4** (*serie*) series; succession; string; enfilade: **una f. di disgrazie**, a succession of accidents; **una f. di stanze**, a succession of rooms; an enfilade of rooms ● **di f.**, (*di seguito*) in a row, on end, running; in succession, consecutive (agg.); (*ininterrottamente*) continuously, uninterruptedly, at a stretch: **per tre giorni di f.**, for three days in a row (*o* on end); for three consecutive days; *Vinsi per tre anni di f.*, I won three years running; **lavorare per dieci ore di f.**, to work for ten hours at a stretch □ (*mil. e fig.*) **essere in prima f.**, to be in the front line □ (*mil.*) **per f. destr! [sinistr!]**, right [left] wheel! □ (*autom.*) **posteggiare in seconda f.**, to double-park □ **violino di f.**, rank-and-file violinist.
filàbile a. spinnable.
filàccia f. **1** (*ind. tess.*) lint; thrum: **f. di lino**, lint **2** (*sfilacciatura*) ravelling **3** (*naut.*) rope yarn.

filaccióso a. (*di tessuto*) frayed; thread-bare.

Filadèlfia f. (*geogr.*) Philadelphia.

filaménto m. (*anat.*, *bot.*, *elettr.*) filament.

filamentóso a. filamentous; filamentary; filamented; threadlike.

filànca ® f. stretch nylon.

filànda f. spinning mill; (*per seta*) silk mill.

filandàia f. spinner.

filandière m. owner of a spinning mill.

filandina f. spinner.

filàndra f. (*cascame di filatura*) spinning waste Ⓤ; (*di tessitura*) weaving waste Ⓤ.

♦**filànte** a. 1 (*che fa le fila*) stringy 2 (*aerodinamico*) streamlined 3 (*sci*) fast ● **stella f.**, shooting star; (*di carta*) (paper) streamer.

filantropìa f. philanthropy.

filantròpico a. philanthropic.

filantropìsmo m. philanthropism.

filantropìstico a. philanthropistic.

filàntropo Ⓐ m. (f. **-a**) philanthropist; (*iron.*) do-gooder Ⓑ a. philanthropic.

♦**filàre** ① Ⓐ v. t. 1 (*lana, cotone, seta, ecc.*) to spin*: **f. la seta**, to spin silk; *Il ragno fila la tela*, the spider spins its web 2 (*oro, argento*) to draw* out 3 (*naut.*: *un cavo*) to pay* out: to slack away: **f. una cima**, to pay out a line 4 (*versare a getto sottile*) to trickle (v. i., con il liquido come sogg.): *La ferita filava sangue*, blood trickled from the wound ● (*naut.*) **f. 11 nodi**, to be logging 11 knots □ (*mus.*) **f. una nota**, to sustain (o to hold) a note □ (*naut.*) **f. i remi**, to rest on one's oars □ **Filano il perfetto amore**, they're just like two love-birds □ **filarsela**, (*scappare*) to make off; to beat it (*fam.*); to scarper (*fam.*); to decamp (*fam.*): *Il ladro se l'è filata col malloppo*, the thief made off with the booty □ **filarsela all'inglese**, to take French leave □ **al tempo che Berta filava**, in the good old days Ⓑ v. i. 1 (*formare filamenti*) to form threads; to go* stringy: **un formaggio che fila**, a cheese that goes stringy 2 (*di liquido: scorrere adagio*) to trickle 3 (*andare veloce*) to run*; to race; to speed* along; (*di auto*) to speed* along, to bowl along, to barrel along (*USA*): *Filavamo a 150 km. all'ora*, we were speeding along at 150 km per hour 4 (*andare via*) to go* away, to be off, to buzz off (*fam. GB*), to hop it (*slang*); (*scappare*) to make* off, to clear off (o out), to beat* it (*fam.*): *Fila subito a casa!*, go straight home!; *Fila a letto!*, off to bed this minute!; *Fila (via)!*, off with you!; buzz off! (*fam.*); beat it! (*slang*) 5 (*comportarsi bene*) to behave; to toe the line (*fam.*) 6 (*di ragionamento*) to hang* together; to make* sense 7 (*fam.: amoreggiare*) to go* steady (with); to date (sb.) regularly (*USA*): *Tom fila con Shirley*, Tom is going steady with Shirley; Tom has been dating Shirley regularly 8 (*di gatto: fare le fusa*) to purr.

filàre ② m. row; (*di mattoni*) course: **un f. di viti**, a row of vines.

filària f. (*zool., Filaria*) filaria*.

filariàsi → **filariosi**.

filarìno m. (*fam. scherz.*) 1 (*giovane innamorato*) boyfriend 2 (*amoretto*) youthful amorous attachment; youthful flirtation: **avere un f. con qc.**, to go steady with sb.; to date sb. (*USA*).

filariòsi f. (*med.*) filariasis.

filarmònica f. philharmonic society.

filarmònico Ⓐ a. philharmonic Ⓑ m. (f. **-a**) music lover.

filastròcca f. 1 (*per bambini*) nursery rhyme; (*umoristica o assurda*) nonsense rhyme 2 (*tiritera*) rigmarole 3 (*lungo elenco*) long list.

filatelìa, filatèlica f. philately; stamp-collecting.

filatèlico Ⓐ a. philatelic; stamp (attr.) Ⓑ

m. (f. **-a**) 1 (*collezionista*) philatelist; stamp collector 2 (*venditore*) stamp dealer.

filatelìsta m. e f. philatelist; stamp collector.

filatìccio m. floss silk; filoselle.

♦**filàto** Ⓐ a. 1 spun: **oro [vetro] f.**, spun gold [glass]; **zucchero f.**, candy floss 2 (*fig.: scorrevole*) smooth; easy; (*coerente*) logical: **ragionamento f.**, logical reasoning 3 (*fig.: ininterrotto*) without a break; on end; in a row; consecutive; running (pred.); non-stop (avv.): **nove ore filate**, nine hours without a break; **per dieci giorni filati**, for ten days on end (o in a row); for ten consecutive days; *Dormii dieci ore filate*, I slept non-stop for ten hours; *Andai a casa dritto f.*, I went straight home; *Andò dritto f. al frigorifero*, he made a beeline for the fridge Ⓑ m. yarn: **f. da maglieria**, knitting yarn; **f. di lana**, woollen yarn; **f. di lino**, linen; **f. fantasia**, fancy yarn; **f. ritorto**, twisted yarn.

filatóio m. 1 (*casalingo*) spinning wheel 2 (*ind.*) spinner; spinning machine 3 (*filanda*) spinning mill.

filatóre Ⓐ m. (f. **-trìce**) spinner Ⓑ a. spinning (attr.): **macchina filatrice**, spinning machine; spinner.

filatrìce f. (*macchina*) spinning machine; spinner.

filatùra f. 1 (*ind. tess.*) spinning: **f. a macchina**, machine spinning; **f. a mano**, hand spinning; **f. ad anello**, ring spinning; **la f. della lana**, wool spinning 2 (*filanda*) spinning mill.

fildifèrro, fil di fèrro m. (iron) wire.

fileggiàre v. i. (*naut., di vela*) to shiver.

filellènico a. philhellenic.

filellenìsmo m. philhellenism.

filellèno Ⓐ a. philhellenic Ⓑ m. philhellene.

filet (*franc.*) m. inv. filet.

filètico a. (*biol.*) phyletic.

filettàggio m. (*mecc.*) threading.

filettàre v. t. 1 (*sartoria*) to fillet 2 (*mecc.*) to thread.

filettatrìce f. (*mecc.*) threader; threading machine.

filettatùra f. 1 (*sartoria*) filleting 2 (*mecc.: il filettare*) threading; (*filetto*) thread: **f. destrorsa [sinistrorsa]**, right-handed [left-handed] thread; **f. multipla [semplice]**, multiple [single] thread.

filétto ① m. 1 (*bordatura*) braid; fillet; piping; (*come grado mil.*) stripe: **f. d'oro**, stripe of gold lace (*tipogr.*) rule: **f. chiaro**, fine-face rule; **f. ondeggiato**, wave rule 3 (*tratto di penna*) hair stroke 4 (*anat.: frenulo*) fraenum*, frenum* 5 (*mecc., di vite, ecc.*) thread 6 (*di orologio*) bezel 7 (*morso di cavallo*) snaffle.

filétto ② m. (*gioco da tavolo*) merels; nine men's morris.

filétto ③ m. (*cucina*) 1 (*di bovino*) fillet; tenderloin; (*estens.: bistecca*) fillet steak: **bistecca di f.**, fillet steak; tenderloin steak; **f. ai ferri**, grilled fillet steak 2 (*di pollo, pesce, ecc.*) fillet: **f. di sogliola**, fillet of sole.

filiàle Ⓐ a. filial Ⓑ f. (*comm., di ditta*) branch (office); (*di banca*) branch.

filiazióne f. 1 (*leg., ling., filol.*) filiation 2 (*derivazione*) derivation; origin.

filibùsta f. (*stor.*) buccaneers (pl.).

filibusterìa f. (*stor.*) buccaneering; piracy.

filibustière m. 1 (*stor.*) buccaneer; pirate; freebooter 2 (*fig.*) buccaneer; (*mascalzone*) scoundrel, rascal.

filièra f. 1 (*mecc., per trafilare*) draw-plate 2 (*mecc., per filettare*) (threading) die 3 (*ind. tess., zool.*) spinneret 4 (*econ.*) chain: **f. di**

distribuzione, distribution chain.

filifórme a. 1 thread-like; thready; filiform (*scient.*) 2 (*fig.: esile*) very thin; spindly; wispy 3 (*med., del polso*) thready.

filigràna f. 1 (*oreficeria*) filigree 2 (*di carta, banconota, ecc.*) watermark; (*filo di sicurezza*) thread mark ● (*fig.*) **in f.**, indirectly; between the lines.

filigranàto a. 1 (*di carta, banconota, ecc.*) watermarked 2 (*fig.*) veined (with); shot through (with).

filigranatùra f. watermarking.

filigranoscòpio m. (*filatelia*) watermark detector.

filipèndula f. (*bot., Spiraea filipendula*) dropwort.

Filìppi f. (*geogr., stor.*) Philippi.

filìppica f. tirade; harangue; philippic.

Filippìne f. pl. (*geogr.*) (the) Philippines.

filippìno ① a. e m. (f. **-a**) Filipino.

filippìno ② (*eccles.*) Ⓐ a. Oratorian Ⓑ m. Oratorian father; (al pl., collett.) Fathers of the Oratory.

Filìppo m. Philip.

filisteìsmo m. philistinism.

filistèo a. e m. 1 (*Bibbia*) Philistine 2 (*fig.*) philistine.

fillade f. (*miner.*) phyllite.

fìllio m. (*zool., Phyllium*) leaf insect.

fillirèa f. (*bot., Phyllirea*) phyllirea.

fillocládio m. (*bot.*) phylloclade.

fillòdio m. (*bot.*) phyllode.

fillòfago a. (*zool.*) phyllophagous; leaf-eating.

fillòma m. (*bot.*) phyllome.

filloptòsi f. (*bot.*) leaf drop.

fillòssera f. (*zool., Phylloxera vastatrix*) phylloxera; vine louse; vine pest.

fillotàssi f. (*bot.*) phyllotaxis*; phyllotaxy.

♦**film** m. 1 film; picture (*fig.*); motion picture (*USA*); movie (*fam. USA*): **f. a colori**, colour film; **f. a passo normale**, 35-millimeter film; **f. a passo ridotto**, 16-millimeter film; **f. di animazione**, cartoon; **f. d'autore**, auteur film; **f. di guerra**, war film; **f. giallo**, detective film; thriller; **f. in bianco e nero**, black-and-white film; **f. in costume**, period film; **f. muto**, silent film; (al pl., collett.) (the) silents; **f. noir** (*franc.*), film noir; **f. parlato**, talking film; talkie (*fam.*); **f. per tutti**, U (o U-rated) film; G (o G-rated) movie; film for all the family; **f. pornografico**, porn film; blue movie; **f. sonoro**, sound film; **f. western**, western; **girare un f.**, (*di regista*) to shoot a film; (*di attore*) to make a film, to be in a film 2 (*cinema*) films (pl.): **l'epoca del f. muto**, the days of silent films (o of the silents).

filmàbile a. (*cinem.*) filmable.

filmàre v. t. to film; to shoot*: **f. una cerimonia**, to film a ceremony; **f. una scena**, to shoot a scene.

filmàto Ⓐ a. filmed; shot Ⓑ m. filmed sequence; film clip; footage Ⓤ.

filmico a. filmic; film (attr.); movie (attr.) (*USA*); screen (attr.).

filmina f. film strip.

filmìno m. (home o amateur) movie; film: **f. delle nozze**, wedding movie.

filmìstico a. filmic; film (attr.); movie (attr.) (*USA*).

filmografìa f. filmography.

filmologìa f. cinema studies (pl.).

film-òpera m. inv. opera film; opera movie (*USA*).

filmotèca f. film library.

♦**filo** m. (pl. **fìli**, m.; **fila**, f., con valore collett. in alcune loc.) 1 thread; (*spec. per lavori a maglia e tessitura*) yarn; (*ritorto*) twine; (*unito ad altri, in una corda e sim.*) strand; (*estens.: tes-

suto di cotone) cotton, (tessuto di lino) linen: **f. cucirino**, sewing thread; **f. di cotone [di seta, di nylon]**, cotton [silk, nylon] thread; **f. di ordito**, warp thread; **f. di Scozia**, fine cotton; lisle; **f. di trama**, weft (o woof) thread; pick; **f. per imbastire**, tacking thread; **ago e f.**, needle and thread; **un rocchetto di f.**, a reel of thread (o of cotton, of silk, etc.); **lana a cinque fili**, five-ply wool; **maglietta di f.**, cotton T-shirt **2** (elettr.) wire; (cavo) cable; (cavo isolato) cord, flex (GB): **f. adduttore**, leading wire; **f. dell'alta tensione**, high-tension cable; **f. del telefono**, telephone cord; **f. di terra**, earth (USA) ground) wire; **fili di collegamento**, leads; **fili del telegrafo**, telegraph wires; Il f. non arriva alla presa, the flex (USA cord) doesn't reach the socket; **tagliare i fili della corrente**, to cut the electricity wires; **telefono senza f.**, cordless telephone; **telegrafia senza fili**, wireless telegraphy **3** (di metallo) wire: **f. di ferro**, wire; **f. di rame**, copper wire; **f. spinato**, barbed wire **4** (di lama) edge: **aver perso il f.**, to have no edge; to be blunt; **fare il f. a una lama**, to sharpen a blade **5** (per bucato) line: Il bucato era steso sul f., the washing was hanging on the line **6** (del legno) grain **7** (pl. **le fila**) (fig., di argomento. ecc.) thread; strand: **il f. conduttore**, the thread running through st.; the underlying theme; **il f. del discorso**, the thread of what one was saying; **le fila di una storia**, the various strands of a story **8** (fig.: brevissima distanza) hair's breadth: **a un f. dalla vittoria**, within a hair's breadth of winning; Si è salvato per un f., he came out alive by the skin of his teeth; he had a close shave (fam.) **9** (di liquido che scorre) trickle, dribble; (estens.: piccola quantità) drop, tiny bit, trace, touch, smidgen (fam.): **un f. d'acqua**, a trickle of water; Non c'è un f. d'acqua, there isn't a drop of water; **un f. di saliva**, a dribble of saliva; **un f. di sangue**, a trickle of blood; **un f. di sarcasmo**, a touch of sarcasm; Non c'è un f. d'ombra, there isn't an inch of shade; Non dimostrò un f. d'interesse, she didn't show the slightest interest **10** (al pl.: **fila**) (fig.) threads; strands; strings: **le fila di una congiura**, the strings of a conspiracy; **reggere** (o tenere) **le fila di qc.**, to hold the reins of st.; to run the show; **tirare le fila**, to gather up the threads ● (edil.) **f. a piombo**, plumbline □ **f. d'aria**, breath of air □ **il f. d'Arianna**, Ariadne's thread; (fig.) the key to the problem □ **f. della corrente** (di un fiume), stream; (flow of the) current □ **f. d'erba**, blade of grass □ **f. di fumo**, wisp of smoke □ (sport) **f. di lana** → **f. del traguardo** □ **f. di luce**, ray of light □ **f. di paglia**, straw □ **f. di perle**, string of pearls □ **f. dei pensieri**, train of thought □ **f. di ragno**, spider's thread; cobweb □ **f. della schiena** (o delle reni), spine □ (di banconota) **f. di sicurezza**, thread mark □ **f. di speranza**, ray of hope □ (sport) **f. del traguardo** (o **f. di lana**), finishing tape: (anche fig.) **superare q. sul f. del traguardo**, to pip sb. at (o to) the post □ **f. del vento**, eye of the wind □ **f. interdentale**, dental floss □ (chir.) **f. per legature**, ligature □ **i fili dei burattini**, the puppet strings □ **a fil di logica**, according to strict logic; in strictly logical terms □ (fig.) **essere appeso a un f.**, to hang by a thread □ **avere un f. di voce**, (essere afono) to have hardly any voice left □ **con un f. di voce**, in a whisper □ (fig.) **dare del f. da torcere a q.**, to make things very hard for sb.; to make it lively for sb.; (di cosa difficile) to give sb. a lot of trouble, to be a hard nut to crack; **Hai trovato chi ti darà del f. da torcere**, you've met your match □ (fig.) **fare il f. a q.**, to be after sb. □ (fig.) **legato a f. doppio con q.**, hand in glove with sb. □ **passare q. a fil di spada**, to put sb. to the sword □ **per f. e per segno**, word by

word; (nei particolari) in detail □ **sul f. della legalità**, sailing close to the wind; dodgy (agg.) □ **essere** (o **camminare**) **sul f. del rasoio**, to walk (o to skate) on thin ice; to walk a tightrope; (rif. alla legalità) to sail close to the wind.

filoamericàno a. e m. (f. **-a**) pro-American.

filoàrabo a. pro-Arab.

filoatlàntico a. Atlanticist.

fìlobus m. trolleybus.

filoccidentàle a. pro-Western.

filocinése a., m. e f. pro-Chinese.

filocomunìsta a., m. e f. pro-Communist.

filodèndro m. (bot., Philodendron) philodendron*.

filodiffusióne f. cable radio.

filodiffùso a. wired.

filodiffusóre m. cable radio set.

filodrammàtica f. **1** amateur dramatic society; company of amateur actors **2** (attrice) amateur actress.

filodrammàtico **A** a. amateur dramatic: **compagnia filodrammatica**, company of amateur actors; **rappresentazioni filodrammatiche**, amateur theatricals **B** m. amateur actor.

filofascìsta a., m. e f. pro-Fascist.

filogènesi f. (biol.) phylogenesis; phylogeny.

filogenètico a. (biol.) phylogenetic; phylogenic.

filoguidàto a. (tecn.) wire-guided; wire-controlled.

filoisraeliàno a. e m. (f. **-a**) pro-Israeli.

filologìa f. philology: **f. comparata**, comparative philology; **f. germanica [romanza]**, German [Romance] philology.

filològico a. philological.

filologìsmo m. (spreg.) reduction of literary criticism to philological considerations; excessive reliance on philological techniques in literary criticism.

filòlogo m. (f. **-a**) philologist.

filonazìsta a., m. e f. pro-Nazi.

filoncìno m. (small) French loaf*.

filondènte m. (embroidery) canvas.

filóne ① m. **1** (miner.) seam; vein; lode: **f. carbonifero**, coal seam; **f. metallifero**, vein of metal ore; lode; **f.-strato**, reef; sill **2** (di pane) French loaf* **3** (di fiume) midstream **4** (fig.: corrente) trend; current; (genere) genre.

filóne ② m. (f. **-a**) (region.: persona astuta) crafty person; sly one; wise guy (m.); smart aleck (m.).

filoneìsmo m. love of novelty.

filoneìstico a. novelty-loving.

filoniàno a. – (geol.) **rocce filoniane**, dyke rocks.

filo-occidentàle → **filoccidentale**.

filorientàle, **filo-orientale** a. pro-Asian.

filóso a. stringy; thready.

filosofàle a. – **pietra f.**, philosopher's stone.

filosofàre v. i. to philosophize.

filosofàstro m. (spreg.) third-rate philosopher; philosophaster.

filosofeggiàre v. i. (spreg.) to pose as a philosopher.

filosofèma m. **1** (filos.) philosopheme **2** (spreg.) sophism.

filosoféssa f. **1** woman* philosopher **2** (spreg.) blue-stocking; know-all.

filosofìa f. philosophy: **f. della scienza**, philosophy of science; **f. di Aristotele**, Aristotle's philosophy; **f. di vita**, philosophy of life; **f. morale**, moral philosophy ● **f.**

spicciola, common sense □ **prendere qc. con f.**, to take st. philosophically.

filosoficaménte avv. philosophically.

filosòfico a. philosophical.

filosofìsmo m. philosophism.

filòsofo m. (f. **-a**) philosopher ● **fare il f.**, to pose as a philosopher; to philosophize.

filosofùme m. (spreg.) **1** (accolta di filosofastri) bunch of third-rate philosophers **2** (complesso d'idee) jumble of pseudo-philosophical notions; half-baked philosophy.

filosoviètico a., m. e f. (f. **-a**) pro-Soviet.

filòssera → **fillossera**

Filòstrato m. Philostratus.

filoveìcolo m. trolley vehicle.

filovìa f. **1** (linea aerea) overhead trolleybus wires (pl.) **2** (il servizio) trolleybus line.

filoviàrio a. trolleybus (attr.).

filtràbile a. (anche biol.) filterable, filtrable.

filtrabilità f. filterability.

filtràre **A** v. t. **1** to filter; to filtrate; to strain: **f. l'acqua**, to filter water; **f. il brodo [il tè]**, to strain broth [tea] **2** (fig.) to sift; to screen **B** v. i. **1** to filter; to percolate; to seep: Il caffè sta filtrando, the coffee is percolating; L'acqua filtra dai muri, water seeps in through the walls **2** (penetrare) to filter: La luce filtrava dalle persiane, light filtered through the shutters **3** (fig.) to leak out; to filter: La notizia filtrò, nonostante le precauzioni, the news leaked out despite all precautions.

filtràto m. filtrate.

filtratóre m. **1** (f. **-trice**) filterer **2** (zool.) filter feeder.

filtrazióne f. filtering; filtration; (di liquido, anche) percolation: (ind.) **impianto di f.**, filtering plant.

filtro ① m. **1** filter: (autom., mecc.) **f. del carburante**, fuel filter; **f. della luce**, light filter; (mecc.) **f. dell'olio**, oil filter; (fotogr.) **f. giallo**, yellow filter; (chim.) **f. molecolare**, molecular sieve; (fotogr.) **f. polarizzante**, polarizing filter **2** (per caffè) percolator: (colino) strainer **3** (di sigaretta) filter tip: **sigarette col f.**, filter-tipped (o filter-tip) cigarettes; filter-tips **4** (anat.) philtrum.

filtro ② m. (bevanda magica) philtre, philter (USA); magic potion: **f. d'amore**, philtre; love potion.

filtroprèssa m. filter press.

filugèllo m. (zool., Bombyx mori) silkworm.

fìlza f. **1** string: **una f. di perline [di salsicce, di fichi secchi]**, a string of beads [of sausages, of dry figs] **2** (fig.: serie) string; series: **una f. di bugie**, a string of lies; **una f. di esempi**, a series of examples **3** (cucito, anche **punto a f.**) running stitch **4** (di documenti, ecc.) file.

FIM sigla (CONI, **Federazione italiana motonautica**) Italian Speedboat Racing Association.

fìmbria f. (anat.) fimbria.

fimbriàto a. (anat.) fimbriate; fimbriated.

fimìcolo a. (zool.) fimicolous.

fimòsi, **fimoşi** f. (med.) phimosis.

FIN sigla (CONI, **Federazione italiana nuoto**) Italian Swimming Association.

♦**finàle** **A** a. **1** (conclusivo) final; closing; conclusive; end (attr.); last; (definitivo) final, definitive, decisive: **decisione f.**, final decision; **esami finali**, final exams; finals (GB); **esito f.**, final result; **il Giudizio f.**, the Last Judgment; **prodotto f.**, end product; **punteggio f.**, final score; **la scena f.** di una commedia, the last scene of a play **2** (rif. a un fine) final: (filos.) **la causa f.**, the final cause; (gramm.) **proposizione f.**, final clause **B** f. **1** (sport) final; finals (pl.): **la f. della Coppa del Mondo**, the World Cup Fi-

nal; **entrare in f.**, to get through to the finals; **perdere la finale**, to lose in the finals; **partita di f.**, final match **2** (*di concorso e sim.*) last round; final trial **3** (*scacchi*) endgame **4** (*gramm.*) final clause **C** m. **1** end; ending; conclusion; (*di brano musicale, spettacolo, ecc.*) finale; (*sport*) finish: (*sport*) **f. sul filo di lana**, grandstand finish; **gran f.**, grand finale; *Il f. fu al cardiopalmo*, the finish was white-knuckle stuff **2** (*pesca*) snood; snell (*USA*).

finalétto, finalino m. (*tipogr.*) tailpiece.

finalismo m. (*filos.*) finalism.

finalissima f. (*sport*) grand final.

finalista m. e f. (*filos., sport*) finalist.

finalistico a. (*filos.*) finalistic.

finalità f. **1** (*filos.*) finality **2** (*scopo*) aim; purpose; end; design ❶ **FALSI AMICI** • *tranne che in senso filosofico*, finalità *non si traduce con* finality.

finalizzàre v. t. **1** (*concludere*) to finalize **2** (*dare uno scopo*) to aim; to direct; to orient; to target; to gear: **f. le proprie azioni al conseguimento di qc.**, to direct one's action towards achieving st.; **f. la produzione al mercato estero**, to orient (*o* to gear) one's production to foreign markets; *L'intervento è finalizzato a una maggior scorrevolezza del traffico*, the measures are aimed at improving the flow of traffic.

finalizzàto a. oriented; targeted; with a purpose.

finalizzazióne f. orientation; targeting; aim; purpose.

finalménte avv. **1** (*alla fine*) at last; at long last: *F. siete arrivati!*, you've arrived at long last! **2** (*da ultimo*) finally; in the end; lastly.

finànche avv. even.

♦**finànza** f. **1** (*entrate e spese pubbliche*) finance Ⓤ; national revenue Ⓤ: **f. pubblica**, public finance; national finance; *Intendenza di f.*, Revenue Office; **ispettore di finanza**, revenue officer; *Ministro delle Finanze*, Minister of Finance; (*in GB*) Chancellor of the Exchequer **2** (*banca*) finance: **f. aziendale**, corporate finance; **alta f.**, high finance **3** (*al pl.*) (*mezzi*) finances: **le finanze dello Stato**, the state finances; *Le mie finanze non me lo permettono*, my finances won't run to it; I can't afford it **4** (*anche* **Guardia di f.**) Financial Police: **una guardia di f.**, a customs officer.

finanziaménto m. **1** (*il finanziare*) financing Ⓤ; funding Ⓤ; (*prestito*) loan; (*aiuto finanziario*) financial support Ⓤ; backing Ⓤ; (*sponsorizzazione*) sponsoring Ⓤ: **f. a breve [a lungo] termine**, short-term [long-term] financing; **f. alle piccole imprese**, small business financing; **f. pubblico dei partiti**, public financing of political parties; **cercare un f.**, to seek finance; **chiedere un f.**, to apply for a loan; **concedere un f.**, to grant a loan **2** (*somma erogata*) funds (pl.); finance Ⓤ: **fonti di f.**, sources of finance.

finanziàre v. t. to finance; to fund; to provide financial support for; (*aiutare finanziariamente*) to back; (*sponsorizzare*) to sponsor: **f. la costruzione di un centro sportivo**, to finance the construction of a sports centre; **f. un progetto**, to back a scheme; **f. una ricerca**, to fund a research programme; *Il servizio è finanziato con il denaro dei contribuenti*, the service is financed with taxpayers' money.

finanziària f. **1** (*econ.*: *società di investimento*) finance company (*o* house); (*società di controllo*) holding company **2** (*leg.*: *legge*) financial act; (*progetto di legge*) financial bill: **approvare [discutere] la f.**, to approve [to discuss] the financial bill.

finanziàrio a. financial; finance (attr.); capital (attr.): **anno [esercizio] f.**, financial

year; **consulente f.**, financial (*o* investment) adviser (*o* consultant); **essere in buone [cattive] condizioni finanziarie**, to be in a sound [precarious] financial situation; to be well-off [badly-off] (agg.); **legge finanziaria**, financial act; **mercato f.**, capital market; **società finanziaria**, finance company (*o* house).

finanziarizzazióne f. (*econ.*) growing importance of financial activities in an economic system.

finanziatóre **A** a. financing **B** m. (f. *-trice*) financer; financier (*anche spreg.*); financial backer; (*sponsor*) sponsor.

finanzièra f. **1** (*moda*) frock coat **2** (*cucina*) financière (*franc.*); garnish of giblets cooked in butter and wine.

finanzière m. **1** financier **2** (*guardia di finanza*) customs officer.

finca f. (*bur.*) column.

fincàto a. (*bur.*) divided into columns.

fincatùra f. (*bur.*) division into columns.

♦**finché** cong. **1** (*fino a quando*) until; till: *Rimasi f. non fu finito*, I stayed until it was over; **f. non l'avrai visto**, until you have seen it **2** (*per tutto il tempo che*) as long as: *Tieni il libro f. vuoi*, keep the book as long as you like; **f. vivrò**, as long as I live; (*prov.*) *F. c'è vita, c'è speranza*, where there's life, there's hope.

fin de siècle (*franc.*) loc. a. inv. fin de siècle (pred.); fin-de-siècle (attr.).

♦**fine**① **A** f. **1** end; conclusion; (*finale*) ending, close; (*comm.*) **f. esercizio**, end of the financial year; **f. settimana**, weekend; **a f. mese** (*o* **alla f. del mese**), at the end of the month; **verso la f. dell'autunno**, in late autumn; **un pittore della f. del Seicento**, a late 17th-century painter; **cambiare la f. di un romanzo**, to change the ending of a novel; **raccontare la f. di un film**, to reveal how a film ends; **avere f.**, to end; to come to an end; **fare una brutta f.**, to come to a bad (*o*, fam., sticky) end; **fare la stessa f. di**, to go the same way as; **giungere alla f.**, to come to an end; **mettere** (*o* **porre**) **f. a qc.**, to put an end to st.; **volgere alla f.**, to draw to an end (*o* to a close); **il principio della f.**, the beginning of the end; **vendita di f. stagione**, end-of-season sale; **alla f.**, in the end; eventually; (*finalmente*) at last; *Alla f. ho dovuto dirglielo*, in the end I had to tell him; I had to tell him eventually; **senza f.**, without end; endlessly (avv.); endless (agg.); unending (agg.); (*sconfinato*) boundless (agg.); **un deserto senza f.**, an unending (*o* a boundless) desert; **seccature senza f.**, endless (*o*, fam., no end of) trouble **2** (*morte*) death: **fare una f. terribile**, to meet with a terrible death ● (*in fondo a un libro, a un film, ecc.*) **F.**, The End □ **F.!** (*ecco fatto*), that's it!; there we are! □ **alla fin f.** (*o* **in fin dei conti**), all things considered; when all is said and done; (*dopotutto*) after all □ (*fam.*) **essere la f. del mondo** (*essere stupendo*), to be fabulous □ **È scoppiata la f. del mondo quando l'ho annunciato**, when I announced it, all hell broke loose □ **Non sarà la f. del mondo se aspetti mezz'ora!**, it won't be the end of the world if you wait half an hour! □ **in fin di vita**, close to death; dying □ *Che f. ha fatto il giornale?*, where has the paper got to? □ *Che f. ha fatto il tuo amico?*, what has become of your friend? □ **Buona f. e miglior principio!** (*Buon anno*), a Happy New Year! **B** m. **1** (*scopo, meta*) end; aim; object; objective; purpose: **il f. ultimo**, the ultimate end (*o* aim); *Il f. giustifica i mezzi*, the end justifies the means; **secondo f.**, hidden purpose; ulterior motive; hidden agenda; **raggiungere il proprio f.**, to reach one's objective **2** (*conclusione, risultato*) conclusion; result; issue: **andare** (*o* **giungere**) **a**

buon f., to have a successful conclusion; to turn out well; to succeed; **condurre qc. a buon f.**, to bring st. to a successful conclusion; **film a lieto f.**, film with a happy ending ● **essere f. a sé stesso**, to be an end in itself □ **A che f.?**, why?; what for?; to what purpose? □ **al f. di**, in order to □ **a fin di bene**, for a good reason; with the best intentions □ **a tal f.**, to that end □ (*comm.*) **salvo buon f.**, subject to collection.

♦**fine**② **A** a. **1** (*sottile*) fine, thin; (*minuto, impalpabile*) fine: **capelli fini**, fine hair; **lamina f.**, thin metal sheet; **pioggerella f.**, fine drizzle; **sabbia f.**, fine sand; **seta f.**, fine silk **2** (*fig.: acuto, sottile*) fine; subtle; keen: **una distinzione f.**, a fine distinction; **f. ironia**, subtle irony; **un f. senso dell'umorismo**, a fine sense of humour; **udito f.**, keen hearing **3** (*elegante*) elegant; (*raffinato*) refined; (*educato*) polite; (*di buon gusto*) tasteful: **gusto f.**, refined taste; **una signora molto f.**, a very refined lady **4** (*accurato*) accurate; precise; fine: **lavorazione f.**, accurate workmanship; **regolazione f.**, fine tuning **B** avv. – **far f.**, to be smart; to be the thing (*fam.*).

finecórsa m. (*tecn.*) limit switch.

fine settimàna m. o f. inv. weekend.

♦**finèstra** f. **1** window: **f. ad abbaino**, dormer window; **f. a battenti**, casement window; **f. a ghigliottina**, sash window; **f. a lucernaio**, skylight; **f. a lunetta**, fanlight; **f. cieca**, blank (*o* blind) window; **doppia f.**, double window; **f. lunga**, French window; **f. ogivale**, lancet window; *La f. dà* (*o guarda*) *sul giardino*, the window looks out on to the garden; **affacciarsi alla f.**, (*mostrarsi*) to appear at the window; (*andare*) to go to the window; (*per guardare*) to look out of the window; **entrare dalla f.**, to climb in through the window; **sporgersi dalla f.**, to lean out of the window; **porta f.**, French window; **vetro di f.**, windowpane **2** (*apertura*) opening; hole; window **3** (*comput.*) window; box: **f. attiva**, active window; **f. di dialogo**, dialog box **4** (*anat.*) – **f. ovale** (*o vestibolare*), vestibular; vestibule of the ear; **f. rotonda** (*o cocleare*), opening of the cochlea ● **busta a f.**, window envelope □ (*fig.*) **buttare i soldi dalla f.**, to throw money away (*o* down the drain) □ (*fig.*) **Uscito dalla porta, il problema è rientrato dalla f.**, there's no getting rid of this problem □ (*fig.*) **stare alla f.**, to be a spectator; to stand on the sidelines; to sit on the fence.

finestràto a. **1** having windows; windowed **2** (*moda*) – **maniche finestrate**, slashed sleeves.

finestratùra f. windows (pl.).

♦**finestrino** m. **1** small window **2** (*di veicolo*) window: **f. posteriore**, rear window; **abbassare [alzare] il f.**, to roll down [to roll up] the window.

finestróne m. **1** large window **2** (*porta finestra*) French window.

finézza f. **1** (*sottigliezza*) fineness; thinness; (*fig.*) subtlety **2** (*raffinatezza*) refinement **3** (*acutezza*) sharpness; keenness.

finferlo m. (*bot., region.*) chanterelle.

♦**fingere** **A** v. t. e i. **1** to pretend; to feign (*form.*); to simulate; to sham: **f. interesse**, to pretend to be interested; to feign interest; **f. di dormire**, to pretend to be asleep; *Finsi di leggere il giornale*, I pretended to read (*o* to be reading) the paper; *Finse di non vedermi*, she pretended she hadn't seen me; (*mi ignorò*) she cut me (dead); *Ha finto di essere preoccupato per noi*, he pretended he was worried (*o* he made a pretence of being worried) about us; **saper f.**, to be good at pretending; (*a nascondere le emozioni*) to be good at hiding one's feelings **2** (*immaginare, supporre*) to imagine; to suppose: *Fingi di essere in un'isola deserta*, imagine you are on

a b c d e **f** g h i j k l m n o p q r s t u v w x y z

a desert island **B fingersi** v. rifl. to pretend to be; to feign (+ sost. astratto, *form.*): **fingersi malato**, to pretend to be ill; (*di soldato*) to malinger; **fingersi morto**, to feign death; to pretend to be dead.

finibile a. that can be finished.

finiménto m. **1** (*ornamento*) ornament; (*guarnizione*) trimming **2** (al pl.) (*bardatura*) harness (sing.): **mettere i finimenti a un cavallo**, to harness a horse.

finimóndo m. bedlam Ⓤ; pandemonium Ⓤ; (*di indignazione*) uproar: *Al ritorno trovai il f.*, when I came back I found total bedlam; *Scoppiò un f.*, suddenly there was bedlam; all hell broke loose; **scatenare un f.**, to create an uproar.

♦**finire A** v. t. **1** to finish; to end; (*concludere*) to bring* to an end, to wind* up; (*completare*) to complete, to finish off: **f. una lettera**, (*finire di scriverla*) to finish a letter; (*concluderla*) to end a letter; **f. i propri giorni**, to end one's days; **f. di stirare**, to finish ironing; **f. in orario**, to finish on time; *Hai finito?*, have you finished?; are you through? (*fam.*); *Finì il discorso con una citazione dalla Bibbia*, he ended (o wound up) his speech with a quotation from the Bible; *Finiremo con una macedonia*, we will finish off with a fruit salad; (*eufem.*) *Con te non ho ancora finito!*, I'm not through with you yet! **2** (*smettere*) to stop; (*smettere di lavorare*) to stop work: **f. di piangere [di ridere]**, to stop crying [laughing]; *Finiamo qui per oggi*, let's stop here for today; *Alla fabbrica finiscono alle sei*, they stop work at six at the factory **3** (**f. con** o **f. per** + inf.) to end up (+ gerundio): *Finirà per farsi male*, she'll end up by hurting herself; *Sono certo che finiranno per cedere*, I'm sure they will eventually give in; I'm sure they will give in in the end **4** (*mangiare tutto*) to finish off (o up); to eat up; (*bere tutto*) to drink up; (*fare piazza pulita*) to polish off: *Su, finisci la minestra*, come on, eat up your soup; *I ragazzi finirono il gelato in un attimo*, the kids polished off the ice cream in a flash **5** (*usare fino in fondo*) to use up; to finish up; (*esaurire*) to run* out of; (*vendere tutto*) to sell* out of: *Ho fatto una sciarpa per f. la lana*, I've knitted a scarf to finish up the wool; *Abbiamo finito lo zucchero*, we've run out of sugar **6** (*uccidere*) to finish off: *La seconda pallottola lo finì*, the second bullet finished him off; *Lo finirono a calci*, they kicked him to death ● **Finiscila!**, stop it!; have done with it!; cut it out (*fam. USA*); (*di gridare, cantare, ecc.*) shut up! □ *Finitela con questo chiasso!*, stop that racket! □ **È ora di finirla!**, this has got to stop!; I've [we've] had enough! □ **Non la finiva più!**, she just went on and on and on! □ **Sarebbe ora che Tom la finisse di fare lo stupido**, it's high time Tom stopped fooling about □ **Non si finisce mai di imparare!**, you live and learn! □ **Non finisci mai di stupirmi**, you never cease to amaze me **B** v. i. **1** (*terminare, avere fine*) to end; to come* to an end; to finish: *Tutte le cose belle devono f.*, all good things must end (o come to an end); *La guerra finì nel 1945*, the war ended (o finished) in 1945; **parole che finiscono in -ing**, words ending in -ing; **un discorso che non finisce più**, a never-ending speech; *La strada finisce qui*, the road ends (o comes to an end) here; (*di autobus, ecc.*) *La corsa finisce in Piazza Verdi*, the route ends in Piazza Verdi; **far f. qc.**, to put an end to st.; to stop st. **2** (*anche* **andare a f.**: *concludersi*) to end; to end up: **f. bene**, (*di vicenda*) to end happily; (*di romanzo, ecc.*) to have a happy ending; (*risolversi bene*) to turn out well; **f. male**, to end badly; to come to a bad end; (*di vicenda*) to end unhappily; (*di romanzo, ecc.*) to have an unhappy ending; **f. in tragedia**, to end in tragedy; *Com'è finita*

la partita?, how did the match end?; *Andò a f. tutto bene*, it all ended up well; *Andò a f.* (o *Finì*) *che gli diedi un passaggio a casa*, I ended up driving him home **3** (*esaurirsi*) to run* out; (*di merce*) to sell* out: *Le nostre provviste finirono presto*, our provisions soon ran out; *Questo articolo è finito*, we've sold out of this article **4** (impers.: *cessare*) to stop: *È finito di piovere*, it has stopped raining **5** (*morire*) to die: *Finì gloriosamente*, he died a glorious death **6** (*anche* **andare a f.**: *andare, ritrovarsi*) to end up: **f. all'ospedale [in prigione]**, to end up in hospital [in jail]; **f. in miseria**, to end up destitute; *La palla finì sul tetto*, the ball ended up on the roof **7** (*anche* **andare a f.**: *scomparire, cacciarsi*) to get* to: *Dove è finito* (o *andato a f.*) *il mio cappello?*, where has my hat got to?; *Dov'eri finito?*, where did you get to? **8** (*sboccare, di fiume*) to flow (into); (*di strada*) to lead* (to) ● **f. in bellezza**, to end with a flourish □ **f. in niente** (o **in una bolla di sapone**), to come to nothing; to end up in smoke □ **f. in pianto**, to end in tears □ **a f.**, interminably; ad nauseam □ **Dove si andrà a f. di questo passo?**, where is it all going to end? □ **Dove vuole andare a f.?** (*a che cosa mira?*), what is he driving at? □ **La cosa non finisce qui!**, you haven't heard the last of this!; that's not the end of the matter! □ (*prov.*) **Tutto è bene quel che finisce bene**, all is well that ends well. (→ **finito, A**, def. 1) **C** m. end: **sul f. dell'inverno**, towards the end of winter.

finis (*lat.*) m. inv. (*a scuola*) end (of a class); finish.

finissàggio m. (*ind.*) finishing.

finitézza f. **1** (*compiutezza*) perfection; perfect finish **2** (*limitatezza*) finiteness; limitedness.

finìtimo a. neighbouring; bordering.

♦**finito A** a. **1** (*terminato*) finished; ended; over (pred.); up (pred.); done (pred.): *La lezione è finita*, the lesson is over; *Tutto è f. fra noi*, it's all over between us; *Il tempo è f.*, time is up; *Il caffè è f.*, there is no coffee left; we've run out of coffee; *Arrivammo a festa finita*, we arrived when the party was over; *Ecco qua, f.!*, there, it's done!; *È finita*, it's all over; that's the end **2** (*compiuto, completato*) completed; finished: **prodotto f.**, finished product; **a lavoro f.**, when the work is completed; **non f.**, unfinished **3** (*abile, esperto*) expert; accomplished; skilled: **artigiano f.**, accomplished craftsman; **cameriere f.**, expert waiter **4** (*senza un futuro*) finished (pred.); (*spacciato*) done for: *È un artista f.*, as an artist, he's finished; *Se non arrivano i rinforzi siamo finiti*, if the reinforcements don't arrive, we're done for; *È un uomo f.*, he's finished; (*è spacciato*) he's done for, he's a goner (*fam.*) **5** (*mat., filos., gramm.*) finite ● **farla finita con qc.**, to put an end to st. □ **farla finita con q.**, to break it off with sb.; to be through with sb. □ **farla finita (con la vita)**, to end it all □ **Falla finita!** (*smettila!*), stop it!; cut it out! **B** m. (*filos., gramm.*) finite.

finitóre m. (*anche mecc.*) finisher.

finitrìce f. **1** finisher **2** (*per strade*) surface finisher.

finitùdine f. (*filos.*) finitude; finiteness.

finitùra f. finish; (*tocco finale*) finishing touch: **f. liscia**, smooth finish; **f. metallizzata**, metallic finish; **f. opaca**, matt finish.

finlandése A a. Finnish **B** m. e f. Finn (m.): **i Finlandesi**, the Finns **C** m. (*lingua*) Finnish.

Finlàndia f. (*geogr.*) Finland.

finlandizzàre v. t. (*polit.*) to Finlandize.

finlandizzazióne f. (*polit.*) Finlandization.

finnico a. (*stor.*) Finnic.

♦**fino** ① **A** prep. (anche **f. a**) **1** (*tempo*) until; till; up to: **f. a venerdì**, till (o until) Friday; **f. a oggi**, up until today; up until now; to date; **f. a ieri**, until yesterday; **f. a questo momento**, until now; up to now; so far; **f. all'ultimo**, up to (o until) the end; **f. a notte fonda**, late into the night; **f. a luglio avanzato**, late into July; **da luglio f. alla fine di ottobre**, from July to the end of October; July through October (*USA*); *F. a quando?*, till when?; (*per quanto tempo?*) how long?; **f. a che → finché**; **f. a ora → finora 2** (*spazio*, anche *fig.*) as far as; (up) to; (down) to: **f. a Roma**, as far as Rome; **fin là**, up to there; so far; **f. a pagina 22**, up to page 22; *Vai f. all'incrocio*, go as far as the crossroads; *Il velo arrivava f. a terra*, the veil reached down to the ground; *La proprietà si estende f. al mare*, the property extends as far as the sea; *Arrivammo fin dove cominciava il ghiacciaio*, we got to where the glacier began; **dallo sguattero su su f. al re**, from the scullery-boy up to the king; *Fin dove?*, how far?; **andare f. in fondo a qc.**, to get to the bottom of st. **3** (*quantità*) up to; as much as: **bere fino a due litri al giorno**, to drink up to two litres a day; *Può costare fino a 200 dollari*, it can cost as much as $ 200; **f. all'ultimo centesimo**, down to the last cent; (seguito dall'inf.) (*finché*) until; (*tanto che*) so much that: *Mangiò f. a star male*, he ate himself sick; *Urlò f. a perdere la voce*, she shouted herself hoarse ● (*fig.*) **resistere f. all'ultimo uomo**, to resist to the last man □ **Rise f. alle lacrime**, she laughed till she cried **B fin da** loc. prep. **1** (*tempo*) (right) from; since: **f. dall'infanzia**, from childhood; **f. dalla nascita**, (right) from birth; *È qui fin dal 1970*, it's been here since 1970; **fin da allora**, since then; **fin da quando**, (ever) since; **fin da domani**, from tomorrow; **fin d'ora**, (*d'ora innanzi*) from now on; (*subito*) right now; straight away **2** (*spazio*) from: **fin dalla Cina**, from as far away as China; **fin dalle sorgenti del fiume**, right from the river source **C** avv. (*perfino*) even: *Mangiai tutto, f. le briciole*, I ate it all, even the crumbs; *Hai parlato fin troppo*, you've said too much already.

♦**fino** ② **A** a. **1** (*minuto*) fine: **sale f.**, fine (o table) salt **2** (*sottile*) → **fine** ②, def. 1 **3** (*puro*) pure: **aria fina**, pure air; **oro f.**, pure gold **4** (*fig.: astuto*) sharp; subtle: **cervello f.**, sharp mind; subtle brains (pl.) **B** avv. – **far f.**, to be smart; to be the thing (*fam.*).

finocchièlla f. (*bot.*, *Myrrhis odorata*) myrrh; sweet cicely.

finòcchio ① m. (*bot.*, *Foeniculum vulgare*) fennel ● (*bot.*) **f. dolce** (*Foeniculum dulce*), sweet (o Florence) fennel □ (*bot.*) **f. marino** (*Crithmum maritimum*), sea-fennel; samphire.

finòcchio ② m. (*spreg.*) queer; fairy; poof; poofter; fag (*USA*).

♦**finóra** avv. so far; till now; up to now; yet (in frasi neg.); hitherto (*form.*): *F. abbiamo pagato quattromila euro*, we've paid four thousand euros so far; *F. non ho ricevuto sue notizie*, I have heard nothing from him up to now (o as yet, so far); *F. non l'ho visto*, I haven't seen him yet; *F. nessuno ha protestato*, no one has complained so far; *Tutto bene f.*, so far so good.

♦**finta** f. **1** (*finzione*) pretence Ⓤ, pretense Ⓤ (*USA*); sham Ⓤ; put-on (*fam. USA*): *È tutta una f.*, it is all pretence; *La sua malattia era una f.*, his illness was just put on **2** (*sport*: *scherma, boxe* e *fig.*) feint; (*calcio, rugby*) dummy: **fare una f.**, to make a feint **3** (*sartoria*) fly-front closing ● **far f.**, to pretend; to make a pretence (of); to act (as if); to put* on a show (of); to sham (*assol., anche*) to put* it on (*fam.*): **far f. di nulla**, to pretend (o to act as if) nothing had happened; to pretend not to notice; *Fece f. di non conoscermi*, she

pretended she didn't know me; (*mi ignorò*) she cut me (dead); *Fece f. di essere preoccupato*, he made a pretence of concern (*o of being concerned*); *Non è malato, fa solo f.*, he isn't ill, he's just shamming (*o putting it on*); **fare qc. per f.**, to pretend to do st.

fintaggine f. duplicity; double-dealing; pretence.

fintantoché → **finché**.

fintàre v. t. e i. (*sport: scherma, boxe*) to feint, to make* a feint; (*calcio, rugby*) to dummy.

♦**finto** A a. 1 (*falso, artificiale, imitato*) false; artificial; fake; phoney; sham (attr.); mock (attr.); dummy (attr.); imitation (attr.): **barba finta**, false beard; **brillante f.**, fake diamond; **capelli finti**, false hair; **finestra finta**, dummy window; **fiori finti**, artificial flowers; **gioielli finti**, sham jewellery; **finta pelle**, imitation leather; **perle finte**, sham (*o artificial*) pearls; **pistola finta**, dummy gun; **tasca finta**, false pocket 2 (*simulato*) feigned; pretended; affected; simulated; mock (attr.); make-believe: **finta indifferenza**, feigned (*o affected*) indifference; **finta sorpresa**, mock surprise; **f. terrore**, mock terror; *Credo che la malattia sia finta*, I think the illness is put on (*fam.*); **fare il f. tonto**, to play dumb 3 (*fittizio*) fictitious; bogus: **finta vendita**, fictitious sale 4 (*insincero*) false; insincere; deceitful; **un f. amico**, a false friend; **È un uomo f.**, he is insincere; he is a hypocrite B m. (f. *-a*) (*ipocrita*) hypocrite.

finzióne f. 1 (*doppiezza*) duplicity; deceitfulness; falsehood: **senza f.**, openly 2 (*cosa simulata, messinscena*) pretence Ⓤ, pretense Ⓤ (*USA*); sham Ⓤ; act; make-believe; put-on (*fam.*): *È tutta una f.*, it's all pretence; it's all an act; *Dice di star male, ma è tutta una f.*, he says he's not well, but it's all an act; **f. scenica**, stage pretence; **f. giuridica**, legal fiction 3 (*illusione*) illusion, make-believe; (*invenzione*) fiction: **f. poetica**, poetic fiction.

fìo m. penalty: **pagare il fio di qc.**, to pay the penalty for st.

FIO sigla (**Fondo investimenti ed occupazione**) Investment and Employment Fund.

fiocàggine f. (*raucedine*) hoarseness.

fioccàre v. i. 1 (*della neve*) to fall*; (impers.) to snow: *Sta fioccando*, it's snowing 2 (*fig.*) to rain down; to shower; to come* in thick and fast: *Fioccarono i colpi su di lui*, blows rained down on him; *Fioccarono le proteste*, complaints came in thick and fast; they were snowed under with complaints.

♦**fiòcco** ① m. 1 (*di nastro, ecc.*) bow; knot: **legare con un f.**, to tie in a bow; **fare [disfare o sciogliere] un f.**, to tie [to untie] a bow 2 (*di neve*) snowflake; flake: **cadere a larghi fiocchi**, to fall in large flakes 3 (*bioccolo*) tuft, flock; (*fibra*) staple 4 (al pl.) (*di cereali, ecc.*) flakes: **fiocchi di avena**, oat flakes; **fiocchi di granoturco**, cornflakes 5 (*nappina*) tassel ● (*fig.*) **coi fiocchi**, first-rate; first-class; excellent; super (*fam.*); (*di pranzo, anche*) slap-up (*fam.*): **un professore coi fiocchi**, a first-class teacher; **un pranzo coi fiocchi**, a slap-up dinner.

fiòcco ② m. (*naut.*) jib: **f. di dentro**, inner jib; **f. di fuori**, outer jib; **gran f.**, standing jib; **asta del f.**, jib-boom.

fioccóso a. 1 tufty; fleecy; fluffy; woolly: **lana fioccosa**, fluffy wool; **nuvole fioccose**, woolly clouds 2 (*chim.*) flocculent.

fiochézza → **fiocàggine**.

fiòcina f. harpoon; fishing spear.

fiocinàre A v. t. to harpoon; to spear B v. i. to throw*, a harpoon; to fire a harpoon.

fiocinàta f. blow with a harpoon; blow with a spear.

fiocinatóre m. harpooner.

fiòcine m. 1 (*buccia del chicco d'uva*) grape-skin 2 (*region.: vinacciolo*) grape-stone.

fiocinière m. harpooner.

fiòco a. weak; feeble; faint; (*di luce, anche*) dim; (*rauco*) hoarse.

fiónda f. 1 (*arma*) sling 2 (*giocattolo*) catapult; slingshot (*USA*).

fiondàre A v. t. 1 (*lett.*) to catapult 2 (*scagliare*) to throw*; to fling*; (*con un calcio*) to shoot* B **fiondàrsi** v. rifl. (*fam.*) to rush; to shoot*; to dive*; to fling* oneself: *Si è fiondato nel primo bar*, he dived (*USA* dove) into the first bar; *Mi sono fiondato a casa*, I rushed home.

fioràio m. (f. *-a*) 1 florist 2 (*ambulante*) flower vendor (*o seller*); flower girl (f., *GB*).

fioràle a. (*bot.*) floral.

fioràmi m. pl. flower (*o floral*) pattern (sing.): **a f.**, with a flower pattern; flowered; **disegno a f.**, flower pattern; **seta a f.**, flowered silk.

fioràto a. flowered; with a flower (*o floral*) pattern.

fiorcappùccio m. (*bot., Delphinium consolidata*) rocket larkspur.

fiordalìso m. 1 (*bot., Centaurea cyanus*) cornflower; bluebottle 2 (*arald.*) lily; fleur-de-lis*.

fiordilàtte m. inv. 1 mozzarella cheese made from cow's milk 2 (*gelato*) plain ice cream.

fiòrdo m. fiord, fjord.

♦**fióre** m. 1 flower; (*di cespo, pianta*) bloom; (*di albero da frutto*) blossom: **f. annuale [biennale, perenne]**, annual [biennial, perennial] flower; **f. d'arancio**, orange blossom; **f. di mandorlo**, almond blossom; **f. composto**, compound flower; **f. doppio [singolo]**, double [single] flower; **fiori artificiali**, artificial flowers; **fiori di campo** (*o selvatici*), wild flowers; **fiori freschi**, freshly cut flowers; **fiori recisi**, cut flowers; **fiori secchi**, dried flowers; **cogliere un f.**, to pick a flower; **fare fiori**, to flower; (*di albero da frutto*) to blossom; (*improvvisamente*) to burst into flower; *Le rose sono in f.*, roses are in bloom; *Il pesco è in f.*, the peach tree is blossoming (*o in bloom*); **cassetta per fiori**, window box; **corona** (*o ghirlanda*) **di fiori**, wreath (*o garland*) of flowers; **il linguaggio dei fiori**, the language of flowers; **mazzo di fiori**, bunch of flowers; (*più formale*) bouquet; **mazzolino di fiori**, nosegay; **mostra di fiori**, flower show; **pianta da f.**, flowering plant; **vaso da fiori**, (*per pianta*) flower pot; (*per fiori recisi*) vase, bowl 2 (*superficie*) surface: **a fior d'acqua**, just below the surface (*o the water*); **salire a fior d'acqua**, to surface; to rise to the surface; **a fior di pelle**, on the skin; superficial (agg.); *Ho i nervi a fior di pelle*, my nerves are on edge; **sorriso a fior di labbra**, thin smile; half smile; **sorridere a fior di labbra**, to smile faintly; **mormorare qc. a fior di labbra**, to whisper st.; **a fior di terra**, at ground level; flush with the ground 3 (*fig.: la parte scelta*) flower; pick; cream: **il f. della nostra gioventù**, the flower of our youth; **il fior f. dell'aristocrazia**, the cream of the aristocracy 4 (*fig.: momento migliore, culmine*) flower; bloom; height: **il f. degli anni**, the prime of life; one's prime; **nel f. della bellezza**, at the height of one's beauty; **nel f. della gioventù**, in the bloom (*o flower*) of one's youth; **nel f. della salute**, in the pink of health 5 (*fig.: compendio, antologia*) selection; anthology: **il f. della Divina Commedia**, a selection from the Divine Comedy 6 (al pl.) (*nelle carte da gioco*) clubs: **il tre di fiori**, the three of clubs; **carta di fiori**, club 7 (*enologia*) flowers (pl.); mould ● **f. all'occhiello**, button-hole; (*fig.*) pride, jewel, jewel in the

crown, show-piece, flagship: *Lo stadio nuovo è il f. all'occhiello della cittadina*, the new stadium is the pride of the town □ **il f. della vita**, the spring (*o springtime*) of life □ **fiori di Bach**, Bach flower remedies □ **fior di conio**, in mint condition □ **fior di farina**, (superfine) flour □ **fior di latte**, cream; top of the milk; → **fiordilatte** □ **fior di quattrini** (*o soldi*), a pretty penny; a tidy sum; lots of money: *È costato fior di quattrini*, it cost a pretty penny (*o a tidy sum*) □ (*bot.*) **f. di passione**, passion flower □ (*chim.*) **fiori di zolfo**, flowers of sulphur □ **un fior di galantuomo**, a thoroughly honest man □ **un fior di scienziato**, a first-class scientist □ **un fior di ragazza**, a beautiful girl; a beauty □ **a fiori**, flowered; floral; with a flower (*o floral*) pattern: **tappezzeria a fiori**, floral wallpaper; **camicia a fiori**, flowered shirt □ (*fig.*) **essere in f.** (*prosperare*), to flourish; to thrive □ **Sei un f.!**, you are blooming! □ (*fig.*) **perdere il proprio f.**, to lose one's bloom □ (*nei necrologi*) «Si prega di non inviare fiori», «no flowers by request».

fiorellino m. (*bot.*) floret; floweret.

fiorènte a. 1 (*prospero*) thriving; flourishing; prosperous: **un'attività f.**, a flourishing business; **economia f.**, thriving economy 2 (*di donna*) buxom: **ragazza f.**, buxom girl.

fiorentina f. 1 (*cucina*) grilled T-bone steak 2 (*chim.*) Florence flask.

fiorentineggiàre v. i. to put* on (*o to affect*) a Florentine accent.

fiorentinìsmo m. 1 (*ling.*) Florentine idiom 2 (*letter.*) movement upholding the superiority of the Florentine dialect.

fiorentinista m. e f. upholder of the Florentine dialect.

fiorentinità f. Florentine nature; Florentine qualities (pl.).

fiorentino a. e m. (f. *-a*) Florentine ● (*cucina*) **bistecca alla fiorentina**, grilled T-bone steak □ (*chim.*) **bottiglia fiorentina**, Florence flask.

fioreria f. flower shop; florist's (shop).

fiorétta f. (*enologia*) flowers (pl.) of wine.

fiorettàre e deriv. → **infiorettare**, e deriv.

fiorettista m. e f. (*scherma*) foilist.

fiorétto ① m. 1 (*lett.: piccolo fiore*) little flower; floweret 2 (*parte scelta*) flower – **f. del cotone**, first-quality cotton 3 (al pl.) (*letter.*) selection (sing.); selected passages 4 (*piccola rinuncia*) small sacrifice 5 (*mus.*) grace; embellishment ● **«I fioretti di San Francesco»**, «The Little Flowers of St Francis».

fiorétto ② m. 1 (*scherma*) foil; (*la specialità*) foil fencing: **gara di f.**, foil fencing match 2 (*tecn.*) starter 3 (*elettr.*) switch hook.

fioricoltóre, **fioricoltura** → **floricoltore, floricoltura**.

fiorièra f. 1 (*cassetta*) flower box 2 (*per fiori recisi*) flower bowl; vase.

fiorìfero a. (*bot.*) floriferous.

Fiorìle m. (*stor. franc.*) Floréal (*franc.*).

fiorino m. 1 (*stor.*) florin 2 (*unità monetaria olandese*) guilder; gulden; florin 3 (*unità monetaria ungherese*) forint.

♦**fiorire** A v. i. 1 to flower; to bloom; (*all'improvviso*) to burst* into flower; (*di albero da frutto*) to blossom; (*essere in fioritura*) to bloom, to be in flower (*o in bloom*): *Il ciliegio sta fiorendo*, the cherry tree is blossoming; **una pianta che fiorisce in estate**, a plant that flowers in the summer; *La rosa è fiorita*, the roses have bloomed; the rose bush is in bloom 2 (*prosperare*) to flourish; to thrive*; to prosper: *Fiorivano i traffici*, trade was thriving 3 (*lett.: essere adorno*) to blossom (with) 4 (*di artista del passato*) to flourish; to be active: *Lippo Vanni fiorì alla metà del Trecento*, Lippo Vanni was active in mid-thirteenth century 5 (*essere pieno*) to

be full (of): *La città fioriva di giovani talenti*, the city was full of talented young people 6 (*coprirsi di muffa*) to go* mouldy; to mildew 7 (*med.*) to come* out in a rash ● (*prov.*) **Se son rose fioriranno**, time will tell B **v. t. 1** (*ornare di fiori*) to deck with flowers 2 (*fig.*) to adorn; to embellish.

fiorista m. e f. **1** florist: **negozio di f.**, florist's 2 (*pittore*) flower painter 3 (*chi fa fiori artificiali*) maker of artificial flowers.

fiorita f. **1** decoration of flowers and leaves; carpet of flowers 2 → **florilegio**.

♦**fiorito** a. **1** (*in fiore*) flowering; in flower (pred.); (*di cespuglio, albero*) blooming, in bloom (pred.): **meli fioriti**, apple trees in bloom; *Il rosaio è tutto f.*, the rose bush is in full bloom; the rose bush is ablaze with blossom 2 (*pieno di fiori*) full of flowers (pred.): **campo f.**, field full of flowers 3 (*ornato di fiori*) decorated with flowers 4 (*con disegno di fiori*) flowered; with a flower (*o floral*) pattern (pred.) 5 (*fig.: scelto*) choice; select: **conversazione fiorita**, choice (*o* elegant) conversation 6 (*fig.: ornato*) florid; ornate; flowery: **un parlare f.**, a flowery way of speaking 7 (*fig.: pieno*) full (of): **un compito f. di strafalcioni**, an exercise full of mistakes 8 (*coperto di muffa*) mouldy; mildewed 9 (*med.*) covered in a rash (pred.).

fioritura f. **1** (*il fiorire*) flowering; bloom; (*di albero da frutto*) blossoming: **l'epoca della f.**, the flowering time (*o* season); **all'epoca della f. delle rose**, when roses start to bloom (*o* are blooming); **in piena f.**, in full bloom; ablaze with blossom; **varietà a f. ritardata**, late-flowering variety; *L'azalea ha fatto una bellissima f.*, the azalea gave a wonderful display (*o* was ablaze with blossom) 2 (*fig.: sviluppo*) flourishing 3 (*macchia di umidità*) mildew stain 4 (*med.*) rash; eruption; efflorescence 5 (*abbellimento*) embellishment; flourish: **fioriture di stile**, stylistic embellishments; flowery style 6 (*mus.*) fioritura; embellishment.

fiorone m. **1** (*bot.*) early fig 2 (*archit.*) fleuron; rosette.

fiorrancino m. (*zool.*, *Regulus ignicapillus*) fire-crested wren; firecrest.

fiorrancio m. (*bot.*, *Calendula officinalis*) marigold; calendula.

fiosso m. **1** (*arco del piede*) arch 2 (*parte della scarpa*) shank.

fiottare v. i. (*lett.*) **1** (*gorgogliare*) to gurgle; (*rumoreggiare*) to roar 2 (*fluttuare*) to surge; to ebb and flow.

fiotto m. gush; spurt: **un f. di sangue**, a gush of blood; **sangue a fiotti**, gushing blood; **sgorgare a fiotti**, to gush out; to spurt.

FIP sigla (*CONI*, **Federazione italiana pallacanestro**) Italian Basketball Association.

FIPAV abbr. (*CONI*, **Federazione italiana pallavolo**) Italian Volleyball Association.

FIPM sigla (*CONI*, **Federazione italiana pentathlon moderno**) Italian Modern Pentathlon Association.

FIR sigla **1** (*CONI*, **Federazione italiana rugby**) Italian Rugby Association 2 (*mil.*, **forza d'intervento rapido**) task force.

Firenze f. (*geogr.*) Florence.

firewall m. inv. (*ingl.*, *comput.*) firewall.

♦**firma** f. **1** signature: **f. depositata**, specimen signature; (*banca*) **f. di traenza**, drawer's signature; **f. digitale** (*o elettronica*), digital signature; e-signature; **f. falsa**, forged signature; **f. in bianco**, blank signature; **f. per esteso**, full signature; **firme congiunte**, joint signatures; **apporre la f. a qc.**, to put one's signature to st.; to sign st.; **avere** (*o portare*) **la f. di**, to be signed by; to carry the signature of; (*estens.*) to be designed by; (*essere opera di*) to be the work of

the handywork) of; **essere pronto per la f.**, to be ready for signature; **falsificare una f.**, to forge a signature; **fare la propria f.**, to sign one's name; **legalizzare una f.**, to certify a signature; **raccogliere firme**, to collect signatures; **registro delle firme**, visitors' book 2 (*l'atto del firmare*) signing: **la f. di un trattato**, the signing of a treaty 3 (*fig.: scrittore, giornalista*) big name (*in journalism, etc.*): **le più belle firme del giornalismo italiano**, the biggest names in Italian journalism 4 (*comm.*) power to sign: **avere la f. per q.**, to have the power to sign on behalf of sb. ● **Ci metterei la f.!**, I'd be more than willing! ❶ FALSI AMICI ● firma *non si traduce con* firm.

firmaiolo m. (*gergo mil.*) soldier who signs on for another five years.

firmamento m. **1** firmament; the heavens (pl.); sky: **le stelle del f.**, the stars in heaven 2 (*fig.*) glittering world: **il f. del cinema**, the glittering world of films; stardom: **il f. della letteratura**, the great names in literature.

♦**firmare** v. t. to sign; (*sottoscrivere*) to subscribe to: **f. un documento**, to sign a document; **f. la pace**, to sign the peace treaty; **f. con nome e cognome**, to sign one's full name; **f. con le iniziali**, to initial; **f. con una croce**, to make one's cross; **f. a tergo**, to endorse; **f. in calce**, to undersign; (*fig.*) **f. a occhi chiusi**, to sign on the dotted line.

firmario m. (*bur.*) (folder for) letters to be signed.

firmatario A m. (f. **-a**) signer; signee; (*polit.*) signatory; (*sottoscrittore*) subscriber: **i firmatari della petizione**, those that signed the petition, the petitioners; **i firmatari di un trattato**, the signatories of a treaty B a. signatory (attr.).

firmato a. **1** signed: **lettera firmata**, signed letter; **non f.**, unsigned; anonymous 2 (*di abito, oggetto, ecc.*) designer (attr.): **jeans firmati**, designer jeans; **un completo f. Armani**, an Armani outfit.

FIS sigla (*CONI*, **Federazione italiana scherma**) Italian Fencing Association.

fisalia f. (*zool.*, *Physalia physalis*) Portuguese man-of-war.

fisarmonica f. (*mus.*) accordion ● **a f.**, concertina (attr.) □ **rientrare a f.**, to concertina.

fisarmonicista m. e f. accordionist.

fiscale A a. **1** fiscal; revenue (attr.); tax (attr.): **agevolazione f.**, tax concession; **anno f.**, fiscal year; **autorità fiscali**, revenue authorities; **codice f.**, taxpayer's code number; **consulente f.**, tax consultant (*o* adviser); **esenzione f.**, tax exemption; **evasione f.**, tax evasion; **paradiso f.**, tax haven; **politica f.**, fiscal policy; **provvedimenti fiscali**, tax measures; **regime f.**, tax treatment 2 (*fig.: rigoroso*) strict, meticulous, rigorous; (*pignolo*) finicky, nitpicking, petty: **essere f. nei controlli**, to be very strict when checking; *Non essere così f.!*, don't be so nitpicking! B m. **1** (*filatelia*) revenue stamp 2 strict person.

fiscalismo m. **1** (*fisc.*) excessive taxation 2 (*fig.: eccessivo rigore*) excessive rigour (*o* strictness) 3 (*pignoleria*) petty application of rules, laws, etc.; going rigidly by the book; pettiness.

fiscalista m. e f. **1** (*esperto*) tax expert; (*consulente*) tax consultant (*o* adviser) 2 (*fig.: persona rigorosa*) over-rigorous person; person that goes strictly by the book 3 (*persona pignola*) overly fussy person; nitpicking person; petty-minded person.

fiscalità f. **1** taxation system; tax regulations (pl.) 2 (*fig.: rigore*) rigour; strictness; going by the book.

fiscalizzare v. t. **1** (*trasferire all'erario*) to

transfer to the inland revenue 2 to exempt from payment of (*a tax, etc.*): **f. gli oneri sociali a carico dei datori di lavoro**, to exempt employers from payment of social-security contributions.

fiscalizzazione f. **1** transfer to the inland revenue 2 exemption (*from taxes*): **f. degli oneri sociali**, exemption from payment of social-security contributions.

fiscalmente avv. **1** fiscally 2 (*fig.*) strictly; rigorously; by the book.

♦**fischiare** A v. i. **1** (*di persona, treno, vento, strumento*) to whistle; (*sport, di arbitro*) to blow* the whistle, to whistle; (*di uccello*) to whistle, to sing*; (*di fischietto*) to hiss; (*di sirena*) to hoot; (*di proiettile*) to whistle; to whizz; (*naut.*) to pipe: *Sai f.?*, can you whistle?; *Fischiai al cane*, I whistled to the dog; *Il bollitore si mise a f.*, the kettle started whistling; *Una pallottola mi sfiorò fischiando*, a bullet whizzed past me 2 (*di orecchie*) to sing*; to buzz; (*fig.*) to burn: *Mi fischiano le orecchie*, my ears are buzzing; there is a buzzing (*o* a singing) in my ears; (*fig.*) my ears are burning ● **far f. una frusta**, to crack a whip B v. t. **1** (*zufolare*) to whistle: **f. un motivetto**, to whistle a tune 2 (*per disapprovazione*) to hiss; to boo; to hoot: **f. un attore**, to hiss an actor; *L'oratore fu fischiato*, the speaker was booed 3 (*sport*) to blow* the whistle for: *L'arbitro fischiò una punizione [la fine della partita]*, the referee blew his whistle for a penalty [for the end of the match].

fischiata f. **1** whistling 2 (*per disapprovazione*) hissing; booing; hooting; catcalls (pl.): *L'attore fu accolto con fischiate*, the actor was booed as he came in.

fischiatore A a. whistling; (*di serpe*) hissing: **uccello f.**, whistler B m. (f. **-trice**) whistler 2 (*chi disapprova*) hisser; booer; catcaller.

fischierellare, **fischiettare** v. t. e i. to whistle: **f. allegramente**, to whistle gaily; **f. un'arietta**, to whistle a tune.

fischiettio m. (continuous) whistling.

fischietto m. **1** whistle; (*naut.*) pipe: **f. per cani**, dog whistle; **il f. del nostromo**, the bosun's pipe 2 (*arbitro*) referee.

♦**fischio** m. **1** (*di persona, uccello, treno, strumento*) whistle; (*di serpente*) hiss, hissing; (*di sirena*) hoot; (*sibilo*) hiss, buzz; (*del vento*) whistle, whistling; (*di proiettile*) whistle, whizz: **il f. dell'arbitro**, the referee's whistle; **f. di ammirazione**, whistle of appreciation; (*a una bella donna*) wolf-whistle; (*sport*) **f. d'inizio**, starting whistle; **fare un f.**, to let out a whistle; to whistle; *Richiamò il cane con un f.*, he whistled to the dog; he whistled the dog back 2 (*nelle orecchie*) buzzing; ringing: *Ho un f. alle orecchie*, my ears are buzzing; I have a singing noise in my ears 3 (*per disapprovazione*) hiss; hoot; catcall: *Fu accolto con fischi*, he was greeted with hoots 4 (*fischietto*) whistle ● (*fam.*) **Se hai bisogno di qualcosa, fa' un f.**, if there's anything you want, just call □ (*fig.*) **prendere fischi per fiaschi**, to get hold of the wrong end of the stick.

fischione m. (*zool.*, *Anas penelope*) widgeon.

fisciù m. (*moda*) fichu.

fisco m. **1** (*erario*) inland revenue 2 (*organo preposto alla riscossione delle imposte*) tax authorities (pl.); (*in GB*) Inland Revenue; (*in USA*) Internal Revenue Service: **guai col f.**, trouble with the tax authorities; **evadere il f.**, to evade taxes; **oppresso dal f.**, burdened with taxation; *Un terzo dei miei guadagni va al f.*, one third of what I earn goes in tax.

FISD sigla (*CONI*, **Federazione italiana sport disabili**) Italian Sports Association for the Disabled.

FISE sigla (*CONI*, **Federazione italiana sport equestri**) Italian Equestrian Sports Association.

fiṣètère → **capodoglio**.

FISG sigla (*CONI*, **Federazione italiana sport del ghiaccio**) Italian Ice Sports Association.

fish eye (*ingl.*) m. inv. (*fotogr.*) fisheye lens.

FISI sigla (*CONI*, **Federazione italiana sport invernali**) Italian Winter Sports Association.

fiṣiàtra m. e f. physiatrist.

fiṣiatrìa f. **1** physiatrics (pl. col verbo al sing.) **2** (*fisioterapia*) physiotherapy.

fìṣica f. physics (pl. col verbo al sing.): **f. delle particelle**, particle physics; **f. dello stato solido**, solid state physics; **f. matematica**, mathematical physics; **f. nucleare**, nuclear physics; **dottore in f.**, physicist; **gabinetto di f.**, physics laboratory.

fiṣicalìṣmo m. (*filos.*) physicalism.

fiṣicamènte avv. **1** physically: **f. stanco**, physically tired **2** (*in carne ed ossa*) in person; bodily; personally: **f. presente**, bodily present; present in person **3** (*materialmente*) physically; materially: **f. impossibile**, physically impossible.

fiṣicìṣmo m. (*filos.*) physicism.

fiṣicista m. e f. (*filos.*) physicist.

fiṣicità f. physicality; physicalness.

♦**fìṣico** **A** a. **1** (*della natura, della fisica*) physical: **cause fisiche**, physical causes; **legge fisica**, physical law; **geografia fisica**, physical geography **2** (*del corpo*) physical; bodily: **attrazione fisica**, physical attraction; **difetto f.**, physical defect; **dolore f.**, physical pain **B** m. **1** (f. **-a**) physicist **2** (*costituzione*) physique; (*figura*) figure, build: **f. muscoloso**, muscular physique; **f. possente**, powerful build; **f. robusto**, strong build; **avere un bel f.**, (*di uomo*) to be well-built; (*di donna*) to have a good figure; **avere un f. longilineo**, to be tall and slim.

fiṣicochìmica f. physical chemistry.

fiṣicomatemàtico **A** a. physico-mathematical **B** m. (f. **-a**) mathematical physicist.

fiṣicomeccànica f. mechanics (pl. col verbo al sing.).

fiṣìma f. **1** (*capriccio*) whim; fancy **2** (*mania*) fixation; crotchet.

fiṣiocineṣiterapìa, **fiṣiochineṣiterapìa** f. (*med.*) physiokinesitherapy.

fiṣiocineṣiterapìsta, **fiṣiochineṣiterapìsta** m. e f. physiokinesitherapist.

fiṣiòcrate m. (*econ.*) physiocrat.

fiṣiocràtico (*econ.*) **A** a. physiocratic **B** m. physiocrat.

fiṣiocrazìa f. (*econ.*) physiocracy.

fiṣiognomìa, **fiṣiognòmica** f. physiognomy.

fiṣiognòmico a. physiognomic.

fiṣiògnomo m. (f. **-a**) physiognomist.

fiṣiologìa f. physiology.

fiṣiològico a. physiological.

fiṣiòlogo m. (f. **-a**) physiologist.

fiṣionomìa f. **1** physiognomy; (*viso*) face; (*lineamenti*) features (pl.): **f. regolare**, regular features; *La sua f. non mi è nuova*, his face is familiar to me; *Ha cambiato f.*, she (o her face) looks different **2** (*aspetto di qc.*) physiognomy; features (pl.); aspect: **la f. del terreno**, the physiognomy of the terrain; *L'intera f. del paese è mutata*, the village has a totally different aspect.

fiṣionòmico a. physiognomical; facial.

fiṣionomìsta m. e f. person who is good at remembering faces; person with a good memory for faces: *Sono poco f.*, I am not good at remembering faces.

fiṣiopatologìa f. physiopathology.

fiṣiopatològico a. physiopathological.

fiṣiopsìchico a. physiopsychic.

fiṣiopsicologìa f. psychophysiology.

fiṣioterapìa f. (*med.*) physiotherapy; physical therapy (*USA*).

fiṣioteràpico a. (*med.*) physiotherapeutic; physiotherapy (attr.).

fiṣioterapìsta m. e f. physiotherapist.

FISN sigla (*CONI*, **Federazione italiana sci nautico**) Italian Water-skiing Association.

fìṣo (*lett.*) **A** a. fixed; intent **B** avv. intently; fixedly.

fiṣonomìa e deriv. → **fisionomia**, e deriv.

fìssa f. (*fam.*) fixation; obsession; crotchet; thing (*fam.*): *Ha la f. dei ladri*, he is obsessed by the fear of burglars; *Ha la f. di essere grassa*, she's got a thing about being fat; *È diventata una f. per lui*, it's become a fixation with him.

fissàbile a. fixable.

fissàggio m. **1** (*mecc.*: *il fissare*) fixing; fastening; clamping **2** (*dispositivo di fissaggio*) fastener; clamp **3** (*chim.*, *fotogr.*) fixing: **bagno di f.**, fixing bath.

fissamaiùscole m. inv. shift lock (key).

fissamènte → **fisso**, **B**.

♦**fissàre** **A** v. t. **1** (*fermare, assicurare*) to fasten; to secure; (*con spilli, ecc.*) to pin: **f. un'imposta**, to fasten a shutter; **f. un coperchio con dei chiodi**, to secure a lid with nails; **f. un foglio sul tavolo da disegno**, to pin a sheet of paper to the drawing-board; **f. qc. nella memoria**, to fix st. in one's mind **2** (*concentrare*) to fix: **f. gli occhi** [**l'attenzione**] **su qc.**, to fix one's eyes [one's attention] on st. **3** (*stabilire*) to fix; to establish; to set*; to appoint (*form.*); (*organizzare*) to arrange: **f. un appuntamento**, to fix an appointment; **f. un giorno per la firma**, to appoint a date for the signature; **f. un'ora**, to fix a time; **f. il prezzo di qc.**, to fix (o to set) the price of st.; (*econ.*): **f. il prezzo dell'oro**, to fix the price of gold; **f. per legge**, to establish by law; *La riunione è fissata per oggi*, the meeting is fixed for today; *È già tutto fissato*, it's all arranged (o fixed) already **4** (*assumere*) to engage: **f. una guida** [**una domestica**], to engage a guide [a maid] **5** (*prenotare*) to book; to reserve: **f. una camera all'albergo**, to book a room at the hotel; **f. una casa al mare**, to take a house at the seaside **6** (*guardare fisso*) to look hard at; to stare at; (*contemplare*) to gaze at: **f. q. in viso**, to look sb. in the face **7** (*chim.*, *fotogr.*) to fix: **f. la negativa**, to fix the negative **B** **fissàrsi** v. i. pron. **1** (*stabilirsi*) to settle; to take* up one's residence **2** (*degli occhi, dello sguardo*) to be fixed **3** (*concentrarsi*) to concentrate; to focus; to be fixed **4** (*mettersi in testa*) to get* (st.) into one's head; to become* fixated (on); (*volere a tutti i costi*) to set* one's heart (on); *Si è fissato di avere l'ulcera*, he's got it into his head that he has a stomach ulcer; *Mi sono fissato su quella casa*, I've set my heart on that house **C** **fissàrsi** v. rifl. recipr. to stare at each other.

fissativo a. e m. fixative.

fissàto **A** a. **1** fixed **2** (*stabilito*) arranged; fixed; set; appointed; (*di prezzo*) fixed, set, established: *Lo incontrai il giorno f.*, I met him on the appointed day; **f. dalla legge**, fixed by law; statutory **3** (*che ha una fissazione*) fixated (on); obsessed (with); that has a thing (about) (*fam.*): *È f. coi virus*, he's obsessed with viruses; he's got a thing about viruses (*fam.*) **B** m. **1** (f. **-a**) (*maniaco*) fanatic; maniac; fiend (*fam.*): **un f. delle moto**, a motorcycle maniac; **un f. della puntualità**, a stickler for punctuality; **un f. dell'aria pura**, a fresh-air fanatic; a fresh-air

fiend (*fam.*); *Sei proprio un f.!*, you're a fanatic! **2** (*econ.*) – **f. bollato**, contract note; (*di acquisto*) bought note, purchase confirmation; (*di vendita*) sold note, sale confirmation.

fissatóre m. **1** (*chim.*) fixer; fixing agent **2** (*fotogr.*) fixing bath; fixer **3** (*per capelli*) setting lotion; (*lacca*) hairspray.

fissazióne f. **1** (*il fissare*) fixation; fixing **2** (*determinazione*) setting; fixing: **f. dei prezzi**, price fixing **3** (*idea fissa*) fixation (*anche psicol.*); obsession; fetish; thing (*fam.*); (a) bee in one's bonnet (*fam.*); (*paura ossessiva*) obsessive fear: *Ha la f. della pulizia*, she has a fixation (o a fetish) about cleanliness; **avere la f. delle malattie**, to be obsessed with the fear of diseases.

fissile a. **1** (*geol.*) fissile: **roccia f.**, fissile rock **2** (*fis. nucl.*) fissile; fissionable.

fissionàbile a. (*fis. nucl.*) fissionable.

fissionàre v. t. (*fis. nucl.*) to fission.

fissióne f. (*fis. nucl.*) fission: **f. nucleare**, nuclear fission; **energia di f.**, fission energy.

fissìparo a. (*zool.*) fissiparous.

fissìpede m. (*zool.*) fissiped.

fissità f. fixity; fixedness.

♦**fìsso** **A** a. **1** (*immobile, fermo*) fixed: **idea fissa**, fixed idea; ideé fixe (*franc.*); **occhi fissi**, staring eyes; **prezzo f.**, fixed price; **sguardo f.**, fixed gaze; stare; (*astron.*) **stella fissa**, fixed star **2** (*costante*) fixed; set, (*stabile*) steady; (*regolare*) regular: **cliente f.**, regular customer; **impiegato f.**, regular employee; **lavoro f.**, regular job; **ragazzo f.**, steady boyfriend; **reddito f.**, fixed income; (*fin.*) fixed interest; **regola fissa**, fixed rule; **spese fisse**, fixed expenses; **essere f. in un proposito**, to have one's mind set on st.; **a ore fisse**, at regular hours **3** (*stabilito, residente*) settled: *Ora sono f. a Roma*, I have settled in Rome; I live in Rome now; *Non sto f. a Roma*, I don't live in Rome all the time **4** (*immobile*) stationary ● (*mil.*) **Fissi!**, eyes front! **B** avv. fixedly; intently: **guardare f.**, to look hard (o intently) at; to stare at **C** m. (*stipendio f.*) fixed salary (o pay); (*assegno f.*) fixed allowance: **un f. mensile**, a monthly pay (o allowance).

fìstola f. **1** (*mus.*, *lett.*) pan pipes; syrinx* **2** (*med.*) fistula*.

fistolizzàre v. i., **fistolizzàrsi** v. i. pron. (*med.*) to fistulize; to become* fistulized.

fistolizzazióne f. (*med.*) fistulization.

fistolóso a. (*med.*) fistulous; fistular; fistulate.

FIT sigla **1** (**Federazione italiana tabaccai**) Italian Tobacconists Association **2** (*CONI*, **Federazione italiana tennis**) Italian Tennis Association.

FITARCO abbr. (*CONI*, **Federazione italiana tiro con l'arco**) Italian Archery Association.

FITAV sigla (*CONI*, **Federazione italiana tiro a volo**) Italian Sport Shooting Association.

FITeT abbr. (*CONI*, **Federazione italiana tennistavolo**) Italian Table-tennis Association.

fitìna f. (*chim.*) phytin.

fitness (*ingl.*) m. inv. (*anche genetica*) fitness.

fitobiologìa f. phytobiology; plant biology.

fitocenòsi f. phytocoenosis.

fitochìmica f. (*bot.*, *chim.*) phytochemistry.

fitocoṣmèṣi f. phytocosmetics (pl. col verbo al sing.); plant cosmetics (pl. col verbo al sing.).

fitocròmo m. (*chim.*) phytochrome.

fitodepurazióne f. (*biol.*) phytodepura-

tion.

fitoenzìma m. (*chim.*) plant enzyme.

fitofagìa f. phytophagy.

fitòfago a. phytophagous.

fitofarmacìa f. phytopharmacology.

fitofàrmaco m. (*agric.*) plant protection product; phytosanitary product.

fitogènico a. (*geol.*) phytogenic.

fitogeografìa f. phytogeography.

fitogeologìa f. phytogeology.

fitolàcca f. (*bot.*, *Phytolacca decandra*) pokeweed; poke.

fitologìa f. botany.

fitològico a. botanical.

fitonimìa f. (*ling.*) study of plant names.

fitònimo m. (*ling.*) plant name.

fitopaleontologìa f. paleobotany.

fitoparassitologìa f. (*biol.*) study of plant parasites.

fitopatìa f. plant disease.

fitopatologìa f. phytopathology; plant pathology.

fitopatòlogo m. (f. **-a**) phytopathologist; plant pathologist.

fitoplàncton m. inv. (*biol.*) phytoplankton.

fitoregolatòre m. (*agric.*) plant growth regulator.

fitormóne m. phytohormone; plant hormone.

fitosanitàrio a. phytosanitary.

fitosteròlo m. (*chim.*) phytosterol.

fitostimolìna f. (*farm.*) phytostimuline.

fitoterapìa f. (*med.*, *agric.*) herbal therapy; phytotherapy.

fitoterapìsta m. e f. phytotherapist.

fitotomìa f. (*bot.*) plant anatomy.

fitotòssico a. phytotoxic.

fitotossìna f. phytotoxin.

fitotróne m. phytotron.

FITr abbr. (CONI, **Federazione italiana triathlon**) Italian Triathlon Association.

fìtta f. **1** (*dolore acuto*) sharp pain; stabbing pain; stab; pang; twinge: **una f. al fianco**, a stabbing pain in the side; (*spec. dopo una corsa*) a stitch; (*fig.*) **una f. al cuore**, a pang (of regret, sorrow, etc.); (*fig.*) **una f. di gelosia**, a twinge of jealousy **2** (*calca*) crowd; crush ❶ FALSI AMICI • fitta *non si traduce con* fit.

fittacàmere → affittacamere.

fittaiòlo. fittàvolo m. tenant farmer; tenant.

fittàre → affittare.

fittézza f. thickness; denseness.

fìttile a. fictile; clay (attr.): **vaso f.**, clay pot.

fittìzio a. fictitious; imaginary; sham (attr.): **nome f.**, fictitious name; **società fittizia**, fictitious (*o* sham) company.

♦**fìtto** ➀ **A** a. **1** (*ficcato*) stuck in; embedded: **un'idea fitta in mente**, an idea stuck in one's mind; **un palo f. in terra**, a stake stuck in the ground **2** (*denso*) thick; dense: **bosco f.**, thick (*o* dense) wood; **buio f.**, pitch dark; **nebbia fitta**, thick (*o* dense) fog; **ombra fitta**, deep shadow; **tenebre fitte**, thick darkness **3** (*ravvicinato*, *compatto*) – **alberi fitti**, closely planted trees; **pettine f.**, fine-tooth comb; **rete fitta**, close net; **tessuto f.**, closely woven material; **una fitta serie di impegni**, a busy schedule of engagements **4** (*pieno*) full (of): packed (with); crammed (with): **una giornata fitta di impegni**, a day full of engagements; **f. di errori**, crammed with mistakes **B** m. (*la parte più fitta*, *il colmo*) (the) thick; (the) depths (pl.): **nel f. della battaglia [della discussione]**, in the thick of the fight [of the discussion]; **nel f. del bosco**, in the depths of the wood **C** avv. (*anche* **f. f.**) heavily; hard: *Nevica f.*, it's

snowing hard; **parlare f. f.**, (*conversare*) to be deep in conversation; (*parlare veloce*) to talk fast.

fìtto ➁ → affitto

fittóne m. (*bot.*) taproot; primary root.

fiumàna f. **1** swollen river; (*piena*) flood, torrent **2** (*fig.*) stream; flood; torrent: **una f. di parole**, a stream of words; **una f. di invitati**, streams of guests; *Una f. di gente scendeva da via Verdi*, crowds poured down via Verdi.

fiumàra f. torrent.

♦**fiùme A** m. **1** river: **f. in piena**, full (*o* swollen) river; **f. in secca**, low river; **f. navigabile**, navigable river; **il f. Tamigi**, the River Thames; **corso di un f.**, course of a river; **risalire [scendere] il f.**, to sail up [down] the river; **letto del f.**, river bed; **sponda del f.**, river bank **2** (*fig.*) river; stream; flood; torrent; flow: **f. di improperi**, stream (*o* torrent) of abuse; **f. di lacrime**, flood of tears; *Un f. di lacrime le rigava il volto*, tears poured down her face; **f. di parole**, torrent of words; **f. di sangue**, river of blood; **a fiumi**, in floods; in torrents; (*fig.*) **scorrere a fiumi**, to flow; (*fig.*) **versare fiumi di inchiostro**, to spill rivers of ink; to write volumes **B** a. inv. long-drawn-out; interminable: **processo f.**, long-drawn-out court case; **romanzo f.**, saga; roman-fleuve (*franc.*); **seduta f.**, interminable sitting.

fiutàre v. t. **1** (*annusare*) to smell*; to sniff; (*la selvaggina, ecc.*) to scent: **f. l'aria**, to sniff the air; **f. la lepre**, to scent a hare **2** (*inalare col naso*) to sniff: **f. tabacco**, to take snuff **3** (*fig.*) to smell*; to scent; to sense: **f. l'affare**, to see a chance of making a profit; **f. qc. di losco**, to smell a rat (*fam.*); **f. il tradimento [un pericolo, guai]**, to smell (*o* to scent) treachery [danger, trouble].

fiutàta f. (*annusata*) sniff: **dare una f.**, to give a sniff **2** (*inalata*) sniff; (*di tabacco*) pinch of snuff: **prendere una f. di tabacco**, to take a pinch of snuff.

fiùto m. **1** (*il fiutare*) sniffing: **tabacco da f.**, snuff **2** (*odorato*) sense of smell; (*di animali*) scent, nose **3** (*fig.*) nose; instinct; intuition: **avere (buon) f.**, to have a (good) nose (for st.); **fidarsi del proprio f.**, to trust one's instinct (*o* intuition); **al f.**, instinctively; (*a prima vista*) at a glance; (*fig.*) **al primo f.** (*subito*), straight off; at once.

FIV sigla (CONI, **Federazione italiana vela**) Italian Sailing Association.

Fivet abbr. (*med.*, **fertilizzazione in vitro e trasferimento dell'embrione**) in vitro fertilization and embryo transfer.

FIVL sigla **1** (**Federazione italiana volo libero**) Italian Hang-gliding and Paragliding Association **2** (*stor.*, **Federazione italiana volontari della libertà**) Italian Association of Freedom Fighters (*during World War II*).

flabellàto. flabellifórme a. (*bot.*) flabellate; fan-shaped.

flabèllo m. (*anche eccles.*) flabellum*.

flaccidézza f. flabbiness; flaccidity.

flàccido a. flabby; flaccid; loose: **muscoli flacidi**, flabby muscles; **pelle flaccida**, loose skin.

flacóne m. bottle: **un f. di profumo**, a bottle of perfume.

flagellaménto m. **1** flagellation; scourging **2** (*fig.*) lashing.

flagellànte A a. flagellating **B** m. e f. (*stor.-relig.*) Flagellant.

flagellàre A v. t. **1** to flagellate; to scourge; to lash **2** (*colpire con forza*) to lash: *La pioggia flagellava gli alberi*, the rain lashed the trees **3** (*fig.: criticare*) to scourge; to castigate; to lash out at (*o* against) **B** **flagellàrsi** v. rifl. to flagellate oneself; to

scourge oneself.

flagellatóre A a. flagellating **B** m. (f. **-trice**) flagellator; scourger.

flagellazióne f. flagellation; scourging.

flagèllo m. **1** (*frusta*) scourge; whip **2** (*fig.*) scourge; (*calamità*) calamity; (*rovina*) bane: **il f. di Dio**, the scourge of God; **il f. della guerra**, the scourge of war **3** (*fam.: persona insopportabile*) pest; terrible nuisance **4** (*fam.: gran quantità*) loads (pl.); heaps (pl.): **un f. di zanzare**, loads of mosquitoes **5** (*biol.*) flagellum*.

flagiolétto m. (*mus.*) flageolet.

flagrànte a. **1** (*leg.*) flagrant: **reato f.**, flagrant crime; (*anche fig.*) **cogliere q. in f.**, to catch sb. in the act; to catch sb. red-handed **2** (*evidente*) blatant; glaring; flagrant; outrageous: **f. contraddizione**, blatant contradiction; **f. ingiustizia**, flagrant injustice; **f. violazione**, flagrant violation.

flagrànza f. (*leg.*) flagrancy: **in f. di reato**, in the act; red-handed; (in) flagrante delicto (*lat.*).

flambàggio m. flaming.

flambàre v. t. to flame.

flambé (*franc.*) a. inv. (*cucina*) flambé; flambéed.

flamboyant (*franc.*) a. inv. (*archit.*) flamboyant.

flaménco m. (*mus.*, *danza*) flamenco.

flàmine m. (*stor. romana*) flamen*: **f. Diale**, flamen Dialis.

flan m. inv. **1** (*cucina*) flan **2** (*tipogr.*) flong.

flanàre v. t. (*tipogr.*) to impress on a flong.

flanèlla f. flannel: **f. di cotone**, flannelette; **pantaloni di f.**, flannel trousers; flannels ● (*fig.*) **far f.**, to loaf about (*o* around); to skive (*slang GB*); to goof off (*fam. USA*).

flàngia f. (*tecn.*) flange; collar: **f. cieca**, blank flange; **f. mobile**, loose flange; (*mecc.*) **accoppiamento a flange**, flange coupling.

flangiàre v. t. (*tecn.*) to flange.

flangiàto a. (*tecn.*) flanged.

flàno m. (*tipogr.*) flong.

flap (*ingl.*) m. inv. (*aeron.*) flap.

flappéggio m. (*aeron.*) flapping.

flash (*ingl.*) **A** m. inv. **1** (*fotogr.*) flash: **f. elettronico**, electronic flash; **f. incorporato**, built-in flash; **fotografia col f.**, flash photography **2** (*giorn.*) newsflash; flash **B** agg. – **notizia f.**, newsflash; flash; **telegiornale f.**, news headlines.

flashback (*ingl.*) m. inv. flashback.

flat a. flat-rate (attr.): **tariffa f.**, flat rate; flat-rate cost.

flàto m. (*med.*) flatus*; (*com.*) wind.

flatting (*ingl.*) m. inv. flatting agent; flatting varnish.

flatulènto a. (*med.*) flatulent; (*com.*) windy.

flatulènza f. (*med.*) flatulence; (*com.*) wind.

flàtus vòcis (*lat.*) loc. m. inv. empty words (pl.).

flautàto a. **1** (*mus.*) flautato; flautando **2** flute-like; fluty; musical: **voce flautata**, musical voice; (*iron.*) dulcet tones (pl.).

flautìno m. (*mus.*) **1** small flute **2** (*ottavino*) piccolo.

flautìsta m. e f. (*mus.*) flute player; flautist; flutist (*USA*).

♦**flàuto** ➀ m. (*mus.*) **1** flute: **f. di Pan**, pan pipes (pl.); **f. diritto** (*o* dolce, a becco), recorder; **f. traverso**, (transverse *o* German) flute; *«Il F. Magico» di Mozart*, Mozart's «The Magic Flute» **2** → flautista.

flàuto ➁ m. (*naut.*) flute.

flavìna f. (*chim.*) flavin.

flàvo a. (*lett.*) yellow; fair; (*dorato*) golden.

flavóne m. (*bot.*) flavone.

flebectomìa f. (*chir.*) phlebectomy.

flèbile a. **1** (*fioco, fievole*) feeble; faint **2** (*lamentoso*) plaintive; mournful.

flebìte f. (*med.*) phlebitis.

flèbo f. inv. → **fleboclisi**.

fleboclìṣi f. (*med.*) (intravenous) drip; drip feed: *Gli hanno fatto una f.*, they put him on a drip; **essere in f.**, to be on a drip; to be drip-fed.

flebografìa f. (*med.*) phlebography.

flebogràmma m. (*med.*) phlebogram.

flebologìa f. (*med.*) phlebology.

flebosclèroṣi f. (*med.*) phlebosclerosis.

flebotomìa f. (*chir.*) phlebotomy.

flebòtomo ① m. **1** (*salassatore*) phlebotomist; bloodletter **2** (*lancetta per salassare*) lancet.

flebòtomo ② m. (*zool., Phlebotomus*) sandfly.

Flegetónte m. (*mitol.*) Phlegethon.

flegrèo a. – (*geogr.*) *Campi Flegrei*, (the) Phlegraean Fields (*o* Plain, sing.).

flèmma f. **1** (*med. stor.*) phlegm **2** (*calma*) phlegm; calm; stolidity; imperturbability; unflappability (*fam.*); cool (*fam.*).

flemmaticità f. phlegmatic nature (*o* character).

flemmàtico a. **1** (*med. stor.*) phlegmy **2** phlegmatic; calm; stolid; unexcitable; imperturbable; unflappable (*fam.*).

flèmmone m. (*med.*) phlegmon.

flemmonóso a. (*med.*) phlegmonous.

flessìbile a. **1** flexible; pliable; pliant; bendable; elastic; supple: **copertina f.**, limp cover; **lama f.**, flexible blade; **metallo f.**, pliant metal; **tubo f.**, flexible pipe **2** (*fig.*) flexible; elastic; supple: **orario f.**, flexible hours (pl.); (*sul lavoro*) flexitime **3** (*fig.: che si adatta, arrendevole*) flexible; pliant; adaptable; accommodating; yielding ● (*econ., dell'occupazione*) **rendere f.**, to casualize.

flessibilità f. **1** flexibility; pliability; pliancy; suppleness **2** (*fig.*) flexibility; elasticity: (*econ.*) **f. del prezzo**, price elasticity.

flessibilizzazióne f. (*econ., dell'occupazione*) casualization.

flessìmetro m. deflectometer.

flessionàle a. (*ling.*) inflectional.

flessióne f. **1** (*il flettere, il flettersi*) bending; flexion **2** (*progressiva riduzione*) decrease; decline; drop; downturn; downswing: **una f. del gettito fiscale**, a drop in state revenues; **una f. del mercato**, a downturn in the market; **una f. di voti per i conservatori**, a swing against the conservatives **3** (*gramm.*) inflection **4** (*mecc., edil.*) flexure; curvature; bending: **prova f.**, bending test; **sollecitazione di f.**, bending stress; stress of flexure **5** (*ginnastica*) bending; (*sulle braccia*) press-up (*GB*), push-up (*USA*); (*sulle gambe*) knee-bend: **f. del busto**, bending of the trunk; **fare flessioni sulle braccia**, to do push-ups.

flessìvo a. (*gramm.*) inflected: **lingue flessive**, inflected languages.

flèsso Ａ a. **1** bend **2** (*ling.*) inflected **Ｂ** m. (*mat.*) inflection; point of inflection.

flessografìa f. flexography.

flessogràfico a. flexographic.

flessòmetro m. (metal) tape measure.

flessóre a. e m. (*anat.*) flexor (muscle).

flessuosità f. suppleness; limberness; litheness; gracefulness.

flessuóso a. supple; limber; lithe; willowy; graceful.

flessùra f. (*geol.*) flexure.

flettènte m. (*di arco*) limb.

flèttere Ａ v. t. **1** to bend*; to flex **2** (*gramm.*) to inflect **Ｂ flèttersi** v. rifl. e i. pron. to bend*: **flettersi sulle ginocchia**, to

bend one's knees; to do knee-bends.

flicornìsta m. e f. flugelhorn player.

flicòrno m. (*mus.*) flugelhorn: **f. baritono**, baritone; **f. basso**, euphonium; **f. tenore**, barytone horn.

flint (*ingl.*) m. inv. flint glass.

flip-flòp (*ingl.*) m. inv. (*elettron.*) flip-flop.

flippàre v. i. **1** (*gergale*) to be flipped; to be high; to be spaced out **2** (*drogarsi*) to do* drugs.

flippàto a. (*gergale*) **1** flipped; spaced out; spacey **2** (*drogato*) flipped; high; stoned; spaced out.

flipper (*ingl.*) m. inv. pinball machine ❶ **FALSI AMICI** • flipper *non si traduce con* flipper.

flirt (*ingl.*) m. inv. **1** flirtation; brief (love) affair: **avere un f. con qc.**, to have a brief affair with sb. **2** (*persona*) boyfriend (m.); girlfriend (f.) ❶ **FALSI AMICI** • flirt *non si traduce con* flirt.

flirtàre v. i. **1** to flirt; to have a brief (love) affair **2** (*fig.*) to flirt; to dally.

fliscòrno e *deriv.* → **flicorno**, e *deriv.*

flit ® m. insect spray.

F.lli abbr. (*comm.*, fratelli) brothers (Bros.).

FLM sigla (**Federazione lavoratori metalmeccanici**) Engineering Workers Federation.

floccàggio m. (*tecn.*) flock-printing; flocking.

floccàre v. t. (*tecn.*) to flock-print.

floccàto a. (*tecn.*) flock-printed; flock.

floccatrìce f. (*tecn.*) flock-printing machine.

floccolànte a. (*chim.*) coalescent: **additivo f.**, flocculant.

floccolàre v. i. (*chim.*) to flocculate.

floccolazióne f. (*chim.*) flocculation.

flòccolo m. **1** (*astron., anat.*) flocculus* **2** (*chim.*) floccule.

floèma m. (*bot.*) phloem.

flogìstico a. (*med.*) inflammatory; inflammation (attr.): **processo f.**, inflammatory process.

flogìsto m. (*stor.*) phlogiston.

flogopìte f. (*miner.*) phlogopite.

flogòṣi f. (*med.*) inflammation.

flop (*ingl.*) m. inv. flop; fiasco; failure.

floppy (*ingl.*) m. inv. (*comput.*) floppy disk; diskette; floppy (*fam.*).

◆**flòra** f. (*bot.*) flora*: **f. alpina**, mountain flora; **f. batterica**, bacterial flora.

floràle a. (*bot.*) floral.

floreàle a. **1** floral; flower (attr.): **motivo f.**, floral pattern; **omaggio f.**, floral gift; bouquet **2** (*arte*) – **stile f.**, Art Nouveau.

florìcolo a. **1** (*zool.*) flower (attr.); living on flowers **2** (*della floricoltura*) flower-growing (attr.); floricultural.

floricoltóre m. (f. **-trìce**) flower grower; floriculturist.

floricoltùra f. flower-growing; floriculture.

floridézza f. **1** (*salute*) glowing health; healthy glow **2** (*prosperità*) flourishing state; prosperity; floridness.

flòrido a. **1** (*in salute*) healthy; glowing with health; blooming **2** (*prospero*) flourishing; thriving; prosperous; florid.

florilègio m. anthology; florilegium*.

florìstica f. (*bot.*) floristics (pl. col verbo al sing.).

florìstico a. **1** flora (attr.) **2** (*bot.*) floristic.

floriterapìa f. Bach flower remedies (pl.).

florovivaìṣmo m. nursery gardening.

florovivaìsta m. e f. nursery gardener.

florovivaìstico a. nursery-gardening

(attr.).

flòscio a. **1** limp; droopy; floppy; flabby; soft; (*flaccido*) flaccid: **cappello f.**, soft hat; **carni flosce**, flaccid flesh; **tessuto f.**, floppy material **2** (*fig.*) weak; spineless; wimpish.

flòtta f. **1** (*naut.*) fleet; navy: **la f. del Mediterraneo**, the Mediterranean Fleet; **f. mercantile**, merchant fleet **2** (*aeron.*) fleet; (*mil.*) airforce.

flottàggio m. **1** (*aeron.*) taxiing **2** (*chim.*) floatation.

flottànte Ａ a. (*ass., econ.*) floating: **cambio f.**, floating exchange rate; **polizza f.**, floating policy **Ｂ** m. (*banca*) floating funds (pl.) ● (*Borsa*) **titoli a largo f.**, blue chips □ (*Borsa*) **titoli a scarso f.**, inactive stocks.

flottàre Ａ v. i. (*aeron.*) to taxi **Ｂ** v. t. **1** (*ind. min.*) to float **2** (*trasportare tronchi*) to float.

flottazióne f. **1** (*ind. min.*) floatation **2** (*fluitazione*) floatation; rafting **3** (*galleggiamento*) floating.

flottìglia f. (*naut.*) flotilla; (small) fleet: **una f. di torpediniere**, a torpedo-boat flotilla; **f. di pescherecci**, fishing fleet.

flou (*franc.*) **Ａ** a. inv. **1** (*di abito e sim.*) flowing; loose-fitting **2** (*fotogr., cinem.*) soft-focus: **effetto f.**, soft focus; **con effetto f.**, in soft focus **Ｂ** m. inv. (*fotogr.*) soft focus*.

fluènte a. flowing: **barba f.**, flowing beard; **capelli fluenti**, flowing hair.

fluff (*ingl.*) m. inv. fluffy padding; fluff.

fluìdica f. fluidics (pl. col verbo al sing.).

fluìdico a. fluidic.

fluidificàbile a. that can be fluidized.

fluidificànte Ａ a. fluidizing; fluidifying **Ｂ** m. (*med.*) expectorant.

fluidificàre v. t., **fluidificàrsi** v. i. pron. to fluidize; to liquefy.

fluidificazióne f. fluidization; fluidification.

fluidità f. **1** fluidity **2** (*fig.: scorrevolezza*) fluency; smoothness **3** (*fig.: instabilità*) fluidity; instability; unsettled state.

fluidiżżàre v. t. (*chim.*) to fluidize.

fluidiżżazióne f. (*chim.*) fluidization.

flùido Ａ a. **1** fluid; flowing **2** (*fig.: scorrevole*) fluent; flowing; smooth: **stile f.**, fluent style **3** (*fig.: instabile*) fluid; unstable; unsettled: **situazione fluida**, fluid (*o* unstable) situation **Ｂ** m. **1** (*fis.*) fluid: **f. di circolazione**, circulating fluid, **f. refrigerante**, coolant; **meccanica dei fluidi**, fluid mechanics **2** (*fig.*) power: **f. magnetico**, magnetic power; magnetism.

fluidodinàmica f. (*fis.*) fluid dynamics (pl. col verbo al sing.).

fluidodinàmico a. fluid dynamics (attr.).

fluidostàtica f. (*fis.*) fluid statics (pl. col verbo al sing.).

fluidostàtico a. fluid statics (attr.).

fluìre v. i. **1** to flow; (*scorrere*) to run* **2** (*fig.*) to flow.

fluitàre v. i. to float downstream; to raft.

fluitazióne f. floating; rafting: **f. del legname**, floating of timber; timber floating.

fluoboràto m. (*chim.*) fluoborate.

fluobòrico a. – (*chim.*) **acido f.**, fluoboric acid.

fluografìa f. fluorography.

fluoresceìna f. (*chim.*) fluorescein.

fluorescènte a. fluorescent: **illuminazione f.**, fluorescent lighting; **lampada f.**, fluorescent lamp; **essere f.**, to fluoresce.

fluorescènza f. (*fis.*) fluorescence: **a f.**, fluorescent.

fluòrico a. (*chim.*) fluoric.

fluorìdrico a. – (*chim.*) **acido f.**, hydrofluoric acid.

fluorimetrìa f. (*chim.*) fluorometry.
fluorimètrico a. (*chim.*) fluorometric.
fluorìte f. (*miner.*) fluorspar; fluorite.
fluorizzàre v. t. (*med.*) to fluoridate; to fluoridize.
fluorizzazióne f. (*med.*) fluoridation.
fluòro m. (*chim.*) fluorine.
fluorocarbùro m. (*chim.*) fluorocarbon.
fluoroderivàto m. (*chim.*) fluorine derivative.
fluoròsi f. (*med.*) fluorosis.
fluoruràre v. t. (*chim.*) to fluorinate.
fluorurazióne f. (*chim.*) fluorination.
fluorùro m. (*chim.*) fluoride.
fluosilicàto m. (*chim.*) fluosilicate.
fluosilìcico a. – (*chim.*) **acido f.**, fluosilicic acid.
flussàggio m. (*tecn.*) fluxing.
flussimetrìa f. (*med.*) blood-flow velocity measurement.
flussìmetro m. (*med.*) blood-flow meter.
flussióne f. (*med. stor.*) fluxion.
flùsso m. 1 flow; (*della marea*) flood (tide), rising tide: **il f. dell'acqua da un condotto**, the flow of water from a conduit; **f. mestruale**, menstrual flow; (*anche fig.*) **f. e riflusso**, ebb and flow 2 (*fig.*) flow; stream: (*econ.*) **f. di capitali**, flow of capital; (*rag.*) **f. di cassa**, cash flow; (*letter.*) **f. di coscienza**, stream of consciousness; **un f. di parole**, a flow of words; **il f. del traffico**, the stream of traffic; **il f. dei visitatori**, the stream of visitors; **f. in entrata**, inflow 3 (*fis.*) flux; stream: **f. elettrico**, electric flux 4 (*comput.*) flow: **diagramma di f.**, flow chart.
flussòmetro m. 1 (*per fluidi*) flowmeter 2 (*fis.*) fluxmeter.
flûte (*franc.*) m. inv. (*champagne*) flute.
flùtto m. (*lett.*) wave; billow (*lett.*).
fluttuànte a. 1 (*ondeggiante, galleggiante*) floating; afloat (pred.); drifting: **f. nell'aria**, floating (o afloat) in the air; (*anat.*) **costola f.**, floating rib 2 (*fig.: oscillante*) fluctuating; floating; wavering: (*econ.*) **debito f.**, floating debt; **opinioni fluttuanti**, fluctuating opinions; **prezzi fluttuanti**, fluctuating prices.
fluttuàre v. i. 1 to rise* and fall*; (*ondeggiare, galleggiare*) to float, to drift; (*di vela e sim.*) to billow: **f. nell'aria**, to float in the air 2 (*fig.; oscillare*) to fluctuate; to waver; to vacillate 3 (*banca, di moneta*) to fluctuate; to float: **lasciar f. una valuta**, to float a currency.
fluttuazióne f. 1 (*anche fig.*) fluctuation; rise and fall: **f. della domanda**, fluctuation in demand 2 (*fin., di valuta*) floating; float; fluctuation: **f. valutaria**, currency fluctuation; **regime di f. libera**, clean float.
fluviàle a. 1 river (attr.); fluvial (*geol.*): **alveo f.**, riverbed; **deposito f.**, fluvial deposit; **navigazione f.**, river navigation; **pesca f.**, river fishing; **porto f.**, river port; **traffico f.**, river traffic; **vie fluviali**, waterways; **per via f.**, by river 2 (*fig.*) copious; flowing.
fluvioglaciàle a. (*geol.*) fluvioglacial.
fluviòmetro m. fluviograph.
FM sigla (**Fermo**).
FMI sigla 1 (*CONI*, **Federazione motociclistica italiana**) Italian Motorcycling Association 2 (**Fondo monetario internazionale**) International Monetary Fund (IMF).
FMSI sigla (*CONI*, **Federazione medico sportiva italiana**) Italian Sport Medicine Association.
FNSI sigla (**Federazione nazionale della stampa italiana**) Italian Press Association.
fo 1a pers. sing. indic. pres. di **fare**.
FO abbr. (*stor.*, **Forlì**).
fobìa f. (*psic. ed estens.*) phobia: **avere la f.**

di qc., to suffer from a phobia about st.
fòbico a. (*psic.*) phobic.
♦**fòca** f. 1 (*zool.*, *Phoca*) (common) seal; sea-calf*: **caccia alla f.**, sealing; **pelle di f.**, sealskin 2 (*zool.*) – **f. elefantina** (*Mirounga leonina*) elephant seal; **f. leopardo** (*Hydrurga leptonyx*), leopard seal; **f. monaca** (*Monachus albiventer*), monk seal.
focàccia f. (*alim.*) focaccia; flat bread; (*dolce*) flat cake, bannock ● **rendere pan per f.**, to give tit for tat.
focàia a. – **pietra f.**, flint.
focàle A a. focal: (*fis.*) **distanza** (*o lunghezza*) **f.**, focal length; (*fig.*) **punto f.**, focal point B f. (*fis.*) focal length.
focalità f. (*fis.*) focusing; focalization.
focalizzàre v. t. 1 (*fotogr.*) to focus; to focalize 2 (*fig.*) to define; to bring* into focus; to pinpoint: **f. l'attenzione su qc.**, to concentrate on st.; to zero in on st.; **f. i termini di un problema**, to define the terms of a problem.
focalizzazióne f. (*fotogr.*) focusing; focalization.
focàtico m. (*stor.*) hearth tax.
fóce f. mouth (of a river); (*sbocco*) outlet: **f. a delta**, delta; **f. a estuario**, estuary.
focèna f. (*zool.*, *Phocaena phocaena*) porpoise.
focheggiàre v. t. to focus.
fochìsta → **fuochista**.
focolàio m. 1 (*med.*) focus*; centre of infection 2 (*fig.*) hotbed; breeding ground.
focolàre m. 1 hearth; (*camino*) fireplace, fireside: **pietra del f.**, hearth-stone 2 (*mecc.*) furnace: **f. a combustibile liquido**, liquid fuel furnace 3 (*fig.: famiglia, casa*) home; hearth: **il f. domestico**, one's home; one's hearth and home.
focomelìa f. (*med.*) phocomelia.
focomèlico (*med.*) A a. phocomelic B m. (f. **-a**) phocomelic person.
focometrìa f. (*fis.*) focimetry; focometry.
focòmetro m. (*fis.*) focimeter; focometer.
focóne m. (*mil. stor.*) touchhole.
focosità f. fire; impetuousness; passionate nature; ardour.
focóso a. fiery; impetuous; passionate; ardent.
fòcus m. (*med.*) focus*.
fòdera f. 1 (*interna*) lining; (*esterna*) cover; (*il tessuto*) lining (material): **f. per gonna**, skirt lining; **f. per materasso**, mattress cover; (*stoffa*) ticking: **la f. di una valigia**, the lining of a suitcase; **giacca senza f.**, unlined jacket 2 (*di libro*) dust jacket; dust cover 3 (*naut.*) sheathing.
foderàme m. lining materials (pl.).
foderàre v. t. 1 (*internamente*) to line; (*esternamente*) to cover: **f. un cassetto**, to line a drawer; **f. un divano**, to cover a sofa; **f. di seta un mantello**, to line a cloak with silk 2 (*naut.*) to sheathe.
foderàto a. (*internamente*) lined (with); (*esternamente*) covered (with): **gonna foderata**, lined skirt; **f. di seta [di pelliccia]**, lined with silk [with fur]; silk-lined [fur-lined] ● (*fig.*) **essere f. di soldi**, to be rolling in money □ (*scherz.*) **avere gli occhi foderati di prosciutto**, to be blind; to fail to see □ (*scherz.*) **avere gli orecchi foderati di prosciutto**, to be deaf; not to listen.
foderatùra f. (*interna*) lining; (*esterna*) covering.
fòdero m. sheath; scabbard: **rimettere la spada nel f.**, to sheathe one's sword; **trarre la spada dal f.**, to unsheathe one's sword.
fóga f. ardour; heat; passion; impetuosity; enthusiasm: **nella f. della discussione**, in the heat of the argument; **con f.**, heatedly;

enthusiastically; impetuously; **discutere qc. con f.**, to discuss st. heatedly; **gettarsi con f. a fare qc.**, to throw oneself enthusiastically into st.
fòggia f. 1 (*maniera*) manner; (*moda*) fashion; (*stile*) style: **alla f. di**, in the style of; after the fashion of 2 (*aspetto*) look; (*forma*) shape; (*taglio*) cut: **f. strana**, curious look; curious shape; **di f. antiquata**, old-fashioned; with an old-fashioned look; **di f. moderna**, modern-looking.
foggiàno A a. of Foggia; from Foggia; Foggia (attr.) B m. (f. **-a**) native [inhabitant] of Foggia.
foggiàre v. t. to mould; to shape; to fashion; to form.
foggiatùra f. moulding; shaping; fashioning.
♦**fòglia** f. 1 leaf*: (*anche archit.*) **f. d'acanto**, acanthus leaf; (*anche fig.*) **f. di fico**, fig leaf; **foglie di tè**, tea leaves; **f. morta**, dead leaf; **foglie secche**, dry leaves; **coperto di foglie**, (*di albero*) full of leaves, in leaf; (*di terreno*) covered in leaves; **senza foglie**, leafless; **mettere le foglie**, to come into leaf; **tremare come una f.**, to tremble (o to shake) like a leaf; *Non si muoveva una f.*, not a leaf stirred 2 (*mecc.*) leaf*: **f. di molla**, spring leaf 3 (*di metallo*) foil; (*sottilissima*) leaf*: **f. d'oro**, gold leaf; **dorare a f.**, to gold-leaf ● (*bot.*) **f. di betel**, pan □ (*bot.*) **f. di palma**, frond → (*sport, della palla*) **cadere a f. morta**, to plummet □ (*fig.*) **mangiare la f.**, to get the message; to see through st. □ (*prov.*) **Non cade f. che Dio non voglia**, not a leaf stirs but God wills it.
fogliàceo a. (*bot.*) foliaceous; leaflike.
fogliàme m. foliage; leaves (pl.); leafage.
fogliàre a. (*bot.*) foliar; leaf (attr.).
fogliàto a. (*metall.*) beaten into foil: **oro f.**, gold leaf; **stagno f.**, tinfoil.
fogliazióne f. (*bot.*) foliation.
fogliétto m. 1 piece of paper; slip of paper 2 (*volantino*) leaflet; handout; (*pubblicitario*) handbill 3 (*filatelia*) sheet 4 (*anat.*) membrane; layer: **f. pleurico**, pleural layer 5 (*biol.*) – **f. germinale**, germ layer ● **f. adesivo**, sticker.
foglìfero a. (*bot.*) leaf-bearing.
♦**fòglio** m. 1 sheet: **f. a quadretti**, sheet of squared paper; **f. a righe** (*o rigato*), sheet of ruled paper; **f. bianco**, empty sheet; **un f. di carta**, a sheet of paper; **f. di carta da disegno**, sheet of drawing paper; **f. in bianco**, blank sheet (of paper); **f. protocollo**, sheet of foolscap; **f. volante**, loose sheet; **a fogli mobili**, loose-leaf (attr.) 2 (*di metallo*) sheet; plate: **f. di alluminio** (*per alimenti*), (kitchen) foil; **f. di lamiera ondulata**, corrugated sheet; **f. di latta**, tin plate 3 (*giornale*) paper, newspaper: **f. della sera**, evening paper 4 (*banconota*) note, banknote (*GB*); bill (*USA*): **un f. da cinque sterline**, a five-pound note 5 (*pagina*) leaf* 6 (*filatelia*) sheet ● **f. delle presenze**, attendance sheet □ (*leg.*) **f. di via obbligatorio**, expulsion order □ (*comput.*) **f. elettronico**, spreadsheet □ **f. paga**, pay sheet; pay slip □ (*autom.*) **f. rosa**, provisional driving licence (*GB*); learner's permit (*USA*).
fogliolìna f. (*bot.*) leaflet.
fógna f. 1 sewer; (*per acque bianche*) drain; (*al pl.: sistema fognario*) sewerage Ⓤ, sewers: **f. a cielo aperto**, open sewer 2 (*fig. spreg., di luogo*) cesspool; cesspit 3 (*fig. spreg., di persona*) pig.
fognàre v. t. to provide with sewers.
fognàrio a. sewer (attr.); sewerage (attr.): **sistema f.**, sewerage system.
fognatùra f. 1 sewerage (system); sewers (pl.) 2 (*drenaggio*) drainage.
fognòlo m. small drain.

föhn (ted.) → **fon** ①.

Föhn (ted.) m. inv. (meteor.) föhn, foehn.

fòia f. **1** (di animale) rut; heat; (estens.) sexual excitement, lust **2** (fig.: brama) lust; greed.

fòiba f. (geol.) sinkhole; swallow-hole; doline.

foiòlo m. (cucina) ox-tripe.

fòla f. **1** (favola) fairy tale **2** (fandonia) idle story; tale.

fòlade f. (zool., Pholas dactylus) piddock.

fòlaga f. (zool., Fulica atra) coot.

folàta f. gust; blast; flurry: **f. di neve**, flurry of snow; **f. di vento**, gust of wind.

folclóre m. **1** (disciplina) folklore **2** (tradizioni) folklore; traditions (pl.): **f. locale**, local traditions; **studioso di f.**, folklorist **3** (fig.: aspetto pittoresco) colour; picturesqueness; exotic character.

folclòrico a. folklore (attr.); folkloric.

folclorìsmo m. (spreg.) spurious folklore; fake local colour; picturesqueness.

folclorìsta m. e f. folklorist.

folclorìstico a. **1** (che riguarda il folclore) folklore (attr.); folkloric: **studi folcloristici**, folklore studies **2** (popolare) folk (attr.): **ballo f.**, folk dance; **musica folcloristica**, folk music **3** (scherz.) picturesque; colourful; exotic.

fòlco m. (zool., Pholcus phalangioides) daddy longlegs spider.

folgoràn te a. **1** (accecante) dazzling; (lampeggiante) flashing: **luce f.**, dazzling light **2** (fig.) dazzling; flashing; (improvviso) sudden; (violento) violent; (veloce) quick as a flash: **bellezza f.**, dazzling beauty; **carriera f.**, dazzling career; **idea f.**, brilliant idea; brainwave; **passione f.**, violent passion; **sguardo f.**, flashing eyes; *La sua risposta fu f.*, his retort came as quick as a flash.

folgoràre Ⓐ v. i. (lett.) **1** (impers.: lampeggiare) to flash: *Folgorò a oriente*, lightning flashed in the east **2** (scagliare folgori) to hurl thunderbolts **3** (fig.: risplendere) to blaze; to shine* Ⓑ v. t. **1** (colpire con un fulmine) to strike* with a thunderbolt **2** (di fulmine) to strike* down; (di scarica elettrica) to electrocute: *Fu folgorato sotto un albero*, lightning struck him while he was under a tree **3** (fig.: fulminare con lo sguardo) to glare at: *Quando lasciai cadere la penna, lui mi folgorò*, when I dropped the pen, he glared at me **4** (fig.: abbagliare) to dazzle: *Fu folgorato dalla bellezza di lei*, he was dazzled by her beauty **5** (fig.: colpire) to strike*: *Fui folgorato da un'idea*, I was struck by an idea **6** (fig.: con gli occhi) to give* a withering look to; to glare at: *Mi folgorò con un'occhiata*, she gave me a withering look; she glared at me.

folgoràto a. **1** (da fulmine) struck by lightning; (da scarica elettrica) electrocuted: **morire f.**, to be struck by lightning; to be electrocuted **2** (abbagliato) dazzled; (stranito) thunderstruck, amazed, shocked: **restare f.**, to be dazzled; to be thunderstruck.

folgorazióne f. **1** (da scarica elettrica) electrocution; fulguration (med.) **2** (fig.) sudden inspiration; brilliant idea; brainwave.

fólgore f. thunderbolt; lightning Ⓤ; flash of lightning.

folgorite f. (miner.) fulgurite.

foliazióne f. (giorn.) page arrangement.

fòlico a. – (chim.) **acido f.**, folic acid.

fòlio → **in folio**.

folk (ingl.) Ⓐ a. inv. folk (attr.): **cantante f.**, folk singer Ⓑ m. (mus.) folk; folk music.

folklóre e deriv. → **folclore**, e deriv.

◆**fólla** f. **1** crowd; mob (spreg.); (calca) throng: **una f. di visitatori [di reporter]**, a

crowd (o throng) of visitors [of reporters]; **una f. esultante**, a jubilant crowd; **una f. scatenata**, a frenzied mob; **le folle**, the masses; **accorrere in f.**, to crowd (st.); **confondersi tra la f.**, to lose oneself in the crowd; **farsi strada a fatica tra la f.**, to force one's way through the crowd; **piacere (o volere piacere) alla f.**, to appeal to the mob **2** (fig.) multitude; host: **una f. di ricordi**, a host of memories.

follànte m. (ind. tess.) fulling agent.

follàre v. t. **1** (ind. tess.) to full; to mill **2** (l'uva) to press.

follàto (ind. tess.) Ⓐ a. fulled Ⓑ m. fulled fabric.

follatóre m. (ind. tess.) fuller.

follatrìce f. (ind. tess.) **1** (operaia) fuller **2** (macchina) fulling machine.

follatùra f. **1** (ind. tess.) fulling; milling **2** (dell'uva) wine-pressing.

◆**fòlle** Ⓐ a. **1** (pazzo) mad; insane; lunatic; crazy (fam.); nuts (pred., slang): **sguardo f.**, mad eyes; **terrore f.**, insane fear; *È f. se crede che io lo segua*, he's mad if he thinks I'm going to follow him; *Tu sei f.!*, you're nuts! **2** (da pazzo, sconsiderato) mad; crazy; foolish: **amore f.**, mad passion; **un gesto f.**, the action of a madman; **idea f.**, mad (o crazy) idea; **spese folli**, extravagant spending Ⓤ; **fare spese folli**, to go on a spending spree; **f. tentativo**, crazy attempt; **velocità f.**, terrific speed; **guidare a velocità f.**, to drive like a maniac; *È una cosa completamente f.!*, the whole thing is crazy! **3** (mecc.) neutral; idle: **essere in f.**, to be in neutral; to be out of gear; (del motore) to idle, to tick over (GB); **girare in f.**, to idle; **mettere in f.**, to put the car in neutral; to slip the gear into neutral Ⓑ m. e f. madman* (m.); madwoman* (f.); lunatic ❶ **FALSI AMICI** • folle non si traduce con fool.

folleggiaménto m. merrymaking Ⓤ; revelling Ⓤ; carousal.

folleggiàre v. i. **1** (agire da folle) to behave like a madman* [a madwoman*] **2** (fig.: divertirsi follemente) to have a riotous time; to have a ball (fam.); (uscire a divertirsi) to go out on the town (fam.), to paint the town red (fam.): *Stasera folleggiamo!*, we're going out on the town tonight!; let's make a night of it!

folleménte avv. madly; crazily: **essere f. innamorato di q.**, to be madly in love with sb.; to be head over heels in love with sb. (fam.); **divertirsi f.**, to have a ball (fam.).

follétto Ⓐ m. **1** elf*; sprite; fairy; pixie; brownie; (maligno) hobgoblin, goblin, imp **2** (fig.) imp Ⓑ a. elf (attr.); elfish.

follìa f. **1** (pazzia) madness; insanity; lunacy: **f. collettiva**, generalized hysteria; **spingere q. sull'orlo della f.**, to drive sb. to the verge of insanity; **un raptus di f.**, a fit of madness (stoltezza) folly; foolishness: *È la sua f. che ha rovinato l'azienda*, it's his folly that ruined the firm **3** (comportamento da folle) madness; lunacy; (azione da folle) Ⓤ, foolish act; (idea folle) crazy idea: *È una vera f. uscire con questo tempaccio*, it's sheer folly to go out in this weather; *Sarebbe f. fare una cosa simile*, it would be madness to do such a thing; **fare una f.**, to do something mad (o crazy); (una spesa folle) to spend a fortune (on st.) ● **amare q. alla f.**, to be madly in love with sb.; to love sb. to distraction □ **costare una f.**, to cost the earth □ **fare follie** (divertirsi), to have a great time; to have a ball (fam.); to go out on the town (fam.) □ **fare follie per qc.**, to be crazy about st. □ **Mi raccomando, non fare follie!**, please don't do anything rash!

follicolàre a. (anat., bot.) follicular.

follicolìna f. (biochim.) folliculin.

follicolìte f. (med.) folliculitis.

follìcolo m. (anat., bot.) follicle: **f. sebaceo [pilifero]**, sebaceous [hair] follicle.

follicolóso a. folliculose.

follóne m. (ind. tess.) fulling mill.

foltézza f. thickness; density.

◆**fólto** Ⓐ a. **1** thick; dense: **un bosco f.**, a thick wood; **capelli folti**, thick hair; **erba folta**, thick grass; **sopracciglia folte**, bushy eyebrows **2** (numeroso) large; numerous: **un f. gruppo**, a large group Ⓑ m. thick; depths (pl.): **nel f. del bosco**, in the depths of the wood; **nel f. della mischia**, in the thick of the fray.

fomentàre v. t. to foment; to instigate; to stir up: **f. una rivolta**, to foment a rebellion.

fomentatóre Ⓐ a. fomenting; instigating Ⓑ m. (f. **-trice**) fomenter; instigator: **f. di discordie**, troublemaker; **f. di violenza**, fomenter of violence.

fomentazióne f. **1** fomentation; instigation; stirring up **2** (med.) fomentation.

foménto m. **1** (med.) fomentation **2** (fig.) instigation; incitement.

fòmite m. (istigazione) incitement, fomentation; (causa) cause, source.

fon ① m. inv. (hand-held) hairdryer (o hairdrier); blow-dryer: **asciugarsi i capelli col fon**, to blow-dry one's hair; **messa in piega a fon**, blow-dry.

fon ② → **phon**.

fonàre v. t. (pop.) to blow-dry.

fonatòrio a. (fisiol.) phonatory.

fonazióne f. (fisiol.) phonation.

fónda f. (naut.) anchorage: **essere alla f.**, to ride (o to be, to lie) at anchor.

fondàccio m. **1** (di vino) dregs (pl.); lees (pl.) **2** (comm.) unsold stock; remnants (pl.).

fóndaco m. **1** (magazzino) warehouse; deposit **2** (stor.) factory; staple.

fondàle m. **1** (naut.: profondità) depth: **f. alto**, deep sea; **f. basso**, shallow water; shallows (pl.); shoal **2** (estens.; fondo marino) seabed **3** (teatr.) backdrop; backcloth (GB).

fondàme m. dregs (pl.); lees (pl.).

◆**fondamentàle** Ⓐ a. **1** fundamental; essential; basic: **bisogni fondamentali**, basic needs; **nozioni fondamentali**, rudiments; **principio f.**, fundamental principle; **requisito f.**, essential requirement; *È f. che…*, it is essential that… **2** (mus.) fundamental Ⓑ m. **1** (al pl.) (sport) basics **2** (mus.) fundamental.

fondamentalìsmo m. fundamentalism.

fondamentalìsta m. e f. fundamentalist.

fondamentalìstico a. fundamentalist.

fondamentalménte avv. **1** (nei fondamenti) fundamentally **2** (essenzialmente) essentially; basically; at bottom.

fondaménto m. (pl. **fondamenta**, f., per la def. 1; **fondamenti**, m., per la def. 2) **1** foundation: **gettare le fondamenta di qc.**, to lay the foundations of st. **2** (fig.) basis*; foundation; ground: **f. logico**, rational basis; rationale; **i fondamenti di una civiltà**, the foundations of a civilization; *Con quale f.?*, on what grounds?; **senza f.**, unfounded; groundless **3** (al pl.: nozioni fondamentali) rudiments; grounding (sing.); the basics: **conoscere i fondamenti di una materia**, to know the rudiments of a subject; **dare dei buoni fondamenti in latino**, to give a good grounding in Latin; (di corso universitario) **i fondamenti della fisica**, an introduction to physics.

fondant (franc.) m. inv. fondant.

fondàta f. basic; fundamental.

◆**fondàre** Ⓐ v. t. **1** to found; (costruire) to build*: **f. una città [un monastero]**, to found a town [a monastery] **2** (costituire,

formare) to found; to establish; to constitute; to set* up; to start: **f. una ditta**, to establish a firm; **f. un ordine religioso**, to found a religious order; **f. un regno**, to found a kingdom; **f. una rivista**, to start a magazine **3** (*basare*) to found; to base; to ground: **f. la propria difesa su qc.**, to found (*o* to base) one's defence on st. **4** (*porre le basi di*) to lay* the foundations of: **f. una scienza**, to lay the foundations of a new science **B** **fondàrsi** v. rifl. e i. pron. **1** (*basarsi*) to base oneself (on) **2** (*fare affidamento*) to rely (on): **fondarsi sulle promesse di q.**, to rely on sb.'s promises **3** (*essere fondato*) to be founded (*o* based, grounded) (on).

fondataménte avv. with good reason; on good grounds.

fondatézza f. (*validità, autenticità*) validity, truth, authenticity, soundness; (*legittimità*) legitimacy: **la f. di una notizia**, the authenticity of a piece of news; **la f. di una rivendicazione**, the legitimacy of a claim; **privo di f.**, groundless; **provare la f. della propria affermazione**, to support one's statement with facts (*o* with evidence).

fondàto a. **1** (*basato*) founded; based: **un metodo f. sull'esperienza**, a method based on experience **2** (*stabilito*) founded; established: **una ditta fondata nel 1830**, a firm founded (*o* established) in 1830 **3** (*che ha fondamento*) well-founded; well-grounded; sound; valid: **fondate ragioni**, sound reasons; **sospetti fondati**, well-founded suspicions.

fondatóre **A** m. (f. **-trice**) founder **B** a. founding: **padri fondatori**, founding fathers; **socio f.**, charter member; (*di società*) promoter.

fondazionàle a. (*filos.*) foundational.

fondazionalìsmo m. (*filos.*) foundationalism.

fondazióne f. **1** foundation; establishment: **la f. di una città** [**di un monastero**], the foundation of a town [of a monastery]; **la f. di una ditta**, the foundation (*o* establishment) of a firm **2** (*leg.*) institution; foundation: **f. benefica**, charitable institution; **la F. Cini**, the Cini Foundation **3** (al pl.) (*edil.*) foundations.

fondèllo m. bottom ● (*fam.*) **prendere q. per i fondelli**, to take the mickey (*o, volg.*, the piss) out of sb. (*GB*); to jack sb. around; to jerk (*o* to pull) s.o.'s chain (*USA*) □ (*fam.*) **presa per i fondelli**, mickey-take (*GB*); piss-take (*volg., GB*); jerking (*o* pulling) sb.'s chain (*USA*).

fondènte **A** a. melting ● **caramella f.**, fondant □ **cioccolato f.**, plain chocolate (*GB*); dark chocolate (*USA*) **B** m. **1** (*metall.*) flux **2** (*dolce*) fondant.

fóndere **A** v. t. **1** (*liquefare*) to melt*; (*col calore*) to fuse; (*per estrarre metallo*) to smelt: **f. cera**, to melt wax; **f. l'oro**, to melt down gold; to smelt gold ore **2** (*foggiare mediante fusione*) to found; to cast*: **f. una statua**, to cast a statue **3** (*fig.: combinare, unire*) to fuse; to merge; to integrate; to amalgamate; (*testi e sim.*) to conflate; (*colori, suoni*) to merge, to blend **4** (*econ.*) to amalgamate; to merge: **f. due società**, to merge two companies ● (*autom.*) **f. le bronzine**, to burn out the bearings □ (*autom.*) **Ho fuso il motore**, my engine has burnt out **B** v. i., **fóndersi** v. i. pron. **1** to melt* **2** (*fig.: combinarsi, unirsi*) to fuse; to combine; to merge; to conflate; to coalesce; (*di colori, suoni*) to merge, to blend: **I due partiti hanno deciso di fondersi**, the two parties have decided to merge **3** (*econ.*) to merge; to amalgamate; to combine; to incorporate **4** (*elettr.*) to blow*: *Si è fusa una valvola*, a fuse has blown **5** (*mecc.*) to burn* out.

fonderìa f. foundry; smelting works.

fondiàrio a. (*econ.*) land (attr.); landed: **imposta fondiaria**, land tax; **proprietà fondiaria**, landed property.

fondìbile a. meltable; fusible.

fondìglio m. sediment; dregs (pl.).

fondìna f. **1** (*per pistola*) holster **2** (*region.*: *piatto*) soup plate.

fondìno m. **1** (*teatr.*) (small) backdrop **2** (*tipogr.*) halftone screen; cross-hatching.

fondìsta m. e f. **1** (*sport: atletica*) long-distance runner, stayer; (*sciatore*) cross-country skier; (*nuoto*) long-distance swimmer **2** (*giorn.*) editorialist **3** (*fin.*) shareholder in an investment fund; unitholder (*GB*).

fonditóre m. founder; caster; smelter; foundryman*; (*tipogr.*) **f. di caratteri**, type-founder.

fonditrìce f. (*tipogr.*) casting machine; caster.

fonditùra → **fusione**.

◆**fóndo** **A** m. **1** (*parte inferiore*) bottom: **il f. di un bicchiere** [**di un pozzo, di una valle, di una barca**], the bottom of a glass [of a well, of a valley, of a boat]; (*ind. min.*) **f. di pozzo**, shaft bottom; **doppio f.**, false bottom; **in f. alla pagina**, at the bottom of the page; **pozzo senza f.**, bottomless well **2** (*fine, estremità*) end; (*parte posteriore*) rear, back: **in f. al corridoio** [**al libro, al discorso**], at the end of the corridor [of the book, of the speech]; **in f. al treno**, at the rear of the train; **in f. alla stanza**, at the back (*o* at the end) of the room; (*al cinema, ecc.*) **sedersi in f.**, to sit at the back; **carrozze** (*o vagoni*) **di f.**, rear carriages **3** (*del mare e sim.*) bottom; bed; ground; floor: **f. di sabbia** [**di scogli**], sandy [rocky] bottom; **f. marino**, seabed; sea floor; **toccare il f.**, to touch bottom; **in f. al mare**, at the bottom of the sea **4** (*sfondo, anche di quadro, di stoffa*) background: (*arte*) **f. d'oro**, gold background; **rumori di f.**, background noise ⓤ; **sul f.**, in the background **5** (*dei calzoni*) seat **6** (al pl.) (*di caffè*) (coffee) grounds; (*feccia*) dregs, lees **7** (al pl.) (*resti, rimasugli*) remnants; odds and ends; (*comm., anche* **fondi di magazzino**) unsold stock (sing.), remnants **8** (*fin., rag.*) fund: **f. d'ammortamento**, sinking fund; (*rag.*) **f. di cassa**, cash in hand; (*per le piccole spese*) petty cash; **f. di riserva**, reserve fund; **f. monetario comune**, pool; *F. monetario internazionale*, International Monetary Fund; **f. pensioni**, pension fund; **f. per profughi**, refugee fund; **f. vincolato**, time fund; **fondi neri**, slush fund (sing.); **fondi pubblici**, public funds; **destinare fondi a qc.**, to earmark funds for st.; **istituire un f.**, to set up a fund; **mancanza di fondi**, lack of funds; (*fam.*) **a corto di fondi**, short of funds **9** (*fin., Borsa, anche* **f. comune d'investimento**) investment fund; unit trust (*GB*); mutual fund (*USA*): **f. azionario**, stock fund; **f. bilanciato**, balanced fund; **f. obbligazionario**, bond investment fund **10** (*proprietà*) property; plot of land: **f. rustico**, farm; **f. urbano**, town property; building; (*casa*) house; (*negozio*) shop **11** (*sport: atletica*) long-distance running; (*nuoto*) long-distance swimming: **corridore di f.**, long-distace runner; **corsa di f.**, long-distance race; (*nuoto*) **gara di f.**, long-distance swimming race **12** (*sport: sci, anche* **sci di f.**) cross-country skiing; langlauf (*ted.*): **gara di f.**, cross-country race **13** (*sport: calcio, anche* **linea di f.**) goal-line: **rimessa dal f.**, goal kick **14** (*sport: resistenza*) staying power: **essere dotato di f.**, to have staying power; to be a stayer **15** (*giorn., anche* **articolo di f.**) leader; editorial ● (*sport*) **f. campo** → **fondocampo** (*anat.*) **f. dell'occhio**, eye ground □ (*fig.*) **f. di bicchiere** (*diamante falso*), fake diamond; paste □ **f. nevo-**

so, snowpack □ **f. schiena** → **fondoschiena** □ **f. stradale**, road surface □ **f. tinta** → **fondotinta** □ **a f.** (*completamente*), thoroughly; in depth: **conoscere a f. qc.**, to know st. thoroughly; **conoscere a f. q.**, to know sb. through and through; **studiare a f. qc.**, to study st. in depth □ (*fin.*) **a f. perduto**, without security □ **andare a f.** (*affondare*) to sink, to go down; (*fallire*) to go under □ **andare a f. di qc.**, to investigate st.; to get to the bottom of st. □ (*fig.*) **avere uno stomaco senza f.**, to be a glutton; to be a gannet (*slang GB*) □ (*sport*) **corridore** (*o cavallo*) **di f.**, stayer □ **da cima a f.**, from beginning to end; from top to bottom; (*da un capo all'altro*) from end to end □ **dare f. a qc.**, to run through st.; to use up st.; to exhaust st.; (*scialacquare*) to squander □ (*naut.*) **dare f. all'ancora**, to drop anchor □ **di f.** (*fondamentale*), basic; underlying: **questione di f.**, underlying question; basic question □ **fino in f.**, (*fino alla fine*) to the end; (*in modo esauriente*) thoroughly; (*completamente*) fully □ **vuotare un bicchiere fino in f.**, to drain a glass □ **impegnarsi a f.**, to throw oneself into st. heart and soul; to commit oneself totally □ **in f.** (*dopotutto*) after all □ **in f. all'animo**, deep in one's heart □ **in f.**, at the very end; at the very back; (*in lontananza*) in the remote distance; (*fig.*) all things considered; when all is said and done □ **laggiù in f.**, (*in distanza*) over there; (*in basso*) down there □ (*naut.*) **mandare a f. una nave**, to sink a ship □ (*fig.*) **mandare a f. un progetto**, to scupper a plan □ (*di vernice*) **mano di f.**, priming coat; primer □ **portare qc. fino in f.**, to see st. through to the end; to conclude st. □ (*fig.*) **senza f.** (*insaziabile*), insatiable □ **sostenere q. fino in f.**, to back sb. to the hilt □ (*fig.*) **toccare il f.**, to plumb the depths of st.; to reach rock-bottom; (*spreg.*) to sink very low □ (*fig.*) **vedere il f. di qc.**, to see the end of st. **B** a. **1** (*profondo*) deep: **acque fonde**, deep waters **2** (*denso*) thick; dense: **bosco f.**, thick forest ● **a notte fonda**, at dead of night □ **piatto f.**, soup plate.

fondocàmpo m. (*sport: calcio*) end area; (*tennis*) back of the court.

fondopièga m. (*sartoria*) kick-pleat.

fondoschièna m. inv. (*fam.*) backside; posterior.

fondotìnta m. inv. foundation (cream).

fondovàlle m. valley floor ● **giù nel f.**, down in the valley.

fondùta f. (*cucina*) fondue (*franc.*).

fonèma m. (*ling.*) phoneme.

fonemàtica f. (*ling.*) phonemics (pl. col verbo al sing.).

fonemàtico a. (*ling.*) phonematic; phonemic.

fonematizzazióne f. (*ling.*) phonemicization.

fonèmica → **fonematica**.

fonèmico a. (*ling.*) phonemic.

fonendoscòpio m. (*med.*) phonendoscope.

fonètica f. phonetics (pl. col verbo al sing.).

fonètico a. phonetic; sound (attr.): **alfabeto f.**, phonetic alphabet; **legge fonetica**, sound law; **simbolo f.**, phonetic symbol; **sistema f.**, phonetic system.

fonetìsmo m. (*ling.*) phonetism.

fonetìsta m. e f. (*ling.*) phonetician.

fonìa f. (*telef.*) telephony; radiotelephony.

foniàtra m. e f. (*med.*) speech therapist.

foniatrìa f. (*med.*) speech therapy.

foniàtrico a. (*med.*) speech-therapy (attr.); phoniatric.

fònico **A** a. phonic; sound (attr.) **B** m. (f. **-a**) (*cinem.*) sound engineer.

fòno m. (*ling.*) phone.

fonoassorbènte a. sound absorbent; soundproofing (attr.); acoustic.

fonocardiografìa f. (*med.*) phonocardiography.

fonocardiògrafo m. (*med.*) phonocardiograph.

fonocardiogràmma m. (*med.*) phonocardiogram.

fonocassétta f. cassette.

fonodettatùra f. dictation of telegrams over the telephone.

fonofilmògrafo m. sound-track recorder.

fonofobìa f. (*med.*) phonophobia.

fonogenìa f. suitability for sound reproduction.

fonogènico a. phonogenic.

fonografìa f. phonography.

fonogràfico a. phonographic.

fonògrafo m. phonograph.

fonogràmma m. **1** (*telef.*) (written) telephone message **2** (*ling.*) phonogram.

fonoincisióne f. sound recording.

fonoincisóre m. sound recorder; cutting head (of a recording apparatus).

fonoisolànte A a. soundproofing B m. soundproofing material.

fonolite f. (*miner.*) phonolite.

fonologìa f. (*ling.*) phonology.

fonològico a. (*ling.*) phonological.

fonòlogo m. (f. **-a**) phonologist.

fonometrìa f. (*fis.*) phonometry.

fonòmetro m. (*fis.*) sound-level meter; phonometer.

fonomimìa f. sign language.

fonomontàggio m. (*radio*) edited programme.

fonomorfològico a. (*ling.*) phonomorphological.

fonóne m. (*fis.*) phonon.

fonoregistratóre m. sound recorder.

fonoregistrazióne f. sound recording.

fonoriproduttóre m. **1** sound reproducing machine **2** (*altoparlante*) loudspeaker.

fonoriproduzióne f. sound reproduction.

fonorivelatóre m. pick-up.

fonoscòpio m. phonoscope.

fonosimbòlico a. (*ling.*) sound-symbolic; onomatopoeic.

fonosimbolìsmo m. (*ling.*) sound symbolism; onomatopoeia.

fonosìmbolo m. sound symbol.

fonosintàttico a. (*ling.*) phonosyntactic.

fonostilìstica f. phonostylistics (pl. col verbo al sing.).

fonotèca f. sound library; sound archive.

fonotelegrafìa f. (*tel.*) telegramme transmission system.

fonotelemetrìa f. sound ranging.

fonovaligia f. portable gramophone.

fònt m. inv. (*tipogr.*) font; fount.

♦**fontàna** f. **1** fountain: **f. ornamentale**, ornamental fountain; **f. pubblica**, drinking fountain **2** (*fonte, anche fig.*) source; spring **3** (*geol.*) – **f. ardente**, fire well; **f. di lava**, lava fountain **4** (*cucina, di farina*) well: **fare la f.**, to make a well ● **a f.**, like a fountain; copiously □ **piangere come una f.**, to cry one's eyes out.

fontanàzzo m. (*idrologia*) blowout.

fontanèlla f. **1** drinking fountain **2** (*anat.*) fontanelle, fontanel (*USA*).

fontanière m. **1** fountain attendant **2** (*region.*: *idraulico*) plumber.

fontanìle m. **1** (*geol.*) resurgence **2** (*abbeveratoio*) drinking trough.

♦**fónte** A f. **1** (*sorgente*) spring; (*di fiume, ecc.*) source: **acqua di f.**, spring water **2** (*region.*: *fontana*) fountain **3** (*fig.*: *origine*) source; origin; (*causa*) cause: **f. attendibile** (*o* **bene informata**), reliable source; **f. di guadagno**, source of income; **f. di malintesi**, source of misunderstandings; **f. di preoccupazione**, source of worry; **la f. di tutti i mali**, the origin of all evil; **fonti energetiche**, sources of energy; *Quella decisione fu f. di molti guai*, that decision was the cause of much trouble; *Lo so da f. sicura*, I have it from a reliable source (*o* on good authority); I got it straight from the horse's mouth (*fam.*); **risalire alla f.**, to go back to the original source **4** (*letter.*) source: **le fonti del «Re Lear»**, the sources of «King Lear»; **fonti dirette** [**indirette**], primary [secondary] sources **5** (*tipogr.*) font; fount ● (*fig.*) **f. di saggezza**, fountain of wisdom □ (*fisc.*) **ritenuta alla f.**, deduction at source B m. – **f. battesimale** (*o* **sacro f.**), font.

fontina f. fontina (mild cheese made from cow's milk).

football (*ingl.*) m. inv. (*sport*) **1** football; soccer; association football (*form.*) **2** – **f. americano**, American football; football (*USA*).

footing m. inv. **1** jogging: **fare del f.**, to jog; to go* jogging **2** (*sport, per allenamento*) roadwork ❶ **FALSI AMICI •** footing *non si traduce con* footing.

foracchiàre v. t. to riddle (with holes); (*con uno spillo e sim.*) to prick (all over).

foracchiàto a. full of holes; riddled with holes.

foracchiatùra f. **1** (*il foracchiare*) pricking; piercing **2** (*i fori*) holes (pl.).

foraggiaménto m. **1** foddering; foraging **2** (*fig.*: *finanziamento*) subsidizing; bankrolling (*fam.*).

foraggiàre v. i. **1** to fodder; to forage **2** (*fig.*: *finanziare*) to subsidize; to bankroll (*fam.*).

foraggière m. (*stor.*) forager.

foraggièro a. fodder (attr.); forage (attr.): **piante foraggiere**, fodder plants.

foràggio m. fodder; forage; (*conservato in silo*) ensilage.

foràme m. (*anat., zool., bot.*) foramen*.

foraminìfero m. (*zool.*) foraminifer; (al pl., *scient.*) Foraminifera.

foràneo a. **1** (*fuori del porto*) outer; off-shore: **diga foranea**, outer breakwater **2** (*eccles.*) – **vicario f.**, vicar forane; rural dean.

forapàglie m. inv. (*zool., Acrocephalus schoenobaenus*) sedge warbler.

foràre A v. t. to make* a hole in; to perforate; to pierce; (*un biglietto e sim.*) to punch; (*un'asse e sim.*) to bore through, to bore a hole in; (*con trapano*) to drill into, to drill a hole into; (*un pallone, uno pneumatico*) to puncture; (*assol., autom.*) to have a puncture, to get* a flat tyre, to get* a puncture, to blow* a tyre: *Il controllore forò il biglietto*, the ticket collector punched the ticket; *Il chiodo forò il palloncino*, the nail punctured the balloon; *Ho forato due volte sulla Futa*, I got a flat tyre twice on the Futa Pass B forarsi v. i. pron. (*di pneumatico*) to puncture; to get* a puncture.

forasièpe → **forapaglie**.

foràstico a. (*region.*) rustic; uncouth.

foratèrra m. inv. (*agric.*) dibble.

foràto A a. perforated; pierced; (*di biglietto e sim.*) punched; (*di asse e sim.*) bored; (*di pallone e sim.*) punctured B m. (*edil.*) perforated brick; hollow tile.

foratóio m. punch; pricker.

foratùra f. **1** perforation; piercing; punching; (*in profondità*) boring; (*con trapa-*

no) drilling; (*di pallone e sim.*) puncturing, puncture **2** (*autom.*) flat tyre; flat (*USA*).

♦**fòrbice** f. **1** (spec. al pl.) scissors (pl.); (*grandi*) shears (pl.); (*per giardinaggio*) shears (pl.), secateurs (pl.): **forbici per cucina**, kitchen scissors; **forbici per potare**, pruning shears; **forbici per ricamo**, embroidery scissors; **forbici per sarto**, tailor's shears; **forbici per unghie**, nail scissors; **forbici dentellate**, pinking scissors (*o* shears); **colpo di forbici**, snip; **dare un colpo di forbici a qc.**, to snip st.; to scissor through st.; **un paio di forbici**, a pair of scissors **2** (al pl.) (*zool. pop.*) pincers; nippers **3** (*naut.*) kevel **4** (*sport*, anche **salto a f.**) scissors (pl.) ● (*fig.*) **le forbici della censura**, the censor's scissors; censorship □ (*econ.*) **f. dei prezzi**, price scissors □ **a f.**, scissor (attr.) □ **lavorare di forbici**, to cut; (*fig.*) to cut, to censure □ **lavorare di forbici e colla**, to do a scissors-and-paste (*o* a cut-and-paste) job □ **una lingua che taglia come le forbici**, a cutting (*o* sharp) tongue; a tongue like a razor.

forbiciàio m. **1** (*fabbricante*) scissors maker **2** (*venditore*) scissors seller.

forbiciàta f. **1** snip; cut **2** (*sport*) scissors (pl.); (*nuoto e calcio*) scissors kick.

forbicìna① f. small pair of scissors; (*per ricamo*) embroidery scissors (pl.); (*per manicure*) nail scissors (pl.).

forbicìna② f. (*zool., Forficula auricularia*) earwig.

forbire A v. t. **1** to furbish; to clean; to wipe: **forbirsi la bocca**, to wipe one's mouth **2** (*fig.*) to polish B **forbirsi** v. rifl. to clean oneself.

forbita f. cleaning; wipe.

forbitézza f. polish; refinement; elegance.

forbìto a. polished; refined; elegant.

fórca f. **1** (*agric.*) fork; pitchfork; (*per fieno*) hayfork **2** (*oggetto biforcuto*) fork; crutch **3** (*patibolo*) gallows (pl. col verbo al sing.); gibbet: **condannare q. alla f.**, to sentence sb. to be hanged; **finire sulla f.**, to hang; **mandare q. sulla f.**, to send sb. to the gallows **4** (*valico tra due monti*) col; (mountain) pass ● **Forche Caudine**, (*stor.*) Caudine Forks; (*fig.*) bitter humiliation: **passare sotto le Forche Caudine**, to suffer bitter humiliation; to eat humble pie □ **avanzo di f.**, (*o* **pendaglio da f.**), jail-bird; gallows-bird □ (*fig.*) **fare f.**, (*marinare la scuola*), to play truant; to play hookey (*USA*) □ (*fig.*) **fare la f. a q.** (*ingannarlo*), to cheat sb. □ **Va' sulla f.!**, go to hell!

forcàccio m. (*naut.*) crutch.

forcaiòlo m. (f. **-a**) (*polit.*) reactionary.

forcàta f. **1** (*quantità*) forkful; pitchforkful **2** (*colpo*) thrust with a pitchfork.

forcèlla f. **1** (*mecc.*) staple; fork: (*autom.*) **f. del cambio**, gearshift fork **2** (*bot.*) fork **3** (*telef.*) rest; cradle **4** (*naut.*) rowlock **5** (*region.*: *forcina*) hairpin **6** (*valico*) col; (mountain) pass **7** (*mil.*) bracket; straddle: **fare f. su**, to bracket; to straddle **8** (*pop.*: *osso del petto di volatile*) wishbone **9** (*mus.*) crescendo [diminuendo] sign.

♦**forchétta** f. **1** fork: **f. da frutta**, dessert fork **2** (*naut., del boma*) boom crutch **3** → **forcella**, def. 8 **4** (*zool., di cavallo*) frog **5** (*scacchi*) fork ● (*fig.*) **buona f.**, a big eater; (*buongustaio*) gourmet □ (*fig.*) **parlare in punta di f.**, to speak affectedly.

forchettàta f. **1** (*quantità*) forkful **2** (*colpo*) thrust (*o* jab) with a fork: *Diede qualche f. svogliata al piatto*, he took a couple of half-hearted jabs at his plate.

forchettièra f. fork case.

forchétto m. forked stick.

forchettóne m. **1** carving fork **2** (*fig.*

spreg.) corrupt official; profiteer.

forcìna f. hairpin.

fòrcing (*ingl.*) m. inv. (*sport*) insistent attack ❶ FALSI AMICI • forcing *non si traduce con* forcing.

fòrcipe m. (*med.*) forceps*.

fórcola f. **1** (*agric.*) fork **2** (*naut.*) crutch; rowlock.

forconàta f. **1** (*quantità*) pitchforkful **2** (*colpo*) thrust with a pitchfork.

forcóne m. (*agric.*) pitchfork; fork.

forcùto a. forked; furcate: **coda forcuta**, forked tail.

fordìsmo m. (*org. az.*) Fordism.

forènse a. (*leg.*) forensic: **eloquenza f.**, forensic eloquence; **pratica f.**, practice of law; **professione f.**, legal profession; law.

◆**forèsta** f. forest: **f. amazzonica**, Amazon forest; **f. demaniale**, national forest; **f. equatoriale**, equatorial forest; **f. pluviale**, rainforest; **f. vergine**, virgin forest • **una f. di capelli**, a bush (*o* mop) of hair □ (*fig.*) **il richiamo della f.**, the call of the wild □ **uomo delle foreste**, wild man.

forestàle **A** a. forest (attr.); forestry (attr.): **ecologia f.**, forest ecology; **guardia f.**, forester; forest ranger **B** f. (*pop.* **la F.**) corps of forest rangers.

forestazióne f. forest conservation.

foresteria f. **1** (*in un palazzo, convento, ecc.*) guest quarters (pl.), guestrooms (pl.); (*edificio*) lodge **2** (*appartamento*) company flat for visiting guests; guest flat.

forestierìsmo m. (*anche ling.*) foreignism.

forestièro **A** a. foreign; (*bur.*) alien **B** m. (f. *-a*) **1** (*straniero*) foreigner; (*bur.*) alien; (*turista*) foreign tourist **2** (*sconosciuto*) stranger **3** (*fam.: ospite*) guest.

forestierùme m. (*spreg.*) **1** (*accozzaglia di forestieri*) motley crowd of foreigners **2** (*complesso di parole, usanze forestiere*) foreignisms (pl.).

forfait① (*franc.*) m. inv. flat rate; lump sum: **accordarsi su un f.**, to agree on a flat rate; **a f.**, on a lump-sum basis.

forfait② (*franc.*) m. inv. (*sport*) default: **dichiarare** (*o* **dare**) **f.**, to default; to scratch (*fam.*); (*fig.*) to give up; **vincere per f.**, to win by default.

forfaiting (*ingl.*) m. inv. (*econ.*) forfaiting.

forfè → forfait.

forfécchia → forbicina②.

forfeit → forfait②.

forfetàrio a. flat-rate (attr.); flat; lump-sum (attr.): **pagamento f.**, lump-sum payment; **prezzo f.**, fixed price; flat rate.

forfetizzàre v. t. to predetermine a price for; to fix a flat-rate payment for.

forfetizzazióne f. (*fin.*) forfaiting.

forfettàrio → forfetario.

forfìcola → forbicina②.

fórfora f. dandruff; scurf.

forforóso a. dandruffy; scurfy.

fòrgia f. forge; smithy.

forgiàbile a. forgeable.

forgiabilità f. forgeability.

forgiàre v. t. **1** (*metall.*) to forge **2** (*fig.*) to shape; to mould: **f. il carattere di q.**, to mould sb.'s character.

forgiatóre m. (f. *-trice*) **1** forger **2** (*fig.*) shaper; moulder.

forgiatrice f. (*metall.*) forging machine.

forgiatùra f. **1** forging **2** (*fig.*) shaping; moulding.

forièro **A** a. heralding (st.); foreboding (st.): **un vento f. di neve**, a wind heralding snow; **essere f. di qc.**, to be the herald (*o* the harbinger) of st.; to herald st. **B** m. (*lett.*) forerunner; harbinger.

◆**fórma** **A** f. **1** (*filos.*) form **2** (*foggia, contorno, figura*) shape; form: **f. cilindrica**, cylinder shape; **la f. di un naso**, the shape of a nose; (*fis.*) **f. d'onda**, waveform; **la f. di una poesia**, the form of a poem; **la f. di una stanza**, the shape of a room; **f. ovale**, oval shape; **forme indistinte**, vague forms (*o* shapes); **avere la f. di**, to have the shape (*o* form) of; to be shaped like; **dare f. a**, to shape; to give shape to; **mutare f.**, to change shape; **prendere f.**, to take shape; to materialize; **a f. di**, shaped like; -shaped (suff.); in the shape of; **a f. di cuore**, heart-shaped; shaped like a heart; in the shape of a heart; **a f. di S**, S-shaped; **di f. ovale**, oval (in shape); **di f. quadrata**, square (in shape); **senza f.**, shapeless; formless **3** (*aspetto, apparenza*) form; guise: **assumere la f. di**, to take the form of; **in f. di animale**, in animal shape; in the shape of an animal; **sotto f. di**, in the form of; (*camuffato da*) disguised as **4** (al pl.) (*del corpo umano*) figure (sing.): **forme giunoniche**, a Junoesque figure; **forme snelle**, a slender figure **5** (*anche* **f. fisica**) form; physical fitness: **giù di f.** (*o* **fuori f.**), out of form; out of shape; out of condition; **in f.**, on (*o* in) form; in shape; fit (agg.); at one's best; **in cattiva f.**, in bad form; out of form; not fit; unfit; **in gran f.**, on (*o* in) great form; in fine fettle; **in f. smagliante**, fighting fit; **mantenersi in f.**, to keep fit (*o* in shape); **sentirsi in gran f.**, to feel great **6** (*genere, tipo, struttura*) form: **f. d'arte**, art form; **f. di governo**, form of government; **una f. infettiva di malattia**, an infectious type of disease; (*biol.*) **forme di vita**, life forms **7** (*stile*) style; form: **il contenuto e la f. di un quadro**, the subject and form (*o* style) of a painting; **scrivere in f. chiara**, to write in a clear style; to write clearly **8** (anche al pl.: *maniera, procedura*) manner; procedure: **in f. privata**, privately; in private; in a private capacity: *La cerimonia si svolse in f. privata*, the ceremony took place in private; *Sono qui in f. privata*, I am here in a private capacity; **in f. ufficiale**, officially; **nelle debite forme**, in the proper manner; according to correct procedure **9** (*convenzioni*) form; convention; decorum; (*esteriorità*) appearances (pl.): **rispettare le forme**, to observe conventions; **salvare la f.**, to save appearances; **un gesto di pura f.**, a purely formal gesture; **una questione di f.**, a matter of form; **per la f.**, for form's sake **10** (*stampo*) mould; (*mecc.*) die **11** (*di formaggio*) (whole) cheese; (*di pane*) loaf: **una f. di parmigiano**, a (whole) Parmesan cheese; **una f. di pane**, a loaf (of bread) **12** (*tipogr.*) forme; (*USA*) form **13** (*per cappelli*) (hat) block **14** (*per cucire o aggiustare calzature*) last; (*per tenerle in forma*) tree, shoetree; wooden tree **15** (*gramm.*) inflexion; form **16** (*mus.*) form: **f. sonata**, sonata form **17** (*psic.*) gestalt (*ted.*) **B** a. inv. **- peso f.**, ideal weight.

formàbile a. formable; (*modellabile*) mouldable.

formaggèlla f. soft cheese.

formaggèra → formaggiera.

formaggétta f. (*naut.*) truck.

formaggiàio m. **1** (*fabbricante*) cheese maker **2** (*venditore*) cheesemonger.

formaggièra f. cheese bowl; cheese dish.

formaggìno m. (portion of) processed cheese.

◆**formàggio** m. cheese: **f. da spalmare**, cheese spread; **f. di capra**, goat's milk cheese; **f. di mucca**, cow's milk cheese; **f. dolce**, mild cheese; **f. grasso**, full-fat cheese; **f. grattugiato**, grated cheese; **f. di fossa**, cave-aged cheese; cave cheese; **f. magro**, low-fat cheese; **f. pecorino**, sheep's milk cheese; **f. piccante**, strong cheese; **f. stagionato**, mature cheese; **crosta di f.**,

cheese rind; **una forma di f.**, a (whole) cheese.

formaldèide f. (*chim.*) formaldehyde.

formàle a. formal: **invito f.**, formal invitation; **un problema f.**, a problem of form; **promessa f.**, formal promise; **rendere f.**, to formalize.

formalìna f. (*chim.*) formalin.

formalìsmo m. **1** (*filos., letter.*) formalism **2** (*spreg.*) formality; stiffness; rigidity; (*attenzione al dettaglio*) pedantry, nit-picking attitude, pettiness.

formalista m. e f. **1** (*filos., letter.*) formalist **2** (*spreg.: persona formale*) formal person; pedant, nit-picker.

formalìstico a. **1** formalistic; formal **2** (*spreg.*) pedantic; nit-picking.

◆**formalità** f. **1** (*procedimento*) formality: **f. di legge**, legal formalities; **sbrigare le necessarie f.**, to take care of all the formalities; **senza f.**, informally (avv.); informal (agg.) **2** (*atto solo formale*) formality; matter of form: *È una pura f.*, it's a mere formality; it's only as a matter of form.

formalizzàre v. t. (*leg., filos.*) to formalize.

formalizzàrsi v. i. pron. **1** (*osservare le forme*) to insist on formality; to be too formal; to be particular **2** (*risentirsi*) to take* offence; to be shocked (at, by).

formalizzazióne f. (*leg., filos.*) formalization.

fòrma mèntis (*lat.*) loc. f. mentality; way of thinking; cast of mind.

◆**formàre** **A** v. t. **1** (*modellare, plasmare*) to shape; to make*; to fashion; to mould: *La natura ha formato queste rocce*, nature shaped these rocks **2** (*scult.: fare la forma*) to make* the cast of; (*gettare*) to cast* **3** (*estens.: fare, costituire*) to form: *I bambini formavano un cerchio*, the children formed a circle; **formarsi un'opinione**, to form an opinion **4** (*fig.: plasmare*) (*fig.*) to shape; to mould; to form; (*istruire, addestrare*) to train, to educate: **f. il carattere**, to form (*o* to mould) sb.'s character; *Quell'esperienza l'ha formato*, that experience formed him **5** (*dare origine a, fondare*) to form; to create; to set* up; to establish: **f. una compagnia teatrale**, to form (*o* to create) a theatrical company; **f. un governo**, to form a government; **f. una società**, (*di persone*) to form a partnership; (*di capitali*) to set up a company **6** (*creare, costruire*) to form; to construct: **f. una frase**, to construct a sentence; (*telef.*) **f. un numero**, to dial a number; **f. parole**, to form (*o* to utter) words; **formarsi una famiglia**, to get married and have children **7** (*comporre*) to make* up, to form: (*costituire, rappresentare*) to form, to constitute; (*segnare*) to mark; (*essere*) to be: *La famiglia è formata da sei persone*, the family is made up of six people; *I loro sostenitori formano la metà dell'elettorato*, their supporters form half the electorate **B formàrsi** v. i. pron. **1** to form; (*prender forma*) to take* shape: *Il ghiaccio si forma alla temperatura di 0 °C*, ice forms at a temperature of 0 °C; *Si è formata una crosta sulla ferita*, a scab has grown on the wound **2** (*crescere, maturare*) to grow* up; (*svilupparsi*) to develop **3** (*essere addestrato*) to be trained; (*studiare*) to study, to be educated: *Si è formato alla Normale di Pisa*, he studied at the Normale in Pisa.

formativo a. formative; character-forming; (*istruttivo, educativo*) educational: **anni formativi**, formative years; **esperienza formativa**, formative experience; educational experience.

formàto **A** a. **1** (*costituito*) made up (of); formed (by) **2** (*sviluppato*) fully-developed; grown-up: **un giovane f.**, a fully-grown young man **3** (*modellato*)

shaped; moulded: **ben f.**, well-shaped **B** m. **1** size; (*di libro*) format: **il f. di un foglio**, the size of a sheet of paper; **f. gigante**, jumbo size; **f. protocollo**, foolscap; **di grande f.**, big; large; large-size (*o* large-sized); (*comm.*) king-size (*o* king-sized) **di piccolo f.**, small; small-size (*o* small-sized); **busta f. commerciale**, business envelope; **confezione f. famiglia**, family-size packet; (*di libro*) **edizione f. tascabile**, pocket edition; **fotografia f. tessera**, passport (*o* passport-size) photograph **2** (*cinem.*) gauge: **f. ridotto**, narrow gauge **3** (*comput.*) format.

formatóre m. (f. **-trice**) **1** maker; creator; former; shaper; moulder **2** (*educatore*) educator; (*insegnante*) teacher, instructor **3** (*tecn.*) moulder.

formatrice f. (*macchina*) moulding machine; moulder.

formattàre v. t. (*comput.*) to format.

formattazióne f. (*comput.*) formatting.

formatùra f. **1** (*ceramica*) modelling; moulding **2** (*metall.*) moulding: **f. a macchina**, machine moulding; **f. a mano**, hand moulding; **reparto f.**, moulding shop.

◆**formazióne** f. **1** (*il formare, il formarsi*) forming; formation; shaping; making; creation; (*sviluppo*) development: **la f. del carattere**, the forming of character; **la f. delle nuvole**, the formation of clouds; **la f. delle parole**, word formation; **di f. recente**, recently formed; recently developed; **in** (*via di*) **f.**, in the making; growing **2** (*addestramento*) training; (*studi*) education: **f. professionale**, vocational training; **contratto di f.**, training contract; **corso di f.**, training course **3** (*aeron., mil.*) formation; (*aeron.: stormo*) flight: **f. di volo**, flying formation; **una f. di bombardieri**, a flight of bombers; **volare in f.**, to fly in formation; **volo in f.**, formation flying; **in f. sparsa**, in scattered formation **4** (*sport, anche* **f. di gioco**) line-up; (*squadra*) side **5** (*geol.*) formation **6** (*bot., med.*) formation; growth **❶ FALSI AMICI** • formazione *nel senso di addestramento o nel significato sportivo non si traduce con* formation.

formèlla f. **1** (*riquadro*) panel; (*piastrella*) tile; (*mattonella*) briquette **2** (*agric.*) hole (in the ground).

◆**formica①** f. (*zool.*) ant: **f. bianca** (*Reticulitermes lucifugus*), termite; white ant; **f. operaia**, worker ant; **f. rossa** (*Formica rufa*), red ant • (*fig.*) **a passo di f.**, at a snail's pace □ (*fig.*) **avere il cervello di una f.**, to have the brains of a fly.

fòrmica®② f. (*ind.*) Formica®.

formicàio m. **1** (*sotterraneo*) ants' nest, ant nest; (*esterno*) anthill **2** (*insieme di formiche*) swarm **3** (*fig.*) swarming crowd; seething mass: *La spiaggia era un f.*, the beach was swarming with bathers • (*fig.*) **stuzzicare il f.**, to stir up a hornets' nest.

formicaleóne m. (*zool.*, *Myrmeleon formicarius*) antlion.

formichière m. (*zool.*, *Myrmecophaga tridactyla*) (giant) anteater.

fòrmico a. (*chim.*) formic: **acido f.**, formic acid.

formicolàre v. i. **1** (*brulicare*) to swarm (with); to teem (with); (*rif. a insetti e sim.*) to be alive (with); to crawl (with): *La strada formicolava di gente*, the street was swarming with people; *La farina era formicolante di vermi*, the flour was alive with worms **2** (*fig.*) to be full (of): *Questo esercizio formicola di errori*, this exercise is full of mistakes **3** (*di parte del corpo*) to tingle: *Mi formicola la gamba destra*, I've got a tingling sensation (*o* pins and needles) in my right leg.

formicolìo m. **1** (*brulichio*) swarming; teeming **2** (*di parte del corpo*) tingling sensation; pins and needles: **un formicolio alle dita**, a tingling sensation in one's fingers.

◆**formidàbile** a. **1** (*lett.*: *spaventoso*) dreadful; terrible; formidable **2** (*straordinario*) extraordinary; impressive; amazing; tremendous.

formilazióne f. (*chim.*) formylation.

formìle m. (*chim.*) formyl.

formìna f. small mould.

fòrmio m. (*bot.*, *Pbormium tenax*) flax lily.

formosità f. **1** (*proporzioni armoniose*) shapeliness **2** (*pienezza di forme*) buxomness; voluptuousness **3** (al pl.) (*parti formose*) curves.

formóso a. (*di corpo*) shapely; (*pieno*) well-rounded; (*di donna*) buxom, curvaceous (*fam.*); (*grassoccio*) plump.

◆**fòrmula** f. **1** formula; form; wording; words (pl.); (*frase rituale*) stock phrase, cliché; (*motto*) motto, slogan: **f. di commiato**, parting words; **formule di cortesia**, polite phrases; **la f. di un giuramento**, the wording (*o* the form) of an oath: **f. magica**, magic formula; (*leg.*) **assolvere con f. piena**, to acquit fully **2** (*insieme di regole o caratteristiche*) formula; type; lines (pl.): **una f. di pace**, a peace formula; **seguire una f. nuova**, to follow new lines **3** (*chim., mat. ed estens.*) formula*: **f. di struttura**, structural formula; **la f. di un nuovo profumo**, the formula for a new perfume **4** (*sistema*) formula; form; system; recipe; key: **trovare la f. del successo**, to find the key to success (*o* a formula for success) **5** (*autom.*) formula: F. 1, Formula One.

formulàbile a. that can be formulated; that can be worded; that can be expressed: **f. in parole**, the can be expressed in words.

formulàre① v. t. **1** to formulate; to word; to frame; (*avanzare*) to advance, to put* forward: **f. una domanda**, (*sceglierne le parole*) to formulate (*o* to word) a question; (*porla*) to ask a question; **f. una proposta**, to formulate (*o* to put forward) a proposal **2** (*esprimere*) to express; to voice: **f. un giudizio**, to express a judgment.

formulàre② a. formulaic.

formulàrio m. **1** (*raccolta di formule*) formulary **2** (*modulo*) form.

formulazióne f. **1** formulation; wording **2** (*espressione*) expression; voicing.

fornàce f. **1** (*metall.*) furnace **2** (*per laterizi*) kiln: **f. per la calce**, lime kiln; **f. per il cemento**, cement kiln; **f. per mattoni**, brick kiln **3** (*fabbrica di mattoni*) brickyard; brickworks **4** (*fig.*) furnace; oven.

fornaciàio m. **1** (*operaio*) furnaceman*; kilnman* **2** (*proprietario*) furnace owner; kiln owner.

fornaciàta f. batch; kilnful.

fornàia f. bakeress; (*moglie del fornaio*) baker's wife.

◆**fornàio** m. **1** baker **2** (*il negozio*) baker's (shop); bakery **3** (*zool.*, *Furnarius rufus*) ovenbird.

◆**fornèllo** m. **1** cooking stove; cooker: **f. a cherosene**, primus stove; **f. a gas**, gas cooker; **f. a spirito**, spirit stove; **f. da campo**, camp stove; **f. elettrico**, electric cooker **2** (*bruciatore*) burner; ring; (*piastra*) hotplate: **cucina a quattro fornelli**, four-burner cooker **3** (*di pipa*) bowl **4** (*ind. min.*) rise; riser • (*chim.*) **f. da laboratorio**, chemist's furnace □ (*ind. min.*) **f. di getto**, ore chute □ **essere sempre davanti ai fornelli**, to spend one's life in the kitchen □ **mago dei fornelli**, marvellous cook.

fornicàre v. i. to fornicate.

fornicatóre m. fornicator.

fornicatòrio a. fornication (attr.).

fornicatrìce f. fornicatress.

fornicazióne f. fornication.

fòrnice m. **1** (*archit.*) arch; barrel-vault **2** (*anat.*) fornix*.

◆**fornìre A** v. t. **1** to supply; to provide; to furnish: **f. cibo e vestiti ai rifugiati**, to provide the refugees with food and clothes; **f. informazioni a q.**, to provide sb. with information; **f. particolari**, to furnish details **2** (*equipaggiare*) to equip; to fit up: **f. un laboratorio di strumenti**, to equip a laboratory with instruments; to fit up a laboratory **B fornìrsi** v. rifl. **1** (*provvedersi*) to provide oneself; to supply oneself; to get* (st.): **fornirsi dell'occorrente**, to equip oneself with what is necessary **2** (*fare acquisti*) to buy*: **fornirsi presso qc.**, to buy from sb.; *Mi fornisco sempre da quel droghiere*, I always buy at that grocer's.

fornìto a. **1** supplied (with); provided (with); furnished (with); stocked (with): **f. di soldi**, supplied with money; **f. di tutto**, supplied with everything; fully supplied; **negozio ben f. [poco f.]**, well-stocked [poorly stocked] shop; *La sua dispensa è sempre ben fornita*, his larder is always well stocked **2** (*equipaggiato*) fitted up (with); equipped (with) **3** (*fig.: dotato*) endowed (with).

fornitóre A m. (f. **-trice**) supplier; purveyor; provider; (*negoziante*) tradesman*: **f. di accesso a Internet**, Internet access provider; **f. di articoli di cancelleria**, stationery supplier; **f. di servizi di ristoro**, caterer; **f. navale**, ship chandler; **ingresso per fornitori**, tradesmen's entrance **B** a. supplying: **ditta fornitrice**, supplying firm; supplier.

fornitùra f. **1** (*il fornire*) supplying; supply; providing; provision; purveyance: **la f. dell'energia elettrica**, the supply of electrical power; power supply; **la f. di aerei alla marina**, the supply of aircraft to the Navy; **f. di servizi**, provision of services; **f. di servizi di ristoro**, catering; **f. di viveri**, supply of victuals **2** (*ciò che si fornisce*) supply; (*spedizione*) consignment, delivery, shipment: **forniture di generi alimentari**, food supplies; **bloccare le forniture**, to stop supplies; **contratto di f.**, supply contract **3** (*attrezzatura*) fittings (pl.); equipment: **forniture per ufficio**, office fittings **❶ FALSI AMICI** • fornitura *non si traduce con* furniture.

◆**fórno** m. **1** (*di cucina*) oven: **f. a legna**, wood-burning oven; **f. a microonde**, microwave oven; **scaldare il f.**, to heat up the oven; **cuocere al f.**, (*pane, dolci, ecc.*) to bake; (*carne, pollame, ecc.*) to roast; **pane fresco di f.**, bread just out of the oven; **patate [vitello] al f.**, roast potatoes [veal] **2** (*per mattoni, calce, ecc.*) kiln; (*per ceramica*) stove: **f. rotante**, rotary kiln **3** (*metall.*) furnace: **f. continuo**, continuous furnace **4** (*chim.*) oven: **f. da coke**, coke oven **5** – **f. crematorio**, crematorium* **6** (*negozio di fornaio*) bakery; baker's (shop) **7** (*fig., di luogo*) place like an oven: *La città è un f. d'estate*, the town is like an oven in the summer **8** (*fig. fam., di bocca*) big mouth; trap (*fam.*) **9** (*gergo teatr.*) empty house: **fare f.**, to play to an empty house **10** (al pl.) (*med.*) heat-therapy.

◆**fóro①** m. **1** hole; (*apertura*) opening, breach: **f. di proiettile**, bullet hole; **f. di tarlo**, wormhole; **f. cieco**, dead hole; **un f. nella siepe**, a hole in the hedge; **praticare** (*o* **fare**) **un f.**, to make a hole; (*con trapano*) to drill (*o* to bore) a hole **2** (*sfiatatoio*) vent **3** (*mus., di strumenti a fiato*) fingerhole.

◆**fóro②** m. **1** (*stor. romana*) forum* **2** (*leg.*: *tribunale*) law court; (*collett.*) law courts (pl.), courts (pl.) of justice: **f. competente**, place of jurisdiction; *Il caso riguarda il f. di Milano*, the case falls within the jurisdiction of the Milan courts; **principe del f.**, famous

barrister.

forosétta f. (*lett.*) peasant girl; country lass.

fórra f. gorge; ravine.

fors'ànche avv. perhaps (*o* maybe) even: *Ne hai sentito parlare o fors'anche lo conoscerai*, you may have heard of him or even know him.

◆**fórse A** avv. **1** perhaps; maybe; possibly: *F. è meglio così*, perhaps (*o* maybe) it is better that way; *Chiediglielo, f. lo sa*, ask him, he may know (*o* maybe he knows); *F. ti hanno detto che...*, you may have been told that...; *F. f. accetterò*, I think I might accept; **f. che sì f. che no**, maybe, maybe not **2** (*pleonastico*) – *Ho f. colpa io?*, is it my fault?; *Non è f. vero?*, isn't it true?; *Non sono f. il tuo amico?*, am I not your friend? **3** (*circa*) about; almost; roughly: *Avevo f. due o tre sterline*, I had about two or three pounds; *Saranno state f. le due*, it was about two; it may have been two; *L'avrò visto forse tre volte*, I must have seen him (*o* I saw him maybe) three times (in all) **B** m. inv. doubt; uncertainty: **senza f.**, without any doubt ● **f.**, **anzi**, **senza f.**, probably or rather, certainly **□ f. ché**, by any chance; perhaps: *F. ché abbiamo lo stesso accento?*, do we have, by any chance, the same accent? **□ essere** (*o* **stare**) **in f.**, (*esitare*) to be in doubt, to hesitate, to be uncertain; (*di cosa*) to be in doubt, to hang in the balance: *Sono in f. se andare*, I can't make up my mind whether to go or not; I wonder whether I should go; *È in f. la nomina di Rossi a direttore generale*, Rossi's appointment as the general manager is in doubt **□ mettere in f.**, (*mettere in dubbio*) to doubt, to cast doubt on; (*mettere in pericolo*) to put at risk: *Nessuno mise in f. la mia dichiarazione*, nobody doubted my statement.

forsennàta f. → **forsennato**, **B**.

forsennataménte avv. madly; wildly.

forsennatézza f. madness; (mad) fury.

forsennàto A a. mad; crazy; insane; wild **B** m. (f. **-a**) madman* (f. madwoman*); lunatic; maniac ● **correre come un f.**, to run like mad **□ gridare come un f.**, to scream like one (*o* someone) possessed.

forsythia, **forsizia** f. (*bot.*, *Forsythia*) forsythia.

◆**fòrte A** a. **1** (*energico*, *robusto*, *resistente*; *anche fig.*) strong: **carattere f.**, strong character; **colla f.**, strong glue; **governo f.**, strong government; **odore f.**, strong smell; **f. probabilità**, strong possibility (*o* chance); **punto f.**, strong point; **un uomo f.**, a strong man; **tè** [**caffè**] **f.**, strong tea [coffee]; **un esercito f. di 30 000 uomini**, an army 30 000 strong **2** (*di suono*) loud: **una f. esplosione**, a loud bang; **una voce f.**, a loud voice **3** (*di colore*, *luce*: *vivace*) strong, bright; (*resistente*) fast: **luce f.**, strong light; **tinte forti**, bright colours; (*indelebili*) fast colours **4** (*gravoso*, *violento*, *intenso*) heavy; strong; hard; fierce; intense: **f. caldo**, intense heat; high temperatures; **pioggia f.**, heavy (*o* hard) rain; **f. vento**, strong (*o* fierce) wind **5** (*pronunciato*) strong; thick; pronounced: **un f. accento tedesco**, a strong (*o* thick) German accent; **lineamenti forti**, strong features **6** (*rif. a denaro*, *costo*) large; considerable; high; heavy; sharp; steep: **un f. calo della sterlina**, a sharp fall of the pound; **f. guadagno**, large gain; **forti perdite**, heavy losses; **forti spese**, heavy costs; **una f. somma**, a large sum of money; a high figure **7** (*dato con forza*) hard: **un f. schiaffo**, a hard slap in the face; **un f. spintone**, a hard shove **8** (*profondo*, *sentito*) strong, deep, intense, hearty, ardent; (*travolgente*) overwhelming: **f. antipatia**, hearty dislike; **f. desiderio**, strong desire; **f. interesse**, deep in-

terest; **f. intesa**, deep understanding; **forti legami di affetto**, strong ties of affection **9** (*di malattia*) bad; severe; serious: **un f. esaurimento**, a serious breakdown; **un f. mal di capo**, a bad headache; **un f. raffreddore**, a severe cold **10** (*di corporatura: grosso*) large; broad; big; ample: **fianchi forti**, broad hips; **seno f.**, big breasts; **taglia f.**, oversize; outsize; (pl.): **essere f. di fianchi**, to be broad-hipped **11** (*abile*, *in gamba*) strong; good: **essere f. in latino**, to be good at Latin; **la squadra più f.**, the best (*o* strongest) team **12** (*fam.*: *simpatico*, *in gamba*) great; terrific: *È un tipo f.!*, he's terrific!; *Sei f.!*, you're amazing!; you're really something! **13** (*alto*, *nobile*) lofty; noble: **forti imprese**, noble deeds **14** (*severo*) severe, exacting; (*difficile*) hard, tough: **forti studi**, exacting studies **15** (*ling.*) fortis: **consonante f.**, fortis consonant **16** (*gramm.*) strong: **verbo f.**, strong verb **17** (*del vino: acido*) vinegary; (gone) sour **18** (*piccante*) hot **19** (*mus.*) forte ● **f. bevitore**, hard (*o* heavy) drinker **□ f. camminatore**, energetic walker **□ f. fumatore**, heavy smoker **□ f. mangiatore**, big (*o* hearty) eater **□ F. della sua innocenza, si rifiutò di commentare le accuse**, confident (of) (*o* sure of) his innocence, he refused to comment on the charges **□** (*chim.*) **acido f.**, strong acid **□ argomento f.**, convincing (*o* strong, cogent) argument **□ farsi f. di qc.**, to rely on st. **□** (*fin.*) **moneta f.**, hard currency **□ la maniera f.**, strong action; (*prepotenza*) strong-arm tactics (pl.): **ricorrere alla maniera f.**, to have recourse to strong action **□ parole forti**, harsh words; strong language (sing.) **□** *È più f. di me* (*non ci posso far nulla*), I can't help it **□ A più f. ragione devi ascoltarlo**, (that is) all the more reason for listening to him **□ il sesso f.**, the sterner (*o* male) sex **B** avv. **1** (*con forza*) strongly; hard; firmly; (*stringendo*) tight, tightly: **picchiare f.**, to hit hard; **stringere f. qc.**, to seize st. firmly; to clutch st.; to grab st. tightly; (*dare una stretta*) to squeeze st.; **tenersi f.**, to hold tight; to hold fast; to hang on; *Mi abbracciò f.*, he hugged me tight; *Il cuore mi batteva f.*, my heart beat hard **2** (*di suono*) loudly; (*ad alta voce*) loud, aloud: **parlare f.**, to speak loudly; (*alzare la voce*) to speak up; *Non ho paura di dirlo f.*, I'm not afraid to say it out loud; *Puoi dirlo f.!*, you can say that again!; *Vi ricevo f. e chiaro*, I read you loud and clear **3** (*velocemente*) fast: **andare f.**, to go [to drive, etc.] fast; **correre f.**, to run fast **4** (*con intensità*) hard; heavily: **piovere f.**, to rain hard (*o* heavily); to pour **5** (*fam.*: *molto*) really; (con avv., anche) a lot, strongly: *È stupido f.*, he is really dumb; **fumare f.**, to smoke a lot; to be a heavy smoker; **mangiare f.**, to eat a lot; to be a hearty eater; *Si è offeso f.*, he got really upset ● (*fam.*) **andare f.**, (*procedere bene*) to be doing very well; (*avere successo*) to be very popular, to be all the rage (*fam.*) **□ giocare f.**, to gamble heavily; to play for high stakes **C** m. **1** (*opera fortificata*) fort; fortress **2** (*uomo forte, spec. moralmente*) strong man*; (al pl.) (collett.) (the) strong: *I forti devono aiutare i deboli*, the strong must help the weak **3** (*qualità in cui si eccelle*) forte; strong point; strong suit: *La puntualità non è il mio f.*, punctuality is not my strong point (*o* my strong suit, my forte) **4** (*mus.*) forte **5** (*di vino*) sour taste: *Questo vino ha un po' di f.*, this wine is slightly sour.

forteménte avv. **1** (*con forza*) strongly **2** (*moltissimo*) greatly; hard; heavily **3** (*valorosamente*) valiantly; bravely.

forte-piàno m. (*strumento mus.*) fortepiano.

fortézza f. **1** (*d'animo*) fortitude; strength **2** (*luogo fortificato*) fortress; stronghold **3** (*teol.*) fortitude **4** (*naut.*) band; patch **5** (*aeron.*) – **f. volante**, flying fortress.

fortificàbile a. fortifiable.

fortificàre A v. t. **1** (*mil.*) to fortify **2** to strengthen; to toughen; (*invigorire*) to invigorate, to brace: **f. le membra**, to strengthen the body **3** (*fig.*) to fortify; to strengthen: **f. lo spirito**, to fortify one's spirit **B fortificàrsi** v. i. pron. to strengthen; to become* stronger **C fortificàrsi** v. rifl. (*mil.*: *trincerarsi*) to entrench oneself; to dig* oneself in.

fortificazióne f. (*mil.*) **1** fortification **2** (*opera fortificata*) fortification; (al pl., anche) defensive works, defence (sing.): **sistema di fortificazioni**, defence system.

fortilìzio m. (*mil.*) small fortress; fortalice.

fortìno m. blockhouse; redoubt; fort.

fortìssimo avv. e m. (*mus.*) fortissimo.

fortitùdine f. (*lett.*) fortitude.

fortóre m. **1** (*sapore*) sourness; acrid (*o* tart) taste **2** (*odore*) acrid (*o* sour) smell.

fortuitaménte avv. by chance; accidentally; fortuitously.

fortùito a. chance (attr.); casual; accidental; fortuitous: **caso f.**, chance event; accident; fluke; (*anche leg.*) fortuitous event; **per un caso f.**, by pure chance; by sheer (*o* utter) fluke; *Non fu un caso f. che* (*o* *Fu tutt'altro che f. che*)..., it wasn't by chance that...; it was no fluke that...; **incontro f.**, chance meeting; fluke encounter.

◆**fortùna** f. **1** (*destino*) fate; destiny; fortune: **leggere la f. a q.**, to read sb.'s fortune; **farsi leggere la f.**, to have one's fortune told; **la dea F.**, the goddess Fortune; **la ruota della F.**, the wheel of Fortune **2** (*buona sorte*) (good) luck; fortune Ⓤ: *Buona f.*, good luck!; the best of luck!; **una f. sfacciata**, outrageous good luck; the devil's own luck; *La f. ci sorrise* (*o* *ci arrise*), fortune smiled on us; *È stata pura f.*, it was sheer good luck; it was a fluke (*fam.*); **affidarsi alla f.**, to trust to fortune; **avere f.**, to be lucky; to be in luck; *Io ho sempre f.*, I am always lucky; *Ebbi f.*, my luck was in; *Non ho avuto f.*, I didn't have any luck; I was out of luck; luck was against me; *Hai avuto f.?*, did you have any luck?; **avere f. al gioco** [**alle carte**], to be lucky at gambling [at cards]; *Ho avuto la f. di trovare un buon posto*, I had the good luck (*o* I was lucky enough) to find a good job; *Hai avuto una bella f.!*, you were really lucky; **avere tutte le fortune**, to be luckier than one deserves; *Non sa apprezzare la sua f.*, she doesn't realize how lucky she is; she doesn't know when she's well-off; **augurare buona f. a q.**, to wish sb. good luck; **portare f. a q.**, to bring sb. luck; **tentare la f.**, to try one's luck; *Quel viaggio fu la sua f.*, that trip was the beginning of his fortune; **un colpo di f.**, a stroke of luck; a fluke (*fam.*); **con un po' di f.**, (*f. permettendo, se la f. ci assiste*), with any luck; *Che f.!*, what luck!; how lucky!; *Che la f. ti assista!*, may luck be with you!; *F. volle che non ci incontrassimo*, as luck would have it, we didn't meet; **per f.**, luckily; fortunately; thankfully; *Per f. me ne accorsi in tempo*, luckily I realized in time; *Per f. ero rimasta a casa*, it was a good thing I stayed at home; **senza f.**, ill-fated **3** (*ricchezza*) fortune, wealth, riches (pl.); (*forte somma*) fortune: **guadagnare una f.**, to make a fortune; *Quel vaso vale una f.*, that vase is worth a fortune; *Ha fatto f. con Internet*, he's made his fortune (*o* a fortune) with the Internet **4** (*riuscita, successo*) success: **la f. di un film**, the success of a film; **avere f.**, to be successful; to turn out a success; *Il suo romanzo conobbe grande f.*, his novel was very successful; *Andò in America per fare f.*, he went to America to seek his fortune **5** (*importanza, fama*) standing ● **afferrare la f. per il ciuffo**, to seize fortune by the forelock **□ beni di f.**, wealth; means (pl.) **□ di f.**, (*improvvisato*)

makeshift (attr.); (*di emergenza*) emergency (attr.); (*naut.: provvisorio*) jury (attr.): **alloggio di f.**, makeshift accommodation; **letto di f.**, makeshift bed; (*naut.*) **albero di f.**, jury mast; (*aeron.*) **atterraggio di f.**, emergency (*o* forced) landing □ **con mezzi di f.**, in a makeshift way □ **viaggiare con mezzi di f.**, to travel by any available means of transport □ (*naut.*) **vela di f.**, storm sail □ (*prov.*) **La f. aiuta gli audaci**, fortune favours the brave □ (*prov.*) **Chi ha f. in amor non giochi a carte**, lucky at cards, unlucky in love.

fortunale m. storm (at sea).

fortunataménte avv. luckily; fortunately; thankfully.

fortunatìssimo a. (*nelle presentazioni*) how do you do; delighted (*o* very glad) to meet you.

♦**fortunàto** a. **1** lucky; fortunate; happy: **numero f.**, lucky number; **una fortunata coincidenza**, a happy coincidence; *F. te!*, lucky you!; *Sei f.*, you're lucky; your luck is in; **essere f. in amore [al gioco]**, to be lucky in love [at gambling]; *Puoi dirti f. di essere vivo!*, you can count yourself lucky to be alive **2** (*coronato da successo*) successful: **un'impresa fortunata**, a successful enterprise **3** (*popolare*) popular: **un f. spettacolo di quiz**, a popular quiz show **4** (*nelle presentazioni*) pleased to meet you; how do you do.

fortunèllo m. (f. **-a**) (*scherz.*) lucky devil; jammy bastard (*fam. GB*).

fortunóso a. **1** (*pieno di incidenti*) eventful; chequered: **viaggio f.**, eventful journey; **vita fortunosa**, eventful (*o* chequered) life **2** (*fortuito*) accidental; fortuitous; fluky (*fam.*): **un gol f.**, a fluky goal.

forùncolo m. (*med.*) boil; furuncle (*scient.*); (*brufolo*) pimple, spot, zit (*fam. USA*).

foruncolòsi f. (*med.*) furunculosis.

foruncolóso a. (*med.*) furuncular; furunculous; (*brufoloso*) pimply, spotty.

forviàre → **fuorviare**.

♦**fòrza** f. **1** (*vigore*) strength; vigour, vigor (*USA*); (*potere*) power; (*intensità, veemenza*) force: **f. bruta**, brute force; brute strength; **f. contrattuale**, bargaining power; **f. dell'abitudine**, force of habit; **la f. della bellezza**, the power of beauty; **la f. di un colpo**, the violence (*o* force) of a blow; **la f. di un'esplosione**, the force of an explosion; **la f. del vento**, the strength (*o* force) of the wind; **la f. d'un argomento**, the strength of an argument; **la f. di una passione**, the force of a passion; **f. d'animo**, strength of mind; **f. di carattere**, strength of character; **f. di volontà**, willpower; **f. di persuasione**, power of persuasion; **f. fisica**, physical strength; **f. morale**, moral strength; fortitude; **f. muscolare**, muscular strength; brawn; **f. vitale**, vitality; life force; **parlare con f.**, to speak with force; **posizione di f.**, position of strength; **una prova di f.**, a trial of strength **2** (anche al pl.: *vigore fisico*) strength (solo sing.); (*possanza*) might: *Le forze mi abbandonavano*, my strength was failing me; *Le forze gli vanno scemando*, his strength is sinking; *Spinsi con tutte le mie forze*, I pushed with all my strength (*o* might); **essere in forze**, to be in good health; **perdere le forze**, to lose strength; **riacquistare le forze**, to recover one's strength; **rimettersi in forze**, to get one's strength back; *È superiore alle mie forze*, it's beyond my strength (*o* beyond me) **3** (*violenza*) force; violence: **ricorrere alla f.**, to use force; **rispondere alla f. con la f.**, to meet force with force **4** (*agente, potenza*) force: **le forze della natura**, the forces of nature; **le forze del male**, the forces of evil; *Strane forze operavano*, strange forces were at work **5** (*fis.*) force; strength; (*tecn.*)

power: **f. centrifuga**, centrifugal force; **f. di adesione**, adhesive strength; **f. di coesione**, cohesive force; **f. di gravità**, force of gravity; **f. d'inerzia**, force of inertia; **f. motrice**, motive power; **forze contrarie**, opposite forces; **linea di f.**, line of force **6** (*mil.*) force; (*potenza*) power: **f. aerea** (*navale*) air [sea] power; **le forze armate**, the armed forces; **forze di terra e di mare**, land and sea forces; **le forze nemiche**, the enemy forces **7** (*effetto*) effect: *Le iniezioni non avevano più f. su di lui*, the injections no longer had any effect on him **8** (anche **f. pubblica**) (the) police; (the) Police Force: *Ci fu l'intervento della f.*, the police were called in **9** (*gergo giovanile*) fantastic person [thing]: (*fam.*) *Che f., quella squadra!*, they're a fantastic team! ● **F.!**, (*dài, coraggio*) come on!; (*sbrigati*) hurry up!, come on!, get a move on!; (*dacci sotto*) at it! □ **F. Juve!**, come on, Juve! □ (*naut.*) **f. tre [sei, ecc.]**, force three [six, etc.]: **un mare a f. 8**, a force-eight sea □ (*aeron.*) **f. ascensionale**, lift; buoyancy □ **F. e coraggio!**, come on!; chin up! □ (*naut.*) **f. di vele**, press of canvas □ **f. lavoro**, manpower □ (*leg.*) **f. maggiore**, circumstances beyond one's control; force majeure (*franc.*): **per cause di f. maggiore**, due to circumstances beyond sb.'s control □ **le forze dell'ordine**, the police □ **forze politiche**, political parties □ **le forze sindacali**, the unions □ **le forze vive del paese**, the vital forces of the nation □ **a (viva) f.**, by force; forcibly □ **a f. di braccia**, using sheer force □ **aprirsi la strada a f.**, to force one's way through st. □ **a f. di** (+ inf.), by dint of; through: **a f. di insistere**, by dint of insisting; *S'è rotto a f. di tirare*, it broke through too much pulling; *A f. di dirlo finii col crederci*, I said it so often that I ended up believing it □ (*naut.*) **a mezza f.**, at half speed □ (*naut.*) **a tutta f.**, at full speed □ (*naut.*) **Avanti a tutta [a mezza] f. !**, full [half] speed ahead! □ **arrivare in forze**, to arrive in force □ **avere f. di legge**, to be legally binding □ **la bassa f.**, (*mil.*) the ranks; (*mil. e fig.*) the rank-and-file □ (*fam.*) **Bella f.!**, I should think so!; big deal! (*fam.*) □ **con le proprie forze**, by one's own efforts □ **fare f.**, to use one's strength; (*tirare*) to pull hard; (*spingere*) to push hard □ **fare f. a q.**, to encourage sb. □ *Ho dovuto fare f. a me stesso*, I had to make myself do it; I had to force (*o* to prod) myself into doing it □ **farsi f.**, (*raccogliere il coraggio*) to pluck up courage; (*reagire*) to bear up □ **in f. di**, on the strength of □ **in f. dell'articolo 10**, as provided by section 10 □ **essere in f. presso**, (*mil.*) to be serving with; (*estens.*) to be working for □ **per f.**, (*contro la propria volontà*) against one's will; willy-nilly; (*certamente*) of course; (*necessariamente*) necessarily: *Devo andarci per f.*, I've got to go; *Ho dovuto ascoltarlo per f.*, I had to listen to him whether I wanted to or not; «*Allora accetti?*» «*Per f.!*», «so you accept?» «I have to» (*o* «what else can I do»); *L'indirizzo era sbagliato, per f. che non vi siete incontrati!*, of course (*o* no wonder) you didn't meet, the address was wrong; *Deve avermi visto per f.*, he must have seen me! □ **per f. di cose**, through force of circumstance; inevitably □ (*fig.*) **prova di f.**, showdown □ **unire le forze**, to join forces □ (*prov.*) **Contro la f. la ragion non vale**, might is right □ (*prov.*) **L'unione fa la f.**, union is strength.

forzàglia f. (*sartoria*) canvas interfacing.

forzaménto m. (*mecc.*) shrinking; shrinkage; (*a freddo*) force-fitting.

♦**forzàre** **A** v. t. **1** (*costringere*) to force; to compel **2** (*sforzare*) to force; to strain: **f. l'andatura**, to force the pace; **f. la mano a q.**, to force sb.'s hand; **f. il senso di una parola**, to force (the meaning of) a word; **f. la**

vista, to strain one's eyes; **f. la voce**, to force one's voice **3** (*aprire con la forza*) to force (open); to break* open: **f. una porta**, to force (*o* to break) open a door; **f. una serratura**, to force a lock ● (*mil.*) **f. il blocco**, to run the blockade □ (*mil.*) **f. la consegna**, to disobey orders □ **f. le cose**, to push things □ (*naut.*) **f. le vele**, to crowd on sail **B** v. i. (*essere duro da aprire*) to jam; (*essere stretto*) to be too tight: *La porta forza*, the door is jammed **C** **forzàrsi** v. rifl. to force oneself.

forzàta f. → **forzato**, **B**.

forzataménte avv. forcedly; of necessity; necessarily.

forzàto **A** a. **1** (*sforzato*) forced: **alimentazione forzata**, force-feeding; **sottoporre ad alimentazione forzata**, to force-feed; **condotta forzata**, penstock; **marcia forzata**, forced march; **tiraggio f.**, forced draft **2** (*costretto*) forced; compulsory: **assenza forzata**, forced absence; **atterraggio f.**, forced landing; (*leg.*) **esproprio f.**, compulsory acquisition; **lavori forzati**, hard labour; forced labour; (*leg.*) **vendita forzata**, forced sale **3** (*non spontaneo*) forced; strained; unnatural: **sorriso f.**, forced *o* (strained) smile; **fare un sorriso f.**, to force a smile **4** (*astruso, lambiccato*) strained; far-fetched: **analogia forzata**, strained analogy **B** m. (f. **-a**) prisoner condemned to hard labour; convict.

forzatùra f. **1** (*apertura con la forza*) forcing; breaking open **2** (*fig., di parole, tesi*) straining; strained interpretation: **f. della verità**, straining of the truth; *La sua interpretazione è una f.*, his interpretation is strained **3** (*agric.*) forcing.

forzière m. coffer; strongbox; (*di tesoro*) treasure chest.

forzista (*polit.*) **A** a. related to Forza Italia: **portavoce f.**, Forza Italia spokesperson **B** m. e f. member or supporter of Forza Italia.

forzóso a. (*econ.*) compulsory; forced: (*fin.*) **corso f.**, forced currency; **prestito f.**, forced loan.

forzùto a. very strong; strongly built; brawny; muscular.

fosbury (*ingl.*) m. inv. (*sport*) Fosbury flop.

♦**foschìa** f. haze; haziness; mist.

fósco a. **1** (*scuro*) dark; murky; (*plumbeo*) leaden **2** (*offuscato*) misty; (*avvolto nell'ombra*) shadowy **3** (*cupo, triste*) gloomy; black; bleak: **avvenire f.**, bleak future; **sguardo f.**, black look; **dipingere qc. a fosche tinte**, to paint a black picture of st.

fosfatàsi f. (*biol.*) phosphatase.

fosfatazióne f. (*metall.*) phosphate coating; phosphatization.

fosfàtico a. (*chim.*) phosphatic; phosphate (attr.).

fosfàtide m. (*chim.*) phosphatide.

fosfatizzazióne → **fosfatazione**.

fosfàto m. (*chim.*) phosphate.

fosfène m. (*med.*) phosphene.

fosfìna f. (*chim.*) phosphine.

fosfito m. (*chim.*) phosphite.

fosfoglicèride m. (*chim.*) phosphoglycerid.

fosfolipìde m. (*chim.*) phospholipid.

fosfoproteìna f. (*biol., chim.*) phosphoprotein.

fosforàre v. t. (*chim.*) to phosphorate.

fosforàto a. (*chim.*) phosphorated.

fosforescènte a. phosphorescent; (*di insegna, vernice, ecc.*) luminous: **lancette fosforescenti**, luminous hands; **essere f.**, to phosphoresce; to be luminous.

fosforescènza f. phosphorescence; luminescence.

fosfòrico a. (*chim.*) phosphoric: **acido f.**,

a
b
c
d
e
f
g
h
i
j
k
l
m
n
o
p
q
r
s
t
u
v
w
x
y
z

phosphoric acid; **anidride fosforica**, phosphoric anhydride.

fosforilàre v. t. (*chim.*) to phosphorylate.

fosforilàṣi f. (*chim.*) phosphorylase.

fosforilaẓióne f. (*chim.*) phosphorylation.

fosforite f. (*miner.*) phosphorite.

fòsforo m. 1 (*chim.*) phosphorus 2 (*fig. fam.*) brains (pl.): *Gli manca il f.*, he has no brains.

fosforóso a. (*chim.*) phosphorous.

fosfùro m. (*chim.*) phosphide.

foṣgène m. (*chim.*) phosgene.

♦**fòssa** f. 1 (*buca*) hole; pit; (*in una strada*) pothole; (*cavità*) hollow: **f. dell'orchestra**, orchestra pit; **la f. degli orsi**, the bear pit; **scavare una f.**, to dig a hole 2 (*fosso*) ditch; (*trincea*) trench; (*nelle fortificazioni*) fosse: **f. di scolo**, drainage ditch 3 (*sepoltura*) grave: **f. comune**, mass grave; **scendere nella f.**, to go to one's grave; to die; (*fig.*) **avere un piede nella f.**, to have one foot in the grave; **portare q. alla f.**, to be the death of sb. 4 (*anat.*) fossa*: **fosse nasali**, nasal fossae (*o* passages) 5 (*geol.*) – **f. oceanica**, ocean trench; **f. tettonica**, rift valley; **la F. delle Marianne**, the Mariana Trench • **f. biologica**, cesspool; sump □ (*fig.*) **la f. dei leoni**, the lions' den □ (*fig.*) **f. dei serpenti**, lunatic asylum; (*estens.*) tight spot □ (*metall.*) **f. di colata**, casting pit □ **f. settica**, septic tank □ (*fig.*) **scavarsi la f. da soli**, to dig one's own grave □ (*prov.*) **Del senno di poi son piene le fosse**, it's easy enough to be wise after the event; after-wit is everybody's wit.

fossàto m. ditch; (*mil.*) trench, fosse; (*di castello, ecc.*) moat.

fòsse cong. be it (... or): *F. per paura o per indifferenza...*, be it out of fear or indifference...

fossétta f. dimple: *Quando ride le si forma una f. a destra*, when she laughs, a dimple appears on her right cheek.

fòssi 1ª e 2ª pers. sing. congiunt. imperf. di **essere**.

♦**fòssile** **A** a. fossil (attr.): **combustibile f.**, fossil fuel; **insetto f.**, fossil insect; **reperto f.**, fossil **B** m. 1 fossil: **f. guida**, index fossil; (*zool., bot.*) **f. vivente**, living fossil 2 (*fig., di persona*) old fossil; old fogey (*fam.*) 3 (*ling.*) fossil.

fossilifero a. (*geol.*) fossiliferous.

fossiliẓẓàre **A** v. t. 1 to fossilize 2 (*fig.*) to fossilize; to ossify **B** **fossiliẓẓàrsi** v. i. pron. 1 to fossilize; to become* a fossil 2 (*fig.*) to become* fossilized.

fossiliẓẓàto a. 1 fossilized 2 (*fig.*) fossilized; ossified: **consuetudini fossilizzate**, ossified practices; **idee fossilizzate**, fossilized ideas.

fossiliẓẓazióne f. 1 fossilization 2 (*fig.*) fossilization; ossification.

♦**fòsso** m. ditch; (*di scolo*) drain; (*mil.*) ditch, trench, fosse; (*intorno a un castello*) moat: **f. collettore**, catchwater drain; feeding-drain • (*fig.*) **saltare il f.**, to take the plunge.

fossóre m. (*lett.*) gravedigger.

fósti 2ª pers. sing. pass. rem. di **essere**.

fòt m. (*fis.*) phot.

♦**fòto** f. inv. photo; (*istantanea*) snapshot, shot, snap: **f. ricordo**, souvenir photo; **f. segnaletica**, identification photo; mugshot (*fam.*); **f. tessera**, passport (*o* passport-size) photo; *Ho delle belle f. delle vacanze*, I have some good holiday photos (*o* shots); **fare una f. a q.**, to take a photo of sb. (→ **fotografia**).

fotoallergìa f. (*med.*) photoallergy.

fotoamatóre m. (f. *-trice*) amateur photographer.

fotobatterìa f. photovoltaic battery.

fotobiologìa f. photobiology.

fotocalcografìa f. (*tipogr.*) photogravure.

fotocàmera f. camera: **f. digitale**, digital camera.

fotocatàliṣi f. (*chim.*) photocatalysis.

fotocàtodo m. (*elettron.*) photocathode.

fotocèllula f. (*fis.*) photoelectric cell; photocell.

fotoceràmica f. (*fotogr.*) photoceramics.

fotocettóre → **fotorecettore**.

fotochemioterapìa f. (*farm.*) photochemotherapy.

fotochìmica f. photochemistry.

fotochìmico a. photochemical.

fotocinematogràfico a. photo-and-film (attr.).

fotocòlor m. inv. 1 (*processo*) colour photography 2 (*foto*) colour photograph; (*diapositiva*) colour slide.

fotocompórre v. t. (*tipogr.*) to filmset*; to photocompose (*USA*).

fotocompoṣitóre m. (f. *-trice*) (*tipogr.*) filmsetter.

fotocompoṣitrice f. (*macchina*) filmsetting machine.

fotocompoṣizióne f. (*tipogr.*) filmsetting; photocomposition (*USA*).

fotoconduttività f. (*fis.*) photoconductivity.

fotoconduttóre **A** a. (*fis.*) photoconductive: **cellula fotoconduttrice**, photoconductive cell **B** m. photoconductor.

fotoconduzióne f. (*fis.*) photoconductive phenomenon; photoconductivity.

fotocòpia **A** f. 1 photocopy; Xerox® (*USA*): **fare una f.**, to make (*o* to run) a photocopy; to photocopy (st.); to xerox st. (*USA*); *Fammi 30 fotocopie di questa relazione*, run me off 30 copies (*o* Xeroxes) of this report 2 (*fig.*) replica; double **B** a. inv. replica (attr.).

fotocopiàre v. t. to photocopy; to duplicate.

fotocopiatrice f. photocopier; photo-copying machine; Xerox® (machine) (*USA*).

fotocopiatùra f. photocopying.

fotocromàtico a. (*ottica*) photochromic.

fotocromìa f. (*chim.*) photochromism.

fotocrònaca f. (*giorn.*) photoreport; photo reportage.

fotocronista m. e f. press photographer.

fotodegradàbile a. photodegradable.

fotodegradazióne f. photodegradation.

fotodermatite f. (*med.*) photodermatitis.

fotodermatòṣi f. (*med.*) photodermatosis.

fotodinàmico a. (*biol.*) photodynamic.

fotodìodo m. (*elettron.*) photodiode.

fotodiṣintegrazióne f. (*fis.*) photodisintegration.

fotoelasticità f. (*fis.*) photoelasticity.

fotoelàstico a. (*fis.*) photoelastic.

fotoelèttrica f. floodlight; searchlight.

fotoelettricità f. (*fis.*) photoelectricity.

fotoelèttrico a. (*fis.*) photoelectric: **cellula fotoelettrica**, photoelectric cell; photocell; electric eye (*fam.*).

fotoelettróne m. (*fis.*) photoelectron.

fotoelettrònica f. photoelectronics (pl. col verbo al sing.).

fotoelettrònico a. photoelectronic.

fotoeliografìa f. photoheliography.

fotoeliògrafo m. (*ottica*) photoheliograph.

fotoemissióne f. (*fis.*) photoemission.

fotofìnish m. inv. (*sport*) photo finish.

fotofiṣṣióne f. (*fis.*) photofission.

fotofit → **Photofit**.

fotofobìa f. (*psic.*) photophobia.

fotòfobo a. (*psic.*) photophobic.

fotoforèṣi f. (*fis.*) photophoresis.

fotòforo m. 1 (*zool.*) photophore 2 (*ind. min.*) miner's lamp.

fotogeneratóre (*elettr.*) **A** a. photovoltaic **B** m. solar cell; solar battery.

fotogèneṣi f. (*biol.*) photogenesis.

fotogenètico a. photogenetic.

fotogenìa, **fotogenicità** f. photogenic quality.

fotogènico a. photogenic: **viso f.**, photogenic face; *Non sono f.*, I don't photograph well.

fotògeno a. photogenic.

fotogiornàle m. pictorial; illustrated paper.

fotogiornalista m. e f. photojournalist.

♦**fotografàre** v. t. 1 to photograph; to take* a photograph (*o* a photo) of; to photo; to take* (*fam.*): **f. un paesaggio [un gruppo]**, to photograph a landscape [a group]; *È proibito f.*, it is forbidden to take photographs; *Non gli piace essere fotografato*, he doesn't like being photographed; *Si fece f. davanti alla chiesa*, he had his photograph taken outside the church 2 (*fig.*) to draw* (*o* to give*) an accurate picture of.

♦**fotografìa** f. 1 (*procedimento, arte*) photography: **f. a colori**, colour photography; **f. col flash**, flashlight photography 2 (*immagine*) photograph; photo (*fam.*); (*istantanea*) snapshot, shot, snap: **f. a colori**, colour photograph; **f. d'archivio** (*o di repertorio*), stock photograph; **f. di gruppo**, group photo; (*cinem.*) **f. di scena**, still; **f. segnaletica**, identification photo; mugshot (*fam.*); **f. truccata**, trick photograph; **fare una f. a q.**, to take a photograph (*o* a photo) of sb.; **farsi fare una f.**, to have one's photograph taken; **riuscire bene [male] in f.**, to photograph well [badly]; **album di fotografie**, photo album.

♦**fotogràfico** a. photographic: **apparecchiatura fotografica**, photographic equipment; **macchina fotografica**, camera; **mostra fotografica**, photographic exhibition; (*giorn.*) **servizio f.**, photoreport; **studio f.**, photographer's studio • (*fig.*) **copia fotografica**, exact copy; replica □ **memoria fotografica**, photographic memory □ (*fig.*) **rappresentazione fotografica**, accurate depiction.

fotògrafo m. (f. *-a*) photographer.

fotogràmma m. 1 (*cinem.*) frame; still: **fermo f.**, freeze frame 2 (*fotogr.*) single picture; photo.

fotogrammetrìa f. photogrammetry.

fotogrammètrico a. photogrammetric.

fotogrammetrista m. e f. photogrammetrist.

fotoincisióne f. photoengraving; photogravure.

fotoincisóre m. photoengraver.

fotoioniẓẓazióne f. (*elettron.*) photoionization.

fotokit m. inv. composite (picture); Photofit® picture (*GB*).

fotolaboratòrio m. photographic laboratory.

fotolibro m. photographic book.

fotolìṣi f. (*chim.*) photolysis.

fotolìtico a. (*chim.*) photolytic.

fotolitista m. e f. (*tipogr.*) photolithographer.

fotòlito ① m. photolytic substance.

fotolito ② → **fotolitografia**.

fotolitografìa f. 1 (*tecnica*) photolithog-

raphy **2** (*riproduzione*) photolithograph.

fotolitogràfico a. photolithographic.

fotolitògrafo m. (f. *-a*) photolithographer.

fotoluminescènza f. (*fis.*) photoluminescence.

fotomeccànica f. photomechanics (pl. col verbo al sing.).

fotomeccànico a. photomechanical.

fotometrìa f. (*fis.*) photometry.

fotomètrico a. photometric.

fotòmetro m. photometer.

fotomicrografìa f. (*tecnica*) photomicrography; (*immagine*) photomicrograph.

fotomodèllo m. (f. *-a*) fashion model.

fotomoltiplicatóre m. (*elettron.*) photomultiplier.

fotomontàggio m. (*fotogr.*) photomontage; montage.

fotóne m. (*fis.*) photon.

fotònico a. (*fis.*) photonic.

fotonucleàre a. (*fis.*) photonuclear.

fotoperiodìsmo m. (*biol.*) photoperiodism.

fotoperìodo m. (*biol.*) photoperiod.

fotopolimerizzazióne f. (*chim.*) photopolymerization.

fotoreazióne f. (*chim.*) photoreaction.

fotorecettóre (*anat.*) **A** a. photoreceptive **B** m. photoreceptor.

fotorecezióne f. (*biol.*) photoreception.

fotoreportàge m. inv. photoreport; photo reportage.

fotorepórter m. e f. inv. press photographer.

fotoresistènza f. (*elettron.*) photoresistance.

fotoriproduzióne f. **1** photographic reproduction; photocopying **2** (*la copia*) photocopy.

fotoritocco m. (*spec.*, *comput.*) (digital) image editing.

fotoromànzo m. photostory.

fotosafàri m. photographic safari.

fotosensìbile a. photosensitive; light-sensitive.

fotosensibilità f. photosensitivity.

fotosensibilizzazióne f. photosensitization.

fotoservìzio m. (*giorn.*) photoreport; photo reportage.

fotosfèra f. (*astron.*) photosphere.

fotosfèrico a. (*astron.*) photospheric.

fotosìntesi f. **1** (*bot.*) photosynthesis: **compiere la f. di**, to photosynthesize **2** (*giorn.*) photo summary.

fotosintètico a. (*bot.*) photosynthetic.

fotostàtico a. (*fotogr.*) photostatic • **copia fotostàtica**, photostat.

fotosùb m. e f. inv. underwater photographer.

fototàssi f., **fototattìsmo** m. (*biol.*) phototaxis.

fototèca f. photographic library; photographic archives (pl.).

fototècnico m. photochemical technician.

fototelegrafìa f. phototelegraphy.

fototelegràfico a. phototelegraphic.

fototerapìa f. (*med.*) phototherapy.

fototèssera f. inv. passport photo.

fototipìa f. phototypy: **lastra per f.**, phototype.

fototipìsta m. e f. phototypist.

fototìpo m. (*biol.*) phototype.

fototransistóre m. (*elettron.*) phototransistor.

fototropìsmo m. (*biol.*) phototropism: **f.**

negativo [**positivo**], negative [positive] phototropism.

fototùbo m. (*elettron.*) phototube.

fotovoltàico a. (*elettron.*) photovoltaic.

fotozincografìa f. photozincography.

fóttere (*volg.*) **A** v. t. **1** to fuck; to screw: *Va' a farti f.!*, fuck you!; fuck off!; **mandare q. a farsi f.**, to tell sb. to fuck off **2** (*fig.*: *ingannare*) to screw; to do* the dirty on; (*derubare*) to do* (sb. out of st.): *Mi hanno fottuto tutti i soldi!*, I've been done out of all my money! **3** (*fig.*: *rubare*) to swipe; to pinch **B** **fóttersi, fóttersene** v. i. pron. not to give a fuck (*o* a shit) (about st.).

fottìo m. (*volg.*) loads (pl.); (a) hell of a lot (*fam.*): *Ha un f. di compact*, she's got loads of CDs; *Mi è costato un f. di denaro*, it cost me a hell of a lot of money.

fottùto a. (*volg.*) **1** (*maledetto*) fucking; bloody (*GB*) **2** (*spacciato*) done for; screwed.

foulard (*franc.*) m. inv. **1** (*tessuto*) foulard **2** (*fazzoletto da testa*) scarf*, headscarf*: **f. di seta**, silk scarf **3** (*sciarpa*) scarf*.

foularino m. little scarf*.

fou-rire (*franc.*) m. inv. wild laughter; helpless giggle.

fòvea f. (*anat.*) fovea*; (*della retina*) fovea centralis.

foyer (*franc.*) m. inv. (*teatr.*) foyer; lobby (*USA*).

FPI sigla (*CONI*, **Federazione pugilistica italiana**) Italian Boxing Association.

FR abbr. (**Frosinone**).

♦**fra**① prep. → **tra**.

♦**fra**② m. (*frate*) Brother: **fra Tommaso**, Brother Thomas.

frac m. inv. tailcoat; tails (pl.) (*fam.*).

fracassàre **A** v. t. to smash; to shatter; to break*; to wreck: **f. le stoviglie**, to smash the crockery; *S'è fracassato la testa*, he broke his head; *Ha fracassato la macchina*, she wrecked the car; *Se lo trovo, gli fracasso le ossa*, I'll break his bones if I get hold of him **B** **fracassàrsi** v. i. pron. to smash; to break*; (*di veicolo*) to crash: *L'aeroplano si fracassò in un campo*, the aeroplane crashed in a field.

♦**fracàsso** m. **1** noise; din; racket; (*rumore di caduta*) crash; (*rumore metallico*) clang: **fare f.**, to make a noise; (*fig.*) to make a stir; **un f. indiavolato**, a terrible racket **2** (*fam.*: *grande quantità*) loads (pl.).

fracassóne m. (f. *-a*) (*fam.*) **1** (*persona rumorosa*) noisy person; rowdy person **2** (*chi rompe facilmente le cose*) clumsy person; (a) bull in a china shop.

fràcco m. (*fam.*) loads (pl.); heaps (pl.); bags (pl.): *Ha un f. di soldi*, he's got loads (*o* heaps, bags) of money; *C'era un f. di gente*, there were lots of people; *Ci siamo fatti un f. di risate*, we laughed like mad; **un f. di botte**, a sound beating (*o* thrashing).

♦**fràdicio** **A** a. **1** (*zuppo*) soaked; drenched; soaking (wet); soaked; dripping; (*di persona, anche*) wet (*o* soaked) to the skin: **f. di sudore** (*o* **sudato f.**), dripping with sweat; drenched with sweat; **bagnato f.**, wet through; soaking wet; wet to the skin; **vestiti fradici**, dripping clothes **2** (*guasto, marcio*) gone bad; rotten: **uovo f.**, bad egg **3** (*fig.*) corrupt; rotten • **innamorato f.**, head over heels in love ☐ **ubriaco f.**, blind drunk **B** m. **1** (*parte guasta*) rotten (*o* bad) part **2** (*fig.*) corruption **3** (*fangosità*) muddiness.

fradiciùme m. **1** (*putridume*) rotten matter; rotten mass **2** (*umidità*) wetness **3** (*fig.*) corruption.

♦**fràgile** a. **1** fragile; delicate; (*di sostanza dura*) brittle; (*poco rubusto*) frail, flimsy: **un f. servizio da tè**, a fragile tea set; **ossa fragili**, brittle bones; **roccia f.**, brittle rock **2** (*fig.*) fragile; brittle; faint; (*caduco*) short-

-lived; (*della salute*) frail, delicate: **una f. amicizia**, a fragile friendship; **salute f.**, frail health; **speranze fragili**, faint hopes **3** (*fig.*: *debole*) weak: **carattere f.**, weak nature; **memoria f.**, weak memory • (*sugli imballaggi*) «F.», «fragile, handle with care».

fragilità f. **1** fragility; (*di sostanza dura*) brittleness; (*scarsa robustezza*) flimsiness **2** (*fig.*) frailty; weakness; (*rif. a salute*) frailness, frailty: **la f. della memoria**, the weakness of memory; **la f. umana**, human frailty.

♦**fràgola** **A** f. (*bot.*, *Fragaria vesca*; *il frutto*) strawberry: **gelato alla f.**, strawberry ice cream **B** a. inv. strawberry (attr.): **rosso f.**, strawberry red; strawberry-red (attr.).

fragoléto m. strawberry bed.

fragóre m. roar; (*fracasso*) din; (*rumore di caduta*) crash; (*rumore metallico*) clang: **il fragore degli applausi**, the roar of applause; **il f. di una cascata**, the roar of a waterfall; **un f. di tuono**, a crash of thunder; **cadere con gran f.**, to fall with a crash.

fragorosaménte avv. noisily; loudly: **applaudire f.**, to applaud loudly; to burst into thunderous applause.

fragoróso a. loud; noisy; deafening; roaring; thunderous; (*di rumore metallico*) clanging; (*di risata*) uproarious: **applausi fragorosi**, thunderous applause; **scoppio f.**, loud explosion; **urto f.**, deafening crash; *Ci furono risate fragorose*, there was uproarious laughter (*o* a roar of laughter).

fragrànte a. fragrant; sweet-smelling.

fragrànza f. fragrance; sweet smell; scent.

fraintèndere v. t. to misunderstand*; to get* wrong; to misinterpret; to misconstrue: **f. le intenzioni di q.**, to misconstrue sb.'s intentions; **f. le parole di q.**, to misunderstand sb.'s words; *Non fraintendermi*, don't get me wrong.

fraintendiménto m. misunderstanding; misinterpretation; misconstruction.

fràle a. (*poet.*) frail.

fralézza f. (*poet.*) frailty.

framboèsia f. (*med.*) framboesia; yaws.

framescolàre → **frammescolare**.

framéttere → **frammettere**.

framèzzo e deriv. → **frammezzo**, e deriv.

frammassóne m. Freemason.

frammassonerìa f. Freemasonry.

frammentàre **A** v. t. to break* into* fragments; to break* up; (*suddividere*) to split*, to subdivide **B** **frammentàrsi** v. i. pron. to break* up; to split*; to fragment.

frammentarietà f. fragmentary nature (*o* character); disjointedness; scrappiness.

frammentàrio a. fragmentary; fragmented; disjointed; sketchy; scrappy: **notizie frammentarie**, sketchy news; **resoconto f.**, disjointed account; **in modo f.**, fragmentarily; (*un po' alla volta*) piecemeal.

frammentàto a. fragmented; disjointed.

frammentazióne f. (*anche biol.*) fragmentation.

framménto m. **1** fragment; (broken) piece; bit; (*scheggia*) chip, splinter: **frammenti di vetro**, fragments of glass; **frammenti di vaso**, fragments of pottery; potsherds (*archeol.*); **andare in frammenti**, to shatter; to be smashed to bits **2** (*letter.*) fragment; (*brano*) piece, extract: **i frammenti di Eraclito**, the fragments of Heraclitus **3** (*fig.*) fragment; (*residuo*) remnant, shred: **frammenti di conversazione**, fragments of conversation.

frammescolàre v. t. to mingle; to mix.

framméttere **A** v. t. to insert; to interpose **B** **framméttersi** v. rifl. **1** (*frapporsi*) to interpose; to intervene **2** (*fig.*: *intromettersi*) to interfere; to meddle.

frammezzàre v. t. to interpolate.

frammèzzo **A** avv. in between; in the middle **B** **frammèzzo a loc. prep.** in the middle of; among; (*rif. a due*) between.

frammischiàre v. t. to intermix; to mix together; to intermingle.

frammisto a. intermixed; mixed (together); intermingled: **neve frammista a pioggia**, snow mixed with rain.

♦**fràna** f. **1** landslide; landslip: **provocare una f.**, to cause (*o* to set off) a landslide **2** (*fig.*) collapse; failure **3** (*fam. scherz.*) dead loss: *Al bridge sono una f.*, I'm a dead loss at bridge; *Sei una f.!*, you're hopeless!

franàbile a. liable to slide.

franaménto m. **1** (*il franare*) sliding down; slipping **2** (*frana*) landslide; landslip **3** (*di scavo, miniera*) cave-in **4** (*di edificio*) collapse.

franàre v. i. **1** (*del terreno*) to slide* down; to slip; (*di strada*) to subside; (*di rocce*) to fall* **2** (*di scavo, miniera*) to cave in **3** (*di edificio*) to collapse **4** (*cedere*) to give* way **5** (*sgretolarsi*) to crumble **6** (*fig.: venir meno*) to collapse; to crumble; to come* to nothing: *Le nostre speranze ben presto franarono*, our hopes soon crumbled.

francaménte avv. **1** (*con franchezza*) frankly; openly; candidly; sincerely; directly: **parlare f.**, to speak frankly (*o* candidly); **rispondere f.**, to answer openly (*o* directly) **2** (*in realtà*) honestly; truly: *F. non so che cosa consigliarti*, I honestly don't know what to advise.

Francésca f. Frances.

francescàna f. (*eccles.*) Franciscan nun.

francescanaménte avv. following the Franciscan rule; in the spirit of St Francis.

francescanésimo m. (*eccles.*) Franciscanism.

francescàno a. e m. (*eccles.*) Franciscan.

Francésco m. Francis.

♦**francése** **A** a. French: **alla f.**, in the French way; French-style (attr.); **nasino alla f.**, retroussé nose **B** m. e f. Frenchman* (m.); Frenchwoman* (f.): **i Francesi**, the French **C** m. (*lingua*) French.

francesería f. (*spreg.*) affectation of French ways.

francesìna f. laced shoe.

francesìsmo m. Gallicism.

francesìsta m. e f. specialist in French studies.

francesìstica f. French studies (pl.).

francesizzàre **A** v. t. to Frenchify; to gallicize **B** **francesizzàrsi** v. i. pron. to become* Frenchified; to affect French ways.

francesizzazióne f. gallicization.

franchézza f. **1** (*sincerità*) frankness; (*schiettezza*) candour, outspokenness, plain speaking, straightforwardness, bluntness: *Mi piace la f.*, I like outspokenness (*o* plain speaking); **parlare con f.**, to speak frankly; to speak out; **in tutta f.**, to be honest **2** (*sicurezza*) self-assurance; confidence.

franchìa f. – (*naut.*) **in f.**, clear (of); large (of).

franchìgia f. **1** exemption; immunity: **f. diplomatica**, diplomatic immunity; **in f. doganale**, duty-free; **in f. postale**, post-free; post paid **2** (*ass., leg.*) franchise **3** (*parte non soggetta a tassazione o pagamento*) allowance: (*aeron.*) **f. bagaglio**, free baggage allowance **4** (*naut.*) shore leave: **marinai in f.**, sailors on shore leave.

franchìsmo m. (*stor., polit.*) Francoism.

franchìsta a., m. e f. (*stor., polit.*) Francoist.

Frància f. (*geogr.*) France.

fràncio m. (*chim.*) francium.

♦**frànco**① **A** a. **1** (*stor.*) Frankish **2** (*stor.,*

ling. ed estens.) – **lingua franca**, lingua franca **B** m. Frank.

♦**frànco**② **A** a. **1** (*sincero*) frank; (*schietto*) open, candid, outspoken, straightforward, straight, direct: **linguaggio f.**, candid language; **piglio f.**, frank (*o* open, straightforward) manner; **risposta franca**, straight (*o* direct) answer; *Voglio essere f. con te*, I want to be frank with you **2** (*sicuro*) self-assured; confident, self-confident **3** (*comm.*) free: **f. a bordo**, free on board (abbr. F.O.B.); **f. (a) domicilio**, delivered free of charge; **f. banchina**, free on wharf (abbr. F.O.W.); **f. di dazio**, duty-free; **f. di porto**, carriage free; **f. di spese**, free of charge; **f. di spese postali**, post-free; **f. magazzino**, ex warehouse; **f. sotto bordo**, free alongside ship (abbr. F.A.S.); **deposito f.**, bonded warehouse; **porto f.**, free port; **zona franca**, free-trade area **4** (*naut.*) off duty; on shore leave: **guardia franca**, watch below; watch off duty ● **f. tiratore**, sniper; sharpshooter; (*fig., polit.*) MP who secretly votes against his own party, defector □ (*fig.*) **dare campo f. a q.**, to give sb. a free hand □ **farla franca**, to get away with it; to get off scot-free **B** avv. frankly; openly; candidly: **parlare f.**, to speak frankly.

frànco③ m. (*moneta*) franc: **f. francese [belga, svizzero]**, French [Belgian, Swiss] franc.

Fràncoo m. Frank.

francobollàre v. t. **1** (*calcio*) to mark closely **2** (*seguire*) to follow closely; to dog; to shadow.

♦**francobóllo** **A** m. **1** (postage) stamp: **f. commemorativo**, commemorative stamp; **f. di posta aerea**, air-mail stamp; **mettere il f. a una busta**, to stamp an envelope: **senza f.**, unstamped; **collezione di francobolli**, stamp collection; **fare collezione di francobolli**, to collect stamps **2** (*cinem.*) frame **B** a. inv. (*anche formato f.*) miniature (attr.).

frànco-canadése a., m. e f. French Canadian.

francofilìa f. love of all things French.

francòfilo a. e m. (f. **-a**) Francophile.

francofobìa f. hate for all things French.

francòfobo a. e m. (f. **-a**) Francophobe.

francòfono **A** a. French-speaking; Francophone **B** m. (f. **-a**) French speaker.

Francofòrte f. (*geogr.*) Frankfurt.

francolìno m. (*zool., Francolinus francolinus*) francolin.

fràncone a. e m. Franconian.

franconormànno a. e m. Norman French.

francoprovenzàle a. e m. Franco-Provençal.

francovèneto a. (*letter.*) Franco-Venetian.

frangènte m. **1** (*onda*) breaker; surf **2** (*scoglio affiorante*) rock awash, reef; (*secca*) shallows (pl.) **3** (*fig.*, anche al pl.) difficult situation; critical juncture; predicament; plight; emergency: **in un simile f.** (*o* **in frangenti simili**), in a similar predicament; at this juncture; in such a plight; **trovarsi in brutti frangenti**, to be in difficulty; to be in a tight spot (*o* corner) (*fam.*).

fràngere **A** v. t. **1** (*rompere*) to break* **2** (*schiacciare*) to crush; to press: **f. le olive**, to press olives **B** **fràngersi** v. i. pron. to break*.

frangétta f. fringe; bang, bangs (pl.) (*USA*): **farsi la f.**, to have one's hair cut in a fringe.

fràngia f. **1** fringe: **la f. di una tenda**, the fringe of a curtain; **scialle con le frange**, fringed shawl **2**→**frangetta 3** (*geogr.*) fringe: **f. corallina**, fringing reef **4** (*fig.: abbellimento*) embellishment; frills (pl.) **5**

(*gruppo periferico*) fringe (group): **f. estremista**, extremist fringe group; lunatic fringe; **le frange più radicali di un partito**, the more radical fringes of a party.

frangiàre v. t. to fringe; to border with a fringe.

frangiatùra f. **1** (*il frangiare*) fringing **2** (*frange*) fringing; fringes (pl.).

frangìbile a. breakable; frangible.

frangifiàmma m. inv. (*cucina*) fire wire mat.

frangiflùtti a. e m. inv. breakwater.

frangilùce m. inv. sunlight protection; light screen.

frangimàre, **frangiónde**→**frangiflutti**

frangipàni m. (*bot., Plumiera alba*) frangipani.

frangisóle m. inv. sunshade; sun blind.

frangitóre m. olive press.

frangitùra f. olive pressing (*o* crushing).

frangivalànghe m. inv. avalanche barrier; avalanche break.

frangivènto m. inv. (*agric.*) windbreak.

frangizòlle m. inv. (*agric.*) harrow; pulverizer; (*a lame rotanti*) rotavator®.

franglése m. franglais.

fràngola f. (*bot., Rhamnus frangula*) alder buckthorn; alder dogwood.

franklin (*ingl.*) a. inv. – **stufa f.**, Franklin stove.

franóso a. subject to landslides; crumbly; (*di miniera, ecc.*) subject to caving in.

frantóio m. **1** (*per olive: macchina*) oil press; (*locale*) oil mill **2** (*per pietre*) crusher.

frantoìsta m. (*operaio*) crusher.

frantumàre **A** v. t. **1** to break* (up); to shatter; to smash into pieces; (*sbriciolare*) to crumble: **f. un vaso**, to shatter a vase **2** (*un minerale*) to crush **3** (*fig.*) to smash; to shatter; to crush: **f. un record**, to smash a record; **f. le speranze di q.**, to shatter sb.'s hopes **B** **frantumàrsi** v. i. pron. to break*; to shatter; to smash into pieces; to shiver; (*sbriciolarsi*) to crumble.

frantumazióne f. **1** breaking; shattering; smashing; crumbling **2** (*di minerali*) crushing.

frantùme m. (spec. al pl.) splinter; fragment; shiver: **andare in frantumi**, to break into fragments (*o* into a thousand pieces); **mandare** (*o* **ridurre**) **in frantumi**, to shatter; to smash to pieces.

fràppa f. **1** (*frangia*) fringe **2** (*pitt.*) painted foliage.

frappé (*franc.*) m. inv. shake; frappé: **f. al cioccolato**, chocolate shake.

frappórre **A** v. t. to interpose; to put*; to place: **f. ostacoli a q.**, to put obstacles in sb.'s way **B** **frappórsi** v. rifl. e i. pron. **1** (*mettersi in mezzo*) to intervene; to come* between; to interpose oneself: **frapporsi tra due litiganti**, to come (*o* to interpose oneself) between two quarrellers **2** (*di evento*) to intervene; to come* between.

frapposizióne f. interposition; interference.

frasàle a. (*ling.*) phrasal.

frasàrio m. **1** (*modo di esprimersi*) vocabulary; language; phraseology **2** (*terminologia*) terminology; (*settoriale*) jargon **3** (*raccolta di frasi*) phrase-book.

fràsca f. **1** (leafy) branch; (*come insegna di osteria*) bush **2**→**fraschetta**, def. 2 **3** (al pl.) (*fig.: capricci*) whims **4** (al pl.) (*fronzoli*) frills; frippery.

frascàme m. leafy branches (pl.).

frascàto m. roof made of branches; bower.

frascheggiàre v. i. **1** (*lett.*) to rustle **2**

(*fig.*) to flirt.

frascherìa f. **1** (*inezia*) trifle **2** (al pl.) (*fronzoli*) frills.

fraschétta f. **1** small branch; twig **2** (*fig.*: *donna leggera*) flirt; free and easy girl.

frasconàia f. thicket.

♦**fràse** f. **1** (*di senso compiuto*) sentence; (*gramm.*: *proposizione*) clause **2** (*locuzione*) phrase: **f. fatta**, cliché; hackneyed (*o* stock) phrase; stereotyped expression; **parlare per frasi fatte**, to talk in clichés; **f. idiomatica**, idiom **3** (*parole*) words (pl.): **frasi di circostanza**, suitable words; **le solite frasi**, the usual words; the usual comments; *Mi disse una f. gentile*, he said something kind to me; **frasi di lode**, praises; (*iron.*) **pieno di belle frasi**, full of fine words **4** (*mus.*) phrase.

fraseggiàre v. i. **1** to form sentences; (*parlare*) to speak*; (*scrivere*) to write*: **f. con eleganza**, to speak [to write] with elegance **2** (*mus.*) to phrase.

fraséggio m. (*mus.*) phrasing.

fraseologìa f. phraseology.

fraseològico a. phraseological.

frassinèlla f. (*bot.*, *Dictamnus albus*) fraxinella; gas plant.

frassinéto m. ash grove.

fràssino m. **1** (*bot.*, *Fraxinus excelsior*) ash (tree) **2** (*il legno*) ash; ashwood.

frastagliaménto m. indentation; ragged contour.

frastagliàre v. t. to indent; to jag.

frastagliàto a. **1** indented; jagged; ragged: **costa frastagliata**, indented coastline; **montagne frastagliate**, jagged mountain tops **2** (*ineguale*) uneven; irregular: **terreno f.**, uneven ground.

frastagliatùra f. indentation.

frastàglio m. **1** indentation **2** (al pl.) ornamentation (sing.).

fràstico a. (*ling.*) phrase (attr.); sentence (attr.).

frastornànte a. distracting; confusing; (*di rumore*) deafening; (*che stordisce*) bewildering, dazing.

frastornàre v. t. to distract; to confuse; (*assordare*) to deafen; (*stordire*) to bewilder, to daze: **f. q. di chiacchiere**, to deafen sb. with incessant talk.

frastornàto a. distracted; confused; bewildered; dazed; in a daze (pred.).

frastuòno m. noise; din; hubbub; racket; roar: **il f. del traffico**, the din of traffic; **il f. della piazza**, the hubbub in the square.

fratacchióne m. (*spreg.*) burly friar.

fratàzzo → **frattazzo**.

♦**fràte** ① m. **1** (*relig.*) friar; monk; (*come appellativo*) brother: **f. agostiniano**, Augustinian (*o* Austin) Friar; **f. carmelitano**, Carmelite Friar; White Friar; **f. cappuccino**, Capuchin (friar); **f. domenicano**, Dominican Friar; Black Friar; **f. francescano**, Franciscan Friar; Grey Friar; **f. laico**, lay brother; **f. minore**, Friar Minor; Minorite; *F. Martino*, Brother Martin; **farsi f.**, to become a monk; **convento di frati**, friary **2** (*poet. o region.*) brother • (*fig. scherz.*) **Sto coi frati e zappo l'orto**, I only do what I'm told.

fràte ② m. (*edil.*) ventilating tile.

♦**fratellànza** f. **1** (*rapporto tra fratelli*) brotherhood **2** (*sentimento fraterno*) brotherhood; brotherliness; fraternity **3** (*associazione*) brotherhood; fraternity.

fratellàstro m. (*figlio di un genitore*) half-brother; (*figlio di patrigno o matrigna*) step-brother.

♦**fratèllo** m. **1** brother: **f. carnale** (*o* **germano**), brother-german; **f. di latte**, foster-brother; **f. gemello**, twin brother; **f. maggiore**, elder brother; eldest brother; big

brother (*fam.*); **f. minore**, younger brother; youngest brother; kid brother (*fam.*); **amarsi come fratelli**, to love like brothers **2** (al pl.) (*fratelli e sorelle*) brothers and sisters; siblings (*form. e leg.*): *Quanti fratelli hai?*, how many brothers and sisters do you have?; *Mario e Paola sembrano fratelli*, Mario and Paola look like brother and sister; *Siamo tre fratelli: due maschi e una femmina*, there are three of us, two brothers and a sister **3** (*di confraternita o ordine relig.*) brother*: **i fratelli massoni**, the masonic brethren **4** (*fig.*) brother; comrade; companion; fellow: **f. d'armi**, brother-in-arms; **f. di sventura**, companion (*o* fellow) in misfortune; **f. in Cristo**, brother in Christ • **fratelli siamesi**, Siamese twins; (*fig.*) inseparable friends □ (*comm.*) **la ditta F.lli Rossi**, Rossi Bros.

fraterìa f. friary; friars (pl.).

fraternaménte avv. like a brother [sister]; like brothers [sisters]; fraternally.

fraternità f. fraternity; brotherhood; brotherliness.

fraternizzàre v. i. **1** (*fare amicizia*) to make* friends: **f. coi compagni di scuola**, to make friends with one's classmates **2** (*con chi prima era ostile*) to fraternize; to consort: **f. col nemico**, to fraternize (*o* to consort) with the enemy.

fratèrno a. **1** brotherly; fraternal **2** (*estens.*) brotherly; affectionate; fraternal: **amico f.**, close friend; **consigli fraterni**, brotherly advice.

fratésco a. friarly; monkish; monk-like.

fraticèllo m. **1** young friar **2** (*zool.*, *Sterna albifrons*) little tern.

fratìna f. **1** (*tavolo*) refectory table **2** (*taglio di capelli*) short fringe.

fratìno m. **1** young friar **2** (*zool.*, *Charadrius alexandrinus*) Kentish plover.

fratrìa f. **1** (*stor. greca*) phratria; phratry **2** (*etnol.*) phratry.

fratricìda A a. fratricidal: **guerra f.**, fratricidal war B m. e f. fratricide.

fratricìdio m. fratricide.

fràtta f. thicket; brake; spinney.

fràttaglie f. pl. (*cucina*) offal Ⓤ; pluck Ⓤ; (*rigaglie*) giblets.

frattàle m. e a. (*mat.*) fractal.

frattànto avv. in the meantime; meanwhile.

frattazzàre v. t. to float-finish.

frattazzo m. float.

♦**frattèmpo** m. **– in questo** (*o* **in quel**, **nel**) **f.**, in the meantime; meanwhile.

fràtto a. (*mat.*) **1** (*frazionario*) fractional **2** (*diviso*) divided by; over: **sei f. due**, six divided by (*o* over) two.

frattografìa f. (*metall.*) fractography.

frattùra f. **1** (*med.*) fracture: **f. comminuta**, comminuted fracture; **f. esposta**, compound fracture; **f. multipla**, multiple fracture; **f. semplice**, simple fracture; **ridurre una f.**, to reduce a fracture **2** (*geol.*, *miner.*) fracture **3** (*spaccatura*) break; fracture; rift **4** (*fig.*) break; rift; breach: **una f. nel partito**, a rift in the party **5** (*mecc.*) – **f. fragile**, brittle fracture.

fratturàre v. t., **fratturàrsi** v. i. pron. to fracture; to break*: **fratturarsi una gamba**, to break a leg.

fraudolènto a. fraudulent.

fraudolènza f. fraudulence.

frazionàbile a. divisible • **non f.**, indivisible.

frazionàle → **frazionario**.

frazionaménto m. **1** division; subdivision; (*anche econ.*, *fin.*) breaking up, splitting up, splitup, split; (*di una società*, *ecc.*) unbundling: **f. azionario**, stock split; **il f. di**

un'eredità, the subdivision of an inheritance; **il f. di una proprietà**, the breaking up of an estate **2** (*ripartizione*) spreading; sharing; distribution: **f. dei rischi**, spreading of risks **3** (*mat.*) fractionization **4** (*chim.*) fractionation.

frazionàre A v. t. **1** to divide; to subdivide; (*anche econ.*, *fin.*) to split*, to break* up, to parcel out; (*una società*, *ecc.*) to unbundle: **f. azioni**, to split shares; **f. un'eredità**, to subdivide an inheritance; **f. una proprietà**, to break up an estate **2** (*distribuire*) to spread*; to share; to distribute: **f. il rischio**, to spread the risk **3** (*mat.*) to fractionize **4** (*chim.*) to fractionate B **frazionàrsi** v. i. pron. to break* up; to split*.

frazionàrio a. (*mat.*) fractional; divisional.

frazionàto a. **1** divided; subdivided; (*anche econ.*, *fin.*) split **2** (*mat.*) fractionized **3** (*chim.*) fractional.

♦**frazióne** f. **1** fraction; portion; segment: **una f. della popolazione**, a fraction (*o* a segment) of the population; **in una f. di secondo**, in a fraction of a second; in a split second **2** (*mat.*) fraction: **f. composta** [**decimale**, **impropria**, **propria**, **continua**], compound [decimal, improper, proper, continued] fraction **3** (*borgata di comune*) hamlet **4** (*sport*, *di staffetta*) relay; (*ciclismo*) leg.

frazionìsmo m. (*polit.*) fractionalism.

frazionìsta A m. e f. **1** (*polit.*) fractionalist **2** (*sport*) relay runner; member of a relay team B a. (*polit.*) divisive; factional.

freàtico a. (*geol.*) phreatic; groundwater (attr.): **falda** (*o* **superficie**) **freatica**, water table; groundwater table; phreatic surface; **livello f.**, groundwater level.

freatologìa f. (*geol.*) study of groundwater.

freccétta f. **1** small arrow **2** (*per il gioco*) dart; (al pl., *gioco*) darts.

♦**fréccia** f. **1** arrow; bolt; dart (*poet.*): **le frecce di Cupido**, Cupid's arrows (*o* darts); **scagliare una f.**, to shoot an arrow; **punta di f.**, arrow-head **2** (*archit.*) height; rise; (*guglia*) spire, pinnacle **3** (*tecn.*: *indicatore*) needle; pointer **4** (*segnale di direzione*) arrow **5** (*autom.*) indicator (*GB*); turn signal (*USA*): **mettere la f.**, to indicate (*GB*); to signal (*USA*); to flick on the indicator; **mettere la f. a destra**, to indicate one is turning right; **togliere la f.**, to cancel the indicator (*o* the signal) **6** (*moda*: *baghetta*) clock **7** (*geom.*) camber **8** (*naut.*) gaff-topsail • (*fig.*) **f. del Parto**, Parthian shot □ (*aeron.*) **ala a f.**, swept wing □ (*fig.*) **avere molte frecce al proprio arco**, to have many strings to one's bow □ **correre come una f.**, to run like a flash.

frecciàta f. **1** arrow-shot **2** (*fig.*) pointed (*o* cutting) remark; gibe; dig; barb: **una f. contro q.**, a cutting remark about sb.; a dig at sb.; **lanciare una f. contro q.**, to make a pointed remark about sb.; to have a dig at sb.

freddaménte avv. **1** (*senza calore*) coldly: *Mi rispose f.*, she answered me coldly **2** (*con autocontrollo*) coolly; (*a sangue freddo*) in cold blood, cold-bloodedly.

freddàre A v. t. **1** to chill; to cool (down) **2** (*fig.*) to cool; to dampen: **f. l'entusiasmo di q.**, to cool (*o* to dampen) sb.'s enthusiasm **3** (*ammazzare*) to kill; (*con arma da fuoco*) to shoot* (sb.) dead B **freddàrsi** v. i. pron. **1** to get* cold (*o* chilly); to go* cold; to cool (down): *La pasta si è freddata*, the pasta has gone cold; **lasciar freddare qc.**, to let st. cool **2** (*fig.*) to cool (down): *Lascia che si freddi la sua ira*, let his anger cool down first.

freddézza f. **1** coldness: **la f. dell'acqua**, the coldness of the water **2** (*fig.*: *indifferen-*

za) coldness; coolness; lack of warmth: **la f. della loro accoglienza**, the coldness (o lack of warmth) of their welcome; *Ci accolsero con f.*, they gave us a cold welcome **3** (*calma*) coolness; cool-headedness; self-control; sang-froid (*franc.*) • **con f. → freddamente**.

freddino a. **1** (*abbastanza freddo*) coldish; (*tiepido*) lukewarm; (*di temperatura esterna*) chilly: *Il termosifone è f.*, the radiator is lukewarm; *Fa f.*, it's chilly **2** (*fig.*) lukewarm: **accoglienza freddina**, lukewarm welcome.

♦**fréddo** A a. **1** cold; chilly: **acqua calda e fredda**, hot and cold water; **doccia fredda**, cold shower; **piatto f.**, cold dish; **stanza fredda**, chilly room; **venticello f.**, chilly breeze **2** (*fig.: senza calore*) cold, cool, chilly; (*senza passione*) unenthusiastic, uninspired; (*insensibile*) unsympathetic, unfeeling; (*indifferente*) indifferent, unemotional; (*distaccato, riservato*) detached, distant, undemonstrative, aloof (pred.): **accoglienza fredda**, cold welcome; cool reception; **cuore f.**, cold heart; **esecuzione fredda**, uninspired execution; **un modo di fare f.**, detached manners; **pubblico f.**, unenthusiastic audience; *L'idea mi lasciò f.*, the idea left me cold; **mostrarsi f. verso** (o **con**) **q.**, to act coldly towards sb.; to be distant with sb. • **f. come il ghiaccio**, ice-cold; (*di persona*) cool-headed; (*gelido*) icy, frosty □ **f. come il marmo**, stone-cold □ **a mente fredda**, when one has calmed down; in the cold light of day □ **colore f.**, cold colour □ **guerra fredda**, cold war → **sangue** □ **sangue** □ **sudore f.**, cold sweat; (al pl., *fig.*) shivers □ (*prov.*) *F. di mano, caldo di cuore*, a cold hand and a warm heart B m. **1** cold; chill: **avere f.**, to be (o to feel) cold; *Ho f. alle mani [ai piedi]*, my hands [my feet] are cold; *Mi sta venendo f.*, I'm getting cold; **far venire f.**, to chill; (*fig.*) to send shivers down sb.'s spine; **morire di f.**, to freeze to death; (*fig.*) to be dying of cold; **prendere f.**, to catch cold; **soffrire il f.**, to suffer from the cold; **tremare di f.**, to shiver with cold; **fuori al f.**, out in the cold **2** (*clima rigido*) cold weather; cold; (*periodo di f.*) cold spell: **f. asciutto**, dry cold weather; **il f. dell'inverno**, cold wintry weather; **f. umido**, damp cold weather; **i primi freddi**, the first cold weather (o cold spell) of the season; *Fa un f. cane*, it's bitterly cold; it's freezing; **appena arriva il f.**, as soon as cold weather sets in; *Non uscire con questo f.!*, don't go out in this cold weather! **3** (*freddezza*) coldness; chilliness • **a f.**, without heating; (*a mente fredda*) when one has calmed down, in the cold light of day; (*a sangue freddo*) in cold blood □ (*cucina*) **un dolce che si prepara a f.**, a dessert that doesn't need cooking □ (*metall.*) **lavorazione a f.**, cold working □ (*chir.*) **operare a f.**, to operate after the inflammation has gone down □ (*fig.*) **Non mi fa né caldo né f.**, I couldn't care less □ **l'industria del f.**, the refrigeration industry □ **sudare f.**, to be in a cold sweat □ **Mi viene f. solo a pensarci**, it gives me the shivers just to think of it.

freddolóso a. – **essere f.**, to feel the cold.

freddùra f. pun; quip; witticism; (*vecchia e risaputa*) hoary joke.

freddurista m. e f. punster; (habitual) joker.

freelance, free-lance (*ingl.*) A m. e f. inv. freelancer, freelance B a. inv. freelance.

free press (*ingl.*) loc. f. inv. **1** (*pubblicazione*) free (daily) newspaper industry; free daily industry **2** (*estens. giornale*) free newspaper (o daily).

freezer (*ingl.*) m. inv. freezer; deepfreeze.

fregagióne f. (*pop.*) rubbing down; massage; friction.

fregaménto m. rubbing; massaging.

♦**fregàre** A v. t. **1** (*strofinare*) to rub, (*per pulire, anche*) to scrub, to scour; (*massaggiare*) to rub; (*stropicciare*) to rub; **f. una pentola**, to scrub a saucepan; **fregarsi le mani [gli occhi]**, to rub one's hands [one's eyes] **2** (*sfregare, strisciare*) to scrape; (*graffiare*) to scratch **3** (*pop.: rubare*) to steal*; to pinch (*fam.*); to swipe (*fam.*); to nick (*fam.*): *Chi mi ha fregato il walkman?*, who pinched (o swiped) my walkman? **4** (*pop.: truffare*) to cheat; to rip off; to dupe; to have (generalm. al passivo, *fam.*); to diddle (*fam.*): *Ti hanno fregato*, you've been duped; you've been had **5** (*pop.: sconfiggere*) to beat* **6** (*pop.: bocciare*) to fail; to flunk (*fam. USA*) B **fregàrsene** v. i. pron. (*pop.*) not to care; not to give* a damn (o a toss) (*slang*): *Chi se ne frega?*, who cares?; who gives a toss?; *Me ne frego altamente*, I couldn't care less; I don't give a damn; *Lui se ne frega di noi*, he doesn't give a damn about us; *A te che ti frega?*, what business is it of yours?

fregàta① f. **1** rub; rubbing; scrubbing **2** → **fregatura**.

fregàta② f. (*naut.*) frigate • **capitano di f.**, commander.

fregàta③ f. (*zool.*, *Fregata aquila*) frigate; frigate bird.

fregatùra f. (*pop.*) **1** (*imbroglio*) swindle; rip-off (*fam.*); sell (*fam. GB*); swizz (*fam. GB*); gyp (*fam. USA*); bum deal (*slang USA*): **dare una f. a q.**, to rip sb. off; to sell sb. a pup (*fam. GB*); to do a number on sb. (*fam. USA*); *Mi hanno dato una bella f.!*, I was well and truly had!; **prendere una f.**, to be ripped off **2** (*delusione*) let-down; washout (*fam.*); bummer (*slang USA*).

fregiàre A v. t. **1** (*archit.*) to frieze **2** (*ornare*) to decorate; to adorn; to embellish B **fregiàrsi** v. rifl. **1** to adorn oneself **2** (*fig.: andar fiero*) to boast; (*portare*) to wear*, to bear*: *La città si fregia di alcuni bei palazzi*, the town boasts several fine palaces; **fregiarsi di un titolo**, to bear a title; to be titled.

frégio m. **1** (*archit.*) frieze **2** (*ornamento*) decoration; ornament **3** (*segno distintivo*) badge; (*mil.*) badge of rank, (al pl., anche) insignia **4** (*tipogr.*) flourish.

frégna f. (*region., volg.*) **1** cunt **2** → **fregnaccia**.

fregnàccia f. (*region., volg.*) bullshit Ⓤ; crap Ⓤ: *Sa dire solo fregnacce*, he talks nothing but crap.

fregnóne m. (*region., volg.*) idiot; twerp (*fam.*); jerk (*fam. USA*); prick (*slang, volg.*); dickhead (*volg.*).

frégo m. **1** stroke; line; (*graffio*) mark, scratch: **un f. di penna**, a stroke of the pen; **fare un f. sulla portiera di una macchina**, to scratch the door of a car; **cancellare qc. con un f.**, to cross st. out **2** (*pop.*) – **un f. di**, a hell of a lot of (*fam.*); loads (pl.) of (*fam.*); **un f. di libri**, a hell of a lot of books; *Mi piace un f.*, I like it a lot.

frégola f. **1** (*di animali in genere*) heat; (*di pesci*) spawning; (*di cervi e ovini*) rutting: **essere in f.**, to rut; to be in heat **2** (*fig.: smania*) itch; yen (*fam.*); bug (*fam.*): **la fregola del viaggiare**, a yen for travelling; itchy feet (pl.); *Gli ha preso la f. della vela*, he's been bitten by the sailing bug • (*pop.*) **essere in f. per q.**, to have the hots for sb.

fregolatóio m. (*zool.*) spawning bed; spawning ground.

frègoli m. e f. inv. time-server.

fregolìsmo m. (*polit.*) changing with the wind; time-serving.

frégolo m. (*uova di pesce*) roe; spawn.

fremebóndo, **fremènte** a. quivering; trembling: **f. d'ira**, quivering (o trembling)

with anger; fuming (with rage).

frèmere v. i. **1** to tremble, to quiver; (*d'eccitazione, ecc.*) to be thrilled; (*di paura, ecc.*) to shiver, to shudder: **f. di gioia**, to be thrilled with delight; **f. d'impazienza**, to tremble with excitement; to be itching; **f. d'orrore**, to shudder with horror; **f. di rabbia**, to quiver (o to tremble) with rage; to fume; **f. di sdegno**, to quiver with indignation; *La sua voce fremeva*, her voice quivered; *Fremo se penso a quello che sarebbe potuto accadere*, I tremble to think what might have happened **2** (*palpitare*) to throb: *Il mio cuore fremette di gioia*, my heart throbbed with joy **3** (*lett.: stormire*) to rustle **4** (*rumoreggiare*) to rumble; (*del mare*) to roar.

frèmito m. **1** quiver; shiver; tremor; thrill; (*brivido*) shiver, shudder: **un f. di gioia**, a thrill of delight; **un f. d'orrore**, a shudder; **un f. di paura**, a shiver; *Notai un f. nella sua voce*, I heard a quiver in his voice **2** (*palpito*) throb **3** (*delle foglie, ecc.*) rustle; rustling **4** (*del mare*) roar.

frenàbile a. restrainable; controllable.

frenàggio m. **1** (*mecc.*) locking: **filo di f.** (*di un dado*), locking wire **2** (*autom.*) braking **3** (*sport*) stopping: (*sci*) **f. a Cristiania**, Christie; **f. a spazzaneve**, snowplough.

frenànte a. braking.

♦**frenàre** A v. t. **1** (*un veicolo*) to brake; to slow down; to apply the brakes to; (*assol.*) to brake, to put* on the brakes: **f. di colpo**, to brake suddenly; to jam on the brakes; **f. in curva**, to slow down on a bend **2** (*un cavallo, ecc.*) to curb; to rein in **3** (*fig.: trattenere*) to check; to restrain; to hold* back; (*mettere un freno a*) to curb, to control, to contain, to rein in; (*far rallentare*) to hold* back, to brake, to put* a brake on: **f. un impulso**, to restrain an impulse; **f. l'inflazione**, to curb inflation; **f. l'ira**, to check one's anger; **f. le lacrime**, to hold back one's tears; **f. la lingua**, to curb (o to check) one's tongue; **f. il progresso**, to hold back progress; **f. uno sbadiglio**, to stifle a yawn **4** (*assol., fig.: fare marcia indietro*) to backpedal: *Il ministro ha frenato sul nuovo progetto di legge*, the minister backpedalled on the new bill B v. i. to brake; (*rallentare*) to slow down: *Questa macchina non frena bene*, this car doesn't brake properly; *Il camion frenò*, the lorry slowed down C **frenàrsi** v. rifl. to check oneself; to restrain oneself; to contain oneself: *Non poté più frenarsi*, he couldn't restrain himself any longer; *Non potei frenarmi dal dirgli il fatto suo*, I couldn't contain myself and gave him a piece of my mind.

frenastenìa f. (*med.*) mental deficiency.

frenastènico a. (*med.*) mentally deficient.

frenastèrzo m. (*mecc.*) steering damper.

frenàta f. (*autom.*) braking* Ⓤ; (*rumore*) screech of brakes: *Evita le frenate improvvise*, avoid sudden braking; **fare una brusca f.**, to brake sharply, to jam on the brakes; **segni di f.**, tyre marks; **spazio di f.**, braking distance; **tempo di f.**, braking time.

frenàto a. controlled; curbed: **motore f.**, controlled engine; **pallone f.**, captive balloon.

frenatóre m. **1** (*ferr.*) brakesman* (*GB*); brakeman* (*USA*) **2** (*sport: bob*) brakeman*.

frenatùra f. **1** (*mecc., di dado*) locking **2** (*autom.*) braking.

frenèllo m. **1** (*naut.*) tiller chain; tiller rope **2** (*nastro per la fronte*) head-band; fillet **3** → **frenulo**.

frenesìa f. **1** (*pazzia, esaltazione*) frenzy; delirium **2** (*desiderio sfrenato*) mania; mad urge; craze; yen (*fam.*); bug (*fam.*): **f. del gioco**, mania for gambling; *Le è venuta la f. della bicicletta*, she's been bitten by the bicycle bug

frenètico a. **1** (*delirante*) raving: **un pazzo f.**, a raving lunatic **2** (*entusiastico*) frenzied; enthusiastic; wild: **applausi frenetici**, frenzied acclamation **3** (*fig.*: *convulso*, *febbrile*) frenzied; hectic; frenetic; frantic; feverish; fast and furious: **attività frenetica**, feverish (*o* frantic) activity; **una danza frenetica**, a frenzied dance; **giornate frenetiche**, hectic days; **sforzo f.**, frantic effort **4** (*appassionato*) mad; crazy: *È f. per i videogiochi*, he's mad on videogames.

frènico a. (*anat.*) phrenic.

♦**fréno** m. **1** (*di cavallo*) bit **2** (*mecc.*, *autom.*) brake: **f. a depressione**, vacuum (*o* depression, suction) brake; **f. a disco**, disc brake; **f. a mano** (*o* **di stazionamento**), hand brake; parking brake, emergency brake (*USA*); **f. a nastro**, band brake; **f. a pedale**, foot brake; **f. a tamburo**, drum brake; **f. ad aria compressa**, air brake; **f. di sicurezza**, emergency brake; **f. idraulico**, hydraulic brake; **azionare il f.** (*o* **dare un colpo di f.**), to apply the brake; **bloccare i freni**, to jam (*o* to slam) on the brakes; **mettere il f. a mano**, to put on the hand brake; **pigiare sul f.**, to step hard (*o* to jam) on the brakes; **togliere il f.**, to release the brake; **usare il f.**, to apply the brake; **pedale del f.**, brake pedal; **potenza al f.**, brake horsepower; **prova dei freni**, braking test; **uno stridio di freni**, a screech of brakes **3** (*fig.*) check; curb; restraint: **un f. all'inflazione**, a check (*o* a curb) on inflation; **fare da f.**, to act as a check; **mettere un f. a qc.**, to curb st.; to check st.; to put the brakes on st.; **senza f.** (*sfrenato*), without restraint; unbridled; unrestrained; unchecked ● (*fig.*) **mordere** (*o* **rodere**) **il f.**, to be champing at the bit □ (*fig.*) **stringere i freni**, to tighten the reins □ **tenere a f.**, (*un cavallo*, *ecc.*) to rein in, to pull up; (*anche fig.*) to curb, to restrain; (*solo fig.*) to keep in check, to control: **tenere a f. la lingua**, to hold (*o* to curb) one's tongue.

frenocòmio m. mental hospital.

frenologìa f. phrenology.

frenològico a. phrenological.

frenòlogo m. (f. **-a**) phrenologist.

frenopatìa f. (*med.*) mental disorder; mental disease.

frenospàsmo m. (*med.*) phrenospasm.

frènulo m. (*anat.*) fraenulum*, frenulum*; fraenum*, frenum*.

frèon® m. (*chim.*) Freon, freon.

frequentàbile a. – **un locale poco f.**, a disreputable place; **persone non frequentabili**, people not to be seen with; *Sono pochi i posti ancora frequentabili*, there are few places one can still go to.

♦**frequentàre** Ⓐ v. t. **1** (*un luogo*) to go* to; to frequent; (*un locale pubblico*, *anche*, *scherz.*) to patronize; to haunt (*fam.*): **f. la biblioteca rionale**, to go regularly to (*o* to frequent) the local library; **f. il circolo**, to go to the club; *Frequenta la nostra casa*, she is a regular visitor at our house **2** (*scuola*, *lezioni*, *ecc.*) to attend, to go* to; (*corso*, *lezioni*) to follow, to attend; (*classe*, *anno*) to be in: **f. un corso**, to follow a course; **f. le lezioni di q.**, to attend (*o* to go to) sb.'s lectures; **f. una scuola privata**, to go to a private school; **f. la terza**, to be in the third form (*USA* grade); **f. l'università**, to go to university **3** (*persone*) to see*; to mix with; to associate with; to go* around with; to hang* around with: **f. gente del cinema**, to mix (*o* to associate) with cinema people; *Non li frequentiamo molto*, we don't see them very often; *Frequenta cattivi soggetti*, he hangs around with bad company **4** (*un ambiente*) to move in; to mix with: **f. l'ambiente teatrale**, to move in theatrical circles; **f. il bel mondo**, to mix with the smart set ● **f. i classici**, to be fond of the classics □ (*relig.*) **f. i sacramen-**

ti, to frequent the Sacraments Ⓑ **frequentàrsi** v. rifl. recipr. to see* each other (*o* one another).

frequentativo a. (*gramm.*) frequentative: **verbo f.**, frequentative verb.

♦**frequentàto** a. **1** popular; (*di locale*, *albergo*, *anche*) patronized, (*scherz.*) haunted (*fam.*); (*di scuola*, *ecc.*) attended **2** (*affollato*) busy; crowded: **strade frequentate**, busy streets ● **f. dai fantasmi**, haunted □ **ben f.**, smart; elegant; classy □ **mal f.**, full of disreputable people.

frequentatóre m. (f. **-trice**) **1** frequenter; haunter; -goer (suff.): **un f. di bar**, a haunter of bars; **f. di cinema**, cinema-goer; filmgoer; **f. di concerti**, concert-goer; **f. di teatri**, theatre-goer **2** (*visitatore assiduo*) frequent visitor **3** (*cliente abituale*) regular customer; patron; habitué (*franc.*).

frequentazióne f. **1** habitual attendance; habitual visiting **2** (*fig.*) habitual reading.

frequènte a. **1** frequent **2** (*med.*, *del polso*) quick; rapid ● **di f.**, frequently; often.

frequenteménte avv. frequently; often.

frequènza f. **1** frequency: **la f. dei voli**, the frequency of flights; **la f. delle sue visite**, the frequency of his calls; **con f.**, frequently; often; **con troppa f.**, too often; **con una certa f.**, fairly regularly; *Con che f. vi vedete?*, how often do you see each other?; **tasso di f.**, frequency rate **2** (*assiduità*) attendance: **f. alle lezioni**, attendance at classes; **f. obbligatoria**, compulsory attendance; **scarsa f. alle lezioni**, poor attendance record; **certificato di f.**, certificate of attendance **3** (*affollamento*) concourse; number: **una grande f. di pubblico**, a large concourse of visitors; **scarsa f. di visitatori**, low number of visitors **4** (*fis.*, *tel.*) frequency; (*al pl.*, *TV*, *anche*) airwaves: **alta** [**bassa**] **f.**, high [low] frequency; **altissima f.**, very high frequency (abbr. VHF); **bassissima f.**, very low frequency (abbr. VLF); **f. di trasmissione**, broadcasting frequency; **f. ultraelevata**, ultrahigh frequency (abbr. UHF); **ad alta** [**bassa**] **f.**, high-frequency [low-frequency] (attr.); (*tel.*) **assegnazione delle frequenze**, (broadcasting) frequency allocation; allocation of airwaves; **banda di f.**, frequency band; (*radio*) **modulazione di f.**, frequency modulation (abbr. FM); **moltiplicatore di f.**, frequency multiplier **5** (*numero di volte nell'unità di tempo*) rate: **f. cardiaca**, heart rate; (*med.*) **f. del polso**, pulse rate; **con una f. di 10 all'ora**, at the rate of 10 every (*o* per) hour **6** (*stat.*) frequency; **curva di f.**, curve of frequency.

frequenziàle a. frequency (attr.).

frequenzìmetro, **frequenziòmetro** m. (*elettr.*, *fis.*) frequency meter.

frèsa f. (*mecc.*) milling cutter: **f. concava** [**convessa**], concave [convex] cutter; **f. per filettare**, thread cutter; **f. per svasare**, countersink (cutter).

fresàre v. t. (*mecc.*) to mill.

fresatóre m. milling-machine operator.

fresatrìce f. (*mecc.*) milling machine: **f. a comando elettronico**, electronically-controlled milling machine; **f. automatica**, self-acting milling machine.

fresatùra f. (*mecc.*) milling: **f. angolare**, angular milling; **f. a profilo**, profiling.

frescàccia → **fregnaccia**.

freschézza f. **1** (*anche fig.*) freshness: **la f. della frutta**, the freshness of fruit; **la f. di una carnagione**, the freshness of a complexion; **la f. della gioventù**, the freshness (*o* bloom) of youth **2** (*frescura*) coolness.

freschìsta m. e f. (*pitt.*) fresco painter.

♦**frésco** Ⓐ a. **1** (*di temperatura*) cool; (*dell'aria*, *anche*) fresh; (*rinfrescato*) cooled, (*in frigo-*

rifero e sim.*) chilled; (*freddino*) chilly: **acqua fresca, cool water; (*di rubinetto*) water fresh from the tap; **bibita fresca**, cool drink; **locale f.**, cool room; **mano fresca**, cool hand; **una fresca mattina**, a fresh morning; **un venticello f.**, a cool breeze; *Il vino deve essere f. non gelato*, the wine should be chilled, not ice-cold; *In terrazzo staremo più freschi*, we'll be cooler on the terrace **2** (*non stantio*, *non conservato*) fresh: **frutta fresca**, fresh fruit; **latte f.**, fresh milk; **pane f.**, fresh (*o* newly baked) bread; **mantenersi f.**, to keep **3** (*appena fatto*) freshly made: **caffè f.**, freshly made (*o* fresh) coffee; **uovo f.** (*appena deposto*), new-laid egg **4** (*ancora umido*) wet: *L'inchiostro è ancora f.*, the ink is still wet; **vernice fresca**, wet paint **5** (*di fiore*: *appena colto*) freshly cut **6** (*non appassito*) fresh: **bellezza** [**carnagione**] **fresca**, fresh beauty [complexion] **7** (*riposato*) fresh; (*rinvigorito*) refreshed: **cavallo f.**, fresh horse; **sentirsi freschi e riposati**, to feel fresh and rested; *Lo farò domani a mente fresca*, I'll do it tomorrow with a clear head ● **f. come una rosa**, as fresh as a daisy □ **f. di bucato**, freshly laundered; fresh from the wash □ **f. di forno**, fresh from the oven; newly baked □ **f. di nomina**, newly appointed □ **f. di stampa**, hot off the presses □ **f. di studi**, fresh from one's studies □ **di f.**, freshly; newly; just: **arrivato di f.**, freshly arrived; **sposato di f.**, just married □ **di fresca data**, recent □ **È arrivato f. f.**, it has just arrived this moment □ **notizie fresche**, the latest news; hot news □ (*fam.*) **Stai f.!**, (*ti sbagli di grosso*) you've got another think coming!; you'll be lucky!; you've got a hope!; (*guai a te*) you'll be in for it! □ (*fam.*) **Stiamo freschi!**, heaven forbid! Ⓑ m. **1** (*frescura*) coolness, cool; (*aria fresca*) (cool) breeze; (*luogo fresco*) cool place: **il f. della sera**, the cool of the evening; *C'è un bel f. qui*, it's nice and cool here; *C'è un po' di f.*, there's a bit of a breeze; *Fa f.*, it's cool; (*spiacevolmente*) it's chilly; **godersi il f.**, to enjoy the cool breeze; **mettere qc. al f.**, to put st. in a cool place; **mettere il vino in f. nel frigo**, to put the wine to cool in the fridge; **tenere qc. in f.**, to keep st. cool; **col f.**, in the cool of the morning [of the evening] **2** (*stoffa*) lightweight material: **f. di lana**, light wool material ● **dipingere a f.**, to paint in fresco; **to fresco** □ (*fig.*) **al f.**, in jail; in the cooler (*fam.*): *Suo marito è al f.*, her husband is inside (*o* is doing time) (*fam.*).

frescolàna m. inv. light wool material.

frescóne m. (f. **-a**) (*pop.*) fool; idiot; twerp (*fam.*); jerk (*fam. USA*).

frescùra f. coolness; cool: **la f. della sera**, the cool of the evening.

frèsia f. (*bot.*, *Freesia*) freesia.

♦**frétta** f. hurry; haste: **avere f.**, to be in a hurry; *Ha f. di partire*, he's in a hurry to leave; *Non ho f.*, I'm in no hurry; *Non c'è f.*, there is no hurry; *Che f. c'è?*, what's the hurry?; *Nella f. di uscire, non ho salutato*, in my hurry to leave, I didn't say goodbye; **senza f.**, leisurely; unhurriedly; **fare senza f.**, to take one's time ● **andare** (*o* **essere**) **di f.**, to be in a hurry; to be in a rush; to have no time (to do st.): *Scusa, ma sto andando di f.*, I'm sorry, I'm in a terrible hurry; *Ogni volta che la incontro è sempre di f.*, whenever I meet her she is always in such a rush (*o* always rushing off somewhere) □ **fare** (*o* **mettere**) **f. a q.**, to hurry sb.; to rush sb. □ **in f.**, (*velocemente*) quickly; (*di premura*) in a hurry, in a rush: *Hai fatto in f.!*, you were quick!; *Fa' in f.!*, hurry up!; **fare le cose troppo in f.**, to rush things; **ritornare in f.**, to hurry back; **fatto in f.**, done quickly; (*frettoloso*) hasty, rushed □ **in f. e furia**, in a great hurry; hurriedly; (*in modo affrettato*) hastily, carelessly, anyhow □ **in tutta f.**, hur-

riedly.

frettàre v. t. to scrub.

frettàzza f., **frettàzzo** m. (*naut.*) scrubbing brush; scrubber.

frettolosaménte avv. hurriedly; hastily.

frettolóso a. hasty; hurried; (*fatto in fretta*) rushed, hasty: **un lavoro f.**, a rushed job; **passi frettolosi**, hurried footsteps; **un saluto f.**, a hurried greeting; *Sei troppo f.*, you're always rushing things.

freudiàno a. Freudian.

freudìsmo m. Freudianism.

friàbile a. friable; brittle; crumbly; crisp: **biscotto f.**, crisp biscuit; **neve f.**, powdery snow; **roccia f.**, friable (o brittle) rock; **terreno f.**, friable (o crumbly) soil; **torta f.**, crumbly cake.

friabilità f. friability; friableness; brittleness; crumbliness; crispness.

fricandò m. inv. (*cucina*) fricandeau* (*franc.*).

fricassèa f. (*cucina*) fricassee: **cucinare in f.** (o **fare una f. di**), to fricassee; **in f.**, fricasseed.

fricativa f. (*fon.*) fricative.

fricativo a. (*fon.*) fricative: **consonante fricativa**, fricative (consonant).

fricchettóne m. (f. **-a**) (*fam.*) freak; weirdo.

frigànea f. (*zool.*, *Phryganea*) caddis fly.

friggere **A** v. t. to fry: **f. nel burro** [nell'olio], to fry with (o in) butter [oil]; **f. con molto grasso**, to deep-fry **B** v. i. 1 to fry 2 (*sfrigolare*) to sizzle; to hiss 3 (*fig.*) to seethe; to fume: **f. di rabbia**, to seethe with rage ● (*fig.*) to send sb. to the devil □ **Va' a farti f.!**, go to hell!

friggitóre m. (f. **-trice**) 1 (*chi frigge*) fryer, frier 2 (*venditore di cibi fritti*) vendor of fried food.

friggitorìa f. fried-food shop.

friggitrice f. 1 → **friggitore** 2 (*macchina*) deep-fryer.

friggitùra f. frying.

Frìgia f. (*geogr.*, *stor.*) Phrygia.

frigidaire® (*franc.*) m. inv. → **frigorifero**.

frigidàrio m. (*archeol.*) frigidarium*.

frigidézza f. 1 coolness; frigidness 2 (*med.*) frigidity.

frigidità f. (*med.*) frigidity.

frìgido a. 1 (*lett.*) frigid; icy 2 (*med.*) frigid.

frigio **A** a. Phrygian: **berretto f.**, Phrygian cap; (*mus.*) **modo f.**, Phrygian mode **B** m. Phrygian.

frignàre v. i. to cry fretfully; to snivel; to whine; to whimper; to grizzle (*fam. GB*): *Il piccolo stava frignando*, the baby was crying fretfully; *Piantala di f.!*, stop snivelling!

frignìo m. continual whining (o whimpering).

frignóne m. (f. **-a**) whiner; sniveller; cry-baby (*fam.*).

frìgo (*fam.*) m. fridge: **f. portatile**, cool box (*GB*); cooler (*USA*); **borsa f.**, cool bag (*GB*); cooler (*USA*) (→ **frigorifero**, **B**).

frigobàr m. inv. mini-bar.

frigocongelatóre m. fridge-freezer (*GB*); refrigerator-freezer (*USA*).

frigoconservazióne f. deep-freezing.

frigorìa f. (*tecn.*) frigorie.

♦**frigorìfero** **A** a. refrigerating; refrigerant; freezing; refrigerator (attr.); refrigeration (attr.): **cella frigorifera**, refrigerator; (*per surgelamento*) freezer; **impianto f.**, refrigerating system; **magazzino f.**, cold store; **macchina frigorifera**, refrigerating engine; **miscela frigorifera**, freezing mixture; **nave frigorifera**, refrigerator ship **B**

m. 1 refrigerator; cooler (*USA*); fridge (*fam.*): **f. a due scomparti**, fridge-freezer; **mettere [tenere] qc. in f.**, to put [to keep] st. in the fridge; (*fig.*) to put [to keep] st. on ice (o in cold storage) 2 (*fig.*: *luogo freddo*) place like a freezer (o like an icebox).

frigorìfico a. frigorific; freezing.

frigorìgeno a. generating cold; refrigerating; refrigerant.

frigorìsta m. refrigerator technician.

frigoterapìa f. (*med.*) cryotherapy.

Frimàio m. (*stor. franc.*) Frimaire (*franc.*).

fringe benefit loc. m. inv. (*ingl.*, *org. az.*) fringe benefit.

fringuèllo m. (*zool.*, *Fringilla coelebs*) chaffinch.

frinìre v. i. to chirp; to chirrup.

frisàre v. t. to graze; to shave; (*biliardo*) to kiss (*a ball*).

frisàta f. (*naut.*) gunwale.

frisé (*franc.*) a. inv. frizzed.

frisèlla f. hard, thick crispbread typical of Apulia.

Frìsia f. (*geogr.*) Friesland.

frìso m. light touch; brush ● (*biliardo*) **colpire la palla di f.**, to kiss the ball.

frisóna f. Friesian (cow) (*GB*); Holstein (cow).

frisóne a. e m. 1 Frisian 2 (*razza*) Friesian, Holstein-Friesian: **cavallo f.**, Holstein horse; **vacca frisona** → **frisona**.

fritillària f. (*bot.*, *Fritillaria*) fritillary; snake's head.

fritta f. (*ceramica*) frit.

frittàta f. (*cucina*) frittata; Spanish omelette; (*omelette*) omelette: **f. di carciofi**, artichoke frittata; **fare [rivoltare] una f.**, to make [to turn] a frittata ● (*fig.*) **fare una f.**, (*rompere delle uova*) to drop (o to break) eggs; (*fare un pasticcio*) to make a mess of st.; (*una gaffe*) to put one's foot in it (*fam.*) □ **La frittata è fatta!**, the damage is done!; the fat is in the fire! □ (*fig.*) **rivoltare la f.**, to twist an argument; to equivocate.

frittèlla f. 1 fritter; (*crêpe*) pancake, flapjack (*USA*); (*crocchetta*) croquette, rissole 2 (*fam.*: *macchia d'unto*) grease stain.

frittellóne m. (f. **-a**) messy eater.

frittellóso a. grease-stained.

♦**fritto** **A** a. fried: **pesce f.**, fried fish; **patatine fritte**, chips (*GB*); French fries (*USA*) ● (*fig.*) **f. e rifritto**, trite; stale; hoary; old hat (pred.): **una barzelletta trita e rifritta**, a stale joke; *Sono cose fritte e rifritte*, it's old hat □ *Sono f.!*, I've had it!; I'm done for!; the fat is in the fire! **B** m. 1 (*cucina*) fried food; (*piatto*) fry: **f. misto**, mixed fry; fry-up (*fam. GB*); (*di pesce*) mixed fish-fry, fritto misto; **f. di gamberi**, fried prawns 2 (*anche odore di f.*) smell of frying.

frittùme m. (*spreg.*) fried stuff.

frittùra f. 1 (*il friggere*) frying 2 (*cucina*) fried food; (*piatto*) fry: **f. di pesce**, fish-fry: **f. mista**, mixed fry; fry-up (*fam. GB*).

friulàno **A** a. of Friuli; from Friuli; Friuli (attr.) **B** m. (f. **-a**) native [inhabitant] of Friuli; Friulian **C** m. (*dialetto*) Friulian.

frivoleggiàre v. i. to behave (o to speak*) frivolously.

frivolézza f. 1 frivolousness; frivolity 2 (*cosa frivola*) frivolity; frivolous word [comment, act, etc.]; trifle.

frìvolo a. 1 (*superficiale*) frivolous; flighty; shallow 2 (*di poco conto*) frivolous; trifling: **pretesto f.**, frivolous pretext.

frizionàle a. (*fis.*, *econ.*) frictional: **disoccupazione f.**, frictional unemployment.

frizionàre v. t. to rub; to massage.

frizióne f. 1 (*massaggio*) rubbing; massage; rub 2 (*attrito*) friction; (*sfregamento*)

attrition 3 (*mecc.*) clutch: **disinnestare** (o **staccare**) **la f.**, to disengage (o to let out, to release) the clutch; to declutch; **innestare** (o **inserire**) **la f.**, to engage (o to let in) the clutch; **togliere il piede dalla f.**, to take one's foot off the clutch; **disco della f.**, clutch plate; **pedale della f.**, clutch pedal 4 (*fig.*) conflict; friction.

frizzànte **A** a. 1 (*di bevanda*) fizzy; sparkling; effervescent: **acqua** [**vino**] **f.**, sparkling water [wine]; **bevanda f.**, fizzy drink 2 (*dell'aria*) crisp; bracing 3 (*fig.*: *vivace*) sparkling, bubbly; (*arguto*) witty; (*mordace*) pointed, biting, caustic **B** m. sparkle: **perdere il f.**, to lose sparkle.

frizzantìno **A** a. 1 pleasantly fizzy 2 crisp; bracing **B** m. 1 fizziness; fizz 2 (*vino*) sparkling wine; fizz.

frizzàre v. i. 1 (*di bevanda*) to fizz; to effervesce; to sparkle 2 (*bruciare a fior di pelle*) to sting* 3 (*fig.*) to sting*; to bite*; to be caustic.

frìzzo m. quip; witticism; jibe, gibe.

fròcio m. (*region.*, *spreg.*) fairy; poof (*GB*); faggot (*USA*).

frodàre v. t. to deceive; to cheat; to swindle; to defraud (*anche leg.*): **f. q. di qc.** (o **qc. a q.**), to cheat sb. out of st.; **f. l'erario**, to defraud the revenue.

frodatóre m. (f. **-trice**) cheat; swindler; defrauder; fraudster.

fròde f. fraud (*anche leg.*); deceit; cheat; swindle: **f. alimentare**, food adulteration; **f. elettorale**, vote-rigging; **f. fiscale**, tax fraud; **f. informatica**, computer fraud; **carpire qc. con la f.**, to get st. by fraud; **commettere una f.**, to commit fraud; **condannato per f.**, convicted of fraud; **perpetrare una f. ai danni di q.**, to carry out a fraud on sb.

fròdo m. smuggling; contraband: **introdurre di f.**, to smuggle in; **merce di f.**, smuggled goods; contraband; **cacciare [pescare] di f.**, to poach; **caccia [pesca] di f.**, poaching; **cacciatore [pescatore] di f.**, poacher.

froebeliàno a. Froebelian.

frògia f. (horse's) nostril.

frollaménto m. → **frollatura**.

frollàre **A** v. t. to hang* (until high); to become* high **B** v. i., **frollàrsi** v. i. pron. to become* high.

frollatùra f. process of getting high; hanging.

frollìno m. piece of shortbread; (al pl., collett.) shortbread U.

fròllo a. soft; tender; (*di selvaggina*) high ● (*cucina*) **pasta frolla** → **pastafrolla**.

fròmbola f. (*lett.*) sling.

frombolàre v. t. (*lett.*) to sling*.

frombolière m. 1 (*mil. stor.*) slingsman*; slinger 2 (*calcio*) striker.

frónda① f. 1 (*frasca*) leafy branch 2 (al pl.) (*fogliame*) foliage U 3 (*bot.*) frond.

frónda② f. 1 (*stor. franc.*) Fronde 2 (*estens.*, *polit.*) opposing faction; political opposition: **f. parlamentare**, parliamentary opposition; **vento di f.**, spirit of opposition; rebellion; (*fig.*) *Tira vento di f.*, there is rebellion in the air.

frondeggiànte a. (*lett.*) leafy; verdant.

frondeggiàre v. i. (*lett.*) to put* forth leaves; to be leafy (o green, verdant).

frondìsta m. e f. 1 (*stor. franc.*) Frondeur (*franc.*) 2 (*polit.*) opponent; rebel.

frondosità f. 1 leafiness 2 (*fig.*) ornateness; turgidity.

frondóso a. 1 leafy 2 (*fig.*) ornate; over-decorated; turgid.

front inter. (*mil.*) – **Dietro f.!**, about-turn!; about-face! (*USA*); **Fronte a destr, f.!**, right

turn!

frontàle① a. **1** (*anat.*) frontal: **lobo f.**, frontal lobe; **osso f.**, frontal bone **2** frontal; head-on; (*di nudo*) full-frontal: **attacco f.**, frontal attack; **nudo f.**, full-frontal nude; **scontro f.**, (*autom.*) head-on collision; (*calcio*) clash of heads; (*fig.*) head-on clash **3** (*fon.*) front (attr.).

frontàle② m. **1** (*di caminetto*) ornamental mantelpiece **2** (*parte della briglia*) front **3** (*stor.*: *ornamento della fronte*) frontal; frontlet.

frontalière m. (f. **-a**) cross-border worker; cross-border commuter.

frontalièro a. (*di frontiera*) frontier (attr.), border (attr.); (*che passa la frontiera*) cross-border (attr.).

frontalino m. (*archit.*, *di scalino*) riser.

frontalità f. (*arte*) frontality.

frontalménte avv. frontally; head-on: **scontrarsi f.**, to collide head-on.

♦**frónte** A f. **1** forehead; brow: **f. alta [bassa, ampia]**, high [low, broad] forehead (*o* brow); *Fu colpito in f.*, he was hit on the forehead; **asciugarsi la f.**, to wipe one's forehead; **aggrottare (*o* corrugare) la f.**, to frown; **abbassare la f.**, to lower one's head; to bend one's brows (*lett.*); **col sudore della f.**, by the sweat of one's brow **2** (*faccia*) face; (*testa*) head: *Glielo si legge in f.*, you can see it in his face; it's written all over him; **a f. alta**, with one's head held high **3** (*di edificio*) front; façade, facade **4** (*di libro*) front page **5** (*di animale*) forehead; frontlet **6** (*poesia*) opening section (of a canzone *or* stanza) ● **f. a f.**, face to face □ (*mil.*) **F. a destr!**, right turn! □ (*mil.*) **F. a sinistr!**, left turn! □ (*ind. min.*) **f. del carbone**, coalface □ (*geol.*) **f. del ghiacciaio**, glacier front □ **f. del porto**, waterfront □ **a f.**, facing: *I due eserciti stavano a f.*, the two armies were drawn up facing each other □ **f. e retro**, back and front: **fotocopia f. e retro**, back-and-front copy □ **a f. di**, with respect to; (*comm.*) against □ **di f.**, (*dirimpetto*) opposite: **la casa di f.**, the house opposite □ **di f. a**, (*dirimpetto*) opposite, facing; (*in presenza di*) in front of, faced with, confronted by (*o* with); (*in confronto a*) in comparison with, compared to: **la casa di f. al municipio**, the house opposite (*o* facing) the Town Hall; **mettere q. di f. a**, to confront sb. with st.; **stare di f. a**, to face; to be in front of; *Mi trovai di f. a una scena ridicola*, I was confronted by a ludicrous scene; **trovarsi di f. a gravi problemi**, to be confronted with serious problems; *Questo è niente di f. a quello che accadde dopo*, this is nothing compared to what happened after □ (*naut.*) **linea di f.**, line abreast □ **mettere a f. due cose**, to compare two things □ **mettere (*o* porre) a f. il testimone e l'imputato**, to confront the witness and the accused □ **traduzione con testo a f.**, translation with parallel text B m. **1** (*mil.*) front: **f. interno**, home front; **andare al f.**, to go to the front **2** (*allineamento, coalizione*) front: **f. di liberazione nazionale**, national liberation front; **f. diplomatico [economico, popolare]**, diplomatic [economic, popular] front; **cambiamento di f.**, change of front **3** (*meteor.*) front: **f. freddo [caldo]**, cold [warm] front; **f. polare**, polar front ● **far f. al nemico**, to face (*o* to stand up) to the enemy □ **far f. alle spese**, to meet the expenses □ **far f. a una serie di domande**, to field a series of questions □ **tenere f. a q.**, to stand up to sb.

fronteggiàre A v. t. **1** to face up to; to stand* up to; to meet* with; to cope with; to withstand*: **f. una difficoltà**, to meet (*o* to cope) with a difficulty; **f. un pericolo**, to face up to danger **2** (*stare di fronte a*) to face; to be opposite to: *L'albergo fronteggia il mare*,

the hotel faces the sea B **fronteggiàrsi** v. rifl. recipr. to face each other.

frontespìzio m. **1** (*archit.*) frontispiece; pediment **2** (*di libro*) title page.

frontièra f. **1** (*confine di Stato*) frontier; border: **passare la f.**, to cross the frontier (*o* the border); **incidente di f.**, border incident; **linea di f.**, borderline; **valico di f.**, border post **2** (*demarcazione*) borderline; boundary **3** (*fig.*) frontier; bound: **le frontiere della scienza**, the frontiers of science; **non conoscere frontiere**, to know no bounds.

frontino m. toupee.

frontìsmo m. (*polit. stor.*) tendency to form political left-wing fronts.

frontispìzio → **frontespizio**.

frontìsta m. e f. **1** (*leg.*) frontager **2** (*polit.*) supporter of a political front.

frontóne m. **1** (*archit.*) pediment; gable **2** (*tipogr.*) headpiece.

frónzolo m. frill; frippery; doodah; doodad (*USA*); (*gingillo*) bauble, gewgaw, trinket: **pieno di fronzoli**, frilly; fussy; **senza fronzoli**, without frills; simply (avv.); plainly (avv.); no-frills (attr.); simple (agg.); plain (agg.); *Glielo dissi senza tanti fronzoli*, I told him bluntly (*o* without mincing my words); **la verità senza tanti fronzoli**, the plain, unvarnished truth.

fronzùto a. leafy; bushy.

frosóne m. (*zool.*, *Coccothraustes vulgaris*) hawfinch; grosbeak.

fròtta f. crowd; swarm; troop; flock: **una f. di ragazzini**, a crowd of schoolchildren; **a frotte**, in flocks; in swarms; **arrivare a frotte**, to flock in.

frottage (*franc.*) m. inv. (*arte*) rubbing; frottage.

fròttola f. **1** (*bugia*) fib; lie; (*storia inventata*) story, (idle) tale: *Sono tutte frottole*, it's all lies; *Non raccontare frottole!*, don't lie! *Frottole!*, nonsense! **2** (*mus.*) frottola*.

fruènte A a. benefiting B m. e f. beneficiary.

fru fru, frufrù A inter. frou-frou B m. **1** (*fruscio*) frou-frou; rustle; rustling **2** (*agitazione*) flurry; fluster; bustle **3** (*fronzolo*) frill; frou-frou **4** (*ninnolo*) knick-knack; trinket; bauble C a. frou-frou; frilly.

frugacchiàre v. i. to rummage about.

frugàle a. **1** frugal; abstemious **2** (*parsimonioso*) thrifty; saving.

frugalità f. **1** frugality; abstemiousness **2** (*parsimonia*) thrift.

frugàre A v. i. (*rovistare*) to search; to rummage; to ferret about; to fumble; to root about: **f. in un cassetto**, to rummage (*o* to ferret about) in a drawer; **f. nella memoria**, to search one's memory; to root through one's memory; **f. tra i rifiuti in cerca di cibo**, to scavenge for food; (*di animale*) **f. col muso**, to nose about; to root about; **frugarsi in tasca**, to fumble (*o* to rummage) in one's pocket; to search one's pocket; *Qualcuno ha frugato nella mia borsa*, someone has been at my handbag; *I ladri hanno frugato dappertutto*, the burglars ransacked the whole place B v. t. (*esaminare*) to search; to go* through (*da cima a fondo*) to ransack; (*perquisire*) to search, (*una persona*, anche) to frisk: **f. tutta la casa**, to ransack the whole house; *Mi frugarono alla ricerca di armi*, I was searched (*o* frisked) for weapons.

frugàta f. rummage; quick search.

frugìfero a. (*lett.*) fruit-bearing.

frugìvoro a. (*zool.*) frugivorous ● **animale f.**, frugivore.

frugolàre v. i. **1** (*frugare*) to rummage **2** (*grufolare*) to root; to grub.

frùgolo m. (f. **-a**) lively child*; little imp.

fruìbile a. usable.

fruìre v. i. to enjoy the use of; to benefit from; to have: **f. di una pensione**, to have a pension; *Non possiamo f. di questo vantaggio*, we cannot benefit from this advantage.

fruitìvo a. fruitive.

fruitóre m. (f. **-trice**) user; beneficiary; consumer.

fruizióne f. fruition; use; enjoyment.

frullàre A v. t. to blend, to liquidize; (*uova, ecc.*) to whisk B v. i. **1** (*girare rapidamente*) to whirl; to spin* round **2** (*di ali*) to flutter; to whirr ● **Cosa gli frulla in capo?**, what's going on in his head? □ **Secondo come gli frulla**, according to his mood; as his whim takes him.

frullàto m. (*cucina*) shake: **f. di latte**, milk shake.

frullatóre m. blender; mixer; liquidizer: **f. a immersione**, hand-held mixer.

frullìno m. **1** (*cucina*) whisk; beater; (*elettrico*) blender **2** (*zool.*, *Limnocryptes minimus*) jack snipe.

frullìo m. whirr; whirring; flutter; fluttering.

frùllo m. flutter; whirr ● (*caccia*) **tirare a f.**, to shoot on the rise.

frullóne m. (*buratto*) bolter.

frumentàceo a. wheat (attr.); frumentaceous.

frumentàrio a. grain (attr.); wheat (attr.); cereal (attr.): **mercato f.**, grain market; (*naut. stor.*) **nave frumentaria**, grain carrier.

fruménto m. (*bot.*, *Triticum vulgare*) wheat.

frumentóne m. (*bot.*, *Zea mays*) maize; Indian corn.

frusciàre v. i. to rustle; to swish.

♦**fruscìo** m. **1** rustle; rustling; swish; swishing **2** (*di radio, giradischi, ecc.*) hiss; scratchy sound; crackle.

frùscolo m. dead twig.

frusóne → **frosone**.

frùsta f. **1** whip; (*sferza*) lash: **far schioccare la f.**, to crack the whip; **colpo di f.**, lash; stroke of the whip; **condannare a venti colpi di f.**, to sentence to twenty lashes **2** (*fig.*: *disciplina*) rod: **usare la f.**, to use the rod **3** (*cucina*) whisk; beater **4** (*med.*) – **colpo di f.**, whiplash (injury).

frustàre v. t. **1** to whip; (*sferzare*) to flog: **f. un cavallo**, to whip a horse; **f. un prigioniero**, to flog a prisoner; **f. q. a sangue**, to whip sb. till he bleeds **2** (*fig.*: *criticare*) to lash; to scourge; to lambaste **3** (*region.*: *logorare*) to wear* out.

frustàta f. **1** lash; stroke of the whip: **condannare a trenta frustate**, to sentence to thirty lashes **2** (*fig.*: *critica*) lash; whiplash **3** (*fig.*: *stimolo*) rush; burst: **f. di energia**, burst of energy.

frustìno m. riding whip; hunting crop.

frùsto a. **1** shabby; threadbare; worn **2** (*fig.*) stale; trite; hackneyed; tired: **una storiella frusta**, a stale joke.

frùstolo m. bit; scrap; fragment; crumb.

frustrànte a. frustrating.

frustràre v. t. **1** (*rendere vano*) to frustrate; to baffle; to thwart: **f. i piani del nemico**, to frustrate (*o* to baffle) the enemy's plans **2** (*psic.*) to frustrate.

frustràto A a. **1** (*reso vano*) frustrated; thwarted **2** (*psic.*) frustrated B m. (f. **-a**) (*psic.*) frustrated person.

frustrazióne f. (*anche psic.*) frustration.

frutescènte → **fruticoso**.

frùtice m. (*bot.*) frutex*; shrub.

fruticóso a. (*bot.*) fruticose; shrubby.

♦**frùtta** f. sing. collett. fruit Ⓤ: **f. fresca**

[**acerba, matura, conservata**], fresh [sour, ripe, preserved] fruit; **f. candita**, candied fruit; **f. cotta**, stewed fruit; compote; **f. di stagione**, fruit in season; **f. secca**, dried fruit; (*noci, ecc.*) nuts (pl.); **f. sciroppata**, fruit in syrup; preserved fruit; **posate da f.**, fruit knife and fork ● **essere alla f.**, to be at the end of the meal; (*fig. iron.*) to have reached (*o* hit) rock bottom.

fruttaiòlo → **fruttivendolo**.

fruttàre A v. i. 1 (*agric.*) to yield; to bear* fruit 2 (*econ.*) to return a profit; to pay*: *Il negozio comincia a f.*, the shop is beginning to pay; **fare f. un capitale**, to invest capital B v. t. 1 (*econ.*) to yield; to bring* in; to fetch: *L'investimento ora frutta il 10%*, the investment now yields 10% interest; *L'affare mi fruttò qualche milione di euro*, the deal brought me in a few million euros; *Vendere la casa frutterà un bel po' di soldi*, selling the house will fetch a tidy sum 2 (*procurare*) to win*; to bring*; to earn*: *L'invenzione gli fruttò grandi onori*, the invention brought him great honours.

fruttariàno A m. (f. *-a*) fruitarian B a. fruit-only (attr.): **dieta fruttariana**, fruit-only diet.

fruttàto ① m. 1 (*agric.*) yield 2 (*econ.*) profit.

fruttàto ② a. (*enologia*) fruity.

fruttescènza → **infruttescenza**.

fruttéto m. orchard.

fruttìcolo a. fruit (attr.): **mercato f.**, fruit market.

frutticoltóre m. (f. *-trice*) fruit grower; fruit farmer.

frutticoltùra f. fruit-growing; fruit-farming.

Fruttidòro m. (*stor. franc.*) Fructidor (*franc.*).

fruttièra f. fruit dish; fruit bowl.

fruttìfero a. 1 (*agric.*) fruit-bearing; fruitful; (*estens.*: *fertile*) fruitful, fertile, rich: **albero f.**, fruit-bearing tree 2 (*econ.*) profitable; remunerative; (*fin.*) interest-bearing: **buoni fruttiferi**, interest-bearing securities; **investimento f.**, profitable investment 3 (*utile*) useful; profitable.

fruttificàre v. i. to bear* fruit (*anche fig.*); to fructify.

fruttificazióne f. (*bot.*) fructification.

fruttìno m. 1 (*marmellata*) square of jam 2 (*caramella*) fruit drop; fruit jelly 3 (*succo di frutta*) fruit-juice pack.

fruttivéndolo m. (f. *-a*) 1 greengrocer; fruiterer 2 (*negozio*) greengrocer's.

fruttìvoro → **frugivoro**.

♦**frùtto** m. 1 (*prodotto della terra*) fruit; produce Ⓤ 2 (*bot.*, *agric.*) fruit: **i frutti del sorbo**, the fruits of the rowan tree; **frutti di bosco**, soft fruit Ⓤ; **cogliere un f. dall'albero**, to pick a fruit from the tree; (*a tavola*) *Vuoi un f.?*, would you like some fruit?; would you like an apple, a pear, or something?; **dare frutti**, to bear (*o* to yield) fruit; **albero da f.**, fruit tree 3 (*fig.*: *effetto, risultato*) fruit (*o* fruits); result (*o* results): **il f. delle mie fatiche**, the fruits of my labours; **vivere dei frutti del proprio lavoro**, to live on the fruits of one's work; *Hai voluto così, ed eccone i frutti*, that's what you wanted, and this is the result; **dare buoni frutti**, to bear fruit; **dare scarso f.**, to yield very little; **senza f.**, fruitlessly; without any result 4 (*econ.*: *interesse*) interest Ⓤ; (*reddito*) income; (*rendita*) revenue: *Queste azioni danno un f. del 6%*, these shares yield 6% interest; **mettere a f.**, to put to interest ● (*fig.*) **f. dell'amore**, fruit of love; illegitimate child □ (*Bibbia e fig.*) **f. proibito**, forbidden fruit □ **un f. della fantasia**, a figment of one's imagination □ **frutti di mare**, shellfish Ⓤ; seafood Ⓤ □

[*fig.*) **mettere a f. qc.**, to make use of st.; to put st. to good use □ **trarre f. da un'esperienza**, to profit from an experience □ (*prov.*) **Dal f. si conosce l'albero**, a tree is known by its fruit □ (*prov.*) **Ogni f. vuole la sua stagione**, everything in its own season.

fruttòsio m. (*chim.*) fructose.

fruttuosità f. 1 fruitfulness 2 (*fig.*) advantageousness; profitableness; lucrativeness.

fruttuóso a. 1 fruitful 2 (*fig.*) advantageous; profitable; lucrative.

FS sigla (**Ferrovie dello Stato**) (*ora* **FS Trenitalia**) Italian Railways.

FSE sigla (**Fondo sociale europeo**) European Social Fund.

f.t. sigla (**fuori testo**) plate.

ftalàto m. (*chim.*) phthalate.

ftaleìna f. (*chim.*) phthalein.

ftàlico a. (*chim.*) phthalic.

ftiriàsi f. (*med.*) phthiriasis; pediculosis.

f.to abbr. (**firmato**) signed.

fu ① 3ª pers. sing. pass. rem. di **essere**.

fu ② a. late: **il fu Paolo Bianchi**, the late Paolo Bianchi ● (*bur.*) **Gino Neri fu Luigi**, Gino Neri, son of the late Luigi Neri; (*leg.*) Gino Neri son of Luigi Neri, deceased.

F.U. sigla (*med.*, **Farmacopea ufficiale**) Official Pharmacopoeia.

FUCI sigla (**Federazione universitaria cattolica italiana**) Association of Italian Catholic University Students.

fucilàre v. t. to execute (by firing squad); to shoot*.

fucilàta f. 1 gunshot; (*di carabina*) rifle shot: **ucciso da una f.**, killed by a shot; shot dead; *Si udirono due fucilate*, two gunshots were heard 2 (*calcio*) powerful shot.

fucilazióne f. execution (by firing squad); shooting: **f. in massa**, mass shooting; **il giorno della sua f.**, the day of his execution (*o* in which he was going to be shot); **condannare q. alla f.**, to sentence sb. to be shot.

♦**fucile** m. 1 shotgun; (*carabina*) rifle: **f. a canne mozze**, sawn-off shotgun; **f. a canne affiancate**, side-by-side; **f. a canne sovrapposte**, over-and-under; **f. a due canne**, double-barrelled gun; **f. a pompa**, pump-action shotgun; pump (*USA*); **f. ad aria compressa**, air-rifle; (*giocattolo*) popgun; **f. ad avancarica**, muzzle-loader; **f. a pietra focaia**, flintlock; **f. a retrocarica**, breech-loader; **f. a ripetizione**, repeating rifle; repeater; **f. automatico**, automatic rifle; **f. da caccia**, sporting gun; hunting rifle; **f. mitragliatore**, sub-machine gun; **f. subacqueo**, spear gun; **caricare un f.**, to load a gun; **a tiro di f.**, within gunshot; **calcio del f.**, butt; stock; **canna del f.**, gunbarrel; **colpo di f.**, gunshot; shot 2 (*fig.*: *tiratore*) shot; marksman*.

fucilerìa f. fusillade.

fucilièra f. gun rack; rifle rack.

fucilière m. (*mil.*) rifleman*; (*stor.*) fusilier.

fucìna f. 1 forge; smithy: **la f. di Vulcano**, Vulcan's forge 2 (*fig.*) breeding ground; hothouse; (*spreg.*) hotbed: **una f. di scienziati**, a breeding ground of scientists; **una f. di artisti**, a hothouse of artists.

fucinàre v. t. (*metall.*) to forge: **f. alla pressa**, to press-forge; **f. entro stampi**, to drop-forge.

fucinatóre m. (*metall.*) forger.

fucinatrice f. (*metall.*) forging machine.

fucinatùra f. (*metall.*) forging: **f. alla pressa** press-forging; **f. a stampo**, drop-forging.

fùco ① m. (*zool.*) drone.

fùco ② m. (*bot.*, *Fucus*) fucus*; tang; kelp.

fùcsia A f. (*bot.*, *Fuchsia*) fuchsia B m. e a. inv. (*anche* **color f.**) fuchsia.

fucsìna f. (*chim.*) fuchsine; rosaniline.

fuegino a. e m. (f. *-a*) Fuegian.

fuétto m. (*ipp.*) riding whip.

♦**fùga** f. 1 (*da un pericolo*) flight; (*da un luogo chiuso, da una situazione costrittiva*) escape; (*dopo un colpo criminale*) getaway; (*evasione*) escape, break, breakout; (*di due innamorati*) elopement: **f. d'amore**, elopement; **f. da un campo di prigionia**, escape from a prison camp; **f. dalla realtà**, escape from reality; (*econ.*) **f. di capitali**, flight of capital; **f. di prigione**, escape from prison; break from jail; breakout; **f. in Egitto**, the Flight into Egypt; **f. precipitosa**, precipitous flight; **cercare scampo nella f.**, to seek safety in flight; **darsi alla f.** (*o* **prendere la f.**), to take flight; to flee; to make one's escape; to make one's getaway; **mettere in f. il nemico**, to put the enemy to flight; **in f.**, in flight; on the run; **piano di f.**, escape plan; **tentativo di f.**, escape attempt 2 (*fuoriuscita*) leak; leakage; escape: **f. di gas**, escape of gas; gas leak; **f. di notizie**, leak (of news); **f. di vapori tossici**, leak of toxic vapours 3 (*mus.*) fugue 4 (*serie, successione*) series; suite; flight; enfilade: **una f. di colonne**, a flight of columns; **una f. di stanze**, a suite (*o* an enfilade) of rooms 5 (*ciclismo*) sprint; spurt; break: **andare in f.**, to sprint ahead; to make a break ● **f. dei cervelli**, brain drain □ (*astron.*) **f. delle galassie**, recession of the galaxies □ **di f.** (*brevemente*), fleetingly □ (*pitt.*) **punto di f.**, vanishing point □ (*fis.*) **velocità di f.**, escape velocity.

fugàce a. 1 fleeting; fugitive; transient; transitory; short-lived; fugacious (*lett.*): **apparizione f.**, fleeting apparition; **l'attimo f.**, the fleeting moment; **gioia f.**, short-lived joy 2 (*bot.*) fugacious.

fugaceménte avv. fleetingly; briefly; transiently.

fugacità f. fleetingness; transitoriness; transience; fugacity (*lett.*).

fugàre v. t. 1 (*lett.*: *mettere in fuga*) to put* to flight 2 (*disperdere*) to disperse; to drive* away; to scatter: *Il vento fugò le nuvole*, the wind dispersed (*o* scattered) the clouds 3 (*scacciare*) to dispel; to drive* away; to chase away: **f. i sospetti**, to dispel suspicions; **f. i tristi pensieri**, to drive away sad thoughts.

fugàto m. (*mus.*) fugato.

fuggènte a. fleeting; fugitive: **l'attimo f.**, the fleeting moment.

fuggévole a. fleeting; transient; transitory; short-lived.

fuggevolézza f. fleetingness; transience; transiency; transitoriness.

fuggiàsco A a. fugitive; runaway; fleeing; in flight (pred.); on the run (pred.): **andare f.**, to flee; to be on the run B m. (f. *-a*) fugitive; runaway; (*esule*) exile.

fuggifùggi m. stampede; scramble; rush: *Ci fu un f. generale*, there was a general stampede; *Nel f. ci perdemmo di vista*, we lost sight of each other in the mad scramble to get away.

♦**fuggire** A v. i. 1 (*scappare*) to flee* (st.); to run* away (*o* off); to fly*; to get* away; to take* to flight; to bolt; (*da un luogo chiuso, da una situazione costrittiva*) to escape; to make* one's escape; (*dopo un colpo criminale*) to make* one's getaway; (*evadere*) to escape; to break* out (of); (*di due innamorati*) to elope: **f. da un paese**, to flee a country; **f. di casa**, to run away from home; **f. di casa per sposarsi**, to elope; **f. di prigione [da un campo di prigionia]**, to escape from (*o* to break out of) jail [a prison camp]; **f. con la cassa**, to abscond with the money; *È fuggita una tigre dallo zoo*, a tiger escaped from the zoo; *Riuscimmo a f. appena in tempo*, we man-

aged to get away in time **2** (*rifugiarsi*) to flee*: **f. all'estero**, to flee abroad; **f. nei boschi** [**sui monti**], to flee (*o* to take) to the woods [to the mountains] **3** (*scorrere velocemente*) to fly: *Come fugge il tempo!*, how time flies! **4** (*tenersi lontano da*) to avoid (sb., st.); to shun (sb., st.): **f. dalle tentazioni**, to avoid temptation **5** (*ciclismo*) to make a break ● (*naut.*) **f. davanti alla tempesta**, to run (*o* to scud) before a gale **B** v. t. (*rifuggirda*) to avoid; to shun; to eschew: **f. un pericolo**, to avoid a danger; **f. la violenza**, to eschew violence.

fuggitivo a. e m. (f. **-a**) fugitive; runaway.

fùi 1ª pers. sing. pass. rem. di **essere**.

fùlcro m. **1** (*mecc.*) fulcrum* **2** (*fig.*) heart; hub; keystone; kingpin: **il f. della questione**, the heart of the matter.

fulgènte a. shining; splendid; brilliant; radiant; resplendent; refulgent (*lett.*).

fùlgere v. i. (*lett.*) to shine*; to glitter; to flash; to radiate.

fulgidézza f. brilliance, brilliancy; radiance; radiancy.

fùlgido a. shining; bright; glittering; dazzling; resplendent; radiant: **f. esempio**, shining example; **una gemma fulgida**, a glittering gem; **stella fulgida**, shining (*o* bright) star.

fulgóre m. splendour; brightness; brilliance; radiance.

fulìggine f. **1** soot: **coperto di f.**, covered in soot; sooty; **nero come la f.**, as black as soot **2** (*bot.*) blight; smut.

fuligginóso a. sooty; covered in soot.

full (*ingl.*) m. inv. (*poker*) full house.

full contact (*ingl.*) m. inv. (*sport*) full-contact karate.

fullerène m. (*chim.*) fullerene.

full immersion (*ingl.*) loc. f. inv. **1** (*metodo di apprendimento di una lingua straniera*) immersion (*spec. USA*) **2** (*estens.*) – **fare una full immersion in qc.**, to bury oneself in st.; to throw oneself into st.

full optional (*ingl.*) loc. a. inv. (*di automobile, ecc.*) with all the options.

full-time (*ingl.*) **A** loc. agg. inv. e avv. full--time: **un lavoro full-time**, a full-time job; **lavorare full-time**, to work full-time **B** loc. m. inv. full-time work; full-time employment: **fare il full-time**, to work full-time.

fulmicotóne m. guncotton ● (*fig.*) **partenza al f.**, flying start □ (*sport*) **tiro al f.**, powerful shot.

fulminànte A a. **1** fulminating: **polvere f.**, fulminating powder **2** (*fig.*) withering: **occhiata f.**, withering glance **3** (*med.*) fulminating; fulminant: **infezione f.**, fulminating infection **B** m. (*capsula f.*) primer; percussion cap.

fulminàre A v. t. **1** (*colpire col fulmine*) to strike* with lightning; (*al passivo*) to be struck by lightning **2** (*estens.*: *uccidere*) to strike* down; to strike* dead; (*con scarica elettrica*) to electrocute; (*con arma da fuoco*) to shoot* dead: *Che Dio mi fulmini se non è la verità*, may God strike me dead if this is not the truth; *Una malattia infettiva lo ha fulminato*, he was struck down by an infectious disease; *Una scarica lo fulminò*, he was electrocuted **3** (*fig.*: *con lo sguardo*) to wither; to annihilate: **f. q. con un'occhiata**, to wither sb. with a glance; to give sb. a withering look **B** v. i. impers. – *Tuonò e fulminò tutta notte*, there was thunder and lightning all through the night **C fulminarsi** v. i. pron. (*fam.*, *di lampadina*) to burn* out; (*di resistenza*) to blow*; (*di apparecchio*) to blow*, to go* phut (GB): *La lampadina si è fulminata*, the bulb has burnt out; *Si è fulminata la tele*, the TV's gone phut.

fulminàto ① a. **1** (*colpito dal fulmine*)

struck by lightning **2** (*ucciso*) struck down; struck dead; (*da arma da fuoco*) shot dead; (*da scarica elettrica*) electrocuted **3** (*fig.*: *attonito*) struck dumb; dumbfounded: *La notizia mi lasciò f.*, I was struck dumb by (*o* dumbfounded at) the news **4** (*fam.*, *di lampadina*) burnt out; (*di apparecchio*) kaput, bust (GB).

fulminàto ② m. (*chim.*) fulminate.

fulminatóre A m. (f. **-trìce**) thunderer; fulminator (*fig.*) **B** a. thundering; fulminating (*fig.*).

fulminazióne f. **1** (*med.*) electrocution **2** (*fig.*) fulmination.

♦**fùlmine** m. **1** (*lampo*) lightning ⏍; (*il singolo lampo*) flash of lightning, thunderbolt (*lett.*): *Un f. colpì la quercia*, the oak was struck by lightning; *Ho visto un f.*, I saw a flash of lightning; **i fulmini di Zeus**, Zeus' thunderbolts **2** (*fig.*) fulmination; anathema: **scagliare fulmini contro la corruzione**, to fulminate against corruption ● (*fig.*) **un f. a ciel sereno**, a bolt from the blue □ **come un f.** (*velocemente*), at lightning speed; like a shot □ **correre come un f.**, to race (*fig.*) □ **colpo di f.**, love at first sight □ **Sei stato un f.!**, you were quick! □ **veloce come un f.**, as quick as lightning.

fulmineità f. lightning speed.

fulmìneo a. **1** (*rapido*) instant; split-second (attr.); lightning (attr.); as quick as a flash (pred.): **carriera fulminea**, meteoric career; **decisione fulminea**, instant (*o* split--second) decision; **mossa fulminea**, lightning move; **successo f.**, instant success; **velocità fulminea**, lightning speed; *La sua risposta fu fulminea*, his answer came as quick as a flash; *È stata una cosa fulminea*, it all happened in a flash **2** (*lett.*, *di sguardo*) withering.

fulmìnico a. (*chim.*) fulminic: **acido f.**, fulminic acid.

fùlvo a. tawny; fawn-coloured: **la criniera fulva del leone**, a lion's tawny (*o* fawn-coloured) mane.

fumàcchio m. **1** (*legno*) smoky log; (*carbone*) smoky lump of charcoal **2** (*fumo*) wisp of smoke; trail of smoke **3** (*geol.*) fumarole.

fumàggine f. (*bot.*) sooty mould.

fumaiòlo m. **1** (*di nave*, *di locomotiva*) funnel; smokestack **2** (*ciminiera*) smokestack.

fumàna f. (*nebbiolina*) mist; haze.

fumànte a. **1** (*che emette fumo*) smoking: **pistola f.**, smoking gun **2** (*che esala vapore*) fuming; (*che esala vapore acqueo*) steaming; (*estens.*: *bollente*) steaming hot: **caffè f.**, steaming hot coffee; **un f. piatto di spaghetti**, a steaming plate of spaghetti.

♦**fumàre A** v. i. **1** (*emettere fumo*) to smoke: *Il fuoco fuma, apri la finestra*, the fire is smoking, open the window **2** (*esalare vapore*) to fume; (*esalare vapore acqueo*) to steam ● (*fig.*) **f. di rabbia**, to seethe with rage; to be fuming □ *Mi fuma la testa!*, I can't think (straight) **B** v. t. to smoke: *Grazie, non fumo*, I don't smoke, thank you; **f. come un turco**, to smoke like a chimney; **f. oppio**, to smoke opium; **f. la pipa**, to smoke a pipe; **f. una sigaretta dietro l'altra**, to chain--smoke; to be a chain-smoker; **smettere di f.**, to give up smoking; **vietato f.**, no smoking.

fumària f. (*bot.*, *Fumaria officinalis*) fumitory.

fumàrio a. smoke (attr.): **canna fumaria**, flue.

fumaròla f. (*geol.*) fumarole.

fumàta f. **1** puff of smoke; (*segnale di fumo*) smoke signal: **f. bianca** [**nera**], (*in un conclave*) white [black] smoke signal; (*fig.*) positive [negative] result; *F. nera per la scelta del nuovo direttore generale*, no decision yet about a new general director **2** (*il fuma-*

re tabacco) smoke: **fare una f.**, to have a smoke; *Mi godevo la mia f. del dopocena*, I was enjoying my after-dinner smoke.

fumàto a. (*fam.*) stoned; zonked.

fumatóre m. (f. **-trice**) smoker: **f. accanito**, heavy smoker; chain-smoker; **sala per fumatori**, smoking room; (*ferr.*) **scompartimento per fumatori**, smoker.

fumé (*franc.*) a. inv. (*color fumo*) smoke--grey; (*di lenti*) smoked.

fumeggiàre v. i. to smoke.

fumerìa f. (*anche* **f. d'oppio**) opium den.

fumetterìa f. comic shop (GB); comic bookstore (USA).

fumettìsta m. e f. **1** comic-strip writer **2** (*spreg.*: *scrittore da poco*) hack writer.

fumettìstica f. comic strips (pl.); comics (pl.) (USA).

fumettìstico a. **1** comic-strip (attr.); comics (attr.); strip (attr.) **2** (*spreg.*) stereotyped; banal; corny.

fumétto ① m. **1** (*liquore d'anice*) anisette **2** (*cucina*) fumet.

♦**fumétto** ② m. **1** (*nuvoletta*) balloon; bubble **2** (*striscia*) comic strip; strip cartoon (GB); (al pl., *su giornale*) comics (pl.), funnies (pl. USA); (*rivista a fumetti*) comic, comic book (USA): **un popolare f. americano**, a popular American comic strip; **f. poliziesco**, comic-strip detective story; *Legge solo fumetti*, she only reads comics; **storia a fumetti**, comic-strip story; **la pagina dei fumetti**, the comics, the funnies (USA); **disegnatore di fumetti**, comic-strip artist; **personaggio dei fumetti**, comic-strip character; **romanzo a fumetti**, graphic novel **3** (*spreg.*) → **fumettone**.

fumettóne m. (*spreg.*) cheap melodrama; soap opera; (*romanzo*) cheap romance, potboiler.

fùmido a. (*lett.*) **1** (*fumante*) smoking; (*di vapore*) steaming **2** (*fumoso*) smoky.

fumigàre A v. t. to fumigate **B** v. i. **1** (*emettere fumo*) to smoke **2** (*emettere vapore*) to fume; to give* off fumes; (*emettere vapore acqueo*) to steam.

fumigatóre m. (*agric.*) fumigator.

fumigatòrio a. (*agric.*) fumigation (attr.): **sostanza fumigatoria**, fumigant.

fumigazióne f. **1** (*anche med.*, *agric.*) fumigation **2** (*alim.*) smoking.

fumìsta m. **1** (*riparatore*) stove repairer; boilerman* **2** (*installatore*) heating contractor; heating engineer.

fumisterìa f. verbiage ⏍; wind ⏍; hot air ⏍; flannel ⏍ (GB).

fumìstico a. windy; full of hot air (pred.).

fumivoro a. smoke-consuming.

fùmmo 1ª pers. pl. pass. rem. di **essere**.

♦**fùmo** m. **1** (*di combustione*) smoke: **f. di legna**, wood smoke; **f. denso** [**soffocante**], dense [suffocating] smoke; *Il caminetto fa f.*, the fireplace is smoking; (*di cibo*) **sapere di f.**, to taste of smoke; **colonna di f.**, column of smoke; **coltre di f.**, pall of smoke; **un filo di f.**, a wisp of smoke; **nuvola di f.**, cloud of smoke; **segnali di f.**, smoke signals **2** (*vapore*, *esalazione*) fume; (*vapore acqueo*) steam: **il f. della pentola**, the steam from the pot; **i fumi del vino**, the fumes of wine **3** (*il fumare tabacco*) smoking: **f. passivo**, passive smoking; *La disturba il f.?*, do you mind if I smoke; do you mind my smoking? (*più form.*); **avere il vizio del f.**, to be an inveterate smoker; **spendere molto in f.**, to spend a lot of money on cigarettes [cigars, etc.]; **fare anelli di f.**, to blow smoke rings; **malattia da f.**, smoke-related illness; **sala da f.**, smoking room; **tabacco da f.**, smoking tobacco **4** (*fig.*: *vana apparenza*) show; (*parole vuote*) wind, hot air **5** (*fig.*: *boria*) (ostentatious) vanity; conceit: **un uomo pie-**

no di f., a man full of conceit; a puffed-up man **6** (*gergo della droga*: *hashish*) hashish, hash; (*marijuana*) marijuana, grass, pot, (*spinello*) joint ● **i fumi dell'ira**, the fumes of anger □ **f. di Londra** (*colore*), dark grey □ **i fumi di una sbornia**, a hangover (sing.) □ (*fig.*) **andare in f.**, (*fallire*) to go up in smoke, to come to nothing; (*svanire*) to vanish, to melt away: *Tutto il progetto è andato in f.*, the whole plan has gone up in smoke; *Tutte le loro speranze sono andate in f.*, all their hopes have vanished □ (*fig.*) **gettare f. negli occhi di q.**, to pull the wool over sb.'s eyes □ **mandare in f.**, to shatter; to dash ■ **molto f. e poco arrosto**, all show and no substance; a lot of hot air ● **essere in preda ai fumi dell'alcol**, to be under the influence (of drink) □ **vedere q. come il f. negli occhi**, to hate the sight of sb. □ **vendere f. a q.**, (*essere un parolaio*) to be full of hot air; (*imbrogliare*) to cheat sb., to swindle sb. ● **venditore di f.**, (*parolaio*) windbag, hot-air merchant; (*imbroglione*) impostor, fraud, swindler, con-man □ (*prov.*) **Non c'è f. senza arrosto** (*o fuoco*), there is no smoke without fire; where there's smoke there's fire.

fumògeno Ⓐ a. smoke-producing; smoke (attr.): **candelotto f.**, smoke bomb; (*mil.*) **cortina fumogena**, smokescreen Ⓑ m. smoke-producer.

fumoir (*franc.*) m. inv. smoking room; (*di teatro*) foyer.

fumoṣerìa f. **1** (*fig.*: *oscurità*) obscurity; abstrusery; (*vaghezza*) vagueness, haziness, woolliness **2** (*discorsi vaghi*) vague words (pl.); verbiage Ⓤ; waffle Ⓤ.

fumosità f. **1** smokiness **2** (*fig.*: *oscurità*) obscurity; (*vaghezza*) vagueness, haziness, woolliness.

fumóṣo a. **1** smoky **2** (*fig.*: *oscuro*) obscure, abstruse; (*vago*) vague, hazy, woolly, fuzzy **3** (*fig. lett.*: *borioso*) haughty.

fùmus persecutiònis (*lat.*) loc. m. (*leg.*) judges' prejudice against sb.; determination to persecute.

funàio, funaiòlo m. **1** (*fabbricante*) rope maker **2** (*venditore*) rope seller.

funambolèsco a. **1** (*di funambolo*) funambulist's (attr.); tightrope (attr.) **2** (*fig.*) acrobatic.

funambolìṣmo m. **1** tightrope walking; high-wire walking **2** (*fig.*) time-serving.

funàmbolo m. (f. **-a**) **1** tightrope walker; high-wire walker; funambulist **2** (*fig.*) time-server.

fùne f. **1** rope; (*cavo*) cable; (*in opera, anche*) line: (*mecc.*) **f. di acciaio**, steel-wire rope; **f. di ascensore**, lift cable; **f. di canapa**, hemp rope; (*naut.*) **f. di ormeggio**, mooring line; **f. di rimorchio**, tow-line; **f. di traino**, tow-rope; **f. di trazione**, pull (*o* traction) rope; **f. metallica**, wire rope; (*di funivia*) **f. portante**, suspension (*o* supporting) cable; (*di funivia*) **f. traente**, haulage cable; **capo della f.**, end of the rope; **trasmissione a f.**, rope drive **2** (*ginnastica*) rope ● **anello di f.**, grummet, grommet □ (*sport*) **tiro alla f.**, tug-of-war.

fùnebre a. **1** funeral (attr.): **corteo f.**, funeral procession; **onoranze funebri**, funeral honours; **orazione f.**, funeral oration; **ufficio f.**, funeral service; **marcia f.**, funeral (*o* dead) march **2** (*lugubre*) funereal; mournful; gloomy: **immagini funebri**, funereal images; **avere l'aria f.**, to look gloomy ● **annuncio f.**, death notice □ **canto f.**, dirge; lament □ **carro f.**, hearse □ **pompe funebri**, funeral home; funeral parlor (*USA*) □ **monumento f.**, tomb □ **veglia f.**, wake.

◆**funeràle** m. funeral; funeral service (*o* ceremony); obsequies (pl.): *Domani si farà il f.*, the funeral service will take place to-

morrow; *Passa un f.*, a funeral procession is passing; **funerali di Stato**, state funeral ● (*fig.*) **da f.**, lugubrious; cheerless □ (*fig.*) **avere una faccia da f.**, to have a long face; to look gloomy □ *La festa fu un vero f.*, the party was as dull as ditchwater.

funeràrio a. funerary; funeral: **iscrizione funeraria**, inscription on a gravestone; epitaph; **urna funeraria**, funeral urn.

funèreo a. funereal; mournful; gloomy.

funeṣtàre v. t. **1** (*addolorare*) to afflict; to sadden: *Un incidente funestò la festa*, the party was saddened by an accident **2** (*colpire*) to hit*; (*danneggiare*) to ravage: *La regione fu funestata da un incendio*, the region was ravaged by fire.

funèṣto a. (*mortale*) deadly, fatal; (*nefasto*) evil, baleful; (*disastroso*) ruinous, disastrous; (*doloroso*) woeful, sad: **errore f.**, fatal mistake; **disastrosa mistake**; **influsso f.**, baleful influence; **notizie funeste**, sad news; **preṣagio f.**, evil omen; *Fu un giorno f.*, that was an evil day (*o* a day of woe).

fungàia f., **fungaio** m. **1** mushroom bed **2** (*fig. spreg.*) swarm.

fùngere v. i. **1** (*di persona*) to act (as); to exercise the office (of): **f. da presidente**, to act as chairman **2** (*di cosa*) to serve (as); to do* service (as); to function (as): *Una cassetta della frutta fungeva da tavolino*, a fruit crate did service (*o* served) as a table.

funghéto m. mushroom bed.

funghétto m. inv. (*cucina*) – **al f.**, diced and sauté with oil, garlic and parsley.

funghìcolo a. mushroom-growing (attr.).

funghicoltóre m. (f. **-trice**) mushroom grower.

funghicoltùra f. mushroom-growing.

funghìre v. i. (*ammuffire*) to grow* mouldy; to mildew.

fungìbile a. (*econ., leg.*) fungible.

fungibilità f. (*econ., leg.*) fungibility.

fungicìda m. fungicide.

fungino a. fungus (attr.); fungal: **malattia fungina**, fungal disease.

◆**fùngo** m. **1** (*bot.*) mushroom; fungus* (*scient.*); (*a cappella larga, generalm. velenoso*) toadstool: **f. coltivato**, cultivated mushroom; **f. mangereccio** (*o* **edule**), (edible) mushroom; **f. velenoso**, poisonous mushroom; toadstool; **funghi secchi**, dried mushrooms; **andare a** (*o* **per**) **funghi**, to go mushrooming; **raccogliere funghi**, to pick mushrooms; **coltivatore di funghi**, mushroom grower **2** (*med.*) fungus*; fungal infection: **malattia da f.**, fungal disease ● **f. atomico**, mushroom cloud □ **a forma di f.**, mushroom, mushroom-shaped □ **crescere** (*o* **spuntare, venire su**) **come i funghi**, to sprout like mushrooms; to mushroom: *In quella zona le case vengono su come i funghi*, houses are mushrooming in that district.

fungosità f. (*med.*) fungosity.

fungóṣo a. **1** (*a forma di fungo*) mushroom, mushroom-shaped; fungous **2** (*med.*) fungous; fungal; fungoid **3** (*ammuffito*) mouldy.

funicèlla f. cord; string.

funicolàre f. cable railway; (*con due vagoni controbilanciati*) funicular (railway) ● **f. aerea**, aereal funicular □ **vagone di f.**, cable car.

funìcolo m. **1** strand (*of a rope*) **2** (*anat.*) funiculus*; funicle: **f. ombelicale**, funiculus umbilicalis; umbilical cord; **f. spermatico**, funiculus spermaticus; spermatic cord **3** (*bot.*) funicle; funiculus*.

funivìa f. cableway; ropeway.

funiviàrio a. cableway (attr.).

funtóre m. (*mat.*) functor.

funzionàle a. **1** functional: **architettura**

f., functional architecture; **problemi funzionali**, functional problems **2** (*pratico*) functional; practical; serviceable; sensible; utilitarian; (*facile da usare*) practical, handy, user-friendly: **abiti funzionali**, practical clothes; **appartamento f.**, functional flat; **mobili funzionali**, functional (*o* utilitarian) furniture Ⓤ; **poco f.**, not very practical; not user-friendly; unwieldy **3** (*med., mat.*) functional **4** (*ling.*) function (attr.); **parola f.**, function word; functor.

funzionaliṣmo m. functionalism.

funzionalista m. e f. functionalist.

funzionalìstico a. functionalist.

funzionalità f. functionality; functional character; practicality.

funzionalizzàre v. t. (*semplificare, snellire*) to streamline.

◆**funzionaménto** m. functioning; working; running; operation: **il f. di una macchina**, the working of a machine; **il perfetto f. di un'organizzazione**, the perfect running of an organization; **cattivo f.**, malfunctioning; **impedire il f. di qc.**, to prevent st. from functioning (*o* from working); **difetto di f.**, malfunction; malfunctioning Ⓤ; operational defect; **istruzioni sul f.**, operating instructions; *Spiegami il f. di questo affare*, explain to me how this thing works.

funzionànte a. **1** (*in funzione*) working; running; operative; in operation; operational **2** (*che funziona bene*) in working order ● **non f.**, (*non in funzione*) not working; (*guasto*) out of order.

◆**funzionàre** v. i. **1** (*di macchina, ecc.*) to work, to operate; (*di motore, anche*) to run*: **f. a benzina**, to run on petrol; **f. a elettricità**, to be powered by electricity; to be electrically operated; **f. a gasolio**, to burn oil; to be oil-fired; **f. a mano**, to be hand-operated; **f. male**, to malfunction; *Come funziona?*, how does it work?; how is it operated?; **far f. qc.**, to operate st.; to work st.; (*una macchina che si è inceppata*) to make st. work, to start st.; **non f.**, not to work; (*per guasto*) to be out of order; *Come mai non funziona?*, why is it not working? **2** (*di cosa astratta*) to work: *È un sistema che funziona sempre*, it's a method that always works; **non f.**, to be wrong; not to work; *In questo ufficio non funzionano molte cose*, several things are wrong in this office; *C'è qualcosa che non funziona qui*, there's something wrong here; **f. a meraviglia**, to work like a charm; to work a treat (*fam. GB*); **far f. qc.**, to make st. work **3** (*servire da*) to serve (as), to function (as); (*fare funzione di*) to act (as).

funzionàrio m. (f. **-a**) official; officer; functionary; (*dirigente*) executive: **f. di banca**, bank executive; **f. di partito**, party official; party functionary; **f. di polizia**, police officer; **f. statale**, state official; government official; (*in GB*) civil servant; **alto f.**, high (*o* senior) official.

◆**funzióne** f. **1** (*attività*) function; (*ruolo*) role; (*scopo*) purpose: **la f. del cuore**, the function of the heart; **la f. dell'istruzione**, the function of education; **f. consultiva**, advisory role (*o* capacity); **f. puramente estetica**, purely ornamental purpose; **f. sociale**, social function; **funzioni vitali**, vital functions; **servire a una f.**, to serve a purpose **2** (*ufficio, mansioni*) function, capacity; (*carica*) office; (*posizione*) position; (*dovere*) duty: *Che funzioni ha?*, what is his function?; what are his duties?; **avere funzioni direttive**, to have a managerial position; **nelle mie funzioni di**, in my capacity as; *Sono qui in f. di osservatore*, I am here as an observer; **esercitare le funzioni di**, to act as; **nell'esercizio delle proprie funzioni**, while carrying out one's duties **3** (*eccles.*) service; ceremony **4** (*ling.*) function: **un nome con f.**

fuochista | fuoriporta 1865

di attributo, a noun with the function of (*o* functioning as) an attribute **5** (*mat., chim., comput., econ.*) function: **f. di costo**, cost function ● (*polit.*) **f. pubblica**, civil service ◻ **entrare in f.**, to come into operation (*o* into effect); (*di allarme, ecc.*) to go off; (*di legge, ecc.*) to become operative; to come into force ◻ (*di macchina e sim.*) **essere in f.**, to be working; to be running; to be operative; to be in operation; to be operational ◻ **in f. di**, as a function of; (*che dipende da*) depending on, based on; (*in relazione a*) in terms of; (*per*) for, towards, with a view to, with (st.) in mind: *I prezzi sono in f. del costo dei materiali*, prices are based on the cost of materials; **vivere in f. di qc.**, to live for st. ◻ **facente f.**, acting (attr.) ◻ **fare le funzioni di q.**, to act for sb.; to be sb.'s deputy ◻ **mettere in f.**, to activate; to operate; to start ◻ (*comput.*) **tasto di f.**, function key.

fuochìsta m. **1** (*naut.*) stoker **2** (*di locomotiva*) fireman*; stoker.

♦**fuòco** m. **1** fire; (*fiamma*) flame; (*falò*) fire, bonfire: **f. di accampamento**, campfire; **f. di legna**, wood fire; **f. vivo**, bright fire; **accendere** [**spegnere**] **il f.**, to light [to put out] the fire; **alimentare il f.**, to feed (*o* to stoke) the fire; **andare a f.**, (*essere in preda al f.*) to be on fire; (*essere distrutto dal f.*) to burn down; **appiccare il f.** (*o* **dare f.**) **a qc.**, to set fire to st.; to set st. on fire; to ignite; **attizzare il f.**, to poke (*o* to stir up) the fire; **fare un f.**, to make a fire; **prendere f.**, to catch fire; to ignite; (*incendiarsi*) to burst into flames; (*fig.*) to flare up; **scaldarsi al f.**, to warm oneself by the fire; (*anche fig.*) **scherzare col f.**, to play with fire; *Al f.!*, fire! fire!; **la scoperta del f.**, the discovery of fire **2** (*spari*) fire: **f. di artiglieria**, artillery fire; shellfire; **f. di fila**, running fire; **f. di fucileria**, gunfire; **f. di sbarramento**, barrage; **f. incrociato**, cross-fire; **aprire** [**cessare**] **il f.**, to open [to cease] fire; **fare f.**, to fire; **ordinare il f.**, to give the order to fire; **rispondere al f. di q.**, to return sb.'s fire; **essere sotto il f.**, to be under fire; **F.!**, fire!; **il cessate il f.**, ceasefire; **linea del f.**, firing line **3** (*focolare*) fire, hearth; (*caminetto*) fireside: **sedere accanto al f.**, to sit by the fire **4** (*fornello di cucina*) ring; burner: **accendere il f.**, to turn on the gas; **mettere una pentola sul f.**, to put on a saucepan; **togliere la pentola dal f.**, to take the saucepan off the ring; *La minestra è sul f.*, the soup is cooking **5** (*mat., fis., fotogr.*) focus*: **f. fisso**, fixed focus; **i fuochi di un'ellisse**, the foci of an ellipse; **a f.**, in focus; **mettere a f.**, to focus; to bring into focus; (*una diapositiva*) to adjust the focus (of), to sharpen up; **messa a f.**, (*azione*) focusing; (*dispositivo*) focus; **non a f.** (*o* **fuori f.**), out of focus **6** (*fig.: ardore*) fire; ardour; passion: **il f. della giovinezza**, youthful ardour; **il sacro f.**, poetic inspiration; (*scherz.*) enthusiasm, ardour, zeal; **un discorso di f.**, a passionate (*o* fiery) speech; **senza f.**, lacklustre **7** (*naut.: segnale*) light; (al pl., *delle caldaie*) fires: **attizzare i fuochi**, to stoke the fires ● **un f. di fila di domande**, a barrage of question; rapid-fire questions (pl.): *Mi investirono con un f. di fila di domande*, they started firing questions at me ◻ (*fig.*) **f. di paglia**, flash in the pan; nine days' wonder ◻ (*med. pop.*) **f. di Sant'Antonio** (*o* **f. sacro**), shingles (pl.) ◻ (*naut.*) **f. di Sant'Elmo**, St Elmo's fire ◻ **f. fatuo**, will-o'-the-wisp; ignis fatuus; (*fig.*) nine days' wonder ◻ (*mil. stor.*) **f. greco**, Greek fire ◻ (*naut.*) **f. indicatore** (*di siluro*), indicator flare ◻ **f. sacro** → **f. di Sant'Antonio** ◻ **fuochi artificiali** (*o* **d'artificio**), fireworks ◻ **a prova di f.**, fireproof ◻ **arma da f.**, firearm ◻ **bollato a f.**, branded ◻ (*fig.*) **buttarsi nel f. per q.**, to go through fire and water for sb. ◻ **carro di f.**, fiery chariot ◻ **Scusi, ha del f.?**, do you have a light (*o* a match), please? ◻ **cuocere a f. lento**, to cook on a low flame; to simmer ◻ **cuocere a f. vivo**, to cook on a high flame ◻ (*fig.*) **dare f. alle polveri**, to start hostilities ◻ (*fig.*) **diventare di f.**, to flush crimson ◻ (*fig.*) **far f. e fiamme**, (*fare di tutto*) to move heaven and earth; (*scaldarsi*) to fly into a passion ◻ **ferro da f.**, fire-iron ◻ (*nei giochi infantili*) **Fuochino... fuocherello.... fuocone!**, you're getting warm... warmer... hot... hotter! ◻ (*fig.*) **Il f. covava sotto la cenere**, the matter (the trouble, etc.) lay smouldering ◻ **Il piccolo ha la fronte di f.**, the child's forehead is burning ◻ **marchiare a f.**, to brand ◻ **mettere a f. un problema**, to define a problem; to pinpoint an issue ◻ **mettere a f. una situazione**, to get a clear idea of a situation ◻ **Metterei la mano sul f. per lui**, I can answer for him utterly ◻ **Ci metterei la mano sul f.**, I'd bet my life on it ◻ **occhi di f.**, blazing eyes ◻ **occhiata di f.**, angry (*o* glaring) look ◻ **parole di f.**, fiery words; (*indignate*) scathing words ◻ (*fig.*) **prendere f.**, to lose one's temper; to flare up; to fly into a passion ◻ **prova del f.**, (*stor.*) ordeal by fire; (*fig.*) crucial test ◻ **scontro a f.**, gunfight; shooting; shoot-out (*fam.*) ◻ (*fig.*) **soffiare sul f.**, to fan the flames ◻ (*fig.*) **tra due fuochi**, between two fires ◻ **preso tra due fuochi**, caught in the crossfire ◻ (*fig.*) **versare acqua sul f.**, to pour oil on troubled waters ◻ (*fig.*) **versare benzina sul f.**, to add fuel to the flames.

fuorché cong. e prep. except; but; save; apart: **tutti i giorni f. la domenica**, every day except Sunday; **dappertutto f. in cucina**, everywhere except in the kitchen; **tutti f. mio fratello**, everybody except (*o* but, save) my brother; *Mi ricordai di tutto f. telefonarle*, I remembered everything except to phone her.

♦**fuòri** **A** avv. **1** out; (*all'esterno*) outside; (*all'aperto*) outdoors, out of doors; (*esternamente*) outwardly; (*verso l'esterno*) outwards; (*via, lontano*) away: **là** [**qui**] **f.**, out there [here]; *È in casa o f.?*, is she in or out?; *F. fa molto freddo*, it's very cold outside; *Il malato dovrebbe star f. il più possibile*, the patient should stay out of doors as much as possible; *F. rimase calmo, ma sapevo che era preoccupato*, outwardly he remained calm, but I knew he was worried; *Starò f. una settimana*, I'll be away for one week; **andare** [**buttare**] **f.**, to go [to throw] out; **aspettare f.**, to wait outside; **guardare f.**, to look outside; **lasciare f.**, (*all'esterno*) to leave outside; (*omettere*) to leave out; **mangiare f.**, (*al ristorante*) to eat out; (*in giardino*) to eat outside; **venire f.**, to come out; to come outside **2** (*all'estero*) abroad: **notizie da f.**, news from abroad; **in Italia e f.**, in Italy and abroad ● **F.!**, get out! ◻ **F. i soldi!**, let's see your money! ◻ (*teatr.*) **F. l'autore!**, Author! ◻ **F. le prove!**, let's see the evidence! ◻ **f. di testa**, off one's head ◻ **con gli occhi di f.**, with one's eyes popping out ◻ (*fam.*) **dare f. di matto**, to blow one's top; to flip one's lid ◻ **O dentro o f.!**, in or out!; (*fig.*) make up your mind! ◻ **essere f.** (*di prigione*), to be out ◻ **Siamo f. di diecimila euro**, we're ten thousand euros out ◻ **Per fortuna che ne siamo f.**, thank God we're out of it ◻ **fare f.** → **fare** ◻ **gente di f.**, strangers; foreigners ◻ **in f.**, out: **essere in f.** (*sporgere*), to stick out; to jut out; **spingere in f.**, to push out; *Braccia in f.!*, arms out to the side!; **denti in f.**, protruding teeth; buck teeth; **occhi in f.**, bulging eyes **B** prep. (*anche* **f. di, f. da**) **1** out of; (*all'esterno*) outside; (*via da*) away from, off: **f. della finestra**, out of the window; **f. della porta**, outside the door; (*sport*) **fuori dal campo**, off the pitch; *È f. casa*, he's out; **vivere f. casa**, to live away from home; **f. centro**, off-centre; **f. pericolo**, out of danger; **f. posto**, out of place; **f. scena**, off stage; off; **f. servizio**, (*mil.* e *fig.*) out of commission; (*non funzionante*) out of order; (*di persona*) off duty; **f. portata**, out of range **2** – **f. di** (*o* **che**) (*eccetto*), except; but; *Nessuno lo sa f. di te*, nobody knows except (*o* but) you ● (*boxe*) **f. combattimento** → **fuori combattimento**, loc. m. ◻ **f. commercio**, not for sale; (*di libro*) privately printed ◻ **f. concorso**, not competing; hors (de) concours (*franc.*) ◻ **F. dai piedi!**, get lost!; scram! (*slang*) ◻ (*fig.*) **f. del seminato**, beside the point ◻ **f. di sé dalla rabbia** [**dalla gioia**], beside oneself with rage [with joy] ◻ **f. luogo**, out of place; uncalled for ◻ **f. misura**, outsize ◻ **f. programma**, unscheduled; (*imprevisto*) unexpected, unforeseen; → **fuoriprogramma** ◻ (*naut.*) **f. tutto**, overall ◻ **essere f. strada**, to be on the wrong road; (*fig.*) to be on the wrong track, to bark up the wrong tree ◻ **Il risultato è f. discussione**, there is no doubt as to the result **C** m. (*anche* **di f.**) outside: **il di f. della casa**, the outside of the house; **chiuso dal di f.**, locked from the outside; **vedere le cose dal di f.**, to see things from the outside.

fuoribórdo (*naut.*) **A** m. inv. **1** (*motore*) outboard (motor) **2** (*barca*) outboard (boat) **3** (*superficie emersa*) overside **B** a. inv. outboard (attr.) **C** avv. overboard; over the side; overside: **gettare qc. f.**, to throw st. overboard (*o* over the side).

fuoribórsa m. inv. (*Borsa*) over-the-counter market; street market: **le contrattazioni del f.**, street dealings.

fuoribùsta **A** m. inv. unofficial payment; off-the-books payment; undeclared earning **B** a. inv. not in the pay-packet; unofficial; off the books; undeclared.

fuoricàmpo **A** m. inv. **1** (*cinem.: voce*) off-screen voice; voice off, (*che commenta*) voice-over; (*suono*) off-screen sound **2** (*sport: baseball*) home run **B** a. inv. (*cinem., TV*) off-screen; off-camera: **dialogo f.**, off-camera dialogue; **voce f.** → **A**, *def 1*.

fuoriclàsse **A** a. outstanding; superlative; first-rate; ace (attr., *fam.*) **B** m. e f. inv. champion: **un f. dello sci**, a ski champion; an ace skier (*fam.*).

fuòri combattiménto **A** loc. m. inv. (*boxe*) knockout; KO: **fuori combattimento tecnico**, technical knockout; **vincere per fuori combattimento**, to win by a knockout **B** avv. out of action: **mettere fuori combattimento**, to put out of action **C** a. inv. (*stremato*) exhausted.

fuoricórso **A** a. inv. **1** (*filatelia, numism.*) no longer in circulation **2** – **studente f.**, university student who has failed to complete his course within the prescribed time **B** m. e f. → **A**, *def. 2*.

fuorigiòco (*sport*) **A** m. inv. offside position: **in f.**, offside **B** avv. offside.

fuorilégge **A** m. e f. inv. outlaw; bandit **B** a. illegal; unlawful: **discarica f.**, illegal waste dump; **dichiarare f.**, to declare illegal; to ban; **mettere f.**, to ban; to outlaw.

fuorimàno **A** avv. out of the way; off the beaten track **B** a. out-of-the-way; isolated; remote.

fuorimiṣùra **A** a. inv. **1** (*troppo grande*) too big; (*troppo piccolo*) too small; (*troppo lungo*) too long; (*troppo corto*) too short **2** (*esagerato*) excessive; (*smodato*) immoderate **B** avv. excessively; to excess; immoderately.

fuorimòda a. inv. outmoded; dated, old-fashioned.

fuoripàsto **A** avv. between meals **B** m. inv. snack.

fuoripìsta m. inv. (*sci*) off-piste skiing.

fuoripòrta avv. e a. inv. outside the city walls; outside the town: **gita f.**, trip into the country just outside the town; outing.

a b c d e f g h i j k l m n o p q r s t u v w x y z

fuoriprogràmma m. inv. **1** unscheduled event; unscheduled item; (*aggiunta*) extra, addition **2** (*imprevisto*) unexpected event; surprise; (*sgradito*) hitch.

fuorisàcco **A** m. inv. special delivery **B** avv. sent by special delivery.

fuoriscàlmo m. inv. (*canottaggio*) outrigger.

fuorisède m. e f. inv. person who is not permanently resident in the town where he [she] works [is a student, etc.].

fuorisèrie **A** a. inv. **1** custom-built **2** (*fig. fam.*) outstanding; fantastic; super (*fam.*); top-notch (*fam.*) **B** f. inv. (*autom.*) custom-built car **C** m. e f. inv. (*fig. fam.*) champion; star; ace (attr.) (*fam.*).

fuoristràda **A** m. inv. **1** (*veicolo*) off-road (*o* all-terrain) vehicle **2** (*sport*) off-roading **B** a. off-road (attr.); all-terrain (attr.).

fuoristradista m. e f. off-roader.

fuoritùtto avv. e a. inv. overall: **lunghezza f.**, overall length.

fuoriuscìre, fuoruscìre v. i. to come* out; (*per perdita*) to leak; (*sgorgare*) to pour out.

fuoriuscìta, fuoruscìta f. (*di gas*) discharge, emission, escape; (*di liquido*) discharge, (*lenta*) oozing, (*per perdita*) leakage, leak, (*versamento*) spillage.

fuoriuscitìsmo m. (*polit.*) opposition abroad.

fuoriuscìto m. (f. -**a**) political exile; (*profugo*) political refugee.

fuoruscìre e deriv. → **fuoriuscìre**, e deriv.

fuorviànte a. misleading; deceptive.

fuorvìare v. t. **1** (*portare fuori strada*) to lead* astray; to misdirect **2** (*fig.: mettere su falsa strada*) to mislead*; to lead* astray **3** (*traviare*) to lead* astray.

furàno m. (*chim.*) furan.

furbacchióne, furbàstro m. (f. -**a**) (*fam.*) sly one; sly devil; sly dog; crafty devil; (*iron.*) smart aleck (m.), wise guy (m., slang).

furbàta f. (*fam.*) clever trick; dodge.

furberìa f. **1** astuteness; shrewdness; cunning; slyness; craftiness **2** (*azione da furbo*) clever trick; ruse; dodge.

furbésco a. cunning; sly ● **lingua furbesca**, thieves' cant.

furbétto **A** a. sly; crafty; cunning **B** m. (*spec. iron., spreg.*) clever (*o* smart) one; smart aleck.

furbìzia → **furberia**.

◆**fùrbo** **A** a. (*in gamba*) clever, smart, sharp; (*scaltro*) astute, shrewd, (*più negativi*) cunning, wily, crafty, sly; (*malizioso*) knowing: **una mossa furba**, a clever (*o* smart, crafty) move; **occhi furbi**, sharp eyes; **un ragazzino f.**, a smart little kid; **sorriso f.**, knowing smile; **f. come una volpe**, as cunning as a fox; **farsi f.**, to wake up; to wise up **B** m. (f. -**a**) clever one; (*iron.*) smart aleck (m.) ● **un f. matricolato** (*o di tre cotte*), a wily old fox; a cunning old devil □ (*iron.*) **Bravo f.!**, very clever! □ **fare il f.**, to try to be clever (*o* smart); to try to outsmart (*o* to outmanoeuvre) sb.; (*imbrogliare*) to fool sb., to trick sb.: *Non credere di poter fare il f. con me!*, don't try to be clever with me!; don't think you can fool me!

furènte a. furious; livid; mad (*fam.*): *Era f. per il ritardo*, he was furious at the delay; *Papà sarà f. con te*, dad will be furious with you (*o* mad at you).

furerìa f. (*mil.*) orderly office.

furétto m. (*zool., Mustela furo*) ferret.

furfantàggine → **furfanteria**.

furfante m. scoundrel; rogue; rascal: **f. matricolato**, out-and-out scoundrel; **una banda di furfanti**, a bunch of scoundrels.

furfanterìa f. **1** roguery **2** (*azione*) rascally trick; mischief ℗: **commettere ogni sorta di furfanterie**, to be up to all kinds of mischief.

furfantésco a. scoundrelly; roguish; rascally.

furfantìno a. – **lingua furfantina**, thieves' cant.

furfurìlico a. (*chim.*) furfuryl (attr.).

furfuròlo m. (*chim.*) furfural; furfuraldehyde.

furgonàto a. (*autom.*) with a covered body.

furgoncìno m. delivery van; light van; (*con cassa aperta*) pickup (truck).

◆**furgóne** m. van; truck: **f. blindato**, security van; **f. cellulare → cellulare**; **f. per consegne**, delivery van: delivery truck (*USA*); **f. per traslochi**, furniture (*o* removal) van; **f. postale**, mail van.

furgonìsta m. van driver.

◆**fùria** f. **1** (*ira*) fury; rage; anger: **andare su tutte le furie**, to fly into a rage; to hit the roof (*fam.*); **mandare q. su tutte le furie**, to infuriate sb; to get sb.'s blood up **2** (*veemenza*) fury; frenzy; heat; (*violenza*) violence, wrath: **la f. del vento**, the fury of the wind; **la f. del mare**, the sea's wrath **3** (*grande fretta*) tearing hurry; haste; rush: *Nella f. dimenticai le chiavi*, in my haste I forgot my keys; **nella f. della partenza**, in the last-minute rush; **di f.**, hastily; **in fretta e f. → fretta 4** (*fig.: persona collerica*) fury: *La donna sembrava una f.*, the woman looked like a fury **5** (pl.) (*mitol.*) – **le Furie**, the Furies ● **a f. di**, by dint of: **a f. di insistere**, by dint of insisting; *A f. di chiedere, l'ho ottenuto*, I asked and asked and in the end I got it.

furibóndo a. **1** (*in collera*) furious; incensed; livid; fuming; hopping mad (*fam.*) **2** (*violento*) furious; desperate; violent.

furiére m. (*mil.*) quartermaster.

◆**furióso** **A** a. **1** (*in collera*) furious; mad (*fam.*): *Era f. col fratello*, he was furious with (*o* mad at) his brother; *La sconfitta lo rese f.*, the defeat made him furious (*o* infuriated him) **2** (*violento*) furious; violent; raging: **furiosa discussione**, violent argument; **mare f.**, stormy sea; **un vento f.**, a violent wind ● **È pazzo f.**, he is raving mad **B** m. (f. -**a**) raving lunatic; violent maniac.

furlàna f. (*danza e musica*) furlana*.

fùrono 3ª pers. pl. pass. rem. di **essere**.

furóre m. **1** (*ira*) fury; rage: **in preda al f.**, seized with fury **2** (*violenza*) fury; violence: **il f. della piena**, the fury of the flood **3** (*veemenza, passione*) frenzy; heat: **sacro** (*o poetico*) **f.**, poetic frenzy; (*estens.*) enthusiastic zeal ● **scelto a furor di popolo**, chosen by popular acclaim □ **rimosso a furor di popolo**, removed on the wave of public outcry □ **far f. → furoreggiare**.

furoreggiàre v. i. to be (all) the rage; to be the latest craze; (*di lavoro teatrale, ecc.*) to be a hit.

furtivamént e avv. furtively; stealthily; by stealth; secretly: **muoversi f.**, to move stealthily; **entrare [uscire] f.**, to steal in [out]; to creep in [out]; **avvicinarsi f. a q.**, to creep up on sb.

furtìvo a. **1** furtive; surreptitious; stealthy; sneak: **sorriso f.**, furtive smile; **un sorso f. di whisky**, a surreptitious sip of whisky; **passi furtivi**, stealthy steps; **dare un'occhiata furtiva a qc.**, to steal (*o* to sneak) a quick look at st. **2** (*leg.*) stolen: **merce di provenienza furtiva**, stolen goods.

fùrto m. theft; (*il reato*) theft ℗, larceny ℗, stealing ℗: **f. a mano armata**, hold-up; **f. con scasso**, burglary; housebreaking; **f. d'auto**, car theft; **f. di bestiame**, cattle lifting; rustling (*USA*); **piccolo f.** (*reato*) petty theft; pilferage ℗; petty larceny; **commettere un f.**, to commit a theft; to steal; *È finito in prigione per f.*, he's been sent to prison for stealing; **assicurazione contro il f.**, insurance against theft ● **f. letterario**, plagiarism □ **È un vero f.!**, it's a rip-off!; it's sheer daylight robbery!

fùsa f. pl. – **fare le f.**, to purr.

fusàggine f. (*bot., Evonymus europaeus*) spindle-tree.

fusaiòla, fusaròla f. (*archit.*) fusarole.

fusàta f. spindleful.

fuscèllo m. (*ramoscello*) twig; (*di paglia*) straw ● (*scherz.*) **Sei un f.!**, you do look slim! □ **leggero come un f.**, as light as a feather □ **magro come un f.**, very slim; very thin.

fusciàcca f. sash.

fuseaux (*franc.*) m. pl. leggings.

fusellàto a. fusiform; spindle-shaped.

fusèllo m. **1** (*mecc.*) spindle; journal **2** (*per merletti*) bobbin **3** (*tipogr.*) ornamental rule.

fuṣelòl, fuṣelòlo m. fusel-oil.

fuṣìbile **A** a. meltable; fusible: **lega f.**, fusible alloy; **metallo f.**, fusible metal; **valvola f.**, fusible plug **B** m. (*elettr.*) fuse: *È saltato un f.*, a fuse has blown.

fuṣibilità f. (*metall.*) fusibility.

fuṣièra f. (*ind. tess.*) spindle holder.

fuṣifórme a. spindle-shaped; fusiform.

fuṣióne f. **1** (*fis.*) fusion; melting: **la f. del bronzo**, the fusion of bronze; **la f. della cera**, the melting of wax; **f. del nocciolo**, core meltdown; **f. nucleare**, nuclear fusion; **bomba a f.**, fusion bomb; **punto di f.**, melting point **2** (*per estrarre un metallo*) smelting **3** (*in una forma*) founding; casting: **la f. di una statua**, the casting of a statue **4** (*elettr.*) blowout **5** (*fig.*) fusion; merging; blending; blend; (*armonia*) harmony, accord: **f. di popoli [di tradizioni]**, fusion of peoples [of traditions] **6** (*di organizzazioni*) merger; (*leg., econ., anche*) amalgamation, consolidation: **f. di banche**, bank amalgamation; **la f. di due partiti**, the merge of two parties; **f. di società**, merger; company amalgamation ● (*econ., org. az.*) **fusioni e acquisizioni**, mergers and acquisitions (abbr. **M&A**).

fuṣionìsmo m. (*polit.*) fusionism.

fuṣionista m. e f. (*polit.*) fusionist.

fùṣo① a. **1** (*a temperatura elevata*) molten; smelted; cast: **piombo [vetro] f.**, molten lead [glass] **2** (*sciolto*) melted: **cioccolato f.**, melted chocolate; **formaggio f.**, melted cheese **3** (*fam.: esausto*) exhausted; whacked (*fam.*); knackered (*slang GB*); pooped (*fam. USA*) **4** (*gergo della droga*) stoned; spaced out; zonked out.

fùṣo② m. **1** (*ind. tess.* e *mecc.*) spindle **2** (*geom.*) lune **3** (*naut., di ancora*) shank **4** (*archit., di colonna*) shaft **5** (*geogr.*) – **f. orario**, time zone ● **a f.**, spindle-shaped; fusiform ● **Ha ottant'anni ma è diritto come un f.**, he is eighty but he's as straight as a ramrod □ **Tornai da lui dritto come un f.**, I went back to him like a shot □ **risentire del cambiamento di f. orario**, to feel jet-lagged.

fuṣò → fuseaux.

fuṣolièra f. (*aeron.*) fuselage.

fuṣòrio a. smelting; casting: **forno f.**, smelting furnace.

fùsta f. (*naut. stor.*) foist; light galley.

fustàgno m. fustian; (*più raffinato*) moleskin.

fustàia f. high forest.

fustanèlla f. (*nel costume greco*) fustanella.

fustèlla f. **1** (*mecc.*) (hollow) punch; die **2** (*di medicinale*) (tear-off) price tag.

fustellàre v. t. (*mecc.*) to punch.

fustellatrìce f. (*mecc.*) punch cutter.

fustellatùra f. punching.

fustigàre v. t. **1** to flog; to lash; (*con una canna*) to cane **2** (*fig.*) to censure; to scourge; to rail against.

fustigatóre m. (f. *-trice*) **1** flogger **2** (*fig.*) severe critic; scourge.

fustigazióne f. **1** flogging; lashing **2** (*fig.*) severe criticism; censure; scourging.

fustìno m. (*per detersivo*) box; (*cilindrico*) drum; (*di metallo*) can: **un f. di detersivo**, a box of washing powder.

◆**fùsto** m. **1** (*bot.*: *gambo*) stalk, stem; (*tronco*) trunk: **alberi ad alto f.**, forest trees **2** (*del corpo umano*) torso*; trunk **3** (*intelaiatura*) frame **4** (*parte allungata di qc.*) shaft, shank; (*arrotondata e cava*) body, barrel **5** (*naut.*, *di remo*) handle; (*di ancora*) beam **6** (*di colonna*) shaft **7** (*recipiente*) drum; can; (*di legno per vino, ecc.*) cask, barrel **8** (*fam.*:

giovane atletico) he-man*; hunk (*USA*).

fùtile a. trifling; frivolous; trivial; paltry: **cose futili**, trifles; **motivo f.**, trivial motive; **pretesto f.**, paltry excuse.

futilità f. frivolity; frivolousness; triviality.

futón m. (*giapponese*) futon.

futurìbile Ⓐ a. possible (*o realizable*) in the future Ⓑ m. (*ciò che può accadere in futuro*) futurity; futurition.

futurìsmo m. (*arte*, *letter.*) futurism.

futurista a., m. e f. (*arte*, *letter.*) futurist.

futurìstico a. **1** (*arte*, *letter.*) futuristic **2** (*avveniristico*) futuristic; ultramodern.

◆**futùro** Ⓐ a. **1** future; (*a venire*) to come (pred.); (*prossimo*) next: **gli anni futuri**, the years to come; **la vita futura**, future life; the life to come; **in un tempo f.**, at a future time **2** (*di persona*) to-be (*posposto*): **la futura**

sposa, the bride-to-be; **una futura mamma**, a mother-to-be Ⓑ m. **1** (the) future: **l'immediato f.**, the near future; **un f. migliore**, a better future; **in f.**, in (the) future; **in un lontano f.**, in the distant future; **avere un f.**, to have a future; **leggere nel f.**, to see into the future; to predict the future; **pensare al f.**, to look ahead; **un'attività senza f.**, an activity with no future (*o* with no prospects); **essere senza f.**, to have no prospects **2** (*gramm.*) future (tense): **f. anteriore**, future perfect ➊ NOTA: *future* → **future 3** (al pl.) (*i posteri*) future generations; posterity (sing.).

futurologìa f. futurology.

futurològico a. futurological.

futuròlogo m. (f. *-a*) futurologist; futurist.

g, G

G ①, **g** f. o m. (*settima lettera dell'alfabeto ital.*) G, g ● (*telef.*) g come Genova, g for Golf.

G ② sigla **1** (**giovedì**) Thursday **2** (**G8, ecc.**) (**gruppo** (**di paesi**)) group (of countries).

g. abbr. (**giorno**) day (d.).

gabardine (*franc.*) f. e m. inv. **1** (*tessuto*) gaberdine, gabardine **2** (*soprabito*) gaberdine coat: gaberdine (*GB*).

gabbamóndo m. e f. inv. cheat; swindler; duper.

gabbàna f. **1** (*soprabito*) loose overcoat **2** (*veste da lavoro*) smock; overall **3** (*incerata*) tarpaulin ● (*fig.*) voltar g., to be a turncoat.

gabbanèlla f. **1** (doctor's) white coat **2** (*veste da camera*) short dressing gown.

gabbàno m. → **gabbana**.

gabbàre A v. t. **1** (*imbrogliare*) to fool; to dupe; to hoodwink; to swindle **2** (*beffare*) to laugh at; to jeer at B **gabbàrsi** v. i. pron. to make* fun of; to jeer at.

gabbatóre m. (f. **-trìce**) cheat; swindler; duper.

◆**gàbbia** f. **1** cage; (*per polli*) hencoop: **la g. dei leoni**, the lions' cage; **g. per uccelli**, birdcage; **chiudere in g.**, to cage; **tenere in g.**, to keep in a cage; **animali in g.**, caged animals; **uccello da g.**, cage bird **2** (*anche* **g. degli imputati**) dock **3** (*fig.: prigione*) prison; jail; slammer (*slang*); nick (*fam. GB*); clink (*slang*); pokey (*slang USA*): **mettere q. in g.**, to put sb. in the clink (*o* in the slammer) **4** (*di ascensore*) lift well; lift shaft **5** (*di miniera*) skip; cage **6** (*anche* **g. da imballaggio**) crate: **imballare in gabbie**, to crate **7** (*naut., anche* **vela di g.**) main topsail: **g. fissa**, main lower topsail; **g. volante**, main upper topsail; **le gabbie**, the topsails; **albero di g.**, main topmast **8** (*naut.: coffa*) crow's-nest **9** (*equit.*) double: **doppia g.**, treble ● (*fig.*) **g. di matti**, madhouse; bedlam Ⓤ Ⓤ (*sport*) **g. di partenza**, starting gate; (*corse dei cani*) trap (*elettr.*) **g. elettrostatica** (*o* **di Faraday**), Faraday cage □ (*econ.*) **gabbie salariali**, regional wage differentials □ (*anat.*) **g. toracica**, ribcage □ (*radio*) **antenna a g.**, cage antenna □ (*fig.*) **sentirsi in g.**, to feel cooped up.

gabbianèllo m. (*zool., Larus minutus*) little gull.

◆**gabbiàno** m. (*zool., Larus*) seagull; gull: **g. comune** (*Larus ridibundus*), black-headed (*o* pewit) gull; **g. reale** (*Larus argentatus*), herring gull; **g. zafferano** (*Larus fuscus*), lesser black-backed gull.

gabbière m. (*naut.*) topman*.

gabbiòla f. (*naut.*) square topsail.

gabbionàta f. gabionade.

gabbióne m. **1** large cage **2** (*per argini, fortificazioni*) gabion **3** (*per imputati*) dock.

gabbiòtto m. **1** (*di portiere*) porter's lodge **2** (*garitta*) box; booth.

gàbbo m. (*lett.*) mockery; scoffing: **prendere qc. a g.**, to make light of st.; to scoff at st.

gàbbrico a. (*geol.*) gabbroic; gabbroitic.

gàbbro m. (*geol.*) gabbro.

gabèlla f. (*imposta*) tax; toll; (*dazio*) excise.

gabellàre v. t. **1** (*stor.: tassare*) to tax; to

---

excise **2** (*far passare per*) to pass off: **g. q. per dottore**, to pass sb. off as a doctor; **g. qc. per vero**, to pass st. off as true.

gabellière m. (*stor.*) tax collector; exciseman*.

gabinétto m. **1** (*studio privato*) study; private room **2** (*di professionista*) studio; (*di medico*) consulting room, surgery: **g. dentistico**, dental surgery; **g. fotografico**, photographer's studio **3** (*laboratorio*) laboratory; lab (*fam.*): **g. di analisi**, laboratory; **g. di chimica**, chemistry laboratory (*in un museo*) room: **g. di lettura**, reading-room **5** (*igienico*) toilet; lavatory; WC; loo (*fam. GB*); bathroom (*USA*); washroom (*USA*); john (*fam. USA*); (*in luogo pubblico*) toilet, restroom (*USA*): **g. alla turca**, squat-down toilet; **g. esterno**, outside toilet; outhouse (*USA*); (*Austral.*) dunny; **g. per uomini**, men's toilets; gents; men's room (*USA*); **g. per signore**, women's toilets; ladies; women's room (*USA*); **g. pubblico**, public conveniences (*form.*); comfort station (*USA*); **andare al g.**, to go to the toilet **6** (*polit.: ministero*) ministry; (*insieme dei ministri*) cabinet, government: **il g. Crispi**, the Crispi cabinet (*o* government); (*in GB*) **g. ombra**, shadow cabinet; **formare un nuovo g.**, to form a new government; **capo di g.**, head of the ministerial staff; (*in GB*) parliamentary private secretary; **riunione di g.**, cabinet meeting.

gàbola f. (*region.*) trick; dodge.

gabonése a., m. e f. Gabonese.

Gabrièle m. Gabriel.

gàdide m. (*zool.*) gadoid; (*al pl., scient.*) Gadidae.

gadolìnio m. (*chim.*) gadolinium.

gadolinite f. (*miner.*) gadolinite.

gaèlico A a. Gaelic B m. **1** (*abitante*) Gael **2** (*lingua*) Gaelic.

gaettóne m. (*naut.*) dogwatch: **primo** [**secondo**] **g.**, first [last] dogwatch.

gàffa f. (*naut.*) boat hook; (*pesca*) gaff.

gaffe (*franc.*) f. inv. gaffe; blunder: **fare una g.**, to make a gaffe; to blunder; to put one's foot in it (*fam.*).

gaffeur (*franc.*) m. inv. (f. **gaffeuse**) person who makes frequent gaffes; blunderer: *È un famoso g.*, his gaffes are famous; he's famous for always putting his foot in it (*fam.*).

gag (*ingl.*) f. inv. gag.

GAG sigla (**ginnastica, gambe, addome, glutei**) legs, bums and tums.

gagà m. dandy; fop.

gagàte f. (*miner.*) jet.

gagé m. pl. (*zingarico*) non-gypsies; gage.

gaggìa f. (*bot., Robinia pseudoacacia*) false acacia; robinia.

gagliàrda f. (*danza*) galliard.

gagliardétto m. (broad) pennant; pennon.

gagliardìa f. vigour; energy; strength.

gagliàrdo a. **1** vigorous; strong; lusty; (*di giovane, anche*) strapping; (*vivace*) lively: **un giovanotto g.**, a vigorous (*o* strapping) young man; **ingegno g.**, vigorous (*o* lively) mind; **vento g.**, strong wind; **vino g.**, gener-

---

ous wine **2** (*audace*) bold; brave; gallant ● **alla gagliarda**, bravely; heartily; vigorously; with a will (*lett.*).

gaglioffàggine, gagliofferìa f. rascality; roguery.

gagliòffo A a. rascally B m. **1** (*furfante*) rascal; scoundrel; rogue **2** (*buono a nulla*) good-for-nothing; ne'er-do-well; wastrel (*lett.*).

gagnolàre v. i. to whine; to yelp.

gagnolìo m. whining; yelping.

gàia f. Gaia.

gaièzza f. (*allegria*) gaiety; cheerfulness; cheeriness; blitheness; jolliness; (*di colore*) brightness, viridness.

◆**gàio** a. cheerful; merry; blithe; jolly; (*di colore*) bright, lively, vivid.

gal m. (*fis.*) gal.

gàla ① A f. (*lusso, sfarzo*) pomp; show ● **di g.**, gala (*attr.*); formal: **abito di g.**, formal dress; **mettersi in g.**, to wear formal clothes; to dress up; **pranzo di g.**, full-dress dinner; banquet; (*teatr., cinem.*) **serata di g.**, gala performance B m. (*naut., anche* **g. di bandiere**), ship dressing: **gran g.**, full dressing; **piccola g.**, dressing with masthead flags; **alzare la g.**, to dress ship.

gàla ② f. (*trina*) rouche; frill; flounce; finery ⓤ.

gàla ③, **galà** m. inv. gala; ball: **il g. di San Silvestro**, the New-Year ball.

galabìa f. djellaba, djellabah.

galagóne m. (*zool., Galago galago*) bushbaby; galago.

galalite ® f. (*ind.*) Galalith®.

galànte A a. **1** (*con le donne*) gallant: **un vecchio signore g.**, a gallant old gentleman; **parole galanti**, gallant words **2** (*amoroso*) romantic; love (*attr.*); amorous: **appuntamento g.**, romantic rendezvous; **avventure galanti**, amorous adventures; **biglietto g.**, love letter **3** (*mus.*) galant B m. ladies' man*: **fare il g.**, to be a ladies' man.

galanterìa f. **1** gallantry; courteousness **2** (*gesto galante*) gallant gesture, courtesy; (*complimento*) compliment, gallant remark: **dire una g.**, to pay a compliment.

galantìna f. (*cucina*) galantine: **g. di pollo**, chicken galantine.

galantomìsmo m. gentlemanliness; gentlemanly behaviour.

galantuòmo m. honest (*o* honourable, upright) man*; man* of honour; gentleman*: **comportarsi da g.**, to behave like a gentleman; **un fior di g.**, a real gentleman; **a thoroughly honest man** ● **Ehi, g.!**, I say, my good man! □ **Parola di g.!**, I give you my word; on my honour! B a. honest; upright ● (*prov.*) **Il tempo è g.**, time will tell.

◆**galàssia** f. (*astron.*) galaxy: **g. a spirale**, spiral galaxy; **g. locale**, the Galaxy; **g. irregolare**, irregular galaxy; **fuga delle galassie**, recession of the galaxies.

Galatèa f. (*mitol.*) Galathea.

galatèo m. **1** (*libro*) book of etiquette **2** (*buone maniere*) (good) manners (pl.); etiquette: **un g.**, to have no manners; *Ha agito contro il g.*, it was a breach of etiquette (*o* of good manners) on his part;

Impara un po' di g.!, learn some manners!; **le norme del** *g.*, the rules of etiquette.

galattagògo a. e m. (*farm.*) galactogogue.

galàttico a. 1 (*astron.*) galactic: **piano g.**, galactic plane; **sistema g.**, galactic system 2 (*fig. scherz.*) enormous; mega (*fam.*); humungous (*fam. USA*).

galattòfago A a. galactophagous B m. galactophagist.

galattòforo A a. (*anat.*) galactophorous: **condotto g.**, galactophorous duct; galactophore B m. (*med.*) breast-pump.

galattòmetro m. lactometer.

galattopoièsi f. (*biol.*) galactopoiesis.

galattorrèa f. (*med.*) galactorrhoea.

galattòsio m. (*chim.*) galactose.

galavèrna f. (*brina*) frost, hoar-frost; rime.

gàlbano m. 1 (*bot.*, *Ferula galbanifera*) ferula 2 (*resina*) galbanum.

gàlbula f. (*zool.*, *Galbula ruficauda*) red-tailed jacamar.

gàlbulo m. (*bot.*) galbulus*.

gàlea ① f. (*stor.*) helmet.

galèa ② f. (*naut. stor.*) galley.

galèga f. (*bot.*, *Galega officinalis*) goat's-rue.

galèna f. 1 (*miner.*) galena 2 (*radio*) galena crystal: **radio a g.**, crystal set.

galènico A a. galenic; galenical: **preparato g.**, galenical (preparation) B m. galenical.

Galèno m. (*stor. med.*) Galen.

galèo m. (*zool.*, *Galeorhinus galeus*) tope.

galeóne m. (*naut. stor.*) galleon.

galeopitèco m. (*zool.*, *Galeopithecus volans*) flying lemur.

galeòtta f. (*naut. stor.*) galliot • **g. da bombe**, bomb ketch.

galeòtto ① m. 1 (*rematore di galea*) galley slave 2 (*forzato*) convict 3 (*furfante*) scoundrel; jailbird.

galeòtto ② A m. (*mezzano*) procurer; go-between; pander B a. acting as a go-between.

♦**galèra** f. 1 (*naut. stor.*) galley 2 (*prigione*) prison; gaol, jail; (*carcerazione*) imprisonment: **andare in g.**, to go to jail; **farsi trent'anni di g.**, to serve a thirty-year sentence 3 (*fig.*) prison: *Questa casa è una g.*, this house is like a prison 4 (*spazzolone*) floor scrubber • **avanzo di g.**, jailbird □ **faccia da g.**, sinister face □ (*fig.*) **fare una vita da g.**, to lead a miserable existence; to drudge and slave □ (*fig.*) **lavoro da g.**, drudge; treadmill.

galèro m. (*eccles.*) cardinal's hat.

galerucèlla f. (*zool.*, *Galerucella luteola*) leaf beetle.

galèstro m. (*geol.*) marl.

galestróso a. (*geol.*) marly.

Galilèa f. (*geogr.*) Galilee.

galileiàno a. Galilean.

galilèo a. e m. (f. *-a*) Galilean.

Galìzia f. (*geogr.*) Galicia.

galiziàno a. e m. (f. *-a*) Galician.

gàlla f. 1 (*bot.*) gall: **g. di quercia**, nutgall; oak gall; oak apple; **noce di g.**, gallnut 2 (*vet.*) windgall 3 – **a g.**, afloat (pred.); floating; on the surface: **stare** (*o* **rimanere**) **a g.**, to float; (*anche fig.*) to stay afloat, to keep afloat; (*fig.*) to keep one's head above water; **rimettere a g.**, to refloat; (*anche fig.*) **tenere a g.**, to keep afloat; **tornare a g.**, to resurface; to come to the surface; (*anche fig.*) to come up again; **venire a g.**, to come to the surface; to surface; (*fig.*) to come to light, to emerge.

gallàre A v. t. to fecundate (*a hen's egg*) B

v. i. to be fecundated.

gallàto ① a. (*di uovo*) fecundated.

gallàto ② m. (*chim.*) gallate.

gallatùra f. fecundation (of hen's eggs).

galleggiabilità f. buoyancy.

galleggiaménto m. floating; floatation: (*naut.*) **centro di g.**, centre of floatation; (*naut.*) **linea di g.**, waterline; (*naut.*) **spinta di g.**, buoyancy.

galleggiànte A a. floating; afloat (pred.): **casa g.**, houseboat; **ponte g.**, floating bridge; pontoon bridge B m. 1 (*natante*) craft*; (*chiatta*) barge, lighter; (*pontone*) pontoon; (*gavitello, boa*) buoy, marker 2 (*pesca, tecn.*) float: **g. del carburatore**, carburettor float; **g. di sughero**, cork float; regolatore **a g.**, ball cock 3 (*per idrovolante*) float.

♦**galleggiàre** v. i. to float.

gallègo a. e m. Galician.

♦**gallerìa** f. 1 (*traforo*) tunnel: **la g. del Monte Bianco**, the Mont Blanc tunnel; **scavare una g.**, to bore a tunnel; to drive a tunnel; to dig a tunnel; to tunnel; **scavare una g. nella roccia**, to bore (*o* to drive) a tunnel through rock; **scavare una g. sotto un fiume**, to dig a tunnel under a river; **sbocco di g.**, tunnel mouth 2 (*ind. min.*) gallery; tunnel: **g. di accesso**, adit; **g. di avanzamento**, head; **g. di ventilazione**, airway 3 (*passaggio sotterraneo*) tunnel; underground passage; subway 4 (*scavata da un animale*) tunnel; burrow; (*di volpe*) earth; (*di tasso*) set; (*di talpa*) mole-run 5 (*passaggio coperto*) arcade; gallery: **g. di negozi**, shopping arcade 6 (*archit.*) passageway 7 (*tecn.*: *condotto*) tunnel; gallery: **g. acustica**, whispering gallery; (*aeron.*) **g. aerodinamica** (*o* **del vento**), wind tunnel 8 (*per esposizioni*) gallery: **g. d'arte**, art gallery 9 (*di teatro e cinema*) circle; balcony: **prima g.**, dress circle; balcony (*USA*); mezzanine (*USA*); **seconda g.**, upper circle; balcony (*GB*) 10 (*mil.*) gallery.

gallerìsta m. e f. manager of an art gallery.

Gàlles m. (*geogr.*) Wales.

gallése A a. Welsh B m. e f. Welshman* (m.); Welshwoman* (f.): **i Gallesi**, the Welsh; Welsh people C m. (*lingua*) Welsh.

gallétta f. 1 (*stor.*) ship's biscuit Ⓤ; hard tack Ⓤ 2 (*biscotto secco*) plain biscuit 3 (*naut.*: *formaggetta*) truck.

gallétto m. 1 (*gallo giovane*) cockerel; young cock; (*gallo di razza piccola*) bantam 2 (*zool.*) – **g. di bosco** (*Bombycilla garrulus*) waxwing; **g. di marzo** (*o* **marzaiolo**, **di maggio**) (*Upupa epops*), hoopoe; **g. di roccia** (*Rupicola rupicola*), cock-of-the-rock 3 (*fig., di ragazzo*) cocky young man: **fare il g.**, to be [*to get*] cocky; (*con le donne*) to flirt: *Non fare tanto il g.!*, don't act cocky (with me)! 4 (*mecc.*) wing nut 5 (*bot., region.*) chanterelle.

♦**gallìna** f. 1 (*zool.*) hen: **g. che cova**, sitter; **g. covaticcia**, broody hen; **g. da brodo**, boiler; **g. livornese**, Leghorn (hen); **g. ovaiola**, layer 2 (*zool.*) – **g. faraona** (*Numida*

meleagris), guinea fowl; guinea hen; **g. prataiola** (*Otis tetrax*), little bustard • **la g. dalle uova d'oro**, the goose that lays the golden egg □ (*fig.*) **andare a letto con le galline**, to go to bed very early □ **credersi il figlio della g. bianca**, to think one is a cut above the others □ (*fig.*) **zampe di g.**, (*scrittura illeggibile*) scrawl (sing.); (*rughe intorno agli occhi*) crow's feet □ (*prov.*) **G. che canta ha fatto l'uovo**, qui s'excuse s'accuse (*franc.*) □ (*prov.*) **G. vecchia fa buon brodo**, there's many a good tune played on an old fiddle.

gallinàccio m. 1 (*region.: tacchino*) turkey cock 2 (*bot., Cantharellus cibarius*) chanterelle.

gallinàceo A a. gallinaceous B m. fowl.

gallinèlla f. 1 (*pollastra*) young hen; pullet 2 (*zool.*) – **g. d'acqua** (*Gallinula chloropus*), moorhen; water hen; **g. del Signore**, ladybird; **g. palustre** (*Porzana parva*), crake 3 (*bot., Antirrhinum orontium*) lesser snapdragon 4 (*bot.*) → **gallinaccio**, *def. 2* 5 (*al pl.*) (*astron., region.*) (the) Pleiades.

gallinèlle f. (*bot., Valerianella olitoria*) corn salad; lamb's lettuce.

gàllio m. (*chim.*) gallium.

gallìsmo m. aggressive male sexual conceit; machismo.

♦**gàllo** ① A m. 1 (*zool.*) cock; rooster (*USA*): **g. da combattimento**, fighting cock; **combattimento di galli**, cockfight; cockfighting Ⓤ 2 (*zool.*) – **g. cedrone** (*Tetrao urogallus*), capercaillie; wood grouse; **g. delle praterie** (*Tympanuchus cupidus*), greater prairie chicken • (*fig.*) **g. dei campanili**, weathercock □ **al canto del g.**, at cockcrow; at dawn □ **fare il g.**, (*insuperbirsi*) to be [to get] cocky, to be the cock of the walk; (*con le donne*) to flirt B a. inv. – (*boxe*) **peso g.**, bantamweight.

♦**gàllo** ② (*stor.*) A a. Gallic B m. Gaul.

gallòccia f. (*naut.*) cleat.

gallofilìa f. Francophilia.

gallòfilo agg. e m. (f. *-a*) Francophile.

gallofobìa f. Francophobia.

gallòfobo agg. e m. (f. *-a*) Francophobe.

gallo-itàlico a. (*ling.*) Gallo-Italian.

gallòmane m. e f. Gallomaniac.

gallomanìa f. Gallomania.

gallonàre v. t. to trim with braid; to braid; to galloon.

gallonàto A a. trimmed with braid; braided; gallooned B m. (*mil.*) non-commissioned officer.

gallóne ① m. 1 braid; galloon 2 (*mil.*) stripe; (*a V*) chevron: **galloni di sergente**, sergeant's stripes; (*fig.*) **bagnare i galloni**, to toast (*o* to drink to) one's stripes; **guadagnarsi i galloni**, to earn one's stripes.

gallóne ② m. (*misura di capacità*) gallon (= *l* 4,546 *in GB*; = *l* 3,785 *in USA*).

galloromànzo a. e m. Gallo-Romance.

gallòzza, **gallòzzola** f. 1 (*bot.*) small gall 2 (*sulla pelle*) blister.

galoche (*franc.*) f. inv. galosh, golosh; overshoe.

galop (*franc.*) m. inv. (*danza*) galop.

galoppànte a. galloping: **inflazione g.**, galloping inflation; (*med.*) **tisi g.**, galloping consumption.

galoppàre v. i. 1 to gallop 2 (*fig.: affrettarsi*) to rush, to get* one's skates on (*fam.*); (*essere indaffarato*) to be on the go (*o* on the move) 3 (*fig., della fantasia*) to run* wild; to be very vivid • **Non cominciare a g. con la fantasia!**, don't let your imagination run away with you!

galoppàta f. 1 gallop: **fare una g.**, to go for a gallop 2 (*fig.: corsa affannosa*) fast run; race: *Dovremo fare una g. per arrivare in tempo*, we'll have to race to get there in time

a b c d e f g h i j k l m n o p q r s t u v w x y z

3 (*fig.*: *lavoro affannoso*) hectic work 🇺🇸; rush: *Ho fatto una g. per finire questa traduzione*, I had to rush to finish this translation.

galoppatóio m. riding track; gallop.

galoppatóre m. (f. **-trìce**) galloper.

galoppìno m. **1** (*fattorino*) errand-boy, gofer (*USA*); dogsbody (*spreg.*) **2** (*ipp.*) pacesetter **3** (*mecc.*) takeup pulley; idler ● (*polit.*) **g. elettorale**, canvasser.

galòppo m. gallop: **gran g.**, full gallop; **piccolo g.**, hand-gallop; canter; **andare al piccolo g.**, to canter; **al g.**, at a gallop; **allontanarsi al g.**, to go off at a gallop; to gallop off; **andare al g.**, to ride at a gallop; **mettersi al g.**, to break into a gallop; *Spinsi il cavallo al g. lungo il sentiero*, I galloped the horse down the track ● (*fig.*) **al** (*o* **di**) **g.**, at a gallop; at the double □ (*fig.*) **andare di g.**, to gallop; to go at the double □ (*fig.*) **partire al g.**, to rush off.

galòscia → **galoche**.

galvànico a. (*fis.*) galvanic: **bagno g.**, galvanic bath.

galvanìsmo m. (*fis.*) galvanism.

galvanista → **galvanotipista**.

galvanizzàre v. t. (*ind.*, *med.*, *fig.*) to galvanize.

galvanizzazióne f. (*ind.*, *med.*, *fig.*) galvanization.

galvanocàustica f., **galvanocautèrio** m. (*med.*) galvanocautery.

galvanomagnètico a. (*fis.*) galvanomagnetic.

galvanomagnetìsmo m. (*fis.*) galvanomagnetism.

galvanometrìa f. (*elettr.*) galvanometry.

galvanomètrico a. (*elettr.*) galvanometric.

galvanòmetro m. (*elettr.*) galvanometer.

galvanoplàstica f. (*ind.*) electroplating: **trattare con la g.**, to electroplate.

galvanoplàstico a. (*ind.*) electroplating.

galvanoscòpio m. (*fis.*) galvanoscope.

galvanostegìa f. (*ind.*) electroplating ● **trattare con g.**, to electroplate.

galvanostegista m. e f. (*ind.*) electroplater.

galvanotècnica f. galvanic technology.

galvanoterapìa f. (*med.*) galvanotherapy.

galvanotipìa f. (*tipogr.*) **1** (*procedimento*) electrotyping **2** (*matrice*) electrotype.

galvanotipista m. e f. (*tipogr.*) electrotypist.

♦**gàmba** f. **1** (*di persona, animale, indumento, mobile, compasso*) leg: **g. di legno** [**artificiale**], wooden [artificial] leg; **gambe a X**, knock knees; **avere le gambe a X**, to be knock-kneed; (*di animale*) **gambe anteriori** [**posteriori**], fore [hind] legs; **le gambe del tavolo**, the legs of the table; **gambe storte**, bow legs; bandy legs; **avere le gambe storte**, to be bow-legged (*o* bandy-legged); *Mi fa male la g. destra*, my right leg hurts; *Hai una macchia sulla g. destra dei jeans*, there's a stain on the right leg of your jeans; **accavallare le gambe**, to cross one's legs; **avere le gambe lunghe**, to be long-legged; **avere una g. sola**, to be one-legged; **avere le gambe molli**, to feel shaky on one's legs; **distendere le gambe**, to stretch out one's legs; **essere tutto gambe**, to be all legs; **reggersi su una g. sola**, to stand on one leg; **sgranchirsi le gambe**, to stretch one's legs; *Gli tremavano le gambe*, his legs were shaking; his knees were knocking; **a gambe accavallate**, with one's legs crossed; **a gambe divaricate**, with one's legs apart; **stare a gambe divaricate su qc.**, to stand astride st.; to straddle st.; **a gambe incrociate** (*alla turca*), cross-legged (agg.); **a gambe nude**,

barelegged (agg.); **con una g. sola**, on one leg; one-legged (agg.); (*di pantaloni*) **corti di g.**, short in the legs; **senza gambe**, legless; **tavolo a tre gambe**, three-legged table **2** (*di lettera*) shank; stem **3** (*di nota mus.*) stem **4** (*puntello*) strut: (*aeron.*) **g. del carrello**, undercarriage strut ● **Gambe!** (*scappiamo*), let's beat it! □ **Gambe in spalla!**, on our way! □ **a gambe all'aria** (*o* **a gambe levate**), flat on one's back: **andare** (*o* **finire**) **a gambe all'aria**, to fall flat on one's back; (*anche fig.*) to come a cropper (*fam.*); (*fig.*) to fall through, to go bust; **mandare a gambe all'aria**, (*far cadere*) to send (sb.) flying (*o* sprawling); (*facendo inciampare*) to trip (sb.) up; (*fig.*: *rovinare, far fallire*) to wreck, to upset □ **a mezza g.**, (*fino al polpaccio*) at calf-length, calf-length (attr.); (*fino al ginocchio*) knee-high (attr.): **gonna a mezza gamba**, calf-length skirt; **stivali a mezza g.**, knee-high boots ■ **andare con le proprie gambe**, to walk unaided □ **avere buone gambe**, to be a good walker □ **avere trent'anni per g.**, to be at least sixty □ (*fig.*) **camminare con le proprie gambe**, to be independent; to stand on one's own two feet ■ **con la coda fra le gambe**, with one's tail between one's legs ■ **correre a gambe levate**, to race; to run like mad (*fam.*) □ **darsela a gambe**, to take to one's heels; to bolt; to leg it (*fam.*); to scarper (*slang GB*) □ **di buona g.**, at a brisk pace □ **essere di g. buona**, to be a good walker □ (*fam.*) **Le gambe mi facevano giacomo giacomo**, my legs were shaking like jelly; my knees were shaking under me □ **dove portano le gambe**, without a fixed direction ■ **fuggire a gambe levate**, to run away as fast as one's legs will take one; to take to one's heels □ (*sport*) **gioco di gambe**, footwork ■ **in g.**, (*in forma*) strong, fit; (*arzillo*) sprightly, spry; (*intelligente*) clever, smart, on the ball (*fam.*); (*abile*) very able, good, competent: **un ragazzino in g.**, a clever little boy; a smart kid; *La nonna è ancora in g. per la sua età*, Gran is still sprightly for her age; **un tecnico in g.**, a very good technician; **un tipo in g.**, a clever fellow; a clever guy (*USA*) ■ (**Sta'**) **in g.!** (*stai bene!*), keep well!; take care! ■ **mettersi la via tra le gambe**, to set off (at a brisk pace) □ **prendere sotto g.**, to underestimate; to underrate ■ **non reggersi sulle gambe**, to be hardly able to stand; to feel shaky □ (*fig.*) **raddrizzare le gambe ai cani**, to attempt the impossible □ (*fam.*) **non sentirsi** (*o* **non avere**) **più le gambe**, to be tired out □ (*fig.*) **tagliare le gambe a q.**, (*stancare*) to tire sb. out, to do sb. in (*fam.*); (*ostacolare*) to put a spoke in sb.'s wheel, to cramp sb.'s style (*fam.*); (*rif. al vino, ecc.*) to go to one's head.

gambacórta m. e f. *inv.* (*scherz.*) lame person ● (*scherz.*) **L'ultimo ad arrivar fu G.**, better late than never.

gambàle m. **1** legging **2** (*di stivale*) boot leg **3** (*di armatura*) jamb **4** (*med.*) artificial leg **5** (*forma per calzolai*) boot tree.

gambalèsta m. e f. *inv.* (*scherz.*) person that is quick on his [her] feet; fast runner.

gambalétto m. **1** (*di calzatura*) ankle pad **2** (*calza*) knee sock; (*da donna, di nylon*) popsock **3** (*med., fam.*) leg cast.

gambalùnga m. e f. *inv.* (*scherz.*) long-legged person.

gambécchio m. (*zool.*) **1** (*Erolia minuta*) little stint **2** (*Erolia minutilla*) least sandpiper.

gamberétto m. (*zool.*) shrimp; prawn.

gàmbero m. (*zool.*) **1** (*Homarus vulgaris*) European lobster; crayfish **2** – **g. di fiume** (*Astacus*) crayfish; crawfish (*USA*) ● **fare come i gamberi**, to go backwards; (*fig.*) to make no progress □ **rosso come un g.**, as red as a beetroot.

gamberóne m. prawn; large shrimp.

gambétta f. (*zool., Philomacus pugnax*) ruff.

gambétto m. **1** → **sgambetto 2** (*scacchi*) gambit.

gambièra f. **1** (*di armatura*) greave; jamb **2** (*sport*) shin pad; leg pad.

gambista m. e f. (*mus.*) (viola da) gamba player; gambist.

gambizzàre v. t. to kneecap.

gambizzazióne f. kneecapping.

♦**gàmbo** m. **1** (*bot.*) stalk; stem; (*di fungo o felce, anche*) stipe: **il g. di una ciliegia** [**di una pera**], the stalk of a cherry [of a pear]; **g. di sedano**, stalk of celery; **rose dal g. lungo**, long-stemmed roses **2** (*di vari oggetti*) stem: **il g. di un calice**, the stem of a glass **3** (*mecc.*) shank; stem: **g. a sfera**, ball-headed shank; **g. della valvola**, valve stem.

gambùsia f. (*zool.*) gambusia; mosquito fish.

gambùto a. long-legged.

gamèlla f. **1** (*mil.*) mess-tin **2** (*naut.*) mess kit; mess gear.

gametàngio m. (*biol.*) gametangium*.

gamète m. (*biol.*) gamete.

gametòfito m. (*bot.*) gametophyte.

gametogènesi f. (*biol.*) gametogenesis.

gamìa f. (*biol.*) gamic reproduction.

gàmico a. (*biol.*) gamic.

gàmma ① m. o f. (*terza lettera dell'alfabeto greco*) gamma ● (*fis.*) **raggi g.**, gamma rays.

gàmma ② f. **1** (*successione graduata, serie*) range; gamut; spectrum: **la g. dei nostri prodotti**, the range of our products; **la g. dei verdi**, the spectrum of greens; **una ricca g. di colori**, a rich range of colours; **una vasta g. di argomenti**, a broad range (*o* spectrum) of topics; **tutta la g. delle emozioni**, the whole gamut of emotions **2** (*mus.*) gamut; scale **3** (*radio*) range; band: **g. delle frequenze udibili**, range of audible frequencies; **g. di lunghezza d'onda**, waveband; **g. di sintonia**, tuning band.

gammaglobulina f. (*biol.*) gamma globulin.

gammagrafìa f. (*radio*) gamma-ray photography.

gammaterapìa f. (*med.*) radium therapy.

gammàto a. – **croce gammata**, gammadion; swastika.

gammaùt m. (*mus. stor.*) gamut.

gamopètalo a. (*bot.*) gamopetalous.

gamosèpalo a. (*bot.*) gamosepalous.

ganàscia f. **1** (*anat.*) jaw **2** (al pl.) (*mecc.*) jaws; (*di rotaia*) fishplate; (*autom., di freno*) brake shoe **3** (*autom.*: *bloccaruota*) wheel clamp.

ganascino m. – **prendere q. per il g.** (*o* **fare il g. a q.**), to pinch sb.'s cheek.

gàncio m. **1** hook: **g. a occhiello**, eye hook; **g. appendiabiti**, coat hook; **g. a molla**, (*mecc.*) spring hook; (*naut.*) snap hook; (*naut.*) **g. a scocco**, slip hook; (*naut.*) **g. d'accosto**, boat hook; (*aeron.*) **g. d'arresto**, arrester (hook); (*agric.*) **g. d'attacco**, clevis; (*edil.*) **g. da muro**, wall hook; **g. di sollevamento**, lifting (*o* sling) hook; **g. da traino**, tow hook; hitch; (*mecc.*) **g. doppio**, sister hook; (*naut.*) **g. per rimorchio**, tow hook **2** (*ferr., di trazione*) coupling; coupler (*USA*) **3** (*boxe*) hook **4** (*fam., di persona*) sly devil.

gandhìsmo m. Gandhism.

gang (*ingl.*) f. *inv.* **1** (*di malviventi*) gang; band; mob **2** (*combriccola*) gang; band; bunch.

gànga ① f. → **gang**.

gànga ② f. (*ind. min.*) gangue; gang: **g. del carbone**, coal gangue.

gànga ③ f. (*zool., Pterocles alchata*) (pin-tailed) sand-grouse.

Gànge m. (*geogr.*) Ganges.

gangètico a. (*geogr.*) of the Ganges; Ganges (attr.).

gangherèlla f. (*asola*) eye (for a hook).

gànghero m. **1** (*di porta, finestra, ecc.*) hinge **2** (*gancetto*) hook ● (*fig.*) **essere fuori dai gangheri**, to be beside oneself (with rage); to be mad (*fam.*) □ (*fig.*) **far uscire dai gangheri q.**, to get sb.'s back up (*fam.*) □ (*fig.*) **uscire** (*o* **andar fuori**) **dai gangheri**, to fly into a rage; to fly off the handle (*fam.*).

gangliàre a. (*anat.*) ganglionic; ganglion (attr.).

gànglio m. **1** (*anat.*) ganglion* **2** (*fig.*) nerve-centre; vital point.

gangliolìtico a. (*farm.*) ganglion-blocking.

gangliòma m. (*med.*) ganglioma*.

ganglioplègico → **gangliolitico**.

ganglioṣide m. (*chim.*) ganglioside.

ganglìte f. (*med.*) ganglitis.

gangrèna e deriv. → **cancrena**, e deriv.

gangster (*ingl.*) m. inv. gangster.

gangsterìṣmo m. gangsterism.

gangsterìstico a. gangster (attr.).

ganimède m. dandy; beau* (*franc.*): **fare il g.**, to play the beau.

Ganimède m. (*mitol., astron.*) Ganymede.

gànẓa f. **1** (*spreg.*) mistress; fancy woman*; paramour **2** (*pop.*: *donna scaltra*) smart one; sly one.

gànẓo A m. **1** (*spreg.*) lover; fancy man*; paramour **2** (*pop.*: *uomo scaltro*) smart guy; sly devil B a. (*pop.*) brilliant; cool; (*in gamba*) smart.

gap (*ingl.*) m. inv. gap.

gappista m. e f. (*stor.*) member of the GAP (Italian resistance movement).

♦**gàra** f. **1** competition: **g. di pesca**, fishing competition; **essere in g. con q.**, to be competing with sb.; **iscriversi a una g.**, to enter a competition; **mettersi in g.**, to enter into competition; **partecipare a una g.**, to take part in a competition; to compete **2** (*sport*) competition; event; contest; (*corsa*) race; (*partita*) match: **g. automobilistica**, motor (*o* car) race; **g. di corsa**, race; (*atletica*) **g. di fondo**, long-distance race; **g. di nuoto**, swimming competition; **g. di resistenza** (*per auto o moto*), enduro (*USA*); **g. ippica**, horse race; **g. eliminatoria**, heat; **g. libera**, open event; **gare atletiche**, field and track events; **gare finali**, finals; **disputare una g.**, to take part in an event; to compete; **scendere in g.**, to compete ● (*comm.*) **g. d'appalto**, call for tenders (*o* bids); invitation to tender: **indire una g. d'appalto per qc.**, to put st. out to tender; to tender st. out; to call for tenders; **partecipare a una g. d'appalto**, to submit a tender; to tender for st. □ **fare a g. (con)**, to vie (with); to compete (with); to try to outdo (sb.) □ **fuori g.**, not competing.

♦**garage** (*franc.*) m. inv. garage.

♦**garagista** m. e f. **1** (*meccanico*) garage hand **2** (*proprietario*) garage owner.

garànte m. e f. **1** (*anche leg.*) guarantor; surety: **farsi** (*o* **rendersi**) **g. di**, to vouch for; to answer for; (*farsi mallevadore*) to stand surety for; (*offrire una cauzione*) to go bail for **2** (*di legge, giornale, ecc*) controller; watchdog: **g. dell'editoria**, press watchdog.

♦**garantire** A v. t. **1** to guarantee; (*comm., anche*) to warrant: **g. un debito**, to guarantee (*o* to secure) a loan; **g. un prodotto**, to guarantee a product **2** (*dare per certo*) to guarantee; to ensure: *Non possiamo g. l'arrivo della merce entro la settimana*, we cannot guarantee the arrival of the goods within this week **3** (*rendersi garante di*) to vouch for; to answer for; to stand surety for: *Sono pronto a g. la sua onestà*, I am ready to vouch for his honesty **4** (*assicurare*) to assure: *Ti garantisco che ciò non si ripeterà*, I assure you that it won't happen again **5** (*tutelare*) to protect: to cover: *Questa assicurazione le garantisce la casa contro l'incendio*, this insurance covers your house against fire ● (*fam.*) **Garantito!**, depend on it!; you bet! (*fam.*) B v. i. (*farsi garante*) to vouch (for); to answer (for); (*leg.*) to stand surety (for), (*offrire una cauzione*) to go* bail (for) C **garantìrsi** v. rifl. to secure oneself; to insure oneself (against); to protect oneself.

garantìṣmo m. (*polit.*) defence of civil rights.

garantista m. e f. (*polit.*) defender of civil rights.

garantìto A a. **1** (*leg.*) guaranteed: **g. per tre anni**, guaranteed for three years; **g. puro cashmere**, guaranteed pure cashmere; **mutuo g. [non g.]**, secured [unsecured] loan **2** (*tutelato*) protected; covered **3** (*certo, sicuro*) certain; sure; assured; sure-fire: **un successo g.**, a certain success; *G. che stavolta sarà in ritardo!*, she'll be late again, I'll bet! ● (*leg.*) **g. con ipoteca**, collateral □ (*fin.*) **g. da obbligazioni**, bonded B m. (*leg.*) warrantee.

garànẓa → **robbia**.

♦**garanzìa** f. **1** guarantee; (*di prestito*) security; (*di pagamento*) guaranty: **g. di un prestito**, security for a loan; **g. di rimborso**, money-back guarantee; **g. ipotecaria**, mortgage; **dare una g. a un creditore**, to give a guarantee to a creditor; *Che g. puoi offrire?*, what guarantee can you offer?; **prestare denaro contro g.**, to lend money against security; (*di cambiale*) **senza g.**, without security; unsecured (agg.) **2** (*comm., di articolo*) guarantee; warranty: **g. completa**, full guarantee; **g. per due anni**, two-year guarantee (*o* warranty); **essere in g.** (*o* **coperto da g.**), to be under warranty **3** (*assicurazione*) assurance; guarantee: (*polit.*) **garanzie costituzionali**, constitutional guarantees; **dare g. di serietà**, to be reliable; **essere g. di buona riuscita**, to be a guarantee of (*o* to guarantee) success ● (*leg.*) **avviso di g.**, notification that one is under investigation.

garbàre v. i. to like (pers.); to suit: *Ha un modo di fare che non mi garba*, I don't like his ways; *Se non ti garba te ne puoi andare*, if you don't like it, you can leave.

garbatéẓẓa f. politeness; courtesy; civility; pleasantness.

garbàto a. **1** (*cortese*) polite, civil; (*gentile*) amiable, pleasant-mannered **2** (*aggraziato*) graceful.

garbino m. (*libeccio*) southwest wind.

gàrbo m. **1** (*cortesia*) politeness, civility; (*bei modi*) pleasant manners (pl.); (*tatto*) tact **2** (*grazia*) grace **3** (*linee aggraziate*) graceful lines (pl.); elegance **4** (*modellatura*) shaping, shape; (*finitura*) finish **5** (*naut.*) bend ● **a g.**, properly □ **con g.**, (*gentilmente*) with good grace; pleasantly; (*con tatto*) tactfully; (*con grazia*) gracefully □ **senza g.**, (*villanamente*) rudely; (*goffamente*) clumsily; awkwardly.

garbùglio m. **1** tangle; snarl; knot **2** (*fig.*) confusion; tangle; muddle; mix-up.

garçonne (*franc.*) f. – **capelli alla g.**, bobbed hair; hair worn in a bob.

garçonnière (*franc.*) f. inv. bachelor flat; garçonnière.

gardènia f. (*bot., Gardenia*) gardenia.

gareggiàre v. i. to compete (*anche sport*); to vie: *Nessuno può g. con lui*, no one can compete with (*o* rival) him; *Gareggiavano nel farle complimenti*, they vied in paying her all sorts of compliments; *Chi gareggia oggi?*, who is competing today?

gareggiatóre m. (f. –**trice**) competitor.

garènna f. (rabbit) warren.

garganèlla f. – **bere a g.**, to drink from the bottle; to pour (st.) down one's throat.

gargantuéṣco a. gargantuan.

gargarìṣmo m. (*soluzione e sciacquo*) gargle: **fare gargarismi**, to gargle.

gargariẓẓàre v. i. to gargle.

gargaròẓẓo m. (*pop.*) throat; gullet.

gargòlla f., **gargouille** (*franc.*) f. inv. (*archit.*) gargoyle.

garibaldino A a. **1** of Garibaldi; Garibaldi's (attr.); Garibaldian: **l'esercito g.**, Garibaldi's army; **generale g.**, general in Garibaldi's army **2** (*fig.*) impetuous; reckless ● **alla garibaldina**, impetuously; recklessly B m. (f. –a) Garibaldian; Garibaldino*; veteran of Garibaldi's campaigns.

gariga f. (*geogr.*) garrigue, garigue.

garitta f. **1** (*torretta di guardia*) watchtower **2** (*gabbiotto per sentinella*) sentry box **3** (*gabbiotto per custode*) booth; cabin **4** (*ferr.*) brakesman's cabin.

garnettàre v. t. (*ind. tess.*) to garnett.

garnettatrice f. (*ind. tess.*) garnett.

garnettatùra f. (*ind. tess.*) garnetting.

garni (*franc.*) m. inv. e a. inv. bed-and-breakfast ● **hotel g.**, residential hotel.

garnierìte f. (*miner.*) garnierite.

garofanàia f. (*bot., Geum urbanum*) herb bennet.

garofanàto a. carnation-scented.

garòfano m. **1** (*bot., Dianthus caryophyllus*) carnation; pink **2** (*bot.*) – **g. a mazzetti** (*o* **dei poeti**) (*Dianthus barbatus*), sweet william; **g. di Maone** (*Matthiola incana*), stock; gillyflower; **g. screziato**, picotee; flake ● (*farmacia, cucina*) **chiodi di g.**, cloves.

Garònna f. (*geogr.*) (the) Garonne.

garrése m. (*zool.*) withers (pl.).

garrétto m. **1** (*di quadrupede*) hock **2** (*estens., di persona*) (back of the) heel ● **avere garretti d'acciaio**, to be a fast runner.

garriga → **gariga**.

garrire v. i. **1** (*di uccello*) to shriek; to screech **2** (*lett., di bandiera*) to flap; to flutter: **g. al vento**, to flutter in the breeze.

garrito m. shriek; screech.

garròccio m. (*naut.*) slide.

garròtta f. garrotte.

garrottaménto m. garrotting.

garrottàre v. t. to garrotte.

garrulità f. garrulity; garrulousness.

gàrrulo a. (*lett.*) **1** (*di uccello*) shrieking; chattering **2** (*loquace*) garrulous; talkative **3** (*rumoroso*) noisy; boisterous.

gàrẓa① f. (*zool., region.*) heron.

gàrẓa② f. gauze: (*med.*) **g. sterilizzata**, surgical gauze; **compressa di g.**, (gauze) compress.

garẓàre v. t. (*ind. tess.*) to teasel, to teazle; to raise.

garẓàto a. e m. (*ind. tess.*) raised (fabric).

garẓatóre m. (f. –**trice**) (*ind. tess.*) teaseler, teazler.

garẓatrice f. (*macchina*) teaselling machine; teaseller.

garẓatùra f. (*ind. tess.*) teaseling, teazling.

garẓétta f. (*zool., Egretta garzetta*) little egret.

gàrẓo m. (*ind. tess.*) teasel, teazle.

garẓonàto m. apprenticeship.

garẓóne m. **1** boy; (*fattorino*) errand boy: **g. di macellaio [di fornaio, di stalla]**, butcher's [baker's, stable] boy **2** (*naut.: mozzo*) ship's boy; cabin boy **3** (*poet.*) youth; lad.

♦**gas** m. gas: **gas asfissiante**, poison gas; **gas esilarante**, laughing gas; **gas lacrimogeno**,

tear gas; **gas liquido**, liquefied gas; **gas tossico**, noxious gas; **accendere [spegnere] il gas**, to turn on [to turn off] the gas; **alzare [abbassare] il gas**, to turn up [to turn down] the gas; **conduttura del gas**, gas pipe; **contatore del gas**, gas meter; **riscaldamento a gas**, gas heating; **serbatoio del gas**, gas holder ● (*fam.*) **gas delle paludi**, marsh gas; methane □ **gas di città**, town gas □ **gas di miniera** (*grisù*), firedamp □ **gas di scarico**, exhaust emission □ **gas illuminante**, coal gas □ **gas metano**, natural gas □ **gas nervino**, nerve gas □ **gas nobili**, noble gases □ **gas rari**, rare gas □ **andare a tutto gas**, to go flat out; to belt along (*fam. GB*); to barrel along (*fam. USA*) □ **asfissiare col gas**, to gas □ **bombola per gas**, gas cylinder □ **camera a gas**, gas chamber □ **cucina a gas**, gas cooker □ (*autom.*) **dare gas**, to accelerate; to step on the gas (*USA*) □ **fuga di gas**, gas leak □ **Società del Gas**, Gas Company □ **tecnico del gas**, gasman; (*installatore*) gas fitter □ **uccidere col gas**, to gas.

gasàre (*fam.*) **A** v. t. 1 → **gassare** 2 (*fig. fam.*) to excite; to thrill; to turn on **B** **gasàrsi** v. i. pron. to get* excited (about).

gasàto (*fam.*) **A** a. 1 → **gassato** 2 (*fig. fam.*) thrilled; wild with excitement; mad (about st.) **B** m. (f. **-a**) (*fam.*) bighead.

gasbetòn m. inv. (*edil.*) gas (o porous) concrete.

gascromatografìa f. (*chim.*) gas chromatography.

gascromatògrafo m. (*chim.*) gas chromatograph.

gasdinàmica f. (*fis.*) gas dynamics (pl. col verbo al sing.).

gasdòtto m. (gas) pipeline.

gasièra f. (*naut.*) gas tanker.

gasificàre e *deriv.* → **gassificare**, e *deriv.*

gasìsta m. 1 gasman*; gas fitter 2 (*ind.*) operator of a gas generator.

gasògeno m. (*ind.*) gas generator; gas producer.

gasolìna f. gasolene, gasoline.

gasòlio m. gas oil; diesel fuel; diesel oil; (*per autotrasporto, anche*) derv □ **andare a g.**, to be oil-fueled; **riscaldamento a g.**, oil-fired central heating.

gasometrìa f. gasometric method.

gasòmetro m. (*ind.*) gasholder; gasometer: **g. a campana**, bell-shaped gasometer; **g. a secco [a umido]**, dry [wet] gasometer.

gasòsa → **gassosa**.

Gàspare m. Jasper.

gàssa f. (*naut.*) eye; hitch: **g. d'amante (semplice)**, bowline (knot); **g. d'amante doppia**, bowline knot on the bight; **g. impiombata**, Flemish eye.

gassàre v. t. 1 (*un liquido*) to aerate; to carbonate 2 (*uccidere col gas*) to gas.

gassàto a. 1 (*di liquido*) aerated; fizzy: **bibita gassata**, fizzy drink 2 (*ucciso col gas*) gassed.

gassificàre v. t. 1 to gasify 2 → **gassare**, def. 1.

gassificatóre m. (*ind., chim.*) gasifier.

gassificazióne f. gasification.

gassìsta → **gasista**.

gassògeno → **gasogeno**.

gassometrìa → **gasometria**.

gassòmetro → **gasometro**.

gassòsa f. fizzy lemon drink; lemonade (*GB*).

gassóso a. gaseous; gassy; gas (attr.): **emissione gassosa**, gaseous emission.

gastàldo → **castaldo**.

gasteròpode m. (*zool.*) gastropod; (al pl., scient.) Gastropoda.

Gastóne m. Gaston.

gastralgìa f. (*med.*) gastralgia.

gastrectasìa f. (*med.*) gastrectasis.

gastrectomìa f. (*chir.*) gastrectomy.

gàstrico a. (*med.*) gastric: **febbre gastrica**, gastric fever; **succo g.**, gastric juice; **ulcera gastrica**, gastric ulcer.

gastrìna f. (*biol.*) gastrin.

gastrìte f. (*med.*) gastritis.

gastroduodenàle a. (*anat., med.*) gastroduodenal.

gastroduodenìte f. (*med.*) gastroduodenitis.

gastroentèrico a. (*med.*) gastroenteric.

gastroenterìte f. (*med.*) gastroenteritis.

gastroenterologìa f. (*med.*) gastroenterology.

gastroenteròlogo m. (f. **-a**) (*med.*) gastroenterologist.

gastroenterostomìa f. (*chir.*) gastroenterostomy.

gastrointestinàle a. (*med.*) gastrointestinal.

gastrologìa f. (*med.*) gastrology.

gastronomìa f. 1 gastronomy 2 (*negozio, reparto*) delicatessen.

gastronòmico a. gastronomic: **specialità gastronomiche**, speciality foods (o dishes).

gastrònomo m. (f. **-a**) gastronome; gastronomist; gourmet (*franc.*).

gastropatìa f. (*med.*) gastropathy.

gastropàtico A a. (*di persona, ecc.*) suffering from a gastric complaint **B** m. (f. **-a**) sufferer from a gastric complaint.

gastroplàstica f. (*chir.*) gastroplasty.

gastroprotezióne f. (*med.*) gastroprotection.

gastroptòsi f. (*med.*) gastroptosis.

gastroresezióne f. (*chir.*) gastroresection.

gastroscopìa f. (*med.*) gastroscopy.

gastroscòpio m. (*med.*) gastroscope.

gàstrosi f. (*med.*) gastric complaint.

gastrospàsmo m. (*med.*) gastrospasm.

gastrostenòsi f. (*med.*) gastrostenosis.

gastrostomìa f. (*chir.*) gastrostomy.

gastrotomìa f. (*chir.*) gastrotomy.

gàstrula f. (*biol.*) gastrula*.

gastrulazióne f. (*biol.*) gastrulation.

gàtta f. (female) cat: **una g. coi gattini**, a cat and her kittens ● **G. ci cova!**, there's something fishy going on here!; I smell a rat! □ (*fig.*) **avere altre gatte da pelare**, to have other things to worry about □ (*fig.*) **una bella g. da pelare**, a pretty kettle of fish; a tough nut to crack □ (*fig.*) **comprare la g. nel sacco**, to buy a pig in a poke □ (*prov.*) **La g. frettolosa fece i gattini ciechi**, more haste, less speed □ (*prov.*) **Tanto va la g. al lardo che ci lascia lo zampino**, curiosity killed the cat.

gattabùia f. (*scherz.*) prison; lockup; nick (*slang GB*); clink (*slang*); cooler (*slang*); pokey (*slang USA*).

gattàia f. (*bot., Nepeta cataia*) catmint; catnip.

gattaiòla f. cat-door.

gattamòrta f. (*fam.*) sly one; goody-goody ● **fare la g.**, to play dumb.

gattàro m. person who takes in stray cats.

gatteggiaménto m. (*miner.*) glinting; glittering.

gatteggiàre v. i. (*miner.*) to glint; to glitter.

gattésco a. catlike; cattish; catty; feline.

gàttice m. (*bot., Populus alba*) white poplar.

gattìna f. (female) kitten; pussy (*fam.*) ● **fare la g.**, to be kittenish.

gattìno m. 1 kitten; pussy (*fam.*) 2 (*bot.*,

pop.: *amento*) ament; catkin.

♦**gàtto** m. **1** cat; pussy (cat) (*fam.*); (*maschio*) male cat, tomcat: **g. castrato**, neutered cat; **g. d'angora**, Angora (o Persian) cat; **g. fulvo**, marmalade cat; **g. randagio**, stray cat; alley cat; **g. rosso**, ginger cat; **g. siamese**, Siamese cat; **g. soriano** (o **tigrato**), tabby (cat); *Il mio g. è bravo ad acchiappare i topi*, my cat is a good mouser **2** (*zool.*) – **g. delle selve** (*Felis serval*), serval; **g. selvatico** (*Felis catus*), wildcat; **g. tigre** (*Felis tigrina*), tiger-cat; margay **3** (*tecn.: berta, battipalo*) pile-driver; rammer ● **g. a nove code** (*frusta*), cat-o'-nine-tails □ **il G. con gli stivali**, Puss-in-Boots □ **g. delle nevi** (*veicolo*), snowmobile; snowcat □ (*sciopero a*) **g. selvaggio**, wildcat strike □ (*ind. petrolifera*) **g. selvatico**, offshore drilling platform □ (*naut.*) **buco del g.**, lubber's hole □ **essere come cane e g.**, to be like cat and dog □ **giocare con q. come il g. col topo**, to play cat and mouse with sb. □ (*fig.*) **C'erano quattro gatti**, there was hardly anybody there □ **Eravamo in quattro gatti**, there were only a few of us □ (*prov.*) **Di notte tutti i gatti sono grigi**, all cats are alike in the night □ (*prov.*) **Quando il g. non c'è i topi ballano**, when the cat is away the mice will play.

gattòfilo (*scherz.*) **A** a. cat-loving **B** m. (f. **-a**) cat lover.

gattomammóne m. bogey.

gattonàre v. t. e i. **1** (*nella caccia*) to stalk **2** (*di bambino*) to crawl.

gattóni① avv. on all fours; crawling: **andare g.**, to crawl; to creep on all fours; **gatton g.**, stealthily.

gattóni② m. pl. (*med., pop.*) (the) mumps (col verbo al pl. o al sing.).

gattopardésco a. relative to a conservative policy based on the belief that the status quo can best be defended through reforms that merely change the surface of things.

gattopardìsmo m. (policy based on the) belief that the status quo can best be defended through reforms that merely change the surface of things.

gattopàrdo m. (*zool.*) **1** – **g. africano** (*Felis serval*), serval **2** – **g. americano** (*Felis pardalis*), ocelot.

gattùccio① m. (*zool.*) **1** (*Scyliorhinus canicula*) lesser spotted dogfish; nursehound **2** – **g. maggiore** (o **stellato**) (*Scyliorhinus stellaris*), larger spotted dogfish.

gattùccio② m. (*sega*) keyhole saw; compass saw.

gauchésco a. gaucho (attr.).

gauchisme (*franc.*), **gauchìsmo** m. (*polit.*) extraparliamentary left-wing movements (pl.); extreme left-wing politics (pl. col verbo al sing.).

gauchiste (*franc.*) (*polit.*) **A** a. inv. extreme left-wing (attr.) **B** m. e f. inv. member of the extreme left wing.

gaudènte A a. pleasure-loving; pleasure-seeking **B** m. e f. (*edonista*) hedonist, pleasure-seeker; (*festaiolo*) reveller, roué (*franc., spreg.*) ● **Frati Gaudenti**, Knights of Our Lady.

gàudio m. joy; bliss ● (*prov.*) **Mal comune, mezzo g.**, a trouble shared is a trouble halved.

gaudióso a. (*lett.*) joyful; blissful: (*relig.*) **i Misteri gaudiosi**, the Joyful Mysteries.

gaufre (*franc.*) f. inv. wafer.

gaufré (*franc.*) a. embossed.

gaulthèria f. (*bot., Gaultheria procumbens*) checkerberry; wintergreen.

gauss m. (*fis.*) gauss.

gaussiàno a. (*mat.*) Gaussian: **curva gaussiana**, Gaussian curve.

gavaìna f. tongs (pl.); pincers (pl.).

gavazzaménto m. revelry; carousal; de-

bauchery.

gavazzàre v. i. (*lett.* o *scherz.*) to revel; to carouse.

gavétta f. (*mil.*) mess-tin ● **fare la g.**, to work one's way up □ **venire dalla g.**, (*mil.*) to rise from the ranks; (*fig.*) to be a self- -made man [woman].

gavettóne m. **1** (*scherzo*) throwing a bag- ful of water at sb. (as a practical joke); emp- tying a bucketful of water on a sleeping per- son **2** (*naut.*) → **gaettone**.

gaviàle m. (*zool.*, *Gavialis gangeticus*) ghari- al; gavial.

gaviglàno m. (*scherma*) quillons (pl.).

gavìna f. (*zool.*, *Larus canus*) common gull.

gavitèllo m. (*naut.*) buoy; marker: **g. lu- minoso**, light buoy; beacon.

gavóne m. (*naut.*) peak: **g. di poppa**, after- peak; **g. di prua**, forepeak.

gavòtta f. (*danza* e *mus.*) gavotte.

gazàre v. t. (*ind. tess.*) to singe; to gas.

gazatùra f. (*ind. tess.*) singeing; gassing.

gazebo (*ingl.*) m. inv. gazebo.

gàzza f. **1** (*zool.*, *Pica pica*) magpie **2** (*zool.*) – **g. marina** (*Alca torda*), razorbill; ra- zor-billed auk; **g. marina minore** (*Plautus alle*), rotche **3** (*fig. fam.*) magpie; prattler.

gazzàrra f. din; hubbub; hullaballoo; rumpus; ruckus (*fam. USA*).

gazzèlla f. **1** (*zool.*, *Gazella*) gazelle **2** (*fig.*, *gergale*) (high-speed) police car ● **oc- chi da g.**, doe eyes.

gazzétta f. **1** gazette **2** (*fig.*, *di persona*) gossip ● **G. Ufficiale**, Official Gazette (pub- lishing the text of new laws).

gazzettière m. (*spreg.*) hack (reporter).

gazzettino m. **1** news-sheet **2** (*giorn.*) page; column: **g. regionale**, local page; **g. rosa**, gossip column; **g. teatrale**, theatre column **3** (*radio*) local news round-up **4** (*fig.*, *di persona*) gossip.

gazzettìstico a. (*spreg.*) sensationalistic.

gazzósa → **gassosa**.

Gazz. Uff. abbr. (*leg.*, **Gazzetta ufficia- le**) Official Journal; Official Gazette.

G.C. sigla **1** (*genio civile*) civil engineers (CE) **2** (*relig.*, **Gesù Cristo**) Jesus Christ (J.C.) **3** (*decorazione*, **Gran croce**) Grand Cross.

G.d.F. sigla (**Guardia di finanza**) financial police.

GE abbr. (**Genova**) Genoa.

geàstro m. (*bot.*, *Geaster*) earthstar.

gèco m. (*zool.*, *Tarentola mauritanica*) gecko*.

Geènna f. (*Bibbia*) Gehenna.

Geiger m. inv. – **contatore di G.**, Geiger counter.

gèisha f. geisha*.

geitonogamìa f. (*bot.*) geitonogamy.

gel m. inv. **1** (*chim.*) gel **2** (*per capelli*) hair gel.

gelàda m. inv. (*zool.*, *Theropithecus gelada*) gelda (baboon).

♦**gelàre** A v. t. **1** to freeze*; to chill: *Il fred- do ha gelato l'acqua nei tubi*, the cold has frozen the water in the pipes; **un vento che ti gela le ossa**, a wind that chills you to the bone **2** (*uccidere per il gelo*) to kill ● (*fig.*) **g. l'entusiasmo di q.**, to dampen sb.'s enthu- siasm □ (*fig.*) **il sangue**, to make (sb.'s) blood run cold □ (*fig.*) **una risposta che ge- la**, a freezing answer □ (*fig.*) **un sarcasmo che gela**, withering sarcasm B v. i. **1** to freeze*; (*di pianta*) to be killed by the frost: *Il fiume gelò*, the river froze; *La mimosa gelò*, the mimosa was killed by the frost **2** (*fig.*: *avere molto freddo*) *Sto gelan- do*, I'm freezing; *Qui si gela*, it is freezing here ● **Mi sentii g.**, I was horrified; my

heart stopped C v. i. impers. to freeze*: *Sta- notte gelerà*, it will freeze tonight D **gelàr- si** v. i. pron. to freeze*; (*del sangue*, *fig.*) to run* cold: *Mi si sono gelati i piedi*, my feet are frozen; *A quella vista mi si gelò il san- gue*, that sight made my blood run cold.

gelàsimo m. (*zool.*, *Uca pugilator*) fiddler crab.

gelàta f. frost: **g. dura**, black frost; **g. pre- coce**, early frost; **g. superficiale**, hoar frost.

gelatàio m. (f. **-a**) **1** (*venditore*) ice-cream seller; (*il negozio*) ice-cream shop, ice-cream parlor (*USA*) **2** (*fabbricante*) ice-cream maker.

gelaterìa f. ice-cream shop; ice-cream parlor (*USA*).

gelatièra f. ice-cream machine.

gelatièro a. ice-cream (attr.).

gelatìna f. **1** (*cucina*) gelatin; jelly; aspic: **g. di frutta**, fruit jelly; **g. reale**, royal jelly; **in g.**, jellied; in aspic; **pollo in g.**, chicken in aspic **2** (*sostanza gelatinosa*) jelly **3** (*chim.*) gelatin: (*fotogr.*) **g. cristallizzata**, frosted gelatine; **g. esplosiva**, blasting gelatin **4** (*med.*) gel **5** (*teatr.*) gelatin; gel (*fam.*).

gelatinàre v. t. to coat with gelatine.

gelatinifórme a. gelatinous; jelly-like.

gelatinizzàre a. gelatinizing; jelling.

gelatinizzàre v. t., **gelatinizzàrsi** v. i. pron. to gelatinize; to jellify.

gelatinóso a. jelly-like; gelatinous.

♦**gelàto** A a. **1** (*freddissimo*) icy, ice-cold, stone-cold; (*ghiacciato*) frozen: **acqua gela- ta**, icy water; **lago g.**, frozen lake; *Ho le ma- ni gelate*, my hands are frozen (o are like lumps of ice); *Sono g.!*, I'm freezing! **2** (*fig.*) frozen ● **torta gelata**, ice-cream cake B m. ice cream: **g. da passeggio**, ice cream on a stick; ice lolly; popsicle® (*USA*); **g. di frago- le**, strawberry ice cream; **cono di g.**, ice- -cream cone; **coppetta di g.**, tub of ice cream.

gelazióne f. (*chim.*) gelation.

gelicìdio m. (*meteor.*) glaze; glazed frost.

gelidaménte avv. icily; gelidly; coldly.

♦**gèlido** a. **1** icy; ice-cold; freezing **2** (*fig.*) icy; chilly; gelid; frosty: **accoglienza gelida**, frosty welcome; **maniere gelide**, icy man- ners.

gelificànte A a. gelatinizing B m. gelati- nizing agent.

gelificàre (*chim.*) A v. t. to convert into a gel; to gelatinize B v. i. e **gelificàrsi** v. i. pron. to gel, to jell.

gelificazióne f. (*chim.*) gelation.

gelignite f. gelignite.

gellàba f. djellaba, djellabah.

♦**gèlo** m. **1** (*freddo intenso*) intense cold: *Non stare fuori al g.*, don't stay outside in the cold; **ondata di g.**, freezing spell **2** (*ghiac- cio*) ice; (*gelata*) frost: *Il g. fece morire tutti i fiori*, the frost killed all the flowers **3** (*fig.*: *sbigottimento*) chill; chilly feeling; (*brivido*) shiver: **il g. del sospetto**, the chill of suspi- cion; **un g. nelle ossa**, a chill in one's bones **4** (*fig.*: *freddezza*) iciness; chilliness; frost: **atmosfera di g.**, chilly atmosphere; **farsi di g.**, to freeze.

gelóne m. (*med.*) chilblain: **avere i geloni ai piedi**, to have chilblains in one's feet.

gelosaménte avv. **1** (*con gelosia*) jealous- ly; (*con invidia*) enviously **2** (*con cura scrupo- losa*) jealously; scrupulously; with loving care.

♦**gelosìa** ① f. **1** jealousy: **g. di mestiere**, professional jealousy; **rodersi di g.**, to be consumed with jealousy; **to eat one's heart out** (*fam.*); **fare una scenata di g.**, to make a jealous scene; **to have a fit of jealousy 2** (*invidia*) envy; jealousy: *Quella lode suscitò la g. dei compagni*, that praise roused his

classmates' envy **3** (*cura scrupolosa*) scrupu- lous care; zeal.

gelosìa ② f. **1** (*persiana*) jalousie; shutter **2** (*sportellino di persiana*) shutter flap (o hatch).

♦**gelóso** a. **1** jealous: **essere g. della mo- glie**, to be jealous of one's wife **2** (*invidioso*) jealous; envious: *È g. del collega*, he is jeal- ous of his colleague **3** (*protettivo*, *possessivo*) jealous (of); particular (about): **g. della pro- pria indipendenza**, jealous of one's inde- pendence; **g. delle proprie cose**, particular about one's things.

gelsèmio m. (*bot.*, *Gelsemium*) gelsemium; yellow (o Carolina) jasmine.

gelséto m. mulberry grove.

gelsicoltóre m. (f. **-trìce**) mulberry grower.

gelsicoltùra f. mulberry-growing.

gèlso m. (*bot.*, *Morus*) mulberry (tree, bush): **g. bianco** (*Morus alba*), white mul- berry; **g. nero** (*Morus nigra*), black (o com- mon) mulberry.

Gelsomìna f. Jasmine.

gelsomìno m. (*bot.*, *Jasminum*) jasmine; jessamine ● **g. americano** (*Campsis radi- cans*), trumpet creeper.

Geltrùde f. Gertrude.

gemebóndo a. moaning; groaning.

gemellàggio m. twinning: **unirsi in g.**, to twin; **unito in g.**, twinned.

gemellànza f. twinship.

gemellàre ① a. twin (attr.): **parto g.**, twin birth.

gemellàre ② v. t., **gemellàrsi** v. rifl. e rifl. recipr. to twin.

gemellarità f. (*biol.*) twin birth.

gemellàto a. twinned.

Gemèlli m. pl. **1** (*astron.*, *astrol.*) Gemini; the Twins **2** (al pl.) (*astrol.*, *di persona*) Gem- ini.

gemellìpara f. mother of twins.

♦**gemèllo** A a. **1** twin (attr.): **sorella ge- mella**, twin sister **2** (*fig.*) twin (attr.); sister (attr.): **anima gemella**, kindred spirit; soul mate; **città gemella**, twin city; **letti gemel- li**, twin beds; **nave gemella**, sister ship B m. (f. **-a**) **1** twin: **gemelli monozigotici** [di- zigotici], monozygotic [dizygotic] twins; **gemelli siamesi**, Siamese twins; **il mio g.**, my twin; **cinque gemelli**, quintuplets; **due gemelli**, twins; *Hanno avuto due gemelli*, they have had twins; **quattro gemelli**, quadruplets; **tre gemelli**, triplets **2** (*per ca- micia*) cuff link **3** (*cosa identica*) twin; match.

gemellologìa f. (*med.*) study of twins.

gèmere A v. i. **1** to groan; to moan; to wail: **g. di dolore**, to groan in pain; *La vec- chia gemeva debolmente*, the old woman was moaning faintly **2** (*scricchiolare*) to groan; to creak: *La trave gemeva sotto il pe- so*, the beam groaned under the weight **3** (*fig.*) to groan: **g. sotto l'oppressore**, to groan under the yoke of the oppressor **4** (*trasudare*) to drip; to ooze; to trickle; to leak: *La botte geme*, the barrel is leaking **5** (*tuba- re*) to coo B v. t. **1** (*emettere*, *versare a gocce*) to drip; to ooze; to trickle with: **una ferita che geme sangue**, a wound oozing blood.

geminàre v. t. (*anche fon.*) to geminate.

geminàto a. **1** (*ling.*, *bot.*) geminate: **con- sonante geminata**, geminate consonant **2** (*miner.*) twinned: **cristalli geminati**, twinned crystals; twins.

geminazióne f. **1** (*ling.*, *bot*) gemination **2** (*miner.*) twinning.

gèmino a. (*lett.*) twin (attr.); double; two- fold.

gemìtio m. (*med.*) exudation.

gèmito m. **1** moan; groan; wail **2** (*cigolio*) creak; squeak.

gemizìo → **gemitio**.

◆**gèmma** f. 1 (*bot.*) bud; button: **g. apicale**, terminal bud; **g. ascellare**, axillary bud; **g. fogliare**, leaf bud; **mettere le gemme**, to bud; to gemmate 2 (*biol.*) gemma*; bud 3 (*miner.*) gem; jewel 4 (*fig.*) gem; jewel: *Quel francobollo è la g. della collezione*, that stamp is the gem of the collection 5 (*biol.*) gemma*.

gemmàre v. i. (*bot.*) to gemmate; to bud.

gemmàrio a. jewel (attr.); gem (attr.) ● **arte gemmaria**, goldsmith's craft.

gemmàto a. 1 (*bot.*, *biol.*) gemmate 2 (*lett.*) bejewelled.

gemmazióne f. (*bot.*, *biol.*) gemmation.

gèmmeo a. jewel-like.

gemmìfero a. (*bot.*, *biol.*) gemmiferous.

gemmìparo a. (*biol.*) gemmiparous.

gemmoderivàto m. (*farm.*) gem extract.

gemmologìa f. gemmology.

gemmològico a. gemmological.

gemmólogo m. (f. **-a**) gemmologist.

gemmoterapìa f. (*farm.*) gemmotherapy.

gèmmula f. (*biol.*) gemmule.

Gen. abbr. (*mil.*, **generale**) general (Gen.).

gendàrme m. 1 policeman*; gendarme (*franc.*) 2 (*fig.*, *di donna*) dragon; battle-axe (*fam.*) 3 (*alpinismo*) gendarme (*franc.*).

gendarmerìa f. 1 (*corpo*) police; gendarmerie (*franc.*) 2 (*caserma*) police station; gendarmerie (*franc.*).

gène m. (*biol.*) gene.

genealogìa f. 1 (*scienza*) genealogy 2 (*discendenza*) genealogy; lineage; line 3 (*di animale*) pedigree.

genealògico a. genealogical: **albero g.**, genealogical tree; family tree; **ricerche genealogiche**, genealogical research (sing.).

genealogista m. e f. genealogist.

genepì m. 1 (*bot.*, *Artemisia*) mugwort 2 (*liquore*) mugwort-flavoured liqueur.

generalàto m. (*eccles.*) generalship.

◆**generàle** ① **A** a. 1 general; common; (*diffuso*) widespread; (*globale, che copre tutti i casi*) blanket (attr.): **un'idea g.**, a general idea; **ipoteca g.**, blanket mortgage; **opinione g.**, general (*o* widespread) opinion; (*med.*) **paralisi g.**, general paralysis; **regola g.**, general rule; blanket rule; **sciopero g.**, general strike 2 (*in una gerarchia*) general (*a volte posposto*): **console g.**, Consul General; **direttore g.**, general manager; (*eccles.*) **Madre G.**, Mother General; (*mil.*) **tenente g.**, lieutenant general ● (*teatr.*) **a richiesta g.**, by request □ **in termini generali**, in general (*o* broad) terms □ **indice g.**, index □ (*teatr.*) **prova g.**, dress rehearsal □ (*mil.*) **Quartier G.**, General Headquarters (sing. o pl.) (abbr. GHQ) □ (*rag.*) **spese generali**, overheads; overhead expenses **B** m. (the) general: **distinguere il g. dal particolare**, to distinguish the general from the particular; **in g.**, in general; generally speaking; (*di regola*) as a rule; (*nel complesso*) on the whole.

◆**generàle** ② m. 1 (*mil.*) general: (*stor.*) **g. d'armata**, general; **g. di brigata**, (*in GB*) brigadier; (*in USA*) brigadier general; (*aeron.*, *in GB*) air commodore; **g. di corpo d'armata**, lieutenant general; **g. di divisione**, major general; **g. di divisione aerea**, (*in GB*) air vice marshal; (*in USA*) major general; (*aeron.*) **g. di squadra**, (*in GB*) air marshal; (*in USA*) lieutenant general; **g. in capo**, commander in chief; supreme commander 2 (*eccles.*) general; superior-general.

generalésco a. (*autoritario*) authoritarian; commanding; imperious.

generaléssa f. 1 general's wife* 2 (*eccles.*) (superior) general 3 (*scherz.*) domi-

neering woman*; battleaxe; dragon.

generalìssimo m. (*mil.*) generalissimo*.

generalista a. generalist: **televisione g.**, generalist TV network.

generalità f. 1 generality; universality: **la g. di una legge**, the universality of a law 2 (*maggioranza*) majority: **nella g. dei casi**, in the majority of cases; in most cases 3 (*idea generale, ecc.*) generalization; generality 4 (al pl.) (*dati per uso burocratico*) one's particulars; full name, parents' names and date of birth: **declinare le proprie g.**, to give one's particulars; to identify oneself.

generalìzio a. (*eccles.*) of a general (*o* superior-general).

generalizzàbile a. generalizable.

generalizzàre v. t. e i. to generalize.

generalizzàto a. (*diffuso*) general; widespread.

generalizzazióne f. generalization.

generalménte avv. 1 (*in generale*) generally; in general; mostly; (*di regola*) as a rule 2 (*dai più*) generally; commonly.

generàre **A** v. t. 1 (*procreare*) to procreate; to beget* (*form. o lett.*); (*di animale*) to breed*; (*dare alla luce*) to give* birth to: **g. un figlio**, to beget a child; to give birth to a child; *Isacco generò Giacobbe*, Isaac begat Jacob 2 (*estens.*: *dare i natali a*) to give* birth to: *Firenze generò molti artisti*, Florence gave birth to many artists 3 (*produrre*) to generate (*anche tecn.*); to produce: **g. elettricità**, to generate electricity; **g. frutti**, to produce fruits 4 (*fig.*: *far sorgere, cagionare*) to generate; to beget*; to breed*; to spawn; to cause; to foster: **g. un equivoco**, to cause a misunderstanding; **g. insicurezza**, to breed insecurity; *L'odio genera odio*, hatred begets more hatred; *Che cosa genera le maree?*, what causes the tides?; *Queste voci hanno generato un clima di paura*, these rumours have fostered a climate of fear **B** **generàrsi** v. i. pron. 1 to be produced; to be born 2 (*fig.*) to be generated; to be caused; to come* about (as a consequence of); to arise* (from st.).

generativìsmo m. (*ling.*) generativism.

generativista a., m. e f. (*ling.*) generativist.

generativo a. generative.

generatóre **A** a. generating; generative: **principio g.**, generating principle **B** m. 1 generator; begetter; producer; originator 2 (*fis.*, *mecc.*) generator: **g. d'impulsi**, impulse generator; **g. di vapore**, steam generator; **g. di radiofrequenza**, oscillator; **g. per corrente alternata e continua**, double current generator.

generatrìce f. (*geom.*) generatrix*; generator.

generazionàle a. generation (attr.); generational: **conflitti generazionali**, conflicts between generations; **gap g.**, generation gap.

◆**generazióne** f. 1 (*il procreare*) generation; procreation: **g. spontanea**, spontaneous generation 2 (*stirpe, discendenza*) progeny; (*discendenti dello stesso grado*) generation: **australiano di terza g.**, third-generation Australian; **fino alla settima g.**, down to the seventh generation; **passare di g. in g.**, to be handed down from generation to generation 3 (*individui che hanno circa la stessa età, appartenenti allo stesso periodo storico*) generation: **la nuova g.**, the new (*o* rising) generation; **le generazioni future**, future generations; **quelli della mia g.**, those of my generation; my contemporaries 4 (*produzione, anche tecn.*) generation; production: **g. di calore**, heat generation 5 (*tecn.*: *stadio di sviluppo*) generation: **calcolatori della terza g.**, third-generation computers.

◆**gènere** m. 1 kind; sort; (*tipo*) type; (*modo*) way: **un nuovo g. di libro**, a new kind (*o* type) of book; **gente d'ogni g.**, all kinds (*o* sorts) of people; *Non voglio aver niente a che fare con gente del g.*, I don't want to have anything to do with such people; *Mai detto niente del g.*, I've never said anything of the kind!; **una cosa** (*o* qualcosa) **del g.**, something like that (*o* of that kind, along those lines); **cose del g.**, that sort of things; things like that; **unico nel suo g.**, one of a kind; one-off 2 (*biol.*) genus* 3 (*gramm.*) gender: **g. neutro**, neuter gender 4 (*letter., arte*) genre (*franc.*): **il g. comico**, the comic genre; comedy; **il g. drammatico**, the dramatic genre; drama; **il g. epico**, epic (poetry); **il g. tragico**, tragedy; **i generi letterari**, literary genres 5 (*mercanzia, prodotto*) product; line of goods; goods (pl.); (*articolo*) article: **generi alimentari**, foodstuffs; **generi di largo consumo**, mass consumer goods; **generi di lusso**, luxury goods; **generi di prima necessità**, commodities ● **il g. umano**, the human race □ **in g.**, generally speaking; as a rule □ **È un genio nel suo g.**, in his own way he is a genius.

genèrica f. → **generico**, def. 2, 3, 4.

genericaménte avv. generically; in generic terms.

genericità f. 1 (*carattere generico*) generic character 2 (*indeterminatezza*) vagueness; indefiniteness.

genèrico **A** a. 1 (*di un genere*) generic 2 (*generale*) generic; general: (*vago*) indefinite, vague; (*evasivo*) non-committal: **discorsi generici**, general remarks; **risposta generica**, non-committal answer; **termine g.**, generic term; *Mi pare tutto molto g.*, it all seems very vague 3 (*non specializzato*) general: **medico g.**, general practitioner (abbr. G.P.) **B** m. 1 (*ciò che è vago*) (the) general; generalities (pl.): **restare nel g.**, to stick to generalities 2 (f. **-a**) (*teatr.*) bit-part actor (f. actress); (*cinem.*) walk-on, utility actor (f. actress).

◆**gènero** m. son-in-law*.

◆**generosaménte** avv. generously; liberally; lavishly.

◆**generosità** f. 1 (*liberalità*) generosity; munificence; liberality; open-handedness; largesse 2 (*nobiltà d'animo*) nobility 3 (*altruismo*) generosity; altruism; self-sacrifice 4 (*di atleta*) total commitment; spirit.

◆**generóso** a. 1 (*liberale*) generous; liberal; open-handed; free; large; lavish: **un carattere g.**, a generous nature; **mancia generosa**, lavish tip; generous reward 2 (*d'animo nobile*) noble 3 (*altruista*) generous; self-sacrificing; unselfish 4 (*fertile*) rich; generous: **terra generosa**, rich soil 5 (*abbondante*) plentiful; generous; copious; bounteous: **messi generose**, a bountiful harvest; **fare porzioni generose**, to serve generous helpings 6 (*di atleta*) totally committed; unsparing ● **scollatura generosa**, plunging neckline □ **vino g.**, full-bodied (*o* robust) wine.

gènesi f. genesis*; origin; birth.

Gènesi m. o f. (*Bibbia*) Genesis.

genètica f. genetics (pl. col verbo al sing.).

geneticaménte avv. genetically: **g. modificato**, genetically modified; GM.

genètico a. genetic; gene (attr.): **codice g.**, genetic code; **ingegneria genetica**, genetic engineering; **malattia genetica**, genetic disease; **mappa genetica**, genetic map; **pool g.**, gene pool.

genetista m. e f. geneticist.

genetlìaco (*lett.*) **A** a. birthday (attr.): **giorno g.**, birthday **B** m. birthday.

genètta f. (*zool.*, *Genetta genetta*) (common) genet.

gengìva f. (*anat.*) gum: **gengive infiammate**, swollen gums.

gengivàle a. (*anat.*) gun (attr.); of the gums; gingival (*scient.*).

gengivàrio m. (*farm.*) medicine for the gums.

gengivite f. (*med.*) gingivitis.

genìa f. (*spreg.*) (evil) breed; lot; pack; bunch.

geniàccio m. wayward (*o* erratic) genius.

genialàta f. (*fam. scherz.*) brilliant idea; brainwave (*fam.*).

geniàle a. **1** brilliant; ingenious; inspired; (*che ha talento*) talented, gifted: **artista g.**, gifted artist; **idea g.**, brilliant idea; brainwave (*fam.*); **persona g.**, genius; **soluzione g.**, ingenious (*o* brilliant) solution **2** (*congeniale*) congenial ❶ **FALSI AMICI** • *geniale non si traduce con* genial.

genialità f. brilliance; ingeniousness; virtuosity, genius ❶ **FALSI AMICI** • *genialità non si traduce con* geniality.

genialòide Ⓐ a. eccentric but gifted; talented and erratic Ⓑ m. e f. erratic genius.

gènico a. (*biol.*) genic; gene (attr.).

genicolàto a. (*scient.*) geniculate.

genière m. (*mil.*) engineer; sapper.

geniétto m. (*di ragazzo*) little genius; wunderkin (*ted.*); whizz kid (*fam.*).

♦**gènio**① m. **1** (*mitol., relig. e fig.*) genius*: **g. benefico**, good genius; **g. del male**, evil genius; **g. protettore**, tutelary genius; (*fig.*) guardian angel; **essere il cattivo g. di q.**, to be sb.'s evil genius **2** (*talento*) talent; gift: **il g. di Leonardo**, Leonardo's genius; **avere g. per le lingue**, to have a gift for languages; *Ha il g. della finanza*, he (*o* she) has a genius for finance **3** (*persona geniale*) genius; (*persona abilissima*) wizard: **g. incompreso**, misunderstood genius; **un g. dei computer**, a computer wizard **4** (*spirito, folletto*) genie*: **il g. di Aladino**, Aladdin's genie **5** (*spirito, carattere*) genius; spirit: **il g. di una lingua**, the genius (*o* spirit) of a language; **il g. del luogo**, genius loci (*lat.*); the spirit of the place • **andare a g. a q.**, to like (*pers.*); to be keen on (*pers.*): *Il progetto mi va poco a g.*, I don't like this plan much; I'm not very keen on this plan □ **lampo di g.**, flash of inspiration; stoke of genius; brainwave (*fam.*) □ **Non è persona di mio g.**, I don't like him [her] at all.

gènio② m. (*mil.*) Engineer Corps; (*in GB*) (the) Royal Engineers (pl.): **G. Civile**, Civil Engineers (pl.); **G. Navale**, Naval Engineers (pl.).

genioglòsso a. (*anat.*) – **muscolo g.**, genioglossus*.

genioioidèo a. (*anat.*) geniohyoid.

gènis m. inv. (*mus.*) althorn.

genisteina f. (*biochim.*) genistein.

genitàle (*anat.*) Ⓐ a. genital: (*psic.*) **fase g.**, genital stage; **organi genitali**, genitals; **zona g.**, genital area Ⓑ m. pl. genitals; genitalia.

genitalità f. (*psic.*) genitality.

genitivo a. e m. (*gramm.*) genitive; (*possessivo*) possessive: **g. possessivo** (*o* **sassone**), possessive case; **doppio g.**, double possessive (*o* genitive); **caso g.**, genitive case.

♦**genitóre** m. **1** (*madre o padre*) parent: **g. solo**, single parent; **i miei genitori**, my parents **2** (*padre*) father.

genitoriàle a. parental; parents' (attr.): **responsabilità genitoriali**, parental responsibility.

genitorialità f. **1** (*condizione*) parenthood **2** (*compito*) parenting.

genitourinàrio a. (*anat.*) genitourinary.

genitrice Ⓐ a. generating Ⓑ f. mother; parent.

genitùra f. (*lett.*) generation; procreation; begetting.

gènius lòci (*lat.*) loc. m. inv. genius loci; spirit of a place.

Genn. abbr. (**gennaio**) January (Jan.).

♦**gennàio** m. January. (*Per gli esempi d'uso →* **aprile**)

gennaker m. inv. (*naut.*) gennaker.

gènoa m. inv. (*naut.*) genoa (jib).

genocidio m. genocide.

genòma m. (*biol.*) genome.

genòmica f. (*biol.*) genomics (pl. col verbo al sing.).

genòmico a. (*biol.*) genomic.

genotìpico a. (*biol.*) genotypic.

genotipo m. (*biol.*) genotype.

genotòssico a. (*biol.*) genotoxic.

Gènova f. (*geogr.*) Genoa.

Genovèffa f. Genevieve.

genovése a., m. e f. Genoese.

gentàglia f. (*spreg.*) riff-raff; scum; rabble.

gentamicina f. (*farm.*) gentamicin.

♦**gènte** f. **1** (*numero indeterminato di persone*) people (collett. col verbo al pl.); folk (collett. col verbo al pl.); folks (pl.): **g. di campagna**, country people (*o* folk); **g. di città**, townspeople: townsfolk; *È brava g.*, they are nice (*o* decent) people; *La g. dice...*, people say...; *C'è poca* [*troppa*] *g.*, there aren't many [there are too many] people; *Quanta g.!*, what a lot of people!; what a crowd!; *Ho invitato un po' di g. per stasera*, I've invited a few people round tonight; *Stasera ho g. a cena*, I've got people coming to dinner tonight **2** (*lett.: popolo, nazione*) people; nation: **la g. sannita**, the Samnite people; **le genti dell'Africa**, the peoples of Africa; **tutte le genti**, the whole of mankind; (*leg.*) **il diritto delle genti**, the law of nations **3** (*famiglia*) family: *Viene da g. ricca*, he comes from a rich family **4** (*stor. romana*) gens* **5** (*naut.*) hands (pl.); ship's company: **chiamare la g. in coperta**, to order all hands on deck **6** (al vocat., *fam.*) folks; everyone: *Ehi, g., che si fa stasera?*, what's on for tonight, folks?; *Salve, g.!*, hello, everyone!; *G., che gol!*, wow, that was some goal! • **g. d'arme**, soldiers □ **g. del cinema**, people from the film world □ **g. di chiesa**, (*fedeli*) churchgoers; (*ecclesiastici*) clergymen □ **g. di mare**, seamen; sailors □ **g. di teatro**, theatre people; stage folk □ **le genti future**, the future generations.

gentildònna f. gentlewoman*; lady.

♦**gentile**① a. **1** kind; nice; (*cortese*) polite, courteous: **un pensiero** [**una lettera**] **g.**, a kind thought [letter]; **essere g. con tutti**, to be nice to everyone; *Sei stato molto g. a venire*, it was very kind of you to come; how kind of you to come!; *Molto g. da parte sua*, that's very kind of you; *Vuoi essere così g. da...?*, would you be so kind as to...?; *Sii g., fammelo tu*, you do it for me, will you? **2** (*delicato*) gentle, delicate; (*aggraziato*) graceful: **lineamenti gentili**, delicate features; **il gentil sesso**, the gentle sex; **tocco g.**, gentle touch **3** (*nelle lettere*) Dear: **G. Signora** (*o* **Signorina**), Dear Madam; (*su una busta*) *G. Signora Rossi*, Mrs Anna Rossi.

gentile② m. **1** (*pagano*) Gentile; heathen **2** (*non ebreo*) Gentile.

♦**gentilézza** f. **1** kindness; (*garbo, cortesia*) courtesy: **g. d'animo**, kind heart; kind nature: *Abbiate la g. di...*, please be so kind as to (*o* have the courtesy to)... **2** (*atto gentile*) kindness; (*favore*) kindness: *Fammi la g. di accettare*, do me the kindness to accept.

gentilizio a. aristocratic; noble • **stemma g.**, coat of arms.

gentilmènte avv. kindly; (*cortesemente*) politely, courteously.

gentiluòmo m. gentleman*: **g. di campagna**, country gentleman; **g. di corte**, gentle-man-in-waiting; *Le do la mia parola di g.*, I give you my word as a gentleman; **ladro g.**, gentleman thief.

genuflessióne f. genuflexion, genuflection • **fare una g.**, to genuflect.

genuflèttersi v. rifl. to genuflect.

genuinità f. genuineness; authenticity.

genuino a. **1** (*autentico*) genuine; authentic; real; true **2** (*di cibo*) genuine; natural; wholesome: **prodotti genuini**, natural products **3** (*schietto*) sincere; unaffected; unpretentious; artless.

genziàna f. (*bot.*, *Gentiana lutea*) gentian • (*farm.*) **radice di g.**, gentian root.

genzianèlla f. (*bot.*, *Gentiana acaulis*) gentianella.

geobiologìa f. geobiology.

geobotànica f. geobotany.

geocarpìa f. (*bot.*) geocarpy.

geocàrpo a. (*bot.*) geocarpic.

geocèntrico a. (*astron., geogr.*) geocentric.

geocentrìsmo m. geocentricism.

geochìmica f. geochemistry.

geochìmico Ⓐ a. geochemical Ⓑ m. (f. *-a*) geochemist.

geocronologìa f. geochronology.

geòde m. (*miner.*) geode.

geodesìa f. geodesy.

geodèta m. e f. geodesist.

geodètica f. (*mat.*) geodesic (line).

geodètico a. (*mat.*) geodetic; geodesic: **cupola geodetica**, geodesic dome; **linea geodetica**, geodesic line; **rilevamento g.**, geodetic survey.

geodìmetro m. Geodimeter®.

geodinàmica f. (*geol.*) geodynamics (pl. col verbo al sing.).

geodinàmico a. (*geol.*) geodynamic.

geofagìa f. (*med.*) geophagy.

geofàuna f. geofauna.

geofìsica f. (*fis.*) geophysics (pl. col verbo al sing.).

geofìsico Ⓐ a. geophysical Ⓑ m. (f. *-a*) geophysicist.

geoflòra f. geoflora.

geòfono m. (*geofisica*) geophone.

geognosìa f. (*geol.*) geognosy.

♦**geografìa** f. geography: **g. fisica** [**economica, linguistica**], physical [economic, linguistic] geography.

♦**geogràfico** a. geographical, geographic: **carta geografica**, map; **distribuzione geografica**, geographical distribution; **miglio g.**, geographical mile; **nord g.**, geographic north; **posizione geografica**, geographical position.

geògrafo m. (f. *-a*) geographer.

geòide m. geoid.

geolinguìstica f. geolinguistics (pl. col verbo al sing.).

geologìa f. geology: **g. stratigrafica** [**applicata**], stratigraphic [applied] geology.

geològico a. geologic.

geòlogo m. (f. *-a*) geologist.

geolunàre a. (*geofisica*) geoselenic.

Geom. abbr. (**geometra**) building surveyor; land surveyor.

geomagnètico a. geomagnetic.

geomagnetìsmo m. geomagnetism.

geomànte m. e f. geomancer.

geomàntico a. geomantic.

geomanzìa f. geomancy.

geomàtica f. (*scient.*) geomatics (spesso col verbo al sing.).

geomedicìna f. geomedicine.

geòmetra m. e f. surveyor; (*agrimensore*) land surveyor.

geometria f. **1** geometry: **g. algebrica**, algebraic geometry; **g. analitica**, analytical geometry; **g. descrittiva**, descriptive geometry; **g. euclidea**, Euclidean geometry **2** (*fig.*: *struttura*) structure; organization; (*spaziale*) pattern.

geometricità f. geometric quality (*o* character).

geometrico a. **1** geometrical, geometric: **figura geometrica**, geometric figure; **serie geometrica**, geometrical series **2** (*fig.*: *logico*) logical; (*stringato*) terse, essential.

geòmetride m. (*zool.*) measuring worm; inch-worm (*USA*); looper.

geometrizzàre v. t. to geometrize.

geòmide m. (*zool.*, *Geomys*) (pocket) gopher.

geomorfologìa f. geomorphology.

geomorfològico a. geomorphological.

geonemìa f. distributional geography.

geopedologìa f. (*geol.*) geopedology.

geopolìtica f. geopolitics (pl. col verbo al sing.).

geopolìtico a. geopolitical.

georgiàno ① a. e m. (f. **-a**) (*della Georgia*) Georgian.

georgiàno ② a. (*stor. ingl.*) Georgian.

geòrgico a. (*letter.*) georgic: **poema g.**, georgic (poem) • **le Georgiche**, the Georgics.

geosfèra f. geosphere.

geosinclinàle f. (*geol.*) geosyncline.

geosolàre a. (*geofisica*) earth-sun (attr.).

geostàtica f. geostatics (pl. col verbo al sing.).

geostazionàrio a. (*miss.*) geostationary: **orbita geostazionaria**, geostationary orbit.

geotassìa, **geotàssi** f., **geotattìsmo** m. (*biol.*) geotaxis.

geotècnica f. geotechnics (pl. col verbo al sing.).

geotermàle a. geothermal.

geotermìa f. **1** (*misura*) measurement of the earth's internal heat **2** (*scienza*) study of the earth's internal heat and geothermal energy.

geotèrmico a. (*geol.*, *ind.*) geothermal: **energia geotermica**, geothermal energy; **gradiente g.**, geothermal gradient.

geotermometrìa f. (*miner.*) geothermometry.

geotèssile m. (*ind. tess.*) geotextile.

geotettònica f. (*geol.*) tectonics (pl. col verbo al sing.).

geotròpico a. (*bot.*) geotropic.

geotropìsmo m. (*bot.*) geotropism.

geotrùpe m. (*zool.*, *Geotrupes stercorarius*) dung-beetle.

Gèova m. (*Bibbia*) Jehovah.

Geraldìna f. Geraldine.

gerànio m. (*bot.*) (*Geranium*) (wild) geranium; (*Pelargonium*) (garden) geranium: **g. dei boschi** (*Geranium sanguineum*), cranesbill; **g. edera** (*Pelargonium peltatum*), ivy geranium.

geraniòlo m. (*chim.*) geraniol.

geràrca m. **1** (*eccles.*) hierarch **2** (*stor.*) Fascist Party leader **3** (*fig. spreg.*) bossy person.

gerarcàto m. (*eccles.*) office of a hierarch.

gerarchìa f. hierarchy: **gerarchie angeliche**, celestial hierarchies; **le gerarchie militari**, the military hierarchies.

geràrchico a. hierarchical: **ordinamento g.**, hierarchical order • **per via gerarchica**, through official channels.

gerarchizzàre v. t. to hierarchize.

gerarchizzazióne f. hierarchization.

Geràrdo m. Gerald; Gerard.

gerbèra f. (*bot.*, *Gerbera jamesonii*) gerbera.

gerbìllo m. (*zool.*, *Gerbillus gerbillus*) gerbil.

gerbòa m. inv. (*zool.*, *Jaculus orientalis*) jerboa.

Geremìa m. (*persona lamentosa*) Jeremiah; grumbler; grouch.

Geremìa m. Jeremy; (*Bibbia*) Jeremiah.

geremìade f. jeremiad.

gerènte m. e f. **1** manager; (f. anche manageress); administrator **2** (*di giornale*) editor.

gerènza f. management; administration.

gergàle a. slang (attr.); slangy; jargon (attr.): **parola g.**, slang word.

gergalìsmo m. **1** (*voce*, *locuzione*) slang expression; (*di gergo professionale*) piece of jargon **2** (*uso del gergo*) use of slang; (*di gergo professionale*) use of jargon.

gergalìsta m. e f. slang specialist; jargon specialist.

gèrgo m. slang; argot (*franc.*); (*furfantesco*) cant; (*professionale*) jargon: **g. accademico**, academese; **g. burocratico**, officialese; bureaucratese; **g. carcerario**, prison slang; **g. furbesco**, thieves' cant; **g. giornalistico**, journalese; **g. incomprensibile**, gobbledygook; **g. informatico**, computerese; **g. medico**, medical jargon; **g. militare**, army slang; **parlare in g.**, to use slang; to use jargon.

geriàtra m. e f. geriatrician.

geriatrìa f. (*med.*) geriatrics (pl. col verbo al sing.).

geriàtrico a. (*med.*) geriatric: **paziente g.**, geriatric patient.

Gèrico m. (*geogr.*) Jericho.

gerìre v. t. (*bur.*) to manage; to run*.

gèrla f. pannier; creel.

gèrlo m. (*naut.*) gasket.

germàna f. (*lett.*) (full) sister.

germanèsimo m. Germanism.

Germània f. (*geogr.*) Germany.

germànico a. **1** Germanic: **lingue germaniche**, Germanic languages **2** (*tedesco*) German: **l'Impero g.**, the German Empire.

germànio m. (*chim.*) germanium.

germanìsmo m. Germanism.

germanìsta m. e f. Germanist.

germanìstica f. Germanic (*o* German) studies (pl.).

germanizzàre A v. t. to Germanize B **germanizzàrsi** v. i. pron. to become* Germanized.

germanizzazióne f. Germanization.

germàno ① a. e m. (*stor.*) German.

germàno ② A a. german: **fratello g.**, brother-german; **sorella germana**, sister-german B m. (*lett.*) (full) brother.

germàno ③ m. – (*zool.*) **g. reale** (*Anas platyrhynchos*), mallard.

germanofilìa f. Germanophilia.

germanòfilo a. e m. (f. **-a**) Germanophile.

germanofobìa f. Germanophobia.

germanòfobo A a. Germanophobic B m. (f. **-a**) Germanophobe.

germanòfono A a. German-speaking (attr.) B m. (f. **-a**) German speaker.

gèrme m. **1** (*biol.*) germ: **g. di grano**, wheat germ; **g. patogeno**, (pathogenic) germ; **senza germi**, free from germs **2** (*lett.*: *germoglio*) bud **3** (*fig.*) germ; embryo; seed; source: **il g. di un'idea**, the germ of an idea; **il g. della rivolta**, the seed of rebellion; **in g.**, in embryo.

germicìda A a. germicidal B m. germicide.

Germìle, **Germinàle** m. (*stor. franc.*) Germinal (*franc.*).

germinàle a. (*biol.*) germinal; germ (attr.): **cellula g.**, germ cell.

germinàre v. i. **1** to germinate; to sprout; to bud **2** (*fig.*) to arise*; to germinate.

germinativo a. germinative.

germinatóio m. germinator.

germinazióne f. germination.

germogliàre A v. i. **1** (*di seme*) to sprout, to germinate, to shoot*; (*di gemma*) to bud **2** (*fig.*) to germinate B v. t. to put* forth; to sprout.

germogliazióne f. sprouting; germination; budding.

germóglio m. **1** sprout; shoot; (*gemma*) bud: **germogli di soia**, bean sprouts; bean shoots; **germogli laterali**, lateral buds **2** (*fig.*) germ; origin.

geroglìfico A a. hieroglyphic: **scrittura geroglifica**, hieroglyphic writing; hieroglyphics (pl.) B m. hieroglyph; (al pl., collett., anche fig.) hieroglyphics.

gerolamìno m. (*relig.*) Hieronymite.

Geròlamo m. Jerome.

geronimiàno a. Hieronymic.

gerontocòmio m. old people's home; rest-home.

gerontòcrate m. e f. gerontocrat.

gerontocràtico a. gerontocratic.

gerontocrazìa f. gerontocracy.

gerontofilìa f. gerontophilia.

gerontoiatrìa f. (*med.*) geriatrics (pl. col verbo al sing.).

gerontologìa f. (*med.*) gerontology.

gerontològico a. gerontological.

gerontòlogo m. (f. **-a**) gerontologist.

gerosolimitàno A a. Hierosolymitan; of Jerusalem B m. **1** (*-a*) inhabitant of Jerusalem **2** (*cavaliere di Malta*) Knight (of the Order) of St John of Jerusalem; Knight of Malta.

gerùndio m. (*gramm.*) gerund.

gerundìvo (*gramm.*) A m. gerundive B a. gerundial; gerundival.

Gerusalèmme f. (*geogr.*) Jerusalem.

Gervàsio m. Gervase; Jarvis; Jervis.

gessàia f. chalk pit; gypsum quarry.

gessàio m. plasterer.

gessàre v. t. **1** (*il terreno*) to gypsum **2** (*il vino*) to plaster.

gessàto A a. **1** (*impregnato di gesso*) plastered; plaster (attr.): **bende gessate**, plaster bandage **2** (*di stoffa*) pinstriped; pinstripe (attr.); chalk-stripe (attr.): **completo g.**, pinstripe suit B m. pinstripe (suit).

gessatùra f. **1** (*del terreno*) gypsuming **2** (*del vino*) plastering.

gessétto m. **1** (piece of) chalk; (*morbido*) crayon: **gessetti colorati**, coloured chalks; crayons **2** (*da sarto*) tailor's (*o* French) chalk.

♦**gèsso** A m. **1** (*miner.*) gypsum: **cava di g.**, gypsum quarry **2** (*per disegnare*) chalk: **g. che non fa polvere**, dustless chalk; **g. da sarto**, tailor's (*o* French) chalk; **scrivere col g.**, to write in chalk **3** (*scult.*, *edil.*) plaster: **g. di Parigi**, plaster of Paris; **scultura in g.**, plaster cast; **di g.**, chalk (attr.); chalky **4** (*med.*) plaster; (*ingessatura*) plaster cast: *Ho dovuto tenere il g. per un mese*, I was in plaster for a month • **g. da stucchi**, gesso □ **g. in polvere**, whitening; whiting B a. inv. chalk (attr.): **bianco g.**, chalk-white.

gessóso a. **1** (*miner.*) gypseous **2** chalky.

gèsta f. pl. **1** (*lett.*) deeds; feats; (heroic) achievements **2** (*scherz.*) exploits • (*letter.*) **canzone di g.**, chanson de geste (*franc.*).

gestàccio m. obscene gesture.

gestàltico a. (*psic.*) Gestalt (attr.).

gestaltìsmo m. (*psic.*) Gestalt psychology.

gestaltìsta m. e f. (*psic.*) Gestaltist.

gestànte f. pregnant woman*; expectant

mother.

gestatòrio a. – (*eccles.*) **sedia gestatoria**, gestatorial chair.

gestazióne f. 1 (*med.*) pregnancy; gestation 2 (*fig.*) gestation; preparation; planning: **essere in g.**, to be at the planning stage.

gestìbile a. manageable; that can be dealt with.

gesticolaménto m. gesticulation.

gesticolàre v. i. to gesticulate.

gesticolazióne f. gesticulation.

gestionàle a. managerial; management (attr.).

gestióne f. 1 (*amministrazione*) management, direction; (*conduzione*) running, operation, conduct: **g. aziendale**, business management; **g. degli affari**, conduct of business; **g. dei crediti**, credit management; **la g. del debito pubblico**, national debt management; **la g. del negozio**, the running of the shop; **g. del personale**, staff (*USA* personnel) management; (*leg.*) **g. fiduciaria**, trusteeship; **g. solida**, sound management; *Nuova g.* (*cartello*), under new management; **a g. familiare**, family-run (attr.); **costi di g.**, operating (*o* operation) costs 2 (*comput.*) management.

gestire① v. i. (*gesticolare*) to gesticulate.

gestire② v. t. 1 (*amministrare*) to run*; to manage; to be the manager of; to operate: **g. un'azienda**, to run a business; to manage a firm; **g. una proprietà**, to manage an estate; **g. un ristorante**, to run a restaurant 2 (*condurre*) to conduct: **g. una trattativa**, to conduct negotiations 3 (*organizzare*) to organize; (*occuparsi di*) to look after, to handle: **g. il proprio tempo**, to organize one's time; **g. la propria immagine**, to look after one's public image; **gestirsi un lavoro**, to organize one's job; *Questo problema me lo gestisco io*, I'll handle this problem.

♦**gèsto** m. 1 (*movimento*) gesture, move; (*segno*) sign: **un g. brusco**, a sudden gesture; **di approvazione**, sign of approval; **un g. di stizza**, an angry gesture; **fare gesti**, to gesture; **fare un g.**, to make a gesture; *Non fare un g. o guai a te!*, don't make a move or else!; *Fece il g. di alzarsi*, she started to rise; *Fece il g. di uscire*, he made as if to leave; **farsi capire a gesti**, to communicate by gestures 2 (*azione*) gesture; act: **un g. generoso**, a generous gesture; **g. simbolico**, symbolic gesture; *Bel g.!*, a nice gesture!; well done! 3 (*posa*) attitude; pose ❶**FALSI AMICI** • *gesto non si traduce con* jest.

gestóre m. (f. -**trice**) manager (f. anche manageress); administrator: **g. di negozio**, shop manager; **g. di telefonia**, telephone company.

gestòsi f. (*med.*) pre-eclamptic toxaemia.

gestuàle a. 1 gestural; sign (attr.): **comunicazione g.**, gestural (*o* sign) communication; **linguaggio g.**, sign language 2 (*arte*) gestural: **pittura g.**, gestural painting.

gestualità f. 1 (*carattere gestuale*) gestural character 2 (*insieme di gesti espressivi*) gestural expressiveness, body language.

Gesù m. Jesus: *G. Bambino*, the Baby Jesus; the Holy Child; **G. Cristo**, Jesus Christ • (inter.) **G.!**, goodness me!; Jesus! □ **la Compagnia di G.** (*i Gesuiti*), the Society of Jesus.

gesùita m. 1 Jesuit 2 (*fig. spreg.*) jesuit • **fare il g.**, to be jesuitical.

gesùitésco a. (*spreg.*) jesuitical.

gesùitico a. 1 Jesuitical 2 (*fig. spreg.*) jesuitical.

gesùitìsmo m. 1 Jesuitism 2 (*fig. spreg.*) jesuitism; jesuitry.

gesummarìa, **gesummìo** inter. (*fam.*) good heavens!

Gèti m. pl. (*stor.*) Getae.

gètico a. of the Getae.

gèto m. jess.

Getsèmani m. (*Bibbia*) Gethsemane.

gettacàrte m. inv. waste-paper basket.

gettaióne m. (*bot.*, *Agrostemma githago*) corncockle.

♦**gettàre** Ⓐ v. t. 1 (*lanciare*) to throw*; to cast* (*lett. o fig.*); (*con impeto*) to fling*; (*senza sforzo*) to toss; (*con noncuranza*) to toss, to bung (*fam.*), to chuck (*fam.*): **g. il cappello in aria** [**su una sedia**], to fling one's hat up in the air [on to a chair]; **g. il fieno sul carro**, to pitch the hay on to the cart; **g. un incantesimo su q.**, to cast a spell on sb.; **g. luce su qc.**, to throw (*o* to cast) light on st.; **g. una moneta a un mendicante**, to toss a coin to a beggar; **g. un'ombra su qc.**, to cast (*o* to throw) a shadow over st.; **g. una palla a q.**, to throw (*o* to toss) a ball to sb.; **g. pietre contro q.**, to throw stones at sb.; **g. le reti**, to shoot the nets; (*fig.*) to cast one's net (*o* nets); **g. uno sguardo a qc.**, to cast a glance at st.; **gettarsi addosso il cappotto**, to throw on one's coat; **g. in carcere**, to throw (*o* to cast, *lett.* to cast) into prison; **g. indietro i capelli**, to toss one's hair back; *Gettò intorno un'occhiata veloce*, he had a quick look round 2 (*anche* **g. via**) to throw* away; to throw* out; to discard; to get* rid of; to chuck away (*fam.*); (*sprecare*) to waste: **g. vecchi vestiti**, to throw away old clothes; **g. via il proprio tempo**, to waste one's time; (*di contenitore*) **da g.**, throwaway (agg.); disposable (agg.) 3 (*fig.*: *precipitare*) to plunge: **g. il paese nel caos**, to plunge the country into chaos; **g. q. nella disperazione**, to plunge sb. into despair 4 (*emettere un liquido*) to spurt, to gush; (*un suono*) to let* out: **g. acqua**, to gush (*o* to spurt) water; (*di fontana*) to spurt (*o* to spout) water; **g. un grido**, to let out a cry 5 (*scult.*) to cast*: **g. una statua in bronzo**, to cast a statue in bronze 6 (*fig.*: *rendere*) to yield; to bring* in • (*naut.*) **g. a mare qc.**, to throw st. overboard; (*per alleggerire la nave*) to jettison st. □ (*fig.*) **g. all'aria un cassetto**, to turn out a drawer □ (*fig.*) **g. all'aria una stanza**, (*per cercare qc.*) to turn a room upside-down; (*mettere in disordine*) to make a mess in a room □ (*naut.*) **g. l'ancora**, to drop anchor □ **g. un bacio a q.**, to blow sb. a kiss □ **g. q. giù dal letto**, to roust sb. out of bed □ (*anche fig.*) **g. le fondamenta**, to lay the foundations □ (*fig.*) **g. qc. in faccia a q.**, to throw st. in sb.'s face □ (*sport*) **g. il peso**, to put the shot (*o* the weight) □ **g. un ponte su un fiume**, to build a bridge over a river □ **g. le radici**, to put out roots □ **g. i soldi dalla finestra**, to throw one's money down the drain Ⓑ v. i. 1 (*sgorgare*) to flow 2 (*di pianta*) to shoot*; to sprout; to bud Ⓒ **gettàrsi** v. rifl. e i. pron. 1 (*slanciarsi*) to throw* oneself; to cast* oneself; (*con impeto*) to fling* oneself, to fall* upon: **g. a terra**, to throw oneself down; **gettarsi ai piedi di q.**, to throw oneself at sb.'s feet; **gettarsi al collo di q.**, to fall on sb.'s neck; (*fig.*) **gettarsi anima e corpo in qc.**, to throw oneself into st.; **gettarsi in acqua**, to jump into the water; to dive; **gettarsi in ginocchio**, to fall on one's knees; **gettarsi sul letto**, to fling oneself on to the bed; **gettarsi tra le braccia di q.**, to throw oneself into sb.'s arms; *L'uomo si gettò su di me*, the man flung himself at me; *Si gettarono sul nemico*, they fell upon the enemy 2 (*sfociare*) to flow; to empty: *Il Ticino si getta nel Po*, the Ticino flows into the Po.

gettàta f. 1 (*lancio*) throw 2 (*metall.*) cast; casting 3 (*edil.*) casting 4 (*diga*) jetty 5 (*bot.*) shoot; shooting 6 (*mil.*) range.

getter (*ingl.*) m. inv. (*tecn.*) getter.

gèttito m. 1 (*lancio*) throw; fling; cast; toss 2 (*di liquido*) jet; (*improvviso e breve*) spurt; (*abbondante*) gush; (*schizzo*) squirt; (*dal becco di un bricco*) spouting; (*med.*, *di materia*) flux, discharge 3 (*di vapore*) jet, stream; (*d'aria*) blast 4 (*fusione*) casting: **g. cavo**, hollow casting; **g. in bronzo** [**in calcestruzzo**], bronze [concrete] casting 5 (*di qc. in una forma*) moulding 6 (*mecc.*) jet: **g. di avviamento**, starting jet; **g. di potenza**, power jet 7 (*bot.*) shoot; sprout 8 (*naut.*, *di carico*, *zavorra*) jettison • (*sport*) **g. del peso**, putting the shot (*o* the weight) □ (*tecn.*) **g. di sabbia**, sand blast □ **a g. continuo**, uninterruptedly; one after the other; non-stop (avv. o agg.): **produrre qc. a g. continuo**, to churn out; to grind out □ **arma da g.**, throwing weapon □ **di g.**, straight off; in one go (*fam.*): **scrivere qc. di g.**, to write st. straight off □ **primo g.** (*abbozzo*), first draft.

gètto② m. (*aeron.*) 1 slipstream 2 (*aviogetto*) jet.

gettonàre v. t. (*fam.*) 1 (*telefonare*) to give* (sb.) a ring (*GB*, a call *USA*); to give (sb.) a tinkle (*o* a buzz) (*fam.*) 2 (*al juke-box*) to select.

gettonàto a. (*fam.*) popular: **i siti Internet più gettonati**, the most popular Internet sites.

♦**gettóne** m. 1 token; counter; check: **g. telefonico**, telephone counter; **telefono a gettoni**, token-operated telephone 2 (*al gioco*) counter; (*nei giochi d'azzardo*) chip • **g. di presenza**, attendance fee; attendance allowance (*GB*).

gettonièra f. 1 (*distributore*) token dispenser 2 (*apparecchio a gettone*) token box; coin box.

gettopropulsióne f. (*aeron.*) jet propulsion.

gettosostentazióne f. (*aeron.*) jet lift.

geyser m. inv. (*geol.*) geyser.

geyserite f. (*miner.*) geyserite.

ghanèse a., m. e f. Ghanaian.

ghègo a. e m. Gheg.

ghènga f. (*scherz.*) band; bunch; set; lot; gang.

ghepàrdo m. (*zool.*, *Acinonyx jubatus*) cheetah.

ghéppio m. (*zool.*, *Falco tinnunculus*) kestrel.

gherìglio m. kernel.

gherlino m. (*naut.*) hawser.

gherminèlla f. trick; prank: **fare una g. a q.**, to play a trick on sb.

ghermìre v. t. 1 (*artigliare*) to claw; to clutch 2 (*agguantare*) to grab; to seize; to snatch.

gheronàto a. (*arald.*) gyronny.

gheróne m. 1 (*sartoria*) gusset; gore 2 (*naut.*) gore 3 (*arald.*) gyron.

ghètta f. 1 (*spec. al pl.*) (*alta*) gaiter; (*bassa*) spat 2 (*al pl.*) (*pantaloncini per bambini*) breeches.

ghettizzànte a. ghettoizing; segregating; marginalizing.

ghettizzàre v. t. 1 to ghettoize; to confine in a ghetto 2 (*fig.*: *emarginare*) to segregate; to marginalize: **g. i disabili**, to segregate handicapped people.

ghettizzazióne f. 1 ghettoization 2 (*fig.*, *emarginazione*) segregation; marginalization.

ghètto m. 1 (*stor.*) ghetto* 2 (*estens.*) ghetto*; slum: **g. nero**, black ghetto 3 (*fig.*) ghetto*; segregation; isolation.

ghìa f. (*naut.*) whip; whip-and-derry.

ghiàccia → **glassa**.

a
b
c
d
e
f
g
h
i
j
k
l
m
n
o
p
q
r
s
t
u
v
w
x
y
z

ghiacciàia f. **1** (*luogo*) ice-house; (*mobile*) icebox **2** (*frigorifero*) fridge; icebox (*USA*) **3** (*fig.*) freezing place: *È una g. qui dentro!*, it's freezing in here!

♦**ghiacciàio** m. glacier: **g. alpino**, alpine glacier; **g. continentale**, polar glacier; ice sheet; ice cap; **g. sospeso**, hanging glacier; **fronte del g.**, glacier front.

ghiacciàre Ⓐ v. t. **1** to freeze*; (*una bevanda*) to ice; (*vino*) to chill **2** (*fig.*) to chill: *Le sue parole mi ghiacciarono*, his words chilled me (*o* sent chills down my spine) Ⓑ v. i., **ghiacciàrsi** v. i. pron. **1** (*diventare ghiaccio*) to freeze*, to ice over (*o* up), to turn to ice; (*coprirsi di ghiaccio*) to frost: *L'acqua ghiaccia a 0° C*, water freezes at 0° C; *Il fiume ghiacciò in gennaio*, the river froze (over, up) in January **2** (*diventare gelato*) to freeze*; to get* frozen: *Mi si sono ghiacciate le orecchie*, my ears are frozen.

ghiacciàta f. iced drink.

♦**ghiacciàto** a. **1** (*gelato, coperto di ghiaccio*) frozen; iced up; icy: **fiume g.**, frozen river; **strada ghiacciata**, icy road; *Le strade sono tutte ghiacciate*, all the roads are iced up **2** (*freddissimo*) ice-cold; icy; frozen; (*di bevanda*) iced, ice-cold: **birra ghiacciata**, ice-cold beer; **mani ghiacciate**, frozen hands; hands like ice; **vento g.**, icy wind.

♦**ghiàccio** ① m. ice: (*meteor.*) **g. misto a pioggia**, sleet; **g. nuovo [vecchio]**, young [old] ice; **g. sulle strade**, black ice; **g. trita-to**, crushed ice; **ghiacci alla deriva**, drift ice; (*di nave*) **bloccata dai ghiacci**, ice--bound; **banco di g.**, ice field; **blocco di g.** (*in mare*), ice floe; **borsa del g.**, ice bag (*o* pack); **cubetto di g.**, ice cube; **fabbrica di g.**, ice plant; **fabbricazione del g.**, ice-making; **pezzo [lastra] di g.**, lump [sheet] of ice; **secchiello del g.**, ice bucket (*o* pail) ● **g. secco**, dry ice □ (*fig.*) **cuore di g.**, heart of stone □ (*di bevanda alcolica*) **con g.**, on the rocks □ (*fig.*) **essere di g.**, to be icy; to be like ice; (*di espressione, ecc.*) to be icy □ **incro-stazione di g.** (*sui vetri, ecc.*), frost □ **mani di g.**, hands like lumps of ice; frozen hands □ **mettere in g.**, to put in the fridge; (*vino*) to chill □ (*fig.*) **essere un pezzo di g.**, to be as cold as ice □ (*fig.*) **rimanere di g.**, to be dumbfounded □ (*fig.*) **rompere il g.**, to break the ice.

ghiàccio ② a. icy; cold: **piedi ghiacci**, feet like ice; **sudore g.**, cold sweat.

ghiacciòlo m. **1** icicle **2** (*gelato*) ice on a stick; ice lolly (*GB*); popsicle® (*USA*) **3** (*di pietra preziosa*) flaw.

ghiàia f. gravel; (*di spiaggia*) shingle: **g. fi-ne [grossa]**, fine [coarse] gravel; **sentiero coperto di g.**, gravel path ● (*ferr.*) **letto di g.**, ballast.

ghiaiàta f. (layer of) gravel.

ghiaiàto a. gravelly; gravel (attr.).

ghiaiéto m. **1** gravel deposit **2** (*greto di fiume*) shingle.

ghiaiétto m. fine gravel; chippings (pl.).

ghiaìno m. very fine gravel; chippings (pl.).

ghiaióne m. (*geol.*) scree.

ghiaióso a. gravelly.

♦**ghiànda** f. (*bot.*) acorn.

ghiandàia f. (*zool., Garrulus glandarius*) jay ● **g. marina** (*Coracias garrulus*), roller.

ghiàndola f. (*anat.*) gland: **g. endocrina [esocrina]**, endocrine [exocrine] gland; **g. linfatica**, lymph node; (*zool.*) **g. odorifera**, scent gland; scent bag; **ghiandole di Barto-lino**, Bartholin's glands; **ghiandole saliva-ri**, salivary glands; **ghiandole sudoripare**, sweat glands.

ghiandolàre a. (*anat.*) glandular.

ghibellinìsmo m. (*stor.*) Ghibellinism.

ghibellìno a. e m. (*stor.*) Ghibelline.

ghìbli m. ghibli.

ghièra f. **1** (*di ombrello e sim.*) ferrule; met-al ring **2** (*archit.*) arched lintel **3** (*mecc.*) metal ring; (ring) nut: **g. di bloccaggio**, locknut; (*fotogr.*) **g. di messa a fuoco**, focus setting ring.

ghigliottina f. guillotine ● **finestra a g.**, sash window.

ghigliottinàre v. t. to guillotine.

ghìgna f. (*fam.*) frowning face; grimace.

ghignàre v. i. **1** to sneer; to snigger **2** (*fam.: ridere*) to laugh.

ghignàta f. **1** sneer **2** (*fam.: risata*) laugh: **farsi due ghignate**, to have a good laugh.

ghìgno m. sneer; sardonic grin.

ghimbèrga f. (*archit.*) Gothic pediment.

ghìnda f. (*naut.*) toprope.

ghindàre v. t. (*naut.*) to hoist; to sway up.

ghindàzzo m. (*naut.*) top tackle.

ghinèa f. (*moneta ingl., stor.*) guinea.

ghìngheri m. pl. – **in g.**, dressed up; rig-ged out (*fam.*); **mettersi in g.**, to dress up; to rig oneself up; to put on one's finery.

ghiòtta f. (*cucina*) dripping pan.

ghiòtto a. **1** (*di persona*) greedy; glutton-ous: **un bambino g.**, a greedy child; *Sono g. di gelato*, I love ice cream; **essere g. di co-se dolci**, to have a sweet tooth **2** (*di cibo*) delicious; tasty; yummy (*fam.*): **bocconi ghiotti**, tasty morsels; titbits **3** (*fig.: che de-sta interesse*) juicy; tempting; interesting: **no-tizia ghiotta**, juicy bit of news **4** (*fig.: avi-do*) hungry (for); greedy (for): **g. di elogi**, hungry for praise.

ghiottóne m. **1** (f. **-a**) glutton; gourmand **2** (*zool., Gulo gulo*) glutton; wolverine.

ghiottoneria f. **1** gluttony **2** (*cibo ghiot-to*) delicacy; titbit; tidbit (*USA*); (*manicaretto*) delicious dish **3** (*fig.*) rarity.

ghiòzzo m. (*zool., Gobius*) goby: **g. comune** (*o* **nero**) (*Gobius niger*), black goby.

ghìrba f. **1** water skin; water bag **2** (*gergo mil.: vita*) skin: **portare a casa la g.**, to save one's skin (*fam.* one's bacon); **lasciarci la g.**, to be killed; to buy the farm (*slang USA*).

ghiribìzzo m. whim; notion; vagary; cap-rice: *È solo uno dei suoi ghiribizzi*, it's just another of his whims; *Gli saltò il g. di...*, he took it into his head to...

ghirigòro m. **1** squiggle; (*disegno distratto*) doodle: *Sul foglio c'erano solo ghirigori*, the sheet had nothing but squiggles on it; **fare ghirigori su un foglio**, to doodle on a piece of paper; **a ghirigori**, squiggly **2** (*arabesco*) flourish; swirl.

ghirlànda f. **1** garland; wreath: **g. di fio-ri**, garland of flowers; **g. di margherite**, daisy chain; **g. di rose**, rose garland; **in-trecciare una g.**, to twist flowers into a gar-land (*o* a wreath) **2** (*fig.: cerchio*) ring; cir-cle: **una g. di colli**, a ring (*o* circle) of hills; **far g.**, to form a circle **3** (*fig.: antologia*) garland.

♦**ghìro** m. (*zool., Glis glis*) dormouse* ● (*fig.*) **dormire come un g.**, to sleep like a log.

ghirónda f. (*mus.*) hurdy-gurdy.

ghìsa f. (*metall.*) cast iron: **g. bianca**, white (cast) iron; **g. da fonderia**, foundry pig; **g. di prima fusione** (*o* **grezza**), pig iron; **g. grigia**, silver iron; **g. in pani**, pig iron; **g. temprata**, chilled iron; **stufa di g.**, cast-iron stove.

gi f. o m. (*lettera*) (the letter) g.

GI sigla (*leg.*, **giudice istruttore**) examin-ing magistrate.

♦**già** avv. **1** (*anche* **di già**) already; (*nelle in-terr.*) yet: *Sono già le quattro*, it's already four o'clock; *Sono già qui*, they're here al-ready; *Lo so già*, I already know; *È già fat-to*, it's already done; *Siamo già a Natale*, it's Christmas already; *Già di ritorno?*, back al-ready?; *Di già?*, what, already?; so soon?; *È già passato il postino?*, has the postman been here yet?; *Hai già creato abbastanza problemi*, you've caused enough problems as it is **2** (*ormai*) already; by now; by then: *A quell'ora la notizia era già stata dirama-ta*, by then the news had already been re-leased; *Sarà già arrivato*, he should be there by now **3** (*in precedenza*) before: *Sono certo di averlo già visto*, I'm sure I've seen him before; *Eri già stato qui?*, had you been here before? **4** (*un tempo*) formerly (*avv.*); former (*agg.*); once (*avv.*): *Il signor X, già sindaco di Firenze*, Mr X, former mayor of Florence; *Via Prini, già Via Larga*, Via Prini, formerly Via Larga **5** (*rafforzativo*) – *Rifiu-tai, non già per picca, ma...*, I refused, not out of spite, but... **6** (*per indicare consenso*) of course; yes; sure (*USA*): *Già, hai ragione*, of course, you're right; *Già, ma...*, yes, but...; *Già, lui non aiuta mai*, of course he never helps □ **già allora**, even then □ **Già che ci sei...**, while you're at it... □ **già citato**, above-mentioned □ **Già da piccolo gli pia-cevano gli aerei**, even as a little boy he was keen on planes □ *Già dal mattino si era for-mata una folla davanti all'ingresso*, a crowd had already gathered outside the en-trance in the morning □ **Posso cominciare già da lunedì**, I can start right from Monday □ **già nel 1870**, as long ago as 1870.

❶ NOTA: *già (yet / already)*
Nelle frasi interrogative *già* può essere reso, a seconda dei casi, con *yet* o con *already*. Yet si usa quando la domanda è aperta, cioè quando è possibile che la risposta alla domanda sia po-sitiva oppure negativa; *already* quando si pre-sume che il fatto sia avvenuto e si intende esprimere sorpresa o semplicemente ricevere una conferma. Perciò, la domanda *Hai già pranzato?*, quando è posta per sapere effetti-vamente se l'interlocutore ha pranzato oppure no, corrisponde a *Have you had lunch yet?*; quando invece si constata che la persona ha pranzato e si vuole esprimere sorpresa, o quan-do si presuppone comunque una risposta posi-tiva, la forma da usare è *Have you had lunch already?* (o *Have you already had lunch?*).

Giacàrta f. (*geogr.*) Djakarta, Jakarta.

♦**giàcca** f. jacket; (*lunga*) coat: **g. a coda di rondine**, tailcoat; morning coat; **g. a un petto [a doppio petto]**, single-breasted [double-breasted] jacket; **g. a vento**, wind-cheater (*GB*); windbreaker® (*USA*); (*imbotti-ta*) anorak, quilted jacket; **g. da camera**, housecoat; **g. da equitazione**, riding jacket; **g. di maglia**, cardigan; **g. sportiva**, sports jacket (*o* coat); **tasca della g.**, jacket pocket ● **g. rossa** (*per la caccia alla volpe*), pink ● (*calcio*) **giacche nere**, referees □ **in g. e cra-vatta**, wearing a suit and tie □ (*fig.*) **tirare q. per la g.**, to try to win sb. over to one's side.

giacché cong. since; as: *G. me lo chiedi, te ne parlerò*, I'll tell you since you've asked; *G. ci sei*, while you're at it.

giacchétta f. jacket ● (*calcio*) **giacchette nere**, referees □ (*fig.*) **tirare q. per la g.**, to try to win sb. over to one's side.

giacchétto m. short, close-fitting jacket.

giàcchio m. casting-net.

giaccóne m. heavy jacket; coat; (*imbottito o impermeabile*) anorak, parka: **g. di monto-ne**, sheepskin coat; **g. di pelle**, leather jacket.

giacènte a. **1** (*di posta: non consegnata*) undelivered; (*non reclamata*) unclaimed; (*di lettera, anche*) dead: **ufficio di posta g.**, dead-letter office **2** (*di capitale*) uninvested; idle **3** (*di merce: in magazzino*) in stock; (*in-venduta*) unsold **4** (*in sospeso*) outstanding; pending: **pratica g.**, outstanding case **5** (*leg.*) – **eredità g.**, vacant succession **6**

(*arald.*) couchant.

giacènza f. **1** (*fin.*, *rag.*) cash in hand **2** (*comm.*) remainder **3** (*merce in magazzino*) stock (on hand); (*merce invenduta*) unsold goods (pl.): **giacenze di magazzino**, stock in trade; goods on hand; (*l'invenduto*) remnants ● **capitale in g.**, uninvested capital □ **pacco g. alla posta**, unclaimed parcel □ **lettera in g.**, dead letter □ (*naut.*, *comm.*) **giorni di g.** (*controstallie*), demurrage □ **libri in g.** (*copie invendute*), unsold copies □ **merce in g.**, (*non consegnata*) undelivered goods; (*non ritirata*) unclaimed goods.

◆**giacére** v. i. **1** to lie*: **g. malato**, to lie ill; **g. bocconi** [**supino**], to lie on one's face [on one's back]; *Qui giace…*, here lies…; *La città giace fra i colli*, the city lies among hills; **mettersi a g.**, to lie down **2** (*stare inerte, inattivo*) to lie* idle; to lie*; to stay: *Il macchinario giaceva inutilizzato*, the machines lay idle; *La merce giace in magazzino*, the goods are lying unsold in the warehouse; *La pratica giace da mesi*, the file has been lying in a drawer (o on a shelf) for months **3** (*lett.*: *avere rapporti sessuali*) to lie*.

giaciglio m. bed; couch (*lett.*); (*per animale*) bedding: **g. di paglia**, straw bed.

giaciménto m. (*geol.*, *ind. min.*) layer; bed; deposit; field: **g. alluvionale**, alluvial deposit; **g. aurifero**, gold deposit; **g. di carbone**, coal seam; **g. di petrolio**, oilfield; **g. di sale**, salt-mine; **g. minerario**, ore body.

giacìnto m. (*bot.*, *Hyacinthus orientalis*; *miner.*) hyacinth.

giacitùra f. **1** lying posture; recumbent position **2** (*geol.*) position **3** (*ling.*) position of words.

giàco m. (*mil.*, *stor.*) coat of mail.

Giacòbbe m. Jacob.

giacobinìsmo m. (*stor.*) Jacobinism.

giacobino (*stor.*) **A** m. (f. **-a**) Jacobin **B** a. Jacobin; Jacobinic.

giacobita m. e f. (*stor.*) Jacobite.

Giacomìna f. Jacqueline.

giàcomo m. – (*fam.*) *Le gambe mi facevano g. g.*, my legs were shaking like jelly; my knees were shaking under me.

Giàcomo m. James.

giaconétta f. (*ind. tess.*) jaconet.

giaculatòria f. **1** (*relig.*) ejaculatory prayer **2** (*fig.*) litany; endless list; recital **3** (*eufem.*) curse.

giàda A f. (*miner.*) jade **B** a. inv. – **verde g.**, jade green; jade.

giadeite f. (*miner.*) jadeite.

Giaèle m. (*Bibbia*) Jael.

Giàffa f. (*geogr.*) Jaffa.

giaggiòlo m. (*bot.*, *Iris*) iris*.

giaguàro m. (*zool.*, *Panthera onca*) jaguar ● (*fig.*) **amico del g.**, person who unwittingly sides with the opponents of a friend.

giaiétto m. (*miner.*) jet.

giàina m. e f. (*relig.*) Jain.

giainìsmo m. (*relig.*) Jainism.

giainista m. e f. (*relig.*) Jain; Jainist.

gialàppa f. **1** (*bot.*, *Ipomea purga*) jalap root **2** (*farm.*) jalap.

giallàstro, **gialliccio** a. yellowish.

giallista m. e f. detective-story writer.

giallìstica f. (*letter.*) detective fiction; crime fiction.

◆**giàllo A** a. **1** yellow; (*del semaforo*) amber; (*di colorito*) sallow; (*di un pallore sinistro*) livid: **un berretto g.**, a yellow cap; **g. oro**, golden yellow; **g. dalla bile**, livid; *Il cielo era di un g. sinistro*, the sky had a livid hue; **diventare g.**, to turn yellow **2** (*di romanzo, film, ecc.*) detective (attr.); crime (attr.): **film g.**, detective film; whodunnit (*fam.*); **romanzo g.**, detective novel; crime story; whodunnit (*fam.*); mystery ● (*naut.*) **ban-**

diera gialla, yellow flag □ **farina gialla**, maize meal □ **il pericolo g.**, the yellow peril □ **stampa gialla**, yellow (o gutter) press □ (*pitt.*) **terra gialla**, yellow ochre **B** m. **1** yellow: **g. ambrato**, amber; **g. canarino**, canary (yellow); **g. cromo**, chrome yellow; **g. di cadmio**, cadmium yellow; **g. limone**, lemon yellow; **g. paglierino**, straw yellow **2** (*di uovo*) yolk **3** (*autom.*) amber light: *Le auto devono fermarsi quando c'è il g.*, cars must stop when amber light shows **4** (*chim.*) yellow: **g. di cadmio**, cadmium yellow; **g. cromo**, chrome yellow **5** (*romanzo, film poliziesco*) detective novel [film]; crime story [film]; thriller; mystery; whodunnit (*fam.*): **g. rosa**, romantic thriller **6** (*caso poliziesco*) case; (*vicenda misteriosa*) mystery: **il g. di Piazza Ascoli**, the Piazza Ascoli case; **il g. delle due telefonate**, the mystery of the two phone-calls.

giallógnolo a. yellowish.

gialloròsa a. – **commedia** [**romanzo, film**] **g.**, romantic mystery.

giallùme m. **1** ugly (o dirty) yellow **2** (*bot.*, *del pesco, ecc.*) (the) yellows (pl.).

Giamàica f. (*geogr.*) Jamaica.

giamaicàno a. e m. (f. **-a**) Jamaican.

giàmbico a. (*poesia*) iambic.

giàmbo m. (*poesia*) **1** iambus*; iamb **2** (*satira in giambi*) iambics (pl.).

giamburràsca m. inv. little terror; little pest; (*di bambina, anche*) tomboy.

giammài avv. never: *G. lo dimenticherò*, I shall never forget him.

giandùia m. gianduia (soft hazelnut chocolate).

gianduiòtto m. gianduiotto (a type of chocolate).

Gianìcolo m. (*geogr.*) Janiculum.

Giànna f. Janet; Jenny.

giannétta① f. **1** walking stick; Malacca (cane) **2** (*stor.*) pike; lance.

giannétta② f. (*ind. tess.*) spinning jenny.

Giànni m. Jack; Johnny.

giannìzzero m. **1** (*stor.*) janissary, janizary **2** (*fig.*) henchman*.

Giàno m. (*mitol.*) Janus.

giansenìsmo m. (*relig.*) Jansenism.

giansenista m. e f. (*relig.*) Jansenist.

giansenìstico a. (*relig.*) Jansenistic.

Giappóne m. (*geogr.*) Japan.

giapponése a., m. e f. Japanese: **i Giapponesi**, the Japanese; Japanese people; **parlare g.**, to speak Japanese.

giapponeserìa f. (*spec. al pl.*) Japanese knick-knack.

giapponesìsmo m. (*ling.*) Japanese idiom.

giàra f. (*earthenware*) jar.

giardiàsi f. (*med.*) giardiasis.

giardinàggio m. gardening.

giardinétta f. (*autom.*) estate car; station wagon (*USA*).

giardinétto m. **1** (*naut.*) quarter: **vento al g.**, wind on the quarter **2** (*fin.*) diversified portfolio*.

giardinièra A f. **1** → **giardiniere 2** (*per vasi da fiori*) jardinière (*franc.*) **3** (*cucina*) pickled vegetables (pl.) **4** (*carrozza*) char-à-banc, charabanc **5** (*autom.*) → **giardinetta B** a. – **maestra g.**, nursery-school teacher; kindergarten teacher; (*cucina*) **zuppa g.**, vegetable soup.

◆**giardinière** m. (f. **-a**) gardener.

◆**giardìno A** m. garden; (*intorno a una casa di città*) yard (*USA*): **g. all'italiana** [**all'inglese**], Italian [English] garden; **g. botanico**, botanical gardens (pl.); **g. d'inverno**, winter garden; conservatory; **g. pensile**, roof-garden; **g. sul retro**, backgarden; backyard

(*USA*); **g. zoologico**, zoological gardens (pl.); zoo; **giardini pubblici**, public gardens; park (sing.); **arredamento da g.**, garden furniture; **piante da g.**, garden plants ● **il g. delle delizie** (*il Paradiso terrestre*), the Garden of Eden □ **g. d'infanzia**, kindergarten; nursery school □ **«Tutto per il g.»**, garden centre **B** a. inv. – **città g.**, garden city.

giarrettièra f. (*a fascia*) garter; (*di metallo e gomma*) suspender (*GB*), garter (*USA*) ● (*in GB*) **l'Ordine della G.**, the Order of the Garter.

Giasóne m. (*mitol.*) Jason.

giaùrro m. (*stor. spreg.*) giaour; infidel.

Giàva f. (*geogr.*) Java.

giavanése a., m. e f. Javanese: **i Giavanesi**, the Javanese.

giavàzzo A m. (*miner.*) jet **B** a. (*di mantello equino*) jet-black.

giavellottìsta m. e f. (*sport*) javelin thrower.

giavellòtto m. javelin: (*sport*) **lancio del g.**, javelin.

giavóne m. (*bot.*, *Setaria viridis*) green fox-tail.

giazzìsta e deriv. → **jazzista**, e deriv.

gibberellìna f. (*bot.*) gibberellin.

gibbo m. (*med.*) hump; humpback.

gibbóne m. (*zool.*, *Hylobates*) gibbon.

gibbosità f. **1** (*med.*) hump; humpback **2** (*protuberanza*) gibbosity; hump; bump.

gibbóso a. humped; gibbous; (*di superficie*) bumpy; (*di naso*) hooked; (*di persona*) hump-backed, hunchbacked.

gibèrna f. cartridge box.

gibigiàna, **gibigiànna** f. (*region.*) flash of reflected light.

Gibiltèrra f. (*geogr.*) Gibraltar.

gibollàre v. t. (*region.*) to dent.

gibus m. inv. gibus (hat); opera-hat.

gicleur (*franc.*) m. inv. (*autom.*) spray nozzle.

GICO sigla (*Guardia di Finanza*, **Gruppo d'investigazione sulla criminalità organizzata**) Organised Crime Investigation Branch.

giga① f. (*mus. e danza*) gigue; jig.

giga② (*fam.*) → **gigabyte**.

gigabyte m. inv. (*ingl.*, *comput.*) gigabyte.

◆**gigànte A** m. (*mitol. ed estens.*) giant: **un g. della musica**, a musical giant; a giant among musicians; (*anche fig.*) **battaglia di giganti**, battle of the giants; **passi da g.**, giant steps; great strides; **fare passi da g.**, to take great strides; (*fig.*) to make great progress, to progress by leaps and bounds ● (*fig.*) **g. nel deserto**, abandoned installation **B** a. huge; gigantic; giant (attr.); jumbo (attr.): **albero g.**, huge tree; **formato g.**, giant size; jumbo size; (*sci*) **slalom g.**, giant slalom; **stella g.**, giant star.

giganteggiàre v. i. (*anche fig.*) to tower (over st.); to rise* like a giant (above st.).

◆**gigantésco** a. huge; gigantic; giant (attr.); colossal.

gigantéssa f. giantess.

gigantìsmo m. **1** (*med.*) gigantism; giantism **2** (*fig.*) gigantism.

gigantista m. e f. (*sci*) giant slalom racer.

gigantografìa f. (*fotogr.*) blow-up; poster.

gigantomachìa f. (*mitol.*) gigantomachy.

gìgaro m. (*bot.*, *Arum maculatum*) cuckoo-pint; lords-and-ladies.

gigióne m. (f. **-a**) (*gergo teatr.*) ham actor (f. actress); ham.

gigioneggiàre v. i. (*gergo teatr.*) to overact; to ham; to ham it up; to chew the scenery; (*nelle scene drammatiche, anche*) to

emote.

gigionésco a. (*gergo teatr.*) ham; hammy.

gigioniṣmo m. (*gergo teatr.*) overacting; hamming.

gigliàceo a. (*bot.*) liliaceous.

gigliàto a. 1 (*numism.*) stamped with a lily 2 (*arald.*) lilied.

♦**giglio** m. 1 (*bot.*, *Lilium*) lily: **g. bianco** (*Lilium candidum*), white (*o* Madonna) lily; **g. cinese** (*Lilium tigrinum*), tiger lily; **g. gentile** (*o* **martagone**) (*Lilium martagon*), Turk's-cap; **g. rosso** (*Lilium bulbiferum*), fire lily 2 (*bot.*) – **g. d'acqua** (*Nymphaea alba*), white water lily; **g. fiorentino** (*Iris florentina*), Florentine iris; orris; **g. giallo** (*Iris pseudacorus*), fleur-de-lis 3 (*arald.*) fleur-de-lis*; lily: **g. di Firenze**, Florentine fleur-de-lis; **g. di Francia**, (French) fleur-de-lis 4 (*fig.*) lily: **un g. immacolato**, an unspotted lily ● (*zool.*) **g. di mare**, sea-lily; crinoid □ **bianco come un g.**, lily-white □ **puro come un g.**, pure; immaculate; (*spesso iron.*) as pure as the driven snow.

gigolette (*franc.*) f. inv. moll (*fam.*).

gigolo (*franc.*) m. inv. gigolo.

Gilbèrto m. Gilbert.

gìlda f. (*stor.*) guild.

gilè, **gilet** (*franc.*) m. inv. 1 (*panciotto*) waistcoat (*GB*); vest (*USA*) 2 (*pullover*) sleeveless cardigan; knitted vest (*USA*).

gimcàna, **gimkàna** → **gincana**.

gimnosofista m. gymnosophist.

gimnospèrma f. (*bot.*) gymnosperm; (al pl., *scient.*) Gymnospermae.

gimnòto m. (*zool.*, *Electrophorus electricus*) electric eel.

gin m. gin.

ginandriṣmo m. (*med.*) gynandrism.

ginandromorfiṣmo m. (*biol.*) gynandromorphism.

ginandromòrfo (*biol.*) A m. gynandromorph B a. gynandromorphous; gynandromorphic.

gincàna f. 1 (*sport*) gymkhana 2 (*fig.*) obstacle race: *È una vera g. arrivare sin qui*, it's like an obstacle race getting here; **fare la g. nel traffico**, to weave in and out of the traffic.

gincanìsta m. e f. (*sport*) competitor in a gymkhana.

ginecèo m. 1 gynaeceum* 2 (*bot.*) gynoecium*.

ginecocraziạ f. gynaecocracy.

ginecologìạ f. (*med.*) gynaecology.

ginecològico a. (*med.*) gynaecologic; gynaecological.

ginecòlogo m. (f. **-a**) (*med.*) gynaecologist.

ginecomastìạ f. (*med.*) gynecomastia.

ginepràio m. 1 (*bot.*) juniper thicket 2 (*fig.*) difficult situation; predicament; fix (*fam.*); tight corner (*fam.*): **cacciarsi in un g.**, to get oneself into a fix.

ginépro m. (*bot.*, *Juniperus communis*) juniper: **bacca di g.**, juniper berry ● **g. della Virginia** (*Juniperus virginiana*), (eastern) red cedar.

ginèrio m. (*bot.*, *Cortaderia argentea*) pampas grass.

ginèstra f. (*bot.*, *Spartium junceum*) Spanish broom ● **g. dei carbonai** (*o* **da scope**) (*Cytisus scoparius*), broom □ **g. spinosa** → **ginestrone**.

ginestrèlla f. (*bot.*, *Genista tinctoria*) dyer's greenweed; genista.

ginestrino m. (*bot.*, *Lotus corniculatus*) bird's-foot trefoil; eggs-and-bacon.

ginestróne m. (*bot.*, *Ulex europaeus*) gorse; furze; whin.

Ginévra ① f. (*letter.*) Guinevere.

Ginévra ② f. (*geogr.*) Geneva.

ginevrìno A a. Genevan; Geneva (attr.) B m. (f. **-a**) Genevan.

gingillàrsi v. i. pron. 1 (*giocherellare*) to toy; to fiddle; to twiddle 2 (*perdere tempo*) to fritter away one's time; to dawdle: *Non gingillarti per la strada*, don't dawdle on the way.

gingillo m. (*ninnolo*) knick-knack; gewgaw; trinket; bauble.

gingillóne m. (f. **-a**) dawdler, loiterer; loafer.

ginglimo m. (*anat.*) ginglymus*; hinge joint.

ginkgo m. (*bot.*, *Ginkgo biloba*) ginkgo; maidenhair tree.

ginnàre v. t. (*ind. tess.*) to gin.

ginnaṣiàle A a. (*in Italia e Germania*) gymnasium (attr.); (*in GB*) grammar-school (attr.); (*in USA*) high-school (attr.) B m. e f. (*in Italia e Germania*) gymnasium student; (*in GB*) grammar-school student; (*in USA*) high-school student.

ginnàṣio m. 1 (*in Italia e Germania*) gymnasium*; (*in GB*) grammar school; (*in USA*) high school 2 (*stor. greca*) gymnasium*.

ginnàsta m. e f. gymnast.

♦**ginnàstica** f. (*disciplina*) gymnastics (pl. col verbo al sing.), gym (*fam.*); (*a scuola*) physical education; (*esercizi fisici*) exercise, exercises (pl.); (*in palestra*) workout, physical jerks (pl.) (*fam. GB*): **g. a corpo libero**, free exercises; **g. attrezzistica**, modern apparatus gymnastics; **g. correttiva**, remedial gymnastics; **g. da camera**, exercises; **la g. del mattino**, morning exercises; (*fig.*) **g. della mente**, mental exercise; **g. ritmica**, callisthenics (pl. col verbo al sing.); **g. svedese**, Swedish drill (*o* gymnastics); *Dovrei fare della g.*, I should take some exercise; *Faccio g. ogni giorno*, I do exercises (*in palestra* I work out) every day; *Vado a piedi in ufficio per fare un po' di g.*, I walk to the office to get a bit of exercise; **insegnante di g.**, physical education teacher; gym teacher; (*in GB anche*) games master (f. mistress); **scarpe da g.**, training shoes; trainers; plimsolls; gymshoes (*GB*); sneakers (*USA*).

ginnàstico a. gymnastic.

ginnatrice f. (*ind. tess.*) cotton-gin.

ginnatùra f. (*ind. tess.*) ginning.

ginnétto m. jennet.

ginnico a. gymnastic; athletic: **giochi ginnici**, athletic games; **saggio g.**, gymnastic display.

ginnocàrpo → **gimnocarpo**.

ginnosofista → **gimnosofista**.

ginocchiàta f. 1 (*colpo di ginocchio*) blow with the knee: **dare una g. a q.**, to knee sb.; **prendersi una g. nel ventre**, to be kneed in the belly 2 (*colpo al ginocchio*) bump on the knee: **prendere una g. contro qc.**, to hit (*o* to bump, to bang) one's knee against st.; to catch one's knee on st.

ginocchiàto a. (*bot.*) geniculate.

ginocchièllo m. 1 (*per cavallo*) knee-cap 2 (*di armatura*) → **ginocchietto** 3 (*di maiale*) pork leg (without the trotter) 4 (*di pantaloni*) pork leg (without the trotter).

ginocchièra f. 1 knee bandage; (*sport*) knee pad, knee guard 2 (*di calzoni*) knee lining 3 → **ginocchietto**.

ginocchiétto m. (*di armatura*) knee-piece; genouillère (*franc.*); poleyn.

♦**ginòcchio** m. (pl. **ginòcchi**, m.; **ginòcchia**, f.) 1 knee: *Le ginocchia gli cedettero*, his knees gave way; **piegare un g.**, to bend a knee; **in g.**, on one's knees; kneeling; *In g.!*, (down) on your knee!; *Lo vidi in g. davanti all'altare*, I saw him kneeling in front of the altar; **buttarsi [cadere] in g.**, to throw oneself in [to fall to] one's knees;

mettersi in g., to kneel down; to go down on one's knees; **mettere in g. q.** (*anche fig.*), to bring sb. to his knees; (*fig.*) **supplicare q. in g.**, to plead with sb. on bended knee; **prendere q. sulle ginocchia**, to sit sb. on one's knees; **(alto fino) al g.**, knee-high; **(immerso) fino al g. in qc.**, knee-deep in st.; *L'acqua mi arrivava al g.*, the water was up to my knees; *Ero nella neve fino al g.*, I was knee-deep in snow; **calzettoni al g.**, knee socks; **gonna [stivali] al g.**, knee-length skirt [boots] 2 (*dei calzoni*) knee 3 (*di remo*) (oar) loom 4 (*naut.: parte della carena*) turn of the bilge 5 (*mecc.*) joint ● (*med.*) **g. della lavandaia**, housemaid's knee □ (*med.*) **g. valgo**, genu valgum; (*com.*) knock knees (pl.) □ (*med.*) **g. varo**, genu varum; (*com.*) bow legs (pl.).

ginocchióni avv. on one's knees: **cadere g.**, to fall on one's knees; **mettersi g.**, to do down on one's knees.

ginogèneṣi f. (*biol.*) gynogenesis.

ginòide a. (*med.*) gynoid.

ginsèng m. (*bot.*, *Panax ginseng*) ginseng.

ginserìạ → **jeanseria**.

gin tonic loc. m. gin and tonic.

gioachimiṣmo m. (*relig.*) Joachimism.

gioachimita a. e m. (*relig.*) Joachimite.

Giòbbe m. (*Bibbia*) Job.

giocàbile a. playable.

♦**giocàre** A v. i. 1 to play; (*trastullarsi*, *giocherellare*, *anche*) to toy: **g. a bocce**, to play bowls; to bowl; **g. a carte [a palla, a scacchi]**, to play cards [ball, chess]; **g. agli indiani**, to play at being Indians; **g. ai soldati** (*o* **alla guerra**), to play soldiers; **g. con le bambole**, to play with dolls; **g. con i sentimenti altrui**, to play with other people's feelings; **g. correttamente [scorrettamente]**, to play fair [foul]; (*sport*) **g. in porta**, to play goalkeeper; **g. per divertimento [per soldi]**, to play for fun [for money]; *I ragazzi giocano in giardino*, the children are playing in the garden; *Il cane ha voglia di g.*, the dog wants to play (*o* is feeling playful); *Il gatto giocava con dello spago*, the cat was toying with a piece of string; *Giochiamo in quattro*, there are four of us playing; *Tocca a te g.*, it's your turn (to play); *L'Italia gioca contro l'Inghilterra*, Italy are playing England 2 (*anche* **g. d'azzardo**) to gamble; (*scommettere*) to bet*: **g. alla roulette**, to play roulette; **g. alle corse (di cavalli)**, to bet on horses; to play the horses (*USA*); **g. forte**, to gamble heavily; to play for high stakes; *Non fuma e non gioca*, he doesn't smoke and doesn't gamble 3 (*Borsa: speculare*) to play; to speculate: **g. al rialzo**, to play for a rise; **g. al ribasso**, to play for a fall; **g. in Borsa**, to speculate on (*o* to play) the Stock Exchange 4 (*contare*, *agire*) to count; to play a part; to work: *Ha giocato molto la paura*, fear played a big part; *Il ritardo giocò a mio favore*, the delay worked in my favour 5 (*mecc.*) to play freely; to have play ● (*fig.*) **g. a carte scoperte**, to lay one's cards on the table □ **g. d'astuzia**, to use to cunning □ (*sport*) **g. fuori casa**, to play away □ **g. in casa**, (*sport*) to play at home; (*fig.*) to be on one's home ground □ (*fig.*) **g. sul sicuro**, to play safe □ (*fig.*) **g. con le parole**, to play with words; to equivocate □ (*fig.*) **A che gioco giochiamo?**, what is your (little) game?; what are you playing at? B v. t. 1 to play: **g. una carta**, to play a card; **g. una bella partita**, to play a good game 2 (*scommettere*) to bet*; (*puntare*) to stake: **g. una somma forte**, to stake a big sum; **g. 20 euro su Alì Babà**, to bet 20 euros on Ali Baba; *Mi gioco la testa che...*, I bet you anything that... 3 (*mettere a rischio*) to risk; to put* at risk; to put* on the line (*fam.*): **giocarsi la vita**, to risk one's life; to

put one's life at stake; *Mi sto giocando il posto ad aiutarti*, I'm putting my job on the line by helping you **4** (*perdere*) to lose*; to throw* away; to ruin; (*al gioco*) to gamble away: *S'è giocato il posto*, he has lost his job; *Mi sono giocato la promozione*, I've ruined my chances of promotion; *Si è giocato tutta l'eredità*, he gambled away his entire inheritance **5** (*ingannare*) to fool; to make* a fool of: *Mi hanno giocato*, I've been had ● (*fig.*) **g. bene le proprie carte**, to play one's cards well □ **g. il tutto per tutto**, to risk everything □ (*fig.*) **giocarsela**, to give it a go; to give it one's best shot: **giocarsela ad armi pari**, to play on a level field (*o on equal terms*); **giocarsela fino in fondo**, to play st.out; to stay the course □ (*fig.*) **giocarsi la camicia**, to bet one's shirt □ **g. un tiro a q.**, to play a trick on sb.; to trick sb. ❶ **FALSI AMICI** • giocare *non si traduce con* to joke.

giocàta f. **1** (*mossa*) move **2** (*scommessa*) bet; (*puntata*) stake: **una g. forte**, a heavy bet; **raddoppiare la g.**, to double the stakes; *In due giocate persi tutto*, I played twice and lost everything **3** (*partita*) game **4** (*al lotto, ecc.*) combination: *Questa settimana ci sono molte giocate col 7 e col 21*, this week a lot of people have played (*o have put their money on*) 7 and 21.

♦**giocatóre** m. (f. **-trice**) **1** player: **g. di calcio**, football player; footballer; **g. di carte**, card player; **g. di cricket**, cricket player; cricketer; **g. di golf**, golf player; golfer; **g. di scacchi**, chess player **2** (*anche* **g. d'azzardo**) gambler; (*scommettitore*) punter (*GB*), better, bettor (*USA*): **g. accanito**, heavy gambler **3 – g. in Borsa**, speculator (*on the Stock Exchange*) **4** (*chi ama il rischio*) gambler; risk-taker ❶ **FALSI AMICI** • giocatore *non si traduce con* joker.

giocattolàio m. (f. **-a**) **1** (*fabbricante*) toymaker **2** (*negoziante*) toy-shop owner.

♦**giocàttolo** Ⓐ m. **1** toy: **negozio di giocattoli**, toy shop **2** (*fig.*) toy; plaything: *È un g. nelle sue mani*, he's a plaything (*o he's like putty*) in her hands Ⓑ a. inv. toy (*attr.*): **treno g.**, toy train.

giocherellàre v. i. **1** (*gingillarsi*) to play; to toy; (*nervosamente*) to fiddle **2** (*giocare senza entusiasmo*) to play without enthusiasm.

giocherellóne m. (f. **-a**) **1** (*persona*) playful person; (*amante degli scherzi*) joker, prankster **2** (*animale*) playful (*o frolicsome*) animal.

giocherìa f. toy shop.

giochétto m. **1** easy game **2** (*tiro mancino*) trick: **fare un g. a q.**, to play a trick on sb. **3** (*lavoro facile*) child's play □; piece of cake (*fam.*); doddle (*fam.*).

♦**giòco** m. **1** (*attività*) play ⓤ; playing ⓤ: **l'importanza del g. per il bambino**, the importance of playing for a child; **pensare solo al g.**, to think only of playing; **tempo per il g.**, time for play; play-time; **compagno di giochi**, playmate: *Eravamo compagni di g.*, we used to play together; (*sport*) **al 20° minuto di g.**, after 20 minutes of play; **stanza dei giochi**, playroom; (*per bambini piccoli*) nursery **2** (*con regole*) game: **g. da tavolo**, board game; **il g. degli scacchi [del poker]**, the game of chess [of poker]; **g. di abilità** (*o di destrezza*), game of skill; **g. di carte**, card game; **g. di simulazione**, simulation game; **g. educativo**, educational game; **giochi all'aperto**, outdoor games; *I bambini erano occupati coi loro giochi*, the children were busy at their games; **fare un g.**, to play a game; **inventare un g.**, to invent a game; (*anche fig.*) **le regole del g.**, the rules of the game; **teoria dei giochi**, game theory **3** (*disciplina agonistica*) match: **il g. del tennis [del calcio]**, the game of tennis [of football]; **i giochi olimpi-**

ci, the Olympic Games; **giochi della gioventù**, youth games; **a metà g.**, halfway through the match; (*calcio*) at half-time **4** (*anche* **g. d'azzardo**: *attività*) gambling; (*singolo g.*) game of chance: **vincere [perdere] al g.**, to win [to lose] money gambling; **perdere una fortuna al g.**, to gamble away a fortune; **debiti di g.**, gambling debts; **casa da g.**, gambling-house; casino; **il vizio del g.**, the gambling habit **5** (*modo di giocare*) game; play: **g. leale [scorretto, pesante]**, fair [foul, rough] play; *Fa un buon g.*, his game is good; **fare un g. pesante [scorretto]**, to play rough [foul] **6** (*puntata*) bet; stakes (*pl.*): **raddoppiare il g.**, to double one's stakes; *Fate il vostro g.!*, place your bets! **7** (*mano di carte*) hand: **avere un buon g.**, to have a good hand; **non avere g.**, to have a bad hand **8** (*occorrente di un gioco*) set; (*giocattolo*) toy: **il g. del Meccano**, a Meccano set; **una stanza piena di giochi**, a room full of toys **9** (*corredo di oggetti uguali*) set: **g. di tende**, set of curtains; (*naut.*) **g. di vele**, set of sails **10** (*mecc.*) play; clearance: **g. assiale**, end play; **g. laterale**, side clearance (*o play*); **g. parallelo**, uniform clearance; *Non avvitarlo troppo stretto, lascia un po' di g.*, don't tighten the screw too much, leave a little play **11** (*scherzo*) joke; fun: **dire qc. per g.**, to say st. as a joke; **fare qc. per g.**, to do st. for fun; **prendersi g. di q.**, to make fun of sb.; to pull sb.'s leg; to kid sb. **12** (*interazione*) interplay; (*effetto*) effect, trick: **il g. delle forze politiche**, the interplay of political parties; **giochi di luci**, light effects; **g. di tinte**, interplay of colours **13** (*fig.: trucco, idea astuta*) game; trick: *Ah, sarebbe questo il tuo g.?*, so that's your little game?; *Ho capito il suo g.*, I know what his game is (*o what he's up to*) ● **g. a premi**, prize contest; (*radio, TV*) game show □ (*tennis*) **g. a rete**, net play □ (*fig.*) **g. al massacro**, discrediting attack □ **g. aziendale**, management game □ **un g. da ragazzi**, child's play ⓤ; piece of cake (*fam.*); a doddle (*fam.*) □ **g. di destrezza**, sleight of hand □ (*sport*) **g. di gambe**, footwork □ **g. del lotto**, national (*o state*) lottery □ **g. delle tre carte**, three-card monte; (*fig.*) con, swindle □ **g. dell'oca**, snakes and ladders □ **g. delle parti**, roles (*pl.*) □ **g. di mano**, sleight of hand □ **g. di parole**, play upon words; pun □ **g. di pazienza**, game of patience □ **g. di prestigio**, conjuring trick □ **g. di società**, parlour game □ **g. di squadra**, team game; (*collaborazione*) teamwork □ (*calcio*) **g. di testa**, headwork □ **giochi d'acqua**, fountains; jeux d'eau (*franc.*) □ (*fig.*) **A che g. giochiamo?**, what's your (*little*) game?; what are you up to? □ (*fig.*) **avere buon g.**, to find it easy (*to do st.*); to have no difficulty (*in doing st.*) □ **battere q. al suo stesso g.**, to beat sb. at his own game □ **campo di g.**, (*sportivo*) playing field; (*per bambini*) playground □ (*fig.*) **doppio g.**, double-crossing; double-dealing: **fare il doppio g.**, to be a double-crosser; **fare il doppio g. con q.**, to double-cross sb. □ (*fig.*) **entrare in g.**, to come into play □ (*fig.*) **essere in g.**, to be involved; (*essere a rischio*) to be at stake; to be on the line (*fam.*): *È in g. la tua promozione*, your promotion is at stake □ (*fig.*) **fare buon viso a cattivo g.**, to make the best of a bad job; to put a brave face on it □ (*fig.*) **fare il g. di q.**, to play sb.'s game; (*andare a vantaggio di*) to play into sb.'s hands □ **... e il g. è fatto!**, and Bob's your uncle! (*fam.*) □ (*fig.*) **mettere in g. qc.**, to bring st. into play; (*rischiare*) to stake st.; to put (st.) on the line (*fam.*): **mettere in g. la carriera**, to stake one's career; to put one's career on the line; **mettere in g. tutto**, to stake one's all □ (*fig.*) **scoprire il proprio g.**, to show one's hand; (*inavvertitamente*) to give the game away □ (*fig.*) **stare al g.**, (*stare alle regole*) to play the game; (*assecon-*

dare q.*) to go along with sb. [st.] □ **tavolo da g.**, gambling table; (*per giocare a carte*) card table □ **volgere qc. in g.**, to turn st. into a joke; to make fun of st. □ (*prov.*) **Il g. non vale la candela**, the game isn't worth the candle □ (*prov.*) **Un bel g. dura poco**, never take a joke too far ❶ **FALSI AMICI** • gioco *non si traduce con* joke.

giocofòrza m. **– essere g.**, to be unavoidable; to be obliged to (*do st.*) (*pers.*); to have to (*do st.*) (*pers.*): *Ci disse di seguirlo e fu g. obbedire*, he told us to follow him and we had no choice.

giocolière m. (f. **-a**) juggler.

giocondità f. gaiety; cheerfulness; mirth.

giocóndo a. **1** cheerful; merry **2** (*pop.*) simple; daft.

giocosità f. playfulness; jocosity.

giocóso a. playful; jocose; light; light-hearted: **carattere g.**, playful nature; (*mus.*) **opera giocosa**, light (*o comic*) opera; (*letter.*) **poesia giocosa**, burlesque poetry.

giocotèca f. play area; playroom.

giogàia ① f. (*geogr.*) mountain range.

giogàia ② f. (*zool.*) dewlap.

giógo m. **1** yoke: **g. di buoi**, yoke of oxen **2** (*fig.*) yoke; oppression: **gemere sotto il g.**, to groan under the yoke; **scuotere il g.**, to throw off the yoke; **passare sotto il g.**, (*stor. e fig.*) to pass under the yoke; (*fig.*) to eat humble pie **3** (*di bilancia*) beam **4** (*mus.*) crossbar **5** (*geogr.*) mountain ridge; (*valico*) col.

♦**gioia ①** f. **1** joy; delight: **gioie e dolori**, joys and sorrows; *Mi hai dato una grande g.*, you have made me very happy; **con mia grande g.**, to my great delight; *Che g. avervi qui!*, how wonderful (*o how glad I am*) to have you here!; **al colmo della g.**, overjoyed; **pazzo di g.**, mad with joy; **saltare dalla g.**, to jump for joy; **lacrime di g.**, tears of joy **2** (*persona amata*) darling; love: *Sì, g., che c'è?*, yes, darling, what is it?; *G. mia!*, my love! ● **g. di vivere**, joie de vivre (*franc.*) □ **g. maligna**, gloating; schadenfreude (*ted.*) □ **darsi alla pazza g.**, to have a high old time; to live it up.

♦**gioia ②** f. (*pietra preziosa*) jewel; gem.

gioiellerìa f. **1** (*l'arte*) jeweller's craft **2** (*negozio*) jeweller's (*shop*).

gioiellière m. (f. **-a**) jeweller, jeweler (*USA*).

♦**gioièllo** m. **1** piece of jewellery (*USA* jewelry); (*al pl., collett.*) jewels, jewellery ⓤ: **il mio g. preferito**, my favourite piece of jewellery; **i gioielli della Corona**, the Crown Jewels; (*anche fig.*) **i gioielli di famiglia**, the family jewels; *I miei gioielli sono assicurati*, my jewellery is insured **2** (*fig.*) jewel; gem; treasure: **il g. di una raccolta**, the jewel of a collection; *La mia cameriera è un g.*, my maid is a real gem; **un g. di auto**, a gem of a car.

gioiosità f. joyfulness; happiness.

gioióso a. joyful; happy; festive; joyous (*form.*).

gioìre v. i. (*esultare*) to be delighted (*at, with, by*); to rejoice (*at, over*) (*form.*); (*godere*) to delight (*at, in*), to take* delight (*in*): *Ho gioito della sua promozione*, I was delighted by his promotion; **g. di una vittoria**, to rejoice at a victory; **g. delle sventure altrui**, to take delight in other people's misfortunes.

Giòna m. (*Bibbia*) Jonah.

Giònata m. (*Bibbia*) Jonathan.

Giordània f. (*geogr.*) Jordan.

giordàno a. e m. (f. **-a**) Jordanian.

Giordàno m. (*geogr.*) (the) Jordan.

giorgìna f. (*bot.*) dahlia.

Giorgìna f. Georgina.

a b c d e f **g** h i j k l m n o p q r s t u v w x y z

Giórgio m. George.

giornalàio m. **1** (f. **-a**) newsagent (GB); newsdealer (USA); (ambulante) news vendor **2** (negozio) newsagent's; newsdealer's.

♦**giornàle** m. **1** (quotidiano) (daily) newspaper, paper, daily (fam.); (periodico) periodical; (di un foglio solo) news sheet; (rivista) magazine; (rassegna) review, journal; (al pl.: la stampa) (the) press (sing.): **g. a diffusione nazionale**, national paper; **g. del mattino [della sera]**, morning [evening] paper; **g. della domenica**, Sunday paper; **g. di moda**, fashion magazine; **g. locale**, local paper; **letterario**, literary review (o journal); **murale**, wall newspaper; **g. popolare**, tabloid; **g. settimanale**, weekly (newspaper); **essere abbonato a un g.**, to subscribe to a newspaper; **scrivere su un g.**, to write for a newspaper; È sul g., it's in the paper; Aspetta che lo scoprano i giornali!, wait until the press finds out about it **2** (sede di g.) newspaper office **3** (diario di viaggio, ecc.) journal: **tenere un g.**, to keep a journal **4** (naut.) – **g. di bordo**, logbook; log; **scrivere qc. nel g. di bordo**, to enterer st. in the log; to log st. **5** (rag.) daybook; journal: **g. di cassa**, cash book (o journal); **g. delle vendite**, sales book (o journal); **registrare a g.**, to enter in the journal ● **g. a fumetti**, comic (GB); comic book (USA) ● **g. radio**, (radio) news; news bulletin □ **carta di g.**, newsprint □ **ritagli di g.**, press cuttings.

giornalése m. (iron. o spreg.) journalese.

giornalétto m. (fam.) comic (GB); comic book (USA).

giornalièro Ⓐ a. **1** (di ogni giorno) daily; day-to-day; everyday (attr.): **lavoro g.**, daily work; **voli giornalieri**, daily flights **2** (di un solo giorno) daily; one-day: **biglietto g.**, one-day ticket; **tariffa giornaliera**, daily rate **3** (mutevole) changeable; variable: **umore g.**, changeable mood Ⓑ m. **1** (f. **-a**) day-labourer **2** (al pl.) (cinem.) rushes (GB); dailies (USA).

♦**giornalino** → **giornaletto**.

giornalìsmo m. **1** (attività, professione) journalism: **g. investigativo**, investigative journalism; **g. televisivo**, television journalism; **fare del g.**, to write for the papers; **scuola di g.**, school of journalism **2** (i giornalisti, la stampa) (the) press: **il g. internazionale**, the international press; È una firma del g. italiano, she is a name in Italian journalism.

♦**giornalista** m. e f. journalist; (cronista) reporter, newspaperman* (m.), newspaperwoman* (f.), newsman* (m., USA): **g. indipendente**, freelance journalist; **g. pubblicista**, part-time journalist; **g. sportivo**, sports journalist; **g. televisivo**, television reporter.

giornalìstico a. journalistic; newspaper (attr.); press (attr.): **esperienza giornalistica**, journalistic experience; **servizio g.**, report; feature; story; **stile g.**, journalistic style.

giornalmàstro m. (comm.) master ledger.

giornalménte avv. daily; every day.

♦**giornàta** f. **1** day: **una bellissima g.**, a wonderful day; **g. festiva**, holiday; **g. lavorativa**, workday; working day; **g. (lavorativa) di otto ore**, eight-hour day; **g. libera** (dal lavoro), day off; Le giornate si accorciano, the days are drawing in; **a una g. di cammino [di macchina]**, at a day's march [drive]; a day's march [drive] away; **nella g. di ieri**, yesterday; **per tutta la g.** (long); **pagare a g.**, to pay by the day (o on a daily basis); **lavoratore a g.**, day labourer **2** (lavoro di un giorno) day's work; (di manodopera) man-day: Ci vorranno due giornate per farlo, it'll be a two days' work **3** (paga di un giorno) day's wages (pl.) **4** (sport: incon-

tro) match ● (fig.) **g. campale**, hard day □ (fig.) **g. di fuoco**, hectic day □ (fig.) **g. nera**, bad day; (sfortunata) black-letter day ● (fam.) **g. «no»**, off day □ **andare a giornate**, to depend on the day □ Buona g.!, have a nice day! □ **Oggi ha una g. buona**, today it's one of his good days □ (fresco) **di g.**, (di uovo) newly laid; (fig.) fresh □ **lavorare mezza g.**, to work part-time □ **in g.**, (oggi) today; (prima di sera) by this evening: Telefoneranno in g., they'll call sometime today; Va finito in g., it must be finished today (o within the day, by this evening) □ **vivere alla g.**, to take life as it comes; to drift along; (per povertà) to live from day to day.

giornatàccia f. off day; terrible day; one of those days.

♦**giórno** m. **1** (le ventiquattro ore) day: **il g. avanti**, the previous day; the day before; **g. civile**, civil day; **il g. dopo**, the next day; the following day; the day after; **il g. di Natale**, Christmas Day; **g. di paga**, payday; **il g. di Pasqua**, Easter Day; **g. feriale**, weekday; **g. festivo**, holiday; **g. lavorativo**, workday; working day; business day; **g. libero** (dal lavoro), day off; **g. siderale**, sideral day; **g. solare**, solar day; **l'altro g.**, the other day; **g. e notte**, day and night; **g. per g.**, daily; day by day; **giorni fa** (o giorni or sono), a few days ago; **un g. dopo l'altro**, day after day; **un g. o l'altro**, one of these days; some day; **un g. sì, un g. no** (o a giorni alterni), every other day; on alternate days; **uno di questi giorni**, one of these days; (tra breve) any day now; **tutti i giorni**, every day; (più vecchi) day in, day out; **tutto il g.**, all day; the whole day; Dovrebbero arrivare a giorni, they should be here any day now; **di g. in g.**, day by day; from day to day; **migliora di g. in g.**, it's improving daily; **in pochi giorni**, in a few days; in a matter of days; **per tre giorni di fila**, three days running; **tra quindici giorni**, in a fortnight; in two weeks' time; **due volte al g.**, twice a day **2** (le ore di luce) daylight; (tempo); (giornata) day: Il g. se ne andava, daylight was failing; Si fa g., it's getting light; È g. chiaro (o fatto), it's broad daylight; È ancora g., it's still daytime; Ora è troppo buio, lo cercherò di g., it's too dark now, I shall look for it in daylight; Di g. sono sempre fuori, I'm always out during the day; **dormire di g.**, to sleep in the daytime; **lavorare di g.**, to work by day; **in pieno g.**, in broad daylight; **allo spuntar del g.**, at daybreak **3** (al pl.) (tempi, ecc.) times; time (sing.): **giorni difficili**, hard times; Ho passato dei brutti giorni, I've been through a bad time (o a rough patch); Verranno giorni migliori, better times will come; **fino ai nostri giorni**, up to the present day ● **il g. del Giudizio**, Judgment Day; Doomsday □ **il g. del Signore**, the Lord's Day; the Sabbath □ **g. di compleanno**, birthday □ **g. di grazia**, day of grace ● **g. di malattia**, sick day □ **g. di permesso**, day off □ (leg.) **g. utile**, clear day □ **a g.**, (aperto) open; (visibile) fully visible; (senza cornice) unframed: (ind. min.) **escavazione a g.**, opencast mine □ **al g. d'oggi**, nowadays; these days □ **al cader del g.**, at sunset □ Ha i giorni contati, (morirà presto) he hasn't got much to live; (fig.) his days are numbered □ Buon g.! → **buongiorno** □ **Cento di questi giorni!**, many happy returns of the day!; happy birthday! □ **Che g. è oggi?**, (del mese) what's the date (today)?; (della settimana) what day is it (today)? □ **chiudere** (o finire) **i propri giorni**, to end one's days □ Ci corre quanto dal g. alla notte, they are as different as chalk and cheese □ **da un g. all'altro**, from one day to the next; (all'improvviso) overnight; (tra breve) any day now □ **dare gli otto giorni**, to give a week's notice □ **di g.** (attuale), of the moment; current: **la moda del g.**, the current fashion □ **di ogni g.**, everyday (attr.): **la vita**

di ogni g., everyday life □ **di tutti i giorni**, day-to-day (attr.); everyday (attr.): **vestiti di tutti i giorni**, everyday clothes □ **illuminato a g.**, floodlit; brightly lit □ **mettere fine ai propri giorni**, to put an end to one's life □ **ordine del g.**, agenda □ È questione di giorni, it's only a matter of days □ (cucito) **orlare a g.**, to hem-stitch □ (cucito) **punto a g.**, hem stitch □ (sport) **una sei giorni**, a six-day race □ **sul far del g.**, at daybreak □ **tutto il santo g.**, all day long □ **tutti i santi giorni**, every single (o blessed) day □ Un g. mi chiese se..., he once (o one day he) asked me if... □ Un g. te lo dirò, I'll tell you some day □ Un bel g..., one (fine) day...

Giosafàtte m. (Bibbia) Jehoshaphat.

♦**giòstra** f. **1** (stor.) joust; tilt: **correre la g.**, to joust **2** (per bambini) merry-go-round; carousel (USA) **3** (al pl.: luna park) fun fair **4** (fig.) whirl; flurry.

giostràio m. (f. **-a**) merry-go-round operator.

giostrànte → **giostratore**.

giostràre Ⓐ v. i. **1** to joust; to tilt **2** (fig.: destreggiarsi) to manoeuvre; to cope well Ⓑ v. t. (fig.) to turn (st.) to one's advantage; to manipulate.

giostratóre m. jouster; tilter.

Giosuè m. (Bibbia) Joshua.

giottésco Ⓐ a. Giottesque Ⓑ m. follower of Giotto.

Giov. abbr. (giovedì) Thursday (Thur.).

giovaménto m. benefit; advantage; profit; (sollievo) relief: **trarre g. da qc.**, to derive benefit from st.; to benefit from st.; La nuova medicina gli è stata di g., the new medicine has brought him some relief.

♦**gióvane** Ⓐ a. **1** young: **g. di spirito**, young at heart; **mantenersi g.**, to keep young; **morire in g. età**, to die young (o at a young age); **il mio fratello più g.**, (fra due) my younger brother; (fra più di due) my youngest brother; Sono più g. di lei di tre anni, I am her junior by three years; **da g.**, when I was young; in my youth **2** (giovanile) youthful; young-looking: **un viso g.**, a youthful face **3** (per i giovani) for young people; youth (attr.); teenage (attr.): **moda g.**, youth fashion; **musica g.**, music for the young ● **il g. Jones** (= il figlio), Jones junior □ (leg.) **g. delinquente**, juvenile delinquent □ (teatr.) **attor g.**, juvenile lead ● **l'età g.**, youth □ **Plinio il G.**, Pliny the Younger □ **vino g.**, new wine Ⓑ m. **1** young man*; youth; (al pl.: ragazzi e ragazze) young people; (collett., anche) (the) young: Un g. la stava aspettando, a young man was waiting for her; **i giovani d'oggi**, young people today; the youth of today; **popolare tra i giovani**, popular with the young **2** (aiutante) assistant; (apprendista) apprentice ● **g. di bottega**, apprentice □ **g. di studio** (praticante), articled clerk Ⓒ f. girl; young woman*.

giovanétta, **giovinétta** f. girl; lass (fam.).

giovanétto, **giovinétto** m. boy; youngster; lad (fam.).

giovanile a. youthful; young; young-looking; (da, per giovani) youth (attr.); juvenile: **aspetto g.**, youthful looks; **avere un aspetto g.**, to look young; **delinquenza g.**, juvenile delinquency; **errori giovanili**, youthful errors; **moda g.**, youth fashion; **opere giovanili**, early works; **organizzazione g.**, youth organization; juvenilia; **vestire in modo g.**, to wear youthful clothes; to dress young.

giovanilìsmo m. efforts to appear young at all costs.

giovanilista Ⓐ m. e f. person who tries to appear young at all costs Ⓑ a. → **giovanilistico**.

giovanilìstico a. trying to appear young

at all costs; following youth fashions.

Giovànna f. Joan; Jane; Jean.

giovannèo a. **1** of (the gospel of) St John **2** of Pope John XXIII.

Giovànni m. John.

giovanòtto m. **1** young man*; youth; lad (*fam.*) **2** (*fam.: scapolo*) bachelor.

giovàre Ⓐ v. i. **1** (*essere utile*) to be useful; to be of use; to be a help: *Sapere le lingue ti gioverà*, foreign languages will be a help to you; *A che mi giova sapere che...?*, what good is it to me to know that...?; *Giova ricordare che...*, it should be remembered that... **2** (*far bene*) to be good (for); to do* (sb., st.) good; to be beneficial (to); **g. alla salute**, to be good for one's health; *La vacanza gli ha giovato*, the holiday did him good Ⓑ **giovàrsi** v. i. pron. to make* use (of); to take* advantage (of); to avail oneself (of): **giovarsi del nome di q.**, to make use of sb.'s name.

Giòve m. **1** (*mitol.*) Jupiter; Jove **2** (*astron.*) Jupiter • **G. pluvio**, rainy weather □ **Per G.!**, by Jove!

♦**giovedì** m. Thursday. (*Per gli esempi d'uso → martedì*) • **g. grasso**, Thursday before Lent □ **g. santo**, Maundy Thursday.

Giovenàle m. (*letter.*) Juvenal.

giovènca f. heifer.

giovènco m. steer.

♦**gioventù** f. **1** youth: **in g.**, in one's youth; when one is young; **la prima g.**, one's early youth; **errori di g.**, youthful errors; **follie di g.**, youthful follies **2** (*i giovani*) young people (pl.); (the) young (pl.); youth (col verbo al sing. o al pl.): **la g. d'oggi**, young people today; today's youth; *C'era tanta g.*, there were lots of young people; **libri per la g.**, books for young people • **g. bruciata**, wasted youth; (*in USA, negli anni 50*) beat generation □ **g. dorata**, gilded youth.

giovévole a. beneficial (to); useful (to); advantageous (to); good (for).

gioviàle a. jovial; genial; jolly; good-humoured.

giovialità f. joviality; geniality; good humour.

giovialóne m. (f. **-a**) jolly (*o* cheery) fellow (f. woman*).

giovinàstro m. lout; hooligan; hoodlum (*USA*); yob (*slang GB*); punk (*slang USA*).

giovincèllo m. (*scherz.*) youngster; lad; stripling.

giovinézza f. youth: **nella prima g.**, in one's early youth; **nel fiore della g.**, in the bloom of youth; **gli anni della mia g.**, the years of my youth; my youthful years • **vivere una seconda g.**, to have (*o* to have been given) a new lease of life.

giovinòtto → **giovanotto**.

gip m. e f. inv. (= **giudice per le indagini preliminari**) magistrate in charge of preliminary investigations; investigating magistrate.

gipèto, **gipaèto** m. (*zool.*, *Gypaetus barbatus*) bearded vulture; lammergeier; ossifrage.

gippóne m. large jeep.

gipsotèca f. collection (*o* gallery) of plaster casts.

girabacchìno, **girabecchìno** m. (*trapano*) brace and bit.

giràbile a. (*comm.*, *leg.*) endorsable; transferable.

giradìschi m. inv. record-player; gramophone.

giradìto m. (*med.*) whitlow.

♦**giràffa** f. **1** (*zool.*, *Giraffa camelopardalis*) giraffe **2** (*cinem.*, *radio*, *TV*) boom **3** (*fig.*) tall, long-legged person; beanpole • (*scherz.*) **collo da g.**, long neck.

giraffìsta m. e f. (*cinem.*, *radio*, *TV*) boom operator.

girafilière m. inv. (*mecc.*) diestock.

giramàschio m. inv. (*mecc.*) tap wrench.

giraménto m. – **g. di capo** (*o* **di testa**), fit of giddiness (*o* of dizziness); (*med.*) vertigo; **avere giramenti di capo**, to have fits of giddiness; **avere un g. di capo**, to feel dizzy; (*fam.*) **g. di scatole**, (*irritazione*) aggravation (*fam.*); (*seccatura*) hassle, drag Ⓤ, pain.

giramóndo m. e f. inv. wanderer; rover; (*di turista o uomo d'affari*) globe-trotter.

giranàstri m. inv. portable cassette player.

giràndola f. **1** catherine-wheel **2** (*giocattolo*) (toy) windmill **3** (*banderuola*, anche *fig.*) weathercock **4** (*fig.: turbinio*) whirl; flurry.

girandolóne m. (f. **-a**) gadabout (*fam.*).

girandolóni avv. strolling about: **andare g.**, to stroll about; to gad about.

giràrte Ⓐ m. e f. (*comm.*) endorser Ⓑ f. (*mecc.*, *di pompa*) impeller; (*di turbina*) rotor.

♦**giràre** Ⓐ v. t. **1** (*ruotare*, *voltare*) to turn: **g. la chiave nella serratura**, to turn the key in the lock; **g. una pagina**, to turn (over) a page; **g. il volante [la testa]**, to turn the steering-wheel [one's head]; *Giralo nell'altro senso*, turn it the other way **2** (*far g. più volte*, *avvolgere*) to wind*: **g. una corda due volte intorno a un palo**, to wind a rope twice round a pole; **g. una manovella**, to wind a handle **3** (*mescolare*) to stir: **g. la minestra**, to stir the soup **4** (*contornare*) to go* round: *Il fregio gira tutta la stanza*, the frieze goes all around (*o* right round) the room **5** (*svoltare*) to turn: **g. l'angolo**, to turn the corner **6** (*esplorare*, *esaminare*) to go* (*o* to search) all over; (*visitare*) to tour, to travel; (*andare da un posto all'altro*) to go* round: *Girai tutta la casa senza trovarlo*, I went all over the house without finding it; *Girò molti negozi*, she went around a lot of shops; **g. la Francia**, to tour France; **g. il mondo**, to travel (all over) the world **7** (*passare*) to pass; to refer (*form.*): *Giro a lei la domanda*, I pass the question to you; **g. una telefonata a q.**, to put sb. through to sb. **8** (*comm.*) to endorse; (*trasferire*) to transfer: **g. un assegno**, to transfer a cheque; **g. una cambiale**, to endorse a bill; **g. un conto**, to transfer an account **9** (*cinem.*) to shoot*, to film; (*recitare*) to act in, to be in: *Il film fu girato in tre settimane*, the film was shot in three weeks; **g. una scena**, to film a scene; *Girerà un film con Bertolucci*, he'll act in a film by Bertolucci; *Silenzio, si gira!*, silence, shoot! • **g. il discorso**, to change the subject □ **g. una frase**, to rephrase a sentence □ **La chiesa è lì girato l'angolo**, the church is just round the corner Ⓑ v. i. **1** (*ruotare*) to turn; (*rapidamente*) to spin*; (*spec. mecc.*) to revolve; (*di motore*) to run*, to turn over; (*di contatore*) to tick away; (*turbinare*) to whirl: *La ruota girava piano*, the wheel turned slowly; **g. come una trottola**, to spin like a top; (*fig.*) to run about; **g. su sé stesso**, to spin; (*fare dietro front*) to spin round; **g. vorticosamente**, to whirl **2** (*curvare*, *svoltare*) to turn: *La strada girava a sinistra*, the road turned left **3** (*andare in giro*) to go* round; (*in auto*) to drive* around; (*passeggiare*) to walk around, to stroll; (*vagare*) to wander, to ramble, to roam: **g. alla ricerca di un posteggio**, to drive around looking for a parking space; **g. per i boschi**, to ramble (*o* to roam) through the woods; **g. per la città**, to stroll [to drive] around the town; **g. per le strade**, to wander (*o* to stroll) through the streets **4** (*circolare*) to be about; to circulate: *Girano strane voci*, there are strange rumours about **5** (*di idee*, *ecc.: mulinare*) to spin; to whirl **6** (*del vento*) to veer **7** (*comput.*) to run* • **g. al largo da qc.**, to keep well clear of st.; to give st. a wide berth □

(*autom.*) **g. al minino**, to idle; to tick over □ **Gira al largo!**, sheer off! □ **g. attorno a un argomento**, to skirt round a subject; to beat about the bush (*fam.*) □ **g. in tondo**, to go round in circles □ **g. intorno a**, to go round; to circle; (*con spirali*) to wind* round: *La terra gira intorno al sole*, the earth circles the sun; *La strada gira intorno al colle*, the road goes round (*o* winds up) the hill □ (*naut.*) **g. sull'ancora**, to swing at anchor □ (*autom.*) **far g. il motore**, to run the engine □ (*pop.*) **far g. le scatole a q.**, to get sb.'s goat up; to get on sb.'s wick; to rile sb. □ **far g. la testa a q.**, to make sb. feel dizzy; to make sb.'s head spin; (*affascinare*) to turn sb.'s head □ (*fig.*) **Gira e rigira, alla fine trovai il negozio**, after much searching, I found the shop at last □ **Giratela come volete, si tratta di un ricatto**, whichever way you look at it, it's blackmail □ **Mi gira la testa**, my head is spinning; I feel dizzy □ (*fam.*) **Se mi gira**, if I feel like it; if I'm in the mood □ **Secondo come gli gira**, depending on his mood Ⓒ **giràrsi** v. rifl. to turn; (*completamente*) to turn round: **girarsi di scatto**, to spin round; **girarsi dall'altra parte**, to turn away; (*a letto*) to turn over; **girarsi nel letto** (*agitarsi*), to toss and turn (in bed); **girarsi verso il pubblico**, to turn to the audience; (*fig.*) **non sapere da che parte girarsi**, not to know which way to turn.

girarròsto m. roasting jack; spit.

girasóle m. (*bot.*, *Helianthus annuus*) sunflower • **olio di g.**, sunflower oil.

giràta f. **1** turn; turning: **una g. di chiave**, a turn of the key; **dare una g. all'arrosto**, to turn over the roast **2** (*passeggiata*) → **giro**, def. 5 **3** (*comm.*) endorsement: **g. di favore** (*o* **di comodo**), accommodation endorsement; **g. in bianco**, blank endorsement; **g. in pieno**, full endorsement; **g. per incasso**, endorsement for collection **4** (*nei giochi di carte*) deal **5** (*calcio*) volley; turning the ball in **6** (*fam.: ramanzina*) telling-off; ticking-off.

giratàrio m. (*comm.*) endorsee.

giràto a. **1** turned: *Ero g., ma la sentii*, I had my back turned but I heard her; **col viso g. dall'altra parte**, with his face turned the other way **2** (*comm.*) endorsed.

giratòrio a. rotary; rotational: **moto g.**, rotary motion.

giratùbi m. inv. (*mecc.*) pipe wrench.

giravìte m. inv. screwdriver: **g. a stella**, Phillips® screwdriver.

giravòlta f. **1** full turn; spin: **fare una g.**, to turn right round; to spin round **2** (*curva*) turn; sharp bend; (al pl., anche) twists and turns: **una strada piena di giravolte**, a road full of twists and turns **3** (*fig.*) about-turn; about-face; U-turn.

girèlla Ⓐ f. swivel joint; (*carrucola*) pulley Ⓑ m. inv. (*voltagabbana*) weathercock; turncoat.

girellàre v. i. to stroll about; to saunter.

girèllo m. **1** small ring; small disk **2** (*per bambini*) baby walker **3** (*macelleria*) round **4** (*di carciofo*) heart **5** (*di stecca da biliardo*) tip.

girellóne → **girandolone**.

girétto m. (*a piedi*) short walk, stroll (*in auto*) short drive, spin; (*in bicicletta*) short ride, spin; (*breve viaggio*) trip.

girévole a. turning; revolving; rotating: **porta g.**, revolving door; **poltrona g.**, swivel chair; **ponte g.**, swing bridge.

girfàlco → **girifalco**.

girifàlco m. (*zool.*, *Falco rusticolus*) gyrfalcon.

girigògolo m. **1** (*svolazzo*) flourish; curlicue **2** (*scarabocchio*) scrawl; doodle **3** (al pl.) (*fig.*) twaddle Ⓤ; waffle Ⓤ.

girino ① m. (*zool.*) tadpole.

girino② m. (*ciclismo, fam.*) racing cyclist taking part in the Tour of Italy.

girl (*ingl.*) f. inv. chorus girl.

◆**giro** m. **1** (*cerchio, circuito*) circle; ring; circuit: **il g. delle mura cittadine**, the circuit of the town walls **2** (*rotazione*) turn; (*mecc.*) revolution, rev: **un g. di manovella [di fune, di chiave]**, a turn of the handle [of the rope, of the key]; **i giri di un'elica**, the revolutions of a propeller; **dare un g. di chiave alla porta**, to lock the door once; **chiudere a doppio g. di chiave**, to double-lock; *Questo motore fa 5000 giri al minuto*, this engine goes up to five 5,000 per minute; (*di motore*) **andare su di giri**, to rev up; **mandare un motore su di giri**, to rev up (*o* to race) an engine **3** (*sport: gara*) tour; (*anche* **g. di pista**) lap: **il g. di Francia**, the Tour de France; **g. d'onore**, lap of honour; **completare un g. di pista**, to lap; **una corsa di sei giri**, a six-lap race **4** (*escursione, viaggio*) tour; trip: **il g. dei castelli della Loira**, a tour of the Loire castles; **il g. del mondo**, a tour round the world; a round-the-world tour; **un g. della Lombardia in bicicletta**, a cycling tour of Lombardy; **un g. turistico di Roma**, a sightseeing tour of Rome; *Ho fatto un g. in Scozia quest'estate*, I toured (*o* went on a tour of) Scotland in the summer **5** (*passeggiata*) stroll, walk; (*in auto*) drive, run; (*in bicicletta, a cavallo*) ride: **fare un g.**, to go for (*o* to take) a stroll; to go for a drive [a ride]; *Facciamo un g. intorno alla piazza*, let's walk round the square; *Mi fai fare un g. sulla tua moto?*, can I have a ride in your motorbike? **6** (*percorso circolare*) round; rounds (pl.); tour: **g. di consegne**, round of deliveries; **g. d'ispezione**, round (*o* tour) of inspection; **fare un g. d'ispezione**, to go on a round of inspection; **g. di visite**, round of visits; (*di medico*) rounds (pl.); **g. elettorale**, electoral campaign tour; *Il dottore sta facendo il suo g. di visite*, the doctor is making (*o* doing) his rounds; the doctor is on his daily round; *Il poliziotto faceva il suo g.*, the policeman was on his beat; *Ho fatto il g. dell'isola*, I've been round the island; (*in barca*) I've sailed round the island; *Feci il g. di tutte le librerie*, I did the rounds of all the bookshops; **fare il g. dei bar**, to cruise the bars; to pub-crawl; *Mi fece fare il g. dell'ufficio*, she showed me round the office; *La storiella fece il g. della città*, the story went round (*o* went the rounds of) the town; *La sua fama ha fatto il g. del mondo*, he's known all over the world **7** (*deviazione*) detour: *La strada principale era ostruita, perciò dovemmo fare un (lungo) g.*, the main road was blocked, so we had to make a detour; *Bisogna fare il g. di là*, we've got to go round that way; *Ho fatto tutto un g. per evitarli*, I went the long way round in order to avoid them **8** (*serie di eventi*) round; series: **g. di consultazioni**, round of talks; **g. di telefonate**, series of phone calls; **fare un g. di telefonate**, to ring round **9** (*ambiente*) circle; milieu; group: *Non apparteniamo al suo g.*, we do not belong to his milieu; **essere [non essere] del g.**, to be an insider [an outsider]; *Ormai sono fuori del g.*, I'm not involved anymore; I no longer move in those circles **10** (*attività criminale*) racket, ring; (*ambiente criminale*) scene: **il g. della droga**, the drug racket; the drug scene; *È in un g. di droga*, he's mixed up with drug dealers (*o* with drugs) **11** (*nei giochi di carte*) deal **12** (*lavoro a maglia*) row ● (*fin.*) **g. d'affari**, turnover: **un g. d'affari di milioni di euro l'anno**, a yearly turnover of millions of euros □ **g. della morte**, loop: **fare il g. della morte**, to loop the loop □ (*fig.*) **g. di boa**, turning point □ (*rag.*) **g. di capitali**, circulation of funds □ (*fig.*) **g. di orizzonte**, (wide-ranging) survey; **fare un g. di orizzonte**, to do a survey; (*prima di un acquisto*)

to shop around □ **g. di parole**, circumlocution; roundabout expression; **usare un g. di parole**, to use a circumlocution; to say st. in a roundabout way; **Non fare tanti giri di parole e vieni al sodo**, don't beat about the bush, come to the point □ (*autom.*) **g. di prova**, test drive; (*nelle gare*) trial run □ **un g. di valzer**, a waltz □ **g. di vite**, turn of the screw; (*fig.*) tightening, clamp-down: **g. di vite fiscale**, fiscal tightening □ (*sartoria*) **g. manica**, armhole □ (*sartoria*) **g. vita**, waist measurement □ **a stretto g. di posta**, by return of post □ **in g.**, around; round; about: *C'è in g. Mario?*, is Mario around?; *Dev'essere qui in g.*, he must be around here somewhere; **in g. per il mondo**, around the world; **andare in g.**, to go around; to for a walk [drive, etc.] around; **andare in g. per negozi**, to go for a walk round the shops; to go shopping; **essere in g. per lavoro**, to be away on business; **essere sempre in g.**, to be always out and about; (*viaggiare spesso*) to be forever off somewhere; (*di voce, malattia, ecc.*) **esserci in g.**, to be around; to be going the rounds (*fam. GB*) (*o* to be doing the rounds (*fam. USA*): *C'è in giro una brutta influenza*, there's a nasty flu going the rounds; *Sono secoli che non lo si vede in g.*, he hasn't been seen around for ages; *È andato a dirlo in g.*, he repeated it; he blabbed (*fam.*); *Che si dice in g.?*, what's the news?; **lasciare qc. in g.**, to leave st. lying about; **portare q. in giro per un posto**, to show sb. round a place □ **mettere in g. una chiacchiera**, to spread (*o* to put about) a rumour □ **nel g. di un anno**, within a year; in a year's time □ **nel g. di poche ore**, within hours; in a matter of hours □ **prendere in g. → prendere** □ **presa in g. → presa** □ (*fig. fam.*) **su di giri**, in high spirits.

girobùssola f. (*naut.*) gyrocompass; gyro.

girocòllo Ⓐ m. **1** (*circonferenza del collo*) neck size; neck measure **2** (*moda*) round-necked (*o* crew-neck) jumper; crew-neck **3** (*collana*) choker Ⓑ a. round-necked; crew-neck: **maglia g.**, round-necked (*o* crew-neck) pullover.

girocónto m. (*fin.: operazione*) transfer; (*sistema*) giro.

girodirezionàle m. (*aeron.*) directional gyro.

Giròlamo m. Jerome.

giromagnètico a. (*fis.*) gyromagnetic.

giromagnetìsmo m. (*fis.*) gyromagnetism.

giromànica m. inv. (*sartoria*) armhole.

girónda → ghironda.

girondino m. (f. **-a**) (*stor. franc.*) Girondist.

giróne m. **1** (*sport*) round: **g. di andata [di ritorno]**, first [second] round; **g. di qualificazione**, qualifying round **2** (*cerchio dantesco*) circle (of Hell): **i gironi infernali**, the circles of Hell **3** (*del remo*) (oar) handle.

◆**gironzolàre** v. i. to wander about; to stroll about; (*nello stesso posto*) to loiter about; (*intorno a q.*) to hover around: **g. per la città**, to wander about the town; **g. nel parco**, to stroll about in the park; *Mi gironzola sempre intorno*, she's always hovering around.

giropilòta m. (*aeron.*) gyropilot; automatic pilot.

giroscòpico a. (*mecc.*) gyroscopic.

giroscòpio m. (*mecc.*) gyroscope; gyro.

girostabilizzatóre m. (*naut., aeron.*) gyrostabilizer.

giròstato m. (*mecc.*) gyrostat.

girotondino m. (*polit.*) non-party-affiliated anti-government protestor.

◆**girotóndo** m. **1** (*danza*) round dance: **fa-**

re un g. intorno a q., to dance round sb. **2** (*di bambini*) ring-a-ring-o'-roses (*GB*); ring-around-the-rosy (*USA*): **fare un g.**, to play ring-a-ring-o'-roses.

giròtta f. weathervane.

girovagàre v. i. to wander (about, around); to roam (about, around).

giròvago Ⓐ a. wandering; itinerant; travelling; strolling: (*teatr.*) **attori girovaghi**, itinerant actors; strolling players (*stor.*); **mercante g.**, pedlar; **suonatore g.**, itinerant musician Ⓑ m. (f. **-a**) **1** wanderer; rover; (*vagabondo*) vagrant, drifter **2** (*venditore ambulante*) pedlar.

girovita m. inv. waist measurement.

GIS sigla (*Carabinieri*, **Gruppo d'intervento speciale**) special task force.

◆**gita** f. trip; excursion; outing; (*a piedi*) walk, hike: **g. al mare**, trip to the seaside; **g. in montagna**, hike in the mountains; **g. domenicale**, Sunday outing; **g. scolastica**, school trip; **g. sociale**, company outing; **g. turistica**, sightseeing trip; **fare una g.**, to go on a trip [on an outing, on a hike]; to make an excursion; **fare gite in montagna**, to go for mountain walks (*o* hikes).

gitàno Ⓐ m. (f. **-a**) (Spanish) gipsy Ⓑ a. gipsy (attr.).

gitànte m. e f. tripper; excursionist; (*a piedi*) hiker.

gittaióne → gettaione.

gittàta f. (*balistica*) range; carry: (*anche fig.*) **a lunga g.**, long-range (attr.).

◆**giù** avv. **1** down; (*al piano di sotto*) downstairs, (*di sotto, anche naut.*) below: **andare giù**, to go down (*o* downstairs); (*in discesa*) to go downhill; (*cadere*) to fall down; (*perdere valore*) to lose value, to go down; (*deperire*) to get weaker; **buttare giù un muro**, to knock down a wall; *Il vento buttò giù l'antenna*, the wind blew down the aerial; **buttare giù appunti**, to jot down some notes; **cadere giù**, to fall down; *Cadde giù dal tetto*, he fell from (*o* off) the roof; *Metti giù quei soldi*, put down that money; *Vieni giù!*, come down!; *C'è giù uno che ti cerca*, there's a man below looking for you; **giù all'angolo**, down at the corner; *Scesi giù al primo piano*, I went downstairs (*o* down) to the first floor; *Giù di lì!*, get down from there!; **giù in giardino [in Sicilia]**, down in the garden [in Sicily]; **giù in fondo alla strada**, down at the end of the street; *Ti aspetto giù nell'ingresso*, I'll wait for you downstairs in the hall; *Andai giù in cabina*, I went below to my cabin; **giù per le scale [per il pendio]**, down the stairs [the slope]; *Da giù non si vede*, you can't see it from below; *Il puzzo viene da giù*, the stench comes from down below; **l'inquilino di giù**, the downstairs tenant; **in giù**, down; downwards: **troppo in giù**, too far down; **venire [andare, guardare] in giù**, to come [to go, to look] down; **più in giù**, (*più in basso*) lower down; (*più oltre*) further down; **a faccia in giù**, face down (*o* downwards); **dal direttore in giù**, from the manager down; **da Napoli in giù**, south of Naples; *Gli oggetti su questo banco costano dalle 10 euro in giù*, everything on this stall costs 10 euros or less; **ragazzi dai dieci anni in giù**, children of ten and under; **più giù**, further down; **qua giù**, down here **2** (*fam., anche* **giù di corda**) run down, below par; (*depresso, anche* **giù di morale**) depressed, low, in low spirits: *Mi sentivo un po' giù*, I felt a bit low; *Ti trovo un po' giù*, you look a bit run down ● (*a un cane*) **Giù!**, down! □ **Giù il cappello!**, take off your hat!; (*fig.*) hats off! □ **Giù le mani!**, hands off! □ (*fig.*) **Giù la maschera!**, drop your mask! □ **a capo in giù**, head foremost; head first; headlong: **cadere a capo in giù**, to fall headlong □ **avere giù la voce**, to be hoarse

□ **Lo afferrarono e giù botte!**, they grabbed him and beat the living daylights out of him □ **mandare giù**, (*inghiottire*) to swallow; (*mangiare*) to eat □ **o giù di lì** (*all'incirca*), or thereabouts: *Deve avere quarant'anni o giù di lì*, she must be forty or thereabouts □ **su e giù**, up and down; (*avanti e indietro*) to and fro □ **su per giù**, more or less; roughly: *Su per giù sono uguali*, they are more or less (*o* roughly) alike.

Giu. abbr. (**giugno**) June (Jun.).

giùbba ① f. **1** (*giacca*) jacket; coat; (*mil.*) jacket, blouse **2** (*da fantino*) (jockey's) shirt **3** (*stor.*) coat ● (*fig.*) **rivoltare la g.**, to be a turncoat.

giùbba ② f. (*lett.*: *criniera*) mane.

giubbétto m. **1** (*stor.*: *farsetto*) doublet; jerkin **2** (*da donna*) bodice **3** (*scherma*) jacket: **g. elettrico**, metallic plastron **4** → **giubbotto**.

giubbóne m. heavy coat; (*di pelle*) heavy leather jacket.

giubbòtto m. jacket; blouson; (*di pelle*) leather jacket: **g. antiproiettile** (*o* **corazzato**), bullet-proof vest; flak jacket; **g. da marinaio**, reefer (jacket); (*naut.*) **g. di salvataggio**, life jacket.

giubilànte a. jubilant; exultant.

giubilàre ① Ⓐ v. i. to exult; to rejoice; to be jubilant Ⓑ v. t. **1** (*mettere a riposo*) to pension off; to superannuate **2** (*estens.*) to deprive of authority; (*promuovendo*) to remove (sb.) by promoting (him, her).

giubilàre ② a. (*eccles.*) jubilee (attr.): **anno g.**, jubilee year; **indulgenza g.**, jubilee indulgence.

giubilàto a. **1** pensioned off; superannuated **2** dismissed.

giubilazióne f. pensioning off; superannuation.

giubilèo m. (*stor.*, *eccles.*) jubilee.

giùbilo m. rejoicing; exultation; jubilation; joy.

giùda m. (*traditore*) Judas; traitor.

Giùda m. Judas ● (*bot.*) **albero di G.** → **albero** □ **bacio di G.**, Judas kiss.

giudàico a. Judaic: **legge giudaica**, Judaic law.

giudaìsmo m. Judaism.

giudaizzàre v. t. to Judaize.

Giudèa f. (*geogr.*) Judaea.

giudèo Ⓐ a. **1** (*della Giudea*) Judaean **2** (*estens.*: *ebraico*) Jewish Ⓑ m. (f. **-a**) **1** (*abitante della Giudea*) Judaean **2** (*estens.*: *ebreo*) Jew **3** (*fig. spreg.*: *usuraio*) usurer; (*traditore*) Judas, traitor.

giudeocristiàno a. Judaeo-Christian.

giudicàbile (*leg.*) Ⓐ a. triable Ⓑ m. e f. defendant.

giudicànte a. (*leg.*) judging: **collegio g.**, panel of judges; court; (the) Bench.

♦**giudicàre** Ⓐ v. t. **1** (*valutare*) to assess, to evaluate; (*ritenere*) to judge, to consider, to think*: *Lo giudicai inadatto*, I considered him unsuitable; *La gente lo giudicava pazzo*, people thought he was mad; *Giudicai fosse meglio aspettare*, I judged it (was) better to wait; **g. bene q.**, to judge sb. right; **g. male q.**, to misjudge sb. **2** (*leg.*) to judge, to pass judgment on; (*processare*) to try: **g. una causa**, to judge a case; **g. un imputato**, to pass judgment on an accused person; **g. q. colpevole [innocente]**, to find sb. guilty [not guilty]; **g. q. per direttissima**, to try sb. summarily Ⓑ v. i. to judge; to pass judgment: *Preferisco non g.*, I'd rather not pass judgment; *Giudica da solo*, judge for yourself; **g. di qc.**, to pass judgment on st.; to decide on st.; **g. dalle apparenze**, to judge (*o* to go) by appearances; *A g. dai risultati...*, judging by (*o* to judge from) the results; if we have to go by the results...; (*nel Vangelo*)

Non g. se non vuoi essere giudicato, judge not that ye be not judged.

giudicàto m. (*leg.*) sentence; final judgment; res judicata (*lat.*) ● **passare in g.**, to become final.

giudicatóre Ⓐ m. (f. **-trìce**) judger; (*giudice*) judge Ⓑ a. judging; giving judgment (pred.).

giudicatòrio a. (*lett.*) judicatory; judicial; judgment (attr.).

giudicatùra f. (*leg.*) judge's office.

♦**giùdice** m. e f. **1** (*leg.*: *presidente di tribunale*) judge; (*magistrato*) magistrate; (*di corte superiore*) justice; (al pl., collett., anche) (the) judiciary, (the) Bench (*GB*): **g. a latere**, associate judge; **g. conciliatore** (*o* **di pace**), justice of the peace; **g. d'appello**, appeal (*o* appellate) judge; **g. istruttore**, investigating magistrate; **g. per le indagini preliminari**, magistrate in charge of preliminary investigations; **g. popolare** → **giurato**; **g. togato**, magistrate; **essere nominato g.**, to be appointed judge; to be raised to the Bench (*GB*); **il g. Smith**, Mr Justice Smith **2** (*di concorso e sim.*) judge: **fare da g.**, to act as a judge; to adjudicate; to judge (*a contest*) **3** (*sport*) judge; umpire: **g. d'arrivo**, finish-line judge; **g. di gara**, umpire; **g. di linea**, linesman; (*rugby*) touch judge; **g. di porta**, goal judge **4** (*intenditore*) judge: **essere buon g. di qc.**, to be a good judge of st.; *Non sono un buon g.*, I'm no judge ● **erigersi a g.** (*o* **farsi g.**), to set oneself up as a judge; to presume to pass judgment □ (*Bibbia*) **il Libro dei Giudici**, the Book of Judges.

Giuditta f. Judith.

giudiziàle a. (*leg.*) judicial; trial (attr.): **atto g.**, judicial act; **eloquenza giudiziale**, forensic eloquence; **errore g.**, miscarriage of justice; **potere g.**, judicial power; **spese giudiziali**, trial expenses.

giudiziàrio a. (*leg.*) judicial; judiciary: **inchiesta giudiziaria**, judicial inquiry; **l'ordine g.**, the judicature; the judiciary; **il potere g.**, the judiciary; **procedimento g.**, judicial proceedings (pl.); **sequestro g.**, judicial attachment; **ufficiale g.**, bailiff; **vendita giudiziaria**, forced sale.

♦**giudìzio** m. **1** (*capacità di giudicare*) judgment; (*discernimento*, *senno*) wisdom, (common) sense, discretion: *Non mi fido del suo g.*, I don't trust his judgment; **avere g.**, to be sensible; *Abbi g.!*, be careful!; **pieno di g.**, full of common sense; **errore di g.**, error of judgment; **l'età del g.**, the age of reason (*o* of discretion) **2** (*leg.*: *processo*) trial, proceedings (pl.); (*sentenza*) decree, judgment; (*verdetto*) verdict: **g. arbitrale**, award; **g. contumaciale**, judgment by default; **g. di assoluzione**, verdict of not guilty; **g. di condanna**, guilty verdict; **g. di primo grado**, judgment of first instance; **g. di ultima istanza**, judgment of last resort; **g. per direttissima**, summary trial; **g. sommario**, summary trial; **in attesa di g.**, awaiting trial; **citare in g.**, to summons; **citare q. in g. per diffamazione**, to sue sb. for libel; **comparire in g.**, to appear before the court; **rinviare q. a g.**, to commit sb. for trial; **sospendere un g.**, to stay proceedings **3** (*opinione*) opinion; judgment: **g. avventato**, rash judgment; **g. di merito**, judgment; **g. di valore**, value judgment; **g. negativo**, criticism; censure; *I giudizi non sono concordi*, opinions differ; **dare un g. su qc.**, to give one's opinion (*o* to pass judgment) on st.; *Dimmi il tuo g.*, give me your opinion; tell me what you think; **rimettersi al g. di q.**, to submit oneself to sb.'s judgment; **a g. di tutti**, in everybody's opinion (*o* estimation); **a mio g.**, in my opinion; **a g. unanime**, by general consent **4** (*relig.*) Judgment: **il G. universale**, the Last Judgment; **il giorno del G.**, Judgment Day; Doomsday ● (*stor.*) **g. di Dio**, or-

deal □ (*filos.*) **critica del g.**, critique of judgment □ **dente del g.**, wisdom-tooth □ **fare g.**, to behave oneself; (*di bambino*) to be a good boy [girl] ● **mettere g.**, to mend one's ways; (*calmarsi*) to settle down □ **senza g.**, (*sciocco*) foolish; (*avventato*) rash.

giudizióso a. sensible; judicious (*form.*): **bambino g.**, sensible child.

giudò e deriv. → **judo**, e deriv.

giùggiola f. **1** (*bot.*) jujube **2** (*pasticca*) jujube-flavoured lozenge; jujube **3** (*fig.*: *inezia*) trifle; laughing matter ● (*fig.*) **andare in brodo di giuggiole**, to go into raptures; to be on cloud nine (*fam.*).

giùggiolo m. (*bot.*, *Zizyphus vulgaris*) jujube.

giuggiolóne m. (f. **-a**) simpleton; booby.

♦**giùgno** m. June. (*Per gli esempi d'uso* → **aprile**).

giugulàre a. (*anat.*) jugular: **vena g.**, jugular vein.

giugulazióne f. jugulation.

Giugùrta m. (*stor.*) Jugurtha.

giugurtìno a. (*stor.*) Jugurthine.

giulebbàre v. t. to cook in syrup.

giulebbàto a. (cooked) in syrup (pred.).

giulèbbe m. julep.

Giùlia f. Julia; Julie.

Giuliàna f. Juliana.

giuliàno a. Julian: **il calendario g.**, the Julian calendar.

Giuliàno m. Julian.

Giuliétta f. Juliet.

Giùlio m. Julius.

giulìvo a. cheerful; joyful; merry, blithe ● (*fig.*) **oca giuliva**, silly goose.

giullàre m. **1** (*stor.*) jester; (*menestrello*) minstrel: **g. di corte**, court jester **2** (*fig. spreg.*) jester; buffoon; clown.

giullarésco a. **1** minstrel (attr.): **arte giullaresca**, minstrelsy **2** (*fig.*) buffoonish; clownish.

giumèlla f. (*region.*) double handful ● **fare g. delle mani**, to cup one's hands.

giuménta f. mare.

giuménto m. beast of burden; pack animal.

giùnca f. (*naut.*) junk.

giuncàceo a. made of rushes; rush (attr.).

giuncàia f. bed of rushes.

giuncàta f. (*alim.*) curds (pl.) of milk; curd cheese; (*dolce*) junket.

giunchéto m. → **giuncaia**.

giunchìglia f. (*bot.*, *Narcissus jonquilla*) jonquil.

giùnco m. **1** (*bot.*, *Juncus*) rush **2** (*bot.*) **– g. di palude** (*Scirpus lacustris*), bulrush; **g. fiorito** (*Butomus umbellatus*), flowering rush; **g. odoroso** (*Cyperus longus*), galingale **3** (*per mobili*) cane: **poltrona di g.**, cane armchair.

♦**giùngere** Ⓐ v. i. **1** to arrive (at, in); to come* (to); to get* (to); to reach: **g. a destinazione**, to reach one's destination; to arrive; **g. alla stessa conclusione**, to arrive at (*o* to come to) the same conclusion; **g. alla meta**, to reach one's goal; **g. in tempo**, to arrive in time; **g. in vista di**, to come in sight of; *Giunse l'inverno*, winter arrived (*o* came) **2** (*arrivare al punto di*) to go* so far as: *Giunse a minacciarmi*, he went so far as to threaten me **3** (*riuscire*) to succeed (in doing st.); to manage (to do st.): *Non giunsi mai a scoprire la verità*, I never succeeded in discovering the truth ● **g. a scadenza**, to fall due; to mature ● (*fig.*) **g. in porto**, to succeed □ **fin dove giunge lo sguardo**, as far as the eye can see □ **Mi giunge nuovo**, it's news to me □ **Mi è giunto all'orecchio che...**, I've heard a rumour that... Ⓑ v. t.

(congiungere) to join: **g. le mani**, to join one's hands.

♦**giùngla** f. **1** jungle: **g. tropicale**; tropical jungle; **animali della g.**, jungle animals; **la legge della g.**, the law of the jungle **2** *(fig.)* jungle; wilderness; *(di situazione, anche)* morass: **la g. delle tasse**, the jungle of tax laws; *Il giardino era una g.*, the garden was a jungle *(o* a wilderness).

giunóne f. Junoesque woman*.

Giunóne f. *(mitol.)* Juno.

giunònico a. Junoesque.

♦**giùnta** ① f. **1** *(aggiunta)* addition; added *(o* extra) piece: **fare una g. alla gonna**, to add an extra piece to the skirt **2** *(punto di unione)* seam; *(cinem.)* splice **3** *(sovrappiù)* makeweight • **per g.**, in addition; what's more; into the bargain; to boot.

♦**giùnta** ② f. **1** *(organo collegiale)* committee; council; board: **g. amministrativa**, administrative board; **g. consultiva**, advisory committee; **g. di istituto**, board of governors; **g. municipale**, town council *(GB)*; city council *(USA)*; **g. regionale**, regional council **2** *(mil., polit.)* junta.

giuntàre v. t. **1** to join; *(cucendo)* to sew* together **2** *(cinem.)* to splice.

giuntatrìce f. **1** *(cinem.)* splicer **2** *(falegn.)* jointer.

giuntìsta m. e f. jointer.

giùnto A a. joined: **a mani giunte**, with one's hands joined (in prayer) B m. *(mecc.)* joint; *(di accoppiamento)* coupling: **g. a cerniera**, hinged joint; **g. a snodo**, knuckle joint; **g. a viti**, muff coupling; *(falegn.)* **g. a incastro**, gain joint; **g. assiale**, splice; **g. cardanico** *(o* **universale)**, universal joint; **g. idraulico**, hydraulic coupling; **g. sferico**, ball *(o* ball-and-socket) joint; **g. testa a testa**, butt (joint).

giuntùra f. **1** joint; join; junction; seam; **fare una g.**, to join (st.); **linea di g.**, seam; **senza g.**, seamless **2** *(anat.)* joint: **g. del gomito**, elbow joint; **g. delle dita**, finger joint; knuckle; *Mi fanno male le giunture*, my joints are aching.

giunzionàle a. junction (attr.); connecting.

giunzióne f. **1** *(congiunzione)* junction; connection **2** *(mecc.)* joint: **g. a maschio e femmina**, tongue and groove joint **3** *(elettr.)* junction.

giuòco e deriv. → **gioco**, e deriv.

Giùra m. *(geogr.)* Jura.

giuraddìo inter. by God!

giuraménto m. *(anche leg.)* oath: **g. di fedeltà**, oath of allegiance; **g. falso**, perjury; **g. ippocratico**, Hippocratic oath; **g. sulla Bibbia**, Bible oath; **sotto g.**, under *(o* on) oath; **fare g.**, to take an oath; **fare g. che...**, to swear that...; **prestare g. (nelle mani di q.)**, *(di testimone)* to take an oath (in sb.'s presence); *(di presidente, ecc.)* to be sworn in (by sb.); **far prestare g. a q.**, to administer an oath to sb.; **mancare al g.**, to break one's oath; **sciogliere q. da un g.**, to release sb. from his oath; **cerimonia del g.**, swearing-in ceremony; **la formula del g.**, the wording of the oath.

♦**giuràre** A v. t. to swear*: **g. eterno amore**, to swear eternal love; **g. il falso**, to commit perjury; to perjure oneself; **g. fedeltà a una causa**, to swear allegiance to a cause; **g. di dire la verità**, to swear to tell the truth; *Giuro che non lo dirò a nessuno*, I swear I will never tell anyone; *Giurai e spergiurai che non sarei mai più tornato*, I swore I would never come back • **C'è da g. che la cosa avrà successo**, it will surely be a success □ **Non ci giurerei**, I wouldn't swear to it □ **Ci giurerei che se n'è dimenticato**, I bet you he forgot all about it □ **Ci puoi g.!**,

you bet! B v. i. to swear*; to take* an *(o* one's) oath: **g. davanti a Dio**, to swear before God; **g. su q. [qc.]**, to swear by sb. [st.]; *I ministri hanno giurato nelle mani del Presidente*, the ministers were sworn in by the President • *(fig.)* **g. sulla parola di q.**, to trust sb.'s word implicitly.

giuràssico a. e m. *(geol.)* Jurassic.

giuràto A a. sworn: *(leg.)* **dichiarazione giurata**, sworn statement; affidavit; **nemico g.**, sworn enemy B m. (f. **-a**) *(leg.)* juror; juryman* (f. jurywoman*); member of a jury; (al pl., collett.) jury.

giureconsùlto m. *(leg.)* jurisconsult; jurist.

giurése → **giurassico**.

giurì m. *(leg.)* jury • **g. d'onore**, court of honour.

giurìa f. **1** *(leg.)* jury **2** *(di gara, concorso)* jury; judges (pl.) • **essere chiamati a far parte di una g.**, to be called for jury duty.

giuridicaménte avv. juridically; legally: **g. responsabile**, legally responsible.

giuridicità f. lawfulness; legality.

giurìdico a. *(leg.)* legal; juridical; law (attr.): **libri giuridici**, law books; **norma giuridica**, law; **ordinamento g.**, legal system; judicature; **persona giuridica**, juridical person; **stato g.**, legal status; **studi giuridici**, law studies.

giurisdizionàle a. jurisdictional.

giurisdizionalizzàre v. t. to bring*under a jurisdiction.

giurisdizióne f. **1** *(leg.)* jurisdiction: **g. d'appello**, appellate jurisdiction; **g. di prima istanza**, original jurisdiction; **avere g. su**, to have jurisdiction over; **essere sotto la g. di**, to come under [to lie under] the jurisdiction of; **non essere nella g. di**, to lie outside the jurisdiction of; **conflitto di g.**, conflict of jurisdiction **2** *(pertinenza)* sphere of competence; jurisdiction; province: *Ciò non rientra nella mia g.*, this is not within *(o* this lies outside) my sphere of competence *(o* my province).

giurisperìto m. jurisconsult; jurisprudent.

giurisprudènza f. **1** *(dottrina giuridica)* jurisprudence; law: **studiare g.**, to study law **2** *(insieme di decisioni)* decisions (pl.) of the courts; *(nel diritto anglosassone)* case law **3** *(insieme degli organi giurisdizionali)* (the) judiciary.

giurisprudenziàle a. **1** *(della dottrina giuridica)* jurisprudential **2** *(di decisione, ecc.)* judge-made **3** *(di un organo giudiziario)* judicial.

giurìsta m. e f. jurist.

Giușèppe m. Joseph.

Giușeppìna f. Josephine.

giușlavorìsta m. e f. *(leg.)* expert in labour law.

giușnaturalìșmo m. *(filos.)* doctrine of natural law.

giușpatronàto m. *(leg.)* jus patronatus *(lat.)*.

giușquiamo m. *(bot., Hyoscyamus niger)* henbane.

giùsta prep. *(bur.)* under; in accordance with; in conformity with.

giustacuòre m. jerkin.

giustaménte avv. **1** *(a ragione)* rightly; justly: *Osservò g. che c'era una difficoltà*, she rightly pointed out that there was a difficulty; *La proposta di vendere fu g. respinta*, the proposal to sell was rejected, and rightly so **2** *(con giustizia)* fairly; justly; with justice: **fare le cose g.**, to act fairly **3** *(correttamente)* rightly.

giustappórre v. t. **1** to juxtapose **2** *(ling.)* to collocate.

giustapposizióne f. **1** juxtaposition **2** *(ling.)* collocation.

giustappùnto A avv. just; precisely: *Stavo g. dicendo che...*, I was just in the process of saying that...; *Sto g. leggendolo*, I'm reading it just this minute *(o* just now, this very minute) B inter. precisely; quite; right so.

giustézza f. **1** *(equità)* justness; fairness **2** *(esattezza)* correctness; accuracy **3** *(di tesi, argomento)* soundness; *(di osservazione)* aptness **4** *(tipogr.)* justification.

giustificàbile a. justifiable; excusable.

giustificànte a. **1** justifying **2** *(teol.)* redeeming: **grazia g.**, redeeming grace.

♦**giustificàre** A v. t. **1** *(legittimare)* to justify; to warrant: *L'emergenza giustificava quelle misure*, the emergency justified *(o* warranted) those measures; *Il fine giustifica i mezzi*, the end justifies the means **2** *(dare conto di)* to justify; to explain; to account for: **g. il ritardo**, to justify the delay; **g. le spese**, to account for expenses; *Come giustifichi la sua assenza?*, how do you explain *(o* account for) his absence? **3** *(ritenere valido)* to justify; *(scagionare)* to clear, to extenuate *(form.)* **4** *(relig.: perdonare)* to forgive*; to redeem **5** *(tipogr.)* to justify B **giustificàrsi** v. rifl. **1** to justify oneself **2** *(scusarsi)* to excuse oneself.

giustificataménte avv. justifiably; with good reason.

giustificatìvo A a. justificative • **pezza giustificativa**, voucher; receipt B m. *(comm.)* voucher; receipt.

giustificàto a. **1** justified: *La sua decisione era pienamente giustificata*, he was fully justified in taking that decision; *(a scuola)* **assenza giustificata**, justified absence **2** *(relig.: perdonato)* forgiven; redeemed.

giustificatòrio a. justificatory; justifying; justificative.

giustificazióne f. **1** justification; excuse: **g. logica**, rationale; **addurre giustificazioni**, to advance justifications; **a g. di**, in justification of; **senza g.**, without excuse **2** *(a scuola)* excuse note **3** *(tipogr.)* justification.

giustinianèo a. of Justinian; Justinianian; Justinian: **il codice g.**, the Justinianian *(o* Justinian) Code.

Giustiniàno m. *(stor.)* Justinian.

♦**giustìzia** f. **1** justice; *(imparzialità)* fairness, equity: **g. fiscale**, tax equity; **g. sociale**, social justice; **g. sommaria**, rough justice; **con g.**, fairly; justly; **agire con g.**, to act with justice *(o* with fairness); **fare g.**, to do justice; *Sarà fatta g.*, justice will be done; **rendere g. a q.**, to do justice to sb.; to give sb. his due **2** *(leg.)* law; justice; law enforcement: **amministrare la g.**, to administer justice; *La g. segue il suo corso*, the law is taking its course; **assicurare alla g.**, to bring to justice; **ricorrere alla g.**, to have recourse to the law; **corte di g.**, court of justice; *Palazzo di g.*, Law Courts (pl.) **3** *(teol.)* justice: **la G. divina**, Divine Justice • *(leg.)* **collaborare con la g.**, to turn state's evidence; *(in GB)* to turn Queen's [King's] evidence □ **farsi g. da sé**, to take the law into one's own hands □ **Ministero della G.** *(o* **di Grazia e G.)**, Ministry of Justice; *(in GB)* Lord Chancellor's Department; *(in USA)* Department of Justice • **Ministro di Grazia e G.**, Minister of Justice; *(in GB)* Lord (High) Chancellor; *(in USA)* Attorney General □ **per amore di g.**, in all fairness □ **presentarsi alla g.**, to give oneself up □ *(leg.)* **secondo g.**, by right.

giustiziàle a. judicial.

giustizialìșmo m. **1** *(polit.)* political manipulation of the criminal justice system **2** *(polit., stor.)* justicialism.

giustizialìsta a., m. e f. *(polit.)* justicial-

giustiziàre v. t. to execute; to put* to death.

giustiziàto **A** a. executed **B** m. (f. *-a*) executed person.

giustizière m. **1** (*boia*) executioner; (*di impiccagione*) hangman* **2** (*vendicatore*) avenger.

♦**giùsto** **A** a. **1** (*ispirato a giustizia*) just; (*equo, imparziale*) fair: **arbitro g.**, fair referee; **causa giusta**, just cause; **giusta critica**, fair criticism; **giudice g.**, just (o fair) judge; **guerra giusta**, just war; **un g. prezzo**, a fair price; **un uomo g.**, a just man; *Siamo giusti!*, let's be fair!; *Mi sembra g.* (= d'accordo), fair enough; *Voglio solo ciò che è g.*, I only want what is fair **2** (*che va bene, ben fatto*) right; (*senza errori, esatto*) correct, exact: **altezza giusta**, right height; **l'età giusta**, the right age; **la parola giusta**, the right word; **risposta giusta**, correct answer; **al momento g.**, at the right moment; *È scritta giusta questa parola?*, is this word spelt right?; *Il conto è g.*, the account is correct; *Qual è la traduzione giusta di questa frase?*, what is the exact translation of this sentence?; *È g. che tu lo sappia*, it's right you should know **3** (*meritato*) just; well-deserved: **g. premio** [**rimprovero**], well-deserved prize [reproach] **4** (*legittimo*) legitimate; lawful: **un g. desiderio**, a legitimate aspiration; **una giusta rivendicazione**, a lawful claim **5** (*appropriato, conveniente*) right; fit: **quando ritieni g.**, when you see fit **6** (*mus.*) perfect: **quinta giusta**, perfect fifth **7** (*pop.*: *in gamba*) cool: *È un tipo g.*, he's cool ▪ **g. di sale**, with enough salt in it □ **il g. mezzo**, the happy medium □ **un kilo g.**, exactly one kilo □ **La gonna mi sta giusta**, (*è perfetta*) the skirt fits exactly; (*va appena bene*) the skirt just fits □ **La camicia è un po' giusta di spalle**, the shirt is a bit too tight around the shoulders □ **per dirla giusta**, to tell the truth; to be quite honest □ **quel che è g. è g.**, fair's fair □ **l'uomo g. al posto g.**, the right man in the right place **B** avv. **1** (*esattamente*) correctly; precisely: *Ha risposto g.*, he has answered correctly **2** (*proprio*) just: *Stavo g. dicendo...*, I was just saying...; **arrivare g. in tempo**, to arrive just in time; **g. in quell'istante**, at that very moment; *Cercavo g. te*, you're just the person I was looking for; *Ci sta g. g.*, (*perfettamente*) it fits in exactly; (*appena appena*) it just fits in **3** (*come inter.*) just so; right on; that's right; (*in risposta a un'obiezione*) you're right; (*risposta esatta*) correct **4** (*circa*) about, around; (*solo*) just: *Saranno state g. le due*, it must have been about two; *Mi fermo g. un minuto*, I'm just stopping for a minute ▪ **giust'appunto** → **giustappunto** □ **colpire g.**, to shoot straight; (*fig.*) to hit the nail on the head; (*indovinarci*) to make a lucky guess **C** m. **1** (f. *-a*) (*persona retta*) just person*; (*relig.*) righteous person: **i giusti**, the just; the righteous; **dormire il sonno dei giusti**, to sleep the sleep of the just **2** (*ciò che è giusto*) what is right, what is fair; (*ciò che spetta a q.*) (sb.'s) due: **essere nel g.**, to be in the right; *Chiedo solo il g.*, I am only asking for what is fair; **pagare il g.**, to pay the right price.

glàbro a. **1** hairless; glabrous (*scient.*) **2** (*rasato*) clean-shaven.

glacé (*franc.*) a. inv. **1** glacé: **seta g.**, glacé silk; **guanti g.**, glacé kid gloves **2** (*cucina*) iced; glacé: **marrons glacés**, marrons glacés.

glaciàle a. **1** (*geol.*) glacial; ice (attr.): **periodo g.**, glacial period; ice age **2** (*molto freddo*) icy; freezing; bitterly cold: **vento g.**, icy wind **3** (*fig.*) icy; glacial; chilly; frosty: **un'accoglienza g.**, an icy welcome; **maniere glaciali**, chilly manners.

glacialità f. (*fig.*) iciness; frostiness.

glaciazióne f. (*geol.*) glaciation.

glaciologìa f. (*geol.*) glaciology.

gladiatóre m. (*stor.*) gladiator.

gladiatòrio a. gladiatorial.

glàdio m. (*stor.*) gladius*.

gladìolo m. (*bot.*, *Gladiolus*) gladiolus*; sword lily.

glagolìtico a. (*ling.*) Glagolitic.

glànde m. (*anat.*) glans*.

glàndola e deriv. → **ghiandola**, e deriv.

glàssa f. (*cucina*) icing; frosting (*USA*).

glassàre v. t. **1** (*dolci*) to ice; to frost (*USA*); to glaze **2** (*carne*) to glaze.

glassàto a. **1** (*di dolce*) iced; frosted (*USA*); glacé; candied **2** (*di carne*) glazed **3** → **glacé**, def. 1.

glassatùra f. **1** (*di dolci*) icing; frosting (*USA*) **2** (*di carne*) glazing.

glauberite f. (*miner.*) glauberite.

glàuco a. (*lett.*) blue-green; sea-green; greyish-blue; glaucous.

glaucòfane, glaucofàne m. (*miner.*) glaucophane.

glaucòma m. (*med.*) glaucoma.

glaucòmio m. (*zool.*, *Glaucomys*) flying squirrel.

glauconite f. (*miner.*) glauconite.

glèba f. (*lett.*) clod; glebe (*lett.*) ▪ **servo della g.**, serf.

glène f. (*anat.*) glenoid cavity (o fossa).

glenoidàle a. (*anat.*) glenoid.

glenoìde **A** f. (*anat.*) glenoid cavity **B** a. → **glenoidàle**.

glenoidèo → **glenoidàle**.

gli ① → **i**.

♦**gli** ② **A** pron. pers. 3ª pers. sing. m. (*rif. a persona*) (to, for) him; (*rif. a cosa o animale*) (to, for) it: *Gli parlai*, I spoke to him; *Gli scrissi una lettera*, I wrote him a letter; *Gli hai fatto male*, you've hurt him [it]; *Parlagli tu*, speak to him yourself; you speak to him; *Chiedigli che vuole*, ask him what he wants; *La testa gli faceva male*, his head hurt; *Il caffè non gli fa bene*, coffee is not good for him **B** pron. pers. 3ª pers. pl. m. e f. (*fam.*) (to, for) them: *Gli manderò dei soldi, poveretti*, I shall send them some money, poor things; *Gli preparo del caffè*, I'll prepare some coffee for them.

glìa f. (*anat.*) glia; neuroglia.

gliàle a. (*anat.*) glial.

glicemìa f. (*med.*) glycemia.

glicèmico a. (*med.*) glycemic: **tasso g.**, glycemic level.

glicèrico a. (*chim.*) glyceric.

glicèride m. (*chim.*) glyceride.

glicerìna f. (*chim.*) glycerin, (*USA*) glycerine; glycerol.

glicerofosfàto m. (*chim.*) glycerophosphate.

glicerolàto m. (*farm.*) glycerite.

glicèrolo m. (*chim.*) glycerol.

glicìde m. (*chim.*) glucide.

glicìdico a. (*chim.*) glycide (attr.): **alcol g.**, glycide alcohol.

glicìna f. (*chim.*) glycine.

glìcine m. (*bot.*, *Wistaria sinensis*) wisteria; wistaria.

glicirrìza f. liquorice.

glicocòlla f. (*chim.*) glycine; glycocoll.

glicogènesi f. (*med.*) glycogenesis.

glicògeno m. (*biol.*) glycogen.

glicogenòsi f. (*med.*) glycogenosis.

glìcol, glìcole m. (*chim.*) glycol; diol: **g. etilenico**, ethylene glycol.

glicòlico a. (*chim.*) glycolic.

glicolipìde m. (*biol.*) glycolipid.

glicòlisi f. (*biol.*) glycolysis.

glicoprotèico a. (*biol.*) glycoprotein (attr.).

glicoproteìna f. (*chim.*) glycoprotein; glucoprotein.

glicorrachìa f. (*med.*) glycorrhachia.

glicòside → **glucoside**.

glicòsio → **glucosio**.

glicosùria f. (*med.*) glycosuria.

gliéla, gliéli pron. pers. composto 3ª pers. **1** (*a lui*) her [it] to him; (*a lei*) her [it] to her: *Ho finito la lettera e g. spedirò domani*, I've finished the letter and I'll post it to him [to her] tomorrow; *G. presentai, ma lui la conosceva già*, I introduced her to him, but he knew her already; *So che le piace questa pianta e g. voglio regalare*, I know she likes this plant, and I want to buy it for her; *G. dirò io, la novità*, I'll tell him [her] the news **2** (*fam.*: *a loro*) her [it] to them: *G. darò io*, I will give it to them; *G. presentai io*, I introduced her to them.

gliéle, gliéli pron. pers. composto 3ª pers. **1** (*a lui*) them to him; (*a lei*) them to her: *G. diedi io*, I gave them to him [her]; *G. presenterò io*, I will introduce them to him [her] **2** (*fam.*: *a loro*) them to them: *G. porterò io*, I'll take them to them.

♦**gliélo** pron. pers. composto 3ª pers. **1** (*a lui*) him [it] to him; (*a lei*) him [it] to her: *Lo conosco perché gliel'ho presentato io*, I know him because it was I who introduced him to him [her]; *G. darò da tradurre*, I'll give it to him [her] to translate; *G. dissi io*, I told him [her] **2** (*fam.*: *a loro*) him [it] to them: *G. darò io*, I'll give it to them; *G. presentai io*, I introduced him to them.

gliéne → **ne**.

glìfo m. **1** (*archit.*) glyph **2** (*mecc.*) link block: **g. oscillante**, crank and slotted link; **distribuzione a g.**, link motion.

glioblastòma m. (*med.*) glioblastoma*.

gliòma m. (*med.*) glioma*.

gliossàle m. (*chim.*) glyoxal.

glìptico e deriv. → **glittico**, e deriv.

gliptodónte m. (*paleontol.*) gliptodont.

gliptogènesi f. (*geol.*) weathering.

glissàndo m. (*mus.*) glissando*.

glissàre v. i. **1** to skirt (st.); to evade (st.) **2** (*assol.*) to change the subject: **g. su una questione**, to skirt an issue; *Se gli fai domande più specifiche, lui glissa*, if you press him more closely, he changes the subject.

glitter m. inv. (*ingl.*, *anche cosmetica*) glitter: **rossetto con g.**, glitter lipstick.

glìttica f. glyptics (pl. col verbo al sing.).

glìttico a. glyptic.

glittografìa f. glyptography.

glittògrafo m. glyptographer.

glittotèca f. collection of engraved gems.

global a. inv. (*ingl.*) globalization (attr.).

globàle a. **1** (*di tutto il globo*) global; worldwide: **mercato g.**, global market; **villaggio g.**, global village **2** (*totale, comprensivo*) total; overall (attr.); global; all-inclusive: **costo g.**, all-inclusive cost; **importo g.**, total amount; (*pedagogia*) **metodo g.**, global method; **visione g.**, overall view.

globalìsmo m. **1** (*psic.*) globalism **2** (*pedagogia*) global method.

globalìsta a. globalist.

globalità f. totality; entirety: **nella sua g.**, in its entirety.

globalizzàre v. t. (*econ.*) to globalize.

globalizzazióne f. (*econ.*) globalization.

globalménte avv. totally; overall; as a whole.

globicèfalo m. (*zool.*, *Globicephala melaena*) pilot whale; blackfish.

globigerìna f. (*zool.*) globigerina*.

globìna f. (*biol.*) globin.

glòbo m. **1** (*sfera*) globe; sphere; ball: **g. celeste**, celestial globe; (*anat.*) **g. oculare**, eyeball; **il g. terrestre**, the Earth **2** (*la Terra*) globe; Earth: **su tutto il g.**, all over the globe.

globòide m. globoid.

globosità f. globularity; globosity.

globóso a. globose; globular.

globulàre a. **1** globular; globe-shaped: (*astron.*) **ammasso g.**, globular cluster **2** (*med.*) blood-cell (attr.).

globulìna f. (*biol.*) globulin.

glòbulo m. **1** globule **2** (*biol.*) blood cell; corpuscle: **g. rosso [bianco]**, red [white] blood cell (o corpuscles).

globulóso a. globular.

glo glo → glu glu.

gloglottàre v. i. **1** (*del tacchino*) to gobble **2** (*gorgogliare*) to gurgle.

gloglottìo m. **1** (*del tacchino*) gobbling **2** (*gorgoglio*) gurgling; gurgle.

glomerulàre a. (*anat.*) glomerular.

glomèrulo m. **1** (*bot.*) glomerule **2** (*anat.*) glomerulus*: **glomeruli di Malpighi**, renal glomeruli.

glomerulonefrìte f. (*med.*) glomerulonephritis.

glòmo m. (*anat.*) glomus*.

♦**glòria** ① f. **1** glory; fame; (*prestigio*) prestige, kudos: **aspirare alla g.**, to strive for glory (o fame); **coprirsi di g.**, to cover oneself with glory; **conseguire la g.**, to achieve fame; **rendere g. a**, to glorify; **avido di g.**, hungry for fame **2** (*vanto*) pride; (*splendore*) glory: **essere la g. della famiglia**, to be the pride of the family; **le glorie di Venezia**, the glories of Venice **3** (al pl.: *imprese gloriose*) glories **4** (*teol.*) glory: **la g. dei cieli**, heavenly glory **5** (*ind. tess.*) gloria ● (*scherz.*) **lavorare per la g.**, to work for nothing □ (*scherz.*) **L'ho fatto per la g.**, I did it for love □ **Che Dio l'abbia in g.**, (may) God rest his soul □ **una vecchia g. del varietà**, a former star of variety theatre.

glòria ② m. inv. (*eccles.*, *mus.*) gloria.

gloriàre Ⓐ v. t. (*lett.*) to glorify; to extol Ⓑ **gloriàrsi** v. i. pron. to glory (in); to be proud (of); to pride oneself (on); (*vantarsi*) to boast (of, about): *Sansone si gloriava della sua forza*, Samson gloried in his strength; *Mi gloriavo di essere il primo*, I prided myself on being the first one; *Di che si gloriano?*, what are they so proud of?; what have they got to boast about?

gloriette (*franc.*) f. inv. pavilion.

glorificàre Ⓐ v. t. **1** to glorify; to exalt; to extol **2** (*relig.*) to glorify; to exalt Ⓑ **glorificàrsi** v. rifl. to boast (of, about); to sing* one's own praises.

glorificativo a. glorifying.

glorificatóre Ⓐ a. glorifying Ⓑ m. (f. *-trice*) glorifier.

glorificazióne f. (*anche teol.*) glorification.

glorióso a. **1** (*illustre*) glorious; illustrious: **antenato g.**, illustrious ancestor; **imprese gloriose**, glorious deeds **2** (*teol.*) glorified: **corpo g.**, glorified body ● (*scherz.*) **g. e trionfante**, as pleased as Punch; over the moon (*fam.*) □ **andare (o essere) g. di qc.**, to be proud of st.; to boast about st.

glòssa f. gloss; explanation; note: **g. a margine**, marginal note.

glossàre v. t. to gloss; to explain; to annotate.

glossàrio m. glossary.

glossatóre m. (f. *-trice*) **1** glossarist; annotator **2** (*stor.*) glossator.

glossèma m. (*ling.*) glosseme.

glossemàtica f. (*ling.*) glossematics (pl. col verbo al sing.).

glossemàtico a. (*ling.*) glossemic.

glossìna f. (*zool.*, *Glossina morsitans*) tsetse fly.

glossìte f. (*med.*) glossitis.

glossofaringèo a. (*anat.*) glossopharingeal.

glossografìa f. glossology.

glossògrafo m. glossographer.

glossolalìa f. (*psic.* e *relig.*) glossolalia.

glossomanìa f. (*psic.*) glossomania.

glossoplegìa f. (*med.*) glossoplegia.

glottàle a. (*ling.*) lingual.

glottidàle a. (*ling.*) glottal.

glòttide f. (*anat.*) glottis*.

glottocronologìa f. (*ling.*) glottochronology.

glottodidàttica f. foreign language teaching.

glottologìa f. linguistics (pl. col verbo al sing.).

glottològico a. linguistic.

glottòlogo m. (f. *-a*) linguist.

gloxinia f. (*bot.*, *Gloxinia speciosa*) gloxinia.

glucìde → glicide.

glucocorticòide a. e m. (*biochim.*) glucocorticoid.

glucòlico → glicolico.

glucomannàno m. (*chim.*) glucomannan.

glucòmetro m. **1** (*med.*) glucometer **2** (*enologia*) saccharometer; saccharimeter.

glucoşìde m. (*biochim.*) glucoside.

glucòşio m. (*biochim.*) glucose.

glucurònico a. – (*biochim.*) **acido g.**, glucuronic acid.

glu glu inter. e m. **1** (*di liquido*) gurgle gurgle; glug glug **2** (*del tacchino*) gobble gobble ● **fare glu glu**, (*di un liquido*) to gurgle; (*del tacchino*) to gobble.

glùma f. (*bot.*) glume.

glumèlla, **glumétta** f. (*bot.*) inner glume; (*inferiore*) lemma*; (*superiore*) palea*.

gluóne m. (*fis.*) gluon.

glutammàto m. (*chim.*) glutamate: **g. di sodio**, monosodium glutamate.

glutàmmico a. (*chim.*) glutamic: **acido g.**, glutamic acid.

glutammìna f. (*chim.*) glutamine.

glutenìna f. (*chim.*) glutenine.

glùteo Ⓐ a. (*anat.*) gluteal Ⓑ m. (*anat.*) gluteus* (muscle); (al pl.: **le natiche**) buttocks.

glutinàto a. gluten (attr.): **pane g.**, gluten bread.

glùtine m. gluten.

glutinóso a. **1** glutenous; gluten (attr.) **2** (*vischioso*) glutinous; sticky.

gnam inter. yum.

gnào, **gnàu** inter. e m. miaow; meow ● **fare g. g.**, to miaow; to meow.

gnatoplàstica f. (*med.*) gnathoplasty.

gnatopòdio m. (*zool.*) gnathopodite.

gnaulàre v. i. **1** (*miagolare*) to miaow; to meow **2** (*fig.: lamentarsi*) to whine; to whimper.

gnaulìo m. miaowing; meowing.

gnèiss, **gnàis**, **gnèis** m. (*geol.*) gneiss.

GNL sigla (**gas naturale liquefatto**) liquefied natural gas (LNG).

gnòcca f. (*gergale*) **1** (*vulva*) pussy; fanny (*GB*) **2** (*donna*) piece of crackling (*GB*); piece of ass (*USA*).

♦**gnòcco** m. **1** (al pl.) (*alim.*) dumplings: **gnocchi di patate**, potato dumplings; gnocchi **2** (*fam.*: *bernoccolo*) lump; bump; swelling **3** (*sciocco*) blockhead; chump; dimwit (*GB*); dumbo (*USA*).

gnòme f. (*letter.*) gnome; maxim; aphor-ism.

gnòmico a. gnomic.

♦**gnòmo** m. gnome ● **gli gnomi di Zurigo**, the gnomes of Zürich.

gnomologìa f. gnomology.

gnomóne m. gnomon.

gnomònica f. gnomonics (pl. col verbo al sing.).

gnòrri m. e f. – (*fam.*) **fare lo [la] g.**, to pretend not to know; to pretend not to understand; to play dumb (*fam.*).

gnoşeologìa f. (*filos.*) gnoseology; gnosiology.

gnoşeològico a. (*filos.*) gnoseological; gnosiological.

gnòşi f. (*filos.*) gnosis.

gnosticìşmo m. (*filos.*) gnosticism.

gnòstico a. e m. (f. *-a*) (*filos.*) gnostic.

gnu m. (*zool.*, *Connochaetes gnu*) gnu; wildebeest.

GO abbr. (**Gorizia**).

goal (*ingl.*) → **gol**.

gòbba f. **1** hump; hunch: **la g. del cammello**, a camel's hump **2** (*fig.*: *protuberanza*) hump; bump: **una strada tutta gobbe**, a bumpy road **3** → **gobbo**, **B**, def. 1.

♦**gòbbo** ① Ⓐ a. **1** humpbacked; hunchbacked **2** (*curvo*) hunched up; bent; stooping ● **camminare g.**, to walk with a stoop □ **colpo g.**, (*mossa fortunata*) lucky strike, fluke; (*imbroglio*) dirty trick, fast one □ **naso g.**, hooked nose □ **Non stare g.!**, straighten your back! Ⓑ m. **1** (f. *-a*) (*persona gobba*) humpback; hunchback **2** (*protuberanza*) hump; bump ● (*pop.*) **avere q. [qc.] sul g.**, to be saddled with sb. [st.].

gòbbo ② m. (*TV*) Autocue® (*GB*); Teleprompter® (*USA*); idiot board (*fam.*).

gobelin Ⓐ m. inv. Gobelin (tapestry) Ⓑ a. inv. Gobelin.

gobióne m. (*zool.*, *Gobio gobio*) gudgeon.

goccétto m. (*fam.*) drop; (*di alcolico, anche*) tot, noggin.

♦**góccia** f. **1** drop: **g. di pioggia**, drop of rain; raindrop; **g. di sudore**, drop (o bead) of sweat; **gocce per il cuore**, drops for the heart; **caffè con una g. di latte**, coffee with a drop of milk; **scendere a gocce**, to fall in drops; to drip; **a g. a g.**, drop by drop; a drop at a time; (*fig.*) little by little **2** (*di bevanda*) → **goccio 3** (*di gioiello*) drop; (*di lampadario*) cut-glass pendant; lustre: **lampadario a gocce**, cut-glass chandelier; lustre; **orecchini a g.**, drop-earrings; (*di perle*) pearl-drops **4** (*archit.*) gutta* ● (*fig.*) **la g. che fa traboccare il vaso**, the last straw; the straw that broke the camel's back □ (*fig.*) **la g. che scava la pietra**, the drop of water that can wear through a stone □ (*fig.*) **una g. nel mare**, a drop in the ocean □ **avere la g. al naso**, to have a runny nose □ **bere qc. fino all'ultima g.**, to drink st. to the last drop □ **oliatore a gocce**, drip-feed lubricator □ **somigliarsi come due gocce d'acqua**, to be like two peas in a pod □ (*fig.*) **l'ultima g.**, the last straw.

gocciàre → gocciolare.

góccio m. (*fam.*) drop; thimbleful; (*di alcolico, anche*) tot; (*sorso*) sip: **un g. di brandy**, drop (o a tot) of brandy; **un g. d'olio**, a drop of oil; **tè con un g. di latte**, tea with a dash of milk; *Beviamoci un ultimo g.*, let's have one last drop!; *Mi fai bere un g. della tua Coca?*, can I have a sip of your Coke?; *Prendo solo un g. di caffè, grazie*, I'll just have a drop of coffee, please.

gócciola f. **1** droplet; drop **2** → **goccia**, def. 2.

gocciolaménto m. dripping; trickling.

gocciolàre Ⓐ v. t. to drip; to trickle Ⓑ v. i. to drip; to trickle; to fall* in drops; (*del na-*

so) to run* ● **far g.**, to trickle; to let* (*o* to cause) drops (of st.) fall.

gocciolatóio m. **1** (*archit.*) drip; hood mould; (*di pietra*) dripstone **2** (*autom.*) drip moulding.

gocciolìna f. droplet.

gocciolìo m. dripping; trickling; drip, drip, drip.

gócciolo m. drop.

gocciolóne m. (*fam.*) **1** large drop **2** (*fig.*) simpleton; booby.

◆**godére** A v. i. **1** (*rallegrarsi*) to be glad; to be delighted: *Godo di saperlo felice*, I'm glad to know he is happy; *Ne godo davvero*, I'm delighted to hear it [to see it, to know, etc.] **2** (*provare piacere*) to love; to enjoy; to delight (in, at); to take* pleasure (*o* delight) (in); to get* a kick (out of) (*fam.*): *Ci gode a fare scherzi alla gente*, she enjoys playing tricks on people; **g. a dare cattive notizie**, to delight (*o* to take pleasure) in giving bad news; *Lui ci gode quando la gente litiga*, he gets a kick out of seeing people quarrel **3** (*fruire*) to have (st.); to enjoy (st.); to benefit (from): **g. di buona salute**, to enjoy good health; *Godo della sua fiducia*, she trusts me; *La regione gode di un clima mite*, the region has a mild climate **4** (*fam.: raggiungere l'orgasmo*) to come* B v. t. **1** (*gustare*) to enjoy: **g.** (*o* **godersi**) **le vacanze**, to enjoy one's holidays; **g.** (*o* **godersi**) **il panorama**, to enjoy the landscape; **godersi la vita**, to enjoy life **2** (*possedere, usufruire*) to enjoy; to have: **g. buona salute**, to enjoy good health; **g. tutti i diritti**, to enjoy (*o* to have) all rights ● **godersela**, to enjoy oneself; to have a good time □ **L'hai voluto? Goditelo!**, you've made your bed and you must lie in (*o* on) it.

goderéccio a. **1** (*che dà piacere*) very enjoyable; very pleasant **2** (*che ama i piaceri*) pleasure-loving; pleasure-seeking ● **fare una vita godereccia**, to lead a life of pleasure.

godet (*franc.*) m. inv. (*moda*) flare ● **gonna a g.**, flared skirt.

godèzia f. (*bot., Godetia*) godetia.

godìbile a. enjoyable; pleasant.

godibilità f. enjoyability; enjoyableness ● **di grande g.**, highly enjoyable.

godiménto m. **1** enjoyment; pleasure; delight: **trarre g. da qc.**, to derive pleasure from st.; to take pleasure in st.; *È un g. sentirla cantare*, it's a pleasure to hear her sing; **g. maligno**, gloating **2** (*leg.*) possession; enjoyment.

godronàre v. t. (*mecc.*) to knurl.

godronatùra f. (*mecc.*) knurling.

godróne m. (*mecc.*) knurl.

godùria f. (*scherz.*) bliss 🔊; luxury: *È una vera g.*, it's sheer bliss; (*iron.*) *Sai che g.!*, some fun!

godurióso a. (*fam. scherz.*) **1** (*che ama i piaceri*) pleasure-loving **2** (*molto piacevole*) gorgeous; divine; delicious.

goethiàno a. Goethean.

goffàggine f. **1** awkwardness; clumsiness; gaucheness; ungainliness; maladroitness **2** (*detto, atto goffo*) awkward (*o* clumsy) remark [gesture, etc.]; blunder.

gòffo a. **1** (*impacciato*) awkward, gauche (*franc.*); (*maldestro*) clumsy, blundering, maladroit; (*sgraziato*) ungainly, gawky **2** (*di abito e sim.*) shapeless.

goffràre v. t. (*mecc.*) to emboss.

goffratrìce f. (*mecc.*) embosser; embossing machine.

goffratùra f. (*mecc.*) embossing.

Goffrédo m. Geoffrey; Godfrey.

gógna f. pillory (*anche fig.*); (*berlina*) stocks (pl.) ● (*fig.*) **mettere alla g.**, to pillory.

gogo → **à gogo**

GOI sigla (*massoneria*, **Grande Oriente d'Italia**) Italian Grand Lodge.

go-kàrt (*ingl.*) m. inv. (*sport*) go-kart, go--cart.

◆**gol** m. inv. (*sport*) goal: **gol della bandiera**, consolation goal; **gol del pareggio**, equalizer; **gol del raddoppio**, second goal (by the same team); **gol della vittoria**, decider; **gol di testa**, header into the net; **gol su rigore**, penalty goal; **andare in gol**, to score; **annullare un gol**, to disallow a goal; **fare gol**, to score; *Abbiamo subìto tre gol*, they scored three goals against us.

◆**góla** f. **1** throat: **afferrare q. per la g.**, to seize sb. by the throat; **avere una lisca in g.**, to have a fishbone stuck in one's throat; **avere mal di g.**, to have a sore throat; **avere un nodo alla g.**, to have a lump in one's throat; **schiarirsi la g.**, to clear one's throat; **tagliare la g. a q.**, to cut (*o* to slit) sb.'s throat **2** (*golosità*) gluttony; greediness; greed: **peccato di g.**, sin of gluttony; *Lo mangio solo per g.*, I'm eating it out of pure greed **3** (*geogr.*) gorge; ravine; gully **4** (*di tiraggio, del camino, ecc.*) flue **5** (*mecc.: scanalatura*) groove; (*di puleggia*) race **6** (*archit.*) cyma* ● **avere l'acqua alla g.**, to be chin--deep in water; (*fig.*) to be in deep water (*o* waters), to be on one's beam-ends □ (*fig.*) **avere il coltello alla g.**, to have one's back to the wall □ (*fig.*) **avere il cuore in g.**, to be breathless; to be panting □ **cantare a piena g.** (*o* **a g. spiegata**), to sing at the top of one's voice; to belt out (*fam.*) □ (*fig.*) **col boccone in g.**, straight after eating □ **con tutto il fiato che avevo in g.**, at the top of my voice; as loud as I could □ **fare g.**, to be tempting; to be a great temptation; (*essere ambìto*) to be coveted: **un'offerta che fa g.**, a very tempting offer; *È un posto che fa g. a parecchi*, it's a highly coveted job; a lot of people are after that job □ **gridare a piena g.**, to shout at the top of one's voice □ **impiccare q. per la g.**, to hang sb. by the neck □ (*fig.*) **prendere q. per la g.**, (*rif. al cibo*) to tempt sb. (with food); (*costringere*) to put sb. with his back to the wall □ **ricacciare le parole in g. a q.**, to make sb. swallow his words □ **ricacciarsi il pianto in g.**, to swallow one's tears □ (*anche fig.*) **rimanere in g.**, to stick in one's throat □ (*prov.*) *Ne ammazza più la g. che la spada*, gluttony kills more than the sword.

goleada f. (*calcio*) goal feast.

goleador (*spagn.*) m. inv. (*calcio*) leading goal-scorer.

gòlem m. inv. golem.

golèna f. holm; high-water bed; flood bed.

golétta① f. **1** (*colletto*) lace collar; choker **2** (*di armatura*) throatpiece; gorget.

golétta② f. (*naut.*) schooner: **g. a gabbiola**, topsail schooner; **g. a palo**, three-masted schooner.

golf① m. (*sport*) golf.

golf② m. inv. (*indumento*) jersey; pullover; (*spec. da donna*) jumper; (*maglione*) sweater; (*aperto*) cardigan.

golfàre m. (*mecc.*) eyebolt; ringbolt.

golfìsta m. e f. (*sport*) golfer.

golfìstico a. (*sport*) golf (attr.).

gólfo m. **1** gulf: **il g. di Genova**, the Gulf of Genoa; **il G. Persico**, the Persian Gulf; **la Corrente del G.**, the Gulf Stream **2** (*mus.*) – **g. mistico**, orchestra pit.

Gòlgota m. (*geogr.*) Golgotha.

Golìa m. (*Bibbia*) Goliath.

goliardàta f. students' prank; practical joke; rag (*GB*).

goliardìa f. **1** (*i goliardi*) university students (pl.) **2** (*tradizioni*) students' traditions (pl.) **3** (*spirito*) student spirit.

goliàrdico a. (university) students' (attr.);

student's (attr.); goliardic (*stor.*): **ballo g.**, students' ball; **berretto g.**, student's hat; **canto g.**, students' song; goliardic song (*stor.*); **scherzo g.**, students' prank; rag (*GB*); **spirito g.**, student spirit.

goliàrdo m. **1** (*stor.*) goliard; wandering scholar **2** (f. **-a**) university student; undergraduate.

gollìsmo m. (*polit.*) Gaullism.

gollìsta a., m. e f. (*polit.*) Gaullist.

goloserìa, golosità f. **1** greediness; gluttony **2** (*boccone prelibato*) delicacy; (*anche fig.*) titbit (*GB*), tidbit (*USA*).

◆**golóso** A a. **1** (*di persona*) greedy (*anche fig.*); gluttonous: **essere g. di gelato**, to love ice cream; **essere g. di dolci**, to love sweets; to have a sweet tooth **2** (*appetitoso*) tempting; mouth-watering; yummy (*fam.*) B m. (f. **-a**) glutton; gourmand.

gólpe① f. (*agric.*) smut; blight.

golpe② (*spagn.*) m. inv. (*polit.*) (military) coup.

golpìsmo m. (*polit.*) tendency to promote a (military) coup.

golpìsta m. e f. (*polit.*) participant in a (military) coup.

golpìstico a. (*polit.*) of or relating to a (military) coup.

gómena f. (*naut.*) hawser; cable; (*da rimorchio*) tow-rope.

gomitàta f. (*colpo col gomito*) knock with the elbow; (*d'intesa, avvertimento*) nudge, dig in the ribs: **buttare qc. a terra con una g.**, to knock st. over with one's elbow; **dare una g. a q.**, to thrust one's elbow into sb.; (*come intesa, avvertimento*) to nudge sb.; (*come intesa*) to dig sb. in the ribs; **dare una g. contro qc.**, to knock (*o* to bang) one's elbow on (*o* against) st.; **farsi largo a gomitate**, to elbow one's way forward.

gomitièra f. (*sport*) elbow pad.

gómito m. **1** (*anat. e di indumento*) elbow: **appoggiare i gomiti sul tavolo**, to lean one's elbows on the table; **avere i gomiti lisi**, to be out at the elbows **2** (*mecc.*) elbow; crank: **albero a gomiti**, crankshaft **3** (*anche curva a g.*) sharp bend; hairpin bend: *La strada faceva un g.*, the road bent sharply; **raccordo a g.**, elbow ● **g. a g.**, side by side □ (*med.*) **g. del tennista**, tennis elbow □ **a g.**, bent; L-shaped □ (*fig.*) **alzare il g.**, to drink too much; to bend (*o* to lift) one's elbow (*fam.*): **aver alzato il g.**, to have had a few too many (*fam.*) □ **colpetto col g.** (*d'intesa, avvertimento*), nudge □ **darsi di g.**, to nudge each other □ **farsi avanti a forza di gomiti**, to elbow one's way forward □ (*fig.*) **olio di g.**, elbow-grease □ (*anat.*) **punta del g.**, funny bone (*GB*); crazy bone (*USA*).

◆**gomìtolo** m. ball: **g. di lana**, ball of wool; **avvolgere la lana in un g.**, to wind the wool into a ball.

◆**gómma** f. **1** (*anche g. naturale*) (natural) rubber; India rubber: **g. in fogli**, sheet rubber; **palla di g.**, rubber ball; **piantagione di g.**, rubber plantation **2** (*sostanza resinosa*) gum: **g. arabica**, gum arabic **3** (*per cancellare*) eraser; rubber (*GB*): **g. da inchiostro [da matita]**, ink [pencil] eraser **4** (*pneumatico*) tyre, tire (*USA*): **g. da neve**, snow tyre; **g. di scorta**, spare tyre; **g. liscia**, bald tyre; **g. piena**, solid tyre; **g. rigenerata**, remoulded (*o* recapped) tyre; **g. senza camera d'aria**, tubeless tyre; **g. sgonfia** (*o* **a terra**), flat tyre; **forare una g.**, to have a puncture **5** (*med.*) gumma **6** (*fam.: tubo di g.*) hose ● **g. adragante**, (gum) tragacanth □ **g. da masticare** (*o* **americana**), chewing-gum □ **g. espansa**, foam rubber □ **g. pane**, putty rubber □ **g. sintetica**, synthetic (*o* chemical) rubber □ **proiettile di g.**, rubber bullet □ **stivali di g.**, Wellington boots; rubber boots □ **trasporti su g.**, road haulage.

gommagùtta f. (*ind.*) gamboge.

gommalàcca f. (*resina*) lac; (*ind.*) shellac.

gommapiùma® f. foam rubber: **materasso di g.**, foam-rubber mattress.

gommàre v. t. **1** to gum **2** (*ind. tess.*) to rubberize **3** (*munire di pneumatici*) to fit with tyres (*USA* tires); to tyre.

gommarèsina f. gum resin.

gommaspùgna f. foam rubber.

gommàto a. **1** gummed: **carta gommata**, gummed paper **2** (*ind. tess.*) rubberized **3** (*di veicolo*) tyred; (*di ruota*) with tyre.

gommatùra f. **1** gumming **2** (*ind. tess.*) rubberizing **3** (*autom.*) set of tyres.

gommìfero a. gum (attr.).

gommifìcio m. rubber factory.

gommìna® f. (*per capelli*) (hair) gel.

gommìno m. rubber top (o cap).

gommìsta m. (*autom.: riparatore*) tyre repairer; (*rivenditore*) tyre dealer.

gommóne m. (*naut.*) rubber dinghy.

gommorèsina f. gum resin.

gommòsi f. (*bot.*) gummosis.

gommosità f. gumminess; rubberiness.

gommóso a. **1** (*che ha gomma*) gummy **2** (*simile a gomma*) gummy; rubbery **3** (*appiccicoso*) gummy; sticky.

Gomòrra f. (*Bibbia*) Gomorrah, Gomorrha.

gònade f. (*anat.*) gonad.

gonàdico a. (*anat.*) gonadic; gonadial.

gonadotropìna f. (*biochim.*) gonadotropin.

gonadòtropo a. gonadotropic.

gonalgìa f. (*med.*) pain in the knee joint.

góndola f. **1** (*naut.*) gondola **2** (*aeron.*) pod; nacelle: **g. del motore**, engine pod (o nacelle).

gondolière m. gondolier.

gonfalóne m. banner; standard; pennant; gonfalon (*stor.*).

gonfalonieràto m. (*stor. ital.*) office of a gonfalonier; gonfaloniership.

gonfalonière m. **1** standard-bearer **2** (*stor. ital.*) gonfalonier.

gonfiàbile a. inflatable; blow-up (attr.): **canotto g.**, inflatable dinghy; **cuscino g.**, blow-up pillow.

gonfiàggine f. (*fig.*) conceit; bumptiousness.

gonfiàggio m. inflation; pumping up.

gonfiaménto m. **1** blowing up **2** (*gonfiore*) swelling **3** (*fig.*) exaggeration; hype (*fam.*).

◆**gonfiàre** Ⓐ v. t. **1** (*con aria, gas*) to blow* up; to inflate; to expand; to distend; to puff out; (*con una pompa, anche*) to pump up; (*una vela, ecc.*) to fill, to swell*: (*autom.*) **g. le gomme**, to blow up (o to pump up) the tyres; *La gomma davanti ha bisogno di essere gonfiata*, the front tyre needs pumping up; **g. le gote**, to blow out (o to puff out) one's cheeks; **g. il petto**, to puff out one's chest; **g. un palloncino**, to blow up (o to inflate) a balloon; *Il pane mi gonfia lo stomaco*, bread makes me feel bloated; *Il vento gonfiava le vele*, the wind filled (o swelled) the sails; *L'uccello gonfiò le penne*, the bird puffed out its feathers **2** (*rendere rigonfio*) to make* a bulge in: *Il portafoglio mi gonfiava la tasca*, the wallet made a bulge in my pocket **3** (*un fiume, ecc.*) to swell*: *Le piogge gonfiarono il fiume*, the rains swelled the river **4** (*fig.: aumentare*) to inflate; to swell*; (*disonestamente*) to pad: **g. le cifre**, to swell the figures; **g. i prezzi**, to inflate prices; **g. le spese**, to pad expenses **5** (*fig.: esagerare*) to exaggerate; to blow* up; to play up; to puff up (*fam.*); (*abbellire, ricamare*) to pad out; (*montare*) to hype (*fam.*): **g. una notizia**, to

blow up a story; **g. uno scandalo**, to play up a scandal ● **g. la faccia di schiaffi a q.**, to give sb. a sound slapping in the face Ⓑ v. i. e **gonfiàrsi** v. i. pron. **1** (*dilatarsi*) to swell* (up); to puff up; to expand; (*di vela, ecc.*) to swell* out, to fill, to billow: *Il legno si gonfia nell'acqua*, wood swells in water; *Cominciò a gonfiarglisi la faccia*, his face began to puff up; *L'uvetta messa in acqua si gonfia*, sultanas swell up in water; *Le vele si gonfiarono*, the sails swelled out; *Il suo cuore si gonfiò di orgoglio*, his heart swelled with pride; *Gli occhi le si gonfiarono di lacrime*, her eyes filled with tears **2** (*fig.: crescere*) to rise*, to swell*; (*del mare*) to heave, to surge: *Il fiume s'è gonfiato*, the river has risen; **lasciar gonfiare la pasta**, to leave the dough to rise **3** (*fig.: aumentare*) to grow*; to rise*; to expand; to swell*; (*in fretta*) to balloon **4** (*fig.: insuperbirsi*) to swell* with pride; to puff up.

gonfiàto a. **1** (*riempito d'aria*) blown up; inflated; pumped up **2** (*fig., di costo, ecc.*) inflated; padded **3** (*fig.: esagerato*) exaggerated; inflated; hyped; (*abbellito, ricamato*) padded out **4** (*fam.: insuperbito*) puffed up; conceited.

gonfiatóio m. inflator; pump.

gonfiatùra f. **1** blowing up; swelling; inflation **2** (*fig.: esagerazione*) exaggeration; (*montatura*) hype Ⓤ (*fam.*): **le solite gonfiature dei media**, the usual exaggerations of the media; the usual media hype **3** (*fig.: adulazione*) flattery.

gonfiézza f. **1** swelling **2** (*fig., lett.*) pomposity; bombast.

◆**gónfio** Ⓐ a. **1** (*enfiato*) swollen; puffed up; bulging: **caviglia gonfia**, swollen ankle; **occhi gonfi**, swollen (o puffy) eyes; **occhi gonfi di lacrime**, eyes full of tears; **stomaco g.**, distended (o bloated) stomach; bulging stomach; *Mi sento g.*, I feel bloated **2** (*riempito d'aria*) blown up; inflated; puffed out; (*di vela, ecc.*) swelling, billowing: **guance gonfie**, puffed-out cheeks; **palloncino g.**, inflated balloon; **vele gonfie**, swelling sails **3** (*rigonfio*) bulging: **una busta gonfia di carte**, an envelope bulging with papers; **portafoglio g.**, fat (o bulging) wallet; **tasche gonfie**, bulging pockets **4** (*fig., di stile*) bombastic; turgid **5** (*fig.: pieno di sé*) conceited; bumptious; puffed up **6** (*bot., zool.*) incrassate ● **g. d'orgoglio**, filled with pride □ **g. di superbia**, puffed up with pride □ **a gonfie vele** → **vela** □ **col cuore g.**, with a heavy heart □ *Avevo il cuore g. di dolore [di gioia]*, my heart was heavy with grief [full of joy] Ⓑ m. → **rigonfio**.

gonfióre m. swelling; puffiness; distension.

gong m. gong: **suonare un g.**, to strike a gong.

gongolànte a. delighted; pleased with oneself; pleased as Punch (*fam.*); (*di gioia maligna*) gloating.

gongolàre v. i. to be delighted; to be pleased with oneself; to be pleased as Punch (*fam.*); (*di gioia maligna*) to gloat.

gongorìsmo m. (*letter.*) Gongorism.

gongorìsta (*letter.*) Ⓐ a. Gongoristic Ⓑ m. e f. Gongorist.

gonìdio m. (*bot.*) gonidium*.

goniometrìa f. goniometry.

goniomètrico a. goniometric.

goniòmetro m. goniometer: **g. ad applicazione [a riflessione]**, contact [reflecting] goniometer.

◆**gónna** f. **1** skirt: **g. a pieghe**, pleated skirt; **g. a portafoglio**, wrapover skirt; **g. diritta**, straight skirt; **g. larga**, full skirt; **g. pantalone**, divided skirt; culottes (pl.); **g. stretta**, tight skirt; **g. svasata** (o **scampanata**), flared skirt **2** (*autom.*) skirt.

gonnèlla f. **1** skirt **2** (*fam.: ragazza*) girl; (*donna*) woman*: *Sarà dietro a qualche g.*, he'll be out chasing some girl (or other); *Qui comandano le gonnelle*, women are in charge here ● (*fig.*) **essere attaccato alle gonnelle della mamma**, to be tied to one's mother's apron-strings □ (*fig.*) **in g.**, female (attr.): □ (*fig.*) **sergente in g.**, sergeant-major; battle-axe; termagant.

gonnellìno m. **1** short skirt **2** - **g. scozzese**, kilt.

gonocòcco m. (*med.*) gonococcus*.

gonocorìsmo m. (*biol.*) gonochorism.

gonorrèa f. (*med.*) gonorrhoea, (*USA*) gonorrhea.

gonorròico a. (*med.*) gonorrhoeal, (*USA*) gonorrheal.

gónzo m. booby; gull; fall guy (*fam. USA*); sucker (*slang*) ❶ FALSI AMICI ● *gonzo non si traduce con* gonzo.

gòra f. **1** (*canale*) canal; (*di mulino*) millrace, millstream **2** (*conserva d'acqua per il mulino*) millpond **3** (*stagno*) pond **4** (*alone*) mark; ring.

gòrbia f. **1** (*puntale*) ferrule; metal cap **2** (*scalpello*) gouge.

gordiàno a. - (*anche fig.*) **il nodo g.**, the Gordian knot.

gorgheggiaménto m. trill; trilling; warble; warbling.

gorgheggiàre v. i. **1** (*di uccello*) to warble; to trill **2** (*di cantante*) to trill.

gorgheggiatóre m. (f. -**trice**) **1** (*uccello*) warbler **2** (*cantante*) triller.

gorghéggio m. **1** (*di uccello*) warble; trill **2** (*mus.*) trill; trills (pl.); roulade (*franc.*).

gòrgia f. (*lett.*) throat; gullet.

gorgièra f. **1** (*di armatura*) gorget; throatpiece **2** (*scherma*) bib **3** (*stor.: collare*) collar; (*pieghettato*) ruff.

górgo m. eddy; (*anche fig.*) whirlpool, vortex*, maelstrom.

gorgogliàre v. i. **1** to gurgle; to bubble **2** (*emettere la voce con un liquido in gola*) to gargle **3** (*di intestini*) to rumble.

gorgóglio① m. **1** gurgle; bubble **2** (*di intestini*) rumble.

gorgóglio② m. **1** gurgling; bubbling **2** (*di intestini*) rumbling.

gorgoglióne m. (*zool., Aphis*) aphis*; greenfly.

Gòrgone f. **1** (*mitol.*) Gorgon **2** (*spreg.*) gorgon; hag.

gorgònia f. (*zool., Gorgonia*) gorgonian; horny coral; sea-fan.

gorgonzòla m. Gorgonzola (cheese).

gorgozzùle m. (*lett. o scherz.*) windpipe; throat; gullet.

gorilla m. **1** (*zool., Gorilla gorilla*) gorilla **2** (*fig.: uomo grosso e rozzo*) gorilla; ape **3** (*guardia del corpo*) bodyguard; heavy (*fam*) tough guy (*fam.*).

goriziàno Ⓐ a. of Gorizia; from Gorizia; Gorizia (attr.) Ⓑ m. (f. -**a**) native [inhabitant] of Gorizia.

gospel (*ingl.*) m. inv. **1** gospel music **2** gospel song.

gossip m. inv. (*ingl., spec. giorn.*) gossip Ⓤ; bit (o piece) of gossip; tittle-tattle.

gòta f. (*lett.*) cheek.

gotàzza → **gottazza**

Gotha m. **1** - **l'Almanacco di G.**, the Almanach de Gotha **2** (*fig.*) exclusive circles (pl.); elite; leading figures (pl.); cream: **il G. della finanza**, exclusive financial circles (pl.); the financial elite; **il G. della moda**, the leading fashion designers (pl.).

gòtico Ⓐ a. Gothic: **arte gotica**, Gothic art; **caratteri gotici**, Gothic letters; (*tipogr.*) Gothic (type) (sing.); (*stor.*) *Linea gotica*, Gothic Line; **romanzo g.**, Gothic novel Ⓑ m.

1 (*ling.*, *arte*) Gothic: **g. fiammeggiante**, flamboyant Gothic; **g. internazionale**, International Gothic **2** (*tipogr.*) Gothic (type) **3** (*fig.*: *lingua incomprensibile*) double Dutch.

gòto m. (*stor.*) Goth.

gótta f. (*med.*) gout.

gottàzza f. (*naut.*) bail; bailer.

gòtto m. (*region.*) **1** mug; tankard **2** (*estens.*) drink; (*di vino*) glass of wine: *Andiamo a bere un g.*, let's go and have a drink.

gottóso (*med.*) **A** a. of gout; gout (attr.); (*di persona*) gouty **B** m. (f. **-a**) person suffering from gout; gouty person.

gouache (*franc.*) f. inv. (*pitt.*) gouache.

gourmand m. e f. inv. (*franc.*) gourmand; gourmet.

gourmet (*franc.*) m. inv. gourmet.

governàbile a. governable; (*gestibile*) manageable.

governabilità f. **1** governability **2** possibility of having a stable government.

governàle m. (*aeron.*) **1** (*di bomba, missile, ecc.*) vane **2** (*piano mobile*) control surface.

governànte A a. governing; ruling **B** m. e f. ruler; governor: **i governanti di un paese**, the rulers of a country; (*il Governo*) a country's government **C** f. **1** (*istitutrice*) governess **2** (*chi regge la casa*) housekeeper.

♦**governàre A** v. t. **1** (*reggere*) to rule; (*dominare*) to control: *Il caso governa gli eventi*, chance rules events; **g. le proprie passioni**, to rule (o to control) one's passions **2** (*dirigere, amministrare*) to manage; to run*: **g. la casa**, to run the house **3** (*naut.*) to steer; (*aeron.*) to pilot, to fly, to control **4** (*polit.*) to govern; to rule: **g. un paese**, to govern a country; **g. male**, to misgovern **5** (*animali*) to tend; to look after; (*cavalli*) to groom; (*nutrire*) to feed*: **g. i polli**, to look after [to feed] the chickens; **g. un cavallo**, to groom a horse **6** (*alimentare*) to stoke: **g. il fuoco**, to stoke the fire **7** (*il terreno*) to manure; to fertilize **B governàrsi** v. rifl. (*comportarsi*) to behave (oneself); to control oneself.

governativo a. government (attr.); governmental; state (attr.): **ente g.**, government body; **funzionario g.**, government official.

governatoràto m. **1** (*carica, incarico*) governorship **2** (*territorio*) governorate.

governatóre m. (f. **-trìce**) **1** governor: **il g. della Banca d'Italia**, the governor of the Bank of Italy; **g. generale**, governor general **2** (*precettore*) tutor.

governatoriàle a. of a governor; governor's (attr.); gubernatorial.

governatùra f. **1** (*di animali*) tending; looking after; (*di cavalli*) grooming **2** (*di terreno*) manuring; fertilizing.

governicchio m. (*spreg.*) weak government.

♦**govèrno** m. **1** (*comando, conduzione*) government; management; running; administration: **il g. della casa**, the running of the house; housekeeping; (*org. az.*) **g. di impresa** (*o societario*), corporate governance **2** (*naut.*) steering; steerage; (*aeron.*) control: **in g.**, under control **3** (*polit.: organizzazione politica*) government; rule; (*potere governativo*) power: **g. assoluto**, absolute rule; **g. costituzionale**, constitutional government; **g. democratico**, democratic government; **g. tirannico**, tyrannical rule; **andare al g.**, to come into power; **essere al g.**, to be in power; **forma di g.**, form of government; **le redini del g.**, the reins of government; **uomo di g.**, statesman **4** (*polit.: organo che esercita il potere esecutivo*) government; cabinet; (*in USA*) administration: **g. di coalizione**, coalition government; **g. di solidarietà** (*o di unità*) **nazionale**, national govern-

ment; **g. di tecnici**, government of experts; **g. fantoccio**, puppet government; **g. federale**, federal government; **g. ombra**, shadow government; **il g. Moro**, the Moro Government; *Il G. si è riunito ieri*, the Government (*in GB* the Cabinet) met yesterday; **far cadere il g.**, to bring down the government; **formare un nuovo g.**, to form a new government; **capo del g.**, head of the government; (*in GB*) Prime Minister; (*in USA*) Chief Executive; **crisi di g.** → **crisi**, *def. 5* **5** (*di animali*) tending; looking after; (*il nutrirli*) feeding; (*di cavalli*) grooming **6** (*del terreno*) manuring; fertilizing **7** (*comput.*) control.

gózzo ① m. **1** (*med.*) goitre **2** (*zool.*, *pop.*) crop **3** (*fam.*: *gola*) throat, gullet; (*stomaco*) stomach ● **Quella risposta ce l'ho ancora sul g.**, that answer is still stuck in my throat (*o* still rankles) □ (*fig.*) **Quell'uomo mi sta sul g.**, I can't stand that man.

gózzo ② m. (*naut.*) Ligurian fishing boat.

gozzoviglia f. debauch; orgy; binge (*fam.*); (*spec. a base di alcol*) carousal (*lett.*), bender (*fam.*).

gozzovigliàre v. i. to carouse; to go* on a binge (*fam.*).

gozzovigliatóre m. (f. **-trìce**) carouser.

gozzùto a. (*med.*) goitrous; goitred.

GP sigla **1** (**Giunta provinciale**) District Council **2** (*sport*, **Gran premio**) Grand Prix (GP) **3** (*leg.*, **gratuito patrocinio**) legal aid.

GPL sigla (**gas di petrolio liquefatto**) liquefied petroleum gas (LPG).

GPM sigla (**gestione patrimonio mobiliare**) asset management.

GR sigla **1** (**giornale radio**) radio news **2** (**Grosseto**).

GRA sigla (**Grande raccordo anulare (di Roma)**) orbital road (*around Rome*).

Gràal m. (*letter.*) (Holy) Grail; Sangraal.

gracchiaménto m. **1** (*di corvo*) cawing; (*di rana*) croaking **2** (*di radio, ecc.*) crackling.

gracchiàre v. i. **1** (*di corvo*) to caw; (*di rana*) to croak **2** (*di persona*) to croak; to squawk; to cackle **3** (*di radio, ecc.*) to crackle.

gràcchio ① m. (*verso del corvo*) caw.

gràcchio ② m. (*zool.*, *Pyrrhocorax graculus*) alpine chough ● **g. corallino** (*Pyrrhocorax pyrrhocorax*), chough; sea-crow.

Gràcco m. (*stor.*) Gracchus: **i Gracchi**, the Gracchi.

gracidàre v. i. (*anche fig.*) to croak.

gracidìo m. croaking.

gràcile a. **1** delicate; frail; (*magro*) thin **2** (*spreg.*) puny; weak, feeble.

gracilità f. **1** delicacy; frailness; (*magrezza*) thinness **2** (*spreg.*) puniness; weakness, feebleness.

gràcola f. (*zool.*, *Gracula religiosa*) (hill) mynah; grackle.

gradassàta f. bragging 🕔; braggadocio 🕔; bluster 🕔; swagger 🕔.

gradàsso m. braggart; blusterer; swaggerer ● **fare il g.**, to brag; to bluster; to swagger.

gradataménte avv. gradually; by degrees; step by step.

gradazióne f. **1** gradation: **g. di difficoltà**, gradation of difficulty **2** (*sfumatura*) gradation; shade; nuance; tone **3** – **g. alcolica**, alcoholic strength; proof; **ad alta g. alcolica**, with a high alcoholic content.

grader (*ingl.*) m. inv. (*tecn.*) grader.

graderìsta m. e f. grader operator.

gradévole a. pleasant; agreeable; likeable; palatable.

gradevolézza f. pleasantness; agreeableness.

gradiènte m. (*fis.*) gradient: **g. barome-**

trico (*o* **barico**), barometric gradient; **g. di pressione**, pressure gradient; **g. geotermico**, geothermal gradient; (*meteor.*) **g. verticale**, lapse rate.

gradiménto m. **1** liking; pleasure; satisfaction: *È di tuo g.?*, is it to your liking?; **esprimere il proprio g.**, to express one's satisfaction **2** (*approvazione*) appreciation: **incontrare il g. di q.**, to meet with sb.'s approval ● (*radio*, *TV*) **indice di g.**, (popularity) rating.

gradìna f. (*scult.*) claw chisel; tooth chisel.

gradinàre ① v. t. (*scult.*) to claw-chisel.

gradinàre ② v. t. (*alpinismo*) to cut* steps into.

gradinàta f. **1** flight of steps; steps (pl.) **2** (*di anfiteatro, stadio*) stand; tiers (pl.); (*di stadio, anche*) terraces (pl.): **g. coperta**, roofed stand; **gradinate scoperte**, uncovered stands; terraces; bleachers (*fam. USA*); **a gradinate**, in tiers; tiered; terraced; **posti in g.**, stand seats.

gradinatùra f. (*scult.*) claw-chiselling.

♦**gradìno** m. **1** step; stair: (*arch.*) **g. d'invito**, curtail step; **il primo g.**, the first step; the bottom stair; **salire un g.**, to go up (o to climb) a step; **scendere un g.**, to go down a step; *Attenzione al g.*, mind the step; **un g. alla volta**, a step at a time; step by step; **a gradini**, stepped **2** (*alpinismo*) foothold; step: **tagliare gradini nel ghiaccio**, to cut steps in the ice **3** (*fig.*) step; rung; notch: **il primo g. di una carriera**, the first step on the career ladder; **i gradini più bassi della società**, the lowest rungs of society; **arrivare all'ultimo g.**, to reach the last rung of the ladder; **salire di un g. nella stima di q.**, to rise a notch in sb.'s opinion.

♦**gradìre** v. t. **1** (*accettare di buon grado*) to accept; to welcome: *La preghiamo di g. questo dono*, we hope you will accept this gift **2** (*trovare piacevole*) to appreciate; to enjoy; to like; to care for: *Non gradii lo scherzo*, I did not appreciate the joke; *Gradirei un tè* [*una risposta*], I'd like some tea [an answer]; *Gradirei che lo facessi tu stessa*, I'd like you to do it yourself; *Gradisce un frutto?*, would you like (o care for) some fruit?; *Vuole g.?*, (*offrendo cibo*) would you like some?; (*invitando*) won't you join us?; *Gradiremmo una vostra sollecita risposta*, a prompt reply would be appreciated; **tanto per g.**, just to oblige ❶ **FALSI AMICI** ● gradire *non si traduce con* to grade.

gradìto a. **1** (*benaccetto*) welcome; appreciated: *Sono graditi i contributi in denaro*, donations are welcome (o appreciated); **riuscire g.**, to be appreciated; to please; **voler riuscire g. a tutti**, to want to please everybody; *Gli farà cosa gradita*, he will appreciate it **2** (*che fa piacere*) pleasant; agreeable: **un incontro g.**, a pleasant meeting **3** (*nelle lettere*) – *Ho ricevuto la Sua gradita lettera*, thank you for your letter; *In risposta alla gradita vostra*, in reply to your letter.

gràdo ① m. **1** degree; level: **g. di amicizia** [**di intelligenza**], degree of friendship [of intelligence]; **g. di intensità**, degree of intensity; pitch; **g. di istruzione**, educational level; **g. di parentela**, degree of consanguineity; **g. di salinità**, level of salinity; **alto g. di precisione**, high degree (o level) of accuracy; **in piccolo g.**, to a small degree; in small measure; **in sommo g.**, to the highest degree; **procedere per gradi**, to proceed by degrees; **omicidio di primo g.**, first-degree murder; (*med.*) **ustioni di primo** [**secondo, terzo**] **g.**, first [second, third] degree burns **2** (*fis., geom., geogr.*) degree: **7 gradi centigradi**, 7 degrees Celsius (o centigrade); 7 °C; **un angolo di 45 gradi**, an angle of 45 degrees; **a 35 gradi di latitudine nord**, at a latitude of 35 degrees North; at latitude 35°N **3** (*unità di una scala, di una graduatoria*)

a b c d e f **g** h i j k l m n o p q r s t u v w x y z

grade: **una scossa di sesto grado nella scala Richter**, a shock measuring six on the Richter scale **4** (*mecc.*) limit **5** (*proporzione*) ratio: **il g. di umidità**, the humidity ratio; the degree of humidity **6** (*condizione sociale*) rank; status: **gente di ogni g.**, people of all ranks; **i privilegi del g.**, the privileges of rank **7** (*mil.*) rank: **il g. di capitano**, the rank of captain; captain rank; **gli alti gradi dell'esercito**, the highest ranking officers in the army; **di basso g.**, low-ranking (attr.); **di g. elevato**, high-ranking (attr.); **superiore di g.**, superior in rank; **avanzare di g.**, to be promoted; **privare q. del g.**, to strip sb. of his rank; **raggiungere il g. di colonnello**, to reach the rank of colonel; **avanzamento di g.**, promotion **8** (al pl.) (*mil.: galloni*) stripes; (*a V*) chevrons **9** (*gramm.*) degree: **g. comparativo**, comparative degree; **gradi di comparazione**, degrees of comparison • **a 360 gradi**, on a full scale; full-scale; wide-ranging; thorough: **un'indagine a 360 gradi**, a thorough investigation □ **cugino di primo [di secondo] g.**, first [second] cousin □ (*mat.*) **equazione di secondo [terzo] g.**, quadratic [cubic] equation □ **in g. di fare qc.**, able to do st.; capable of doing st.; in a position to do st.: *Quando sarà in g. di alzarsi?*, when will he be able to get up?; **una macchina in g. di riconoscere le banconote false**, a machine capable of recognizing (*o* that can recognize) counterfeit banknotes; *Non sono in g. di aiutarlo*, I am not in a position to help him; (*di macchina*) **essere in g. di funzionare**, to be in working order; **mettere q. in g. di fare qc.**, to enable sb. to do st. □ **fare il terzo g. a q.**, to put sb. through the third degree.

grado ② m. (*lett.*) liking; pleasure • **di buon g.**, willingly; readily; with pleasure; (*senza protestare*) with good grace □ **mal g.** → **malgrado**.

gradonàta f. terrace steps (pl.).

gradóne m. **1** (*agric.*) terrace **2** (*di stadio e sim.*) terrace; tier **3** (*largo gradino*) large step.

graduàbile a. gradable; that may be graduated.

graduàle Ⓐ a. gradual; by degrees (pred.) Ⓑ m. (*eccles.: versetti e libro*) gradual.

gradualìsmo m. gradualism.

gradualìstico a. gradualistic.

gradualità f. gradualness; graduality.

gradualménte avv. gradually; by degrees; step by step.

graduàre v. t. **1** (*ordinare per gradi*) to grade; (*suddividere in livelli*) to graduate: **g. degli esercizi**, to grade exercises **2** (*uno strumento*) to graduate **3** (*conferire un grado*) to promote.

graduàto Ⓐ a. graded; graduated: **insegnamento g.**, graded teaching; **lenti graduate**, graduated lenses **2** (*provvisto di scala graduata*) graduated: **recipiente g.**, graduated container Ⓑ m. (*mil.*) non-commissioned officer (abbr. NCO) • **graduati e truppa**, rank and file ❶ FALSI AMICI • *graduato non si traduce con* graduate.

graduatòria f. (*ordine per anzianità, merito, ecc.*) classification; list; (*in una gara, un concorso*) list, results (pl.): **primo in g.**, first on the list; **entrare in g.**, to be put on (*o* to enter) the list.

graduazióne f. **1** (*ordinamento per gradi*) gradation; ranking **2** (*suddivisione in gradi*) graduation; scale.

grafèma m. (*ling.*) grapheme.

grafemàtica f. (*ling.*) graphemics (pl. col verbo al sing.).

grafemàtico a. (*ling.*) graphemic.

grafèmica → **grafematica**.

gràffa f. **1** (*lamina metallica*) staple **2** (*ti-*

---

pogr.) brace.

graffàre v. t. **1** (*con lamina o punto*) to staple; (*con fermaglio*) to clip **2** (*edil.*) to cramp **3** (*med.*) to seam.

graffatrìce f. **1** stapler **2** (*mecc.*) seamer.

graffatùra f. **1** stapling **2** (*mecc.*) seaming.

graffétta f. **1** (*punto*) staple; (*fermaglio*) clip **2** (*edil.*) cramp iron.

graffiànte a. biting; mordant; scathing: **satira g.**, biting satire.

♦**graffiàre** Ⓐ v. t. **1** to scratch; (*rigare, scrostare*) to scrape: *Il gatto mi ha graffiato una mano*, the cat scratched my hand; **g. la portiera dell'auto**, to scratch the door of the car; **graffiarsi un ginocchio**, to scratch one's knee **2** (*fig.*) to bite*; to be mordant Ⓑ **graffiàrsi** v. rifl. e i. pron. **1** to scratch oneself **2** (*venir graffiato*) to get* scratched: *Mi sono graffiato con le rose*, I got scratched by the roses; *La borsetta si è tutta graffiata*, the handbag got all scratched.

graffiàta f. scratching 🔟; scratch.

graffiatùra f. → **graffio** ①.

graffiétto m. (*tecn.*) surface gauge; (*falegn.*) marking gauge.

♦**graffio** ① m. scratch: *È solo un g.*, it's only a scratch; *Ne è uscito senza un g.*, he came out without a scratch; **fare un g. a q.**, to scratch sb.

gràffio ② m. **1** (*del martello*) claw **2** (*uncino*) grapple, grappling iron; (*naut.*) grapnel.

graffìre v. t. to scratch a graffito (*o* graffiti) on.

graffitàro m. (f. **-a**) graffiti artist.

graffitìsmo m. graffiti art.

graffitìsta m. e f. **1** graffiti artist **2** (*edil.*) graffitist.

graffito m. **1** (*archeol.*) graffito* **2** (*con vernice*) graffiti (sing. o pl.).

grafìa f. **1** (*scrittura*) handwriting; writing **2** (*ortografia*) spelling • **g. fonetica**, phonetic spelling.

gràfica f. **1** (*tecnica, arti grafiche*) graphics (pl. col verbo al sing.); graphic art **2** (*opera grafica di un artista*) graphic works (pl.): **la g. di Picasso**, Picasso's graphic works **3** (*editoria, pubblicità: l'arte*) graphic design; (*illustrazioni*) graphics (pl.), artwork, art **4** (*TV, comput.*) graphics (pl.): **g. al calcolatore**, computer graphics.

graficaménte avv. **1** (*riguardo alla grafia*) in writing; in the spelling: *Le due parole sono g. uguali*, the two words are written identically **2** (*con un grafico*) by means of a graph (*o* a chart, a diagram); graphically.

gràfico Ⓐ a. **1** graphic; (*per scrivere*) writing (attr.); (*per disegnare*) drawing (attr.): **arti grafiche**, graphic arts; graphics (pl. col verbo al sing.); **mostra grafica**, exhibition of graphic works; **progetto g.**, graphic design; **veste grafica**, layout; format **2** (*ortografico*) spelling (attr.): **varianti grafiche**, spelling variants **3** (*rif. alla stampa*) printing (attr.) **4** (*rif. a un grafico*) graphic; graphical **5** (*comput.*) graphical; graphics (attr.): **interfaccia grafica**, graphics interface; **risoluzione grafica**, graphical resolution; **scheda grafica**, graphics card Ⓑ m. **1** (*diagramma*) graph; diagram; chart: **g. a barre**, bar chart; **g. delle vendite**, sales chart; **rappresentare con un g.**, to plot on a graph; to graph; **tracciare un g.**, to draw a graph; **presentazione mediante g.**, graphical display **2** (f. **-a**) (*nell'industria grafica*) graphic designer; (*commercial*) artist; (*disegnatore*) draughtsman* (f. draughtswoman*) (*GB*), draftsman* (f. draftswoman*) (*USA*) **3** (f. **-a**) (*di casa editrice, rivista*) artist; art editor **4** (*spec. al pl.*) (*nell'editoria*) printer: **sciopero dei grafici**, printers' strike.

grafitàggio m. (*ind.*) lubrication with

---

graphite; (*elettr.*) coating with graphite.

grafitàre v. t. (*ind.*) to lubricate with graphite; (*elettr.*) to coat with graphite.

grafitazióne f. **1** (*elettr.*) coating with graphite **2** (*geol.*) graphitization.

grafìte f. (*miner.*) graphite; plumbago.

grafitizzàre v. t. to graphitize.

gràfo m. (*mat.*) graph.

grafologìa f. graphology.

grafològico a. graphological; handwriting (attr.): **esame g.**, graphological (*o* handwriting) test.

grafòlogo m. (f. **-a**) graphologist.

grafòmane m. e f. **1** (*psic.*) graphomaniac **2** (*scherz.*) incurable scribbler; (*epistolare*) compulsive letter-writer.

grafomanìa f. **1** (*psic.*) graphomania **2** (*scherz.*) love of scribbling; (*epistolare*) compulsive letter-writing.

grafòmetro m. graphometer.

grafospàsmo m. (*med.*) writer's cramp.

gragnòla, gragnuòla f. **1** (*grandine*) hail **2** (*fig.*) shower; hail: **una g. di colpi**, a hail of blows.

Gral → **Graal**.

gramàglia f. **1** (*drappo funebre*) pall **2** (al pl.) (*lutto*) mourning (sing.); (*di vedova*) widow's weeds: **essere in gramaglie**, to be in mourning; to wear mourning; **mettersi in gramaglie**, to go into mourning.

gramicidìna f. (*farm.*) gramicidin.

gramìgna f. **1** (*bot., Cynodon dactylon*) Bermuda grass; scutch (grass) **2** (*bot.*) – **g. dei medici** (*Agropyrum repens*), couch grass; twitch grass; **g. dei prati** (*Poa pratensis*), common meadow grass; bluegrass (*USA*) • **crescere come la g.**, to grow like weeds □ **diffondersi come la g.**, to spread like wildfire.

graminàcea f. (*bot.*) graminaceous plant; (al pl., *scient.*) Gramineae.

♦**grammàtica** f. grammar: **g. comparata**, comparative grammar; **g. descrittiva**, descriptive grammar; **g. generativa**, generative grammar; **g. normativa**, prescriptive grammar; **g. storica**, historical grammar; **g. trasformazionale**, transformational grammar; **errore di g.**, grammar mistake; **libro di g.**, grammar book; grammar; **regole della g.**, rules of grammar; grammatical rules.

grammaticàle a. grammatical; grammar (attr.): **analisi g.**, grammatical analysis; parsing; **errore g.**, grammar mistake; **regola g.**, grammatical rule; rule of grammar.

grammaticalità f. (*ling.*) grammaticality; grammaticalness.

grammaticalizzàre Ⓐ v. t. (*ling.*) to grammaticalize Ⓑ **grammaticalizzàrsi** v. i. pron. to be grammaticalized.

grammaticalizzazióne f. (*ling.*) grammaticalization.

grammaticalménte avv. grammatically.

grammàtico m. **1** grammarian **2** (*spreg.*) pedant.

grammatìsta m. **1** (*stor. greca*) elementary teacher **2** (*lett.*) grammarian.

grammatùra f. (*ind. cartaria e tess.*) grams (pl.) per square metre.

♦**grammo** m. **1** gram, gramme **2** (*fig.*) grain; ounce: *Non ha un g. di buonsenso*, she hasn't got a grain of common sense.

gràmmo-àtomo m. (*chim.*) gram-atomic weight.

gràmmo-equivalènte m. (*chim.*) gram-equivalent weight.

grammofònico a. gramophone (attr.); phonographic (*USA*).

grammòfono m. gramophone; phonograph (*USA*); record player.

gràmmo-ióne m. (*chim.*) gram-ion.

gràmmo-molècola f. (*chim.*) gram-molecular weight.

gràm-negativo a. (*biol.*) Gram-negative.

gràmo a. 1 (*povero, scarso*) poor; meagre; scanty: **un raccolto g.**, a poor crop 2 (*lett.: infelice*) wretched: **vita grama**, wretched life.

gràmola f. 1 (*per la pasta*) kneader; kneading machine 2 (*ind. tess.*) brake; scutcher.

gramolàre v. t. 1 (*la pasta*) to knead 2 (*ind. tess.*) to brake; to scutch.

gramolàta → **granita**.

gramolàto m. (*geogr.*) névé (*franc.*); firn.

gramolatùra f. 1 (*della pasta*) kneading 2 (*ind. tess.*) braking; scutching.

gràm-positivo a. (*biol.*) Gram-positive.

gran → **grande**.

gràna ① f. 1 (*struttura interna di metallo, marmo, ecc.*) grain: **g. grossa [media, fine]**, coarse [medium, fine] grain; **a g. fine**, fine-grained (attr.); **a g. grossa**, coarse-grained (attr.) 2 (*fam.: seccatura*) trouble Ⓤ; nuisance Ⓤ; problem; headache; hassle (*fam.*): *Non voglio grane*, I don't want any trouble (*fam.* any hassle); **grane sul lavoro**, trouble at work; *Che g. essere senza macchina!*, it's a real nuisance not to have a car!; **dare un sacco di grane**, to cause a lot of trouble; **piantare una g.**, to cause trouble; to kick up a fuss (*fam.*); to raise a stink (*fam.*).

gràna ② f. 1 (*carminio*) carmine 2 (*cocciniglia*) cochineal; kermes.

gràna ③ f. (*gergale: soldi*) money; cash (*fam.*); dough (*slang*): **avere un sacco di g.**, to be rolling in money; *È scappato con la g.*, he bolted with the money; **scucire la g.**, to cough up (*slang*); (*pagare*) to fork out (*fam.*), to shell out (*fam.*).

gràna ④ m. inv. (*formaggio*) cheese similar to Parmesan cheese.

granadìglia f. 1 (*bot., Passiflora edulis*) passion flower 2 (*frutto*) passion fruit; granadilla.

granagliàre v. t. (*oreficeria*) to granulate.

granàglie f. pl. 1 corn (sing.); grain (sing.); cereals: **commerciante in g.**, corn merchant 2 (*oreficeria*) grains.

granàio m. 1 barn; granary 2 (*solaio*) loft 3 (*fig., di regione, ecc.*) breadbasket.

granaiòlo a. (*zool.*) grain-eating; granivorous.

granàrio a. corn (attr.); grain (attr.); wheat (attr.).

granàta ① f. (*scopa*) broom; besom.

granàta ② f. (*mil.*) grenade.

granàta ③ Ⓐ f. 1 (*frutto*) pomegranate 2 (*miner.*) garnet Ⓑ a. inv. garnet red; burgundy.

granatière m. 1 (*mil.*) grenadier 2 (*fig., di uomo*) powerfully built man*; (*di donna*) big woman*.

granatìglio m. (*legno*) cocus wood.

granatìna f. (*sciroppo*) pomegranate syrup; (*bibita*) grenadine.

granàto Ⓐ a. 1 granular; grainy: **mela granata**, pomegranate 2 (*colore*) garnet red; burgundy Ⓑ m. 1 (*melograno*) pomegranate 2 (*miner.*) garnet.

Gran Bretàgna f. (*geogr.*) Great Britain.

grancancellière m. High Chancellor.

grancàssa f. (*mus.*) bass-drum ● (*fig.*) **battere la g.**, to beat (o to bang) the drum; to hype (st.).

grancèvola f. (*zool., Maja squinado*) spider crab.

granché Ⓐ pron. indef. much: *Non ne so g.*, I don't know much about it; *Non possiamo fare g.*, there isn't much we can do; *Non*

---

sono un g. a tennis, I'm not much good (*o* I'm no great shakes) at tennis; *Il film non era un g.*, the film was nothing special; I didn't think much of the film; *La festa non fu un g.*, the party was rather dull; the party was nothing to write home about (*fam.*) Ⓑ avv. not much: *Non mi piace g.*, I don't like it much; *Non è stato g.*, it wasn't anything special; it wasn't particularly impressive; it wasn't up to much.

♦**grànchio** m. 1 (*zool.*) crab: **g. comune** (*Carcinus maenas*), common shore crab; **g. di fiume** (*Potamon fluviatile*), river crab; **g. violinista**, fiddler crab 2 (*fig.: errore*) mistake: **prendere un g.**, to make a mistake; to misunderstand; to get (hold of) the wrong end of the stick (*fam.*) 3 (*parte del martello*) claw 4 (*falegn.*) clamp.

grancipòrro m. (*zool., Cancer pagurus*) edible crab.

grancollàre m. (*arald.*) grand cordon.

grancróce f. (*arald.*) Grand Cross.

grandangolàre (*fotogr.*) Ⓐ a. wide-angle (attr.) Ⓑ m. wide-angle lens.

grandàngolo m. (*fotogr.*) wide-angle lens.

grand commis (*franc.*) loc. m. inv. top-ranking government executive.

♦**grànde** Ⓐ a. 1 (*per dimensioni*) big; great; huge; (*largo*) large; (*ampio, vasto*) broad, wide, vast; (*lungo*) long; (*fam.: alto*) high, tall: **una città g.**, a big city; **un g. fiume**, a big river; **un g. lago**, a great (*o* big) lake; **una stanza g.**, a large (*o* big) room; **grandi pianure**, broad (*o* wide) plains; **grandi montagne**, high mountains; **taglie grandi**, big (*o* large) sizes; **un gran viaggio**, a long journey; *Questa giacca è troppo g.*, this jacket is too big (*o* too large); *Mi sta g.*, it's too large for me; *Come ti sei fatto g.!*, how tall you have grown!; **un uomo di gran cuore**, a big-hearted (*o* great-hearted) man; **grandi occhioni**, great big eyes; **un pesce g. g.**, a great big fish; **un uomo g. e grosso**, a heavily built man; **avere una g. esperienza**, to be very experienced 2 (*per intensità, forza*) strong; great; big; (*davanti ad agg.*) very: **gran desiderio**, strong desire; **un g. errore**, a big mistake; **un gran peccato**, a great pity; **g. sollievo**, great relief; **un g. successo**, a great (*o* big) success; *C'è un gran vento*, there's a strong wind; it's very windy; *C'è un gran sole*, the sun is very hot; **avere un gran sonno [una gran fame]**, to be very sleepy [very hungry] 3 (*che eccelle*) great: **una g. attrice**, a great actress; **una gran dama**, a grand lady; **grandi opere d'arte**, great works of art; **una gran signora**, a great lady; **un g. poeta**, a great poet; *Alfredo il G.*, Alfred the Great; *Sei g.!*, you're great! 4 (*nei titoli cavallereschi e sim.*) grand; great; high: **Grand'ammiraglio**, High Admiral; **Gran Cancelliere**, High Chancellor; **G. Elettore**, Grand Elector; **Gran Maestro**, Grand Master; **grand'ufficiale**, Grand Officer 5 (*fam.: adulto*) grown up: **figli grandi**, grown-up sons; *Cosa farai quando sarai g.?*, what will you do when you're grown up? 6 (*con funzione rafforzativa*) great; big; real; heavy; hard: **un g. bevitore**, a heavy drinker; **un g. bugiardo**, a terrible liar; **un gran giorno**, a big day; **un g. imbecille**, a real idiot; **un g. mangiatore**, a big eater; **un gran seccatore**, a dreadful bore 7 (*davanti ad agg.*) really; very: **una gran bella donna**, a very beautiful woman; **un gran bel film**, a really wonderful film; a great film 8 (*molto, una gran quantità di*) much; many; a lot of (*fam.*); lots of (*fam.*): **avere gran quattrini**, to have a lot of money; *C'era gran gente*, there were many people (*o* a lot of people; *o* più *fam.*, lots of people); **un gran correre**, much running about; *Non fa una gran differenza*, it doesn't make much difference;

---

una gran parte del libro, most of the book; **una gran parte di loro**, many (*o* most) of them ● (*stor.*) **la G. Armata**, the Grand Army □ **gran finale**, grand finale □ **gran giurì**, grand jury □ **la G. Guerra**, the Great War □ **il gran mondo**, high society □ **il Gran Premio**, the Grand Prix □ **il g. pubblico**, the general public; the public at large □ **il Gran S. Bernardo** (*il passo*), the Great St Bernard Pass □ **Gran Sanbernardo** (*cane*), St Bernard (dog) □ **a gran voce**, in a loud voice; aloud □ **il Canal G.**, the Grand Canal □ **con g. sorpresa di tutti**, much to everyone's surprise □ **con mio g. stupore [dispiacere]**, much to my astonishment [regret] □ **di gran lunga**, by far; far and away: *È di gran lunga il migliore della classe*, he is by far the best pupil in the class □ **gran che** → **granché** □ **in gran parte**, largely; mostly; to a great extent □ **in g. stile**, in grand style Ⓑ m. e f. 1 (*adulto*) grown-up: *Da g. vuole fare il pilota*, he wants to be a pilot when he grows up 2 (*persona grande, importante*) great man* (m.); great woman* (f.); (al pl. collett.) (the) great: **i grandi della storia**, the great men and women of history; great historical figures; **i grandi e gli umili**, the great and the humble Ⓒ m. 1 (*grandezza*) greatness: *Vi è del g. nella sua poesia*, there is greatness in his poetry 2 (*grande di Spagna*) grandee ● **alla g.**, in a big way □ **ritornare alla g.**, to make a big comeback □ **vincere alla g.**, to triumph; to carry all before one □ **in g.**, on a large (*o* grand) scale; in a big way; in grand style; (*ingrandito*) enlarged: **fare le cose in g.**, to do things in a big way; **riprodurre in g.**, to enlarge; to make an enlargement of □ (*polit.*) **i Quattro Grandi**, the Big Four.

grandeggiàre v. i. 1 to tower (above); to rise* (above); to excel (among) 2 (*darsi arie*) to show* off; to put* on airs.

grandeménte avv. greatly; very much; extremely; (*altamente*) highly; (*profondamente*) deeply.

♦**grandézza** f. 1 (*vastità*) bigness, largeness; (*dimensioni, misura, taglia*) size; (*ampiezza, larghezza*) breadth, width; (*altezza*) height, tallness: **la g. di una piazza**, the largeness of a square; **g. media**, medium size; average size; *La g. dell'edificio era impressionante*, the sheer size of the building was impressive; *Di che g. è?*, how big [large, etc.] is it?; **tegami di tutte le grandezze**, saucepans of all sizes; **in g. naturale**, full-scale; full-size; (*di ritratto e sim.*) life-size 2 (*eccellenza*) greatness; (*elevatezza*) loftiness; (*nobiltà*) nobility: **la g. di un artista [di una nazione, di un'opera]**, the greatness of an artist [of a nation, of a work]; **la g. di un ideale**, the loftiness of an ideal; **g. d'animo**, magnanimity; **un artista di prima g.**, a top-ranking artist 3 (*fasto, grandiosità*) grandeur; grandness: **manie di g.**, delusions of grandeur 4 (*liberalità*) liberality; largesse; (*prodigalità*) lavishness: *La sua g. nello spendere è proverbiale*, his lavishness in spending is proverbial 5 (*astron.*) magnitude: **stella di prima g.**, star of the first magnitude 6 (*mat., fis.*) quantity; magnitude: **g. scalare**, scalar quantity; **g. vettoriale**, vector quantity.

grand-guignol (*franc.*) m. inv. (*teatr.*) Grand Guignol.

grandguignolésco a. Grand Guignol (attr.); gruesome; blood-curdling.

grandiflòra a. (*bot.*) grandiflora (attr.).

grandìgia f. (*lett.: alterigia*) haughtiness; arrogance.

grandiloquènte a. (*lett.*) grandiloquent.

grandiloquènza f. grandiloquence.

grandinàre Ⓐ v. i. impers. to hail: *È grandinato durante la notte*, it hailed during the night Ⓑ v. i. (*fig.*) to hail; to come* thick

and fast: *Le frecce grandinavano tutt'intorno a noi*, arrows were hailing all round us; *Grandinarono gli attacchi e le critiche*, attacks came thick and fast.

grandinàta f. 1 hailstorm 2 (*fig.*) hail; shower; torrent.

♦**gràndine** f. 1 hail: *chicco di g.*, hailstone 2 (*fig.*) hail; shower; torrent: **una g. d'insulti**, a torrent of abuse; **una g. di pugni [di sassi, di pallottole]**, a hail of blows [of stones, of bullets].

grandinìfugo a. anti-hail.

grandinìo m. heavy hailstorm.

grandinóso a. mixed with hail (pred.).

grandiosaménte avv. 1 grandly; magnificently; majestically; splendidly 2 (*con sfoggio di magnificenza*) grandiosely.

grandiosità f. 1 grandeur; grandness; magnificence; splendour: **la g. delle Alpi**, the grandeur of the Alps; **la g. di una cattedrale**, the magnificence of a cathedral 2 (*ostentazione*) grandiose style; ostentation.

grandióso a. 1 grand; magnificent; majestic; splendid; imposing: **un edificio g.**, an imposing building; **idea grandiosa**, grand idea; **una vista grandiosa**, a splendid sight; **vittoria grandiosa**, splendid victory 2 (*che sfoggia magnificenza, che vuol essere grande*) grandiose: **progetti grandiosi**, grandiose schemes.

grandisonànte a. high-sounding.

grandùca m. grand duke.

granducàle a. grand-ducal.

granducàto m. 1 (*territorio*) grand duchy 2 (*titolo*) title of grand duke 3 (*periodo di governo*) rule (*of a grand duke*).

granduchéssa f. grand duchess.

gràndula f. (*zool.*, *Pterocles*) sand grouse.

granèlla f. 1 (*agric.*) grains (pl.) 2 (*cucina*) mixture of chocolate chips, crushed biscuits and nuts 3 (*cucina*) – *g. di zucchero multicolore*, hundreds and thousands.

granellàre v. t. to granulate.

granèllo m. 1 grain; speck: **un g. di polvere**, a speck of dust; **un g. di sabbia**, a grain of sand 2 (*di cereale*) grain; seed; corn 3 (*di frutto*) pip 4 (*fig.*) grain: **un g. di buon senso**, a grain of sense.

granellosità f. granularity.

granellóso a. granular; granulous.

grànfia f. claw; (*di rapace*) talon.

granghignolésco → **grandguignolesco**.

gràngia f. 1 (*stor.: podere di convento*) grange 2 (*costruzione rurale*) barn; shed.

granìcolo a. wheat (attr.); grain (attr.); corn (attr.).

granicoltùra f. wheat growing.

granìfero a. graniferous.

granìglia f. (*tritume*) grit; chippings (pl.); (*per piastrelle*) granolithic (concrete).

granire A v. i. (*agric.*) to seed B v. t. 1 to granulate 2 (*metall.*) to grain.

granita f. water ice; crushed-ice drink; granita.

granìtico a. 1 granitic 2 (*fig.*) rock-like; granitic; carved in stone (pred.).

granito m. (*geol.*) granite.

granitùra f. 1 (*agric.*) seeding 2 (*metall.*) graining.

granìvoro a. (*zool.*) granivorous.

gran maèstro, **grammaèstro** loc. m. Grand Master.

♦**gràno** m. 1 (*bot.*, *Triticum*) wheat; corn, grain (*entrambi denotano anche i cereali commestibili in genere*): **g. duro**, durum wheat; **g. tenero**, bread wheat; **campo di g.**, field of wheat; **chicco di g.**, grain of wheat; **commercio del g.**, corn trade; **farina del g.**, wheat (*o* wheaten) flour; **raccolto del g.**,

wheat harvest 2 (*bot.*) – *g. saraceno* (*Fagopyrum esculentum*), buckwheat; **g. turco →** **granturco** 3 (*granello*) grain; kernel; corn: **g. di sabbia**, grain of sand; **g. d'incenso**, grain of incense; **g. di pepe**, peppercorn 4 (*di rosario, collana*) bead 5 (*unità di peso*) grain (*pari a g 0,0648*) ● (*fig.*) con *un g. di sale*, with a grain (*o* pinch) of salt □ (*fig.*) **separare il g. dal loglio**, to separate the wheat from the chaff.

granóne m. (*region.*) → **granturco**.

granóso a. (*fam. scherz.: ricco*) rich; loaded (*slang*).

granotùrco → **granturco**.

gran prèmio loc. m. (*sport*) Grand Prix (*franc.*).

gransèola → **grancevola**.

♦**grantùrco** m. (*bot.*, *Zea mays*) maize; Indian corn; corn (*USA*); (*i chicchi commestibili*) sweet corn: **farina di g.**, corn meal; Indian meal; **pane di g.**, corn bread.

granturìsmo f. inv. (*autom.*) gran turismo (*abbr.* GT).

granulàre① a. granular; granulated: (*geol.*) **struttura g.**, granular structure.

granulàre② v. t. to granulate.

granularità f. granularity.

granulazióne f. 1 (*anche biol.*) granulation: (*med.*) **tessuto di g.**, granulation tissue 2 (*astron.*) granulation; granule.

grànulo m. 1 granule 2 (*farm.*) pellet.

granulocita, **granulocito** m. (*biol.*) granulocyte.

granulòma m. (*med.*) granuloma*.

granulomatòsi f. (*med.*) granulomatosis.

granulomatóso a. (*med.*) granulomatose.

granulometrìa f. 1 (*geol.*) granulometry 2 (*ing.*) particle-size analysis.

granulomètrico a. 1 (*geol.*) granulometric 2 (*ing.*) particle-size (attr.): **distribuzione granulometrica**, particle-size distribution.

granulosità f. 1 granularity 2 (*fotogr.*) grain.

granulóso a. granular; granulated; grainy: **superficie granulosa**, granulated (*o* grainy) surface; (*med.*) **tessuto g.**, granulation tissue.

gràppa① f. 1 (*edil.*) cramp; dog 2 (*tipogr.*) brace.

gràppa② f. (*acquavite*) grappa.

grappino① m. (*naut.*) grapnel, killick; grappling hook; grapple.

grappino② m. (*bicchierino di grappa*) tot of grappa.

♦**gràppolo** m. 1 (*bot.*) bunch; cluster: **g. di fiori**, cluster of flowers; **g. d'uva**, bunch of grapes 2 (*fig.*) bunch; cluster; knot; clutch: **grappoli di studenti**, bunches of students; **a grappoli**, in bunches; in clusters; **bomba a g.**, cluster bomb.

graptòliti m. pl. (*paleont.*) graptolites.

gràspo m. (*region.*) grape stalk.

grassàggio m. (*autom.*) greasing.

grassatóre m. robber; (*stor.*) highwayman*, footpad.

grassazióne f. armed robbery.

grassèlla f. (*vet.*) stifle (joint).

grassèllo① m. (*pezzetto di grasso*) piece (*o* lump) of fat (in meat).

grassèllo② m. (*calce spenta*) slaked lime; lime putty.

grassétto (*tipogr.*) A a. bold B m. boldface; bold type; bold: **in g.**, in bold.

grassézza f. 1 (*pinguedine*) fatness 2 (*untuosità*) greasiness; oiliness 3 (*fertilità*) fertility; richness.

♦**gràsso** A a. 1 (*pingue*) fat 2 (*di cibo: che*

contiene grassi) fat, full-fat, fatty; (*unto*) oily: **carne grassa**, fat meat; **cibi grassi**, fatty food; **cucina grassa**, cooking using a lot of fat, fatty food; **formaggio g.**, full-fat cheese; *Questo brodo è troppo g.*, this broth has too much fat in it 3 (*unto*) greasy; oily: **capelli grassi**, greasy hair; **pelle grassa**, greasy skin 4 (*chim.*) fatty: **acidi grassi**, fatty acids; **olio g.**, fatty oil; **sostanza grassa**, fat 5 (*fig.: prospero*) prosperous; (*abbondante*) abundant, plentiful: **annata grassa**, prosperous year; **grassi guadagni**, fat profits 6 (*fertile*) rich; fertile; fat (*lett.*): **terra grassa**, rich soil; fertile land 7 (*licenzioso*) bawdy; lewd; coarse: **parlare g.**, to be coarse in one's speech ● (*fam.*) **a farla grassa**, at the most; at the best □ **giovedì g.**, Thursday before Lent □ **martedì g.**, Shrove Tuesday □ **pianta grassa**, cactus; succulent plant □ **farsi grasse risate**, to laugh heartily; to have a good laugh □ **la settimana grassa**, Shrovetide B m. 1 fat: **g. di maiale**, pork fat; **g. vegetale**, vegetable fat; **cucina senza grassi**, fat-free cooking; **a basso [alto] contenuto di grassi**, low-fat [high-fat] (attr.) 2 (*lubrificante*) grease: **g. per gli scarponi**, grease for leather boots; **macchia di g.**, grease stain 3 (*ragazzo*) fat; flesh; (*flaccido*) flab: **g. infantile**, puppy fat 4 (*persona grassa*) fat person: **i grassi e i magri**, fat people and lean people ● **g. di balena**, blubber □ (*ind. tess.*) **g. di lana**, yolk □ **mangiare di g.**, to eat meat; to eat animal fats.

grassòccio a. plump; chubby; well-padded.

grassóne m. (f. **-a**) fat man* (f. woman*); fatty (*fam.*).

grassottèllo → **grassoccio**.

grassùme m. 1 fat stuff; grease 2 (*oleosità*) greasiness.

gràsta f. (*region.*) earthenware flower-pot.

gràta f. (*di metallo*) grating, grille; (*di legno*) lattice.

gratèlla → **graticola**, def. 1.

graticciàta f. 1 (*per sostegno*) trellis (*o* trelliswork), lattice 2 (*recinto*) fence.

graticciàto m. (fruit-drying) rush matting.

gratìccio m. 1 (*per recinto*) hurdle; (*per sostegno*) trellis, lattice 2 (*stuoia di canne o vimini*) rush matting 3 (*ind. tess.*) lattice.

gratìcola f. 1 (*cucina*) gridiron; grill: **cucinare sulla g.**, to grill 2 (*inferriata*) grating 3 (*strumento di supplizio*) gridiron.

graticolàto m. 1 (*di metallo*) grille; grating 2 (*per sostegno*) trellis (*o* trelliswork), lattice.

gratìfica f. bonus; allowance: **g. natalizia**, Christmas bonus.

gratificànte a. rewarding; gratifying: **lavoro g.**, rewarding job; **risultato g.**, gratifying result.

gratificàre v. t. 1 to give* a bonus (*o* an allowance) to 2 (*essere gratificante*) to be rewarding; to be gratifying ● **sentirsi gratificato**, to feel gratified.

gratificazióne f. 1 → **gratifica** 2 (*soddisfazione*) satisfaction; gratification; reward.

gratile m. (*naut.*) bolt-rope.

gratin (*franc.*) m. – (*cucina*) **al g.**, au gratin; gratiné.

gratinàre v. t. (*cucina*) to cook au gratin; to gratinate.

gratinàto a. (*cucina*) au gratin (*franc.*); gratiné: **patate gratinate**, potatoes au gratin.

♦**gràtis** avv. free; gratis; free of charge; for nothing; for free (*fam.*): **g. a richiesta**, free on request; **distribuire qc. g.**, to distribute st. gratis; **entrare g.**, to be admitted free (of charge); **lavorare g.**, to work for free (for nothing); *I pasti sono g.*, meals are free of

charge; *Me l'hanno dato g.*, I got it for free (*fam.*); it was a freebie (*fam. USA*).

gratitùdine f. gratitude; gratefulness; thankfulness: **mostrare g.**, to show one's gratitude; **provare g.**, to feel grateful; **con g.**, gratefully; thankfully.

gràto a. 1 (*riconoscente*) grateful; thankful; appreciative: *Ti sarò eternamente g.*, I'll be eternally grateful to you; *Le sarei grato se...*, I'd be grateful if you would [could]...; **mostrarsi g.**, to show one's gratitude; to be appreciative 2 (*gradito*) pleasant; agreeable; (*bene accetto*) welcome • (*form.*) **Mi è g. confermare che...**, I am delighted to confirm that...

grattacàpo m. worry; problem; trouble ⓤ; headache; hassle (*fam.*).

grattacièlo m. skyscraper.

gràtta e vìnci loc. m. inv. scratch card.

◆**grattàre** Ⓐ v. t. 1 to scratch: (*anche fig.*) **grattarsi il capo**, to scratch one's head; *C'è il cane che gratta la porta*, the dog is scratching at the door 2 (*raschiare*) to scrape: **g. via il fango dalle scarpe**, to scrape the mud from one's shoes; **g. via la vernice**, to scrape off the paint 3 (*grattugiare*) to grate: **g. il formaggio**, to grate the cheese 4 (*scherz.: suonare male*) to scrape on: **g. il violino**, to scrape on the violin 5 (*fig. fam.: rubare*) to pinch; to filch; to nick • (*autom. fam.*) **g. le marce**, to crash (*o* to clash) gears □ (*fig.*) **grattarsi la pancia**, to twiddle one's thumbs Ⓑ v. i. 1 to scratch; to scrape; (*di disco*) to be scratchy: *Questo pennino gratta*, this nib scratches 2 (*autom., fam.*) to crash gears; (*di marcia*) to crash, to clash Ⓒ **grattàrsi** v. rifl. to scratch (oneself): *Cerca di non grattarti anche se ti prude*, try not to scratch, even if you itch.

grattàta f. 1 scratching; scratch: **darsi una g.**, to have a scratch; to scratch 2 (*raschiata*) scraping 3 (*autom. fam.*) crashing of gears.

grattàto a. (*cucina*) grated: **formaggio g.**, grated cheese; **pan g.**, breadcrumbs (pl.).

grattatùra f. 1 scratching; scraping 2 (*segno*) scratch; score.

grattìno m. scraper.

grattùgia f. grater: **g. per il formaggio**, cheese grater • *Ho la pelle come una g.*, my skin is all raw.

grattugiàre v. t. to grate.

grattugiàto a. grated: **formaggio g.**, grated cheese; **pane g.**, breadcrumbs (pl.).

gratuità f. (*anche fig.*) gratuitousness.

gratuitaménte avv. 1 → **gratis** 2 (*fig.: arbitrariamente*) gratuitously.

gratùito a. 1 free; free of charge (pred.); gratuitous; gratis (pred.): **biglietto g.**, free ticket; **ingresso g.**, free admission; admission free 2 (*fig.: arbitrario*) gratuitous; uncalled-for; unwarranted; (*infondato*) unfounded: **accuse gratuite**, unfounded accusations; **insulto g.**, gratuitous insult 3 (*teol.*) free • (*leg.*) **g. patrocinio**, legal aid □ **prestito g.**, interest-free loan.

gratulatòrio a. congratulatory.

gravàbile a. (*fin.*) taxable: **non g.**, non--taxable.

gravàme m. 1 (*peso, anche fig.*) burden; weight; encumbrance 2 (*ipoteca*) encumbrance, mortgage; (*imposta*) tax 3 (*leg.*) encumbrance; encumberment.

gravàre Ⓐ v. t. to burden; to load: **g. di imposte**, to burden with taxes; **g. q. di lavoro**, to load sb. with work Ⓑ v. i. 1 (*scaricare il proprio peso*) to rest (on); to weigh (on): *Il muro grava tutto su quell'arco*, the full weight of the wall rests on that arch 2 (*fig.*) to rest (on); to weigh heavy (on): *Grava tutto su di lui*, it all rests on his shoulders; he

carries the full weight; *Il rimorso gravava sulla sua coscienza*, remorse weighed heavily on her conscience; *L'affitto grava troppo sul mio bilancio*, too much of my income goes on the rent Ⓒ **gravàrsi** v. rifl. to take* on (st.); to shoulder (st.): **gravarsi di una responsabilità**, to take on a responsibility.

gravàto a. 1 (*carico*) burdened; loaded; encumbered: **g. da debiti**, encumbered with debts; **g. da una responsabilità**, saddled with a responsibility 2 (*fin., leg.*) – **g. d'imposta**, subject to tax; **g. da ipoteca**, mortgaged; **non g. da ipoteca**, unmortgaged.

◆**gràve** Ⓐ a. 1 (*pesante*) heavy: **g. fardello**, heavy burden 2 (*lett.: carico*) heavy (with); laden (with); bowed down: **g. d'anni**, bowed down by age; of a great age; **g. di responsabilità**, laden with responsibility 3 (*importante, di grande entità, impegnativo*) grave; weighty; heavy; onerous; momentous; great; (*serio*) serious, critical, grievous; (*faticoso*) hard; (*profondo*) profound: **g. accusa**, serious charge; **gravi avvenimenti**, weighty events; **g. compito**, serious task; **gravi danni**, serious damage; **decisione g.**, momentous decision; **g. errore**, serious mistake; **incidente g.**, serious accident; **malattia g.**, serious illness; **peccato g.**, great sin; **gravi perdite**, heavy (*o* grievous) losses; **gravi preoccupazioni**, great worries; **g. responsabilità**, heavy (*o* weighty) responsibility; **in gravi condizioni**, in a critical condition 4 (*solenne, serio*) solemn; serious; grave: **avere un aspetto g.**, to look grave; **stile g.**, serious (*o* solemn) style 5 (*fon.*) accento **g.**, grave accent 6 (*di voce, suono*) deep; low-pitched; low: (*mus.*) **nota g.**, low note; **con voce g.**, in a deep (*o* low) voice 7 (*gravemente malato*) seriously (*o* critically) ill (pred.): *Il malato è g.*, the patient is seriously ill 8 (*lento*) slow; heavy Ⓑ m. 1 (*fis.*) (heavy) body: **la caduta dei gravi**, the fall of bodies 2 (*cosa grave*) serious thing; problem: *Il g. è che perderemo l'ordinazione*, the real problem is that we are going to lose the order ❶ **FALSI AMICI** • grave nel senso di gravemente ammalato non si traduce con grave.

graveménte avv. 1 seriously; critically: **ferito g.**, seriously wounded; **g. malato**, critically ill 2 (*solennemente*) gravely; solemnly.

graveolènte a. (*lett.*) strong-smelling; foul-smelling; fetid.

graveolènza f. (*lett.*) strong (*o* foul) smell.

gravézza f. (*lett.*) heaviness; weight.

gravidànza f. pregnancy: **g. a rischio**, pregnancy at risk; **g. extrauterina**, extrauterine pregnancy; **g. isterica**, hysterical pregnancy; **g. multipla**, multiple pregnancy; **essere al quinto mese di g.**, to be five months pregnant; **i primi tre mesi di g.**, the first trimester of pregnancy; **interruzione della g.**, miscarriage; (*indotta*) termination of pregnancy; **test di g.**, pregnancy test.

gravìdico a. pregnancy (attr.); of pregnancy.

gravidìsmo m. (*med.*) pregnancy symptoms (pl.).

gràvido a. 1 gravid (*scient.*); pregnant; with child (pred.); (*di cagna*) in pup (pred.); (*di cavalla*) in (*o* with) foal (pied); (*di mucca*) in calf (pred.): **una donna gravida**, a pregnant woman; a woman with child; **gravida di sei mesi**, six months pregnant; **cavalla gravida**, pregnant mare; mare in foal; **vacca gravida**, pregnant cow; cow in calf 2 (*fig.*) pregnant (with); full (of); fraught (with); heavy (with): **g. di conseguenze** [di pericoli], fraught with consequences [with dan-

gers]; **g. di minacce**, full of menace; menacing; threatening; **nubi gravide di pioggia**, clouds heavy with rain.

gravimetrìa f. 1 (*fis.*) gravimetry 2 (*chim.*) gravimetrical analysis.

gravimètrico a. (*chim.*) gravimetric, gravimetrical: **analisi gravimetrica**, gravimetrical analysis.

gravìmetro m. (*fis.*) gravimeter.

gravìna① f. (*agric.*) mattock.

gravìna② f. (*vallone*) ravine.

gravità f. 1 (*fis.*) gravity: **g. specifica**, specific gravity; **g. zero**, zero gravity; **accelerazione di g.**, acceleration of gravity; **assenza di g.**, zero gravity; weightlessness; **centro di g.**, centre of gravity; **forza di g.**, force of gravity 2 (*serietà, pericolosità*) gravity; seriousness: **la g. di un'accusa**, the gravity (*o* seriousness) of a charge; **la g. di un errore**, the gravity of an error; **la g. di una malattia** [di un pericolo], the seriousness of an illness [of a danger]; **la g. della situazione**, the gravity of the situation 3 (*importanza*) importance; consequence; momentousness 4 (*contegno grave*) gravity; seriousness; (*severità*) severity, sternness: **g. di portamento**, gravity of demeanour 5 (*di suono*) gravity; lowness (of pitch).

gravitàre v. i. 1 (*fis., astron.*) to gravitate; to orbit 2 (*fig.*) to gravitate (around, to, towards); to move within the orbit (of); to be drawn (by) 3 to weigh (on); to rest (on).

gravitazionàle a. (*fis.*) gravitational: **campo g.**, gravitational field.

gravitazióne f. (*fis.*) gravitation: **g. universale**, universal gravitation; **costante di g.**, constant of gravitation; **la legge della g.**, the law of gravitation.

gravitóne m. (*fis.*) graviton.

gravosità f. heaviness; oppressiveness; (*di lavoro, ecc.*) demanding quality, tiresomeness, irksomeness.

gravóso a. (*oneroso*) burdensome, onerous, heavy; (*opprimente*) oppressive; (*di costo, prezzo, ecc.*) heavy, high; (*che esige impegno, fatica*) exacting, demanding, taxing; (*irritante*) irksome, tiresome; (*sfibrante*) exhausting: **compito g.**, demanding task; irksome (*o* tiresome) task; **tasse gravose**, onerous (*o* burdensome) taxes.

gray m. inv. (*ingl., fis.*) gray.

◆**gràzia** f. 1 grace; (*di movimenti, ecc.*) gracefulness; (*fascino*) charm, attractiveness; (*delicatezza*) delicacy, fineness; (*bellezza*) loveliness, beauty: **g. di portamento**, gracefulness of bearing; **la g. del suo modo di fare**, her charm of manner; **g. di lineamenti**, delicacy of features; **danzare con g.**, to dance with grace (*o* gracefully); *Fu conquistato dalle sue grazie*, he was conquered by her charms; **privo di g.**, graceless 2 (*amabilità, gentilezza*) grace; politeness: **con (buona) g.**, with good grace; **rispondere con g.**, to answer with good grace (*o* politely); **con mala g.**, with bad (*o* ill) grace; rudely; **senza g.**, graceless: *Almeno abbi la g. di non commentare*, at least have the (good) grace not to comment 3 (*anche al pl.*) (*benevolenza*) favour; grace; mark of (sb.'s) favour: **godere della g. di q.**, to enjoy sb.'s favour; **essere nelle grazie di q.**, to be in sb.'s good graces (*o* in sb.'s good books); **non essere nelle grazie di q.**, to be out of favour with sb.; to be in sb.'s bad books; **entrare nelle grazie di q.**, to win sb.'s favour; (*ingraziarsi q.*) to ingratiate oneself with sb.; **cercare di entrare nelle grazie di q.**, to curry favour with sb. 4 (*favore, concessione*) favour; kindness; (*relig.*) blessing, gift: **accordare** (*o* **fare**) **una g.**, to grant a favour; *Fammi la g. di tacere*, do me a favour and shut up; *Chiese a Dio la g. di rivedere la famiglia*, she prayed to God that might see her family again; *Dio*

gli fece la g., God granted him his prayer; (*iron.*) *Non ho ancora avuto la g. di vederlo*, I haven't had the privilege of seeing him yet **5** (*leg.*) pardon: **concedere la g.**, to grant pardon; **ottenere la g.**, to be pardoned; **domanda di g.**, petition for pardon; **fare domanda di g.**, to petition for pardon **6** (*teol.*) grace: **g. giustificante**, grace of justification; **g. sufficiente**, sufficient grace; **piena di g.**, full of grace; **morire in g. di Dio**, to die in a state of grace; **per g. di Dio**, by the grace of God **7** (*al pl.*) (*ringraziamenti*) → **grazie 8** (*tipogr.*) serif: **senza le grazie**, sans serif ● **g. di Dio**, (*abbondanza*) plenty; (*cibo*) good things (pl.): *C'era ogni g. di Dio*, there were all sorts of good things □ **nell'anno di g. 1310**, in the year of grace 1310 □ **colpo di g.**, coup de grace (*franc.*); finishing stroke; final blow (*fig.*) □ (*eufem.*) **concedere le proprie grazie**, to grant one's favours □ (*anche iron.*) **di g.**, if you please; pray □ **fuori dalla g. di Dio**, furious; incensed; livid (with rage); hopping mad (*fam.*) □ **Vi farò g. dei particolari**, I'll spare you the details □ **in** (*o* **per**) **g. di**, (*per mezzo di*) thanks to; (*a causa di*) because of □ **ministro [ministero] di G. e Giustizia** → **giustizia** □ **per g. ricevuta**, for favours received □ (*anche iron.*) **per somma g.**, as a great concession □ (*mitol.*) **le tre Grazie**, the three Graces □ **Troppa g.!**, it's too much of a good thing! □ **Troppa g., Sant'Antonio!**, it never rains but it pours! □ **Vostra [Sua] G.** (*titolo*), Your [Her, His] Grace □ (*prov.*) **Avuta la g., gabbato lo santo**, once on shore we pray no more.

Gràzia f. Grace.

Graziàno m. (*stor.*) Gratian.

graziàre v. t. **1** (*leg.*) to pardon **2** (*lett.*): *concedere*) to grant: *Ella lo graziò di un sorriso*, she granted him a smile.

graziàto (*leg.*) **A** a. pardoned **B** m. (f. *-a*) pardoned person.

♦**gràzie** **A** inter. thank you; thanks: **tante** (*o* **molte mille**) **g.**, many thanks; thank you very much; thanks a lot; **g. di tutto**, thanks (*o* thank you) for everything; **g. dell'aiuto**, thanks for your help (*o* for helping me); **g. no** (*o* **no g.**), no, thank you; **sì, g.**, yes, please; (*iron.*) **G.** (**tante**)!, I should think so!; **dire g.**, to say thank you ❶ **NOTA**: *to thank* → **to thank** **B** **gràzie a** loc. prep. thanks to; thank: *Riuscii a finire g. al suo aiuto*, I managed to finish thanks to his help; **grazie a Dio**, thank God; **grazie al cielo**, thank heavens; *Ce l'ho fatta, ma certo non g. a te*, I made it, but no thanks to you **C** m. word of thanks; thank-you: *Mi bastava un g.*, I only wanted a word of thanks; *M'avesse detto un g.!*, he might have said thank-you!; **un g. di cuore**, a heartfelt thank-you; heartfelt thanks; **rendere g. a**, to give thanks to; to thank; **rendimento di g.**, thanksgiving.

graziòla f. (*bot.*, *Gratiola officinalis*) hedge hyssop.

graziosaménte avv. **1** (*con grazia*) gracefully **2** (*in modo piacente*) charmingly; attractively; delightfully **3** (*con benevola condiscendenza*) graciously.

graziosìssimo a. (*in un appellativo*) most gracious.

graziosità f. **1** gracefulness **2** (*benevola condiscendenza*) graciousness.

♦**graziòso** a. **1** (*carino*) pretty; (*più forte*) lovely, charming, sweet: **un viso g.**, a pretty face; **un appartamentino molto g.**, a charming little flat **2** (*fatto con grazia*) graceful **3** (*benevolo*) gracious; kind: **il nostro g. sovrano**, our gracious sovereign ❶ **FALSI AMICI** ● *grazioso nel senso di aggraziato non si traduce con* gracious.

Gr. Cr. abbr. (*titolo*, **Gran croce**) Grand Cross.

grèca f. **1** (*motivo ornamentale*) Greek key; fret pattern; (*su uniforme*) braid **2** (*mil.*) general's stripes (pl.) **3** (*indumento*) open tunic.

grecàle **A** m. **1** (*vento*) northeast wind; gregale **2** (*direzione*) northeast **B** a. northeast (attr.).

grecànico **A** a. southern Italian Greek **B** m. Greek dialect spoken in Southern Italy.

grecàre v. t. (*legatoria*) to notch.

Grècia f. (*geogr.*) Greece.

grecìsmo m. Graecism; Hellenism.

grecìsta m. e f. Greek scholar; Hellenist.

grecità f. Greek character; Hellenism.

grecizzànte a. Graecizing; Hellenizing.

grecizzàre v. t. e i. to Graecize; to Hellenize.

♦**grèco** **A** a. Greek; (*arte*, *archit.*, *anche*) Grecian: **il calendario g.**, the Greek calendar; **croce greca**, Greek cross; **fuoco g.**, Greek fire; **naso [profilo] g.**, Grecian nose [profile]; **un tempio g.**, a Greek temple; **alla greca**, in the Greek fashion; Greek-style **B** m. **1** (f. *-a*) (*abitante*) Greek: **i Greci antichi**, the ancient Greeks **2** (*lingua*) Greek **3** → **grecale**.

grecòfono **A** a. Greek-speaking **B** m. (f. *-a*) Greek speaker.

grèco-ortodòsso a. (*relig.*) Greek Orthodox: **la Chiesa greco-ortodossa**, the Greek Orthodox (*o* Greek) Church.

grecoromanìsta m. (*sport*) Graeco-Roman wrestler.

grèco-romàno a. Graeco-Roman: **lotta greco-romana**, Graeco-Roman wrestling.

grèculo m. (*lett.*, *spreg.*) Greekling.

green (*ingl.*) m. inv. (*golf*) green; (*per estens.*) golf course.

gregàle a. gregarious; herd (attr.): **istinto g.**, herd instinct.

gregàrio **A** m. **1** (*lett.*) private (soldier) **2** (*subalterno*) follower; spear-carrier; henchman* **3** (*ciclismo*) support rider; domestique **B** a. **1** (*zool.*) gregarious; social **2** compliant; submissive.

gregarìsmo m. **1** (*zool.*) gregariousness; herd instinct **2** compliance; submissiveness.

grégge m. **1** flock: **custodire** (*o* **guidare**) **il g.**, to shepherd one's flock **2** (*fig.*) flock; crowd; (*spreg.*) herd: **il g. di un parroco**, a parson's flock; **il g. degli imitatori**, the anonymous herd of imitators; **uscire dal g.**, to emerge from the herd; (*anche fig.*) **istinto del g.**, herd instinct.

gréggio **A** a. **1** raw; crude; rough; coarse; (*non conciato*) undressed, untanned; (*non scolpito*) unhewn; (*di tessuto*) unbleached: **cuoio g.**, raw hide; **diamante g.**, rough diamond; **ferro g.**, pig (*o* crude) iron; **materia greggia**, raw material; **pelli gregge**, raw (*o* untanned, undressed) hides; **petrolio g.**, crude oil; **pietra greggia**, unhewn stone; **tela greggia**, coarse (*o* unbleached) cloth **2** (*fig.*) → **grezzo**, *def. 2* **B** m. crude oil.

gregoriàno a. Gregorian: **il calendario g.**, the Gregorian calendar; **canto g.**, Gregorian chant.

Gregòrio m. Gregory.

gre grè inter. e m. inv. (*verso della rana*) croak croak.

grembiàle e deriv. → **grembiule**, e deriv.

grembiulàta f. apronful.

♦**grembiùle** m. **1** apron **2** (*camice*) overall; (*corto*) smock; (*senza maniche*) pinafore; **g. di scuola**, school smock **3** (*mecc.*) apron **4** (*naut.*) bonnet **5** → **grembiulata**.

grembiulìno m. (*da bambino*) pinafore.

grèmbo m. **1** lap: *Teneva in g. il bambino*, he had the child on his lap; *La ciliegia le cadde in g.*, the cherry fell into her lap **2** (*ventre materno*) womb **2** (*fig.*) womb; bos-

om: **in g. alla famiglia**, in the bosom of one's family; **in g. alla terra**, in the bowels of the earth ● **portare in g. un bambino**, to be with child.

gremìre **A** v. t. to fill (up); to cram; (*teatro*, *stadio*, *ecc.*) to pack: **g. i negozi**, to fill the shops; *La gente gremiva la piazza*, people crammed the square **B** **gremìrsi** v. i. pron. to fill up; to get* packed.

gremìto a. full; crammed; packed: **g. di gente**, crammed (*o* packed) with people; *Il cespuglio era g. di boccioli*, the bush was full of buds; *Il treno [Il cinema] era g.*, the train [the cinema] was packed.

gréppia f. **1** manger; crib **2** (*fig. scherz.*) comfortable job; safe job; cushy job (*fam.*).

gres m. stoneware.

gréto m. pebbly riverbank.

grétola f. (*di gabbia*) (cage) bar; wire.

gretterìa, **grettézza** f. **1** (*spilorceria*) meanness; stinginess; miserliness **2** (*meschinità*) meanness; pettiness; shabbiness **3** (*ristrettezza di vedute*) narrow-mindedness.

grétto a. **1** (*spilorcio*) mean; stingy; miserly **2** (*meschino*) mean; petty; shabby **3** (*di vedute ristrette*) narrow-minded.

grève a. **1** (*pesante*) heavy; oppressive; (*noioso*) tiresome, heavy-going: **aria g.**, oppressive air; **persona g.**, tiresome person **2** (*volgare*) coarse; off colour **3** (*lett.*: *penoso*) grievous.

grézzo **A** a. **1** → **greggio**, *def. 1* **2** (*fig.*) rough; raw; unrefined; unpolished; uncouth: **individuo g.**, uncouth individual; **persona grezza ma buona**, rough diamond (*fam.*); **allo stato g.**, in the rough; in the raw **B** m. (*ind. min.*) **1** crude ore **2** (*di pietra preziosa*) uncut precious stone.

grìda f. (*stor.*) proclamation; ban; edict.

♦**gridàre** v. t. e i. to shout; to cry; to cry out; to scream; (*parlare con ira*) to raise one's voice: **g. a squarciagola** (*o* **con quanto fiato si ha in gola**), to shout at the top of one's voice; **g. aiuto**, to cry for help; **g. di dolore**, to cry out with pain; **g. di rabbia**, to shout in anger; **g. un nome**, to cry out a name; **g. un ordine**, to shout an order; *Non g., ci sento benissimo!*, don't shout, I can hear perfectly!; *Gli gridai di fermarsi*, I shouted to him to stop; *Non g. con me, io non c'entro*, don't raise your voice with me, I've got nothing to do with it ● (*fig.*) **g. ai quattro venti**, to spread a story around; to shout from the housetops (*o* rooftops) □ **g. allo scandalo**, to be outraged; to cry shame □ **g. evviva**, to cheer □ **g. vendetta**, to cry out for revenge; (*essere scandaloso*) to be outrageous; to be a disgrace □ **g. vittoria**, to exult.

gridàrio m. (*stor.*) collection of edicts.

gridatóre m. (*stor.*) town-crier; public crier.

gridellìno a. e m. mauve grey.

gridìo m. shouting; screaming.

♦**grìdo** m. (pl. **grìda**, f., *nel sign. 1*, **grìdi**, m., *nel sign. 2*) **1** (*umano*) cry; (*urlo*) shout, (*acuto*) scream, shriek; (*al pl.*: *di gioia*) cheers, cheering □ **g. d'aiuto**, cry for help; **g. d'allarme**, cry of alarm; **g. di angoscia**, scream of anguish; **g. di dolore**, cry (*o* scream) of pain; **g. di guerra**, war-cry; **grida di gioia**, shouts of joy; **le grida dei venditori ambulanti**, street-cries; (*fig.*) **grida di protesta**, outcry □; **grida e fischi**, shouts and hoots; **grida e applausi**, cheers and applause; **cacciare un g.**, to let out a shout; to shriek **2** (*di animale*) cry, call; (*di gufo e sim.*) hoot ● **a g. di popolo**, by popular acclamation □ (*Borsa*) **contrattazioni alle grida**, floor dealings; floor trading □ **di g.**, famous; celebrated; renowned; much acclaimed; (*alla moda*) fashionable: **uno stilista di g.**, a celebrated fashion designer □ (*fig.*) **l'ultimo g.**

della moda, the latest fashion; all the rage (pred.) (*fam.*) □ **l'ultimo g. in fatto di**, the last word in □ **all'ultimo g.**, in the latest fashion.

grifàgno a. 1 (*lett.*) rapacious; predatory: **uccello g.**, predatory bird **2** (*adunco*) hooked: **becco g.**, hooked beak **3** (*fig.*) fierce; hawk-like: **dagli occhi grifagni**, hawk-eyed.

gríffa f. 1 (*mecc.*) claw; (*innesto a denti*) dog (*o* jaw, claw) clutch **2** (*cinem.*) claw.

griffàre v. t. to sign; to put one's mark on.

griffàto a. designer (attr.); (*di persona*) wearing designer clothes: **jeans griffati**, designer jeans.

griffe (*franc.*) f. inv. **1** (*marchio*) label; signer name **2** (*creatore*) designer; name.

griffóne m. (*zool.*) griffon.

grifo① m. **1** (*del porco*) snout **2** (*fig. spreg.*) ugly face; ugly mug; snout.

grifo② → **grifone**, def. 2.

grifóne m. 1 (*mitol., arald.*) griffin; gryphon **2** (*zool., Gyps fulvus*) griffon, griffon-vulture **3** (*cane*) griffon.

grìgia f. 1 (*fam.*: *brutta figura*) poor show; (*gaffe*) boob (*fam. GB*), booboo (*fam. USA*): **fare una g.**, to make a fool of oneself; (*fare una gaffe*) to make a boob, to boob, to put one's foot in it, to goof (*fam. USA*).

grigiàstro a. greyish, grayish (*USA*).

grigiazzùrro a. blue-grey, blue-gray (*USA*).

♦**grìgio** Ⓐ a. **1** grey, gray (*USA*): **g. argento**, silver-grey; **g. ferro**, iron-grey; **g. perla**, pearl-grey; (*anat.*) **materia grigia**, grey matter; **orso g.**, grizzly bear **2** (*di capelli*) grey; (*brizzolato*) grizzled; (*di persona*) grey-haired **3** (*fig.*: *incolore*) grey, anonymous; (*monotono*) dull; drab; (*squallido*) dreary, humdrum: **un individuo g.**, a grey (*o* dull) individual; **un'esistenza grigia**, a dreary (*o* humdrum) existence Ⓑ m. grey, gray (*USA*): **g. chiaro**, light grey; **vestito di g.**, dressed in grey.

grigióne m. (*zool., Grison vittatus*) grison.

grigióre m. 1 greyness, grayness (*USA*) **2** (*fig.*) greyness; dullness; drabness; dreariness.

grigiovérde Ⓐ a. grey-green, gray-green (*USA*) Ⓑ m. (*mil.*) grey-green uniform; (Italian) army uniform ● **indossare il g.**, (*essere soldato*) to be a soldier, to be in the army; (*arruolarsi*) to join the army.

grigiùme m. 1 greyness; dullness **2** → **grigiore**②.

grìglia f. 1 (*grata*) grill, grille; (*inferriata*) grate, grating: (*autom.*) **g. del radiatore**, radiator grille **2** (*cucina*) grill; gridiron; (*di forno*) rack: **cuocere alla g.**, to grill; **pesce alla g.**, grilled fish **3** (*fis., radio*) grid: **g. schermo**, screen grid; **polarizzazione di g.**, grid bias; **resistenza di g.**, grid leak **4** (*reticolo*) grid **5** (*fig.*: *schema*) scheme: **g. interpretativa**, scheme of interpretation **6** (*sport., autom., anche* **g. di partenza**) starting grid.

grigliàre v. t. to grill; (*all'aperto*) to barbecue.

grigliàta f. 1 (*piatto*) mixed grill **2** (*all'aperto*) barbecue; cookout (*USA*).

grigliàto a. 1 grille; screen **2** (*naut.*) grating.

grigliatùra f. (*ind. min.*) screening.

grill (*ingl.*) m. inv. **1** (*graticola*) grill; gridiron **2** (*piatto*) mixed grill **3** (*locale*) grill room; (*in autostrada*) motorway restaurant.

grillàstro m. (*zool., Decticus*) wart-biter grasshopper.

grillettàre Ⓐ v. i. to sizzle; to hiss Ⓑ v. t. to fry in oil.

grillétto m. 1 trigger: **premere il g.**, to

pull the trigger; **avere il g. facile**, to be trigger-happy **2** (*di scacciapensieri*) tongue.

♦**grillo m. 1** (*zool., Gryllus*) cricket: **g. campestre** (*o* canterino) (*Gryllus campestris*), field cricket; **g. del focolare**, home cricket **2** (*fig.*) whim; fancy; silly notion; strange idea: **avere il capo pieno di grilli**, to be full of whims; *Che grilli sono questi?*, what silly notions are these?; what's all this nonsense?; *Gli è saltato il g. di mettersi a dieta*, he's got this silly notion to go on a diet; **non aver grilli per la testa**, to be very sensible **3** (*mecc*) shackle ● (*fig.*) **il g. parlante**, the voice of one's conscience; (*iron.*) know-all □ (*fam.*) **Indovinala g.!**, it's anybody's guess □ **vispo come un g.**, as lively as a cricket.

grillotàlpa m. (*zool., Gryllotalpa gryllotalpa*) mole cricket.

grillòtti m. pl. (*mil.*) bullion (sing.).

grimaldèllo m. picklock.

grimpeur (*franc.*) m. inv. (*ciclismo*) climber.

grìnfia f. 1 claw; clutch; talon **2** (*fig.*) hand; clutch: **mettere le grinfie su qc.**, to get one's hands on st.; **cadere nelle grinfie di q.**, to fall into sb.'s clutches.

grìnta f. 1 grim countenance; scowl **2** (*fig.*) determination; fighting spirit; grit.

grintóso a. 1 (*deciso*) determined, full of grit, gritty; ballsy (*fam.*); (*combattivo*) feisty (*fam.*); (*sport*) aggressive; (*di auto, ecc.*) plucky.

grìnza f. 1 (*ruga*) wrinkle: **le grinze di un viso**, the wrinkles on a face **2** (*arricciatura*) pucker; (*di stoffa*) crease ● **non fare una g.**, (*di abito*) to fit like a glove; (*di ragionamento*) to be flawless.

grinzosità f. 1 (*rugosità*) wrinkledness **2** (*grinze*) wrinkles (pl.); puckers (pl.); creases (pl.).

grinzóso a. 1 (*rugoso*) wrinkled; wrinkly **2** (*arricciato*) puckered; (*di stoffa*) creased, full of creases; crumpled.

grippàggio m. (*mecc.*) seizure; seizing.

grippàre v. t. e i., grippàrsi v. i. pron. (*mecc.*) to seize up: *Il motore ha grippato*, the engine seized up.

grippe (*franc.*) f. inv. (*med.*) grippe; influenza.

grìppia f. (*naut.*) buoy rope.

grippiàle m. (*naut.*) anchor buoy.

grisàglia f. (*ind. tess.*) grisaille.

grisaille (*franc.*) f. inv. (*ind. tess., pitt.*) grisaille.

grisantèmo → **crisantemo**.

grisbi (*franc.*) m. inv. (*gergale*) booty; loot; swag (*fam.*); boodle (*fam.*); bundle (*fam.*).

grisèlla f. (*naut.*) ratline.

grisou (*franc.*) m. inv. (*ind. min.*) firedamp.

grissìno m. breadstick.

grisù m. → **grisou**.

grisùmetro m. (*ind. min.*) firedamp detector.

grisutóso a. (*ind. min.*) gassy.

groenlandése Ⓐ a. Greenlandic; Greenland (attr.) Ⓑ m. e f. Greenlander.

Groenlàndia f. (*geogr.*) Greenland.

grog (*ingl.*) m. inv. grog.

gròlla f. wooden cup.

gròmma f. 1 (*nelle botti*) tartar; argol **2** (*incrostazione*) encrustation.

grommàre Ⓐ v. t. to encrust Ⓑ v. i. e **grommàrsi** v. i. pron. **1** (*di botte*) to become* coated with argol (*o* tartar) **2** (*estens.*) to become* encrusted.

grommàto, grommóso a. 1 (*di botte*) coated with argol (*o* tartar) **2** (*estens.*) encrusted.

grónda f. eaves (pl.): **canale di g.**, (*eaves*

gutter ● **a g.**, cone-shaped; sloping.

grondàia f. (*eaves*) gutter.

grondànte a. dripping; streaming; (*zuppo*) drenched: **g. di pioggia** [**di sudore**], dripping with (*o* drenched in *o* with) rain [sweat]; *Entrò col viso g. di lacrime*, she came in with tears streaming down her face.

grondàre Ⓐ v. i. **1** (*gocciolare*) to drip; (*colare abbondantemente*) to flow, to stream, to pour forth: *L'acqua grondava dal tetto*, water dripped from the roof **2** (*estens.*: *colare*) to drip (st.), to be streaming (with); (*essere intrisi*) to be drenched (in, with): **g. di sangue**, to drip blood; **g. di sudore**, to drip sweat; to be drenched in (*o* with) sweat Ⓑ v. t. to drip; to pour; to stream with: **g. lacrime**, to be streaming with tears; **g. sangue**, to drip blood.

grondóne m. water-spout; (*archit.*) gargoyle.

gróngo m. (*zool., Conger conger*) conger, conger eel; sea-eel.

gròppa f. 1 (*di quadrupede*) rump; back; (*di cavallo, anche*) crupper: *Saltai in g. al cavallo*, I jumped on the horse; **saper stare in g.**, to know how to sit in the saddle; to know how to ride **2** (*fam. scherz., di persona*) back; shoulders (pl.): **portare in g. un bambino**, to carry a child on one's shoulders **3** (*di monte*) rounded top ● **avere molti anni sulla g.**, to be advanced in years □ (*fig.*) **Mi è rimasto sulla g.**, I've been left with it on my hands; I'm lumbered with it.

groppàta f. buck jump.

groppièra f. 1 (*finimento*) crupper **2** (*stor.*: *gualdrappa*) caparison; saddle-cloth.

gròppo m. 1 (*viluppo*) tangle; (*nodo*) knot: (*di fili*) **far g.**, to get into a tangle; to tangle **2** (*raffica di vento*) squall: **g. secco** (*o* bianco), white squall ● (*fig.*) **un g. in gola**, a lump in one's throat.

groppóne m. (*fam. scherz.*) back; shoulders (pl.) ● **avere ottant'anni sul g.**, to be eighty.

gros → **gros-grain**.

gros-grain (*franc.*) m. inv. **1** (*nastro a coste*) grosgrain; petersham **2** (*tessuto*) grogram.

gròssa① f. (*comm.*: *dodici dozzine*) gross (inv. al pl.).

gròssa② f. (*dei bachi*) third period of dormancy (of silk-worms) ● (*fig.*) **dormire della g.**, to sleep like a log; to be dead to the world (*fam.*).

grossetàno Ⓐ a. of Grosseto; from Grosseto; Grosseto (attr.) Ⓑ m. (f. **-a**) native [inhabitant] of Grosseto.

grossézza f. 1 largeness; bigness; (*dimensione*) size; (*spessore*) thickness; (*mole, volume*) bulk; (*diametro*) width: **avere la** (*o* **essere della**) **g. di una mela**, to be as big as an apple; to be the size of an apple **2** (*ingrossamento*) swelling; swollen state: (*med.*) **g. della milza**, swelling of the spleen **3** (*fig.*: *grossolanità*) coarseness; roughness.

grossìsta m. e f. (*comm.*) wholesaler; wholesale dealer.

♦**gròsso** Ⓐ a. **1** (*grande*) big; (*esteso*) large: **un g. camion**, a big lorry; **un g. cane**, a big dog; **una grossa città**, a big (*o* large) city; **un g. dispiacere**, a big disappointment; **un g. stipendio**, a big salary; **un g. svantaggio**, a big disadvantage; *È g. come il tuo*, it is as big as yours; it is the same size as yours; *Hai avuto una grossa fortuna*, you were really lucky; *I pesci grossi mangiano i piccoli*, big fishes swallow little ones **2** (*spesso*) thick: **un bastone** [**muro**] **g.**, a thick stick [wall]; **labbra grosse**, thick lips; **scarpe grosse**, thick shoes; **spago g.**, thick string **3** (*ingrossato, gonfio*) swollen: **fegato g.**, swollen liv-

er; **fiume g.**, swollen river **4** (*di fisico robusto*) big; heavily built, sturdy; (*grasso*) large, stout, fat: **un omone grande e g.**, a great big man **5** (*numeroso*) big; large; numerous: **una grossa famiglia**, a large family **6** (*importante*) big; great; important: **un g. affare**, a big deal; **g. successo**, big (*o* great) success; **grossi dirigenti d'azienda**, big businessmen; (*fig. fam.*) **pezzo g.**, big name; big shot (*fam.*) **7** (*grave, serio*) big; serious; hard: **un g. rischio**, a big risk; **un g. sbaglio**, a big mistake **8** (*grossolano*) coarse: **ghiaia grossa**, coarse gravel; **sale g.**, coarse salt; **trama grossa** (*di stoffa*), coarse weave **9** (*al femm.*: *incinta*) pregnant; big with child; (*di animale*) big ● **g. di mente** (*o* **di pasta grossa**), dull; slow; slow on the uptake (*fam.*) □ **g. modo** → **grossomodo** □ **aria grossa**, filthy air □ **caccia grossa**, big-game hunting □ (*fig.*) **avere il cuore g.**, to have a heavy heart □ **dirle** (*o* **spararle**) **grosse**, to talk big; to tell tall stories (*fam.*) □ **dito g.**, (*pollice*) thumb; (*alluce*) big toe □ **L'hai fatta grossa!**, now you've done it!; (*di gaffe*) you've really put your foot in it! □ **fare la voce grossa**, to raise one's voice; (*fare una ramanzina*) to take sb. to task □ **avere il fiato g.**, to be out of breath; to pant □ **mare g.**, rough sea □ **parole grosse**, offensive words; strong language Ⓤ □ **sbagliare di g.**, to make a big mistake; to be wide of the mark □ **vino g.**, heavy wine □ **Questa è grossa!**, that's too much! ❶ FALSI AMICI ● grosso *non si traduce con* gross Ⓑ m. **1** (*parte più grossa*) main body; bulk: **il g. del lavoro**, the bulk of the work; most of the work **2** (*parte più numerosa*) main (*o* greater) part; majority; most (pron.): **il g. dell'esercito**, the main body of the army; **il g. dei presenti**, most of those present **3** (*stor.: moneta*) gross Ⓒ avv. – (*di penna*) **scrivere g.**, to be thick-tipped.

grossolanaménte avv. coarsely; grossly; roughly: **tagliare qc. g.**, to chop st. coarsely.

grossolanità f. **1** coarseness; roughness **2** (*volgarità*) coarseness; grossness; vulgarity; (*parole volgari*) coarse language Ⓤ: **dire delle g.**, to use coarse language **3** (*di un errore*) grossness.

♦**grossolàno** a. **1** (*rozzo*) coarse; rough: **gusti grossolani**, coarse tastes; **stoffa grossolana**, coarse material **2** (*fig.: volgare*) coarse; rough; vulgar: **linguaggio g.**, coarse language; **maniere grossolane**, coarse manners; **un uomo g.**, a rough man **3** (*madornale*) gross: **errore g.**, gross mistake; blunder; (*svarione*) howler (*fam.*).

grossomòdo loc. avv. roughly; approximately; more or less; at a rough estimate.

grossulària f. (*miner.*) grossular; grossularite.

♦**gròtta** f. cave; cavern; (*artificiale o pittoresca*) grotto*: **la G. Azzurra**, the Blue Grotto; **grotte sotterranee**, underground caves.

grottaióne → **gruccione**.

grottésca f. (*arte*) grotesque.

grottésco Ⓐ a. grotesque; bizarre; ludicrous; absurd: **figura grottesca**, grotesque figure; *Ma questo è g.!*, this is grotesque (*o* ludicrous, absurd)! Ⓑ m. grotesque.

gròtto m. (*region.*) cave (used as a cellar).

grovièra → **gruviera**.

groviglio m. **1** tangle; knot: **un g. di fili**, a tangle of threads **2** (*fig.*) tangle; maze: **un g. di formule**, a maze of formulas; **un g. di stradine**, a tangle (*o* maze) of narrow streets.

♦**gru** f. **1** (*zool.*, *Grus cinerea*) crane **2** (*mecc.*) crane: **gru a braccio**, jib crane; **gru a ponte**, travelling bridge-crane; gantry crane; **gru a portale**, jib crane; **gru fissa manovrata a mano**, stationary hand-crane; **gru**

girevole, slewing (*o* rotating) crane; **gru mobile**, travelling crane; **gru su cingoli**, crawler crane **3** (*naut.*) davit; crane: **gru a pontone**, pontoon crane; **gru galleggiante**, floating (*o* barge) crane **4** (*cinem.*, *TV*) camera crane; boom dolly; boom ● (*autom.*) **carro gru**, breakdown truck (*GB*); tow truck (*USA*).

grùccia f. **1** (*stampella*) crutch: **camminare con le grucce**, to walk on (*o* with) crutches **2** (*per abito*) coat hanger **3** (*per uccello*) perch.

gruccióne m. (*zool.*, *Merops apiaster*) bee-eater.

Gr. Uff. abbr. (*titolo*, **grande ufficiale**) grand officer.

grufolàre Ⓐ v. i. **1** (*di maiale e fig.*) to root; to grub **2** (*frugare*) to rummage; to root about Ⓑ **grufolàrsi** v. i. pron. (*anche fig.*) to wallow in filth.

grugàre v. i. (*tubare*) to coo.

grugnìre v. i. **1** to grunt **2** (*fig.: brontolare*) to grunt, to growl and grumble; (*borbottare*) to mumble, to mutter.

grugnìto m. **1** grunt **2** (*fig.: brontolio*) grunt; (*borbottio*) mumbling, muttering.

grùgno m. **1** (*zool.*) snout **2** (*spreg.: faccia*) snout; (*ugly*) face; ugly mug; (*fam.*) **spaccare il g. a q.**, to bash sb.'s face in **3** (*broncio*) scowl: **fare il g.**, to scowl.

gruìsta m. crane operator; craneman*.

grullàggine f. **1** silliness; foolishness **2** → **grulleria**.

grullerìa f. silly (*o* foolish) thing: *Che g.!*, what a silly thing to say [to do]!; *È una g. dire di sì*, it's silly to say yes.

grùllo Ⓐ a. **1** silly; foolish; stupid **2** (*intontito*) dull; dazed Ⓑ m. (f. **-a**) silly fool; idiot; twit (*fam.*): *Povero g.!*, you silly fool!; (*di un terzo*) (the) silly fool!

grùma → **gromma**.

grùmo m. **1** (*med.*) clot: **g. di sangue**, blood clot **2** lump: **un g. di farina**, a lump of flour; **fare grumi**, to form lumps; to become lumpy; **pieno di grumi**, full of lumps; lumpy.

grùmolo m. heart (of a cabbage, of a lettuce).

grumóso① a. lumpy.

grumóso② → **grommato**.

gruppettàro m. (f. **-a**) (*gergale*) member of a fringe group; member of a left-wing extra-parliamentary group.

gruppétto m. (*mus.*) turn.

♦**grùppo** m. **1** (*di persone*) group; set; party, (*équipe*) team; (*raggruppamento, capannello*) cluster: **un g. affiatato**, a closely-knit group; **un g. di amici**, a group (*o* a party) of friends; **g. di esperti**, team of experts; **g. di lavoro**, team; work group; (*polit.*) **g. parlamentare**, parliamentary group; *Fu circondato da un g. di ammiratori*, he was surrounded by a cluster of admirers; **a gruppi**, in groups; *Arrivarono in g.*, they arrived in a group; **foto di g.**, group photo; **lavoro di g.**, teamwork; **ritratto di g.**, group portrait; (*psic.*) **terapia di g.**, group therapy **2** (*di cose*) group; cluster: **un g. di alberi** [**di case**], a group (*o* cluster) of trees [of houses]; **g. di banche**, banking group; **g. industriale**, industrial group; **g. marmoreo**, marble group **3** (*sport: atletica*) pack; field; (*ciclismo*) peloton (*franc.*): **guidare il g.**, to lead the field **4** (*mat.*) group: **g. fattoriale**, factorial group; **teoria dei gruppi**, group theory **5** (*chim.*) group **6** (*tecn., elettr.*) unit; set: **g. elettrogeno**, generating set; **g. di ingranaggi**, gearset **7** (*econ.*) group; trust; syndicate: **il g. Fiat**, the Fiat group; **g. monopolistico**, syndicate **8** (*groppo*) knot **9** (*mus.*) turn ● (*mecc.*) **g. compatto di pulegge**, pulley nest □ (*scient.*) **g. di controllo**, control group □

(*fis.*) **g. di lampade**, lamp cluster □ **g. di potere**, power brokers (pl.) □ (*polit.*) **g. di pressione**, pressure group; lobby □ **g. familiare**, family □ **g. montuoso**, mountain chain □ (*med.*) **g. sanguigno**, blood group.

gruppuscolarìsmo m. (*polit.*) factionalism.

gruppùscolo m. (*polit.*) political faction; fringe group.

gruvièra, **grovièra** m. o f. Gruyère (cheese).

grùzzolo m. (*risparmi*) savings (pl.); nest-egg: **mettere da parte un bel g.**, to save quite a bit; *Ho un piccolo g. da parte*, I have a little nest-egg set aside; **intaccare il proprio g.**, to eat into one's savings.

GS sigla (**gruppo sportivo**) sports association.

GT sigla **1** (*leg.*, **giudice tutelare**) guardianship judge **2** (*autom.*, **gran turismo**).

GU sigla (*leg.*, **Gazzetta ufficiale**) Official Journal; Official Gazette.

guaciàro m. (*zool.*, *Steatornis caripensis*) guacharo; oil-bird.

guàco m. (*bot.*, *Mikania guaco*) guaco.

guàda① f. square fishing-net.

guàda② f. (*bot.*, *Reseda luteola*) weld; dyer's rocket.

guadàbile a. fordable.

♦**guadagnàre** Ⓐ v. t. **1** (*col lavoro*) to earn; to make*; (*assol.*) to make* money, to make* a profit: **g. un buon stipendio**, to earn a good salary; **guadagnarsi la vita** (*o* **il pane**), to earn (*o* to make) one's living; **g. bene**, to earn well; to make good money; **g. soldi a palate**, to make money hand over fist; *Quanto guadagni?*, how much do you earn?; *In quell'affare guadagnai sessantamila euro*, I made sixty thousand euros with that deal; **g. il 10% su qc.**, to make a 10% profit on st.; *Pensa solo a g.*, making money is all he thinks about **2** (*ottenere, ricevere*) to earn; to gain; to get*; to win*: **g. l'amicizia di q.**, to win sb.'s friendship; **g. fama**, to earn (*o* to win) fame; **g. tre punti**, to gain three points; **guadagnarsi lodi**, to earn praise; **guadagnarsi un soprannome**, to earn oneself a nickname; *Accettando hai tutto da g.*, you have everything to gain by accepting; *Io che ci guadagno?*, what do I stand to gain by it?; what's in it for me?; *Ci guadagnai solo un raffreddore*, all I got out of it was a cold **3** (*raggiungere*) to reach; to get*; to gain; to make it to: **g. la cima**, to reach (*o* to get to) the top; **g. la riva**, to gain the shore; (*aeron.*) **g. quota**, to gain altitude; to climb; **g. l'uscita**, to reach the exit; to make it to the exit **4** (*vincere*) to win*: **g. al gioco**, to win at cards ● **g. al lordo**, to gross □ **g. al netto**, to clear □ **g. qc. col sudore della fronte**, to earn st. by the sweat of one's brow □ (*naut.*) **g. il largo**, to reach the open sea □ (*naut.*) **g. il sopravvento**, to gain (*o* to get) the weather gage □ **g. tempo**, (*temporeggiare*) to gain time (*o* to buy) time; (*risparmiare*) to save time □ **cercare di g. tempo**, to stall □ **g. il tempo perduto**, to make up for lost time □ **g. terreno**, (*mil.*) to gain ground; (*fig.*) to gain ground, to gain (on sb.), to make headway; (*sport*) **g. terreno sugli inseguitori**, to gain on one's pursuers □ **g. velocità**, to gain (*o* to gather) speed □ **guadagnarsi appena di che vivere**, to scrape a living □ **avere tutto da g. da qc.**, to have a lot to gain from st. Ⓑ v. i. **1** (*anche* **guadagnarci**) to look better; to be better off: *Il secrétaire ci guadagna contro questa parete*, the escritoire looks much better against this wall; *Ci guadagna a tacere*, he's better off if he keeps his mouth shut; **guadagnarci in un confronto con qc.**, to compare favourably with st. **2** (*crescere*) to rise*: *Il dollaro ha guadagnato rispetto all'euro*, the dollar

guadagnàto A a. earned; gained; won: **g. a fatica**, hard-earned; hard-won B m. earnings (pl.); gain; profit ● **Tanto di g.!**, so much the better!

◆**guadàgno** m. **1** (*lucro*) profit; gain; making money; (*denaro guadagnato*) earnings (pl.), money ⓤ, (*di azienda, ecc.*) profits (pl.): **g. inatteso**, windfall; **g. in conto capitale**, capital gain; **g. lordo**, gross gain; gross profits; **g. puro** (*o netto*), net gain; net profits; **guadagni facili**, easy money; *Bada solo al g.*, she can only think of profit; **fare grossi guadagni**, to earn a lot; to make large profits; *Tutto il g. lo reinvestiamo nell'azienda*, we plough back all the profits (into the firm); *Che g. ci sarebbe per me?*, what's in it for me? **2** (*ricompensa*) reward **3** (*vantaggio*) gain; profit; advantage: *Abbiamo cambiato segretario, ma non è stato un gran g.*, we've changed our secretary but it's no great gain (*o* but we haven't gained much); (*iron.*) *Bel g.!*, no great gain!; a fat lot of good! (*fam.*) **4** (*vincita*) winnings (pl.) **5** (*elettron.*) gain.

Guadalùpa f. (*geogr.*) Guadeloupe.

guadàre v. t. to ford; (*a piedi*) to wade.

guaderèlla → **guada** ①.

guadino m. landing net.

guàdo ① m. ford ● **passare a g. un fiume**, to ford a river; (*a piedi*) to wade (across) a river.

guàdo ② m. **1** (*bot.*, *Isatis tinctoria*) woad **2** (*tintura*) woad; pastel.

guaglióne m. (*region.*) boy; lad; youngster.

guài inter. woe (betide); Heaven help: *G. ai vinti!*, woe to the vanquished!; *G. a chi non sapeva rispondere*, Heaven help those who didn't know the answer; *G. a te se fai tardi!*, you'll catch it if you're late!; *G. a te se lo ripeti!*, don't you dare say it again!; *G. se lui lo sapesse!*, (*si infurierebbe*) he'd be furious if he knew; (*si dispererebbe*) he'd be desperate if he knew.

guaiàco m. (*bot.*, *Guaiacum officinale*) guaiacum; lignum vitae ● (*farm.*) **resina di g.**, guaiac; (gum) guaiacum.

guaiacòlo m. (*farm.*) guaiacol.

guaiàva f. (*bot.*, *Psidium guayava*; *il frutto*) guava.

guàime m. (*agric.*) fog.

guaìna f. **1** (*per arma da taglio*) scabbard; sheath: **infilare nella g.**, to slide into the scabbard; to sheath **2** (*custodia*) case **3** (*bot., anat.*) sheath: (*anat.*) **g. sinoviale**, synovial sheath **4** (*mecc.*) sheathing **5** (*busto*) girdle; corset; roll-on (*fam.*) **6** (*abito aderente*) sheath dress.

guainànte a. (*bot.*) sheathing.

◆**guàio** m. **1** (*disgrazia*) trouble (*a volte* ⓤ); affliction; woe (*scherz.*): *Mi ha raccontato tutti i suoi guai*, he told me about all his troubles; he told me his tales of woe (*scherz.*); *Saranno guai quando...*, there'll be trouble when...; there'll be hell to pay when... (*fam.*) **2** (*impiccio, pasticcio*) trouble (*fam.*); fix (*fam.*); pickle (*fam.*); tight spot (*o corner*) (*fam.*); scrape (*fam.*): **essere nei guai**, to be in trouble; to be in a fix; **mettersi** (*o cacciarsi, ficcarsi*) **nei guai**, to get into trouble; to get into a scrape; *Ti sei cacciato in un bel g.!*, you've got yourself into a fine mess!; **mettere q. nei guai**, to get sb. into trouble; to put sb. in a tight corner; **tirar fuori q. dai guai**, to get sb. out of trouble (*o* out of a tight spot); **andare in cerca di guai**, to look (*o* to ask) for trouble; **essere in un mare di guai**, to be up to one's ears in trouble; *Mi è successo un g.: ho perso le chiavi dell'auto*, I've got a problem, I've lost my car keys; *È un bel g., e adesso?*, it's a fine mess, what now?; **combinare guai**, to be up to mischief; *Or-*

mai il g. è fatto, the damage is done; the fat is in the fire; *Il g. è che...*, the trouble is...

guaiolàre, **guaire** v. i. to yelp; to whimper; to whine.

guaìto m. yelp; whimper; whine; (al pl., anche) yelping ⓤ, whimpering ⓤ, whining ⓤ.

guaiùle, **guayùle** m. (*bot.*, *Parthenium argentatum*) guayule.

guàlca f. (*ind. tess.*) fulling.

gualcàre v. t. (*ind. tess.*) to full.

gualchièra f. (*ind. tess.*) fulling-mill.

gualcìbile a. easily creased (*o* crumpled).

gualcibilità f. tendency to crease (*o* to crumple).

gualcire v. t., **gualcirsi** v. i. pron. to crease; to crumple: **gualcire una gonna**, to crease a skirt; **gualcire un lenzuolo**, to crumple a sheet; *Il lino si gualcisce facilmente*, linen creases easily.

gualcìto a. creased; crumpled.

gualdràppa f. (*stor.*) caparison; saddle-cloth.

Gualtièro m. Walter.

guanàco m. (*zool.*, *Lama guanicoe*) guanaco*.

◆**guància** f. **1** cheek: **guance bianche e rosse**, ruddy cheeks; **guance incavate**, hollow cheeks; **g. a g.**, cheek to cheek; (*fig.*) **porgere l'altra g.**, to turn the other cheek **2** (*macelleria*) chap **3** (*di fucile*) cheekpiece.

guanciàle m. **1** (*cuscino*) pillow **2** (*parte dell'elmo*) cheek-guard **3** (*region.*) lard (from the pig's cheek) ● (*fig.*) **dormire fra due guanciali**, to have no worries □ (*fig.*) **Puoi dormire fra due guanciali**, you can set your mind at rest.

guancialétto m. **1** (*imbottitura*) padding; pad **2** (*per timbro*) inkpad.

guancialino m. (*puntaspilli*) pincushion.

guàncio a. e m. (f. *-a*) (*stor.*) Guanche.

guanidìna f. (*biochim.*) guanidine.

guanìna f. (*biochim.*) guanine.

guàno m. guano.

guantàio m. (f. *-a*) **1** glover **2** (*negozio*) glove shop.

guantàto a. gloved.

guanterìa f. glove factory.

guantièra f. **1** (*scatola*) glove box (*o* case) **2** (*vassoio*) tray.

◆**guànto** m. **1** glove; (*manopola*) mitten, mitt; (*protettivo*) gauntlet; (*senza dita*) mitt: **g. da forno**, oven mitt; **g. di ferro** (*di armatura*), gauntlet; **g. di spugna**, facecloth (*GB*); washcloth (*USA*); **guanti da guida**, driving gloves; **guanti da sci**, skiing gloves; **guanti di gomma**, rubber gloves; **guanti chirurgici**, surgical gloves; **guanti di capretto** [**di cinghiale**], kid [pigskin] gloves; **guanti lunghi**, long gloves; **mezzi guanti**, mitts; **infilarsi i guanti**, to put on (*o* to slip on) one's gloves **2** (*gergale: preservativo*) condom; rubber johnny (*slang GB*); rubber (*slang USA*); glove (*slang USA*) ● (*fig.*) **g. di velluto**, velvet glove □ **calzare come un g.**, (*aderire perfettamente*) to fit like a glove; (*adattarsi perfettamente*) to suit perfectly, to suit to a T □ (*fig.*) **gettare** [**raccogliere**] **il g. di sfida**, to throw down [to take up] the gauntlet □ **morbido come un g.**, very soft □ (*fig.*) **trattare q. con i guanti**, to handle sb. with kid gloves.

guantóne m. gauntlet; (*manopola*) mitten, mitt; (*da pugile*) boxing glove, mitten; (*da baseball*) baseball glove, (*senza dita*) baseball mitt ● **incrociare i guantoni**, to fight (a boxing match) □ **appendere i guantoni al chiodo**, (*boxe*) to give up fighting; (*fig.*) to retire, to hang up one's boots (*fam.*).

guàppo A m. (*camorrista*) **1** (*camorrista*) member of the Camorra **2** (*bravaccio*) bully; thug B a. **1** (*sfrontato*) insolent; cocky **2**

(*volgare*) loud; garish; vulgar.

guàr m. guar flour; guar gum.

guaràna f. (*bot.*, *Paullinia cupana*; *farm.*) guarana.

guaranì A a. Guarani B m. e f. Guarani* C m. **1** (*lingua*) Guarani **2** (*moneta del Paraguay*) guarani*.

guardabarrière m. inv. (*ferr.*) level-crossing keeper.

guardàbile a. pleasant (to look at, to watch).

guardabòschi m. inv. forester.

guardabuòi m. inv. (*zool.*, *Bubalculus ibis*) cattle egret.

guardacàccia m. inv. game warden; (*di tenuta privata*) gamekeeper.

guardacòrpo m. inv. (*naut.*) lifeline; manrope.

guardacòste m. inv. (*naut.*) **1** (*nave*) patrol vessel; patrol boat; coastal defence vessel **2** (*milizia*) coastguard **3** (*soldato*) coastguard; coastguardsman* (*USA*).

guardafìli m. inv. linesman* (*GB*); lineman* (*USA*).

guardalinee m. inv. **1** (*ferr.*) lineman*; trackman* (*USA*) **2** (*sport*) linesman*.

guardamàcchine m. inv. car-park (*USA* parking-lot) attendant.

guardamàno m. inv. **1** (*di spada*) (sword) guard **2** (*di arma da fuoco*) trigger guard **3** (*guanto protettivo*) gauntlet **4** (*naut.*) rope handrail.

guardanìdio, **guardanido** m. nest-egg.

guardapàlma m. inv. (*naut.*) sailmaker's palm.

guardapàrco m. inv. forester; forest warden; ranger (*USA*).

guardapésca m. inv. fishing warden; water bailiff.

guardapètto m. breast guard.

guardapinna m. inv. (*zool.*, *Pinnotheres pinnotheres*) pea crab.

guardapòrto f. inv. (*naut.*) (port) guard-ship.

guardaportóne m. inv. doorkeeper; (*di albergo, teatro*) doorman*, commissionaire (*GB*).

◆**guardàre** A v. t. **1** to look; to look at (sb., st.); to watch: **g. un quadro**, to look at a painting; **g. la televisione** [**una partita, un film**], to watch television [a match, a film]; **g. l'orologio**, to look at the clock [at one's watch]; **g. in faccia**, to look at sb. in the face; **g. q. negli occhi**, to look sb. in the eyes; *Che guardi?*, what are you looking at?; *Guardami!*, look at me!; *Guarda!*, look!; *Guarda chi c'è!* (*o chi si vede!*), look who's here!; *Guarda che ho trovato!*, look what I've found!; *Guarda dove metti i piedi!*, look where you put your feet!; **g. attentamente**, to look carefully at; to study; to examine; to eye; **g. a destra** [**a sinistra**], to look right [left]; **g. in alto**, to look up (*o* upwards); **g. in basso**, to look down (*o* downwards); **g. su e giù**, to look up and down; **g. al microscopio**, to look through a microscope; (*anche fig.*) **g. avanti** [**indietro**], to look ahead [back]; **g. dalla finestra**, to look out of the window; **g. dal buco della serratura**, to peep through the keyhole **2** (*dare un'occhiata*) to have (*o* to take*) a look at; (*scorrere*) to look through; to glance at: **g. un articolo**, to have a look (*o* to look through) an article; *Guarda un po' questa lettera*, take a look at this letter; *Guarda e vedi se è lui*, have a look and see if it's him **3** (*squadrare, guardare fisso*) to stare at; to look fixedly at; (*contemplare*) to gaze at; (*scrutare*) to eye, (*con sforzo*) to peer at: *Perché mi guardi così?*, why are you staring at me like that?; **g. q. con sospetto**, to eye sb. with suspicion **4** (*considerare*) to consider; to view; to look on;

to regard: *Dobbiamo g. le cose da un altro punto di vista*, we must consider (o look on) things from another point of view; **g. il lato positivo di qc.**, to look on the positive side of st.; **g. qc. con sospetto**, to regard st. with suspicion 5 (*esaminare*) to look over; to look into; to examine: *Il dottore guardò la ferita*, the doctor examined the wound 6 (*cercare*) to look; (*in un libro*) to look up: *Guardai nei cassetti e sugli scaffali*, I looked in the drawers and on the shelves; **g. una parola sul dizionario**, to look up a word in the dictionary 7 (*custodire*) to look after; to keep* an eye on: **la ragazza che mi guarda i bambini**, the girl who looks after my children 8 (*difendere*) to defend, to hold*; (*fare la guardia a*) to guard □ **g. a bocca aperta**, to gape (at) □ **g. a occhi spalancati**, to goggle at □ **g. q. a vista**, to watch sb. closely; to keep sb. under continuous surveillance: **guardato a vista**, closely watched; under surveillance □ **g. q. con la coda dell'occhio**, to look at sb. out of the corner of one's eye □ **g. con lasciva**, to leer □ **g. con ira**, to glare at □ **g. con occhio benevolo**, to look favourably on □ **g. con occhio torvo**, to scowl at; to glower at □ **g. con tanto d'occhi**, to gape at; to stare at (st.) wide-eyed □ **g. dall'alto in basso**, to look down on □ **g. da un'altra parte**, to look another way; to look away □ **g. di buon occhio [di mal occhio]**, to look favourably [unfavourably] on; to take a favourable [an unfavourable] view of □ **g. di sfuggita**, to glance at □ **g. di soppiatto**, to steal a look at (o in, etc.) □ **g. di traverso**, to look askance at □ **g. fissamente**, to stare at □ **g. furtivamente**, to peep at; to steal a glance at □ **g. in cagnesco**, to look daggers at; to glower at □ **g. in faccia il pericolo [la morte]**, to look danger [death] in the face □ **g. le spalle a q.**, to cover sb. □ **g. storto**, to look askance at; to give (sb.) a dirty look □ **g. vogliosamente**, to ogle □ **guardarsi in giro** (*o intorno*), to look about; (*fig., prima di fare una scelta, di decidere*) to have a look around, to shop around □ **guardarsi le spalle**, to watch one's back; to guard against a surprise attack □ **guarda caso**, by sheer coincidence; as luck would have it □ **Guarda guarda!**, well, well, well!; well, look at this! □ **Guarda, io in realtà non ci tengo molto**, well, to be frank, I am really not very keen on it □ **Guarda che roba!**, just take a look at that! □ **Guarda se ti riesce di aggiustarlo**, see if you can fix it □ **Guarda un po'!**, fancy that!; that's odd! □ **A g. bene, aveva ragione lui**, to be fair to him, he was right □ **farsi g.**, to attract attention; to make oneself conspicuous □ **Dio ne guardi!**, God forbid! □ (*fig.*) **non g. in faccia nessuno**, to go ahead regardless of everyone; (*parlare schietto*) to speak one's mind, to say things straight: *Se ho da dire una cosa la dico, senza g. in faccia nessuno*, when I have something to say, I say it straight □ **non g. tanto per il sottile** → **sottile** □ **stare a g.**, to look on; to stand [to sit] there staring (o looking on); (*fig.*) to be a spectator, to stand on the sidelines, to sit on the fence: *Si picchiavano mentre la gente stava a g.*, they were fighting and the people simply looked on; *Non stare lì a g.: prendi una vanga anche tu!*, don't stand there staring, take a spade and dig! □ (*prov.*) **Dagli amici mi guardi Iddio che dai nemici mi guardo io**, God defend me from my friends, from my enemies I can defend myself **B** v. i. 1 (*badare*) to mind, to take* care; (*cercare*) to try: *Guarda di non farti male!*, mind (o take care) you don't get hurt!; *Guarda che ciò non si ripeta*, mind (o take care) that this doesn't happen again!; *Guarda di non romperlo*, take care (o mind) not to break it; *Guarda di far presto!*, try to be quick!; *Guarda che è tagliente!*, be careful, it's sharp!; *Guarda che se lo fai un'altra

volta, mi arrabbio sul serio*, now look here, if you do it again, I'll really get angry; **non g. a spese**, not to worry about the cost; to spare no expense 2 (*considerare*) to look on (o upon): *Guardavamo a lui come al nostro difensore*, we looked upon him as our defender; **g. al passato**, to look backwards; **g. al futuro con fiducia**, to feel confident about the future 3 (*affacciarsi, essere orientato*) to look; to look out (on); to face; (*avere la facciata verso*) to face: *La finestra guarda a sud [sul mare, sul giardino, verso la valle]*, the window looks south [out to the sea, on to the garden, over the valley]; *La chiesa guarda a ovest [sulla piazza]*, the church faces west [on to the square] **C guardàrsi** v. rifl. 1 to look at oneself: **guardarsi allo specchio**, to look at oneself in the mirror 2 (*stare in guardia*) to beware (of); to watch out (for): **guardarsi dai falsi amici**, to beware of false friends 3 (*badare*) to be careful (o to take* care, to mind) (not to do st.), to refrain (from); (*cercare*) to try (not to do st.): **guardarsi dal rivelare qc.**, to take care not to reveal st.: *Mi guardai bene dal dirglielo*, I was careful (o I took good care) not to tell him; *Guardati bene dal perderlo!*, mind you don't lose it!; *Me ne guardo bene!*, Heaven forbid! 4 (*astenersi da bevande o alimenti*) to abstain; to keep away (from): *Il dottore gli ordinò di guardarsi dal vino e dalla birra*, the doctor ordered him to abstain from wine and beer **D guardàrsi** v. rifl. recipr. 1 to look at each other [at one another] 2 (*fissamente*) to gaze (o to stare) at each other [at one another]: **guardarsi negli occhi**, to look into each other's eyes.

guardaròba m. inv. 1 (*armadio per abiti*) wardrobe; (*per biancheria*) linen cupboard 2 (*stanza per biancheria*) linen room 3 (*di locale pubblico*) cloakroom (*GB*); checkroom (*USA*) 4 (*abiti*) wardrobe: **rifarsi il g.**, to get a new wardrobe.

guardarobière m. (f. **-a**) 1 (*di casa privata o di albergo*) person in charge of linen; linen maid (f.) 2 (*di locale pubblico*) cloakroom (*USA* checkroom) attendant.

guardasàla m. e f. inv. 1 (*di museo*) museum attendant 2 (*ferr.*) waiting-room attendant.

guardascàmbi m. inv. (*ferr.*) pointsman* (*GB*); switchman* (*USA*).

guardasigìlli m. inv. 1 (*stor.*) keeper of the seals 2 (*ministro*) Minister of Justice.

guardaspàlle m. inv. 1 bodyguard; heavy (*fam.*) 2 (*naut.*) manrope; guard-rope.

guardàta f. look; glance: **dare una g. a qc.**, to have (o to take) a look at st.; to glance at st.; (*a libro, rivista*) to look through st., to browse; **dare una g. in giro**, to have (o to take) a look around.

guardatùra f. way of looking at st.; look.

guardavìa m. inv. guardrail; safety barrier.

◆**guàrdia** f. 1 (*custodia, vigilanza, anche mil.*) guard; watch; (*naut.*) watch; (*periodo di servizio*) duty: **fare la g.**, to stand (o to keep) guard; to keep watch; **fare la g. a qc.**, to guard st.; to stand (o to keep) guard over st.; (*di sentinella*) to stand sentinel over; **fare buona g.**, to keep a good watch on st.; **montare la g.**, to mount guard; (*mil.*) **smontare la g.**, to go off duty; to stand down; **essere di g.**, to be on guard duty; (*essere di servizio, anche med.*) to be on duty; **mettere qualcuno di g. a qc.**, to mount a guard over st.; **stare di g.**, to keep watch; *Stai tu di g. ai bagagli*, you keep watch over (o keep an eye on) the luggage; **cane da g.**, watchdog; **medico di g.**, doctor on duty; **servizio di g.**, guard duty; (*naut.*) watch duty; **turno di g.**, period of duty; (*naut.*) watch; **ufficiale di g.**, duty officer; (*naut.*) officer of the watch; **gli

uomini di g.**, the watch 2 (*corpo armato o di protezione*) guard; guards (pl.): **g. d'onore**, guard of honour; **g. del corpo**, bodyguard; **dare il cambio alla g.**, to relieve guard; **corpo di g.**, guard; (*edificio*) guardhouse; (*locale*) guardroom; **ufficiale della G.**, officer of the Guards 3 (*persona*) guard; watchman*; (*poliziotto*) policeman*; (*sentinella*) sentry, sentinel; **g. campestre**, country warden; **g. carceraria**, prison guard; warder (*GB*); **g. del corpo**, bodyguard; **g. giurata**, security guard; **g. municipale**, town policeman; **g. notturna**, night watchman; **chiamare le guardie**, to call the police 4 (*naut.*: *parte dell'equipaggio*) watch: **g. di dritta [di sinistra]**, starboard [port] watch; **g. in porto**, anchor watch; **g. franca**, watch off duty (o below); (*a terra*) watch ashore 5 (*sport*) guard: (*anche fig.*) **abbassare la g.**, to lower (o to drop, to let down) one's guard; (*boxe*) **mettersi in g.**, to square off; (*scherma*) *In g.!*, on guard!; en garde! (*franc.*) 6 (*di spada*) guard; hilt-guard 7 (*di libro, anche* **foglio di g.**) flyleaf* □ **g. costiera**, coastguard □ **g. daziaria**, municipal customs officer □ **g. di pubblica sicurezza**, policeman □ **g. di finanza**, customs officer □ **le Guardie di finanza**, the Financial Police □ **g. ferroviaria**, railway guard; conductor (*USA*); brakeman (*USA*) □ **g. forestale**, forester; forest warden; ranger (*USA*); (*al pl., corpo italiano*) Park and Forest Guards □ **g. medica**, emergency medical service □ **G. Nazionale** (*o Civica*), National (*o Home*) Guard □ (*mil.*) **guardie a cavallo**, horse guards □ (*mil.*) **guardie a piedi**, footguards □ (*gioco*) **guardie e ladri**, cops and robbers □ **le Guardie rosse**, the Red Guards □ **Guardie Svizzere**, Swiss Guards □ **cambio della g.**, changing of the guard; (*fig.*) changeover □ **livello di g.**, safety level; (*di fiume*) safety highwater mark; (*fig.*) safety limit, danger point □ **mettere in g. q. contro qc.**, to warn sb. against st.; to alert sb. to st. □ **posto di g.**, guard post □ **sorprendere q. con la g. abbassata**, to catch sb. off guard □ **stare in g.**, to be on one's guard; to watch out: *Sta' in g., è un tipo pericoloso*, watch out, he's dangerous □ **non essere** (*o non stare*) **in g.**, to be off one's guard □ (*fig.*) **la vecchia g.**, the old guard.

guardiacàccia → **guardacaccia**.

guardiacòste → **guardacoste**.

guardiafìli → **guardafili**.

guardialìnee → **guardalinee**.

guardiamarìna m. inv. (*naut.*) midshipman* (*GB*); ensign (*USA*).

guardiàna f. → **guardiano**.

guardianàto m., **guardiania** f. (*eccles.*) guardianship.

◆**guardiàno** m. (f. **-a**) 1 keeper; custodian; (*di fabbrica, ecc.*) guard, watchman* (m.); (*di villa*) gatekeeper; (*di palazzo*) caretaker; (*di museo*) attendant: **g. del faro**, lighthouse keeper; **g. notturno**, night-watchman; **g. di parco**, park keeper; **fare il g. di qc.**, to keep guard over st. 2 (*secondino*) prison guard; warder (f. wardress) (*GB*) 3 (*di animali*) – **g. di bestiame**, herdsman; **g. di capre**, goatherd; **g. di mucche**, cowherd; **g. di pecore**, shepherd (f. shepherdess); **g. di porci**, swineherd 4 (*eccles., anche* **padre g.**) Father Guardian 5 (*zool.*) – **g. dei coccodrilli** (*Pluvianus aegyptius*), crocodile bird; Egyptian plover ❶ FALSI AMICI • guardiano *nel senso di custode non si traduce con* guardian.

guardiapésca → **guardapesca**.

guardìna f. lockup; jail: **essere in g.**, to be in the lockup (o in jail).

guardinfànte m. (*stor.*) farthingale; crinoline.

guardìngo a. careful; circumspect; cautious; wary: **avanzare g.**, to advance cau-

tiously; **con fare g.**, in a circumspect manner; cautiously.

guardiòla f. **1** (*portineria*) porter's (*o* gatekeeper's) lodge; (*garitta*) booth, box **2** (*di fortificazione*) bartizan.

guàrdolo m. (*di scarpa*) welt.

guardóne m. (*fam. spreg.*) peeping Tom.

guardrail (*ingl.*) m. inv. guardrail; safety barrier.

guarentìgia f. (*leg.*) guaranty; security.

guàri avv. (*lett.*) – **or non è g.**, not so long ago.

guaribile a. (*di malattia*) curable; (*di ferita e sim.*) healable; (*di paziente*) that will recover: **una bronchite g. in due settimane**, a bronchitis curable (*o* that can be cured) in two weeks; *Fu dichiarato g. in dieci giorni*, the doctors said he would recover in ten days.

guaribilità f. – **ad alta g.**, easily curable.

guarigióne f. **1** (*il ristabilirsi in salute*) recovery; (*di ferita e sim.*) healing: **g. perfetta**, perfect recovery; **avere una rapida (*o* pronta) g.**, to make a quick (*o* speedy) recovery; **in via di g.**, on the way to recovery; on the mend; *Auguri di pronta g.!*, I wish you a speedy recovery; get well soon! **2** (*il restituire la salute*) cure; healing: **guarigioni taumaturgiche**, faith healing ▥; **operare guarigioni**, to effect cures; to cure.

♦**guarire** Ⓐ v. t. (*anche fig.*) to cure; to heal: **g. q. dal tifo**, to cure sb. of typhoid fever; **g. le allergie**, to cure allergies; **g. una piaga**, to heal a sore; *Il tempo guarisce ogni dolore*, time is a great healer Ⓑ v. i. **1** (*rimettersi in salute*) to recover (one's health); to get* well; to get* over st.: **g. da una bronchite**, to recover from (*o* to get over) bronchitis; *Sta guarendo*, she's getting better; she is on the way to recovery; *Spero di g. presto*, I hope to get well soon; *Ho avuto la scarlattina ma ora sono guarito*, I had scarlet fever but I've fully recovered from it; *Non è ancora guarito dall'influenza*, he hasn't got over the flu yet **2** (*passare*) to go* away; (*di ferita e sim.*) to heal: *L'infiammazione non vuole g.*, the inflammation won't go away; *L'osso ci mise un anno a g.*, the bone took a year to heal **3** (*fig.*) to be cured (of); to get* rid (of): *Guarii per sempre dalla mia gelosia*, I was cured of my jealousy once and for all; **g. da una cattiva abitudine**, to get rid of a bad habit.

guaritóre m. (f. **-trìce**) healer; (*con la suggestione, ecc.*) faith healer, psychic healer.

guarnàcca f. (*stor.*) **1** (*mantello*) cloak **2** (*veste di contadino*) smock.

guarnigióne f. garrison: **essere di g.**, to be on garrison duty; **mettere una g. in una città**, to garrison a town.

guarniménto m. (*naut.*) rigging.

guarnire v. t. **1** (*ornare*) to decorate; to trim **2** (*cucina*) to garnish **3** (*fornire*) to furnish; to supply; to fit out; to equip **4** (*fortificare*) to fortify **5** (*naut.*) to rig (*a ship*) **6** (*mecc.*) to pack.

guarnìto a. **1** (*ornato*) trimmed: **g. di pelliccia**, trimmed with fur; **g. di alamari**, frogged **2** (*cucina*) garnished; with vegetables (pred.); (*con contorno*) with all the trimmings (pred.): **pesce g. di prezzemolo e fette di limone**, fish garnished with parsley and lemon slices; **un tacchino g.**, a turkey with all the trimmings **3** (*equipaggiato*) equipped; fitted out **4** (*naut.*) rigged.

guarnitùra f. **1** (*l'ornare*) decorating; (*ornamento*) decoration, trimming **2** (*cucina*) garnishing.

guarnizióne f. **1** (*ornamento*) trimming: **g. di velluto**, velvet trimming **2** (*cucina*) garnish; (*contorno*) trimmings (pl.) **3** (*mecc.*) gasket; washer; packing: **la g. della testata**,

the gasket of the cylinder head; **la g. del rubinetto**, the washer of the tap; **g. metallica**, metal packing; **g. circolare**, O-ring.

Guascógna f. (*geogr.*) Gascony.

guasconàta f. extravagant boasting ▥; gasconade (*lett.*).

guascóne Ⓐ a. Gascon Ⓑ m. e f. **1** Gascon **2** (*fig.*) boaster; braggart.

guastafèste m. e f. inv. spoilsport; killjoy; wet blanket (*fam.*); party-pooper (*fam. USA*): **fare il g.**, to be a spoilsport (*o* a killjoy).

guastamestièri m. e f. inv. **1** (*pasticcione*) bungler; botcher **2** (*chi intralcia*) meddler; spoilsport **3** (*imbroglione*) cheat; swindler.

♦**guastàre** Ⓐ v. t. **1** (*rovinare*) to spoil*, to ruin, to damage, to mar, to upset*; (*un meccanismo*) to break*; (*far marcire*) to rot; (*mandare a male*) to spoil, to cause to go bad; (*disturbare*) to disturb, to upset*: **g. l'appetito**, to spoil the appetite; **g. i denti**, to rot sb.'s teeth; **g. una festa**, to spoil a party; **g. lo stomaco**, to upset the stomach; **g. una vacanza**, to ruin a holiday; **guastarsi la reputazione**, to damage one's good name; **guastarsi la salute**, to ruin one's health; *Il gelo guastò il raccolto*, the frost ruined the crops; *Il caldo ha guastato la carne*, the heat has spoilt the meat; *Ti guasterai i denti con tutte quelle caramelle*, you'll ruin your teeth with all those sweets **2** (*fig.*: *traviare*) to ruin; (*viziare*) to spoil: *Lo hanno guastato le cattive compagnie*, he has been ruined by bad company **3** (al neg.: *non essere sgradito*) not to do* any harm: *Un pizzico di cannella non guasta*, a pinch of cinnamon won't do any harm; *Un po' di prudenza non guasta mai*, a little caution has never done any harm ● (*fig.*) **g. le uova nel paniere a q.**, to upset sb.'s apple-cart □ (*fig.*) **guastarsi il sangue**, to get worked up (over st.) □ (*prov.*) **Troppi cuochi guastano la cucina**, too many cooks spoil the broth Ⓑ **guastàrsi** v. i. pron. **1** (*di macchina, ecc.*) to break* down; to go* wrong; (*di motore*) to fail **2** (*marcire*) to rot; (*andare a male*) to go* bad, (*di cibo cotto*) to go* off: *Le uova si sono guastate*, the eggs have gone bad **3** (*cambiare in peggio*) to change for the worse; to deteriorate: *Era un bambino simpatico, ma crescendo si è guastato*, he was a nice little boy, but he changed for the worse as he grew up; *Il tempo s'è guastato*, the weather has changed for the worse Ⓒ **guastàrsi** v. recipr. (*litigare*) to quarrel; to fall* out: *Erano amici, ma si sono guastati*, they used to be friends, but they've fallen out.

guastatóre m. (*mil.*) sapper; pioneer.

♦**guàsto**① a. **1** (*che non funziona*) not working; broken; (*di macchina, veicolo*) broken down; (*fuori uso*) out of order, on the blink (*fam.*): *L'ascensore è g.*, the lift is out of order; *L'aspirapolvere è g.*, the hoover isn't working; *La TV è guasta*, the TV isn't working; the TV is on the blink (*fam.*) **2** (*andato a male*) bad; (*di carne, uova, anche*) gone bad (pred.), off (pred.); (*marcio*) rotten: **frutta guasta**, rotten fruit; **pera guasta**, bad pear; **pesce g.**, fish gone bad; **uovo g.**, rotten (*o* bad) egg; *Queste uova sono guaste*, these eggs are off **3** (*di dente*) bad; decayed **4** (*sciupato, viziato*) spoilt, spoiled; (*rovinato*) ruined, damaged; (*corrotto*) corrupted, depraved.

♦**guàsto**② m. **1** failure; (technical) fault; malfunction; something wrong (*fam.*); (*di macchina o meccanismo*) breakdown: **un g. all'impianto di riscaldamento**, a failure in the heating system; **un g. al motore**, an engine failure; something wrong with the engine; *Ho avuto un g. al motore*, there was something wrong with the engine; **un g. elettrico**, an electrical fault; *A metà strada*

la macchina ebbe un g., half way there our car broke down; **riparare un g.**, to repair st. faulty; to fix what was wrong **2** (*danno*) damage ▯: **i guasti dell'inondazione**, the damage caused by the flood **3** (*fig.*: *corruzione*) corruption; depravation; something rotten **4** (*fig.*: *dissapore*) disagreement.

guatàre Ⓐ v. t. (*lett.*: *fissare*) to stare at; (*con sospetto o curiosità*) to eye; (*con paura*) to eye fearfully; (*con concupiscenza*) to ogle; (*di traverso*) to look askance at Ⓑ **guatàrsi** v. rifl. recipr. to eye each other [one another].

Guatemàla m. (*geogr.*) Guatemala.

guatemaltèco a. e m. (f. **-a**) (*geogr.*) Guatemalan.

guattìre v. i. (*di cane da caccia*) to give* tongue.

guàva → guaiava.

guayùle → guaiule.

guàzza f. heavy dew.

guazzabùglio m. hotchpotch, hodgepodge (*USA*); jumble; muddle; tangle: **un g. di stili**, a hotchpotch (*o* jumble) of styles; **un g. di idee**, a tangle of ideas; **un g. di parole**, a jumble of words; jumbled words (pl.).

guazzàre → sguazzare.

guazzatóio m. watering place; horse pond.

guazzétto m. (*cucina*) stew: **carne in g.**, stewed meat; **cuocere in g.**, to stew.

guàzzo m. **1** pool; puddle **2** (*pitt.*) gouache: **pittura a g.**, gouache painting.

guelfìsmo m. (*stor.*) Guelphism.

guèlfo (*stor.*) Ⓐ a. Guelph; Guelphic: **di parte guelfa**, of the Guelph party Ⓑ m. Guelph.

Guendalìna f. Gwendolen; Gwendoline.

guêpière (*franc.*) f. inv. girdle; corset.

guèrcio Ⓐ a. **1** (*strabico: di persona*) cross-eyed, squint-eyed; (*di occhio*) squinting: **essere g.**, to be cross-eyed; to have a squint; **essere g. da un occhio (*o* avere un occhio g.)**, to have a squint (*o* a cast) in one eye **2** (*cieco da un occhio*) one-eyed; blind in one eye (pred.) Ⓑ m. (f. **-a**) **1** (*strabico*) squint-eyed person **2** (*cieco da un occhio*) one-eyed person.

♦**guèrra** f. **1** (*conflitto*) war; (*il guerreggiare, l'essere in guerra*) warfare ▥: **g. aerea**, aerial warfare; **g. aperta**, open warfare; **g. batteriologica**, biological (*o* germ) warfare; **g. chimica**, chemical warfare; **g. civile**, civil war; **g. d'indipendenza [di liberazione, di religione, di successione]**, war of independence [of liberation, of religion, of succession]; **g. fredda**, cold war; **g. navale**, naval warfare; war at sea; **g. nucleare**, nuclear war; nuclear warfare; **g. santa**, holy war; **la prima [seconda] g. mondiale**, the First [Second] World War; World War One [Two]; **dichiarare g. a q.**, to declare war on (*o* upon) sb.; **andare in g. (*o* partire per la g.)** to leave for the war; **entrare in g.**, to enter the war; (*contro q.*) to go to war with sb.; **essere in g.**, to be at war (with); **fare la g.**, (*di paese*) to make war, to wage war (against sb.); (*di persona*) to fight in the war, to serve; *Mio padre fece la g. in Africa*, my father fought (*o* served) in Africa during the war; *È scoppiata una g.*, war has broken out; **vincere [perdere] la g.**, to win [to lose] the war; *Consiglio di g.*, Council of War; **dichiarazione di g.**, declaration of war; **prigioniero di g.**, prisoner of war (abbr. POW); **stato di g.**, state of war; open warfare; **teatro di g.**, theatre of war; **tempo di g.**, time of war; wartime; **zona di g.**, war zone **2** (*fig.*: *ostilità*) fight; feud; strife: **una g. tra fazioni**, a fight among factions; **fare la g. a q.**, to fight sb.; to be against sb. **3** (*fig.*: *lotta*) battle; war; fight; campaign: **la g. contro la fame [le malattie]**, the war (*o* battle) against

hunger [disease]; **la g. contro la droga**, the fight against drugs; **dichiarare g. a qc.**, to wage war against st. ● (*stor.*) **la G. delle due Rose**, the Wars of the Roses □ (*stor.*) **la G. dei Cento Anni**, the Hundred Years' War □ (*stor.*) **g. di corsa**, privateering □ **g. dei nervi**, war of nerves □ **g. di logoramento**, war of attrition □ **g. di posizione** (*o di trincea*), trench war □ **la G. di Troia**, the Trojan War □ (*econ.*) **g. doganale**, tariff war □ **g. economica**, economic warfare □ **g. lampo**, blitzkrieg (*ted.*); blitz (*fam.*) □ **g. psicologica**, psychological warfare □ **g. totale**, total war; all-out war □ **g. tra bande**, gang warfare □ (*giorn.*) **Guerre stellari**, Star Wars; Strategic Defense Initiative □ **l'arte della g.**, the science of warfare □ **canto di g.**, war song □ **danni di g.**, war damages □ **danza di g.**, war dance □ **devastato dalla g.**, ravaged by war; war-torn (attr.) □ **dimostrazione contro la g.**, antiwar demonstration □ **dio della g.**, war god □ (*fig.*) **fare g. a q. per qc.**, to fight sb. over st. □ **giocare alla g.**, to play soldiers □ (*stor.*) **la Grande G.**, the Great War □ **grido di g.**, war-cry □ (*anche fig.*) **muovere g. a**, to wage war against □ **nave da g.**, warship; man-of-war (*stor.*) □ **profitti di g.**, war profits □ **propaganda di g.**, war propaganda □ (*ass.*) **rischio di g.**, war risk □ **sul piede di g.**, on a war footing □ (*fig.*) **sul sentiero di g.**, on the war-path □ **tra le due guerre**, interwar (agg.).

guerrafondàio, **guerraiòlo** (*spreg.*) [A] m. (f. -a) warmonger [B] a. warmongering.

guerreggiànte [A] a. fighting; belligerent [B] m. e f. belligerent.

guerreggiàre [A] v. i. to fight* (sb.); to be at war (with); to war (with) (*lett.*) [B] **guerreggiàrsi** v. rifl. recipr. to make* war upon each other.

guerrésco a. **1** (*di guerra*) war (attr.): **armi guerresche**, war weapons **2** (*bellicoso*) warlike; bellicose: **aspetto g.**, warlike aspect.

♦**guerrièro** [A] m. (f. -a) warrior [B] a. warlike.

guerriglia f. guerrilla warfare: **g. urbana**, urban guerrilla warfare.

guerriglière m. (f. -a) guerrilla: *Fu rapito dai guerriglieri*, he was kidnapped by guerrillas.

gufàggine f. misanthropy.

gufàre [A] v. i. to hoot [B] v. t. (*gergale*) to hoodoo (*fam.*).

gufàta f. (*fam.*) curse.

♦**gùfo** m. **1** (*zool.*, *Bubo*) owl: **g. reale** (*Bubo bubo*), eagle owl **2** (*zool.*) – **g. comune** (*Asio otus*), long-eared owl; **g. selvatico** (*Strix aluco*), tawny owl **3** (*fig.*) misanthrope ● **simile a g.**, owlish.

gùglia f. **1** (*archit.*) spire; (*di campanile*) steeple **2** (*alpinismo*) needle.

gugliàta f. needleful; length of thread.

Guglielmìna f. Wilhelmina.

Guglièlmo m. William.

Guiàna f. (*geogr.*) Guiana.

♦**guìda** [A] f. **1** (*persona*) guide; (*capo*) leader: **g. alpina**, Alpine guide; **g. di museo**, museum guide; **g. turistica**, guide; **fare la g.**, to be a guide; **fare da g. a q.**, to act as (*o* to be) sb.'s guide; (*fare strada*) to show sb. the way; *Ti farò da g.* (*anche spirituale, ecc.*), I shall be your guide; *La tua coscienza ti serva da g.*, let your conscience be your guide **2** (*libro*) guide; (*turistica*) guidebook: **g. alla grammatica**, a guide to grammar; **una g. della Spagna**, a guidebook to Spain; **g. degli alberghi**, hotel guide **3** (*ammaestramento*) guidance: *Sotto buona g. imparerai presto*, under good guidance you'll learn fast; *Con la tua g. spero di riuscire*, with your guidance, I hope to succeed **4** (*direzione*) direction; management; (*comando*) leadership

essere alla g. di una società, to be the director of a company; **essere alla g. di un'orchestra**, to conduct an orchestra; **essere alla g. di un partito**, to lead a party; **sotto la g. dell'architetto**, under the architect's direction; **i Goti, sotto la g. di Alarico**, the Goths, led by Alaric **5** (*autom.*: *il guidare*) driving: **g. in stato di ubriachezza**, drink driving (*GB*); drunk driving (*USA*); **g. pericolosa**, dangerous (*o* reckless) driving; **essere alla g. di un veicolo**, to be driving a vehicle; **maestro [lezione, esame] di g.**, driving instructor [lesson, test]; **patente di g.**, driving licence; driver's license (*USA*); **posto di g.**, driver's seat; **scuola g.**, driving school; school of motoring **6** (*autom.*: *lo sterzo*) drive: **g. a sinistra [a destra]**, left-hand [right-hand] drive **7** (*mil.*) guide; scout **8** (*scoutismo*) (girl) guide; girl scout (*USA*): **essere nelle Guide**, to be a girl guide **9** (*tappeto*) runner **10** (*tecn.*) slide; rail; track; runners (pl.) **11** (*al pl.*) (*redini*) reins **12** (*miss.*) homing; guidance ● (*elettron.*) **g. d'onda**, waveguide □ (*comput.*) **g. in linea**, on-line help □ (*fig.*) **essere al posto di g.**, to be in the driving seat [B] a. inv. leading; guiding; front-running; front-rank (attr.): **partito g.**, leading party; **stato g.**, leader (*o* leading) state.

guidacaràtteri m. inv. typing window.

guidafìlo m. inv. (*di telaio meccanico*) thread guide.

♦**guidàre** [A] v. t. **1** (*fare da guida*) to guide; to lead*: **g. una comitiva di turisti**, to guide a party of tourists; *Mi lascerò g. da te*, I shall be guided by you; *Ci guidò attraverso il bosco fino a un lago*, she led us through the wood to a lake **2** (*capeggiare*) to lead*; (*governare*) to govern: **g. una spedizione [un partito]**, to lead an expedition [a party]; *Guidò i suoi uomini attraverso molti pericoli*, he led his men through many dangers **3** (*amministrare, dirigere*) to manage; to run*: **g. un'azienda**, to manage a company **4** (*un veicolo*) to drive*; (*una moto*) to ride*: **g. un'automobile [un camion]**, to drive a car [a lorry]; **g. una motocicletta**, to ride a motorcycle; *Non so g.*, I cannot drive **5** (*mus.*: *un'orchestra*) to conduct **6** (*fig.*: *essere in testa*) to lead*: **g. la classifica**, to lead the results list; to be in first place ● **g. una mandria**, to drive a herd of cattle □ **g. una nave**, to steer a ship [B] **guidàrsi** v. rifl. to conduct oneself; to behave.

guidasilùri m. inv. (*naut.*) torpedo gyroscope.

guidàto a. guided; conducted; led; managed: **visita guidata**, guided (*o* conducted) tour; *È un progetto g. dagli americani*, it's an American-led project.

guiderdóne m. (*lett.*) reward; (*premio*) prize.

Guìdo m. Guy.

guidóne m. (*mil.*) pennant, guidon; (*naut.*) burgee.

guidoslìtta f. (*sport*) bobsleigh; bobsled (*USA*).

guidrigìldo m. (*leg.*, *stor.*) wergeld, wergild.

guìndolo m. (*ind. tess.*) reel; spool; bobbin.

Guinèa f. (*geogr.*) Guinea.

♦**guinzàglio** m. **1** (*per animale*) lead; leash: **un cane al g.**, a dog on a lead (*o* leash); **mettere il g. a un cane**, to put a dog on a lead; **tenere un cane al g.**, to keep a dog on a lead **2** (*per bambini*) leading reins (pl.);

leading strings (*USA*) ● (*fig.*) **tenere al g. q.**, to keep a tight rein on sb.

guìsa f. manner; way; guise: **in questa g.**, in this manner; **alla g. francese**, in the French manner ● **a g. di**, like □ **di** (*o* **in**) **g. che**, so that.

guìtto [A] a. **1** (*povero*) poor; destitute **2** (*meschino*) mean; shabby [B] m. (f. -a) **1** (*attore girovago*) strolling player **2** (*spreg.*) third-rate actor (f. actress).

guizzàre v. i. **1** (*muoversi di scatto*) to dart; to flit; (*contorcendosi*) to wriggle, to slither; (*scivolare*) to slip: *I pesci guizzavano nella vasca*, the fish darted to and fro in the pond; *La bestiola mi guizzò di mano*, the creature wriggled (*o* slithered) out of my hand; *Sul suo viso guizzò un sorriso*, a smile darted across his face; *Mi guizzò davanti*, he flashed past me **2** (*balzare di scatto*) to leap*; to spring*; to dart: **g. dal letto**, to leap out of bed; **g. in piedi**, to leap to one's feet **3** (*di luce*: *mandare un lampo*) to flash; (*tremolare*) to flicker: *Guizzò un lampo*, there was a flash of lightning; *La fiammella guizzò e si spense*, the flame flickered and went out **4** (*di muscoli*) to play; to twitch.

guìzzo m. **1** (*movimento rapido*) dart; (*di serpe e sim.*) wriggle **2** (*balzo*) dart; leap; spring: *Con un g. fu alla porta*, he darted to the door **3** (*di luce*: *lampo*) flash; (*tremolio*) flicker: *La fiamma diede un g.*, the flame flickered.

gùlag (*russo*) m. inv. gulag.

gulasch (*ted.*) m. inv. (*cucina*) (Hungarian) goulash.

gunìte® f. (*edil.*) gunite.

GUP sigla (*leg.*, **giudice dell'udienza preliminare**) preliminary hearing judge.

gùru m. inv. (*anche fig.*) guru.

♦**gùscio** m. **1** (*zool.*) shell: **g. d'uovo**, eggshell; **g. di tartaruga**, tortoise shell **2** (*bot.*) shell; hull; (*di legume*) pod; (*di cereale*) husk, shuck: **g. di noce**, nutshell **3** (*tecn.*) shell; monocoque; (*elettr.*) **g. elettronico**, electronic shell **4** (*carcassa, ossatura*) frame; skeleton ● (*fig.*) **g. di noce** (*barchetta*), cockleshell □ (*fig.*) **ritirarsi nel proprio g.**, to retire into one's shell □ (*cucina*) **uova al g.**, soft-boiled eggs □ (*zool.*) **uscire dal g.**, to hatch □ (*fig.*) **uscire dal proprio g.**, to come out of one's shell.

gùsla → **guzla**.

♦**gustàre** [A] v. t. **1** (*assaggiare*) to taste: *Non vuoi g. un po' di dolce?*, won't you have a taste of this cake? **2** (*assaporare con piacere*) to enjoy: **g. un pranzo**, to enjoy a meal **3** (*sentire il sapore*) to taste: *Sono raffreddato e non posso g. nulla*, I have a cold and cannot taste anything **4** (*fig.*: *godere di qc.*) to enjoy; to savour: *Me lo sono proprio gustato quel film*, I really enjoyed that film; **saper g. qc.**, to appreciate st. [B] v. i. to be to (sb.'s) taste; to like (pers.): *Non mi gusta il suo comportamento*, I don't like his behaviour.

gustativo a. taste (attr.); gustatory; gustative: (*anat.*) **papille gustative**, taste buds.

gustatóre m. (f. -**trice**) connoisseur; expert.

Gustàvo m. Gustavus.

♦**gùsto** m. **1** (*senso*) taste **2** (*sapore*) taste; (*aroma*) flavour: **il g. dell'acciuga**, the taste of anchovy; **g. di limone**, lemon flavour; **al g. di caffè**, coffee-flavoured; **sei gusti di gelato**, six flavours of ice cream; **avere un g. amaro [salato]**, to taste bitter [salty]; *Che g. ha?*, what does it taste of?; **sentire il g. di qc.**, to taste st.; **senza g.**, tasteless **3** (*senso estetico*) taste: **cattivo [buon] g.**, bad [good] taste; **il g. della battuta**, a taste for witty remarks; **il g. della musica**, a taste for music; **g. raffinato**, refined (*o* expensive, exquisite) taste; **avere g. per disporre i fiori**, to have a taste for arranging flowers; **ammo-**

biliato [**vestito**] **con g.**, furnished [dressed] with taste; tastefully furnished [dressed]; **un abito** [**un mobile**] **di g.**, a tasteful dress [piece of furniture]; **di cattivo g.**, in bad taste; **di dubbio g.**, in doubtful taste; **una donna di buon g.**, a woman with (good) taste; *Non è di buon g. vantarsene*, it is not in good taste (*o* not in the best of taste) to brag about it; *È questione di gusti*, it's a matter of taste; **senza g.**, tasteless 4 (*piacere intenso*) gusto; relish; enjoyment: **mangiare di g.**, to eat with gusto (*o* with relish); to enjoy one's food; *Ho visto lo spettacolo con grande g.*, I enjoyed the show very much ● **g. matto**, enormous satisfaction; real kick: **provare un g. matto a fare qc.**, to get a real kick out of st. □ **Che g. c'è a pren-**derlo in giro?, what's (*o* where's) the fun of teasing him? □ **di mio g.**, to my taste (*o* liking): *Non è di mio g.*, it is not to my taste (*o* liking); I don't like it □ **levarsi il g. di**, to have the satisfaction of □ **per i miei gusti**, for my liking: **troppo lento per i miei gusti**, too slow for my liking □ **per tutti i gusti**, to suit all tastes □ **prendere g. a qc.** [**a fare qc.**], to begin (*o* to get) to enjoy st. [doing st.] □ **provarci g. a fare qc.**, to enjoy doing st. □ **ridere di g.**, to laugh heartily □ **Non capisco che g. tu ci trovi**, I can't understand what you see in it □ **Non c'è g.**, there's no fun in it □ (*prov.*) **Tutti i gusti sono gusti**, there's no accounting for taste.

gustosaménte avv. 1 (*piacevolmente*) pleasantly 2 (*con piacere*) heartily; with gus-to; with relish.

gustosità f. 1 tastiness 2 (*fig.*) pleasantness.

♦**gustóso** a. 1 (*saporito*) tasty; (*di gusto deciso, non dolce*) savoury: **un piatto g.**, a savoury dish 2 (*fig.*) pleasant; amusing; enjoyable: **una storiella gustosa**, an amusing story; **gustose risate**, hearty laughter.

guttapèrca f. gutta-percha.

guttazióne f. (*bot.*) guttation.

gutturàle a. e f. (*anche fon.*) guttural.

gutturalismo m. gutturalism.

gutturalizzazióne f. (*fon.*) gutturalization.

gùzla f. (*mus.*) gusla, gusle.

gymkhàna → **gincana**.

h, H

H① , **h** f. o m. (*ottava lettera dell'alfabeto ital.*) H, h: **h muta**, silent h • (*telef.*) **h come hotel**, h for Hotel.

H② sigla (*fr. Hydrogène*) - **bomba H**, H-bomb

h. abbr. **1** (**altezza**) height (h.) **2** (**ora**) hour (h).

ha 3ª pers. sing. indic. pres. di **avere**.

habanera (*spagn.*) f. (*danza*) habanera.

hàbeas còrpus (*lat.*) loc. m. (*leg.*) habeas corpus.

hàbitat (*lat.*) m. inv. **1** (*biol.*) habitat **2** (*fig.*) habitat; environment.

habitué (*franc.*) m. inv. habitué; regular visitor (*o attender*); regular goer; (*cliente abituale*) regular (patron): **un h. delle gallerie d'arte**, a regular visitor to art galleries; **un h. dell'opera [del cinema]**, a regular opera [cinema] goer; *È un h. di quel ristorante*, he goes regularly to that restaurant; he is a regular patron of that restaurant (*form.*).

hàbitus (*lat.*) m. inv. **1** (*bot., zool., med.*) habitus **2** (*psic.*) habit.

hacker m. e f. inv. (*ingl., comput.*) hacker.

hàfnio → **afnio**.

hàhnio m. (*chim.*) hahnium.

hài 2ª pers. sing. indic. pres. di **avere**.

haikai → **haiku**.

haiku (*giapponese*) m. inv. haiku; haikai.

haitiàno a. e m. (f. **-a**) Haitian.

halibut m. inv. (*zool., Hippoglossus hippoglossus*) halibut.

hall (*ingl.*) f. inv. hall; foyer; lobby (*USA*).

hallalì inter. e m. tally-ho.

hamàda m. inv. (*geol.*) hammada, hamada.

hambùrger (*ingl.*) m. inv. (*cucina*) hamburger.

hammàda → **hamada**.

hammàm m. (*arabo*) Turkish bath; hammam.

handicap (*ingl.*) m. inv. **1** (*sport e fig.*) handicap **2** (*med.*) handicap: **portatore di h.**, disabled person; handicapped person; **i portatori di h.**, the disabled; the handicapped.

handicappàre v. t. **1** (*sport*) to handicap **2** (*med.*) to handicap; (*fisicamente, anche*) to disable **3** (*fig.*) to handicap; to hamper; to hamstring*.

handicappàto Ⓐ a. **1** (*sport e fig.*) handicapped **2** (*med.*) handicapped; (*fisicamente, anche*) disabled Ⓑ m. (f. **-a**) (*med.*) handicapped person: **h. fisico**, physically handicapped person; disabled person; **h. mentale**, mentally handicapped person; **gli handicappati**, the handicapped; the disabled.

hangar m. inv. (*aeron.*) hangar; shed.

hànno 3ª pers sing. indic. pres. di **avere**.

hannoveriàno a. e m. (*stor.*) Hanoverian.

hàpax legòmenon (*greco*) loc. m. (*ling.*) nonce word; hapax legomenon*.

happening (*ingl.*) m. inv. happening.

harakiri (*giapponese*) m. inv. hara-kiri: **fare h.**, to commit hara-kiri.

hard-core (*ingl.*) a. inv. porn; porno; hard-core: **film hard-core**, porn film; blue film; **pornografia hard-core**, hard-core porn.

hard discount (*ingl.*) loc. m. inv. hard-discount store; hard discount.

hard disk (*ingl.*) loc. m. inv. (*comput.*) hard disk.

hàrem m. inv. harem.

harmònium m. inv. (*mus.*) harmonium.

hascemita → **hashimita**.

hashimìta a. e m. Hashemite.

hashìsh m. hashish; hash (*slang*).

hasìdico e deriv. → **cassìdico**, e deriv.

hàssio m. (*chim.*) hassium Ⓤ.

hatha-yoga m. inv. hatha yoga.

haute (*franc.*) f. inv. high society; smart set.

haute couture (*franc.*) loc. f. haute couture; high fashion.

haute cuisine (*franc.*) loc. f. haute cuisine.

hawaiàno a. e m. (f. **-a**) Hawaiian.

hegelianìsmo → **hegelismo**.

hegeliàno a. e m. (*filos.*) Hegelian.

hegelìsmo m. (*filos.*) Hegelianism.

hèi inter. hey.

hem inter. hum; h'm; ahem.

hènna f., **henné** m. (*bot., Lawsonia inermis*; *tintura*) henna.

hénry m. inv. (*elettr.*) henry.

hèrpes (*lat.*) m. inv. (*med.*) herpes: **h. semplice**, herpes simplex; **h. labiale**, herpes labialis; (*com.*) cold sore; **h. virus**, herpesvirus; **h. zoster**, herpes zoster; (*com.*) shingles (pl. col verbo al sing.).

hertz m. inv. (*fis.*) hertz.

hertziàno a. (*fis.*) Hertzian: **onde hertziane**, Hertzian waves.

hevèa f. (*bot., Hevea brasiliensis*) hevea (tree); rubber tree.

hìckory (*ingl.*) m. inv. (*bot., Carya*; *legno*) hickory.

hi-fi (*ingl.*) a. e m. inv. hi-fi.

high-tech (*ingl.*) Ⓐ f. o m. high tech; hi tech Ⓑ a. high-tech; hi-tech.

hi ho inter. (*raglio dell'asino*) hee-haw.

himalayàno a. Himalayan.

hìndi a. e m. inv. Hindi.

hindu e deriv. → **indù**, e deriv.

hindustàni a. e m. inv. Hindustani.

hinterland (*ted.*) m. inv. **1** (*geogr.*) hinterland **2** (*di città*) hinterland; outer city; suburbs (pl.).

hip inter. hip: **hip hip hip, urrà!**, hip, hip, hooray.

hìppy (*ingl.*) a., m. e f. inv. hippie; hippy: **un giovane h.**, a young hippie; **vita h.**, hippie lifestyle.

hitleriàno Ⓐ a. Hitler's (attr.); Hitler (attr.); Hitlerian: **la Germania hitleriana**, Hitler's Germany; *Gioventù Hitleriana*, Hitler Youth Ⓑ m. (f. **-a**) supporter of Hitler; Hitlerite.

hitlerìsmo m. (*stor.*) Hitlerism.

hit-parade (*ingl.*) loc. f. inv. (pop records) charts (pl.); (the) top ten; hit parade.

hittìta → **ittita**.

ho 1ª pers. sing. indic. pres. di **avere**.

hobbista m. e f. hobbyist.

hobbìstica f. hobby industry; hobby crafts (pl.).

hobbìstico a. hobby (attr.).

♦**hòbby** (*ingl.*) m. inv. hobby: **avere un h.**, to have a hobby; **fare qc. per h.**, to do st. as a hobby; *Ha l'h. della pittura*, he paints as a hobby; his hobby is painting.

hockeìsta m. e f. (*sport*) hockey player.

hockeìstico a. (*sport*) hockey (attr.).

hòckey m. (*sport*) hockey: **h. su ghiaccio**, ice hockey; hockey (*USA*); **h. su pista**, roller hockey; **h. su prato**, field hockey; hockey (*GB*).

hòlding f. inv. (*fin.*) holding company: **h. bancaria**, bank holding company.

hollywoodiàno a. **1** Hollywood (attr.) **2** (*fig.*) spectacular; colossal.

hòlmio → **olmio**.

holter m. inv. (*med.*) Holter test.

hòmo nòvus (*lat.*) loc. m. **1** homo novus **2** (*uomo che si è fatto da sé*) self-made man.

homùnculus (*lat.*) m. homunculus* (*anche fisiol.*); homuncule.

hondurégno a. e m. (f. **-a**) Honduran.

honky-tonky m. inv. (*mus.*) honky-tonk.

honòris càusa (*lat.*) loc. agg. – **laurea honoris causa**, honorary degree; degree honoris causa.

hooligan (*ingl.*) m. inv. hooligan.

hop inter. (*ingl.*) jump!; over you go!; up you go!

hoplà → **op là**.

horror (*ingl.*) m. inv. **1** (*narrativa*) horror literature **2** (*film*) horror films (pl.).

hors-d'oeuvre (*franc.*) loc. m. inv. hors d'oeuvre*; appetizer.

hòstess f. inv. **1** (*aeron.*) air hostess; stewardess: **h. di terra**, ground hostess **2** (*accompagnatrice*) escort; guide.

♦**hôtel** (*franc.*) m. inv. hotel: **h. garni**, residential hotel; **grand'h.**, luxury hotel; five-star hotel.

hovercraft (*ingl.*) m. inv. (*naut.*) hovercraft.

hub (*ingl.*) m. inv. (*aeron.*) hub.

hula f. inv. (*danza*) hula; hula-hula.

huligàno → **uligano**.

hum inter. **1** (*di dubbio, perplessità*) hmm **2** (*suono di chi tossisce*) ahem.

hùmico → **umico**.

humour (*ingl.*) m. humour, humor (*USA*); sense of humour: **avere [mancare di] h.**, to have [to lack] a sense of humour; **pieno di h.**, full of humour; humorous; **tipico h. britannico**, typical British sense of humour.

hùmus m. o f. inv. **1** (*agric.*) humus **2** (*fig.*) fertile ground; breeding ground.

huroniàno a. (*geol.*) Huronian.

hurrà → **urrà**.

husky m. inv. (*cane*) husky.

hussìta, **hussitìsmo** → **ussita**, **ussitismo**.

hỳbris (*greco*) f. inv. hubris: **pieno di h.**, hubristic.

i, I

I ➀, **i** f. o m. (*nona lettera dell'alfabeto ital.*) I, i ● (*telef.*) **i come Imola**, I for India □ **i greca**, Y, y □ **i lunga**, J, j □ **mettere i puntini sugli i**, to dot one's i's; (*fig.*) to be very clear about it, to spell it out.

I ➁ sigla **1** (**Italia**) Italy **2** (**informazioni**) information.

i, **gli** art. determ. m. pl. **1** the: *Apri i cassetti, per favore*, open the drawers, please; **i primi mesi**, the first months; **gli ultimi giorni**, the last days; **i libri che legge**, the books she reads; **i bambini del piano di sotto**, the children downstairs; **i Sacramenti**, the Sacraments; **i cinque sensi**, the five senses; **i tedeschi**, the Germans; **gli Svizzeri**, the Swiss; **gli ricchi e i poveri**, the rich and the poor; *I Jones abitano in campagna*, the Joneses live in the country; **gli Apostoli**, the Apostles; **i Balcani**, the Balkans; **gli Stati Uniti**, the United States **2** (*idiom.*, assente in ingl.) – *I libri sono compagni ideali*, books are ideal companions; **amare i bambini**, to love children; *I vini francesi sono molto buoni*, French wines are very good; **i miei cugini**, my cousins; *Ha gli occhi blu*, she has blue eyes **3** (*idiom.*, agg. poss. in ingl.) – *Si lavò i piedi*, he washed his feet; *Prese la sciarpa e i guanti*, he took his scarf and gloves **4** (*idiom.*, partitivo in ingl.) some; (in frasi neg.) any: *Va' a comprare i fiammiferi*, go and buy some matches.

IA sigla (*comput.*, **intelligenza artificiale**) artificial intelligence (AI).

iacèa f. (*bot.*, *Centaurea iacea*) brown knapweed.

iacobsite f. (*miner.*) jacobsite.

Iàcopo m. James.

IACP sigla (**Istituto autonomo case popolari**) (council) housing board.

Iàfet m. (*Bibbia*) Japheth.

iafètico a. Japhetic.

iafètide m. e f. descendant of Japheth; Japhethite.

ialinizzazióne f. (*med.*) hyalinization.

ialino a. (*lett.*, *miner.*, *med.*) hyaline: (*med.*) **degenerazione ialina**, hyaline degeneration; (*miner.*) **quarzo i.**, hyaline quartz.

ialinòsi f. (*med.*) hyaline degeneration.

ialite f. **1** (*miner.*) hyalite **2** (*vetro*) hyalithe.

ialografia f. hyalography.

ialòide a. (*biol.*) hyaloid: (*anat.*) **membrana i.**, hyaloid membrane.

ialòmero m. (*biol.*) hyalomere.

ialòmma f. (*zool.*, *Hyalomma*) hyalomma.

ialoplàsma m. (*biol.*) hyaloplasm.

ialurònico a. (*chim.*) hyaluronic.

iamatologìa f. Japanese studies (pl.).

iamatòlogo m. (f. **-a**) Japanese scholar.

iàrda f. yard.

iarovizzazióne f. (*bot.*) vernalization.

iatàle a. (*anat.*) hiatus (attr.); hiatal: (*med.*) **ernia i.**, hiatus (o hiatal) hernia.

iàto m. **1** (*ling.*, *anat.*) hiatus **2** (*fig.*) hiatus; gap; break in continuity.

iatrògeno a. (*med.*) iatrogenic.

iattànza f. arrogance; (*millantería*) boastfulness.

iattazióne f. (*psic.*) jactitation.

iattùra f. misfortune; disaster; calamity; ruin.

Ibèri m. pl. (*stor.*) Iberians.

ibèrico a. **1** (*stor.*, *geogr.*) Iberian **2** (*spagnolo*) Spanish.

iberìsmo m. (*ling.*) word or phrase of Iberian derivation.

iberìsta m. e f. student of Iberian languages and literatures.

ibernaménto m. → **ibernazione**.

ibernànte a. hibernating ● **essere i.**, to hibernate.

ibernàre Ⓐ v. i. (*zool.*) to hibernate Ⓑ v. t. **1** (*chir.*) to freeze* down **2** (*fig.*) to shelve; to put* on ice.

ibernazióne f. **1** (*zool.*) hibernation **2** (*chir.*) refrigeration; hypothermia **3** (*di cadavere*) cryonics (pl. col verbo al sing.) **4** (*di laterizi*, *ecc.*) weathering.

ibèro-americàno a. Latin-American.

iberoromànzo Ⓐ m. (*ling.*) Ibero-Romance languages (pl.) Ⓑ a. Ibero-Romance.

ibid. → **ibidem**.

ibidem (*lat.*) avv. ibidem (abbr. ibid., ib.).

ibis m. (*zool.*, *Threskiornis*) ibis* ● **i. rosso** (*Guara rubra*), scarlet ibis □ **i. sacro** (*Threskiornis aethiopica*), sacred ibis.

ibisco m. (*bot.*, *Hibiscus*) hibiscus.

iblèo a. Hyblaean.

ibridàre v. t. (*biol.*) to hybridize; to crossbreed*; to interbreed*; to cross-fertilize.

ibridatóre m. (f. **-trice**) hybridizer.

ibridazióne f. (*biol.*) hybridization; crossbreeding; interbreeding; cross-fertilization.

ibridìsmo m. **1** (*biol.*) hybridism; hybridity **2** (*fig.*) hybridism; hybrid character.

ibridizzazióne f. (*chim.*) hybridization.

ibrido Ⓐ a. **1** (*biol.*) hybrid; crossbred; mongrel (attr.) **2** (*fig.*) hybrid Ⓑ m. **1** (*biol.*) hybrid; crossbreed; mongrel **2** (*fig.*) hybrid; cross; combination; mixture.

ibridologìa f. (*biol.*) study of hybrids.

ibridòma m. (*biol.*) hybridoma*.

ibseniàno a. (*letter.*) Ibsenian.

IC sigla (*ferr.*) ((**treno**) **intercity**) inter-city train.

Ìcaro m. (*mitol.*) Icarus.

icàstica f. representative art.

icasticità f. vividness; incisiveness; graphicness.

icàstico a. **1** (*arte*) figurative; representational **2** (*estens.*: *efficace*) vivid; incisive; graphic.

ICCREA sigla (**Istituto di credito delle casse rurali ed artigiane**) credit institution of rural and crafts banks.

ICCRI sigla (**Istituto di credito delle casse di risparmio italiano**) credit institution of Italian savings banks.

ICE sigla (**Istituto nazionale per il commercio estero**) Italian Trade Commission.

iceberg (*ingl.*) m. inv. iceberg ● (*anche fig.*) **la punta dell'i.**, the tip of the iceberg.

ICI sigla (**imposta comunale sugli immobili**) local housing rates; council tax.

icnèumone m. (*zool.*, *Herpestes ichneumon*) ichneumon; Egyptian mongoose.

icnografìa f. ichnography; ground plan.

icnogràfico a. ichnographic.

icnologìa f. ichnology.

icòna f. icon, ikon.

iconicità f. iconicity.

icònico a. iconic.

iconìsmo m. tendency to use pictures and images to express concepts.

iconoclàsta (*stor.* e *fig.*) Ⓐ m. e f. iconoclast Ⓑ a. iconoclastic.

iconoclastìa f. (*stor.* e *fig.*) iconoclasm.

iconoclàstico a. (*stor.* e *fig.*) iconoclastic.

iconodulìa f. (*relig.*) iconoduly.

iconografìa f. **1** iconography **2** (*editoria*) iconography; artwork.

iconogràfico a. iconographic: **ricerca iconografica**, iconographic research.

iconògrafo m. (f. **-a**) **1** iconographer **2** (*editoria*) art editor.

iconolatrìa f. iconolatry.

iconologìa f. iconology.

iconològico a. iconological.

iconologìsta m. e f. iconologist.

iconoscòpio m. (*TV*) iconoscope.

iconostàsi f. (*archit.*) iconostasis*.

iconotèca f. collection of icons.

icòre m. (*mitol.*, *med.*) ichor.

icoṣaèdrico a. (*geom.*) icosahedral.

icoṣaèdro m. (*geom.*) icosahedron*.

icoṣitetraèdro m. (*geom.*) icositetrahedon.

ics f. o m. (*lettera*) (the letter) x ● **a ics**, X-shaped □ **gambe a ics**, knock kness.

ictus m. **1** (*metrica*) ictus* **2** (*mus.*) beat **3** (*med.*) ictus*; stroke: **i. apoplettico**, stroke; apoplectic attack; **i. cerebrale**, stroke; brain haemorrhage.

Id m. (*psic.*) id.

id. abbr. (*lat*: *idem*) (**lo stesso**) the same (id.).

idantoìna f. (*farm.*) hydantoin.

idàtide f. (*med.*) hydatid.

idàtodo m. (*bot.*) hydathode; water pore.

Iddìo → **Dio**.

♦**idèa** f. **1** (*filos.*) idea: **i. platonica**, Platonic idea; **il mondo delle idee**, the world of ideas **2** (*concetto*) idea; concept; conception: **l'i. della giustizia**, the idea of justice; **i. sbagliata**, wrong idea; **afferrare un'i.**, to grasp an idea; **avere un'i. precisa [abbastanza precisa] di**, to have a clear idea [a fair idea] of; **per associazione d'idee**, by an association of ideas **3** (*pensiero*) idea; thought: **idee sconnesse**, jumbled thoughts; *L'idea di rivederli mi riempie di gioia*, the thought of seeing them again fills me with joy; **mettere idee in testa a q.**, to put ideas into sb.'s head; **raccogliere le idee**, to gather one's thoughts; to concentrate; *Mi è venuta un'i.*, I've had an idea **4** (*pensata*, *trovata*) idea; notion; thought: **i. balzana**, crazy notion; **i. geniale**, brilliant idea; stroke of genius; **un'i. luminosa**, a bright idea; *Buona i.!*, that's an idea!; *Non è una cattiva i.*, it's not

a bad idea; *È stata una mia i.*, it was my idea; *Che i.!*, what an idea!; the (very) idea!; *Che idee sono queste?*, what's the idea? **5** (*opinione*) opinion; view; idea: **esprimere la propria i.**, to express one's point of view; **farsi un'i. di qc.**, to form an opinion about st.; (*capire*) to get the general idea of st.; **avere le idee chiare su qc.**, to have very clear ideas about st.; **cambiare i.**, to change one's mind; *Siamo tutti della stessa i.*, we are all of one mind; we feel the same; *Sono della tua i.*, I feel the same way as you do; *Sono dell'i. che...*, I think...; I reckon...; **scambio di idee**, exchange of views **6** (*progetto*) plan, scheme; (*proposta*) suggestion: *Se hai un'i. migliore, sentiamola*, if you have a better suggestion, let's hear it; **cassetta delle idee**, suggestion-box **7** (*intenzione*) idea; intention; mind; notion: *Non ho la minima i. di farlo*, I haven't the slightest intention of doing that; *Ho una mezza i. di dirglielo*, I have half a mind to tell him; *Ho i. di comprarmi una moto*, I'm thinking of buying a motorbike; **accarezzare un'i.**, to entertain an idea; to toy with an idea **8** (*ideale*) ideal: **combattere per un'i.**, to fight for an ideal **9** (*accenno, tocco*) hint; (*sentore*) whiff; (*barlume*) glimmering; **un'i. di azzurro**, a hint of blue; **un'i. di aglio**, a touch of garlic ● **i. fissa**, fixed idea; idée fixe (*franc.*); fixation (*anche psic.*); bee in one's bonnet (*fam.*) □ **Ho i. che non durerà**, I have a notion (*o* a feeling) it won't last □ **Hai i. di quanto costa?**, do you have any idea how much it costs? □ **Nemmeno per i.!**, certainly not!; not in the slightest! □ **Non ne ho i.**, I have no idea; no idea (*fam.*) □ **Non ne ho la minima** (*o* **la più pallida**) **i.**, I haven't the faintest idea (*o* the slightest notion); I haven't the foggiest (*fam.*) □ **Rendo l'i.?**, do you know what I mean?; (*mi sono spiegato?*) have I made myself clear?

ideàbile a. imaginable; conceivable.

♦**ideàle** A a. **1** (*esistente solo come idea*) ideal; imaginary: **una forma i.**, an ideal form **2** (*perfetto*) ideal; perfect: **una società i.**, an ideal society; **un posto i. per una vacanza**, an ideal place for a holiday; **soluzione i.**, perfect solution; **un tempo i.**, ideal weather B m. **1** (*modello di perfezione*) ideal: **l'i. di bellezza maschile**, the ideal of male beauty; *Non ho ancora trovato il mio i.*, I haven't found my ideal yet **2** (*aspirazione*) ideal: **realizzare i propri ideali**, to realize one's ideals **3** (*cosa migliore*) ideal thing: *L'i. sarebbe...*, the ideal thing would be...; ideally, we should...; *Un caffè sarebbe l'i.!*, a cup of coffee would be just the thing!

idealeggiàre v. i. to be idealistic.

idealìsmo m. (*anche filos.*) idealism.

idealìsta m. e f. (*anche filos.*) idealist.

idealìstico a. **1** (*filos.*) idealistic **2** (*utopistico*) idealistic; utopian.

idealità f. **1** ideality **2** (*sentimento nobile*) ideal.

idealizzàre v. t. to idealize.

idealizzàto a. idealized.

idealizzazióne f. idealization.

ideàre v. t. **1** to conceive; (*escogitare*) to devise, to think* up; to concoct; (*architettare*) to contrive, to engineer; (*inventare*) to invent: **i. un congegno**, to invent a device; **i. uno stratagemma**, to devise a stratagem **2** (*progettare*) to plan; (*tecn.*) to design **3** (*psic.*) to ideate.

ideatìvo a. ideational.

ideatóre m. (f. **-trice**) author; inventor; deviser.

ideazióne f. **1** devising; inventing; invention **2** (*psic.*) ideation.

idem (*lat.*) A pron. ditto; the same B avv. ditto; likewise; and so (+ verbo): *La cucina è*

in disordine e il bagno i., the kitchen is a mess, ditto the bathroom (*o* and so is the bathroom); *Troppi grassi sono nocivi alla salute; i. per gli zuccheri*, too much fat is bad for your health; likewise too much sugar; (*fam.*) **i. come sopra**, ditto.

identicità f. identicalness; identity.

idèntico a. identical; exactly alike: **copia identica**, exact copy; **gemelli identici**, identical twins; *È i. all'originale*, it's identical to the original; **la stessa identica persona**, the very same person; **nello stesso i. modo**, in exactly the same way.

identificàbile a. identifiable; (*riconoscibile*) recognizable.

identificàre A v. t. **1** (*considerare identico*) to identify; to equate **2** (*accertare l'identità di*) to establish the identity of; to identify; (*riconoscere*) to recognize; (*determinare*) to determine, to pinpoint: **i. un cadavere**, to identify a body; **i. il colpevole**, to establish the identity of the culprit; **i. le cause di qc.**, to determine the causes of st. B **identificàrsi** v. rifl. (*sentirsi identico*) to identify (with); (*immedesimarsi*) to empathize, (*di attore, ecc.*) to live (st.), to get (into st.) C **identificàrsi** v. i. pron. (*essere identico*) to be identical (to); to coincide (with).

identificatìvo A a. identifying B m. ID; (*comput.*) username, userid.

identificatóre A a. identifying B m. (*anche comput.*) identifier.

identificazióne f. **1** identification; equation **2** (*accertamento dell'identità*) identification; (*riconoscimento*) recognition; **l'i. delle vittime**, the identification of the victims; **arrivare all'i. di q.**, to establish sb.'s identity; **cartellino di i.**, identification tag **3** (*immedesimazione*) empathy; (*psic.*) identification.

identikit m. inv. **1** (*tecnica*) identikit **2** (*ritratto*) identikit (picture, photograph) (*GB*); composite (picture) (*USA*) **3** (*fig.*) picture; description.

♦**identità** f. **1** (*uguaglianza*) identity; coincidence: **i. di vedute**, identity of opinions; identical views (pl.); (*filos.*) **principio d'i.**, principle of identity **2** (*anche psic.*) identity: **accertare l'i. di q.**, to establish sb.'s identity; **carta d'i.**, identity card; (*psic.*) **crisi d'i.**, identity crisis; **documento d'i.**, personal document; ID; (*org. az.*) **i. aziendale**, corporate identity; business identity **3** (*mat.*) identity.

ideografìa f. ideography.

ideogràfico a. ideographic: **scrittura ideografica**, ideographic writing; **segno i.**, ideogram; ideograph.

ideogràmma m. ideogram; ideograph.

ideogrammàtico a. (*ling.*) ideogrammic.

ideologìa f. ideology.

ideològico a. ideological.

ideologìsmo m. **1** (*filos.*) ideology **2** (*spreg.*) regular recourse to ideology.

ideologizzàre v. t. to ideologize.

ideologizzàto a. ideologized; ideologically dictated.

ideologizzazióne f. ideologization.

ideòlogo m. (f. **-a**) ideologist; ideologue (*spreg.*): **l'i. di un partito**, the ideologist of a party.

idi f. *o* m. pl. (*stor.*) Ides: **le** (*o* **gli**) **idi di marzo**, the Ides of March.

idìlliaco a. idyllic. (*letter.* e *fig.*) idyllic.

idìllio m. **1** (*letter.*) idyll **2** (*fig.: relazione amorosa*) romance; love affair: *Il loro i. finì bruscamente*, their romance came to an abrupt end **3** (*fig.: intesa*) love affair: *L'i. fra il governo e i sindacati*, the love affair between the government and the unions **4**

(*fig.: vita serena*) idyllic life.

idioblàsto m. (*bot.*) idioblast.

idiocultùra f. minority culture.

idioelèttrico a. (*elettr.*) idioelectric; capable of becoming electrified by friction.

idiòfono a. (*mus.*) – **strumento i.**, idiophone.

idioglossìa f. (*med.*) idioglossia.

idiogràfico a. idiographic.

idiolètto m. (*ling.*) idiolect.

idiòma m. (*lett.*: *lingua*) language, tongue; (*dialetto*) dialect, idiom: **l'i. italiano**, the Italian language; **l'i. materno**, one's mother tongue; one's native language.

idiomàtico a. idiomatic: **frasi idiomatiche**, idioms; phrases; idiomatic expressions.

idiomòrfo a. (*miner.*) idiomorphic.

idiopatìa f. (*med.*) idiopathic disease.

idiopàtico a. (*med.*) idiopathic.

idiosincrasìa f. **1** (*med.*) idiosyncrasy **2** (*avversione*) strong dislike (for); aversion (for, to); allergy (to): *Ho un'i. per la chimica*, I have a real aversion to chemistry.

idiosincràtico a. **1** (*med.*) idiosyncratic **2** (*estens.*) intolerant; allergic.

idiòta A a. **1** (*med.*) idiotic **2** (*spreg.*) idiotic; stupid; foolish B m. e f. **1** (*med.*) idiot **2** (*spreg.*) idiot; fool: **l'i. del paese**, the village idiot; **un perfetto i.**, a total idiot; *Non fare l'i.!*, don't be an idiot (*o* a fool)!; **comportarsi da i.**, to behave like an idiot; *È da idioti crederlo*, only an idiot would believe it.

idiotàggine → **idiozìa**, def. 2.

idiotìpo m. (*biol.*) idiotype.

idiotìsmo① m. (*med.*) idiocy.

idiotìsmo② m. (*ling.*) idiom; phrase.

idiozìa f. **1** (*med.*) idiocy **2** (*stupidità*) idiocy; stupidity; foolishness: *È pura i.!*, it's pure idiocy! **3** (*azione idiota*) stupid (*o* foolish) thing; (*parole idiote*) stupid thing, nonsense Ⓤ, rubbish Ⓤ: *Non fare idiozie*, don't do anything foolish; *Hai detto una bella i.!*, that was a really stupid thing to say!; **dire idiozie**, to talk nonsense; *Sono tutte idiozie!*, it's all rubbish!

ìdo m. e a. (*lingua artificiale*) Ido.

idòlatra A m. e f. **1** idolater **2** (*fig.*) idolizer; fanatic B a. idolatrous.

idolatràre v. t. (*anche fig.*) to idolize; to worship.

idolatrìa f. (*anche fig.*) idolatry.

idolàtrico a. idolatrous.

idoleggiàre v. t. to idolize; to make* an idol of.

ìdolo m. (*anche fig.*) idol: **i. infranto**, fallen idol; **gli idoli del calcio**, soccer idols; **abbattere gli idoli**, to overthrow idols; **adorare gli idoli**, to worship idols; **il culto degli idoli**, idol-worship.

idoneità f. (*possesso dei requisiti*) fitness, eligibility; (*possesso dei titoli*) qualification; (*capacità*) ability; (*adeguatezza*) suitability: **i. al servizio militare**, fitness for military service; **i. a svolgere una mansione**, fitness for a task; (*autom.*) **i. a viaggiare su strada**, road worthiness; (*naut.*) **i. alla navigazione**, seaworthiness; **esame di i.**, qualifying examination; **esame di i. fisica**, fitness test; **brevetto di i.**, licence.

♦**idòneo** a. **1** (*che ha i requisiti*) fit; eligible; (*che ha i titoli*) qualified: **i. al servizio militare**, fit for military service; **i. all'insegnamento**, qualified to teach; **rendere i.**, to fit; to qualify; **non i.**, unfit; uneligible; unqualified **2** (*di veicolo e sim.*) suitable; -worthy: **i. alla navigazione**, seaworthy; **non i. alla navigazione**, unseaworthy; **i. a viaggiare su strada**, roadworthy **3** (*adatto, conveniente*) suitable; appropriate; fit: **abbigliamento**

i., suitable clothes; **un posto i. per una riunione**, a suitable place for a meeting; **poco i.**, unsuitable.

ìdra f. **1** (*mitol.*, *astron.*) Hydra **2** (*zool.*, *Hydra*; *fig.*) hydra*.

idràcido m. (*chim.*) hydracid.

idragògo a. (*farm.*) hydragogue.

idralcòlico a. hydro-alcoholic.

idràmnio m. (*med.*) hydramnios.

idrangèa f. (*bot.*, *Hydrangea*) hydrangea.

idrànte m. **1** (*presa d'acqua*) (fire) hydrant; fireplug (*USA*) **2** (*tubo*) hose **3** (*autobotte*) water cannon.

idrargirìsmo m., **idrargiròṣi** f. (*med.*) mercurialism; hydrargyrism.

idràrtro m., **idrartròṣi** f. (*med.*) hydrarthrosis.

idràste f. (*bot.*, *Hydrastis canadensis*) hydrastis; goldenseal.

idrastìna f. (*chim.*) hydrastine.

idratànte Ａ a. **1** (*chim.*) hydrating **2** (*cosmesi*) moisturizing Ｂ m. (*cosmesi*) moisturizer.

idratàre v. t. **1** (*chim.*) to hydrate **2** (*cosmesi*) to moisturize.

idratàto a. **1** (*chim.*) hydrated **2** (*cosmesi*) moisturized.

idratazióne f. **1** (*chim.*) hydration **2** (*cosmesi*) moisturizing; moisturization.

idràto (*chim.*) Ａ a. hydrated; hydrous: **calce idrata**, hydrated lime Ｂ m. **1** hydrate **2** (*idrossido*) hydroxide.

idràulica f. (*fis.*) hydraulics (pl. col verbo al sing.).

idraulicità f. (*edil.*) hydraulicity.

♦**idràulico** Ａ a. hydraulic: **freni idraulici**, hydraulic brakes; **impianto i.**, hydraulic system; (*di abitazione*) plumbing; **ingegnere i.**, hydraulic engineer; **riparazioni idrauliche**, plumbing repairs; **torchio i.**, hydraulic press Ｂ m. (f. **-a**) plumber; plumbing contractor; sanitary engineer.

idraẓide f. (*chim.*) hydrazide.

idraẓìna f. (*chim.*) hydrazine.

ìdria f. (*archeol.*) hydria*.

ìdrico a. water (attr.): **dieta idrica**, water-based diet; **impianto i.**, waterworks; **rifornimento i.**, water supply.

idroaerogìro m. (*aeron.*) water-rotor-craft.

idroaeropòrto → **idroscalo**.

idroalcòlico a. hydroalcoholic.

idròbio m. (*biol.*) hydrobe.

idrobiologìa f. hydrobiology.

idrobiològico a. hydrobiological.

idrobiòlogo m. (f. **-a**) hydrobiologist.

idrocarbùrico a. (*chim.*) hydrocarbon (attr.): **resine idrocarburiche**, hydrocarbon resins.

idrocarbùro m. (*chim.*) hydrocarbon: **i. aliciclico**, alicyclic hydrocarbon; **i. aromatico**, aromatic hydrocarbon; **i. saturo**, saturated hydrocarbon.

idrocefalìa f. (*med.*) hydrocephaly.

idrocefàlico (*med.*) Ａ a. hydrocephalic Ｂ m. (f. **-a**) hydrocephalic person.

idrocèfalo m. (*med.*) hydrocephalus; (*com.*) water on the brain.

idrocèle m. (*med.*) hydrocele.

idroceràmica f. porous fired clay.

idrochinóne m. (*chim.*) hydroquinone.

idrocoltùra f. (*agric.*) hydroponics (pl. col verbo al sing.).

idrocoràllo m. (*zool.*) hydrocoral; (al pl., *scient.*) Hydrocorallinae.

idrocoria f. (*bot.*) hydrochory.

idrocòro a. (*bot.*) hydrochoric.

idrocortiṣóne m. (*chim.*) hydrocortisone.

idrodinàmica f. (*fis.*) hydrodynamics

(pl. col verbo al sing.).

idrodinàmico a. **1** (*fis.*) hydrodynamic **2** (*naut.*) streamlined.

idroelèttrico a. hydroelectric: **centrale idroelettrica**, hydroelectric power station.

idroemìa → **idremia**.

idroestrattóre m. (*tecn.*) hydroextractor.

idròfide m. (*zool.*) sea serpent; (al pl., *scient.*) Hydrophidae.

idrofilìa f. (*bot.*) hydrophily; water pollination.

idròfilo Ａ a. **1** (*chim.*) hydrophilic **2** (*bot.*) hydrophilous; water-pollinated ● **cotone i.**, cotton wool (*GB*); absorbent cotton (*USA*) □ (*bot.*) **impollinazione idrofila** → **idrofilia** Ｂ m. – i. piceo (*zool.*, *Hydrophilus piceus*), scavenger-beetle.

idrofinitùra f. (*metall.*) wet blasting.

idròfita f. (*bot.*) hydrophyte.

idrofobìa f. (*med.*) hydrophobia; rabies.

idrofòbico a. hydrophobic.

idròfobo a. **1** (*chim.*) hydrophobic **2** (*med.*) hydrophobic; hydrophobous; rabid; mad: **cane i.**, rabid dog **3** (*fig.*) furious; hopping mad (*fam.*): **diventare i.**, to go mad; **rendere i. q.**, to make sb. furious (*o* mad).

idrofònico a. hydrophone (attr.).

idrofonìsta m. e f. hydrophone operator.

idròfono m. (*naut.*) hydrophone.

idròforo a. water-bearing (attr.); water-carrying (attr.).

idroftàlmo m. (*med.*) hydrophthalmos; congenital glaucoma.

idròfugo a. water-repellent.

idrogamìa → **idrofilia**.

idrògamo → **idrofilo**, def. 2.

idrogenàre v. t. (*chim.*) to hydrogenate; to hydrogenize.

idrogenàṣi f. (*biochim.*) hydrogenase.

idrogenàto a. (*chim.*) hydrogenated, hydrogenate.

idrogenazióne f. (*chim.*) hydrogenation.

idrogenióne m. (*chim.*) hydrogen ion.

idrògeno m. (*chim.*) hydrogen: **i. pesante**, heavy hydrogen; **i. solforato**, hydrogen sulphide; **bomba all'i.**, hydrogen bomb; **ione i.**, hydrogen ion; **legame i.**, hydrogen bond; **perossido di i.**, hydrogen peroxide.

idrogeologìa f. hydrogeology.

idrogeològico a. hydrogeological.

idrogeotèrmico a. hydrothermal.

idrogètto m. (*naut.*) water-jet propeller.

idrografìa f. hydrography.

idrogràfico a. hydrographic ● **bacino i.**, catchment basin (*o* area).

idrògrafo m. (f. **-a**) hydrographer.

idroguìda f. (*autom.*) hydraulic power steering.

idrolàbile a. (*med.*) subject to heavy losses of organic fluids.

idrolabilità f. (*med.*) tendency to suffer heavy losses of organic fluids.

idrolàṣi f. (*biol.*) hydrolase.

idròliṣi f. (*chim.*) hydrolysis.

idrolìtico a. (*chim.*) hydrolytic.

idroliẓẓàre v. t. (*chim.*) to hydrolyze.

idròlo m. (*chim.*) hydrol.

idrologìa f. hydrology.

idrològico a. (*chim.*) hydrologic.

idròlogo m. (f. **-a**) hydrologist.

idromànte m. e f. hydromancer.

idromanzìa f. hydromancy.

idromassàggio m. hydromassage.

idromeccànica f. (*fis.*) hydromechanics (pl. col verbo al sing.).

idromedùṣa f. (*zool.*) hydromedusa*.

idromèle m. hydromel; mead.

idrometallurgìa f. (*metall.*) hydrometallurgy.

idrometèora f. (*meteor.*) hydrometeor.

idròmetra f. (*zool.*, *Hydrometra stagnorum*) water measurer; marsh treader (*USA*).

idrometrìa f. hydrometry.

idromètrico a. hydrometric.

idròmetro m. water-gauge; depth scale.

idròmide m. (*zool.*, *Hydromys chrysogaster*) water rat.

idronefròṣi f. (*med.*) hydronephrosis.

idronimìa f. (*ling.*) hydronymy.

idrònimo m. (*ling.*) hydronym.

idropericàrdio m. (*med.*) hydropericardium.

idroperitonèo m. (*med.*) hydroperitoneum.

idroperòssido m. (*chim.*) hydroperoxide.

idròpico (*med.*) Ａ a. dropsical Ｂ m. (f. **-a**) sufferer from dropsy.

idropiṣìa f. (*med.*) dropsy.

idropittùra f. (*tecn.*) water paint.

idroplàno m. (*naut.*, *aeron.*) hydroplane.

idropneumàtico a. (*chim.*, *mecc.*) hydropneumatic.

idropònica f. (*agric.*) hydroponics (pl. col verbo al sing.).

idropònico a. hydroponic.

idropòrto → **idroscalo**.

idropulsóre m. dental water jet.

idroreattóre → **idrogetto**.

idrorepellènte Ａ a. (*anche chim.*) water-repellent Ｂ m. (*chim.*) water repellent.

idroricognitóre m. (*aeron.*) reconnaissance seaplane.

idrosalìno a. pertaining to water and mineral salts.

idrosanitàrio a. (*edil.*) sanitary.

idroscàfo m. (*naut.*) jet-propelled ship.

idroscàlo m. seaplane base.

idroscì m. (*sport*) water-skiing.

idrosciatóre m. (f. **-trìce**) water-skier.

idrosciìstico a. water-skiing (attr.).

idroscivolànte m. (*naut.*) airboat; swamp boat.

idroscòpio m. hydroscope.

idroservostèrzo m. (*autom.*) hydraulic power steering.

idrosfèra f. (*geogr.*) hydrosphere.

idrosilurànte m. (*mil.*) torpedo bomber.

idrosoccórso m. **1** rescue by seaplane **2** (*idrovolante*) rescue seaplane.

idrosòl m. (*chim.*) hydrosol.

idrosolfàto m. (*chim.*) hydrosulphate.

idrosolfìto m. (*chim.*) hydrosulphite.

idrosolfòrico a. (*chim.*) hydrosulphuric: **acido i.**, hydrogen sulphide.

idrosolforóso a. (*chim.*) hydrosulphurous.

idrosolùbile a. water-soluble.

idrossiàcido m. (*chim.*) hydroxy acid.

idròssido m. (*chim.*) hydroxide: **i. di magnesio**, magnesium hydroxide; **i. di potassio**, potassium hydroxide; caustic potash; **i. di sodio**, sodium hydroxide; caustic soda.

idrostàtica f. (*fis.*) hydrostatics (pl. col verbo al sing.).

idrostàtico a. hydrostatic: **bilancia idrostatica**, hydrostatic balance.

idrotassìa f., **idrotàssi** f., **idrotattìsmo** m. (*biol.*) hydrotaxis.

idroterapèutico → **idroterapico**.

idroterapìa f. (*med.*) hydrotherapy; hydropathy.

idroteràpico a. (*med.*) hydrotherapeutic; hydropathic.

idrotermàle a. hydrothermal.

idrotoràce m. (med.) hydrothorax.

idrotropìsmo m. (bot.) hydrotropism.

idrovìa f. waterway.

idroviàrio a. waterway (attr.); water (attr.): **sistema i.**, waterway system.

idrovolànte m. (aeron., naut.) seaplane.

idròvora f. draining pump.

idròvoro a. draining (attr.).

idrozòo m. (zool.) hydrozoan; (al pl., scient.) Hydrozoa.

idrùro m. (chim.) hydride.

ièlla f. (fam.) bad luck; jinx; hoodoo: **portare i. a q.**, to bring bad luck to sb.; to be jinxed; **Ha la i. addosso**, he's jinxed; **Che i.!**, just my [your, etc.] luck!

iellàto a. (fam.) unlucky; jinxed.

iemàle a. (lett.) wintry; winter (attr.).

iemalizzàre v. t. (agric.) to vernalize.

iemalizzazióne f. (agric.) vernalization.

ièna f. **1** (zool., Hyaena) hyaena, hyena **2** (fam., fig.) cruel person; nasty piece of work ● **i. maculata** (Crocuta crocuta), tiger wolf □ **i. striata** (Hyaena hyaena), striped hyena.

Ièova m. Jehovah.

ieraticità f. hieratic character.

ieràtico **A** a. **1** hieratic; priestly **2** (fig.) hieratic; solemn; priestlike **B** m. (scrittura ieratica) hieratic (script).

♦**ièri** avv. e m. yesterday: **i. l'altro** (o **l'altro i.**), the day before yesterday; **i. mattina**, yesterday morning; **i. notte**, last night; **i. sera**, yesterday evening; last night; **l'altro i. mattina** [sera], the morning [evening] before last; **L'ho visto i.**, I saw him yesterday; **una settimana i.**, a week yesterday; **il giornale di i.**, yesterday's paper ● **da i. a oggi**, in the last twenty-four hours; since yesterday □ (fig.) **Non sono nato i.**, I wasn't born yesterday □ **Sembra i. che...**, it seems only yesterday that... □ **tra i. e oggi**, overnight.

ierlàltro avv. the day before yesterday.

iermattìna avv. yesterday morning.

iernòtte avv. last night.

ierocràtico a. (polit.) hierocratic.

ierocrazìa f. (polit.) hierocracy.

ierodulìa f. (stor.) sacred slavery.

ieròdulo m. (f. -a) (stor.) hierodule.

ierofànte m. **1** (stor.) hierophant **2** (fig. iron.) high priest.

ierofàntico a. hierophantic.

ierogamìa f. hierogamy.

ierologìa f. hierology.

ieromànte m. hieromancer.

ieromanzìa f. hieromancy.

ierséra avv. last night; yesterday evening.

ietògrafo m. hyetograph.

iettàto a. (region.) jinxed; (sfortunato) unlucky.

iettatóre m. (f. -trìce) (region.) jinx; Jonah.

iettatòrio a. (region.) jinx (attr.); unlucky.

iettatùra f. (region.) **1** (malocchio) evil eye **2** (sfortuna) bad luck; jinx: **avere la i. addosso**, to be jinxed.

ifa f. (bot.) hypha*.

Ifigenìa f. (mitol.) Iphigenia.

Igèa f. (mitol.) Hygeia.

♦**igiène** f. **1** (disciplina) hygiene; hygienics (pl. col verbo al sing.) **2** (pulizia) hygiene; cleanliness; (di ambiente) sanitation; (salute, sanità) health: **i. alimentare**, food hygiene; **i. del lavoro**, industrial health; **i. mentale**, mental health; **i. orale**, dental care; **i. personale**, personal hygiene; cleanliness; **i. pubblica**, public health; hygiene; Per motivi di i. si prega di non toccare la merce, for reasons of hygiene customers are requested not to handle the goods; Io ci tengo all'i., I am particular about cleanliness; **contro l'i.**, insanitary; **condizioni di i.**, cleanliness Ⓤ; sanitation Ⓤ; **ispettore d'i.**, sanitary inspector; **norme d'i.**, health rules; sanitary regulations; **standard di i.**, standards of cleanliness (o of hygiene); **ufficio d'i.**, public-health office.

igienicaménte avv. hygienically.

igienicità f. sanitariness; cleanliness; (salubrità) healthiness.

igiènico a. **1** hygienic; sanitary; (che riguarda la salute) health: **misure igieniche**, sanitary measures; **norme igieniche**, health rules; sanitary regulations **2** (pulito) clean; (salubre) healthy: **cibi igienici**, healthy food **3** (fig. fam.: opportuno) advisable, wise; (prudente) safe ● **carta igienica**, toilet paper □ **servizi igienici**, toilets; sanitation Ⓤ.

igienico-sanitàrio a. sanitary: (edil.) **impianti igienico-sanitari**, sanitary fittings (pl.); sanitation Ⓤ.

igienìsta m. e f. **1** (specialista) hygienist **2** (maniaco dell'igiene) health fanatic; health fiend (scherz.) **3** (ortodonzia) dental hygienist.

igienizzàre v. t. to sanitize.

iglò, igloo, iglù m. igloo.

IGM sigla (**Istituto geografico militare**) Military Survey Office.

ignàme m. (bot., Dioscorea batatas) yam.

ignàro a. unaware (of); unacquainted (with); ignorant (of); (innocente) innocent: Ero i. di quel che mi attendeva, I was unaware of what was awaiting me; **i. dell'accaduto**, unaware of what had happened; ignorant of the facts; **i. della vita**, ignorant of life; **i. di tutto**, knowing nothing; in the dark (fam.).

ignàvia f. (lett.) sloth; slothfulness.

ignàvo (lett.) **A** a. slothful **B** m. (f. -a) slothful person; sluggard.

Ignàzio m. Ignatius.

ìgneo a. **1** (lett., geol.) igneous **2** (fig. lett.) fiery.

ignìfero a. (lett.) igniferous.

ignifugàre v. t. to fireproof; to flameproof.

ignifugazióne f. fireproofing; flameproofing.

ignìfugo a. fireproof; flameproof; fire-resistant; fire-retardant.

ignipuntùra f. (med.) moxibustion.

ignitróne, ìgnitron m. (elettron.) ignitron.

ignìvomo a. (lett.) vomiting fire (pred.).

ignizióne f. **1** (etnol.) cremation **2** (chim.) ignition.

ignòbile a. despicable; vile; base; ignoble: **delitto i.**, despicable crime; **linguaggio i.**, vile language; **motivi ignobili**, base motives.

ignobiltà f. despicability; vileness; baseness; ignobility.

ignomìnia f. **1** ignominy; disgrace; shame **2** (azione ignominiosa) disgraceful (o shameful) act **3** (persona ignominiosa) disgrace; shame (scherz.: cosa brutta) horror; disgrace; eyesore.

ignominióso a. ignominious; disgraceful; shameful.

ignorantàggine f. crass (o gross) ignorance.

ignorànte **A** a. **1** (che non sa) ignorant (of); unaware (of) **2** (incompetente) incompetent **3** (incolto) ignorant; uneducated; (analfabeta) illiterate **4** (villano) boorish; rude **B** m. e f. **1** ignorant person; ignoramus: Sono un i. in fatto di computer, I'm completely ignorant about computers **2** (vil-lano) rude person; boor (m.).

ignorànza f. **1** ignorance: **i. crassa**, crass ignorance; Confesso la mia i., I have to confess my ignorance; **per i.**, out of ignorance; È di un'i. sconfinata, his ignorance knows no bounds; Beata i.!, ignorance is bliss; L'i. della legge non scusa, ignorance of the law is no excuse **2** (villania) boorishness; rudeness.

♦**ignoràre** **A** v. t. **1** not to know*; to be unaware of; to be ignorant of; to have no idea of: Ignoravo d'essere malato, I didn't know I was ill; Ignoro tutto dell'informatica, I'm totally ignorant about computers; Ignoro dove sia andato, I have no idea where he went; Ignoro di chi sia il quadro, I don't know who painted that picture; Si ignorano per il momento le cause del disastro, the causes of the disaster are still unknown **2** (trascurare) to ignore, not to pay* attention to; to disregard; (non curarsi di qc.) to shrug off; to snub: Ignorò la mia domanda, he ignored my question; Ho deciso di ignorarlo, I've decided to ignore him; **i. una richiesta**, to ignore (o to disregard) a request; **le critiche**, to shrug off criticism; Al party mi ignorò, she ignored (o snubbed) me at the party; Ignoralo!, don't pay any attention to him **B** ignoràrsi v. rifl. recipr. to ignore each other [one another].

ignoràto a. **1** (sconosciuto) unknown; obscure **2** (ingiustamente trascurato) neglected; unrecognized: **un artista che fu i. in vita**, an artist who was neglected (o went unrecognized) when he was alive.

ignòto **A** a. unknown; (mai visto prima, anche) unfamiliar: **regione ignota**, unknown region; **il Milite I.**, the Unknown Soldier (o Warrior); **di autore i.**, by an unknown author; **partire per destinazione ignota**, to leave for an unknown destination **B** m. **1** (l'ignoto) (the) unknown: **andare incontro all'i.**, to venture into the unknown **2** (persona ignota) unknown person; person unknown (leg.): **sporgere querela contro ignoti**, to bring an action against a person or persons unknown; **i soliti ignoti**, persons unknown; (iron.) **un illustre ignoto**, a nobody; **figlio d'ignoti**, child of unknown parents; (bur.) parentage unknown.

ignùdo **A** a. naked **B** m. (f. -a) naked person; (al pl., collett.) (the) naked: **vestire gli ignudi**, to clothe the naked.

IGP sigla (**indicazione geografica protetta**) protected geographical indication (PGI).

igròfilo a. (bot.) hygrophilous: **pianta igrofila**, hygrophilous plant; hygrophyte.

igròfita f. (bot.) hygrophyte.

igròfito → **igrofilo**.

igrògrafo m. (meteor.) hygrograph.

igrogràmma m. (meteor.) hygrogram.

igrometrìa f. hygrometry.

igromètrico a. hygrometric.

igròmetro m. hygrometer.

igroscopìa f. hygroscopy.

igroscopicità f. hygroscopicity.

igroscòpico a. hygroscopic.

igroscòpio m. hygroscope.

igròstato m. humidistat; hygrostat.

IGT sigla (enol., **indicazione geografica tipica**) regional geographical indication.

iguàna f. (zool., Iguana iguana) iguana.

iguanodónte m. (paleont.) iguanodon.

ìh inter. (di disgusto) ugh; (di sorpresa) oh!, ah!

ikebàna (giapponese) m. inv. ikebana.

♦**il, lo** art. determ. m. sing. **1** the: Passami il libro [lo zucchero], pass me the book [the sugar]; Apri l'uscio, per favore, open the door, please; Lo stesso giorno ricevetti una lettera, on the same day I received a letter;

il primo giorno, the first day; **l'ultimo mese**, the last month; **l'inverno che passai a Capri**, the winter I spent in Capri; **il rosso della tua gonna**, the red of your skirt; **il libro che ho letto**, the book (that) I read; **il sole**, the sun; **il vento**, the wind; **il mare**, the sea; **il re**, the king; **il Signore**, the Lord; **il Tamigi**, the Thames; **l'Adriatico**, the Adriatic; **il Bello**, the Beautiful; *Alfredo il Grande*, Alfred the Great; **il buon dottor Valdi**, the good doctor Valdi **2** (idiom., assente in ingl.) – **il prossimo mese**, next month; **lo scorso anno**, last year; *Non mi piace il tè*, I don't like tea; *Preferisco il vino rosso*, I prefer red wine; *Il tempo è denaro*, time is money; *Dammi il tuo baule*, give me your trunk; *Non è il mio!*, it isn't mine!; *Questo è il libro di Tom*, this is Tom's book; *Studio lo svedese*, I'm studying Swedish; *L'oro è un metallo prezioso*, gold is a precious metal; *L'inverno è freddo qui*, winter is cold here; *Preferisco il rosso al verde*, I like red better than green; **il giorno di Natale**, Christmas Day; *Il 13 è considerato un numero sfortunato*, 13 is considered an unlucky number; *La scuola riapre domani*, school starts again tomorrow; **il Papà**, Father; *Il nonno sta dormendo*, Grandfather is asleep; **lo zio Jack**, uncle Jack; **il dottor Valdi**, Dr Valdi; **il signor Clark**, Mr Clark; **il capitano Tersi**, Captain Tersi; **il re Artù**, King Arthur; **il Monte Bianco**, Mont Blanc; **il Cile**, Chile; **il lago di Como**, Lake Como; **il Fato**, Fate; **il Paradiso**, Paradise; *L'uomo è mortale*, man is mortal **3** (idiom., agg. poss. in ingl.) – *Non dimenticare l'ombrello*, don't forget your umbrella; *Mettiti il cappello*, put on your hat; *Bevi il tè*, drink your tea; *Lo zio vive con noi*, our uncle lives with us; *Ho perso il treno*, I missed my (o the) train **4** (idiom., art. indeterm. in ingl.) a; an: *Il cavallo è un animale domestico*, a horse is a domestic animal; horses are domestic animals; *Ha il naso lungo*, she has a long nose; *Hai preso il fazzoletto?*, have you taken a handkerchief?; *Ho il raffreddore*, I've got a cold **5** (idiom., partitivo in ingl.) some; any: *Va' a comprare lo zucchero!*, go and buy some sugar!; *Non ci metti il sale?*, don't you put any salt in it?; *Non c'è il pane!*, there is no (o there isn't any) bread! **6** (distributivo) a; an: **cinque euro il kilo**, five euros a kilo; **due volte l'anno**, twice a year **7** (nelle espressioni di tempo): on the (o idiom.): *Il pomeriggio dorme*, he sleeps in the afternoon; *Tornerò il mese prossimo*, I'll come back next month; *Viene il martedì*, she comes on Tuesdays; **il sette giugno**, on June the seventh; on the seventh of June **8** (davanti ai cognomi) – **il Byron**, Byron; **il Foscolo**, Foscolo.

ila f. (zool., *Hyla arborea*) tree frog.

ilare ① a. merry; cheerful; laughing.

ilàre ② a. (anat.) hilar.

Ilària f. Hillary.

Ilàrio m. Hilary.

ilarità f. hilarity; merriment; mirth; (riso) laughter: **provocare l'i. generale**, to make everybody laugh; (per derisione) to be greeted with hilarity.

ileàle a. (anat.) ileac.

ileite f. (med.) ileitis.

ileo m. **1** (anat.: *parte dell'intestino tenue*) ileum* **2** (anat.: *osso*) ilium*; hip-bone **3** (med.) ileus.

ileocecàle a. (anat.) ileocaecal.

ileomorfìsmo m. (filos.) hylomorphism.

ileostomìa f. (chir.) ileostomy.

iliaco ① a. (anat.) iliac: **vene iliache**, iliac veins.

iliaco ② a. (stor.) Iliac; Trojan.

Ilìade f. (letter.) Iliad.

ilice f. (bot., *Quercus ilex*) holm-oak; ilex*.

ilio → **ileo**, def. 2.

Ilio m. (geogr., stor.) Ilium; Troy.

ill. abbr. **1** (illustrazione) illustration, **2** (illustrato) illustrated.

illacrimàto a. (lett.) unwept; unlamented; unmourned.

illanguidiménto m. weakening; enfeeblement.

illanguidìre **A** v. t. to weaken; to make* languid; to enfeeble **B** v. i. e **illanguidìrsi** v. i. pron. to grow* feeble; to weaken; to languish; (spec. di fiori) to droop.

illatìvo a. illative; inferential.

illazióne f. **1** illation; inference: **per i.**, by inference **2** (congettura) conjecture.

illécito **A** a. illicit; illegitimate; (arbitrario) unwarranted; (illegale) illegal, unlawful: **amore i.**, illicit love; **attività illecita**, illegal activity; **guadagni illeciti**, unlawful earnings; (leg.) **responsabilità per fatto i.**, tort liability **B** m. (leg.) breach of the law; criminal act; crime; (torto) wrong: **i. civile**, tort; **i. informatico**, computer crime; **i. penale**, criminal offence; crime; **i. privato**, private wrong.

illegàle a. illegal; unlawful; against the law (pred.): **attività illegali**, illegal activities; (leg.) **esercizio i. di una professione**, unlawful practice of a profession; **dichiarare i.**, to outlaw; to declare illegal; *È i. vendere droga*, selling drugs is against the law.

illegalìsmo m. → **illegalità**, def. 1.

illegalità f. **1** (l'essere illegale) illegality; unlawfulness **2** (atto illegale) illegal (o unlawful) act; offence; breach of the law: **commettere i.**, to break the law ● **vivere nell'i.**, to live outside the law.

illegalménte avv. illegally; unlawfully.

illeggiadrìre **A** v. t. to embellish; to prettify **B** v. i. e **illeggiadrìrsi** v. i. pron. to grow* prettier.

illeggìbile a. **1** (indecifrabile) illegible **2** (mediocre, noioso, ecc.) unreadable.

illeggibilità f. **1** illegibleness **2** unreadability.

illegittimità f. **1** illegitimacy; unlawfulness; invalidity **2** (arbitrarietà) arbitrariness; unjustified character.

illegìttimo a. **1** (contrario alla legge) illegitimate; unlawful; invalid: **figlio i.**, illegitimate child; **potere i.**, illegal (o unlawful) power **2** (arbitrario) arbitrary; (non giustificato, ingiusto) unwarranted, unjustified: **richieste illegittime**, unjustified demands **B** m. (f. **-a**) (figlio illegittimo) illegitimate child*.

illéso a. **1** (incolume) unhurt; uninjured; unharmed; unscathed: *Uscì i. dall'incidente*, he was unhurt in the accident **2** (intatto, anche fig.) undamaged; intact; whole.

illetteràto **A** a. (analfabeta) illiterate **2** (non istruito) uneducated; uncultured; unlettered **B** m. (f. **-a**) **1** illiterate **2** uneducated person.

illibatézza f. **1** (verginità) virginity; (castità) chastity **2** (onestà) honesty; integrity; blamelessness; irreproachability.

illibàto a. **1** (vergine) virgin (attr.); (casto) chaste **2** (onesto) honest; blameless; irreproachable.

illiberàle a. **1** illiberal **2** (gretto) illiberal; ungenerous; mean.

illiberalità f. **1** illiberality **2** (grettezza) illiberality; lack of generosity; meanness.

illiceità f. (leg.) unlawfulness; illegality.

illicenziabilità f. condition of a worker who cannot be dismissed; irremovability.

illimitatézza f. boundlessness; unlimitedness.

illimitàto a. **1** (senza limiti) unlimited; boundless; limitless: **accesso i.**, unlimited access; (mil.) **congedo i.**, discharge to the reserve; **credito i.**, unlimited credit; **numero i.**, unlimited number; (leg.) **responsabilità illimitata**, unlimited liability; **risorse illimitate**, limitless resources **2** (senza riserve) boundless; absolute: **autorità illimitata**, absolute authority; **fiducia illimitata**, boundless faith.

illimpidìre v. i., **illimpidìrsi** v. i. pron. to become* limpid (o clear).

illiquidità f. (econ.) illiquidity.

Illiria f. (geogr., stor.) Illyria.

illìrico a. Illyrian.

illividiménto m. turning livid (o blue).

illividìre **A** v. t. to make* livid; to make* (st.) turn blue: *Il freddo ci illividiva le mani*, the cold made our hands turn blue **B** v. i. to turn (o to become*) livid; to turn blue; (del cielo, anche) to grow* leaden.

Ill.mo abbr. (titolo, **Illustrissimo**) Most Illustrious.

illocutivo, **illocutòrio** a. (ling.) illocutionary: **enunciato i.**, illocution.

illogicità f. illogicality; irrationality; (incoerenza) inconsequentiality, inconsistency; (assurdità) absurdity.

illògico a. illogical; irrational; (incoerente) inconsequential, inconsistent; (assurdo) absurd.

◆**illùdere** **A** v. t. to deceive; to take* in; to fool; to delude: *Ci illudevano con le loro promesse*, they kept fooling us with their promises **B** **illùdersi** v. rifl. to deceive oneself; to delude oneself; to fool oneself; to be under the illusion (that); (su qc. che riguarda sé stessi) to flatter oneself; (sperare invano) to hope against hope: *Non illuderti, non tornerà*, don't delude yourself, he won't come back; *Si illudono di poter vincere*, they are under the illusion they can win; *Mi illudevo di conoscerla bene*, I thought I knew her well, but I was mistaken; *Mi ero illuso su di lui*, I was wrong about him; I thought he was different; *Ti illudi se credi che lei si interessi a te*, you're flattering yourself if you think she's after you; *Continuava a illudersi che il figlio fosse vivo*, he went on hoping against hope that his son was alive.

illuminaménto m. (fis.) illuminance.

illuminànte a. **1** illuminating: **gas i.**, illuminating gas **2** (fig.) illuminating; enlightening.

◆**illuminàre** **A** v. t. **1** to light*; (gettare luce su, rischiarare) to light* up, to illuminate (anche per decorazione); (con riflettori) to floodlight*; (splendere su) to shine* on: *I fanali illuminano le strade*, lamps light the streets; *La stanza era illuminata dal fuoco*, the room was lit by the fire; *Il faretto deve i. quei quadri*, the spotlight should light up (o illuminate) those paintings; *Un lampo illuminò la casa*, a flash of lightning lit up the house; **illuminare a giorno**, to floodlight; *La luna illuminava il lago*, the moon was shining upon the lake **2** (fig., rif. al viso, all'espressione) to light* up; to brighten: *Un sorriso gli illuminò il viso*, a smile lit up his face; *La notizia lo illuminò*, he brightened at the news **3** (fig.: far capire) to enlighten; (gettar luce su) to throw* (o to cast*) light on: *Mi puoi i. su questa faccenda?*, could you enlighten me on this matter? **B** **illuminàrsi** v. i. pron. **1** to light* up; to lighten; to brighten: *La piazza s'illuminò*, the square lit up; the lights came up in the square; *Il cielo si illuminava a oriente*, the sky was brightening in the east **2** (fig.) to light* up; to brighten: *Il viso le si illuminò di gioia*, her face lit up (o brightened) with joy.

◆**illuminàto** **A** a. **1** lighted; lit (pred.); illuminated: **una finestra illuminata**, a lighted

window; *Il corridoio non era illuminato*, the passage was not lit; **i. a giorno**, brightly lit; floodlit; **i. dalla luna**, lit by the moon; moonlit (attr.); **i. dal sole**, lit by the sun; sunlit (attr.); **i. da un riflettore**, spotlit; **poco i.**, badly lit; rather dark **2** (*fig.*) enlightened: **menti illuminate**, enlightened minds; **sovrano i.**, enlightened monarch **B** m. (al pl.) (*stor.*) Illuminati.

illuminatóre **A** a. enlightening; illuminating **B** m. **1** (*di microscopio ottico*) illuminator **2** (*teatr.*) spotlight; spot.

illuminazióne f. **1** lighting; (*per decorazione*) illumination: **i. a gas [elettrica]**, gas [electric] lighting; **i. a festa**, festive illumination; **i. artificiale**, artificial lighting; **i. con riflettori**, floodlighting; **i. scarsa**, poor lighting; **sistema di i.**, lighting **2** (*fig.*, *anche relig.*) (spiritual) enlightenment; illumination **3** (*fig.: ispirazione*) flash of inspiration **4** → **illuminamento**.

illuminìsmo m. (*stor.*, *filos.*) Enlightenment.

illuminista (*stor.*, *filos.*) **A** a. → **illuministico** **B** m. e f. **1** (*pensatore*, *filosofo*) Enlightenment thinker [philosopher] **2** (*seguace*) follower of the Enlightenment.

illuministico a. (*stor.*, *filos.*) Enlightenment (attr.); of the Enlightenment.

illuminòmetro m. (*fis.*) illuminometer.

illuminotècnica f. illumination design; lighting (o illumination) engineering.

illuminotècnico **A** a. lighting-technique (attr.); lighting **B** m. (f. **-a**) lighting expert; lighting engineer.

illùne a. (*lett.*) moonless.

♦**illusióne** f. **1** (*percezione illusoria*) illusion; (false) impression: **i. ottica**, optical illusion; **dare l'i. di**, to give the impression of **2** (*idea falsa*) illusion, delusion; (*vana speranza*) vain hope: *È tutta una tua i.*, you are under an illusion (o a delusion); it's all in your mind (*fam.*); **farsi illusioni**, to delude (o to fool) oneself; to cherish vain hopes; **non farsi illusioni su qc.**, to have no illusions about st.; *Non farti illusioni!*, don't delude yourself!; **una pia i.**, a delusion; a daydream; wishful thinking [U]; **nell'i. che**, under the delusion that.

illusionìsmo m. illusionism; (*prestidigitazione*) conjuring.

illusionista m. e f. illusionist; (*prestigiatore*) conjuror.

illusionìstico a. illusionistic; conjuring.

illusivo a. (*lett.*) illusive; deceptive.

illùso **A** a. deluded; deceived; hoodwinked **B** m. (f. **-a**) dreamer: *È solo un i.*, he's just a dreamer; *Sei un i. se credi che...*; you are deluding yourself (o you're living in a fool's paradise) if you think that...; *Povero i.!*, poor fool!

illusorietà f. illusoriness.

illusòrio a. **1** (*ingannevole*) deceptive; misleading; illusory; false: **speranze illusorie**, false hopes **2** (*frutto di illusione*, *immaginario*) illusory; fanciful; unreal **3** (*fallace*) false; fallacious: **felicità illusoria**, false happiness.

♦**illustràre** v. t. **1** to illustrate: **i. un libro**, to illustrate a book **2** (*spiegare*) to illustrate; to expound; to explain **3** (*lett.: rendere illustre*) to make* famous; to bring* honour to.

illustrativo a. illustrative; explanatory: **note illustrative**, explanatory notes; **a scopo i.**, for illustrative purposes.

illustràto a. illustrated; pictorial: **cartolina illustrata**, picture-postcard; **edizione illustrata**, illustrated edition; **rivista illustrata**, pictorial magazine.

illustratóre m. (f. **-trice**) **1** illustrator **2** (*commentatore*) commentator.

♦**illustrazióne** f. **1** (*di libro*, *ecc.*) illustration, picture: **i. a colori**, colour illustration

(o picture); **i. fuori testo**, plate; **un libro con illustrazioni**, an illustrated book; a book with pictures **2** (*spiegazione*) illustration; explanation.

illùstre a. renowned; famous; illustrious; distinguished; (*nobile*) noble, illustrious: **un i. scienziato**, a renowned (o famous) scientist; **il mio i. collega**, my distinguished colleague; **un nome i.**, an illustrious name; **una famiglia i.**, a distinguished family; (*nobile*) a noble family ● (*scherz.*) **un i. sconosciuto**, a perfect stranger; a nobody.

illustrìssimo a. **1** most illustrious **2** (*appellativo*) Your Excellency **3** (*negli indirizzi*) – *I. Sig. Alan Bullock*, Mr Alan Bullock.

illuviàle a. (*geol.*) illuvial.

illuviazióne f. (*geol.*) illuviation.

illùvie f. inv. (*lett.*) **1** dirt; filth **2** flood. **3** (*fig. lett.*) concourse; throng.

illùvio m. (*geol.*) illuvium.

ìlo m. **1** (*bot.*) hilum* **2** (*anat.*) hilus*.

ilomorfìsmo → **ileomorfismo**.

ILOR abbr. (*stor.*, **imposta locale sui redditi**) local income tax.

ilòta m. **1** (*stor.*) Helot **2** (*fig.*) helot; serf.

ilozoìsmo m. (*filos.*) hylozoism.

ilozoìsta m. e f. (*filos.*) hylozoist.

ilozoìstico a. (*filos.*) hylozoistic; hylozoic.

IM abbr. (**Imperia**).

imaginìsmo m. (*letter.*) imaginism.

imaginista a., m. e f. (*letter.*) imaginist.

imagìsmo m. (*letter.*) imagism.

imagìsta a., m. e f. (*letter.*) imagist.

imalaiàno → **himalayano**.

imàm m. inv. imam.

imamìta a. Imamite.

imanàto m. imamate.

imàno m. imam.

imàtio m. (*stor.*) himation*.

imbacuccàre **A** v. t. to muffle up; to wrap up well: *Imbaccucò il bambino con sciarpa e cappotto*, he muffled up his child in a scarf and overcoat; **essere imbacuccato fino agli occhi**, to be muffled (up) to one's eybrows **B** **imbacuccàrsi** v. rifl. to muffle up; to wrap up well.

imbaldanzìre **A** v. t. to embolden; to make* bold **B** v. i. e **imbaldanzìrsi** v. i. pron. to become* bold; to be (o to get*) emboldened.

imballàggio m. **1** (*l'imballare*) packing; (*in balle*) baling; (*in casse*) crating; (*in scatole*) boxing, packaging: **macchine da i.**, packaging machinery; **materiale da i.**, packing (o packaging) material **2** (*involucro*) packing; package: **i. a perdere**, disposable packing; **i. a rendere**, returnable packing **3** (*spese*) packing; packing costs (pl.).

imballàre① v. t. **1** (*in balle*) to bale: **i. la lana**, to bale wool **2** (*in un contenitore*) to pack: **i. in casse**, to pack in crates; to crate; **i. in scatole**, to pack in boxes; to box; (*confezionare*) to package.

imballàre② **A** v. t. (*autom.*) to race: **i. il motore**, to race the engine **B** **imballàrsi** v. i. pron. **1** (*di motore*) to race **2** (*sport*) to seize up.

imballàto a. **1** (*autom.*) raced **2** (*sport*) all in (pred.); groggy; dopey (*fam.*).

imballatóre m. (f. **-trice**) packer; (*di merce in balle*) baler.

imballatrìce f. (*macchina*) packing machine; packer; (*di balle*) baler, baling machine; (*pressaforaggi*) hay baler.

imballatùra f. (*autom.*) racing.

imbàllo m. **1** → **imballaggio** **2** (*tessuto*) burlap; sacking.

imbalsamàre v. t. **1** to embalm **2** (*impagliare*) to stuff **3** (*fig.*) to freeze*; to mummify.

imbalsamatóre m. (f. **-trice**) **1** embalmer **2** (*impagliatore*) stuffer; taxidermist.

imbalsamatùra, **imbalsamazióne** f. **1** embalming **2** (*impagliatura*) stuffing; taxidermy **3** (*fig.*) freezing; mummification.

imbambolàrsi v. i. pron. to look blank: *A quella domanda si imbambolò*, at that question he just looked blank; **i. a guardare qc.**, to gawk at st.; to gawp at st. (*GB*).

imbambolàto a. (*sconcertato*) bemused; (*di sguardo*, *ecc.*) blank, vacant; (*a bocca aperta*) gawking, gawping (*GB*); (*intontito*) dazed, in a daze (pred.); (*insonnolito*) drowsy: **sguardo i.**, blank look; *Non startene lì i. a guardare!*, don't just stand there gawking!

imbandieraménto m. decking (with flags); (*naut.*) dressing.

imbandieràre **A** v. t. to deck with flags; to decorate with flags; (*naut.*) to dress **B** **imbandieràrsi** v. i. pron. to be decked with flags.

imbandigióne f. (*lett.*) **1** (*l'imbandire*) preparations (pl.) for a banquet **2** (*banchetto*) banquet.

imbandìre v. t. to prepare; to lay* (sumptuously); to set* (for a feast): **i. un pranzo**, to prepare a lavish dinner; **i. la tavola**, to lay the table for a sumptuous meal.

imbandìto a. set for a feast (pred.); sumptuously laid: **una tavola imbandita**, a sumptuously laid table.

imbàndo m. (*naut.*) slack: **mollare l'i.**, to slacken; **recuperare l'i.**, to take up the slack.

imbarazzànte a. embarrassing; awkward: **domanda i.**, embarrassing (o awkward) question; **trovarsi in una situazione i.**, to be in an awkward position; *Ha espresso opinioni imbarazzanti per il suo partito*, the views she expressed are an embarrassment to her party.

♦**imbarazzàre** **A** v. t. **1** to embarrass; (*mettere a disagio*) to make* (sb.) feel uncomfortable (o ill at ease) **2** (*intralciare*) to encumber; to hamper; to be in (sb.'s) way; (*ingombrare*) to clutter: *La gonna lunga la imbarazzava nel correre*, her long skirt encumbered her while running **3** (*sconcertare*) to puzzle; to baffle; to perplex ● **i. lo stomaco**, to upset the (o one's) stomach **B** **imbarazzàrsi** v. i. pron. to be embarrassed.

imbarazzàto a. **1** embarrassed; (*a disagio*) ill at ease (pred.), uncomfortable; (*impacciato*) awkward **2** (*intralciato*) encumbered; hampered **3** (*sconcertato*) puzzled; baffled; perplexed; (*davanti a una scelta*) in a quandary ● **essere i. di stomaco**, to have a stomach upset.

♦**imbaràzzo** m. **1** embarrassment: **essere fonte d'i.**, to be a source of embarrassment; **causare i. a**, to embarrass; to be an embarrassment to; **levare q. d'i.**, to relieve sb. of his [her] embarrassment **2** (*impaccio*) difficulty; awkward situation: **uscire d'i.**, to get out of a difficulty **3** (*disturbo*) trouble; hindrance **4** (*perplessità*) puzzlement; bafflement; perplexity ● **i. di stomaco**, indigestion; stomach upset □ **avere l'i. della scelta**, to be spoilt for choice: *Non hai che l'i. della scelta*, you can take your pick □ **essere di i. a q.**, (*causare imbarazzo*) to be an embarrassment to sb.; (*ingombrare*) to encumber sb., to hamper sb. □ **in i.**, embarrassed; (*di fronte a una scelta*) in a quandary; (*perplesso*) disconcerted, puzzled □ **mettere q. in i.**, to embarrass sb.; to make sb. feel uncomfortable (o ill at ease); (*rif. a domanda*) to puzzle, to baffle; to perplex.

imbarbariménto m. barbarization; decay.

imbarbarìre **A** v. t. to barbarize; (*una lingua*) to corrupt **B** v. i. e **imbarbarìrsi** v. i.

pron. **1** to become* barbarous; (*di lingua*) to become* corrupt **2** (*fig.*) to decay; to go* to the dogs (*fam.*).

imbarcadèro m. landing stage; pier; jetty.

imbarcàre **A** v. t. **1** (*naut.*: *merci*) to ship, to load; (*persone*) to take* aboard (*o* on board), to embark: **i. carbone**, to ship coal; **i. passeggeri**, to take aboard passengers; **i. truppe**, to embark troops **2** (*far salire su un veicolo*) to take* on; to get* in; to put* in (*o* on); (*aeron.*) to take* aboard; to embark; (*caricare*) to load; (*ammucchiare*) to pile: *Ci imbarcarono su un camion*, they got us into a lorry; we were loaded on a lorry; *Li imbarcai tutti nella mia macchina*, I piled them all into my car **3** (*fig.*: *coinvolgere*) to involve; to drag in **4** (*fam.*: *rimorchiare*) to pick up ● (*naut.*) **i. acqua**, (*per una falla*) to leak; (*per mare agitato*) to ship water □ **i. q. clandestinamente**, to stow sb. away □ (*naut.*) **i. un'ondata**, to ship water (*o* a sea) **B imbarcàrsi** v. rifl. **1** (*naut.*) to go* aboard; to board; to board a ship; (*partire*) to sail; (*di marittimo*) to sign on: *Mi imbarcai a Gibilterra*, I boarded the ship at Gibraltar; *Mi imbarco domani*, I sail tomorrow; *S'imbarcò come cuoco*, he signed on as a cook **2** (*aeron.*) to board; to board a plane: **imbarcarsi su un aereo**, to board a plane; *Ci imbarcammo a Linate*, we boarded the plane at Linate **3** (*scherz.*, *su veicolo*) to get* (into); to climb* aboard **4** (*fig.*: *intraprendere*) to embark (on, upon); to launch (onto): *Si è imbarcato in una nuova impresa*, he has embarked on a new enterprise **5** (*fam.*) to fall* in love (with); (*iniziare una relazione*) to pick up (with) ● **imbarcarsi clandestinamente**, to stow away **C imbarcàrsi** v. i. pron. (*di legno*) to warp.

imbarcatóio m. landing stage.

imbarcazióne f. boat; craft*: **i. a remi**, rowing boat; rowboat (*USA*); **i. a vela**, sailing-boat; sailboat (*USA*); **i. a vapore**, steamboat; **i. da carico**, cargo boat; **i. da competizione**, racing boat; racer; **i. da diporto**, pleasure boat; **i. da pesca**, fishing boat; **i. di salvataggio**, life boat; **una flottiglia di piccole imbarcazioni**, a flotilla of small craft; **imbarcazioni d'ogni genere**, all kinds of craft; **grossa i.**, large boat; vessel; **piccola i.**, small boat ❶ FALSI AMICI • imbarcazione *non si traduce con* embarkation.

imbàrco m. **1** (*naut. e aeron.*: *di persone*) embarkation; boarding: **l'i. dei passeggeri**, the embarkation (*o* boarding) of passengers; *Il volo AZ 215 per Oslo è pronto all'i.*, Flight AZ 215 for Oslo is now ready for boarding; **recarsi all'i.**, to go to the boarding point (*o* gate); (*aeron.*) **carta d'i.**, boarding card; (*aeron.*) **sala d'i.**, boarding lounge **2** (*di merce*) shipping; shipment: **all'i.**, when (*o* on) shipping; **pronto per l'i.**, ready for shipment; **spese d'i.**, shipping expenses **3** (*di marittimo*) signing-on; (*anche* **contratto d'i.**) ship's articles (pl.); **prendere i.**, to sign on **4** (*anche* **porto d'i.**) port of embarkation; (*comm.*) port of shipment.

imbardàre v. i., **imbardàrsi** v. i. pron. (*aeron.*) to yaw.

imbardàta f. (*aeron.*) yaw.

imbarilàre v. t. to store (*o* to pack) in a barrel (*o* in barrels); to barrel.

imbaṣaménto m. **1** (*zoccolo*) base; (*di colonna*) plinth **2** (*geol.*) basement; bedrock **3** (*ing.*) base; foundation.

imbastardiménto m. bastardization; degeneration; corruption; debasement.

imbastardìre **A** v. t. **1** to bastardize; to mongrelize **2** (*fig.*) to bastardize; to debase; (*una lingua*) to corrupt **B** v. i. e **imbastardìrsi** v. i. pron. **1** to become* mongrelized **2** (*fig.*) to degenerate;

to deteriorate; (*di lingua*) to become* bastardized (*o* corrupt).

imbastàre v. t. to put a pack-saddle on.

imbastìre v. t. **1** (*sartoria*) to tack; to baste **2** (*fig.*: *abbozzare*) to draft; to sketch; to rough out **3** (*improvvisare*) to improvise: to put* together; to whip up; to rustle up (*fam.*); to slap together (*USA*): **i. un discorso**, to improvise a speech; to give an off-the--cuff speech; **i. una scusa**, to invent an excuse **4** (*ind.*) to tack.

imbastìto a. **1** (*sartoria*) basted; tacked **2** (*sport*) all in (pred.); groggy; dopey (*fam.*).

imbastitóre m. (f. **-trìce**) (*ind.*) tacker.

imbastitrìce f. (*ind. tess.*) baster.

imbastitùra f. **1** (*sartoria*) tacking; basting **2** (*fig.*: *abbozzo*) sketch; draft **3** (*sport*) collapse; crack-up.

imbàttersi v. i. pron. to come* (across); to meet* (with); to come* (upon); to run* (into): **i. in una difficoltà**, to run into difficulty; to come up against a snag; **i. in informazioni scottanti**, to chance upon highly sensitive information; **i. in un lontano parente**, to run into a distant relative; **i. casualmente in qc.**, to chance upon st.; to stumble upon st.; *Mi imbattei in un commesso tonto*, I met with a dumb assistant.

imbattìbile a. unbeatable; invincible; (*senza rivali*) unrivalled: **campione i.**, unbeatable champion; **prezzi imbattibili**, unbeatable prices.

imbattibilità f. invincibility.

imbàtto m. **1** (*aeron.*) impact **2** (*naut.*) – **vento d'i.**, sea breeze.

imbattùto a. unbeaten; undefeated; (*di record*) unbroken.

imbaulàre v. t. to pack in a trunk.

imbavagliaménto m. (*anche fig.*) gagging.

imbavagliàre v. t. (*anche fig.*) to gag.

imbeccàre v. t. **1** to feed* **2** (*fig.*: *suggerire*) to prompt; to put* words into (sb.'s) mouth.

imbeccàta f. **1** beakful **2** (*teatr. ed estens.*) prompt; cue: **dare l'i. a q.**, to prompt sb.; (*fig.*, *anche*) to put words into sb.'s mouth; to tell sb. what to say; (*fig.*) **prendere l'i. da q.**, to take one's cue from sb.; to be told what to say; **senza aspettare l'i.**, without prompt.

imbeccatóio m. feeding dish (*o* tray).

imbecillàggine → **imbecillità**.

imbecille **A** a. **1** (*psic.*) imbecile; imbecilic **2** (*spreg.*) stupid; idiotic; moronic; imbecile **B** m. e f. **1** (*psic.*) imbecile **2** fool; moron; imbecile: *I., non quella!*, not that one, you fool!; *Non fare l'i.!*, don't be a fool!

imbecillità f. **1** (*psic.*) imbecility **2** (*spreg.*) stupidity; idiocy **3** (*azione da imbecille*) idiocy; stupid (*o* idiotic) thing; (*parole da imbecille*) stupid thing, idiotic remark, rubbish 🇬🇧: *Non dire i.!*, don't talk rubbish!; *È stata un'i., la tua*, that was a stupid thing to do!

imbèlle a. (*lett.*) **1** unwarlike **2** (*vile*) cowardly; faint-hearted; timid.

imbellettàre **A** v. t. **1** to paint; to rouge **2** (*fig.*) to embellish; to put* frills on; to prettify **B imbellettàrsi** v. rifl. to rouge one's cheeks; (*scherz.*: *truccarsi*) to put* on make-up; to do* one's face (*fam.*).

imbellettàto a. made-up.

imbellettatùra f. (*fig.*) embellishment; tinsel 🇬🇧; frills (pl.).

imbellìre **A** v. t. to make* (st., sb.) look prettier: *Quella pettinatura ti imbellisce*, you look prettier with that hairstyle **B** v. i. to grow* beautiful; to become* prettier; to improve in looks.

imbèrbe a. **1** beardless **2** (*fig.*) callow;

inexperienced; green; wet behind the ears (pred., *fam.*).

imberrettàre **A** v. t. to put* a cap on **B imberrettàrsi** v. rifl. to put* one's cap on.

imberrettàto a. with one's cap on; wearing a cap.

imbestialìre **A** v. t. to make* (*o* to drive*) furious (*o* mad) **B** v. i. e **imbestialìrsi** v. i. pron. to get* furious; to get* mad; to fly* into a rage.

imbestialìto a. furious; mad; incensed.

imbeṣuìto a. (*region.*) dazed; stupefied; stunned.

imbévere **A** v. t. to soak **B imbéversi** v. i. pron. (*anche fig.*) to soak up (st.); to absorb (st.); (*solo fig.*) to become* imbued (with).

imbevìbile a. undrinkable.

imbevùto a. **1** soaked (in); drenched (in) **2** (*fig.*) imbued (with): **i. di pregiudizi**, imbued with prejudices.

imbiaccàre **A** v. t. **1** to paint with white lead **2** (*fig.*: *imbellettare*) to paint; to make* up **B imbiaccàrsi** v. rifl. **1** to paint oneself with white lead **2** (*fig.*: *truccarsi troppo*) to overdo* the make-up.

imbiancaménto m. **1** whitening; (*di tessuto*) bleaching **2** (*di muro*) whitewashing **3** (*agric.*) blanching.

imbiancàre **A** v. t. **1** to whiten; to turn white; (*un tessuto*) to bleach; (*i capelli*) to turn (sb.'s) hair white **2** (*edil.*: *un esterno*) to whitewash; (*un interno*) to paint white, to decorate **3** (*rischiarare*) to lighten; to brighten ● **La neve imbiancava i tetti**, the roofs were white with snow **B** v. i. e **imbiancàrsi** v. i. pron. **1** to grow* (*o* to turn) white; to go* white **2** (*incanutirsi*) to turn white; to go* grey **3** (*impallidire*) to go* (*o* to turn) pale **4** (*rischiararsi*) to lighten.

imbiancàto a. whitened; bleached; whitewashed; painted white (pred.); gone white (pred.).

imbiancatóre m. (f. **-trìce**) (*ind. tess.*) bleacher.

imbiancatrìce f. (*per riso*) polisher.

imbiancatùra f. **1** (*di tessuti*) whitening; bleaching **2** (*edil.*, *di esterni*) whitewashing; (*di interni*) painting, decorating.

imbianchiménto → **imbiancamento**.

imbianchìno m. **1** (*di esterni*) whitewasher; (*di interni*) painter, decorator **2** (*iron.*, *spreg.*) bad painter; dauber.

imbianchìre v. t. **1** → **imbiancare** **2** (*cucina*) to blanch.

imbibènte m. (*fotogr.*) wetting agent; hypo eliminator.

imbibìre **A** v. t. to impregnate; to absorb; to saturate **B imbibìrsi** v. i. pron. (*lett.*) to become* impregnated; to saturate.

imbibizióne f. (*chim.*, *fis.*) imbibition.

imbiellàggio m. (*mecc.*) **1** assembly of the connecting rods **2** linking to the master connecting rod.

imbiettàre v. t. (*mecc.*) to wedge up (*o* in); to cotter; to key.

imbiondìre **A** v. t. to lighten the colour of; (*con tintura*) to dye blond **B** v. i. to go* blonder (*o* fairer) **2** (*del grano*) to ripen ● (*cucina*) **fare i.**, to fry golden brown; to brown.

imbizzarrìre **A** v. i., **imbizzarrìrsi** v. i. pron. **1** (*di cavallo*) to take* fright; to shy **2** (*fig.*) to get* worked up **B** v. t. to startle; to make* (*a horse*) shy.

imbizzarrìto a. frightened; runaway (attr.).

imbizzìre v. i. (*di cavallo*) to become* restive (*o* frisky).

imboccàre **A** v. t. **1** to spoon-feed*: **i. un bambino**, to spoon-feed a child **2** (*fig.*: *suggerire*) to prompt; to put* words into (sb.'s)

mouth **3** (*una strada*) to take*, to turn into; (*una galleria*) to enter; (*un ponte*) to get* onto **4** (*uno strumento mus.*) to put* to one's mouth ● (*fig.*) **i. la via del successo**, to find the way to success **B** v. i. (*di arnese, tubo, ecc.*) to fit*.

imboccatùra f. **1** (*apertura*) mouth; opening **2** (*entrata*) entrance; mouth: **l'i. di una grotta**, the entrance to (*o* the mouth of) a cave **3** (*di strumento mus.*) mouthpiece, embouchure; (*di strumentista*) embouchure **4** (*finimento*) mouthpiece.

imbòcco m. entrance; mouth: **l'i. dell'autostrada**, the entrance to the motorway; **l'i. di una galleria**, the entrance to (*o* the mouth of) a tunnel.

imboiaccàre v. t. (*edil.*) to grout.

imbolsìre v. i., **imbolsìrsi** v. i. pron. **1** (*di cavallo*) to become* broken-winded **2** (*fig.*: *appesantirsi*) to grow* fat and lazy **3** (*fig.*: *diventare fiacco*) to lose* vigour.

imbonimènto m. **1** (*di venditore*) sales talk; (sales) patter; spiel (*fam.*) **2** (*di presentatore di spettacolo*) showman's patter **3** (*esaltazione*) hype; puff: **i. pubblicitario**, advertising hype.

imbonìre v. t. **1** (*merce*) to tout; to hype **2** (*q.*) to try to persuade; to talk persuasively to.

imbonitóre m. (f. **-trice**) **1** (*di fiera, ecc.*) barker; showman*; huckster **2** (*fig. spreg.*) tout; spieler (*fam.*); (*ciarlatano*) mountebank.

imbonitòrio a. touting; hyping: **discorso i.**, touting words (pl.); patter; spiel (*fam.*).

imborghesimènto m. bourgeoisification; shift to (*o* acceptance of) bourgeois (*o* middle-class) values.

imborghesìre **A** v. t. to make* (*o* to turn) bourgeois (*o* middle-class) **B** v. i. e **imborghesìrsi** v. i. pron. to become* bourgeois; to accept (*o* to embrace) bourgeois (*o* middle-class) values.

imborghesìto a. turned bourgeois (*o* middle-class) (pred.).

imboscamènto m. **1** hiding in a wood **2** (*mil.*) evasion of military service; draft-dodging **3** (*di merce*) cornering.

imboscàre **A** v. t. **1** (*nascondere in un bosco*) to hide* in a wood **2** (*mil.*) to help (sb.) to evade military service **3** (*nascondere*) to hide* **4** (*merce*) to corner **5** → **imboschire** **B** **imboscàrsi** v. rifl. **1** (*nascondersi in un bosco*) to hide* in a wood **2** (*mettersi in agguato*) to lay* an ambush **3** (*mil.*) to evade military service; to dodge the draft **4** (*sottrarsi a un lavoro*) to shirk; (*trovare un lavoro comodo*) to get* oneself a cushy job **5** (*scherz.*: *nascondersi*) to sneak off: *Dove vi eravate imboscati?*, where did you sneak off to? **C** **imboscàrsi** v. i. pron. **1** (*di terreno*) to become* woody **2** (*di albero*) to grow* bushy; to thicken.

imboscàta f. ambush: **cadere in un'i.**, to fall into an ambush; to be ambushed; **tendere un'i.**, to lay an ambush; to wait in ambush; (*e assaltare*) to ambush (sb.), to waylay (sb.).

imboscàto m. (*mil.*) shirker; draft-dodger.

imboschimènto m. afforestation.

imboschìre **A** v. t. to afforest **B** v. i. e **imboschìrsi** v. i. pron. to become* woody.

imbossolàre → **imbussolare**.

imbottàre v. t. to put* into a cask (*o* into casks); to cask.

imbottatùra f. casking.

imbottavino m. casking funnel.

imbòtte f. (*archit.*) intrados*; under-arch.

imbottigliamènto m. **1** bottling **2** (*mil.*) bottling up **3** (*fig., di traffico*) traffic

jam; gridlock; (*coda*) tailback (*GB*), backup (*USA*).

imbottigliàre **A** v. t. **1** to bottle **2** (*mil.*) to bottle up **3** (*intrappolare*) to trap; to box in ● *Le auto erano imbottigliate al casello*, there was a tailback of cars at the toll **B** **imbottigliàrsi** v. i. pron. **1** to get* trapped (*di veicolo*) to be caught in a traffic jam (*o* in a gridlock); (*in una coda*) to be caught in a tailback (*USA* in a backup).

imbottigliatóre m. (f. **-trice**) bottler.

imbottigliatrìce f. (*macchina*) bottling-machine; bottler.

imbottìre **A** v. t. **1** (*un cuscino, ecc.*) to stuff, to fill; (*un indumento*) to pad, to wad; (*una trapunta*) to wad; (*un sedile, una parete*) to pad **2** (*farcire*) to fill; to stuff: **i. un panino di salame**, to fill a roll with salami (*fig.*) to stuff; to pack; to fill: **i. la testa di q. di sciocchezze**, to stuff sb.'s head with nonsense **4** (*fig., con indumenti*) to cover up well; to muffle up: *La mamma lo imbottì ben bene*, his mother muffled him up well **B** **imbottìrsi** v. rifl. **1** (*di abiti*) to put on* (layers of clothes); to cover up well (with); to muffle up (in) **2** (*rimpinzarsi*) to stuff oneself (with); to gorge oneself (with): **imbottirsi di dolci**, to stuff oneself with sweets; **imbottirsi di medicine**, to take too many medicines.

imbottìta f. quilt.

imbottìto a. **1** (*di cuscino, ecc.*) stuffed, filled; (*di indumento*) padded, wadded; (*trapunto*) quilted; (*di sedile, parete*) padded: **coperta imbottita**, quilt; **fodera imbottita**, quilted lining **2** (*farcito*) filled; stuffed: **panino i.**, roll with a filling; ham [cheese, etc.] roll **3** (*fig.*: *vestito pesantemente*) covered up; muffled up.

imbottitùra f. **1** (*di cuscino, ecc.*) stuffing; filling **2** (*di indumento*) padding, wadding; (*di sedile, parete*) padding (*di panino, ecc.*) filling; (*farcia*) stuffing.

imbozzacchìre v. i. to grow* up stunted.

imbozzàre v. t. (*naut.*) to clap on; to nipper; to stopper.

imbozzimàre v. t. (*ind. tess.*) to size.

imbozzimatùra f. (*ind. tess.*) sizing.

imbozzolàrsi v. rifl. (*di bachi*) to cocoon.

imbràca f. **1** (*del finimento da tiro*) breeching; breeching strap **2** (*per sollevamento*) sling **3** (*cintura di sicurezza*) sling.

imbracàre v. t. to secure with a sling; to sling*; (*un cannone*) to breech.

imbracatóre m. slinger.

imbracatùra f. **1** (*l'imbracare*) slinging **2** (*fune, cinghia*) sling **3** (*di paracadutista, alpinista*) harness.

imbracciàre v. t. (*un fucile*) to shoulder; (*uno scudo*) to take* up, to put* on.

imbracciatùra f. **1** (*l'imbracciare*) shouldering; taking up **2** (*parte del fucile*) sling; (*dello scudo*) strap, loop.

imbrachettàre v. t. (*legatoria*) to hinge.

imbragàre → **imbracare**.

imbraghettàre → **imbrachettare**.

imbranatàggine f. (*fam.*) clumsiness; awkwardness; hopelessness (*fam.*).

imbranàto **A** a. (*fam.*) (*goffo*) clumsy, awkward, bumbling; (*pasticcione*) bungling; (*inesperto*) raw, green, hopeless (*fam.*), clueless (*fam.*) **B** m. (f. **-a**) clumsy person; dead loss (*fam.*); klutz (*fam. USA*); sad sack (*slang USA*).

imbrancàre v. t., **imbrancàrsi** v. i. pron. (*anche fig.*) to herd (together).

imbrattacàrte, **imbrattafògli** m. e f. inv. (*spreg.*) scribbler.

imbrattamùri m. e f. inv. (*spreg.*) dauber.

imbrattàre v. t. to dirty; to soil; (*macchiare*) to smear, to stain; (*deturpare*) to deface: **i. di fango**, to soil with mud; **i. d'in-**

chiostro, to stain with ink; **i. di rifiuti**, to litter; **i. un muro di scritte**, to deface a wall with graffiti; **i. di vernice**, to smear (*o* to daub) with paint; **imbrattarsi la faccia di qc.**, to smear one's face with st.; **imbrattarsi le mani**, to dirty one's hands; (*fig.*) **imbrattarsi le mani di sangue**, to soil one's hands with blood ● (*fig.*) **i. tele**, to paint daubs; to be a dauber **B** **imbrattàrsi** v. rifl. to dirty oneself; to get* dirty **C** **imbrattàrsi** v. i. pron. to get* dirty; to become* soiled.

imbrattatéle m. e f. inv. (*spreg.*) dauber.

imbrattatóre m. (f. **-trice**) soiler.

imbrattatùra f. **1** stain; smear **2** → **imbratto**, def. 1.

imbràtto m. **1** (*spreg., di dipinto*) daub; (*di scritto*) trash ▥, scribble **2** (*broda per maiali*) swill.

imbrecciàre v. t. to cover with gravel; to gravel.

imbrecciàta f. layer of gravel.

imbrecciatùra f. gravelling.

imbricàre e deriv. → **embricare**, e deriv.

imbrìfero a. (*geogr.*) rain-collecting ● **bacino i.**, catchment basin (*o* area); drainage basin (*o* area).

imbrigliamènto m. **1** (*di cavallo*) bridling **2** (*fig.*) curbing; restraining **3** (*edil.*) shoring up **4** (*idraul.*) dyking; harnessing.

imbrigliàre **A** v. t. **1** (*un cavallo*) to bridle **2** (*fig.*: *tenere a freno*) to curb; to restrain; to keep* in check **3** (*edil.*) to shore up **4** (*idraul.*) to dyke; to harness **5** (*naut.*) to frap.

imbrillantinàre **A** v. t. to put* brilliantine on; to slick down with brilliantine **B** **imbrillantinàrsi** v. rifl. to put* brilliantine on one's hair; to slick one's hair down with brilliantine.

imbrillantinàto a. brilliantined.

imbroccàre v. t. **1** to hit*: **i. il bersaglio**, to hit the target **2** (*fig.*) to hit* on (st.); to get* (st.) right; (*indovinare*) to guess: **i. una risposta**, to hit on the right answer; to guess right; **i. la strada giusta**, to hit on the right road; **imbroccarla giusta**, to get it right; *Non ne imbrocca una*, he never gets anything right.

imbrodàre v. t., **imbrodàrsi** v. rifl. to soil; to stain ● (*prov.*) *Chi si loda s'imbroda*, self-praise is no recommendation.

imbrogliàre **A** v. t. **1** (*aggrovigliare*) to tangle; to entangle **2** (*confondere*) to confuse; to mix up: **i. le idee a q.**, to muddle sb.'s ideas **3** (*ingannare*) to cheat; to swindle; to take* in; to diddle (*fam.*): *Mi hanno imbrogliato*, I've been cheated; I've been diddled (*fam.*); I've been had (*fam.*); *Non è facile imbrogliarlo*, he is not easily taken in; **i. sul peso**, to cheat over the weight **4** (*intralciare*) to be in the way, to obstruct, to clutter; (*impedire*) to hamper: *Toglilo di qui, non vedi che imbroglia?*, move it, can't you see it's in the way? **i. nei movimenti**, to hamper one's movements **5** (*naut.*: *le vele*) to clew up ● (*fig.*) **i. le carte** (*o* la matassa), to confuse an issue □ **i. sui conti**, to fiddle the accounts (*o* the books) **B** **imbrogliàrsi** v. i. pron. **1** (*aggrovigliarsi*) to get* entangled (*o* tangled up); (*di corda, catena, anche*) to foul **2** (*confondersi*) to get* confused; to get* mixed up: **imbrogliarsi nel dare una risposta**, to give a garbled answer **3** (*complicarsi*) to get* complicated: *La faccenda s'imbroglia*, the whole thing is getting complicated; the plot thickens (*scherz.*).

imbrogliàto a. (*complicato*) entangled; intricate; (*confuso*) confused, messed up: **una faccenda imbrogliata**, an intricate matter.

imbròglio m. **1** (*groviglio*) tangle, entanglement; (*confusione, pasticcio*) mess, mud-

dle, mix-up **2** (*impiccio*) mess; trouble Ⓤ; scrape; tight spot (*fam.*); fix (*fam.*): **togliere q. da un i.**, to get sb. out of a scrape (*o* out of trouble); **essere in un i.**, to be in a fix **3** (*raggiro*) swindle; fraud; scam; trickery; trick; shenanigans (pl.) (*fam.*): **essere vittima di un i.**, to be the victim of a fraud; to be cheated; *Qui c'è sotto un i.*, I sense some trickery here; there's something fishy going on here (*fam.*) **4** (*naut.*) brail.

imbroglióne Ⓐ m. (f. **-a**) swindler; cheat; trickster; crook (*fam.*); (*impostore*) fraud; impostor Ⓑ a. cheating; dishonest; crooked (*fam.*).

imbroncàre v. t. (*naut.*) to top; to trip.

imbronciàrsi v. i. pron. **1** (*fare il broncio*) to sulk, to pout; (*corrucciarsi*) to frown **2** (*fig.*, *del cielo*) to cloud over.

imbronciàto a. **1** (*col broncio*) sulky, pouting; (*corrucciato*) frowning, sullen **2** (*fig.*, *del cielo*) overcast; cloudy.

imbruniménto m. **1** darkening **2** (*bot.*) scorch; scorching.

imbrunìre Ⓐ v. i. impers. to grow* (*o* to get*) dark Ⓑ v. i. e **imbrunìrsi** v. i. pron. to brown; to get* brown; to darken Ⓒ m. dusk; nightfall: **all'i.**, at dusk; at nightfall.

imbruttìre Ⓐ v.t. to make* ugly; to spoil; to spoil the looks (*o* the beauty) of Ⓑ v. i. e **imbruttìrsi** v. i. pron. to grow* (*o* to become*) ugly.

imbucàre Ⓐ v. t. **1** (*impostare*) to post; to mail (*USA*); (*assol.*) to post a letter [some letters] **2** (*mettere in un buco*) to put* into a hole; (*nascondere*) to hide* **3** (*biliardo*) to pocket Ⓑ **imbucàrsi** v. i. pron. **1** (*nascondersi*) to hide*; to hole up **2** (*pop.*: *intrufolarsi non invitato*) to gate-crash (st.).

imbucàto m. (f. **-a**) (*pop.*) gate-crasher.

imbufalìre v. i., **imbufalìrsi** v. i. pron. (*fam.*) to get* mad; to fly off the handle (*fam.*); to flip (one's lid) (*slang*).

imbufalìto a. (*fam.*) mad; furious; foaming at the mouth (pred.).

imbullettàre v. t. to tack.

imbullettatùra f. tacking.

imbullonàre v. t. to bolt.

imburràre v. t. (*pane, ecc.*) to butter; (*una teglia, ecc.*) to grease with butter.

imbussolàre v. t. **1** (*polvere da sparo*) to put* into a cartridge **2** (*mettere in un'urna*) to put* into a box; (*una scheda elettorale*) to put* into a ballot-box.

imbustàre v. t. to put* into an envelope.

imbustàto a. **1** (*in busta*) in an envelope (pred.) **2** (*stretto da un busto*) corseted.

imbustatrìce f. (*tecn.*) envelope machine.

imbutifórme a. funnel-shaped; (*bot.*) trumpet-shaped.

imbutìre v. t. (*metall.*) to deep-draw*.

imbutitrìce f. (*metall.*) drawing press.

imbutitùra f. (*metall.*) drawing; spinning.

imbùto m. funnel ● **a i.**, funnel-shaped □ (*di strada*) **formare un i.**, to form a bottle--neck.

imène① m. (*anat.*) hymen.

imène② m. (*lett.*) marriage; wedding; nuptials (pl.) (*lett.*).

imenèo m. **1** (*inno nuziale*) hymeneal; wedding hymn **2** (*al pl.*) (*lett.*: *nozze*) hymeneals; nuptials.

imènio m. (*bot.*) hymenium*.

imenoplàstica f. (*chir.*) hymenoplasty.

imenòttero m. (*zool.*) hymenopteran; (al pl., *scient.*) Hymenoptera.

IMI sigla (**Istituto mobiliare italiano**) Italian institute for financing personal and real property.

imidażòlo m. (*chim.*) imidazole.

---

imitàbile a. imitable.

♦**imitàre** v. t. **1** (*seguire un modello*) to imitate; (*copiare*) to copy; (*scimmiottare*) to ape; (*fare il verso*) to mimic: **i. l'esempio di q.**, to imitate sb.; to follow sb.'s example; **i. una voce**, to imitate a voice; *Imita tutto quello che faccio*, she apes everything I do **2** (*come caricatura*) to do* an impersonation of; (*di attore*) to impersonate **3** (*contraffare*) to fake; to forge; to counterfeit: **i. una firma**, to forge a signature **4** (*assomigliare*) to look like: **un materiale che imita il marmo**, a material that looks like marble.

imitatìvo a. imitative.

imitàto a. (*copiato*) mock (attr.); imitation (attr.).

imitatóre m. (f. **-trìce**) **1** imitator; copier: **un i. del Petrarca**, an imitator of Petrarch **2** (*attore*) impersonator; impressionist.

imitazióne f. **1** imitation; copy; (*scimmiottamento*) aping: **a i. di**, in imitation of **2** (*caricatura*) impersonation; impression: **fare l'i. di**, to do an impersonation of; (*di attore*) to impersonate **3** (*copia*) imitation; copy; (*falso*) fake; (*cosa falsificata*) forgery **4** (*contraffazione*) imitation; (*falsificazione*) forgery: (*leg.*) **i. di firma**, forgery of signature; forged signature; (*leg.*) **i. di un marchio**, imitation of a trade-mark; **gioielli d'i.**, imitation jewellery **5** (*mus.*) imitation.

immacolàto a. **1** immaculate; spotless; pure: **bianco i.**, immaculate white; **coscienza immacolata**, pure (*o* clear) conscience; **reputazione immacolata**, spotless reputation **2** (*bianchissimo*) snow-white; lily-white: **un lenzuolo i.**, a snow-white sheet **3** (*relig.*) immaculate; free from sin: **l'Immacolata Concezione**, the Immaculate Conception ● (*relig.*) **l'Immacolata**, the Virgin.

immagazzinàbile a. storable.

immagazzinaménto m. **1** storage; warehousing; storing **2** (*comput.*) storage.

immagazzinàre v. t. **1** to store; to warehouse; to put* into storage **2** (*fig.*) to accumulate; to store up; to build* up: **i. energia**, to build up energy; **i. informazioni**, to store up information; **i. scorte**, to stockpile **3** (*comput.*) to store.

immaginàbile a. imaginable; conceivable: **in tutti i modi immaginabili**, in every conceivable way; **tutti gli sforzi possibili e immaginabili**, every effort that was humanly possible **2** (*credibile, ammissibile*) believable: *Non è i. che...*, it's unbelievable that... **3** (*prevedibile*) predictable.

♦**immaginàre** Ⓐ v. t. **1** to imagine; to picture; (*solo nelle escl.*) to fancy; (*rif. al futuro*) to envisage: *Puoi i.* (*o* *Ti lascio i.*) *la mia gioia*, you can imagine my joy; *Te lo immagini come esploratore?*, can you picture him as an explorer?; *Immaginati! fare una cosa simile!*, fancy doing that!; *Te lo sei solo immaginato*, you just imagined it; you just thought you saw it [heard it, etc.] **2** (*inventare*) to invent, to think* out; (*escogitare*) to devise **3** (*supporre, ritenere*) to imagine; to suppose; to think*; to guess (*USA*); to reckon: *Immagino che non accetterai*, I imagine (*o* I guess) you won't accept; *Non ci sei tornato, immagino*, you didn't go back, I imagine; *Immagino che non verrà*, I guess (*o* I reckon) she won't come; *Immagino di sì*, I imagine so; *Me l'immaginavo*, I thought as much; *Non l'avrei mai immaginato*, I would never have thought it; I would never have guessed ● **C'era da immaginarselo**, it was only to be expected ● **Immagina se potevo accettare!**, how could I possibly accept? □ **«Grazie infinite!» «S'immagini!»** "thanks a lot!» «don't mention it!» (*USA* «you're welcome!»); *«Disturbo?» «Ma s'immagini!»* «am I disturbing you?» «not at all!» Ⓑ m. →

---

immaginazione.

immaginàrio Ⓐ a. **1** imaginary; fictitious: **mondo i.**, imaginary world; **personaggio i.**, fictitious character **2** (*mat.*) – **numero i.**, imaginary number Ⓑ m. imagination: **l'i. collettivo**, the collective imagination.

immaginatìva f. imagination; inventiveness; creativity: **mancare di i.**, to lack imagination; **ricco di i.**, very imaginative; very inventive.

immaginatìvo a. **1** imaginative **2** (*dotato di immaginazione*) inventive; creative.

♦**immaginazióne** f. **1** imagination: **i. fervida**, lively (*o* fertile) imagination; **non avere i.**, to have no imagination; **eccitare l'i.**, to stir the imagination; **esistere solo nell'i.**, to exist only in one's imagination **2** (*cosa immaginata*) figment of the imagination; fancy; fantasy Ⓤ: *Quell'uomo non esiste: è una tua i.*, the man doesn't exist, he's a figment of your imagination (*o* you just imagined him) ● **al di là di ogni i.**, beyond all imagining; better [worse] than one would ever have imagined.

♦**immàgine** f. **1** (*anche fis.*) image: **i. riflessa**, reflected image; **i. virtuale**, virtual image; **le immagini sullo schermo**, the images on the screen **2** (*rappresentazione grafica o plastica*) image; (*illustrazione*) picture, illustration: **i. votiva**, votive image; **culto delle immagini**, image-worship **3** (*rappresentazione mentale*) (mental) picture; image; (*impressione*) impression; (*visione*) vision; (*ricordo*) memory: **i. mentale**, mental picture; **dare un'i. di qc.**, to give a mental picture of st.; *Rivedo la sua i.*, I still have a mental picture of him; I can still see him; *Ne ho ancora un'i. viva*, I still have a vivid memory of it **4** (*letter.*: *metafora*) image; metaphor; (al pl., anche) imagery Ⓤ **5** (*modo di presentarsi*) image: **i. aziendale**, corporate image; corporate identity; **i. pubblica**, public image; **curare la propria i.**, to cultivate one's image; **offrire un'i. di efficienza**, to project an image of efficiency; to come across as efficient; *La sua i. è quella di un uomo alla mano*, he comes across as an affable man; **rinnovamento dell'i.**, facelift; makeover **6** (in loc. *fig.*: *ritratto*) image; picture: *È l'i. della salute*, he is the picture of health; *Il suo viso era l'i. dell'innocenza*, his face was the picture of innocence **7** (*TV*) image; vision: **i. spuria**, ghost (image); **aggiustare l'i.**, to adjust the picture; **perdita dell'i.**, loss of vision **8** (*zool.*) imago* ● **a i. e somiglianza di**, in the likeness of.

immaginétta f. holy picture.

immaginìfico a. (*lett.*) having a luscious imagination (pred.); highly imaginative.

immaginìsmo m. (*letter.*) overabundance of imagery.

immaginóso a. **1** (*di scrittore, ecc.*) highly imaginative; creative **2** (*di stile, ecc.*) imaginative; vivid; fanciful.

immalinconìre Ⓐ v. t. to make* melancholy; to sadden Ⓑ v. i. e **immalinconìrsi** v. i. pron. to grow* melancholy; to grow* sad.

immancàbile a. **1** inevitable; unfailing **2** (*certo*) inevitable; certain; assured; guaranteed.

immancabilménte avv. **1** (*sempre*) invariably without fail; unfailingly: *Arrivano i. in ritardo*, they are invariably late; they're chronic latecomers **2** (*indubbiamente*) without doubt; undoubtedly.

immàne a. **1** (*lett.*: *enorme*) huge; enormous; immense **2** (*spaventoso*) appalling; dreadful; terrible.

immanènte a. (*filos.*) immanent.

immanentìsmo m. (*filos.*) immanent-

a b c d e f g h **i** j k l m n o p q r s t u v w x y z

ism.

immanentista m. e f. (*filos.*) immanentist.

immanentìstico a. (*filos.*) immanentist.

immanènza f. (*filos.*) immanence; immanency.

immangiàbile a. uneatable.

immanità f. enormity; immensity; hugeness.

immantinènte avv. (*lett.*) immediately; at once.

immarcescìbile a. (*lett.*) imperishable; indestructible.

immateriàle a. 1 immaterial; incorporeal 2 (*estens.*) delicate; ethereal; spiritual ● (*econ.*) **attività** (*o* **immobilizzazioni**) **immateriali**, intangible assets □ (*leg.*) **beni immateriali**, intangible property ⓤ.

immaterialìsmo m. (*filos.*) immaterialism.

immaterialista m. e f. (*filos.*) immaterialist.

immaterialità f. immateriality; incorporeality.

immatricolàre Ⓐ v. t. 1 (*uno studente*) to enrol; to matriculate 2 (*un veicolo, ecc.*) to register Ⓑ **immatricolàrsi** v. i. pron. to enrol; to matriculate.

immatricolazióne f. 1 (*di studente*) enrolment; matriculation 2 (*di veicolo, ecc.*) registration.

immaturaménte avv. 1 immaturely 2 (*prematuramente*) before one's time; too soon.

immaturità f. 1 (*bot.*) unripeness 2 (*med.*) prematurity 3 (*fig.*) immaturity.

immatùro a. 1 (*di frutto e sim.*) unripe 2 (*med.*) premature 3 (*fig.*) immature; (*infantile*) childish: **mente immatura**, immature mind; *È i. per la sua età*, he is immature for his age 4 (*fig.: prematuro*) untimely; early: **morte immatura**, untimely death; **in età immatura**, at an early age; *I tempi sono immaturi*, the times are not ripe yet Ⓑ m. (f. -a) (*med.*) premature baby.

immedesimàre Ⓐ v. t. to identify; to unify Ⓑ **immedesimàrsi** v. rifl. to identify (with); to empathize: **immedesimarsi in q.**, to identify with sb.; (*di attore*) **immedesimarsi nella parte**, to get into one's character; to live one's part; **immedesimarsi in una situazione**, to place oneself in a situation.

immedesimazióne f. identification; empathy; (*di attore*) living one's part.

immediataménte avv. 1 (*senza intervallo*) directly; immediately: **i. sopra qc.**, directly above st.; *Tu vieni i. dopo di me*, you are immediately after me 2 (*senza indugio*) immediately; at once; promptly; straight away: *Arrivarono i.*, they arrived immediately (*o* straight away); *Mi presentò i. al direttore*, she immediately introduced me to the manager.

immediatézza f. 1 immediacy; immediateness 2 (*spontaneità*) directness; spontaneity.

◆**immediàto** Ⓐ a. 1 immediate: **il mio i. superiore**, my immediate superior; **bisogni immediati**, immediate needs; **pagamento i.**, down payment; **con decorrenza immediata**, with immediate effect; **nell'i. futuro**, in the immediate future; **nelle immediate vicinanze**, close by 2 (*pronto, rapido*) prompt; direct; immediate; instant: **consegna immediata**, prompt delivery; **intervento i.**, prompt (*o* direct) intervention; **risultato i.**, direct result; **sollievo i.**, instant relief; **successo i.**, immediate (*o* instant) success 3 (*istintivo*) immediate; instinctive: **reazione immediata**, immediate (*o* instinctive) reaction Ⓑ m. – **nell'i.**, in the immediate fu-

ture.

immedicàbile a. (*lett.*) incurable; unhealable; immedicable.

immeditàto a. (*lett.*) unpremeditated.

immelanconìre → **immalinconire**.

immemoràbile a. immemorial: **uso i.**, immemorial custom; **da tempo i.**, from time immemorial.

immèmore a. oblivious; forgetful; unmindful: **i. degli obblighi**, forgetful of one's duties.

immensaménte avv. immensely; enormously; infinitely; awfully (*fam.*): **i. ricco**, immensely rich; **i. più alto**, infinitely taller; **desiderare i.**, to yearn (for); *Mi dispiace i.*, I'm awfully sorry.

immensità f. 1 immensity; vastness 2 (*grande quantità*) multitude; huge number; awful lot (*fam.*): **un'i. di gente**, a multitude of people; a huge crowd; **un'i. di problemi**, a huge number of problems.

◆**immènso** a. 1 immense; vast; huge; enormous; (*sconfinato*) boundless; (*incommensurabile*) immeasurable, incalculable: **distanze immense**, vast (*o* huge) distances; **l'i. universo**, the boundless universe; **un salone i.**, a vast hall; **immense ricchezze**, immense (*o* enormous) wealth; **un desiderio i. di tornare**, an enormous desire to go back; **una folla immensa**, a huge crowd; **immensi danni**, incalculable damage 2 (*molto intenso*) immense; great; deep: **i. amore**, immense love; **i. dolore**, great sadness (*o* grief).

immensuràbile a. (*lett.*) immeasurable; measureless.

immensurabilità f. (*lett.*) immensurability.

◆**immèrgere** Ⓐ v. t. 1 to immerse; (*tuffare*) to plunge; (*brevemente*) to dip, (*un biscotto, ecc.*) to dunk: *Non i. in acqua*, do not immerse in water; **i. un dito nel liquido**, to dip a finger into the liquid; *Immergi le verdure in acqua fredda*, plunge the vegetables into cold water 2 (*fig.*) to plunge: *La stanza fu immersa nel buio*, the room was plunged into darkness Ⓑ **immèrgersi** v. rifl. e i. pron. 1 to lower oneself (into); (*tuffarsi*) to plunge (into), to dive* (into); (*assol., di subacqueo*) to dive*, (*di sottomarino*) to dive*, to submerge: *M'immersi nell'acqua calda*, I lowered myself into the hot water; **immergersi alla ricerca di un relitto**, to dive in search of a wreck 2 (*fig.: penetrare*) to dive* (into): **immergersi tra la folla**, to dive into the crowd 3 (*fig.: dedicarsi totalmente*) to immerse oneself (in); to sink*; to plunge (into); to bury oneself (in): **immergersi nella meditazione**, to sink into meditation; **immergersi nel lavoro**, to immerse oneself in work.

immeritataménte avv. 1 (*senza merito*) undeservingly 2 (*senza colpa*) undeservedly; unjustly.

immeritàto a. 1 (*non meritato*) undeserved; unmerited 2 (*ingiusto*) unjust; unfair.

immeritévole a. undeserving; unworthy.

immersióne f. 1 (*l'immergere*) immersion; (*breve*) dip, dipping; (*l'immergersi*) diving; (*tuffo*) plunge, dive; (*di subacqueo*) dive; (*di sottomarino*) dive, submersion: **i. con autorespiratore**, scuba diving; **i. rapida**, crash dive; (*eccles.*) **battesimo per i.**, (baptism by) immersion; **gara d'i.**, diving competition; **durante l'i.**, (*nell'immergersi*) while diving; (*mentre si è immersi*) while under water; (*di sottomarino*) while submerged; **navigare in i.**, to navigate (*o* to proceed) submerged; (*naut.*) **velocità in i.**, submerged speed 2 (*fig.*) (*naut.: pescaggio*) draught, draft (*USA*): **i. a nave carica [scarica]**, load [light] draught; **linea d'i.**, water-

-line 3 (*geol.*) direction of the dip 4 (*astron.*) immersion.

immèrso a. 1 immersed; soaked; submerged 2 (*fig.*) immersed; absorbed; engrossed; buried: **i. nei propri pensieri**, immersed in one's thoughts; **i. nel lavoro**, immersed in one's work; **i. in un libro**, absorbed (*o* engrossed) in a book; **i. nei libri**, buried in books.

immeschinìre Ⓐ v. t. to make* mean; to cheapen Ⓑ v. i. e **immeschinìrsi** v. i. pron. to become* cheap (*o* squalid).

immèttere Ⓐ v. t. to introduce; to put* in; (*far entrare*) to let* in, to admit; (*denaro, ecc.*) to inject, to pour; (*dati, ecc.*) to enter, to feed*, (*con tastiera*) to type in, to key in: **i. un prodotto sul mercato**, to put a product on the market; **i. aria nei polmoni**, to breathe in; **i. nuovi capitali in un'azienda**, to inject new capital into a firm; **i. in ruolo**, to include in the permanent staff; to give tenure to; (*comput.*) **i. dati nel computer**, to feed data into the computer; (*comput.*) **i. il codice utente**, to key in one's user name Ⓑ v. i. (*condurre*) to lead* (to, into, onto): *Il corridoio immette nella sala da pranzo*, the corridor leads to the dining room Ⓒ **immèttersi** v. rifl. e i. pron. to get* (into); to get* (onto): **immettersi in autostrada**, to get onto the motorway; **immettersi nel traffico**, to get into the traffic; (*da un posteggio*) to pull out into traffic.

immezzìre v. i., **immezzìrsi** v. i. pron. to become* overripe.

immigrànte a., m. e f. immigrant.

immigràre v. i. to immigrate: **i. per lavoro**, to immigrate in search of work.

immigràto m. (f. -a) immigrant.

immigratòrio a. immigrational; immigration (attr.).

immigrazióne f. 1 immigration: **i. interna**, internal immigration; **leggi sull'i.**, immigration laws 2 (*gli immigrati*) immigrants (pl.).

imminènte a. 1 (*prossimo*) imminent; (*close*) at hand; coming; forthcoming; (*in modo minaccioso*) impending: **arrivo i.**, imminent arrival; **pericolo i.**, imminent danger; **pubblicazione i.**, forthcoming publication; **guerra i.**, impending war; *L'inverno è i.*, winter is almost upon us 2 (*lett.: sovrastante*) overhanging.

imminènza f. imminence; nearness; proximity ● **nell'i. delle feste**, with the approach of the holidays.

◆**immischiàre** Ⓐ v. t. to involve; to implicate; to mix up Ⓑ **immischiàrsi** v. i. pron. (*avere a che fare*) to get* involved (in, with); (*impicciarsi*) to meddle (in, with), to interfere (with): *Io non voglio immischiarmi*, I don't want to get involved in it (*o* to have anything to do with it); *Non t'immischiare!*, don't interfere!; mind your own business!; *S'immischia in tutto quello che faccio*, he meddles in (*o* interferes with) everything I do; *Di che t'immischi?*, what business is it of yours?

immiscibile a. (*chim.*) immiscible.

immiscibilità f. (*chim.*) immiscibility.

immiserimènto m. impoverishment.

immiserìre Ⓐ v. t. 1 to impoverish 2 (*fig.*) to impoverish; to weaken Ⓑ v. i. e **immiserìrsi** v. i. pron. 1 to become* poor 2 (*fig.: ridursi*) to become* depleted, to dwindle; (*indebolirsi*) to weaken 3 (*fig.: immeschinirsi*) to grow* cheap; to grow* squalid.

immissàrio m. (*geogr.*) tributary.

immissióne f. 1 introduction; injection; intake: **i. di capitali**, injection of capital; **i. in ruolo**, inclusion in the permanent staff; granting of tenure 2 (*tecn.*) inlet; intake 3 (*comput.*) input; entry: **i. di dati**, input (*o* entry) of data.

immistióne f. **1** blending; mixing **2** (*fig.*) intereference; meddling.

immisto ① a. (*lett.*) unmixed; pure.

immisto ② a. (*lett.*) mixed; blended.

immiṣuràbile a. immeasurable.

♦**immòbile** Ⓐ a. **1** (*che non si può spostare*) immovable **2** (*fermo*) motionless; unmoving; stationary; still; stock-still; immobile: **essere i.**, to stand [to sit, to lie, etc.] still (*o* motionless, unmoving); **restare i.**, to keep still; to remain motionless; **mantenere i. una gamba**, to keep a leg immobile ● (*leg.*) **bene i.**, immovable property ⓤ; (al pl., anche) real estate ⓤ, immovables Ⓑ m. immovable property ⓤ; (al pl., anche) real estate ⓤ, immovables; (*edificio*) building: *Possiede diversi immobili in città*, he owns property (*o* various buildings) in town; **il mercato degli immobili**, the real estate market.

immobiliàre Ⓐ a. real estate (attr.); property (attr.): **agenzia i.**, real estate agency; estate agency (*GB*); **credito i.**, credit guaranteed by mortgage; **mercato i.**, property market; **proprietà i.**, real estate; (*leg.*) **sequestro i.**, attachment of real property; **società i.**, property company Ⓑ f. property company.

immobiliarista m. e f. real estate agent; estate agent (*GB*).

immobilìṣmo m. (*polit.*) immobilism; ultra-conservatism; inactivity.

immobilista m. e f. ultra-conservative.

immobilìstico a. (*polit.*) ultra-conservative; immobilism (attr.).

immobilità f. immobility; motionlessness; stillness: **i. forzata**, enforced immobility; **costretto all'i.**, forced to remain immobile; (*a letto*) bedridden.

immobiliẓẓàre Ⓐ v. t. **1** to immobilize; to block; (*paralizzare, anche*) to paralyse, to paralyze (*USA*), to freeze*; (*afferrare*) to seize; (*bloccare*) to pin; (*bloccare braccia e gambe*) to pinion: **i. un arto**, to immobilize a limb; *L'agente lo immobilizzò contro il muro*, the policeman pinned him against the wall; *La paura lo immobilizzò*, fear froze him; **i. a letto**, to force to stay in bed; to lay* up; **i. a terra q.**, to pinion sb. to the ground **2** (*fin.*) to tie up; to lock up Ⓑ **immobiliẓẓàrsi** v. i. pron. to freeze*.

immobiliẓẓàto a. **1** immobilized; paralysed, paralyzed (*USA*): **arto i.**, immobilized limb; **restare i. dal terrore**, to be paralysed with terror **2** (*fin.*) tied up; locked up: **capitale i.**, tied-up capital.

immobiliẓẓatóre m. (*autom.*) immobilizer.

immobiliẓẓazióne f. **1** immobilization **2** (*fin.*) tying-up; locking-up; lock-up.

immobiliẓẓo m. (*fin.*) tying-up; locking-up; lock-up.

immoderataménte avv. immoderately; to excess.

immoderatéẓẓa f. lack of moderation; immoderation; intemperance.

immoderàto a. immoderate; intemperate; unrestrained.

immodèstia f. **1** (*presunzione*) immodesty **2** (*mancanza di pudore*) immodesty; shamelessness.

immodèsto a. **1** (*presuntuoso*) immodest; conceited **2** (*non pudico*) immodest; shameless.

immodificàbile a. unmodifiable; unalterable.

immodificàto a. unmodified; unaltered.

immolàre Ⓐ v. t. to immolate; to offer as a sacrifice ● to give one's life; to make the final sacrifice (*form.*) Ⓑ **immolàrsi** v. rifl. **1** (*dare la vita*) to give* one's

life; to make the final sacrifice (*form.*) **2** (*fig.*) to immolate oneself.

immolazióne f. immolation; sacrifice.

immondéẓẓa f. **1** foulness; uncleanliness; filthiness **2** → **immondizia**.

immondeẓẓàio m. **1** rubbish tip (*GB*); garbage dump (*USA*) **2** (*fig.*) pigsty; tip (*GB*).

♦**immondìzia** f. (*spazzatura*) rubbish (*GB*); garbage (*USA*); trash (*USA*); refuse; litter: **camion dell'i.**, dustcart (*GB*); garbage truck (*USA*); **raccolta dell'i.**, rubbish (*o* garbage) collection; **recipiente per l'i.**, dustbin (*GB*); rubbish bin; garbage box; trash can; (*in luogo pubblico*) litter bin; **gettare qc. tra l'i.**, to throw st. out with the rubbish; *Vietato depositare le immondizie*, no dumping.

immóndo a. **1** (*lurido*) filthy; dirty; foul **2** (*impuro*) unclean: **animali immondi**, unclean animals **3** (*fig.*) corrupt; depraved.

♦**immoràle** Ⓐ a. immoral Ⓑ m. e f. immoral person.

immoraliṣmo m. (*filos.*) immoralism.

immoralista m. e f. immoralist.

immoralità f. **1** immorality **2** (*atto immorale*) immoral act; immorality.

immorṣàre ① v. t. **1** (*tecn.*) to scarf **2** (*edil.*) to tooth.

immorṣàre ② v. t. (*un cavallo*) to put* the bit on (*a horse*).

immorṣatùra f. **1** (*tecn.*) scarf **2** (*edil.*) toothing.

immortalàre Ⓐ v. t. to immortalize Ⓑ **immortalàrsi** v. i. pron. to gain everlasting fame.

immortàle Ⓐ a. (*anche fig.*) immortal; undying; everlasting: **gli dèi immortali**, the immortal gods; **un capolavoro i.**, an immortal masterpiece; **fama i.**, everlasting (*o* undying) fame Ⓑ m. e f. immortal.

immortalità f. **1** immortality **2** (*fama immortale*) everlasting (*o* undying) fame.

immortalizzazióne f. (*biol.*) immortalization.

immotivàto a. unjustified; groundless; unwarranted: **pretese immotivate**, unjustified claims; **rifiuto i.**, unwarranted refusal; **ritardo i.**, unjustified delay; **timori immotivati**, groundless fears.

immòto a. (*lett.*) motionless; still.

immucidìre v. i. to go* mouldy; to become* musty.

immùne a. **1** (*non soggetto*) immune; exempt: **i. da pagamento**, exempt from payment **2** (*esente*) free: **i. da colpa**, free from blame; **i. da difetti**, free from defects; fault-free **3** (*med.*) immune: **i. a una malattia**, immune to a disease.

immunità f. **1** (*esenzione*) immunity; exemption: **i. da imposte**, immunity from taxation **2** (*leg.*) immunity: **i. dall'azione penale**, immunity from prosecution; **i. diplomatica [parlamentare]**, diplomatic [parliamentary] immunity; absolute privilege (*GB*); **sospendere l'i.**, to lift immunity **3** (*med.*) immunity: **i. a una malattia**, immunity to a disease; **i. attiva [passiva]**, active [passive] immunity.

immunitàrio a. (*med.*) immune: **deficienza immunitaria**, immune deficiency; immunodeficiency; **risposta immunitaria**, immune response; **sistema i.**, immune system.

immuniẓẓànte a. (*med.*) immunizing; immune: **siero i.**, immune serum.

immuniẓẓàre Ⓐ v. t. **1** (*med.*) to immunize **2** (*fig.*) to make* immune (against) Ⓑ **immuniẓẓàrsi** v. rifl. **1** to be immunized **2** (*fig.*) to make* oneself immune (against); to defend oneself (from).

immuniẓẓazióne f. (*med.*) immunization.

immunochìmica f. (*med.*) immunochemistry.

immunocitochìmica f. (*biol., med.*) immunocytochemistry.

immunocompetènte a. (*med.*) immunocompetent.

immunocompetènza f. (*med.*) immunocompetence.

immunocomplèsso m. (*biol.*) immune complex.

immunodeficiènza f. (*med.*) immunodeficiency.

immunodepressióne f. (*med.*) immunodepression.

immunodeprèsso a. (*med.*) immunodepressed.

immunodepressóre Ⓐ m. (*med.*) immunodepressant Ⓑ a. immunodepressive.

immunodiffuṣióne f. (*chim.*) immunodiffusion.

immunoelettroforèṣi f. (*chim.*) immunoelectrophoresis.

immunoematologìa f. (*med.*) immunohaematology.

immunoenzimàtico a. (*chim.*) immunoenzymatic.

immunofluorescènza f. (*med.*) immunofluorescence.

immunògeno Ⓐ a. immunogenic Ⓑ m. immunogen.

immunoglobulìna f. (*biol.*) immunoglobuline.

immunologìa f. (*med.*) immunology.

immunològico a. (*med.*) immunologic.

immunòlogo m. (f. *-a*) (*med.*) immunologist.

immunomodulatóre → **immunoregolatore**.

immunopatologìa f. immunopathology.

immunopoièṣi f. (*biol.*) immunopoiesis.

immunoprecipitazióne f. (*biochim.*) immunoprecipitation ⓤ.

immunoprofilàssi f. (*med.*) immunoprophylaxis.

immunoreazióne f. (*biol.*) immune reaction.

immunoregolatóre (*farm.*) Ⓐ m. immunoregulator Ⓑ a. immunoregulating.

immunosièro m. (*med.*) immune serum*.

immunosoppressióne f. (*biol.*) immunosuppression.

immunosoppressìvo a. (*med.*) immunosuppressive.

immunosopprèsso a. (*med.*) immunosuppressed.

immunosoppressóre (*med.*) Ⓐ m. immunosuppressant Ⓑ a. immunosuppressive.

immunostimolànte (*chim.*) Ⓐ a. immunostimulating Ⓑ m. immunostimulating agent.

immunoterapìa f. (*med.*) immunotherapy.

immunotollerànza f. (*med.*) immune (*o* immunological) tolerance.

immunotossìna f. (*chim.*) immunotoxin.

immunsièro → **immunosiero**.

immuràre v. t. to wall in.

immurazióne f. walling-in.

immuṣonìrsi v. i. pron. to sulk; to pull a long face.

immuṣonìto a. sulky; sullen; glum: **essere i.**, to be sulky; to sulk; *Se ne andò i.*, he left in a sulk; **con fare i.**, sulkily.

immutàbile a. unchangeable; unchanging; changeless; unalterable; immutable:

a b c d e f g h i j k l m n o p q r s t u v w x y z

affetto i., unchanging affection; **dato i.**, immutable fact; **decisione i.**, unalterable decision.

immutabilità f. immutability; unchangeableness; changelessness; unalterability.

immutabilménte avv. immutably; unchangingly; constantly.

immutàto a. unchanged; unaltered; (*non diminuito*) undiminished: *I miei sentimenti sono immutati*, my feelings haven't changed; **i. affetto**, undiminished affection.

ìmo (*lett.*) **A** a. (the) lowest; bottom (attr.) **B** m. lowest point; bottom.

imoscàpo m. (*archit.*) lower scape (*o* shaft).

impaccàggio m. packing.

impaccaménto m. (*comput.*) packing density.

impaccàre v. t. to pack; (*fare un pacco di*) to make* (st.) into a parcel; (*avvolgere*) to wrap up.

impaccatóre m. (f. **-trìce**) packer.

impaccatrìce f. (*tecn.*) packing machine; packer.

impaccatùra f. packing.

impacchettaménto m. parcel wrapping.

impacchettàre v. t. **1** (*avvolgere*) to wrap (up); (*confezionare in pacchetti*) to package: *Glielo impacchetto, signora?*, shall I wrap it (up) for you, madam?; **i. merci**, to package goods **2** (*fam.*: *ammanettare*) to handcuff.

impacchettatóre m. (f. **-trìce**) packer; packager; parcel wrapper.

impacchettatrìce f. (*tecn.*) packing machine; packer.

impacchettatùra f. parcel wrapping.

impacciàre v. t. **1** to hamper; to encumber: *Questa pelliccia mi impaccia*, this fur hampers my movements **2** (*dare fastidio*) to bother **3** (*imbarazzare*) to embarrass.

impacciàto a. **1** (*goffo*) awkward; clumsy **2** (*imbarazzato*) embarrassed, self-conscious; (*a disagio*) ill at ease (pred.).

impàccio m. **1** hindrance; encumbrance; obstacle: **essere d'i. a q.**, to be a hindrance to sb.; (*essere d'ingombro*) to be in sb.'s way; *Sei più d'i. che d'aiuto*, you are more of a hindrance than a help **2** (*fastidio*) trouble; bother **3** (*situazione difficile*) difficulty; awkward situation; predicament: **trarsi d'i.**, to get out of a difficulty (*o* of a predicament) **4** (*imbarazzo*) embarrassment; awkwardness.

impàcco m. (*med.*) compress.

impadellàre (*region.*) **A** v. t. to spatter (with grease); to splotch; to splodge: *Ti sei impadellato la cravatta*, you've got a big grease stain on your tie **B impadellàrsi** v. i. pron. to get* grease stains all over oneself.

impadronirsi v. i. pron. **1** to seize (st.); to appropriate (st.); to take* over (st.); to lay* one's hands on; (*rubare*) to steal* (st.): **i. di un'idea**, to appropriate an idea; **i. del potere**, to seize power; *Il ladro s'impadronì dei gioielli*, the thief seized the jewels; *Si è impadronito del mio studio*, he has taken over my study **2** (*fig.*, *di emozione*) to seize (sb.); to take* hold of; to overwhelm (sb.): *La paura s'impadronì di lui*, he was seized with fear; fear took hold of him **3** (*arrivare a padroneggiare*) to master (st.): **i. di una lingua**, to master a language.

impagàbile a. priceless; invaluable.

impaginàre v. t. (*tipogr.*) to make* up.

impaginàto (*tipogr.*) **A** a. made-up; paged **B** m. page proof.

impaginatóre m. (f. **-trìce**) (*tipogr.*) maker-up; make-up man* (m.).

impaginatrìce f. (*tipogr.*) gathering machine.

impaginatùra, impaginazióne f. (*tipogr.*) page make-up; (*anche comput.*) page layout.

impagliàre v. t. **1** (*un fiasco, ecc.*) to cover with straw; (*una sedia, ecc.*) to bottom with woven straw **2** (*riempire di paglia*) to stuff (with straw): **i. un uccello**, to stuff a bird **3** (*imballare nella paglia*) to pack in straw.

impagliàto a. **1** (*coperto di paglia*) covered with straw (pred.) **2** (*di sedia, ecc.*) straw-bottomed **3** (*imbottito di paglia*) stuffed: **animale i.**, stuffed animal.

impagliatóre m. (f. **-trìce**) **1** (*di sedie*) weaver [mender] of chair straw seats **2** (*di animali*) taxidermist.

impagliatùra f. **1** (*attività*: *di sedie*) chair mending; (*di animali*) taxidermy, stuffing **2** (*rivestimento*) straw cover; (*di sedia*) woven straw seat **3** (*imbottitura*) (straw) stuffing.

impàla m. inv. (*zool.*, *Aepyceros melampos*) impala*.

impalaménto m. (*supplizio*) impalement.

impalàre **A** v. t. **1** (*per supplizio*) to impale **2** (*viticoltura*) to prop up; to stake **B impalàrsi** v. i. pron. (*irrigidirsi*) to stand* stiff; (*immobilizzarsi*) to stand* stock-still, to freeze*.

impalàto a. (*rigido*) as stiff as a poker (*o* a ramrod); (*immobile*) stock-still, frozen: *Era i. sulla soglia*, he stood stock-still in the doorway; *Non startene lì i., fa' qualcosa!*, don't just stand there, do something!

impalatùra f. (*agric.*) staking.

impalcàre v. t. **1** (*edil.*) to lay* the joists of **2** (*agric.*) to prune.

impalcàto m. **1** (*edil.*) planking; flooring; joists (pl.) **2** (*di ponte*) deck.

impalcatùra f. **1** (*ponteggio*) scaffolding **U**; scaffold: **cadere da un'i.**, to fall off a scaffold; **erigere [smontare] un'i.**, to put* up [to take down] scaffolding **2** (*caccia*) hide **3** (*di albero*) crotch; fork; ramification **4** (*fig.*: *struttura*) framework; structure.

impallàrsi v. i. pron. **1** (*essere in difficoltà*) to be stumped **2** (*bloccarsi*) to get* stuck.

♦**impallidìre** v. i. **1** to turn (*o* to go*) pale **2** (*sbiadire, anche fig.*) to fade **3** (*di luce*) to fade; to grow* dim; to lose* one's brightness **4** (*fig.*, *in un confronto*) to pale: **i. di fronte a** (*o* **a confronto di**) **qc.**, to pale beside (*o* before, in comparison with) st.; **far i.**, to outshine; to outclass.

impallinàre v. t. **1** to pepper (with shot) **2** (*fig.*, *polit.*) to shoot* down.

impallinàta, impallinatùra f. hail of shots.

impalmàre① v. t. (*lett.* o *scherz.*) to marry.

impalmàre② v. t. **1** (*spec. naut.*) to whip **2** (*mecc.*) to splice.

impalmatùra f. **1** (*spec. naut.*) whipping **2** (*mecc.*) splicing.

impalpàbile a. **1** impalpable; very fine **2** (*fig.*) insubstantial; tenuous; intangible.

impalpabilità f. **1** impalpability **2** (*fig.*) insubstantiality; intangibility.

impaludàre **A** v. t. to turn into a marsh (*o* a swamp) **B** v. i. e i. pron. to become* marshy (*o* swampy) **C impaludàrsi** v. i. pron. (*fig.*) to get* bogged down.

impaludàto① a. **1** turned marshy (*o* swampy) **2** (*fig.*) bogged down.

impaludàto② → paludato.

impanàre① v. t. (*cucina*) to coat with breadcrumbs; to bread; to crumb.

impanàre② v. t. (*mecc.*) to thread.

impanàto① a. (*cucina*) coated with breadcrumbs; breaded; crumbed: **cotolette impanate**, breaded cutlets.

impanàto② a. (*mecc.*) threaded.

impanatùra① f. (*cucina*) breadcrumb coating; breading; crumbing.

impanatùra② f. (*mecc.*) threading.

impancàrsi v. i. pron. to set* oneself up (as): **i. a giudice**, to set oneself up as a judge.

impaniàre **A** v. t. **1** (*rami*) to smear with birdlime; (*uccelli*) to catch* with birdlime **2** (*fig.*) to entangle; to trap; to ensnare **B impaniàrsi** v. i. pron. **1** (*di uccello*) to be caught in birdlime **2** (*fig.*) to get* entangled; to get* mixed up.

impaniàto a. **1** caught in birdlime **2** (*fig.*) entangled; trapped; ensnared: **restare i. in qc.**, to get entangled in st.

impaniatùra f. smearing with birdlime.

impannàre v. t. to cover (*a window*) with cloth [paper, etc.].

impannàta f. **1** (*di finestra*) cloth [paper] covering **2** (*estens.*) window.

impantanàre **A** v. t. to reduce to (*o* to turn into) a bog **B impantanàrsi** v. i. pron. **1** to get* stuck in mud; to get* bogged down **2** (*fig.*: *invischiarsi*) to get* mixed up, to get* caught up, to get* trapped; (*arenarsi*) to get* bogged down, to get* mired.

impantanàto a. (*fig.*: *invischiato*) mixed up, caught up, trapped; (*arenato*) bogged down, mired.

impaperàrsi v. i. pron. to trip up (over a word); (*di attore*) to fluff one's lines.

impapocchiàre v. t. (*region.*) **1** (*imbrogliare*) to cheat; to take* in (*fam.*); to con (*fam.*) **2** (*pasticciare*) to make* a mess of; to bungle; to make* a hash of (*fam.*).

impappinàrsi v. i. pron. to falter; to get* flustered; to flounder; (*balbettare*) to stammer.

imparàbile a. (*sport*) unstoppable: **tiro i.**, unstoppable shot.

imparacchiàre v. t. to pick up a smattering of.

imparagonàbile a. incomparable; unequalled; unparalleled; unrivalled.

♦**imparàre** v. t. to learn*: **i. a memoria**, to learn by heart (*o* by rote); **i. a proprie spese**, to learn the hard way; to learn to one's cost; **i. a scrivere [a guidare]**, to learn (how) to write [to drive]; **i. dall'esperienza**, to learn from experience; **i. l'educazione**, to learn good manners; **i. la lezione**, to learn one's lesson; **far i.**, to teach ● **i. a vivere**, to learn what life's all about □ **Così impari!**, that'll teach you! □ **Non si finisce mai di i.**, you live and learn; you learn something every day □ (*prov.*) **Sbagliando s'impara**, you learn from your mistakes □ (*prov.*) **Impara l'arte e mettila da parte**, he that learns a trade, hath a purchase made.

imparatìccio m. **1** beginner's work; (*ricamo*) sampler **2** (*nozioni approssimative*) half-baked knowledge; smattering.

imparchettatùra f. (*di dipinto*) backing.

impareggiàbile a. incomparable; matchless; peerless; unsurpassed.

imparentàre **A** v. t. to ally by marriage **B imparentàrsi** v. i. pron. to become* related to; (*sposandosi*) to marry into (*a family*).

imparentàto a. (*anche fig.*) connected; related.

impàri a. **1** unequal; uneven; one-sided: **lotta i.**, uneven struggle; **condurre una lotta i.**, to fight against overwhelming odds **2** (*inadeguato*) unfit (for) **3** (*dispari*) odd **4** (*anat.*) azygous.

imparidigitàto a. (*zool.*) imparidigitate.

imparipennàto a. (*bot.*) imparipinnate.

imparisìllabo a. (*gramm.*) imparisyllabic.

imparruccàre **A** v. t. to bewig **B imparruccàrsi** v. rifl. (*scherz.*) to put* on a wig.

imparruccàto a. **1** bewigged; wearing a wig **2** (*fig.*) pompous.

impartire v. t. **1** to give*: **i. lezioni private**, to give private lessons; **i. un ordine a q.**, to give an order to sb. **2** (*concedere*) to grant; to bestow.

imparziàle a. impartial; unbiased; fair; unprejudiced: **arbitro i.**, impartial arbiter (*sport* referee); **decisione i.**, fair decision; **giuria i.**, unbiased jury; **osservatore i.**, impartial (*o* unbiased) observer; **resoconto i.**, impartial report.

imparzialità f. impartiality; fairness: **l'i. di un giudice**, the impartiality of a judge; **comportarsi con i.**, to show impartiality; to be fair.

impasse (*franc.*) f. inv. **1** impasse; dead end; deadlock; stalemate: **trovarsi in un'i.**, to have reached an impasse (*o* a dead end); **sbloccare un'i.**, to break a deadlock **2** (*bridge*) finesse: **fare l'i. al Re**, to finesse the King.

impassìbile a. impassive; unmoved; imperturbable; poker-faced; (*rif. a chi fa una battuta*) deadpan (*fam.*): **espressione i.**, impassive expression; **con viso i.**, impassively; with a poker face; **restare i.**, to remain impassive; to be unmoved.

impassibilità f. impassiveness; impassibility; imperturbability.

impastaménto m. **1** kneading **2** (*tipogr.*) blurry print; smudgy print **3** (*med.*) petrissage.

♦**impastàre** A v. t. **1** (*cucina: lavorare*) to knead, to pound; (*mescolare*) to work: **i. il pane**, to knead the bread dough; **i. la farina col burro**, to work the flour with butter; to work butter into the flour **2** (*colori*) to mix **3** (*creta, argilla*) to knead; (*ind.*) to pug **4** (*fig.: amalgamare*) to blend; (*la lingua*) to fur B **impastàrsi** v. i. pron. **1** to mix; to blend **2** (*tipogr.*) to blur; to become* smeared.

impastàto a. **1** (*cucina*) kneaded; (*mescolato*) mixed **2** (*di creta, argilla, ecc.*) kneaded; (*ind.*) pugged **3** (*imbrattato*) dirty (with); besmeared (with); (*coperto*) caked (with) **4** (*di lingua*) furred **5** (*tipogr.*) smeared, blurry **6** (*fig.: pieno*) full (of): **i. di menzogne**, full of deceit; **occhi impastati di sonno**, eyes heavy with sleep.

impastatóre m. (f. **-trice**) kneader.

impastatrice f. **1** (*mecc.*) kneading machine; mixer; (*di argilla, ecc.*) pug mill **2** (*edil., di cemento*) cement mixer; (*di malta, asfalto, ecc.*) pug mill.

impastatùra f. **1** (*cucina*) kneading **2** mixing.

impasticcàrsi v. i. pron. **1** (*gergo della droga*) to pop drugs **2** (*fam.*) to take* too many pills.

impasticcàto a. (*gergo della droga*) drugged; high (on st.) (*slang*).

impasticciàre A v. t. to make* a mess (*o* a muddle) of; (*lavorare male*) to botch, to bungle B **impasticciàrsi** v. rifl. to smear oneself; to dirty oneself.

impàsto m. **1** (*l'impastare*) kneading; mixing **2** (*cucina: amalgama*) mixture; (*pasta*) dough **3** (*miscuglio*) mixture **4** (*pitt.*) impasto **5** (*fig.: fusione*) blending; blend.

impastocchiàre v. t. to make* up: **i. scuse**, to make up excuses.

impastoiàre v. t. **1** to hobble; to tether; to fetter **2** (*fig.*) to hinder; to hamper; to stymie.

impataccàre (*fam.*) A v. t. to spatter; to splotch; to splodge B **impataccàrsi** v. rifl. pron. (*insudiciarsi*) to spatter oneself.

impattàre① v. t. (*sport*) to draw*: **Oggi hanno impattato**, the game was a draw today; they ended in a draw today ● (*fig. fam.*) **impattarla con q.**, to prove a match

for sb.

impattàre② v. i. **1** to collide (with); to crash (against); to impact (st.) (*USA*) **2** (*fig.*) to affect (st.); to impact (st., on st.) (*USA*).

impàtto m. **1** (*fis., mil.*) impact: **all'i.** (*o* **nell'i.**), on impact; **punto d'i.**, point of impact **2** (*scontro, collisione*) impact; collision; crash **3** (*fig.: presa di contatto*) coming into contact; first contact; first experience: **il mio i. con la nuova scuola**, my first experience with the new school **4** (*fig.: effetto*) effect, impact; (*influsso*) influence: **i. sull'ambiente**, impact on the environment; environmental impact; **avere un notevole i. su**, to make a significant impact on; to impact on; to have a great influence on; **mitigare l'i. di qc.**, to lessen the impact of st.

♦**impaurìre** A v. t. to frighten; to scare B **impaurìrsi** v. i. pron. to get* frightened; to get* scared; to take* fright: **impaurirsi per qc.**, to be frightened by st.; to take fright at st.

impaurìto a. frightened; scared.

impaveşàre v. t. (*naut.*) **1** to bulwark; to furnish with bulwarks **2** (*issare il pavese*) to dress (ship).

impaveşàta f. (*naut.*) **1** bulwarks (pl.) **2** (*stor., per le brande dell'equipaggio*) hammock nettings (pl.).

impaveşàto a. (*naut.*) dressed.

impàvido a. (*lett.*) fearless; dauntless; undaunted.

♦**impaziènte**① a. (*insofferente*) impatient: **gesto i.**, impatient gesture; **essere i. con q.**, to be impatient with sb.; **diventare i.**, to become (*o* to grow) impatient **2** (*ansioso*) impatient; eager; anxious: **i. di sapere il risultato**, anxious to know the result; **i. di tornare**, eager to go back.

impaziènte② f. (*bot., Impatiens nolitangere*) touch-me-not; jewelweed.

impazientire v. i., **impazientìrsi** v. i. pron. to lose* one's patience; to become* (*o* to grow*) impatient.

impaziènza f. **1** (*insofferenza*) impatience: **dare segni d'i.**, to show signs of impatience; **fremere** (*o* **bruciare**) **dall'i.**, to strain at the leash; to champ (*o* to chafe) at the bit; to be desperate (to do st.) **2** (*ansia*) eagerness; anxiety: *Aspettava con i. il loro arrivo*, he was eagerly looking forward to their arrival.

impazzàre v. i. **1** (*far festa*) to revel; to whoop it up (*fam.*) **2** (*essere in pieno svolgimento*) to be in full swing; to rage; **Il carnevale impazzò per tre giorni**; the carnival raged for three days.

impazzàta f. – **all'i.**, madly; wildly; like mad: **menare colpi all'i.**, to strike out wildly; **correre all'i.**, to run like mad.

impazziménto m. (*fig.*) real bother; terrible hassle.

♦**impazzìre** v. i. **1** (*perdere la ragione*) to become* insane (*med.*); to become* deranged; to go* mad **2** (*fig.*) to go* crazy (*fam.*); to go* mad (*fam. GB*) to go* nuts (*fam.*); to go* round the bend (*fam.*): *Sei impazzito?*, are you crazy?; *Se resto qui impazzisco*, I'll go crazy if I stay here any longer; *Sto impazzendo con questi conti*, these accounts are driving me crazy; *Impazzivo dalla voglia di...*, I was dying to...; **fare i. q.**, to drive sb. mad (*o* crazy); to drive sb. round the bend (*fam.*); *È roba da i.*, it's enough to drive you mad; *Fa un caldo da i.*, it's baking hot; it's stifling hot **3** (*fig.: essere fanatico*) to be mad (about): *Impazzisce per le moto*, she's mad about motorbikes **4** (*di strumento*) to go* haywire (*fam.*); (*del traffico*) to become* chaotic **5** (*cucina*) to curdle; to separate.

impazzito a. **1** (*med.*) insane; mad; demented; deranged **2** (*fig.*) demented; de-

ranged; out of one's head (pred.); crazy (*fam.*); mad (*fam. GB*): **i. dal dolore**, demented with grief; *Mi credettero i.*, they reckoned I was deranged (*o* out of my head) **3** (*di strumento*) gone haywire (pred.); (*del traffico*) chaotic **4** (*cucina*) curdled; separated.

impeccàbile a. faultless; impeccable.

impeccabilità f. faultlessness; impeccability.

impeciàre v. t. to tar; to pitch; to smear with pitch (*o* tar).

impeciatùra f. tarring; pitching; smearing with pitch.

impecorire v. i. to become* timid.

impedènza f. (*elettr.*) impedance: **i. di entrata** [**di uscita**], input [output] impedance.

impediènte a. (*leg.*) – **impedimento i.**, prohibitive impediment.

impediménto m. **1** impediment; obstacle; obstruction; (*impaccio*) hindrance: **frapporre impedimenti**, to create impediments; to obstruct; **superare un i.**, to overcome an impediment; to get over an obstacle; **essere d'i. a q.**, to be a hindrance to sb.; to hinder sb.; to be (*o* to stand) in sb.'s way; **salvo impedimenti**, barring obstacles; unless something crops up **2** (*med.*) impediment; disability: **i. fisico**, physical disability **3** (*leg.*) impediment; bar: **i. impediente** [**dirimente**], prohibitive [diriment] impediment.

♦**impedìre** v. t. **1** (*rendere impossibile*) to prevent; to avert; to stop; to keep*; (*non permettere*) not to allow: **i. un disastro**, to avert a disaster; **i. la guerra**, to prevent war; **i. lo svolgimento della cerimonia**, to stop the ceremony; **i. a q. di fare un errore**, to keep sb. from making a mistake; **i. a q. di dormire**, to prevent sb. from sleeping; *Che cosa ti impedì di venire?*, what prevented you from coming (*o* your coming)?; *Affari urgenti mi impedirono di incontrarlo*, urgent business kept me from meeting him; *Mi impedirono di parlare*, I was prevented from speaking; I was not allowed to speak; *Nulla ti impedisce di tornare*, there's nothing to stop you from coming back **2** (*ostruire*) to block; to obstruct; to bar: **i. il passaggio**, to block the way; to be in the way; *Le case impediscono la vista del lago*, the houses obstruct the view of the lake **3** (*proibire*) to forbid*; to bar; to prohibit: *Te lo impedisco!*, I forbid you! **4** (*impacciare*) to hamper; to hinder; to encumber; to impede: *Il cappotto m'impediva i movimenti*, my coat hampered my movements **5** (*med.*) to paralyse, to paralyze (*USA*); to disable.

impedito a. **1** (*impacciato*) hampered; encumbered **2** (*goffo*) clumsy; awkward **3** (*invalido*) disabled.

♦**impegnàre** A v. t. **1** (*dare in pegno*) to pawn; to put* in pawn; (*fig.*) to pledge: **i. l'orologio**, to pawn one's watch; to put one's watch in pawn; **i. la parola**, to give one's word **2** (*assumere*) to engage, to employ; (*noleggiare*) to hire: **i. q. come guida**, to engage sb. as a guide; **i. un'auto per due ore**, to hire a car for two hours **3** (*riservare, prenotare*) to book; to reserve; to engage: **i. una ragazza per un ballo**, to engage a girl for a dance **4** (*vincolare*) to bind*; to commit; to tie: *Questo documento non ti impegna affatto*, this document doesn't bind you in any way; (*comm.*) **un'offerta che impegna**, a binding offer; **risposta che non impegna**, non-committal answer **5** (*assorbire, occupare*) to take* up; to absorb; (*tenere occupato*) to keep* busy; to tie down: **i. tutto il tempo di q.**, to take up sb.'s whole time; **un lavoro che mi impegna tutto il giorno**, a job that ties me down for the whole day; *L'abbattimento dell'edificio ha impegnato numerosi operai*, several workers were in-

volved in knocking down the building **6** (*intraprendere*) to begin*; to start; to engage: **i. una discussione con q.**, to begin a discussion with sb. **7** (*mil.: attaccare*) to engage; (*far entrare in azione*) to deploy: **dare ordine d'i. il nemico**, to give order to engage (the enemy); **i. truppe**, to deploy troops **8** (*sport*) to put* under pressure **B impegnàrsi** v. rifl. **1** (*assumere un impegno*) to undertake*; to engage; to commit oneself; (*più solenne*) to pledge (oneself), to bind* oneself; (*promettere*) to promise, to give* one's word: *Mi impegnai a farlo da solo*, I undertook to do it alone; *Si impegnò a pagare tutte le spese*, he bound himself to pay all the expenses; *Mi sono impegnato e non posso più tirarmi indietro*, I have committed myself (*o* I gave my word, I pledge to do it) and I cannot back down; *Il governo si è impegnato a ridurre l'inflazione*, the Government has pledged to reduce inflation; (*leg.*) **impegnarsi con giuramento**, to bind oneself by oath **2** (*leg.: farsi garante*) to go* bail; to stand* surety **3** (*dedicarsi a qc.*) to apply oneself; to devote oneself (to st.); (*a una causa, ecc.*) to commit oneself: *Non si impegna come dovrebbe*, she doesn't apply herself as she should; **impegnarsi nel lavoro**, to devote oneself to work; **impegnarsi a fondo in qc.**, to throw oneself into st. heart and soul **4** (*intraprendere*) to begin*; to enter into: **impegnarsi in una discussione**, to enter into a discussion; (*indebitarsi*) to incur debts.

impegnativa f. authorization (issued by the National Health Service to receive free medical treatment).

impegnativo a. **1** (*vincolante*) binding: (*comm.*) **un'offerta impegnativa**, a binding offer; **una risposta non impegnativa**, a non-committal answer **2** (*che richiede impegno*) demanding; exacting; serious; (*difficile*) difficult: **un lavoro i.** [**non i.**], a demanding [an undemanding] job; **esame i.**, difficult exam **3** (*importante*) important; (*formale*) formal; (*costoso*) expensive: **abbigliamento i.**, formal clothes (pl.); **regalo i.**, expensive present.

♦**impegnàto** a. **1** (*dato in pegno*) pawned; in pawn (pred.) **2** (*vincolato da promessa, ecc.*) bound; committed **3** (*civilmente, politicamente*) committed; involved (in st.): **uno scrittore i.**, a committed writer **4** (*occupato*) engaged; occupied; taken up (pred.); tied up (pred.); busy: *Sono molto i.*, I am very busy; *Ho tutta la giornata impegnata*, my entire day is taken up; I have a busy day; *Venerdì sono i.*, I'm tied up (*o* busy) on Friday; *Il direttore è i.*, the director is busy **5** (*riservato*) reserved, taken; (*prenotato*) booked **6** (*di denaro*) tied up; locked up ● **essere impegnata per un ballo**, to be engaged for a dance.

♦**impégno** m. **1** (*obbligo*) engagement; commitment; obligation; (*promessa*) promise, pledge, undertaking; (*compito*) task: **i. solenne**, solemn pledge; solemn commitment; **adempiere** (*o* **far fronte a**) **un i.**, to fulfil (*o* to meet) an engagement; to honour a commitment; to meet an obligation; **mancare a un i.**, to break an engagement; **prendersi l'i. di fare qc.**, to undertake to do st.; **con l'i. di mantenere il segreto**, under pledge of secrecy; *Ho detto che lo avrei fatto, ma non è un i. preciso*, I said I would do it, but it is not a formal undertaking (*o* a promise); **senza i. di acquisto**, without obligation to buy **2** (*appuntamento, ecc.*) engagement; appointment: *Ho un i. alle cinque*, I have an engagement (*o* an appointment) at 5 (*form.*); I am busy at 5; **avere un mezzo i.**, to have made a tentative arrangement; *Non posso accettare per via di un i. precedente*, I can't accept because of a previous engagement; **essere libero da impe-**

gni, to be free from engagement; **essere pieno di impegni**, to be very busy **3** (*cura diligente*) care, diligence; (*entusiasmo*) dedication, enthusiasm: **mettere molto i. in qc.**, to do st. with great care; *L'ho fatto con tutto l'i.*, I put great care into it; I did it to the best of my ability; **mettercisi d'i.**, to get down to it **4** (*sociale, politico*) commitment **5** (*fisiol.*) engagement.

impegolàrsi, impelagàrsi v. i. pron. (*fig.*) to get* involved; to get* entangled; to get* mixed up: **i. in un affare losco**, to get mixed up in a shady deal; *Si è impelagato nei debiti*, he's up to his ears in debts.

impellènte a. pressing; urgent: **bisogno i.**, pressing need; **desiderio i.**, urge.

impellènza f. pressing need; urgency.

impellicciàre ① **A** v. t. to cover in fur; to wrap in furs **B impellicciàrsi** v. rifl. (*scherz.*) to put* on a fur coat.

impellicciàre ② → **impiallacciare**.

impellicciàto a. wearing a fur coat; in furs; wrapped in a fur coat (pred.): **signore impellicciate**, ladies in furs.

impellicciatùra → **impiallacciatura**.

impenetràbile a. **1** impenetrable: **foresta i.**, impenetrable forest; **oscurità i.**, impenetrable darkness **2** (*resistente*) impervious (to): **i. all'acqua**, impervious to water; watertight; **i. all'aria**, airtight; **i. ai gas**, gas-tight **3** (*fig.: indecifrabile*) impenetrable; inscrutable; cryptic **4** (*fig., rif. a sentimenti*) impervious (to): **i. alla pietà**, impervious to pity.

impenetrabilità f. **1** (*fis.*) impenetrability **2** (*fig.*) impenetrability; inscrutableness.

impenitènte a. **1** impenitent; unrepentant **2** (*fig.*) incorrigible; inveterate; confirmed; chronic: **bugiardo i.**, inveterate (*o* chronic) liar; **donnaiolo i.**, incorrigible womanizer; **scapolo i.**, confirmed bachelor.

impennacchiàre **A** v. t. to adorn with plumes **B impennacchiàrsi** v. rifl. **1** to adorn one's head with plumes **2** (*scherz.*) to deck oneself out.

impennacchiàto a. plumed.

impennàggio m. **1** (*aeron.*) empennage; tail unit: **i. a T**, T-tail unit; **i. orizzontale**, tailplane; horizontal stabilizer (*USA*); **i. verticale**, tail assembly; vertical stabilizer (*USA*) **2** (*di freccia*) fletching; feather vanes (pl.).

impennàre ① v. t. **1** (*coprire di penne*) to feather **2** (*cospargere di penne*) to strew* with feathers **3** (*una freccia*) to fletch.

impennàre ② **A** v. t. (*aeron.*) to zoom **B impennàrsi** v. i. pron. **1** (*di cavallo*) to rear; (*di moto*) to rear up **2** (*aeron.*) to zoom **3** (*fig., di prezzi*) to run* up; to soar **4** (*fig.: adirarsi*) to bridle; to flare up ● **far impennare una moto** [**una bicicletta**], to do a wheelie (*fam.*).

impennàta f. **1** (*aeron.*) zoom; (*di moto, ecc.*) rearing, (*voluta*) wheelie (*fam.*); (*di cavallo*) rearing: **fare un'i.**, to rear suddenly; (*di moto, bicicletta, volutamente*) to do a wheelie (*fam.*) **2** (*brusco aumento*) sudden rise; upswing; upsurge; leap: **un'i. della pressione**, a sudden rise in pressure; **un'i. dei prezzi**, a leap (*o* an upswing) in prices; **subire un'i.**, to rise suddenly; to run up; to soar **3** (*fig.: scatto d'ira*) fit of anger: **avere un'i.**, to have a fit of anger; to flare up.

impennatùra f. (*di freccia*) fletching.

impensàbile a. **1** unthinkable; unimaginable; inconceivable **2** (*imprevedibile*) unforeseeable.

impensataménte avv. **1** (*senza averci pensato*) thoughtlessly; unthinkingly; without thinking **2** (*inaspettatamente*) unexpectedly; unawares.

impensàto a. **1** (*non pensato*) unthought-of **2** (*inaspettato*) unexpected; unforeseen.

impensierìre **A** v. t. to make* (sb.) worry; to worry; to cause anxiety to **B impensierìrsi** v. i. pron. to worry; to get* worried.

impensierìto a. worried; uneasy.

impepàre v. t. to pepper; to season with pepper.

imperànte a. **1** (*regnante*) reigning **2** (*dominante*) ruling, prevailing; (*che imperversa*) rampant; (*di moda, ecc.*) current, prevalent.

imperàre v. i. **1** to reign; to rule **2** (*fig.*) to reign; to prevail; (*imperversare*) to be rampant.

imperativàle a. (*gramm.*) imperatival.

imperatività f. (*leg.*) imperativeness.

imperatìvo **A** a. **1** (*obbligatorio*) imperative; obligatory; mandatory: **norme imperative**, mandatory rules **2** (*imperioso*) commanding; imperative; peremptory: **tono i.**, commanding tone **3** (*gramm.*) imperative **B** m. (*gramm., filos.*) imperative: **i. categorico**, categorical imperative.

♦**imperatóre** m. **1** emperor: **l'i. Federico II**, the Emperor Frederick II **2** (*stor. romana*) imperator.

imperatòrio a. imperial; imperatorial (*lett.*).

imperatrìce f. empress.

impercettìbile a. imperceptible; (*all'occhio, anche*) invisible, barely visible; (*all'orecchio, anche*) inaudible, barely audible.

impercettibilità f. imperceptibility.

impercorrìbile a. impassable.

imperdìbile a. not to be missed (pred.).

imperdonàbile a. unforgivable; unpardonable; inexcusable.

imperdonabilità f. unforgivableness; unpardonableness.

imperfettìvo a. (*gramm.*) imperfective.

imperfètto **A** a. **1** (*non completo*) unfinished; incomplete **2** (*difettoso*) imperfect; defective; faulty **B** m. (*gramm.*) imperfect.

imperfezióne f. **1** (*non completezza*) imperfection **2** (*difetto*) imperfection; defect; blemish; fault; flaw: **i. della pelle**, skin blemish; **i. fisica**, physical defect; **un'i. in un tessuto**, a flaw in a fabric.

imperforàbile a. unpierceable.

imperforàto a. (*med.*) imperforate.

imperforazióne f. (*med.*) imperforation.

imperiàle ① **A** a. imperial: **città i.**, imperial city **B** m. **1** supporter of an emperor **2** (*soldato*) soldier of an emperor.

imperiàle ② m. (*di carrozza*) imperial, top; (*di autobus*) upper deck.

imperialìsmo m. imperialism.

imperialìsta m. e f. imperialist.

imperialìstico a. imperialistic.

imperialrègio a. imperial and royal.

imperiése **A** a. of [from] Imperia **B** m. (f. *-a*) native [inhabitant] of Imperia.

imperiosità f. **1** imperiousness **2** (*fig.*) urgency.

imperióso a. **1** imperious; peremptory; authoritarian: **modi imperiosi**, authoritarian manner; **sguardo i.**, imperious look **2** (*fig.*) pressing; urgent: **bisogno i.**, pressing need.

imperìto a. (*lett.*) inexperienced.

imperitùro a. (*lett.*) imperishable; everlasting; undying.

imperìzia f. unskilfulness; inexperience; incompetence; (*leg.*) malpractice.

imperlàre **A** v. t. **1** to adorn with pearls **2** (*fig.*) to cover with drops (*o* beads): *La rugiada imperlava le foglie*, the leaves were covered in dewdrops; *Il sudore gli imperlò la fronte*, beads of sweat formed on his fore-

head **B** **imperlàrsi** v. i. pron. (*fig.*) to become* beaded (with): *Gli vidi la fronte imperlarsi di sudore*, I saw beads of sweat form on his forehead.

impermalire **A** v. t. to vex; to put* out **B** **impermalirsi** v. i. pron. to take* offence; to take* umbrage.

impermalito a. vexed; put out (pred.); in a huff (*fam.*): *Se ne andò via i.*, he left in a huff.

♦**impermeàbile** **A** a. 1 impermeable (to); -proof (suff.); -tight (suff.); (*anche fig.*) impervious (to); (*di tessuto*) waterproof, rainproof: **i. all'acqua**, waterproof; watertight; **i. alle critiche**, impervious to criticism; **i. ai gas**, gasproof; gastight; **completo i.** (*pantaloni e giacca*), oilskins (pl. *GB*); oilers (pl. *USA*); **indumenti impermeabili**, waterproofs; **membrana i.**, impermeable membrane; **orologio i.**, waterproof watch; **rendere i.** (**all'acqua**), to impermeabilize; (*un tessuto*) to waterproof 2 (*di terreno*) impervious **B** m. mackintosh (*GB*; *fam.* mac); raincoat; (*di tipo mil.*) trench-coat.

impermeabilità f. impermeability; imperviousness.

impermeabilizzànte **A** a. waterproofing **B** m. waterproofing agent; waterproofer.

impermeabilizzàre v. t. to impermeabilize; (*un tessuto*) to waterproof, to proof.

impermeabilizzàto a. waterproofed.

impermeabilizzazióne f. (*di tessuto*) waterproofing.

imperniàre **A** v. t. 1 to hinge; to pivot 2 (*fig.: basare*) to hinge; to base **B** **imperniàrsi** v. i. pron. 1 to hinge; to pivot 2 (*fig.*) to hinge; to be based; to turn: *Il progetto s'impernia su due idee di base*, the plan hinges on two basic ideas; *La trama s'impernia su un doppio delitto*, the plot turns on a double murder.

imperniatùra f. 1 hinging; pivoting 2 (*cardine*) hinge; (*pernio*) pivot.

♦**impèro** **A** m. 1 empire: **l'I. del Sol Levante**, the Empire of the Rising Sun; **l'I. romano**, the Roman Empire; **l'I. romano d'occidente** [**d'oriente**], the Western [Eastern] Roman Empire; **il Sacro Romano I.**, the Holy Roman Empire; **fondare un i.**, to found an empire 2 (*comando, autorità, ecc.*) rule; dominion; sway: **l'i. della legge**, the rule of the law 3 (*fig.*) empire: **un i. industriale**, an industrial empire 4 (*ambito*) domain; world: **l'i. della moda**, the world of fashion **B** a. inv. (*arte, moda*) Empire (attr.): **stile i.**, Empire style.

imperscrutàbile a. inscrutable; impenetrable; unfathomable.

imperscrutabilità f. inscrutability; inscrutableness, impenetrability.

impersonàle **A** a. 1 (*gramm.*) impersonal 2 (*generico*) impersonal; general 3 (*distaccato*) impersonal; dispassionate 4 (*senza carattere*) anonymous; non-descript; unoriginal **B** m. (*gramm.*) impersonal verb.

impersonalità f. 1 impersonality; impersonal nature 2 (*assenza di originalità*) lack of originality; unoriginality.

impersonàre **A** v. t. 1 to personify 2 (*interpretare*) to play; to act the part of **O** **FALSI AMICI** • impersonare *non si traduce con to* impersonate **B** **impersonàrsi** v. rifl. (*di attore*) to live one's part **C** **impersonàrsi** v. i. pron. to be embodied.

impertèrrito a. 1 (*impavido*) undaunted; fearless 2 (*imperturbabile*) unperturbed; undeterred; unruffled; regardless (pred.): *Tutti sbadigliavano, ma lui i. seguitava*, everyone was yawning, but he went on undeterred (*o* regardless).

impertinènte **A** a. impertinent; cheeky

(*fam.*); saucy (*fam.*); sassy (*fam. USA*): *Non essere i.!*, don't be cheeky!; **risposta i.**, impertinent answer; **rispondere in modo i.**, to answer back; to give an impertinent answer; **un nasetto i.**, a pert little nose **B** m. e f. impertinent person; cheeky one (*fam.*).

impertinènza f. 1 impertinence; cheek (*fam.*); sauciness (*fam.*) 2 (*parole impertinenti*) impertinence, impertinent (*o* cheeky) remark (*o* words), sass 🆄 (*fam. USA*); (*azione impertinente*) impertinence: *Che i. chiedermi l'età!*, how impertinent to ask my age!; **dire impertinenze**, to be cheeky; to answer back; to sass (*fam. USA*).

imperturbàbile a. imperturbable; unperturbed; cool; unflappable (*fam.*).

imperturbabilità f. imperturbability; unperturbedness; cool; unflappability.

imperturbàto a. unperturbed; unruffled; calm; cool.

imperversàre v. i. 1 (*infuriare*) to rage: *Il temporale imperversa*, the storm is raging 2 (*inveire*) to rail; to inveigh 3 (*imperare, di fenomeno neg.*) to rule, to be rampant; (*scherz., di moda, ecc.*) to be all the rage, to be rife.

impervietà f. inaccessibility; imperviousness.

impèrvio a. 1 (*di percorso*) impassable, rough; (*di luogo*) inaccessible 2 (*med.*) obstructed.

impestàre → **appestare**.

impetìgine f. (*med.*) impetigo.

impetiginóso a. (*med.*) impetiginous.

impeto m. 1 (*forza, veemenza*) impetus; vehemence; violence; force: *L'i. del vento mi scaraventò a terra*, the force of the wind hurled me to the ground; **con i.**, impetuously; vehemently; (*con forza*) violently 2 (*assalto*) rush; assault: **l'i. del nemico**, the assault of the enemy 3 (*impulso*) impulse, surge; (*slancio*) transport; (*accesso*) outburst, fit; (*foga*) heat; **un i. d'ira**, a fit of rage; **agire d'i.**, to act on an impulse; **nell'i. della corsa** [**del momento**], in the heat of the race [of the moment].

impetràre v. t. 1 (*ottenere supplicando*) to impetrate 2 (*domandare*) to entreat; to implore; to beseech*; to beg.

impetrazióne f. 1 impetration 2 (*supplica*) entreaty.

impettìrsi v. i. pron. to thrust* out one's chest.

impettìto a. stiff; upright • **camminare i.**, to strut.

impetuosità f. 1 (*violenza*) violence; force 2 (*veemenza*) impetuosity; vehemence; (*irruenza*) impulsiveness, rashness.

impetuóso a. 1 (*violento*) violent; (*del vento*) strong, blustering; (*di fiume*) rushing, swift: *Il torrente scorreva i.*, the torrent flowed rapidly 2 (*veemente*) impetuous; vehement; (*irruente*) impulsive, rash.

impiallacciàre v. t. 1 (*falegn.*) to veneer 2 (*edil.*) to coat; to face.

impiallacciatóre m. veneerer.

impiallacciatùra f. 1 (*falegn.*) veneering; (*il materiale*) veneer 2 (*edil.*) coating; facing.

impiantàre v. t. 1 (*installare*) to install; to set* up 2 (*fondare*) to set* up; to found; to establish 3 (*avviare*) to get* going; to start 4 (*chir.*) to implant 5 (*agric., region.*) to plant.

impiantista m. e f. 1 plant engineer 2 (*installatore*) installer.

impiantistica f. (*ind.*) plant engineering.

impiantistico a. plant-engineering (attr.).

impiantìto m. floor; flooring: **i. di legno**, wooden (*o* parquet) floor.

♦**impiànto** m. 1 plant; system; installation;

(*attrezzatura*) equipment, facility; (*attrezzatura fissa*) fixture: **i. antifurto**, burglar alarm; **i. del gas**, gas installation; **i. di riscaldamento**, heating system; **i. elettrico**, electrical system; wiring; **i. idraulico**, plumbing; **i. idrico**, waterworks; water system; **i. radio**, radio equipment; **impianti sanitari**, sanitary fixtures; **impianti e attrezzature**, fixtures and fittings; **impianti sportivi**, sports facilities 2 (*l'impiantare*) installation; setting up; establishment: **l'i. di un motore**, the installation of a motor; **l'i. d'una nuova fabbrica**, the setting up of a new factory; **spese d'i.**, preliminary expenses; initial outlay 3 (*struttura*) framework; structure: **l'i. filosofico di un'opera**, the philosophical framework of a work 4 (*chir.*) implant; implantation.

impiantologia → **implantologia**.

impiastràre **A** v. t. 1 to smear; (*sporcare*) to dirty 2 (*dipingere male*) to daub • **impiastrarsi la faccia** (*truccarsi troppo*), to paint one's face **B** **impiastràrsi** v. rifl. to smear oneself; (*imbrattarsi*) to dirty oneself **C** **impiastràrsi** v. i. pron. to get* smeared; to get* dirty.

impiastratóre m. (f. -**trice**) (*spreg.*) dauber.

impiastricciàre → **impiastrare**.

impiàstro m. 1 (*med.*) poultice: **i. di semi di lino**, linseed poultice 2 (*fig.: seccatore*) bore; nuisance 3 (*fig.: persona malaticcia*) sickly person; weakling.

impiccagióne f. hanging • **condannare q. all'i.**, to sentence sb. to be hanged.

impiccàre **A** v. t. 1 to hang: **i. q. alla forca** [**a un albero**], to hang sb. on the gallows [from a tree] 2 (*fig.: stringere al collo*) to choke; to strangle 3 (*fig.: vincolare*) to strangle; to hem in; (*impedire*) to hamstring* **B** **impiccàrsi** v. rifl. 1 to hang oneself 2 (*fig.*) to tie oneself up: **impiccarsi con un mutuo**, to tie oneself up in (*o* with) a mortgage • **Impiccati!**, go hang yourself! □ **Che s'impicchi!**, let him [her] go hang!; hang him [her]! □ **Neanche se m'impiccano!**, over my dead body!

impiccàto **A** a. hanged: **morire i.**, to die by hanging; to be hanged; to swing (*fam.*); *Fu trovato i. al soffitto*, he was found hanging from the ceiling • **Mi sento i. in questa giacca**, this jacket is too tight □ **Siamo impiccati dalle scadenze**, we are hemmed in by deadlines **B** m. (f. -**a**) hanged person.

impicciàre **A** v. t. 1 (*intralciare*) to be (*o* to get*) in sb.'s way; (*ingombrare*) to clutter: *La lampada mi impiccia qui*, the lamp is in my way here; *Non faceva che i.*, he was always getting in people's way 2 (*ostacolare, rendere difficile*) to hamper; to hinder: **i. i movimenti**, to hinder sb.'s movements **B** **impicciàrsi** v. i. pron. to interfere (in); to meddle (in): *Non impicciarti dei fatti altrui*, don't interfere in other people's business; mind your own business.

impicciàto a. (*fam.*) 1 (*imbarazzato*) in difficulty; embarrassed 2 (*intricato, difficile*) entangled; difficult; awkward; tricky.

impiccinìre **A** v. t. 1 to make* smaller 2 (*fig.*) to depreciate; to belittle **B** **impiccinìrsi** v. i. pron. to get* smaller.

impìccio m. 1 (*ostacolo*) hindrance, obstacle: **essere d'i.**, to be a hindrance; to be in the (*o* in sb.'s) way 2 (*seccatura*) nuisance; snag; bind (*fam.*) 3 (*situazione difficile*) trouble; mess; tight corner; fix (*fam.*): **cacciarsi in un brutto i.**, to get into a tight corner; **cavare q. dagli impicci**, to help sb. out of a fix 4 (*imbarazzo*) embarrassment; dilemma.

impicciolìre → **rimpicciolire**.

impicciόne m. (f. -**a**) meddler; busybody; nosy parker.

impiccolìre → **impicciolire**.

impidocchiàre ⒜ v. t. to infest with lice ⒝ **impidocchiàrsi** v. i. pron. to become* infested with lice.

impiegàbile a. (*di persona*) employable; (*di cosa*) usable, that can be employed; (*di capitale*) that can be invested.

♦**impiegàre** ⒜ v. t. **1** (*usare*) to use; to employ; (*tempo, denaro, anche*) to spend*: **i. la forza**, to use force; to resort to force; **i. la giornata a pulire la casa**, to spend the day cleaning the house; *Come impieghi il tempo libero?*, how do you spend your spare time?; **i. tutti i propri risparmi**, to use up all one's savings; **i. bene qc.**, to use st. well; to put st. to good use; **i. male**, to make bad use of; to misuse; to misspend; (*sprecare*) to waste; **i. male il proprio denaro [il proprio tempo]**, to waste one's money [one's time] **2** (*rif. a tempo: metterci*) to take* (*anche impers.*): *Il treno impiega un'ora*, the train takes an hour; *Quanto ci si impiega di qui a Firenze?*, how long does it take (from here) to Florence? **3** (*assumere*) to take* on, to hire, to engage; (*avere alle proprie dipendenze*) to employ: *La nostra ditta impiega venti persone*, our firm employs twenty people; **essere impiegato da q.**, to be employed by sb.; to be in sb.'s employ (*form.*) **4** (*fin.: investire*) to invest: **i. denaro in titoli**, to invest money in securities ⒝ **impiegàrsi** v. rifl. to get* a job; to find* a job: *Dopo il diploma si impiegò come commesso*, after his diploma he got a job as a shop assistant.

impiegatìzio a. clerical; white-collar (attr.): **la classe impiegatizia**, white-collar workers (pl.); **lavoro i.**, clerical work.

impiegatizzazióne f. transformation of a profession into a clerical job.

♦**impiegàto** m. (f. **-a**) clerical worker; clerk; (*dipendente*) employee, member of the staff (*USA* personnel); (al pl., collett.) staff ⒰, personnel ⒰ (*USA*): **i. allo sportello** (*in banca e sim.*), teller; **i. delle poste**, post-office clerk; **i. di banca**, bank clerk; **i. di concetto**, staff employee; **i. d'ordine**, junior clerk; **i. statale**, state employee; (*in GB*) civil servant; **lavorare come i.**, to work in an office; to have a clerical job; *Sono i. in una ditta commerciale*, I work in a commercial firm; *È i. alle poste*, he is a postal worker; *È un i. dell'ospedale*, he is on the hospital staff; *Ho cinque impiegati*, I have a staff of five; **facilitazioni per gli impiegati**, special terms for members of staff.

♦**impiègo** m. **1** (*uso*) use; employment; (*ricorso*) recourse: **l'i. di nuove tecnologie**, the employment (*o* the use) of new technologies; **fare i. di**, to make use of; to use; to have recourse to; *Fu necessario l'i. della fiamma ossidrica*, blowlamps had to be used **2** (*investimento*) investment: **un largo i. di capitali**, a considerable investment of money **3** (*occupazione*) employment: **il pubblico i.**, the public administration; (*in GB*) the civil service; (*i dipendenti*) state employees (pl.); civil servants (pl.); **i. stagionale**, seasonal employment; **pieno i.**, full employment **4** (*posto di lavoro*) (regular) job; position; post: **i. statale**, job in the public administration (*in GB* in the Civil Service); **essere in cerca di un i.**, to be looking for a job; to be job-hunting (*fam.*); **trovare i. come segretaria**, to get a job as a secretary; **senza i.**, out of work; out of a job; unemployed; **domanda d'i.**, application for a job; (*nella pubblicità*) **domande [offerte] d'i.**, situations wanted [vacant].

impietosìre ⒜ v. t. to move to pity ⒝ **impietosìrsi** v. i. pron. to be moved to pity.

impietóso a. pitiless; ruthless; hard.

impietriménto m. **1** petrification; petrifaction **2** (*fig.*) hardening.

impietrìre ⒜ v. t. (*anche fig.*) to petrify ⒝ v. i. e **impietrìrsi** v. i. pron. **1** to be turned to stone; to be petrified **2** (*fig.: arrestarsi*) to be petrified; to freeze* **3** (*fig.: indurirsi*) to harden.

impietrìto a. **1** petrified **2** (*fig.: immobile*) stock-still; frozen **3** (*fig.: atterrito*) petrified; (*sgomento*) stunned.

impigliàre ⒜ v. t. to entangle; to ensnare; to catch* ⒝ **impigliàrsi** v. i. pron. **1** to get* entangled; to get* caught; (*di corda, ecc.*) to foul up (st.): **impigliarsi in una siepe**, to get caught in a hedge; *Il cavo si impigliò nel motore*, the line fouled up the engine. **2** (*fig.*) to get* trapped; to get* caught up (*o* tangled up).

impigliàto a. entangled; trapped; caught (pred.).

impignoràbile a. (*leg.*) undistrainable: **beni impignorabili**, undistrainable goods.

impignorabilità f. (*leg.*) exemption from distraint.

impigrìre ⒜ v. t. to make* lazy ⒝ **impigrìrsi** v. i. pron. to grow* lazy; to become* lazy.

impilàggio m. stacking.

impilàre v. t. to stack; to pile (up): **i. sedie**, to stack chairs.

impillaccheràre v. t. (*region.*) to splash (*o* to spatter) with mud.

impinguaménto m. fattening.

impinguàre ⒜ v. t. **1** (*ingrassare*) to fatten **2** (*riempire*) to fill: **i. le casse dello Stato**, to fill the coffers of the state ⒝ **impinguàrsi** v. i. pron. **1** to grow* fat **2** (*fig.*) to get* rich.

impinzàre → **rimpinzare**.

impiombàre v. t. **1** (*saldare, sigillare*) to seal with lead; to put* a lead seal on **2** (*un tetto*) to cover with lead **3** (*naut.*) to splice **4** (*odontoiatria*) to fill.

impiombatùra f. **1** (*saldatura, sigillatura*) sealing with lead; (*piombo*) sealing lead; (*sigilli*) lead seals (pl.) **2** (*naut.*) splice: **i. di gassa**, eye splice **3** (*agric.*) virosis.

impiotaménto m. (*agric.*) turfing.

impiotàre v. t. (*agric.*) to turf.

impipàrsi v. i. pron. (*pop.*) not to give* a damn: *Io me ne impipo delle loro proteste*, I don't give a damn about their protests; *Se ne impipa di quello che dico*, she couldn't care less what I say.

impiumàre ⒜ v. t. **1** (*coprire di piume*) to feather **2** (*ornare di piume*) to adorn (*o* to trim) with feathers ⒝ **impiumàrsi** v. i. pron. (*di uccelli*) to grow* feathers; to fledge.

implacàbile a. implacable; relentless; unrelenting: **un i. nemico**, an implacable foe.

implacabilità f. implacability; relentlessness.

implantologìa f. (*chir.*) **1** (*di capelli*) hair graft **2** – **i. orale**, dental implantation.

implantòlogo m. (f. **-a**) implant expert.

implementàre v. t. (*comput.*) to implement.

implementazióne f. (*comput.*) implementation.

implicànza → **implicazione**.

implicàre ⒜ v. t. **1** (*comportare*) to involve; to entail; (*presupporre*) to imply; (*significare*) to mean*: *Questo implicherà una perdita di denaro*, this will entail a loss of money; *La firma implica l'accettazione di tutte le clausole*, putting one's signature implies the acceptance of all the clauses **2** (*coinvolgere*) to involve; (*in qc. di negativo*) to implicate: *Ormai sono implicato in questa faccenda*, I am involved in this matter now; **essere implicato in uno scandalo [in un omicidio]**, to be implicated in a scandal [in

a murder] ⒝ **implicàrsi** v. i. pron. to get* involved (in); to get* mixed up.

implicazióne f. **1** (*consequenza*) consequence; implication **2** (*connessione*) implication **3** (*coinvolgimento*) involvement; (*in qc. di negativo*) implication **4** (*logica*) implication.

implìcito a. **1** implicit; tacit; understood; implied: **i. assenso**, implicit (*o* tacit) agreement; **critica implicita**, implicit criticism; *È i. nella clausola*, it is implied in the clause; *È i.!*, that is understood!; that goes without saying! **2** (*ling., mat.*) implicit.

implòdere v. i. to implode.

implorànte a. imploring; pleading; begging; beseeching.

imploràre v. t. to implore (sb.); to plead (sb., for st.); to beg (sb., for st.); to beseech* (sb. to do st.); to entreat (sb. to do st.): **i. aiuto**, to beg for help; **i. il perdono di q.**, to implore sb. for forgiveness; **i. pietà**, to plead for mercy; *Implorò i soldati di lasciarlo libero*, he begged the soldiers to set him free; *Ti imploro di ripensarci*, do think it over, I implore (*o* entreat) you.

implorazióne f. entreaty; supplication.

implosióne f. (*fis., fon.*) implosion.

implosìva f. (*fon.*) implosive consonant.

implosìvo a. (*fis., fon.*) implosive: **consonante implosiva**, implosive consonant.

implùme a. unfledged.

implùvio m. **1** (*archeol.*) impluvium* **2** (*geogr.*) – **linea d'i.**, thalweg (*ted.*).

impoètico a. unpoetical.

impoliticità f. **1** unpolitical quality **2** (*inopportunità*) inexpediency; impoliticness.

impolìtico a. **1** (*non politico*) unpolitical **2** (*non opportuno*) inexpedient; impolitic; unwise.

impollinàre v. t. (*bot.*) to pollinate.

impollinatóre (*bot.*) ⒜ a. pollinating ⒝ m. pollinator.

impollinazióne f. (*bot.*) pollination: **i. anemofila**, wind pollination; **i. autogama**, self-pollination; **i. idrofila**, water pollination; hydrophilia; **i. incrociata**. cross-pollination.

impolpàre ⒜ v. t. **1** to fill out **2** (*fig.*) to flesh out; to pad ⒝ **impolpàrsi** v. i. pron. to put* on weight; to fill out.

impoltronìre ⒜ v. t. to make* lazy ⒝ v. i. e **impoltronìrsi** v. i. pron. to grow* lazy.

impolveràre ⒜ v. t. to cover with dust; to make* dusty ⒝ **impolveràrsi** v. i. pron. to get* dusty.

impolveràto a. dusty; covered with dust (pred.).

impolveratrìce f. (*agric.*) duster.

impolverazióne f. (*agric.*) dusting.

impomatàre ⒜ v. t. **1** (*la pelle*) to rub* cream on **2** (*i capelli*) to pomade (one's hair); (*scherz. o spreg.*) to plaster (one's hair) down with brilliantine **3** (*i baffi*) to wax ⒝ **impomatàrsi** v. rifl. to pomade one's hair; (*scherz. o spreg.*) to plaster one's hair down with brilliantine.

impomatàto a. **1** (*di viso, ecc.*) covered in cream **2** (*di capelli*) pomaded; (*scherz. o spreg.*) plastered down with brilliantine **3** (*di baffi*) waxed **4** (*fig. scherz.*) dressed up to the nines; dandified.

impomiciàre v. t. to pumice.

imponderàbile a. e m. (*anche fig.*) imponderable.

imponderabilità f. **1** (*assenza di peso*) weightlessness **2** (*fig.*) imponderability.

imponènte a. **1** (*di persona, portamento, ecc.*) commanding; solemn; majestic; awesome; (*di donna, anche*) matronly **2** (*grandioso*) imposing; grand; impressive; stately.

imponènza f. **1** (*di portamento, ecc.*) sol-

emnity; majesty; awesomeness **2** impressiveness; grandeur; stateliness; (*pompa*) pomp.

imponìbile (*fin.*) **A** a. taxable; assessable; (*a livello locale*) rateable: **base i.**, taxable base; **reddito i.**, taxable (*o assessable*) income; **valore i.**, rateable value **B** m. **1** (*fisc.*) taxable (*o assessable*) income: **detrarre dall'i.**, to deduct from the taxable income **2** (*econ.*) – **i. di manodopera**, compulsory labour quota.

imponibilità f. (*fin.*) taxability.

impopolàre a. unpopular.

impopolarità f. unpopularity.

impoppàre → appoppare.

impoppàta f. (*naut.*) gust of stern wind.

imporporàre **A** v. t. to redden; to flush: *Il freddo le aveva imporporato le guance*, cold had flushed her cheeks; *La timidezza gli imporporò il viso*, he flushed with shyness **B** **imporporàrsi** v. i. pron. to redden; to turn red; (*arrossire*) to blush, to flush.

imporràre v. i. to rot; to mildew.

impórre **A** v. t. **1** (*mettere*) to impose; to lay*; (*dare*) to give*; (*assegnare*) to set*; (*un prezzo, ecc.*) to charge: **i. un compito a q.**, to set sb. a task; to charge sb. with a task; **i. un dovere a q.**, to lay a duty upon sb.; **i. le mani su q.** (*in un rito*), to lay one's hands on sb.; **i. un nome a q.**, to give sb. a name; **i. un prezzo**, to charge a price **2** (*far osservare*) to impose; to charge; to set*; to enforce; (*costringere ad accettare*) to force: **i. un accordo**, to force an agreement; **i. una condizione**, to make a condition; **i. la propria presenza a q.**, to force one's presence on sb.; to impose oneself on sb.; **i. il silenzio [la disciplina]**, to impose silence [discipline]; **i. la propria volontà**, to impose one's will; **i. una tassa**, to levy a tax **3** (*ordinare*) to order, to dictate; (*costringere*) to make*, to force, to compel: **i. le condizioni della resa**, to dictate the terms of surrender; **i. riposo assoluto**, to order total rest; *Mi imposero di firmare*, they ordered me to sign; (*e lo feci*) they made me sign, they forced me to sign; *Mi sono imposto di tacere*, I promised to myself I would say nothing; *Mi sono imposto di tradurre sei pagine al giorno*, I've set myself the task of translating six pages a day **4** (*richiedere, esigere*) to call for; to require: *La situazione impone prudenza*, the situation calls for caution **B** **impórsi** v. rifl. **1** (*imporre la propria presenza*) to impose oneself (on); to force oneself (on); to foist oneself (*o one's company*) (on): *Non devi importi alla gente*, you shouldn't impose yourself on people **2** (*farsi valere*) to assert oneself (*o one's authority*), to be assertive, to speak* for oneself; (*farsi rispettare*) to make* oneself respected, to command respect **3** (*emergere sugli altri*) to stand* out; to surpass (sb.); to outdistance (sb.) **4** (*avere successo*) to be successful; to establish oneself (as); (*di prodotto*) to be a success; (*di moda*) to catch on; (*acquistare popolarità*) to become* popular, to make* a name for oneself: **imposi come decoratore d'interni**, to make a name for oneself as an interior decorator; *Si è imposta come la miglior Violetta degli ultimi anni*, she has established herself as the best Violetta in recent years; *È una moda che si è imposta subito*, it's a fashion that caught on immediately **5** (*farsi notare*) to attract (*o to claim*) attention; to attract interest **6** (*vincere*) to beat (sb.); (*assol.*) to win*: **imporsi agli avversari**, to beat one's opponents; *La Lazio si è imposta facilmente*, Lazio won hands down **C** **impórsi** v. pron. (*rendersi necessario*) to become* necessary (*o inevitable*); to be called for: *Si impongono nuove regole*, new rules have become necessary.

importàbile ① a. (*comm.*) importable:

merci importabili, importable goods.

importàbile ② a. (*non indossabile*) impossible to wear; that no one could possibly wear.

importànte **A** a. **1** important; major; weighty; (*grave*) serious; (*molto i.*) momentous: **questioni importanti**, weighty matters; **svolgere un ruolo i. in qc.**, to play a major role in st.; **un'i. scoperta scientifica**, an important (*o a major*) scientific discovery; **poco i.**, unimportant; immaterial; of little consequence **2** (*formale, elegante*) formal: **serata i.**, formal evening **3** (*che si nota, grosso*) prominent; big: **naso i.**, big nose **4** (*di persona*) important; eminent; (*elevato*) high-ranking; (*di primo piano*) leading **B** m. important (*o main*) thing; what is important: *L'i. è capire*, the important thing (*o what is important*) is to understand; *L'i. è che non si sia fatto male*, the main thing is that he's not hurt.

importànza f. (*rilievo*) importance, consequence (*form.*); (*valore*) value, significance; (*peso*) weight; (*status*) status, prestige; (*gravità*) seriousness: **avere i.**, to be important; to be significant; to matter; **dare i. a qc.**, to attach importance to st.; **di grande i.**, very important; very significant; **della massima i.**, of the utmost importance; **di nessuna i.**, of no importance; of no consequence; of no account; **di secondaria i.**, secondary.

importàre **A** v. t. **1** (*comm.*) to import: **i. grano dal Canada**, to import corn from Canada; **i. illegalmente**, to smuggle in **2** (*fig.: introdurre*) to introduce; to import; to bring* in: **i. idee nuove**, to introduce new ideas **3** (*comportare*) to entail; to involve; to imply; (*significare*) to mean*: *Questo importa una grande spesa*, this involves heavy costs **4** (*comput.*) to import **B** v. i. **1** (*stare a cuore*) to concern, to care (about) (pers.); (*avere importanza*) to matter; (*essere importante*) to be important, to be of importance: *A lui importa solo il suo lavoro*, the only thing he cares about if work; *A lui non importa di me*, he doesn't care about me; *Non importa*, it doesn't matter; *Non importa quello che ha fatto*, what he did does not matter; *Non importa vincere, importa gareggiare*, it's not winning, but it's the game that matters; *M'importa molto*, it matters to me very much; *Non m'importa che cosa tu abbia detto*, I don't care what you said; *A te che importa?*, what does it matter to you?; what business is it of yours?; *Cosa importa?*, who cares?; so what? (*fam.*); *Non me ne importa un bel niente*, I don't care one bit; I couldn't care less (*fam.*); *Non me ne importa un fico secco*, I don't give a toss; **per quel che me ne importa**, for all I care; (*fam.*) *Sai quanto me ne importa!*, as if I cared! **2** (*essere necessario*) to be necessary; to need (pers.): *Non importa che tu venga*, it isn't necessary for you to come; you needn't come.

importatóre **A** m. (f. **-trìce**) importer **B** a. importing: **paesi importatori**, importing countries.

importazióne f. **1** importation; (spec. attr.) import: *L'i. della carne è aumentata*, the importation of meat has increased; **dazio [licenza] d'i.**, import duty [licence]; **divieto d'i.**, import ban; **merci d'i.**, imported goods; imports **2** (al pl.) imports: **aumentare le importazioni**, to increase imports; **ditta di importazioni ed esportazioni**, import-export firm **3** (*fig.: introduzione*) introduction; importation.

import-export (*ingl.*) **A** a. inv. import-export **B** m. inv. import-export business.

impòrto m. **1** (*ammontare complessivo*) amount; sum; total: **l'i. di una fattura**, the amount of an invoice; **i. globale**, (sum) to-

tal; **i. lordo [netto]**, gross [net] total; **un ordinativo per un i. di seimila dollari**, an order amounting to (*o totalling*) six thousand dollars **2** (*costo*) cost; price **3** (*somma di denaro*) sum (of money).

importunàre v. t. **1** (*infastidire*) to bother; to annoy; (*tormentare*) to pester, (*con domande, ecc.*) to importune **2** (*molestare*) to harass; to molest.

importunità f. importunity; insistence.

importùno **A** a. **1** (*fastidioso*) annoying, irritating, tiresome; (*assillante*) importunate, pestering: **riuscire i.**, to irritate; to be a nuisance **2** (*inopportuno*) inopportune; unwelcome; intruding: *Non vorrei essere i.*, I hope I'm not intruding **B** m. (f. **-a**) intruder; unwelcome person; (*seccatore*) nuisance.

imposizióne f. **1** imposition: **l'i. delle mani** (*in un rito*), the imposition (*o the laying on*) of hands; **l'i. di un nome a q.**, the naming of sb.; **l'i. di una tassa**, the imposition (*o levy*) of a tax **2** (*ordine*) order; command **3** (*fin.*: *tassa, imposta*) tax, duty; (*tassazione*) taxation, levy: **doppia i. fiscale**, double taxation.

impossessaménto m. appropriation: **i. illecito**, illegal appropriation.

impossessàrsi → impadronirsi.

impossìbile **A** a. **1** impossible: **compito i.**, impossible task; **sogno i.**, impossible dream; **materialmente i.**, physically impossible; *Mi è i. andare*, I can't go; it's impossible for me to go; **di i. soluzione**, impossible to solve **2** (*assurdo*) absurd; (*ridicolo*) ridiculous, ludicrous; absurd: **un progetto i.**, an absurd plan; **un vestito i.**, a ridiculous dress **3** (*insopportabile*) impossible; unbearable: *È una persona i.*, she's an impossible person ● **Pare i.!**, you wouldn't think it possible, would you? **B** m. (the) impossible: **fare l'i.**, to do one's utmost; to do everything one can; *Farei l'i. per saperlo*, I'd do anything to know it; **pretendere l'i.**, to expect the impossible; **tentare l'i.**, to leave no stone unturned.

impossibilità f. impossibility; (*incapacità*) inability: (*leg.*) **i. della prestazione**, impossibility of performance ● **mettere q. nell'i. di fare qc.**, to make it impossible for sb. to do st. □ *Mi trovo nell'i. di venire*, I am unable to come; it is unfortunately impossible for me to come (*form.*).

impossibilitàre v. t. **1** (*rendere impossibile*) to make* (st.) impossible: **i. i movimenti**, to make movement impossible **2** (*mettere nell'impossibilità*) to make* it impossible for; to prevent: **i. q. a fare qc.**, to make it impossible for sb. to do st.; to prevent sb. from doing st.

impossibilitàto a. unable (to); prevented (from): *Sono i. ad intervenire*, I am unable to be present.

impòsta ① f. **1** (*persiana*) shutter **2** (*archit.*) impost; (*di arco*) springer.

impòsta ② f. (*fisc.*) tax; (*locale*) rate; (*doganale, ecc.*) duty: **i. alla fonte**, tax at source; **i. complementare sul reddito**, income surtax; **i. di successione**, inheritance tax; death duty; **i. fondiaria**, land tax; **i. generale sull'entrata**, purchase tax; sales tax (*USA*); (*nel commercio estero*) turnover tax; **i. locale**, local tax; rate; **i. personale**, personal tax; **i. progressiva**, progressive (*o graduated*) tax; **i. reale**, real property tax; **i. sugli utili d'impresa**, business tax; **i. sull'incremento di valore degli immobili**, property-increment tax; **i. sul reddito**, income tax; tax on income; **i. sul reddito delle persone fisiche**, personal income tax; **i. sul reddito delle persone giuridiche**, corporate income tax; **i. sul valore aggiunto**, value-added tax (abbr. VAT); **imposte dirette [indirette]**, direct [indirect] taxes; **abolire**

un'i., to lift a tax; **evadere un'i.**, to evade (*o* to dodge) a tax; **pagare le imposte**, to pay taxes; **stabilire un'i.**, to levy a tax; **esente da i.**, tax-free; duty-free; **soggetto a i.**, taxable; **al lordo [al netto] delle imposte**, before [after] tax; *Ufficio delle Imposte*, Inland Revenue (*GB*); Internal Revenue Service (*USA*, abbr. IRS).

impostàre ① **A** v. t. **1** (*archit.*) to build*; to lay* the foundations of **2** (*progettare*) to plan; to design; to outline; to block out: **i. un lavoro**, to plan a job **3** (*formulare*) to formulate; to define (the terms of); to set* out **4** (*naut.*) to lay* down: **i. una nave [una chiglia]**, to lay down a ship [the keel of a ship] **5** (*mus.*) to place: **i. la voce**, to place one's voice **6** (*tipogr.*) to lay* out **7** (*comput.*) to set* **B impostàrsi** v. rifl. to position oneself; to take* up a position.

impostàre ② v. t. to post; to mail (*USA*); (*assol.*) to post a letter (*o* some letters).

impostàto a. **1** planned; designed; outlined: **un lavoro ben i.**, a well-planned job **2** (*mus.*) trained: **una voce impostata**, a trained voice.

impostazióne ① f. **1** (*progettazione*) planning; laying out **2** (*determinazione delle premesse*) definition; (*approccio*) approach: **l'i. di un problema**, the definition of a problem **3** (*formulazione*) formulation: **l'i. della difesa**, the formulation of a line of defence **4** (*strutturazione*) layout; general lines (pl.): **l'i. di un dizionario**, the layout of a dictionary **5** (*naut.*) laying down **6** (*mus.*) placement.

impostazióne ② f. (*spedizione per posta*) posting; mailing (*USA*).

impósto a. imposed; enforced; (*fisso*) fixed: **pace imposta**, enforced peace; **prezzo i.**, manufacturer's price; fixed retail price.

impostóre m. (f. **-a**) impostor; fraud.

impostùra f. **1** (*abitudine alla menzogna*) deception; imposture **2** (*imbroglio*) fraud, deception, trick; (*menzogna*) lie.

impotènte **A** a. **1** impotent; powerless; unable (to do st.): **rabbia i.**, impotent rage; **sentirsi i.**, to feel impotent; *Senza il suo appoggio, io sono i.*, without his support, I am powerless **2** (*med.*) impotent **B** m. (*med.*) impotent man*.

impotènza f. **1** impotence, impotency; powerlessness; inability (to do st.): **ridurre q. all'i.**, to reduce sb. to impotence **2** (*med.*) impotence.

impoverimènto m. **1** impoverishment **2** (*fis. nucl.*) depletion.

impoverìre **A** v. t. **1** to impoverish: **i. il terreno**, to impoverish the soil **2** (*fis. nucl.*) to deplete **B impoverìrsi** v. i. pron. to become* poor.

impoverìto a. (*fis. nucl.*) depleted: **uranio i.**, depleted uranium.

impr. abbr. (**impresa**) building contractors.

impraticàbile a. **1** (*di strada*) impassable; (*bloccato*) blocked; (*di campo sportivo*) unplayable, unfit for play **2** (*non realizzabile*) impracticable; unfeasible; unviable; unworkable: **progetto i.**, unfeasible scheme; unworkable plan.

impraticabilità f. (*di strada*) impassability; (*di campo sportivo*) unfitness for play: *La partita fu sospesa per i. del campo*, the match was stopped due to the unsuitable conditions of the pitch.

impratichìre **A** v. t. to train; to exercise **B impratichìrsi** v. i. pron. to get* some practice (in); to get* to know (st.); to familiarize oneself (with); to get* the hang (of) (*fam.*): **impratichirsi di un lavoro**, to familiarize oneself with a job; to learn the ropes

(*fam.*); **impratichirsi nell'uso di un nuovo programma informatico**, to get the hang of a new computer program; *Devi impratichirti*, you must get some practice.

imprecàre v. i. to curse; to swear*: **i. contro q. [qc.]**, to curse sb. [st.].

imprecativo a. imprecatory; maledictory ● **formula imprecativa**, curse.

imprecazióne f. curse; swear-word; oath; expletive (*form.*); imprecation (*form.*): **lanciare imprecazioni contro q.**, to hurl curses against sb.; *Proruppe in una sfilza di imprecazioni*, he let loose a stream of curses (*o* oaths).

imprecisàbile a. indeterminable.

imprecisàto a. indeterminate; indefinite; unspecified; undefined: **numero i.**, indefinite number; **in data imprecisata**, at an unspecified date.

imprecisióne f. **1** (*mancanza di precisione*) inaccuracy; imprecision; want of accuracy **2** (*dato impreciso*) inaccuracy.

imprecìso a. inaccurate; imprecise; vague.

impregiudicàto a. **1** (*leg.*) undecided **2** open; not settled.

impregnàre **A** v. t. **1** (*intridere*) to soak: **i. uno straccio di benzina**, to soak a rag with petrol **2** (*saturare*) to impregnate, to saturate; (*pervadere*) to pervade; (*riempire*) to fill, to imbue: *L'odore impregnava l'aria*, the smell saturated the air **3** (*ingravidare*) to impregnate; to fecundate **B impregnàrsi** v. i. pron. **1** to become* impregnated (*o* saturated); to become* soaked **2** (*fig.*) to become* imbued.

impregnàto a. **1** (*intriso*) soaking; soaked **2** (*saturo*) impregnated, saturated, steeped; (*pervaso*) pervaded; (*pieno*) full: **i. di fumo**, saturated with smoke; **i. di pregiudizi**, impregnated with (*o* steeped in) prejudice.

impremeditàto a. unpremeditated.

imprendìbile a. **1** (*inafferrabile*) elusive; uncatchable: **ladro i.**, elusive thief; **tiro i.**, uncatchable shot **2** (*inespugnabile*) impregnable; (*invincibile*) invincible.

imprenditóre m. (f. **-trìce**) (*econ.*) entrepreneur; (*appaltatore*) contractor: **i. agricolo**, farmer; **i. commerciale**, trader; **i. di trasporti**, carrier; haulage contractor; **i. edile**, building contractor; property developer; **piccolo i.**, small entrepreneur.

imprenditoria f. **1** (*categoria*) entrepreneurs (pl.) **2** (*attività*) entrepreneurial activity.

imprenditoriàle a. entrepreneurial: **attività i.**, entrepreneurial activity; **capacità i.**, entrepreneurship; **classe i.**, entrepreneurs (pl.).

imprenditorialità f. **1** entrepreneurship **2** (*gli imprenditori*) entrepreneurs (pl.).

impreparàto a. **1** (*non pronto*) unprepared; unready; ill-equipped **2** (*che non ha studiato*) not prepared **3** (*inesperto*) untrained ● **cogliere i.**, to catch out; (*di sorpresa*) to catch off-guard; to catch off-balance.

impreparazióne f. **1** unpreparedness; unreadiness **2** (*incompetenza*) lack of preparation; lack of training.

♦**imprésa** ① f. **1** (*attività progettata*) enterprise; undertaking; (*con un margine di rischio*) venture: **i. coronata di successo**, successful undertaking; achievement; **abbandonare l'i.**, to abandon the undertaking; **accingersi a un'i.**, to embark on an enterprise (*o* on a venture); **riuscire nell'i.**, to succeed in the enterprise **2** (*azione gloriosa*) feat; exploit; deed: **i. eroica**, heroic feat; **le imprese di Rolando**, the exploits of Roland **3** (*econ.*) enterprise; (*con un margine di rischio*) venture; (*azienda, ditta*) firm, concern, business;

(*società*) company, corporation: **i. commerciale**, business enterprise; commercial concern; business; **i. di autotrasporti**, haulage firm; **i. di pulizie**, cleaning contractors (pl.) **i. edile** (*o* **di costruzioni**), building firm; building contractors (pl.); **i. in partecipazione**, joint venture; **i. pubblica**, public utility; **le piccole e medie imprese**, small and medium-sized enterprises (*o* businesses); **un'i. bene avviata**, a going concern; **costituire un'i.**, to start up a business ● **È un'i.** (*una cosa difficile*), it's no easy task; it's no joke (*fam.*) □ **È un'i. inutile**, it's a waste of time □ (*prov.*) **È più la spesa che l'i.**, the game isn't worth the candle.

imprésa ② f. (*arald.*) device; motto*.

impresàrio m. **1** entrepreneur; (*appaltatore*) contractor: **i. edile**, building contractor; builder; **i. di pompe funebri**, undertaker (*GB*); mortician (*USA*); funeral director **2** (*teatr., di cantante, ecc.*) manager; (*di spettacolo, ecc.*) manager, producer (*USA*); (*direttore*) manager, impresario* (*stor.*).

imprescindìbile a. not to be set aside; not to be ignored; unescapable; unavoidable.

imprescrittìbile a. (*leg.*) imprescriptible; indefeasible: **diritto i.**, indefeasible right.

imprescrittibilità f. (*leg.*) imprescriptibility; indefeasibility.

impresèntàbile a. unpresentable.

impresenzïàto a. (*bur.*) unattended.

impressionàbile a. **1** impressionable; sensitive; (*emotivo*) excitable; (*che si spaventa facilmente*) easily frightened, squeamish **2** (*fotogr.*) sensitive.

impressionabilità f. **1** impressionability; sensitivity; sensitiveness **2** (*fotogr.*) sensitivity.

impressionànte a. (*che colpisce*) striking, stunning, staggering, impressive; (*mozzafiato*) breathtaking; (*che spaventa*) shocking, appalling; (*che fa orrore*) horrifying: *È di una magrezza i.*, she's shockingly thin.

♦**impressionàre** **A** v. t. **1** to make* an impression on; (*fare colpo*) to strike*, to impress, to stun; (*intimorire*) to awe; (*sorprendere*) to surprise: **i. favorevolmente [sfavorevolmente]**, to make a good [bad] impression on; *Mi ha impressionato la velocità della loro reazione*, I was impressed by the quickness of their reaction; *Il suo discorso impressionò molto l'uditorio*, his speech made a strong impression on the audience **2** (*turbare*) to shock; to upset*; to come* as a shock: **i. l'opinione pubblica**, to shock public opinion; *La notizia della sua morte ci ha molto impressionato*, the news of his death came as a great shock to us **3** (*impaurire*) to frighten; to scare; (*fare orrore*) to horrify **4** (*fotogr.*) to expose **B impressionàrsi** v. i. pron. **1** (*turbarsi*) to be upset: *Ti impressioni troppo facilmente*, you are too easily upset **2** (*impaurirsi*) to be frightened; to be scared **3** (*fotogr.*) to be exposed ● **FALSI AMICI** ● *impressionare nel senso di turbare non si traduce con* to impress.

impressionàto a. **1** impressed; (*colpito*) struck, impressed, stunned; (*intimorito*) awed; (*sorpreso*) surprised: *Rimarrà favorevolmente i.*, he will be favourably impressed; *Sono rimasto i. dall'ordine della sua stanza*, I was impressed by the order in his room **2** (*scosso*) shocked, shaken, upset, disturbed: *Rimasi i. alla vista di tutto quel sangue*, I was shocked when I saw all that blood **3** (*impaurito*) frightened; scared **4** (*fotogr.*) exposed.

♦**impressióne** f. **1** impression; (*sensazione*) feeling, sensation: **i. durevole**, lasting impression; **forte i.**, strong impression; **i. gradevole**, pleasant feeling (*o* sensation);

avere l'i. che, to be under the impression that; **basarsi sulla [fidarsi della] prima i.**, to go by [to trust] one's first impression; **dare l'i. di**, to give the impression of; to strike; to look; *Mi diede l'i. che non dicesse la verità*, I had a feeling (o I felt) she was not telling the truth; *Mi dà l'i. di essere timido*, he looks shy to me; **fare i.** (*colpire*), to strike; to make an impression (on); to be impressive; *Che i. ti ha fatto Sydney?*, how did Sydney strike you?; **fare (una) buona [cattiva] i. a q.**, to make a good [bad] impression on sb.; to impress sb. favourably [unfavourably] 2 (*parere, opinione*) impression; opinion; feeling: **i. errata**, wrong impression; misapprehension; *La mia i. è che voglia tirarsi indietro*, I have the impression (o a feeling) that he wants to back down; *Mi interessa sentire le tue impressioni*, I am interested to know your impressions; **farsi l'i. sbagliata**, to get the wrong impression 3 (*clamore*) sensation; (*turbamento*) shock: **l'i. creata dall'avvenimento**, the sensation caused by the fact; *L'omicidio suscitò una profonda i. in paese*, the murder shocked the village; *Che i. tutto quel sangue!*, all that blood, how awful!; **fare i.**, (*turbare*) to shock, to disturb, to upset; (*fare paura*) to be frightening, to be scaring, to be a frightening thought; (*assol.: fare riflettere*) to be a solemn (o sobering) thought; *Il sangue mi fa i.*, blood upsets me; I cannot stand the sight of blood; *Fa i. pensare che siamo sei miliardi sul pianeta*, it is a sobering thought that there are six billion people on this planet; **per fare i.**, for effect 4 (*impronta*) impression; impress; imprint; mark: **l'i. di un sigillo sulla cera**, the impression of a seal on the wax; **l'i. di un piede sulla sabbia**, the imprint (o mark) of a foot on the sand 5 (*tipogr.: edizione*) impression, printing; (al pl.: *fregi*) tooling ▣: *Il libro è alla sesta i.*, the book is at its sixth impression; **seconda i.: 1992**, reprinted 1992; **impressioni in oro**, gold tooling.

impressionismo m. (*arte*) impressionism.

impressionista (*arte*) Ⓐ m. e f. impressionist Ⓑ a. impressionistic; impressionist.

impressionistico a. (*arte*) impressionist; impressionistic.

impresso a. 1 imprinted; stamped: **orme impresse nel fango**, footprints imprinted (o made, left) in the mud 2 (*fig.*) stamped; imprinted; engraved: *Ce l'ho i. nella memoria*, it is stamped (o imprinted, engraved) in my memory; *Mi è rimasto i.*, (*lo ricordo*) I can still remember it; I've never forgotten it; (*mi ha colpito*) it made a lasting impression on me.

imprestare → **prestare**.

imprevedìbile a. 1 unforeseeable; (*inatteso*) unexpected, unforeseen, freak (attr.): **conseguenze imprevedibili**, unforeseeable consequences; **evento [reazione] i.**, unexpected event [reaction] 2 (*mutevole, capriccioso*) unpredictable; volatile; wayward; temperamental: **comportamento [individuo] i.**, unpredictable behaviour [individual].

imprevedibilità f. 1 unforeseeability; unexpectedness 2 (*mutevolezza, capricciosità*) unpredictability; volatility; waywardness.

imprevedùto → **imprevisto**.

imprevidènte a. improvident; short-sighted; incautious; thoughtless; imprudent.

imprevidènza f. improvidence; short-sightedness; incautiousness; thoughtlessness; imprudence.

imprevisto Ⓐ a. unforeseen; unexpected; unthought-of; unlooked-for; (*fuori programma*) unplanned, unscheduled; (*a sorpresa*) surprise (attr.): **aiuto i.**, unlooked-for help; **ritorno i.**, unexpected return; **sosta imprevista**, unscheduled stop; **spese impreviste**, unforeseen expenses Ⓑ m. unforeseen event; unexpected occurrence; (*contingenza*) contingency; (*evento sorprendente*) surprise, twist: *Si verificò un i.*, something unexpected occurred; **salvo imprevisti**, circumstances permitting (*form.*); all being well.

impreziosìre v. t. to make* precious; (*ornare*) to embellish, to enhance.

imprigionaménto m. imprisonment; confinement.

♦**imprigionàre** v. t. 1 (*mettere in prigione*) to put* in prison; to imprison; to jail 2 (*rinchiudere*) to confine; to shut* up; (*in gabbia*) to cage 3 (*intrappolare*) to catch*; to trap: **i. in una rete**, to catch in a net; *Le travi gli imprigionavano le gambe*, his legs were trapped under the beams; *Furono imprigionati dai ghiacci*, they became ice-bound.

imprigionàto a. 1 (*in prigione*) imprisoned; captive; jailed: **tenere q. i.**, to hold sb. captive; to hold sb. imprisoned 2 (*bloccato*) bound; (*intrappolato*) trapped, caught: **i. in un cunicolo**, trapped in an underground passage; **un braccio i. sotto una ruota**, an arm caught under a wheel; **rimanere i. nella neve [nel ghiaccio]**, to be snow-bound [ice-bound].

imprimatur (*lat.*) m. inv. 1 (*eccles.*) imprimatur 2 (*fig.*) imprimatur; seal of approval.

imprimé (*franc.*) (*ind. tess.*) Ⓐ m. inv. printed fabric; print Ⓑ a. inv. printed.

♦**imprìmere** v. t. 1 (*anche fig.*) to stamp; to mark; to print; to imprint; to impress; (*solo fig.*) to engrave: **i. il sigillo su qc.**, to impress (o to stamp) a seal on st., to imprint st. with a seal; **i. qc. nella mente di q.**, to impress st. on sb.'s mind; (*inculcare*) to inculcate st. in sb., to implant st on sb.; *Imprimiti bene in mente ciò che ti dico*, remember (o bear in mind) what I am going to say; mark my words; **imprimersi qc. nella memoria**, to imprint st. on one's memory 2 (*comunicare, dare*) to give*; to impart; to exert: **i. forza a qc.**, to exert force on st.; **i. un impulso**, to give an impulse; **i. un movimento a qc.**, to set st. in motion; **i. una spinta a qc.**, to give st. a push; **i. velocità a qc.**, to speed st. up 3 (*stampare*) to print Ⓑ **imprimersi** v. i. pron. to remain impressed (o engraved, etc.); to stick*; to imprint oneself: *Le sue parole si sono impresse nella mia mente*, his words are impressed on my mind.

imprimitùra f. (*pitt.*) priming.

imprinting m. inv. (*biol.*) imprinting.

improbàbile a. 1 improbable; unlikely: *È i. che lo scoprano*, it is unlikely that he will be found out; he is unlikely to be found out 2 (*poco credibile*) improbable; unlikely; far-fetched; (*inattendibile*) implausible.

improbabilità f. improbability; unlikelihood.

improbità f. (*lett.*) improbity; dishonesty; wickedness.

improbo a. 1 (*lett.*) dishonest; wicked 2 (*faticoso, duro*) arduous; hard; tough: **un lavoro i.**, a tough job; *È stata una fatica improba*, it's been hard work.

improcedìbile a. (*leg.*) barred from further proceedings.

improcedibilità f. (*leg.*) bar to further proceedings.

improcrastinàbile a. that cannot be postponed; urgent; pressing.

improcrastinabilità f. impossibility to postpone; urgency; pressing nature.

improducìbile a. unproducible.

improduttività f. unproductiveness; (*econ.*) unproductivity, unprofitableness.

improduttìvo a. 1 unfruitful; infertile; unproductive; barren: **terreno i.**, barren soil 2 (*econ.*) unproductive; unprofitable; uneconomic: **capitale i.**, idle money; **investimento i.**, unprofitable investment 3 (*fig.: inutile, vano*) fruitless; vain; sterile.

improferìbile a. unrepeatable.

impromptu (*franc.*) m. inv. (*mus.*) impromptu.

imprónta① f. 1 imprint; impression; print; mark; stamp: **i. di dita**, finger marks (pl.); **l'i. di una mano**, the imprint (o print) of a hand; **l'i. di un piede**, a footprint; **i. del pollice**, thumb mark (o print); **l'i. di un sigillo**, the impression of a seal; **impronte di zoccoli**, hoof prints; **impronte digitali**, fingerprints; **cancellare tutte le impronte**, to wipe off (o to remove) all prints 2 (*fig.*) mark; stamp: **l'i. del genio**, the mark (o imprint) of genius; **lasciare un'i. indelebile su qc.**, to leave an indelible mark on st. 3 (*di fossile*) mould 4 (*numism.*) impression; stamp ● (*fig.*) **i. ecologica**, ecological footprint.

imprónta② f. – **all'i.**, at sight (avv.); impromptu (avv. e attr.); extempore (avv. e attr.): **tradurre all'i.**, to translate extempore (o at sight).

improntàre Ⓐ v. t. 1 to impress; to imprint 2 (*numism.*) to stamp; to coin 3 (*fig.: lasciare un'impronta*) to leave* (o to set*) one's mark on 4 (*dare un tono*) to strike* a note of: **i. un discorso a solennità**, to strike a note of solemnity in a speech; **i. il viso a severità**, to assume a stern expression Ⓑ **improntàrsi** v. i. pron. to take* on a look [a note] of.

improntàto a. (*fig.*) marked (by); full (of): **parole improntate a benevolenza**, words marked by (o full of) benevolence; **un rapporto i. al sospetto**, a relationship marked by suspicion.

improntitùdine f. effrontery; impudence; gall; nerve (*fam.*).

imprónto m. → **impronta②**.

impronunciàbile a. 1 (*difficile da nunciare*) unpronounceable 2 (*che non si deve pronunciare*) unmentionable; unrepeatable: **nome i.**, unmentionable name; **parole impronunciabili**, unrepeatable words.

impropèrio m. insult; (al pl., anche) abuse ▣: **coprire q. d'improperi**, to heap abuse on sb.

improponìbile a. 1 that cannot be suggested; unsuitable; unacceptable 2 (*leg.*) not actionable; inadmissible.

improprietà f. inaccuracy; imprecision.

impròprio a. 1 (*scorretto*) inaccurate; imprecise: **locuzione impropria**, incorrect phrase; **termine i.**, inaccurate term; misnomer 2 (*non adatto*) unfit; unsuitable: **un vestito i. all'occasione**, a dress unfit for the occasion 3 (*sconveniente*) improper; unseemly; unbecoming ● **arma impropria**, blunt instrument □ (*gramm.*) **dittongo i.**, improper diphthong □ (*mat.*) **frazione impropria**, improper fraction. □ **uso i.**, illegitimate use.

improrogàbile a. that cannot be postponed (o delayed, put off); unalterable; (*di termine*) not to be extended.

improrogabilità f. inalterable nature.

improrogabilménte avv. without any possible delay; with no possibility of an extension.

improtestàto a. (*leg.*) that hasn't been protested.

improvvidènza f. (*lett.*) improvidence; lack of foresight (o of forethought); short-sightedness.

a b c d e f g h **i** j k l m n o p q r s t u v w x y z

impròvvido a. (*lett.*) improvident; lacking in foresight (*o* in forethought); short-sighted.

improvvisaménte avv. unexpectedly; suddenly; all of a sudden.

improvvisàre **A** v. t. 1 to improvise (*anche mus.*); to extemporize; to ad-lib; (*inventare*) to make* up (on the spur of the moment); (*agire senza un programma*) to play it by ear (*fam.*): **i. un discorso**, to speak extempore (*o* off the cuff); to give an off-the-cuff speech; **i. al piano**, to improvise on the piano; **i. una scusa**, to make up an excuse; *Non ricordavo la battuta e cominciai a i.*, I had forgotten my lines, so I began to ad-lib (*o* to extemporize); *Non voglio fare piani, preferisco i.*, I don't want to plan ahead, I prefer to play it by ear 2 (*preparare in fretta*) to improvise; to put* together; to rig up (*fam.*); to whip up; to slap together (*fam.*); to rustle up (*fam.*): **i. un letto**, to improvise a bed; to put together a makeshift bed; **i. un pranzo**, to whip up (*o* to slap together) a meal; to rustle up something to eat **B** **improvvisàrsi** v. i. pron. to play; to turn: **improvvisarsi annunciatore**, to play the announcer; **improvvisarsi cuoco**, to turn cook; to do the cooking; *Non ci si improvvisa traduttori*, you don't become a translator just like that.

improvvisàta f. surprise: **fare un'i. a q.**, to give sb. a surprise.

improvvisàto a. 1 improvised; extempore (attr.); impromptu (attr.); unprepared; off the cuff (avv.); off-the-cuff (attr.): **discorso i.**, extempore (*o* off-the-cuff) speech; speech given off the cuff 2 (*preparato in fretta*) improvised, ad hoc, whipped-up, rustled-up (*fam.*), scratch (attr.); (*di fortuna*) makeshift, make-do; (*spreg.: abborracciato*) slapdash: **letto i.**, makeshift bed; shakedown (*USA*); **pranzo i.**, improvised (*o* whipped-up) meal; **riparo i.**, improvised shelter; **soluzione improvvisata**, ad hoc solution.

improvvisatóre m. (f. **-trìce**) (*anche mus.*) improviser.

improvvisazióne f. improvisation (*anche mus.*); extemporization; ad-libbing Ⓤ.

♦**improvvìso** **A** a. (*inaspettato*) unexpected; (*repentino*) sudden, abrupt; (*imprevisto*) unforeseen **B** m. (*mus.*) impromptu • **all'i.**, suddenly; all of a sudden.

imprudènte **A** a. imprudent; careless; incautious, unwary; (*sconsiderato*) injudicious, ill-advised; (*avventato*) hasty, impulsive, rash: **decisione i.**, ill-advised decision; **guidatore i.**, careless driver **B** m. e f. imprudent person.

imprudènza f. 1 imprudence; carelessness; incautiousness; unwariness; (*sconsideratezza*) injudiciousness, ill-advisedness; (*temerarietà*) hastiness, rashness: **incidente frutto di i.**, accident due to carelessness 2 (*atto, comportamento imprudente*) imprudent (*o* incautious, etc.) act: *È stata un'i. dell'autista*, it was a careless manoeuvre on the part of the driver; *È un'i. partire con questa nebbia*, it's foolish to set out in this fog; **commettere un'i.**, to act imprudently; to do something rash; *Non fare imprudenze!*, be careful!; watch how you go!

impubblicàbile a. unpublishable.

impùbere a. under the age of puberty.

impudènte **A** a. insolent; impudent; cheeky (*fam.*); saucy; brazen-faced; nervy (*USA*) **B** m. e f. impudent person.

impudènza f. effrontery; impudence; insolence; gall; cheek (*fam.*); nerve (*fam.*).

impudicìzia f. immodesty; indecency.

impudìco a. immodest; indecent.

impugnàbile a. (*leg.*) impugnable; contestable; exceptionable; (*di decisione, senten-* *za*) appealable.

impugnabilità f. (*leg.*) impugnability; contestability.

impugnàre ① v. t. (*afferrare*) to seize, to grasp, to grip; (*reggere, tenere in pugno*) to hold*: **i. un bastone**, to grasp a stick; *Impugnai il coltello*, I seized the knife; *Come si impugna la racchetta?*, how do you hold the racket? • **i. le armi**, to take up arms ▫ **i. la spada** (*sguainarla*), to draw one's sword.

impugnàre ② v. t. 1 (*contestare*) to contest; to dispute; to challenge 2 (*leg.*) to impugn, to contest; (*una sentenza*) to appeal against: **i. la validità di un contratto**, to impugn the validity of a contract; **i. un testamento**, to contest a will.

impugnativa f. (*leg.*) act of impugnation.

impugnativo a. (*leg.*) impugnating; contesting.

impugnatóre m. (*leg.*) impugner; contestant.

impugnatùra f. 1 (*manico*) handle; (*di spada, pugnale, ecc.*) hilt; (*di coltello, ascia*) handle, haft; (*di arnese, leva, ecc.*) handgrip 2 (*modo di impugnare*) grip; grasp.

impugnazióne f. (*leg.*) impugnment.

impulciàre **A** v. t. to infest with fleas **B** **impulciàrsi** v. i. pron. to become* infested with fleas.

impulsàre v. t. (*elettron.*) to pulse.

impulsatóre m. (*elettron.*) pulse generator; pulser.

impulsióne f. impulsion; impulse.

impulsività f. impulsiveness; impetuousness; (*avventatezza*) rashness.

impulsìvo a. 1 impulsive; impetuous; (*avventato*) rash, unreflecting: **un carattere i.**, an impulsive nature; **gesto i.**, impulsive gesture 2 (*fis., mecc.*) impulsive; impelling; propulsive.

impùlso m. 1 (*urto, spinta*) impulse; thrust; push 2 (*moto istintivo*) impulse; (*pulsione*) urge, drive: **resistere all'i. di fare qc.**, to resist the impulse to do st.; **sentire l'i. di fare qc.**, to feel an impulse (*o* an urge) to do st.; **agire d'i.**, to act on (an) impulse 3 (*fig.: stimolo, spinta*) impulse, impetus, drive, stimulus*; (*incremento*) boost: **i. vitale**, vital impetus; *Le vendite hanno ricevuto un notevole i.*, sales have been given a substantial boost; **dare i. a qc.**, to boost st. 4 (*fis.*) impulse; pulse: **i. elettrico**, electric impulse 5 (*mecc.*) impulse 6 (*fisiol.*) impulse: **i. nervoso**, nerve impulse 7 (*telef.*) (time) unit.

impuneménte avv. 1 (*senza punizione*) with impunity; scot-free (pred.): **infrangere la legge i.**, to break the law with impunity; **cavarsela i.**, to get off scot-free; to get away with it 2 (*senza danno*) safely: *Attraversò i. le linee nemiche*, he safely crossed the enemy lines.

impunibile a. (*anche leg.*) unpunishable.

impunibilità f. (*leg.*) unpunishability.

impunità f. (*anche leg.*) impunity.

impunìto **A** a. unpunished: *Il delitto restò i.*, the crime went unpunished **B** m. (f. **-a**) (*region.*) impudent (*o* insolent) person: *Sei un bell'i.!*, what insolence!; you certainly have a nerve! (*fam.*).

impuntàrsi v. i. pron. 1 (*arrestarsi*) to stop dead; (*di animale*) to jib, to baulk 2 (*arrestarsi nel parlare*) to get* stuck (on a word); (*balbettare*) to stutter 3 (*fig.: ostinarsi*) to insist stubbornly on (doing st.); to dig* one's heels in (*fam.*).

impuntatùra f. obstinacy; stubbornness.

impuntìre v. t. 1 (*cucire*) to stitch (together) 2 (*trapuntare*) to quilt.

impuntitùra f. 1 (*cucitura*) stitching (together) 2 (*trapuntatura*) quilting.

impuntùra f. 1 (*cucito*) backstitch; (*ornamentale*) stitching; (*grossa*) saddle-stitch 2 (*naut., di vela quadra*) upper corner; (*di vela aurica*) luff corner.

impunturàre v. t. to backstitch.

impupàrsi v. rifl. (*zool.*) to pupate.

impurézza f. (*scient.*) impurity.

impurità f. 1 impurity 2 (*sostanza estranea*) impurity; foreign matter Ⓤ 3 (*fig.: impudicizia*) impurity; unchastity.

impùro a. 1 impure: **acqua impura**, impure water; **lingua impura**, impure language; **razza impura** (*ibrida*), mongrel race 2 (*ling.*) – **esse impura**, S followed by a consonant 3 (*fig.: impudico*) impure; unchaste: **desideri [pensieri] impuri**, impure desires [thoughts] 4 (*relig.: contaminato*) impure; unclean.

imputàbile a. 1 imputable; attributable; ascribable; due: *L'incidente è i. a distrazione*, the accident is due (*o* attributable) to carelessness 2 (*responsabile*) responsible: *Io non sono i. per quello che è successo*, I am not responsible for what happened 3 (*leg.: accusabile*) chargeable: **i. di omicidio**, chargeable with murder.

imputabilità f. (*anche leg.*) imputability; chargeability.

imputàre v. t. 1 (*attribuire*) to impute; to attribute; to ascribe; to put* down: **i. l'incidente a errore umano**, to attribute the accident to human error 2 (*attribuire una responsabilità*) to hold* (sb.) responsible (of st.); to blame (sb. for st.); to accuse (sb. of st.): *Imputarono a lui la sconfitta*, he was held responsible for the defeat; *Imputarono l'incidente all'autista*, the driver was accused of having caused the accident; *Questo non gli si può i. a colpa*, he cannot be blamed for this 3 (*leg.: accusare*) to charge: **i. q. di omicidio**, to charge sb. with murder 4 (*rag.*) to charge.

imputàto m. (f. **-a**) (*leg.*) accused (person); defendant.

imputazióne f. 1 (*leg.*) charge; accusation; indictment: **rispondere dell'i. di omicidio**, to answer to the charge of murder; **lasciar cadere un'i.**, to drop a charge; **passibile d'i.,**, chargeable; indictable; **capo d'i.**, count (of indictment) 2 (*rag.*) allocation; apportionment: **i. di pagamenti**, apportionment of payments; **i. di spese**, expense allocation (*o* distribution).

imputridiménto m. rotting; putrefaction; decay.

imputridìre **A** v. i. to rot; to putrefy; to go* bad **B** v. t. to rot; to cause (st.) to putrefy.

imputridìto a. rotten; putrefied; gone bad (pred.).

impuzzolentìre v. t. to cause (st.) to stink; to make* (st.) stink.

IMQ sigla (**Istituto italiano del marchio di qualità**) Italian institute for quality brands.

♦**in** ① prep. 1 (*stato in luogo, anche fig.*) in; at; (*dentro*) inside: **in una [nella] scatola**, in a [in the] box; inside a [the] box; **essere in città [in campagna, in Italia]**, to be in town [in the country, in Italy]; *Sono in bagno*, I'm in the bathroom; *Frugò nella borsetta*, she fumbled in her handbag; *È qui nell'edificio*, it's here in the building; **rimanere [essere] in casa**, to stay [to be] at home; to be [to stay] indoors; *Sei in casa stasera?*, will you be in tonight?; *Aspettami in macchina*, wait (for me) in the car; *Non vorrei essere in lui* (*o nei suoi panni*), I wouldn't like to be in his place (*o* in his shoes); **essere nei guai**, to be in trouble; **in lutto**, in mourning; **in uno stato terribile**, in a terrible state; **in lacrime**, in tears; **in**

difficoltà, in difficulties; **in cima a**, at the top of; **in fondo a**, at the bottom of; (*anche fig.*) **in alto mare**, at sea; **nel periodo di Natale**, at Christmas **2** (*moto a luogo, anche fig.*) to: **andare in Italia [in montagna]**, to go to Italy [to the mountains]; **tornare in Inghilterra**, to go back to England; **di giorno in giorno**, from day to day; day by day; **di male in peggio**, from bad to worse **3** (*penetrazione in luogo chiuso*) into; in; on: *Entrai nel negozio*, I went into the shop; *Lo misi nella scatola*, I put it in (*o* into) the box; **salire in treno**, to get on a train; **entrare in relazioni di affari con q.**, to enter into business relations with sb.; (*fig.*) **ficcarsi in testa qc.**, to get st. into one's head **4** (*moto per luogo*) in; round; throughout: **passeggiare in giardino [nel parco]**, to walk in (*o* round) the garden [the park]; **viaggiare in Francia**, to travel in France; **in tutto il mondo**, throughout (*o* all over) the world **5** (*su, sopra*) on; upon: **mettersi un cappello in testa**, to put a hat on one's head; **in bicicletta**, on a bicycle; **in tavola**, on the table **6** (*tempo*) in; at; on; (*nel corso di*) in the course of: **in maggio**, in May; **nel 1981**, in 1981; **nel ventesimo secolo**, in the 20th century; **in estate**, in (the) summer; **in gioventù**, in one's youth; **in quel giorno**, (on) that day; **in questo momento**, at this time (*o* moment); **in una notte d'inverno**, on a winter night; one winter night; *In un'ora si va e si torna*, you can go there and back in an hour; *Lo feci in un mese*, I did it in a month; *È il quarto dipendente che si licenzia in due mesi*, he is the fourth employee to resign in the last two months; *Lo saprò in giornata*, I'll know today (*o* before tonight, in the course of today); **in serata**, in the course of the evening; **in pace e in guerra**, in war and peace; **arrivare in tempo**, (*puntualmente*) to arrive on time; (*in tempo utile*) to arrive in time; **nello stesso tempo**, at the same time **7** (*mezzo*) by: **viaggiare in automobile [in treno, in aeroplano, in nave]**, to travel by car [by train, by plane, by boat]; **pagare in dollari**, to pay in dollars **8** (*trasformazione*) into; in; to: **cambiare euro in sterline**, to change euros into pounds; *Il rospo fu mutato in principe*, the toad was changed into a prince; **dividere una somma in quattro parti**, to divide a sum in (*o* into) four parts; **mandare in frantumi**, to smash to pieces **9** (*modo, condizione*) in: **in fretta**, in a hurry; **in breve**, in short; **in confidenza**, in confidence; **in cambio**, in exchange; **in segreto**, in secret; **in lode di**, in praise of; **in tuo onore**, in your honour; **in astratto**, in the abstract; *Il nome era dipinto in rosso*, the name was painted in red; **parlare in dialetto**, to speak in dialect; **vestire in bianco**, to dress in white; **scritto in tedesco**, written in German; **in vestaglia**, wearing a dressing-gown **10** (*limitazione*) at; in: **bravo in francese [nello sci]**, good at French [at skiing]; **debole in latino**, weak in Latin **11** (*modo, qualità*) as: **dare qc. in dono**, to give st. as a gift **12** (*materia*) – **una statua in bronzo**, a bronze statue; **un vestito in seta**, a silk dress; **una borsa in pelle**, a leather bag; **fatto in legno**, made of wood **13** (*quantità*) – *Eravamo in pochi*, there were only a few of us; *Eravamo in quattro*, there were four of us; *Si gioca in undici per parte*, you play it (with) eleven on a side (*o* eleven each side); **accorrere in folla**, to crowd in **14** (*davanti a un inf.*) – *Nell'aprire la scatola ho rotto il coperchio*, I broke the lid, opening the box; *Nel dire così, mi porse il biglietto*, as he said that, he handed me the note • **in apparenza**, on the surface; apparently □ **in attesa**, waiting □ **in coscienza**, in all conscience □ **in fede mia**, upon my word □ (*mecc.*) **in folle**, out of gear;

in neutral gear □ **in forse**, in doubt □ **in giù**, down □ **in mezzo a**, in the middle of □ **in nome di Dio**, in the name of God □ **in piedi**, standing □ (*cucina*) **in umido**, stewed (agg.) □ **in su**, up □ **in verità**, to be true; (*nei Vangeli*) verily □ **alzarsi in piedi**, to stand up □ **credere in Dio**, to believe in God □ **Se fossi in te**, if I were you □ **più in là**, further down; further on □ **stare in piedi**, to stand □ **Lucia Bianchi in Neri**, Lucia Neri, née Bianchi.

in② (*ingl.*) avv. e a. inv. (*alla moda, in voga, ecc.*) trendy; in (*fam.*).

INA sigla (**Istituto nazionale delle assicurazioni**) National Insurance Institute.

inabbordàbile a. unapproachable; (*di prezzo, ecc.*) unaffordable, inaccessible.

inàbile a. **1** unable (to); incapable (of); unfit (for): **i. al lavoro**, unable to work; unfit for work; (*mil.*) **i. al servizio militare**, unfit for military service **2** (*invalido*) disabled **3** (*leg.*) disabled: **i. a stipulare un contratto**, disabled to contract.

inabilità f. **1** incapacity; inability; (*anche mil.*) unfitness **2** (*leg.*) disability.

inabilitànte a. disqualifying; incapacitating.

inabilitàre v. t. **1** to disable; to render unfit **2** (*leg.*) to disqualify; to incapacitate.

inabilitàto (*leg.*) A m. disqualified; incapacitated B m. (*leg.*) disabled person.

inabilitazióne f. **1** unfitness; disability **2** (*leg.*) disqualification; incapacitation.

inabissaménto m. sinking; engulfment.

inabissàre A v. t. to sink*; to engulf B **inabissàrsi** v. i. pron. to sink*; to be swallowed up; to be engulfed.

inabitàbile a. uninhabitable; (*di edificio*) unfit for habitation: **regione i.**, uninhabitable region; **dichiarare i. un edificio**, to condemn a building; to declare a building unfit for habitation.

inabitabilità f. uninhabitability.

inabitàto a. (*lett.*) uninhabited.

inabrogàbile a. unrepealable.

inaccessìbile a. **1** (*inavvicinabile*) inaccessible, unapproachable; (*impervio*) impervious; (*non scalabile*) unscalable: **un luogo i.**, an inaccessible place; **montagna i.**, unscalable mountain **2** (*di persona: inavvicinabile*) unapproachable; (*insensibile*) inaccessible, impervious: **i. alle lusinghe [alla pietà]**, inaccessible (*o* impervious) to flattery [to pity] **3** (*incomprensibile*) incomprehensible; impenetrable; beyond (sb.'s) grasp: **mistero i.**, impenetrable mystery **4** (*troppo caro*) unaffordable; prohibitive.

inaccessibilità f. **1** (*inavvicinabilità*) inaccessibility; unapproachability **2** (*di concetto, ecc.*) incomprehensibility.

inaccettàbile a. **1** unacceptable **2** (*inammissibile*) inadmissible; intolerable **3** (*incredibile*) incredible.

inaccettabilità f. **1** unacceptability **2** (*inammissibilità*) inadmissibility **3** (*incredibilità*) incredibility.

inaccordàbile a. **1** ungrantable **2** (*mus.*) untunable.

inaccòrto a. (*lett.*) unwary; incautious.

inaccostàbile a. unapproachable (*anche fig.*); (*di prezzo*) unaffordable, prohibitive.

inaccuratézza f. **1** inaccuracy **2** carelessness, negligence Ⓤ.

inaccuràto a. inaccurate; imprecise; inexact.

inacerbìre A v. t. to embitter; to exacerbate B **inacerbìrsi** v. i. pron. to become* exacerbated; to become* embittered; to turn sour.

inacetìre A v. t. to turn into vinegar B v. i. to turn to vinegar.

inacidiménto m. **1** acidification; souring

2 (*fig.*) embitterment; souring.

inacidìre A v. t. **1** to turn sour; to sour; to acidify **2** (*fig.*) to embitter; to sour B v. i. e **inacidìrsi** v. i. pron. **1** to go* (*o* to turn) sour; to acidify **2** (*fig.*) to become* embittered; to turn sour; to sour.

inacidìto a. **1** sour **2** (*fig.*) soured; sour; embittered.

inacutìre A v. t. to sharpen; to make* more acute B **inacutìrsi** v. i. pron. to become* more acute; to become* sharper.

inadattàbile a. unadaptable; inadaptable.

inadattabilità f. unadaptability.

inadàtto a. **1** (*non idoneo*) unsuited (to); unfit (for): **i. alla vita militare**, unsuited to military life **2** (*privo di disposizione*) ill-equipped; (*incapace*) incapable; inept **3** (*fuori luogo*) unsuitable (for), inappropriate (to, for); (*inopportuno*) inopportune, inconvenient: **un abbigliamento i. all'occasione**, clothes unsuitable for the occasion; **il momento più i.**, the most inopportune moment.

inadeguatézza f. **1** (*inidoneità*) unsuitability; inappropriateness **2** (*insufficienza*) inadequacy; insufficiency **3** (*scarsità*) scarsity; scantiness.

inadeguàto a. **1** (*inidoneo*) unfit; unsuitable; inappropriate: **i. a un lavoro**, unfit for a job; **abbigliamento i.**, unsuitable clothes **2** (*insufficiente*) inadequate; insufficient: **misure inadeguate**, inadequate measures; **preparazione inadeguata**, insufficient preparation; **i. a coprire il nostro fabbisogno**, insufficient to meet our requirements **3** (*scarso*) scarce; scanty.

inadempìbile a. that cannot be fulfilled; unfulfillable.

inadempiènte (*leg.*) A a. defaulting; in default (pred.): **parte i.**, defaulting party; **essere i.**, to be in default (on st.); to default (on st.) B m. e f. defaulter; defaulting party.

inadempiènza f., **inadempiménto** m. non-fulfilment; default; breach; (*di pagamento*) default of payment: **i. contrattuale**, breach of contract; **i. di un obbligo**, default; **i. del proprio dovere**, dereliction of duty.

inadempìto, **inadempiùto** a. unfulfilled; broken: **compito i.**, unfulfilled task; **un voto i.**, a broken vow.

inadopràbile a. unserviceable; not fit for use (pred.).

inafferràbile a. **1** (*che sfugge*) elusive; uncatchable **2** (*fig.: incomprensibile*) inaccessible; obscure.

inafferrabilità f. **1** elusiveness **2** (*fig.*) inaccessibility; obscurity.

inaffidàbile a. unreliable; undependable.

inaffidabilità f. unreliability; undependability.

inaffondàbile a. (*naut.*) unsinkable.

inagìbile a. **1** (*di strada*) impassable; blocked; closed **2** (*di impianto, edificio*) unusable; unfit for use **3** (*sport: di campo*) unplayable; unfit for play.

inagibilità f. **1** (*di strada*) impassability **2** (*di impianto, edificio*) unfitness for use.

inagrestìre v. i. (*agric.*) **1** (*di uva*) to remain unripe **2** (*inacidire*) to sour.

INAIL sigla (**Istituto nazionale per l'assicurazione contro gli infortuni sul lavoro**) Industrial Injury Compensation Board; Italian Workers' Compensation Authority.

inalànte (*farm.*) A a. inhalation (attr.); for inhaling B m. inhalant.

inalàre v. t. (*med.*) to inhale.

inalatóre m. (*med.*) inhaler; inhalator.

inalatòrio (*med.*) A a. inhalation (attr.); for inhaling • **per via inalatoria**, by inhalation B m. inhalation room.

i

inalazióne f. 1 inspiration 2 (*med.*) inhalation.

inalbeaménto m. (*di bandiera, ecc.*) hoisting; raising.

inalberàre Ⓐ v. t. (*una bandiera, ecc.*) to hoist, to raise; (*naut., anche*) to run* up Ⓑ **inalberàrsi** v. i. pron. 1 (*di cavallo*) to rear 2 (*adirarsi*) to flare up; to bristle.

inalberàta f. (*di cavallo*) rearing.

inalienàbile a. (*leg.*) inalienable.

inalienabilità f. (*leg.*) inalienability.

inalteràbile a. unalterable; unchangeable; (*di opinione, sentimento*) unshakable; (*di colore*) fast; (*durevole*) lasting: **i. ottimismo**, unshakable optimism.

inalterabilità f. unalterability; unshakability; (*di colore*) fastness.

inalteràto a. unchanged; unaltered; (*costante*) constant, steady: *La situazione rimane inalterata*, the situation is unchanged.

inalveaménto m. channelling.

inalveàre v. t. to channel; to canalize.

inalveazióne f. channelling.

inalveolàre v. i. e i. pron. to grow* in the alveolus.

inaméno a. (*lett.*) dreary; dismal.

inamidàre v. t. to starch.

inamidàto a. 1 starched 2 (*fig.*) starchy; stiff.

inamidatùra f. starching.

inammissìbile a. 1 unacceptable; unjustifiable; intolerable 2 (*leg.*) inadmissible: **prova i.**, inadmissible evidence.

inammissibilità f. 1 unacceptability; unjustifiability 2 (*leg.*) inadmissibility.

inamovìbile a. 1 (*di persona*) irremovable 2 (*di oggetto*) unmovable; fixed.

inamovibilità f. irremovability; irremovableness.

inàne a. (*lett.*) vain; useless; empty: **un tentativo i.**, a vain attempt.

inanellaménto m. (*zootecnia*) ringing.

inanellàre Ⓐ v. t. 1 (*arricciare*) to curl 2 (*fig.: dire in serie*) to string* together, to spin* out; (*accumulare*) to pile up: **i. battute**, to spin out quips; **i. successi**, to pile up successes 3 (*zootecnia*) to ring Ⓑ v. i. pron. to curl.

inanellàto a. 1 (*arricciato*) curly 2 (*ornato di anelli*) ringed; covered with rings.

inanimàto a. 1 (*senza vita*) inanimate: **cose inanimate**, inanimate objects 2 (*esanime*) lifeless; inanimate.

inanità f. (*lett.*) inanity; uselessness; emptiness.

inanizióne f. (*med.*) inanition.

inanònimo Ⓐ a. (*bur.*) named Ⓑ m. – (*negli annunci economici*) **rispondesi solo inanonimi**, only signed letters will be answered; no anonymous replies.

inappagàbile a. unsatisfiable; insatiable.

inappagaménto m. (sense of) dissatisfaction; discontentment; discontentedness.

inappagàto a. unfulfilled; unsatisfied.

inappannàbile a. non-misting.

inappellàbile a. 1 (*leg.*) not open to appeal; unappealable 2 (*fig.*) final; irrevocable: **giudizio i.**, final judgment.

inappellabilità f. (*leg.*) unappealableness.

inappellabilménte avv. without appeal; irrevocably.

inappetènte a. inappetent; lacking appetite (pred.).

inappetènza f. inappetence; lack of appetite.

inapplicàbile a. inapplicable.

inapplicabilità f. inapplicability.

inapplicàto a. unapplied; unenforced:

metodo i., unapplied method; *La norma è rimasta inapplicata*, the rule has never been enforced.

inapprendìbile a. that cannot be learnt; impossible to learn; too difficult to learn.

inapprezzàbile a. 1 (*inestimabile*) inestimable; invaluable 2 (*insignificante*) negligible; inappreciable.

inapprezzàto a. unappreciated; unvalued.

inapprodàbile a. (*naut.*) offering no landing place.

inappropriàto a. unsuitable; unappropriate.

inappuntàbile a. 1 (*incensurabile*) irreproachable; impeccable; faultless 2 (*senza difetti*) flawless; faultless; impeccable.

inappuntabilità f. impeccability; irreproachability; faultlessness.

inappuràbile a. unascertainable; unverifiable.

inarcaménto m. 1 arching 2 (*naut.*) – i. **di chiglia**, hogging.

inarcàre Ⓐ v. t. to arch; to bend*: **i. la schiena**, to arch one's back; **i. le sopracciglia**, to raise one's eyebrows Ⓑ **inarcàrsi** v. i. pron. 1 to arch; to bend*; (*di legno*) to warp 2 (*naut.*) to hog.

inarcàto a. arched; bent; bowed; curved.

inarcatùra f. (*poesia*) enjambement (*franc.*).

inargentàre Ⓐ v. t. 1 to silver-plate 2 (*fig.*) to turn (to) silver Ⓑ **inargentàrsi** v. i. pron. to become* silvery; to take* on a silvery lustre; (*di capelli, ecc.*) to go* grey.

inargentàto a. 1 silver-plated 2 (*fig.*) silver; silvery.

inargentatùra f. silver-plating.

inaridiménto m. (*anche fig.*) drying up; withering.

inaridìre Ⓐ v. t. 1 to dry up; to parch; (*disseccare*) to wither 2 (*fig.*) to dry up; to wither: **i. l'ispirazione**, to dry up sb.'s inspiration; *La morte del figlio la inaridì*, her son's death withered her heart Ⓑ v. i. e **inaridìrsi** v. i. pron. 1 to dry up; to become* arid; to wither: *La sorgente è inaridita*, the spring has dried up; *I campi inaridirono*, the fields dried up 2 (*fig.*) to dry up: *La sua vena compositiva si inaridì*, his musical vein dried up.

inarmònico a. (*lett.*) inharmonious; unmelodious; tuneless.

inarrestàbile a. unstoppable; (*irrefrenabile*) unrestrainable; (*inesorabile*) relentless, inexorable: **avanzata i.**, relentless advance; **pianto i.**, unrestrainable tears.

inarrestabilità f. unstoppability.

inarrivàbile a. 1 unreachable; unattainable 2 (*fig.: impareggiabile*) incomparable; unparalleled; unequalled; matchless.

inarticolàto a. inarticulate; wordless: **grida inarticolate**, inarticulate cries.

inascoltàbile a. unlistenable; impossible to listen to.

inascoltàto a. unheard; unheeded: **rimanere i.**, to go unheeded.

inasinìre v. i., **inasinìrsi** v. i. pron. to grow* stupid; to grow* dull.

inaspettataménte avv. unexpectedly; (*all'improvviso*) suddenly, all of a sudden.

inaspettàto a. unexpected; (*non cercato*) unlooked-for; (*improvviso*) sudden; (*imprevisto*) unforeseen; (*insospettato*) unsuspected: **aiuto i.**, unlooked-for help; **difficoltà inaspettate**, unforeseen difficulties; **visita inaspettata**, unexpected visit.

inaspriménto m. 1 embitterment; exacerbation 2 (*aggravamento*) worsening, aggravation, escalation, intensification; sharpening; (*aumento*) increase, rise, hike,

step-up: **i. del conflitto**, worsening (*o* escalation) of the conflict; **i. fiscale**, tax increase (*o* hike); *Si ha notizia di un i. dei combattimenti*, there are reports of an intensification of the fighting; **essere a favore di un i. delle pene**, to be in favour of harsher sentences.

inasprìre Ⓐ v. t. 1 (*amareggiare*) to embitter; to exacerbate; to exasperate 2 (*acuire, aggravare*) to worsen; to aggravate; to escalate; to sharpen; (*aumentare*) to increase, to jack up (*fam.*): **i. l'odio**, to sharpen hatred; **i. la pressione fiscale**, to increase (*o* to jack up) taxation 3 (*irrigidire*) to make* harsher (*o* stricter); to tighten (up): **i. i controlli**, to tighten control; **i. le pene per i trafficanti di droga**, to introduce harsher punishment for drug trafficking Ⓑ v. i. e **inasprìrsi** v. i. pron. 1 to turn sour 2 (*fig.*) to become* embittered 3 (*fig.: aggravarsi*) to worsen; to grow* worse, to become* harsher, to become* more severe; (*aumentare*) to increase 4 (*diventare più rigido, più severo*) to harshen; to be tightened.

inasprìto a. 1 soured: **vino i.**, soured wine 2 (*fig.*) soured; embittered: **carattere i.**, soured temperament.

inassimilàbile a. that cannot be assimilated.

inastàre v. t. 1 (*una bandiera, ecc.*) to hoist; to run* up 2 (*una baionetta*) to fix (to the muzzle).

inattaccàbile a. 1 unassailable; impregnable: **fortezza i.**, impregnable fortress 2 (*resistente*) -proof (suff.): **i. dalle tarme**, moth-proof 3 (*fig.: ineccepibile*) unassailable: **reputazione i.**, unassailable reputation; **ragionamento i.**, unassailable argument 4 (*fig.: irreprensibile*) above criticism; irreprehensible.

inattaccabilità f. 1 unassailableness; impregnability 2 (*fig.*) unassailability 3 (*fig.: irreprensibilità*) irreprehensibility.

inattendìbile a. unreliable: **informazioni inattendibili**, unreliable information; (*leg.*) **teste i.**, unreliable witness.

inattendibilità f. unreliability.

inattéso → **inaspettato**.

inattingìbile a. unattainable; unreachable.

inattìnico a. (*fotogr., fis.*) adiactinic.

inattitùdine f. inaptitude; unfitness.

inattivàre v. t. (*scient.*) to inactivate.

inattivazióne f. (*scient.*) inactivation.

inattività f. inactivity; inaction; stagnation; (*di vulcano*) inactivity, dormancy; (*riposo*) rest.

inattìvo a. 1 inactive; idle; stagnant: **starsene i.**, to lie idle 2 (*di macchina*) inactive; idle 3 (*chim.*) inactive 4 (*di vulcano*) inactive; dormant ● (*comm.*) **capitale i.**, unemployed (*o* idle) capital.

inattuàbile a. unworkable; unfeasible; (*irrealizzabile*) impracticable, not viable, unviable, impossible: **proposta i.**, unworkable proposal; *Il progetto è i. per mancanza di fondi*, the plan cannot be carried out because of lack of funds.

inattuabilità f. unworkability; unfeasibility; unviability; impracticability.

inattuàle a. not topical; no longer relevant; outmoded; outdated; old-fashioned.

inattualità f. lack of topical interest; lack of relevance; outdatedness.

inaudìto a. unheard-of; unprecedented.

inauguràle a. inaugural; opening: **cerimonia i.**, opening ceremony; **discorso i.**, inaugural address; (*naut.*) **viaggio i.**, maiden voyage.

inauguràre v. t. 1 to inaugurate; (*una

mostra, un edificio, ecc.) to open; (un monumento, ecc.) to unveil: **i. la nuova casa** (con una festa), to give a housewarming party; **i. una lapide**, to unveil a plaque; **i. un museo**, to inaugurate a museum; **i. una scuola**, to open a school **2** (fig.: iniziare) to inaugurate; (avviare) to launch, to get* under way, to get* going: **i. una nuova politica fiscale**, to inaugurate a new taxation policy; **i. la campagna elettorale**, to launch the electoral campaign **3** (segnare l'inizio di) to mark the beginning of; to usher in: **i. una nuova era**, to mark the beginning of a new era **4** (fig.: usare per la prima volta) to use for the first time; to christen (fam.): **i. la macchina nuova**, to christen the new car.

inauguratóre m. (f. **-trìce**) inaugurator.

inaugurazióne f. inauguration; (di una mostra, ecc.) opening; (di un monumento, ecc.) unveiling; (di una casa) housewarming: **discorso di i.**, opening speech.

inauspicàto a. (lett.) inauspicious; ill-omened; unlucky.

inautenticità f. inauthenticity.

inautèntico a. inauthentic; not genuine.

inavvedutaménte avv. inadvertently; carelessly; unintentionally.

inavvedutézza f. inadvertence; carelessness; inattention.

inavvedùto a. inadvertent; careless; inattentive.

inavvertènza f. **1** inadvertence; carelessness **2** (azione) oversight ● **avere l'i. di fare qc.**, to be careless enough to do st.

inavvertìbile a. imperceptible; undetectable; unnoticeable.

inavvertitaménte avv. inadvertently; unintentionally.

inavvertìto a. unnoticed; unobserved: **passare i.**, to go unnoticed.

inavvicinàbile a. **1** unapproachable **2** (fig.: troppo costoso) unaffordable; inaccessible.

inazióne f. inaction; idleness.

inazzurràre Ⓐ v. t. to dye blue Ⓑ **inazzurràrsi** v. i. pron. to turn blue.

inca Ⓐ m. e f. Inca Ⓑ a. Inca; Incan.

incacchiàrsi v. i. pron. (eufem. pop.) to get* mad (fam.); to get* sore (fam. USA); to get all steamed up (fam.); to throw* a fit (fam.); to lose* one's rag (fam.); to get* pissed off (USA pissed) (volg.) ● **fare incacchiare**, to get* (sb.'s) back up (fam.); to get* (sb.'s) dander up (fam.); to bug (fam.); to rile (fam.); to piss off (volg.); to burn up (slang USA).

incacchiàto a. (eufem. pop.) mad (fam.); sore (fam. USA); all steamed up (fam.); pissed off (volg.); pissed (volg. USA).

incadaveriménto m. (fig.) fossilization.

incadaverìre v. i. **1** to take* on a corpse-like appearance **2** (fig.) to become* fossilized.

incagliaménto m. **1** breakdown; stoppage **2** (naut.) running aground; stranding.

incagliàre Ⓐ v. t. to hinder; to hamper Ⓑ v. i. e **incagliàrsi** v. i. pron. **1** (naut.) to run* aground; to be stranded **2** (fig.) to get* stuck; to come* to a stop (o to a standstill); to reach a deadlock; (nel parlare) to stumble and stop: **incagliarsi davanti a una difficoltà**, to get stuck at a difficulty; Le trattative si sono incagliate, talks have reached a deadlock.

incagliàto a. (naut.) aground; stranded.

incàglio m. **1** (naut.) running aground; stranding **2** (ostacolo) obstacle; hindrance; impediment; hitch; snag.

incàico a. Incaic; Inca (attr.); Incan: **l'impero i.**, the Inca Empire.

incalcinàre v. t. **1** (coprire con calcina) to plaster (o to cover) with lime **2** (agric.) to dress with lime; to spread* lime on.

incalcinatùra f. **1** plastering (with lime) **2** (agric.) dressing with lime.

incalcolàbile a. incalculable: **danni incalcolabili**, incalculable damage Ⓤ; **valore i.**, incalculable value; **un numero i. di persone**, countless people (pl.).

incalliménto m. **1** hardening; callousness **2** (med.) callosity.

incallìre Ⓐ v. t. **1** to make* callous; to make* horny **2** (fig.: indurire) to harden Ⓑ v. i. e **incallìrsi** v. i. pron. **1** to grow* callous (o horny); to harden **2** (fig.) to become* hardened: **incallirsi nel vizio**, to become hardened to vice; to become a hardened sinner.

incallìto a. **1** calloused; horny; hardened: **mani incallite**, horny hands **2** (fig.) hardened; inveterate; confirmed: **criminale i.**, hardened criminal; **fumatore [giocatore] i.**, inveterate smoker [gambler].

incaloriménto m. (med. fam.) inflammation.

incalorìre Ⓐ v. t. to heat up; to liven up Ⓑ **incalorìrsi** v. i. pron. (infervorarsi) to get* heated.

incalzànte a. **1** (urgente) pressing; urgent: **domande incalzanti**, pressing questions **2** (imminente) imminent; impending.

incalzàre Ⓐ v. t. **1** (inseguire) to follow hard on (sb.'s) heels; to be in hot pursuit of **2** (fig.) to urge; to press; (assol.) to press, (incombere) to be imminent: **i. con domande**, to press with questions; Il tempo ci incalza, time is pressing on us; time is getting short; Il pericolo incalza, danger is imminent Ⓑ **incalzàrsi** v. rifl. recipr. to follow hard on each other; to come* in rapid succession; to come* thick and fast.

incameràbile a. (leg.) that can be appropriated; confiscable.

incameraménto m. (leg.) appropriation; confiscation.

incameràre v. t. (leg.) to appropriate; to confiscate.

incamiciàre v. t. **1** (mecc.) to line; to jacket **2** (un muro) to plaster.

incamiciatùra f. **1** (l'incamiciare) covering, coating; (mecc.) lining, jacketing; (di muro) plastering **2** (rivestimento) coat; (mecc.) lining, jacket; (di muro) plastering; (mil., di proiettile) jacket.

♦**incamminàre** Ⓐ v. t. **1** (mettere in moto) to start off; to get* going **2** (instradare) to initiate Ⓑ **incamminàrsi** v. i. pron. **1** to set* out (o off); to start; to be on one's way; to make* one's way (to): Mi incamminai verso il paese, I set out towards the village; Dobbiamo incamminarci presto, we must set off (o be on our way) early **2** (fig.: avviarsi) to be on one's way (to), to be headed (for); (intraprendere) to be embarked (on): **incamminarsi alla rovina**, to be headed for ruin.

incanaglìre v. i., **incanaglìrsi** v. i. pron. **1** (diventare canaglia) to degenerate **2** (confondersi con la canaglia) to mix with the riff-raff; to sink* low.

incanalaménto m. **1** canalization **2** (fig.) canalization; channelling; routing; directing.

incanalàre Ⓐ v. t. **1** to canalize **2** (fig.) to canalize; to channel; (persone) to direct, to shepherd; (veicoli) to route: **i. la folla verso le uscite**, to funnel (o to direct) the crowd toward the exits: **i. risorse verso qc.**, to channel resource towards st.; **i. i propri sforzi verso qc.**, to direct one's efforts towards st.; **i. il traffico**, to route traffic Ⓑ **incanalàrsi** v. i. pron. **1** to flow; to run* **2** (fig.) to move; to head: La gente si incanalò verso la piazza, the crowd headed for the square.

incanalatùra f. **1** canalization **2** (canale) canal.

incancellàbile a. (anche fig.) indelible.

incancrenìre v. i., **incancrenìrsi** v. i. pron. **1** (med.) to gangrene; to become* gangrenous **2** (fig.) to become chronic; to become* ingrained.

incandescènte a. **1** incandescent; white-hot **2** (fig.) incandescent; burning; white-hot; (accalorato) heated.

incandescènza f. incandescence; white heat ● (autom.) **candela a i.**, glow-plug □ **lampada a i.**, incandescent lamp.

incannàggio m. → **incannatura**.

incannàre v. t. (ind. tess.) to wind*; to spool.

incannàta f. (ind. tess.) reelful; spindleful.

incannatóio m. (ind. tess.) winder; spooler.

incannatóre m. (f. **-trìce**) winder; spooler.

incannatùra f. (ind. tess.) winding; spooling.

incanniccià̀ta f., **incannicciatùra** f. (edil.) lathing.

incannucciàre v. t. **1** (coprire con cannucce) to cover with canes; to cane **2** (agric.) to stake with canes.

incannucciàta f. trelliswork.

incannucciatùra f. **1** caning: **i. di un sedile**, caning of a chair **2** (agric.) staking with canes.

incantaménto m. rapture; ecstasy.

incantàre Ⓐ v. t. (affascinare) to bewitch; to charm; to enchant; to captivate; to hold* spellbound: Sembravano incantati da quella donna, they seemed to be bewitched by that woman; L'oratore ci incantò tutti, the speaker held us all spellbound (o in his spell); **una voce che incanta**, an enchanting voice; (fam.) Non m'incanti, sai!, I'm not going to be taken in, you know! Ⓑ **incantàrsi** v. i. pron. **1** (restare estatico) to be enchanted (o charmed) (by); to be (o to stand* as if) spellbound (by); to be in raptures (over): Mi incantai a guardare il panorama, I stood there contemplating the view **2** (restare imbambolato) to stand* in a daze; (a bocca aperta) to gawp: Non incantarti, da' una mano qui!, don't just stand there like a lug, give us a hand! **3** (incepparsi) to stick*; to get* stuck; to jam.

♦**incantàto** a. **1** (fatato) enchanted; magic: **anello i.**, magic ring; **un'isola incantata**, an enchanted island **2** (fig.: affascinato) spellbound; in raptures: **restare i. davanti a qc.**, to be spellbound by st.; Maria ascoltava incantata, Maria listened spellbound **3** (fig.: intontito) in a daze; (a bocca aperta) gawping.

incantatóre Ⓐ m. enchanter; charmer; (mago) magician, wizard, sorcerer: **i. di folle**, crowd-charmer; **i. di serpenti**, snake-charmer Ⓑ a. enchanting; bewitching.

incantatrice f. enchantress; (maga) witch, sorceress.

♦**incantèsimo** m. (magic) spell; charm; incantation; (magia) magic Ⓤ: **fare un i.**, to cast a spell (on st.); to put a spell (on st.); **rompere un i.**, to break a spell; **essere sotto un i.**, to be under a spell; **come per un i.**, as if by magic.

incantévole a. enchanting; delightful; charming.

incànto① m. → **incantesimo 2** (fig.) spell; enchantment; fascination; charm; (magia) magic Ⓤ: **rompere l'i.**, to break the spell; **come per i.**, as if by magic **3** (cosa incantevole) marvellous (o enchanting, delightful, charming, etc.) thing [person]: Il posto è un i.!, the place is marvellous!; it's a

dream of a place!; *La ragazza è un i.*, the girl is enchanting; *È un i. guardarla*, it's sheer delight to watch her **4** (*fis.*) charm ● **Ti sta d'i.!**, (*ti va bene*) it fits you to a T; (*ti dona*) it looks perfect on you.

incanto ② m. (*asta*) auction: **comprare all'i.**, to buy at an auction; **mettere all'i.**, to put up for auction; to auction; **vendita all'i.**, sale by auction; **venduto all'i.**, sold by auction; auctioned.

incantucciàrsi → rincantucciarsi.

incanutiménto m. turning white.

incanutire Ⓐ v. t. to cause to turn white Ⓑ v. i. to turn white.

incanutito a. (*di capelli*) white; (*di persona*) white-haired.

incapàce Ⓐ a. **1** incapable (of); unable (to): **i. di decidere**, unable to decide; **i. di odio** [**di rancore**], incapable of hatred [of bearing a grudge] **2** (*non all'altezza*) unfit (to); (*inetto*) incompetent, inadequate, inept, hopeless (*fam.*): *Si rivelò i. di amministrare la società*, he proved unfit to manage the company; **un direttore i.**, an incompetent manager; *Come insegnante è del tutto i.*, she is totally inadequate as a teacher **3** (*leg.*) legally incompetent; incapacitated: **i. di intendere e di volere**, mentally incompetent; of unsound mind; **dichiarare i.**, to incapacitate Ⓑ m. e f. **1** incompetent; bungler; dead loss (*fam.*); sad sack (*fam. USA*) **2** (*leg.*) legally incompetent person.

incapacità f. **1** incapacity (for); inability (to): **confessare la propria i. a fare qc.**, to admit one's inability to do st. **2** (*inettitudine*) incompetence; inefficiency; ineptitude: *Fu licenziato per i.*, he was dismissed on grounds of incompetence **3** (*leg.*) legal incapacity; legal incompetence; incompetency: **i. a testimoniare**, incompetency to testify; **i. d'intendere e di volere**, incapability **4** (*med.*) disability.

incaparbire v. i., **incaparbirsi** v. i. pron. to be obstinate; to insist; to dig* one's heels in.

incaparbito a. obstinate; stubborn.

incapatùra f. hat size.

incapestràre v. t. to put* a halter on.

incapocchiàre v. t. (*tecn.*) to put* a head on.

incapocchiatrice f. (*tecn.*) heading machine; header.

incaponiménto m. stubborness; obstinacy; mulishness.

incaponìrsi v. i. pron. to take* it into one's head (to do st.); to insist pig-headedly (on doing st.); to dig* in one's heels.

incaponìto a. stubborn; pig-headed; mulish.

incappàre v. i. to run* (into); to run* up (against); to get* (into); to fall* (into): **i. in un ostacolo**, to run up against an obstacle; (*fig.*) **i. nella rete**, to fall into a trap; *Sono incappato nell'ispettore*, I ran (straight) into the inspector.

incappellàggio m. (*naut.*) masthead rigging.

incappellàre Ⓐ v. t. (*naut.*) to rig out Ⓑ **incappellàrsi** v. i. pron. (*fig. fam.*) to take* offence (o umbrage); to get* into a huff (*fam.*).

incappellàta f. (*naut.*) heavy sea; green sea.

incappellatùra f. → incappellaggio.

incappiàre v. t. to secure with a slip-knot.

incappottàre v. t., **incappottàrsi** v. i. pron. to wrap up in an overcoat; to wrap up well.

incappucciàre Ⓐ v. t. **1** to put* a hood on; to hood **2** (*fig.*) to cap: *La neve incappucciava i monti*, the mountains were cap-

ped with snow Ⓑ **incappucciàrsi** v. i. pron. **1** to put* on one's hood **2** (*fig.*) to be capped.

incappucciàto Ⓐ a. **1** hooded **2** (*fig.*) capped: **i. di neve**, snow-capped Ⓑ m. (f. *-a*) **1** person wearing a hood **2** Ku-Klux Klansman*; Ku-Kluxer.

incapricciàrsi v. i. pron. to take* a fancy (to); (*innamorarsi*) to fall* in love (with).

incapsulaménto m. encapsulation; capsulation; (*di dente*) crowning.

incapsulàre v. t. **1** (*rivestire con una capsula*) to encapsulate; (*un dente*) to crown **2** (*munire di capsula*) to capsule; to cap: **i. una bottiglia**, to capsule a bottle.

incapsulatóre m. (f. *-trice*) capper.

incarbonchìre v. i., **incarbonchìrsi** v. i. pron. (*agric.*) to get* black rot; to become* smutty.

incarceraménto m. **1** imprisonment; incarceration **2** (*med.*) incarceration.

incarceràre v. t. to imprison; to jail; to incarcerate.

incardinàre Ⓐ v. t. **1** to hinge **2** (*fig.*) to found; to ground; to base **3** (*eccles.*) to incardinate Ⓑ **incardinàrsi** v. i. pron. to be founded; to be grounded; to be based.

incardinazióne f. (*eccles.*) incardination.

incaricàre Ⓐ v. t. to charge (sb. with st.); to instruct; to direct; to ask; to give* the task of: *Sono stato incaricato di comunicarvi che...*, I have been instructed to inform you that...; *La incaricai di badare al bambino*, I asked her to look after the child; I charged her with the task of looking after the child (*form.*); *Mi hanno incaricato di trovare i finanziamenti*, I have been given the task of finding the funds; (*polit.*) **i. q. di formare il nuovo governo**, to ask sb. to form a new government Ⓑ **incaricàrsi** v. i. pron. to take* it upon oneself (to do st.); to see* (to st.); to take* care (of st.): *Si incaricò lui di avvertire i parenti*, he took it upon himself to inform the family; *Me ne incarico io*, I'll see to it; I'll take care of it.

incaricàto Ⓐ a. **1** instructed (to); charged (with); appointed (to); in charge (of): **la ditta incaricata delle forniture**, the firm in charge of supplies; *Ero i. di rispondere alle lettere*, my job was to answer the letters **2** (*designato*) designate (*posposto*): **il Presidente del Consiglio i.**, the premier designate **3** (*scuola*) temporary; non-tenured Ⓑ m. (f. *-a*) **1** appointee; (*rappresentante*) delegate, agent; (*responsabile*) person in charge; (*funzionario*) officer, official; (*impiegato*) employee: **un i. del comune**, a town council officer; *Manderemo un i. a controllare*, we will send someone to check **2** (*scuola*) teacher on an annual contract; (*università*) temporary lecturer ● **i. d'affari**, chargé d'affaires (*franc.*).

incàrico m. **1** (*compito assegnato*) task, job; (*mandato*) assignment, mandate, brief: **affidare un i. a q.**, to entrust sb. with a task; **ricevere l'i. di organizzare la mensa**, to be given the task (o the job) of organizing the meals; *Che i. ha nell'organizzazione?*, what is his job in the organization?; *Ho l'i. di avvertirvi che...*, I have been asked to warn you that... **2** (*incombenza*) errand; thing to do (*fam.*): *Se vai in città, ho due o tre incarichi per te*, if you're going to town, there are a couple of things I'd like you to do for me **3** (*nomina*) appointment; (*polit.*) nomination, post; (*scuola*) annual appointment; (*università*) temporary (o non-tenured) lectureship **4** (*comm.*) – **i. di vendita**, listing ● **per i. di**, on behalf of □ (*polit.*) **ricevere l'i. di formare un nuovo governo**, to be asked to form a new government.

incarnàre Ⓐ v. t. to embody; to incarnate; to epitomize: **i. un'epoca**, to epitomize an

epoch; **i. un'idea**, to embody (o to incarnate) an idea Ⓑ **incarnàrsi** v. rifl. **1** (*prendere forma umana*) to become* incarnate; to take* bodily form **2** (*relig.*) to become* incarnate; to be made flesh **3** (*concretarsi*) to be embodied; to materialize; to take* form **4** → **incarnirsi**.

incarnàto ① a. **1** (*personificato*) personified; (*di concetto neg.*) incarnate (*posposto*); personified: *È l'onestà incarnata*, he is honesty personified (o in person); *È il male i.*, she is evil incarnate **2** (*relig.*) incarnate (*posposto*); made flesh (pred.): *Dio i.*, God incarnate; **il Verbo i.**, the Word made flesh **3** → **incarnito**.

incarnàto ② m. (rosy) complexion.

incarnazióne f. **1** (*relig.*) incarnation **2** (*fig.*) incarnation; embodiment.

incarnìre, **incarnìrsi** v. i. pron. (*di unghia*) to grw* into the flesh; to grow* in; to become* ingrown.

incarnito a. ingrowing; ingrown: **unghia incarnita**, ingrowing (o ingrown) nail.

incarognìre v. i., **incarognìrsi** v. i. pron. **1** (*incattivire*) to get* nasty; to turn nasty **2** (*ostinarsi*) to insist perversely **3** (*radicarsi*) to become* chronic.

incarognìto a. **1** nasty **2** (*radicato*) chronic; deeply-rooted **3** (*ostinato*) stubborn; perverse.

incarrucolàre Ⓐ v. t. to reeve Ⓑ **incarrucolàrsi** v. i. pron. to get* tangled in the pulley; to foul up the block (*naut.*).

incartaménto m. file; dossier; papers (pl.).

incartapecorìre v. i., **incartapecorìrsi** v. i. pron. to become* wizened; to shrivel.

incartapecorìto a. wizened; shrivelled: **viso i.**, wizened face.

incartàre Ⓐ v. t. to wrap (in paper); to wrap up; to do* up: **i. in carta regalo**, to gift-wrap Ⓑ **incartàrsi** v. i. pron. **1** (*giochi di carte*) to be left holding useless cards **2** (*fig.*) to get* flustered; to be bogged down.

incartàta f. wrapping up: **dare un'i. a qc.**, to wrap up st.

incartatóre m. (f. *-trice*) wrapper.

incartatrice f. (*tecn.*) wrapping machine.

incàrto m. **1** wrapping up **2** (*involucro*) wrapper; wrapping; package; packaging **3** (*bur.*) → **incartamento**.

incartocciàre v. t. to put* into a paper bag; to wrap up (in paper).

incartonàre v. t. **1** to pack in a carton [in cartons] **2** (*legatoria*) to bind* in cardboard.

incartonatùra f. (*legatoria*) binding in cardboard.

incasellaménto m. pigeonholing.

incasellàre v. t. **1** to put* in a mailbox; to put* in a pigeonhole **2** (*fig.*) to classify; to pigeonhole.

incasellatóre m. (f. *-trice*) (mail) sorter.

incasermàre v. t. to quarter in barracks.

incasinaménto m. (*fam.*) mess; chaos; foul-up (*fam.*); cock-up (*fam. GB*); goof-up (*fam. USA*); balls-up (*slang volg. GB*).

incasinàre v. t. (*fam.*) **1** (*sconvolgere, pasticciare*) to mess up; to muck up; to foul up; to make* a cock-up (*fam. GB*); to goof up (*fam. USA*); to balls (*USA* to ball) up (*slang volg.*); to bollix up (*slang volg. USA*) **2** (*mettere in disordine*) to mess up; to muck up; to muss up (*fam. USA*).

incasinàto a. (*fam.*) **1** (*sconvolto*) messed up; fouled up; ballsed up (*slang volg. GB*); bollixed up (*slang USA*) **2** (*caotico*) messy; shambolic **3** (*di persona*) in a mess (pred.).

incassàbile a. (*comm.*) cashable; collectable.

incassaménto m. casing; boxing; pack-

ing.

incassàre [A] v. t. **1** to pack in a case; to box; (*in una gabbia*) to crate **2** (*incastonare*) to set* **3** (*mecc.*, *edil.*) to embed; to build* in; to sink*; to house: **i. un frigorifero**, to build in a fridge **4** (*riscuotere*) to cash; to collect; (*presso una banca*) to bank: **i. un assegno**, to cash (*o* to collect) a cheque; **i. lo stipendio**, to collect one's salary **5** (*comm.*: *introitare*) to collect; to take* **6** (*boxe*) to take* (*a blow*); (*assol.*) to take* punishment **7** (*calcio*) to give* away: **i. una rete**, to give away a goal **8** (*fig.*) to take*; to swallow: **i. un insulto**, to swallow an insult; **saper i.**, to be able to take it [B] **incassàrsi** v. i. pron. (*di fiume*) to become* deeply embanked; (*di strada*) to become* enclosed.

incassàto a. **1** packed; boxed; crated **2** (*incastonato*) set **3** (*mecc.*, *edil.*) embedded; built-in; sunk **4** (*di fiume*) embanked; (*di strada*) enclosed **5** (*infossato*) deep-set **6** (*archit.*, *di colonna*) engaged.

incassatóre m. **1** (f. *-trìce*) packer; boxer; crater **2** (*boxe*) boxer who can take a lot of punishment **3** (*fig.*) person who can take it.

incassatrìce f. (*legatoria*) casing machine.

incassatùra f. **1** casing; boxing; crating **2** (*di gioiello*) setting **3** (*mecc.*, *edil.*: *l'operazione*) embedding, housing, chasing; (*il vano*) recess, housing; cavity; (*solco*) groove, chase **4** (*legatoria*) casing.

incàsso m. **1** (*riscossione*) collection: **presentare qc. all'i.**, to present st. for collection **2** (*somma incassata*) takings (pl.); receipts (pl.); proceeds (pl.); returns (pl.): *Oggi l'i. è stato magro*, we've had poor takings today **3** (*edil.*) → **incassatura** • **elettrodomestici da i.**, built-in household appliances.

incastellaménto m. (*mil.*) battlements (pl.).

incastellatùra f. **1** (*armatura*) frame; framework **2** (*mecc.*) casing **3** (*edil.*) scaffolding • (*edil.*) **i. a colonna**, pillar (*o* tower); **i. di appoggio** (*o di base*), sole-plate □ (*ind. min.*) **i. di estrazione**, head-frame.

incastonàre v. t. to set*.

incastonatóre m. setter.

incastonatùra f. setting.

♦**incastràre** [A] v. t. **1** to drive* in; to fit in (*o* into place); to insert; to lodge; to wedge; (*incassare*) to embed: **i. un cuneo**, to insert a wedge **2** (*oreficeria*) to set* **3** (*fig.*: *mettere nei guai*) to put* in a spot, to catch*; (*intrappolare*) to trap; (*con un'accusa falsa*) to frame, to set* up [B] **incastràrsi** v. i. pron. **1** (*adattarsi*) to fit in (*o* into place); to lodge; to dovetail **2** (*restare bloccato*) to get* stuck; to stick*; to jam **3** (*restare preso*) to get* caught; to get* trapped; to get* wedged.

incastràto a. **1** (*bloccato*) stuck; jammed **2** (*intrappolato*) trapped; caught; stuck: **trovarsi i. in una situazione difficile**, to be trapped in a difficult situation.

incastratrìce f. (*ind. min.*) slabbing machine.

incastratùra f. **1** fitting; lodging; wedging **2** (*incastro*) joint **3** (*vano*) recess; cavity; hollow; recess.

incàstro m. **1** (*collegamento*) joint; (*edil.*) fixed joint: **i. a coda di rondine**, dovetail (joint); **i. a dente**, cogging; **i. a linguetta**, tonguing; **i. a maschio e femmina**, tongue-and-groove joint **2** (*vano*) gain; mortise; notch; groove; slot; indent; rabbet.

incatenaménto m. chaining.

incatenàre [A] v. t. **1** to chain; to put* in chains; (*ai piedi*, *anche*) to fetter: **i. un cane**, to chain a dog; **i. un prigioniero**, to put a prisoner in chains; **i. al muro**, to chain to the wall; **i. q. mani e piedi**, to chain sb. up

hands and feet **2** (*edil.*) to reinforce with tie-rods **3** (*annodare*) to knot **4** (*fig.*: *vincolare*) to tie; to tie down; to keep* tied: **i. q. a un contratto**, to tie sb. down to a contract **5** (*fig.*: *inceppare*) to tie down; to shackle; to fetter **6** (*fig.*: *avvincere*) to captivate: **i. i cuori**, to captivate hearts [B] **incatenàrsi** v. i. rifl. to chain oneself [C] **incatenàrsi** v. rifl. recipr. to be linked to each other (*o* one another).

incatenàto a. **1** chained; in chains; (*ai piedi*, *anche*) fettered **2** (*fig.*) tied down; shackled; fettered • (*poesia*) **rima incatenata**, interlocking rhyme.

incatenatùra f. (*edil.*) reinforcement with tie-rods [with chains].

incatramàre v. t. to tar.

incattivìre [A] v. t. to make* bad; to make* sour [B] v. i., **incattivìrsi** v. i. pron. to become* bad; (*anche del tempo*, *di situazione*) to turn nasty; (*di bambino*) to become* naughty.

incattivìto a. nasty; sour.

incàuto a. incautious; imprudent; unwary; (*avventato*) rash • (*leg.*) **i. acquisto**, purchase of goods of dubious origin.

incavalcàre v. t. (*mil.*) to mount.

incavallatùra f. (*edil.*) roof truss.

incavàre v. t. to hollow out; to scoop out; to groove.

incavàto a. hollow; sunken; deep-set: **guance incavate**, hollow cheeks; **occhi incavati**, deep-set eyes.

incavatùra f. hollow; scoop; (*scanalatura*) groove.

incavernàre [A] v. t. to lodge (*o* to put*) in a cave [B] **incavernàrsi** v. i. pron. (*di fiume*) to disappear underground; to flow underground.

incavezzàre v. t. to halter; to put* a halter on.

incavicchiàre v. t. to peg down; to fasten with pegs.

incavigliàre v. t. to peg; to dowel; to tree-nail (*naut.*).

incavigliatùra f. pegging; dowelling; treenailing (*naut.*).

incàvo m. **1** hollow; cavity; recess; socket **2** (*scanalatura*) groove; channel **3** (*mecc.*) notch **4** (*anat.*) socket.

incavogràfico a. intaglio (attr.).

incavolàrsi v. i. pron. (*fam.*) to get* mad; to get* uptight (*slang*); to get* sore (*fam. USA*); to get* all steamed up; to get* hot under the collar • **fare incavolare**, to get* in (sb.'s) hair (*fam.*); to get (sb.'s) back up (*fam.*); to get* sb.'s goat.

incavolàto a. (*fam.*) miffed; peeved; sore (pred., *USA*); uptight (*slang*); steamed-up.

incavolatùra f. (*fam.*) fit (of temper) • **prendersi un'i.** → **incavolarsi**.

incazzàrsi v. i. pron. (*volg.*) to get* mad (*fam.*); to get* pissed off (*volg.*); to get* the red ass (*volg. USA*) • **fare incazzare**, to piss off (*volg.*).

incazzàto a. (*volg.*) pissed off (*volg.*); bitched off; in a pissy mood (*volg.*).

incazzatùra f. (*volg.*) (fit of) anger; piss-off (*volg.*): **prendersi un'i.** → **incazzarsi**.

incazzóso a. (*volg.*) crabby; bolshy (*fam. GB*); bitchy (*fam.*); mean (*fam.*).

incazzottàre v. t. (*naut.*) to make* up.

incèdere [A] v. t. to advance; to walk with an air of dignity [B] m. (solemn) gait.

incedìbile a. (*leg.*) non-transferable; inalienable.

incedibilità f. non-transferability; inalienability.

incelebràto a. obscure; unknown; unsung.

incellofanàre v. t. to wrap in cellophane (*o* in plastic); to plastic-wrap.

incendiàre [A] v. t. **1** to set* fire to; to set* on fire; to alight; to ignite; (*distruggere*) to destroy by fire, to burn* down **2** (*fig.*: *entusiasmare*) to inflame; to fire [B] **incendiàrsi** v. i. pron. **1** to catch* fire; to burst* into flames: *L'auto s'incendiò*, the car burst into flames **2** (*fig.*) to flare up.

incendiàrio [A] a. **1** incendiary: **bomba incendiaria**, incendiary bomb; incendiary **2** (*fig.*) inflammatory; incendiary: **discorso i.**, inflammatory speech; (*scherz.*) **bionda incendiaria**, blonde bombshell [B] m. (f. *-a*) arsonist; fire-raiser (*GB*).

♦**incèndio** m. **1** fire; blaze: **i. boschivo**, forest fire; **i. doloso**, arson; **provocare un i. doloso**, to commit arson; **circoscrivere un i.**, to get a fire under control; **domare un i.**, to put out a fire; **estinguere un i.**, to put out a fire; **provocare un i.**, to start a fire; to set fire to st.; *Scoppiò un i.*, a fire broke out; *L'i. si estese a tutto il quartiere*, the fire spread to the whole district; *L'i. continua indomato*, the fire is still blazing; *Nell'i. morirono sei persone*, six people died in the fire (*o* in the blaze); **assicurazione contro l'i.**, fire insurance; **rischio d'i.**, fire risk **2** (*fig.*) fire; flames (pl.); ardour.

inceneriménto m. incineration.

incenerìre [A] v. t. **1** to burn* (*o* to reduce) to ashes; to burn* down; to burn to the ground; to incinerate (*tecn.*) **2** (*fig.*) to crush; to annihilate: **i. con lo sguardo**, to give sb. a withering glance **3** (*chim.*) to ash [B] **incenerìrsi** v. i. pron. to be burnt (*o* reduced) to ashes; to burn* down.

inceneritóre m. incinerator.

incensaménto m. **1** incense burning; incensation; censation **2** (*fig.*) adulation; flattering ❶ **FALSI AMICI** • incensamento *nel senso di adulazione non si traduce con* incensation.

incensàre [A] v. t. **1** to burn* incense before; to incense; to cense **2** (*fig.*: *adulare*) to flatter; (*magnificare*) to praise to the skies [B] **incensàrsi** v. rifl. e rifl. recipr. **1** to praise oneself **2** to flatter each other [one another] ❶ **FALSI AMICI** • incensare *nel senso di adulare non si traduce con* to incense.

incensàta f. **1** censing **2** → **incensatura**.

incensatóre m. (f. *-trìce*) (*adulatore*) flatterer; sycophant.

incensatùra f. (*adulazione*) adulation, flattery; (*lode esagerata*) overdone praise ❶ **FALSI AMICI** • incensatura *non si traduce con* incensation.

incensazióne f. censing.

incensière m. censer; thurible.

incènso m. **1** incense **2** (*fig.*) flattery; adulation.

incensuràbile a. above criticism (pred.); irreproachable.

incensurabilità f. irreproachability.

incensuràto a. **1** uncensured; blameless **2** (*leg.*) – **essere i.**, to have a clean record; (*di chi è in giudizio*) to have no previous convictions, to be a first offender.

incentivànte a. incentive (attr.).

incentivàre v. t. **1** (*dare incentivi*) to provide incentives for; to incentivize **2** (*stimolare*) to stimulate; to boost **3** (*motivare*) to motivate.

incentivazióne f. **1** stimulation; incentive, (*promozione*) promotion: (*comm.*) **i. delle vendite**, sales promotion **2** → **incentivo**.

incentìvo m. **1** (*stimolo*) incentive; inducement; stimulus*; motivation; spur: **i. agli investimenti**, inducement to invest; investment incentive; *Il suo i. è la sete di potere*, he is spurred (*o* egged on) by his thirst

for power; **fornire a q. l'i. per fare qc.**, to motivate (*o to spur*) sb. to do st. **2** (*econ.*) incentive; (*premio*) bonus, premium: **incentivi di vendita**, sales incentives.

incentrare A v. t. to centre, to center (*USA*); to concentrate: **i. una discussione su un argomento**, to centre a debate around a topic **B incentrarsi** v. i. pron. to centre; to revolve; to hinge: *La commedia s'incentra sul loro rapporto*, the play revolves around their relationship; *La loro attenzione si incentrò su un solo punto*, their attention centred on one point only.

incentro m. (*geom.*) incentre.

inceppamento m. **1** (*mecc.*) jamming; jam **2** (*ostacolo*) hitch; snag; deadlock.

inceppare A v. t. **1** (*ostacolare*) to obstruct; to hamper; to hinder: **i. i movimenti**, to hamper movements **2** (*naut.*) to foul **B incepparsi** v. i. pron. **1** (*mecc.*) to jam; to stick*; to get* jammed; to get* stuck; to lock: *La pistola s'inceppò*, the gun jammed; *La carta si è inceppata*, the paper has got stuck; *Mi si è inceppata la lampo*, my zip is stuck **2** (*fig.*) to get* stuck; (*smettere di funzionare*) to go* wrong **3** (*nel parlare*) to falter; to stammer **4** (*naut., di ancora, ecc.*) to foul; to get* foul.

inceppato a. **1** (*mecc.*) jammed; stuck; locked: **arma inceppata**, jammed weapon; **meccanismo i.**, jammed mechanism **2** (*intralciato*) hindered; hampered **3** (*fig.: goffo*) awkward; stiff **4** (*nel parlare*) tongue-tied; faltering **5** (*naut., di ancora, ecc.*) fouled.

inceralaccare v. t. to seal with sealing wax.

incerare v. t. to wax.

incerata f. **1** oil-cloth; tarpaulin **2** (*indumento*) oilskins (pl.).

inceratino m. (*di cappello*) sweat-band.

incerato a. waxed ● **tela incerata**, oil-cloth; tarpaulin.

inceratura f. waxing.

incerchiare v. t. to hoop.

incernierare v. t. (*tecn.*) to hinge.

inceronare (*teatr.*) **A** v. t. to apply grease-paint to **B inceronarsi** v. i. pron. to put* on grease-paint.

incerottare v. t. to apply a sticking plaster (*USA* a Band-Aid) to; (*con bende e cerotto*) to strap (*GB*), to tape (*USA*).

incerottato a. covered by a sticking plaster (*USA* by a Band-Aid); (*coperto di bende e cerotti*) strapped up (*GB*), taped up (*USA*).

incerottatura f. **1** application of sticking plaster; strapping (*GB*); taping (*USA*) **2** (*medicazione*) sticking plaster; adhesive tape (*USA*); dressing.

incertezza f. **1** uncertainty; doubt: **l'i. di un esito**, the uncertainty of a result; **avere qualche i.**, to have some doubts; **dissipare ogni i.**, to remove any uncertainty (*o all doubts*) **2** (*indecisione*) indecision; perplexity; irresolution; (*esitazione*) hesitation: **essere nell'i.**, to be in a state of uncertainty; (*essere indeciso*) to be irresolute; to hesitate; **un attimo di i.**, a moment's hesitation ● **Nell'i., decisi di restare**, things being uncertain, I decided to stay □ **tenere q. nell'i.**, to keep sb. in suspense; to keep sb. on tenterhooks.

incerto A a. **1** uncertain; doubtful; dubious; **esito i.**, uncertain (*o doubtful*) result; **tempo i.**, uncertain (*o changeable*) weather; **vittoria incerta**, doubtful victory **2** (*indeciso*) hesitating; irresolute; (*dubbioso*) doubtful, dubious; (*che non sa*) not sure; **i. sul da farsi**, undecided as to what to do; *Sono i. se vederlo o no*, I haven't decided (*o I am not sure*) whether I'll come or not; I am in two minds whether to come or not **3** (*esistente*) hesi-

---

tant; (*malsicuro*) insecure, faltering, unsteady, shaky, shaky: **i. nella guida**, insecure in one's driving; **avvio i.**, hesitant (*o shaky*) start; **passo i.**, unsteady steps (pl.); **camminare con passo i.**, to walk unsteadily; **scrittura incerta**, shaky handwriting **4** (*non definito*) uncertain; indefinite; indeterminate; (*vago*) vague, hazy: **confine i.**, indefinite boundary; **luce incerta**, uncertain light; half-light; **sesso i.**, indeterminate sex **B** m. **1** (*l'imprevedibile*) (the) uncertain **2** (*caso imprevisto*) uncertainty; (*rischio*) risk, hazard: **gli incerti del mestiere**, the risks inherent in one's job; occupational hazards; **gli incerti della vita**, the uncertainties of life **3** (al pl.) (*guadagni accessori*) perquisites; perks (*fam.*); extras.

incespicare v. i. **1** to stumble; to trip: **i. in un sasso**, to trip (*o to stumble*) over a stone; *Incespicò e cadde*, he stumbled (*o tripped*) and fell; **far i. q.**, to trip sb. (up) **2** (*fig., nel parlare*) to stumble: **i. su una parola difficile**, to stumble over a difficult word.

incessàbile, incessànte a. incessant; ceaseless; unceasing; never-ending; perpetual.

incèsto m. incest.

incestuóso a. **1** incestuous **2** (*nato da incesto*) born of incest.

incètta f. buying up; cornering; regrating; (*anche fig.*) hoarding: **fare i. di qc.**, to buy up st.; to corner the market in st.; (*fig.*) to hoard st.; **fare i. di voti**, to sweep up (*o to reap*) a lot of votes.

incettàre v. t. to buy* up; to corner the market in; to regrate.

incettatóre m. (f. -*trice*) cornerer; buyer-up; regrater.

inchiappettàre v. t. (*volg.*) **1** to sodomize; to bugger (*volg. GB*); to buttfuck (*volg.*) **2** (*fig.: imbrogliare*) to screw (*volg.*); to shaft (*volg.*); to rear-end (*volg. USA*).

inchiavardàre, inchiavistellàre v. t. to bolt; to fasten with a bolt (*o with bolts*).

◆**inchièsta** f. **1** (*leg.*) inquiry; (*investigazione*) investigation: **i. di polizia**, police investigation; **i. giudiziaria**, judicial inquiry; **i. pubblica**, public inquiry; **un'i. per stabilire le cause del disastro**, an inquiry into the causes of the disaster; **aprire [condurre, chiudere] un'i.**, to set up [to carry out, to close] an inquiry; **svolgere un'i.**, to hold an inquiry (into st.); to investigate (st.); **sotto i.**, under investigation; **commissione d'i.**, committee of inquiry **2** (*ricerca*) survey: **i. di mercato**, market survey **3** (*giorn.*) report.

inchinàre A v. t. to bow; to bend*; (*abbassare*) to lower: **i. il capo**, to bow one's head **B inchinàrsi** v. i. pron. **1** (*piegarsi*) to bow; to stoop **2** (*fare un inchino*) to bow; (*fare la riverenza*) to curtsey **3** (*fig.*) to bow: **inchinarsi al volere di Dio**, to bow to the will of God.

inchìno m. bow; (*riverenza*) curtsey: **un leggero [profondo] i.**, a slight [deep] bow; **accennare un i.**, to bow slightly; **fare un i.**, to bow; to curtsey; **salutare q. con un i.**, to bow to sb. ● **fare grandi inchini**, to bow right and left □ **sprofondarsi in inchini**, to bow and scrape.

inchiodàre A v. t. **1** to nail; (*un coperchio, ecc.*) to nail down; (*per affiggere*) to nail up: **i. a una parete**, to nail to a wall [to the cross] **2** (*fig.: immobilizzare*) to pin; (*bloccare*) to nail, to tie, to bind*; (*di attenzione, occhi, ecc.*) to rivet: *Il poliziotto inchiodò l'uomo al muro*, the policeman pinned the man to the wall; **essere inchiodato in ufficio**, to be stuck in the office; *La malattia lo ha inchiodato a letto*, illness has confined him to his bed; **essere inchiodato dalle prove**, to be nailed by the evidence; *Il suo sguardo era inchiodato sulla scena*, his

---

eyes were riveted on the scene **3** (*fig. fam.: non pagare*) to leave* a debt with ● (*fig.*) **i. l'auto**, to jam on the brakes; to screech to a halt □ (*fig.*) **i. q. alle sue responsabilità**, to hold sb. to his responsibilities **B inchiodàrsi** v. rifl. e i. pron. **1** (*fig. fam.: indebitarsi*) to get* into debt; to run* up debts **2** (*fermarsi di colpo*) to stop dead; to freeze* **3** (*bloccarsi*) to jam; to stick* **4** (*fissarsi*) to stick*; to remain fixed.

inchiodàta f. (*autom., fam.*) screeching halt: **fare un'i.**, to brake violently; to screech to a halt.

inchiodàto a. **1** nailed **2** (*fig.*) fixed; tied; stuck; (*di attenzione, occhi, ecc.*) riveted ● **i. a letto**, confined to one's bed; bedridden.

inchiodatóre m. (f. -*trice*) nailer.

inchiodatrìce f. (*mecc.*) box-nailing machine; nailer.

inchiodatùra f. **1** nailing **2** (*insieme di chiodi*) nails (pl.).

inchiostràre A v. t. (*anche tipogr.*) to ink **B inchiostràrsi** v. i. pron. to become* blotted with ink.

inchiostratóre A a. inking: **rullo i.**, inking roller **B** m. inker; (*tipogr., anche*) inking roller.

inchiostratùra, inchiostrazióne f. (*tipogr.*) inking.

◆**inchiòstro** m. **1** ink: **i. copiativo**, copying ink; **i. da stampa**, printer's ink; **i. di China**, Indian ink; India ink (*USA*); **i. indelebile**, indelible ink; **i. simpatico**, invisible ink; **i. stilografico**, fountain-pen ink; **ripassare un disegno a i.**, to ink in a drawing; **nero come l'i.**, as black as ink; **gomma da i.**, ink eraser; **macchia d'i.**, ink spot; ink stain; **sporco d'i.**, inky; ink-stained **2** (*zool.*) ink: **sacca dell'i.**, ink bag ● **versare fiumi d'i. su un argomento**, to write volumes (*o reams*) on a subject.

◆**inciampàre** v. i. **1** to trip; to stumble: **i. in un sasso**, to trip over a stone; *Inciampai e caddi*, I stumbled (*o fell*) and fell; **fare i. q.**, to trip sb. (up) **2** (*fig.: imbattersi*) to run* (into, across); to bump (into) **3** (*nel parlare*) to stumble; to get* stuck; (*balbettare*) to stammer ● **i. nel codice penale**, to come up against the law.

inciampàta f. stumble; trip: **dare un'i.** → **inciampare**, def. 1.

inciampicàre v. i. to stagger; to totter.

inciampicóne m. **1** (*urto*) stumble; trip **2** (*persona*) tottering person; clumsy person.

inciàmpo m. **1** obstacle **2** (*fig.*) obstacle; stumbling block; hindrance; snag; (*incidente*) mishap: **essere d'i.**, to be a hindrance; to be in the way.

incidentàle a. **1** (*casuale*) accidental; inadvertent; chance (attr.) **2** (*accessorio*) incidental; secondary: **spese incidentali**, incidental expenses **3** (*leg.*) interlocutory: **sentenza i.**, interlocutory judgment **4** (*gramm.*) parenthetical.

incidentalménte avv. **1** (*a titolo di parentesi*) incidentally; by the way; en passant (*franc.*) **2** (*per caso*) accidentally; by chance.

incidentàto a. (*bur.*) involved in an accident; (*danneggiato*) damaged.

◆**incidènte A** a. **1** incident: (*fis.*) **raggio i.**, incident ray **2** (*gramm.*) parenthetical **B** m. **1** (*evento inatteso*) incident; fact; episode: **senza incidenti**, without incident **2** (*infortunio*) accident: **i. mortale**, fatal accident; **i. sul lavoro**, accident at work; (industrial) injury; **subire** (*o essere vittima di*) **un i.**, to meet with an accident **3** (*con veicolo*) accident; (*scontro*) crash: **i. aereo**, plane crash; air accident; **i. automobilistico**, car accident; car crash; **i. ferroviario**, train accident; train crash; **i. stradale**, road accident;

un grosso i., a serious accident; **avere un i. in macchina**, to have a car accident **4** (*disputa*) incident; clash: **un i. diplomatico**, a diplomatic incident; **chiudere l'i.**, to declare the incident closed **5** (*leg.*) objection: **sollevare un i.**, to raise an objection • (*fig.*) **i. di percorso**, snag; setback □ **i. tecnico**, technical fault (o hitch) ❶ FALSI AMICI • incidente *nel senso di infortunio, disgrazia non si traduce con* incident.

incidènza f. **1** (*mat.*) incidence: **angolo d'i.**, angle of incidence **2** (*fig.*: *influenza quantitativa, gravame*) incidence; (*effetto*) impact: **l'i. dell'affitto sul bilancio famigliare**, the incidence of rent on a family budget; **i. fiscale**, tax incidence.

♦**incìdere**① v. i. **1** (*gravare*) to weigh (on, upon); (*costituire*) to account (for): *Il vestiario incide sul bilancio famigliare per il 6%*, clothing accounts for 6% of the family budget **2** (*influire su, segnare*) to affect (st.); to have repercussions (on); to leave* a mark (on): **i. sui costi**, to affect the costs (*fis.*) to strike* (st.) **4** (*mat.*) to cut* (st.).

♦**incìdere**② v. t. **1** to cut* into **2** (*med.*) to incise; to lance **3** (*marmo, pietra, legno*) to carve, to engrave; (*ad acquaforte*) to etch; (*a intaglio*) to inlay*: **i. un'iscrizione**, to carve an inscription; **i. un nome su una lapide**, to engrave a name on a tombstone; **i. nel marmo**, to carve in marble **4** (*fig.*) to engrave; to impress: **i. qc. nella memoria**, to impress st. on one's memory **5** (*un albero per ricavarne la resina, ecc.*) to tap **6** (*registrare*) to record; to cut*: **i. un disco**, to cut a record; **i. un nastro**, to make a tape **7** (*fig.*: *intaccare*) to draw* on; to dip into: **i. i propri risparmi**, to draw on one's savings.

incìle m. (*idraul.*) inlet.

incimurrìre v. i. **1** (*vet.*) to get* distemper **2** (*scherz.*: *raffreddarsi*) to get* a bad cold.

incineràre v. t. **1** (*chim.*) to incinerate **2** (*cremare*) to cremate.

incinerazióne f. **1** (*chim.*) incineration **2** (*cremazione*) cremation.

incìnta a. f. pregnant; with child (pred.): **una donna i.**, a pregnant woman; a woman with child; **i. di sei mesi**, six months pregnant; *È i. del terzo figlio*, she is expecting (o is pregnant with) her third child; **mettere i. q.**, to make sb. pregnant; **rimanere i.**, to get pregnant.

incipiènte a. incipient.

incipit (*lat.*) m. inv. **1** (*su opera antica*) incipit **2** (*estens.*) opening words (pl.); (*di poesia*) first lines (pl.); (*mus.*) opening bars (pl.).

incipitàrio m. collection of opening words from famous works.

incipollìre v. i. to peel off.

incipriàre A v. t. to powder: **incipriarsi il naso**, to powder one's nose B **incipriàrsi** v. rifl. to use powder; (*sui capelli*) to powder one's hair.

incìrca avv. – **all'i.**, about; approximately; more or less; roughly: *Ci vorrà un mese all'i.*, it'll take about a month; **all'i. dieci miglia**, roughly ten miles.

incirconcìso a. uncircumcised.

incircoscrittìbile a. (*teol.*) uncircumscribable.

incisióne f. **1** cut; (*spec. med.*) incision **2** (*su metallo, legno, pietra, ecc.*) engraving; (*a tratto*) line-engraving; (*ad acquaforte*) etching; (*su rame*) copperplate engraving; (*su linoleum*) linocut; (*su legno: il procedimento*) wood-engraving; (*la stampa*) woodcut **3** (*di gioielli*) intaglio **4** (*di tronco d'albero per ottenere la resina, ecc.*) tapping **5** (*registrazione*) recording; (*di disco*) cutting: **l'i. di un disco**, the cutting of a record; **l'i. di una sinfonia**, the recording of a symphony; **i. su nastro**,

tape-recording; **sala d'i.**, recording studio.

incisività f. incisiveness; bite.

incisìvo A a. (*anche fig.*) incisive: **stile i.**, incisive style B m. (*anat.*) incisor.

incìṣo A a. engraved; incised; (*di iscrizione*) carved B m. (*gramm.*) parenthesis*; interpolated clause • (*sia detto*) **per i.**, incidentally.

incisóre m. engraver; (*di iscrizioni*) carver; (*di acqueforti*) etcher; (*di gioielli*) intaglio artist.

incisorìa f. engraver's laboratory.

incisòrio a. **1** engraving; carving **2** (*med.*) incisional; dissecting: **sala incisoria**, dissecting room; anatomical theatre.

incistaménto m. (*biol., med.*) encystation; encystment.

incistàrsi v. i. pron. (*biol., med.*) to encyst; to form a cyst.

incisùra f. (*anat.*) incisure.

incitaménto m. incitement; spur; stimulus*; instigation; (*leg.*) **i. a delinquere**, instigation to commit a crime; **i. alla rivolta**, incitement to rebellion; **essere di i. per q.**, to be an incitement to sb.

incitàre v. t. (*esortare, incoraggiare*) to spur, to urge (on); to egg on (*fam.*), (*con grida, ecc.*) to cheer; (*spingere, istigare*) to incite, to istigate: **i. all'azione**, to urge to action; **i. la propria squadra**, to cheer one's team; **i. alla rivolta**, to incite to rebellion.

incitatóre A m. (f. **-trice**) inciter; instigator B a. spurring; urging; instigative.

incitazióne f. → **incitamento**.

incitrullìre A v. t. to make* dull (o stupid); to stultify B v. i., **incitrullìrsi** v. i. pron. to become* silly (o stupid); to stultify oneself; (*di anziano*) to go* gaga (*fam.*).

inciuccàre (*fam.*) A v. t. to make* drunk B **inciuccàrsi** v. i. pron. to get* drunk.

inciuchìre v. i. to become* an ignoramus.

inciùcio m. **1** (*region.*) gossip Ⓤ **2** (*giorn., spreg.*) patched-up deal.

incivìle A a. **1** (*non civilizzato*) uncivilized **2** (*barbarico*) barbaric **3** (*maleducato*) uncivil; rude B m. e f. rude person.

inciviliménto m. civilizing; civilization.

incivilìre A v. t. to civilize; (*estens.*) to refine B **incivilìrsi** v. i. pron. to become* civilized; (*estens.*) to become* more refined.

inciviltà f. **1** barbarism **2** (*maleducazione*) incivility; lack of manners; rudeness **3** (*azione incivile*) incivility; antisocial act.

inclassificàbile a. **1** unclassifiable **2** (*fig.*: *inqualificabile*) very bad; dreadful; disgraceful; (*molto scadente*) very poor; (*di compito, ecc.*) too poor to be given a mark.

inclemènte a. **1** (*severo*) stern, severe, harsh; (*spietato*) merciless, ruthless, pitiless; (*crudele*) cruel **2** (*del clima*) inclement.

inclemènza f. **1** (*severità*) sternness, severity, harshness; (*spietatezza*) mercilessness, ruthlessness, pitilessness; (*crudeltà*) cruelty **2** (*del clima*) inclemency.

inclinàbile a. reclining (attr.): **schienale i.**, reclining back.

inclinàre A v. t. **1** to tilt; to tip; to incline; (*piegare in giù*) to bend*, to bow: **i. lo schienale di una sedia**, to tilt the back of a chair; **i. la testa**, to bend one's head **2** (*fig.*: *indurre*) to incline; to induce; to dispose **3** (*mecc.*) to rake B v. i. **1** (*propendere*) to tend: *Inclino a credere che non sia vero*, I am inclined to believe it isn't true; *Inclino all'ozio*, I tend to be lazy **2** (*essere piegato*) to slant; (*pendere*) to lean*; (*digradare*) to slope; (*di nave*) to list **3** (*mecc.*) to rake C **inclinàrsi** v. i. pron. to tilt; to tip; to incline; to slant; (*digradare*) to slope; (*pendere*) to lean*; (*piegarsi*) to bend*; (*di nave*) to list; (*di ago magnetico*) to dip: *L'asse si inclinò e io caddi*,

the plank tipped up (o tilted) and I fell down; *I cipressi s'inclinavano al vento*, the cypresses were bending to the wind • (*aeron.*) **inclinarsi in virata**, to bank.

inclinàto a. **1** inclined; sloped; tilted; raked; slanting; out of true; (*chinato*) bowed: **piano i.**, inclined plane **2** (*fig.*: *propenso*) disposed; inclined.

inclinazióne f. **1** inclination; slope; slant; tilt; (*di colonna, albero*) rake; (*di tetto*) pitch, slope; (*di strada, ecc.*) gradient; (*astron.*) **l'i. dell'asse terrestre**, the inclination (o the tilt) of the earth's axis; (*astron.*) **l'i. di un'orbita**, the inclination of an orbit; **l'i. di un piano**, the inclination of a plane; (*fis.*) **i. magnetica**, magnetic inclination; (magnetic) dip **2** (*fig.*: *propensione*) inclination, disposition, tendency, propensity; (*simpatia*) liking: **i. alla malinconia**, an inclination to melancholy; a tendency to be melancholic; **avere un'i. per q.**, to have a liking for sb.; **seguire le proprie inclinazioni**, to follow one's inclinations **3** (*attitudine*) bent; predisposition **4** (*mecc., archit.*) camber **5** (*naut., di albero*) rake; (*sbandamento*) list • (*aeron.*) **i. trasversale** (*per virata*), bank.

inclìne a. inclined; prone: **i. all'ira**, prone to anger.

inclinòmetro m. (*aeron.*) bank-and-turn indicator.

ìnclito a. (*lett.*) illustrious; famous.

inclùdere v. t. **1** (*allegare*) to enclose; to attach: **i. qc. in una lettera**, to enclose st. in a letter **2** (*comprendere*) to include, to comprise, to count in; (*racchiudere*) to contain, to encapsulate: *Non fu incluso nella lista*, he was not included in the list; *Includete anche me*, count me in **3** (*implicare*) to imply.

inclusióne f. (*anche mat., miner.*) inclusion.

inclusìvo a. inclusive.

inclùṣo a. **1** (*compreso*) inclusive; included: *Il servizio non è i.*, service is not included; **da lunedì a giovedì i.**, from Monday to Thursday inclusive (*GB*); Monday through Thursday (*USA*); **IVA inclusa**, inclusive of VAT; **prezzo tutto i.**, inclusive (o all-in) price **2** (*accluso*) enclosed: **qui i.**, herewith enclosed.

incoagulàbile a. incoagulable; uncoagulable.

incoatìvo a. (*gramm.*) inchoative: **verbo i.**, inchoative verb.

incoccàre v. t. to nock; to notch.

incocciàre A v. t. **1** (*naut.*) to reeve **2** (*region.*: *imbattersi in*) to bump into, to run* into (o across); (*urtare*) to bump against (o into) B v. i. (*region.*) – **i. bene**, to be lucky; **i. male**, to be unlucky C **incocciàrsi** v. i. pron. (*region.*) to persist; to be stubborn; to be mulish.

incocciatùra f. (*region.*) stubborness; mulishness.

incoercìbile a. **1** (*fis.*) incoercible **2** (*fig.*) irrepressible; invincible.

incoercibilità f. **1** (*fis.*) incoercibility **2** (*fig.*) irrepressibility; invincibility.

incoerènte a. **1** (*sconclusionato*) disjointed, incoherent; (*contraddittorio*) inconsistent: **fare discorsi incoerenti**, to say incoherent things; to talk incoherently; *Il suo comportamento è del tutto i.*, his behaviour is totally inconsistent **2** (*geol.*) loose: **roccia i.**, loose rock **3** (*fis.*) incoherent.

incoerènza f. **1** (*confusione*) confusion, incoherence, lack of logic; (*contraddizione*) inconsistency **2** (*parola o atto contraddittorio*) inconsistency **3** (*geol.*) looseness **4** (*fis.*) incoherence.

incògliere v. i. to befall* (sb.). • **Mal gliene incolse**, it turned out badly for him □ **Mal te ne incoglierà**, you shall rue it.

incògnita f. 1 (*mat.*) unknown 2 (*fig.*) uncertainty; unknown factor; (*anche di persona*) unknown quantity: **una fase politica piena di incognite**, a political period full of uncertainties; *Dobbiamo tener conto dell'i. del tempo*, the weather is an unknown quantity we must take into account.

incognito A a. unknown B m. 1 incognito: **serbare l'i.**, to be incognito; to remain nameless; to keep one's identity secret; **in i.**, incognito (*avv.*); under an assumed name; **viaggiare in i.**, to travel incognito 2 (*ignoto*) (the) unknown: **temere l'i.**, to dread the unknown.

incollàggio, incollaménto m. gluing; pasting.

♦**incollàre** A v. t. to stick*; (*con colla liquida*) to glue; (*con colla a base di farina, anche comput.*) to paste; (*ind. tess., cartaria*) to size: **i. un'etichetta su una scatola**, to stick a label on a box; **i. il manico a una tazza**, to glue the handle on a cup; **i. manifesti**, to put up posters; **i. ritagli di giornale in un album**, to paste (*o* to stick) press cuttings in an album; **i. la tappezzeria**, to hang wallpaper; (*comput.*) **copiare e i.**, to cut and paste B **incollàrsi** v. i. pron. e rifl. to stick* (*fig.*) to cling*; to stick*: *La camicia bagnata mi si incollava addosso*, the wet shirt clung to my body; *Mi si incollò per tutta la visita*, she stuck to me throughout the visit; **incollarsi davanti alla TV**, to plant oneself in front of the TV set.

incollàto a. 1 stuck; glued on; pasted on: *I due fogli sono incollati insieme*, the two sheets are stuck together; *Questo pezzo non è i. bene*, this piece isn't glued on properly; **restare i.**, to stick 2 (*fig.*) glued (to, on); clinging (to): **i. alla TV**, glued to the TV set; *Aveva gli occhi incollati sulla scena*, his eyes were glued on the scene; **restare i. a q.**, to stick to sb. like glue; to cling to sb. like a limpet.

incollatóre m. (f. -**trice**) gluer; paster.

incollatrice f. 1 (*mecc.*) gluing machine 2 (*ind. tess.*) sizing machine 3 (*cinem.*) splicer.

incollatùra① f. 1 (*operazione*) sticking; (*con colla liquida*) gluing; (*con colla a base di farina*) pasting; (*ind. tess.*) sizing 2 (*parte incollata*) glued part.

incollatùra② f. (*ipp.*) neck: **mezza i.**, short neck; (*anche fig.*) **vincere** [**perdere**] **di un i.**, to win [to lose] by a neck.

incollerìre v. i., **incollerìrsi** v. i. pron. to get angry (*o* furious); to lose* one's temper; to fly* into a temper.

incollerìto a. angry; furious; enraged.

incolmàbile a. that cannot be filled; unbridgeable: (*sport*) **un distacco i.**, a gap too big to be closed; **un divario i.**, an unbridgeable gap; a chasm; **lasciare un vuoto i.**, to leave a gap that cannot be filled.

incolonnaménto m. 1 (*l'incolonnare*) writing in column; (*a cifre*) 2 (*di cifre*) tabulation 3 (*l'essere incolonnato*) formation; line.

incolonnàre A v. t. 1 to draw* up; to draw* up in a column 2 (*cifre*) to tabulate 3 (*mil.*) to form into columns B **incolonnàrsi** v. i. pron. to form (into); (*mettersi in fila*) to line up; to form up: **incolonnarsi su due file**, to form into two columns.

incolonnàto a. lined-up; in a column: **soldati incolonnati**, lined-up soldiers; *Le macchine procedevano incolonnate*, cars were moving in a column.

incolonnatóre m. tabulator; tab.

incolóre, incolóro a. 1 colourless 2 (*fig.*) colourless; lacklustre; dull; insipid: **interpretazione i.**, lacklustre interpretation;

vita i., dull life.

incolpàbile a. chargeable; that can be accused.

incolpàre A v. t. to blame (sb. for st.); to accuse (sb. of st.); to charge (sb. with st.) B **incolpàrsi** v. rifl. to accuse oneself C **incolpàrsi** v. recipr. to accuse each other [one another].

incolpévole a. guiltless; innocent.

incolpevolézza f. guiltlessness; innocence.

incoltivàbile a. that cannot be cultivated.

incólto a. 1 (*di terreno, ecc.*) uncultivated; untilled; (*a maggese*) fallow; (*abbandonato*) neglected; waste 2 (*fig.: non curato*) untidy; unkempt; wild: **barba incolta**, unkempt beard; **un giardino i.**, a garden run wild (*o* overrun with weeds) 3 (*fig.: non istruito*) ignorant; uneducated; uncultured; uncultivated.

incòlume a. 1 (*illeso*) unhurt; unharmed; unscathed: **passare i. attraverso molti pericoli**, to come through many dangers unscathed; **uscire i. da un incidente**, to escape an accident unhurt 2 (*indenne*) undamaged; unharmed; intact; whole: **conservare i. la propria reputazione**, to preserve one's reputation unharmed.

incolumità f. safety.

incombènte a. 1 overhanging: **rocce incombenti**, overhanging rocks 2 (*fig.*) impending; imminent: **pericolo i.**, impending (*o* imminent) danger ❶ **FALSI AMICI** • *incombente non si traduce con* incumbent.

incombènza f. duty; charge; task; office; errand; job (*fam.*) ❶ **FALSI AMICI** • *incombenza non si traduce con* incumbency.

incómbere v. i. 1 to hang* (over); to loom; to impend (over): *Una minaccia incombe su di noi*, a threat is hanging over us; *Su di loro incombe la prospettiva del licenziamento*, they are under imminent threat of being laid off; *Nuvole nere incombevano all'orizzonte*, black clouds loomed on the horizon; **un pericolo che incombe**, an impending danger 2 (*spettare*) to be up (to); to be (sb.'s) duty; to be incumbent (on).

incombustìbile a. incombustible; non--flammable; fireproof: **materiale i.**, fireproof material; **sostanza i.**, non-flammable substance.

incombustibilità f. incombustibility.

incombùsto a. unburnt.

incominciaménto m. (*lett.*) commencement; beginning.

♦**incominciàre** → **cominciare**.

incommensuràbile a. 1 (*mat.*) incommensurable 2 (*smisurato*) measureless; immeasurable 3 (*incalcolabile*) incalculable; inestimable 4 (*eccezionale*) extraordinary; incomparable.

incommensurabilità f. incommensurability; immeasurability.

incommerciàbile a. unmarketable.

incommerciabilità f. unmarketability.

incommestìbile a. inedible.

incommutàbile a. (*leg.*) incommutable.

incommutabilità f. (*leg.*) incommutability.

incomodàre A v. t. to disturb; to bother; to trouble; to put* out; to inconvenience: *Non vorrei incomodarti, ma...*, I don't want to bother you, but... B **incomodàrsi** v. rifl. to disturb oneself; to trouble; to bother; to take* the trouble (of): *Non s'incomodi, la prego*, please, don't disturb yourself; (*a persona seduta*) please, don't get up; *Si è incomodato a venire fin qui*, he took the trouble of coming all the way here; *Non dovevi incomodarti*, you shouldn't have gone to so much trouble, you shouldn't have bothered.

incomodàto a. 1 bothered; troubled; put out 2 (*indisposto*) unwell; indisposed.

incòmodo① a. inconvenient; awkward: **un'ora incomoda**, an inconvenient (*o* awkward) time.

incòmodo② m. 1 (*fastidio*) inconvenience; bother; trouble; hassle (*fam.*): **gli incomodi di un lungo viaggio**, the inconveniences of a long journey; *Lo posso fare senza i.*, it's no trouble at all; **essere d'i. per q.**, to be an inconvenience to sb.; **recare i. a**, to cause inconvenience to; to inconvenience; *Scusi l'i.*, sorry for the bother 2 (*indisposizione*) slight ailment; indisposition 3 (*compenso*) charge: *Quant'è il vostro i.?*, how much do I owe you? ● **terzo i.**, unwanted third party □ **fare il** (*o* da) **terzo i.** (*tra innamorati*), to play gooseberry □ **togliere l'i.** (*andarsene*), to take one's leave; to be off.

incomparàbile a. incomparable; peerless; matchless.

incomparabilità f. incomparableness; peerlessness; matchlessness.

incompatìbile a. incompatible (*anche tecn.*); (*in contraddizione*) conflicting, inconsistent: **caratteri incompatibili**, incompatible personalities; *Il suo lavoro è i. con le esigenze di una famiglia*, her job is incompatible with the demands of a family; **un comportamento i. con i suoi principi**, behaviour conflicting (*o* inconsistent) with his principles; **versioni incompatibili di un fatto**, conflicting versions of an event.

incompatibilità f. incompatibility; (*contraddittorietà*) contradiction, inconsistency: **i. di carattere**, incompatibility of character; **i. di cariche**, incompatibility of offices; (*med.*) **i. di gruppo sanguigno**, blood group incompatibility.

incompenetràbile e *deriv.* → **impenetrabile**, e *deriv.*

incompetènte A a. 1 (*ignorante*) ignorant; (*incapace*) incompetent, inept: *Sono i. in materia di computer*, I'm ignorant (*o* I know nothing) about computers; **un insegnante i.**, an incompetent teacher 2 (*leg.*) lacking jurisdiction; without jurisdiction 3 (*med.*) incompetent: **collo uterino i.**, incompetent cervix B m. e f. incompetent.

incompetènza f. 1 (*ignoranza*) ignorance; (*incapacità*) incompetence, ineptitude: **dare prova di assoluta i.**, to prove to be totally incompetent 2 (*leg.*) lack of jurisdiction.

incompiànto a. (*lett.*) unwept; unlamented.

incompiutézza f. unfinished state; incompleteness.

incompiùto a. unfinished; incomplete: **lasciare qc. i.**, to leave st. unfinished.

incompletézza f. incompleteness.

incomplèto a. incomplete; imperfect; (*incompiuto*) unfinished: **serie incompleta**, incomplete series; (*bot.*) **fiore i.**, imperfect flower; **descrizione incompleta**, incomplete description; **un romanzo i.**, an unfinished novel.

incompósto a. 1 (*disordinato*) untidy; disorderly; dishevelled 2 (*sconveniente*) unbecoming; unseemly.

incomprensìbile a. 1 incomprehensible; unintelligible; obscure 2 (*inspiegabile*) inexplicable; unaccountable.

incomprensibilità f. 1 incomprehensibility; unintelligibility; obscurity 2 (*inspiegabilità*) inexplicability; unaccountableness.

incomprensióne f. 1 incomprehension; lack of understanding: **l'i. dei suoi genitori**, his parents' lack of understanding 2 (*dissapore*) misunderstanding.

incomprèso a. (*non compreso*) not understood; (*mal compreso*) misunderstood; (*non*

apprezzato) unappreciated, unrecognized: **sentirsi i.**, to feel misunderstood; *Sono un i.*, nobody understands me; **genio i.**, misunderstood (*o unappreciated*) genius.

incompressìbile a. (*fis.*) incompressible.

incompressibilità f. (*fis.*) incompressibility.

incomprimìbile a. (*incontenibile*) irrepressible; uncontainable; uncontrollable.

incomputàbile a. incomputable; incalculable.

incomunicàbile a. incommunicable.

incomunicabilità f. incommunicability.

inconcepìbile a. inconceivable; unthinkable; unimaginable; (*incredibile*) incredible.

inconcepibilità f. inconceivability; inconceivableness.

inconciliàbile a. irreconcilable; incompatible; conflicting.

inconciliabilità f. irreconcilability; incompatibility.

inconcludènte A a. 1 ineffectual; unproductive; inconclusive; leading nowhere (pred.): **discorsi inconcludenti**, ineffectual words; **sforzo i.**, ineffectual effort; **una discussione i.**, a discussion leading nowhere; an inconclusive debate 2 (*di persona*) ineffectual; feckless B m. e f. ineffectual person.

inconcludènza f. ineffectuality; unproductiveness; inconclusiveness.

inconcùsso a. (*lett.*) firm; unshaken; steadfast; unswerving.

incondizionataménte avv. unconditionally; unreservedly; without reservation.

incondizionàto a. (*senza condizioni*) unconditional, unconditioned; (*senza riserve*) unreserved, unqualified: **appoggio i.**, unreserved support; unqualified backing; (*mil.*) **resa incondizionata**, unconditional surrender; (*med.*) **riflesso i.**, unconditioned reflex; **rifiuto i.**, categorical refusal.

inconfessàbile a. unavowable; unmentionable.

inconfessàto a. unconfessed; unavowed; unacknowledged.

inconfèsso a. (*leg.*) pleading not guilty.

inconfondìbile a. unmistakable; unique.

inconfutàbile a. irrefutable; incontestable; indisputable.

inconfutabilità f. irrefutability; incontestability; indisputability.

inconfutàto a. unrefuted; undisputed.

incongelàbile a. unfreezable; non-freezing.

incongruènte a. inconsistent; contradictory; inconsequent: **risposta i.**, inconsequent reply.

incongruènza f. 1 inconsistency; contradictoriness; inconsequence 2 (*contraddizione*) inconsistency; contradiction: **una testimonianza piena di incongruenze**, a testimony full of inconsistencies.

incongruità f. 1 (*sproporzione*) disproportion; disparity; inadequacy 2 (*stranezza*) incongruity, oddity.

incòngruo a. 1 (*sproporzionato*) disproportionate; inadequate 2 (*strano*) incongruous; odd.

inconoscìbile a. e m. unknowable.

inconoscibilità f. unknowability; unknowableness.

inconsapévole a. 1 (*ignaro*) unaware; ignorant: **i. del pericolo**, unaware of the danger; *Era i. dell'accaduto*, he was ignorant of the fact (*o unaware of what had happened*) 2 (*inconscio*) unconscious; unwitting.

inconsapevolézza f. 1 (*ignoranza*) unawareness; ignorance 2 (*l'essere inconscio*)

unconsciousness; unwittingness.

inconsapevolménte avv. unawares; unconsciously; unwittingly.

incònscio A a. unconscious B m. (*psic.*) unconscious: **l'i. collettivo**, the collective unconscious.

inconseguènte a. inconsequent.

inconseguènza f. inconsequence.

inconsideratézza f. 1 thoughtlessness; (*avventatezza*) rashness 2 (*azione sconsiderata*) rash action.

inconsideràto a. thoughtless; ill-considered; (*avventato*) rash.

inconsistènte a. 1 insubstantial; flimsy 2 (*fig.*) insubstantial; tenuous; flimsy; (*infondato*) unfounded, groundless, baseless ❶ FALSI AMICI • inconsistente *non si traduce con* inconsistent.

inconsistènza f. 1 insubstantiality; flimsiness 2 (*fig.*) insubstantiality; tenuousness; flimsiness; (*infondatezza*) groundlessness ❶ FALSI AMICI • inconsistenza *non si traduce con* inconsistency.

inconsolàbile a. inconsolable.

inconsuèto a. unusual; uncommon; strange; odd.

inconsùlto a. rash; ill-advised: **gesto i.**, rash gesture.

inconsumàbile a. (*leg.*) inconsumable.

inconsùnto a. (*lett.*) unconsumed.

inconsùtile a. (*lett.*) seamless: (*relig.*) **tunica i.**, seamless garment.

incontaminàbile a. (*lett.*) incorruptible.

incontaminàto a. 1 uncontaminated; unpolluted; pure 2 (*fig.*) pure; pristine; uncontaminated; unsoiled; unblemished; untarnished.

incontenìbile a. uncontainable; irrepressible: **gioia i.**, uncontainable joy; **risata i.**, irrepressible laughter.

incontentàbile a. 1 (*insaziabile*) insatiable 2 (*esigente*) hard to please; exacting • **Sei sempre il solito i.**, you're never satisfied.

incontentabilità f. 1 insatiability 2 (*l'essere esigente*) exacting nature.

incontestàbile a. incontestable (*anche leg.*); indisputable; incontrovertible.

incontestabilità f. incontestability (*anche leg.*); indisputability; incontrovertibility.

incontestàto a. undisputed; uncontested; unquestioned.

incontinènte A a. 1 incontinent; unrestrained; immoderate 2 (*med.*) incontinent B m. e f. 1 incontinent person 2 (*med.*) person suffering from incontinence.

incontinènza f. (*anche med.*) incontinence.

◆**incontràre** A v. t. 1 to meet*; (*per caso*) to run* into, to bump into (*fam.*): *Lo incontro tutte le mattine*, I meet him every morning; *L'ho incontrata proprio ora*, I've just run into her; *Sai chi ho incontrato ieri al supermaket?*, you'll never guess who I bumped into at the supermarket yesterday 2 (*trovare*) to come* across; to meet* with; (*un ostacolo, un rifiuto, ecc.*) to run* into, to come* up against, to encounter, to meet* with: **i. difficoltà**, to run into difficulties; **i. obiezioni**, to meet with objections 3 (*assol.*: *avere successo*) to be popular; to be a success 4 (*sport*: *calcio, ecc.*) to play; (*boxe*) to fight*: *Il Torino incontrerà la Lazio*, Turin will play Lazio • **i. il favore di q.**, to find favour with sb.; **i. il gusto di q.**, to appeal to sb.; to be popular with sb. B **incontràrsi** v. rifl. recipr. 1 to meet*: *Ci incontrammo da Betty*, we met at Betty's 2 (*trovarsi d'accordo*) to agree; (*andare d'accordo*) to get* on well 3 (*di idee, opinioni*) to coincide C **incontràrsi** v. i. pron. 1 (*trovarsi d'accordo*) to agree (with);

(*andare d'accordo*) to get* on well (with): *Non s'incontra col nuovo capo*, she doesn't get on well with her new boss 2 (*di idee, opinioni*) to meet* (with).

incontràrio avv. (*fam.*) – **all'i.**, (*a ritroso*) backwards; (*in ordine inverso*) in reverse order; (*alla rovescia*) the wrong way round; (*capovolto*) upside down, wrong side up; (*col davanti dietro*) back to front; (*con l'interno all'esterno*) inside out; (*nel modo sbagliato*) the wrong way; (*nel modo opposto*) the opposite way.

incontrastàbile a. 1 (*ineluttabile*) unavoidable; inevitable 2 (*inoppugnabile*) indisputable; incontestable; irrefutable; unquestionable.

incontrastàto a. uncontested; unopposed; undisputed.

◆**incóntro** ① m. 1 meeting; (*inatteso o non gradito*) encounter: **breve i.**, brief encounter; **i. casuale**, chance meeting; **i. ravvicinato**, close encounter; **avere un i. con q.**, to meet sb.; **fare un brutto i.**, to have an unpleasant encounter; *Ricordo il nostro primo i.*, I remember the first time we met; *Che bell'i.!*, how lovely to see you!; **luogo d'i.**, meeting place 2 (*riunione*) meeting: (*polit.*) **i. al vertice**, summit meeting; **i. bilaterale**, bilateral meeting 3 (*sport*) match: **i. amichevole**, friendly match; **i. di boxe**, boxing match; (*di professionisti, anche*) prizefight (*USA*); **i. di calcio**, football match; **i. di spareggio**, playoff 4 (*accoglienza*) success; popularity; favour: **avere molto i.**, to be popular; to meet with success • **i.-scontro**, encounter □ **punto d'i.**, point of contact; (*mat.*) point of intersection; (*fig.*) **cercare un punto d'i.**, to look for a point of contact.

◆**incóntro** ② A avv. opposite • **all'i.**, on the contrary B **incóntro a** loc. prep. 1 (*verso*) towards; (*di fronte*) opposite: *Andiamo i. all'inverno*, we are going towards winter; **andare i. agli ospiti**, (*to go to*) meet one's guests; *Il ragazzo mi si fece i.*, the boy came towards me; *Gli corsi i.*, I ran up to him; I ran to meet him 2 (*contro*) against: **i. al nemico**, against the enemy • (*fig.*) **andare i. a q.**, to help sb. □ **andare i. a difficoltà**, to come up against difficulties; to run into difficulties (*o trouble*) □ **andare i. a guai**, to be heading for trouble □ **andare i. a spese**, to incur (*o to run into*) expenses □ **andare i. alla morte**, to go to one's death; to meet one's fate □ **andare i. ai desideri di q.**, to meet sb.'s wishes □ (*fig.*) **venire i. a q.**, to meet sb. half-way.

incontrollàbile a. 1 uncontrollable; unrestrainable; (*sfrenato*) runaway: **inflazione i.**, runaway inflation; **ira i.**, uncontrollable anger 2 (*non verificabile*) uncheckable; unverifiable: **voci incontrollabili**, unverifiable rumours.

incontrollabilità f. 1 uncontrollability; unrestrainability 2 unverifiability.

incontrollàto a. 1 (*privo di controllo*) uncontrolled; unrestrained; unchecked: **crescita incontrollata**, unchecked growth; **reazioni incontrollate**, uncontrolled reactions 2 (*non verificato*) unverified; unchecked: **notizia incontrollata**, unverified report.

incontrovèrso a. undisputed.

incontrovertìbile a. incontrovertible; indubitable; unassailable.

◆**inconveniènte** m. 1 (*svantaggio*) drawback; disadvantage: *L'unico i. dell'appartamento è il prezzo*, the flat's only drawback is its price 2 (*problema*) problem, nuisance; (*intralcio*) snag, hitch; (*contrattempo*) mishap; (*guasto*) fault ❶ FALSI AMICI • inconveniente *non si traduce con* inconvenient.

inconveniènza f. unsuitability; unsuitableness.

inconvertìbile a. (*econ.*) inconvertible.

inconvertibilità f. (*econ.*) inconvertibility.

inconvincibile a. impossible to convince.

incoordinazióne f. (*anche med.*) incoordination.

incoraggiaménto m. encouragement: **parole d'i.**, words of encouragement.

incoraggiànte a. encouraging; cheering: **parole incoraggianti**, encouraging words; **prospettiva i.**, cheering perspective.

♦**incoraggiàre** v. t. 1 to encourage: **i. le truppe**, to encourage the troops 2 (*spronare*) to encourage, to urge, to stir, to prod; (*indurre*) to incite: *Lo incoraggiai a proseguire*, I urged him to persevere; **i. alla violenza**, to incite to violence 3 (*fig.: favorire*) to encourage; (*promuovere*) to promote, to foster: **i. la ripresa economica**, to encourage economic recovery.

incoràre → **incuorare**.

incordàre Ⓐ v. t. (*mus., sport*) to string* Ⓑ **incordàrsi** v. i. pron. (*di muscolo*) to stiffen.

incordatùra f. 1 (*mus., sport*) stringing 2 (*med.*) stiffness.

incornàre Ⓐ v. t. 1 to gore 2 (*calcio*) to head (the ball) 3 (*fig. pop.*) to be unfaithful to; (*il marito, anche*) to cuckold Ⓑ **incornàrsi** v. i. pron. (*pop.*) to insist stubbornly (on).

incornàta f. goring.

incorniciàre v. t. (*anche fig.*) to frame.

incorniciàto a. (*anche fig.*) framed.

incorniciatùra f. 1 framing 2 (*cornice*) frame.

incoronàre v. t. 1 to crown: *Fu incoronato re*, he was crowned king; **i. di alloro**, to crown with laurel 2 (*fig.: cingere*) to encircle.

incoronàta f. (*mus.*) pause (sign).

incoronazióne f. coronation; (*l'incoronare*) crowning.

incorporàle a. (*leg.*) incorporeal; intangible: **beni incorporali**, intangible property (sing.).

incorporaménto m. → **incorporazione**.

incorporànte a. (*ling.*) incorporating; polysynthetic: **lingue incorporanti**, incorporating (o polysynthetic) languages.

incorporàre Ⓐ v. t. 1 (*aggiungere mescolando*) to blend in; to stir in; to incorporate (*mescolando adagio*) to fold in: **i. la farina allo zucchero**, to blend the flour in the sugar and butter; **i. due uova al composto**, to stir two eggs into the mixture; **i. le montate a neve**, to fold in the egg whites 2 (*fig.*) to incorporate; to include; (*un territorio*) to annex 3 (*assorbire*) to absorb; to take* in 4 (*fin.*) to amalgamate; to merge Ⓑ **incorporàrsi** v. rifl. rec. 1 (*di solido*) to blend 2 (*di territori*) to join 3 (*fin.*) to amalgamate; to merge.

incorporàto a. built-in; inbuilt: **microfono i.**, built-in microphone.

incorporazióne f. 1 incorporation 2 (*annessione*) annexation 3 (*assorbimento*) absorption 4 (*fin.*) amalgamation; merger.

incorporeità f. incorporeity.

incorpòreo a. incorporeal; bodiless; disembodied.

incorreggìbile a. 1 beyond correction; (*compito, ecc.*) too poor to be corrected 2 (*inemendabile*) incorrigible: **abitudine i.**, incorrigible habit 3 (*incallito*) incorrigible; inveterate; chronic; hardened: **bugiardo i.**, incorrigible (o chronic) liar; **donnaiolo i.**, inveterate philanderer.

incorreggibilità f. incorrigibility.

incórrere v. i. to run* (into); to incur (st.): **i. un errore**, to make a mistake; **i. nell'i-**ra di q., to incur sb.'s anger; **i. in un pericolo**, to run into danger; **i. in una punizione**, to incur punishment.

incorrótto a. 1 (*intatto*) uncorrupted; incorrupt 2 (*puro*) uncorrupted; pure 3 (*onesto*) uncorrupted; honest.

incorruttìbile a. 1 (*inalterabile*) incorruptible; imperishable 2 (*onesto*) incorruptible; unbribable.

incorruttibilità f. incorruptibility.

incorsàre v. t. (*ind. tess.*) to draw* in.

incorsatóio m. (*falegn.*) rabbeting plane; chamfer plane; fillister.

incorsatóre m. (*ind. tess.*) drawer-in.

incorsatùra f. (*ind. tess.*) drawing-in.

incosciènte Ⓐ a. 1 (*privo di conoscenza*) unconscious 2 (*inconsapevole*) unconscious 3 (*irresponsabile*) irresponsible; reckless; mad (*fam.*): **genitore i.**, irresponsible parent; **guidatore i.**, reckless driver Ⓑ m. e f. irresponsible person: *Sei un i.!*, you are totally irresponsible!; you're mad! (*fam.*); **comportarsi da i.**, to behave irresponsibly.

incosciènza f. 1 unconsciousness: **in stato di i.**, in a state of unconsciousness; unconscious (agg.); **rimanere in stato di i.**, to remain unconscious; **uscire dall'i.**, to regain consciousness; to come round 2 (*irresponsabilità*) irresponsibility; recklessness.

incostànte a. (*mutevole*) inconstant, changeable, unsteady, variable, shifty; (*discontinuo*) uneven, unequal, erratic; (*volubile*) inconstant, fickle, flighty: **un innamorato i.**, an inconstant lover; **rendimento i.**, uneven performance; **tempo i.**, changeable weather.

incostànza f. (*mutevolezza*) inconstancy, changeableness, variableness, unsteadiness; (*discontinuità*) unevenness, erraticity; (*volubilità*) fickleness: **l'i. del tempo**, the changeableness of the weather; **i. di propositi**, inconstancy of intentions; fickleness.

incostituzionàle a. (*leg.*) unconstitutional.

incostituzionalità f. (*leg.*) unconstitutionality.

incravattàre Ⓐ v. t. to put* a tie on Ⓑ **incravattàrsi** v. rifl. to put* on a tie.

incravattàto a. 1 wearing a tie 2 (*estens.: elegante*) formally dressed; dressed up (*fam.*).

increàto a. (*relig., filos.*) uncreated.

♦**incredìbile** a. 1 incredible; unbelievable: **fortuna i.**, unbelievable luck; **storia i.**, incredible (o implausible) story; *È i., abbiamo vinto!*, it's incredible, we've won!; *È i. ma vero*, it sounds unbelievable, but it is true; *I. ma vero, c'erano tutti*, unbelievably, they were all there 2 (*eccezionale*) incredible; unbelievable; unimaginable: **baccano i.**, incredible racket.

incredibilità f. incredibility; unbelievableness.

incredulità f. 1 incredulity; disbelief 2 (*relig.*) unbelief.

incrèdulo Ⓐ a. 1 incredulous 2 (*relig.*) unbelieving Ⓑ m. (f. **-a**) (*relig.*) unbeliever.

incrementàle a. incremental: **costo i.**, incremental cost; (*mat.*) **rapporto i.**, incremental ratio.

incrementàre v. t. 1 to increase; to boost; to step up; (*promuovere*) to promote, to foster: **i. il commercio**, to boost trade; **i. i profitti**, to increase profits; **i. la produzione**, to step up production; **i. la ricerca scientifica**, to promote (o to foster) scientific research.

increménto m. 1 increase; growth; increment: **i. demografico**, population increase; (*fig.*) growth in productivity; **un i. del 10%**, a 10% increase; **dare i. a** → **incrementare** 2 (*ling., mat.*) increment.

incréscere (*lett.*) → **rincrescere**.

increscióso a. regrettable; unfortunate; (*sgradevole*) unpleasant; (*seccante*) annoying: **avvenimento i.**, regrettable occurrence; **i. ritardo**, annoying delay; **situazione incresciosa**, unpleasant situation.

increspaménto m. 1 (*di acqua*) rippling 2 (*di stoffa*) gathering; (*per difetto*) puckering 3 (*della pelle, della fronte*) wrinkling 4 (*dei capelli*) curling; (*artificiale*) frizzing.

increspàre Ⓐ v. t. 1 (*acqua*) to ripple 2 (*stoffa*) to gather; (*involontariamente*) to pucker 3 (*la pelle, la fronte*) to wrinkle 4 (*la bocca*) to pucker 5 (*i capelli*) to make* frizzy Ⓑ **increspàrsi** v. i. pron. 1 (*di acqua*) to ripple; (*di mare*) to get* choppy 2 (*di stoffa*) to gather; (*per difetto*) to pucker 3 (*del viso*) to crinkle (up); (*della pelle, della fronte*) to wrinkle: *Il suo viso s'increspò in un sorriso*, his face crinkled up in a smile 4 (*della bocca*) to pucker 5 (*dei capelli*) to frizz.

increspàto a. 1 (*di acqua*) rippling; ripply 2 (*di stoffa*) crinkled 3 (*del viso*) crinkled; (*della pelle, della fronte*) wrinkled 4 (*della bocca*) puckered 5 (*di carta*) crinkled; crepe (attr.).

increspatùra f. 1 → **increspamento** 2 (*grinza*) crinkle; wrinkle 3 (*della pelle*) wrinkle, wrinkles (pl.) 4 (*sull'acqua*) ripple 5 (*di stoffa*) gather; (*di carta, anche*) gathering ⓤ; (*gala*) frill (sing.) 6 (*dei capelli*) frizz.

incretiniménto m. stultification.

incretinire Ⓐ v. t. to stultify; (*di lavoro, rumore, ecc.*) to drive* insane, to drive* crazy Ⓑ v. i. e **incretinirsi** v. i. pron. to become* stupid; (*per lavoro, ecc.*) to go* crazy; (*rimbambire*) to go* soft in the head (*fam.*).

incrèto m. (*fisiol.*) incretion.

incriminàbile a. (*leg.*) indictable; chargeable.

incriminàre v. t. (*leg.*) to charge (sb. with st.); to bring* a charge (of st.) against; to indict (sb. for st.).

incriminàto a. 1 (*leg.*) charged; indicted; under indictment (pred.) 2 (*di oggetto*) believed to have been used in a crime: **l'arma incriminata**, the weapon believed to be that of the crime 3 (*fig.: oggetto di discussione o critica*) offending; controversial: **l'aggettivo i.**, the offending adjective; **il programma i.**, the controversial programme.

incriminazióne f. (*leg.*) charge; indictment.

incrinàre Ⓐ v. t. 1 to crack 2 (*fig.*) to damage; to spoil*; to mar Ⓑ **incrinàrsi** v. i. pron. 1 to crack 2 (*fig.*) to deteriorate; to become* strained: *I rapporti fra le due nazioni si sono incrinati*, relations between the two countries have deteriorated; *La loro amicizia s'incrinò*, their friendship became strained.

incrinatùra f. 1 crack 2 (*fig.: screzio*) disagreement; rift 3 (*fig.: alterazione*) damage; marring.

♦**incrociàre** Ⓐ v. t. 1 to cross; (*mani, braccia*) to fold: **i. le braccia**, to fold one's arms; (*fig.: scioperare*) to down tools, to walk out; **i. le gambe**, to cross one's legs; **i. le spade**, to cross swords 2 (*intersecare*) to cross; to intersect; (*a reticolato*) to criss-cross: *Questa strada incrocia la ferrovia*, this road crosses the railway line 3 (*incontrare*) to meet*; to run* into: *Sull'autostrada abbiamo incrociato molti camion*, we met a lot of oncoming lorries on the motorway; *L'ho incrociato davanti al teatro*, I ran into him outside the theatre 4 (*zool.*) to crossbreed*; to cross; to interbreed* 5 (*bot.*) to hybridize ● (*fig.*) **i. le armi**, to fight □ (*fig.*) **i. le dita**, to keep one's fingers crossed □ **i. un pennone**, to traverse a yard Ⓑ v. i. (*naut., aeron.*) to cruise; (*naut., al largo di qc.*) to

stand* off and on C **incrociàrsi v. rifl. rec. 1** (*intersecarsi*) to cross; to intersect; (*a reticolato*) to criss-cross: *Le nostre strade si incrociarono più volte*, our ways crossed several times **2** (*incontrarsi*) to meet*; to run* into each other: *I nostri sguardi si incrociarono*, our eyes met; *Ci incrociamo ogni mattina*, our paths cross every morning **3** (*zool.*) to crossbreed*; to cross; to interbreed* **4** (*bot.*) to crossbreed*; to cross-fertilize.

incrociàto a. 1 crossed; cross (pref.); (*a reticolato*) criss-crossed, criss-cross: **parole incrociate**, crossword (puzzle) (sing.); **tiro** (*o fuoco*) **i.**, crossfire; **con le braccia incrociate**, with one's arms folded; **sedere a gambe incrociate**, to sit cross-legged; **disegno a linee incrociate**, criss-cross pattern **2** (*biol.*) crossbred; cross; hybridized: (*bot.*) **fecondazione incrociata**, cross-fertilization.

incrociatóre m. (*naut.*) cruiser: **i. da battaglia**, battle cruiser; **i. leggero**, light cruiser.

incrociatùra f. 1 (*l'incrociare*) crossing **2** (*punto d'incrocio*) cross.

♦**incrócio m. 1** (*l'incrociare, l'incrociarsi*) crossing; intersecting **2** (*punto d'intersezione*) crossing; intersection; (*reticolato*) criss-cross: **un i. di fili**, a criss-cross of wires; **all'i. delle due travi**, at the intersection of the two beams; where the two beams intersect **3** (*di strade*) junction, intersection; (*crocevia*) crossroads: **i. a quadrifoglio**, cloverleaf junction; **i. pericoloso**, dangerous crossing; **rallentare all'i.**, to slow down at the crossroads **4** (*zool.*: *accoppiamento*) crossing, cross, crossbreeding; (*razza*) crossbreed, cross, mongrel **5** (*bot.*) hybridization; (*varietà*) hybrid **6** (*fig.*: *via di mezzo*) cross; combination; (*misto*) mixture **7** (*ling.*) portmanteau word **8** (*elettr.*) – **i. aereo**, frog.

incrodàrsi v. i. pron. (*alpinismo*) to get* stuck.

incrollàbile a. indestructible; unshakable; firm: **essere i.**, to stand firm; to be immovable; to be unshaken; **fede i.**, unshakable faith.

incrollabilità f. indestructibility; unshakability.

incrostaménto a. 1 encrusting; crusting **2** (*concrezione*) concretion.

incrostàre A **v. t.** to encrust; to crust over; to cake; (*di calcare*) to encrust with scale, to fur up (*GB*) B **incrostàrsi v. i. pron.** to become* encrusted; to become* caked; (*di calcare*) to become* encrusted with scale, to scale, to fur up (*GB*): **incrostarsi di fango**, to become caked in mud; **incrostarsi di ruggine**, to become encrusted with rust.

incrostàto a. encrusted; crusted over; caked; (*di calcare*) scaled, furred (up) (*GB*): **scarpe incrostate di fango**, mud-caked shoes; **tubo i.**, scaled pipe.

incrostatùra, incrostazióne f. 1 encrustment; (*di calcare*) scaling, furring (up) (*GB*) **2** (*deposito*) encrustation; deposit, (*di calcare*) scaling, scale, fur (*GB*); (*di tartaro*) scale, argol; **togliere l'i. da una caldaia**, to descale a boiler; **coperto di incrostazioni** → **incrostato**.

incrudelìre v. i. 1 to become* cruel (*o* pitiless) **2** (*infierire*) to be pitiless (towards); to treat (sb.) mercilessly; (*assol.*) to pile cruelty upon cruelty **3** (*fig.*: *infuriare*) to rage; (*inasprirsi*) to become* cruel.

incrudiménto m. (*metall.*) work-hardening.

incrudìre A **v. t. 1** to sharpen; to aggravate **2** (*metall.*) to work-harden B **v. i. e incrudìrsi v. i. pron. 1** to grow* worse; to worsen; (*del tempo*) to become* (more) se-

vere **2** (*metall.*) to be work-hardened.

incruènto a. bloodless; without bloodshed; (*chir.*) **intervento i.**, bloodless operation; **rivoluzione incruenta**, bloodless revolution.

incrunàre v. t. to thread.

incruscàre v. t. to cover with bran; to fill with bran.

incubàre v. t. 1 to incubate **2** (*fig.*) to incubate; to hatch; to nurse.

incubatóio m. incubating room; incubation room; (*ind.*) hatchery.

incubatrice f. incubator.

incubazióne f. 1 incubation; (*cova*) hatching: **i. artificiale**, artificial incubation **2** (*med.*) incubation: **periodo d'i.**, incubation period; **avere un'i. di due settimane**, to have an incubation of two weeks; to incubate for two weeks **3** (*fig.*) hatching; incubation; nursing: **essere in i.**, to be hatching; to incubate.

♦**incubo m. 1** (*anche* **i. notturno**) nightmare **2** (*fig.*) nightmare; incubus ● **da i.**, nightmarish; appalling; dreadful.

incùdine f. 1 anvil **2** (*anat.*) incus* ● (*fig.*) **essere fra l'i. e il martello**, to be between the devil and the deep blue sea; to be between a rock and a hard place.

inculàre v. t. 1 (*volg.*) to bugger; to ass-fuck (*volg.*); to ream (*volg. USA*) **2** (*fig.*) to cheat; to screw (*volg.*); to ream (*volg. USA*).

inculàta f. (*volg.*) **1** act of buggery; ass-fuck (*volg.*) **2** (*fig.*) swindle; rip-off (*fam.*); con (*fam.*).

inculcàre v. t. to inculcate (st. in sb., sb. with st.); to instil (st. into sb.): **i. ai figli il senso del dovere**, to inculcate a sense of duty in one's children; to inculcate one's children with a sense of duty.

incultùra f. lack of education; lack of culture.

inculturazióne f. (*sociol.*) inculturation, enculturation.

incunabolìsta m. e f. incunabulist.

incunàbolo m. incunabulum*.

incuneàre A **v. t.** (*anche fig.*) to wedge in B **incuneàrsi v. i. pron. 1** to be wedged in **2** (*fig.*) to penetrate (st., into st.); to wedge oneself in.

incuoràre v. t. (*lett.*) to encourage; to cheer.

incupiménto m. darkening; clouding over.

incupìre A **v. t. 1** to darken **2** (*fig.*) to darken; (*intristire*) to make* gloomy B **v. i. e incupìrsi v. i. pron. 1** to grow* dark; (*di cielo*) to cloud over; (*di colore*) to deepen **2** (*fig.*) to grow* gloomy; to darken; to cloud over: *Si incupì in volto*, his face darkened.

incuràbile A **a. 1** incurable; terminal: **malattia i.**, incurable (*o* terminal) disease; **paziente i.**, terminal patient **2** (*fig.*) incurable; incorrigible: **difetto i.**, incorrigible defect; **mali incurabili**, incurable evils B **m. e f.** incurable; terminal patient.

incurabilità f. incurability.

incurànte a. heedless (of); indifferent (to); unconcerned (by); careless (with): **i. delle mie parole**, heedless of (*o* ignoring) my words; **i. del pericolo**, heedless of the danger; **i. dei sentimenti altrui**, indifferent to other people's feelings.

incurànza f. heedlessness; carelessness; indifference; lack of concern.

incùria f. 1 carelessness; negligence; (*abbandono*) dereliction, neglect **2** (*sciatteria*) slovenliness.

incuriosìre A **v. t.** to make* curious; to excite (sb.'s) curiosity; to fill with curiosity; to intrigue B **incuriosìrsi v. i. pron.** to become* curious; (*provare interesse*) to become*

interested.

incuriosìto a. made curious (pred.); curious; intrigued.

incursióne f. 1 (*attacco, scorreria*) raid, incursion; foray; inroad: **i. aerea**, air raid; airstrike; **fare un'i.**, to make a raid; to go on a foray; to foray **2** (*fig.*: *arrivo inatteso*) descent; invasion **3** (*fig.*: *breve attività estranea*) foray: **un musicista che ama fare incursioni nel campo del romanzo**, a musician who enjoys the occasional foray into fiction **4** (*sport*) attack; inroad.

incursóre A **a.** raiding B **m.** raider; commando*.

incurvàbile a. bendable.

incurvaménto m. 1 bending; curving; (*di lamiera*) bulging; (*di piastra*) buckling; (*di legno*) warping **2** (*curva*) bend; curve; curvature; (*di lamiera*) bulge; (*di legno*) warp.

incurvàre A **v. t.** to bend*; to curve; (*in dentro*) to incurvate; (*deformando*) to warp; (*un ramo con un peso*) to make* (st.) sag: **i. la schiena**, to bend one's back; to stoop B **incurvàrsi v. i. pron.** to bend*; to curve; (*di ramo sotto un peso*) to sag; (*di lamiera*) to bulge; (*di piastra*) to buckle; (*di legno*) to warp: **incurvarsi per l'età**, to bend (*o* to become bent) with age.

incurvatùra f. 1 bend; curve; curvature; (*di lamiera*) bulge; (*med.*) **i. della spina dorsale**, curvature of the spine **2** (*l'incurvare*) bending; curving.

incustodìto a. unattended; unguarded; (*senza operatore*) unmanned: **bagaglio i.**, unattended luggage; **faro i.**, unmanned lighthouse; **parcheggio i.**, unattended car park; **passaggio a livello i.**, unprotected (*o* unguarded) level crossing (*USA* grade crossing).

incùtere v. t. to inspire; to strike*; to arouse; to excite: **i. rispetto**, to inspire (*o* to command) respect; **i. soggezione**, to inspire awe; (*mettere a disagio*) to make (sb.) feel uneasy; **i. terrore a q.**, to strike terror into sb.

indaco m. e a. indigo.

indaffaràto a. busy: **i. a fare qc.**, busy doing st.; **i. in qc.**, busy with st.

indagàre v. t. e i. to investigate (st.); to inquire into; to look into; to conduct (*o* to hold*) an inquiry on; to make* inquiries (*o* enquiries) into (*o* about): **i. su un omicidio**, to investigate a murder; **i. sui movimenti di un sospettato**, to look into the movements of a suspect; *La polizia sta indagando*, the police are investigating; **essere indagato**, to be investigated; to be under investigation.

indagàto A **a.** under (police) investigation (pred.) B **m.** (f. **-a**) person under (police) investigation; suspect.

indagatóre A **m.** (f. **-trìce**) investigator; inquirer B **a.** inquiring; searching: **uno sguardo i.**, an inquiring look.

♦**indàgine f. 1** (*investigazione*) investigation; inquiry, enquiry; probe: **i. di polizia**, police investigation; police inquiries (pl.); **un'i. su alcuni casi di corruzione**, a probe into cases of graft; **i. sul campo**, field investigation; **i. ufficiale**, official inquiry; **condurre** (*o* **svolgere**) **un'i.**, to conduct an investigation; **fare delle indagini su qc.**, to make inquires about st.; to investigate st. **2** (*ricerca*) research; search; survey; poll: **i. demoscopica**, (opinion) poll; **i. di mercato**, market (*o* marketing) research; **i. per campione**, sample survey; **i. statistica**, statistical survey; **i. sui consumi**, consumer survey.

indantrène® m. (*chim.*) indanthrene.

indantrènico a. (*chim.*) indanthrene (attr.): **colori indantrenici**, indanthrene dyes.

a b c d e f g h i j k l m n o p q r s t u v w x y z

indantróne m. (*chim.*) indanthrone.

indàrno avv. (*lett.*) in vain; to no avail.

indebitaménte avv. (*in modo non dovuto*) unduly; (*ingiustamente*) wrongfully ● **appropriarsi i. di qc.**, to misappropriate st.; to embezzle st.

indebitaménto m. (*l'indebitarsi*) getting into debt, running up debts, borrowing; (*l'essere indebitato*) indebtedness; (*debito*) debt: **i. con l'estero**, borrowing abroad; external debt; (*comm.*) **i. d'impresa**, gearing; leverage (*USA*); **i. statale**, state borrowing; national debt.

indebitàre A v. t. to get* into debt B **indebitàrsi** v. rifl. to run* (*o* to get*) into debt; to run* up debts: **indebitarsi fino al collo**, to get up to one's neck in debts.

indebitàto a. in debt: **i. con q.**, to be in sb.'s debt; **i. fin sopra i capelli**, up to one's ears in debt; **fortemente i. con le banche**, heavily in debt (*o* in serious debt) with the banks.

indébito A a. **1** (*non dovuto*) undue: **pagamento i.**, undue payment **2** (*ingiusto*) unjust; (*immeritato*) undeserved: **accusa indebita**, unjust (*o* undeserved) accusation **3** (*illecito*) illicit; illegal: (*leg.*) **appropriazione indebita**, misappropriation; embezzlement; **guadagni indebiti**, illicit earnings B m. undue service; undue payment.

indeboliménto m. **1** weakening; enfeeblement; (*allentamento*) relaxation, lessening, reduction, slackening: **un i. della tensione**, a lessening of the tension; **un i. della volontà**, a weakening of the will; **i. organico**, organic enfeeblement; *Ho avuto un i. dell'udito*, my hearing has weakened **2** (*debolezza*) weakness; feebleness **3** (*ling.*) weakening **4** (*fotogr.*) reduction.

indebolìre A v. t. **1** (*rendere debole, debilitare*) to weaken; to enfeeble; to debilitate: **i. il governo**, to weaken the government; **i. la vista**, to weaken sb.'s eyesight; *La malattia l'ha indebolito*, his illness has weakened him; he has been debilitated by his long illness **2** (*minare*) to undermine; to sap; to impair: **i. l'autorità di q.**, to undermine sb.'s authority **3** (*rilassare*) to relax; to soften: **i. la disciplina**, to relax discipline **4** (*ridurre*) to weaken; to reduce; to soften **5** (*fotogr.*) to reduce B **indebolìrsi** v. pron. **1** (*diventare debole*) to weaken; to get* weak; to flag **2** (*diminuire, ridursi*) to diminish; (*di vista, udito, memoria*) to fail; (*di luce, suono*) to grow* faint, to fade; (*di vento*) to drop; (*di sentimento*) to dwindle, to wane, to die down.

indecènte a. **1** (*contrario alla morale*) indecent; (*osceno*) obscene: **abito i.**, indecent dress; **barzelletta i.**, dirty (*o* obscene) joke; **foto indecenti**, obscene photos; **proposta i.**, indecent suggestion **2** (*scandaloso, vergognoso*) disgraceful; shocking; outrageous: **ritardo i.**, shocking delay; *Il servizio è i.*, the service is disgraceful (*o* is a disgrace) **3** (*disgustoso, sciatto*) indecent, untidy, shabby; (*sporco*) dirty, filthy.

indecènza f. **1** indecency; (*oscenità*) obscenity; (al pl.) (*parole, cose indecenti*) filth ⓤ, smut ⓤ **2** (*vergogna*) disgrace; shame: *È una vera i.!*, it's disgraceful! **3** (*sporcizia*) filth; (*disordine*) mess.

indecidìbile a. (*anche logica*) undecidable.

indecifràbile a. **1** indecipherable; (*illeggibile*) illegible **2** (*incomprensibile*) incomprehensible; (*di persona, espressione*) inscrutable.

indecisióne f. **1** (*irresolutezza*) indecision; indecisiveness; wavering **2** (*esitazione*) indecision; hesitation; uncertainty: **un attimo d'i.**, a moment's indecision (*o* hesitation).

indecìso a. **1** (*irresoluto*) indecisive; irres-

olute; wavering **2** (*titubante, esitante*) hesitant; undecided, irresolute; unsure; in two minds (pred.): **essere i.**, to be hesitant; to hesitate; *Sono i. se andare o no*, I am uncertain (*o* in two minds) whether to go or not; **i. sul da farsi**, undecided as to what to do; **elettori indecisi**, undecided (*o* uncommitted) voters **3** (*non deciso*) undecided; unresolved; unsettled: **questione indecisa**, unresolved issue; **tempo i.**, unsettled weather **4** (*impreciso, sfumato*) indefinite; undetermined; undefined: **colore i.**, indefinite colour.

indeclinàbile a. **1** (*gramm.*) indeclinable **2** (*lett.*) unavoidable: **obbligo i.**, unavoidabe duty.

indeclinabilità f. (*gramm.*) indeclinableness.

indecomponìbile a. (*chim.*) indecomposable.

indecompósto a. (*chim.*) indecomposed.

indecoróso a. indecorous; unseemly; undignified.

indeducìbile a. non-deductible.

indeducibilità f. non-deductibility.

indefèsso a. tireless; indefatigable; untiring; unflagging: **lavoratore i.**, tireless (*o* indefatigable) worker; **studio i.**, untiring study.

indefettìbile a. (*lett.*) indefectible; unfailing.

indefettibilità f. (*lett.*) indefectibility.

indefinìbile a. indefinable; undefinable; (*indescrivibile*) indescribable: **un'impressione i.**, an indefinable sensation.

indefinibilità f. indefinability.

indefinitézza f. indefiniteness.

indefinìto A a. **1** indefinite (*anche gramm.*); indeterminate; vague: **pronome i.**, indefinite pronoun; **sensazione indefinita**, vague sensation **2** (*non risolto*) undefined; unresolved ● **rimandare a tempo i.**, to put off indefinitely B m. indefiniteness.

indeformàbile a. non-deformable; crush-proof (attr.); (*irrestringibile*) unshrinkable.

indeformabilità f. non-deformability.

indegnità f. **1** unworthiness **2** (*atto indegno*) unworthy action; disgrace.

indégno a. **1** (*immeritevole*) unworthy; undeserving: *Sono i. di tutto ciò*, I am unworthy of all this **2** (*che non si addice*) unworthy: *È i. di lui*, it is unworthy of him **3** (*vergognoso*) disgraceful, shameful, disgusting; (*spregevole*) worthless, contemptible, beneath contempt, despicable: *È riuscito grazie a un trucco i.*, he succeeded thanks to a disgusting trick; *È una cosa indegna!*, it's disgusting!; it's disgraceful!; it's a disgrace!; **un individuo i.**, a contemptible (*o* despicable) individual **4** (*leg.*) disqualified; debarred: **i. a succedere**, disqualified from succession.

indeiscènte a. (*bot.*) indehiscent.

indeiscènza f. (*bot.*) indehiscence.

indelèbile a. (*anche fig.*) indelible: **inchiostro i.**, indelible ink; **ricordo i.**, indelible memory.

indelicatézza f. **1** (*mancanza di tatto*) indelicacy; indiscretion; tactlessness **2** (*scorrettezza*) impropriety **3** (*azione indelicata*) tactless act; (*parole indelicate*) tactless remark; (*azione scorretta*) impropriety, breach of propriety; *È stata un'i. da parte sua*, it was tactless of him.

indelicàto a. **1** (*privo di tatto*) indelicate; indiscreet; tactless: **domanda indelicata**, indelicate (*o* indiscreet) question; **osservazione indelicata**, tactless remark **2** (*scorretto*) improper.

indemagliàbile a. ladder-proof.

indemaniàre v. t. (*leg.*) to incorporate

into state property.

indemoniàto A a. **1** possessed **2** (*fig.*: *furibondo*) furious; mad (*fam.*) **3** (*molto vivace*) wild B m. (f. *-a*) **1** person possessed **2** (*fig.*) maniac; one possessed: **gridare come un i.**, to shout like one possessed **3** (*persona molto vivace*) live wire; (*bambino*) little terror.

indènne a. **1** (*non ferito*) uninjured; unhurt; unharmed; unscathed **2** (*non danneggiato*) undamaged; intact; whole **3** (*non in fetto*) immune; (*di latte, ecc.*) attested, certified.

◆**indennità** f. **1** (*rimborso spese*) allowance; expenses (pl.): **i. di rappresentanza [di viaggio]**, entertainment [travel] allowance; **i. di missione [di trasferta]**, subsistence allowance (*o* money) **2** (*compenso*) payment, emoluments (pl.); (*gratifica*) benefit, bonus: **i. di accompagnamento**, mobility allowance; **i. di contingenza**, cost-of-living allowance; **i. di disoccupazione**, unemployment benefit; **i. di licenziamento**, severance pay; redundancy payment; **i. di liquidazione** (*o* di fine rapporto), severance pay; (*per pensionamento*) retirement bonus; **i. di malattia**, sickness benefit; **i. integrativa** (*della retribuzione*), compensating payment; **i. parlamentare**, emoluments (pl.) of a member of parliament **3** (*risarcimento*) compensation; (*ass.*; *leg.*) indemnity: **i. di guerra**, war compensation; **i. per invalidità permanente**, compensation for permanent disability.

indennitàrio a. compensatory.

indennizzàbile a. refundable, repayable.

indennizzàre v. t. (*risarcire*) to indemnify (sb. for st.); to compensate (sb. for st.) ● **farsi i.**, to get compensation.

indennìzzo m. **1** (*risarcimento*) indemnification; compensation; (*per danni*) damages (pl.): **i. per infortunio sul lavoro**, workers' compensation; **avere diritto a un i.**, to be entitled to compensation; **chiedere un i.**, to claim compensation; to claim for damages; **ottenere un i.**, to get compensation; to recover damages; **domanda d'i.**, claim for damages; **seimila sterline di i.**, £6,000 for damages **2** (*rimborso*) recoupment; reimbursement.

indentàre v. i. (*mecc.*) to engage; to mesh.

indentazióne f. (*geol.*) indentation.

indèntro A avv. in: **all'i.**, inwards; **spingere i.**, to push in; **più i.**, further in; **sempre più i.**, deeper and deeper; further and further in B a. inv. – **occhi i.**, deep-set eyes; **camminare con i piedi i.**, to turn in one's toes.

inderogàbile a. unbreakable; binding; inviolable; (*di scadenza*) final; (*leg.*) imperative, mandatory: **clausola i.**, imperative (*o* binding) clause; **impegno i.**, binding commitment; **norma i.**, binding (*o* mandatory) rule; **scadenza i.**, final deadline.

inderogabilità f. unbreakability.

inderogabilménte avv. without fail.

indescrivìbile a. indescribable; beyond description.

indesideràbile a. undesirable; unwelcome ● **persona i.**, persona non grata (*lat.*).

indesiderabilità f. undesirability.

indesideràto a. unwelcome; undesired.

indeterminàbile a. indeterminable.

indeterminabilità f. indeterminableness.

indeterminatézza f. **1** indeterminateness; vagueness **2** (*indecisione*) indecision; uncertainty.

indeterminatìvo a. (*gramm.*) indefinite.

indeterminàto a. **1** (*indefinito*) indeterminate; indefinite: **a tempo i.**, indefinite (agg.); indefinitely (avv.); **rinvio a tempo i.**,

indefinite postponement **2** (*vago, impreciso*) indefinite; undetermined; uncertain; vague **3** (*mat.*) indeterminate.

indeterminazióne f. **1** indetermination; vagueness **2** (*indecisione*) indecision; uncertainty; (*irresolutezza*) indecisiveness ● (*fis.*) **principio di i.**, uncertainty (*o* indeterminacy) principle.

indeterminismo m. (*filos.*) indeterminism.

indeterministico a. (*filos.*) indeterministic.

indetonànte a. (*chim.*) antiknock.

indetraìbile a. non-deductible.

indetraibilità f. non-deductibility.

indeuropèo → indoeuropeo.

ìndi avv. (*lett.*) **1** (*di tempo*) then; afterwards **2** (*di luogo*) thence.

ìndia f. → **indio**①.

Ìndia f. (*geogr.*) India ● **le Indie Occidentali**, the West Indies.

indiàna f. (*tessuto*) printed calico.

indianìsta m. e f. Indianist; Indologist.

indianìstica f. Indian studies (pl.); Indology.

♦**indiàno** a. e m. (f. **-a**) **1** (*d'Asia*) Indian **2** (*d'America*) Native American; (American) Indian; Amerindian ● **in fila indiana**, in single file; in Indian file □ (*fig. fam.*) **fare l'i.**, to pretend not to know; to turn a deaf ear □ **giocare agli indiani e cowboys**, to play at being cowboys and Indians.

indiavolàre 🅐 v. i. – **far indiavolare**, to drive mad; to drive round the bend (*fam.*); (*di bambino, anche*) to be a handful 🅑 **indiavolàrsi** v. i. pron. to get* furious; to get* mad; to fly* into a rage.

indiavolàto a. **1** possessed **2** (*frenetico*) wild; frenzied; frantic: **fretta indiavolata**, frantic (*o* tearing) hurry; **ragazzino i.**, wild little boy; **ritmo i.**, frenzied rhythm **3** (*eccessivo, violento*) terrible; dreadful; furious: **un chiasso i.**, a terrible din; a devil of a racket (*fam.*).

♦**indicàre** v. t. **1** (*con l'indice, per fare notare*) to point to (*o* at), to indicate; (*per individuare*) to point out: *Indicai il fumo all'orizzonte*, I pointed to the smoke on the horizon; *Mi indicò l'uomo che cercavo*, she pointed out the man I was looking for **2** (*mostrare, dimostrare*) to show*, to indicate; (*significare*) to mean*; (*denotare*) to denote; (*suggerire come probabile*) to point to; (*essere segno, sintomo di*) to indicate, to be indicative of; (*accennare*) to hint at, to suggest: **i. la strada a q.**, to show sb. the way; to direct sb.; *La banderuola indica la direzione del vento*, the weather-vane shows the direction of the wind; *Questo indica che il ladro è passato di qui*, this shows the thief went this way; *Il verde indica via libera*, a green light means you may proceed; *Tutto indica lui come l'assassino*, everything points to him as the murderer; **parole che indicano il suo disprezzo**, words that show (*o* that are indicative of) his contempt **3** (*con cartello indicatore*) to signpost; (*con un segno*) to mark; (*di strumento*) to indicate, to show: *La strada di Siena è indicata chiaramente*, the Siena road is well signposted; *Una croce indicava il punto esatto*, an X marked the exact place; *La bussola indica il Nord*, a compass shows the north **4** (*dire, dichiarare, dare*) to indicate, to state; (*scrivere, segnare*) to write* down, to mark; (*un prezzo*) to quote, to name; (*segnarlo*) to mark: *Indicate la vostra preferenza*, indicate your preference; **i. il proprio indirizzo**, to write down one's address; *Indicò le linee generali del progetto*, he outlined his plan **5** (*fig.: illustrare, sottolineare*) to point out: *Indicai le difficoltà che ci aspettavano*, I pointed out the difficulties

that awaited us **6** (*consigliare*) to recommend, to advise; (*prescrivere*) to prescribe: *Mi sai i. un buon parrucchiere?*, can you recommend a good hairdresser?; **i. una cura**, to prescribe a treatment.

indicativaménte avv. approximately; as an indication.

indicativo 🅐 a. **1** (*che mostra qc.*) indicative (of); (*rappresentativo*) representative (of); (*significativo*) indicative, revealing, telling **2** (*approssimato*) approximate: **costo i.**, approximate cost; **a titolo puramente i.**, purely as an indication **3** (*gramm.*) indicative 🅑 m. **1** (*gramm.*) indicative **2** (*comput.*) identifier **3** (*telef.*) routing indicator; (*prefisso*) dialling code (**GB**), area code (**USA**).

indicàto a. **1** (*additato*) pointed out; (*mostrato*) shown; (*segnato*) marked **2** (*adatto*) suitable, indicated; (*giusto*) right; (*consigliabile*) advisable: **la persona più indicata**, the most suitable (*o* best) person; **programmi indicati per i bambini**, programmes suitable for children; **un vino i. per carni e arrosti**, a wine that goes well with meat and roasts.

indicatóre 🅐 m. **1** (*tecn.*) indicator; gauge: **i. del carburante**, fuel indicator; **i. di carica**, charge indicator; (*autom.*) **i. di direzione**, indicator; turn signal (**USA**); **i. di livello**, level gauge; **i. di pressione**, pressure gauge; (*autom.*) **i. di velocità**, speed indicator; speedometer; **i. ottico**, optical indicator **2** (*segnale*) marker; (*cartello*) sign: **i. di confine**, boundary marker; **i. stradale**, signpost; road sign; (*a un bivio*) fingerpost **3** (*guida, prontuario*) directory: **i. commerciale**, commercial directory **4** (*econ.*) indicator **5** (*chim.*) indicator **6** (*fis. nucl.*) tracer 🅑 a. indicative; indicating (attr.): **ago i.**, indicating needle; *Il suo comportamento è i. di disagio*, his behaviour is indicative of his uneasiness; **cartello i.**, traffic sign; road sign; direction board; **freccia indicatrice**, arrow.

indicatrice f. (*miner.*) indicatrix*.

♦**indicazióne** f. **1** (*segno*) indication; sign; mark: **i. di provenienza**, mark of origin; **indicazioni stradali**, (*cartelli*) road signs; (*per terra*) road markings **2** (*istruzione, spiegazione*) direction, instruction, (al pl.: *linee guida*) guidelines; (*descrizione*) description; (*informazione*) information Ⓤ; (*rimando*) reference: **i. di pagina**, page reference; **indicazioni per l'uso**, directions for use; *Ci hanno dato indicazioni sbagliate*, they gave us wrong directions; they misdirected us **3** (*consiglio*) recommendation, advice Ⓤ; (*suggerimento*) suggestion, tip, lead **4** (*med.*) indication: *Che indicazioni ha questa medicina?*, what is this medicine indicated for? **5** (*di strumento*) reading: **l'i. della bilancia**, the reading on the scales ● **i. della data**, date stamping □ **i. del prezzo**, price tag □ (*mus.*) **i. del tempo**, (time) signature.

ìndice 🅐 m. **1** (*anche* **dito i.**) forefinger; index (finger): **alzare l'i.**, (*per farsi notare*) to lift a finger; **stringere qc. tra pollice e i.**, to hold st. between forefinger and thumb **2** (*lancetta*) indicator; pointer; needle; hand: **i. mobile**, cursor **3** (*fig.: indizio*) indication; sign: *Questa reazione è i. di una tensione crescente*, this reaction is indicative of a growing tension **4** (*di libro, ecc.: dei capitoli*) (table of) contents; (*di altre parti*) index*: **i. analitico**, index; **dotare di un i. analitico**, to index; **i. delle cartine**, index of maps; **i. dei nomi**, index of names; **i. per materie**, subject index **5** (*mat., fis.*) index*: **i. di rifrazione**, index of refraction; refractive index **6** (*econ., stat.*) index*; rating; (*tasso*) rate: **i. azionario**, share index; (*radio, TV*) **i. di ascolto**, ratings (pl.); **i. di Borsa**, Stock Exchange index; (*fin.*) broad-based index (*rappresentativo dell'intero mercato*); **i. compo-**

sito, composite index; **i. del costo della vita**, cost-of-living index; (*radio, TV*) **i. di gradimento**, popularity rating; **i. di mortalità**, index of mortality; mortality (*o* death) rate; **i. di natalità**, birth rate; **i. dei prezzi al consumo**, consumer price index; **i. di produttività**, productivity index **7** (*eccles., anche* **i. dei libri proibiti**) Index: **all'i.**, on the Index ● (*fig.*) **mettere all'i.**, to ban □ (*anche fig.*) **mettere l'i. su q.**, to point out st. 🅑 a. index; indicative: **dito i.** → **A**, *def. 1*; (*stat.*) **numero i.**, index number.

indicìbile a. inexpressible; unspeakable; (*indescrivibile*) indescribable.

indicizzàre v. t. (*econ.*) to index; to index-link: **i. i redditi**, to index-link incomes; to link incomes to the cost-of-living index.

indicizzàto a. **1** (*econ.*) index-linked; indexed **2** (*fin., di tasso*) floating; (*di mutuo*) floating-rate (attr.).

indicizzazióne f. (*econ.*) indexation; index-linking; indexing: **i. dei salari**, wage indexation.

indietreggiaménto m. withdrawal; retreat; flight.

♦**indietreggiàre** v. i. **1** (*farsi indietro*) to draw* back; to step back; (*per paura*) to back away (from), to back off (from), to shrink* back; (*rinculare*) to recoil; (*autom.*) to back: **i. di pochi passi**, to step back a little; to take* a few steps backwards **2** (*mil.: ripiegare*) to fall* back; (*ritirarsi*) to withdraw*.

♦**indiètro** 🅐 avv. **1** back; behind: **all'i.**, backwards; **cadere [camminare] all'i.**, to fall [to walk] backwards; **avanti e i.** → **avanti**; **guardare i.**, to look back; **mettere i. un orologio di un'ora**, to put a watch back one hour; **rimanere i.**, to fall (*o* to lag) behind; **tirarsi i.**, to draw back; (*fig.*) to back down, to back off; **tornare i.**, to go back; **tornare i. nel tempo**, to go back in time; **fare un passo i.**, to take a step back; (*fig.*) to go back a little; **più i.**, further back **2** (*in arretrato*) behind; behindhand: **essere i. col lavoro**, to be behind with one's work; **essere i. con i pagamenti**, to be behind (*o* in arrears) with one's payments; **rimanere i. con qc.**, to fall behind with st. **3** (*in restituzione*) back: **dare i.**, to give back; to return; **riportare i.**, to take back; **volere i. qc.**, to want st. back ● **i. di cottura**, undercooked □ (*fam., di persona*) **essere i.**, to be slow □ (*di orologio*) **essere (o rimanere) i. di 5 minuti**, to be 5 minutes slow; (*regolarmente*) to lose 5 minutes □ **fare marcia i.** → **marcia**① □ **lasciare i. qc.** (*omettere*), to leave st. out □ (*ricamo*) **punto i.**, backstitch 🅑 inter. **1** stand back: *I., fate largo!*, stand back, make room! **2** (*naut.*) **i. adagio**, low speed astern; **i. mezza**, half speed astern; **i. tutta**, full speed astern.

indifendìbile a. indefensible; (*insostenibile, anche*) untenable.

indiféso a. **1** undefended; unprotected **2** (*inerme*) defenceless; helpless **3** (*disarmato*) unarmed.

♦**indifferènte** 🅐 a. **1** indifferent; uninterested; (*insensibile*) cold, unfeeling, insensitive (to), unmoved (by); (*noncurante*) unconcerned: **essere i. a qc.**, to be indifferent to st.; to be uninterested in st.; **essere i. davanti alle sofferenze altrui**, to be unmoved by the suffering of others; *La notizia mi lasciò i.*, the news left me cold; *La cosa mi lascia i.*, I'm not interested; I don't care; **rimanere i.**, to be unmoved **2** (*che non ha importanza*) unimportant, immaterial; (*uguale*) (the) same: **parlare di cose indifferenti**, to speak of unimportant things (*o* of this and that); *Mi è i.*, (*di cosa*) it's all the same to me; (*di persona*) he doesn't mean anything to me, I feel nothing for him ● **non i.**, not inconsiderable; appreciable; substantial: **una som-**

a b c d e f g h i j k l m n o p q r s t u v w x y z

ma non i., a not inconsiderable sum; **una crescita non i.**, an appreciable growth B m. e f. apathetic person ● **fare l'i.**, to pretend not to care; to feign indifference.

indifferenteménte avv. (*senza fare distinzione*) indifferently; without distinction.

indifferentìsmo m. indifferentism.

♦**indifferènza** f. indifference; unconcern; (*freddezza*) coldness; (*insensibilità*) insensitivity; (*apatia*) apathy.

indifferenziàto a. undifferentiated.

indifferìbile a. that cannot be deferred (*o* put off); undelayable; (*di scadenza*) final.

indifferibilità f. the fact that st. cannot be put off.

indìgeno A a. native; indigenous; local B m. (f. -**a**) native.

indigènte A a. indigent; needy; poor; destitute; poverty-stricken B m. e f. poor person; needy person; indigent; destitute; pauper: **gli indigenti**, the poor; the needy.

indigènza f. indigence; poverty; penury; destitution: **ridotto all'i.**, reduced to indigence (*o* to poverty); **vivere nella più squallida i.**, to live in abject poverty.

indigerìbile a. 1 indigestible 2 (*fig.*: *noioso*) boring; tedious.

indigeribilità f. indigestibility.

indigestióne f. indigestion: **fare i. di qc.**, to get indigestion from st.; (*fig.*: *mangiarne molto*) to gorge oneself on st. ● (*fig.*) **fare un'i. di film**, to see lots of films; to go on a film spree (*fam.*).

indigèsto a. 1 (*di cibo*) indigestible; heavy: **cibi indigesti**, heavy food; *L'aglio mi è i.*, garlic doesn't agree with me 2 (*fig.*, *di persona*) unbearable, intolerable, irritating, tiresome; (*di cosa*) boring, tedious; (*difficile*) indigestible.

indignàre A v. t. to arouse the indignation of; to outrage B **indignàrsi** v. i. pron. to be indignant; to be outraged; (*adirarsi*) to get* angry; (*offendersi*) to take* offence.

indignàto a. indignant; outraged; (*irato*) angry; (*offeso*) offended.

indignazióne f. indignation; outrage; (*ira*) anger: **suscitare l'i. di q.**, to arouse sb.'s indignation; to outrage sb.; **suscitare vasta i.**, to arouse widespread indignation; to be an outrage.

indigòfera f. (*bot.*, *Indigofera*) indigo plant.

indigotìna f. (*chim.*) indigotin; indigo--blue.

indilatàbile a. non-dilatable; inexpansible.

indilazionàbile a. (*anche comm.*) that cannot be deferred (*o* put off); undelayable.

♦**indimenticàbile** a. unforgettable; memorable.

indimostràbile a. indemonstrable; unable to be demonstrated; unprovable.

indimostrabilità f. indemonstrability; unprovability.

indimostràto a. unproven; unproved; undemonstrated: **teorie indimostrate**, unproven theories.

ìndio ① a. e m. (f. -**a**) South-American Indian.

ìndio ② m. (*chim.*) indium.

♦**indipendènte** A a. 1 independent: (*polit.*) **candidato i.**, independent candidate; **carattere i.**, independent character; **giornale i.**, independent newspaper; *Stato i.*, independent state; **rendersi i.**, to make oneself independent; **i. dal punto di vista economico**, financially independent 2 (*senza connessione*) independent (of); unrelated (to); unconnected (to): **fatti indipendenti l'uno dall'altro** (*o tra loro indipendenti*), facts that are independent of one another;

unrelated facts ● (*gramm.*) **proposizione i.**, independent clause □ (*mat.*) **variabile i.**, independent variable B m. e f. (*polit.*) independent.

indipendenteménte avv. independently ● **i. da**, (*a prescindere da*) apart from; (*senza relazione con*) irrespective of; (*senza tener conto di*) regardless of.

indipendentìsmo m. (*polit.*) advocacy of national independence; independence movement.

indipendentìsta A m. e f. (*polit.*) supporter of national independence B a. → **indipendentìstico**.

indipendentìstico a. independence (attr.); of independence: **movimento i.**, independence movement.

♦**indipendènza** f. independence: **i. politica** [**economica**], political [economic] independence; **lottare per l'i.**, to fight for independence; **dichiarazione d'i.**, declaration of independence; **guerra d'i.**, war of independence.

indìre v. t. (*convocare*) to call; (*annunciare*) to announce; (*proclamare*) to proclaim: **i. un concorso**, to announce a competition; **i. una conferenza stampa**, to call a press conference; **i. una crociata**, to proclaim a crusade; **i. le elezioni**, to call a general election; **i. un referendum**, to hold a referendum; **i. una riunione**, to call a meeting; **i. uno sciopero**, to call a strike.

indirètto a. 1 indirect; roundabout; oblique; circuitous; (*evasivo*) evasive, oblique: **elezione indiretta**, indirect election; **luce indiretta**, indirect light; (*leg.*) **prova indiretta**, circumstantial evidence; **risposta indiretta**, indirect answer; evasive answer; (*fisc.*) **tassazione indiretta**, indirect taxation; (*mil.*) **tiro i.**, indirect fire; using indirect lan**guaggio i.**, to use indirect (*o* roundabout) language; **in modo i.**, indirectly; in a roundabout way; circuitously; evasively; **per vie indirette**, indirectly 2 (*ling.*) indirect: **complemento i.**, indirect object; **discorso i.**, indirect (*o* reported) speech; **domanda indiretta**, indirect question.

indirizzàre A v. t. 1 (*corrispondenza*) to address: **i. una lettera a q.**, to address a letter to sb.; **busta indirizzata e affrancata**, stamped addressed envelope; *A chi devo i. il pacco?*, whose address do I send the parcel to? 2 (*rivolgere*) to direct; to address; to turn: **i. i propri sforzi verso qc.**, to direct one's efforts towards st.; *La sua osservazione era indirizzata a me*, his remark was meant for me 3 (*mandare*) to send*; to direct; to refer: *Lo indirizzai al direttore del personale*, I sent him to the staff manager; *M'indirizzarono all'ufficio informazioni*, I was referred to the Enquiry Office 4 (*guidare*) to guide; to direct 5 (*avviare*, *instradare*) to start (sb.) off (on st.); to encourage (sb. to take up st.); to make (sb.) study (st.); to have (sb.) educated (as); to have (sb.) trained (as): *Il padre lo indirizzò all'avvocatura*, his father made him study law B **indirizzàrsi** v. rifl. 1 (*dirigersi*) to direct one's steps (towards); to make* one's way (towards) 2 (*rivolgere la parola*) to address (sb.); (*domandare*) to ask (sb.) 3 (*rivolgersi*) to turn (to); (*scrivendo*) to apply (to), to write (sb.): *A chi dovrei indirizzarmi per informazioni?*, to whom should I apply (*fam.* who should I apply to) for information?

indirizzàrio m. mailing list; (*rubrica*) address book.

indirizzatrìce f. addressing machine.

♦**indirìzzo** m. 1 (*postale*) address: **i. del destinatario** [**del mittente**], recipient's [sender's] address; destination [return] address; **i. di comodo**, convenience address; **i. di posta elettronica**, e-mail address; **i. di**

ufficio, business address; **i. privato**, home address; **lettera senza i.**, unaddressed letter 2 (*direzione*, *piega*) direction, turn; (*corso*) course, line; (*tendenza*) trend; (*linea politica*) policy: **i. di governo**, government's policy; **i. di studi**, course of study; **i. economico**, economic policy; **mutare i.**, to follow a new course; to change tack 3 (*messaggio o discorso ufficiale*) address; speech ● **all'i. di**, towards; (*contro*) at; against: **gridare insulti all'i. dell'oratore**, to shout abuse at the speaker; *Quella frase era detta al tuo i.*, that remark was aimed at you (*o* was meant for you) □ **scuola a i. professionale**, vocational school; (*a livello parauniversitario*) technical college □ **scuola secondaria a i. scientifico**, science-oriented secondary school.

indiscernìbile a. (*lett.*) indiscernible; indistinguishable; imperceptible.

indisciplìna f. indiscipline; lack of discipline; (*comportamento indisciplinato*) unruliness ● **atto d'i.**, breach of discipline; act of insubordination.

indisciplinàbile a. 1 (*caotico*) unmanageable; uncontrollable 2 (*ribelle*) rebellious.

indisciplinatézza f. unruliness; indiscipline.

indisciplinàto a. 1 undisciplined; unruly; insubordinate; rebellious 2 (*disordinato*) disorderly; undisciplined.

indiscréto a. 1 (*indelicato*, *privo di tatto*) indiscreet; impertinent; (*invadente*) intrusive, interfering, meddlesome: **domanda indiscreta**, indiscreet (*o* impertinent) question; *Se non sono i. ...*, if it isn't too impertinent of me...; *Non vorrei essere i., ma...*, I hope I'm not interfering, but...; stop me if I'm interfering, but... 2 (*curioso*) inquisitive; prying: **vicini indiscreti**, prying neighbours; **lontano da sguardi indiscreti**, far from prying eyes ❶ **FALSI AMICI** ● indiscreto *nel senso di curioso non si traduce con* indiscreet.

indiscrezióne f. 1 (*indelicatezza*, *mancanza di tatto*) indiscretion; impertinence; (*invadenza*) intrusiveness, interference 2 (*curiosità*) inquisitiveness, prying 3 (*atto indiscreto*) indiscretion: **commettere un'i.**, to be guilty of indiscretion 4 (*pettegolezzo*) gossip Ⓤ; (*notizia non confermata*) unconfirmed report, leak: *Si tratta solo di indiscrezioni*, it's only an unconfirmed report; **indiscrezioni raccolte dalla stampa**, information leaked to the press; *Secondo alcune indiscrezioni...*, according to well-informed sources... ❶ **FALSI AMICI** ● indiscrezione *nei sensi di curiosità e di pettegolezzo non si traduce con* indiscretion.

indiscriminàto a. indiscriminate; wholesale: **distruzione indiscriminata**, wholesale destruction; **massacro i.**, indiscriminate (*o* wholesale) slaughter.

indiscùsso a. 1 not discussed; not debated 2 (*indubitabile*) undisputed; beyond dispute; unquestioned: **superiorità indiscussa**, undisputed superiority.

indiscutìbile a. indisputable; unquestionable; undeniable; irrefutable.

indiscutibilità f. indisputability; unquestionableness.

indiscutibilménte avv. indisputably; without dispute.

♦**indispensàbile** A a. indispensable; essential; necessary; crucial: *La tua presenza è i.*, your presence is essential; *È i. che...*, it is essential that...; **credersi i.**, to believe oneself indispensable; **rendersi i.**, to make oneself indispensable; **requisito i.**, essential requirement; prerequisite B m. what is necessary: **lo stretto i.**, what is strictly necessary; the bare essentials (pl.).

indispensabilità f. indispensability; indispensableness.

indispettire 🅐 v. t. to irritate; to annoy; to vex 🅑 **indispettirsi** v. i. pron. to be irritated; to get* annoyed.

indispettito a. irritated; annoyed; vexed; piqued; nettled; in a huff (*fam.*).

indisponènte a. irritating; annoying; off-putting; surly; uncooperative.

indisponìbile 🅐 a. **1** (*di cosa*) unavailable **2** (*di persona*) unwilling (to do st.): *È i. per una collaborazione*, she declined to collaborate; she doesn't intend to collaborate **3** (*leg., di bene*) that cannot be disposed of: **quota i.**, portion of estate that a testator cannot dispose of freely; (*in Scozia*) legitim 🅑 f. (*leg.*) → **quota i.**, *sotto* **A**, *def. 3*.

indisponibilità f. **1** (*di cosa*) unavailability **2** (*di persona*) unwillingness **3** (*leg., di un bene*) impossibility to dispose of.

indispórre v. t. to irritate; to annoy; to antagonize; to put* off.

indisposizióne f. indisposition; ailment: **lieve i.**, mild indisposition; slight ailment.

indispósto a. unwell; indisposed; out of sorts (pred.).

indisputàbile a. indisputable; incontestable; undeniable.

indisputàto a. (*lett.*) undisputed; unquestioned; uncontested.

indissociàbile a. inseparable; indivisible; indissociable.

indissolùbile a. indissoluble.

indissolubilità f. indissolubility.

indistinguìbile a. indistinguishable.

indistintaménte avv. **1** (*senza fare distinzioni*) without distinction; indiscriminately **2** (*in modo confuso*) indistinctly; vaguely.

indistìnto a. **1** (*indifferenziato*) indistinct **2** (*vago, confuso*) indistinct; vague; blurred: **contorni indistinti**, blurred outlines; **ricordo i.**, vague memory.

indistruttìbile a. **1** indestructible: **materiale i.**, indestructible material **2** (*fig.*) imperishable; unalterable; enduring; undying; indelible: **amicizia i.**, enduring friendship.

indistruttibilità f. indestructibility; imperishability; imperishableness.

indisturbàto a. undisturbed; unmolested; **Continuò a lavorare i.**, he got on with his job undisturbed.

indìvia f. (*bot., Cichorium endivia*) endive ● **i. belga**, Belgian endive.

individuàbile a. identifiable; distinguishable: **facilmente i.**, easily identified; easily spotted.

◆**individuàle** a. **1** (*del singolo*) individual; (*personale*) personal: **bisogni individuali**, individual needs; personal needs; **caratteristiche individuali**, individual features; (*sport*) **gara i.**, individual event; **interesse i.**, personal interest **2** (*particolare, originale*) individual; original: **interpretazione i.**, individual interpretation; **stile i.**, individual style.

individualìsmo m. individualism.

individualìsta a. e m. f. individualist.

individualìstico a. individualistic.

individualità f. **1** individuality **2** (*personaggio*) personality.

individualizzàre v. t. **1** (*assol.*) to look at things individually; to particularize **2** to individualize; to personalize.

individualizzazióne f. individualization; personalization.

individualménte avv. **1** individually **2** (*uno per uno*) one by one; one at a time; singly; separately.

◆**individuàre** 🅐 v. t. **1** (*caratterizzare*) to individualize; to characterize **2** (*localizzare*) to locate; to spot **3** (*distinguere*) to single out;

to pick out **4** (*scoprire, identificare*) to identify; to detect; to pinpoint 🅑 **individuàrsi** v. i. pron. to be characterized; to become* distinct.

individuazióne f. **1** (*caratterizzazione*) individualization **2** (*localizzazione*) location; spotting **3** (*riconoscimento*) individuation; detection; spotting; pinpointing.

◆**indivìduo** m. **1** (*persona*) individual; type (*fam.*) **2** (*uomo*) man*; fellow; guy (*USA*); individual (*fam.*): **uno strano i.**, a strange man (*o* individual); *Chi è quell'i.?*, who is that fellow (*USA* guy)? **3** (*biol.*) individual.

indivisìbile a. **1** indivisible: (*leg.*) **cosa i.**, indivisible property **2** (*inseparabile*) inseparable: **amici indivisibili**, inseparable friends **3** (*comm., di articoli*) not to be sold separately.

indivisibilità f. indivisibility.

indivìso a. undivided: **quote indivise**, undivided shares; (*leg.*) **proprietà indivisa**, ownership in common.

indiziàre v. t. to throw* suspicion on.

indiziàrio a. (*leg.*) circumstantial: **processo i.**, trial based on circumstantial evidence; **prova indiziaria**, circumstantial evidence Ⓤ.

indiziàto (*leg.*) 🅐 a. suspected 🅑 m. (f. -*a*) suspect.

◆**indìzio** m. **1** sign; (*sintomo*) symptom; (*indicazione*) indication: **un i. di miglioramento**, a sign of improvement; **un i. di quel che ci aspetta**, an indication of what is in store for us **2** (*traccia per scoprire qc.*) clue: *Quell'i. portò all'arresto di tutta la banda*, that clue led to the arrest of the whole gang; *Non posso risponderti, ma ti darò qualche i.*, I can't answer that, but I'll give you a few clues; **non lasciare nessun i.**, to leave no clues **3** (*leg.*) (circumstantial) evidence Ⓤ: *Esistono gravi indizi contro di lui*, there is serious circumstantial evidence against him; **valutare gli indizi**, to weigh the evidence.

indizionàle a. (*stor.*) indictional.

indizióne f. **1** calling; summoning: **l'i. delle elezioni**, the calling of the election **2** (*stor.*) indiction.

Ìndo m. (*geogr.*) (the) Indus.

indoàrio a. e m. Indo-Aryan.

indòcile a. unruly; recalcitrant; rebellious; untamed.

indocilire 🅐 v. t. to render docile; to tame; to discipline 🅑 **indocilirsi** v. i. pron. to become* docile.

indocilità f. unruliness; rebelliousness.

Indocìna f. (*geogr.*) Indo-China.

indocinése a., m. e f. Indo-Chinese: **gli Indocinesi**, the Indo-Chinese.

indoeuropeìsta m. e f. student of Indo-European.

indoeuropèo 🅐 a. Indo-European 🅑 m. **1** (*famiglia di lingue europee e asiatiche*) Indo-European **2** (*supposta lingua archetipica indoeuropea*) Indo-European, Proto-Indo-European.

indogermànico a. e m. Indo-Germanic.

indoirànico a. e m. Indo-Iranian.

indolcìre 🅐 v. t. to sweeten 🅑 v. i. e **indolcìrsi** v. i. pron. to sweeten; to become* sweet (*o* sweeter).

indóle f. nature; disposition; character: **l'i. degli italiani**, the Italian character; **d'i. buona**, good-natured; **d'i. cattiva**, ill-natured; **d'i. violenta**, naturally violent; **essere di i. romantica**, to have a romantic nature; to be romantic (by nature); **pigro per i.**, lazy by nature; **contrario all'i. degli inglesi** [**degli americani, ecc.**], un-English [un-American, etc.]; **considerazioni d'i. generale**, observations of a general nature.

indolènte 🅐 a. indolent; lazy; sluggish;

(*apatico*) apathetic 🅑 m. e f. slouch; sluggard.

indolènza f. indolence; laziness; sluggishness; (*apatia*) apathy.

indolenziménto m. **1** (*dolore*) soreness; ache **2** (*intorpidimento*) stiffness; numbness ● **Ho un i. a un braccio**, my arm aches; my arm is stiff.

indolenzire 🅐 v. t. **1** to make* sore **2** (*intorpidire*) to stiffen; to benumb 🅑 v. i. e **indolenzirsi** v. i. pron. to stiffen; to be become* numb.

indolenzìto a. **1** (*dolente*) aching; sore **2** (*intorpidito*) stiff; numb.

indòlo m. (*chim.*) indole.

indolóre a. (*anche fig.*) painless: **parto i.**, painless childbirth; **in modo i.**, painlessly.

indomàbile a. **1** untamable **2** (*fig.*) indomitable.

◆**indomàni** m. (the) following day; (the) next day; (the) day after: **l'i. di buon'ora**, early the next day; **all'i. della riunione**, (on) the day after the meeting; **rimandare qc. all'i.**, to put st. off until the next day.

indomàto a. (*lett.*) untamed; wild.

indòmito a. (*lett.*) indomitable: **coraggio i.**, indomitable courage.

indonesiàno a. e m. (f. -*a*) Indonesian.

indoraménto m. gilding.

indoràre 🅐 v. t. **1** to gild **2** (*fig.*) to turn golden; to touch with gold; to gild **3** (*cucina*) to dip in egg ● (*fig.*) **i. la pillola**, to gild the pill 🅑 **indoràrsi** v. i. pron. to take* on a golden hue.

indoratóre m. (f. -*trìce*) gilder.

indoratùra f. gilding; (*doratura*) gild.

indorsàre v. t. (*legatoria*) to round.

indorsatùra f. (*legatoria*) rounding; (*dorso*) round spine.

◆**indossàre** v. t. **1** (*avere indosso*) to wear*; to have on **2** (*mettersi*) to put* on; to don **3** (*di indossatrice*) to model.

indossatóre m. **1** (male) model **2** (*mobile*) valet.

indossatrìce f. model: **i. volante**, free-lance model; **fare l'i.**, to model.

indòsso avv. on: **avere i.**, to have on; to wear*; *Aveva i. un cappotto*, he was wearing a coat; **mettere** (*o* **mettersi**) **i.**, to put on; **senza niente i.**, with nothing on.

Indostan m. (*geogr.*) Hindustan.

indostàno a. e m. **1** Hindustani **2** → **indiano**.

indótto ① a. (*lett.*) illiterate; unlettered.

indótto ② 🅐 a. **1** (*spinto*) induced, driven; (*causato*) caused **2** (*econ., elettr.*) induced: **consumi indotti**, induced consumption; **magnetismo i.**, induced magnetism 🅑 m. **1** (*elettr.*) armature; rotor: **corpo dell'i.**, armature spider; **montare un i.**, to armature **2** (*econ.*) allied activities (*o* industries) (pl.); ancillary industries (pl.): **l'i. dell'auto**, (the) industries allied to car manufacturing.

indottrinaménto m. indoctrination; (*fig.*) brainwashing.

indottrinàre v. t. to indoctrinate; (*fig.*) to brainwash.

indovinàbile a. guessable; predictable; foreseeable.

◆**indovinàre** v. t. **1** to guess; (*con arte divinatoria*) to divine; (*prevedere*) to foresee*: *Indovina chi ho visto!*, guess who I saw!; *Indovina un po'!*, guess what! **2** (*azzeccare*) to guess (right); to get* it; to hit* the mark; (*scegliere bene*) to choose well: **i. qc. alla prima**, to guess st. straight off; *Indovinato!*, got it! ● (*fig., iron.*) **indovinarla**, to hit on the right idea; to have a brilliant idea □ **Chi l'indovina è bravo**, it's anybody's guess □ **Non ne indovina mai una**, he never does anything right; everything he does goes wrong

a b c d e f g h i j k l m n o p q r s t u v w x y z

□ **tirare a i.**, to guess; to venture (*o* to hazard) a guess.

indovináto a. (*ben scelto*) well-chosen; (*ben fatto*) well-conceived, well-devised; (*riuscito*) successful.

♦**indovinèllo** m. (*anche fig.*) riddle; puzzle; (*enigma*) enigma: **risolvere un i.**, to solve a riddle; **parlare per indovinelli**, to speak in riddles; *Quell'uomo è un i.*, that man is an enigma.

indovíno Ⓐ a. prophetic Ⓑ m. (f. **-a**) fortune-teller; diviner; crystal-gazer; soothsayer (*stor.*) ● **Non sono mica un i.!**, I'm not a clairvoyant!, I haven't got a crystal ball!

indù a., m. e f. Hindu: **gli i.**, the Hindus.

indubbiaménte avv. undoubtedly; without doubt; no doubt.

indùbbio a. undoubted; indubitable; sure; certain: **di i. valore**, of undoubted worth; *È i. che...*, there is no doubt that...

indubitàbile a. indubitable; unquestionable; beyond doubt.

indubitabilità f. indubitableness; unquestionability.

indubitàto a. undisputed; unquestioned.

inducènte a. (*elettr.*) inductive.

inducibile a. (*biol.*) inducible: **enzima i.**, inducible enzyme.

indugiàre Ⓐ v. i. **1** (*tardare*) to delay, to wait; (*esitare*) to hesitate, to drag one's feet; (*fare una pausa*) to pause: *Indugiò un attimo prima di parlare*, he paused for a second before speaking; **senza i.**, without delay; without hesitation **2** (*attardarsi*) to linger: *Indugiò a lungo prima di allontanarsi*, she lingered long before leaving; **i. su un argomento**, to linger over a subject Ⓑ **indugiàrsi** v. i. pron. (*trattenersi*) to linger; to stay behind: *Mi sono indugiato a parlare al vicino*, I lingered to talk to the neighbour.

indùgio m. delay; hesitation: **senza i.**, without delay; **senza altri indugi**, without further delay; without further ado; **troncare gli indugi**, to act; to stop beating about the bush.

induìsmo m. (*relig.*) Hinduism.

induísta m. e f. (*relig.*) Hindu.

induístico a. (*relig.*) Hindu.

indulgènte a. (*comprensivo*) indulgent, understanding; (*tollerante*) tolerant, patient, forbearing; (*permissivo*) indulgent, lenient, easygoing: **giudice i.**, lenient judge; **madre i.**, indulgent mother; **sorriso i.**, indulgent smile.

indulgènza f. **1** (*comprensione*) indulgence, understanding; (*tolleranza*) tolerance, patience, forbearance; (*permissività*) indulgence, leniency: **invocare l'i. della corte**, to plead for leniency on the part of the judge; **mostrare i. verso q.**, to be indulgent (o lenient) with sb. **2** (*eccles.*) indulgence: **i. plenaria**, plenary indulgence.

indùlgere v. i. **1** (*assecondare*) to indulge (st.); to humour (sb. in st.): *Indulge a ogni suo capriccio*, he indulges his every whim; he humours him in everything; he indulges him **2** (*soddisfare*) to indulge (st.); (*abbandonarsi a*) to indulge (in): **i. al bere**, to indulge in drink; **i. al sensazionalismo**, to indulge in sensationalism.

indùlto m. **1** (*leg.*) pardon: **concedere l'i.**, to grant a pardon **2** (*eccles.*) indult.

♦**induménto** m. garment; (pl., anche) clothes, (*solo nei composti*) wear Ⓤ: **un i. leggero**, a light garment; **indumenti di lana**, woollens; **indumenti intimi**, underwear; **indumenti vecchi**, old clothes.

indurènte Ⓐ a. hardening Ⓑ m. hardener.

induriménto m. (*anche chim., med.*) hardening.

induríre Ⓐ v. t. **1** (*rendere duro, anche fig.*) to harden **2** (*temprare*) to harden; to toughen Ⓑ **indurírsi** v. i. pron. **1** (*diventare duro, anche fig.*) to harden; to grow* hard **2** (*solidificarsi*) to set*.

indùrre Ⓐ v. t. **1** (*persuadere*) to persuade, to convince; (*spingere*) to lead*, to induce, to drive*: **i. q. a fare qc.**, to persuade sb. to do st.; **i. in errore**, to mislead; (*fig.*) to lead astray; **i. in tentazione**, to lead into temptation; *Tutto m'induce a credere che...*, everything leads me to believe that...; *Nulla mi indurrà mai a tradirli*, nothing will ever induce me to betray them; *Vi fu indotto dalla paura*, he was driven to it by fear **2** (*far sorgere*) to arouse, to inspire; (*provocare*) to induce, to cause: **i. sonnolenza**, to induce drowsiness **3** (*filos.*) to infer; to induce **4** (*elettr.*) to induce Ⓑ **indùrsi** v. i. pron. (*decidersi*) to resolve; to bring* oneself: *Alla fine si indusse a dire tutto*, in the end he resolved to speak; *Non sapeva indursi a dar loro la brutta notizia*, she couldn't bring herself to tell them the bad news.

indùsio m. (*bot.*) indusium*.

indùstre a. (*lett.*) industrious.

♦**indùstria** f. **1** (*attività di trasformazione*) manufacturing; industrial production; industry: **potenziare l'i.**, to strengthen industrial production; **il declino dell'i.**, the decline of manufacturing; **il futuro dell'i. italiana**, the future of Italian industry **2** (*organizzazione*) manufacturing industry; industry; (*settore*) trade, business: **i. a domicilio**, cottage industry; **l'i. alimentare**, the food-processing industry; **l'i. automobilistica**, the car industry; **l'i. culturale**, the culture industry; **l'i. dell'abbigliamento**, the clothing industry; the rag trade (*fam.*); **l'i. del turismo**, the tourist industry; **l'i. dello spettacolo**, show business; showbiz (*fam.*); **la grande i.**, big industry; the major industries (pl.); **l'i. editoriale**, the publishing trade; publishing; **i. estrattiva**, mining industry; **i. manifatturiera**, manufacturing industry; **l'i. pesante**, heavy industry; **la piccola i.**, small manufacturers (o industries); **i. siderurgica**, iron and steel industry; **i. tessile**, textile industry; **i. protetta**, sheltered industry; **i. sovvenzionata**, subsidized industry; **le industrie leggere**, light industries; **lavorare nell'i.**, to work in industry **3** (*operosità*) industry; industriousness; (*ingegnosità*) ability, ingenuity ● **l'i. del crimine**, organized crime.

♦**industriàle** Ⓐ a. industrial; manufacturing: **chimica i.**, industrial chemistry; **ciclo i.**, industrial cycle; **produzione i.**, industrial production; **rivoluzione i.**, industrial revolution; **settore i.**, manufacturing sector; **società i.**, manufacturing company; **spionaggio i.**, industrial espionage; **zona i.**, industrial estate Ⓑ m. e f. industrialist; manufacturer: **i. del petrolio**, oil magnate; **grosso i.**, big industrialist; magnate; **piccolo i.**, small manufacturer.

industrialìsmo m. industrialism.

industrializzàre Ⓐ v. t. to industrialize Ⓑ **industrializzàrsi** v. i. pron. to industrialize; to become* industrialized.

industrializzàto a. industrialized.

industrializzazióne f. industrialization.

industriàrsi v. i. pron. to try hard; to do* one's best: *Per campare si industria con lavoretti*, he scrapes a living doing odd jobs; *Si industria come può*, he does his best.

industrióso a. (*laborioso*) industrious, hard-working; (*ingegnoso*) able, ingenious.

induttànza f. (*elettr.*) inductance.

induttività f. (*fis.*) magnetic permeability.

induttìvo a. (*filos.*, *elettr.*) inductive: me-

todo i., inductive method.

induttòmetro m. (*elettr.*) inductometer.

induttóre (*elettr.*) Ⓐ m. inductor: **i. a nucleo magnetico**, iron-core inductor Ⓑ a. inductive.

induzióne f. (*filos.*, *fis.*) induction.

INEA sigla (**Istituto nazionale di economia agraria**) National Institute of Agricultural Economics.

inebetíre Ⓐ v. t. to dull (sb.'s) brain; (*stordire*) to numb; to daze Ⓑ v. i. e **inebetírsi** v. i. pron. to grow* dull; to turn into an idiot ● **Si inebetisce davanti alla televisione**, she rots her brains watching TV □ **inebetirsi col bere**, to dull oneself senseless.

inebetíto a. numbed; dazed; dulled; stupid; in a stupor; stupefied: *La notizia lo lasciò i.*, he was crippled by the news; **i. dal dolore**, numbed by grief; **i. dall'alcol**, in a drunken stupor; **i. dal sonno**, stupid with sleep; **sguardo i.**, blank stare.

inebriaménto m. **1** (*ubriachezza*) intoxication; drunkenness; inebriation (*form. o scherz.*) **2** (*fig.*) intoxication; exhilaration.

inebriànte a. **1** intoxicating; heady: **profumo i.**, heady scent; **sostanza i.**, intoxicating substance **2** (*fig.*) intoxicating; heady; stirring; exhilarating: **sensazione i.**, heady (o exhilarating) sensation.

inebriàre Ⓐ v. t. **1** to intoxicate; to make* drunk; to inebriate (*form. o scherz.*) **2** (*fig.*) to intoxicate; to exhilarate; to make* heady with joy Ⓑ **inebriàrsi** v. i. pron. **1** to get* drunk **2** (*fig.*) to become* heady with joy; to feel* exhilarated (by st.); to go* into raptures.

ineccepìbile a. unexceptionable; exemplary: **condotta i.**, unexceptionable conduct; **vita i.**, exemplary life.

ineccepibilità f. unexceptionableness; exemplarity.

inèdia f. **1** starvation; inanition: **morire d'i.**, to die of starvation; to starve (to death) **2** (*fig.*) boredom; tedium.

inedificàbile a. that cannot be built on; unbuildable; under a building ban.

inèdito Ⓐ a. **1** unpublished **2** (*fig.*) new; fresh; novel; (*insolito*) unprecedented: **notizia inedita**, fresh news; **versione inedita**, new version Ⓑ m. unpublished work.

ineducàbile a. ineducable; unteachable.

ineducàto a. **1** (*maleducato*) ill-bread; ill-mannered; rude **2** (*rozzo*) rough; uncultivated; unpolished.

ineducazióne f. ill-breeding; bad manners (pl.); rudeness.

ineffàbile a. **1** ineffable; inexpressible **2** (*iron.*) incomparable.

ineffabilità f. ineffability; inexpressibility.

ineffettuàbile a. impracticable; unfeasible.

inefficàce a. ineffective; inefficacious; ineffectual.

inefficàcia f. ineffectiveness; inefficacy; ineffectualness.

inefficiènte a. inefficient; ineffective: **direttore i.**, inefficient manager; **servizio i.**, inefficient service.

inefficiènza f. inefficiency; ineffectiveness.

ineguagliàbile a. matchless; peerless; unrivalled; unparalleled.

ineguagliànza f. **1** inequality **2** (*irregolarità*) unevenness.

ineguagliàto a. unequalled; unparalleled; (*di record*) unbeaten.

ineguàle a. **1** unequal: **triangoli ineguali**, unequal triangles; **di condizione sociale i.**, of unequal social status **2** (*irregolare*) irregular; (*di superficie, ecc.*) uneven: **fondo**

stradale i., uneven road surface; **tessitura i.**, uneven weaving; (*med.*) **polso i.**, irregular pulse; **a intervalli ineguali**, at irregular intervals **3** (*discontinuo*) variable, uneven, erratic; (*variabile*) changeable: **rendimento i.**, erratic performance.

inegualità → **ineguaglianza**.

inelasticità f. inelasticity.

inelàstico a. inelastic.

inelegànte a. (*di abito*) not elegant, not smart; (*non raffinato*) inelegant, unrefined; (*goffo*) ungraceful: **maniere ineleganti**, unrefined manners.

ineleganza f. lack of elegance; inelegance; lack of refinement; ungracefulness.

ineleggìbile a. ineligible for election: **i. alla presidenza**, ineligible to stand for president.

ineleggibilità f. ineligibility for election.

ineliminàbile a. ineliminable.

ineludìbile a. unavoidable; unescapable.

ineludibilità f. unavoidability.

ineluttàbile a. inevitable; ineluctable.

ineluttabilità f. inevitability.

inemendàbile a. incorrigible.

inenarràbile a. indescribable; (*indicibile*) unspeakable.

inequivocàbile a. unequivocal; unambiguous.

inerbiménto m. turfing.

inerbìre v. t. to cover with grass; to cover with turf; to turf.

inerènte a. **1** (*che inerisce*) inherent (in); intrinsic (to) **2** (*attinente*) concerning (st.), regarding (st.), related (to), connected (with); (*pertinente*) pertaining (to), relevant (to).

inerènza f. inherence; inherency; (*pertinenza*) pertinence, relevance.

inerìre v. i. to be inherent (in); to be intrinsic (to); (*essere pertinente*) to pertain to.

inèrme a. **1** (*disarmato*) unarmed **2** (*indifeso*) defenceless; helpless: **creatura i.**, helpless creature; **gente i.**, defenceless people; **i. di fronte a qc.**, helpless before st.

inerpicàrsi v. i. pron. to climb (up); to clamber (up): **i. su per un colle**, to climb up a hill.

inerpicàto a. perched: **un paesino i. su un colle**, a little village perched on a hill.

inerrànza f. (*relig.*) inerrancy.

inèrte a. **1** (*immobile*) inert; motionless; stagnant: **acqua i.**, stagnant water; **materia i.**, inert matter; **giacere i.**, to lay inert (*o* motionless) **2** (*pigro*) inactive; indolent; sluggish **3** (*chim.*) inert: **gas i.**, inert gas ● (*fig.*) **peso i.**, dead weight.

inertizzàre v. t. (*ind.*) to render chemically inactive; to inactivate.

inèrzia f. **1** (*inoperosità*) inactivity, inaction; (*oziosità*) inertia, idleness; (*apatia*) apathy: **l'i. del governo**, the government's inaction (*o* inertia); **i. forzata**, forced inertia; **costringere all'i.**, to condemn to a forced inactivity; to force to be inactive; **scuotere q. dall'i.**, to shake sb. out of his apathy **2** (*fis.*) inertia: **momento d'i.**, momentum of inertia **3** (*med.*) inertia: **i. uterina**, uterine inertia ● (*fig.*) **per forza d'i.**, from force of habit.

inerziàle a. (*fis.*) inertial.

inesattézza f. **1** inexactitude; inaccuracy **2** (*imprecisione*) inaccuracy; (*errore*) mistake, error: **un'i. di calcolo**, a mistake in the calculations; **pieno d'inesattezze**, full of inaccuracies; very inaccurate.

inesàtto ① a. (*impreciso*) inaccurate; (*sbagliato*) incorrect, wrong: **citazione inesatta**, inaccurate quotation; **indirizzo i.**, incorrect address.

inesàtto ② a. (*non riscosso*) uncollected.

---

inesaudìbile a. that cannot be granted.

inesaudìto a. ungranted; unsatisfied: **desiderio i.**, unsatisfied wish.

inauribìle a. inexhaustible.

inesauribilità f. inexhaustibility.

inesàusto a. inexhausted.

inescusàbile a. (*lett.*) inexcusable.

ineseguìbile a. **1** (*di ordine*) that cannot be carried out (*o* executed) **2** (*non fattibile*) impracticable; unrealizable; impossible **3** (*di opera teatrale*) unperformable, unstageable; (*di musica*) unplayable.

ineseguito a. not carried out; unexecuted.

inesigìbile a. irrecoverable; uncollectible: **credito i.**, irrecoverable credit; bad debt.

inesigibilità f. irrecoverableness.

inesistènte a. non-existent.

inesistènza f. **1** non-existence **2** (*leg.*: *nullità*) invalidity; voidness.

inesitàto a. (*bur.*) undelivered.

inesoràbile a. (*implacabile*) inexorable; relentless; unrelenting; unbending; (*spietato*) ruthless, merciless **2** (*ineluttabile*) inexorable, inevitable, inescapable; (*mortale*) fatal.

inesorabilità f. **1** (*implacabilità*) inexorability; relentlessness; (*spietatezza*) ruthlessness, mercilessness **2** (*ineluttabilità*) inexorable nature; inevitability.

inesperiènza f. inexperience; lack of experience.

inespèrto a. **1** (*non abile*) inexpert; unpractised; unskilled: **un cuoco i.**, an inexpert cook; **un dottore i.**, an unpractised doctor; **mano inesperta**, unskilled hand **2** (*senza esperienza*) inexperienced; raw; (*della vita, del mondo*) innocent, naive, raw.

inespiàbile a. inexpiable; impossible to expiate; impossible to atone.

inespiàto a. unexpiated; unatoned.

inesplicàbile a. inexplicable; unaccountable.

inesplicabilità f. inexplicability; unaccountableness.

inesplicàto a. unexplained.

inesploràbile a. **1** that cannot be explored **2** (*fig.*) unfathomable; impenetrable.

inesploràto a. unexplored; (*di mare*) uncharted.

inesplòso a. unexploded; live: **proiettile i.**, live shell.

inespressìvo a. inexpressive; expressionless; blank; (*di stile, ecc.*) dull, soulless, lifeless: **sguardo i.**, blank stare; **viso i.**, expressionless face.

inesprèsso a. unexpressed, (*sottinteso, implicito*) unspoken, tacit, implied.

inesprimìbile a. **1** (*indicibile*) inexpressible; unutterable; indescribable **2** (*vago*) indefinable; indefinite.

inespugnàbile a. **1** impregnable; inexpugnable **2** (*fig.*: *invincibile*) invincible; unconquerable; indomitable **3** (*fig.*: *incorruttibile*) incorruptible.

inespugnabilità f. **1** impregnability **2** (*fig.*) invincibility **3** (*fig.*) incorruptibleness.

inespugnàto a. unconquered.

inessenziàle a. inessential; unessential; dispensable.

inessiccàbile a. (*lett.*) inexhaustible; over-flowing.

inestensìbile a. inextensible.

inestensibilità f. inextensible character (*o* nature).

inestetìsmo m. imperfection; blemish: **i. della pelle**, skin blemish.

inestimàbile a. inestimable; invaluable;

---

priceless: **valore i.**, inestimable value.

inestinguìbile a. **1** inextinguishable; (*di sete*) unquenchable, unslakeable **2** (*fig.*) inextinguishable; undying; eternal: **odio i.**, eternal hatred.

inestirpàbile a. ineradicable.

inestricàbile a. inextricable.

inettitùdine f. **1** (*mancanza di attitudine*) unfitness; lack of aptitude: **i. al comando**, unfitness to command; **i. allo studio**, lack of aptitude for studying **2** (*incompetenza*) ineptitude, incompetence; (*dappocaggine*) worthlessness.

inètto Ⓐ a. **1** (*non atto*) unfit (for); unsuited (to, for): **i. al comando**, unfit to command; **i. alla politica**, unsuited to politics **2** (*incompetente*) incompetent; inept; bungling; (*dappoco*) worthless Ⓑ m. (f. **-a**) **1** (*incompetente*) incompetent; bungler **2** (*buono a nulla*) good-for-nothing.

inevàso a. (*di lettera*) unanswered; (*di ordinativo*) unfulfilled; (*di pratica*) outstanding: **corrispondenza inevasa**, unanswered letters; **lavoro i.**, backlog (of work); **pratica inevasa**, outstanding case.

inevitàbile Ⓐ a. (*certo, ineluttabile*) inevitable; (*non evitabile*) unavoidable: **conclusione i.**, inevitable conclusion; **pericolo i.**, unavoidable danger; *Il divorzio era i.*, divorce was inevitable; *Era i. che lo scoprisse*, it was inevitable that he should find out; he was bound to find out Ⓑ m. (the) inevitable: **rassegnarsi all'i.**, to bow to the inevitable.

inevitabilità f. inevitability; unavoidability.

inevitabilménte avv. inevitably; (*di necessità*) necessarily.

in extremis (*lat.*) loc. avv. **1** (*in punto di morte*) at the point of death **2** (*fig.*) at the last moment; last-minute (attr.); at the eleventh hour.

inèzia f. trifle; (al pl., anche) details, trivia; (*somma irrisoria*) trifle, trifling amount; (*cosa facile*) child's play Ⓤ: **adombrarsi per un'i.**, to get angry over a trifle; *L'ho pagato un'i.*, I paid a trifle for it; it cost me next to nothing.

inf. abbr. (**inferiore**) lower.

infacóndo a. (*lett.*) not eloquent.

infagottàre Ⓐ v. t. **1** to muffle up; to bundle up **2** (*di vestito*) to make* (sb.) look shapeless (*o* bulky) Ⓑ **infagottàrsi** v. rifl. **1** to bundle oneself up **2** (*vestire male*) to wear* shapeless clothes; to dress inelegantly.

infaldàre v. t. (*ind. tess.*) to fold.

infaldatóre m. (*ind. tess.*) folder.

infaldatùra f. (*ind. tess.*) folding.

infallìbile a. **1** (*che non sbaglia*) infallible; unerring: **giudizio i.**, infallible judgment; **memoria i.**, infallible memory; **mira i.**, unerring aim; **occhio i.**, unerring eye; **tiratore i.**, dead shot **2** (*sicuro*) infallible; sure; foolproof; sure-fire (*fam.*): **rimedio i.**, infallible remedy; **segno i. di qc.**, sure sign of st.; **sistema i.**, foolproof method; sure-fire way.

infallibilità f. infallibility.

infamànte a. defamatory; dishonorable; ignominious; shameful ● (*stor.*) **pena i.**, infamous punishment.

infamàre Ⓐ v. t. **1** (*disonorare*) to dishonour; to disgrace; (*screditare*) to defame, to bring* shame to **2** (*calunniare*) to slander Ⓑ **infamàrsi** v. i. pron. to bring shame upon oneself; to destroy one's reputation.

infamatòrio a. defamatory; slanderous.

infàme Ⓐ a. **1** (*ignobile*) infamous; vile; despicable; (*scellerato*) wicked, villainous **2** (*scherz.*) awful; terrible; vile; rotten; abominable: **carattere i.**, awful temper; **tempo i.**, rotten weather Ⓑ m. **1** despicable person;

wicked person **2** (*gergale*) informer; traitor; rat (*slang*); fink (*slang USA*).

infàmia f. **1** (*ignominia*) shame; dishonour; infamy: **marchio d'i.**, badge of shame; **macchiarsi d'i.**, to bring shame upon oneself **2** (*azione infame*) infamy; infamous (*o* shameful, despicable) action; iniquity **3** (*scherz.*: *cosa pessima*) disgrace; abomination ● **senza i. e senza lode**, middling (agg.); fair-to-middling (agg.); tolerably well (avv.); adequately (avv.).

infanatichìre v. i., **infanatichìrsi** v. i. pron. to become* a fanatic: **infanatichire per il calcio**, to become a soccer fan.

infangàre A v. t. **1** to cover with mud; (*inzaccherare*) to spatter with mud **2** (*fig.*) to besmirch; to disgrace; to sully; to soil: **i. il nome della famiglia**, to besmirch (*o* to disgrace) the family name; **i. la reputazione di q.** to sully (*o* to soil) sb.'s reputation B **infangàrsi** v. rifl. o i. pron. **1** to get* muddy; to get* spattered with mud **2** (*fig.*) to destroy one's reputation.

infangàto a. **1** muddy; covered with mud; spattered with mud: **scarpe infangate**, muddy shoes **2** (*fig.*) disgraced; besmirched.

infànta f. (*titolo spagnolo*) infanta.

infànte ① A m. e f. infant; baby B a. (*lett.*) infant (attr.).

infànte ② m. (*titolo spagnolo*) infante.

infanticìda m. e f. infanticide.

infanticìdio m. infanticide.

infantìle a. **1** (*dell'infanzia*) childhood (attr.); infant (attr.); infantile: **malattie infantili**, childhood diseases; **mortalità i.**, infant mortality **2** (*per, di bambini*) children's (attr.), child (attr.); (*da bambino*) baby (attr.), childish: **giochi infantili**, children's games; **innocenza i.**, childish innocence; **letteratura i.**, children's literature; **linguaggio i.**, baby-talk; **manodopera i.**, child labour; **psicologo i.**, child psychologist; **una voce i.**, (*di bambino*) the voice of a child; (*da bambino*) a child's voice, a childish voice **3** (*puerile*) childish; babyish; puerile; infantile.

infantilìsmo m. **1** (*med.*) infantilism **2** (*fig.*) childishness; immaturity.

infantilità f. **1** childishness **2** (*osservazione infantile*) childish remark: *Non dire i.*, don't be childish!

◆**infànzia** f. **1** (*periodo*) childhood; babyhood; infancy (*med.*, *psic.*): **la prima i.**, babyhood; **ricordi d'i.**, childhood memories **2** (*i bambini*) babies (pl.); children (pl.): **i. abbandonata**, abandoned children; foundlings (pl.); **assistenza all'i.**, child care; **giardino d'i.**, nursery school; kindergarten; **letteratura per l'i.**, children's literature; **prodotti per l'i.**, baby products **3** (*fig.*) infancy.

infarcimento m. **1** (*cucina*) stuffing **2** (*fig.*) stuffing; cramming.

infarcìre v. t. **1** (*cucina*) to stuff **2** (*fig.*) to stuff; to cram: **i. un saggio di citazioni**, to cram an essay with quotations.

infarcitùra f. (*cucina*) stuffing; filling.

infarinàre A v. t. **1** (*con farina*) to flour, to dredge (*o* to dust) with flour; (*con altra polvere*) to dredge, to dust, to sprinkle: **i. una teglia**, to flour a baking tin; **i. un pesce**, to dredge a fish with flour **2** (*fig.*: *imbiancare*) to whiten ● (*scherz.*) **infarinarsi il viso**, to powder one's face B **infarinàrsi** v. i. pron. **1** to get* covered with flour **2** (*scherz.*: *incipriarsi*) to powder one's face.

infarinàto a. floured; dredged (*o* dusted) with flour.

infarinatùra f. **1** flouring **2** (*fig.*) smattering.

infàrto m. (*med.*) infarct; infarction: **i. cardiaco**, heart attack; cardiac infarction

(*scient.*); **i. intestinale**, abdominal infarction; **morire d'i.**, to die of a heart attack.

infartuàle a. infarction (attr.).

infartuàto A a. infarcted B m. (f. *-a*) heart attack patient; infarcted patient (*scient.*).

infastidìre A v. t. **1** (*irritare*) to annoy; to irritate **2** (*disturbare*) to bother; (*con insistenza*) to pester; (*sessualmente*) to molest B **infastidìrsi** v. i. pron. **1** (*irritarsi*) to get* annoyed (*o* irritated) **2** (*stancarsi*) to get* bored.

infaticàbile a. tireless; untiring; indefatigable.

infaticabilità f. tirelessness; indefatigability.

◆**infatti** A cong. **1** – *Mi aveva promesso un regalo e i. mi ha portato un ventaglio*, she had promised me a present, and (sure enough) she brought me a fan; «*Credevo che ti piacesse*» «*I. mi piace*», «I thought you liked it» «(Actually,) I do»; *Promisero di venire e i. vennero*, they said they would come and they did come **2** (*antifrastico*) but: *Ha detto che sarebbe stato puntuale, e i. sto ancora aspettando*, he said he would be punctual, but I'm still waiting B inter. **1** – exactly; precisely; quite: «*Non dovevate incontrarvi?*» «*I.*», «weren't you supposed to meet?» «that's right, we were»; «*Non doveva venire anche Luisa?*» «*I.*», «wasn't Luisa supposed to come too?» «quite».

infatuàrsi v. i. pron. to become* (*o* to get*) infatuated (with).

infatuàto a. infatuated (with); besotted (with) ● **i. di sé**, full of oneself; vain.

infatuazióne f. infatuation: **i. adolescenziale**, youthful infatuation; (*spec. per persona più vecchia*) puppy (*o* calf) love; (*cotta*) crush (*fam.*): **avere un'i. per**, to be infatuated with; to have a crush on (*fam.*).

infàusto a. **1** inauspicious; unpropitious; ill-omened; (*sfortunato*) unlucky, bad, evil; (*doloroso*) sad **2** (*eufem.*: *mortale*) fatal: **prognosi infausta**, fatal prognosis; **avere esito i.**, to prove fatal.

infeconditá f. sterility; barrenness; infertility; infecundity.

infecóndo a. sterile; barren; infertile; infecund.

infedéle A a. **1** unfaithful; disloyal; false; faithless: **amico i.**, disloyal (*o* false) friend; **marito i.**, unfaithful husband; **essere i. alla moglie**, to be unfaithful to (*o* to cheat on) one's wife **2** (*fig.*) inaccurate; untrue: **traduzione i.**, inaccurate translation B m. e f. (*stor.*, *relig.*) infidel.

infedeltà f. **1** unfaithfulness; disloyalty; faithlessness; (*tra partner*) infidelity **2** (*tradimento*) treachery; (*tra partner*) infidelity; affair **3** (*fig.*) inaccuracy.

◆**infelìce** A a. **1** unhappy; miserable; (*triste*) (*sventurato*) wretched: **famiglia i.**, unhappy family; **infanzia i.**, unhappy (*o* miserable) childhood; **rendere q. i.**, to make sb. unhappy; **avere l'aria i.**, to look unhappy **2** (*sfortunato*) unhappy, unlucky; (*sventurato*) unfortunate; (*che non riesce bene*) unfortunate, unsuccessful: **un matrimonio i.**, an unhappy (*o* unsuccessful) marriage; **una scelta i.**, an unfortunate choice **3** (*mal fatto*) bad, poor, unsatisfactory; (*mal scelto*) ill-chosen, inappropriate: **una traduzione i.**, a bad (*o* poor) translation **4** (*inopportuno*) ill-timed; untimely; unfortunate; untoward; inappropriate: **un'osservazione i.**, an unfortunate remark **5** (*imbarazzante*) awkward: **una situazione i.**, an awkward situation **6** (*scomodo, mal disposto*) uncomfortable, inconvenient: **una casa i.**, an inconvenient house B m. e f. **1** unhappy person **2** (*sventurato*) (poor) wretch: *L'i. fu truffato*,

the poor wretch was cheated **3** (*persona con una menomazione*) disabled person.

infelicemente avv. **1** (*senza felicità*) unhappily; sadly; wretchedly **2** (*senza successo*) unsuccessfully.

infelicità f. **1** unhappiness; misery; (*sventura*) wretchedness **2** (*inopportunità*) inappropriateness; inconvenience **3** (*scomodità*) awkwardness; inconvenience.

infeltrimento m. felting.

infeltrìre v. t. e i., **infeltrìrsi** v. i. pron. to felt.

inferènza f. (*filos.*, *stat.*) inference.

inferenziàle a. inferential.

◆**inferióre** A a. **1** (*che sta in basso*) lower; (*che sta sotto*) below (prep. e avv.); bottom (attr.): **gli animali inferiori**, the lower animals; **arti inferiori**, legs; lower limbs; **le classi inferiori**, the lower classes; **il corso i. di un fiume**, the lower reaches of a river; (*anat.*) **le estremità inferiori**, the lower extremities; **grado i.**, lower degree; (*anat.*) **mascella i.**, lower jaw; **la metà i.**, the lower half; **la parte i. di qc.** (*il fondo*), the underside (*o* the bottom part) of st.; **il piano i.**, the floor below; **i. alla media**, below average **2** (*per quantità o qualità*) lower; inferior; less (+ agg.); below (prep); (*minore*) lesser, less (than), (*di prezzo, anche*) cheaper: **i. alle aspettative**, below expectations; **i. alla propria fama**, not up to one's reputation; **i. di forze**, weaker; inferior in strength; **i. per intelligenza**, inferior in intelligence; less clever; **i. per statura**, shorter; **un numero i. a cinquanta**, a number below fifty; **a un prezzo i.**, at a cheaper (*o* lower) price; **non essere i. a nessuno**, to be inferior (*o* second) to none **3** (*in una gerarchia*) junior: **corso i.**, junior course; **scuola media i.**, junior high school; **ufficiale i.**, junior officer B m. e f. inferior; (*subordinato*) subordinate; (*spreg.*) underling.

inferiorità f. inferiority: **i. di numero**, inferiority in numbers; (*psic.*) **complesso d'i.**, inferiority complex; **condizione d'i.**, condition of inferiority; **senso di i.**, sense of inferiority.

inferiormente avv. below; further down; lower (than); at the bottom.

inferìre v. t. **1** (*infliggere*) to inflict; to deal*; to level: **i. un colpo a q.**, to deal sb. a blow; to hit sb.; *Il colpo è stato inferto con un sasso*, the blow was dealt with a stone; **i. una ferita**, to inflict a wound; **i. perdite al nemico**, to inflict losses on the enemy **2** (*dedurre*) to infer **3** (*naut.*: *una vela*) to bend*; (*un bozzello*) to reeve.

inferitóio, **inferitóre** m. (*naut.*) earing.

inferitùra f. (*naut.*) **1** (*l'inferire, di vela*) bending; (*di bozzello*) reeving **2** (*angolo inferito, di vela*) head; forward leech; luff.

infermerìa f. infirmary; (*naut.*, *di scuola*) sickbay.

infermièra f. (hospital) nurse: **i. diplomata**, qualified nurse; **capo i.**, senior nursing officer; matron (*GB*); **diploma di i.**, diploma in nursing; **professione di i.**, nursing; **fare da i. a q.**, to nurse sb.

◆**infermière** A m. male nurse B a. – **suora infermiera**, sister of a nursing order.

infermieristica f. nursing.

infermieristico a. nursing (attr.): **assistenza infermieristica**, nursing service.

infermità f. **1** infirmity; illness **2** (*fig.*: *debolezza*) weakness ● (*leg.*) **i. mentale**, insanity.

infermo A a. ill (pred.): **essere i.**, to be ill; to be an invalid; **i. di mente**, mentally ill; insane B m. (f. *-a*) invalid; (*paziente*) patient; (al pl., collett.) (the) sick: **visitare gli infermi**, to visit the sick.

infernàle a. **1** infernal; hellish: **le divini-**

tà infernali, the infernal gods; **spirito i.**, hellish spirit **2** (*maligno*) diabolical; devilish; fiendish: **ghigno i.**, diabolical grin; **piano i.**, diabolical (*o fiendish*) plan **3** (*fam.*: *terribile*) infernal; dreadful; terrible; (a) hell of a (*fam.*): **caldo i.**, terrible heat; **un chiasso i.**, an infernal din; a hell of a racket; *Fa un male i.*, it hurts like hell.

♦**infèrno** m. **1** hell; (*non cristiano, anche*) underworld: **il Paradiso e l'I.**, Heaven and Hell; **andare all'i.**, to go to hell; **un diavolo dell'i.**, a devil out of hell; *Va' all'i.!*, go to hell! **2** (*fig.*: *luogo o situazione infernale*) hell: *La sua vita diventò un i.*, his life became a living hell ● **i. di fuoco**, raging fire; inferno □ **All'i. i soldi!**, to hell with the money!; damn the money! □ (*fig.*) **d'i.**, infernal; hellish: **un baccano d'i.**, an infernal racket; a hell of a racket; **giornata d'i.**, hellish day; **una vita d'i.**, a life of hell □ **far fare una vita d'i. a q.**, to make sb.'s life hell; to give sb. hell □ (*fig.*) **mandare q. all'i.**, to go to hell □ **le pene dell'i.**, the torments of hell; (*fig.*) **soffrire le pene dell'i.**, to suffer like a soul in hell □ (*prov.*) **La via dell'i. è lastricata di buone intenzioni**, the road to hell is paved with good intentions.

infero Ⓐ a. (*lett.*) inferior; lower; nether Ⓑ m. (al pl.) **1** (*abitanti dell'Ade*) souls in the underworld; (*gli dèi*) gods of the underworld **2** (*regno dei morti*) Hades; (the) underworld (sing.); (the) nether world (sing.).

inferocire Ⓐ v. t. **1** to make* ferocious **2** (*far infuriare*) to enrage; to make* furious; to infuriate Ⓑ v. i. **1** → **inferocirsi 2** (*infierire*) to treat (sb.) cruelly Ⓒ **inferocirsi** v. i. pron. **1** to grow* ferocious **2** (*infuriarsi*) to get* furious.

inferocito a. enraged; furious: **belva inferocita**, enraged animal; **folla inferocita**, enraged crowd.

inferriàta f. iron bars (pl.); grating; grille; (*cancellata*) railings (pl.).

infertilità f. (*med.*) infertility.

infervoraménto m. (*l'infervorare*) arousal of enthusiasm; (*l'infervorarsi*) growing excitement.

infervoràre Ⓐ v. t. to arouse enthusiasm in; to excite Ⓑ **infervoràrsi** v. i. pron. to get* excited; to be carried away; to get* worked up (*fam.*): **infervorarsi nella discussione**, to be carried away by a debate.

infervoràto a. excited; animated; impassioned; worked up (*fam.*).

infestaménto m. infestation.

infestànte a. infesting ● **animali infestanti**, vermin (pl.) □ **insetti infestanti**, pests □ **pianta i.**, weed.

infestàre v. t. to infest; to overrun*; (*di fantasma*) to haunt: *Grosse zanzare infestano la regione*, big mosquitos infest the area; *I pirati infestarono a lungo il Mediterraneo*, the Mediterranean was long overrun by pirates.

infestàto a. infested (with); overrun (with) (pred.); (*da insetti, anche*) alive (with) (pred.); (*da fantasmi*) haunted (by): **i. da erbacce**, overrun with weeds; **i. di pulci**, infested with fleas; alive with fleas; **i. di topi**, overrun by mice; **acque infestate dai pescicani**, shark-infested waters.

infestazióne f. infestation.

infèsto a. (*lett.*) harmful; obnoxious; detrimental.

infettàre Ⓐ v. t. **1** to infect; (*inquinare*) to pollute, to contaminate **2** (*fig.*) to corrupt; to taint Ⓑ **infettàrsi** v. i. pron. **1** (*med.*) to get* an infection; to become* infected; to go* septic: *La ferita si è infettata*, the wound has become infected (*o* gone septic); **infettarsi con una siringa**, to get an infection from a syringe **2** (*fig.*) to become* corrupt;

to become* tainted.

infettivo a. **1** (*di infezione*) infective: **germe i.**, infective germ; **processo i.**, infective process **2** (*che si trasmette per infezione*) infectious: **malattia infettiva**, infectious disease.

infettivologìa f. (*med.*) study of infectious diseases.

infettivòlogo m. (f. **-a**) expert in infectious diseases.

infètto a. **1** (*med.*) infected; (*di ferita, anche*) septic: **ferita infetta**, infected (*o* septic) wound; **sangue i.**, infected blood **2** (*contaminato*) infected; polluted; contaminated; tainted: **cibi infetti**, infected food **3** (*fig.*) corrupt; tainted.

infeudaménto m. (*stor.*) enfeoffment; infeudation.

infeudàre Ⓐ v. t. **1** (*stor.*) to enfeoff **2** (*assoggettare*) to subject; to subdue Ⓑ **infeudàrsi** v. rifl. **1** (*stor.*) to become* enfeoffed; to become* a vassal **2** (*fig.*) to subject oneself.

infeudazióne → **infeudamento**

infezióne f. **1** (*med.*) infection: **i. a una gamba**, infection in a leg; **fare i.**, to become infected (*o* septic); **propagare un'i.**, to spread an infection; **impedire il propagarsi di un'i.**, to prevent an infection from spreading **2** (*fig.*) corruption; taint.

infiacchiménto m. weakening; enfeeblement; enervation.

infiacchire Ⓐ v. t. to weaken; to enfeeble; to enervate Ⓑ v. i. e **infiacchirsi** v. i. pron. to grow* weak; to lose* one's vigour.

infiacchito a. weak; feeble.

infialàre v. t. to put* into phials.

infialatrice f. phial filler.

infialettàre → **infialare**.

infiammàbile Ⓐ a. **1** inflammable; flammable: **sostanze infiammabili**, inflammables; **non i.**, non-inflammable; non-flammable; flameproof **2** (*fig.*: *facile all'ira*) quick-tempered, irascible; (*facile all'entusiasmo*) easily excited, enthusiastic: *Bada, è un tipo i.*, watch out, he's very quick-tempered (*o* he flares up easily) Ⓑ m. inflammable.

infiammabilità f. inflammability; flammability.

infiammàre Ⓐ v. t. **1** to set* on fire; to set* fire to; to set* ablaze **2** (*fig.*: *entusiasmare*) to fire; to excite; (*eccitare*) to inflame, to rouse, to stir: **i. gli animi**, to rouse people's spirits; **i. le passioni**, to inflame passions; **i. l'uditorio**, to fire the audience **3** (*arrossare*) to redden; to flush: *Le lodi le infiammarono il viso*, the praise flushed her face (*o* made her flush scarlet) **4** (*med.*) to inflame Ⓑ **infiammàrsi** v. i. pron. **1** to catch* fire; to burst* into flames **2** (*fig.*: *entusiasmarsi*) to get* excited; (*adirarsi*) to flare up; (*rif. ad altri sentimenti*) to become* inflamed (with): **infiammarsi d'amore per q.**, to fall passionately in love with sb. **3** (*diventare rosso*) to go* red; to turn red; to flush (scarlet): **infiammarsi in viso**, to go red in the face; to flush scarlet **4** (*med.*) to become* inflamed.

infiammàto a. **1** (*med.*) inflamed **2** (*fig.*: *appassionato*) impassionate; (*entusiasta*) excited; (*eccitato*) inflamed **3** (*rosso*) red; flushed.

infiammatòrio a. (*med.*) inflammatory.

infiammazióne f. (*med.*) inflammation.

infiascàre v. t. to put* into a flask (*o* into flasks).

infiascatrice f. flask filler; bottler.

infiascatùra f. putting into flasks.

infibulaménto m. (*chir.*) insertion of a pin; pinning.

infibulàre v. t. **1** (*chir.*) to insert a pin in

2 (*etnol.*) to infibulate.

infibulazióne f. infibulation.

infìbulo m. (*chir.*) pin.

inficiàre v. t. to invalidate; to nullify.

infìdo a. treacherous; untrustworthy: **acque infide**, treacherous waters; **alleato i.**, untrustworthy (*o* treacherous) ally.

in fieri (*lat.*) loc. avv. in embryo; at the planning stage.

infierìre v. i. **1** (*imperversare*) to rage; to be rampant: *Infieriva la tempesta* [*la battaglia*], the storm [the battle] was raging; *La peste infieriva*, the plague was rampant **2** (*agire crudelmente*) to treat (sb.) cruelly; to be pitiless (towards); to show no mercy (to): **i. sui vinti**, to show no mercy to the defeated enemy; *Infierirono su di lui a calci*, they kicked him savagely; *Andiamo, non i. contro di lui!*, come on, you don't hit a man when he's down!; (*scherz.*) *Va bene, non i.!*, all right, no need to put the boot in! (*slang*)

infiggere Ⓐ v. t. **1** to drive*; to thrust: **i. una lama nella porta**, to drive a blade into the door **2** (*fig.*) to drive*; to impress; to stamp: **i. qc. nella mente a q.**, to drive st. into sb.'s head; **i. qc. nella memoria**, to impress st. on one's memory Ⓑ **infiggersi** v. i. pron. **1** to penetrate; to sink*; to embed itself **2** (*fig.*: *imprimersi*) to be stamped (*o* impressed) (on); (*rimanere impresso*) to stick*.

infilacàpi, infilaguaine, infilanàstri m. inv. bodkin.

♦**infilàre** Ⓐ v. t. **1** (*far passare dentro*) to thread, to run*; (*far scivolare*) to slip; (*su un filo*) to thread (on a string), to thread (*o* to string*) together: **i. un ago**, to thread a needle; **i. un anello a un dito**, to slip a ring on to a finger; **i. una corda in un anello**, to run a rope through a ring; **i. cubetti di carne su uno spiedino**, to thread cubes of meat on a skewer; **i. perle**, to thread pearls together; **i. le stringhe negli occhielli**, to thread the laces through the eyelets **2** (*introdurre*) to insert; (*con delicatezza*) to insinuate; (*facendo scivolare*) to slip; (*velocemente*) to pop; (*con forza*) to thrust*, to drive*, to force; (*mettere*) to put*, to stick*: **i. la chiave nella toppa**, to insert the key into the keyhole; **i. un dito in un occhio a q.**, to stick a finger in sb.'s eye; **i. una mano in tasca**, to put (*o* to slip) a hand into one's pocket; **i. una moneta nella fessura**, to insert a coin into the slot; **infilarsi una pistola nella cintura**, to thrust a pistol under one's belt; **infilarsi un sigaro fra le labbra**, to stick a cigar in one's mouth; **infilarsi in bocca una pastiglia**, to pop a pill into one's mouth; *Infilai il mio braccio nel suo*, I slipped my arm through his; *Infilalo in una busta e dammelo*, just put (*fam.* stick) it in an envelope and give it to me **3** (*indossare*) to put* on; to pull on; to slip on; to get* into; to slip into: **infilarsi le calze**, to pull on one's stockings; **infilarsi il cappotto**, to put on (*o* to get into) one's coat; (*Mi*) *infilai una vestaglia*, I slipped on (*o* slipped into) a dressing-gown; *Infilai una manica*, I slipped (*o* pulled) on one sleeve **4** (*passare da parte a parte*) to run* through; to pierce; (*su uno spiedo*) to spit: **i. q. con la lancia**, to run one's spear through sb.; to run sb. through with a spear; **i. un pollo sullo spiedo**, to spit a chicken; **infilarsi un ago in un dito**, to stick a needle in one's finger **5** (*imboccare*) to take*; (*svoltare*) to turn into; (*una porta, ecc.*) to slip through: **i. l'uscio**, (*entrando*) to slip in; (*uscendo*) to slip out; (*andarsene*) to leave, to take off, (*furtivamente*) to slip away **6** (*imboccare*) to strike*; to hit* on; to get*: **i. la strada giusta**, to strike the right way; **i. sei centri uno dopo l'altro**, to hit the bull's-eye six times in a row; *Non ne infilò una giusta*, he didn't get one thing right **7** (*dire*) to tell*; (*fare*) to

make*: **i. una bugia dopo l'altra**, to tell a series of lies; **i. una serie di errori**, to make one mistake after another **8** (*mil.: battere d'infilata*) to enfilade; to rake **B** **infilàrsi** v. rifl. **1** (*introdursi*) to slip: **infilarsi a letto**, to slip into bed; **infilarsi in una stanza**, to slip into a room; *M'infilai tra la folla*, I threaded my way through the crowd **2** (*conficcarsi*) to embed itself; to stick* **3** (*aeron.*) to plunge; to dive*.

infilàta f. **1** string; row; suite: **un'i. di alberi**, a row of trees; **un'i. d'insulti [di errori]**, a string of insults [of mistakes] **2** (*mil.*) enfilade: **battere d'i.**, to enfilade; to rake; **tiro d'i.**, enfilade.

infilatrice f. threader.

infilatùra f. threading; (*di perle, ecc., anche*) stringing: (*ind. tess.*) **i. automatica**, self-threading.

infiltraménto m. filtering; filtration.

infiltràre **A** v. t. to infiltrate **B** **infiltràrsi** v. rifl. **1** (*di liquido*) to seep, to infiltrate (st.), to filter, to percolate; (*di gas*) to penetrate **2** (*fig.: insinuarsi*) to worm one's way; (*in un'organizzazione*) to infiltrate (st.), to penetrate (st.).

infiltràto **A** a. (*med.*) infiltrated **B** m. e f. **1** (*med.*) infiltrate **2** (*spia*) infiltrator; spy: **i. della polizia**, police spy; undercover agent.

infiltrazióne f. **1** infiltration; penetration; seepage **2** (*fig., di spia*) infiltration **3** (*med.*) infiltration.

infilzaménto m. (*il trafiggere*) piercing; spiking; spitting; impaling.

infilzàre **A** v. t. **1** (*fare una filza*) to string* together; to thread together: **i. castagne**, to string chestnuts together **2** (*fig.: dire in serie*) to tell* a string of; (*fare in serie*) to make* a series of: **i. errori**, to make one mistake after another; **i. imprecazioni**, to let out a string of curses **3** (*trafiggere*) to pierce; to run* through; (*con un ferro a punta*) to spike, to spit, to skewer: **i. una farfalla con uno spillo**, to run a pin through a butterfly; to pin a butterfly; **i. q. con una spada**, to run a sword through sb.; to run sb. through with a sword; **i. una patata con la forchetta**, to stick a fork into a potato; **infilzarsi un dito con l'ago**, to stick a needle in one's finger; *La freccia gl'infilzò una gamba*, the arrow pierced his leg **B** **infilzàrsi** v. rifl. e i. pron. **1** to run* oneself through; to impale oneself **2** (*conficcarsi*) to stick*; to pierce (st.): *La punta mi s'infilzò nella mano*, the point stuck in (o pierced) my hand.

infilzàta f. **1** (*filza*) string **2** (*fig.*) string; series: **un'i. di bugie**, a string of lies.

infilzatùra f. stringing together.

ìnfimo a. lowest: **d'infima qualità**, of the lowest quality; **d'i. ordine**, of the lowest degree; (*pessimo*) very bad, very cheap, worthless, rubbishy; (*malfatto*) shoddy; **merce d'i. ordine**, very cheap goods; **trattoria d'i. ordine**, very cheap restaurant; greasy spoon (*slang*).

♦**infine** avv. **1** in the end; finally; eventually; (*finalmente*) at last **2** (*insomma*) well: *I., che cosa vuoi?*, well, what do you want?

infinestràre v. t. to frame.

infinestratùra f. frame.

infingardàggine f. sloth; laziness.

infingardìre **A** v. t. to make* lazy **B** v. i. e **infingardìrsi** v. i. pron. to sink* into sloth; to become* lazy.

infingàrdo **A** a. slothful; lazy **B** m. (f. **-a**) slothful person; sluggard; slacker.

infingersi v. i. pron. (*lett.*) to feign; to simulate.

infingiménto m. (*lett.*) feigning; simulation.

infinità f. **1** infinity; infinitude **2** (*grandissima quantità*) infinite number; myriad; no end (of) (*fam.*); masses (pl.) (*fam.*): **un'i. di pianeti**, an infinite number of planets; **un'i. di modi**, an infinite number of ways; infinite ways (pl.); **un'i. di guai**, no end of trouble; **un'i. di tempo**, ages (pl.); **un'i. di cose da fare**, masses of things to do **3** (*mat.*) infinity.

infinitaménte avv. **1** infinitely; endlessly; (*senza limiti*) boundlessly **2** (*fam.*) awfully; terribly: *Mi dispiace i.*, I'm awfully sorry.

infinitesimàle a. (*mat.*) infinitesimal: **calcolo i.**, infinitesimal calculus.

infinitèsimo **A** m. **1** (*mat.*) infinitesimal **2** (*fig.*) infinitesimal quantity; (*piccolissima parte*) tiny part, fraction **B** a. infinitesimal.

infinitivo a. (*gramm.*) infinitive.

♦**infinito** **A** a. **1** (*senza limiti*) infinite; (*sconfinato*) boundless, unbounded: **i. amore**, infinite (o boundless) love; **l'oceano i.**, the boundless ocean; **pazienza infinita**, infinite patience; **spazio i.**, infinite space **2** (*innumerevole*) countless; endless; innumerable; (*interminabile*) endless: **infinite varietà**, innumerable varieties; **infinite volte**, countless times **3** (*gramm.*) infinitive ● **infiniti ringraziamenti**, a thousand thanks □ **infinite scuse**, a thousand apologies **B** m. **1** infinity **2** (*gramm.*) infinitive **3** (*mat., fotogr.*) infinity ● **all'i.**, (*senza fine*) endlessly; (*per sempre*) forever; (*gramm.*) in the infinitive; (*mat.*) to infinity □ (*fig.*) **continuare all'i.**, to go on forever; to go on and on (and on) □ **ripetere qc. all'i.**, to repeat st. over and over.

infino → **fino**①, **A**

infinocchiàre v. t. (*fam.*) to cheat; to trick; to take* in; hoodwink; (al passivo, anche) to be had.

infinocchiatùra f. swindle; scam; trickery.

infioccàre v. t. to decorate with ribbons; to decorate with tassels.

infiocchettàre **A** v. t. **1** to decorate with ribbons **2** (*fig.*) to embellish **B** **infiocchettàrsi** v. rifl. to deck oneself out.

infiochìre **A** v. t. **1** (*la voce*) to make* faint; (*una luce*) to dim; (*un suono*) to muffle **2** (*fig.: indebolire*) to weaken **B** **infiochìrsi** v. i. pron. (*di voce*) to become* faint; (*di luce*) to grow* dim, to grow* faint; (*di suono*) to grow* faint.

infioràre **A** v. t. **1** to deck (o to decorate) with flowers **2** (*cospargere di fiori*) to strew* with flowers **3** (*fig.*) to adorn; to embellish **B** **infioràrsi** v. rifl. (*lett.*) to deck oneself with flowers **C** **infioràrsi** v. i. pron. to get* covered with flowers.

infioràta f. (*decorazione di fiori*) flower decorations (pl.).

infioràto a. **1** covered (o decked) with flowers **2** (*fig.*) flowery; florid: **stile i.**, flowery style.

infiorescènza f. (*bot.*) inflorescence.

infiorettàre v. t. to embellish (with flowery expressions); to ornate.

infiorettàto a. **1** flowery; florid **2** (*cosparso*) strewn (with): **una traduzione infiorettata di errori**, a translation strewn with mistakes.

infiorettatùra f. flourish; embellishment.

infirmàre v. t. **1** (*invalidare*) to invalidate; to nullify **2** (*confutare*) to refute; to disprove **3** (*indebolire*) to weaken; to undermine.

infischiàrsi v. i. pron. (*fam.*) not to care (o to give*) a hoot (o two hoots) (*fam.*); not to give* a damn (*slang*): *Lui se ne infischia delle tue esigenze*, he doesn't care two hoots (o he couldn't care less) about your needs; *Io me ne infischio di quel che dice la gente*, I don't give a hoot (o a damn) what people say.

infisso **A** m. **1** (*edil.*) fixture; (*di porta*) frame; (*di finestra*) frame, casing **2** (*ling.*) infix **B** a. fixed; embedded; lodged; (*di chiodo*) nailed in, driven in.

infistolìre v. i., **infistolìrsi** v. i. pron. (*med.*) to form a fistula; to become* fistulous.

infìttire **A** v. t. **1** (*rendere più denso*) to thicken **2** (*rendere più frequente*) to increase; to make* more frequent; to step up **B** v. i. e **infìttirsi** v. i. pron. **1** (*diventare più fitto*) to thicken; to become* (o to get*) thicker: *Le nebbia s'infittiva*, the fog was thickening (o was getting thicker); (*scherz.*) *Il mistero s'infittisce*, the plot thickens **2** (*di lana*) to mat (*diventare più frequente*) to become* more frequent.

inflativo a. (*econ.*) inflationary.

inflazionàre v. t. **1** (*econ.*) to inflate **2** (*fig.: una parola, ecc.*) to overwork; (*un'idea, una moda, ecc.*) to do* to death.

inflazionàto a. **1** (*econ.*) inflated **2** (*fig.: abusato*) overworked; hackneyed; clichéd **3** (*eccessivamente diffuso*) ubiquitous; overdone; (*di idea, moda, ecc.*) done to death.

inflazióne f. **1** (*econ.*) inflation: **i. galoppante**, galloping (o runaway) inflation; **i. strisciante**, creeping inflation; **contenere [frenare] l'i.**, to restrain [to curb] inflation **2** (*fig.*) ubiquitousness; epidemic; glut.

inflazionìsmo m. (*econ.*) inflationism.

inflazionìsta m. e f. (*econ.*) inflationist.

inflazionìstico a. (*econ.*) inflationary; inflation (attr.): **spinte inflazionistiche**, inflationary tendencies; **tasso i.**, inflation rate.

inflessìbile a. inflexible; unbending.

inflessibilità f. inflexibility.

inflessióne f. inflection, inflexion.

inflèttere v. t. to inflect; to modulate.

infliggere v. t. to inflict; to impose; to cause; (*somministrare*) to administer, to mete out; (*condannare*) to sentence (sb. to st.): **i. un danno a q.**, to cause harm to sb.; **i. a q. due anni di prigione**, to sentence sb. to two years' imprisonment; **i. gravi perdite al nemico**, to inflict heavy losses on the enemy; **i. una punizione**, to administer (o to mete out) a punishment; **i. una sonora sconfitta a q.**, to trounce sb.

inflizióne f. infliction; imposition.

influènte a. influential; important; powerful: **amici influenti**, friends in high places; **una lobby molto i.**, a powerful lobby; a lobby with plenty of pull; **personaggio i.**, influential (o important) figure; *È molto i. in città*, she has pull in town.

♦**influenza** f. **1** influence: **l'i. della luna**, the influence of the moon; **i. reciproca**, interaction; **avere una cattiva i. su q.**, to be a bad influence on sb.; **essere sotto (o subire) l'i. di qc.**, to be under the influence of st.; (*polit.*) **zona d'i.**, sphere of influence **2** (*autorità, ascendente*) influence; (*peso*) leverage, pull, clout (*fam.*): **avere i. presso q.**, to have influence with sb.; *Ha molta i. in ambienti politici*, he has a lot of political clout; **esercitare la propria i. su q.**, to exert one's influence on sb.; **ricorrere alla propria i. per ottenere qc.**, to use one's influence to get st. **3** (*med.*) influenza; flu (*fam.*): **prendersi l'i.**, to catch flu; to come down with flu; **a letto con l'i.**, in bed with influenza (o flu); **i. dei polli**, bird flu.

influenzàbile a. easily influenced.

influenzàle a. (*med.*) influenza (attr.): **bacillo i.**, influenza bacillus.

influenzàre **A** v. t. to influence; to affect; (*con preconcetti*) to bias **B** **influenzàrsi** v. i. pron. to have an attack of influenza **C** **influenzàrsi** v. rifl. recipr. to influence each other [one another].

influenzàto a. **1** influenced **2** (*ammalato*

d'influenza) ill with influenza (*o*, *fam.*, the flu): **essere i.**, to be ill with the flu; to have got flu; **a letto i.**, in bed (*o* down) with (the) flu.

influire v. i. to influence (sb., st.); to have influence (on); to affect (st., sb.); (*contribuire*) to be a (contributing) factor (to): **i. su una decisione**, to influence (*o* to affect) a decision; **i. su un risultato [su un prezzo]**, to affect a result [a price]; *Hanno influito anche il freddo e la stanchezza*, cold and exhaustion were also contributing factors.

influsso m. influence; (*effetto*) effect: **l'i. degli astri**, the influence of the stars; **i. benefico [malefico]**, good [evil] influence; **i. reciproco**, interaction ❶ FALSI AMICI • *influsso non si traduce con* influx.

INFN sigla (**Istituto nazionale di fisica nucleare**) National Institute of Nuclear Physics.

infocare e *deriv.* → **infuocare**, e *deriv.*

infognarsi v. i. pron. (*fam.*) to get* mixed up; to get* bogged down (in); to get* deeply (into): **i. in un lavoro difficile**, to get bogged down in a difficult job; **i. nei debiti**, to get deeply into debt.

infoiare Ⓐ v. t. (*pop.*) to arouse; to get* (sb.) hot (*slang*); to make* horny (*slang*) Ⓑ **infoiarsi** v. i. pron. to become* aroused; to get* the hots (*slang*); to get* horny (*slang*).

infoiato a. (*pop.*) sexually excited; hot (*slang*); horny (*pop.*).

infoline, **info-line** (*ingl.*) f. inv. (telephone) information service; infoline.

in folio (*lat.*) loc. a e m. inv. folio: **l'in folio shakespeariano**, the Shakespeare folio; **edizione in folio**, folio edition; **volume in folio**, folio (volume).

infoltimento m. thickening.

infoltire Ⓐ v. t. to thicken; to make* thicker; (*i capelli*) to make* (sb.'s hair) grow thick (*o* thicker) Ⓑ v. i. to thicken; to get* thick; to grow* thicker.

infondatézza f. groundlessness.

infondàto a. groundless; baseless; unfounded: **accuse infondate**, baseless accusations; **sospetto i.**, groundless (*o* unfounded) suspicion; **timori infondati**, groundless fears; **voci infondate**, groundless rumours.

infóndere v. t. to infuse; to inspire: **i. coraggio a q.**, to infuse courage into sb. (*o* sb. with courage); **i. fiducia**, to inspire confidence; **i. la speranza in q.**, to inspire sb. with hope.

inforcare v. t. **1** to pitchfork **2** (*montare*) to mount; to get* on: **i. la bici**, to get on one's bike • **i. gli occhiali**, to put on one's glasses □ (*sci*) **i. (un paletto)**, to straddle a gate.

inforcata f. forkful; pitchforkful.

inforcatùra f. **1** (*del corpo*) crotch **2** (*di albero*) fork; forking; crotch.

informàle a. **1** (*non ufficiale*) informal; casual: **colloquio [riunione] i.**, informal talk [meeting]; **vestire in modo i.**, to dress informally (*o* casually) **2** (*arte*) non-representational.

informànte m. e f. (*ling.*) informer.

◆**informàre** Ⓐ v. t. **1** (*dare notizie, ragguagliare*) to inform; to acquaint; (*ufficialmente*) to notify; to advise; (*dire*) to tell*; (*riferire*) to report: **i. q. di qc.**, to inform sb. of st.; to acquaint sb. with st.; *Ci informarono che il prigioniero era fuggito*, we were informed that the prisoner had escaped; *Sono stato informato del vostro arrivo solo un'ora fa*, I was told of your arrival only an hour ago; *Ti hanno informato male*, you've been misinformed; **i. la polizia di q.**, to report st. to the police **2** (*improntare*) to inform; to imbue; to pervade; to permeate: **un'opera informata**

a una sorprendente originalità, a work imbued with a surprising originality; *Queste idee informano tutta la sua opera*, these ideas pervade (*o* permeate) all his work **3** (*plasmare*) to shape; to mould; to form: *Informò la sua vita a un ideale di giustizia sociale*, the ideal of social justice shaped his whole life Ⓑ **informàrsi** v. i. pron. **1** (*procurarsi notizie*) to get* information, to make* inquiries; (*chiedere*) to inquire, to ask; (*scoprire*) to find* out: **informarsi sui voli per Londra**, to inquire about the flights to London; **informarsi della salute di q.**, to inquire after sb.'s health; *Non mi sono ancora informato*, I haven't inquired (*o* made inquiries) yet; *Informatevi se è vero*, find out if it is true; **informarsi presso q.**, to inquire of sb. **2** (*essere improntato, pervaso*) to be imbued (with); to be pervaded (with) **3** (*adeguarsi*) to conform (to); to comply (with): **informarsi alle nuove direttive**, to comply with the new regulations **4** (*prendere forma*) to take* on a form (*o* a shape).

informàtica f. information science and technology; IT; computer science; informatics (pl. col verbo al sing.); (*elaborazione dati*) data processing.

informàtico Ⓐ a. information (attr.); computer (attr.); data processing (attr.): **la rivoluzione informatica**, the computer revolution; **sistemi informatici**, information systems; data processing systems Ⓑ m. (f. **-a**) computer scientist; information technologist.

informativa f. (*bur.*) information; (*relazione*) report.

informativo a. informative • **a titolo i.**, for information.

informatizzàre v. t. to computerize.

informatizzazióne f. computerization.

informàto a. informed; (*edotto*) acquainted; (*al corrente, che conosce*) knowledgeable (about), abreast (of), well-up (on) (*USA*) (*di cosa segreta*) in (on st.): **bene i.**, well-informed; **male i.**, ill-informed; misinformed; **i. sui fatti**, acquainted with the facts; *Ne ero già i.*, I had already been informed about it; I knew about it already; *È sempre molto i.*, he is always well-informed; *È sempre ben i. su questioni di Borsa*, he's always genned up on the stock market; **essere i. sulle ultime tecnologie**, to be well up to the latest technologies; *Pare che lui fosse i. del piano*, he appears to have been in on the plan; **tenere i. q.**, to keep sb. posted; **tenersi i. su qc.**, to keep abreast of st.; to keep up to date with st.; **fonte bene informata**, informed source; **i bene informati**, people in the know.

informatóre Ⓐ m. (f. **-trice**) informer: **i. della polizia**, (police) informer; nark (*slang* GB); stool pigeon (*slang* USA); **i. scientifico**, pharmaceutical representative Ⓑ a. informing: **il principio i. di un'opera**, the principle informing a work.

◆**informazióne** f. **1** information Ⓤ; info Ⓤ (*fam.*); (*singola i.*) piece (*o* item, bit) of information; (*richiesta di informazioni*) inquiry, enquiry: **i. errata**, misinformation; wrong piece of information; **i. riservata**, confidential information; **un'i. utile**, a useful bit of information; **ultime informazioni**, up-to-date information; update; *Ho avuto un'i. sbagliata* (*o informazioni sbagliate*), my information was wrong; I was misinformed; **assumere informazioni su q.**, to inquire (*o* to make inquiries) about sb.; **chiedere informazioni**, to make inquiries; **raccogliere informazioni**, to gather information; *Mi servono informazioni su...*, I need some information on...; **flusso di informazioni**, flow of information; **fonte d'informazioni**, source of information; **richiesta d'informa-**

zioni, inquiry; (*scritta*) letter of inquiry; (*comput.*) **teoria dell'i.**, information theory; **ufficio informazioni**, inquiry centre; information bureau; inquiries (pl.) **2** (*mil.*) intelligence Ⓤ: *Servizio Informazioni Militari*, Intelligence Service; *Il nemico disponeva di un buon servizio informazioni*, the enemy intelligence was good • (*leg.*) **i. di garanzia**, warning that one is under investigation □ (*telef.*) **informazioni elenco abbonati**, directory enquiries □ (*biol.*) **i. genetica**, genetic information □ **a titolo d'i.**, for information.

infórme a. **1** formless; shapeless; amorphous: **una massa i.**, a shapeless mass **2** (*non sviluppato, vago*) unformed; nebulous; vague.

informicolaménto, **informicoliménto** m. pins and needles (pl.); tingling sensation.

informicolìrsi v. i. pron. to have pins and needles: *Mi si è informicolita una gamba*, I have pins and needles in my leg.

infornaciàre v. t. to put* into a furnace (*o* into a kiln).

infornaciàta f. batch; kilnful.

infornapàne m. inv. baker's shovel; oven peel.

infornàre v. t. to put* in an oven; (*cuocere al forno*) to bake.

infornàta f. **1** (*anche fig.*) batch **2** (*gergo teatr.*) full house.

infortìre v. i., **infortìrsi** v. i. pron. to turn sour; to turn to vinegar.

infortunàrsi v. i. pron. to get* injured; to have an accident: **i. sul lavoro**, to get injured at work.

infortunàto Ⓐ a. injured (in an industrial accident): **gamba infortunata**, injured leg; **rimanere i.**, to be injured Ⓑ m. (f. **-a**) injured person; accident victim: **i. sul lavoro**, injured worker.

infortùnio m. accident: **i. sul lavoro**, industrial accident; **subire un i.**, to have an accident; **assicurazione contro gli infortuni**, personal accident insurance.

infortunìstica f. (*leg.*) study of industrial accidents; accident prevention study.

infortunìstico a. (*leg.*) industrial accident (attr.): **legislazione infortunistica**, industrial accident legislation.

infoscàre Ⓐ v. t. to darken Ⓑ **infoscàrsi** v. i. pron. **1** to darken; to grow* dark **2** (*fig.*) to grow* gloomy (*o* sombre).

infossaménto m. (*cavità*) hollow; depression; cavity.

infossàre Ⓐ v. t. to put* (*o* to place) in a pit Ⓑ **infossàrsi** v. i. pron. **1** (*di terreno*) to subside; to sink*; to cave in **2** (*di guance, occhi*) to become* hollow (*o* sunken); to hollow out.

infossàto a. **1** (*nascosto nel terreno*) sunk in; embedded **2** (*di guance*) hollow, sunken; (*di occhi*) deep-set; (*per malattia, ecc.*) hollow, sunken.

infossatùra f. (*cavità*) hollow; cavity; depression.

infracidìre v. i. to go* bad; to rot.

infradiciaménto m. rot; rotting; decay.

infradiciàre Ⓐ v. t. **1** to drench; to soak **2** (*far marcire*) to rot Ⓑ **infradiciàrsi** v. i. pron. **1** to get* drenched (*o* soaked) **2** (*marcire*) to rot; to go* bad.

infradiciàta f. drenching; soaking: **prendersi una bella i.**, to get a good drenching; to get drenched (*o* soaked) to the skin.

infradiciàto a. wet through; drenched; soaked; sopping.

infradiciatùra → **infradiciata**.

infradìto m. o f. inv. flipflop; thong (*USA*).

inframmettènte a. interfering; meddle-

some; officious.

inframmetténza f. interference; meddling; officiousness.

inframméttere A v. t. to interpose B **inframméttersi** v. i. pron. to interfere; to meddle.

inframmezzàre v. t. to intersperse; to interpolate.

inframmischiàre → frammischiare.

infranceṣàre A v. t. to Frenchify B **infranceṣàrsi** v. i. pron. to become* Frenchified.

infràngere A v. t. 1 (rompere) to break*; to shatter: **i. il vetro di una finestra**, to shatter a window-pane 2 (fig.: una legge, ecc.) to break*, to infringe, to violate; (diritti altrui, ecc.) to infringe, to invade, to trespass on; (speranze, illusioni, ecc.) to shatter, to dash; (opposizione, ostilità) to overcome* B **infràngersi** v. i. pron. 1 to break*; to shatter; to be shattered: Le onde s'infrangono sugli scogli, the waves break on the rocks 2 (fig.) to be shattered: Le mie speranze s'infransero, my hopes were shattered.

infrangìbile a. unbreakable; (di vetro temprato) shatterproof.

infrànto a. broken; shattered: **cuore i.**, broken heart; (fig.) **idolo i.**, fallen idol.

infrarósso (fis.) a. e m. infrared: **fotografia all'i.**, infrared photography; **filtro per i.**, infrared filter; **raggi infrarossi**, infrared rays.

infrascàre A v. t. 1 (puntellare) to prop up with a branch 2 (nascondere) to cover with branches B **infrascàrsi** v. i. pron. to hide* in the underwood.

infrascàto m. shelter made of branches.

infrascritto a. undermentioned.

infrasettimanàle a. midweek (attr.).

infrasonòro a. (fis.) infrasonic.

infrastruttùra f. (econ., ind.) infrastructure (solo sing.): **mancare di infrastrutture**, to lack the infrastructure.

infrastrutturàle a. infrastructural.

infrasuòno m. (fis.) infrasound.

infrattàre (region.) A v. t. to hide* B **infrattàrsi** v. i. pron. 1 to hide* 2 (di innamorati) to have a roll in the hay.

infraviṣìbile a. (scient.) ultramicroscopic; submicroscopic.

infraẓióne f. infringement; offence; breach; violation; infraction: **i. al codice della strada**, traffic offence; driving offence; **i. della legge**, infringement of the law; breach of law; **i. disciplinare**, breach of discipline; **commettere un'i.**, to commit an offence; to infringe a regulation.

infreddaménto m. → infreddatura.

infreddàrsi v. i. pron. to catch* a cold.

infreddàto a. – **essere i.**, to have a cold.

infreddatùra f. cold; chill: **prendersi un'i.**, to catch a cold.

infreddoliménto m. chill; sensation of cold.

infreddolìre v. i., **infreddolìrsi** v. i. pron. to get* cold; to catch a chill.

infreddolìto a. cold; chilly: **essere i.**, to feel chilly.

infrenàbile a. unrestrainable; uncontrollable.

infrequentàbile a. (di posto) where one would not wish to be seen, where one cannot possibly go; (di persona) that one would not wish to be seen with.

infrequènte a. infrequent; uncommon; rare: **un caso non i.**, a not uncommon case; **visite infrequenti**, infrequent visits.

infrequenteménte avv. infrequently; seldom; rarely.

infrequènza f. infrequency; rarity.

infrolliménto m. 1 (di selvaggina) process of getting high; hanging: La selvaggina ha bisogno di i. per essere commestibile, game must be high (o must hang) in order to be edible 2 (fig.) softening; weakening.

infrollìre v. i., **infrollìrsi** v. i. pron. 1 (di selvaggina) to become* high; to hang* (until high) 2 (di persona) to go* soft; to weaken.

infrollìto a. 1 (di selvaggina) high 2 (di persona) soft; weak.

infruttescènza f. (bot.) infructescence.

infruttìfero a. 1 unfruitful; barren; sterile 2 (econ.) unproductive; unfruitful; idle; non-interest-bearing: **capitale i.**, idle capital; **deposito i.**, non-interest-bearing deposit.

infruttuoṣità f. 1 unfruitfulness; barrenness; fruitlessness 2 (inutilità) uselessness; unprofitableness; futility.

infruttuóṣo a. 1 (sterile) fruitless; unfruitful; barren 2 (inutile) fruitless, vain; unsuccessful 3 (econ.) unproductive; idle.

ìnfula f. (archeol., eccles.) infula*.

infundibulifórme a. (bot.) infundibular.

infundìbulo m. (anat., bot.) infundibulum*.

infungìbile a. (leg.) non-fungible.

infungibilità f. (leg.) non-fungibility.

infuocàre A v. t. 1 to make* red-hot 2 (fig.) to inflame; to fire; to kindle 3 (il viso) to flush B **infuocàrsi** v. i. pron. 1 to become* red-hot 2 (fig.) to be inflamed; to become* heated; (di viso) to flush scarlet, to go* bright red 3 (accalorarsi) to get* excited; to get* worked up.

infuocàto a. 1 red-hot 2 (fig.: caldissimo) burning; scorching hot; sweltering; roasting 3 (fig.: infiammato) fiery; heated; impassioned: **parole infuocate**, fiery words 4 (di viso) red; burning.

infuòri A avv. out; outwards: **all'i.**, outwards; **sporgersi i.**, to lean out; Petto i.!, chest out! B **all'infuori di** loc. prep. except; but; apart from: **tutti i giorni all'i. della domenica**, every day except Sunday; Non mangia niente all'i. della frutta, she eats nothing but fruit C a. inv. protruding; bulging: **denti i.**, protruding teeth; **occhi i.**, bulging eyes.

infurbìre v. i., **infurbìrsi** v. i. pron. to get* smart; to sharpen one's wits; to wise up (fam. USA).

♦**infuriàre** A v. t. to infuriate; to incense; to madden; to make* furious B v. i. to rage: Il vento infuriava, the wind was raging; **far i.**, to get* (sb.) angry; to madden; to incense C **infuriàrsi** v. i. pron. to lose* one's temper; to fly* into a rage; to get* incensed; to get* mad (fam. USA); to get* hot under the collar (fam.).

infuriàto a. 1 (furibondo) furious; enraged; incensed; mad (fam.) 2 (furioso) raging; wild: **un toro i.**, a raging bull.

infuṣìbile a. (fis.) infusible.

infuṣibilità f. (fis.) infusibility.

infuṣióne f. 1 (l'infondere) infusion 2 (macerazione) infusion; brewing 3 (bevanda) → infuso 4 (med.) infusion.

infùṣo A a. infused ● (fig.) **scienza infusa**, supernatural (o innate) knowledge B m. infusion; brew; (tisana) tisane, tea: Il tè è un i., tea is an infusion (o a brew); **i. d'erbe**, herbal tea.

infuṣóre① m. (med.) drip.

infuṣòre② m. (zool.) infusorian; (al pl., scient.) Infusoria.

Ing. abbr. (ingegnere) engineer (eng.).

ing. abbr. (ingegneria) engineering (eng.).

ingabbiaménto m. caging; encaging; erecting the framework of st.

ingabbiàre v. t. 1 to shut* in a cage; to cage 2 (imballare in gabbie) to crate 3 (fig.) to shut* in; (intrappolare) to coop up 4 (edil.) to erect the framework of 5 (naut.) to lay* down.

ingabbiatùra f. (edil.) framework.

ingaggiàre A v. t. 1 (assumere) to hire; to engage; to take* on: **i. una guida**, to hire a guide; **i. manodopera**, to engage labour 2 (sport, naut.) to sign up; to sign on 3 (mil.: arruolare) to recruit; to enlist 4 (dare inizio a) to start: **i. battaglia**, to join battle; to engage the enemy; **i. una lotta**, to start a fight B **ingaggiàrsi** v. i. pron. (naut.) to foul up; to get* fouled.

ingaggiatóre m. (mil.) recruiting officer; recruiter.

ingàggio m. 1 hiring; engagement 2 (sport, naut.) signing up; signing on 3 (mil.) enlistment; recruitment 4 (hockey) face-off ● (naut.) **clausole d'i.**, ship's articles □ (sport) **premio d'i.**, signing-on bonus □ (mil.) **regole d'i.**, rules of engagement.

ingagliardìre A v. t. to invigorate; to strengthen 2 (fig.) to embolden; to strengthen B v. i. e **ingagliardìrsi** v. i. pron. 1 to become* stronger 2 (fig.) to grow* bold (o bolder); to pluck up courage.

ingalluzzire → ringalluzzire.

ingannàbile a. deceivable.

ingannàre A v. t. 1 to deceive; to take* in; to fool; to dupe; (fuorviare) to mislead*; (essere ingannevole) to be deceptive: **i. il nemico con un falso attacco**, to deceive the enemy by a false attack; La loro somiglianza m'ingannò, I was taken in by their likeness; Le apparenze ingannano, appearances are deceptive 2 (truffare) to cheat; to swindle: **i. i clienti**, to cheat one's customers 3 (essere infedele) to be unfaithful to; to cheat on; to two-time (fam.) 4 (deludere) to betray; to let* down: **i. la fiducia di q.**, to betray sb.'s trust; to let sb. down 5 (eludere) to evade; to dodge: **i. la sorveglianza**, to evade supervision ● **i. l'attesa (il tempo)**, to while away the time □ **i. la fame**, to stave off hunger B **ingannàrsi** v. i. pron. to be mistaken; to be wrong: Se non m'inganno, if I am not mistaken; M'ingannerò, ma..., I may be wrong, but...

ingannatóre A m. (f. -trìce) deceiver; (truffatore) swindler, cheat B a. deceiving; deceptive; misleading.

ingannévole a. deceptive; deceitful; misleading; (illusorio) illusory, fallacious.

ingànno m. 1 (astuzia fraudolenta) deceit; deception; trickery: **attirare con l'i.**, to lure; to decoy; **ricorrere all'i.**, to resort to deception (o to trickery); **sottrarre qc. a q. con l'i.**, to cheat sb. out of st.; Ottenne il suo consenso con l'i., he deceived (o tricked) her into giving her consent 2 (azione fraudolenta) fraud, swindle; (raggiro) deception, trick; (trappola) trap; (tradimento) betrayal, double-cross: **tendere un i. a q.**, to lay a trap for sb. 3 (abbaglio) delusion; fallacy; self-deception: **trarre in i.**, to deceive; to fool 4 (caccia) decoy ● **cadere in i.**, (sbagliarsi) to be wrong; to be mistaken □ **pietoso i.**, compassionate lie.

ingarbugliàre A v. t. 1 to entangle; to tangle up 2 (fig.) to confuse; to muddle; to mix up; (complicare) to complicate B **ingarbugliàrsi** v. i. pron. 1 to become* (o to get*) entangled (o tangled); to tangle 2 (fig.: confondersi) to get* confused (o mixed up); to get* into a muddle 3 (complicarsi) to become* complicated (o intricate) 4 (impappinarsi) to stumble; to get* flustered; to get* stuck.

ingarbugliàto a. 1 tangled 2 (fig.) confused; muddled; (complicato) complicated, intricate.

ingavonàrsi v. i. pron. (naut.) to list; to be

laid on one's beam ends.

ingavonàto a. (*naut.*) listing; on her beam ends.

ingegnàccio m. (*fig.*) rough talent; uncultivated genius.

ingegnàrsi v. i. pron. **1** (*sforzarsi*) to strive*; to do* one's best **2** (*arrangiarsi*) to use one's wits; to contrive (to do st.): **i. per vivere**, to live by one's wits.

♦**ingegnère** m. engineer: **i. civile [mineriario, navale, elettronico]**, civil [mining, naval, electronics] engineer ❶ **NOTA**: *engineer* → **engineer.**

ingegneria f. engineering: **i. chimica [civile, elettrotecnica, idraulica, meccanica, militare, mineraria, navale]**, chemical [civil, electrical, hydraulic, mechanical, military, mining, naval] engineering; **i. dei sistemi**, systems engineering; (*biol.*) **i. genetica**, genetic engineering.

ingegnerìstico a. engineering (attr.).

ingegnerizzàre v. t. (*econ.*) to engineer.

ingegnerizzàto a. (*biol.*) engineered.

ingegnerizzazióne f. product engineering.

ingégno m. **1** (*intelligenza*, *genialità*) intelligence; mind; brains (pl.); brain (sempre con un agg.); brilliance; **i. vivace [versatile]**, lively [versatile] mind (o intelligence); **avere un bell'i.**, to have a fine brain; **prontezza d'i.**, quickness of mind; quick-wittedness; **uomo d'i.**, clever man **2** (*ingegnosità*, *abilità*) ingenuity; wits (pl.): **aguzzare l'i.**, to sharpen one's wits; **dare prova d'i.**, to show ingenuity **3** (*talento*) talent; gift; flair; **avere i. per la musica**, to have a talent (o a gift) for music; **un uomo di grande i.**, a man of great talent **4** (*indole naturale*) cast of mind: **avere un i. critico [poetico]**, to have a critical [poetical] cast of mind **5** (*persona di talento*) mind; (al pl., anche) brains: **i migliori ingegni del secolo**, the best minds (o brains) of the century **6** (*della chiave*) bit ● (*anche iron.*) **alzata d'i.**, stroke of genius; brainwave □ **opera dell'i.**, work of the intellect; intellectual work.

ingegnosità f. ingenuity; ingeniousness; cleverness.

ingegnóso a. ingenious; resourceful; imaginative; (*abile*) clever, crafty; (*ben congegnato*) ingenious, clever.

ingelosìre ▲ v. t. to make* jealous; to arouse (sb.'s) jealousy ▣ **ingelosìrsi** v. i. pron. to become* (o to get*) jealous.

ingemmàre ▲ v. t. **1** to adorn with jewels; to stud with jewels; to bejewel **2** (*fig.*) to adorn ▣ **ingemmàrsi** v. i. pron. **1** to adorn oneself with jewels **2** (*bot.*) to bud.

ingeneràre ▲ v. t. to generate; to give* rise to; to give* birth to; to cause; to spawn: **i. confusione**, to cause (o to give rise to) confusion ▣ **ingeneràrsi** v. i. pron. to be caused (by); (*avere origine*) to originate (from), to arise* (from).

ingeneràto a. (*congenito*) innate; inborn; congenital.

ingenerosità f. lack of generosity; uncharitableness; (*meschinità*) pettiness, small-mindedness.

ingeneróso a. ungenerous; uncharitable; (*meschino*) petty, small-minded.

ingènito a. inborn; innate.

ingènte a. great; considerable; substantial: **danni ingenti**, considerable damage; **perdite ingenti**, great losses; **spesa i.**, substantial expenditure.

ingentiliménto m. refinement.

ingentilìre ▲ v. t. to refine ▣ **ingentilìrsi** v. rifl. to become* (more) refined.

ingènua f. **1** → **ingenuo**, m. **2** (*teatr.*) ingénue (*franc.*).

ingenuità f. **1** naivety; ingenuousness; (*innocenza*) candour, innocence **2** (*dabbenaggine*) credulity; gullibility **3** (*osservazione ingenua*) naive remark; naive idea: **dire delle i.**, to make naive remarks; **commettere un'i.**, to be naive (to do st.) ❶ **FALSI AMICI** • ingenuità *non si traduce con* ingenuity.

ingènuo ▲ a. **1** naive; naïve; ingenuous; (*innocente*) candid, innocent **2** (*semplicione*) credulous; gullible ● (*iron.*) **avere l'aria ingenua**, to look as if butter wouldn't melt in one's mouth ▣ m. (f. **-a**) **1** naive person **2** (*semplicotto*) simpleton ● **fare l'i.**, to feign innocence □ **Non è un i.**, he wasn't born yesterday.

ingerènza f. interference; meddling: **i. indebita**, unwarranted interference.

ingeriménto m. ingestion; swallowing.

ingerìre ▲ v. t. to ingest; to swallow ▣ **ingerìrsi** v. i. pron. to interfere (in); to meddle (with).

ingessàre v. t. **1** (*med.*) to put* in plaster: *Gli hanno ingessato la gamba*, they've put his leg in plaster **2** (*fig.*) to fossilize; to ossify.

ingessàto a. **1** (*med.*) in plaster (pred.); in a (plaster) cast: *Ho una gamba ingessata*, my leg is in plaster **2** (*fig.*: *fossilizzato*) fossilized; ossified **3** (*fig.*: *formale*, *poco disinvolto*) formal, stilted, starched; (*rigido*) stiff: **conversazione ingessata**, stilted conversation.

ingessatùra f. (*med.*) **1** (*operazione*) putting in plaster **2** (*il gesso*) plaster cast.

ingestìbile a. unmanageable; uncontrollable.

ingestióne f. ingestion; swallowing.

inghiaiàre v. t. **1** (*viale*, *ecc.*) to cover with gravel; to gravel **2** (*ferr.*) to ballast.

inghiaiatùra f. **1** (*di viale*, *ecc.*) gravelling **2** (*ferr.*) ballasting.

Inghiltèrra f. (*geogr.*) England.

inghiottiménto m. (*anche fig.*) swallowing.

♦**inghiottìre** v. t. **1** to swallow; (*tranguggiare*) to gulp down: **i. la saliva**, to swallow saliva; **i. una medicina**, to swallow a medicine; **i. in fretta**, to gulp down; *Non riesco a i.*, I can't swallow; **i. aria**, to swallow (o to gulp) air **2** (*fig.*: *sopportare*) to swallow; to put* up with **3** (*fig.*: *far scomparire*) to swallow up; to engulf: *Fu inghiottito dalla nebbia* [*da una valanga*], he was swallowed up by the fog [by an avalanche]; *Il mare inghiottì la nave*, the sea swallowed up (o engulfed) the ship; *La casa fu inghiottita dalle fiamme*, the house was engulfed in flames ● **i. le lacrime**, to hold back one's tears.

inghiottitóio m. (*geol.*) swallow-hole.

inghìppo m. (*region.*: *trucco*) trick, catch; (*espediente astuto*) trick, dodge (*fam.*), wheeze (*fam.*); (*intralcio*) snag, hitch: *Dev'esserci un i.*, there must be a catch in it; **escogitare un i.**, to think up a dodge (o a clever trick); *Tutto filò senza inghippi*, it all went off without a hitch.

inghirlandàre ▲ v. t. **1** to wreathe; to garland; to adorn with garlands **2** (*fig.*) to surround; to encircle ▣ **inghirlandàrsi** v. rifl. to put* garlands on one's head; to adorn oneself with garlands.

ingialliménto m. yellowing.

ingiallìre ▲ v. t. to make* yellow; to yellow ▣ v. i. e **ingiallìrsi** v. i. pron. to go* yellow; to turn yellow; to yellow.

ingiallìto a. yellowed; yellow: **i. dal tempo**, yellow with age; **i. dalla nicotina**, nicotine-stained.

ingigantìre ▲ v. t. **1** to magnify; (*fotogr.*) to blow* up **2** (*fig.*) to magnify; to exaggerate; to dramatize: **i. un pericolo**, to magnify a danger ▣ **ingigantìrsi** v. i. pron. to

become* enormous (o gigantic); to get* bigger and bigger.

ingigliàre v. t. to decorate with lilies.

inginocchiaménto m. **1** kneeling **2** (*med.*) kink.

♦**inginocchiàrsi** v. i. pron. to kneel*; to kneel* down; to go* down on one's knees: **i. davanti a q.**, to kneel before sb.

inginocchiàto a. kneeling; on one's knees (pred.).

inginocchiatóio m. prie-dieu (*franc.*); kneeling-stool.

ingioiellàre ▲ v. t. **1** to adorn with jewels; to bejewel **2** (*fig.*) to embellish; to adorn ▣ **ingioiellàrsi** v. rifl. to adorn oneself with jewels.

ingiù avv. down; downwards; downward (agg. e avv.): **guardare i.**, to look down (o downwards); **(a) faccia i.**, face down (o downwards); **a testa i.** (o **all'i.**), head down (o downwards); **rivolto all'i.**, turned down; **baffi all'i.**, drooping moustache.

ingiudicàto a. (*leg.*) unjudged; undecided.

ingiùngere v. t. to enjoin; to order: **i. a q. di uscire**, to order sb. to leave; to order sb. out; **i. a q. il pagamento di una multa**, to enjoin sb. to pay a fine; **i. il silenzio**, to enjoin silence; to order to keep silent.

ingiuntìvo a. (*anche leg.*) injunctive: (*leg.*) **decreto i.**, injunction; order.

ingiunzióne f. (*anche leg.*) injunction.

ingiùria f. **1** insult; abuse ⓤ; (*affronto*) affront: **coprire q. di ingiurie**, to cover sb. with insults (o with abuse); **lanciare ingiurie**, to hurl abuse **2** (*leg.*) slander; (*per iscritto*, *a mezzo stampa*) libel **3** (*torto*) wrong; injustice: **recare i. a q.**, to do sb. wrong ● **le ingiurie del tempo**, the ravages of time ❶ **FALSI AMICI** • ingiuria *non si traduce con* injury.

ingiuriàre ▲ v. t. to insult; to abuse; to call (sb.) names ❶ **FALSI AMICI** • ingiuriare *non si traduce con* to injure ▣ **ingiuriàrsi** v. rifl. recipr. to insult (o to abuse) each other [one another]; to shout abuse at each other [one another].

ingiurióso a. insulting; abusive; offensive: **linguaggio i.**, abusive language; **sospetto i.**, offensive suspicion.

ingiustificàbile a. unjustifiable; inexcusable.

ingiustificàto a. unjustified; (*non motivato*) unwarranted; (*immeritato*) uncalled-for.

♦**ingiustìzia** f. **1** (*l'essere ingiusto*) injustice; unfairness; inequity: **i. sociale**, social injustice **2** (*torto*) injustice; wrong: **le ingiustizie della vita**, life's injustices; **fare un'i. a q.**, to do sb. an injustice; to wrong sb.; **riparare a un'i.**, to remedy an injustice; to redress a wrong; **subire un'i.**, to suffer injustice; *Che i.!*, how unfair!; *È un'i.!*, it's not fair!

♦**ingiùsto** ▲ a. unjust; unfair; inequitable; iniquitous: **critiche ingiuste**, unfair criticism; **una guerra ingiusta**, an unjust war; **trattamento i.**, unfair treatment; *Sei stato i. con me*, you have been unfair to me; you behaved unfairly towards me **2** (*ingiustificato*) unjustified; (*non meritato*) undeserved; (*non motivato*) unwarranted, groundless: **accusa ingiusta**, groundless charge; **un attacco i.**, an unwarranted attack; **rimprovero i.**, underserved rebuke **3** (*leg.*) wrongful; wrong ▣ m. **1** (*persona ingiusta*) unjust person **2** (*ingiustizia*) wrong; injustice: **la differenza fra il giusto e l'i.**, the difference between right and wrong.

inglése ▲ a. English; (*britannico*) British: **cittadino i.**, British citizen; **l'esercito i.**, the British army; **un giardino all'i.**, an English garden ● (*tipogr.*) **carattere i.**, italics (pl.) □ **chiave i.**, spanner □ **filare i.** (o **andarsene**

all'i., to take French leave; to slip away □ **riso all'i.**, boiled rice □ (*chim.*) **sali inglesi**, Epsom salts □ **zuppa i.**, trifle **B** m. e f. Englishman* (m.); Englishwoman* (f.): **gli inglesi**, English (o British) people; the English; the British **C** m. (*lingua*) English: **parlare i.**, to speak English; **l'i. americano**, American English; **l'i. britannico**, British English; **corso d'i.**, English course; **insegnante d'i.**, English teacher.

🛈 **NOTA:** *inglese*

Per motivi storici o dovuti alla complessa situazione istituzionale del Regno Unito, «inglese» viene spesso usato in italiano per descrivere istituzioni che sono propriamente «britanniche», ossia relative alla Gran Bretagna e non all'Inghilterra; inoltre, e per ovvi motivi, i gallesi, gli scozzesi e gli irlandesi non gradiscono essere definiti *English*. In tutti questi casi in inglese conviene quindi usare l'aggettivo *British*.

inglesismo m. Anglicism.

inglesizzàre → **anglicizzare**.

inglobaménto m. incorporation; absorption.

inglobàre v. t. to incorporate; to absorb; to include.

inglorióso a. **1** (*senza gloria*) inglorious; obscure: **una vita ingloriosa**, an inglorious life **2** (*disonorevole*) inglorious; dishonourable; ignominious: **una sconfitta ingloriosa**, an inglorious defeat.

inglùvie f. (*zool.*) crop; craw; ingluvies*.

ingobbiàre v. t. (*ceramica*) to apply slip (o engobe) to; to coat with slip.

ingòbbio m. (*ceramica*) slip; engobe.

ingobbire v. i., **ingobbirsi** v. i. pron. to develop a stoop; to hunch: **ingobbirsi sui libri**, to hunch over one's books.

ingobbito a. bent (*anche di cosa*); hunched up; round-shouldered; stooping.

ingoffàre → **ingoffire**.

ingoffire **A** v. t. to make* (sb.) look ungainly (o dowdy) **B** v. i. e **ingoffirsi** v. i. pron. to become* ungainly; to become* awkward (o clumsy).

ingoiàre v. t. **1** (*inghiottire*) to swallow; (*tranguggiare*) to gulp down, to down: **i. la minestra**, to gulp down one's soup; **i. una medicina**, to gulp down a medicine **2** (*fig.*: *sopportare*) to swallow; to put* up with: **i. un insulto**, to swallow an insult; **i. umiliazioni**, to put up with humiliations **3** (*fig.*: *far scomparire*) to swallow up; to engulf: *La terra lo ingoiò*, the earth swallowed him up ● (*fig.*) **i. un boccone amaro**, to swallow a bitter pill □ **i. le lacrime**, to hold back one's tears □ (*fig.*) **i. un rospo**, to swallow a bitter pill □ (*fig.*) **far i. qc. a q.**, to ram st. down sb.'s throat.

ingolfaménto m. **1** (*autom.*) flooding **2** (*l'ingolfarsi*) getting involved; involvement.

ingolfàre **A** v. t. **1** (*un motore*) to flood **2** (*fig.*) to plunge (sb. into st.) **B** **ingolfàrsi** v. i. pron. **1** (*geogr.*) to form a gulf **2** (*fig.*) to get* involved (in) to get* entangled (in); to get* mixed up (with); (*impegnarsi*) to embark (upon): **ingolfarsi in affari poco chiari**, to get entangled in some shady business dealings; **ingolfarsi nei debiti**, to run up debts **3** (*autom.*) to flood.

ingollàre v. t. to gulp down; to down; (*mangiare voracemente*) to gobble up.

ingolosire **A** v. t. **1** to make* (sb.'s) mouth water; to tempt **2** (*fig.*: *allettare*) to entice; to tempt **B** v. i. e **ingolosirsi** v. i. pron. (*fig.*) to become* greedy; to take* a fancy (to).

ingombrànte a. **1** cumbersome; bulky; voluminous: **un armadio i.**, a bulky wardrobe; a wardrobe that takes up too much room; **pacco i.**, bulky parcel **2** (*fig.*) awkward; troublesome: **presenza i.**, awkward presence.

ingombràre v. t. **1** (*riempire*) to clutter (up); (*ostruire*) to block, to obstruct; (*dare fastidio*) to be in the way; (*impacciare*) to encumber, to hamper: *Tutte queste sedie ingombrano la stanza*, all these chairs clutter up the room; *Carte e libri ingombravano la tavola*, the table was cluttered with papers and books; *Spostalo, ingombra il passaggio*, move it, it is in the way; *Non potevo correre perché la valigia m'ingombrava*, I couldn't run because I was hampered by the suitcase **2** (*fig.*: *occupare*) to encumber; (*riempire*) to stuff.

ingómbro ① a. **1** (*pieno*) cluttered; (*ostruito*) blocked, obstructed **2** (*fig.*: *occupato*) encumbered.

ingómbro ② m. **1** encumbrance; obstruction; impediment **2** (*cosa ingombrante*) bulky object **3** (*volume occupato*) bulk, size; (*spazio occupato*) space occupied ● **essere d'i.**, to be in the way; to be cumbersome □ **dimensioni d'i.**, overall dimensions.

ingommàre v. t. **1** (*spalmare di gomma*) to gum **2** (*incollare*) to gum; to stick*.

ingommatùra f. **1** gumming **2** (*strato di gomma*) layer of gum.

ingordìgia f. (*anche fig.*) greed; greediness; voracity; voraciousness: **i. di denaro**, greed for money; **mangiare con i.**, to eat greedily (o ravenously); to gobble up (o to wolf down) one's food.

ingórdo **A** a. (*anche fig.*) greedy; voracious **B** m. (f. *-a*) greedy person; (*ghiottone*) glutton.

ingorgàre **A** v. t. to clog (up); to choke (up); to block (up): **i. il lavandino**, to block the sink; **i. le strade**, to clog (o to block up) the roads **B** **ingorgàrsi** v. i. pron. **1** to get* clogged (o choked, blocked) (up) **2** (*di traffico*) to get* snarled up: *Il traffico s'ingorga spesso a questo semaforo*, the traffic often gets snarled up (o there is often a traffic jam) at these lights.

ingórgo m. **1** block; blockage **2** (*del traffico*) (traffic) jam; snarl-up; gridlock (*USA*) **3** (*med.*) engorgement.

ingovernàbile a. **1** (*di paese*) ungovernable **2** (*sfuggito al controllo*) out of control.

ingovernabilità f. ungovernability.

ingozzaménto m. (*del pollame*) force-feeding.

ingozzàre **A** v. t. **1** (*tranguggiare avidamente*) to gobble; to guzzle; to wolf down **2** (*pollame*) to force-feed; (*bestiame*) to fatten **3** (*costringere a mangiare*) to stuff with food; to overfeed* **4** (*fig.*: *sopportare*) to swallow; to put* up with **B** **ingozzàrsi** v. rifl. (*mangiare avidamente*) to gorge oneself; to stuff oneself; to pig oneself (*fam.*); to scoff (*fam. GB*): *Ci siamo ingozzati di uva*, we gorged ourselves on grapes.

ingozzatrice f. crammer.

ingracilìre **A** v. t. to make* frail; to weaken; to enfeeble **B** v. i. e **ingracilirsi** v. i. pron. to become* (o to grow*) delicate (o frail); to weaken.

ingranàggio m. **1** (*mecc.*) gear; wheel; (al pl., collett.) gears, gearing □, mechanism (sing.), works: **i. conico**, bevel gear; **i. elicoidale**, worm gear; helical gear; **senza ingranaggi**, gearless; **catena d'i.**, gearing-chain; **dente d'i.**, cog; tooth; **ruota d'i.**, cog wheel **2** (*fig.*) machine; workings (pl.); wheels (pl.); system: **gli ingranaggi del sistema**, the workings of the system; **essere preso nell'i.**, to be caught up in the system;

essere una rotella nell'i., to be just a cog in the machine.

ingranaménto m. **1** (*mecc.*) engaging; meshing **2** (*mecc.*: *grippaggio*) seizing; seizure **3** (*fig.*) getting under way; getting started.

ingranàre **A** v. t. (*mecc.*) to put* into gear; to interlock; to engage: **i. la marcia**, to put into gear; **i. la terza**, to engage (o to put the car into) third gear **B** v. i. **1** (*mecc.*) to engage; to mesh **2** (*mecc.*: *grippare*) to seize **3** (*fig.*: *incominciare bene*) to get* going; to get* off to a good start; (*di attività, ecc.*) to get* off the ground **4** (*fig.*: *ambientarsi*) to fit in, to settle down; (*andare d'accordo*) to get* on well.

ingranchire, **ingranchirsi** → **aggranchire**, **aggranchirsi**.

ingrandiménto m. **1** enlargement; (*crescita*) growth, increase; (*espansione*) expansion; (*in potenza*) aggrandizement **2** (*di casa*) extension **3** (*fotogr.*) enlargement; blow-up **4** (*ottica*) magnification: **lente d'i.**, magnifying glass.

◆**ingrandìre** **A** v. t. **1** to enlarge; (*in scala*) to scale up; (*estendere*) to extend; (*aumentare*) to increase, to add to, to swell **2** (*fotogr.*) to enlarge; to blow* up **3** (*di lente d'ingrandimento*) to magnify **4** (*esagerare*) to exaggerate; to magnify; to play up: **i. i pericoli**, to exaggerate dangers **5** (*rendere più potente*) to aggrandize: **i. uno Stato**, to aggrandize a state **B** v. i. e **ingrandirsi** v. i. pron. to become* larger; to grow* bigger; (*crescere*) to grow*, to increase; (*espandersi, anche comm.*) to expand, to extend: *Il paese si è ingrandito*, the village has grown; *La nostra ditta si è ingrandita di recente*, we have expanded our business lately.

ingranditóre **A** m. (*fotogr.*) enlarger **B** a. enlarging; magnifying.

ingrassàggio m. (*autom.*) greasing; lubricating: **pistola per i.**, grease gun.

ingrassaménto m. **1** fattening **2** (*concimazione*) manuring; fertilizing.

◆**ingrassàre** **A** v. t. **1** to fatten; to make* fat: **i. i maiali**, to fatten pigs; *I dolci ingrassano*, sweets are fattening **2** (*concimare*) to manure; to fertilize **3** (*lubrificare*) to grease; to lubricate; to oil: **i. gli ingranaggi**, to lubricate the gears; **i. scarponi**, to grease boots; (*autom.*) **far lavare e i. una macchina**, to have a car washed and serviced **4** (*far apparire più grasso*) to make* (sb.) look fatter: *Quel vestito la ingrassa*, that dress makes her look fatter ● (*fig. fam.*) **andare a i. i cavoli**, to die; to croak (*slang*) **B** v. i. e **ingrassàrsi** v. i. pron. **1** to grow* fat; to put* on weight; to fatten up **2** (*fig.*: *arricchirsi*) to get* rich.

ingrassatóre **A** m. **1** (*operaio*) greaser; oiler **2** (*mecc.*) lubricator; (*a pompa, a pressione*) grease gun; (*per cuscinetti*) grease cup **B** a. fattening.

ingràsso m. **1** fattening: **animali da i.**, fattening animals; **mettere (o tenere) animali all'i.**, to fatten animals **2** (*di terreno*) manuring; fertilizing **3** (*concime animale*) manure: **dare l'i. (alla terra)**, to manure; to fertilize.

ingraticciàre v. t. to trellis.

ingraticciàta f. trelliswork.

ingraticolàre v. t. to close with a grating (o with a grille).

ingratitùdine f. ungratefulness; ingratitude.

ingràto **A** a. **1** ungrateful; unthankful: **i. verso q.**, ungrateful to sb.; **dimostrarsi i.**, to prove ungrateful **2** (*di cosa*) thankless; unrewarding; (*sgradevole*) unpleasant, disagreeable, off-putting (*fam.*); (*ostico*) difficult, laborious: **un compito i.**, a thankless

task; **un lavoro i.**, an unrewarding job; an unpleasant job; **terreno i.**, poor soil B m. (f. **-a**) ungrateful person; ingrate.

ingravidàre A v. t. to make* pregnant; to impregnate B v. i. e **ingravidàrsi** v. i. **pron.** to become* pregnant.

ingraziàre v. t. to ingratiate oneself with; to get* on the right side of; to win* the favour of: **ingraziarsi i superiori**, to ingratiate oneself with one's superiors; **cercare di ingraziarsi q.**, to try to get on the right side of sb.; (con modi ossequiosi) to curry favour with sb.

ingrediènte m. **1** ingredient; component; element; constituent: **gli ingredienti di una torta**, the ingredients of a cake; **ingredienti chimici**, chemical constituents **2** (fig.) ingredient; factor.

ingressàre v. t. (biblioteconomia) to accession.

ingressivo a. (ling.) **1** (di verbo) ingressive; inchoative **2** (fon.) ingressive.

♦**ingrèsso** m. **1** (apertura di entrata) entrance; (atrio) hall, lobby: **i. di servizio**, service entrance; **i. fornitori**, delivery entrance; **i. sul retro**, back entrance; **i. principale**, front entrance; Ho lasciato l'ombrello nell'i., I left my umbrella in the hall; **sbarrare l'i.**, to bar the entrance **2** (l'entrare) entry; entrance: **l'i. degli alleati nella capitale**, the entry (o the entrance) of the allied troops into the capital; **l'i. del primo attore**, the entrance of the leading actor; **i. in società**, entry into society; **fare un i. trionfale**, to make a triumphal entry; **impedire l'i. a q.**, to prevent sb. from getting in; Vietato l'i., no admittance; no entry **3** (facoltà di entrare) admission; (biglietto d'ingresso) ticket: **i. libero**, admission free; no charge for admission; L'i. è a pagamento, there is a charge for admission; tickets are required; L'i. costa 30 euro, admission is 30 euros; Prendi due ingressi, get two tickets; (su un biglietto) Vale due ingressi, admits two **4** (comput.) input.

ingrigire v. i. to become* (o to turn) grey; to grow* grey; (rif. a persona) to go* grey, to grey: Stai cominciando a' i., you're beginning to go grey.

ingrigito a. (rif. a persona) greying; grizzled.

ingrippàre → **grippare**.

ingrommàre v. t., **ingrommàrsi** v. i. **pron.** to encrust with tar (o with argol).

ingrossaménto m. **1** (aumento di spessore) thickening, (rigonfiamento) swelling; (aumento) increase, growth: **i. del fegato [di un fiume]**, swelling of the liver [of a river] **2** (sporgenza) bulge; (gonfiore) swelling.

ingrossàre A v. t. **1** (aumento di spessore) to thicken; (gonfiare, accrescere) to swell*; (aumentare) to increase; (ingrandire) to enlarge: **i. un debito**, to increase a debt; **i. le file dei disoccupati**, to swell the ranks of the unemployed; Le piogge hanno ingrossato il fiume, the rain has swollen (o raised the level of) the river **2** (far apparire più grosso) to make* (sb.) look fat (o fatter): Questo vestito ti ingrossa sui fianchi, this dress makes you look fatter round the hips B v. i. e **ingrossàrsi** v. i. pron. (crescere di volume) to become* (o to grow*) bigger; (gonfiarsi) to swell*, to rise*; (aumentare) to increase, to grow*, to expand; (ingrassare) to become* fat; to grow* stout; to put* on weight: Il fiume si è ingrossato, the river has swollen (o risen); Mi si è ingrossato il fegato, my liver has swollen ❶ **FALSI AMICI** • ingrossare non si traduce con to engross.

ingrossatùra f. → **ingrossamento**.

ingròsso avv. – **all'i.**, (comm.) wholesale; (all'incirca) approximately, roughly; **commerciante all'i.**, wholesaler; wholesale

dealer; **prezzi all'i.**, wholesale prices; **comprare [vendere] all'i.**, to buy [to sell] wholesale; **dieci metri all'i.**, roughly ten metres; **fare le cose all'i.**, to do things in a rough and ready fashion; to do things anyhow.

ingrugnàre v. i., **ingrugnàrsi** v. i. pron. (fam.) to sulk; to be grumpy.

ingrugnàto a. (fam.) sulky; grumpy.

ingrugnire → **ingrugnare**.

inguadàbile a. unfordable.

inguaiàre (fam.) A v. t. to get* into trouble; to put* into a fix (o a tight spot) (fam.): (eufem.) **i. una ragazza**, to get a girl into trouble B **inguaiàrsi** v. rifl. to get* into trouble; to get* oneself into a fix (fam.).

inguaiàto a. in trouble; in a fix (fam.).

inguainàre v. t. (anche fig.) to sheathe: **inguainata in raso nero**, sheathed in black satin.

ingualcibile a. crease-resistant; non-crease; uncrushable.

ingualcibilità f. non-crease quality.

ingualdrappàre v. t. to caparison; to put* trappings on.

inguantàre A v. t. to put* gloves on; to cover with gloves B **inguantàrsi** v. rifl. to put* on gloves.

inguantàto a. gloved.

inguardàbile a. too ugly to look at [to watch, etc.]; repellent; terrible; dreadful: **film i.**, terrible film.

inguaribile a. **1** incurable; terminal; terminally ill: **male i.**, incurable (o terminal) illness; **paziente i.**, terminal (o terminally ill) patient **2** (fig.) incurable; incorrigible; inveterate: **un i. romantico [ottimista]**, an incurable romantic [optimist]; **vizio i.**, incorrigible vice.

ingubbiàre → **ingobbiare**.

inguinàle a. (anat.) inguinal.

inguine m. (anat.) groin.

ingurgitàre v. t. to gulp down; to ingurgitate; (mangiare con ingordigia) to gobble, to scoff (fam. GB).

inibire A v. t. **1** (proibire) to forbid*; to prohibit **2** (med., psic.) to inhibit B **inibirsi** v. rifl. e i. pron. **1** (frenarsi) to restrain oneself **2** (bloccarsi) to become* inhibited.

inibito (psic.) A a. inhibited B m. (f. -a) inhibited person.

inibitóre A a. (anche psic.) inhibiting; inhibitive B m. (chim.) inhibitor: (farm.) **i. della proteasi**, protease inhibitor.

inibitòrio a. (anche psic.) inhibitory.

inibizióne f. **1** (proibizione) prohibition; inhibition **2** (psic.) inhibition.

inidoneità f. unfitness; unsuitability • **i. alla navigazione**, unseaworthiness.

inidòneo a. unfit (for); unsuitable (for); (incompetente) unqualified, incompetent: **i. al servizio militare**, unfit for military service.

iniettàbile a. injectable.

iniettàre A v. t. **1** (med.) to inject: **i. qc. a q.**, to inject sb. with st.; L'infermiera mi iniettò qualcosa nel braccio, the nurse injected something into my arm; **iniettarsi un sonnifero**, to inject oneself with a sleeping drug; **i. per via intramuscolare [endovenosa]**, to inject intramuscolarly [intravenously] **2** (tecn., fig.) to inject B **iniettàrsi** v. i. pron. – (di occhi) **iniettarsi di sangue**, to become* bloodshot.

iniettàto a. **1** injected **2** – (di occhi) **i. di sangue**, bloodshot.

iniettivo a. **1** (fon.) ingressive **2** (mat.) injective.

iniettóre m. (mecc.) injector.

♦**iniezióne** f. **1** injection; shot (fam.); jab

(fam.): **i. di richiamo**, booster; **i. intramuscolare [endovenosa, sottocutanea]**, intramuscular [intravenous, hypodermic] injection; **per i.**, by injection; **fare un'i.**, to give an injection; **fare un'i. di morfina a q.**, to give sb. a morphine injection; **siringa per iniezioni**, hypodermic syringe **2** (fig.) injection; boost: **un'i. di capitali**, an injection of capital; **un'i. di fiducia**, a boost to sb.'s morale; confidence booster; **un'i. di ottimismo**, an injection of optimism **3** (mecc., tecn.) injection: **i. di cemento**, grout injection; **i. di combustibile**, fuel injection; **motore a i.**, fuel-injection engine; **stampaggio a i.**, injection moulding **4** (mat.) injection; one-to-one mapping.

inimicàre, **inimicàrsi** v. t. to alienate; to make* an enemy of; to fall* out with: **inimicarsi un collega**, to make an enemy of (o to fall out with) a colleague.

inimicizia f. **1** enmity; hostility; animosity; bad blood: **sentimenti d'i.**, feelings of hostility; C'è i. tra di loro, there is bad blood between them **2** (al pl.) (nemici) enemies: **procurarsi inimicizie**, to make enemies.

inimitàbile a. inimitable; incomparable; matchless.

inimmaginàbile a. unimaginable; unconceivable.

inincrócio m. (biol.) inbreeding.

ininfiammàbile a. uninflammable; non-flammable.

ininfluènte a. uninfluential; irrelevant.

ininfluènza f. irrelevance.

inintelligìbile a. **1** unintelligible; incomprehensible; obscure **2** (inudibile) inaudible; (illeggibile) illegible, indecipherable.

inintelligibilità f. **1** unintelligibility; incomprehensibility; obscurity **2** (di scritto) illegibility, indecipherableness.

inintermediàri loc. avv. (negli avvisi economici) no agents.

ininterrottaménte avv. incessantly; continuously; non-stop; (24 ore su 24) round the clock.

ininterrótto a. uninterrupted; continuous; incessant; ceaseless; solid; non-stop; (24 ore su 24) round-the-clock: **pianto i.**, continuous weeping; **pioggia ininterrotta**, continuous (o incessant, solid) rain; **rumore i.**, incessant (o non-stop) noise; **sorveglianza ininterrotta**, round-the-clock surveillance; **per sei ore ininterrotte**, for six whole hours; non-stop for six hours; for six hours solid.

iniquità f. **1** (ingiustizia) iniquity; injustice **2** (atto iniquo) iniquity, iniquitous act; (cosa indegna) disgrace, shame **3** (malvagità) iniquity; wickedness; (peccato) sin.

iniquo A a. **1** iniquitous; unjust: **legge iniqua**, iniquitous law; **sentenza iniqua**, unjust verdict; **sorte iniqua**, unjust fate; È stata un'azione iniqua togliere il bambino alla madre, it was iniquitous to take the child away from its mother **2** (malvagio) wicked; evil B m. wicked person.

iniziàle A a. initial; starting; opening; first: **fase i.**, initial stage; **capitolo i.**, opening chapter; **lettera i.**, initial letter; **le pagine iniziali**, the first few pages; **stipendio i.**, starting salary; **velocità i.**, starting speed; (comm.) **capitale i.**, initial (o start-up) capital B f. **1** initial: **i. miniata**, illuminated initial; **scrivere qc. con l'i. maiuscola**, to write st. with a capital letter **2** (al pl.) (di un nome) initials: **siglare con le iniziali**, to sign with one's initials; to initial.

inizializzàre v. t. (comput.) to initialize.

inizializzazióne f. (comput.) initialization.

inizialménte avv. initially; at first; in the beginning.

iniziàre A v. t. 1 (*cominciare, avviare*) to begin*; to start; to enter into (*form.*); to initiate (*form.*); (*aprire*) to open; (*intraprendere*) to start on, to embark on: **i. un'attività commerciale**, to start a business; **i. un dibattito**, to initiate discussions; to open a debate; **i. il lavoro**, to begin working; to begin to work; to start work; **i. un nuovo lavoro**, to start on a new job; **i. le ostilità**, to open hostilities; (*leg.*) **i. un procedimento contro q.**, to institute proceedings against sb.; **i. le trattative con q.**, to start (*o* to enter into) negotiations with sb.; **i. un viaggio**, to start on a journey; **i. a parlare**, to start speaking; to begin to speak; *Arrivò a riunione iniziata*, the meeting had already begun when he arrived 2 (*una persona*) to initiate: **i. q. alla politica**, to initiate sb. into politics; **i. q. a riti segreti**, to initiate sb. into a secret ritual B v. i. e **iniziàrsi** v. i. pron. to begin*; to start: *Il concerto inizierà alle cinque*, the concert will begin at five o'clock.

iniziàtico a. 1 initiation (attr.): **rito i.**, initiation ritual 2 (*fig.*) obscure; esoteric.

iniziativa f. 1 (*decisione*) initiative: **prendere l'i.**, to take (*o* to seize) the initiative; **di propria i.**, on one's own initiative; unprompted; off one's own bat (*fam.*); **per i. di q.**, on the initiative of sb. 2 (*proposta, progetto*) initiative, project; (*attività*) activity; (*impresa*) undertaking, enterprise, venture: **libera i.**, free enterprise; **i. privata**, private enterprise; **iniziative culturali**, cultural activities; **aderire a un'i.**, to support an initiative 3 (*intraprendenza*) initiative; drive; enterprise: **avere i.**, to have initiative; to be enterprising; **mancare di i.**, to be lacking in initiative; **pieno d'i.**, enterprising; **spirito d'i.**, spirit of enterprise; drive; resourcefulness.

iniziàto a. e m. (f. *-a*) initiate: **gli iniziati a un culto**, the initiates to a cult; **non i.**, uninitiated ● (*fig.*) **linguaggio per iniziati**, esoteric language; jargon.

iniziatóre A a. starting; initiating; opening B m. (f. *-trice*) initiator.

iniziazióne f. initiation: **i. alla musica**, initiation into music.

inìzio m. 1 beginning; start; commencement (*form.*): **l'i. del film**, the beginning (*o* the start) of the film; **l'i. della fine**, the beginning of the end; **un nuovo i.**, a new beginning; a fresh start; *Questo è solo l'i.*, this is only the beginning (*o* the start); **come i.**, to begin (*o* to start) with; **dall'i. alla fine**, from start to finish; **sin dall'i.**, from the (very) beginning; from the start; from the outset; from the word go (*fam.*); **poco dopo l'i.**, soon after the start; (*rif. a una situazione, a un processo*) early on; **avere i.**, to start; to begin; **dare i. a qc.**, to begin st.; to start st. off. 2 (*avvio*) start; beginning; onset; (*apertura*) start, opening: **l'i. di una malattia**, the onset of an illness; **l'i. di un romanzo**, the opening of a novel; **un i. difficile** (*o* inizi difficili*), a difficult start; **gli inizi di marzo**, early March; **all'i.**, in the beginning; at the outset; (*dapprima*) at first; **all'i. dell'inverno [di aprile]**, early in winter [in April]; **all'i. degli anni Ottanta**, in the early 1980s; *Il progetto è solo agli inizi*, the plan is still in its early stages; *Siamo solo agli inizi*, this is only the beginning (*anche iron.*); it's early days yet (*fam.*).

inka → **inca**.

in limine (*lat.*) loc. avv. at the very last moment.

in loco (*lat.*) loc. avv. in situ; in the same place.

innacquàre → **annacquare**.

♦**innaffiàre** e deriv. → **annaffiare**, e deriv.

innalzaménto m. 1 (*elevazione*) raising; elevation: **i. al trono**, elevation to the throne

2 (*edificazione*) erection; building 3 (*aumento*) rise; increase: **i. dei prezzi [della temperatura]**, rise in prices [in temperature]; **i. dell'età pensionabile**, increase of retirement age.

innalzàre A v. t. 1 (*levare, sollevare*) to raise (*anche fig.*); to lift up: **i. una bandiera**, to raise a flag; **i. un inno**, to raise a hymn; **i. gli occhi al cielo**, to lift up (*o* to raise) one's eyes to heaven 2 (*portare a un livello più alto*) to raise; to put* up: **i. il livello dell'acqua**, to raise the water level; **i. la temperatura**, to raise the temperature 3 (*erigere*) to erect; to put* up; to build*: **i. una cattedrale**, to erect (*o* to build) a cathedral; **i. una statua**, to put up (*o* to erect) a statue; **i. un monumento**, to erect a monument 4 (*rendere più alto*) to make* higher; to add (st.) to: **i. di un piano un palazzo**, to add another storey to a building 5 (*elevare di rango*) to raise; to advance; to elevate (*form.*): **i. q. a una carica più alta**, to raise (*o* to elevate) sb. to a higher rank; **i. q. agli onori degli altari**, to make sb. a saint; **i. al trono**, to raise to the throne 6 (*fig.: rendere più elevato*) to elevate: **i. lo stile**, to elevate one's style B **innalzàrsi** v. i. pron. 1 (*salire*) to rise* 2 (*ergersi*) to rise*; to stand*: *Una catena di monti s'innalzava alla nostra destra*, a range of mountains rose on our right; *La vetta s'innalzava azzurra sull'orizzonte*, the peak stood blue against the horizon C **innalzàrsi** v. rifl. 1 (*sollevarsi*) to rise*; to ascend 2 (*elevarsi*) to rise*; to advance 3 (*esaltarsi*) to exalt oneself; to aggrandize oneself.

innamoraménto m. 1 (*l'innamorarsi*) falling in love 2 (*amore*) love ● **essere facile agli innamoramenti**, to fall in love easily.

♦**innamoràre** A v. t. 1 to make* (sb.) fall in love; to make* (sb.) love: *Seppe innamorarlo*, she made him love her 2 (*incantare, sedurre*) to enchant; to charm; to captivate: *una casetta che innamora*, a charming little house; *una bellezza che innamora*, an enchanting beauty B **innamoràrsi** v. i. pron. to fall* in love (with): *S'è innamorato della donna sbagliata*, he has fallen in love with the wrong woman; **innamorarsi a prima vista**, to fall in love at first sight; **innamorarsi di una casa**, to fall in love with a house C **innamoràrsi** v. rifl. recipr. to fall* in love (with each other): *S'innamorarono subito*, they fell in love at once.

innamoràto A a. 1 in love (pred.): *È molto i.*, he is very much in love; **i. cotto** (*o* innamoratissimo, pazzamente i.*), madly (*o* head over heels) in love 2 (*entusiasta*) in love (with); crazy (about): *È i. di Siena*, he is in love with Siena; *È i. del nuoto*, he's crazy about swimming B m. (f. *-a*) lover; boyfriend (f. girlfriend); sweetheart; inamorato (f. inamorata) (*scherz.*): **un i. timido**, a shy lover; **avere l'i.**, to have a boyfriend.

innànzi A avv. 1 (*di luogo: avanti*) forward; on; onwards: **andare i.**, to go on; **farsi i.**, to come [to go] forward 2 (*di tempo: poi*) on; onwards: **d'ora i.**, from now onwards; henceforth (*form.*); **da quel momento i.**, from then on; thenceforth (*form.*) 3 (*lett.: prima*) before ● **essere i. negli anni**, to be getting on in years B prep. 1 (*prima di*) before: **i. sera**, before evening 2 – **i. a**, before; in front of; in sb.'s presence: **i. al re**, in the presence of (*o* before) the king; *Fu portato i. al giudice*, he was brought before the judge; *Camminava a me*, she was walking in front of me; **mettere i. a tutto la famiglia**, to place one's family before everything else ● **i. tempo**, prematurely; too early; too soon □ **i. tutto** → **innanzitutto** C inv. previous; before: **l'anno i.**, the previous year; the year before D m. – **per l'i.**, (*in passato*) before, previously, formerly; (*in futuro*) in the future.

innanzitùtto avv. first; first of all; (*prima di ogni altra cosa*) before everything else: *Finisci il tuo lavoro i.*, finish your work, first; *Vorrei dire i. che...*, first of all I'd like to say that...; **la famiglia i.**, one's family before everything else.

innàrio m. (*eccles.*) hymn book; hymnal.

innatìsmo m. 1 (*filos.*) nativism 2 (*psic.*) innatism.

innatìsta m. e f. 1 (*filos.*) nativist 2 (*psic.*) innatist.

innatìstico a. 1 (*filos.*) nativistic 2 (*psic.*) innatistic.

innàto a. innate; inborn; native; congenital; inbuilt: **abilità innata**, innate capacity; inborn (*o* native) ability; **capacità innata**, inbuilt ability; **difetto i.**, congenital defect; (*filos.*) **idee innate**, innate ideas; **un i. senso dell'umorismo**, an innate sense of humour; **avere i. il senso della giustizia**, to have an innate (*o* inborn) sense of justice.

innaturàle a. unnatural.

innavigàbile a. unnavigable.

innavigabilità f. unnavigability.

innegàbile a. undeniable; indisputable.

inneggiàre v. i. 1 to sing* hymns 2 (*fig.: lodare*) to sing* the praises (of); to exalt (st.); (*celebrare*) to celebrate (at.): **i. alla vittoria**, to celebrate victory 3 (*acclamare*) to cheer (st.); to hail (st.): **i. alla squadra vincitrice**, to cheer the winning team.

inneità f. (*filos.*) innateness.

innervàre v. t. (*anat.*) to innervate.

innervazióne f. (*anat.*) innervation.

♦**innervosire** A v. t. 1 (*irritare*) to get* on (sb.'s) nerves; to irritate 2 (*rendere nervoso*) to make* nervous; to fluster B **innervosirsi** v. i. pron. 1 (*irritarsi*) to become* irritable 2 (*agitarsi*) to get* nervous (*o* agitated); to start fussing; to start fretting.

innervosìto a. 1 (*irritato*) irritated; annoyed (*fam.*) 2 (*agitato*) nervous; agitated; wrought up.

innescaménto m. 1 (*di amo*) baiting 2 (*di arma*) priming.

innescàre A v. t. 1 (*un amo*) to bait 2 (*un'arma*) to prime 3 (*estens. e fig.*) to trigger (off); to spark off: **i. una reazione a catena**, to trigger a chain reaction; **i. una polemica**, to spark off a debate; **i. una rivolta**, to spark off a rebellion B **innescàrsi** v. pron. (*fig.*) to be sparked off; to be triggered off.

innèsco m. 1 (*di arma*) primer 2 (*estens. e fig.*) trigger.

innestàre A v. t. 1 (*agric.*) to graft: **i. viti americane sulle vecchie**, to graft American vines on to the old stocks 2 (*med.*) to graft: **i. sul viso pelle presa dal braccio**, to graft skin from the arm on to the face 3 (*inserire*) to insert; (*elettr.*) to plug in; (*mecc.*) to engage: **i. la frizione**, to engage (*o* to let in) the clutch; **i. la spina del ferro da stiro**, to plug in the iron 4 (*fig.*) to insert; to add B **innestàrsi** v. i. pron. 1 (*immettersi*) to join: **il punto in cui la strada s'innesta sulla statale**, the point where the road joins the state road 2 (*inserirsi*) to be inserted (into); to be grafted (on).

innestatóio m. (*agric.*) grafting knife; grafter.

innestatóre m. (f. *-trice*) (*agric.*) grafter.

innestatùra f. (*agric.*) 1 (*l'innestare*) grafting; graftage 2 (*punto d'innesto*) graft.

innèsto m. 1 (*agric.*) graft; grafting: **i. a gemma** (*o* a occhio*), budding; **i. a marza**, side grafting 2 (*med.*) graft: **i. epidermico**, skin graft 3 (*elettr.*) connection; (*spina*) plug 4 (*mecc.*) clutch; coupling; joint: **i. a baionetta**, bayonet joint; **i. a frizione**, friction clutch; **i. di sicurezza**, slip clutch; **i. mecca-**

nico, positive clutch **5** (*fig.*: *congiunzione*) junction; (*inserimento*) insertion, graft.

innevaménto m. (*neve caduta*) snowfall; snow: **i. artificiale**, (*l'operazione*) artificial snow-making; (*la neve*) artificial snow; **condizioni di i.**, snow conditions.

innevàre A v. t. to cover with snow B **innevàrsi** v. i. pron. to be covered with snow.

innevàto a. covered with snow; snowy; snow-covered; snow-capped.

ìnno m. **1** hymn; anthem: **l'i. nazionale**, the national anthem; **i. religioso**, religious hymn; **gli inni omerici**, the Homeric hymns; **intonare un i.**, to sing a hymn **2** (*fig.*) celebration; praise; song of praise; paean: *Il suo discorso è stato un i. alla pace*, his speech was a celebration of peace; **i. di lode**, song of praise.

♦**innocènte** A a. **1** innocent; (*senza colpa*) guiltless; not guilty (*leg.*): **sangue i.**, innocent blood; **dichiararsi i.**, to protest one's innocence; to plead not guilty (*leg.*); *Fu riconosciuto i.*, he was found to be innocent; he was found not guilty (*leg.*); **essere i. di qc.**, to be innocent (*o* guiltless) of st. **2** (*innocuo*) innocent; harmless: **divertimento i.**, innocent pastime; **domanda i.**, harmless question; **scherzo i.**, harmless practical joke **3** (*schietto*) innocent, candid, artless; (*ingenuo*) naive: **giovane e i.**, young and innocent; **occhi innocenti**, innocent eyes B m. e f. innocent: **fare l'i.**, to play the innocent; to feign innocence; **ospedale degli Innocenti**, Foundling Hospital.

innocentino m. (f. **-a**) (*fam. iron.*) innocent; goody-goody (*fam.*): **fare l'i.**, to play the innocent; **avere l'aria da innocentina**, to look as if butter wouldn't melt in one's mouth.

innocentìsmo m. upholding of an accused person's innocence.

innocentìsta m. e f. upholder of an accused person's innocence.

innocènza f. innocence: **dichiarare la propria i.**, to protest one's innocence; to plead not guilty (*leg.*); *Beata i.!*, bless his [her, etc.] innocence!

Innocènzo m. Innocent.

innocuità f. innocuousness; harmlessness; inoffensiveness.

innòcuo a. innocuous; harmless; inoffensive: **una bevanda cattiva ma innocua**, a nasty but innocuous drink; **battute innocue**, harmless jokes.

innodìa f. hymnody.

innografìa f. **1** hymnography **2** (*raccolta di inni*) hymnal.

innògrafo m. hymnographer.

innologìa f. **1** (*studio*) hymnology **2** (*arte*) hymnography; hymnody.

innòlogo m. (f. **-a**) hymnologist.

innomìnàbile a. unnameable; unmentionable.

innominàto A a. **1** unnamed; unmentioned; (*senza nome*) nameless **2** (*anat.*) innominate: **osso i.**, innominate bone B m. (f. **-a**) (*sconosciuto*) unidentified person; (*anonimo*) nameless (*o* unnamed) person.

innovaménto → **innovazione**.

innovàre v. t. to introduce (*o* to make*) innovations into; to innovate (in st.); to change; to reform.

innovatività f. innovative character.

innovatìvo a. innovative; innovatory.

innovatóre A a. innovating; innovative; innovatory B m. (f. **-trìce**) innovator.

innovazióne f. innovation.

in nuce (*lat.*) A loc. avv. in a nutshell; in brief; succinct (agg.); condensed (agg.) B loc. a. embryonic; in embryo.

innumeràbile a. (*lett.*) innumerable;

numberless; uncountable.

innumerabilità f. (*lett.*) innumerability.

innùmere → **innumerevole**.

innumerévole a. innumerable; countless; numberless: **una folla i. di visitatori**, innumerable visitors.

ìno a. (*fam.*) tiny; teeny-weeny (*fam.*); teensy-weensy (*fam.*): **un pezzettino ino**, a teensy-weensy piece.

inobliàbile a. (*lett.*) unforgettable.

inobliàto a. (*lett.*) unforgotten.

inoccultàbile a. unconcealable.

inoccupàto A a. unemployed; jobless B m. (f. **-a**) unemployed worker; jobless person.

inoccupazióne f. unemployment; joblessness.

inoculàbile a. inoculable.

inoculàre v. t. **1** (*med.*) to inoculate **2** (*fig.*) to sow* the seeds of; to inoculate; to instil.

inoculazióne f. (*med.*) inoculation.

inodóre, **inodóro** a. odourless; inodorous; (*di fiore*) scentless.

inoffensìvo a. harmless; inoffensive; innocuous: **animale i.**, harmless animal; **rendere i.**, to render harmless; (*una bomba, ecc.*) to defuse, to deactivate.

♦**inoltràre** A v. t. **1** (*trasmettere*) to refer, to pass on; (*presentare*) to submit, to send* in, to file, to lodge: **i. una domanda**, to send in (*o* to submit) an application; **i. una pratica**, to transmit a case file; **i. un reclamo a q.**, to lodge a complaint with sb. **2** (*far proseguire*) to send* on; to forward; to redirect: (*su una busta*) **pregasi i.**, please forward B **inoltràrsi** v. i. pron. **1** to advance; to penetrate; to go* in: **inoltrarsi nell'interno**, to penetrate into the interior **2** (*fig.*) to progress (into); to go* in: **inoltrarsi nei particolari**, to go into detail (*o* into the details).

inoltràto a. **1** (*spedito*) sent on (pred.); forwarded **2** (*avanzato*) late (agg. e avv.): **a stagione inoltrata**, late in the season; well into the season; **a luglio i.**, late in July; in late July; well into July; **a pomeriggio i.**, late in the afternoon; **a notte inoltrata**, late at night; **fino a notte inoltrata**, late into the night.

♦**inóltre** avv. besides; also; moreover (*form.*); furthermore (*form.*): *Il tappeto è troppo grande, e i. non mi piace*, the carpet is too large; besides, I don't like it; *Le allego i. due foto*, please also find enclosed two photos; *I costi sono elevati; bisogna i. tener presente l'elemento tempo*, the costs are high; furthermore (*o* moreover), we must take the time factor into account.

inóltro m. (*trasmissione*) transmission; (*presentazione*) submission; (*di reclamo, ecc.*) lodgement; (*domanda*) application; (*di posta*) forwarding ● **Con preghiera d'i.**, please forward.

inondàre v. t. **1** to flood; to inundate: *Il fiume ha inondato la campagna*, the river has flooded the countryside **2** (*fig.*: *invadere*) to flood, to inundate; to deluge, to submerge, to swamp; (*riempire*) to fill: *La plastica ha inondato il mercato*, plastics have flooded the market; **essere inondato di telefonate**, to be inundated (*o* swamped) with phonecalls; *Siamo stati inondati di lettere [di ordinazioni]*, we were snowed under with letters [orders] **3** (*fig.*: *bagnare*) to pour down (*o* over, onto, into); to stream down: *Le lacrime le inondavano il viso*, tears poured down her cheeks.

inondàto a. **1** flooded; awash (pred.) **2** (*fig.*) flooded (with); inundated (with): **i. di proteste**, inundated with complaints.

♦**inondazióne** f. **1** (*l'inondare*) flooding; (*la piena*) flood **2** (*fig.*) flood; inundation; del-

uge.

inonoràto a. (*lett.*) unhonoured.

inoperàbile a. (*med.*) inoperable.

inoperànte a. inoperative; ineffective; not in force (*leg.*): **rimanere i.**, to be ineffective; to remain unenforced.

inoperosità f. **1** inactivity; idleness **2** (*ind.*) outage.

inoperóso a. inactive; idle: **capitale i.**, idle capital; **restare i.**, to remain inactive; to be idle.

inòpia f. (*lett.*) destitution; indigence; penury.

inopinàbile a. (*lett.*) **1** (*imprevedibile*) unforeseeable **2** (*impensabile*) unimaginable; unthinkable.

inopinàto a. unforeseen; unexpected; unlooked-for; (*insperato*) unhoped-for.

inopportunità f. **1** (*intempestività*) untimeliness; inopportuneness; inconvenience **2** (*l'essere fuori luogo*) inappropriateness; impropriety; inconvenience.

inopportùno a. **1** (*intempestivo*) untimely; ill-timed; inopportune; inconvenient; awkward: **un momento i.**, an inconvenient time; a bad (*o* awkward) moment **2** (*fuori luogo*) inappropriate; inconvenient; awkward: **domanda inopportuna**, awkward question.

inoppugnàbile a. **1** incontrovertible; incontestable; indisputable **2** (*leg.*) indefeasible.

inoppugnabilità f. **1** incontrovertibility; incontestability; indisputability **2** (*leg.*) indefeasibility.

inorganicità f. **1** inorganic nature **2** (*mancanza di unità organica*) incoherence; disjointedness; disorganization.

inorgànico a. **1** inorganic: **chimica inorganica**, inorganic chemistry **2** (*privo di organicità*) incoherent; disjointed; disorganized; unsystematic; unmethodical.

inorgoglìre A v. t. to make* proud B v. i. e **inorgoglìrsi** v. i. pron. to become* proud; to feel* proud; to take* a pride (in st., in doing st.).

inorgoglìto a. proud (of).

inorpellàre v. t. (*fig.*) to gild over.

inorridìre A v. t. to horrify; to strike* with horror; to appal: *Il solo pensiero mi inorridisce*, the mere thought of it horrifies me B v. i. to be horrified (*o* horror-struck); to be appalled: *Inorridii alla vista [all'idea]*, I was horrified at the sight [by the idea].

inorridìto a. horrified; horror-struck; appalled.

inosàbile (*lett.*) A a. unattemptable; that should not be attempted B m. – **osare l'i.**, to attempt the impossible.

inosìna, **inosìte** f. (*chim.*) inosite.

inosìtòlo m. (*chim.*) inositol.

inospitàle a. inhospitable.

inospitalità f. inhospitality.

inosservàbile a. (*non adempibile*) that cannot be complied with.

inosservànte a. that fails to comply (with); that disregards (st.); non-observant (of): **essere i. delle regole**, to disregard rules.

inosservànza f. failure to comply (with); disregard (of); non-compliance (with); non-observance (of): **i. delle norme di sicurezza**, failure to comply with safety rules.

inosservàto a. **1** (*non visto*) unobserved; unnoticed; unremarked: **passare i.**, to go unnoticed **2** (*non rispettato*) disregarded, ignored; (*inadempiuto*) unfulfilled.

inossidàbile a. **1** stainless: **acciaio i.**, stainless steel **2** (*fig.*) indestructible; hardy; evergreen.

inossidabilità f. stainlessness.

inotropìsmo m. (*med.*) inotropism.

inottemperànza f. non-fulfilment; (*di legge, ecc.*) non-observance.

inòx a. inv. stainless-steel (attr.).

INPDAI sigla (**Istituto nazionale di previdenza dei dirigenti di aziende industriali**) national social insurance institute for industrial enterprise executives.

INPDAP sigla (**Istituto nazionale di previdenza per i dipendenti dell'amministrazione pubblica**) national social insurance institute for civil servants.

in pectore (*lat.*) loc. agg. inv. undisclosed.

in primis (*lat.*) loc. avv. first of all; firstly.

INPS sigla (**Istituto nazionale della previdenza sociale**) National Social Security Institute.

input (*ingl.*) m. inv. **1** (*comput.* ed *estens.*) input **2** (*fig.: avvio*) start; go-ahead: **dare l'i. a qc.**, to give the go-ahead to st.

inquadraménto m. **1** (*mil.*) assignment **2** (*bur.*) organization; classification; assignment.

inquadràre Ⓐ v. t. **1** (*mettere in cornice*) to frame **2** (*mil.*) to assign **3** (*bur.*) to organize; to classify; to assign **4** (*fig.: inserire*) to set*: **i. un'opera nel suo momento storico**, to set a work in its historical context **5** (*definire*) to define; (*avere presente*) to picture, to place: *In questo momento non riesco a inquadrarlo*, I can't quite picture him just now **6** (*fotogr.*) to frame **7** (*cinem.*) to shoot*; to frame Ⓑ **inquadràrsi** v. i. pron. to fit (into); to form part (of); to be set (in).

inquadràto a. compliant; conformist; (*polit.*) loyal to one's party).

inquadratùra f. **1** framing **2** (*fotogr.*) framing **3** (*cinem.*) shot; set up; camera take: **i. dal basso [dall'alto]**, low-angle [high-angle] shot.

inqualificàbile a. disgraceful; shocking.

inquartàre Ⓐ v. t. (*arald.*) to quarter Ⓑ **inquartàrsi** v. i. pron. to grow* stout.

inquartàta f. (*scherma*) quarte, quart.

inquartàto ① a. (*arald.*) quartered.

inquartàto ② a. (*robusto*) thickset; stout; stocky.

inquartatùra f. (*arald.*) quartering.

inquietànte a. disquieting; disturbing; alarming.

♦**inquietàre** Ⓐ v. t. to make uneasy; to worry; to alarm Ⓑ **inquietàrsi** v. i. pron. **1** to get* worried; to worry **2** (*stizzirsi*) to get* upset; to get* angry (o cross).

♦**inquièto** a. **1** (*agitato*) restless; agitated; troubled; uneasy: *Il malato è i.*, the patient is restless; **animo i.**, agitated (o troubled) mind; **tempi inquieti**, troubled times **2** (*preoccupato*) uneasy; anxious; worried **3** (*stizzito*) upset; angry; cross.

♦**inquietùdine** f. **1** (*agitazione*) restlessness; unrest **2** (*preoccupazione*) anxiety; disquiet; unease; worry: **destare i.**, to cause anxiety; to be worrying; **essere fonte d'i.**, to be a source of worry (o of anxiety).

inquilinàto m. tenancy.

inquilinìsmo m. (*biol.*) inquilinism.

♦**inquilino** m. (f. **a**) **1** tenant; (*pigionante*) lodger **2** (*zool.*) inquiline.

♦**inquinaménto** m. **1** pollution: **i. acustico**, noise pollution; **i. ambientale**, environmental pollution; **i. atmosferico**, air pollution; **i. dell'acqua**, water pollution; **i. industriale**, industrial pollution **2** (*fig.*) pollution; corruption ● (*leg.*) **i. delle prove**, tampering with evidence.

inquinànte a. (*anche fig.*) polluting: **sostanza i.**, polluting substance; pollutant.

♦**inquinàre** v. t. **1** to pollute **2** (*fig.: corrompere*) to corrupt, to taint; (*guastare*) to

spoil*, to mar ● (*leg.*) **i. le prove**, to tamper with evidence.

♦**inquinàto** a. polluted.

inquinatóre Ⓐ a. polluting Ⓑ m. (f. **-trice**) polluter.

inquirènte Ⓐ a. examining; investigating; fact-finding: **commissione i.**, committee of enquiry; fact-finding committee; **magistrato i.**, investigating magistrate Ⓑ m. e f. inquirer; investigator.

inquisìre v. t. e i. (*indagare*) to investigate (st.); to inquire into.

inquisitìvo a. inquisitorial: **sistema i.**, inquisitorial system ❶ FALSI AMICI ● inquisitivo *non si traduce con* inquisitive.

inquisìto Ⓐ a. under investigation Ⓑ m. (f. **-a**) person under investigation.

inquisitóre Ⓐ a. inquiring; searching; probing: **sguardo i.**, searching look Ⓑ m. (f. **-trice**) **1** inquirer; investigator; inquisitor **2** (*stor.*) inquisitor: **il Grande I.**, the Inquisitor General.

inquisitòrio a. **1** (*leg.*) inquisitorial: (*leg.*) **sistema [processo] i.**, inquisitorial system [trial] **2** (*fig.*) inquisitive; questioning; inquisitorial: **voce inquisitoria**, inquisitorial voice.

inquisizióne f. inquisition: (*stor.*) **la Santa I.**, the Inquisition.

inquotàto a. (*Borsa*) unlisted.

insabbiaménto m. **1** sanding up; silting up **2** (*fig.*) filing away and forgetting; burying; (*messa a tacere*) hushing-up operation, (*occultamento*) cover-up.

insabbiàre Ⓐ v. t. **1** to cover with sand; to silt up **2** (*fig.*) to file away and forget*; to bury; (*mettere a tacere*) to hush up; (*occultare*) to cover up Ⓑ **insabbiàrsi** v. i. pron. **1** to be covered with sand; to be sanded up; to silt up **2** (*arenarsi*) to run* aground **3** (*fig.*) to be filed away and forgotten; to be buried.

insaccaménto → **insaccatura**.

insaccàre Ⓐ v. t. **1** to put* into a sack (o a bag); to sack; to bag **2** (*carne di maiale*) to make* into sausages **3** (*intascare*) to pocket **4** (*infagottare*) to bundle up **5** (*fig.: pigiare*) to pack; to cram ● **i. il collo**, to draw in one's neck □ **i. il pallone**, to slam the ball into the net Ⓑ **insaccàrsi** v. rifl. e i. pron. **1** (*rientrare in sé stesso*) to telescope; to concertina **2** (*vestirsi goffamente*) to wear* shapeless clothes **3** (*pigiarsi*) to pack; to squeeze; to cram **4** (*naut., di vela*) to be taken aback.

insaccàta f. **1** (*scossa data a un sacco*) shaking down **2** (*urto che si riceve cadendo*) impact; (*scossone, anche in equit.*) jolt.

insaccàto m. (*salume*) sausage.

insaccatóre m. (f. **-trìce**) **1** packer: **i. di grano**, wheat packer **2** (*di salumi*) sausage maker.

insaccatrìce f. (*tecn.*) bagging machine; bagger.

insaccatùra f. **1** (*confezionamento in sacchi*) packing into sacks **2** (*di salumi*) sausage-making.

insacchettàre v. t. to put* into bags; to bag.

insacchettatrìce f. (*tecn.*) bagging machine; bagger.

♦**insalàta** f. **1** salad: **i. di lattuga**, lettuce salad; **i. di mare**, sea food salad; **i. di riso**, rice salad; **i. mista**, mixed salad; **i. russa**, Russian salad; **pomodori in i.**, tomato salad; **condire l'i.**, to dress the salad **2** (*fig.*) mixture; jumble; hotch-potch; mess: **fare un'i.**, to make a mess (of st.) ● **i. belga**, Belgian endive □ (*scherz.*) **Quelli come lui io me li mangio in i.!**, I eat people like him for breakfast!

insalatièra f. salad bowl.

insaldàre v. t. to starch.

insalivàre v. t. to insalivate.

insalivazióne f. insalivation.

insalùbre a. unhealthy; unwholesome; insalubrious.

insalubrità f. unhealthiness; unwholesomeness; insalubrity.

insalutàto a. – **partire i. ospite**, to leave without saying good-bye; to take French leave; (*eufem.: scappare*) to make oneself scarce; to do a bunk (*fam. GB*).

insalvàbile a. not saveable; not rescuable.

insanàbile a. **1** incurable **2** (*fig.: irrimediabile*) irremediable; (*implacabile*) relentless.

insanguinàre Ⓐ v. t. (*coprire di sangue*) to cover with blood; (*macchiare*) to stain with blood; (*un paese, ecc.*) to fill with blood, to cause bloodshed in Ⓑ **insanguinàrsi** v. i. pron. (*macchiarsi di sangue*) to become* bloodstained; (*di persona*) to get* blood over oneself.

insanguinàto a. (*coperto di sangue*) covered in blood; (*macchiato*) bloodstained: **un fazzoletto i.**, a bloodstained handkerchief.

insània f. **1** insanity (*med.*); madness; folly **2** (*atto insano*) folly.

insanìre v. i. (*lett.*) to become* insane; to go* mad.

insàno a. insane; mad: **gesto i.**, insane gesture; (*leg.*) **di mente insana**, of unsound mind; insane.

insaponàre Ⓐ v. t. **1** to soap; (*con schiuma*) to lather **2** (*fig.*) to soft-soap; to butter up Ⓑ **insaponàrsi** v. rifl. to soap oneself.

insaponàta f. (*quick*) soaping; (*con schiuma*) (quick) lathering.

insaponatùra f. **1** soaping; (*con schiuma*) lathering **2** (*fig.*) soft-soaping.

insapóre → **insaporo**.

insaporìre Ⓐ v. t. to season; to flavour; to make* tasty Ⓑ **insaporìrsi** v. i. pron. to become* tasty.

insapóro a. tasteless; flavourless.

insapùta f. – **all'i. di**, without the knowledge of; unbeknown to (*form.*); **a mia i.**, without my knowledge (o my knowing); unbeknown to me; **all'i. di tutti**, without anyone knowing.

insaturàbile a. (*chim.*) unsaturable.

insaturazióne f. (*chim.*) unsaturation.

insàturo a. (*chim.*) unsaturated.

insaziàbile a. insatiable.

insaziabilità f. insatiability.

insaziàto a. insatiate.

inscatolaménto m. **1** (*in scatola*) boxing; packing **2** (*in latta o lattina*) tinning; canning (*USA*).

inscatolàre v. t. **1** (*mettere in scatola*) to box; to pack **2** (*mettere in latta o lattina*) to tin; to can (*USA*).

inscatolatrìce f. (*tecn.*) **1** (*per scatole*) boxing machine **2** (*per latte o lattine*) tinning machine; canning machine (*USA*).

inscenàre v. t. **1** (*teatr.*) to stage; to put* on **2** (*fig.*) to stage.

insciènte a. (*lett.*) ignorant; unaware.

inscindìbile a. inseparable; indivisible.

inscindibilità f. inseparability; indivisibility.

inscrittìbile a. (*geom.*) inscribable.

inscrìtto a. (*geom.*) inscribed.

inscrìvere v. t. (*geom.*) to inscribe.

inscrizióne f. (*geom.*) inscription.

insecchìre Ⓐ v. t. to dry up Ⓑ v. i. **1** to become* dry; to dry up **2** (*diventare magro*) to grow* thin (o thinner).

insediaménto m. **1** (*in una carica, ecc.*)

installation; taking office; (*con giuramento*) swearing in: **i. in carica**, installation in office; **cerimonia d'i.**, inaugural ceremony **2** (*in un luogo*) settling; (*il luogo*) settlement.

insediàre Ⓐ v. t. to install; (*con giuramento*) to swear* in: (*leg.*) **i. una giuria**, to swear in a jury Ⓑ **insediàrsi** v. i. pron. **1** to take* office; to take* over: *Arriva oggi e s'insedierà domani*, he arrives today and takes over tomorrow **2** (*stabilirsi*) to settle.

insègna f. **1** (*emblema*) emblem; mark; badge; (al pl., *anche*) insignia; (*stemma*) coat of arms: **insegne cavalleresche**, badges of knighthood; **le insegne del potere**, the emblems of power; **insegne episcopali**, episcopal insignia; **insegne reali**, royal insignia **2** (*impresa*) motto* **3** (*vessillo*) ensign, banner; (*bandiera*) flag; (*stendardo*) standard; (*mil.*, *anche*) colours (pl.): **i. d'ammiraglio**, admiral's flag; **abbandonare le insegne** (*disertare*), to desert one's colours **4** (*di negozio, locale*) sign: **insegne al neon**, neon signs; **all'i. del Leone Rosso**, at the sign of the Red Lion ● **proposte all'i. del compromesso**, proposals dictated by a will to compromise □ **La riunione si svolse all'i. del più completo caos**, the meeting took place amid total chaos.

insegnàbile a. teachable.

♦**insegnaménto** m. **1** (*attività*) teaching: **l'i. dell'italiano**, the teaching of Italian; **i. privato**, tuition; **darsi all'i.**, to take up teaching; **essere abilitato all'i.**, to be qualified to teach; to be a qualified teacher; **metodi d'i.**, teaching methods; **programma d'i.**, teaching programme; syllabus **2** (*istruzione*) education: **i. primario [secondario, superiore]**, primary [secondary, higher] education; **i. privato**, private education **3** (*precetto, norma*) precept, teaching (general.m. al pl.); (*lezione*) lesson, warning: *Questo gli servirà d'i.!*, that will teach him a lesson!; *Che ti sia d'i.*, let that be a lesson to you.

♦**insegnànte** Ⓐ a. teaching: **corpo i.**, teaching staff Ⓑ m. e f. teacher; (*in GB, nelle «public schools», anche*) master (m.), mistress (f.): **i. di fisica**, physics teacher; **i. di francese**, French teacher; **i. di liceo**, high school teacher; **i. di sostegno**, remedial teacher; assistant teacher (for handicapped children); **i. privato**, private coach; **fare l'i.**, to teach; to be a teacher.

♦**insegnàre** Ⓐ v. t. **1** to teach*; (*addestrare, abituare*) to train: **i. musica**, to teach music; **i. a leggere a q.**, to teach sb. to read (*o* how to read); **ciò che ci insegna la storia**, what history teaches us; *Chi ti ha insegnato a cucinare?*, who taught you how to cook?; *Insegnai al cane a portarmi la sua spazzola*, I trained the dog to bring me his brush; **i. a q. a fare il falegname**, to train sb. as a carpenter; *Ti insegno io a origliare!*, I'll teach you to eavesdrop! **2** (*spiegare*) to tell*; (*mostrare*) to show*, to indicate: *Insegnami come ci si arriva*, tell me how to get there; *Insegnami come si fa*, show me how to do it; tell me how to do it Ⓑ v. i. (*essere insegnante*) to teach*; to be a teacher; (*all'università*) to teach*, to lecture, to be a lecturer; (*fare lezione*) to teach*, (*all'università*) to lecture: **i. alle elementari**, to teach in primary schools; to be a primary school teacher; **i. ai bambini piccoli**, to teach young children; **i. dalle nove all'una**, to teach (*o* to have classes from) nine to one; *Sono stanco d'i.*, I'm tired of teaching.

inseguiménto m. **1** pursuit; chase: **essere all'i. di q.**, to be in pursuit of sb.; to be chasing sb., **lanciarsi all'i. di q.**, to set off in pursuit of sb.; **lanciato all'i. di**, in hot pursuit of **2** (*sport*) pursuit: **i. a squadre**, team pursuit; team race **3** (*scient.*) tracking: **i.**

radar, radar tracking.

♦**inseguìre** v. t. **1** to chase; to run* after; to pursue; (*di soppiatto*) to stalk: **i. una lepre**, to chase (*o* to run after) a hare; **i. la preda**, to stalk one's prey; **i. il nemico**, to pursue the enemy **2** (*fig.*) to chase; to pursue: **i. il successo**, to chase success; **i. un sogno**, to pursue (*o* to cherish) a dream **3** (*scient.*) to track.

inseguitóre Ⓐ m. (f. **-trìce**) **1** pursuer; chaser; follower **2** (*scient.*) follower; tracker Ⓑ a. pursuing; following.

insellaménto m. (*naut., aeron.*) sag.

insellàre Ⓐ v. t. **1** (*sellare*) to saddle **2** (*far incurvare*) to sag Ⓑ **insellàrsi** v. i. pron. **1** (*montare in sella*) to get* into the saddle **2** (*incurvarsi*) to sag.

insellatùra f. **1** (*di animale*) hollow of the back **2** (*geogr.*) saddle **3** (*naut.*) sheer.

inselvatichìre Ⓐ v. t. **1** to make* wild **2** (*una persona*) to render unsociable Ⓑ v. i. e **inselvatichìrsi** v. i. pron. **1** to grow* (*o* to run*) wild **2** (*di persona*) to become* unsociable.

inseminàre v. t. (*biol.*) to inseminate.

inseminazióne f. (*med., vet.*) insemination.

insenatùra f. inlet; cove; creek (*GB*).

insensatézza f. **1** senselessness; foolishness: *La sua i. li ha portati all'orlo della rovina*, his foolishness has brought them to the brink of disaster; *L'i. di quell'atto mi lasciò perplessa*, the senselessness of such an act puzzled me **2** (*azione insensata*) foolish act, folly; (*parole insensate*) meaningless words, nonsense ⓤ.

insensàto Ⓐ a. senseless; meaningless; foolish; crazy: *Nel delirio diceva parole insensate*, in his delirium he uttered senseless words; **un'impresa insensata**, a crazy scheme; **comportamento i.**, foolish behaviour Ⓑ m. (f. **-a**) senseless (*o* foolish) person; fool: **agire da i.**, to act foolishly.

insensìbile a. **1** (*che non ha sensazione*) insensitive; (*di parte del corpo*) numb: **i. al freddo**, insensitive to cold **2** (*che non prova sentimenti*) insensitive; indifferent; unfeeling: **i. alle sofferenze altrui**, indifferent to other people's suffering **3** (*impercettibile*) imperceptible.

insensibilità f. **1** (*mancanza di sensibilità*) insensitiveness; (*di parte del corpo*) numbness **2** (*indifferenza*) insensitiveness; indifference **3** (*impercettibilità*) imperceptibility.

♦**inseparàbile** Ⓐ a. inseparable Ⓑ m. (*zool., Agapornis*) lovebird.

inseparabilità f. inseparability; inseparableness.

insepólto a. unburied.

insequestràbile a. unseizable; immune from seizure.

insequestrabilità f. immunity from seizure.

inserìbile a. insertable.

inseriménto m. **1** insertion; introduction; fitting in: **l'i. di una moneta**, the insertion of a coin **2** (*inclusione*) inclusion; (*inserto*) insertion, insert **3** (*immissione*) insertion; feeding in; input **4** (*fig.: integrazione*) integration; fitting in; settling in **5** (*elettr.*) connection; plugging in; (*in derivazione*) shunting.

♦**inserìre** Ⓐ v. t. **1** (*infilare, far entrare*) to insert; to fit in; to put* in; to feed* in; to get* in (*fam.*): **i. un tubo in un altro**, to insert one pipe into another; **i. un foglio nella stampante**, to insert a sheet in the printer; **i. una moneta nella fessura**, to insert a coin in (*o* to feed a coin into) the slot; **i. la chiave nella serratura**, to insert (*o* to fit) the key into the lock; **i. con difficoltà**, to force in; (*comprimendo*) to squeeze in **2** (*allegare*)

to enclose **3** (*includere*) to include; to insert; to put* in: **i. un nome in un elenco**, to include a name in a list; **i. un annuncio sul giornale**, to put a notice in the paper; **i. una clausola**, to put in (*o* to insert) a clause **4** (*fig.: far entrare*) to introduce; to integrate **5** (*elettr.*) to connect; to plug in; (*attivare*) to set: **i. la spina**, to insert the plug; **i. la spina della lampada nella presa**, to plug in the lamp; **i. l'allarme**, to set the alarm. **6** (*comput.*) to insert; to input; (*con tastiera*) to key in ● (*autom.*) **i. la chiave nell'accensione**, to turn on the ignition □ (*autom.*) **i. la marcia**, to engage the gear; to put the car into gear Ⓑ **inserìrsi** v. i. pron. **1** (*entrare*) to enter, to get* in; (*intervenire*) to intervene: **inserirsi in una discussione**, to intervene in (*o* to join) a debate **2** (*entrare a far parte*) to become* part (of); (*integrarsi*) to fit in, to settle in: **inserirsi nella società**, to fit into society; *Ha fatto presto a inserirsi nella nuova scuola*, he soon settled in at his new school **3** (*adattarsi, incastrarsi*) to fit in: *Questo pezzo si inserisce qui*, this piece fits in (*o* belongs) here.

inserìto a. **1** (*integrato*) integrated; well accepted **2** (*attivato, in funzione*) connected; on; (*autom., di marcia*) in: *L'allarme [il freno] è i.*, the alarm [the brake] is on.

inseritóre m. (*elettr.*) connector; switch: **i. automatico**, automatic connector.

insèrto m. **1** file; dossier **2** (*giorn.*) supplement; (*pubblicitario*) insert; (*staccabile*) pullout **3** (*cinem.*) insert: **i. commerciale**, advertising insert; **i. filmato**, (film) clip.

inservìbile a. unserviceable; useless; (*of*) no use: **rendere i. qc.**, to render useless.

inservibilità f. uselessness.

inserviènte Ⓐ m. **1** attendant; (*di ospedale*) orderly; (*uomo di fatica*) odd-job man* **2** (*eccles.*) server; altar boy Ⓑ f. attendant.

♦**inserzióne** f. **1** (*inserimento*) insertion **2** (*annuncio pubblicitario*) advertisement; advert (*GB*); ad (*fam.*); announcement; insertion: **mettere un'i. sul giornale**, to put an ad in the paper; to advertise (st.) in the paper; **fare inserzioni**, to advertise **3** (*elettr., telef.*) connection; plugging in.

inserzionista m. e f. advertiser.

inserzionistico a. advertising; advertisement (attr.): **pubblicità inserzionistica**, newspaper advertising.

insessóre a. (*zool.*) insessorial.

insettàrio m. insectarium*; insectary.

♦**insetticida** Ⓐ m. insecticide; pesticide; (*in polvere*) insect-powder Ⓑ a. insecticidal; insect (attr.): **polvere i.**, insect-powder.

insettìfugo Ⓐ m. insect repellent Ⓑ a. insect-repelling (attr.).

insettìvoro Ⓐ a. (*zool., bot.*) insectivorous; insect-eating (attr.) Ⓑ m. (*zool.*) insectivore; (al pl., *scient.*) Insectivora.

♦**insètto** m. **1** (*zool.*) insect; bug (*fam.*) **2** (*fig. spreg.*) louse*; worm ● **i. nocivo**, pest □ (*zool.*) **i. stecco**, stick insect.

insicurézza f. **1** insecurity; diffidence **2** (*incertezza*) uncertainty.

insicùro Ⓐ a. **1** insecure; diffident **2** (*incerto*) uncertain; unsure **3** (*non stabile*) unsafe; insecure; (*non garantito*) unguaranteed: **ponte i.**, unsafe bridge Ⓑ m. (f. **-a**) insecure person.

insìdia f. **1** (*tranello*) trap, snare; (*inganno*) deceit, trick: **tendere un'i. a q.**, to lay a snare (*o* to set a trap) for sb. **2** (*pericolo*) peril; danger: **le insidie del mare**, the dangers (*o* perils) of the sea; *Ero circondato da insidie*, I was beset by dangers **3** (*fig.: lusinga*) allurement; temptation.

insidiàre Ⓐ v. t. e i. to set* a trap for; to lay* a snare for **i. all'onore di q.**, to try to tarnish sb.'s honour □ **i. alla vita di q.**, to

threaten sb.'s life □ **i. una ragazza**, to try to seduce a girl.

insidiatóre m. (f. **-trice**) tempter; (*di donna, lett.* o *scherz.*) temptress.

insidióso a. treacherous; tricky; insidious; dangerous: **domanda insidiosa**, tricky question; **malattia insidiosa**, insidious illness; **terreno i.**, treacherous terrain.

♦**insième** ① **A** avv. **1** together; (*unitamente*) jointly: **tutti i.**, all together; (*in gruppo compatto*) in one body; **Forza, tutti i.!**, all together now!; **Si presentarono tutti i. in direzione**, they arrived in one body at the director's office; **mettere i.**, (*raccogliere*) to put (o to get) together, to gather; (*unire*) to join, to assemble; (*accumulare*) to amass, to make; (*improvvisare*) to improvise, to throw together; **mettere i. un gruppetto di amici** [una bella squadra], to get a few friends together [a fine team]; **mettere i. i pezzi di una macchina**, to assemble a machine; **mettere i. una fortuna**, to make (o to amass) a fortune; **mettere i. i soldi per il viaggio**, to put together (*a fatica* to scrape together) the money for the journey; **mettere i. una cena**, to improvise (o to whip up) a meal; **mettere i. una frase**, to make up a sentence; **mettere i. un esercito**, to muster an army; **stare i.**, to be together; (*non separarsi*) to keep together; (*sostenersi a vicenda*) to stick together; (*concordare*) to go together; **Stanno i. da due anni**, they've been together for two years; **Le due cose non possono stare i.**, the two things don't go together; **tenere i.**, to keep together **2** (*contemporaneamente*) at the same time; together; **fare troppe cose i.**, to do too many things at once; **Ero arrabbiata e divertita i.**, I was angry and amused at the same time ● (*region., del latte*) **andare i.**, to curdle ● **mettersi i. a q.** (*formare una coppia*), to start a relationship; to get together with sb.: **Si sono rimessi i.**, they are back together □ **tutto i.** (*in blocco*), as a unit; as a whole **B insième a**, **insième con** loc. prep. with; (*unitamente a*) together with, along with; (*contemporaneamente a*) at the same time as: **Verrò i. con gli altri**, I shall come with the others; **Vi spediamo, i. con alcuni campioni, gli articoli che ci ordinaste**, we are sending you the articles you ordered, together with a few samples.

♦**insième** ② m. **1** whole; totality; ensemble: **un i. armonioso**, a harmonious whole; **l'i. degli indizi**, the evidence as a whole; all the clues put together; **l'i. degli elettori**, the whole electorate; the electorate as a whole; **l'i. degli edifici**, the buildings considered as a whole; **L'i. mi lascia perplesso**, I'm not convinced by the thing as a whole; **il paese nel suo i.**, the country as a whole **2** (*di un'opera d'arte*) unity; composition: **I particolari sono buoni, ma è debole l'i.**, the detail is good, but the composition is weak **3** (*serie*) whole series; (*combinazione*) combination: **un i. di circostanze**, a combination of circumstances; **per un i. di ragioni**, for a whole series of reasons **4** (*di pezzi, di strumenti*) set: **i. di caratteri**, character set **5** (*moda*) ensemble; outfit **6** (*mat.*) set: **i. aperto**, open set; **i. chiuso**, closed set; **i. finito**, finite set; **i. vuoto**, empty set; **teoria degli insiemi**, set theory **7** (*mus.*) ensemble: **musica d'i.**, ensemble music ● **d'i.**, overall (agg.); general (agg.); global (agg.): **effetto d'i.**, overall (o general) effect; **il significato dell'i.**, the overall meaning; **sguardo d'i.**, comprehensive (o global) view □ **gioco d'i.**, teamwork; team effort □ **nell'i.**, on the whole; as a whole: **Nell'i. è andato tutto bene**, it went off well on the whole; **Bisogna considerarlo nel suo i.**, it should be considered as a whole; **preso nell'i.**, taken as a whole; (*tutto considerato*) all in all.

insiemìstica f. (*mat.*) set theory.

insiemìstico a. (*mat.*) set (attr.); set-theoretic.

insìgne a. great; renowned; distinguished; celebrated; famous: **città i.**, famous (o renowned) city; **opera i.**, celebrated work; **un i. scienziato**, a distinguished scientist; **un uomo i.**, a great man.

insignificànte a. **1** (*privo di significato*) meaningless **2** (*trascurabile*) insignificant; unimportant; negligible; minor; petty: **La differenza è i.**, the difference is negligible; **un particolare i.**, a minor detail **3** (*senza personalità*) insignificant; anonymous; colourless; dull.

insignificànza f. insignificance; negligibility; lack of importance.

insignìre v. t. (*di medaglia*) to decorate (sb. with st.); (*di onorificenza, titolo*) to bestow (st. on sb.), to confer (st. on sb.): **i. q. della croce di guerra**, to decorate sb. with the war cross; **L'hanno insignito del titolo di...**, he has been bestowed (with) the title of...; **i. q. del titolo di barone**, to make sb. a baron; **i. q. del titolo di cavaliere**, to dub sb. a knight.

insilàggio, **insilaménto** m. ensilage; silaging.

insilàre v. t. to ensile; to silo.

insilatrìce f. silo filler; (*ad aria*) silage (o forage) blower.

insincerità f. insincerity; falseness; hypocrisy; disingenuousness.

insincèro a. insincere; false; hypocritical; disingenuous: **amico i.**, false friend; **sorriso i.**, insincere (o false) smile.

insindacàbile a. unquestionable; unappealable; final: **decisione i.**, unappealable (o final) decision.

insindacabilità f. unquestionableness; finality.

insìno avv. → **fino** ①.

insinuànte a. **1** (*subdolo, allusivo*) insinuating **2** (*carezzevole*) sugar-coated, honeyed; (*suadente*) coaxing, wheedling; (*che cerca d'ingraziarsi*) ingratiating.

insinuàre **A** v. t. **1** (*far penetrare*) to insert; to introduce; to slip in: **Insinuai la lama nella fessura**, I inserted the blade into the crack; **Mi insinuò una mano sotto il braccio**, he slipped a hand under my arm **2** (*fig.*) to suggest; to arouse: **i. un sospetto**, to arouse a suspicion; **i. un dubbio a q.**, to sow the seeds of doubt in sb. **3** (*fig.: alludere*) to insinuate; to hint at: **Che cosa cerchi di i.?**, what are you trying to insinuate?; what are you hinting at? ● (*leg.*) **i. un credito**, to prove a debt **B insinuàrsi** v. rifl. **1** to insinuate oneself; to work one's way (into); to find* one's way (into); (*subdolamente*) to worm one's way (into, through) **2** (*entrare furtivamente*) to creep* in; (*in un'apertura stretta*) to squeeze in, to squeeze through **3** (*fig.*) to creep* in: **Un dubbio s'insinuò nella mia mente**, a doubt crept into my mind **4** (*di un liquido*) to seep; to penetrate.

insinuatóre **A** a. insinuating **B** m. (f. **-trice**) insinuator.

insinuazióne f. (*fig.*) insinuation; insinuating remark; innuendo; (*allusione*) hint: **bassa i.**, nasty insinuation; **fare insinuazioni**, to make insinuations (o insinuating remarks); **non raccogliere un'i.**, to ignore an insinuation; **respingere un'i.**, to reject an insinuation ● (*leg.*) **i. di un credito**, proof of a debt.

insipidézza, **insipidità** f. **1** tastelessness; insipidity; insipidness; blandness **2** (*fig.*) insipidness; blandness; vapidity; dullness.

insìpido **A** a. **1** tasteless; insipid; flavourless; bland **2** (*fig.*) insipid; bland; vapid; dull **B** m. insipid taste; insipid foods (pl.).

insipiènte a. foolish; (*ignorante*) ignorant.

insipiènza f. foolishness; (*ignoranza*) ignorance.

insistènte a. persistent; repeated; (*assillante*) insistent, nagging (attr.); (*incessante*) incessant, unceasing: **mal di denti i.**, nagging toothache; **pioggia i.**, incessant rain; **richieste insistenti**, persistent requests; **tosse i.**, persistent cough; **troppo i.**, too insistent; importunate; **Non essere i.!**, don't go on about it!

insistènza f. **1** insistence: **La sua i. è irritante**, his insistence is irritating **2** (*al pl.*) repeated requests; urging (▥): **Cedetti alle sue insistenze**, I gave in to his repeated requests **3** (*continuità*) persistence: **l'i. del cattivo tempo**, the persistence of bad weather ● **chiedere con i.**, to ask insistently; to insist (on st., on doing st.) □ **su i. di**, at the insistence of.

♦**insìstere** v. i. **1** (*continuare ostinatamente*) to go* on (doing st.); to keep* (on) (doing st.); to keep* at (st.), to persist (in doing st.); (*perseverare*) to persevere (in); (*tener duro*) to stick* (to st.) (*fam.*): **i. in una richiesta**, to keep (on) asking; **i. in un tentativo**, to go on (o to keep) trying; **i. nel negare**, to persist in denying; to sticks to one's denial; **i. nelle proprie posizioni**, to stand firm; to hold one's ground **2** (*dire, chiedere con insistenza*) to insist (on st.), to press (sb. to do st.): **Insistette perché restassi**, she insisted on my staying; she pressed me to stay; **Insiste nel volerti vedere**, he insists he wants to see you; **A forza di i. ottenni quello che volevo**, I got what I wanted by dint of insisting; **Insisteva perché accettassi dei soldi**, he kept pressing money on me; **D'accordo, non insisto**, all right, I won't insist; (*a chi oppone un rifiuto*) all right, I won't press you; **Se proprio insisti...**, if you really insist...; **È inutile che tu insista, non te lo compro!**, I won't buy it, so it's no use insisting (o going on about it) **3** (*sottolineare*) to stress (st.); to emphasize (st.); (*soffermarsi a lungo*) to dwell (on): **i. su un punto**, to stress a point **4** (*edil.*) to stand* (on); to rest (on) **5** (*geom.*) to be subtended (by).

insìto a. **1** (*radicato*) congenital; inborn; inherent **2** (*implicito*) implicit; implied.

in situ (*lat.*) loc. avv. in situ; in position; on the spot.

insociévole a. unsociable.

insocievolézza f. unsociability; unsociableness.

insoddisfacènte a. unsatisfactory; (*deludente*) disappointing, unsatisfying.

insoddisfàtto a. **1** (*inappagato*) unsatisfied; (*irrealizzato*) unfulfilled: **desiderio i.**, unsatisfied (o unfulfilled) wish; **Sono i. delle sue risposte**, I am unsatisfied with his answers **2** (*scontento*) dissatisfied; disappointed: **Sono i., mi aspettavo qualcosa di diverso**, I am disappointed, I had expected something different; **Sono i. dei risultati**, I am dissatisfied with (o disappointed by) the results; **Sei sempre i.**, you are always dissatisfied.

insoddisfazióne f. dissatisfaction; discontent; (*delusione*) disappointment.

insofferènte a. **1** (*intollerante*) impatient (of); intolerant (of): **i. a ogni indugio**, impatient of all delay; **i. di ogni coercizione**, intolerant of any form of coercion; **avere un carattere i.**, to be intolerant **2** (*irritabile*) impatient; irritable; fretful; restless.

insofferènza f. **1** (*intolleranza*) impatience; intolerance **2** (*impazienza*) impatience; irritability; restlessness; restiveness.

insoffrìbile a. unbearable; intolerable; insufferable.

insolazióne f. **1** (*scient.*) insolation **2**

(*med.*) sunstroke: **prendere un'i.**, to get sunstroke; **colpito da i.**, sunstruck.

insolènte a. insolent; impudent; (*ingiurioso*) abusive; (*villano*) rude: **dare una risposta i.**, to give an insolent answer; to answer back.

insolentìre Ⓐ v. i. to be insolent to; to be abusive to; to be rude to Ⓑ v. t. to insult; to abuse.

insolènza f. 1 insolence; impudence; insolent behaviour; cheek (*fam.*) 2 (*parola insolente*) word of abuse; (al pl., anche) abuse Ⓤ; (*commento insolente*) insolent (o rude) remark, abusive remark: **riempire q. di insolenze**, to shout abuse at sb.

insòlito a. unusual; (*raro*) uncommon, exceptional; (*strano*) strange, odd, peculiar; (*non tipico*) untypical, uncharacteristic: **un i. silenzio**, an unusual (o a strange) silence; *Questo ritardo è i. da parte sua*, it's unusual for him to be late; it's unlike him to be late.

insolùbile a. 1 (*chim.*) insoluble; undissolvable: **i. in acqua**, insoluble in water; water-insoluble 2 (*non risolvibile*) insoluble; unsolvable 3 → **indissolubile**.

insolubilità f. 1 (*chim.*) insolubility; undissolvability 2 insolubility; unsolvability 3 → **indissolubilità**.

insolùto a. 1 (*non risolto*) unsolved; unresolved; unsettled; open; unexplained: **mistero i.**, unsolved (o unexplained) mystery; **un problema i.**, an unsolved (o an unresolved) problem; **una questione insoluta**, an unsettled (o an open) question 2 (*non pagato*) unpaid; outstanding; unsettled 3 (*chim.*) undissolved.

insolvènte a. (*leg.*) insolvent.

insolvènza f. (*leg.*) insolvency.

insolvìbile a. 1 (*di debito*) unpayable; bad 2 (*di debitore*) insolvent 3 → **insolubile**, def. 2.

insolvibilità f. insolvency.

♦**insómma** Ⓐ avv. 1 (*in conclusione*) in short; in conclusion; in a word; in a nutshell: *L'affitto è alto, non c'è vista, la cucina è scomoda, i. ci sono molti inconvenienti*, the rent is high, there's no view, the kitchen is inconvenient; in short, there are many drawbacks 2 (*dunque*) then, well; (*dopo tutto*) after all: *È vero, i.?*, is it true, then? Ⓑ inter. well: *I., si fa tardi*, well, it's getting late; *I., sì o no?*, well, is it yes or no?; *I., deciditi!*, do make up your mind; *I., finiscila!*, do stop it!; «*Come vanno le cose?*» «*I.*», «how are things?» «so-so».

insommergìbile a. unsinkable.

insondàbile a. (*anche fig.*) unfathomable.

insònne a. 1 sleepless 2 (*fig.*) tireless; indefatigable.

insònnia f. insomnia; sleeplessness: **soffrire d'i.**, to suffer from insomnia; to be an insomniac.

insonnolìto a. sleepy; drowsy; half asleep.

insonorizzànte Ⓐ a. soundproofing Ⓑ m. soundproofing material; sound insulator.

insonorizzàre v. t. (*tecn.*) to soundproof.

insonorizzazióne f. (*tecn.*) soundproofing.

insopportàbile a. unendurable; unbearable; intolerable; insufferable: **caldo i.**, intolerable heat; **dolore i.**, unendurable pain; **freddo i.**, unbearable cold; *Fa un freddo i.*, it's unbearably cold; **la sciatteria**, intolerable slovenliness; **un uomo i.**, an insufferable man; *Sei i.!*, you are insufferable!

insopportabilità f. unbearableness; intolerability.

insopprimìbile a. insuppressible; irrepressible.

insorgènte a. incipient; initial.

insorgènza f. onset; beginning.

insórgere v. i. 1 (*ribellarsi*) to rise* up; to revolt; to rebel: *La popolazione insorse contro l'oppressore*, the population rose up (o rebelled) against the oppressor; **i. in armi**, to take arms 2 (*protestare*) to rise* up; to protest: *Insorsero tutti contro quella proposta*, they all rose up against that proposal 3 (*manifestarsi all'improvviso*) to arise*; to develop; to turn up; to crop up; (*di vento, ecc.*) to get* up; to blow* up: *Insorgevano continuamente nuove difficoltà*, new difficulties arose (o turned up) continually.

insormontàbile a. insurmountable.

insórto Ⓐ a. rebellious; rebel (attr.); insurgent (attr.) Ⓑ m. (f. **-a**) insurgent; rebel.

insospettàbile a. 1 above (o beyond) suspicion 2 (*impensato*) unsuspected; unexpected.

insospettabilità f. condition of being above suspicion: *Data l'i. della sua condotta...*, because his behaviour was above suspicion...

insospettàto a. 1 unsuspected 2 (*imprevisto*) unexpected.

insospettìre Ⓐ v. t. to make* suspicious; to arouse (sb.'s) suspicions; to put* on the alert Ⓑ v. i. e **insospettìrsi** v. i. pron. to become* suspicious: *Mi ero insospettito*, I had become suspicious; my suspicions were aroused.

insostenìbile a. 1 (*indifendibile*) untenable; indefensible 2 (*insopportabile*) unendurable; unbearable; intolerable: **dolore i.**, unendurable (o unbearable) pain; **situazione i.**, unbearable (o intolerable) situation 3 (*non mantenibile*) unsustainable: **crescita i.**, unsustainable growth 4 (*non affrontabile*) unaffordable; that one cannot afford.

insostenibilità f. 1 (*indifendibilità*) untenability; indefensibility 2 (*insopportabilità*) unbearableness 3 (*durata limitata*) unsustainability.

insostituìbile a. irreplaceable (*estens.*: *prezioso*) priceless; invaluable.

insostituibilità f. irreplaceable nature (o character) (*estens.*) pricelessness, invaluableness.

insozzàre Ⓐ v. t. 1 to soil; to dirty 2 (*fig.*) to sully; to besmirch Ⓑ **insozzàrsi** v. rifl. 1 to dirty oneself; to get* dirty 2 (*fig.*) to degrade oneself.

insperàbile a. not to be hoped for.

insperàto a. 1 unhoped-for 2 (*inaspettato*) unexpected; unlooked-for.

inspessìre e deriv. → **ispessire**, e deriv.

inspiegàbile a. inexplicable; unaccountable.

inspiegàto a. unexplained; mysterious.

inspiràre v. t. to breathe in; (*inalare*) to inhale: **i. aria [un gas tossico]**, to inhale air [a poisonous gas]; *Inspira forte!*, breathe in deeply; take a deep breath!

inspiratóre (*anat.*) Ⓐ a. inspiratory Ⓑ m. inspiratory muscle.

inspiratòrio a. inspiratory.

inspirazióne f. inhalation; inspiration; breathing-in.

instàbile a. 1 (*malfermo*) unstable; unsteady: **carico i.**, unsteady load 2 (*variabile*) changeable; unsettled: **tempo i.**, unsettled (o changeable) weather; **umore i.**, moodiness; **di umore i.**, moody 3 (*incostante*) inconstant, fickle; (*inaffidabile*) unreliable, undependable 4 (*chim., fis.*) unstable: **equilibrio i.**, unstable equilibrium.

instabilità f. 1 (*mancanza di stabilità*) unstableness; unsteadiness: **l'i. di un carico**, the unsteadiness of a load 2 (*fig.*) instability; (*mutevolezza*) changeableness, variabili-

ty; (*incostanza*) inconstancy, fickleness: **l'i. del tempo**, the changeableness of the weather; **i. emotiva**, emotional instability; **i. politica**, political instability 3 (*chim., fis.*) instability.

♦**installàre** Ⓐ v. t. 1 (*insediare*) to install; to place to establish 2 (*collocare e montare*) to install; to fit up; to put* in; to set* up; to fix in place; (*collegando fili*) to wire up: **i. il telefono**, to install (o to put in) the telephone; **i. uno scaldabagno**, to install a water-boiler; **i. telecamere**, to set up TV cameras 3 (*alloggiare*) to find* accommodation for; to put* up; to accommodate Ⓑ **installàrsi** v. rifl. to install oneself; to settle down; to settle in: **installarsi davanti alla TV**, to install oneself in front of the TV.

installatóre m. (f. **-trìce**) fitter; installer.

installazióne f. 1 installation; placing 2 (*collocazione e montaggio*) installation; fitting up; putting in; fixing in place; wiring up 3 (*impianto*) installation; plant 4 (*mil., arte*) installation.

instancàbile a. indefatigable; untiring; tireless; inexhaustible; unflagging: **un lavoratore i.**, an indefatigable worker; **con pazienza i.**, with untiring patience.

instancabilità f. indefatigability; tirelessness.

instàre v. i. (*lett.*) 1 (*incombere*) to impend (over) 2 (*chiedere con insistenza*) to insist.

instauràre Ⓐ v. t. (*fondare, stabilire*) to found, to establish, to institute, to set* up; (*dare inizio a*) to introduce, to begin*; (*inaugurare*) to inaugurate Ⓑ **instauràrsi** v. i. pron. to be established; (*avere inizio*) to begin*, to start, to set* in.

instauratóre m. (f. **-trìce**) founder; establisher.

instaurazióne f. foundation; establishment; introduction.

insterilìre → **isterilire**.

instillàre v. t. 1 to put* in drop by drop 2 (*fig.*) to instil; to inculcate; (*insinuare*) to insinuate: **i. odio in q.**, to instil hatred in sb.

instillazióne f. instilment; instillation.

institóre m. (*leg.*) institor; agent.

institòrio a. (*leg.*) institorial.

instradaménto m. 1 routing 2 (*fig.*) direction; introduction.

instradàre Ⓐ v. t. 1 to route 2 (*fig.*) to direct; to set* (sb.) on the right path; (*avviare*) to set* off, to start off: **i. q. negli affari**, to start off sb. in business Ⓑ **instradàrsi** v. i. pron. to take* up (a profession, etc.).

♦**insù** avv. (*anche* **all'i.**) up; upwards; upward (agg. e avv.): **guardare i.**, to look up; **con la faccia rivolta all'i.**, face up; looking up; **dai dieci anni insù**, from ten upwards; **voltato i.** (o **all'i.**), turned up; **naso all'i.**, turned-up nose; retroussé nose; **spinta all'i.**, upward thrust.

insubordinatézza f. insubordination; rebelliousness.

insubordinàto a. e m. insubordinate; rebellious.

insubordinazióne f. insubordination; (*atto*) act of insubordination: **commettere un'i.**, to commit an act of insubordination.

insuccèsso m. (*fallimento*) failure; (*fiasco*) failure, fiasco, (*spec. teatr., cinem.*) flop (*fam.*): **destinato all'i.**, doomed to failure.

insudiciàre Ⓐ v. t. 1 to dirty; to soil: **i. i vestiti**, to soil sb.'s clothes; (*anche fig.*) **insudiciarsi le mani**, to dirty one's hands 2 (*fig.*) to besmirch; to dishonour; (*il proprio nome, ecc.*) to sully Ⓑ **insudiciàrsi** v. rifl. 1 to dirty oneself; to get* dirty 2 (*fig.*) to demean oneself; to lower oneself.

insufficiènte a. 1 (*per quantità*) insufficient; inadequate; not enough; scanty: **ali-**

mentazione i., inadequate diet; **risorse insufficienti**, insufficient (*o* scanty) resources; *I bicchieri sono insufficienti*, there are not enough glasses; *I quattrini sono insufficienti*, the money is not enough 2 (*insoddisfacente*) unsatisfactory; below par; (*nella valutazione scolastica, anche*) below standard, poor; (*come voto*) low mark: **una spiegazione i.**, an inadequate explanation; *È i. in italiano*, his work in Italian is below par; he is weak in Italian; *Ha preso i. in storia*, she got a low mark in history.

insufficiènza f. 1 insufficiency; (*mancanza*) deficiency, shortage, shortfall, want, lack; **i. di capitali**, insufficiency of funds; **i. di vitamina C**, Vitamin C deficiency; **i. di posti di lavoro**, shortage of jobs; (*leg.*) **i. di prove**, lack of evidence; insufficient proof; **i. di rifornimenti**, supply shortfall 2 (*manchevolezza*) deficiency, inadequacy, flaw; (*inidoneità*) unfitness: **insufficienze organizzative**, deficiencies (*o* inadequacies) in the organization 3 (*votazione scolastica*) low mark; (*agli esami*) fail 4 (*med.*) insufficiency; failure: **i. cardiaca**, cardiac insufficiency; heart failure; **i. renale**, kidney failure.

insufflàre v. t. to blow*; to insufflate (*spec. med.*).

insufflatóre m. (*med.*) insufflator.

insufflazióne f. (*med.*) insufflation.

insulàre A a. insular; island (attr.): (*geol.*) **arco i.**, island arc; **clima i.**, insular climate; **l'Italia i.**, the Italian islands (pl.) ● (*anat.*) **lobo i.**, insula* **B** m. e f. islander.

insularìsmo m., **insularità** f. insularity.

insulìna f. (*chim.*) insulin.

insulìnico a. insulin (attr.): (*med.*) **shock i.**, insulin shock.

insulinìsmo m. (*med.*) intolerance to insulin therapy.

insulinoterapìa f. (*med.*) insulin therapy.

insulsàggine f. 1 insipidity; vapidity; silliness; inanity 2 (*cosa insulsa*) inanity; platitude.

insùlso a. insipid; vapid; silly; inane.

insultànte a. insulting; offensive.

insultàre v. t. to insult; to abuse; to offend: **lasciarsi i.**, to take abuse.

insultatóre A m. (f. **-trìce**) insulter **B** a. insulting; offensive.

insùlto m. 1 insult; abuse ⓤ; (*offesa*) affront: **un i. alla memoria di q.**, an insult to sb.'s memory; **un i. al buon gusto**, an affront to taste; **lanciare insulti contro q.**, to hurl insults (*o* abuse) at sb.; **ricoprire q. d'insulti**, to heap abuse on sb. 2 (*danno*) ravage: **gli insulti del tempo**, the ravages of time 3 (*med.*) insult; attack: **i. cardiaco**, heart attack; **i. apoplettico**, stroke.

insuperàbile a. 1 (*insormontabile*) insuperable; unsurmountable 2 (*incomparabile*) insuperable; unsurpassable; incomparable.

insuperàto a. unsurpassed; unequalled; unrivalled; unparalleled.

insuperbìre A v. t. to make* proud **B** v. i. e **insuperbìrsi** v. i. pron. to become* proud; to boast (about st.); to put* on airs: *Non c'è da insuperbirsi*, there's nothing to be proud of (*o* to boast about).

insurrezionàle a. insurrectionary; insurrectionist: **moti insurrezionali**, insurrectionary movements.

insurrezióne f. insurrection; rising; revolt: **reprimere un'i.**, to suppress (*o* to put down) a revolt; *È scoppiata l'i.*, an insurrection has broken out.

insussistènte a. 1 (*inesistente*) non-existent: **pericolo i.**, non-existent danger 2 (*infondato*) groundless; baseless; unfounded; unsupported: **affermazioni insussistenti**, unsupported allegations; **timori insussi-**

stenti, groundless fears.

insussistènza f. 1 (*inesistenza*) non-existence: **l'i. di un fatto**, the inexistence of a fact 2 (*infondatezza*) groundlessness; baselessness: **l'i. di un'accusa**, the groundlessness of an accusation.

intabarràre A v. t. to wrap up; to muffle up **B intabarràrsi** v. rifl. to wrap (oneself) up; to muffle oneself up.

intaccàbile a. 1 corrodible 2 (*fig.*) vulnerable.

intaccàre A v. t. 1 (*fare una tacca*) to notch; (*ammaccare*) to dent; (*una lama*) to blunt 2 (*corrodere*) to corrode; to eat* into; to bite*: *Gli acidi intaccano i metalli*, acids eat into metals 3 (*cominciare a consumare*) to draw* on; to dip into; to start (*o* to begin*) upon; (*ridurre*) to make* a dent in: **i. il capitale**, to draw on one's capital; **i. le provviste**, to start on one's provisions; **i. i risparmi**, to dip into one's savings; **i. pesantemente qc.**, to make (serious) inroads on st. 4 (*ledere*) to damage; to impair; to injure; (*un diritto*) to encroach on 5 (*med.*) to affect **B** v. i. (*tartagliare*) to stutter; to stammer.

intaccatùra f. 1 (*tacca*) notch; nick; indentation; dent 2 (*naut.*) ripple.

intagliàre v. t. 1 (*legno, avorio*) to carve; (*pietra dura*) to engrave, to cut* 2 (*ricamo*) to cut* out.

intagliatóre m. (f. **-trìce**) carver; (*di pietre dure*) engraver, cutter.

intàglio m. 1 (*su legno, avorio*) carving, fretwork; (*su pietra dura*) intaglio* 2 (*oggetto*) carving 3 (*tacca*) notch 4 (*mus., di violino, ecc.*) soundhole.

intanàrsi → rintanarsi.

intangìbile a. 1 untouchable; intangible 2 (*fig.: inviolabile*) inviolable.

intangibilità f. 1 untouchability; intangibility; intangibleness 2 (*fig.*) inviolableness.

♦**intànto A** avv. 1 (*nel frattempo*) in the meantime; meanwhile; (*mentre*) while: *Tu telefona e io i. prendo i posti*, you go and phone while I get seats (*o* and in the meantime I'll get seats); *I., a poche miglia da lì...*, meanwhile, a few miles away...; *Mi ascoltava e i. faceva ghirigori su una busta*, as she listened to me, she kept doodling on an envelope 2 (*a ogni buon conto*) anyway: *Non saranno condizioni ideali, ma i. cominciamo*, conditions may not be ideal, but let's start anyway 3 (*per dirne una, per cominciare*) for one thing: *«Cosa vuoi di più?» «Be', i. vorrei essere consultato più spesso»*, «what more do you want?» «well, for one thing, I'd like to be consulted more often» 4 (*resta il fatto che*) the fact remains that: *Può dire quello che vuole, ma i. i documenti sono spariti*, he can say what he likes, the fact remains that the papers have disappeared 5 (*avversativo*) but: *Lui fa presto a dire, ma i. chi fatica sono io*, it's easy for him to speak, but I'm the one who does the donkey's work ● (*fam.*) **per i.**, for the moment; for the time being **B intànto che** loc. cong. while; as: *Guarda questo i. che aspetti*, have a look at this while you're waiting.

intarlàre v. i., **intarlàrsi** v. i. pron. to become* worm-eaten.

intarlatùra f. woodworm hole.

intarmàre v. i., **intarmàrsi** v. i. pron. to become* moth-eaten.

intarsiàre v. t. 1 to inlay* 2 (*fig.*) to embellish; to embroider.

intarsiatóre m. (f. **-trìce**) inlayer.

intarsiatùra f. inlaying.

intàrsio m. 1 inlaid work ⓤ; inlay; marquetry ⓤ; (*tarsia*) intarsia ⓤ: **lavorare a i.**, to inlay ⓤ (*med.*) – **i. dentario**, inlay.

intasaménto m. stoppage; clogging; block; obstruction; (*di traffico*) traffic jam, gridlock.

intasàre A v. t. 1 to block; to clog; to obstruct; to choke up: *Le foglie hanno intasato lo scarico*, the leaves have clogged the drain 2 (*di traffico*) to block; to congest: *Il traffico intasava tutta via Manzoni*, the whole (*o* the length) of via Manzoni was blocked by traffic **B intasàrsi** v. i. pron. to become* blocked (*o* clogged, obstructed).

intasàto a. blocked; clogged; stopped up; obstructed; (*di naso*) stuffed up, blocked up; (*di strada*) congested, blocked up: **scarico intasato**, blocked drain; *Il lavandino è intasato*, the kitchen sink is stopped up; *Il tubo è i. dalle foglie*, the pipe is clogged with leaves; *Ho il naso intasato*, my nose is stuffed up.

intasatùra f. → **intasamento**.

intascàre v. t. 1 to pocket: *Intascai l'assegno e me ne andai*, I pocketed the cheque and left 2 (*fig.: guadagnare*) to make*: *Quanto avrà intascato con quell'affare?*, how much can he have made with that deal? 3 (*naut.*) to roll up; to furl up.

intasellàre v. t. to decorate with inlaid work (*o* with marquetry).

♦**intàtto** a. 1 (*integro*) intact; (*senza difetti*) unblemished; (*non rotto*) unbroken; (*intero*) whole; (*illeso*) uninjured; (*non danneggiato*) undamaged; (*non calpestato*) untrodden; (*non assaggiato*) uneaten, untasted: **neve intatta**, untrodden (*o* virgin) snow; **patrimonio i.**, intact fortune; **sigillo i.**, unbroken (*o* intact) seal; *I bicchieri sono ancora intatti per fortuna*, the glasses are still whole, thank God; *Tutto era i.*, nothing had been touched; *Il letto era i.*, the bed had not been slept in 2 (*puro*) unsullied; unblemished: **reputazione intatta**, unsullied reputation.

intavolàre v. t. 1 (*dare inizio a*) to start; to begin*; to open: **i. una discussione**, to start a debate; **i. trattative**, to open negotiations 2 (*scacchi*) to set* out; to put* on the board.

intavolàto m. planking; wooden floor; floorboards (pl.).

intavolatùra f. (*mus.*) tablature.

intavolazióne f. (*stat.*) tabulation.

intedescàre A v. t. to Germanize **B intedescàrsi** v. i. pron. to become* Germanized.

integèrrimo a. of the utmost integrity (pred.); upright; scrupulously honest; incorruptible.

integràbile a. integrable.

integrabilità f. integrability.

intègrafo m. (*mat.*) integraph.

integràle① a. 1 (*completo*) total; complete; entire; general; (*non ridotto*) unabridged, uncut: **abbronzatura i.**, all-over tan; **un cretino i.**, a regular idiot; **edizione i.**, unabridged edition; **riforma i.**, general reform; **versione i. di un film**, uncut version of a film 2 (*di farina, ecc.*) wholemeal (attr.): **pane i.**, wholemeal bread 3 → **integrante**.

integràle② a. e m. (*mat.*) integral: **calcolo i.**, integral calculus; **i. definito [indefinito]**, definite [indefinite] integral.

integralìsmo m. 1 (*polit.*) extremism 2 (*relig.*) fundamentalism.

integralìsta① m. e f. 1 (*polit.*) hard-liner; extremist 2 (*relig.*) fundamentalist.

integralìsta②, **integralìstico** a. 1 (*polit.*) extremist 2 (*relig.*) fundamentalist.

integralménte avv. integrally; in full.

integrànte a. integral; integrant: **essere parte i. di qc.**, to be an integral part of st.

integràre A v. t. 1 (*completare*) to integrate; to complete; to complement (*arro-*

tondare, arricchire) to supplement: **i. una dieta con vitamine**, to supplement a diet with vitamins; **i. lo stipendio**, to supplement one's salary **3** (*inserire in un ambiente*) to integrate **4** (*mat.*) to integrate **B** **integràrsi** **v. i. pron. 1** (*inserirsi*) to integrate; to fit in **2** (*combinarsi*) to become* integrated; to combine; (*armonizzare*) to blend **C** **integràrsi v. rifl. recipr.** to complement each other.

integratìvo a. supplementary; additional: **assegno i.**, supplementary benefit.

integràto a. integrated: **strettamente i.**, closely integrated; (*comput.*) **circuito i.**, integrated circuit.

integratóre **A** m. (f. **-trìce**) integrator; supplement **B** a. integrating; supplementing.

integrazióne f. **1** integration: **i. dietetica**, diet integration; **i. economica**, economic integration; **i. razziale**, racial integration **2** (*supplemento*) supplement: **i. salariale**, wage supplement **3** (*mat.*) integration ● **cassa i.** → **cassa** □ (*org. az.*) **i. a monte**, backward integration □ (*org. az.*) **i. a valle**, forward integration.

integrazionìsmo m. doctrine of (racial) integration; racial integration movement.

integrazionìsta **A** m. e f. integrationist **B** a. integration (attr.).

integrazionìstico a. integration (attr.); integrationist.

integrità f. **1** (*interezza*) integrity; wholeness: **i. territoriale**, territorial integrity; **salvaguardare l'i. del patrimonio artistico nazionale**, to protect the integrity of a country's artistic heritage; **garantire l'i. di un prodotto**, to guarantee that a product remains intact **2** (*purezza*) purity; uncorruptedness **3** (*onestà*) integrity; uprightness; honesty.

ìntegro a. **1** (*intero*) entire; whole; (*intatto*) intact; (*di un testo*) full, unabridged **2** (*onesto, incorruttibile*) upright; honest.

integuménto m. (*bot.*, *zool.*) integument.

intelaiàre v. t. **1** (*montare su telaio*) to frame, to mount on a frame; (*stendere su un telaio*) to stretch on a frame **2** (*mecc.*) to assemble.

intelaiatùra f. **1** (*l'intelaiare*) framing **2** (*tecn.*) framework; frame: **i. di finestra**, window frame; **l'i. di un ponte** the framework of a bridge **3** (*fig.*: *struttura*) framework; structure: **l'i. di un romanzo**, the framework of a novel.

intelàre v. t. (*sartoria*) to interline.

intellettìvo a. intellective; intellectual: **facoltà intellettiva**, intellectual faculty.

intellètto m. **1** intellect; understanding 🔊; (*mente*) mind: **l'i. umano**, the human intellect; human understanding: **cose che trascendono l'i. umano**, things that transcend human understanding; **illuminare l'i.**, to enlighten the mind **2** (*intelligenza*) intelligence; mind; intellect; brain; (*ragione*) reason: **una persona di grande i.**, a person of great intellect **3** (*persona*) mind; intellect; brain: **uno dei migliori intelletti d'Italia**, one of the finest brains in Italy ● **perdere il bene dell'i.**, to lose one's wits.

♦**intellettuàle** **A** a. **1** (*dell'intelletto*) intellectual: **facoltà intellettuali**, intellectual faculties; **lavoro i.**, intellectual work **2** (*cerebrale, anche spreg.*) cerebral; highbrow; bookish: *Legge solo roba molto i.*, she only reads highbrow stuff **B** m. e f. intellectual; member of the intelligentsia; (*iron. o spreg.*) highbrow, egghead (m., *fam.*), bluestocking (f.).

intellettualìsmo m. (*anche filos.*) intellectualism.

intellettualìsta m. e f. (*anche filos.*) intellectualist.

intellettualìstico a. intellectualistic.

intellettualità f. **1** intellectuality **2** (*élite intellettuale*) intellectual elite; intelligentsia.

intellettualizzàre v. t. to intellectualize.

intellettualizzazióne f. intellectualization.

intellettualòide (*spreg.*) **A** m. e f. would-be intellectual; pseudo-intellectual; pseud; bluestocking (f.) **B** a. pseudo-intellectual; pseud.

intellezióne f. intellection.

♦**intelligènte** a. **1** intelligent; clever; bright: *L'uomo è un animale i.*, man is an intelligent animal; **una ragazza i.**, an intelligent (*o* clever) girl; **un suggerimento i.**, an intelligent (*o* clever) suggestion; *Non è molto i.*, he is not very intelligent (*o* very bright) **2** (*comput.*) intelligent; smart: (*mil.*) **missile i.**, smart missile; **terminale i.**, intelligent terminal.

♦**intelligènza** f. **1** intelligence; brain (spesso al pl.); keen mind; (*perspicacia, anche*) cleverness: **un'i. vivace**, a lively intelligence; *La sua i. è indiscutibile*, his intelligence is beyond question; **operare con i.**, to act intelligently; **studiare con i.**, to study in a methodical way **2** (*psic.*) intelligence: **i. artificiale**, artificial intelligence (abbr. AI); **i. emotiva**, emotional intelligence (abbr. EI); **quoziente d'i.**, intelligence quotient **3** (*persona intelligente*) intelligence; mind; brain: **le migliori intelligenze del paese**, the finest minds (*o* brains) in the country **4** (*comprensione*) understanding **5** (*naut.*) answering pennant **6** (*accordo, collusione*) agreement; connivance; collusion: **i. col nemico**, connivance with the enemy.

intellighènzia f. intelligentsia.

intelligìbile **A** a. (*anche filos.*) intelligible **B** m. (*filos.*) intelligible.

intelligibilità f. intelligibility.

intemeràta f. (*fam.*) scolding; dressing down: **fare un'i. a q.**, to give sb. a dressing down; to have (*o* to call) sb. on the carpet (*fam.*).

intemeràto a. unblemished; irreproachable; spotless.

intemperànte a. **1** (*smodato*) intemperate; immoderate; extreme: **essere i. nel bere**, to be an intemperate drinker; to drink to excess; to overindulge in drinking; **essere i. nel mangiare**, to eat to excess; to overeat **2** (*aggressivo*) violent; uncontrolled.

intemperànza f. **1** intemperance; incontinence; excess: **i. nel bere**, overindulgence in drink; intemperance; **i. nel mangiare**, overeating **2** (*comportamento esagerato*) excess.

intempèrie f. pl. severe weather conditions; (bad) weather (sing.); inclemency (sing.) of the weather: **ripararsi dalle i.**, to take shelter from the bad weather; **esposto alle i.**, exposed to the weather; **i danni causati dalle i.**, the damage caused by the weather; (*di oggetto*) **resistente alle i.**, weather-proof.

intempestività f. untimeliness; unseasonableness.

intempestìvo a. untimely; ill-timed; coming at the wrong moment (pred.): *Evidentemente il mio arrivo era i.*, obviously my arrival was untimely; **osservazione intempestiva**, ill-timed remark; *Le decisioni furono giudicate intempestive*, the decisions were judged to be ill-timed (*o* to come at the wrong moment).

intendènte m. **1** superintendent; intendant; (*di proprietà terriera*) land agent **2** (*leg., bur.*) officer: **i. di finanza**, revenue officer **3** (*mil.*) quartermaster: **i. generale**, quarter-

master general.

intendènza f. **1** superintendency; intendancy **2** (*leg., bur.*) office: **i. di finanza**, revenue office **3** (*mil.*) commissariat.

♦**intèndere** **A** v. t. **1** (*capire*) to understand*; to grasp: **i. il significato di qc.**, to understand the meaning of st. **2** (*udire*) to hear*: *Ho inteso dire che mira alla presidenza*, I have heard it said that she's aiming at the presidency **3** (*ascoltare*) to listen to; to heed: **non i. ragione**, not to listen to reason **4** (*significare*) to mean*: *Non intendevo questo*, that is not what I meant; *Che cosa intendi per «novità»?*, what do you mean by «novelty»? **5** (*avere intenzione*) to mean*; to plan; (*fermamente*) to intend: *Non intendeva offendere*, he meant no offence; *Intendo fermarmi almeno sei giorni*, I mean (*o* I'm planning) to stay at least six days; *Non intendo essere preso in giro*, I don't want (*o* intend) to be made a fool of; *Che cosa intendi dire?*, what do you mean by that? **6** (*lett.: badare*) to attend to ● **i. a rovescio**, to misunderstand; to get it wrong; to get hold of the wrong end of the stick (*fam.*) □ **i. al volo**, to grasp immediately □ **intendersela con q.**, (*avere una relazione amorosa*) to have an affair with sb.; (*essere in combutta con q.*) to be in cahoots with sb. (*fam.*); (*essere grandi amici*) to be hand in glove with sb. (*fam.*), to be buddy-buddy with sb. (*fam. USA*) □ **dare a i. a q. che...**, to give sb. to understand that... □ **darla a i. a q.**, to fool sb.; to have sb. on □ **far i.**, to hint; to intimate: *Mi fece i. che non ne sapeva nulla*, he hinted that he did not know anything about it □ **farsi i.**, to make oneself understood □ *Non la intendo così*, that's not the way I look at it □ **lasciare i.**, to drop the hint □ **S'intende!**, of course!; it goes without saying! □ **S'intende** (*o* **ben inteso**) **che io...**, of course I... □ **Chi ha orecchie per i. intenda**, a word to the wise (is enough) **B** **intèndersi v. rifl. recipr. 1** (*capirsi*) to understand* each other [one another]: *Ci siamo subito intesi*, we understood each other at once **2** (*raggiungere un accordo, la comprensione reciproca*) to come* to an understanding, to reach an agreement, to agree; (*raggiungere una soluzione, ecc.*) to arrange matters: **intendersi sul prezzo**, to agree on a price **3** (*andare d'accordo*) to get* on well; to hit* it off: *Ci siamo intesi subito*, we hit it off immediately ● **Intendiamoci, io non ho niente contro di lui**, mind you, I have nothing against him □ **tanto per intenderci**, (*tanto per dare un esempio*) just to give you an idea; (*tanto per chiarire*) just to make things clear between us **C** **intèndersi v. i. pron.** (*essere esperto*) to know* a lot (about); to be an expert (in); to be a connoisseur (of); to be well up (in); (*assol.*) to be knowledgeable, to be an expert: **intendersi di giardinaggio**, to know a lot about gardening; **intendersi di pittura** [**di vini**], to be a connoisseur of painting [of wine]; *Io non m'intendo molto di musica*, I don't know much about music; I am no music expert; *Tu te ne intendi di motori d'automobile?*, do you understand how a car engine works?; *Mi dispiace, non me ne intendo*, I'm sorry, I don't know anything about it; *È uno che se ne intende*, he is very knowledgeable.

intendiménto m. **1** (*capire*) understanding; intelligence **2** (*intenzione*) intention; intent.

intenditóre m. (f. **-trìce**) connoisseur; expert; judge: **un i. di vini**, an expert on wines; a wine connoisseur (*o* expert); *Io non sono un i., ma...*, I am no judge, but... ● (*prov.*) **A buon i., poche parole**, a word to the wise (is enough).

intenebràre (*lett.*) **A** v. t. to darken; to obscure; (*annebbiare*) to cloud **B** **intenebràrsi v. i. pron.** to darken; to be obscured;

to be clouded.

intenerimento m. **1** softening **2** (*tenerezza*) tenderness.

intenerire **A** v. t. **1** (*ammorbidire*) to soften **2** (*commuovere*) to touch, to move; (*impietosire*) to move to pity **B** **intenerirsi** v. i. pron. **1** to soften **2** (*commuoversi*) to be touched, to be moved; (*impietosirsi*) to be moved to pity.

intenerito a. touched; moved.

intensamente avv. intensively; hard.

intensificare **A** v. t. **1** to intensify; to increase; to step up; to escalate: **i. la sorveglianza**, to step up surveillance; **i. gli sforzi**, to intensify (*o* to increase) one's efforts **2** (*rendere più frequente*) to make* more frequent; to increase the number of **B** **intensificarsi** v. i. pron. **1** to intensify; to increase; to escalate **2** (*diventare più frequente*) to become* more frequent.

intensificazione f. intensification; escalation.

intensimetro m. (*radio*) intensiometer.

intensionale a. (*filos.*) intensional.

intensione f. (*filos.*) intension.

intensità f. **1** intensity; (*di suono*) loudness, volume; (*di vento*) force; (*di sentimento*) intensity, strength; (*di colore*) intensity, richness, depth: **l'i. di un desiderio**, the intensity of a desire; **con i.**, intensively; (*attentamente*) intently; **guardare qc. con i.**, to look intently at st. **2** (*fis.*) intensity; strength: **i. acustica**, sound intensity; **i. del segnale**, signal intensity; **i. di campo magnetico**, magnetic field strength; **i. di radiazione**, radiation intensity; **i. luminosa**, luminous intensity.

intensitòmetro → **intensimetro**.

intensivo a. intensive: **coltura intensiva**, intensive farming; **suffisso i.**, intensive suffix; **terapia intensiva**, intensive care; **industria a uso i. di capitale** [di lavoro], capital-intensive [labour-intensive] industry.

♦**intenso** a. **1** intense; strong; (*profondo*) deep, profound; (*di colore*) intense, rich, deep; (*di luce*) strong, bright, vivid: **freddo i.**, intense cold; **gioia intensa**, deep joy; **odio i.**, profound hatred; **profumo i.**, strong smell; **sguardo i.**, intense look; **verde i.**, rich green **2** (*continuo*) intensive; (*concentrato*) concentrated: **sforzo i.**, concentrated effort **3** (*indaffarato*) busy; (*ricco di avvenimenti*) eventful: **giornate intense**, busy (*o* eventful) days.

intentàbile a. (*leg.*) that can be proceeded upon; that can be taken to court.

intentàre v. t. – (*leg.*) **i. un'azione giudiziaria contro q.**, to bring an action against sb.; to sue sb.; to file a lawsuit against sb.

intentàto a. unattempted ● **non lasciare nulla d'i.**, to leave no stone unturned.

♦**intènto** ① a. intent (on); concentrating (on); entirely taken up (with, by); (*occupato*) busy (at, with): **sguardo i.**, intent look; *Ero i. al lavoro* [a risolvere un problema], I was intent (*o* concentrating) on my work [on solving a problem]; *Sembrava tutto i. al suo calcolo*, he seemed to be entirely taken up with (*o* absorbed in) his calculations; *Era i. a scrivere*, he was busy writing.

♦**intènto** ② m. **1** (*scopo, meta*) purpose; aim; goal; object: **conseguire** (*o* **ottenere, raggiungere**) **l'i.**, to reach one's goal; to achieve one's object (*o* purpose, goal); **riuscire** [**fallire**] **nell'i.**, to succeed [to fail] in one's object; to achieve [to fail in] one's purpose (*o* aim) **2** (*intenzione*) intention; design; (*spec. leg.*) intent: **con l'i. di fare qc.**, with the intention of doing st.

intenzionale a. **1** (*deliberato*) intentional; deliberate; wilful; (*sport*) **fallo i.**, deliberate foul; **torto i.**, intentional wrong **2** (*filos.*) in-

tentional.

intenzionalismo m. (*filos.*) intentionalism.

intenzionalista m., f. e a. (*filos.*) intentionalist.

intenzionalità f. **1** deliberateness; (*leg.*) wilfulness, intentionality **2** (*filos.*) intentionality.

intenzionalmente avv. purposely; intentionally; on purpose; knowingly; (*leg.*) wilfully, with intent, scienter.

♦**intenzióne** f. intention; (*spec. leg.*) intent; purpose; (*idea*) mind, notion; (*desiderio*) wish: *Le sue intenzioni sono buone*, her intentions are good; she means well; **avere cattive intenzioni**, to mean harm; **mutare i.**, to alter one's purpose; to change one's mind; **nascondere le proprie intenzioni da q.**, to hide one's intentions from sb; to hold out on sb. (*fam.*); *È mia i. convocare un'assemblea*, it is my intention to call a meeting; **avere i. di fare qc.**, to intend to do st. (*o* doing st.); (*nell'iniziare un lavoro*) to set out to do st.; *Ho i. di riprovare*, I intend to try again; *Non ha i. di sposarla*, he has no intention of marrying her; *Non era mia i. ferirlo*, I didn't mean to hurt him; *L'ha fatto con l'i. di irritarti*, he did it with the intention of irritating you; (*leg.*) **con l'i. di uccidere**, with intent to kill; *Ho una mezza i. di dirglielo*, I have half a mind to tell him ● **andare oltre le proprie intenzioni**, to overshoot the mark □ (*iron.*) **buone intenzioni**, wishful thinking □ **con i.**, on purpose; intentionally; deliberately □ **fare il processo alle intenzioni**, to judge sb. by his intentions □ **senza i.**, unintentionally; inadvertently □ (*prov.*) *La via dell'inferno è lastricata di buone intenzioni*, the road to Hell is paved with good intentions.

intepidìre → **intiepidire**.

interafricàno a. inter-African.

interagènte a. (*chim., fis.*) interactive: **sistemi interagenti**, interactive systems.

interagire v. i. to interact.

interalleàto a. inter-allied.

interaménte avv. completely; wholly; entirely; fully; quite.

interamericàno a. inter-American.

interàrabo a. inter-Arab.

interàrme, interàrmi a. interservice.

interarticolàre a. (*anat.*) interarticular.

interasiàtico a. inter-Asian.

interàsse m. (*autom.*) wheelbase.

interatòmico a. (*fis.*) interatomic.

interattività f. interactivity.

interattivo a. (*anche comput.*) interactive.

interaziendàle a. (*econ.*) intercompany (attr.); intercorporate (attr.).

interazióne f. **1** interaction; interplay **2** (*fis.*) interaction: **i. debole** [**forte**], weak [strong] interaction.

interbancàrio a. interbank (attr.).

interbàse f. (*baseball*) shortstop.

interbèllico a. interwar (attr.); between the wars (pred.).

interbinàrio m. (*ferr.*) six-foot way.

interblòcco m. (*ing.*) interblock.

intercalàre ① v. t. **1** (*inserire*) to insert; to interpolate; (*alternare*) to alternate: **i. illustrazioni a un testo**, to insert illustrations in a text **2** (*inframmezzare*) to intersperse; to punctuate: *Parlando intercala parole francesi*, he intersperses what he says with French words.

intercalàre ② **A** a. intercalary: (*agric.*) **coltura i.**, intercrop; **giorno** [**mese**] **i.**, intercalary day [month] **B** m. (*espressione ripetuta*) stock (*o* pet) phrase.

intercalazióne f. intercalation.

intercambiàbile a. interchangeable.

intercambiabilità f. interchangeability.

intercapèdine f. **1** (*edil.*) air space; hollow space **2** (*naut.*) cofferdam; (*di sommergibile*) interspace ● **muro a i.**, cavity wall.

intercèdere v. i. to intercede: **i. presso q. per q. altro**, to intercede with sb. for sb. else.

interceditrice f. intercessor; interceder.

intercellulàre a. (*biol.*) intercellular.

intercessióne f. intercession: **per i. di**, by intercession of.

intercessóre m. intercessor; interceder.

intercettàre v. t. to intercept; (*telef., anche*) to tap, to listen in.

intercettatóre **A** m. (f. **-trìce**) (*aeron.*) interceptor **B** a. interceptive.

intercettazióne f. interception: **i. telefonica**, telephone interception; wiretap; (al pl.) wiretapping Ⓤ; **fare intercettazioni telefoniche**, to wiretap.

intercettóre m. (*aeron.*) interceptor.

interclassìsmo m. (*polit.*) (theory of) inter-class collaboration.

interclassìsta **A** m. e f. (*polit.*) supporter of inter-class collaboration **B** a. inter-class (attr.).

interclassìstico a. (*polit.*) inter-class (attr.).

intercolùnnio m. (*archit.*) intercolumniation.

intercompartimentàle a. interdepartmental.

intercomunàle a. intermunicipal ● **telefonata i.**, long-distance telephone call.

intercomunicànte **A** a. communicating: **stanze intercomunicanti**, communicating rooms **B** m. **1** (*ferr.*) connecting corridor **2** (*telef.*) intercom.

interconfederàle a. interconfederation (attr.); (*rif. a sindacato*) inter-union (attr.).

interconfessionàle a. (*eccles.*) interdenominational; interfaith (attr.).

interconfessionalìsmo m. (*eccles.*) interdenominationalism.

interconfessionalìstico a. (*eccles.*) interdenominational.

interconfessionalità f. interdenominational character; ecumenicity.

interconnessióne f. interconnection.

interconnèttere v. t. to interconnect.

interconsonàntico a. (*ling.*) interconsonantal.

intercontinentàle a. intercontinental.

intercorrènte a. **1** (*esistente*) existing **2** (*med.*) intercurrent: **malattia i.**, intercurrent illness.

intercórrere v. i. **1** (*passare*) to elapse; to pass; to intervene: *Intercorsero dieci anni tra i due incontri*, ten years elapsed between the two meetings **2** (*esistere, esserci*) to exist; to be: **i rapporti che intercorrono tra i due paesi**, the relationship existing between the two countries.

intercostàle a. (*anat.*) intercostal.

intercotidàle a. (*geogr.*) intertidal: **zona i.**, foreshore.

intercruràle a. (*anat.*) intercrural.

interculturàle a. intercultural; cross-cultural.

interculturalìsmo m. interculturalism.

interdentàle a. (*anat., ling.*) interdental ● **filo i.**, dental floss.

interdétto ① **A** a. **1** (*proibito*) forbidden;

prohibited; banned **2** (*leg.*) debarred; disqualified; (*per infermità mentale, ecc.*) incapacitated: **i. dai pubblici uffici**, debarred from holding public offices **3** (*eccles.*) under interdict; interdicted B m. (f. **-a**) **1** (*leg.*) person disqualified (*o* debarred) (from st.); (*per infermità mentale, ecc.*) person legally incapacitated **2** (*fam.*) idiot.

interdétto ② a. (*sorpreso, turbato*) dumbfounded; bewildered; nonplussed.

interdétto ③ m. (*eccles.*) interdict.

interdialettàle a. (*ling.*) common to several dialects.

interdigitàle a. (*anat.*) interdigital.

interdipartimentàle a. interdepartmental.

interdipendènte a. interdependent.

interdipendènza f. interdependence.

interdìre v. t. **1** (*proibire*) to prohibit; to forbid*; to ban; to bar: **i. l'accesso**, to forbid entrance; **i. a q. di fare qc.**, to bar sb. from doing st.; to forbid sb. to do st. **2** (*leg.*) to disqualify, to debar; to deprive (sb. of st.), (*per infermità mentale, ecc.*) to incapacitate: **i. dai pubblici uffici**, to debar from holding public offices **3** (*eccles.*) to interdict; to lay* under an interdict **4** (*mil.*) to interdict.

interdisciplinàre a. interdisciplinary.

interdistrettuàle a. inter-district (attr.).

interdizióne f. **1** (*proibizione*) prohibition; ban **2** (*leg.*) disqualification; debarment; deprivation; interdiction: **i. dalle cariche pubbliche**, disqualification from holding public offices; **i. dai diritti civili**, deprivation of civil rights; **i. giudiziale**, judicial interdiction **3** (*eccles.*) interdiction ● (*mil.*) **tiro d'i.**, barrage fire.

interessaménto m. **1** (*interesse*) interest; (*sollecitudine*) concern, interest; (*partecipazione*) sympathy: *Sono commosso dal tuo i.*, I am touched by your concern **2** (*intervento*) good offices (pl.): *Il suo i. fu provvidenziale*, his good offices were crucial; **avere un posto per l'i. di un amico**, to have a job through the good offices of a friend; *La ringrazio del suo i. per la mia pratica*, thank you for the trouble you have taken over my case.

♦**interessànte** a. interesting: **un libro [un uomo] i.**, an interesting book [man]; *La sua idea mi sembra i.*, his idea sounds interesting; **rendere q. più i.**, to make st. more interesting; to enliven; to liven up st.; to add variety to st.; **niente d'i.**, nothing of interest ● **essere in stato i.**, to be expecting a baby; to be in the family way (*fam.*).

♦**interessàre** A v. t. **1** (*riguardare*) to concern, to be of interest to, to involve; (*toccare, colpire*) to affect: *La questione interessa la polizia oltre che la compagnia d'assicurazione*, the matter concerns the police as well as the insurance company; *Le nuove disposizioni interesseranno il settore artigianale*, the new measures will affect the craft industry **2** (*essere interessante per*) to be of interest to; to interest; to be interested (in) (pers.); to find* interesting (pers.): *È un libro che interesserà soltanto i filatelici*, the book will only be of interest to stamp collectors; *Scegli un argomento che t'interessa*, choose a subject which interests you; *M'interessò fin dalla prima pagina*, it held my interest right from the first page; *Vieni alla conferenza, ti interesserà*, come to the lecture, you will find it interesting; *T'interessa l'archeologia?*, are you interested in archaeology?; *È un argomento che m'interessa*, I find the subject interesting; *Grazie, non m'interessa (come rifiuto)*, thank you, but no; not for me, thank you **3** (*destare l'interesse di q.*) to arouse (sb.'s) interest, to get* (sb.) interested (in), to get* (sb.) to take an interest (in); (*tener vivo l'interesse*) to hold*

(sb.'s) interest; (*coinvolgere*) to involve, to interest: **i. q. a un argomento**, to interest sb. in a topic; *Ho cercato di interessarlo a quello che facciamo*, I tried to get him interested in what we do; *Cercai di interessarlo al nostro progetto*, I tried to interest (*o* to involve) him in our project **4** (*far intervenire attivamente*) to draw* (sb.'s) attention (to st.): *Il giornale riuscì a interessare il governo al caso*, the newspaper managed to draw the Government's attention to the case **5** (*essere nell'interesse di*) to be in the interest of: *Interessa tutti che le ferrovie funzionino bene*, efficient railways are in everybody's interest **6** (*econ.*) to give* (sb.) a financial interest (in st.); (al passivo: *essere interessato*) to have a share (in st.), to be a shareholder (in st.) B v. i. (*avere importanza*) to be interested (in) (pers.); (*premere, importare*) to be in the interest (of), to be the concern (of), to matter (to), to be important (for): *M'interesserebbe conoscere la vostra opinione sulla faccenda*, I'd be interested to hear your opinion about this; *Non m'interessa sapere che cosa hai fatto*, I am not interested in what you did; *Ho pensato che la cosa potesse interessarti*, I thought it might be of interest to you; I thought you might be interested to know about it; *Interessa a tutti che questa legge sia fatta rispettare*, it is everybody's concern (*o* it matters to everybody) that this law should be enforced; *La cosa sembra non i. a nessuno*, nobody seems to take any interest in the matter C **interessàrsi** v. i. pron. **1** (*provare interesse*) to be interested (in); to take* an interest (in); to be (into) (*fam.*): *S'interessa di politica*, he's interested in politics; he's into politics (*fam.*); *Quando hai cominciato a interessarti di finanza?*, when did you become interested in finance?; *Non s'interessa di quello che succede nel mondo*, she takes no interest in what goes on in the world **2** (*occuparsi di, lavorare*) to work (in); to be (in): *Si interessa di pubblicità*, he's in advertising **3** (*prendersi cura di, occuparsi*) to take* care (of); to see* (to); to look (into); to go* (into); to take* up: *Me ne interesso io*, I'll take care of it; I'll see to it; *Non ho ancora avuto tempo d'interessarmene*, I haven't had time to go into the matter yet; *Ora la stampa s'interessa del caso*, now the press has taken up the case; *M'interesserò io stesso presso l'ambasciata*, I shall take the matter up with the embassy myself **4** (*provare interesse per, curarsi*) to care (about, for): *Non m'interesso di queste inezie*, I don't care about these trifles; *Nessuno s'interessa di lui*, nobody cares for him **5** (*badare*) to mind, to look (after); (*fare qualcosa per*) to do* something (for), to take* care (of): *Interessati degli affari tuoi!*, mind your own business! **6** (*chiedere notizie*) to ask (after).

interessatamènte avv. out of self-interest; (*con un secondo fine*) with ulterior motives.

interessàto A a. **1** interested **2** (*coinvolto, colpito*) concerned; affected; involved: **le parti interessate**, the parties concerned; **essere i. a qc.**, to be interested in st.; **essere i. in un'azienda**, to have a share in a firm **3** (*mosso da interesse personale*) with a personal interest; self-serving; (*egoistico*) selfish ● **amore i.**, cupboard love B m. (f. **-a**) person interested; person concerned; interested party (*form.*): *Gli interessati si rivolgano in segreteria*, people interested should inquire with the secretary; *Le lezioni avranno frequenza settimanale. Gli interessati possono...*, classes will be held once a week. Those wishing to attend may...

♦**interèsse** m. **1** (*econ., fin.*) interest ⓤ: **i. bancario**, bank interest; **i. semplice [composto]**, simple [compound] interest; **inte-**

ressi accumulati, accumulated interest; arrears of interest; **l'i. degli interessi**, the interest on the interest; **interessi di mora**, interest on arrears; **interessi passivi**, interest payable; *Gli interessi decorrono dal 1° gennaio*, interest accrues from January 1st; **fruttare un i. del 9%**, to yield 9% interest; **prendere [prestare] denaro a i. [a un i. del 10%]**, to borrow [to lend] money at interest [at 10% interest]; (*fig.*) **restituire qc. con gli interessi**, to return st. with interest; **senza interessi**, interest-free; **tasso d'i.**, interest rate **2** (*vantaggio, convenienza*) interest (anche al pl.); advantage; profit; personal gain; vested interest: **l'i. pubblico**, the public interest; *È nel tuo i. accettare*, it's in your interest (*o* interests) to accept; **agire nell'i. [contro l'i.] di q.**, to act in [against] sb.'s interests; **nell'i. della giustizia [della sicurezza]**, in the interests of justice [of security]; *Faccio il tuo i.*, I'm acting in your interest; *Hanno i. a che l'accordo non vada in porto*, they have a vested interest in the deal falling through; *Non ha nessun i. a tacere*, he has nothing to gain from keeping silent; *Non è nel mio i.*, I have nothing to gain from it **3** (*tornaconto, opportunismo*) self-interest: **agire per l'i.**, to act out of self-interest **4** (al pl.) (*affari*) interest; affairs; business ⓤ; economic considerations (pl.): **badare ai propri interessi**, (*curarli*) to attend to (*o* to look after) one's own affairs; (*non intromettersi negli affari altrui*) to mind one's business; *Sono in gioco grossi interessi*, considerable economic interests are involved; **interessi acquisiti** (*o* consolidati), vested interests; **conflitto d'interessi**, conflict of interest; **sapere far bene i propri interessi**, to know how to take care of oneself; (*spreg.*) to know how to look after number one (*fam.*) **5** (*questioni di denaro*) money matters (pl.); money-making; money: **mirare solo all'i.**, to think of how to make money; **motivi d'i.**, money matters; **fare un matrimonio d'i.**, to marry money **6** (*partecipazione, curiosità*) interest; concern; curiosity: **mostrare i. [poco i.] per qc.**, to show an interest [to show little interest] in st.; **perdere i. per qc.**, to lose interest in st.; **prendere i. a qc.**, to take an interest in st.; **suscitare i.**, to arouse interest **7** (*passatempo*) interest; hobby; pastime **8** (*peso, importanza*) interest: importance: **di grande i.**, extremely interesting; **di nessun i.** (*o* privo d'i.), of no interest (*o* importance); **di scarso i.**, of little interest.

interessènza f. (*comm.*) share in the profits; profit-sharing ⓤ; (*sulle vendite*) percentage on sales: *Oltre allo stipendio ho un'i.*, besides my salary I get a share in the profits (*o* a percentage on all sales).

interètnico a. inter-ethnic.

intereuropèo a. inter-European.

interézza f. wholeness; entirety; totality: **esaminare un problema nella sua i.**, to examine a question in its entirety (*o* as a whole).

interfàccia f. (*fis., comput., fig.*) interface.

interfacciàbile a. (*elettron.*) that can be interfaced; interfaceable.

interfacciàle a. interfacial.

interfacciàre A v. t. (*elettron., comput.*) to interface B v. i. (*gergale*) to interface (with).

interfacoltà A a. interfaculty (attr.) B f. students' council.

interfederàle a. interfederation (attr.).

interfemoràle a. (*anat.*) interfemoral.

interferènza f. **1** (*fis.*) interference ⓤ **2** (*radio*) interference; noise; signal distortion **3** (*tel.*) interference; disturbance; crosstalk **4** (*fig., ling.*) interference **5** (*fig.: intrusione*) interference ⓤ; intrusion; meddling ⓤ

a b c d e f g h i j k l m n o p q r s t u v w x y z

interferenziàle a. (*fis.*) interferential; interference (attr.): **filtro i.**, interference filter.

interferire v. i. 1 (*fis.*, *tel.*) to interfere 2 (*fig.*) to interfere; to be in conflict 3 (*fig.*: *intromettersi*) to interfere, to intrude, to meddle; (*interloquire*) to butt in (*fam.*).

interferometrìa f. (*fis.*) interferometry.

interferomètrico a. interferometric.

interferòmetro m. (*fis.*) interferometer.

intèrferon, **interferóne** m. (*biol.*, *chim.*) interferon.

interfèrro m. (*fis.*) air gap.

interfertilità f. (*biol.*) capacity of interbreeding.

interfogliàre v. t. (*tipogr.*) to interleave; to slip-sheet.

interfogliatùra f. (*tipogr.*) interleaving; slip-sheeting.

interfòglio m. (*tipogr.*) interleaf*; slip sheet.

interfònico a. intercom (attr.).

interfòno m. (*telef.*) intercom; interphone.

intergalàttico a. (*astron.*) intergalactic: **spazio i.**, intergalactic space.

intergenerazionàle a. between generations (pred.).

interglaciàle a. (*geol.*) interglacial.

interiettìvo a. (*gramm.*) interjectional.

interiezióne f. (*gramm.*) interjection.

interim m. (*lat.*) m. inv. interim (→ **ad interim**) ● **assumere l'i.**, to take temporary charge (of st.); to carry on (during a vacancy): **assumere l'i. della Giustizia**, to be appointed caretaker Minister of Justice.

interinàle a. temporary; pro tem: **incarico i.**, pro tem appointment; **lavoro i.**, temporary job.

interinàto m. temporary office; temporary charge; interim.

interìno A a. temporary; pro tem B m. deputy; substitute; (*spec. di medico*) locum tenens* (*lat.*).

interióra f. pl. 1 entrails; bowels; guts 2 (*alim.*) offal Ⓤ; (*di volatile*) giblets.

interióre a. 1 (*interno*) internal; interior: **monologo i.**, interior monologue; **parte i.**, inside; interior 2 (*intimo*) inner; inward; interior: **convincimento i.**, inward conviction; **lotta i.**, inner struggle; **vita i.**, inner life.

interiorità f. 1 inwardness 2 (*vita spirituale*) inner life; (*pensieri intimi*) intimate thoughts (pl.).

interiorizzàre v. t. to internalize; to interiorize.

interiorizzazióne f. internalization; interiorization.

interiorménte avv. 1 internally 2 (*nell'intimo*) inside; deep down.

interleuchina f. (*biol.*) interleukin.

interlìnea f. spacing; line space: **i. doppia**, double spacing; (*scritto*) **a i. doppia**, double-spaced.

interlineàre① a. interlinear: **glosse interlineari**, interlinear glosses; **traduzione i.**, interlinear translation.

interlineàre② v. t. 1 to space 2 (*tipogr.*) to lead*.

interlineatùra f. 1 spacing 2 (*tipogr.*) leading.

interlìngua f. (*ling.*) interlingua.

interlinguìstica f. interlinguistics (pl. col verbo al sing.).

interlinguìstico a. interlinguistic.

interlocàle a. interlocal.

interlocutóre m. (f. **-trice**) interlocutor (*form.*); person one is talking to.

interlocutòrio a. 1 provisional; open; preliminary: **fase interlocutoria**, preliminary stage; **risposta interlocutoria**, open answer 2 (*leg.*) interlocutory; **sentenza interlocutoria**, interlocutory judgment.

interloquìre v. i. to intervene; to join in; to chip in (*fam.*); to chime in (*fam.*); (*interrompere*) to interrupt; to butt in (*fam.*).

interlùdio m. 1 (*mus.*) interlude 2 (*fig.*) interlude; interval; break.

interlùnio m. interlunation.

intermascellàre a. (*anat.*) intermaxillary: **osso i.**, intermaxillary bone.

intermediàle a. inter-media (attr.).

intermediàrio A a. intermediary; intermediate B m. (f. **-a**) 1 intermediary; mediator; go-between: **fare da i.**, to act as intermediary (*o* go-between); to mediate; **agire senza intermediari**, to act without intermediaries 2 (*comm.*) middleman* (m.); broker.

intermediazióne f. 1 intermediation 2 (*econ.*) broking; brokerage.

intermèdio A a. intermediate; intermediary; in-between; mean; middle; median: **scalo i.**, intermediate port of call; stop-over; **sfumatura intermedia**, in-between shade; **soluzione intermedia**, compromise solution; **stadio i.**, intermediate stage; **valore i.**, median value; **via intermedia**, middle course B m. 1 (*org. az.*) skilled worker 2 (*chim.*) intermediate.

intermestruàle a. (*med.*) intermenstrual.

intermèstruo m. (*med.*) intermenstrual period; menstrual interval.

intermetàllico a. (*chim.*) intermetallic.

intermèzzo m. 1 (*teatr.*, *mus.*) intermezzo* 2 (*intervallo*) interval; break.

interminābile a. interminable; endless; never-ending: **discorso i.**, interminable speech; **serie i.**, endless series; **viaggio i.**, interminable (*o* never-ending) journey.

interminàto a. boundless; infinite.

interministeriàle a. interdepartmental.

intermissióne f. (*lett.*) intermission; pause: **senza i.**, without a pause; ceaselessly.

intermittènte a. intermittent; discontinuous; on-and-off, (*irregolare*) irregular, fitful, broken; (*sporadico*) sporadic, occasional: (*fis.*) **corrente i.**, intermittent current; **febbre i.**, intermittent fever; **piogge intermittenti**, intermittent showers; (*med.*) **polso i.**, irregular (*o* erratic) pulse.

intermittènza f. intermittence ● **a i.**, intermittent (agg.); intermittently (avv.); on and off; fitfully.

intermodàle a. (*trasp.*) intermodal.

intermolecolàre a. (*fis.*) intermolecular.

internalizzàre v. t. 1 (*psic.*, *sociol.*, *ecc.*) to internalize; to interiorize 2 (*econ.*) to internalize.

internalizzazióne f. 1 (*psic.*, *sociol.*, *ecc.*) internalization; interiorization 2 (*econ.*) insourcing, internalization.

internaménte avv. 1 internally; inside; within 2 (*nell'intimo*) inside; inwardly.

internaménto m. internment.

internàre v. t. 1 to intern: **i. i cittadini stranieri**, to intern aliens 2 (*in ospedale psichiatrico*) to place in a psychiatric institution.

internàto① A a. interned B m. 1 (*polit.*) internee 2 (*in ospedale psichiatrico*) inmate (in a psychiatric institution); psychiatric patient.

internàto② m. 1 boarding 2 (*collegio*) boarding-school 3 (*periodo di pratica professionale*) period as house officer (*o* house-

man*, m.) (*GB*); internship (*USA*).

internàuta m. e f. regular user of the Internet; internaut.

♦**internazionàle** A a. international: **diritto** [**esposizione**] **i.**, international law [exhibition] B f. 1 (*associazione socialista*) International 2 – l'I. (*inno*), the Internationale.

internazionalìsmo m. internationalism.

internazionalìsta A m. e f. 1 internationalist 2 expert in international law B a. internationalist.

internazionalìstico a. internationalistic.

internazionalità f. internationality.

internazionalizzàre A v. t. to internationalize B **internazionalizzàrsi** v. i. pron. to become* international.

internazionalizzazióne f. internationalization.

internebulàre a. (*astron.*) internebular.

♦**Internet** (*ingl.*) A f. inv. the Internet; the Net (*fam.*): **su** (*o* **in**) **I.**, on the Internet; **navigare in I.**, to surf the Net; to be a netsurfer B a. inv. Internet (attr.); web (attr.): **sito I.**, web site; website; Internet site.

❶ NOTA: *Internet*
In inglese la parola **Internet**, a differenza che in italiano, è preceduta dall'articolo determinativo: *collegarsi a Internet*, to connect to the Internet (non ~~to connect to Internet~~).

internettiàno a. Internet, online (attr.): **gergo i.**, Internet jargon (*o* slang).

internìsta m. e f. (*med.*) specialist in internal diseases; internist (*USA*).

♦**intèrno** A a. 1 inner (attr.); internal; inside (attr.); (*al chiuso*) indoor: **cerchio i.** (*dentro un altro*), inner circle; (*med.*) **emorragia interna**, internal haemorrhage; (*med.*) **lesioni interne**, internal injuries; **medicina interna**, internal medicine; **orecchio i.**, inner ear; **parete interna**, inside wall; **piscina interna**, indoor swimming-pool; **stanza interna**, inner room; **regolamento i.**, internal regulations (pl.); **la parte più interna del tempio**, the innermost part of the temple 2 (*geogr.*) inland; (*senza sbocco sul mare*) landlocked: **mare i.**, inland sea; **navigazione interna**, inland navigation; **paese i.**, landlocked country 3 (*opposto di «estero»*) domestic; home (attr.): inland (attr.): **commercio i.**, domestic (*o* inland) trade; **mercato i.**, home market; **politica interna**, home politics; **prodotto i. lordo**, gross domestic product; **trasporti interni**, inland transports; **voli interni**, domestic (*o* internal) flights 4 (*fig.*: *interiore*) inner; inward; interior: **gioia interna**, inner (*o* inward) joy; **monologo i.**, interior monologue; **una voce interna**, an inner voice; the voice of one's conscience ● **alunno i.**, boarder ☐ (*ind.*) **commissione interna**, shop committee ☐ **impianto telefonico i.**, intercom ☐ (*telef.*) **numero i.**, extension B m. 1 (*parte interna*) inside; interior: **l'i. di una scatola**, the inside of a box; *L'i. è stato restaurato*, the interior (*fam.* the inside) has been restored; **chiuso a chiave dall'i.**, locked from the inside 2 (*ambiente chiuso*) interior: **arredatore d'interni**, interior decorator 3 (*geogr.*) interior; hinterland; backcountry (*USA*): **viaggiare verso l'i.**, to travel towards the interior; to travel inland 4 (*convittore*) boarder 5 (*chi svolge internato*) house officer (*GB*); houseman* (m.) (*GB*); intern (*USA*); resident (*USA*) 6 (*interiorità*, *intimo*) inner self; heart of hearts; innermost feelings (pl.): *Nell'i. dell'animo* (*o* *nel mio i.*) *gli davo ragione*, deep down inside me (*o* in my heart of hearts) I knew he was right 7 (*fodera*) lining Ⓤ; (*rivestimento*) upholstery Ⓤ: **i. di pel-**

liccia, fur lining; **cappotto con l'i. di pelliccia**, fur-lined coat; **interni in pelle**, with leather upholstery **8** (*telef.*) extension: *Vorrei parlare con l'i. 34*, can you put me through to extension 34, please? **9** (*appartamento*) flat (number); apartment (number): *Abito al 7, i. 15*, I live at No. 7, apartment 15 **10** (*polit.*, anche al pl.: *affari interni*) (the) Interior; internal affairs: **gli Interni**, the Interior; (*in GB*) Home Affairs; *Ministro dell'I.* → **ministro 11** (*calcio*) inside forward **12** (al pl.) (*cinem.*, *TV*) interiors ● **all'i.** (*al chiuso*), indoors □ **all'i. di qc.**, inside st. □ **al nostro i.** (*tra noi*), among us; within our group □ **notizie dall'i.**, home news.

internòdio, **internòdo** m. (*bot.*) internode.

internografàto a. non-transparent: **busta internografata**, non-transparent envelope.

inter nos (*lat.*) loc. avv. between ourselves; (*in confidenza*) in confidence, confidentially.

internùnzio m. (*eccles.*) internuncio.

♦**intéro** Ⓐ a. **1** (*tutto, al completo*) whole; entire; (*in un sol pezzo*) whole (pred.): **un'intera giornata**, a whole (*o* an entire) day; **mangiarsi un pollo i.**, to eat a whole chicken; **inghiottire intera una pastiglia**, to swallow a tablet whole; **rifare l'i. pavimento**, to do over the entire floor; *Piovve una settimana intera*, it rained for a whole week **2** (*intatto*) intact: *Il manoscritto ci è pervenuto i.*, the manuscript has reached us intact; **conservare intera la propria freschezza**, to keep one's freshness intact **3** (*completo, totale*) complete; total; full: *Hai la mia intera fiducia*, you have my full confidence ● (*archit.*) **arco i.**, round (*o* full-centre) arch □ (*ferr., ecc.*) **biglietto i.** (*non ridotto*), full fare □ **latte i.** (*non scremato*), whole milk □ (*mat.*) **numero i.**, integer □ **prezzo i.**, full price Ⓑ m. **1** whole; entirety **2** (*mat.*) integer ● **nel suo i.**, in its entirety; as a whole □ **per i.**, in full; in its entirety: **pubblicare le lettere per i.**, to publish the letters in full.

interoceànico a. interoceanic.

interoculàre a. (*anat.*) interocular.

interòsseo a. (*anat.*) interosseous.

interparietàle a. (*anat.*) interparietal.

interparlamentàre a. interparliamentary (attr.).

interpartitico a. inter-party (attr.): **un accordo i.**, an inter-party agreement.

interpellànte m. e f. (*polit.*) interpellator; interpellant.

interpellànza f. (*polit.*) interpellation; (parliamentary) question: **presentare un'i.**, to ask a question.

interpellàre v. t. **1** to ask; to consult; (*per sondare, proporre*) to approach; (*polit.*) to interpellate.

interpellàto m. (f. **-a**) person addressed; person approached.

interpèllo m. (*leg.*) questioning.

interpersonàle a. interpersonal: **rapporti interpersonali**, interpersonal relations.

interpetràre e *deriv.* → **interpretare**, e *deriv.*

interpiàno m. **1** (*aeron.*) gap **2** (*pianerottolo*) (intermediate) landing.

interplanetàrio a. interplanetary.

interpolàbile a. interpolable.

interpolaménto m. interpolating; interpolation.

interpolàre v. t. **1** (*anche mat.*) to interpolate **2** (*leg.*) to emend; to modify.

interpolatóre m. (f. **-trice**) interpolator.

interpolazióne f. interpolation.

interpónte m. (*naut.*) 'tween-decks.

interpórre Ⓐ v. t. **1** to interpose; to insert; to put* in the way: **i. ostacoli a qc.**, to put obstacles in the way of st. **2** (*leg.*) to lodge: **i. appello**, to lodge an appeal; to appeal ● **senza i. tempo**, without waiting Ⓑ **interpórsi** v. i. pron. **1** (*mettersi in mezzo*) to interpose **2** (*intervenire*) to intervene; (*fare da intermediario*) to mediate.

interpòrto m. freight village.

interposizióne f. interposition; (*a favore di q.*) intervention.

interpósto a. **– per interposta persona**, through a third party; by proxy; vicariously.

interpretàbile a. interpretable.

♦**interpretàre** v. t. **1** (*spiegare*) to interpret; to explain: **i. un passo difficile**, to interpret a difficult passage; **i. una legge**, to interpret a law; **i. le Scritture**, to interpret the Scriptures; **i. i sogni**, to interpret dreams **2** (*capire*) to interpret; to understand*; to take*: *Interpretò il mio silenzio come un rifiuto*, she interpreted (*o* took) my silence as a refusal; *Come devo i. le tue parole?*, how should I interpret your words?; *Per come la interpreto io...*, the way I understand it is...; **i. qc. alla lettera**, to take st. literally; **i. male**, to misinterpret; to misconstrue; to misread **3** (*rappresentare*) to express; to give* voice to; to speak* for **4** (*teatr., cinem.*) to play; to be: **i. Amleto**, to play (*o* to be) Hamlet; **i. un film**, to be in a film; **i. una parte**, to play a part; to interpret a role **5** (*mus.*) to interpret; to perform; to render; to give* a rendition of; to play; to sing*: **i. magistralmente un Lied**, to give a masterly rendition of a Lied.

interpretariàto m. interpreting.

interpretativo a. interpretative; explanatory.

interpretazióne f. **1** interpretation: **l'i. di una clausola**, the interpretation of a clause; **l'i. dei sogni [della legge]**, the interpretation of dreams [of the law]; **i. errata**, misinterpretation; misconstruction; **dare un'i. errata a qc.**, to misinterpret st.; to misread st.; **prestarsi a diverse interpretazioni**, to be open to different interpretations **2** (*teatr., cinem., mus.*) interpretation; rendition; performance.

intèrprete m. e f. **1** (*commentatore, espositore*) commentator; expounder **2** (*traduttore*) interpreter: **i. simultaneo**, simultaneous interpreter; **fare da i.**, to act as an interpreter; **lavorare come i. per l'ONU**, to work as an interpreter for the UN; **parlare per mezzo di un i.**, to talk through an interpreter **3** (*teatr., cinem.*) actor (m.); actress (f.); (al pl., collett.) cast (sing.): **i. principale**, main actor [actress]; lead; protagonist; *L'i. principale è X*, X plays the lead; **personaggi e interpreti**, characters and cast **4** (*mus.*) interpreter **5** (*commentatore*) commentator ● **farsi i. di qc.**, to voice st.; to express st.: **farsi i. delle richieste di q.**, to voice sb.'s claims; **farsi i. dei sentimenti di q.**, to express sb.'s feelings □ (*scherz.*) **Qui ci vuole un i.!**, it's double-Dutch to me!

interprovinciàle a. interprovincial.

interpsicologìa f. social psychology.

interpùngere v. t. (*ling.*) to punctuate.

interpunzióne f. punctuation: **segni d'i.**, punctuation marks.

interpupillàre a. (*anat.*) between the irises.

interraménto m. **1** (*seppellimento*) burial; interment **2** (*agric.*) planting **3** (*il riempire di terra*) filling up with earth (*o* dirt).

interràre Ⓐ v. t. **1** (*seppellire*) to bury **2** (*piantare*) to plant **3** (*riempire di terra*) to fill with earth; to fill in **4** (*un cavo e sim.*) to underground; to lay* below ground level Ⓑ

interràrsi v. i. pron. (*riempirsi di terra*) to get* silted up; to silt up.

interràto Ⓐ a. **1** (*sepolto*) buried; underground **2** (*riempito*) filled in **3** (*ostruito*) silted up ● **piano i.**, basement Ⓑ m. basement.

interrazziàle a. interracial.

interregionàle a. interregional.

interrégno m. interregnum*.

interrelàto a. mutually related; interrelated.

interrelazióne f. interrelation; mutual relation.

interrenàle a. (*biol.*) interrenal.

interriménto m. (*geogr.*) silting.

interrogànte m. e f. interrogator; questioner.

♦**interrogàre** v. t. **1** (*fare domande*) to ask (sb.) questions; to ask; (*in modo serrato o ufficiale*) to question, to interrogate: **i. un esperto**, to ask an expert; **i. q. con lo sguardo**, to look at sb. inquiringly (*o* questioningly); to give sb. a questioning look; *Mi interrogò sul mio lavoro*, he asked me questions about my work; *È stato interrogato dalla polizia*, he was questioned by the police **2** (*a scuola, in un esame*) to test orally; to give* an oral test to; to examine: *Sono stato interrogato in chimica*, I was tested (*o* I had an oral test) in chemistry **3** (*leg.*: *un imputato*) to interrogate; (*un testimone*) to examine: **i. in contraddittorio**, to cross-examine **4** (*fig.*: *consultare*) to ask; to consult, to look into: **i. la coscienza [il proprio cuore]**, to look into one's conscience [one's heart]; **i. le stelle**, to consult the stars.

interrogativaménte avv. interrogatively; questioningly; inquiringly.

interrogativo Ⓐ a. **1** questioning; interrogative; inquiring: **sguardo i.**, questioning look **2** (*gramm.*) interrogative: **frase interrogativa**, interrogative sentence; **pronome i.**, interrogative pronoun; **punto i.**, question (*o* interrogation) mark Ⓑ m. **1** (*domanda*) question; (*dubbio*) doubt **2** (*fig.*: *cosa sconosciuta*) unknown quantity; open question; (*di persona*) enigma.

interrogatóre m. (f. **-trice**) **1** interrogator; questioner **2** (*esaminatore*) examiner.

interrogatòrio Ⓐ a. interrogatory Ⓑ m. interrogation, questioning; (*leg., di testimoni*) examination: **i. in contraddittorio**, cross-examination; **i. serrato**, close questioning; grilling (*fam.*): **sottoporre a i.**, to interrogate; to examine; **sottoporre q. a i. serrato**, to question sb. closely; to grill sb. (*fam.*); *Fui sottoposto a un lungo i.*, I underwent a long interrogation; **sotto i.**, under interrogation ● (*fam.*) **fare l'i. a q.**, to cross-examine sb. □ (*fam.*) **fare a q. un i. di terzo grado**, to give sb. the third-degree; to grill sb.

interrogazióne f. **1** (*l'interrogare*) interrogation; questioning **2** (*domanda*) question; query **3** (*anche i. parlamentare*) parliamentary question; question in parliament; interpellation; **presentare un'i. parlamentare**, to ask a question (in parliament) **4** (*scolastica*) class interrogation.

♦**interrómpere** Ⓐ v. t. **1** (*sospendere temporaneamente*) to interrupt, to stop, to break* off, to suspend; (*fare una pausa*) to break*, to make* a break in, (*assol.*) to have a break: **i. una conversazione**, to interrupt a conversation; to break in; (*villanamente*) to cut* in, to barge in (*fam.*), to butt in (*fam.*); **i. la monotonia**, to break monotony; (*sport*) **i. una partita**, to stop a match; **i. la produzione di qc.**, to suspend production of st.; **i. la pubblicazione di un giornale**, to suspend publication of a newspaper; *Ho dovuto i. le lezioni di tennis*, I've had to stop my tennis lessons; *Interrompiamo per cinque minuti!*,

let's have a five-minute break **2** (*intervenire, interloquire*) to interrupt: **i. seccamente q.** (*per farlo tacere*), to cut sb. short; *Scusa se t'interrompo*, sorry to interrupt you; excuse my interrupting you (*form.*); *Non i.!*, don't interrupt! **3** (*troncare*) to break*; to break* off; to interrupt; to cut* off, to sever; (*mettere bruscamente fine a*) to cut* short, to call off; (*impedire il regolare svolgimento di*) to break* up, to disrupt: **i. una vecchia consuetudine**, to break an old habit; **il filo dei pensieri di q.**, to break in upon (o to interrupt) sb.'s train of thought; **i. una gravidanza**, to terminate pregnancy; to have an abortion; **i. i rapporti diplomatici**, to break off (o to sever) diplomatic relations; **i. una riunione**, to break up a meeting; (*disturbando*) to disrupt a meeting; **i. gli studi**, to leave school; **i. una telefonata**, to cut off a phone call; **i. le trattative**, to break off negotiations; *Abbiamo dovuto i. la vacanza*, we had to cut short our holidays; *Non vorrei i. la festa, ma dobbiamo andarcene*, I don't want to break up the party, but we've got to be going; *Nulla interruppe la calma di quei giorni*, nothing interrupted (o disrupted) the peace of those days **4** (*bloccare, impedire*) to block; to hold* up: *Una frana ha interrotto la strada*, a landslide has blocked the road: **i. il traffico**, to block (o to hold up) the traffic **5** (*elettr.*) to disconnect; to cut* off; (*con un interruttore*) to switch off: **i. la corrente**, to switch (o to cut) off the current **B inter-rómpersi** v. i. pron. to stop; to break* off; (*spezzarsi*) to break* up; (*essere interrotto*) to be cut* off; (*finire*) to come* to an end: **interrompersi a metà di una frase**, to stop (o to break off) in mid sentence: *La strada si interrompe più avanti*, the road stops (o comes to an end) further on; *La comunicazione si interruppe*, the line was cut off.

interrótto a. interrupted; cut off; severed; (*bloccato*) blocked: *La strada è interrotta*, the road is blocked (o closed to traffic, impassable); «*Strada interrotta*», «road up»; *Le comunicazioni con la capitale sono interrotte*, communications with the capital are (temporarily) cut off ● **riprendere il discorso i.**, to resume what one was saying □ **belle giornate interrotte da qualche pioggerella**, fine weather with occasional showers □ **sonno breve e i.**, fitful sleep.

interruttóre m. switch; interrupter; circuit breaker: **i. a levetta**, toggle switch; **i. a pulsante [a pressione, a scatto]**, push-button [pressure, snap] switch; **i. a tempo**, time switch; **i. acceso-spento**, on-off switch; **l'i. della luce**, the light switch; **i. principale**, master switch; **azionare l'i.**, to throw the switch; **girare l'i.**, to turn the switch; (*per accendere*) to switch on; (*per spegnere*) to switch off.

interruzióne f. **1** interruption; severance; (*nel funzionamento di qc.*) breakdown; (*di fornitura*) stoppage; (*elettr.*) cut, (*periodo di interruzione*) outage: **i. delle comunicazioni**, breakdown in communication; **i. delle consegne**, stoppage of deliveries; **i. di corrente**, power cut; power outage; **i. della gravidanza**, miscarriage; termination of pregnancy; abortion; **i. del lavoro**, interruption of work; (*ind.*) work stoppage; **i. del rapporto di lavoro**, severance; *Ci scusiamo per l'i.*, we apologize for the interruption; *Abbiamo avuto continue interruzioni*, we were constantly interrupted **2** (*sospensione*) suspension; discontinuation: **i. della paga**, suspension of pay; **i. di un servizio**, discontinuation of a service; **i. delle trattative**, suspension of talks **3** (*piccolo intervallo*) break; pause: **fare una breve i.**, to have a short break; **senza i.**, without a break; uninterruptedly **4** (*blocco*) block: **i. stradale**, road block.

interscambiàbile a. interchangeable.
interscambiabilità f. interchangeability.
interscàmbio m. **1** (*comm.*) trade; (*con l'estero*) import-export trade **2** (*opere stradali*) interchange; cloverleaf (*USA*).
interscapolàre a. interscapular.
interscolàstico a. interscholastic; inter-school.
interscuòla f. lunch break.
intersecàre v. t., **intersecàrsi** v. i. pron. to intersect (*anche geom.*); to criss-cross.
intersecazióne → **intersezione**.
intersessuàle a. (*biol.*) intersexual.
intersessualità f. intersexuality.
intersettoriàle a. interdepartmental; (*interdisciplinare*) interdisciplinary.
intersezióne f. **1** (*incrocio*) intersection; junction; crossing **2** (*mat.*) intersection: **punto d'i.**, point of intersection.
intersideràle a. interstellar.
intersindacàle a. inter-union.
intersoggettività f. (*filos.*) intersubjectivity.
intersoggettìvo a. (*filos.*) intersubjective.
interspecìfico a. (*biol.*) interspecific.
interspinàle a. (*anat.*) interspinal.
interstellàre a. interstellar: **materia i.**, interstellar matter; **spazio i.**, interstellar space; outer space.
interstiziàle a. (*anche anat.*) interstitial.
interstìzio m. interstice; (*fessura, anche*) crack.
intertèmpo m. (*sport*) partial time; half-time.
intertèsto m. text within the text; inner text.
intertestuàle a. intertextual.
intertestualità f. intertextuality.
intertrìgine f. (*med.*) intertrigo.
intertropicàle a. intertropical.
interurbàna f. (*telef.*) long-distance call.
interurbàno a. **1** between towns (o cities) (pred.); intercity (attr.) **2** (*telef.*) long-distance: **telefonata interurbana**, long-distance call.
intervallàre v. t. **1** (*distanziare*) to space (out); (*scaglionare*) to stagger: **i. le costruzioni**, to space out buildings; **i. le partenze**, to stagger departures **2** (*alternare con qc.*) to alternate (with st.); to intersperse (with st.).
intervallàto a. **1** (*spaziato*) spaced (out); (*scaglionato*) staggered **2** (*alternato con qc.*) alternating (with st.).
intervàllo m. **1** (*spazio di tempo*) interval; space: **un i. di tre giorni**, a three-day interval; **i. di lucidità**, lucid interval; **a brevi intervalli**, at short intervals; **a intervalli di due mesi**, at two-month intervals; at intervals of two months **2** (*pausa*) interval; pause; break; intermission; (*teatr., cinem.*) interval (GB), intermission (USA); (*a scuola*) break (GB), recess (USA); (*sport, fra due tempi di una partita*) half-time: **i. per il tè**, tea break; **i. di mezzogiorno**, midday break; lunch break; **l'i. tra il primo e il secondo atto**, the interval (o intermission) between the first and second acts; (TV) **i. pubblicitario**, commercial break; **fare un i.**, to have a break; **lezione dopo l'i.**, the class after the break (o after recess) **3** (*spazio*) space; interval: **lasciare un i.**, to leave a space; **a intervalli di due metri**, at intervals of two metres; **sistemare a intervalli**, to space out; to range **4** (*mus.*) interval: **i. di tono**, whole-tone interval; **i. diminuito**, diminished interval; **i. di terza minore**, minor third; **i. di ottava**, octave **5** (*mat.*) interval.
interveniènte **A** a. intervening **B** m. e f.

(*leg.*) intervener, intervenor.
intervenìre v. i. **1** to intervene; (*intromettersi*) to interfere, to meddle; (*in una conversazione*) to intervene, to interject, (*parlare*) to speak*: *Dovetti i. per impedire una rissa*, I had to intervene to prevent a fight; **i. in una disputa**, to intervene in a debate; *Non volevo i. in cose che non mi riguardavano*, I didn't want to interfere in what was not my business **2** (*assistere*) to be present, to attend, to come*, to go*; (*partecipare*) to take* part (in st.), to participate: **i. a una manifestazione**, to take part in a demonstration; **i. a una riunione**, to attend a meeting; *Intervenne tutto il corpo diplomatico*, all the members of the diplomatic corps were present (o participated) **3** (*lett.: accadere*) to happen; to occur **4** (*chir.*) to operate ● **i. a favore di q.**, to intercede for sb. □ (*sport*) **i. sulla palla**, to take* the ball □ (*sport*) **i. su un avversario**, to tackle an opponent □ (*sport*) **i. fallosamente su q.**, to foul sb. □ **far i. la polizia**, to call out the police □ **pronto a i.**, ready to intervene; (*di militari, ecc.*) on standby.
interventìsmo m. (*polit.*) intervention-ism.
interventìsta (*polit.*) **A** a. interventionist (attr.) **B** m. e f. interventionist.
interventìstico a. (*polit.*) interventionist (attr.).
intervènto m. **1** intervention; (*aiuto*) aid, assistance: **i. armato**, armed intervention; **i. finanziario**, financial aid; financial assistance; **i. statale**, state intervention; **interventi comunitari**, Community assistance; **primo i.**, first aid; *Il suo i. salvò la situazione*, his intervention saved the situation; *Si rese necessario l'i. dei vigili del fuoco*, the firemen had to intervene; (*polit.*) **non i.**, non-intervention; (*polit.*) **politica del non i.**, non-intervention policy **2** (*presenza*) presence, attendance; (*partecipazione*) participation, involvement **3** (*mediazione*) agency; intervention; intercession **4** (*chir.*) operation; surgery Ⓤ; surgical intervention: **i. chirurgico**, surgical operation; **i. di cardiochirurgia**, heart surgery; heart operation; **eseguire un i.**, to perform an operation; to operate; **subire un i.**, to undergo (o to have) an operation; to undergo (o to have) surgery **5** (*discorso*) speech; (*relazione*) paper **6** (*cosa detta*) comment; remark; things (pl.) said; contribution (to a discussion) **7** (*leg.*) intervention **8** (*sport*) interference; tackle: **i. falloso**, foul tackle; foul ● **pronto i.**, (*per riparazioni*) 24-hour repair service; (*sanitario*) mobile accident unit □ **senza i. umano**, without human agency □ **squadra di pronto i.** (*della polizia*), flying squad.
intervenùto **A** a. present **B** m. (f. **-a**) person present: **gli intervenuti**, the people present; those present; (*pubblico*) the audience.
intervenzionìsmo m. (*econ.*) interventionism.
intervertebràle a. intervertebral.
intervìa f. → **interbinario**.
intervìdeo → **videocitofono**.
intervìsta f. interview: (*org. az.*) **i. di assunzione**, interview (for a job); (*org. az.*) **i. di gruppo**, group interview; **rilasciare un'i.**, to give an interview.
intervistàre v. t. **1** to interview **2** (*sondare*) to interview; to poll.
intervistàto m. (f. **-a**) **1** person interviewed **2** (*in un sondaggio*) interviewee; pollee.
intervistatóre m. (f. **-trìce**) interviewer.
intervocàlico a. (*fon.*) intervocalic.
interzàto (*arald.*) **A** a. tiercé; tierced **B** m. tierced field.

interzonàle a., **interzòne** a. inv. interzonal; interzone (attr.).

intésa f. **1** (*accordo*) agreement; understanding: **agire d'i.**, to act in agreement; **con l'i. che**, on the understanding that; **come d'i.**, as agreed **2** (*armonia di vedute*) mutual understanding; (*buon rapporto*) good rapport; (*cooperazione*) cooperation **3** (*polit.*) entente (*franc.*): **la Triplice I.**, the Triple Entente **4** (*sport*) teamwork ● (*leg.*) **i. fraudolenta**, covin □ **occhiata d'i.**, meaningful (*o* knowing) glance □ **sorriso d'i.**, smile of complicity.

♦**intéso** a. **1** (*mirante*) intended (to); designed (to); meant (to); aimed (at): **misure intese ad alleviare il carico fiscale**, measures intended to relieve taxation **2** (*convenuto*) agreed upon; understood: *Siamo intesi* (*o Resta i.*) *che...*, we are agreed that... **3** (*compreso, chiaro*) understood (pred.); (*concepito*) considered, meant; (*interpretato*) interpreted, intended: *Sia bene i. che...*, let it be clearly understood that...; **un'attività intesa come hobby**, an activity meant as a hobby ● **Siamo intesi?**, is that understood? □ **Intesi!**, all right!; very well!; fine!; O.K.! □ **non darsene per i.**, to pay no heed (to st.); to turn a deaf ear (to st.).

intèssere v. t. **1** (*tessere*) to interweave*, to weave*; (*intrecciare*) to twine: **i. fili d'argento in qc.**, to interweave (*o* to weave) st. with silver threads; **i. una ghirlanda**, to twine flowers into a garland; to make a garland **2** (*fig.: comporre*) to weave*: **i. la trama di un romanzo intorno a un fatto vero**, to weave the plot of a novel around a true story **3** (*fig.: ordire*) to scheme; to plot.

intessùto a. **1** interwoven; woven through **2** (*fig.*) full (of): **i. di citazioni**, full of quotations; **i. di menzogne**, full of lies; **un racconto i. di bugie**, a tissue of lies.

intestàbile a. (*di proprietà, ecc.*) that may be registered in the name (of); (*di assegno, ecc.*) that can be made out (to).

intestardìrsi v. i. pron. to become* obstinate; to dig* one's heels in; to get* (st.) into one's head; (*insistere a fare qc.*) to insist (on doing st.), to persist (in doing st.), to be hellbent (on doing st.).

intestàre **A** v. t. **1** (*una lettera, ecc.*) to head **2** (*comm., leg.: una proprietà*) to register; (*un conto*) to open in sb.'s name; (*un assegno, ecc.*) to make* out: **i. azioni a q.**, to register shares in sb.'s name; **i. un conto a q.**, to open an account in sb.'s name; *La casa fu intestata al figlio*, the house was registered in his son's name; *L'assegno era intestato al mio socio*, the cheque was made out to my partner **3** (*tecn.*) to join end-to-end; to butt **B intestàrsi** v. i. pron. to become* obstinate; to dig* one's heels in; to get* (st.) into one's head; to insist (on doing st.); to persist (in doing st.).

intestatàrio m. (f. **-a**) (*di conto, licenza, carta di credito*) holder; (*di titoli, azioni*) nominee; (*proprietario*) owner, proprietor.

intestàto ① a. **1** (*di lettera, ecc.*) headed: **carta intestata**, headed notepaper **2** (*comm., di proprietà*) registered (in sb.'s name); (*di conto*) in sb.'s name; (*di assegno*) made out (to) **3** (*incaponito*) obstinate; stubborn.

intestàto ② a. e m. (f. **-a**) (*leg.*) intestate: **morire i.**, to die intestate.

intestatùra f. (*tecn.*) butting; (*il punto*) butted joint.

intestazióne f. **1** (*titolo*) heading **2** (*di lettera, ecc.*) letterhead; letterheading **3** (*di proprietà, ecc.*) registration **4** (*di conto, ecc.*) name (of the account holder); (*di fattura*) heading.

intestinàle a. (*anat.*) of the intestine; intestinal; bowel (attr.): **disturbo i.**, bowel up-

set; **dolore i.**, intestinal pain; **occlusione i.**, intestinal occlusion.

intestino ① a. internecine; internal; civil; intestine (*lett.*): **lotta intestina per il potere**, internal power struggle.

intestino ② m. (*anat.*) intestine; bowels (pl.): **i. cieco**, caecum; **i. crasso**, large intestine; **i. tenue**, small intestine; *La frutta cotta mi disturba l'i.*, stewed fruit upsets my bowels; **liberarsi l'i.**, to relieve one's bowels.

intiepidìre **A** v. t. **1** (*riscaldare*) to warm up; (*raffreddare*) to cool down **2** (*fig.*) to cool (down); to dampen: *Tutto ciò aveva intiepidito il mio entusiasmo*, all that had cooled (*o* dampened) my enthusiasm **B** v. i. e **intiepidìrsi** v. i. pron. **1** (*riscaldarsi*) to grow* warm (*o* warmer); (*raffreddarsi*) to cool down: *Aspetto che le giornate intiepidiscano*, I'm waiting for the days to grow warmer **2** (*fig.*) to cool off.

intièro → intero.

intignàrsi v. i. pron. **1** (*intarlare*) to become* worm-eaten **2** (*ammalarsi di tigna*) to catch* ringworm.

intima f. (*anat.*) intima*.

intimaménte avv. **1** (*nell'intimo*) intimately; inwardly; deeply: **i. commosso**, deeply moved; **i. convinto**, firmly convinced; **i. soddisfatto**, inwardly pleased **2** (*strettamente*) closely: **i. connesso**, closely connected.

intimàre v. t. **1** (*ordinare*) to order; to enjoin; to command; to summon (*leg.*): **i. l'alt**, to order (sb.) to stop; **i. la resa a q.**, to call on sb. to surrender; **i. il silenzio**, to enjoin silence; **i. a q. di pagare**, to order (*leg.* to summon) sb. to pay; to demand payment from sb.; **i. a q. di presentarsi in tribunale**, to summon sb. to appear before the magistrate **2** (*leg.: notificare*) to notify; to serve: **i. lo sfratto a q.**, to serve sb. with an order of eviction **3** (*dichiarare*) to declare: **i. la guerra**, to declare war ● **FALSI AMICI** • intimare *non si traduce con* to intimate.

intimazióne f. **1** (*ordine*) injunction; order; command; summons (*leg.*): **i. di pagamento**, injunction to pay **2** (*leg.: notificazione*) formal notice; order: **i. di sfratto**, eviction order **3** (*dichiarazione*) declaration ● **FALSI AMICI** • intimazione *non si traduce con* intimation.

intimidatòrio a. intimidatory; threatening ● **a scopo i.**, as a threat; threateningly; (*come avvertimento*) as a warning, warning (agg.).

intimidazióne f. intimidation; threat; browbeating ▣: *Vi fu costretto con l'i.*, he was intimidated (*o* threatened) into doing it.

intimidìre **A** v. t. **1** (*rendere timido*) to make* shy; to awe **2** (*impaurire*) to frighten; to overawe; to daunt; to cow **3** (*minacciare*) to intimidate; to threaten; to bully; to browbeat **B** v. i. e **intimidìrsi** v. i. pron. to grow* shy.

intimidito a. **1** (*reso timido*) shy; self-conscious; awed **2** (*impaurito*) frightened; overawed, daunted, cowed; (*con minacce*) intimidated, bullied.

intimìsmo m. (*arte*) intimism.

intimista a., m. e f. (*arte*) intimist.

intimìstico a. (*arte*) intimist (attr.).

intimità f. **1** (*privatezza*) privacy: **l'i. della propria casa**, the privacy of one's home; **disturbare l'i. di q.**, to intrude upon sb.'s privacy; **nell'i.**, (*a casa*) at home; (*nella vita privata*) in one's private life; (*tra amici*) among friends **2** (*familiarità*) intimacy; familiarity: **avere (*o* essere in) i. con q.**, to be on intimate terms with sb. **3** (al pl.) intimacies: **non gradire le i.**, to dislike intimacies.

intimo **A** a. **1** (*in rapporto di intimità*) inti-

mate; close: **un amico i.**, an intimate (*o* a close) friend; **rapporti intimi**, close relationship; (*eufem.: rapporti sessuali*) ▣, intimacies; *È i. del ministro*, he's on intimate terms with the minister **2** (*privato, dell'animo*) intimate, private; (*riposto, segreto*) intimate, inner, inmost, innermost; (*radicato, sentito*) deep-set, deep-seated, deeply-felt: **convincimento i.**, deeply-felt conviction; **gioia intima**, inner joy; **pensieri intimi**, inmost (*o* innermost) thoughts; **sentimenti intimi**, intimate feelings **3** (*accogliente, raccolto*) intimate; cosy, cozy (*USA*) ● **un localino i.**, an intimate little place **4** (*per intimi*) private; intimate; tête-à-tête: **cena intima**, intimate (*o* tête-a-tête) dinner; **cerimonia intima**, private ceremony **5** (*profondo*) innermost: **fin nelle intime profondità**, down to the innermost depths ● **biancheria intima**, underwear ▣ □ (*eufem.*) **parti intime**, private parts **B** m. **1** (f. **-a**) intimate; (*amico*) close (*o* intimate) friend; (*parente*) close relation: *Saranno invitati solo pochi intimi*, only a few close friends and relations will be invited **2** (*parte più interna*) innermost part; (*cuore, animo*) heart (of hearts): **nell'i.**, in one's heart; intimately; inwardly; privately; **nell'i. del proprio cuore**, in one's heart; **ferire q. nell'i.**, to wound sb. deeply; to cut sb. to the quick; **gioire nell'i.**, to rejoice inwardly **3** (*biancheria intima*) underwear: **i. femminile**, women's underwear; lingerie; **i. maschile**, men's underwear.

intimorìre **A** v. t. to frighten; to intimidate; to cow; (*con la prepotenza*) to bully; (*incutere soggezione*) to overawe: **lasciarsi i. da q.**, to let oneself be overawed (*o* intimidated) by sb; **costringere q. a fare qc. intimorendolo**, to cow (*o* to bully) sb. into doing st. **B intimorìrsi** v. i. pron. to get* frightened; to take* fright.

intimorìto a. frightened; intimidated; overawed.

intìngere v. t. to dip; (*cibo in un liquido*) to dunk: **i. la penna nell'inchiostro**, to dip one's pen into the ink; **i. un biscotto nel latte**, to dunk a biscuit in milk.

intìngolo m. **1** (*salsa*) sauce **2** (*sugo della carne*) gravy **3** (*crema per antipasti*) dip **4** (*piatto di carne*) stew; (*estens.: pietanza con molto sugo*) rich dish.

intirizziménto m. benumbment; numbness.

intirizzìre **A** v. t. to benumb; to numb **B intirizzìrsi** v. i. pron. to go* numb; to grow* numb.

intirizzìto a. numb: **i. dal freddo**, numb with cold.

intisichìre **A** v. t. to make* consumptive **B** v. i. **1** to become* consumptive **2** (*fig.*) to languish; to grow* weak **3** (*di pianta*) to wilt.

♦**intitolàre** **A** v. t. **1** (*dare un titolo*) to entitle; to call: *Decise di i. il libro «Stanze»*, he decided to entitle (*o* to call) his book «Rooms» **2** (*dedicare: una chiesa, ecc.*) to dedicate; (*una strada, ecc.*) to name (st. after sb.); (*un libro, ecc.*) to dedicate: *La chiesa fu intitolata a S. Paolo*, the church was dedicated to St Paul; *La piazza è intitolata a Tommaseo*, the square is named after Tommaseo **B intitolàrsi** v. i. pron. to be entitled; to be called: *Il romanzo s'intitola...*, the novel is entitled...; *Come s'intitola?*, what is it called?; what is the title?

intitolazióne f. **1** (*l'intitolare*) entitling; (*di chiesa, ecc.*) dedication; (*di strada, ecc.*) naming **2** (*titolo*) title; heading; (*nome*) name **3** (*dedica*) dedication.

intoccàbile a., m. e f. untouchable.

intolleràbile a. **1** (*inammissibile, inaccettabile*) intolerable; inadmissible: **intromissione i.**, intolerable interference **2** (*insop-

portabile) unendurable; unbearable; insufferable: **caldo i.**, unbearable heat; **dolore i.**, unendurable (*o* unbearable) pain; **un individuo i.**, an insufferable (*o* unbearable) individual.

intollerabilità f. intolerability; (*insopportabilità*) unbearableness.

intollerànte A a. 1 (*med.*) allergic; intolerant: **i. della penicillina**, allergic to penicillin 2 (*insofferente*) intolerant; impatient: **i. dei rumori**, intolerant of noise; **i. delle cerimonie**, impatient of formalities 3 (*di idee altrui*) intolerant B m. e f. 1 (*insofferente*) impatient person 2 (*chi non tollera le idee altrui*) intolerant person.

intollerànza f. 1 (*med.*) intolerance; allergy 2 (*insofferenza*) impatience; intolerance 3 (*verso le idee altrui*) intolerance.

intonacàre v. t. to plaster.

intonacatóre m. plasterer.

intonacatrice f. (*edil.*) plaster sprayer.

intonacatùra f. (*edil.*) 1 (*l'operazione*) plastering 2 (*intonaco*) plaster.

intonachìno m. (*edil.*) plaster finish.

intònaco m. 1 plaster: **dare l'i. a una parete**, to plaster a wall 2 (*scherz.*) make-up.

intonàre A v. t. 1 (*accordare*) to tune: **i. gli strumenti**, to tune one's instruments; to tune up 2 (*incominciare a cantare*) to begin* to sing; (*incominciare a suonare*) to strike* up: **i. un canzone**, to begin to sing a song; *La banda intonò la Marsigliese*, the band struck up the Marseillaise 3 (*fig.: armonizzare*) to harmonize; to match: **i. le scarpe alla borsa**, to match shoes and handbag B **intonàrsi** v. i. pron. to tone in (with); to go* (with); to fit in (with); to match (st.): *Lo scrittoio si intona con l'arredamento*, the escritoire fits in with the rest of the furniture; *La giacca non s'intona con la gonna*, the jacket doesn't go with the skirt ❶ FALSI AMICI • intonare *non si traduce con* to intone.

intonàto a. 1 (*di persona*) able to sing in tune; (*di voce*) well-tuned, on pitch; (*di strumento*) tuned 2 (*che sta bene insieme*) well-matched; matching: **colori intonati**, well-matched colours; **calzini intonati alla cravatta**, tie and matching socks 3 (*fig.: in armonia*) in harmony (with); (*adatto*) suitable (for).

intonatóre m. (f. *-trice*) (*mus.*) tuner.

intonazióne f. 1 (*mus.: l'intonare*) tuning 2 (*mus.: nota per intonare*) tone: **dare l'i.**, to set the tone 3 (*mus.: altezza di un suono*) intonation; pitch 4 (*della voce*) intonation; (*inflessione*) tone: **i. sarcastica**, sarcastic intonation 5 (*fig.: tono*) tone: **un articolo di i. polemica**, an article with a polemical tone 6 (*fig.: armonia*) harmony; balance.

intónso a. 1 (*di libro*) uncut 2 (*lett.: non raso*) unshaven; (*di animale*) unshorn 3 (*fig.*) untouched; pristine; virgin.

intontiménto m. daze; stupor; trance.

intontìre A v. t. to daze; to stun B v. i. e **intontìrsi** v. i. pron. to be dazed; to be stunned.

intoppàre v. i., **intoppàrsi** v. i. pron. 1 (*imbattersi*) to run* (into); to bump (into, against); (*colpire*) to hit* (st.) 2 (*in un ostacolo*) to come* up (against): **intoppare in difficoltà burocratiche**, to come up against red tape 3 (*inciampare*) to stumble (over); (*fig.*) to stumble (on, upon): **intoppare nella verità**, to stumble upon the truth.

intòppo m. obstacle; difficulty; hurdle; snag; hitch (*fam.*); glitch (*fam.*): **intoppi burocratici**, bureaucratic obstacles; **filare senza intoppi**, to go smoothly.

intorbidaménto m. turbidity; clouding.

intorbidàre, **intorbidìre** A v. t. 1 to make* turbid; (*con terra*) to muddy 2 (*fig.: turbare, guastare*) to trouble; to upset*; to

cloud; to mar: **i. le acque**, to stir up trouble 3 (*fig.: annebbiare*) to cloud: *Il vino intorbida il cervello*, wine clouds the mind B v. i. e **intorbidàrsi** v. i. pron. 1 to become* turbid; (*con terra*) to become* muddy 2 (*fig.: diventare confuso*) to become* troubled; to become obscure 3 (*annebbiarsi*) to cloud over; to grow* dim.

intorcinàre v. t., **intorcinarsi** v. i. pron. (*region.*) to twist.

intormentìre A v. t. to benumb B **intormentìrsi** v. i. pron. to become* numb; to go* to sleep (*fam.*).

♦**intórno** A avv. round; around; about: **guardarsi i.**, to look round (*o* around, about); **dare un'occhiata i.**, to have a look round; *Ha sempre molti amici i.*, she always has a lot of friends around; **lì i.**, thereabouts; round about there; **qui i.**, hereabouts; round about here; **tutt'i.** (*o* **i i.**), all around; (*facendo il giro completo*) right round B a. inv. surrounding (attr.); around (pred.); neighbouring (attr.): **la campagna i.**, the surrounding countryside C **intórno a** loc. prep. 1 round; around: **viaggiare i. al mondo**, to travel round the world; *La luna gira i. alla terra*, the moon turns round the earth; *Aveva un foulard i. al collo*, she wore a scarf round her neck; **tutt'i. a noi**, all round us; **la gente i. a lui**, the people around him; the people surrounding him 2 (*circa*) about; around: **i. al 1920**, around 1920; **i. alle sei**, at about six (o'clock) 3 (*riguardo a*) about; on: *La discussione verteva intorno alla nuova legge*, the debate was about (*o* concerned) the new law; **lavorare i. a un progetto**, to work on a project D m. (*mat.*) neighbourhood, neighborhood (*USA*).

intorpidiménto m. (*fisico*) numbness; (*mentale*) torpor.

intorpidire A v. t. 1 (*un arto*) to benumb 2 (*fig.*) to dull; to make* sluggish (*o* torpid, lethargic) B v. i. e **intorpidìrsi** v. i. pron. 1 (*di arto*) to go* numb; to go* to sleep (*fam.*): *Mi si è intorpidito un piede*, my foot has gone numb (*o* has gone to sleep, is asleep) 2 (*fig.*) to become* dull; to become* torpid (*o* sluggish, lethargic).

intorpidìto a. 1 (*di arto*) numb; asleep (pred., *fam.*): **i. dal freddo**, numb with cold; *Ho una gamba intorpidita*, my leg has gone numb (*o* has gone to sleep, is asleep) 2 (*fig.*) torpid; dull: **cervello i.**, dull mind.

intortàre v. t. (*pop.*) to cheat; to take* in; to bamboozle (*fam.*); to diddle (*fam.*).

intossicàre A v. t. 1 (*med.*) to poison: **i. il sangue**, to poison the blood 2 (*fig.*) to poison; to corrupt B **intossicàrsi** v. i. pron. to be poisoned ❶ FALSI AMICI • intossicare *non si traduce con* to intoxicate.

intossicàto a. poisoned ❶ FALSI AMICI • intossicato *non si traduce con* intoxicated.

intossicazióne f. (*med.*) poisoning: **i. alimentare**, food poisoning ❶ FALSI AMICI • intossicazione *non si traduce con* intoxication.

intracardìaco a. (*anat.*) intracardiac.

intracellulàre a. (*biol.*) intracellular.

intracerebràle a. (*anat.*) intracerebral.

intracomunitàrio a. within the EC (pred.).

intracrànico a. (*anat.*) intracranial.

intradèrmico a. (*anat., med.*) intradermal; intradermic.

intradermoreazióne f. (*med.*) intradermal reaction • **i. alla istoplasmina**, histoplasmin test.

intradòsso m. 1 (*archit.*) intrados*; soffit 2 (*aeron.*) face.

intraducìbile a. untranslatable.

intraducibilità f. untranslatability; untranslatableness.

intrafamiliàre a. intra-family (attr.).

intralciàre A v. t. to hamper; to hinder; to be in the way (of); to impede; to hold* up; to stymie (*fam.*): **i. i movimenti**, to hamper sb.'s movements; **i. il traffico**, to impede the flow of traffic; to hold up (*o* to hinder) (the) traffic; **i. le operazioni di soccorso**, to hold up the rescue work; *Vedo che qui intralcio*, I see I'm in the way here B **intralciàrsi** v. i. pron. recipr. to get* in each other's way.

intràlcio m. hindrance; obstacle; impediment • **essere d'i. a** → **intralciare**.

intralicciatùra f. lattice work; bracing.

intrallazzàre v. i. 1 (*svolgere attività equivoche*) to be involved in shady dealings; to wheel and deal (*fam.*) 2 (*intrigare*) to manoeuvre; to scheme; to pull strings; (*darsi da fare*) to try every trick in the book (*fam.*); (*per procurarsi qc.*) to wangle (st.), to finagle (for st.) (*fam.*).

intrallazzatóre m. (f. *-trice*) 1 (*faccendiere*) fixer; wheeler-dealer; spiv (*slang GB*) 2 (*intrigante*) intriguer; schemer.

intrallàzzo m. 1 (*attività equivoca*) shady deal; (al pl., anche) wheeling and dealing ⛔ (*fam.*) 2 (*intrigo*) manoeuvre; machination; scheme 3 (*imbroglio*) swindle; chicanery; sharp practice ⛔ • **avere intrallazzi dappertutto**, to have a finger in every pie; (*avere appoggi*) to have special connections everywhere □ **fare intrallazzi** → **intrallazzare**.

intrallazzóne m. (f. *-a*) → **intrallazzatore**.

intramezzàre v. t. to interpose; to sandwich (*fam.*); (*cospargere*) to intersperse; (*alternare*) to alternate.

intramoenia (*lat.*) a. inv. intramural.

intramolecolàre a. (*fis.*) intramolecular.

intramontàbile a. 1 (*perpetuo*) undying; everlasting: **fama i.**, undying fame 2 (*sempre in voga*) evergreen.

intramuràle a. (*anche anat.*) intramural.

intramuràrio a. intramural.

intramuscolàre A a. intramuscular B f. intramuscular injection.

intramùscolo A a. inv. intramuscular B f. inv. intramuscular injection.

Ìntranet (*ingl.*) f. inv. (*comput.*) Intranet.

intransigènte A a. intransigent; uncompromising; rigid; unbending; hard-line (attr.); diehard (attr.); intolerant (*spreg.*); (*severo*) severe, strict, hard B m. e f. intransigent person; hard-liner; diehard.

intransigènza f. intransigence; rigidity; intolerance (*spreg.*); (*severità*) severity, strictness.

intransitàbile a. impracticable; impassable: **strada i.**, impracticable road; **i. per valanghe**, blocked by avalanches.

intransitabilità f. impracticability.

intransitività f. (*gramm., mat.*) intransitivity.

intransitivo a. e m. (*gramm.*) intransitive: **verbo i.**, intransitive verb.

intraoculàre a. (*anat.*) intraocular.

intrapolmonàre a. (*anat.*) intrapulmonary.

intrappolàre v. t. 1 to trap; to snare 2 (*fig.*) to trap; to entrap; to ensnare; to corner.

intraprendènte a. 1 (*che ha iniziativa*) enterprising; resourceful; proactive; go-ahead 2 (*nei rapporti amorosi*) bold; (*spreg.*) forward, fresh (*fam.*) • *È piuttosto i. con le donne*, he has a way with women; he's a bit of a ladies' man (*scherz.*).

intraprendènza f. enterprise; initiative; proactivity; resourcefulness.

◆**intraprèndere** v. t. to undertake*; to embark on (*o* upon); to launch into; to enter on (*o* upon); to set* out (to do* st.); (*dedicarsi a*) to go* in for, to take* up: **i. una nuova carriera**, to enter upon a new career; **i. la carriera medica**, to begin one's career as a doctor; **i. un lavoro**, to undertake (*o* to take up) a job; **i. un programma di riforme**, to embark on a programme of reforms; **i. studi giuridici**, to take up law; **i. un viaggio**, to set out on a journey.

intrapsichico a. (*psic.*) intrapsychic.

intrasferibile a. (*leg.*) non-transferable.

intrasferibilità f. (*leg.*) non-transferability.

intraspecifico a. (*biol.*) intraspecific.

intrasportàbile a. not transportable; that cannot be moved: *Il paziente è i.*, the patient cannot be moved.

intratestuàle a. (*ling.*) intratextual.

intratestualità f. (*ling.*) intratextuality.

intratoràcico a. (*anat.*) intrathoracic.

intrattàbile a. **1** (*di persona*) intractable; unmanageable; impossible (*fam.*) **2** (*di argomento*) undiscussable; unmentionable **3** (*di materiale*) intractable; refractory.

intrattabilità f. intractability; intractableness; (*di materiale, anche*) refractoriness.

intrattenére **A** v. t. **1** to entertain; (*divertire*) to amuse: *Non so come intrattenerli*, I don't know how to entertain them **2** (*avere, mantenere*) – **i. una corrispondenza con q.**, to maintain correspondence (*o* to correspond) with sb.; **i. buoni rapporti con q.**, to be on good terms with sb. **B** **intrattenérsi** v. i. pron. **1** (*trattenersi*) to stay on; to linger on: **intrattenersi a parlare con amici**, to stay on talking with friends **2** (*indugiare su un argomento*) to dwell* (on, upon st.).

intrattenimento m. entertainment.

intrattenitóre m. (f. **-trice**) entertainer.

intrauterino a. (*anat.*) intrauterine.

intravascolàre a. (*anat.*) intravascular.

intravedére v. t. **1** (*vedere di sfuggita*) to glimpse, to catch* a glimpse of, to catch* sight of; (*scorgere*) to make* out; (*vedere a fatica*) can just see (difett.): *Lo intravidi nella folla*, I caught a glimpse of him in the crowd; *Intravidi una luce lontana*, I made out a light in the distance; *Lo intravedevo appena nella nebbia*, I could just make them out in the fog **2** (*fig.: intuire*) to sense; (*presagire*) to foresee*: *Intravedo difficoltà*, I sense difficulties ahead ● **lasciar i.**, to half-reveal; (*fig.*) to indicate; to intimate: *L'incontro di oggi lascia i. una possibilità di accordo*, after today's meeting there are (some) indications that an agreement may be reached.

intravenóso a. intravenous.

intravertebràle a. (*anat.*) intravertebral.

intravisto a. glimpsed; half-seen.

intravvedére e deriv. → **intravedere**, e deriv.

intrecciaménto m. interlacing.

◆**intrecciàre** **A** v. t. **1** to interlace; to intertwine; (*due capi*) to twist; (*capelli, nastri, ecc.*) to plait, to braid; (*intessere*) to weave*, to interweave*: **i. canestri**, to weave baskets; **i. fiori per farne una ghirlanda**, to twist flowers into a garland; **i. la paglia**, to plait straw; **i. rami**, to intertwine branches; **i. vimini**, to do wickerwork (*stringere, allacciare*) to interlace; to clasp: **i. le dita**, to interlace one's fingers; **i. le mani**, to clasp one's hands ● (*lavoro a maglia*) to cast off □ **i. una relazione amorosa**, to embark on a love affair **B** **intrecciàrsi** v. rifl. recipr. to interlace; to intertwine; to be interwoven; to grow* intertwined: *I due problemi si intrecciano sempre più*, the two

problems are growing ever more intertwined.

intrecciàto a. interwoven; interlaced; (*di capelli, nastri, ecc.*) plaited, braided: **una A e una C intrecciate in cifra**, an A and a C interwoven in a monogram.

intrecciatùra f. **1** plaiting; braiding; (*l'intessere*) weaving, interweaving; (*di giunchi, ecc.*) basketwork **2** (*modo di intrecciare*) weave; (*con giunchi, ecc.*) basketwork **3** (*lavoro a maglia*) casting off.

intréccio m. **1** plaiting; braiding; (*l'intessere*) weaving, interweaving: **lavori d'i.**, basketwork ▣; basketry ▣ **2** (*tessitura, tramatura*) weave **3** (*intrico*) web, network, mesh; (*viluppo*) tangle **4** (*trama di un'opera*) plot; intrigue: **l'i. principale**, the main plot; **commedia d'i.**, comedy of intrigue; **scioglimento dell'i.**, dénouement (*franc.*).

intregnàre v. t. (*naut.*) to worm.

intrepidézza, **intrepidità** f. bravery; intrepidity; fearlessness.

intrèpido a. brave; intrepid; fearless, undaunted.

intricàre **A** v. t. **1** (*intrecciare*) to entangle; to tangle **2** (*fig.*) to complicate; to mix up **B** **intricàrsi** v. i. pron. (*anche fig.*) to become* entangled; (*fig.*) to get* complicated.

intricàto a. **1** (*ingarbugliato*) tangled; (*fitto, folto*) thick **2** (*fig.*) intricate; involved; entangled; mixed up.

intrico m. **1** (*groviglio*) tangle: **un i. di rami**, a tangle of branches **2** (*fig.*) tangle; tangled web; (*dedalo*) maze; (*miscuglio*) jumble; (*complicazione*) intricacy, complexity: **un i. di rapporti**, a complex web of relationship; **un i. di vicoli**, a maze of alleys.

intridere v. t. **1** (*stemperare*) to mix (with water, milk, etc.) **2** (*inzuppare*) to soak **3** (*fig., lett.: impregnare*) to saturate; to impregnate.

intrigànte **A** a. **1** (*che briga*) intriguing; scheming **2** (*impiccione*) prying; interfering; meddlesome **3** (*stuzzicante*) intriguing; piquant **B** m. e f. **1** (*impiccione*) meddler; (*ficcanaso*) busybody, nosyparker **2** (*chi briga*) schemer; intriguer.

intrigàre **A** v. t. **1** → **intricare 2** (*stuzzicare*) to intrigue; to fascinate **B** v. i. (*brigare*) to scheme; to plot; to intrigue; to wheel and deal (*fam.*). **i. per ottenere una nomina**, to scheme to be appointed **C** **intrigàrsi** v. i. pron. (*fam.*) to interfere; to meddle; to stick* one's nose (into st.).

intrigàto → **intricato**.

intrigo m. **1** (*manovra*) scheme; plot; intrigue ▣; wheeling and dealing ▣ (*fam.*) **2** (*situazione confusa*) tangle; mess; (*guaio*) fix (*fam.*).

intrìnseco **A** a. **1** intrinsic; inherent: **forza intrinseca**, inherent strength; **merito i.**, intrinsic merit **2** (*lett.: intimo*) intimate **B** m. **1** (*l'essenziale*) essence **2** (*valore reale*) intrinsic value **3** (*amico intimo*) intimate.

intrinsichézza f. familiarity; intimacy.

intrippàto a. **1** (*fam.*) stuffed; gorged **2** (*fam.*) spaced out; tripped out.

intrìso **A** a. **1** soaked (in, with); drenched (with): **i. di pioggia**, drenched with rain; **i. di sangue**, soaked in blood; blood-soaked; **i. di sudore**, soaked with sweat **2** (*fig.*) steeped (in); infused (with); full (of): **i. di romanticismo**, steeped in romanticism; **i. di tristezza**, full of sadness **B** m. **1** dough **2** (*per animali*) mash.

intristiménto m. pining away; languishing.

intristire v. i. **1** (*di pianta*) to wilt; to droop; to wither **2** (*di persona*) to pine away; to languish.

introdótto a. **1** (*conosciuto, con relazioni*) well-known; well-established; (*anche*

comm.) with good contacts: *È i. nell'alta società*, he is well-known in high society **2** (*esperto*) well-acquainted (with); well versed (in); knowledgeable (about); experienced (in).

introducìbile a. introducible; introduceable.

◆**introdùrre** **A** v. t. **1** (*inserire*) to insert; to put* in: **i. la chiave nella toppa**, to insert the key in the keyhole; **i. una moneta nel distributore**, to insert a coin in a slot-machine; **i. a forza**, to push in; to force in; **i. adagio**, to ease in **2** (*far entrare*) to show in; to lead* in; to usher in: *Fu introdotto in una sala d'aspetto*, he was shown into into a waiting-room; *Il maggiordomo m'introdusse in salotto*, the butler ushered me into the drawing-room **3** (*presentare*) to introduce **4** (*diffondere, mettere in uso*) to introduce, to bring* in; (*importare*) to import: **i. una moda**, to introduce (*o* to bring in) a fashion; **i. una regola**, to introduce a rule; **i. merci in un paese**, to bring (*o* to import) goods into a country; **i. illegalmente**, to import illegally; *I gelsi furono introdotti in Inghilterra da Guglielmo III*, mulberry trees were introduced into England by William III **5** (*iniziare q.*) to initiate: **i. q. ai segreti di un mestiere**, to initiate sb. to the secrets of a craft **6** (*avviare*) to introduce; to preface; to begin*; to open: **i. il discorso dicendo...**, to preface one's remarks by saying...; to open one's speech by saying...; (*gramm.*) **i. una proposizione**, to introduce a clause ● **i. di contrabbando**, to smuggle in □ **i. di soppiatto**, to sneak in □ **i. piano piano**, to slip in □ **i. un argomento**, to bring up a subject □ **i. una modifica**, to make an alteration □ «Vietato i. animali», «no animals allowed» **B** **introdùrsi** v. rifl. to get* in: *Si sono introdotti da quella finestra*, they got in by that window ● **introdursi con la forza**, to break in; to force one's way in □ **introdursi di soppiatto**, to sneak in; to slip in.

introduttivo a. introductory; preliminary; opening.

introduttóre m. (f. **-trice**) introducer.

introduttòrio a. introductory.

introduzióne f. **1** (*inserimento*) insertion **2** (*diffusione, importazione*) introduction **3** (*presentazione*) introduction **4** (*di discorso*) introduction; (*di libro, ecc.*) introduction, foreword **5** (*testo introduttivo*) guide; handbook **6** (*mus.*) introduction.

introflessióne f. introflection, introflexion.

introflèsso a. introflexed.

introflèttersi v. i. pron. to introflex.

introiettàre v. t. (*psic.*) to introject.

introiezióne f. (*psic.*) introjection.

introitàre v. t. (*comm.*) to collect; to cash; to take* in.

intròito m. **1** (*eccles.*) introit **2** (*comm.: entrata*) income, revenue; (*incasso*) receipts (pl.), takings (pl.); proceeds (pl.).

introméttere **A** v. t. to insert; to interpose **B** **introméttersi** v. i. pron. **1** (*intervenire*) to intervene; to interpose oneself: **intromettersi in una lite**, to interpose oneself in a quarrel **2** (*in una conversazione*) to cut* in; to barge in (*fam.*); to butt in (*fam.*) **3** (*ingerirsi*) to interfere (in, between); to intrude (upon): **intromettersi nella vita privata di q.**, to intrude upon sb.'s privacy; *Non intrometterti!*, don't interfere!

intromissióne f. (*ingerenza*) interference; intrusion; meddling.

intronaménto m. **1** (*assordamento*) deafening **2** (*intontimento*) daze.

intronàre v. t. **1** (*assordare*) to deafen **2** (*intontire*) to daze.

intronàto a. **1** (*assordato*) deafened **2** (*in-*

a
b
c
d
e
f
g
h
i
j
k
l
m
n
o
p
q
r
s
t
u
v
w
x
y
z

tontito) dazed; in a daze.

intróne m. (*biol.*) intron.

intronizzàre v. t. to enthrone.

intronizzazióne f. enthronement.

intrórso a. (*bot.*) introrse.

introspettìvo a. introspective; inward-looking.

introspezióne f. introspection (*anche psic.*); self-examination.

introvàbile a. that cannot be found; impossible to find; untraceable; nowhere to be found; (*di articolo, ecc.*) unobtainable: *L'unico testimone è i.*, the only witness is untraceable; *Marisa era i.*, Marisa was nowhere to be found; **un libro i.**, an unobtainable book.

introversióne f. (*psic.*) introversion.

introvèrso Ⓐ a. introverted; introvert Ⓑ m. (f. *-a*) (*psic.*) introvert.

introvèrtere Ⓐ v. t. to introvert Ⓑ **introvèrtersi** v. i. pron. (*psic.*) to become* introverted.

introvertìto → **introverso**.

intrufolàre Ⓐ v. t. to slip in; to sneak in; to slide* in Ⓑ **intrufolàrsi** v. rifl. to slip in; to sneak in: *Mi intrufolai nella stanza*, I sneaked into the room; **intrufolarsi tra i presenti**, to slip in among the people.

intrugliàre Ⓐ v. t. to mix; to concoct ● **intrugliarsi lo stomaco**, to ruin one's stomach Ⓑ **intrugliàrsi** v. rifl. **1** (*insudiciarsi*) to get* dirty **2** (*fig.*) to get* oneself into a mess.

intrùglio m. **1** concoction; (*liquido, anche*) strange brew; (*broda*) slop, swill **2** (*fig.: pasticcio*) muddle; hotchpotch.

intruppaménto m. trooping; herding.

intruppàrsi v. rifl. **1** (*unirsi in gruppo*) to herd together **2** (*accodarsi*) to troop (after); to join the crowd (of); (*accompagnarsi*) to fall* in (with).

intruppàto a. in a group; herded together.

intrusióne f. **1** (*interferenza*) intrusion; interference **2** (*geol.*) intrusion.

intrusìvo a. (*geol.*) intrusive.

intrùso m. **1** (*chi si è insinuato in un posto*) intruder; interloper; (*a una festa*) gatecrasher; (*violatore di proprietà*) trespasser **2** (*chi non appartiene a un gruppo*) outsider: *Tra di loro mi sentivo un i.*, I felt like an outsider among them.

intubàre v. t. **1** (*med.*) to intubate **2** (*tecn.*) to duct.

intubàto a. **1** (*med.*) intubated **2** (*tecn.*) ducted: **elica intubata**, ducted fan engine; **ventilatore i.**, ducted fan.

intubazióne f. (*med.*) intubation.

intubettàre v. t. to put* into tubes; to tube.

intubettatrìce f. tube-filling machine.

intugliàre v. t. (*naut.*) to knot together; to bend*.

intuìbile a. intuitable; guessable ● **facilmente i.**, easy to guess.

intuìre v. t. **1** to sense; to feel*; to intuit (*form.*); (*capire subito*) to know* immediately; (*indovinare*) to guess: **i. un pericolo**, to sense danger; *Intuii che c'erano difficoltà*, I sensed there were some difficulties; *Intuii subito quello che era successo*, I knew immediately what had happened; *Intuii che mentiva*, I guessed she was lying; *Come l'hai intuito?*, how did you guess?; *Mi è parso di i. che...*, I got the feeling that...; I felt that... ● **lasciare i.**, to indicate; to intimate; to hint; to give some indication of: *Mi lasciò i. un suo interesse nell'affare*, he hinted he was interested in the deal; he indicated (*o* intimated) his interest in the deal; *Tutto lascia i. che...*, everything points to...; there

are many indications that...

intuitivaménte avv. intuitively; by intuition.

intuitivìsmo m. (*filos.*) intuitivism.

intuitività f. intuitiveness.

intuitìvo a. **1** intuitive: **certezza intuitiva**, intuitive conviction; **verità intuitiva**, intuitive truth **2** (*ovvio*) obvious **3** (*perspicace*) perceptive.

intùito ① m. **1** intuition: **sapere qc. per i.**, to know st. by intuition **2** (*acume, fiuto*) insight; instinct; eye.

intuìto ② a. sensed; intuitively known; guessed.

intuizióne f. **1** intuition; hunch (*fam.*); (*percezione immediata*) perception; (*intuito*) insight: **basarsi sulle intuizioni**, to rely on one's intuitions; «*Come l'hai capito?*» «*I.*», «how did you know?» «a hunch» **2** (*filos.*) intuition **3** (*psic.*) insight.

intuizionìsmo m. (*filos.*) intuitionism; intuitionalism.

intuizionìsta m. e f. (*filos.*) intuitionist.

intumescènte a. (*med.*) swelling up; intumescent.

intumescènza f. (*med.*) swelling (up); intumescence.

intumidìre v. i. (*med.*) to swell* up; to become* tumid.

inturbantàto a. turbaned.

inturgidiménto m. swelling (up); turgescence.

inturgidìre v. i., **inturgidìrsi** v. i. pron. to swell* up; to become* turgid.

inturgidìto a. turgid; swollen.

inuguàle e deriv. → **ineguale**, e deriv.

inuit a., m. e f. inv. Inuit.

ìnula f. (*bot.*, *Inula helenium*) elecampane.

inulàsi f. (*chim.*) inulase.

inulìna f. (*chim.*) inulin.

inumanazióne f. (*teol.*) incarnation.

inumanità f. inhumanity; barbarity; cruelty.

inumàno a. inhuman; barbaric; cruel: **punizione inumana**, inhuman (*o* cruel) punishment; **sforzo i.**, inhuman effort.

inumàre v. t. to bury; to inter.

inumazióne f. burial; interment.

inumidiménto m. dampening; moistening.

inumidìre Ⓐ v. t. to dampen; to moisten: *Inumidite il telo prima di stirare*, dampen the cloth before ironing; *S'inumidì le labbra*, he moistened his lips Ⓑ **inumidìrsi** v. i. pron. to become* damp; to grow* moist; to moisten.

inurbaménto m. urban migration; urbanization.

inurbanità f. incivility.

inurbàno a. uncivil; impolite.

inurbàrsi v. rifl. **1** to move to town **2** (*fig. lett.*) to become* citified; to become* urbanized.

inurbàto a. citified; urbanized.

inusàto a. (*lett.*) unaccustomed; unusual.

inusitàto a. unusual; uncommon; unwonted.

inusuàle a. unusual.

♦**inùtile** a. **1** (*che non serve*) useless; (of) no use (pred.); (*vano*) vain, fruitless; (*senza scopo*) pointless; (*senza significato*) meaningless: **proteste inutili**, useless complaints; **sforzi inutili**, useless (*o* vain) efforts **inutili discussioni**, pointless discussions; **vita i.**, meaningless life; *È i. affrettarsi, sarà già uscito*, it's pointless to hurry (*o* there is no point in hurrying), he'll have left by now; *È i. insistere, ho già scelto*, it's no use (*o* no good) insisting, I've already chosen; *Tutto fu i.*, it was all in vain; *Mi sentivo i.*, I felt

useless; I felt I was of no use; *È tutto così i.!*, it's all so pointless! **2** (*non necessario*) unnecessary; superfluous: **spese inutili**, unnecessary expenses; *Mi pare i. dirglielo*, I think it's unnecessary to tell him; *I. dire che lui...*, needless to say, he...

inutilità f. **1** uselessness; pointlessness; (*futilità*) futility **2** (*superfluità*) unnecessariness; superfluousness.

inutilizzàbile a. unusable; useless; unserviceable: *La mia bici è ormai i.*, my bike is no longer usable.

inutilizzàre v. t. to make* unserviceable; to put* out of use.

inutilizzàto a. **1** unused **2** (*di denaro*) unemployed; idle.

invadènte Ⓐ a. interfering; pushy; meddlesome; (*curioso*) inquisitive, nosy Ⓑ m. e f. busybody; meddler; pushy person; (*curiosone*) nosyparker.

invadènza f. pushiness; (*curiosaggine*) inquisitiveness, nosiness (*fam.*).

♦**invàdere** Ⓐ v. t. **1** (*mil.* e *fig.*) to invade; to overrun*: *Il nemico invase il nostro territorio*, the enemy invaded our territory; *D'estate il paese è invaso dai turisti*, in the summer the village is invaded by tourists; *La stanza fu invasa dalle mosche*, the room was invaded by flies; *I tifosi invasero il campo*, the supporters invaded the pitch **2** (*inondare*) to flood **3** (*diffondersi*) to spread* to [through, all over]: *Il tumore può i. altri organi*, the tumour may spread to other organs; *L'epidemia ha invaso tutta la regione*, the epidemic has spread all over the region **4** (*di stato d'animo*) to overcome*; to sweep* over; to seize; to fill: *Lo invase un senso di sfiducia*, a sense of discouragement swept over him; *Fui invaso dalla gioia*, I was filled with joy **5** (*usurpare, violare*) to encroach on; to trespass: **i. il territorio altrui**, to encroach on sb. else's territory; (*fig.*) to poach on someone else's preserve; **i. diritti altrui**, to encroach on sb. else's rights.

invaghiménto m. (*lett.*) infatuation; fancy.

invaghìre Ⓐ v. t. (*lett.*) to enchant; to charm Ⓑ **invaghìrsi** v. i. pron. **1** to take* a fancy (to) **2** (*innamorarsi*) to fall* in love (with).

invaginàrsi v. i. pron. (*med.*) to invaginate; to become* invaginated.

invaginazióne f. (*med.*) invagination; intussusception.

invaiàre v. i. (*bot.*) to become* dark.

invalére v. i. to become* established; to take* root; to catch* on (*fam.*): *È invalsa la moda di...*, it's now fashionable to...; **un uso che è invalso da qualche anno**, a habit that first caught on a few years ago; *È invalsa l'opinione che...*, it is now commonly believed that...; the current opinion is that...

invalicàbile a. **1** impassable **2** (*fig.*) insuperable; insurmountable.

invalicabilità f. **1** impassability **2** (*fig.*) insuperability.

invalidàbile a. (*leg.*) voidable.

invalidaménto m. (*leg.*) invalidation; nullification.

invalidànte a. **1** invalidating **2** (*med.*) incapacitating; disabling; crippling: **incidente i.**, disabling accident; **malattia i.**, crippling disease.

invalidàre Ⓐ v. t. **1** (*leg.*) to invalidate; to void; to annul; to nullify; (*una sentenza, ecc.*) to overturn, to overrule **2** (*confutare*) to disprove; to invalidate Ⓑ **invalidàrsi** v. i. pron. to become* disabled.

invalidazióne f. (*leg.*) invalidation; nullification; avoidance.

invalidità f. **1** (*di una tesi*) invalidity **2**

(*med.*, *per incidente*, *ferita*) disablement, disability, inability; (*per vecchiaia*) invalidity: **i. permanente [parziale, totale]**, permanent [partial, total] disability; **pensione di i.**, disability pension **3** (*leg.*) invalidity.

♦**invàlido A** a. **1** (*med.*, *per incidente*, *ferita*, *ecc.*) disabled; (*per vecchiaia*) invalid: **rendere i.**, to disable; to cripple; to incapacitate; **rimanere i.**, to be disabled **2** (*leg.*) invalid; void; null and void **B** m. (f. *-a*) disabled person: **i. civile**, disabled person; **i. di guerra**, person disabled in the war; (*soldato*) disabled serviceman; **i. del lavoro**, person disabled in an industrial accident; **grande i.**, severely disabled person; **gli invalidi**, the disabled ❶ **FALSI AMICI** • invalido *nel senso di inabile al lavoro non si traduce con* invalid.

invallàrsi v. i. pron. to flow through a valley.

invàlso a. widespread; established.

invàno avv. in vain; to no avail; without success: *Telefonai*, *telegrafai: fu tutto i.*, I telephoned and telegraphed, all in vain (*o* all to no avail); **lottare i.**, to struggle in vain; *Ho cercato i. di spiegargli quello che era successo*, I tried in vain to explain to him what had happened.

invariàbile a. **1** invariable; constant; unchanging; unchangeable; unvarying **2** (*gramm.*) indeclinable; uninflected.

invariabilità f. invariability; constancy; unchangeableness.

invariànte a. (*mat.*, *fis.*) invariant.

invariantìvo a. (*mat.*) – **proprietà invariantìva**, invariance property.

invariànza f. (*mat.*, *fis.*) invariance.

invariàto a. unchanged; unvaried; unaltered; static; stable: *Le condizioni del malato sono invariate*, the patient's condition is unchanged (*o* is stable); **rimanere i.**, not to change; to remain unaltered; to remain (*o* to stay) unchanged.

invasaménto m. **1** obsession **2** infatuation; (*esaltazione*) excitement.

invasàre① v. t. to possess; (*ossessionare*) to obsess: **essere invasato dal demonio**, to be possessed (by the devil).

invasàre② v. t. **1** (*mettere in vaso*) to pot **2** (*naut.*) to cradle.

invasàto A a. **1** (*indemoniato*) possessed **2** (*fig.*) seized (by); obsessed (by, with); crazy; mad: **i. dalla gelosia**, obsessed with jealousy; **invasato dalla rabbia**, seized by fury; mad with anger; seething with rage **B** m. (f. *-a*) person possessed; (*estens.*: *esaltato*) crazed person; fanatic: *Toni urlava come un i.*, Toni was yelling like a man possessed.

invasatùra f. **1** potting **2** (*naut.*) launching cradle.

invasióne f. **1** invasion; overrunning; (*di insetti*, *anche*) plague: (*sport*) **i. di campo**, pitch invasion; **un'i. di cavallette**, an invasion (*o* plague) of locusts; **le invasioni germaniche**, the German invasions **2** (*inondazione*) flood **3** (*contagio*) widespread contagion; epidemic **4** (*violazione*) encroachment (on, upon).

invasività f. (*med.*, *chir.*) invasive character.

invasìvo a. (*med.*, *chir.*) invasive: **tecniche operatorie non invasive**, non-invasive operating techniques.

invàso① a. invaded (by); occupied (by); overrun (with); (*fig.*, *anche*) swarming (with), seething (with): **territori invasi**, occupied territories; **spiagge invase dai turisti**, beaches swarming with holidaymakers; *La cantina è invasa dai topi*, the cellar is overrun with mice; *La sua mente era invasa da dubbi*, his mind was invaded by doubts; **i. dalle acque**, flooded.

invàso② m. **1** (*invasatura*) potting **2** (*di ser-*

batoio idrico) storage capacity; (*estens.*: *conca*) hollow, trough; (*bacino*) reservoir.

invasóre A m. invader **B** a. invading.

invecchiaménto m. **1** ageing, aging; getting old; growing old: **i. della pelle**, skin ageing; **i. precoce**, premature ageing; **subire un rapido i.**, to age quickly; **processo d'i.**, ageing process **2** (*metall.*, *enologia*) ageing.

♦**invecchiàre A** v. i. **1** to grow* old; to get* old; to age; (*d'aspetto*) to look old (o older), to age: **i. al servizio di q.**, to grow old in sb.'s service **i. bene**, to grow old gracefully; **i. di dieci anni in un mese**, to age ten years in one month; **i. rapidamente**, to age old quickly; *Invecchiando*, *si era addolcito*, he had mellowed with age; *Com'è invecchiato!*, how old he looks!; *Non sei invecchiato per niente!*, you don't look a day older!; *La vita che fa lo ha invecchiato prima del tempo*, the life he leads has aged him prematurely; *S'invecchia*, we are all getting old! **2** (*di vino*, *ecc.*) to age: **un vino che invecchia bene**, a wine that ages well **3** (*fig.*: *passare di moda*) to become* old-fashioned; to go* out of date; to become* dated • **Il cuore non invecchia**, the heart is ever young **B** v. t. **1** (*far apparire più vecchio*) to make* (sb.) look older: *La barba lo invecchia*, his beard makes him look older **2** (*sottoporre a invecchiamento*) to age; to mature: **i. il vino**, to age wine.

invecchiàto a. **1** aged; grown old (pred.); old: *Lo zio è molto i.*, Uncle has aged a lot; *L'ho trovato i.*, I thought he had aged; *Sembrava i. di dieci anni*, he looked ten years older **2** (*superato*) dated; outdated; (*antiquato*) old-fashioned.

♦**invéce A** avv. (*in cambio*) instead; (*ma*) but; (*al contrario*) on the contrary; (*mentre*, *laddove*) whereas: *Doveva andarci mia moglie*, *e i. ci andai io*, my wife was supposed to go, but I went instead; *Aveva detto che non veniva*, *i. è venuto*, he (had) said he wasn't coming, but he did; *Io penso i. che sia pericoloso*, well, I think it's dangerous; «*Hai l'aria di non stare bene*» «*No*, *i.*, *sto benissimo*», «you look out of sorts» «on the contrary, I feel fine»; «*Tu non vieni*» «*E i. sì*» «you are not coming» «yes, I am!»; *Il modello nuovo è di plastica*, *i. il vecchio era di vetro*, the new model is plastic, whereas the old one was glass **B invéce di** loc. prep. instead of: *I. di brontolare*, *potresti darci una mano*, instead of grumbling, you might give us a hand; *Vengo io i. di Bob*, I'm coming instead of Bob **C invéce che** loc. prep. rather than: *I. che al cinema*, *perché non andiamo in discoteca?*, why don't we go to a disco rather than to the cinema?

invedìbile a. not worth seeing (pred.); unwatchable.

inveìre v. i. to rail (at, against); to lash out (at); to berate (sb., st.); to inveigh (against) (*form.*); to revile (st.) (*form.*).

invelàre (*naut.*) **A** v. t. to fit with sails **B** v. i. to spread* sail.

invelàto a. (*naut.*) under sail; under canvas: **tutto i.**, under full sail.

invelenìre A v. t. to embitter; to envenom **B** v. i. e **invelenìrsi** v. i. pron. to become* embittered; (*contro q. o qc.*) to get* furious (with), (*verbalmente*) to lash out (at).

invelenìto a. **1** embittered; envenomed **2** (*furioso*) furious; livid.

invendìbile a. unsaleable.

invendibilità f. unsaleability.

invendicàto a. unavenged.

invendùto A a. unsold **B** m. unsold goods (pl.).

♦**inventàre** v. t. **1** (*ideare*) to invent; (*escogitare*) to devise, to contrive; to think* up, to

come* up with, to dream up: **i. un metodo nuovo**, to invent (*o* to devise) a new method; **i. un sistema per evadere le tasse**, to think up a way to evade tax; *Chi ha inventato la macchina a vapore?*, who invented the steam-engine?; *Ogni giorno inventa qualcosa di nuovo*, he comes up with something new every day; *Le inventa tutte!*, he's always up to something new! **2** (*creare con la fantasia*) to invent; to make* up: **i. un personaggio**, to invent a character; *La mamma inventava favole per noi*, Mother would make up stories for us **3** (*raccontare cose non vere*) to invent; to make* up; to fabricate: **inventarsi un alibi**, to invent an alibi; **i. prove**, to fabricate evidence; **i. una scusa**, to make up an excuse; **i. una storia**, to fabricate a story; *L'ha inventato di sana pianta*, he made it all up; he made it out of whole cloth (*fam. USA*).

inventariàre v. t. (*comm.*) to make* an inventory of; to inventory; to take* stock of.

inventàrio m. **1** inventory; stock-taking: **i. delle giacenze**, stock inventory; (*naut.*) **i. di bordo**, ship's inventory; **i. di fine anno**, year-end inventory; **fare l'i. di qc.**, to make an inventory of st.; to inventory st.; (*comm.*, *anche*) to take stock of st.; **chiuso per i.**, closed due to stock-taking **2** (*fig.*) list; catalogue: *Mi ha fatto l'i. dei suoi mali*, he read me a list of all his ailments • **con beneficio d'i.** → **beneficio** □ **numero d'i.**, (*di biblioteca*, *ecc.*) access number.

inventàto a. **1** (*frutto della fantasia*) imaginary; fictional; fictitious: *È reale o i.?*, is it real or imaginary?; **personaggio i.**, fictional character; **una descrizione completamente inventata**, a totally fictitious description **2** (*non vero*) invented, made up, contrived; (*falso*) fabricated: **notizie inventate**, invented (*o* fabricated) news; **spiegazione [storia] inventata**, made-up (*o* contrived) explanation [story]; *È i. di sana pianta*, it's totally made up; it's pure fiction; it's made out of whole cloth (*fam. USA*).

inventìva f. inventiveness; imagination; creativity • **ricco d'i.**, imaginative; inventive.

inventività f. inventiveness; creativity.

inventìvo a. inventive; imaginative; creative.

inventóre A m. (f. *-trice*) inventor: **l'i. della radio**, the inventor of the radio; *Chi è stato l'i. del barometro?*, who invented the barometer? **B** a. inventive.

♦**invenzióne** f. **1** (*ideazione*, *oggetto inventato*) invention: **l'i. della stampa**, the invention of the printing press; **brevettare un'i.**, to patent an invention; **capacità d'i.**, capacity of invention; **di nuova i.**, newly invented **2** (*creazione della fantasia*) creation: **i. artistica**, artistic creation; **i. narrativa**, fiction; **opera d'i.**, fictional work; **essere opera (*o* frutto) d'i.**, to be fictitious; **personaggio d'i.**, fictional character **3** (*menzogna*) invention; fabrication; story; tale; fiction Ⓤ **4** (*trovata*) idea; thought; notion **5** (*lett.*: *ritrovamento*) finding **6** (*mus.*, *retor.*) invention.

inveràre A v. t. to make* true **B inveràrsi** v. i. pron. to prove true; to come* true.

inverdìre A v. t. to make* green; to turn green **B** v. i. e **inverdìrsi** v. i. pron. to become* (*o* to turn) green.

inverecóndia f. immodesty; shamelessness.

inverecóndo a. **1** immodest; shameless **2** (*vergognoso*) shameless; disgraceful.

invergàre v. t. **1** (*naut.*: *una vela*) to bend*; (*una bandiera*) to hoist **2** (*ind. tess.*) to lease.

invergatùra f. (*ind. tess.*) lease; insertion of the lease rods.

a b c d e f g h i j k l m n o p q r s t u v w x y z

inverificàbile a. unverifiable.

inverminire v. i., **inverminirsi** v. i. pron. to become* infested with worms.

♦**invernàle** **A** a. winter (attr.); wintry: **abiti invernali**, winter clothes; **giornata i.**, wintry day; **sport invernali**, winter sports; **la stagione** (o il periodo) **i.**, wintertime **B** f. (alpinismo) winter ascent.

invernàta f. winter.

inverniciàre e deriv. → **verniciare**, e deriv.

♦**invèrno** m. winter: **un i. rigido** [**mite**], a harsh [mild] winter; **l'i. del 1980**, the winter of 1980; **pieno i.**, midwinter; **in** (o di) **i.**, in (the) winter; in the wintertime; **nel cuore dell'i.**, in the depth of winter; **giardino d'i.**, winter garden; **un giorno d'i.**, a winter's day; a day in winter; (mil.) **quartieri d'i.**, winter quarters.

invèro avv. (lett.) in truth; indeed.

inverosimiglianza f. 1 improbability; unlikelihood; implausibility 2 (particolare inverosimile) implausible detail.

inverosimile **A** a. 1 (improbabile) unlikely; (poco plausibile) improbable, implausible, scarcely believable: **una storia i.**, an improbable (o implausible) story; È i. che nessuno l'abbia visto, it's hard to believe (o it's scarcely believable) that no one saw him 2 (incredibile) incredible; unbelievable: **una folla i.**, an incredibly large crowd **B** m. – **avere dell'i.** (o rasentare l'i.), to be scarcely believable.

inversaménte avv. 1 inversely; in an inverse order 2 (per converso) conversely ● (mat.) **i. proporzionale**, inversely proportional; in inverse relation.

inversióne f. 1 (mutamento di direzione) turn; reversal: **i. della marea**, turn of the tide; **i. di flusso**, backflow; **i. di marcia**, (autom.) U-turn, reversing ⬚; (mecc.) reversion; (mil.) about-turn; (fig.) about-turn, U-turn; (autom.) **fare un'i. di marcia**, to do a U-turn; (naut.) **i. di rotta**, turnabout 2 (capovolgimento, cambiamento) inversion; reversal; about-turn; turnabout: **i. delle parti**, reversal of roles; (sport) **i. di campo**, changing ends; **i. di tendenza**, reversal; swing; about-turn 3 (gramm.) inversion 4 (scient.) inversion; (anche fotogr.) reversal: (psic. antiq.) **i. sessuale**, (sexual) inversion; homosexuality; (meteor.) **i. termica**, temperature (o thermal) inversion; (fotogr.) **bagno d'i.**, reversing bath.

inversivo a. (ling.) inversive.

invèrso **A** a. 1 (opposto) opposite, contrary; (a rovescio) reverse: **caso i.**, opposite case; (gramm.) **costruzione inversa**, inversion; **direzione inversa**, opposite direction; **dizionario i.**, reverse dictionary; **in ordine i.**, in the reverse order; **in senso i.**, in the opposite direction 2 (fis., mat.) inverse: (elettr.) **corrente inversa**, inverse current; **funzione inversa**, inverse function; **proporzione inversa**, inverse proportion 3 (region.: di cattivo umore) in a bad mood (pred.); grumpy **B** m. 1 (the) opposite; (the) contrary: **fare l'i.**, to do the opposite; **all'i.**, (in modo i.) the opposite way; (in direzione inversa) in the opposite direction 2 (mat.) inverse; reciprocal: (fis.) **legge dell'i. dei quadrati**, inverse square law.

inversóre m. (tecn.) reverter.

invertàsi f. (biol.) invertase.

invertebràto **A** a. 1 (zool.) invertebrate 2 (fig. spreg.) spineless; weak-kneed; wimpish **B** m. 1 (zool.) invertebrate; (al pl., scient.) Invertebrata 2 (fig. spreg.) spineless person; wimp.

invertibile a. reversible; invertible: (elettr.) **motore i.**, reversible motor; (fotogr.) **pellicola i.**, reversible film.

invertibilità f. reversibility.

invertire v. t. 1 (volgere nel senso contrario) to reverse; to invert: (fis.) **i. la corrente**, to reverse the current; **i. l'ordine**, to invert (o to reverse) the order; **i. la marcia**, (autom. e fig.) to do a U-turn; (fig.) to do an about--turn; (naut.) **i. la rotta** (di nave), to turn about; to put about; (autom.) **i. il senso di marcia**, to reverse; **i. una tendenza**, to reverse a trend 2 (cambiare) to reverse; to change round; to switch round: **i. le parti**, to reverse roles; La situazione si è completamente invertita, the situation is now completely reversed; (iron.) the boot is on the other foot (fam.) 3 (capovolgere) to turn upside down.

invertito **A** a. 1 reverse; inverted; inverse; (alla rovescia) back to front, the wrong way round (fam.) 2 (chim.) invert: **zucchero i.**, invert sugar 3 (ling.) inverted **B** m. (antiq. o spreg.) invert; homosexual.

invertitóre m. 1 (fis.) inverter; reverser 2 (mecc.) reversing gear.

invescàre (lett.) → **invischiare**.

investibile a. (comm.) investable; investible.

investigàre **A** v. t. to inquire into; to investigate (st.); (sondare) to probe (st.): **i. le origini di qc.**, to inquire into the origin of st. **B** v. i. to investigate (st.); to make* inquiries: **i. su un omicidio**, to investigate a murder; La polizia sta investigando, the police are making inquiries.

investigativo a. investigative; investigating; detective (attr.): **agente i.**, detective; **agenzia investigativa**, detective agency; **attività investigativa**, detective work; **nucleo i.**, detective branch.

investigàto a. under judicial investigation (pred.).

investigatóre **A** m. (f. -trìce) detective; investigator: **i. privato**, private detective **B** a. investigating.

investigazióne f. investigation; research; exploration; (indagine) inquiry.

investiménto m. 1 (collisione) collision, crash; (di pedone, che viene buttato a terra) running down, knocking down, (che viene travolto) running over; (incidente stradale) road (o street) accident: **subire un i.**, to be run down (o run over) (by a car, by a bus, etc.) 2 (econ., fin.) investment: **i. a breve** [a lungo] **termine**, short-term [long-term] investment; **i. azionario**, share investment; **i. in beni rifugio**, non-monetary investment; **i. in titoli**, portfolio investment; **i. sicuro** [**redditizio**], sound [profitable] investment; **fare un i.**, to make an investment; to invest; **fondo comune di i.**, investment fund; unit trust (GB); mutual fund (USA): **politica degli investimenti**, investment policy 3 (mil.) siege; blockade; investment.

♦**investire** **A** v. t. 1 (concedere, conferire) to invest: **i. q. di pieni poteri**, to invest sb. with full powers 2 (leg.: incaricare) to appoint: **i. una commissione parlamentare delle indagini**, to appoint a parliamentary commission to investigate st. 3 (fin. e fig.) to invest: **i. denaro in buoni del Tesoro**, to invest money in Treasury bonds; **i. in azioni** [**in immobili**], to invest in shares [in real estate]; **i. i profitti nella società**, to plough the profits back into the company; Ho investito molto su di te, I've invested a lot on you 4 (urtare contro) to collide with; to crash into; to hit*, to run* into; (un pedone, buttandolo a terra) to run* down, to knock down, (travolgendolo) to run* over: **i. un ciclista**, to knock down a man on a bicycle; Fu investita su un passaggio pedonale, she was run over on a pedestrian crossing 5 (assalire) to attack; to assault; (fig.) to assail: Fummo investiti da ogni parte, we were at-

tacked on all sides; **i. q. con domande** [**con ingiurie**], to assail sb. with questions [with insults] 6 (colpire) to strike*; to hit*: Il temporale investì la città alle sei, the storm hit the town at six **B** **investirsi** v. rifl. recipr. 1 (scontrarsi) to collide; to run* into each other 2 (attaccarsi) to attack each other **C** **investirsi** v. rifl. 1 to invest oneself (with): **investirsi del potere regale**, to invest oneself with regal authority 2 (rendersi partecipe) to empathize (with); to sympathize (with) ● (teatr.) **investirsi della parte**, to live a part; to enter into the character.

investito **A** a. 1 (di mezzo) collided with (pred.); (di persona: buttata a terra) run down (pred.), (travolta) run over (pred.) 2 (fin.) invested **B** m. (f. -a) person run down (o run over); victim of a road accident.

investitóre **A** a. 1 (di mezzo) that ran down (o ran over) sb.: **l'auto investitrice**, the car that ran over the victim 2 (fin.) investing **B** m. (f. -trìce) 1 driver who ran over sb.; driver responsible for an accident 2 (fin.) investor.

investitùra f. investiture: (stor.) **la lotta per le investiture**, the Investiture Conflict.

inveteràto a. inveterate, confirmed; (radicato) deep-rooted, ingrained: **abitudine inveterata**, inveterate (o deep-rooted) habit; **odio i.**, inveterate hatred; **scapolo i.**, confirmed bachelor.

invetriàre v. t. to glaze.

invetriàta f. (finestra) glass window; (porta) glass door.

invetriàto a. glazed: **terracotta invetriata**, glazed earthenware.

invetriatùra f. glazing; glaze.

invettiva f. invective ⬚; tirade: **scagliare un'i. contro q.**, to hurl invective against sb.; to deliver a tirade against sb.

inviàbile a. sendable; dispatchable.

♦**inviàre** v. t. to send*; to dispatch; to forward; (via mare) to ship: **i. auguri**, to send one's best wishes; **i. denaro**, to send (o to remit) money; **i. istruzioni**, to dispatch instructions; **i. la merce**, to forward the goods; **i. un pacco**, to send a parcel; **i. soccorsi**, to send aid; **i. un telegramma**, to send a telegramme; **i. truppe**, to send troops; **i. per fax**, to fax; **i. per posta**, to send by post; to post; to mail; **i. per posta elettronica**, to e-mail.

inviàto m. 1 (diplomazia) envoy: **i. straordinario**, envoy extraordinary 2 (giorn.) correspondent: **i. speciale**, special correspondent 3 (agente, incaricato) agent; man* ● (fig.) **un i. del cielo**, a messenger from heaven.

♦**invidia** f. envy: **essere l'i. di tutta la scuola**, to be the envy of the whole school; **morire d'i.**, to be green with envy; **provare i.**, to feel envious; **provare i. per q.**, to envy sb. ● **da fare i.**, enviable: **una memoria da fare i.**, an enviable memory □ **fare i. a tutti**, to make everybody envious □ **Non mi fa i. quella tua casa enorme**, I don't envy you your huge house □ **rodersi dall'i.**, to eat one's heart out.

invidiàbile a. enviable ● **poco i.**, unenviable.

invidiàre v. t. to envy: Mi invidia perché mi hanno dato la promozione, she envies me because I've been promoted; she envies me my promotion; (iron.) Non t'invidio!, I don't envy you!; È meglio essere invidiati che compatiti, better envied than pitied ● (fig.) **non avere nulla da i. a**, to be in no way inferior to; to be just as good as: Il nuovo modello non ha nulla da i. alle migliori marche straniere, the new model is in no way inferior to the best foreign brands; Non ho nulla da i. a nessuno, I'm just as good as

the next man.

invidióso A a. envious; jealous: **essere i. di q.**, to be envious (*o* jealous) of sb. B m. (f. **-a**) envious person ❶ **FALSI AMICI** • invidioso *non si traduce con* invidious.

invigliacchìre v. i., **invigliacchìrsi** v. i. **pron.** to grow* cowardly; to become* a coward.

invigorimènto m. invigoration; bracing.

invigorire A v. t. to invigorate; to strengthen: **i. la muscolatura**, to strengthen the muscles; *L'aria di montagna invigorisce*, mountain air is bracing B **invigorirsi** v. i. pron. to gain strength; to become* strong (*o* stronger).

invilire A v. t. (*svilire*) to lower; to debase B v. i. e **invilirsi** v. i. pron. to be debased.

inviluppamènto m. wrapping up; enveloping.

inviluppàre A v. t. **1** to wrap up; to envelop: *Lo invilupparono in una coperta*, they wrapped him up in a blanket **2** (*fig.*) to involve; to inveigle B **inviluppàrsi** v. rifl. e i. pron. **1** to wrap oneself up; to envelop oneself **2** (*fig.*) to get* involved; to get* mixed up.

invilùppo m. **1** (*intrico, anche fig.*) tangle **2** (*mat.*) envelope.

INVIM abbr. (*stor.*, **imposta sull'incremento di valore degli immobili**) tax on increases in real estate value.

invincìbile a. invincible; unconquerable.

invincibilità f. invincibility; invincibleness.

invìo m. **1** sending; dispatching; forwarding; (*di merce*) consignment, delivery, (*spec. per nave*) shipment; (*di denaro*) remittance: **l'i. di un pacco**, the sending of a parcel; **l'i. di truppe**, the dispatching (*o* sending) of troops; **i. per posta**, posting by post; posting; mailing; *Sono sospesi tutti gli invii di armi*, all shipments (*o* deliveries) of arms are suspended; **fare un i.**, to send a consignment **2** (*poesia*) envoy **3** (*comput.*, *anche* **tasto di i.**) enter key.

inviolàbile a. inviolable; sacred: **diritto i.**, inviolable right.

inviolabilità f. inviolability; sacredness.

inviolàto a. inviolate; untouched; unprofaned; virgin; (*puro*) pure: **fede inviolata**, pure faith; **vette inviolate**, untouched peaks • (*calcio*) **La partita si concluse a reti inviolate**, the match ended in a goalless draw.

inviperire v. i., **inviperirsi** v. i. pron. to become* (*o* to get*) furious; to get* mad (*fam.*).

inviperito a. furious; mad (*fam.*).

invischiàre A v. t. **1** (*spalmare di vischio*) to smear with bird-lime; to lime **2** (*catturare col vischio*) to catch* with bird-lime **3** (*fig.*) to entangle; to embroil B **invischiàrsi** v. rifl. to get* mixed up; to get* entangled; to become* embroiled.

inviscidire v. i. to become* slimy (*o* viscid).

invisìbile a. invisible: **stella i.**, invisible star; **i. a occhio nudo**, invisible to the naked eye.

invisibilità f. invisibility.

invìso a. unpopular (with); disliked (by); (*odiato*) hated (by).

invitànte a. inviting; attractive; tempting; (*di cibo*) appetizing, tempting, tasty: **piatto i.**, tempting dish; **profumo i.**, inviting aroma; **proposta i.**, attractive proposal; **sorriso i.**, inviting smile.

invitàre ① A v. t. **1** to invite; to ask: **i. q. a pranzo [a rimanere per la notte]**, to invite (*o* to ask) sb. to dinner [to stay the night]; **i. q. ad entrare**, to invite sb. in; **i. q.**

al cinema, to ask sb. out to see a film; *Quante persone inviterai al tuo matrimonio?*, how many people are you going to invite to your wedding?; *Siamo invitati da Barbara*, we are invited to Barbara's; **i. amici a bere qualcosa dopo cena**, to ask friends round for drinks after dinner; *Non lo inviterò mai più*, I won't ask him back **2** (*chiedere cortesemente*) to invite, to ask; to bid* (*form.*); (*esortare*) to encourage; (*chiedere formalmente*) to ask, to request: *Vi invito a riflettere mentre c'è ancora tempo*, I ask (*o* I invite) you to reflect while there is still time; *Fui invitato a esprimere un'opinione*, I was asked to express an opinion; *Il direttore ci invitò a sederci*, the director bid (*o* bade) us to take a seat; *Fui invitato ad andarmene*, I was asked to leave; *I passeggeri sono invitati a rimanere seduti*, passengers are kindly requested to remain seated **3** (*convocare*) to summon; to call: *Fui invitato a presentarmi in questura*, I was summoned to the local police station **4** (*invogliare*) to make* (sb.) feel like (doing st.); to induce (st.); to be conducive (to) (*form.*); (*assol.: essere invitante*) to look [to sound] inviting: *L'acqua limpida invitava a un tuffo*, the clear water made you feel like diving in; **i. al sonno**, to make sleepy; to induce sleep **5** (*a carte*) to call; to bid*: **i. a cuori**, to call for hearts • (*fig.*) **i. q. a nozze**, not to have to ask sb. twice (to do st.): *Lo inviti a nozze se gli chiedi di...*, you won't have to ask him twice to...; he'll be delighted to be asked to... B **invitàrsi** v. rifl. to come* unasked (*o* uninvited); (*a una festa*) to gatecrash (*USA* to crash) (a party) (*fam.*) C **invitàrsi** v. rifl. recipr. to invite each other [one another].

invitàre ② → **avvitare** ①.

invitàto A a. invited: **non i.**, uninvited; unasked; unbid B m. (f. **-a**) guest.

invitatòrio a. e m. (*eccles.*) invitatory.

invitatùra → **avvitatura**.

♦**invito** m. **1** invitation: **i. a un matrimonio**, wedding invitation; **i. a teatro**, invitation to go to the theatre; **accettare [declinare] un i.**, to accept [to decline, to turn down] an invitation; **spedire gli inviti**, to send out the invitations; **solo per i.**, by invitation only; **biglietto d'i.**, invitation card **2** (*richiesta*) request; call: **i. al silenzio**, request for silence; **i. all'ordine**, call to order; **i. a presentarsi in questura**, request to report to the police **3** (*richiamo, allettamento*) call, invitation, inducement; (*fascino*) charm: *Tutto in quella stanza era un i. a studiare*, everything in that room was an inducement to study; *Non resistetti all'i. di quella bella neve*, I couldn't resist the invitation of) that beautiful snow **4** (*poker*) ante **5** (*scherma*) invitation **6** (*archit., anche* **gradino d'i.**) curtail step • (*fig.*) **i. a nozze**, irresistible invitation; music to one's ears □ (*eccles.*) **i. sacro**, church notice.

in vitro (*lat.*) loc. agg. inv. (*biol.*) in vitro: **fecondazione in vitro**, in vitro fertilization.

invitto a. (*lett.*) **1** (*mai sconfitto*) unconquered; undefeated: **un guerriero i.**, an unconquered warrior **2** (*indomito*) indomitable; unbowed.

invivìbile a. **1** (*non abitabile*) uninhabitable; impossible to live in **2** (*insopportabile*) unbearable.

in vivo (*lat.*) loc. agg. inv. (*biol.*) in vivo.

invocàre v. t. **1** to invoke; to call on: **i. Dio**, to invoke God **2** (*chiedere*) to invoke; to entreat; to call for; to cry out for; to plead for; (*implorare*) to beseech*, to beg: **i. aiuto**, to call for help; **i. la grazia**, to invoke pardon; **i. il perdono di q.**, to invoke sb.'s forgiveness **3** (*auspicare*) to wish for: **i. la pace**, to wish for peace **4** (*chiamare a sostegno*) to invoke; to appeal to; to plead: **l'immunità**

diplomatica, to claim diplomatic immunity; **i. la legge**, to appeal to the law.

invocativo a. (*lett.*) invocative; invocatory.

invocatóre A m. (f. **-trice**) invoker B a. invoking.

invocatòrio a. invocatory.

invocazióne f. invocation; appeal; (*grido*) call, cry; (*supplica*) entreaty: **un'i. a Dio**, an invocation to God; **i. d'aiuto**, call for help.

invogliànte a. appealing; appetizing; tempting.

invogliàre A v. t. to make* (sb.) want (to do st.); to tempt; to induce: **un tempo che invoglia a stare in casa**, weather that makes you want to stay in; *Niente potrebbe invogliarmi a tornare*, nothing would induce me to go back B **invogliàrsi** v. i. pron. to take* a fancy (to).

invogliàto a. tempted (to); interested (in); attracted (by).

involàre A v. t. (*lett.*) to steal* B **involàrsi** v. i. pron. to vanish; to fly away.

involgarire A v. t. to make* vulgar; to coarsen; to cheapen B v. i. e **involgarirsi** v. i. pron. to become* vulgar.

invòlgere A v. t. to wrap up; to envelop; to fold B **invòlgersi** v. i. pron. to get* entangled.

invòlo m. (*aeron.*) take-off.

involontariaménte avv. unintentionally; inadvertently; involuntarily; accidentally: *Sono sicuro che l'ha fatto i.*, I'm sure he didn't mean (to do) it; I'm sure it wasn't deliberate.

involontàrio a. unintentional; involuntary; inadvertent; accidental: **allusione involontaria**, inadvertent (*o* accidental) reference; **causa involontaria**, unintentional cause; **errore i.**, involuntary mistake; inadvertent error; **movimento i.**, involuntary movement; (*anat.*) **muscolo i.**, involuntary muscle; **riflesso i.**, automatic reflex.

involtàre A v. t. (*fam.*) to wrap up; to envelop B **involtàrsi** v. rifl. (*fam.*) to wrap oneself up.

involtino m. (*cucina*) roulade.

invòlto m. **1** (*fagotto*) bundle; (*pacco*) parcel, package **2** (*involucro*) wrapping; wrapper.

invòlucro m. **1** covering; (*di carta e sim.*) wrapping, wrapper; (*rigido*) casing, case; (*imballo*) packaging; (*struttura esterna*) shell: **togliere l'i. a qc.**, to unwrap st.; to remove the wrapping [the case, etc.] from st. **2** (*bot.*) involucre **3** (*aeron., di dirigibile*) envelope.

involutivo a. involutional.

involùto a. **1** involved; intricate; complicated; convoluted: **una spiegazione involuta**, an involved explanation; **stile i.**, convoluted style **2** (*bot., zool.*) involute.

involuzióne f. **1** involution; intricacy; complication; convolution **2** (*regresso*) regression; (*declino*) decline, decay **3** (*med.*) involution.

invulneràbile a. invulnerable.

invulnerabilità f. invulnerability.

invulneràto a. (*lett.*) unscathed; unhurt.

inzaccheràre A v. t. to splash (*o* to spatter) with mud B **inzaccheràrsi** v. i. pron. to get* splashed (*o* spattered) with mud.

inzavorràre v. t. to ballast.

inzeppàre ① v. t. **1** (*riempire*) to stuff; to cram; to fill to bursting point **2** (*rimpinzare*) to stuff.

inzeppàre ② v. t. (*mettere una zeppa*) to wedge.

inzeppatùra f. wedging.

inzigàre v. t. (*fam.*) to tease; to needle.

inzoccolàto a. wearing clogs.

inzolfaménto m. sulphuring.

inzolfàre v. t. (*agric.*) to fumigate (*o* to spray) with sulphur; to sulphur.

inzolfatóio m. (*agric.*) sulphur bellows (pl.).

inzolfatùra f. (*agric.*) sulphuration.

inzotichìre **A** v. t. to make* boorish **B** v. i. e **inzotichìrsi** v. i. pron. to become* boorish.

inzuccàre **A** v. t. (*fam.*) to go* to (sb.'s) head **B** **inzuccàrsi** v. i. pron. 1 (*fam.*: *ubriacarsi*) to get* drunk 2 (*ostinarsi*) to be obstinate; to get* it into one's head (to do st.).

inzuccheràre v. t. 1 (*cospargere di zucchero*) to sprinkle (*o* to dredge) with sugar 2 (*dolcificare*) to put* sugar in; to sugar: **i. il tè**, to put sugar into the tea 3 (*fig.*: *addolcire*) to sweeten; to sugar: **i. la pillola**, to sweeten the pill.

inzuccheràta f. sugaring; sprinkle of sugar.

inzuccheratùra f. sprinkling (*o* dredging) with sugar.

inzuppàre **A** v. t. 1 (*infradiciare*) to soak; to drench 2 (*immergere*) to soak; to dunk: **i. il pane nel vino**, to soak bread in wine; **i. un biscotto nel caffè**, to dunk a biscuit in coffee **B** **inzuppàrsi** v. i. pron. to get* soaked (*o* drenched).

inzuppàto a. soaked; drenched: **pane i. nel latte**, bread soaked in milk; **i. di pioggia**, drenched with rain.

♦**io** **A** pron. pers. 1ª pers. sing. m. e f. I (*scritto sempre con l'iniziale maiuscola*): **io sottoscritto**, I the undersigned; **io e lui**, he and I; *Non ci andremo né io né lui*, neither of us is going; *Chi deve venire, io o Gigi?*, who's to come, I (*fam.* me) or Gigi?; *Sono qua io*, I am here; *Vengo io*, I'll come; *Io no!*, not I!; not me! (*fam.*); *«Chi è?» «Sono io»*, «who is it?» «it is I» (*fam.* «it's me»); (*al telefono*) *«Posso parlare col sig. Rossi?» «Sono io»*, «may I speak to Mr Rossi?» «speaking»; *E io?*, what about me?; *Perché proprio io?*, why me?; *Sono stato io a farlo*, I did it; *Sono stata io a parlargliene*, it was I (o I was the one) who mentioned it to him; *So ben io di che si tratta*, I know very well what it's all about; *Io imbrogliarti?*, I cheat you?; *«Lo trovo noioso» «Anch'io»*, «I find it boring» «so do I» (*fam.* «me too»); *Da quel giorno non sono stato più io*, since then I haven't been myself; *Lo farò io stesso*, I'll do it myself; *Io stessa penso che si potrebbe provare*, I too think we might try **B** m. 1 self; ego: **un forte senso dell'io**, a strong sense of self; **esaltare il proprio io**, to be on an ego-trip; **nel proprio io**, deep down 2 (*filos.*, *letter.*) (the) I: **l'Io narrante**, the narrator; the «I» 3 (*psic.*) – **l'Io**, the ego.

iodàre v. t. (*med.*, *fotogr.*) to iodize; to iodate.

iodàto m. (*chim.*) iodate.

iòdico a. (*chim.*) iodic: **acido i.**, iodic acid.

iodìdrico a. (*chim.*) hydriodic.

iòdio m. (*chim.*) iodine: **tintura di i.**, (tincture of) iodine.

iodìsmo m. (*med.*) iodism.

iodofòrmio m. (*chim.*) iodoform.

iodometrìa f. (*chim.*) iodometry.

iodoterapìa f. (*med.*) iodotherapy.

ioduràre v. t. (*chim.*) to iodinate.

iodùro m. (*chim.*) iodide.

iòga m. (*filos.*) yoga.

iògurt e deriv. → **yogurt**, e deriv.

iòide m. (*anat.*) hyoid (bone).

ioidèo a. (*anat.*) hyoid; hyoidal; hyoidean.

iòle f. (*naut.*) gig; yawl.

ióne m. (*fis.*) ion: **i. idrogeno**, hydrogen ion; **fascio di ioni**, ion beam.

Iòni m. pl. (*stor.*) Ionians.

iònico ① **A** a. 1 (*stor.*, *archit.*: *della Ionia*) Ionic: **ordine [dialetto] i.**, Ionic order [dialect] 2 (*mus.*) ionian **B** m. (*archit.*, *ling.*) Ionic.

iònico ② a. (*geogr.*: *dello Ionio*) Ionian: **costa ionica**, Ionian coast.

iònico ③ a. (*fis.*, *chim.*) ionic.

iònio ① a. (*stor.*, *geogr.*) Ionian: **le coste ionie**, the Ionian coasts; *Isole Ionie*, Ionian Islands; **il Mare I.**, the Ionian Sea.

iònio ② m. (*chim.*) ionium.

Iònio m. (*geogr.*) (the) Ionian Sea.

ionizzànte a. (*fis.*) ionizing.

ionizzàre v. t. (*fis.*) to ionize.

ionizzatóre m. ionizer.

ionizzazióne f. (*fis.*) ionization.

ionoforèsi f. (*med.*) ionophoresis.

ionóne m. (*chim.*) ionone.

ionosfèra f. ionosphere.

ionosfèrico a. ionospheric.

ionosónda f. ionosonde.

ionoterapìa f. (*med.*) ionotherapy.

IOR sigla (**Istituto per le opere di religione**) Institute for Religious Works (*Vatican bank*).

iòsa vc. – a i., in plenty; in abundance; (*posposto a un sost.*) galore: *C'è frutta a i.*, there is fruit in plenty; *Ha vinto premi a i.*, she's won prizes galore.

iosciamìna f. (*chim.*) hyoscyamine.

iòta m. o f. 1 (*nona lettera dell'alfabeto greco*) iota 2 (*fig.*: *briciolo*) iota; jot.

iotacìsmo m. (*filol.*) iotacism.

IPAB sigla (**Istituzioni pubbliche di assistenza e beneficenza**) public welfare and charity institutions.

ipàllage f. (*retor.*) hypallage.

IPC sigla (*scuola*, **Istituto professionale per il commercio**) (*ora* **IPSSCT**) vocational school for trade.

ipecacuàna f. (*bot.*, *Cephaëlis ipecacuanha*; *farm.*) ipecacuanha.

iperacidità → **ipercloridria**.

iperacusìa f. (*med.*) hyperacusia; hyperacusis.

iperaffaticaménto f. overexertion; overstraining.

iperalgesìa f. (*med.*) hyperalgesia.

iperalimentazióne f. 1 hypernutrition; overfeeding 2 (*med.*) hyperalimentation.

iperattìvo a. 1 very active; restless 2 (*psic.*) hyperactive.

iperazotemìa f. (*med.*) hyperazotemia.

iperbàrico a. hyperbaric: **camera iperbarica**, hyperbaric chamber.

ipèrbato m. (*retor.*) hyperbaton*.

iperbilirubinemìa f. (*med.*) hyperbilirubinemia.

ipèrbole f. 1 (*retor.*) hyperbole 2 (*estens.*) hyperbole; exaggeration 3 (*mat.*) hyperbola*.

iperboleggiàre v. i. to hyperbolize.

iperbolicità f. hyperbolism.

iperbòlico a. 1 (*retor.*) hyperbolical 2 (*estens.*) hyperbolical; exaggerated; extravagant 3 (*mat.*) hyperbolic.

iperbolòide m. (*mat.*) hyperboloid.

iperbòreo a. (*lett.*) hyperborean.

ipercalòrico a. hypercaloric; high-calorie (attr.).

ipercapnìa f. (*med.*) hypercapnia.

ipercatalèttico a. (*poesia*) hypercatalectic.

ipercheratòsi f. (*med.*) hyperkeratosis.

ipercinèsi, **ipercinesìa** f. (*med.*) hyperkinesis; hyperkinesia.

ipercinètico a. hyperkinetic.

ipercloridrìa f. (*med.*) hyperchlorhydria; hyperacidity.

ipercolesterolemìa f. (*med.*) hypercholesterolemia.

ipercolìa f. (*med.*) hypercholia.

ipercorrettìsmo m. (*ling.*) hypercorrectness.

ipercorrètto a. (*ling.*) hypercorrect.

ipercorrezióne f. (*ling.*) hypercorrection.

ipercrìtica f., **ipercriticìsmo** m. hypercriticism.

ipercritico **A** a. hypercritical **B** m. (f. *-a*) hypercritic.

iperdattilìa f. (*med.*) hyperdactyly.

iperdulìa f. (*teol.*) hyperdulia.

ipereccitàbile a. hyperexcitable; overexcitable.

ipereccitabilità f. hyperexcitability; overexcitability.

iperemèsi f. (*med.*) hyperemesis.

iperemìa f. (*med.*) hyperaemia.

iperèmico a. (*med.*) hyperaemic.

iperemotività f. overemotionality.

iperemotìvo a., m. (f. *-a*) overemotional.

iperestensióne f. hyperextension.

iperestesìa f. (*med.*) hyperesthesia.

iperfocàle a. (*ottica*) hyperfocal.

iperfunzionànte a. (*med.*) hyperfunctioning.

iperglicemìa f. (*med.*) hyperglycaemia.

iperglicèmico a. (*med.*) hyperglycaemic.

iperglobulìa f. (*med.*) hyperglobulia.

ipergòlo m. hypergolic fuel.

iperìco m. (*bot.*, *Hypericum perforatum*) St John's wort.

iperidròsi f. (*med.*) hyperhidrosis.

iperinflazióne f. (*econ.*) hyperinflation.

Iperióne m. (*mitol.*) Hyperion.

iperlipemìa → **iperlipidemia**.

iperlipidemìa f. (*med.*) hyperlipidemia.

ipermenorrèa f. (*med.*) hypermenorrhoea.

ipermercàto m. hypermarket.

ipermetrìa f. (*poesia*) hypermetry.

ipèrmetro a. (*poesia*) hypermetric.

ipermètrope (*med.*) **A** a. hypermetropic; long-sighted **B** m. e f. hypermetrope; long-sighted person.

ipermetropìa f. (*med.*) hypermetropia; long-sightedness.

ipermnesìa f. (*med.*) hypermnesia.

ipernòva f. (*astron.*) hypernova.

ipernutrìre v. t. (*med.*) to submit to hyperalimentation.

ipernutrizióne f. 1 hypernutrition; overfeeding 2 (*med.*) hyperalimentation.

iperóne m. (*fis.*) hyperon.

iperonimìa f. (*ling.*) hypernymy.

iperònimo m. (*ling.*) hypernym.

iperosmìa f. (*med.*) hyperosmia.

iperossìa f. (*med.*) hyperoxia.

iperossiemìa f. (*med.*) hyperoxemia.

iperossigenazióne f. hyperoxigenation.

iperparassitìsmo m. hyperparasitism.

iperpiressìa f. (*med.*) hyperpyrexia.

iperpirètico a. hyperpyretic.

iperplasìa f. (*med.*, *biol.*) hyperplasia.

iperpnèa f. (*med.*) hyperpnoea.

iperprotèico a. high-protein (attr.).

iperprotettività f. overprotectiveness.

iperprotettìvo a. overprotective.

iperreàle a. 1 hyperreal 2 (*arte*) hyperrealistic.

iperrealìṣmo m. (*arte*) hyperrealism; superrealism; photorealism.

iperrealìsta m. e f. (*arte*) hyperrealist.

iperrealìstico a. hyperrealistic; hyperrealist.

iperreattività f. (*med.*) hyperreactivity.

iperreazióne f. (*econ.*) overshooting.

iperrecettività f. (*med.*) hyperreceptivity.

ipersecrezióne f. (*fiṣiol.*) hypersecretion.

ipersenṣìbile a. hypersensitive.

ipersenṣibilità f. hypersensitivity; hypersensitiveness.

ipersònico a. (*aeron.*) hypersonic.

ipersostentatóre m. (*aeron.*) (wing) flap lift.

iperspàzio m. (*mat.*) hyperspace.

iperstàtico a. (*mecc.*) hyperstatic.

ipersuòno m. (*fiṣ.*) supersound.

ipersurrenalìṣmo m. (*med.*) hyperadrenalism.

ipertensióne f. (*med.*) hypertension; high blood pressure.

ipertensìvo A a. hypertensive B m. (*farm.*) hypertensive drug.

ipertermàle a. hyperthermal.

ipertermìa f. (*med.*) hyperthermia.

ipertéṣo a. e m. (*med.*) hypertensive.

ipertèsto m. hypertext.

ipertestuàle a. hypertextual.

ipertiroidèo a. e m. (*med.*) hyperthyroid.

ipertiroidìṣmo m. (*med.*) hyperthyroidism.

ipertonìa f. (*med.*) hypertonia; hypertonicity.

ipertònico a. hypertonic.

ipertòssico a. (*med.*) hypertoxic.

ipertricòṣi f. (*med.*) hypertrichosis.

ipertrofìa f. (*med., biol.*) hypertrophy.

ipertròfico a. 1 (*med., biol.*) hypertrophic 2 (*fig.*) hypertrophied; overgrown.

ipertrofiżżàrsi v. i. pron. (*biol.*) to hypertrophy.

iperurbanéṣimo, iperurbanìṣmo m. (*ling.*) hyperurbanism.

iperuricemìa f. (*med.*) hyperuricaemia.

iperventilazióne f. hyperventilation.

ipervitamìnico a. vitamin-rich.

ipervitaminòṣi f. (*med.*) hypervitaminosis*.

ipervolemìa f. (*med.*) hypervolaemia.

ipnagògico a. (*psic.*) hypnagogic.

ipnoanàliṣi f. (*med.*) hypnoanalysis.

ipnògeno a. hypnogenetic; hypnogenous; hypnogenic.

ipnologìa f. hypnology.

ipnòlogo m. (f. *-a*) hypnologist.

ipnopedìa f. hypnopedia.

ipnòṣi f. hypnosis*: **in stato di** (*o* **sotto**) **i.**, under hypnosis.

ipnoterapìa f. (*psic.*) hypnotherapy.

ipnoterapìsta m. e f. hypnotherapist.

ipnòtico A a. hypnotic: **farmaco i.**, hypnotic drug; **ṣguardo i.**, hypnotic stare; **stato i.**, hypnotic state B m. (*farm.*) hypnotic.

ipnotìṣmo m. hypnotism.

ipnotiżżàre v. t. to hypnotize; (*fig., anche*) to mesmerize.

ipnotiżżatóre m. (f. *-trice*) hypnotist.

ipoacuṣìa f. (*med.*) hypoacusia.

ipoalgeṣìa f. hypalgesia; hypalgia.

ipoalimentazióne f. (*med.*) hypoalimentation; malnutrition.

ipoallergènico a. hypo-allergenic.

ipoażòtide f. (*chim.*) nitrogen tetroxide.

ipobàrico a. hypobaric; low-pressure.

ipoblàsto m. (*biol.*) hypoblast.

ipocalòrico a. low-calorie (attr.).

ipocàusto m. (*archeol.*) hypocaust.

ipocèntro m. (*geol.*) focus*.

ipoclorìto m. (*chim.*) hypochlorite.

ipocloróso a. (*chim.*) hypochlorous.

ipocolesterolemìa f. (*med.*) hypocholesteraemia.

ipocondrìa f. (*psic.*) hypochondria; hypochondriasis.

ipocondrìaco a. e m. (f. *-a*) (*psic.*) hypochondriac.

ipocòndrico a. (*anat.*) hypochondriacal; hypochondriac.

ipocòndrio m. (*anat.*) hypochondrium*.

ipocorìstico (*ling.*) A a. hypocoristic B m. hypocorism.

ipocòtile a. (*bot.*) hypocotyl.

ipocriṣìa f. hypocrisy; falseness; (*discorsi ipocriti*) cant.

ipocristallino a. (*geol.*) hypocristalline.

ipòcrita A a. hypocritical; false B m. e f. hypocrite.

ipocromìa f. (*med.*) hypochromia.

ipodattilìa f. (*med.*) hypodactyly.

ipodèrma m. (*anat.*) hypoderm; hypodermis.

ipodèrmico a. hypodermic: (*med.*) **iniezione ipodermica**, hypodermic injection.

ipodermoclìṣi f. (*med.*) hypodermoclysis*.

ipodòrico a. (*mus.*) hypodorian.

ipoesteṣìa f. (*med.*) hypoaesthesia.

ipofiṣàrio a. (*anat.*) hypophysial, hypophyseal.

ipòfiṣi f. (*anat.*) hypophysis*.

ipofosfatemìa f. (*med.*) hypophosphataemia.

ipofosfàto m. (*chim.*) hypophosphate.

ipofosfìto m. (*chim.*) hypophosphite.

ipofrìgio a. (*mus.*) hypophrygian.

ipogàstrico a. (*anat.*) hypogastric.

ipogàstrio m. (*anat.*) hypogastrium*.

ipogèo A a. (*biol.*) hypogeous; hypogean B m. (*archeol.*) hypogeum*.

ipogeuṣìa f. (*med.*) hypogeusia.

ipògino a. (*bot.*) hypoginous.

ipoglicemìa f. (*med.*) hypoglycaemia.

ipoglicèmico a. (*med.*) hypoglycaemic.

ipoglicemiżżànte a. e m. (*farm.*) hypoglycaemic (drug).

ipoglicìdico a. low-sugar (attr.).

ipoglobulìa f. (*med.*) hypoglobulia.

ipoglòsso a. e m. (*anat.*) hypoglossal.

ipoglòttide f. (*anat.*) hypoglottis.

ipokaliemìa f. (*med.*) hypokalemia.

ipolìdio a. (*mus.*) hypolydian.

ipolìmnio m. hypolimnion.

ipolipemìa f. (*med.*) hypolipaemia.

ipolìpidico a. low-fat (attr.).

ipomèa f. (*bot., Ipomoea purga*) jalap root.

ipomenorrèa f. (*med.*) hypomenorrhoea.

ipomètrope A a. myopic; short-sighted B m. e f. myopic person; short-sighted person.

ipometropìa f. (*med.*) hypometropia; short-sightedness.

iponimìa f. (*ling.*) hyponymy.

ipònimo m. (*ling.*) hyponym.

iponutrizióne f. malnutrition; underfeeding.

ipoplaṣìa f. (*med.*) hypoplasia.

ipoplàstico a. (*med.*) hypoplastic.

ipoprotèico a. low-protein (attr.).

iposcòpio m. (*mil.*) hyposcope.

iposòdico a. low-salt (attr.).

iposolfìto m. (*chim.*) hyposulphite.

iposolforóso a. (*chim.*) hyposulphurous.

ipospadìa f. (*med.*) hypospadias.

ipossìa f. (*med.*) hypoxia.

ipossiemìa f. (*med.*) hypoxaemia.

ipòstaṣi f. (*filos., teol., med.*) hypostasis*.

ipostàtico a. (*filos., teol., med.*) hypostatic.

ipostatiżżàre v. t. to hypostasize; to hypostatize (*USA*).

ipostatiżżazióne f. hypostasization; hypostatization (*USA*).

ipostenìa f. (*med.*) hyposthenia.

ipostènico a. (*med.*) hyposthenic.

ipòstilo a. (*archit.*) hypostyle.

iposurrenalìṣmo m. (*med.*) hypoadrenalism.

ipotalàmico a. (*anat.*) hypothalamic.

ipotàlamo m. (*anat.*) hypothalamus*.

ipotàssi f. (*gramm.*) hypotaxis.

ipotàttico a. (*gramm.*) hypotactic.

ipotèca f. 1 (*leg.*) mortgage: **i. di primo** [**secondo**] **grado**, first [second] mortgage; **i. generale**, blanket mortgage; **accendere un'i.**, to raise (*o* to take out) a mortgage; **accendere una seconda i. su qc.**, to remortgage st.; **estinguere un'i.**, to redeem (*o* to pay off) a mortgage; **garantito da i.**, secured by a mortgage; **gravato da i.**, mortgaged; **libero da i.**, free from mortgage; **registro delle ipoteche**, mortgage register 2 (*fig.*) claim; stake: **mettere un'i. su qc.**, to stake a claim to (*o* for) st.

ipotecàbile a. mortgageable.

ipotecàre v. t. 1 to mortgage 2 (*fig.*) to stake a claim on.

ipotecàrio a. (*leg.*) mortgage (attr.): **certificato i.**, mortgage deed; **creditore i.**, mortgagee; **debito i.**, mortgage debt; **debitore i.**, mortgagor; **mutuo** (*o* **prestito**) **i.**, mortgage loan.

ipotènar a. (*anat.*) hypothenar; hypothenal.

ipotensióne f. (*med.*) hypotension; low blood pressure.

ipotensìvo a. e m. (*farm.*) hypotensive (drug).

ipotenùṣa f. (*mat.*) hypotenuse.

ipotermàle a. hypothermal.

ipotermìa f. (*med.*) hypothermia.

♦**ipòteṣi** f. 1 (*teoria*) hypothesis*: **i. di lavoro**, working hypothesis; **i. infondata**, groundless hypothesis; **formulare un'i.**, to formulate a hypothesis 2 (*supposizione*) conjecture; supposition; assumption; surmise; guess; (*spiegazione*) explanation: **i. informata** (*o* **plausibile**), educated guess; **i. ragionevole**, reasonable assumption; *L'i. mi sembra poco probabile*, it doesn't seem a likely explanation; *La mia i. è che...*, my guess is that...; **azzardare un'i.**, to hazard a guess; **fare i.**, to speculate; to hypothesize; **per i.**, for the sake of argument; *Ammettiamo per i. che...*, let's assume, for the sake of argument, that.... 3 (*eventualità*) event; case; possibility: *Le i. sono due*, there are two possibilities; **nell'i. di un ritardo**, in the event of a delay; *Nell'i. che io non possa...*, if I cannot...; should I not be able to... (*form.*); **nella migliore delle i.**, at best; **nella peggiore delle i.**, at worst; if the worst comes to the worst.

ipotéṣo a. e m. (f. *-a*) (*med.*) hypotensive.

ipotètico a. hypothetical ● (*gramm.*) **periodo i.**, conditional (*o* if) clause.

ipotipòṣi f. (*retor.*) hypotyposis*.

ipotiroidèo a. e m. (f. *-a*) (*med.*) hypothyroid.

ipotiroidìṣmo m. (*med.*) hypothyroidism.

ipotiżżàbile a. conjecturable; that can be

surmised; that can be assumed.

ipotizzàre v. t. to suppose; to conjecture; to speculate; to assume.

ipotonìa f. (*med.*) hypotonia; hypotonicity.

ipotònico a. (*med.*) hypotonic.

ipotricòşi f. (*med.*) hypotrichosis.

ipotrofìa f. (*med.*, *bot.*) hypotrophy.

ipotròfico a. (*bot.*, *med.*) hypotrophic.

ipovedènte a., m. e f. (person) with limited eyesight; partially-sighted (person).

ipovitaminòşi f. (*med.*) hypovitaminosis.

ipovolemìa f. (*med.*) hypovolaemia.

ipoxantìna f. (*chim.*) hypoxanthine.

ippàrco m. (*stor. greca*) hipparch.

ippàrio m. (*paleont.*) Hipparion.

ippica f. horse-racing ● (*scherz.*) **Datti all'i.!**, God, you're useless!

ippico a. horse (attr.): **concorso i.**, horse show.

ippocàmpo m. **1** (*zool.*, *Hippocampus*) hippocampus*; sea-horse **2** (*anat.*) hippocampus*.

ippocastàno m. (*bot.*, *Aesculus hippocastanum*) horse-chestnut.

Ippòcrate m. (*stor. med.*) Hippocrates.

ippocràtico a. Hippocratic: **giuramento i.**, Hippocratic oath.

ippòdromo m. **1** race-course; racetrack **2** (*archeol.*) hippodrome.

ippòfago **A** a. hippophagous **B** m. e f. hippophagist.

ippòfilo **A** a. horse-loving **B** m. e f. horse-lover.

ippoglòsso m. (*zool.*, *Hippoglossus hippoglossus*) halibut*.

ippogrìfo m. (*mitol.*) hippogriff, hippogryph.

Ippòlita f. Hippolyta.

Ippòlito m. Hippolytus.

ippologìa f. hippology.

♦**ippopòtamo** m. (*zool.*, *Hippopotamus amphibius*) hippopotamus*; hippo (*fam.*).

ippoterapìa f. (*med.*) therapeutic riding; riding therapy.

ippòtrago m. (*zool.*, *Hippotragus equinus*) roan antelope.

ippotrainàto a. (*mil.*) horse-drawn.

ippùrico a. – **acido i.** (*chim.*, *biol.*), hippuric acid.

iprite f. (*chim.*) mustard gas; yperite.

ipsilon m. o f. **1** (*lettera*) (the letter) Y **2** (*alfabeto greco*) upsilon ● (*fatto*) **a i.**, Y-shaped; forked □ **diramarsi a i.**, to fork.

ipsodònte a. (*zool.*) hypsodont.

ipso facto (*lat.*) loc. avv. immediately; straightaway; on the spot.

ipsofillo m. (*bot.*) hypsophyll.

ipsòfilo a. (*biol.*) hypsophilous.

ipsogràfico a. hypsographic.

ipsometrìa f. (*geofisica*) hypsometry.

ipsomètrico a. hypsometric.

ipsòmetro m. hypsometer.

IPZS sigla (**Istituto poligrafico e zecca dello Stato**) National Mint and Stationery Office.

IR sigla (*ferr.*, (**treno**) **interregionale**) inter-regional train.

ira f. **1** anger; rage; wrath (*lett.*): **l'ira di Dio**, the wrath of God; **attirarsi le ire di q.**, to incur sb.'s anger (*o* wrath); **covare la propria ira**, to nurse one's anger; to smoulder inside; **fremere d'ira**, to tremble with anger (*o* rage); **placare l'ira di q.**, to pacify sb.; to calm sb. down; to assuage sb.'s wrath (*o* anger) (*lett.*); **suscitare l'ira di q.**, to arouse sb.'s anger (*form.*); to infuriate sb.; **accecato dall'ira**, blind with rage; beside oneself with anger; **folle d'ira**, mad with rage; **scoppio d'ira**, outburst of anger;

sguardo d'ira, angry (*o* furious) look **2** (*fig.*) fury; rage: **l'ira del vento**, the fury of the wind ● (*fam.*) **essere un'ira di Dio**, to be a menace to mankind □ **È successa l'ira di Dio**, all hell broke loose.

irachèno a. e m. (f. **-a**) Iraqi.

iracòndia f. irascibility; quick temper.

iracóndo a. irascible; quick-tempered.

iraniàno a. e m. (f. **-a**) Iranian.

irànico a. e m. Iranian.

iranìsta m. e f. specialist in Iranian (*o* Persian) studies.

iranìstica f. Iranian (*o* Persian) studies (pl.).

IRAP sigla (**imposta regionale sulle attività produttive**) regional business tax.

irascìbile a. irascible; irritable; quick-tempered; cantankerous; cranky.

irascibilità f. irascibility; quick temper; irritability; cantankerousness.

iràto a. angry; furious; enraged; irate; incensed.

ìrbis m. (*zool.*, *Panthera uncia*) ounce; snow leopard.

ircàno a. (*lett.*) Hyrcanian.

ircocèrvo m. (*fig.*) chimera; wild fancy; monster.

ìre (*poet.*) → **andare**.

irènico a. (*anche relig.*) irenical.

irenìşmo m. (*teol.*) irenics (pl. col verbo al sing.).

irenìsta m. e f. (*teol.*) proponent of irenics.

ìreos m. **1** (*bot.*, *Iris*) iris* **2** (*polvere*) orris (root).

IRI sigla (**Istituto per la ricostruzione industriale**) Institute for Industrial Reconstruction.

Iridàcee f. pl. (*bot.*, *Iridaceae*) Iridaceae.

iridàre v. t. (*lett.*) to colour with the colours of the rainbow.

iridàto a. rainbow-coloured ● (*ciclismo*) **maglia iridata**, striped jersey: **conquistare la maglia iridata**, to become the world cycling champion □ (*ciclismo*) **campione i.**, world cycling champion.

ìride f. **1** (*anat.*) iris* **2** (*bot.*, *Iris*) iris* **3** (*arcobaleno*) rainbow **4** (*cinem.*) iris*.

Ìride f. Iris.

iridèo a. (*anat.*) iridian; iridial.

iridescènte a. iridescent.

iridescènza f. **1** iridescence **2** (*fotogr.*) fringe.

irìdico a. (*chim.*) iridium (attr.).

irìdio m. (*chim.*) iridium.

iridociclìte f. (*med.*) iridocyclitis.

iridologìa f. iridology.

iridòlogo m. (f. **-a**) iridologist.

ìris f. (*bot.*, *Iris*) iris*.

irìte f. (*med.*) iritis.

Irlànda f. **1** (*geogr.*) Ireland: **l'I. del Nord**, Northern Ireland; Ulster; **il Mare d'I.**, the Irish Sea **2** (*polit.*, *anche* **Repubblica d'I.**) (the) Irish Republic; Eire.

irlandése **A** a. Irish **B** m. e f. Irishman* (m.); Irishwoman* (f.): **gli Irlandesi**, the Irish **C** m. (*lingua*) Irish.

irochése **A** a. Iroquoian **B** m. e f. Iroquois*: **gli Irochesi**, the Iroquois **C** m. (*lingua*) Iroquoian.

iròko m. inv. (*bot.*, *Chlorophora excelsa*; *il legno*) iroko.

ironeggiàre → **ironizzare**.

ironìa f. irony; (*sarcasmo*) sarcasm; (*derisione*) mockery: **sottile i.**, subtle irony; **le ironie della vita**, life's ironies; the quirks of life; **per i. della sorte**, ironically; **fare dell'i.**, to speak [to write] ironically; to be ironic; to be sarcastic.

ironicaménte avv. ironically.

irònico a. ironic.

ironìsta m. e f. ironist.

ironizzàre v. i. to be ironic; to speak* ironically.

iróso a. **1** (*facile all'ira*) prone to anger; quick-tempered; irascible **2** (*irato*) angry; furious.

IRPEF abbr. (**imposta sul reddito delle persone fisiche**) personal income tax.

IRPEG abbr. (**imposta sul reddito delle persone giuridiche**) corporate income tax; corporation tax.

irradiaménto m. radiation; irradiation (*solo fis.*).

irradiàre **A** v. t. **1** (*illuminare*) to shine* upon, to irradiate; (*emanare*) to radiate, to emanate, to give* off: *Il sole irradia le vette*, the sun shines upon the peaks; *La gioia le irradiava il viso*, her face radiated joy (*o* was irradiated with joy); **i. calore**, to radiate (*o* to give off) heat **2** (*radio*) to broadcast* **3** (*fis.*, *med.*) to irradiate **B** v. i. **1** to emanate **2** (*fig.*) to shine* **C** **irradiàrsi** v. pron. to radiate: *I viali s'irradiano dalla piazza*, the boulevards radiate from the square; *Il dolore si irradiava lungo la gamba*, the pain radiated down the leg.

irradiazióne f. (*anche fis.*, *med.*) irradiation.

irraggiaménto m. irradiation.

irraggiàre → **irradiare**.

irraggiungìbile a. **1** (*troppo lontano*) out of reach: *L'atleta belga è ormai i.*, the Belgian athlete is out of reach now **2** (*di persona*: *irreperibile*) unavailable **3** (*inaccessibile*) inaccessible; unreachable **4** (*fig.*: *non ottenibile*, *inattuabile*) unattainable; unrealizable: **sogno i.**, unrealizable dream.

irraggiungibilità f. **1** inaccessibility **2** (*fig.*) unattainableness.

irragionévole a. **1** (*irrazionale*) irrational; unreasoning: **impulso i.**, irrational impulse; **paura i.**, irrational fear **2** (*contro ragione*) unreasonable; unconscionable; (*assurdo*) absurd; (*eccessivo*) exorbitant, extravagant: **condotta i.**, unconscionable behaviour; **prezzo i.**, unreasonable (*o* exorbitant) price; **richiesta i.**, unreasonable demand; *Non è i. supporre che...*, it is not unreasonable to suppose that...; *Non essere i.*, don't be unreasonable.

irragionevolézza f. irrationality; unreasonableness; absurdity.

irrancidiménto m. growing rancid.

irrancidìre v. i. to go* rancid.

irrappresentàbile a. **1** (*di spettacolo*) unsuitable for the stage; unperformable **2** (*alla fantasia*, *ecc.*) unimaginable.

irrazionàle **A** a. **1** (*illogico*) unreasonable; irrational; illogical: **comportamento i.**, irrational behaviour **2** (*filos.*, *mat.*) irrational **3** (*non pratico*) impractical; not functional: **un arredamento i.**, impractical furniture **B** m. (the) irrational.

irrazionalìşmo m. (*filos.*) irrationalism.

irrazionalìsta m. e f. (*filos.*) irrationalist.

irrazionalìstico a. (*filos.*) irrationalistic (attr.); irrationalistic.

irrazionalità f. **1** irrationality **2** (*scarsa praticità*) impracticability.

irreàle a. **1** (*non reale*) unreal **2** (*immaginario*) unreal; imaginary; (*fantastico*) dreamlike, dream (attr.); (*misterioso*) unearthly, eerie: **mondo i.**, unreal world; **luce i.**, eerie light; **paesaggio i.**, dreamscape; **personaggi irreali**, imaginary characters.

irrealìstico a. unrealistic; impracticable.

irrealizzàbile a. unattainable; unrealizable; impracticable; impossible: **obiettivo i.**, unattainable goal; **progetto i.**, impracticable scheme; **sogno i.**, impossible dream.

irrealizzabilità f. unattainableness; impracticability.

irrealizzàto a. unrealized; unaccomplished.

irrealtà f. unreality.

irreconciliàbile a. irreconcilable.

irreconciliabilità f. irreconcilability.

irrecuperàbile a. **1** irrecoverable; irretrievable: **credito i.**, irrecoverable debt; bad debt; **perdita i.**, irretrievable loss **2** (*estens.*: *senza più speranza*) hopeless; (*non più salvabile*) past redemption; (*di oggetto rovinato*) beyond repair, useless **3** (*di ritardo*) that cannot be made up.

irrecuperabilità f. irretrievability.

irrecusàbile a. irrecusable; irrefutable.

irredentismo m. (*polit.*) irredentism.

irredentista m. e f. (*polit.*) irredentist.

irredentìstico a. irredentist (attr.).

irredènto a. unredeemed.

irredimìbile a. (*anche fin.*) irredeemable; unredeemable.

irredimibilità f. (*anche fin.*) irredeemability.

irreducìbile → **irriducìbile**.

irrefragàbile a. irrefragable; indisputable; incontrovertible.

irrefragabilità f. indisputability; irrefutability.

irrefrenàbile a. uncontrollable; unarrestable; irrepressible; (*irresistibile*) irresistible: **impulso i.**, uncontrollable impulse; **pianto i.**, uncontrollable crying; **risata i.**, irrepressible laughter.

irrefrenabilità f. uncontrollableness; irresistibleness.

irrefutàbile a. irrefutable; indisputable; incontrovertible.

irrefutabilità f. irrefutability; indisputability.

irreggimentàre v. t. (*mil.* e *fig.*) to regiment.

irreggimentazióne f. regimentation.

irregolàre Ⓐ a. **1** (*non conforme alle regole*) irregular; against the rules: (*sport*) **azione** (*o* **intervento**) **i.**, foul; **procedura i.**, irregular procedure; **milizie irregolari**, irregular troops; irregulars; (*gramm.*) **verbo i.**, irregular verb **2** (*di forma inconsueta, asimmetrico*) irregular; (*non uniforme*) uneven; (*ruvido*) rough: **dentatura i.**, irregular teeth; (*geom.*) **poligono i.**, irregular polygon; **terreno i.**, uneven ground; **tratti irregolari**, irregular features **3** (*non costante*) uneven; erratic; fitful: **frequenza i. alle lezioni**, erratic class attendance; (*med.*) **polso i.**, irregular (*o* erratic) pulse; **respiro i.**, uneven breathing; **sonno i.**, fitful sleep **4** (*disordinato*) irregular; haphazard; casual; (*sregolato*) disorderly: **pasti irregolari**, irregular (*o* casual) meals; **vita i.**, disorderly life Ⓑ m. (*mil.*) irregular.

irregolarità f. **1** (*non conformità alle regole*) irregularity; breach of the rules: **i. nei conti**, irregularities in the books; **commettere delle i.**, to commit irregularities; to breach the rules **2** (*asimmetria*) irregularity; (*non uniformità*) unevenness; (*asperità*) roughness **3** (*saltuarietà*) fitfulness; erratic character; (*instabilità*) instability **4** (*sregolatezza*) disorderliness **5** (*sport*) foul.

irrelàto a. unrelated; unconnected.

irreligióne f. irreligion.

irreligiosità f. irreligiousness; irreligiosity.

irreligióso a. irreligious.

irremissìbile a. irremissible; unpardonable.

irremissibilità f. irremissibility (*lett.*).

irremovìbile a. inflexible; unshakable;

unyielding; (*tenace*) adamant, steadfast: **i. nelle proprie idee**, unshakable in one's ideas; *Cercai di convincerlo ma si dimostrò i.*, I tried to convince him, but he was adamant.

irremovibilità f. inflexibility; unshakableness; steadfastness.

irreparàbile a. **1** irreparable; irrecoverable: **danno i.**, irreparable damage; **perdita i.**, irrecoverable loss **2** (*ineviabile*) inevitable; unavoidable.

irreparabilità f. irreparability; irrecoverability.

irreperìbile a. untraceable; nowhere to be found; unavailable: *L'uomo è per il momento i.*, the man is untraceable (*o* nowhere to be found) for the time being; **un prodotto i. sul mercato**, a product unavailable on the market; (*leg.*) **testimone i.**, unavailable witness; **rendersi i.**, to disappear; (*leg.*) to abscond (from justice); (*scherz.*) to make oneself scarce.

irreperibilità f. untraceableness; unavailability; (*scomparsa*) disappearance.

irreprensìbile a. irreproachable; blameless; above reproach (pred.); (*impeccabile*) impeccable; faultless: **abbigliamento i.**, impeccable dress-style; **condotta [vita privata] i.**, irreproachable conduct [private life].

irreprensibilità f. irreproachability; blamelessness.

irreprimìbile a. irrepressible; uncontrollable.

irrequietézza f. restlessness; uneasiness; fidgeting.

irrequièto a. restless; uneasy; fidgety: **un bambino i.**, a restless child; **sonno i.**, uneasy sleep; *Il suo camminare i. in su e in giù mi dava ai nervi*, his restless walking up and down was getting on my nerves; *I bambini cominciano a essere irrequieti*, the children are starting to fidget.

irrequietùdine f. restlessness; uneasiness.

irresistìbile a. irresistible.

irresistibilità f. irresistibility.

irresolùbile a. **1** (*indissolubile*) indissoluble **2** (*irrisolvibile*) insoluble.

irresolubilità f. **1** indissolubility **2** insolubility.

irresolutézza f. irresoluteness; irresolution; indecision; vacillation.

irresolùto a. **1** (*indeciso*) irresolute, undecided, in two minds (pred.); (*tentennante*) vacillating, dithering: **essere i.**, to be irresolute; to vacillate **2** (*lett.*: *non risolto*) unsolved.

irresoluzióne f. irresolution; indecision; vacillation.

irrespiràbile a. **1** unbreathable; (*che sa di chiuso*) stuffy; (*afoso*) sultry, close, muggy **2** (*fig.*) oppressive; stifling.

irresponsàbile Ⓐ a. **1** (*non responsabile*) not responsible **2** (*incosciente*) irresponsible; feckless Ⓑ m. e f. **1** irresponsible person **2** (*leg.*) immune from prosecution.

irresponsabilità f. irresponsibility; fecklessness.

irrestringìbile a. unshrinkable; non--shrink; shrink-resistant.

irrestringibilità f. unshrinkability.

irretìre v. t. (*fig.*) **1** (*sedurre*) to ensnare; to inveigle **2** (*ingannare*) to trap; to snare; to take* in.

irretroattività f. (*leg.*) non-retroactivity.

irretroattìvo a. (*leg.*) non-retroactive.

irreverènte e *deriv.* → **irriverente**, e *deriv.*

irreversìbile a. **1** irreversible: **danni irreversibili**, irreversible damage **2** (*di pensione*) non-transferable.

irreversibilità f. **1** irreversibility **2** (*di pensione*) non-transferability.

irrevocàbile a. irrevocable: **decisione i.**, irrevocable (*o* final) decision; **sentenza i.**, irrevocable judgment.

irrevocabilità f. irrevocability.

irrevocàto a. unrevoked; still in force (pred.).

irricevìbile a. (*leg.*) inadmissible.

irricevibilità f. (*leg.*) inadmissibility.

irriconciliàbile e *deriv.* → **irriconciliabile**, e *deriv.*

irriconoscìbile a. unrecognizable; (*non identificabile*) unidentifiable; (*mutato*) changed beyond (*o* out of all) recognition (pred.): **cadavere i.**, unidentifiable body; *Era i. sotto tutto quel trucco*, she was unrecognizable under that heavy make-up; *Vederlo fu uno shock: era i.*, the sight of him gave me a shock, as he had changed beyond recognition; *La magrezza lo rendeva i.*, his thinness made him unrecognizable.

irriconoscibilità f. unrecognizableness.

irrìdere v. t. to deride; to mock.; to jeer at.

irriducìbile Ⓐ a. **1** (*anche mat.*, *med.*) irreducible **2** (*fermo, incrollabile*) unshakable; unyielding; inflexible; implacable: **volontà i.**, unshakeable determination **3** (*inveterato*) confirmed; hardened; inveterate; (*polit.*) diehard (attr.): **bevitore i.**, inveterate drinker Ⓑ m. e f. **1** diehard **2** (*terrorista*) diehard terrorist.

irriducibilità f. **1** (*anche mat.*, *med.*) irreducibility **2** (*fermezza*) unshakableness; inflexibility; implacability.

irriferìbile a. unrepeatable.

irriflessióne f. thoughtlessness; heedlessness; recklessness.

irriflessività f. thoughtlessness; unreflectingness; unheedingness.

irriflessìvo a. unthinking; unreflecting; unheeding; heedless; reckless.

irrigàre v. t. **1** to irrigate; to water **2** (*di fiume, ecc.*) to flow through; to irrigate **3** (*fig. lett.*: *bagnare*) to soak; to drench **4** (*med.*) to irrigate; to douche.

irrigatóre Ⓐ a. irrigation (attr.) Ⓑ m. **1** irrigator; (*a pioggia*) sprinkler **2** (*med.*) irrigator; douche.

irrigatòrio a. irrigation (attr.): **i. a pioggia**, sprinkling; **i. per allagamento**, flooding; **canale i.**, irrigation canal.

♦**irrigazióne** f. **1** irrigation; watering: **i. a pioggia**, sprinkling; **i. per allagamento**, flooding; **canale d'i.**, irrigation canal **2** (*med.*) irrigation; douche.

irrigidiménto m. **1** stiffening; (*di cadavere*) rigor mortis (*lat.*) **2** (*fig.*: *inasprimento*) tightening; hardening: **l'i. delle misure di sicurezza**, the tightening of safety measures; **un i. delle posizioni delle due parti**, a hardening of the respective positions of the two sides **3** (*fig.*: *ostinazione*) obstinacy.

irrigidìre Ⓐ v. t. **1** to stiffen; (*contrarre*) to tighten, to tense **2** (*fig.*) to tighten (up); (*indurire*) to harden Ⓑ **irrigidìrsi** v. i. pron. **1** (*diventare rigido*) to become* stiff; to stiffen; (*contrarsi, tendersi*) to tighten, to tense **2** (*immobilizzarsi*) to stand* stiff; to freeze: **irrigidirsi sull'attenti**, to freeze to attention; *A quella vista s'irrigidì*, she froze at that sight **3** (*fig.*: *diventare inflessibile*) to become* inflexible; to harden; to refuse to budge; to dig* one's feet in (*fam.*): **irrigidirsi sulle proprie posizioni**, to refuse to budge from one's position **4** (*del tempo*) to become* (*o* to turn) colder.

irriguardóso a. disrespectful.

irrìguo a. **1** (*irrigato*) well-watered; well--irrigated **2** (*che irriga*) irrigation (attr.).

irrilevànte a. **1** (*trascurabile*) insignifi-

cant; unimportant; immaterial; inconsequential; negligible; trifling: **danni irrilevanti**, insignificant damage; **differenza i.**, immaterial difference; **somma i.**, trifling amount **2** (*non pertinente*) irrelevant.

irrilevànza f. **1** (*scarsa importanza*) insignificance; negligibility **2** (*non pertinenza*) irrelevance.

irrimandàbile a. undelayable; that cannot be postponed.

irrimediàbile a. irreparable; irretrievable; irremediable (*form.*).

irrimediabilità f. irreparability.

irrintracciàbile a. untraceable; unavailable.

irrinunciàbile a. **1** that cannot be renounced; unmissable, not-to-be-missed (*fam.*) **2** (*leg.*) inalienable; irremissible.

irrinunciabilità f. **1** irremissibility **2** (*leg.*) inalienability.

irripetìbile a. **1** (*da non ripetersi*) unrepeatable: **parole irripetibili**, unrepeatable words **2** (*unico*) unique; one-off (attr.): **occasione i.**, unique opportunity; one-off chance; (the) chance of a lifetime.

irripetibilità f. **1** unrepeatability **2** (*unicità*) uniqueness.

irriproducìbile a. irreproducible; unreproducible.

irriproducibilità f. irreproducibility; impossibility to duplicate.

irrisióne f. derision; mockery; jeering.

irrìṣo a. (*lett.*) derided; mocked.

irrisòlto a. unsolved; unresolved; (*non deciso*) unsettled, open: **controversia irrisolta**, unsettled dispute; **problema i.**, unsolved problem; **questione irrisolta**, unresolved issue.

irrisolvìbile a. unsolvable; insoluble.

irrisolvibilità f. unsolvability; insolubility.

irrisóre m. mocker.

irrisòrio a. (*insignificante*) derisory; ridiculously low; risible; ludicrous; trifling; paltry: **prezzo i.**, ridiculously low price; **somma irrisoria**, ridiculous (o risible, paltry) amount.

irrispettóso a. disrespectful.

irritàbile a. **1** irritable; testy; crabby; crotchety; peevish; peckish (*USA*); (*suscettibile*) touchy **2** (*med.*) irritable; sensitive.

irritabilità f. **1** irritability; testiness; peevishness **2** (*med.*) irritability; sensitiveness.

irritànte a. **1** irritating; irking; annoying; provoking; pesky (*fam. USA*) **2** (*med.*) irritating; irritant: **sostanza i.**, irritant.

◆**irritàre** A v. t. to irritate; to annoy; to irk; to vex; to provoke; to bug (*fam.*); to rile (*fam.*) **2** (*med.*) to irritate; to chafe: *Il colletto alto mi irritava*, the high collar chafed my neck B **irritàrsi** v. i. pron. **1** to become* irritated; to get* annoyed; to get* angry; to get* riled (*fam.*) **2** (*med.*) to become* irritated.

irritativo a. (*med.*) irritative.

irritàto a. **1** irritated; annoyed; vexed; peeved (*fam.*); riled up (*fam.*) **2** (*med.*) irritated; inflamed; sore: **avere la gola irritata**, to have a sore throat.

irritazióne f. **1** irritation; annoyance; vexation **2** (*biol., med.*) irritation: **i. agli occhi**, eye irritation; **i. cutanea**, skin irritation.

ìrrito a. (*leg.*) void; null and void.

irrituàle a. (*leg.*) irregular; (*amichevole*) amicable: **arbitrato i.**, amicable composition.

irritualità f. (*leg.*) irregularity.

irriverènte a. irreverent; disrespectful.

irriverènza f. irreverence ⓤ; disrespect ⓤ: *È stata un'i. imperdonabile*, it was an unpardonable act of irreverence.

irrobustìre A v. t. to strengthen B **irrobustìrsi** v. i. pron. to grow* stronger.

irrogàre v. t. (*leg.*) to inflict; to impose.

irrogazióne f. (*leg.*) infliction.

irrompènte a. (*lett.*) impetuous; bursting (forth).

irrómpere v. i. to storm (into); to burst* (into); to break* (into); (*riversarsi*) to pour (into): *La folla irruppe nel castello*, the mob stormed into the castle; *I bambini irruppero nella stanza*, the children burst into the room; *Irruppe nel mio ufficio*, he stormed (o stomped) into my office; *Gli invasori irruppero nella valle*, the invaders poured into the valley.

irroràre v. t. **1** (*bagnare*) to wet; (*spruzzare*) to sprinkle, to spray **2** (*agric.*) to spray **3** (*del sangue*) to permeate ● **irrorato di lacrime**, wet with tears.

irroratóre m. (f. **-trice**) (*agric.*) sprayer.

irrorazióne f. **1** sprinkling; spraying **2** (*agric., con liquido*) spraying; (*con polvere*) dusting **3** (*fisiol.*) – **i. sanguigna**, vascularization.

irrotazionàle a. (*fis.*) irrotational.

IRRSAE sigla (**Istituto regionale per la ricerca, la sperimentazione e l'aggiornamento educativo**) Regional Institute for Educational Research, Experimentation, and Training.

irruènte a. vehement; impetuous; hot-headed; (*impulsivo*) impulsive, rash.

irruènza f. vehemence; impetuousness; (*impulsività*) impetuousness, rashness.

irrumàre v. t. (*leg., med.*) to practise fellatio.

irrumazióne f. (*leg., med.*) fellatio.

irruvidiménto m. roughening.

irruvidìre v. t. e i., **irruvidìrsi** v. i. pron. to roughen.

irruzióne f. **1** irruption; (*della polizia*) raid: **fare i. in un luogo**, to burst into a place; to irrupt into a place; (*della polizia*) to raid a place **2** (*mil.*) incursion; raid.

irsutìṣmo m. (*med.*) hirsutism.

irṣùto a. **1** (*di barba*) bristling, shaggy; (*di capelli, pelo*) shaggy, woolly **2** (*peloso*) hairy; (*scient. o scherz.*) hirsute; shaggy: **petto i.**, hairy chest.

ìrto a. **1** (*ispido*) bristly; shaggy; spiked **2** (*pieno di sporgenze acuminate*) bristling (with): **i. di chiodi [di scogli]**, bristling with nails [with jagged rocks] **3** (*fig.*) bristling (with): **i. di difficoltà**, bristling with difficulties.

IS abbr. (**Isernia**).

iṣabèlla ① a. e m. (*colore*) Isabel; Isabella.

iṣabèlla ② f. (*bot., Vitis labrusca*) Isabella; fox grape.

Iṣabèlla f. Isabel; Isobel; Isabella.

iṣabellìno a. Isabelline.

Iṣàcco m. Isaac.

ISAE sigla (**Istituto di studi ed analisi economica**) Institute of Economic Studies and Analysis.

iṣagòge f. (*lett.*) isagoge.

iṣagògico a. (*lett.*) isagogic.

Iṣaìa m. Isaiah.

iṣallòbara f. (*geogr.*) isallobar.

iṣallotèrma f. (*geogr.*) isallotherm.

iṣatìna f. isatin.

iṣba f. isba, izba.

iṣcariòta m. **1** Iscariot **2** (*estens.: traditore*) Judas.

ischeletrìre A v. t. to reduce to a skeleton B v. i. e **ischeletrìrsi** v. i. pron. to be reduced to a skeleton.

ischemìa f. (*med.*) ischemia.

ischèmico a. (*med.*) ischemic.

ischemiẓẓàre v. t. (*med.*) to induce ischemia to.

ischialgìa f. (*med.*) sciatica; ischialgia.

ischiàtico a. (*anat.*) ischial.

ìschio m. (*anat.*) ischium*.

ISCO abbr. (*stor.*, **Istituto nazionale per lo studio della congiuntura**) (*ora* **ISAE**) National Institute for the Study of Economic Trends.

iscrìtto ① A a. **1** (*a una scuola, un corso*) enrolled: **i. alla terza elementare**, enrolled in the third year of elementary school **2** (*a una gara*) entered **3** (*a un'associazione, ecc.*) enrolled (as a member); (*registrato*) registered, entered: **i. alla mutua**, registered with the National Health Service; **essere i. a un partito [a un sindacato]**, to be a member of (o to belong to) a party [a union] **4** (*geom.*) inscribed B m. (f. **-a**) **1** (*a una scuola*) pupil; (*all'università*) student; (*a un corso*) person enrolled; (al pl.: *numero degli iscritti*) enrolments: **gli iscritti al secondo anno**, second year pupils [students]; enrolments in second year **2** (*a una gara, a un concorso*) competitor; entrant **3** (*a un partito, un sindacato, un club*) member: **gli iscritti al partito repubblicano**, Republican party members; **gli iscritti al sindacato**, trade union members; **numero degli iscritti**, membership.

iscrìtto ② p. p. – **per i.**, in writing; in black and white (*fam.*); **mettere qc. per i.**, to put st. (down) in writing.

◆**iscrìvere** A v. t. **1** (*a un'associazione, una gara, una scuola, ecc.*) to enter (sb., sb.'s name); to enrol, to enroll (*USA*); to put* (sb.'s) name down: **i. q. a un club**, to enrol sb. as a member of a club; **i. q. a un corso**, to enrol sb. in a course; **i. q. a un concorso [a un esame]**, to enter sb. for a competition [for an exam]; **i. q. al liceo**, to enrol sb. at a Liceo **2** (*registrare*) to enter; to register; to record; to set* down: (*leg.*) **i. una causa a ruolo**, to enter a case for trial; (*leg.*) **i. un'ipoteca**, to register a mortgage; **i. un nome in un elenco**, to enter a name on a list **3** (*incidere*) to inscribe; to engrave: **i. un nome su una lapide**, to inscribe a name on a tombstone **4** (*geom.*) to inscribe B **iscrìversi** v. rifl. to enrol (on, for) (*GB*); to enroll (in, for) (*USA*); to enter (st.); to put* one's name (o oneself) down (for); (*a un'organizzazione*) to join (st.): **iscriversi a un'associazione**, to join an organization; **iscriversi a una biblioteca**, to join a library; **iscriversi a un club**, to join (o to become a member of a) club; **iscriversi a un corso**, to enrol in (o to sign up for) a course; **iscriversi alla facoltà di lettere**, to enrol in Arts; **iscriversi a una gara di corsa**, to enter a race; to enter for a race; **iscriversi a una gita**, to put one's name down for a trip; **iscriversi a un partito**, to join a party; **iscriversi a una scuola**, to enrol in a school; **iscriversi all'università**, to enter University; to matriculate; **iscriversi all'Università di Torino**, to enrol at the University of Turin ❶ **FALSI AMICI** • iscrivere o iscriversi *a una scuola, a un partito, ecc., non si traduce con* to inscribe.

iscrizióne f. **1** (*a una scuola, un corso, ecc.*) enrolment, enrollment (*USA*), admission; (*all'università*) enrolment, matriculation; (*a una gara*) entry; (*a un partito, un club, ecc.*) membership, acceptance: **i. a un corso**, enrolment on (*USA* in) a course; **i. all'università**, enrolment at the university; matriculation **2** (al pl.) (*numero degli iscritti: a una scuola, un corso, ecc.*) enrolments, entry (sing.); (*a un partito, un club, ecc.*) membership (sing.); (*a una gara*) entry (sing.) **3** (*registrazione, anche leg.*) registration; entry: **i. anagrafica**, registration (o entry) of a birth [of a death];

i. di una causa a ruolo, entry of a case for trial; **i. ipotecaria**, registration of a mortgage **4** (*epigrafe*) inscription: **un'i. latina**, a Latin inscription ● **all'atto dell'i.**, upon enrolling; upon joining □ **certificato d'i.**, certificate of enrolment (*o* of registration) □ **domanda d'i.**, application □ **fare domanda d'i.**, (*a un corso, ecc.*) to apply for admission; (*a un partito, un club, ecc.*) to apply for membership; (*a una gara, ecc.*) to apply to enter (*o* for entry); (*generico, bur.*) to submit an application □ **fare l'i.** → **iscrivere, iscriversi** □ **modulo d'i.**, application form □ **tassa d'i.**, (*a un corso, ecc.*) enrolment fee; (*all'università*) matriculation fee; (*a una gara, ecc.*) entrance fee; (*a un partito, un club, ecc.*) membership fee, entrance fee ❶ **FALSI AMICI ▪** *iscrizione a una scuola, a un partito, ecc., non si traduce con* inscription.

iscùria f. (*med.*) ischuria; retention of urine.

ISEF sigla (**istituto superiore di educazione fisica**) physical education college.

isìaco a. (*mitol.*) of Isis; Isiac, Isiacal.

Ìside f. (*mitol.*) Isis.

Isidòro m. Isidore.

Islàm → **islamismo**.

islàmico Ⓐ a. Islamic Ⓑ m. Muslim; Moslem.

islamìsmo m. (*stor., relig.*) Islam; Islamism.

islamìsta m. e f. Islamicist.

islamìstica f. Islamic studies (pl.).

islamizzàre v. t. to Islamize.

islamizzazióne f. Islamization.

islamofobìa f. Islamophobia.

Islànda f. (*geogr.*) Iceland.

islandése Ⓐ a. Icelandic Ⓑ m. e f. Icelander.

Ismaèle m. Ishmael.

ismaeliàno, ismaelita a., m. e f. Ishmaelite.

ismailìsmo m. (*relig.*) Ishmailism.

ismailìta m. e f. (*relig.*) Ishmaili.

IsMEO abbr. (*stor.*, **Istituto italiano per il Medio ed Estremo Oriente**) (*ora* **IsIAO**) Italian Institute for the Middle and Far East.

ìsmo m. (*iron. o spreg.*) ism.

isoalìna f. (*geogr.*) isohaline.

isoamìle m. (*chim.*) isoamyl.

isòbara f. (*geogr.*) isobar.

isobàrico a. (*geogr.*) isobaric: **carta isobarica**, isobaric chart; **linea isobarica**, isobar.

isòbaro a. **1** isobaric **2** (*fis.*) – **elementi isobari**, isobars.

isòbata f. (*meteor.*) isobath.

isobutàno m. (*chim.*) isobutane.

isobutène m. (*chim.*) isobutylene.

isochimèna f. (*meteor.*) isocheim.

isocianàto m. (*chim.*) isocyanide.

isociànico a. (*chim.*) isocyanic.

isoclìna f. (*geogr.*) isocline.

isoclinàle a. (*geol.*) isoclinal: **piega i.**, isoclinal fold.

isocòra f. (*meteor.*) isochore.

isocrìma f. (*meteor.*) isocryme.

isocromàtico a. (*fis.*) isochromatic.

isocròna f. (*fis.*) isochrone.

isocrònico a. isochrone (attr.).

isocronìsmo m. (*fis.*) isochronism.

isòcrono a. (*fis.*) isochronous; isochronal.

isodinàmica f. (*fis.*) isodynamic line.

isodinàmico a. (*fis.*) isodynamic.

isoelèttrico a. (*fis.*) isoelectric.

isoenzima m. (*chim.*) isoenzyme.

isoflavóne m. (*biochim.*) isoflavone.

---

isòfono a. (*ling.*) homophonic.

isogamète m. (*biol.*) isogamete.

isogamìa f. (*biol.*) isogamy.

isoglòssa f. (*ling.*) isogloss.

isògona f. isogonic line; isogone.

isogonàle a. (*mat., geogr.*) isogonic.

isogonìa f. (*biol.*) isogony.

isogònico, isògono a. (*geogr., mat.*) isogonic.

isoièta f. (*meteor.*) isohyet.

isoìpsa f. (*geogr.*) contour line.

◆isòla f. **1** (*geogr.*) island; (*lett. e in alcuni nomi, anche*) isle: **i. corallina**, coral island; **l'i. d'Elba**, Elba; **l'i. di Man**, the Isle of Man; **l'i. di Pasqua**, Easter Island; **le Isole Britanniche**, the British Isles; **le Isole Ebridi**, the Hebrides; **le Isole Normanne**, the Channel Islands; **le Isole Shetland**, the Shetlands; **le Isole Vergini**, the Virgin Islands **2** (*isolato*) block **3** (*fig.*) island; (*luogo sereno*) oasis: **i. linguistica**, linguistic island; **un'i. di pace**, an oasis of peace ● (*anat.*) **isole del Langerhans**, islets (*o* islands) of Langerhans □ **i. pedonale**, pedestrian precinct □ **i. rotazionale**, roundabout (*GB*); traffic circle (*USA*) □ **i. spartitraffico**, traffic island.

isolàbile a. isolable.

isolaménto m. **1** isolation; seclusion; insulation; (*solitudine*) loneliness; (*segregazione*) segregation, confinement; (*in carcere*) solitary confinement, solitary (*fam.*): **i. culturale**, cultural isolation; **i. dal mondo**, insulation from the world; **l'i. di molti anziani**, the isolation of many elderly people; (*stor.*) **splendido i.**, splendid isolation; **chiudersi nell'i.**, to isolate oneself; **vivere in i.**, to live in isolation; **cella d'i.**, isolation cell **2** (*med.*) isolation: **reparto di i.**, isolation ward; **mettere in i.**, to isolate **3** (*mecc., elettr.*) insulation: **i. acustico**, soundproofing; (*edil.*) deadening; **i. dall'umidità**, damp-proofing; **i. termico**, heat insulation; heatproofing.

isolàno Ⓐ a. island (attr.); insular Ⓑ m. (f. **-a**) islander.

isolànte (*fis.*) Ⓐ a. **1** (*mecc., elettr.*) insulating; insulation (attr.); (*elettr., anche*) non-conducting; (*acustica*) soundproof: **materiale i.**, insulating material; (*elettr.*) non-conductor; **nastro i.**, insulating tape; friction tape; **pannello i.**, insulating board **2** (*ling.*) isolating Ⓑ m. insulator; (*elettr., anche*) non-conductor.

◆isolàre Ⓐ v. t. **1** to isolate; to cut* off; to separate; (*chiudere all'accesso*) to block access to, to close off, to cordon off; (*segregare*) to segregate; (*lasciar fuori da un gruppo*) to shut* out; (*limitare*) to confine: **i. un ammalato**, to isolate a patient; **i. una frase dal contesto**, to isolate a sentence from its context; to take a sentence out of context; **i. un incendio**, to confine a fire; *La piena isolò il paese*, the flood isolated (*o* cut off) the village; *Gli amici l'hanno isolato*, his friends have shut him out **2** (*med.*) to isolate **3** (*tecn.*) to insulate; (*elettr.: scollegare*) to disconnect, to unplug; (*acustica*) to soundproof: **i. dal freddo**, to insulate against the cold **4** (*biol., elettr.*) to isolate: **i. un virus**, to isolate a virus Ⓑ **isolàrsi** v. rifl. to isolate oneself; to cut* oneself off; to keep* oneself to oneself (*fam.*).

isolataménte avv. in isolation (from); separately; individually.

◆isolàto ① Ⓐ a. **1** (*appartato*) isolated, secluded; (*separato*) isolated; (*o secluded*) life; **i. dall'alluvione**, cut off by the flood; **i. dal mondo**, isolated from the world; cut off from the world; **i. da una nevicata**, snowed up **2** (*lontano*) remote; isolated; (*fuori mano*) out of the way (pred.); out-of-the-way (attr.); (*solitario*) lonely: **luogo i.**,

---

remote place; **fattorie isolate**, isolated farms **3** (*unico*) isolated; sporadic: **casi isolati**, isolated (*o* sporadic) example; **fenomeno i.**, isolated phenomenon **4** (*tecn.*) insulated; (*elettr.: scollegato*) disconnected, unplugged; (*acustica*) soundproof: **conduttore i.**, insulated conductor (*o* wire); **i. dal freddo**, insulated against the cold **5** (*telef.*) dead **6** (*mat.*) isolated Ⓑ m. (f. **-a**) **1** (*chi vive in solitudine*) hermit; recluse **2** (*chi non è accettato da un gruppo*) outsider **3** (*ciclismo*) independent racer.

◆isolàto ② m. (*blocco di case*) block.

isolatóre Ⓐ m. (*elettr.*) insulator: **i. passante**, lead-in insulator; **i. portante**, stand-off insulator Ⓑ a. insulating; insulation (attr.).

isolazionìsmo m. (*polit.*) isolationism.

isolazionìsta a., m. e f. (*polit.*) isolationist.

isolazionìstico a. (*polit.*) isolationist (attr.).

isolétta f. islet.

isoleucìna f. (*chim.*) isoleucin.

isolòtto m. islet.

isomeràsi f. (*chim.*) isomerase.

isomerìa f. (*chim.*) isomerism.

isomèrico a. (*chim.*) isomeric.

isomerizzazióne f. (*chim.*) isomerization.

isòmero (*chim.*) Ⓐ a. isomeric Ⓑ m. isomer.

isometrìa f. (*mat.*) isometry.

isomètrica f. (*geogr.*) isometric (line).

isomètrico a. isometric.

isomorfìsmo m. (*miner., mat.*) isomorphism.

isomòrfo a. (*miner., mat.*) isomorphous; isomorphic.

isoniazìde f. (*chim.*) isoniazid.

isonomìa f. (*stor.*) isonomy.

isoottàno m. (*chim.*) isooctane.

isòpode m. (*zool.*) isopod; (al pl., *scient.*) Isopoda.

isoprène m. (*chim.*) isoprene.

isopropile m. (*chim.*) isopropyl.

isoquànto m. (*econ.*) isoquant (curve).

isòscele a. (*geom.*) isosceles.

isosillàbico a. isosyllabic.

isosìsmica f. (*geol.*) isoseismal.

isòstasi, isostasìa f. (*geol.*) isostasy.

isostàtico a. (*fis.*) isostatic.

isotàttico a. (*chim.*) isotactic.

isòtera f. (*meteor.*) isothere.

isotèrma f. (*meteor., fis.*) isotherm.

isotèrmica a. (*fis.*) isothermal.

isotèrmico a. (*fis.*) isothermal: **linea isoterma**, isothermal line; isotherm.

isotipìa f. (*chim., miner.*) isotypism.

isòtipo m. (*chim.*) isotype.

isotonìa f. (*chim.*) isotonicity.

isotònico a. (*chim., fisiol.*) isotonic.

isòtono a. (*fis.*) – **nuclei isotoni**, isotones.

isotopìa f. (*chim.*) isotopy.

isotòpico a. (*chim.*) isotopic.

isòtopo (*chim.*) Ⓐ a. isotopic Ⓑ m. isotope: **i. radioattivo**, radioisotope.

isotropìa f. (*fis.*) isotropy.

isotròpico, isòtropo a. (*fis.*) isotropic; isotropous.

Isòtta f. Iseult; Isolde.

ispànico Ⓐ a. **1** (*della Spagna*) Hispanic; Spanish **2** (*latino-americano*) Hispanic Ⓑ m. (f. **-a**) Hispanic.

ispanìsmo m. Hispanicism.

ispanìsta m. e f. Hispanist.

ispanìstica f. Hispanic studies (pl. col verbo al sing.).

ispanità f. Spanish-speaking peoples (pl.).

ispanizzàre v. t. to Hispanicize.

ispanizzazióne f. Hispanicization.

ispàno a. (*lett.*) Hispanic.

ispàno-americàno a. e m. (f. *-a*) Hispano-American; Spanish-American.

ispanòfono Ⓐ a. Spanish-speaking Ⓑ m. (f. *-a*) Spanish speaker.

ispàno-morésco a. Hispano-Moresque.

ispècie → **specie**.

ispessiménto m. thickening.

ispessire Ⓐ v. t. to thicken; to make* thicker Ⓑ **ispessìrsi** v. i. pron. to thicken; to become* thicker.

ispettivo a. inspection (attr.); inspectorial; supervisory: **controllo i.**, inspection; **potere i.**, power of inspection; inspectorial authority; **avere mansioni ispettive**, to be in charge of inspection (*o* supervision).

ispettoràto m. 1 (*ufficio e grado*) inspectorate 2 (*durata in carica*) inspectorship 3 (*sede*) inspector's office.

♦**ispettóre** m. (f. *-trice*) inspector; surveyor; supervisor: **i. alle vendite**, sales supervisor; **i. di polizia**, detective inspector; (*cinem.*) **i. di produzione**, production supervisor; floor manager; assistant production manager; **i. generale**, inspector general; **i. contabile**, auditor; **i. doganale**, surveyor of customs; **i. sanitario**, health inspector; **i. scolastico**, school inspector.

ispezionàre v. t. (*esaminare*) to inspect; to examine; to go* over; (*scrutare*) to survey, to scrutinize, (*da lontano*) to scan; (*controllare*) to check; (*perquisire*) to search; (*revisionare*) to overhaul; (*mil.: passare in rivista*) to review.

ispezióne f. (*esame*) inspection; examination; going-over (*fam.*); (*controllo*) check; (*perquisizione*) search; (*revisione*) overhaul; (*mil.: rivista*) review: **i. completa**, thorough check, going-over (*fam.*); **i. dei bagagli**, baggage check (*o* search); **i. doganale**, customs examination; **i. medica**, medical examination; **fare un'i.**, to make (*o* to carry out) an inspection; **passare un'i.**, to undergo an inspection; to be inspected; **sottoporre a i.**, to submit to inspection; to inspect; to check.

ispidézza f. 1 bristliness; prickliness; spikiness 2 (*fig.*) intractability.

ispido a. 1 bristly; prickly; wiry; spiky: **barba ispida**, bristly beard; **capelli ispidi**, wiry hair; **cespuglio i.**, prickly bush; **cane a pelo i.**, wire-hair dog; **guance ispide di barba**, cheeks rough with beard; stubbly cheeks 2 (*fig.: scontroso*) intractable; surly; crotchety 3 (*fig.: delicato, scabroso*) sensitive; awkward.

♦**ispiràre** Ⓐ v. t. 1 (*inalare*) → **inspirare** 2 (*infondere*) to inspire: **i. fiducia a q.**, to inspire confidence in sb.; to inspire sb. with confidence; *Mi ispirò subito simpatia*, I liked him (*o* I took to him) immediately 3 (*spingere, motivare*) to inspire; to motivate 4 (*dare l'ispirazione, illuminare*) to inspire: *Il quadro lo ispirò*, the picture inspired him 5 (*fam.: interessare, attrarre*) to appeal to, to attract; (*essere convincente*) to convince: *Il titolo non mi ispira molto*, the title is rather unappealing; *Mi ispira poco il suo progetto*, I'm not so convinced by his plan; I find his plan unconvincing; (*dare l'idea*) to give* (sb.) inspiration: *La sua storia ispirò un famoso regista che ne fece un film*, his story gave a famous director the inspiration for a film; **i. una poesia**, to give (sb.) inspiration for a poem; **i. un'idea**, to give an idea 6 (*suggerire*) to prompt: **i. una risposta**, to prompt an answer Ⓑ **ispiràrsi** v. i. pron. 1 (*trarre ispirazione*) to draw* inspiration (from); to be inspired (by); (*assol.*) to seek* inspiration:

Mi sono ispirato ai colori del paesaggio umbro, I drew inspiration from the colours of the Umbrian countryside; *Le decorazioni si ispirano ai geroglifici egiziani*, decorations are inspired by Egyptian hieroglyphs; **per ispirarsi**, in search of inspiration; for inspiration 2 (*fig.: seguire, conformarsi*) to follow (sb., st.); to be modelled (on); to be guided (by).

ispiràto a. 1 inspired: **parole ispirate**, inspired words; **tono i.**, inspired tone 2 (*suggerito*) inspired; (*dettato da*) prompted: **una decisione ispirata dall'emergenza**, a decision prompted by the emergency.

ispiratóre Ⓐ a. inspiring Ⓑ m. (f. *-trice*) inspirer; (*promotore*) instigator.

ispirazióne f. 1 (*inalazione*) → **inspirazione** 2 (*impulso creativo*) inspiration: **i. divina [poetica]**, divine [poetic] inspiration; **l'i. per un film**, the inspiration for a film; **cercare l'i.**, to seek inspiration; to search for inspiration; **trarre i. da q.**, to draw (one's) inspiration from st.; to be inspired by st.; **quando mi viene l'i.**, when I get the inspiration 3 (*idea felice*) inspiration; good idea; happy thought; (*anche iron.*) brainwave: *Mi venne l'i. di telefonarle*, I had a sudden inspiration to phone her • **uno stile di i. neoclassica**, a neoclassic-inspired style □ **idee di i. socialista**, ideas influenced by socialism; socialist-inspired ideas.

ispìrito → **spirito**.

Isràele m. Israel.

israeliàno a. e m. (f. *-a*) Israeli: **gli Israeliani**, the Israelis.

israelita Ⓐ a. → **israelitico** Ⓑ m. e f. Israelite; Jew (f. Jewess); Hebrew.

israelitico a. Israelite; Jewish; Hebrew.

ISS sigla (**Istituto superiore di sanità**) Italian National Health Institute.

issa inter. heave (ho)!; heave away!

issàre Ⓐ v. t. to hoist; to heave*; to haul up; to lift; (*con verricello*) to winch up: **i. la bandiera**, to hoist (*o* to run up) the flag; **i. un carico su un camion**, to hoist a load onto a lorry; **i. una vela**, to hoist a sail; **i. a bordo**, to haul in; to hoist aboard Ⓑ **issàrsi** v. rifl. to pull oneself up; to heave oneself up.

issòpo m. (*bot.*, *Hyssopus officinalis*; *Bibbia*) hyssop.

ist. abbr. (**istituto**) institute.

istallàre e deriv. → **installare**, e deriv.

istamìna f. (*biol.*) histamine.

istamìnico a. (*biol.*, *farm.*) histaminic.

istantànea f. snapshot; snap (*fam.*).

istantaneaménte avv. instantly; immediately; at once.

istantaneità f. instantaneousness.

istantàneo a. instantaneous; instant; immediate: **caffè i.**, instant coffee; **morte istantanea**, instantaneous death; **reazione istantanea**, instantaneous reaction.

istànte① m. e f. (*leg.*) petitioner.

♦**istànte**② m. second; instant; minute; moment: *Un i., e la casa fu in fiamme*, one second, and the house was ablaze; *Un i.!*, one moment!; just a sec! (*fam.*); **pochi istanti**, a few seconds; *Torno fra un i.*, I'll be back in a second; **fra qualche i.**, in a few seconds; in a minute or two; **in questo i.**, this minute; **in questo stesso i.**, this very instant; **all'i.**, immediately; at once.

istànza f. 1 (*richiesta*) request; appeal; (*scritta*) application, petition: **viva i.**, urgent request; **su vostra i.**, at your request; **accogliere [respingere] un'i.**, to grant [to reject] an application 2 (*leg.*) petition; application: **i. di fallimento**, bankruptcy petition; **presentare un'i.**, to file an application; to lodge a petition; to petition 3 (*esigenza,*

aspirazione) need; requirement; expectation; aspiration: **istanze sociali**, social expectations 4 (*lett.: insistenza*) insistence • (*leg.*) **in prima istanza**, in the first instance □ (*leg.*) **in seconda i.**, on appeal □ **in ultima i.**, (*leg.*) on the last appeal; (*fig.*) in the last resort □ (*leg.*) **tribunale di prima i.**, court of first instance □ (*leg.*) **tribunale di seconda i.**, court of appeal.

ISTAT abbr. (**Istituto nazionale di statistica**) National Statistical Institute.

istauràre e deriv. → **instaurare**, e deriv.

isterectomìa f. (*med.*) hysterectomy.

isterèsi f. (*fis.*) hysteresis.

isterìa f. (*psic. e estens.*) hysteria.

istèrico Ⓐ a. 1 (*psic.*) hysteric, hysterical: **crisi isterica**, fit of hysteria; hysterical fit; **avere una crisi isterica**, to become hysteric; **gravidanza isterica**, hysterical pregnancy 2 (*estens.*) hysterical: **le grida isteriche dei fan**, the hysterical cheering of fans; *La zia era in preda a una crisi isterica*, Aunt was having hysterics Ⓑ m. (f. *-a*) hysteric.

isteriliménto m. 1 (*inaridimento*) impoverishment; drying up 2 (*sterilità*) sterilization; barrenness.

isterilire Ⓐ v. t. 1 to render sterile; to sterilize; (*rendere improduttivo*) to render* unproductive 2 (*fig.*) to dry up Ⓑ v. i. e **isterilìrsi** v. i. pron. 1 to become* barren (*o* sterile, unproductive) 2 (*fig.*) to dry up.

isterìsmo m. (*psic.*) hysteria; (*estens.*) hysterics (pl. col verbo al sing.): **i. collettivo**, mass hysteria; **attacco d'i.**, hysterical fit; (fit of) hysterics; **avere un attacco d'i.**, to become hysteric; to go into hysterics; **scene d'i.**, hysterical scenes.

isterografìa f. (*med.*) hysterography.

isteroscopìa f. (*med.*) hysteroscopy.

isterotomìa f. (*med.*) hysterotomy.

istidìna f. (*chim.*) histidine.

istigaménto → **istigazione**.

istigàre v. t. to incite; to instigate; to lead* on; to egg on (*fam.*): **i. il popolo alla ribellione**, incite the people to rebellion; **i. q. al male [alla violenza]**, to incite sb. to do wrong [to violence]; *Sono gli amici che l'hanno istigato*, his friends led him on; *È sua moglie che lo istiga*, his wife is egging him on.

istigatóre Ⓐ m. (f. *-trice*) inciter; instigator; (*agitatore*) agitator, fomenter Ⓑ a. inciting; instigating; fomenting.

istigazióne f. incitement; instigation: (*leg.*) **i. a delinquere**, incitement to crime; **i. alla rivolta**, incitement to revolt.

istillàre e deriv. → **instillare**, e deriv.

istintivaménte avv. instinctively; (*per istinto*) by instinct; (*senza riflessione*) without reflection, impulsively.

istintività f. instinctivity.

istintivo Ⓐ a. 1 (*dell'istinto*) instinctual 2 instinctive; spontaneous; (*impulsivo*) impulsive: **antipatia istintiva**, instinctive (*o* spontaneous) dislike; **reazione istintiva**, instinctive reaction; *È una cosa che mi viene istintiva*, it's instinctive to me; I do it instinctively Ⓑ m. (f. *-a*) impulsive person.

istinto m. instinct: **i. di conservazione**, instinct of self-preservation; **i. sessuale [materno]**, sexual [maternal] instinct; **gli istinti animali** (*nell'uomo*), animal instincts; *L'i. mi diceva di...*, instinct told me to...; **agire d'i.**, to act on instinct; **fare qc. per i.**, to do st. by instinct; **risvegliare gli istinti peggiori**, to bring out the beast in sb.; **seguire l'i.**, to follow one's instinct.

istintuàle a. instinctual.

istiocìta, istiocìto m. (*biol.*) histiocyte.

istiòforo m. (*zool.*, *Istiophorus gladius*) sail-

fish.

istituire v. t. **1** to establish; to institute; to set* up; (*fondare*) to found; (*dare inizio a*) to initiate: **i. una borsa di studio**, to found a scholarship; **i. una commissione d'inchiesta**, to institute a board of enquiry; **i. una fondazione**, to set up a foundation; **i. una società**, to found a company; **i. una tradizione**, to initiate a tradition **2** (*leg.: designare*) to appoint: **i. q. erede [successore]**, to appoint sb. heir [successor] **3** (*leg.: iniziare*) to institute: **i. un procedimento legale**, to institute proceedings against sb.

istitutivo a. institutive.

♦**istituto** m. **1** (*ente*) institute; institution; agency: **i. di carità**, charitable institution; **i. di pena**, penal institution; **i. di ricerca**, research institute; **i. per le malattie mentali**, mental institution; **i. previdenziale**, social security agency **2** (*anche* **i. scolastico**) school: **i. magistrale**, teacher training school; **i. tecnico**, technical high school **3** (*di università*) institute; department **4** (*collegio*) boarding school; (*residenza universitaria*) college **5** (*banca*) bank; house: **i. bancario**, bank; **i. di credito**, credit institution; joint--stock bank; **i. d'emissione**, note-issuing bank **6** (*accademia*) institute; academy **7** – **i. di bellezza**, beauty parlour **8** (*leg.*) institution: **l'i. del matrimonio**, the institution of marriage.

istitutore m. **1** (*fondatore*) founder **2** (*precettore*) tutor.

istitutrice f. **1** (*fondatrice*) founder **2** (*governante*) governess.

istituzionale a. **1** institutional; (*dello Stato*) state (attr.); (*governativo*) government (attr.), ministerial, administrative: **carica i.**, state office; government post (*o* position); (*la persona*) state official; **le cinque massime cariche istituzionali dello Stato**, the country's five highest-ranking state officials; **organi istituzionali**, political organs (*o* bodies); **rappresentante i.**, elected political representative; **riforma i.**, constitutional reform **2** (*fondamentale*) elementary; basic.

istituzionalismo m. (*econ.*) institutionalism.

istituzionalista m. e f. institutionalist.

istituzionalizzare Ⓐ v. t. **1** to make* an institution of; to institutionalize; to establish **2** (*mettere in un'istituzione*) to place in a residential institution; to institutionalize; to place (*o* to put*) in (*o* into) care Ⓑ **istituzionalizzarsi** v. i. pron. to become* institutionalized; to become* a practice.

istituzionalizzato a. **1** established; institutionalized: **prassi istituzionalizzata**, established practice; standard practice **2** (*bur.: posto in un'istituzione*) institutionalized; (placed) in care.

istituzionalizzazione f. institutionalization.

istituzione f. **1** (*l'istituire*) setting up, establishing, founding; (*creazione*) establishment, foundation; (*introduzione*) introduction: **l'i. di una cattedra**, the setting up of a chair; **l'i. di un premio**, the foundation of a prize **2** (*norma, organismo*) institution; organ; agency; (*carica*) office: **le istituzioni repubblicane**, the institutions of a republic; **le massime istituzioni di un paese**, a country's highest offices; (*le persone*) a country's highest official representatives **3** (*istituto*) institution; institute **4** (al pl.) (*principi fondamentali*) institutes; elements: **istituzioni di diritto**, institutes in law; **le istituzioni di Giustiniano**, the Institutes of Justinian **5** (*leg.: designazione*) appointment: **i. di erede**, appointment of an heir **6** (*scherz., di persona o cosa*) institution; (*di comportamento, consuetudine*) standard practice, ritual.

istmico a. isthmian ● (*stor.*) **giochi istmi-**ci, Isthmian games.

istmo m. (*geogr., anat.*) isthmus*.

istochimica f. (*chim.*) histochemistry.

istocompatibilità f. (*biol.*) histocompatibility.

istogenesi f. (*biol.*) histogenesis.

istogramma m. (*stat.*) histogram.

istologia f. histology.

istologico a. histological.

istologo m. (f. **-a**) histologist.

istone m. (*biol.*) histone.

istopatologia f. histopathology.

istoriare v. t. to decorate with figures; (*un libro*) to illustrate.

istoriato a. (*arte*) decorated with figures; (*di iniziale miniata*) historiated; (*di libro*) illustrated.

istoriografia e deriv. → **storiografia**, e deriv.

istradare → **instradare**.

Istria f. (*geogr.*) Istria.

istriano a. e m. (f. **-a**) Istrian.

istrice f. (*zool., Hystrix cristata*) porcupine **2** (*fig.*) prickly person.

istrione m. **1** (*teatr., stor.*) actor **2** (*teatr., spreg.: attore mediocre*) inferior actor; (*attore che recita con enfasi*) ham (actor) **3** (*fig.*) histrionic person; play-actor: *Non fare l'i.*, don't be melodramatic; stop play-acting; cut the drama (*fam.*).

istrionesco a. (*spreg.*) histrionic; melodramatic; theatrical; stagy.

istrionico a. histrionic; theatrical; stagy: **talento i.**, theatrical talent.

istrionismo m. theatricality; staginess; play-acting.

istruire Ⓐ v. t. **1** to educate; (*in una particolare scienza o tecnica, ecc.*) to instruct; (*insegnare*) to teach*; (*addestrare*) to train: **i. con l'esempio**, to teach by example; **i. q. nell'uso di un'arma**, to instruct sb. in the use of a weapon; *S'è istruito da sé*, he is self-taught **2** (*dare istruzioni*) to instruct; to direct; (*fam.: dare l'imbeccata*) to prompt **3** (*informare*) to inform (sb. of st.) ● (*bur.*) **i. una pratica**, to open a file □ (*leg.*) **i. un processo**, to prepare a case for trial Ⓑ **istruirsi** v. rifl. **1** to improve one's education; to study; to learn* **2** (*assumere informazioni*) to inquire; to find* out.

istruito a. educated; (*colto*) well-read, cultured ● **i. da sé**, self-taught.

istruttivo a. **1** (*che istruisce*) educational **2** (*che dà utili informazioni*) instructive; informative.

istruttore Ⓐ a. **1** instructing; training **2** (*leg.*) investigating; examining: **giudice i.**, investigating magistrate ● (*mil.*) **sergente i.**, drill-sergeant Ⓑ m. (f. **-trice**) **1** instructor: **i. di volo**, flying instructor; **i. militare**, military instructor **2** (*sport*) trainer; coach.

istruttoria f. (*leg.*) preliminary investigation (*o* inquiry); committal proceedings (pl.); preliminary hearing (*USA*).

istruttorio a. (*leg.*) preliminary: **atti istruttori**, documentation of a preliminary investigation; **fase istruttoria** → **istruttoria**; **segreto i.**, secrecy concerning a preliminary investigation.

♦**istruzione** f. **1** education; schooling; (*insegnamento*) teaching; (*addestramento*) training: **i. elementare**, elementary education; **i. militare**, military training; **i. obbligatoria**, compulsory education; **i. professionale**, vocational training; **i. pubblica** [**privata**], state [independent] education; **i. superiore**, secondary education; **i. universitaria**, higher education; tertiary education; **ricevere una buona i.**, to be given a sound education; *Ministero della Pubblica I.*, Ministry of Education; **periodo d'i.**, training peri-

od **2** (*cultura*) education; learning: **senza i.**, uneducated **3** (*direttiva*) instruction; direction (spesso al pl.); (al pl., *mil.*) orders: **istruzioni per il montaggio**, assembly instructions; **istruzioni per l'uso**, directions; instructions; *Le mie istruzioni sono di aspettare qui*, my instructions are to wait here; **secondo le** (*o* **come da**) **vostre istruzioni**, according to your instructions; **agire secondo le istruzioni**, to act as instructed; to follow instructions; **dare istruzioni a q.**, to give sb. instructions; to instruct sb.; to direct sb.; **leggere attentamente le istruzioni**, read the directions carefully **4** (*leg.*) → **istruttoria 5** (*comput.*) instruction: **i.--macchina**, machine-code instruction.

istupidimento m. **1** (*intontimento*) daze; stupefied state **2** (*stupidità*) stupidity.

istupidire Ⓐ v. t. **1** to make* stupid; to numb the mind **2** (*intontire*) to daze; to reduce to a stupefied state Ⓑ v. i. e **istupidirsi** v. i. e pron. to become* stupid; to stultify oneself.

istupidito a. (*intontito*) stupefied; dazed; in a daze: *Guardava la scena i.*, he was gazing dumbly at the scene.

ISVAP abbr. (**Istituto per la vigilanza sulle assicurazioni private e di interesse collettivo**) supervisory body for private insurance companies; insurance watchdog.

ISVEIMER abbr. (**Istituto per lo sviluppo economico dell'Italia meridionale**) Institute for the Development of the Economy of Southern Italy.

Itaca f. (*geogr.*) Ithaca.

itacese Ⓐ a. of Ithaca Ⓑ m. e f. citizen of Ithaca.

itacismo m. (*ling.*) itacism.

ITALCASSE abbr. → **ICCRI**.

Italia f. (*geogr.*) Italy.

italianamente avv. in the Italian way; like an Italian.

italianeggiare v. i. to imitate the Italians (*o* Italian ways).

italianismo m. (*ling.*) Italianism.

italianista m. e f. Italianist.

italianistica f. Italian studies (pl.).

italianità f. Italian spirit; Italian character.

italianizzare v. t., **italianizzarsi** v. i. pron. to Italianize.

italianizzazione f. Italianization.

♦**italiano** a. e m. (f. **-a**) Italian ● **all'italiana**, Italian-style; the Italian way (avv.); Italian (agg.): **giardino all'italiana**, Italian garden; **mangiare all'italiana**, to eat Italian; **western all'italiana**, spaghetti western □ (*fig.*) *Questo si chiama parlare i.!*, now that is what I call plain talking!

italico Ⓐ a. **1** (*stor.*) Italic: **lingue italiche**, Italic languages **2** (*scrittura*) italic: **scrittura italica**, italic handwriting **3** (*lett., geogr.*) Italian: **la penisola italica**, the Italian peninsula Ⓑ m. Italic.

italiese m. (*ling.*) blend of Italian and English.

italiota a. e m. (*stor.*) Italiot.

italo a. (*lett.*) Italian.

italoamericano, **italo-americano** a. e m. (f. **-a**) Italo-American.

italo-britannico a. Anglo-Italian; Italo-British.

italofilo a. e m. (f. **-a**) Italophile.

italofono Ⓐ a. Italian-speaking Ⓑ m. (f. **-a**) Italian speaker.

italo-inglese a. Anglo-Italian; Italo-English.

ITC sigla (*scuola*, **istituto tecnico commerciale**) business and technical school.

iter (*lat.*) m. inv. procedure: **i. burocratico**,

bureaucratic procedure; **seguire l'i. burocratico**, to follow bureaucratic procedure; to go through the usual channels (*fam.*); **i. parlamentare di una legge**, procedure to enact a bill.

iteràre v. t. (*lett.*) to repeat; to reiterate.

iteratam6nte avv. repeatedly; iteratively.

iterativo a. 1 repetitive; iterative 2 (*gramm.*) iterative; frequentative.

iteràto a. repeated.

iterazi6ne f. (*lett.*) repetition; iteration.

itifàllico a. (*poesia*) ithyphallic.

itifàllo m. (*poesia*) ithyphallus.

itinerànte a. itinerant; travelling; touring; wandering: **mostra i.**, travelling exhibition; **predicatore i.**, itinerant (*o* wandering) preacher; **spettacolo i.**, touring show.

♦**itineràrio** A m. itinerary; (*strada da percorrere*) route: **l'i. del nostro viaggio**, the itinerary of our trip; **l'i. di un corteo**, the route of a procession; **i. turistico**, tourist route B a. itinerary (attr.).

ITIS sigla (*scuola*, **istituto tecnico industriale di Stato**) State technical school.

ittèrbio m. (*chim.*) ytterbium.

ittèrico (*med.*) A a. jaundiced; icteric; suffering from jaundice B m. (f. **-a**) jaundice patient.

itterìzia f. (*med.*) jaundice; icterus ● (*fig. fam.*) **Questo gli farà venire l'i.!**, he'll be

green with envy!; he'll be eating his heart out!

ìttero ① m. (*med.*) icterus; jaundice.

ìttero ② m. (*zool., Icterus galbula*) Baltimore oriole (*o* bird).

ìttico a. fish (attr.); (*rif. alla pesca*) fishing (attr.); **allevamento i.**, fish farming; **fauna ittica**, fish fauna; **industria ittica**, fishing industry; **mercato i.**, fish maket; **patrimonio i.**, fish; fish resources (pl.).

ittiocòlla f. isinglass; fish glue.

ittiocoltùra f. fish farming.

ittiofagìa f. fish-eating; ichthyophagy (*scient.*).

ittiòfago A a. fish-eating; ichthyophagous (*scient.*) B m. (f. **-a**) fish-eater; ichthyophagist (*scient.*).

ittiofàuna f. fish fauna.

ittiòlo m. (*farm.*) ichthyol.

ittiologìa f. ichthyology.

ittiològico a. ichthyological.

ittiòlogo m. (f. **-a**) ichthyologist.

ittiosàuro m. (*paleont.*) ichthyosaur.

ittiòsi f. (*med.*) ichthyosis.

ittiòtico a. (*med.*) ichthyotic.

ittìta a., m. e f. Hittite.

ìttrio m. (*chim.*) yttrium.

iùcca → **yucca**.

iùgero m. (*stor.*) juger.

Iugoslàvia f. (*geogr.*) Yugoslavia.

iugoslàvo a. e m. (f. **-a**) Yugoslav; Yugoslavian.

iugulàre e *deriv.* a. → **giugulare**, e *deriv.*

iùlo m. (*zool.*) millipede.

iùnior → **junior**.

iùrta f. yurt.

iussìvo a. (*ling.*) jussive.

iùta f. jute: **sacco di i.**, jute bag.

iutièro a. jute (attr.).

iutifìcio m. jute factory.

Iùtland m. (*geogr.*) Jutland.

IVA f. (abbr. di **imposta sul valore aggiunto**) value-added tax (VAT): **far pagare l'IVA**, to charge VAT; **comprensivo di IVA**, VAT-inclusive; **IVA esclusa**, exclusive of VAT; **scaricare l'IVA**, to reclaim VAT; *Costa 200 euro più IVA*, it costs 200 euros plus VAT.

Ivànoe m. Ivanhoe.

ivàto a. subject to VAT.

IVG sigla (*med.*, **interruzione volontaria di gravidanza**) voluntary termination of pregnancy.

ìvi avv. 1 (*lett.*) there; (*bur.*) therein: **ivi incluso**, enclosed therein; **ivi compreso**, including 2 (*in una citazione*) ibidem (*lat.*) (abbr. ibid.).

ivoriàno a. of the Ivory Coast; Ivory Coast (attr.).

izba → **isba**.

j, J

J, **j** f. o m. J, j ● (*telef.*) **j come jolly**, j for Juliet.

jaboràndi m. (*bot.*, *Pilocarpus jaborandi*) jaborandi.

jabot (*franc.*) m. inv. jabot; ruffle.

jacarànda f. (*bot.*) jacaranda.

j'accuse (*franc.*) loc. m. inv. denunciation.

jack (*ingl.*) m. inv. **1** (*elettr.*) jack (plug) **2** (*carta da gioco*) jack; knave **3** (*bandiera*) jack.

Jàcopo m. James.

jacquard (*franc.*) m. e a. inv. (*ind. tess.*) jacquard.

Jacùzzi ® f. inv. Jacuzzi.

jainìsmo → **giainismo**.

jais (*franc.*) m. inv. (*miner.*) jet.

jazz m. e a. jazz: **j. caldo [freddo]**, hot [cold] jazz; **orchestra j.**, jazz band.

jazzista m. e f. jazz player; jazz musician.

jazzìstico a. jazz (attr.): **complesso j.**, jazz band.

♦**jeans** Ⓐ m. inv. (*tessuto*) jean; denim: **gonna di j.**, jean skirt Ⓑ a. inv. jean; denim: **tela j.**, denim; jean Ⓒ m. pl. jeans; denims.

jeanserìa f. (*fam.*) jeans shop.

jeep f. inv. jeep.

Jèova m. (*Bibbia*) Jehovah.

jersey (*ingl.*) m. inv. (*stoffa*) knitted fabric; jersey: **una gonna in j.**, a knitted skirt.

jet m. inv. (*aeron.*) jet; jet plane.

jetlag, **jet lag** (*ingl.*) m. inv. jet lag Ⓤ.

jet set (*ingl.*) loc. m. inv., **jet society** loc. f. inv. jet set ● **appartenente al jet set**, jet-setter.

jiddisch → **yiddish**.

jingle (*ingl.*) m. inv. (*pubblicità*) jingle.

jockey (*ingl.*) m. inv. jockey.

jògging (*ingl.*) m. inv. jogging: **fare j.**, to do some jogging; to go for a jog; (*regolarmente*) to jog; *Vieni a fare un po' di j.?*, (are you) coming for a jog?

joint venture (*ingl.*) f. inv. (*econ.*) joint venture (o undertaking).

jojoba f. (*bot.*, *Simmondsia chinensis*; *il frutto*) jojoba.

jòlly (*ingl.*) Ⓐ m. inv. **1** (*carte da gioco*) joker; wild card **2** (*fig.*) factotum; jack-of-all-trades: **fare da j.**, to function as a factotum; to be the general factotum Ⓑ a. inv. **1** all-purpose (attr.) **2** (*comput.*) – **carattere j.**, wild card ❶ **FALSI AMICI** ● jolly *non si traduce con* jolly.

joule m. inv. (*fis.*) joule.

joyciàno a. (*letter.*) Joycean.

judò m. (*sport*) judo.

judoista m. e f. (*sport*) judoist; judoka*.

judoìstico a. judo (attr.).

judòka m. e f. inv. (*sport*) judoist; judoka*

jugoslàvo → **iugoslavo**.

jujitsu m. inv. ju-jitsu.

juke-bòx (*ingl.*) m. inv. jukebox.

julienne (*franc.*) f. inv. (*cucina*) – **alla j.**, julienne (attr.); **tagliare alla j.**, to julienne.

jùmbo, **jùmbo jet** (*ingl.*) m. inv. (*aeron.*) jumbo (jet).

junghiàno a. Jungian.

junior (*lat.*) a. (*anche sport*) junior: *Carlo Rossi j.*, Carlo Rossi Junior.

jùta → **iuta**.

k, K

K, k f. o m. K, k ● (*telef.*) k come Kursaal, k for King.

kafkiàno a. **1** (*letter.*) Kafka's; Kafkaesque **2** (*fig.*) Kafkaesque.

kainite f. (*miner.*) kainite.

kàki → **cachi** ① e (**2**).

kalashnikov m. inv. Kalashnikov.

kamasutra m. inv. Kama Sutra.

kamikàze (*giapponese*) agg. e m. inv. **1** (*stor.*) kamikaze **2** (*fig., autista, pilota, ecc., spericolato*) kamikaze driver, pilot, etc. **3** (*attentatore suicida*) suicide bomber ❶ **FALSI AMICI** • kamikaze *nel senso di attentatore suicida non si traduce con* kamikaze.

kantiàno a. e m. (f. **-a**) (*filos.*) Kantian.

kantiṣmo m. (*filos.*) Kantianism.

kaóne m. (*fis. nucl.*) kaon.

kapò m. e f. inv. (*stor.*) concentration camp guard; kapo.

kapòk m. kapok.

kappaò (*fam.*) m. inv. e avv. → **K.O.**

kaputt, kaput (*ted.*) a. inv. e avv. **1** (*finito, rovinato*) finished, done for (*fam.*); (*guasto*) kaput (*fam.*) **2** (*stanco*) washed out (*fam.*); all in (*fam.*); pooped (*fam. USA*).

karakiri m. hara-kiri.

karakùl m. (*zool.*) karakul, caracul.

karaoke m. inv. **1** karaoke **2** (*apparecchio*) karaoke machine.

karate m. (*sport*) karate.

karité m. (*bot., Butyrospermum parkii*) karite; shea-tree.

karkadè → **carcadè**.

kàrma, kàrman m. karma.

kart m. inv. (*sport*) go-kart.

karting (*ingl.*), **kartiṣmo** m. (*sport*) karting, go-karting.

kartista m. (f. **-a**) go-kart driver.

kartòdromo m. (*sport*) go-kart track.

kàṣba, kàṣbah → **casba**.

kasher a. inv. kosher.

katanghése a. e m. Katangese.

katiùscia f. (*mil.*) Katyusha (rocket-launcher).

kayàk m. inv. kayak.

kayakìsta m. e f. kayaker.

kaẓàko a. e m. Kazakh.

kedivè m. Khedive.

kèfir → **chefir**.

kefiyeh f. inv. keffiyeh; kufiyah.

kellerìna f. barmaid.

kèlvin m. e a. inv. (*fis.*) kelvin.

keniàno → **keniota**.

keniòta a., m. e f. Kenyan.

kènzia f. (*bot., Howeia Belmoreana, Howeia forsteriana*) kentia.

képi (*franc.*) m. inv. kepi.

kepleriàno a. (*astron.*) Keplerian.

Keplèro m. Kepler.

kèrmes → **chermes**.

kermesse (*franc.*) f. inv. **1** kermis; village fair **2** (*estens.*) celebration; festivities (pl.).

keroṣène → **cherosene**.

ketch (*ingl.*) m. inv. (*naut.*) ketch.

ketchup (*ingl.*) m. inv. (*cucina*) ketchup.

keynesiàno a. Keynesian.

khamsin m. inv. (*meteor.*) khamsin.

khan m. inv. khan.

khanàto m. khanate.

khmer a. e m. inv. Khmer: **K. rossi**, Khmer Rouge.

khomeiniṣmo m. **1** Khomeiniism **2** (*estens.*) integralism; bigotry.

khomeinista **A** a. **1** Khomeinist **2** (*estens.*) integralist; bigoted **B** m. e f. Khomeinist.

kibbùtz (*ebraico*) m. inv. kibbutz*.

kilìm m. inv. kilim.

killer (*ingl.*) **A** m. inv. (*omicida*) killer, murderer; (*sicario*) hitman* **B** a. inv. killer; deadly; lethal.

killeràggio m. (*fig.*) character assassination.

kilo → **kilogrammo**.

kilobyte m. inv. (*comput.*) kilobyte.

kilocalorìa f. (*fis.*) kilocalorie.

kilociclo m. (*fis.*) kilocycle: **k. al secondo**, kilocycle per second.

kilogràmmetro m. kilogram-metre, kilogram-meter (*USA*).

♦ **kilogràmmo** m. kilogram, kilogramme: **k. forza**, kilogram force; **k. massa**, kilogram mass.

kilohèrtz m. kilohertz.

kilòlitro m. kilolitre, kiloliter (*USA*).

kilometràggio m. **1** distance in kilometres **2** (*distanza in miglia*) mileage.

kilometràre v. t. to measure in kilometres.

kilomètrico a. **1** kilometric; in kilometres: **distanza kilometrica**, distance in kilometres **2** (*fig.*) endless; interminable: **un discorso k.**, an interminable speech.

♦ **kilòmetro** m. kilometre, kilometer (*USA*): **andare a [fare i] 200 kilometri all'ora**, to travel at [to do] 200 km an hour; *Siamo a dieci kilometri dal distributore*, we're ten kilometres from a petrol station ● (*sport*) **k. da fermo**, standing kilometre □ (*sport*) **k. lanciato**, flying kilometre.

kiloton m. kiloton; kilotonne.

kilovòlt m. kilovolt.

kilovoltampère m. inv. kilovolt-ampere.

kilowatt m. kilowatt.

kilowattòra m. inv. kilowatt-hour.

kimberlìte f. (*miner.*) kimberlite; blue ground.

kimòno m. inv. kimono.

Kinderheim (*ted.*) m. inv. children's holiday home.

kineṣiterapìa f. (*med.*) kinesitherapy.

kippàh (*ebraico*) f. inv. kippah, kippa.

Kippùr (*ebraico*) m. Yom Kippur; Day of Atonement.

kirghìṣo a. e m. (f. **-a**) Kirghiz, Kirgiz.

Kirsch (*ted.*) m. inv. kirsch; kirschwasser.

kit (*ingl.*) m. inv. kit: **kit di pronto soccorso**, first-aid kit.

kitsch (*ted.*) **A** m. inv. kitsch **B** a. inv. kitsch; kitschy.

kiwi m. **1** (*zool., Apteryx*) kiwi **2** (*bot., Actinidia chinensis*) kiwi fruit*.

kleenex ® m. inv. Kleenex.

klinker → **clinker**.

klystron m. inv. (*elettr.*) klystron.

knickerbockers (*ingl.*) m. pl. **1** (*calzoni*) knickerbockers; knickers (*USA*) **2** (*calzettoni*) chequered knee-length socks; argyle socks.

knockout (*ingl.*) m. inv. e avv. → **K.O.**

K.O., ko avv. e m. inv. (abbr. di **knockout**) **1** (*boxe*) knockout (abbr. *fam.* **KO, k.o.**): **K.O. tecnico**, technical knockout; **andare K.O.**, to be knocked out; **mettere K.O.**, to knock out; to k.o.; **vincere per K.O.**, to win by a knockout; **pugno che ti mette K.O.**, knockout blow; **vittoria per K.O.**, knockout victory **2** (*fig.*) – **essere K.O.**, (*essere esausto*) to be washed out (*o* done in); (*essere a terra*) to be finished; **mettere K.O.**, to lay low; *L'influenza mi ha messo K.O. per una settimana*, I was laid low with the flu for a week.

koàla m. inv. (*zool., Phascolarctos cinereus*) koala.

koinè (*greco*) f. inv. **1** (*ling.*) koine **2** (*estens.*) community.

kolchoz (*russo*) m. inv. kolkhoz.

kolchoziàno → **colcosiano**.

kolòssal → **colossal**.

kore f. (*arte greca*) kore*.

kosher (*ebraico*) a. inv. kosher.

kosovàro a., m. (f. **-a**) Kosovar.

kouros → **kuros**.

KR abbr. (**Crotone**).

kràpfen (*ted.*) m. inv. (*cucina*) doughnut, donut (*USA*); batter fritter.

kren → **cren**.

krill (*ingl.*) m. inv. krill.

kriss (*malese*) m. inv. kris.

krỳpton → **cripto**.

kulak (*russo*) m. kulak*.

kümmel (*ted.*) m. inv. kümmel.

kumquat m. inv. (*bot.*) kumquat.

kurciatòvio m. (*chim.*) kurchatovium; rutherfordium.

kùros m. inv. (*arte*) kouros*.

kùrsaal (*ted.*) m. inv. kursaal.

kuskùs → **cuscus**.

kuwaitiàno a. e m. (f. **-a**) Kuwaiti.

kvas (*russo*) m. inv. kvass.

K-way ® (*ingl.*) f. inv. wind jacket.

kylix m. inv. (*archeol.*) kylix.

kyriàle m. (*eccles.*) kyrial, kyriale.

Kỳrie m. (*eccles.*) Kyrie: **K. eleison**, Kyrie eleison.

l, L

L ①, **l** f. o m. (*decima lettera dell'alfabeto ital.*) L, l ● (*telef.*) **l come Livorno**, l for Lima □ **a (forma di) L**, L-shaped.

L ② **sigla 1** (*num. romano*, **cinquanta**) fifty **2** (*leg.*, **legge**) law **3** (**lira**) lira **4** (*ferr.*, (**treno**) **locale**) local train **5** (**lunedì**) Monday (M., Mon.).

♦**la** ① art. determ. f. sing. **1** the: *Apri la porta, per favore*, open the door, please; *Dammi la spazzola*, give me the (*o* that) brush; **la prima** [**l'ultima**] **settimana**, the first [the last] week; **la rivista che leggevo**, the magazine (that) I was reading; **la bellezza di quel paesaggio**, the beauty of that landscape; **l'Italia del passato**, the Italy of the past; **l'estate del '54**, the summer of '54; **la regina**, the Queen; **la terra**, the Earth; **la luna**, the moon; **la Crimea**, the Crimea; **la vedova Brown**, the widow Brown; **la Vergine Maria**, the Virgin Mary; **la «Queen Elizabeth»** (*la nave*), the «Queen Elizabeth» **2** (*idiom.*, assente in ingl.) – **la prossima volta**, next time; *L'ardesia è fragile*, slate is breakable; *Non mi piace la marmellata*, I don't like jam; *L'estate è calda qui*, summer is hot here; **la Francia**, France; **l'Italia**, Italy; **la regina Anna**, Queen Anne; **la signora Brown**, Mrs Brown; **la zia Alice**, Aunt Alice; **la Callas**, Callas; **la vigilia di Natale**, Christmas Eve; **la** (**domenica di**) *Pasqua*, Easter (Sunday); *Dillo alla mamma*, tell mother; *Non è la mia*, it isn't mine; **la zia di Tom**, Tom's aunt; *La bellezza non dura*, beauty does not last **3** (idiom.: agg. poss. in ingl.) – *Prestami la penna*, lend me your pen; *Mettiti la giacca*, put on your jacket; *Lo dirò alla mamma* (*a tua madre*), I'll tell your mother; *La zia vive con noi*, our aunt lives with us; *Ho perso la corriera*, I've missed my (*o* the) coach **4** (idiom.: art. indeterm. in ingl.) a, an: *La tigre è un animale feroce*, a tiger is a wild animal; tigers are wild animals; *Ha la bocca larga*, he has a wide mouth; *Fumo la pipa*, I smoke a pipe; **guidare l'automobile**, to drive a car; *Ha la febbre alta*, she has a high fever **5** (idiom.: agg. partitivo in ingl.) some; any: *Va' a comprare la farina*, go and buy some flour; *Chi vuole la panna?*, who would like some cream?; *Non c'è la carne*, there is no meat **6** (con valore distributivo) a, an: **tre volte la settimana**, three times a week; **cento miglia l'ora**, a hundred miles an hour **7** (n espressioni ellittiche) in the; on (the) (o idiom.): *Cosa fai la sera?*, what do you do in the evening?; *Viene sempre la domenica*, he always comes on Sundays; *Torno la settimana prossima*, I'll be back next week.

la ② pron. pers. e dimostr. 3ª pers. sing. f. **1** (ogg.: rif. a persona, femmina di animale, imbarcazione o cosa personificata) her; (a cosa o animale generico) it: *Quella ragazza mi piace e la vedo spesso*, I like that girl and I see her often; *Devi mescolarla bene*, you must mix it thoroughly; *Chiamala!*, call her!; *Leggila!*, read it! **2** (ogg.: pron. di cortesia) you: *La ringrazio*, thank you; *Posso aiutarla?*, can I help you? **3** (con valore neutro) it (o idiom.): *La pianti*, will you stop it?; *Me la sono vista brutta*, I had a narrow escape.

la ③ m. (*mus.*) A; (*nel solfeggio*) lah: **la**

bemolle, A flat; **la diesis**, A sharp; **sonata in la minore**, sonata in A minor; **dare il la**, to give the A; (*fig.*) to set the tone (for st.).

♦**là** avv. **1** there: **qua e là**, here and there; *Vai là!*, go there!; *Mettilo là su quella panca*, put it (over) there on that bench; *È rimasto là*, he stayed there; *«Dov'è Paolo?» «Eccolo là!»*, «where's Paolo?» «there he is!»; *Voglio quello là*, I want that one (there); **quei libri là**, those books (over) there; **là dentro**, in there; **là fuori**, out there; **là sopra**, up there; **là sotto**, under there; *Zitti là!*, quiet there!; *Chi va là?*, who goes there?; *Il libro era là dove l'avevo lasciato*, the book was where I had left it **2** (nella loc. avv. **di là**: *nell'altra stanza*) in the other room, (accennando) in there; (*in quella direzione*) that way: *Se cerchi il giornale, è di là*, if you're looking for the paper, it's in the other room (o in there); *Piero dev'essere di là*, Piero must be in there; *Sono andati* (*per*) *di là*, they went that way; *Preferisco non passare di là*, I'd rather not go that way **3** (nella loc. avv. **in là**) – **da quel giorno in là**, from that day on; **essere in là con gli anni**, to be well on (o to be getting on) in years; **farsi in là**, to step aside; to make way; to move over; **guardare (in) qua e (in) là**, to look here and there; to look around; **spostare in là**, (*muovere*) to shift, to move, to move over, to move further away; (*posticipare*) to postpone; **tirarsi in là**, to step to one side; **più in là**, (*nello spazio*) further on (o away, over); (*nel tempo*) later on; *Il 27 è troppo in là*, the 27th is too late; **andare troppo in là** (*esagerare*), to go too far **4** (con valore rafforzativo o enfatico e idiom.) – *Hai visto là che roba?*, did you see that?; *Là, ecco fatto*, there, that's done; *Ma va là!*, go on (with you)!; come off it! ● **là per là**, (*sui due piedi*) there and then, on the spot; (*a tutta prima*) at first □ **l'al di là**, the after life; the hereafter □ **al di là di** (*o* **di là da**), beyond; on the other side of: **di là dal fiume**, on the other side of the river; **al di là dei monti**, on the other side of (o beyond) the mountains; **al di là della mia comprensione**, beyond my understanding □ **Alto là!**, halt! □ **di qua e di là**, this way and that □ (*fig.*) **più di là che di qua**, more dead than alive.

làbaro m. **1** (*insegna, anche fig.*) banner **2** (*stor.*) labarum*.

làbbo m. (*zool.*, *Stercorarius pomarinus*) skua; jaeger (*USA*).

♦**làbbro** m. (pl. **labbra**, f., *nelle def.* 1 e 3; **labbri**, m., *nella def.* 2) **1** lip: **l. inferiore**, lower lip; underlip; **l. superiore**, upper lip; **labbra screpolate**, chapped lips; **labbra sottili** [**grosse**], thin [thick] lips; **dalle labbra sottili** [**grosse**], thin-lipped [thick-lipped] (agg.); **leccarsi le labbra**, to lick one's lips; (*fig.*) to smack one's lips; **mordersi le labbra**, to bite one's lips; *Accostai il bicchiere alle labbra* (*o* le labbra al bicchiere), I put the glass to my lips; *Le parole le morirono sulle labbra*, the words died on her lips **2** (*orlo*) edge; lip; rim: **i labbri di una ferita**, the lips of a wound; **il l. d'un vaso**, the rim of a vase **3** (*anat.*) labium*: **grandi** [**piccole**] **labbra**, labia maiora [minora] ● (*med.*) **l. leporino**, harelip □ **a fior di lab-**

bra, (*sottovoce*) under one's breath; (*mormorando*) in a whisper, in a murmur; (*controvoglia*) half-heartedly (avv.), half-hearted (agg.): **dire qc. a fior di labbra**, to say st. under one's breath; to whisper st.; to murmur st.; **un invito a fior di labbra**, a half-hearted invitation; **sorridere a fior di labbra**, to force a smile; to give a thin-lipped smile □ (*fig.*) **avere il cuore sulle labbra**, to wear one's heart on one's sleeve □ (*fig.*) **bagnarsi le labbra**, to have a drink □ (*fig.*) **cucirsi le labbra**, to keep one's mouth shut; to button one's lips; to clam up (*slang*): *Le mie labbra sono cucite*, my lips are sealed □ (*fig.*) **pendere dalle labbra di q.**, to hang on sb.'s every word □ **Come si chiama? Ce l'ho sulle labbra...**, what is it called? it's on the tip of my tongue □ **leggere il movimento delle labbra di q.** (*o* **leggere sulle labbra a q.**), to lip-read sb.

labbrùto a. thick-lipped; big-lipped.

labdacìsmo → **lambdacismo**.

labellàto a. (*bot.*) labellate.

labèllo m. (*bot.*) labellum*.

labiàle ◊ a. (*anat.*, *fon.*) labial ◊ f. (*fon.*) labial.

labializzàre ◊ v. t. (*fon.*) to labialize ◊ **labializzàrsi** v. i. pron. to become* labial; to be labialized.

labializzazióne f. (*fon.*) labialization.

labiàta f. (*bot.*) labiate; (al pl., *scient.*) Labiatae.

labiàto a. **1** (*bot.*) labiate **2** (*fon.*) labialized.

làbile a. **1** (*fugace*) fleeting; transient; short-lived; ephemeral **2** (*debole*) weak; faint; feeble: **memoria l.**, weak (o poor) memory **3** (*chim.*, *psic.*) labile.

labilità f. **1** (*fugacità*) fleeting nature; transience **2** (*debolezza*) weakness; faintness; feebleness **3** (*chim.*, *psic.*) lability.

labiodentàle a. e f. (*fon.*) labiodental.

labiolettùra f. lip-reading.

labiopalatàle a. e f. (*fon.*) labiopalatal.

labiovelàre a. e f. (*fon.*) labiovelar.

labirìntico a. **1** labyrinthine; maze-like **2** (*fig.*) labyrinthine; tortuous **3** (*anat.*) labyrinthine.

labirintìte f. (*med.*) labyrinthitis.

labirìnto m. **1** labyrinth; maze **2** (*fig.*) maze; intricacies (pl.); twistings and turnings (pl.): **il l. della burocrazia**, the maze of bureaucracy **3** (*anat.*) labyrinth: **l. membranoso**, membranous labyrinth **4** (*gioco di pazienza*) maze ● **l. di specchi** (*al luna park*), hall of mirrors.

labirintòsi f. (*med.*) labyrinthine disease.

♦**laboratòrio** m. **1** laboratory; lab (*fam.*): **l. chimico**, chemical laboratory; **l. linguistico**, language laboratory **2** (*di artigiano*) workshop; (*annesso a un negozio*) workroom: **l. di sartoria**, dressmaker's workroom.

laboratorìsta m. e f. (*tecnico*) laboratory technician; (*ricercatore*) researcher.

laboriosaménte avv. **1** (*con fatica*) laboriously **2** (*con operosità*) industriously.

laboriosità f. **1** (*difficoltà*) laboriousness **2** (*operosità*) industriousness; industry.

laborióso a. **1** (*faticoso*) laborious; arduous; wearisome: **incarico l.**, arduous task; **ricerca laboriosa**, laborious search; **avere una digestione laboriosa**, not to digest easily; to suffer from dyspepsia **2** (*industrioso*) hard-working; industrious: **persona laboriosa**, hard-working person **3** (*denso di lavoro*) busy: **città laboriosa**, busy town.

labradòr, làbrador m. inv. Labrador (dog); Labrador retriever.

labradorégno A a. of Labrador; labrador (attr.) B m. (f. **-a**) inhabitant of Labrador.

labradorite f. (*miner.*) labradorite.

làbro m. (*zool.*, *Labrus*) wrasse.

laburìsmo m. (*polit.*) labourism, laborism (*USA*); labour movement.

laburìsta (*polit.*) A a. Labour (attr.): **il Partito l.**, the Labour Party; the Labor Party (*Austral.*) B m. e f. Labour Party member.

laburìstico a. (*polit.*) Labour (attr.).

labùrno m. (*bot.*, *Laburnum anagyroides*) laburnum.

lacaniàno a. (*psic.*) Lacanian.

làcca f. **1** (*pigmento*) lake; (*vernice*) lacquer **2** (*colore*) lake **3** (*per capelli*) (hair) lacquer; hair spray **4** (*per unghie*) nail varnish **5** (*oggetto laccato*) lacquer ● **l. a tampone** (*per il legno*), French polish □ **l. giapponese**, japan □ **colori a l.**, lakes □ **gomma l.**, shellac □ **rosso l.**, lake red; bright red □ **verniciare a l.** → **laccare**.

laccamùffa f. (*chim.*) litmus.

laccàre v. t. **1** to lacquer; to shellac; (*con lacca del Giappone*) to japan; (*un mobile, anche*) to french-polish **2** (*i capelli*) to spray with lacquer **3** (*le unghie*) to varnish.

laccatóre m. (f. **-trìce**) lacquerer.

laccatùra f. **1** lacquering; japanning; (*di mobile, anche*) french-polishing **2** (*strato di lacca*) lacquer.

lacchè m. **1** lackey; footman*; flunkey **2** (*fig. spreg.*) lackey; flunkey.

làccia f. (*zool.*, *Alosa alosa*) allis shad.

làccio m. **1** (*cappio*) noose **2** (*legaccio*) string; lace; (*da tirare*) drawstring; **l. da scarpe**, shoe-string; shoe-lace **3** (*fig.: trappola*) snare; trap; **cadere nel l. di q.**, to fall into sb.'s trap; **prendere al l.**, to ensnare; to trap; **tendere un l.**, to lay a snare **4** (*fig.: legame*) tie; (*impedimento*) shackle ● (*fig.*) **lacci e laccioli**, ties; (*intralci burocratici*) red tape Ⓤ □ (*med.*) **l. emostatico**, tourniquet.

lacciòlo m. snare (for small birds).

laccolite m. e f. (*geol.*) laccolith.

lacedèmone a. e m. (*stor. greca*) Lacedaemonian; Spartan.

laceràbile a. that can be torn.

laceraménto m. tearing; rending; lacerating.

lacerànte a. (*fig.: doloroso*) painful, lacerating, agonizing; (*acuto*) piercing: **decisione l.**, painful (*o* agonizing) decision; **grido l.**, piercing cry; **rimorso l.**, lacerating remorse.

laceràre A v. t. **1** (*strappare*) to tear*; to rip; to rend*; (*la carne*) to lacerate: **l. un lenzuolo**, to tear a sheet **2** (*fig.: squarciare*) to rend*: *Alte grida lacerarono l'aria*, loud cries rent the air ● (*fig.*) **l. il cuore**, to break (sb.'s) heart; (*di cosa*) to be heartbreaking □ **lacerato dal rimorso**, racked with remorse B **laceràrsi** v. i. pron. to tear*.

lacerazióne f. **1** (*il lacerare*) tearing; ripping; rending **2** (*strappo*) rent; tear **3** (*med.*) laceration; (*lacerated*) wound: **l. del collo dell'utero**, laceration of the cervix **4** (*fig.: strazio*) tearing grief; heart-ache **5** (*fig.: separazione dolorosa*) painful separation; rift.

làcero a. **1** (*strappato*) torn; (*a brandelli*) ragged, in shreds (pred.) **2** (*di persona*) ragged; in rags (pred.) **3** (*med.*) lacerated.

lacero-contùso a. (*med.*) lacerated and contused.

lacèrtide m. (*zool.*) lacertid; (al pl., *scient.*) Lacertidae.

lacertifórme a. (*zool.*) lizard-like.

lacèrto m. **1** (*anat.*) biceps **2** (*fig. lett.*) fragment **3** (*region., zool.*) → **sgombro** ③.

Làchesi f. (*mitol.*) Lachesis.

lacinia f. (*bot., zool.*) lacinia*.

laciniàto a. (*bot., zool.*) laciniate.

laconicità f. laconicism; laconism; terseness; (*stringatezza*) brevity, conciseness.

lacònico a. **1** (*della Laconia*) Laconian; Laconic **2** (*fig.*) laconic; terse; (*stringato*) brief, concise: **persona laconica**, laconic person; **risposta laconica**, laconic answer; **stile l.**, terse style.

laconìsmo m. laconism; laconicism.

♦**làcrima** f. **1** tear; teardrop: **lacrime di gioia**, tears of joy; *Una l. le scese sulla guancia*, a teardrop ran down her cheek; **asciugarsi le lacrime**, to dry one's tears; **avere le lacrime agli occhi**, to have tears in one's eyes; **frenare [ingoiare] le lacrime**, to choke back [to swallow] one's tears; **essere in lacrime**, to be in tears; **versare lacrime**, to cry; to shed tears; **non versare una l.**, not to shed a single tear; **commuoversi fino alle lacrime**, to be moved to tears; **scoppiare in lacrime**, to burst into tears; **un viso rigato di lacrime**, a tear-stained face; **voce piena di lacrime**, tearful voice **2** (*piccola quantità*) drop: **una l. di vino**, a drop of wine **3** (*oggetto a forma di l.*) tear; drop: **una l. di cera**, a drop of wax ● (*fig.*) **lacrime di coccodrillo**, crocodile tears □ (*fig.*) **asciugare le lacrime a q.**, to comfort sb. □ **costare sudore, lacrime e sangue**, to cost blood, sweat and tears □ (*fig.*) **non avere più lacrime**, to be past crying □ **piangere a calde lacrime**, to cry one's heart out □ **ridere fino alle lacrime**, to laugh till one cries □ **sciogliersi in lacrime**, to dissolve into tears □ **strappare le lacrime a q.**, to move sb. to tears □ (*fig.*) **valle di lacrime**, vale of tears.

lacrimàbile (*lett.*) → **lacrimevole**.

lacrimàle a. **1** (*anat.*) lacrimal; tear (attr.): **ghiandola l.**, lacrimal gland; **dotto l.**, lacrimal duct; tear duct; **sacco l.**, lacrimal sac **2** (*archeol.*) → **vaso l.** → **lacrimatoio**.

lacrimàre v. i. **1** (*per irritazione*) to water: *Il fumo mi fa l. gli occhi*, smoke makes my eyes water **2** (*piangere*) to weep*; to cry.

lacrimatóio m. (*archeol.*) lachrymal vase; lachrymal; lachrymatory.

lacrimatòrio A a. lachrymatory, lacrimatory B m. → **lacrimatoio**.

lacrimazióne f. (*anche med.*) lacrimation.

lacrimévole a. sad; moving; pitiful; lamentable; (*spreg.*) patetico) maudlin, soppy, tear-jerking (*fam.*): **film [canzone, ecc.] l.**, tear-jerker (*fam.*); **vicenda l.**, sad (*o* moving) story; (*iron.*) sob story.

lacrimògeno A a. **1** lacrimatory; tear (attr.): **bomba lacrimogena**, tear bomb; **gas l.**, tear gas **2** (*scherz.: commovente*) tear-jerking (*fam.*) B m. (*chim.*) lachrymator; tear gas.

lacrimóso a. **1** (*pieno di lacrime*) tearful: **occhi lacrimosi**, tearful eyes; **voce lacrimosa**, tearful voice **2** (*patetico*) → **lacrimevole**.

lacrosse (*ingl.*) m. (*sport*) lacrosse.

lacuàle a. lake (attr.): **porto l.**, lake harbour.

lacùna f. **1** (*in un testo*) lacuna* **2** (*scient.*) hiatus*; lacuna*; hole **3** (*fig.*) gap; hole; lacuna*; blank: **una l. della memoria**, a memory lapse; a blank in sb.'s memory; **lacune culturali**, gaps in sb.'s education; **colmare una l.**, to fill a gap **4** (*tipogr.*) blank.

lacunàre m. (*archit.*) lacunar.

lacunosità f. incompleteness; sketchiness; defectiveness.

lacunóso a. full of gaps (*o* blanks); (*di manoscritto, ecc.*) full of lacunae; (*incompleto*) incomplete, sketchy, patchy: **cultura lacunosa**, incomplete education; **descrizione lacunosa**, sketchy description.

lacùstre a. lake (attr.); lacustrine: **abitazione l.**, lake dwelling; **fauna l.**, lake fauna.

làdano ① m. labdanum, ladanum.

làdano ② m. (*zool.*, *Huso huso*) beluga.

laddóve (*lett.*) A avv. where B cong. (*mentre*) whereas; while; whilst.

ladino a. e m. (f. **-a**) Ladin.

ladreria f. **1** theft; robbery; thievery; thieving: *È una l. bella e buona!*, this is daylight robbery! (*fam.*).

ladrésco a. thievish; thieving; larcenous ● **gergo l.**, thieves' cant □ **impresa ladresca**, theft.

♦**làdro** A m. (f. **-a**) thief*; (*rapinatore*) robber; (*svaligiatore di appartamenti*) burglar; (*taccheggiatore*) shoplifter: **l. di bestiame**, cattle thief; rustler (*USA*); **l. di professione**, professional thief; **l. di strada**, street robber; mugger; highwayman* (*stor.*) *Abbiamo avuto i ladri in casa*, we had burglars; we were burgled; **dare del l. a q.**, to call sb. a thief; *Quel salumiere è un l.*, that grocer is a thief; *Al l.!*, stop thief! ● **l. acrobata**, cat burglar; cat (*fam.*) □ **l. di bambini**, baby-snatcher □ **l. di cuori**, lady-killer □ (*fig.*) **l. di galline** (*o* di polli), petty thief; pilferer □ **l. in guanti gialli**, gentleman thief □ **l. internazionale**, international crook □ **vergognarsi come un l.**, to die of shame □ **vestito come un l.**, dressed like a tramp B a. **1** thieving; (*disonesto*) dishonest: **un cassiere l.**, a thieving cashier; **negoziante l.**, dishonest shopkeeper **2** (*fig. fam.*) terrible; horrible: **avere una sete ladra**, to be terribly thirsty; to be dying of thirst; **tempo l.**, foul (*o* dirty) weather; *Faceva un freddo l.*, it was freezing.

ladrocinio m. theft; thieving; thievery; robbery; larceny (*leg.*); (*fig.*) rip-off (*fam.*), daylight robbery Ⓤ (*fam.*).

ladróne m. **1** thief; robber **2** (*grassatore*) robber; highwayman* (*stor.*); (*brigante*) bandit ● (*nel Vangelo*) **i due ladroni**, the good thief and the bad thief.

ladronéccio m. (*lett.*) theft; thievery; robbery.

ladroneggiàre v. i. (*lett.*) to live by theft; to commit thefts.

ladroneria f. **1** (*l'essere ladro*) thievishness **2** (*furto*) theft; thievery; robbery.

ladronésco a. thievish; dishonest.

ladrùncolo m. (f. **-a**) **1** (*ragazzo che ruba*) young thief* **2** (*ladro da poco*) petty thief*; pilferer; (*taccheggiatore*) shoplifter; (*borseggiatore*) pickpocket.

Laèrte m. Laertes.

lagèna f. (*archeol., zool.*) lagena*.

lagenària f. (*bot.*, *Lagenaria vulgaris*; *il frutto*) bottle gourd; calabash.

làger (*ted.*) m. inv. concentration camp.

♦**laggiù** avv. **1** (*in basso*) down there: **l. a valle**, down there in the valley **2** (*lontano*) over there; down (there): *Vedi quell'uomo l.?*, do you see that man over there? **l. in fondo alla strada**, down at the end of the street **3** (*al sud*) down south: **l. in Marocco**, down in Morocco.

laghétto m. small lake; pond; (*di montagna, anche*) tarn.

laghìsta a. – (*letter. ingl.*) **i poeti laghisti**, the Lake poets.

làgna f. (*fam.*) **1** (*piagnisteo*) whining Ⓤ; whine; (*lagnanza*) griping, whining **2** (*cosa o persona noiosa*) bore; drag (*fam.*); pain in the

neck (*fam.*).

lagnànza f. complaint; grievance: **fare le proprie lagnanze**, to make complaints; to complain; **essere motivo di l.**, to give cause for (*o* to be the ground of) complaints.

lagnàrsi v. i. pron. **1** to complain; to gripe (*fam.*); (*brontolare*) to grumble, to moan, to whine: **l. dei prezzi alti**, to complain about the high prices; **l. per l'ascensore che non va**, to complain about the lift not working; **l. di un dolore al fianco**, to complain of a pain in one's side; *Ha sempre da l.*, he's always grumbling (*o* moaning) about something **2** (*gemere*) to moan; to groan.

lagnóne m. (f. *-a*) (*fam.*) moaner; grumbler; whiner.

lagnóso a. **1** (*lamentoso*) moaning; grumbling; whining **2** (*fam.*: *noioso*) boring; (*di storia, ecc., anche*) that drags on and on (pred.).

♦**làgo** m. **1** lake: **l. artificiale**, artificial lake; reservoir; **l. chiuso**, lake with no outlet; **il l. Maggiore**, Lake Maggiore; **l. salato**, salt lake; **l. vulcanico**, volcanic lake; (*in GB*) **la regione dei laghi**, the Lake District **2** (*fig.*) lake; pool; sea; (*pozzanghera*) (huge) puddle: **un l. di sangue**, a pool of blood; *Ha fatto un l. in bagno*, she has flooded the whole bathroom; **essere in un l. di sudore**, to be in a sweat.

lagoftàlmo m. (*med.*) lagophthalmus; lagophthalmia.

lagòpode m. (*zool.*, *Lagopus mutus*) (rock) ptarmigan.

làgrima e deriv. → **lacrima**, e deriv.

lagùna f. lagoon.

lagunàre a. lagoon (attr.); lagoonal.

lài ① m. (*stor. letter.*) lay.

lài ② m. pl. (*poet.*) lamentations.

làica f. → **laico**, **B**.

laicàle a. lay (attr.); laic; non-clerical; secular: **condizione l.**, lay status.

laicàto m. **1** (*condizione*) lay status **2** (*i laici*) laity.

laicìsmo m. secularism.

laicìsta Ⓐ a. secularist Ⓑ m. e f. supporter of secularism.

laicìstico a. secularist.

laicità f. lay status; laicity.

laicizzàre Ⓐ v. t. to secularize; to laicize: **l. la scuola**, to secularize education Ⓑ **laicizzàrsi** v. i. pron. to become* secularized.

laicizzazióne f. secularization; laicization.

làico Ⓐ a. **1** (*non appartenente al clero*) lay (attr.), non-clerical, laic; (*secolare*) secular; (*non confessionale*) non-denominational: **membro l.**, lay member; **scuola laica**, non-denominational school **2** (*ispirato al laicismo*) lay (attr.); laic, laical; **morale laica**, lay morality; *Stato l.*, lay state **3** (*che non appartiene a una professione*) lay (attr.): (*leg.*) **giudice l.**, lay judge Ⓑ m. (f. *-a*) **1** layman* (f. laywoman*); layperson; (al pl., collett.) (the) laity (sing.) **2** (*converso*) lay brother (f. lay sister).

laidézza f. **1** (*sporcizia*) filth; foulness **2** (*bruttezza*) ugliness **3** (*turpitudine*) baseness; depravity; foulness **4** (*azione oscena*) obscenity.

làido a. **1** (*sporco*) filthy; foul **2** (*brutto*) ugly **3** (*turpe, osceno*) dirty; obscene; filthy.

laidùme m. filth; dirt.

lallazióne f. (*med.*) lallation.

lalofobìa f. (*psic.*) lalophobia.

lalopatìa f. (*med.*) lalopathy.

laloplegìa f. (*med.*) laloplegia.

♦**làma** ① f. (*anche tecn.*) blade: **l. a doppio taglio**, two-edged blade; (*fig.*) double-edged weapon; **l. circolare**, circular blade; **l. dentata**, toothed (*o* serrated) blade; **l. fis-**sa, fixed blade; **la l. di un pattino**, the blade of a skate; **l. di rasoio**, razor-blade; **arrotare una l.**, to sharpen a blade; **il filo della l.**, the blade's edge ● (*naut.*) **l. di deriva**, fin of a centre board □ **una l. di ghiaccio**, a sheet of ice □ **una l. di luce**, a blade of light □ (*fig.*) **una buona l.**, a good swordsman (*o* blade).

làma ② m. inv. (*zool.*, *Auchenia lama*) lama.

làma ③ m. inv. (*monaco buddista*) lama.

làma ④ f. (*terreno paludoso*) swamp.

lamàico a. (*relig.*) Lamaist.

lamaìsmo m. (*relig.*) Lamaism.

lamaìsta a., m. e f. (*relig.*) Lamaist.

lamaìstico a. (*relig.*) Lamaistic.

lamantìno m. (*zool.*, *Trichechus manatus*) manatee; lamantin.

lamarckiàno a., m. e f. Lamarckian.

lamarckìsmo m. Lamarckism.

lamàre v. t. (*falegn.*) to plane.

lamasserìa f. (*relig.*) lamasery.

lamatùra f. **1** (*falegn.*) planing **2** (*ind. mecc.*) boring.

làmbda m. o f. (*undicesima lettera dell'alfabeto greco*) lambda.

lambdacìsmo m. (*med.*) lambdacism; lallation.

làmbdico a. (*fis.*) lambda (attr.).

lambdoidèo a. (*anat.*) lambdoid.

lambèllo m. (*arald.*) label; file.

Lambèrto m. Lambert.

lambiccaménto m. (*fig.*) racking of one's brains.

lambiccàre Ⓐ v. t. (*fig.*) to think* over carefully; to ponder ● **lambiccarsi il cervello**, to rack (*o* to cudgel) one's brains Ⓑ **lambiccàrsi** v. i. pron. to rack (*o* to cudgel) one's brains; to puzzle (over st.).

lambiccàto a. (*fig.*) overelaborate; intricate; (*improbabile*) far-fetched.

lambìre v. t. **1** (*leccare*) to lick; (*un liquido*) to lap **2** (*fig.*: *sfiorare*) to brush; (*del fuoco*) to lick; (*di onda*) to lap against: *Le fiamme lambivano già le pareti*, the flames were already licking the walls; *Le onde lambivano il fianco della barca*, the waves lapped against the side of the boat.

lambrecchìno m. (*arald.*) lambrequin.

lambrì, lambris m. inv. (*archit.*) dado.

lambrùsca f. (*bot.*, *Vitis labrusca*) Labrusca; fox-grape (*USA*).

lamé (*franc.*) a. e m. inv. lamé.

lamèlla f. **1** thin blade; thin plate; thin layer **2** (*scient.*) lamella*.

lamellàre a. lamellar; lamellate.

lamellibrànchio m. (*zool.*) lamellibranch; bivalve; (al pl., *scient.*) Lamellibranchia, Bivalvia.

lamellifórme a. lamelliform; platelike.

♦**lamentàre** Ⓐ v. t. **1** (*piangere*) to mourn; to lament: **l. la morte di un amico**, to mourn (*o* to lament) the death of a friend **2** (*dover segnalare*) to report (spesso al passivo): *Non si sono lamentati disordini*, no disturbances were reported Ⓑ **lamentàrsi** v. i. pron. **1** (*gemere*) to groan; to moan: *Il ferito si lamentava*, the wounded man was moaning **2** (*fare rimostranze*) to complain: **lamentarsi del rumore**, to complain about the noise; *Mi lamenterò col direttore*, I shall complain to the manager; *Di che cosa ti lamenti?*, what are you complaining about?; *Non posso lamentarmi* (*o Non mi lamento*), I can't complain.

lamentazióne f. lamentation; wailing ● (*Bibbia*) **le Lamentazioni di Geremia**, the Lamentations of Jeremiah.

lamentèla f. (*lagnanza*) complaint; grievance.

lamentévole a. **1** (*degno di compianto*) lamentable; pitiful **2** (*che esprime lamento*) plaintive; mournful: **con voce l.**, in a plaintive (*o* mournful) voice.

lamentìo m. wailing; lamentations (pl.).

♦**laménto** m. **1** lament; (*gemito*) moan, groan; (al pl., anche) moaning Ⓤ, groaning Ⓤ, wailing Ⓤ: *Udivo i lamenti dei feriti*, I could hear the moaning of the wounded **2** (*fig.*: *suono lamentoso*) plaintive sound **3** (*letter.*) lament; (*mus.*) lament, dirge: **l. funebre**, funeral lament; dirge **4** (*lagnanza*) complaint.

lamentóso a. plaintive; mournful; plangent: **voce lamentosa**, plaintive voice.

lamétta f. blade; (*di rasoio*) razor-blade.

làmia f. **1** (*mitol.*) lamia* **2** (*strega*) witch; lamia*.

lamièra f. (*metall.*) plate; sheet metal Ⓤ: **l. bugnata**, buckle-plate; **l. di acciaio**, sheet-steel; **l. di zinco**, sheet-zinc; **l. liscia**, smooth plate; **l. ondulata**, corrugated sheet-iron; **l. zincata**, galvanized sheet-iron ● **Fu estratto vivo dalle lamiere dell'auto**, he was extracted alive from the wreck of the car.

lamierìno m. (*metall.*) sheet metal; latten: **l. di acciaio**, sheet-steel; **l. di ottone**, sheet-brass; **l. di stagno**, sheet-tin.

lamierìsta m. sheet-metal worker.

làmina f. **1** lamina*; thin plate; thin sheet; thin layer; foil; (*scaglia*) scale: **l. di ardesia**, slate lamina; **l. di metallo**, thin layer (*o* sheet) of metal; **l. d'oro**, gold leaf; **l. di ottone**, brass foil; **rompersi** (*o* **sfaldarsi**) **in lamine**, to split into laminae; to foliate; **a lamine**, laminated **2** (*anat.*, *geol.*, *bot.*) lamina*.

laminàre ① a. laminar: (*mecc.*) **corrente** (*o* **flusso, moto**) **l.**, laminar flow; (*geol.*) **strato l.**, laminar layer.

laminàre ② v. t. **1** (*metall.*) to roll; (*in fogli sottili*) to laminate: **l. a caldo**, to hot-roll; **l. a freddo**, to cold-roll **2** (*coprire con lamine*) to laminate; to plate **3** (*ind. tess.*) to calender.

laminària f. (*bot.*, *Laminaria*) sea-tangle.

laminàto ① Ⓐ a. (*metall.*) rolled: **ferro l.**, rolled iron Ⓑ m. rolled section: **l. di acciaio**, rolled steel section ● **l. plastico**, laminated plastic.

laminàto ② m. (*tessuto*) lamé.

laminatóio m. (*mecc.*) rolling-mill: **l. per barre**, bar rolling-mill; **l. per lamiere**, plate rolling-mill; **l. per lamiere sottili**, sheet rolling-mill; **l. per profilati**, section rolling-mill; **l. per tubi**, tube rolling-mill.

laminatóre m. (*mecc.*) roller; laminator.

laminatùra f. (*metall.*) rolling; lamination.

laminazióne f. **1** (*geol.*) lamination **2** (*metall.*) rolling; lamination: **l. a caldo**, hot-rolling; **l. a freddo**, cold-rolling.

làmio m. (*bot.*, *Lamium*) dead-nettle.

♦**làmpada** f. **1** lamp; oil lamp; **l. a olio**, oil lamp; **l. a braccio regolabile**, adjustable lamp; **l. a incandescenza**, incandescent lamp; **l. a muro**, wall lamp; bracket lamp; **l. a raggi ultravioletti**, sunlamp; sunray lamp; **l. a sospensione**, swinging lamp; **l. a stelo**, standard lamp; floor lamp (*USA*); **l. alogena**, halogen lamp; **l. da tavolo**, table lamp; reading lamp; **l. di sicurezza** (*o* **di Davy**), safety lamp; Davy lamp; **l. frontale**, helmet lamp; **lampade e lampadari**, lighting equipment (*o* fittings) **2** (*tecn.*) blowlamp; blowtorch ● **la l. di Aladino**, Aladdin's lamp.

♦**lampadàrio** m. chandelier: **l. a otto bracci**, eight-branched chandelier.

♦**lampadìna** f. (light) bulb: **una l. da 100 watt**, a 100-watt bulb; (*fotogr.*) **l. da flash**, flash bulb; **l. smerigliata**, frosted bulb; pearl bulb (*GB*); *La l. è bruciata*, the bulb has blown ● **l. tascabile**, pocket torch (*GB*); pocket flashlight (*USA*) □ **l. spia**, warning

a b c d e f g h i j k l m n o p q r s t u v w x y z

light.

lampadòforo m. (f. **-a**) torch-bearer.

lampànte a. **1** (*evidente*) crystal clear; patently clear; self-evident; glaring; glaringly obvious: **errore l.**, glaring error; **prova l.**, clear (*o positive*) proof; **verità l.**, self-evident truth; **È l. che...**, it is glaringly obvious that... **2** – **olio l.**, lamp oil.

lampàra f. **1** (*lampada*) fishing light; jack light (*USA*) **2** (*barca*) lampara boat **3** (*rete*) round haul net; lampara net.

lampàsso m. (*ind. tess.*) lampas.

lampàzza f. (*naut.*) fish.

lampeggiaménto m. **1** flashing; (*nelle segnalazioni, anche*) blinking, winking **2** (*lampi*) lightning.

lampeggiànte **A** a. flashing **B** m. → **lampeggiatore**.

lampeggiàre **A** v. i. **1** (*di luce e fig.*) to flash: *Lampeggiano le spade*, swords are flashing; *I suoi occhi lampeggiarono d'ira [di gioia]*, his eyes flashed with anger [shone with joy] **2** (*di segnalazione*) to blink; to wink; to flash; (*autom.*) to flash one's light (*USA* one's brights): *Il faro lampeggiava*, the lighthouse was blinking; *La spia della benzina lampeggia*, the petrol indicator is flashing **B** v. i. impers. – *Tuonava e lampeggiava*, there was thunder and lightning.

lampeggiatóre m. **1** (*autom.*) (flashing) indicator; (*di polizia, ambulanza*) flashing light **2** (*di semaforo*) flashing amber light **3** (*fotogr., cinem.*) flash; flashlight: **l. elettronico**, electronic flash; flash gun.

lampéggio① m. flashing; blinking.

lampeggìo② m. lightning.

lampionàio m. lamp-lighter.

lampioncino m. Chinese lantern.

lampióne m. streetlamp; streetlight; (*il palo*) lamppost: **l. a gas**, gaslight.

lampìride f. (*zool.*) **1** (*Lampyris noctiluca*) glow-worm **2** (*lucciola*) firefly.

lampìsta m. (*ferr., ind. min.*) lampman*.

lampisterìa f. (*ferr., ind. min.*) lamp room.

◆**làmpo** **A** m. **1** lightning Ⓤ; (*singola saetta*) flash of lightning: **lampi e tuoni**, thunder and lightning; **lampi a zigzag**, forked lightning; *Ci fu un l.*, there was a flash of lightning; **tre lampi**, three flashes of lightning **2** (*guizzo di luce*) flash; (*anche fig.*); (*bagliore*) flashing; (*fotogr.*) **l. al magnesio**, magnesium flash; **il l. delle spade [degli occhi]**, the flashing of swords [of eyes]; **un l. di speranza**, a flash of hope; *I suoi occhi mandavano lampi di collera*, his eyes were flashing with anger ● **l. di genio**, flash of inspiration; stroke of genius; brainwave (*fam.*) ● (*fig.*) **in un l.**, in a flash □ **passare (davanti) in un l.**, to flash by; to whizz by (*fam.*) **B** f. (*fam.*) zip (fastener); zipper (*USA*): **aprire la l. di qc.**, to unzip st.; **chiudere la l. di qc.**, to zip up st. **C** a. inv. (*velocissimo*) lightning (attr.); instant (attr.): **decisione l.**, instant decision; **visita l.**, lightning visit ● **chiusura l.**, zip fastener □ **guerra l.**, blitzkrieg (*ted.*); lightning attack □ **matrimonio l.**, whirlwind wedding □ **notizia l.**, newsflash.

lampóne m. (*bot., Rubus idaeus; frutto*) raspberry.

lamprèda f. (*zool., Petromyzon*) lamprey.

◆**làna** f. **1** wool: **l. a fibra corta**, short-stapled wool; **l. a fibra lunga**, long-stapled wool; **l. cardata**, carding wool; **l. da rammendo**, darning wool; **l. greggia**, raw wool; **l. per lavori a maglia**, knitting wool; **l. pettinata**, combed wool; (*tessuto*) worsted; **pura l. vergine**, pure virgin wool; **l. rigenerata**, shoddy; **di l.**, woollen, woolen (*USA*); wool (attr.); **coperta di l.**, woollen blanket; **indumenti di l.**, woollens, woolens (*USA*); **matassa di l.**, skein of wool; **stoffa di l.**,

woollen cloth; **cardare [pettinare] la l.**, to card [to comb] wool; **commercio della l.**, wool trade **2** (*estens.: fibra artificiale*) wool: **l. d'acciaio**, steel wool; **l. di legno**, wood wool; **l. di vetro**, glass wool; fibreglass **3** (*laniccio*) fluff; dust bunnies (pl.) (*fam. USA*) ● (*fig.*) **buona l.**, rascal; scoundrel; scapegrace □ **questione di l. caprina**, futile argument; petty quibble; hairsplitting Ⓤ; **fare questioni di l. caprina**, to split hairs.

lanaiòlo m. wool merchant.

lanàrio m. (*zool., Falco biarmicus*) lanner.

lanatoșìde f. (*chim.*) lanatoside.

lànca f. (*geol.*) oxbow (lake).

lanceolàto a. (*anche bot.*) lanceolate.

◆**lancétta** f. **1** (*di orologio*) hand: **la l. dei minuti [delle ore]**, the minute [the hour] hand; *La l. segnava le tre*, the hand pointed to three **2** (*di bussola*) needle; (*di altro strumento*) pointer **3** (*med.*) lancet ● **nel senso delle lancette dell'orologio**, clockwise □ **nel senso contrario alle lancette dell'orologio**, anti-clockwise; counter-clockwise.

lància① f. **1** spear; (*di cavaliere*) lance: **scagliare una l.**, to throw (*o* to hurl) a spear; **trafiggere con una l.**, to spear a spear **2** (*stor.: lanciere*) lancer; lance; (*estens.*) soldier **3** (*pesca*) lance **4** (*becco di estintore*) nozzle **5** (*tecn.*) **l. termica**, oxygen lance ● (*fig.*) **spezzare una l. in favore di q.**, to intervene on sb.'s behalf; to strike a blow for sb.

lància② f. (*naut.*) ship's boat; (*a motore*) launch: **l. da parata**, barge; **l. di bordo**, ship's boat; **l. di salvataggio**, lifeboat; **mettere in mare le lance**, to lower the boats.

lanciabàs m. (*mil.*) anti-submarine mortar.

lanciàbile a. throwable; that can be thrown.

lanciabómbe m. inv. (*mil.*) trench mortar; (*naut.*) depth-charge thrower; (*aeron.*) bomb-thrower.

lanciafiàmme **A** m. inv. (*mil.*) flame-thrower **B** a. inv. flame-throwing.

lanciagranàte m. inv. (*mil.*) grenade-launcher; mortar.

lanciamissili (*mil.*) **A** a. inv. missile-launching: **nave l.**, missile ship; **sottomarino l.**, missile-launching (*o* guided-missile) submarine **B** m. inv. missile-launcher.

lanciapiattèllo, lanciapiattèlli m. inv. (*sport*) trap.

lanciaràzzi **A** m. inv. **1** (*mil.*) rocket launcher **2** (*per segnalazione*) flare gun; Very pistol **B** a. inv. **1** (*mil.*) Very pistol.

◆**lanciàre** **A** v. t. **1** (*gettare*) to throw*; to toss; (*con forza*) to hurl; to fling*: **l. in aria il cappello**, to throw up one's hat; **l. in aria una moneta**, to toss (up) a coin; **l. sassi contro q.**, to throw (*o* to fling) stones at sb.: *Lanciai il cappotto sul letto*, I flung the coat onto the bed **2** (*sport*) to throw*; (*baseball*) to pitch; (*calcio*) to shoot*; (*cricket*) to bowl: **l. il disco [il giavellotto]**, to throw the discus [the javelin]; **l. la palla**, to throw the ball; (*baseball*) to pitch the ball; (*calcio*) to shoot the ball; **l. il peso**, to put the shot **3** (*un siluro*) to fire; to discharge **4** (*miss.*) to launch: **l. un razzo**, to launch a rocket **5** (*lasciar cadere*) to drop: **l. bombe**, to drop bombs; *Cento paracadutisti furono lanciati nella zona*, a hundred parachutists were dropped in the area **6** (*imprimere velocità a*) to speed* up: **l. un'auto a tutta velocità**, to speed up a car; to hit the accelerator (*fam.*); to step on the gas (*slang*); **l. il cavallo al galoppo**, to start at a gallop **7** (*fig.*) to cast*; to shoot*; to hurl; (*emettere*) to let* out; (*mandare*) to send* out: **l. un'accusa contro q.**, to lay a charge against sb. (*o* at sb.'s door); **l. un grido**, to let out a cry; **l. un messaggio [un S.O.S.]**, to send out a message

[an S.O.S.]; **l. minacce contro q.**, to hurl threats at sb.; **l. un'occhiata a q.**, to cast (*o* to shoot) a glance at sb.; to glance at sb. **8** (*promuovere*) to launch; (*proporre*) to come* up with: **l. un'attrice**, to launch an actress; **l. una campagna**, to launch a campaign; **l. un'idea**, to come up with an idea; **l. una moda**, to launch (*o* to set) a fashion; **l. un prodotto**, to launch a product; **l. un prestito**, to float a loan; **l. una sottoscrizione**, to launch an appeal **9** (*comput.: un programma*) to run, to launch **B** **lanciàrsi** v. rifl. **1** to throw* oneself; to fling* (*o* to hurl) oneself; to dash; to rush: *Il pompiere si lanciò tra le fiamme*, the fireman threw himself (*o* dashed) into the flames; *La donna si lanciò fuori della stanza*, the woman dashed (*o* rushed) out of the room; *Si lanciarono contro il nemico*, they hurled themselves at (*o* upon) the enemy; **lanciarsi all'inseguimento**, to dash off in pursuit; **lanciarsi in avanti**, to dash (*o* to rush) forward **2** (*col paracadute*) to drop; to jump; (*automaticamente*) to bale out **3** (*fig.*) to launch out (into st.): **lanciarsi in una discussione**, to launch into a discussion; *Si sta lanciando ora (negli affari, ecc.)*, he is launching out now.

lanciarpióne m. inv. (*naut.*) harpoon gun.

lanciasàbbia m. inv. (*ferr.*) sander.

lanciasàgola m. inv. (*naut.*) line-throwing gun.

lanciasilùri m. inv. (*mil.*) torpedo-tube.

lanciàto a. **1** (*di veicolo*) speeding (*o* racing) along; going at full speed; belting along (*fam.*); barreling along (*fam. USA*) **2** (*fig.: infervorato*) off: *Cercai d'interromperlo, ma ormai era l.*, I tried to interrupt him, but he was already off.

lanciatóre m. (f. **-trìce**) **1** thrower **2** (*sport*) thrower; (*baseball*) pitcher; (*cricket*) bowler: **l. del disco**, discus thrower; **l. del giavellotto**, javelin thrower; **l. del peso**, shot-putter.

lancière m. **1** (*mil.*) lancer **2** (al pl.) (*ballo*) lancers.

Lancillòtto m. Lancelot; Launcelot.

lancinànte a. shooting; piercing; stabbing: **dolore l.**, shooting pain.

làncio m. **1** (*il lanciare*) throwing, tossing, flinging, hurling; (*singolo l.*) throw, toss, fling, hurl: **un l. di dadi**, a throw of the dice; **l. della moneta**, tossing the coin; toss (of a coin) **2** (*sport: il lanciare*) throwing, pitching; (*singolo l.*) throw, (*baseball*) pitch, (*calcio*) shot: **l. del disco**, discus throwing; **l. del giavellotto**, javelin throwing; **l. del martello**, throwing the hammer; **l. del peso**, putting the shot; **un buon l.**, a good throw; (*baseball*) a good pitch **3** (*l. dall'alto*) dropping Ⓤ, drop; (*con paracadute*) parachuting Ⓤ, jump, drop: **l. col paracadute**, parachute jump; **l. con apertura ritardata** (*del paracadute*), delayed drop; **l. di bombe**, dropping of bombs; **l. di rifornimenti**, air-drop; **l. notturno**, night drop **4** (*di siluro*) firing Ⓤ; discharge; (*naut.*) **camera di l.**, torpedo compartment **5** (*miss.*) launching Ⓤ; launch: **il l. di un missile**, the launching of a rocket; **dispositivo di l.**, launcher; **rampa di l.**, launching pad **6** (*pubblicitario*) launching Ⓤ; advertising campaign: **il l. di un un attore [di un libro]**, the launching of an actor [of a book]; **il l. di un prodotto**, the launching of a product; (*comm.*) **offerta di l.**, introductory offer **7** (*fin., di società in Borsa*) flotation **8** (*comput.*) launching.

lanciòla f. (*bot.*) plantain.

lànda① f. wasteland; wastes (pl.); (*brughiera*) moor, heath: **l. desolata**, wasteland; barren land; wastes (pl.).

lànda② → **landra**.

landau (*franc.*), **landò** m. inv. landau.

làndra f. (*naut.*) chain plate.

lanerìa f. woollens (pl.).

lanétta f. **1** (*lana leggera*) light wool **2** (*lana mista*) mixed wool.

Lanfrànco m. Lanfranc.

lànga f. hilly region.

langràvio m. (*stor.*) landgrave.

languènte a. **1** languishing **2** (*econ.*) slack; dull.

languidézza f. languor; faintness; listlessness.

lànguido a. **1** (*debole*) languid; listless; languorous; lackadaisical; faint: **con voce languida**, in a languid voice **2** (*svenevole*) languid; languishing; amorous: **occhiata languida**, languid look; **una posa languida**, a languishing pose (*o* posture); **guardare q. con occhi languidi**, to look at sb. with languishing (*o* amorous) eyes; to make sheep's eyes at sb. (*fam.*) **3** (*di luce*) dim; faint.

languire v. i. **1** to languish; to pine away: **l. d'amore**, to pine away from love; **l. in prigione**, to languish in prison; **l. nella miseria**, to languish in poverty **2** (*di pianta*) to droop **3** (*della luce*) to grow* dim (*o* faint) **4** (*di fiamma*) to die down **5** (*diminuire, indebolirsi*) to languish; to slacken; to drag; (*econ.*) to be slack, to be stagnating: *La conversazione languiva*, the conversation languished (*o* was dragging); *Gli affari stanno languendo*, business is slack; **lasciar l. qc.**, to leave st. to languish.

languóre m. **1** (*debolezza*) languor; listlessness; faintness **2** (*struggimento*) languishing pose; (al pl.: *svenevolezza*) simpering ways; mawkishness ⓤ; soppiness ⓤ (*fam.*): **sguardi pieni di l.**, languishing looks ● **l. di stomaco**, pangs of hunger □ **avere un certo languorino**, to feel peckish.

languoróso a. (*lett.*) languid; languorous.

langùr m. (*zool.*, *Presbytis entellus*) langur.

laniccio m. fluff; dust bunnies (pl.) (*fam. USA*).

lanière m. **1** woollen manufacturer **2** wool industry worker.

lanièro a. wool (attr.); woollen (attr.): **industria laniera**, wool industry.

lanificio m. wool (*o* woollen) mill.

lanolìna f. (*chim.*) lanolin.

lanosità f. woolliness; fleeciness.

lanóso a. **1** (*coperto di lana*) woolly; fleecy **2** (*simile alla lana*) woolly; wool-like.

lantàna f. (*bot.*) **1** (*Viburnum lantana*) wayfaring-tree **2** (*Lantana hybrida*) lantana.

lantànide Ⓐ m. (*chim.*) lanthanide; rare earth Ⓑ a. lanthanide; rare-earth.

lantànio m. (*chim.*) lanthanum.

lantèrna f. **1** lantern: **l. cieca**, dark lantern; **l. cinese**, Chinese lantern; **sportellino della l.**, lantern shutter **2** (*fanale*) light, beacon; (*faro*) lighthouse **3** (*di diascopio*) lamphouse head; (*estens.*: *diascopio*) diascope **4** (*archit.*) lantern; (*lucernario*) skylight ● **l. magica**, magic lantern.

lanternino m. small lantern ● (*fig.*) **cercare qc. col l.**, to search for st. high and low □ (*fig.*) **cercarsele col l.**, to go looking (*o* to be asking) for trouble.

lanùgine f. down (*anche di guace giovanili*); fluff; fuzz **2** (*bot.*) down; fluff.

lanuginóso a. downy.

lanùto a. (*lett.*) wool-covered; fleecy.

lanzichenécco m. (*stor.*) lansquenet.

làо Ⓐ a., m. e f. inv. → **laotiano** Ⓑ m. inv. (*ling.*) Laotian.

Laocóonte m. (*mitol.*) Laocoon.

laónde cong. (*lett.*) wherefore.

laotiàno Ⓐ a. Lao; Laotian Ⓑ m. (f. *-a*) Lao: **i laotiani**, the Laotians; the Laos.

---

lapalissiàno a. obvious; self-evident.

laparatomìa → **laparotomia**.

laparocèle m. (*med.*) ventral hernia.

laparoscopìa f. (*med.*) laparoscopy.

laparoscòpio m. (*med.*) laparoscope.

laparotomìa f. (*chir.*) laparotomy.

lapicìda m. (*stor.*) stone-cutter; lapicide.

lapidàre v. t. **1** to stone (to death) **2** (*fig.*) to lambaste; to tear* into.

lapidària f. **1** (*arte dell'incisione delle iscrizioni*) art of inscriptions **2** (*epigrafia*) epigraphy **3** (*arte di molare le pietre preziose*) lapidary art.

lapidàrio Ⓐ a. **1** lapidary: **iscrizioni lapidarie**, lapidary inscriptions **2** (*fig.*: *sentenzioso*) lapidary, sententious, aphoristic; (*conciso*) concise Ⓑ m. **1** (*incisore di lapidi*) stone-cutter **2** (*chi lavora pietre preziose*) lapidary **3** (*museo*) epigraphic museum **4** (*trattato medievale*) lapidary.

lapidatóre m. (f. *-trìce*) stone-thrower; stoner.

lapidatrìce → **lappatrice**.

lapidatùra → **lappatura**.

lapidazióne f. stoning (to death).

làpide f. **1** (*funeraria*) tombstone; gravestone **2** (*commemorativa*) memorial tablet; plaque.

lapidèllo m. (*tecn.*) lap.

lapìdeo a. (*lett.*) stony; stone (attr.).

lapidescènte a. (*scient.*) petrifying.

lapidificàre v. t., **lapidificàrsi** v. i. (*scient.*) to petrify.

lapìllo m. (*geol.*) lapillus*.

lapin (*franc.*) m. inv. rabbit fur.

làpis m. inv. pencil.

lapislàzzuli m. (*miner.*) lapis lazuli.

làppa f. (*bot.*) bur.

lappàre ① v. t. e i. **1** (*di animale*) to lap; to lap up **2** (*di persona*) to slurp.

lappàre ② v. t. (*metall.*) to lap.

lappàta f. lapping; lick.

lappatrìce f. lapping machine; lap.

lappatùra f. (*metall.*) lapping.

làppola f. (*bot.*, *Xanthium strumarium*) cocklebur.

làppone Ⓐ a. Lappish; Lapp Ⓑ m. e f. Laplander; Lapp Ⓒ m. (*lingua*) Lappish; Lapp.

Lappònia f. (*geogr.*) Lapland.

làpsus (*lat.*) m. inv. slip (of the tongue): **l. calami**, lapsus calami; slip of the pen; **l. freudiano**, Freudian slip; **l. linguae**, lapsus linguae; slip of the tongue.

laràrio m. (*archeol.*) lararium*.

lardàceo a. lard-like.

lardatóio m. (*cucina*) larding needle.

lardatùra f. (*cucina*) larding.

lardellàre v. t. **1** (*cucina*) to lard **2** (*fig.*) to interlard; to intersperse.

lardellatùra f. **1** (*cucina*) **1** (*operazione*) larding **2** (*pezzetti di lardo*) lardons (pl.).

lardèllo m. strip of bacon; lardon; lardoon.

làrdo m. lard; bacon fat ● (*fig.*) **nuotare nel l.**, to live off (*o* on) the fat of the land □ (*fig.*) **palla di l.**, tub of lard; fat lump.

lardóso a. **1** lardy **2** (*fig.*) fat; fatty.

làre m. **1** (*stor.*) Lar*; household god **2** (al pl.) (*famiglia, casa*) lares and penates; home (sing.): (*scherz.*) **tornare ai patri lari**, to return home.

largàre v. i., **largàrsi** v. i. pron. (*naut.*) to sheer off.

largheggiàre v. i. to be free (*o* generous) (with); to be profuse (in); to be lavish (of): **l. in consigli**, to be free (*o* lavish) with advice; **l. in mance**, to be a generous tipper; to tip lavishly.

larghétto a. e m. (*mus.*) larghetto.

♦**larghézza** f. **1** width; (*ampiezza*) breadth; (*di abito*) looseness: **la l. della strada** [**della bocca**], the width of the road [of the mouth]; **l. del torace**, breadth of chest; **avere una l. di dieci piedi**, to be ten feet wide (*o* in breadth, in width); **nel senso della l.**, widthwise; widthways; breadthwise; breadthways **2** (*fig.*: *ampiezza, vastità*) breadth: **l. d'idee** (*o di vedute*), breadth of mind; broad-mindedness; **l. d'interessi**, breadth of interests **3** (*fig.*: *abbondanza*) largeness; abundance: **l. di mezzi**, largeness of means; ample means (pl.); **con l. di particolari**, with an abundance of details **4** (*fig.*: *generosità*) generosity; liberality; open-handedness: **donare con l.**, to give generously ● (*naut.*) **l. massima** (*di una nave*), beam □ (*fig.*) **con una certa l.**, with a grain of salt.

largìre v. t. (*lett.*) to grant (st. to sb.); to give* liberally; (*onori, ecc.*) to bestow (st. upon sb.).

largitóre m. (f. *-trìce*) bestower.

largizióne f. **1** (*atto del largire*) donation; bestowal **2** (*dono*) donation; gift.

♦**làrgo** Ⓐ a. **1** wide; broad: **fiume l.**, broad (*o* wide) river; **fronte larga**, broad forehead; **pantaloni larghi**, wide trousers; **l. sorriso**, broad smile; **spalle larghe**, broad shoulders; **un buco l. due metri**, a two-metre wide hole; a hole two metres wide; **cappello a tesa larga**, wide-brimmed (*o* broad-brimmed) hat; *La porta non è larga abbastanza*, the door isn't wide enough; *La strada è larga e alberata*, the road is broad and lined with trees; **attraversare un fiume nel punto più l.**, to cross a river at its widest point **2** (*ampio, vasto, anche fig.*) ample; wide; large; roomy: **una larga cerchia di amici**, a wide circle of friends; **larghi interessi**, wide-ranging interests; **un l. margine di guadagno**, a wide (*o* handsome) margin of profit; **una larga parte dell'elettorato**, a large section of the electorate; **larghi poteri**, ample powers; **nel significato più l.**, in the widest sense **3** (*di abito: ampio*) full; (*abbondante*) loose-fitting; (*eccessivamente*) too loose, too big, oversize (attr.); (*di scarpe, cappello, ecc.*) too big: **giacca larga**, loose-fitting jacket; **gonna larga** (*svasata*), full skirt; **troppo l.**, oversize; too big; *Mi è l. in vita*, it's too loose in the waist; *Gli scarponi mi stanno larghi*, the boots are too big for me **4** (*allentato*) loose; slack: **fasciatura larga**, loose bandage **5** (*fig.*: *generoso*) generous; free; liberal; (*nello spendere*) open-handed: **essere l. nelle mance**, to be a generous tipper; to tip lavishly; **essere l. nel promettere**, to be free with one's promises; **l. di voti**, generous with one's marks **6** (*aperto*) open: **vocale larga**, open vowel ● **a gambe larghe**, with legs wide apart □ **a larghi intervalli**, at wide intervals □ **Alla larga!**, you won't catch me near it! □ (*fig.*) **di manica larga**, easy-going; indulgent □ **di vedute larghe**, broad-minded □ **fare larghe concessioni**, to make big concessions □ **gesto l.**, sweeping gesture □ **in larga misura**, to a great extent □ **pennellate larghe**, broad brushstrokes; bold brushwork ⓤ □ **più l. che lungo**, broader than it is long; (*di persona*) roly-poly □ **prenderla alla larga**, to approach st. in a roundabout way □ **prendere una curva larga**, to take a bend wide □ **stare alla larga da q.**, to keep out of sb.'s way; to give sb. a wide berth: *Sta' alla larga da me!*, keep out of my way! □ **stare larghi**, to have plenty of room (*o* a lot of space) □ **su larga scala**, on a large scale; large-scale (attr.) □ (*fig.*) **tenersi l.** (*abbondare*), to allow plenty of st. Ⓑ m. **1** (*larghezza*) width; breadth: **per il l.** (*o sul lato l.*), widthwise; widthways; breadthwise; breadthways **2** (*mare aperto*) open sea; (*in vista della terra*)

offing: **al l.**, offshore; in the offing: *La corrente lo portò al l.*, the current dragged him out to sea; *Scorsi una nave al l.*, I saw a ship in the offing; **prendere il l.**, to put (out) to sea; to make an offing; **portarsi al l.**, to stand out to sea; to bear off; **al l. di Genova**, off Genoa; **passare al l. di qc.**, to steer clear of st.; **verso il l.**, out to sea; seawards; **vento dal l.**, onshore wind **3** (*mus.*) largo* **4** (*piazza*) square; Largo (+ nome) **♦ fare l. a q.**, to make way for sb. □ **Fate l.!**, make way!; clear the way! □ **farsi l. tra la folla**, to make (*o* to push, to elbow) one's way through the crowd □ **farsi l. per entrare**, (*a gomitate*) to elbow one's way in; (*con forza*) to force one's way in; (*con prepotenza*) to muscle one's way in □ **farsi l. nella vita**, to get on in life □ **in lungo e in l. → lungo** □ (*fig.*) **prendere il l.**, to clear off; to hop it (*slang*) □ (*fig.*) **tenersi al l. da q.** [**qc.**], to keep (*o* to steer) clear of sb. [st.]; to give sb. [st.] a wide berth **C** inter. make way!; clear the way! *L. al vincitore!*, make way for the winner!; (*fig.*) *L. ai giovani!*, let youth have a chance!

Làri m. pl. (*zool.*) Lari.

làrice m. (*bot.*, *Larix europaea*) larch.

laricéto m. larch grove.

laringàle a. (*anat.*, *fon.*) laryngeal.

larìnge f. (*anat.*) larynx*; (*com.*) voice box.

laringectomìa f. (*chir.*) laryngectomy.

laringectomizzàre v. t. (*chir.*) to subject to laryngectomy; to laryngectomize.

laringectomizzàto A a. laryngectomized **B** m. (f. **-a**) laryngectomee.

laringèo a. (*anat.*) laryngeal.

laringìsmo m. (*med.*) laryngismus.

laringìte f. (*med.*) laryngitis.

laringofaringìte f. (*med.*) laryngopharyngitis.

laringòfono m. (*med.*) throat microphone.

laringoiàtra m. e f. throat specialist; laryngologist.

laringoiatrìa, **laringologìa** f. laryngology.

laringològico a. laryngological; laryngology (attr.).

laringopatìa f. (*med.*) laryngopathy; throat disease.

laringoplegìa f. (*med.*) laryngoplegia.

laringoscopìa f. (*med.*) laryngoscopy.

laringoscòpio m. (*med.*) laryngoscope.

laringospàsmo m. (*med.*) laryngospasm.

laringotomìa f. (*chir.*) laryngotomy.

laringotracheìte f. (*med.*) laryngotracheitis.

laringotracheotomìa f. (*chir.*) laryngotracheotomy.

làrva f. **1** (*zool.*) larva*; grub; maggot **2** (*fig.*: *parvenza*) shadow; (*mere*) semblance: **essere la di sé stesso**, to be the shadow of one's former self **3** (*fig.*: *persona sparuta*) skeleton; wraith: **larva umana**, mere skeleton; **essere ridotto una l.**, to be reduced to a skeleton (*o* to a wraith) **4** (*lett.*: *fantasma*) ghost; wraith.

larvàle a. (*zool.*) larval.

larvàto a. concealed; veiled; latent; hidden; secret: **larvate minacce**, veiled threats; **forma larvata di una malattia**, latent form of a disease.

larvicida A a. larvicidal **B** m. larvicide.

larvifórme a. larviform.

larviparìsmo m. (*zool.*) larviposition.

larviparità f. (*zool.*) larviparity.

larvìparo a. (*zool.*) larviparous.

larvìvoro a. (*zool.*) larvivorous.

lasàgne f. pl. (*cucina*) lasagne Ⓤ.

làsca f. (*zool.*, *Chondrostoma genei*) roach.

lascàre v. t. (*naut.*) to slacken.

lasciapassàre m. inv. **1** pass; permit; (*salvacondotto*) safe-conduct **2 – l. doganale**, clearance certificate **3** (*fig.*) passport.

♦lasciàre A v. t. **1** to leave*: **l. una macchia** [**un'orma**, **una buona impressione**, **una mancia**], to leave a stain [a footprint, a good impression, a tip]; **l. q. indifferente** [**di ottimo umore**], to leave sb. cold [in excellent spirits]; *A che ora ha lasciato l'ufficio?*, what time did he leave the office?; *Lascialo aperto*, leave it open; *Lascia del posto per il termos*, leave room for the thermos; *Ti lascio la chiave* [*il bambino*], I'm leaving the key for you [the child with you]; *Lasciami un po' di dolce*, leave me some cake; *Lascia moglie e due figli* (*morendo*), he leaves a wife and two children; *Lascia* (*dietro di sé*) *un ricordo duraturo*, she leaves a lasting memory; **lasciarsi indietro q.** (*superarlo*), to overtake sb.; (*fig.*) to leave sb. far behind; to outstrip sb. **2** (*l. per sempre*) to leave*, to quit; (*abbandonare*) to leave* behind, to abandon, to desert; (*rinunciare*) to give* up; (*studi*, *ecc.*) to give* up, to drop out of: **l. Londra** [**la propria casa**], to leave London [home]; **l. il posto di lavoro**, to leave (*o* to quit) one's job; **l. la scuola**, to drop out of school; **l. ogni speranza**, to abandon (*o* to give up) all hope; *Suo marito l'ha lasciata dopo dieci anni*, her husband left her after ten years; *Mio padre ci lasciò quando eravamo piccoli*, my father deserted us when we were children; *I marinai dovettero l. la nave*, the sailors had to abandon the ship; *Il suo ottimismo non lo lascia mai*, his optimism never deserts him **3** (*dimenticare*, *non portare con sé*) to leave* (behind); to forget*: **l. a casa le chiavi**, to leave one's keys at home; *Lasciai il libro in treno*, I left the book behind on the train **4** (*permettere*) to let*: **l. andare**, to let go; **l. entrare** [**uscire**, **passare**], to let in [out, through]; **l. passare l'aria**, to let the air through; *Lascialo dire*, let him say what he likes; *Lasciati vedere!*, let me have a look at you! **5** (*interrompere*) to break* off; (*smettere*) to stop, to leave* off: **l. la carriera**, to break off one's career; **l. di brontolare**, to stop grumbling **6** (*omettere*) to leave* out; to omit **7** (*anche l. da parte*: *accantonare*) to lay* aside **8** (*liberare*) to release; to free; (*locali*) to vacate; (*l. la presa*) to let* go of: *Mi prese la mano e non me la lasciò più*, he took my hand and didn't release it; **l. un appartamento**, to vacate a flat; *Lascia* (*andare*) *la corda!*, let go of the rope!; *Tieni il manico e non lasciarlo*, hold the handle and don't let go **9** (*serbare*) to keep*: *Lascia il pollo per il pranzo di domani*, keep the chicken for tomorrow's dinner **10** (*dare*) to give*; (*concedere*) to let* (sb.) have: **l. il proprio posto a q.**, to give sb. one's seat; *Te lo lascio per poco*, you can have it for very little **11** (*in eredità*) to leave*; to bequeath (*form.*): **l. un patrimonio**, to leave a fortune; **l. per testamento**, to leave in one's will; *Lasciò tutto a un ospizio*, she left everything to a home **12** (*anche lasciarci*: *perdere*) to lose*; (*rimetterci*) to cost* (impers.): *Lasciò la vita in quell'avventura*, he lost his life in that adventure; that adventure cost him his life; *Ci ho lasciato dieci milioni*, it cost me ten million **13** (**lasciarsi** + inf.) **– lasciarsi andare**, to let oneself go; (*rilassarsi*) to relax; **lasciarsi consigliare**, to accept advice; **lasciarsi persuadere**, to let oneself be persuaded; *Non si lascia avvicinare*, he won't let anyone near him; *Si lasciò cadere nella poltrona*, she sank (*o* dropped) into the armchair; *Non mi lascio ingannare!*, I'm not going to be cheated! **●** (*fig.*) **l. q. a bocca asciutta**, to disappoint sb.; to leave sb. empty-handed □ (*di dipendenti*, *ecc.*) **l. a casa q.**, to lay off sb. □ **l. andare** (*trascurare*) to neglect □ **Lascia anda-**

re!, let it go!; (*lascia che faccia*) let him have his way!; (*ignoralo*) ignore it [him, etc.]!; forget it! □ **l. cadere qc.**, to drop st. □ **l. capire** (*o intendere*) qc., to hint at st. □ (*fig.*) **l. correre**, to let it pass; to turn a blind eye (on st.) □ **l. detto a q.**, to leave word (*o* a message) with sb. □ **Lasciamo fare a Dio!**, let's leave it in the hands of God! □ **Lasciamo fare al tempo**, time will take care of it □ **Lascia fare a me!**, leave it to me! □ **l. fuori**, to leave out; (*omettere*) to leave out, to skip; (*aggirare*) to bypass □ **l. in forse**, to leave in doubt □ **l. libero q.** (*rilasciarlo*), to set sb. free □ **l. libero q. di fare qc.**, to leave sb. free to do st. □ **l. molto a desiderare**, to leave much to be desired □ **l. perdere**, to ignore; to forget: *Lascia perdere!*, forget it! □ **l. q. perplesso**, to puzzle sb. □ **l. stare qc.** (*non toccare*), to leave st. alone; not to touch st. □ **Lascia stare!**, (*non toccare*) leave that alone!; don't touch it!; (*non importa*) it doesn't matter, forget it! □ **l. stare q.**, to leave sb. alone; to let sb. be □ **Lasciamo stare!** (*meglio non parlarne*), the least said about it the better! □ **Questo lascia il tempo che trova**, it makes no difference □ **Lascia o raddoppia**, double or quit (*o* quits) □ **Prendere o l.!**, take it or leave it! □ **Vivi e lascia vivere!**, live and let live! □ **Questa tosse non mi lascia**, I can't get rid of this cough □ **La minestra si lasciava mangiare**, the soup wasn't too bad (*o* was all right, was eatable) □ (*prov.*) **Chi lascia la via vecchia per la nuova sa quel che lascia ma non sa quel che trova**, better the devil you know than the devil you don't know **B lasciàrsi** v. rifl. recipr. **1** to leave* each other [one another]; to part; to separate: *Chiacchierammo fino a mezzanotte e poi ci lasciammo*, we talked until midnight and then separated **2** (*di una coppia*) to separate; to split* up.

❶ Nota: *lasciare*

Nel senso di consentire, permettere, **lasciare** equivale a to let e non a to leave; inoltre, l'infinito retto da to let non deve essere preceduto da to: *Lasciagli fare ciò che vuole* equivale perciò a let him do what he likes e non a ~~let him to do what he likes~~ né a ~~leave him to do what he likes~~.

lasciàta f. – (*prov.*) *Ogni l. è persa*, opportunity seldom knocks twice.

làscito m. (*leg.*) legacy; bequest: *Fece lasciti in denaro a tutti i domestici*, he left bequests of money to all his servants; **ricevere un l. da q.**, to get a legacy from sb.; to be left a bequest from sb.

lascivia f. lasciviousness; lewdness.

lascìvo a. lascivious; lewd.

làsco A a. **1** (*mecc.*) loose **2** (*naut.*) slack **B** m. (*naut.*) **1** (*imbando*) slack **2 – andare al gran l.**, to sail large; to run free; to be on a free reach; **andatura al gran l.**, free-reaching; running free.

làser a. e m. inv. (*fis.*) laser: **raggio l.**, laser beam; **stampante l.**, laser printer.

laserchirurgìa f. (*chir.*) laser surgery.

laserìsta m. (*chir.*) laser operator.

laserterapìa f. (*med.*) laser therapy.

làssa f. (*poesia*) laisse.

lassatìvo a. e m. (*farm.*) laxative.

lassìsmo m. **1** (*relig.*) laxism **2** (*permissività*) laxity.

lassìsta A m. e f. permissive person **B** a. lax; permissive.

làsso ① a. **1** (*lett.*) weary **2** (*poet.*) woebegone; unhappy **● Ahi l.!**, alas!

làsso ② a. **1** (*allentato*) loose; slack **2** (*fig.*) lax; indulgent.

làsso ③ m. lapse of time; period: **un lungo l. di tempo**, a long lapse of time; **dopo un certo l. di tempo**, after a certain period of time; after a lapse of time.

làsso ④ m. (*laccio*) lasso*.

♦**lassù** avv. **1** up there **2** (*in cielo*) up above; in heaven **3** (*al nord*) up north ● **di l.**, from up there; (*dal cielo*) from above.

làstra f. **1** slab; (*di metallo*) plate, sheet: **l. di ardesia**, slate; **l. di ghiaccio**, slab of ice; (*galleggiante*) ice-floe; (*su una strada*) sheet of ice; **l. di marmo**, slab of marble; **l. di ottone**, brass plate; **l. di pietra**, slab of stone; (*per selciato*) flagstone, flag; **l. di vetro**, sheet (*o* pane) of glass **2** (*fotogr.*) plate: **l. fotomeccanica**, process plate **3** (*pellicola radiografica*) X-ray (photograph): **farsi una l.**, to have an X-ray **4** (*tipogr.*). – **l. di rame**, copper plate; **l. stereotipa**, stereotype.

lastràme m. flagstones (pl.); flags (pl.).

lastricàre v. t. to pave.

lastricàto Ⓐ a. paved; flagged; flagstoned Ⓑ m. (stone) pavement; paving.

lastricatóre m. paver.

lastricatùra f. paving.

làstrico m. (stone) pavement; paving ● **l. solare**, terraced roof □ (*fig.*) **essere sul l.**, to have no money left; to be ruined; to be broke (*fam.*) □ (*fig.*) **gettare** (*o* **ridurre**) **q. sul l.**, to reduce sb. to poverty; to ruin sb.

lastróne m. **1** large slab: **l. di ghiaccio**, large slab of ice; (*galleggiante*) large ice-floe **2** (*alpinismo*) sheer rock face.

lat. abbr. (*geogr.*, **latitudine**) latitude (lat.).

latèbra f. (*lett.*) **1** secret place **2** (*fig.*) innermost recess.

latènte a. latent; dormant; (*nascosto*) hidden, concealed: (*fis.*) **calore l.**, latent heat; **difetto l.**, latent defect; (*fotogr.*) **immagine l.**, latent image.

latènza f. latency; dormancy: **periodo di l.**, (*psic.*) latency period; (*med.*) latent period.

lateràle Ⓐ a. **1** side (attr.); lateral (*form.*, *scient.*): **ingresso l.**, side entrance; (*calcio*) **linee laterali**, sidelines; touchlines; **navata l.**, side aisle; **porta l.**, side door; **via l.**, side street **2** (*fon.*) lateral Ⓑ m. (*sport*) half-back.

lateralità f. (*anche fisiol.*) laterality.

lateralizzazióne f. (*psic.*) lateralization.

lateralménte avv. sideways; laterally.

lateranènse a. Lateran (attr.): **i Patti lateranensi**, the Lateran Treaty.

Lateràno m. Lateran ● **la basilica di S. Giovanni in L.**, the basilica of St John Lateran.

latèrcolo m. (*archeol.*) laterculum*.

laterite f. (*geol.*) laterite.

laterìzio Ⓐ a. brick (attr.); brickwork (attr.) Ⓑ m. (spec. al pl.) brick; tile: **fabbrica di laterizi**, brickyard.

laterizzazióne f. (*geol.*) laterization.

lateroaddominàle a. (*anat.*) latero-abdominal.

laterocervicàle a. (*anat.*) latero-cervical.

laterodorsàle a. (*anat.*) latero-dorsal.

lateroflessióne f. (*med.*) lateroflexion.

lateroventràle a. (*anat.*) latero-ventral.

lateroversióne f. (*med.*) lateroversion.

làtice m. (*bot.*) latex*.

laticlàvio m. (*stor. romana*) laticlave.

latifòglio a. (*bot.*) broad-leaved.

latifondiàrio a. of (*o* relating to) a large estate; land-owning (attr.).

latifondista m. e f. big landowner.

latifondìstico a. land-owning (attr.).

latifóndo m. **1** large landed estate **2** (*stor.*, *econ.*) latifundium*.

latineggiànte a. Latinizing; Latinate.

latineggiàre v. i. to use Latin forms; to use Latinisms.

latinìsmo m. Latinism.

latinista m. e f. Latin scholar; Latinist.

latinità f. **1** (*l'essere latino*) Latinity **2** (*tradizione culturale latina*) Latin civilization; (*età*) Latin period: **l'aurea [la bassa] l.**, the golden [the late] Latin period; **autore della tarda l.**, late Latin author.

latinizzàre Ⓐ v. t. to Latinize Ⓑ **latinizzàrsi** v. i. pron. to become* Latinized.

latinizzatóre m. Latinizer.

latinizzazióne f. Latinization.

♦**latino** Ⓐ a. Latin: **la civiltà latina**, the Latin civilization; **popoli latini**, Latin peoples; **paesi latini**, Latin countries; *America Latina*, Latin America ● (*relig.*) **chiesa latina**, Latin Church □ **croce latina**, Latin cross □ **Quartiere l.**, Latin Quarter □ (*naut.*) **vela latina**, lateen (sail) Ⓑ m. **1** (f. **-a**) (*stor.*) Latin **2** (*ling.*) Latin: **l. classico [tardo, basso, medioevale]**, classical [late, low, Medieval] Latin; **l. maccheronico**, dog Latin ● **Per me è l.**, it's Greek to me.

latino-americàno a. e m. (f. **-a**) **1** Latin American **2** (*statunitense di origine latino-americana*) Hispanic; Latino.

latinòrum m. (*scherz.*) mumbo-jumbo; hocus-pocus.

latìpede a. (*zool.*) broad-footed.

latirìsmo m. (*med.*) lathyrism.

làtiro m. (*bot.*, *Lathyrus pratensis*) vetchling.

latiròstro a. (*zool.*) latirostral; broad-billed.

latitànte Ⓐ a. **1** (*leg.*) absconding; fugitive; at large; in hiding; on the run (*fam.*): **rendersi l.**, to abscond; to go into hiding **2** inactive; dormant Ⓑ m. e f. absconder; fugitive (from justice).

latitànza f. **1** (*leg.*) absence (to avoid arrest); (period in) hiding: **darsi alla l.**, to abscond; to go into hiding; to be on the run (*fam.*) **2** (*fig.*) evasion of responsibility; inaction.

latitàre v. i. (*fig.*) to be absent; to be inactive; to evade responsibility.

latitudinàle a. latitudinal.

latitudinàrio a. (*relig.*) latitudinarian.

latitudinarìsmo m. (*relig.*) latitudinarianism.

latitùdine f. **1** latitude: (*astron.*) **l. celeste**, celestial latitude; **l. nord [sud]**, latitude north [south]; **l. osservata**, latitude by observation; **l. stimata**, estimated latitude; latitude by dead reckoning; **alte [basse] latitudini**, high [low] latitudes; **grado di l.**, degree of latitude; **dieci gradi di l.**, ten degrees latitude; **a 20 gradi di l. nord**, at a latitude of 20 degrees north; at a northern latitude of 20 degrees; at latitude 20° North **2** (*regione*) latitudes (pl.); (*clima*) climate.

♦**làto** ① m. **1** side: **l. anteriore**, front; **l. posteriore**, back; (*naut.*) **il l. sopravvento**, the weather side; **i tre lati di un triangolo**, the three sides of a triangle; **i lati di una moneta**, the sides of a coin; **su un l. della strada**, on one side of the street; **da ogni l.**, on all sides (*o* every side); (*provenienza*) from all sides (*o* every side); **mutare l.**, to change sides; **dormire sul l. sinistro**, to sleep on one's left side; **pendere da un l.**, to lean to one side **2** (*parte*, *estremità*) end: **all'altro l. della stanza**, at the other end of the room **3** (*fig.*: *aspetto*) side; aspect; (*punto di vista*) point of view, standpoint, angle: **il l. buffo**, the funny side; **il l. negativo**, the negative aspect; the downside; **i due lati di una questione**, the two sides of an issue (*o* an argument); **dal l. religioso**, from the religious standpoint; **esaminare una questione da tutti i lati**, to look at a matter from all angles ● **il l. debole di q.**, sb's weak spot □ **il l. che non taglia** (*di una lama*), the blunt edge □ **a l. di**, next to; beside; at the side of □ **da un l..., dall'altro l...**, on the one hand..., on

the other hand... □ **di l.**, sideways □ **cugino dal l. di madre [di padre]**, cousin on one's mother's [father's] side □ **per un l.** (*in un certo senso*), in a way.

làto ② a. (*fig.*) broad; wide: **in senso l.**, broadly speaking; in a broad sense; **nel senso più l.**, in the broadest sense.

latomìa, **latòmia** f. **1** (*archeol.*) latomia; stone quarry **2** (*estens.*) prison.

latóre m. (f. **-trìce**) bearer: **il l. della presente**, the bearer of this letter.

latràre v. i. to bark; to bay.

latràto m. bark; barking; baying.

latrìa f. (*relig.*) latria.

latrìna f. lavatory; (*mil. o da campo*) latrine; long-drop (toilet) (USA); (*naut.*) head.

latrocinio → **ladrocinio**.

♦**làtta** f. **1** (*lamiera*) tinplate; tin: **foglio [scatola] di l.**, tin sheet [box]; **rivestito di l.**, tin-plated; tinned **2** (*recipiente*) can; (*lattina*) tin, can (USA): **una l. di benzina**, a can of petrol; **in latte**, tinned; canned.

lattàio m. (f. **-a**) milkman* (f. milkwoman*).

lattàme m. (*chim.*) lactam.

lattammìde f. (*chim.*) lactamide.

lattànte Ⓐ a. breast-fed; (*non svezzato*) unweaned; (*di animale*) sucking Ⓑ m. e f. **1** (unweaned) baby **2** (*fig.*, *scherz.* o *spreg.*) novice; greenhorn (*fam.*): *Sei ancora un l.!*, you're still wet behind the ears!

Lattànzio m. (*letter.*) Lactantius.

lattàsi f. (*biol.*) lactase.

lattàto ① a. milk-white.

lattàto ② m. (*chim.*) lactate.

lattazióne f. **1** lactation **2** (*zool.*) yearly quantity of milk produced by a cow.

♦**làtte** Ⓐ m. **1** milk: **l. a lunga conservazione**, long-life (*o* UHT) milk; **l. cagliato**, curdled milk; **l. condensato**, condensed milk; **l. di mucca** (*di pecora, di asina*), cow's [sheep's, ass's] milk; **l. in polvere**, powdered milk; **l. intero**, whole (*o* full-cream) milk; **l. macchiato**, hot milk with a drop of coffee; **l. materno**, mother's milk; **l. parzialmente scremato**, semi-skimmed milk; **l. pastorizzato**, pasteurized milk; **l. scremato** (*o* **magro**), skim (*o* skimmed) milk **2** (*sostanza simile al l.*) milk: **l. detergente**, cleansing milk; **l. di calce**, milk of lime; lime-wash; **l. di cocco**, coconut milk; **l. di magnesia**, milk of magnesia; **l. di mandorle**, almond milk ● (*cucina*) **l. alla portoghese**, crème caramel; caramel cream □ **l. di gallina**, (*bot.*, *Ornithogalum umbellatum*) star of Bethlehem; (*cucina*) egg-flip, eggnog; (*fig.*) rare delicacy □ (*zool.*) **l. di pesce**, milt; soft roe □ (*fig.*) **l. e miele** → **lattemiele** □ (*fam. fig.*) **avere ancora il l. alla bocca**, to be still wet behind the ears □ **balia da l.**, wet-nurse □ **bidone da l.**, churn; (*più piccolo*) milk-can □ **caffè e l.**, white coffee; cappuccino □ **centrale del l.**, central dairy □ **dare il l.** (*allattare*), to nurse; to breast-feed; (*di animale*) to suckle □ **dente di l.**, milk-tooth □ (*fig.*) **far venire il l. alle ginocchia a q.**, to bore sb. to death (*o* to tears) □ **febbre del l.**, milk fever □ **figlio di l.**, foster-son □ **fratello di l.**, foster-brother □ **mucca da l.**, milch cow; dairy cow □ **porcellino da l.**, suckling pig □ (*fig.*) **piangere sul l. versato**, to cry over spilt milk □ **togliere il l. a un bambino** (*svezzarlo*), to wean a baby □ **vitello da l.**, sulking calf Ⓑ a. inv. milk (attr.): **bianco l.**, milk-white.

lattemiéle Ⓐ m. (*region.*) whipped cream ● (*fig.*) **al l.**, namby-pamby; milk-and-water (attr.) Ⓑ a. inv. (*fig.*) all sweetness (pred.); sweetness and light (pred.).

làtteo a. **1** (*di latte*) milk (attr.): **dieta lattea**, milk diet **2** (*simile al latte*) milky; milk-like; (*color latte*) milk-white: **carnagione**

a b c d e f g h i j k l m n o p q r s t u v w x y z

lattea, milk-white complexion; (*astron.*) **la Via Lattea**, the Milky Way ● (*med.*) **crosta lattea**, cradle cap.

latteria f. **1** (*negozio*) dairy (shop) **2** (*stabilimento*) dairy **3** (*locale per il deposito del latte*) dairy.

latterino m. (*zool.*) **1** (*Atherina mochon*) silverside, silversides **2** (al pl.) whitebait Ⓤ.

lattescènte a. milky; lactescent.

lattescènza f. milkiness; lactescence.

làttice → **latice**.

latticèllo m. buttermilk; churn-milk.

latticìnio, latticìno m. (spec. al pl.) dairy (o milk) product.

làttico a. (*chim.*) lactic: **acido l.**, lactic acid; **fermentazione lattica**, lactic fermentation; **fermenti lattici**, milk enzymes.

lattièra f. (*recipiente*) milk jug.

lattièro a. dairy (attr.); milk (attr.).

lattìfero a. **1** (*anat., bot.*) lactiferous: **canali lattiferi**, lactiferous ducts **2** (*zool.*) milch (attr.): **mucca lattifera**, milch cow.

lattìfugo a. lactifuge.

lattìgeno a. lactogenic.

lattiginóso a. **1** milky **2** (*bot.*) lactiferous; lactescent.

lattìme m. (*pop.*) cradle cap.

lattìmo m. milk glass.

◆**lattìna** f. tin; can (*USA*) ● **in l.**, tinned; canned.

lattivéndolo → **lattaio**.

lattoalbumìna f. (*chim.*) lactalbumin.

lattobacìllo m. (*biol.*) lactobacillus*.

lattodensìmetro m. lactometer.

lattodótto m. milk duct.

lattoflavìna f. (*chim.*) lactoflavin; riboflavin.

lattogènesi f. (*fisiol.*) beginning of lactation.

lattogenètico a. (*fisiol., farm.*) lactogenic.

lattògeno Ⓐ a. lactogenetic Ⓑ m. lactogen.

lattóne① → **lattonzolo**.

lattóne② m. (*chim.*) lactone.

lattonière m. tinsmith; tinman*.

lattónzolo m. suckler; (*maialino*) suckling pig; (*vitellino*) suckling calf.

lattoscòpio m. lactoscope.

lattòsio m. (*chim.*) lactose; milk-sugar.

lattùga f. **1** (*bot., Lactuca sativa*) lettuce **2** (*bot.*) – **l. cappuccina** (*Lactuca sativa capitata*), cabbage lettuce; **l. di mare** (*Ulva lactuca*), sea lettuce; green laver; **l. romana** (*Lactuca sativa longifolia*) cos; romaine (*USA*) **3** (*moda, stor.*) ruff.

lattughèlla, lattughina f. (*bot.*) lamb's lettuce.

làuda f. (*letter.*) laud.

làudano m. (*farm.*) laudanum.

laudanoşìna f. (*chim.*) laudanosine.

laudàrio m. (*letter.*) laud book.

laudatìvo a. laudatory; of praise.

laudése m. (*stor.*) **1** (*scrittore di laude*) composer of lauds **2** (*cantore*) singer of lauds.

làura f. (*relig.*) laura; lavra.

Lauràcee f. pl. (*bot., Lauraceae*) Lauraceae; (the) laurel family.

làurea f. (university) degree; doctor's degree; (*il laurearsi*) graduation: **l. ad honorem**, honorary degree; **l. triennale** (*o di primo livello*), three-year degree course; **l. in lettere** [in legge], arts [law] degree; degree in arts [in law]; **l. in medicina**, degree in medicine; medical degree; **l. specialistica** (*o di secondo livello*), specialist degree course; **conferire una l. a q.**, to confer a degree on sb.; **prendere** (o **conseguire**) **una**

---

l., to take a degree; to graduate; *Che farai dopo la L.?*, what will you do after graduation?; **conseguimento di una l.**, graduation; **corso di l.**, degree course; university course; **esame di l.**, degree examination; (*discussione di una tesi*) disputation of a thesis, viva (voce) (*lat.*); **tesi di l.**, graduation (o degree) thesis.

laureàndo m. (f. **-a**) final-year (university) student; graduand (*GB*).

◆**laureàre** Ⓐ v. t. **1** to confer a degree on **2** (*sport*) to award (sb.) the title of; to crown: **l. q. campione del mondo**, to award sb. the world title; to crown sb. world champion Ⓑ **laureàrsi** v. i. pron. **1** to graduate; to take* one's (o a) degree: **laurearsi a Oxford**, to graduate from Oxford; **laurearsi a pieni voti** (o **col massimo dei voti**), to graduate with honours; to get a first-class degree (*GB, fam.* a first); to graduate cum laude (*USA*); **laurearsi in fisica**, to take a degree in physics; *Si è laureato da poco*, he has just graduated; he has recently taken his degree **2** (*sport*) to be awarded the title of; to be crowned: **laurearsi campione**, to be crowned champion.

laureàto Ⓐ a. graduated ● **essere l.**, to have a degree: *È l. in lettere*, he has an arts degree □ **poeta l.**, poet laureate Ⓑ m. (f. **-a**) graduate: **un l. in legge**, a law graduate.

laurenziàno a. (*geogr., geol.*) Laurentian.

laurènzio m. (*chim.*) lawrencium.

laurèola f. (*bot., Daphne laureola*) spurge laurel; daphne.

lauretàno a. Loreto (attr.).

lauréto m. laurel grove.

làurico a. – (*chim.*) **acido l.**, lauric acid.

làuro m. **1** (*bot., Laurus nobilis*) laurel; bay-tree **2** (*fig.*) laurels (pl.): **il l. della vittoria**, the laurels of victory; **l. poetico**, poetic laurels.

laurocèraşo m. (*bot., Prunus laurocerasus*) cherry laurel.

làuto a. (*abbondante*) abundant, rich, lavish; (*sontuoso*) sumptuous; (*generoso*) handsome: **lauti guadagni**, large (o rich) profits; **lauta mancia** [**ricompensa**], handsome tip [reward]; **l. pranzo**, lavish meal; **l. stipendio**, handsome salary.

LAV sigla (**Lega anti vivisezione**) Anti-Vivisection League.

◆**làva** f. lava: **l. basaltica**, basaltic lava; **colata di l.**, stream of lava.

lavaàuto m. e f. inv. car-washer.

lavabiancheria f. inv. washing machine.

lavàbile a. washable.

lavabilità f. washability.

◆**lavàbo** m. **1** (*lavandino*) washbasin; (*catino su treppiede*) washstand **2** (*eccles.*) lavabo*.

lavabottìglie Ⓐ m. inv. bottle washer Ⓑ a. inv. bottle, bottle-washing: **spazzola l.**, bottle brush.

lavacristàllo m. (*autom.*) windscreen washer (*GB*); windshield washer (*USA*).

lavàcro m. (*lett.*) **1** bath; ablution **2** (*recipiente*) laver; basin **3** (*fig.*) purification **4** (*corso d'acqua*) stream ● (*lett.*) **santo l.**, (*fonte*) baptismal font; (*battesimo*) baptism.

lavadìta m. inv. finger bowl.

lavafàro m. → **lavatergifaro**.

lavàggio m. **1** washing; wash: **l. a immersione**, immersion washing; **l. a mano**, handwash; **l. a secco**, dry-cleaning; **l. di automobile**, car wash; **l. in lavatrice**, machine wash; *Si è sbiadito al primo l.*, it faded in the first wash; (*di lavatrice*) **ciclo di l.**, wash cycle; wash **2** (*ind. tess.*) scouring; scour **3** (*med.: lavanda*) lavage **4** (*ind., fotogr.*) washing; wash **5** (*chim., di gas*) scrubbing **6** (*mecc., di gas di scarico*) scavenge; scavenging ● (*chir.*) **l. antisettico**,

---

scrub-up □ (*fig.*) **l. del cervello**, brainwashing: **fare il l. del cervello a q.**, to brainwash sb.

◆**lavàgna** f. **1** (*geol.*) slate **2** (*per scrivere*) blackboard, board; (*portatile*) slate: **l. bianca**, whiteboard; **l. di panno** (o **pannografica**), feltboard; **l. luminosa**, overhead projector; **l. magnetica**, magnetic blackboard; **cancellare la l.**, to wipe the blackboard; **scrivere alla l.**, to write on the blackboard.

lavallière (*franc.*) f. inv. (*moda*) lavallière.

lavamàcchine m. e f. inv. car-washer.

lavamàno m. inv. washstand; (*il catino*) basin.

lavamoquètte f. inv. carpet washer; carpet shampooer.

lavànda① f. **1** washing; wash **2** (*med.*) lavage: **l. gastrica**, gastric lavage; (*com.*) stomach pumping; **fare la l. gastrica a q.**, to pump out sb.'s stomach **3** (*eccles.*) (ritual) washing; (*delle mani, durante la Messa*) lavabo: **l. dei piedi**, washing of the feet; maundy.

lavànda② f. (*bot.*) **1** (*Lavandula officinalis*) lavender **2** (*Lavandula latifolia*) spike lavender; aspic.

lavandàia f. **1** washerwoman*; laundress **2** (*fig. spreg.*) fishwife* ● (*anche fig.*) **lista della l.**, laundry list.

lavandàio m. **1** washerman*; laundryman* **2** (*candeggiatore*) bleacher.

◆**lavanderìa** f. **1** (*in casa*) laundry; wash-house **2** (*negozio*) laundry; cleaner's: **mandare qc. in l.**, to send st. to the cleaner's ● **l. a gettone**, launderette; laundromat □ **l. a secco**, dry-cleaner's □ (*in albergo*) **servizio di l.**, valet service.

◆**lavandìno** m. **1** (*acquaio*) sink **2** (*lavabo*) washbasin **3** (*spreg. fam.*) guzzler; pig.

lavapaviménti f. inv. floor-washing machine; floor washer.

lavapiàtti Ⓐ m. e f. inv. (*persona*) dishwasher; washer-up (*GB*) Ⓑ f. → **lavastoviglie**.

◆**lavàre** Ⓐ v. t. **1** to wash; (*sciacquare*) to rinse; (*pulire*) to clean: **l. a mano**, to handwash; **l. a secco**, to dry-clean; **l. con una pompa**, to hose down; **l. con una spugna**, to sponge; **l. in lavanderia**, to launder; **l. in lavatrice**, to wash in the washing-machine; to machine-wash; **l. l'auto**, to wash the car; **l. le finestre**, to clean the windows; **l. l'insalata**, to rinse the salad; **l. i piatti**, to wash up (*GB*); to do the washing up (*GB*); to do the dishes (*USA*); (*naut.*) **l. il ponte**, to wash down (o to sluice) the deck; **l. per terra**, to wash the floor; (*sfregando*) to scrub the floor; **l. (via) lo sporco**, to wash away the dirt; **lavarsi le mani**, to wash one's hands; *La tua camicia è a l.*, your shirt is in the wash; *Mi tocca l. e stirare*, I have to do the washing and ironing; *Questa stoffa si lava facilmente* (o *è facile da l.*), this material washes easily; **mettere qc. a l.**, to put st. in the wash **2** (*med.*) to wash; to bathe: **l. una ferita**, to wash (o to bathe) a wound **3** (*fig.: purificare*) to cleanse; to wash; to wash away: **l. l'anima**, to cleanse one's soul **4** (*mecc.*) to scavenge **5** (*chim.*) to scrub ● **l. un'offesa col sangue**, to wipe out an insult with blood □ (*fig.*) **l. la testa all'asino**, to waste one's time □ (*fig.*) **lavarsene le mani**, to wash one's hands of st. Ⓑ **lavàrsi** v. rifl. to wash; to get* washed; (*mani e faccia, anche*) to have a wash, to wash up (*USA*): *Si lava poco*, he doesn't wash often; **lavarsi e vestirsi**, to wash and get dressed.

lavarèllo① m. (*naut.*) manger.

lavarèllo② m. (*zool., Coregonus lavaretus*) lake whitefish.

lavascàle m. e f. inv. stair cleaner; stair washer.

lavasciùga, **lavasciugatrice** f. washer-drier.

lavasécco m. o f. inv. **1** (*lavanderia a secco*) dry-cleaner's **2** (*macchina*) dry-cleaning machine.

lavastoviglie f. inv. (*elettrodomestico*) dishwasher.

lavàta f. wash: **darsi una l.**, to have a wash; to wash up (*USA*) ● (*fig.*) **l. di capo**, dressing-down; talking-to; telling-off; lecture: **dare una l. di capo a q.**, to give sb. a dressing-down (*o* a good lecture); to tell sb. off; to tear a strip off sb.; to have sb. on the carpet (*fam.*); to chew sb. out (*fam. USA*).

lavatergifàro m. inv. (*autom.*) headlight washer-wiper.

lavatergilunòtto m. (*autom.*) rear-window washer-wiper.

lavatèsta m. inv. shampoo basin.

lavatìvo m. **1** (*pop.*: *clistere*) enema* **2** (*fig.*) shirker; slacker; malingerer; skiver (*slang GB*); goldbrick (*slang USA*).

lavatóio m. **1** (*locale*) wash-house **2** (*asse*) washboard **3** (*recipiente*) washing trough; washtub.

lavatóre m. **1** washer **2** (*di lana, ecc.*) scourer **3** (*chim., di gas*) scrubber.

♦**lavatrice** f. **1** washer **2** (*lavabiancheria*) washing machine; washer **3** (*ind. min.*) washer **4** (*ind. tess.*) scouring machine.

lavatùra f. **1** washing; wash: **l. dei piatti**, the washing of dishes; washing-up (*GB*) **2** (*acqua in cui si è lavato*) washing water: **l. di panni**, washing water; **l. di piatti**, dishwater; washing-up water (*GB*) (*fig.*) dishwater, slops (pl.).

lavavétri m. inv. **1** (*persona*) window cleaner; (*di auto*) windscreen (*USA* windshield) washer **2** (*spatola*) squeegee.

lavèllo m. sink.

làvico a. lava (attr.).

lavìna → **slavina**.

lavoràbile a. **1** workable; (*malleabile*) malleable, soft, ductile, pliable **2** (*coltivabile*) arable; tillable.

lavorabilità f. **1** workability; (*malleabilità*) malleability, softness, ductility, pliability **2** (*di terreno*) arability.

lavoracchiàre v. i. (*lavorare svogliatamente*) to work half-heartedly; (*avere lavori occasionali*) to do* odd jobs; (*fare lavoretti in casa, ecc.*) to potter, to putter (*USA*).

lavorànte m. e f. worker; workman* (m.); workwoman* (f.); (*bracciante*) labourer; (*aiuto*) assistant: **l. a domicilio**, outworker; **l. di sartoria**, dressmaker's assistant; **l. finito**, skilled worker; skilled assistant.

♦**lavoràre** Ⓐ v. i. **1** to work: **l. a ore** [**a giornata**], to work by the hour [by the day]; **l. a tempo pieno**, to work full-time; **l. a un romanzo** [**a un problema**], to work [to be working] on a novel [on a problem]; **l. come commesso**, to work as (*o* to be) a shop assistant; **l. da sarto**, to work as a tailor; to be a tailor; **l. in proprio**, to be self-employed; **l. nell'industria** [**nel cinema**], to work in industry [in the film industry]; **l. molto** (*o* **sodo**), to work hard; **l. presso q.** (*form.*); **l. sotto q.**, to work under sb.; **l. troppo**, to work too hard; to overwork oneself; to overdo it; **dare da l. a q.**, to employ sb.; to give* work to sb. **2** (*funzionare*) to work; to operate: **l. a pieno ritmo**, to work at full capacity; (*di persone, ufficio*) to work flat out; *Il mio intestino non lavora bene*, my bowels aren't working well **3** (*di una ditta, ecc.*) to do* business: **l. molto** [**poco**], to do [not to do] good business; **l. con q.**, to do business with sb. **4** (*agire di nascosto*) to be at work ● **l. a cottimo**, to do piece-work □ **l. a maglia**, to knit □ **l. a uncinetto**, to crochet

□ (*spesso considerato offensivo*) **l. come un negro**, to work like a slave, to slave away □ **l. come un pazzo**, to work like fury □ **l. d'ago**, to do needlework □ **l. di cervello**, (*fare un lavoro intellettuale*) to do intellectual work; (*usare la testa*) to use one's head □ **l. di fantasia**, to let one's imagination run away with one; (*inventare*) to imagine things □ **l. di gomiti**, to elbow one's way □ **l. d'intarsio**, to inlay □ (*fam.*) **l. di mano**, (*rubare*) to steal; (*rubacchiare*) to pinch, to pilfer □ **l. in nero**, to work illegally (*o* off the books); (*fare un secondo lavoro*) to moonlight □ **l. per la gloria**, to work for love alone □ (*fig.*) **l. sott'acqua**, to scheme; to plot □ **far l.**, (*tenere occupato*) to keep* busy; (*far lavorare molto*) to push; (*far funzionare*) to work □ **Ha una fantasia che lavora troppo**, she has too lively an imagination; her imagination is working overtime □ **l'Italia che lavora**, the working population of Italy □ (*prov.*) **Chi non lavora non mangia**, no work, no pay Ⓑ v. t. **1** to work; to do*...-work; (*trattare*) to process; (*scolpire*) to carve: **l. il ferro** [**il cuoio**], to work iron [leather]; to do iron-work [leather-work]; **l. il legno**, to carve wood; to do woodwork (*o* woodcarving); **l. la pietra**, to carve stone **2** (*cucina*) to work; (*impastare, anche*) to knead: **l. il burro**, to work (the) butter; **l. la pasta**, to knead (the) dough ● (*metall.*) **l. a freddo** [**a caldo**], to cold-work [to hot-work] □ **l. a macchina**, to machine □ **l. a mano**, to work by hand □ (*boxe*) **l. l'avversario sui fianchi**, to work away at one's opponent's ribs □ **l.** (*o* **lavorarsi**) **q.** (*per convincerlo*), to work on sb. □ **l. la terra**, to till (*o* to cultivate) the land.

lavoràta f. work 🇺🇸; stint: *Oggi ho fatto una bella l.*, I've done a good day's work today; **dare una prima l. a qc.**, to rough st. out.

lavorativo a. **1** working; (*occupazionale*) employment (attr.), job (attr.): **capacità lavorativa**, working ability; **ciclo l.**, working cycle; **giorno l.**, working day; workday; **sbocchi lavorativi**, job opportunities **2** (*di terreno*) arable.

lavoràto a. **1** worked; (*non grezzo*) treated, processed, finished; (*confezionato*) manufactured, made; (*di metallo*) wrought; (*di pietra, marmo, legno*) carved; (*di pellame*) tooled: **articoli lavorati**, manufactured articles; **cuoio l.**, tooled leather **l. a mano**, handmade; **l. a macchina**, machine-made **2** (*decorato*) decorated; (*ricamato*) embroidered; (*elaborato*) elaborate: **camicetta lavorata**, embroidered blouse **3** (*coltivato*) tilled; cultivated.

♦**lavoratóre** Ⓐ m. (f. **-trice**) **1** worker; workman* (m.); working woman* (f.); (*bracciante, manovale*) labourer: **l. a cottimo**, piece worker; job worker; **l. a domicilio**, home-based worker; outworker; **l. a giornata**, day-labourer; **l. agricolo**, agricultural labourer; farm worker; **l. autonomo**, self-employed worker; **l. dipendente**, employee; **l. qualificato**, qualified worker; **l. non specializzato**, unskilled worker; labourer; **l. salariato**, wage-earner; **l. specializzato**, skilled worker; **sindacato dei lavoratori**, trade union **2** (*chi lavora con lena*) hard worker Ⓑ a. working: **le classi lavoratrici**, the working classes.

lavorazione f. **1** working; (*manifattura*) manufacturing; (*produzione*) production; (*metodo di l.*) processing; (*esecuzione*) workmanship: **la l. dei metalli**, metal working; metalwork; **la l. della lana**, wool manufacturing; **la l. degli alimenti**, food processing; **la l. della pietra**, stone-cutting; **ciclo di l.**, manufacturing (*o* production) cycle; **costi di l.**, manufacturing costs; **processo di l.**, manufacturing process; **una cornice di squisita l.**, a frame of exquisite workmanship **2** (*agric.*) tillage; cultivation **3** (*cinem.*) production; making; (*riprese*) shooting; film-

ing ● (*metall.*) **l. a caldo** [**a freddo**], hot-working [cold-working] □ (*ind.*) **l. a catena**, line (*o* belt) production □ (*mecc.*) **l. a macchina**, machining □ (*ind.*) **l. a mano**, handwork □ (*mecc.*) **l. al maglio**, machine hammering □ **prodotti in l.**, products in the course of manufacture □ **Il progetto è in l.**, the plan is being worked on (*o* is in progress, is under way).

lavorétto m. **1** (*lavoro facile*) easy job; (*lavoro da poco*) small job, minor job; (*lavoro occasionale*) odd job: *Vive di lavoretti*, he lives by doing odd jobs; **fare lavoretti in casa** [**in giardino**], to potter (*USA* to putter) about the house [in the garden] **2** (*eufem.*: *furto*) job.

lavoricchiàre v. i. (*avere lavori occasionali*) to do* odd jobs; (*fare lavoretti in casa, ecc.*) to potter, to putter (*USA*); (*di ditta, ecc.*: *lavorare poco*) to do* very little business.

lavorìo m. **1** intense activity; bustle **2** (*fig.*) intrigue; scheming 🇺🇸.

lavorista m. e f. (*leg.*) expert in labour law.

♦**lavóro** m. **1** (*attività*) work 🇺🇸; (*pesante*) labour 🇺🇸: **l. a contratto**, contract work; **l. a cottimo**, piece-work; **l. a ore**, work by the hour; **l. dei campi**, farm work; **l. della mente** (*o* **intellettuale**), intellectual work; **l. di gruppo** (*o* **d'équipe**), teamwork; **l. di segreteria**, secretarial work; **l. d'ufficio**, clerical work; **l. faticoso**, hard work; labour; toil; **l. manuale**, manual work; **l. monotono e stancante**, drudgery 🇺🇸; chore; grind; **l. specializzato**, skilled work; *Ho parecchio l. da fare*, I've got a lot of work to do; **essere al l.**, to be at work; to be working; **cominciare** [**cessare**] **il l.**, to start [to stop] work; **mettersi al l.**, to set to work; **abile** [**inabile**] **al l.**, fit [unfit] for work; **sovraccarico di l.**, snowed under with work; over-worked; **i frutti del proprio l.**, the fruits of one's labours; **eccesso di l.**, overwork; **giorno di l.**, working day; workday; **tavolo da l.**, work-table; **turno di l.**, work-shift **2** (*occupazione*) employment 🇺🇸; work 🇺🇸; (*impiego*) job: **l. a metà tempo** [**a tempo pieno**], part-time [full-time] job; **l. fisso** (*o* **stabile**), regular (*o* steady) job; **l. dipendente**, non self-employed work; **l. in proprio**, self-employment; **un buon l.**, a good job; **cercare l.**, to look for a job (*o* for work); *Che l. fai?*, what is your job?; what do you do?; *In che cosa consiste il tuo l.?*, what does your job entail?; **al l.**, at work; on the job; **essere via per l.**, to be away on business; **viaggiare per l.**, to travel on business; **essere senza l.**, to be out of work (*o* without a job); **i senza l.**, the jobless; the unemployed **3** (*opera singola*) piece of work; job: *È un bel l.*, it's a fine piece of work; *Hai fatto un bel l.*, you've done a very good job **4** (*letter., arte*) work; (*teatr.*) play: **l. cinematografico**, film; **l. teatrale**, play; *È uno dei suoi lavori migliori*, it's one of his best works **5** (*econ.*) labour, labor (*USA*): **capitale e l.**, capital and labour; **costo del l.**, cost of labour; **mercato del l.**, labour market **6** (al pl.) (*opere tecniche, ecc.*) works: **lavori di manutenzione**, works of maintenance; **lavori di restauro**, restoration works; **lavori stradali**, road-works; **il responsabile dei lavori**, the person in charge of the works **7** (al pl.) (*attività di assemblea, ecc.*) work 🇺🇸; (*di congresso*) proceedings: **i lavori di una commissione**, the work of a committee; **i lavori di un congresso**, the proceedings of a conference; *Il parlamento riprenderà fra quindici giorni i suoi lavori*, Parliament will reopen (*o* will resume) in a fortnight **8** (*impresa, compito*) task; job: *Non è l. mio*, it is not my job; **il l. in corso**, the job in hand **9** (*mecc.*) work: **l. di attrito**, work due to friction; **l. di deformazione**, deformation (*o* strain) work ● **l. a**

casa (*compiti scolastici*), homework □ **l. a domicilio**, outwork; cottage industry □ **l. a mano**, handwork □ **l. arretrato**, backlog (of work) □ (*geol.*) **il l. dei venti e delle acque**, the action of the wind and the water □ (*econ.*) **l. nero**, illegal (*o* off-the-book) work [job]; (*secondo l.*) moonlighting ⓤ; (*sfruttamento della manodopera*) sweated labour □ **l. sporco**, (*illegale*) dirty work; (*trucco disonesto*) dirty trick □ **l. sul campo**, fieldwork □ (*econ.*, *mecc.*) **l. utile**, output □ **lavori di casa** (*o* **domestici**), housework ⓤ; chores: **fare i lavori di casa**, to do (the) housework □ **lavori di cucito**, needlework □ (*mil.*) **lavori di difesa**, defences □ **lavori di scavo**, digging; (*ind. min.*) mining □ **lavori femminili**, needlework and knitting □ (*leg.*) **lavori forzati**, hard labour □ **lavori in corso**, (*cartello stradale*) roadworks ahead, men at work, men working (*USA*); (*fig.*) work in progress □ **lavori in legno**, woodwork □ **lavori pubblici**, public works □ **abiti da l.**, working clothes □ **ambiente di l.**, working environment □ **ammazzarsi di l.**, to work oneself to death; to work one's fingers to the bone □ **cestino da l.** (*per il cucito*), workbasket; sewing basket □ **condizioni di l.**, working conditions □ **dare l. a q.**, to employ sb.; to hire sb. □ **datore di l.**, employer □ (*leg.*) **diritto del l.**, labour law □ **domanda di l.**, job application; application for a job □ (*nelle inserzioni*) **domande [offerte] di l.**, situations wanted [vacant] □ **doppio l.** → **secondo l.** □ **forza l.**, workforce □ **medicina del l.**, industrial medicine □ **orario di l.**, working hours □ **posto di l.**, workplace; (*impiego*) job □ **fare un secondo l.** (*non dichiarato*), to moonlight □ **sul l.**, in (*o* at) the workplace; on the job □ **strumenti di l.**, tools □ **vivere del proprio l.**, to earn one's living.
laziàle a. of Latium; Latium (attr.).
Làzio m. (*geogr.*) Latium.
làzo (*spagn.*) m. inv. lasso*.
lazulìte f. (*miner.*) lazulite.
lazzurìte f. (*miner.*) lazurite.
lazzarétto m. **1** (*per lebbrosi*) leprosarium; (*stor.*) lazaretto*, lazarette **2** (*per quarantena*) quarantine station; lazaretto **3** (*per malattie infettive*) isolation hospital.
lazzarìsta m. (*eccles.*) Lazarist.
Làzzaro m. Lazarus.
lazzaronàta f. dirty (*o* nasty) trick.
lazzaróne m. **1** (*mascalzone*) rascal; scoundrel **2** (f. **-a**) (*poltrone*) idler; slacker **3** (*spreg.: popolano meridionale*) lazzarone*.
lazzeruòla f. (*bot.*) azarole.
lazzeruòlo m. (*bot.*, *Crataegus azarolus*) azarole; Neapolitan medlar.
làzzo m. joke; jest.
LC abbr. (**Lecco**).
le① **A** art. determ. f. pl. **1** the: **le stagioni**, the seasons; **le tre Grazie**, the three Graces; **le chiese che visitammo**, the churches we visited; **le mele di questo albero**, the apples on this tree; **le ultime notizie**, the latest news; *Apri le finestre!*, open the windows!; **le Alpi**, the Alps; **le Montagne Rocciose**, the Rocky Mountains; **le (isole)** *Ebridi*, the Hebrides; **le Nazioni Unite**, the United Nations; **le signorine Brown**, the Miss Browns **2** (idiom., assente in ingl.) → **le chiese inglesi**, English churches; *Le tigri sono animali feroci*, tigers are wild animals; *Non mi piacciono le mele*, I don't like apples; *Dove sono le nostre valigie?*, where are our suitcases?; **le sorelle di Andrea**, Andrea's sisters; *Tom ha le gambe lunghe*, Tom has long legs; **le Fiandre**, Flanders (sing.); **tutte le domeniche**, every Sunday **3** (idiom., agg. poss. in ingl.) – *Fammi vedere le mani*, show me your hands; *Mettiti le calze!*, put on your stockings!; *Chiama le sorelline!*, call your sisters! **4** (idiom., agg. partitivo in ingl.)

some; any: *Va' a comprare le sigarette!*, go and buy some cigarettes; *Non ho comprato le banane*, I haven't bought any bananas.
le② **A** pron. pers. 3ª pers. pl. f. them: *Le conosco appena*, I hardly know them; *Le vidi correre via*, I saw them run away; *Dammele tutte*, give them all to me; give me all of them **B** pron. pers. 3ª pers. sing. f. **1** (to) her: *Chi le parlò?*, who spoke to her?; *Le spiegai la difficoltà*, I explained the difficulty to her; *Le diedi la lettera*, I gave her the letter; *Le dissi di andarsene*, I told her to leave; *Le faceva male il braccio*, her arm hurt; *Le batteva forte il cuore*, her heart was pounding **2** (*forma di cortesia*) (to) you: *Le spiegherò tutto*, I'll explain everything to you; *Le darò la lettera*, I'll give you the letter; *Posso parlarle un momento?*, may I have a word with you?
LE abbr. (**Lecce**).
leader (*ingl.*) **A** m. e f. inv. **1** leader: **il l. del partito**, the party leader **2** (*sport* e *fig.*) front-runner; leader: **il l. della gara**, the front-runner in the race; the race leader **B** a. inv. leading: **industria l.**, leading industry.
leaderìsmo m. leader's attitude.
leàle a. **1** (*fedele*) loyal; (*devoto*) steadfast, staunch, faithful: **l. sostenitore**, loyal supporter **2** (*onesto*) fair; (*schietto*) frank, open: **avversario l.**, fair opponent; *Non è l.!*, it isn't fair!
lealìsmo m. (*polit.*) loyalism.
lealìsta m. e f. (*polit.*) loyalist.
lealtà f. **1** (*fedeltà*) loyalty, allegiance; (*devozione*) steadfastness, staunchness, faithfulness **2** (*onestà*) fairness; (*schiettezza*) frankness, openness.
Leàndro m. Leander.
leàrdo a. (*grigio*) grey.
lease-back (*ingl.*) m. inv. (*econ.*) lease-back.
leasing (*ingl.*) m. inv. (*fin.*) leasing; lease: **l. di impianti**, equipment leasing; **l. finanziario**, finance lease; **l. immobiliare**, (sale and) leaseback; **prendere in l.**, to lease; *I nostri computer sono tutti in l.*, we lease all our computers; **acquisto in l.**, lease-purchase.
lébbra f. (*med.* e *fig.*) leprosy.
lebbrosàrio m. leper hospital (*o* colony); leprosarium.
lebbróso (*med.*) **A** a. leprous **B** m. (f. **-a**) leper.
lèben m. (*biol.*) fermented milk.
leccacùlo m. e f. inv. (*volg.*) arse-licker (*GB*); bum-sucker (*GB*); ass-licker (*USA*); brown-noser (*USA*).
lécca lécca loc. m. inv. lollipop; lolly (*fam.*).
leccapiàtti m. e f. inv. **1** (*ghiottone*) guzzler **2** (*scroccone*) scrounger; cadger.
leccapièdi m. e f. inv. toady; bootlicker; lickspittle: **fare il l. con q.**, to toady to sb.; to suck up to sb.; to crawl to sb.
leccàrda f. (*cucina*) dripping-pan.
◆**leccàre** **A** v. t. **1** to lick; (*per bere*) to lap **2** (*fig.: adulare*) to fawn on; to toady to; to crawl to; to butter up; to suck up to (*fam.*) **3** (*fig.: rifinire con eccessiva cura*) to overpolish ● (*volg.*) **l. il culo a q.**, to arse-lick sb. (*GB*); to bum-suck sb. (*GB*); to ass-lick sb. (*USA*); to brown-nose sb. (*USA*) □ (*fig.*) **leccarsi le ferite**, to lick one's wounds □ (*fig.*) **leccarsi le labbra** (*o* **i baffi**), to smack one's lips □ (**buono**) **da leccarsi le dita**, mouth-watering; finger-licking **B** **leccàrsi** v. rifl. **1** to lick oneself; (*di gatto*) to wash oneself **2** (*fig.: lisciarsi, ecc.*) to titivate (oneself); to preen oneself.
leccàta f. lick.
leccàto a. **1** (*eccessivamente rifinito*) over-

polished; over-refine **2** (*affettato*) affected.
leccatùra f. **1** licking **2** (*fig.: adulazione*) toadying; bootlicking **3** (*fig.: eccessiva rifinitura*) overpolishing; over-refinement.
leccése **A** a. of Lecce; from Lecce **B** m. e f. native [inhabitant] of Lecce.
leccéto m. holm-oak grove.
lecchése **A** a. of Lecco; from Lecco **B** m. e f. native [inhabitant] of Lecco.
lecchìno m. (f. **-a**) **1** (*region.*) dandy; fop **2** → **leccapiedi**.
léccia f. (*zool.*, *Scymnorhinus licha*) kitefin shark.
léccio m. (*bot.*, *Quercus ilex*) holm-oak; ilex*.
leccóne m. (f. **-a**) → **leccapiedi**.
leccornìa f. dainty; delicacy; titbit; tidbit (*USA*).
lecitìna f. (*chim.*, *biol.*) lecithin.
lécito **A** a. **1** (*ammissibile*) admissible, permissible; (*permesso*) permitted, allowed; (*legittimo*) legitimate: **dubbio lecito**, legitimate doubt; *Crede che tutto gli sia l.*, he thinks he can do what he likes; *È l. chiedersi se...*, one can legitimately wonder whether...; *Se mi è l. commentare*, if I may comment on that; *Che intenzioni hai, se è l.?*, what are your intentions, if one may ask? **2** (*legale*) legitimate; lawful: **usare tutti i mezzi leciti**, to use all lawful means **B** m. right; (*legalità*) legality: **il l. e l'illecito**, right and wrong; **oltre i confini del l.**, beyond what is right; beyond the bounds of legality.
lèdere v. t. **1** (*danneggiare*) to damage; to harm; to be detrimental to; to be prejudicial to: **l. la reputazione di q.**, to damage (*o* to harm) sb.'s reputation; **l. i diritti altrui**, to be detrimental to (*o* to prejudice) others' rights; **l. gli interessi di q.**, to be prejudicial to sb.'s interests **2** (*med.*) to damage; to injure; to impair: **l. un organo**, to damage (*o* to injure) an organ; **l. la vista**, to impair (sb.'s) eyesight.
lèga① f. **1** (*polit.*) league; alliance: (*stor.*) **la Lega Anseatica**, the Hanseatic League; (*stor.*) **la L. delle Nazioni**, the League of Nations; **stringere [sciogliere] una l.**, to form [to dissolve] an alliance **2** (*associazione*) association: **l. dei consumatori**, consumers' association; **l. sindacale**, trade union association **3** (*metall.*) alloy: **l. antifrizione**, antifriction alloy; babbit; **l. d'acciaio**, alloy steel; **l. fusibile**, fusible alloy; **l. leggera [pesante]**, light [heavy] alloy; **l. per saldature**, solder ● (*fig.*) **di buona l.**, genuine; sterling □ (*fig.*) **di bassa l.**, low; vulgar; coarse □ (*fig.*) **di cattiva l.**, of inferior quality; cheap; shoddy □ **essere in l. con q.**, to be in league with sb.; (*per affari loschi*) to be in cahoots with sb. (*fam.*) □ **fare l. con q.**, to gang up with sb.
lèga② f. (*misura*) league ● **gli stivali delle sette leghe**, the seven-league boots.
legàccio m. string; lace (generalm. al pl.); (*da tirare*) drawstring ● (*lavoro a maglia*) **punto l.**, garter stitch.
legàle **A** a. **1** (*relativo alla legge*) legal; law (attr.): **azione l.**, law suit; **intraprendere un'azione l.**, to take legal action; **battaglia l.**, legal battle; **documento l.**, legal paper; (*di moneta*) **avere corso l.**, to be legal tender; **avere forza l.**, to be legally binding; **consulente l.**, legal adviser; **spese legali**, legal costs; **studio l.**, law firm; lawyer's office; **ufficio l.**, legal department **2** (*conforme alla legge, legittimo*) lawful; legal: **età l.**, legal age; *Il loro matrimonio è l.*, their marriage is lawful ● **carta l.**, stamped paper □ **medicina l.**, forensic medicine □ **numero l.**, quorum □ **ora l.**, summer-time; daylight saving time □ **prova l.**, conclusive evidence □ **rendere l.**, to make legal; to legalize □ **nei termini legali**, within the prescribed times **B**

m. e f. lawyer; attorney (*USA*): **rivolgersi a un l.**, to consult a lawyer; to seek legal advice.

legalişmo m. legalism.

legalişta m. e f. legalist.

legalìstico a. legalistic.

legalità f. lawfulness; legality: **la l. di un atto**, the legality of an act; **principio di l.**, rule of law; principle of legality; **agire con l.**, to act within the law (*o* legally); **essere [rimanere] nella l.**, to be [to keep] within (*o* inside) the law; **fuori della l.**, outside the law; **procedere al limite della l.**, to sail close to the wind.

legalitàrio a. legalitarian; legalistic.

legalizzàre v. t. **1** (*rendere ufficiale*) to authenticate; (*di notaio*) to notarize **2** (*rendere legale*) to legalize; (*depenalizzare*) to decriminalize; (*regolarizzare*) to regularize.

legalizzazióne f. **1** authentication; (*notarile*) notarization **2** legalization; decriminalization; regularization.

legalménte avv. legally; lawfully.

♦**legàme** m. **1** (*vincolo*) tie; bond: **l. di affetto**, bond of affection; **l. d'amicizia**, bond of friendship; **l. di parentela**, family relationship; kinship; **avere legami di parentela con q.**, to be related to sb.; to be sb.'s kin (*form.*); **legami di sangue**, blood ties; **l. sentimentale**, relationship; attachment; **troncare ogni l.**, to sever all ties (*rapporto, nesso*) link; connection: *Non c'è nessun l. fra i due episodi*, there is no connection between the two incidents; **stabilire un l. fra due fatti**, to establish a link between two facts **3** (*chim.*) bond; binding: **l. covalente**, covalent bond; **l. ionico**, ionic bond; **l. molecolare**, molecular binding; **energia di l.**, binding energy **4** – (*psic.*) **doppio l.**, double bind.

legaménto m. **1** binding ⓤ; bind **2** (*anat.*) ligament **3** (*fon.*) liaison (*franc.*) **4** (*naut.*) binding **5** (*scherma*) engagement **6** (*mus.*) → **legatura**.

legamentóso a. (*anat.*) ligamental; ligamentous.

legànte① m. **1** (*edil.*) binder; cement **2** (*chim.*) ligand **3** (*cucina*) thickener.

legànte② m. e f. (*leg., di beni immobili*) legator; (*di beni immobili*) devisor.

♦**legàre**① Ⓐ v. t. **1** (*avvolgere con corda e sim.*) to tie (up); to bind*; to truss (up): **l. un pacco con dello spago**, to tie (up) a parcel with string; **l. strettamente**, to bind fast; **legarsi i capelli**, to tie one's hair; **l. q. mani e piedi**, to tie sb. hand and foot; **l. e imbavagliare q.**, to gag sb. and tie him hand and foot; (*cucina*) **l. l'arrosto**, to tie up the roast; (*cucina*) **l. un pollo**, to truss (up) a chicken; **l. q. come un salame**, to truss up sb.; (*fig.*) *Ho le mani legate*, my hands are tied **2** (*assicurare*) to tie (up); to fasten (up); (*un animale*) to tie up; to tether; (*con catena*) to chain: **l. un cartellino a una valigia**, to tie a label on to a suitcase; **l. un cane a un albero**, to tether a dog to a tree **3** (*fig.: vincolare, unire*) to bind*; to tie; to unite; to link: **l'affetto che mi lega a lei**, the affection that binds me to her; **essere molto legato a q.**, to be very fond of (*o* deeply attached to, very close to) sb.; *Sono legati dal comune impegno politico*, a common political commitment unites them **4** (*collegare*) to connect; to link: **l. un'idea con un'altra**, to connect an idea with another **5** (*chim.*) to bind* **6** (*metall.*) to alloy **7** (*rilegare*) to bind* **8** (*incastonare*) to set*; to mount **9** (*med.*) to ligate; to tie up **10** (*naut.*) to bend*; to reeve*; to seize **11** (*cucina*: *addensare*) to thicken **12** (*mus.*) to tie; (*nell'esecuzione*) to play [to sing*] legato ● (*fig. fam.*) **l. la bocca** (*o* **i denti**) (*allappare*), to dry out sb.'s mouth; to make sb.'s mouth furry □ **l. le campane**, to silence the

bells □ (*fig.*) **l. la lingua a q.**, to tie sb.'s tongue □ **l. un braccio al collo**, to put one's arm in a sling □ (*fig.*) **Questa me la lego al dito**, I won't forget that; I'll bear that in mind □ (*fig.*) **Se l'è legata al dito**, he took it badly □ **È pazzo da l.**, he's stark raving mad; he's a raving lunatic Ⓑ v. i. **1** (*andare d'accordo*) to get* on well; (*ambientarsi*) to fit in; (*fare amicizia*) to make* friends, to hit* it off (*fam.*): *Non riesco a l. coi colleghi*, I don't get on well with my colleagues; *Non lega facilmente*, she doesn't make friends easily; *Hanno legato subito*, they hit it off immediately **2** (*essere collegato*) to be connected; to connect: *Le due parti del racconto non legano bene*, the two parts of the story do not connect properly **3** (*armonizzare*) to go* well; to fit in; to go* (with): *Questo vino lega bene con l'arrosto*, this wine goes well with a roast **4** (*cucina*) to thicken **5** (*metall.*) to alloy Ⓒ **legàrsi** v. rifl. **1** to tie oneself; to bind* oneself **legarsi con una promessa**, to bind oneself with a promise **2** (*fig.*) to make* friends (with); to strike* up a friendship (with); (*affezionarsi*) to form an attachment (with); (*per affari, interesse*) to form a connection (with) ● **legarsi in matrimonio (con q.)**, to get married (to sb.).

legàre② v. t. (*leg.: beni mobili*) to bequeath, to leave*, to will; (*beni immobili*) to devise.

legàta f. tying up ● **dare una l. a qc.**, to tie up st.

legatàrio m. (*leg., di beni mobili*) legatee; (*di beni immobili*) devisee.

legatìzio a. (*eccles.*) legatine.

♦**legàto**① Ⓐ a. **1** tied; bound: (*anche fig.*) *Ho le mani legate*, my hands are tied **2** (*vincolato, anche fig.*) tied up; bound up; fastened **3** (*fig.: collegato*) tied up; bound up; connected: **due fatti legati tra loro**, two closely connected events; **un ricordo l. alla mia infanzia**, a memory bound up with my childhood **4** (*fig.: affezionato*) attached (to); fond (of); close **5** (*fig.: impacciato*) stiff, awkward; (*di stile e sim.*) stilted **6** (*mus.*) tied; slurred Ⓑ m. (*mus.*) legato.

legàto② m. **1** (*eccles.*) legate: **L. Apostolico** (*o* **Pontificio**), Apostolic Legate **2** (*ambasciatore*) ambassador; envoy.

legàto③ m. **1** (*leg., di beni mobili*) legacy, bequest; (*di beni immobili*) devise: **fare un l.**, to make a bequest; to leave a legacy **2** (*fig.: retaggio*) legacy.

legatóre m. (f. **-trice**) bookbinder.

legatorìa f. **1** (*attività*) bookbinding **2** (*locale*) bookbinder's workshop; (*azienda*) bookbinding establishment; bookbinder's, bookbindery (*USA*).

legatrìce f. (*tecn.*) binder.

legatùra f. **1** tying; binding **2** (*rilegatura*) binding; bookbinding: **l. in vitello**, calf binding **3** (*tipogr.*) ligature **4** (*mus.*) ligature; slur **5** (*med.*) ligature **6** (*di gemma*) setting; mounting.

legazióne f. legation.

legènda f. (*didascalia*) caption; (*tabella di simboli, ecc.*) key to symbols.

♦**légge** f. **1** law; (*scritta, anche*) statute; (*atto del Parlamento, anche*) act (of Parliament): **l. antiterrorismo**, anti-terrorism act; **l. delega**, law made under delegate powers; **l. di stanziamento**, appropriation act; **l. di governo locale**, local government law; bylaw; ordinance (*USA*): **l. ponte**, interim law; **l. quadro**, framework act; **l. scritta**, statutory law; statute; **l. stralcio**, part of an act regulating the more urgent aspects of a larger matter; **l. sulle società**, companies act; **l. valutaria**, currency act; **abrogare [modificare, promulgare] una l.**, to abrogate [to amend, to promulgate] a law; **fare leggi**, to make laws; **infrangere** (*o* **violare**) **una l.**, to break

a law; to offend against a law; **varare una l.**, to pass a law; to get a law through Parliament; **per l.**, by law; by act of Parliament; **articolo di l.**, article of law; section (of a Statute); **disegno** (*o* **progetto**) **di l.**, bill; **presentare [discutere, votare, approvare, respingere] un disegno di l.**, to introduce [to debate, to vote, to pass, to reject] a bill; **proposta di l.**, draft bill **2** (*complesso di norme giuridiche; legislazione*) law: **l. civile [penale]**, civil [criminal] law; **la l. italiana**, Italian law; *La l. è uguale per tutti*, all are equal before (*o* under) the law; **andare contro la l.**, to be against the law; to break the law; **osservare la l.**, to abide by the law; **entro i confini della l.**, within the law; **al di sopra della l.**, above the law; **conforme alla l.**, legal; **contrario alla l.**, illegal; law-breaking; **fuori della l.**, outside the law; **fuori l.**, illegal; **proibito per l.**, forbidden by the law; illegal **3** (*scienza giuridica*) law; jurisprudence: **studiare l.**, to study law; to read for the Bar; *Sono laureato in l.*, I have a law degree; **dottore in l.**, doctor at (*o* in) law; **facoltà di l.**, faculty of law **4** (*autorità giudiziaria*) law; Law: **ricorrere alla l.**, to go to law (*o* to court); to have recourse to the law **5** (*principio, regola*) law (*anche scient., econ.*); rule; principle: **la l. della domanda e dell'offerta**, the law of supply and demand; **la l. della giungla** (*o* **del più forte**), the law of the jungle; **la l. di Avogadro**, Avogadro's law; **la l. divina [naturale]**, the divine [natural] law; **le leggi della fisica**, the laws of physics; **le leggi di natura**, the laws of nature ● (*relig.*) **la l. antica** (*la religione ebraica*), the Old Law □ (*fis.*) **l. dei quadrati**, inverse-square law □ **l. marziale**, martial law □ (*Bibbia*) **la l. mosaica**, the Law of Moses; Mosaic Law □ **a norma** (*o* **a termini**) **di l.**, by law; as prescribed (*o* laid down) by law □ **il braccio della l.**, the long arm of the law □ **dettar l.**, to lay down the law □ **avere forza di l.**, to be legally binding □ **in nome della l.**, in the name of the law □ **in virtù della l.**, in force of the law □ **La sua parola è l.**, his word is law □ **mettere fuori l.**, to outlaw; to ban □ **nel rispetto delle l.**, within the law; legally □ **rispettoso delle leggi**, law-abiding (agg.) □ **lo spirito della l.**, the spirit of the law □ (*Bibbia*) **le Tavole della L.**, the Tables of the Law □ **uomo di l.**, lawyer □ (*prov.*) **Fatta la l., trovato l'inganno**, every law has a loophole.

♦**leggènda** f. **1** legend: **la l. arturiana**, the Arthurian legend; **entrare nella l.**, to enter into legend; (*fig.*) to become a legend; **secondo la l.** (*o* **vuole la l. che**), according to legend; **essere una l. vivente**, to be a legend in one's own lifetime **2** (*fig.: diceria*) tale; story **3** (*iscrizione*) legend; inscription **4** → **legenda**.

leggendàrio Ⓐ a. **1** legendary; mythical; fabulous **2** (*fig.*) legendary; legend (pred.); the stuff of legend (pred.): **una bellezza leggendaria**, a legendary beauty; *Le sue imprese sono leggendarie*, his feats are (the stuff of) legend; **diventare l.**, to become a legend Ⓑ m. (*relig.*) legendary.

♦**lèggere** v. t. e i. **1** to read*: **l. un libro** [**una carta geografica**], to read a book [a map]; **l. a voce alta**, to read out; **l. da cima a fondo**, to read through; **l. silenziosamente**, to read to oneself; *Leggimelo, per favore*, read it (out) to me, please; **aver letto molto**, to be well-read **2** (*fig.*) to read*; to tell*: **l. il futuro**, to read into the future; **l. nei pensieri di q.**, to read sb.'s thoughts; *Gli lessi la paura sul volto*, I read fear in his face; *Glielo si legge in faccia*, it's written all over him; *Te lo si legge negli occhi che non lo sai*, I can tell from your face you don't know **3** (*fig.: interpretare*) to interpret, to read*; (*analizzare*) to analyze: **l. un fatto al-**

la luce di qc., to interpret an event in the light of st.; **l. qc. in chiave politica**, to put a political interpretation on st.; **l. un film**, to analyze a film **4** (*comput.*) to read* ● (*mus.*) **l. a prima vista**, to sight-read; to read at sight □ **l. fra le righe**, to read between the lines □ **l. la mano a q.**, to read sb.'s hand □ **l. sulle labbra**, to lip-read ● **a chi legge**, to the reader □ (*comm.*) **nell'attesa di legger-Vi**, in anticipation of your reply □ **Di Santa Brigida si legge che...**, it is said that St Bridget... □ **un libro che si fa l.**, a very readable book.

leggerézza f. **1** lightness: **la l. di un vino**, the lightness of a wine; **l. di tocco**, lightness of touch **2** (*agilità*) nimbleness; agility **3** (*fig.: mancanza di riflessione*) thoughtlessness, imprudence; (*mancanza di serietà*) irresponsibility; (*atto di l.*) thoughtless action: **agire con l.**, to act thoughtlessly (*o* irresponsibly); **È stata una l. da parte tua**, it was thoughtless (*o* irresponsible) of you **4** (*frivolezza*) frivolity, fatuity; (*incostanza*) fickleness; (*tendenza a civettare*) flirtatiousness.

leggerménte avv. **1** (*con tocco leggero*) lightly; gently **2** (*lievemente, un po'*) slightly **3** (*agilmente*) lightly; nimbly **4** (*alla leggera*) lightly; thoughtlessly.

♦**leggèro** Ⓐ a. **1** (*non pesante*) light; (*di stoffa o moneta, anche*) light-weight: **cappotto l.**, light-weight coat; **cibi leggeri**, light food; **coperta leggera**, light-weight blanket; **passi leggeri**, light steps; **sonno l.**, light sleep; **avere il sonno l.**, to be a light sleeper; **tocco l.**, light touch; **vino l.**, light wine; **l. come una piuma**, as light as a feather; **avere la mano leggera**, to have a light hand **2** (*lieve, non grave*) slight; mild: **un l. accento francese**, a slight French accent; **un l. aumento**, a slight increase; **un l. mal di testa**, a slight (*o* mild) headache **3** (*non forte*) light; soft; weak: **droghe leggere**, soft drugs; **tè l.**, weak tea; **vento l.**, light wind **4** (*agile*) nimble; light-footed; light on one's feet (pred.): **dita leggere**, nimble fingers; **È molto l. quando balla**, when he dances he's very light on his feet **5** (*fig.: frivolo*) frivolous; (*senza giudizio*) thoughtless, irresponsible; (*che ha poco cervello*) feather-brained; (*incostante*) fickle; (*incline alla civetteria*) flirtatious: **condotta leggera**, thoughtless (*o* fickle) behaviour; **donna leggera**, flirtatious (*più forte*, loose) woman; **ragazza leggera**, flirt ● **a cuor l.**, with a light heart; light-heartedly ● **alla leggera**, lightly; **prendere qc. alla leggera**, to make light of st.; not to take st. seriously □ (*sport*) **atletica leggera** → **atletica** □ (*mil.*) **cavalleria leggera**, light horse; light cavalry □ **musica leggera**, light music; pop music ● (*naut.*) **nave leggera** (*non carica*), light (*o* unladen) ship □ (*boxe*) **peso l.**, lightweight □ (*aeron.*) **più l. dell'aria**, lighter-than-air (attr.) □ (*fig.*) **sentirsi l.**, to feel light-hearted; (*sentirsi sollevato*), to feel relieved □ **tenersi l.** (*nel mangiare*), to eat light food; to stick to a light diet □ **È una salita leggera**, the road [the path, etc.] rises slightly (*o* is not steep) Ⓑ avv. lightly: **mangiare l.**, to eat light food; **vestito l.**, lightly dressed.

leggeróne m. (f. **-a**) frivolous person; thoughtless person.

leggiadrìa f. (*lett.*) loveliness; gracefulness.

leggiàdro a. (*lett.*) lovely; graceful; fair.

leggìbile a. **1** legible; readable: **calligrafia [firma] l.**, legible handwriting [signature]; **in forma l.**, in readable form **2** (*di libro e sim.*) readable; worth reading **3** (*evidente*) manifest; clear; plain.

leggibilità f. **1** (*di grafia*) legibility **2** (*di libro e sim.*) readability.

leggicchiàre v. t. **1** (*leggere occasional-mente*) to read* in a desultory manner **2** (*leggere senza impegno*) to read* listlessly; to browse through **3** (*leggere a fatica*) to read* with difficulty.

lèggimi a. e m. inv. (*comput.*) readme: **file l.**, readme file.

leggìna f. (*leg.*) bylaw.

leggìo m. (*da tavolo*) bookrest; (*eccles.*) lectern; (*mus.*) music stand.

leggiucchiàre → **leggicchiare**.

leghìsmo m. (*polit.*) tendency to form political leagues.

leghìsta Ⓐ m. e f. **1** (*stor.: operaio*) member of a workers' association; (*contadino*) member of a farm-workers' association **2** (*polit.*) member of a political league; league member **3** (*polit.*) member (*o* supporter) of the Northern Leagues; member (*o* supporter) of the Lega Nord Ⓑ a. **1** (*polit.*) league (attr.) **2** (*polit.*) relating to the Northern Leagues: **la politica l.**, the policies (*o* policy) of the Northern Leagues.

legiferànte a. lawmaking (attr.).

legiferàre v. i. **1** to legislate; to make* laws **2** (*fig. scherz.*) to lay* down the law.

legiferatóre Ⓐ a. legislative; lawmaking (attr.) Ⓑ m. (f. **-trìce**) legislator; lawmaker; lawgiver.

legionàrio Ⓐ m. **1** (*stor.*) legionary **2** (*appartenente alla Legione straniera*) legionnaire **3** person awarded the French Legion of Honour ● (*med.*) **morbo del l.**, Legionnaires' disease Ⓑ a. legionary.

legióne f. **1** (*mil.*) legion: **la L. Straniera**, the Foreign Legion **2** (*fig.*) legion; multitude; host ● (*onorificenza franc.*) **la Legion d'onore**, the Legion of Honour.

legionellòsi f. (*med.*) Legionnaires' disease.

legislativo a. legislative; (*legiferante*) lawmaking: **assemblea legislativa**, legislative assembly; **il potere l.**, the legislative power; the legislature.

legislatóre Ⓐ m. (f. **-trìce**) legislator; lawmaker; lawgiver Ⓑ a. legislative; lawmaking.

legislatùra f. **1** (*attività*) legislation: lawmaking **2** (*dignità e ufficio*) legislature **3** (*durata in carica*) parliament; term: **una legge approvata nel corso dell'ultima l.**, a law passed by the last parliament.

legislazióne f. **1** (*il fare leggi*) legislation; lawmaking; lawgiving **2** (*ordinamento giuridico*) legislation; laws (pl.); (the) law.

legìsta m. jurist.

legìtima suspicióne (*lat.*) loc. f. suspected interest or prejudice (on the part of a judge).

legittima f. (*leg.*) legitim; (*della moglie*) wife's portion; (*dei figli*) children's portion.

legittimàre v. t. **1** (*leg.*) to legitimate; to legitimize **2** (*giustificare*) to legitimate; to justify.

legittimàrio m. (*leg.*) forced heir; necessary heir.

legittimàto a. **1** (*leg.*) legitimated; legitimized **2** (*est.*) authorized; justified.

legittimazióne f. (*leg.*) legitimation: **l. d'un figlio**, legitimation of a child.

legittimìsmo m. (*polit.*) legitimism.

legittimìsta m. e f. (*polit.*) legitimist.

legittimìstico a. (*polit.*) legitimist (attr.).

legittimità f. **1** (*leg., polit.*) legitimacy: **l. costituzionale**, constitutional legitimacy **2** (*giustezza*) legitimacy, rightfulness; (*validità*) validity: **la l. di una richiesta**, the legitimacy of a claim.

legìttimo a. **1** (*conforme alla legge*) lawful; legal; legitimate; (*per diritto*) rightful: **attività legittima**, lawful trade; **legittima difesa**, self-defence; **erede l.**, legal heir; rightful

heir; **figlio l.**, legitimate child; **matrimonio l.**, legal marriage; **possesso l.**, lawful possession; **il l. proprietario**, the lawful (*o* rightful) owner; **sovrano l.**, legitimate monarch **2** (*lecito, giusto*) legitimate; rightful; proper; (*valido*) valid: **dubbio l.**, legitimate doubt; **pretese legittime**, legitimate (*o* rightful) claims; **ragione legittima**, valid reason; **uso non l. di un termine**, improper use of a term; **Le tue opinioni sono del tutto legittime**, you are perfectly entitled to your opinions ● (*leg.*) **l. sospetto**, suspected interest or prejudice (on the part of a judge).

♦**légna** f. wood; firewood: **l. da ardere**, firewood; **l. minuta**, kindling; **comprare l. e carbone**, to buy wood and coal; **fare l.**, to gather firewood; **spaccare la l.**, to chop wood; **catasta di l.**, wood-pile; **(che va) a l.**, wood-burning; **stufa a l.**, wood-stove ● (*fig.*) **aggiungere l. al fuoco**, to add fuel to the flames □ (*fig.*) **portare l. al bosco**, to take coals to Newcastle.

legnàceo a. woody; ligneous.

legnàia f. woodshed.

legnaiòlo m. **1** (*taglialegna*) woodcutter; lumberjack (*USA*) **2** (*falegname*) carpenter.

legnàme m. wood; (*per costruzioni o falegnameria*) timber, lumber (*USA*): **l. piallato**, surfaced timber; **l. stagionato**, seasoned timber; **commerciante di l.**, timber merchant; lumber yard; **commercio del l.**, timber trade; **deposito di l.**, timber yard.

legnàre v. t. to beat*; to thrash; to cudgel.

legnàta f. blow (with a stick, with a cudgel); (*estens.*, al pl., *anche fig.*) thrashing Ⓤ, beating Ⓤ: **dare a q. un fracco di legnate**, to give sb. a good thrashing.

legnàtico m. (*stor.*) common (*o* right) of estovers.

♦**légno** m. **1** wood: **l. compensato**, plywood; **l. di pino**, pinewood; deal; **l. di quercia**, oak wood; **l. di rosa**, rosewood; **l. di sequoia**, redwood; **l. dolce [duro, stagionato]**, soft [hard, seasoned] wood; **l. massello**, solid wood; **lavorare il l.**, to do woodwork; **scolpire il l.**, to carve wood; to do woodcarving; **gamba di l.**, wooden leg; **lavoro in l.**, woodwork □ (*scultura*) wood carving; **pasta di l.**, wood pulp; **pavimento di (o in) l.**, wooden floor; (*edil.*) **rivestimento in l.**, wainscot **2** (*pezzo di l.*) piece of wood; (*bastone*) stick **3** (*golf*) wood **4** (al pl.) (*mus.*) woodwind (con verbo al sing. o al pl.) **5** (*lett.: nave*) ship **6** (*lett.: carrozza*) carriage ● (*relig.*) **l. della croce**, rood □ (*fig.*) **testa di l.**, blockhead.

legnòlo m. strand (of a rope).

legnosità f. **1** woodiness; woodenness **2** (*della carne*) toughness **3** (*fig.: rigidità*) stiffness; woodenness.

legnóso a. **1** woody; wooden **2** (*della carne*) tough **3** (*fig.: rigido*) stiff; wooden.

leguleio m. (*spreg.*) pettifogger.

legùme m. (*bot.*) **1** (*baccello*) legume; seed pod **2** (al pl.) pulses; legumes.

legumièra f. vegetable dish.

legumìna f. (*chim.*) legumin.

leguminósa f. (*bot.*) leguminous plant; pulse vegetable; (al pl., *scient.*) Leguminosae.

♦**lèi** Ⓐ pron. pers. 3ª pers. sing. f. **1** (*compl.*) her: *Vidi lei, non lui*, I saw her, not him; *Dallo a lei*, give it to her; *Eri con lei?*, were you with her?; **il padre di lei**, her father; *Andai da lei*, I went to her; (*a farle visita*) I went to see her; (*a casa sua*) I went to her place; *Se fossi in lei...*, if I were her (o in her shoes); *Nemmeno lei lo vuole*, she doesn't want it either **2** (*sogg.*) she; (pred. nominale) her, she: *Viene anche lei?*, is she coming too?; *L'ha detto lei stessa*, she said so herself; *È lei che me l'ha detto*, it was she who told

I

me; *È lei!*, it's her!; *Eccola, è lei*, there she is; there she comes; *Beata lei!*, lucky her (*o* thing, girl)!; *Speravo fosse lei*, I hoped it was her (*form.* it was she); *Ero vestita come lei*, I was dressed as she was 3 (forma di cortesia, sogg. e compl.) you: *Buon giorno a lei!*, good morning to you!; *È stata lei a chiamare, signora?*, was it you who called, madam?; *Sarò da lei alle tre*, I'll be at your place at three ● **Lei aiutare? Macché!**, she give a hand? never! ◻ **Contenta lei, contenti tutti**, as long as she's happy, everyone else is ◻ **Non è da lei dire cose simili**, it's not like her to say such things ◻ **Non è più lei** (*è cambiata*), she has changed; she's a different person ◻ **«Vuoi dire Piera?»** **«Proprio lei»**, «you mean Piera?» «that's right» **B** m. «lei» form; polite form: **dare del lei a q.**, to address sb. using the «lei» (*o* the polite) form; not to be on first-name terms with sb.; **darsi del lei**, to use «lei» with each other; not to be on first-name terms **❶ NOTA:** *thou* → *thou* ① **C** f. (*fam.*) girlfriend: **la sua lei**, his girlfriend.

leibniziàno a. Leibnitzian.

Lèida f. (*geogr.*) Leiden, Leyden ● (*elettr.*) **bottiglia di L.**, Leiden jar.

leishmània f. leishmania*.

leishmaniòsi f. (*med.*) leishmaniasis.

Leitmotiv (*ted.*) m. inv. (*mus.* e *fig.*) leitmotiv; leitmotif.

Lemàno m. (*geogr.*) (Lake) Leman.

lèmbo m. 1 (*di abito*) hem; (*di camicia, giacca*) tail 2 (*margine, orlo*) edge; margin; border: **i lembi di una ferita**, the edges (*o* lips) of a wound 3 (*striscia*) strip, ribbon; (*risvolto*) flap; (*pezzetto*) patch, shred: **un l. di cielo**, a ribbon of sky; **un l. di terra**, a strip of land 4 (*astron.*) limb 5 (*bot.*) limb; blade.

lèmma m. 1 (*filos., mat.*) lemma* 2 (*di dizionario*) headword; entry.

lemmàrio m. headwords (pl.); list of entry words.

lemmàtico a. (*filos., mat.*) lemmatic.

lemmatizzàre v. t. to enter (in a dictionary) as a headword.

lemmatizzazióne f. entering (in a dictionary) as a headword.

lèmme lèmme loc. avv. (*fam.*) slowly; leisurely; at an easy (*o* leisurely) pace: *Se ne veniva lemme lemme*, he was coming along leisurely (*o* at an easy pace).

lemming (*ingl.*) m. inv., **lèmmo** m. (*zool.*, *Lemmus lemmus*) lemming.

lèmna f. (*bot.*) lemna.

lemniscàta f. (*mat.*) lemniscate.

lemnìsco m. (*anat.*) lemniscus*.

lèmure ① m. (*mitol.*) lemur*.

lèmure ② m. (*zool.*, *Lemur*) lemur.

lèna, lèna f. 1 (*vigore*) vigour, energy; (*resistenza*) stamina: **di buona l.**, with a will; eagerly; energetically; **mettersi all'opera di buona l.**, to set to work with a will; to get down to it 2 (*lett.: respiro*) breath.

lènci ® m. (*ind. tess., anche* **panno l.**) fine felt.

lèndine m. nit.

lène a. 1 (*lett.*) soft; gentle; mild 2 (*ling.*) lenis: **consonante l.**, lenis (consonant).

leniménto m. 1 (*il lenire*) mitigation; soothing; assuaging; alleviation 2 (*lenitivo*) alleviation; balm; relief.

Leningràdo m. (*geogr.*) Leningrad.

leniniàno a. Lenin's; Lenin (attr.).

leninìsmo m. (*polit.*) Leninism.

leninista a., m. e f. (*polit.*) Leninist; Leninite.

leninìstico a. Leninist.

lenìre v. t. to mitigate; to assuage; to soothe; to alleviate.

lenitivo **A** a. soothing mitigating; pallia-

tive; palliating **B** m. 1 (*farm.*) soothing preparation; palliative 2 (*fig.*) palliative.

lenizióne f. (*ling.*) lenition.

lenocìnio m. 1 (*leg.*) procuration; procuring 2 (*fig.*) blandishment; pandering.

lenóne m. 1 (*stor. romana*) slave dealer 2 (*lett.*) pander (*lett.*); procurer.

lentàggine f. (*bot.*, *Viburnum tinus*) laurustinus.

lentaménte avv. 1 slowly; slow: **muoversi l.**, to move slowly; **che si muove l.**, slow-moving; **procedere l.**, to proceed slowly; to go slow 2 (*pigramente*) lazily; sluggishly 3 (*mus.*) lentamente.

lènte f. 1 (*fis.*) lens: **l. a contatto**, contact lens; lens; contact (*fam.*); **l. a contatto morbida [semi-rigida, rigida]**, soft [gas-permeable, hard] contact lens; **l. biconcava**, biconcave lens; **l. bifocale**, bifocal lens; **l. convergente**, converging lens; **l. d'ingrandimento**, magnifying glass; magnifier; **l. divergente**, diverging lens; **l. fotocromatica**, photochromic lens; **lenti colorate**, tinted lenses 2 (al pl.) (*occhiali*) spectacles; glasses 3 (*di orologio a pendolo*) bob 4 (*anat.*) lens 5 → **lenticchia**.

lentézza f. slowness ● **con l.**, slowly.

lentìa f. (*naut.*) parbuckle.

lentìcchia f. 1 (*bot.*, *Lens esculenta*) lentil 2 (*pop.*) freckle ● (*bot.*) **l. d'acqua** (*Lemna minor*), duckweed ◻ (*fig.*) **per un piatto di lenticchie**, for a mess of pottage; for next to nothing; for a song.

lenticèlla f. (*bot.*) lenticel.

lenticolàre a. lenticular; lentiform: **galassia l.**, lenticular galaxy; (*anat.*) **nucleo l.**, lentiform nucleus.

lentifórme a. lenticular; lentiform.

lentìggine f. freckle.

lentigginóso a. freckled.

lentìschio, lentisco m. (*bot.*, *Pistacia lentiscus*) lentisk; mastic tree.

lentivìrus m. (*biol.*) lentivirus.

♦**lènto** **A** a. 1 slow; slow-going; slow-moving: **avvio l.**, slow start; **film l.**, slow-going film; **passi lenti**, slow steps; **ritmo l.**, slow rhythm; (*med.*) **polso l.**, slow pulse; **l. di movimenti**, slow in one's movements 2 (*pigro*) sluggish; lazy 3 (*tardo*) slow; slow-witted; dull; stupid; not to be very bright; **una mente lenta**, a dull mind; **l. a capire**, slow to understand; slow on the uptake (*fam.*) 4 (*allentato*) slack; loose: **corda lenta**, slack rope; **vite lenta**, loose screw 5 (*di abito*) loose-fitting ● (*med.*) **ad azione lenta**, slow-acting (agg.) ◻ (*cucina*) **a fuoco l.**, on a slow fire; on a low heat; on a low flame ◻ **Sei l. come una lumaca!**, you are a real slowcoach! ◻ **veleno l.**, slow-acting poison **B** avv. 1 slowly; slow 2 (*mus.*) lento **C** m. 1 (*mus.*) lento 2 (*ballo*) slow dance.

lentocrazìa f. (*scherz.*) bureaucratic delays (pl.); red tape.

lènza f. 1 (fishing) line: **lanciare la l.**, to cast one's line; **pesca alla l.**, angling 2 (*agric.*) terrace 3 (*fig.: persona astuta*) wily person; old fox.

♦**lenzuòlo** m. (pl. **lenzuòla**, f., **lenzuòli**, m.) 1 sheet: **l. di sopra [di sotto]**, top [bottom] sheet; **l. singolo [matrimoniale]**, single [double] sheet; **lenzuola e coperte**, sheets and blankets; bedclothes; **cambiare le lenzuola**, to change the sheets 2 (*fig.: strato*) blanket; layer: **l. di neve**, blanket of snow ● **l. con angoli elasticizzati**, fitted sheet ◻ **l. funebre**, shroud ◻ **bianco come un l.**, as white as a sheet ◻ **cacciarsi sotto le lenzuola**, to slip under the blankets ◻ **rimboccare le lenzuola a q.**, to tuck sb. in (*o* up in bed).

leonardésco a. Leonardesque.

Leonàrdo m. Leonard.

leoncìno m. (*zool.*) lion cub; young lion.

♦**leóne** m. (*zool.*) 1 (*Felis leo*) lion 2 – **l. d'america**, puma; cougar; mountain lion; **l. marino** (*Otaria*), sea-lion 3 (*arald.*) lion: **l. rampante**, lion rampant ● **il l. di S. Marco**, the Lion of St Mark ◻ **combattere come un l.**, to fight like a lion ◻ **avere un cuor di l.**, to be lion-hearted; to be fearless; to be dauntless ◻ **fare la parte del l.**, to take the lion's share ◻ **una forza da l.**, the strength of a lion ◻ **Riccardo Cuor di l.**, Richard Coeur de Lion (*o* the Lion-Heart) ◻ **sentirsi un l.**, to feel full of energy ◻ (*fig.*) **la tana del l.**, the lion's den ◻ (*fig.*) **vecchio l.**, old lion.

Leóne ① m. Leo.

Leóne ② m. 1 (*astron., astrol.*) Leo; the Lion 2 (*astrol., di persona*) Leo.

leonéssa f. lioness.

Leònida m. (*stor.*) Leonidas.

leonìno ① a. (*di, da leone*) of a lion; leonine; lion-like (attr.): **chioma leonina**, mane of hair; **una forza leonina**, the strength of a lion; **testa leonina**, leonine head; **avere un coraggio l.**, to be as brave as a lion ● (*leg.*) **patto l.**, leonine partnership; leonina societas (*lat.*).

leonìno ② a. (*di Leone*) Leonine: **la Città leonina**, the Leonine City.

leonìno ③ a. (*poesia*) Leonine: **versi leonini**, Leonine verse Ⓤ.

leontìasi f. (*med.*) leontiasis.

leopardàto a. (*moda*) leopardskin.

leopardiàno a. Leopardi's; of [by] Leopardi; Leopardi (attr.).

leopàrdo m. 1 (*zool.*, *Panthera pardus*) leopard 2 (*pelliccia*) leopard skin 3 (*zool.*) – **l. americano** (*Panthera onca*), jaguar; **l. delle nevi** (*Felis uncia*), snow leopard; ounce ● (*arald.*) **l. in maestà**, leopard ◻ **a pelle** (*o* **a macchie**) **di l.**, spotted (agg.); (*fig.*) patchy (agg.), uneven (agg.), patchily (avv.), unevenly (avv.).

Leopòldo m. Leopold.

lèpade f. (*zool.*, *Lepas anatifera*) goose barnacle.

lepidézza f. 1 wit; facetiousness 2 (*detto lepido*) witticism; quip.

lèpido a. witty; facetious.

Lèpido m. (*stor.*) Lepidus.

lepidodèndron m. (*bot.*) lepidodendron.

lepidolìte f. (*miner.*) lepidolite.

lepidòpodo m. (*zool.*, *Lepidopus caudatus*) scabbardfish*.

lepidosàuro m. (*zool.*) lepidosaurian; (al pl., *scient.*) Lepidosauria.

lepidòttero m. (*zool.*) lepidopteran; (al pl., *scient.*) Lepidoptera.

lepìsma f. (*zool.*, *Lepisma saccharina*) silverfish.

leporìno a. leporine ● (*med.*) **labbro l.**, hare-lip.

♦**lèpre** f. 1 (*zool.*, *Lepus*) hare 2 (*sport*) pacemaker ● (*zool.*) **l. di mare** (*Aplysia*), sea hare ◻ (*cucina*) **l. in salmì**, jugged hare ◻ **l. meccanica**, electric hare ◻ **correre come una l.**, to run like a hare.

leprologìa f. (*med.*) leprology.

lepròlogo m. (f. **-a**) (*med.*) leprologist.

lepròma m. (*med.*) leproma*.

lepróso a. leprous.

lepròtto m. leveret; young hare.

leptocèfalo m. (*zool.*) leptocephalus*.

leptomenìnge f. (*anat.*) leptomeninx*.

leptóne m. (*fis.*) lepton.

leptònico a. (*fis.*) leptonic.

leptosòmico a. (*med.*) leptosomic; leptosomatic.

leptospiròsi f. (*med.*) leptospirosis.

leptotène f. (*biol.*) leptotene.

lerciàre **A** v. t. to dirty; to soil **B** **lerciàr-**

si v. rifl. to dirty oneself; to get* dirty (o filthy).

lèrcio A a. 1 filthy; grimy; grubby; dirty: **mani lerce**, filthy (o grubby) hands 2 (*fig.*) dirty; filthy; foul B m. filth; dirt.

lerciùme m. 1 filth; dirt; muck 2 (*fig.*) filth; squalor.

lèsbica f. lesbian.

lèsbico A a. 1 (*di Lesbo*) Lesbian 2 (*relativo al lesbismo*) lesbian ● **amore l.**, lesbianism B m. (*ling.*) Lesbian.

lèsbio a. e m. (f. *-a*) (*lett.*) Lesbian.

lesbìsmo m. lesbianism.

Lèsbo f. (*geogr.*) Lesbos.

lèsbo a. inv. (*fam.*) → **lesbico**.

leséna f. (*archit.*) pilaster.

lésina f. 1 awl 2 (*fig.*: *avarizia*) stinginess; miserliness 3 (*fig.*: *persona avara*) miser; skinflint.

lesinàre A v. t. to be stingy with; to grudge; to skimp on: **l. qc. a q.**, to grudge sb. st.; to dole out st. grudgingly to sb.; *Mi lesina il centesimo*, she grudges me every penny; **l. il cibo a q.**, to skimp on sb.'s food; **l. le lodi**, to be sparing with one's praise B v. i. to skimp (on); to stint (on): **l. sul cibo**, to skimp (o stint) on the food; **l. sul prezzo**, to haggle (over the price).

lesionàre A v. t. to cause cracks to open in; to damage B **lesionàrsi** v. i. pron. to develop cracks; to be damaged.

lesióne f. 1 (*offesa*) offence, wrong; (*violazione*) infringement 2 (*med.*) lesion; injury; harm (*leg.*): **l. interna**, internal lesion (o injury); (*leg.*) **l. personale**, bodily harm; personal injury; (*leg.*) **l. personale aggravata**, grievous bodily harm; **subire lesioni**, to be injured; **senza lesioni**, uninjured; **lesioni autoinflitte**, self-harm 3 (*edil.*: *fenditura*) crack, fissure; (*danno*) damage: **le lesioni causate dal terremoto**, the damage caused by the earthquake; earthquake damage; **riportare lesioni**, to develop cracks; to be damaged.

lesivo a. damaging (to); detrimental (to); prejudicial (to).

léso a. 1 (*med.*) injured: **arto l.**, injured limb 2 (*edil.*) cracked; fissured; damaged: **muro l.**, cracked wall; **edificio l.**, damaged building 3 (*leg.*) injured: **parte lesa**, injured party; **lesa maestà**, lese-majesty; **lèse-majesté** (*franc.*).

lessàre v. t. to boil; (*a fuoco lento*) to stew.

lessàta f. quick boil ● **dare una l. a qc.**, to boil st. briefly.

lessatùra f. boiling; (*a fuoco lento*) stewing.

lessèma m. (*ling.*) lexeme.

lessicàle a. (*ling.*) lexical.

lessicalizzàre (*ling.*) A v. t. to lexicalize B v. i. pron. to undergo* lexicalization.

lessicalizzazióne f. (*ling.*) lexicalization.

lèssico m. 1 (*dizionario*) lexicon; dictionary 2 (*insieme di vocaboli*) vocabulary; lexicon.

lessicografìa f. lexicography.

lessicogràfico a. lexicographic.

lessicògrafo m. (f. *-a*) lexicographer.

lessicologìa f. lexicology.

lessicològico a. lexicological.

lessicòlogo m. (f. *-a*) lexicologist.

lessicometrìa f., **lessicostatìstica** f. lexicostatistics (pl. col verbo al sing.).

lésso A a. boiled B m. boiled meat; (*taglio di carne*) boiling meat: **l. di manzo**, boiled beef; **fare a l.**, to boil.

lestézza f. quickness; swiftness; (*agilità*) nimbleness.

lèsto A a. 1 quick; swift; (*agile*) nimble; agile 2 (*sbrigativo*) hasty; hurried ● **l. di ma-**

---

no, light-fingered □ **alla lesta**, hastily; quickly □ **Su, l.!**, hurry up!; be quick!; look sharp! B avv. quickly; in a hurry.

lestofànte m. e f. swindler; cheat; impostor.

letàle a. lethal; deadly; fatal; mortal: **dose l.**, lethal dose; **veleno l.**, deadly poison; **avere un esito l.**, to be fatal; to end in death.

letalità f. 1 lethality 2 (*stat.*) death-rate; mortality.

letamàio m. 1 dunghill; manure-heap 2 (*fig.*) pigsty; hovel; tip (*GB*); dump (*USA*).

letamazióne f. manuring.

letàme m. 1 manure; dung: **mucchio di l.**, manure heap; dunghill 2 (*fig.*) dirt; filth.

letargìa f. (*med.* e *fig.*) lethargy.

letàrgico a. 1 (*med.* e *fig.*) lethargic 2 (*di animale*) hibernating; hibernation (attr.): **in stato l.**, in a state of hibernation; hibernating.

◆**letàrgo** m. 1 (*med.*) lethargy: **cadere in l.**, to fall into a state of lethargy 2 (*di animale*) hibernation; (*estivo*) aestivation: **andare in l.**, to go into hibernation; **essere in l.**, to hibernate; to be hibernating; **uscire dal l.**, to come out of hibernation 3 (*biol.*) dormancy 4 (*fig.*) lethargy; torpor; (*scherz.*: *sonno*) deep sleep: **cadere in l.**, to sink into lethargy (o into a state of lethargy); (*addormentarsi*) to fall into a deep sleep; **emergere dal l.**, to come out of lethargy; (*svegliarsi*) to wake up.

Lète m. (*mitol.*) Lethe.

letèo a. (*mitol.* e *fig.*) Lethean.

◆**letizia** f. joy; happiness ● **vivere in l.**, to live happily.

Letizia f. Letitia.

lètta f. glance through; quick look (at): **dare una l. a qc.**, to give st. a glance through; to glance through st.; to have a quick look at st.; to read through st. quickly.

◆**lèttera** f. 1 (*dell'alfabeto*) letter: **l. a stampatello**, block letter; block capital; **l. maiuscola** [**minuscola**], capital [small] letter; **lettere cubitali**, block capitals; **lettere gotiche**, Gothic letters; **scrivere una somma in lettere**, to write an amount in words (*fam.* in full) 2 (*missiva*) letter: **l. a catena**, chain letter; **l. anonima**, anonymous letter; **l. aperta**, open letter; (*leg.*) **l. citatoria**, writ; summons; **l. di accompagnamento**, covering letter; **l. d'affari**, business letter; **l. d'amore**, love letter; **l. di condoglianze**, letter of condolence; **l. di presentazione**, letter of introduction; **l. di raccomandazione**, letter of recommendation; **l. di ringraziamento**, letter of thanks; thankyou letter; **l. di scuse**, letter of apology; **l. minatoria**, threatening letter; **le lettere di Cicerone**, Cicero's letters; **le lettere di San Paolo**, St Paul's letters; **buca delle lettere**, letter box; postbox (*GB*); pillar box (*GB*); mailbox (*USA*); **carta da lettere**, writing paper 3 (al pl., *anche* **belle lettere**) letters; (*studi umanistici*) humanities, arts: **lettere antiche** (o **classiche**), classical literature; classical studies; (the) Classics; **lettere moderne**, arts; **uomo di lettere**, man of letters; **laurearsi in lettere**, to take an Arts degree; **facoltà di lettere**, Arts Faculty; **la repubblica delle lettere**, the commonwealth (o republic) of letters; **studente in lettere**, Arts student 4 (*Borsa*) offer; ask: **prezzo l.**, ask price ● **la l. della legge**, the letter of the law □ (*comm.*) **l. di avviso**, letter of advice □ (*comm.*) **l. di credito**, letter of credit □ **l. d'intenti**, letter of intention □ **l. di licenziamento**, dismissal notice □ (*naut. stor.*) **l. di marca**, letter of marque □ (*comm.*) **l. di sollecito**, reminder □ (*comm.*) **l. di vettura**, waybill □ **l. esplosiva**, letter-bomb □ (*fig.*) **lettera morta**, dead letter □ (*bur.*) **l. normale**, circular (letter) □ (*stor.*) **lettere patenti**, letters patent □ **a tut-**

---

te lettere, in full □ **alla l.**, literally (avv.); literal (agg.); to the letter: **tradurre alla l.**, to translate literally (o word for word); **eseguire un ordine alla l.**, to carry out an order to the letter □ **avanti l.**, ahead of time; avant la lettre (*franc.*) □ **dire qc. a chiare lettere**, to spell st. out □ **scritto a lettere dorate**, in gold lettering □ (*di giornale*) **titolo a lettere cubitali**, banner headline.

letteràle a. literal: **senso l.**, literal meaning; **traduzione l.**, literal translation.

letteralménte avv. 1 (*alla lettera*) literally; to the letter 2 (*in senso letterale*) literally.

letterariaménte avv. from a literary point of view.

letterarietà f. literariness.

letteràrio a. literary: **agente l.**, literary agent; **critica letteraria**, literary criticism; **termine l.**, literary word.

letteràto A a. well-read; cultured B m. (f. *-a*) man* (f. woman*) of letters.

◆**letteratùra** f. 1 literature: **la l. italiana**, Italian literature; **l. in prosa**, prose literature; **storia della l.**, history of literature 2 (*bibliografia*) bibliography; (*insieme di pubblicazioni*) literature, printed material.

letterista m. e f. 1 letter engraver 2 letter designer.

lettièra f. 1 bedstead 2 (*strame*) litter.

lettìga f. 1 (*barella*) stretcher; (*con ruote*) gurney (*USA*) 2 (*portantina*) litter.

lettighière m. 1 (*barelliere*) stretcher-bearer 2 (*di portantina*) litter-bearer.

lettìno m. 1 small bed; (*per bambino*) cot 2 (*da spiaggia*) beach mattress 3 (*di studio medico, ecc.*) couch ● **l. solare**, sunbed.

lettistèrnio m. (*archeol.*) lectisternium*.

◆**lètto** m. 1 bed: **l. a baldacchino**, canopy bed; **l. a castello**, bunk bed; **l. a quattro colonne**, four-poster; four-post bed; **l. a una piazza**, single bed; **l. a una piazza e mezza**, three-quarter bed; **l. a due piazze** (o **matrimoniale**), double bed; **l. a scomparsa**, recess bed; rollaway bed; **l. ad armadio**, box bed; **l. da campo**, camp bed; tent bed; **l. di ferro**, iron bedstead; **un l. di foglie**, a bed of leaves; **l. di piume**, feather bed; **l. improvvisato**, makeshift bed; shakedown; **l. pieghevole**, folding bed; **letti gemelli**, twin beds; **andare a l.**, to go to bed; **alzarsi dal l.**, to get up; **balzare dal l.**, to jump out of bed; **disfare un l.**, to strip a bed; **essere a l.**, to be in bed; **gettare qc. giù dal l.**, to get (*USA* to roll) sb. out of bed; **mandare** [**mettere**] **q. a l.**, to send [to put] sb. to bed; **mettersi a l.**, (*per malattia*) to take to one's bed; **rifare un l.**, to make a bed; **scendere dal l.**, to get out of bed; **costretto a l.**, confined to one's bed; bedridden; **ora d'andare a l.**, time to go to bed; **bedtime 2** (*lettiera*) litter 3 (*di fiume*) riverbed ● **l. coniugale**, marriage bed (*naut.*) **il l. del vento**, the teeth of the wind □ (*anat.*) **l. dell'unghia**, nail-bed □ **l. di dolore**, sick-bed □ **l. di morte**, (sb.'s) death-bed: **sul l. di morte**, on one's death-bed □ **l. di Procruste**, Procrustes' bed □ (*fig.*) **l. di rose**, a bed of roses □ (*fig.*) **l. di spine**, bed of thorns □ (*eufem.*) **andare a l. con q.**, to sleep with sb. □ **biancheria da l.**, bedlinen □ **camera a un l.** [**a due letti**], single [double o twin] bedroom (o room) □ **camera da l.**, bedroom □ (*ferr.*) **carrozza con letti** (o **vagone l.**), sleeping-car; sleeper (*fam.*) □ **compagno di l.**, bedfellow □ **figlio** (o **figlia**) **di primo l.**, child of the first marriage □ (*fig.*) **essere in un l. di rose**, to be in clover (*fam.*) □ **numero di letti** (*in albergo, ecc.*), bedspace □ (*eufem.*) **portare a l. q.**, to get sb. into bed □ **L'appartamento ha sei posti l.**, the flat sleeps six □ **rivoltarsi nel l.**, to toss about (in one's bed); to toss and turn.

lèttone a., m. e f. Latvian.

Lettònia f. (*geogr.*) Latvia.

lettoràto m. **1** (*d'università*) language assistantship; post as a lector **2** (*eccles.*) lectorate.

♦**lettóre** m. (f. **-trìce**) **1** reader: **un gran l. di romanzi**, a keen reader of novels; **il pubblico dei lettori** (*o* **i lettori**), the reading public; (*di giornale, ecc.*) **avere molti lettori**, to have a large readership **2** (*università*) language assistant; lector: **l. di francese**, French language assistant (*o* lector) **3** (*editoria*) (outside) reader **4** (*eccles.*) lector **5** (*comput.*) reader; scanner: **l. di codice a barre**, bar code reader (*o* scanner); **l. ottico**, optical character reader; optical scanner **6** (*per ascolto di musica, ecc.*) player: **l. di compact disc**, compact disc player; **l. (di) mp3**, mp3 player.

♦**lettùra** f. **1** (*atto, modo di leggere*) reading: **l. del contatore**, meter reading; **la l. del verbale**, the reading of the minutes; **una l. di versi**, a poetry reading; **dare l. di qc.**, to read st. out; **essere di facile l.**, to be easy to read; to read easily; **amante della l.**, fond of reading; **brani di l.**, reading passages **2** (al pl.) (*ciò che si legge*) reading Ⓤ; reading matter Ⓤ; books; literature Ⓤ: **letture adatte per i bambini**, reading matter (*o* books) suitable for children; **letture amene**, light literature **3** (*interpretazione*) reading; interpretation: **la l. delle radiografie**, the reading of the X-ray; *Tu che l. ne dai?*, what do you read in it? **4** (*l. pubblica*) (public) reading; (*conferenza*) lecture: **l. dantesca**, reading from Dante's Comedy; Dante lecture **5** (*comput.*) reading; scanning ● (*comput.*) **lettura di caratteri ottici**, optical character recognition (abbr. OCR) □ **l. delle labbra**, lip-reading □ **l. della mano**, reading sb.'s hand; (*l'arte*) palmistry □ **l. del pensiero**, thought-reading □ (*a scuola*) **libro di l.**, primer; reader □ **La commedia è più bella alla l. che sul palcoscenico**, the play reads better than it acts □ (*di progetto di legge*) **prima [seconda] l.**, first [second] reading □ **sala di l.**, reading room ❶ **FALSI AMICI** ● **lettura** *non si traduce con* lecture.

letturista m. e f. meter reader; meter inspector ● **l. del gas**, gasman.

leucemìa f. (*med.*) leukaemia.

leucèmico (*med.*) **A** a. leukaemic **B** m. (f. **-a**) person suffering from leukaemia; leukaemic patient.

leucìna f. (*chim.*) leucine.

leucìsco m. (*zool.*, *Leuciscus rutilus*) roach.

leucìte f. (*miner.*) leucite.

leucoafèresi f. (*med.*) leucoapheresis, leukoapheresis.

leucocìta m. (*biol.*) leucocyte, leukocyte; white (blood) cell.

leucocitàrio a. (*biol.*) leucocytic, leukocytic.

leucocìto → leucocìta.

leucocitolìsi f. (*med.*) leucocytolysis, leukocytolysis.

leucocitopoièsi → leucopoièsi.

leucocitòsi f. (*med.*) leucocytosis, leukocytosis.

leucodermìa f. (*med.*) leucoderma.

leucòma m. (*med.*) leucoma.

leucopenìa f. (*med.*) leucopenia, leukopenia.

leucoplachìa, leucoplasìa f. (*med.*) leucoplakia.

leucoplàsto m. (*bot.*) leucoplast.

leucopoièsi f. (*biol.*) leucopoiesis, leukopoiesis.

leucorrèa f. (*med.*) leucorrhoea.

leucorròico a. (*med.*) leucorrhoeal.

leucòsi f. (*vet.*) leucosis, leukosis.

♦**lèva** ① f. (*mecc.* e *fig.*) lever: (*autom.*) **l. del cambio**, gear lever (*o* stick) (*GB*); gearshift (*USA*); **l. del freno**, brake lever; **l. di arresto**,

cut-off lever; **l. di avviamento**, starting lever; (*aeron.*) **l. di comando**, control stick; joystick (*fam.*); (*fig.*) **le leve del comando**, control levers; **avere in mano le leve del comando**, to be in control; to be in the driving seat (*o* in the saddle); **l. di disinnesto**, release lever; **l. di sgancio**, uncoupling lever ● **aprire qc. facendo l. con un coltello**, to prise st. open with a knife □ **sollevare qc. con una l.** (*o* **facendo l.**), to lever up st. □ (*fig.*) **far l. su qc.**, to appeal to st.; to play on st.

lèva ② f. (*mil.*) **1** (*chiamata alle armi*) call-up; conscription; draft (*USA*): **chiamare alla l.**, to call up; to draft; **essere di l.**, to be eligible for national service; to be awaiting one's call-up papers; to be awaiting conscription; **servizio di l.**, national service; **visita di l.**, army medical visit; **esonerato dall'obbligo di l.**, exempt from national service **2** (*soldati di leva*) conscripts (pl.): **la l. del 1994**, those called up in 1994 **3** (*fig.*) generation: **le nuove leve**, the new generation.

levacàpsule m. inv. bottle-opener.

levachiòdi m. inv. nail-puller.

levanòccioli m. inv. stoner.

levànte **A** a. rising: **sol l.**, rising sun **B** m. **1** east: **a l.**, in the east; (*volto verso l.*) to the east, eastward, eastwards; **rivolto a l.**, facing east; **da l.**, from the east; **di l.**, east (attr.); eastern; easterly (attr.); **vento di l.**, east (*o* easterly) wind; **dirigersi verso l.**, to go east; to be eastbound **2** (*vento*) east wind; (*nel Mediterraneo, anche*) levanter **3** – **il L.**, (*geogr.*) the East; the Levant (*stor.*).

levantìno a. e m. Levantine.

♦**levàre** ① **A** v. t. **1** (*alzare, sollevare*) to raise; to put* up; to lift (up): **l. il bicchiere alla salute di q.**, to raise one's glass to sb.; **l. il capo**, to raise one's head; **l. la mano**, to raise (*o* to put up) one's hand; **l. gli occhi al cielo**, to raise one's eyes to heaven; **l. la voce**, to raise one's voice; **non avere la forza di l. un dito**, not to have the strength to lift a finger **2** (*togliere*) to take* (away); to remove; (*da sopra a qc., di dosso*) to take* off; (*dall'interno di qc.*) to take* out of; (*estrarre*) to pull out; (*svellere*) to pull up; (*spostare*) to move: **l. il coperchio**, to take the lid off; **l. un dente**, to pull (out) a tooth; **farsi l. un dente**, to have a tooth out; **l. ogni dubbio**, to remove all doubt; **l. le erbacce**, to pull up the weeds; **l. il fiato**, to take sb.'s breath away; **l. una macchia**, to remove (*o* to take out) a stain; **l. un piatto dal tavolo**, to take a plate off the table; to remove a plate from the table; **l. il 10%**, to take off 10%; **l. qc. da una tasca [da una borsa]**, to take (*o* to pull) st. out of a pocket [out of a bag]; **levarsi il cappello [le scarpe]**, to take off one's hat [shoes]; *Leva da lì quel libro*, take that book away; move that book; *Lo levarono da una scuola e lo mandarono ad un'altra*, they took him away from one school and sent him to another **3** (*abolire*) to lift; to remove: **l. un embargo**, to lift an embargo; **l. una tassa**, to abolish a tax **4** (*nella caccia*) to flush; to spring*; to put* up **5** (*eccettuare*) to except; to make* allowance (*o* allowances) for: *Se si levano un paio di libri, il resto non vale nulla*, except for a couple of books, the rest are worth nothing ● (*naut.*) **l. l'ancora**, to weigh anchor □ **l. un assedio**, to raise a siege □ **l. il bollore**, to come to the boil □ **l. il campo**, to strike camp □ **l. q. dai guai**, to get sb. out of trouble □ **l. di mezzo q.**, to get rid of sb.; (*eufem. pop.*) to eliminate sb., to kill off sb. □ **l. di mezzo qc.**, to get st. out of the way; (*fig.*) to get rid of st. □ (*fig.*) **l. il disturbo**, to leave; to take one's leave □ **l. la fame**, to satisfy sb.'s hunger □ **l. un grido**, to give a cry; to cry out □ **l. il latte a un bambino**, to wean a baby □ **l. le parole di bocca a q.**,

to take the words out of sb.'s mouth □ **l. la pelle a q.**, to skin sb.; to flay sb.; (*fig.*) to flay sb. alive □ **l. il saluto a q.**, to cut sb. off □ **l. una seduta**, to close a sitting; to adjourn a meeting □ **l. la sete**, to quench one's thirst □ **l. le tende**, to strike tents; (*fig.*) to pack up (and go), to decamp; (*scherz.: andare via*) to make tracks (*fam.*). □ **l. un vizio a q.**, to break sb. of a bad habit □ **Levati dalla testa di poter fare da te**, get it out of your head that you can manage on your own □ **Levatelo dalla testa!**, forget it! □ **levarsi di torno q.**, to get rid of sb. □ **levarsi un capriccio**, to satisfy a whim □ (*fig.*) **levarsi la maschera**, to drop the mask □ *Mi leverei il pane di bocca per lui*, I'd give him the shirt off my back □ **levarsi una voglia**, to satisfy a craving □ *Se non la smetti, due sberle non te le leva nessuno*, you'll get what's coming to you, if you don't stop it **B** levàrsi v. rifl. e i. pron. **1** (*alzarsi in piedi*) to get* up, to stand* up, to rise*; (*alzarsi dal letto*) to get* up: *Al suo ingresso si levarono tutti*, everyone stood (up) when he came in; *Si levò alle sei*, he got up at six **2** (*in volo: d'uccello*) to take* flight; (*di aereo*) to take* off **3** (*togliersi da un luogo*) to get* out (of): *Levati di lì!*, get out of the way (*o* of my way)! **4** (*insorgere*) to rise* up: *Il popolo si levò contro il tiranno*, the people rose up against the tyrant **5** (*sorgere*) to rise*: *Il sole si leva alle cinque*, the sun rises at five; *S'è levato un vento gelido*, an icy wind has risen; *Un urlo si levò dalla folla*, a shout rose from the crowd ● **levarsi da tavola**, to leave the table □ **levarsi di torno**, to get out of the way; to clear off (*fam.*).

levàre ② m. **1** rise; rising: **al l. del sole**, at sunrise **2** (*mus.*) upbeat: **in l.**, on the upbeat.

levàta f. **1** rise; rising: **la l. della luna**, the rising of the moon; moonrise; **la l. del sole**, sunrise (*della posta*) collection **3** (*l'alzarsi dal letto*) getting up; getting out of bed; (*ora di alzarsi*) getting-up time, (*mil.*) reveille, (*in collegio*) rising-bell, first bell **4** (*acquisto all'ingrosso*) wholesale purchase **5** (*agric.*) germination; sprouting ● (*fig.*) **l. di scudi**, strong opposition; uproar.

levatàccia f. very early rising ● **fare una l.**, to get up at an ungodly hour.

levatàrtaro m. inv. tooth scaler.

levàto a. (*alzato dal letto*) up; out of bed: *Alle sei era già l.*, he was already up at six, *Rimasi l. fino a mezzanotte*, I stayed up till midnight **2** (*in costruz. assol.: salvo, eccetto*) except for; apart from: *L. quello del fumare, non ha altri vizi*, apart from smoking she has no other bad habits.

levatóio a. – **ponte l.**, drawbridge.

levatrìce f. midwife*.

levatùra f. stature; calibre: **di grande l. intellettuale**, of great intellectual stature.

leveràggio m. (*mecc.*) compound lever.

leviatàn, leviatàno m. **1** (*Bibbia*) Leviathan **2** (*fig.*) leviathan.

levigàre v. t. **1** to smooth; (*carteggiare*) to sandpaper; (*lucidare*) to polish **2** (*mecc.: smerigliare*) to lap; (*un metallo*) to face; (*un cilindro*) to hone **3** (*una pietra*) to face; to dress; (*pomiciare*) to rub down **4** (*fig.*) to polish; to hone.

levigatézza f. smoothness; smooth finish.

levigàto a. smooth; polished.

levigatóre m. (f. **-trìce**) polisher; grinder.

levigatrìce f. (*per legno*) sanding machine, sander; (*mecc.*) lapping machine; (*per cilindri*) honing machine; (*edil.*) float.

levigatùra, levigazióne f. **1** smoothing; (*carteggiatura*) sandpapering; (*lucidatura*) polishing **2** (*mecc.: smerigliatura*) lapping; (*di un cilindro*) honing: **l. degli ingranaggi**, gear

lapping **3** (*di una pietra*) facing; dressing **4** (*fig.*) polishing; honing.

levirato m. (*stor. ebraica, etnol.*) levirate.

levisite → **lewisite**.

levistico m. (*bot.*, *Levisticum officinale*) lovage.

levita m. (*Bibbia*) Levite.

levità f. (*lett.*) lightness; levity.

levitàre v. i. to levitate ● **far l.**, to levitate.

levitazióne f. levitation.

levitico Ⓐ a. Levitical Ⓑ m. (*Bibbia*) – **il L.**, Leviticus.

levogiro a. (*fis.*) levorotatory.

levrière, **levrièro** m. greyhound ● **l. afgano**, Afghan hound □ **l. scozzese**, deer-hound □ **l. russo**, borzoi; Russian wolfhound.

levulòsio m. (*chim.*) levulose.

lewisite f. (*chim., miner.*) lewisite.

lezioncìna f. (*fam.*) **1** quick lesson **2** (*ammonimento*) warning; lesson.

◆**lezióne** f. **1** lesson; (*collettiva*) class; (*universitaria*) lecture: **l. di francese**, French lesson; French class (*o* lecture); **l. di piano**, piano lesson; **l. privata**, private lesson; **dare lezioni private a q.**, to coach sb.; **prendere lezioni private**, to take private lessons; to be coached privately; *Le lezioni riprenderanno lunedì*, classes will resume on Monday; **studiare [ripassare] la l.**, to study [to go over *o* to revise] one's lesson; **fare l.**, (*a scuola*) to teach; (*all'università*) to lecture; **ora di l.**, class; period; **saltare le lezioni**, to miss classes; to play truant; to play hookey (*USA*) **2** (*ammonimento*) lesson, warning; (*rimprovero*) lecture, telling-off; (*esempio*) example: **l. di civiltà**, example of how to behave [of civility, etc.]; *Gli servirà di l.*, it will be a lesson to him; that'll teach him (*fam.*); **dare una l. a qc.**, to teach sb. a lesson; *Non voglio dar lezioni (di vita) a nessuno*, I don't want to teach anybody how they should behave **3** (*di un testo*) reading; variant.

leziosàggine f. affectedness Ⓤ; affectation; mincing ways (pl.); simpering ways (pl.).

leziosaménte avv. affectedly; with affectation.

leziosità f. affectedness Ⓤ; preciosity; tweeness (*GB*).

lezióso a. (*affettato*) affected; precious; twee (*GB*); (*smanceroso*) mincing, simpering; **stile l.**, affected style; **modi leziosi**, mincing ways; simpering ways.

lézzo m. **1** stench; stink **2** (*fig.: sudiciume*) filth.

◆**li** ① art. determ. m. pl. (*bur.*) – *Roma, li 7 marzo 2001*, Rome, 7th March (*o* March 7th), 2001.

◆**li** ② pron. pers. 3ª pers. pl. m. (*compl. ogg.*) them: *Non li conosco*, I don't know them; *Mandameli per posta aerea*, send them to me by air mail; *Guardali!*, look at them!; *Eccoli!*, here they are!

LI abbr. (**Livorno**) Leghorn.

◆**lì** avv. there: **qui e lì**, here and there; *Posalo lì*, put it there; *L'ho lasciato lì*, I left it there; *Resta lì!*, stay there; stay where you are; **lì dentro** [**fuori, intorno**], in [out, round] there; «*Dov'è Enzo?*» «*Eccolo lì!*», «where's Enzo?» «there he is!»; **quei libri lì**, those books there; **uno lì e uno là**, one there and the other over there; *Voglio quello lì*, I want that one (there); **salire su di lì**, to go up there; *Scendi giù di lì!*, get down from there!; *Era proprio lì dove l'avevo lasciato*, it was just where I had left it ● **lì per lì**, (*senza aspettare*) there and then, on the spot; (*su due piedi*) on the spur of the moment; (*dapprima*) at first □ **essere lì lì per**, to be about to; to be on the point of; to be on the verge of: *Fui lì lì per dire di no, ma mi trattenni*, I

was about to say no, but I thought better of it; *Era lì lì per piangere*, she was on the verge of tears □ **di lì a un anno**, a year later; after a year □ **di lì a poco**, soon after; after a while □ **fin lì**, as far as there; (*fig.*) up to that point, so far: *Fin lì, aveva ragione lui*, so far, he was right □ **La cosa è finita lì**, that was the end of it □ **(per) di lì** (*da quella parte*), that way □ **Fermo lì!**, stop! □ **Guarda lì che confusione!**, just look at the mess! □ **Se non sono trenta metri, siamo lì**, it can't be much less than thirty metres.

liaison (*franc.*) f. inv. **1** (*ling.*) liaison **2** (*fig.*) (love) affair.

liàna f. (*bot.*) liana; liane.

Lias m. (*geol.*) Lias.

liàssico a. (*geol.*) Liassic.

libagióne f. **1** libation **2** (*fig. scherz.*) libation; potation; (al pl., anche) drinking session (sing.).

libanése a., m. e f. Lebanese: **i libanesi**, the Lebanese.

libanizzàre v. t. to Lebanize.

libanizzazióne f. Lebanization.

libàno m. (*naut.*) esparto rope.

Libano m. (*geogr.*) Lebanon.

libàre v. t. **1** to libate **2** (*gustare*) to sip; to taste.

libatòrio a. libatory.

libbra f. **1** (*stor.*) libra* **2** (*nel sistema anglosassone*) pound.

libecciàta f. south-westerly gale; south-wester.

libéccio m. **1** (*vento*) south-west wind; south-wester **2** (*punto cardinale*) south-west.

libellista m. e f. (*panflettista*) pamphleteer; (*diffamatore*) libeller.

libèllo m. **1** (*scritto diffamatorio*) libellous pamphlet **2** (*pasquinata*) satyrical pamphlet.

libèllula f. **1** (*zool.*) dragonfly **2** (*fig.*) sylph ● **leggero come una l.**, as light as a feather.

libera f. **1** (*alpinismo*) free climbing Ⓤ; free climb **2** (*sci*) downhill race.

liberàbile a. (*di locali*) that can be vacated.

liberaldemocràtico a., m. (f. **-a**) Liberal Democrat.

liberàle Ⓐ a. **1** liberal: (*stor.*) **arti liberali**, liberal arts; **educazione l.**, liberal education **2** (*generoso*) liberal; generous; free **3** (*ispirato al liberalismo*) liberal; liberalistic: **idee liberali**, liberal ideas; *Stato l.*, liberal state **4** (*polit.*) Liberal: **partito l.**, Liberal Party Ⓑ m. e f. **1** (*fautore del liberalismo*) liberal **2** (*polit.*) Liberal.

liberaleggiànte a. liberalistic.

liberalìṣmo m. (*polit.*) liberalism ● **l. economico**, economic liberalism; laissez-faire (*franc.*); free enterprise; free trade.

liberalìstico a. (*polit.*) liberalist (attr.); liberalistic.

liberalità f. liberality; generosity; open-handedness ● (*leg.*) **atti di l.**, gifts.

liberalizzàre v. t. **1** to liberalize; to free: **l. l'aborto**, to liberalize abortion **2** (*econ.*) to liberalize; (*prezzi, affitti, ecc.*) to decontrol, to unfreeze*; (*eliminare restrizioni*) to deregulate: **l. il commercio con l'estero**, to liberalize foreign trade.

liberalizzazióne f. **1** liberalization **2** (*econ.*) liberalization; (*di prezzi, affitti, ecc.*) decontrol, unfreezing; (*eliminazione di restrizioni*) deregulation.

liberalòide m. (*spreg.*) pseudo-Liberal.

liberalsocialìṣmo m. Liberal Socialism.

liberalsocialìsta a., m. e f. Liberal Socialist.

liberamàrgine m. (*anche* **leva l.**) margin release.

liberaménte avv. **1** freely **2** (*francamen-*

te) freely; frankly; plainly ● **usare l. di qc.**, to make free use of st.

◆**liberàre** Ⓐ v. t. **1** to free; to set* free; to release; to liberate; to deliver (*lett*): **l. un prigioniero**, to release (*o* to set free) a prisoner; **l. un ostaggio**, to release (*o* to free) a hostage; **l. uno schiavo**, to free a slave; **l. un paese dal nemico**, to free a country from an enemy; *Aprì la gabbia e liberò il canarino*, he opened the cage and set the canary free; **l. dal peccato**, to deliver from sin **2** (*salvare*) to save; to rescue: **l. q. da un pericolo**, to rescue (*o* to save) sb. from a danger **3** (*sbarazzare*) to rid*: **l. un paese dai banditi [una regione dalle zanzare]**, to rid a country of bandits [a region of mosquitoes] **4** (*sgombrare*) to clear; (*lasciare libero*) to vacate: **l. una stanza**, to clear a room; **l. la mente da un sospetto**, to clear sb.'s mind from suspicion; **l. il tavolo dai libri**, to clear the books off the table; **l. un appartamento**, to vacate a flat **5** (*disimpigliare*) to disentangle; to untangle; to loosen; (*togliere*) to get* out: **l. una corda**, to disentangle a rope **6** (*mecc.*) to release; to trip **7** (*chim.*) to liberate **8** (*fin.*, *leg.*) to redeem ● (*Borsa*) **l. azioni**, to pay up shares □ **l. il proprio estro**, to give free rein to one's creativity □ **l. l'intestino**, to relieve oneself □ **l. sulla parola**, to release on parole □ **liberarsi la coscienza**, to unburden one's conscience □ **Dio ce ne scampi e liberi!**, God forbid! □ **Dio ci liberi dai bene intenzionati!**, God save us from those who mean well! Ⓑ **liberàrsi** v. rifl. e i. pron. **1** to free oneself (from); to break* free (of); (*districarsi*) to disentangle oneself; to extricate oneself; to shake* off (st.): **liberarsi dai debiti**, to free oneself from debt; to pay off one's debts; **liberarsi da un impegno**, to extricate oneself from a commitment; **liberarsi da un vizio**, to shake off a bad habit; **liberarsi con uno strattone**, to wrench free **2** (*sbarazzarsi*) to get* rid (of); to rid* oneself (of); to shake* off (st., sb.): **liberarsi di un visitatore sgradito**, to get rid of an unwelcome visitor; **liberarsi del giogo straniero**, to shake off the foreign yoke; **liberarsi degli inseguitori**, to shake off one's pursuers; **liberarsi a fatica dei vestiti**, to struggle out of one's clothes **3** (*diventare libero*) to become* free; to become* available l. (*di locali*) to become* vacant: *Aspettai che si liberasse un impiegato*, I waited until an assistant became available; *L'appartamento si libererà in marzo*, the flat will become vacant in March.

liberativo a. freeing; liberating.

liberatóre Ⓐ a. liberating Ⓑ m. (f. **-trìce**) liberator.

liberatòria f. (*leg.*) acquittance.

liberatòrio a. **1** liberating; relieving: **esperienza liberatoria**, liberating experience; **pianto l.**, tears of relief **2** (*fin.*, *leg.*) releasing; redeeming: **dichiarazione liberatoria**, acquittance; **pagamento l.**, releasing payment.

liberazióne f. **1** release; freeing; liberation; deliverance (*lett.*): **l. da un obbligo**, release from an obligation; **l. dalla schiavitù**, release from bondage; **la l. degli ostaggi**, the release of the hostages; **la l. degli schiavi**, the liberation (*o* freeing) of slaves; **l. sulla parola**, release on parole; **guerra di l.**, war of liberation; **movimento per la l. della donna**, women's liberation movement; **teologia della l.**, liberation theology **2** (*il salvare*) rescue: **l. dal pericolo [dalla morte]**, rescue from danger [from death] **3** (*leg.*) release; redemption: **l. da un'ipoteca**, redemption of a mortgage; **l. da un'obbligazione**, release from an obligation **4** (*sgombero*) clearing; clearance; (*di appartamento, ecc.*) vacation **5** (*sollievo*) relief; release: **provare un senso di l.**, to feel a sense

of release (o relief); *Che l.!*, what a relief! **6** (*chim.*) liberation.

libèrcolo m. worthless book.

Libèria f. (*geogr.*) Liberia.

liberiàno a. e m. (f. **-a**) Liberian.

liberìsmo m. (*econ.*) free trade; free enterprise; laissez faire (*franc.*).

liberìsta① (*econ.*) **A** m. e f. free trader **B** a. free-trade (attr.); laissez-faire (attr.).

liberìsta② m. e f. **1** (*nuoto*) crawl swimmer **2** (*sci*) downhill skier.

◆**libero A** a. **1** (*autonomo, non vincolato*) free: **l. arbitrio**, free will; **l. come l'aria**, as free as the wind; **l. da legami**, free from constrictions (o ties); unattached; **l. da dazio o dogana**, duty-free; **l. da imposta**, tax-free; (*leg.*) **l. da ipoteche**, unencumbered; **l. da pregiudizi**, free from prejudice; **l. da preoccupazioni**, free from care; **l. di fare come si vuole**, free (o at liberty) to do as one likes; **l. pensatore**, free-thinker; (*econ.*) **l. scambio**, free trade; Free Trade; **traduzione libera**, free translation; (*molto libera*) loose translation; **versi liberi**, free verse; **lasciar l. q.**, (*liberare*) to set sb. free, to let sb. go free; (*permettere*) to leave sb. free (o to do st.) **2** (*aperto a tutti*) free; open: **libera concorrenza**, free competition; **concorso l.**, open competition; **ingresso l.**, free admittance; (*cartello*) admission free; **spiaggia libera**, public beach **3** (*non impegnato*) free; (*del tempo, anche*) spare, off: *Il direttore è l. di riceverla*, the director is free to see you; *Ora non sono l.*, I'm busy right now; **tempo l.**, spare time; leisure: *Che fai nel tempo l.?*, how do you spend your spare time?; **non avere un minuto l.**, not to have a moment to spare; **prendersi un giorno l.** (*dal lavoro*), to take a day off; **il mio giorno l.**, my day off **4** (*non occupato*) free, empty; (*disponibile*) available; (*vuoto, vacante*) vacant: **appartamento l.**, vacant flat; **lasciare l. un appartamento**, to vacate a flat; **posto l.**, (*a sedere*) empty seat; (*di lavoro*) vacant position, vacancy; **spazio l.**, room; (*tra due cose, ecc.*) gap **5** (*non ostruito*) clear: *La strada è libera da qui in avanti*, the road is clear from here on **6** (*disinibito*) free; uninhibited; broad: **liberi costumi**, loose morals; *La conversazione era molto libera*, the conversation was very uninhibited **7** (*telef.*) free; unengaged: *La linea è libera*, the line is free; **suono di l.**, dialling (USA dial) tone **1** (*mecc.*) free; clear: **ruota libera**, freewheel **9** (*chim.*) free: **elemento l.**, free element; **allo stato l.**, free **10** (*di taxi*) for hire (pred.) **11** (*sport: smarcato*) open; unmarked □ **l. professionista**, professional □ (*leg.*) **l. su cauzione**, out on bail □ (*bur.*) **carta libera**, ordinary paper; unstamped paper □ (*ginnastica*) **esercizi a corpo l.**, free exercises □ (*mil.*) **essere in libera uscita**, to be off duty □ (*sport*) **lotta libera**, all-in wrestling; freestyle; catch-as-catch-can □ (*nuoto*) **stile l.**, crawl □ (*bur.*) **stato l.**, unmarried state □ (**segnale di**) **via libera**, all-clear (signal); go-ahead (signal) **B** m. (*calcio*) sweeper; libero.

liberoscambìsmo m. (*econ.*) free trade (doctrine).

liberoscambìsta (*econ.*) **A** a. free-trade (attr.) **B** m. e f. free trader.

◆**libertà** f. **1** freedom Ⓤ; liberty: **l. dal bisogno**, freedom from want; **l. di culto**, freedom of worship; **l. di movimenti**, freedom of movement; **l. di opinione** (o **di pensiero**), freedom of thought; **l. di parola**, freedom of speech; **l. di stampa**, freedom of the press; **l. individuale**, individual liberty; **l. costituzionali**, constitutional liberties (o rights); **le l. democratiche**, democratic liberties; civil liberties; **combattere per la l.**, to fight for freedom; **concedere molta l. a q.**, to give plenty of freedom to sb.; **perdere la l.**,

to lose one's freedom; **privare q. della libertà** (*rinchiudere*), to deprive sb. of his liberty; **riottenere la l.**, to gain one's freedom; **combattente per la l.**, freedom fighter; **perdita della l.**, loss of freedom; (*incarcerazione*) loss of liberty **2** (*licenziosità, ecc.*) looseness: **l. di costumi**, looseness of conduct; loose morals ● **l. d'azione**, freedom to act; (*autonomia*) leeway, latitude: **avere l. di azione**, to be given freedom to act; to be free to do as one wants; **dare piena l. di azione**, to give complete freedom to act; to give plenty of leeway □ **l. di manovra**, freedom of movement; freedom to act; leeway; margin □ (*leg.*) **l. provvisoria**, release pending trial; (*su cauzione*) release on bail; **in l. provvisoria**, out on bail; **accordare a q. la l. provvisoria**, to let sb. out (o to release) on bail; to grant bail □ **l. sulla parola**, release on parole □ (*leg.*) **l. vigilata**, probation; **in l. vigilata**, on probation □ **avere due ore di l.**, to be free for two hours; (*dal lavoro*) to be off duty for two hours □ **giorno di l.** (*dal lavoro*), day off □ **in l.**, free; at large; (*a proprio agio*) comfortable, at home, at ease □ **in tutta l.**, freely; frankly □ **mettere q. in l.**, to set sb. free; to release sb. □ **mettersi in l.**, to make oneself at home; to let one's hair down (*fam.*) □ **prendersi la l. di fare qc.**, to take the liberty of doing st. □ **prendersi delle l. con q.**, to take liberties with sb.; (*fare delle avances*) to make a pass at sb. □ **trattare q. con troppa l.**, to be too familiar with sb.

libertàrio a. e m. (f. **-a**) libertarian.

libertarìsmo m. libertarianism.

libertinàggio m. **1** (*sregolatezza*) rakishness; licentiousness; libertinage **2** (*filos.*) freethinking; libertinism.

libertinìsmo m. **1** (*filos.*) freethinking; libertinism **2** (*spreg.*) libertinism.

libertìno A a. **1** (*filos.*) freethinking **2** (*spreg.*) licentious; rakish; libertine **B** m. **1** (f. **-a**) (*filos.*) freethinker; libertine **2** (*spreg.*) libertine, rake; (*donnaiolo*) philanderer, womanizer **3** → **liberto**.

libertìsmo m. (*filos.*) libertarianism.

libèrto m. (*stor. romana*) freedman*.

liberty (*ingl.*) (*arte*) **A** m. Art Nouveau **B** a. Art-Nouveau: **una lampada l.**, an Art-Nouveau lamp.

Libia f. (*geogr.*) Libya.

libico a. e m. (f. **-a**) Libyan.

libìdico a. (*psic.*) libidinal.

libìdine f. **1** lechery; lust **2** (*fig.*) craving; lust: **l. del potere**, lust for power ● (*leg.*) **atti di l.**, indecency.

libidinóso a. lecherous; libidinous; lewd.

libido f. inv. (*psic.*) libido.

libito m. (*lett.*) will; pleasure.

lib-làb a. e m. inv. (*polit.*) Lib-Lab.

libocédro m. (*bot.*, *Libocedrus decurrens*) incense cedar.

Libra f. (*astron.*) Libra.

◆**libràio** m. (f. **-a**) bookseller: **l. antiquario**, rare books dealer ● **FALSI AMICI** ● libraio *non si traduce con* librarian.

libràle a. weighing one pound; (one) pound (attr.).

libràrio a. book (attr.): **il commercio l.**, the book trade.

libràrsi v. i. pron. to hover; (*di aliante*) to glide ● **l. in volo**, to soar.

libràta f. blow given with a book: *Mi diede una l. in testa*, he clouted me with a book.

libràto a. – (*aeron.*) **volo l.**, gliding.

libratóre m. (*aeron.*) glider; sailplane.

librazióne f. (*astron.*) libration.

◆**libreria** f. **1** (*negozio*) bookshop; bookstore (USA); bookseller's (shop): **l. antiquaria**, antiquarian bookshop; rare books dealer; **l.**

editrice, booksellers and publishers (pl.) **2** (*mobile*) bookcase; bookshelves (pl.) **3** (*raccolta di libri*) library **4** (*comput.*) library ● **FALSI AMICI** ● libreria *nei sensi di negozio e di mobile non si traduce con* library.

librésco a. bookish.

librettìsta m. e f. librettist.

librettìstica f. **1** libretto-writing **2** (*studio*) study of librettos.

librétto m. **1** (*opuscolo*) booklet; pamphlet: **l. d'istruzioni**, instruction booklet **2** (*taccuino*) book; notebook: **l. degli indirizzi**, address book **3** (*documento*) book; card: (*autom.*) **l. di circolazione**, registration (document); **l. di lavoro**, employment card; **l. della pensione**, pension book; **l. delle ricevute**, receipt book; **l. universitario**, undergraduate's record book **4** (*banca*) book: **l. al portatore**, bearer's bankbook (USA passbook); **l. degli assegni**, chequebook; checkbook (USA); **l. di banca**, bankbook; passbook (USA); **l. di deposito a risparmio**, savings book **5** (*mus.*) libretto*.

◆**libro** m. **1** book: **l. di consultazione**, reference book; **l. di cucina**, cookery book; cookbook; **l. di preghiere**, prayer-book; **l. di storia**, history book; **l. di testo**, textbook; **l. illustrato**, illustrated (o picture) book; **l. in brossura**, paperback; softcover; **l. rilegato**, bound book; (*con copertina rigida*) hardback, hardcover; **l. tascabile**, pocketbook; paperback; **l. usato**, second-hand book; **libri sacri**, holy (o sacred) books; **fiera del l.**, book fair **2** (*registro, anche comm.*) book; register; ledger: (*eccles.*) **l. battesimale**, baptismal register; **l. catastale**, real estate register; property register; **l. dei conti**, account book; **l. dei conti di cassa**, cashbook; **l. dei soci**, register of members; (*fin.*) shareholders' register; (*eccles.*) **l. delle anime**, parish register; (*naut.*) **l. di bordo**, logbook; log; **l. giornale**, daybook; **l. mastro**, ledger; (*comm.*) **l. paga = paga**; **libri contabili**, (account) books; (*leg.*) **libri sociali**, company's books; (*comm.*) **mettere a l.**, to book; to enter **3** (*parte di un'opera*) book: **il terzo l. dell'Iliade**, the third book of the Iliad **4** (*bot.*) liber ● (*eccles.*) **l. all'Indice** (o **proibito**), book on the Index □ **l. bianco**, report; (*del Governo*) white paper (GB), white book (USA) □ **l. canonico**, sacred book (eccles.) □ **l. da Messa**, missal □ (*relig.*) **l. dei morti**, book of the dead □ (*relig., arte*) **l. delle ore**, book of Hours □ **l. di lettura**, reader □ (*anche fig.*) **l. d'oro**, roll of honour □ **l. giallo**, thriller; mystery; detective story; whodunit (*fam.*) □ **l. gioco**, activity book □ (*fig.*) **l. nero**, black book; black list; (*della polizia*) police records (pl.): **essere nel l. nero di q.**, to be in sb.'s black (o bad) books □ **a l. aperto**, at sight; **suonare [cantare] a l. aperto**, to read at sight; to sight-read □ (*fig.*) **essere un l. chiuso per q.**, to be a closed book to sb. □ (*scherz.*) **parlare come un l. stampato**, to talk like a book.

licantropìa f. (*anche psic.*) lycanthropy.

licàntropo m. **1** werewolf* **2** (*psic.*) lycanthrope.

licaóne m. (*zool.*, *Lycaon pictus*) hyena-dog; (African) hunting dog.

Licaóne m. (*mitol.*) Lycaon.

licciaiòla f. saw-set; saw-wrest.

liccio m. (*ind. tess.*) harness; heddle frame ● **maglia di l.**, heddle; heald □ **pettine l.**, rigid heddle.

licciòlo m. (*ind. tess.*) heddle stave (o shaft).

liceàle A a. liceo (attr.); secondary-school (attr.); high-school (attr.): **licenza l.**, secondary-school diploma; **studente l.** → **B B** m. e f. student at a liceo; secondary-school student.

liceità f. (*leg.*) lawfulness.

licènza f. 1 (*permesso*) leave; permission: **con vostra l.**, by your leave; **chiedere** [**dare, ottenere**] **l. di fare qc.**, to ask [to give, to obtain] leave to do st. 2 (*autorizzazione ufficiale*) licence, license (*USA*); permit; permission: **l. di esercizio**, trading licence; **l. d'importazione**, import permit; **l. di pesca**, fishing licence; **l. di porto d'armi**, licence to carry arms; gun licence; **l. di vendere**, licence to sell; **l. edilizia**, planning permission; **avere regolare l.** (*o* **essere munito di l.**), to have a licence; to be licenced; **chiedere una l.**, to apply for a licence; **rilasciare una l.**, to issue a licence; **togliere la l. a q.**, to take away sb.'s licence; **su l.**, under licence 3 (*mil.*) leave (of absence); furlough: **l. per malattia**, sick leave; **l. premio**, special leave; **andare** [**essere**] **in l.**, to go [to be] on leave 4 (*diploma*) school-leaving certificate; diploma: **esame di l.**, school-leaving (*o* diploma) examination 5 (*libertà*) licence; liberty: **l. poetica**, poetic licence; **prendersi la l. di**, to take the liberty of; **prendersi troppe licenze**, to take too many liberties 6 (*letter.*) envoy.

licenziàbile a. dismissable; sackable (*fam.*).

licenziabilità f. liability to being dismissed.

licenziaménto m. dismissal; discharge; sacking (*fam.*); firing (*fam.*): **l. in tronco** (*o* **senza preavviso**), dismissal without notice; immediate (*o* instant) discharge from duty; **l. per giusta causa**, dismissal for cause; **l. senza giusta causa**, unfair dismissal; **minacciare q. di l.**, to threaten sb. with the sack; **notificare il l. a q.**, to give sb. notice of dismissal.

licenziàndo A a. school-leaving (attr.) B m. (f. **-a**) student about to take his school-leaving examination.

licenziàre A v. t. 1 (*dal lavoro*) to dismiss; to discharge; to fire (*fam.*); to sack (*fam.*); to give* the sack (*o* the boot, the bullet) to (*fam.*): **l. in tronco**, to dismiss without notice; to fire on the spot; **l. per giusta causa**, to dismiss for cause; **l. per esubero**, to make redundant; to lay* off 2 (*dare un diploma*) to grant a diploma (*o* a school-leaving certificate) 3 (*congedare*) to dismiss; to send* away ● **l. le bozze** (**per la stampa**), to pass proofs (for the press) B **licenziàrsi** v. rifl. 1 to give* notice; to resign; to leave* one's job; to quit (*fam.*) 2 (*ottenere un diploma*) to take* one's school-leaving certificate (*o* one's diploma); to graduate from high school (*USA*) 3 (*congedarsi*) to take* one's leave ❶ FALSI AMICI ● licenziare *non si traduce* con to license.

licenziatàrio m. (f. **-a**) (*leg.*) licensee; licence holder.

licenziàto A a. 1 (*dal lavoro*) dismissed; laid off; sacked (*fam.*); fired (*fam.*) 2 (*da una scuola*) awarded one's school-leaving certificate; graduate (attr.) (*USA*) B m. 1 (*dal lavoro*) dismissed worker; laid-off worker 2 (*da una scuola*) school-leaver; graduate student (*USA*) ❶ FALSI AMICI ● licenziato *non si traduce* con licensed.

licenziosità f. licentiousness; looseness; dissoluteness.

licenzióso a. licentious; loose; dissolute; debauched.

◆**licèo** m. 1 liceo; secondary school; high school (*USA*): **l. artistico**, art school; **l. classico** [**scientifico**], secondary school with an emphasis on humanities [on sciences]; **l. musicale**, conservatory 2 (*stor. greca*) Lyceum.

lichen m. (*med.*) lichen.

lichène m. (*bot.*) lichen ● **l. d'Islanda** (*Cetraria islandica*), Iceland moss □ **l. delle renne** (*Cladonia rangifernia*) reindeer moss □ **l.**

pissidato (*Cladonia pyxidata*), cup lichen; cup moss.

lichenina f. (*chim.*) lichenin.

lichenografìa f. lichenology.

lichenòide a. (*med.*) lichenoid.

lichenologìa f. lichenology.

lichenóso a. lichenous, lichenose.

Licia f. (*geogr., stor.*) Lycia.

lìcio a. e m. (f. **-a**) (*stor.*) Lycian.

licitàre v. i. 1 (*a un'asta*) to bid*; (*a una gara d'appalto*) to tender: **l. per un appalto**, to tender for a contract 2 (*al bridge*) to bid*.

licitazióne f. 1 (*a un'asta*) bidding, bid; (*a una gara d'appalto*) tendering, tender: **l. collusiva**, collusive tendering; **l. concorrenziale**, competitive bidding; **l. privata**, private treaty 2 (*vendita all'asta*) auction (sale) 3 (*bridge*) bidding; bid.

lìcnide f. (*bot., Lychnis*) lychnis.

licopène m. (*chim.*) lycopene.

licopòdio m. (*bot., Lycopodium clavatum*) lycopod; lycopodium*; clubmoss ● (*farm.*) **polvere di l.**, lycopodium powder (*o* seed).

licoressìa f. (*med.*) bulimia.

Licùrgo m. (*stor. greca*) Lycurgus.

lidar m. inv. (*tecn.*) lidar.

Lidia f. (*geogr., stor., nome proprio*) Lydia.

lìdio a. e m. (f. **-a**) (*stor.*) Lydian ● (*mus.*) **modo l.**, Lydian mode □ (*miner.*) **pietra lidia**, Lydian stone.

lidìte f. (*miner.*) Lydian stone.

lìdo m. 1 (*spiaggia*) shore; beach; (*attrezzata*) lido* 2 (*fig., lett. o scherz.*) land; country; region: shore (*lett.*): **i patri lidi**, one's homeland; one's native shores; **lidi lontani**, distant lands; far-away countries ● **il L. di Venezia**, the Lido.

Lied (*ted.*) m. inv. (*mus.*) lied*.

liederista m. e f. 1 (*compositore*) composer of lieder 2 (*cantante*) lied singer.

liederìstica f. lieder (*ted., pl.*).

liederìstico a. (*mus.*) in the style of a lied; lied (attr.).

Liègi f. (*geogr.*) Liège.

lietézza f. (*lett.*) happiness; joy.

◆**lièto** a. (*felice*) happy; (*di buon umore, allegro*) cheerful; (*contento*) glad, pleased: *Sono l. di accettare il vostro invito*, I am glad to accept your invitation; *Sono l. che tu sia venuto*, I'm glad you've come; *Era sempre l.*, he was always cheerful; **di umore l.**, in a happy mood; *L. di conoscerla*, how do you do?; pleased to meet you; «*Bruno Bianchi*» «*Molto l.*», «Bruno Bianchi» «how do you do?» 2 (*che dà gioia*) happy; joyful; joyous: good: **l. evento**, happy event; **l. fine**, happy ending; (*relig.*) **lieta novella**, glad tidings (pl.); *Hai sentito la lieta notizia?*, have you heard the good news? 3 (*poet.: ameno*) serene; smiling: **lieti colli**, smiling hills.

◆**lième** a. 1 (*leggero*) light: **passo l.**, light step; **peso l.**, light burden 2 (*delicato*) light; gentle; delicate: **tocco l.**, light (*o* gentle, delicate) touch; **l. brezza**, gentle breeze 3 (*tenue*) slight; faint: **una l. ironia**, a slight touch of irony; **l. sorriso**, faint smile 4 (*non grave*) slight; minor: **l. differenza**, slight difference; **colpa l.**, minor fault; **ferite lievi**, minor injuries; **malattia l.**, slight illness 5 (*facile*) light; easy.

lievemente avv. 1 lightly; gently; delicately 2 (*appena, un po'*) slightly.

lievità f. 1 (*leggerezza*) lightness 2 (*delicatezza*) lightness; gentleness 3 (*tenuità*) slightness; faintness.

lievitàre A v. i. 1 to rise*; to prove: *lasciar l. la pasta*, to leave the dough to rise 2 (*fig.: aumentare*) to rise*; to grow*; to swell; (*di prezzi*) to rise*, to soar: **far l. i costi**, to increase costs; **far l. i prezzi**, to send up prices B v. t. to leaven.

lievitàto a. 1 (*cresciuto*) risen 2 (*contenente lievito*) leavened ● **pane non l.**, unleavened bread.

lievitazióne f. 1 rising; proving 2 (*fig.: aumento*) rise; increase.

lièvito m. 1 yeast; leaven: **l. del pane**, baker's yeast; **l. di birra**, brewer's yeast; **l. in polvere**, baking powder; **senza l.**, unleavened 2 (*fig.*) leaven.

lifo m. inv. (*rag.*) LIFO.

lift (*ingl.*) m. inv. 1 lift attendant; elevator attendant (*USA*) 2 (*tennis*) topspin.

liftàre v. t. (*tennis*) to impart a topspin to.

liftàto a. 1 (*tennis*) – **palla liftata**, topspin 2 (*sottoposto a lifting*) that has had a face-lift.

lifting (*ingl.*) m. inv. face-lift: **fare un l.**, to have a face-lift ❶ FALSI AMICI ● lifting *non si traduce con* lifting.

light (*ingl.*) a. inv. (*di alimento o bevanda*) light; diet (attr.); (*a basso contenuto di grassi*) low-fat (attr.); (*con poche calorie*) low-calorie (attr.): **un formaggio l.**, a low-fat cheese; **una bibita l.**, a diet drink.

lìgio a. 1 (*fedele*) faithful, loyal; (*obbediente*) observant: **l. al dovere**, faithful to one's duty; **l. alla legge**, law-abiding (agg.); **l. alle regole**, observant of rules 2 (*stor.*) liege.

lignàggio m. lineage; ancestry; pedigree; descent: **di alto l.**, of noble birth (*o* descent); highborn (agg.); **di antico l.**, of ancient lineage (*o* stock).

lìgneo a. 1 (*di legno*) wooden; ligneous: **soffitto l.**, wooden ceiling 2 (*simile a legno*) woody: **consistenza lignea**, woody consistency.

lignificàre v. t. e **lignificàrsi** v. i. pron. (*bot.*) to lignify.

lignificazióne f. (*bot.*) lignification.

lignìna f. (*bot.*) lignin.

lignìte f. lignite; brown coal.

lignìvoro a. wood-eating; lignivorous.

ligroìna f. (*chim.*) ligroin.

lìgula f. 1 (*zool.*) ligula* 2 (*bot.*) ligule.

ligulàto a. (*bot.*) ligulate.

lìgure a., m. e f. Ligurian.

ligùstico → **levìstico**.

ligùstro m. (*bot., Ligustrum vulgare*) privet.

LILA sigla (**Lega italiana lotta all'AIDS**) Italian League for the Fight against AIDS.

liliàcea f. (*bot.*) liliaceous plant; (al pl., *scient.*) Liliaceae.

liliàceo a. (*bot.*) liliaceous.

liliàle a. lily-like (attr.).

Liliàna f. Lilian.

lìlla, **lillà** A m. inv. (*bot., Syringa vulgaris*) lilac B m. e a. inv. (*colore*) lilac.

lillipuziàno a. e m. (f. **-a**) Lilliputian.

lìma① f. 1 file: **l. a coltello**, knife file; **l. a grana grossa** [**piccola**], rough [smooth] file; **l. a taglio doppio**, crosscut file; **l. a taglio semplice**, float; **l. bastarda**, bastard file; **l. da legno**, rasp file; **l. di cartone**, emery board; **l. per unghie**, nail file; **l. piatta**, flat file; **l. tonda**, round file; **l. triangolare**, three-square (*o* triangular) file 2 (*lett. fig.*) worry; torment ● (*fig.*) **lavorare di l. a qc.**, to polish st. (*o* fig.) **lavoro di l.**, polishing.

lìma② f. → **limetta**.

limàccia f. (*zool.*) slug.

limàccio m. mud; slime.

limaccióso a. (*anche fig.*) muddy; murky.

limàcide m. (*zool.*) slug; (al pl., *scient.*) Limacidae.

limacografìa f. scientific description of slugs.

limacologìa f. study of slugs.

limànda f. (*zool., Pleuronectes limanda*) dab.

limàntria f. (*zool., Lymantria*) tussock moth.

limàre v. t. **1** to file; (*con la raspa*) to rasp: **limarsi le unghie**, to file one's nails **2** (*fig.*: *rifinire*) to polish; to hone **3** (*fig.*: *rodere*) to gnaw; to eat*.

limàto a. (*fig.*) polished.

limatóre m. (f. **-trice**) **1** filer **2** (*fig.*) polisher.

limatrìce f. (*mecc.*) shaping-machine; shaper.

limatùra f. **1** (*il limare*) filing **2** (*polvere*) filings (pl.).

limbo m. (*relig.* e *fig.*) limbo.

limétta ① f. (*per unghie*) nail file; (*di cartone*) emery board.

limétta ② f. (*bot.*, *Citrus aurantifolia*) lime.

limìcolo a. (*zool.*) limicolous.

liminàle a. (*psic.*) liminal.

liminàre a. (*scient.*) threshold (attr.).

lìmine ① m. (*lett.*) threshold ● (*eccles.*) **visita ai limini**, visit «ad limina».

lìmine ② → **in limine**.

limitàbile a. limitable.

limitabilità f. limitableness.

limitàneo a. border (attr.); frontier (attr.).

limitàre ① m. **1** (*soglia*, *anche fig.*) threshold **2** (*fig.*: *margine*) margin; edge: **il l. del bosco**, the edge of the wood.

◆**limitàre** ② Ⓐ v. t. **1** (*contenere*) to restrict, to confine; (*porre un limite a*) to set* a limit to: **il numero dei partecipanti**, to restrict the number of participants; **l. i commerci**, to restrict trade; **l. i propri commenti alla questione in esame**, to confine one's remarks to the matter in hand; **l. il tempo per le risposte**, to set a time-limit for the answers; **l. le proprie ambizioni**, to set a limit to one's ambitions **2** (*ridurre*) to reduce; to cut* down; to cut* back on; (*moderare*) to moderate, to contain; (*frenare*) to check, to curb: **l. le spese**, to reduce one's expenditure; to cut down expenses; **l. le pretese**, to moderate (*o* to curb) one's demands **3** (*delimitare*) to bound: *Il campo era limitato dalla strada e dal fiume*, the field was bounded by the road and the river Ⓑ **limitarsi** v. rifl. **1** to confine (*o* to restrict, to limit) oneself (to): *Mi limiterò a parlare della prima fase*, I shall confine myself to the first phase; *Si limitò a fare piccoli cambiamenti*, he limited himself to making minor alterations; *Si sono limitati a dare un'occhiata*, they merely had a look round **2** (*contenersi*) to restrict oneself (to); to cut* down (st., on st.); to cut* back on (st.): *Voglio limitarmi a dieci sigarette al giorno*, I want to restrict myself to ten cigarettes a day; **limitarsi nell'acquisto di vestiti**, to cut back on clothes; **limitarsi nelle spese**, to cut down expenses; **limitarsi nel bere**, to cut down on one's drinking; to drink in moderation; **non saper limitarsi**, to be immoderate **3** (*essere limitato*) to be confined (*o* restricted) (to).

limitataménte avv. **1** (*entro certi limiti*) to a limited extent; within (certain) limits: **spendere l.**, to spend within limits **2** (*limiti di*) as far as; as regards: **l. alle mie possibilità**, as far as I can; to the extent of my possibilities; **l. alla questione in esame**, as regards the issue under consideration.

limitatézza f. **1** (*scarsità*) scantiness **2** (*pochezza*, *ristrettezza*) limited nature; narrowness.

limitativo a. restrictive; limitative; limiting.

limitàto a. **1** (*ridotto*, *ristretto*) limited; restricted: **libertà limitata**, restricted freedom; **periodo di tempo l.**, limited period; **spazio l.**, limited space **2** (*esiguo*, *scarso*) limited; scanty; meager: **bilancio l.**, limited funds; shoestring budget; **intelligenza limitata**, limited intelligence; **numero l. di posti**, limited number of seats; **limitate risor-**

se economiche, limited economic resources; limited means; scanty means **3** (*rif. a idee*, *mentalità*) narrow-minded: **mentalità limitata**, narrow-mindedness; **vedute limitate**, narrow-minded ideas **4** (*modesto*) moderate; modest: *C'è stata una limitata ripresa*, there has been a moderate recovery **5** (*definito*) limited: (*comm.*) **responsabilità limitata**, limited liability **6** (*contenuto*) moderate; careful: **essere l. nel bere**, to be a moderate drinker; to drink in moderation.

limitatóre Ⓐ a. limiting Ⓑ m. **1** (*elettr.*) limiter: **l. di corrente**, current limiter; **l. di tensione**, aerial discharger **2** (*mecc.*) limiting device: **l. di carico**, load limiting device; **l. di velocità**, speed limiting device.

limitazióne f. **1** (*restrizione*) limitation, restriction, control; (*freno*) curb: **l. alla libertà**, restriction on freedom; **l. degli armamenti**, arms control; (*leg.*) **l. della concorrenza**, restraint of trade; **l. delle nascite**, birth control; **l. delle spese**, curb on expenditure **2** (*limite*) limitation; limit: **porre una l. di tempo**, to impose a time limit; (*leg.*) **l. di responsabilità**, limited liability.

◆**lìmite** Ⓐ m. **1** (*confine*) boundary; border; line: **i limiti di una proprietà**, the boundaries of an estate; **l. delle nevi perenni**, snow-line; **il l. dell'olivo**, the olive-tree line; **l. della vegetazione arborea**, treeline; timberline (*USA*), to go as far as the Swiss border **2** (*linea estrema*) limit, (final) boundary; (al pl., anche) bounds; (*orlo*) edge, verge; (*soglia*) threshold; (*grado ultimo*) limit, point: (*sport*) **l. dell'area di rigore**, edge of the penalty area; **l. di carico**, weight (*o* load) limit; (*banca*) **l. di credito**, credit limit; ceiling; (*edil.*) **l. di elasticità**, limit of elasticity; elastic limit; **l. di età**, age limit; (*anche fig.*) **l. di guardia**, safety limit; danger point; (*edil.*) **l. di rottura**, breaking point; **aver raggiunto il l. della propria resistenza**, to have nearly reached one's breaking point; to be on the verge of a breakdown; **l. di sopravvivenza**, death point; **l. di tempo [di velocità]**, time [speed] limit; **l. massimo**, cut-off; (*econ.*) ceiling; *La mia pazienza ha un l.*, there is a limit to my patience; *Tutto ha un l.*, there is a limit to everything; **stabilire** (*o* porre) **un l. a qc.**, to set limits to st.; **non conoscere limiti**, to know no bounds; **restare entro i limiti della buona creanza**, to keep within the bounds of propriety; **entro certi limiti**, within (certain) limits; within bounds; **senza limiti**, without limit; limitless (agg.); boundless (agg.) **3** (*estensione*) limit: **i limiti della conoscenza umana**, the limits of human knowledge **4** (*capacità limitata*) limitation; (*difetto*) shortcoming; (*punto debole*) drawback: **aver coscienza dei propri limiti**, to know one's limitations **5** (*mat.*) limit; (*fis.*) **l. kilometrico**, kilometre marker □ **a l.**, (*tutt'al più*) at most; (*alla peggio*) at worst □ **essere al l. della sopportazione**, to be at the end of one's tether □ (*ferr.*) **indicazione del l. di portata**, marked capacity □ **nei limiti del possibile**, as far as one can □ **passare i limiti** (*eccedere*), to go too far; to go overboard; to overstep the mark; (*di qc.*) to exceed all bounds (*o* the bounds of st.): *Questo passa ogni l.!*, that's the limit! □ **per raggiunti limiti d'età**, having reached the retirement age Ⓑ a. inv. **1** extreme; borderline (attr.): **caso l.**, extreme (*o* borderline) case; **ipotesi l.**, extreme hypothesis **2** (*mat.*) – **punto l.**, cluster point.

limìtrofo a. neighbouring; bordering; adjacent; adjoining: **nazioni limitrofe**, neighbouring countries; **essere l. a qc.**, to neighbour st.; to be next to st.

limìvoro a. (*zool.*) limivorous.

limnètico a. limnetic.

limnòbio m. (*biol.*) limnobios.

limnòfilo a. (*zool.*) limnophilus.

limnologìa f. limnology.

limnòlogo m. (f. **-a**) limnologist.

lìmo m. **1** slime; mud; mire **2** (*geol.*) silt.

limòla f. rotary file.

limolatrìce f. rotary filing machine.

limonàia f. lemon-house.

limonàio m. (f. **-a**) lemon seller.

limonàre v. i. (*fam.*) to pet; to neck (*fam.*); to snog (*fam. GB*).

limonàta f. lemonade; (*spremuta*) lemon juice.

limoncèllo Ⓐ m. **1** (*frutto*) lime **2** (*liquore*) lemon liqueur Ⓑ a. lemon yellow; pale yellow.

◆**limóne** Ⓐ m. **1** (*albero*) lemon tree **2** (*frutto*) lemon: **spremere un l.**, to squeeze a lemon; **succo di l.**, lemon juice; **scorza di l.**, lemon peel; **tè al l.**, lemon tea ● **essere giallo come un l.** (*essere pallido*), to look green □ (*fig.*) **l. spremuto**, person who has been exploited Ⓑ a. inv. lemon (attr.): **giallo l.**, lemon yellow.

limonéto m. lemon orchard; lemon grove.

limonìcolo a. lemon (attr.).

limonicoltóre m. (f. **-trice**) lemon grower.

limonicoltùra f. lemon growing.

limonìte f. (*miner.*) limonite.

limonitizzazióne f. (*geol.*) limonitization.

limosèlla f. (*bot.*, *Limosella aquatica*) mudwort.

limosìno Ⓐ a. Limousin; Limoges (attr.): **ceramiche limosine**, Limoges ware (sing.); (*zool.*) **razza limosina**, Limousin Ⓑ m. (f. **-a**) Limousin Ⓒ m. (*ling.*) Limousin.

limosità f. sliminess; muddiness.

limóso a. slimy; muddy; miry.

limpidézza f. clearness; crystal clarity; transparency; limpidity.

◆**lìmpido** a. clear; transparent; limpid (*lett.* o *fig.*): **acqua limpida**, clear water; **cielo l.**, clear sky; **prosa limpida**, limpid prose; **voce limpida**, clear voice.

lìmulo m. (*zool.*, *Limulus polyphemus*) horseshoe crab.

linaiòla → **linaria**.

linaiòlo m. **1** (*chi lavora il lino*) flax dresser **2** (*venditore*) linen draper.

linària f. (*bot.*, *Linaria vulgaris*) toadflax.

lìnce f. **1** (*bot.*, *Lynx*) lynx: **l. rossa** (*Lynx rufus*), bay lynx; bobcat **2** (*fig.*) sharp-witted person ● **dagli occhi di l.**, keen-sighted; (*occhiuto*) sharp-eyed, eagle-eyed.

lìnceo ① a. (*fig.*) lynx-like; keen.

lìnceo ② m. **1** – *Accademia dei Lincei*, Academy of the Lincei **2** member of the Academy of the Lincei.

linciàggio m. **1** lynching **2** (*fig.*) persecution; harassment; hounding ● **l. morale**, character assassination.

linciàre v. t. to lynch.

linciatóre m. (f. **-trice**) lyncher.

lìndo a. **1** (*pulito e ordinato*) neat and tidy; spick and span (pred.), spick-and-span (attr.); (*di persona*) neat, trim **2** (*fig.*) clean; spotless.

lindùra f. neatness; cleanliness.

◆**lìnea** f. **1** (*segno tracciato*) line; stroke; (*stampata*, *anche*) rule; (*nell'alfabeto Morse*) dash, long: **l. grossa**, thick line; **l. sottile**, fine (*o* thin, narrow) line; **l. tratteggiata**, dotted line; **le linee della mano**, the lines of the hand; **le linee del pentagramma**, the lines of the stave; **tirare una l.**, to draw a line; **in l. retta**, in a straight line **2** (*mat.*)

line: **l. retta** [**curva**], straight [curved] line; **linee convergenti** [**divergenti, parallele**], converging [diverging, parallel] lines **3** (*geogr.*) line; (*limite*) line, mark: **l. altimetrica**, contour line; **l. del cambiamento di data**, International Date Line; **l. delle nevi perpetue**, snow-line; **l. di spartiacque**, watershed; **la l. equatoriale**, the Line; the Equator; **l. equinoziale**, equinoctial line **4** (*contorno, profilo*) line, profile, contour; (*forma, modello*) design; (*di abito, anche*) line, cut: **la l. di un'automobile**, the line of a car; **la l. di una giacca**, the cut of a jacket; **cappotto di l. classica**, classic coat; **semplicità di linee**, simplicity of line **5** (*del corpo*) figure: **mantenere la l.**, to keep one's figure; **rovinarsi la l.**, to ruin one's figure **6** (al pl.) (*lineamenti*) features **7** (*condotta, comportamento*) line; course: **l. di approccio**, line of approach; tack; **l. di condotta**, line of conduct; **la l. ufficiale del partito**, the official party line; **l. dura**, hard (*o* tough) line; **l. politica** (*di partito*), party line; **linee programmatiche**, policy (sing.); **seguire una certa l.**, to take a certain line; *Che l. devo tener con loro?*, what line should I take with them? **8** (*trasp.*: *percorso, itinerario*) line, route; (*compagnia*) line: **l. aerea**, airline; **l. di navigazione**, shipping line; **l. ferroviaria**, railway line; **l. tranviaria**, tramline; **linee di comunicazione**, lines of communication; travel routes; **servizio di l.**, regular service; **volo di l.**, scheduled flight; **viaggiare sulla l. Calais-Basilea**, to travel by the Calais-Basel route (*o* line) **9** (*mil.*) line: **l. del fuoco**, firing line; **sulla l. del fuoco**, in the firing line; **l. di battaglia**, line of battle; **l. di tiro**, line of fire; **la l. Gotica** [**Maginot**], the Gothic [Maginot] line; **le linee nemiche**, the enemy lines; (*anche fig.*) **in prima l.**, in the front line; **truppe di prima l.**, front-line troops; (*stor.*) **soldati di l.**, infantry **10** (*elettr.*) line: **l. aerea**, overhead line; **l. dell'alta tensione**, high-voltage line; **l. di raccordo**, connecting line **11** (*telef.*) line: *La l. è occupata*, the line is engaged (*USA* busy); *La l. è libera*, the telephone is ringing; **prendere la l.**, to get through; *Non riesco ad avere la l. con Sydney*, I can't get through to Sydney; *È caduta la l.*, I've been cut off; **restare in l.**, to hold the line; to hold on; **in l.**, on the line **12** (*comm.*) line: **l. di prodotti**, line of products; **una nuova l. di bellezza**, a new line of cosmetics **13** (*sport*) line: **l. d'arrivo**, finishing line; **l. d'attacco**, forward line; **l. del traguardo**, finishing line; **l. di fondo**, end line; back line; (*calcio*) goal line; (*tennis*) baseline; **l. di partenza**, starting line; mark; **l. laterale**, (*calcio*) touchline; (*tennis*) sideline **14** (*genealogia*) line: **l. diretta** [**collaterale**] **di successione**, direct [collateral] line of succession; **l. femminile** [**maschile**], female [male] line; **discendente in l. diretta**, lineal (*o* direct) descendant ● (*fig.*) **l. calda**, hot line □ (*chiromanzia*) **la l. del cuore**, the line of the heart □ **l. di confine**, (*tra paesi*) border; (*tra proprietà*) boundary line; (*fig.*) borderline, threshold □ (*banca*) **l. di credito**, credit line (*o* limit) □ (*edil.*) **l. di displuvio**, ridge; crest □ **l. di febbre**, degree of temperature: **avere qualche l. di febbre**, to have a slight temperature; *La febbre è scesa di qualche l.*, the temperature has dropped slightly □ (*comput.*) **l. di flusso**, flowline □ (*naut.*) **l. di galleggiamento**, water-line □ (*naut.*) **l. di massima immersione**, Plimsoll line □ (*econ.*) **l. di povertà**, poverty line □ (*naut.*) **l. di rispetto**, limit of territorial waters □ (*naut.*) **l. di rotta**, (ship's) course □ **l. gerarchica**, line of command; line of authority □ (*fig.*) **linee generali**, outline (sing.) □ **l. guida**, guideline □ **a grandi linee**, broadly speaking; **descrivere** (*o* **tracciare**) **qc. a grandi linee**, to outline st. □ **in l.**, (*autom., mecc.*) in-line; (*comput.*) on line;

motore in l., in-line engine; **motore a otto cilindri in l.**, eight cylinder in-line (*o* straight-eight) engine □ (*fig.*) **in l. con**, in line with; in step with; **mettersi in l. con qc.**, to align oneself with st.; to get into step with st.; **non in l. con**, out of line with □ **in l. d'aria**, as the crow flies □ **in l. di fatto**, in actual fact □ **in l. di massima**, (*in genere*) as a rule, generally speaking; (*nel complesso*) on the whole □ **in l. di principio**, in principle □ **procedere in linee parallele**, to follow parallel lines □ (*fig.*) **passare in seconda l.**, to take second place; to fade into the background □ **su tutta la l.**, all along the line.

lineaménti m. pl. **1** (*di viso*) features; lineaments **2** (*fig.*) outlines: **l. di matematica**, outlines of mathematics.

lineàre a. **1** (*anche mat.*) linear; lineal: **equazione l.**, linear equation; **misure lineari**, linear measures; **polimero l.**, linear polymer **2** (*fig.*: *coerente*) consistent; (*diretto*) straightforward: **condotta l.**, consistent behaviour ● (*archeol.*) (*scrittura*) **l. A** [**B**], Linear A [B].

linearìsmo m. (*arte*) linear style.

linearità f. **1** linearity **2** (*fig.*) consistency; straightforwardness.

lineétta f. (*tratto d'unione*: -) hyphen; (*tratto medio*: –) dash, (*tipogr.*) en dash; (*tratto lungo*: —) dash, (*tipogr.*) em dash.

linerìa f. linen goods (pl.).

linéto m. flax field.

linfa f. **1** (*bot.* e *fig.*) sap **2** (*biol.*) lymph.

linfadenìa → **linfadenopatia**.

linfadenìte f. (*med.*) lymphadenitis.

linfadenòma m. (*med.*) lymphadenoma*.

linfadenopatìa f. (*med.*) lymphadenopathy.

linfadenopàtico a. (*med.*) suffering from lymphadenopathy.

linfadenòsi f. (*med.*) lumphadenosis.

linfangiòma m. (*med.*) lymphangioma*.

linfangìte f. (*med.*) lymphangitis ● (*vet.*) **l. epizootica**, epizootic lymphangitis.

linfàtico [A] a. (*anat., med.*) lymphatic; lymph (attr.): **ghiandole linfatiche**, lymph nodes (*o* glands); **sistema l.**, lymphatic system; **vaso l.**, lymphatic vessel [B] m. (f. **-a**) lymphatic person.

linfatìsmo m. (*med.*) lymphatism.

linfedéma m. (*med.*) lymphoedema.

linfoblàsto m. (*biol.*) lymphoblast.

linfochìna f. (*biol.*) lymphokine.

linfocìta m. (*biol.*) lymphocyte.

linfocitàrio a. (*biol.*) lymphocytic.

linfocìto → **linfocita**.

linfocitopenìa f. (*med.*) lymphocytopenia.

linfocitopoìeşi f. (*biol.*) lymphocytopoiesis.

linfocitòşi f. (*med.*) lymphocytosis.

linfodrenàggio m. lymphatic drainage.

linfoghiàndola f. → **linfonodo**.

linfoghiandolàre a. lymph-node (attr.).

linfogranulòma m. (*med.*) lymphogranuloma*.

linfòide a. (*anat.*) lymphoid: **tessuto l.**, lymphoid tissue.

linfòma m. (*med.*) lymphoma*.

linfonòdo m. (*anat.*) lymph node.

linfopenìa f. (*med.*) lymphopenia.

linfopoìeşi f. (*biol.*) lymphopoiesis.

linfosarcòma m. (*med.*) lymphosarcoma*.

lingerie (*franc.*) f. lingerie; women's underwear.

lingottièra f. (*metall.*) ingot mould.

lingòtto m. **1** ingot; bar **2** (*tipogr.*) pica reglet ● **oro in lingotti**, bullion.

◆**lingua** f. **1** (*anat.* e *fig.*) tongue: **avere la l. bianca** [**sporca**], to have a coated [furred] tongue; **avere la l. mordace**, to have a caustic (*o* sharp) tongue; **sciogliere la l. a q.**, to loosen sb.'s tongue; **tenere a posto** (*o* **frenare**) **la l.**, to hold one's tongue; **tirar fuori la l.**, to stick (*o* to put) one's tongue out; **la punta della l.**, the tip of the tongue; *Ce l'ho sulla punta della l.*, it's on the tip of my tongue **2** (*linguaggio*) language; tongue: **l. artificiale**, artificial language; **l. d'arrivo**, target language; **l. franca**, lingua franca; **la l. italiana**, the Italian language; **la l. madre** (*o* **materna**), one's mother (*o* native) tongue; **l. morta**, dead language; **l. parlata** [**scritta**], spoken [written] language; **l. straniera**, foreign language; **l. ufficiale**, official language; **l. viva**, living language; **l. volgare**, vulgar tongue; (*stor.*) early Italian; **seconda l.**, second language; **le lingue moderne**, modern languages; **avere attitudine per le lingue**, to have a flair for languages; **sapere bene le lingue**, to be a good linguist; (*Bibbia*) **la confusione delle lingue**, the confusion of tongues; (*relig.*) **il dono delle lingue**, the gift of tongues; **lo studio delle lingue**, the study of languages; **persona** [**paese**] **di l. inglese**, English-speaking person [country]; **scritto in l. inglese**, written in English **3** (*striscia*) tongue; strip; neck: **l. di fuoco**, tongue of flame; **l. di terra**, strip of land; (*che si estende nel mare*) spit of land **4** (*cucina*) tongue: **l. affumicata**, smoked tongue; **l. di bue**, ox-tongue; **l. salmistrata**, corned tongue **5** (*bot.*) – **l. cervina** (*Phyllitis scolopendrium*), hart's-tongue; **l. d'acqua** (*Potamogeton natans*), pond-weed; **l. di bue** (*Anchusa*), bugloss; alkanet; **l. di cane** (*Plantago lanceolata*), ribwort plantain; **l. di serpe** (*Ophioglossum vulgatum*), adder's-tongue ● (*anche fig.*) **l. biforcuta**, forked tongue □ (*fig.*) **l. sciolta**, glib (*o* ready) tongue; (the) gift of the gab □ (*fig.*) **l. tagliente**, sharp tongue □ **l. furbesca**, thieves' cant □ **lingue di gatto** (*biscotti*), finger biscuits □ **con la l. di fuori** (*ansimando*), with one's tongue hanging out; puffing and panting □ (*fig.*) **avere la l. lunga**, to be a gossip □ *Che l.!*, (*che chiacchierone*) what a chatterbox!; (*che maligno*) he has a wicked tongue! □ **in l.**, in Italian: **scrivere in l.**, to write in Italian; **tradotto in l. dal siciliano**, translated from Sicilian into Italian □ (*fig.*) **in l. povera**, in plain words; not to put too fine a point on it □ **mala l.** → **malalingua** □ (*fig.*) **mettere l.**, to interfere □ (*anche fig.*) **mordersi la l.**, to bite one's tongue □ (*fig.*) **non aver peli sulla l.**, not to mince one's words; to speak bluntly □ (*fig.*) **parlare la stessa l.**, to speak the same language □ *Parla solo perché ha la l. (in bocca)*, he talks just for the sake of talking □ *Hai perso la l.?*, have you lost your tongue?; has the cat got your tongue? (*scherz.*) □ (*prov.*) *La l. batte dove il dente duole*, the tongue ever turns to the aching tooth.

linguàccia f. (*persona maldicente*) evil tongue; slanderer.

linguacciùto a. (*chiacchierone*) chatty; (*pettegolo*) gossipy.

◆**linguàggio** m. **1** (*facoltà di parlare*) speech: **l. umano**, human speech; **l'origine del l.**, the origin of speech; **difetti del l.**, speech defects **2** (*modo di parlare*) language; talk; speech: **l. da bettola**, coarse language; **l. infantile**, baby-talk; **in l. corrente**, in everyday speech; in common parlance; *Che l.!*, what a way to talk! **3** (*lingua*) language; (*di un gruppo particolare*) special language, parlance, (*specialistico*) jargon, lingo (*spreg.*): **l. cifrato**, cipher language; **l. dei segni**, sign language; **il l. degli occhi**, the language of the eyes; **il l. delle api**, the language of bees; **il l. giornalistico**, the lan-

guage of journalism; **l. legale**, legal jargon; legal lingo (*spreg.*); **l. settoriale**, jargon; parlance; **l. tecnico**, technical terms (pl.); technical jargon **4** (*comput.*) language: **l. di alto [basso] livello**, high-level [low-level] language; **l. di programmazione**, programming language; **l. macchina**, machine language.

linguaiòlo m. (f. **-a**) (*spreg.*) linguistic pedant.

linguàle a. (*anat.*, *fon.*) lingual.

linguàta f. lick.

linguàtula f. (*zool.*, *Linguatula serrata*) tongue worm.

linguèlla f. (*filatelia*) stamp hinge.

linguétta f. **1** (*di scarpa*) tongue **2** (*mus.*: *ancia*) reed **3** (*mecc.*) tang; spline; tongue **4** (*di busta*) flap **5** (*di cartelletta, ecc.*) tab **6** (*da tirare per aprire*) tear-tape; (*di lattina*) ring pull, pull-tab.

linguifórme a. tongue-shaped; linguiform.

linguista m. e f. linguist.

linguìstica f. linguistics (pl. col verbo al sing.): **l. applicata**, applied linguistics; **l. computazionale**, computational linguistics; **l. generale**, general linguistics; **l. strutturale**, structural linguistics.

linguìstico a. linguistic; language (attr.); speech (attr.); **area linguistica**, language area; **competenza linguistica**, linguistic competence; **insegnamento l.**, language teaching; **teoria linguistica**, language theory; linguistic theory.

lìngula f. **1** (*anat.*) lingula* **2** (*zool.*, *Lingula anatina*) lingula.

linicoltùra f. flax cultivation.

linièro a. linen (attr.): **industria liniera**, linen industry.

linifìcio m. (*ind. tess.*) flax mill.

liniménto m. (*farm.*) liniment; embrocation.

linìte f. (*med.*) – **l. plastica**, plastic linitis.

link m. (*ingl.*) m. inv. (*comput.*) link ● **l. dinamico**, dynamic link; **l. ipertestuale**, hyperlink, hypertext link.

linkàre v. t. (*comput.*) to link.

linnèa f. (*bot.*, *Linnaea borealis*) twinflower.

linneàno a. (*bot.*) Linnaean.

Linnèo m. (*stor.*, *bot.*) Linnaeus.

lìno m. **1** (*bot.*, *Linum usitatissimum*; *fibra*) flax: **filatura del l.**, flax spinning; **pettinatura del l.**, flax hackling (*tessuto*) linen: **l. d'Irlanda**, Irish linen; **tovaglia di l.**, linen tablecloth ● **olio di l.**, linseed oil □ **semi di l.**, linseed (sing.).

linolèico a. (*chim.*) linoleic.

linoleista m. e f. (*edil.*) linoleum layer.

linolènico a. (*chim.*) linolenic.

linoleografìa f. linocut.

linòleum m. linoleum; lino (*fam.*).

linóne m. (*ind. tess.*) lawn.

linòsa f. linseed.

linotipìa f. **1** (*procedimento*) linotyping **2** (*stabilimento*) linotype shop.

linotipìsta m. e f. Linotype operator.

linotype® (*ingl.*) f. inv. (*tipogr.*) Linotype.

linsème m. linseed.

lìnteo a. (*lett.*) linen (attr.).

lintèrno m. (*bot.*, *Rhamnus alaternus*) Italian buckthorn.

liocòrno m. (*mitol.*) unicorn.

liofilizzàre v. t. to freeze-dry; to lyophilize (*ind.*).

liofilizzàto a. freeze-dried; lyophilized (*ind.*).

liofilizzatóre m. lyophilizer.

liofilizzazióne f. freeze-drying; lyophilization (*ind.*).

liòfilo a. (*fis.*) lyophilic; lyophile.

liòfobo a. (*fis.*) lyophobic; lyophobe.

lionàto a. (*lett.*) tawny.

Lióne f. (*geogr.*) Lyons.

Lionèllo m. Lionel.

lionìstico a. of (o relative to) the Lions Club.

lipacidemìa f. (*med.*) lipacidaemia.

lipàsi f. (*chim.*) lipase ● **l. pancreatica**, steapsin.

lipectomìa f. (*chir.*) lipectomy.

lipemìa f. (*med.*) lipaemia.

lipèmico a. (*med.*) lipaemic.

lìpide m. (*chim.*) lipid.

lipìdico a. (*chim.*) lipidic.

lipizzàno m. (anche **cavallo l.**) Lipizzaner, Lippizaner.

lipoaspirazióne → **liposuzione**.

lipogràmma m. lipogram.

lipogrammàtico a. lipogrammatic.

lipogrammatìsmo m. lipography.

lipòide m. (*chim.*) lipoid.

lipolìsi f. (*fisiol.*) lipolysis.

lipolìtico a. (*chim.*) lipolytic.

lipòma m. (*med.*) lipoma*.

lipomatòsi f. (*med.*) lipomatosis.

lipomatóso a. (*med.*) lipomatous.

lipoproteìna f. (*chim.*) lipoprotein.

liposarcòma m. (*med.*) liposarcoma*.

liposolùbile a. (*chim.*) liposoluble.

liposòma m. (*biol.*) liposome.

liposuzióne f. (*med.*) liposuction.

lipotimìa f. (*med.*) lipothymia; lipothymy.

lipotìmico a. (*med.*) lipothymic.

lipòtropo a. (*farm.*) lipotropic.

lìppa f. (*gioco*) tip-cat.

lipsanotèca f. reliquary.

Lìpsia f. (*geogr.*) Leipzig.

LIPU sigla (**Lega italiana protezione uccelli**) Italian Society for the Protection of Birds.

liquàme m. (liquid) sewage Ⓤ; effluent.

liquazióne f. (*metall.*) liquation.

liquefàre Ⓐ v. t. **1** to liquefy; (*fondere*) to melt: **l. un gas**, to liquefy a gas; **l. il burro**, to melt butter **2** (*fig.*: *dilapidare*) to dissipate; to squander Ⓑ **liquefàrsi** v. i. pron. **1** to liquefy; (*fondersi*) to melt **2** (*fig.*) to melt away; to dissolve.

liquefattìbile a. liquefiable.

liquefàtto a. liquefied; (*fuso*) melted: **gas l.**, liquefied gas; **neve liquefatta**, melted snow.

liquefazióne f. liquefaction; (*fusione*) melting.

liquerizia → **liquirizia**.

liquescènte a. (*fis.*) liquescent.

lìquida f. (*fon.*) liquid (consonant).

liquidàbile a. (*comm.*) that can be liquidated; that can be settled.

liquidàmbar, **liquidàmbra** m. (*bot.*) liquidambar.

liquidàre v. t. **1** (*leg.*, *fin.*: *accertare*) to liquidate; (*naut.*, *ass.*) to adjust: **l. i danni**, to liquidate damages **2** (*sciogliere*) to liquidate; to wind* up: **l. una società**, to liquidate (o to wind up) a company **3** (*pagare*) to pay* off; to settle; to liquidate: **l. un debito**, to pay off (o to settle) a debt **4** (*merce*) to sell* off; to clear off; (*merce invenduta*) to remainder: **l. le scorte**, to sell off the stock **5** (*mandar via*) to dismiss; (*sbarazzarsi di*) to get* rid of, to dispose of; (*eufem.*: *uccidere*) to liquidate, to eliminate **6** (*risolvere*) to settle; (*spiegare*) to explain away **7** (*sport*: *sconfiggere*) to trash; to lick.

liquidatóre m. (f. **-trice**) (*leg.*) liquidator; (*ass.*) adjuster; (*di fallimento*) official re-ceiver: **l. d'avaria**, average adjuster; **perito l.**, loss adjuster.

liquidatòrio a. **1** (*leg.*, *fin.*) liquidating **2** (*fig.*) dismissive; brusque.

liquidazióne f. **1** (*di società*) liquidation; winding up: **l. coatta**, compulsory winding-up; **mettere in l. una società**, to wind up a company; **essere messo in l.**, to go into liquidation; to be wound up **2** (*pagamento*) payment; settlement; paying off: **l. di un debito**, settlement (o paying off) of a debt; **l. di una pensione**, payment of a pension **3** (*comm.*) clearance; sale: **l. di fine stagione**, end-of-season sale; **articoli in l.**, sale articles; **prezzi di l.**, knock-down prices; **vendita di l.**, clearance sale **4** (*indennità di fine rapporto*) severance pay; gratuity; (*di dirigente, anche*) golden handshake (*fam.*); (*per pensionamento*) retirement bonus, lump sum **5** (*Borsa*) settlement **6** (*uccisione*) liquidation; elimination ● (*naut.*, *ass.*) **l. di avaria**, average adjustment.

liquidità f. **1** liquidness **2** (*econ.*) liquidity; (*capitali liquidi, anche*) liquid assets (pl.), cash: **l. bancaria**, bank liquidity; **l. di cassa**, cash on hand; **l. finanziaria**, monetary liquidity; **convertire in l.**, to liquidate; **indice di l.**, liquidity (o liquid assets) ratio.

♦**lìquido** Ⓐ a. **1** liquid; fluid; (*fuso*) melted; (*di metallo*) molten: **burro l.**, melted butter; **colla liquida**, liquid glue; **cristallo l.**, liquid crystal; **dieta liquida**, liquid diet; **gas l.**, liquid gas; **lava liquida**, molten lava; **sapone l.**, liquid soap; **sostanza liquida**, fluid substance; *L'inchiostro non è abbastanza l.*, the ink isn't fluid enough; **allo stato l.**, in a liquid state **2** (*econ.*) liquid; ready; available: **capitale l.**, liquid assets (pl.); **denaro l.**, ready cash; **riserva liquida**, liquid reserve; **fondi liquidi**, available funds **3** (*fon.*) liquid Ⓑ m. **1** liquid; fluid: *L'acqua è un liquido*, water is a liquid; (*anat.*). **l. amniotico**, amniotic fluid; (*anat.*) **l. cefalorachidiano**, cerebrospinal fluid; **l. correttore**, correcting fluid; **l. infiammabile**, inflammable fluid; (*autom.*) **l. per freni**, brake fluid **2** (*econ.*) ready money Ⓤ; cash Ⓤ.

liquirizia f. (*bot.*, *Glycyrrhiza glabra*; *i derivati*) liquorice; licorice (*USA*).

liquor (*lat.*) m. inv. (*anat.*) cerebrospinal fluid.

liquóre m. **1** liqueur; (*superalcolico*) spirit, liquor (*USA*): **l. digestivo**, digestive liqueur; *Non bevo liquori*, I don't drink spirits; **cioccolatino al l.**, liqueur chocolate; **tassa sui liquori**, tax on spirits **2** (*lett.*: *sostanza liquida*) liquid.

liquorerìa f. **1** (*negozio*) wine-and-spirits shop (*GB*); liquor store (*USA*) **2** (*distilleria*) liquor distillery **3** (*assortimento di liquori*) selection of spirits.

liquorino m. (*fam.*) small glass of liqueur; snifter (*fam.*).

liquorista m. e f. **1** (*commerciante*) dealer in spirits **2** (*fabbricante*) liquor distiller.

liquorìstico a. liqueur (attr.); (*rif. a superalcolici*) spirits (attr.), liquor (attr.) (*USA*).

liquorizia → **liquirizia**.

liquoróso a. liqueur-like; (*spec. di vino*) sweet.

♦**lìra** ① f. **1** (*unità monetaria italiana prima dell'introduzione dell'euro*) lira*: **diecimila lire**, ten thousand lire; **un biglietto da mille lire**, a thousand-lira note **2** (*unità monetaria di vari paesi*) – **l. egiziana**, Egyptian pound; **l. libanese**, Lebanese pound; **l. sterlina**, pound sterling; **l. turca**, Turkish lira ● **l. verde**, green lira □ **È costato due lire**, it cost next to nothing □ **non avere una l.**, not to have a penny (o a bean; *USA* a cent); to be penniless; to be broke (*fam.*) □ **non valere una l.**, to be worthless.

♦**lìra** ② f. **1** (*mus.*) lyre **2** (*lett.*: *poesia lirica*)

lyric poetry **3** (*astron.*) Lyra **4** (*zool.*, *anche* **uccello l.**) lyrebird.

lìrica f. **1** (*genere lett.*) lyric poetry **2** (*componimento lirico*) lyric poem **3** (*mus.*: *genere lirico*) opera: **amante della l.**, opera lover **4** (*mus.*: *lied*) lied.

liricità → **lirismo**.

liricizzàre v. t. to make* lyrical.

lìrico **A** a. **1** (*lett.*) lyric; lyrical: **poesia lirica**, lyric poetry; **poeta l.**, lyric poet **2** (*d'intonazione lirica*) lyrical: **descrizione lirica**, lyrical description **3** (*mus.*) opera (attr.); operatic: **cantante l.**, opera singer; **genere l.**, opera; **musica lirica**, operatic music; **stagione lirica**, opera season; **teatro l.**, opera house **B** m. (f. **-a**) lyric poet; lyrist.

liriodèndro m. (*bot.*, *Liriodendron tulipifera*) tulip-tree.

lirìsmo m. **1** lyricism **2** (*iron.*) high-flown sentiments (pl.).

lirìsta m. e f. lyre player; lyrist.

liróne m. (*mus.*, *stor.*) lira-viol.

LIS sigla (**lingua italiana dei segni**) Italian Sign Language.

lişàre v. t. (*biol.*) to lyse.

Lisbóna f. (*geogr.*) Lisbon.

lìsca ① f. (*parte legnosa della canapa*) hards (pl.); hurds (pl.).

lìsca ② f. **1** (*di pesce*) fishbone **2** (*pop.*: *difetto di pronuncia*) lisp: **avere la l.** (*o* **parlare con la l.**), to have a lisp; to lisp.

liscézza f. smoothness.

lìscia f. (*strumento da calzolaio*) slicker.

lisciaménto m. **1** smoothing **2** (*fig.*) flattery; blandishment.

lisciàre **A** v. t. **1** (*rendere liscio*) to smooth: **l. un abito** [**un lenzuolo**], to smooth (down) a dress [a sheet]; **lisciarsi i capelli**, to smooth one's hair; (*con liquido, pomata, ecc.*) to slick (back, down) one's hair; (*di animale*) **lisciarsi il pelo**, to lick its fur; to groom itself; **lisciarsi le penne**, to preen its feathers; to preen **2** (*accarezzare*) to stroke: **l. un cane**, to stroke a dog **3** (*fig.*: *adulare*) to flatter, to toady; (*lusingare*) to butter up (*fam.*), to sweet-talk (*fam.*) **4** (*fig.*: *levigare*) to polish **5** (*brunire*) to burnish **6** (*ind. cartaria*) to glaze **7** (*conceria*) to slick; to sleek ● (*edil.*) **l. un muro**, to finish (*o* to dress, to trowel off) a wall (*fig.*) **l. il pelo a q.**, to give sb. a good drubbing **B** **lisciàrsi** v. rifl. **1** (*agghindarsi*) to smarten (oneself) up; to spruce (oneself) up **2** (*di animale*) to groom itself; (*di uccello*) to preen, to preen its feathers.

lisciàta f. **1** smoothing down; (*carezza*) stroke: **darsi una l. ai capelli**, to smooth down one's hair **2** (*fig.*: *adulazione*) flattery; sweet-talk (*fam.*).

lisciàto a. **1** sleek; smooth **2** (*fig.*, *di persona*) spruced up; sleek **3** (*fig.*: *raffinato*) polished.

lisciatóio m. slicker; sleeker.

lisciatóre m. (f. **-trice**) smoother; polisher.

lisciatrìce f. (*mecc.*) polisher.

lisciatùra f. **1** smoothing **2** (*tecn.*) polishing; honing; sleeking; (*piallatura*) planing; (*brunitura*) burnishing; (*di muro*) finishing, dressing, striking **3** (*fig.*: *levigatura*) polishing.

♦**lìscio** **A** a. **1** smooth; (*e lucido*) sleek; (*levigato*) polished: **capelli lisci**, smooth hair; sleek hair; (*non ricciuto*) straight hair; **pelle** [**superficie**] **liscia**, smooth skin [surface]; *Il mare è l. come un olio*, the sea is as smooth as glass; the sea is like a millpond; **fucile a canna liscia**, smooth-bore rifle; **cane a pelo l.**, smooth-haired dog; **l. e impomatato**, sleek and brilliantined **2** (*di alcolico*) neat; straight **3** (*di acqua minerale*) still **4** (*fig.*) simple; clear; plain; straightforward ● **ballo l.**, ballroom dancing ⓤ; ballroom

dance □ **caffè l.**, coffee without milk or sugar □ (*anat.*) **muscolo l.**, smooth muscle □ **passarla liscia**, to get away with it **B** m. **1** (*ballo*) ballroom dancing ⓤ; ballroom dance **2** (*calcio*) miss; missed kick **C** avv. smoothly: **andare** (*o* filare) **l.** (**come l'olio**), to go smoothly.

lisciva (*pop.*) → **liscivia**.

liscivia f. lye.

lisciviàle a. lye (attr.); lixivial.

lisciviàre v. t. **1** (*trattare con liscivia*) to treat with lye **2** (*chim.*) to leach; to lixiviate.

lisciviatóre m. **1** (*chim.*) leacher; lixiviating-tub **2** (*ind. cartaria*) boiler; kier; digester.

lisciviatùra f. (*ind. cartaria*) boiling.

lisciviazióne f. (*chim.*) leaching; lixiviation.

liscóso a. full of bones; bony.

lisèrgico a. – (*chim.*) **acido l.**, lysergic acid.

liseuse (*franc.*) f. inv. **1** (*indumento*) bed-jacket **2** (*mobile*) revolving bookcase.

lìsi f. (*chim.*, *biol.*, *med.*) lysis.

lişièra f. (*ind. tess.*) selvage.

Lisìmaco m. (*stor.*) Lysimachus.

lişìna f. **1** (*biochim.*) lysine **2** (*biol.*: *anticorpo*) lysin.

Lisìppo m. (*stor.*) Lysippus.

♦**lìşo** a. worn; threadbare; frayed: **una giacca lisa sui gomiti**, a jacket worn at the elbows.

lişofòrmio m. (*chim.*) lysoform.

lişogenìa f. (*biol.*) lysogeny.

lişògeno a. (*biol.*) lysogenic.

lişòlo m. (*ind. chim.*) lysol.

lişosòma m. (*biol.*) lysosome.

lişozìma m. (*biol.*) lysozyme.

lìssa f. (*med.*) lyssa; rabies.

♦**lìsta** f. **1** (*striscia*) strip; (*larga*) band, stripe: **una l. di cuoio**, a strip of leather; **un disegno a liste bianche e rosse**, a pattern of red and white stripes **2** (*elenco*) list: **l. degli invitati** [**dei passeggeri**], guest [passenger] list; **l. dei vini**, wine list; **fare una l.**, to make (*o* to draw up) a list; **essere in l.**, to be on the list; **essere il primo della l.**, to be the first on the list; to be at the head of the list; to head the list; **mettere in l.**, to include in (*o* to add to) a list; **mettersi in l.**, to put one's name down; to register; to sign on **3** (*comput.*) list ● **l. d'attesa**, waiting list: **essere in l. di attesa**, to be on the waiting list; to be on stand-by □ **l. di nozze**, wedding list; wedding gift registry; bridal registry (*USA*) □ (*polit.*) **l. elettorale**, (*registro*) electoral register; (*dei candidati*) party list, ticket (*USA*) □ (*fig.*) **l. nera**, blacklist; **mettere q. nella l. nera**, to put (*o* to place) sb. on the blacklist; to blacklist sb.

listàre v. t. **1** to border; to edge **2** (*comput.*) to list.

listàto **A** a. (*bordato*) bordered; edged: **l. a lutto**, black-edged **B** m. (*comput.*) list.

listatùra f. **1** (*il bordare*) bordering; edging **2** (*l'elencare*) listing.

listellàre a. made of strips (pred.).

listèllo m. **1** strip; (*assicella*) lath, splint, spline **2** (*edil.*: *per tegole*) batten **3** (*archit.*, *di modanatura*) fillet, listel; (*di colonna*) cincture.

listèria f. (*biol.*) listeria.

listeriòşi f. (*med.*) listeriosis.

listìno m. list: **l. dei cambi** exchange list; **l. dei prezzi**, price list; **l. di Borsa**, Stock-Exchange list; **mettere in l.**, to list; **prezzo di l.**, list price.

listóne m. **1** long list **2** (*edil.*) plank **3** (*naut.*) rail.

LIT abbr. (*o* **Lit.**) (**lira italiana**) Italian lira.

litanìa f. **1** (*relig.*) litany **2** (*fig.*: *sfilza*) string; litany: **una l. d'ingiurie**, a string of abuse; **una l. di proteste**, a litany of complaints **3** (*fig.*: *lunga storia*) long story; recital: **la solita l.**, the same old story.

litaniàre v. i. (*lett.*) to intone a litany.

litànico a. of a litany; litany-like.

litantràce m. (*miner.*) bituminous coal.

litargìrio m. (*chim.*) litharge.

lìtchi m. inv. (*bot.*, *Litchi chinensis*; *il frutto*) lychee; lichee; litchi.

lìte f. **1** quarrel; argument; row; altercation; wrangle; (*rissa*) fight, brawl, punch-up (*fam. GB*): **attaccare l.**, to pick (*o* to start) a quarrel; *Scoppiò una l. furibonda*, a furious row broke out **2** (*leg.*) suit; lawsuit: **l. pendente**, pending suit; **essere in l. con q.**, to have sued sb.; **muovere** (*o* intentare) **l. a q.**, to bring a suit against sb.; to sue sb.; **vincere** [**perdere**] **una l.**, to win [to lose] one's case.

litìaşi f. (*med.*) lithiasis.

litiàşico a. (*med.*) lithiasic.

lìtico ① a. (*biol.*) lytic.

lìtico ② a. (*chim.*) lithic; lithium (attr.).

lìtico ③ a. (*di pietra*) lithic; stone (attr.).

litigànte m. e f. **1** quarreller; brawler **2** (*leg.*) litigant ● (*prov.*) **Fra due litiganti il terzo gode**, when two dogs fight, a third gets the bone.

♦**litigàre** **A** v. i. **1** to quarrel; to fight*; to have a row; to wrangle; (*con un amico*, *anche*) to fall* out; (*per motivi futili*) to squabble, (*di innamorati*) to have a tiff; (*fare una rissa*) to brawl: **l. per questioni di denaro**, to quarrel over money matters; **l. per una sciocchezza**, to squabble over a trifle; *I vicini non fanno che l.*, our neighbours are always fighting (*o* have endless rows); *«E Giorgio?» «Abbiamo litigato»*, «what about Giorgio?» «we've fallen out» **2** (*leg.*) to litigate **B** **litigàrsi** v. t. to quarrel over (*o* about).; to wrangle over: *Si litigano l'automobile*, they are wrangling over the car **C** v. rifl. recipr. to quarrel; to fight*; to fall* out.

litigarèllo a. (*schez.*) quarrelsome; full of bickering.

litigàta f. quarrel; row; squabble.

litighìno m. (f. **-a**) quarrelsome person; troublemaker.

♦**litìgio** m. quarrel; row; wrangle; altercation (*form.*); (*per motivi futili*) squabble, tiff, spat (*USA*): **continui litigi**, endless rows; **un l. tra innamorati**, a lovers' tiff.

litigiosità f. **1** quarrelsomeness **2** (*leg.*) litigiousness.

litigióşo a. **1** quarrelsome; argumentative: **bambino l.**, quarrelsome child **2** (*leg.*) litigious.

litigóne m. (f. **-a**) quarrelsome person; troublemaker.

lìtio m. (*chim.*) lithium.

litióşo a. (*chim.*) lithic; lithium (attr.).

litisconsòrte m. e f. (*leg.*) co-litigant; co-party; (*attore*) co-plaintiff; (*convenuto*) co-defendant.

litisconsòrzio m. (*leg.*) joinder of parties.

litispendènza f. (*leg.*) **1** simultaneous pendency of two identical lawsuits before different judges **2** pendency.

litoceràmica f. stoneware; stone china.

litòclaşi f. (*geol.*) lithoclase.

litoclastìa → **litotripsia**.

litòdomo m., **litòfaga** f. (*zool.*, *Lithodomus lithophaga*) lithodomous; date mussel; stone borer.

litòfago a. (*zool.*) lithophagous; stone-boring.

litofanìa f. (*decorazione*) lithophane.

litòfita f. (*bot.*) lithophyte.

litofotografìa f. photolithography.

litofotogràfico a. photolithographic.

litogènesi f. (*geol.*) lithogenesis.

litogenètico a. lithogenous.

litòglifo m. lithoglyph.

litografàre v. t. to lithograph.

litografìa f. **1** (*procedimento*) lithography **2** (*riproduzione*) lithograph **3** (*stabilimento*) lithographic printing works.

litogràfico a. lithographic: **pietra litografica**, lithographic limestone; **riproduzione litografica**, lithograph print; lithograph.

litògrafo m. (f. **-a**) lithographer.

litòide a. lithoid.

litolàtra A a. litholatrous; stone-worshipping B m. e f. stone-worshipper.

litolatrìa f. litholatry; stone-worship.

litologìa f. (*geol.*, *med.*) lithology.

litològico a. (*geol.*, *med.*) lithologic.

litopèdio m. (*med.*) lithopedion.

litopóne, **litòpono** m. (*chim.*) lithopone.

litoràle A a. coastal; coast (attr.); littoral (*scient.*) B m. coast; coastline; shore; shoreline; littoral (*scient.*): **il l. adriatico**, the Adriatic coast.

litorànea f. (*strada l.*) coast road.

litoràneo a. coast (attr.); shore (attr.); littoral (*scient.*): **strada litoranea**, coast road.

litorìna f. (*zool.*, *Litorina neritoides*) periwinkle; winkle.

litosfèra f. (*geol.*) lithosphere.

litostratigrafìa f. (*geol.*) lithostratigraphy.

litostròto m. (*archeol.*) tessellated pavement.

litòte f. (*retor.*) litotes*.

litotèca f. collection of minerals.

litotomìa f. (*chir.*) lithotomy.

litòtomo m. (*chir.*) lithotome.

litotripsìa f. (*med.*) lithotrity; (*a onde d'urto*) lithotripsy.

litotritóre m. (*med.*) lithotrite; (*a onde d'urto*) lithotriptor.

♦**litro** m. litre, liter (*USA*): **mezzo l.**, half a litre; **bottiglia da mezzo l.**, half-litre bottle; **vendere a litri**, to sell by the litre.

littóre m. (*stor. romana*) lictor.

littorina ① → **litorina**.

littorina ② f. (*ferr.*) diesel rail-car.

littòrio A a. **1** (*stor. romana*) of the lictors: **fascio l.**, fasces (of the Roman lictors) **2** (*fascista*) Fascist B m. (the) Italian Fascist Party; Fascism ● **Gioventù del L.**, Italian Fascist youth organization.

Lituània f. (*geogr.*) Lithuania.

lituàno a. e m. (f. **-a**) Lithuanian.

lìtuo m. (*stor.*) lituus*.

liturgìa f. **1** (*eccles.*) liturgy; ritual; rites (pl.) **2** (*fig.*) ritual; ceremony.

litùrgico a. liturgical: **anno l.**, liturgical year; **calendario l.**, liturgical calendar ● **dramma l.**, mystery play □ **musica liturgica**, church (*o* sacred) music.

liturgista m. e f. liturgist.

liutàio m. (*fabbricante di strumenti a corda*) luthier; (*fabbricante di liuti*) lute-maker.

liuterìa f. **1** (*arte*) luthier's art; art of making stringed instruments **2** (*laboratorio*) luthier's workshop; lute-maker's shop.

liutista m. e f. lutenist, lutanist; lute-player; lutist.

liùto m. lute.

live (*ingl.*) A a. inv. (*dal vivo*) live: **spettacolo l.**, live show; **registrazione l.**, live recording B m. inv. live concert; live performance.

livèlla f. level: **l. a bolla d'aria**, spirit level; **l. a cannocchiale**, surveyor's level; dumpy level; **l. ad acqua**, water level.

livellaménto m. **1** levelling, leveling (*USA*); levelling out (*o* off) **2** (*fig.*) levelling out (*o* off); equalization: **l. dei prezzi**, levelling off of prices **3** (*fin.*) adjustment.

livellàre ① A v. t. **1** (*spianare*) to level; to level out (*o* off) **2** (*fig.*) to level; to level out (*o* off); to equalize; (*pareggiare*) to balance, to even out B **livellàrsi** v. i. pron. to level out; to even out.

livellàre ② a. level (attr.).

livellàre ③ v. t. (*leg.*) to lease by emphyteusis.

livellàre ④ a. (*leg.*) emphyteutical.

livellatóre A a. levelling, leveling (*USA*) B m. (f. **-trice**) leveller, leveler (*USA*).

livellatrice f. (*mecc.*) bulldozer; grader.

livellatùra f. livellazióne f. levelling, leveling (*USA*).

♦**livèllo** ① m. **1** (*superficie*) level: **l. del mare**, sea level: **sopra [sotto] il l. del mare**, above [below] sea level; (*autom.*) **l. dell'olio**, oil level; **a l. del terreno**, at ground level **2** (*piano*) level; tier; (*strato, anche geol.*) layer: **livelli di significato**, layers of meaning; **struttura a due livelli**, two-tier structure; **allo stesso l. di**, on a level with; level with **3** (*fig.: grado, valore*) level, grade, order, rank; (*qualità*) standard: **l. avanzato**, advanced level; **di l. avanzato**, advanced; **l. di importanza**, order of importance; **l. d'istruzione**, level of education; standard of education; **l. di reddito**, income level; **l. di vita**, standard of living; **l. energetico**, energy level; **l. medio**, average level; **di l. medio**, average; **l. salariale**, wage level; **l. sociale**, social level; **livelli di qualità**, quality standards; *Il l. generale è molto basso*, the general standard is very low; **a l. locale**, at local level; local; **a l. mondiale**, world-wide (avv. e agg.); **ad alto l.**, high-level (attr.); high-ranking; top-level (attr.); top-ranking; **conferenza ad alto l.**, top-level (*o* summit) meeting; **al massimo l.**, at the highest level; top-level (attr.); **allo stesso l. di**, on the same level as; on a par with; **mettere ogni cosa allo stesso l.**, to place everything on the same plane; **mantenersi allo stesso l. di**, to keep level with; **di basso l.**, low-level (attr.); low-grade (attr.); **impiegato di basso l.**, low-grade clerk; **sotto al l. normale**, below standard; *Non sono al tuo l.*, I'm not on your level **4** (*strumento topografico*) surveyor's level; dumpy level **5** (*comput.*) layer: **l. di collegamento dati**, data link layer; **l. rete**, network layer ● **l. di guardia**, danger level; (*fig.*) danger point ● (*naut.*) **l. di scarico**, unladen immersion line □ (*fis.*) **l. elettronico**, shell □ **l. massimo**, peak; high; (*di prezzi*) ceiling □ **l. minimo**, low; (*di prezzi*) floor □ **decisione a l. ministeriale**, ministerial decision □ **Non voglio cadere a quei livelli!**, I don't want to sink so low □ (*cartografia*) **linea di l.**, contour line □ (*ferr.*) **passaggio a l.**, level crossing □ **segno del l. dell'alta marea**, high-water mark.

livèllo ② m. (*leg.*) emphyteusis ● **libero da livelli e censi**, freehold.

lividézza f. lividness; leaden colour; (*pallore*) ghastly pallor, ashen colour.

lìvido A a. **1** (*bluastro*) livid; blue: **l. di freddo**, blue with cold **2** (*plumbeo*) livid; leaden: **cielo l.**, livid (*o* leaden) sky **3** (*fig.*) livid; pale: **l. d'invidia**, green with envy; **l. di rabbia**, livid (*o* pale) with rage B m. bruise: **coperto di lividi**, covered with bruises; bruised all over; black and blue (pred.); **farsi un l. sulla gamba**, to bruise one's leg; (*fam.*) **riempire q. di lividi**, to beat sb. black and blue.

lividóre m. → **lividezza**.

lividùra f. → **livido**.

lìving (*ingl.*) m. inv. living-room; lounge.

Livio m. (*stor., letter.*) Livy.

livóre m. spiteful envy; spite; envy.

livornése A a. of Leghorn; from Leghorn; Leghorn (attr.) ● (*zool.*) **razza l.**, Leghorn B m. e f. native [inhabitant] of Leghorn.

Livórno f. (*geogr.*) Leghorn.

livrèa f. **1** livery: **autista in l.**, liveried chauffeur; **servitore in l.**, liveried servant; flunkey **2** (*zool.*) plumage.

lìzza f. (*stor. e fig.*) lists (pl.): **scendere (*o* entrare) in l.**, to enter the lists.

LL.PP. sigla (**lavori pubblici**) public works.

LN sigla (**luna nuova**) new moon.

LNI sigla (**Lega navale italiana**) Italian Naval Association.

♦**lo** ① art. determ. m. sing. → **il**.

♦**lo** ② pron. pers. e dimostr. 3ª pers. sing. m. **1** (ogg.: *rif. a persona o maschio di animale*) him; (*rif. a imbarcazione*) her; (*a cosa o animale generico*) it: *Lo amo*, I love him; *Chiamalo*, call him; *Lo bevo spesso*, I often drink it; *Fallo!*, do it!; *L'autore? eccolo*, the author? here he is; *Il copione? eccolo!*, the script? here it is **2** (*nel senso di «ciò», «questo»*) – Non lo farò, I won't do it; *Lo so*, I know; *Dimmelo!*, tell me!; *Non lo credi?*, (*non pensi?*) don't you think so?; (*non ci credi?*) don't you believe it?; *Lo dicevo, io!*, I told you so! **3** (*nel senso di «tale»*) – Si crede furbo ma non lo è, he thinks he's smart, but he isn't.

LO abbr. (**Lodi**).

lob (*ingl.*) m. inv. (*tennis*) lob.

lobàre a. (*scient.*) lobal.

lobàto a. (*bot., zool.*) lobed; lobate.

lòbbia f. e m. trilby (hat); homburg (hat).

lobbìsmo m. lobbying.

lobbìsta m. e f. lobbyist.

lobbìstico a. lobby (attr.).

lòbby (*ingl.*) f. inv. (*banca, polit.*) lobby.

lobectomìa f. (*chir.*) lobectomy.

lobèlia f. (*bot., Lobelia*) lobelia.

lobelìna f. (*farm.*) lobeline.

lòbo m. (*anat., biol.*) lobe: **l. dell'orecchio**, (ear) lobe; **l. frontale**, frontal lobe.

lobotomìa f. (*chir.*) lobotomy.

lobotomizzàre v. t. (*chir.*) to lobotomize.

lobotomizzàto (*chir.*) A a. lobotomized B m. (f. **-a**) lobotomized person.

lobulàre a. (*anat.*) lobular.

lobulàto a. (*anat.*) lobulated.

lòbulo m. (*anat.*) lobule.

LOC sigla (**Lega obiettori di coscienza**) Conscientious Objectors League.

♦**locàle** ① a. local: **anestesia l.**, local anaesthesia; **colore l.**, local colour; **ente l.**, local authority; **la stampa l.**, the local press; **treno l.**, slow (*o* stopping) train; **a livello l.**, local (agg.); locally (avv.).

♦**locàle** ② m. **1** (*stanza, ambiente*) room; apartment (*GB*) ● **l. delle caldaie**, boiler room; (*naut.*) stokehold; **l. di servizio**, utility room; **l. macchine**, engine room; **tre locali più servizi**, three rooms, kitchen and bathroom **2** (*spesso al pl.*) (*sede di qc.*) premises (pl.); (*per uso temporaneo*) venue (sing.): **trasferirsi in locali nuovi**, to move to new premises; *Non hanno trovato un l. adatto per la riunione*, they didn't find a suitable venue for the meeting **3** (*ritrovo pubblico*) place; restaurant; bar; club: **un l. alla moda**, a fashionable place; **l. da ballo**, dance hall; **l. notturno**, night-club; **un l. frequentato da giornalisti**, a favourite haunt of journalists **4** (*treno l.*) slow (*o* stopping) train ❶ **FALSI AMICI** ● locale *non si traduce con* local.

localismo m. local policies (pl.); local interests (pl.).

localista m. e f. supporter of local interests.

a b c d e f g h i j k l m n o p q r s t u v w x y z

localistico a. local-policy (attr.).

◆**località** f. place; locality; (*di villeggiatura*) resort: **l. balneare**, seaside (*o* bathing) resort ● (*bur.*) **in l. Montebello**, at Montebello.

localizzàbile a. **1** locatable **2** (*che si può circoscrivere*) localizable.

localizzàre A v. t. **1** (*determinare la posizione, individuare*) to locate: **l. un relitto**, to locate a wreck **2** (*circoscrivere*) to localize; to control: **l. un'epidemia**, to localize an epidemic **3** (*situare*) to locate; to place **4** (*comput.*) to localize B **localizzàrsi** v. i. pron. to be localized; to localize; to be limited.

localizzàto a. **1** (*situato*) located; situated; placed **2** (*circoscritto*) localized; local.

localizzatóre m. detector; finder; locator; localizer: **l. di guasti**, fault finder; **l. ultrasonico**, eco-ranging sonar.

localizzazióne f. **1** (*individuazione*) location; detection **2** (*ubicazione*) location; localization **3** (*delimitazione*) localization **4** (*psic.*) localization **5** (*comput.*) localization.

locànda f. inn.

locandière m. (f. **-a**) innkeeper; landlord (f. landlady).

locandìna f. **1** (*teatr.*) playbill **2** (*di edicola*) headline board.

locàre v. t. (*affittare*) to let* (out); to rent (out) (*USA*).

locatàrio m. (f. **-a**) lessee; (*inquilino*) tenant.

locativo ① a. (*leg.*) rental: **valore l.**, rental value.

locativo ② a. e m. (*gramm.*) locative.

locatìzio a. (*leg.*) lease (attr.): **canone l.**, leasing rental (*o* rent); **contratto l.**, lease.

locatóre m. (f. **-trìce**) (*leg.*) lessor; (*di bene immobile*) landlord (f. landlady).

locatòrio a. of the lessor; of the landlord.

locazióne f. (*leg., fin.*) leasing; lease; (*di bene immobile*) tenancy, occupancy; (*di macchinari e sim.*) hiring, hire: **l. a breve [a lungo] termine**, short-term [long-term] lease: **l. a vita**, tenancy for life; **l. con clausola di riscatto**, lease option; **l. senza riscatto**, closed-end lease; **l. di abitazione**, house lease; **l. di suolo**, land lease; **l. finanziaria**, leasing; finance lease; **in l.**, on lease; on hire; **dare in l.**, to lease; (*un immobile*) to let (out), to rent (out) (*USA*); **prendere in l.**, to rent; to lease; **contratto di l.**, lease ❶ **FALSI AMICI** ● **locazione** *non si traduce* con location.

loc. cit. abbr. (*lat.*) (*loco citato*) (**luogo citato**) in the place (already) cited (loc. cit.).

lòchi m. pl. (*med.*) lochia.

lòco m. (*lett.*) place: (*lett.*) **il l. natìo**, one's birthplace ● **una decisione presa in alto l.**, a decision from on high □ **persone in alto l.**, people in high places □ **in l.** → **in loco**.

locomòbile m. (*mecc.*) portable steam-engine.

locomotìva f. (railway) engine; locomotive: **l. a vapore**, steam-engine; **l. articolata**, articulated locomotive; **l. con serbatoio**, tank locomotive; **l. elettrica**, electric locomotive ● (*fig.*) **fare da l.**, to be a driving force □ **sbuffare come una l.**, to puff and pant.

locomotóre A m. electric (railway) engine; electric locomotive B a. locomotor.

locomotòrio a. (*fisiol.*) locomotor; locomotory: **atassia locomotoria**, locomotor ataxia.

locomotorìsta m. engine driver.

locomotrìce f. electric (railway) engine; electric locomotive.

locomozióne f. locomotion ● **mezzi di l.**, means of transport; vehicles.

lòculo m. **1** burial niche **2** (*archeol.*) loculus*.

lòcus m. (*biol.*) locus*.

locùsta f. (*zool., Locusta migratoria*) locust.

locutìvo, locutòrio a. (*ling.*) locutionary.

locuzióne f. phrase; expression; (*espressione idiomatica*) idiom, idiomatic phrase, locution.

lodàbile a. praiseworthy; laudable.

lodabilità f. praiseworthiness.

lodàre A v. t. **1** (*elogiare*) to praise: **l. q. per avere fatto qc.**, to praise sb. for doing st.; *Lo lodai per il suo lavoro*, I praised his work **2** (*glorificare*) to praise; to laud (*lett.*): *Sia lodato Dio!*, praise be to God!; God be praised!; *Sia lodato il cielo!*, thank heavens! B **lodàrsi** v. rifl. (*vantarsi*) to praise oneself; to boast; to brag ● (*prov.*) **Chi si loda s'imbroda**, self-praise is no recommendation.

lodatìvo a. laudatory; eulogistic.

lodatóre m. (f. **-trìce**) praiser; (*adulatore*) flatterer.

lòde f. **1** (*elogio*) praise Ⓤ: **meritare una l.**, to deserve praise; **un coro di lodi**, a chorus of praise; **una poesia in l. di q.**, a poem in praise of sb.; **degno di l.**, praiseworthy **2** (*glorificazione*) praise; glory; laud (*lett.*): **dare (*o* rendere) l. a Dio**, to praise God; to give praise unto God (*lett.*); *Sia l. a Dio*, praise be to God; God be praised **3** (*merito*) merit; credit: **tornare a l. di q.**, to be to sb.'s credit ● **a l. del vero**, to tell the truth □ **cantare (*o* tessere, fare) le lodi di**, to sing the praises of □ **dieci e l.**, ten out of ten; (*fig.*) full marks, top grades (*USA*) □ **laurearsi con la l.**, to graduate with honours; to get a first--class degree (*fam.* a first) (*GB*) to graduate summa cum laude (*USA*) □ **senza infamia e senza l.**, without praise or blame; middling (agg.); average (agg.) □ **tessere le proprie lodi**, to blow one's own trumpet.

lòden (*ted.*) m. inv. **1** (*panno*) loden (cloth) **2** (*cappotto*) loden coat.

lodévole a. praiseworthy; commendable; laudable; creditable; deserving.

lodevolménte avv. laudably; commendably; admirably.

lòdo m. (*leg.*) (arbitrator's) award.

lòdola f. (*zool.*) **1** → **allodola 2** – **l. capelluta** (*Galerida cristata*), crested lark; **l. dalla gola gialla** (*Eremophila alpestris flava*), shorelark; horned lark (*USA*); **l. dei prati** (*Lullula arborea*), woodlark.

lodolàio m. (*zool., Falco subbuteo*) hobby.

Lodovico m. Ludovic.

Loess (*ted.*) m. inv. (*geol.*) loess; löss.

lòffa, lòffia f. (*region.*) wind; fart (*volg.*).

lòffio a. (*region.: insulso*) dull; insipid; weak.

lòfio m. (*zool., Lophius piscator*) angler; fishing-frog.

loft (*ingl.*) m. inv. (*converted*) loft.

logarìtmico a. (*mat.*) logarithmic: **curva [spirale] logaritmica**, logarithmic curve [spiral].

logarìtmo m. (*mat.*) logarithm (abbr. log): **l. addizionale**, addition logarithm; **l. decimale**, common logarithm; **l. di sottrazione**, subtraction logarithm; **l. naturale**, natural logarithm; **tavole dei logaritmi**, tables of logarithms.

lòggia f. **1** (*archit.*) loggia*; open gallery; balcony **2** (*massonica*) lodge **3** (*anat.*) cavity **4** (*bot.*) loculus*.

loggiàto m. portico; open gallery.

loggióne m. (*teatr.*) gallery; (the) gods (*fam.*) ● (*anche fig.*) **recitare per il l.**, to play to the gallery.

loggionìsta m. e f. (*teatr.*) spectator sitting in (*o* among) the gods.

◆**lògica** f. logic: **l. aristotelica**, Aristotelian logic; **la l. dei fatti**, the logic of events; **la l. di una scelta politica**, the logic behind a political choice; **l. formale**, formal logic; **l.** simbolica, symbolic logic; **l. stringente**, strict logic; *Dev'esserci una qualche l. in ciò che ha fatto!*, there must be some logic behind what she did!; **agire senza l.**, to act illogically; **seguire la propria l.**, to act according to one's own logic; **privo di l.**, without logic; illogical; inconsistent; **a fil (*o* a rigor) di l.**, logically speaking; **al di fuori di ogni logica**, outside all logic.

logicaménte avv. **1** logically **2** (*naturalmente*) naturally; obviously; of course; logically.

logicìsmo m. (*filos.*) logicism.

logicìsta m. e f. (*filos.*) logicist.

logicità f. logicality; rationality.

◆**lògico** A a. **1** logical; (*coerente*) consistent: **conseguenza logica**, logical consequence; **mente logica**, logical mind; **principi logici**, logical principles; **spiegazione logica**, logical explanation; *Siamo logici!*, let's be logical! **2** (*naturale*) natural; logical; (*ovvio*) obvious: **la cosa logica da fare**, the obvious thing to do; **com'è l.**, as is natural **3** (*comput.*) logic; logical: **circuito l.**, logic circuit; **errore l.**, logical error; **istruzione logica**, logical instruction B m. (f. **-a**) logician.

login m. inv. (*ingl., comput.*) login; logon.

logìsta m. (*stor.*) logistician.

logìstica f. **1** (*mil.*) logistics (pl. col verbo al sing.) **2** (*filos.*) logistic.

logìstico a. logistic; supply (attr.) ● **servizi logistici**, supplies and communications.

loglierèlla f. (*bot., Lolium perenne*) rye-grass.

lòglio m. (*bot., Lolium temulentum*) darnel ● (*fig.*) **separare il grano dal l.**, to separate the wheat from the chaff.

lògo m. (*org. az.*) logo: **l. aziendale**, company (*o* corporate) logo.

logografìa f. logography.

logogràfico a. logographic.

logògrafo m. logographer.

logogràmma m. logogram; logograph.

logogrìfo m. logogriph.

logomachìa f. (*letter.*) logomachy.

logon → **login**.

logopatìa f. (*med.*) speech disorder.

logopàtico a. (*med.*) suffering from a speech disorder; speech-impaired.

logopedìa f. (*med.*) speech therapy; logopedics (pl. col verbo al sing.) (*USA*).

logopédico a. speech-therapy (attr.); speech-therapeutic.

logopedìsta m. e f. speech therapist.

logoplegìa f. (*med.*) logoplegia.

logoràbile a. subject to wear.

logorabilità f. liability to wear.

logoraménto m. **1** wear; wearing out; wear and tear **2** (*affaticamento*) strain; stress: **l. dei nervi**, nervous strain; nervous exhaustion **3** (*deterioramento*) deterioration; attrition; **l. della salute**, deterioration of health; **guerra di l.**, war of attrition.

logorànte a. **1** wearing **2** (*fig.*) wearing; exhausting; draining.

logoràre A v. t. **1** to wear* out; to wear* down: **l. i gomiti**, to wear out one's elbows; **l. scarpe**, to wear out shoes **2** (*fig.*) to wear* out, to wear* down; (*danneggiare*) to impair, to damage, to ruin: **l. i nervi a q.**, to fray sb.'s nerves; to wear sb. out; **logorarsi la salute**, to ruin one's health; **logorarsi la vista**, to ruin (*o* to impair) one's sight; *La malattia lo ha logorato*, his illness has taken it out of him; **essere logorato dall'ansia**, to be worn out with anxiety B **logoràrsi** v. i. pron. **1** (*di cosa*) to wear* out (*o* down); to wear* thin: *Questa stoffa si logora presto*, this material wears out quickly; *Questi tacchi si stanno logorando*, the heels of these shoes are wearing down **2** (*di persona*) to

wear* oneself out; to exhaust oneself.

logoràto a. **1** worn-out; worn-down; worn **2** (*fig.*) worn-out; wasted away.

logorio m. wear and tear; (*fig.*, *anche*) strain; stress: **il l. dei nervi**, the stress on the nerves; **il l. della vita moderna**, the strain and stress of modern life.

lógoro ① a. worn-down; worn-out; (*liso*) threadbare; (*malconcio*) battered: **abiti logori**, worn-out (*o* threadbare) clothes; **un cappellaccio l.**, a battered old hat; **un golf l. sui gomiti**, a jumper worn out at the elbows; **nervi logori**, frayed nerves; **scarpe logore**, worn-down shoes.

lógoro ② m. (*falconeria*) lure.

logorrèa f. **1** (*med.*) logorrhea **2** (*fig.*) verbosity; long-windedness; logorrhea; garrulity; verbal diarrhoea (*fam.*).

logorròico a. **1** (*med.*) logorrheic **2** (*chiacchierone*) verbose; long-winded; logorrheic; garrulous.

lògos m. (*filos.*, *relig.*) logos.

logoterapèuta m. e f. speech therapist.

logoterapìa f. (*med.*, *psic.*) speech therapy.

logotèta m. (*stor.*) logothete.

logotìpo m. **1** (*tipogr.*) logotype **2** → **logo.**

logout m. inv. (*ingl.*, *comput.*) logout; log-off.

lokum m. inv. Turkish delight Ⓤ.

lolìta f. Lolita; nymphet.

lòlla f. chaff; husks (pl.).

lombàggine f. (*med.*) lumbago.

lombalgìa f. (*med.*) backache.

Lombardìa f. (*geogr.*) Lombardy.

lombàrdo a. e m. (f. **-a**) Lombard.

lombàre a. (*anat.*) lumbar: (*med.*) **puntura l.**, lumbar puncture; spinal tap; **la regione l.**, the lumbar region.

lombàta f. (*macelleria*) loin; chine.

lómbo m. **1** (*anat.*) loin **2** (*di animale macellato*) loin; (*di manzo*) sirloin **3** (*fianco*) hip **4** (*fig. iron.*: *stirpe*) line; stock ● **avere buoni lombi**, to be strong and healthy.

lombosacràle a. (*anat.*) lumbo-sacral.

lombricàio m. **1** soil full of earthworms **2** (*fig.*) hovel; den.

lombricàle a. lumbrical: (*anat.*) **muscolo l.**, lumbrical (muscle).

lombricoltóre m. earthworm breeder.

lombrìco m. (*zool.*, *Lumbricus*) earthworm; worm.

lombricoltùra, **lombricicoltùra** f. earthworm breeding.

loménto m. (*bot.*) loment; lomentum*.

lómpo m. (*zool.*, *Cyclopterus lumpos*) lumpfish.

londinése Ⓐ a. London (attr.): **un albergo l.**, a London hotel Ⓑ m. e f. Londoner.

Lóndra f. (*geogr.*) London.

long. abbr. (*geogr.*, **longitudine**) longitude (long.).

lònga mànus (*lat.*) loc. f. inv. hidden hand.

longànime a. forbearing; tolerant.

longanimità f. forbearance; tolerance.

longarìna → **longherina**.

longaróne → **longherone**.

longevità f. longevity.

longèvo a. long-lived; living to a ripe old age.

longherìna f. **1** stringer; (*edil.*) iron girder; (*naut.*) ribband **2** (*ferr.*) sleeper; tie (*USA*) ● (*edil.*) **l. di fondazione**, mudsill.

longheróne m. **1** (*mecc.*) side-member; (*autom.*) backstay **2** (*aeron.*, *di fusoliera*) longeron; (*di ala*) spar: **l. a cassone**, box spar; **l. anteriore**, front spar; **l. inferiore**, sub-spar.

longilìneo a. long-limbed.

longitìpico a. (*anat.*) long-limbed.

longitìpo m. (*anat.*) long-limbed type.

longitudinàle a. **1** (*geogr.*) longitudinal **2** longitudinal; lengthwise: **asse l.**, longitudinal axis.

longitudinalménte avv. longitudinally; lengthwise; lengthways: **tagliare qc. in due l.**, to cut st. in half lengthwise.

longitùdine f. longitude: (*astron.*) **l. celeste**, celestial longitude; **l. est** [**ovest**], longitude east [west]; **l. in ore e minuti** [**in gradi**], longitude in time [in arc]; **l. stimata**, estimated longitude; **grado di l.**, degree of longitude; **trenta gradi di l.**, thirty degrees longitude; **a 22 gradi di l. est**, at a longitude of 22 degrees east; at an eastern longitude of 22 degrees; at longitude 22° East.

longobàrdico a. Lombardic.

♦**longobàrdo** a. e m. Lombard.

long playing (*ingl.*) Ⓐ a. inv. long-playing (abbr. LP) Ⓑ m. inv. long-playing record; long-player; LP.

lontanaménte avv. **1** distantly; remotely **2** (*vagamente*) vaguely; faintly ● **Non sospettavo neppure l. che...**, I hadn't the slightest suspicion that... □ **Non ci penso neppure l.** (*non intendo farlo*), I haven't got the slightest intention of doing it.

♦**lontanànza** f. **1** (*distanza*) distance; remoteness: **in l.**, in the distance **2** (*l'essere lontano*) being away; (*assenza*) absence; (*separazione*) separation: *Non riesce ad accettare la l. da casa*, he can't reconcile himself to being away from home; **gli anni della nostra l.**, the years of our separation.

♦**lontàno** Ⓐ a. **1** (*nello spazio*) far-away; far-off; far; distant; remote; (*spesso all'agg. ital. fanno riscontro un avv. o una loc. avv. ingl.*) far away, far off, far, a long way off; (*lontano da qui*) far from here; (*lontano dal centro cittadino*) far out; (*con una misura precisa*) away; (*in lontananza*) in the distance; (*separati*) far apart (avv.): **gli amici vicini e lontani**, friends near and far; **una città lontana**, a far-off city; **un paese l.**, a far-off (*o* distant) country; **una terra lontana**, a distant (*o* far-away) land; **il l. Oriente**, the Far East; *Mio padre è l.*, my father is far away; *Parigi è lontana*, Paris is far away (*o* far from here); *La scuola è lontana*, the school is a long way off; *Il bivio è l. tre miglia*, the junction is three miles away (*o* from here); *È lontana la scuola?*, is the school far away?; is it far to the school?; *La loro casa è troppo lontana* (*dal centro, dalla città*), their house is too far out; *Vivono lontani* (*l'uno dall'altro*), they live far apart (*o* a long way from one other); **più l.**, farther; further; **il più l.**, the farthest (*o* furthest); the farthermost; **nel punto più l.**, on the farthest point **2** (*nel tempo*) distant; remote; far-off; early: **un l. antenato**, a remote ancestor; **un l. passato**, the remote (*o* distant) past; **un l. ricordo**, a distant memory; *Gli esami erano ancora lontani*, exams were still far off; **nel l. 1910**, back in 1910; **in tempi lontani**, in far-off times **3** (*fig.*) far; distant; remote: **un parente l.**, a distant relative **4** (*fig.*: *vago*) remote; faint; slight; dim; foggy (*fam.*): **un l. sospetto**, a faint suspicion; **una lontana somiglianza**, a remote (*o* faint; distant) resemblance **5** (*assente*) absent: *Brindiamo agli amici lontani!*, let's drink a toast to absent friends! ● **accennare a qc. alla lontana**, to make a vague mention of st.; to hint vaguely at st. □ **parenti alla lontana**, distant relatives □ **prenderla alla lontana**, to go a long way about saying st. □ (*al telef.*) *Ti sento l.!*, I can hardly hear you □ **tenere l. qc.**, to stave off st. Ⓑ avv. far from here [there]; far away; far off; away; a long way

(off); far (solo nelle frasi interr. e neg.): (*anche fig.*) **andare l.**, to go far; *Dobbiamo andare l.*, we have a long way to go; *È andato l., chissà dove*, he went away, who knows where; *Abito l.* (*di qui*), I live far from here (*o* a long way away); *Non ci vedo così l.*, I can't see as far as that; **più l.**, farther (off, away); further (off, away); **il più l.** (*nel punto più l.*), the farthest; the furthest; **andare più l.**, to go further off; **andare il più l. possibile**, to go as far away as possible; **di** (*o* **da**) **l.**, from a distance; from far away; from afar (*lett.*); **vederci bene da l.**, to be far-sighted; to see well at a distance; **venire da l.**, to come from afar; **da l. e da vicino**, from near and afar ● **l. nel futuro**, in the distant future □ **l. nel passato**, far back in the past □ **l. l.**, far, far away □ **l. vide una luce**, far away in the distance he saw a light □ (*fig.*) **mirare l.**, to aim high □ (*fig.*) **vedere l.**, to be far-sighted Ⓒ lontano da loc. prep. far from; away from: **l. da casa**, far from home; (*assente*) away from home; **l. dal mare**, far from the sea; **l. dalla perfezione**, far from perfect; **l. dalla portata dei bambini**, out of the reach of children; **l. dal vero**, far from the truth; **molto l. da**, very far from; a long way from; *Ero l. dal crederlo...*, I was far from believing that...; *Sta' l. da me!*, stay away from me!; **tenere q. l. da qc.**, to keep sb. away from st.; **tenersi l. da tutti**, to keep away from everybody ● (*prov.*) **L. dagli occhi l. dal cuore**, out of sight, out of mind.

lóntra f. (*zool.*, *Lutra lutra*; *pelliccia*) otter ● **l. marina** (*Enhydra lutris*), sea otter.

lónza ① f. (*zool.*, *stor.*) leopard; ounce; lynx.

lónza ② f. (*cucina*) **1** loin (of pork) **2** (*tipo di salume*) sausage (made from the loin of pork).

look (*ingl.*) m. inv. **1** (*aspetto*) appearance; look; image: **cambiare il l.** (*o farsi un nuovo l.*), to have a makeover; **curare il proprio l.**, to be image-conscious **2** (*moda*) look: **il nuovo l. per l'inverno**, the new winter look.

lòppa f. **1** (*di cereale*) chaff; husks (pl.) **2** (*metall.*) slag; dross.

lòppio m. (*bot.*) maple, maple-tree.

loppóne m. (*bot.*) sycamore.

loquàce a. **1** talkative; loquacious; chatty; garrulous **2** (*fig.*: *eloquente*) eloquent.

loquacità f. talkativeness; loquacity; chattiness; garrulity.

loquèla f. (*lett.*) **1** (*facoltà di parlare*) (power of) speech **2** (*modo di parlare*) way of speaking; way of talking.

lòran m. (*naut.*, *aeron.*) loran.

lorànto m. (*bot.*, *Loranthus europaeus*) loranthus; mistletoe.

lord (*ingl.*) m. inv. **1** lord: **il L. Cancelliere**, the Lord Chancellor **2** (*fig. fam.*) lord; gentleman ● **vestirsi come un l.**, to be extremely elegant □ *Sembra il piccolo L.*, he looks like Little Lord Fauntleroy.

lordàre Ⓐ v. t. **1** to dirty; to soil; to foul **2** (*fig.*) to soil; to besmirch Ⓑ **lordàrsi** v. rifl. to dirty oneself.

lordézza → **lordume**.

lórdo a. **1** dirty; filthy; stained: **l. di sangue**, blood-stained **2** (*comm.*) gross: **peso l.**, gross weight; **reddito l.**, gross income; (*fin.*) **al l. delle ritenute**, before tax; before-tax (attr.); pre-tax (attr.); **stipendio al l. delle ritenute**, before-tax (*o* pre-tax) salary.

lordòsi f. (*med.*) lordosis.

lordòtico a. (*med.*) lordotic.

lordùme m., **lordùra** f. filth.

Lorèna f. (*geogr.*) Lorraine ● **croce di L.**, Lorraine cross.

lorenése Ⓐ a. of Lorraine; from Lorraine; Lorraine (attr.) Ⓑ m. e f. Lorrainer.

a b c d e f g h i j k l m n o p q r s t u v w x y z

Lorènzo m. Lawrence; Laurence.

lorgnette (*franc.*) f. inv. lorgnette; (*estens.*: *binocolo da teatro*) opera-glass.

lòri m. (*zool.*, *Loris gracilis*) loris.

lorìca f. (*stor.*, *zool.*) lorica*.

loricàto a. (*zool.*) loricate.

lorichétto m. (*zool.*, *Trichoglossus*) lorikeet; lory.

♦**lóro** A pron. pers. 3ª pers. pl. m. e f. **1** (*compl.*) them: *Invita anche l.*, invite them too; *Diedi l. un regalo*, I gave them a present; I gave a present to them; *Dallo a l.*, give it to them; *Andai con l.*, I went with them; *Sta a l. decidere*, it's up to them to decide; it's their decision; *Cercavo l.*, I was looking for them; **da l.** (*a casa loro*), to [at] their place; **secondo l.**, according to them; **uno** [**nessuno**] **di l.**, one [none] of them **2** (*sogg.*) they; (*pred. nominale*) them, they: *Vengono anche l.*, they are coming too; *L. non vogliono*, they don't want to; *Lo desideriamo quanto l.*, we want it as much as they do; *Sono l.!*, it's them!; *Eccoli, sono l.*, there they are; here they are; *L'hanno inventato proprio l.*, it was they who invented it; *Sono l. che...*, it is they who...; *Tu parli come l.*, you talk as they do; *Fortunati l.!*, lucky them!; lucky things! **3** (*forma di cortesia*) you: *L. cosa prendono?*, what will you have? ● **l. due** [**tre**], the two [the three] of them □ **L. aiutarmi? Figurati!**, they help me? never! □ **L'hanno fatto da l.**, they did it by themselves □ **Non è da l.**, it's not like them □ **Non sono più l.**, they have changed; they are different people now **B** a. poss. **1** their; (*loro proprio*) their own; (*come pred. nominale*) theirs, their own: **il l. campo**, their field; **i l. figli**, their children; **le l. case**, their houses; **alcuni** [**uno dei**] **l. amici** (*o amici l.*), some [one] of their friends; some friends [a friend] of theirs; **una l. abitudine**, a habit of theirs; *Hanno una casa l.*, they've got a house of their own; *La colpa è l.*, the fault is theirs; *Questi libri sono l.*, these books are their own; *Non hanno niente che sia l.*, they have nothing of their own **2** (*forma di cortesia*) your; (*pred. nominale*) yours: *Grazie per la l. gentile lettera*, thank you for your kind letter ● **le L. Maestà**, their Majesties □ **per conto l.** (*da soli*), on their own **C** pron. poss. **1** theirs: **i miei e i l.**, mine and theirs; *Abitano in una grande casa, ma non è la l.*, they live in a big house, but it isn't theirs (*o* their own) **2** (*forma di cortesia*) yours: *Questa valigia è la l.?*, is this suitcase yours? **3** (*in espress. ellittiche*) – *Io sto dalla l.* (*parte*), I'm on their side; *Hanno detto la l.*, they had their say; *Ho appena ricevuto la l. del 1° settembre*, I have just received their letter of 1st September; *Ne hanno fatta una delle l.*, they've been up to their tricks again; *Hanno riavuto il l., finalmente*, at last they've got their own back; *Non fanno che difendere il l.*, they're only defending what is theirs; *Vivono del l.*, they live on their income; **i l.**, (*i familiari*) their relatives, their family (sing.); (*i seguaci*) their followers, their supporters, their people.

loṣànga f. **1** lozenge; diamond **2** (*arald.*) lozenge.

loṣangàto a. **1** diamond-shaped **2** (*arald.*) lozengy.

loṣangelino A a. Los Angeles (attr.); Angeleno B m. (f. **-a**) Angeleno.

Loṣànna f. (*geogr.*) Lausanne.

lósco a. **1** (*bieco*) sinister: **un viso l.**, a sinister face **2** (*equivoco*) shady; shady-looking; suspicious; shifty; fishy: **un affare l.**, a shady deal; **un tipo l.**, a shady-looking (*o* shifty) fellow; **avere un'aria losca**, to look suspicious; (*di situazione, anche*) to look fishy; *C'è sotto qualcosa di l.*, there is something fishy going on here.

lossodromìa f. (*naut.*) rhumb, rhumb line; loxodrome; loxodromic curve.

lossodròmico a. (*naut.*) loxodromic: **linea lossodromica → lossodromia**; **rotta lossodromica**, rhumb-line (*o* loxodromic) course.

lotaringio a. e m. Lotharingian.

Lotàrio m. (*stor.*) Lothair; (*letter.*) Lothario.

lòto ① m. (*bot.*) lotus: **l. bianco**, sycamore; **l. bianco d'Egitto** (*o egiziano*) (*Nymphaea lotus*), white lotus; **l. indiano** (*Nelumbo nucifera*), nelumbo; lotus; **fiore di l.**, lotus flower; (*mitol.*) **mangiatore di l.**, Lotus-Eater.

lòto ② m. (*lett.*: *fango*) mud; mire.

lotòfago m. (*mitol.*) Lotus-Eater; (al pl., anche) Lotophagi.

♦**lòtta** f. **1** (*combattimento corpo a corpo*) fight; (*per liberarsi*) struggle: **l. corpo a corpo**, hand-to-hand fight **2** (*sport*) wrestling: **l. giapponese**, ju-jitsu; sumo; **l. greco-romana**, Graeco-Roman wrestling; **l. libera**, all-in wrestling; freestyle; catch-as-catch-can **3** (*combattimento, battaglia, anche fig.*) struggle; fight; combat; (*guerra*) war; (*conflitto, scontro*) conflict: (*fig.*) **l. a coltello**, cut-throat fight; **l. a mani nude**, unarmed combat; **l. a oltranza** (*o all'ultimo sangue*) fight to the death; **l. accanita**, dogfight; **l. armata**, armed struggle; **l. biologica**, biological control; **l. continua**, never-ending struggle (*o fight*); **la l. contro l'inflazione**, the fight against inflation; **la l. contro la droga** [**contro il cancro**], the war (*o fight*) against drugs [against cancer]; **l. contro il tempo**, race against time; (*polit.*) **l. di classe**, class struggle; **l. di potere**, power struggle; **la l. fra il desiderio e il senso del dovere**, the conflict between duty and desire; **l. impari**, uneven struggle; (*agric.*) **l. integrata**, integrated pest management (abbr. IPM); **lotte interne** [**intestine**], internal conflicts; infighting Ⓤ; **l. per la sopravvivenza**, struggle for survival; **l. per la libertà**, fight for freedom; **l. per il potere**, struggle for power; **l. senza quartiere**, fight to the death ● (*anche fig.*) **essere in l.**, to be fighting; to be struggling □ **essere in l. con q.**, to be engaged in a fight with sb.; (*fig.*) to be in conflict with sb. □ **ingaggiare una l.**, to engage in (*o* to start) a fight □ **sostenere una l. con q.**, to have a fight with (*o* against) sb.

♦**lottàre** v. i. **1** (*corpo a corpo*) to wrestle, to grapple, (*per liberarsi*) to struggle: *Il quadro mostra Laocoonte che lotta col serpente*, the painting shows Laocoon wrestling (*o* engaged in a struggle) with the serpent **2** (*sport*) to wrestle **3** (*anche fig.: combattere*) to fight*; (*contro un'opposizione*) to struggle: **l. contro un forte avversario**, to fight against a strong opponent; **l. col sonno**, to struggle to keep awake; to try to fight off sleep; **l. con la morte**, to fight against death; to fight for one's life; **l. con coraggio**, to put up a fight; **l. per la libertà** [**per i propri diritti**], to fight for freedom [for one's rights]; **l. contro la miseria** [**le avversità**], to struggle against poverty [against adversity]; **l. contro le malattie**, to fight disease ● **l. con il tempo**, to race against time □ (*fig.*) **farsi strada nella vita lottando**, to fight one's way through life □ **Non ce la faccio più a l.**, I haven't any fight left in me.

lotterìa f. **1** lottery, raffle; draw; (*abbinata a cavalli, ecc.*) sweepstake: **l. di Stato**, state lottery; **l. di beneficenza**, charity raffle; **la l. di Merano**, the Merano Sweepstake; **l. instantanea**, instant lottery; **giocare alla l.**, to buy a lottery ticket; **vincere alla l.**, to win a prize in a lottery; **biglietto della l.**, lottery ticket; raffle ticket **2** (*fig.*) lottery; gamble.

lottatóre A a. fighting; struggling B m. (f. **-trìce**) **1** (*chi combatte*) fighter; struggler **2** (*sport*) wrestler.

lottìstico a. lottery (attr.).

lottiẓẓàre v. t. **1** (*dividere in lotti*) to parcel out; to apportion; to divide into lots **2** (*polit.*) to carve up; to share out (as spoils): **l. gli enti pubblici**, to carve up the spoils.

lottiẓẓàto a. **1** divided into lots; parcelled out; apportioned **2** (*fig. polit.*) following a party line.

lottiẓẓatóre A a. apportioning B m. (f. **-trìce**) **1** apportioner **2** (*polit.*) allotter of the spoils.

lottiẓẓatòrio a. (*polit.*) relative to the spoils system.

lottiẓẓazióne f. **1** (*divisione in lotti*) parcelling out; apportionment **2** (*polit.*) political carve-up; (*il sistema*) spoils system; jobs for the boys (*fam. GB*): **la l. delle banche**, the carve-up of banks.

lòtto m. **1** (*state*) lottery: **l. clandestino**, unlicenced lottery; number game; **giocare al l.**, to put one's money on the lottery; **giocare un numero al l.**, to place one's bet on a lottery number; **vincere al l.**, to win a prize at the lottery; **banco del l.**, lottery office; **estrazione del l.**, lottery draw **2** (*appezzamento*) lot; allotment: **l. fabbricabile**, building (*o* buildable) lot; **dividere in lotti**, to divide into lots; to parcel out **3** (*comm.*) lot; batch; parcel: **un l. di merci**, a lot of goods **4** (*Borsa*) round lot ● (*fig.*) **vincere un terno al l.**, to have a stroke of luck; to hit the jackpot □ **È come indovinare un terno al l.**, it's mere guesswork.

lozióne f. lotion: **l. abbronzante**, tanning lotion; **l. astringente**, astringent lotion; **l. per i capelli**, hair lotion.

LP ① m. inv. LP; long-player.

LP ② sigla (**luna piena, plenilunio**) full moon.

LSD m. (*chim.*) LSD (Lysergic Acid Diethylamide).

LT abbr. (**Latina**).

LU abbr. (**Lucca**).

Lubècca f. (*geogr.*) Lübeck.

lubricità f. lewdness; bawdiness; lubriciousness (*lett.*); lubricity (*lett.*).

lùbrico a. **1** (*lett.*: *scivoloso*) slippery **2** (*fig.*) lewd; bawdy; lubricious (*lett.*).

lubrificànte A a. lubricating; lubricant: **olio l.**, lubricating oil B m. lubricant; grease: **l. per ingranaggi**, gear lubricant.

lubrificàre v. t. to lubricate; to grease; to oil.

lubrificativo a. lubricating; lubricant.

lubrificatóre A a. lubricating B m. lubricator.

lubrificazióne f. lubrication; greasing; oiling: **l. ad anello**, ring lubrication; **l. a olio**, oiling; **l. a sbattimento**, splash lubrication; **siringa per l.**, oil gun.

Lùca m. Luke.

lucàno A a. **1** (*stor.*) of Lucania **2** of Basilicata B m. (f. **-a**) **1** (*stor.*) inhabitant of Lucania **2** native [inhabitant] of Basilicata C m. Basilicata dialect.

Lucàno m. (*letter.*) Lucan.

lucarino → lucherino

lucchése A a. of Lucca; from Lucca; Lucca (attr.) B m. e f. native [inhabitant] of Lucca.

lucchétto m. padlock: **chiudere con il l.**, to padlock.

luccicànte a. glittering; glistening; sparkling; shimmering; twinkling; glinting; shiny: **mare l.**, glittering (*o* glistening, shimmering) sea; **occhi luccicanti**, sparkling eyes; (*di lacrime*) eyes glistening with tears; **scarpe luccicanti**, shiny shoes; **stelle luccicanti**, twinkling stars.

♦**luccicàre** v. i. (*mandare barbagli*) to glitter, to glisten; (*barbagli forti*) to sparkle, to flash;

(attenuati) to shimmer; (occhieggiare) to twinkle, to glimmer, to glint; (splendere) to shine*: L'acqua luccicava sotto il sole, the water glittered (o glistened) under the sun; Il brillante luccicava, the diamond sparkled (o flashed); I suoi occhi luccicavano di gioia [di ilarità, di lacrime], his eyes sparkled with joy [twinkled with merriment, were glistening with tears]; Le stelle luccicano in cielo, the stars are twinkling in the sky.

luccichìo m. glittering; glitter; glistening; sparkling; sparkle; shimmering; shimmer; twinkling; twinkle; glimmering; glimmer; glint.

luccicóne m. (big) tear: Aveva i lucciconi, his eyes were brimming with tears; Le vennero i lucciconi, tears welled up in her eyes.

luccicóre → **luccichìo**.

lùccio m. (zool., Esox lucius) pike; luce ● **l. di mare** (o **imperiale**) (Sphyraena sphyraena) barracuda.

♦**lùcciola** f. 1 (zool., Luciola; Lampyris noctiluca) firefly; glow-worm 2 (cinem., teatr.: maschera) usherette 3 (pop.) prostitute; streetwalker ● (fig.) **dare a intendere lucciole per lanterne**, to throw dust in (sb.'s) eyes; to lead sb. up the garden path □ (fig.) **prendere lucciole per lanterne**, to get hold of the wrong end of the stick.

♦**lùce** Ⓐ f. 1 light: **l. artificiale**, artificial light; **l. bianca**, white light; (astron.) **l. cinerea**, earthshine; earthlight; **l. del giorno**, daylight; **alla l. del giorno**, in broad daylight; (fig.) in the light of day; **l. della luna**, moonlight; lunar light (scient.); **l. del sole**, sunlight; solar light (scient.); **l. diretta** [**diffusa**], direct [diffuse] light; **l. indiretta**, indirect light; **l. monocromatica**, monochromatic light; (fis.) **l. polarizzata**, polarized light; **l. riflessa** [**rifratta**], reflected [refracted] light; (arte) **luci e ombre**, light and shade; **mezza l.**, half light; Ho la l. negli occhi, the light is (shining) in my eyes; I am dazzled by the light; Portalo qui alla l. perché si veda meglio, bring it here into (o under) the light so we can see it better; **lasciar passare la l.**, to let the light through; **prendere l.**, (di locale) to be lit (by), to receive (o to get) light (from); (di fotografia) to be overexposed; **stare davanti alla l.**, to stand against the light (o in sb.'s light); **giochi (o effetti) di l.**, light effects; Vedevo i giochi di l. sotto il ponte, I could see the light dancing (o playing) under the bridge; **raggio di l.**, ray of light 2 (sorgente luminosa) light; (sistema d'illuminazione) lighting Ⓤ: **una debole l.**, a week (o feeble) light; (autom.) **l. interna**, courtesy light; (autom.) **luci d'arresto**, brakelights; stop-lights; **luci dell'albero di Natale**, fairy lights; (teatr.) footlights; (fig.) limelight (sing.); (autom.) **luci di direzione**, indicator lights; **luci di posizione**, (naut.) navigation lights; (autom.) parking lights, sidelights; (teatr.) **luci di sala**, houselights; **luci psichedeliche**, psychedelic lights; **accendere [spegnere] la l.**, to put on [to put out] the light; (con interruttore, anche) to turn (o to switch) the light on [off]; Si accese una l., a light came on; **a l. spenta**, with the light (o lights) off; in the dark; **con la l. accesa**, with the light (o lights) on; **installare la l. al neon**, to put in neon lighting 3 (fam.: elettricità) electricity; power: **essere senza l.**, to be without electricity (o power); È andata via la l., there's been a power cut; È tornata la l., the power has come back; **bolletta della l.**, electricity bill 4 (apertura) opening 5 (archit., di ponte) archway; span: **un ponte a tre luci**, a three-span bridge 6 (finestra, vetrina) window: **un negozio con quattro luci**, a shop with four windows 7 (specchio) mirror: **un armadio a tre luci**, a wardrobe with three mirrors 8 (fig.) light: **la l. della**

ragione, the light of reason 9 (al pl.) (poet.: occhi) eyes ● **cinema a luci rosse**, porno cinema □ **film a luci rosse**, blue movie; porno film □ **quartiere a luci rosse**, red-light district □ **alla l. del sole**, by the light of the sun; (fig.) openly, publicly □ (fig.) **alla l. delle informazioni più recenti**, in (the) light of the latest information □ (fig.) **brillare di l. riflessa**, to bask in reflected glory □ **chiaro come la l. del sole**, as clear as daylight □ **dare alla l.**, to give birth to □ (fig.) **essere la l. degli occhi di q.**, to be the apple of sb.'s eyes □ **fare l. su qc.**, to light st. up; (fig.) to throw light on st. □ (fig.) **gettare una l. diversa su qc.**, to cast new light on st.; to put a different complexion on st. □ (fig.) **mettere in l.**, (far notare, far risaltare), to point out; to emphasize □ (fig.) **mettere q. in buona [in cattiva] l.**, to show sb. in a good [in a bad] light □ (fig.) **mettersi in l.**, to draw attention to oneself □ **mostrare qc. nella sua vera l.**, to show st. as it really is □ **portare alla l.**, to bring to light; to unearth □ **vedere la l.**, (nascere) to be born; (fig.) to see the light of day □ **venire alla l.**, (nascere) to be born; (fig.) to come to light Ⓑ a. inv. – **anno l.**, light-year; **punto l.**, light spot.

♦**lucènte** a. shining; shiny; bright; glossy; gleaming.

lucentézza f. brilliance; brightness; shine; glossiness; lustre.

lucèrna f. 1 (lume) oil-lamp 2 (scherz.: cappello di carabiniere) cocked hat; (berretta da prete) biretta ● (fig.) **sapere di l.**, to smell of the lamp.

Lucèrna f. (geogr.) Lucerne.

lucernàrio m. skylight.

lucernière m. lampstand.

Lucìa f. Lucy.

Luciàno m. Lucian.

lucidalàbbra m. inv. lip-gloss.

lucidànte Ⓐ a. polishing Ⓑ m. polish.

lucidàre v. t. 1 to polish (a cera) to wax 2 (mecc., con pulitrice a disco) to buff; (brunire) to burnish 3 (ricalcare disegni) to trace.

lucidascàrpe m. inv. (macchina) shoe polisher.

lucidàta f. polish; shine; rub: **darsi una l. alle scarpe**, to give one's shoes a shine.

lucidatóio m. tracing table.

lucidatóre Ⓐ a. polishing Ⓑ m. (f. -**trice**) 1 polisher; (di pavimenti) floor polisher; (di mobili) furniture polisher 2 (lucidista) tracer.

lucidatrìce f. (macchina) floor polisher.

lucidatùra f. 1 polishing; polish; (a cera) wax finish 2 (mecc., con pulitrice a disco) buffing; (brunitura) burnishing 3 (ricalco) tracing.

lucidézza f. brightness; shine; sheen; lustre; gloss.

lucidìsta m. e f. tracer.

lucidità f. 1 (fig.) lucidity; clearness: **l. di mente**, clearness of mind; clear-headedness; **esprimersi con l.**, to express oneself clearly; Discutiamone con più l. domani, let's discuss it tomorrow when our minds are clearer; **momenti di l.**, periods of lucidity; lucid intervals 2 → **lucidezza**.

♦**lùcido**① a. 1 (che è stato lucidato) polished; (che risplende) shining, shiny, bright, gleaming, glossy; (come il raso) satiny: **carta lucida**, glossy paper; **mantello (o pelo) l.** (di animale), glossy coat; **naso l.**, shiny nose; **occhi lucidi di pianto**, eyes bright with tears; **ottone l.**, polished brass; **scarpe lucide**, pol-

ished shoes; shiny shoes; **foglie di un verde l.**, glossy green leaves; **l. come uno specchio**, bright; (pulito) spick and span; **non l.** (di vernice e sim.), matt; flat 2 (fig.) lucid; clear; clear-eyed; (med.) **intervalli lucidi**, lucid intervals; periods of lucidity; **un lucido esame della situazione**, a clear account of the situation; **mente lucida**, clear mind; Il paziente è l., the patient's mind is clear ❶ FALSI AMICI ● lucido nei sensi di lucidato e risplendente non si traduce con lucid.

♦**lùcido**② m. 1 (sostanza) polish; polishing cream: **l. per scarpe [per mobili]**, shoe polish [furniture polish]; **l. nero** (da scarpe, ecc.), blacking; **dare il l. a qc.**, to polish st. 2 (lucentezza) gloss; shine; shininess: **il l. della seta**, the gloss of silk 3 (ricalco) tracing: **fare il l. di un disegno**, to make the tracing of a drawing; **carta da lucidi**, tracing paper 4 (per lavagna luminosa) transparency ● **tirare a l.**, to polish; to make (st.) spick and span □ **tirato a l.**, (pulitissimo) spick and span, squeaky-clean (fam.); (elegante) spruce, natty.

luciferìno a. (fig.) diabolic; fiendish; satanic.

Lucìfero m. 1 (astron., lett.) morning star; Lucifer (poet.) 2 (relig.) Lucifer; Satan.

lucìfugo a. (zool.) lucifugous; lucifugal.

lucìgnola f. (zool.) 1 (luscengola) three-toed skink 2 (orbettino) blindworm; slow-worm.

lucignolo m. (stoppino) wick.

Lùcio m. Lucius.

luciopèrca f. (zool., Lucioperca lucioperca) zander; pikeperch.

lucìvago a. (bot.) heliophilous.

lucóre m. (lett.) (diffused) light.

lucràbile a. that can be gained; obtainable.

lucràre v. t. to make* (money); to earn; to gain; to make* a profit; (speculare) to speculate: **l. grosse somme**, to make a lot of money ● (eccles.) **l. indulgenze**, to gain indulgences.

lucratìvo a. lucrative; profitable; remunerative; profit-bearing.

Lucrèzia f. Lucrece; Lucretia.

Lucrèzio m. (stor.) Lucretius.

lùcro m. profit; gain; lucre (spreg.): **l. illecito**, illicit gain; **a scopo di l.**, for profit; to make money; profit-making (agg.); **senza fini di l.**, non-profit-making; non-profit ● (leg.) **l. cessante e danno emergente**, loss of profit and accruing damage.

lucróso a. lucrative; profitable.

lucullìàno a. lavish; sumptuous; Lucullan: **pranzo l.**, lavish meal; sumptuous banquet.

Lucùllo m. (stor.) Lucullus.

lucumóne m. (stor.) lucumo.

lucumonìa f. (stor.) lucumony.

luddìsmo m. (stor.) Luddism.

luddìsta m. e a. Luddite.

ludìbrio m. 1 (scherno) mockery; scorn; derision: **esporre al l. della gente**, to hold up to everybody's scorn; **mettere in l. q.**, to mock sb. 2 (oggetto di scherno) laughing-stock.

lùdico a. 1 (del gioco) playing (attr.); play (attr.); game (attr.): **attività ludiche**, play Ⓤ; games 2 (giocoso) playful; ludic: **atmosfera ludica**, playful atmosphere.

ludióne m. Cartesian devil (o diver).

lùdo m. (stor.) game: **ludi circensi**, circus games; **ludi scenici**, theatrical performances.

ludòlogo m. (f. -**a**) expert on games.

ludotèca f. playroom; gamesroom; children's recreation centre.

ludoterapìa f. (psic.) play therapy.

lùe f. (med.) lues; syphilis.

a b c d e f g h i j k l m n o p q r s t u v w x y z

luètico (med.) **A** a. luetic; syphilitic **B** m. (f. **-a**) syphilitic.

lùffa f. 1 (bot., Luffa cylindrica) loofah; dishcloth gourd 2 (spugna) loofah.

Lug. abbr. (**luglio**) July (Jul.).

lugliàtico a. (agric.) ripening in July.

♦**lùglio** m. July. (Per gli esempi d'uso → **aprile**).

lùgubre a. lugubrious; (tetro, cupo) gloomy, dismal; (luttuoso) mournful, funereal.

♦**lùi** **A** pron. pers. 3ª pers. sing. m. 1 (compl.) him: Voglio lui, non lei, I want him, not her; Rivolgiti a lui, turn to him; Fui visto con lui, I was seen with him; il padre di lui, his father; Andai da lui, I went to him; (a fargli visita) I went to see him; (a casa sua) I went to his place; Se fossi in lui..., if I were him (o in his shoes)...; Cercavo proprio lui, he is the man I was looking for; Nemmeno lui lo sa, he doesn't know either 2 (sogg.) he; (pred. nominale) him, he: Lui vuole partire e lei rimanere, he wants to go and she wants to stay; Lo saprà lui, he should know; Venga lui se ne ha il coraggio, let him come if he dares; È lui, it's him; Eccolo, è lui, there he is; there he comes; È lui che è da biasimare, it's he who is to blame; Speravo fosse lui, I hoped it was him (form. it was he); Ho fatto come lui, I did as he did; Beato lui!, lucky him!; lucky devil! • Lui vendere la casa? Mai!, he sell the house? never! □ Contento lui..., as long as he's happy... □ Partito lui, tirarono un sospiro di sollievo, everyone felt relieved when he left □ Non è da lui (non è cosa degna di lui), it's not like him □ Non è più lui (è cambiato), he has changed; he is a different person **B** m. (fam.) boyfriend: il suo lui, her boyfriend.

lui m. (zool., Phylloscopus) warbler • lui piccolo (Phylloscopus collybita), chiff-chaff.

luigi m. (moneta) louis (d'or).

Luigi m. Lewis; Louis.

Luìsa f. Louise; Louisa.

Luisiàna f. (geogr.) Louisiana.

LUISS sigla (**Libera università internazionale degli studi sociali**) International Free University of Social Studies.

♦**lumàca** f. 1 (zool., Limax agrestis) slug 2 (zool.: chiocciola) snail 3 (fig., di persona) slowcoach; slowpoke 4 (fig., di mezzo di trasporto) slow train [bus, etc.] • (zool.) l. di mare, sea slug □ (mat.) l. di Pascal, limaçon □ a passo di l., at a snail's pace □ camminare come una l., to crawl along like a snail.

lumacóne m. 1 (zool.) slug 2 (fig.) slowcoach; slowpoke.

♦**lùme** m. 1 (lampada) lamp, light; (candela) candle: l. a olio, oil-lamp; l. a gas, gaslight; accendere un l. alla Madonna, to light a candle to Our Lady; (fig.) to thank one's lucky stars 2 (luce, luminosità) light (anche in parole composte): Vidi un l. in lontananza, I saw a light in the distance; al l. delle stelle, by starlight; a lume di candela, by candlelight; cena a l. di candela, candle-lit dinner 3 (spesso al pl.) (delucidazione) light Ⓤ, enlightenment Ⓤ; (consiglio) advice Ⓤ: ricorrere a q. per avere lumi, to turn to sb. for enlightenment; Può darmi dei lumi su questo punto?, can you shed any light (o can you enlighten me) on this point?; ricorrere ai lumi di un avvocato, to seek legal advice; ricorrere ai lumi di un medico, to consult a doctor 4 (al pl.) (stor.: Illuminismo) Enlightenment (sing.): il secolo dei lumi, the Age of Enlightenment 5 (biol.) lumen* 6 (al pl.) (poet.) eyes • l. ad acetilene, acetylene burner □ (fig.) il l. della ragione, the light of reason □ (fig.) a l. di naso, at a guess; by (sheer) intuition □ (fig.) con questi lumi di luna, in these difficult times; the way things are now □ (fig.) perdere il l. degli occhi, to be beside oneself with rage; to see red

(fam.) □ (fig.) perdere il l. della ragione, (impazzire) to lose one's reason; (infuriarsi) to be beside oneself with rage □ (fig.) reggere il l., to play the unwanted third party; to play gooseberry (GB).

lumeggiaménto m. (pitt.) heightening.

lumeggiàre v. t. 1 (pitt.) to heighten 2 (fig.: chiarire) to throw* light upon; (dare rilievo) to highlight 3 (illuminare) to illuminate.

lùmen m. (fis.) lumen*.

lumenòmetro m. (fis.) integrating photometer.

lumenóra m. inv. (fis.) lumen-hour.

lumìa f. (bot., region.) lime.

lumicìno m. small light; (fig.) glimmer • (fig.) cercare qc. col l., to hunt for st. high and low □ (fig.) cercare i guai col l., to go looking for trouble □ (fig.) essere al l., to be at death's door; (di cosa) to be nearing the end.

lumièra f. 1 (lampadario) chandelier 2 (reggitorcia) torch holder; (reggilanterna) lantern holder.

luminànza f. (fis.) luminance.

luminàre m. (astron. e fig.) luminary.

luminària f. illuminations (pl.); lights (pl.).

luminèllo ① m. (barbaglio) glare; glint.

luminèllo ② m. (di lucerna) wick-holder.

luminescènte a. (fis.) luminescent.

luminescènza f. (fis.) luminescence • lampada a l., gas lamp, glow-lamp.

luminìsmo m. (pitt.) luminism; luminarism.

luminìsta m. e f. (pitt.) luminist; luminarist.

luminìstica f. (teatr.) stage lighting.

luminìstico a. (pitt.) luminist; luminarist.

lumìno m. 1 small lamp: l. da notte, night-light 2 (candela) candle; (funebre) grave light.

luminosità f. 1 brightness; luminosity; brilliance: la l. del cielo, the luminosity of the sky; (astron.) l. stellare, stellar luminosity; (fis.) fattore di l., luminosity factor 2 (fotogr.) f-number 3 (TV, dell'immagine) brightness; (dello schermo) brilliance: comando della l., brightness control.

♦**luminóso** a. 1 (di luce) of light; light (attr.): raggio l., ray of light; sorgente luminosa, source of light 2 (che manda luce) bright; full of light; luminous; shining; (illuminato) well-lit: colore l., bright colour; (astron.) corpo l., luminous body; (di orologio) lancette luminose, luminous hands; occhi luminosi, bright eyes; stanza luminosa, well-lit room; room full of light; sunny room 3 (fig.) bright; (chiaro) obvious, clear: idea luminosa, bright idea; verità luminosa, obvious truth.

lùmpo → **lompo**.

Lun. abbr. (**lunedì**) Monday (Mon.).

♦**lùna** f. 1 moon: l. nuova [piena, falcata] new [full, crescent] moon; le lune di Giove, Jupiter's moons; La l. sorge [tramonta, cresce, scema] the moon rises [sets, waxes, wanes]; C'è la l. stasera?, is there a moon tonight?; Non c'è la l., there is no moon; chiaro di l., moonlight; moonshine; il disco [la faccia] della l., the moon's disc [face]; le fasi della l., the moon's phases; falce di l., crescent; notte di l., moonlit night; notte senza l., moonless night; il primo [l'ultimo] quarto di l., the moon's first [last] quarter; raggio di l., moonbeam; illuminato dalla l., moonlit (attr.); al lume della l., by moonlight; in the moonlight 2 (mese lunare) lunar month, moon, moon-month; (lunazione) lunation • l. di miele, honeymoon □ abbaiare alla l., to bay at the moon □ (fig.) andare a lune, to be moody □ (fig.)

avere la l. (di traverso o storta), to be in a bad mood; to have got out of bed on the wrong side □ (fig.) chiedere (o volere) la l., to ask for the moon □ con questi chiari di l., in these difficult times; the way things are at present □ (fig.) una faccia di l. piena, a face like a full moon; a moon-face □ (fig.) fare vedere la l. nel pozzo a q., to lead sb. up the garden path □ (miss.) lancio sulla l., moon shot □ mal di l., lycanthropy □ (fig.) essere (o vivere) nel mondo della l., to live in cloud-cuckoo-land □ (miner.) pietra di l., moonstone □ (fig.) promettere la l., to promise the moon □ (fig.) sotto la l., under the moon.

lunàle f. (anat.) lunula*; lunule.

lùna park loc. m. inv. funfair (GB); fair ground (GB); carnival (USA).

lunàre a. 1 lunar; moon (attr.): luce l., moonlight; moonshine; mese l., lunar month; (miss.) modulo l., lunar module; paesaggio l., lunar landscape; moonscape 2 (fig.: diafano) diaphanous; (etereo) ethereal.

lunària ① f. 1 (bot., Botrychium lunaria) moonwort 2 (bot., Lunaria annua) honesty; satinpod.

lunària ② f. (miner.) moonstone.

lunàrio m. almanac • (fam.) sbarcare il l., to get by; to scrape a living; to make ends meet.

lunàtico **A** a. (mutevole) moody, mercurial, volatile; (bisbetico) crabby, cantankerous **B** m. (f. **-a**) moody person; crabby person; sourpuss (fam.) ❶ **FALSI AMICI** • lunatico non si traduce con lunatic.

lunàto a. crescent-shaped.

lunàuta m. e f. (miss.) lunarnaut.

lunazióne f. (astron.) lunation.

♦**lunedì** m. Monday. (Per gli esempi d'uso → **martedì**) • l. di Pasqua, Easter Monday □ l. grasso, Shrove Monday.

lunètta f. 1 (archit.) lunette: l. a ventaglio, fanlight (GB); transom (USA) 2 (mecc., di tornio) steady rest 3 (di orologio) bezel 4 (basket) free-throw area.

lùnga f. (fon.) long (vowel).

lungàdige m. inv. Adige embankment.

lungàggine f. 1 (lentezza) slowness; delay: lungaggini burocratiche, bureaucratic delays; red tape Ⓤ 2 (prolissità) prolixity; long-windedness.

lungagnàta f. (fam.) 1 (discorso lungo) long-winded speech; rigmarole 2 (faccenda lunga) long-drawn-out affair.

lungagnóne m. (f. **-a**) (fam.) 1 (persona allampanata) beanpole; long drink of water (fam.) 2 (persona lenta) slowcoach; slowpoke.

lungaménte avv. (for) a long time; long; at length: aspettare l., to wait long (o a long time); parlare l., to talk at length.

lungàrno m. Arno embankment.

♦**lunghézza** f. length: l. complessiva, overall length; (mecc.) l. di contatto, length of contact; (fis.) l. di diffusione, diffusion length; (radio) l. d'onda, wavelength; (fon.) l. di una sillaba, length of a syllable; (fotogr.) l. focale, focal length; (naut.) l. fuori tutto, overall length; l. in iarde, yardage; l. in piedi, footage; l. utile, working length; una barca di sei metri di l., a six-metre long boat; Misura due metri di l., it's two metres long (o in length); Che l. ha?, how long is it?; nel senso della l., lengthwise; lengthways; (sport) vincere per una l., to win by a length.

lunghista m. e f. (sport) long jumper.

lùngi **A** avv. (lett.) far; far off: da l., from afar **B** lùngi da loc. prep. (anche fig.) far from: non l. da qui, not far from here; (ben) l. dalla verità, far from being true; Ero l.

dal credere che..., I was far from believing that...; *L. da me il biasimarlo*, far be it from me to blame him; *L. da me l'idea!*, I would never think of it!

lungimirànte a. far-seeing; far-sighted; forward-looking; forward-thinking.

lungimirànza f. far-sightedness.

♦**lùngo** **A** a. **1** (*rif. a estensione*) long: **calzoni lunghi**, (long) trousers; **gambe lunghe**, long legs; **manica lunga**, long sleeve; **una strada lunga e stretta**, a long, narrow street; **essere l. un miglio**, to be one mile long **2** (*fam.: alto*) tall: **un ragazzo l. l.**, a tall, thin boy **3** (*rif. a durata*) long; (*che dura troppo*) lengthy; long-drawn-out: **lunga attesa**, long wait; **lunga esperienza**, long years of experience; **un film troppo l.**, too long a film; **una giornata lunga**, a long day; **lunghe spiegazioni**, long explanations; lengthy explanations; **l. studio**, long years of study; **visita lunga**, long visit; long--drawn-out visit; **di lunga durata**, long--lasting **4** (*diluito*) weak; thin; watery; watered-down: **brodo l.**, thin (*o* watery) soup; **caffè l.**, weak coffee; **vino l.**, watered-down wine **5** (*fam.: lento*) slow: *Sono sempre lunghi in quell'ufficio*, they are always very slow at that office; *Quanto sei l.! spicciati!*, how slow you are! hurry up!; **essere l. a fare qc.**, to take a long time doing st. **6** (*fon.*) long ● **l. come la fame** (*o* **come la quaresima**), interminable; endless □ **l. disteso**, stretched out; flat on one's back [on one's face]; **l. disteso**, to fall flat on one's back [on one's face] □ **a l.**, (*per molto tempo*) (for) a long time; (*con tutti i particolari*) at length; **aspettare a l.**, to wait a long time; **Parlai a l. della nostra organizzazione**, I spoke at length about our organization □ **a l. andare** (*o* **alla lunga**), in the long run □ **a lunga scadenza**, long-term (attr.); (*di cambiale*) long-dated; (*di latte, ecc.*) long-life (attr.) □ **alla più lunga** (*al più tardi*), at the latest □ **andare per le lunghe**, to take a long time; to drag on; **L'assicurazione pagherà, ma si andrà per le lunghe**, the insurance will pay, but it's bound to take time □ **avere la vista lunga**, to be far-sighted □ (*mil.*) **cannone a lunga gittata** (*o* **di lunga portata**), long-range cannon □ **di gran lunga**, (davanti a un compar.) much, far; (davanti a un superl.) by far, far and away; **Il motore nuovo è di gran lunga più potente del vecchio**, the new engine is far (*o* much) more powerful than the old one; **Questo è di gran lunga il migliore**, this is by far the best; this is much the best □ **La sua decisione la dice lunga**, his decision speaks volumes □ **fare progetti di lunga scadenza**, to plan far ahead □ (*fam.*) **farla lunga**, to drag on: *Come la fai lunga!*, you do drag on! **per non farla lunga**, to cut a long story short □ **mandare per le lunghe**, to postpone; to defer; to put off □ **saperla lunga →** **sapere①** □ (*fam.*) **tirare di l.**, to keep going □ **tirare in l.** (*o* **per le lunghe**) **qc.**, to drag st. out **B** m. length: **mettere qc. per il l.**, to place st. lengthwise (*o* lengthways); **dieci metri per il l.**, be ten metres in length ● **in l. e in largo**, far and wide; high and low; everywhere □ **Ho girato la Spagna in l. e in largo**, I've travelled all over Spain; I've been everywhere in Spain; I've toured the length and breadth of Spain □ (*sport*) **salto in l.**, broad jump; long jump **C** prep. **1** (*di spazio*) along; by the side of: **l. la costa**, along the coast; **gli alberi l. la strada**, the trees by the side of the road; *La folla si era assiepata l. le strade*, crowds had lined the streets **2** (*di tempo*) during; on; (*nel corso di*) over: **il cammino** (*o* **la strada**), on the way; en route (*franc.*); **l. i secoli**, over (*o* down) the centuries; **l. tutto il Duecento**, during the whole of the 13th century; **l. il viaggio**, during the journey.

lungodegènte m. e f. long-stay patient; long-term patient.

lungodegènza f. long stay in hospital; long hospitalization.

♦**lungofiùme** m. riverside; embankment.

lungolàgo m. lake front; (lakeside) promenade; esplanade.

lungomàre m. sea front; promenade; esplanade.

lungometràggio m. (*cinem.*) feature film; full-length film.

lungopò m. inv. Po embankment.

lungosènna m. inv. Seine embankment.

lungotévere m. Tiber embankment.

lunisolàre a. (*astron.*) lunisolar.

lunòtto m. (*autom.*) back (*o* rear) window; backlight ● **l. laterale**, quarter window □ **l. termico**, heated rear window.

lùnula f. **1** (*anat.*) lunula*, lunule; (*com.*) half-moon **2** (*geom.*) lune.

♦**luògo** m. **1** place; locality; site; scene; (*l. particolare*) spot: **l. di nascita**, place of birth; birthplace; **l. di provenienza**, place of origin; **il l. del delitto** [**dell'incidente**], the scene (*o* the site) of the crime [of the accident]; **luoghi di divertimento**, places of amusement; **i Luoghi Santi**, the Holy Places; **un l. isolato**, a secluded place; **un l. malfamato**, a place with a bad reputation; *Questo è proprio il l. in cui avvenne l'assassinio*, this is the very spot where the murder was committed; **essere sul l.**, to be on the spot; **in nessun l.**, nowhere; **in ogni l.**, everywhere; **in qualche l.**, somewhere; **in qualsiasi l.**, anywhere; (nelle frasi concessive) wherever; *Puoi trovarlo in qualsiasi l.*, you can find it anywhere; *In qualsiasi l. si trovi, mi manda sempre una cartolina*, wherever he is, he always sends me a postcard **2** (letter.: passo d'autore) passage: **un l. difficile del «Paradiso» dantesco**, a difficult passage in Dante's «Paradise» **3** (geom.) locus* □ (ling.) **l. comune**, commonplace; platitude; cliché □ **l. di culto**, place of worship; house of prayer □ **l. di decenza**, lavatory □ **l. di lavoro**, place of work; workplace □ **l. di pena**, penitentiary □ **l. di villeggiatura**, resort □ **l. pio**, charitable institution □ **luoghi di interesse** (*in una città, ecc.*), sights ● **a tempo e l.**, at the right time and place □ **avere l.**, (*svolgersi*) to take place, to be held; (*verificarsi*) to occur: *Le nozze ebbero l. in maggio*, the wedding took place in May; *La riunione avrà l. a Ginevra*, the meeting is to be held in Geneva; **lo scambio di corrispondenza che ha avuto l. fra di noi**, the correspondence that has passed between us □ **dare l. a**, (*causare*) to cause, to give rise to, to occasion; (*condurre a*) to lead to; **dare l. a dubbi**, to give rise to doubts; **dare l. a lagnanze**, to lead to complaints □ **del** (*del paese, ecc.*), local; **gli abitanti del l.**, the local people; the locals; **secondo l'uso del l.**, according to local custom; **È uno del l.**, he is a local □ **fuori l.**, out of place □ **in l. di**, in the place of; instead of □ **in primo l.**, first of all; in the first place; firstly □ **in secondo l.**, secondly □ **in ultimo l.**, lastly; last of all □ (*leg.*) **non l. a procedere**, non-suit; **pronunciare un non l. a procedere**, to enter a non-suit; to dismiss a case □ **tenere l. di segretario** [**di consigliere**], to act as secretary [as advisor].

luogotenènte m. **1** deputy; representative **2** (*mil.*) lieutenant.

luogotenènza f. **1** deputyship **2** (*mil.*) lieutenancy.

lùpa f. **1** she-wolf* **2** (*agric.*) olive-tree dry-rot ● **mal della l.**, bulimia.

lupacchiòtto m. wolf-cub; whelp.

lupanàre m. (*lett.*) brothel.

lupàra f. **1** (*cartuccia*) buckshot **2** (*fucile*) sawn-off shotgun.

lupària f. (*bot.*, *Aconitum lycoctonum*) wolf's bane.

Lupercàli m. pl. (*stor.*) Lupercalia.

lupésco a. wolfish; wolflike; lupine.

lupétto m. **1** wolf-cub **2** (*scoutismo*) cub.

lupinàio m. lupin seller.

lupinèlla f. (*bot.*, *Onobrychis sativa*) sainfoin.

lupino① a. wolfish; lupine.

lupìno② m. (*bot.*, *Lupinus*) lupin.

lupinòsi f. (*vet.*) lupinosis; lupin poisoning.

♦**lùpo** m. **1** wolf*: **branco di lupi**, wolf pack **2** (*ind. tess.*) willow ● **l. alsaziano**, Alsatian; German shepherd □ **l. delle praterie**, coyote □ **l. di mare** (*vecchio marinaio*), old salt; old sea dog □ (*fig.*) **un l. vestito da agnello**, a wolf in sheep's clothing □ **l. mannaro**, werewolf; (*spauracchio infantile*) bogeyman □ (*fig.*) **l. solitario**, lone wolf □ (*fig.*) **cadere in bocca al l.**, to enter the lion's den □ **cane l.**, wolfhound □ **Ho una fame da l.**, I'm ravenous; I could eat a horse □ (*fig.*) **gettare q. in pasto ai lupi**, to throw sb. to the wolves □ (*fig.*) **gridare al l.**, to cry wolf □ **mangiare come un l.**, to eat like a horse □ **tempo da lupi**, foul weather □ **In bocca al l.!**, good luck!; break a leg! (*teatr.*) □ (*prov.*) **Il l. perde il pelo, ma non il vizio**, the leopard cannot change his spots.

luppoléto m. hop-field.

luppolino m. (*bot.*) lupulin.

luppolizzàre v. t. to hop.

luppolizzazióne f. hopping.

lùppolo m. (*bot.*, *Humulus lupulus*) hop.

lùpus m. (*med.*) lupus: **l. eritematoso**, lupus erythematosus; **l. volgare**, lupus vulgaris.

lùpus in fàbula (*lat.*) loc. inter. speak of the devil.

lùrco a. (*lett.*) gluttonous.

Lùrex® m. inv. Lurex®.

luridézza f. filth; filthiness.

lùrido a. filthy; grimy ❶ **FALSI AMICI** • lurido *non si traduce con* lurid.

luridùme m. filthy mess; filth; muck.

luscéngola f. (*zool.*, *Chalcides chalcides*) three-toed skink.

lùsco m. – **tra il l. e il brusco**, at dusk; in the half light.

lusìnga f. **1** enticement; cajolery; blandishment; (*adulazione*) flattery Ⓤ; (*attrattiva*) allurement, lure: **le lusinghe del successo**, the allurements (*o* lure) of success; **cedere alle lusinghe di q.**, to give in to sb.'s enticements; **convincere q. con le lusinghe a fare qc.**, to cajole sb. into doing st.; *Non farti ingannare dalle sue lusinghe*, don't be deceived by his flattery **2** (*lett.: speranza illusoria*) fallacious hope; illusion; delusion.

lusingàre **A** v. t. **1** (*allettare*) to blandish; to entice; to cajole; to lure **2** (*compiacere, soddisfare*) to flatter: *Mi sento lusingato dal suo invito*, I feel flattered by her invitation **3** (*illudere*) to deceive; to delude: *Non cercare di lusingarmi*, don't try to deceive me **B** **lusingàrsi** v. i. pron. (*illudersi*) to entertain illusions; to delude oneself.

lusingatóre **A** a. flattering **B** m. (f. **-trice**) flatterer.

lusinghévole a. (*lett.*) flattering; (*allettante*) alluring, tempting.

lusinghièro a. **1** (*allettante*) alluring; tempting **2** (*che soddisfa, che gratifica*) flattering; gratifying: **complimenti lusinghieri**, gratifying compliments.

Lusitània f. (*geogr.*, *stor.*) Lusitania.

lusitanista m. (f. **-a**) specialist in Portuguese studies.

lusitàno a. e m. (f. **-a**) Lusitanian; Portu-

guese.

lusòfono (*ling.*) **A** a. Portuguese-speaking **B** m. (f. *-a*) Portuguese-speaker.

lussàre v. t. (*med.*) to dislocate; to luxate (*scient.*).

lussazióne f. (*med.*) dislocation; luxation (*scient.*).

lussemburghése **A** a. of Luxembourg; Luxembourgeois; (*ling.*) Luxemburgish **B** m. e f. Luxembourger **C** m. (*lingua*) Luxemburgish.

Lussembùrgo m. (*geogr.*) Luxembourg.

♦**lùsso** m. **1** luxury; sumptuousness; (*lo spendere troppo*) extravagance: **vivere nel l.**, to live in (the lap of) luxury; **colpire il l.**, to discourage luxury; to tax luxury articles **2** (*forte spesa e fig.*) luxury: *È un l. che non posso permettermi*, it's a luxury I can't afford; **prendersi il l. di**, to allow oneself the luxury of **3** (*fig.: abbondanza*) wealth; abundance • (*fam.*) **Gli è andata di l.**, he's been very lucky; he can thank his lucky stars □ **Che l.!**, what luxury!; how splendid!; how very grand! □ **di l.**, luxury (attr.); de luxe (*franc.*); (*lussuoso*) luxurious, sumptuous: **articoli di l.**, luxury articles; **beni di l.**, luxury goods; **hotel di l.**, luxury hotel; **edizione di l.**, limited edition; de luxe edition; **modello di l.**, de luxe model; (*ferr.*) **treno di l.**, special express train; pullman (train) □ **arredato con l.**, sumptuously furnished.

♦**lussuóso** a. luxurious; luxury (attr.); sumptuous; (*sfarzoso*) grand.

lussureggiànte a. **1** (*rigoglioso*) luxuriant; lush; rank: **vegetazione l.**, luxuriant (*o* lush) vegetation **2** (*fig.*) flamboyant: **stile l.**, flamboyant style.

lussureggiàre v. i. (*essere rigoglioso*) to grow* luxuriantly; to be luxuriant (*o* lush).

lussùria f. lust; lechery; lasciviousness ❶**FALSI AMICI** • lussuria *non si traduce con* luxury.

lussurióso a. lustful; lecherous; lascivious ❶**FALSI AMICI** • lussurioso *non si traduce con* luxurious.

lustràle ① a. (*relig.*, *stor.*) lustral • (*eccles.*)

acqua l., holy water.

lustràle ② a. (*lett.*: *quinquennale*) quinquennial; five-year (attr.).

lustràre ① **A** v. t. to polish: **l. l'argenteria**, to polish the silver; **l. le scarpe**, to polish shoes • (*fig.*) **l. le scarpe a qc.**, to lick sb.'s boots □ (*fig. fam.*) **lustrarsi gli occhi con qc.**, to get an eyeful of st.; to get one's eyes round st. **B** v. i. to shine*; to be glossy: *Le lustravano gli occhi*, her eyes shone.

lustràre ② v. t. (*stor.*) to lustrate.

lustrascàrpe m. e f. inv. **1** shoeblack; bootblack; shoe-shiner (*USA*) **2** (*fig.*) → **lustrastivali**.

lustrastivàli m. e f. inv. (*spreg.*) bootlicker.

lustràta f. polish; shine.

lustratùra f. **1** polishing **2** (*di tessuti*) lustring.

lustrazióne f. (*stor.*) lustration.

lustrìno m. **1** sequin; spangle **2** (al pl.) (*fig.*) frills; tinsel ▯.

lùstro ① a. shiny; bright; lustrous; (*di pelo, pelliccia, ecc.*) glossy; (*lucidato*) polished: **argenteria lustra**, polished (*o* well-polished) silver; **capelli lustri**, glossy hair; **occhi lustri (di lacrime)**, eyes bright with tears; **scarpe lustre**, polished shoes; **una superficie lustra**, a shiny (*o* polished) surface.

lùstro ② m. **1** (*lucentezza*) lustre; polish; gloss; sheen: **il l. della seta**, the lustre of silk **2** (*fig.: merito, prestigio*) prestige; distinction; renown; lustre (*lett.*); illustriousness (*spesso iron.*): **acquistare nuovo l.**, to add lustre to one's name; **dare l. a qc.**, to bring prestige to sb.; to make sb. famous **3** (*fig.: vanto*) glory; pride.

lùstro ③ m. **1** (*quinquennio*) five-year period; half a decade; lustre **2** (*stor. romana*) lustrum*.

lutàre v. t. (*tecn.*) to lute.

lutatùra f. (*tecn.*) luting.

luteìna f. (*chim.*) lutein.

luteìnico a. **1** (*anat.*) luteal **2** (*biol.*) – ormone l., luteinizing hormone; progester-

one.

lùteo a. (*lett.*) luteous • (*fisiol.*) **corpo l.**, corpus luteum; yellow body □ (*anat.*) **macchia lutea**, macula lutea.

lutèola f. (*bot.*, *Reseda luteola*) dyer's rocket; dyer's mignonette; weld.

luteolìna f. (*chim.*) luteolin.

luteranésimo, luteranìsmo m. (*relig.*) Lutheranism.

luteràno a. e m. (f. *-a*) (*relig.*) Lutheran.

Lutèro m. (*stor.*) Luther.

lutèzio m. (*chim.*) lutetium.

lùto m. (*tecn.*) lute.

lutoterapìa f. (*med.*) mud baths (pl.).

lutrèola f. (*zool.*, *Mustela lutreola*) European mink.

♦**lùtto** m. **1** (*cordoglio*) mourning; grief: **l. nazionale**, national mourning; **giornata di l. nazionale**, national day of mourning; **essere in l. per q.**, to be in mourning for sb.; **partecipare al l. di q.**, to share sb.'s grief **2** (*gramaglie*) mourning: **mezzo l.**, half-mourning; **l. stretto**, full (*o* deep) mourning; **prendere [portare] il l.**, to go into [to wear] mourning; **smettere il l.**, to come out of mourning; **vestire a l.**, to be in mourning; to wear black **3** (*perdita*) loss; bereavement: **un grave l. per tutto il paese**, a great loss for the whole country; (*psic.*) **elaborazione di un l.**, working-through of a bereavement **4** (*decesso*) death: **un l. in famiglia**, a death in the family; **lutti e rovine**, death and destruction; **chiuso per l.**, closed: death in the family • **fascia da l.**, mourning band □ **listato a l.**, black-edged □ **parato a l.**, draped in black.

luttuóso a. **1** (*doloroso*) mournful; sad; woeful **2** (*che causa lutto*) tragic: **evento l.**, tragic event **3** (*funesto*) mournful; dismal.

lutulènto a. (*lett.*) muddy; turbid.

lùvaro m. (*zool.*, *Luvarus imperialis*) louvar.

lux m. inv. (*fis.*) lux*.

lùxmetro m. (*fis.*) luxmeter.

lycra® f. inv. lycra.

lyddite f. lyddite.

m, M

M① , m f. o m. (*undicesima lettera dell'alfabeto ital.*) M, m ● (*telef.*) **m come Milano**, m for Mike.

M② sigla **1** (**maschio**) male **2** (*num. romano*, **mille**) one thousand **3** (**metropolitana**) Underground **4** (*ferr.*, (**treno**) **metropolitano**) metropolitan train **5** (**morte**, **abbasso**) down with.

M. abbr. **1** (**mare**) sea (s.) **2** (**monte**) mount (Mt).

m. abbr. **1** (**mese**) month (m.) **2** (**minuto**) minute **3** (**morto**) dead (d.).

♦**ma A** cong. **1** but; (*tuttavia*, *anche*) yet: *Credevo di potere andare, ma non posso*, I thought I could go, but I can't; **giovane ma abilissimo**, young, but (*o yet*) highly skilled; *È strano, ma vero*, it is strange, but (*o yet*) true; *Stava male, ma non si lamentò*, he was not well, and yet he did not complain **2** (*al contrario*) on the contrary: *Non è stupido, ma intelligente*, he isn't a fool; on the contrary, he's rather clever **3** (*passando ad altro argomento*) and now; well; and then: *Ma ora passiamo a un altro punto*, and now, let us move to another item; *Ma lasciamo perdere*, well, let's forget about it; *Ma ecco che mi ricordai che...*, and then I remembered that... **4** (*con valore rafforzativo*) – *Ha risposto bene, ma proprio bene*, she answered very well indeed; *Mi occorre un bel vestito, ma qualcosa di proprio elegante*, I need a new dress, something really very smart; **non solo... ma anche**, not only... but also ● (*iron.*) **Ma bene!**, ah, that's fine! □ (*iron.*) **Ma bravo!**, that's clever (of you)! □ **Ma che!** → **macché** □ **Ma che bello!**, how beautiful! □ **Ma che stupido!**, what a fool! □ **Ma che hai?**, what's the matter with you? □ **Ma insomma, piantala**, for heaven's sake, stop it! □ **Ma no!**, (*neg. enfatica*) certainly not!, of course not!; (*escl. di stupore*) really?, you don't say so! □ **Ma no che devi!**, of course you mustn't! □ **Ma sì!**, (*certamente*) why, of course!; (*e va bene*) all right!; (*e invece sì*) yes, it is! [he does, I am, etc.]: *Ma sì che ci vado!*, of course I'm going! □ (*fam.*) **Ma va'!** (*non ci credo*), go on (with you)!; come off it! □ **Ma va'?**, really?; you don't say! **B** m. (*obiezione*) but (usato al pl.); objection; (*problema*) problem, snag: *Coi suoi ma e se, non fa mai niente*, with all his ifs and buts, he never gets anything done; *Non c'è ma che tenga!*, no buts about it!; *D'accordo, ma c'è un ma*, all right, but there is a problem (*o a snag*).

màcabro A a. macabre; gruesome; ghoulish; (*morboso*) morbid; (*relig.*, *arte*) **danza macabra**, dance of death; **gusti macabri**, morbid tastes; **racconto m.**, macabre tale; **scena macabra**, gruesome sight **B** m. macabre element; (the) macabre.

macàco m. **1** (*zool.*, *Macacus*) macaque **2** (*fig.*) fool; twit; goof (*USA*).

macadàm m. (*rivestimento stradale*) macadam.

macadàmia f. **1** (*bot.*, *Macadamia*) macadamia **2** (*il frutto*) macadamia nut.

macadamizzàre v. t. to macadamize.

macào ① m. (*zool.*, *Ara*) macaw.

macào ② m. (*gioco d'azzardo*)

macaóne m. (*zool.*, *Papilio machaon*) swallow-tail.

Macàrio m. Macarius.

maccabèo m. (*region.*, *spreg.*) fool; booby.

Maccabèo m. – (*Bibbia*) *Giuda M.*, Judas Maccabaeus; **i Maccabei**, the Maccabees.

maccalùba f. (*geol.*) mud cone; mud volcano.

maccarèllo m. (*zool.*, *Scomber scombrus*) mackerel.

maccartìsmo m. (*polit.*) McCarthyism.

maccartìsta m. e f. (*polit.*) McCarthyist.

macché inter. (*certo che no*) of course not!; (*per niente*) certainly not!, not at all!, not a bit of it!; (*neanche per sogno*) not on your life!, not a chance! (*fam.*), no way! (*fam.*).

maccheronàio m. (f. **-a**) **1** (*fabbricante*) macaroni maker **2** (*venditore*) macaroni seller.

maccheronàta f. **1** large dish of macaroni **2** (*cena fra amici*) macaroni party **3** (*fig.: errore grossolano*) gross mistake; blunder; howler.

maccheróne m. **1** (*spec. al pl.*) macaroni **2** (*fig.*) fool; blockhead; twit ● (*fam.*) **cascare come il cacio sui maccheroni**, to come just at the right moment; to be just the job; to be the very thing one wants.

maccheronèa f. (*letter.*) macaronic verse; macaronic.

maccherònico a. (*letter.*) macaronic: **latino m.**, dog Latin; **poesia maccheronica**, macaronic poetry.

♦**màcchia** ① f. **1** mark; spot; (*chiazza*) patch; (*piccola*) speck, speckle, fleck; (*che sporca*) stain; (*spec. d'inchiostro, vernice, fango*) blot; (*confusa*) blur, smudge; (*sbaffo*) smear: **m. di caffè**, coffee stain; **m. di fango**, spot of mud; **m. d'inchiostro**, inkspot; blot of ink; **m. della pelle**, spot; blemish; (*voglia*) birth-mark; **m. di sangue**, blood stain; smear of blood; **m. di umidità**, damp patch; **m. d'unto**, grease spot; grease stain; **m. di vino**, wine stain; **le macchie del leopardo**, a leopard's spots; (*astron.*) **le macchie della luna**, the patches on the moon; (*astron.*) **macchie solari**, sunspots; *La m. non è andata via*, the stain is still there; *Hai una m. sul naso*, you have a spot of something on your nose; **fare una m. su qc.**, to stain st.; **levare una m.**, to remove (*o to take out*) a stain; **riempirsi di macchie rosse** (*per allergia*, *ecc.*), to come out in red patches; **a macchie bianche**, with white spots; white-spotted; white-speckled **2** (*pitt.*) sketch (in outline) **3** (*fig.: colpa, peccato*) stain; spot; blot; defect; blemish; flaw: **una m. sul proprio buon nome**, a stain on one's reputation; a blot on one's character; **un nome senza m.**, a reputation without blemish; a spotless reputation ● (*zool.*) **m. bianca sul muso**, blaze **2** (*anat.*) **m. cieca**, blind spot □ (*fig.*) **m. di colore**, splash of colour □ **una m. di latte** (*nel caffè*), a dash of milk □ (*arti grafiche*) **m. di luce**, hot spot □ **m. di petrolio** (*sul mare*), oil slick □ (*bot.*) **macchie fogliari**, leaf scorch □ (*bot.*) **macchie nere**, black spot (sing.) □ **allargarsi a m. d'olio**, to spread in all directions; (*fig.*) to spread like wildfire □ **non avere macchie sulla coscienza**, to

have a clear conscience □ **senza m.**, (*anche fig.*) stainless, spotless; (*solo fig.*) unblemished, flawless □ **un cavaliere senza m. e senza paura**, a fearless, blameless knight □ (*psic.*) **test delle macchie d'inchiostro**, Rorschach (*o ink-blot*) test.

♦**màcchia** ② f. (*boscaglia*) bush; scrub; thicket: **la m. africana [australiana]**, the African [Australian] bush; **m. bassa**, undergrowth; underwood; **la m. mediterranea**, the Mediterranean scrub; the maquis (*franc.*) ● (*fig.*) **alla m.**, (*nascosto*) in hiding, at large, on the run; (*clandestino*) clandestine (agg.); (*clandestinamente*) clandestinely (avv.): **darsi alla m.**, (*fuggire in montagna*) to take to the hills; (*nascondersi*) to go into hiding; (*darsi al brigantaggio*) to become an outlaw; (*polit.*) to join the partisans [the guerrillas, etc.]; **vivere alla m.** (*da bandito*), to be an outlaw.

macchiaiòlo ① m. (*pitt.*) macchiaiolo (Florentine impressionist painter).

macchiaiòlo ② a. wild: **suino m.**, wild hog.

macchiàre A v. t. **1** to stain; to spot; (*d'inchiostro, di vernice, anche*) to blot; (*di fango*) to spatter; (*in seguito a sfregamento*) to smear; (*sporcare*) to soil; (*tipogr.*) to blur, to mackle; (*assol.: lasciare una macchia*) to leave* a stain, to stain: **m. la tovaglia di vino**, to stain the cloth with wine; **m. di sangue**, to stain (*o to smear*) with blood; **macchiarsi le mani**, to stain one's hands; *Mi sono macchiato la cravatta*, I've stained my tie; *Mi sono macchiata la camicia di vino*, I've sono macchiata la camicia di vino, I've got a grease stain on my shirt; *Hai macchiato tutto il vestito*, you have dirtied your dress; *L'automobile ci macchiò di fango*, the car spattered us with mud; *Il testo era tutto macchiato e di difficile lettura*, the text was all blurred and difficult to read **2** (*fig.*) to stain; to soil; to sully: **m. il nome** [**l'onore**, **la coscienza**] **di q.**, to stain (*o to soil*, *to sully*) sb.'s reputation [honour, conscience]; **macchiarsi le mani di qc.**, to soil one's hands with st.; **macchiarsi la reputazione**, to sully one's reputation **3** (*pitt.*) to sketch ● **m. il caffè**, to add a dash of milk to one's coffee **B macchiàrsi** v. i. pron. **1** (*di persona*) to get* a stain; (*sporcarsi*) to get* dirty: *Ti sei macchiato di sugo*, you've got a sauce stain; *Ti sei macchiato di vino*, you've spilt wine on yourself; **macchiarsi tutto**, to get all dirty **2** (*di cosa*) to get* stained; to stain: *Si è macchiato il divano*, the sofa has got stained; *Questo tessuto si macchia facilmente*, this material stains easily **3** (*fig.*) to be guilty: **macchiarsi di un delitto**, to be guilty of a crime.

macchiàto a. **1** stained; (*schizzato*) spattered; (*chiazzato*) spotted, speckled, mottled; (*variegato*) variegated: **camicia macchiata**, stained shirt; spattered shirt; **marmo m.**, mottled (*o variegated*) marble; **m. di fango**, spattered with mud; **m. di sangue**, blood-stained **2** (*di cavallo*) dappled; dapple **3** (*ind. cartaria*) foxed ● **caffè m.**, coffee with a dash of milk □ **latte m.**, hot milk with a drop of coffee □ (*di animale*) **mantello nero m. di bianco**, black coat with white spots.

macchiétta f. **1** (*piccola macchia*) little

spot; speckle; fleck **2** (*pitt.*) sketch; (*caricatura*) caricature **3** (*teatr.*: *personaggio comico*) comic character; (*caricatura*) impersonation **4** (*tipo originale*) character; oddball (*fam.*): *È proprio una m.!*, he's quite a character!

macchiettàre v. t. to spot; to speckle; to stipple; to dapple; to mottle.

macchiettàto a. spotted; speckled; stippled; dappled; mottled.

macchiettatùra f. (*macchie*) spots (pl.); specks (pl.); stipple.

macchiettista m. e f. **1** caricaturist **2** (*teatr.*) character actor (f. actress).

♦**màcchina** f. **1** (*produttrice di lavoro*) machine; (*produttrice di energia*) engine: **m. ad acqua** (*o idraulica*), hydraulic engine; **m. a gas**, gas engine; **m. a vapore**, steam engine; **m. calcolatrice**, calculating machine; **m. composta**, compound machine; **m. elettrica**, electric machine; **m. per cucire**, sewing machine; **m. per** (*o da*) **scrivere**, typewriter; **m. pneumatica**, pneumatic engine; **m. semplice**, simple machine; **azionare una m.**, to operate a machine; **montare una m.**, to assemble a machine (*o an engine*); **smontare una m.**, to take apart a machine (*o an engine*); (*ind.*, *naut.*) **fermare le macchine**, to stop the engines; **l'età delle macchine**, the age of machines; (*ind.*, *naut.*) **sala macchine**, engine-room **2** (*al pl.*) (*macchinario*) machinery ⓤ: **attrezzare una fabbrica con macchine nuove**, to equip a factory with new machinery **3** (*automobile*) car; motor (*car*): **m. da corsa**, racing car; (*fam.*) **farsi la m.**, to buy a car; to get oneself a car (*fam.*); **andare in m. in un posto**, to drive to a place; to go to a place by car; **accompagnare** (*o portare*) **q. in m.**, to drive sb.; *Sei in m.?*, have you got the car?; did you drive here? **4** (*locomotiva*) engine: **m. ferroviaria**, railway engine **5** (*teatr.*) machine; (*al pl.*) stage machinery ⓤ **6** (*fig.*: *struttura*) frame; (*organismo*) machine, machinery: **la m. elettorale**, the electoral machine; **la m. della giustizia**, the wheels of justice; **la m. dello Stato**, the machinery of the state **7** (*fig. di persona*) robot; automaton* **8** (*macchinazione*) machination; plot **9** (*edificio grandioso*) huge building ● **m. automatica a gettone** (*o a moneta*), slot machine □ (*tipogr.*) **m. compositrice**, composing (*o typesetting*) machine □ (*med.*) **m. cuore-polmoni**, heart-lung machine □ (*mil.*) **m. da guerra**, military engine □ (*cinem.*) **m. da presa**, (film) camera; (movie) camera (*USA*) □ (*cinem.*) **m.** (**da presa**) **a mano**, hand-held camera □ (*cinem.*) **m. da proiezione**, projector □ **m. da stampa**, printing press; printing machine □ **m. della verità**, lie-detector; polygraph □ (*naut.*) **m. di governo**, steering engine □ (*stor.*) **m. filatrice**, spinning jenny □ **m. fotografica**, camera □ **m. fotografica a lastre**, plate camera □ **m. fotografica a soffietto**, folding camera □ **m. idrostatica**, hydrostatic press □ **m. mangiasoldi**, fruit machine; slot machine; one-armed bandit (*slang*) □ **m.** (**per**) **movimento terra**, earth-moving machine; earthmover □ **m. per battere il grano**, threshing machine; thresher □ **m. per maglieria**, knitting machine; knitter □ (*tipogr.*) **m. rotativa**, rotary printing press □ **m. tipografica**, printing press □ (*fig.*) **la m. umana**, the human body (*o frame*) □ **m. utensile**, machine tool □ (*tipogr.*) **andare in m.**, to go to press □ **battere a m.**, to type; to typewrite □ (*comput.*) **codice m.**, machine code □ **dice m.**, machine code □ **fare m. indietro**, to reverse (the engine); (*fig.*) to backtrack, to backpedal □ **fatto a m.**, machine-made □ (*tipogr.*) **essere in m.**, to be in the press □ **lavorazione a m.**, machine-work □ (*comput.*) **linguaggio m.**, machine language.

macchinàle a. mechanical; automatic: **movimento m.**, mechanical movement.

macchinàre v. t. to plot; to scheme; (*architettare*) to engineer, to contrive: **m. un tradimento**, to plot treason; **m. la rovina di q.**, to plot sb.'s ruin; *Cosa stai macchinando?*, what are you up to?

macchinàrio m. machinery ⓤ.

macchinàta f. (*fam.*, *di lavatrice e sim.*) load: *Mi ci sono volute due macchinate*, it took two loads to do it all.

macchinatóre m. (f. **-trìce**) plotter; schemer; intriguer.

macchinazióne f. machination; plot; intrigue; scheme: **sventare le macchinazioni di q.**, to frustrate sb.'s schemes; to outsmart sb.

macchinerìa f. (*teatr.*) stage machinery ⓤ; stage machines (pl.).

macchinétta f. **1** small machine; small engine **2** (*fam.*: *accendisigari*) lighter, cigarette-lighter **3** (*fam.*: *caffettiera*) coffee percolator; espresso machine **4** (*fam.*: *apparecchio ortodontico*) braces (pl.) ● **parlare come una m.**, (*velocemente*) to speak very fast; (*chiacchierare*) to rattle away, to talk nineteen to the dozen.

macchinìsmo m. (*filos.*) mechanism.

macchinista m. **1** (*ferr.*) engine driver **2** (*ind.*) machine operator **3** (*naut.*) engineer **4** (*teatr.*) stagehand; scene-shifter **5** (*cinem.*, *TV*) grip: **caposquadra macchinisti**, head grip.

macchinosaménte avv. in a complicated manner.

macchinosità f. complexity; intricacy; involution.

macchinóso a. complicated; intricate; involved; convoluted: **intreccio m.**, intricate (*o complicated*) plot.

macchiolìna f. little spot; speck; dot; fleck.

macchióne m. dense scrub; thick brushwood.

macèdone a., m. e f. Macedonian ● **Filippo il M.**, Philip of Macedon.

macedònia f. (*cucina*) fruit salad ● (*ling.*) **parola m.**, portmanteau word.

Macedònia f. (*geogr.*) Macedonia; (*stor.*) Macedon, Macedonia.

macedònico a. (*stor.*, *geogr.*) Macedonian.

macedonìte f. (*miner.*) macedonite.

macellàbile a. fit for slaughtering.

♦**macellàio** m. (f. **-a**) (*anche fig.*) butcher.

macellàre v. t. (*anche fig.*) to slaughter; to butcher.

macellatóre m. (f. **-trìce**) slaughterer; butcher.

macellazióne f. slaughter.

♦**macellerìa** f. butcher's (shop).

macèllo m. **1** (*mattatoio*) slaughterhouse; abattoir (*franc.*) **2** (*il macellare*) slaughtering; slaughter: **bestie da m.**, animals for slaughter **3** (*fig.*: *massacro*) slaughter; butchery; massacre **4** (*fig.*: *disastro*) disaster; (*caos*) shambles (pl. col verbo al sing.); (*chiasso*) racket, rumpus: *L'esame è stato un m.*, the exam was a disaster; *La stanza era un m.*, the room was a complete shambles; *Che m.!*, what a shambles! ● **fare un m.**, (*massacrare*) to cause carnage; (*fare un disastro*) to cause a disaster □ (*fig.*) **mandare al m.**, to send to one's death; (*di soldati, anche*) to use as cannon fodder □ (*fig.*) **carne da m.**, cannon fodder.

maceràbile a. fit for maceration.

macerànte a. **1** macerating **2** (*fig.*) consuming; torturing.

maceràre Ⓐ v. t. **1** to macerate; to steep; (*ind. tess.*) to ret; (*pelli*) to bate: **m. la canapa**, to ret hemp **2** (*fig.*: *mortificare*) to macerate; to mortify: **m. le proprie carni**, to

mortify one's body Ⓑ **maceràrsi** v. rifl. **1** (*mortificarsi*) to waste away; to wear* away: **macerarsi con i digiuni**, to waste away by fasting **2** (*rodersi*) to be consumed (with); to be racked (with); to be tormented (by); to be tortured (by): **macerarsi nel rimorso**, to be racked with remorse Ⓒ **maceràrsi** v. i. pron. (*subire macerazione*) to macerate.

maceràto a. **1** macerated; steeped; (*ind. tess.*) retted; (*di pelli*) bated **2** (*fig.*: *mortificato*) mortified **3** (*roso*) consumed; racked; tortured: **m. dal rimorso**, racked with remorse.

maceratóio m. (*ind. tess.*) retting-pit; rettery.

maceratóre Ⓐ m. (f. **-trìce**) macerator; steeper Ⓑ a. **1** macerating; pulping; retting **2** (*fig.*) macerating; consuming.

macerazióne f. **1** maceration; steeping; (*ind. tess.*) retting; (*di pelli*) bating **2** (*med.*) maceration **3** (*fig.*: *mortificazione*) mortification; (*penitenza*) penance: **le macerazioni del corpo**, the mortifications of the flesh **4** (*fig.*: *tormento*) torment; torture; racking grief.

macèrie f. pl. rubble ⓤ; debris ⓤ; ruins: *La casa era un cumulo di m.*, the house was a heap of rubble; *Il paese era ridotto in m.*, the village was a heap of ruins; **estrarre q. di sotto alle m.**, to extract sb. from the debris; **frugare tra le m.**, to search among the rubble; **sgombrare le m.**, to clear the rubble.

màcero Ⓐ a. **1** (*macerato*) macerated **2** (*fig.*: *spossato*) worn out Ⓑ m. **1** (*macerazione*) macerating; (*di carta*) pulping **2** (*maceratoio*) retting-pit; rettery ● **carta da m.**, pulp paper □ **mandare al m.**, to send for pulping; to pulp.

Mach (*ted.*) m. inv. (*fis.*) Mach (number): **M. uno** [**due**], Mach one [two].

machéte (*spagn.*) m. inv. machete.

machiavelliàno a. of (*o relating to*) Machiavelli; Machiavelli's; Machiavellian.

machiavellicaménte avv. in a Machiavellian way; cunningly.

machiavèllico a. (*fig.*) Machiavellian; cunning.

machiavellìsmo m. Machiavellianism; Machiavellism.

machiavellista m. e f. **1** expert on Machiavelli; Machiavelli scholar **2** (*fig.*) Machiavellist.

machiavèllo m. **1** (*persona astuta*) Machiavel **2** (*stratagemma*) cunning device; ruse.

machismo (*spagn.*) m. **1** machismo **2** (*maschilismo*) male chauvinism.

màchmetro m. (*aeron.*) Machmeter.

macho (*spagn.*) Ⓐ a. inv. macho Ⓑ m. inv. macho man*; macho guy (*USA*); he-man*.

macigno m. **1** (*geol.*) (*siliceous*) sandstone; millstone grit **2** (*grosso masso*) boulder; rock ● **duro come un m.**, as hard as rock; (*fig.*: *ostinato*) as stubborn as a mule □ **pesare come un m.**, to weigh a ton □ (*fig.*) **pesante come un m.** (*noioso*), boring; dull; heavy, heavy-going.

macilènto a. emaciated; gaunt; wasted.

macilènza f. emaciation; gauntness.

màcina f. **1** (*pietra*) millstone; grindstone; (*a mano*) quern **2** (*macchina*) mill; grinder **3** (*fig. lett.*) oppression; burden; millstone round sb.'s neck: *Mi pareva di avere una m. addosso*, I felt as if I had a millstone round my neck.

macinàbile a. capable of being ground (*o milled*); millable; pulverizable ● **grano m.**, grist □ **orzo m.**, grinding barley.

macinacaffè m. coffee grinder; coffee mill.

macinacolóri m. inv. (*pitt.*) muller.

macinadosatóre m. (coffee) grinder-dispenser.

macinapépe m. inv. pepper mill.

macinàre A v. t. **1** (*ridurre in farina*) to grind*, to mill: **m. il caffè**, to grind coffee; **m. grano**, to grind corn; **m. fino**, to grind small (*o* fine) **2** (*tritare*) to mince; (*schiacciare*) to crush, to press: **m. la carne**, to mince meat; **m. olive**, to press olives **3** (*polverizzare*) to powder; to pulverize; (*col pestello*) to pound **4** (*fig.*: *rimuginare*) to brood on; to mull over; to nurse: **m. un'idea**, to mull over an idea; **m. rancore**, to bear a grudge ● (*fig.*) **m. kilometri**, to clock up the kilometers □ (*fig.*) **m. numeri**, to crunch numbers B **macinàrsi** v. rifl. (*fig.*) to consume oneself; to pine away.

macinàta f. **1** grinding: **dare una m. a qc.**, to give st. a (quick) grinding; to grind st. (quickly) **2** (*quantità macinata*) quantity ground; (*di grano*) grist.

macinàto A a. **1** ground; milled: **caffè m.**, ground coffee **2** (*tritato*) minced; (*pestato*) crushed, pressed: **carne macinata**, minced meat; mincemeat; mince (*GB*) **3** (*polverizzato*) pulverized; (*col pestello*) pounded B m. **1** meal; grist; (*farina di grano*) flour: (*stor.*) **tassa sul m.**, grist tax **2** (*fam.*: *carna macinata*) minced meat; mincemeat; mince (*GB*).

macinatóio m. mill; press; (*per olive*) oil-press; (*per minerali*) ore-grinding machine.

macinatóre m. (f. **-trice**) grinder; miller.

macinatùra, **macinazióne** f. grinding; milling; (*col pestello*) pounding.

macinèllo m. (*pitt.*) muller.

macinìno m. **1** mill; grinder: **m. da caffè**, coffee mill; coffee grinder; **m. da pepe**, pepper mill **2** (*scherz.*, *di automobile*) old crock; jalopy; beat-up old car (*USA*); heap; (*rumorosa*) banger.

macinìo m. steady grinding (sound).

màcis m. e f. inv. (*bot.*) mace.

maciste m. (*scherz.*) colossus; muscleman*; bruiser; hulk.

maciùlla f. (*ind. tess.*) brake; scutch.

maciullaménto m. (*ind. tess.*) braking; scutching.

maciullàre v. t. **1** (*ind. tess.*) to brake; to scutch: **m. canapa [lino]**, to brake hemp [flax] **2** (*schiacciare*) to crush; (*stritolare*) to mangle, to reduce to a pulp.

maciullatùre f. (*ind. tess.*) braking; scutching.

maclùra f. (*bot.*, *Maclura aurantiaca*) Osage orange; bow wood.

macò → **makò**.

macramè m. macramé.

màcro① A m. inv. (*fotogr.*) macro (lens) B a. inv. macro (attr.).

màcro② f. inv. (*comput.*) macro (instruction).

macrò m. inv. pimp; ponce (*GB*).

macroanàlisi f. **1** (*scient.*) macroanalysis **2** (*econ.*) macroeconomics (pl. col verbo al sing.).

macrobiòtica f. macrobiotics (pl. col verbo al sing.).

macrobiòtico a. macrobiotic.

macrocardìa f. (*med.*) megalocardia; cardiomegaly.

macrocefalìa f. (*med.*) macrocephaly.

macrocèfalo a. (*med.*) macrocephalic; macrocephalous.

macrochèira f. (*zool.*, *Macrocheira kaempferi*) giant crab.

macrochirìa f. (*med.*) macrocheiria.

macrocìto, **macrocìta** m. (*biol.*) macrocyte.

macrocitòsi f. (*med.*) macrocytosis.

macroclìma m. (*geogr.*) macroclimate.

macrocontèsto m. (*ling.* e *estens.*) macrostructure.

macrocòsmo m. macrocosm.

macrocristallìno a. (*miner.*) macrocrystalline.

macrodattilìa f. (*med.*) macrodactyly.

macrodàttilo a. (*med.*) macrodactyl.

macrodistribuzióne f. (*econ.*) macrodistribution.

macrodónte a. (*med.*) macrodont.

macrodontìsmo m. (*med.*) macrodontia; macrodontism.

macroeconomìa f. (*econ.*) macroeconomics (pl. col verbo al sing.).

macroeconòmico a. (*econ.*) macroeconomic.

macroestesìa f. (*med.*) macroesthesia.

macroevoluzióne f. (*biol.*) macroevolution.

macròfago m. (*biol.*) macrophage.

macrofotografìa f. **1** (*procedimento*) photomacrography; macrophotography **2** (*fotogr.*) photomacrograph; macrograph; macrophotograph.

macrofotogràfico a. photomacrographic; macrophotographic.

macroftalmìa f. (*med.*) macrophthalmia.

macroftàlmo m. (f. **-a**) (*med.*) person affected with macrophthalmia.

macrogenitosomìa f. (*med.*) macrogenitosomia.

macroglòssa f. (*zool.*, *Macroglossa stellatarum*) hummingbird hawkmoth.

macroglossìa f. (*med.*) macroglossia.

macroistruzióne f. (*comput.*) macro instruction.

macrolepidòtteri m. pl. (*zool.*) macrolepidoptera.

macrolìde m. (*farm.*) macrolide.

macrolinguìstica f. macrolinguistics (pl. col verbo al sing.).

macromelìa f. (*med.*) macromelia.

macrometeorologìa f. mecrometeorology.

macromicèti m. pl. (*bot.*) macromycetes.

macromolècola f. (*chim.*) macromolecule.

macromolecolàre a. (*chim.*) macromolecular.

macronùcleo m. (*biol.*) macronucleus.

macronutriènte m. (*biol.*) macronutrient.

macropòdide m. (*zool.*) macropod; (al pl., *scient.*) Macropodidae.

macroprogrammazióne f. (*comput.*) macroprogramming.

macropsìa f. (*med.*) macropsia.

macroregióne f. (*geogr.*) macro-region.

macroscòpico a. **1** macroscopic **2** (*fig.*) glaring; gross: **differenze macroscopiche**, glaring differences; **errore m.**, glaring (*o* gross) mistake.

macrosìsma, **macrosìsmo** m. macroseism.

macrosistèma m. macrosystem.

macrosociologìa f. macrosociology.

macrosociològico a. macrosociological.

macrosomìa f. (*med.*) macrosomia; gigantism.

macrosòmico a. (*med.*) macrosomatic.

macrospòra f. (*bot.*) megaspore; macrospore.

macrosporàngio m. (*bot.*) megasporangium*; macrosporangium*.

macrostruttùra f. macrostructure.

macrotèsto m. macrotext.

macròttero a. (*zool.*) macropterous.

macùba m. e f. inv. maccaboy, maccoboy.

màcula f. **1** (*anat.*) macula*; macule: **m. cutanea**, macule; skin spot; **m. lutea**, macula lutea **2** → **macchia**①.

maculàre① v. t. → **macchiare**.

maculàre② a. **1** (*anat.*) macular **2** (*astron.*) sunspot (attr.): **zona m.**, active sunspot region.

maculàto a. spotted; speckled; dappled; flecked; dotted.

maculatùra f. (*biol.*) maculation.

macùmba f. macumba.

madàma f. **1** (*stor.*: *titolo*) madam **2** (*scherz.* o *iron.*) madam; (al vocat.) ma'am: *Prego, m.*, after you, ma'am **3** (*pop.*: *tenutaria di bordello*) madam **4** (*gergo*: *polizia*) (the) police; (the) Old Bill (*fam. GB*); (the) fuzz (*slang*); (the) heat (*slang USA*).

madamigèlla f. **1** (*stor.*) mademoiselle; miss **2** (*scherz.* o *iron.*) miss; mademoiselle; little madam.

madapolàm m. (*ind. tess.*) madapollam.

madaròsi f. (*med.*) madarosis.

maddaléna① f. repentant woman* ● (*iron.*) **fare la m.**, to make a show of contrition; to look like Mary Magdalene.

maddaléna② f. (*dolce*) madeleine.

Maddaléna f. Magdalene; (*nel Vangelo*) (the) Magdalen *o* Magdalene, Mary Magdalene.

maddaleniàno → **magdaleniano**.

made in Italy A loc. agg. inv. Italian-made: **scarpe made in Italy**, Italian-made shoes B loc. m. inv. Italian products (pl.).

madeleine (*franc.*) f. inv. (*dolce* e *fig.*) madeleine.

madèra m. Madeira (wine).

Madèra f. (*geogr.*) Madeira.

maderizzazióne f. (*enologia*) maderization.

màdia f. bread chest; kneading trough.

màdido a. wet; damp; drenched: **m. di pioggia**, wet with rain; **m. di sudore**, damp with sweat; bathed in sweat; (*zuppo*) sweat-drenched (attr.).

madière m. (*naut.*) floor; (*di nave di legno*) floor timber; (*di nave di ferro*) floor plate: **m. obliquo** (*o* **deviato**), cant floor ● **per m.**, athwartships □ **disporre per m.**, to traverse.

♦madònna A f. **1** (*relig.*) Our Lady; (the) Virgin (Mary); (the) Madonna: **la M. Addolorata**, Our Lady of Sorrows; **il culto della M.**, the cult of the Virgin **2** (*lett.*: *titolo*) my lady; (*seguito dal nome*) madonna, lady **3** (*arte*) Madonna: **una M. di Cimabue**, a Madonna by Cimabue ● (*pop.*) **avere le madonne**, to be in a bad mood □ (*pop.*) **della m.**, terrible; dreadful: *Fa un freddo della m.*, it's perishing cold (*fam.*); **prendersi una paura della m.**, to be scared out of one's wits (*fam.*) □ (*fig.*) **viso da m.**, angelic face B inter. good Lord!; God!; heavens!

madonnàro m. (f. **-a**) **1** (*artista*) pavement artist **2** (*nelle processioni*) bearer of the image of the Virgin in a religious procession.

madonnìna f. **1** small effigy of the Virgin Mary **2** (*fig.*) demure girl; (*iron.*) goody-goody ● **avere un viso di m.**, to look demure □ **Fa la m.** (*o* **Pare una m. infilzata**), she looks as though butter wouldn't melt in her mouth.

madòqua f. (*zool.*, *Madoqua*) dik-dik.

madóre m. slight perspiration.

madornàle a. enormous; colossal; gross: **errore m.**, colossal (*o* gross) mistake; (*svarione*) howler (*fam.*); **gaffe m.**, colossal blunder.

madornalità f. enormousness; enormity.

madòsca inter. (*pop.*) damn (it)!; dammit!

madràs m. inv. (*tessuto*) madras (muslin).

màdraṣa f. madrasa, madrasah.

♦**màdre** A f. **1** mother: **m. adottiva**, adoptive mother; **m. amorosa**, loving mother; **m. di famiglia**, mother of a family; **m. naturale**, natural mother; **m. snaturata**, unnatural mother; **futura m.**, mother-to-be; **essere m.**, to be a mother; *È m. di due bambini*, she is a mother of two; **amor di m.**, maternal love; a mother's love **2** (*di animale*) mother; dam **3** (*eccles.*) Mother: **M. Badessa**, Mother (*o* Lady) Abbess; **M. Superiora**, Mother Superior **4** (*mecc.*) → **madrevite 5** (*feccia*) dregs (pl.); lees (pl.) **6** (*anat.*) mater: **dura [pia] m.**, dura [pia] mater **7** (*bot.*: *pianta m.*) stock **8** (*comm.*: *matrice*) counterfoil: **registro a m. e figlia**, counterfoil register **9** (*chim.*) mother: **m. dell'aceto**, mother of vinegar ● **m. coraggio**, mother courage □ **m. in affitto**, surrogate mother □ **m. natura**, Mother Nature □ **m. patria** → **madrepatria** □ (*eccles.*) **m. spirituale**, godmother □ **la m. terra**, Mother Earth □ **da parte di m.**, maternal; on one's mother's side; on the maternal side □ **divenire m.**, to give birth to a child □ **fare da m. a q.**, to be a mother to sb. □ **rendere m.**, to give (sb.) a child □ **senza m.**, motherless □ (*prov.*) **La m. dei cretini è sempre incinta**, there's one born every minute B a. **1** mother (attr.): **chiesa m.**, mother church; **lingua m.**, mother tongue **2** (*fig.*: *principale*) fundamental; basic; chief: **idea m.**, fundamental idea ● (*chim.*) **acqua m.**, bittern □ **casa m.**, (*eccles.*) mother house; (*econ.*) parent (*o* head) company □ **ragazza m.**, unmarried mother □ **regina m.**, Queen Mother □ **scena m.**, (*teatr.*) crucial scene; (*fig.*) scene, song and dance (*fam.*).

madrecicàla f. (*zool.*) larval case (of a cicada).

madrefórma f. (*tecn.*) mold.

madreggiàre v. i. **1** (*somigliare alla madre*) to take* after one's mother **2** (*comportarsi da madre*) to act like a mother; to play the mother.

madrelingua f. mother tongue.

madrepàtria f. motherland; mother country; native land.

madrepèrla f. mother-of-pearl; pearl; nacre: **bottone [manico] di m.**, pearl button [handle]; **color m.**, pearl-coloured; nacreous; pearly.

madreperlàceo a. nacreous; pearly.

madreperlàto a. pearl (attr.); iridescent: **smalto m.**, pearl nail varnish.

madrèpora f. (*zool.*) madreporarian; madrepore; (al pl., *scient.*) Madreporaria.

madrepòrico a. (*zool.*) madreporic.

madreporite f. (*zool.*) madreporite.

madresélva f. (*bot.*, *Lonicera caprifolium*) honeysuckle; woodbine.

madrevite f. (*mecc.*) **1** female thread **2** (*dado*) bolt **3** (*utensile per filettare*) screwing die; screw plate.

madrigàle m. (*poesia*, *mus.*) madrigal.

madrigaleggiàre v. i. (*lett.*) **1** (*comporre madrigali*) to compose madrigals **2** (*cantare madrigali*) to sing* madrigals.

madrigalésco a. madrigal (attr.); madrigalesque; madrigalian.

madrigalista m. madrigalist.

madrigalìstico a. madrigal (attr.); of madrigals.

madrilèno A a. of Madrid; Madrid (attr.); Madrilenian B m. (f. -a) native [inhabitant] of Madrid.

madrìna f. **1** (*relig.*, *di battesimo*) godmother, sponsor; (*di cresima*) sponsor: **fare da m. a un bambino**, to be godmother [sponsor] to a child **2** (*di nave*) lady who launches a ship: *M. della nave è stata la signora B.*, the ship was launched by Mrs B. **3** (*di cerimonia pubblica*) patroness ● **m. di guerra**, soldier's pen friend.

madrinàggio m. godmothership; duties (pl.) of a godmother.

madrinàto m. charitable work; charity.

MAE sigla (**Ministero degli affari esteri**) Ministry of Foreign Affairs.

♦**maestà** f. **1** (*imponenza*) majesty; stateliness; solemnity; dignity: **la m. d'un edificio**, the majesty (*o* stateliness) of a building; **m. di portamento**, dignity of bearing **2** (*titolo*) Majesty: *Sua M., His [Her] Majesty; Sua M. il Re*, His Majesty the King; *Vostra M.*, Your Majesty; **le loro M.**, Their Majesties **3** (*arte*) Majesty ● (*fig.*) **delitto di lesa m.**, lese-majesty; lèse-majesté (*franc.*).

maestosaménte avv. majestically; solemnly; with imposing dignity; grandly.

maestosità f. majesty; stateliness; magnificence; grandeur (*franc.*).

♦**maestóso** a. **1** majestic; stately; solemn; imposing; mighty; magnificent; grand: **edificio m.**, stately building; **incedere m.**, solemn gait; **montagne maestose**, majestic mountains; **panorama m.**, imposing view; **portamento m.**, dignified bearing **2** (*mus.*) maestoso.

maèstra f. **1** (female) teacher; schoolteacher: **m. d'asilo**, nursery-school teacher; **m. di musica**, music teacher; **m. elementare**, primary-school teacher; **fare la m.**, to be a schoolteacher; *Buon giorno, signora m.*, good morning, miss **2** (*fig.*: *esperta*) expert; mistress: **una m. del romanzo giallo**, a mistress of the detective novel; **una m. della dissimulazione**, an expert liar; **una m. della tastiera**, a peerless pianist **3** (*fig.*: *esempio*, *insegnamento*) example; guide **4** (*naut.*) – **albero di m.**, mainmast; **coffa di m.**, maintop; **pennone di m.**, main yard; **straglio di m.**, mainstay; **vela di m.**, mainsail.

maestràle m. **1** (*vento*) northwest wind; (*in Francia*) mistral **2** (*direzione*) northwest.

maestrànze f. pl. (*dipendenti*) employees; (*operai*) workers, shop floor (sing.): **m. di un cantiere navale**, shipyard workers; **m. portuali**, dockers; **m. specializzate**, specialized workers.

maestrìa f. **1** mastery; skill; (*di artigiano*, *artista*) craftsmanship, artistry **2** (*furbizia*) shrewdness; artfulness; craftiness.

♦**maèstro** A m. **1** (*insegnante*) teacher; (*di scuola*) (primary-school) teacher; schoolteacher; (*istruttore*) master, instructor: **m. di ballo**, dancing-master; **m. d'equitazione**, riding-master; **m. di ginnastica**, gym teacher; **m. di musica**, music teacher; music master; **m. di scherma**, fencing-master; **m. di sci**, ski instructor; **m. elementare**, primary-school teacher; *Buongiorno, signor m.*, good morning, sir **2** (*persona che dà ammaestramenti*) master; teacher; guide: **il divino M.**, the divine Master; **sommo M.**, supreme master; *Tra i suoi maestri c'è Croce*, Croce, among others, had a great influence on him **3** (*chi eccelle in una disciplina*) master; (*artista*) artist, adept, virtuoso: **i maestri del Rinascimento**, the Renaissance masters; **un m. della tavolozza**, a peerless painter **4** (*uomo abile*, *esperto*) master; master; past master; paragon: **un m. dell'ironia**, a master of irony; **un m. di eleganza**, a paragon of elegance; *Nel suo campo è un m.*, he's an expert in his field **5** (*artigiano provetto*) master: **m. muratore**, master mason **6** (*mus.*) maestro: **m. concertatore e direttore d'orchestra**, conductor; **m. compositore**, composer; **m. del coro**, choirmas-

ter; chorus master; **m. di cappella**, Kapellmeister (*ted.*); maestro di cappella **7** (*geogr.*) northwest; (*vento*) northwest wind ● **m. cantore**, mastersinger; Meistersinger* (*ted.*) □ **m. d'armi**, fencing master □ (*naut.*) **m. d'ascia**, carpenter; shipwright □ **m. delle cerimonie**, master of ceremonies (abbr. MC, emcee) □ **m. di campane**, bell founder □ **m. di casa**, steward □ (*canottaggio*) **m. d'equipaggio**, boatswain □ (*stor.*) **m. di palazzo**, majordomo □ **da m.**, master (attr.); masterly (agg.): **colpo da m.**, masterly stroke; **lavoro da m.**, masterwork; **mossa da m.**, masterly move □ **Gran M.**, Grand Master □ (*prov.*) **L'esercizio è buon m.**, practice makes perfect B a. **1** (*principale*) main; chief: (*naut.*) **albero m.**, mainmast; (*edil.*) **ingresso m.**, main entrance; **muro m.**, main wall; **strada maestra**, main road; highway; (*naut.*) **vela maestra**, mainsail **2** (*abile*) master (attr.); masterly; skilful; (*astuto*) artful, crafty: **colpo m.**, masterly stroke; **mano maestra**, master-hand; skilful hand.

MAF sigla (**Ministero agricoltura e foreste**) (*ora* **MIRAAF**) Ministry for Agriculture and Forestry.

màfia f. **1** Mafia; (the) Mob; (*estens.*: *organizzazione criminosa*) mafia: **la m. cinese**, the Triad; **la m. russa**, the Russian mafia **2** (*gruppo occulto che opera a propri fini*) mafia: **una m. letteraria**, a literary mafia.

mafiologìa f. study of the Mafia phenomenon.

mafiòlogo m. (f. -a) expert on the Mafia phenomenon; Mafia expert.

mafiosità f. mafioso nature; mafioso behaviour.

mafióso A a. Mafia (attr.); mafioso (attr.); Mafia-like; Mafia-style (attr.): **associazione mafiosa**, conspiracy with the Mafia; **metodi di mafiosi**, Mafia-style (*o* mafioso) methods B m. (f. -a) mafioso*; member of the Mafia; mobster.

Mag. abbr. (**maggio**) May.

màga f. **1** sorceress; witch; enchantress **2** (*fig.*) enchantress; charmer.

magàgna f. **1** (*imperfezione*) blemish, flaw; (*difetto*) defect, imperfection, fault, shortcoming, flaw: *La sua macchina ha sempre qualche magagna*, there's always something wrong with his car; **coprire le magagne**, to hide the defects; to paper over the cracks **2** (*acciacco*) infirmity; ailment: **le magagne della vecchiaia**, the infirmities of old age.

♦**magàri** A inter. **1** (*sì*, *certo*) of course!, and how! (*fam.*), you bet! (*fam.*); (*mi piacerebbe molto*) I'd love it! **2** (*fosse vero*) I wish it were so!; (*iron.*) no such luck!, fat chance (of that happening)! (*fam.*), chance would be a fine thing! (*fam.*) B cong. **1** (*volesse il cielo che*) if only; how I wish: *M. fosse vero!*, if only it were true!; *M. tornasse!*, if only (o how I wish) he would come back! **2** (*anche se*) even if: *Ci arriverò, m. dovessi fare a piedi tutta la strada*, I'll get there, even if I have to walk all the way C avv. **1** (*forse*) perhaps; maybe; for all I [we, etc.] know: *M. lui non lo sa*, perhaps he doesn't know **2** (*perfino*) even: *È capace m. di negare tutto*, she is even capable of denying everything.

magatèllo m. (*region.*, *macelleria*) round.

magaẓẓéno → **magazzino**.

magaẓẓinàggio m. **1** storage; warehousing **2** (*anche* **spese di m.**) storage charges (pl.); storage; warehousing costs (pl.).

magaẓẓinière m. (f. -a) storekeeper; storeman* (m.); warehouseman* (m.).

♦**magaẓẓino** m. **1** (*deposito*) storehouse, store, warehouse; (*locale*) storeroom, stockroom: **m. doganale**, customs warehouse; (*franco di dazio*) bonded store; **in m. dogana-**

le, in bond; **m. generale**, public warehouse; (*ferr.*) **m. merci**, goods shed; (*ind.*) **m. pezzi finiti**, finished goods storehouse; (*ind.*) **m. (prodotti) semilavorati**, goods-in-process storehouse; (*naut.*) **m. viveri**, victualling yard; **magazzini militari**, military stores; **mettere qc. in m.**, to put st. in storage; to store st.; **articoli in m.**, goods in stock (*o* on hand); **ricevuta di m.**, warehouse receipt; **scorte di comm.**, stocks 2 (*comm.*: *scorte*) stocks (pl.); inventory (*USA*): **avere un buon m.**, to be well stocked 3 (*negozio*) shop; store: **m. all'ingrosso**, wholesale store; **grande m.**, department store 4 (*fotogr.*, *tipogr.*) magazine 5 (*elettron.*) memory **① FALSI AMICI** • magazzino *nel senso di deposito per merci non si traduce con* magazine.

magdaleniàno a. e m. (*paletnologia*) Magdalenian.

Magdebùrgo f. (*geogr.*) Magdeburg.

Magellàno m. Magellan • (*geogr.*) lo Stretto di M., the Straits of Magellan.

magènta a. e m. (*colore*) magenta.

maggéngo a. (*agric.*) – **fieno m.**, May hay.

maggesàre v. t. (*agric.*) to fallow; to leave* fallow.

maggése **Ⓐ** a. May (attr.); of May: **olive maggesi**, May olives **Ⓑ** m. (*agric.*) fallow; fallow land: **m. intero**, a year's fallow; **mezzo m.**, six months' fallow; **tenere in m.**, to leave fallow.

♦**màggio** m. 1 May: **il primo m.**, the 1st of May; May 1st; (*Calendimaggio*) May Day; (*festa del lavoro*) Labour Day (*Per altri esempi d'uso* → **aprile**) 2 (*fig.*) bloom; prime; heyday: **il m. della vita**, the prime of life.

maggiociòndolo m. (*bot.*, *Cytisus laburnum*) laburnum.

maggiolàta f. 1 (*canzone*) May song 2 (*festa*) May Day celebrations (pl.); May festival.

maggiolìno① m. 1 (*zool.*, *Melolontha melolontha*) cockchafer; May bug 2 (*automobile Volkswagen*) beetle.

maggiolìno② m. piece of neoclassical furniture with elaborate inlaid decoration (made by G. Maggiolini).

maggioràna f. (*bot.*, *Origanum majorana*) sweet marjoram.

♦**maggiorànza** f. 1 (*maggior parte*) majority; greater part; most (agg. e pron.): **la m. degli insegnanti**, the majority of teachers; most teachers; **la m. dei presenti**, most of those present; **la m. delle persone**, most people; *La m. decise di continuare*, a majority decided to go on; **nella m. dei casi**, in most cases; in the majority of cases; **in gran m.**, in the vast majority; *Alla riunione le donne erano in m.*, at the meeting women were in the majority; *Eravamo in m. donne*, most of us were women; **decisione di m.**, majority decision 2 (*leg.*, *polit.*) majority: **m. assoluta**, absolute majority; **m. dei due terzi**, two-third majority; **m. esigua** (*o* **risicata**) slender majority; **m. relativa**, relative majority; plurality (*USA*); **m. schiacciante**, overwhelming majority; **m. semplice**, simple majority; **m. stretta**, narrow majority; **a larga m.**, by a large majority; **a m. di voti**, by a majority of votes; **avere la m.**, to be in the majority; **ottenere la m.** (*dei voti*), to get the majority; **governo della m.**, majority rule; **partito di m.**, majority party; **vittoria a stragrande m.**, landslide victory.

maggioràre v. t. (*comm.*) to raise; to put* up; to increase; to hike (*USA*): **m. il prezzo di qc.**, to raise (*o* to hike) the price of st.; to mark up st.

maggiorascàto, **maggioràsco** m. (*leg.*, *stor.*) majorat; right of primogeniture.

maggioràta f. curvaceous woman*.

maggioràto a. 1 (*comm.*) increased;

raised 2 (*mecc.*) oversize.

maggiorazióne f. (*comm.*) 1 rise; increase; (*su un prezzo di vendita*) mark-up: **m. dei prezzi**, increase in prices; **m. delle tariffe telefoniche**, rise in telephone rates; **una m. del 10% sul prezzo della benzina**, a mark-up of 10% on petrol 2 (*sovrapprezzo*) additional (*o* extra) charge; surcharge.

maggiordòmo m. butler; house-steward; majordomo (*stor.*).

♦**maggióre** **Ⓐ** a. 1 (compar.) (*più grande*) greater, larger, bigger; (*più alto*, *più elevato*) higher; (*più lungo*) longer; (*più grave*) heavier, worse; (*più importante*) more important, major; (*più vecchio*) older, (*fra parenti*) elder; (*ulteriore*) further: **m. bisogno**, greater need; **costo m.**, higher cost; (*stor.*) **le arti maggiori**, the major arts; (*mat.*) **asse m.**, major axis; (*astron.*) **astri maggiori**, major stars; *Catone m.*, Cato the Elder; **maggiori dettagli**, further details; *Il tutto è m. di ciascuna delle parti*, the whole is bigger (*o* larger) than each of its parts; *Dieci è m. di sei*, ten is greater than six; **una somma m. del previsto**, a larger sum than expected; *Carlo [mio fratello] è m. di me*, Carlo [my brother] is older than I am; *I danni delle piogge sono maggiori in campagna*, the damage caused by the rains is worse in the country; **il m. dei dei due artisti** 2 (superl. relat.) (*il più grande*) (the) greatest, (the) largest, (the) biggest; (*il più alto*, *il più elevato*) (the) highest; (*il più lungo*) the longest; (*il più importante*) (the) leading, (the) main, (the) chief, (the) top; (*il più grave*) (the) heaviest, (the) worst; (*il più vecchio*) (the) oldest, (*fra parenti*) (the) eldest: **il nostro maggior poeta**, our greatest poet; **il maggior numero**, the greatest number; (*la maggioranza*) the majority, most; **il maggior offerente**, the highest bidder; **una delle maggiori ditte di software**, one of the leading (*o* major) software firms; **la piazza m.**, the main square; **i maggiori dirigenti di una società**, the chief (*o* top) executives of a company; **vendere al m. prezzo**, to sell at the highest price; **la maggior parte del ricavato**, most of the takings; **la maggior parte della propria vita**, most of one's life; **la maggior parte dei presenti**, most of the people there; the majority of those present; **la m. parte di noi**, most of us; **il maggior fiume d'Italia**, the longest river in Italy; **i guai maggiori**, the worst troubles; **il figlio m.**, the eldest son 3 (*mus.*) major: **accordo m.**, major chord; **do m.**, C major; **scala m.**, major scale; **terza m.**, major third • **la m. età**, majority; legal age: **raggiungere la m. età**, to reach one's majority; to come of age □ (*mil.*) **aiutante m.**, adjutant □ (*eccles.*) **altare m.**, high altar □ **andare per la m.**, to be (very) popular; to be very successful □ **forza m.** → **forza** □ (*eccles.*) **ordini maggiori**, major orders □ **per la maggior parte**, mostly □ (*filos.*) **premessa m.**, major premiss □ (*astron.*) **Orsa M.**, Great Bear **Ⓑ** m. 1 (*d'età*, *più vecchio*) (the) older; (*fra parenti*) (the) elder; (*fra più di due*) (the) oldest, (the) eldest: *Chi è il m. di voi due?*, which of you is (the) older (*o* the elder)?; *Dei quattro fratelli, il m. era…*, of four brothers, the eldest was… 2 (*di grado*) superior; senior 3 (*mil.*, *esercito*) major; (*aeron.*) squadron leader (*GB*); major (*USA*) 4 → **maggiorente** 5 (al pl.) (*antenati*) fathers; forefathers; ancestors.

maggiorènne **Ⓐ** a. of age: **divenire m.**, to come of age; to reach one's majority; **essere m.**, to be of age **Ⓑ** m. e f. major; adult.

maggiorènte m. (spec. al pl.) leading figure; eminent person; notable (generalm. al pl.); (*di città*, *paese*) city [village] elder.

maggiorità f. (*mil.*) regimental office.

maggioritàrio **Ⓐ** a. majority (attr.): de-

cisione **maggioritaria**, majority decision; (*polit.*) **sistema m.**, majority system **Ⓑ** m. (*polit.*) majority system: **m. uninominale**, uninominal voting system.

maggiorménte avv. 1 (*di più*) more; to a greater extent; (*ancor di più*) even more: **applicarsi m. al lavoro**, to apply oneself more to one's job; **le persone m. a rischio**, people more at risk 2 (*a maggior ragione*, *tanto più*) all the more 3 (*più di tutto*) most; mainly; chiefly: *La cosa che mi irrita m. è…*, what irritates me most is…

maghrebino → **magrebino**.

màgi → **magio**.

♦**magìa** f. 1 magic Ⓤ; (*stregoneria*) witchcraft Ⓤ; (*incantesimo*) spell, charm: **m. bianca [nera]**, white [black] magic; **fare una m.**, to cast a spell; **come per m.**, as if by magic; **far sparire come per m.**, to magic away; **opera di m.**, work of magic 2 (*fig.*) magic; charm; enchantment: **la m. del chiaro di luna**, the magic of moonlight.

magiàro a. e m. (f. **-a**) Magyar.

magicaménte avv. 1 magically; by magic 2 (*fig.*) as if by magic.

♦**màgico** a. 1 magic; magical: **arti magiche**, magic arts; **parole magiche**, magic words; **potere m.**, magical power; **specchio m.**, magic glass (*o* mirror); **tappeto m.**, magic carpet 2 (*fig.*) magical; enchanting; fascinating: **un m. effetto di luci**, a magical light effect; **m. sorriso**, enchanting smile; **tocco m.**, magical touch • **bacchetta magica**, magic wand • **lanterna magica**, magic lantern □ (*fis.*) **occhio m.**, visual tuning indicator; magic eye (*fam.*) □ (*mat.*) **quadrato m.**, magic square.

màgio m. magus*: **i re Magi**, the Magi; the three Wise Men.

magióne f. (*lett.*) house; dwelling; abode.

magiostrìna f. (*paglietta*) straw hat; boater.

magìsmo m. (*stor.*) Magism; Magianism.

magistèro m. 1 (*attività di insegnante*) teaching; (*istruzione*) education: **dedicarsi al m.**, to devote oneself to teaching; **esercitare il m.**, to be a teacher; to teach; *Facoltà di m.*, Faculty of Education 2 (*insegnamenti*) teaching, teachings (pl.); (*della Chiesa*) magisterium: **il m. di Freud**, the teachings of Freud 3 (*maestria*) mastery; skill; command: **m. di stile**, mastery of style 4 (*negli ordini cavallereschi*) magistery; mastership: *Gran m. dell'Ordine di Malta*, Grand Magistery of the Order of Malta.

magistràle a. 1 (*di maestro*, *insegnante*) teaching; teachers' (attr.): **congresso m.**, teachers' conference (*o* congress); **istituto m.**, teachers' training college 2 (*da maestro*) masterly; masterful; (*eccellente*) brilliant, extraordinary: **un'esecuzione m. del trio**, a masterly execution of the trio 3 (*professorale*) magisterial; professorial; authoritative: **un tono m.**, a professorial (*o* magisterial) tone • (*mil.*) **linea m.**, magistral line.

magistralménte avv. masterfully; with masterly skill.

magistràto m. 1 magistrate; (*giudice*) judge: **m. di corte d'appello**, judge of the Court of Appeal; **m. inquirente**, investigating magistrate; **comparire davanti al m.**, to appear before the judge 2 (*funzionario*) magistrate; authority; officer: *Il sindaco è il primo m. della città*, the mayor is the chief magistrate of a city • **m. delle acque**, water board.

magistratuàle a. magisterial; magister's (attr.).

magistratùra f. 1 (*carica*, *ufficio*) magistrature; magistracy 2 (*gli organi giurisdizionali*) (the) judiciary; (*insieme dei magistrati*) (the) magistracy, (the) magistrates (pl.),

a b c d e f g h i j k l **m** n o p q r s t u v w x y z

(the) judicature, (the) judiciary, (the) bench; (*collegio giudicante*) court; (*la legge*) (the) law: **m. civile**, civil magistrates; *Il caso è di competenza della m.*, the case falls under the law; **rivogersi alla m.**, to take a case to court ● **entrare in m.**, to become a magistrate □ **esercitare la m.**, to be a magistrate (*o a judge*); to serve on the bench.

♦**màglia** f. 1 (*punto di lavoro a m.*) stitch: **m. a diritto** (*o* **dritta**), plain stitch; **m. a rovescio** (*o* **rovescia**), purl stitch; (*uncinetto*) **m. alta**, treble (*USA* double) crochet; (*uncinetto*) **m. bassa**, double (*USA* single) crochet; **m. doppia**, double stitch; **m. lenta**, loose stitch; **accavallare una m.**, to pass over a stitch; **avviare le maglie**, to cast on; **aumentare le maglie**, to increase (the stitches); **chiudere le maglie**, to cast off; **diminuire le maglie**, to decrease (the stitches); **lasciar cadere una m.**, to drop a stitch; **riprendere una m.**, to pick up a stitch 2 (*di rete e sim.*) mesh: *Il pesce sfuggì attraverso le maglie*, the fish escaped through the mesh; **rete a maglie grosse**, large-meshed net 3 (*anello di catena*) link: **m. per cingoli da trattore**, tractor track-link 4 (*anche* **lavoro a m.**) knitting: **lavorare a** (*o* **fare la**) **m.**, to knit; **di** (*o* **fatto a**) **m.**, knitted; (*a mano*) handknitted; (*a macchina*) machine-knitted; **ago da m.**, knitting needle 5 (*anche* **tessuto di m.**) knitted fabric; jersey: **indumenti di m.**, knitwear Ⓤ; **tailleur di m.**, knitted suit 6 (*canottiera*) singlet, vest (*GB*), undershirt (*USA*), skivvy; (*golf aperto*) cardigan; (*golf chiuso con colletto*) jersey; (*maglioncino*) pullover 7 (*sport*) shirt; (*ciclismo*) jersey: **m. azzurra**, blue shirt; (*atleta*) member of the Italian national team; **indossare la m. azzurra**, to become a member of the Italian national team; (*ciclismo*) **m. gialla**, yellow jersey; (*atleta*) race leader in the Tour de France; **conquistare la m. gialla**, to win the yellow jersey; (*ciclismo*) **m. iridata**, striped jersey; (*atleta*) race leader in the World Championship; (*ciclismo*) **m. rosa**, pink jersey; (*atleta*) race leader in the Tour of Italy; *I nostri giocano in m. bianca*, our side is playing in white shirts 8 (*parte dell'armatura*) mail: **cotta di m.**, coat of mail; chain mail 9 (*telef.*) grid; network ● (*fig.*) **cadere nelle maglie di**, to be ensnared by; to fall victim of.

magliàio m. (f. **-a**) professional knitter.

magliàro m. 1 travelling clothier 2 (*spreg.*) swindler; con man* (*fam.*).

maglierìa f. 1 (*articoli*) knitwear; knitted goods (pl.); woollens (pl.), woolens (pl., *USA*): **m. intima**, knitted underwear; **macchina per m.**, knitting-machine 2 (*negozio*) knitwear shop; hosier's (shop).

♦**magliétta** f. 1 (*canottiera*) singlet; skivvy; vest (*GB*); undershirt (*USA*): **m. della salute**, short-sleeved vest (*o* undershirt) 2 (*esterna, di cotone*) T-shirt, tee-shirt; (*di lana*) knitted shirt, light jersey 3 (*asola*) eyelet; eye; loop: **gancio e m.**, hook and eye 4 (*anello metallico*) ring; (*di arma portatile*) sling swivel.

maglificio m. knitwear factory.

maglìna f. (*tessuto*) light jersey.

màglio m. 1 (*martello di legno*) maul, mall; (*mazzapicchio*) beetle; (*mazzuolo*) mallet; (*battipalo*) monkey, rammer 2 (*mecc.*) hammer; (*a comando meccanico*) power hammer: **m. a caduta libera**, drop hammer; drop forge; **m. ad aria compressa**, compressed-air hammer; **m. a leva**, helve hammer; trip hammer; **m. a vapore**, steam-hammer; **m. pneumatico**, pneumatic hammer; **stampaggio al m.**, drop-forging 3 (*pallamaglio*) mallet.

magliòlo m. (*agric.*) shoot (of a vine).

♦**maglióne** m. sweater; jumper.

maglìsta m. (*ind.*) hammer operator.

màgma m. 1 (*geol.*) magma Ⓤ 2 (*fig.*)

confused mass; jumble.

magmàtico a. 1 (*geol.*) magmatic 2 (*fig.*) confused; jumbled; muddled; chaotic.

magmatìşmo m. (*geol.*) magmatism.

magnàccia m. (*region. spreg.*) pimp; ponce (*GB*): **fare il m.**, to pimp.

magnàlio m. (*metall.*) magnalium.

magnanimità f. magnanimity; generosity; nobility; high-mindedness.

magnànimo a. magnanimous; generous; noble; high-minded: **gesto m.**, magnanimous gesture; **propositi magnanimi**, noble aims.

magnanìna f. (*zool., Sylvia undata*) Dartford warbler.

magnàno m. (*region.*) locksmith.

magnaróne m. (*zool., Cottus gobio*) miller's thumb; bullhead.

magnàte m. 1 (*stor.*) magnate 2 (*personaggio influente*) magnate; tycoon; mogul; baron (*USA*): **m. dei media**, media mogul; **m. della finanza**, financial magnate; **m. della stampa**, press baron; **m. del petrolio**, oil magnate (*o* baron).

magnatìzio a. magnate (attr.); tycoon (attr.).

magnèsia f. (*chim.*) magnesia; magnesium oxide ● **m. alba**, magnesia alba; magnesium carbonate □ **m. effervescente**, magnesium citrate □ **m. nera**, manganese dioxide □ **m. usta**, magnesia usta; calcined magnesia □ **latte di m.**, milk of magnesia.

magnesìfero a. (*geol.*) magnesian.

magnèsio m. (*chim.*) magnesium: **carbonato di m.**, magnesium carbonate; magnesia alba; **citrato di m.**, magnesium citrate; (*fotogr.*) **lampada al m.**, magnesium lamp; (*fotogr.*) **lampo al m.**, magnesium light (*o* flare); **solfato di m.**, magnesium sulphate; Epsom salts (pl.).

magnesìte f. (*miner.*) magnesite.

màgnetar f. o m. inv. (*astron.*) magnetar.

magnète m. 1 (*fis.*) magnet: **m. artificiale**, artificial magnet; **m. naturale**, magnetite; lodestone; **m. permanente [temporaneo]**, permanent [temporary] magnet 2 (*mecc.*) magneto: **m. d'accensione**, ignition magneto; **m. schermato**, screened (*o* shielded) magneto.

magnètico a. 1 (*fis.*) magnetic: **ago m.**, magnetic needle; **campo m.**, magnetic field; **curve magnetiche**, magnetic curves; **deviazione magnetica**, magnetic deviation; **equatore m.**, magnetic equator; (*mil.*) **mina magnetica**, magnetic mine; **nastro m.**, magnetic tape; **nord m.**, magnetic north; **polo m.**, magnetic pole 2 (*fig.*) magnetic; mesmerizing: **fluido m.**, magnetic fluid; **occhi magnetici**, magnetic (*o* mesmerizing) eyes.

magnetìşmo m. 1 (*fis.*) magnetism: (*naut.*) **m. di bordo**, ship's magnetism; **m. terrestre**, terrestrial magnetism 2 (*fig.*) magnetism; attractive power; (*di occhi, ecc.*) mesmerising force: **m. personale**, personal magnetism ● (*stor.*) **m. animale**, animal magnetism.

magnetìsta m. e f. magnet maker.

magnetìte f. (*miner.*) magnetite; lodestone, loadstone.

magnetizzàbile a. (*fis.*) magnetizable.

magnetizzàre Ⓐ v. t. 1 (*fis.*) to magnetize 2 (*fig.*) to magnetize; to mesmerize; to fascinate Ⓑ **magnetizzàrsi** v. i. pron. (*fis.*) to magnetize.

magnetizzàto a. magnetized: **banda magnetizzata**, magnetized strip.

magnetizzatóre m. 1 (*fis.*) magnetizer 2 (f. **-trìce**) (*fig.*) mesmerizer; hypnotist.

magnetizzatrìce f. (*tecn.*) magnetizing device; card magnetizer.

magnetizzazióne f. (*fis.*) magnetization: **m. residua**, residual magnetization.

magnetoelasticità f. (*fis.*) magnetoelasticity.

magnetoelèttrico a. (*fis.*) magnetoelectric.

magnetofluidodinàmica f. magnetofluid dynamics (pl. col verbo al sing.).

magnetofònico a. 1 (*di magnetofono*) tape-recorder (attr.) 2 (*registrato*) tape-recorded.

magnetòfono® m. Magnetophon® ● **m. a filo**, wire-recorder □ **m. a nastro**, tape-recorder.

magnetògrafo m. (*fis.*) magnetograph.

magnetoidrodinàmica f. (*fis.*) magnetohydrodynamics (pl. col verbo al sing.).

magnetoidrodinàmico a. (*fis.*) magnetohydrodynamic.

magnetolettóre m. magnetic character reader.

magnetolettùra f. magnetic character recognition (*o* reading).

magnetomeccànico a. (*fis.*) magnetomechanical.

magnetometrìa f. (*scient.*) magnetometry.

magnetòmetro m. (*elettr.*) magnetometer.

magnetomotóre a. (*fis.*) magnetomotive: (*fis.*) **forza magnetomotrice**, magnetomotive force.

magnetóne m. (*fis.*) magneton.

magnetoòttica f. (*fis.*) magneto-optics (pl. col verbo al sing.).

magnetopàuşa f. (*astron.*) magnetopause.

magnetoresistènza f. (*fis.*) magnetoresistance.

magnetoresistóre m. (*fis.*) magnetoresistor.

magnetosfèra f. (*astron.*) magnetosphere.

magnetostàtica f. (*fis.*) magnetostatics (pl. col verbo al sing.).

magnetostrittìvo a. (*fis.*) magnetostrictive.

magnetostrizióne f. (*fis.*) magnetostriction.

magnetoterapìa f. (*med.*) magnetotherapy.

magnetoteràpico a. (*med.*) magnetotherapeutic.

màgnetron m. (*fis.*) magnetron.

magnificàre Ⓐ v. t. 1 (*glorificare*) to glorify; (*esaltare*) to exalt, to extol, to eulogize: **m. Iddio**, to glorify God; **m. le bellezze del creato**, to exalt the beauty of all created things 2 (*decantare*) to sing* the praises of, to praise to the skies, to extol; (*vantare*) to vaunt, to boast of: **m. le doti di q.**, to extol sb.'s talents Ⓑ **magnificàrsi** v. rifl. to boast; to blow one's own trumpet.

magnìficat m. inv. (*relig.*) Magnificat.

magnificatóre Ⓐ a. extolling; glorifying, vaunting Ⓑ m. (f. **-trìce**) extoller; vaunter.

magnificazióne f. exaltation; glorification; extolment; eulogy.

magnificentìssimo a. (*lett.*) most magnificent.

magnificènza f. 1 magnificence; (*grandezza*) greatness; (*splendore*) splendour; (*grandiosità*) grandeur (*franc.*), grandiosity; (*sontuosità*) sumptuosity, pomp: **la m. dell'ingegno umano**, the greatness of human intellect; **la m. delle Alpi**, the grandeur of the Alps; *Il ricevimento fu fatto con grande m.*, the reception was held with great pomp 2 (*liberalità*) liberality; munificence 3 (*cosa magnifica*) magnificent thing; splendid ob-

ject: *Che m.!*, how wonderful!

♦**magnifico** a. **1** magnificent; (*grandioso*) grand, grandiose; (*sontuoso*) sumptuous, opulent: **un palazzo m.**, a magnificent (*o* grandiose) palace; **una festa magnifica**, a sumptuous feast; *Lorenzo il M.*, Lorenzo the Magnificent **2** (*liberale, generoso*) liberal; munificent; lavish: **doni magnifici**, liberal (*o* munificent) gifts; **ospitalità magnifica**, lavish hospitality; **fare il m.**, to spend (*o* to give) lavishly; to throw one's money about (*fam.*) **3** (*splendido*) splendid; marvellous; wonderful; gorgeous; superb; fantastic (*fam.*); (*del tempo atmosferico*) glorious: **un'idea magnifica**, a splendid (*o* great) idea; *Che tempo m.!*, what glorious weather!

magniloquènte a. **1** (*lett.*) magniloquent; grandiloquent **2** (*spreg.*) magniloquent; high-flown; inflated; bombastic.

magniloquènza f. **1** (*lett.*) magniloquence; grandiloquence **2** (*spreg.*) magniloquence; inflatedness; bombast.

magnitùdine f. (*astron.*) magnitude: **m. apparente [assoluta]**, apparent [absolute] magnitude.

magnitùdo f. inv. (*fis., geol.*) (earthquake) magnitude.

màgno a. **1** great: **gli spiriti magni**, the great souls **2** (*appellativo*) the Great; Magnus: *Alberto M.*, Albertus Magnus; *Alessandro M.*, Alexander the Great; *Carlo M.*, Charlemagne; *Pompeo M.*, Pompey the Great ● (*stor.*) **la Magna Carta**, the Magna Carta (*o* Charta) □ (*stor.*) **la Magna Grecia**, the Magna Graecia □ **aula magna**, great hall □ (*scherz.*) **in pompa magna**, with great pomp.

magnòlia f. (*bot., Magnolia grandiflora*) magnolia.

màgnum (*lat.*) f. inv. **1** (*bottiglia*) magnum **2** (*cartuccia*) magnum (cartridge) **3** (*revolver*) magnum (gun).

♦**màgo** m. **1** magician; wizard; (*stregone*) sorcerer; (*spec. orientale*) magus*: **il m. Merlino**, Merlin the Wizard; *Simon M.*, Simon Magus **2** (*illusionista*) magician; conjuror **3** (*fig. fam.*) wizard; genius: **un m. della finanza**, a financial wizard; **un m. del pennello**, a genius with the paintbrush.

magóna f. (*ferriera*) iron foundry; ironworks.

magóne m. (*region.*) **1** (*ventriglio*) gizzard **2** (*region. fig.*) grief; (*nodo alla gola*) lump in one's throat: **avere il m.**, to have a lump in one's throat; **far venire il m.**, to bring a lump to sb.'s throat; to bring tears to sb.'s eyes.

Magónza f. (*geogr.*) Mainz.

màgra f. **1** (*di fiume*) low water: **essere in m.**, to be low **2** (*fig.: penuria*) scarcity; shortage **3** (*fam.: gaffe*) blunder; (*brutta figura*) poor show: **fare una m.**, to blunder; to put one's foot in it (*fam.*); to make a fool of oneself ● (*fig.*) **essere in m.**, to be going through a hard time □ (*fig.*) **periodo di m.**, lean period; hard times (pl.).

magrebino a. e m. (f. **-a**) Maghrebi; Maghribi.

magrézza f. **1** thinness; leanness; (*sparutezza*) gauntness: *Mi colpì la sua m.*, I was struck by his thinness; *È di una m. impressionante*, she is terribly thin **2** (*del terreno*) poorness; aridity **3** (*scarsità*) scarcity; shortage.

♦**màgro** A a. **1** thin; skinny; (*asciutto*) lean; (*smilzo*) spare, slim; (*sottile e muscoloso*) wiry; (*sparuto*) gaunt: **dita magre e nervose**, thin, nervous fingers; **una figura alta e magra**, a tall, lean figure; *Come ti sei fatto m.!*, how thin you have got! **2** (*di carne*) lean; (*di latticino, ecc.*) low-fat: **carne magra**, lean meat; **formaggio m.**, low-fat cheese; **prosciutto m.**, lean ham **3** (*fig.: scarso, povero*) meagre;

poor; scarce; scanty; lean: **annate magre**, lean years; **pasto m.**, poor (*o* meagre, scanty) meal; **raccolto m.**, scanty crop; **magra ricompensa**, poor reward; **magri risultati**, poor results; **m. stipendio**, poor salary **4** (*debole*) weak, lame; (*meschino*) meagre, paltry: **magra consolazione**, meagre consolation; **magra scusa**, lame (*o* thin, paltry) excuse; **magra soddisfazione**, meagre satisfaction **5** (*sterile*) poor; arid: **terra magra**, poor soil (*o* land) ● **m. come un chiodo** (*o* **come un'acciuga**), as thin as a rake □ **acque magre**, low water □ **argilla magra**, lean clay ● **fare una magra figura**, (*dimostrarsi poco abile*) to put up a poor show; (*apparire da poco*) to cut a poor figure, to pale in comparison with st.; (*apparire ridicolo*) to look a fool □ (*eccles.*) **giorno di m.**, day of abstinence □ **mangiare di m.**, to abstain from meat; to eat no meat □ **minestra di m.**, vegetable soup □ **ravioli di m.**, ravioli with a vegetable [a cheese] filling □ (*Bibbia*) **le sette vacche magre**, the seven lean cows B **m. 1** (*parte magra*) lean part **2** (*carne magra*) lean (meat): **un bel pezzo di m.**, a nice bit of lean (meat) **3** (*persona magra*) thin person; skinny person.

magróne m. **1** (*suino*) pig weighing between 30 and 60 kilos; fattening hog **2** (*edil.*) lean concrete.

♦**mah** inter. **1** (*di dubbio*) who knows; no idea: «*Quando tornerà?*» «*Mah!*», «when is he coming back?» «who knows!»; «*Chi è quello?*» «*Mah!*», «who is that man?» «no idea! (*o* search me!)»; *Mah, non lo so*, I really don't know; I have no idea **2** (*di rassegnazione*) well: *Mah, forse hai ragione tu*, well, you might be right after all.

maharajàh m. inv. maharajah.

maharàni f. inv. maharani, maharanee.

maharàtto → **maratto**.

mahatma a. inv. mahatma: **il m. Gandhi**, Mahatma Gandhi.

mahdi m. inv. (*relig.*) Mahdi.

mahdìsmo m. (*relig., polit.*) Mahdism.

mahdista m. e f. (*relig., polit.*) Mahdist.

♦**mài** avv. **1** (*nessuna volta, in nessun tempo*) never; (*in presenza di altra negazione*) ever: *Non li ho mai visti*, I've never seen them; *Non dire mai bugie!*, never tell a lie; *Non è mai troppo tardi*, it is never too late; *Non ho mai visto niente del genere*, I've never seen anything like it; *Non succede mai niente qui*, nothing ever happens here; *Nessuno lo seppe mai*, no one ever knew; **mai più**, never again; *Non lo rividi mai più*, I never saw him again; *Non li voglio vedere mai più*, I don't want to see them ever again; *Mai sentito!*, never heard of it!; *Mai che ti dia una mano!*, she never gives a hand!; *Mai una volta che abbia detto...*, he never once said...; «*Rinunci?*» «*Mai!*», «are you going to give up?» «never!»; **assolutamente mai**, never ever; **quasi mai**, hardly ever; *Questo mai!*, never! **2** (*una volta, talvolta, in qualsiasi tempo*) ever: *Vedi mai Elena?*, do you ever see Elena?; *L'hai mai incontrato quando eri a Londra?*, did you ever meet him while you were in London?; *Chi mai l'avrebbe immaginato?*, who would have thought it?; *Dove mai l'ho perduto?*, wherever did I lose it?; *Quando mai l'ho detto?*, when did I ever say so?; *Se mai lo incontrassi*, if I ever meet him; *Se mai lo dovessi meet him*; *Se mai lo vedrò, glielo dirò*, if I ever (*o* if I happen to) see him, I'll tell him; *Se mai telefonasse...*, if he should phone...; should he phone... (*form.*) ● **mai e poi mai**, (*rafforzativo*) never ever; (*niente affatto*) on no account, absolutely not, not in a month of Sundays (*fam.*) □ **mai dire mai**, never say never □ **Mai più!** (*macché*), not at all!; certainly not! □ **adesso o mai più**, (it's) now or never □ **Prendi l'om-**

brello, caso mai piovesse, take an umbrella, (just) in case it rains □ **Che dici mai?**, what on earth are you saying? □ **Chi mai te l'ha detto?**, who on earth told you that? □ **Come mai?**, how is that?; why?; how come? (*fam.*): *Come mai l'hai venduto?*, why did you sell it?; how come you could sold it? □ **meglio [peggio] che mai**, better [worse] than ever □ **meno che mai**, less than ever; (*meno di tutti*) least of all □ **Non si sa mai!**, you never can tell! □ **Non sia mai!**, God forbid! □ **Non sia mai detto che...**, never let it be said that...; God forbid that... □ **Perché mai?**, why on earth? □ **più che mai**, more than ever □ **Tornò più scoraggiato che mai**, when he came back he was more depressed than ever □ **quanto mai** (*molto*), very; extremely; terribly □ **Quant'è mai sciocca!**, how silly she is! □ (*prov.*) **Meglio tardi che mai**, better late than never.

màia f. (*zool., Maja squinado*) spider crab.

Màia f. (*mitol.*) Maia.

maiàla f. **1** (*fam.: scrofa*) sow **2** (*fig. spreg.*) dirty woman*; (*volg.*) slut, whore.

maialàta f. (*fam.*) **1** (*comportamento disgustoso*) piggish behaviour Ⓤ (*azione riprovevole*) dirty trick **3** (*oscenità*) obscenity; smut Ⓤ.

♦**maiàle** m. **1** pig; hog; (*suino*) swine*: **ammazzare il m.**, to kill the pig; **un branco di maiali**, a herd of pigs; **guardiano di maiali**, swineherd **2** (*carne*) pork: **braciole di m.**, pork chops **3** (*spreg.: persona ingorda*) pig; (*individuo sporco*) filthy pig (*fam.*); (*uomo riprovevole*) swine*; (*uomo licenzioso*) lecher, filthy-minded man*, dirty old man* **4** (*naut.*) human torpedo ● **grasso come un m.**, as fat as a pig □ **mangiare come un m.**, (*male*) to eat like a pig; (*molto*) to make a pig of oneself.

maialésco a. piggish; pig-like; hoggish; swinish.

maìdico a. maize (attr.); corn (attr.).

maidìcolo a. maize-growing; corn-growing.

maiestàtico a. (*lett.*) royal: **il plurale m.**, the royal «We».

maièutica f. (*filos.*) maieutics (pl. col verbo al sing.).

maièutico a. (*filos.*) maieutic.

mail (*ingl.*) f. inv. (*comput.*) e-mail.

mainàte m. (*zool., Gracula religiosa*) hill mynah.

maiòlica f. **1** majolica: **piastrella di m.**, majolica tile; **oggetti di m.**, majolicaware Ⓤ **2** (*oggetto*) majolica object.

maiolicàio m. **1** (*fabbricante*) maker of majolicaware **2** (*venditore*) seller of majolicaware.

maiolicàre v. t. **1** (*smaltare*) to glaze **2** (*piastrellare*) to cover with majolica tiles; to tile with majolica.

maiolicàto A a. **1** (*smaltato*) glazed; majolica (attr.) **2** (*piastrellato*) covered with majolica tiles; majolica-tiled B m. majolica-tiled wall.

maionése f. (*cucina*) mayonnaise.

Maiòrca f. (*geogr.*) Majorca.

màis m. (*bot., Zea mays*) maize; Indian corn; corn (*USA*).

maître (*franc.*) m. inv. **1** (*direttore di sala*) maître d'hôtel (abbr. *fam.* maître d') **2** (*maggiordomo*) butler; house steward.

maîtresse (*franc.*) f. inv. (*eufem.*) madam.

maiùscola f. capital (letter); (*tipogr.*) upper-case letter: **scritto in maiuscole**, written in capitals; upper-case; *Scrivi «Signora» con la m.*, write «Signora» with a capital «s».

maiuscolétto m. (*tipogr.*) small capitals (pl.); small caps (*fam.*).

a b c d e f g h i j k l **m** n o p q r s t u v w x y z

maiùscolo A a. 1 (*di lettera*) (block) capital; (*tipogr.*) upper-case (attr.): **lettere maiuscole**, capital letters; capitals; **a lettere maiuscole**, in capital letters; in (block) capitals; (*fig.*) very clearly, explicitly; **con l'iniziale maiuscola**, with a capital letter; *«English» si scrive con la «e» maiuscola*, "English» is written with a capital «e» 2 (*fig.*: *enorme*) big; huge; enormous: **un errore m.**, a big mistake; a blunder B m. capitals (pl.); (*tipogr.*) upper case.

maizèna® f. maize starch; cornflour.

major f. inv. (*ingl.*) 1 major (film) studios; major 2 (*est.*) major.

majorette f. inv. (drum) majorette.

màki m. (*zool.*, *Lemur*) maki; lemur.

makò m. inv. Egyptian cotton; fine cotton.

màla f. (*pop.*) (the) underworld; (the) world of crime; gangland (*fam.*).

malàcca f. Malacca cane; malacca.

malàccetto a. unwelcome; unwanted.

malàccio m. dangerous illness ● **Non c'è m.**, not too bad.

malaccòlto a. not welcome; unwelcome.

malaccortézza f. (*imprudenza*) imprudence; (*poca cautela*) incautiousness, unwariness; (*avventatezza*) rashness; (*sconsideratezza*) heedlessness, carelessness.

malaccòrto a. (*imprudente*) imprudent, unwise, ill-advised; (*incauto*) incautious, unwary; (*avventato*) rash; (*sconsiderato*) heedless, careless.

Malachìa m. (*Bibbia*) Malachi.

malachìte f. (*miner.*) malachite.

malacìa f. (*med.*) malacia.

malacologìa f. malacology.

malacològico a. malacological.

malacòlogo m. (f. **-a**) malacologist.

malacreànza f. bad manners (pl.); incivility; impoliteness.

maladattàto (*psic.*) A a. maladjusted B m. (f. **-a**) maladjusted person; misfit.

malafàtta → **malefatta**

malaféde f. 1 bad faith: **agire in m.**, to act in bad faith 2 (*leg.*) mala fides; bad faith: **in m.**, mala fide (avv. e attr.).

malafémmina f. (*region. spreg.*) whore; prostitute.

malaffàre m. – **casa di m.**, brothel; **donna di m.**, whore; prostitute; **persona di m.**, shady character; crook.

màlaga A m. (*vino*) Malaga (wine) B f. (*uva*) Malaga grapes (pl.).

malagévole a. difficult; hard; rough; (*scomodo*) uncomfortable: **salita m.**, hard climb; **sentiero m.**, rough path.

malagevolézza f. difficulty; hardness; roughness.

malagiàto a. 1 (*scomodo*) uncomfortable; comfortless 2 (*bisognoso*) indigent; needy; destitute.

malagràzia f. bad grace; ill grace; (*villania*) rudeness: **fare qc. con m.**, to do st. with (a) bad grace; **trattare q. con m.**, to be rude to sb.

malalìngua f. (*persona pettegola*) gossip; (*maldicente*) gossipmonger, scandalmonger; (*che sparla dietro le spalle*) backbiter: **essere una m.**, to be a gossipmonger; to have a nasty tongue.

malaménte avv. 1 badly; (*in modo sbagliato*) wrongly; (*in modo maldestro*) carelessly, clumsily: **cadere m.**, to have a nasty fall; **finire m.**, to end badly; (*di persona*) to come to a bad end; **morire m.**, to die a miserable death 2 (*villanamente*) badly; rudely: **trattare q. m.**, to treat sb. badly; to be rude to sb.

malammìde f. (*chim.*) malamide.

malandàto a. (*malridotto*) in bad (o poor) condition; in a sorry state; battered; beat-up

(*USA*); (*di edificio*) in bad repair, run-down, dilapidated ● **m. in salute**, in poor health; in a bad way; in a bad shape □ **m. nel vestire**, shabbily dressed; scruffy □ **cuore m.**, weak heart; dicky heart (*fam. GB*).

malandrinàggio m. banditry; brigandage; highway robbery ● **darsi al m.**, to become a bandit.

malandrinàta f. dirty trick; shabby trick.

malandrinésco a. (*disonesto*) dishonest; crooked; thievish; scoundrelly.

malandrìno A m. 1 (*brigante*) bandit, brigand; (*grassatore*) highwayman* 2 (*farabutto*) crook; criminal 3 (*scherz.*) rascal; rogue B a. 1 (*disonesto*) disonest; crooked; thievish 2 (*birichino*, *malizioso*) roguish; mischievous; naughty: **occhi malandrini**, roguish eyes ● **tempaccio m.**, nasty weather.

malànimo m. ill-will; malevolence ● **di m.**, unwillingly; with a bad grace.

malànno m. 1 (*disgrazia*) mishap, misfortune, (stroke of) bad luck; (*gran danno*) calamity: *Mi capitò un altro m.*, I had another mishap; another misfortune befell me (*form.*); *Quella grandinata fu un vero m.*, that hailstorm was a real calamity 2 (*acciacco*) infirmity, ailment, affliction; (*disturbo*) trouble; (*malattia*) illness, disease: **i malanni dell'età**, the infirmities (o ailments) of old age; **buscarsi un m.**, to catch something; (*prendere freddo*) to catch one's death of cold; *Si è preso un brutto m. in Africa*, he caught some nasty disease in Africa 3 (*fig.*: *persona noiosa*) bore, pain in the neck (*fam.*); (*persona molesta*) nuisance, pest ● (*prov.*) **Un m. non viene mai solo**, it never rains but it pours; misfortunes never come singly.

malaparàta f. danger; predicament ● **Vista la m., se la squagliò**, seeing the turn things were taking, he made himself scarce.

malaparòla f. (*insulto*) insult, (al pl., anche) abuse □; (*parolaccia*) swear-word: **prendere q. a maleparole**, to abuse sb.; to swear at sb.

malapéna f. – **a m.**, hardly; scarcely; barely; only just: *Lo capisco a m.*, I can hardly understand him; *Sa a m. scrivere il suo nome*, he can barely write his own name; *Riesco a m. ad arrivare alla fine del mese*, I can barely make it to the end of the month.

malapiànta f. (*fig.*) ill; evil.

malapropìsmo m. malapropism.

malària f. (*med.*) malaria.

malàrico A a. malarial; malarious: **febbre malarica**, malarial fever; **zona malarica**, malarial region B m. (f. **-a**) malarial patient.

malariologìa f. (*med.*) malariology.

malariòlogo m. (f. **-a**) (*med.*) malariologist.

malasanità f. (*giorn.*) dysfunctional national health service.

malasòrte f. bad (o ill) luck; misfortune: **perseguitato dalla m.**, dogged by misfortune; **per m.**, unluckily.

malassàre v. t. (*mescolare*, *impastare*) to malaxate; to knead.

malassatùra f. malaxation; kneading.

malassorbiménto m. (*med.*) malabsorption.

malatestiàno a. of the Malatesta family; Malatesta (attr.).

malatìccio a. sickly; ailing; in poor health: **un bambino m.**, a sickly child; **avere l'aria malaticcia**, to look delicate.

malàto A a. 1 ill (pred.); sick (attr. *GB*; attr. e pred. *USA*) (*indisposto*) unwell; (*di parte del corpo: dolente*) sore, (*colpita da un male*) diseased, affected: *Paolo è molto m.*, Paolo is seriously ill (o is a very sick man); *Non sono mai stato m. in vita mia*, I've never been ill

in my life; **far visita a un amico m. in ospedale**, to visit a sick friend in hospital; **a letto m.**, ill in bed; **a casa m.**, at home sick; (*di lavoratore*) off sick; **l'organo m.**, the affected organ; **polmone m.**, diseased lung; **avere l'aria malata**, to look unwell; **avere il cuore m.**, to have a weak heart; **avere gli occhi malati** (o **essere m. agli occhi**), to have eye trouble; to have an eye disease; **essere m. di**, to be ill with; to be suffering from; **essere m. di bronchite [di polmonite]**, to be ill with bronchitis [pneumonia]; **essere m. di cancro**, to have cancer; **essere m. di cuore**, to have heart trouble (o heart disease); **essere m. di fegato**, to have liver trouble; **essere m. di mente**, to be mentally ill; **essere m. di petto**, to suffer from consumption; to be consumptive; **essere m. di stomaco**, to have stomach-trouble; to have something wrong with one's stomach; **cadere m.**, to fall ill; to be taken ill; **darsi m.**, to say one is ill; **fingersi m.**, to pretend to be ill; to feign illness; to malinger (*mil.* e *sul lavoro*); **sembrare m.**, to look ill; to look sick (*USA*) 2 (*fig.*: *tormentato*, *dominato*) sick (with); tormented (by); suffering (from): **m. d'amore**, love-sick; **m. di gelosia**, sick with jealousy; **m. di nostalgia**, homesick 3 (*fig.*: *morboso*) morbid; diseased; unhealthy; sick: **fantasia malata**, morbid imagination; **mente malata**, diseased (o sick) mind 4 (*di pianta*) diseased 5 (*fig.*: *in crisi*) ailing, diseased, in a bad way; (*decadente*) decaying B m. (f. **-a**) sick person; invalid; (*paziente*) patient; (*sofferente*) sufferer: **m. cronico**, chronic invalid; **m. d'asma**, asthma sufferer; **m. di cuore**, person with heart disease (o disorder); person with a weak heart; **m. di mente**, insane person; mental patient; **m. di petto**, consumptive patient; **m. grave**, seriously ill person; **m. immaginario**, hypochondriac; **m. terminale** (o **incurabile**), terminally ill patient; **clinica per malati terminali**, home for the terminally ill; *Il m. dormiva*, the sick man was sleeping; **gli anziani e i malati**, the old and the sick; *Ci sono molti malati in questo ospedale*, there are many patients in this hospital.

♦**malattìa** f. 1 (*stato patologico*) illness, sickness; (*affezione specifica, grave o infettiva*) disease; (*disturbo leggero*) ailment, complaint; (*disfunzione*) disorder; (*infermità*) infirmity; (*infezione*) infection: **m. cardiaca**, heart disease; **m. cerebrale**, cerebral (o brain) disease; **m. contagiosa**, contagious disease; **m. cronica**, chronic illness; **m. cutanea**, skin disease; **m. della bocca**, mouth infection; **m. del lavoro** (o **professionale**), occupational disease; industrial disease; work-related illness; **m. del sangue**, blood disease; **m. grave**, serious illness; **m. infettiva**, infectious disease; **m. inguaribile**, incurable disease; **m. mentale**, mental illness; **m. mortale**, deadly (o fatal) disease; **m. nervosa**, nervous disorder; **avere** (o **essere affetto da**) **una m.**, to suffer from (o to be affected with) a disease; **contrarre una m.**, to contract (o to develop) a disease; **prendere una m.**, to catch (o to come down with) a disease; **essere colpito da una m. misteriosa**, to be taken ill with a mysterious disease; **curare una m.**, to treat an illness; to treat a disease; **guarire di** (o **superare**, **rimettersi da**) **una m.**, to recover from an illness; *Di che m. è morto?*, what did he die of?; **prevenire una m.**, to prevent a disease; **dopo una lunga m.**, after a long illness 2 (*di animale*) disease; pest: **m. dei polli**, fowl pest 3 (*di pianta*) disease; blight: **m. della vite**, vine-disease 4 (*fig.*: *male*) ailment; malaise; sickness; trouble; affliction; evil: **le malattie della società moderna**, the ailments of modern society ● (*med.*) **m. da carenza**, deficiency disease □ (*med.*) **m. da siero**, serum sickness □ (*med.*) **m. dei cassoni**, decom-

pression sickness; caisson disease; (the) bends (pl.) (*fam.*) □ (*med.*) **m. del sonno**, sleeping sickness □ **m. diplomatica**, convenient indisposition □ (*med.*) **m. venerea**, venereal disease □ **aspettativa per m.**, sick leave □ **essere in m.**, to be on sick leave; to be off sick □ (*fig.*) **farne una m.**, to take st. very badly; to make oneself ill over st. □ **indennità per m.**, sickness benefit □ **per cause di m.**, owing to sickness □ **La fame è una brutta m.**, hunger is an ugly monster.

malaugurataménte avv. unfortunately; unluckily; sadly; regrettably.

malauguràto a. inauspicious; ill-starred; ill-fated; ill-omened; (*sfortunato*) unfortunate, unlucky: **inizio m.**, ill-starred beginning; **giorno m.**, unlucky day; **nella malaugurata ipotesi che...**, in the unfortunate event that...

malaugùrio m. bad (*o* evil, ill) omen: **essere di m.**, to be a bad omen; to be ominous; **uccello del m.**, bird of ill omen; (*di persona*) Cassandra.

malavita f. **1** (the) world of crime; (the) underworld; low life; gangland; criminals (pl.); gangsters (pl.); racketeers (pl.): **m. organizzata**, organized crime; **appartenere alla m.**, to be a criminal; **gergo della m.**, underworld slang; (*stor.*) thieves' cant **2** (*vita criminosa*) life of crime: **darsi alla m.**, to choose a life of crime; to become a criminal.

malavitóso A a. criminal; underworld (attr.): **ambienti malavitosi**, the underworld (sing.); **essere legato ad ambienti malavitosi**, to have criminal connections B m. (f. **-a**) criminal; mobster; lowlife (*fam.*).

malavòglia f. unwillingness; reluctance • **di m.**, unwillingly; reluctantly; against one's will; grudgingly.

malavvedùto a. (*imprudente*) imprudent, incautious; (*avventato*) rash; (*sconsigliato*) unwary, unwise.

malavventuràto a. (*lett.*) unlucky; unfortunate; unhappy.

malavvézzo → **maleducato**.

malavvisàto a. (*lett.*) ill-advised; misguided; unwise; injudicious.

malaysiàno a. e m. (f. **-a**) Malaysian.

malbiànco m. (*agric.*) powdery mildew.

malcadùco m. (*med.*, *pop.*) epilepsy; falling sickness.

malcapitàto A a. unlucky; unfortunate B m. (f. **-a**) unfortunate person; poor person; (*vittima*) victim.

malcàuto a. incautious; thoughtless; heedless; unwary; (*avventato*) rash.

malcelàto a. ill-concealed.

malcollocàto a. (*lett.*) misplaced.

malcóncio a. **1** battered; knocked-about; beat-up (*fam. USA*); in bad condition; in a bad shape; in a sorry (*o* sad) state; the worse for wear: **auto malconcia**, knocked-about car; beat-up car; *Aveva i pantaloni malconci*, his trousers were in a sorry state **2** (*di persona*) battered; in a bad way; (*pieno di lividi*) bruised all over: **uscire m. da un incidente**, to be in a bad way after an accident.

malconsideràto a. ill-considered; unwise; incautious.

malconsigliàto a. ill-advised; misguided.

malcontènto A a. dissatisfied; displeased; discontented: **essere m. di q.**, to be displeased (*o* dissatisfied) with sb.; *È sempre m.*, he is never satisfied; he's always disgruntled B m. **1** (f. **-a**) malcontent **2** (*insoddisfazione*) discontent; dissatisfaction; displeasure: **m. popolare**, popular discontent; *Il m. serpeggia tra gli iscritti al partito*, discontent is spreading among the rank-and-file; **mostrare il proprio m.**, to show

one's dissatisfaction.

malcopèrto a. (*lett.*) **1** (*malvestito*) scantily dressed; half naked **2** (*mal dissimulato*) ill-concealed.

malcorrispósto a. unreturned; unrequited: **amore m.**, unrequited love.

malcostumàto a. (*lett.*) ill-bred; uncivil.

malcostùme m. **1** (*immoralità*) immorality; immoral behaviour **2** (*disonestà*) dishonesty; (*corruzione*) corruption; (*vizio*) vice: **il m. delle tangenti**, the vice of offering and taking bribes; **m. politico**, political corruption **3** (*cattiva abitudine*) bad habit.

malcreàto a. ill-bred; ill-mannered.

♦**maldèstro** a. **1** (*inesperto*) inexperienced; inexpert **2** (*goffo*) clumsy; awkward; inept; blundering.

maldicènte A a. (*pettegolo*) gossipy; (*maligno*) backbiting; (*diffamatore*) slanderous B m. e f. gossip; backbiter; gossipmonger; scandalmonger.

maldicènza f. (*pettegolezzo*) gossip Ⓤ; (*malignità*) backbiting Ⓤ; (*diffamazione*) slander: **dare luogo a maldicenze**, to give rise to gossip.

maldispósto a. ill-disposed; unsympathetic; unfriendly; prejudiced; hostile; (*poco propenso*) unwilling.

maldistribuito a. badly distributed; unevenly distributed.

Maldive f. pl. (*geogr.*) (the) Maldives.

maldiviàno a. e m. (f. **-a**) Maldivian.

♦**màle**① A avv. (*in modo non giusto, non buono, non soddisfacente*) badly; not well; ill; (*in modo imperfetto*) not properly, improperly; (*in modo errato*) wrongly, wrong, incorrectly; (*ingiustamente*) unjustly, unfairly: **m. organizzato**, badly organized; *Il barattolo è chiuso m.*, the jar is not properly closed; **agire m.**, to act badly; to behave badly; (*sbagliare*) to do wrong, to do the wrong thing, to make a mistake; *Le cose vanno m.*, things are going badly; *Il mio orologio va m.*, my watch is wrong; **capire m.**, to misunderstand; to get it wrong; **comportarsi m.**, to behave badly; to misbehave; **fare tutto m.**, to do everything wrong; **funzionare m.**, not to work properly; **giudicare m.**, to judge unfairly; to misjudge; **parlare m. di q.**, to speak ill of sb.; *Parla l'inglese molto m.*, she speaks English very badly; she speaks very bad English; **pronunciare m.**, to pronounce incorrectly; to mispronounce; **rispondere m.** (*sbagliare*), to answer wrongly (*o* incorrectly); to give a wrong answer; **rispondere m. a q.**, to give sb. a rude answer, to answer sb. back (*fam.*); **riuscire m.**, to turn out badly; **scrivere m.**, to write badly; **scrivere m. una parola**, to spell a word wrong; **stare m.** (*essere malato*) to be ill, to be unwell; (*sentirsi poco bene*) to feel ill (*o* unwell); *Quel cappello ti sta m.*, that hat does not suit you; *Il viola sta m. col rosso*, purple does not go well with red; **sentirsi m.**, to feel ill (*o* unwell); (*avere nausea*) to feel sick; (*svenire*) to faint, to collapse; **trattare m. q.**, to treat sb. badly (*o* unkindly, unjustly); **vestire m.**, to dress badly • **abituare m.** (*viziare*), to spoil □ **abituarsi m.**, to get into bad habits □ **bene o m.**, somehow or other □ **camminare m.** (*zoppicare*), to walk with a limp □ **essere messo m.**, to be in a fix □ **finire m.**, (*avere un cattivo esito*) to turn out badly; to come to grief; (*fare una brutta fine*) to come to no good □ **mettersi m.**, to take a bad turn □ **né bene, né m.**, so-so □ **niente m.**, not at all bad; not at all bad-looking □ **Il film non è m.**, the film isn't bad □ **Non sarebbe m. se...**, it wouldn't hurt if... □ **passarsela m.**, to be in a bad way □ **pensare m. di q.**, to have a poor opinion of sb.; (*non fidarsi*) to suspect sb.'s motives □ **per mal che vada**, at worst □ **rimanere** (*o* **restarci**) **m.**, (*deluso*,

dispiaciuto) to be disappointed, to feel let down; (*offeso*) to be hurt, to take it amiss □ **stare m. a quattrini**, to be short of money; to be badly off; to be hard up □ **Ci vedo m. di qui**, I cannot see from here □ **La vedo m.!**, it looks bad to me! B inter. that's bad!; (*peggio per te*) (that's) too bad!

♦**màle**② m. **1** (*morale*) evil, ill; (*cosa non giusta*) wrong; (*danno morale o fisico*) harm: **il m. minore**, the lesser evil; **i mali del mondo**, the evils (*o* ills) of the world; **il bene e il m.**, good and evil; *Non sa distinguere il bene dal m.*, he can't tell the difference between right and wrong; *La droga è un m. sociale*, drugs are a social evil; *Rubare è m.*, stealing is wrong; *Che m. c'è?*, what's wrong with it?; **augurare del m. a q.**, to wish sb. harm; **rendere bene per m.**, to return good for evil; **le forze del m.**, the forces of evil **2** (*malattia*) disease; illness; trouble; (*indisposizione*) sickness; (*infermità*) infirmity: **m. contagioso**, contagious disease; **m. ereditario**, hereditary disease; **mal d'aria**, air-sickness; **mal d'auto**, car-sickness; **avere il mal d'aria [d'auto]**, to be airsick [carsick]; **mal di fegato**, liver trouble; **mal di mare**, sea-sickness; **avere il mal di mare**, to be seasick; **mal di montagna**, altitude sickness **3** (*dolore*) pain; ache: **mal di denti**, toothache; **mal di gola**, sore throat; **mal di schiena**, backache; **mal di testa**, headache; **avere il mal di denti [di gola, di schiena, di testa]**, to have (a) toothache [a sore throat, backache, a headache]; **avere m. a un fianco**, to have a pain in one's side; **avere m. a un occhio**, to have a sore eye; *Dove hai male*, where does it hurt?; *Ho m. alla gamba*, my leg hurts (*o* is sore); *Ho m.*, (*sto male*) I feel ill; (*sento dolore*) it hurts, it's sore; **sopportare il m.**, to bear pain **4** (*sventura*) misfortune; adversity; (*guaio*) woe, trouble; (*calamità*) calamity: **i mali della guerra**, the calamities of war; *I mali non vengono mai soli*, misfortune never comes alone; **la causa di tutti i nostri mali**, the cause of all our woes □ **mal caduco** → **malcaduco** □ (*fig.*) **un m. da poco**, a matter of no importance □ **mal d'amore**, lovesickness □ **mal francese** → **malfrancese** □ **mal sottile**, consumption □ **andare a m.**, (*guastarsi*) to go bad; (*inacidire*) to go sour: *Il pesce va subito a m. col caldo*, fish soon goes bad in hot weather; *Il latte è andato a m.*, the milk has gone off □ **andato a m.**, bad; off □ **aversene a m.**, to take offence (at st.); to take (st.) amiss □ (*eufem.*) **un brutto m.**, cancer □ **di m. in peggio**, from bad to worse □ **fare del m.**, to do harm: *Non volevo fare del m.*, I didn't mean any harm □ **fare del m. a q.**, to hurt sb. □ **far m.**, (*dolere*) to hurt, to ache; (*dispiacere, far soffrire*) to hurt, to pain, to distress; (*recare danno*) to do harm, to harm; (*del cibo*) to be bad for one's health; (*agire male*) to make a mistake, to be wrong, to do wrong, to do the wrong thing: *Mi fanno m. le scarpe*, my shoes are hurting me; *Mi fa m. l'orecchio*, my ear aches; *Mi fa molto m. la testa*, my head aches badly; I have a bad headache; *Non ho mai fatto m. a nessuno*, I've never harmed to anybody; *Il caffè mi fa m.*, coffee is bad for me; *Il fumo fa m.*, smoking is bad for your health; *Ho fatto m. a lasciarli andare*, I made a mistake in letting them go; I was wrong to let them go; *Hai fatto m. a farlo*, it was wrong of you to do that; you shouldn't have done it □ (*fig.*) **far m. al cuore**, to pain; to distress: **una vista che fa m. al cuore**, a painful (*o* distressing) sight □ **fare più m. che bene**, to do more harm than good □ **farsi (del) m.**, to hurt oneself; to get hurt: *Bada che i bambini non si facciano m.*, mind the children don't hurt themselves; *Potresti farti m.*, you might get hurt; *Si fece m. a un piede nel cadere*, he hurt his foot when he fell; *Ti sei fatto m.?*, did you hurt

a b c d e f g h i j k l **m** n o p q r s t u v w x y z

yourself?; are you hurt? □ **meno m.** (*per fortuna*), (it's) just as well; thank goodness: *Meno m. che non sei venuto*, it's just as well you didn't come; *Meno m. che non ci ha visto!*, thank goodness (o we were lucky) she didn't see us! □ **niente di m.**, nothing wrong; no harm: *Non c'è niente di m. a fare ciò*, there is no harm in doing that; *Non ho fatto niente di m.*, I didn't do anything wrong; I did no harm; I didn't hurt anyone; *Non ci vedo niente di m.*, I see nothing wrong in it □ **Non c'è m.**, not too bad; pretty good; pretty well: *«Come stai?» «Non c'è m., grazie»*, «how are you?» «fine, thanks» □ **poco m.**, it doesn't matter; never mind; no harm done □ **portare m.**, to bring bad luck; to jinx (sb., st.) □ **qualcosa di m.**, something wrong: **dire qualcosa di m.**, to say something wrong; *C'è forse qualcosa di m. in questo?*, is there anything wrong in that? □ **Le venne m. all'improvviso**, she fainted □ **voler m. a q.**, to bear sb. ill-will; to hate sb. □ (*prov.*) **Mal comune, mezzo gaudio**, trouble shared is trouble halved □ (*prov.*) **M. non fare e paura non avere**, do well and fear well □ (*prov.*) **A mali estremi, estremi rimedi**, desperate diseases must have desperate remedies □ (*prov.*) **Chi è causa del suo mal pianga sé stesso**, you have made your bed, now you must lie on it □ (*prov.*) **Chi m. semina, m. raccoglie**, sow thin and mow (o shear) thin □ (*prov.*) **Non tutto il m. viene per nuocere**, every cloud has a silver lining.

maleavviàto a. **1** off to a bad start **2** (*fig.: sviato*) mislead; led astray.

maledettaménte avv. (*fam.*) **1** (*estremamente*) extremely; incredibly; damn (*slang*): **m. furbo**, incredibly cunning; **m. fortunato**, damn lucky **2** (*spaventosamente*) dreadfully; terribly; awfully: *Fa m. caldo*, it's terribly hot; **m. stanco**, dreadfully tired.

maledettìsmo m. (*letter.*) ostentatious defiance of social conventions.

♦**maledétto** A a. **1** (*dannato*) cursed; damned: *M. quel giorno!*, cursed be that day!; *Questo luogo è m.*, this spot is cursed; (*lett.*) *Che tu sia m.!*, may your soul be damned! **2** (*fig.: orribile*) horrible, abominable, awful; (*insopportabile, odioso*) damned, blasted, damn (*slang*): *Basta con quel m. chiasso!*, stop that blasted racket!; **una maledetta seccatura**, a damned (o blasted) nuisance; *Quel m. idraulico non s'è visto*, the damned plumber hasn't turned up; *Quel m. idiota!*, that damn fool! **3** (*come rafforzativo*) – **avere una fame maledetta**, to be starving; **avere una paura maledetta**, to be scared stiff; *Ho una maledetta voglia di…*, I'm dying to… ● **M.!**, damn him [it]! □ (*letter.*) **i poeti maledetti**, the poètes maudits (*franc.*) B m. (f. *-a*) damned soul; (al pl., collett.) (the) damned.

malèdico a. (*lett.*) slanderous.

♦**maledìre** v. t. to curse: *Dio maledì il serpente*, God cursed the serpent; **m. il proprio destino**, to curse one's fate; **m. il tiranno**, to curse the tyrant.

maledizióne A f. **1** curse; malediction: **la m. di Dio**, God's curse; *La m. pesa su questa casa*, there is a curse on this house; (*anche fig.*) **avere la m. addosso**, to be under a curse **2** (*imprecazione*) curse; oath **3** (*fig.: disgrazia*) curse, bane, blight; (*rovina*) disaster, calamity, ruin B interiez. damn (it)!; blast (it)!

maleducataménte avv. rudely.

maleducàto A a. rude; ill-bred; ill-mannered: **ragazzo m.**, ill-bred boy; **risposta maleducata**, rude answer; **essere m. con q.**, to be rude to sb. B m. (f. *-a*) rude (o ill-bred, ill-mannered) person ● **È da maleducati interrompere chi parla**, it's rude (o it's bad manners) to interrupt someone who

is speaking.

maleducazióne f. rudeness; bad manners (pl.); ill-breeding: *È m. parlare con la bocca piena*, it's bad manners to talk with your mouth full.

malefàtta f. (spec. al pl.) wrongdoing; (*marachella*) prank, mischief Ⓤ.

maleficio m. evil spell; curse; witchcraft Ⓤ: **lanciare un m. su q.**, to cast an evil spell on sb.; **accusare q. di operare malefici**, to accuse sb. of witchcraft.

malèfico a. **1** evil; malign; baleful: **stelle malefiche**, evil stars; **influsso m.**, baleful (o evil) influence **2** (*dannoso*) harmful; bad.

malefizio → maleficio.

maleodoránte a. evil-smelling; smelly; stinking; fetid; rank.

maleolènte a. (*lett.*) malodorous; evil-smelling; rank.

malèrba f. weed.

malése a., m. e f. Malay; Malayan.

Malésia f. (*geogr.*) Malaysia.

malèssere m. **1** (*indisposizione*) slight illness; indisposition; malaise: **essere colto da m.**, to feel suddenly ill **2** (*inquietudine*) uneasiness, disquiet; (*male*) malaise: **un diffuso m. tra la gente**, widespread uneasiness among the population; **i malesseri della società moderna**, the malaise of modern society ● **provare un senso di m.**, (*non sentirsi bene*) to feel unwell, to feel out of sorts; (*avere nausea*) to feel queasy (o sick); (*essere a disagio*) to feel uneasy.

malèstro m. damage; mischief Ⓤ: *Hanno combinato qualche m.*, they have been up to some mischief.

malevolènza f. malevolence; malice; ill-will; spite: *Lo disse per m.*, he said it out of spite; **senza m.**, without malice.

malèvolo A a. malevolent; spiteful; malicious: **chiacchiere malevole**, spiteful gossip; **un'osservazione malevola**, a spiteful (o malicious) remark; **con intenzione malevola**, with malicious intention B m. (f. *-a*) malicious person; (al pl., collett., anche) evil tongues.

malfamàto a. with a bad reputation; disreputable; rough; of bad (o ill) repute: **un locale m.**, a place with a bad reputation; **quartiere m.**, rough district.

malfàre v. i. (*lett.*) to do* evil; to do* wrong.

malfàtto A a. ill-done; badly made; (*deforme*) misshapen; (*sproporzionato*) ill-proportioned; (*sgraziato*) ungainly B m. wrong; misdeed: **riparare il m.**, to remedy a wrong.

malfattóre m. (f. *-trice*) malefactor (f. malefactress); wrongdoer; (*criminale*) criminal: **una banda di malfattori**, a gang of criminals.

malférmo a. unsteady; shaky; wobbly; (*debole*) feeble, weak: **m. sulle gambe**, shaky on one's legs; **passo m.**, unsteady steps (pl.); **salute malferma**, poor health; weak constitution; **scala malferma**, wobbly ladder; **voce malferma**, shaky voice.

malfidàto a. distrustful; mistrustful.

malfido a. unreliable; untrustworthy.

malfondàto a. ill-founded; ill-grounded: **speranza malfondata**, ill-founded hope.

malformàto a. malformed; misshapen.

malformazióne f. (*med.*) malformation; deformity: **m. al cuore**, heart malformation: **m. a una gamba**, malformation of a leg; malformed leg.

malfrancése m. (*arc.*) syphilis; (the) French disease (*arc.*).

malfunzionaménto m. malfunctioning.

màlga f. **1** (*capanna*) shepherd's hut (in the

Alps) **2** (*estens.*) alpine grazing.

malgàrbo m. rudeness; bad grace; discourtesy: **con m.**, with (a) bad grace; rudely.

malgàscio a. e m. (f. *-a*) (*geogr.*) Malagasy; Madagascan.

malgiudicàre v. t. to misjudge; to judge unfairly; to form a wrong opinion of.

malgovèrno m. misgovernment; misrule; (*cattiva amministrazione*) maladministration, mismanagement.

♦**malgràdo** A prep. **1** (*nonostante*) in spite of; despite; notwithstanding: **m. le nostre proteste**, in spite of (o despite) our protests; **m. le molte difficoltà**, notwithstanding (o despite) the many difficulties; **m. tutto**, in spite of everything **2** – **mio [nostro, ecc.] m.**, against my [our, etc.] will B cong. although; though: **m. sia tardi**, although it is late.

malguardàto a. unguarded; ill-protected; unprotected.

malìa f. **1** (*incantesimo*) spell, incantation, enchantment; (*stregoneria*) witchcraft Ⓤ, sorcery Ⓤ **2** (*fig.*) charm; fascination.

maliàno a. e m. (f. *-a*) Malian.

maliàrda f. **1** (*lett.: fattucchiera*) sorceress; witch **2** (*fig.*) charmer; vamp (*fam.*).

maliàrdo a. bewitching; fascinating.

malignàre v. i. to malign (sb., st.); to vilify (sb., st.); to speak* ill (of); to badmouth (sb., st.) (*USA*): **m. su tutti**, to speak ill of everybody.

malignità f. **1** (*perfidia*) malice; malignity; malevolence: **m. diabolica**, diabolic malignity; **pieno di m.**, full of malice **2** (*cattiveria*) malice; spite; bitchiness (*fam.*); cattiness (*fam.*) **3** (*atto maligno*) malicious act; spiteful act; (*parole maligne*) malicious (*fam.* bitchy) remark, malicious (o nasty) words (pl.), spiteful words (pl.): *Non voglio ascoltare le sue m.*, I don't want to hear her malicious remarks; I don't want to hear bitching (*fam.*); *È una bella m., la tua!*, that's a nasty thing to say!; **dire m.**, to say nasty things; to make malicious remarks **4** (*di malattia*) malignancy.

maligno A a. **1** (*perfido*) evil; wicked; malign; malignant; malevolent: **influsso m.**, malign (o evil) influence; **pensieri maligni**, evil thoughts; **un potere m.**, a malignant power; **spirito m.**, evil (o malign) spirit; demon **2** (*cattivo*) malicious; spiteful; nasty; mean; bitchy (*fam.*); catty (*fam.*, generalm. di donna): **allusione maligna**, malicious (o spiteful, catty) allusion; **commento m.**, spiteful (o bitchy) remark; **occhiate maligne**, malicious glances; *Non essere m.!*, don't be so nasty (o mean)! **3** (*di malattia*) malignant: **febbre maligna**, malignant fever; **tumore m.**, malignant tumour **4** (*di clima*) inclement B m. (f. *-a*) **1** malicious person; spiteful person; bitch (*fam.*, generalm. di donna) **2** – **il M.**, the Evil One; the Devil.

♦**malinconìa** f. **1** melancholy; gloom; (*tristezza*) sadness; (m. dolce) wistfulness; (*rimpianto*) regretfulness, nostalgia: **la m. di un paesaggio**, the sadness of a landscape; **riempire di m.**, to fill with melancholy (o sadness, wistfulness); **ripensare al passato con m.**, to look back nostalgically; **scacciare la m.**, to drive away sb.'s gloom **2** (*psic.*) melancholia ● **far venire la m.**, to make (sb.) melancholy □ **Bando alle malinconie!**, let's forget these gloomy thoughts!; (esclam. di incoraggiamento) cheer up! □ **Che m. questa pioggia!**, how depressing this rain is!

♦**malincònico** A a. melancholy; melancholic; gloomy; (*triste*) sad, pensive; (*dolcemente m.*) wistful: **canzone malinconica**, sad song; **sorriso m.**, melancholy (o sad, wistful) smile; **temperamento m.**, melancholic temperament; **tempo m.**, gloomy (o depressing) weather; **umore m.**, melancholy mood.

malinconióso a. (*lett.*) → **malinconico**.

malincuòre m. – **a m.**, reluctantly; against one's will: *Ce ne andammo a m.*, we left reluctantly; *Benché a m., le rivelò tutto*, though strongly disinclined, he revealed her everything.

malinformàto a. misinformed.

malintenzionàto Ⓐ a. ill-intentioned Ⓑ m. (f. **-a**) ill-intentioned person; suspicious character.

malintéso Ⓐ a. mistaken; misinterpreted Ⓑ m. misunderstanding: **chiarire un m.**, to clear up a misunderstanding; **far nascere malintesi**, to cause misunderstandings; **a scanso di malintesi**, to avoid misunderstandings.

malióso a. (*lett.*) bewitching; enchanting.

malìzia f. **1** (*malvagità*) malice; evil intent: *Dove non è m., non è peccato*, No malice, no sin **2** (*contrario di «innocenza»*) knowingness; naughtiness; (*voglia di prendere in giro*) mischievousness, mischief: **occhi pieni di m.**, eyes twinkling with mischief **3** (*contrario di «ingenuità»*) slyness, wiliness; (*astuzia*) cunning, artfulness, guile **4** (*inganno*) ruse; (*espediente*) trick, ploy ● **privo di m.**, innocent; artless.

maliziosità f. mischievousness, artfulness; slyness.

malizióso a. **1** (*birichino*) mischievous, arch, roguish; (*d'intesa*) knowing; (*che pensa male*) naughty: **occhi maliziosi**, mischievous eyes; **pensiero m.**, naughty thought; **sguardo m.**, mischievous (o arch) look; *«Sei in ritardo!» mi disse con aria maliziosa*, «you're late!» he said, knowingly **2** (*furbo*) artful; crafty; cunning; sly Ⓘ **FALSI AMICI** ● malizioso *non si traduce con* malicious.

malleàbile a. **1** (*metall.*) malleable **2** (*fig.*) pliable; malleable; yielding: **un carattere m.**, a yielding disposition; *Furono scelti giurati malleabili*, a pliable jury was chosen.

malleabilità f. **1** (*metall.*) malleability **2** (*fig.*) pliability; malleability.

malleolàre a. (*anat.*) malleolar.

malleòlo m. (*anat.*) malleolus*: **m. esterno [interno]**, external [internal] malleolus.

mallevadóre m. (f. **-drìce**) surety; guarantor; sponsor: **rendersi m. di q.**, to stand surety for sb.

mallevadoria, **malleveria** f. security; surety; guarantee: **dare m.**, to give security; to stand surety.

màllo m. (*bot.*) husk; hull.

mallòfago m. (*zool.*) mallophagan; (al pl., *scient.*) Mallophaga.

mallòppo m. **1** (*fagotto*) bundle **2** (*fig.: peso*) load; (*preoccupazione*) worry **3** (*pop.: refurtiva*) booty; loot **4** (*aeron.*) trail rope.

malmaritàta f. unhappily married woman*.

malmenàre v. t. **1** (*strapazzare*) to manhandle; (*picchiare*) to beat* up, to knock about (o around) (*fam.*) **2** (*fig.: bistrattare*) to ill-treat; (*criticare*) to knock (*fam.*) ● (*fig.*) **m. uno strumento**, to play an instrument atrociously.

malmésso a. **1** (*malconcio*) in a bad shape, run-down; (*trasandato*) shabby, shabby-looking, seedy **2** (*rif. al vestire*) shabbily dressed; seedy-looking; (*vestito poveramente*) poorly dressed; (*vestito senza gusto*) badly dressed **3** (*in difficoltà*) badly off; in a fix (*fam.*); (*senza soldi*) badly off, hard up.

malmignàtta f. (*zool.*, *Latrodectes tredecimguttatus*) European black widow spider.

malmostóso a. (*region.*) intractable; sulky; surly.

malnàto a. **1** (*fig.*) **1** (*villano*) uncouth; boorish; rude **2** (*cattivo*) evil; wicked **3** (*sciagurato*) wretched; unhappy.

malnòto a. little known; obscure.

malnutrito a. malnourished; undernourished; ill-fed.

malnutrizióne f. malnutrition; undernourishment.

màlo a. (*lett.*) bad; (*malvagio*) evil, wicked: **mala azione**, wicked action; **mala lingua →** **malalingua**; **male parole**, angry words; **mala sorte**, ill luck; **fare una mala morte**, to die a miserable death; **con mala grazia**, with (a) bad grace; **rispondere in m. modo**, to answer curtly (o rudely).

malòcchio m. evil eye; jinx; hex (*USA*): **gettare il m. su q.**, to put the evil eye on sb.; to put a jinx on sb.; to hex sb. ● **guardare di m.**, to look askance at; to view unfavourably.

malocclusióne f. (*odontoiatria*) malocclusion.

malolàttico a. (*enologia*) malolactic.

malonàto m. (*chim.*) malonate.

malònico a. – (*chim.*) **acido m.**, malonic acid.

malóra f. ruin: **andare in m.**, to be ruined; to go to the dogs (*fam.*); to go down the drain (o the tubes) (*fam.*); (*di edificio*) to go to rack and ruin; **mandare in m.**, to ruin; to wreck ● **Alla m. tutto quanto!**, damn it all! □ **della m.**, damned; damn; blasted: *Spegni quella radio della m.!*, turn off the damned radio! □ **Va' in m.!**, go to hell! □ **Che vadano in m.!**, damn them!; to hell with them!

malóre m. sudden indisposition; (*svenimento*) collapse, fainting fit; **essere colto da m.**, to collapse; to faint.

malpagàto a. badly paid.

malpartito m. – (**ridotto**) **a m.**, in a bad way; in a sorry state; (*nei guai*) in a tight spot, with one's back to the wall; **ridurre q. a m.**, to force sb. in a tight corner; to have sb. with his back to the wall; **trovarsi a m.**, to find oneself in trouble; to be in a tight spot (o in deep water); to have one's back to the wall.

malpélo a. – **rosso m.**, redhead; carrot-top.

malpensànte a., m. e f. mean-minded (person); nasty-minded (person).

malpensàto a. ill-conceived; ill-judged: **progetto m.**, ill-conceived project.

malpighiàno a. (*anat.*) Malpighian.

malpìglio m. (*lett.*) frown; scowl; disdain.

malpreparàto a. unprepared; badly prepared.

malprocèdere m. misconduct; underhand methods (pl.).

malridótto a. in bad condition; in a bad shape; in a sorry state; battered; ramshackle; (*logoro*) shabby, the worse for wear (*fam.*); (*di edificio, ecc.*) in bad condition, in bad repair, ramshackle, run-down, dilapidated; (*rif. a salute*) in poor health, in a bad way, run-down: **auto malridotta**, battered (o ramshackle) car; **abiti malridotti**, shabby clothes; **libro m.**, battered book; **scarpe malridotte**, worn-out shoes; *Il furgone era molto m.*, the van was in very bad condition.

malripósto a. misplaced: **fiducia malriposta**, misplaced trust.

malriuscìto a. **1** (*fallito*) unsuccessful; that didn't turn out well **2** (*eseguito male*) badly done; botched; bungled.

malsàno a. **1** (*malaticcio*) sickly; (*debole*) weak **2** (*poco salubre*) unhealthy; insalubrious; (*di cibo*) unwholesome: **abitudini malsane**, unhealthy habits; **luogo m.**, insalubrious place **3** (*malato*) unsound, sick; (*morboso*) unhealthy, morbid; sick: **un interesse m. per gli incidenti**, an unhealthy interest in car accidents.

malservito a. poorly served by transport;

with poor transport services.

malsicùro a. **1** (*poco sicuro*) unsafe, unsound; (*non solido, instabile*) unsteady, shaky; (*pericoloso*) dangerous, risky, hazardous: **edificio m.**, unsound building; **luoghi malsicuri**, unsafe (o dangerous) places; **pavimento m.**, unsafe floor; **scala malsicura**, unsteady ladder; **strada malsicura**, unsafe road **2** (*incerto*) uncertain; dubious: **tempo m.**, uncertain weather.

malsoddisfàtto a. dissatisfied (with).

malsofferènte a. (*lett.*) intolerant; impatient.

mälström m. inv. maelstrom.

màlta f. (*edil.*) mortar.

maltàggio m. (*alim.*) malting.

maltàsi f. (*biol.*) maltase.

maltatóre m. (f. **-trice**) (*alim.*) maltster.

maltèmpo m. bad weather: *Abbiamo trovato m. per strada*, we ran into (a patch of) bad weather on the way; **i danni del m.**, the damage caused by the weather.

maltenùto a. badly kept; badly looked after; (*disordinato*) untidy, in disorder.

malteria f. (*ind.*) malthouse.

maltése a., m. e f. Maltese: **i Maltesi**, the Maltese ● **cane m.**, Maltese (dog); Maltese terrier □ **croce m.**, Maltese cross □ **febbre m.**, Malta fever; undulant fever.

malthusianìsmo e *deriv.* → **maltusianìsmo**, e *deriv.*

màlti m. (*ling.*) Maltese.

maltìna f. (*biol.*) maltin.

maltìnto a. (*di cavallo*) with a reddish black coat.

màlto m. malt: **estratto di m.**, malt extract; **whisky di m.**, malt whisky; **malt** (*GB*); **trasformare in m.**, to malt ● **caffè di m.**, barley coffee.

maltollerànte a. intolerant; impatient.

maltòlto Ⓐ a. ill-gotten; stolen Ⓑ m. ill-gotten gains (pl.); stolen things (pl.); (*bottino*) loot.

maltòsio m. (*chim.*) maltose.

maltrattaménto m. maltreatment Ⓤ; ill-treatment Ⓤ; mistreatment Ⓤ; abuse Ⓤ; cruelty: **m. di animali**, mistreatment of animals; cruelty to animals; **m. di minore**, child abuse; **subire i maltrattamenti di q.**, to suffer abuse at the hands of sb.; to be maltreated by sb.

♦ **maltrattàre** v. t. **1** to maltreat; to ill-treat; to mistreat; to be cruel to; to abuse: **m. un animale**, to mistreat an animal; **m. un bambino**, to ill-treat (o to abuse) a child; **m. i prigionieri**, to ill-treat prisoners; *Suo marito la maltratta*, her husband abuses (o is cruel to) her **2** (*strapazzare*) to be careless with; to handle roughly: **m. i libri**, to be careless with one's books; **m. la propria salute**, to abuse one's health; *I critici lo hanno maltrattato*, the critics slated him; he's been knocked by the critics.

maltusianìsmo m. (*econ.*) Malthusianism.

maltusiàno a. e m. (f. **-a**) (*econ.*) Malthusian.

malùccio avv. not very (o not too) well; pretty poorly: *Sta m. di salute*, she is not feeling very well; *Gli affari vanno m.*, business is sluggish (o slack).

malumóre m. **1** bad mood; bad temper: **essere di m.**, to be in a bad mood; **mettere q. di m.**, to put sb. in a bad mood; **in un momento di m.**, in a fit of bad temper **2** (*rancore*) bitterness, resentment; (*dissapore*) bad (o ill) feeling: *Tra loro c'è stato del m.*, there has been some bad feeling between them **3** (*malcontento*) discontent; unrest ● **sfogare il proprio m. su q.**, to take it out on sb.

màlva Ⓐ f. **1** (*bot.*, *Malva sylvestris*) mallow

2 (*decotto*) mallow tea **B** a. e m. inv. (*colore*) mauve: **una camicetta** (**color**) **m.**, a mauve blouse.

malvaccióne m. (*bot.*, *Althaea officinalis*) marsh mallow.

malvàceo a. (*bot.*) malvaceous.

♦**malvàgio** **A** a. wicked; evil; malicious; bad; (*crudele, cattivo*) cruel, bad, vicious, nasty: **azioni malvagie**, wicked (*o* evil) deeds; **gioia malvagia**, wicked joy; (wicked) glee; **intenzione malvagia**, evil intent; **essere m. con q.**, to be cruel to sb.; (*scherz.*) *L'idea non è malvagia*, it's not such a bad idea **B** m. (f. *-a*) wicked person; (al pl., collett.) (the) wicked ● **il M.**, the Wicked One; Satan.

malvagità f. **1** wickedness; iniquity; malice; (*crudeltà*) cruelty, viciousness, nastiness: **la m. di Nerone**, Nero's wickedness; **la m. della sorte**, the iniquity of fortune **2** (*azione malvagia*) wicked (*o* evil) deed, enormity; (*azione crudele*) act of cruelty, brutality.

malvaròsa f. (*bot.*, *Althaea rosea*) hollyhock.

malvasìa f. **1** (*vitigno*) Malvasia; malvoisie (*franc.*) **2** (*vino dolce*) malmsey.

malvavischio m. (*bot.*, *Althaea officinalis*) marsh mallow.

malveìna f. (*chim.*) mauve; mauveine.

malversàre v. t. (*leg.*) to embezzle; to misappropriate; (*ai danni dello Stato*) to misuse public funds.

malversatóre m. (f. *-trice*) (*leg.*) embezzler.

malversazióne f. (*leg.*) embezzlement; (*estens.*) misappropriation of funds; (*ai danni dello Stato*) misuse of public funds; malversation (*form.*).

malvestìto a. **1** (*vestito poveramente*) poorly dressed; shabbily dressed; shabby; scruffy **2** (*vestito senza gusto*) badly dressed.

malvézzo m. (bad) habit: *Ha il m. di leccarsi sempre le labbra*, he has a habit of constantly licking his lips.

malvissùto a. dissolute; profligate.

malvisto a. disliked; unpopular: **essere m. dai colleghi**, to be unpopular with (*o* disliked by) one's colleagues.

malvivènte m. e f. **1** (*delinquente*) criminal; crook (*fam.*); (*assalitore*) assailant, mugger, thug: *Fu aggredito da un m.*, he was assaulted by a thug; he was mugged; **una banda di malviventi**, a gang of criminals; a bunch of crooks **2** (*lett.*) dissolute; profligate.

malvìzzo m. (*zool.*, *Turdus musicus*) red--winged thrush; redwing.

malvolentièri avv. unwillingly; against one's will; (*con riluttanza*) reluctantly, grudgingly: *Accettò m.*, she agreed unwillingly; *Lo faccio m.*, I'm doing this against my will; *Mi prestò l'auto m.*, he was reluctant to lend me his car; *Studia m.*, she is not too keen on studying.

malvolére ① v. t. to dislike: **farsi m.**, to make oneself disliked by (*o* unpopular with) people; **essere malvoluto da tutti**, to be unpopular with everybody; **prendere q. a m.**, to take a dislike to sb.

malvolére ② m. **1** ill-will; animosity; hostility; malevolence **2** (*malavoglia*) unwillingness; (*indolenza*) indolence.

malvóne m. (*bot.*, *Althaea rosea*) hollyhock.

màmba m. (*zool.*, *Dendroaspis*) mamba.

màmbo m. inv. (*mus.*, *ballo*) mambo*: **ballare il m.**, to dance the mambo; to mambo.

mamertìno a. Mamertine: **il Carcere M.**, the Mamertine Prison.

♦**màmma** f. **1** mother; mum (*fam. GB*); mom (*fam. USA*); ma (*fam.*); mummy (*infant. GB*); mommy (*infant. USA*); momma

(*infant. USA*): *Dov'è la tua m.?*, where is your mother?; *Lo dirò alla m.*, I'll tell Mum; *Voglio la m.!*, I want (my) mummy!; *È sempre attaccato alle gonnelle della m.*, he is tied to his mother's apron-strings; **cocco di m.**, mother's darling; mummy's darling; **la Festa della m.**, Mother's Day **2** (*fig.*) mother: *La chiamavano la m. dei poveri*, she was called the poor's mother ● **M. mia!**, dear me!; goodness gracious! □ (*nudo*) **come m. l'ha fatto**, mother-naked; stark naked; in the altogether (*fam.*).

mammalogìa f. mammalogy.

mammalògico a. mammalogical.

mammàlogo m. (f. *-a*) mammalogist.

mammalùcco m. **1** (*stor.*) Mameluke **2** (f. *-a*) (*fam.*) fool; idiot; twit.

mammàna f. (*region.*) **1** (*levatrice*) midwife*; (*procuratrice di aborti clandestini*) back-street abortionist **2** (*mezzana*) procuress.

mammàrio a. (*anat.*) mammary: **ghiandola mammaria**, mammary gland.

mammasantìssima m. inv. (*gergale region.*) big Mafia boss.

mammèlla f. **1** breast; mamma* (*scient.*); (*di animale*) udder, dug **2** (*altura tondeggiante*) knoll; hillock.

mammellonàre a. (*geol.*) mamillary.

mammellonàto a. (*geol.*) mamillated.

mammellóne m. (*geol.*) knoll; mamelon.

♦**mammìfero** (*zool.*) **A** a. mammalian **B** m. mammal; (al pl., *scient.*) Mammalia.

mammillàre a. **1** (*della mammella*) mammary **2** (*a forma di mammella*) mamillary: (*anat.*) **corpo m.**, mamillary body.

mammìsmo m. **1** (*di figlio*) chronic attachment to (*o* dependence on) one's mother; momism (*USA*) **2** (*di madre*) doting maternal love; (a) mother's dominating attitude.

mammìsta m. e f. person overly attached to (*o* dependent on) his [her] mother; mama's boy (m.).

mammografìa f. (*med.*) **1** (*esame*) mammography **2** (*lastra*) mammogram; mammograph.

mammogràfico a. (*med.*) mammographic ● **screening m.**, breast screening.

màmmola f. **1** (*bot.*, *Viola odorata*) violet **2** (*fig.*) bashful person ● **fare la m.**, to feign shyness.

mammóna m. (*Bibbia e fig.*) Mammon.

mammóne ① m. – **gatto m.**, bogey.

mammóne ② m. (f. *-a*) (*fam.*) child tied to its mother's apron-strings; mama's boy (m.).

mammùt m. (*zool.*, *Elephas primigenius*) mammoth ● (*bot.*) **albero del m.**, sequoia.

màna m. inv. (*etnol.*) mana.

manachìno m. (*zool.*) manakin.

management (*ingl.*) m. inv. **1** (*gestione, amministrazione*) management **2** (*dirigenti*) management (verbo al sing. o al pl.) **3** (*scienza*) management science.

mànager (*ingl.*) m. e f. inv. executive; manager.

manageriàle a. managerial; management (attr.): **abilità manageriali**, managerial skills; **decisione m.**, management decision.

managerialìsmo m. managerial attitudes (pl.).

managerialità f. managerial skills (pl.); managerial ability.

manaiuòla f. (*piccola scure*) hatchet.

manàle m. leather mitten.

manàta f. **1** (*colpo con la mano*) slap; clap: **dare una m. a q.**, to slap sb.; to clap sb. **2** (*manciata*) handful; fistful: **una m. di monetine**, a handful of coins; **a manate**, by the

handful (*o* fistful).

manàto m. (*zool.*, *Trichechus manatus*) manatee.

mànca f. **1** (*mano sinistra*) left hand **2** (*parte sinistra*) left-hand side; left: **voltare a m.**, to turn left; **a dritta e a m.**, right and left; on all sides.

mancaménto m. **1** (*svenimento*) fainting fit; (temporary) blackout; swoon: **avere un m.**, to faint; to blackout **2** (*colpa, fallo*) fault; sin **3** (*difetto*) fault; defect; failing.

mancànte **A** a. **1** (*sprovvisto*) lacking (in); in need (of); (*a corto di*) short (of): **m. di coraggio**, lacking in courage; **m. di denaro**, in need of money; short of money **2** (*incompleto, mutilo*) incomplete; defective: **iscrizione m.**, incomplete incription; **una statua m. della testa**, a headless statue **3** (*che non si trova*) missing, (*a un conteggio*) unaccounted for; (*assente*) absent: *Si ritrovò il foglio m.*, the missing page was found; **m. all'appello**, unaccounted for **B** m. e f. (*persona assente*) absent person; (*persona che non si trova*) missing person.

♦**mancànza** f. **1** (*scarsità*) lack, want; (*deficienza*) shortage, deficiency; (*assenza*) absence: **m. d'acqua**, lack (*o* shortage) of water; **m. di affetto**, lack of affection; **m. di alloggi**, housing shortage; **m. di buon senso**, want of common sense; **m. di denaro**, want (*o* lack, shortage) of money; **m. d'educazione**, bad manners; ill-breeding; **m. di fantasia**, lack of imagination; **m. di fiducia**, lack of confidence; **m. di fondi**, lack of funds; **m. di personale**, shortage of staff; **m. di prove**, lack of evidence; **m. di prudenza**, want of prudence; imprudence; **m. di rispetto**, lack of respect; **m. di spazio**, lack of space; **m. di tatto**, tactlessness; **m. di tempo**, lack of time; **sentire la m. di**, (*qualcosa che non si ha*) to suffer from the lack of; (*qualcosa che si è avuto*) to miss; *Il bambino sente la m. di una figura paterna*, the child suffers from the lack of a father-figure; *Sento molto la tua m.*, I miss you very much; *Non si sente affatto la loro m.*, they are not at all missed; **durante la sua m.**, during his absence; **in m. di**, in the absence of; failing; *In m. del direttore, la responsabilità è mia*, I am responsible, in the absence of the manager; **in m. d'altro**, failing all else; **in m. di meglio**, since there is nothing better; for want of something better **2** (*fallo*) fault; mistake; (*piccolo*) slip; (*infrazione*) offence: **m. imperdonabile**, unforgivable fault; (*mil.*) **m. disciplinare**, discipinary offence; **commettere una m.**, to commit a fault; to make a mistake; to slip up **3** (*difetto*) defect, failing, shortcoming; (*imperfezione*) imperfection.

♦**mancàre** **A** v. i. **1** (*essere irreperibile*) to be missing; (*a un conteggio*) to be unaccounted for; (*non esserci*) not to be there; (*fare difetto*) to be wanting; (*occorrere*) to be needed (*o* required), to lack (pers.), to need (pers.), (per completare qc., anche) to be wanting: *Mancano due pagine da questo libro*, two pages are missing from this book; *Mancano due coltelli*, two knives are missing; *Mi mancano due denti*, I have two teeth missing; *Gli mancavano due dita alla mano destra*, there were two fingers missing from his right hand; **m. all'appello**, to be unaccounted for; (*estens.*) not to be present; *Mancano sempre due milioni e mezzo*, two and a half million are still unaccounted for; *Manca il pane in tavola*, there is no bread on the table; *Mancano le prove*, there is no evidence; *Qui manca la firma*, there is no signature here; *Mancano ancora tre sterline*, we are still three pounds short; *Mancavano altri cinque operai*, five more workers were needed (*o* required); *Manca un giocatore alla squadra*, the team is one short; *Mancano*

solo gli ultimi tocchi, it only needs a few finishing touches; *Gli manca il buon senso* [*la forza di reagire*], he lacks common sense [the strength to react]; *Ti manca solo un po' di fortuna*, all you need is a bit of luck **2** (*rif. al tempo e allo spazio*) – *Mancano tre settimane a Natale*, Christmas is three weeks away; there are three weeks (to go) before Christmas; *Manca un quarto alle sette*, it is a quarter to seven (*USA*, *anche* of seven); *Mancano dieci* [*sette*] *minuti alle otto*, it is ten [seven minutes] to eight; *Manca poco alle undici*, it's nearly eleven; *Manca ancora un'ora*, there's still an hour to go; *Quanto manca alla* (*nostra*) *partenza?*, how long is it before we leave?; *Non mi manca molto*, it won't take me long; I won't be long; *Mancano ancora 10 km*, there are still 10 km to go **3** (*essere privo, sprovvisto*) to be short (of), to need (st.); (*difettare*) to want (st.), to lack (st.), to be lacking (in), to be in want (of), to be in need (of): **m. di buon senso**, to lack common sense; **m. di coraggio**, to be lacking in courage; **m. di denaro**, to be short of money; **m. di mezzi**, to lack means; *Il tempo* [*Il denaro*] *non gli manca*, he is not short of time [money]; *Non gli manca l'umorismo*, he is not short of a sense of humour; **non m. di niente**, to have plenty of everything; (*fig.*) *Che cosa gli manca?*, what's the matter with him? **4** (*venire meno*) to fail; (*esaurirsi*) to run* out; (*scarseggiare*) to run* short, to be running out (anche pers.): *Gli mancarono le forze*, his strength failed him; *Gli mancarono le parole*, words failed him; *Cominciava a mancarmi il fiato*, I was running out of breath; **venire a m.**, to run out (anche pers.); *Le scorte vennero a m.*, supplies ran out; *Ci vennero a m. le munizioni*, we ran out of ammunition **5** (*estinguersi*) to die out; to die off; (*morire*) to die, to pass away **6** (*essere assente*) to be absent; to be away; (*non andare a qc.*) not to turn up (for), to miss: **m. da scuola**, to be absent from school; *Oggi manca metà della classe*, half the pupils are absent today; *Manco dall'Italia da due anni*, I've been away from Italy (*o* I haven't been back to Italy) for two years; **m. a una riunione**, to miss a meeting; **m. a un appuntamento**, to miss an appoinment; not to turn up for an appointment; *Cerca di non m.*, try to be there **7** (*essere oggetto di rimpianto, desiderio*) to be missed: to miss (pers.): *Gli sei mancato*, he missed you; *Mi mancano i tuoi consigli*, I miss his advice **8** (*omettere, trascurare*) to omit; to fail; to neglect; (*dimenticare*) to forget*: **m. al proprio dovere**, to fail to do one's duty; *Non mancare d'avvertirlo*, don't forget to tell him; *Non manca mai di scrivermi un biglietto per Natale*, she never fails to send me a Christmas card **9** (*non mantenere*) to break*: **m. a una promessa**, to break a promise; **m. di parola**, to break (*o* to fail to keep) one's word **10** (*agire male*) to do* wrong; (*sbagliare*) to be wrong, to err: *Ho mancato nei tuoi confronti*, I have wronged you; *Tutti possiamo m.*, we can all be wrong ● (*lett.*) **m. ai vivi**, to die; to depart from this life (*lett.*) □ **m. di rispetto a q.**, to be rude to sb. □ **È mancata la luce**, the lights went out; (*l'elettricità*) There was a power cut □ **Mi mancò il piede e caddi**, I lost my footing (*o* I slipped) and fell □ (*fam.*) **Gli manca una rotella** (*o* **un venerdì**), he's got a screw loose □ **Il film non mancherà di avere successo**, the film is bound to be a success □ **Non mancherà l'occasione di riparlarne**, we'll have another opportunity to talk it over □ (**Non**) **ci mancherebbe altro!**, God forbid!; (*come formula di cortesia*) not at all!, it's no trouble at all! □ **Non ci mancava che questo!**, that's all we needed! □ **Poco mancò che cadessi**, I nearly fell □ **Se non è un milione, poco ci manca**, if it isn't a million,

it's not far off □ **non far m. nulla a q.**, to make sure that sb. wants for nothing □ **non farsi m. nulla**, to want for nothing □ **sentirsi m.**, to feel faint □ **A quella scoperta mi sentii m.**, my heart sank at that discovery □ **sentirsi m. il terreno sotto i piedi**, to feel the ground sliding from under one **B v. t.** to miss: **m. il bersaglio**, to miss (the mark); **m. una coincidenza**, to miss a connection; **m. il colpo**, (*di tiratore*) to miss; (*di arma: incepparsi*) to misfire; **m. un'occasione**, to miss an opportunity; **m. la palla**, to miss the ball; (*calcio, ecc.*) to miskick.

mancàto a. **1** (*non avvenuto*) non- (pref.): **mancata accettazione**, non-acceptance; (*leg.*) **mancata comparizione**, default; **mancata consegna**, non-delivery; **m. funzionamento**, failure; **m. intervento**, non-interference; **m. pagamento**, non-payment; **mancata partenza**, non-departure; **m. ritorno**, failure to return; *Il loro m. ritorno mise in allarme la famiglia*, their family started to worry when they didn't come back **2** (*non riuscito, fallito*) unsuccessful; failed; (*che non è diventato q. pur avendone i numeri*) manqué (*posposto*); (*che sogna invano di diventare q.*) would-be; (*non andato a segno*) missed: **colpo m.**, miss; **suicidio m.**, unsuccessful suicide attempt; **un artista m.**, an artist manqué; *Sei proprio un attore m.!*, you should have been an actor! **3** (*perduto*) missed: **occasione mancata**, missed opportunity.

mancatóre m. (f. **-trice**) – **m. di parola**, false person; faithless person.

mancégo a. of the Mancha; Mancha (attr.).

mancése A a. **1** (*della Manciuria*) Manchurian **2** (*etnol., ling.*) Manchu **B** m. e f. **1** (*abitante della Manciuria*) Manchurian **2** (*etnol.*) Manchu **C** m. (*lingua*) Manchu.

mancétta f. pocket money.

manche (*franc.*) f. inv. **1** (*nelle carte*) hand **2** (*sport*) round; (*sci*) run; (*atletica*) heat.

manchette (*franc.*) f. inv. **1** (*su giornale*) boxed article; boxed advertisement **2** (*di libro*) book band.

manchévole a. defective; imperfect; faulty; insufficient; inadequate ● **m. ai propri doveri**, negligent of one's duties.

manchevolézza f. **1** (*l'essere manchevole*) defectiveness; faultiness **2** (*carenza*) deficiency; insufficiency; inadequacy **3** (*difetto*) defect; fault; imperfection; shortcoming.

♦**mància** f. tip; gratuity; (*ricompensa*) reward: **m. competente**, adequate (*o* suitable) reward; **lauta m.**, generous tip; **m. di Capodanno**, New Year's gratuity; *Sono proibite le mance*, no tips (are) allowed; **dare la m. a q.**, to tip sb.; **dare a q. due euro di m.**, to tip sb. two euros; **dare una mancia eccessiva**, to overtip; *Il resto m.!*, (*tienilo*) keep the change!; (*me lo tengo io*) I'll keep the change!

♦**manciàta** f. (*anche fig.*) handful; fistful: **una m. di riso**, a handful of rice; *Il bambino prese una m. di caramelle*, the kid took a fistful of sweets; **a manciate**, by the handful; in handfuls.

mancìna f. **1** (*mano sinistra*) left hand: **scrivere con la m.**, to write with the left hand; **un colpo dato con la m.**, a left-hand blow **2** (*parte sinistra*) left side, left: **a m.**, on the left; to the left; **girare a m.**, to turn left **3** (*naut.*) harbour crane; heavy-lift crane.

mancinèlla f. (*bot., Hippomane mancinella*) manchineel.

mancinìsmo m. left-handedness.

mancino A a. **1** (*che usa la mano sinistra*) left-handed; (*che usa il piede sinistro*) left-footed: **calciatore m.**, left-footed soccer player; **tennista m.**, left-handed tennis player; **essere m.**, to be left-handed; to be a

left-hander; (*sport, anche*) to be a southpaw **2** (*di sinistra*) left: **il lato m.**, the left side **3** (*fig.*) underhand; treacherous; dirty: **tiro m.**, dirty trick **B** m. (f. **-a**) left-handed person; left-hander; lefty (*USA*); southpaw (*sport* o *fam. USA*) ● **forbici** [**mazze dal golf**] **per mancini**, left-handed scissors [golf clubs].

manciù a., m. e f. Manchu.

Manciùria f. (*geogr.*) Manchuria.

manciuriàno → **mancese**.

mànco A a. left; left-hand (attr.): **mano manca**, left hand **B** avv. (*fam.*: nemmeno) not even: *Non ce n'è m. uno*, there is not even one; **m. una volta**, not once; *Non lo farei m. se mi pagassero*, I wouldn't do it even if they paid me to ● **m. a dirlo**, needless to say □ **m. a farlo apposta**, by sheer coincidence □ **M. a parlarne!**, no question of it! □ **M. male!**, just as well! □ **M. per idea** (*o* **per sogno, per niente**)!, not in the least!; not on your life!

mancolìsta f. list of the pieces needed to complete a collection [a set, etc.].

mancorrènte m. handrail; rail.

màndala m. inv. (*induismo*) mandala.

mandamentàle a. (*leg.*) district (attr.): **carcere m.**, district prison.

mandaménto m. (*leg.*) district.

mandànte m. e f. (*leg.*) principal; (*di reato*) principal, instigator.

mandaràncio m. (*bot.*) clementine.

♦**mandàre** v. t. **1** (*far andare*) to send*: **m. in prigione**, to send to jail; **m. q. in aiuto**, to send sb. to help; **m. fuori**, to send out; *Ho mandato mio figlio alla posta*, I have sent my son to the post office **2** (*far pervenire*) to send*; (*comm.*) to forward, to ship; (*trasmettere*) to transmit: **m. un telegramma**, to send a telegramme; (*comm.*) **m. circolari**, to send out circulars; **m. due righe a q.**, to drop sb. a line; **m. per posta**, to send by post; to mail; *Ti ho mandato i libri per mezzo di mio fratello*, I sent you the books through my brother; *Manderemo la merce prima della fine del mese*, the goods will be forwarded (*o* shipped) by the end of the month **3** (*destinare*) to post; to assign: *È stato mandato alla filiale di Toronto*, he's been posted to the Toronto branch **4** (*emettere*) to send* out; to give* off; to emit; to discharge; (*esalare*) to exhale; (*un grido, ecc.*) to give* (out), to let* out: **m. calore**, to send out heat; **m. cattivo odore**, to give off a bad smell; **m. fumo**, to send out smoke; **m. un grido**, to give (out) a cry; to cry out; **m. un'imprecazione**, to curse; to utter a curse; **m. pus**, to discharge pus; **m. sangue**, to bleed; **m. un sospiro**, to let out a sigh; to sigh ● **m. a chiamare q.**, to send for sb. □ **m. a dire qc. a q.**, to send word to sb. □ **m. a effetto** (*o* **a compimento**), to carry out □ **m. a fondo una nave**, to sink a ship □ **m. a memoria**, to learn by heart □ **m. a monte**, (*annullare*) to cancel, to call off, to scrap; (*sconvolgere*) to upset, to wreck □ **m. all'altro mondo**, to kill; to dispatch □ **m. all'aria**, to upset; to wreck; to spoil □ (*pop.*) **m. q. al diavolo** (*o* **all'inferno**), to tell sb. to go to hell □ **m. a morte**, to send (*o* to put) to death □ **m. a picco**, to sink; (*fig.*) to scuttle □ **m. a prendere qc.**, to send for st. □ (*fig.*) **m. q. a quel paese**, to tell sb. where to get off □ **m. a rotoli**, to ruin; to wreck □ (*fig.*) **m. q. a spasso**, to send sb. packing (*fam.*); (*licenziarlo*) to fire sb. (*fam.*), to sack sb. (*fam.*) □ **m. avanti un'azienda**, to run a firm □ (*fam.*) **m. avanti la baracca** → **baracca** □ **m. un bacio a q.**, to throw sb. a kiss □ **m. q. da Erode a Pilato**, to send sb. from pillar to post □ **m. giù**, (*inghiottire*) to swallow, to get down; (*fig.: credere*) to swallow; (*fig.: sopportare*) to swallow, to put up with, to

stomach: *L'olio di ricino non lo mando giù*, I can't swallow castor-oil; *Questa è dura da m. giù*, that's hard to swallow; *È stato un boccone amaro, ma m'è toccato mandarlo giù*, I didn't like it (o it was a bitter pill to swallow), but I had to put up with it (o I had to grin and bear it)□ **m. in esilio**, to send into exile; to exile; to banish □ **m. in onda**, to broadcast; to air □ **m. in pezzi**, to smash (up); to shatter □ (*fig.*) **m. in porto**, to see through □ **m. in rovina** (o **in malora**), to ruin; to wreck □ **m. via**, to send away; to send off; to dismiss; (*mettere alla porta*) to show (sb.) the door; (*spedire*) to send off, to dispatch □ **Che Dio gliela mandi buona!**, God help him! □ (*fam.*) **Non gliele mandai a dire**, I gave him a bit of my mind □ **È uno che non le manda a dire**, he is not afraid to tell you to your face; he is not one to mince (his) words □ **Piove che Dio la manda**, it's bucketing down.

mandarìna f. (*zool.*) mandarin duck.

mandarinàto m. (*stor. cinese*) mandarinate.

mandarinétto m. (*liquore*) mandarin--flavoured liqueur.

mandarinìsmo m. oppressive bureaucracy.

♦**mandarìno**① m. (*stor. cinese*) mandarin.

♦**mandarìno**② m. (*bot.*, *Citrus nobilis; il frutto*) tangerine; mandarin; mandarin orange.

mandàta f. **1** (*il mandare*) sending; (*quantità che si manda in una volta*) lot, batch, (*comm.*) consignment, shipment: **a più mandate**, in several lots; **in una sola m.**, in a single consignment **2** (*giro di chiave*) turn (of the key): **dare una m.**, to turn the key once; (*chiudere a chiave*) to lock (up): **chiudere la porta con due mandate** (o **a doppia m.**), to double-lock the door **3** (*idraul.*) delivery: **tubo di m.**, feed pipe.

mandatàrio m. (*leg.*) mandatary; mandatory; mandatee; (*agente*) agent; (*procuratore*) proxy, assignee, attorney.

mandàto m. **1** (*leg.: ingiunzione*) warrant; writ; (*citazione*) summons: **m. d'arresto** (o **di cattura**), warrant of arrest; **m. di comparizione**, summons; (writ of) subpoena; **ricevere un m. di comparizione**, to receive a subpoena; to be subpoenaed; **m. di pignoramento**, distress warrant; **m. di perquisizione**, search warrant; **m. di procura**, warrant (o power) of attorney **2** (*leg.*, *comm.*) contract: **m. di rappresentanza**, contract of agency; agency **3** (*incarico*) mandate; charge, task; (*istruzioni*) brief (*periodo di permanenza in carica*) term (of office), tenure: **m. elettorale**, electoral mandate; **m. parlamentare**, parliamentary mandate; parliamentary term of office; *Questo non rientra nel mio m.*, this lies outside my brief; (*polit.*) **durata del m.**, term of office; tenure **4** (*comm.*, *banca: ordine*) order; warrant: **m. di pagamento**, order for payment; **m. di pagamento di dividendi**, dividend warrant; **m. di riscossione**, collection order; **pagare un m.**, to pay an order; **riscuotere un m.**, to collect an order **5** (*polit. stor.*, anche **m. internazionale**) mandate.

mànde a. e m. (*ling.*) Mande.

mandèlico a. – (*chim.*) **acido m.**, mandelic acid.

mandìbola f. **1** (*anat.*) mandible; lower jaw; jaw **2** (*zool.*) mandible.

mandibolàre a. (*anat.*) mandibular; jaw (attr.); jawbone (attr.): **osso m.**, jawbone; mandibular bone.

mandìngo a. e f. Mandingo; Mande.

mandòla f. (*mus.*) mandola, mandora.

mandolinàta f. mandolin playing; mandolin music.

mandolinìsta m. e f. mandolinist; mandolin player.

mandolìno m. (*mus.*) mandolin.

mandoloncèllo m. (*mus.*) mandoloncello.

mandolóne m. (*mus.*) mandolone.

♦**màndorla** f. **1** almond: **mandorle amare**, bitter almonds; **mandorle sgusciate**, shelled almonds; **latte di mandorle**, almond milk; **olio di mandorle**, almond oil; **pasta di mandorle**, almond paste; marzipan; **a m.**, almond-shaped; **occhi a m.**, almond-shaped (o slanting) eyes; **con gli occhi a m.**, almond-eyed **2** (*seme di pesca, ecc.*) kernel **3** (*archit.*) mandorla; vesica* piscis.

mandorlàto Ⓐ a. with almonds; almond (attr.): **cioccolato m.**, chocolate with almonds Ⓑ m. (*cucina*) almond cake.

mandorléto m. almond grove.

mandorlicoltóre m. (f. **-trice**) almond grower.

mandorlicoltùra f. almond growing.

mandorlièro a. almond-growing (attr.); almond (attr.).

♦**màndorlo** m. (*bot.*, *Amygdalus communis*) almond tree.

mandràgola, **mandràgora** f. (*bot.*, *Mandragora officinarum*) mandrake; mandragora (*lett.*).

màndria f. **1** herd; (*in movimento*) drove: **una m. di buoi**, a herd of cattle; **una m. di cervi**, a herd of deer **2** (*fig.*, *spreg.*) herd ● (*fig.*) **a mandrie**, in droves.

mandriàno m. herdsman*; cowhand; stockman*.

mandrìllo m. **1** (*zool.*, *Mandrillus sphinx*) mandrill **2** (*fig.*) lecher.

mandrinàggio m. (*mecc.*) expanding.

mandrinàre v. t. (*mecc.*) to expand.

mandrinatùra f. (*mecc.*) expanding.

mandrìno m. (*mecc.*) **1** mandrel; spindle **2** (*piattaforma*) chuck **3** (*tecn.*, *allargatubi*) pipe (o tube) expander **4** (*med.*) stylet ● **m. flessibile** (*da idraulico*), plumber's snake.

mandrìtta f. (*lett.*) right hand; right: **a m.**, on the right; to the right; **voltare a m.**, to turn right.

manducàre v. t. (*antiq.* o *scherz.*) to eat*.

màne f. (*lett.*) morning: **da m. a sera**, from morning to night; all day long.

maneggévole a. **1** handy; easy to handle [to carry]; practical: **arnese m.**, handy tool; **barca m.**, handy boat; **quantitativi maneggevoli**, practical loads; **poco m.**, unwieldy; unhandy; awkward **2** (*fig.*: *malleabile*) malleable; yielding; compliant.

maneggevolézza f. **1** handiness; ease of handling: **scarsa m.**, unwieldiness; unhandiness; awkwardness **2** (*fig.*) tractability; compliance.

maneggiàbile → maneggevole

♦**maneggiàre** v. t. **1** (*lavorare con le mani*) to work; (*impastare*) to mould: **m. la creta**, to mould clay **2** (*usare*) to handle; to use; to wield: **m. un fucile**, to handle a gun; **m. la scure**, to wield (o to ply) an axe; **m. la spada**, to wield a sword; **m. con cura**, to handle with care; **saper m. i numeri**, to be good with figures; **saper m. la penna [il pennello]**, to be a writer [a painter] **3** (*amministrare*) to manage: **m. forti somme**, to manage large sums of money **4** (*fig.*) to handle; to deal with; (*manipolare*) to manipulate: **m. gli uomini**, to manipulate men **5** (*lett.*: *tastare*) to feel; to handle.

maneggiatóre m. (f. **-trìce**) handler; wielder.

manéggio m. **1** (*uso*) handling; wielding; plying; use: **il m. delle armi**, the handling of weapons; **il m. d'una spada**, the wielding of a sword **2** (*amministrazione*, *direzione*) managing; management: **il m. del denaro altrui**, the management of other people's money **3** (*manovra*) manoeuvre; manoeuvring Ⓤ; (*intrigo*) intrigue, intriguing Ⓤ, scheming Ⓤ, wheeling and dealing Ⓤ: **maneggi occulti**, secret deals; underhand dealings; scheming; intriguing; **maneggi politici**, political manoeuvring **4** (*galoppatoio*) riding ground; (*scuola*) riding school, manège (*franc.*).

maneggióne m. (f. **-a**) wheeler-dealer; intriguer; (*trafficante*) trafficker.

manésco a. **1** free with one's hands; rough; aggressive; violent: *Sei troppo m.*, you are too free with your hands; **bambino m.**, aggressive child; **marito m.**, violent husband **2** (*maneggevole*) hand (attr.); manual.

manétta f. **1** (*impugnatura*) handle; hand lever: (*autom.*) **m. del gas**, throttle lever; **a tutta m.**, at full throttle; (*fig.*) at full speed, full tilt **2** (al pl.) handcuffs: **mettere le manette a q.**, to handcuff sb.; **con le manette ai polsi**, handcuffed; *Ci vorrebbero le manette per quello lì*, he ought to be locked up!

manfanìle, **manfàno** m. (*agric.*) flail handle.

manfòrte f. help; support; backup; assistance: **dare** (o **prestare**) **m. a q.**, to back sb. up; to support sb.; **ricevere m. da q.**, to be backed up by sb.; to get sb.'s support.

Manfrédi m. Manfred.

manfrìna f. (*fig.*: *lunga storia*) long story; (*messinscena*) act, put-on: **la solita m.**, the same old story; *Era tutta una m. per convincermi*, it was all an act (o a put-on) to convince me.

manga (*giapponese*) Ⓐ m. inv. **1** (*il genere*) manga Ⓤ **2** (*i fumetti*) manga, manga comics Ⓑ a. inv. manga (attr.).

manganàre v. t. (*ind. tess.*) to mangle.

manganàto m. (*chim.*) manganate: **m. di potassio**, potassium manganate.

manganatóre m. (f. **-trice**) (*ind. tess.*) mangler.

manganatùra f. (*ind. tess.*) mangling.

manganèlla f. **1** (*mil.*, *stor.*) mangonel **2** (*sedile ribaltabile*) folding bench.

manganellàre v. t. to hit* with a club; to club; to cudgel; to bludgeon.

manganellàta f. blow with a club (o a cudgel); (*di sfollagente*) blow with a truncheon (*USA* nightstick, blackjack): **prendersi una m. in testa**, to be hit on the head by a club; to be clubbed on the head.

manganèllo m. club; cudgel; bludgeon; (*sfollagente*) truncheon (**GB**), nightstick (*USA*), blackjack (*USA*).

manganése m. (*chim.*) manganese.

manganesìfero a. (*geol.*) manganiferous.

mangànico a. (*chim.*) manganic.

manganìna f. (*metall.*) manganin.

manganite f. (*miner.*) manganite.

màngano m. **1** (*ind. tess.*) mangle **2** (*macchina per stirare*) mangle **3** (*mil.*, *stor.*) mangonel.

manganóso a. (*chim.*) manganous.

mangeréccio a. edible; eatable: **fungo m.**, edible mushroom; **cose mangerecce**, edibles; eatables (*fam.*).

mangerìa f. (*fam.*: *ruberia*) illicit gains (pl.); graft Ⓤ (*fam.*).

mangiabambìni m. e f. inv. **1** bogey; bogeyman* **2** soft-hearted ogre.

mangiàbile a. eatable; edible.

mangiabótte f. inv. (*zool.*, *region.*) water-snake.

mangiacàrte m. (*spreg.*) pettifogger.

mangiacassétte m. inv. cassette player.

mangiacristiàni m. e f. inv. bully; blusterer.

mangiadìschi m. inv. portable record-player.

màngia-e-bévi loc. m. inv. ice cream with fruit and liqueur.

mangiafagiòli m. e f. bean-eater.

mangiafùmo a. inv. smoke-eating ● **candela m.**, smoke candle □ (*bot.*) **pianta m.** (*Beaucarnia*), pony tail.

màngia màngia loc. m. inv. (*fam.*) illicit gains (pl.); graft Ⓤ (*fam.*).

mangiamòccoli m. e f. churchy person; religiose person.

mangiamósche → **pigliamosche**.

mangianàstri m. inv. cassette player.

mangiapàne m. e f. inv. (*fig.*) good-for-nothing; drone; loafer ● **m. a tradimento**, sponger.

mangiapolènta m. e f. inv. 1 polenta-eater 2 (*scherz. o spreg.*) northerner 3 (*spreg.*) loafer.

mangiaprèti m. e f. inv. 1 (*spreg.*) rabid anticlerical 2 confirmed (*o staunch*) anticlericalist.

♦**mangiàre** ① v. t. e i. 1 to eat*; (*fino in fondo*) to eat* up: (*assol.: consumare i pasti*) to have one's meals; (*pranzare*) to have lunch; (*cenare*) to have dinner: **m. una mela**, to eat an apple; **m. a crepapelle** (*o m. per tre, per quattro*), to gorge oneself (on, with st.); **m. a quattro ganasce** (*o palmenti*), to shovel food in one's mouth; to wolf down one's food; **m. a sazietà**, to eat one's fill; **m. avidamente**, to eat greedily; to scoff (st., one's food); to guzzle (st., one's food); to gorge oneself (on, with st.); **m. un boccone**, to have a quick bite; **m. come un lupo**, to eat like a horse; **m. come un uccellino**, to eat like a bird; **m. con appetito** (*o di gusto*), to eat heartily; to tuck in (*fam.*); **m. di grasso**, to eat meat; **m. di magro**, to abstain from eating meat; to eat no meat; **m. fino alla nausea**, to eat oneself sick; **m. di tutto**, to eat anything; **m. in bianco**, to be on a bland diet; **m. in casa [fuori]**, to eat in [out]; **m. in fretta**, to gobble; **m. svogliatamente**, to pick at one's food; *Finisci di m. la minestra*, eat up your soup; *Dove mangiamo?*, where shall we eat?; *Dove mangi di solito a mezzogiorno?*, where do you usually have lunch?; *Gli piace m. bene*, he likes to eat well; he enjoys a good meal; *In quel ristorante si mangia molto bene*, the food is excellent in that restaurant; *È pronto, si mangia!*, lunch [dinner] is ready!; grubs up! (*fam.*); *Fermiamoci a m. qualcosa*, let's stop for something to eat; (*scherz.*) *Andiamo, non ti mangio mica!*, come on, I won't eat you!; **cose** (*o* **roba**) **da m.**, food; eatables (pl.); eats (pl.) (*fam.*); grub (*fam.*); *Hai da m. in casa?*, have you got any food (*fam.* any grub) in the house?; **dare da m. a**, (*offrire cibo*) to give (sb.) st. to eat; (*nutrire*) to feed; (*mantenere*) to provide for; **fare da m.**, to cook 2 (*divorare*) to eat* up; to polish off; to wolf; to devour: **mangiarsi un pollo intero**, to polish off a whole chicken; *Il lupo mangiò l'agnello*, the wolf ate up (*o* devoured) the lamb 3 (*corrodere*) to eat* into; to corrode; (*distruggere*) to eat* away, to destroy: *La ruggine mangia il ferro*, rust eats into (*o* corrodes) iron; *Il fiume ha mangiato le rive*, the river has eaten away the banks 4 (*sperperare*) to waste; to squander; (*a poco a poco*) to fritter away; (*spendere*) to spend*: **mangiarsi il patrimonio**, to squander one's fortune; **mangiarsi una fortuna al gioco**, to gamble away a fortune; **mangiarsi i risparmi**, to fritter away one's savings; *Si è mangiato tutto lo stipendio*, he spent the whole salary 5 (*fig.: consumare*) to eat* up; to consume: *È mangiato dall'orgoglio*, (he is) eaten up (*o* consumed) with pride 6 (*nei giochi*) to take*; to capture: **m. una pedina**, (*a dama*)

to take a piece; (*a scacchi*) to take (*o* to capture) a pawn 7 (*fig.: fare guadagni illeciti*) to make* illicit gains; to line one's pockets (*fam.*); to be a grafter; (*prendere bustarelle*) to take* bribes: *In questo affare tutti ci hanno mangiato su*, everybody managed to line his pockets (*o* everybody took a slice) in this deal 8 (*sport: sconfiggere*) to beat*; to thrash; to trounce ● **m. a ufo** (*o a sbafo*), to sponge a meal off sb. □ (*fig.*) **m.** (*o* **mangiarsi**) **qc. con gli occhi**, to devour st. with one's eyes □ (*fig.*) **m.** (*o* **mangiarsi**) **q. di baci**, to smother sb. with kisses □ (*fig.*) **m. la foglia**, (*capire il sotterfugio*) to see through st., to twig what sb. is up to; (*capire come stanno le cose*) to get wise, to twig it, to cotton on (to st.) □ **m. in mano a q.** (*di animale mansueto*), to eat out of sb.'s hand □ (*fig.*) **m.** (*il pane*) **a tradimento**, to eat unearned bread □ (*fig.*) **m. la pappa in testa a q.**, to be much taller than sb. □ (*fig.*) **m. la strada**, to eat up the miles □ (*fig.*) **mangiarsi il cuore [il fegato]**, to eat one's heart out □ (*fig.*) **mangiarsi le mani**, to kick oneself: *Mi sarei mangiato le mani!*, I could have kicked myself □ (*fam.*) **mangiarsi la parola**, to go back on one's word □ **mangiarsi le parole**, to swallow one's words; to mumble □ **mangiarsi le unghie**, to bite one's nails □ (*fig.*) **mangiarsi q.** (*o m. q. vivo*), to bite sb.'s head off □ **non avere da m.** (*essere in miseria*), not to have enough to eat; to be destitute □ **dopo mangiato**, after a meal; after lunch; after dinner □ (*prov.*) **Si mangia per vivere, non si vive per m.**, eat to live and not live to eat.

♦**mangiàre** ② m. 1 (*atto del m.*) eating: **m. e bere**, eating and drinking 2 (*cibo*) food; (*cucina*) cooking; (*piatto*) dish: **il m. casalingo**, home cooking; **il m. indiano**, Indian food; **un m. saporito**, a tasty dish; **essere difficile nel m.**, to be fussy about one's food (*o* what one eats); **pensare solo al m.**, to think only of food; **spendere molto per il m.**, to spend a lot on food 3 (*pasto*) meal; (*pranzo*) lunch; (*cena*) supper; dinner: *È pronto il m.?*, is lunch [supper, the meal] ready?

mangiaríno m. (*fam.*) dainty; delicacy.

mangiasòldi Ⓐ m. e f. inv. parasite; sponger Ⓑ a. inv. – **un'attività m.**, a drain on sb.'s resources; **macchina m.**, fruit machine; slot machine (*USA*); one-armed bandit (*slang*).

mangiàta f. (*lauto pranzo*) hearty meal; blow-out (*slang*); good feed (*fam. USA*); (*scorpacciata*) binge (*fam.*): **farsi una bella m.**, to have a hearty meal; **fare una gran m. di qc.**, to gorge oneself on st.; to pig out on st. (*USA*).

mangiatóia f. 1 manger; fodder-trough 2 (*scherz.: tavola*) dining-table; (*estens.: cibo*) food 3 (*fig.*) easy source of income; (*posto di lavoro*) cushy job, cushy number.

mangiatóre m. (f. **-trìce**) eater: **buon m.**, hearty eater; real trencherman (*scherz.*); **gran m.**, big eater; *Sono un gran m. di gelati*, I eat a lot of ice cream ● **m. di fuoco**, fire-eater □ **m. di spade**, sword-swallower □ **mangiatrice di uomini**, man-eater.

mangiatùra f. (*pop.*) insect bite.

mangiatùtto Ⓐ m. e f. inv. 1 big eater 2 (*fig.*) squanderer; spendthrift Ⓑ a. inv. – **fagioli [piselli] m.**, mangetout beans [peas].

mangiaùfo m. e f. inv. 1 good-for-nothing; loafer 2 (*scroccone*) sponger.

mangiavènto m. (*naut.*) storm staysail.

mangìme m. feed Ⓤ; feedstuff Ⓤ; (*foraggio*) fodder Ⓤ; (*becchime*) birdseed Ⓤ; (*per polli*) poultry feed Ⓤ; chickenfeed Ⓤ.

mangimifìcio m. feedstuff factory.

mangimìsta m. e f. feedstuff seller.

mangimìstica f. feedstuff production.

mangimìstico a. feedstuff (attr.).

mangióne m. (f. **-a**) (*fam.*) 1 big eater; (*ghiottone*) glutton, gourmand 2 (*scroccone*) sponger.

mangiucchiàre v. t. to nibble; to have a bite (of st.); to pick (at st.): **m. tutto il giorno**, to be always nibbling something; *Ho mangiucchiato qualcosa in un bar*, I had a bite at a bar; *Non aveva appetito e mangiucchiò appena*, she had no appetite and just picked at her food.

màngo m. (*bot.*, *Mangifera indica*) mango*.

mangósta f. (*zool.*, *Herpestes*) mongoose ● **m. icneumone**, Egyptian mongoose; ichneumon.

mangostàno m. (*bot.*, *Garcinia mangostana*) mangosteen.

mangròvia f. (*bot.*) mangrove.

mangùsta → **mangosta**.

màni m. pl. (*relig.*, *lett.*) manes.

manìa f. 1 (*psic.*) mania: **m. di persecuzione**, persecution mania 2 (*fig.: fissazione*, *fisima*) obsession; fixation; crotchet; fetish; thing (*fam.*): **piccola m.**, pet mania; foible; **avere la m. delle diete**, to be obsessed with dieting; *Ha la m. del pulito*, she has a fetish (*o* a thing) about cleanliness; *È una delle mie manie*, it's one of my pet manias 3 (*fig.: abitudine*) habit: *Ha la m. di parlare da solo*, he has a habit of talking to himself 4 (*fig.: passione*) mania; craze; (*moda*) fad: *Ha la m. della bicicletta*, he is crazy about bicycles; *È la m. del momento*, it's the current fad; it's all the rage.

maniacàle a. 1 (*psic.*) manic 2 (*estens.: ossessivo*, *esagerato*) manic; obsessive: **precisione m.**, manic precision.

maniàco Ⓐ a. 1 maniacal; mad; insane: **amore m.**, insane love 2 (*fig.*) crazy; mad: **essere m. della musica**, to be crazy about music Ⓑ m. (f. **-a**) 1 (*psic.*) maniac: **m. sessuale**, sex maniac 2 (*fig.*) fanatic; (*con attr.*, *anche*) fiend (*fam.*), freak (*fam.*): **un m. del jogging**, a jogging fanatic (*fam.* fiend, freak); **un m. dell'ordine**, a person obsessed with tidiness; **un m. della puntualità**, a stickler for punctuality.

maniaco-depressìvo a. – (*psic.*) **psicosi maniaco-depressiva**, manic-depressive psychosis; manic depression.

♦**mànica** f. 1 sleeve: **m. a chimono**, kimono sleeve; **m. a giro**, fitted (*o* tailored) sleeve; **m. a sbuffo**, puff sleeve; **maniche a tre quarti**, three-quarter-length sleeves; **m. raglan**, raglan sleeve; **maniche lunghe [corte]**, long [short] sleeves; **mezze maniche**, short sleeves; (*di protezione*) oversleeves; (*anche fig.*) **rimboccarsi le maniche**, to roll up one's sleeves; **una camicetta con le maniche corte**, a short-sleeved blouse; **in maniche di camicia**, in one's shirt-sleeves; **senza maniche**, sleeveless; without sleeves 2 (*metall.*, *di alto forno*) downtake; (*di pompa*) suction hose 3 (*fig. spreg.: branco*) bunch; gang; pack: **una m. di fannulloni**, a bunch of layabouts ● **m. a vento**, (*aeron.*) windsock, wind sleeve; (*naut.*) ventilator, downtake, air-scoop □ (*fig.*) **È un altro paio di maniche**, it's another kettle of fish □ (*anche fig.*) **avere un asso nella m.**, to have an ace up one's sleeve □ (*fig.*) **di m. larga**, very indulgent; easy-going; (*di larghe vedute*) broad-minded; (*di insegnante*) generous with one's marks □ (*fig.*) **di m. stretta**, severe; strict; (*di insegnante*) stingy with one's marks □ **prendersi una m. di botte**, to get a thrashing.

Mànica f. (*geogr.*) (the) (English) Channel.

manicàio m. (*zool.*, *Solen ensis*) razor-shell; razor-clam.

manicarétto m. delicacy; dainty; delicious dish.

manicheịṣmo m. (*stor., relig.*) Manichaeism.

manichèo a. e m. (*stor., relig.*) Manichaean.

manichétta f. 1 (*soprammanica*) oversleeve 2 (*tubo*) hose: **m. antincendio**, fire hose; **m. di aspirazione**, suction hose.

manichétto① m. 1 (*risvolto di manica*) cuff 2 (*polsino inamidato*) starched cuff.

manichétto② m. (*gesto volgare*) forearm jerk.

manichino① m. (*polsino*) cuff.

manichino② m. 1 (*per pittore, scultore*) lay figure; manikin 2 (*modello anatomico*) manikin 3 (*per sarto*) tailor's dummy 4 (*da vetrina*) (life-size) dummy; mannequin ● **impalato come un m.**, stock-still; poker-stiff □ **sembrare un m.**, to look very smart; to look like a fashion plate.

màñico m. 1 handle; (*di coltellaccio, lancia e sim.*) haft; (*di accetta e sim.*) haft, helve; (*di falce*) snath: **il m. di un coltello [di un ombrello]**, the handle of a knife [of an umbrella]; **m. di pentola**, saucepan handle; **m. di scopa**, broomstick; broom handle; **m. di scure**, helve; **tenere qc. per il m.**, to hold st. by the handle 2 (*mus., di strumento a corda*) neck 3 (*scherma*) handle 4 (*gergo aeron.*) joystick ● (*fig.*) **Il difetto è nel m.**, the fault lies at the source.

manicomiàle a. 1 mental hospital (attr.); (lunatic) asylum (attr.) 2 (*fig.: pazzesco*) mad; crazy; absurd.

manicòmio m. 1 mental hospital (*o* home); lunatic asylum; madhouse (*fam.*): **chiudere in m.**, to put into a mental hospital 2 (*fig.*) madhouse; bedlam Ⓤ: *La loro casa è un m.*, their place is a madhouse (*o* is total bedlam) ● **Mi farai finire in un m.!**, you will drive me crazy! □ **Roba da m.!**, this is completely insane!

manicomizzàre v. t. to put* into a mental hospital.

manicòtto m. 1 (*per le mani*) muff 2 (*mecc.*) sleeve; coupling; hose; muff: **m. a forcella**, yoke; **m. di accoppiamento**, coupling sleeve; (*autom.*) **m. del radiatore**, radiator hose; **m. di raccordo**, union sleeve; (*autom.*) **m. di riscaldamento**, heating muff; **giunto a m.**, box coupling.

manicùre Ⓐ f. e m. inv. manicure; manicurist Ⓑ f. inv. manicure: **fare la m. a**, to give a manicure to; to manicure.

màñide m. (*zool.*) pangolin.

♦**manièra** f. 1 manner; way; (*usanza*) fashion: **la tua m. di parlare**, your way of speaking; the way you speak; **la m. di vivere degli inglesi**, the English way of living; *Che bella m. di ragionare!*, that's a fine way of talking!; *È una m. come un'altra per fargli capire che...*, it's as good a way as any to make him understand that...; **conoscere la m. di fare qc.**, to know the way (*o* to know how) to do st.; *Gliel'ho detto in tutte le maniere*, I told him in every possible way; **fare alla propria m.**, to have one's own way; to do as one likes; *Fallo alla mia m.*, do it my way; **trovare la m. di fare qc.**, to find a way of doing st.; **alla m. di**, after the fashion of; **secondo la mia m. di vedere**, to my way of thinking; in my opinion 2 (*stile*) style; (*nell'arte*) manner: **alla m. del Tiziano**, after the manner of Titian; **un Picasso prima m.**, a Picasso from the early period; an early Picasso 3 (*modo di comportarsi, creanza*) manners (pl.): **avere belle [brutte] maniere**, to have good [bad] manners; to be well-mannered [ill-mannered]; *Che maniere!*, what a way to behave! 4 (*affettazione*) mannerism; (*ricercatezza*) affectation ● **maniere forti**, strong action (sing.); strong-arm tactics □ **con le buone o con le cattive maniere**, by fair means or foul; by hook or by crook □ **di**

m., mannered; affected: **stile di m.**, mannered style; **scrittore di m.**, affected writer □ **di** (*o* in) **m. che**, so that □ **in una certa** (**qual**) **m.**, in a way; after a fashion; somehow □ **in m. da**, so as to □ **in m. errata**, wrongly; incorrectly □ **in una m. o nell'altra**, (in) one way or another; somehow or other □ **in qualche m.**, somehow ● **In quale m.?**, how? □ **in questa m.**, in this manner (*o* way); so; thus □ **in qualunque m.**, anyhow □ **in tal m.**, in such a manner (*o* way) □ **in tutte le maniere** (*a ogni costo*), at any cost; by all means □ **in ugual m.**, in like manner □ **nella solita m.**, in the usual manner (*o* way); (*come di solito*) as usual.

manierataménte avv. with affectation; affectedly.

manieràto a. 1 affected; studied: **eleganza manierata**, studied elegance; **modi manierati**, affected ways 2 (*di maniera*) mannered: **stile m.**, mannered style.

manierịṣmo m. 1 (*corrente artistica*) Mannerism 2 (*estens., arte, letter., psic.*) mannerism.

manierista a., m. e f. (*arte, letter.*) Mannerist; mannerist.

manieristico a. (*arte, letter.*) Manneristic; manneristic.

manièro m. 1 (*stor.*) castle; manor (house) 2 (*dimora signorile*) manor house; country house; mansion.

manieróso a. affected; ceremonious.

manifattùra f. 1 manufacture; manufacturing; production: **m. dei cuoiami**, leather manufacture; **m. della seta**, silk manufacture; **m. dei tabacchi**, tobacco manufacture; **di m. italiana**, of Italian manufacture; made in Italy; Italian-made; **prezzo di m.**, manufacture price 2 (*fabbrica*) factory; manufactory 3 (*fattura*) workmanship; craftsmanship 4 (*manufatto*) manufactured article; (al pl.) manufactures.

manifatturàre v. t. to manufacture.

manifatturière m. (f. *-a*) 1 (*proprietario*) factory owner 2 (*operaio*) factory worker.

manifatturièro a. manufacturing: **industria manifatturiera**, manufacturing industry.

manifestaménte avv. clearly; openly; plainly.

manifestànte m. e f. demonstrator.

♦**manifestàre** Ⓐ v. t. (*mostrare*) to manifest, to show*; to display; (*rivelare*) to reveal, to disclose; (*esprimere*) to express; (*dichiarare*) to declare: **m. la propria ansia**, to manifest (*o* to show) one's anxiety; **m. un desiderio**, to express a wish; **m. poco entusiasmo**, to show little enthusiasm; **m. le proprie intenzioni**, to declare one's intentions Ⓑ v. i. to demonstrate; (*con una marcia*) to march Ⓒ **manifestàrsi** v. rifl. *o* i. pron. 1 (*mostrarsi, rivelarsi*) to show* oneself; to reveal oneself; to prove (to be): **manifestarsi per quello che si è**, to show oneself for what one is (*o* in one's true colours) 2 (*palesarsi, apparire*) to appear, to emerge, to surface, to come* to light; (*manifestarsi*) to manifest itself, to become* manifest; (*insorgere*) to develop, to arise*, to crop up: *Si sono manifestati alcuni inconvenienti*, a few drawbacks have arisen (*o* cropped up); *Il disturbo si manifesta in età adulta*, the complaint does not manifest itself (*o* show up) until adulthood Ⓓ m. occurrence; emergence; manifestation: **al primo manifestarsi di**, at the first occurrence of; at the first sign of.

♦**manifestazióne** f. 1 (*espressione*) display; manifestation; expression; (*dichiarazione*) profession, declaration: **m. di gioia [d'amore]**, display of joy [of love]; **m. di intolleranza**, manifestation of intolerance; **m. di solidarietà**, declaration of solidarity 2 (*insorgenza, comparsa*) manifestation (*anche*

med.); emergence; appearance; (*segno*) indicator, sign: *La prima m. del pensiero è la parola*, the first manifestation of thought is speech; **la prima m. dei sintomi**, the first manifestation of symptoms 3 (*dimostrazione, prova*) demonstration; evidence: *Le molte lettere ricevute sono una m. dell'interesse dei nostri lettori*, the many letters we received are a demonstration of (*o* are evidence of, attest to, witness to) our readers' interest 4 (*dimostrazione pubblica*) demonstration; rally; (*marcia*) march 5 (*avvenimento pubblico*) event; show; display: **m. aerea**, air show; **m. musicale**, music festival; **m. sportiva**, sporting event.

manifestino m. leaflet; handout; handbill; flyer.

♦**manifèsto**① a. 1 (*palese, evidente*) manifest; open; patent; undisguised; overt; evident; obvious: **curiosità manifesta**, open curiosity; **difetto m.**, evident defect; **gioia manifesta**, evident joy; **verità manifesta**, manifest truth; **per cause non ancora ben manifeste**, for reasons not yet evident. 2 (*notorio*) well-known ● **rendere m.**, to reveal; to announce; to make known.

♦**manifèsto**② m. 1 (*murale*) poster; placard; bill; (*avviso*) notice: **m. elettorale**, electoral poster; **attaccare un m.**, to put up a poster 2 (*teatr.: cartellone*) playbill; (*programma*) programme, program (*USA*): **il m. della stagione teatrale**, the programme for the opera season 3 (*scritto programmatico*) manifesto*: **m. letterario**, literary manifesto; **il M. del partito comunista**, the Communist Manifesto 4 (*comm., trasp.*) manifest: (*naut., aeron.*) **m. di carico**, cargo manifest; **m. di partenza**, outward manifest; **registrare sul m. di carico**, to manifest.

maniglia f. 1 handle; (*a pomello*) knob: **la m. del cassetto**, the drawer's handle; **m. di porta**, door handle; doorknob 2 (*naut.*) shackle; (*del timone*) spoke 3 (*sostegno di tram, ecc.*) strap; handhold 4 (*ginnastica, del cavallo*) pommel 5 (*fig. fam.: appoggio importante*) friend (*o* connection) in high places: **avere qualche m.**, to have friends (*o* connections) in high places; to know someone who has pull ● (*fam., scherz.*) **maniglie dell'amore**, love handles.

manigliàme m. assortment of handles and knobs.

maniglióne m. 1 big handle; big knob; (*sbarra*) bar: **m. antipanico**, crash bar; panic push-bar 2 (*naut., di catena*) clevis, shackle; (*di ancora*) ring.

manigóldo m. rascal; scoundrel; bad lot; (*scherz., di bambino*) little rascal, little terror.

manila f. (*fibra*) Manila (hemp): **corda di m.**, Manila rope.

manilla m. inv. (*sigaro*) Manila (cigar).

manilùvio m. (*med.*) hand bath.

manina f. 1 (*tipogr.*) index (mark) 2 (*grattaschiena*) backscratcher 3 (*bot., Clavaria*) club fungus*; clavaria.

maniòca f. (*bot., Manihot utilissima*) cassava; manioc.

manipolàbile a. manipulable.

manipolàre① a. (*stor. romana*) manipular.

manipolàre② v. t. 1 (*lavorare con le mani*) to work; (*impastare*) to knead, to mix 2 (*med.: massaggiare*) to manipulate; to knead 3 (*maneggiare*) to handle; to manipulate; to work; to operate: **m. sostanze pericolose**, to handle dangerous substances 4 (*adulterare*) to adulterate: **m. vini**, to adulterate wines 5 (*fig.: alterare*) to manipulate; to juggle; to tamper with; to fiddle; to doctor; to fix; to rig: **m. i conti**, to fiddle the accounts; to cook the books (*fam.*); **m. dei dati**, to manipulate data; **m. i risultati di un'elezione**, to rig the ballots; **m. un testo**, to tamper

with a text **6** (*fig.: condizionare*) to manipulate; to manoeuvre; to handle: **m. la folla**, to handle the crowd; **m. le masse**, to manipulate the masses.

manipolativo a. manipulative.

manipolatóre Ⓐ m. (f. **-trice**) **1** manipulator (*anche fig.*); handler: **m. dell'opinione pubblica**, manipulator of public opinion; **m. di sostanze radioattive**, manipulator of radioactive substances **2** (*adulteratore*) adulterator **3** (*fig.: maneggione*) intriguer; schemer Ⓑ m. (*tel.*) Morse key Ⓒ a. manipulating.

manipolatòrio a. manipulative.

manipolazióne f. **1** manipulation; manipulating; handling: (*biol.*) **m. genetica**, genetic manipulation; **la m. delle folle**, crowd manipulation **2** (*adulterazione*) adulteration **3** (*fig.: alterazione*) manipulation; tampering (with); fiddling; doctoring; fixing; rigging: **m. dei risultati elettorali**, rigging the ballots; ballots rigging; *Fu accusato di m. dei dati*, he was accused of manipulating the data **4** (*fig.: imbroglio*) scam (*fam.*); fix (*fam.*) **5** (*med.*) manipulation.

manìpolo m. **1** → **mannèllo 2** (*stor. romana*) maniple **3** (*drappello*) squad; band; handful: **un m. d'eroi**, a band of heroes **4** (*eccles.*) maniple.

maniscàlco m. farrier; shoeingsmith.

manìsmo m. (*relig.*) manism; ancestor worship.

manitù m. (*etnol.*) manitou.

mànna f. **1** (*Bibbia*) manna **2** (*fig.: bene inaspettato*) godsend; blessing; manna Ⓤ: *I suoi soldi sono stati una vera m.*, his money was a real godsend; *È una m. dal cielo!*, it's manna from heaven!; **aspettare la m. dal cielo**, to wait for things to fall into one's lap **3** (*fig.: cibo squisito*) delicious food; (*bevanda*) nectar **4** (*sostanza purgativa*) manna.

mannàggia inter. (*region. fam.*) damn!; blast!

mannàia f. **1** (*del boia*) axe **2** (*della ghigliottina*) blade (of the guillotine); (*estens.*) guillotine **3** (*del macellaio*) cleaver **4** (*del taglialegna*) axe.

mannàro a. – **lupo m.**, werewolf; (*spauracchio per bambini*) bogeyman*.

mannèllo m. (*agric.*) sheaf*; bundle.

mannìte f. (*chim.*) mannite; manna sugar.

mannitòlo m. (*chim.*) mannitol.

mannòsio m. (*chim.*) mannose.

♦**màno** f. **1** hand: **la m. destra [sinistra]**, the right [left] hand; **m. callosa [affusolata, tozza]**, horny [slender, blunt] hand; **alzare la m.**, to raise (*o* to lift, to put up) one's hand; *Alzi la mano chi l'ha visto*, hands up those who have seen it; **aprire (*o* allargare) la m.**, to open one's hand; **baciare la m. a q.**, to kiss sb.'s hand; **battere le mani**, to clap (hands); **cambiare m.**, to change hands; **dare (*o* stringere) la m. a q.**, to shake sb.'s hand; to shake hands with sb.; **darsi (*o* stringersi) la m.**, to shake hands (*anche fig.*) **sporcarsi le mani**, to dirty one's hands; **stringere le mani (*intrecciando le dita*)**, to clasp one's hands; **stropicciarsi (*o* fregarsi) le mani**, to rub one's hands; **tendere la m.**, to hold out one's hand; (*per prendere qc.*) to reach out; **a due (*o* con le due) mani**, with both hands; **a mani aperte [chiuse]**, with one's hands open [closed]; **a mani piene**, with one's hands full; **a mani vuote**, with one's hands empty; empty-handed; **tornare a mani vuote**, to come back empty-handed; (**con la) m. nella mano**, hand in hand; holding hands; **con le mani in tasca**, with one's hands in one's pockets; **di m. in m.**, from hand to hand; **avere qc. in m.**, to have st. in one's hand; **tenere in m.**, to hold; **prendere q. per (la) m.**, to take sb. by the hand; **prendersi per m.**, to join hands; **tenere [condurre] q. per (la) m.**, to hold [to lead] sb. by the hand; **tenersi per m.**, to hold hands; **stretta di m.**, handshake **2** (*parte, lato*) hand, side; (*direzione*) direction: **a m. destra**, on the right (hand); **contro m.**, on the wrong side of the road **3** (*potere, balìa*) hand; power: **cadere in m. al nemico**, to fall into the enemy's hands; *Tutta l'azienda è nelle sue mani*, the entire business is in his hands; *Sono nelle tue mani*, I'm in your hands; (*in tuo potere*) I'm in your power **4** (*scrittura*) hand; handwriting: **una lettera di sua m.**, a letter in his own hand (*o* handwriting) **5** (*tocco*) hand; touch: **la m. di un maestro**, the hand of a master; the master's touch; *Ci si vede la sua m.*, you can see his hand in it **6** (*di vernice*) coat; layer: **m. di fondo**, undercoat; **prima m.**, primer; **ultima m.**, final coat; topcoat; **dare (*o* passare) una m. di vernice**, to put on a coat of paint; *Le porte hanno bisogno di una m. di vernice*, the doors need painting; **dare una m. di bianco alle pareti**, to whitewash the walls; to paint the walls **7** (*nei giochi di carte*) hand: **giocare un'altra m.**, to play another hand; **avere la m.** (*o* essere di m.*), to have the lead; to be the first to play; *Sei tu di m.*, it's your lead; it's your turn to play ● **M. al fucile [alla scopa]!**, get your gun [your broom]! □ **m. d'opera** → **manodopera** □ **m. di ferro in guanto di velluto**, an iron hand in a velvet glove □ (*naut.*) **m. di terzaroli**, reef: **prendere una m. di terzaroli**, to take in a reef □ **m. morta** → **manomorta** □ **la m. nera** → **manonera** □ (*fig.*) **mani di fata** (*o* d'oro), deft (*o* magic) fingers □ **Mani in alto!**, hands up!; stick up your hands!; stick 'em up! □ **a m.**, by hand; hand (attr.): **azionato a m.**, hand-operated; **bagaglio a m.**, hand luggage; **consegnare qc. a m.**, to deliver st. by hand; **cucito a m.**, hand-sewn; **fatto a m.**, done by hand; (*lavorato*) handmade; **freno a m.**, handbrake; **scritto a m.**, written by hand; handwritten □ **a m. a m.** (*o* man m.), little by little; gradually; by degrees □ **a m. a m.** (*o* man m.) *che*, as: *A m. a m. che leggevo mi resi conto che...*, as I was reading I realized that... □ (*arte*) **a m. libera**, freehand (attr. e avv.): **disegno a m. libera**, freehand drawing □ **a m. armata**, armed: **assalto [rapina] a m. armata**, armed assault [robbery] □ **a man salva**, with impunity □ **a mani giunte**, with one's hands joined (in prayer) □ **a piene mani** (*o* a larga m.), profusely; liberally □ (*mus.*) **a quattro mani**, for four hands: **un pezzo a quattro mani**, a piece for four hands; **suonare a quattro mani**, to play piano duets □ **alla m.** (*affabile*), affable; friendly; easy-going □ **alla m.** (*pronto*), to hand; ready: **avere i documenti alla m.**, to have one's papers ready (*o* to hand); **denaro alla m.**, ready money; ready cash; cash in hand □ **allungare le mani**, (*rubacchiare*) to steal; to pilfer, to be light-fingered, to have sticky fingers; (*toccare*) to have roaming hands; to be a compulsive groper; not to be able to keep one's hands to oneself □ **allungare le mani su qc.**, to lay one's hand on st. □ **alzare la m.** (*o* le mani) su q., to raise one's hand to sb. □ (*fig.*) **andare per le mani di tutti**, to pass through everyone's hands □ **avere la m. a qc.** (*saperlo fare*), to have got the hang of st. □ **avere la m. felice**, (*in una scelta*) to make a happy choice, to choose well; (*essere fortunato*) to be lucky □ **avere la m. leggera**, to have a light hand (at st.) □ (*fig.*) **avere la m. pesante**, to be heavy-handed □ (*fig.*) **avere le mani bucate**, to be a spendthrift □ (*fig.*) **avere le mani di burro** (*o* di pastafrolla), to be butter-fingered □ (*fig.*) **Ho le mani legate**, my hands are tied □ (*fig.*) **avere le mani lunghe**, (*rubacchiare*) to be light-fingered, to have sticky fingers; (*toccare*) to have roaming hands; to be a compulsive groper; not to be able to keep one's hands to oneself □ **avere le mani occupate**, to have one's hands full □ (*fam.*) **avere le mani in pasta**, to be involved in st.; to have a hand in st.; to have a finger in the pie: *Ha le mani in pasta dappertutto*, he has a finger in every pie □ **avere in m. prove sufficienti**, to have enough evidence in one's hands □ **avere in m. la situazione**, to have the situation under control □ **avere m. libera**, to have a free hand □ **avere qc. per le mani**, to have st. in hand; to be working on st. □ **averci la m.** (*essere pratico*), to know how to do st.; to be good at st. □ **calcare (*o* caricare) la m.**, (*esagerare*) to exaggerate, to overdo it; (*avere la mano pesante*) to be heavy-handed □ **chiedere la m. di q.**, to ask for sb.'s hand (in marriage) □ **con le mani nel sacco**, red-handed: **cogliere q. con le mani nel sacco**, to catch sb. red-handed; (*a rubare, anche*) to catch sb. with his fingers in the till □ **con m. ferrea**, with a rod of iron □ **con m. pesante**, with a heavy hand □ **dare man forte a q.**, to give sb. a helping hand; (*appoggiare*) to back sb. up □ **dare m. libera**, to give a free hand □ **dare una m. a q.**, to give (*o* to lend) sb. a hand □ **di prima m.**, at first hand; firsthand: **informazioni di prima m.**, firsthand information □ **di seconda m.**, (*indirettamente*) at second hand, (*usato*) second-hand: **ricevere notizie di seconda m.**, to get some news at second hand; **comprare qc. di seconda m.**, to buy st. second-hand □ (*fig.*) **di sotto m.**, secretly; on the sly □ **fare man bassa di qc.**, to plunder st.; to loot st.; to clean up st.: *I ragazzi hanno fatto man bassa di cioccolatini*, the children have cleaned up all the chocolates; **fare man bassa di voti [di punti]**, to sweep the board □ (*fam.*) **farsi le mani** (*la manicure*), to have one's hands done □ (*fig.*) **farsi prendere la m. da qc.**, to let st. get out of hand □ **forzare la m. a q.**, to force sb.'s hand □ **frenare le mani**, to control oneself □ **fuori m.**, out of the way; off the beaten track (*fam.*) □ **Giù le mani!**, hands off!; (*a chi mette le mani addosso*) take your hands off me!: *Giù le mani dalla torta!*, (get your) hands off the cake! □ **imporre le mani**, to lay one's hands on sb. □ **in buone mani** (*o* in m. sicura), in good hands □ **lasciare m. libera**, to give a free hand □ **lavarsene le mani**, to wash one's hands of st. □ (*fig.*) **legare le mani a q.**, to thwart sb. □ **menare le mani**, to fight □ **Metterei la m. sul fuoco per lui**, I can answer (*o* vouch) for him utterly □ **Non ci metterei la m. sul fuoco**, I wouldn't stake my life on it; I wouldn't swear to it □ **mettere le mani addosso a q.**, (*picchiare*) to lay hands on sb.; (*acchiappare*) to get one's hands on sb.; (*palpare*) to paw sb., to touch sb. up, to grope sb. □ (*fig.*) **mettere le mani avanti**, to safeguard oneself □ **mettere le mani in [su] qc.** (*toccare, frugare*), to touch the things in [on] st.; to be at st.; to touch st.: *Chi ha messo le mani sulla mia scrivania?*, who touched the things on my desk?; who's been at my desk? □ **sapere dove mettere le mani**, to know where st. is; to know what to do □ **mettere le mani su qc.** (*impadronirsene*), to lay hands on st. □ **mettere m. a qc.**, (*prendere*) to take up; (*cominciare*) to get started on st., to begin st.; (*partecipare*) to have a hand in st. □ **mettere m. al portafoglio** (*pagare*), to dip one's hand into one's pocket □ **mettere m. alla spada**, to draw one's sword □ **mettersi in m. a q.**, to put oneself into sb.'s hands □ (*fig.*) **mettersi le mani nei capelli**, to tear one's hair out; not to know which way to turn □ (*fig.*) **mettersi una m. sulla coscienza**, to put one's hand

on one's heart □ (*fig.*) **mordersi le mani**, to kick oneself □ **offrire la m. della propria figlia a q.**, to offer one's daughter's hand in marriage to sb. □ **opera delle proprie mani**, one's own handiwork □ **ottenere la m. di q.**, to win sb.'s hand □ (*fig.*) **passare la m.**, to pass □ **per m. di**, at the hands of; (*tramite*) through □ **perdere la m. (a qc.)** (*perdere la pratica*), to lose one's touch; to be out of practice □ **prendere la m.**, (*di cavallo*) to get out of hand, to bolt; (*fig.*) to run away with sb. □ **prendere la m. a qc.** (*imparare a usare*), to get the hang of st. □ **prendere in m. qc.** (*occuparsi di qc.*), to take st. in hand □ (*fig.*) **sentirsi prudere le mani**, to be itching to do st.; (*voler picchiare q.*) to be itching to hit sb.: *Guarda che mi prudono le mani!*, you're going to catch it if you are not careful!; you're asking for it! □ **Qua la m.!**, let's shake hands!; (*su un accordo*) let's shake on it! □ **sfuggire di m.**, to slip out of one's hand; (*anche fig.*) to slip through one's fingers; (*fig.*) to get out of control: *La situazione gli sfuggì di m.*, he lost control of the situation; **lasciarsi sfuggire di m. un'occasione**, to let an opportunity slip through one's fingers; to miss an opportunity □ **sotto m.**, to hand, handy (agg.): *Ho sempre sotto m. carta e penna*, I always keep pen and paper to hand □ (*fig.*) **starsene con le mani in m.**, to be idle, to sit on one's hands □ **stendere la m.** (*mendicare*), to beg □ **Su le mani!**, hands up! □ (*leg.*) **tenere m. a q.**, to aid and abet sb. □ **tenere a posto le mani**, to keep one's hands to oneself □ **Toglimi le mani di dosso!**, take your hands off me! □ (*fig.*) **toccare con m. qc.**, to see st. for oneself □ **venire alle mani**, to come to blows; to fight □ **Mi è venuta per le mani la sua foto**, I came across his photo □ **voto per alzata di mani**, voting by show of hands □ **La m. sinistra non sappia quello che fa la destra**, do not let your left hand know what your right hand is doing □ (*prov.*) **Una m. lava l'altra**, you scratch my back and I'll scratch yours; roll my log and I'll roll yours (*USA*).

♦ **manodòpera** f. (*econ.*) **1** labour, labor (*USA*); manpower: **m. a basso costo**, cheap labour; **m. femminile**, female labour; **m. qualificata [non qualificata]**, skilled [unskilled] labour; **m. straniera**, foreign manpower; **carenza di m.**, shortage of labour; labour shortage; **fabbisogno di m.**, labour requirements **2** (*costo*) cost of labour; labour: **incidenza della m.**, incidence of the cost of labour; **compresa la m.**, inclusive of labour.

manomésso a. **1** tampered with (pred.); (*aperto indebitamente*) (unlawfully) opened; (*scassinato*) forced; (*rotto*) broken; (*rovistato*) searched **2** (*violato*) violated; infringed **3** (*stor. romana*: *affrancato*) manumitted; set free.

manòmetro m. (*fis.*) manometer; pressure gauge (*USA*): **m. a mercurio**, mercury manometer; **m. campione**, master gauge; **m. del carburante [dell'olio]**, fuel [oil] pressure gauge.

manométtere v. t. **1** (*falsificare*) to tamper with; (*aprire indebitamente*) to open (unlawfully); (*aprire con la forza*) to force, to break* open; (*rovistare*) to search: **m. un documento**, to tamper with a document; **m. le prove**, to tamper with the evidence; **m. una serratura**, to force a lock **2** (*violare*) to violate; to infringe: **m. un diritto**, to violate a right; **m. i sigilli**, to violate the seals **3** (*stor. romana*: *affrancare*) to set* free.

manomissióne f. **1** tampering (with); (*di lettera e sim.*) unlawful opening; (*scasso*) forcing, breaking open **2** (*violazione*) violation; infringement **3** (*stor. romana*) manumission.

manomissóre m. (*stor. romana*) manu-

mitter.

manomòrta f. **1** (*leg.*) mortmain **2** (*fam.*) straying hand: **fare la m.**, to grope sb.; to paw sb.

manonéra f. (*stor.*) (the) Black Hand.

manòpola f. **1** (*di armatura*) gauntlet **2** (*risvolto*) (sleeve) cuff **3** (*guanto*) mitten **4** (*di manubrio*) handgrip; grip; handle: **m. di avviamento**, twist grip; **m. del cambio**, throttle twist grip **5** (*sostegno*) handhold; strap **6** (*pomello*) handle; control knob; control: **m. del rubinetto**, tap handle; **m. del volume**, volume control knob; volume control; **girare una m.**, to turn a knob.

manoscritto A a. handwritten B m. manuscript (abbr. MS.); (*autografo*) autograph.

manovalànza f. **1** (*l'insieme dei manovali*) unskilled workers (o labourers) (pl.) **2** (*opera di manovali*) (unskilled) labour: **costo della m.**, cost of labour ● (*fig.*) **lavoro di bassa m.**, menial work; scutwork (*fam. USA*).

manovàle m. unskilled worker (o labourer); hand; (*nell'edilizia*) hodman*, hod carrier.

manovèlla f. (turning) handle; crank: **m. di avviamento**, starting handle; **m. motrice**, driving handle; **avviare un motore con la m.**, to crank an engine ● (*cinem.*) **dare il primo giro di m.**, to start shooting.

manovellìsmo m. (*mecc.*) crank gear (o mechanism).

♦ **manòvra** f. **1** (*azione, operazione, mossa*) manoeuvre, maneuver (*USA*); manoeuvring: **manovre finanziarie**, financial manoeuvres (o manoeuvrings); *Con una brillante m., risolse il problema*, with a brilliant manoeuvre, she solved the problem **2** (*mecc.*: *il manovrare qc.*) operation; handling **3** (*autom.*) manoeuvring 🄤: *La m. era resa difficile dal ghiaccio*, ice made manoeuvring difficult; **fare m.**, to manoeuvre; *Ho dovuto far m. per posteggiare*, I had to manoeuvre the car into the space **4** (*naut.*) manoeuvre: **m. d'attracco**, docking manoeuvre **5** (al pl.) (*naut.*) ropes; rigging 🄤: **manovre correnti [dormienti o fisse]**, running [standing] rigging **6** (*ferr.*) shunting; marshalling: **m. a spinta**, shunting; *Il treno sta facendo m.*, the train is being shunted; **locomotiva di m.**, shunting engine; **stazione di m.**, marshalling yard; sorting siding; sorting depot **7** (*mil.*) manoeuvre; exercises (pl.): **m. di aggiramento**, circling manoeuvre; **manovre militari**, military exercises; **manovre navali [terrestri]**, land [naval o sea] manoeuvres; **grandi manovre**, manoeuvres; field-practice 🄤; **eseguire manovre**, to perform manoeuvres; **to manoeuvre 8** (*polit.*, *econ.*) measure: **m. di bilancio**, budgetary measure (o measures); **una m. da 30 miliardi di euro**, a 30-billion euro budgetary measure; budget cuts of 30 billion euros **9** (*fig.*: *macchinazione*) manoeuvre; manoeuvring; stratagem; move; scheme; ploy; machination: **una m. per farsi pubblicità**, a manoeuvre (o ploy) to get some publicity; a publicity stunt; **m. politica**, political move; **manovre losche**, crooked schemes; shady dealings; skulduggery (sing., *scherz.*); **accorgersi delle manovre di q.**, to become aware of sb.'s machinations ● (*aeron.*) **m. di atterraggio**, landing (procedure) □ (*fig.*) **manovre di corridoio**, backstairs manoeuvres (o manoeuvring) □ (*fin.*) **manovre di borsa**, stock market speculation 🄤 □ (*naut.*) **camera di m.**, control room □ (*fig.*) **libertà di m.**, freedom to act; leeway □ **posto di m.**, (*di veicolo*) controls (pl.); (*naut.*) station: *Uomini ai posti di m.!*, all hands to their stations! □ (*fig. scherz.*) **action stations!** □ (*anche fig.*) **spazio di m.**, room for manoeuvre.

manovràbile a. manoeuvrable, maneu-

verable (*USA*); (*di persona*) easily handled.

manovrabilità f. manoeuvrability, maneuverability (*USA*); handling qualities.

manovràre A v. t. **1** (*far funzionare*) to operate; (*guidare*) to steer, to handle, to manoeuvre: **m. una gru**, to operate a crane; **m. una nave**, to steer a ship; **m. una barca**, to handle a boat **2** (*ferr.*) to shunt: **m. lo scambio**, to shunt a train **3** (*mil.*) to manoeuvre, to maneuver (*USA*) **4** (*gestire, condurre*) to manage; to run*; to handle **5** (*fig.*: *manipolare*) to manoeuvre; to manipulate; to influence ● (*fig.*) **m. q. come si vuole**, to have sb. eating out of one's hand; to have sb. in one's pocket (*fam.*) B v. i. **1** to manoeuvre, to maneuver (*USA*) **2** (*fig.*) to manoeuvre; (*tramare*) to scheme, to plot; (*brigare*) to pull strings.

manovràto a. **1** manoeuvred, maneuvered (*USA*) **2** (*gestito*) managed **3** (*fig.*: *manipolato*) manipulated; influenced **4** (*calcio*) – **gioco m.**, tactical play.

manovratóre m. (f. **-trìce**) **1** operator; (*di tram*) (tram) driver **2** (*ferr.*) signalman*; (*scambista*) pointsman* (*GB*), shunter, switchman* (*USA*) **3** (*fig.*) manoeuvrer, maneuverer (*USA*); manipulator.

manovrièro A a. **1** (*di manovra*) manoeuvring, maneuvering (*USA*) **2** (*che si manovra bene*) manoeuvrable; (*anche naut.*) easy, handy B m. (*fig.*) manoeuvrer, maneuverer (*USA*); schemer.

manque (*franc.*) m. inv. (*roulette*) low numbers (pl.).

manritta → **mandritta**.

manrovèscio m. **1** (*ceffone*) backhander: **mollare un m. a q.**, to give sb. a thick ear **2** (*colpo di sciabola*) back-handed blow.

mansàlva avv. with impunity.

mansàrda f. **1** (*archit.*) mansard (roof) **2** (*appartamento*) mansard.

mansardàto a. (*archit.*) mansarded.

mansionàrio m. job description.

mansióne f. (spesso al pl.) (*compito*) task, job, duty, responsibility; (*incarico*) office, capacity, function: **mansioni impiegatizie [direttive]**, clerical [managerial] duties; **avere mansioni direttive**, to be an executive; **avere mansioni ispettive**, to be an inspector; to act as an inspector; **svolgere le proprie mansioni**, to perform one's duty; to do one's job; *Che mansioni hai?*, what does your job entail?; what are your duties?; what's your role?; **collaborare con mansioni consultive**, to collaborate in an advisory capacity; *Non rientra nelle mie mansioni*, it is not my duty (o my job); **nella mia m. di tesoriere**, in my capacity as treasurer ⓕ FALSI AMICI ● mansione *non si traduce con* mansion.

mànso m. (*stor.*) manse; homestead.

mansuefàre A v. t. (*lett.*) to tame B **mansuefàrsi** v. i. pron. to become* tame (o docile); to grow* submissive.

mansuèto a. **1** (*addomesticato*) tame; docile **2** (*mite*) meek, docile, submissive; (*buono*) gentle.

mansuetùdine f. **1** tameness; docility **2** (*mitezza, docilità*) meekness, docility, submissiveness; (*bontà*) gentleness.

mànta f. (*zool.*, *Manta birostris*) manta (ray); devilfish.

mantèca f. **1** (*impasto*) paste **2** (*pomata*) pomade **3** (*impiastro*) poultice.

mantecàre v. t. to cream; (*addensare*) to thicken.

mantecàto A a. creamed; (*cremoso*) creamy; (*denso*) thickened B m. soft ice cream.

mantèlla f. (*corta*) cape; (*lunga*) cloak.

mantellìna f. cape.

◆**mantèllo** m. **1** (*lungo*) cloak, mantle; (*corto*) cape; (*soprabito*) overcoat, coat: **m. col cappuccio**, hooded cloak; **m. da sera**, opera cloak; **il nero m. della notte**, night's black mantle **2** (*fig.*: *coltre*) blanket; mantle: **m. di neve**, blanket (*o* mantle) of snow **3** (*di animale a pelo corto*) coat; (*di animale a pelo lungo*) fur **4** (*mecc.*) shell **5** (*geol.*) mantle **6** (*econ.*) stripped bond.

◆**mantenére** Ⓐ v. t. **1** (*conservare*) to maintain, to keep*; to preserve; (*reggere*) to hold*; (*continuare*) to keep* up: **m. i contatti con q.**, to maintain contact with sb.; **m. una corrispondenza con q.**, to keep up a correspondence with sb.; **m. l'ordine**, to maintain order; **m. la pace**, to maintain peace; to keep the peace; (*mil.*) **m. una posizione**, to hold a position; **m. un segreto**, to keep a secret; **m. il silenzio**, to keep silent; **m. alti i prezzi**, to keep prices high; **m. fermi i propri propositi**, to stick (*o* to hold fast) to one's intentions; to stick to one's guns (*fam.*); **m. q. in vita**, to keep sb. alive; **m. viva la memoria di q.**, to keep sb.'s memory alive (*o* green) **2** (*provvedere a*) to support; to maintain; to keep*; to provide for: **m. una famiglia**, to support (*o* to keep, to provide for, to maintain) a family; **m. un figlio all'università**, to maintain a son at university; **m. un'amante**, to keep a mistress **3** (*finanziare*) to finance; to fund **4** (*adempiere*) to keep*; (*soddisfare*) to fulfil: **m. la parola data**, to keep one's word; **m. una promessa**, to keep (*o* to fulfil) a promise **5** (*sostenere*) to maintain; to uphold*; (*difendere*) to support, to defend: **m. il proprio buon nome**, to uphold one's reputation ● **m. le strade** (*in buono stato*), to maintain roads □ (*naut.*) **m. la rotta**, to stand on □ **Lo dico e lo mantengo**, I mean what I say Ⓑ **mantenérsi** v. rifl. **1** to keep*; to remain; to stay: **mantenersi calmo**, to keep (*o* to remain) calm; **mantenersi fedele a q.**, to remain faithful to sb.; **mantenersi giovane**, to stay young; **mantenersi in forma** (*o* **in gamba**), to keep fit; **mantenersi in contatto con q.**, to keep in touch with sb.; **mantenersi in equilibrio**, (*essere in equilibrio*) to be balanced; (*non perdere l'equilibrio*) to keep one's balance; **mantenersi in forze**, to keep up one's strength; **mantenersi libero**, to keep free; **mantenersi sano**, to keep (oneself) in good health; **mantenersi uniti**, to keep together **2** (*sostentarsi*) to support oneself: **mantenersi agli studi** (*lavorando*), to work one's way through school [university]; to pay one's way through school by working as...; **mantenersi col proprio lavoro**, to earn one's living; *Si mantiene facendo lavori saltuari*, he earns his living by doing odd jobs; **non poter mantenersi da solo**, not to be able to support oneself; **non avere di che mantenersi**, to have no means; not to have enough to live on Ⓒ **mantenérsi** v. i. pron. to keep*; to remain; to stay: **mantenersi in buono stato**, to remain (*o* to keep) in good condition; *Il tempo si mantiene bello*, the weather remained fine; the fine weather kept up; *In frigo si manterrà per una settimana*, it will keep for a week in the fridge; *I prezzi si mantennero bassi*, prices remained low.

mantenimento m. **1** maintenance; keeping; (*conservazione*) preservation: **il m. dell'ordine pubblico**, maintenance of law and order; **il m. delle istituzioni democratiche**, the preservation of democratic institutions **2** (*osservanza*) observance; (*adempimento*) keeping; fulfilment: **il m. d'una promessa**, the keeping of a promise **3** (*sostentamento*) maintenance; supporting; keep: **il m. di una famiglia**, the supporting of a family; **provvedere al m. di q.**, to support sb.; **provvedere al proprio m.**, to support one-

self **4** (*leg.*: *alimenti*) maintenance; alimony **5** (*manutenzione*) maintenance; upkeep: **il m. degli edifici pubblici**, the upkeep of public buildings ● (*med.*) **dose di m.**, maintenance dose.

mantenitóre m. (f. **-trice**) maintainer; keeper; preserver: **m. della parola data**, word-keeper.

mantenùta f. (*spreg.*) kept woman*.

mantenùto m. (*spreg.*) kept man*; gigolo.

màntica f. (art of) divination.

màntice m. **1** bellows (sing. o pl.): **un m.**, a (pair of) bellows; **azionare un m.**, to pump (*o* to work) a bellows **2** (*di strumento mus.*) bellows: **m. dell'organo**, organ bellows **3** (*di carrozza, auto, ecc.*) hood; folding top **4** (*fotogr.*) bellows **5** (*ferr.*) rubber connecting seal ● **a m.**, folding (attr.); accordion (attr.); concertina (attr.) □ (*fam.*) **soffiare come un m.**, to puff and blow; to puff like a grampus.

màntico a. mantic; divinatory.

manticora f. (*mitol.*) manticore; manticora.

màntide f. (*zool.*, *Mantis religiosa*) (praying) mantis*.

mantiglia f. mantilla.

mantiglio → **amantiglio**.

mantissa f. (*mat.*) mantissa.

mànto m. **1** mantle: **il m. reale**, the royal mantle **2** (*fig.*: *coltre*) mantle; blanket: **un m. di neve**, a blanket (*o* mantle) of snow; **un m. di vegetazione**, a mantle of vegetation **3** (*fig.*: *superficie*) surface: **m. d'asfalto**, asphalt surface; **m. stradale**, road surface; **rifare il m. stradale**, to resurface a road **4** (*fig.*: *apparenza*) cloak; disguise; pretence: **sotto il m. dell'amicizia**, under the cloak of friendship **5** (*fig.*: *protezione*) mantle; wings (pl.); protection **6** (*zool.*) coat; (*pelliccia*) fur **7** (*arald.*) mantling.

Màntova f. (*geogr.*) Mantua.

mantovàna f. **1** (*archit.*) bargeboard **2** (*di tendaggio*) pelmet; valance.

mantovàno a. e m. (f. **-a**) Mantuan.

màntra m. inv. (*induismo*) mantra.

manuàle① a. manual: **abilità m.**, manual skill; deftness; dexterity; **arti manuali**, manual arts; **comandi manuali**, manual controls; **lavoro m.**, manual work; manual labour; **bravi nei lavori manuali**, good with one's hands.

manuàle② m. **1** handbook; manual: **m. dell'utente**, user's handbook; **m. di stenografia**, shorthand manual; **m. di storia**, history handbook **2** (*tastiera d'organo*) manual; keyboard ● (*fig.*) **da m.**, perfect; copybook (attr.); textbook (attr.); (*aeron.*) **atterraggio da m.**, copybook landing.

manualista m. e f. compiler of handbooks (*o* manuals).

manualistica f. handbooks (pl.); manuals (pl.).

manualistico a. **1** handbook (attr.); manual (attr.) **2** (*fig.*) superficial; derivative; sketchy.

manualità f. **1** manual character **2** (*abilità manuale*) manual ability; manual skill; deftness: **avere una buona m.**, to have manual ability; to be deft (*o* manually skilled); to be good with one's hands.

manualizzàre v. t. **1** to make* manual **2** (*compendiare in un manuale*) to condense into manual form.

manualménte avv. manually; by hand.

manùbrio m. **1** handle; (*di bicicletta, motocicletta*) handlebar **2** (*ginnastica*) dumbbell; barbell **3** (*anat.*) manubrium*.

manufàtto Ⓐ a. handmade Ⓑ m. **1** manufactured article (*o* product); manufacture; (*artigianale*) artefact, artifact; (*ind. tess.*) tex-

tile: **manufatti di cotone**, cotton textiles; **esportare manufatti**, to export manufactured products **2** (*edil.*) minor construction job; simple structure.

manùl m. (*zool.*, *Felis manul*) Pallas's cat; manul.

manulateralità f. handedness.

mànu militàri (*lat.*) loc. avv. by (*o* with recourse to) military force.

manutèngolo m. (f. **-a**) **1** (*complice*) accomplice; sidekick (*slang*) **2** (*mezzano*) procurer.

manutenibilità f. (*tecn.*) maintainability.

manutentivo a. maintenance (attr.); upkeep (attr.): **costi manutentivi**, maintenance (*o* upkeep) costs.

manutentóre Ⓐ a. maintenance (attr.); servicing (attr.) Ⓑ m. maintenance man*; serviceman*; (*ditta*) maintenance firm.

◆**manutenzióne** f. **1** maintenance; upkeep; (*riparazioni*) repairs (pl.); (*mecc.*) servicing: **la m. d'un edificio**, the upkeep of a building; **m. ordinaria**, routine maintenance; ordinary repairs (pl.); (*mecc.*) periodic servicing; **m. straordinaria**, extraordinary repairs (pl.); **addetti alla m.**, maintenance staff Ⓤ; **costi di m.**, maintenance (*o* upkeep) costs; **costi di m. di un'auto**, upkeep of a car; **servizio di m.**, maintenance service; **stato di m.**, state of repair; **provvedere alla m. di qc.**, to maintain st.; to service st.; **sottoporre a m.**, to service **2** (*leg.*) – **azione di m.**, possessory action.

manutèrgio m. (*eccles.*) manutergium*.

mànza f. heifer.

manzaniglio m. (*bot.*, *Hippomane mancinella*) manchineel.

manzanilla (*spagn.*) f. inv. manzanilla.

mànzo m. **1** (*zool.*) bullock; steer **2** (*carne macellata*) beef: **m. arrosto**, roast beef; **brodo di m.**, beef stock; beef-tea; **lesso di m.**, boiled beef.

mào inter. miaow; meow.

maoìsmo m. (*polit.*) Maoism.

maoìsta m. e f. (*polit.*) Maoist.

maoìstico a. Maoist.

maomettanésimo m. Islam.

maomettàno a. e m. (f. **-a**) Muslim; Moslem.

maomettìsmo m. Islam.

Maométto m. Mohammad; Mohammed.

maóna① f. (*naut.*: *chiatta*) lighter; barge.

maóna② f. (*stor.*) guild.

maònia f. (*bot.*, *Mahonia aquifolia*) mahonia.

maòri a., m. e f. Maori.

◆**màppa** f. **1** map; (*di città o zona, anche*) plan: **m. catastale**, cadastral map; (*biol.*) **m. cromosomica**, genetic map; **m. del cielo**, map of the heavens; **m. geologica**, geological map; **fare una m. di**, to map **2** (*fig.*) map: **una m. del volontariato**, a map of volunteer organizations **3** (*di chiave*) bit **4** (*mat.*) mapping.

mappàle (*bur.*) Ⓐ a. cadastral-map (attr.) Ⓑ m. cadastral map.

mappalùna f. map of the moon.

mappamóndo m. **1** map of the world **2** (*globo*) globe: **m. celeste**, celestial globe **3** (*scherz.*) bottom; buttocks (pl.).

mappàre v. t. to map.

mappatóre m. (f. **-trice**) map maker.

mappatùra f. (*anche fig.*) mapping.

maquette (*franc.*) f. inv. **1** (*pubblicità*) mock-up **2** (*scult.*) maquette; mock-up.

maquillage (*franc.*) m. inv. **1** (*trucco*) make-up: **farsi il m.**, to put on make-up **2** (*fig.*) cosmetic measure; window-dressing; (*di edificio, ecc.*) cosmetic repairs (pl.), face-

-lift.

maquis (*franc.*) m. inv. (*stor.*) Maquis.

Mar. abbr. (**marzo**) March (Mar.).

marabù ① m. **1** (*zool.*, *Leptoptilos crumeniferus*) marabou (stork) **2** (*piume*) marabou.

marabù ② m. (*tessuto*) marabou.

marabùt, **marabùtto** m. (*in tutti i sensi*) marabout.

maraca (*portoghese*) f. inv. (*mus.*) maraca.

marachèlla f. prank; escapade; caper; mischief ⓤ: **m. di ragazzi**, childish escapade; *Staranno combinando qualche m.*, they'll be up to some mischief (*o* to some prank); **fare marachelle**, to get into mischief.

maracujá (*portoghese*) m. inv. (*bot.*) passion-fruit; granadilla.

maragià m. maharaja.

maramaldeggiàre v. i. to bully people; to hit* a man when he is down.

maramaldésco a. bullying.

maramàldo m. bully; person who attacks the defenceless: **fare il m. → maramaldeggiare**.

maramào, **maramèo** inter. (*fam.*) take that!; (*macché*) no way! ● **fare m.**, to thumb one's nose (at sb.); to cock a snook (at sb.); to give five fingers to sb. (*USA*).

marangóne m. (*zool.*, *Phalacrocorax carbo*) cormorant ● **m. dal ciuffo** (*Phalacrocorax aristotelis*), green cormorant; shag.

maràsca f. (*bot.*) marasca cherry; morello (cherry).

maraschìno m. maraschino: **ciliegia al m.**, maraschino cherry.

maràsco m. (*bot.*, *Prunus cerasus marasca*) marasca tree.

maràsma m. **1** (*med.*) marasmus ⓤ: **m. senile**, senility **2** (*fig.: decadenza*) decay; (progressive) decline: **m. economico [intellettuale]**, economic [intellectual] decay **3** (*fig.: confusione*) total chaos; total shambles (sing.).

maràsso m. (*zool.*, *Vipera berus*) adder; viper.

maratóna f. **1** (*sport*) marathon **2** (*estens.: camminata*) long walk; trek; long haul **3** (*gara di resistenza*) marathon: **m. di ballo**, dance marathon **4** (*fig.: attività lunga*) long haul; marathon job: **m. parlamentare**, marathon parliamentary session; **m. televisiva**, telethon.

Maratóna f. (*geogr.*) Marathon.

maratonèta m. e f. (*sport*) marathon runner; marathoner.

maratonìna f. (*sport*) half-marathon.

maràtto a. e m. **1** Maratha; Mahratta **2** (*ling.*) Marathi.

maravedì, **maravedìno** m. (*numism.*) maravedi.

maraviglia e deriv. → **meraviglia**, e deriv.

◆**màrca** ① f. **1** (*bollo*) stamp; (*marchio*) mark: **m. assicurativa**, national insurance stamp; **m. da bollo**, revenue stamp; (*naut.*) **m. di bordo libero**, Plimsoll mark **2** (*ind.: marchio di fabbrica*) brand (name); trademark; (*fabbricazione*) make: **m. affermata**, established brand; **m. depositata**, registered trademark; **m. sconosciuta**, unknown brand; **le migliori marche**, the top brands; **una nota m. di orologi**, a well-known make of watches; *Di che m. è la tua auto?*, what make is your car?; **di m.**, branded; high--quality; first-class; **prodotti di m.**, branded (*o* high-quality) products; **bicicletta di m.**, first-class bicycle; **fedeltà alla m.**, brand loyalty **3** (*scontrino*) check; token **4** (*fig.: impronta*) character; stamp; hallmark: *L'attentato è di chiara m. terroristica*, it has all the hallmarks of a terrorist attack.

màrca ② f. (*stor.*) march; marchland.

marcàggio m. (*tecn.*) marking.

marcaménto m. (*sport*) marking.

marcantònio m. (*fam.*, *anche* **pezzo di m.**) **1** (*uomo*) big, hefty man*; bruiser (*fam.*) **2** (*donna*) tall, big woman*.

Marcantònio m. (*stor.*) Mark Antony.

marcapèzzi m. e f. inv. (*tecn.*) marker.

marcapiàno m. (*archit.*) string-course.

marcapùnto m. (*calzoleria*) pricker; pricking wheel.

marcàre v. t. **1** (*contrassegnare*) to mark; (*a fuoco*) to brand: **m. la biancheria**, to mark the linen; **m. il bestiame**, to brand the cattle **2** (*fig.: far spiccare, sottolineare*) to stress; to emphasize; to underscore **3** (*calcio: un avversario*) to mark: **m. a uomo**, to mark man to man; **m. stretto**, to mark closely; **m. a zona**, to zone-mark **4** (*sport: segnare*) to score: **m. un goal**, to score a goal; **m. i punti**, to keep the score **5** (*chim.*) to mark ● (*mil. ed estens.*) **m. visita**, to report sick.

marcasìte, **marcassite** f. (*miner.*) marcasite.

marcatèmpo m. inv. **1** (*persona*) time--keeper **2** (*strumento*) time-recorder.

marcàto a. **1** (*contrassegnato*) marked; (*a fuoco*) branded **2** (*accentuato*) marked; pronounced; noticeable; prominent; emphatic; bold: **un m. accento straniero**, a marked (*o* pronounced) foreign accent; **lineamenti marcati**, marked features; **contrasto m.**, pronounced contrast; **contorno m.**, bold contour; emphatic outline **3** (*ling.*) marked **4** (*chim.*) – **elemento m.**, tracer **5** (*mus.*) marcato.

marcatóre m. (f. **-trìce**) **1** marker; (*a fuoco*) brander **2** (*sport: chi marca un avversario*) marker **3** (*sport, ecc.: chi segna un punto*) scorer: **classifica marcatori**, goalscorers' list **4** (*penna*) marker (pen) **5** (*chim.*, *med.*) tracer.

marcatrìce f. (*tecn.*) marking machine; marker.

marcatùra f. **1** (*il marcare*) marking, (*a fuoco*) branding; (*marchio*) mark, brand: **la m. del bestiame**, cattle marking; cattle branding **2** (*calcio: marcamento*) marking: **m. a uomo a uomo**, man-to-man marking; **m. a zona**, zone marking **3** (*sport: segnatura dei punti*) scoring; (*punto*) point; (*punteggio*) score.

Marcèllo m. Marcellus.

marcescènte a. (*lett.*) decaying; rotting; marcescent (*bot.* o *lett.*).

marcescènza f. (*lett.*) decay; marcescence (*bot.* o *lett.*).

marcescìbile a. (*lett.*) perishable; subject to decay.

march → marsc'.

Màrche f. pl. (*geogr.*) (the) Marches.

marchésa f. (*in GB*) marchioness; (*in altri paesi europei*) marquise; (*ital.*) marchesa.

marchesàto m. marquisate.

marchése m. (*in GB*) marquess; (*in altri paesi europei*) marquis; (*ital.*) marchese.

Marchési f. pl. (*geogr.*) (the) Marquesas (Islands).

marchesìna f. daughter of a marquis.

marchesìno m. son of a marquis.

marchétta f. **1** (*marca assicurativa*) national insurance stamp **2** (*in case di tolleranza*) prostitute's token; (*prestazione*) prostitute's session: **fare una m.**, to have a session with a client; to turn a trick (*slang USA*); **fare marchette**, to be a prostitute; to work the streets; to turn tricks (*slang USA*) **3** (*pop.: prostituta*) prostitute, working girl (*slang*); (*prostituto*) male prostitute, rent boy (*slang*), bumboy (*slang*).

marchettàra f., **marchettàro** m. (*re-*

gion.) → **marchetta**, def. 3.

marchiàno a. enormous; glaring; gross; egregious: **errore m.**, glaring error; egregious (*o* gross) mistake.

marchiàre v. t. **1** to mark; to stamp; (*a fuoco*) to brand; (*un oggetto di metallo*) to hallmark: **m. il bestiame**, to brand the cattle **2** (*fig.*) to brand; to label: **m. q. come traditore**, to brand sb. traitor; **m. d'infamia**, to brand with infamy.

marchiàto a. **1** marked; stamped; branded **2** (*fig.*) branded.

marchiatóre m. (f. **-trìce**) marker.

marchiatùra f. **1** (*operazione*) marking; (*a fuoco*) branding **2** (*marchio*) mark; brand.

marchigiàno Ⓐ a. of the Marches; from the Marches Ⓑ m. (f. **-a**) native [inhabitant] of the Marches.

marchingègno m. **1** contraption; contrivance; gadget **2** (*fig.*) expedient; stratagem; dodge (*fam.*).

màrchio m. **1** (*segno*) mark; marking; (*su ceramica*) factory mark; (*su metallo*) hallmark; (*bollo*) stamp; (*sigillo*) seal: **m. di identificazione**, marking; mark; **m. di qualità**, seal of quality **2** (*ind.*) brand (name), trademark; **m. di commercio**, trade name; trademark; **m. depositato**, registered trademark; **m. di fabbrica**, trademark; (*su ceramica*) factory mark; (*su metallo*) hallmark; **contraffazione del m.**, forgery of trademark **3** (*anche* **m. a fuoco**) brand **4** (*strumento per marchiare a fuoco*) brand (*o* branding) iron **5** (*fig.*) brand; label; mark: **il m. del traditore**, the brand of a traitor; **m. d'infamia**, brand (*o* mark) of infamy.

marchionàle a. of a marquess; of a marquis.

◆**màrcia** ① f. **1** march: (*mil.*) **m. di addestramento**, route march; **una m. di dieci miglia**, a ten-mile march; **m. forzata**, forced march; **procedere a marce forzate**, (*mil.*) to proceed by forced marches; (*fig.*) to put on extra speed; **aprire la m.**, to lead the march; **chiudere la m.**, to bring up the rear; **essere in m.**, to be on the march; **una giornata di m.**, a day's march; **passo di m.**, route-step; **a passo di m.**, marching **2** (*mecc.*, *autom.*) gear; (*velocità*) speed: **m. avanti**, forward gear (*o* speed); **m. indietro**, reverse (gear); (*fig.*) climb-down; *In che m. sei?*, what gear are you in?; **avere la m. innestata**, to be in gear; **cambiare m.**, to shift gears; to shift into [out of] a gear; **fare m. indietro**, to reverse; to back; (*fig.*) to backtrack, to backpedal; to climb down; **ingranare una m.**, to shift into a gear; **innestare la m.**, to put the car into gear; to engage first gear; **innestare una m. inferiore**, to downshift; **innestare una m. superiore**, to upshift; **mettere la m. indietro**, to go into reverse; **mettere in m.**, to start up (the engine); **scalare una m.**, to downshift; **tirare le marce**, to get the maximum out of the gears; **uscire a m. indietro** (**da**), to back out (of); **auto a quattro marce**, four-gear car; **cambio a quattro marce**, four-speed gearbox; **cambio di m.**, shift of gears; **inversione di m.**, U-turn **3** (*sport*) race walking ⓤ; race walk **4** (*manifestazione*) march; walk: **m. della pace [di protesta]**, peace [protest] march **5** (*mus.*) march: **m. funebre**, dead (*o* funeral) march; **m. militare**, military march; **m. nuziale**, wedding march; **m. trionfale**, triumphal march ● (*stor.*) **la m. su Roma**, the March on Rome ● (*fig.*) **avere una m. in più**, to have the edge over sb.; to be a cut above □ (*fig.*) **fare una veloce m. indietro** (*per paura*), to beat a hasty retreat □ (*stor. cinese*) **la Lunga M.**, the Long March □ **mettersi in m.**, to set off.

màrcia ② f. (*pop.*) pus; matter.

marcialónga f. **1** (*sci*) cross-country ski

race **2** (*podismo*) marathon walk.

marciàno a. St Mark's (attr.): **biblioteca marciana**, St Mark's Library; **codice m.**, codex in St Mark's Library.

♦**marciapiède, marciapièdi** m., **1** pavement (*GB*); sidewalk (*USA*) **2** (*ferr.*) platform **3** (*naut.*) footrope ● (*autom.*) **accostare al m.**, to pull in (*fam.*) **battere il m.** (*fare la prostituta*), to be a streetwalker; to be on the game (*slang GB*) □ **donna da m.**, prostitute; streetwalker.

marciàre v. i. **1** (*mil.*) to march: **m. quaranta miglia al giorno**, to march forty miles a day; **m. in coda**, to bring up the rear; **m. in colonna**, to march in column; **m. in testa**, to lead the march **2** (*sport*) to walk **3** (*sfilare*) to parade; (*dimostrare*) to march: **m. per la pace**, to march for peace **4** (*andare, muoversi*) to go*; to move; (*di veicolo*) to go*, to run*, to travel **5** (*funzionare*) to work; (*di veicolo*) to run* ● (*fig.*) **m. diritto**, to behave properly; to toe the line □ (*fam. region.*) **Lui ci marcia**, he's making capital out of it.

marciatóre m. (f. **-trìce**) **1** marcher **2** (*atleta*) walker.

marcìme m. (*agric.*) manure.

màrcio A a. **1** rotten; putrid; bad; decayed; (*in decomposizione*) rotting, decaying: **acqua marcia**, putrid water; **carne marcia**, rotten (*o* putrid) meat; **dente m.**, decayed (*o* bad) tooth; **frutta marcia**, rotten fruit; **legno m.**, rotten wood; **uovo m.**, rotten (*o* bad) egg **2** (*pop.*: *che ha suppurato*) infected; suppurating: **dito m.**, infected finger **3** (*fig.*: *corrotto*) rotten; corrupt; depraved: **società marcia**, corrupt society; **m. fino al midollo**, rotten to the core **4** (*come rafforzativo*) – **avere torto m.**, to be quite wrong; **stufo m.**, fed up to one's back teeth; sick to death (of st.); **ubriaco m.**, dead drunk B m. **1** (*parte marcia*) rotten part; rot; (*the*) bad: **tagliare il m.**, to cut out the rotten part (*o* the rot); **Ci dev'essere qualcosa di m. in frigo**, there must be something bad in the fridge; something must have gone bad (*o* off) in the fridge **2** (*fig.*: *corruzione*) rottenness; corruption; depravity: **il m. della società**, the corruption of society **3** (*pus*) pus; matter ● **C'è del m. in questa storia**, there is something fishy about the whole business □ **puzzare di m.**, to smell rotten (*o* bad) □ **sapere di m.**, to taste rotten.

♦**marcìre** v. i. **1** to rot; to putrefy; to decay; (*di cibo*) to go* bad, to go* off, to spoil: *La frutta marciva sugli alberi*, fruit was rotting on the trees; *Il calore ha fatto m. la carne*, the heat caused the meat to go bad **2** (*suppurare*) to suppurate; to fester **3** (*della canapa e sim.*) to macerate; to ret **4** (*fig.*) to rot; to waste away: **essere lasciato a m. in prigione**, to be left to rot in jail; **m. nell'ozio**, to waste away in idleness.

marcìta f. water-meadow.

marcìto a. rotten; putrefied; (*di cibo*) gone bad, off.

marcitòia f. water-meadow.

marcitóio m. macerating vat; retting pit.

marciùme m. **1** (*cose marce*) rotten matter; rot **2** (*biol.*) rot; putrefaction **3** (*fig.*) corruption; depravity; rottenness.

màrco m. (*moneta*) mark.

Màrco m. Mark; (*stor. romana*) Marcus.

Màrco Aurèlio m. (*stor.*) Marcus Aurelius.

marcofilìa f. revenue-stamp collecting.

Marcóni f. (*naut.* = **attrezzatura M.**) Bermuda rig.

marconigrafìa f. wireless telegraphy.

marconigràmma m. marconigram; radiogram.

marconìsta m. e. f. wireless (*o* radio) operator.

marconiterapìa f. (*med.*) diathermy.

marcorèlla f. → **mercuriale**③.

♦**màre** m. **1** sea: **m. agitato**, rough sea; **m. aperto**, open sea; high seas (pl.); **m. calmo**, calm sea; **m. chiuso**, inland (*o* landlocked) sea; **m. corto** (*o* **rotto**), choppy sea; **m. grosso**, heavy (*o* very rough) sea; **m. in bonaccia**, calm (*o* smooth) sea; **m. in burrasca**, stormy sea; **m. increspato**, ruffled sea; **m. leggermente mosso**, slight sea; **m. libero**, open sea; **m. lungo**, long sea; **m. mosso**, moderate sea; **m. piatto**, smooth sea; **m. tempestoso**, very high sea; **m. vecchio** (*o* **morto**), hollow sea; swell; *Il m. è calmo come l'olio*, the sea is as still as a millpond; **avere il dominio dei mari**, to rule the seas; **al di là dei mari**, beyond the seas; **d'alto m.**, offshore (attr.); deep-sea (attr.); (*di imbarcazione*) seagoing (attr.), ocean-going (attr.); **nave di alto m.**, seagoing ship; **pesca d'alto m.**, deep-sea fishing; **in alto m.**, out at sea; on the open sea; **in m.**, (*imbarcato*) at sea; (*in acqua*) in the water, (*rispetto a natante*) overboard; **cadere in m.**, to fall into the sea; (*da natante*) to fall overboard; **gettare in m.**, to throw into the sea; (*naut.*) to throw overboard; (*per diminuire il carico*) to jettison; *Uomo in m.!*, man overboard!; **in m. aperto**, offshore; **in riva al m.**, on the seashore; **sul mare**, (*costiero*) on the sea; (*imbarcato*) at sea; **circondato dal m.**, surrounded by the sea; sea-girt; **portato dal m.**, sea-borne; **acqua di m.**, sea-water; salt water; **aria di m.**, sea-air; **fondo del m.**, bottom of the sea; sea bottom; **riva del m.**, seaside; (*litorale*) seashore **2** (*nei nomi geogr.*) sea: **il M. Adriatico**, the Adriatic Sea; **il Mar Baltico**, the Baltic Sea; **il Mar dei Caraibi**, the Caribbean Sea; **il Mar Caspio**, the Caspian Sea; **il Mar della Cina**, the China Sea; **il Mar del Giappone**, the Japan Sea; **il M. del Nord**, the North Sea; **il M. d'Irlanda**, the Irish Sea; **il M. Mediterraneo**, the Mediterranean Sea; **il Mar Morto**, the Dead Sea; **i mari del Sud**, the South Seas **3** (*luogo al mare*) seaside; (*spiaggia*) beach: **andare al m.**, to go to the seaside; to go to the beach; **passare le estati al m.**, to spend one's summers at the seaside; **città di m.**, seaside town; coastal town; **luogo di villeggiatura al m.**, seaside resort **4** (*astron.*) mare*; sea: **il M. della Tranquillità**, Sea of Tranquility; Mare Tranquillitatis; **m. lunare**, lunar sea **5** (*fig.*: *grande estensione*) sea; ocean: **un m. d'erba**, a sea of grass **6** (*fig.*: *grande quantità*) sea; flood; crowd; multitude; heaps (pl.): **un m. di guai**, a sea of troubles; deep trouble; **essere in un m. di guai**, to be in deep trouble; **un m. di gente**, a huge crowd; **un m. di lacrime**, a flood of tears; **un m. di sangue**, a sea (*o* seas) of blood ● (*naut.*) **m. di poppa**, following sea □ (*naut.*) **m. di prua**, head sea □ (*naut.*) **m. di traverso**, sea abeam □ (*fig.*) **m. magno** → **mare magnum**, loc. m. □ (*fig.*) **un m. senza fondo**, a bottomless pit □ **andare per m.**, to go to sea □ (*come professione*) to take up seafaring □ (*naut.*) **atto a tenere il m.**, seaworthy □ **azzurro come il m.**, sea-blue □ **bagni di m.**, sea-bathing □ **battere i mari**, to scour the seas □ **brezza di m.**, sea breeze □ **braccio di m.**, inlet □ (*fig.*) **cercare per m. e per terra**, to search high and low □ **colpo di m.**, sea; green sea □ **correre il m.** (*di corsaro*), to rove the sea □ **frutti di m.**, sea-food ⓤ; shellfish ⓤ □ **gente di m.**, seafaring people (pl.); (*marinai*) sailors (pl.) □ (*fig.*) **una goccia nel m.**, a drop in the ocean □ (*fig.*) **essere ancora in alto m.**, (*lontano dalla soluzione*) to be still far from a solution; (*lontano dalla conclusione*) to have still a long way to go □ **in balìa del m.**, at the mercy of the sea □ **livello del m.**, sea level: **200 metri su livello del m.**, 200 metres above sea level □ **mal di m.**,

seasickness □ **mettere in m.**, to set afloat; (*varare*) to launch □ **muovere mari e monti**, to move heaven and earth □ **nato dal m.**, sea-born □ **per mari e per monti**, high and low; up hill and down dale □ **pesci di m.**, sea-fish □ **porto di m.**, seaport □ (*fig.*) *La nostra casa è un porto di m.*, our house is like a railway station □ **prendere il m.**, to set sail; to put (out) to sea □ **promettere mari e monti**, to promise the moon (*o* the earth) □ **sbattuto dal m.**, sea-tossed □ **scendere in m.** (*di nave al varo*), to take the sea □ **sepoltura in m.**, burial at sea □ **i sette mari**, the seven seas □ **solcare i mari**, to plough (*o* to ply) the seas (*o* the waves) □ **spedire via m.**, to send by sea; (*comm.*) to ship □ **spuma di m.**, sea-foam □ (*naut.*) **tenere il m.**, to keep the sea □ **uccello di m.**, sea-bird; sea-fowl □ **uomo di m.**, seafaring man; seaman; mariner □ **vento di m.**, sea breeze □ **verde m.**, sea-green □ **la vita del m.**, a seafaring life □ **viaggiare per terra e per m.**, to travel by land and sea □ (*prov.*) **Loda il m. e tieniti alla terra** (*o* **alla riva**), praise the sea, but keep on land.

marèa f. **1** (*naut.*) tide: **m. crescente** (*o* **ascendente, montante**), flood tide; rising tide; **m. calante** (*o* **discendente**), ebb tide; falling tide; ebb; **m. delle quadrature**, neap tide; **m. delle sizigie**, spring tide; **alta m.**, high tide; full tide; high water; **bassa m.**, low tide; low water; *C'è alta* [*bassa*] *m.*, the tide is in [out]; *La m. è favorevole*, the tide serves; *La m. sta cambiando*, the tide is turning; **partire con la m.**, to sail with the tide; **acque di m.**, tide waters; **altezza dell'alta m.**, height of high water; **altezza della m.**, height of tide; tidal rise; **con la m.**, with the tide; **linea di m.**, tideline; tidemark; **onda di m.**, tidal wave; (*alla foce di un fiume*) bore; **riflusso della m.**, ebb tide; **tavola della m.**, tide table **2** (*massa fluida*) sea: **m. di fango**, sea of mud **3** (*fig.*) sea; stream; crowd: **m. di gente**, sea of people; huge crowd; multitude; **m. di ricordi**, stream of memories.

mareggiàre v. i. **1** to surge; to swell **2** (*fig.*) to fluctuate; to have a wavelike motion.

mareggiàta f. heavy sea; breaking sea.

maréggio m. strong surge; strong swell.

màre màgnum (*lat.*) loc. m. inv. **1** (*gran quantità*) enormous quantity; mass **2** (*gran confusione*) great confusion; bedlam.

marèmma f. maremma*; seaside marshland: **la M.**, the Maremma.

maremmàno A a. **1** (*di palude*) maremma (attr.); marshy: **febbre maremmana**, marsh fever; malaria fever; **pastore m.** (*cane*), maremma sheepdog **2** of the Maremma B m. (f. **-a**) native [inhabitant] of the Maremma.

maremòto m. submarine earthquake; seaquake ● **onda di m.**, tsunami; tidal wave (*non scient.*).

marèngo m. (*numism.*) marengo*.

mareogràfico a. marigraphic.

mareòmetro m. tide-gauge.

mareomotóre a. sea-powered (attr.).

marescìalla f. **1** marshal's wife **2** (*scherz.*) formidable woman*; sergeant-major; dragon.

♦**marescìallo** m. **1** (*grado supremo*) field marshal; marshal: **m. di campo**, field-marshal; **m. di Francia**, Marshal of France; **bastone di m.**, field marshal's baton; (*fig.*) **ottenere il bastone di m.**, to rise to the highest rank **2** (*sottufficiale*) warrant officer: **m. maggiore**, (*in GB*) warrant officer 1st class; (*in USA*) chief warrant officer; **m. capo**, (*in GB*) warrant officer 2nd class; (*in USA*) warrant officer **3** (*stor.*) marshal.

marètta f. **1** choppy (*o* short) sea: *C'è m.*

oggi, the sea (*o* it) is choppy today **2** (*fig.*) tension; friction: *C'è m. nella coalizione di governo*, there is friction in the government coalition; *C'è m. in ufficio oggi*, tempers are running short in the office today ● (*fig.*) **fare m.**, to rock the boat; to stir things up.

marezzàre v. t. to marble; to vein; (*stoffa*) to water.

marezzàto a. marbled; veined; (*di stoffa*) watered, moire: **carta marezzata**, marbled paper; **marmo m.**, veined marble; **seta marezzata**, watered silk; moire.

marezzatùra f. marbling; (*di stoffa*) watering, moire effect ● **m. a legno**, veining.

marézzo m. marbling; (*di stoffa*) watering, moire effect.

margàrico a. (*chim.*) margaric.

margarìna f. (*cucina*) margarine; marge (*fam.*).

margarinàre v. t. to mix with margarine.

margarite f. (*miner.*) margarite.

♦**margherìta** Ⓐ f. **1** (*bot.*, *Leucanthemum vulgare*) (oxeye) daisy **2** (*di macchina da scrivere*) daisy wheel ● (*bot.*) **m. gialla**, marigold □ **sfogliare la m.**, to pluck the petals of a daisy (while reciting «she [he] loves me, she [he] loves me not»); (*fig.*) to shilly-shally, to dither Ⓑ a. inv. (*cucina*) – **pasta m.**, sponge; **pizza m.**, pizza with tomato sauce and mozzarella cheese; **torta m.**, sponge cake.

Margherìta f. Margaret.

margheritìna f. **1** (*bot.*, *Bellis perennis*) daisy **2** (al pl.) coloured glass beads.

margheritóna f. (*bot.*, *Leucanthemum maximum*) shasta daisy.

marginàle a. **1** (*posto a margine*) marginal: **note marginali**, marginal notes; **marginalia 2** (*secondario*) marginal; secondary; incidental; minor; (*periferico*) marginal, fringe (attr.): **aspetto m.**, marginal aspect; **questione m.**, marginal (*o* incidental) question; **zona m.**, fringe area **3** (*econ.*) marginal: **aliquota m.**, marginal rate; **costo m.**, marginal cost.

marginàlia m. pl. marginalia.

marginalìsmo m. (*econ.*) marginalism.

marginalìsta a., m. e f. (*econ.*) marginalist.

marginalìstico a. (*econ.*) marginalist.

marginalità f. marginality.

marginalizzàre v. t. to marginalize.

marginalizzazióne f. marginalization.

marginalménte avv. marginally; incidentally.

marginàre v. t. to provide with margins; to margin; to edge.

marginàto a. (*bot.*) marginate.

marginatóre m. **1** (*di macchina per scrivere*) margin stop **2** (*fotogr.*) easel.

marginatùra f. **1** margining; edging **2** (*tipogr.*: *regoli*) furniture; (*margini*) margins (pl.).

màrgine m. **1** (*orlo*) margin; edge; side; verge; brink; (*sponda*) bank; (*lato*) side: **il m. d'un fosso**, the edge of a ditch; **il m. di una foglia**, the edge of a leaf; **il m. d'un fiume**, the bank of a river; the river-side; **i margini d'una ferita**, the edges (*o* lips) of a wound; **il m. d'un precipizio**, the brink of a precipice; **il m. della strada**, the side of the road; the roadside; the wayside; (*sport*) **ai margini del campo**, on the sidelines **2** (*di foglio*) margin; (*di disegno*) border: **i margini di un libro**, the margins of a book; **lasciare un m.**, to leave a margin; **annotare a m.**, to enter in the margin; **note in m.**, marginal notes **3** (*fig.*) margin: **m. di errore**, margin of error; **m. di guadagno**, margin of profit; **m. di sicurezza**, safety margin; **m. di**

tolleranza, margin; leeway; **prezzi che offrono un buon m.**, prices affording a fair margin (of profit); **vincere con largo m.**, to win by a wide margin **4** (*tipogr.*) piece of furniture ● **ai margini della legalità**, just within the law □ **operare ai margini della legalità**, to sail close to the wind □ **ai margini della società**, on the fringe of society.

margóne① m. (*geol.*) marn.

margóne② m. (*di mulino*) millpond; millrace.

margòtta f. (*agric.*) **1** (*ramo trapiantato*) marcotte, marcot **2** (*il metodo*) marcottage; layering ● **fare una m.**, to make a marcotte; to marcotte □ **riprodursi per m.**, to propagate by marcottage.

margottàre v. t. (*agric.*) to propagate by marcottage; to marcotte.

margraviàto m. (*stor.*) margraviate.

margràvio m. (*stor.*) margrave.

marguài m. inv. (*zool.*, *Felis tigrina*) margay.

Marìa f. Mary; Maria.

Mariànna f. Marian; Marianne; Mary Ann.

mariàno a. (*relig.*) of Mary; Marian: **il mese m.**, the month of Mary; the Marian month.

maricoltùra f. mariculture.

marijuana (*spagn.*) f. inv. marijuana, marihuana; cannabis; grass (*slang*); weed (*slang*); pot (*slang*).

marìmba f. (*mus.*) marimba.

marimónda f. (*zool.*, *Ateles belzebuth*) long-haired spider monkey.

♦**marìna** f. **1** (*costa*) sea-coast; (*riva del mare*) seashore, seafront **2** (*lett.*: *mare*) sea **3** (*pitt.*) marine; seascape **4** (*flotta*) navy; marine: **m. mercantile**, merchant navy; merchant (*o* mercantile) marine; **m. militare**, navy; **la m. militare italiana**, the Italian Navy; **la m. inglese**, the Royal Navy; **arruolarsi** (*o* **entrare**) **in m.**, to join the navy; **prestar servizio in m.**, to serve in the navy; **ufficiale di m.**, naval officer; officer in the navy.

♦**marinàio** m. **1** sailor; seaman*: (*mil.*) **m. comune di 1ª classe**, (*in GB*) ordinary seaman; (*in USA*) seaman apprentice; (*mil.*) **m. comune di 2ª classe**, (*in GB*) junior seaman; (*in USA*) seaman recruit; **m. scelto**, able seaman **2** (al pl.) (*equipaggio*) crew ⓤ; hands ● (*spreg.*) **m. d'acqua dolce**, landlubber □ **promessa da m.**, worthless promise □ **vita da m.**, seafaring life.

marinàra f. **1** (*anche* **vestito alla m.**) sailor suit **2** (*anche* **cappello alla m.**) sailor hat ● **alla m.**, sailor-style □ **colletto alla m.**, sailor collar □ **spaghetti alla m.**, spaghetti marinara □ **vestire alla m.**, to wear a sailor suit □ (*cucina*) **zuppa alla m.**, fish-soup.

marinàre v. t. **1** (*cucina*) to marinade; to marinate **2** (*fig.*) – **m. la scuola**, to play truant; to play hookey (*USA*); **m. una lezione**, to skip a class (*o* a lesson); to cut a class.

marinarésco a. sailors' (attr.); seafaring (attr.); nautical: **arte marinaresca**, seamanship; **canzoni marinaresche**, sea shanties; **gergo m.**, sailors' jargon; nautical slang; **vita marinaresca**, seafaring life.

marinarétto m. **1** young sailor **2** (*moda*) little boy dressed in a sailor suit.

marinàro Ⓐ a. sea (attr.); maritime; nautical; (*di pescatori*) fishing (attr.); (*che va per mare*) seafaring (attr.); (*che è lungo il mare*) seaside (attr.): **borgo m.**, sea village; fishing village; **popolo m.**, seafaring people; **le repubbliche marinare**, the maritime republics; **vita marinara**, seafaring life Ⓑ m. → **marinaio**.

marinàta f. (*cucina*) marinade.

marinàto (*cucina*) Ⓐ a. marinated Ⓑ m.

(*vivanda marinata*) marinade.

marine (*ingl.*) m. inv. (*naut.*) marine: **il Corpo dei M.**, (*in GB*) the Royal Marines (pl.); (*in USA*) the Marines Corps.

marinerìa f. (*marina militare*) navy; (*marina mercantile*) marine.

marinìsmo m. (*letter.*) Marinism.

marinìsta m. e f. (*letter.*) Marinist.

marinìstico a. (*letter.*) of (*o* relative to) Marinism.

marinizzàre v. t. (*tecn.*) to marinize.

♦**marino** a. sea (attr.); marine; (*costiero*) seaside (attr.): **acqua marina**, sea water; salt water; **alghe marine**, seaweed ⓤ; **animali marini**, sea (*o* marine) animals; **aria marina**, sea air; **blu m.**, navy blue; **brezza marina**, sea breeze; **correnti marine**, sea currents; **località marina**, seaside town; **mostro m.**, sea monster; **paesaggio m.**, seascape; **piante marine**, sea (*o* marine) vegetation; **uccello m.**, sea bird; **verde m.**, sea green.

Màrio m. Marius.

mariolerìa f. **1** rascality; (*scherz.*) naughtiness **2** (*azione da mariolo*) prank; mischief ⓤ.

mariòlo m. **1** rascal; (*truffatore*) swindler; (*ladruncolo*) pilferer, petty thief **2** (*scherz.*) rascal; naughty boy; scamp.

mariologìa f. (*teol.*) Mariology.

mariològico a. (*teol.*) Mariological.

mariòlogo m. (f. **-a**) (*teol.*) Mariologist.

marionétta f. **1** marionette; puppet: **muoversi come una m.**, to move like a marionette; **spettacolo di marionette**, puppet show; **teatro delle marionette**, puppet theatre **2** (*fig.*) puppet; marionette; tool.

marionettìsta m. e f. puppeteer; puppet-master.

marionettìstico a. marionette (attr.); puppet (attr.).

marìsta (*eccles.*) Ⓐ a. Marist Ⓑ m. **1** (*religioso*) Marist (Father) **2** (*laico*) Marist (Brother).

maritàbile a. marriageable.

maritàle a. **1** (*del marito*) husband's (attr.) **2** (*del matrimonio*) marital; conjugal.

maritalménte avv. **1** (*da marito*) in a husbandlike way **2** (*da coniuge*) maritally; conjugally; as if married.

maritàre Ⓐ v. t. **1** to marry (off); to give* in marriage: **m. la propria figlia a un uomo ricco**, to marry one's daughter to a rich man; **m. tutte le figliole**, to marry off all one's daughters **2** (*fig.*) to mate; to join; to unite **3** (*agric.*) to train: **m. una vite a un olmo**, to train a vine up an elm Ⓑ **maritarsi** v. i. pron. to get* married; to marry: *Quando ti mariterai...*, when you get married...; *Si è già maritata*, she's already married; **maritarsi bene**, to make a good match.

maritàta f. married woman*.

♦**marito** m. **1** husband: **m. dominato dalla moglie**, henpecked husband; **cercare** [**trovare**] **m.**, to look for [to find] a husband; **prendere m.**, to get married; **prendere q. per m.**, to take sb. as a husband; to marry sb. **2** (*agric.*) prop; support ● **età da m.**, marriageable age □ **una perla di m.**, the best of husbands □ **ragazza da m.**, girl of marriageable age □ (*prov.*) *Tra moglie e m. non mettere il dito*, never interfere between husband and wife.

maritòzzo m. (*cucina*) currant bun.

♦**marìttimo** Ⓐ a. maritime; marine; sea (attr.); naval; nautical: **assicurazione marittima**, marine insurance; **città marittima**, seaside (*o* coastal) town; **clima m.**, maritime climate; **commercio m.**, sea trade; shipping business; **leggi marittime**,

maritime laws; **miglio m.**, nautical mile; **navigazione marittima**, sea navigation; **pino m.**, maritime pine; **potenza marittima**, naval power; **società di navigazione marittima**, steamship company; **trasporti marittimi**, sea transportation ◨ m. seaman*; sailor.

mariuòlo → **mariolo**.

màrker (*ingl.*) m. inv. **1** (*evidenziatore*) highlighter; marker (pen) **2** (*chim. med.*) tracer.

màrket (*ingl.*) m. inv. supermarket.

màrketing (*ingl.*) m. inv. (*econ.*) marketing.

markhòr m. inv. (*zool.*, *Capra falconeri*) markhor.

màrlin m. inv. (*ingl.*, *zool.*, *della famiglia degli Istiophoridae*) marlin.

marmàglia f. **1** rabble; riff-raff; mob **2** (*scherz.*) mob.

♦**marmellàta** f. jam; (*di agrumi*) marmalade: **m. di pesche**, peach jam; **vasetto di m.**, pot of jam.

marmétta f. (*edil.*) marble-chip floor tile.

marmìfero a. **1** rich in marble: **regione marmifera**, region rich in marble **2** (*ind.*). marble (attr.): **cava marmifera**, marble quarry; **industria marmifera**, marble industry.

marmista m. marble cutter; marble worker; (*per cimiteri*) monumental mason.

marmitta f. **1** (*pentola*) large pot **2** (*autom.*) silencer; muffler (*USA*): **m. catalitica**, catalytic converter; catalyser (*GB*); **dotato di m. catalitica**, fitted with a catalytic converter **3** (*geol.*) – **m. dei giganti**, pothole.

marmittóne m. raw recruit; rookie (*fam.*); yardbird (*gergo mil. USA*).

♦**màrmo** m. (*in ogni senso*) marble: **m. di Carrara**, Carrara marble; **blocco di m.**, marble block; **cava di m.**, marble quarry; **colonna di m.**, marble pillar; **lastra di m.**, slab of marble; **statua di m.**, marble statue • (*fig.*) **avere il cuore di m.**, to have a heart of stone □ (*fig.*) **diventare di m.** (*impietrire*), to freeze □ (*fig.*) **diventato un pezzo di m.** (*dal freddo*), to be like a block of ice □ **duro come il m.**, as hard as stone (*o* as granite); marble-hard □ (*fig.*) **faccia di m.**, stony face.

marmòcchio m. kid; brat (*spreg.*): *Mia sorella ha tre marmocchi*, my sister has three kids; *Dove sono i marmocchi?*, where are the kids?; **quell'orribile m.**, that horrible brat.

marmòreo a. **1** marble (attr.); marmoreal (*lett.*): **statua marmorea**, marble statue **2** (*fig.*) marble-like: **pallore m.**, marble-like pallor.

marmorino m. stucco (made of ground marble and colour pigments).

marmorizzàre v. t. to marble; to marbleize.

marmorizzàto a. marbled; marbleized; marble (attr.): **carta marmorizzata**, marble paper.

marmorizzatùra, **marmorizzazióne** f. marbling; marbleizing.

marmósa f. (*zool.*, *Marmosa*) mouse opossum.

♦**marmòtta** f. **1** (*zool.*, *Marmota*) marmot: **m. americana** (*Marmota monax*), groundhog; woodchuck; **m. comune** (*o* **delle Alpi**) (*Marmota marmota*), Alpine marmot **2** (*fig.*) lazybones **3** (*ferr.*) dwarf signal • **dormire come una m.**, to sleep like a log.

màrna f. (*geol.*) marl; malm.

Màrna f. (*geogr.*) Marne.

marnàre v. t. (*agric.*) to marl.

marnatùra f. (*agric.*) marling.

marnièra f. (*geol.*) marl pit.

marnóso a. marly.

marò m. **1** (*gergo mil.*) seaman*; rating **2** (*naut.*) (Italian) marine.

maròcca f. (*geol.*) moraine.

marocchinàre① v. t. to tan (*goatskin*) into morocco.

marocchinàre② v. t. to rape.

marocchinatùra f. tanning (*of goatskin*) into morocco.

marocchinerìa f. (*spec. al pl.*) morocco goods (pl.).

marocchìno① a. e m. (f. -**a**) Moroccan.

marocchìno② m. (*cuoio*) morocco (leather): **rilegatura in m.**, morocco binding.

Maròcco m. (*geogr.*) Morocco.

maronìta a. e m. (*relig.*) Maronite.

maróso m. large wave; sea; surge; roller; (*frangente*) breaker.

marpióne m. (f. -**a**) sly dog; old fox; cunning devil.

màrra f. **1** (*agric.*) hoe; mattock **2** (*edil.*) hoe **3** (*di ancora*) fluke.

marràncio m. (butcher's) cleaver; chopper.

marràno m. **1** (*stor.*) Marrano **2** (*lett.*, *spreg.*) renegade; traitor; villain.

marranzàno m. (*mus.*, *region.*) jew's harp.

marròbbio, **marrùbbio** m. (*geogr.*) seiche.

marron ◨ m. inv. **1** (*castagna*) chestnut **2** (*colore*) brown ◨ a. inv. brown.

marronàta f. **1** chestnut preserve **2** (*pop.*) blunder; boob (*fam. GB*); boo-boo (*fam. USA*); goof (*fam. USA*).

♦**marróne**① ◨ m. **1** (*bot.*) chestnut, chestnut-tree **2** (*castagna*) chestnut; marron: **marroni canditi**, marrons glacés (*franc.*) **3** (*colore*) brown: **vestire di m.**, to dress in brown **4** (*volg.*) ball; bollock: **rompere i marroni a q.**, to bust sb.'s balls **5** (*pop.*: *errore*) blunder; boob (*fam. GB*); boo-boo (*fam. USA*); goof (*fam. USA*) ◨ a. brown: **guanti marroni**, brown gloves ❶ **FALSI AMICI** • marrone non si traduce con maroon.

marróne② m. (*region.*) **1** (*capobranco*) leading animal; leader **2** (*guida alpina*) mountain guide.

marronéto m. chestnut grove.

marron glacé (*franc.*) loc. m. inv. marron glacé.

marronsécco m. oven-dried chestnut.

marrùbio m. (*bot.*, *Marrubium vulgare*) horehound.

marrùca f. (*bot.*, *Paliurus spina-christi*) Christ's thorn • **m. bianca**, hawthorn.

marsàla m. inv. Marsala (wine).

marsalàre v. t. to give* the taste and bouquet of Marsala to.

marsc' inter. **1** march: *Avanti marsc'!*, forward, march!; *Di corsa, marsc'!*, quick march! **2** (*scherz.*) jump to it: *Al lavoro, marsc'!*, to work, now, and jump to it!; *Fila via, marsc'*, off with you!

Marsiglia f. (*geogr.*) Marseilles.

marsigliése ◨ a. of Marseilles; from Marseilles • (*edil.*) **tegola m.**, (French) gutter tile ◨ m. e f. native [inhabitant] of Marseilles ◨ f. **1** (*inno*) (the) Marseillaise **2** (*edil.*) (French) gutter tile.

marsina f. tail coat; tails (pl.).

marsovino, **marsuino** m. (*zool.*, *Phocaena phocaena*) porpoise.

marsupiàle a. e m. (*zool.*) marsupial; (al pl., *scient.*) Marsupialia.

marsupializzazióne f. (*chir.*) marsupialization.

marsùpio ◨ m. **1** (*zool.*) marsupium*; pouch **2** (*portabambini*) baby-sling **3** (*borsa*)

belt bag (*o* pouch); bumbag (*fam. GB*); fanny pack (*fam. USA*) ◨ a. inv. – (*ferr.*) **carro m.**, two-tier car carrier; car transporter.

Mart. abbr. (**martedì**) Tuesday (Tues.).

Màrta f. Martha.

martagóne m. (*bot.*, *Lilium martagon*) martagon lily; Turk's-cap lily.

Màrte m. (*mitol.*, *astron.*) Mars • **campo di M.**, drill ground; parade ground.

♦**martedì** m. Tuesday: **il m. grasso**, Shrove Tuesday; Mardi Gras (*franc.*); **m. (a) otto**, Tuesday week; **un m. pomeriggio**, on a Tuesday afternoon; **m. prossimo** [**scorso**], next [last] Tuesday; on Tuesday next [last]; **m. sera**, (on) Tuesday night; **di** (*o* **il**) **m.**, on Tuesday; (*tutti i m.*) on Tuesdays; *È arrivato m.*, he arrived on Tuesday; **chiuso il m.**, closed on Tuesdays.

martellaménto m. **1** hammering; beating; pounding; thumping **2** (*fig.*) pounding; bombardment; (*pulsazione*) throbbing: **il m. dell'artiglieria**, the pounding of artillery; **un m. di domande**, a bombardment of questions.

martellànte a. **1** hammering; pounding: **rumore m.**, hammering sound; pounding noise **2** (*insistente*) incessant; relentless; continuous: **domande martellanti**, continuous questioning; **pubblicità m.**, incessant advertising **3** (*di dolore*) throbbing.

martellàre ◨ v. t. **1** to hammer; to beat*: **m. il ferro**, to hammer iron; **m. a freddo**, to cold-hammer **2** (*picchiare, battere*) to beat*; to hammer at (*o* on); to pound; to pound on; to thump: **m. l'uscio** (*o* **all'uscio**), to hammer (*o* to pound) on the door **3** (*mil.*) to pound with artillery; to shell **4** (*fig.*: *incalzare*) to bombard; to fire: **m. q. di domande**, to bombard sb. with questions; to keep firing questions at sb. **5** (*assol.*: *insistere*) to insist; to persist; to keep on at it: *Martella e martella, ha ottenuto quanto voleva*, by dint of insisting she got what she wanted ◨ v. i. (*pulsare*) to throb; (*battere*) to pound; to thump: *Le tempie mi martellano*, my temples are throbbing; *Il cuore mi martellava forte*, my heart was thumping away.

martellàta f. **1** hammer blow: **darsi una m. su un dito**, to hit one's finger with a hammer **2** (*fig. fam.*) heavy blow; terrible shock; body-blow (*fam.*).

martellàto a. **1** (*anche ind.*) hammered: **m. a freddo**, cold-hammered; **ferro m.**, hammered ironwork; **rame m.**, hammered copper **2** (*mus.*) martellato: **note martellate**, martellato notes.

martellatóre m. hammerer.

martellatùra f. hammering.

martellétto m. **1** little hammer; (*di giudice, banditore, ecc.*) gavel **2** (*di pianoforte*) hammer **3** (*di macchina da scrivere*) type bar **4** (*di orologio*) striker **5** (*med.*) percussion hammer.

martelliàno m. (*poesia*) line of fourteen syllables.

martellina f. (*di muratore*) pick, mason's hammer, scutch hammer; (*per rifinire pietre sbozzate*) hack hammer, facing hammer; (*di scultore, scalpellino*) marteline.

martellinàre v. t. **1** (*edil.*) to scutch-hammer; to stab **2** (*la pietra*) to tool.

martellìo m. **1** (*incessant*) hammering **2** (*fig.*) pounding; (*pulsazione*) throbbing.

martellista m. **1** (*ferr.*) tamper **2** (*atletica*) hammer thrower **3** (*ind. min.*) rock-drill operator.

♦**martèllo** m. **1** hammer: **m. a ribadire**, riveting hammer; **m. da carpentiere** (*o* **da falegname**), claw hammer; **m. da muratore**, bricklayer's (*o* brick) hammer; **m. da vetraio**, glazier's hammer; **battere col m.**, to beat (*o* to hit) with a hammer; to hammer;

lavorare a m., to hammer; to beat; **colpo di m.**, hammer stroke; **bocca del m.**, face; **occhio del m.**, eye; **penna** (o **taglio**) **del m.**, peen; **testa del m.**, hammer head **2** (*oggetto simile a un m.*) – (*stor.*) **m. d'arme** (o **ferrato**), martel; **m. di campana**, bell hammer; **m. dell'orologio**, striker; **m. della porta**, (door) knocker; (*med.*) **m. percussore**, percussion hammer; **m. perforatore**, hammer-drill; **m. pneumatico**, pneumatic hammer **3** (*sport: atletica*) hammer: **lancio del m.**, throwing the hammer **4** (*anat.*) malleus*; **m.** (*alpinismo*) hammer; axe: **m. da ghiaccio**, hammer axe; **m. da roccia**, piton hammer **6** (*sport: pallavolo*) smasher • **a forma di m.**, hammer-shaped □ (*med.*) **dito a m.**, hammertoe □ (*fig.*) **essere fra l'incudine e il m.**, to be between the devil and the deep blue sea □ (*zool.*) **pesce m.** (*Sphyrna zygaena*), hammer-headed shark; hammerhead □ **suonare le campane a m.**, to ring the tocsin □ **Le campane suonavano a m.**, the bells were tolling.

martensite f. (*meteor.*) martensite.

martensitico a. (*meteor.*) martensitic.

martinèllo, martinétto m. (*mecc.*) jack: **m. a vite**, screw jack; jackscrew; **m. idraulico**, hydraulic jack; **sollevare col m.**, to jack.

martingàla f. **1** (*cintura*) half-belt **2** (*finimento*) martingale **3** (*nei giochi d'azzardo*) martingale.

Martinìca f. (*geogr.*) Martinique.

martinìcca f. skid; block brake.

martino m. (*zool.*, *Acridotheres tristis*) common mynah.

Martino m. Martin.

martìn pescatóre loc. m. (*zool.*, *Alcedo atthis*) kingfisher.

màrtire m. e f. (*anche fig.*) martyr: **i primi martiri cristiani**, the early Christian martyrs; **un m. per la libertà**, a martyr to the cause of liberty; **un m. della scienza**, a martyr in the name of science; **un m. del dovere**, a martyr to duty; **atteggiarsi a m.**, to act like a martyr; to play the martyr (role); **fare il m.**, to be a martyr; to make a martyr of oneself; **fare vita da m.**, to make a martyr of oneself; **far fare una vita da m. a q.**, to torment sb.

martìrio m. **1** martyrdom: **ricevere** (o **subire**) **il m.**, to suffer martyrdom; to be martyred; **essere pronto al m.**, to be ready to be martyred; **la palma del m.**, the palm of martyrdom **2** (*fig.: tormento*) torture, torment; (*sofferenza*) suffering: **una vita di m.**, a life of suffering; a martyr's life; *Fu un'ora di m.*, it was sheer torture for an hour.

martirizzàre v. t. **1** to martyr **2** (*fig.*) to torture; to torment; to martyrize: *Ha sempre martirizzato la madre*, he has always tormented his mother; *Queste scarpe mi martirizzano i piedi*, these shoes are sheer torture.

martirològio m. **1** (*libro*) martyrology: **M. romano**, Martyrs' calendar **2** (*i martiri*) martyrs (pl.) **3** (*celebrazione*) eulogy.

màrtora f. **1** (*zool.*, *Martes martes*) pine marten **2** (*pelliccia*) marten.

martoriàre Ⓐ v. t. to torture; to torment; (*di dolore*, *anche*) to rack Ⓑ **martoriàrsi** v. i. pron. to torture oneself.

martoriàto a. **1** (*torturato*) tortured; (*straziato*) mangled; (*sfigurato*) disfigured; (*mutilato*) mutilated **2** (*angosciato*) tortured; tormented.

marxiàno a. (*econ.*) Marxian.

marxìsmo m. Marxism.

marxìsmo-leninìsmo m. Marxism-Leninism.

marxìsta a., m. e f. Marxist.

marxìsta-leninìsta a., m. e f. Marxist-Leninist.

marxìstico a. Marxist.

màrza f. (*agric.*) graft; scion.

marzaiòla f. (*zool.*, *Anas querquedula*) garganey.

marzapàne m. (*cucina*) marzipan; almond paste.

marziàle a. **1** martial; (*militare*) military; (*guerriero*) warlike: (*sport*) **arti marziali**, martial arts; **aspetto m.**, martial air; **contegno m.**, military bearing; **corte m.**, court martial; **legge m.**, martial law; **un suono m. di tromba**, the warlike sound of a trumpet **2** (*med.*, *farm.*) iron (attr.).

Marziàle m. (*stor. letter.*) Martial.

marzialità f. martial character.

marziàno Ⓐ a. **1** Martian **2** (*fig.: strano*) strange; odd **3** (*fig.: incomprensibile*) incomprehensible Ⓑ m. (f. -*a*) **1** Martian **2** (*fam. fig.: estraneo*) total stranger; outsider **3** (*fam. fig.: tipo strano*) oddball.

màrzio a. **1** (*di Marte*) of Mars **2** (*marziale*) martial; warlike.

màrzo m. March. (*Per gli esempi d'uso →* **aprile**) • (*fig.*) **nato di m.**, weird; screwy (*fam.*).

marzolìno, marzuòlo a. of March; March (attr.).

Mas m. inv. (*naut.*) motor torpedo-boat.

mascalcìa f. **1** (*arte*) farriery **2** (*bottega*) farrier's shop; smithy.

mascalzonàta f. dirty trick; nasty trick.

mascalzóne m. good-for-nothing; scoundrel; cad; louse (*fam.*); bastard (*fam.*).

mascàra m. inv. (*cosmetica*) mascara: **m. compatto**, cake mascara; **m. liquido**, liquid mascara; **truccato col m.**, mascaraed eyes.

mascarpóne m. (*alim.*) mascarpone; soft, mild Italian cream cheese.

mascè (*cucina*) Ⓐ a. mashed Ⓑ m. mashed potatoes (pl.); mash (*fam.*).

mascèlla f. **1** (*anat.*) jaw; jawbone; (*superiore*) upper jaw: **m. inferiore**, lower jaw; mandible; **m. superiore**, upper jaw; maxilla* **2** (*mecc.*) jaw: **m. da frantoio**, crushing jaw • (*scherz.*) **lavorare di mascelle**, to chew vigorously; to chomp; (*mangiare*) to eat heartily □ (*fig.*) **stringere le mascelle**, to grit one's teeth; to set one's jaw.

mascellàre (*anat.*) Ⓐ a. maxillary; jaw (attr.): **osso m.**, maxillary bone • **dente m.**, molar tooth; grinder • **muscolo m.**, masseter; masticatory muscle Ⓑ m. jawbone.

màschera f. **1** (*da viso*, *per gioco*, *rito*, *ecc.*) mask: **m. di cera**, wax mask; **m. di velluto**, velvet mask; (*teatr.*) **m. comica** [**tragica**], comic [tragic] mask; **mezza m.**, half mask; eye mask; **portare** [**indossare**] **la m.**, to wear [to put on] a mask; **togliersi la m.**, to pull off one's mask; *Il suo viso era una m. di sangue*, his face was covered in blood; **avere il viso come una m.** (*essere molto truccato*), to be heavily made-up **2** (*travestimento in maschera*) fancy dress, masquerade (*USA*); (*costume*) fancy-dress costume: **in m.**, masked; (*travestito*) in disguise; **mettersi in m.**, to put on a fancy-dress costume; **ballo in m.**, fancy-dress ball; masked ball (*USA*) **3** (*persona mascherata*) masker; masquerader **4** (*per protezione*) mask; face guard; face shield: **m. antigas**, gas mask; **m. antipolvere**, respirator; **m. da saldatore**, face shield helmet; **m. da scherma**, fencing mask; face guard; (*med.*) **m. per anestesia**, mask for anaesthesia; (*med.*) **m. per ossigeno**, oxygen mask; **m. subacquea**, underwater mask **5** (*fig.: finzione*) mask; cloak; disguise; (*copertura*) cover, front: **una m. di indifferenza**, a mask of indifference; **sotto la m. dell'amicizia**, under the mask (o the cloak) of friendship; **gettare la m.**, to throw off one's mask; *Giù la m.!*, drop your mask!;

strappare la m. a q., to unmask sb. **6** (*espressione del viso*) mask; (*viso*) face; (*lineamenti*) features (pl.): **avere una m. molto espressiva**, to have a very expressive face; **essere una m. di dolore**, to be a mask of pain **7** (*anche* **m. mortuaria**) death mask **8** (*anche* **m. di bellezza**) face pack; mask: **m. di fango**, mud pack **9** (*inserviente teatrale*) usher; (*donna*) usherette **10** (*nella commedia dell'arte*) stock character **11** (*archit.*) mask **12** (*autom.*) grille; louver: **m. per radiatore**, radiator grille **13** (*mecc.*) jig: **m. a sagoma**, clamp jig **14** (*med.*) facies **15** (*comput.*) form: **m. di ricerca**, search form.

mascheraménto m. **1** masking **2** (*fig.*) disguise; concealment **3** (*mil.*) camouflage.

mascheràre Ⓐ v. t. **1** (*il viso*) to mask **2** (*vestire in maschera*) to dress up: **m. un bambino da principe**, to dress a little boy up as a prince **3** (*anche fig.: camuffare*, *dissimulare*) to disguise; (*celare*) to conceal; to hide; (*nascondere*) to mask, to hide*, to cover up: **m. la faccia con un fazzoletto**, to hide one's face with a handkerchief; **m. la propria ambizione**, to conceal one's ambition; **m. le proprie paure**, to hide (o to cover up) one's fears; **m. i propri sentimenti**, to conceal (o to hide) one's feelings **4** (*mil.*) to camouflage Ⓑ **mascheràrsi** v. rifl. **1** (*vestirsi in maschera*) to put on a fancy-dress costume; to dress up: **mascherarsi da Brighella**, to dress up as Brighella; *Ti mascheri per la festa?*, are you going to wear a fancy-dress costume at the party? **2** (*fingere di essere*) to masquerade; to pass oneself off: **mascherarsi da gentiluomo**, to masquerade as a gentleman.

mascheràta f. (*anche fig.*) masquerade.

mascheràto a. **1** masked: **ballo m.**, masked ball; fancy-dress ball; **corso m.**, procession of masks; **viso m.**, masked face; masquerade **2** (*vestito in maschera*) dressed-up; wearing fancy dress; in fancy dress: **bambini mascherati**, dressed-up children; **m. da pirata**, dressed up as a pirate **3** (*fig.*) disguised; concealed; veiled; (*nascosto*) hidden **4** (*mil.*) masked; camouflaged.

mascheratùra f. **1** masking **2** (*fig.: dissimulazione*) disguising; hiding; (*ciò che maschera*) disguise, mask, cover.

mascherìna f. **1** (*mezza maschera*) half mask; eye mask **2** (*ragazza mascherata*) girl in fancy dress; (*bambino mascherato*) child* in fancy dress **3** (*di animale*) patch **4** (*di calzatura*) toe-cap **5** (*mecc.*) mask **6** (*autom.*) grille **7** (*per cancellare*) erasing shield • **Ti conosco, m.!**, you can't fool me!

mascherìno m. **1** (*fotogr.*) mask **2** (*cinem.*) mask; matte.

mascheróne m. **1** (*archit.*) mask; (*di doccione*) gargoyle **2** (*volto deformato*) disfigured face; (*volto grottesco*) grotesque mask.

maschétta f. (*naut.*) mast cheek.

maschiàccio m. **1** wild boy **2** (*ragazza*) tomboy; romp; hoyden.

maschiàre v. t. (*mecc.*) to tap.

maschiatrìce f. (*mecc.*) tapping machine; tapper.

maschiatùra f. (*mecc.*) tapping.

maschiètta f. uninhibited girl; (*negli anni Venti e Trenta*) flapper • **capelli alla m.**, shingle.

maschiettàre v. t. (*mecc.*) to hinge.

maschiétto m. **1** (*neonato*) baby boy **2** (*ragazzino*) little boy **3** (*mecc.*) hinge.

maschiézza f. manliness; masculinity; virility.

maschìle Ⓐ a. **1** (*di maschio*) male; (*di uomo*) man's, male; (*per uomini*) men's; (*per ragazzi*) boys'; (*virile*) virile, manly; (*mascolino*) masculine: **abiti maschili**, men's clothes;

coro m., male-voice choir; **disoccupazione m.**, male unemployment; **gara m.**, men's competition; **linea m.**, (*discendenza*) male line; (*moda, ecc.*) men's line; **scuola m.**, school for boys; boys' school; **sesso m.**, male sex; **di sesso m.**, male; (of the male sex; **voce m.**, male voice; man's voice **2** (*gramm.*) masculine: **sostantivo m.**, masculine noun **B** m. (*gramm.*) masculine (gender).

maschilìsmo m. male chauvinism.

maschilìsta a., m. e f. male chauvinist.

maschilìstico a. male chauvinist (attr.).

◆**màschio** ① **A** m. **1** (*biol.*) male: **il m. della specie umana**, the male of the human species **2** (*uomo*) man*; (*ragazzo*) boy; (*figlio*) son: **i maschi da una parte e le femmine dall'altra**, the men on one side and the women on the other; **il m. di casa**, the man in the house; *Ho tre figli piccoli: un m. e due femmine*, I have three small children, a boy and two girls; *Gli è nato un m.*, he's had a son; *A scuola non gioca coi maschi*, she doesn't play with boys at school **3** (*di animale*) male; he (attr.); (*di bovino, elefante, foca, balena*) bull; (*di volatile*) cock; (*di asino*) jack; (*di cervide, lepre, coniglio*) buck: **un m. di pantera**, a male panther; **m. del fagiano**, cock pheasant; **m. della renna**, buck reindeer **4** (*mecc.*) male; (*per filettare*) tap **B** a. **1** (*biol.*) male; masculine: **figlio m.**, male child; son; **fiore m.**, male flower; **nipote m.**, (*di zio*) nephew; (*di nonno*) grandson **2** (*di animale*) male; (*di bovino, elefante, balena*) bull; (*di volatile*) cock; (*di cervide, coniglio, lepre*) buck: **elefante [balena] m.**, male (o bull) elephant [whale]; **tigre m.**, male tiger **3** (*virile*) virile; manlike; manly: **aspetto m.**, virile aspect; **voce maschia**, manly voice **4** (*fig.: vigoroso*) vigorous; powerful: **stile m.**, vigorous style **5** (*mecc.*) male.

◆**màschio** ② m. (*di castello*) keep; donjon.

maschióna f. (*fam.*) big, hefty girl.

maschiòtta f. (*fam.*) buxom girl.

mascolinità f. 1 maleness; masculinity; (*di donna*) masculinity, mannishness **2** (*stat.*) male-to-female ratio; ratio of males to the total population.

mascolinizzàre A v. t. to masculinize **B mascolinizzàrsi** v. i. pron. to become* masculine.

mascolinizzazióne f. masculinization.

mascolìno a. 1 (*rif. a donna*) mannish; masculine **2** (*maschile*) masculine; manly; virile.

mascon m. inv. (*astron.*) mascon.

mascóne m. (*naut.*) bow: **m. di dritta [di sinistra]**, starboard [port] bow.

mascotte (*franc.*) f. inv. mascot.

màser m. inv. (*fis.*) maser.

maṣnàda f. 1 (*banda*) gang; band: **una m. di ladri**, a gang of thieves **2** (*scherz.: gruppo*) band; bunch; tribe: **una m. di amici**, a band of friends; **una m. di nipoti**, a tribe of grandchildren; **una m. di ragazzini**, a bunch of kids.

maṣnadière, maṣnadièro m. 1 bandit; robber; highwayman* **2** (*fig.*) scoundrel; villain.

màṣo m. holding; farmstead; homestead: **m. chiuso**, indivisible farmstead.

maṣochìṣmo m. (*psic. e fig.*) masochism.

maṣochìsta m. e f. **1** (*psic.*) masochist **2** (*fig.*) masochist; glutton for punishment (*fam.*).

maṣochìstico a. (*psic.*) masochistic; masochist (attr.).

maṣonite® f. (*edil.*) Masonite®.

maṣòra f. (*relig. stor.*) Masora, Masorah.

maṣorèta m. (*stor.*) Masorete.

maṣorètico a. Masoretic.

◆**màssa f. 1** mass; body; (*volume, ingombro*) volume, bulk; (*di sostanza solida*) block, lump, chunk; (*anat.*) **m. cerebrale**, cerebral mass; (*geogr.*) **una m. d'acqua**, a body of water; **una m. d'argilla**, a mass of clay; **una m. d'aria**, a mass of air; an air mass; **far m.**, to mass **2** (*grande quantità*) mass, masses (pl.); (*mucchio*) heaps (pl.), lot, lots, load, (*rif. a persone*) set, pack (*fam.*), bunch (*fam.*); (*moltitudine, folla*) mass; horde, (al pl., anche) droves: **la m. della popolazione**, the mass (o the majority) of the population; **una m. di libri**, heaps (o masses) of books; **una m. di corbellerie**, a lot (o a load) of nonsense; **una m. di cretini**, a bunch of idiots; **masse di turisti**, masses (o hordes) of tourists; **dimostrazioni di m.**, mass demonstrations; **in m.**, en masse (*franc.*); in a body; all together; as a whole; mass (attr.); **accorrere in m.**, to rush all together; (*a uno spettacolo, ecc.*) to turn up in droves; **insorgere in m.**, to rise en masse (o in a body); (*ind.*) **produrre in m.**, to mass-produce; **scioperare in m.**, to come out in a body; (*ind.*) **produzione in m.**, mass production **3** (*sociol.*) mass: **educare le masse**, to educate the masses; **cultura di m.**, mass education; **mezzi di comunicazione di m.**, mass media; **partito di m.**, party with mass-appeal **4** (*spreg.: volgo*) crowd; herd; (the) masses (pl.); (the) hoi polloi **5** (*fis.*) mass: **m. atomica**, atomic mass; **m. critica**, critical mass; **m. di riposo**, rest mass; **la m. d'un corpo**, the mass of a body; **m. inerziale**, inertial mass; **m. isotopica**, isotopic mass; **numero di m.**, mass number; **privo di** (o senza) **m.**, massless **6** (*elettr.*) earth (*GB*); ground (*USA*): **mettere** (o **collegare**) **a m.**, to earth; to ground; **collegato a m.**, earthed; grounded; **non collegato a m.**, unearthed; ungrounded **7** (*arte: pitt.*) mass; (*scult., archit.*) volume: **distribuzione delle masse**, distribution of masses **8** (*mus.*) section: **la m. dei violini**, the violin section **9** (*leg.*) – **m. attiva**, assets (pl.); **m. ereditaria**, heritable assets (pl.); **m. fallimentare**, bankrupt's estate; **m. passiva**, liabilities (pl.) **10** (*mil.*) force.

massacrànte a. (*estenuante*) exhausting; gruelling; back-breaking; killing (*fam.*).

massacràre v. t. **1** to massacre; to slaughter; to butcher **2** (*rovinare*) to ruin; to destroy; (*un testo, una musica*) to massacre, to murder **3** (*anche* **m. di botte**) to beat* up **4** (*fig.: stremare*) to exhaust.

massacratóre A a. slaughtering; butchering **B** m. (f. **-trice**) slaughterer; butcher; massacrer.

massàcro m. 1 massacre; slaughter; (*carneficina*) carnage, butchery: **mandare al m.**, to send off to the slaughter **2** (*fig.: scempio*) disaster, ruin; (*caos*) complete chaos; shambles: *Gli esami sono stati un m.*, the exams were a disaster; *La prima della commedia fu un m.*, the opening night of the play was a shambles.

massaggiagengìve m. inv. teething ring.

massaggiàre v. t. to massage; (*manipolare*) to knead; (*soffregare*) to rub: **m. i muscoli alla base del collo**, to knead the muscles at the base of the neck; *Si massaggiò il braccio colpito*, he massaged the injured arm; *Massaggia bene per far assorbire la crema*, rub the cream well in; **farsi m.**, to be given massage; to have a massage.

massaggiatóre m. 1 masseur; massager **2** (*apparecchio*) massager.

massaggiatrìce f. masseuse.

massàggio m. massage: (*med.*) **m. cardiaco**, cardiac massage; **m. rilassante**, relaxing massage; *I massaggi aiuteranno a calmare il dolore*, massaging will help relieve the pain; **fare un m. a**, to give a mas-

sage to; to massage; **farsi fare un m.**, to have a massage; **terapia a base di massaggi**, massage therapy.

◆**massàia f.** housewife*.

massàio, massàro m. farmer.

massellàre v. t. (*metall.*) to bloom.

massellatùra f. (*metall.*) blooming.

massèllo m. 1 (*metall.*) bloom **2** (*edil.*) block (of stone) **3** (*bot.*) duramen; heartwood **4** (*falegn.*) solid wood: **m. di noce**, solid walnut ● **oro di m.**, solid gold.

Massènzio m. (*stor.*) Maxentius.

masseria f. farm.

masserìzie f. pl. furniture and fittings; household goods; goods and chattels.

massetère m. (*anat.*) masseter.

massetèrico a. (*anat.*) masseter (attr.).

masséto m. rocky soil.

massétto m. (*edil.*) **1** footer; footing **2** block; block of stone; cut stone.

massicciàre v. t. **1** to metal **2** (*ferr.*) to ballast.

massicciàta f. 1 roadbed; foundation **2** (*ferr.*) ballast.

massìccio A a. **1** (*pieno*) massive; solid: **legno m.**, solid wood; **mura massicce**, massive walls; **oro m.**, massive gold **2** (*compatto, sodo*) solid; compact; (*rif. a corporatura*) thick-set, stocky, square-built: **fisico m.**, stocky physique; **muscolatura massiccia**, solid muscles (pl.); **spalle massicce**, square (o broad) shoulders **3** (*intenso, abbondante*) massive; substantial: **dosi massicce**, massive doses; **massicci bombardamenti**, massive bombing **4** (*pesante*) massive; heavy; ponderous: **edificio m.**, massive building; **mobile m.**, heavy piece of furniture **5** (*grossolano*) gross; enormous; glaring: **spropositi massicci**, gross mistakes **B** m. **1** (*geogr.*) massif: **il m. dell'Himalaia**, the Himalayan Massif **2** (*naut.*) deadwood.

màssico a. (*fis.*) mass (attr.).

massicot (*franc.*) m. inv. (*chim.*) massicot.

massificàre v. t. to standardize.

massificàto a. standardized.

massificazióne f. standardization.

màssima f. 1 (*principio, norma*) principle; rule; norm: **m. giuridica**, juridical norm; **stabilire come m.**, to establish as a principle; *Ho come m. di non fare mai debiti*, my personal rule is never to make debt **2** (*sentenza*) maxim; precept: **massime morali**, moral maxims **3** (*detto*) saying, saw; (*motto*) motto; (*aforisma*) aphorism: **una m. cinese**, a Chinese saying **4** (*meteor.*) highest (o maximum) temperature; peak temperature **5** (*med., fam.*) systolic pressure ● **di m.**, (*generale*) general; (*in linee generali*) outline (attr.), draft (attr.), broad (agg.), provisional (agg.): **accordo di m.**, broad (o provisional) agreement; **principi di m.**, general principles; **piano di m.**, outline plan □ **in linea di m.**, as a rule; generally speaking; (*nel complesso*) on the whole.

massimàle A a. maximal; maximum; highest; top (attr.): **prezzo m.**, maximum (o top) price **B** m. **1** ceiling; upper limit: **m. di reddito**, income limit **2** (*ass., anche* **m. di rischio**) limit of liability; maximum coverage.

massimalìsmo m. (*polit.*) maximalism.

massimalista m. e f. (*polit.*) maximalist.

massimalìstico a. (*polit.*) maximalist (attr.).

massimaménte avv. chiefly; principally; (*per la maggior parte*) mostly; (*soprattutto*) above all; (*specialmente*) especially, particularly.

massimàre v. t. (*mat.*) to maximize.

massimàrio m. collection of maxims.

màssime avv. (*lett.*) mainly; (*soprattutto*)

chiefly, particularly.

Massimiliàno m. Maximilian.

massimìnimo m. (*mat.*) maximin.

massimizzàre v. t. (*anche mat.*) to maximize.

massimizzazióne f. (*anche mat.*) maximization.

♦**màssimo** Ⓐ a. superl. greatest; largest; (*estremo*) utmost, ultimate; (*il più elevato*) maximum; (*il più alto*) highest, top (attr.), peak (attr.); (*il più lungo*) longest; (*il migliore*) best; (*il peggiore*) worst: **la cifra massima**, the highest figure; (*mat.*) **il m. comun divisore**, the greatest common divisor; **il m. danno**, the worst damage; **la distanza massima**, the longest distance; **una distanza massima di 30 km**, a maximum distance of 30 km; **il m. effetto**, the greatest effect; **l'offerta massima**, the highest offer; **il pericolo m.**, the utmost (o the worst) danger; **il m. poeta dell'antichità**, the greatest poet of ancient times; **il Pontefice M.**, the Pontifex Maximus; **il prezzo m.**, the highest (o top) price; **la massima profondità**, the maximum depth; **il punto m.**, the highest point; the peak; **fino a un punto m. di**, up to a peak of; **il m. sforzo**, the greatest (o the utmost) effort; **la massima soddisfazione**, the utmost (o the ultimate) satisfaction; **la temperatura massima**, the highest (o the maximum) temperature; (*sport*) **tempo m.**, time-limit; **fuori tempo m.**, outside the time limit; **superare il tempo m.**, to overrun the time limit; **il voto m.**, the highest mark; **al m. grado**, in the highest degree; **alla massima velocità**, at the greatest speed; at top speed; at maximum speed; **con la massima cura**, with the greatest (o with utmost) care; **con il m. rendimento**, with maximum efficiency; **della massima importanza**, of the greatest (o the utmost) importance; **in massima parte**, for the most part; mostly; largely; *Sono in massima parte adolescenti*, they are mostly (o for the most part, largely) teenagers; most of them are teenagers Ⓑ m. 1 (the) utmost; (the) most; maximum; (*culmine*) height, peak; (*il meglio*) best; (*limite*) (upper) limit; (ma se seguito da un compl. di specificazione, corrisponde più spesso a un agg.) maximum; top, full: **il m. della fama**, the height of fame; **il m. della pena**, the maximum sentence; **il massimo della velocità**, maximum (o top) speed; **un m. di 10 km**, a maximum of 10 km; **m. storico**, all-time peak; **col m. dei voti**, with full marks; *Questo è il m. che io possa fare*, this is the most I can do; **lanciare un'auto al m.**, to drive a car at full speed; **ricevere il m. della pensione**, to get full pension; (*iron.*) *È il m.!*, it's the (absolute) limit! 2 (*sport: peso m.*) heavyweight ● **al m.**, to the utmost; (*al più*) at (the) most; (*al più tardi*) at the latest; **sfruttare qc. al m.**, to use st. to the utmost; (*di denaro, riserve, ecc.*) to make st. go as far as possible; *Al m. tarderò di dieci minuti*, I'll be ten minutes late at most; *Avrà al m. trent'anni*, he must be thirty at most; *Torno al m. giovedì*, I'll be back on Thursday at the latest.

Màssimo m. Maximus.

massimoleggèro a. e m. (*sport*) light heavyweight.

massimomìnimo → **massiminimo**.

massìvo a. (*anche med.*) massive.

mass media (*ingl.*) loc. m. pl. inv. media.

massmediàle, **massmediàtico** a. media (attr.).

massmediologìa f. study of the media.

massmediològico a. media (attr.).

massmediòlogo m. (f. **-a**) media expert.

♦**màsso** m. boulder; rock; block; (*geol.*) **m. erràtico**, erratic block; boulder; *Caduta*

---

massi (*cartello*), falling rocks; **una casa fondata sul m.**, a house built upon rock ● **dormire come un m.**, to be fast (o sound) asleep; to be dead to the world (*fam.*); (*abitualmente*); to sleep like a log □ **duro come un m.**, rock-hard; as hard as iron □ **pesante come un m.**, as heavy as granite.

massochinesiterapìa f. (*med.*) massage and kinesitherapy.

massofisioterapìa f. (*med.*) massage and physiotherapy.

massofisioterapìsta m. e f. masseur-physiotherapist.

massóne m. Freemason; Mason.

massonerìa f. Freemasonry.

massònico a. Masonic; Freemason (attr.): **loggia massonica**, Masonic lodge.

massòra e deriv. → **masora**, e deriv.

massoterapìa f. massotherapy.

massoteràpico a. massotherapeutic.

massoterapìsta m. e f. massotherapist.

màstaba f. (*archeol.*) mastaba.

mastadenìte f. (*med.*) mastitis.

mastalgìa f. (*med.*) mastodynia.

mastcèllula f. (*biol.*) mast cell.

mastectomìa f. (*chir.*) mastectomy.

mastectomizzàre v. t. (*chir.*) to subject to mastectomy.

mastectomizzàto a. that has undergone mastectomy.

mastèllo m. tub; vat: **m. del bucato**, washtub.

màster (*ingl.*) m. inv. 1 (*laurea*) master's degree; master's (*fam.*) 2 (*sport*) masters tournament; masters (*fam.*) 3 (*tecn.*) master (copy).

masterizzàre v. t. (*comput.*) 1 (*scrivere su*) to write* on (a CD); to burn 2 (*copiare*) to copy (a CD-ROM).

masterizzatóre m. (*comput.*) CD writer; CD burner.

masterizzazióne f. (*comput.*) CD writing ● **programma** (o **software**) **di m.**, CD burner.

masticàbile a. chewable.

♦**masticàre** v. t. 1 to chew; to masticate (*form.*): **m. gomma americana** [**tabacco**], to chew gum [tobacco] (o tobacco); **m. rumorosamente**, to crunch; to munch; to chomp; **inghiottire qc. senza m.**, to swallow st. whole; **gomma da m.**, chewing-gum 2 (*fig.*: *borbottare, biascicare*) to mutter; to mumble: **m. le parole**, (*fra i denti*) to mumble one's words; **m. delle scuse**, to mutter (o to mumble) an apology 3 (*fig.*: *rimuginare*) to brood over; to chew over ● (*fig.*) **m. amaro** (o **veleno**), to feel bitter (about st.); to brood over st. □ **m. male l'inglese**, to speak broken English □ **m. un po' d'inglese**, to have a smattering of English.

masticàto a. 1 chewed: **cibo ben m.**, well-chewed food 2 (*fig.*: *biascicato*) stammered (out), muttered, mumbled; (*storpiato*) mangled ● **mal m.**, half-understood.

masticatóre Ⓐ a. chewing Ⓑ m. (f. **-trice**) chewer: **m. di tabacco**, tobacco chewer.

masticatòrio a. e m. masticatory.

masticatùra f. what has been chewed; chewed matter.

masticazióne f. chewing; mastication (*scient.*).

màstice m. 1 (*bot.*) mastic 2 (*adesivo*) mastic; rubber solution; adhesive; (*per sigillare*) putty: **m. al minio**, red-lead putty; **m. all'ossido di ferro**, iron putty; **m. d'asfalto**, (asphalt) mastic; **m. da vetraio**, (glazier's) putty.

mastìno m. 1 (*zool.*) mastiff 2 (*fig.*: *persona tenace*) bulldog.

màstio m. (*di castello*) keep; donjon.

---

mastìte f. (*med.*) mastitis.

mastocìta, **mastocìto** m. (*biol.*) mast cell.

mastodinìa f. (*med.*) mastalgia; mastodynia.

mastodónte m. 1 (*paleont.*) mastodon 2 (*fig.*, *di persona*) colossus; (*spreg.*) hulking oaf 3 (*fig.*, *di cosa*) mammoth; behemoth.

mastodòntico a. gigantic; colossal; mammoth (attr.); ginormous (*fam. GB*); humongous (*fam. USA*): **edificio m.**, gigantic building; **errore m.**, colossal mistake; **dimensioni mastodontiche**, mammoth size; **impresa mastodontica**, mammoth enterprise.

mastòide f. (*anat.*) mastoid.

mastoidectomìa f. (*med.*) mastoidectomy.

mastoidèo a. (*anat.*) mastoid (attr.).

mastoidìte f. (*med.*) mastoiditis.

mastopatìa f. (*med.*) mastopathy.

mastoplàstica f. (*chir.*) mammoplasty.

màstra ① f. (*madia*) kneading trough.

màstra ② f. (*naut.*) 1 partners (pl.): **m. d'albero**, mast partners; **m. dell'argano**, capstan partners 2 coaming, coamings (pl.): **m. di boccaporto**, hatch coamings.

mastrino m. (*rag.*) total account.

màstro Ⓐ m. 1 (*titolo*) Master 2 (*artefice, artigiano*) master: **m. muratore**, master mason 3 (*comm.*) ledger: **m. acquisti**, purchase ledger; **m. dei conti creditori** [**debitori**], creditors [debtors] ledger; **registrare a m.**, to post Ⓑ a. – (*comm.*) **libro m.**, ledger.

masturbàre v. t., **masturbàrsi** v. rifl. to masturbate.

masturbatóre Ⓐ a. masturbatory Ⓑ m. (f. **-trice**) masturbator.

masturbazióne f. masturbation.

masùt m. inv. mazout, mazut.

mat a. inv. matt.

matafióne m. (*naut.*) gasket; point; earing: **m. d'inferitura**, (reef) earing; **m. di terzarolo**, reef point; **m. per serrare le vele**, gasket.

matàllo m. (*bot.*, *Sorbus aucuparia*) mountain ash; rowan (tree).

matamàta f. (*zool.*, *Chelus fimbriatus*) matamata.

matamòro m. braggart; blusterer.

matàssa f. 1 skein; hank: **m. di cotone**, skein of cotton; **m. di spago**, hank of cord; **m. ingarbugliata**, tangled skein; **dipanare una m.**, to unravel a skein; **ravviare una m.**, to disentangle a skein 2 (*fig.*) tangle; muddle 3 (*elettr.*) coil ● (*fig.*) **m. intricata**, Chinese puzzle □ **bandolo della m.** → **bandolo** □ (*fig.*) **dipanare** (o **sbrogliare**) **la m.**, to sort out (o to find a way out of) a muddle; (*risolvere qc.*) to crack a problem, to unravel a mystery: *Vediamo un po' di sbrogliare questa m.*, let's try and sort out this muddle we're in; let's try and figure this one out □ (*fig.*) **imbrogliare** (o **arruffare**) **la m.**, to confuse the issue; to confuse things.

matassatóre m. (f. **-trice**) (*ind. tess.*) skeiner; hank winder.

matassatùra f. (*ind. tess.*) skeining; hank winding.

màte, **matè** (*spagn.*) m. inv. 1 (*bot.*, *Ilex paraguayensis*) maté, mate 2 (*bevanda*) maté, mate; maté tea.

matelassé (*franc.*) a. inv. (*ind. tess.*) matelassé.

♦**matemàtica** f. mathematics (pl. col verbo al sing.); maths (*fam. GB*); math (*fam. USA*): **m. applicata**, applied (o mixed) mathematics; **m. finanziaria**, financial mathematics; **m. pura**, pure mathematics; **m. superiore**, higher mathematics; *La m. non è un'opinione*, mathematics is an exact science; (*fig.*)

facts are facts; *Sono stato bocciato in m.*, I failed maths; **il mio professore di m.**, my maths teacher.

♦**matemàtico** **A** a. **1** mathematical: **calcoli matematici**, mathematical calculations; **logica matematica**, mathematical (*o* symbolic) logic; **verità matematiche**, mathematical truths **2** (*fig.*) mathematical; absolute; incontrovertible: **certezza matematica**, absolute certainty; **sapere con certezza matematica**, to know for certain; **precisione matematica**, mathematical precision; **prova matematica**, incontrovertible proof **B** m. (f. **-a**) mathematician.

matematizzàre v. t. to mathematize.

materàssa f. → **materasso**.

materassàbile a. (*fam. scherz.*) bedworthy; beddable.

materassàio m. (f. **-a**) mattress maker.

materassino m. **1** (*sport*) mat **2** (*gonfiabile*) airbed; lilo.

♦**materàsso** m. **1** mattress: **m. a molle**, spring mattress; **m. ad acqua**, waterbed; **m. di crine [di lana]**, horsehair [wool] mattress; **rivoltare un m.**, to turn over a mattress **2** (*gergo della boxe*) sparring partner.

♦**matèria** f. **1** (*sostanza*) matter, substance, stuff; (*materiale*) material: **m. e spirito**, matter and spirit; **m. colorante**, dye-stuff; dye; (*chim.*) **m. organica [inorganica]**, organic [inorganic] substance; (*filos.*) **m. prima**, first matter; **materie prime**, raw materials; (*ind.*) **m. plastica**, plastic material; (*ind.*) **materie tessili**, textile materials **2** (*sostanza organica*) matter: **m. cerebrale**, cerebral matter; (*anche fig.*) **m. grigia**, grey matter; **m. purulenta**, pus; matter **3** (*argomento*) subject-matter; matter; subject; topic: **m. di fede**, matter of faith; **m. di riflessione**, food for thought; **conoscitore d'una m.**, expert in a subject; *Che avete da dire in m.?*, what do you have to say on this matter?; **prendere misure in m.**, to take appropriate measures; **pronunciarsi in m.**, to comment on the matter; *È un esperto in m. di finanza*, he is an expert in financial matters; *Sa tutto in m. d'etnologia*, she knows everything on ethnology; *In m. di tasse, ritengo che...*, as regards (*o* in the matter of) taxation, I think that...; **indice per materie**, subject index **4** (*disciplina scolastica*) subject: **m. facoltativa [obbligatoria]**, optional [compulsory] subject; **materie scientifiche**, science subjects; *La storia è la mia m. preferita*, history is my favourite subject **5** (*occasione*) cause; (*motivo*) grounds (pl.): **dare m. a nuove argomentazioni**, to provoke (*o* to fuel) further debate; *C'è m. per intentare un processo*, there are grounds for legal action.

♦**materiàle** **A** a. **1** material; (*fisico*) physical, bodily: **benessere m.**, material comfort; (*econ.*) **beni materiali**, material goods; **comodità materiali**, material comforts; **lavoro m.**, manual work; **il mondo m.**, the material (*o* physical) world; **piaceri materiali**, material pleasures **2** (*grossolano, rozzo*) crude, rough, uncouth; (*volgare*) gross, coarse **3** (*concreto, effettivo*) concrete; actual: *Non ho il tempo m. di farlo*, I just haven't time to do it; *Era nell'impossibilità m. di aiutarmi*, he simply couldn't help me **B** m. **1** (*materia*) material; stuff: **il m. e la manodopera**, material and labour; (*geol.*) **m. alluvionale**, alluvium; (*edil.*) **m. coibente**, insulating material; **m. d'archivio**, old files (pl.); (*cinem.*) old footage; library footage; stock footage; **m. da costruzione**, building material; **m. di consultazione**, reference material; reference works (pl.); (*ind.*) **m. di recupero**, salvage; (*cinem., TV*) **m. di repertorio**, library footage; (*edil.*) **m. di riporto**, filling; **m. di rivestimento**, lining; (*ind.*) **m. di scarto**, discarded material (*o* scrap); **m.**

illustrativo, illustrative material; illustrations (pl.); **m. infiammabile**, flammable material; **m. informativo**, literature; (*ind.*) **m. greggio**, raw material; staple; **m. per una biografia [un'inchiesta]**, material for a biography [a report]; **m. per pavimenti**, flooring; (*ferr.*) **m. rotabile**, rolling-stock; (*geol.*) **m. sedimentato**, silt; (*fig.*) **m. umano**, manpower **2** (*strumenti necessari*) materials (pl.); equipment: **m. di cancelleria**, stationery; **m. per scrivere**, writing materials; **m. scolastico (*o* didattico)**, teaching equipment; teaching aids (pl.) **3** (*persona rozza*) rough (*o* uncouth) person.

materialìsmo m. **1** (*filos.*) materialism: **m. dialettico**, dialectical materialism; **m. storico**, historical materialism **2** (*spreg.*) materialism.

materialista **A** a. materialistic **B** m. e f. materialist.

materialìstico a. materialistic.

materialità f. **1** materiality **2** (*rozzezza*) roughness; uncouthness.

materializzàre **A** v. t. to materialize **B** **materializzàrsi** v. i. pron. **1** (*apparire*) to materialize **2** (*concretizzarsi*) to take* shape; (*verificarsi*) to materialize, to come* about.

materializzazióne f. materialization.

materialménte avv. **1** (*fisicamente, sostanzialmente*) materially; physically: **m. impossibile**, physically impossible **2** (*di fatto*) – È m. impossibile che ci abbia visto, it's simply impossible that he saw us; he cannot possibly have seen us; *Mi è m. impossibile venire*, I just cannot come; I cannot possibly come **3** (*in maniera rozza*) roughly; uncouthly.

materialóne m. (f. **-a**) rough (*o* uncouth) person; (*persona goffa*) clumsy person.

materiàre (*lett.*) **A** v. t. to make* up; to underscore; to impregnate **B** **materiàrsi** v. i. pron. to become* steeped in.

materiàto a. (*lett.*) **1** made (of) **2** (*fig.*) imbued (with); permeated (with).

matèrico a. of (*o* pertaining to) matter (pred.).

maternaménte avv. maternally; like a mother.

maternità f. **1** motherhood; maternity: **m. surrogata (*o* sostitutiva)**, surrogate motherhood; surrogacy; **le gioie della m.**, the joys of motherhood; **essere alla prima m.**, to be pregnant for the first time; to be expecting one's first baby **2** (*ospedale*) maternity hospital; (*reparto*) maternity ward **3** (*bur.*) mother's name **4** (*anche congedo per m.*) maternity leave: **entrare in m.**, to start maternity leave; **essere in m.**, to be on maternity leave; **mettersi in m.**, to go on (*o* to take) maternity leave.

♦**matèrno** a. **1** maternal; motherly; mother's (attr.); mother (attr.): **affetto m.**, motherly love; **cure materne**, maternal cares; **figura materna**, mother figure; **latte m.**, mother's milk; **lingua materna**, mother (*o* native) language; **ruolo m.**, maternal role; **scuola materna**, nursery school; **sorriso m.**, maternal smile **2** (*per parte di madre*) maternal; on the mother's side: **nonni materni**, maternal grandparents; **zio m.**, maternal uncle; uncle on one's mother's side.

materòzza f. (*metall.*) feedhead; deadhead.

matètico a. pertaining to learning; learning (attr.); mathetic.

Matìlde f. Mathilda; Matilda.

matinée (*franc.*) f. inv. (*teatr.*) matinée; afternoon performance.

♦**matìta** f. **1** pencil; (*pastello, anche*) crayon: **m. a scatto (*o* a mine)**, propelling pencil; **m. blu**, blue crayon; (*per correggere e fig.*) blue pencil; **segnare a m. blu**, to blue-pencil; **m.**

copiativa, copying-pencil; **m. nera**, lead pencil; **m. rossa**, red pencil; red crayon; **matite colorate**, crayons; **aggiungere a m.**, to pencil in; **disegnare a m.**, to draw in pencil; **scrivere a m.**, to write with a pencil; to pencil **2** (*oggetto simile a matita*) pencil; pen; **m. contorna-labbra**, lipliner; **m. elettronica**, data pen; **m. emostatica**, styptic pencil; **m. per le sopracciglia**, eyebrow pencil.

matràccio m. (*chim.*) flask; matrass: **m. graduato**, volumetric flask.

matriàrca f. matriarch.

matriarcàle a. matriarchal: **società m.**, matriarchal society; matriarchy.

matriarcàto m. **1** (*etnol.*) matriarchy **2** matriarchate; matriarchy.

matrìce f. **1** (*biol.*) matrix* **2** (*geol.*) matrix* **3** (*fig.: fonte*) origin; background; roots (pl.): **m. culturale**, cultural roots **4** (*per duplicazione*) matrix; (*per ciclostile*) stencil; (*mecc.*) die **5** (*parte di bollettario*) counterfoil; stub: **m. di assegno**, cheque stub; **registro a m.**, counterfoil register **6** (*mat.*) matrix*.

matriciàle a. (*mat.*) matrix* (attr.): **calcolo m.**, matrix calculus.

matricìda **A** m. e f. matricide **B** a. matricidal.

matricìdio m. matricide.

matricìna f. (*agric.*) sapling.

matricinàre v. t. (*agric.*) to sap.

matrìcola f. **1** (*registro*) roll; list; register; matricula **2** (*anche numero di m.*) (*mil.*) number; (*di studente*) matriculation number; (*di motore*) chassis number; (*di arma*) serial number **3** (*studente*) first-year student; freshman* (*USA*); fresher (*fam. GB*) **4** (*novellino*) novice; new recruit; rookie (*fam.*) **5** (*mil.: ufficio*) roll office; (*registro*) register ● (*fam.*) **fare la m. a q.**, to play tricks on a fresher (*GB*); to haze a freshman (*USA*).

matricolàre a. matriculation (attr.); registration (attr.).

matricolàto a. (*fig.*) downright; thorough; out-and-out; perfect: **briccone m.**, thorough scoundrel; **bugiardo m.**, downright liar.

matricolazióne → **immatricolazione**.

♦**matrìgna** f. **1** stepmother **2** (*fig.*) cruel (*o* bad) mother ● **La natura gli fu m.**, nature was cruel to him.

matrilineàre a. (*etnol.*) matrilineal.

matrilinearità f. (*etnol.*) matrilineal descent.

matrilìneo a. (*etnol.*) matrilineal.

matrilocàle a. (*etnol.*) matrilocal.

matrilocalità f. (*etnol.*) matrilocality.

matrimoniàbile a. of marriageable age.

matrimoniàle a. matrimonial; marriage (attr.); conjugal; wedding (attr.): **anello m.**, wedding ring; **camera m.**, double room; **certificato m.**, marriage certificate; **contratto m.**, marriage settlement; **diritto m.**, marriage law; **letto m.**, double bed; **licenza m.**, marriage licence; **vincolo m.**, nuptial tie; **vita m.**, married life.

matrimonialìsta m. e f. expert in marriage law.

♦**matrimònio** m. **1** (*unione*) marriage; matrimony; match: **m. bianco**, uncomsummated marriage; **m. combinato**, arranged marriage; **m. d'amore**, love-match; **m. di convenienza**, marriage of convenience; **m. tra consanguinei**, intermarriage; *Il m. gli si addice*, married life suits him; *Il loro m. andò a rotoli*, their marriage broke up; **combinare un m.**, to bring about a marriage; to make a match; **dare in m.**, to give in marriage; to marry; **fare un buon m.**, to make a good match; **fare un m. d'interesse**, to

marry money; **prendere in m.**, to take in marriage; to marry; **unire in m.**, to marry; **unirsi in m.**, to get married; **certificato di m.**, marriage certificate; (marriage) lines (pl.); **domanda di m.**, offer of marriage; **licenza di m.**, marriage licence; (leg.) **promessa di m.**, marriage promise; **il sacramento del m.**, the sacrament of matrimony 2 (cerimonia) wedding; wedding ceremony: **m. civile**, civil wedding ceremony; registry-office wedding; **m. in bianco**, white wedding; **m. in chiesa** (o **religioso**), religious wedding ceremony; **m. riparatore**, forced wedding; (fam. o scherz.) shotgun wedding; **celebrare un m.**, to officiate at sb.'s wedding; to celebrate a wedding; **anniversario di m.**, wedding anniversary; **il giorno del mio m.**, my wedding day.

matriòsca, **matriòska** f. set of Russian dolls; matryoshkas (pl.).

matrizzàre v. i. to take* after one's mother.

matròna f. 1 (stor. romana ed estens.) matron 2 (fig.: donna formosa) matronly woman*.

matronàle a. 1 matron-like 2 (rif. al fisico) matronly: **fisico m.**, matronly build.

matronèo m. (archit.) women's gallery.

matronìmia f. matronymy.

matronìmico a. e m. matronymic; metronymic.

màtta f. 1 → **matto, B** 2 (carta da gioco) joker.

mattacchióne m. (f. **-a**) jolly person; joker.

mattàna f. (fam.) 1 (umore instabile) unpredictable mood; (accesso di collera) fit of bad temper, tantrum; (accesso di allegria) riotous joy; (accesso d'ilarità) mad fit of laughter: Quando gli salta la m., when he is in one of his moods; when he flies into a temper; Lasciamogli passare la m., let's wait until he gets over his tantrums 2 (capriccio) freak; whim.

mattànza f. 1 (pesca) tuna (o tunny) slaughter 2 (fig.) killing; series of murders.

mattàre v. t. (scacchi) to checkmate; to mate.

mattarèllo → **matterello**.

mattàta f. (pop.) madcap act.

mattatóio m. slaughterhouse; abattoir.

mattatóre m. (f. **-trìce**) 1 slaughterer; butcher 2 (teatr.) show-stealer; spotlight-chaser 3 (estens.) person who always wants to be the centre of attention.

Mattèo m. Matthew.

matterèllo m. rolling-pin.

matterìa f. (azione da matto) crazy act; madcap behaviour Ⓤ.

Mattìa m. Matthias.

◆ **mattìna** f. morning: **m. d'inverno**, winter morning; **la m. di Natale**, Christmas morning; (come indicazione di tempo) on Christmas morning; **la m. del primo marzo**, on the morning of the first of March; **la m. alle nove**, at nine in the morning; **alle dieci di m.**, at ten a.m.; **dalla m. alla sera**, from morning till night; **di m.**, in the morning; **di prima m.**, early in the morning; **domani m.**, tomorrow morning; **l'indomani m.**, in the morning; the next (o the following) morning; **le lezioni della m.**, the morning classes; Vediamoci lunedì m., let's meet on Monday morning; Si fa m., it's getting light ● **dalla sera alla m.**, overnight; (fig.) without warning, all of a sudden ● (fig.) **durare dalla m. alla sera**, to be short-lived.

mattinàle Ⓐ a. (lett.) morning (attr.) Ⓑ m. 1 morning report 2 (registro di polizia) police morning report register.

◆ **mattinàta** ① f. 1 morning: **una m. piovosa**, a rainy morning; **una dura m. di lavo-**
ro, a hard morning's work; **nella m. di sabato**, on Saturday morning; **tutta la m.**, the whole morning; all morning; **in m.**, (sometime) during the morning; before noon 2 (mus.) aubade (franc.); morning song; morning serenade: **fare la m. a q.**, to sing an aubade for sb.

mattinàta ② f. (teatr.) matinée; afternoon performance.

mattinièro a. early-rising: **essere m.**, to be an early riser; to be an early bird (fam.); Come sei m.!, up and about already?

◆ **mattìno** m. 1 morning: **al m.**, in the morning; **al m. presto** (o **di buon m.**), early in the morning; **sul fare del m.**, at dawn; **dare il buon m. a q.**, to say good morning to sb.; **giornali del m.**, morning newspapers; **la stella del m.**, the morning star 2 (levante) east ● (fig.) **il m. della vita**, the dawn of life □ **fare m.**, to stay up all night □ (prov.) **Il buon giorno si conosce dal m.**, well begun is half done □ (prov.) **Il m. ha l'oro in bocca**, the early bird catches the worm.

◆ **màtto** ① Ⓐ a. 1 mad; crazy; daft (fam.); off one's head (fam.); round the bend (fam.); bonkers (pred.) (fam.); barmy (slang); nuts (pred.) (fam.); nutty (fam.); **m. da legare**, (stark) raving mad; as mad as a hatter (fam.); completely bonkers (fam.); bananas (slang USA); **m. di gioia**, mad with joy; **diventare m.**, to go mad; **essere un po' m.**, to be a little crazy (o a bit funny); not to be all there; **essere mezzo m.**, to be funny in the head; not to be right in the head; to be quite potty (fam. GB); to be pretty ditzy (o ditsy) (fam. USA); **far diventare m. q.**, to drive sb. mad; to drive sb. round the bend (fam.); C'è da diventare matti!, it's enough to drive one mad!; Sei m.?, are you crazy?; are you out of your mind?; Fossi m.!, I'm not that crazy (o daft); **idea matta**, crazy notion; nutty idea 2 (grande, enorme) enormous: **gusto m.**, enormous satisfaction; real kick: Ci ho un gusto m.!, I am very glad of it!; (ben gli sta) (it) serves him right!; **farsi matte risate**, to roll about laughing; **avere una voglia matta di qc. [di fare qc.]**, to be dying for st. [to do st.] 3 (falso) false; imitation (attr.): **moneta matta**, false coin; dud coin (fam.); **oro m.**, fool's gold 4 (opaco) mat; dull ● (fig.) **andare m. per qc.**, to be crazy about st.; to be mad about st.; (rif. al cibo) to love st. □ (fam.) **dare fuori di m.**, to flip one's lid; to blow one's top □ (fam.) **fungo m.**, poisonous mushroom □ **gamba matta**, game leg □ **testa matta**, madcap; hot-headed fool Ⓑ m. (f. **-a**) 1 madman* (f. madwoman*); lunatic; loony (fam.): **m. furioso**, raving lunatic 2 (persona bizzarra) eccentric; oddball; nutter (slang): Non ascoltare quel m.!, don't listen to that nutter!; **quel m. di Tommaso**, that crazy Tommaso 3 (teatr., tarocchi) fool ● **come un m.** (furiosamente, moltissimo), like a madman; like one possessed; like mad (fam.); like crazy (fam.): **correre come un m.**, to run like mad; **lavorare come un m.**, to work like a madman (o like crazy); **ridere come un m.**, to laugh like crazy; to laugh one's head off; **urlare come un m.**, to scream like a madman; to scream one's head off □ (fam.) **da matti** (assurdo, folle), mad; crazy: È una decisione da matti!, it's a mad decision; **discorsi da matti**, ravings; ranting; Roba (o Cose) da matti!, it's sheer madness!; it's beyond belief! □ (fam.) **da matti** (enormemente, moltissimo), like mad; like crazy: **fare un male da matti**, to hurt like crazy; Mi piace da matti, I'm crazy about it □ **fare il m.**, to play the fool; (divertirsi rumorosamente) to horse around □ (fig.) **gabbia di matti**, madhouse; bedlam Ⓤ.

màtto ② a. (scacchi) – **scacco m.**, checkmate; **dare scacco m.**, to mate; (anche fig.)
to checkmate.

mattòide Ⓐ a. half-crazy; dotty (fam.); potty (fam. GB); screwy (fam.); ditzy, ditsy (fam. USA); wacky (fam. USA) Ⓑ m. e f. odd-ball; screwball (USA).

mattonàia f. brickfield.

mattonàio m. brickmaker.

mattonàre v. t. to pave with bricks; to brick.

mattonàta f. 1 blow with a brick 2 → **mattone**, def. 2.

mattonàto Ⓐ a. paved with bricks Ⓑ m. brick surface; brick floor.

mattonatóre m. brick-paver; bricklayer.

mattonatùra f. 1 (lavoro) brick-paving; brick-laying 2 (superficie) brick surface; brick floor.

mattoncino m. 1 small brick 2 (nei giochi) building block; toy brick.

◆ **mattóne** Ⓐ m. (edil.) 1 brick: **m. a cuneo**, arch brick; wedge-shaped brick; **m. crudo**, unfired (o green) brick; **m. forato**, perforated brick; hollow tile; **m. per taglio** (o **per coltello, per costa**), header; **m. pieno**, solid brick; **m. refrattario**, firebrick; **chiudere con mattoni un'apertura**, to brick up an opening; **cuocere mattoni**, to burn (o to bake) bricks; **fila di mattoni**, course; **muro di mattoni**, brick wall 2 (fig.: cosa o persona noiosa) bore; drag (fam.); yawn (fam.); (peso) weight: Il tuo amico è un vero m., your friend is a real bore; Quel libro è un m., that book is terribly boring (o is heavy going) 3 (giorn.) real estate: **investire nel m.**, to invest in real estate ● (fig. fam.) **avere un m. sullo stomaco**, to have st. lying (heavy) on one's stomach Ⓑ a. inv. – **rosso m.**, brick red.

mattonèlla f. 1 (piastrella) tile: **m. per pavimentazione**, paving tile; **m. per pavimenti**, floor tile; **m. per rivestimenti**, wall tile; **parete a mattonelle**, tiled wall; **posa in opera di mattonelle**, tiling 2 (blocco, mattoncino) brick: **m. di gelato**, block of ice cream; **m. refrigerante**, freezer pack 3 (combustibile) briquette 4 (sponda del biliardo) cushion.

mattonellificio m. tile factory.

mattonétto m. small brick; narrow brick.

mattonièra f. brick-moulding machine.

mattonificio m. brickyard.

mattutino Ⓐ a. morning (attr.): **passeggiata mattutina**, morning walk; **la stella mattutina**, the morning star Ⓑ m. 1 (eccles.) matins (pl.): **cantare il m.**, to sing matins 2 (suono della campana) morning bell.

maturàndo m. (f. **-a**) candidate for school-leaving certificate; secondary-school student in his [her] final year.

◆ **maturàre** Ⓐ v. t. 1 (rendere maturo) to ripen; to mature; (vino, formaggio) to mature, to age 2 (rendere più adulto) to mature; to bring* to maturity (o to ripeness): L'esperienza lo ha maturato, that experience has matured him (o has made him grow up) 3 (meditare) to ponder; to consider; to turn over in one's mind: **m. una decisione**, to ponder a decision; (prenderla) to come to a decision; Sto maturando l'idea di mettermi in proprio, I'm considering starting my own business 4 (portare a compimento) to develop; to work out; to think* out; **m. una notevole esperienza in qc.**, to develop considerable expertise in st. 5 (bur.: completare) to complete: **m. trent'anni di contributi**, to complete thirty years of contributions 6 (scolastico) to pass (in a secondary-school final examination); to graduate (USA) Ⓑ v. i. 1 (di frutto) to ripen; to mature; to come* to maturity 2 (invecchiare, stagionare) to mature; to age; to season: **lasciare m. il vino**,

to let wine age (*o* mature) **3** (*di persona*) to mature: *Il ragazzo è molto maturato quest'anno*, the boy has matured a lot this year **4** (*giungere a compimento*) to ripen; to come° to maturity; (*formarsi*) to take° shape, to build° up: **lasciar m. gli eventi**, to let things take their course; *Maturò in lui l'idea di lasciare il paese*, the idea of leaving the country gradually took shape in his head **5** (*econ.*: *diventare esigibile*) to fall° due; to become° due for payment; (*di polizza, ecc.*) to reach maturity, to mature; (*d'interessi*) to accrue **6** (*med.*) to come° to a head ● **maturàrsi v. i. pron.** to ripen; to mature; to become° ripe.

maturàto a. 1 ripened; matured **2** (*decorso*) completed; ended **3** (*a scadenza*) due; fallen due; (*di polizza, ecc.*) matured; (*di interessi*) accrued **4** (*meditato*) pondered; thought-out.

maturazióne f. 1 (*il processo*) maturation; maturing; ripening; (*invecchiamento, stagionatura*) ageing, seasoning: **m. tarda**, slow maturation; **giungere a m.**, to become ripe **2** (*elaborazione*) pondering; thinking out; working out **3** (*econ.*) maturity; (*accumulazione*) accrual: **m. di interessi**, accrual of interest; **alla m.**, at maturity; **giungere a m.**, to fall° due; to become° due for payment; (*di polizza, ecc.*) to mature **4** (*med.*) maturation; suppuration: **arrivare a m.**, to maturate; to come to a head; **portare a m.**, to bring to a head.

maturità f. 1 (*di frutto*) ripeness; maturity **2** (*età matura*) maturity; adulthood; (*estens.*: *capacità intellettuale, pieno sviluppo*) maturity: **m. di giudizio**, maturity of judgment; **m. politica**, political maturity; **raggiungere la m.**, to reach maturity **3** (*compimento*) ripeness; maturity **4** (*scuola, anche diploma di m.*) school-leaving certificate; (*anche esame di m.*) school-leaving examination: **conseguire la m.**, to pass one's school-leaving examination; *Quest'anno ho la m.*, I'm taking my school-leaving examination this year.

♦**matùro A a. 1** (*agric.*) ripe; mature; (*invecchiato*) aged, seasoned: **grano m.**, ripe corn; **uva matura**, ripe grapes; **vino m.**, well-matured (*o* mellow) wine; **troppo m.**, overripe **2** (*adulto*) mature, grown-up, fully grown; (*avanti negli anni*) mature, of age (pred.): *È m. per la sua età*, he is mature for his age; **m. d'anni**, of mature years; middle-aged; **età matura**, maturity; mature age **3** (*compiuto*) mature, matured, ripe; (*pronto*) mature, ready: **opera matura**, mature work; *I tempi sono maturi*, the time is ripe **4** (*meditato*) mature; careful **5** (*med.*) mature; (*di foruncolo, ecc.*) that has come to a head **6** (*econ.*) mature; due for payment; (*d'interessi*) accrued **B m. (f. -a)** student who has obtained his school-leaving certificate.

matùşa m. e f. inv. (*fam. scherz.*) fossil; old fogey; wrinkly, wrinklie (*fam., GB*).

matuşalèmme m. very old man°; decrepit old man° (*spreg.*).

Matuşalèmme m. (*Bibbia*) Methuselah ● **vecchio quanto M.**, as old as the hills.

mauritàno a. e m. (f. -a) Mauritanian.

mauriziàno a. 1 (*di Mauritius*) Mauritian **2** of the Order of St Maurice and St Lazarus.

Maurìzio m. Maurice.

màuro m. 1 (*stor.*) Moor **2** → **mauritano**.

mauşolèo m. mausoleum.

mauve (*franc.*) **a. inv.** mauve.

mauveìna f. (*chim.*) mauve; mauveine.

MAV sigla (**Magistrato alle acque di Venezia**) Venetian Water Authority.

max avv. maximum; max: **velocità max 70 km/h**, maximum speed 70 km/h; *Cercasi rappresentante max trentenne*, wanted sales representative aged 30 max.

màxi a. maxi.

maxillofacciàle a. (*anat.*) maxillofacial.

maxillolabiàle a. (*anat.*) maxillolabial.

maximòto f. inv. superbike.

maximùlta f. heavy fine.

màximum (*lat.*) **m. inv.** (*econ.*) maximum price; ceiling price; top price.

maxiprocèsso m. (*leg.*) mass trial; maxi-trial.

maxischèrmo m. large screen.

maxitamponaménto m. pile-up.

maxitràm m. inv. jumbo tram.

màxwell (*ingl.*) **m. inv.** (*fis.*) maxwell.

màya A a. inv. Mayan; Maya (attr.): **la civiltà m.**, the Maya civilization **B m. e f. inv.** Maya° **C m.** (*ling.*) Maya.

mazdàico a. (*stor. relig.*) Mazdean; Mazdaist; Zoroastrian.

mazdaìşmo m. (*stor. relig.*) Mazdaism; Zoroastrianism.

mazdèo → **mazdaico**.

mazùrca, mazùrka f. mazurka.

mazùt → **masut**.

♦**màzza f. 1** (*bastone*) cudgel; club; bludgeon; truncheon; (*da passeggio*) walking-stick **2** (*bastone cerimoniale o di comando*) mace; (*di mazziere di banda*) baton **3** (*grosso martello*) sledgehammer; (*di legno*) mallet **4** (*sport: golf*) club; (*cricket, baseball*) bat; (*polo*) mallet **5** (*mus., per la grancassa*) (padded) stick **6** (*bot.*) – **m. d'oro** (*Lysimachia vulgaris*), (golden) loosestrife; **m. da tamburo** (*Lepiota procera*), parasol mushroom **7** (*pop.*) nothing; (a) bean; (a) damn: *Non m'importa una m.*, I don't give a damn; *Lui non ne sa una m.*, he knows damn all about it; **non valere una m.**, not to be worth a bean; not to be worth a damn ● (*mecc.*) **m. battente**, ram; tup □ (*mil., stor.*) **m. ferrata**, mace; war club.

mazzacavàllo m. (*per attingere acqua*) well sweep.

mazzafiónda f. (*region.*) sling; catapult.

mazzafrómbola f. (*mil. stor.*) catapult.

mazzafrùsto m. (*mil. stor.*) flail.

mazzagàtti m. inv. pocket gun.

mazzapìcchio m. 1 (*da bottaio*) cooper's mallet, beetle; (*da macellaio*) poleaxe **2** (*battipalo*) pile driver **3** (*mazzeranga*) tamper.

mazzàta f. 1 blow with a club; (*colpo violento*) heavy blow **2** (*fig.*) terrible blow; shock: *La notizia fu per lui una m.*, the news was a terrible blow to him (*o* came to him as a shock); *L'ultima bolletta del telefono è stata una m.*, we had a shocking telephone bill last month.

mazzerànga f. tamper.

mazzétta① f. 1 (*di campioni di tessuto*) fabric sample book **2** (*di biglietti di banca*) wad (of banknotes); bundle **3** (*pop.*) payoff; kickback; payola (*USA*); (*tangente*) bribe: **dare mazzette**, to bribe; to grease; **prendere mazzette**, to take bribes; to be on the take (*slang*).

mazzétta② f. 1 (*mazza con manico corto*) mallet; beetle **2** (*martello da roccia*) piton hammer.

mazzétto m. 1 (*di fiori*) (small) bunch of flowers; bouquet; nosegay **2** (*cucina*) bouquet garni (*franc.*) **3** (*bot.*) inflorescence: **fiori a m.**, corymb.

mazziàto a. (*region.*) beaten-up.

mazzière① m. 1 (*stor.*) mace-bearer (*in un corteo*) mace-bearer; (*di banda*) drum major.

mazzière② m. (*nei giochi di carte*) dealer.

mazziniàno A a. of Mazzini, Mazzini's; Mazzinian **B m. (f. -a)** Mazzinian.

♦**màzzo① m. 1** (*fascio*) bunch; bundle: **m. di fiori**, bunch of flowers; **m. di carote**, bundle of carrots; **a mazzi**, in bunches; in bundles **2** (*insieme di oggetti*) bunch; (*pila*) pile, pack: **m. di chiavi**, bunch of keys; **m. di matite**, bunch of pencils **3** (*anche m. di carte*) pack (*USA* deck) of cards: **fare il m.**, to shuffle (the cards); **tagliare il m.**, to cut the pack; **tenere il m.**, to be the dealer; **truccare il m.**, to stack the deck; *Chi è di m.?*, whose deal is it? **4** (*fig.*: *gruppo*) bunch; set ● (*fig.*) **mettere tutto in un m.**, to lump everything together.

màzzo② m. (*volg.*) bum (*slang GB*); can (*slang USA*); arse (*volg. GB*); ass (*volg. USA*) ● (*fig.*) **Hai un gran m.!**, you lucky bastard! □ (*fig.*) **fare il m. a q.**, (*far faticare*) to work sb.'s tail (*o* butt, *volg.* ass) off; (*rimproverare*) to carpet (*fam. GB*), to chew sb. out (*fam. USA*), to chew (*o* to bust) sb.'s ass (*volg. USA*); (*bocciare*) to plough (*fam.*), to flunk (*fam. USA*) □ (*fig.*) **farsi il m.**, to slog one's guts out; to work one's tail (*o* butt, *volg.* ass) off; to bust one's ass (*volg.*).

mazzòcchio m. 1 (*di insalata*) shoot **2** (*ciuffo di capelli*) tuft of hair.

mazzolàre v. t. 1 to hit° [to beat°] with a mallet **2** (*colpire*) to club **3** (*uccidere*) to club to death **4** (*fig. fam.*) to tell° off; to carpet (*fam.*) **5** (*fam.*) to chew out.

mazzolàta f. 1 blow with a mallet **2** (*fig.*) blow; shock.

mazzolìno m. small bunch of flowers; bouquet; posy; nosegay.

mazzuòla f. mallet.

mazzuòlo m. 1 mallet; (*da scalpellino*) stonemason's hammer **2** (*mus., per timpani*) drumstick.

MC abbr. (**Macerata**).

MCD sigla (*mat.*, **massimo comun divisore**) greatest common divisor (GCD).

mcd sigla (*mat.*, **minimo comune denominatore**) least (*or* lowest) common denominator (lcd).

MCL sigla (**Movimento cristiano dei lavoratori**) Christian Workers Movement.

mcm sigla (*mat.*, **minimo comune multiplo**) least (*or* lowest) common multiple (lcm).

MD sigla (**Medio-Campidano**).

♦**me pron. pers. 1ª pers. sing. m. e f. 1** (*compl.*) me; (*me stesso*) myself: *Volevano vedere me, non te*, they wanted to see me, not you; *Non si curano di me*, they don't care about me; *A me non importa*, it doesn't matter to me; I don't care; *Voleva proprio me*, it was me she wanted; *Lascia fare a me!*, leave it to me!; **una stanza tutta per me**, a bedroom to myself; *L'ho fatto da me*, I did it by myself; *Sono fuori di me dalla gioia*, I am beside myself with joy; *Se tu fossi in me*, if you were me (*o* in my shoes); *Suvvia, dimmelo*, do tell me; *Lo devo a me stesso*, I owe it to myself **2** (in funzione di sogg.) I: *Ne sai quanto me*, you know as much as I do; *È bravo quanto me*, he is as clever as I am; *Sei più forte di me*, you're stronger than I am; *Fate come me*, do as I do; do like me (*fam.*) **3** (*pleonastico*) – *Me lo auguro!*, I certainly hope so!; *Me lo sono mangiato*, I ate it ● **per me** (*o* **in quanto a me**), for my part; as far as I am concerned □ **Povero me!**, poor me!; good grief! □ **secondo me**, in my opinion □ **tra me (e me)**, to myself □ (*prov.*) **Oggi a me, domani a te**, me today, you tomorrow.

ME sigla (**Messina**).

mèa cùlpa (*lat.*) **loc. m. inv. 1** (*relig.*) mea culpa **2** (*fig.*) breast-beating ● (*fig.*) **recitare il mea culpa**, to beat one's breast; to eat humble pie (*fam.*).

meàndrico a. meandering; winding.

meàndro m. 1 (*di fiume*) meander; bend **2** (al pl.) (*labirinto*) labyrinth (sing.); maze (sing.): **i meandri di un palazzo**, the laby-

rinth of rooms in a palace **3** (*tortuosità*) twists and turns: **i meandri del suo ragionamento**, the twists and turns of his reasoning; **i meandri della burocrazia**, red tape ▣ **4** (*motivo ornamentale*) meander.

meàto m. (*anat.*) meatus*.

MEC sigla (*stor.*, **Mercato europeo comune**) European Common Market (ECM).

mècca f. **1** (*posto che attrae*) Mecca **2** (*vernice*) gilt.

Mècca f. (*geogr.*) Mecca.

♦**meccànica** f. **1** mechanics (pl. col verbo al sing.): **m. applicata**, applied mechanics; **m. celeste**, celestial mechanics; gravitational astronomy; **m. dei solidi**, mechanics of solids; **m. quantistica**, quantum mechanics; **m. razionale**, rational mechanics **2** (*meccanismo*) mechanism; works (pl.); (*di pianoforte, fucile, orologio, anche*) action; (*di veicolo*) mechanics (pl. col verbo al sing.), mechanicals (pl.) **3** (*fig.: funzionamento*) process; workings (pl.); (*aspetti tecnici*) mechanics (pl. col verbo al sing.); (*svolgimento*) (the) way (*o how*) st. happened: **la m. dei fatti**, the sequence of events; **la m. di un gioco**, the mechanics of a game; **la m. del mercato dei cambi**, the mechanics of the exchange market; **la m. del rapimento del giovane**, how the young man was kidnapped; **ricostruire la m. di un incidente**, to establish how an accident happened; to reconstruct an accident.

meccanicismo m. **1** (*filos.*) mechanism **2** (*fig.*) mechanicalness.

meccanicista m. e f. (*filos.*) mechanist.

meccanicìstico a. (*filos.*) mechanistic.

meccanicità f. mechanicalness.

♦**meccànico** ▣ a. **1** (*relativo alla meccanica o a un meccanismo*) mechanical: **arti meccaniche**, mechanical arts; **energia meccanica**, mechanical energy; **guasto m.**, mechanical fault; **ingegneria meccanica**, mechanical engineering; **parti meccaniche**, mechanical parts; mechanicals; (*ind. tess.*) **telaio m.**, power loom **2** (*fatto con una macchina*) machine (attr.): **mungitura meccanica**, machine milking **3** (*fig.: automatico*) mechanical; automatic; (*di routine*) routine (attr.): **gesto m.**, mechanical gesture; **lavoro m.**, routine work ▣ m. (f. **-a**) mechanic; (*tecnico*) engineer.

♦**meccanismo** m. **1** (*mecc.*) mechanism; machinery; (*parti mobili*) movement, work, gear: **m. a cremagliera**, rack-work; **m. a molla**, clockwork; **m. di distribuzione**, valve gear; (*naut.*) **m. di governo**, steering gear; **il m. d'un orologio**, the movement of a watch **2** (*fig.*) mechanism; machinery; process: **il m. amministrativo dello Stato**, the state administrative machinery; **il m. della digestione**, the digestive process; **m. processuale**, procedural machinery **3** (*psic.*) mechanism; process: **m. di difesa**, defence mechanism; **il m. della memoria**, the memorizing process.

meccanizzàre ▣ v. t. to mechanize ▣ **meccanizzàrsi** v. i. pron. to be mechanized; to become* mechanized.

meccanizzàto a. **1** mechanized **2** (*motorizzato*) motorized: (*mil.*) **reparto m.**, motorized unit.

meccanizzazióne f. mechanization.

Meccàno® m. (*gioco*) Meccano®.

meccanocettóre → **meccanorecettore**.

meccanografìa f. machine accounting; automatic data processing.

meccanogràfico a. data processing (attr.): **centro m.**, data-processing centre.

meccanorecettóre m. (*fisiol.*) mechanoreceptor.

meccanoterapìa f. (*med.*) mechano-

therapy.

meccatrònica f. (*elettr.*) mechatronics (pl. col verbo al sing.).

meccatrònico a. (*elettr.*) mechatronic.

mecenàte m. patron (of the arts).

Mecenàte m. (*stor.*) Maecenas.

mecenatésco a. patronly; patron's (attr.); of patronage: **appoggio m.**, patron's support; patronage; **sistema m.**, system of patronage.

mecenatismo m. patronage.

mèche (*franc.*) f. inv. streak: **farsi le m.**, to have streaks put in one's hair.

mechitarista m. (*eccles.*) Mekhitarist.

méco forma pron. (*lett.*) with me.

mecòmetro m. (*med.*) mecometer.

meconàto m. (*chim.*) meconate.

mecònio m. (*fisiol.*) meconium.

meconismo m. (*med.*) opium addiction.

méda f. (*naut.*) landmark; (*luminosa*) beacon.

♦**medàglia** f. **1** medal: **m. al valor civile**, medal for bravery in peacetime; **m. al valor militare**, medal for military valour; **m. commemorativa**, commemorative medal; **m. d'oro [d'argento, di bronzo]**, gold [silver, bronze] medal; **m. olimpica**, Olympic medal; **il diritto della m.**, the obverse (*o* face) of the medal; **il rovescio della m.**, the reverse of the medal; (*fig., anche*) the other side of the coin; **conferire una m. al valore militare**, to award a medal for military valour **2** (*vincitore di m.*) medallist, medalist (*USA*); (*decorato con m.*) person awarded a medal: **È stato tre volte m. d'oro**, he was three times gold medallist; **È m. d'oro al valore**, he was awarded a gold medal for valour.

medagliàto (*sport*) ▣ a. medalled ▣ m. (f. **-a**) medalled athlete.

medaglière m. **1** (*collezione*) collection of medals **2** (*vetrina*) medal showcase **3** (*mil.*) medals (pl.) awarded; (*sport*) medals (pl.) won: **il m. italiano alle Olimpiadi di Sydney**, the medals won by Italy at the Sydney Olympics.

medaglietta f. **1** small medal **2** (*piastrina, di cane*) dog-tag **3** (*contrassegno dei deputati*) MP's badge.

medaglióne m. **1** (*grossa medaglia*) medallion **2** (*gioiello*) locket **3** (*archit.*) medallion **4** (*letter.*) literary-biographical portrait **5** (*cucina*) médaillon (*franc.*); medallion.

medaglìsta m. e f. **1** (*collezionista*) collector of medals **2** (*disegnatore, incisore*) medallist, medalist (*USA*).

medaglìstica f. **1** (*arte*) medal design; medal engraving **2** (*scienza*) numismatics (pl. col verbo al sing.).

medesimaménte avv. likewise; in the same way.

♦**medésimo** ▣ a. **1** (*lo stesso*) same; identical: **nel m. giorno**, on the same day; **nel m. tempo**, at the same time; (*insieme*) together; (*inoltre*) moreover, besides; **la stessa medesima cosa**, exactly the same thing; the very same thing; **la medesima risposta di prima**, the same answer as before; **essere della medesima idea**, to be of the same opinion **2** (*proprio quello*) very: *Furono quelle medesime parole a convincermi*, it was those very words that convinced me **3** (*in persona*) himself; herself, etc.; (*personificato*) itself, personified: **il Papa m.**, the Pope himself; **la regina medesima**, the queen herself; *È la bontà medesima*, he's kindness itself **4** (*rafforzativo di pron. pers.*) myself [yourself, himself, etc.]: *Verrò io m.*, I shall come myself ▣ pron. (the) same: *È il m. che ho visto ieri*, it's the same I saw yesterday.

♦**mèdia** ① f. **1** average; mean: **m. approssi-**

mativa, approximate average; (*mat.*) **m. armonica**, harmonic mean; **la m. dei prezzi**, the average (*o* middle) price; **m. geometrica**, geometrical mean; (*meteor.*) **m. giornaliera**, daily mean; **m. matematica**, arithmetic mean; **m. mensile**, month's average; **m. oraria**, average per hour; (*stat.*) **m. ponderata**, weighted mean (*o* average); **m. proporzionale**, proportional mean; (*mat.*) **m. quadratica**, root mean square value; *La m. degli ultimi tre mesi è buona*, the average for the last three months is good; **fare la m. tra una serie di cifre**, to average a series of figures; **essere intorno alla m. stagionale**, to be around the seasonal average; **influenzare la m.**, to affect the average; **la m. dei prezzi**, the average; *Abbiamo percorso una m. di 300 km al giorno*, we averaged 300 km a day; *La piovosità raggiunge una m. di 50 pollici l'anno*, the rainfall averages 50 inches a year; **alla m. di**, on an average of; **in m.**, on (an) average; on the average; *Dormo in m. sei ore per notte*, I sleep six hours per night on an average; *Mi sono costati in m. tre euro l'uno*, I paid an average of three euros each; **nella m.**, within the average; **pari alla m.**, up to the average; **sopra la m.**, above the average; **sotto la m.**, below the average **2** (*votazione scolastica*) average marks (pl.); averages (pl.): **la m. trimestrale**, the term's marks (*o* averages) *Ho una buona m.*, I have good (average) marks; my averages are good; **essere promosso con la m. del sette**, to pass with an average mark of seven (out of ten); **fare le medie**, to work out the term's marks **3** (*anche al pl.*) secondary school; lower secondary school: **medie inferiori [superiori]**, lower [upper] secondary school; **terza m.**, the third year of lower secondary school; **frequentare le medie**, to be in lower secondary school.

media ② m. pl. media.

mediàle ① a. (*anat.*) medial.

mediàle ② a. (*ling.*) medial.

mediàle ③ a. (*dei media*) media (attr.).

mediaménte avv. on (an) average; on the average.

mediàna f. **1** (*mat., stat.*) median **2** (*calcio*) halfback line.

medianicità f. mediumistic nature.

mediànico a. mediumistic; psychic.

medianismo m. **1** (*insieme di fenomeni*) mediumistic phenomena (pl.) **2** (*attività di medium*) mediumship.

medianità f. medium powers (pl.).

mediàno ▣ a. **1** medium; middle (attr.); median (*scient.*): (*geom.*) **linea mediana**, median (line); (*anat.*) **nervo m.**, median (nerve); **punto m.**, middle (*o* median, mid) point **2** (*ling.*) medial ▣ m. (*sport: calcio, football*) halfback; (*rugby, hockey*) half: **m. di mischia**, scrum-half; **m. di apertura**, fly-half.

mediànte ① prep. by; by means of; through: *I pensieri si esprimono m. le parole*, thoughts are expressed by means of words; **pagamento m. assegno**, payment by cheque.

mediànte ② f. (*mus.*) mediant.

mediàre ▣ v. t. **1** to mediate **2** (*mat.*) to average ▣ v. i. (*fare da mediatore*) to mediate.

mediastìneo, mediastìnico a. (*anat.*) mediastinal.

mediastìno m. (*anat.*) mediastinum*.

mediatèca f. video and tape library; media library.

mediàtico a. media (attr.).

mediàto a. mediate; (*indiretto*) indirect.

mediatóre ▣ m. (f. **-trìce**) **1** mediator; intermediary: **m. di pace**, peace mediator;

fare da m., to act as a mediator; to mediate **2** (*comm.*) agent; broker; (*sensale*) middleman* (m.): **m. di affari**, business agent; **m. immobiliare**, (real) estate agent; **m. per conto del compratore**, buying broker; **m. per conto del venditore**, selling broker **3** (*intercessore*) mediator; intercessor **4** (*biochim.*) – **m. chimico**, neurohumour **B** a. mediatory.

mediazióne f. **1** mediation: *Con la m. della Francia si giunse a un accordo*, an agreement was reached through the mediation of France; **offrire la propria m.**, to offer one's mediation; **fare opera di m.**, to try to mediate; to act as a mediator **2** (*comm.*) brokerage; (*compenso*) (broker's) commission, brokerage: **esercitare la m.**, to be a broker; **diritti di m.**, brokerage rates.

medicàbile a. medicable; treatable.

medicàle a. medical.

medicalizzàre v. t. to medicalize.

medicalizzazióne f. medicalization.

medicamentàrio a. medicament (attr.); medication (attr.); medicinal.

medicaménto m. medicament; medicine; remedy.

medicamentóso a. medicinal; curative; healing.

medicàre **A** v. t. **1** to treat; to tend; (*pulire e proteggere*) to dress: **m. una ferita**, to dress a wound; **m. una piaga**, to treat a sore; *I feriti furono medicati*, the injured received medical attention; **farsi m.**, to be medically attended to; to have one's injuries treated **2** (*fig. lett.*) to heal; to cure: **m. gli animi**, to heal souls **B** **medicàrsi** v. rifl. to treat oneself; (*rif. a ferite*) to treat (o to dress) one's wounds.

medicàstro m. (*spreg.*) quack; medicaster.

medicàto a. medicated; treated; (*pulito e protetto*) dressed: **cerotto m.**, medicated plaster.

◆**medicazióne** f. (*trattamento*) treatment, (*con cerotto, bendaggio, ecc.*) dressing; (*medicamento applicato*) medicament, (*bendaggio, ecc.*) dressing: **cambiare la m.**, to change the dressing; **pacchetto di m.**, first-aid kit.

medìceo a. (*stor.*) Medicean.

medichéssa f. (*scherz.*) lady doctor.

◆**medicìna** f. **1** (*scienza*) medicine: **m. del lavoro**, industrial (o occupational) medicine; **m. interna**, internal medicine; **m. legale**, forensic medicine; medical jurisprudence; **m. omeopatica**, homeopathic medicine; **m. preventiva**, preventive medicine; **esercitare la m.**, to practise medicine; **studiare m.**, to study medicine; **dottore in m.**, doctor of medicine; **facoltà di m.**, faculty of medicine; **laurea in m.**, degree in medicine; medical degree; **libri di m.**, medical books; **studente di m.**, medical student **2** (*farmaco*) medicine, drug, medication Ⓤ o Ⓒ (*rimedio*) remedy: *Prende medicine per la pressione alta*, he's taking (o he's on) medication for high-blood pressure; **prendere troppe medicine**, to take too many medicines (o drugs); **prescrivere una m.**, to prescribe a medicine **3** (*fig.: cura, rimedio*) medicine; remedy **4** (*fig.: consolazione, balsamo*) balm.

◆**medicinàle** **A** a. medicinal; (*curativo*) healing, curative: **erba m.**, medicinal herb; **sostanza m.**, medicinal substance; **virtù medicinali**, healing properties **B** m. medicine; drug; medicinal substance; medication: **m. con ricetta**, prescription drug; *È un m., usare con cautela*, it's a drug, use with care; **armadietto dei medicinali**, medicine cabinet; **scorte di medicinali**, medical supplies.

◆**mèdico** ① **A** m. **1** doctor; physician; medical man* (*fam.*): **m. chirurgo**, surgeon; **m.** **condotto**, district doctor; **m. curante**, doctor (in charge of a case); **m. dentista**, dentist; **m. di base**, general practitioner (abbr. GP); (*naut.*) **m. di bordo**, ship's doctor; surgeon (*stor.*); **m. di famiglia** (o **di fiducia**), family doctor; **m. generico**, general practitioner (abbr. GP); **m. fiscale**, doctor checking on employees on sick leave; **m. legale**, police doctor; medical examiner (*USA*); **m. militare**, medical officer; **m. ospedaliero**, hospitalist; *È il nostro m.*, she is our doctor (o our GP); **consultare un m.**, to see a doctor; **mandare a chiamare un m.**, to send for a doctor; **seguire i consigli del m.**, to follow the doctor's advice **2** (*fig.*) healer: *Il tempo è un gran m.*, time is a great healer **B** a. medical: **certificato m.**, health certificate; **consulto m.**, medical consultation; **patologia medica**, medical pathology; **ufficiale m.**, medical officer; **visita medica**, medical examination; (*di controllo*) physical examination; **ricetta medica**, (doctor's) prescription.

mèdico ② a. (*stor.*) Median.

medico-chirùrgico a. medico-surgical.

medicóne m. (f. **-a**) **1** important doctor **2** (*pop.*) quack.

medieuropèo a. Middle-European; Mid-European.

medievàle a. **1** medieval **2** (*fig.*) medieval.

medievalìsmo m. medievalism.

medievalìsta m. e f. medievalist.

medievalìstica f. medieval studies (pl.).

medievalìstico a. medieval studies (attr.).

medievìsta → **medievalìsta**.

medìna f. medina.

◆**mèdio** **A** a. **1** (*di mezzo*) middle; (*fra un massimo e un minimo*) medium, average: **il ceto m.**, the middle class (o classes); **il dito m.**, the middle finger; **il Medio Evo**, the Middle Ages (pl.); **il M. Oriente**, the Middle East; (*radio*) **onde medie**, medium waves; **di grandezza media**, medium-sized; mid-size; average-sized; **di intelligenza media**, of average intelligence; **di qualità media**, of middling quality; **di statura media**, of medium (o average) height **2** (*stat.*) average; mean: **l'età media dei partecipanti**, the average age of participants; **l'italiano m.**, the average Italian; **prezzo m.**, average price; **reddito m.**, mean income; **temperatura media**, average (o mean) temperature; **valore m.**, mean value **3** (*ling.*) middle: **verbo m.**, middle verb ● **campo m.**, (*pitt.*) middle distance; (*cinem.*) medium long shot ◻ **istruzione media**, secondary education ◻ (*sport*) **peso m.**, middleweight ◻ **scuola media** → **scuola** ◻ (*elettr.*) **tensione media**, medium voltage ◻ (*filos.*) **il termine m. di un sillogismo**, the middle term of a syllogism ◻ **l'uomo m.**, the average man; the man in the street **B** m. **1** (*dito m.*) middle finger **2** (*mat.*) mean (term) **3** (*ling.*) middle verb.

mediòcre **A** a. **1** (*non eccellente*) mediocre; middling; unexceptional; (*comune*) commonplace, ordinary, run-of-the-mill: **una persona di m. abilità**, a person of mediocre (o middling) ability; **commedia m.**, run-of-the-mill play; **vino m.**, ordinary wine **2** (*studente*) second-rate; poor; shoddy: **lavoro m.**, second-rate job; *Questa traduzione è piuttosto m.*, this translation is rather shoddy ● **men che m.**, decidedly poor **B** m. e f. mediocrity: *È un m.*, he is a mediocrity.

mediocrédito m. (*banca*) medium-term credit.

mediocreménte avv. moderately; middling.

mediocrità f. **1** mediocrity: **il trionfo della m.**, the triumph of mediocrity; **al di** **sotto della m.**, below mediocrity **2** (*persona mediocre*) mediocrity **3** (*lett.: posizione mediana*) mean: **l'aurea m.**, the golden (o happy) mean.

medioevàle e *deriv.* → **medievale**, e *deriv.*

Medioèvo m. Middle Ages (pl.): **l'alto M.**, the early Middle Ages; the Dark Ages; **il basso M.**, the late Middle Ages.

mediolatinità f. Latin Middle Ages (pl.).

mediolatìno a. e m. Medieval Latin.

medioleggèro a. e m. (*sport*) welterweight.

mediologìa f. media studies (pl.).

mediològico a. media (attr.).

mediòlogo m. (f. **-a**) media expert.

mediomàssimo a. e m. (*sport*) light heavyweight.

mediometràggio m. (*cinem.*) short feature film.

mediopalatàle a. (*fon.*) mid-palatal.

mediorientàle a. Middle-Eastern.

mediotèca → **mediateca**.

meditabóndo a. meditative; thoughtful; pensive; brooding.

meditàre **A** v. t. **1** (*considerare*) to meditate on (o upon); to consider; to contemplate; to ponder on; to think of (doing st.): *Stiamo meditando un nuovo investimento*, we are contemplating (o considering, pondering) a new investment; **parole da m.**, words to meditate on **2** (*progettare*) to meditate; to plan; to conceive; to think* up: **m. la fuga**, to plan an escape; **m. vendetta**, to meditate revenge **B** v. i. **1** to meditate (on, upon); to ponder (on); to mull (over); to ruminate (on); to brood (over): **m. sull'immortalità dell'anima**, to meditate upon the immortality of the soul; **m. su una proposta**, to mull over a proposal **2** (*assol.: riflettere*) to reflect, to ponder; (*essere in meditazione*) to meditate.

meditataménte avv. **1** meditatively; after due consideration **2** (*apposta*) deliberately; on purpose.

meditatìvo a. meditative; contemplative: **mente meditativa**, meditative mind.

meditàto a. meditated; thought-out; pondered; well-considered; (*calcolato*) deliberate: **decisione meditata**, well-considered decision; **parole meditate**, pondered (o considered) words; **un piano ben m.**, a well thought-out plan.

meditazióne f. **1** meditation; cogitation; (*riflessione*) reflection; (*considerazione*) consideration: **immerso in m.**, deep in meditation; **degno di m.**, worthy of consideration **2** (*pratica ascetica*) meditation.

mediterraneità f. Mediterranean character; Mediterranean quality.

mediterràneo a. **1** (*interno*) mediterranean; landlocked; inland: **un mare m.**, a landlocked sea; **il Mare M.**, the Mediterranean Sea **2** (*del Mediterraneo*) Mediterranean: **clima m.**, Mediterranean climate; **dieta mediterranea**, Mediterranean diet; (*med.*) **febbre mediterranea**, Malta (o Mediterranean) fever; **macchia mediterranea**, Mediterranean scrub; maquis (*franc.*).

mèdium ① m. e f. inv. (*spiritismo*) medium; psychic.

medium ② m. (*mezzo di comunicazione*) medium*.

mèdo (*stor.*) **A** a. Median **B** m. Mede.

◆**medùsa** f. **1** (*mitol.*) Medusa **2** (*zool.*) jellyfish; medusa*.

medusèo a. **1** Medusan **2** (*zool.*) medusan.

medusòide a. (*zool.*) medusoid.

mefìsto m. close-fitting woollen cap (for skiers and mountain-climbers).

a b c d e f g h i j k l **m** n o p q r s t u v w x y z

Mefistòfele m. Mephistopheles.

mefistofèlico a. Mephistophelean; Mephistophelian; (*fig.*, *anche*) satanic, diabolic, diabolical, sardonic: **astuzia mefistofelica**, diabolical cunning; **sorriso m.**, satanic smile.

mefite f. mephitis.

mefitico a. **1** fetid; foul; pestilential; mephitic: **aria mefitica**, foul air; **esalazioni mefitiche**, mephitic exhalations **2** (*fig.*) corrupt.

megabyte m. inv. (*comput.*) megabyte.

megacardìa f. (*med.*) megalocardia.

megacariocìta, **megacariocito** m. (*biol.*) megakaryocyte.

megacìclo m. (*fis.*) megacycle.

megaconcèrto m. megaconcert.

megadina f. megadyne.

megafonìsta m. e f. announcer (on a megaphone).

megàfono m. megaphone; (*elettrico*) loudhailer, bullhorn (*USA*).

megagalàttico a. (*scherz.*: *grandissimo*) huge, mega, whopping (*GB*), ginormous (*GB*), humongous (*USA*); (*bellissimo*) mega, super, fabulous.

megahèrtz m. (*fis.*) megahertz.

megalite m. megalith.

megalitico a. megalithic.

megaloblàsto m. (*biol.*) megaloblast.

megalocardìa f. (*med.*) megalocardia; cardiomegaly.

megalocìta, **megalocito** m. (*biol.*) megalocyte.

megalòmane a., m. e f. megalomaniac.

megalomanìa f. megalomania.

megalòpoli f. megalopolis*.

megalopsìa f. (*med.*) macropsia.

megalopsichìa f. excessive self-confidence; overreaching.

megaòhm m. (*elettr.*) megohm.

megapàrsec m. inv. (*astron.*) megaparsec.

megàpode m. (*zool.*) megapode; mound-builder; (al pl., *scient.*) Megapodiidae.

megàrico a. of Megara; Megara (attr.).

mègaron m. inv. (*archeol.*) megaron.

megaspòra f. (*bot.*) megaspore.

megatenèo m. large university.

megatèrio m. (*zool.*, *Megatherium*) megatherium; megathere.

megatèrmo a. (*bot.*) megathermal; megathermic • **pianta megaterma**, megatherm.

mègaton, **megatóne** m. (*fis. nucl.*, *mil.*) megaton.

megàttera f. (*zool.*, *Megaptera nodosa*) humpback whale.

megavòlt m. (*elettr.*) megavolt.

megawàtt m. (*elettr.*) megawatt.

megèra f. **1** hag; harridan; (*strega*) witch **2** (*zool.*, *Pararge megaera*) wall brown.

mèglio Ⓐ avv. **1** (compar.) better: **sentirsi** (o stare) **m.**, to feel (o to be) better; *Ti senti un po' m.?*, are you feeling any better?; **molto m.**, much (o far) better; **sempre m.**, better and better; **cento volte m.**, a hundred times better; *M. di così non può andare*, it couldn't be any better; things just couldn't be better!; **cambiare in m.**, to change for the better; *Non puoi fare m. di così?* can't you do any better than that?; *Farò m. che posso*, I'll do the best I can; *Faresti m. ad andare*, you had better go **2** (superl. relat.) (the) best: *Chi lo fece m. (di tutti)?*, who did it best?; *Fa come m. credi*, do as you think best; **gli impiegati m. pagati della ditta**, the best-paid employees in the firm • **di bene in m.**, better and better □ **Così va m.!**, that's better!; that's more like it! □ **o m.**, (o

per m. dire) or rather; (*anzi*) in fact □ **Pensaci m.!**, think it over! □ (*fam.*) **Stanno m. di noi** (a quattrini), they are better off than we are □ **Stavo m. sul divano**, I was more comfortable on the sofa □ **Il cappello sta m. a te che a me**, the hat suits you better (than me) Ⓑ a. inv. (compar.) better; (superl. relat.: *fra due*) (the) better, (fra più di due) (the) best: *Ne abbiamo avuti di m.*, we have had better ones; *Quando si ha sete non c'è niente di m. di un bicchiere d'acqua*, there's nothing better than a glass of water when you're thirsty; **qualcosa di m.**, something better; **quanto avete di m.**, the best you have; **ciò che vi è di m. sul mercato**, the best things on the market; *È m. che restiate*, you'd better stay; *Sarebbe m. che tu gli scrivessi*, you'd better write to him; (*fam.*) **la m. gioventù**, the best youths • **M. così**, it's better this [that] way □ **m. che** (o di) **niente**, better than nothing □ **M. per lui**, so much the better for him □ **alla m.** (o alla bell'e m.), as well as one can; (in qualche modo) somehow, roughly; (*male*) any old how: *Facemmo alla m.*, we did as well as we could; **adattarsi alla m.**, to make do (with things as they are); **campare alla m.**, to scrape a living; to manage somehow; **provvedere alla m.**, to do as well as one can; to manage somehow □ **in mancanza di m.**, since there is nothing better; for want of something better □ **Non chiedo di m.**, I couldn't ask for anything better □ **tanto di m.**, so much the better □ (*prov.*) **M. soli che male accompagnati**, better alone than in bad company □ (*prov.*) **M. un asino vivo che un dottore morto**, a living dog is better than a dead lion □ (*prov.*) **M. tardi che mai**, better late than never □ (*prov.*) **M. un uovo oggi che una gallina domani**, a bird in the hand is worth two in the bush Ⓒ m. best: **il m. che ci sia**, the best there is; **il m. che possiamo fare**, the best we can do; *È il m. in fatto di stampanti laser*, it's the best laser printer; **prendere il m.**, to take the best (part, bit); *Dimenticavo di dirti il m.*, I was forgetting the best part of it (o the best bit) • **al m.**, (nel modo migliore) in the best possible way; (nelle migliori condizioni) at one's best: **essere al m. della forma** (o al proprio m.), to be at one's best; *Tutto è stato fatto al m.*, everything was done in the best possible way; **sfruttare qc. al m.**, to make the best of st.; (*Borsa*) **vendere al m.**, to sell at best □ **dare il m. di sé**, to be at one's best □ **fare del proprio m.**, to do one's best □ **per il m.**, for the best: *Tutto va per il m.*, everything is turning out for the best; everything is going very well; *Tutto andrà per il m.*, it will all be for the best □ **per il vostro m.**, for your best □ (*prov.*) **Il m. è nemico del bene**, leave well (enough) alone Ⓓ f. – **avere la m. su q.**, to have (o to get) the better of sb.

mehàri m. inv. (*zool.*) mehari.

meharìsta m. meharist.

meiòsi f. (*biol.*) meiosis*.

meiòtico a. (*biol.*) meiotic.

♦**méla** Ⓐ f. apple: **m. acerba**, unripe apple; (anche fig.) **m. marcia**, bad apple; **mele al forno**, baked apples; **mele cotte**, stewed apples; **sbucciare una m.**, to peel an apple; **torsolo di m.**, apple core; **torta di mele**, apple tart; apple pie • **m. cotogna**, quince o **m. renetta**, rennet o **m. selvatica**, crab (apple) □ **m. verde**, greening; green apple □ (*fig.*) **la Grande M.**, the Big Apple Ⓑ a. inv. apple (attr.): **verde m.**, apple green.

melàfiro m. (*geol.*) melaphyre.

melagràna, **melagranàta** f. pomegranate.

melagràno → **melograno**.

melalèuca f. (*bot.*, *Melaleuca leucadendron*) tea tree.

melammìna f. (*chim.*) melamine.

melammìnico a. (*chim.*) melamine (attr.): **resina melamminica**, melamine (resin).

melampirìsmo m. (*med.*) cow-wheat poisoning.

melampìro m. (*bot.*, *Melampyrum pratense*) cow-wheat.

melàmpo m. (*zool.*, *Aepyceros melampos*) impala.

melanconìa e deriv. → **malinconia**, e deriv.

melanemìa f. (*med.*) melanemia, melanaemia.

melanesìano a. e m. (f. **-a**) Melanesian.

mélange (*franc.*) Ⓐ m. inv. **1** (mescolanza di colori) mélange; mixture; medley **2** (filato) multicoloured yarn **3** (cucina) coffee [chocolate] with whipped cream Ⓑ a. inv. multicoloured: **filato m.**, multicoloured yarn.

melangiàto a. multicoloured.

melàngola f. bitter (o Seville) orange.

melàngolo m. (*bot.*, *Citrus aurantium*) bitter (o Seville) orange-tree.

melànico a. (*biol.*) melanic.

melanina f. (*biol.*) melanin.

melanìsmo m. melanism.

melanìte f. (*miner.*) melanite.

melanìttero m. (*med.*) infectious jaundice; Weil's disease.

melanoblàsto m. (*biol.*) melanoblast.

melanocìta m. (*biol.*) melanocyte.

melanodermìa f. (*med.*) melanoderma.

melanòforo m. (*biol.*) melanophore.

melanòma m. (*med.*) melanoma*.

melanòsi f. (*med.*) melanosis.

melanosòma m. (*zool.*) melanosoma.

melanterìte f. (*geol.*) melanterite.

melanurìa f. (*med.*) melanuria.

melanzàna f. (*bot.*, *Solanum melongena*; il frutto) aubergine (*GB*); eggplant (*USA*).

melarància f. sweet orange.

melaràncio m. (*bot.*, *Citrus sinensis*) sweet orange-tree.

melardìna f. (*bot.*, *Reseda*) reseda; mignonette.

melàrio m. super hive.

melaròsa f. (*bot.*, *Eugenia jambos*) rose-apple.

melàssa f. molasses (pl. col verbo al sing.); treacle.

melàta f. honeydew.

melàto a. **1** honeyed **2** (*fig.*) honeyed; sugared; smooth; suave.

melatonìna f. (*biol.*) melatonin.

Melchiòrre m. Melchior.

Melchisedèc m. (*Bibbia*) Melchizedek.

melchìta m., m. e f. (*eccles.*) Melkite.

meleagrìna f. (*zool.*, *Meleagrina margaritifera*) pearl oyster.

melèna f. (*med.*) melena, melaena.

melensàggine f. **1** (l'essere melenso) silliness; inanity; vapidity; fatuity **2** (azione melensa) silly behaviour Ⓤ; (discorso melenso) silly remark, trite remark, inanity.

melènso a. **1** (ottuso) obtuse; backward **2** (insulso) silly; inane; vapid; fatuous.

melèto m. apple orchard.

mèlica ① f. (*letter.*) melic poetry.

mèlica ② f. (*bot.*) **1** (mais) maize; Indian corn; corn (*USA*) **2** (saggina) sorghum; Indian millet.

mèlico a. (*letter.*) melic: **poesia melica**, melic poetry.

melìfaga f. (*zool.*, *Meliphaga*) honey eater.

melìforo a. melliferous.

mèliga → **melica** ②.

melilìte f. (*miner.*) melilite.

melilòto m. (*bot.*, *Melilotus officinalis*) yellow melilot; sweet clover.

melìna f. (*sport* e *fig.*) time-wasting tactics (pl.); delaying tactics (pl.); playing for time; stalling: **fare m.**, to use time-wasting tactics; to play for time; to stall; (*sport*) to hang on to the ball.

melinìte f. (*esplosivo*) melinite.

melipòna f. (*zool.*) stingless bee.

melìşma m. (*mus.*) melisma*.

melişmàtico a. (*mus.*) melismatic.

melìşmo → **melisma**.

melìssa f. (*bot.*, *Melissa officinalis*) lemon balm; balm-mint.

melitèa f. (*zool.*, *Melitaea*) fritillary.

melitòşio m. (*chim.*) melitose.

melittòfilo a. (*bot.*) bee-pollinated.

mellìfago m. (*zool.*, *Maliphaga*) honey-eater.

mellìfero a. (*lett.*) melliferous; yielding (*o* producing) honey; honey (attr.): **api mellifere**, honeybees.

mellificàre v. i. to make* honey.

mellificazióne f. honey-making.

mellifluità f. insinuating manners (pl.); smoothness; oiliness.

mellìfluo a. **1** (*lett.*) mellifluous; honeysweet; sweet **2** (*fig.*) honeyed; honeysweet; sugary; insinuating; smooth; smooth-talking; (*untuoso*) oily, unctuous, unctuously charming: **parole melliflue**, honeyed words; **con fare m.**, in an insinuating manner; with unctuous charm.

mellisùga f. → **mellifago**.

mellitàto m. (*chim.*) mellitate.

mellìte f. (*miner.*) mellite; honey-stone.

mellìto Ⓐ a. – (*med.*) **diabete m.**, diabetes mellitus Ⓑ m. (*farm.*) mellite.

mellìvora f. (*zool.*, *Mellivora capensis*) ratel; honey badger.

mellòtron m. inv. (*mus.*) mellotron.

mélma f. **1** mud; slime; sludge **2** (*fig.*) filth.

melmosità f. muddiness; sliminess.

melmóso a. muddy; slimy; sludgy: **acque melmose**, muddy waters.

mélo m. (*bot.*) apple, apple-tree ● **m. selvatico**, crab apple.

mélo (*franc.*) Ⓐ m. inv. melodrama Ⓑ a. inv. melodramatic.

melocotógno m. (*bot.*, *Cydonia vulgaris*) quince.

melodìa f. **1** (*mus.*) melody **2** (*aria*) melody; tune; air: **m. popolare**, folk tune; **una m. spagnola**, a Spanish melody **3** (*fig.*) song: **la m. del ruscello**, the song of the brook **4** (*musicalità*) melodiousness; musicality; tunefulness: **la m. della lingua italiana**, the musicality of the Italian language.

melodicaménte avv. melodically; musically.

melòdico a. **1** (*mus.*) melodic: **scala minore melodica**, melodic minor scale **2** (*melodioso*) melodious; musical.

melòdika f. (*mus.*) melodica.

melodióşo a. melodious; musical; tuneful: **voce melodiosa**, musical voice.

melodìsta m. e f. melodist.

melodràmma m. **1** (*mus.*) (serious) opera; melodrama: **il m. romantico**, Romantic operas (pl.); **amante del m.**, opera lover **2** (*fig.*) melodrama ● (*fig.*) **da m.**, melodramatic; theatrical.

melodrammàtico a. **1** (*mus.*) operatic; melodramatic **2** (*fig.*) melodramatic; theatrical.

mèloe m. (*zool.*, *Meloe violaceus*) oil beetle.

melòfago m. (*zool.*, *Melophagus ovinus*)

sheep tick; ked.

melòfobo m. (f. *-a*) music hater.

melogràno m. (*bot.*, *Punica granatum*) pomegranate.

melòlogo m. (*mus.*) melologue.

melòmane m. e f. (classical) music lover.

melomanìa f. love of music.

melóne m. (*bot.*, *Cucumis melo*) musk melon; melon ● **m. cantalupo**, cantaloupe; rock melon (*Austral.*) □ **m. d'acqua**, water melon □ **m. dei tropici**, papaya; pawpaw.

melopèa f. (*mus.*) melopoeia; slow melody.

melopsìttaco m. (*zool.*, *Melopsittacus undulatus*) budgerigar; budgie (*fam.*).

meloterapìa f. (*med.*) musicotherapy.

mèlton m. inv. (*ind. tess.*) melton.

membràna f. **1** (*anat.*, *bot.*) membrane: **m. cellulare**, cellular membrane; cell wall; **m. del membrana**, tympanic membrane; **m. nasale**, nasal membrane; **m. plasmatica**, plasma membrane **2** (*tecn.*) membrane; film; diaphragm: **la m. d'un altoparlante**, the diaphragm of a loudspeaker **3** (*pergamena*) parchment; vellum.

membranàceo a. **1** (*biol.*) membranaceous; membraneous **2** (*di pergamena*) parchment (attr.): **codice m.**, parchment codex.

membranifórme a. membraniform.

membranòfono m. (*mus.*) membranophone.

membranóşo a. membraneous.

membratùra f. **1** (*le membra*) limbs (pl.); frame; build **2** (*archit.*) member; framework ⬚.

mèmbro m. (pl. *membra*, f., nella def. 1; *membri*, m., nelle altre) **1** (*arto*) limb: **membra inferiori [superiori]**, lower [upper]-limbs; **membra robuste**, strong-limbed **2** (*componente di un gruppo*) member; (al pl., collett., anche) membership (sing.): **i membri di una famiglia**, the members of a family; (*naut.*) **m. dell'equipaggio**, hand; **m. del Parlamento**, Member of Parliament (abbr. MP); **m. del personale**, member of staff; **m. di consiglio d'amministrazione**, (*di società*) (company) director, member of the board; (*di ente, scuola, ecc.*) trustee; **m. di commissione interna**, shop steward; (*leg.*) **m. di giuria**, jury member; juror; **essere m. di un'assemblea**, to sit on an assembly; **diventare m. di un circolo**, to join a club **3** (*gramm.*, *mat.*, *archit.*) member: **i membri di una frase [di un'equazione]**, the members of a sentence [of an equation] **4** (*archit.*) member; framework ⬚ **5** (*anat.*: *pene*) male member.

membrùto a. strong-limbed; brawny; stocky; thickset.

memento (*lat.*) m. inv. **1** (*eccles.*) Memento* **2** (*ricordo*) memento*; keepsake; souvenir (*franc.*) **3** (*scherz.*) reminder; something to remember: **dare un m. a q.**, to give sb. something to remember.

memètica f. (*biol.*) memetics (pl. col verbo al sing.).

memètico a. (*biol.*) memetic.

mémo m. inv. memorandum*; memo.

memoràbile a. **1** memorable; unforgettable: **giornata m.**, unforgettable day; day to remember; **parole memorabili**, memorable words **2** (*estens.*: *straordinario*) momentous; epoch-making; major: **evento m.**, epoch-making event; **fiasco m.**, major fiasco; **sconfitta m.**, resounding defeat.

memorabilia (*lat.*) m. pl. memorabilia.

memoràndo a. (*lett.*) to be remembered; to remember.

memoràndum (*lat.*) m. inv. **1** (*nota informativa*) memorandum*; memo (*fam.*) **2** (*li-

bretto di appunti*) memo pad **3** (*bur.*) small-sized writing paper.

mèmore a. **1** mindful (of): **m. dei propri doveri**, mindful of one's duties **2** (*riconoscente*) grateful (for): **m. dei benefìci ricevuti**, grateful for the benefits received **3** (*rif. a luogo, oggetto*) reminiscent (of); redolent (of).

♦**memòria** f. **1** memory; (*sede dei ricordi, mente, anche*) mind: **m. a breve termine**, short-term memory; **m. corta**, poor memory; **m. di ferro**, excellent memory; **m. fotografica**, photographic memory; **m. labile**, slippery (*o* unreliable) memory; **m. visiva**, visual memory; **avere molta m.**, to have a retentive memory; **non avere m.**, to have no memory; to have a bad memory; **cancellare dalla m.**, to cancel from one's memory; **frugare nella m.**, to search one's memory; **perdere [riacquistare] la m.**, to lose [to recover] one's memory; **restare impresso nella m.**, to be stuck in one's mind; **richiamare qc. alla m.**, (*ricordarsi*) to recall st. to mind, to recollect st.; (*far ricordare*) to bring st. to mind, to remind (sb.) of st.; **rinfrescare la m. a q.**, to jog sb.'s memory; **rinfrescarsi la m.**, to refresh one's memory; **tornare alla m.**, to come back (to sb.); *Ho una m. come un colabrodo*, my memory is like a sieve; *Riandai con la m. a quei giorni lontani*, my thoughts went back to (*o* I thought back on) those far-off days; *Se la m. non mi tradisce (o non m'inganna)*, if my memory serves me right; **scherzi della m.**, tricks of one's memory **2** (*ricordo*) memory; recollection; (*reminiscenza*) reminiscence: **memorie del passato**, past memories; **memorie di scuola**, recollections of one's schooldays; *La scena risveglia memorie della mia giovinezza*, the scene awakens memories of my youth; **tenere viva la m. di q.**, to keep sb's memory alive; *Ormai se n'è persa la m.*, the memory of it is now lost; **degno di m.**, memorable; **di felice [gloriosa, triste] m.**, of happy [glorious, infamous] memory; **in m. di**, in memory of **3** (*oggetto*) memento; keepsake; (*di famiglia*) heirloom; (al pl.: *vestigia*) remainders, vestiges **4** (*appunto*) note: **tenere m. di tutto**, to make a note of everything **5** (*memorandum*) memorial; memorandum; (written) record; (*dissertazione*) paper **6** (al pl.) (*opera autobiografica*) memoirs (*franc.*): **scrivere le proprie memorie**, to write one's memoirs; **libro di memorie**, memoirs (pl.); **scrittore di memorie**, memorialist **7** (*comput.*) memory; store; storage: **m. a nuclei**, core memory; **m. a sola lettura**, read-only memory (abbr. ROM); **m. ad accesso casuale**, random-access memory (abbr. RAM); **m. ausiliaria**, secondary store; **m. centrale**, main memory; **m. di massa**, mass storage; **m. rapida (o ad accesso immediato)**, fast-access memory; **m. tampone**, buffer storage ● **m. artificiale**, artificial memory □ (*biol.*) **m. genetica**, genetic memory □ **a m.**, by heart; from memory; (*mentalmente*) mentally: **imparare (o mandare) a m.**, to learn by heart; to memorize; to commit to memory (*form.*); (*meccanicamente*) to learn by rote; **ripetere [suonare] a m.**, to repeat [to play] from memory; **sapere a m.**, to know by heart □ **a m. d'uomo**, within living memory □ **a eterna m. di qc.**, in perpetual memory of st. □ **a futura m.**, for future reference; to be remembered □ **consegnare alla m. dei posteri**, to leave for posterity □ **continuare a vivere nella m. di q.**, to live on in sb's memory □ **esercizi di m.**, mnemonic exercises □ **lasciare buona m. di sé**, to leave a good name (behind one) □ **medaglia alla m.**, posthumously awarded medal.

memorial (*ingl.*) m. inv. **1** (*monumento*) memorial **2** (*manifestazione*) memorial

event; (*sport*) memorial match.

memoriàle① m. **1** (*libro di memorie*) memoirs (pl.) (*franc.*) **2** (*scritto espositivo*) record; memorial; chronicle **3** (*petizione*) memorial; petition.

memoriàle② m. (*monumento*) memorial.

memorialista m. e f. (*letter.*) memorialist; writer of memoirs.

memorialistica f. (*letter.*) memoirs writing; memoirs (pl.) (*franc.*).

memorizzàre v. t. **1** to memorize **2** (*comput.*) to store.

memorizzatóre m. (*comput.*) memory.

memorizzazióne f. **1** (*psic.*) memorization **2** (*comput.*) storage.

ména f. intrigue; manoeuvre; underhand dealing: **mene politiche**, political intrigues; **mene losche**, underhand dealings; skulduggery Ⓤ.

menabò m. (*editoria*) dummy; mock-up.

menabrida, **menabriglia** f. (*mecc.*) catchplate.

mènade f. (*lett.*) maenad.

menadito vc. – a m., perfectly; thoroughly; **conoscere qc. a m.**, to know st. thoroughly; to have st. at one's fingertips.

ménage (*franc.*) m. inv. **1** (*matrimonio*) marriage; married life **2** (*vita di famiglia*) family life ● **m. a tre**, ménage à trois (*franc.*).

menagràmo m. e f. inv. (*fam.*) Jonah; jinx.

menàide f. drift net (for sardine fishing).

Menàndro m. (*stor.*) Menander.

menàrca m. (*fisiol.*) menarche.

◆**menàre** Ⓐ v. t. **1** (*lett. o region.: condurre*) to lead*; to take*; to bring*: **m. al pascolo**, to lead to pasture; **il sentiero che mena al castello**, the path leading to the castle **2** (*trascorrere*) to lead*; to live; to spend*: **m. una vita tranquilla**, to live a peaceful life **3** (*agitare*) to shake*; to wave; to wag: **m. la coda**, to wag one's tail **4** (*assestare*) to deal*; to fetch (*fam.*); to land (*fam.*): **m. un colpo**, to deal (*o* to fetch) a blow; **m. un pugno**, to land a punch; **m. calci a q.**, to kick sb. **3** (*fam.: picchiare*) to beat*; to hit*: **m. q. di santa ragione**, to give sb. a good thrashing; to beat the living daylights out of sb.; *È uno che mena*, he gets physical easily ● (*fig.*) **m. il cane per l'aia**, to beat about the bush (*fam.*); □ **m. la frusta**, to crack the whip; to whip; to lash out □ **m. gramo**, to bring bad luck □ **m. la lingua**, to prattle; (*sparlare*) to gossip □ **m. le mani**, to use one's fists; to get physical; (*picchiarsi*) to fight □ (*fig.*) **m. q. per il naso**, to lead sb. up the garden path; to take sb. for a ride □ **m. qc. per le lunghe**, to drag st. out □ **m. vanto di qc.**, to boast of st. Ⓑ **menàrsi** v. rifl. recipr. (*fam.: picchiarsi*) to fight*; to have a fight: **menarsi di santa ragione**, to have a good fight.

menaròla f. (*tecn.*) brace and bit.

menàta f. (*fam.*) **1** (*bastonata*) sound beating; thrashing; walloping **2** (*fig.*: *discorso lungo e noioso*) long story; (*lamentela*) moaning; (*cosa noiosa*) drag (*fam.*), yawn (*fam.*); (*seccatura*) pain in the neck (*fam.*); (*sciocchezza*) load of rubbish Ⓤ.

mènda f. defect; fault; flaw; blemish.

mendàce a. (*di cosa*) mendacious, lying, false, fallacious; (*di persona*) deceitful, lying, false: **parole mendaci**, mendacious words; **speranza m.**, fallacious hope; **testimone m.**, false witness.

mendàcia f. (*lett.*) mendacity; falsity; falsehood; lying.

mendàcio m. (*lett.*) mendacity; lie; falsehood.

mendacità f. (*lett.*) mendacity; falsity; falsehood.

mendelèvio m. (*chim.*) mendelevium.

mendeliàno a. (*biol.*) Mendelian; Mendel's (attr.): **carattere m.**, Mendelian character; **leggi mendeliane**, Mendel's laws.

mendelìsmo m. (*biol.*) Mendelism; Mendelianism.

◆**mendicànte** Ⓐ a. **1** begging **2** (*relig.*) mendicant: **frati mendicanti**, mendicant friars; **ordine m.**, mendicant order Ⓑ m. e f. beggar.

mendicàre Ⓐ v. t. **1** to beg (for): **m. il pane**, to beg (for) one's bread; **m. un po' d'acqua**, to beg for a drink of water **2** (*fig.*: *implorare*) to beg (for); to implore; (*chiedere con insistenza*) to solicit: **m. aiuto**, to beg for help; **m. un favore**, to solicit a favour **3** (*cercare*) to seek*; to look for: **m. conforto**, to seek consolation; **m. complimenti**, to fish for compliments Ⓑ v. i. to beg: **m. per vivere**, to beg (for) one's bread.

mendicità f. **1** mendicity; beggary: **essere ridotto alla m.**, to be reduced to beggary **2** (*mendicanti*) beggars (pl.) ● **ricovero di m.**, poorhouse.

mendico (*lett.*) → **mendicante**.

menefreghìsmo m. indifference; couldn't-care-less attitude (*verso doveri, regole, ecc.*) crass disregard; (*villania*) arrogance; surliness.

menefreghìsta Ⓐ m. e f. person who couldn't care less; person who doesn't give a damn: *Sono solo dei menefreghisti*, they just don't give a damn; they couldn't care less; they don't want to know; they're just a bunch of indifferent bastards Ⓑ a. indifferent; callous; couldn't-care-less (attr.): **atteggiamento m.**, couldn't-care-less attitude.

meneghìno a. e m. (f. *-a*) Milanese.

Menelào m. (*letter.*) Menelaus.

menestrèllo m. **1** (*stor.*) minstrel **2** (*scherz.*) strolling singer.

menhir m. inv. (*archeol.*) menhir.

meniàno m. **1** (*archit.*) balcony **2** (*archeol.*) diazoma.

meninge f. **1** (*anat.*) meninx* **2** (al pl.) (*fam.*: *cervello*) brains: **spremersi le meningi**, to cudgel (*o* to rack) one's brains.

meningèo a. (*anat.*) meningeal.

meningiòma m. (*med.*) meningioma*.

meningìsmo m. (*med.*) meningism.

meningite f. (*med.*) meningitis.

meningocèle m. (*med.*) meningocele.

meningocòcco m. (*med.*) meningococcus*.

meningoencefalite f. (*med.*) meningoencephalitis.

meningomielite f. (*med.*) meningomyelitis.

menippèo a. (*letter.*) Menippean.

menìsco m. (*anat.*, *fis.*) meniscus*.

mennonita m., f. e a. Mennonite.

◆**méno** Ⓐ avv. **1** (*compar.*) less; not... so (much); not as: *Dovresti mangiare* (*di*) *m.*, you should eat less; you should not eat so much; *Questo mi piace m.*, I don't like this one so much; *Ieri ho dovuto aspettare* (*di*) *m.*, I didn't have to wait so long yesterday; *M. si studia, m. s'impara*, the less you study, the less you learn; *M. se ne parla, meglio è*, the less said the better; **trenta o anche m.**, thirty or even less; *Sua moglie è m. ricca di lui*, his wife is less rich than (*o* not so rich as) he is; *La campagna è m. bella in estate che in primavera*, the country is not as beautiful in summer as in spring; *Tom non è m. bravo di te*, Tom is no less clever than you; *Ho dieci anni m. di lui*, I am ten years younger than he is; *Lavora m. che può*, she works as little as she can; *Non per questo la situazione è m. difficile*, the situa-

tion is none the less difficult for that; **molto m.**, much less; **poco m. di un kilo**, a little less than a kilo; **sempre m.**, less and less; *Io ne ho uno di* (*o* in) *m.*, I have one less; **uno più, uno m.**, one more or one less; give or take a couple **2** (superl. relat.: *fra due*) less; (*fra più di due*) least: *Dei due libri, questo è il m. interessante*, of the two books, this is the less interesting; *Il m. preoccupato di tutti era Carlo*, Carlo was the least worried of all; *Nessuno lo voleva e io m. di tutti*, nobody wanted it, I least of all (*fam.* least of all me) **3** (*no*) not: *Ti saprò dire se veniamo o m.*, I'll let you know whether we are coming or not **4** (*mat.*) minus; less: *Sei m. quattro fa due*, six minus (*o* less) four is two **5** (*nell'indicazione delle ore*) – *Sono le dieci m. cinque*, it is five to (*USA*, anche of) ten; *Sono le due m. un quarto*, it is a quarter to (*USA*, anche of) two ● **m. che mai**, less than ever □ **alla m. peggio** → **peggio** □ **men che m.**, even less; let alone: *Questo non mi interessa, e quell'altro m. che m.*, I'm not interested in this one, and even less in the other one; *Non legge il francese, e men che m. lo parla*, he cannot read French, let alone speak it □ **essere da m. di q.**, to be inferior to sb. □ **fare a m. di** → **fare, B** □ **una differenza in m. di sette punti**, seven points less □ **Ci sono tre coltelli in m.**, three knives are missing □ **Né più né m. che se fosse un ladro!**, just as if he were a thief! □ **Niente m.!**, just imagine that! □ **niente m. che**, no less than □ **più o m.**, more or less: *Sono tutti così, più o m.*, more or less, they are all like that □ **Se non è un ladro, poco m.**, he is all but a thief; if he is not a thief, he is not far from it □ **quanto m.**, at least □ **sempre m.**, less and less □ **senza m.** (*immancabilmente*), without fail □ **venire m.** (*svenire*), to faint □ **venir m.**, **venire m. a** → **venire** □ **Lui non andò e tanto m. io**, he didn't go and I certainly didn't either Ⓑ a. inv. **1** (compar., con sost. sing.) less, not as much, not so much; (con sost. pl.) fewer, not as many, not so many: *Ho m. denaro di lui*, I have less money than he has; I haven't as much money as he has; *Ho m. amici di lui*, I have fewer friends than he has; I haven't as many friends as he has; *Oggi c'è m. gente*, there are fewer people today; *Hai m. anni di me*, you are younger than I (am); *Ci vuole m. tempo a piedi*, it takes less time on foot; *C'erano non m. di cinquanta persone*, there were no fewer than fifty people present; *Mi ci vollero non m. di tre ore*, it took me no less than three hours; *Porta m. roba che puoi*, take as few things as you can (*o* as possible); *M. siamo, meglio è*, the fewer we are, the better; *M. chiasso, per favore!*, less noise, please!; *M. chiacchiere!*, less of your chatter!; **sempre m. tempo**, less and less time; **sempre m. persone**, fewer and fewer people **2** (superl. relat., con sost. sing.) the least; (con sost. pl.) the fewest: *Chi ha ricevuto m. aiuto sono io*, I am the one who got the least help; *Chi ne ha avuti m. di tutti?*, who got the fewest?; *Chi ha fatto m. errori?*, who made the fewest mistakes? ● **M. male!**, thank goodness! □ **m. male che**, thank goodness; it's just as well: *M. male che non ti sei fatto niente*, thank goodness, you didn't get hurt; *M. male che siamo in anticipo*, it's just as well we are early □ **È m. che nulla**, it's as good as nothing □ **in men che non si dica**, in less than no time; in a jiffy; in a flash; before one could say Jack Robinson (*scherz.*) □ **Non lo troverai per m.**, you won't get it cheaper Ⓒ m. **1** (con valore compar.) less, smaller part; (con valore superl.) least; smallest part: *Il m. che possa fare è di scusarmi*, the (very) least I can do is apologize; **fare il m. possibile**, to do as little as possible **2** (*mat.*) minus (sign) **3** (al pl.) – **i m.**, the minority ● **parlare del più e del m.**, to speak about this and that □ **per lo m.**, at

least: *Ci vuole per lo m. un'ora*, it will take at least an hour; *Potresti per lo m. chieder scusa*, you might at least say you are sorry; *Questo sarebbe il m.*, that would not matter so much **D** prep. *(eccetto)* except; but: *Li conosco tutti m. due o tre*, I know them all except *(o but)* two or three; *Tutti i giorni m. il sabato*, every day except Saturday; *Tutti (o chiunque) m. Jones!*, anyone but Jones! **E** – nella loc. cong. **a m. che** *(o* **di***) non*, unless: *Verremo sicuramente, a m. che non nevichi*, we'll certainly come unless it snows; *Dovrò rinunciare alla casa, a m. di non riuscire a farmi prestare i soldi dallo zio*, I'll have to give up that house, unless I can get my uncle to lend me the money.

❶ NOTA: *meno (less / fewer)*

Quando **meno** è posto come aggettivo comparativo davanti a un sostantivo plurale, si traduce in inglese con fewer o, meno frequentemente, con not as many o not so many. *Abbiamo preso meno voti di quattro anni fa*, we got fewer votes than four years ago, we didn't get as many votes as four years ago. Tuttavia, molti parlanti madrelingua usano in questi casi less, nonostante alcuni grammatici continuino a considerare tale forma scorretta: We got less votes than four years ago.

Analogamente, quando **meno** è aggettivo con valore di superlativo relativo, la forma più corretta è the fewest, ma molti preferiscono invece la forma the least: *Qual è il candidato che ha ricevuto meno voti?*, which candidate received the fewest votes?; which candidate received the least votes?

Mèno m. *(geogr.)* (the) Main.

menològio m. *(eccles.)* menology.

menomàle = **meno male → meno, B**.

menomàre **A** v. t. **1** *(diminuire)* to diminish, to lessen, to detract from; *(indebolire)* to impair: **m. la reputazione di q.**, to lessen sb.'s reputation **2** *(denigrare)* to disparage **3** *(danneggiare)* to damage; to impair; *(un arto)* to maim; *(una persona)* to maim, to cripple, to disable: **m. un braccio**, to maim an arm; **m. la vista**, to impair *(o* to damage) sb.'s sight; *L'incidente l'ha menomato*, the accident left him disabled *(o* crippled, a cripple) **B menomàrsi** v. i. pron. to be reduced; to diminish.

menomàto **A** a. **1** *(diminuito)* diminished, lessened; *(indebolito)* impaired **2** *(denigrato)* disparaged **3** *(danneggiato)* damaged; impaired; *(di arto)* maimed; *(di persona)* maimed, crippled, disabled **B** m. (f. **-a**) disabled person.

menomazióne f. **1** *(diminuzione)* diminution, lessening; *(indebolimento)* impairment **2** *(denigrazione)* disparagement **3** *(danno)* impairment; damage; (m. fisica) disablement, disability; (m. psichica) mental deficiency.

mènomo *(lett.)* → **minimo**.

menopàusa f. *(fisiol.)* menopause.

menoràh f. inv. menorah.

menorragìa f. *(med.)* menorrhagia.

menorrèa f. *(fisiol.)* menorrhoea.

mènsa f. **1** table: **m. ricca [frugale]**, sumptuous [frugal] table; **imbandire la m.**, to lay the table; **mettersi a m.**, to sit down at table; **al levare delle mense**, at the end of a meal **2** *(di azienda, università, ecc.)* canteen, cafeteria; *(mil.)* mess; *(refettorio)* refectory: **m. aziendale**, staff canteen; **m. ufficiali**, officers' mess ● **m. comunale**, soup kitchen □ **m. vescovile**, bishop's revenue □ **fare m. comune**, to eat at the same table □ *(relig.)* **la Sacra M.**, Holy Communion.

menscevico *(stor.)* a. e m. (f. **-a**) Menshevik.

menscevismo m. *(stor.)* Menshevism.

♦**mensìle** **A** a. monthly: **abbonamento m.**, monthly subscription; **rata m.**, monthly instalment; **rivista m.**, monthly magazine; **con scadenza m.**, monthly **B** m. **1** *(retribuzione)* monthly pay; *(salario)* monthly wages (pl.); *(stipendio)* monthly salary **2** *(rivista)* monthly (magazine).

mensilità f. **1** *(periodicità mensile)* monthly character; monthly periodicity **2** *(retribuzione mensile)* monthly pay; *(stipendio mensile)* monthly salary; *(rata mensile)* monthly instalment ● **tredicesima m.**, Christmas *(o* year-end) bonus.

mensilménte avv. monthly; every month; once a month.

mènsola f. **1** *(archit.)* bracket; console **2** *(ripiano)* shelf* **3** *(mus., di arpa)* neck ● **m. del camino**, mantelpiece.

mensolóne m. *(archit.)* corbel.

mensuràle a. *(mus.)* mensural; mensurable.

mensuralìsmo m. *(mus.)* mensural *(o* mensurable) system.

ménta f. **1** *(bot., Mentha)* mint: **m. domestica** *(o* **comune**, **ortolana**) *(Mentha viridis)*, common garden mint; **m. piperita** *(Mentha piperita)*, peppermint; **m. selvatica → mentastro**; **m. verde** *(Mentha spicata)*, spearmint; **salsa alla m.**, mint sauce; **sciroppo di m.**, mint syrup; **tè alla m.**, mint tea **2** *(bibita)* mint drink **3** *(pasticca)* peppermint; mint.

mentàle ① a. **1** *(della mente)* mental; of the mind: **abito m.**, habit of the mind; **crudeltà mentale**, mental cruelty; **età m.**, mental age; **facoltà mentali**, mental faculties; **infermità m.**, mental illness; **igiene m.**, mental hygiene; **malattia m.**, mental illness *(o* disease); **riserva m.**, mental reservation **2** *(fatto con la mente)* mental: **calcolo m.**, mental calculation.

mentàle ② a. *(del mento)* mental; of the chin.

mentalìsmo m. *(filos.)* mentalism.

mentalità f. mentality; mind; cast of mind; mindset; *(modo di pensare)* way of thinking, outlook: **m. aperta**, open-mindedness; open mind; **dalla m. aperta**, open-minded; **m. arretrata**, old-fashioned outlook; **m. borghese**, middle-class mentality; **m. infantile**, childish mentality; **m. ristretta**, narrow mind; **dalla m. ristretta**, narrow-minded; insular; parochial; **cambiare m.**, to change one's way of thinking.

mentalménte avv. mentally; in one's mind; *(tra sé)* to oneself.

mentàstro m. *(bot., Mentha aquatica)* water mint.

♦**ménte** f. **1** mind; *(intelletto)* intellect; *(intelligenza)* intelligence, understanding; *(memoria)* memory; *(testa)* head: **m. acuta**, sharp mind; **m. ristretta**, narrow mind; **aprire la m. a q.**, to open sb.'s mind; **balenare alla m.**, to flash through one's mind; **avere in m. qc. [di fare qc.]**, to be thinking of st. [of doing st.]; **richiamare alla m.**, to call back *(o* to recall) to mind; to recollect; **sfuggire di m.**, to slip one's mind; **volgere la m. a qc.**, to turn one's attention *(o* one's mind) to st. **2** *(fig.: persona dotata)* mind; brain: **una delle migliori menti del nostro secolo**, one of the best minds *(o* brains) of our century **3** *(fig.: organizzatore)* brains; mastermind: *È lui la m. della rapina*, he is the brains *(o* the mastermind) behind the robbery ● **a m.**, *(a memoria)* by heart; *(mentalmente)* mentally: **imparare a m.**, to learn by heart; **fare calcoli a m.**, to do mental calculations □ *(leg.)* **a m. dell'articolo 38**, in conformity *(o* accordance) with article 38 □ **a m. fredda** *(o* **lucida**), calmly; coolly; when one has calmed down □ **a m. fresca** *(o* **riposata**), with a fresh *(o* clear) mind □ **Dove sei con la m.?**, what are you thinking of?; a

penny for your thoughts *(fam.)* □ **Lasciami fare m. locale**, let me concentrate *(o* think) a moment □ **Cerca di fare m. locale**, try and concentrate; think hard; *(cerca di ricordare)* think back □ **È un nome che ho già sentito, ma non riesco a fare m. locale**, I've heard that name before, but I can't remember in what connection *(o* I can't place it) □ **far venire in m. qc. a q.**, to remind sb. of st. □ **ficcarsi in m. di fare qc.**, to take it into one's head to do st. □ **Ficcatelo bene in m.!**, get that into your head! □ *(leg.)* **infermità di m.**, insanity □ **malato di m.**, mentally ill (agg.); insane (agg.); insane person (sost.); mental patient (sost.) □ **mettere in m. qc. a q.**, to put an idea into sb.'s head □ **mettersi in m. di voler fare qc.**, to take it into one's head to do st. □ **Mettitelo bene in m.!**, get that into your head! □ **con gli occhi della m.**, in one's mind's eye □ **passare per la m.**, to cross sb.'s mind □ **saltare in m. → venire in m.** □ **tenere bene a m. qc.**, to keep *(o* to bear) st. in mind □ **togliersi qc. dalla m.**, to put st. out of one's mind □ **Mi è uscito di m.**, it slipped my mind; I clean forgot it *(fam.)* □ **venire in m.**, to occur (to sb.); to think (of) (pers.); to dawn (on); *(d'idea improvvisa)* to strike (sb.); *(ricordare)* to remember (pers.): *Fu allora che mi venne in m. dove l'avevo vista*, it dawned on me then where I'd seen her before; *Mi venne in m. di guardare nello studio*, I suddenly thought of looking *(o* it suddenly occurred to me to look) in the study; *Non mi viene in m. il suo nome*, I can't remember his name; *Che cosa ti viene in m.?*, *(che idea!)* where did you get that notion?; *(che fai?)* what are you thinking of?, what's the idea?; *Ma che cosa ti è venuto in m.?*, what got into you?; what possessed you (to do such a thing)? □ *(prov.)* **M. sana in corpo sano**, a sound mind in a sound body.

mentecàtto **A** a. mad; imbecile **B** m. (f. **-a**) madman* (f. madwoman*); lunatic; idiot.

mentìna f. peppermint; mint.

♦**mentìre** v. i. to lie; to be a liar: *Tu menti, you are lying*; *Non m.!*, don't lie to me; *Se dice questo, mente*, if that's what she said, she's a liar; **sapendo di m.** *(o* **spudoratamente, per la gola**), to lie through *(o* in) one's teeth.

mentìto a. false; sham: **sotto mentite spoglie**, under a false name; under false colours; *(travestito)* in disguise.

mentitóre **A** m. (f. **-trìce**) liar **B** a. lying; mendacious; false.

♦**ménto** m. chin: **m. in fuori** *(o* **sporgente**), protruding chin; **m. sfuggente**, receding chin; **m. volitivo**, strong chin; **doppio m.**, double chin; **col m. fra le mani**, with one's chin resting in one's hands; **fino al m.**, up to the chin; **senza m.**, chinless ● *(scherz.)* **l'onor del m.**, the beard.

mentolàto a. mentholated.

mentòlo m. *(chim.)* menthol: **al m.**, mentholated.

mentonièra f. *(mus.)* chin rest.

mèntore m. *(fig.)* mentor; adviser; counsellor; guide.

Mèntore m. *(mitol.)* Mentor.

mentovàre v. t. *(lett.)* to mention.

♦**méntre** **A** cong. **1** *(nel momento in cui)* while; as: *Ho avuto un incidente m. venivo qui*, I had an accident while (I was) coming here; *Canta sempre m. si fa la barba*, he always sings while shaving; *Mi fermò m. stavo entrando*, she stopped me as I was going in; *M. io affettavo i pomodori, lui tirò fuori il formaggio*, while I sliced the tomatoes, he took out the cheese **2** *(invece)* while; whereas: *A me piace il mare, m. a lei piace la montagna*, I like the sea, while she likes

the mountains; *A me sembra che si debba spettare, m. loro sono per l'agire subito*, I think we should wait, whereas they are in favour of an immediate action **3** (*finché*) while: *Fallo m. c'è tempo*, do it while there is still time **B** m. – **in quel m.**, at that very moment; (*nel frattempo*) in the meantime, meanwhile; **in questo m.**, at this moment; (*fam.*) **nel m. che**, as; the moment.

mentùccia f. (*bot.*, *Satureja nepeta*) field balm.

♦**menu**, **menù** (*franc.*) m. inv. **1** menu; list: **m. a prezzo fisso**, set menu; *Che cosa offre il m.?*, what's on the list? **2** (*comput.*) menu: **m. a tendina**, pull-down (*o* drop-down) menu.

menzionàbile a. mentionable.

menzionàre v. t. to mention; to refer to: *Dante lo menziona due volte*, Dante mentions him twice.

menzionàto a. mentioned: **m. sopra**, mentioned above; above-mentioned (attr.).

menzióne f. mention: **m. onorevole**, honourable mention; **fare m. di**, to mention; *Non ne fece m.*, he didn't mention it; he made no mention of it; **degno di m.**, noteworthy; worthy of mention; worth mentioning.

♦**menzógna** f. lie; falsehood; untruth; (*il mentire*) lying: **m. innocente**, white lie; **m. pietosa**, compassionate lie; **m. spudorata**, shameless (*o* bare-faced) lie; **aborrire la m.**, to abhor lying; **un cumulo di menzogne**, a pack of lies.

menzognèro a. lying; false; untrue; (*ingannevole*) deceitful: **lodi menzognere**, false praises; **speranze menzognere**, deceitful (*o* false) hopes.

meònio a. (*lett.*) Maeonian.

Mer., **Merc.** abbr. (**mercoledì**) Wednesday (Wed.).

mèraklon® m. inv. (*ind. tess.*) meraklon.

♦**meravìglia** f. **1** wonder; astonishment; amazement; (great) surprise: **con m.**, in wonder; in amazement; with astonishment; *Mi guardò con m.*, he looked at me in wonder; **ascoltare con m.**, to listen with astonishment; **con mia grande m.**, to my great surprise; **con m. di tutti**, to the surprise of everybody; **destare m.**, to cause surprise (*o* amazement); to rouse astonishment; *Sento con m. che...*, I am surprised to hear that...; **pieno di m.**, astonished; amazed; surprised; shocked **2** (*cosa meravigliosa*) wonder; marvel: **le meraviglie della scienza**, the marvels of science; **le sette meraviglie del mondo**, the seven wonders of the world; *La casa era una m.*, the house was wonderful; **una m. di ragazza**, a wonderful girl.; *È una m.!*, it's wonderful!; *Che m.!*, how wonderful!; **fare meraviglie**, to work wonders; **raccontare meraviglie**, to tell of wonderful things ● (*anche iron.*) **a m.**, wonderfully well; marvellously; splendidly: *Le cose vanno a m.*, things are going splendidly (*o* marvellously); *La cena è andata a m.*, the dinner went off splendidly; *Ti sta a m.*, it looks perfect on you □ **Funziona che è una m.**, it works beautifully □ **Suona che è una m.**, she plays beautifully □ **dire meraviglie di q.**, to speak in glowing terms of sb; to sing sb.'s praises □ **Nessuna m. che...**, no wonder that... □ **il paese delle meraviglie**, wonderland.

♦**meravigliàre** A v. t. to surprise; to astonish; to amaze; to cause surprise (*o* amazement): **m. tutti con il proprio comportamento**, to surprise everybody with one's behaviour; *La cosa non può m.*, such is hardly cause for wonder **B** v. i. (*poet.*), **meravigliàrsi** v. i. pron. to be surprised; to be astonished; to marvel: *Mi meraviglio che lei abbia detto una cosa simile*, I'm sur-

prised she said that; *Mi meraviglio di lui*, I'm surprised at him; *Perché ti meravigli tanto?*, what are you looking so surprised for?; *Te ne meravigli?*, does that surprise you?; *Non mi meraviglierei affatto se...*, I shouldn't be surprised if...; *Non mi meraviglio di niente*, nothing surprises me any longer; *Non mi meraviglia affatto*, I'm not in the least surprised; (*sfido io!*) no wonder!; *Non c'è da meravigliarsi se...*, it's no surprise (*o* nothing to be wondered at) if...

meravigliàto a. surprised; astonished; amazed: **restare m.**, to be surprised.

♦**meraviglióso** A a. wonderful; marvellous; splendid; glorious: **giornata meravigliosa**, wonderful (*o* splendid) day; **spettacolo m.**, wonderful sight; **tempo m.**, wonderful (*o* glorious) weather; *Sei m.!*, you are wonderful! **B** m. (the) marvellous.

♦**mercànte** m. **1** merchant; trader; dealer: **m. d'arte**, art dealer; **m. di cavalli**, horse dealer; **m. di grano**, corn dealer; **m. di schiavi**, slave trader; slaver; **m. di vino**, wine merchant **2** (*negoziante*) tradesman*; salesman*; shopkeeper ● **fare orecchie da m.**, to turn a deaf ear.

mercanteggiaménto m. bargaining; haggling; haggle.

mercanteggiàre A v. i. **1** (*contrattare*) to bargain; to haggle; to wrangle over a price: *Non mi piace star lì a m.*, I don't like haggling; *Abbiamo mercanteggiato per un po' e alla fine me l'ha dato per 30 euro*, we wrangled over the price for a bit and in the end I beat him down to 30 euros **2** (*lett.*: *commerciare*) to deal*; to trade: **m. in grano**, to deal in corn; to be a corn dealer **B** v. t. to sell*; to barter; (*prostituire*) to prostitute: **m. l'onore**, to sell (*o* to barter) one's honour.

mercantésco a. merchantlike; (*spreg.*) mercenary, venal.

mercantéssa f. **1** tradeswoman* **2** (*moglie di mercante*) merchant's wife*.

mercantìle A a. merchant (attr.); mercantile; commercial: **marina m.**, merchant navy; mercantile marine; **nave m.**, merchant ship; merchantman; trading vessel; **spirito m.**, commercial spirit **B** m. (*nave*) merchant ship; merchantman*; trading vessel.

mercantilìsmo m. (*econ.*) mercantilism.

mercantilìsta m. e f. (*econ.*) mercantilist.

mercantilìstico a. (*econ.*) mercantilistic; mercantilist (attr.).

mercanzìa f. **1** (*merce*) merchandise; goods (pl.); wares (pl.); commodities (pl.): **mettere in mostra la propria m.**, to display one's wares **2** (*fam.*: *roba*) things (pl.); stuff ● (*fig.*) **saper vendere la propria m.**, to blow one's own trumpet □ (*prov.*) **Ogni mercante loda la sua m.**, no man cries stinking fish.

mercaptàno m. (*chim.*) mercaptan.

mercatìno m. **1** (*mercato all'aperto*) local street market; (*mercato delle pulci*) flea market **2** (*Borsa*) over-the-counter market; unlisted market; street market.

mercatìstica f. (*econ.*) marketing.

♦**mercàto** m. **1** market; (*il luogo, anche*) market-place: **m. all'aperto**, open-air market; **m. coperto**, covered market; **m. del pesce**, fish market; **m. delle pulci**, flea market; **m. di frutta e verdura**, fruit and vegetable market; **m. rionale**, district (*o* local) market; **fare la spesa al m.**, to do one's shopping at the market; **giorno di m.**, market day; **piazza del m.**, market-place **2** (*econ.*) market: **il m. del caffè**, the coffee market; **m. interno** [**estero**], home [foreign] market; **m. libero**, open market; **m. monetario**, money market; **m. nazionale**, home market; **m. sul posto**, spot market; **m. unico**, single market; **mettere sul m.**, to put

on the market; **sovraccaricare il m.**, to overstock the market; **analisi di m.**, market analysis; **fluttuazioni del m.**, market fluctuations; **prezzo di m.**, market price; **m. a licitazione**, auction market; **quota di m.**, market share; share of the market; **ricerche di m.**, market (*o* marketing) research; **valore sul m.**, market value **3** (*Borsa*) market: **m. azionario**, share market; stockmarket; **m. delle valute**, exchange market; **m. immobiliare**, real-estate (*o* property) market; **m. a termine**, futures market; **m. animato** (*o* dinamico), brisk market; **m. con tendenza al rialzo** [**al ribasso**], bullish [bearish] market; **m. debole** (*o* fiacco), dull market; **m. fermo** (*o* sostenuto), steady market; **m. oscillante**, unsteady market ● **M. Comune Europeo**, European Common Market □ (*fig.*) **m. delle vacche**, political horsetrading □ (*fig.*) **m. nero**, black market: **comprare qc. al m. nero**, to buy st. on the black market □ **a buon m.**, cheaply (avv.); cheap (agg.); low-priced (agg.); inexpensive (agg.): **comprare qc. a buon m.**, to buy st. cheap; *Questo articolo è più a buon m. di quello*, this article is cheaper than that one; (*fig.*) **cavarsela a buon m.**, to get off cheaply (*o* lightly) □ **Sembra d'essere al m.!**, what chaos!; what a hullabaloo!

mercatùra f. (*lett.*) commerce; trading; trade: **darsi alla m.**, to go into commerce; to become a merchant.

♦**mèrce** f. goods (pl.); wares (pl.); merchandise; commodities (pl.): **m. avariata**, damaged goods; **m. di contrabbando**, smuggled goods; **m. d'esportazione**, export goods; **m. scadente**, goods of inferior quality; second-rate goods; **m. in magazzino**, goods on hand (*o* in stock); **merci in deposito**, goods in consignment; **merci esenti da dogana**, free commodities; **merci estere**, foreign goods; **merci nazionali**, national (*o* home-made) goods; **inventariare la m. in magazzino**, to take stock; **borsa merci**, commodities exchange; (*ferr.*) **carro merci**, freight wagon; goods wagon; (*ferr.*) **scalo merci**, goods yard; depot; **treno merci**, goods train; freight train (*USA*) ● (*fig.*) **essere m. rara**, to be very rare; to be a rare commodity.

mercé A f. (*lett.*) mercy: **chiedere m.**, to ask for mercy; **essere** [**trovarsi**] **alla m. di q.**, to be at [to be left to] the mercy of sb.; *M. di noi!*, mercy upon us! **B** prep. (*lett.*) thanks to; through; by means of: **m. il suo aiuto**, thanks to (*o* through) his help; **m. mia** [**tua, ecc.**], thanks to me [to you, etc.].

mercéde f. **1** (*lett.*: *paga*) pay; (*salario*) wages (pl.): **la m. dell'operaio**, a workman's wages **2** (*lett.*: *ricompensa*) reward; recompense: *Ogni opera buona avrà la sua m.*, every good action has its reward; **ricevere la giusta m.**, to be given a fair recompense; (*fig. iron.*) to get one's just deserts.

mercenàrio A a. hired; mercenary: **amore m.**, mercenary love; **gente mercenaria**, mercenary people; **penna mercenaria**, hired pen; **soldato m.**, mercenary (soldier) **B** m. **1** hireling; mercenary **2** (*soldato m.*) mercenary.

mercenarìsmo m. mercenary system; employment of mercenary troops.

merceologìa f. commodity economics (pl. col verbo al sing.).

merceològico a. commodity (attr.); product (attr.): **analisi merceologica**, product analysis.

merceòlogo m. (f. *-a*) expert in commodity economics.

mercerìa f. **1** (*articoli di merceria*) haberdashery (*GB*); notions (pl., *USA*); dry goods (pl., *USA*) **2** (*negozio*) haberdasher's (shop) (*GB*); notions store (*USA*).

mercerizzàre v. t. (*ind. tess.*) to mercerize.

mercerizzàto a. (*ind. tess.*) mercerized.

mercerizzatrìce f. (*macchina*) mercerizer.

mercerizzazióne f. (*ind. tess.*) mercerization; mercerizing.

merchandising (*ingl.*) m. inv. (*comm., attività e materiale promozionale*) merchandising 🔲.

merciàio m. (f. **-a**) haberdasher (*GB*); dealer in notions (*USA*) ● **m. ambulante**, pedlar.

mercificàre v. t. to commodify; to commoditize.

mercificazióne f. commodification; commoditization.

mercimònio m. illicit trade; trafficking ● **fare m. della giustizia**, to prostitute justice.

mèrco m. (*bot.*, *Urospermum dalechampii*) sheep's beard.

♦**mercoledì** m. Wednesday. (*Per gli esempi d'uso* → **martedì**) ● **M. delle Ceneri**, Ash Wednesday.

mercuriàle① a. (*farm.*) mercurial: **unguento m.**, mercurial ointment.

mercuriàle② f. (*listino dei prezzi di mercato*) market report; market list.

mercuriàle③ f. (*bot.*, *Mercurialis annua*) (annual) mercury.

mercurialìsmo m. (*med.*) mercurialism.

mercuriàno a. e m. Mercurian.

mercùrico a. (*chim.*) mercuric.

mercùrio m. (*chim.*) mercury; quicksilver.

Mercùrio m. (*mitol.*, *astron.*) Mercury.

mercurocròmo® m. (*farm.*) merbromin; Mercurochrome®.

mercuróso a. (*chim.*) mercurous.

Mercùzio m. (*letter.*) Mercutio.

mèrda 🅰f. (*volg.*) **1** shit 🔲; crap 🔲 **2** (*fig.*: *persona spregevole*) shit; piece of shit; bastard; asshole (*USA*): *Sei una m.!*, you bastard!; you piece of shit!; *Che merde quelli!*, what a bunch of shit! **3** (*fig.*: *cosa senza valore*) crap 🔲 **4** (*fig.*: *situazione imbrogliata*) shit: **essere nella m.**, to be in the shit; **essere nella m. fino al collo**, to be in deep shit; to be up shit creek; **lasciare q. nella m.**, to leave sb. in deep shit ● (*fig.*) **di m.**, shitty; crappy; lousy: *Che film di m.!*, what a crappy (*o* lousy) film!; **fare una figura di m.** (*rendersi ridicolo*), to look a bloody fool (*GB*); to look a complete asshole (*USA*) □ **faccia di m.**, shitty bastard □ (*fig.*) **pezzo di m.**, shit; shitbag; bastard; asshole (*USA*) □ **Ci rimasi di m.**, (*deluso*) it was a real kick in the balls; (*pieno di vergogna*) I felt a complete jerk (*o* asshole) 🅱inter. shit.

merdàio m. (*volg.*, *anche fig.*) shitty place; shit-hole.

merdàta f. (*volg.*) shit 🔲; crap 🔲.

merdóso a. (*volg.*) **1** shitty **2** (*fig.*) shitty; crappy.

♦**merènda** f. afternoon snack; (*all'aperto*) picnic: **fare m.**, to have a snack ● (*fam.*) **entrarci come i cavoli a m.**, to be totally beside the point.

merendìna f. snack.

mereologìa f. (*filos.*) mereology.

meretrìce f. (*lett.*) prostitute; whore.

meretrìcio m. prostitution; soliciting.

mèrgo → **smergo**.

mericìsmo m. (*med.*) merycism; rumination.

meridiàna① f. sundial.

meridiàna② f. (*geogr.*) meridian.

meridiàno 🅰 a. **1** (*di mezzogiorno*) midday (attr.); noonday (attr.): **l'ora meridiana**, the noon; **il sole m.**, the midday (*o* noonday) sun **2** (*astron.*) – **cerchio m.**,

meridian circle 🅱 m. (*geogr.*) meridian: **m. celeste**, celestial meridian; **m. magnetico**, magnetic meridian; **il m. fondamentale** (*o* **di Greenwich**), the prime meridian.

♦**meridionàle** 🅰 a. southern; south; southerly: **accento m.**, southern accent; **costa m.**, south coast; **l'Italia m.**, Southern Italy; **l'America M.**, South America; **venti meridionali**, southerly winds 🅱 m. e f. southerner.

meridionalìsmo m. **1** (*ling.*) southern-Italian idiom **2** concern for [commitment to] the problems of Southern Italy.

meridionalìsta m. e f. expert on the economical and social problems of Southern Italy.

meridionalìstica f. study of the economical and social problems of Southern Italy.

meridionalìstico a. **1** (*del meridione*) southern **2** (*del meridionalismo*) concerning the economical and social problems of Southern Italy.

meridionalizzàre 🅰v. t. to southernize 🅱 **meridionalizzàrsi** v. i. pron. to become* southernized; to be southernized.

meridióne m. **1** south: **verso il m.**, south; southward **2** (*Italia meridionale*) Southern Italy.

meriggiàre v. i. (*lett.*) to rest at noon (in the shade).

meriggio m. (*lett.*) noon; midday; noonday: **dopo il m.**, in the afternoon; **in pieno m.**, at high noon; **sul m.**, at noon; **il sole del m.**, the midday (*o* noonday) sun.

merìnga f. (*cucina*) meringue.

meringàta f. (*cucina*) meringue cake ● **m. al limone**, lemon meringue.

meringàto a. (*cucina*) made with meringues; covered with meringue; meringue (attr.).

merìno m. e a. (*zool.*, *tess.*) merino: **lana m.**, merino (wool); **pecora m.**, merino (sheep).

merismàtica f. (*bot.*) meristem propagation.

meristèma m. (*bot.*) meristem.

meristemàtico a. (*bot.*) meristematic.

♦**meritàre** v. t. **1** to deserve; to merit: **m. una punizione**, to deserve punishment; to deserve to be punished; **m. una sorte migliore**, to deserve a better fate; **meritarsi uno schiaffo**, to deserve to be slapped; **un'idea che merita attenzione**, an idea that deserves attention; *È più di quanto io meriti*, it is more than I deserve; *Ha avuto quel che si merita* (*è stato punito*), he got what he deserved; he got his just deserts (*o*, *fam.*, his comeuppance); (*iron.*) *Te lo meriti!*, (it) serves you right! **2** (*valere la pena*) to be worth (*o* worthwhile); to be worth seeing [reading, visiting, etc.]: *Non merita che se ne parli*, it is not worth mentioning it; *Il film merita*, the film is worth seeing; **per quel che merita**, for what it's worth **3** (*procurare*) to earn: *Il suo gesto gli meritò il plauso generale*, his gesture earned him general praise.

meritataménte avv. **1** (*secondo il merito*) according to one's deserts **2** (*a buon diritto*) deservedly; rightly; justly.

meritàto a. deserved; well-deserved; merited; just: **un premio ampiamente m.**, a richly deserved prize; **la meritata punizione**, sb.'s just deserts; **godersi il m. riposo**, to enjoy a well-deserved rest.

meritévole a. deserving; (*spesso in composizione*) worthy: **m. della più alta lode**, deserving of the highest praise; **m. di credito**, creditworthy; **m. di fiducia**, trustworthy; **m. di lode**, worthy of praise; praiseworthy; *È pienamente m. della nostra fiducia*, she

fully deserves our trust.

♦**mèrito** m. **1** merit; credit; (*valore*) worth: **essere premiato secondo il m.**, to be rewarded according to one's merits; **non avere alcun m.**, to be without merit; *A chi va il m. di questo successo?*, who should take the credit (*o* who is responsible) for this success?; **giudicare qc. in base a m.**, to judge st. on its merits; *Si è preso il m. del mio lavoro*, he took the credit for my work; **una persona di m.**, a person of merit; **di nessun m.**, of no merit; worthless; **di scarso m.**, of little merit; **promozione per m.**, promotion on merit **2** (*pregio*) virtue; strength **3** (*sostanza*) heart; (*leg.*) merits (pl.): **il m. d'una causa**, the merits of a case; **entrare nel m. d'una questione**, to get to the heart of the matter ● **vincere a pari m.** (**con q.**), to share first prize (with sb.); to be joint winners; to come joint (*o* equal) first □ **classificarsi secondo a pari m. con q.**, to come joint (*o* equal) second with sb.; to tie for second place with sb.; to share second prize with sb. □ (*di persona*) **avere qualche m.**, to be of some merit □ **in m.**, about it; concerning this issue (*form.*): *Non so niente in m.*, I know nothing about it □ **in m. a**, about; regarding; concerning; as to: **parlare in m. a qc.**, to talk about st. □ **Onore al m.!**, give honour where honour is due □ **per m. tuo** [**suo, ecc.**], thanks to you [to him, etc.] □ **Dio ve ne renda m.!**, may God reward you! □ **tornare a m. di q.**, to speak well for sb.

meritocràtico a. meritocratic.

meritocrazìa f. meritocracy.

meritòrio a. meritorious; deserving; praiseworthy.

mèrla f. (*zool.*) hen blackbird ● **i giorni della m.**, the last three days in January.

merlàngo m. (*zool.*, *Gadus merlangus*) whiting.

merlàre v. t. (*archit.*) to embattle; to provide with battlements; to crenellate.

merlàto a. (*archit.*) embattled; battlemented; crenellated: **torre merlata**, embattled (*o* crenellated) tower.

merlatùra f. (*archit.*) battlements (pl.); crenellation.

merlettàia f. **1** (*chi fa merletti*) lace maker **2** (*chi vende merletti*) lace seller.

merlettàre v. t. to trim with lace; to lace.

merlettatùra f. lacing 🔲; lace 🔲.

merlétto m. lace 🔲: **m. ad ago**, needlepoint lace; point lace; **m. a tombolo**, pillow lace; bobbin lace; **ornato di merletti**, adorned with lace.

merlìno m. (*naut.*) marline.

Merlìno m. (*letter.*) Merlin.

♦**mèrlo**① m. **1** (*zool.*, *Turdus merula*) blackbird **2** (*fig.*: *sciocco*) booby; nincompoop; sucker: *Bravo m.!*, you booby!; that was clever! ● (*zool.*) **m. acquaiolo** (*Cinclus cinclus*), dipper.

♦**mèrlo**② m. (*archit.*) merlon: **m. ghibellino** [**guelfo**], swallow-tailed [flat-topped] merlon.

merlòtto m. (*zool.*) young blackbird **2** (*fig.*) booby; simpleton; sucker.

merlùzzo m. (*zool.*, *Gadus morhua*) cod*; codfish ● **olio di fegato di m.**, cod-liver oil.

mèro a. (*lett.*) mere; pure; sheer: **una mera ipotesi**, a mere hypothesis; **per m. caso**, by sheer chance.

meroblàstico a. (*biol.*) meroblastic.

merocèle m. (*med.*) femoral hernia.

meronimìa f. (*ling.*) meronymy.

meronìmo m. (*ling.*) meronym.

mèrope f. (*zool.*, *Merops apiaster*) bee-eater.

Merovìngi m. pl. (*stor.*) Merovingians.

merovìngica f. Merovingian hand.

merovìngico, **merovìngio** a. (*stor.*)

a b c d e f g h i j k l **m** n o p q r s t u v w x y z

Merovingian.

merozoìte m. (biol.) merozoite.

mesa (spagn.) f. (geogr.) mesa.

mesàta f. (paga di un mese) month's pay; monthly pay; month's wages (pl.): **una m. di anticipo**, a month's pay in advance.

mescàl m. inv. (bevanda) mescal.

mescalina f. (chim.) mescaline.

méscere v. t. **1** (versare) to pour (out): **m. il vino**, to pour out the wine **2** (lett.: mescolare) to mix.

meschineria, **meschinità** f. **1** (l'essere meschino) meanness; shabbiness; small-mindedness: **la m. del suo comportamento**, the meanness of his behaviour **2** (futilità) pettiness; (pochezza) paltriness: **la m. della somma**, the paltriness of the sum **3** (azione meschina) mean act; mean thing (to do); shabby trick; petty revenge: È stata una vera m. la sua!, that was a mean thing to do!; that was a shabby trick he played!; Che m. rifiutare di aiutarli!, how petty to refuse to help them! **4** (parole meschine) mean words (pl.); mean remark; mean thing (to say): Non ascoltare le sue meschinerie, don't listen to the mean things she says.

meschino A a. **1** (che vale poco, misero) petty, miserable, paltry, measly, poor; (futile) petty: **stipendio m.**, miserable salary; **scuse meschine**, paltry excuses; **fare una figura meschina**, to cut a poor figure **2** (squallido, gretto) petty; mean; shabby; cheap (USA): **meschini rancori**, petty animosities; **scherzo m.**, mean shabby (o trick); **osservazione meschina**, mean (o shabby) remark **3** (che ha idee anguste) small-minded; narrow-minded **4** (infelice) wretched; poor; unhappy: M. me!, poor me! B m. (f. -a) wretch.

méscita f. **1** (il mescere) pouring out **2** (spaccio di bevande) wine shop; bar • **banco di m.**, bar; counter.

mescitóre m. (f. -trìce) **1** pourer **2** (in un bar) barman* (f. barwoman*).

mescolàbile a. mixable; blendable.

mescolaménto m. mixing; blending; mingling.

mescolanza f. mixture; (armonica) blend; (disparata) medley, miscellany; (confusa) hotchpotch, hodgepodge (USA): **una m. di stili**, a mixture of styles; **una m. perfetta**, a perfect blend; **una m. di razze**, a medley of races; **fare una m.**, to make a mixture.

♦**mescolàre** A v. t. **1** (mettere insieme) to mix, to mingle; (miscelare, amalgamare) to blend*; (disordinatamente) to mix up, to jumble, to shuffle: **m. zucchero e cacao**, to mix sugar and cocoa; **m. i colori**, to mix colours; **m. differenti qualità di tè**, to blend different kinds of tea; **m. le carte** (da gioco), to shuffle (the) cards; Mescolate tutti gli ingredienti fino a ottenere una crema, blend all the ingredients into a smooth cream **2** (rimestare) to stir; to mix: **m. la crema**, to stir the custard; **m. l'insalata**, to mix (o to toss) the salad; Mise un cucchiaio di zucchero nel caffè e mescolò, he stirred a spoonful of sugar into his coffee B **mescolarsi** v. i. pron. e rifl. **1** (unirsi) to mix; to be mingled: L'olio e l'acqua non si mescolano, oil and water do not mix; Agli applausi si mescolava qualche fischio, a few boos were mingled with the cheering; there were a few boos mingled with the cheering **2** (mettersi insieme) to mix up, to mingle; (finire insieme) to get* mixed up: **mescolarsi agli ospiti [tra la folla]**, to mingle with the guests [with the crowd]; Non ti mescolare con quella gente, don't mingle with those people; Le mie carte si erano mescolate alle sue, my papers had got mixed up with his **3** (fig.: immischiarsi) to meddle (in, with); to interfere

(with).

mescolàta f. **1** mixing; mix **2** (di carte da gioco o sim.) shuffle; shuffling: Da' una buona m. al mazzo, give the pack a good shuffle **3** (rimestata) stirring.

mescolatóre A m. (anche ind.) mixer; blender B a. mixing.

mescolatrìce f. (macchina) mixer; blender.

mescolatùra f. mixing.

mescolìo m. continuous mixing.

♦**mése** m. **1** month: **m. civile**, calendar month; **m. lunare**, lunar month; lunation; **m. sidereo**, sidereal month; **m. sinodico**, synodical month; **il m. corrente**, this month; **il m. passato**, last month; **il m. prossimo** (o **venturo**), next month; **nel m. di maggio**, in May; Hai un m. di tempo, you have a month; **essere al sesto m.** (di gravidanza), to be in one's sixth month; to be six-months pregnant; **pagato a m.**, paid by the month; paid monthly; **a metà m.**, by mid-month; **ai primi del m.**, early in the month; **agli ultimi del m.**, late in the month; **di m. in m.**, from month to month; month after (o by) month; **fra un m.**, in a month's time; **ogni m.**, every month; monthly; **per dodici mesi all'anno**, all the year round; **per mesi e mesi**, for months and months; **per la fine del m.**, by the end of the month; **un bambino di tre mesi**, a three-month-old baby; **scadenza a tre mesi**, maturity at three months **2** (paga di un mese) month's pay; month's wages (pl.): **pagare il m. alla domestica**, to pay the maid her month's wages **3** (affitto di un mese) month's rent.

mesencefàlico a. (anat.) mesencephalic.

mesencèfalo m. (anat.) mesencephalon.

mesènchima m. (biol.) mesenchyme.

mesenchimàle a. (biol.) mesenchymal.

mesentère m. (anat.) mesentery.

mesentèrico a. (anat.) mesenteric.

mesentèrio → **mesentere**.

mesenterite f. (med.) mesenteritis.

mesétto m. about (o around) a month; a month or so (o thereabouts).

mesmèrico a. (psic.) mesmeric.

mesmerìsmo m. (psic.) mesmerism.

mesmerizzàre v. t. (psic.) to mesmerize.

mesmerizzazióne f. (psic.) mesmerization.

mesocardia f. (med.) mesocardia.

mesocàrpo m. (bot.) mesocarp.

mesocefalìa f. mesocephaly; mesocephalism.

mesocèfalo m. mesocephal.

mesocòlon m. (anat.) mesocolon.

mesodèrma m. (anat.) mesoderm.

mesodèrmico a. (anat.) mesodermal; mesodermic.

mesofàse f. (chim.) mesophase.

mesofillo m. (bot.) mesophyll.

mesòfita (bot.) f. mesophyte.

mesogàstrico a. (anat.) mesogastric.

mesogàstrio m. (anat.) mesogastrium*.

mesoglèa f. (zool.) mesoglea.

mesolite f. (miner.) mesolite.

mesolìtico a. e m. Mesolithic.

mesomerìa f. (chim.) mesomerism.

mesòmero A a. (chim.) mesomeric B m. (biol.) mesomere.

mesomòrfico → **mesomorfo**, def. 2.

mesomòrfo a. **1** (zool.) mesomorphic **2** (chim.) mesomorphic; mesomorphous.

mesóne m. (fis. nucl.) meson.

mesònico a. (fis. nucl.) mesonic.

mesopàusa f. (meteor.) mesopause.

mesopotàmico a. Mesopotamian.

mesosfèra f. (meteor.) mesosphere.

mesostèrno m. (anat.) mesosternum.

mesòstomo m. (zool., Mesostoma ehrenbergi) flatworm.

mesotèlio m. (anat.) mesothelium*.

mesotelìoma m. (med.) mesothelioma*.

mesoterapìa f. mesotherapy.

mesotèrmo a. (bot.) mesothermal • **pianta mesoterma**, mesotherm.

mesotoràce m. (anat., zool.) mesothorax*.

mesotòrio m. (chim.) mesothorium.

mesotrofìa f. (biol.) mesotrophy.

mesozòico a. e m. (geol.) Mesozoic.

mesozòo m. (zool.) mesozoan; (al pl., scient.) Mesozoa.

♦**méssa**① , **Méssa** f. Mass: **M. cantata**, sung Mass; **M. da requiem**, Mass for the dead; (anche mus.) Requiem (Mass); **M. grande** (o **solenne**), High Mass; **M. piana** (o **bassa**), Low Mass; **M. vespertina**, evening Mass; **prima M.**, early Mass; **andare a** (o **alla**) **M.**, to go to Mass; **ascoltare la M.**, to hear Mass; **dire la M.**, to say Mass; **far dire una M. per q.**, to have a Mass offered up (o said) for sb.; **servire M.**, to serve Mass; **libro da M.**, missal • **m. nera**, black mass.

♦**méssa**② f. (il mettere) putting; placing; setting; laying • (agric.) **m. a dimora**, planting □ (fis., fotogr.) **m. a fuoco**, focusing; focus: **m. a fuoco automatica**, automatic focusing; autofocusing; **m. a fuoco all'infinito**, focus on infinity; infinity focusing; **m. a fuoco dell'obiettivo**, lens adjustment; **regolazione della m. a fuoco**, focus control; focus adjustment □ **m. a punto**, (mecc.) setting-up; (autom.) tuning □ (elettr.) **m. a terra** (o **terra**), grounding (USA); earthing (GB) □ (tecn.) **m. a zero**, zero adjusting □ **m. al bando**, banishment □ (naut.) **m. in cantiere**, laying-down □ **m. in carta**, designing □ (naut.) **m. in disarmo**, lay-up □ (mecc.) **m. in fase del motore [dell'accensione]**, engine [ignition] timing □ (mecc.) **m. in moto**, (di motorino d'avviamento) starter; (avviamento) starting, ignition □ (tipogr.) **m. in macchina**, imposing □ (di impianto), installation □ (miss.) **m. in orbita**, putting into orbit □ **m. in piega** (di capelli), set: **fare la m. in piega a q.**, to set sb.'s hair; **farsi fare la m. in piega**, to have one's hair set; to have a shampoo and set □ **m. in scena** → **messinscena** □ **m. in stato di accusa**, indictment; (di uomo politico) impeachment.

messaggerìa f. (generalm. al pl.) transport and distribution service; transport company; forwarding agency.

messaggèro A m. (f. -a) **1** messenger **2** (fig.) messenger; (nunzio) harbinger, herald **3** (addetto al servizio di messaggeria) carrier **4** (biochim.) messenger **5** (naut.) messenger B a. (poet.) heralding.

messaggino m. (telef.) text message; text; SMS message.

♦**messàggio** m. **1** message; (su Internet) posting, post: **inviare un m.**, to send a message; **lasciare un m. a q.**, to leave sb. a message; **portare un m.**, to bring a message; (su Internet) **inviare un m.**, to post **2** (discorso) address: **il m. del Presidente**, the President's address **3** (fig.) message: **il m. cristiano**, the Christian message; **m. di pace**, message of peace.

messaggìstica f. transmission of electronic messages (pl.): **m. istantanea**, instant messaging.

messàle m. missal.

messalina f. licentious woman*.

messàpico a. Messapian; Messapic.

mèsse f. **1** (lett.: mietitura) harvest, reaping; (raccolto) harvest, crop: **una m. abbon-**

dante, a bountiful harvest; **il tempo della m.**, harvest time; **raccogliere la m.**, to reap the harvest; to gather in crops **2** (spec. al pl.) wheat ▣; corn ▣: **le messi biondeggianti**, the golden wheat **3** (*fig.*: *risultato*) crop; harvest **4** (*fig.*: *grande quantità*) wealth; profusion.

messènico a. Messenian.

messère m. (*stor.*) Sir; (*accompagnato dal nome*) Master.

Messìa m. **1** (*relig.*) Messiah **2** (*fig.*) messiah; (expected) deliverer; saviour.

messianèsimo → **messianismo**.

messianicità f. (*relig.*) messiahship; messianic character.

messiànico a. (*relig.*) messianic.

messianìsmo m. (*relig.*) messianism.

messicàno Ⓐ a. Mexican Ⓑ m. **1** (f. **-a**) Mexican **2** (*cucina*) rolled piece of veal with savoury stuffing.

Mèssico m. (*geogr.*) Mexico ● **Città del M.**, Mexico City.

messìcolo a. (*bot.*) growing among the corn.

Messidòro m. (*stor. francese*) Messidor (*franc.*).

messinése Ⓐ a. of Messina; from Messina Ⓑ m. e f. native [inhabitant] of Messina.

messinscèna f. (*teatr.*) staging; mise-en-scène (*franc.*); (*produzione*) production **2** (*fig.*: *finzione*) pretence; show; put-up affair; put-on (*USA*); act (*fam.*).

mésso ① a. – **m. bene**, all right; well off (→ **ben m.**); (*iron.*) *Siamo messi bene!*, we're in a real fix!; **m. male**, in a bad way, in a fix; **ben m.**, (*ben vestito*) well-dressed; (*benestante*) well off, well-healed; (*robusto*) sturdy, vigorous, strong; **mal m.**, (*mal vestito*) poorly dressed; (*trasandato*) shabby, scruffy; (*rif. a denaro*) badly off; (*rif. a salute*) low, in poor shape.

♦**mésso** ② m. (*messaggero*) messenger; (*inviato*) envoy; (*legato*) legate: **m. comunale**, town council messenger; **m. del Cielo**, messenger from Heaven; **m. di tribunale**, usher; **m. pontificio**, legate.

mestàre Ⓐ v. t. to stir Ⓑ v. i. (*fig.*) to scheme; to intrigue.

mestatóre m. (f. **-trice**) (*fig.*) schemer; intriguer.

mèstica f. (*pitt.*) priming.

mesticànza f. (*region*) mixed salads (pl.).

mesticàre v. t. (*pitt.*) to prime.

mesticherìa f. (*region.*) paint shop.

mestichìno m. (*pitt.*) palette knife*; (*spatola*) spatula.

mestierànte m. e f. (*spreg.*) mediocre professional; mediocre artist; (*scrittore*) hack.

♦**mestière** m. **1** trade; craft; (*professione*) profession; (*impiego*) job: **il m. delle armi**, soldiering; military life; **il m. dell'insegnante**, the teacher's job; teaching; **il m. del muratore**, the bricklayer's craft; **il m. del poeta**, the poet's craft; **il m. del tipografo**, the printer's trade; **arti e mestieri**, arts and crafts; **esercitare un m.**, to carry on a trade; **sapere il proprio m.**, to know one's trade; *Non gli piace il suo m.*, he doesn't like his work; *Che m. fa?*, what's her job (*o* occupation, trade)?; what does she do for a living?; *È chimico di m.*, he is a chemist by profession; (*anche fig.*) *È il mio m.*, it's my job; *Non è il mio m.*, it's not my job; (*non mi riguarda*) it's not my business **2** (*spreg.*: *attività lucrativa*) business; trade: *Della pittura ha fatto un m.*, she has made a business out of painting **3** (*abilità*, *tecnica*) skill; craftsmanship; (*esperienza*) experience: **avere m.**, to know one's job; to be skilled; to be experienced; *Non è arte, è m.*, it isn't art, it's

mere skill **4** (al pl.) (*fam.*: *lavori di casa*) housework ▣; (house) chores: **fare i mestieri**, to do the housework (*o* the chores) ● **essere del m.**, (*fare lo stesso m.*) to be in the same business; (*conoscere il proprio m.*) to know the tricks of the trade □ **i ferri del m.**, the tools of one's trade; (*fig.*) the stock-in-trade □ **gli incerti del m.**, the ups and downs of one's trade □ **i trucchi del m.**, the tricks of the trade □ **essere vecchio del m.**, to be an old hand (at st.).

mestièri m. (*lett.*) – è (*o* fa) **m.**, it is necessary; **non è m.**, it is needless.

mestìzia f. sadness; melancholy; mournfulness.

mèsto a. sad; melancholy; mournful; sorrowful.

méstola f. **1** ladle; dipper; scoop **2** (*cazzuola*) trowel **3** → **mestolaccia**.

mestolàccia f. (*bot.*, *Alisma plantago aquatica*) water plantain.

mestolàme m. ladles and wooden spoons (pl.).

mestolàta f. **1** (*quantità*) ladleful **2** (*colpo*) blow with a ladle.

méstolo m. ladle; (*cucchiaio di legno*) wooden spoon ● (*fig.*) **avere il m. in mano**, to call the tune; to lord it.

mestolóne m. **1** (*fig.*) oaf; clumsy fool; dimwit **2** (*zool.*, *Spatula clypeata*) shoveller; spoonbill duck.

mestruàle a. menstrual: **ciclo m.**, menstrual cycle; **dolori mestruali**, menstrual pains; period pains.

mestruàre v. i. to menstruate.

mestruàto a. (*di donna*) menstruating; menstruous.

mestruazióne f. menstruation ▣; (menstrual) period; menses (pl. *o* sing.): **avere le mestruazioni**, to have one's period; **avere mestruazioni abbondanti**, to have a heavy period.

mèstruo m. menses (pl.).

♦**mèta** ① f. **1** (*destinazione*) destination; place one is going to: **una m. lontana**, a far-off destination; **arrivare alla m.**, to reach one's destination; *Non ho una m. precisa*, I'm not going anywhere in particular; I haven't got a specific place in mind; (*devo ancora decidere*) I haven't decided where I'm going yet; **lontano dalla m.**, far from one's destination; **vicino alla m.**, close to one's destination; **senza m.**, aimless (agg.); aimlessly (avv.); **vagare senza m.**, to roam aimlessly **2** (*scopo*, *traguardo*) goal; target; object; (*fine*) aim, end: **una m. ambiziosa**, an ambitious aim; **avere una m.**, to have an aim in view; **prefiggersi una m.**, to set oneself a goal (*o* an aim, a target); **raggiungere la propria m.**, to reach (*o* to attain) one's goal; to attain one's aim **3** (*archeol.*, *nel circo romano*) meta* **4** (*rugby*) try: **andare in m.**, to score a try.

mèta ② f. **1** (*mucchio di paglia*) pile of straw; (*di fieno*) (conical) haystack **2** (*escremento animale*) piece of dung; (*di vacca*) cowpat.

mèta ® ③ m. (*chim.*) metaldehyde.

♦**metà** f. **1** half*: *La m. di 6 è 3*, half of 6 is 3; *Due m. fanno un intero*, two halves make a whole; **m. mela** (*o* **la m. di una mela**), half an apple; **le due m. d'una mela**, the two halves of an apple; **una buona m.**, a good half; **la prima m. del secolo**, the first half of the century; *Ho letto solo la m. dei libri che ho*, I've only read half of the books I have; *Ho letto m. del libro*, I have read half the book; *Hai la m. dei miei anni*, you are half my age; **in m. tempo**, in half the time; **dividere a m.**, to divide in half; to halve; **dividere le spese a m.**, to share expenses; **fare a m.**, (*spartire*) to share (st.); (*una spesa*) to go halves (*o* fifty-fifty); **tagliare a m.**, to cut in

half; **vuotare una bottiglia a m.**, to half-empty a bottle; **avere ragione solo a m.**, to be only half right; **cotto solo a m.**, only half cooked; **a m. anno**, halfway through the year; by midyear; *Sono a m. (del) libro*, I'm halfway through the book; **a m. mese**, halfway through the month; by midmonth; **a m. prezzo**, at half price; half-price (attr.); **a m. strada**, halfway; midway; **fermarsi a m. strada**, to stop halfway; **a m. strada fra Roma e Napoli**, midway between Rome and Naples; **vero solo per m.**, only half true; **vuoto per m.**, half empty **2** (*punto di mezzo*) middle: **piegare un foglio a m.**, to fold a sheet in half (*o* down the middle); **verso la m. dell'anno**, by the middle of the year; by midyear **3** (*scherz.*: *compagna*) (one's) ideal partner; (*moglie*) (one's) better half: **trovare la propria m.**, to find one's ideal partner; **la mia m.**, my better half ● (*sport*) **la m. campo**, (*centrocampo*) midfield; (*ciascuna metà del campo*) (a team's) half: **la m. campo avversaria**, the opponent's half; **linea di m. campo**, halfway line □ **dire le cose a m.**, to leave some things unsaid; (*alludere*) to hint at things □ **fare le cose a m.**, to leave things half finished (*o* half done): **non fare le cose a m.**, not to do things by halves □ **lasciare qc. a m.**, to leave st. half done; (*interrompere*) to leave st. halfway through it, to drop st.

metàbasi f. metabasis*.

metabiologìa f. (*biol.*) metabiology.

metabiòsi f. (*bot.*) metabiosis.

metabisolfìto m. (*chim.*) metabisulphite.

metàbole f. (*ling.*) metabole.

metabòlico a. (*fisiol.*) metabolic.

metabolìsmo m. (*fisiol.*) metabolism: **m. basale**, basal metabolism; **m. dei lipidi**, lipid metabolism.

metabòlita, **metabòlito** m. (*fisiol.*) metabolite.

metabolizzànte a. (*fisiol.*) metabolizing.

metabolizzàre v. t. (*fisiol.*) to metabolize.

metacarpàle a. (*anat.*) metacarpal.

metacàrpo m. (*anat.*) metacarpus.

metacèntrico a. (*fis.*) metacentric.

metacèntro m. (*fis.*) metacentre.

metacrilàto m. (*chim.*) methacrylate.

metacrìlico a. – (*chim.*) **acido m.**, methacrylic acid.

metacrìtica f. (*filos.*) metacriticism.

metacromasìa f. (*biol.*) metachromasia; metachromasy.

metacromàtico a. (*biol.*) metachromatic.

metacromatìsmo m. (*biol.*) metachromatism.

metacronìsmo m. metachronism.

metadàto m. (*comput.*) metadata (pl.).

metadìnamo f. (*elettr.*) metadyne.

metadóne m. (*farm.*) methadone.

metadònico a. (*farm.*) methadone (attr.).

metaemoglobìna f. methaemoglobin.

metaètica f. (*filos.*) meta-ethics (pl. col verbo al sing.).

metafàse f. (*biol.*) metaphase.

metafìsica f. (*filos. e fig.*) metaphysics (pl. col verbo al sing.).

metafìsico Ⓐ a. (*filos.*, *letter.* e *fig.*) metaphysical Ⓑ m. (f. **-a**) metaphysician.

metafonèsi → **metafonia**.

metafonìa f. (*ling.*) umlaut (*ted.*).

metàfora f. metaphor; image ● **fuor di m.** (*chiaramente*), explicitly; plainly; in plain terms □ **parlare sotto m.**, to speak metaphorically (*o* figuratively).

metaforeggiàre v. i. to speak* metaphorically; to use metaphors.

metafòrico a. metaphoric; metaphorical; figurative: **espressione metaforica**, metaphorical expression; **linguaggio m.**, figurative language.

metaforìsmo m. use of metaphors; imagery.

metàfraṣi f. metaphrase.

metafràste m. (*lett.*) metaphrast.

metagalàssia f. (*astron.*) metagalaxy.

metagalàttico a. (*astron.*) metagalactic.

metagèneṣi f. (*biol.*) metagenesis.

metagiurìdico a. juridically irrelevant.

metaldèide f. (*chim.*) metaldehyde.

metalèpsi f. (*ling.*) metalepsis.

metalessicografìa f. (*ling.*) metalexicography.

metalinguàggio m. metalanguage.

metalinguìstica f. metalinguistics (pl. col verbo al sing.).

metalinguìstico a. metalinguistic.

metallàro Ⓐ m. (f. **-a**) heavy-metal freak Ⓑ a. heavy-metal.

metallescènte a. having a metallic sheen.

♦**metàllico** a. 1 (*di metallo*) metal (attr.); metallic: **filo m.**, wire; **lega metallica**, metallic alloy; **oggetto m.**, metal object; **rivestimento m.**, metal plating; (*fin.*) **valuta metallica**, metallic currency 2 (*simile al metallo*) metallic: **lucentezza metallica**, metallic sheen; **sapore m.**, metallic taste; **suono m.**, metallic sound; clang; **voce metallica**, metallic voice.

metallìfero a. metalliferous.

metallìna f. (*metall.*) matte.

metallìṣmo m. (*econ.*) metallism.

metallizzàre v. t. 1 (*ricoprire di uno strato metallico*) to metallize 2 (*dare una lucentezza metallica*) to give* a metallic sheen; (*verniciare*) to spray with metallic paint.

metallizzàto a. 1 metallized 2 (*contenente metalli*) metallic: **vernice metallizzata**, metallic paint 3 (*trattato con vernice metallizzata*) sprayed with metallic paint.

metallizzazióne f. (*metall.*) metallization ● **m. a spruzzo**, metal spraying.

♦**metàllo** m. metal: **m. base**, base (*o parent*) metal; **m. delta**, delta metal; **m. dolce** [**duro**], soft [hard] metal; **m. fragile**, brittle metal; **m. fuso**, molten metal; **m. grezzo**, raw metal; **m. in lamiere**, sheet metal; **m. lavorato**, wrought metal; **m. leggero** [**pesante**], light [heavy] metal; **m. prezioso** (*o* **nobile**), noble metal; **non m.**, non-metal; metalloid; **una scatola di m.**, a metal box ● (*fig.*) **il vile m.**, filthy lucre.

metalloceràmica f. powder metallurgy.

metalloceràmico a. of powder metallurgy; powder metallurgy (attr.).

metallocromìa f. metallochromy.

metallòfono m. (*mus.*) metallophone.

metallografìa f. metallography.

metallogràfico a. metallographic.

metallòide m. (*chim.*) metalloid; non-metal.

metallòidico a. (*chim.*) metalloid (attr.); metalloidal.

metallorgànico a. metallo-organic.

metalloscòpio m. magnetic flux tester.

metalloterapìa f. metallotherapy.

metallotermìa f. metallothermy.

metallurgìa f. metallurgy: **m. delle polveri**, powder metallurgy.

metallùrgico Ⓐ a. metallurgic: **industria metallurgica**, metallurgic industry; **operaio m.**, metalworker; steelworker Ⓑ m. metalworker; steelworker.

metallurgìsta m. e f. metallurgist.

metalmeccànico Ⓐ a. engineering (attr.): **industria metalmeccanica**, engineering industry; **operaio m.**, metalworker; steelworker; engineering worker Ⓑ m. metalworker; steelworker; engineering worker.

metalògico a. metalogical.

metamatemàtica f. metamathematics (pl. col verbo al sing.).

metamerìa f. (*zool.*, *chim.*) metamerism.

metamèrico a. (*zool.*) metameric.

metamerìṣmo m. → **metameria**.

metàmero m. 1 (*zool.*) metamere; somite 2 (*chim.*) metamer.

metamìttico a. (*miner.*) metamict.

metamòrfico a. metamorphic.

metamorfìṣmo m. (*geol.*) metamorphism.

metamorfizzàre v. t., **metamorfizzàrsi** v. i. pron. to metamorphose.

metamorfoṣàre v. t., **metamorfoṣàrsi** v. i. pron. to metamorphose.

metamòrfoṣi f. metamorphosis* (*anche zool.*); transformation; (*fig.*, *anche*) radical change: **subire una m.**, to undergo a metamorphosis; to metamorphose.

metanàle m. (*chim.*) methanal.

metanièra f. (*naut.*) methane tanker.

metanière m. methane industry worker.

metanièro a. (*ind.*) methane (attr.); methane industry (attr.).

metanìfero a. (*ind.*) methane-producing (attr.).

metanizzàre v. t. 1 (*fornire metano a*) to supply with methane 2 (*convertire al metano*) to convert to methane.

metanizzazióne f. 1 (*fornitura*) distribution of methane; supply of methane 2 (*conversione*) conversion to methane.

metàno m. (*chim.*) methane; marsh gas; natural gas: **riscaldamento a m.**, natural gas heating.

metanodótto m. (*ind.*) natural gas pipeline.

metànoia f. (*relig.*) metanoia.

metanòlo m. (*chim.*) methanol; methyl alcohol.

metaplaṣìa f. (*med.*) metaplasia.

metaplàṣma m. (*biol.*) metaplasm.

metaplàṣmo m. (*gramm.*) metaplasm.

metaplàstico a. (*med.*, *ling.*) metaplastic.

metapsìchica f. parapsychology.

metapsìchico a. parapsychological.

metapsichìsta m. e f. parapsychologist.

metaromànzo m. metanovel.

metastàbile a. (*fis.*, *chim.*) metastable.

metàstaṣi f. 1 (*ling.*) off-glide 2 (*med.*) metastasis*.

metastàtico a. (*med.*) metastatic.

metastatizzàre v. i. (*med.*) to metastasize.

metastatizzazióne f. (*med.*) metastatization.

metastèrno m. (*anat.*) metasternum*.

metastòria f. metahistory.

metastoricità f. metahistorical quality.

metastòrico a. metahistorical.

metatarsàle a. (*anat.*) metatarsal.

metatàrso m. (*anat.*) metatarsus*.

metateorìa f. (*filos.*) metatheory.

metateòrico a. (*filos.*) metatheoretical.

metàteṣi f. (*gramm.*, *chim.*) metathesis*.

metatètico a. (*ling.*, *chim.*) metathetic.

metatoràce m. (*zool.*) metathorax*.

metatrofìa f. (*biol.*) metatrophy.

metazòo m. (*zool.*) metazoan; (al pl., *scient.*) Metazoa.

metèco m. (*stor.*) metic.

Metèllo m. (*stor.*) Metellus.

metempìrico a. (*filos.*) metempirical.

metempsicòṣi f. metempsychosis*.

metencèfalo m. (*anat.*) metencephalon*.

mèteo m. inv. weather forecast; weather report.

meteoecologìa f. meteorological ecology.

metèora f. 1 (*geogr.*) meteor 2 (*astron.*) meteor; shooting star 3 (*astron.*) meteoroid ● **passare come una m.**, to be a nine days' wonder; to be a flash in the pan.

meteòrico① a. 1 (*geogr.*, *astron.*) meteoric; meteor (attr.): **fenomeno m.**, meteoric phenomenon; **ferro m.**, meteoric iron; **pietra meteorica**, meteoric stone; **sciame m.**, meteor swarm 2 (*fig.*) meteoric: **ascesa meteorica**, meteoric rise.

meteòrico② a. (*med.*) affected by meteorism.

meteorìṣmo m. (*med.*) meteorism.

meteorite m. e f. 1 (*miner.*) meteorite: **m. litoide**, meteoric stone; **pioggia di meteoriti**, meteor shower 2 (*astron.*) meteoroid.

meteorìtica f. meteoritics (pl. col verbo al sing.).

meteorìtico a. meteoritic; meteor (attr.): **cratere m.**, meteor crater.

meteorobiologìa f. meteorobiology.

meteorodinàmica f. dynamic meteorology.

meteorografìa f. meteorography.

meteorògrafo m. meteorograph.

meteorogràmma m. meteorogram.

meteoròide m. (*astron.*) meteoroid.

meteorologìa f. meteorology: **m. dinamica**, dynamic meteorology.

meteorològico a. meteorological; weather (attr.): **bollettino m.**, weather report; **carta meteorologica**, meteorological (*o* weather) chart; **condizioni meteorologiche**, meteorological (*o* weather) situation; **previsioni meteorologiche**, weather forecast (sing.); **stazione meteorologica**, weather station.

meteoròlogo m. (f. **-a**) meteorologist; weather forecaster.

meteoropatìa f. (*med.*) meteoropathy.

meteoropàtico (*med.*) Ⓐ a. meteoropathic Ⓑ m. (f. **-a**) sufferer from meteoropathy.

meteoropatologìa f. (*med.*) meteoropathology.

Mèteosat m. weather satellite.

meticciaménto m. (*biol.*) hybridization; crossbreeding.

meticcio m. (f. **-a**) 1 (*biol.*) hybrid; cross-breed; cross 2 (*persona*) mestizo (*spagn.*, f. mestiza).

meticillìna f. (*farm.*) methicillin.

meticolosàggine f. fastidiousness; fussiness (*fam.*); pernicketiness (*fam.*).

meticolosità f. (*scrupolosità*) meticulousness, scrupulousness; (*minuziosità*) minuteness, thoroughness; (*pignoleria*) fastidiousness, fussiness (*fam.*).

meticolóso a. (*scrupoloso*) meticulous, scrupulous; (*minuzioso*) minute, thorough, painstaking; (*pignolo*) particular, fastidious, fussy (*fam.*), pernickety (*fam.*): **lavoratore m.**, meticulous worker; **perquisizione meticolosa**, minute search; *Sei troppo m.!*, you're too fussy!

metilammìna, **metilamìna** f. methylamine.

metilànte a. (*chim.*) methylating.

metilaràncio® m. (*chim.*) methyl orange.

metilàre v. t. (*chim.*) to methylate.

metilazióne f. (*chim.*) methylation.

metilcellulóṣa f. methyl cellulose.

m

metile m. (*chim.*) methyl: **verde di m.**, methyl green; **violetto di m.**, methyl violet.

metilène m. (*chim.*) methylene: **blu di m.**, methylene blue.

metilico a. (*chim.*) methylic; methyl (attr.): **alcool m.**, methyl alcohol.

metilpropàno m. (*chim.*) isobutane.

metionìna f. (*chim.*) methionine.

metòdica f. methodology; method.

metodicità f. methodicalness: **lavorare con m.**, to work methodically.

metòdico a. methodical; systematic; orderly: **lavoro m.**, methodical work; **persona metodica**, methodical person; **vita metodica**, orderly life.

metodìsmo m. (*relig.*) Methodism.

metodìsta ① a., m. e f. (*relig.*) Methodist.

metodìsta ② m. e f. **1** (*analista*) methods analyst **2** (*giocatore*) gambler using calculus of probability.

metodìstico a. (*relig.*) Methodistic.

metodizzàre v. t. to methodize; to systematize.

♦**mètodo** m. **1** method; system; technique: **m. di cura**, treatment; **m. d'insegnamento**, teaching method; **m. di lavoro**, working method; **m. di lavorazione**, processing technique; **m. di pagamento**, method of payment; **non avere m.**, to lack method; to be unmethodical; to be unsystematic; **lavorare con m.**, to work systematically; **seguire un certo m.**, to follow a certain method; **mancanza di m.**, lack of method **2** (*modo, comportamento*) way: **metodi sbrigativi**, brisk ways; *Che metodi sono questi?*, what sort of behaviour is this?; *Segui il m. mio*, do it my way **3** (*manuale*) handbook; tutor **4** (*teatr.*) method acting; Method.

metodologìa f. **1** (*filos.*) methodology **2** methodology; (*metodo*) method, technique.

metodològico a. methodological.

metodòlogo m. (f. *-a*) methodologist.

metòlo ® m. (*fotogr.*) metol.

metonìmia f. (*ling.*) metonymy.

metonìmico a. (*ling.*) metonymic.

metònimo m. (*ling.*) metonym.

metonomàsia f. (*ling.*) metonomasy.

mètopa, mètope f. (*archit.*) metope.

metòpico a. (*anat.*) metopic.

metossìlico a. – (*chim.*) **radicale m.**, methoxyl.

metràggio m. **1** (*misurazione*) measurement (in metres): **vendere a m.**, to sell by the metre **2** (*lunghezza*) length (in metres); metres (pl.): **un m. abbondante**, a generous length; *Che m. devo comprare?*, how many metres should I buy? **3** (*cinem., in piedi*) footage; (*in metri*) length: **film a corto m.**, short film; **film a lungo m.**, full-length film.

metralgìa f. (*med.*) metralgia.

metratùra f. **1** (*lunghezza*) length (in metres) **2** (*area*) width (in square metres); measurement; dimensions (pl.); size: **appartamenti di varie metrature**, flats of various dimensions (*o* sizes) **3** (*misurazione*) measurement (in metres) ● **Che m. ha?**, what are it's measurements?; how long is it?; what size is it? □ **vendere a m.**, to sell by the metre [by the square metre].

mètrica f. prosody; metrical system; metrics (pl. col verbo al sing.); versification: **la m. classica**, classical prosody; **m. quantitativa [accentuativa]**, quantitative [accentual] metrical system; **la m. di Pascoli**, Pascoli's prosody (*o* metres, pl.).

metricìsta m. e f. prosodist; metricist.

mètrico a. **1** (*mat., fis.*) metric; metrical: **analisi metrica**, metrical analysis; **il sistema m. decimale**, the metric system; the decimal measuring system **2** (*poesia*) metric; metrical: **prosa metrica**, metrical prose; **schema m.**, metric scheme.

metricologìa f. metrics (pl. col verbo al sing.).

metricòlogo m. (f. *-a*) metricist; metrician.

metrìte f. (*med.*) metritis.

métro (*franc.*) m. inv. → **metropolitana**.

mètro ① m. **1** (*poesia*) metre, meter (*USA*); (*struttura metrica*) metrical structure: **il m. della ballata**, the ballad metre; **il m. elegiaco**, the elegiac metre; **metri oraziani**, Horatian metres **2** (*verso, poesia*) verse; poetry **3** (*fig.: tono*) tone.

♦**mètro** ② m. **1** metre, meter (*USA*): **m. cubico** (*o* **cubo**), cubic metre; **m. lineare**, linear metre; **m. quadrato** (*o* **quadro**), square metre; **un m. e dieci**, one metre ten; *Sono alto un m. e ottanta*, I'm one metre eighty (tall); **lungo due metri**, two-metre long; **un appartamento di sessanta metri quadri**, a sixty-square-metre flat; (*sport*) **i cento metri piani**, the 100-metre sprint; **costare 10 euro al m.**, to cost 10 euros a metre; **comprare a metri**, to buy by the metre; **misurare a metri**, to measure in metres **2** (*strumento misuratore: rigido*) rule; (*a nastro*) tape measure, measuring tape: **m. a nastro d'acciaio**, steel tape; **m. da sarto**, tape measure; **m. pieghevole**, folding rule **3** (*fig.*) criterion*; yardstick; standard: **m. di giudizio**, criterion; **misurare tutti secondo lo stesso m.**, to judge everybody by the same standard.

métro ③ f. inv. → **metropolitana**.

metrodinìa f. (*med.*) metralgia.

metrologìa f. **1** (*fis.*) metrology **2** (*letter.*) study of poetic metres.

metrològico a. (*fis.*) metrological.

metròlogo m. (f. *-a*) metrologist.

metrònica → **meccatronica**.

metrònomo m. (*mus.*) metronome.

metronòtte m. inv. night watchman*.

metropatìa f. (*med.*) metropathy.

metròpoli f. metropolis.

metropolìta a. e m. (*eccles.*) metropolitan (bishop).

metropolitàna f. underground (*GB*); subway (*USA*); tube (*fam. GB*); metro (*spec. a Parigi*) ● **m. leggera**, rapid surface transit system; light railway.

metropolitàno Ⓐ a. **1** (*di metropoli*) metropolitan; urban; city (attr.): **area metropolitana**, metropolitan area; **traffico m.**, city traffic; **trasporti metropolitani**, urban transport **2** (*eccles.*) metropolitan **3** (*nazionale*) metropolitan; home (attr.) Ⓑ m. (*vigile urbano*) traffic policeman*.

metrorragìa f. (*med.*) metrorrhagia.

metroscopìa f. (*med.*) hysteroscopy.

metrotomìa f. (*med.*) hysterotomy.

♦**méttere** Ⓐ v. t. **1** to put*; (*porre*) to set*; (*in posizione orizzontale*) to lay*; (*in posizione verticale*) to stand*; (*appendere*) to put* up; (*collocare*) to place; (*disporre*) to arrange; (*versare*) to pour: **m. legna sul fuoco**, to put wood on the fire; **m. a letto i bambini**, to put the children to bed; **m. la tovaglia**, to put on the tablecloth; **m. lo zucchero nel caffè**, to put sugar in one's coffee; **m. in carcere**, to put in (*o* into) prison; **mettersi le mani in tasca**, to put one's hands in (*o* into) one's pockets; **mettersi in bocca una caramella**, to put (*fam.* to pop) a sweet into one's mouth; **m. acqua in un vaso**, to pour water into a vase; **m. un avviso in bacheca**, to put up a notice (on the noticeboard); **m. un'idea in testa a q.**, to put an idea into sb.'s head; **m. la firma su qc.**, to put one's signature to st.; **m. le manette a q.**, to put handcuffs on sb.; to handcuff sb.; *Mi mise la mano sulla spalla*, she laid her hand on my shoulder; (*anche fig.*) **m. le mani su qc.**, to lay one's hands on st.; **m. da parte qc.**, to put (*o* to lay) st. aside; **m. una scala contro il muro**, to stand a ladder against the wall; **m. giù un peso**, to put (*o* to set) a load down; **m. a terra**, to lay down; *Fu messo a comandare il battaglione*, he was placed in command of the battalion; *Mise dieci uomini a tagliare la legna*, he set ten men to chop the wood **2** (*anche* **mettersi**: *indossare*) to put* on, (*infilarsi, anche*) to slip on; (*portare*) to wear*: **m. il cappello**, to put on one's hat; **mettersi il soprabito**, to put on one's overcoat; **mettersi le scarpe**, to put on (*o* to slip on) one's shoes; **mettersi un anello al dito**, to slip a ring on one's finger; *Si mette sempre dei buffi cappellini*, he always wears funny hats; *Non so che cosa mettermi stasera*, I don't know what to wear tonight **3** (*causare, incutere*) to cause; to put*; to make* (sb.) feel (+ agg.); to make* (sb. + agg.); to inspire; (*dare*) to give*: **m. fame a q.**, to make sb. hungry; **m. fiducia a q.**, to inspire confidence in sb.; **m. forza**, to give strength; **m. paura a q.**, to frighten sb.; to scare sb.; **m. sete a q.**, to make sb. thirsty; **m. soggezione a q.**, to make sb. feel uneasy **4** (*installare*) to install; to lay* on: **m. il telefono**, to install the telephone; to have the telephone installed; **m. la luce [il gas]**, to lay on the electricity [the gas] **5** (*investire*) to put*: **m. tutti i propri risparmi in qc.**, to put all one's savings in st. **6** (*scommettere*) to bet*; to stake **7** (**metterci**: *impiegare*) to take* (pers. o impers.): *Ci metterò un'ora*, it will take me an hour; *Quanto (tempo) ci si mette?*, how long does it take?; *Non metterci tanto!*, don't take too long! **8** (*rendere, volgere*) to put*; to turn; (*tradurre*) to translate: **m. in versi**, to put into verse; to versify; **m. in musica**, to set to music; **m. un brano in latino**, to translate a passage into Latin **9** (*far pagare*) to charge (sb. for st.): *A quanto mettono la mezza pensione?*, how much do they charge you for bed and breakfast? **10** (*imporre un tributo, una multa, ecc.*) to levy; to lay*: **m. una multa**, to levy a fine; **m. una tassa su qc.**, to levy a tax on st. **11** (*supporre*) to suppose: *Metti (o Mettiamo) che non siano in casa*, suppose they are not in **12** (*paragonare*) to compare: *La mia è molto più veloce, vuoi m.*, mine is much faster, there's no comparison **13** (*accostare, portare*) to bring*: **m. il bicchiere alla bocca**, to bring (*o* to raise) one's glass to one's mouth **14** (*germogliare*) to put* forth: *A primavera le piante mettono foglie e germogli*, in spring plants put forth leaves and buds □ **m. a confronto**, to compare; (*leg.*) to confront □ **m. q. a dieta**, to put sb. on a diet □ **m. a ferro e a fuoco**, to put to fire and sword □ (*comm.*) **m. a frutto**, to put out; to lay out to profit □ (*fis., fotogr.*) **m. a fuoco**, to focus □ **m. ai voti una questione**, to put a question to the vote □ **m. al bando**, (*esiliare*) to banish; (*proibire*) to ban □ **m. q. al corrente di qc.**, to inform sb. of st.; to acquaint sb. with st.; to notify sb. of st. □ (*comm.*) **m. all'asta**, to put up for auction □ **m. q. alla porta**, to show sb. the door □ **m. q. alle strette** (*o* **con le spalle al muro**), to put sb. with his [her] back to the wall (*fam.*) □ **m. al mondo**, to give birth to □ (*fis.*) **m. a massa**, to ground □ **m. a morte**, to put to death □ **m. q. a nudo**, to lay bare □ **m. q. a parte di qc.**, to inform sb. of st. □ **m. a posto qc.**, to put st. in its proper place; (*riparare*) to repair st., to fix st. □ (*fig.*) **m. a posto le cose**, to put things straight; to set things right □ **m. a posto q.**, (*trovargli un lavoro*) to find a job for sb.; (*dargli una lezione*) to put sb. in his place; (*sistemare*) to fix sb. □ **m. a profitto**, to turn to profit □ **m. alla prova**, to put to the test □ **m. a punto**, to get ready; (*regolare*) to adjust; (*un motore*) to tune (up); (*precisare, definire*) to define; to state clearly □ **m. a sacco**, to sack;

a b c d e f g h i j k l m n o p q r s t u v w x y z

to plunder; to loot □ **m. a servizio una ragazza**, to put a girl out to service □ **m. al sicuro**, to put in a safe place; to hide □ **m. avanti [indietro] un orologio**, to put a watch (*o* a clock) forward [back] □ (*fig.*) **m. il bastone fra le ruote a q.**, to put a spoke in sb.'s wheel □ **m. una buona parola per un amico**, to put in a word for a friend □ **m. un campo a granturco**, to plant a field with maize; to put a field under maize □ (*fig.*) **m. il carro davanti ai buoi**, to put the cart before the horse □ **m. cervello** (*o* **giudizio**), to see the error of one's ways; to turn over a new leaf □ (*fig.*) **m. q. contro q. altro**, to set sb. against sb. else; (*a proprio vantaggio*) to play sb. off against sb. else □ **m. i denti**, to cut one's teeth □ **m. dentro q.** (*in prigione*), to put sb. inside; to send sb. down (*GB*); to send sb. up (*USA*) □ **m. di mezzo**, to involve; to drag in □ **m. fine a qc.**, to put an end to st. □ (*di fiume*) **m. foce**, to flow (into) □ (*telef.*) **m. giù**, to put down the receiver; to hang up □ **m. giù due righe**, to jot down a line □ (*fam.*) **m. giù la pasta**, to put the spaghetti on □ **m. q. in ansia**, to put sb. in a state of anxiety □ **m. in assetto**, to settle □ **m. in atto**, to implement; to carry out; to execute □ **m. in chiaro qc.**, to make st. clear □ (*telef.*) **m. q. in comunicazione**, to put sb. through (to sb.); to connect sb. (with sb.) □ **m. in conto → conto** □ **m. in dubbio → dubbio** □ **m. in evidenza**, to point out; to stress; to emphasize □ **m. in fase**, (*cinem.*) to phase; (*un motore*) to time □ **m. in fila**, to line up □ **m. in fuga**, to put to flight □ **m. in funzione**, (*una macchina, ecc.*) to start; (*una linea ferroviaria, ecc.*) to open up □ **m. in giro una voce**, to spread a rumour □ **m. q. in grado di fare qc.**, to enable sb. to do st. □ **m. in guardia**, to warn (sb. against st.); to alert (sb. to st.) □ **m. in libertà**, to set free □ (*telef.*) **m. in linea → m. in comunicazione** □ (*tipogr.*) **m. in macchina**, to impose □ (*naut.*) **m. in mare una nave**, to launch a ship □ **m. in mostra**, to display; to exhibit □ **m. in moto**, to set in motion; to start; (*autom., assol.*) to start the engine □ **m. in ordine**, to put (*o* set) in order; to tidy up □ **m. in pericolo**, to endanger; to jeopardize; to put at risk □ **m. in programma**, to programme; to schedule (*USA*) □ **m. in ridicolo**, to hold up to ridicule; to pour ridicule on □ **m. in rilievo**, to stress; to emphasize □ (*mil.*) **m. in rotta**, to put to rout; to rout □ **m. in salvo → salvo**, B □ (*teatr.*) **m. in scena**, to put on the stage; to produce; to perform □ **m. in vendita**, to put up for sale □ **m. insieme → insieme**① □ **m. le mani agli orecchi**, to cover one's ears with one's hands □ **m. mano a qc.**, to start on st.; to put (*o* set) one's hand to st.; (*accennare a prendere*) to reach for st.; (*prendere parte*) to have a hand in st. □ **m. il naso dappertutto**, to poke one's nose everywhere; to be a noseyparker (*fam.*) □ **m. nome a q.**, to call (*o* to name) sb. □ **m. gli occhi addosso a q.**, to set one's eyes upon sb. □ **m. per iscritto**, to put in writing; to put down; to write down □ **m. piede**, to set foot □ (*fig.*) **m. (le) radici**, to take roots □ (*fam.*) **m. sotto q.**, (*investirlo*) to run sb. over; (*farlo lavorare*) to put sb. to work □ **m. su bottega**, to set up (in business) □ (*fam.*) **m. su la minestra**, to put the soup on □ **m. su un negozio**, to set up a shop □ **m. sul tavolo una proposta**, to advance a proposal □ **m. superbia**, to put on airs □ **m. la testa a partito** (*o* **a posto**), to settle down; to turn over a new leaf □ **m. tra parentesi**, to put in brackets; to bracket □ **m. una toppa a qc.**, to patch st. (up) □ (*fig.*) **m. troppa carne al fuoco**, to have too many irons in the fire □ **m. via**, to put away □ (*fam.*) **mettercela tutta**, to do one's very best; to work hard □ (*fam.*) **metterla giù dura**, to make a fuss about st.; to carry on about st.; to make

a federal case out of st. (*USA*) □ (*fam.*) **mettersi q. contro**, to make an enemy of sb. □ **mettersi il cuore in pace → cuore** □ **mettersi in mente qc.**, to get st. into one's head □ (*fig.*) **mettersi in testa qc.**, to get st. into one's head □ **Come la mettiamo?**, what are we going to do about it?; (*come lo spieghi?*) what have you got to say about it? □ **Non ci metto niente a dirglielo in faccia**, I wouldn't think twice about telling him to his face □ **Bisogna metterci un po' di buona volontà**, it takes some good will (to do it) **B** **v. i. 1** (*sboccare*) to lead* (to): *Il sentiero metteva su una radura*, the path led to a clearing **2** (*sfociare*) to flow (into): *Il Ticino mette nel Po*, the Ticino flows into the Po **C** **méttersi** v. rifl. e rifl. recipr. **1** (*porsi*) to put* oneself; to place oneself; to get* (oneself): **mettersi davanti a una porta**, to place oneself in front of a door; **mettersi al posto di q.**, to put oneself in sb.'s place; **mettersi a proprio agio**, to put oneself at ease; **mettersi in una situazione difficile**, to put oneself in a difficult position; **mettersi nei guai** (*o* **nei pasticci**), to get into trouble; **mettersi in contatto con q.**, to get in touch with sb.; to contact sb. **2** (*unirsi*) to join (sb.); to go* over (to); to associate (with): **mettersi col nemico**, to go over to the enemy; **mettersi dalla parte del più forte**, to join the stronger side **3** (*fam.: iniziare una relazione amorosa*) to start going out (with); to take* up (with): *Paola si è messa con Aldo*, Paola has taken up with Aldo; *Si sono messi insieme*, they are going steady ● **mettersi a dieta**, to go on a diet; to start dieting □ **mettersi a letto**, to go to bed; (*per malattia*) to take to one's bed □ **mettersi a rischio di**, to run the risk of □ **mettersi a sedere**, to sit down □ **mettersi alla testa di**, to take the lead of; to lead □ **mettersi d'accordo**, to come to an agreement; to agree; (*prendere accordi*) to arrange (that) □ **mettersi in agitazione**, to get worked up □ **mettersi in cammino**, to set out □ **mettersi in ginocchio**, to kneel down □ (*fig.*) **mettersi in mezzo**, to intervene; to come between □ **mettersi in moto**, (*di motore*) to start; (*comincare ad agire*) to stir oneself □ **mettersi in proprio**, to set up on one's own □ **mettersi in salvo → salvo**, **B** □ **mettersi in sciopero**, to go on strike □ (*comm.*) **mettersi in società con q.**, to go into (*o* to form a) partnership with sb. □ **mettersi in viaggio**, to set out upon a journey □ **mettersi in vista**, to call attention to oneself; to show off □ (*fig.*) **mettersi sotto**, to get down to business; to knuckle down □ **Ci mettemmo in dieci per fargli un regalo**, ten of us got together to buy him a present **D** **méttersi** v. i. pron. **1** (*cominciare*) to start; to begin*; to set* (to st.); to set* about (doing st.): **mettersi a piangere**, to start crying; **mettersi a ridere**, to begin to laugh; *Si mise a nevicare*, it started to snow; **mettersi a fare il buffone**, to start playing the fool; **mettersi al lavoro**, to set to work; to get down to work; (*mettersi all'opera*) to get down to business; **mettersi al lavoro per trovare una soluzione**, to set about finding a solution **2** (*volgere*) to turn out; to shape up; to take* a turn (for): *Speriamo che le cose si mettano bene*, let's hope everything turns out well; *Le cose si stanno mettendo bene*, things are shaping up (well) (*o* have taken a turn for the better); **mettersi male**, to take a turn for the worse; *da come si mettono le cose*, the way things are shaping up; **stare a vedere come si mettono le cose**, to wait to see which way the wind is blowing (*fam.* which way the cat jumps); *Il tempo si sta mettendo al bello* [*al brutto*], the weather is clearing up [is getting worse].

mettibócca m. e f. inv. (*fam.*) busybody;

meddler; butter-in.

mettifòglio m. (*tipogr.*) (sheet) feeder.

mettilòro m. gilder.

mettimàle m. e f. inv. mischief-maker; scandalmonger.

mettiscàndali m. e f. inv. scandalmonger.

mettitùtto m. inv. kitchen cupboard.

meublé (*franc.*) a. e m. inv. (hotel) with bed and breakfast.

mezerèo m. (*bot.*, *Daphne mezereum*) mezereon.

mèzza f. **1** (*mezz'ora*) half-hour: *Questo orologio non suona le mezze*, this clock does not strike the half-hours **2** (*mezzogiorno e mezzo*) half past twelve.

mezzacalzétta f. (*spreg.*) mediocrity; second-rater.

mezzacartùccia f. (*spreg.*) squirt; pipsqueak; little creep.

mezzacòsta f. hillside; mountainside: **a m.**, along the hillside.

mezzadrìa f. sharecropping; métayage (*franc.*).

mezzadrìle a. sharecropping (attr.); métayage (*franc.*) (attr.).

mezzàdro m. sharecropper; métayer (*franc.*).

mezzafédé f. gold ringlet.

mezzàla f. (*calcio*) inside forward: **m. destra [sinistra]**, inside right [left].

mezzalàna f. linsey-woolsey.

mezzalùna f. **1** half-moon; crescent **2** (*emblema islamico*) Crescent: **la M. rossa**, the Red Crecent **3** (*utensile per cucina*) (crescent-shaped) chopping knife* **4** (*mil.*) demilune ● **a m.**, half-moon shaped; crescent-shaped; (*bot.*, *zool.*) semi-lunar.

mezzamànica f. **1** (*soprammanica*) oversleeve **2** (*manica corta*) short sleeve **3** (*fig. spreg.*) pen-pusher.

mezzàna f. **1** (*naut.*, *anche* **albero di m.**) mizzenmast; mizzen; **pennone di m.**, mizzen yard **2** (*naut.*, *anche* **vela di m.**) mizzen course; mizzen **3** (*ruffiana*) procuress.

mezzanàve f. (*naut.*) beam: **a m.**, on the beam; **avere il vento a m.**, to have the wind on the beam; **vento a m.**, beam wind.

mezzanèlla f. (*naut.*) **1** (*vela di strallo*) mizzen staysail **2** (*alberetto a poppa*) jigger mast.

mezzanìa f. (*naut.*) waist.

mezzanino m. (*archit.*) mezzanine (floor); entresol.

mezzàno A. a. 1 (*medio*) medium; mean; middle; middling; average: **statura mezzana**, medium (*o* average) height; **di grandezza mezzana**, of medium size; middle-sized **2** (*mediocre*) middling; mediocre **B. m. 1** (*intermediario*) mediator; go-between **2** (*ruffiano*) procurer.

♦ **mezzanòtte** f. **1** midnight: **a m.**, at midnight; **sole di m.**, midnight sun **2** (*nord*) north.

mezzapùnta f. (*calcio*) makeshift striker.

mezzaquaréşima f. (*eccles.*) Mid-Lent.

mezz'ària f. → **aria**.

mèzzaro → **mezzero**.

mezzaséga m. e f. (*volg.*) squirt; runt; jerk (*USA*); pissant (*volg. USA*).

mezz'àsta f. → **asta**.

mezzatàcca f. mediocrity; pipsqueak ● **di m.**, = **di mezza tacca** → **tacca**.

mezzatéla f. mixed linen.

mezzatìnta f. **1** half shade; (*anche pitt.*) half-tint **2** (*tipogr.*) half-tone **3** (*incisione*) mezzotint **4** (*fig.*) nuance.

mezzavéla f. (*naut.*) jib.

mezzèna f. (*macelleria*) side: **m. di bue**, side of beef.

mezzerìa f. **1** (*di strada*) centre line **2** (*naut.*) waist.

mèzzero m. printed cotton spread.

mezzétta f. half-litre; half a litre.

mèzzo ① a. **1** (*di frutto*) overripe **2** (*fig., lett.*) corrupt; rotten.

◆**mèzzo** ② Ⓐ a. **1** half: **mezza dozzina**, half a dozen; **mezza giornata**, half a day; **m. kilo**, half a kilo; **m. lutto**, half-mourning; **mezza mela**, half an apple; **m. metro**, half a metre; **mezz'ora → mezzora**; **mezza pensione**, half board; **un m. sorriso**, a half-smile; **mezze maniche**, short sleeves; **mezze misure**, half-measures; **mezze verità**, half truths; *Ho già letto m. libro*, I have already read half the book; *C'era mezza città*, half the town was there; **rilegatura in mezza pelle**, half-binding; **libro rilegato in mezza pelle**, half-bound book; **ritratto a m. busto**, half-length portrait **2** (*medio*) middle; mean: **un uomo di mezza età**, a middle-aged man **3** (*con funzione avv.*) half; (*quasi*) almost, near: **m. addormentato**, half asleep; **m. aperto**, half open; **m. cotto**, half cooked; **m. matto**, half mad; crazy; **m. morto**, half dead; (*stanco*) exhausted, worn out; *Era mezza nuda*, she was half naked; *È stato un m. fiasco*, it was a near fiasco (*o* a bit of a fiasco) □ **mezza calzetta**, **mezza cartuccia → mezzacalzetta**, **mezzacartuccia** □ **m. guanto → mezzoguanto** □ **una mezza parola** (*un suggerimento*), a hint □ **mezza sega → mezzasega** □ **m. servizio → mezzoservizio** □ **mezz'e m.**, half-and-half; (*così così*) so-so □ **a mezza paga**, on half-pay □ **a mezza via**, half-way □ **avere una mezza idea di fare qc.**, to have half a mind to do st. □ **dare una mezza promessa**, to half-promise □ *L'ha detto a m. mondo*, he told all and sundry Ⓑ m. **1** (*metà*) half*: *Due mezzi fanno un intero*, two halves make a whole; **due bicchieri e m.**, two and a half glasses; *Ha sei anni e m.*, he is six and a half; **le cinque e m.**, half past five **2** (*parte centrale*) middle, midst; (*centro*) centre: **nel m. del racconto**, in the middle of the story; **nel m. della stanza**, in the middle of the room; **nel m. dell'inverno**, in the midst of winter; **nel bel m. di**, right in the middle of; **di m.**, middle; central; **l'età di m.**, middle age; (*il Medioevo*) the Middle Ages; **fila di m.**, central row; **l'Italia di m.**, Central Italy; **in m. a**, in the middle of; in the midst of; amid; among; **in m. alla folla**, in the midst of the crowd; **in m. a tanti sconosciuti**, among so many strangers **3** (*strumento, espediente*) means (*sing. o pl.*); medium*; (*modo*) way: **mezzi audiovisivi**, media; **mezzi di comunicazione**, (*trasp.*) means of transport; (*di informazione*) media; **m. di pagamento**, means of payment; **m. di scambio**, medium of exchange; *Il fine giustifica i mezzi*, the end justifies the means; *Non c'è m. di scoprirlo*, there is no way of finding out; *Questo è l'unico m.*, this is the only way; **con ogni m.**, by all means; at all costs; **con qualsiasi m.**, by any means; by whatever means at one's disposal **4** (*anche* **m. di trasporto**) means (*o* form) of transport; (*veicolo*) vehicle; (*aeron., naut.*) craft*; (al pl.) transport Ⓤ; (*mil.*) m. anfibio, amphibious vehicle; **m. cingolato**, tracked vehicle; tracklayer; caterpillar; (*mil.*) **m. corazzato**, armoured vehicle; (*mil.*) **m. da sbarco**, landing craft; **i mezzi pubblici**, public transport; *Prenderò un m.*, I'll take a bus or something; **viaggiare con mezzi di fortuna**, to travel by whatever form of transport is available **5** (*fis., biol.*) medium*; (*conduttore*) conductor **6** (al pl.) (*denaro*) means; (*risorse*) resources; (*fondi*) funds: **mezzi di sussistenza**, livelihood; **mezzi finanziari**, financial means; financial resources; **avere mezzi**, to be well off; **non avere mezzi**, to be hard up; *I miei mezzi*

non me lo permettono, I can't afford it; **vivere al di sopra dei propri mezzi**, to live beyond one's means ● **a m. corriere**, by courier □ **a m. ferrovia**, by rail □ **a m. posta**, by mail (*o* post) □ **andare** (*o* andarci) **di m.**, to be (*o* to get) involved (in st.); (*scapitarci*) to suffer from it; (*essere incolpato*) to be blamed; (*essere in gioco*) to be at stake □ **esserci di m.**, to be involved (in st.) □ **fare a m. con q.**, to go halves (*o* fifty-fifty) with sb. (in, on st.) □ **fare le cose a m.**, to leave things half-done (*o* half-finished) □ **il giusto m.**, the golden mean; the happy medium: **trovare il giusto m.**, to strike a happy medium □ **mettere tempo in m.**, to delay □ **mettersi in m.**, to come between; to intervene □ **per m. di**, by means of; by; through: *I pensieri si esprimono per m. di parole*, thoughts are expressed by means of words; *L'ho avuto per m. di amici*, I got it through friends □ (*leg.*) **ricorrere ai mezzi legali**, to take legal steps □ **tentare ogni m.**, to do everything in one's power □ **togliere** (*o* levare) **di m.**, to take (st.) out of the way; to get rid of □ **togliersi di m.**, to get out of the way □ **via di m. → via** ①.

mezzobùsto m. **1** (*scult.*) bust **2** (*TV, iron.*) newsreader; anchorman* ● **ritratto a m.**, half-length portrait.

mezzocèrchio m. **1** (*mat.*) semicircle **2** (*sport: scherma*) circling engagement.

mezzocièlo m. (*astrol.*) midheaven.

mezzocìrcolo m. (*mat.*) semicircle.

mezzocontràlto m. (*mus.*) mezzocontralto.

mezzodì → mezzogiorno.

mezzofondìsta m. e f. (*sport*) middle-distance runner.

mezzofóndo m. (*sport*) middle-distance race.

mezzofòrte m. (*mus.*), mezzo-forte.

◆**mezzogiórno** m. **1** midday; noon; (*le dodici*) twelve a.m.; twelve noon: *È m.*, it is midday; it's twelve o'clock; **m. e un quarto**, a quarter past twelve; **a m.**, at twelve a.m.; at twelve noon; **a m. in punto**, at twelve o'clock sharp; **il pasto di m.**, the midday meal **2** (*sud*) south: **il m. della Francia**, the south of France; the Midi; **da m.**, from the south; **una stanza esposta a m.**, a room facing south **3** – **il M.**, the (Italian) South; Southern Italy; the Mezzogiorno.

mezzoguànto m. mitt; mitten.

mezzolìtro m. **1** half a litre **2** (*bottiglia*) half-litre (bottle).

mezzomarinàro m. (*naut.*) boathook; gaff.

mezzopiàno m. (*mus.*) mezzo-piano.

mezzopùnto, **mèzzo pùnto** m. (*ricamo*) half-cross stitch; tent stitch.

mezzóra, **mezz'óra** f. half an hour; half hour: *Passò m.*, half an hour went by; **la m. che passammo assieme**, the half hour we spent together; **m. di attesa**, half an hour's wait; **fra m.**, in half an hour.

mezzorilièvo m. (*scult.*) half-relief; mezzo-relievo.

mezzosàngue m. e f. inv. **1** half-caste; half-breed **2** (*animale*) half-breed.

mezzoservìzio m. part-time (domestic) service: **donna a m.**, part-time home help; **lavorare a m.**, to work as a part-time home help.

mezzosopràno m. (*mus.*) mezzo*; mezzo-soprano*.

mezzotenóre m. (*mus.*) baritone.

mezzotóndo m. inv. (*scult.*) mezzo-tondo.

mezzùccio m. (*spreg.*) cheap trick; petty expedient; low trick: **ricorrere a mezzucci**, to resort to cheap tricks.

mezzùle m. opening (of a cask).

MF sigla **1** (*fis.*, **media frequenza**) medium frequency (MF) **2** (*fis.*, **modulazione di frequenza**) frequency modulation (FM).

MFE sigla (*polit.*, **Movimento federalista europeo**) European Federalist Movement.

mho m. inv. (*elettr.*) mho.

◆**mi** ① pron. pers. 1ª pers. sing. m. e f. **1** (*compl. ogg.*) me; (*compl. di termine*) (to) me: *Mi vide*, he saw me; *Mi scrissero una lettera*, they wrote me a letter; *Mi spiegò la situazione*, she explained the situation to me; *Mi compri il giornale?*, will you get me the paper?; *Dimmi*, tell me; *Eccomi*, here I am; *Mi sono fatto male a una gamba*, I've hurt my leg; *Mi misi il cappello*, I put on my hat; *Mi batteva forte il cuore*, my heart was pounding **2** (*coi verbi rifl.*) myself (*o* idiom.): *Non mi diverto mai*, I never enjoy myself; *Mi lavai prima di cena*, I washed before dinner; *Mi devo pettinare*, I must comb my hair; *Mi riposai per qualche ora*, I rested for a few hours **3** (*coi verbi i. pron.*) – *Mi alzai*, I got up; *Mi sono dimenticato*, I forgot; *Non mi pento*, I'm not sorry; I don't regret it **4** (*dativo etico*) – *Stammi bene!*, keep well!; *Mi farò una birra*, I'll have a beer.

mi ② m. (*mus.*) E; (*nel solfeggio*) me: **mi bemolle**, E flat.

mi ③ m. o f. (*dodicesima lettera dell'alfabeto greco*) mu.

MI abbr. (**Milano**) Milan.

miagolaménto m. mewing; miaowing; (*stridulo*) caterwauling.

◆**miagolàre** v. i. **1** to mew; to miaow; (*in modo stridulo*) to caterwaul **2** (*piagnucolare*) to mewl; to whine **3** (*sibilare*) to whine **4** (*di cantante*) to caterwaul; (*di violino e sim.*) to screech.

miagolàta f. → **miagolamento**.

miagolatóre m. (f. -**trìce**) **1** mewer; miaower **2** (*fig.*) mewler; whiner.

miagolìo m. **1** mewing; miaowing; (*stridulo*) caterwaul **2** (*piagnucolio*) mewling; whining **3** (*sibilo*) whining; whine **4** (*di voce che canta*) caterwauling; (*di violino e sim.*) screeching.

mialgìa f. (*med.*) myalgia.

miàlgico a. (*med.*) myalgic.

miào inter. e m. miaow; mew.

miàsi f. (*med.*) myasis.

miàsma m. miasma*.

miasmàtico a. miasmal; miasmatic.

miastenìa f. (*med.*) myasthenia.

miastènico a. (*med.*) myasthenic.

miatonìa f. (*med.*) myotonia; amyotonia.

miatrofìa f. (*med.*) muscular atrophy.

MIBTEL abbr. (*borsa*, **Milano indice borsa telematico**) Milan online stock exchange index.

◆**mica** ① Ⓐ f. (*lett.*) crumb; scrap; bit Ⓑ avv. (*fam.*) **1** (*per nulla*) at all; in the least; one bit (*fam.*): *Non costa m. tanto*, it is not at all expensive; *Non sono m. stanco*, I am not in the least tired; *Non mi piace m.*, I don't like it at all; *Non è m. cambiato*, it hasn't changed one bit; *Non è m. uno scherzo!*, it's no joke! **2** (*non*) not: *M. male!*, not bad!; «*Ti piace?*» «*M. tanto*», «do you like it?» «not much, really»; *M. te l'ho preso io!*, I certainly didn't take it! **3** (*per caso*) by any chance: *Hai m. visto le mie chiavi?*, have you seen my keys, by any chance?; *Non si sarà m. arrabbiato?*, he's not upset, is he?

mica ② f. (*miner.*) mica.

micàceo a. (*miner.*) micaceous.

micalizzàto a. (*di colore, vernice ecc.*) pearlescent.

micanite® f. inv. (*elettr.*) micanite.

micascìsto m. (*miner.*) mica schist.

mìccia f. **1** fuse; match: **m. a combustio-**

ne lenta [**rapida**], slow [quick] match; **m. detonante**, instantaneous fuse; **m. di sicurezza**, safety fuse; **dar fuoco alla m.**, to light the fuse 2 (*naut.*) heel tenon.

micèlio m. (*bot.*) mycelium*.

micèlla f. (*chim.*) micelle.

Micène f. (*geogr.*) Mycenae.

micenèo a. e m. (f. **-a**) Mycenaean.

micète ① m. (*bot.*) fungus*.

micète ② m. (*zool.*, *Alouatta caraya*) howling monkey; howler.

micetologìa → **micologia**.

micetòma m. (*med.*) mycaetoma*.

michelàccio m. loafer; idler: **fare la vita del m.**, to be a loafer; to loaf about.

michelangiolésco a. Michelangelesque; of Michelangelo; after the manner of Michelangelo.

Michèle m. Michael ● **la festa di San M.**, Michaelmas.

michétta f. (*region.*) bread roll.

micia f. → **micio**.

micidiàle a. 1 (*mortale*) lethal; deadly; fatal: **colpo m.**, deadly blow; fatal stroke; **effetto m.**, lethal effect; **veleno m.**, deadly poison 2 (*dannoso*) deadly; pernicious; baleful 3 (*scherz.*: *insopportabile*) deadly; excruciatingly dull.

micino m. (f. **-a**) (*fam.*) kitten; pussy; puss.

micio m. (f. **-a**) (*fam.*) cat; pussycat; pussy; puss: *Abbiamo due mici*, we have two cats; *M., vieni qua!*, come here, pussy!; (*richiamo*) *M. m.!*, puss, puss!; *Che bel m.!*, what a lovely cat!

micobattèrio m. mycobacterium*.

micologìa f. mycology.

micològico a. mycological.

micòlogo m. (f. **-a**) mycologist.

micoplàsma m. (*biol.*) mycoplasma*.

micorrìza f. (*bot.*) mycorrhiza*.

micòsi f. (*med.*) mycosis*.

micòtico a. (*med.*) mycotic.

micotossìna f. (*scient.*) mycotoxin.

micràgna f. (*region.*) 1 (*povertà*) penury; poverty 2 (*avarizia*) stinginess; tightness; cheese-paring.

micragnóso a. (*region.*) 1 (*povero*) penniless; hard-up 2 (*avaro*) stingy; tight; cheese-paring.

microampère m. inv. (*fis.*) microampere.

microamperòmetro m. microammeter.

microanàlisi f. (*chim.*) microanalysis*.

microbibliografìa f. microfilm reproduction technique.

microbicìda A a. microbicidal B m. microbicide.

micròbico a. (*biol.*) microbial; microbic: **fermentazione microbica**, microbial fermentation.

microbilància f. microbalance.

micròbio → **microbo**.

microbiologìa f. microbiology.

microbiològico a. (*biol.*) microbiological.

microbiòlogo m. (f. **-a**) microbiologist.

mìcrobo m. 1 (*biol.*) microbe 2 (*fig. spreg.*) worm; louse.

microcalcolatóre m. (*comput.*) microcomputer.

microcàmera f. (*fotogr.*) miniature camera.

microcassétta f. microcassette.

microcèbo m. (*zool.*, *Microcebus*) mouse lemur.

microcefalìa f. (*med.*) microcephaly.

microcefàlico a. (*med.*) microcephalic.

microcèfalo A a. (*med.*) microcephalic;

microcephalous B m. (f. **-a**) 1 microcephalus* 2 (*fig.*) idiot; cretin.

microchìmica f. microchemistry.

microchip m. inv. (*elettron.*) microchip.

microchirurgìa f. microsurgery.

microchirùrgico a. microsurgical.

microcircùito m. (*tecn.*) microcircuit: **m. integrato**, integrated circuit; **insieme di microcircuiti**, microcircuitry.

microcìta m. (*med.*) microcyte.

microcitemìa f. (*med.*) microcythemia.

microcìto → **microcita**.

microcitòma m. (*med.*) microcytoma*.

microclìma m. (*meteor.*) microclimate.

microclimatologìa f. (*meteor.*) microclimatology.

microclìno m. (*miner.*) microcline.

microcòcco m. (*biol.*) micrococcus*.

microcomponènte f. (*elettr.*) miniaturized component.

microcomputer m. inv. (*comput.*) microcomputer.

microconflittualità f. labour unrest resulting in frequent minor conflicts.

microcontèsto m. (*ling.*) microcontext.

microcòsmico a. microcosmic.

microcòsmo m. microcosm.

microcriminalità f. petty crime.

microcristallìno a. (*miner.*) microcrystalline.

microcurie m. inv. microcurie.

microdattilìa f. (*med.*) microdactyly.

microdelinquénza f. petty crime.

microdermoabrasióne f. microdermabrasion.

microdinamòmetro m. (*mecc.*) microdynamometer.

microeconomìa f. microeconomics (pl. col verbo al sing.).

microeconòmico a. microeconomic.

microelaboratóre m. microcomputer.

microelemènto m. (*chim.*) microelement; trace element.

microelettrònica f. microelectronics (pl. col verbo al sing.).

microelettrònico a. microelectronic.

microevoluzióne f. microevolution.

micròfago A a. (*zool.*) microphagous B m. (*biol.*) microphage.

microfàrad m. (*fis.*) microfarad.

microfàuna f. microfauna.

microfessurazióne f. microcracking.

microfìbra f. (*chim.*) microfibre.

microfiche (*franc.*) f. inv. microfiche.

microfilamènto m. (*biol.*) microfilament.

microfìllo m. (*bot.*) microphyll.

microfilm m. inv. microfilm.

microfilmàre v. t. to microfilm.

microfilmatrice f. microfilmer.

microfilmatùra f. microfilming.

microfonicità f. microphonicity.

microfònico a. microphonic.

microfonìsta m. e f. microphone technician (*o* engineer).

♦**micròfono** m. 1 microphone; mike (*fam.*): **m. integrato**, built-in microphone; **m. su giraffa**, boom microphone; **parlare al m.**, to speak into a microphone; **disporre i microfoni in**, to mike (*fam.*) 2 (*telef.*) mouthpiece; (*cornetta*) receiver.

microfotografìa f. 1 photomicrograph 2 (*tecnica*) photomicrography.

microfotogràfico a. photomicrographic.

microftalmìa f., **microftàlmo** m. (*med.*) microphthalmia; microphthalmus.

microfusióne f. (*metall.*) precision cast-

ing.

microgràmmo m. microgram.

microgravità f. (*fis.*) microgravity.

microinfusóre m. (*med.*) micropipette.

microinterruttóre m. (*elettr.*) microswitch.

microistruzióne f. (*comput.*) microinstruction.

microlepidòtteri m. pl. (*zool.*) microlepidoptera.

microlettóre m. microfilm reader; microreader.

microlinguìstica f. microlinguistics (pl. col verbo al sing.).

micròlito m. (*med.*) microlith.

micròlitro m. microlitre, microliter (*USA*).

micromacinatóre m. micronizer.

micromelìa f. (*med.*) micromelia.

micrometeorologìa f. micrometeorology.

micrometrìa f. (*fis.*, *ind.*) micrometry.

micromètrico a. micrometrical; micrometer (attr.): **vite micrometrica**, micrometer screw.

micròmetro ① m. (*strumento*) micrometer; micrometer gauge: **m. oculare**, eyepiece micrometer; **m. per profondità**, micrometer depth-gauge.

micròmetro ② m. (*unità di lunghezza*) micrometre, micrometer (*USA*).

micromicète m. (*bot.*) microfungus*; (al pl., *scient.*) micromycetes.

microminiaturizzàre v. t. to microminiaturize.

microminiaturizzazióne f. microminiaturization.

micromotóre m. 1 (*motore*) miniature motor 2 (*veicolo*) moped.

micromotorìsta m. e f. moped rider.

mìcron m. inv. micron; micrometre, micrometer (*USA*).

micronesiàno a., m. e f. Micronesian.

micronizzàre v. t. (*tecn.*) to micronize.

micronizzatóre m. micronizer.

micronizzazióne f. micronization.

micronutriènte m. (*biol.*) micronutrient.

microónda f. (*fis.*) microwave: **forno a microonde**, microwave oven; microwave; **cuocere nel forno a microonde**, to microwave.

microónde m. inv. microwave (oven): **cuocere al m.**, to microwave.

microorganìsmo → **microrganismo**.

micropaleontologìa f. micropaleontology.

micropàlo m. (*ind. costr.*) micropile.

micròpilo m. (*bot.*) micropyle.

microporosità f. microporosity.

microporóso a. microporous.

microprocessóre m. (*comput.*) microprocessor.

microprogràmma m. (*comput.*) microprogram.

microproiettóre m. (*fis.*) microprojector.

microproiezióne f. (*fis.*) microprojection.

micropsìa f. (*med.*) micropsia.

microregistratóre m. microcassette recorder.

microrganìsmo m. micro-organism.

microriproduttóre m. microfilmer.

microsaldatùra f. micro-soldering; micro-welding.

microschèda f. microfiche.

microscopìa f. (*fis.*) microscopy.

microscòpico a. 1 (*relativo a miscrosco-*

pio) microscopic **2** (*visibile al microscopio*) microscopic: **particella microscopica**, microscopic particle **3** (*fig.*) microscopic; tiny; minute: **frammento m.**, microscopic fragment; **nasino m.**, tiny nose.

microscòpio m. (*fis.*) microscope: **m. bioculare**, binocular microscope; **m. composto**, compound microscope; **m. elettronico**, electronic microscope; **m. elettronico a scansione**, scanning electron microscope; **m. ottico**, optical microscope; **m. polarizzante**, polarizing microscope; **m. semplice**, simple microscope; **m. spettroscopico**, spectromicroscope; (*anche fig.*) **osservare qc. al m.**, to view st. under a microscope; **visibile al m.**, visible under a microscope.

microscopista m. e f. microscopist.

microsecóndo m. microsecond.

microsìsma f. (*geol.*) microseism.

microsìsmico a. (*geol.*) microseismic.

microsìsmo → **microsisma**.

microsociologìa f. microsociology.

microsociològico a. microsociological.

microsólco m. **1** microgroove **2** (anche **disco m.**) long-playing record: **m. a 33 giri**, long-player (abbr. LP); **m. a 45 giri**, forty-five; single.

microsomìa f. (*med.*) nanism.

microsónda f. microprobe.

microspàzio m. (*fis.*) microspace.

microspìa f. bugging device; bug: **installare microspie in un posto**, to bug a place; **neutralizzare le microspie di un locale**, to debug a room.

microspòra f. (*bot.*) microspore.

microsporàngio m. (*bot.*) microsporangium*.

microsporofìllo m. (*bot.*) microsporophyll.

microstampatrìce f. microprinter.

microstòria f. microhistory.

microstruttùra f. microstructure.

microtelèfono m. handset; receiver.

microtèrmo a. (*bot.*) microthermal: **pianta microterma**, microtherm.

micròtomo a. (*biol.*) microtome.

microtòno m. (*mus.*) microtone.

microtràuma m. (*med.*) microtrauma*.

micròttero a. (*zool.*) micropterous.

microtùbulo m. (*biol.*) microtubule.

microvìllo m. (*biol.*) microvillus*.

microvòlt m. (*elettr.*) microvolt.

Mìda m. (*mitol.*) Midas.

mìdi Ⓐ a. (*moda*) midi: **cappotto m.**, midi coat Ⓑ f. (*gonna*) midi (skirt).

midòlla f. crumb.

midollàre Ⓐ a. (*anat., bot.*) medullary Ⓑ f. (*anat.*) medulla.

midollìno m. rattan; cane.

midóllo m. (pl. *midolla*, f.) **1** (*anat.*) medulla*; marrow: **m. allungato**, medulla oblongata; **m. osseo**, bone marrow; **m. spinale**, spinal marrow **2** (*bot.*) pith; medulla* **3** (*fig.*) pith; backbone; core; heart: **il m. della questione**, the heart of the matter • (*fig.*) **fino al m.** (o **alle midolla**), to the core; to one's fingertips: **toscano fino al m.**, Tuscan to the core □ **bagnato fino al m.** (o **alle midolla**), soaked to the skin; wet through □ **un freddo che arriva alle midolla**, a cold that gets into your bones □ (*fig.*) **senza m.**, spineless.

midrìasi f. (*med.*) mydriasis.

midriàtico a. (*farm.*) mydriatic.

mielàto → **melato**.

♦**mièle** m. **1** honey: **m. grezzo**, natural honey; **m. selvatico**, wild honey; **m. vergine**, virgin honey; **dolce come il m.**, as sweet as honey; honey-sweet; **color m.**, honey (yellow); **luna di m.**, honeymoon **2** (*fig.*) hon-

ey; sweetness: **paroline di m.**, honeyed words; **essere tutto m.**, to be all sweetness and light.

mielencèfalo m. (*anat.*) myelencephalon.

mièlico a. (*anat.*) medullary.

mielìna f. (*anat.*) myelin.

mielìnico a. (*anat.*) myelinated: **fibra mielìnica**, myelinated fibre.

mielìte f. (*med.*) myelitis.

mieloblàsto m. (*biol.*) myeloblast.

mielocìto, **mielocìta** m. (*anat., biol.*) myelocyte.

mielografìa f. myelography.

mielòma m. (*med.*) myeloma*.

mielomeningìte f. (*med.*) myelomeningitis.

mielopatìa f. (*med.*) myelopathy.

mieloplegìa f. (*med.*) myeloplegia; spinal paralysis.

mielosclceròsi f. (*med.*) myelosclerosis.

mielòsi f. (*med.*) myelosis.

mielóso a. **1** honey-like; sugary; (*stucchevolmente dolce*) sickly sweet **2** (*fig.*) honey-eyed; sugary.

♦**mìetere** v. t. **1** to reap; to mow; to harvest: **m. un campo d'orzo**, to reap a field of barley; **m. il grano**, to reap (o to harvest) the wheat; **m. il raccolto**, to reap the crop **2** (*fig.*: *raccogliere*) to reap; to win*: **m. vasti consensi**, to win general approval; **m. i frutti del proprio lavoro**, to reap the fruit of one's labour; **m. successi**, to have a run of successes **3** (*fig.*: *abbattere*) to mow down; (*uccidere*) to kill, to cut* down: *L'epidemia ha mietuto molte vittime*, the epidemic killed many people (o caused many deaths).

mietiléga, **mietilegatrìce** f. (*agric.*) reaper and binder.

mietitóre m. (f. *-trìce*) reaper; mower; harvester.

mietitrèbbia, **mietitrebbiatrìce** f. (*agric.*) combine harvester.

mietitrìce f. **1** → **mietitore 2** (*mecc.*) harvester; reaping machine.

♦**mietitùra** f. **1** (*il mietere*) harvesting; reaping; mowing **2** (*periodo*) harvest (time) **3** (*messe*) harvest; crop.

MIF sigla (*borsa*, **Mercato italiano futures**) Italian futures market.

migliàccio m. **1** (*sanguinaccio*) black pudding; blood pudding; blood sausage **2** (*castagnaccio*) chestnut cake.

♦**migliàio** m. (pl. *migliaia*, f.) (*mille unità*) (a) thousand; (*circa mille*) about a thousand: **un m. di persone**, about a thousand people; **un m. di dollari**, about a thousand dollars; **migliaia di uccelli**, thousands of birds; **poche migliaia di euro**, a few thousand euros; **alcune migliaia**, a few (o some) thousands; **centinaia di migliaia**, hundreds of thousands; **a migliaia**, by the thousand; in thousands: *Arrivarono a migliaia*, they arrived in (their) thousands.

migliarìno① m. (*bot.*, *Lithospermum officinale*) gromwell.

migliarìno② m. (*zool.*, *Emberiza*) bunting: **m. di palude** (*Emberiza schoeniclus*), reed bunting; reed sparrow.

♦**mìglio**① m. (pl. *miglia*, f.) **1** (*misura lineare*) mile: **m. geografico**, geographical mile; **m. marino**, sea mile; nautical mile; **una passeggiata di tre miglia**, a three-mile walk; *È lontano di qui mezzo m.* (o *È a mezzo m. da qui*), it is half a mile from here; *Si sentiva il rumore a un m. di distanza*, the noise could be heard a mile away; **distanza** (**percorsa**) **in miglia**, mileage **2** (*pietra miliare*) milestone • (*fig.*) **essere lontano mille miglia**, (*rif. a un luogo*) to be miles and

miles away; (*rif. a opinione e sim.*) to be miles apart □ *Ero lontano mille miglia dal pensare che...*, I was far from imagining that... □ *Lo si vede* [*lo si capisce*] *lontano un m. che...*, you can tell (from) a mile off that...

♦**mìglio**② m. (*bot.*, *Panicum miliaceum*) millet: **semi di m.**, millet seed (o seeds).

miglioràbile a. improvable; susceptible of improvement.

♦**miglioraménto** m. **1** improvement; betterment; amelioration; (*aumento*) increase; rise: **m. delle condizioni economiche**, improvement in the economic situation; **m. del tempo**, improvement in the weather; **m. di carriera**, promotion; **m. salariale**, wage increase; pay rise; *C'è un segno di m.*, there is an improvement; **in via di m.**, improving **2** (*miglioria*) improvement: **fare miglioramenti a una casa**, to carry out home improvements.

miglioràndo m. (*Borsa*) split order.

♦**miglioràre** Ⓐ v. t. **1** to improve; to better; (*emendare*) to mend: **m. le proprie condizioni**, to improve one's circumstances; to better oneself; **m. il proprio inglese**, to improve one's English; **m. un record**, to improve on a record Ⓑ v. i. to improve; to get* better; (*fare progressi*) to make* progress, to make* headway; (*riprendersi*) to pick up; (*ristabilirsi*) to be on the mend, to recover: *Quel ragazzo è migliorato*, that boy has improved; *Il malato migliora*, the patient is getting better (o is recovering); *Se il tempo non migliora, non parto*, if the weather does not improve, I'm not leaving; *Le cose stanno migliorando*, things are looking up; *Le vendite sono migliorate*, sales have picked up; **m. negli studi**, to make progress in one's studies; *È assai migliorato di salute*, his health has greatly improved; he is much better; *Si può sempre m.*, there's always room for improvement.

migliorativo a. ameliorative.

♦**migliòre** Ⓐ a. **1** (*compar.*) better: *Questo è buono, ma quello è m.*, this one is good, but that one is better; *Non potresti trovare un uomo m.*, you couldn't find a better man; *È un giocatore m. di te*, he is a better player than you are; **il m. dei due contendenti**, the better of the two competitors; the better competitor; **aver visto tempi migliori**, to have seen better days; **rendere m.**, to make better; to better; to improve; **di gran lunga m. di**, far better than; much superior to; **molto m.**, much better; **un po' m.**, a little better **2** (*superl. relat.*) (the) best: **il prezzo m.**, the best price; **la risposta m.**, the best answer; **gli uomini migliori del paese**, the best men in the country; **il m. in assoluto**, the very best; far and away the best; **la cosa m. che possiamo fare**, the best thing we can do; **nel modo m.** (o **nel m. dei modi**), in the best possible way; **nel modo m. possibile**, as best as one can; *Siamo i migliori amici del mondo*, we are the best of friends • **fare qc. con le migliori intenzioni**, to do st. for the best □ (*eufem.*) **passare a miglior vita**, to depart from this life □ **sperare in tempi migliori**, to hope things will improve Ⓑ m. e f. (the) best: *Vinca il m.*, may the best man win.

miglioria f. **1** betterment; improvement: **apportare delle migliorie**, to make improvements; **opere di m.**, improvements **2** (*bonifica*) reclamation.

migliorìsmo m. (*filos.*) meliorism.

migliorìsta m. e f. (*filos.*) meliorist.

migliorìstico a. (*filos.*) melioristic.

mìgma m. (*geol.*) migma.

migmatìte f. (*geol.*) migmatite.

mignàtta f. **1** (*zool.*, *Hirudo medicinalis*) leech **2** (*fig.*: *persona importuna*) clinging person; limpet **3** (*spreg.*: *usuraio*) blood-

sucker **4** (*naut. mil.*) limpet mine ● **stare appiccicato a q. come una m.**, to cling to sb. like a limpet.

mignattàio m. (*zool.*, *Plegadis falcinellus*) glossy ibis*.

mignattino m. (*zool.*, *Chlidonias nigra*) small black tern.

mìgnola f. (*bot.*) olive-blossom.

mìgnolo m. (anche agg.: **dito m.**) **1** (*della mano*) little finger; pinkie (*fam. USA*) **2** (*del piede*) little toe.

mignon (*franc.*) a. inv. miniature (attr.): **bottiglia m.**, miniature bottle.

mignonnette (*franc.*) f. inv. miniature bottle.

mignòtta f. (*region.*, *volg.*) (*prostituta*) prostitute, hooker (*slang*); (*sgualdrina*) whore, slut ● (*spreg.*) **figlio di m.**, son of a bitch.

migrànte a. **1** migrant; migrating; migratory: **tribù m.**, migrant (*o* nomadic) tribe; **uccelli migranti**, migratory birds **2** (*med.*) floating; wandering: **rene m.**, floating kidney.

migràre v. i. to migrate.

migratóre **A** a. migratory; migrant: **popolo m.**, migrant people; **uccelli migratori**, migratory (*o* migrant) birds **B** m. (f. **-trice**) migrator; migrant.

migratòrio a. migratory; migrant.

migrazióne f. migration: **le grandi migrazioni dell'antichità**, the great migrations of ancient times; (*fis.*) **m. degli ioni**, ion migration; (*astron.*) **m. dei poli**, polar wandering; **m. stagionale**, seasonal migration.

mikàdo (*giapponese*) m. inv. mikado.

◆**mìla** a. num. card. inv. thousand: **ventimila**, twenty thousand; **quarantacinquemila**, forty-five thousand.

◆**milanése** a., m. e f. Milanese: **i milanesi**, the Milanese ● **cotoletta alla m.**, Wiener schnitzel (*ted.*) □ **risotto alla m.**, risotto with saffron.

Milàno f. (*geogr.*) Milan.

milèsio a. (*stor.*) Milesian.

miliardàrio m. (f. **-a**) multimillionaire; billionaire.

miliardèsimo a. num. ord. billionth.

◆**miliàrdo** m. **1** billion: **un m. di euro**, one billion euros; *È costato un m. di euro*, it cost one billion euros; *La popolazione mondiale supera i sei miliardi*, the world's population is over six billion **2** (*fig.: grande quantità*) thousand: *Te l'ho detto un m. di volte*, I told you a thousand times.

miliàre ① a. mile (attr.): **colonna m.**, milepost; (*anche fig.*) **pietra m.**, milestone.

miliàre ② a. (*med.*) miliary: **febbre m.**, miliary fever.

miliàrio m. milepost.

milieu (*franc.*) m. inv. milieu; environment.

mìlio m. (*med.*) milium*.

miliòbate f. (*zool.*, *Myliobatis aquila*) eagle ray.

milionàrio **A** a. **1** millionaire **2** (*che fa vincere milioni*) – **lotteria milionaria**, lottery with several millionsworth of prizes; **schedina milionaria**, winning coupon **B** m. (f. **-a**) millionaire (f. millionairess).

◆**milióne** m. **1** million: **un m. e trecentomila**, one million three hundred thousand; **un m. di abitanti**, a million inhabitants; **due milioni di sterline**, two million pounds; **milioni di persone**, millions of people; **tre milioni di abitanti**, three million inhabitants **2** (*fig.: grande quantità*) thousand: **un m. di scuse**, a thousand apologies; *Te l'ho detto un m. di volte*, I told you a thousand times ● **fare i milioni a palate**, to make money hand over fist □ **Nemmeno per un m.!**, not

even for a million euros [pounds, dollars, etc.].

milionèsimo a. num. ord. e m. millionth: **la milionesima parte**, the millionth part; **un m. di secondo**, one millionth of a second.

militànte **A** a. militant: **la Chiesa m.**, the Church Militant; **femminista m.**, militant feminist **B** m. e f. militant; activist.

militànza f. (*polit.*) militancy.

◆**militàre** ① v. i. **1** to serve: **m. nell'esercito**, to serve in the army **2** (*fig.: aderire*) to be a militant member (of); to be an active supporter (of): **m. nelle file socialiste**, to be a militant Socialist; to be an active supporter of the Socialist Party **3** (*sport*) to play: **m. nella locale squadra di rugby**, to play in the local rugby team **4** (*fig.*) – **m. a favore di**, to support; to reinforce; **m. contro**, to militate against.

◆**militàre** ② **A** a. military: **arte m.**, art of war; **disciplina m.**, military discipline; **marina m.**, navy; **onori militari**, military honours; **ospedale m.**, military hospital; **regime m.**, military regime; **saluto m.**, salute; **scuola m.**, military school; **servizio m.**, national (*o* military) service; **la vita m.**, military life **B** m. soldier; serviceman*; (al pl.: *truppe*) **m. di carriera**, regular soldier; **m. di leva**, young man doing his national (*o* military) service; **m. di truppa**, private; ranker; (al pl., collett.) ranks, rank and file; **i militari**, the military; the armed forces; **fare il m.**, to serve in the army; (*essere di leva*) to do one's national (*o* military) service.

militarésco a. military; army (attr.); (*da soldato*) soldierly: **disciplina militaresca**, military (*o* army) discipline; **gergo m.**, army slang; **portamento m.**, military (*o* soldierly) bearing.

militària (*lat.*) f. inv. militaria (pl.).

militarìsmo m. militarism.

militarìsta **A** m. e f. militarist **B** a. militarist (attr.); militaristic.

militarìstico a. militarist (attr.); militaristic.

militarizzàre **A** v. t. to militarize: **m. i trasporti**, to militarize public transport **B militarizzàrsi** v. rifl. to become* militarized.

militarizzazióne f. militarization.

militarménte avv. militarily: **essere m. forti**, to be militarily strong; **occupare m. un paese**, to occupy a country militarily.

militassòlto a. (*gergo delle inserzioni*) that has completed his national service.

mìlite m. **1** (*soldato*) soldier: **il M. Ignoto**, the Unknown Soldier **2** (*militante*, *operatore*) worker: **m. della Croce Rossa**, Red Cross worker.

militeşènte a. e m. (*bur.*) (person) exempt from national service.

militeşènza f. (*bur.*) exemption from national service.

milìzia f. **1** (*esercizio del mestiere delle armi*) soldiering; (*vita militare*) military life **2** (*militanza*, *servizio*) service; militancy **3** (*corpo armato*) military force; militia; (*esercito*) army; (al pl.: *truppe*) troops, forces: **m. aerea**, air force; **m. civile**, militia; **m. terrestre**, army; **milizie irregolari**, irregular troops; irregulars; **milizie mercenarie**, mercenary forces (*o* troops); **le milizie regolari**, the regular army **4** (*fig.: schiera*) host.

miliziàno m. militiaman*.

millànta a. num. card. e m. inv. (*scherz.*) zillion.

millantàre **A** v. t. to boast of (*o* about); to brag about; (*lodare esageratamente*) to extol, to magnify: **m. le proprie ricchezze**, to boast of one's riches **B millantàrsi** v. rifl.

to boast; to brag: *Si millantava invincibile*, he boasted of being invincible.

millantàto a. – (*leg.*) **m. credito**, false pretences (pl.); fraudulent representation.

millantatóre m. (f. **-trice**) boaster; braggart.

millanterìa f. **1** (*il millantare*) boasting; bragging; braggadocio* **2** (*detto o azione*) boast; brag.

◆**mìlle** a. num. card. e m. inv. a thousand; one thousand: **m. dollari**, a (*o* one) thousand dollars; **m. volte**, a thousand times; **contare sino a m.**, to count up to one thousand; **una probabilità su m.**, a chance in a thousand; **uno su m.**, one in a thousand ● (*stor.*) **i M. di Garibaldi**, Garibaldi's Thousand □ **l'anno M.** (*o* **il M.**), (*anno*) the year 1000 (= one thousand); (*secolo*) the 11th century A.D. □ **il M. avanti Cristo**, the 11th century B.C. □ (*letter.*) «**Le m. e una notte**», «The Arabian Nights»; «The Thousand and One Nights» □ **cose da mille e una notte**, the most fantastic (*o* incredible) things □ **M. grazie!**, thank you very much!; many thanks!; thanks a lot! □ **avere m. cose da fare**, to have a thousand (and one) things to do □ **avere m. pensieri**, to have a thousand things to worry about; to be full of worries □ **avere m. ragioni**, to have a thousand good reasons □ **diventare di m. colori**, to turn all the colours of the rainbow □ *Mi par m. anni che non lo vedo*, it seems ages since I saw him last □ **l'otto per m.**, 0.8 per cent.

millecinquecènto **A** a. num. card. e m. inv. one thousand five hundred; fifteen hundred **B** m. pl. (*sport*) (the) fifteen hundred metres.

millefióri m. **1** (*liquore*) liqueur made from flower essences **2** (*vetro*) millefiori.

millefòglie m. inv. **1** (*bot.*, *Achillea millefolium*) milfoil; yarrow **2** (*cucina*) millefeuille (*franc.*).

millefòglio m. → **millefoglie**, def. 1.

millenàrio **A** a. **1** (*che ha mille anni*) millenary; a thousand years old (pred.); one-thousand-year-old (attr.): **querce millenarie**, millenary oaks **2** (*che ricorre ogni millennio*) millenial: **celebrazioni millenarie**, millenary; millennium celebrations **B** m. millenary; millennium*; (*celebrazione*) millennium celebrations (pl.).

millenarìsmo m. (*relig.*) millenarianism; millennialism.

millenarìsta m. e f. (*relig.*) millenarianist; millenarian; millennialist.

millenarìstico a. (*relig.*) millenarian; millenarianist; millennialist.

millènne a. lasting [that has lasted] one thousand years; (*estens.*) centuries-old.

millènnio m. millennium*: **il primo m.**, the first millennium ● (*fig.*) **Sembra un m.**, it seems an aeon.

millepièdi m. inv. (*zool.*) millepede; millipede.

millerìghe m. inv. (*tessuto*) ribbed piqué.

millesimàle a. **1** millesimal; thousandth: **quota m.**, millesimal part; thousandth share **2** (*estens.*) infinitely small; minute.

milleşimàto a. (*enologia*) bearing the year of production.

millèsimo **A** a. num. ord. e m. thousandth; millesimal: **la millesima parte**, the thousandth part; **un m. di secondo**, one thousandth of a second; **m. di proprietà**, millesimal share of ownership (of common parts in a condominium) **B** m. (*anno*) year.

milleùşi a. inv. multipurpose (attr.).

milliampère m. inv. (*fis.*) milliampere.

milliamperòmetro m. (*fis.*) milliammeter.

millibàr m. (*fis.*) millibar.

milligràmmo m. milligram, milligramme.

millilitro m. millilitre, milliliter (*USA*).

millimetràre v. t. to divide into millimetres.

millimetràto a. divided into millimetres • **carta millimetrata**, graph paper.

millimètrico a. 1 (*di millimetro, in millimetri*) millimetric: **dimensioni millimetriche**, millimetric dimensions 2 (*diviso in millimetri*) divided into millimetres; millimetre (*attr.*) 3 (*fig.*) extremely precise; mathematical; inch-perfect: **precisione millimetrica**, mathematical precision.

millimetro m. millimetre, millimeter (*USA*) • (*anche fig.*) **calcolato al m.**, calculated to the (*o* within a) millimetre □ **non cedere di un m.**, not to budge an inch.

millimicron m. millimicron.

millisecóndo m. millisecond.

millivòlt m. (*fis.*) millivolt.

miloioidèo m. (*anat.*) mylohyoid.

milonite f. (*geol.*) mylonite.

milord m. 1 lord; (al vocat.) my lord 2 (*scherz.: uomo elegante*) refined gentleman*.

milórdo m. 1 → milord, def. 2 2 (*zool.*, *Coluber viridiflavus*) coluber.

milza f. (*anat.*) spleen • (*fam.*) **avere male alla m.**, to have a stitch in the side.

milzadèlla f. (*bot.*, *Lamium maculatum*) dead-nettle.

Milzìade m. (*stor.*) Miltiades.

mimàre v. t. e i. to mime.

mimeografàre v. t. to mimeograph.

mimeografìa f. mimeograph.

mimeògrafo m. mimeograph.

mimèsi f. (*filos.*, *letter.*) mimesis.

mimètico a. 1 mimic; mimetic 2 (*che mimetizza*) camouflage (attr.); mimetic (*zool.*): **coloratura mimetica**, mimetic colouring; **telo m.**, camouflage sheet; (*mil.*) **tuta mimetica**, camouflage combat suit; **vernice mimetica**, camouflage paint.

mimetìsmo m. 1 (*zool.*) mimicry; camouflage: **m. protettivo**, protective mimicry 2 (*fig.*) opportunism; time-serving.

mimetite f. (*miner.*) mimetite.

mimetizzànte a. mimetic; (*anche mil.*) camouflage (attr.).

mimetizzàre Ⓐ v. t. to camouflage; (*nascondere*) to hide* Ⓑ **mimetizzàrsi** v. rifl. 1 (*zool.*, *mil.*) to camouflage oneself 2 (*fig.*) to blend (into st.); to merge (into st.); (*passare inosservato*), to pass unobserved, to avoid attention.

mimetizzazióne f. 1 (*zool.*) camouflage; mimicry 2 (*mil.*) camouflage.

mìmica f. 1 (*il gesticolare*) gesticulation; (*gesti*) gestures: **m. facciale**, facial expressions (pl.); **avere una m. efficace**, to be very expressive (when talking); **esprimersi con la m.**, to express oneself by gestures; to mime what one wants to say 2 (*arte*) mime; mimicry 3 (*teatr.*) business ❶**FALSI AMICI** • *mimica non si traduce con* mimic.

mimicaménte avv. mimically; by gestures; in mime.

mìmico a. mìmic; mimicking; of gestures: **arte mimica**, mime; **linguaggio m.**, language of gestures; mimicry.

mìmo m. 1 (*attore*) mime (artist) 2 (*letter.*, *teatr.*) mime; pantomime: **i mimi romani**, the Roman mimes 3 (*zool.*, *Mimus polyglottus*) mockingbird 4 (*zool.*: *animale imitatore*) mimic.

mimodràmma m. 1 (*teatr.*) mime with music 2 (*psic.*) miming Ⓤ.

mimògrafo m. (*stor.*) mimographer.

mimòsa f. (*bot.*, *Mimosa*) mimosa.

Min. abbr. 1 (**ministero**) ministry 2 (**mi**-**nistro**) minister.

min. abbr. (**minimo**) minimum.

mìna f. 1 (*mil. stor.*) mine 2 (*mil.*, *naut.*, *ind. min.*) mine: **m. anticarro**, anti-tank mine; **m. antiuomo**, anti-personnel mine; **m. galleggiante**, floating mine; **m. magnetica**, limpet mine; **m. subacquea**, submarine (*o* torpedo) mine; **m. vagante**, drifting mine; (*fig.*) loose cannon; **collocare una m.**, to lay a mine; **disinnescare una m.**, to defuse a mine; **far brillare una m.**, to explode a mine; **posa di mine**, mine laying 3 (*di matita*) lead.

♦**minàccia** f. 1 threat; menace: **minacce di morte**, threats of death; **velate minacce**, veiled threats; *Questa è una mezza m.*, this sounds like a veiled threat; **lettera di m.**, threatening letter; **parole di m.**, threatening words; **tenere q. sotto la m. di un coltello [di una pistola]**, to hold sb. at knifepoint [at gunpoint] 2 (*pericolo*) threat; menace; danger; (*rischio*) risk: **la m. della guerra**, the menace (*o* threat) of war; **una m. per la democrazia**, a threat to democracy; *C'è m. di temporale*, a storm is threatening.

♦**minacciàre** v. t. 1 to threaten; (*intimidire*) to intimidate: **m. d'uccidere q.**, to threaten to kill sb.; **m. q. con una pistola**, to threaten sb. with a gun; **m. vendetta**, to threaten revenge; **m. una punizione**, to threaten punishment; (*leg.*) **m. un testimone**, to intimidate a witness 2 (*mettere in pericolo*) to threaten; to endanger; to put* in jeopardy 3 (*preannunciare*) to threaten; to hang* over; to loom ahead: *L'inflammazione minaccia di estendersi*, the inflammation threatens to spread; *Le nuvole minacciavano pioggia*, the clouds threatened rain; *Minaccia di piovere*, it looks like rain; *Minacciava un temporale*, a storm was threatening (*o* loomed ahead) 4 (*fig.*: *sovrastare*) to loom above.

minacciàto a. threatened; under threat.

minacciosaménte avv. threateningly; menacingly • (*di edificio, montagna, ecc.*) **ergersi m.**, to tower; to loom above.

♦**minaccióso** a. threatening; menacing; (*fig.*, *anche*) ominous, (*pauroso*) grim: **nuvole minacciose**, threatening clouds; **un m. castello**, a grim castle; **rombo m.**, threatening rumble; **sguardo m.**, menacing look; **silenzio m.**, ominous silence; *Il tempo è m.*, it looks like rain; **ergersi m.**, to tower; to loom above.

minàre v. t. 1 to mine; (*con scavo*) to undermine: **m. l'ingresso d'un porto**, to mine the entrance to a harbour; **m. una fortezza**, to undermine a fortress 2 (*fig.*) to undermine; to injure; to ruin: **m. la reputazione di q.**, to undermine (*o* to ruin) sb.'s reputation; **m. la salute**, to undermine one's health.

minaréto m. minaret.

minàto a. 1 mined: *Il campo è minato*, the field is mined; (*anche fig.*) **terreno m.**, minefield; **zona minata**, mined area 2 (*fig.*) undermined; (*consumato*) consumed.

minatóre m. 1 miner; (*di carbone*) coal miner, pitman*, collier (*GB*) 2 (*mil.*) sapper.

minatòrio a. minatory; menacing; threatening: **lettera minatoria**, minatory letter.

minchia f. (*region.*, *volg.*) Ⓐ f. 1 prick; cock; dick 2 (*fig. spreg.*) prick; dickhead Ⓑ inter. (*esclam. di sorpresa, ammirazione*) (holy) shit!; holy fuck!

minchiàta f. (*region.*, *volg.*) bullshit Ⓤ; bull Ⓤ (*USA*) crap Ⓤ.

minchionàggine f. (*pop.*) 1 gullibility; credulity; simple-mindedness 2 (*azione*) stupidity.

minchionàre v. t. (*pop.*) to tease; to make* fun of; to pull (sb.'s) leg.

minchionatóre m. (f. -a) (*pop.*) teaser.

minchionatùra f. (*pop.*) teasing; leg-pull.

minchióne Ⓐ m. (f. -a) (*pop.*) idiot; dupe; mug; sucker (*slang*) Ⓑ a. gullible; credulous.

minchioneria f. (*pop.*) 1 → minchionaggine 2 (*osservazione cretina*) rubbish Ⓤ; rot Ⓤ; bullshit Ⓤ (*volg.*).

MINCOMES abbr. (**Ministero per il commercio con l'estero**) Foreign Trade Ministry.

MINCULPOP abbr. (*stor.*, **Ministero della cultura popolare**) Ministry of Popular Culture.

♦**mineràle** Ⓐ a. mineral: **acqua m.**, mineral water; **carbone m.**, mineral coal; pit coal; **il regno m.**, the mineral kingdom; **sali minerali**, mineral salts Ⓑ m. mineral; (*da cui si può estrarre un metallo*) ore: *L'uranio è un m.*, uranium is a mineral; **m. di ferro**, iron ore; **m. grezzo**, ore; **arricchimento del m.**, ore dressing; **giacimento di m.**, ore body; **estrazione dei minerali**, mining; **trattamento del m.**, ore dressing Ⓒ f. (*bottiglia di acqua m.*) bottle of mineral water.

mineralista m. e f. mineralogist.

mineralizzàre v. t., **mineralizzàrsi** v. i. pron. to mineralize.

mineralizzazióne f. mineralization.

mineralogìa f. mineralogy.

mineralògico a. mineralogical.

mineralogìsta m. e f. mineralogist.

mineralurgìa f. (*ind. min.*) ore dressing.

mineràrio a. 1 (*delle miniere*) mining: **attività mineraria**, mining; **concessione mineraria**, mining concession; **industria mineraria**, mining industry; **regione mineraria**, mining region 2 (*di minerale*) mineral; ore (*attr.*): **giacimento m.**, ore deposit; **risorse minerarie**, mineral resources; **scienza mineraria**, mineralogy.

minerurgìa → mineralurgia.

minèrva ① m. pl. safety matches: **una bustina di m.**, a book of matches.

minèrva ② f. (*med.*) neck brace.

Minèrva f. (*mitol.*) Minerva.

♦**minèstra** f. soup: **m. brodosa**, thin soup; **m. di verdure**, vegetable soup; **scodellare la m.**, to ladle out the soup; **un piatto di m.**, a bowl of soup • (*fig.*) *È una m. riscaldata*, it's a rehash; (*è roba vecchia*) it's old hat □ (*fig.*) *È sempre la stessa m.!*, it's always the same old story! □ (*fig.*) *O mangi questa m. o salti dalla finestra*, you have no choice; like it or lump it (*fam.*) □ (*fig.*) **trovare la m. bell'e pronta**, to have st. handed to one on a plate.

minestrìna f. thin soup.

minestróne m. 1 minestrone; thick soup 2 (*fig.*) hotchpotch; jumble.

mìngere v. i. to micturate; to urinate.

mingherlìno a. 1 slight; thin; (*gracile*) gracile, puny, delicate 2 (*fig.*: *povero, strimizito*) thin, flimsy; (*debole*) weak, feeble.

♦**mìni** Ⓐ a. mini: **abito m.**, minidress Ⓑ f. miniskirt.

miniàbito m. minidress.

minialloggio m. miniappartamento m. studio flat (*GB*); studio apartment (*USA*); flatlet (*GB*).

miniàre v. t. 1 (*un codice*) to illuminate 2 (*pitt.*) to paint with great finesse 3 (*fig.*) to describe in detail.

miniàto a. illuminated: **codice m.**, illuminated manuscript.

miniatóre m. (f. -*trice*) miniaturist; (*di codici, anche*) illuminator.

♦**miniatùra** f. 1 (*di codice*) illumination: **ornare di miniature**, to illuminate 2 (*pitt.*) miniature 3 (*modello in scala*) miniature • (*fig.*) **in m.**, in miniature (attr.); (*fig.*) minute; tiny.

a
b
c
d
e
f
g
h
i
j
k
l
m
n
o
p
q
r
s
t
u
v
w
x
y
z

miniaturìsta m. e f. miniaturist.

miniaturìstico a. miniature (attr.).

miniaturizzàre v. t. to miniaturize.

miniaturizzàto a. **1** miniaturized: **circuito m.**, miniaturized circuit **2** (*piccolissimo*) miniature (attr.).

miniaturizzazióne f. miniaturization.

minibàr m. inv. minibar • (*ferr.*) **carrello m.**, refreshment trolley.

minibàsket m. (*sport*) mini-basketball.

minibus m. inv. minibus.

minicalcolatóre m., **minicomputer** m. inv. minicomputer.

minidìsco m. (*comput.*) floppy disk.

minielaboratóre m. minicomputer.

♦**minièra** f. **1** mine: **m. a cielo aperto**, opencast mine (*GB*); strip mine (*USA*); open-cut mine (*Austral.*); **m. di carbone**, coal mine; (*con edifici e attrezzature*) colliery; (*anche fig.*) **m. d'oro**, goldmine; **sfruttare una m.**, to work a mine; **pozzo di m.**, mine shaft **2** (*fig.: fonte abbondante*) mine: **una m. di notizie**, a mine of information.

minigòlf m. inv. (*gioco*) minigolf.

minigónna f. miniskirt.

mìnima f. **1** (*mus.*) minim (*GB*); half-note (*USA*) **2** (*meteor.*) minimum* (temperature) **3** (*med. fam.*) diastolic pressure.

minimàle A a. minimal B m. minimum.

minimalìsmo m. (*polit., letter.*) minimalism.

minimalìsta m. e f. (*polit., letter.*) minimalist.

minimalìstico a. (*polit., letter.*) minimalist.

minimaménte avv. (*per rinforzare la negazione*) in the least; at all; the least bit: *Non è m. interessato*, he isn't in the least (o at all) interested; *Non è m. pentito*, he isn't the least bit sorry.

minimàssimo, **mìnimax** m. (*mat.*) minimax.

minimercàto m. minimarket; minimart (*USA*).

minìmetro m. dial gauge.

minimìssile m. (*mil.*) minirocket.

minimizzàre v. t. **1** to minimize: **m. i costi**, to minimize costs **2** (*far apparire poco importante*) to minimize; to play down; to make* light of: **m. una difficoltà**, to make light of a difficulty; **m. un incidente**, to play down an incident.

♦**mìnimo** A a. superl. **1** (*il più piccolo*) least, smallest; (*il più lieve*) slightest; (*il più basso*) lowest, minimum (attr.): **il prezzo m.**, the lowest price; **salario m.**, minimum wage; **la temperatura minima**, the lowest (o minimum) temperature; **il m. rumore**, the slightest noise; **l'altezza minima consentita**, the minimum height allowed; **ogni m. errore**, the slightest mistake; (*mat.*) **m. comun denominatore**, lowest (o least) common denominator (abbr. LCD); (*mat.*) **il m. comune multiplo**, the lowest (o least) common multiple (abbr. LCM); *Non c'è la (benché) minima differenza*, there isn't the slightest difference; *Non ne ho la minima idea*, I haven't the slightest (o faintest) idea; **senza il m. sforzo**, without the least effort **2** (*piccolissimo*) very small, very little, tiny, minute; (*lievissimo*) very slight, minimal; (*bassissimo*) very low; (*ridottissimo*) minimum: **una differenza minima**, a very slight (o minimal) difference; very little difference; **prezzo m.**, very low price; rock-bottom price; **una quantità minima**, a very small quantity; a minimal amount; **tempo m.**, minimum time; **con minima spesa**, at a very low price; very cheaply; *Le speranze di trovarli vivi sono minime*, the hopes of finding them alive are minimal **3** (*eccles.*) – *Fra-*

te m., Minim B m. **1** minimum*; (*la minima cosa*) (the) least; (*livello m.*) low; (*costo m.*) minimum charge; (seguito da un compl. di specificazione è idiom.): **un m. di tre giorni al mese**, a minimum of three days a month; **il m. che io possa fare**, the least I can do; **il m. dell'età**, the minimum age; **m. di paga**, minimum wage; **il m. della pena**, the minimum sentence; **un m. di buonsenso**, a modicum of common sense; **il m. indispensabile**, the bare minimum; **lavorare il m. indispensabile**, to work as little as possible; **m. storico**, all-time low; (*econ., stat.*) **m. vitale**, bare subsistence level; **ridurre al m.**, to reduce to a minimum; to minimize; *Abbi un m. di rispetto!*, show at least some respect!; *Con un m. di pazienza ci si riesce*, with just a bit of patience you can do it; *L'indicatore della benzina segna il m.*, the fuel indicator is on empty; **come m.** (*o al m.*), at (the very) least **2** (*di motore*) idling; idle speed: (*aeron.*) **m. di volo**, flight idling; **girare al m.**, to tick over; to idle; **motore al m.**, idling engine; *Il motore non tiene il m.*, the engine keeps stalling **3** (*eccles.*) Minim.

minimósca m. inv. (*sport*) light flyweight.

minimòto f. inv. minibike.

mìnimum m. (*bur.*) minimum*.

mininvasivo a. (*chir.*) minimally invasive.

mìnio m. (*chim.*) minium; red lead: **vernice al m.**, red-lead paint.

minirifórma f. limited reform; minireform.

minisèrie f. (*TV*) miniseries*.

minisito m. (*Internet, comput.*) microsite; minisite; weblet.

minisottomarino m. (*naut.*) minisubmarine; minisub.

ministeriàle A m. e f. ministry official B a. **1** (*di ministero*) ministerial; ministry (attr.); departmental; department (attr.): **circolare m.**, departmental circular; **funzionario m.**, ministry official **2** (*governativo*) ministerial; government (attr.): cabinet (attr.): **crisi m.**, ministerial (o cabinet) crisis; **decreto m.**, ministerial decree.

♦**ministèro** m. **1** (*compito, ufficio*) office; (*funzione*) functions (pl.); (*relig.*) ministry: **il m. sacerdotale**, the office of a priest; the priesthood; **l'esercizio del proprio m.**, the exercise of one's functions **2** (*settore amministrativo dello Stato*) ministry; (government) department (*USA*): **M. degli (affari) esteri**, Ministry of Foreign Affairs; (*in GB*) Foreign and Commonwealth Office, Foreign Office; (*in USA*) Department of State; **M. degli (affari) interni** (*o dell'interno*), Ministry of the Interior (*o* of Internal Affairs); (*in GB*) Home Office; **M. dell'ambiente**, Ministry of the Environment; (*in GB*) Department for the Environment, Transport and the Regions; **M. per i beni e le attività culturali**, Ministry of National Heritage and Culture; (*in GB*) Department of Culture, Media and Sport; (*in USA*) Department of National Heritage; **M. del commercio con l'estero**, Ministry of Foreign Trade; (*in GB*) Board of Trade (Overseas Trade Board); (*in USA*) Department of Commerce (International Trade Administration); **M. della difesa**, Ministry of Defence; (*in GB*) Ministry of Defence; (*in USA*) Department of Defense; **M. delle finanze**, Ministry of Finance; (*in GB*) Exchequer; (*in USA*) Department of the Treasury; **M. della giustizia** (*o di grazia e giustizia*), Ministry of Justice; (*in GB vi corrispondono due uffici*) Home Office, Lord Chancellor's Department; (*in USA*) Department of Justice; **M. dell'industria, del commercio e dell'artigianato**, Ministry of Industry, Trade and Crafts; (*in GB*) Department of Trade and Industry; (*in USA*) Department of Commerce;

M. dei lavori pubblici, Ministry of Public Works; **M. del lavoro e della previdenza sociale**, Ministry of Labour and Social Security; (*in GB*) Department for Work and Pensions; (*in USA*) Department of Labor; **M. per le politiche agricole e forestali**, Ministry for Agricultural and Forestry Policies; (*in GB, fino al 2001*) Ministry of Agriculture, Fisheries and Food; (*in GB, dal 2001*) Department for Environment, Food and Rural Affairs; (*in USA*) Department of Agriculture; **M. della pubblica istruzione**, Ministry of Education; (*in GB*) Department for Education and Employment; (*in USA*) Department of Education; **M. della sanità**, Ministry for Health; (*in GB*) Department of Health; (*in USA*) Department of Health and Human Services; **M. del tesoro**, Ministry of the Treasury; (*in GB*) HM Treasury; (*in USA*) Department of the Treasury; **M. dei trasporti**, Ministry of Transport; (*in GB*) Department for Transport; (*in USA*) Department of Transportation **3** (*governo*) government; administration (*USA*); (*gabinetto*) cabinet: **il m. Crispi**, the Crispi government **4** (*sede di m.*) ministry **5** (*leg.*) – *Pubblico M.*, Public Prosecutor; Prosecuting Attorney (*USA*).

ministra f. (woman*) minister.

ministrànte m. (*eccles.*) altar server.

ministréssa f. (*scherz.*) lady minister.

♦**ministro** m. **1** (*polit.*) minister; (*in GB*) secretary of state, minister; (*in USA*) secretary: **M. degli (affari) esteri**, Minister for Foreign Affairs; Foreign Minister; (*in GB*) Secretary of State for Foreign and Commonwealth Affairs (*com.* Foreign Secretary); (*in USA*) Secretary of State; **M. degli (affari) interni** (*o dell'interno*), Minister of the Interior; Interior Minister; (*in GB*) Secretary of State for the Home Department (*com.* Home Secretary); (*in USA*) Secretary of the Interior; **M. dell'ambiente**, Minister for the Environment; (*in GB*) Secretary of State for the Environment, Transport and the Regions; **M. per i beni e le attività culturali**, Minister of National Heritage and Culture; (*in GB*) Secretary for Culture, Media and Sport; (*in USA*) Secretary of National Heritage; **M. della difesa**, Minister of Defence; Defence Minister; (*in GB*) Secretary of State for Defence, Defence Secretary; (*in USA*) Secretary of Defense; **M. delle finanze**, Minister of Finance; Finance Minister; (*in GB*) Chancellor of the Exchequer; (*in USA*) Secretary of the Treasury; **M. della giustizia** (*o di grazia e giustizia*), Minister of Justice; (*in GB vi corrispondono due figure*) Home Secretary, Lord Chancellor; (*in USA*) Attorney General; **M. dell'industria, del commercio e dell'artigianato**, Minister of Industry, Trade and Crafts; (*in GB*) Secretary of State for Trade and Industry; (*in USA*) Secretary of Commerce; **M. del lavoro e della previdenza sociale**, Minister of Labour and Social Security; (*in GB*) Secretary of State for Work and Pensions; (*in USA*) Secretary of Labor; **M. per le politiche agricole e forestali**, Minister for Agricultural and Forestry Policies; (*in GB*) Minister for Rural Affairs; (*in USA*) Secretary of Agriculture; **M. della pubblica istruzione**, Minister for Education; (*in GB*) Secretary of State for Education and Employment; (*in USA*) Secretary for Education; **M. della sanità**, Minister of Health; (*in GB*) Secretary of State for Health; (*in USA*) Secretary of Health and Human Services; **M. del tesoro**, Minister of the Treasury; (*in GB*) First Lord of the Treasury; (*in USA*) Secretary of the Treasury; **M. dei trasporti e della navigazione**, Minister for Transport and Navigation; (*in GB*) Secretary of State for Transport; (*in USA*) Secretary of Transportation; **m. senza portafoglio**, minister without portfolio; *Primo M.*, Prime Minister; (*in*

GB, *anche*) Premier; *Consiglio dei ministri*, Council of Ministers; (*in GB*) Cabinet **2** (*diplomazia*) minister: **m. plenipotenziario**, minister plenipotentiary; **m. residente**, minister resident **3** (*eccles.*) minister; (*di comunità relig.*) minister (general): **m. del culto**, minister of religion **4** (*esecutore di ordini*) minister; instrument.

minòico a. (*stor.*) Minoan: **civiltà minoica**, Minoan civilization.

♦**minorànza** f. minority: **la m. dei votanti**, the minority of voters; **m. parlamentare**, parliamentary minority; **le minoranze etniche [religiose]**, ethnic [religious] minorities; **essere in m.**, to be in a minority; **mettere in m.**, to outvote; **proteggere le minoranze**, to protect minority groups; **azionista di m.**, minority shareholder; **governo di m.**, minority government; **i diritti delle minoranze**, minority rights; (*econ.*) **partecipazione di m.**, minority interest.

minoràsco, **minorascàto** m. (*leg. stor.*) (right of) secundogeniture.

minoràto A a. disabled; handicapped B m. (f. *-a*) disabled (*o* handicapped) person: **m. fisico**, physically handicapped person; **m. psichico**, mentally handicapped person; **la rieducazione dei minorati**, the rehabilitation of the physically handicapped.

minorazióne f. **1** (*diminuzione*) diminution, depreciation; (*riduzione*) curtailment: **m. del valore**, depreciation of value **2** (*invalidità*) disability; (*physical*) handicap; (*psichica*) mental handicap, mental defectiveness.

♦**minóre** A a. **1** (*compar.*) (*più piccolo*) smaller, lesser (attr.), less; (*più basso*) lower; (*più breve*) shorter; (*più lento*) slower; (*più giovane*) younger; (*meno importante, meno grave*) minor, lesser; (*inferiore*) inferior (to): **attenzione m.**, less attention; *Catone il M.*, Cato the Younger; **le opere minori di Dante**, Dante's minor works; **una somma m.**, a smaller amount; *La parte è m. del tutto*, a part is smaller than the whole; *Sei è m. di dieci*, six is less than ten; *Nino è m. di me di tre anni*, Nino is three years younger than I am (*fam.* than me); Nino is my junior by three years; **un costo m. del previsto**, a lower cost than expected; **il m. di due mali**, the lesser of two evils; **a m. prezzo**, at a lower price; cheaper; **a una velocità m.**, at a slower speed; **di m. peso**, of lesser weight; **in grado m.**, to a lesser degree; **in misura m.**, to a lesser extent **2** (*superl. relat.*) (*il più piccolo*) smallest; (*il più basso*) (the) lowest; (*il più breve*) (the) shortest; (*il più lento*) (the) slowest; (*il più giovane*) the youngest; (*il meno importante, il meno grave*) (the) least: **la m. di tutte queste cifre**, the lowest of all these figures; **il fratello m.** (*di più di due*), the youngest brother; **il minor offerente**, the lowest bidder; **al m. prezzo**, at the lowest price; **alla m. velocità possibile**, at the slowest possible speed; **nel minor tempo**, in the shortest time **3** (*mus.*) minor: **intervallo m.**, minor interval; **intervallo di terza m.**, minor third; **sonata in la m.**, sonata in A minor • (*leg.*) **m. età**, minority: **essere in età m.**, to be under age □ **arti minori**, decorative arts; (*nel Medioevo*) (the) Lesser Arts □ (*astron.*) **astri minori**, minor stars □ (*eccles.*) **edizione m.**, shorter edition □ (*eccles.*) **Frate M.** → **minorita** □ (*eccles.*) **ordini minori**, minor orders □ (*astron.*) **l'Orsa M.**, the Lesser (*o* Little) Bear □ (*filos.*) **premessa m.**, minor premiss B m. e f. **1** (*chi è più giovane di età, fra due*) younger; (*fra più di due*) youngest: *È la m. delle due*, she is the younger of the two; *Sposò il m. dei tre fratelli*, she married the youngest of the three brothers **2** (*leg.*) minor; under-age person; under-age youth; child*: **abbandono di m.**, abandonment of (a) minor; **i minori di 14 anni**, children under 14; **film vietato ai minori di 18 anni** →

vietato.

minorènne (*leg.*) A a. under age; juvenile: **essere m.**, to be under age; **delinquente m.**, juvenile offender B m. e f. minor; under-age person; juvenile: **corruzione di m.**, corruption of minors; **tribunale dei minorenni**, juvenile court.

minorile a. juvenile: **la delinquenza m.**, juvenile delinquency.

minorita m. (*eccles.*) Friar Minor (pl. Friars Minor); Minorite.

minorità f. **1** (*leg.*) minority; nonage: **uscire di m.**, to reach one's majority; to come of age **2** → **minoranza**.

minoritàrio a. of the minority; minority (attr.).

minoritico a. (*eccles.*) Minorite.

Minòsse m. (*mitol.*) Minos.

Minotàuro m. (*mitol.*) Minotaur.

minuèndo m. (*mat.*) minuend.

minuétto m. (*mus.*) minuet: **a tempo di m.**, in minuet time.

minùgia f. **1** (al pl.) (*interiora*) entrails; guts **2** (*per strumenti musicali*) gut; catgut **3** (*med.*) urethral catheter.

minùscola f. **1** (*lettera*) small letter; (*tipogr.*) lower-case letter: **scrivere un nome con la m.**, to write (*o* to begin) a name with a small letter; *Scrivi «professore» con la m.*, write «professore» with a small «p» **2** (*scrittura*) minuscole: **m. carolina**, Carolingian (*o* Caroline) minuscule.

♦**minùscolo** A a. **1** (*di lettera*) small; (*tipogr.*) lower-case: **a lettere minuscole**, in small letters; in lower case; **con l'iniziale minuscola**, with a small letter; *Scrivi «regione» con la «r» minuscola*, write «regione» with a small «r» **2** (*piccolo*) very small; minute; tiny; minuscule; miniature (attr.): **una porzione minuscola**, a very small (*o* tiny) portion; **particella minuscola**, minute particle B m. small letters (pl.); (*tipogr.*) lower case.

minusvalènza f. (*econ.*) capital loss.

minùta f. draft; rough copy: **la m. di un contratto**, the draft of a contract; *Fallo prima in m.*, do a rough copy first; **stendere una m.**, to prepare a draft.

minutàggio m. (*durata*) duration in minutes; (*conteggio*) minute count.

minutàglia f. **1** bits and pieces (pl.); bits and bobs (pl.); odds and ends (pl.) **2** (*fig.: dettagli*) small details (pl.); trifling details (pl.) **3** (*pesciolini da friggere*) (small) fry.

minutaménte avv. **1** (*in pezzettini*) finely **2** (*nei particolari*) minutely; in detail.

minutànte m. e f. (*chi scrive minute*) drafter.

minutènze f. pl. (*naut.*) lines; lashing Ⓤ.

minuteria f. **1** (*ninnoli*) trinkets (pl.); knick-knacks (pl.); bric-a-brac **2** (*di orologio*) motion work.

minutézza f. minuteness; smallness.

minutièra f. (*di orologio*) second-hand.

♦**minùto** ① A a. **1** (*molto piccolo*) minute, very small; tiny; miniature (attr.); (*di donna, anche*) petite; (*sottile*) slender, fine; (*delicato*) fine, delicate: **denaro m.** (*spiccioli*), small change; **minuti frammenti**, minute fragments; **gocce minute**, minute (*o* very small, fine) drops; **lineamenti minuti**, delicate features; **pioggia minuta**, fine rain; drizzle; **di ossatura minuta**, fine-boned **2** (*particolareggiato*) minute, detailed; (*accurato*) accurate, scrupulous, close: **controllo m.**, accurate check; **descrizione minuta**, minute (*o* detailed) description **3** (*di poco conto, non importante*) small; petty; trifling • **legna minuta**, sticks (pl.); kindling ☐ **il popolo m.**, the common people B m. **1** (*comm.*) retail: **al m.**, (by) retail; **vendere al m.**, to sell re-

tail; **prezzi al m.**, retail prices; **vendita al m.**, retail sale **2** (*lett.: sottigliezza*) details (pl.): **cadere nel m.**, to get lost in details; **guardare (troppo) per il m.**, to be too particular (*o* over-particular).

♦**minùto** ② m. **1** (*60 secondi*) minute: **mezzo m.**, half a minute; **cinque minuti e venti secondi**, five minutes and twenty seconds; *Mancano dieci minuti alle sei*, it's ten to (*USA*, *anche* of) six; *Sono le sei e sette minuti*, it's seven minutes past (*USA*, *anche* after) six; **avere un ritardo di dieci minuti**, to be ten minutes late; **a cinque minuti da qui**, five minutes from here; **ogni cinque minuti**, every five minutes; **la lancetta dei minuti**, the minute hand **2** (*momento*) minute; moment: *Hai un m.?*, have you got a minute?; *È una cosa di pochi minuti*, it's a matter of (a few) minutes; *Ci metto un m.*, I'll be ready in a moment; I won't be a minute; *Dovrebbe arrivare da un m. all'altro* (*o di m. in m.*), she should be here any minute now; *Torno tra un m.*, I'll be back in a minute; **all'ultimo m.**, at the last minute; at the eleventh hour; **nel giro di pochi minuti**, within minutes • **arrivare al m.**, to arrive on the dot ☐ **avere i minuti contati**, (*avere fretta*) to be in terrible a hurry, not to have a minute to spare; (*essere vicino alla fine*) to be near the end: *Scappo, ho i minuti contati*, I must dash, I'm in a terrible hurry ☐ (*fig.*) **contare i minuti**, to count the minutes ☐ **di m. in m.**, by the minute ☐ **non avere un m. di pace**, not to have a moment's peace ☐ **Non c'è un minuto da perdere!**, there's no time to lose! ☐ **Mi fa domande ogni due minuti**, she keeps asking questions ☐ **spaccare il m.**, (*di orologio*) to keep perfect time; (*fig.: essere puntuale*) (always) to be dead on time.

minùzia f. **1** minute detail; (al pl., anche) minutiae (*lat.*); (*dettaglio da poco*) trivial (*o* minor) detail, trifle; (*bagatella*) bagatelle: **perdere il proprio tempo in minuzie**, to waste one's time on trifles **2** → **minuziosità**.

minuziosàggine f. (*spreg.*) **1** fastidiousness; nitpicking **2** (*cavillo*) quibble; cavil.

minuziosaménte avv. minutely; in great detail; (*meticolosamente*) meticulously, scrupulously, painstakingly.

minuziosità f. minuteness; (*meticolosità*) meticulousness, scrupulousness.

minuzióso a. (*attento*) minute, careful; (*dettagliato*) very detailed; (*meticoloso*) meticulous, scrupulous, painstaking: **cura minuziosa**, meticulous care; painstaking attention; **descrizione minuziosa**, very detailed description; **esame m.**, minute (*o* careful) examination; **osservatore m.**, meticulous observer.

minuzzàglia f. odds and ends (pl.); bits and bobs (pl.).

minùzzolo m. **1** (*pezzetto*) bit, scrap, morsel; (*briciola*) crumb **2** (f. *-a*) (*fig.*) tiny boy [girl]; little thing; shrimp.

minzióne f. (*fisiol.*) micturition; urination.

♦**mìo** A a. poss. my; (*mio proprio*) my own; (*come pred. nominale*) mine, my own: **mio padre**, my father; **mia madre**, my mother; **i miei pensieri**, my thoughts; **le mie speranze**, my hopes; *L'ho visto con i miei occhi*, I saw it with my own eyes; **un mio amico**, a friend of mine; one of my friends; **tre miei amici**, three friends of mine; three of my friends; **questa mia lettera**, this letter of mine; *Amico mio!*, my dear friend!; *Senti, ragazzo mio*, listen, my boy; **cara la mia ragazza**, my dear girl; *Vado a casa mia*, I am going home; **una casa (tutta) mia**, a house of my own; *Questa casa è mia*, this house is mine (*o* my own); this is my own house; *Non*

a b c d e f g h i j k l **m** n o p q r s t u v w x y z

è opera mia, it's no work of mine; *Faccio mia la richiesta dei colleghi*, I endorse my colleagues' request B **pron. poss. 1** mine; my own: *Questo è il libro tuo, io voglio il mio*, this is your book, I want mine (*o* my own); **i vostri libri e i miei**, your books and mine; *Non ho niente di mio*, I have nothing of my own **2** (*in espressioni ellittiche*) – *Spendo del mio*, I'm spending my own money; *Il mio è mio*, what is mine is mine; *Vivo del mio*, I live on my income (*o* on what I have, I earn, etc.); **la mia del 10 u.s.**, my letter of the 10th last; *Ho avuto le mie* (*disgrazie*), I've had my own share of trouble; *Voglio dire la mia*, I want to have my say; *Tom è dalla mia*, Tom is on my side; **i miei**, (*genitori*) my parents; (*parenti*) my relations, my relatives; (*famiglia*) my family, my folk (*fam.*); (*seguaci, sostenitori*) my followers, my supporters.

miocardìa f. (*med.*) myocardia.

miocàrdico a. (*anat.*) myocardial.

miocàrdio m. (*anat.*) myocardium*.

miocardiopatìa f. (*med.*) myocardiopathy.

miocardìte f. (*med.*) myocarditis.

miocèle m. (*med.*) myocoele.

miocène m. (*geol.*) Miocene.

miocènico (*geol.*) A a. Miocene B m. Miocene.

miocìta m. (*fisiol.*) myocyte.

mioclòno m. (*med.*) myoclonus.

miodistrofìa f. (*med.*) muscular dystrophy.

miofibrìlla f. (*anat.*) myofibrill.

miofilaménto m. (*anat.*, *biol.*) myofilament.

miògale m. (*zool.*, *Desmana moschata*) desman.

miògeno A a. (*med.*) myogenic B m. (*biochim.*) myogen.

mioglobìna f. (*biol.*) myoglobin.

miografìa f. (*med.*) myography.

miògrafo m. (*med.*) myograph.

mioìde a. (*anat.*) myoid.

miologìa f. (*med.*) myology.

miològico a. (*med.*) myological.

miòma m. (*med.*) myoma*.

miomectomìa f. (*chir.*) myomectomy.

miomètrio m. (*anat.*) myometrium.

miopatìa f. (*med.*) myopathy.

miopàtico a. (*med.*) myopathic.

mìope A a. (*anche fig.*) short-sighted; myopic B m. e f. (*anche fig.*) short-sighted person.

miopìa f. (*anche fig.*) short-sightedness; myopia.

miòpico a. (*med.*) myopic.

mioplàstica f. (*chir.*) myoplasty.

mioressìa f. (*med.*) muscle laceration; myorrhexis.

miorilassànte a. e m. (*farm.*) muscle relaxant.

mioscleròsi f. (*med.*) myosclerosis.

miòsi f. (*med.*) miosis, myosis.

miosìna f. (*biochim.*) myosin.

miosìte f. (*med.*) myositis.

miosòtide f. (*bot.*, *Myosotis palustris*) myosotis; forget-me-not.

miospàsmo m. (*med.*) myospasm.

miòtico a. e m. (*med.*) miotic, myotic.

miòtomo m. (*anat.*) myotome.

miotonìa f. (*med.*) myotonia: **m. distrofica**, myotonic dystrophy.

miotònico a. (*med.*) myotonic.

mìra f. **1** aim: **abbassare [aggiustare, alzare] la m.**, to lower [to adjust, to raise] one's aim; **avere buona m.**, to be a good shot; **prendere la m.**, to take aim; **prende-re di m.**, to aim at; to take aim at; to train one's sight on; (*fig.*) to pick on, to single re **di m. q. con la pistola**, to aim one's gun at sb.; **spostare la m.**, to shift one's aim (*bersaglio*) target, butt; (*segno*) mark: **cogliere la m.**, to hit the target (*o* the mark) **3** (*fig.: scopo*) aim, goal, objective; (*disegno*) design; (*intenzione*) intention; (*proponimento*) purpose: **mire ambiziose**, ambitious aims (*o* goals); **avere mire troppo elevate**, to aim too high; **avere delle mire su q.**, to have designs on sb. **4** (*anche congegno di m.*, **tacca di m.**) rear sight **5** (*fotogr.*, *topogr.*) sight **6** (*cinem.*) test chart; test card.

MIRAAF abbr. (**Ministero delle risorse agricole, alimentari e forestali**) Ministry of Agriculture, Forestry and Food.

mirabèlla f. (*bot.*) mirabelle.

miràbile a. admirable; (*meraviglioso*) wonderful, marvellous: **m. costanza**, admirable constancy; **m. a dirsi**, wonderful to say.

mirabìlia f. pl. (*scherz.*) wonderful things; wonders; marvels: **dire m. di q.**, to say wonderful things about sb.; to praise sb. to the skies; **promettere m.**, to promise wonders.

mirabilìte f. (*miner.*) mirabilite.

mirabolàno m. **1** (*bot.*, *Prunus myrabolanus*) cherry plum; myrobalan (plum) **2** (*il frutto*) myrobalan (nut).

mirabolànte a. (*scherz.*) astonishing; astounding; amazing.

miracolàre v. t. to perform a miracle on; (*generalm. al passivo*) (*salvare*) to save miraculously; (*guarire*) to cure miraculously.

miracolàto a. e m. (f. **-a**) miraculously saved (person); miraculously cured (person).

miracolìstico a. miracle (attr.); miracle-working.

♦ **miràcolo** m. **1** miracle: **il m. dei pani e dei pesci**, the miracle of the loaves and fishes; **credere ai miracoli**, to believe in miracles; **fare** (*o* **compiere**) **un m.**, to work (*o* to perform) a miracle **2** (*fig.*) miracle; (*meraviglia*) wonder, marvel; (*prodigio*) prodigy: **i miracoli della scienza moderna**, the wonders of modern science; **m. economico**, economic miracle; **un m. d'ingegnosità**, a miracle (*o* a prodigy) of ingenuity; *La mia guarigione fu un vero m.*, my recovery was a miracle itself; **fare miracoli**, to work wonders; *Per un m. non ci sono state vittime*, miraculously, no one was killed; *Sono vivo per m.*, it's a miracle that I'm still alive; *È rimasto illeso per puro m.*, by some incredible fluke, he was unharmed; **cavarsela per m.**, to have a miraculous escape; to escape by the skin of one's teeth; *Che m.*, how marvellous!; how lucky! **3** (*teatr.*) miracle play ● **gridare al m.**, to hail st. as a miracle □ (*fig.*) **raccontare miracoli di q.**, to praise sb. to the skies.

miracolosaménte avv. miraculously; by a miracle.

miracolóso A a. miraculous; prodigious; wonderful; (*spec. iron.*) miracle (attr.), wonder (attr.): **cura miracolosa**, miraculous cure; (*iron.*) miracle cure; **guarigione miracolosa**, miraculous recovery B m. – **avere del m.**, to have something miraculous about it; to be miraculous.

miràggio m. **1** mirage **2** (*fig.*) mirage; illusion; daydream.

miràglio m. (*naut.*) topmark.

miràre A v. t. (*lett.*) to admire; to gaze at (*o* on, upon): **m. un quadro**, to admire a picture; *La mirava incantato*, he gazed at her in wonder B v. i. **1** (*prendere la* mira) to take* aim; (*puntare*) to aim: **m. al bersaglio**, to aim at the target; **m. alle gambe**, to aim at the legs; **sparare senza m.**, to shoot without taking aim **2** (*fig.*) to aim (at, for); to set* one's sights (on): **m. alla presidenza**, to aim at (*o* to have set one's sights on) the presidency; **m. al record mondiale**, to aim for (*o* to have set one's sights on) the world record; **m. al successo**, to aim at success; *Mira a diventare il proprietario unico*, he is aiming to become the sole owner; **m. in alto**, to aim high; *A che cosa mira? (che ha in mente?)*, what has she got in mind?; *A che cosa mirano le sue domande?*, what is he driving at with his questions? C **miràrsi** v. rifl. (*lett.*) to look at oneself: **mirarsi allo specchio**, to look at oneself in a mirror.

miràto a. targeted; aimed (at): **interventi mirati**, targeted interventions; **terapia mirata**, targeted therapy; **misure mirate a migliorare la produzione**, measures aimed at improving production; **una campagna pubblicitaria mirata ai ragazzi**, an advertising campaign aimed at teenagers.

mìriade f. myriad; multitude: **una m. di problemi**, a multitude of problems; **una m. di stelle**, a myriad stars; **miriadi di moscerini**, myriads of midges; **a miriadi**, by the thousand; by the million.

miriagràmmo m. myriagram, myriagramme.

miriàmetro m. myriametre, myriameter (*USA*).

miriàpode m. (*zool.*) myriapod; (*al pl.*, *scient.*) Myriapoda.

mìrica, **mirìce** f. (*bot.*, *Myrica*) bog myrtle; gale; bayberry.

mirìfico a. (*lett.*) marvellous.

mirìnge f. (*anat.*) myringa; eardrum.

miringìte f. (*med.*) myringitis.

mirìno m. **1** (*di arma da fuoco, di strumento ottico*) sights (pl.): **m. anteriore**, foresight; front sight; **m. posteriore**, backsight **2** (*fotogr.*, *cinem.*) viewfinder ● (*fig.*) **essere nel m. di q.**, to be sb.'s target □ **È nel m. della Mafia**, the Mafia are out to get him (*o* have put a contract on him).

mirìstica f. (*bot.*, *Myristica fragrans*) nutmeg, nutmeg-tree.

mirìstico a. (*chim.*) myristic: **acido m.**, myristic acid.

mirìstina f. (*chim.*) myristin.

mirlitón m. inv. (*mus.*) mirliton.

mirmecòfago m. (*zool.*) anteater.

mirmecofilìa f. (*bot.*, *zool.*) myrmecophily.

mirmecòfilo a. (*bot.*, *zool.*) myrmecophilous: **pianta mirmecofila [animale m.]**, myrmecophile.

mirmecologìa f. myrmecology.

mirmecòlogo m. (f. **-a**) myrmecologist.

mirmìdone m. (*mitol.*) Myrmidon.

mirobolàno → **mirabolano**.

Miróne m. (*stor. arte*) Myron.

mìrra f. myrrh.

mirrìde f. (*bot.*, *Myrrhis odorata*) sweet cicely; myrrh.

mirteo a. myrtaceous.

mirtéto m. myrtle grove.

mirtìllo m. (*bot.*) **1** (*Vaccinium myrtillus*; *il frutto*) bilberry; blueberry; whortleberry **2** – **m. americano** (*Gaylussacia baccata*) huckleberry; **m. palustre** (*Vaccinium oxycoccus*), cranberry.

mìrto m. (*bot.*, *Myrtus communis*) myrtle.

misandrìa f. (*psic.*) misandry.

misantropìa f. misanthropy.

misantròpico a. misanthropic.

misàntropo A m. (f. **-a**) misanthrope; misanthropist: **far vita da m.**, to live like a misanthrope B a. misanthropic: **un vecchio m.**, a misanthropic old man.

miscànto m. (*bot.*, *Miscanthus sinensis*) Japanese silver grass.

◆**miscèla** f. **1** mixture; (*alimentare*) mix; (*di caffè, tè, tabacco*) blend: (*autom.*) **m. anticongelante**, antifreeze; (*chim.*) **m. bordolese**, Bordeaux mixture; **m. esplosiva**, explosive mixture; **m. frigorifera**, freezing mixture; **m. per pizza**, pizza mix **2** (*fig.*) mixture; blend; miscellany; cocktail: **una m. pericolosa**, a dangerous cocktail **3** (*surrogato di caffè*) coffee substitute; ersatz coffee **4** (*carburante*) mixture: **m. grassa** [**povera**], rich [lean] mixture.

miscelaménto m. mixing; blending.

miscelàre v. t. to mix; (*caffè, tè, tabacco*) to blend.

miscelàto a. mixed; blended.

miscelatóre Ⓐ a. mixing; blending: **rubinetto m.**, mixer tap (*USA* faucet) Ⓑ m. **1** (*persona*) mixer **2** (*rubinetto*) mixer tap (*USA* faucet); (*ind.*) mixing valve **3** (*apparecchio*) mixer; blender: **m. di gas**, gas mixer **4** (*TV, cinem.*) mixer.

miscelatùra, miscelazióne f. mixing; blending.

miscellànea f. **1** (*mescolanza*) miscellany; mixture; assortment; medley **2** (*letter.*) miscellany.

miscellàneo a. miscellaneous; assorted.

mìschia f. **1** (*scontro*) fight; fray; (*zuffa*) scuffle; (*rissa*) brawl: **nel furore della m.**, in the heat of the fight **2** (*fig.*) fray; fight: **gettarsi nella m.**, to join the fight; to enter the fray; **tenersi al di sopra della m.**, to keep above the fray; *La situazione degenerò in una m. generale*, the situation degenerated into a free-for-all **3** (*sport: rugby*) scrum; scrummage **4** (*ind. tess.*) mixing; blending.

mischiàre Ⓐ v. t. (*per ottenere un composto*) to mix, to mingle; (*miscelare, amalgamare*) to blend; (*disordinatamente*) to mix up; to jumble, to shuffle: **m. vino e acqua**, to mix wine with water; **m. diverse qualità di tè**, to blend different kinds of tea; *Chi ha mischiato questi fogli?*, who mixed up these papers?; **m. le carte** (*da gioco*), to shuffle (the) cards Ⓑ **mischiàrsi** v. rifl. e pron. **1** to mix; to mingle; (*finire assieme, confondersi*) to get* mixed up: **mischiarsi alla** (*o tra la*) **folla**, to mingle with the crowd **2** (*immischiarsi*) to meddle (in *o* with); to interfere (with): **mischiarsi nelle faccende altrui**, to meddle in other people's affairs.

mischiàta f. (quick) mix; (*di carte da gioco*) (quick) shuffle.

miscìbile a. miscible.

miscibilità f. miscibility.

misconoscènte Ⓐ a. ungrateful Ⓑ m. e f. ingrate.

misconóscere v. t. **1** (*non riconoscere*) not to acknowledge; to disregard; to ignore **2** (*non apprezzare*) to underestimate; to underrate; to disregard: **m. i meriti di q.**, to underestimate sb.'s merits.

misconosciùto a. unacknowledged; underestimated; unappreciated; underrated.

miscredènte Ⓐ a. (*non credente*) unbelieving; (*spreg.*) irreligious, godless, ungodly Ⓑ m. e f. (*non credente*) unbeliever, atheist; (*spreg.*) godless person.

miscredènza f. (*irreligiosità*) unbelief; (*spreg.*) godlessness.

miscùglio m. **1** (*accozzaglia*) jumble; hotchpotch, hodgepodge (*USA*); mish-mash (*fam.*): **un m. d'idee**, a jumble (*o* muddle) of ideas; **un m. di parole**, a jumble of words **2** (*mescolanza*) mixture; medley: **un m. confuso di timori e di speranze**, a confused mixture of fears and hopes; **un m. di razze**, a medley of races.

mise (*franc.*) f. inv. outfit; get-up (*fam.*).

miseràbile Ⓐ a. **1** (*povero*) poverty--stricken; (*sordido*) squalid; (*disgraziato, infelice*) wretched, miserable, poor; (*miserevole*) pitiable, pitiful, abject, sorry: **destino m.**, pitiful fate; **esistenza m.**, miserable (*o* wretched) existence; **m. peccatore**, poor sinner; **stato m.**, pitiful state; pitiable condition; **m. tugurio**, squalid hovel; **dall'aspetto m.**, wretched-looking **2** (*molto scarso*) poor; scanty; miserable; paltry: **paga m.**, miserable (*o* paltry) salary **3** (*meschino*) mean; petty: **m. orgoglio**, petty pride **4** (*spregevole*) despicable; vile: *È un essere m.*, he is a despicable individual Ⓑ m. e f. **1** (*povero*) poor wretch **2** (*spreg.*) despicable individual; scoundrel.

miserabilità f. wretchedness; wretchedness; miserable (*o* wretched) condition.

miseraménte avv. **1** (*in modo disgraziato*) miserably; wretchedly; pitifully **2** (*nella miseria*) in poverty: **vivere m.**, to live in poverty **3** (*in modo spregevole*) contemptibly; despicably.

miseràndo a. pitiable; pitiful; miserable; wretched; abject: **condizione miseranda**, pitiable (*o* abject) condition; **morte miseranda**, mirerable (*o* pitiful) death.

miserère (*lat.*) m. inv. (*eccles.*) miserere ● (*fig.*) **cantare il m. a q.**, to write sb. off □ (*fig.*) **essere al m.**, to be on one's last legs □ (*fig.*) **avere una faccia da m.**, to look glum; to be down in the mouth.

miserévole → **miserando, miserabile**.

◆**misèria** f. **1** (*povertà*) poverty; indigence; destitution; squalor: **m. nera**, dire (*o* abject) poverty; **cadere in m.**, to fall into poverty; **essere in m.**, to be poor (*o* indigent); **nella più squallida m.**, in extreme poverty; in total squalor; **ridurre in m.**, to ruin; to beggar; **ridursi in m.**, to be reduced to poverty; to be ruined **2** (*somma esigua*) pittance; paltry sum; trifle: **costare una m.**, to cost a trifle; to cost next to nothing; **guadagnare una m.**, to earn a pittance; *L'ho comprato per una m.*, I got it for a song; it cost me next to nothing **3** (*inezia*) trifle **4** (*meschinità*) poverty; meanness; wretchedness: **m. d'animo**, meanness; **m. intellettuale**, intellectual poverty **5** (*al pl.*) (*infelicità*) troubles; suffering (sing.); (*male*) evils: **le miserie della vita**, life's troubles; **le miserie del mondo**, the evils of this world **6** (*bot., Tradescantia*) spiderwort ● **pianger m.**, to plead poverty; to poor-mouth (*fam. USA*) □ (*pop.*) **Porca m.!**, damn (it)!; blast (it)! ● ❶ FALSI AMICI ● **miseria** *non si traduce con* misery.

misericòrde → **misericordioso**.

misericòrdia Ⓐ f. **1** mercy; pity, compassion: **la m. di Dio**, God's mercy; **avere m. di q.**, to have mercy on (*o* upon) sb.; **affidarsi alla m. di q.**, to throw oneself on sb.'s mercy; **usare m. a q.**, to take mercy (*o* pity) on sb.; to show mercy to sb.; **senza m.**, merciless (agg.); pitiless (agg.); ruthless (agg.); mercilessly (avv.); pitilessly (avv.); ruthlessly (avv.); **opere di m.**, works of mercy **2** (*stor.: pugnale*) misericord **3** (*sedile di coro*) misericord Ⓑ inter. goodness gracious!; good heavens!

misericordióso a. merciful; compassionate.

◆**mìsero** a. **1** (*infelice*) unhappy, wretched; (*sventurato*) poor, unfortunate; (*penoso*) sorry, pitiful, abject: *La misera donna continuava a gemere*, the poor woman kept moaning; *M. me!*, poor me!; **ridotto in m. stato**, in a sorry (*o* pitiful, wretched) state **2** (*povero*) poor; miserable; shabby: **un m. tugurio**, a miserable hovel; **i miseri resti**, (sb.'s) mortal remains **3** (*spregevole, meschino*) mean; contemptible; despicable; shabby **4** (*scarso*) poor, miserable, scanty, paltry; (*gretto*) mean, stingy: **misera cena**, poor dinner; **misera paga**, miserable pay; **regalo m.**, skimpy present; **misera scusa**, paltry excuse **5** (*squallido, di poco valore*) miserable;

depressing; squalid.

misèrrimo superl. di **misero**.

misfàtto m. misdeed; (*delitto*) crime, offence: **commettere un m.**, to commit a crime.

misirìzzi m. inv. **1** (*giocattolo*) tumbler **2** (*fig., di persona*) weathercock; time-server.

misofobìa f. (*psic.*) mysophobia.

misòfobo (*psic.*) Ⓐ a. mysophobic Ⓑ m. (f. **-a**) mysophobic person.

misogamìa f. misogamy.

misoginìa f. misogyny.

misògino Ⓐ a. misogynous Ⓑ m. misogynist; woman-hater.

misoneìsmo m. misoneism.

misoneìsta Ⓐ m. e f. misoneist Ⓑ a. misoneistic.

misoneìstico a. misoneistic.

miss (*ingl.*) f. inv. **1** (*ragazza inglese*) young Englishwoman*; English girl **2** (*reginetta*) beauty queen; (*titolo*) Miss: **m. Mondo**, Miss World.

missàggio m. (*cinem., TV*) mixing; mixage; mix: **console di m.**, mixing console (*o* desk); **sala di m.**, mixing room; **tecnico del m.**, mixer.

missàre v. t. (*cinem., TV*) to mix.

◆**mìssile** Ⓐ a. (*lett.*) missile; projectile: **armi missili**, missile weapons Ⓑ m. missile: **m. a corto raggio**, short-range missile; **m. acqua-aria**, surface-to-air missile; **m. antimissile**, antimissile missile; **m. aria-aria**, air-to-air missile; **m. aria-terra**, air-to--ground missile; **m. balistico**, ballistic missile; **m. guidato**, guided missile; **m. intercontinentale**, intercontinental missile; **m. tattico**, tactical missile; **m. terra-aria**, ground-to-air missile; **m. teleguidato**, guided missile; **schierare missili**, to deploy missiles.

missilìstica f. rocketry; missilery.

missilìstico a. missile (attr.): **arsenale m.**, missilery; **base missilistica**, missile base.

missìno (*polit., fino al 1995*) Ⓐ a. **1** of the Movimento Sociale Italiano (Italian right--wing party) **2** (*estens.*) neofascist Ⓑ m. (f. **-a**) member of the Movimento Sociale Italiano.

missionàrio Ⓐ a. missionary: **spirito m.**, missionary spirit; **suora missionaria**, missionary nun Ⓑ m. (f. **-a**) **1** (*eccles.*) missionary **2** (*fig.*) missionary; envoy: **m. di pace**, missionary of peace; peace envoy.

◆**missióne** f. **1** (*incarico, anche mil.*) mission: **m. esplorativa**, exploratory mission; **affidare a q. una m.**, to entrust sb. with a mission; **essere in m.**, to be on a mission; **mandare in m.**, to send on a mission; (*anche fig.*) *M. compiuta!*, mission accomplished! **2** (*eccles.*) mission: **le missioni africane**, the African missions; **scuola della m.**, mission school **3** (*bur.: trasferta*) secondment: **in m.**, on secondment; *È in missione presso la sede di Verona*, he has been seconded to the Verona branch; **indennità di m.**, travel allowance **4** (*compito, dovere*) duty; task; mission; (*vocazione*) calling: **la m. formativa della scuola**, the duty of teachers to educate; **avere una m. nella vita**, to have a mission in life; **ritenere l'insegnamento una m.**, to consider teaching a calling **5** (*gruppo di inviati*) mission; delegation: **m. diplomatica**, diplomatic mission.

missionologìa f. (*eccles.*) missiology.

missiva f. (*lett.*) letter; message; missive (*form. o scherz.*).

mistagogìa f. (*relig.*) mystagogy.

mistagògico a. (*relig.*) mystagogical.

mistagògo m. (*relig.*) mystagogue.

mister (*ingl.*) m. inv. **1** (*vincitore di un tito-*

lo) Mister (abbr. Mr): (*scherz.*) **m. muscolo**, big, hefty man; **m. universo**, Mr Universe **2** (*sport: direttore tecnico*) team manager; (*allenatore*) coach, boss (*fam.*) ❶ **FALSI AMICI** • mister *in senso calcistico non si traduce con* mister.

mistèrico a. (*relig.*) mystery (attr.): **culto m.**, mystery cult.

misteriosità f. mysteriousness; (*aureola di mistero*) mystique.

♦**misterióso** Ⓐ a. mysterious; mystery (attr.); (*enigmatico*) puzzling, enigmatic; (*segreto*) secret, occult: **malattia misteriosa**, mysterious illness; **morte misteriosa**, mysterious (*o* puzzling) death; **ospite m.**, mystery guest; **di aspetto m.**, mysterious-looking; **con fare m.**, with a mysterious air Ⓑ m. (f. *-a*) **1** (*persona*) enigmatic person; enigma: **fare il m.**, (*essere reticente*) to be mysterious (*o* secretive); (*essere oscuro*) to be cryptic; (*essere enigmatico*) to be enigmatic **2** (*mistero*) mystery: **avere del m.**, to have a touch of mystery.

♦**mistèro** m. **1** mystery; (*enigma*) enigma, puzzle; (*segreto*) secret: **i misteri della natura**, the secrets of nature; (*relig.*) **i misteri del rosario**, the Mysteries of the Rosary; (*stor.*) **i misteri eleusini**, the Eleusinian mysteries; **avvolto nel m.**, wrapped (*o* shrouded, enveloped) in mystery; **fare m. di qc.**, to be secretive about st.; to keep st. secret; **svelare un m.**, to to disclose (*o* to reveal) a secret; *Quell'uomo è un m.*, that man is an enigma; **aria di m.**, air of mystery; mysterious air; **aureola di m.**, aura of mystery; mystique; **uomo del m.**, mystery man **2** (*teatr.*) mystery (play): **i misteri di Chester**, the Chester Mysteries.

mistica f. **1** (*relig.*) mystical theology; (*misticismo*) mysticism **2** (*letteratura mistica*) mystical literature; mystical writings (pl.) **3** (*rif. a ideologia, partito, ecc.*) dogma; credo.

misticheggiànte a. **1** (*che inclina al misticismo*) tending to mysticism **2** (*spreg.: arcano*) arcane; esoteric.

misticìsmo m. mysticism.

misticità f. mysticalness; mystical nature.

mìstico Ⓐ a. **1** (*relig.*) mystical; mystic: **il corpo m. di Cristo**, the mystical body of Christ; **esperienza mistica**, mystical experience **2** (*fig.*) spiritual; pure: **amore m.**, spiritual love Ⓑ m. (f. *-a*) mystic.

mistificànte a. misleading; distorting; deceiving.

mistificàre v. t. **1** (*fasificare*) to misrepresent; to distort; to twist; to falsify **2** (*ingannare*) to deceive.

mistificatóre m. (f. *-trice*) **1** (*falsificatore*) falsifier **2** (*impostore*) impostor, sham, fraud; (*ingannatore*) deceiver, hoaxer.

mistificazióne f. **1** (*falsificazione*) misrepresentation; distortion; falsification: **m. della realtà**, misrepresentation of facts; distortion of the truth **2** (*inganno*) deception; hoax.

mistilìneo a. (*geom.*) mixtilinear.

mistilìngue a. multilingual: **iscrizione m.**, multilingual inscription.

mistióne → **mescolanza**.

misto Ⓐ a. **1** mixed; (*di scuola, anche*) co-educational; (*assortito*) assorted: **classe mista**, mixed class; **commissione mista**, joint committee; (*tennis*) **doppio m.**, mixed doubles (pl.); **economia mista**, mixed economy; **fritto m.**, mixed fry; **insalata mista**, mixed salad; **lingua mista**, hybrid language; **matrimonio m.**, mixed marriage; **scuola mista**, coeducational school; mixed school; (*nuoto*) **i 200 misti**, the 200 individual medley **2** (*mescolato con altri elementi*) mixed; mingled: **dolore m. a rabbia**, sorrow mingled with anger; mingled feelings of sorrow

and anger; **pioggia mista a ghiaccio**, rain mixed with ice; sleet Ⓑ m. **1** mixture; mix; (*assortimento*) assortment: **un m. di timidezza e di audacia**, a mixture of shyness and boldness; **un m. di sapori**, a mixture of flavours **2** (*ind. tess.*) blend: **m. lana**, wool blend; **m. seta**, silk blend.

mistrà m. anisette.

mistral (*franc.*) m. inv. mistral.

mistùra f. mixture; concoction (*spreg.*).

♦**misùra** f. **1** measure; measurement: **m. normale**, standard measure; **misure di lunghezza [di superficie, di volume]**, linear [square, cubic] measures; *L'uomo è m. di tutte le cose*, man is the measure of all things; **avere misure perfette**, to have perfect measurements; **prendere le m. di qc.**, to measure st.; to take the measurements of st.; **prendere le misure a q.**, to take sb.'s measurements; to measure sb. (for st.); **farsi prendere le misure per un abito**, to be measured for a suit; **pesi e misure**, weights and measures; **unità di m.**, unit of measurement **2** (*dimensioni, taglia*) size: **guanti di tutte le misure**, all sizes of gloves; *Che m. porti?*, what size do you take?; what's your size?; *Sono della stessa m.*, they are the same size; *Non è della mia m.*, it's not my size; **di m. inferiore al normale**, undersize (agg.); **di m. media**, medium-sized (agg.); **fatto su m.**, custom-made; (*di abito, scarpe*) made to measure, tailor-made, bespoke (*GB*); **fuori m.**, outsize (agg.); (*fig.*) excessive (agg.) **3** (*strumento per misurare*) measure; gauge, gage (*USA*) **4** (*fig.: grado*) degree; (*limite*) limit, extent, bound: **non conoscere m.**, to know no limits (*o* bounds); **passare la m.**, to overstep all limits; to exceed the mark; to go too far; **in larga m.**, to a large degree (*o* extent); **in una certa m.**, to some extent; **in uguale m.**, in the same measure; to the same extent; **oltre ogni m.**, beyond all bounds **5** (*fig.: criterio*) criterion*; standard; test **6** (*fig.: moderazione*) moderation; restraint: **con m.**, in moderation; moderately; with measure **7** (*fig.: provvedimento*) measure, step; (*precauzione*) precaution: **m. drastica**, drastic measure; **misure di sicurezza**, safety measures; **misure precauzionali**, precautionary steps; precautions; **mezze misure**, half-measures; **adottare (*o* prendere) le misure necessarie**, to take the necessary steps **8** (*poesia*) measure; metre **9** (*mus.*) measure; time; (*battuta*) beat: **m. binaria [ternaria]**, duple [triple] time **10** (*sport: scherma, boxe*) reach ● **a m. che passavano le ore**, as the hours went by □ **a m. d'uomo**, built for people; on a human scale □ **colmare la m.**, to go too far □ **di stretta m.**, by a narrow margin; close (agg.); closely (avv.); narrowly (avv.): **vincere di (stretta) m.**, to win by a narrow margin; **vittoria di stretta m.**, close (*o* narrow) victory □ (*fig.*) **La m. è colma**, that's the limit!; you've [they've, etc.] gone too far! □ **In quale m.?**, (*quanto?*) to what extent?; (*fino a che punto?*) how far? □ **donare nella m. delle proprie possibilità**, to donate what one can □ **nella m. in cui**, to the extent that; insofar as □ **avere il senso della m.**, to know when to stop □ **senza m.**, without measure; to excess; without limits □ **spendere senza m.**, to be extravagant with one's money; to throw one's money about □ (*fig.*) **usare due pesi e due misure**, to use different criteria; to be unfair.

misùràbile a. measurable; that can be measured.

misùrabilità f. measurableness.

♦**misùràre** Ⓐ v. t. **1** to measure; (*tecn.*) to gauge; (*un terreno*) to survey: **m. una distanza**, to measure a distance; **m. la pressione**, to measure the pressure; **m. una stanza**, to measure up a room; **m. una stoffa**, to meas-

ure a piece of cloth; **m. due metri di stoffa**, to measure out two metres of cloth; **m. (la capacità di) un barile**, to gauge a cask; **m. la febbre a q.**, to take sb.'s temperature **2** (*valutare*) to estimate; to appraise, to gauge; (*calcolare*) to calculate; (*giudicare*) to judge: **m. la capacità dei propri alunni**, to appraise the abilities of one's pupils; **m. la distanza a occhio**, to gauge the distance with one's eye; **m. tutti con lo stesso metro**, to judge everybody by the same standard **3** (*limitare*) to limit; to ration; (*tenere a freno*) to check: **m. il cibo a q.**, to ration sb.'s food; **m. le spese**, to limit one's expenses **4** (*provare*) to try on; (*di sarto*) to fit (sb. for st.): **misurarsi una giacca**, to try on a jacket; *Le stanno misurando il vestito di nozze*, she is being fitted for her wedding dress; **andare dalla sarta per misurarsi qc.**, to go to the dressmaker's for a fitting ● (*fig.*) **m. qc. a gran passi**, to stride up and down st. □ **m. qc. a occhio**, to give a rough estimate of st. □ **m. un ceffone a q.**, to slap sb.'s face □ **m. le proprie forze**, to try one's strength □ (*fig.*) **m. le parole**, (*soppesarle*) to weigh one's words; (*trattenerle*) to keep one's tongue in check □ (*fig.*) **m. i passi**, to pace with slow steps □ **m. il peso di qc.**, to weigh st. □ (*fig.*) **m. la stanza**, to fall flat on one's face □ **m. il valore di qc.**, to value st. Ⓑ v. i. to measure; to be... long [wide, etc.]: *La stanza misura 4 metri per 6*, the room measures 4 metres by 6; *Misura sei metri di lunghezza*, it's six metres long Ⓒ **misùràrsi v. rifl. 1** (*contenersi*) to limit oneself; to restrain oneself; to limit (st.): **misurarsi nelle spese**, to limit one's expenses **2** (*cimentarsi*) to pit one's strength [one's skill, etc.] (against); (*gareggiare*) to pit oneself (against); to compete (with): **misurarsi con un degno avversario**, to pit one's strength (*o* oneself) against a worthy opponent; **misurarsi in una gara**, to compete in a race.

misuratamente avv. with measure; (*con moderazione*) in moderation, moderately.

misuratézza f. moderation; restraint.

misùràto a. **1** (*misurato*) measured; (*moderato*) moderate; (*parco*) sparing; (*prudente*) careful, cautious: **parole misurate**, measured words; **passi misurati**, measured steps; **m. nel bere**, moderate in one's drinking; **m. nello spendere**, careful with one's money; **essere m. nel parlare**, to weigh one's words.

misuratóre m. **1** (f. *-trice*) measurer; gauger; (*di terreni*) surveyor **2** (*strumento*) meter; gauge: **m. del gas**, gas meter; **m. di pressione**, pressure gauge; **m. di umidità**, hygrometer.

misurazióne f. measurement; measuring; (*tecn.*) gauging; (*di terreni*) surveying.

misurino m. measuring cup; measuring spoon.

♦**mite** a. **1** (*non severo*) mild; lenient; light; (*benevolo*) benevolent: **sentenza m.**, light sentence **2** (*mansueto*) meek; mild: docile, gentle: **m. come un agnello**, as meek as a lamb; **m. come una colomba**, as mild as a dove; **indole m.**, meek disposition **3** (*di clima*) mild: **inverno m.**, mild winter; **tempo m.**, mild weather **4** (*moderato*) moderate; reasonable: **miti pretese**, reasonable demands.

mitèna f. **1** (*guanto*) mitten; mitt **2** (*di armatura*) gauntlet.

mitézza f. **1** (*mansuetudine*) meekness; mildness **2** (*di clima*) mildness **3** (*moderazione*) moderation; reasonableness **4** (*indulgenza*) mildness; leniency.

miticità f. mythical nature; mythical quality.

mìtico a. **1** mythical **2** (*fig.: favoleggiato*) mythical; legendary; fabled; fabulous: **i mi-**

tici anni sessanta, the fabulous sixties; **impresa mitica**, legendary feat **3** (*fig.*: *immaginario*) mythical; imaginary; fantasy; (*utopistico*) utopian, ideal.

mitigàbile a. mitigable.

mitigaménto m. → **mitigazione**.

mitigàre **A** v. t. **1** (*alleviare*) to ease, to allay, to mitigate, to alleviate, to relieve; (*placare*) to appease, to placate, to soothe: **m. il dolore**, to ease (*o* to relieve) pain; **m. l'ira di q.**, to allay (*o* to appease) sb.'s anger; **m. una pena**, to mitigate a punishment **2** (*attenuare*) to lessen, to moderate, to mitigate; (*diminuire*) to abate; (*ridurre*) to reduce, to lower: **m. gli effetti dell'inflazione**, to lessen the effects of inflation **B** **mitigàrsi** v. i. pron. **1** (*calmarsi*) to calm down, to relent, to abate, to relax; (*placarsi*) to subside **2** (*del clima*) to become* mild (*o* milder).

mitigatìvo a. mitigating.

mitigatóre **A** m. (f. **-trìce**) mitigator **B** a. alleviating; mitigatory; mitigating.

mitigazióne f. alleviation; mitigation; relief.

mitilicoltóre m. (f. **-trìce**) mussel farmer.

mitilicoltùra f. mussel farming.

mìtilo m. (*zool.*, *Mytilus edulis*) mussel.

mitizzàre **A** v. t. to mythicize; to turn into a legend **B** v. i. to create myths; to mythologize.

mitizzazióne f. mythicizing; mythicization.

mìto m. **1** myth: **il m. di Teseo**, the myth of Theseus **2** (*fig.*) myth; legend: **il m. della flemma britannica**, the myth of British phlegm; **il m. della Garbo**, the Garbo myth; **entrare nel m.**, to become a myth; **far crollare un m.**, to destroy (*o* to explode) a myth; to debunk (st.) **3** (*fig.*: *utopia*) utopia.

mitocondriàle a. (*biol.*) mitochondrial.

mitocòndrio m. (*biol.*) mitochondrion*.

mitogenètico a. (*biol.*) mitogenic.

mitografìa f. (*letter.*) mythography.

mitògrafo m. (*letter.*) mythographer.

mitologèma, **mitologhèma** m. (*letter.*) mythologem.

mitologìa f. mythology.

mitològico a. mythological.

mitologìsta m. e f. mythologist.

mitòlogo m. (f. **-a**) mythologer; mythologist.

mitòmane **A** a. (*psic.*) mythomaniac **B** m. e f. **1** (*psic.*) mythomaniac **2** (*estens.*) mythomaniac; crank; publicity-seeking lunatic.

mitomanìa f. (*psic.*) mythomania.

mitopoièsi f. mythopoeia; myth-making.

mitopoiètico a. mythopoeic; mythopoetic.

mitòsi f. (*biol.*) mitosis*.

mitostòrico a. mytho-historical.

mitòtico a. (*biol.*) mitotic.

mìtra① f. **1** (*eccles.*) mitre, miter (*USA*): **conferire la m. a**, to mitre; to make (sb.) a bishop **2** (*di canna fumaria*) chimney cap.

mitra② m. inv. (*arma*) light machine-gun; sub-machine-gun.

Mìtra m. (*mitol.*) Mithras.

mitràglia f. **1** (*munizione*) grapeshot **2** (*colpi di mitragliatrice*) machine-gun fire **3** (*gergale*: *mitragliatrice*) machine-gun.

mitragliaménto m. **1** machine-gun fire **2** (*fig.*) bombardment; volley: **un m. di domande**, a bombardment (*o* a volley) of questions **3** (*fotogr.*) volley shooting.

mitragliàre v. t. **1** to machine-gun **2** (*fig.*) to bombard; to fire (st. at sb.): **m. q. di domande**, to bombard sb. with questions; to fire questions at sb.

mitragliàta f. burst of machine-gun fire.

mitragliatóre (*mil.*) **A** m. machine-gunner **B** a. – **fucile m.**, light machine-gun; **pistola mitragliatrice**, sub-machine-gun.

mitragliatrice f. machine-gun: **m. a nastro**, belt-fed machine-gun; **mitragliatrici abbinate**, machine-guns in pairs; **nido di mitragliatrici**, machine-gun nest; **raffica di m.**, burst of machine-gun fire ● **sembrare una m.**, to speak very fast; (*chiacchierare*) to rattle away.

mitraglièra f. heavy machine-gun: **m. multipla**, multiple machine-gun.

mitraglière m. (*mil.*) machine-gunner.

mitragliétta f. (*giorn.*) sub-machine-gun.

mitràico a. Mithraic.

mitraìsmo m. Mithraism.

mitràle a. (*anat.*) mitral: **valvola m.**, mitral valve.

mitràlico a. (*anat.*, *med.*) mitral: **stenosi mitralica**, mitral stenosis.

mitràre v. t. (*eccles.*) to mitre; to make* (sb.) a bishop.

mitràto (*eccles.*) **A** a. mitred: **abate m.**, mitred abbot **B** m. prelate.

mitrèo m. Mithraeum*.

mìtria → **mitra**①, def. 1.

mitrìaco → **mitraico**.

Mitridàte m. (*stor.*) Mithridates.

mitridàtico a. (*med.*) mithridatic.

mitridatìsmo m. (*med.*) mithridatism.

mitridatizzàre **A** v. t. to mithridatize **B** **mitridatizzàrsi** v. rifl. to mithridatize oneself; to become* mithridatized.

mitridatizzazióne f. mithridatization.

mitt. abbr. (*nelle buste*, **mittente**) sender.

Mitteleuròpa f. central Europe.

mitteleuropèo a. e m. (f. **-a**) Middle-European.

mittèna → **mitena**.

mittènte m. e f. **1** sender: **indirizzo del m.**, sender's address; **respingere al m.**, to return to sender **2** (*di merce*) consigner, consignor; forwarder.

mittèria f. (*zool.*, *Ephippiorhynchus senegalensis*) saddle-bill stork.

mix m. inv. mix; mixture; (*miscela*) blend.

mixage → **missaggio**.

mixàre → **missare**.

mixedèma m. (*med.*) myxoedema.

mixedematóso a. (*med.*) myxoedematous.

mixer (*ingl.*) m. inv. **1** (*per cocktail*) mixer **2** (*parte del frullatore*) mixer; blender; beater **3** (*cinem.*, *TV*: *apparecchio e tecnico*) mixer.

mixeràggio → **missaggio**.

mixòma m. (*med.*) myxoma*.

mixomatòsi f. (*vet.*) myxomatosis.

mixomicète m. (*biol.*) myxomycete.

mixosarcòma m. (*med.*) myxosarcoma*.

mixovìrus m. inv. (*biol.*) myxovirus.

MLD abbr. **1** (*o* **mld**) (**miliardo**) billion **2** (**Movimento liberazione della donna**) Women's Lib Movement (WLM).

MM sigla **1** (**Marina militare**) Italian Navy **2** (*o* **M.M.**) ((**pagate a) me medesimo**) pay to self **3** (**metropolitana milanese**) Milan underground.

MMS sigla (*tel.*, *ingl.* **Multimedia Messaging Service**) MMS; picture message.

MN abbr. (**Mantova**) Mantua.

M/N abbr. (**motonave**) motor ship (M/S).

mnemonica → **mnemotecnica**.

mnemònico a. **1** mnemonic: **esercizio m.**, mnemonic exercise **2** (*spreg.*: *meccanico*) mechanical; rote (attr.): **apprendimento m.**, rote-learning.

mnemonìsmo m. stress placed on rote-learning.

mnemotècnica f. mnemonics (pl. col verbo al sing.); mnemotechnics (pl. col verbo al sing.).

mnèsico, **mnèstico** a. (*psic.*) mnestic; mnemic.

MO sigla **1** (**Medio Oriente**) Middle East (ME) **2** (**Modena**).

mo' m. – **a mo' d'esempio**, as (*o* by way of) an example; *Lo usai a mo' di martello*, I used it as a hammer.

mòa m. (*zool.*, *Dinornis*) moa.

moabìta m. Moabite.

moabìtico a. Moabite.

mobbing (*ingl.*) m. inv. **1** (*zool.*) mobbing **2** (*sociol.*) mobbing; (*gergo aziendale*) bullying in the workplace.

♦**mòbile**① **A** a. **1** (*che si può muovere*) movable; (*scorrevole*) sliding; (*che si sposta*) travelling; (*tipogr.*) **caratteri mobili**, movable type; (*eccles.*) **festa m.**, movable feast; **fogli mobili**, loose sheets; **parete m.**, sliding panel; (*mecc.*) **piattaforma m.**, travelling platform **2** (*in movimento*) moving; (*che si muove facilmente*) mobile: **bersaglio m.**, moving target; **scala m.**, moving staircase; escalator **3** (*mutevole*) changeable; mutable; (*incostante*) inconstant; (*volubile*) fickle; (*instabile*) unstable: **essere di natura m.**, to be fickle-minded ● (*leg.*) **beni mobili**, personal property Ⓤ; movables; chattels □ (*med.*) **rene m.**, floating kidney □ **sabbie mobili**, quicksand (sing.) □ (*econ.*) **scala m.**, sliding scale □ (*polizia*) **squadra m.**, flying squad **B** m. **1** (*pezzo di furniture*: (al pl., collett.) furniture Ⓤ: **un m. francese**, a piece of French furniture; **un vecchio m.**, an old piece of furniture; **m. bar**, cocktail cabinet; **mobili antichi**, antique furniture; **i mobili di casa**, the household furniture; *Ha qualche bel m. intarsiato*, he has some fine inlaid pieces; **negozio di mobili**, furniture shop **2** (*astron.*, *stor.*) – **il Primo m.**, the Primum Mobile (*lat.*) **C** f. (**squadra m.**) flying squad.

♦**mobile**② (*franc.*) m. inv. (*scult.*) mobile.

mobìlia f. furniture.

mobiliàre① v. t. to furnish.

mobiliàre② a. (*econ.*, *fin.*) movable: **proprietà m.**, movables (pl.); chattels (pl.).

mobiliàto a. furnished.

mobilière m. **1** (*fabbricante*) furniture maker **2** (*venditore*) furniture seller.

mobilificio m. furniture factory.

mobilìo m. → **mobilia**.

mobilità f. **1** mobility; movability: (*fin.*) **m. degli investimenti**, mobility of investments; (*econ.*) **m. del lavoro**, job mobility; fluidity of labour; (*econ.*) **m. della manodopera**, labour mobility; **m. sociale**, social mobility; **m. verso l'alto**, upward mobility **2** (*fig.*: *mutevolezza*) mutability; (*incostanza*) inconstancy, instability.

mobilitàre **A** v. t. **1** (*mil.*) to mobilize: **m. l'esercito**, to mobilize the army **2** (*fig.*) to mobilize; to marshal; to rally: **m. l'opinione pubblica**, to mobilize public support; **m. risorse**, to mobilize resources **3** (*econ.*) to mobilize: **m. il capitale**, to mobilize capital **B** **mobilitàrsi** v. rifl. **1** (*mil.*) to mobilize **2** (*fig.*) to rally.

mobilitazióne f. mobilization: **m. civile**, civil mobilization; (*econ.*) **m. del capitale**, capital mobilization; (*mil.*) **m. generale**, general mobilization.

mobilizzàre v. t. **1** (*chim.*, *med.*) to mobilize **2** → **mobilitare**.

mobilizzazióne f. **1** (*med.*) mobilization **2** → **mobilitazione**.

MOC sigla **1** (*med.*, **mineralometria ossea computerizzata**), bone mineral density (test) (BMD) **2** (**Mozambico**), Mozambique.

mòca **A** m. inv. mocha (coffee) **B** f. inv.

home espresso coffee machine; coffee percolator.

mocassino m. moccasin; loafer®.

moccicàre v. i. **1** (*colare moccio*) to run*: *Ti moccica il naso*, your nose is running **2** (*frignare*) to snivel.

moccichino m. (*region.*) **1** (*fazzoletto*) handkerchief **2** (*bambino*) snivelling child; snotty child.

moccicóso a. snotty (*fam.*).

móccio m. nasal mucus; snot (*fam.*): **avere il m. al naso**, to have a snotty nose; to be snotty-nosed.

mocciósa f. (*spreg.*) snotty-nosed girl; little pest (of a girl).

moccióso A a. snotty (*fam.*): **bambino m.**, snotty child B m. (*spreg.*) **1** (*bambino*) brat; urchin; little pest (of a boy) **2** (*giovincello*) snotty-nosed youth.

moccolàia f. **1** (*di lucignolo*) snuff **2** (*colatura di cera*) candle drippings (pl.).

mòccolo m. **1** (*piccola candela*) small candle; (*sottile*) taper **2** (*mozzicone di candela*) candle-end **3** (*fam.*: *moccio*) snot (*fam.*): **avere il m. al naso**, to have a snotty nose; to be snotty-nosed **4** (*pop.*: *bestemmia*) oath; curse: **tirare moccoli**, to curse; to swear ● (*fig.*) **reggere** (*o* **tenere**) **il m.**, to play the unwanted third party; to play gooseberry (*GB*).

mod. abbr. **1** (**modello**) model **2** (**modulo**) form.

♦**mòda** f. **1** (*foggia del vestire*) fashion; style: **la m. dell'anno scorso**, last year's fashion; **la m. delle gonne lunghe**, the fashion of long skirts; **la m. francese**, the French fashion (*o* style); **m. giovane**, teenage fashion; *Le mode cambiano*, fashions change; **seguire la m.**, to follow the fashion; **rivista di moda**, fashion magazine; **sfilata di m.**, fashion show **2** (*industria della m.*) fashion industry: **alta m.**, haute couture (*franc.*); high fashion; **modello d'alta m.**, haute couture model; **lavorare nella m.**, to work in the fashion industry **3** (*modelli*) (pl.); (*abiti*) clothes (pl.): **la m. primaverile**, spring fashions; **m. pronta**, ready-to-wear clothes; **casa di mode**, fashion house; **negozio di mode**, fashion shop; fashion house **4** (*costume passeggero*) passing fashion; vogue; fad: **una m. del momento**, a passing fad **5** (*maniera*) manner; style: **alla m. di**, after (*o* in) the manner (*o* style) of **6** (*mat.*, *stat.*) mode ● **alla m.**, fashionable; in fashion; up-to-date: **abiti alla m.**, fashionable clothes; **ristorante alla m.**, fashionable restaurant □ **all'ultima m.**, in the latest fashion □ **andare di m.**, to be in fashion (*o* fashionable); to be in vogue; to be the fashion: *Quest'anno vanno di m. gli stivali*, boots are in fashion (*fam.* are in) this year □ **di m.**, fashionable; in fashion; vogue (attr.); in vogue; up-to-date: **colori di m.**, fashionable colours; **parola di m.**, vogue word; buzz word □ **dettare la m.**, to lead the fashion; (*di persona*, *anche*) to be a tastemaker □ **essere di gran m.**, to be all the fashion; to be all the vogue; to be all the rage □ **Quel modello non è più di m. da anni**, that model went out of fashion years ago □ **fuori m.**, out of fashion; unfashionable; outmoded □ **lanciare una m.**, to set a fashion; to set a trend □ **passare di m.**, to go out of fashion; to go out (*fam.*); to become unfashionable □ **tornare di m.**, to come back into fashion.

modaiòlo (*spreg.*) A a. **1** (*della moda*) of fashion; fashion (attr.) **2** (*alla moda*) trendy; voguish; with-it (*slang*) B m. (f. **-a**) fashion slave; fashion victim.

modàle a. (*ling.*, *filos.*, *leg.*, *mus.*, *stat.*) modal: (*filos.*) **proposizione m.**, modal proposition; (*mus.*) **sistema m.**, modal system; **verbo m.**, modal verb.

modalismo m. (*relig.*) modalism.

modalità f. **1** (*modo*, *maniera*) way, manner, mode; (*metodo*) method; (*procedura*) procedure, modality, formality; (*condizione*) condition: **m. di consegna**, mode of delivery; **m. di pagamento**, mode (*o* method) of payment; **le m. del ritiro delle forze d'occupazione**, the modalities of occupation force withdrawal; **le m. di un accordo**, the conditions of an agreement; **seguire le m. richieste**, to comply with all the necessary formalities **2** (*ling.*) mode; modality **3** (*filos.*, *leg.*, *mus.*) modality **4** (*comput.*) mode.

modanàre v. t. (*edil.*) to mould, to mold (*USA*).

modanatóre m. moulder, molder (*USA*).

modanatrìce f. (*falegn.*) moulding (*USA* molding) machine.

modanatùra f. (*archit.*) moulding, molding (*USA*).

mòdano m. **1** (*edil.*) template; pattern; mould, mold (*USA*): **m. del mattone**, brick mould **2** (*per maglie di reti*) netting needle **3** (*trina*) filet.

modèlla f. (*moda*, *arte*) model: **fare la m.**, to work as a model; to model; **fare da m. a q.**, to pose as a model for sb.; to sit for sb.; **un fisico da m.**, the body of a model.

modellàbile a. mouldable.

modellaménto m. modelling; moulding.

modellàre A v. t. **1** (*una sostanza plasmabile*) to model; to mould, to mold (*USA*): **m. la plastica**, to mould plastic; **m. un vaso al tornio**, to throw a vase; **m. una testa in creta**, to model (*o* to mould) a head in clay **2** (*foggiare*) to fashion; to shape; to model (*fig.*): **m. un cappello**, to fashion a hat; **m. il proprio stile su quello di Gadda**, to model one's style on Gadda's **3** (*di abito*) to be close-fitting: **un vestito che modella la figura**, a close-fitting dress B **modellàrsi** v. rifl. to model oneself (on, upon, after).

modellàto (*scult.*) A a. modelled; shaped B m. shaping.

modellatóre A a. modelling: shaping B m. **1** (f. **-trice**) modeller; shaper **2** (*indumento*) corselet.

modellatùra, **modellazióne** f. modelling; moulding.

modellino m. (miniature) model: **m. di un aereo**, model aeroplane.

modellismo m. modelling; model-making.

modellista m. e f. **1** (*disegnatore*) fashion designer **2** (*operaio*) model maker; pattern maker **3** (*appassionato di modellismo*) modelling enthusiast; model maker.

modellistica f. modelling; model-making.

♦**modèllo** A m. **1** (*esemplare*, *esempio*) model; pattern; paragon: **m. comportamentale**, behavioural model; role-model; **un m. di ordine [di buona condotta]**, a model of tidiness [of good behaviour]; **un m. di perfezione**, a paragon (of perfection); **un m. di stile**, a model of style; **un m. di virtù**, a model (*o* paragon) of virtue; **attenersi al m.**, to stick to the model; **prendere q. per m.**, to take sb. as one's model; to model (*o* to style) oneself on sb.; to imitate sb. **2** (*fonderia*) pattern: **m. in più pezzi**, sectional pattern **3** (*stampo*) mould, mold (*USA*) **4** (*originale*) model; pattern; original **5** (*ind.*, *comm.*) model; version: (*seguito da numero*) mark: **m. di serie**, current (*o* production) model; **m. fuori serie**, special model; **m. non più in produzione**, discontinued model; **l'ultimo m.**, the latest model; **il m. a cinque porte**, the hatchback version **6** (*sartoria*) (*disegno*) design; (*anche* **m. in carta**) pattern: **m. esclusivo**, exclusive model; *Il m. di quest'abito è mio*, I

designed this dress myself; **sfilata di modelli**, fashion parade **7** (*bur.*: *modulo*) form **8** (*riproduzione*) model; (*per sperimentazione o dimostrazione*, *anche*) mock-up: **m. anatomico**, manikin; **m. di creta**, clay model; **un m. in bronzo del Colosseo**, a bronze model of the Coliseum; **m. in grandezza naturale**, life-size model; **m. in scala**, scale model; maquette; (*aeron.*) flying-scale model; **m. in scala ridotta**, miniature (model); (*aeron.*, *naut.*) **prove con m.**, model testing **9** (*mat.*, *stat.*, *econ.*) model: **m. demografico**, demographic model; **m. econometrico**, econometric model; **costruire un m. matematico**, to build a mathematical model **10** (*indossatore*, *uomo che posa*) (male) model ● (*org.* *az.*) **m. imprenditoriale**, business model B a. inv. model (attr.): **marito m.**, model husband; **scuola m.**, model school.

mòdem m. inv. (*comput.*) modem.

modenése A a. Modenese; of Modena; from Modena B m. e f. Modenese*.

moderàbile a. that can be moderated; limitable; controllable.

moderàre A v. t. **1** to moderate; (*frenare*) to check, to curb, to restrain; (*contenere*) to control, to limit: **m. l'entusiasmo**, to moderate (*o* to control) one's enthusiasm; **m. la lingua**, to curb one's tongue; **m. le parole**, to moderate one's language; *Modera i termini!*, watch your language! **2** (*ridurre*) to reduce, to limit, to cut* down; (*abbassare*) to lower, to soften: **m. le spese**, to limit (*o* to cut down) expenses; **m. la velocità**, to reduce speed; **m. la voce**, to lower one's voice **3** (*presiedere*) to chair; to moderate (over) B **moderàrsi** v. rifl. to moderate oneself; to show moderation (in st.); (*frenarsi*) to control oneself: **moderarsi nel mangiare**, to cut down on food; to eat moderately; **moderarsi nelle spese**, to keep down expenses.

moderataménte avv. moderately; (*senza eccessi*) in moderation, to a moderate extent; (*frugalmente*) frugally.

moderatézza f. moderation; temperance.

moderatismo m. (*polit.*) moderatism.

moderàto A a. **1** moderate; (*modesto*, *contenuto*) modest; (*parco*) frugal, temperate; (*equilibrato*) self-controlled: **crescita moderata**, moderate (*o* modest) growth; **in dosi moderate**, in moderate (*o* modest) quantities; **essere d'idee moderate**, to have moderate views; **guidare a velocità moderata**, to drive at a moderate speed; **essere m. nel bere**, to be moderate in one's drinking; to drink in moderation; **m. nelle proprie esigenze**, moderate in one's demands **2** (*mus.*) moderato: **allegro m.**, allegro moderato **3** (*Internet*) moderated: **forum m.**, moderated forum B m. (f. **-a**) (*polit.*) moderate.

moderatóre A m. **1** (f. **-trice**) (*chi presiede*) chairman* (f. chairwoman*); chairperson; moderator **2** (*fis.*) moderator B a. moderating.

moderazióne f. **1** (*contenimento*) limitation **2** (*senso della misura*) moderation; restraint; self-control; (*temperanza*) temperance: **m. nelle proprie pretese**, moderation in one's demands; **mangiare con m.**, to eat in moderation (*o* moderately); **bere senza m.**, to drink without moderation; **avere** (*o* **usare**) **m.**, to be moderate.

modernaménte avv. **1** in a modern manner **2** (*in tempi moderni*) in modern times.

modernariàto m. **1** (*collezionismo*) modern antique collecting **2** (*insieme di oggetti*) modern collectibles (pl.).

modernismo m. (*anche relig.*) modernism.

modernista a., m. e f. (*anche relig.*) mod-

ernist.

modernìstico a. modernistic; modernist (attr.).

modernità f. modernity.

modernizzàre A v. t. to modernize; to update; to renew: **m. un impianto**, to modernize a plant; **m. lo smistamento della posta**, to modernize mail sorting **B modernizzàrsi v. rifl.** to modernize; to bring* oneself up-to-date; to get* up to date.

modernizzazióne f. modernization; updating; renewal.

♦**modèrno A a.** modern; (*di oggi*) modern-day (attr.), today's (attr.); (*aggiornato*) up-to-date: **arte moderna**, modern art; **idee moderne**, modern ideas; **lingue moderne**, modern languages; **macchinari moderni**, up-to-date machinery **storia moderna**, modern history; **vita moderna**, modern-day life; **rendere m.**, to modernize; to bring* up-to-date **B m. 1** (*persona d'oggi*) modern **2** (*ciò che è m.*) what is modern; modern things (pl.).

modestaménte avv. 1 modestly; unpretentiously; unassumingly; humbly **2** (*con valore attenuativo*) without wishing to boast; with all due modesty: **m., sono un'ottima cuoca**, without wishing to boast, I'm an excellent cook.

modèstia f. 1 modesty; (*riservatezza*) demureness; (*umiltà*) humility: **m. nel parlare**, modesty in speech; **m. a parte**, although I say so myself; **falsa m.**, false modesty; **arrossire per m.**, to blush out of modesty; **peccare di m.**, to be over-modest; **senza m.**, immodest (agg.) **2** (*semplicità*) unpretentiousness; unassumingness; plainness **3** (*mediocrità*) modesty: **m. di mezzi**, modesty of means.

♦**modèsto a. 1** modest; (*schivo*) self-effacing; (*riservato*) demure, reserved; (*umile*) humble: *Andiamo, non essere m.!*, come on, don't be so modest!; **secondo il mio m. parere**, in my humble opinion **2** (*semplice*) unpretentious; unassuming; plain: **abiti modesti**, plain clothes; **aspetto m.**, unassuming appearance **3** (*pudico*) modest; bashful **4** (*moderato*) modest; moderate: *Le mie esigenze sono modestissime*, my demands are quite modest **5** (*mediocre, scarso*) modest; poor; inferior: **rendita modesta**, modest income; **risultati modesti**, poor results.

modicità f. moderateness; reasonableness; (*basso prezzo*) cheapness.

mòdico a. moderate; reasonable; modest: **m. aumento**, modest rise; **prezzi modici**, moderate (*o* reasonable) prices; **per la modica cifra di...**, for the modest sum of...

modìfica f. modification; alteration (anche ⚙); (*ritocco*) adjustment, fine tuning ⚙, calibration; (*mutamento*) change; (*a una legge, ecc.*) amendment: (*leg.*) **m. dello statuto di una società**, alteration to the articles of a company; **modifiche a un motore**, modifications to an engine; *Questo vestito ha bisogno di qualche m.*, this dress needs altering; **apportare modifiche a qc.**, to alter st.; to make alterations to (*o* changes in) st.; *C'è stata una m. del programma*, there has been change in the programme; **soggetto a modifiche**, subject to alteration.

modificàbile a. modifiable; alterable; (*emendabile*) amendable.

modificabilità f. modifiability; alterability.

♦**modificàre A v. t.** to modify; to alter; (*mutare*) to change; (*emendare*) to amend: **m. le condizioni d'un contratto**, to modify the terms of a contract; **m. una legge**, to amend a law; **m. il proprio modo di vivere**, to change one's lifestyle; **m. un programma**, to alter a programme **B modificàrsi v. i. pron.** to change; to alter: *Certe abitudini si*

modificano col tempo, certain habits change with the passing of time.

modificativo a. modifying.

modificatóre A a. modifying; modificatory **B m.** (f. **-trice**) modifier.

modificazióne → modifica.

modiglióne m. (*archit.*) modillion; truss.

modìolo m. (*anat.*) modiolus*.

modìsmo m. (*ling.*) idiom; phrase; locution.

modìsta f. milliner; modiste (*franc.*).

modistería f. 1 millinery **2** (*negozio*) milliner's (shop).

♦**mòdo m. 1** (*maniera*) way, manner, mode (*form.*); (*costume*) custom, habit; (*stile*) style, fashion; (*metodo*) method, system: **m. di agire**, way of acting; behaviour; **m. di comportarsi**, behaviour; **m. di fare**, (*comportamento*) behaviour; (*atteggiamento*) attitude; (*maniere*) manners (pl.); **m. di parlare [di pensare, di scrivere]**, way of speaking (of thinking, of writing]; **m. di vedere** (*punto di vista*), way of thinking; point of view; opinion; **secondo il mio m. di vedere**, in my opinion; as I see it; **m. di vivere**, way of life; *Che m. di parlare!*, what a way to speak!; *Non c'è m. di persuaderlo*, there is no way of convincing him; **fare a m. proprio**, to have one's own way; to do as one likes; **fare qc. a m. proprio**, to do st. (in) one's own way; *Fate a m. mio*, do it my way; do as I tell you; **a (*o* in) quel m.**, that way; like that; **a (*o* in) questo m.**, this way; like this; *Non gridare a quel m.!*, don't shout like that!; *Fallo in questo m.*, do it like this (*o* this way); **al m. di**, like; after the fashion of; **a un m.** (*o* **allo stesso m.**), in the same way; similarly; *La pensiamo allo stesso m.*, we think alike; we see things the same way; **in che m.**, how; in what way; *Non so in che m. farlo*, I don't know how to do it; *Non sapeva bene in che m. avrebbe risolto il problema*, he was unsure in what way he'd solve the problem; *Veste in m. tradizionale*, he dresses in a conventional style; **in m. particolare**, particularly; **in special m.**, especially; **in m. insolito**, in an unusual manner **2** (*mezzo*) means (sing. o pl.), way; (*occasione*) opportunity, chance: *Non c'è m. di scoprire quel che sta succedendo*, there is no means of finding out what's happening; **trovare m. di fare qc.**, to find a way of doing st.; *Non ho m. di pagare i miei debiti*, I am unable to (*o* I cannot) pay my debts; *Ho avuto m. di parlargli*, I had a chance to speak to him; I was able to speak to him; **dare a q. m. di fare qc.**, to enable sb. to do st.; to allow sb. to do st.; *Gli diedi m. di far fronte ai suoi impegni*, I enabled him to meet his engagements; *Spero che mi daranno m. di difendermi*, I hope they will allow me to defend myself **3** (spec. al pl.) (*maniere*) manners: **avere bei modi**, to have good manners; to be well-mannered; **avere brutti modi**, to have bad manners; to be ill-mannered; **con bel m.** (*o* **bei modi**), kindly; politely; **in malo m.**, (*villanamente*) unkindly, rudely; (*rudemente*) roughly; **una persona senza modi**, an ill-mannered (*o* ill-bred) person **4** (*gramm.*) mood: **m. congiuntivo [indicativo]**, subjunctive [indicative] mood **5** (*locuzione*) phrase; turn of phrase; expression: **m. avverbiale**, adverbial phrase; **m. di dire**, idiom; **m. letterario**, literary turn of phrase **6** (*misura*) measure: **oltre m.**, beyond measure (*o* excessively) **7** (*mus.*) mode: **m. dorico**, Dorian mode; **m. maggiore e minore**, major and minor modes **8** (*comput.*) mode: **m. interattivo**, interactive mode ● **a m.** (*come si deve*) properly; (*bene*) well; (*con cura*) carefully; (*perbene*) nice, well-bred, respectable: **una persona a m.**, a well-bred person □ **a ogni m.**, at any rate; anyhow □ (*gramm.*) av-

verbio di m., adverb of manner □ **di m. che**, so that; (*e così*) (and) so: *Arrivai tardi, di m. che non trovai posto*, I arrived late, so I couldn't find a seat □ **C'è m. e m. di fare le cose**, there is a right way and a wrong way of doing things; (*escl. di rimprovero*) that is not the way to do things □ **Feci in m. di arrivare prima di lui**, I made sure of being there before him □ **Devi fare in m. di venire**, you must try and come □ **Fece in m. di farsi assegnare quell'incarico**, he manoeuvred in such a way as to be given that task □ **in m. da**, in such a way as to; so as to; so that: *Si comportarono in m. da farsi detestare da tutti*, they behaved in such a way as to be hated by everybody; *Mi affrettai in m. da non fare tardi*, I hurried so as not to be late; *Sistemarono le cose in m. da accontentare tutti*, they arranged matters so as to suit everybody □ **in un m. o nell'altro**, some way or other; one way or another; somehow □ **in nessun m.**, in no way; (*per nulla*) by no means, under no circumstances □ **in ogni** (*o* **qualunque**) **m.**, anyway; anyhow □ **in qualche m.**, somehow; (*alla meno peggio*) after a fashion □ **in tutti i modi** (*comunque*), anyway; at any rate □ **nel solito m.**, as usual □ **per m. di dire**, so to speak; as it were.

modulàbile a. capable of being modulated.

modulàre① v. t. (*anche mus., fis.*) to modulate: **m. la voce**, to modulate one's voice.

modulàre② a. (*ind., tecn., mat.*) modular: **mobili modulari**, modular furniture; **struttura m.**, modular structure; (*comput.*) **programmazione m.**, modular programming.

modulàrio m. set of forms.

modularità f. (*ind., tecn.*) modularity.

modulatóre m. (*radio*) modulator: **m. di fase**, phase modulator; **m. di frequenza**, frequency modulator.

modulazióne f. (*anche fis., mus.*) modulation: (*radio*) **m. di ampiezza**, amplitude modulation (abbr. AM); (*radio*) **m. di fase**, phase modulation; (*radio*) **m. di frequenza**, frequency modulation (abbr. FM); (*TV*) **m. della luce**, light modulation; **m. di voce**, modulation of the voice; voice modulation.

modulìstica f. (*org. az.*) **1** form design **2** forms (pl.); set of forms.

♦**mòdulo① m. 1** (*forma*) form; mode **2** (*schema da compilare*) form: **m. di domanda**, application form; **m. di versamento**, paying-in slip; **m. in bianco**, blank form; **m. stampato**, printed form; **m. per telegramma**, telegraph form; **riempire un m.**, to fill up (*o* in) a form; to fill out a form (*USA*) **3** (*fig.: canone, norma*) norm **4** (*arch.*) module **5** (*mat., fis.*) modulus*: **m. di continuità**, modulus of continuity; **m. di elasticità**, modulus of elasticity **6** (*tecn., comput.*) module **7** (*numism.*) diameter ❶ **FALSI AMICI** • modulo *da compilare non si traduce con* module.

♦**mòdulo② m. 1** (*edil.*) unit; module: **m. abitativo**, modular housing unit **2** (*miss.*) module: **m. di comando**, control module; **m. lunare**, lunar module **3** (*elemento singolo di una struttura*) module; section: **m. scolastico**, school module.

modulòmetro m. (*tel.*) modulation meter.

mòdus operàndi (*lat.*) loc. m. modus operandi.

mòdus vivèndi (*lat.*) loc. m. modus vivendi; working arrangement.

mofèta f. (*geol.*) fumarole; mofette.

moffètta f. (*zool., Mephitis mephitis*) striped skunk.

mògano A m. (*bot., Swietenia mahagoni; il legno*) mahogany **B a. inv.** mahogany; (*di capelli*) dark red; reddish brown: **color m.**, mahogany.

a b c d e f g h i j k l **m** n o p q r s t u v w x y z

mòggio m. **1** (*misura di capacità*) modius* **2** (*misura di superficie*) one third of a hectare ● (*fig.*) **mettere la fiaccola sotto il m.**, to hide one's light under a bushel.

mogigrafìa f. (*med.*) writer's cramp.

mògio a. downcast; crestfallen; depressed; in the dumps (*fam.*): **aria mogia**, downcast face; hangdog look; **starsene m. in un angolo**, to mope in a corner.

◆**móglie** f. wife*: **avere m. e figli**, to have a wife and children; to be married with family; **avere per m.**, to be married to; **dare m. a q.**, to find a wife for sb.; **cercare [trovare] m.**, to seek [to find] a wife; **chiedere in m.**, to ask in marriage; **prendere in m.**, to marry; **riprendere m.**, to marry again; to remarry; *Sarà una buona m. per lui*, she will make him a good wife; **senza m.**, wifeless; unmarried ● (*fig.*) **la m. di Cesare**, Caesar's wife □ (*prov.*) **Fra m. e marito non mettere il dito**, never interfere between wife and husband.

mogòl m. (*stor.*) Mogul; Mughal.

mohair (*franc.*) m. inv. (*ind. tess.*) mohair.

mohicàno → **moicano**.

mòho f. inv. (*fis.*) Moho.

moicàno a. e m. (f. **-a**) Mohican.

moiétta f. metal strip; metal band.

moìna f. **1** (*carezza, lusinga*) caress; blandishment; (al pl., anche) coaxing Ⓤ, wheedling Ⓤ: **fare le moine a q.**, to caress (o to coax) sb.; **persuadere q. con le moine a fare qc.**, to coax (o to wheedle) sb. into doing st. **2** (al pl.) (*modi leziosi*) simpering ways.

mòira f. (*mitol.*) Moira.

moire (*franc.*) m. o f. inv. (*ind. tess.*) moire.

moiré (*franc.*) a. moiré.

mòka → **moca**.

mòla① f. **1** (*macina da mulino*) millstone **2** (*mecc.*) (grinding) wheel; grindstone: **m. a disco**, cut-off wheel; **m. a smeriglio**, emery wheel; **m. diamantata**, diamond wheel; **arrotondare una m.**, to round off a grinding wheel.

mòla② f. (*zool.*, *Mola mola*) ocean sunfish.

molàle a. (*chim.*) molal.

molalità f. (*chim.*) molality.

molàre① v. t. **1** (*mecc.*) to grind*; (*vetro, pietre preziose, anche*) to cut*; to lap: **m. una lente**, to grind a lens; **m. il marmo**, to grind marble **2** (*affilare*) to whet; to grind.

molàre② Ⓐ a. **1** (*anat.*) molar: **dente m.**, molar tooth; grinder **2** — **pietra m.**, buhrstone Ⓑ m. (*anat.*) molar; grinder.

molàre③ a. (*chim.*) molar: **soluzione m.**, molar solution; **volume m.**, molar volume.

molarità f. (*chim.*) molarity.

molàssa f. (*geol.*) molasse.

molàto a. ground.

molatóre m. (f. **-trice**) grinder.

molatrìce f. (*mecc.*) grinder; (*per vetro, pietre preziose*) lapping machine, lapper.

molatùra f. **1** (*operazione*) grinding; lapping **2** (*contorno molato*) bevel.

molàzza f. **1** (*macina*) millstone **2** (*tecn.*) edge runner; pam crusher; muller **3** (*edil.*) mixing-machine.

molazzatóre m. (f. **-trice**) muller.

mólcere v. t. (*lett.*) to soothe; to assuage; to placate.

moldàvo a. e m. (f. **-a**) Moldovan, Moldavian.

mòle① f. **1** (*massa*) mass, bulk, volume; (*dimensioni*) size, dimensions (pl.), proportions (pl.); (*peso*) weight: **la m. di un edificio**, the bulk of a building; **la m. di un ippopotamo**, the bulk of a hippopotamus; **la m. di un libro**, the bulk (o size) of a book; *Mi si buttò addosso con tutta la sua m.*, he threw himself on me with all his weight; **di gran m.**, bulky; massive; huge; (*imponente*) mighty, towering; (*pesante*) weighty, ponderous; **di piccola m.**, of small proportions **2** (*entità*) size; (*quantità*) quantity, amount, volume: *La m. del compito mi preoccupa*, the size of the task worries me; **un'enorme m. di lavoro**, a huge quantity (o amount) of work **3** (*edificio grandioso*) stately building; massive structure.

mòle② f. (*fis.*) mole.

molècola f. **1** (*chim.*) molecule **2** (*fig.*) molecule; tiny particle; ounce.

molecolàre a. (*chim.*) molecular: **biologia m.**, molecular biology; **filtro m.**, molecular sieve; **peso m.**, molecular weight; relative molecular mass.

molecolarità f. (*chim.*) molecularity.

molestàre v. t. (*irritare*) to irritate, to annoy; (*infastidire*) to bother; (*disturbare*) to disturb, to trouble; (*stuzzicare*) to tease; (*tormentare*) to pester, to torment, to plague; (*importunare sessualmente*) to molest, to harass: *La minima cosa lo molesta*, the slightest thing annoys him; **m. q. con le proprie richieste**, to pester sb. with demands; *Non m. il gatto!*, don't tease the cat!; *Ho una tosse stizzosa che mi molesta*, I am tormented by a dry cough; *Fu molestata da due giovinastri*, she was molested by two louts.

molestatóre m. (f. **-trice**) annoyer; disturber; (*chi importuna sessualmente*) molester.

molèstia f. **1** (*fastidio*) inconvenience; nuisance Ⓤ; bother Ⓤ; trouble Ⓤ: **arrecare m. a q.**, to cause inconvenience to sb.; to be a nuisance to sb.; to bother sb. **2** (*azione molesta*) teasing Ⓤ; pestering Ⓤ; (*anche* **m. sessuale**) sexual molestation Ⓤ, sexual harassment Ⓤ: **molestie di minore**, child molestation; **molestie sessuali sul lavoro**, sexual harassment in the workplace.

molèsto a. (*fastidioso*) irritating, annoying, irksome, bothersome, troublesome, pesky (*fam.*); (*insistente*) importunate; (*sgradevole*) unpleasant, disagreeable; (*tormentoso*) harassing: **insetti molesti**, irritating (o pesky) insects; **pensieri molesti**, irksome (o unpleasant) thoughts; **rumore m.**, irritating noise; **vicini molesti**, troublesome neighbours.

molétta f. (*ind. tess.*) roller.

molettàre v. t. (*ind. tess.*) to roll.

mòli m. inv. (*bot.*, *Allium nigrum*) moly.

molibdàto m. (*chim.*) molybdate.

molibdenite f. (*miner.*) molybdenite.

molibdèno m. (*chim.*) molybdenum.

molinèllo → **mulinello**.

molinìsmo m. (*stor. relig.*) Molinism.

molinìsta m. e f. (*stor. relig.*) Molinist.

molino → **mulino**.

molìto a. ground; crushed; (*di olive*) pressed.

molitóre m. **1** (f. **-trice**) miller **2** (*macchina*) mill.

molitòrio a. milling (attr.).

molitùra f. grinding; milling; (*di olive*) pressing.

mòlla f. **1** (*mecc.*) spring: **m. a balestra**, leaf spring; **m. a spirale**, coil spring; **m. a trazione**, extension spring; **m. del bilanciere** (*dell'orologio*), hairspring; **m. di compressione**, compression spring; **m. di richiamo**, return spring; **m. di torsione**, torsion spring; **m. laminata**, flat spring; **le molle d'un letto**, the springs of a bed; **caricare una m.**, to load a spring; **caricato a m.**, spring-loaded; **comprimere una m.**, to compress a spring; **scaricare una m.**, to release a spring; **tendere una m.**, to stretch a spring; **bilancia a m.**, spring balance; **calibro a m.**, spring gauge; **giocattolo a m.**, wind-up toy; **materasso a molle**, spring (o sprung) mattress; **meccanismo a m.**, spring mechanism; **serratura a m.**, spring-lock **2** (al pl.) (*arnese*) tongs; pair (sing.) of tongs; **molle per il fuoco**, fire tongs **3** (*fig.*) spring; mainspring; impulse; motivation; drive: *Il profitto è la m. principale del commercio*, profit is the mainspring of business ● (*fig.*) **prendere q. con le molle**, to watch one's step with sb.; to tread carefully with sb. □ (*fig.*) **da prendersi con le molle**, intractable; difficult □ **scattare come una m.**, to spring up.

mollaccióne m. (f. **-a**) slouch; layabout; lazybones.

◆**mollàre** Ⓐ v. t. **1** (*lasciar andare*) to let* go (of st.), to release; (*allentare*) to slacken, to ease off; (*lasciar cadere*) to drop; (*posare con malagrazia*) to dump: *Mi mollò il braccio*, she released (o let go of) my arm; **m. una corda**, to slacken (o to ease off) a rope; **m. la presa**, to release one's grip; to let go; **m. le redini**, to drop the reins; *Quel seccatore non mi mollava più*, the bore wouldn't let me go; *Mi mollò in braccio il bambino e se ne andò*, he dumped the child into my arms and left; *Molla!*, let go!; *Mollalo!*, let go of it!; *Non mollarlo!*, hang on to it! **2** (*naut.*: *una cima*) to let* go, to cast* off, to ease off; (*una vela*) to unfurl: **m. gli ormeggi**, to cast off moorings; **m. un terzarolo**, to let out (o to shake out) a reef; **m. le vele**, to unfurl one's sails; *M. a prua!*, cast off forward!; *M. tutto!*, let go everything! **3** (*fam.*: *abbandonare, lasciare*) to leave*; to quit*; to walk out on; to drop; to dump; (*l'innamorato*) to jilt: **m. il lavoro**, to quit (*fam.* to chuck in) one's job; *Ha mollato il marito*, she walked out on her husband; *Lui l'ha mollata*, he dumped her; he jilted her **4** (*fam.: dare*) to give*; (*appioppare, affibbiare*) to land (*fam.*), to fetch (*fam. GB*): **m. un calcio a q.**, to give sb. a kick; to kick sb.; **m. un pugno a q.**, to land sb. a punch; to punch sb.; **m. uno schiaffo a q.**, to slap sb.'s face; to give sb. a slap in the face; to give sb. a thick ear; *Gli ho dovuto m. un bel po' di soldi*, I had to give him a fair bit of money; *Non ha mollato una lira*, she didn't fork out a single penny Ⓑ v. i. **1** (*cedere*) to give* in; to give* up: *Non m.!*, don't give in!; stick at it!; hang on! **2** (*smettere*) to stop; to give* up.

◆**mòlle** Ⓐ a. **1** (*tenero, morbido*) soft; (*cedevole*) yielding: **cuoio m.**, soft leather; **materasso m.**, soft mattress; (*anat.*) **palato m.**, soft palate; (*anat.*) **parti molli**, fleshy parts; **terreno m.**, soft (o yielding) ground **2** (*floscio, flaccido*) flabby; limp: **carne m.**, flabby flesh **3** (*lett.: flessibile, pieghevole*) supple; flexible **4** (*fon.*) soft **5** (*fig.: mite, dolce*) soft; mild; gentle; tender; sweet **6** (*fig.: senza energia*) soft, weak; feeble; flaccid; limp; (*senza nerbo*) spineless: **costumi molli**, lax morals; **stretta di mano m.**, limp handshake; **avere un carattere m.**, to be weak-willed; to be spineless; **avere le gambe molli**, to feel weak at the knees **7** (*rilassato*) relaxed, loose; (*languido*) languid: **posa di m. abbandono**, languid posture; **vita m.**, loose life; *Tieni il braccio m.*, relax your arm **8** (*allentato*) slack; loose: **fune m.**, slack rope **9** (*bagnato*) wet; (*fradicio*) soggy, soaked: **occhi molli di pianto**, eyes wet with tears; **terreno m.**, soggy (o waterlogged) ground; **m. di pioggia**, rain-drenched; soaked by the rain; **m. di sudore**, wet with sweat Ⓑ m. **1** (*cosa m.*) something soft: **dormire sul m.**, to sleep on something soft **2** (*parte m.*) soft part; (*del corpo*) fleshy part **3** (*terreno bagnato*) soggy (o waterlogged) ground **4** → **mollo**, *def. 2*.

molleggiaménto m. **1** (*atto del molleggiare*) springing: **m. dei fianchi**, swaying of the hips; **m. sulle ginocchia**, knee-bending; knee-bends (pl.) **2** (*elasticità*) springiness; elasticity **3** → **molleggio**, *def. 1*.

molleggiàre **A** v. i. **1** (*essere molleggiato*) to be springy **2** (*camminare con elasticità*) to have a spring in one's step **V.** t. to spring; to fit with springs **C molleggiàrsi** v. rifl. **1** (*nel camminare*) to walk with a spring in one's step; (*dimenare i fianchi*) to sway one's hips **2** (*ginnastica*) – **molleggiarsi sulle ginocchia**, to bend (o to flex) one's knees; (*fare molleggi*) to do* knee-bends.

molleggiàto a. **1** (*fornito di molle*) sprung; (*di veicolo*) well-sprung **2** (*elastico, anche fig.*) springy; elastic: **letto m.**, springy bed; **passo m.**, springy step.

molléggio m. **1** (*di veicolo*) suspension; springing system; springs (pl.) **2** (*di divano, ecc.*) springing **3** (*elasticità*) springiness **4** (*ginnastica*) knee-bend.

molleménte avv. **1** (*dolcemente*) softly; gently; tenderly **2** (*debolmente*) weakly; listlessly **3** (*languidamente*) languidly.

mollétta ① f. **1** (*per bucato*) clothes peg (*GB*); clothespin (*USA*) **2** (*per capelli*) hairgrip (*GB*); bobby pin (*USA*) **3** (*al pl.*) tongs: **mollette per il ghiaccio**, ice tongs; **mollette per lo zucchero**, sugar tongs **4** (*mus.*) peg **5** (*gergale: coltello a scatto*) flick knife (*GB*); switchblade (*USA*).

mollétta ② f. (*vet.*) windgall.

mollettièra f. (*mil.*) puttee.

mollettóne m. table felt; silence cloth (*USA*).

mollézza f. **1** (*morbidezza, cedevolezza*) softness; (*flaccidezza*) flabbiness, limpness **2** (*fig.: debolezza, fiacchezza*) weakness, feebleness, flaccidity; (*mancanza di nerbo*) spinelessness **3** (*fig.: rilassatezza*) slackness; looseness **4** (al pl.) (*comodità*) luxury **①**.

mòllica f. **1** crumb; soft part of a loaf **2** (al pl.) (*briciole*) crumbs: **raccogliere le molliche**, to pick up the crumbs.

mollìccio **A** a. **1** (*morbido*) softish **2** (*floscio*) flabby; flaccid; limpish **3** (*bagnato*) wettish; soggy **4** (*fig.: debole*) soft; weak; ineffectual; wimpish **B** m. something softish; something soggy; (*terreno*) soggy ground.

mollificàre v. t. to soften.

mòllo **A** a. → **molle** **B** m. **1** → **molle** **2** – **mettere a m.**, to soak; to put to soak; **tenere a m.**, to let (st.) soak.

molluschicoltóre m. (f. -**trice**) mollusc farmer.

molluschicoltùra f. mollusc farming.

mollùsco m. **1** (*zool.*) mollusc, mollusk (*USA*); shellfish*: **m. bivalve**, clam; **m. univalve**, univalve **2** (*fig.*) spineless person; wimp.

mòlo m. **1** mole; jetty; pier; (*banchina*) quay, wharf*: **m. di carico**, loading wharf **2** (*in aeroporto*) pier.

mòloc, moloch m. **1** (*mitol. e fig.*) Moloch **2** (*zool., Moloch horridus*) moloch; mountain devil; thorny devil.

molòsso ① m. (*zool.*) molossus*; Molossian dog (o mastiff).

molòsso ② m. (*metrica*) molossus*.

mòlotov f. inv. (anche agg.: **bottiglia m.**) Molotov cocktail.

moltéplice a. **1** (*che consta di parecchie parti*) multiple; (*dai molti aspetti*) multi-faceted, many-sided, manifold: **forma m.**, multiple form; **genio m.**, many-sided genius **2** (al pl.) (*numerosi*) numerous; several; manifold; various: **molteplici doveri** [**errori**], numerous (o several) duties [mistakes]; **i molteplici aspetti della questione**, the many aspects to the question: *Le conseguenze di questa scelta sono molteplici*, the consequences of this choice are manifold.

molteplicità f. **1** multiplicity; plurality; many-sidedness: **una m. di pensieri**, a multiplicity of thoughts **2** (*varietà*) variety; range: **per una m. di ragioni**, for a variety

(o a whole range) of reasons.

♦**moltìplica** f. **1** (*mecc.: rapporto*) gear ratio **2** (*di bicicletta*) chain wheel **3** (*pop.: moltiplicazione*) multiplication.

moltiplicàbile a. multiplicable; multipliable.

moltiplicàndo m. (*mat.*) multiplicand.

♦**moltiplicàre** **A** v. t. **1** (*mat.*) to multiply: **m. tre per cinque**, to multiply three by five; **m. un numero per sé stesso**, to multiply a number by itself **2** (*aumentare*) to multiply; to increase; to redouble: **m. gli sforzi**, to redouble one's efforts; **m. la velocità**, to increase speed **B moltiplicàrsi** v. i. pron. **1** (*crescere*) to multiply; to increase; to grow* in number; to proliferate: *I profitti si sono moltiplicati*, profits have multiplied; *Le sue lamentele si moltiplicarono*, her complaints grew in number; **moltiplicarsi per dieci**, to multiply (o to increase) tenfold; *Dovrei moltiplicarmi per riuscire a fare tutto*, there would be ten of me (o I'd need cloning) to get everything done **2** (*riprodursi*) to multiply; (*di piante*) to propagate: **piante che si moltiplicano con rapidità**, plants that propagate rapidly.

moltiplicativo a. (*mat.*) multiplicative: **numeri moltiplicativi**, multiplicative numbers.

moltiplicàto a. **1** multiplied: *Due m. tre fa sei*, two multiplied by three equals six; two times three is six **2** (*autom.*) multiplied **3** (*aumentato*) increased; multiplied.

moltiplicatóre **A** m. (*econ., mat., tecn.*) multiplier; (*fotogr.*) **m. di focale**, range extender; teleconverter lens; (*radio*) **m. di frequenza**, frequency multiplier; (*mecc.*) **m. di velocità**, overdrive; (*fis.*) **m. elettronico**, (electron) multiplier **B** a. multiplying; multiplier (attr.).

moltiplicazióne f. **1** (*aumento*) increase; redoubling: **una m. delle difficoltà**, an increase in the number of difficulties; **una m. dei nostri sforzi**, a redoubling of our efforts; (*mecc.*) **m. di giri**, gearing-up; (*nel Vangelo*) **la m. dei pani e dei pesci**, the miracle of the loaves and fishes **2** (*mat.*) multiplication: **fare una m.**, to do a multiplication; **segno di m.**, multiplication sign **3** (*riproduzione*) multiplication; (*di piante*) propagation: (*bot.*) **m. sessuale**, sexual propagation; (*bot.*) **m. vegetativa**, asexual propagation.

moltitùdine f. multitude; (*folla*) large crowd; (*gran numero*) great number: **una m. di animali diversi**, a multitude of different animals; **una m. di gente**, a large crowd.

♦**mòlto** **A** avv. **1** (con agg. e avv. di grado positivo) very; (con un p. p., generalm.) much, greatly, widely: **m. apprezzato**, much (o widely) appreciated; **m. amato**, much loved; beloved; **m. bene**, very well; **m. lieto**, very glad (o pleased); **m. noto**, very well-known; widely known; **m. piccolo**, very small; **m. poco**, very little; **m. seccato**, much (o greatly) annoyed; **m. tardi**, very late; **m. volentieri**, with great pleasure; very willingly; **una decisione m. criticata**, a much-criticized decision; **un attore m. famoso**, a very famous actor; **una casa m. grande**, a very large house; **un libro m. interessante**, a very interesting book; **uno scrittore m. letto**, a widely read author; *Si comportò m. male*, she behaved very badly; *Sono m. spiacente*, I am very sorry; *Fu m. sorpreso*, he was much (o greatly) surprised; **essere m. malato**, to be very ill; **essere m. affezionato a q.**, to be very fond of sb.; *Ti farà m. bene*, it will do you a lot of good **2** (con agg. e avv. di grado compar.) much; a lot; far: **m. migliore** (o **meglio**), much (o a lot, far) better; **m.** (**di**) **più**, much more; **m. meno**, much less; **m. più caro**, much (o far) more expensive; **m. più gros-**

so, much bigger; *È stato m. prima*, it happened much earlier; **stare m. meglio** (*di salute*), to be much (o a lot) better **3** (con verbi) very much; a lot (*fam.*); (in frase neg.) much: *Mi piace m.*, I like it very much; *Mi piace moltissimo*, I like it very, very much; I love it; **divertirsi m.**, to have a very good time; **divertirsi moltissimo**, to have a wonderful time; to have the time of one's life (*fam.*); **lavorare** [**studiare**] **m.**, to work [to study] hard; *Ti ringrazio m.*, thank you very much; thanks a lot (*fam.*); *Gioco m. a tennis*, I play tennis a lot; *Non lavora m.*, he doesn't work much; *Non cambierà m.*, it won't change much **4** (a lungo) a long time; (in frasi non afferm.) long: *Dovetti aspettare m.*, I had to wait a long time; *Hai aspettato m.?*, did you wait long? ● **il M. Reverendo...**, the Very Reverend... **B** a. indef. **1** (sing.) a great (o a good) deal of; a lot of; lots of (*fam.*); (generalm. in frasi afferm.) plenty of; (spec. in frasi neg. o interr.) much: **m. denaro**, a great deal of money; plenty of money; a lot of money; **molta neve**, a great deal of (o a lot of) snow; *Non ha molta fantasia*, he hasn't got much imagination; *Non ho m. tempo libero*, I haven't got much spare time; **sprecare m. tempo**, to waste a lot of time; *C'è ancora m. tempo*, there's still plenty of time; «*C'è del pane?*» «*Non m.*», «is there any bread?» «not much»; **avere molta fame** [**m. freddo**], to be very hungry [very cold] **2** (rif. a tempo) long: *Ho aspettato m. tempo*, I waited a long time; *Non lo vedo da m. tempo*, I haven't seen him for a long time; **fra non m.** (tempo), before long **3** (grande) great; large: **molta distanza**, a great distance; **con molta cura**, with great care; **essere di m. aiuto a q.**, to be a great help to sb.; **essere m. amico di q.**, to be a great friend of sb. **4** (al pl.) many; a large number of; a great deal of; (generalm. in frasi afferm.) plenty of; a lot of; lots of (*fam.*): *Ha molti amici*, she has many (o a lot of) friends; *Molte persone la pensano così*, many (o a lot of) people think so; *Molte ditte hanno dovuto chiudere*, many firms have had to close down; **molti quattrini**, a lot of money; *Non ha molti libri*, he hasn't got many books; «*Hai amici?*» «*Molti*» [«*Non molti*»], «have you (got) any friends?» «yes, a lot (o lots)» [«not many»]; *C'erano moltissimi stranieri*, there were lots of foreigners; **dopo molti mesi**, after many months; **dopo molti e molti** (o **moltissimi**) **anni**, after many, many years **C** pron. indef. **1** a lot; a great (o a good) deal; (come ogg. generalm. in frasi neg. e interr.) much; (molte cose) a lot (o lots) of things: *M. di quel che dici è vero*, much (o a lot) of what you say is true; *Ho m. da fare*, I have lots of things (o a lot) to do; **sapere m.**, to know a lot (of things); *Ho fatto m. per lui*, I did a lot for him; *Ho imparato moltissimo da lui*, I learnt a great deal from him; *Non posso dire m. di lui*, I cannot say much about him; *Non ci vuole m. a capirlo*, it doesn't take much to understand it; *Ci vuole m. a farlo* (è difficile, laborioso), it takes a lot of doing; *Non c'è m. di qui alla scuola*, it isn't very (o too) far from here to the school; *Sarà m. se...*, it'll be already something if...; **a dir** (o **far**) **m.**, at the most **2** (molto tempo) a long time; (in frasi interr. e neg.) long: *Ho aspettato m.*, I waited a long time; *È m. che non lo vedo* (o *non lo vedo da m.*), it's a long time since I saw him last; I haven't seen him for a long time; *Aspetti da m.?*, have you been waiting long?; *Ti ci vorrà m. a finire?*, will it take you long to finish?; *Non ha m. da vivere*, he hasn't long to live; *Non metterci m., ho fretta*, don't be long, I'm in a hurry; **fra non m.**, before long **3** (al pl.) many (people); a lot of people; lots of people: *Molti la pensano così*, many (people) think so; *Ci furono molti che scapparo-*

no, lots of people ran away; *Molti di noi lo ammirano*, many of us admire him; *Molti dei bambini avevano con sé la merenda*, many children had their snacks with them; *Sono in moltissimi a non crederci*, a great many people don't believe that; *Siamo in molti*, there are a lot of us; *Vennero in molti*, lots of people came **D** m. – **il m.**, the lot of (*o* the many) things: **il m. che mi resta da fare**, the many things I still have to do.

❶ NOTA: *molto*
Quando **molto** precede la forma comparativa di un aggettivo o un avverbio può essere tradotto con much, very much, far, a lot (colloquiale), ma non con very: *È molto più giovane di me*, he's much younger than me (non ~~he's very younger than me~~); *Come al solito, il libro è molto migliore del film*, as usual, the book is far better than the film; *Utilizzando questo software, la traduzione può essere fatta molto più velocemente*, using this software, the translation can be done much more quickly; *Negli Stati Uniti la benzina è molto meno cara che in Italia*, in the USA gas is much less expensive than in Italy.
Gli stessi termini inglesi servono a tradurre **molto** quando quest'ultimo precede la combinazione **più** + nome: *Abbiamo avuto bisogno di molto più tempo di quanto avessimo previsto*, we needed much (o a lot o far) more time than we had envisaged. Se il nome è plurale, al posto di much si deve usare many: *Ho molti più problemi adesso di qualche anno fa*, I have many (o a lot o far) more problems now than I used to have a few years ago.

Molùcche f. pl. (the) Molucca Islands; (the) Moluccas.

molucchése a., m. e f. Moluccan.

mòlva f. (*zool.*, *Molva molva*) ling.

momentàccio m. (*situazione sfavorevole*) bad time; bad patch: *È un m. per noi*, we're going through a bad patch.

momentaneaménte avv. **1** (*al momento*) at the moment; at present; right now: *È m. assente*, she is not in at the moment **2** (*in quel momento*) right then **3** (*temporaneamente*) temporarily: **m. non funzionante**, temporarily out of order.

momentàneo a. (*breve*) momentary, fleeting, brief; (*temporaneo*) temporary; (*effimero*) short-lived, transitory: **dolore m.**, momentary (o brief) pain; **felicità momentanea**, fleeting happiness; **gioie momentanee**, short-lived joys; **timore m.**, momentary fear.

momentìno m. **1** (*brevemente*) just a moment; just a sec (*fam.*) **2** (*fam.*: *un poco*) a little bit; just a bit.

♦**momènto** m. **1** moment; (*tempo*) time: **il m. della verità**, the moment of truth; *Aspetta un m.*, wait a moment; **uscire un m.**, to go out for a moment; **fermarsi un m.**, to stop a moment; **non avere un m. libero**, to have no spare time; *Non c'è un m. da perdere*, there isn't a moment to lose; *Finì tutto in un m.*, it was all over in a moment; *È solo questione di un m.*, it'll only take a minute; **fin dal primo m.**, from the very first moment; **fino a questo m.**, until now; so far; **in qualunque m.**, at any moment (o time); **in quel m.**, at that moment; just then; **in questo m.**, at this moment; just now; (*or ora*) this (very) moment; **nello stesso m.**, at the same time; **per qualche m.** (o **per pochi momenti**), for a few moments; **per il m.**, (*per ora*) for the moment, for the time being, for the meantime; (*al momento*) just now; **proprio in quel m.**, at that very moment; right then; **tra un m.**, in a moment; shortly; presently; **senza un m. d'esitazione**, without a moment's hesitation; **tutti i momenti**

(*o ogni m.*) (*continuamente*), every moment; continually; always; *Un m., per favore!*, just a moment, please! **2** (*contingenza, congiuntura, occasione*) moment, time; (*periodo*) time, period: **m. critico**, critical moment; juncture; **m. magico**, magical moment; **il m. tanto atteso**, the long-awaited moment; **il m. del bisogno**, the hour of need; **il m. opportuno**, the right moment; **momenti difficili**, hard times; *Abbiamo passato momenti terribili*, we went through hell; it was a terrible experience; *Sarà per un altro m.*, it'll be some other time; *Non è il m. di scherzare*, this is no time for joking; **al m. giusto [buono]**, at the right time; **in un m. di collera**, in a fit of anger; **in un brutto m.**, at the wrong time **3** (*opportunità*) opportunity; chance; moment: *Era il m. che attendevo*, it was the chance I had been waiting for; **aspettare il proprio m.**, to wait one's chance **4** (*lett.*: *importanza*) moment; importance **5** (*fis.*, *mecc.*) moment; (*quantità di moto*) momentum: (*mecc.*) **m. di una coppia**, moment of a couple; (*naut.*, *aeron.*) **m. di evoluzione**, rudder moment; (*fis.*) **m. di una forza**, torque; (*mecc.*) **m. d'inerzia**, moment of inertia; (*aeron.*) **m. di rollio**, rolling moment; (*fis.*) **m. magnetico**, magnetic moment; (*mecc.*) **m. positivo**, right-handed moment; (*mecc.*) **m. resistente**, moment of resistance; resisting moment; (*edil.*) **m. statico**, static moment ● **il m. culminante** (*di un dramma, romanzo, ecc.*), the climax □ **a momenti**, (*a volte*) sometimes; (*fra poco*) any moment (now); (*quasi, per poco*) nearly: *A momenti è gentile, a momenti è sgarbato*, sometimes he is kind, sometimes he is rude; *Sarà qui a momenti*, he'll be here any moment; *A momenti cadevo*, I nearly fell □ **al m.**, (*in questo m.*) at the moment, at present, right now; (*allora*) at the time, right then: *Non ho soldi al m.*, I have no money at present; **il nostro maggior problema al m.**, our biggest problem at the moment (o right now); **Al m. di scegliere, non seppe decidersi**, when it came to choosing, she couldn't make up her mind □ **all'ultimo m.**, at the last moment; (*in extremis*) at the eleventh hour; (*senza preavviso*) at short notice □ **da un m. all'altro**, (*improvvisamente*) suddenly; (*fra breve*) at any moment, any moment (now) □ **dal m. che** (*dato che*), since, as: *Dal m. che non abbiamo soldi, non possiamo comprarlo*, since we have no money, we cannot buy it □ **i bisogni del m.**, the most urgent needs □ **un capriccio del m.**, a passing whim □ **l'uomo del m.**, the man of the moment □ **sul m.**, (*subito*) at once, immediately, right now; (*a tutta prima*) at the moment, at the time.

móna (*region.*, *volg.*) **A** f. pussy; beaver ● **mandare in m.**, to tell sb. to fuck off □ *Va' in m.!*, fuck you! **B** m. (*stupido*) twit (*fam.*); prat (*slang GB*); dickhead (*slang*); asshole (*slang USA*).

mònaca ① f. nun: **m. di clausura**, enclosed nun; **farsi m.**, to become a nun; to enter a convent; **fare una vita da m.**, to lead the life of a nun (o a very secluded life).

mònaca ② f. (*scaldaletto*) bed-warmer; warming pan.

mònaca ③ f. (*zool.*) **1** (*Lymanthria monacha*) nun moth **2** – **foca m.** → **monaco** ②, *def. 3*.

mònaca ④ f. (*zool.*, *Mergus albellus*) smew; white nun.

monacàle a. **1** monastic; (*di monaco*) monkish, monk's (attr.), monklike; (*di monaca*) nun's (attr.), nunlike: **abito m.**, (monk's, nun's) habit; **vita m.**, monastic life **2** (*fig.*) monastic; austere.

monacàndo m. (f. *-a*) novice.

monacànto m. (*zool.*, *Monacanthus ciliatus*) fringed filefish.

monacàrsi v. rifl. (*farsi monaco*) to become* a monk; (*farsi monaca*) to become* a nun.

monacàto m. **1** (*stato monastico*) monastic condition; monastic life **2** (*monaci e monache*) monks and nuns (pl.).

monacazióne f. (*relig.*, *atto e cerimonia*) profession.

monacèlla → **monachella** ①.

monacènse a., m. e f. (native, inhabitant) of Munich.

monachèlla f. **1** young nun **2** (*di orecchino*) hook clasp **3** (*zool.*, *Oenanthe hispanica*) black-throated wheatear **4** (*pop.*, *zool.*: *mantide religiosa*) praying mantis*.

monachésimo m. monasticism.

monachétto m. **1** (*di saliscendi*) catch **2** (*naut.*) kevel head.

monachìna f. **1** (*fig.*, *iron.*) innocent--looking girl; goody-goody: **avere un'aria da m.**, to look as if butter wouldn't melt in one's mouth **2** (*zool.*, *Recurvirostra avosetta*) avocet, avoset **3** (*al pl.*) (*faville*) sparks.

monachìno m. (*zool.*, *Pyrrhula pyrrhula*) bullfinch.

monachìsmo → **monachesimo**.

mònaco ① m. monk: **farsi m.**, to become a monk.

mònaco ② m. **1** (*archit.*) king post; queen post **2** (*scaldaletto*) bed-warmer; warming pan **3** (*zool.*, *Monachus albiventer*) monk seal.

Mònaco (*geogr.*) **A** f. (*di Baviera*) Munich **B** m. (*il Principato*) Monaco.

mònade f. (*filos.*, *biol.*, *chim.*) monad.

monadèlfia f. (*bot.*) monadelphous plant.

monadèlfo a. (*bot.*) monadelphous.

monàdico a. (*filos.*, *scient.*) monadic.

monadìsmo m. (*filos.*) monadism.

monadìsta m. e f. (*filos.*) monadist.

monadologìa f. (*filos.*) monadology.

monàndria f. (*bot.*) monandry.

monàndro a. (*bot.*) monandrous.

monàrca m. monarch.

monarchìa f. monarchy: **m. assoluta [costituzionale]**, absolute [constitutional] monarchy.

monarchianìsmo m. (*relig.*) Monarchianism.

monàrchico **A** a. **1** (*di monarchia, retto a monarchia*) monarchic: **sistema m.**, monarchic regime; **stato m.**, monarchic state **2** (*fautore della monarchia*) monarchic; royalist: **partito m.**, monarchic party **B** m. (f. *-a*) monarchist; royalist.

monastèro m. (*di monaci*) monastery; (*di monache*) convent, nunnery: **entrare in m.**, to enter a monastery [a convent].

monàstico a. **1** monastic: **regola monastica**, monastic rule; **vita monastica**, monastic life; **voti monastici**, monastic vows **2** (*fig.*: *austero*) monastic; austere.

monàtto m. (*stor.*) corpse carrier.

monazìte f. (*miner.*) monazite.

moncherìno m. stump.

mónco **A** a. **1** (*mozzato*) cut off; amputated: **avere una mano monca**, to have one hand missing **2** (*mutilato*) maimed; mutilated: **m. di un braccio**, without an arm; one--armed; **m. di una mano**, with one hand missing; **una mano monca di due dita**, a hand with two fingers missing **3** (*fig.*: *incompleto*) incomplete, unfinished; (*tronco*) truncated: **una risposta monca**, an incomplete answer; **verso m.**, truncated verse **B** m. (f. *-a*) maimed person; cripple.

moncóne m. **1** stump **2** (*fig.*) fragment.

mónda f. (*delle risaie*) paddy weeding.

mondàna f. (*eufem.*) prostitute.

mondanità f. **1** worldliness **2** (*piacere*

mondano) worldly thing; wordly pleasure **3** (*l'alta società*) high society; jet set; (the) glitterati (pl.) (*fam.*).

mondàno Ⓐ a. **1** (*del mondo materiale*) worldly; earthly; mundane (*lett.*): **beni mondani**, worldly goods; **cose mondane**, worldly matters; mundane affairs; **vanità mondana**, mundane vanity **2** (*di società*) society (attr.); social; (*alla moda*) fashionable: **cronache mondane**, society news; **la gente mondana**, society people; the glitterati (*fam.*); **signora mondana**, society (o fashionable) lady; **riunione mondana**, social gathering; **uomo m.**, man about town; **vita mondana**, society (o fashionable) life Ⓑ m. socialite; man* about town ❶ FALSI AMICI • mondano *nei sensi di gaudente, elegante, di società non si traduce con* mundane.

mondàre Ⓐ v. t. **1** (*sbucciare*) to peel; (*sgusciare*) to husk, to shell, to hull; (*scortecciare*) to strip; (*togliere i fili*) to string*; (*cereali*) to winnow: **m. un'arancia**, to peel an orange; **m. i fagiolini**, to string beans; **m. il grano**, to winnow wheat; **m. le patate**, to peel potatoes; **m. i piselli**, to shell peas **2** (*agric.: diserbare*) to weed **3** (*pulire*) to clean **4** (*fig.*) to purify; to cleanse: **m. l'animo dal peccato**, to purify the soul from sin Ⓑ **mondàrsi** v. rifl. (*fig. lett.*) to purify oneself.

mondaríso m. e f. inv. rice weeder.

mondatóio m. (*agric.*) olive sieve.

mondatóre Ⓐ a. peeling; husking; shelling; hulling; winnowing; cleaning; weeding Ⓑ m. (f. **-trice**) peeler; husker; sheller; winnower; cleaner; weeder.

mondatrice f. (*mecc.*) **1** cleaner **2** (*per il cotone*) peeling machine; cotton gin (*USA*).

mondatùra f. **1** (*operazione*) peeling; husking; shelling; hulling; winnowing; cleaning; weeding **2** (*bucce*) peelings (pl.); (*gusci*) husks (pl.), shells (pl.); (*baccelli*) pods (pl.); (*pula*) chaff **3** (*fig.*) purifying; cleansing.

mondézza① f. (*lett.*) **1** (*nettezza*) cleanliness; cleanness **2** (*fig.: purezza*) purity.

mondézza② f. (*region: spazzatura*) rubbish; refuse; garbage (*USA*); trash (*USA*).

mondezzàio m. **1** (*cumulo di immondizie*) rubbish (*USA* garbage) heap, dump, tip; (*letamaio*) dunghill, manure heap, dung heap **2** (*estens.: luogo sporco*) pigsty; tip **3** (*fig.*) sink; den.

♦**mondiàle** a. **1** world (attr.); (*diffuso in tutto il mondo*) worldwide; global: **campionato m.**, world championship; **economia m.**, world (o global) economy; **esposizione m.**, world exhibition; world expo; **fama m.**, worldwide fame; **di fama m.**, world-famous; **la prima guerra m.**, the First World War; **potenza m.**, world power **2** (*fig. fam.*) fantastic; fabulous.

mondialìsmo m. globalism.

mondialìstico a. global; world (attr.).

mondializzàre v. t. to globalize.

mondializzazióne f. globalization.

mondialménte avv. globally; around the globe; all over the world; worldwide: **m. noto**, world-famous; famous worldwide.

mondíglia f. refuse; (*metall.*) dross; (*ind.*) tailings (pl.).

mondìna① f. (*mondariso*) rice weeder.

mondìna② f. (*region.: castagna lessa*) boiled chestnut.

móndo① a. **1** (*sbucciato*) peeled; (*sgusciato*) husked, shelled: **patate monde**, peeled potatoes **2** (*netto*) clean: **mani monde**, clean hands **3** (*fig.: puro*) pure; spotless: **un'anima monda**, a pure soul.

♦**móndo**② m. **1** (*il pianeta*) world; earth; globe: **tutto il m.**, the whole world; all the world; **in tutto il m.**, all over the world; all the world over; throughout the world;

worldwide (agg. e avv.); **fare il giro del m.**, to travel round the world; **i confini del m.**, the world's end; **la fine del m.**, the end of the world; **il più vecchio del m.**, the oldest in the world; **solo al m.**, alone in the world **2** (*regno*) world; kingdom: **il m. animale [minerale, vegetale]**, the animal [mineral, vegetable] world (o kingdom); **il m. dell'arte**, the world of art; **il m. degli insetti**, the insect world; **il m. dei libri**, the world of books; **il m. dei sogni**, the world of dreams; dreamland **3** (*ambito, particolare complesso di fenomeni*) world: **il m. esterno**, the external world; **il m. fisico**, the physical world; **il m. ideale**, the ideal world; **il m. soprannaturale**, the supernatural world **4** (*l'esistenza umana*) world; life: **un m. migliore**, a better world; **stanco del m.**, world-weary; weary of life; **mettere al m.**, to give birth to; to bring into the world (*lett.*); **tornare al m.**, to come back to life; **venire al m.**, to be born; to come into the world (*lett.*) **5** (*totalità degli uomini*) world; (*genere umano*) mankind, human society; (*la gente*) people (pl.); (*ognuno*) everybody: **agli occhi del m.**, in the eyes of the world; **dire male di tutto il m.**, to speak ill of everybody; *Mi par d'avere tutto il m. contro*, the whole world seems to be against me; **il giudizio del m.**, what the world thinks **6** (*civiltà, ordine sociale*) world: **il m. antico [classico]**, the ancient world; **il m. cristiano**, the Christian world **7** (*ambiente*) world; set: **il m. degli affari**, the business world; **il m. della moda**, the world of fashion; **il m. della malavita**, the underworld; gangland; **il m. politico**, the world of politics; the political world; **il m. dello spettacolo**, show business; showbiz (*fam.*); **il bel m.**, the smart set; high (o fashionable) society; the glitterati (pl.) (*fam.*) **8** (*fig.: grandissima quantità*) world; crowd; lots (pl.) (*fam.*); loads (pl.) (*fam.*): **un m. di guai**, a world of troubles; **un m. di gente**, a huge crowd; **fare un m. di bene a q.**, to do sb. a (o the) world of good; to do a power of good ● **M. cane!**, damn!; hell! □ **l'altro m.** (o **il m. di là**), the other world; the next world: **andare all'altro m.**, to die; **mandare** (o **spedire**) **all'altro m.**, to kill; to dispatch; to send* to kingdom come □ **il Nuovo M.**, the New World □ **il terzo M.**, the Third World: **abitante del terzo M.**, Third Worlder □ (*fig.*) **caschi il m.**, no matter what; come what may □ **Com'è piccolo il m.!**, it's a small world! □ **Cose dell'altro m.!**, it's unbelievable! □ **Così va il m.!**, such is life!; that's life for you! □ **da che m. è m.**, from time immemorial □ **divertirsi un m.**, to have a wonderful time □ **donna di m.**, society (o fashionable) woman □ **essere al m.**, to be alive □ (*fam.*) **essere la fine del m.** (*essere fantastico*), to be fantastic □ **Non cascherà mica il m.!**, it won't be the end of the world! □ **Non è la fine del m.!**, it's not the end of the world! □ **Pareva la fine del m.**, it was a real disaster □ **in capo al m.**, miles from everywhere; at the back of beyond: **andare in capo al m.**, to go to the ends of the earth □ (*iron.*) **In che m. vivi?**, where have you been? □ (*fig.*) **nel m. della luna**, in the clouds; in cloud-cuckoo-land: **vivere nel m. della luna**, to have one's head in the clouds; to live in cloud-cuckoo-land □ **Lo sa mezzo m.**, everybody knows □ **per nessuna cosa al m.**, not for the world; not for anything in the world □ **per tutti i tesori** (o **tutto l'oro**) **del m.**, for the (whole) world □ **prendere il m. come viene**, to take things as they come □ **rinunciare** (o **dire addio**) **al m.**, to renounce the world □ **saper stare al m.** (*conoscere le buone maniere*) to know how to behave; (*essere smaliziato*) to know a thing or two □ **uomo di m.** (*che ha esperienza*) man of the world; (*che fa vita di società*) man about town □ **vecchio quanto il m.**, as old as the

hills □ **vivere fuori del m.**, to lead a cloistered life; (*in un mondo proprio*) to live in a world of one's own □ **volere un m. di bene a q.**, to love sb. dearly □ (*prov.*) **Il m. non fu fatto in un giorno**, Rome was not built in a day □ (*prov.*) **Il m. è bello perché è vario**, variety is the spice of life; it takes all sorts (to make the world) □ (*prov.*) **Tutto il m. è paese**, it's the same the whole world over.

mondovisióne f. (*TV*) worldwide telecast ● **trasmettere in m.**, to broadcast worldwide.

monegàsco a. e m. (f. **-a**) Monégasque.

monèl® m. (*metall.*) Monel (metal)®.

monèlla f. tomboy; hoyden; romp.

monelleria f. prank; mischief 回: *Stanno combinando qualche nuova m.*, they are up to some new prank; *I ragazzi amano le monellerie*, children are fond of mischief.

monellésco a. mischievous; prankish; naughty.

♦**monèllo** m. **1** (*ragazzo di strada*) (street) urchin; waif **2** (*ragazzino vivace*) scamp; imp; bit of (o pire) mischief; (little) rascal: *È un vero m.*, he's a real rascal; he's pure mischief, that one; *Brutto m.!*, you little monster!

monèma m. (*ling.*) moneme.

♦**monèta** f. **1** (*econ.*) money 回; (*valuta*) currency: **m. a corso forzoso**, inconvertible money; **m. cartacea**, paper money; **m. circolante**, currency; **m. debole**, weak currency; **m. estera**, foreign money; foreign currency; **m. forte**, hard currency; **m. legale**, legal tender; **m. metallica**, coin; money; **m. unica**, single currency; *La m. giapponese è lo yen*, the Japanese currency is the yen; **battere m.**, to mint money; **il valore della m.**, the value of money **2** (*metallica*) coin; piece: **m. da venti centesimi**, a twenty-cent coin (o piece); **m. d'oro**, gold coin; **m. falsa**, counterfeit coin; **cinque euro in m.**, five euros in coins; **lanciare in aria una m.**, to toss (o to flip) a coin; *Lanciamo una m.?*, shall we toss for it?; shall we flip? **3** (*denaro*) money: **m. contante**, ready money; cash; **m. elettronica**, electronic money; **m. sonante**, hard cash; **m. spicciola**, small change **4** (*spiccioli*) small change: *Hai m.?*, have you got any small change?

monetàggio m. (*econ.*) cost of coinage; mintage.

monetàle a. monetary; coin (attr.).

monetàre v. t. **1** (*trasformare in moneta*) to coin; to mint; to monetize **2** → **monetizzare**.

monetàrio a. monetary; money (attr.): **circolazione monetaria**, money circulation; **mercato m.**, money market; **sistema m.**, monetary system; **stretta monetaria**, monetary squeeze; **unità monetaria**, monetary (o currency) unit; **valore m.**, monetary value.

monetarìsmo m. (*econ.*) monetarism.

monetarìsta m. e f. monetarist.

monetarìstico a. monetarist.

monetàto a. coined; monetized.

monetazióne f. **1** (*il battere moneta*) coining; minting; coinage; mintage **2** → **monetizzazione**.

monetière m. **1** (*coniatore*) coiner; minter **2** (*falsificatore*) counterfeiter; forger **3** (*mobile*) coin cabinet.

monetina f. (small) coin; penny; cent: **lanciare la m.**, to toss (o to flip) a coin; *Lanciamo la m.?*, shall we toss for it?; shall we flip?

monetizzàre v. t. (*econ., fin.*) **1** (*esprimere in moneta*) to monetize; (*valutare*) to estimate, to assess **2** (*convertire in moneta*) to convert into cash; to liquidate.

monetizzazióne f. (*econ.*, *fin.*) **1** (*valutazione*) valuation; assessment **2** (*conversione*) liquidation.

monferrino a., m. (f. *-a*) (native, inhabitant) of Monferrato.

mongolfièra f. hot-air balloon; montgolfier (*stor.*).

mongòlico a. Mongolian; Mongolic.

mongòlide a., m. e f. (*etnol.*) Mongol.

mongolìsmo m. (*med.*, *antiq.*) Down's syndrome; mongolism (*antiq.*).

mòngolo A a. Mongolian; Mongol B m. **1** (f. *-a*) Mongol **2** (*lingua*) Mongolian.

mongolòide A a. **1** (*etnol.*) Mongoloid **2** (*med.*, *antiq.*) related to [affected with] Down syndrome; mongoloid (*antiq.*) B m. e f. (*med.*, *antiq.*) person with Down syndrome; mongoloid (*antiq.*).

mongoloidìsmo → **mongolismo**.

monìle m. ornament; bauble; (*collana*) necklace; (*pendente*) pendant; (*gioiello*) piece of jewellery.

monìlia f. (*med.*, *antiq.*) monilia; candida.

moniliàsi f. (*med.*, *antiq.*) moniliasis; candidiasis.

monìsmo m. (*filos.*) monism.

monìsta m. e f. (*filos.*) monist.

monìstico a. (*filos.*) monistic.

mònito m. warning; admonition: *Che ti sia di m.*, let this be a warning to you.

mònitor (*ingl.*) m. inv. (*tecn.*, *TV*) monitor (screen).

monitoràggio m. monitoring.

monitoràre v. t. to monitor.

monitóre① m. (*stor.*: *titolo di giornali*) monitor.

monitóre② m. (*naut.*) monitor.

monitòrio A a. monitory; admonitory B m. (*eccles.*, *anche* **lettera monitoria**) monitory (letter).

monitorizzàre v. t. (*tecn.*, *TV*) **1** (*sottoporre a monitoraggio*) to monitor **2** (*fornire di monitor*) to equip with a monitor [with monitors].

monizióne f. (*relig.*) monition.

mon-khmer a. e m. inv. (*ling.*) Mon-Khmer.

mònna f. (*stor.*) madonna; lady.

monoàlbero a. inv. (*mecc.*) single-shaft.

monoansàto a. (*archeol.*) with one handle; single-handled (attr.).

monoàsse a. **1** (*scient.*) uniaxial **2** (*mecc.*) single-axe.

monoatòmico a. (*chim.*) monatomic.

monoauràle a. **1** monaural **2** (*fis.*) monaural; monophonic.

monobàsico a. (*chim.*) monobasic.

monoblòcco A a. single-block (attr.); (*mecc.*) monobloc (attr.) B m. **1** (*mecc.*) cylinder bloc; engine block; block **2** (*di cucina*) sink and dishwasher unit; built-in kitchen unit.

monocàlibro a. (*naut.*) single-calibre.

monocàmera A a. inv. one-room (attr.); one-roomed (attr.) B f. → **monolocale**.

monocameràle a. (*polit.*) unicameral.

monocameralìsmo m. (*polit.*) unicameralism.

monocànna A a. inv. single-barrelled: **fucile m.**, single-barrelled rifle (*o* shotgun) B m. inv. single-barrelled rifle (*o* shotgun); single-barrel.

monocarbossìlico a. (*chim.*) monocarboxylic.

monocàrpico a. (*bot.*) monocarpic; monocarpous.

monocàsio m. (*bot.*) monochasium*.

monocellulàre a. (*biol.*) unicellular; single-cell (attr.).

monochìna f. (*biol.*) monokine.

monocìclo m. (*per acrobati*) unicycle.

monocilìndrico a. (*mecc.*) single-cylinder.

monocìta, **monocìto** m. (*fisiol.*) monocyte.

monocitòsi f. (*med.*) monocytosis.

monoclamidàto, **monoclamìdeo** a. (*bot.*) monochlamydeous.

monoclàsse a. one-class (attr.); single--class (attr.).

monoclinàle (*geol.*) A a. monoclinal: **piega m.**, monoclinal fold; monocline B f. monocline.

monoclìno a. **1** (*bot.*) monoclinous **2** (*miner.*) monoclinic.

monoclonàle a. (*biol.*) monoclonal.

monòcolo① A a. one-eyed (attr.) B m. (*chi ha un occhio solo*) one-eyed person.

monòcolo② m. **1** (*lente*) monocle **2** (*cannocchiale*) spyglass.

monocolóre A a. **1** monochrome **2** (*polit.*) one-party (attr.); single-party (attr.): **governo m.**, one-party government B m. (*polit.*) one-party government.

monocoltùra f. (*agric.*) monoculture.

monocomàndo A a. single-control B m. (*aeron.*) single-control plane.

monocomponènte a. single-component (agg.); self-contained.

monocòrde a. (*lett.*, *fig.*) monotonous.

monocòrdo m. (*mus.*) monochord.

monocoriàle a. (*biol.*) monochorionic; monochorial.

monocotilèdone (*bot.*) A a. monocotyledonous B f. monocotyledon; (al pl., *scient.*) Monocotyledones.

monocottùra f. inv. **1** (*piastrella*) single--fired tile **2** (*tecnica*) single firing.

monocràtico a. monocratic.

monocrazìa f. monocracy.

monocristallìno a. (*miner.*) monocrystalline.

monocristàllo m. (*miner.*) monocrystal.

monocromaticità f. (*fis.*) monochromaticity.

monocromàtico a. **1** (*fis.*) monochromatic; monochrome: **radiazione monocromatica**, monochromatic radiation; (*TV*) **schermo m.**, monochrome screen **2** (*med.*) affected with monochromatism.

monocromatìsmo m. **1** (*med.*) monochromatism **2** (*arte*) monochrome; monochromatic style.

monocromatizzàre v. t. (*fis.*) to monochromatize.

monocromàto A a. monochrome; monochromic B m. monochrome.

monocromatóre m. (*fis.*) monochromator.

monocromìa f. (*arte*) monochrome.

monòcromo a. monochrome: **dipinto m.**, monochrome (picture).

monoculàre a. monocular.

monocultùra f. (*antrop.*) single culture.

monocuspidàle a. unicuspid.

monodìa f. (*mus.*) monody.

monòdico a. (*mus.*) monodic.

monodìsco a. (*mecc.*) single-plate (attr.): **frizione m.**, single-plate clutch.

monodòse a. (*farm.*) single-dose (attr.).

monoèlica a. **1** (*naut.*) single-screw (attr.) **2** (*aeron.*) single-propellor (attr.); single-engine (attr.).

monofamiliàre a. one-family (attr.); (*di abitazione*) detached: **villetta m.**, detached house.

monofàse a. (*fis.*) single-phase (attr.); monophasic.

monofasìa f. (*med.*, *psic.*) monophasia.

monofilàre a. (*elettr.*) single-wire (attr.).

monofilètico a. (*biol.*) monophyletic.

monofiletìsmo m. monophyletic theory.

monofìllo a. (*bot.*) monophyllous.

monofiodònte a. (*zool.*) monophyodont.

monofisìsmo m. (*relig.*) Monophysitism.

monofisìta (*relig.*) m. e f. Monophysite.

monofobìa f. (*med.*) monophobia.

monofonditrice f. Monotype® (caster).

monofonemàtico a. (*ling.*) monophonemic.

monofònico a. (*fis.*) monophonic.

monòfora f. (*archit.*) single-lancet window.

monoftalmìa f. (*med.*) monophthalmia; cyclopia.

monofùne a. inv. (*tecn.*) mono-cable (attr.).

monogamìa f. monogamy.

monogàmico a. monogamic.

monògamo A a. monogamous B m. monogamist.

monogènesi f. **1** (*biol.*) monogenesis; monogeny **2** (*ling.*) monogenesis.

monogenètico a. monogenetic.

monogènico a. (*biol.*) monogenic.

monogenìsmo m. (*biol.*) monogenism; monogeny.

monoginìa f. (*zool.*) monogyny.

monoglòttico a. (*ling.*) monolingual; (*di individuo, anche*) monoglot.

monogonìa f. (*biol.*) monogony.

monografìa f. monograph; essay; treatise.

monogràfico a. monographic: **studio m.**, monographic study.

monogràmma m. monogram: **biancheria con m.**, monogrammed underwear.

monogrammàtico a. monogrammatic.

monoicìsmo m. **1** (*biol.*) hermaphroditism **2** (*bot.*) monoecy.

monòico a. (*bot.*) monoecious.

monokìni m. inv. (*moda*) monokini.

monolatrìa f. monolatry.

monolìngue a. monolingual; (*di persona, anche*) monoglot: **dizionario m.**, monolingual dictionary; **persona m.**, monolingual; monoglot.

monolinguìsmo m. monolingualism.

monolìtico a. (*anche fig.*) monolithic.

monolitìsmo m. monolithic quality.

monòlito m. **1** monolith **2** (*alpinismo*) needle.

monolocàle m. inv. one-roomed flat (*USA* apartment); studio flat (*USA* apartment); bedsitting room (*GB*); bed-sitter (*fam. GB*); bedsit (*fam. GB*); efficiency apartment (*USA*); bachelor apartment (*USA*).

monologàre v. i. **1** (*parlare da solo*) to talk to oneself; to soliloquize **2** (*recitare un monologo*) to monologize; to recite a monologue.

monòlogo m. **1** (*teatr.*, *letter.*) monologue; soliloquy: **m. interiore**, interior monologue; (*tecnica*) stream of consciousness; **i monologhi di Amleto**, Hamlet's soliloquies **2** (*estens.*) monologue; (*soliloquio*) soliloquy: *Continuò col suo m. senza badare a noi*, she went on with her monologue without paying any attention to us.

monomandatàrio m. (f. *-a*) (anche agg.: **agente m.**) (*comm.*) sole agent.

monòmane → **monomaniaco**.

monomanìa f. (*psic.*) monomania.

monomaniacàle a. (*psic.*) monomaniac; monomaniacal.

monomanìaco (*psic.*) A a. monomaniac, monomaniacal B m. monomaniac.

monomàrca a. inv. (*comm.*) designer

(attr.): **negozio m.**, designer outlet.

monòmero m. (*chim.*) monomer.

monometallismo m. (*econ.*) monometallism: **m. aureo [argenteo]**, gold [silver] standard.

monomètrico a. (*miner.*) monometric; isometric.

monòmetro (*poesia*) **A** m. monometer **B** a. monometric.

monomiàle a. (*mat.*) monomial.

monòmio m. (*mat.*) monomial.

monomotóre (*aeron.*) **A** a. single-engine (attr.) **B** m. single-engine plane.

mononucleàre, mononucleàto a. (*biol.*) mononuclear.

mononucleòsi f. (*med.*) mononucleosis; glandular fever.

monoovulàre → monovulare.

monopàla a. (*aeron.*) single-blade: **elica m.**, single-blade propellor.

monoparentàle a. single-parent (attr.): **famiglia m.**, single-parent family.

monopartìtico a. (*polit.*) single-party (attr.).

monopartitìsmo m. (*polit.*) single-party rule.

monopàttino m. scooter.

monopètalo a. (*bot.*) monopetalous; gamopetalous.

monopètto A a. inv. single-breasted: **giacca m.**, single-breasted jacket **B** m. inv. single-breasted suit.

monopèzzo A a. inv. one-piece (attr.) **B** m. inv. one-piece (swimsuit).

monoplàno m. (*aeron.*) monoplane.

monoplegìa f. (*med.*) monoplegia.

monopodiàle, monopòdico a. (*bot.*) monopodial.

monopolàre a. (*elettr.*) unipolar.

Monòpoli ® m. (*gioco*) Monopoly®.

monopòlio m. 1 (*econ.*) monopoly: **m. bilaterale**, bilateral monopoly; **m. dei tabacchi**, tobacco monopoly; **m. di Stato**, government monopoly; **m. imperfetto**, near-monopoly; **m. perfetto**, pure monopoly; **m. televisivo**, monopoly of television broadcasting; **avere il m. di qc.**, to have a monopoly on (*o* over) st.; **concedere il m. di qc.**, to grant the monopoly of st.; **esercitare un m.**, to exercise a monopoly; **in regime di m.**, under a monopoly system **2** (*fig.*) monopoly; privilege.

monopolìsta m. e f. monopolist.

monopolìstico a. monopolistic; monopoly (attr.).

monopolizzàre v. t. 1 to monopolize **2** (*fig.*) to monopolize; to hog (*fam.*): **m. l'attenzione**, to hog the limelight; **m. la conversazione**, to monopolize the conversation.

monopolizzatóre A a. monopolizing **B** m. (f. **-trìce**) monopolizer.

monopolizzazióne f. (*anche fig.*) monopolization.

monopòlo m. (*fis.*) monopole.

monoporzióne → monorazione.

monopòsto (*autom., aeron.*) **A** a. inv. single-seat (attr.) **B** m. inv. single-seater.

monoprogrammazióne f. (*comput.*) monoprogramming.

monopropellènte m. (*chim.*) monopropellant.

monopsichìsmo m. (*filos.*) monopsychism.

monopsònio m. (*econ.*) monopsony.

monòptero a. (*archit.*) monopteral.

monorazióne f. prepackaged individual meal.

monòrchide a. e m. (*med.*) monorchid.

monorchidìa f., monorchidìsmo m. (*med.*) monorchidism.

monoreattóre m. (*aeron.*) single-jet plane.

monorèddito a. inv. single-income (attr.).

monorifrangènte a. (*fis.*) monorefringent.

monorifrangènza f. (*fis.*) monorefringence.

monorìmo a. (*poesia*) monorhyme: **componimento m.**, monorhyme.

monorìtmico, monorìtmo a. (*letter.*) monorhythmic; monorhythmical.

monorotàia f. (*ferr.*) monorail.

monorotóre a. single-rotor (attr.).

monosaccàride m. (*chim.*) monosaccharide.

monoscàfo m. (*naut.*) monohull.

monoscì, monoskì m. inv. monoski.

monoscòcca a. e f. inv. (*autom.*) monocoque.

monoscòpio m. (*TV*) **1** (*il tubo*) monoscope **2** (*l'immagine*) test card (*GB*); test pattern (*USA*).

monosemìa f. (*ling.*) monosemy.

monosèmico a. (*ling.*) monosemous.

monosessuàle a. (*biol.*) unisexual.

monosillàbico a. monosyllabic.

monosìllabo A a. monosyllabic **B** m. monosyllable: **parlare a monosillabi**, to speak in monosyllables.

monosomìa f. (*biol.*) monosomy.

monospermìa f. (*biol.*) monospermy.

monospèrmo a. (*bot.*) monospermous.

monòssido m. (*chim.*) monoxide: **m. di carbonio**, carbon monoxide.

monòssilo → monoxilo.

monostàbile a. (*elettron.*) monostable.

monostàdio a. (*miss.*) single-stage (attr.).

monostròfico a. (*poesia*) monostrophic.

monoteìsmo m. (*relig.*) monotheism.

monoteìsta (*relig.*) **A** m. e f. monotheist **B** a. monotheistic.

monoteìstico a. (*relig.*) monotheistic.

monotelìsmo m. (*stor. relig.*) Monotheletism.

monotelìta m. (*stor. relig.*) Monothelite.

monotemàtico a. 1 (*mus.*) monothematic **2** (*estens.*) on one subject; single-theme (attr.).

monotipìa f. (*tipogr.*) Monotype system.

monotipìsta m. e f. (*tipogr.*) Monotype operator.

monotìpo① m. (*naut.*) one-design boat.

monotìpo② → monotype.

monotìpo③ m. (*stampa*) monotype.

monotonìa f. monotony; dullness; (*routine*) routine: **la m. del paesaggio**, the monotony of the landscape; **la m. di un lavoro**, the tedious routine of a job; **la m. della mia vita**, the dullness of my life; my humdrum existence; **rompere la m.**, to break (the) monotony.

monòtono① a. monotonous; dull; humdrum; tedious; uneventful; (*ripetitivo*) repetitive: **discorso m.**, monotonous speech; **viaggio m.**, tedious journey; **vita monotona**, humdrum (*o* uneventful) life; **voce monotona**, monotonous (*o* dull) voice; drone.

monòtono② a. (*mat.*) monotonic.

monotrèma m. (*zool.*) monotreme; (al pl., *scient.*) Monotremata.

monotròfico a. (*biol.*) monotrophic.

monòtropa f. (*bot., Monotropa hypopytis*) yellow bird's nest.

monottongàre v. t. e i. (*ling.*) to monophthongize.

monottongazióne f. (*ling.*) monophthongization.

monottòngo m. (*ling.*) monophthong.

monotype (*ingl.*) f. e a. inv. (*tipogr.*) Monotype®.

monoùso a. inv. disposable; throwaway (attr.): **bicchieri di carta m.**, throwaway paper cups; **siringa m.**, disposable syringe.

monovalènte a. 1 (*chim.*) univalent; monovalent **2** (*farm.*) monovalent.

monovolùme m. o f. inv. (anche agg.: **automobile m.**) passenger van; minivan.

monovulàre a. (*biol.*) monovular; monozygotic.

monòxilo a. monoxylous ● **imbarcazione monoxila**, monoxylon*.

monozigòte A a. monozygotic **B** m. monozygotic twin.

monozigòtico a. monozygotic.

Mons. → Monsignore.

monsignóre m. (*eccles.*) Monsignor*.

monsóne m. monsoon: **m. estivo [invernale]**, wet [dry] monsoon; **stagione dei monsoni**, monsoon season.

monsònico a. monsoon (attr.); monsoonal: **clima m.**, monsoonal climate; **piogge monsoniche**, monsoon rains.

mónta f. 1 (*accoppiamento*) covering; mounting: **cavallo da m.**, stud horse; **tempo della m.**, breeding-season; **toro da m.**, breeding bull **2** (*anche* **stazione di m.**) breeding farm; (*per equini*) stud farm **3** (*modo di cavalcare*) riding **4** (*fantino*) jockey **5** (*archit.*) rise.

montacàrichi, montacàrico m. goods lift; hoist; (*in miniera*) elevator hoist.

montàggio m. 1 (*mecc.*) assembly; assemblage: **catena di m.**, assembly line; **istruzioni per il m.**, assembly instructions; **reparto di m.**, assembly bay **2** (*installazione*) fitting; installation; (*di vetri*) glazing **3** (*cinem.*) editing; cutting; montage: **m. a priori**, in-camera editing; **m. a posteriori**, cutting; **m. del negativo**, negative cutting; **m. del sonoro**, sound editing; **m. finale**, final cut; **m. incrociato**, cross cutting; **curare il m. di un film**, to edit a film; **fase di montaggio**, editing stage; **sala di m.**, cutting room **4** (*tipogr.*) mounting.

montaggìsta m. (*tipogr.*) mounter.

♦**montàgna f. 1** (*rilievo montuoso*) mountain; mount: **un'alta m.**, a high mountain; **m. sottomarina**, seamount; (*geogr.*) **le Montagne Rocciose**, the Rocky Mountains; **scalare una m.**, to climb a mountain; **grande come una m.**, as big as a mountain; **catena di m.**, mountain chain (*o* range) **2** (*zona montuosa*) mountains (pl.): **andare in m.**, to go to the mountains; **passare le vacanze in m.**, to spend one's holidays in the mountains; **preferire la m. al mare**, to prefer the mountains to the sea; **venire dalla m.**, to come from the mountains; **in alta m.**, high up in the mountains; at high altitudes; **aria di m.**, mountain air; **artiglieria di m.**, mountain artillery; **fiori di m.**, alpine flowers; **mal di m.**, mountain sickness; altitude sickness **3** (*alpinismo*) mountain sports (pl.); (*scalate*) climbing: **fare della m.**, to practise mountain sports; **scarponi da m.**, climbing boots **4** (*fig.*) mountain; heap; heals (pl.): pile: **una m. di debiti**, a mountain of debts; **una m. di libri**, a pile of books; **una m. di sciocchezze**, a lot of nonsense; **una m. di soldi**, heaps of money ● (*al luna park*) **montagne russe**, rollercoaster (sing.); big dipper (sing.) (*GB*): **andare sulle montagne russe**, to ride the rollercoaster □ (*Vangelo*) **il sermone della m.**, the Sermon on the Mount □ (*fig.*) **La m. ha partorito un topolino**, a mighty effort for a small result □ (*prov.*) **Se la m. non viene a Maometto, Maometto andrà alla m.**, if the

mountain won't come to Muhammad, Muhammad must go to the mountain.

montagnàrdo m. (*stor. francese*) Montagnard.

montagnòla f. mound; knoll; hillock.

montagnóso a. mountainous.

montanàro A a. mountain (attr.): **gente montanara**, mountain people; **tradizioni montanare**, traditions of mountain people B m. (f. *-a*) mountain dweller; highlander.

montanèllo m. (*zool.*, *Carduelis cannabina*) linnet; redpoll.

montanino a. mountain (attr.): **aria montanina**, mountain air.

montanìsmo m. (*stor. relig.*) Montanism.

montanista m., f. e a. (*stor. relig.*) Montanist.

montanìstico a. (*stor. relig.*) Montanistic; Montanist.

montàno a. mountain (attr.); alpine: **paesaggio m.**, mountain landscape; **prato m.**, alpine meadow; **regione montana**, mountain district; **villaggio m.**, village on the mountains.

montànte A a. mounting; rising B m. **1** (*mecc.*, *edil.*) standard; upright; stanchion; post; (*edil.*, *di legno*) stud; (*di porta*) jamb; (*di finestra*) window-post; (*calcio*) goalpost: **i montanti di una libreria**, the uprights of a set of shelves; (*calcio*) **sfiorare il m. destro**, to graze the right goalpost **2** (*aeron.*) strut **3** (*boxe*) uppercut **4** (*econ.*) capital and interest; total amount **5** (*econ.*) – **m. compensativo**, compensatory amount.

◆**montàre** A v. i. **1** (*salire*) to mount (st., on st.); to climb (st., on st.); to go* up; to get* on (to); to ascend (*lett.*): **m. a cavallo** (*o* **in sella**), to mount one's horse; to get on to one's horse; **m. su un albero**, to climb (up) a tree; **m. su un autobus**, to get on a bus; **m. su una sedia**, to climb on a chair; **m. sulle spalle di q.**, to mount (*o* to climb) on sb.'s shoulders **2** (*fig.*) to mount; to go*; to get*: *Il vino gli montò alla testa*, the wine went to his head **3** (*crescere*) to rise*; to go* up; to build* up: *La marea monta*, the tide is rising **4** (anche **m. in servizio**) to go* on duty ● (*fig.*) **m. in cattedra**, to get on one's high horse; to start pontificating □ **m. in collera**, to get angry; to flare up □ **m. in superbia**, to put on (*o* to give oneself) airs □ **m. su tutte le furie** (*o* **in bestia**), to fly off the handle; to see red (*fam.*) B v. t. **1** (*salire*) to mount; to climb: **m. le scale**, to mount (*o* to climb) the stairs **2** (*cavalcare*) to ride*: **m. un cavallo**, to ride a horse **3** (*di animale: accoppiarsi*) to cover; to mount; to service **4** (*assemblare*) to assemble; to put* together; (*installare*) to install, to fit, to mount; (*erigere*) to put* up: **m. una caldaia**, to install (*o* to fit) a boiler; **m. una libreria**, to put up a bookcase; **m. una macchina**, to assemble a machine; **m. una tenda**, to put up a tent **5** (*incastonare*) to mount; to set*: **m. un rubino in oro**, to mount (*o* to set) a ruby in gold **6** (*incorniciare*) to frame: **m. un quadro**, to frame a picture **7** (*sbattere, frullare*) to whip; to whisk; to beat*: **m. le chiare a neve**, to beat (*o* to whisk) egg whites until stiff; **m. la panna**, to whip the cream **8** (*fam.*) to edit; to cut* **9** (*fig.: esagerare*) to blow* up; to hype (*fam.*) ● (*mil.*) **m. la guardia**, to mount guard □ (*fig.*) **m. la testa a q.**, to turn sb.'s head □ (*fig.*) **montarsi la testa**, to get a swollen (*USA* big) head; to get too big for one's boots (*fam.*) □ *Il successo l'ha montato*, success has gone to his head C **montàrsi** v. i. pron. **1** (*esaltarsi*) to get* excited (*o* worked up); to work oneself up **2** (*insuperbirsi*) to get a swollen (*USA* big) head; to get too big for one's boots (*fam.*).

montascàle m. inv. stairlift; chairlift.

montàta f. mounting; ascent; rise ● **m.**

dei salmoni, salmon run □ (*fisiol.*) **m. lattea**, beginning of lactogenesis.

montàto a. **1** (*cucina*) whipped; whisked: **albumi montati a neve**, stiffly whisked egg-whites; **panna montata**, whipped cream **2** (*fig.*, *di persona*) swollen-headed; big-headed (*USA*); puffed up **3** (*fig.: esagerato*) blown up; hyped (*fam.*) **4** – (*di cavaliere*) **ben montato**, well-mounted –

montatóio m. footboard; step; (*autom.*) running board; (*per montare a cavallo*) mounting block, horse block.

montatóre m. (f. *-trice*) **1** (*mecc.*) assembler; (*installatore*) fitter **2** (*cinem.*) editor.

montatùra f. **1** → **montaggio 2** (*di occhiali*) frames (pl.) **3** (*di gemma*) setting; mount **4** (*di cappello e sim.*) trimming **5** (*intelaiatura*) frame **6** (*fig.: esagerazione*) exaggeration; inflation; ballyhoo Ⓤ; hype Ⓤ: **m. pubblicitaria**, advertising stunt; hype (*fam*) **7** (*fig.: imbroglio*) put-up job; bluff; (*scherzo*) hoax.

montavivànde m. inv. food lift; dumb waiter.

◆**mónte** m. **1** (*geogr.*) mountain; (*davanti a nome proprio*) mount (abbr. Mt., Mt): **un alto m.**, a high mountain; **il M. Bianco**, Mont Blanc (*franc.*); **il M. degli Olivi**, the Mount of Olives; **il m. Etna**, Mount Etna; **salire su un m.**, to climb a mountain; **valicare un m.**, to cross a mountain; **catena di monti**, mountain chain (*o* range); **il piede** (*o* **la radice**) **d'un m.**, the foot of a mountain; **ai piedi d'un m.**, at the foot of a mountain; **la cima** (*o* **vetta**, **cresta**) **d'un m.**, the top of a mountain; a mountain top **2** (*fig.: grande quantità*) mountain; heap; pile; lot; load: **un m. di debiti**, a mountain of debts; **avere un m. di debiti**, to be up to one's ears in debt; **un m. di sciocchezze**, a lot (*o* load) of nonsense **3** (*istituto bancario*) bank **4** (*nei giochi di carte*) discards (pl.) ● **m. di credito su pegno**, pawn agency; pawnshop; pawnbroker's □ **m. di pietà**, pawnshop; pawnbroker's: **portare qc. al m. di pietà**, to pawn st. □ (*anat.*) **m. di Venere**, mons Veneris (*lat.*) □ **m. ore**, total of hours □ **m. premi** → **montepremi** □ **a m.**, above; (*rif. a un fiume*) upstream, up-river; (*fig.*) at the source, earlier in the process □ (*fig.*) **andare a m.**, to fail; to fall through; to come to nothing □ (*fig.*) **mandare a m.**, (*annullare*) to cancel, to call off, to scrap; (*sconvolgere*) to upset, to wreck: *Se continuano così, mando a m. tutto*, if they keep on like this, I'll scrap everything; **m. a m. un fidanzamento**, to break off an engagement; *Ha mandato a m. tutti i miei progetti*, he has upset all my plans □ **per monti e per valli**, up hill and down dale □ **promettere mari e monti**, to promise the moon.

montebiànco m. (*cucina*) chestnut pudding with a whipped cream topping; montebianco.

Montécchi m. pl. (*letter.*) (the) Montagues.

montenegrìno a. e m. (f. *-a*) Montenegrin.

monteprèmi m. inv. prize money; (*di lotteria*) jackpot.

montessoriàno a. Montessori (attr.): **il metodo m.**, the Montessori method; **scuola montessoriana**, Montessori school.

montgomery (*ingl.*) m. inv. (*moda*) duffel coat ❶ **FALSI AMICI** • montgomery *non si traduce con* montgomery.

monticàre v. i. **1** (*di bestiame*) to graze in mountain pasture **2** (*di allevatore*) to keep* cattle in mountain pasture.

monticazióne f. migration to mountain pasture.

monticellìte f. (*miner.*) monticellite.

monticèllo m. **1** (*collinetta*) mound; hillock, rise **2** (*mucchietto*) mound.

montmorillonìte f. (*miner.*) montmorillonite.

montonàta f. (*equit.*) buck; buck-jump.

montonàto a. (*geol.*) – **roccia montonata**, roche moutonnée (*franc.*).

montóne m. **1** (*zool.*) ram; tup **2** (anche **carne di m.**) mutton **3** (anche **pelle di m.**) sheepskin; (*giaccone*) sheepskin coat **4** (al pl.) (*onde*) white horses.

montuosità f. **1** mountainous character; hilliness **2** (*altura*) hillock; mound; (*collina*) hill.

◆**montuóso** a. mountainous; hilly: **regione montuosa**, mountainous region; highlands (pl.); uplands (pl.); **sistema m.**, mountain range.

montùra f. (*mil.*, *lett.*) uniform.

◆**monumentàle** a. **1** (*di monumento*) monumental: **cappella m.**, monumental chapel; **iscrizione m.**, monumental inscription **2** (*fig.*) monumental; colossal: **idiozia m.**, monumental stupidity; **opera m.**, monumental work **3** (*ricco di monumenti*) rich in monuments.

monumentalità f. monumentality.

◆**monuménto** m. **1** (*commemorativo*) monument; memorial: **m. ai caduti**, war memorial; **un m. a Dante**, a monument to Dante; **m. marmoreo**, marble monument; **m. sepolcrale**, sepulchral monument **2** (*opera architettonica*) monument; (*edificio*) historic building: **i monumenti dell'antica Grecia**, the monuments of ancient Greece; **visitare i monumenti d'una città**, to see the sights of a town ● **m. nazionale**, national monument; (*fig.*) institution □ (*di persona*) **un m. di sapere**, a monument of learning □ (*scherz.*) **Ti meriti un m.!**, you deserve a medal!

moog® (*ingl.*) m. inv. Moog®.

Mops (*ted.*) m. inv. pug (dog).

moquette (*franc.*) f. inv. **1** (*tessuto*) carpeting **2** (*rivestimento*) (fitted) carpet; wall-to-wall carpet: **passare l'aspirapolvere sulla m.**, to vacuum the carpet; **posa in opera di m.**, carpet fitting; **specialista in m.**, carpet fitter.

mòra ① f. (*bot.*, *di gelso*) mulberry; (*di rovo*) blackberry, bramble, brambleberry: **andare per** (*o* **a cogliere**) **more**, to go blackberrying; **raccolta delle more**, blackberrying.

mòra ② f. (*biol.*) morula*.

mòra ③ f. **1** (*leg.: ritardo*) delay; (*inadempienza*) default; (*di pagamento*) arrears (pl.): **cadere** (*o* **andare**) **in m.**, to fall into arrears; **essere in m.**, to be in arrears; **mettere in m.**, to bring a default action against; **interessi di m.**, interest Ⓤ on arrears; default interest Ⓤ **2** (*somma dovuta*) interest on arrears; default interest **3** (*lett.: indugio*) pause.

mòra ④ f. **1** (*donna bruna*) brunette **2** (*donna di pelle nera*) black woman*.

◆**morale** A a. **1** (*etico*) ethical: **aiuto m.**, moral support; **certezza m.**, moral certainty; **condotta m.**, ethical conduct; **danno m.**, moral damage; **diritti morali**, moral rights; **effetti morali**, moral effects; **ente m.**, non-profit organization; **filosofia m.**, moral philosophy; ethics (pl. col verbo al sing.); **forza m.**, moral courage; **legge m.**, moral law; **questione m.**, ethical issue; problem of morality; **principi morali**, moral (*o* ethical) values; (moral) principles; morals; **schiaffo m.**, humiliation; slap in the face; **senso m.**, moral sense; **vittoria m.**, moral victory B f. **1** (*filos.*) moral philosophy; ethics (pl. col verbo al sing.) **2** (*principi morali*) morals (pl.); (*moralità*) morality: **m. civile** [**politica**], civil [political] morals; **la**

m. cristiana, Christian morality; **andare contro la m.**, to go against morality; **i dettami della m.**, the dictates of morality; **gente senza m.**, people without morals; immoral people **3** (*insegnamento m.*) moral: **la m. di una favola**, the moral of a tale; **trarre la m.**, to draw a moral ● (*fam.*) **M. della favola...**, to cut a long story short...; the long and the short of it is that... **C** m. morale; spirits (pl.): *Il m. delle truppe è altissimo*, the morale of the troops is excellent; *La squadra ha il m. alle stelle*, the team is in high spirits; **sollevare il m.**, to boost morale; to raise (sb.'s) spirits; (*rallegrare*) to cheer up, to buck up; **star su col m.**, to keep one's spirits up; **tenere alto il m.**, to keep up (sb.'s) morale; to keep (sb.'s) spirits up; **giù di m.**, in low spirits; depressed; **su di m.**, in high spirits; *Su col m.!*, cheer up!; buck up!

moraleggiànte a. moralizing; (*moralistico*) self-righteous.

moraleggiàre v. i. to moralize; (*spreg.*) to preach, to sermonize.

moralìsmo m. **1** moralism **2** (*spreg.*) moralizing ◎; self-righteousness; priggishness.

moralìsta m. e f. moralist.

moralìstico a. moralistic; (*spreg.*) self--righteous, priggish, holier-than-thou.

moralità f. **1** (*carattere morale*) morality: **la m. di un'azione**, the morality of an action **2** (*principi morali*) morality; morals (al pl.): **m. pubblica**, public morality; **un uomo di dubbia m.**, a man of doubtful morals **3** (*teatr.*) morality (play).

moralizzàre v. t. to moralize.

moralizzatóre **A** m. (f. **-trìce**) moralizer **B** a. moralizing.

moralizzazióne f. moralization.

moratòria f. moratorium* (*anche leg.*); suspension: **m. nucleare**, nuclear moratorium; **m. sui pagamenti**, moratorium on payments; **chiedere una m.**, to call for a moratorium; **concedere una m.**, to grant a moratorium.

moratòrio a. (*leg.*) delay (attr.); default (attr.): **interessi moratori**, delay (*o* default) interest ◎; interest on arrears.

moràvo a. e m. (f. **-a**) Moravian.

mòrbida f. (*geogr., di fiume*) moderate flow.

morbidézza f. **1** softness; (*tenerezza*) tenderness: **la m. d'un letto**, the softness of a bed; **la m. della pelle**, the softness (*o* smoothness) of the skin **2** (*di colore, luce, suono*) softness; mellowness **3** (*fig.: arrendevolezza*) tractability; pliancy; docility **4** (al pl.) (*lett.: agi*) luxury ◎; comfort ◎.

♦**mòrbido** **A** a. **1** (*soffice, molle*) soft; (*liscio*) smooth, velvety; (*tenero*) tender; (*vaporoso*) fluffy: **atterraggio m.**, soft landing; **bistecca morbida**, tender steak; **capelli morbidi**, soft hair; **cera morbida**, soft wax; **mani morbide**, soft hands; **pelle morbida**, smooth skin; **tessuto m.**, soft material; **terreno m.**, soft ground **2** (*fig.: delicato, sfumato*) soft; gentle; delicate; mellow: **contorni morbidi**, delicate (*o* soft) contours; **gusto m.**, smooth taste; **linee morbide**, soft lines; (*di abito*) flowing lines; **tinte morbide**, soft hues; **vino m.**, mellow (*o* smooth) wine **3** (*fig.: arrendevole*) docile; pliable; compliant; soft: *È troppo m. coi figli*, he is too soft with his children **4** (*med.: morboso*) morbid **B** m. something soft; soft place: **dormire sul m.**, to sleep on something soft ❶ **FALSI AMICI** ● *tranne che in senso medico*, morbido *non si traduce con* morbid.

morbìgeno a. pathogenic.

morbilità f. (*med.*) morbidity.

morbìllo m. (*med.*) measles (pl. col verbo al sing.).

morbillóso (*med.*) **A** a. **1** (*del morbillo*) morbillous; measles (attr.) **2** (*malato di morbillo*) infected by measles **B** m. (f. **-a**) measles patient.

morbino m. (*region.*) overexcitement; ebulliency: **avere il m.**, to be overexcited; to be a live wire.

mòrbo m. **1** (*malattia*) disease: **m. blu**, congenital cyanosis; **m. contagioso**, contagious disease; **m. di Addison**, Addison's disease; **m. di Alzheimer**, Alzheimer's disease; **m. di Basedow**, Graves' disease; exophthalmic goitre; **m. di Down**, Down's syndrome; **m. di Hodgkin**, Hodgkin's disease; **m. di Parkinson**, Parkinson's disease; **m. giallo**, yellow fever; (*stor.*) **m. sacro**, epilepsy **2** (*epidemia*) epidemic **3** (*fig.*) evil; scourge.

morbosità f. **1** (*med.*) morbidness; (*studio delle malattie*) morbidity: **quoziente di m.**, morbidity rate **2** (*estens.*) morbidness; unhealthiness.

morbóso a. **1** (*med.*) morbid; disease (attr.): **sintomo m.**, morbid symptom **2** (*patologico*) pathological; (*estens.*) morbid, sick, unhealthy, unwholesome: **attaccamento m.**, pathological (*o* morbid) attachment; **gelosia morbosa**, pathological jealousy; **curiosità morbosa**, morbid (*o* unhealthy) curiosity; (*per disastri, morte, ecc.*) ghoulish curiosity; **fantasia morbosa**, morbid (*o* sick) imagination; **particolari morbosi**, morbid detail.

morchèlla f. (*bot., Morchella esculenta*) morel.

mòrchia f. **1** (*mecc.*) dirt; (*di olio lubrificante*) sludge **2** (*deposito*) dregs (pl.) **3** (*di pipa*) dottle.

mordàcchia f. gag-bit: (*anche fig.*) **mettere la m. a q.**, to gag sb.

mordàce a. **1** (*che morde facilmente*) snapping: **cane m.**, snapping dog **2** (*fig.*) biting; cutting; mordant; pungent; sharp-tongued: **battuta m.**, caustic (*o* biting, scathing) remark; **critico m.**, sharp-tongued critic; **lingua m.**, sharp tongue; **parole mordaci**, biting (*o* cutting) words; **satira m.**, mordant satire.

mordacità f. pungency; bite.

mordènte **A** a. **1** biting: **freddo m.**, biting cold **2** → **mordace**, def. 2 **B** m. **1** (*chim.*) mordant **2** (*mus.*) mordent **3** (*fig.*) bite; edge; drive: **privo di m.**, lacking edge (*o* bite); bland; uninspiring.

mordenzàre v. t. (*chim.*) to mordant.

mordenzatùra f. (*chim.*) mordanting.

♦**mòrdere** v. t. **1** to bite*; (*con morso secco e veloce*) to nip; (*addentare*) to bite* into: (*anche fig.*) **mordersi la lingua**, to bite one's tongue; **m. una mela**, to bite into an apple; *Il cane mi morse una mano*, the dog bit my hand (*o* bit me on the hand); the dog nipped my hand; *Il tuo cane morde?*, does your dog bite?; *Sono tutto morso dalle zanzare*, I've been badly bitten by mosquitoes **2** (*fig.*) to bite*; to nip; to pinch; to prick: *Il vento morde stamane*, there is a biting wind this morning; *La coscienza mi mordeva*, my conscience pricked me **3** (*fig.: intaccare, corrodere*) to bite* into; to eat* into: *La lima morse il ferro*, the file bit into the iron **4** (*fig.: fare presa*) to grip: **m. l'asfalto**, to grip the road ● (*anche fig.*) **m. il freno**, to champ at the bit □ (*fig.*) **mordersi le mani** (*o le dita*), to kick oneself (*fam.*): *Mi sarei morso le mani*, I could have kicked myself □ (*fig.*) **m. la polvere** [**il terreno**], to bite the dust [the ground] □ **mordi e fuggi**, hasty; hurried; cursory □ (*prov.*) **Can che abbaia non morde**, barking dogs seldom bite.

mordicchiàre v. t. **1** (*insistentemente*) to chew, to bite*; (*svogliatamente*) to nibble at; (*rodere*) to gnaw at: **m. una matita**, to chew

a pencil; **mordicchiarsi le labbra**, to chew one's lips; **mordicchiarsi le unghie**, to bite one's nails.

mordigallìna f. (*bot., Anagallis arvensis*) scarlet pimpernel.

mordiglióne m. (*edil.*) rod bender.

mordorè a. golden brown; russet.

morèlla f. (*bot., Solanum nigrum*) black nightshade; morel.

morèllo **A** a. blackish **B** m. (*cavallo*) black horse.

morèna f. (*geol.*) moraine: **m. centrale**, medial moraine; **m. frontale**, terminal moraine; **m. laterale**, lateral moraine; **m. profonda**, ground moraine.

morèndo m. inv. (*mus.*) morendo.

morènico a. (*geol.*) morainal; morainic.

morènte **A** a. **1** dying: *Ha la madre m.*, his mother is dying **2** (*fig.*) dying; moribund; fading: **luce m.**, fading light; **sole m.**, sinking sun **B** m. e f. dying person: **i morti e i morenti**, the dead and the dying.

morésca f. (*danza*) Moorish dance; Morisco.

morésco a. Moorish; Moresque: **architettura moresca**, Moorish architecture; **stile m.**, Moorish (*o* Moresque) style; **in stile m.**, Moresque.

morétta f. **1** (*ragazza nera*) black girl **2** (*ragazza bruna*) brunette; (*di colorito scuro*) dark--skinned girl **3** (*zool., Aythya fuligula*) tufted duck.

morétto m. **1** (*ragazzo nero*) black boy **2** (*ragazzo bruno*) dark-haired boy; (*di colorito scuro*) dark-skinned boy.

mòre uxòrio (*lat.*) **A** loc. avv. as man and wife: **vivere more uxorio**, to live together as man and wife **B** loc. agg. common law (attr.); de facto: **convivenza more uxorio**, common law marriage; de facto marriage.

morfallàssi f. (*biol.*) morphallaxis.

morfèma m. (*ling.*) morpheme.

morfemàtico, morfèmico a. (*ling.*) morphemic.

Morfèo m. (*mitol.*) Morpheus.

morfina f. morphine.

morfinìsmo m. (*med.*) morphinism.

morfinòmane m. e f. (*med.*) morphine addict.

morfinomanìa f. (*med.*) morphine addiction.

morfìsmo m. (*mat.*) morphism.

morfofonèma m. (*ling.*) morphophoneme.

morfofonemàtica, morfofonologìa f. (*ling.*) morphophonemics (pl. col verbo al sing.); morphophonology.

morfogènesi f. (*biol.*) morphogenesis.

morfogenètico a. (*biol.*) morphogenetic.

morfolina f. (*chim.*) morpholine.

morfologìa f. (*biol., geogr., ling.*) morphology.

morfològico a. morphological.

morfonèma e deriv. → **morfofonema**, e deriv.

morfòsi f. (*biol.*) morphosis.

morfosintàssi f. (*ling.*) morphosyntax.

morfosintàttico a. (*ling.*) morphosyntactic.

Morgàna f. Morgan ● (*letter.*) **la Fata M.**, Morgan le Fay.

morganàtico a. morganatic: **matrimonio m.**, morganatic (*o* left-handed) marriage.

morganìte f. (*miner.*) morganite.

morgue (*franc.*) f. inv. morgue.

moria f. **1** widespread death; pestilence,

plague; pest; (*di bovini*) cattle-plague, murrain: **m. di pesci**, fish-plague; **m. di volatili**, fowl pest **2** (*bot.*) blight.

moribóndo Ⓐ a. **1** dying: *Lo trovarono m.*, they found him dying **2** (*fig.*) moribund; dying: **civiltà moribonda**, moribund civilization Ⓑ m. (f. *-a*) dying person: **assistere i moribondi**, to assist the dying.

morigeratézza f. **1** moderation; temperance; sobriety **2** (*buoni costumi*) good morals (pl.).

morigeràto a. **1** (*moderato, sobrio*) moderate; temperate; sober: **fare vita morigerata**, to lead a sober life **2** (*onesto, perbene*) sober-minded; decent.

moriglióne m. (*zool.*, *Aythya ferina*) pochard; dun-bird.

morióne① m. (*stor.*) morion.

morióne② m. (*miner.*) morion.

♦**morire** Ⓐ v. i. **1** to die: **m. ammazzato**, to be killed; **m. annegato**, to drown; **m. avvelenato**, to die of poisoning; **m. di cancro**, to die of cancer; **m. di crepacuore**, to die of a broken heart; to die broken-hearted; **m. di fame**, to die of hunger; to starve to death; (*fig.*) to be starving; **m. di freddo**, to freeze to death; (*fig.*) to be freezing; **m. d'infarto**, to die of a heart attack; **m. di morte improvvisa**, to die suddenly; **m. di morte naturale** [**violenta**], to die a natural [a violent] death; **m. di vecchiaia**, to die of old age; **m. dissanguato**, to bleed to death; **m. giovane**, to die young; **m. impiccato**, to be hanged; to hang; **m. in battaglia**, to die on the battlefield; **m. in un incidente stradale**, to get killed in a road accident; **m. in miseria**, to die in poverty; **m. martire**, to die a martyr; **m. povero**, to die poor; **m. suicida**, to commit suicide; **m. tisico**, to die of consumption; *Morì nel 1874*, he died in 1874; *Di che cosa è morto?*, what did he die of?; *Gli è morta la madre*, his mother has died; he has lost his mother; *Credevo di m.*, I thought I was going to die; *Ha visto m. tutti i figli*, she has outlived all her children; **lasciarsi m.**, to let oneself die; **lasciarsi m. di fame**, to starve oneself to death; **prossimo a m.**, close to death **2** (*fig.: cessare a poco a poco, spegnersi*) to die away; to draw* to a close; (*estinguersi*) to die* out; (*di luce, di colore*) to fade: *Il suono moriva allontanandosi*, the sound was dying away; *Moriva il giorno*, the day was drawing to its close; it was growing dark; **lasciare m. il fuoco**, to let the fire die (*o* go out); **un'usanza che sta morendo**, a dying custom **3** (*fig.: terminare*) to end; to terminate: *La strada muore qui*, the road ends here; *Il treno muore a Milano*, the train terminates at Milan ● **m. al mondo**, to renounce the world □ **m. civilmente**, to suffer civil death; to lose civil rights □ **m. come un cane**, to die like a dog □ (*fam.*) **m. come le mosche**, to die like flies □ (*fig.*) **m. dalla curiosità**, to be dying with curiosity □ (*fig.*) **m. dalle risa**, to be in stitches (*o* in hysterics) □ **m. dalla voglia di qc.** (*o di fare qc.*), to be dying for st. [to do st.]: *Muoio dalla voglia di vederli*, I'm dying to see them □ (*fig.*) **m. di noia**, to be bored to death (*o* to tears) □ **m. di paura** (*o dallo spavento*), to die of fright; (*fig.*) to be frightened to death, to be scared out of one's wits (*fam.*) □ (*fig.*) **m. di sonno**, to be asleep on one's feet □ (*fig.*) **m. in piedi**, to die with one's boots on □ **m. male** (*o di mala morte*), to come to a bad end □ **m. nel fiore degli anni**, to die in the prime of life □ **m. prematuramente**, to die before one's time □ **m. solo come un cane**, to die alone □ **m. sulla breccia**, to die in harness □ **La cosa morì sul nascere**, it never came to anything; it never got off the ground □ **La parola le morì sulle labbra**, the word froze on her lips □ *Lo farò a costo di m.*, I'll do it even if it kills

me □ **bello da m.**, gorgeous; to die for (*fam.*) □ **Fa un caldo da m.**, it's boiling hot □ **Fa un freddo da m.**, it's bitterly cold □ **Mi fa un male da m.**, it hurts like mad; it's killing me □ **Mi piace da m.**, (*rif. a cosa*) I simply love it, I adore it, I'm mad about it; (*rif. a persona*) I really fancy him [her] □ **stanco da m.**, dead tired; dog-tired □ **voler bene da m. a q.**, to be terribly fond of sb. □ **duro a m.**, persistent □ **Tu mi farai m.!**, you'll be the death of me! □ **Mi fa m. con le sue battute!**, his jokes just kill me! □ **lasciare m. il discorso**, to let the subject drop □ **Peggio di così si muore**, it couldn't be any worse □ **Piuttosto m.!**, over my dead body! □ **Piuttosto m. che...!**, I had rather die than...! □ **Che io possa m. se...!** o **se no!**, may I drop down dead if I know! □ **Mi sento m. all'idea di ricominciare!**, my heart sinks at the idea of starting all over again □ (*fam.*) **Chi non muore si rivede!**, fancy meeting you [him, etc.] again!; long time no see (*fam.*)! □ (*prov.*) **Chi muore giace, e chi vive si dà pace**, let the dead bury the dead; life must go on Ⓑ v. t. (*lett.*) to die: **m. una morte onorata**, to die an honourable death Ⓒ **morìrsi** v. i. pron. (*lett.*) to die.

❶ **NOTA:** *morire*
In frasi come *X è morto* si traduce con dead solo quando **morto** non indica un'azione ma uno stato; altrimenti si usano le normali forme del verbo to die. *Suo marito è morto* (= non è più vivo), her husband is dead; ma: *Suo marito è morto l'anno scorso in un incidente stradale*, her husband died in a car accident last year (non ~~her husband is dead in a car accident last year~~); *La nonna è morta nel sonno stamattina*, granny died in her sleep this morning (non ~~granny is dead in her sleep this morning~~).

moritùro Ⓐ a. (*lett.*) **1** doomed to die; about to die **2** (*fig.*) moribund Ⓑ m. (f. *-a*) person doomed to die; person about to die.

morlàcco a. e m. Morlachian.

mormóne m. e f. (*relig.*) Mormon.

mormònico a. (*relig.*) Mormon.

mormonìsmo m. (*relig.*) Mormonism.

mórmora f. (*zool.*, *Lythognatus mormyrus*) striped bream.

mormoraménto m. **1** murmuring **2** (*diceria*) rumour; gossip ⓤ.

♦**mormoràre** Ⓐ v. i. **1** (*di vento*) to sigh; (*di acqua*) to babble; (*frusciare*) to rustle **2** (*bisbigliare, sussurrare*) to murmur; to whisper; (*borbottare*) to mutter; to mumble: **m. fra sé**, to mutter to oneself **3** (*brontolare*) to murmur (against); (*sparlare*) to speak* ill (of), to gossip (about), to talk: **m. sul conto di q.**, to speak ill of sb.; *La gente mormora*, people talk; *Si mormora molto sul tuo conto*, there is a lot of talk going around about you Ⓑ v. t. (*bisbigliare*) to murmur; to say* under one's breath; to whisper; (*borbottare*) to mutter, to mumble: **m. una preghiera**, to say a prayer under one's breath; **m. qc. all'orecchio di q.**, to whisper st. in sb.'s ear; **m. qc. tra i denti**, to mutter st. under one's breath; *Si mormora che...*, there is a rumour that...; it is rumoured that...

mormoratóre m. (f. *-trice*) **1** (*chi brontola*) mumbler; grumbler **2** (*maldicente*) gossip; scandalmonger; backbiter.

mormorazióne f. **1** (*brontolio*) muttering; grumbling **2** (*chiacchiera*) talk, rumour; (*maldicenza*) gossiping ⓤ, gossip ⓤ.

mormorìo m. **1** whispering; sigh; (*fruscio*) rustling; (*di acqua*) babbling: **il m. delle foglie**, the rustling of leaves; **il m. del vento**, the whispering of the wind **2** (*sussurro, bisbiglio*) murmur; murmuring; whispering; (*borbottio*) mumbling, grumbling: **un m. di approvazione**, a murmur of approval.

♦**mòro**① Ⓐ m. **1** (*stor.*) Moor: **il M. di Vene-**

zia, the Moor of Venice **2** (*uomo di pelle nera*) black (man*) **3** (*uomo bruno*) dark-haired man*; (*uomo di colorito bruno*) dark-skinned man* Ⓑ a. **1** (*stor.*) Moorish **2** (*di pelle nera*) black **3** (*scuro*) dark; (*nero*) black; (*bruno di capelli*) dark-haired; (*di carnagione bruna*) dark, dark-skinned: **occhi mori**, dark eyes; back eyes ● (*color*) **testa di m.**, dark brown.

mòro② m. (*bot.*, *Morus*) mulberry-tree.

morósa f. (*fam.*) fiancée (*franc.*); girlfriend; sweetheart.

morosità f. delay in payment; default; arrearage: **sfratto per m.**, eviction for non-payment of rent.

moróso① Ⓐ a. in arrear (*o* arrears) (pred.); in default (pred.); defaulting: **debitore m.**, defaulting debtor; **inquilino m.**, tenant in arrears Ⓑ m. (f. *-a*) defaulter; defaulting debtor; person in arrears ❶ **FALSI AMICI** ● moroso *non si traduce con* morose.

moróso② m. (*fam.*) fiancé (*franc.*); boyfriend; sweetheart.

mòrra f. morra, mora: **giocare alla m.**, to play morra ● **m. cinese**, rock, paper and scissors.

morrò 1ª pers. sing. indic. fut. di **morire**.

mòrsa f. **1** (*mecc.*) vice, vise (*USA*): **m. a ganasce parallele**, parallel-jaw vice; **m. girevole**, swivel vice; **m. per trapano**, drill vice; **m. per tubi**, pipe vice; **stringere in una m.**, to clamp in a vice; **stringere come in una m.**, to hold as if in a vice; **le ganasce di una m.**, the jaws of a vice **2** (*edil.*) toothing **3** (*fig.*) (vicelike) grip: **la m. del freddo**, the grip of cold; **la m. dei tassi d'interesse**, the grip of interest rates; *Mi liberai dalla m. delle sue braccia*, I struggled free of his vicelike grip.

Morse (*ingl.*) a. inv. Morse: **alfabeto M.**, Morse code; **trasmettere in M.**, to transmit in Morse code.

morsettièra f. **1** (*elettr.*) terminal board **2** (*tel.*) terminal block.

morsétto m. **1** (*mecc.*) clamp: **m. a mano**, screw (*o* adjustable) clamp; **m. portautensili**, tool clamp **2** (*elettr.*) terminal: **m. d'attacco**, connecting terminal; **m. di carica**, charging clip; **i morsetti della batteria**, the battery terminals **3** (*stringinaso*) nose-peg.

♦**morsicàre** → **mordere**, def. 1.

morsicatùra f. bite: **morsicature d'insetti**, insect bites.

morsicchiàre v. t. (*mordere ripetutamente*) to chew; (*mangiare a piccoli morsi*) to nibble at; (*rodere*) to gnaw at: **m. un pezzo di pane**, to nibble at a piece of bread; *Il cane morsicchia un osso*, the dog is gnawing at a bone.

♦**mòrso** m. **1** bite; (*secco e veloce*) nip; (*puntura, anche*) sting: **m. di cane**, a dogbite; **m. di insetto**, insect bite; **m. di pulce**, fleabite; **m. di serpente**, snakebite; **m. di zanzara**, mosquito sting; *Mi ha dato un m.*, it bit me; *Diedi un m. alla mela*, I bit into the apple; **difendersi a morsi**, to defend oneself by biting; to bite back in self-defence; **mangiare qc. a morsi**, to take bites out of st.; **staccare con un m.**, to bite off **2** (*boccone*) bite, morsel, mouthful; (*pezzetto*) small piece, bit: **un m. di pane**, a morsel of bread; *Dammene un m.!*, let me have a bite! **3** (*fig.*) prick; sting; pangs (pl.); (*crampo*) cramp: **il m. della fame**, the pangs of hunger; **il m. della gelosia**, the sting of jealousy; **morsi allo stomaco**, cramps in one's stomach; **i morsi della coscienza**, the pricks of one's conscience **4** (*sapore aspro*) sharp (*o* pungent) taste; (*sapore piccante*) hot taste: **il m. del pepe**, the hot taste of pepper **5** (*finimento*) bit; (*snodato*) snaffle: (*anche fig.*) **allentare** [**stringere**] **il m.**, to slacken [to tighten] the bit; (*fig.*) **mettere il m. a q.**, to curb sb. **6** (*di tenaglia*) jaws (pl.).

morsùra f. (*tipogr.*) etching.

mòrta f. 1 (*di fiume*) oxbow 2 (*fig.*: *stasi*) lull; slack; standstill.

mortadèlla f. (*cucina*) bologna (sausage).

mortàio m. 1 (*per triturare*) mortar 2 (*mil.*) mortar.

mortaìsta m. (*mil.*) mortarman*.

♦**mortàle** Ⓐ a. 1 (*soggetto a morire*) mortal: *Gli uomini sono mortali*, man is mortal 2 (*umano*) mortal: **spoglie mortali**, mortal remains; **la vita m.**, mortal life 3 (*che cagiona morte*) mortal; deadly; deathly; fatal; lethal: **colpo m.**, deadly (*o* fatal) blow; **ferita m.**, mortal wound; death-wound; **incidente m.**, fatal accident; **lotta m.**, mortal combat; fight to the death; **veleno m.**, deadly (*o* lethal) poison 4 (*terribile, implacabile*) mortal; deadly; dreadful: **odio m.**, deadly hatred; **offesa m.**, mortal insult 5 (*simile alla morte*) deadly; deathly; deathlike: **pallore m.**, deadly pallor; **silenzio m.**, deathlike (*o* deadly) silence 6 (*relig.*) mortal; deadly: **peccato m.**, mortal (*o* deadly) sin Ⓑ m. e f. mortal: (*iron.*) **noi semplici mortali**, we lesser mortals; *Fortunato m.!*, lucky fellow!

mortalétto → **mortaretto**.

mortalità f. 1 (*lett.*) mortality 2 (*stat.*) mortality (rate); death rate: **m. antenatale**, antenatal mortality; **m. infantile**, infant mortality; **m. per incidenti stradali**, road toll; highway toll (*USA*); (*fig.*) **m. scolastica**, school wastage; **quoziente di m.**, mortality rate.

mortalménte avv. 1 (*in modo mortale*) mortally; fatally: **ferito m.**, mortally wounded; fatally injured 2 (*fig.*) mortally; deathly: **offeso m.**, mortally offended; **m. pallido**, deathly pale; **annoiarsi m.**, to be bored to death.

mortarétto m. firecracker; banger; squib.

mortàsa f. (*falegn.*) mortise, mortice: **giunto a tenone e m.**, mortise and tenon joint; **congiungere a m.**, to mortise.

mortaṣàre v. t. (*falegn.*) to mortise.

mortaṣatrìce f. (*falegn.*) mortising machine; mortiser.

♦**mòrte** f. 1 death: **m. immatura**, premature death; untimely end; **m. improvvisa**, sudden death; **m. naturale**, natural death; **m. per cause naturali**, death through natural causes; **m. per annegamento**, death by drowning; **m. per avvelenamento**, death by poison; **m. violenta**, violent death; **affrontare la m.**, to face death; **andare incontro alla m.**, to go to one's death; **andare incontro a sicura m.**, to face certain death; **condannare q. a m.**, to sentence sb. to death; **picchiare a m. q.**, to beat sb. to death; **darsi la m.**, to take one's own life; to kill oneself; **essere ferito a m.**, to be mortally wounded; **fare una buona m.**, to die well; to die peacefully; **mettere a m. q.**, to put sb. to death; to execute sb; **trovare la m.**, to meet one's death; **fino** (*o* sino) **alla m.**, till death; all one's life; for life; **fedele fino alla m.**, faithful unto death; **combattere fino alla m.**, to fight to the death; *È vissuto qui fino alla m.*, he lived here all his life; he lived here for the rest of his life; **in punto di m.**, dying; on one's deathbed; at death's door; at the point of death; **confessione in punto di m.**, deathbed confession; **certificato di m.**, death certificate; **pena di m.**, capital punishment; death penalty; **sentenza di m.**, death sentence 2 (*fig.*: *fine*) death; end; demise: **la m. di un regno**, the death of a kingdom; **la m. di tutte le mie speranze**, the end of all my hopes; **la m. di un partito**, the demise of a party 3 (*cucina*) best way of cooking: *La m. del tacchino è arrosto*, the best way of cooking a turkey is to roast it ● (*med.*) **m. apparente**, apparent death □ **m.**

bianca, (*per asfissia*) death by asphyxia; (*per assideramento*) death from exposure □ (*med.*) **m. cerebrale**, brain death □ (*leg.*) **m. civile**, civil death; loss of civil rights □ (*leg.*) **m. presunta**, presumptive death □ **A m. il traditore!**, death to the traitor! □ **a ogni m. di papa**, once in a blue moon □ **essere annoiato a m.**, to be bored to death (*o* to tears) □ **avercela a m. con q.**, to hate sb.; to have it in for sb. □ **con la m. in cuore**, with a heavy heart; sick at heart □ (*scherz.*) **Dimmi subito di che m. devo morire**, tell me the bad news (*o* the worst) at once □ **discorso in m. di q.**, funeral oration; eulogy □ **Sarai la mia m.!**, you'll be the death of me! □ **fare la m. del topo**, to be caught like a rat in a trap □ **finché m. non ci separi**, till death us do part □ **letto di m.**, deathbed: **parole dette sul letto di m.**, deathbed words □ **È questione di vita o di m.**, it's a matter of life or death □ **scherzare con la m.**, to gamble with death □ (*relig.*) **la seconda m.**, the second death □ (*scherz.*) **sembrare la m. in vacanza**, to look ghastly; to look like death warmed up (*fam.*) □ **sfidare la m.**, to risk one's life □ **silenzio di m.**, deathly silence (*o* hush) □ **spaventato a m.**, frightened to death □ **essere tra la vita e la m.**, to be (hovering) between life and death □ **trovarsi faccia a faccia con la m.**, to face death; to stare death in the face.

mortèlla f. (*bot.*, *Myrtus communis*) myrtle.

mortèṣa e *deriv.* → **mortesa**, e *deriv.*

morticìno m. dead child*.

mortìfero a. (*lett.*) 1 deadly; lethal 2 (*fig.*) pernicious; ruinous.

mortificànte a. mortifying; humiliating; demeaning.

mortificàre Ⓐ v. t. 1 (*far vergognare*) to mortify (generalm. al passivo); to embarrass; to make* (sb.) feel ashamed: *Il suo rimprovero mi mortificò*, I was mortified by his reproach 2 (*umiliare*) to humble, to humiliate; (*svilire*) to demean: **m. i propri nemici**, to humble one's enemies; **m. il proprio talento**, to demean one's talent 3 (*reprimere*) to mortify: **m. la carne** [**le proprie passioni**], to mortify the flesh [one's passions] 4 (*med.*) to make* gangrenous (*o* necrotic) Ⓑ **mortificàrsi** v. rifl. to mortify oneself Ⓒ **mortificàrsi** v. i. pron. (*provare mortificazione*) to be (*o* to feel*) mortified.

mortificàto a. 1 mortified; (*vergognoso*) ashamed, shamefaced; (*contrito*) contrite 2 (*umiliato*) humiliated 3 (*dispiaciuto*) very sorry; regretful: *Sono m., ma purtroppo...*, I'm very sorry, but...; I regret it very much, but... 4 (*med.*) mortified.

mortificazióne f. 1 (*umiliazione*) mortification; humiliation: *È stata per me una terribile m.*, it was absolutely mortifying (*o* utterly humiliating); **ricevere una m.**, to be mortified; to suffer humiliations 2 (*relig.*) mortification: **la m. del corpo**, the mortification of the flesh 3 (*med.*) mortification.

mortìṣa → **mortasa**.

♦**mòrto** Ⓐ a. 1 dead: **un corpo m.**, a dead body; a corpse; **foglie morte**, dead leaves; *Lo trovarono m.*, they found him dead; *È m. da sei ore*, he has been dead for six hours; *«Hai ancora i genitori?» «No, sono morti»*, «are your parents still alive?» «no, they are dead»; **più m. che vivo**, more dead than alive; half-dead; **cadere m.**, to drop dead ❶ Nota: *morire* → **morire** 2 (*smorto, cupo*) dead; dull: **colore m.**, dull colour 3 (*fig.*: *inattivo, non animato*) dead; dull: **una città morta**, a dead town; **la stagione morta**, the dead (*o* the off) season 4 (*fig.*: *inutilizzabile*) inactive; idle; unemployed: **capitale m.**, idle capital ● (*fig.*) **m. di fame**, starving □ (*fig.*) **m. di freddo**, freezing □ (*fig.*) **m. di paura**, scared stiff □ (*fig.*) **m. di sonno**, half asleep

□ **m. e sepolto** (*o* sotterrato), long since dead □ **m. stecchito**, as dead as a door-nail; stone-dead □ (*mil.*) **angolo m.**, dead ground □ (*ferr.*) **binario m.**, dead-end track; siding □ **braccio m.**, paralysed arm □ **lingue morte**, dead languages □ **mare m.**, hollow sea; swell □ (*geogr.*) **il Mar M.**, the Dead Sea □ **mezzo m.**, half dead □ (*anche fig.*) **nato m.**, stillborn □ **natura morta**, still life □ **peso m.**, dead weight □ **Piuttosto m.!**, I'd rather die!; over my dead body! □ **punto m.** → **punto**, A □ **stanco m.**, dead tired; tired out; dead beat (*fam. USA*) □ **terreno m.**, waste land □ **È un uomo m.** (*è spacciato*), he is a dead man; he is done for (*fam.*); he's a goner (*slang*) Ⓑ m. 1 (f. **-a**) dead person; (al pl., collett.) (the) dead; (*cadavere*) (dead) body, corpse; (*vittima*) person killed, casualty: **i morti e i vivi**, the living and the dead; *C'erano diversi morti per strada*, several people were lying dead in the street; several corpses littered the streets; *Hanno trovato un m.*, they've found a body; *Ci sono stati quaranta morti sulle strade*, forty people were killed in road accidents; **un incidente con morti e feriti**, an accident with several dead or injured; **piangere i morti**, to mourn for the dead; **seppellire i morti**, to bury the dead; (*eccles.*) **ufficio dei morti**, office for the dead; burial service 2 (*fam.*: *denaro nascosto*) hoard; money cache 3 (*bridge*) dummy 4 (*scherz.*: *bottiglia vuota*) empty bottle; dead man* ● (*fam.*) **un m. di fame**, (*un poveraccio*) a down-and-out, a bum (*USA*); (*un buono a nulla*) a good-for-nothing, a deadbeat □ **cassa da m.**, coffin □ **fare il m.**, (*fingersi m.*) to pretend to be dead; (*nel nuoto*) to float on one's back, to do the dead man's float (*USA*) □ **il giorno dei morti**, All Souls' Day □ **pallido come un m.**, deathly pale; as pale as a ghost □ **sembrare un m. che cammina**, to look like a walking corpse (*o* a zombie) □ **suonare a m.**, to toll the bells □ **Qui ci scappa il m.**, someone is going to get killed.

mortòrio m. dull place; morgue: *Che m. questo posto!*, this place is a morgue!; *La festa era un m.*, the party was deathly dull.

mortuàrio a. mortuary; death (attr.): **annuncio m.**, death notice; **camera mortuaria**, mortuary; **carro m.**, hearse.

mòrula f. (*biol.*) morula*.

mòrva f. (*vet.*) glanders.

Mòṣa f. (*geogr.*) (the) Meuse.

moṣaicàto a. mosaic (attr.): **pavimento m.**, mosaic floor.

moṣaicìsta m. e f. mosaicist.

moṣàico① m. 1 (*arte, archit.*) mosaic: **m. a smalto**, glazed mosaic; **pavimento a m.**, mosaic floor 2 (*fig.*) medley; patchwork; pastiche: **m. di colori**, mosaic of colours; **m. di razze**, medley of races 3 (*bot.*) mosaic (disease) 4 (*biol.*) mosaic.

moṣàico② a. (*di Mosè*) Mosaic: **la legge mosaica**, the Mosaic Law.

♦**mósca** Ⓐ f. 1 (*zool.*, *Musca domestica*) fly; housefly: **acchiappare le mosche**, to catch flies; **morire come le mosche**, to die like flies 2 (*zool.*) – **m. cavallina** (*Hippobosca equina*), horsefly; **m. carnaria** (*o* della carne) (*Sarcophaga carnaria*), flesh fly; **m. del carbonchio** (*Stomoxys calcitrans*), stable fly; **m. del formaggio** (*Piophila casei*), cheese fly; **m. della frutta** (*Ceratitis capitata*), Mediterranean fruitfly; **m. olearia** (*Dacus oleae*), olive fly; **m. tsè tsè** (*Glossina palpalis*), tsetse fly 3 (*finto neo*) patch; beauty spot 4 (*barbetta*) imperial; goatee 5 (*esca*) fly; buzz: **pescare con la m.**, to fish with a fly; to go fly-fishing 6 (*chicco di caffè*) toasted coffee bean (added to a glass of sambuca) 7 (*naut. stor.*) flyboat ● (*fig.*) **m. bianca**, rarity; rara avis (*lat.*); rare bird □ **m. cieca** → **mosca-cieca** □ (*fig.*) **m. cocchiera**, officious per-

a b c d e f g h i j k l m n o p q r s t u v w x y z

son; busybody (*fam.*) □ (*fig.*) **avere paura d'una m.**, to be afraid of one's own shadow □ **fare d'una m. un elefante**, to make a mountain out of a molehill □ **Non farebbe male a una m.**, he wouldn't hurt a fly □ **essere più fastidioso d'una m.**, to be a pest; to be a pain in the neck □ (*fig.*) **restare con un pugno di mosche in mano**, to be left empty-handed □ **Mi saltò la m. al naso**, that got my back up (*o* got up my nose) □ **far saltare la m. al naso a q.**, to raise sb.'s hackles; to get sb.'s back up; to get up sb.'s nose □ (*fig.*) **Non si sentiva volare una m.**, you could have heard a pin drop □ (*scherz.*) **(Zitto e) m.!**, shut up!; (*tieni il segreto*) mum's the word! □ (*prov.*) **In bocca chiusa non entran mosche**, a closed mouth catches no flies B **a. inv.** – (*lotta, boxe*) **peso m.**, flyweight.

Mósca f. (*geogr.*) Moscow.

moscacièca f. blind man's buff.

moscàio m. **1** (*sciame di mosche*) swarm of flies **2** (*luogo pieno di mosche*) place full of flies.

moscaiòla f. **1** (*protezione*) flynet; meat-safe **2** (*trappola per mosche*) flytrap.

moscardìno m. **1** (*zool., Muscardinus avellanarius*) dormouse* **2** (*fig.: zerbinotto*) dandy; fop.

moscàrdo m. (*zool.: sparviero*) sparrowhawk.

moscatèllo a. e m. muscatel.

moscàto ① A m. (*vino*) muscat (wine); muscatel B a. **1** muscat (attr.): **uva moscata**, muscat grapes (pl.) **2** (*di frutto o pianta aromatiche*) musky; musk (attr.).

moscàto ② a. (*di manto equino*) dappled.

moscatùra f. (*di manto equino*) dapple; dappling.

moscerino m. **1** (*zool.*) midge; gnat **2** (*zool.*) – **m. dell'aceto** (*Drosophila melanogaster*), fruit-fly **3** (*fig.*) shrimp.

moschèa f. mosque.

moschettàta f. musket shot.

moschettàto a. speckled; spotted; dotted.

moschetteria f. musketry.

moschettièra f. – **cappello alla m.**, cavalier hat; plumed hat; **guanti alla moschettiera**, mousquetaire gloves.

moschettière m. musketeer.

moschétto m. musket.

moschettóne ① m. **1** (*mil.*) musketoon **2** (*gancio*) spring catch; snap link; (*alpinismo*) karabiner.

moschettóne ② m. (*zool.: pittima reale*) black-tailed godwit.

moschicida A a. fly-killing, insecticidal ● **carta m.**, flypaper B m. insecticide.

mosciàme m. (*cucina*) dried tunny-fish (*o* dolphin) meat.

moscìno → **moscerino**.

móscio a. **1** (*morbido*) soft: **cappello m.**, soft hat **2** (*flaccido*) limp; flaccid; flabby: **muscoli mosci**, flabby muscles **3** (*fig.: depresso*) depressed; down; low-spirited: *Perché così m. oggi?*, what's got you down then? □ **erre moscia**, French r.

mòsco m. (*zool., Moschus moschiferus*) musk deer*.

mosconàta f. (*Borsa*) round trip.

moscóne m. **1** (*zool.*) big fly **2** (*zool.*) – **m. della carne** (*Calliphora erythrocephala*), bluebottle; blowfly; **moscon d'oro**, goldsmith beetle; rose chafer **3** (*fig.*) suitor **4** (*naut.*) twin-hull pleasure boat **5** (*giorn.*) announcement.

Moscòvia f. (*stor.*) Muscovy.

moscovita A a. of Moscow; Moscow (attr.) B m. e f. Muscovite.

Mosè m. Moses.

Mosèlla f. (*geogr.*) (the) Moselle.

mosquito (*spagn.*) m. inv. (*zool.*) mosquito.

mòssa f. **1** (*movimento*) movement, move; (*gesto*) gesture: **m. brusca**, brusque movement; **le mosse del nemico**, the enemy's movements; **fare una m.**, to make a move; *Fece la m. di tirarmi un libro*, she made as if to throw a book at me: **seguire le mosse di q.**, to follow sb.'s every move **2** (*azione, intervento*) move: **abile m.**, clever (*o* shrewd) move; **m. falsa**, false move; **m. felice**, lucky move **3** (*nei giochi da tavolino*) move: *La prima m. spetta al nero*, black moves first; **fare una m.**, to make a move; **scacco in tre mosse**, checkmate in three moves **4** (*inizio*) beginning; start: **prendere le mosse**, to begin; to start; (*avere origine*) to arise **5** (*sport*) starting post ● (*fam.*) **darsi una m.**, to get going; to get a move on: *Datti una m.!*, get a move on! □ (*di ballerina*) **fare la m.**, to wiggle one's pelvis □ **stare sulle mosse**, to be ready to start.

mossétta f. simpering gesture.

mossière m. (*sport*) starter.

mòsso a. **1** (*in movimento, smosso*) – **capelli mossi**, wavy hair; **fotografia mossa**, blurred photograph; **mare mosso**, choppy sea; **terreno m.**, ploughed land **2** (*veloce*) lively; quick; fast: **prosa mossa**, lively style; **ritmo m.**, lively rhythm **3** (*mus.*) mosso.

mostàccio m. (*spreg.*) ugly face; ugly mug (*fam.*).

mostàrda f. **1** (*salsa di senape*) mustard **2** (*anche m. di Cremona*) fruit pickles (pl.).

mostardièra f. mustard pot.

mósto m. must ● **m. del malto**, wort.

mostóso a. **1** yielding abundant must **2** musty.

♦**móstra** f. **1** (*esibizione*) show; display: **in m.**, on show; on display; **essere in bella m.**, to take pride of place; **fare bella m. di sé**, to make a fine show; **fare qc. per m.**, to do st. for show; **mettere in m.**, to display; to exhibit; (*ostentare*) to show off, to parade, to flaunt; **mettere in m. la propria merce**, to display one's merchandise; (*fig.*) **mettere in m. il proprio sapere**, to show off one's learning; **mettersi in m.**, to draw attention to oneself; to show off **2** (*finta*) show; pretence: **far m. (di)**, to pretend; *Fece m. d'andarsene*, he pretended to leave **3** (*esposizione, rassegna*) show; exhibition; fair: **m. agricola**, agricultural show; **m. campionaria**, trade fair; **m. canina**, dog show; **m. d'arte**, art exhibition; **m. dell'artigianato**, arts and crafts exhibition; **m. di bestiame**, cattle show; **m. di fiori**, flower show; **m. itinerante**, travelling exhibition; **m. (d'arte) personale**, one-man exhibition; **metter su una m.**, to mount an exhibition **4** (*campione*) sample **5** (*risvolto di abito*) facing **6** (*di orologio*) face.

mostràbile a. showable; exhibitable; displayable.

mostra-mercàto f. fair.

♦**mostràre** A v. t. **1** (*far vedere*) to show*; to let* (sb.) see; (*esporre*) to exhibit, to display: **m. a q. come fare qc.**, to show sb. how to do st.; **m. la propria abilità**, to display one's skill; **m. la lingua al medico**, to show one's tongue to the doctor; *Mostrò il quadro a tutti gli amici*, he showed the picture to all his friends; *Mostrami il tuo anello*, show me your ring; let me see your ring; *Non osa m. la faccia qui*, he doesn't dare show his face here **2** (*indicare*) to show*; to point: **m. la strada a q.**, to show sb. the way; *Mi mostrò il mio posto*, he showed me my seat; *Mostrò di aver capito*, she showed she had understood **3** (*manifestare*) to show, to display; (*rivelare*) to reveal; (*dimostrare*) to prove: **m. incertezza**, to hesitate; **m. le proprie inten**zioni, to show (*o* to reveal) one's intentions; **m. paura**, to show fear **4** (*fingere*) to pretend: *Mostrò di non vedermi*, he pretended not to see me **5** (*dare a vedere*) to pretend; to make* (a) show of: **m. di non curarsi di qc.**, to pretend not to care about st. ● **m. q. a dito**, to point at sb. □ **m. i propri anni**, to look one's age □ (*fig.*) **m. i denti**, to show one's teeth ● **m. i pugni a q.**, to shake one's fist at sb. B **mostràrsi v. rifl. 1** (*farsi vedere*) to show* oneself: **mostrarsi in pubblico**, to show one's face; to be seen in public **2** (*rivelarsi, dimostrarsi*) to prove oneself, to show oneself; (*apparire, sembrare*) to appear to be, to seem to be: **mostrarsi all'altezza del compito**, to prove oneself up to the task; **mostrarsi crudele**, to behave cruelly; **mostrarsi gentile con q.**, to show kindness to sb. C **mostràrsi v. i. pron.** (*apparire*) to appear.

mostravènto m. inv. (*naut.*) (wind) vane.

mostreggiatùra f. facing.

mostrina f. (*mil.*) flash; tab.

mostrino m. (*di orologio*) second dial.

♦**móstro** m. **1** (*creatura fantastica*) monster: **m. marino**, sea monster **2** (*creatura anomala, anche m. di natura*) monster; freak **3** (*fig.: persona brutta*) ugly person; (*di donna*) dog (*fam.*) **4** (*fig.: persona crudele*) monster **5** (*fig.: persona eccezionale*) prodigy; paragon; (*in negativo*) monster: **un m. di bravura**, a prodigy; **un m. di egoismo**, a selfish monster; **un m. di perfezione**, a paragon of perfection **6** (*criminale*) monster ● (*fig.*) **m. sacro**, mythical figure □ **È un m. con quella pettinatura!**, she looks dreadful with that hairstyle!

mostruosità f. **1** (*l'essere mostruoso*) monstrousness; monstrosity **2** (*cosa mostruosa*) monstrosity; horror **3** (*azione mostruosa*) act of depravity; enormity; (*atrocità*) horror: **le m. della guerra**, the horrors of the war **4** (*malvagità*) monstrous wickedness; depravity.

mostruóso a. **1** monstrous: **un essere m.**, a monstrous being **2** (*orribile*) horrible; hideous; (*deforme*) grotesque, freakish: **vizi mostruosi**, horrible vices; **volto m.**, hideous face; *È m.!*, how horrible! **3** (*prodigioso*) prodigious, tremendous; (*colossale*) monstrous, colossal, monster (attr.): **abilità mostruosa**, prodigious ability; **grandezza mostruosa**, monstrous (*o* colossal) size; **intelligenza mostruosa**, tremendous intelligence **4** (*crudele, iniquo*) monstrous; wicked; inhuman; atrocious; appalling: **crudeltà mostruosa**, monstrous cruelty; **delitto m.**, atrocious (*o* appalling) crime.

mòta f. mud; slime: **pieno di m.**, covered in mud; muddy.

motèl m. motel.

motilità f. (*biol.*) motility.

motivàbile a. justifiable; explainable.

motivàre v. t. **1** (*addurre motivi*) to justify; to give* grounds for; to give* reasons for; to state grounds for: **m. una richiesta**, to justify a request; (*leg.*) **m. una sentenza**, to state grounds for a judgment **2** (*causare*) to cause; to motivate: **m. un dissenso**, to cause a difference of opinion; **m. una scelta**, to motivate a choice **3** (*stimolare*) to motivate: **m. q. al lavoro**, to motivate sb. to do a job.

motivàto a. **1** (*giustificato*) justified; grounded **2** (*stimolato*) motivated.

motivazionàle a. motivational; motivation (attr.): (*comm.*) **ricerca m.**, motivation research.

motivazióne f. **1** (*esposizione dei motivi*) explanation; (*motivo*) reasons (pl.), grounds (pl.); (*leg.*) statement of reasons, grounds (pl.): *Non ha offerto motivazioni del suo gesto*, he offered no explanation for his gesture; **la m. di una sentenza**, the grounds for

a judgment; a judge's statement of reasons **2** (*psic.*) motivation.

motivétto m. (catchy) tune.

motìvico a. (*mus.*) motivic.

♦**motìvo** m. **1** (*ragione*) reason, grounds (pl.); (*causa*) cause: **il m. d'una lite**, the cause of a quarrel; **il m. di una scelta**, the reason for a choice; **motivi di famiglia**, family reasons; **motivi impellenti**, urgent reasons; **motivi per un divorzio**, grounds for a divorce; **avere buoni motivi per credere q.c**, to have good grounds for believing st.; *Avrà i suoi* (*buoni*) *motivi*, she must have her reasons; **non avere m. di lagnarsi**, to have no reason for complaining (*o* to complain); **essere m. di preoccupazione**, to give cause for anxiety; to be a source of worry; *Non c'è m. di preoccuparsi*, there is no cause for anxiety; *Non era un m. per insultarlo*, that was no good reason for insulting him; **essere m. di scandalo**, to be a cause for scandal; *Con che m.?*, for what reason?; on what grounds?; *Ecco il m. per cui non è venuto*, that's (the reason) why he didn't come; *M. per cui…*, which is why…; *Ti dirò il m.*, I shall tell you why; *Rifiutò adducendo come m. un mal di testa*, she refused on the grounds of a headache; **a m. di**, because of; owing to; **per quel m.**, for that reason; **senza m.**, for no reason; motiveless (agg.); groundless (agg.); **ridere senza m.**, to laugh for no reason; **un gesto senza m.**, a motiveless gesture **2** (*motivazione, movente*) motive **3** (*letter.: tema*) motif; theme **4** (*mus.*) motif; (*aria*) tune, melody: **m. conduttore**, leitmotif; leitmotiv; **un m. orecchiabile**, a catchy tune **5** (*elemento decorativo*) pattern; motif: **m. a fiori**, flowery pattern; **m. decorativo**, decoration; motif; **m. geometrico**, geometric pattern.

♦**mòto**① m. **1** (*fis., mecc.*) motion: **m. alternativo**, reciprocating motion; **muoversi con m. alternativo**, to reciprocate; **m. apparente**, apparent motion; **m. browniano**, Brownian motion; **m. periodico**, periodic motion; **m. perpetuo**, perpetual motion; **m. rettilineo**, rectilinear motion; **m. rotatorio**, rotatory motion; **m. uniformemente accelerato [ritardato]**, uniformly accelerated [retarded] motion **2** (*movimento*) movement; (*di fluido*) flow: **il m. dei pianeti**, the motion of the planets; planetary motion; **m. ondoso**, wave motion; surge; **m. turbolento**, eddy flow; turbulent flow; **m. vorticoso**, whirling flow; *Vietato scendere quando il treno è in m.*, do not alight while the train is in motion; (*gramm.*) **verbi di m.**, verbs of motion **3** (*gesto*) gesture: **m. del capo**, nod; **un m. di stizza**, a gesture of irritation **4** (*esercizio fisico*) (physical) exercise: **avere bisogno di m.**, to need exercise; **fare del m.**, to take some exercise **5** (*impulso*) impulse; surge; sudden feeling: **m. di affetto**, surge of affection; **m. di rabbia**, surge of anger; angry impulse; **moti dell'animo**, feelings; emotions **6** (*sommossa*) rising; rebellion; revolt **7** (*mus.*) motion: **m. contrario [obliquo]**, contrary [oblique] motion; **m. perpetuo**, moto perpetuo; **con m.**, con moto ● **essere in m.**, to be in motion; (*di meccanismo*) to be turning; to be working; (*agire*) to be on the move; (*darsi da fare*) to be on the go: **essere sempre in m.**, to be always on the go; never to be still □ (*fig., di bambino*) **È un m. perpetuo**, he is never still □ (*autom.*) **messa in m.** → **messa**② □ **mettere in m.**, to set in motion; (*mecc.*) to start □ **mettersi in m.**, (*partire*) to start, to set out; (*cominciare ad agire*) to get going; (*avere inizio*) to get under way, to get off the ground.

♦**mòto**② f. inv. (*motocicletta*) motorcycle; motorbike (*fam.*); bike (*fam.*): **m. da corsa**, racing motorcycle; racer; **m. di grossa cilindrata**, high-powered motorbike; **andare**

in m., to ride a motorbike; **correre in m.** (*essere corridore*), to be a motorcycle racer.

motoagrìcola f. general-purpose tractor.

motoaliànte m. powered glider.

motoaratóre m. motor-plough (*USA* motor-plow) driver.

motoaratrìce f. motor plough, motor plow (*USA*).

motoaratùra f. motor-ploughing, motor-plowing (*USA*).

motobàrca f. motorboat.

motocampèstre a. (*sport*) cross-country (attr.): **corsa m.**, cross-country motorcycle race.

motocannonièra f. (*mil.*) motor gunboat; patrol gunboat.

motocarrèllo m. power trolley; power truck.

motocarrìola f. power barrow.

motocarrìsta m. three-wheeled van driver.

motocàrro m. three-wheeler truck.

motocarrozzétta f. motorcycle with sidecar; combination (*GB*).

♦**motociclétta** f. motorcycle. → **moto**②.

motociclìsmo m. (*sport*) motorcycling; motorcycle racing.

motociclìsta A m. e f. motorcyclist B a. motorcycling; motorcycle (attr.): **corridore m.**, motorcycle racer; racing motorcyclist.

motociclìstico a. motorcycle (attr.): **corse motociclistiche**, motorcycle racing (sing.); **gara motociclistica**, motorcycle race.

motocìclo m. motorcycle; (*sotto i 50 cc*) moped.

motocistèrna f. (*naut.*) tanker.

motocolónna f. motorized column.

motocoltivatóre m. (*agric.*) powered cultivator; (*a lame rotanti*) rotavator®.

motocoltùra f. (*agric.*) mechanized farming.

motocompressóre m. engine compressor.

motocorazzàto a. (*mil.*) armoured: **reparto m.**, armoured unit.

motocròss m. (*sport*) motocross; cross-country motorcycle racing: **gara di m.**, motocross race; scramble (*GB*); **moto da m.**, cross-country motorbike; scrambler (*GB*).

motocrossìsmo m. (*sport*) motocross; cross-country motorcycle racing.

motocrossìsta m. e f. (*sport*) cross-country motorcycle racer; motocross racer.

motòdromo m. (*sport*) motorcycle race-track; speedway.

motoèlica f. engine-driven propeller.

motofàlce, motofalciatrice f. (*agric.*) power mower.

motofurgóne m. three-wheeled (*o* three-wheel) delivery van.

motogeneratóre m. (*elettr.*) motor generator.

motolància f. (*naut.*) motor launch.

motoleggèra f. light motorcycle; (*motoretta*) motor scooter.

motomeccanizzàre v. t. (*mil.*) to mechanize.

motomèzzo m. motor vehicle.

motonàuta m. motor-boat pilot.

motonàutica f. **1** motor-boating: **salone della m.**, motor-boat show **2** (*sport*) speedboat racing: **m. d'altura**, powerboat racing.

motonàutico a. motor-boat (attr.); speedboat (attr.); powerboat (attr.): **gara motonautica**, speedboat race.

motonàve f. motorship (abbr. M/S) ● **m. costiera da carico**, motor coaster.

motoneuróne m. (*anat.*) motor neuron;

motoneuron.

motopàla f. (*mecc.*) power shovel.

motopescheréccio m. motor trawler.

motopìsta f. motorcycle track.

motopómpa f. motor pump.

motopropulsóre a. motor (attr.); (*mecc.*) power (attr.): **gruppo m.**, power unit.

motoradùno m. motorcycle rally.

motorcàravan (*ingl.*) f. o m. inv. (*autom.*) motor caravan; motor home (*USA*).

♦**motóre** A a. motor; motive; driving; moving; power (attr.): (*mecc.*) **albero m.**, driving shaft; **forza motrice**, motive (*o* driving) power; (*mecc.*) **gruppo m.**, power plant; (*mecc.*) **impulso m.**, motor impulse; (*anat.*) **nervi motori**, motor nerves; **principio m.**, driving force B m. **1** (*astron. e filos. antiche*) mover: **il Primo M.**, the Prime Mover **2** (*causa; movente*) motive (behind st.); driving force; mainspring: **il m. della ripresa economica**, the driving force behind the economy recovery **3** (*mecc.*) engine; motor: **m. a benzina**, petrol engine (*GB*); gasoline motor (*USA*); **m. a combustione interna** (*o a scoppio*), internal combustion engine; **m. a corrente alternata** [**continua**], alternating [direct] current motor; **m. a due** [**a quattro**] **tempi**, two-stroke [four-stroke] engine; (*aeron.*) **m. a stella**, radial engine; **m. a turbina**, turbine engine; **m. a valvole in testa**, overhead-valve engine; **m. alternativo**, reciprocating engine; (*naut.*) **m. del timone**, steering engine; **m. diesel** (*o a iniezione*), diesel engine; **m. elettrico**, electrical motor; electromotor; (*naut.*) **m. fuoribordo**, ourboard motor; **m. termico**, heat engine; **avviare** [**spegnere**] **un m.**, to start [to stop, to cut off] an engine; **procedere a m. spento**, to coast; (*aeron.*) **comandi del m.**, engine controls; **messa in fase del m.**, (engine) timing; **veicolo a m.**, motor vehicle; (*cinem.*) **M.-azione!**, roll camera-action! **4** (*comput.*) engine: (*Internet*) **m. di ricerca**, search engine **5** (*veicolo a m.*) motor vehicle: (*ciclismo*) **corsa dietro motori**, motorcycle-paced race.

motorétta f. motor scooter; scooter.

motoriduttóre m. (*tecn.*) motor reducer.

♦**motorìno** m. **1** (*autom., elettr.*) small motor; small engine: **m. d'avviamento**, starter (motor) **2** (*ciclomotore*) light motorcycle; moped (*GB*).

motòrio a. motor (attr.): (*anat.*) **centro m.**, motor area; **nervo m.**, motor nerve.

motorìsmo m. (*sport*) motor sports (pl.).

motorìsta m. (*aeron.*) m. **m. di bordo**, flight engineer ❶ FALSI AMICI • **motorista** non si traduce con motorist.

motorìstica f. motor design and manufacture.

motorìstico a. motor (attr.).

motorizzàre A v. t. to motorize B **motorizzàrsi** v. rifl. (*fam.*) to get* (oneself) a car [a motorcycle].

motorizzàto a. motorized: **truppe motorizzate**, motorized troops ● (*fam.*) **essere m.**, to have a car [a motorcycle].

motorizzazióne f. **1** motorization **2** traffic control: *Ispettorato della m. civile*, Traffic Control Authority.

motorsailer (*ingl.*) m. inv. (*naut.*) motorsailer.

motoscafìsta m. e f. motor-boat pilot.

♦**motoscàfo** m. motor-boat; speedboat: **m. d'altura**, powerboat; **m. da competizione**, speedboat; **m. da crociera**, cruiser.

motoscùter m. motor scooter; scooter.

motoscuterìsta m. e f. motor-scooter rider; scooterist.

motoséga f. chain saw.

motoseminatrìce f. mechanical seeder.

moto-sidecar m. inv. → **motocarroz-zetta**.

motosilurànte m. (*mil.*) motor torpedo boat.

motoslìtta f. **1** motorized sleigh **2** snow-mobile; snowcat.

motóso a. muddy; slimy.

mototorpedinièra f. (*naut.*) motor torpedo boat.

mototrazióne f. motor traction.

mototurismo m. motorcycle touring.

mototurìsta m. e f. motorcycle tourist.

motovariatóre m. (*tecn.*) power-operated variable-speed drive.

motovedétta f. (*naut.*) patrol boat.

motoveìcolo m. motor vehicle.

motovelièro m. (*naut.*) motorsailer; auxiliary sailing ship.

motovelòdromo m. motorcycle and bicycle racetrack; speedway.

motovettùra f. **1** (*autoveicolo a tre ruote*) three-wheeled motor car; three-wheeler **2** (*autoveicolo leggero*) light motor vehicle.

motozàppa f. (*agric.*) powered cultivator; rotavator®.

motozàttera f. (*naut.*) landing craft.

motrìce f. (*mecc.*) engine; (*ferr., anche*) locomotive; (*di autoarticolato*) tractor: **m. a vapore**, steam engine; (*naut.*) **m. di poppa**, after engine; **m. e rimorchio**, tractor and trailer.

motricità f. (*biol., fisiol.*) motility.

motteggiaménto m. raillery; banter.

motteggiàre Ⓐ v. i. to make* quips; to banter; to joke Ⓑ v. t. (*canzonare*) to make* fun of; to mock.

motteggiatóre Ⓐ a. bantering; joking; mocking Ⓑ m. (f. **-trice**) (*persona arguta*) wit, quipper; (*schernitore*) mocker.

mottéggio m. **1** raillery Ⓤ; banter Ⓤ **2** (*parole di scherno*) mockery Ⓤ.

mottettìsta m. e f. (*mus.*) motet composer; motettist.

mottettìstico a. (*mus.*) motet (attr.).

mottétto m. (*mus.*) motet.

mòtto m. **1** (*anche* **m. di spirito**) witticism; witty remark; quip; wisecrack **2** (*detto sentenzioso*) maxim; dictum; motto*; (*detto*) saying: **m. popolare**, traditional saying; **«Mai aspettare» è il mio m.**, «never wait» is my motto **3** (*lett.: parola*) word: *Non fece m.*, he didn't say a word; **senza far m.**, without a word; **senz'aggiungere m.**, without another (o further) word **4** (*pubblicitario*) slogan; catchword; catch phrase **5** (*arald.*) motto*.

motulèso (*med.*) Ⓐ a. disabled Ⓑ m. (f. **-a**) disabled person.

motupròprio (*lat.*) m. inv. (*eccles.*) motu proprio.

mou (*franc.*) f. inv. (anche agg.: **caramella mou**) (soft) toffee.

mouliné (*franc.*) Ⓐ m. inv. twisted yarn Ⓑ a. inv. twisted: **cotone [filato] m.**, twisted cotton [yarn].

mouse (*ingl.*) m. inv. (*comput.*) mouse.

mousse (*franc.*) f. inv. (*cucina*) **1** (*di tonno, ecc.*) tuna fish pâté **2** (*dolce*) mousse: **m. di cioccolato**, chocolate mousse **3** (*cosmesi*) mousse.

movènte m. **1** motive; reason; cause: **il m. di un delitto**, the motive for a crime; *Non è un m. valido*, it's not a good reason **2** (*mecc.*) driver.

movènza f. movement; (*gesto*) gesture; (*atteggiamento*) attitude: **movenze aggraziate [goffe]**, graceful [clumsy] movements; **avere movenze aggraziate**, to move gracefully.

movìbile a. movable; mobile.

movìda f. (*spagn.*) **1** (*stor. spagn.*) movida **2** (*est.*) action; (night)life.

movière m. (*mil.*) traffic controller.

♦**movimentàre** v. t. **1** (*animare*) to liven up; to enliven; to animate: **m. una festa**, to liven up a party **2** (*fin., banca*) to operate upon **3** (*org. az.*) to handle: **m. merci**, to handle goods.

movimentàto a. (*animato*) animated, lively, full of life, (*pieno di eventi*) eventful, colourful; (*affollato*) busy, crowded: **discussione movimentata**, animated discussion; **vita movimentata**, eventful life.

movimentazióne f. **1** (*trasporto*) transport; removal **2** (*org. az.*) handling.

movimentìsmo m. (*polit.*) support of grass-roots initiatives.

movimentìsta (*polit.*) Ⓐ a. grass-roots (attr.) Ⓑ m. e f. grass-roots political activist.

movimentìstico a. (*polit.*) supporting grass-roots initiatives.

♦**movimènto** m. **1** movement; (*moto*) motion; (*mossa*) move; (*gesto*) gesture: **m. improvviso**, sudden movement; start; jerk; **m. involontario**, involuntary movement; **m. rotatorio**, rotatory motion; **m. turbinoso**, whirling motion; **eseguire un m.**, to perform a movement; **fare un m. col braccio**, to move one's arm; **approvare con un m. del capo**, to nod in agreement; **fare un m. con la mano**, to move one's hand; to gesture; *Con un m. della mano indicò il quadro*, he gestured to the painting; **essere in m.**, to be in motion; **essere sempre in m.**, to be always on the go; **mettere in m.**, to set in motion; **impedito nei movimenti**, hampered in one's movements **2** (*spostamento*) movement; (*flusso, scorrimento*) flow; (*circolazione*) circulation; (*traffico*) traffic: **m. di passeggeri**, passenger traffic; **m. di terra**, earth movement; **il m. dei turisti**, the flow of tourists; **m. ferroviario**, railway traffic; (*cinem.*) **m. di macchina**, camera movement; **m. stradale**, road traffic; **libertà di m.**, freedom of movement **3** (*comm.*) movement: **m. delle merci**, movement of goods; **m. dei prezzi**, movement of prices; **m. d'affari**, turnover; **m. di cassa**, cashflow; **m. con tendenza al rialzo [al ribasso]**, upward [downward] movement **4** (*mil.*) movement; evolution; manoeuvre **5** (*animazione*) activity; animation; life; action (*fam. USA*); (*andirivieni*) bustle: *C'è un gran m. in città*, the town is bustling with activity; **pieno di m.**, lively; full of life; animated **6** (*arte, letter.*) movement; rhythm **7** (*mus.*) movement **8** (*corrente culturale, politica*) movement: **il M. di liberazione della donna**, Women's Liberation Movement; Women's Lib (*fam.*); **m. operaio**, workers' movement; **m. per la pace**, peace movement; **il m. romantico**, the Romantic movement; **m. studentesco**, student movement **9** (*meccanismo*) movement, action; (*trazione*) traction, drive: **m. a scatto**, trigger action; **il m. d'un orologio**, the movement of a clock.

moviòla f. (*cinem.*) moviola ● (*TV*) **rivedere qc. alla m.**, to see st. in slow motion.

mòxa f. **1** (*bot.*) moxa **2** → **moxibustione**.

moxibustióne f. (*med.*) moxibustion.

mozambicàno a. e m. (f. **-a**) Mozambican.

Mozambìco m. (*geogr.*) Mozambique.

mozaràbico a. Mozarabic.

mozartiàno a. Mozartian.

mozióne f. motion: **m. di fiducia [sfiducia]**, motion of confidence [no-confidence]; **m. d'ordine**, point of order; **approvare una m.**, to second a motion; **approvare una m.**, to carry a motion; **presentare una m.**, to propose a motion; **presentare una m. d'ordine**, to raise a point of order; **respingere una m.**, to reject a motion.

mozzafiàto a. inv. (*fam.: eccezionale, bellissimo*) breathtaking, stunning; (*che tiene col fiato sospeso*) nail-biting, cliffhanging: **ragazza m.**, a stunning girl; stunner; **finale m.**, nail-biting finale; cliffhanger.

mozzàre v. t. to cut*; to cut* off; (*ramo e sim.*) to lop off; (*coda o orecchie*) to crop, to dock: **m. la coda a un animale**, to dock an animal's tail; to dock an animal; **m. la testa a q.**, to cut off sb.'s head; to behead sb.; **far m. le orecchie a un cane**, to have a dog's ears cropped ● **m. il fiato a q.**, to take sb.'s breath away.

mozzarèlla f. mozzarella.

mozzatùra f. cutting-off; lopping-off; (*di orecchie, coda*) cropping, docking.

mozzétta f. (*eccles.*) mozzetta, mozetta.

mozzicàre (*region.*) → **mordere**.

mozzicóne m. stump; stub; butt; end: **m. di candela**, candle-end; **m. di coda**, docked tail; stumpy tail; **m. di matita**, stub of a pencil; **m. di sigaretta**, cigarette end (o butt); **m. di sigaro**, cigar end.

mózzo ① a. cut-off; severed; docked; cropped: **coda mozza**, docked tail; **orecchie mozze**, cropped ears; **con le orecchie mozze**, crop-eared; **fucile a canne mozze**, sawn-off shotgun; **testa mozza**, severed head ● **fiato m.**, rasping breath; panting Ⓤ: **avere il fiato m.**, to pant □ **frase mozza**, interrupted sentence.

mózzo ② m. **1** (*naut.*) ship boy; cabin boy **2** – **m. di stalla**, stable boy; groom.

mòzzo ③ m. (*mecc.*) hub: **m. dell'elica**, (*aeron.*) screw-propeller hub; (*naut.*) screw boss; **m. della ruota**, wheel hub.

MPS, **mps** sigla (*naut., ingl.* **multi purpose sail**) MPS; mps.

MR sigla (*università*, **Magnifico Rettore**) Chancellor **2** (*relig.*, **molto reverendo**) Right Reverend (RR).

MS abbr. **1** (**Massa-Carrara**) **2** (**Monopoli di Stato**) State Monopolies.

ms. abbr. (**manoscritto**) manuscript (MS., ms.).

MSI-DN sigla (*polit., stor.*, **Movimento sociale italiano - Destra nazionale**) Italian Social Movement - National Right Wing.

MST sigla (*med.*, **malattia sessualmente trasmissibile**) sexually transmitted disease (STD).

MT abbr. **1** (**Matera**) **2** (*fis.*, **media tensione**) medium voltage (MV).

♦**mùcca** f. cow: **m. da latte**, milch (o dairy) cow; milker; **latte di m.**, cow's milk; **allevatore di mucche da latte**, dairy farmer ● (*med. fam.*) (**morbo della**) **m. pazza**, mad cow disease; BSE (*iniziali di* bovine spongiform encephalopathy).

♦**mùcchio** m. **1** heap; (*monticello*) mound; (*pila*) pile, stack; (*fascio*) bundle: **m. di carte**, pile of papers; **m. di rottami**, scrap heap; **m. di sabbia**, mound of sand; **m. di sassi**, heap (o pile) of stones **2** (*fig.: gran quantità*) lots (pl.); load, loads (pl.); heap, heaps (pl.), pile: **un m. di bugie**, a pack of lies; **un m. di gente**, lots of people; a crowd; **un m. di lavoro**, a pile of work; **un m. di quattrini**, loads of money; heaps (o stacks) of money (*fam.*); **un m. di sciocchezze**, a load of nonsense; *Ho un m. di cose a dirti*, I've got lots of things to tell you; **a mucchi**, in heaps; in plenty; galore ● (*fig.*) **mettere tutti in un m.**, to lump everybody together; (*generalizzare una critica*) to tar everyone with the same brush □ **sparare nel m.**, to shoot into the crowd; (*fig.*) to level accusations indiscriminately □ (*fig.*) **uscire dal m.**, to rise above the herd.

mucillàgine f. (*bot.*, *farm.*) mucilage.

mucillaginóso a. mucilaginous.

mucìna f. (*chim.*) mucin.

mucìparo a. (*anat.*) muciferous; mucous: **ghiandole mucìpare**, muciferous glands.

mùco m. mucus.

mucolìtico a. (*farm.*) mucolytic.

mucopolisaccàride m. (*chim.*) mucopolysaccharide.

mucósa f. (*anat.*) mucosa*; mucous membrane.

mucosità f. 1 (*l'essere mucoso*) mucosity 2 (*sostanza mucosa*) mucous substance; mucus.

mucóso a. 1 (*anat.*: *della mucosa*) mucosal 2 (*del muco*) mucous.

mucoviscidòsi f. (*med.*) mucoviscidosis.

mucronàto a. (*biol.*) mucronate: **foglia mucronata**, mucronate leaf.

mucróne m. (*bot.*) mucro*.

mùda f. 1 (*zool.*) moult, molt (*USA*): **fare la m.**, to moult, to molt 2 (*luogo della muda*) mew.

mudàre v. i. to moult, to molt (*USA*).

muesli → **müsli**.

muezzìn m. inv. muezzin.

mùffa f. mould, mold (*USA*); (*di pianta, cibo, carta, anche*) mildew: **m. grigia**, botrytis; **fare la m.**, to moulder; to go mouldy (*o* musty); to mildew; (*fig.*) to moulder away, to rot, to gather dust; (*anche*) odorare [sapere] di **m.**, to smell [to taste] mouldy; **odore di m.**, mouldy smell; musty smell; **coperto di m.**, mouldy; mildewy.

muffire v. i. 1 to moulder, to molder (*USA*); to go * mouldy 2 (*fig.*) to moulder away; to rot; to gather dust.

mùffola f. 1 (*guanto*) mitten 2 (*di forno*) muffle: **forno a m.**, muffle kiln 3 (*elettr.*) junction box.

muffolìsta m. (*ind. ceramica*) muffle kiln operator.

muflóne m. (*zool.*, *Ovis musimon*) mouflon.

muftì m. inv. mufti.

mugghiàre v. i. 1 (*muggire*) to bellow; to low 2 (*urlare, ruggire*) to bellow, to roar; (*ululare*) to howl: **m. dal dolore**, to howl (*o* to bellow) with pain 3 (*fig.*, *del tuono*) to rumble; (*del mare*) to roar; (*del vento*) to howl, to moan.

mùgghio → **muggito**.

mùggine m. (*zool.*, *Mugil*) mullet*.

muggire v. i. 1 to bellow; to low; (*di mucca*) to moo 2 (*urlare*) to bellow; (*ululare*) to howl 3 (*fig.*, *del tuono*) to rumble; (*del mare*) to roar; (*del vento*) to howl, to moan.

muggito m. 1 (*di bovino*) bellowing; bellowing; (*di mucca*) moo, mooing 2 (*urlo*) bellow, bellowing; (*ruggito*) roar, roaring; (*ululato*) howl, howling: **un m. di dolore**, a howl of pain 3 (*fig.*, *del tuono*) rumble; (*del mare*) roar; (*del vento*) howl, moan.

mughétto m. 1 (*bot.*, *Convallaria majalis*) lily of the valley 2 (*med.*) thrush.

mugìc, mugìk m. inv. muzhik.

mugnàia f. 1 miller 2 (*moglie del mugnaio*) miller's wife ● (*cucina*) **pesce alla m.**, fish coated with flour and fried in butter.

mugnaiàccio m. (*zool.*, *Larus marinus*) great black-backed gull.

♦**mugnàio** m. 1 miller 2 (*zool.*) → **mugnaiaccio**.

mùgo m. (*bot.*, *Pinus mugho*) mountain pine; mugho pine.

mugolaménto → **mugolìo**②.

mugolàre Ⓐ v. i. 1 (*di animale*) to whimper; to whine 2 (*di persona: gemere*) to moan; to groan: **m. di piacere**, to moan with pleasure 3 (*del vento, ecc.*) to wail; to moan Ⓑ v. t. (*borbottare*) to mutter; to mumble: *Mugolò alcune parole e se ne andò*, he muttered a few words and left.

mugolìo① m. resin oil.

mugolìo② m. 1 (*di animale*) whimpering; whining 2 (*di persona: gemiti*) moaning, groaning; (*borbottio*) muttering, mumbling 3 (*del vento, ecc.*) wailing; moaning.

mugugnàre v. i. (*region.*) to grumble; to grouse (*fam.*); to gripe (*fam.*); to whinge (*fam.*).

mugùgno m. (*region.*) grumbling; grousing (*fam.*); griping (*fam.*); whingeing (*fam.*).

mujaheddìn m. pl. mujahedin, mujaheddin; mujahidin.

mùla f. (*zool.*) mule.

mulàcchia f. (*zool.*, *Corvus cornix*) hooded crow.

mulàggine f. mulishness; pig-headedness.

mulattièra f. mule track.

mulattière m. muleteer; mule driver.

mulattièro a. mule (*attr.*): **strada mulattiera**, mule track.

mulàtto a. e m. (f. **-a**) mulatto*.

mulésco a. mulish; pig-headed.

mulétto m. 1 (*autom.*) training car; T-car; spare car 2 (*carrello elevatore*) forklift truck 3 (*mil.*) four-wheel-drive vehicle used by alpine troops

muliebre a. womanly; feminine; female: **modestia m.**, womanly modesty; **occupazioni muliebri**, feminine pursuits; **una statua m.**, the statue of a woman.

mulinàre Ⓐ v. i. 1 (*fare mulinello*) to swirl; to spin* around; to eddy; to whirl: *Le foglie morte mulinavano nell'aria*, the dead leaves were swirling in the air 2 (*fig.*: *agitarsi*) to go* round and round; to buzz around: *In testa gli mulinava un nuovo progetto*, a new plan was going round and round in his head 3 (*fantasticare*) to turn over (*st.*) Ⓑ v. t. 1 (*far girare attorno*) to twirl; to whirl; to swirl; to spin* around: **m. un bastone**, to twirl a stick; *Il vento mulinava le foglie morte*, the wind sent the dead leaves whirling 2 (*fig.*: *rimuginare*) to revolve (in one's mind), to turn over; (*macchinare*) to scheme.

mulinèllo m. 1 (*vortice d'acqua*) eddy, whirlpool; (*di vento*) whirlwind 2 (*di canna da pesca*) (fishing) reel 3 (*giocattolo*) windmill 4 (*ventilatore*) ventilating fan 5 (*naut.*) windlass; (*di catena*) swivel 6 (*scherma*) moulinet 7 (*aeron.*) snap roll 8 (*gioco da tavolo*) merels (pl.); nine men's morris ● **fare m.** → **mulinare**.

♦**mulino** m. mill: **m. ad acqua**, water mill; (*mecc.*) **m. a martelli**, hammer mill; **m. a palmenti**, burr mill; **m. a vapore**, steam mill; **m. a vento**, windmill; **m. da olio**, oil mill; **m. elettrico**, electric mill; **macina di m.**, millstone; **ruota del m.**, millwheel ● (*fig.*) **combattere contro i mulini a vento**, to tilt at windmills □ (*fig.*) **essere un m. a vento**, to be a weathercock □ (*fig.*) **portare acqua al m.**, to tirare l'acqua al proprio **m.** → **acqua** □ (*prov.*) *Chi va al m., s'infarina*, he that touches pitch will be defiled.

mullàh m. inv. mullah.

♦**mùlo** m. 1 (*zool.*) mule: **a dorso di m.**, on a mule; **tirare calci come un m.**, to kick like a mule; **carovana di muli**, mule train 2 (*fig.*: *persona testarda*) stubborn (*o* pig-headed) person: **fare il m.**, to be stubborn; to be pig-headed 3 (*fig.*: *gran lavoratore*) workhorse ● (*mil.*) **m. meccanico**, four-wheel-drive vehicle used by alpine troops □ **lavorare come un m., di**; (*faticare*) to work like a horse, to grind, to slog away; (*essere un lavoratore*) to be a workhorse □ **testardo come un m.**, stubborn as a mule; pig-headed.

♦**mùlta** f. (financial) penalty; fine; (*autom.*) fine, ticket: **m. per divieto di parcheggio**, parking ticket; **grossa m.**, heavy fine; **conciliare una m.**, to pay a fine on the spot; **infliggere una m. a q.**, to fine sb.; **pagare una m.**, to pay a fine; **prendere una m.**, to be fined; (*autom.*, *anche*) to get a ticket, to be booked; **prendere una m. per eccesso di velocità**, to be booked for speeding; *Mi hanno dato cinquanta euro di m.*, I was fined fifty euros.

multàbile a. finable.

multàre v. t. to fine; (*autom.*, *anche*) to book, to give* a ticket to: **m. q. di 30 euro**, to fine sb. 30 euros; **essere multato per sosta vietata**, to get a parking ticket; to be fined (*o* to get a ticket, to be booked) for illegal parking.

multicanàli a. inv. (*elettron.*, *TV*) multichannel.

multicellulàre a. multicellular.

multicèntrico a. multicentral; multicentric.

multicolóre a. multicoloured; many-coloured; variegated.

multicomponènte a. multicomponent.

multiculturàle a. multicultural.

multiculturalìsmo m. multiculturalism.

multidisciplinàre a. multidisciplinary.

multidisciplinarità f. multidisciplinary character.

multietnicità f. multi-ethnicity, multiethnicity.

multiètnico a. multi-ethnic.

multifattoriàle a. multifactorial.

multìfido a. (*zool.*) multifid.

multiflash a. inv. (*fotogr.*) multiflash.

multifórme a. multiform; many-sided; varied: **genio m.**, many-sided genius; polymath.

multifrequènza Ⓐ f. 1 (*elettron.*) multi-frequency 2 (*telef.*) dual tone multi-frequency (*o* DTMF); tone dialling Ⓑ a. multi-frequency; multiple frequency.

multifunzionàle a. multifunctional; multifunction.

multifunzionalità f. multifunctionality.

multifunzióne a. inv. multifunctional; multifunction.

multigènico a. (*biol.*) polygenic.

multigrade (*ingl.*) a. inv. (*autom.*, *chim.*) multigrade: **olio m.**, multigrade oil.

multilateràle a. 1 (*geom.*) many-sided; multilateral 2 (*fig.*, *leg.*) multilateral: **accordo m.**, multilateral agreement.

multilateralìsmo m., **multilateralità** f. multilateralism.

multilàtero m. (*geom.*) multilateral figure; polygon.

multilingue a. multilingual; polyglot.

multilinguìsmo m. multilingualism.

multilobàto, **multilobo** a. (*bot.*) multilobate.

multilùstre a. (*lett.*) old; of long standing; of several decades.

multimediàle a. e m. multimedia (*attr.*).

multimedialità f. combined use of different media.

multìmetro m. (*elettr.*) multimeter.

multimiliardàrio a. e m. (f. **-a**) multibillionaire.

multimilionàrio a. e m. (f. **-a**) multimillionaire.

multimòdo a. (*elettr.*) multimode.

multinazionàle a. e f. multinational.

multinomiàle a. (*stat.*) multinomial.

multinucleàto a. (*bot.*) multinucleated.

multìpara (*biol.*) Ⓐ a. multiparous Ⓑ f. multipara.

multiparità f. (*biol.*) multiparity.

multipartitìsmo m. multipartyism.

multipiàno a. inv. multistorey, multistory (*USA*).

multipiattafórma a. (*comput.*) cross--platform; multiplatform.

multiplàno a. e m. (*aeron.*) multiplane.

multiplatóre → **multiplexer**.

multiplazióne f. (*tel.*) multipling.

multiplétto m. (*fis.*) multiplet.

mùltiplex (*lat.*) a. e m. inv. (*tel.*) multiplex.

multiplexer (*ingl.*) m. inv. (*elettron.*) multiplexer; multiplexor.

multiplexing m. inv. (*elettron.*) multiplexing.

mùltiplo **A** a. multiple: (*bot.*) **frutto m.**, multiple fruit; (*astron.*) **stelle multiple**, multiple stars **B** m. (*mat.*) multiple: **16 è m. di 4**, 16 is a multiple of 4; **il minimo comune m.**, the lowest (*o* least) common multiple (abbr. LCM).

multipolàre a. (*scient.* e *fig.*) multipolar.

multipolarità f. (*scient.* e *fig.*) multipolarity.

multipòlo **A** a. (*scient.* e *fig.*) multipolar **B** m. (*scient.*) multipole.

multiprocessóre m. (*comput.*) multiprocessor.

multiprogrammazióne f. (*comput.*) multiprogramming.

multiproprietà f. **1** (*leg.*) time-sharing: **appartamento in m.**, time-share flat **2** (*bur.*) condominium.

multirazziàle a. multiracial.

multiruòlo a. inv. multi-role.

multisàla **A** m. inv. multiplex **B** a. inv. multiscreen: **cinema m.**, multiscreen cinema; multiplex.

multisàle → **multisala**, **B**.

multiscàfo a. e m. inv. (*naut.*) multihull.

multisecolàre a. centuries old; ancient.

multisettoriàle a. multisector (attr.).

multistàdio a. inv. (*tecn.*) multistage: **razzo m.**, multistage rocket.

multistràto a. inv. multilayer; multilayered.

multiterminàle a. (*comput.*) multi-user.

multitrapiànto m. (*chir.*) multiple transplant.

multiùso a. inv. multipurpose.

multiutènte a. inv. (*comput.*) multi-user (attr.): **software m.**, multi-user software.

multiutènza f. different types (pl.) of users [of subscribers].

multivibratóre m. (*elettron.*) multivibrator.

mùmmia f. **1** mummy: **m. egiziana**, Egyptian mummy **2** (*fig.*: *persona rinsecchita*) wizened old person **3** (*fig.*: *persona retriva*) fossil; old fogey.

mummificàre **A** v. t. to mummify **B** **mummificàrsi** v. i. pron. **1** to mummify; to become* mummified **2** (*fig.*) to fossilize.

mummificazióne f. mummification.

◆**mùngere** v. t. **1** to milk: **m. una mucca**, to milk a cow **2** (*fig.*) to milk; to squeeze; (*far pagare molto*) to soak: **m. (la borsa di) q.**, to milk sb.'s purse; to squeeze money from (*o* out of) sb.; **m. i ricchi [i turisti]**, to soak the rich [the tourists].

mungitóio m. milking parlour.

mungitóre m. milker.

mungitrìce f. **1** milker; milkmaid **2** (*macchina*) milking machine.

mungitùra f. **1** (*operazione*) milking: **m. a mano**, hand milking; **m. meccanica**, machine milking **2** (*quantità di latte*) (quantity of) milk; milk yield: **m. abbondante**, large milk yield.

mùngo m. (*zool.*, *Herpestes mungo*) Indian mongoose.

municipàle a. **1** municipal; town (attr.); city (attr.); local government (attr.): **amministrazione m.**, municipal (*o* local government) administration; **banda m.**, town band; **consiglio m.**, town (*USA* city) council; **diritti municipali**, municipal rights; **palazzo m.**, town (*USA* city) hall **2** (*spreg.*) local; parochial: **rivalità municipali**, local rivalries.

municipalìsmo m. municipalism; (*spreg.*) localism, parochialism.

municipalìsta m. e f. localist.

municipalìstico a. localist; parochial.

municipalità f. municipality.

municipalizzàre v. t. to municipalize.

municipalizzàta f. municipality-owned (*o* municipal) concern.

municipalizzàto a. municipalized; municipality-owned; municipal.

municipalizzazióne f. municipalization.

◆**munìcipio** m. **1** (*comune*) municipality **2** (*amministrazione comunale*) municipality; town (*USA* city) council **3** (*sede*) town (*USA* city) hall ● **sposarsi in m.**, to get married at the registry office.

munificènte → **munifico**.

munificènza f. munificence; liberality; generosity.

munìfico a. munificent; liberal; generous.

◆**munìre** **A** v. t. **1** (*fortificare*) to fortify: **m. una città di mura**, to fortify a town with walls **2** (*provvedere*) to provide; (*fornire*) to supply, to furnish; (*dotare*) to fit: **m. q. di denaro**, to provide sb. with money; **m. di provviste**, to supply with provisions; **m. di un salvacondotto**, to provide with a safe--conduct; **m. di serratura**, to fit with a lock **B** **munìrsi** v. rifl. **1** (*premunirsi*) to fortify oneself; to protect oneself: **munirsi contro il freddo**, to fortify (*o* to protect) oneself against the cold **2** (*provvedersi*) to provide oneself; to supply oneself; to equip oneself; (*prendere*) to take*: **munirsi di un ombrello**, to take an umbrella; **munirsi di pazienza**, to arm oneself with patience; **munirsi di scarpe pesanti**, to provide oneself with boots; **munirsi di viveri**, to supply oneself with provisions.

munìto a. **1** (*fortificato*) fortified **2** (*fornito*) provided (with); equipped (with); fitted (with): **m. di inferriate [di rotelle]**, fitted with iron bars [with wheels]; **m. di licenza**, licensed; *L'uomo era m. di regolare licenza*, the man had a valid licence; **m. di viveri**, provided with victuals; victualled; *Arrivò m. di chiodi e martello*, he arrived carrying a hammer and nails.

munizionaménto m. (*mil.*) **1** munitioning **2** (*munizioni*) munitions (pl.); ammunition Ⓤ.

munizióne f. (generalm. al pl.) munitions (pl.); ammunition Ⓤ (abbr. *fam.* ammo): **munizioni da caccia**, (*cartucce*) cartridges; (*pallini*) shot Ⓤ; (*polvere*) gunpowder Ⓤ; **esaurire le munizioni**, to run out of ammunition; **rifornire di munizioni**, to supply with ammunition; **deposito munizioni**, ammunition dump; **fabbrica di munizioni**, munition factory.

muòio 1ª pers. sing. indic. pres. di **morire**.

muóne m. (*fis. nucl.*) muon.

muòri 2ª pers. sing. indic. pres. di **morire**.

◆**muòvere** **A** v. t. **1** to move; (*spostare*) to shift: **m. le gambe**, to move one's legs; (*fam.*: *fare del moto*) to take exercise; **m. una pedina**, to move a pawn; **m. il tavolino**, to move (*o* to shift) the table; **m. le truppe**, to move troops; (*fig.*) **non m. un dito**, not to move (*o* to lift) a finger; *Tocca a te m.*, it's

your turn to move; it's your move; *Lasciate tutto così: non muovete nulla!*, leave everything as it is, don't move (*o* touch) anything **2** (*agitare*) to move, to stir; (*scuotere*) to shake*; (*dimenare*) to wag: *Una brezza muoveva la tenda*, a light breeze stirred the curtain; *Il vento muoveva i rami*, the wind shook the branches; *Il cane muove la coda quando è contento*, a dog wags its tail when it is pleased **3** (*mettere in moto*) to move; to drive*: *La ruota è mossa dall'acqua*, the wheel is driven by water **4** (*fig.*: *eccitare*, *suscitare*) to move; to excite; to rouse; to arouse; to provoke: **m. q. al pianto**, to move sb. to tears; **m. q. a pietà**, to move sb. to pity; to arouse sb.'s pity; **m. l'interesse**, to rouse sb.'s interest; **m. al riso**, to provoke laughter **5** (*fig.*: *indurre*, *incitare*) to move; to stir; to induce; to spur; to drive*: **m. q. a fare qc.**, to move (*o* to induce) sb. to do st.; **m. q. alla rivolta**, to stir sb. to revolt; **essere mosso da motivi oscuri**, to be spurred by obscure motives; **essere mosso dall'invidia**, to be driven by envy **6** (*fig.*: *sollevare*) to raise: **m. un dubbio [un'obiezione]**, to raise a doubt [an objection] **7** (*lett.*: *emettere*) to utter; to heave*; to send* out: **m. un sospiro**, to heave a sigh ● (*leg.*) **m. un'accusa a** (*o contro*) **q.**, to bring a charge against sb. □ (*leg.*) **m. causa a q.**, to bring a suit against sb.; to sue sb. □ **m. critiche a**, to criticize □ **m. guerra a q.**, to wage war on (*o* against) sb. □ (*fig.*) **m. mari e monti**, to move heaven and earth □ **m. un passo**, to take a step; (*fig.*) to act, to do something □ **m. i primi passi**, to start toddling; to take one's first steps; (*fig.*) to be in one's infancy □ **m. un rimprovero a q.**, to reproach sb. **B** v. i. **1** (*partire*) to leave*; to set* off: **m. alla volta di**, to set off for **2** (*avanzare*) to advance; to go*: **m. contro il nemico**, to advance against the enemy; **m. incontro a q.**, to go towards sb.; to go to meet sb.; **m. sulla capitale**, to advance on the capital **3** (*avere origine*) to originate, to proceed; (*incominciare*) to start, to begin*: **m. da un'idea sbagliata**, to start from a wrong idea **C** **muòversi** v. rifl. **1** (*mettersi in movimento*) to move; to stir; (*spostarsi*) to shift, to budge: **muoversi da un posto all'altro**, to move about; to shift about; *Non muoverti!*, don't move!; (*stai fermo*) keep still!; *Il cane non si è mosso per tutto il giorno*, the dog hasn't stirred all day **2** (*andare*) to go*; (*venire*) to come*; (*partire*, *lasciare qc.*) to leave*: **muoversi da casa**, to leave the house; to set foot outside (the house); *Non s'è mossa un minuto dal letto del figlio*, she has not left her son's bed one moment; **non potere muoversi dal letto**, to be confined to one's bed; to be bedridden; **muoversi in aiuto di q.**, to come to sb.'s aid; to go to sb.'s rescue; *Allora, ti muovi?*, well, are you coming? **3** (*agire*) to act, to take* action, to do* something; (*procedere*) to proceed; (*sbrigarsi*) to hurry up, to get* on (with st.): *Non so come muovermi*, I don't know how to proceed (*o* what to do); *Qui bisogna muoversi!*, we must do something!; *Muoviti: è tardi*, hurry up (*o*, *fam.*, get a move on), it's late **D** **muòversi** v. i. pron. **1** (*essere in movimento*) to move; to stir; (*spostarsi*) to shift, to budge: **muoversi al vento**, to move (*o* to stir) in the wind; **muoversi verso l'alto**, to move up; to rise; **muoversi verso il basso**, to move down; to descend; *Non si muoveva una foglia*, not a leaf stirred; *Spinsi, ma l'armadio non si mosse*, I pushed, but the wardrobe wouldn't budge **2** (*lett.*: *commuoversi*) to be moved: **muoversi a compassione**, to be moved to pity; **muoversi a sdegno**, to feel indignant.

mùra ① f. (*naut.*) tack: **con le mure a dritta [a sinistra]**, on the starboard [the port] tack; **cambiare le mure**, to tack; **cambiare le mure col vento in poppa**, to gybe.

mùra ② f. pl. → **muro**.

muràglia f. **1** wall: **la M. cinese**, the Great Wall of China **2** (*fig.*: *barriera*) wall; barrier.

muraglióne m. **1** massive wall; (*di sostegno*) retaining wall **2** (*naut.*) studding sail.

muraiòla f. (*bot.*, *Parietaria officinalis*) pellitory of the wall.

muraiòlo a. (*bot.*, *zool.*) wall-climbing.

muràle ① a. mural; wall (attr.): **carta m.**, wall map; **giornale m.**, wall newspaper; **pittura m.**, mural; wall painting.

muràle ② m. mural.

muralista m. e f. muralist.

muràre Ⓐ v. t. **1** (*chiudere con un muro*) to wall up; to brick up: **m. una finestra [una porta]**, to wall up a window [a doorway] **2** (*conficcare in un muro*) to embed in a wall; to set* into a wall: **m. un gancio**, to embed a hook in a wall **3** (*nascondere con un muro*) to wall up; (*fig.*) to shut* up, to immure: **m. q. vivo**, to wall sb. up alive; (*fig.*) **m. q. in casa**, to shut sb. up (in the house) **4** (*assol.*: *costruire muri*) to erect walls: **m. a secco**, to erect dry-stone walls **5** (*pallavolo*) to block Ⓑ **muràrsi** v. rifl. (*fig.*: *chiudersi*) to shut* oneself up; to immure oneself; to seclude oneself: *Da quel giorno si murò in casa*, from that day she shut herself up in the house.

muràrio a. wall (attr.); building (attr.): **arte muraria**, masonry; **cinta muraria**, walls (pl.) (of a town); **lavoro m.**, masonry; (*di mattoni*) brickwork.

muràta f. (*naut.*) ship's side; bulwarks (pl.): **m. di sinistra [di dritta]**, port [starboard] side; **la m. maestra**, the main bulwarks.

muràto a. walled; (*chiuso con un muro*) walled-up; (*cinto da un muro*) walled-in, enclosed: **città murata**, walled city; **finestra murata**, walled-up window; **giardino m.**, walled-in garden.

♦ **muratóre** m. bricklayer; mason; builder: **fare il m.**, to be a bricklayer; *Ho i muratori in casa*, I've got builders in the house; **maestro m.**, master mason; **il mestiere del m.**, bricklaying; **martello da m.**, bricklayer's hammer ● **franco m.** (*massone*), Freemason.

muratùra f. **1** (*il murare*) walling **2** (*edil.*) masonry; (*di mattoni*) brickwork: **m. a opera incerta**, stonework; **m. a secco**, dry masonry; **m. di getto**, cast masonry; **m. di mattoni**, brickwork; **m. di sostegno**, bulkhead; **m. in calcestruzzo**, concrete walls; **m. refrattaria**, firebrick masonry; **in m.**, masonry (attr.).

muràzzi m. pl. coastal dikes protecting the Venetian lagoon.

muréna f. (*zool.*, *Muraena helena*) moray (eel).

murétto m. **1** (*di recinzione*) low wall **2** (*parapetto*) parapet.

muriàtico a. – (*chim.*) **acido m.**, muriatic acid; hydrochloric acid.

muríccio m. (*edil.*) partition wall.

muricciòlo m. low wall.

mùrice m. (*zool.*, *Murex*) murex*.

murìcolo a. wall (attr.); wall-climbing (attr.): **piante muricole**, wall plants.

mùride m. (*zool.*) murid; (al pl., *scient.*) Muridae.

murino a. (*lett.*) murine.

mùrmure m. **1** (*poet.*) murmur **2** (*med.*) – **m. vescicolare**, vesicular respiration.

♦ **mùro** m. (pl. *muri*, m., *nelle def. 1, 3, 4*, *mura*, f., *nella def. 2*) **1** wall: **m. a cassa vuota**, hollow wall; **m. a secco**, dry-stone wall; **m. d'ala**, wing wall; **m. di cinta**, boundary wall; **m. di confine**, party wall; **m. di fonda-**

zione, foundation wall; **m. di giardino**, garden wall; **m. di rivestimento**, protection wall; **m. di sostegno**, retaining wall; **m. divisorio**, partition wall; **m. esterno**, outer wall; **m. in mattoni**, brick wall; **m. in pietra**, stone wall; **m. maestro**, main wall; **m. tagliafuoco**, firewall; **i muri d'una stanza**, the walls of a room; **muri perimetrali**, outer walls; **abbattere un m.**, to knock down a wall; **appendere [attaccare] qc. a un m.**, to hang [to put up] st. on a wall; **costruire un m.**, to build (o to erect) a wall; **chiudere con un m.**, to wall up; **cingere con un m.**, to build a wall around; to wall in **2** (al pl.) (*insieme di opere murarie*) walls: **mura ciclopiche**, cyclopean walls; **le mura d'una città**, the walls of a city; **cinta di mura**, enclosing walls; **fuori le mura**, outside the walls **3** (*fig.*: *barriera*) wall; barrier: (*aeron.*) **m. del suono**, sound barrier; **un m. di fuoco**, a wall of fire; **un m. di nebbia**, a wall of fog; **un m. di silenzio**, a wall of silence; *Tra di noi c'è un m.*, we don't communicate **4** (*pallavolo*) block **5** (*equit.*) wall: **m. con barriere**, wall and rails **6** (*geol.*) wall: **m. di faglia**, footwall ● (*fig.*) **m. contro m.**, engaged in a confrontation □ **le mura domestiche**, home; privacy □ **il M. del pianto** (*di Gerusalemme*), the Wailing Wall □ **il M. di Berlino**, the Berlin Wall (*fig.*) **m. di gomma**, wall of silence □ **armadio a m.**, built-in wardrobe; wall cupboard □ (*fig.*) **battere il capo nel m.**, to bang one's head against the wall □ **chiudersi fra quattro mura**, to shut oneself up □ (*fig.*) **essere con le spalle al m.**, to have one's back to the wall □ **finire al m.**, to be shot □ **mettere q. al m.**, to drive sb. to the wall; (*fucilare*) to shoot sb. □ (*fig.*) **parlare al m.**, to talk to the wall □ **telefono a m.**, wall-mounted telephone □ (*fig.*) È **come urtare contro un m.**, it's like banging your head against a brick wall □ (*prov.*) **I muri hanno orecchie**, walls have ears.

mùrra f. (*miner.*) murra, murrha.

murrìna f. mosaic glass Ⓤ; millefiori.

mùsa f. **1** (*mitol.*) Muse: **le nove Muse**, the nine Muses **2** (*fig.*) muse; inspiration: **la m. di Virgilio**, Virgil's muse; **la m. tragica**, the tragic muse; tragedy ● **la decima m.**, cinema.

musàico → **mosaico** ①.

musànga f. (*zool.*, *Paradoxurus hermaphroditus*) palm civet; toddy cat.

musaràgno m. (*zool.*, *Sorex araneus*) shrew; shrewmouse*.

musàta f. **1** (*spinta data col muso*) prod with the muzzle (o the nose): *Il cane diede una m. alla palla*, the dog gave the ball a prod with its nose; **dare una m. leggera a**, to nuzzle **2** (*fam.*) blow with the nose: **dare una m. in qc.**, to bang one's nose against st.

muscarina f. (*chim.*) muscarine.

muschiàto a. **1** (*che odora di muschio*) musky; musk (attr.): **profumo m.**, musky perfume; **rosa muschiata**, musk rose **2** (*che secerne muschio*) musk: **bue m.**, musk ox; **topo m.**, muskrat.

mùschio ① m. (*profumeria*) musk.

♦ **mùschio** ② m. (*bot.*) moss; (al pl., *scient.*) Musci: **m. clavato** (*Lycopodium clavatum*), ground moss; **ricoperto di m.**, moss-grown; mossy.

muscolàre a. muscular; muscle (attr.): **distrofia m.**, muscular dystrophy; **dolori muscolari**, muscular pain (sing.); **forza m.**, muscular strength; **movimenti muscolari**, muscular movements; **tessuto m.**, muscle tissue; **tono m.**, muscle tone.

muscolatùra f. (*anat.*) musculature; muscular system; (*muscoli*) muscles (pl.).

♦ **mùscolo** m. **1** (*anat.*) muscle: **m. adduttore**, adductor; **m. elevatore**, elevator; **m.**

estensore, extensor; **m. flessore**, flexor; **m. rotatore**, rotator; **m. striato**, striated muscle; **m. tensore**, tensor; **m. volontario**, voluntary muscle; **muscoli della gamba**, leg muscles; **muscoli flaccidi**, flabby muscles; **muscoli gonfi**, bulging muscles; **flettere [tendere] i muscoli**, to flex [to stretch] one's muscles; **non muovere un m.**, not to move a muscle; **stirarsi un m.**, to pull a muscle **2** (al pl.) (*fig.*: *forza*) muscles; brawn (sing.): **muscoli e cervello**, brawn and brain **3** (*di carne macellata*) shin (of beef) **4** (*zool.*, *Mytilus edulis*) mussel ● **a forza di muscoli**, by sheer muscle power □ (*fig.*) **mostrare i muscoli**, to flex one's muscles □ (*sport*) **sciogliere** (o **scaldare**) **i muscoli**, to warm up; to limber up □ (*fig.*) **senza m.**, feeble □ **tutto muscoli** (*muscoloso*), muscular; sinewy; brawny □ **tutto muscoli e niente cervello**, all brawn and no brain (o brains).

muscolocutàneo a. musculocutaneous.

muscolosità f. muscularity; brawniness.

muscolóso a. muscular; sinewy; brawny: **braccia muscolose**, muscular (o sinewy, brawny) arms; **fisico m.**, muscular body.

muscóso a. mossy; moss-grown.

muscovìte f. (*miner.*) muscovite.

museàle a. museum (attr.); of a museum; of museums.

museificàre v. t. (*fig.*) to confine to a museum.

museificazióne f. (*fig.*) confinement to a museum.

♦ **musèo** m. museum: **m. archeologico**, archeological museum; **m. delle cere**, waxworks; **m. dell'opera del duomo**, the cathedral's museum; **m. di storia naturale**, natural history museum; **m. navale**, maritime museum ● (*scherz.*) **pezzo da m.**, museum-piece; old fossil □ (*spreg.*) **roba da m.**, worthless old rubbish; junk.

museografìa f. museology; museography.

museogràfico a. museological; museographical.

museologìa → **museografìa**.

museruòla f. **1** (*per cane*) muzzle: **mettere la m. a un cane**, to muzzle a dog **2** (*finimento per cavallo*) noseband ● (*fig.*) **mettere la m. a q.**, to muzzle sb.; to gag sb.

musètta f. (*sacchetto per la biada*) nosebag; feedbag (USA).

musette (*franc.*) f. inv. (*mus.*: *strumento e danza*) musette.

musètto m. **1** (pretty, sad, etc.) little face **2** (*di vettura da corsa*) nose cone.

♦ **mùsica** f. **1** (*arte*) music Ⓤ: **m. antica** (*medievale, rinascimentale*), early music; **m. orientale**, Eastern music; **avere talento per la m.**, to have a bent for music; to be musical; **avere passione per la m.**, to be fond of music; **studiare m.**, to study music; **lezioni di m.**, music lessons; **maestro di m.**, music teacher (o master) **2** (*produzione musicale*) music; (*composizione*) music Ⓤ, piece of music; (*aria, motivo*) tune: **m. classica**, classical music; **m. concreta**, concrete music; musique concrète (*franc.*); **m. da ballo**, dance music; **m. da camera**, chamber music; **m. elettronica**, electronic music; **m. leggera**, pop music; **una m. lontana**, distant music; **m. moderna**, modern music; **una m. orecchiabile**, an easy tune; **m. popolare**, folk music; **m. sacra**, church music; **m. strumentale [vocale]**, instrumental [vocal] music; **musiche da film**, film music; **musiche di scena**, incidental music; *Che bella m.!*, what lovely music!; *Questa m. non mi piace*, I don't like this kind of music; **fare m.**, to play; **leggere la m.**, to read music; **mettere in m.**, to set to music; **carta da m.**,

music paper; manuscript paper; **pezzo di m.**, piece of music **3** (*banda*) band: **la m. del reggimento**, the regimental band **4** (*fig.*: *suono melodioso*) music: **la m. della sua voce**, the music of her voice ● **la m. delle sfere**, the music of the spheres □ (*fig.*) **cambiare m.**, to change one's tune □ **È m. per le mie orecchie**, it's music to my ears □ (*fig.*) **Questa è un'altra m.**, this is a different tune □ (*fig.*) **È la solita m.!**, it's the same old story! □ (*iron.*) **Sentirai che m.!**, just you wait!

muṣicàbile a. apt to be set to music.

musical (*ingl.*) m. inv. musical.

♦**muṣicàle** a. **1** musical; music (attr.): **associazione m.**, music club; **composizione m.**, musical composition; **commedia m.**, musical comedy; musical; **critico m.**, music critic; **doti musicali**, musicianship (sing.); **strumento m.**, musical instrument; **avere orecchio m.**, to have an ear for music **2** (*melodioso*) musical; melodious: **voce** [**lingua**] **m.**, musical voice [language] **3** (*ling.*) – **accento m.**, pitch accent.

muṣicalità f. **1** (*melodiosità*) musicality **2** (*doti musicali*) musicianship.

muṣicànte A a. playing; musician (attr.): (*arte*) **angelo m.**, musician angel; angel musician B m. e f. **1** (*suonatore*) musician; (*di banda*) bandsman* (m.), bandswoman* (f.) **2** (*spreg.*) third-rate musician.

muṣicàre v. t. to set* to music: **m. un libretto**, to set a libretto to music.

muṣicassétta f. (pre-recorded) music cassette.

music-hall (*ingl.*) m. inv. **1** (*teatro*) music-hall (*GB*); vaudeville theater (*USA*) **2** (*spettacolo*) music-hall show (*GB*); variety show; vaudeville (*USA*).

muṣichétta f. (easy) tune.

♦**muṣicìsta** m. e f. **1** (*compositore*) musician; composer **2** (*esecutore*) musician; performer.

mùṣico A a. (*lett.*) musical B m. (*lett.*) musician; (*cantore*) singer.

muṣicòfilo m. (f. **-a**) music lover.

muṣicògrafo m. writer on musical subjects; music critic.

muṣicologìa f. musicology.

muṣicològico a. musicological.

muṣicòlogo m. (f. **-a**) musicologist.

muṣicòmane m. e f. music fan.

muṣicomanìa f. passion for music.

muṣicoterapìa f. (*med.*) musicotherapy.

muṣino m. pretty little face.

muṣìvo a. mosaic (attr.): **arte musiva**, mosaic art; **opera musiva**, piece of mosaic work; mosaic; **oro m.**, mosaic gold.

♦**mùṣo** m. **1** (*di animale*) muzzle; face; (*grugno*) snout: **il m. d'un cane** [**d'un cavallo**], a dog's [a horse's] muzzle; **il m. d'un maiale**, a pig's snout **2** (*scherz.*: *faccia*) face; mug (*fam.*): *Hai il m. sporco*, your face is dirty; *Non voglio più vedere il suo brutto m.*, I don't want to see his ugly mug again; **rompere** (*o* **spaccare**) **il m. a q.**, to smash sb.'s face in; **torcere il m.**, to make a wry face; **dire qc. a q. sul m.**, to say st. to sb.'s face; **ridere sul m. a q.**, to laugh in sb.'s face; **a m. duro**, bluntly; in no uncertain terms; without mincing one's words; **pugno sul m.**, punch on the nose **3** (*fig.*, *anche* **m. lungo**) long face; (*broncio*) sulk: **avere il m.**, to have a fit of the sulks; to sulk; **mettere il m.** (*o* **fare il m. lungo**), to pull a long face; to go into a sulk; **tenere il m. a q.**, to be in a huff with sb.; not to speak to sb. **4** (*di aereo*) nose; (*di auto*) front part.

muṣóne m. (f. **-a**) (*fam.*) sulker; sulky person;

muṣonerìa f. (*fam.*) sulkiness; (the) sulks (pl.).

mussàre v. i. (*di vino e sim.*) to sparkle; to froth.

mussitazióne f. (*psic.*) mussitation.

mùssola, **mussolina** f. muslin; mousseline (*franc.*): **m. a disegni**, figured muslin; **m. di lana**, all-wool muslin; mousseline-de-laine; **m. di seta**, silk muslin; mousseline-de-soie; **m. stampata**, printed muslin.

mussoliniàno a. Mussolinian; Mussolini's.

mùssolo m. (*zool.*, *Arca noae*) Noah's ark; ark shell.

mussulmàno → **musulmano**.

must (*ingl.*) m. inv. must.

mustàcchio m. **1** (spec. al pl.) (long) moustache (sing.): **avere** [**portare**] **i mustacchi**, to have [to wear] a moustache; **arricciarsi i mustacchi**, to twirl one's moustache **2** (*naut.*) bobstay.

mustàng m. inv. (*zool.*) mustang.

mustèla f. (*zool.*, *Mustela*) marten.

mustèlide m. (*zool.*) mustelid; (al pl., *scient.*) Mustelidae.

musteriàno a. Mousterian.

musulmanéṣimo m. Islam; Islamism.

musulmàno a. e m. (f. **-a**) Moslem; Muslim.

mùta① f. **1** (*cambio*) change, changing; (*di sentinella*) relief: (*mil.*) **dare la m. a q.**, to relieve sb. **2** (*zool.*, *di penne e pelo*) moult, molt (*USA*), moulting, molting (*USA*); (*della pelle*) sloughing, shedding, casting-off; (*di insetti e crostacei*) ecdysis* **3** (*del vino*) decantation; decanting **4** (*di indumenti*) change **5** (*serie*) set: **m. di sacchi**, set of bags; (*naut.*) **m. di vele**, set of sails **6** (*tuta subacquea*) wetsuit.

mùta② f. (*di cani*) pack (of hounds).

mutàbile a. **1** changeable; mutable; variable **2** (*incostante*) → **mutevole**.

mutabilità f. **1** changeableness; changeability; variableness **2** → **mutevolezza**.

mutacìṣmo① m. (*med.*) mytacism.

mutaciṣmo② m. (*psic.*) mutism.

mutagèneṣi f. (*biol.*) mutagenesis.

mutàgeno A a. (*biol.*) mutagenic B m. mutagen.

mutaménto m. change; variation; transformation: **un m. della situazione**, a change in the situation; **m. di programma**, change in the programme; **m. di temperatura**, variation in temperature; **m. in meglio** [**in peggio**], change for the better [for the worse].

mutànde f. pl. (*da uomo*) underpants, pants (*GB*), (*con apertura a Y capovolto*) Y-fronts; (*da donna*) briefs, panties, knickers (*fam.*): **m. a calzoncino**, boxer shorts; **m. lunghe**, long underpants; long johns (*fam.*); **essere in m.**, to be in one's underpants; (*scherz.*) **mettere in m. q.**, to strip sb. of his trousers; to debag (*fam. GB*) ● (*fig. fam.*) **lasciare q. in m.**, to take sb. to the cleaner's □ **rimanere in m.**, to be left wearing only one's underpants; (*spogliarsi*) to strip to one's underpants; (*fig. fam.*) to be taken to the cleaner's.

mutandìne f. pl. (*da donna*) briefs, panties, knickers (*fam.*); (*da bambino*) briefs, underpants, pants (*GB*) ● **m. da bagno**, bathing trunks □ **m. da ginnastica**, (gym) shorts.

mutandóni m. pl. **1** (*mutande lunghe*) long underpants; long johns (*fam.*) **2** (*stor.*, *da donna*) long drawers.

mutànte a. e m. (*biol.*) mutant.

♦**mutàre** A v. t. to change; (*trasformare*) to transform; to turn (st. into st.); (*modificare*) to alter, to modify: **m. colore**, to change colour; (*impallidire*) to turn pale; **m. direzione**,

to change direction; **m. idea**, to change one's mind; **m. i sospetti in certezza**, to transform suspicions into certainties; **m. vita**, to change one's ways; *I nuovi grattacieli hanno mutato l'aspetto del centro*, the new skyscrapers have altered the city centre; *Ha mutato il senso delle mie parole*, he altered the sense of what I said; *Il principe fu mutato in rospo*, the prince was changed (*o* turned) into a toad ● (*fig.*) **m. le carte in tavola**, to shift one's ground □ (*zool.*) **m. la pelle**, to cast off one's skin; (*dei rettili*) to slough off □ (*zool.*) **m. le penne**, to moult □ **m. il vino**, to decant wine ● **m. viso** (*per l'emozione*) to change countenance B v. i. to change; (*modificarsi*) to alter; (*variare*) to vary: **m. in meglio** [**in peggio**], to change for the better [for the worse]; *La situazione è mutata*, the situation has changed; *La città è molto mutata*, the town has changed a lot; **m. di colore**, to change colour; **m. di parere**, to change one's mind; **m. di posto**, to change one's seat C **mutàrsi** v. i. pron. **1** (*cambiare*) to change; to turn (into st.): *La neve si mutò in pioggia*, the snow turned to rain; *Pare che il tempo si muti*, it looks as if there's going to be a change in the weather **2** (*cambiarsi*) to change: **mutarsi d'abito**, to change (one's) clothes.

mutatóre m. (*elettr.*) mercury vapour rectifier.

mutazionàle a. (*biol.*) mutational.

mutazióne f. **1** change; mutation; (*modifica*) alteration, variation: *Non ci sono mutazioni*, there are no changes; **apportare alcune mutazioni**, to make some alterations **2** (*biol.*, *mus.*) mutation: **m. genetica**, genetic mutation; **subire una m.**, to mutate; to undergo a mutation.

mutazioniṣmo m. (*biol.*) mutationism.

mutazionista m. e f. mutationist.

mutazionìstico a. mutationism (attr.).

mutévole a. **1** changeable; variable; (*instabile*) unsettled **2** (*incostante*) inconstant; fickle.

mutevolézza f. **1** mutability: **la m. delle cose umane**, the mutability of human things **2** (*volubilità*) inconstancy; fickleness.

mutilàre v. t. **1** to mutilate; to maim; to cripple; (*tagliare*) to cut* off, to sever: **m. un corpo**, to mutilate a body; **m. q. d'un braccio**, to cut off sb.'s arm **2** (*fig.*) to mutilate; to mangle; (*una statua e sim.*) to disfigure, to deface: **m. un articolo**, to mutilate an article.

mutilàto A a. **1** mutilated; maimed; crippled **2** (*fig.*) mutilated; mangled; (*di statua e sim.*) disfigured, defaced B m. (f. **-a**) cripple; disabled person: **m. del lavoro**, person disabled in an industrial accident; **m. di guerra**, (*soldato*) disabled ex-serviceman; (*civile*) person wounded in the war.

mutilazióne f. **1** mutilation; maiming: **m. volontaria**, self-mutilation; **subire una m.**, to be maimed; to be disabled **2** (*fig.*) mutilation; (*di statua e sim.*) disfigurement, defacement.

mùtilo a. (*letter.*) mutilated: **codice m.**, mutilated codex.

mutìṣmo m. **1** (*med.*) dumbness; mutism **2** (*silenzio*) (obstinate) silence; muteness: **chiudersi nel più rigido m.**, to maintain the most absolute silence.

♦**mùto** A a. **1** (*affetto da mutismo*) dumb; mute: **m. dalla nascita**, dumb from birth; *Un trauma infantile l'ha reso m.*, a trauma he had as a child has left him dumb; **sordo e m.**, deaf and dumb **2** (*che tace*) silent; (*senza parole*) mute, dumb, speechless; (*per l'imbarazzo*) speechless, tongue-tied: **m. dallo stupore**, mute with wonder; speechless with amazement: **m. come un pesce**, as mute as a fish; **restare m.**, to remain dumb;

to be silent; **restare m. per l'orrore**, to be struck dumb with horror; *Sarò m. come una tomba*, not a word shall escape my lips **3** (*silenzioso*) silent, soundless; (*inespresso*) mute, speechless, unspoken, dumb: **gioia muta**, speechless joy; **muta preghiera**, wordless prayer; **muta protesta**, silent protest; **m. stupore**, dumb amazement **4** (*gramm.*) mute; silent: **acca muta**, silent aitch; **lettera muta**, mute (*o* silent) letter; mute ● **carta geografica muta**, skeleton map ▢ **il cinema m.**, silent films (pl.); the silents (pl.) ▢ (*cinem.*) **film m.**, silent film ▢ (*fig.*) **fare scena muta**, not to answer a single question; to remain utterly silent; (*per l'imbarazzo*) to be tongue-tied **B** **m. 1** (f. *-a*) dumb person; mute: **il linguaggio dei muti**, sign language **2** (*cinema muto*) silent films (pl.); (the) silents (pl.).

mutóne m. (*biol.*) muton.

mùtria f. surly face; haughty expression.

mùtua f. **1** (*società di mutuo soccorso*) mutual aid association **2** (*per l'assistenza medica*) health insurance scheme: **m. nazionale**, National Health Service; **m. privata**, private health insurance; **mettersi in m.**, to ask for sick leave; to take sick leave; to go sick (*fam.*); **medico della m.**, National Health doctor.

mutuàbile ① a. (*med.*) that can be prescribed under the National Health Service.

mutuàbile ② a. (*econ.*) loanable.

mutualìsmo m. (*biol.*) mutualism.

mutualìstico a. **1** (*relativo alla mutualità*) mutualist; mutualistic **2** (*relativo a mutua*) health insurance (attr.); (*relativo all'assistenza sanitaria pubblica*) National Health (attr.): **assistenza mutualistica**, National Health Service; **ente m.**, health insurance institute; **prestazione mutualistica**, National Health treatment **3** (*biol.*) mutualistic: **simbiosi mutualistica**, mutualism.

mutualità f. mutuality; mutual aid (*o* assistance).

mutualménte avv. mutually; (*reciprocamente*) reciprocally.

mutuànte (*leg.*) **A** a. lending **B** m. e f. lender.

mutuàre v. t. (*fig.*: *derivare*) to borrow; to derive: **m. un'idea**, to borrow an idea.

mutuatàrio m. (*leg.*) borrower.

mutuàto ① a. (*fig.*) borrowed; derived.

mutuàto ② m. (f. *-a*) (*assistito da una mutua*) person covered by health insurance; (*beneficiario del servizio sanitario nazionale*) National Health patient.

mùtuo ① a. mutual; (*reciproco*) reciprocal: **m. affetto**, mutual love; **m. consenso**, mutual agreement; (*fis.*) **mutua induttanza**, mutual inductance; **m. soccorso**, mutual aid; **società di m. soccorso**, mutual aid association.

mùtuo ② m. (*leg.*) loan: **m. a breve scadenza [a lunga scadenza]**, short-term [long-term] loan; **m. a tasso d'interesse fisso [variabile]**, fixed-rate [floating-rate] loan; **m. agevolato**, subsidized loan; **m. garantito**, secured loan; **m. ipotecario**, mortgage loan; **m. per prima casa**, home loan; **m. senza interessi**, interest-free loan; **chiedere [concedere] un m.**, to apply for [to grant] a loan; **dare a m.**, to lend; to loan (*USA*); **contrarre** (*o* **fare**) **un m.**, to take out a loan; **prendere a m.**, to borrow (st. from sb.); **rimborsare un m.**, to repay a loan.

myosòtis m.o f. (*bot.*) myosotis.

MZ sigla (**Monza**).

n, N

N① **, n** f. o m. (*dodicesima lettera dell'alfabeto ital.*) N, n ● (*telef.*) **n come Napoli**, n for November.

N② sigla **1** (*scacchi*, **nero**) black **2** (*geogr.*, **nord**) north (N).

n. abbr. 1 (**nato**) born (b.) **2** (**nome**) name (n.) **3** (*comm.*, **nostro**) our; ours **4** (**nota**) note **5** (**numero**) number (No.).

NA abbr. (**Napoli**) Naples.

nabàbbo m. **1** (*stor.*) nawab; nabob **2** (*fig.*) nabob; Croesus: **vivere da n.**, to live off the fat of the land; to live in the lap of luxury.

nàbla m. inv. (*mat.*) del; nabla.

Nabuccodònosor m. (*stor.*) Nebuchadnezzar.

nàcchera f. **1** (generalm. al pl.) (*mus.*) castanet **2** (*zool.*, *Pinna nobilis*) fan shell.

nacrìte f. (*miner.*) nacrite.

nadìr m. (*astron.*) nadir.

nadiràle a. (*astron.*) nadir (attr.).

nàfta f. **1** (*chim.*) naphtha: **n. greggia**, crude naphtha **2** (*olio combustibile*) fuel oil; oil: **a n.**, oil-fired; **bruciatore per** (*o* **a**) **n.**, oil burner; **riscaldamento a n.**, oil-fired heating **3** (*gasolio*) diesel (oil); (*per autotrazione*, *anche*) derv (*GB*): **motore a n.**, diesel (engine).

naftalène m. (*chim.*) naphthalene.

naftàlico a. (*chim.*) naphthalic.

naftalìna f. **1** (*chim.*) naphthalene **2** (*antitarme*, *in palline*) mothballs (pl.); (*a scaglie*) naphthalene flakes (pl.): **mettere in n.**, to put in mothballs.

naftenàto m. (*chim.*) naphthenate.

naftène m. (*chim.*) naphthene.

naftènico a. (*chim.*) naphthenic.

naftilammìna f. (*chim.*) naphthylamine.

naftòlo m. (*chim.*) naphthol.

nagàna f. (*vet.*) nagana.

nàhuatl **A** a. inv. Nahuatl **B** m. e f. inv. Nahuatl* **C** m. inv. (*lingua*) Nahuatl U.

nàia① f. (*zool.*, *Naja*) cobra.

nàia② f. (*gergo mil.*) **1** (*servizio militare*) national service; military service: **essere sotto la n.**, to be doing one's national service **2** (*vita militare*) military life.

nàiade f. **1** (*mitol.*) naiad*; water nymph **2** (*zool.*) naiad **3** (*bot.*) naiad.

naïf (*franc.*) **A** a. inv. (*arte*) naive; naïf: **pittori n.**, naive painters **B** m. e f. inv. naive painter.

nàilon→ **nylon**.

naloxóne m. (*chim.*) naloxone.

namibiàno a. e m. (f. **-a**) Namibian.

nàna f. **1** (*med.*) (female) dwarf* **2** (*donna di piccola statura*) midget; dwarfish woman* **3** (*astron.*) dwarf: **n. bianca [rossa]**, white [red] dwarf.

nanchìno m. (*ind. tess.*) nankeen.

Nanchìno f. (*geogr.*) Nanjing; Nanking.

nandrolóne m. (*farm.*) nandrolone.

nandù m. (*zool.*, *Rhea americana*) rhea.

naneròttolo m. (f. **-a**) (*spreg.*) dwarf; pygmy.

nanìsmo m. (*med.*) dwarfism; nanism.

nànna f. (*infant.*) bye-byes; beddy-byes:

andare a n., to go to bye-byes (*o* beddy-byes); **fare la n.**, to sleep; **mettere a n.**, to put to bed; **ora della n.**, time for bye-byes (*o* beddy-byes).

nannùfero→ **nenùfaro**.

◆**nàno** **A** a. dwarfish; dwarf (attr.); miniature (attr.): **barboncino n.**, miniature poodle; **pianta nana**, dwarf plant; **razza nana**, dwarfish race; (*astron.*) **stella nana**, dwarf star **B** m. **1** (*med.*) dwarf* **2** (*uomo di piccola statura*) midget; manikin **3** (*mitol.*, *letter.*) dwarf*: *Biancaneve e i sette nani*, Snow White and the Seven Dwarves **4** (*fig.*) intellectual pygmy.

nanocurie m. inv. (*fis.*) nanocurie.

nanomètro m. (*fis.*) nanometre, nanometer (*USA*).

nanoparticèlla f. (*scient.*) nanoparticle.

nanoscàla f. (*scient.*) nanoscale.

nanosecóndo m. (*fis.*) nanosecond.

nanotecnologìa f. (*scient.*) nanotechnology.

nanotùbo m. (*scient.*, *tecn.*) nanotube.

nàos m. (*archit.*) naos*.

nàpalm ® m. (*chim.*) napalm: **bomba al n.**, napalm bomb; **distruggere col n.**, to napalm.

napèa f. (*mitol.*) wood nymph.

napèllo m. (*bot.*, *Aconitum napellus*) aconite; monk's-hood, monkshood.

napoleóne m. **1** (*numism.*) napoleon **2** (*solitario*) Napoleon solitaire **3** (*bicchiere*) brandy glass; balloon glass; snifter (*USA*).

Napoleóne m. Napoleon.

napoleònico a. (*stor.*) Napoleonic; Napoleon's: **le guerre napoleoniche**, the Napoleonic Wars.

napoleònide m. member of Napoleon's family.

napoletàna f. (*caffettiera*) (reversible) coffee percolator.

napoletanìsmo m. Neapolitan idiom.

napoletàno a. e m. (f. **-a**) Neapolitan.

Nàpoli f. (*geogr.*) Naples.

nàppa f. **1** (*fiocco*) tassel **2** (*pellame*) napa, nappa; chrome leather **3** (*pop.*, *scherz.*) big nose; big hooter (*slang GB*); schnozzle (*slang USA*).

nappàre v. t. to chrome-tan.

nappìna f. tassel.

nàppo m. (*lett.*) goblet; beaker; drinking cup.

narceìna f. (*chim.*) narceine.

narcisìsmo m. (*psic.*) narcissism.

narcisìsta m. e f. (*psic.*) narcissist.

narcisìstico a. (*psic.*) narcissistic.

narcìso① m. (*bot.*, *Narcissus poeticus*) narcissus*.

narcìso② m. (*fig.*) narcissist; vain (*o* self-centred) man*.

Narcìso m. (*mitol.*) Narcissus.

narcoanalìtico a. (*med.*) narcoanalytic.

narcodòllaro m. narcodollar.

narcoipnòsi f. narcohypnosis.

narcolessìa f. (*med.*) narcolepsy.

narcolèttico a. (*med.*) narcoleptic.

narcolìra f. narcolira*.

narcòsi f. (*med.*) narcosis; general anaesthesia: **n. da azoto**, nitrogen narcosis; **essere sotto n.**, to be anesthetized.

narcosìntesi f. (*psic.*) narcosynthesis.

narcoterapìa f. (*med.*) narcotherapy.

narcoterrorìsmo m. narcoterrorism.

narcoterrorìsta m. e f. narcoterrorist.

narcotèst m. inv. drug test.

narcòtico (*farm.*) **A** a. narcotic: **sostanza narcotica**, narcotic (substance); drug **B** m. narcotic; drug: **squadra narcotici**, drug squad.

narcotìna f. (*chim.*) narcotine.

narcotizzàre v. t. (*med.*) to narcotize.

narcotizzazióne f. (*med.*) narcotization.

narcotrafficànte m. e f. drug trafficker; drug dealer; narco (*fam. USA*).

narcotràffico m. drug dealing.

nàrdo m. – (*bot.*) **n. comune**, (*Lavandula officinalis*) lavender; (*Lavandula latifolia*) spike lavender; **n. celtico** (*Valeriana celtica*), nard; **n. indiano** (*Nardostachys jatamans*), Himalayan spikenard; nard; **n. sottile** (*Nardus stricta*), nard; matgrass.

narghilè m. hookah; narghile; hubble-bubble.

nàri f. pl. (*lett.*) nostrils.

narìce f. (*anat.*) nostril.

narràbile a. tellable; that can be told.

◆**narràre** **A** v. t. to tell*; to narrate (*form.*); (*riferire*) to relate: **n. l'accaduto**, to tell (*o* to relate) the facts; **n. una fiaba**, to tell a fairy tale; *Il libro narra le vicende di...*, the book narrates the story of..., *Narra la leggenda che...*, legend has it that... **B** v. i. to tell* (about): *Mi narrò di sé*, she told me about herself.

narratage (*franc.*) m. inv. (*cinem.*) voice-over.

narratìva f. **1** fiction: **opere di n.**, works of fiction; **scrivere n.**, to write fiction **2** (*leg.*) narrative.

narratività f. (*letter.*) narrativity.

narratìvo a. narrative: **genere n.**, fiction; **parte narrativa** (*di un romanzo*), narrative; **poema n.**, narrative poem; **procedimento n.**, narrative method.

narratologìa f. (*letter.*) narratology.

narratològico a. (*letter.*) narratological.

narratóre m. (f. **-trìce**) **1** narrator; teller; storyteller: **un bravo n.**, a good storyteller **2** (*scrittore*) writer, author; (*romanziere*) novelist.

narrazióne f. **1** narration; telling; (*resoconto*) account **2** (*racconto*) tale; story **3** (*leg.*) narrative.

nartèce m. (*archit.*) narthex.

narvàlo m. (*zool.*, *Monodon monoceros*) narwhal; sea unicorn.

NAS sigla (*Carabinieri*, **Nucleo anti-sofisticazioni**) office against the adulteration of foodstuffs.

nasàle **A** a. (*anat.*, *fon.*) nasal: **cavità n.**, nasal cavity; **setto n.**, nasal septum; (*fon.*) **suono n.**, nasal sound **B** f. (*fon.*) nasal **C** m. (*parte dell'elmo*) nosepiece.

nasalità f. (*fon.*) nasality.

nasalizzàre v. t. (*fon.*) to nasalize.

nasalizzazióne f. (*fon.*) nasalization.

nasàrdo m. (*mus.*) nasard, nazard.

nasàta f. **1** (*colpo dato col naso*) blow with the nose; prod with the nose: **dare una n. a**, to prod with the nose; to nuzzle **2** (*colpo sul naso*) blow on the nose: **dare** (*o* **prendere**) **una n.**, to bang one's nose.

nascènte a. **1** (*che sorge*) rising, dawning; (*che è agli inizi*) emerging, nascent: (*anche fig.*) **astro n.**, rising star; **il giorno n.**, the dawning day; **il sole n.**, the rising sun **2** (*chim.*) nascent: **idrogeno n.**, nascent hydrogen.

♦**nàscere** Ⓐ v. i. **1** (*venire al mondo*) to be born: *Sono nato a Roma*, I was born in Rome; *Dante nacque nel 1265*, Dante was born in 1265; *Quando sei nato?*, when were you born?; *Era nato e cresciuto in Francia*, he was born and brought up in France; *È nato fortunato* [*sordo*], he was born lucky [deaf]; **n. da genitori poveri**, to be born of poor parents; **n. di sette mesi**, to be born at seven months; to be a seven-month premature baby; **n. in una famiglia borghese**, to come from a middle-class family; **n. prematuro**, to be born prematurely; *I bambini strillano quando nascono*, babies scream when they are born; *Vorrei non essere mai nato*, I wish I had never been born; *Le è nato un maschio*, she has had (*o* has given birth to) a baby boy; *Gli è nata una bambina*, he has just become the father of a baby girl; *È nato per fare l'avvocato*, he is a born lawyer; *Deve ancora n. l'uomo che può imbrogliarmi*, the man that can fool me hasn't been born yet; *Poeti si nasce, non si diventa*, poets are born, not made **2** (*di animale*) to be born; (*di oviparo*) to hatch, to be hatched: *Ieri sono nati sei gattini*, six kittens were born yesterday; *Sono nati i pulcini*, the chicks have hatched **3** (*di pianta: dalla terra*) to come* out (*o* up); (*germogliare*) to bud, to sprout: **n. spontaneo**, to come up by itself; to grow wild; *I tulipani nascono in primavera*, tulips come out in spring; *Questi fiori sono nati dopo la pioggia*, these flowers have come up after the rain; *È nata una nuova fogliolina*, a new leaf has sprouted **4** (*di capelli, unghie, corna, ecc.*) to grow*; (*di denti*) to come* through, to grow* in: *Gli è nata la prima barba*, his beard is beginning to grow; he's sprouting a beard; *A Paolino sono nati due dentini*, Paolino has cut two teeth; *Paolino's first two teeth have come through; *Il dente nacque storto*, the tooth grew crooked **5** (*di astro*) to rise*; (*di fiume*) to rise*, to have its source; (*scaturire*) to well up: *Il sole nasce dal mare*, the sun rises (*o* comes up) from the sea; *Il fiume nasce nelle Alpi* [*da quel monte*], the river rises (*o* has its source) in the Alps [on that mountain] **6** (*di edificio, quartiere, ecc.*) to be built; to spring* up **7** (*di dubbio, idea, ecc.*) to arise*; to occur; to be born: *Nacque un dubbio circa la sua validità*, a doubt arose as to its validity; *Mi nacque un sospetto*, I began to suspect something; *Nacque una nuova speranza*, a fresh hope was born **8** (*avere inizio*) to be born, to come* into being, to begin*, to start, to arise*, to grow*, to originate, to emerge; (*essere costituito*) to be formed; to be established, to be set up; (*essere varato*) to be launched; (*essere causato*) to result, to spring*, to come* about, to be due (to): *Il romanticismo nacque in Germania*, Romanticism was born in Germany; *È nata una nuova professione*, a new profession has come into being; *L'azienda nacque nel 1980*, the firm was established in 1980; *La nostra amicizia nacque a scuola*, our friendship began at school; *Il treno nasce a Roma*, the train starts from Rome; *Non so cosa nascerà da questa decisione*, I don't know what will result from this decision; *Tutto nacque da un equivoco*, it was all the result of a misunderstanding; *Da un male è nato un bene*, good has come out of evil ● (*fam.*) **n. bene**, to come from a very good family □ **n. come funghi**, to sprout like mushrooms □ **n. sotto buona** [**cattiva**] **stella**, to be born under a lucky [unlucky] star □ (*di medico*) **far n. un bambino**, to deliver a baby □ **far n. disordini**, to stir up trouble □ **far n. dubbi**, to give rise to doubt □ **far n. un'idea**, to give (sb.) an idea □ **far n. un sorriso**, to provoke a smile □ **far n. sospetto**, to arouse suspicion □ **far n. la speranza**, to give rise to hope □ **far n. la speranza che...**, to awaken the hope that... □ (*fig. fam.*) **È nato con gli occhi aperti**, there are no flies on him □ **È nato prima l'uovo o la gallina?**, which came first, the chicken or the egg? □ **Nasce spontanea una domanda**, a question springs to mind □ (*di donna sposata*) **Come nasce?**, what is her maiden name? □ **Non sono nato ieri**, I wasn't born yesterday □ (*prov.*) **Da cosa nasce cosa**, one thing leads to another Ⓑ m. **1** rise; start; outset; inception: **il n. e il propagarsi di una moda**, the start and spread of a fashion; **il n. del giorno**, daybreak; **il n. del sole**, sunrise; sunup (*USA*); **fin dal suo n.**, right from its beginning (*o* from the start); **sul n.**, at birth; **stroncare qc. sul n.**, to nip st. in the bud **2** (*di pianta, foglia*) sprouting.

❶ NOTA: nascere

Sono nato, egli è nato, ecc., corrispondono in inglese a I was born, he was born, ecc., e non a I am born, he is born, ecc. La differenza fra le due forme è solo apparente, in quanto entrambe sono dei passati: la forma italiana del verbo intransitivo nascere, quella inglese del verbo passivo to be born, **essere partorito** (da to bear, partorire). Quindi: *Sono nato in Spagna nel 1991*, I was born in Spain in 1991 (non ~~I am born in Spain in 1991~~); *Quando sei nato?*, when were you born? (non ~~when are you born?~~). To be born si coniuga al presente anziché al passato soltanto quando traduce effettivamente il presente italiano: *Tutti gli uomini nascono liberi ed eguali*, all men are born free and equal; *Questo disturbo può presentarsi in bambini che nascono da madri alcolizzate*, this disorder may occur in children who are born to alcoholic mothers.

nasciménto m. (*lett.*) birth.

♦**nàscita** f. **1** birth: **la n. di un bambino**, the birth of a child; **la n. gemellare**, twin birth; **alla n.**, at birth; **sordo dalla n.**, deaf from birth; born deaf; **atto di n.**, birth certificate; **controllo delle nascite**, birth control; **luogo di n.**, birthplace **2** (*stirpe, origine*) extraction; birth: **di nobile n.**, of noble birth; highborn; **francese di n.**, French by birth; **diritto di n.**, birthright; **per** (*diritto di*) **n.**, by right of birth **3** (*di pianta*) sprouting; (*di germoglio*) budding **4** (*di astro*) rising; rise: **la n. del sole**, sunrise; sunup (*USA*) **5** (*fig.*) (*inizio*) beginning, emergence; (*origine*) origin: **la n. di un'amicizia**, the beginning of a friendship; **la n. di un partito**, the birth of a party.

nascitùro Ⓐ a. **1** about to be born; as yet unborn **2** (*fig.*) future; forthcoming Ⓑ m. (f. **-a**) (future) baby; (*anche leg.*) unborn child: **i diritti del n.**, the rights of the unborn child.

nascondarèllo → **nascondino**.

♦**nascóndere** Ⓐ v. t. **1** to hide*; to conceal: **n. il denaro** [**un evaso**], to hide the money [an escapee]; **n. qc. in tasca**, to hide st. in one's pocket; **n. il viso fra le mani**, to hide (*o* to bury) one's face in one's hands; *Una nuvola nascose il sole*, a cloud hid the sun; *La collina ci nasconde il lago*, the hill hides the lake from our view; *I cespugli ci nascondevano*, the bushes hid us from view **2** (*tenere celato, segreto*) to hide*, to conceal, to keep* (st. from sb.), to keep* secret; (*mascherare*) to disguise, to mask: **n. la propria identità**, to conceal one's identity; **n. le proprie intenzioni a q.**, to conceal one's intentions from sb.; **n. i propri sentimenti**, to hide (*o* to disguise) one's feelings; **n. la verità a q.**, to keep the truth from sb.; *Mi nascose il fatto*, he hid the fact from me; *Non ti nascondo che lo sapevo*, I won't conceal the fact that I knew about it; *Non nascondo che sono deluso*, I won't pretend I'm not disappointed; *È uno che non nasconde le sue opinioni*, he doesn't make a secret of his views Ⓑ **nascóndersi** v. rifl. to hide* (oneself): *Presto, nasconditi!*, quick, hide yourself!; *Non so dove nascondermi*, I don't know where to hide; *Dove ti eri nascosto?*, where were you hiding? □ **giocare a nascondersi**, to play hide-and-seek ● (*fig.*) **nascondersi dietro a un dito**, to kid ourself; (*fare lo struzzo*) to bury one's head in the sand; (*inventare alibi*) to invent alibis □ (*fig.*) **Va' a nasconderti!**, you ought to be ashamed of yourself! Ⓒ **nascóndersi** v. i. pron. (*essere nascosto*) to be hidden; to be concealed: *Che cosa si nasconde in quella stanza*, what is hidden in that room?; *Qui sotto si nasconde qualcosa di poco chiaro*, there is something fishy going on here.

♦**nascondìglio** m. hiding place; hideout (*fam.*).

nascondino m. hide-and-seek.

nascostaménte avv. secretly; covertly; (*furtivamente*) surreptitiously, stealthily; (*sottobanco*) under the counter.

♦**nascósto** a. **1** (*occultato*) hidden; concealed; (*di fuggiasco*) in hiding (pred.); (*appartato*) secluded: **una casa nascosta tra gli alberi**, a house hidden among the trees; **tesoro n.**, hidden treasure; *La lettera è nascosta in questa stanza*, the letter is hidden in this room; *Resta n. dove sei*, stay hidden where you are; *Rimase n. sei mesi*, he was six months in hiding; **tenere n. qc. a q.**, to keep st. from sb.; to hold out on sb. (*fam.*) **2** (*segreto*) hidden; secret: **passione nascosta**, secret passion; **verità nascosta**, hidden (*o* secret) truth ● **di n.**, secretly; covertly; (*furtivamente*) surreptitiously, stealthily; (*sottobanco*) under the counter: **fare qc. di n. a q.**, to do st. behind sb.'s back; **vedersi di n.**, to meet secretly (*o* in secret).

nasèllo① m. (*zool.*, *Merluccius merluccius*) hake.

nasèllo② m. **1** (*di saliscendi*) catch **2** (*mus.*) nut; frog **3** (*di occhiali*) nose pad.

nasètto m. **1** small nose **2** (*mus.*) nut; frog **3** (*di saliscendi*) catch.

nashi m. inv. (*bot.*) Asian pear; nashi.

nasìca m. inv. (*zool.*, *Nasalis larvatus*) proboscis monkey.

nasièra f. nose-ring.

♦**nàso** m. **1** nose; (*di animale, anche*) snout, muzzle: **n. a becco** (*o adunco*), hooked nose; **n. a patata**, button nose; bulbous nose; **n. affilato**, pointed nose; **n. alla francese**, retroussé nose; **n. all'insù**, upturned nose; **n. aquilino**, Roman nose; **n. camuso**, snub nose; **n. rincagnato**, pug nose; **n. schiacciato**, flat nose; **avere il n. che cola** [**che gocciola**], to have a runny nose [a dripping nose]; **avere il n. intasato**, to have a blocked (*o* stuffed-up, bunged-up) nose; **avere il n. rosso**, to have a red nose; **arricciare il n.**, to wrinkle one's nose; (*fig.*) to turn up one's nose (at st.); **mettersi le dita nel n.**, to pick one's nose; **soffiarsi il n.**, to blow one's nose; **tirare su col n.**, to sniffle; **turarsi il n.**, to hold one's nose; **fazzoletto da n.**, pocket handkerchief; **la punta del n.**,

the tip of one's nose; **tabacco da n.**, snuff **2** (*fig.*: *fiuto*) (a) nose; (*intuito*) guess: **avere buon n. per qc.**, to have a good nose for st.; **andare a n.**, to follow one's nose; **fidarsi del proprio n.**, to follow one's nose; *Ci sono arrivato a n.*, I got there by guesswork; *A n. direi che potrebbe costare sui ventimila euro*, I'd say at a guess it may cost around twenty thousand euros **3** (*mecc.*) catch • **col n. all'aria**, looking up in the air □ (*fig.*) **menare q. per il n.**, to take sb. for a ride • **mettere** (*o* **ficcare, cacciare**) **il n. negli affari altrui**, to poke one's nose into other people's business □ **mettere il n. fuori di casa**, to put one's nose out of doors □ **non vedere più in là del proprio n.**, to see no farther than the end of one's nose □ **restare con un palmo di n.**, to be badly disappointed □ **sbattere la porta sul n. a q.**, to slam the door in sb.'s face □ **sotto il n.** (*davanti agli occhi*), sb.'s nose: *Gli misi la lettera sotto il n.*, I thrust the letter under his nose □ **storcere il n. di fronte a qc.**, to turn up one's nose at st.

nasobiànco m. (*zool.*, *Cercopithecus nictitans*) white-nosed monkey.

nasofaringèo a. (*anat.*) nasopharyngeal.

nasolabiàle a. (*anat.*) nasolabial.

nasóne m. **1** (*grosso naso*) big nose **2** (f. **-a**) (*scherz.*, *di persona*) person with a big nose.

nàspo m. (*ind. tess.*) reel; swift.

nàssa f. fishpot; (*per aragoste*) lobster pot (*o* trap); (*per anguille*) eel basket.

Nàsso f. (*geogr.*) Naxos.

nastìa f. (*bot.*) nastic movement.

nàstico a. (*bot.*) nastic.

nastràre v. t. (*tecn.*) to tape.

nastratrìce f. (*tecn.*) taping machine.

nastratùra f. (*tecn.*) taping.

nastrifórme a. ribbon-like.

nastrino m. (*mil.*) ribbon.

♦**nàstro** m. **1** ribbon; (*fascia*) band: **n. del cappello**, hatband; **n. di lutto**, mourning band; **n. di seta** [**di velluto**], silk [velvet] ribbon; **n. elastico**, elastic band; **n. per capelli**, hair ribbon; **ornato di nastri**, ribboned **2** (*tecn.*) tape; band; ribbon; strap; belt: **n. adesivo**, adhesive tape; Sellotape® (*GB*); Scotch tape® (*USA*); **n. d'acciaio** [**di ferro**], steel strip; **n. di macchina per scrivere**, typewriter ribbon; **n. di mitragliatrice**, machine-gun belt; **n. di telescrivente**, ticker tape; **n. isolante**, insulating tape; friction tape (*USA*); **n. magnetico**, magnetic tape; (*comput.*) **n. perforato**, punched tape; **n. trasportatore**, conveyer belt; **incidere su n.**, to record on tape; **sega a n.**, band-saw; endless saw; **metro a n.**, tape measure; **registratore a n.**, tape recorder • (*naut.*) **n. azzurro**, blue riband; blue ribbon □ (*sport*) **n. del traguardo**, finishing tape: **tagliare il n. del traguardo**, to breast the tape □ (*mat.*) **n. di Möbius**, Möbius strip □ (*ipp.*) **nastri di partenza**, starting tape (sing.) □ **n. stradale**, asphalt ribbon; ribbon of road.

nastrotèca f. tape library.

nastùrzio m. **1** (*bot.*, *Nasturtium officinale*) watercress **2** (*bot.*) - **n. indiano** (*Tropaeolum maius*) nasturtium.

nasùto a. big-nosed; long-nosed; (*dal naso a becco*) hook-nosed.

natàbile a. navigable.

♦**natàle** A m. **1** (*giorno n.*) birthday **2** (*festività*) → **Natale**① **3** (al pl.) (*nascita*) birth (sing.): **di bassi natali**, of humble birth; lowborn; **di illustri** [**oscuri**] **natali**, of noble [obscure] birth • **il n. di Roma**, the foundation of Rome □ **dare i natali a**, to be the birthplace of B a. native; birth (attr.): *Bari è la mia città n.*, Bari is my native town; **pae**

se n., native country; homeland; **giorno n.**, birthday.

Natàle① m. (*festività*) Christmas (abbr. scritta *fam.* Xmas): **il giorno di N.**, Christmas Day; **a N.**, (*il giorno di N.*) on Christmas Day; **a** (*o* **sotto**) **N.**, at Christmas; **albero di N.**, Christmas tree; **la vigilia di N.**, Christmas Eve; *Buon N.!*, merry Christmas!

Natàle② m. (*nome*) Noel.

Natalìa f. Natalie; Natalia.

natalità f. (*stat.*) natality; birthrate.

♦**natalìzio** A a. **1** (*di Natale*) Christmas (attr.): **biglietto n.**, Christmas card; **doni natalizi**, Christmas presents; **periodo n.**, Christmas-time **2** (*natale*) birth (attr.); natal: **giorno n.**, birthday B m. (*lett.*) birthday.

Nàtan m. (*Bibbia*) Nathan.

Natanièle m. Nathaniel.

natànte A a. floating; waterborne B m. (*naut.*) craft*; boat: **n. da diporto**, pleasure craft.

natatóia f. (*zool.*) fin; flipper.

natatòrio a. swimming (attr.); natatory: **vescica natatoria**, swimming bladder.

nàtica f. (*anat.*) buttock; cheek (*fam.*).

natimortalità f. (*stat.*) stillbirth rate.

natìo a. (*lett.*) native; home (attr.) • **il tetto n.**, home.

nativìsmo m. (*filos.*) nativism.

nativìsta m. e f. (*filos.*) nativist.

natività f. (*relig.*, *arte*) nativity.

natìvo A a. **1** (*di nascita*) native; home (attr.): **lingua nativa**, native language; **paese n.**, native country; homeland; *Sono n. di Pisa*, I was born in Pisa **2** (*innato*) native; innate; inborn B m. (f. **-a**) native: **i nativi della Giamaica**, the natives of Jamaica; *Sono un n. del luogo*, I'm a local.

♦**nàto** A a. **1** born: **n. da povera gente**, born of poor parents; **n. e cresciuto**, born and bred; (*anche fig.*) **n. morto**, stillborn; **n. per grandi cose**, born to great things; **un attore n.**, a born actor; **un capo n.**, a born leader; a natural leader; **appena n.**, newborn (attr.); (*di oviparo*) newly hatched; **non ancora n.**, unborn ❶ NOTA: **nascere → nascere 2** (al femm., *di donna sposata*) née (*franc.*): *Luisa Bini nata Motta*, Luisa Bini née Motta • (*fig.*) **n. con la camicia**, born lucky □ (*fig.*) **n. ieri**, born yesterday B m. (f. **-a**) **1** (*figlio*) child*: **il mio primo n.**, my eldest child; my first born **2** (al pl.) those born: **i nati nel 1980**, those born in 1980.

natremìa → **natriemia**.

natrìce f. (*zool.*, *Natrix natrix*) grass snake.

natriemìa f. (*biochim.*) natremia.

nàtron m. (*miner.*) natron.

nàtta f. (*med.*) sebaceous cyst; wen.

♦**natùra** f. **1** nature; (*se personificata*, *anche*) Nature: **la n. umana**, human nature; *Madre n.*, Mother Nature; **le bellezze della n.**, the beauties of nature; **i doni della n.**, Nature's gifts; **legge di n.**, law of nature; natural law; *Lascia fare alla n.*, leave it to nature; **ritornare alla n.**, to go back to nature; **vivere secondo n.**, to live according to nature **2** (*istinto*) natural instinct: **seguire la propria n.**, to follow one's natural instinct **3** (*qualità*, *tipo*) nature; sort; type; kind: **la n. dei loro rapporti**, the nature of their relationship; **libri di varia n.**, different kinds of books; **problemi di n. tecnica**, technical problems; problems of a technical nature (*form.*) **4** (*indole*) nature; character: **di n. impulsiva**, impulsive by nature; naturally impulsive; **buono di** (*o* **per**) **n.**, naturally good; *Sono ottimista per n.*, I'm an optimist by nature; *Non è nella mia n. portare rancore*, it's not in my nature to bear a grudge • (*pitt.*) **n. morta**, still life □ **allo stato di n.**, in the natural state □ **contro n.**, against na

ture; unnatural □ **dono di n.**, natural gift □ È **nella n. delle cose**, it is in the nature of things □ **pagare in n.**, to pay in kind.

♦**naturàle** a. **1** (*di natura*, *della natura*, *conforme alla natura*) natural; nature (attr.): **abilità naturali**, natural (*o* innate) abilities; **il corso n. degli eventi**, the natural course of events; (*leg.*) **diritto n.**, natural law; **gas n.**, natural gas; **morte n.**, natural death; **religione n.**, natural religion; **riserva n.**, nature reserve; **risorse naturali**, natural resources; **scienze naturali**, natural science (sing.); **storia n.**, natural history **2** (*ordinario*, *ovvio*) natural; obvious: **una n. conseguenza**, a natural consequence; **reazione n.**, natural reaction; *È n. che lui ci creda*, it's natural for him to believe it; **più che n.**, only too natural **3** (*genuino*, *autentico*) natural, real, genuine; (*organico*) organic; (*semplice*) simple; (*non artefatto*) unaffected: **capelli di un biondo n.**, naturally blonde hair; **cibi naturali**, natural food; **denti naturali**, one's own teeth; **fiori naturali**, real flowers; **via n.**, simple life; **parlare in modo n.**, to speak in an unaffected way **4** (*mus.*) natural **5** → **naturalmente**, *def. 3* • **acqua minerale n.**, still mineral water □ **al n.**, natural; au naturel (*franc.*); (*crudo*) raw, uncooked □ **figlio n.**, natural (*o* illegitimate) son □ (*mat.*) **numero n.**, natural number □ **a grandezza n.**, life-size (attr.) □ **vita natural durante**, for the whole of one's life; for the rest of one's days.

naturalézza f. **1** naturalness; natural way (*o* manner) **2** (*spontaneità*) naturalness; spontaneity; artlessness; unaffectedness • **con n.**, naturally; unaffectedly □ **mancare di n.**, to be stilted (*o* affected).

naturalìsmo m. naturalism.

naturalìsta m. e f. naturalist.

naturalìstico a. naturalistic.

naturalità f. (*lett.*) naturalness; artlessness.

naturalizzàre A v. t. to naturalize B **naturalizzàrsi** v. rifl. (*ottenere la cittadinanza*) to be (*o* to become*) naturalized C **naturalizzàrsi** v. i. pron. (*biol.*) to naturalize.

naturalizzazióne f. naturalization.

naturalménte avv. **1** (*per natura*) naturally; by nature **2** (*con naturalezza*) naturally; unaffectedly **3** (*logicamente*) naturally; logically **4** (*certo*, *beninteso*) of course; naturally; obviously; sure (*USA*): «*Gli hai scritto?*» «*N.!*», «did you write to him?» «of course (I did)».

naturamortìsta m. e f. (*pitt.*) still-life painter.

naturìsmo m. **1** naturism **2** (*med.*) naturopathy; nature cure **3** (*relig.*) naturism.

naturìsta A m. e f. **1** naturist **2** (*med.*) naturopath B a. **1** naturistic **2** (*med.*) naturopathic.

naturìstico a. naturistic.

naturòpata m. e f. naturopath; naturopathic doctor.

naturopatìa f. (*med.*) naturopathy.

naufragàre v. i. **1** to be wrecked; (*di persona*, *anche*) to be shipwrecked: *Il brigantino naufragò in una tempesta*, the brig was wrecked in a storm; *Naufragammo su un'isola deserta*, we were shipwrecked on a desert island **2** (*fig.*) to be wrecked; to fail; to fall* through; to founder: *Le mie speranze naufragarono*, my hopes were wrecked; *Il piano naufragò*, the plan fell through (*o* failed); **far n.**, to wreck.

naufràgio m. **1** shipwreck; wreck **2** (*fig.*) wreck; failure; collapse; ruin • **fare n.**, to be shipwrecked; (*fig.*) to be wrecked.

nàufrago m. (f. **-a**) shipwrecked person; survivor from a wreck; (*che raggiunge una ter*

ra deserta) castaway: *I naufraghi furono raccolti da un peschereccio*, the survivors were picked up by a fishing vessel.

naumachìa f. (*stor.*) naumachia*.

naupatìa f. (*med.*) naupathia; sea-sickness.

nàuplio m. (*biol.*) nauplius*.

nàusea f. 1 (*med.*) nausea 2 (*fig.*) nausea; disgust; revulsion ● **avere n.**, to feel sick □ **dare** (*o* **far venire**) **la n. a**, to make (sb.) sick; to make (sb,) nauseous; (*fig.*) to make (sb.) sick, to nausesate, to sicken □ **fare n. a**, to nauseate; to sicken □ **fino alla n.**, until one feels sick; (*fig.*) ad nauseam (*lat.*): **mangiare fino alla n.**, to eat oneself sick; *Ne abbiamo discusso fino alla n.*, we thrashed the subject (*o* the issue) to death (*fam.*) □ **senso di n.**, queasiness □ **provare un senso di n.**, to feel queasy □ **In barca mi viene la n.**, I feel sick on boats.

nauseabóndo, nauseànte a. 1 nauseating; nauseous: **cibo n.**, nauseating food 2 (*fig.*) nauseating; sickening; revolting; disgusting: **una vista nauseabonda**, a nauseating sight.

nauseàre v. t. 1 to make (sb.) sick 2 (*fig.*) to make (sb.) sick; to nausesate; to turn (sb.'s) stomach; to sicken.

nauseàto a. nauseated; sick; disgusted.

nàuta m. (*lett.*) 1 (*marinaio*) mariner (*lett.*); seaman*; sailor 2 (*nocchiero*) pilot; helmsman*.

nàutica f. 1 (*scienza*) (art of) navigation; nautical science 2 (*attività*) boating; sailing 3 (*imbarcazioni*) boats (pl.); sailing craft (pl.) ● **negozio di n.**, marine shop □ **salone della n.**, boat show.

nàutico a. nautical; naval; marine: **carte nautiche**, nautical charts; **istituto n.**, nautical college; **sala nautica**, charthouse; **sci n.**, water skiing; **scienza nautica**, nautical science; **sport nautici**, aquatic sports; **strumenti nautici**, nautical instruments.

nàutilo m. (*zool.*, *Nautilus pompilius*) (pearly) nautilus*.

navaho, navajo a. e m. (f. *-a*) Navajo, Navaho.

navàle a. naval; nautical; marine; sea (attr.); ship (attr.): **accademia n.**, naval academy; **battaglia n.**, naval (*o* sea) battle; **cantiere n.**, shipyard; **costruzioni navali**, shipbuilding ⓤ; **ingegnere n.**, naval (*o* marine) engineer; **potenza n.**, naval power.

navalìsmo m. navalism.

navalìstico a. naval; navalistic.

navalmeccànica f. naval (*o* marine) engineering.

navalmeccànico Ⓐ a. naval-engineering (attr.); marine-engineering (attr.) Ⓑ m. naval-engineering worker.

navàrca, navàrco m. (*stor.*) navarch.

Navàrra f. (*geogr.*) Navarre.

navàta f. (*archit.*: *n. centrale*) nave; (*n. laterale*) aisle: **una chiesa a tre navate**, a church with a nave and two aisles; **una chiesa a cinque navate**, a church with a nave and double aisles; **una chiesa a una sola n.**, an aisleless church.

♦**nàve** f. ship; vessel; boat (*fam.*): **n. a un ponte** [**a due, a tre ponti**], single-decker [double-decker, three-decker]; **n. a vapore**, steamship; steamer; **n. a vela**, sailing ship; **n. ammiraglia**, flagship; **n. appoggio**, mother-ship; tender; **n. carboniera**, collier (ship); **n. cisterna**, (oil) tanker; **n. civetta**, decoy (ship); **n. corsara**, corsair; privateer; **n. da cabotaggio**, coaster; **n. da carico**, cargo boat; freight ship; freighter; (*non di linea*) tramp (steamer); **n. da crociera**, cruiser liner; **n. da guerra**, warship; man-of-war; **n. da pesca**, fishing vessel; **n. di linea**, liner; **n. dragamine**, minesweeper; **n. faro**,

lightship; **n. fattoria**, factory ship; **n. frigorifera**, refrigerator ship; **n. goletta**, barquentine; **n. lanciamissili**, rocket ship; **n. mercantile**, cargo; merchant ship; merchantman; (*stor.*) **n. negriera**, slave ship; **n. officina**, repair ship; **n. ospedale**, hospital ship; **n. passeggeri**, passenger ship; (*di linea*) passenger liner; **n. petroliera**, oil tanker; **n. portaerei**, aircraft carrier; **n. portacontainer**, container ship; **n. posamine**, minelayer; **n. prigione**, prison ship; **n. rompighiaccio**, ice-breaker; **n. scorta**, convoy ship; escort; **n. scuola**, training ship; (*aeron.*) **n. spaziale**, spaceship; **n. trasporto truppe**, troopship; **n. vichinga**, longship; (*fig.*) **la n. dello Stato**, the ship of state; **abbandonare la n.**, to abandon ship; **allestire una n.**, to fit a ship; **varare una n.**, to launch a ship; **andare in n.**, to sail; **trasportare per n.**, to ship; **viaggiare per n.**, to travel by ship; **viaggio per n.**, voyage.

navétta Ⓐ f. 1 (*oreficeria*) navette: **taglio a n.**, navette cut 2 (*mecc., trasp., ind. tess.*) shuttle: **n. spaziale**, space shuttle; **trasportare con servizio n.**, to shuttle ● (*fig.*) **fare la n.**, to go back and forth Ⓑ a. shuttle (attr.): **treno n.**, shuttle train.

♦**navicèlla** f. 1 small ship; small craft* 2 (*aeron., di mongolfiera*) basket; (*di aerostato*) gondola, car; (*di dirigibile*) nacelle 3 (*chim.*) boat 4 (*per incenso*) incense boat.

navicèllo m. (*naut.*) two-masted sailing coaster.

navicolàre a. (*anat.*) navicular: **osso n.**, navicular (bone).

navigàbile a. navigable: **fiume n.**, navigable river.

navigabilità f. 1 (*naut.*) seaworthiness; (*aeron.*) airworthiness: **in buone condizioni di n.**, (*naut.*) seaworthy; (*aeron.*) airworthy 2 (*di fiume, ecc.*) navigability.

navigànte Ⓐ a. 1 (*naut.*) sailing; seafaring; maritime 2 (*aeron.*) flying; flight (attr.) ● **personale n.**, (*naut.*) crew; (*aeron.*) flight crew Ⓑ m. sailor; seafarer (*lett.*) ● **avviso ai naviganti**, warning to shipping □ **bollettino per i naviganti**, shipping forecast.

♦**navigàre** Ⓐ v. i. 1 (*naut.*) to sail; (*come professione*) to be at sea; (*procedere*) to steer, to navigate: **n. a vela**, to sail; **n. di conserva**, to sail in convoy; **n. in carico**, to sail laden; **n. in superficie**, to sail on the surface; **n. intorno al mondo**, to sail round the world; **n. lungo un fiume**, (*risalendo*) to sail up a river; (*scendendo*) to sail down a river; **n. sottocosta**, to sail along the coast; to hug the coast; *Naviga da vent'anni*, he has been at sea for twenty years 2 (*aeron.*) to fly* 3 (*di merci: essere trasportato*) to be carried (by ship) 4 (*fig.: procedere*) to steer one's course; to get by 5 (*comput.*) to surf: **n. su Internet**, to surf the Net ● (*fig.*) **n. col vento in poppa**, to have a good wind (*o* a tail wind) behind one □ (*fig.*) **n. in cattive acque**, (*di ditta, ecc.*) to be in difficulties (*o* in trouble); (*di persona*) to be hard up (*fam.*) □ (*fig.*) **n. secondo il vento**, to trim one's sails according to the wind Ⓑ v. t. (*naut.*) to sail: **n. i mari**, to sail the seas.

navigàto a. 1 (*naut.*) navigated 2 (*fig.*) experienced; seasoned; (*smaliziato*) shrewd, wordly-wise, knowing one's way about: **donna navigata**, experienced woman; **uomo d'affari n.**, shrewd businessman.

navigatóre Ⓐ a. seafaring: **popolo n.**, seafaring people Ⓑ m. (f. *-trice*) 1 (*naut.*) navigator (*stor.*); seafarer; sailor: **i grandi navigatori del passato**, the great navigators of the past; **n. solitario**, lone sailor; **popolo di navigatori**, seafaring people 2 (*aeron.*) navigating officer; navigator 3 (*autom.*) navigator: **n. satellitare**, satellite navigator ● **n. spaziale** (*astronauta*), astro-

naut; spaceman.

navigazióne f. 1 (*naut.*: *arte, azione del navigare*) navigation; (*l'andare per mare*) sailing; (*viaggio per mare*) voyage; (*traversata*) crossing: **n. a vela**, sailing; **n. a vapore**, steam sailing; steam navigation; **n. astronomica**, celestial navigation; **n. da diporto**, yachting; **n. fluviale**, river navigation; **n. in superficie**, surface navigation; **n. in immersione**, submerged navigation; **n. interna**, inland navigation; **una lunga n.**, a long voyage; *La n. durò tre mesi*, the crossing (*o* the voyage) lasted six months; **essere in n.**, to be sailing; *Siamo in n. verso Rio*, we are sailing towards Rio; **compagnia di n.**, shipping company; shipping line 2 (*aeron.*) navigation; (*volo*) flight: **n. aerea**, air navigation; **n. cieca** [**a reticolo, a mezzo radio**], blind air [grid, radio] navigation; **n. ad alta quota**, flying at high altitude 3 (*comput.*) navigation; (*Internet*) surfing ● **n. spaziale**, astronautics (pl. col verbo al sing.) □ **atto alla n.**, (*di nave*) seaworthy; (*d'aeroplano*) airworthy □ **strumenti per la n.**, navigational instruments.

navìglio m. 1 (*insieme di imbarcazioni*) shipping; ships (pl.); craft (pl.); (*flotta*) fleet: **n. d'alto mare**, sea-going craft; **n. da carico**, freighters (pl.); **n. da guerra**, warships; **n. da pesca**, fishing fleet; **n. leggero**, small craft; **n. silurante**, torpedo craft 2 (*canale*) ship canal; shipway; waterway 3 (*imbarcazione*) craft*; boat; vessel.

navimodellìsmo m. (*il costruire*) model-ship building; (*il collezionare*) model-ship collecting.

navóne m. (*bot., Brassica napus*) rape; swede; rutagaba (*USA*).

naz. abbr. (**nazionale**) national (nat.).

nazarèno a. e m. Nazarene ● **capelli alla nazarena**, flowing locks.

nàzi → **nazista**.

nazifascìsmo m. Nazi-Fascism.

nazifascìsta a., m. e f. Nazi-Fascist.

nazificàre v. t. to Nazify.

nazionalcomunìsmo m. National Communism.

nazionalcomunìsta m. e f. National Communist.

nazionalcomunìstico a. National Communism (attr.).

♦**nazionàle** Ⓐ a. national; domestic; home (attr.); (*su tutto il territorio n.*) nationwide (avv. e agg.): **banca n.**, national bank; **economia n.**, home (*o* domestic) economy; **festa n.**, national holiday; **industria n.**, domestic (*o* national) industry; **inno n.**, national anthem; **lingua n.**, national language; **prodotti nazionali**, home products; **reddito n.**, national income; **sciopero n.**, nationwide strike; **voli nazionali**, domestic flights; **su scala n.** (*o* a diffusione n.), nationwide; national Ⓑ m. e f. (*sport*: atleta) member of a national team Ⓒ f. (*sport*) national team.

nazionalìsmo m. nationalism.

nazionalìsta Ⓐ m. e f. nationalist Ⓑ a. nationalist, nationalistic.

nazionalìstico a. nationalist, nationalistic.

nazionalità f. 1 national character 2 (*cittadinanza*) nationality: **doppia n.**, dual nationality; **cambiare n.**, to change one's nationality; **invocare la n. svizzera**, to claim Swiss nationality 3 (*etnia*) nationality 4 (*nazione*) nation; country: **delegati di diverse n.**, delegates from different countries ● (*polit.*) **principio di n.**, principle of the self-determination of nations.

nazionalizzàre v. t. to nationalize.

nazionalizzazióne f. nationalization.

nazionalpopolàre a. national-popular.

nazionalsocialiṣmo m. National Socialism.

nazionalsocialista a., m. e f. National Socialist.

nazionalsocialistico a. National Socialist.

♦**naziόne** f. nation; (*paese, anche*) country: **la n. araba**, the Arab nation; **l'indipendenza di una n.**, the independence of a nation; **messaggio alla n.**, message to the nation; **per il bene della n.**, for the good of the country; **gente di ogni n.**, people from all countries; **l'Organizzazione delle Nazioni Unite**, the United Nations Organization; **in tutta la n.**, nationwide (agg. e avv.).

naziskin m. e f. inv. Nazi skinhead.

naziṣmo m. Nazism.

naziṣta a., m. e f. Nazi: **saluto n.**, Nazi salute.

nazzarèno → **nazareno**.

NB sigla (*o n.b.*) (**nota bene**) note well (NB).

NCEU sigla (**Nuovo catasto edilizio urbano**) urban building register.

NCT sigla (**Nuovo catasto territoriale**) Land Register.

ND sigla (*titolo lat.: Nobilis Domina*) (**nobil donna**).

N.d.A. sigla (**nota dell'autore**) author's note.

N.d.E. sigla (**nota dell'editore**) publisher's note.

N.d.R. sigla (**nota della redazione** (*o del* **redattore**)) editor's note.

'ndràngheta f. Calabrian mafia-type organization.

N.d.T. sigla (**nota del traduttore**) translator's note.

♦**ne**① Ⓐ particella pron. m. e f. sing. e pl. **1** (*di ciò, di lui, di lei, ecc.*) of [about, by, with] it [him, her, etc.] (*ma spesso non ha equivalente o vi corrisponde un agg. poss.*): *Cerca di parlargliene*, try and talk to him about it; *L'ha fatto da sé e ne è fiero*, he made it himself and he is proud of it; *L'ho conosciuto e non ne sono entusiasta*, I've met him, and I wasn't impressed; *Fanne una lista*, make a list (of them); *Gliene devo dare una parte*, I must give him some; *Ne ho bisogno*, I need it; *Non ne dubito*, I don't doubt it; *Se ne pentirà*, he will be sorry for it; he will regret it; *Me ne dimenticai*, I forgot about it [him, her, them]; *Prese il fiore e ne spezzò il gambo*, she took the flower and snapped its stalk; *Non ne vedo la necessità*, I don't see the need for it; *Che cosa ne ha fatto del suo libro?*, what has he done with his book?; *Cosa me ne faccio di un calamaio d'argento?*, what use to me is a silver inkstand?; *Ne ha fatte di tutti i colori*, she has been up to all sorts of tricks **2** (*partitivo*: nelle frasi afferm. e nelle interr. quando si offre qc. o il sogg. è un pron. interr.) some; (in frasi dubitative, interr. e neg. in presenza di altra negazione) any; (in frasi neg. quando non vi sia altra negazione) none; (non ha equivalente se accompagnato da un numero o da un agg. indef., ma se questi sono seguiti da un agg. qualificativo, allora si rende con one, ones): *C'è del gelato in frigo, ne vuoi?*, there's ice-cream in the fridge, would you like some?; *«Vuoi delle sigarette?» «No, grazie, ne ho»*, «would you like some cigarettes?» «thank you, no, I've got some»; *Chi ne vuole?*, who wants some?; *Prendine*, take some; *Dammi delle mele, se ne sono rimaste*, give me some apples, if there are any left; *Te ne darei se ne avessi*, I would give you some if I had any; *Eccone due*, here are two (of them); *Mandamene due scatole*, send me two boxes; *Non ne ho*, I have none; *Ne avevo dieci*, I had ten; *Ne ho molti*, I have a lot (of them); *Ne ho due molto belli*, I have two beautiful ones; *Ne devo*

comprare uno nuovo, I must buy a new one; *Quanto* [*quanti*] *ne vuoi?*, how much [how many] do you want?; *Ne ho a sufficienza*, I've got enough **3** (*da ciò*) from it; out of it (*o* idiom.): *Non ne ricavai niente*, I didn't get anything out of it; *Ne segue che l'accordo è invalido*, it follows that the agreement is not valid Ⓑ avv. **1** (*di moto da luogo*) from there; from here; out of it; out of there: *Riuscì a uscirne*, he managed to get out of there; *Andiamocene*, let's go; let's leave; *Andiamocene da qui*, let's get away from here; let's leave this place; *Me ne vado*, I'm going; I'm leaving **2** (*pleonastico*) – *Se ne veniva pian piano*, he was coming along slowly; **starsene da solo**, to be by oneself; *Non startene lì impalato!*, don't just stand there!; *Ce ne andammo a spasso*, we went for a walk.

♦**ne**② prep. in: **come scrive Moravia ne «Il conformista»**, as Moravia writes in «The Conformist».

NE sigla (*geogr.*, **nord-est**) north-east (NE).

♦**né** cong. neg. **1** (*negando due termini*) neither... nor; (*più di due termini*) neither... nor... nor; (in presenza di altra negazione) either... or: **né carne né pesce**, neither fish nor fowl; **né lunedì, né martedì, né mercoledì**, neither Monday, nor Tuesday, nor Wednesday; *Non voglio né tè né caffè*, I want neither tea nor coffee; I don't want either tea or coffee; **né l'uno né l'altro**, neither (of them); *Non c'erano né l'uno né l'altro*, neither (of them) was present; *Non voglio né l'uno né l'altro*, I want neither (of them); I don't want either (of them); **né da una parte né dall'altra**, on neither side; *Se n'è andato senza dire addio né lasciare un biglietto*, he left without saying good-bye or leaving a note; *Non lo farei né ora né mai*, I wouldn't do it now or at any other time **2** (*e non*) nor (con inversione del sogg. e del verbo); and not: *Non l'ho visto né voglio vederlo*, I haven't seen it nor do I want to see it (*o* and I don't want to see it either); *Non è la prima né sarà l'ultima volta*, it is not the first time, nor will it be (*o* and it won't be) the last.

♦**neànche** Ⓐ avv. **1** nor, neither (entrambi con inversione del sogg. e del verbo); not... either: *Non li conosco e n. voglio conoscerli*, I haven't met them, nor do I want to meet them; *Non sa giocare a tennis e n. io*, he can't play tennis, nor (*o* and neither) can I; *«Non fumo» «N. io»*, «I don't smoke» «neither (*o* nor) do I»; *«Non l'ho letto» «N. io»*, «I haven't read it» «neither (*o* nor) have I»; *«Tu vieni?» «No» «E tua moglie?» «N.»*, «are you coming?» «no, I'm not» «what about your wife?» «she isn't either»; *N. Lisa è venuta*, Lisa hasn't come either **2** (rafforzativo di una neg.) even: *Non so n. se mi faranno entrare*, I don't even know if they'll let me in; **senza n. fermarsi**, without even stopping; **senza n. un grazie**, without even (*o* without so much as) a thank-you; *N. un bambino ci passerebbe*, not even a child would get through; **n. uno**, not one; not a single one; *Non mi piace n. un po'*, I don't like it at all; *Non ci penso n.!*, I haven't the slightest intention; I wouldn't dream of it!; not a chance! (*fam.*); *N. per sogno!*, not at all!; not a chance! (*fam.*); no way! (*fam.*) Ⓑ cong. not even: *Non te lo direi n. se lo sapessi*, I wouldn't tell you even if I knew.

neandertaliàno a. Neanderthal (attr.).

neànide f. (*zool.*) neanic stage.

♦**nèbbia** f. **1** (*densa*) fog; (*leggera*) mist; (*foschia*) haze: **n. bassa**, low fog; ground fog; **n. densa** (*o* **fitta**), dense (*o* thick) fog; (*giallognola*) pea-souper (*fam.*); **n. rada**, thin mist; **una n. da tagliare col coltello**, a fog you could cut with a knife; **le nebbie del primo mattino**, early morning mists; *La n. si dileguò*, the fog cleared up (*o* rolled away, melted away); *La n. si diradava*, the fog was

lifting; *Si sta alzando la n.*, it's getting foggy; fog is coming in (*o* down); *C'è un po' di n. oggi*, it's a bit misty today; **avvolto dalla n.**, shrouded in mist [fog]; **bloccato dalla n.**, fog-bound; **banco di n.**, fog bank **2** (*fig.*) mist; haze; cloud; (*ombra*) shadow: **le nebbie del passato**, the mists of the past; **le nebbie dell'ignoranza**, the cloud of ignorance; *Avevo come una n. davanti agli occhi*, I saw everything as if through a haze **3** (*bot.*) blight **4** (*med.*) nebula • (*fis.*) **camera a n.**, Wilson's cloud chamber □ (*mil.*) **cortina di n.**, smokescreen □ **dileguarsi come n. al sole**, to disappear; to vanish into thin air.

nebbiògeno Ⓐ a. smoke-producing (attr.) Ⓑ m. smoke generator; smoke-discharger.

nebbiόne m. dense (*o* thick) fog; pea-souper (*fam.*).

nebbioṣità f. mistiness; fogginess; (*anche fig.*) haziness.

nebbiόṣo a. **1** misty; foggy: **una mattina nebbiosa**, a misty morning **2** (*fig.*) hazy; vague; clouded.

nèbula f. (*astron.*) nebula*.

nebulàre a. (*astron.*) nebular.

nebulizzàre v. t. (*chim.*) to nebulize; to atomize.

nebulizzatόre m. (*chim.*) nebulizer; atomizer.

nebulizzaziόne f. (*chim.*) nebulization; atomization.

nebulόṣa f. (*astron.*) nebula*: **n. a emissione**, emission nebula; **n. anulare**, ring nebula; **la n. di Orione**, the Orion Nebula; **n. diffusa**, diffuse nebula; **n. extragalattica**, extragalactic nebula; **n. lucida** (*o* **luminosa**), bright nebula; **n. oscura**, dark nebula; **nebulose gassose**, gaseous nebulae.

nebuloṣità f. **1** nebulosity **2** (*fig.*) nebulousness; haziness; vagueness; cloudiness.

nebulόṣo a. **1** nebulous **2** (*fig.*) nebulous; hazy; vague; clouded: **concetti nebulosi**, nebulous concepts; **ragionamento n.**, clouded reasoning; **ricordo n.**, hazy (*o* vague) memory.

nécessaire (*franc.*) m. inv. case; set; kit: **n. da scrivania**, writing set; **n. da toeletta**, toilet case; (*borsa*) toilet bag; **n. per la barba**, shaving set; **n. per cucire**, sewing kit; **n. per manicure**, manicure set.

necessariaménte avv. necessarily; of necessity.

♦**necessàrio** Ⓐ a. **1** necessary; (*inevitabile, anche*) inevitable; (*indispensabile, anche*) indispensable: **conseguenza necessaria**, necessary consequence; *È una conseguenza necessaria del lavorare qui*, it's an inevitable consequence of working here; **un male n.**, a necessary evil; *Il provvedimento è divenuto n.*, the measure has become a necessity; **rendersi n. a q.**, to make oneself indispensable to sb. **2** (*richiesto*) required; requisite; necessary: **i documenti necessari**, the requisite (*o* necessary) papers **3** (*occorrente, sufficiente*) needed; necessary: **il tempo n. per finire**, the time needed to finish; the time it takes to finish; **con la necessaria prudenza**, with the necessary caution; *Non ho il denaro n.*, I don't have the money; *Non c'è lo spazio n.*, there isn't enough space **4** (come pred.) necessary (*o* costr. verbali diverse): **essere n.**, to be needed; to be required; to be necessary; *È n. il tuo aiuto*, your help is needed; *È necessaria un'autorizzazione*, a permit is required; *È n. molto tempo per fare ciò*, it takes a long time to do it; *È proprio n.?*, is it really necessary?; *È proprio n. dirglielo?*, does he have to be told?; *È n. che io lo sappia subito*, it is necessary (*o* essential) for me to know at once (*form.*); I must be informed at once; *È n. far presto*, we

must hurry; *È n. che qualcuno li avverta*, they must be warned; someone must warn them; *Non è n. che vengano*, they needn't come; it isn't necessary for them to come; «*Devo venire anch'io?*» «*No, non è n.*», «should I come too?» «no, you needn't» **5** (*leg.*) necessary: **erede n.**, heir at law **B** m. (*ciò che occorre*) necessities (pl.); what is necessary; what is needed; essentials (pl.); (*strumenti necessari*) materials (pl.); **il n. per vivere**, the necessities of life; **il n. per disegnare [per scrivere]**, drawing [writing] materials (pl.); **lo stretto n.**, the bare necessities; the bare minimum; *La casa è piena di cose inutili e manca il n.*, the house is full of useless things and lacks the essentials; *Farò il n.*, I'll do what is necessary; *Avevo con me tutto il n.*, I had everything I needed (*o* all that was necessary) with me; **più del n.**, more than (is) necessary.

♦**necessità** f. **1** necessity: *La n. non conosce leggi*, necessity knows no law; **n. fisica [logica]**, physical [logical] necessity; **spinto dalla n.**, driven by necessity **2** (*bisogno, mancanza*) need: **n. urgente**, urgent need; **avere n. di qc.**, to need st.; to be in need of st.; **avere n. di dormire**, to need sleep; *Ho assoluta n. di parlargli*, I absolutely need to speak to him; **sentire la n. di qc.**, to feel the need of st.; *Non c'è n. che tu venga*, you needn't come; there's no need for you to come; **in caso di n.**, in case of need; if necessary; if needed; **secondo la n.**, as needed; as required **3** (*miseria, ristrettezze*) straitened circumstances (pl.) **4** (*cosa necessaria*) necessary; (*esigenza*) requirement: **n. fondamentali**, basic necessities; essentials; **le n. della clientela**, customers' requirements ● (*leg.*) **atto compiuto in stato di n.**, act done under necessity □ **di (*o* per) n.**, of necessity; necessarily □ **di prima n.**, indispensable □ **di stretta n.**, urgent; essential; imperative: **fare di n. virtù**, to make a virtue of necessity □ **trovarsi nella n. di fare qc.**, to find oneself obliged to do st.

necessitàre **A** v. t. (*rendere necessario*) to require; to need; to call for: *Questo lavoro necessita tutta la nostra attenzione*, this work requires (*o* calls for) all our attention **B** v. i. **1** (*essere necessario*) to be necessary: *Necessitano cambiamenti urgenti*, urgent changes are necessary **2** (*aver bisogno*) to need (st.); to be in need of: *L'edificio necessita di riparazioni*, the building is in need of repairs; **n. un finanziamento**, to need funding.

necessitàto a. obliged; compelled; forced: **n. a intervenire**, forced to intervene; **sentirsi n. a fare qc.**, to feel obliged to do st.

necessitìsmo m. (*filos.*) necessitarianism.

necrobacillòsi f. (*vet.*) necrobacillosis.

necrobiòsi f. (*med.*) necrobiosis.

necrobiòtico a. (*med.*) necrobiotic.

necrofagìa f. necrophagia; necrophagy.

necròfago a. (*zool.*) necrophagous.

necrofilìa f. (*psic.*) necrophilia; necrophilism.

necròfilo (*psic.*) **A** a. necrophilic **B** m. (f. **-a**) necrophile; necrophiliac.

necrofobìa f. (*psic.*) necrophobia.

necròforo m. **1** gravedigger; sexton **2** (*zool.*, *Necrophorus*) sexton beetle; burying beetle.

necrologìa f. **1** (*annuncio*) obituary; necrology **2** (*orazione*) funeral oration.

necrològico a. necrology (attr.); obituary (attr.).

necrològio m. **1** (*annuncio*) death notice (in a newspaper) **2** (*registro*) necrology.

necrologìsta m. e f. necrologist; obituarist.

necròpoli f. **1** (*archeol.*) necropolis* **2** (*estens.*) cemetery; burial ground.

necropsìa → **necroscopia**.

necrosàre → **necrotizzare**.

necroscopìa f. (*med.*) postmortem (examination); autopsy; necropsy.

necroscòpico a. (*med.*) postmortem (attr.); necroscopic: **esame n.**, postmortem examination; autopsy.

necròsi f. (*med.*) necrosis Ⓤ.

necròtico a. (*med.*) necrotic.

necrotizzànte a. (*med.*) necrotizing.

necrotizzàre v. t., **necrotizzàrsi** v. i. pron. (*med.*) to necrose; to necrotise.

nècton m. (*biol.*) nekton.

nectònico a. (*biol.*) nektonic.

nederlandése, neerlandése **A** a. Netherlandish; Dutch; Netherland (attr.) **B** m. e f. Netherlander **C** m. (*ling.*) Dutch.

nefandézza f. **1** iniquity; infamy; turpitude; abomination **2** (*azione nefanda*) enormity; atrocity; iniquity; foul deed; heinous crime.

nefàndo a. iniquitous; infamous; foul; abominable; heinous.

nefàsto a. **1** (*pernicioso*) evil; pernicious; unlucky; baleful **2** (*infausto*) inauspicious; ill-omened.

nefelìna f. (*miner.*) nepheline.

nefèlio m. (*med.*) nebula*.

nefelògrafo m. (*chim.*) nephelometer.

nefelometrìa f. (*chim.*) nephelometry.

nefelomètrico a. (*chim.*) nephelometric.

nefelòmetro m. (*chim.*) nephelometer.

nefoscopìa f. (*meteor.*) nephoscopy; cloud observation.

nefoscòpio m. (*meteor.*) nephoscope.

nefralgìa f. (*med.*) nephralgia.

nefrectomìa f. (*med.*) nephrectomy.

nefrìdio m. (*zool.*) nephridium*.

nefrite ① f. (*med.*) nephritis.

nefrite ② f. (*miner.*) nephrite.

nefrìtico (*med.*) **A** a. nephritic **B** m. (f. **-a**) nephritic person; nephritic patient.

nefròide a. (*anat.*) nephroid.

nefrolitìasi f. (*med.*) nephrolithiasis.

nefròlito m. (*med.*) nephrolith.

nefrologìa f. (*med.*) nephrology.

nefrològico a. (*med.*) nephrological.

nefròlogo m. (f. **-a**) nephrologist.

nefróne m. (*anat.*) nephron.

nefropatìa f. (*med.*) nephropathy.

nefropessìa f. (*chir.*) nephropexy.

nefroplegìa f. (*med.*) nephroplegy.

nefroptòsi f. (*med.*) nephroptosis.

nefroscleròsi f. (*med.*) nephrosclerosis.

nefròsi f. (*med.*) nephrosis; nephroric syndrome.

nefròsico a. (*med.*) nephrotic.

nefrostomìa f. (*chir.*) nephrostomy.

nefròtico → **nefrosico**.

nefrotomìa f. (*chir.*) nephrotomy.

nefròtomo m. (*anat.*) nephrotome.

nefrotòssico a. (*med.*) nephrotoxic.

negàbile a. deniable.

negabilità f. deniability.

♦**negàre** **A** v. t. **1** (*dire che non è vero*) to deny; to disclaim; (*assol.*: *rispondere di no*) to deny (st.), to say* no: **n. un'accusa**, to deny a charge; **n. l'evidenza dei fatti**, to deny the facts; **n. ogni responsablità**, to disclaim responsibility; *Negai tutto*, I denied everything; *Negai di esserci stato*, I denied having been there; *Non si può n. che...*, it can't (*o* it can hardly) be denied that...; *Alla domanda se sapeva qualcosa, egli negò*, on being questioned, he denied knowing anything about it; **ostinarsi a n.**, to persist in

denying everything [the charges, etc.]; to persist in one's denial **2** (*non concedere*) to deny; (*rifiutare*) to refuse; (*escludere*) to rule out: **n. l'accesso a q.**, to deny sb. access; **n. la grazia**, to refuse pardon; **n. il permesso**, to refuse permission; **n. obbedienza a q.**, to refuse to obey sb.; **n. una possibilità**, to rule out a possibility; *Mi fu negata l'autorizzazione*, I was refused permission **3** (*negare l'esistenza di*) to negate **B** **negàrsi** v. rifl. **1** (*non concedersi sessualmente*) to refuse to have sex (with) **2** – **negarsi al telefono**, to have sb. say one is not in.

negatìva f. **1** (*negazione*) denial; (*rifiuto*) refusal **2** (*fotogr.*) negative: **n. a contatto**, contact negative.

negativaménte avv. negatively: **influenzare n.**, to affect negatively; **rispondere n.**, to reply in the negative; to say no.

negativìsmo m. **1** (*psic.*) negativism **2** (*estens.*) negative attitude; negativism.

negatività f. negativeness; negativity.

negativizzàrsi v. i. (*med.*) to seroconvert (from positive to negative).

negatìvo **A** a. **1** (*che nega*) negative: **risposta negativa**, negative answer; answer in the negative; (*rifiuto*) refusal; *La risposta fu negativa*, the reply was in the negative; he [they, etc.] said no **2** (*contrario, sfavorevole*) negative; adverse; ill: **aspetto (*o* lato) n.**, negative aspect; downside; drawback; **critica negativa**, adverse criticism; **effetti negativi**, negative (*o* ill, adverse) effects; **esito n.**, negative result; failure; **avere esito n.**, to be unsuccessful; to fail; **esperienza negativa**, negative experience; **parere n.**, negative opinion **3** (*gramm.*) negative: **proposizione negativa**, negative clause **4** (*fis.*, *fotogr.*, *mat.*, *med.*) negative: **elettricità negativa**, negative electricity; **carica negativa**, negative charge; **avere carica negativa**, to be negatively charged; **pellicola [lastra] negativa**, negative film [plate]; **polo n.**, negative pole; **quantità negativa**, negative quantity; **saldo n.**, negative balance; **segno n.**, negative sign; minus sign; *Il test è risultato n.*, the test was negative; *È risultato n. al test per l'AIDS*, he tested negative for HIV **B** m. (*fotogr.*) negative.

negàto a. (*senza attitudine*) no good (at); hopeless (at): **n. per la fisica [per il disegno]**, no good at physics [at drawing].

negatóre a. negatory; denying **B** m. (f. **-trice**) denier.

negatoscòpio m. (*med.*) negatoscope.

negatróne m. (*fis.*) negatron.

negazióne f. **1** negation; denial; (*rifiuto*) refusal: **la n. d'un diritto**, the denial of a right **2** (*gramm.*) negative: **doppia n.**, double negative ❶ **Nota:** *double negative* → **negative 3** (*opposto*) negation; opposite: *Questa è la n. della solidarietà*, that is the negation of solidarity **4** (*psic.*) denial.

negazionìsmo m. historical revisionism; negationism.

negazionìsta **A** a. revisionist; negationist **B** m. e f. (historical) revisionist; negationist.

neghittosità f. laziness; indolence.

neghittóso a. lazy; indolent.

neglètto a. **1** (*trascurato*) neglected; derelict: **sentirsi n.**, to feel neglected **2** (*trasandato*) untidy; unkempt.

négligé (*franc.*) m. inv. negligee, négligée; light dressing gown.

♦**negligènte** **A** a. **1** (*trascurato*) negligent; neglectful, careless; (*disattento*) inattentive; (*pigro*) lazy: **n. nel lavoro**, negligent (*o* careless) in one's work; **studente n.**, lazy student **2** (*sciatto*) untidy; unkempt; sloppy **B** m. e f. negligent (*o* careless) person.

negligènza f. **1** (*incuria*) negligence Ⓤ;

carelessness ⓤ; (*atto negligente*) oversight, act of negligence: (*leg.*) **n. colposa**, criminal negligence; (*leg.*) **n. lieve [grave]**, slight [gross] negligence; (*leg.*) **n. professionale**, malpractice; **un errore dovuto a n.**, a mistake due to carelessness **2** (*trasandatezza*) untidiness.

negoziàbile a. negotiable.

negoziabilità f. negotiability.

negoziàle a. (*leg.*) concerning a legal transaction; contractual.

♦**negoziànte** m. e f. (*esercente*) shopkeeper, storekeeper (*USA*), tradesman* (m.); (*commerciante*) dealer, trader: **n. all'ingrosso**, wholesale dealer; wholesaler; **n. al minuto**, retail dealer; retailer; **n. di ferramenta**, ironmonger; hardware dealer; **n. di mobili**, furniture dealer; **n. di stoffe**, draper; *I negozianti della zona hanno protestato*, the local tradesmen lodged a protest.

negoziàre Ⓐ v. t. **1** (*comm.*) to transact (business); to negotiate: **n. un accordo commerciale**, to negotiate a trade agreement; **n. un affare con q.**, to negotiate a deal with sb.; **n. una cambiale**, to negotiate a bill; **n. un prestito**, to negotiate a loan **2** (*condurre trattative*) to negotiate: **n. la pace**, to negotiate peace; **n. con i rapitori**, to negotiate with the kidnappers Ⓑ v. i. (*commerciare*) to deal* (in); to trade (in): **n. in cosmetici**, to deal in cosmetics.

negoziàto m. negotiation; talks (pl.): **i negoziati di pace**, peace negotiations (*o* talks); **intavolare negoziati**, to enter into negotiations; **interrompere [riprendere] i negoziati**, to interrupt [to resume] negotiations; **tavolo dei negoziati**, negotiating table.

negoziatóre m. (f. **-trìce**) negotiator.

negoziazióne f. negotiation; (*Borsa*) dealing.

♦**negòzio** m. **1** (*affare*) bargain; business deal **2** (*leg.*) – **n. giuridico**, juristic act **3** (*bottega*) shop; store (*USA*): **n. di abbigliamento**, clothes shop; **n. di antiquariato**, antique shop; **n. di articoli vari** (*o di generi diversi*), general store; **n. di biciclette**, cycle shop; **n. di giocattoli**, toyshop; **n. di libri**, bookshop; bookstore (*USA*); *Il n. all'angolo ha chiuso*, the corner shop has closed down; **aprire un n.**, to set up a shop; **dirigere un n.**, to run a shop; **commesso di n.**, shop assistant; **gestore di n.**, shop manager.

négra f. black woman* [girl]; (*in USA, anche*) African American; Negro woman* (*antiq. o offensivo*).

négride a. (*etnol.*) Negritic.

negrière → **negriero, B**.

negrièro Ⓐ a. slave (attr.): **nave negriera**, slave ship Ⓑ m. **1** slave trader; slave dealer; slave merchant **2** (f. **-a**) (*fig.*) slave driver.

negrìllo m. (*antrop.*) Negrillo.

negrità → **negritudine**.

negrìto m. (*antrop.*) Negrito.

negritùdine f. Negritude.

♦**négro** Ⓐ a. black; (*in USA, anche*) African American; Negro (*scient. o offensivo*); nigger (*spreg.*): **poesia negra**, black poetry; **la popolazione negra di Haiti**, Haiti's black population; **razza negra**, black race Ⓑ m. **1** black man* [boy]; black; (*in USA, anche*) African American; Negro (*scient. o offensivo*); nigger (*spreg.*) **2** (*fig.: chi scrive per contro di altri*) ghostwriter; ghost ● (*fig.*) **lavorare come un n.**, to work like a slave □ **tratta dei negri**, slave trade.

negroafricàno a. African Negro.

negroamericàno a. e m. (f. **-a**) African American; Afro-American.

negròide a., m. e f. Negroid.

negromànte m. e f. necromancer; sorcerer (m.); sorceress (f.).

negromàntico a. necromantic.

negromanzìa f. necromancy; sorcery.

negùndo m. (*bot.*, *Acer negundo*) box elder.

nègus m. (*stor.*) Negus.

neh inter. (*region. fam.*) – *È bravo, neh?*, he's clever, isn't he?; *Sta' attento, neh?*, be careful, won't you?

nèkton → **necton**.

nelùmbo, nelùmbio m. (*bot.*, *Nelumbium*) nelumbo; nelumbium*.

nematelmìnti m. pl. (*zool.*, *antiq.*) nemathelminths.

nemàtico a. (*chim.*) nematic.

nematocìsti f. (*zool.*) nematocyst.

nematòde m. (*zool.*) nematode; (al pl., *scient.*) Nematoda.

némbo m. (*meteor.*) nimbus*; rain-cloud; storm-cloud.

nembostràto m. (*meteor.*) nimbostratus.

nemèo a. (*di Nemea*) Nemean: **feste nemee**, Nemean games (*o* festival); **leone n.**, Nemean lion.

nèmeṣi f. **1** (*mitol.*) Nemesis **2** (*fig.*) nemesis; retribution: **n. storica**, nemesis of history.

♦**nemìco** Ⓐ a. **1** (*ostile*) hostile (to), inimical (to); (*avverso*) opposed (to): **un giornale n. del governo**, a newspaper hostile to the Government; an anti-Government paper **2** (*dannoso*) harmful; inimical; noxious: *Il gelo è n. delle piante*, frost is harmful to plants **3** (*del nemico*) enemy (attr.): **attacco n.**, enemy attack; **nave nemica**, enemy ship ● **essere n. di sé stesso**, to be one's worst enemy □ **farsi n. q.**, to make an enemy of sb. □ *La sorte gli fu nemica*, luck was against him Ⓑ m. (f. **-a**) **1** enemy; foe (*lett.*): **n. acerrimo**, bitter enemy; **n. giurato**, sworn enemy; **n. mortale**, mortal enemy; **il n. pubblico numero uno**, public enemy number one; *Il n. era più forte di noi*, the enemy was stronger than we were; *La pigrizia è la sua peggiore nemica*, laziness is his worst enemy; **avere molti nemici**, to have many enemies; **farsi molti nemici**, to make a lot of enemies; **passare al n.**, to go over to the enemy **2** (*odiatore*) hater: **nemico delle donne**, woman-hater **3** – **il N.** (*Satana*), the Enemy.

♦**nemméno** → **neanche**.

nemoràle a. (*bot.*) nemoral.

nènia f. **1** (*canto funebre*) dirge **2** (*canto monotono*) singsong; (*ninnananna*) lullaby.

nenùfaro, nenùfero m. (*bot.*, *Nuphar luteum*) nenuphar; yellow water-lily.

nèo m. **1** mole; birthmark; naevus* **2** (*posticcio*) beauty spot, patch **3** (*piccola imperfezione*) flaw; blemish; (*difetto caratteriale*) defect, fault.

neoaccadèmico (*filos.*) Ⓐ a. of (*o* belonging to) the Middle or New Academy Ⓑ m. member of the Middle or New Academy.

neoacquisto m. (*sport*) new signing.

neoassùnto Ⓐ a. newly-engaged; newly-recruited Ⓑ m. (f. **-a**) new employee; new staff member.

neoavanguàrdia f. (*arte*, *letter.*) neo-avantgarde.

neobaròcco Ⓐ a. neo-baroque Ⓑ m. neo-baroque style.

neocapitaliṣmo m. neo-capitalism.

neocapitalìsta a., m. e f. neo-capitalist.

neocapitalìstico a. neo-capitalistic.

neoclassiciṣmo m. neoclassicism.

neoclassicìsta m. e f. neoclassicist.

neoclàssico Ⓐ a. neoclassical Ⓑ m. **1** (*seguace*) neoclassicist **2** (*stile*) neoclassicism.

neocolonialiṣmo m. (*polit.*) neocoloni-alism.

neocolonialìsta a., m. e f. (*polit.*) neocolonialist.

neocomunìsta a., m. e f. neo-communist.

neoconiazióne f. (*ling.*) neologism.

neocorporativiṣmo m. neo-corporatism.

neocortéccia f. (*anat.*) neocortex*.

neodarwiniṣmo, neodarviniṣmo m. neo-Darwinism.

neodìmio m. (*chim.*) neodymium.

neodiplomàto Ⓐ a. school-leaving; newly-graduated (*USA*) Ⓑ m. (f. **-a**) school-leaver; new graduate (*USA*).

neoebràico a. e m. (*ling.*) modern Hebrew.

neoegiziàno a. e m. (*ling.*) new Egyptian.

neoelètto Ⓐ a. newly-elected Ⓑ m. (f. **-a**) newly-elected person.

neoellènico a. e m. (*ling.*) modern Greek.

neoevoluzioniṣmo m. (*etnol.*) neo-evolutionism.

neofasciṣmo m. neo-fascism.

neofascìsta a., m. e f. neo-fascist.

neofascìstico a. neo-fascist.

neofilìa f. love of novelty.

neòfita, neòfito m. neophyte; novice.

neofobìa f. dread of novelty.

neoformazióne f. **1** (*med.*) neoformation **2** (*ling.*) neologism.

neofreudiàno a. (*psic.*) neo-Freudian.

neofreudiṣmo m. (*psic.*) neo-Freudianism.

neògene m. (*geol.*) Neogene.

neogòtico (*archit.*) Ⓐ m. neo-Gothic (style); Gothic Revival Ⓑ a. neo-Gothic.

neogrammàtica f. (*ling.*) Neogrammarian School.

neogrammàtico m. (*ling.*) Neogrammarian.

neogrèco a. e m. (*ling.*) modern Greek.

neohegeliàno a. e m. (f. **-a**) (*filos.*) neo-Hegelian.

neohegeliṣmo m. (*filos.*) neo-Hegelianism.

neoidealiṣmo e deriv. → **neohegeliṣmo**, e deriv.

neoimpressioniṣmo m. (*arte*) neo-Impressionism.

neoindustriàle a. neoindustrial.

neokantiàno a. (*filos.*) neo-Kantian.

neolalìa f. (*med.*) neolalia.

neolamarckiṣmo m. neo-Lamarckism.

neolatìno a. Romance; neo-Latin.

neolaureàto Ⓐ a. recently graduated (from a university) Ⓑ m. (f. **-a**) recent university graduate.

neoliberaliṣmo, neoliberiṣmo m. (*econ.*) neo-liberalism.

neolìberty (*archit.*) Ⓐ m. neo-Liberty; Art Nouveau revival Ⓑ a. neo-Liberty (attr.).

neolinguìstica f. areal linguistics (pl. col verbo al sing.); neolinguistics (pl. col verbo al sing.).

neolìtico a. e m. (*geol.*) Neolithic.

neològico a. (*ling.*) neological.

neologìṣmo m. (*ling.*) neologism.

neologìsta m. e f. neologist.

neologìstico a. (*ling.*) neologistic.

neomaltuṣianiṣmo m. neo-Malthusianism.

neomaltuṣiàno a. e m. neo-Malthusian.

neomarxiṣmo m. neo-Marxism.

neomarxìsta a. e m. neo-Marxist.

neomercantiliṣmo m. neo-mercantilism.

neomicìna f. (*farm.*) neomycin.

nèon m. (*chim.*) neon: **illuminazione al n.**, neon lighting; **insegna al n.**, neon sign; **lampada al n.**, neon lamp.

♦**neonàto** **A** a. (*anche fig.*) newborn (attr.); infant **B** m. (f. *-a*) newborn child*; baby; infant; neonate **C** a.: **n. prematuro**, premature baby; *La madre e il n. stanno bene*, mother and baby are doing well.

neonatologìa f. neonatology.

neonatòlogo m. (f. *-a*) neonatologist.

neonazìsmo m. neo-Nazism.

neonazista a., m. e f. neo-Nazi.

neopaganèşimo m. neo-paganism.

neopàllio m. (*anat.*) neopallium.

neopatentàto a. e m. (f. *-a*) recently qualified (driver).

neopentecostalìsmo m. (*relig.*) Neopentecostalism.

neopitagòrico a. e m. (*filos.*) neo-Pythagorean.

neopitagorìsmo m. (*filos.*) neo-Pythagoreanism.

neoplasìa f. (*med.*) neoplasia.

neoplàşico a. (*med.*) neoplastic.

neoplàşma m. (*med.*) neoplasm.

neoplasticìsmo m. (*arte*) neoplasticism.

neoplàstico a. (*med.*) neoplastic.

neoplatònico (*filos.*) **A** a. Neoplatonic **B** m. (f. *-a*) Neoplatonist.

neoplatonìsmo m. (*filos.*) Neoplatonism.

neopoşitivìsmo m. (*filos.*) logical positivism.

neopoşitivista a. e m. e f. (*filos.*) logical positivist.

neopoşitivìstico a. (*filos.*) logical positivist.

neoprène® m. (*chim.*) neoprene.

neorealìsmo m. (*letter., cinem.*) neo-realism.

neorealista a., m. e f. (*letter., cinem.*) neo-realist.

neorealìstico a. (*letter., cinem.*) neorealist.

neoromanticìsmo m. (*letter.*) neoromanticism.

neoscolàstica f. (*filos.*) neo-scholasticism.

neoscolàstico a. (*filos.*) neo-scholastic.

neostomìa m. (*chir.*) neostomy; tubal surgery.

neotenìa f. (*biol.*) neoteny.

neotènico a. (*biol.*) neotenic.

neotèrico a. e m. (*letter.*) neoteric.

neoterìsmo m. (*letter.*) neoterism.

neotestamentàrio a. (*Bibbia*) New Testament (attr.).

neotomìsmo m. (*filos.*) neo-Thomism.

neotomista m. (f. *-a*) (*filos.*) neo-Thomist.

neotomìstico a. (*filos.*) neo-Thomist.

neòtrago m. (*zool.*) neotragus.

Neottòlemo m. (*letter.*) Neoptolemus.

neozelandése **A** a. New Zealand (attr.) **B** m. e f. New Zealander.

neozòico a. e m. (*geol.*) Neozoic.

nèpa f. (*zool., Nepa rubra*) water scorpion.

nepalése **A** a. Nepalese; Nepali **B** m. e f. Nepalese*; Nepali: **i nepalesi**, the Nepalese; the Nepalis **C** m. (*ling.*) Nepali.

nepènte m. **1** (*bot., Nepenthes*) nepenthes; pitcher plant **2** (*bevanda*) nepenthe.

nèper m. inv. (*fis.*) neper.

neperiàno a. – (*mat.*) **logaritmo n.**, Naperian logarithm.

nepetélla, nepitèlla f. (*bot., Satureja calamintha*) calamint.

nepotìşmo m. nepotism.

nepotista m. e f. nepotist.

nepotìstico a. nepotistic.

♦**neppùre** → **neanche**.

nequizia f. (*lett.*) wickedness; iniquity.

néra f. → **nero, B,** def. 3, 4.

neràstro a. blackish.

nerazzùrro a. blue-black.

nerbàta f. lash (of the whip) ● **prendere a nerbate**, to flog; to thrash.

nèrbo m. **1** (*staffile*) scourge; whip **2** (*fig.: parte più forte*) sinews (pl.); backbone: **il n. della nostra difesa**, the sinews of our defence; **il n. dell'esercito**, the backbone of the army **3** (*fig.: forza*) strength; vigour; sinews (pl.); punch (*fam.*). **senza n.**, without strength; flaccid.

nerborùto a. (*muscoloso*) muscular, brawny.

nereggiàre v. i. (*lett.*) to be black: *Il cielo nereggiava di nubi*, the sky was black with clouds.

nerèide f. **1** (*mitol.*) Nereid* **2** (*zool.*) nereid.

nerétto m. **1** (*tipogr.*) boldface; bold type; bold: **titolo in n.**, title in bold; boldfaced title; **scrivere in n.**, to print in bold (type) **2** (*giorn.*) article (printed) in boldface.

nerézza f. blackness.

nericcio a. blackish; (*di stoffa usata*) rusty black.

♦**néro** **A** a. **1** black; (*scuro*) dark: **caffè n.**, black coffee; **fumo n.**, black smoke; **occhiali neri**, dark glasses; **occhi neri**, black eyes; **un occhio n.** (*pesto*), a black eye; **pane n.**, brown bread; **pelle nera**, black (*o* brown) skin; **razza nera**, black race; **n. come il carbone**, as black as coal; **n. come l'inchiostro** [**la pece**], pitch-black [ink-black]; **n. di livi-di**, black and blue; *Il cielo era n. di nubi*, the sky was black with clouds **2** (*sporco*) black; dirty; grimy: **colletto n.**, dirty collar; **unghie nere**, black (*o* grimy) fingernails **3** (*cupo*) gloomy, black, grim; (*negativo*) bad: **giorna-ta nera**, (*triste*) gloomy day; (*negativa*) bad day, off-day (*fam.*); **pensieri neri**, gloomy thoughts; **umor n.**, bad mood; **attraversare un periodo n.**, to be going through a bad patch; **essere n. in volto**, to look angry; to look as black as thunder; **vedere tutto n.**, to look on the black side of things; (*essere pessimista*) to be a pessimist; to be a gloom merchant (*fam.*); to be pessimistic about the future **4** (*disonesto, malvagio*) black; wicked: **anima nera**, wicked soul; (*malvagio*) archvillain; **pecora nera**, black sheep **5** (*illegale*) black; illegal: **economia nera**, black economy; **fondi neri**, slush fund (sing.); **la-voro n.**, illegal (*o* off-the-book) work [job]; (*secondo lavoro*) moonlighting Ⓤ; (*sfruttamento della manodopera*) sweated labour; **merca-to n.**, black market **6** (*estremo*) black; dire; extreme: **nera disperazione**, black despair; **miseria nera**, extreme (*o* dire) poverty **7** (*polit.*) fascist **8** (*macabro*) black; macabre; gothic; horror (attr.): **commedia nera**, black comedy; **romanzo n.**, gothic (*o* horror) novel; **umorismo n.**, black humour **9** (*arald.*) sable ● **aristocrazia nera**, Papal (*o* clerical) aristocracy □ (*fig.*) **bestia nera**, bête noire (*franc.*); **bugbear** □ (*stor.*) **cami-cia nera**, Blackshirt □ **il Continente n.**, the Dark Continent □ **cronaca nera**, crime news; crime pages (pl.) □ (*fam.*) **far n. di botte q.**, to tan sb.'s hide; to beat sb. black and blue □ (*fig.*) **libro n.**, black books (pl.) □ **magia nera**, black magic □ **messa nera**, black mass □ **Non è così n. come lo si dipin-ge**, it's not as black as it is painted □ **pozzo n.**, cesspool □ **punto n.**, (*comedone*) blackhead; (*difetto*) flaw, drawback □ **vino n.**, red wine **B** m. **1** (*colore*) black: **n. corvino**, raven black; jet black; **n. da scarpe**, black

shoe-polish; blacking; **n. di seppia**, (cuttlefish) ink; sepia; **in bianco e n.**, in black and white; black-and-white (attr.); **dare il n. al-le scarpe**, to black shoes; **tingere qc. di n.**, to die st. black; **vestirsi di n.**, to dress in black; **listato di n.**, black-edged **2** (*roulette, scacchi*) black: **puntare sul n.**, to bet on black; *Ha vinto il n.*, Black won **3** (f. *-a*) (*persona di pelle nera*) black (f. black woman*): **i neri d'America**, the American blacks; the African Americans **4** (f. *-a*) (*polit.: fascista*) fascist **5** (f. *-a*) (*clericale*) clerical **6** (*nerezza*) blackness **7** (*arald.*) sable ● **n. su bianco**, in writing; on paper; in black and white: *Lo voglio n. su bianco*, I want it down in writing (*o* on paper); **met-tere n. su bianco** (*per iscritto*), to put it down in writing; to put it down in black and white □ **chiamare n. il n. e bianco il bianco**, to call a spade a spade □ **in n.**, (*banca: in attivo*) in the black; (*illegalmente*) illegally, off the books, on the side: **lavorare in n.**, to work illegally (*o* off the books); (*fare un secondo la-voro*) to moonlight; **farsi pagare in n.**, not to give invoices (to evade taxation); (*di dipen-dente*) to be paid off the books; **pagamenti in n.**, off-the-books payments.

neròfide m. (*zool., Nerophis ophidion*) straight-nosed pipefish.

nerofùmo m. (*chim.*) lampblack; carbon black; gas black; (*fuliggine*) soot.

nerógnolo a. blackish.

nèroli m. (*chim.*) neroli (oil).

neróne m. wicked man*; Nero.

Neróne m. (*stor.*) Nero.

neroniàno a. (*stor.*) Nero's (attr.); Neronian.

nerùme m. **1** (*sudiciume*) dirt, grime; (*pati-na nera*) dirty film, layer of grime **2** (*insieme di cose nere*) black mass **3** (*bot.*) rot.

nervàto a. **1** (*bot.*) nerved **2** (*archit.*) ribbed.

nervatùra f. **1** (*anat.*) nervous system; nerves (pl.) **2** (*zool.*) nervure **3** (*bot.*) nervation; venation; (*centrale*) nervure **4** (*ar-chit., mecc.*) rib; (*insieme di nervature*) ribs (pl.); ribbing Ⓤ **5** (*tipogr.*) raised band.

nervino a. nerve (attr.); nervine: **gas n.**, nerve gas.

♦**nèrvo** m. **1** (*anat. e fig.*) nerve: **n. ottico**, optic nerve; **nervi d'acciaio**, nerves of steel; **nervi motori**, motor nerves; **nervi saldi**, strong nerves; **calmare i nervi a q.**, to calm sb.'s nerves; **attacco di nervi**, fit of nerves **2** (*fam.: tendine*) tendon; sinew **3** (*bot.*) vein; nerve; nervure; rib; (*di fagiolini e sim.*) string **4** (*corda dell'arco*) bow-string **5** (*mus.*) string **6** (*staffile*) whip; scourge ● **andare avanti a forza di nervi**, to live on one's nerves □ **avere i nervi**, to be in a bad mood □ **avere i nervi a fior di pelle** (*o* scoperti), to be irritable; to be very touchy □ **avere i nervi a pezzi**, to be a nervous wreck □ **ave-re i nervi fragili**, to be short-tempered; to get easily irritated □ **Che nervi!**, how infuriating!; damn! (*fam.*) □ **dare ai** (*o* sui) **nervi a q.**, to get on sb.'s nerves; to grate sb.* sb.'s goat (*fam.*) □ **essere tutto nervi**, to be full of nervous energy □ (*fig.*) **fascio di ner-vi**, bundle of nerves □ **guerra dei nervi**, war of nerves □ **essere malato di nervi**, to be suffering from a nervous complaint □ **Gli reggeranno i nervi?**, will he be able to keep his nerve (*o* a cool head)? □ **Gli sono salta-ti i nervi**, (*si è arrabbiato*) he blew up, he blew his cool (*fam.*); (*ha perso la testa*) he lost his nerve □ **far saltare i nervi a q.**, to blow sb.'s cool □ **tenere i nervi a posto**, to keep one's nerve □ **urtare i nervi**, to get on sb.'s nerves.

nervosìsmo m. (*tensione*) tension, agitation, nerves (pl.); (*apprensione*) nervousness; (*irritazione*) irritation: *C'è molto n. in paese*

oggi, tension is running high in town today; **dare segni di n.**, to show signs of agitation; **in preda al n.**, agitated; very tense.

nervosità f. **1** irritability; restlessness; nerves (pl.); edginess (*fam.*) **2** (*azione nervosa*) nervous action; nervous reaction **3** (*fig.*: *incisività*) incisiveness; vigour.

♦**nervóso** A a. **1** (*anat.*, *med.*) nervous; nerve (attr.): **cellula nervosa**, nerve cell; **centro n.**, nerve centre; **esaurimento n.**, nervous breakdown; **malattia nervosa**, nervous disorder (*o* disease); **sistema n.**, nervous system; **sistema n. autonomo** [**centrale**, **periferico**], autonomic [central, peripheral] nervous system; **tensione nervosa**, nervous tension; **terminazioni nervose**, nerve endings **2** (*irritabile*) irritable, short-tempered, touchy; (*di cattivo umore*) in a bad mood, crotchety **3** (*teso*) tense, highly-strung, high-strung; (*per paura*) nervous, edgy; *È un tipo piuttosto n.*, he is a rather tense sort of person; **bambino n.**, highly-strung child; *È sempre n. prima di un esame*, he is always nervous before an exam **4** (*che rivela tensione*) nervous: **dita lunghe e nervose**, long, nervous fingers; **risolino n.**, nervous giggle **5** (*asciutto*, *vigoroso*) sinewy; spare; lean: **braccia nervose**, sinewy legs; **fisico n.**, spare frame **6** (*fig.*: *efficace*, *stringato*) incisive; vigorous: **scrittura nervosa**, vigorous style B m. (*fam.*) irritability; bad mood: **avere il n.**, to be in a bad mood; to be crotchety; **far venire il n. a q.**, to get on sb.'s nerves; to get sb.'s goat (*fam.*).

nèsci m. – **fare il n.**, to pretend not to know (*o* not to understand); to play dumb.

nèspola f. **1** (*bot.*) medlar **2** (*fam.*: *botta*) blow; cuff; thump ● **n. del Giappone**, loquat □ (*fig. fam.*) **dare le nespole a q.**, to give sb. a good hiding □ (*prov.*) **Col tempo e con la paglia maturano le nespole**, everything comes to him who waits; Rome wasn't built in a day.

nèspolo m. (*bot.*) **1** (*Mespilus germanica*) medlar, medlar-tree **2** – **n. del Giappone** (*Eriobotrya japonica*), loquat.

nèsso m. (*collegamento*, *connessione*) connection, link, relation; (*legame*, *relazione*) relationship, nexus: **n. causale**, causal relationship; causality; causation; **n. logico**, logical connection; **stabilire un n.**, to find a connection (*o* a link); *Scusa, ma non vedo il n.*, I don't see what that's got to do with it; **senza n.**, unconnected; unrelated; (*sconclusionato*) rambling; **discorso senza n.**, rambling words (pl.).

Nèsso m. (*mitol.*) Nessus.

♦**nessùno** A a. indef. **1** no; (*in presenza di altra neg.*) any (+ pl. con sost. non ☺): **nessun dubbio**, no doubt; **nessun ostacolo**, no obstacle; *Non ho fatto nessun errore*, I haven't made any mistakes; *Non c'è nessuna premura*, there is no urgency; **di nessun valore**, of no value; not of any value; **in nessun caso**, under no circumstance; **in nessun posto** (*o* **da nessuna parte**), nowhere; not... anywhere **2** (*qualche*) any (+ pl.): *Nessuna domanda?*, any questions?; *Nessun volontario?*, any volunteers? B pron. indef. **1** (*rif. a persona*) nobody, no one; (*partitivo*) none; (*in presenza di altra neg.*) anybody, anyone: *N. lo conosceva*, no one knew him; *N. si muova!*, nobody move!; **nessun altro**, nobody (*o* no one) else; not anybody... else; *Voglio lui e nessun altro*, I want him and nobody else; **nessun altro che lui**, nobody but him; **n. dei miei amici**, none of my friends; **n. dei due**, neither; **n. di loro**, none of them; **n. escluso**, no one excepted; bar none; **n. in particolare**, no one in particular; (*fam.*) **n. n.**, no one at all; absolutely no one; *Qui non c'è n.*, there's nobody (*o* no one) here; there isn't anybody here; *Non lo sa n.*, no one (*o* nobody) knows; *N. mi dice mai niente*, no-

body ever tells me anything; *Non dirlo a n.*, don't tell anybody; *Non parla mai con n.*, she never speaks to anyone **2** (*rif. a cosa*, *anche partitivo*) none; (*in presenza di altra neg.*) any: *«Quanti punti hai fatto?» «N.»*, «how many points did you score?» «none»; *N. degli ascensori funziona*, none of the lifts is working; *Mi mostrò delle stoffe, ma non me ne piacque nessuna*, he showed me several materials, but didn't like any of them **3** (*qualcuno*, *alcuno*) anyone; anybody; (*partitivo*) any: *C'è n. in casa?*, is anyone in (*o* at home); anyone at home?; *N. viene con me?*, is anyone coming with me?; *Guarda se viene n.*, see if anyone is coming; *L'ha visto n.?*, has anyone seen him? C m. (*persona di nessun valore*) nobody; nonentity ● **figlio di n.**, unwanted child; waif □ **roba di n.**, common property □ (*mil.*) **terra di n.**, no man's land □ **E io, non sono n.?**, what about me? don't I count (for anything)?

nestàia f. nursery for saplings.

nèsto m. (*agric.*) scion; (*innesto*) graft.

nèstore m. (*zool.*, *Nestor meridionalis*) kaka.

Nèstore m. (*letter.*) Nestor.

nestorianésimo m. (*relig.*) Nestorianism.

nestoriàno a. e m. (*relig.*) Nestorian.

net (*ingl.*) m. inv. (*tennis*) let.

nettaménte avv. (*chiaramente*) clearly, distinctly; (*decisamente*) decidedly, definitely.

nettapénne m. inv. pen-wiper.

nettapièdi m. inv. doormat.

nettapipe m. inv. pipe-cleaner.

♦**nèttare** ① m. (*mitol.*, *bot.*, *fig.*) nectar.

♦**nettàre** ② v. t. to clean; to wipe.

nettàreo a. (*lett.*) nectareous; nectarean.

nettarino m. **1** (*pesca*) nectarine **2** (*zool.*, *Nectarinia*) sunbird.

nettàrio m. (*bot.*) nectary.

nettaròva f. (*bot.*) nectar cavity.

nettaròvia f. (*bot.*) nectar guide.

nettatóia f. (*arnese del muratore*) mortar-board.

nettatóio m. cleaning utensil; cleaner.

nettatùra f. cleaning; wiping.

nettézza f. **1** (*pulizia*) cleanness; cleanliness **2** (*ordine*) neatness; (*chiarezza*) clarity; sharpness **3** (*fig.*) integrity ● **n. urbana**, street-cleaning service; refuse collection (*GB*); garbage collection (*USA*) □ **camion della n. urbana**, dustcart (*GB*); garbage truck (*USA*).

nétto A a. **1** (*pulito*) clean; (*fig.*, *anche*) clear: (*anche fig.*) **mani nette**, clean hands **2** (*chiaro*, *preciso*) clean; clear; clear-cut; clean-cut; sharp; distinct; (*reciso*, *inequivocabile*) firm, flat, downright: **colpo n.**, clean blow; **contorni netti**, sharp outline; **n. miglioramento**, clear (*o* decided) improvement; **profilo n.**, (*di viso*) clean-cut features (pl.); (*di oggetto*) sharp outline; **risposta netta**, clear-cut answer; **netta sensazione**, distinct impression; **un sì n.**, a firm yes; **taglio n.**, clean cut; **opporre un n. rifiuto**, to give a flat refusal **3** (*comm.*) net: **prezzo [peso, guadagno] n.**, net price [weight, profit] ● **di netto**, cleanly: **spezzarsi di n.**, to break cleanly; **tagliare di n.**, (*un ramo*, *ecc.*) to cut cleanly; (*un arto*, *ecc.*) to sever B avv. clearly; plainly; openly: **parlare n.**, to speak plainly C m. net amount: **al n.**, net (agg.); **valore al n.**, net worth; **al n. di IVA**, net of VAT; **reddito al n. delle imposte**, income after tax; net income; **al n. delle spese**, net.

nettuniàno a. (*mitol.*, *geol.*) Neptunian.

nettùnio m. (*chim.*) neptunium.

nettunìsmo m. (*geol.*) Neptunism.

nettunista m. e f. (*geol.*) Neptunist.

Nettùno m. (*mitol.*, *astron.*) Neptune.

netturbino m. dustman* (*GB*); garbage collector (*USA*); (*spazzino*) street sweeper.

nèuma m. (*mus.*) neum.

neumàtico a. (*mus.*) neumic.

neuràle a. (*anat.*) neural.

neuralgìa e deriv. → **nevralgia**, e deriv.

neuràsse → **nevrasse**.

neurastenìa e deriv. → **nevrastenia**, e deriv.

neurectomìa f. (*chir.*) neurectomy.

neurite ① e deriv. → **nevrite**, e deriv.

neurite ② f. (*anat.*) neurite.

nèuro f. (*fam.*: *clinica neurologica*) clinic for nervous diseases; (*reparto di ospedale*) neurological ward; (*scherz.*) loony bin (*slang*); nuthouse (*slang*).

neuroanatomìa f. neuroanatomy.

neurobiologìa f. neurobiology.

neurobiològico a. neurobiological.

neurobiòlogo m. (f. **-a**) neurobiologist.

neuroblàsto m. (*biol.*) neuroblast.

neuroblastòma m. (*med.*) neuroblastoma*.

neurochìmica f. neurochemistry.

neurochirurgìa f. neurosurgery.

neurochirùrgico a. neurosurgical.

neurochirùrgo m. (f. **-a**) neurosurgeon.

neurocìto m. (*anat.*) neurocyte; neuron.

neurocrànio m. (*anat.*) neurocranium.

neurocrinìa f. (*biol.*) neurosecretion.

neurodegeneratìvo a. (*med.*) neurodegenerative.

neurodelìri m. o f. inv. (*pop.*) lunatic asylum; loony bin (*slang*); nuthouse (*slang*).

neurodermatìte, **neuridermìte** f. (*med.*) neurodermatitis.

neuroendòcrino a. (*biol.*) neuroendocrine.

neuroendocrinologìa f. (*biol.*) neuroendocrinology.

neurofarmacologìa f. (*farm.*) neuropharmacology.

neurofibrìlla f. (*anat.*) neurofibril.

neurofibromatòsi f. (*med.*) neurofibromatosis.

neurofilaménto m. (*biol.*) neurofilament.

neurofisiologìa f. neurophysiology.

neurofisiològico a. neurophysiological.

neurofisiòlogo m. (f. **-a**) neurophysiologist.

neurogenètica f. (*biol.*) neurogenetics (pl. col verbo al sing.).

neuroipòfisi f. (*anat.*) neurohypophysis.

neurolàbile A a. neuropathic B m. e f. neuropath.

neurolèttico a. e m. (*farm.*) neuroleptic.

neurolinguìstica f. neurolinguistics (pl. col verbo al sing.).

neurologìa f. neurology.

neurològico a. neurological ● **clinica neurologica**, clinic for nervous diseases.

neuròlogo m. (f. **-a**) neurologist.

neuròma m. (*med.*) neuroma*.

neuròmero m. (*anat.*) neuromere.

neuromodulatóre m. (*biol.*) neuromodulator.

neuromotòrio a. (*fisiol.*) neuromotor.

neuromuscolàre a. (*anat.*) neuromuscular.

neuronàle a. (*anat.*) neuronal; neuronic.

neuróne m. (*anat.*) neuron.

neuropatìa f. (*med.*) neuropathy.

neuropàtico (*med.*) A a. neuropathic B m. (f. **-a**) neuropath.

neuropatologìa f. (*med.*) neuropathology.

neuropatòlogo m. (f. **-a**) neuropatholo-

gist.

neuroplègico a. e m. (*farm.*) neuroleptic.

neuropsichiàtra m. e f. neuropsychiatrist.

neuropsichiatrìa f. neuropsychiatry.

neuropsìchico a. neuropsychological.

neuropsicologìa f. neuropsychology.

neurormonàle a. (*biol.*) neurohormonal.

neurormóne m. (*biol.*) neurohormone.

neurosciènze f. pl. neurosciences.

neuroscienziàto m. neuroscientist.

neurosecernènte a. (*biol.*) neurosecreting.

neurosecrèto m. (*biol.*) neurosecretion.

neurosecrezióne f. (*biol.*) neurosecretion.

neurosedatìvo a. e m. (*farm.*) neuroleptic.

neurosensoriàle a. (*biol.*, *med.*) neurosensory.

neurosi e deriv. → **nevrosi**, e deriv.

neurospàsmo m. (*med.*) nervous spasm.

neurospòra f. (*bot.*) neurospora.

neurotomìa f. (*chir.*) neurotomy.

neurotònico a. e m. (*farm.*) neurotonic.

neurotòssico a. (*farm.*) neurotoxic.

neurotossìna f. neurotoxin.

neurotrasmettitóre m. (*biol.*) neurotransmitter.

neurotrasmissióne f. (*fisiol.*) neurotransmission.

neurotròfico a. (*med.*, *biol.*) neurotrophic.

neurotropìsmo m. (*med.*) neurotropism.

neuròtropo (*farm.*) **A** a. neurotropic **B** m. neurotropic drug.

neuròttero m. (*zool.*) neuropteran; (al pl., *scient.*) Neuroptera.

neurovegetatìvo a. (*anat.*) neurovegetative.

nèurula f. (*biol.*) neurula*.

nèuston m. (*biol.*) neuston.

nèustria f. (*zool.*, *Malacosoma neustria*) lackey moth.

neutràle **A** a. **1** (*polit.*, *leg.*) neutral: **paese n.**, neutral country; **territorio n.**, neutral ground; **dichiararsi n.**, to declare oneself neutral; **restare n.**, to remain neutral. **2** (*imparziale*) impartial; unbiased; neutral **3** (*chim.*, *fis.*) neutral **B** m. e f. neutral.

neutralìsmo m. (*polit.*) neutralism.

neutralista a., m. e f. (*polit.*) neutralist.

neutralìstico a. (*polit.*) neutralist.

neutralità f. **1** (*polit.*, *leg.*) neutrality: **proclamare la propria n.**, to declare oneself neutral; **uscire dalla n.**, to abandon neutrality; **violare la n. di un paese**, to violate a country's neutrality **2** (*imparzialità*) impartiality; neutrality: **conservare la propria n.**, to remain neutral **3** (*chim.*, *fis.*) neutrality.

neutralizzàbile a. that can be neutralized; that can be counteracted.

neutralizzànte **A** a. neutralizing **B** m. (*chim.*) neutralizer.

neutralizzàre v. t. **1** (*chim.*) to neutralize **2** (*mil.*) to neutralize **3** (*rendere vano, annullare*) to neutralize; to counteract; to nullify; to thwart: **n. l'azione di un farmaco**, to neutralize the action of a drug; **n. gli effetti di un veleno**, to counteract a poison; **n. uno sforzo**, to thwart an effort.

neutralizzàto a. (*ling.*) neutralized.

neutralizzazióne f. (*chim.*, *fis.*, *ling.*) neutralization.

neutrìno m. (*fis. nucl.*) neutrino.

nèutro **A** a. **1** (*intermedio, indeciso, neutra-*

le) neutral: (*sport* e *fig.*) **campo n.**, neutral ground; **colore n.**, neutral colour; (*ling.*) **vocale neutra**, neutral vowel; **zona neutra**, neutral zone **2** (*fis.*, *chim.*) neutral: (*elettr.*) **conduttore n.**, neutral conductor; (*chim.*) **soluzione neutra**, neutral solution; (*chim.*) **sostanza neutra**, neutral substance **3** (*biol.*) neuter **4** (*gramm.*) neuter: **il genere n.**, the neuter gender; **pronome n.**, neuter pronoun **B** m. **1** (*gramm.*) neuter **2** (*elettr.*) neutral wire.

neutrofilìa f. (*med.*) neutrophilia.

neutròfilo a. (*biol.*) neutrophilic: **cellula neutrofila**, neutrophil.

neutróne m. (*fis. nucl.*) neutron: **bomba al n.**, neutron bomb; **stella di neutroni**, neutron star.

neutrònico a. (*fis. nucl.*) neutron (attr.).

neutropenìa f. (*med.*) neutropenia.

nevàio m. snowfield.

nevàto **A** a. **1** (*lett.*: *coperto di neve*) snow-covered; (*di montagna*) snow-clad, snow-capped **2** (*lett.*: *bianco come la neve*) snowy; snow-white **B** m. névé (*franc.*); firn.

♦**néve** **A** f. **1** snow: **n. farinosa**, powdery snow; **n. fresca**, freshly fallen snow; **n. granulosa**, névé (*franc.*); firn; **n. sporca e bagnata**, slush; **nevi perenni**, perpetual snow; **Cade la n.**, the snow is falling; *La n. era alta un metro*, the snow was one metre deep; *La n. ci arrivava alle ginocchia*, we were knee-deep in snow; **bianco come la n.**, as white as snow; snow-white; snowy; **bloccato** (o **isolato**) **dalla n.**, snowed up; snow-bound; **coperto di n.**, snow-covered; (*di montagna*) snow-capped, snow-clad; **campo di n.**, snowfield; **fiocco di n.**, snowflake; **tempesta di n.**, snowstorm; blizzard **2** (*pop.*: *cocaina*) cocaine; snow (*slang*) • **n. artificiale**, artificial snow □ **n. carbonica**, dry ice □ **l'abominevole uomo delle nevi**, the Abominable Snowman □ (*autom.*) **catene da n.**, snow chains □ **limite delle nevi perpetue**, snowline □ (*cucina*) **montare le chiare a n.**, to whisk egg whites until stiff □ **palla di n.**, snowball: **battaglia a palle di n.**, snowball fight; **colpire con palle di neve**, to snowball □ **pneumatici da n.**, snow tyres □ **pupazzo di n.**, snowman □ **racchette da n.**, snowshoes □ **gli sport della n.**, snow-sports **B** a. – (*TV*, *radar*) **effetto n.**, snow.

♦**nevicàre** v. i. impers. to snow: *Nevica*, it's snowing; *Nevica a larghe falde*, the snow is falling in large flakes; *Nevicava fitto*, it was snowing heavily.

nevicàta f. snowfall: **n. abbondante**, heavy snowfall.

nèvico a. (*med.*) naevus (attr.); mole (attr.).

nevischiàre v. i. impers. to sleet.

nevischio m. sleet.

névo m. (*med.*) naevus*; (*com.*) mole.

nevòmetro → **nivometro**.

nevosità f. snowiness; (*quantità di neve caduta*) snowfall; (*stato della neve*) snow condition.

nevóso a. **1** snowy: **stagione nevosa**, snowy season **2** (*coperto di neve*) snow-covered; snowy; (*di vetta*) snow-capped, snow-clad.

Nevóso m. (*stor. franc.*) Nivôse (*franc.*).

nevralgìa f. (*med.*) neuralgia: **n. del trigemino**, trigeminal neuralgia.

nevràlgico a. (*med.*) neuralgic • **punto n.**, (*med.*) centre of pain; (*fig.*: *centro*) nerve centre; (*punto cruciale*) crucial point: **il punto n. dell'organizzazione**, the nerve centre of the organization; *Abbiamo toccato il punto n.*, we have come to the crucial point.

nevràsse m. (*anat.*) neuraxis; cerebrospinal axis.

nevrastenìa f. (*med.*) neurasthenia.

nevrastènico **A** a. **1** (*med.*) neurasthenic **2** (*estens.*) irritable; hysterical; nervy (*fam.*) **B** m. (*pl. -a*) **1** (*med.*) neurasthenic **2** (*estens.*) irritable person; hysterical person: *Non fare il n.!*, don't be so hysterical!

nevrìte f. (*med.*) neuritis ⍟.

nevrìtico a. (*med.*) neuritic.

nevroglìa f. (*biol.*) neuroglia.

nevropatìa e deriv. → **neuropatia**, e deriv.

nevròsi f. (*psic.*) neurosis*.

nevròtico a. e m. (f. **-a**) (*psic.* e *estens.*) neurotic.

nevrotizzànte a. **1** (*psic.*) neurotogenic **2** (*estens.*) stressful; nerve-racking.

nevrotizzàre **A** v. t. to make* neurotic **B** **nevrotizzàrsi** v. i. pron. to become* neurotic.

nevvéro inter. isn't that so? • **Sei stanco, n.?**, you're tired, aren't you? □ **Ti piace, n.?**, you like it, don't you?

new entry f. inv. **1** (*in un elenco, una classifica*) new entry **2** (*di libro, società, persona, ecc.*) latest addition.

New Jersey loc. m. inv. (*ingl.*) (*anche* **barriera New Jersey**, f.) Jersey barrier.

newton (*ingl.*) m. inv. (*fis.*) newton.

newtoniàno a. e m. Newtonian.

NH sigla (*titolo lat.*: *Nobilis Homo*) (**nobil uomo**).

ni ① (*scherz.* o *iron.*) **A** avv. neither yes nor no; yes, but...; no, but...: *Ha risposto ni*, she didn't say either yes or no; she shilly-shallied **B** m. (*risposta incerta*) shilly-shallying ⍟.

ni ② m. o f. (*tredicesima lettera dell'alfabeto greco*) nu.

niacìna f. (*chim.*) niacin.

Niàgara m. inv. **1** Niagara: **le cascate del N.**, Niagara falls **2** (*fig.*) avalanche; shower; flood; (*di cose neg.*) storm, torrent: **un N. di domande**, an avalanche of questions.

Niàssa m. (*geogr.*) **1** Nyasaland **2** – **il lago N.**, Lake Nyasa.

nibbio m. (*zool.*, *Milvus milvus*) (red) kite.

nibelùngico a. **1** (*letter.*) of the Nibelungs (o Nibelungen) **2** (*fig.*: *cupo*) grim; fierce; darkly tragic.

Nibelùngo m. (*letter.*) Nibelung*: **la Saga dei Nibelunghi**, the Nibelungenlied.

nicaraguégno, **nicaraguése** a., m. e f. Nicaraguan.

nìcchia f. **1** (*archit.*) niche; recess: **aprire una n. nel muro**, to open a niche in the wall **2** (*alpinismo*) niche **3** (*fig.*, *econ.*) niche: **n. di mercato**, market niche; **ritagliarsi una n. di mercato**, to carve oneself a niche in the market; **n. ecologica**, ecological niche; **prodotto di n.**, niche product.

nicchiàre v. i. to hesitate; to demur; to hedge; to shilly-shally; to pussyfoot.

nìcchio m. **1** (*region.*) conchiglia) shell **2** (*region.*: *tricorno*) cocked hat **3** (*berretta di prete*) biretta.

niccianésimo, **nicciàno** → **nietzschianesimo**, **nietzschiano**.

niccolìte f. (*miner.*) niccolite.

Niccolò → **Nicola**.

Nicèa f. (*geogr.*, *stor.*) Nicaea.

nicèno a. Nicene; Nicaean: (*relig.*) **il credo n.**, the Nicene Creed.

nìchel m. (*chim.*) nickel.

nichelàre v. t. (*ind.*) to nickel; to nickel-plate.

nichelatóre m. nickel-plater.

nichelatùra f. (*ind.*) nickel-plating; nickelling.

nichelcròmo m. nickel-chromium (alloy).

nichelìna f. (*miner.*) niccolite; nickeline.

nichelìno m. nickel coin; (*in Italia*, *stor.*)

20-centesimi coin; (*in USA, moneta da 5 cent*) nickel.

nichèlio m. (*chim.*) nickel.

nichelóso a. (*chim.*) nickelous.

nichilìsmo m. (*filos.*) nihilism.

nichilista (*filos.* e *estens.*) **A** m. e f. nihilist **B** a. nihilistic.

nichilìstico a. (*filos.* e *estens.*) nihilistic.

nick → **nickname**.

nickname m. inv. (*ingl.*, spec. *Internet*) nickname.

nicodemìsmo m. (*relig.*) Nicodemism.

nicodemita m. (*relig.*) Nicodemite.

Nicodèmo m. Nicodemus.

nìcol m. (*fis.*) Nicol prism.

Nicòla m. Nicholas.

Nicolétta f. Nicola.

nicotina f. (*chim.*) nicotine.

nicotinammìde f. (*chim.*) nicotinamide.

nicotìnico a. (*chim.*) nicotinic.

nicotinìsmo m. (*med.*) nicotinism.

nictàlope → **nictalopo**.

nictalopia f. (*med.*) nyctalopia; night blindness.

nictàlopo a. e m. (*med.*) (person) affected by nyctalopia (*o* night blindness).

nictipitèco m. (*zool.*, *Aotes*) douroucouli; night monkey; owl monkey.

nictitànte → **nittitante**.

nictitazióne → **nittitazione**.

nictofobìa f. (*med.*) nyctophobia.

nictògrafo m. noctograph.

nictùria f. (*med.*) nycturia; nocturia.

nidiàceo a. (*zool.*) still in the nest; unfledged: **uccello n.**, nestling.

nidiàndolo m. (*zool.*) nest-egg.

nidiàta f. **1** (*di uccelli*) clutch; nestful; (*covata*) brood **2** (*di altri animali*) litter **3** (*fig.*) brood: **l'ultimo della n.**, the last of the brood.

nidìcolo a. (*zool.*) altricial; nidicolous.

nidificàre v. i. to build* a nest; to nest.

nidificazióne f. nest-building; nidification.

nidifórme a. nest-shaped.

nidìfugo a. (*zool.*) nidifugous.

♦**nìdo** **A** m. **1** (*di uccello*) nest; (*di rapace*, *anche*) eyrie, aerie (*USA*): **fare il n.**, to nest; to build one's nest □ (*di altro animale*) nest; (*covo*) lair, den: **n. di topi**, rats' nest; **n. di vespe**, wasps' nest; vespiary; (*anche fig.*) **n. di vipere**, nest of vipers **3** (*fig.*) home; nest: **lasciare il n.**, to leave home; to leave the nest; **tornare al n.**, to go back home **4** (*fig.*: *covo*) den; lair: **un n. di ladri**, a den of thieves **5** (*giardino d'infanzia*) crèche (*GB*); day nursery (*USA*) ● **n. d'amore**, love-nest □ **n. d'ape**, (*ricamo*) smocking; (*tessuto*) cellular fabric □ (*mil.*) **n. di mitragliatrici**, machine-gun nest □ **andare a caccia di nidi**, to go nesting □ **uccello di n.**, fledgling; nestling **B** a. inv. – **asilo n.** → **A**, def. 5.

niellàre v. t. to niello; to decorate with niello.

niellàto **A** a. nielloed **B** m. nielloed object; piece of niello; (*al pl.*, collett.) niello.

niellatùra f. nielloing; niello-work.

nièllo m. niello*.

♦**niènte** **A** pron. indef. **1** nothing; (*in presenza di altra neg.*) anything: *N. mi trattiene qui*, nothing keeps me here; *Non è n.*, it's nothing; *Qui non succede mai n. di nuovo*, nothing new ever happens here; **non sapere n.**, to know nothing; not to know anything; *Nessuno fa n.*, no one does anything; **n. altro**, nothing else; (*in presenza di altra neg.*) anything else; **n. altro che**, nothing but; (*in presenza di altra neg.*) anything but; **n. di grave** [**di importante**], nothing serious [important]; **n. di meglio**, nothing better; **n.**

di nuovo sotto il sole, nothing new under the sun; **n. di più facile**, nothing easier; **n. di simile**, nothing like it; *Non ci vedo n. di male*, I see no harm in it; *Non posso farci n.*, I can do nothing about it; **non avere n. in contrario**, to have nothing against it [him, her, etc.]; to have no objection; *Questo è n., rispetto a...*, this is nothing, compared to... (*o* in comparison with); **non mancare di n.**, to lack (for) nothing; *E a me n.?*, don't I get anything? **2** (*qualcosa*) anything: *Avete n. da dire?*, have you anything to say?; *Ti occorre n. in città?*, do you need anything in town?; *Domandagli se sa n.*, ask him if he knows anything about it ● **n. di n.**, nothing at all □ **n. meno, n. di meno** → **nientemeno** □ **come n.**, as easy as anything □ **come se n. fosse**, just like that; as if nothing was the matter; (*senza scomporsi*) without turning a hair, without batting an eyelid; (*iron.*, rif. a persona*) as fresh as a daisy □ **una cosa da n.**, a mere nothing; a trifle; a minor thing; (*cosa facile*) a simple thing, a piece of cake (*fam.*), a doddle (*fam.*) □ **una ferita da n.**, a mere scratch □ **un uomo da n.**, a nonentity; a zero □ «**Grazie mille**» «**Di n.!**», «thank you very much» «that's all right»! (*USA* «you're welcome!») □ **il dolce far n.**, dolce far niente; sweet idleness □ **far finta di n.**, to pretend nothing has happened; to pretend not to see anything; (*chiudere un occhio*) to turn a blind eye (to st.) □ **Nessuno fa n. per n.**, no one does anything for nothing □ **È meglio che** (*o* **di**) **n.**, it's better than nothing; every little thing helps □ **Non cambia n.** (*non fa differenza*), it doesn't make any difference □ **Non fa n.** (*non importa*), it doesn't matter; never mind □ **Non mi sono fatto n.**, I didn't hurt myself □ **Non per n., ma i soldi sono miei**, the money is mine, after all □ **per n.**, (*gratis*) free (agg.), gratis, for nothing; (*per pochissimo*) for next to nothing, for a song; (*a vuoto, senza frutto*) for nothing: **ottenere un biglietto per n.**, to get a free ticket; **lavorare per n.**, to work for nothing; *Ci sono andato per n.*, I went for nothing; I needn't have gone; *Ho parlato per n.*, I might as well have kept quiet; my words fell on deaf ears. I wasted my breath □ **non sapere di n.** (*di cibo, ecc.*), to be tasteless (*o* insipid) □ *Ti sembra n.?*, does it seem nothing to you? **B** m. **1** nothing; not a thing: **finire in n.**, to come to nothing; *Non hanno fatto un bel n.*, they've done absolutely nothing; they haven't done a thing; *Non ti do un bel n.*, I won't give you anything, and that's that **2** (*filos.*) nothingness **3** (*cosa o quantità minima*) slightest thing, fraction, tiniest bit; (*differenza*) tiny (*o* tiniest) difference; (*accenno*) hint: *Si offende per un n.*, the slightest thing offends him; *Basta un n. per farla ridere*, she laughs at the slightest thing; *Basta un n. per far pencolare la bilancia*, a tiny (*o* the tiniest, the smallest) difference in weight is enough to turn the scales ● **La riunione finì in un n. di fatto**, the meeting led nowhere □ **in men che n.**, in less than no time □ **ridursi a un n.**, to dwindle to nothing; to peter out; (*logorarsi*) to waste away (*o* fig.). **venire dal n.**, to be a self-made man **C** a. inv. no; (*in presenza di altra neg.*) any: *N. caffè per me*, no coffee for me, please; *N. paura!*, don't worry!; never fear! **D** avv. **1** (*non affatto, per nulla*) not at all; not in the least: *Non è (per) n. vero*, it's not true at all; *N. male!*, not bad at all! *Non ho (per) n. fame*, I'm not at all hungry; *Non mi è piaciuto (per) n. quel film*, I didn't like that film at all; **nient'affatto**, not at all; not in the slightest; not in the least; «*Sei stanca?*» «*Nient'affatto!*», «are you tired?» «not in the slightest» **2** (*poco, punto*) nothing; (*in presenza di altra neg.*) anything: *Non gli importa n. dei miei consigli*, he doesn't give a damn for my advice; *Non ci metto n. a farlo*, it won't take

me a second; I'll do it in no time: *Non ci metto n. a licenziarti*, I can fire you whenever I like ● **Ho cercato di farla ragionare, ma n.**, I tried to make her see reason, but she would have none of it □ **Speravo che accettasse, e invece n.**, I had hopes he would accept, but he wouldn't hear of it.

nientemèno, **nientedimèno** avv. **1** no less; (*rif. a cosa, anche*) nothing less: **n. che il Presidente**, the President, no less; no less a person than the President; *Vuole n. che una Ferrari*, he wants a Ferrari, no less; he wants nothing less than a Ferrari **2** (*inter.*) you don't say so!; go on! (*fam.*).

nientepopodimèno (*scherz.*) → **nientemeno**.

nietzschianèsimo m. (*filos.*) Nietzscheanism.

nietzschiàno a. e m. (*filos.*) Nietzschean.

nife m. (*geol.*) nife.

nigèlla f. (*bot.*, *Nigella damascena*) love-in-a-mist.

nigeriàno a. e m. (f. **-a**) Nigerian.

nigerino **A** a. Niger (attr.) **B** m. (f. **-a**) native [inhabitant] of Niger.

night (*ingl.*) m. inv. (*fam.*) nightclub ● **FALSI AMICI** • night *non si traduce con* night.

nigritèlla f. (*bot.*) nigritella.

nihilìsmo e deriv. → **nichilismo**, e deriv.

nilgài, **nilgàu** m. (*zool.*, *Boselaphus tragocamelus*) nilgai.

niliaco a. (*geogr.*) Nile (attr.); on the Nile; of the Nile.

Nilo m. (*geogr.*) Nile.

nilòta m. e f. Nilot.

nilòtico a. (*geogr.*) Nilotic.

nimbàto a. (*lett.*) nimbused; haloed.

nimbo m. (*lett.*) nimbus*; (*aureola*) halo*.

ninfa f. (*mitol.*, *zool.*) nymph: **n. delle acque** [**dei boschi**], water [wood] nymph ● (*fig.*) **n. Egeria**, (*sb.'s*) Egeria.

ninfàle **A** a. **1** nymphlike **2** (*zool.*) nymphean; nymphal **B** m. (*letter.*) poem about nymphs.

ninfèa f. (*bot.*, *Nymphaea*) water lily: **n. bianca** (*Nymphaea alba*), white water lily; **n. gialla** (*Nuphar luteum*), yellow water lily; brandy-bottle.

ninfèo m. (*archeol.*) nymphaeum*.

ninfètta f. nymphet.

ninfòmane f. (*med.*) nymphomaniac.

ninfomanìa f. (*med.*) nymphomania.

Nìnive f. (*geogr.*, *stor.*) Nineveh.

ninna f. (*infant*) bye-byes; beddy-byes ● **fare la n.**, (*dormire*) to sleep; (*andare a dormire*) to go to bye-byes (*o* to beddy-byes).

ninnanànna f. lullaby; cradle song: **cantare una n.**, to sing a lullaby; **far addormentare un bambino cantandogli una n.**, to sing a baby to sleep.

ninnàre v. t. **1** (*cantare una ninnananna*) to sing* a lullaby to; to lullaby **2** (*cullare*) to rock (to sleep).

ninnolo m. **1** (*balocco*) plaything; toy **2** (*gingillo*) knick-knack; bauble; gewgaw.

Niobe f. (*mitol.*) Niobe.

niòbio m. (*chim.*) niobium; columbium.

niobite f. (*miner.*) niobite.

nipiologìa f. neonatology.

nipiòlogo m. (f. **-a**) neonatologist.

nipitèlla → **nepetella**.

♦**nipóte** **A** m. e f. **1** (*di zii*) nephew (m.); niece (f.) **2** (*di nonni*) grandchild*; grandson (m.); grand-daughter (f.) **B** m. (*al pl.*: *discendenti*) grandchildren; descendants; progeny (sing.); posterity (sing.).

nìpplo m. (*mecc.*) nipple.

nippònico a. Japanese*: **i nipponici**, the Japanese.

nipponìsmo m. (*ling.*) Japanese word;

Japanese idiom.

nirvàna m. (*relig.* e *fig.*) nirvana.

nirvànico a. (*relig.* e *fig.*) nirvanic.

nìşba avv. (*pop.*) nothing; nix (*slang*).

nistàgmico a. (*med.*) nystagmic.

nistàgmo m. (*med.*) nystagmus.

nistatìna f. (*farm.*) nystatin.

nit m. (*fis.*) nit.

nitèlla f. (*bot.*, *Nitella*) stonewort.

nitidézza f. **1** (*limpidezza*) clarity, limpidity; (*di suono*) purity: **n. di pensiero**, clarity of thought **2** (*chiarezza*, *precisione*) clarity; sharpness; vividness: **n. di contorni**, sharpness of outline: **la n. d'un ricordo**, the clarity (*o* sharpness) of a memory.

nìtido a. **1** (*pulito*) clean; spick and span, spick-and-span; (*limpido*) limpid, clear; (*di suono*) pure **2** (*chiaro*, *preciso*) clear; sharp; vivid: **contorni nitidi**, sharp contours; **ricordi nitidi**, clear (*o* vivid) memories; **stampa nitida**, clear print.

nitóre m. **1** (*pulizia*) cleanness; shininess (*fam.*) **2** (*chiarezza*) clarity; lucidity; (*limpidezza*) limpidity: **n. di stile**, clarity of style.

nitràre v. t. (*chim.*) to nitrate.

nitratàre v. t. (*agric.*) to fertilize with nitrates.

nitratazióne f. (*agric.*) fertilization with nitrates.

nitratìna f. (*miner.*) nitratine.

nitràto (*chim.*) **A** a. nitrated **B** m. nitrate: **n. d'argento**, silver nitrate.

nitratóre m. (*chim.*: *tecnico*; *recipiente*) nitrator.

nitratùra → **nitratazione**.

nitrazióne f. (*chim.*) nitration.

nìtrico a. (*chim.*) nitric: **acido n.**, nitric acid.

nitrièra f. nitrifying deposit.

nitrificànte a. (*biol.*) nitrifying.

nitrificàre v. t. (*biol.*) to nitrify.

nitrificazióne f. (*biol.*) nitrification.

nitrìle m. (*chim.*) nitrile.

nitrìre v. i. to neigh; to whinny.

nitrìto① m. (*verso del cavallo*) neigh, whinny; (*il nitrire*) neighing, whinnying.

nitrìto② m. (*chim.*) nitrite.

nìtro m. (*chim.*) nitre, niter (*USA*); potassium nitrate; saltpetre, saltpeter (*USA*).

nitrobenzène, **nitrobenżòlo** m. (*chim.*) nitrobenzene.

nitrocellulósa f. (*chim.*) nitrocellulose.

nitroderivàto m. (*chim.*) nitro derivative.

nitrofilìa f. (*bot.*) property of being nitrophilous.

nitròfilo a. (*bot.*) nitrophilous.

nitrofosfàto m. (*chim.*) nitrophosphate.

nitroglicerìna f. (*chim.*) nitroglycerine.

nitroglìcol m. (*chim.*) nitroglycol.

nitrósa f. (*chim.*) nitrosylsulphuric acid.

nitrosazióne f. (*chim.*) nitrosation.

nitrosìle m. (*chim.*) nitrosyl.

nitróso a. (*chim.*) nitrous: **acido n.**, nitrous acid.

nitrosònio m. (*chim.*) nitrosyl.

nitrurazióne f. (*metall.*) nitriding.

nitrùro m. (*chim.*) nitride.

nittalopìa e deriv. → **nictalopia**, e deriv.

nittemeràle a. nychthemeral.

nittìcora f. (*zool.*, *Nycticorax nycticorax*) night heron.

nittitànte a. – (*zool.*) **membrana n.**, nictitating membrane.

nittitazióne f. (*med.*) nictitation.

niùbbo m. (*fam.*, *Internet*) newbie.

niùno (*poet.*) → **nessuno**.

nivàle a. **1** (*delle nevi*) nival **2** (*lett.: nevoso*) niveous; snowy.

nivazióne f. (*geol.*) nivation.

nìveo a. snow-white; snowy; niveous (*lett.*).

nivologìa f. (*meteor.*) study of snowfalls.

nivòmetro m. snow gauge.

nix avv. (*scherz.*) no; nothing; nix (*slang*).

Nìzza f. (*geogr.*) Nice.

nizzàrdo **A** a. of Nice; from Nice; Nice (attr.) **B** m. (f. **-a**) native [inhabitant] of Nice.

NN sigla **1** (*lat.: nescio nomen*) **(di padre ignoto)** father's name unknown **2** (*lat.: nihil novi*) **(niente di nuovo)** nothing to report; no news.

NNE sigla (*geogr.*, **nord-nord-est**) north-north-east (NNE).

NNO sigla (*geogr.*, **nord-nord-ovest**) north-north-west (NNO).

◆no **A** avv. **1** (*risposta neg.*) no: *No, non te lo dirò*, no, I won't tell you; *No, grazie*, no, thank you; «*Sei stanco?*» «*No*», «are you tired?» «no, I'm not»; «*Gli hai scritto?*» «*No*», «have you written to him?» «no, I haven't»; *dire di no*, to say no; to refuse: *Non so dire di no*, I can't say no; *votare no*, to vote no; to vote against **2** (*con un avv. o una cong.*) not: **no davvero** (*o* **di certo**), certainly not; **ancora no**, not yet; **certo che no**, of course not; *Ma no che non ce l'ho!*, I haven't got it, I tell you!; **ora no**, not now; *Pare di no*, apparently not; *Perché no?*, why not?; *No, quello no*, no, not that one; **veramente no**, not really **3** (*con valore ellittico*) not: «*Perché non vieni?*» «*Perché no*», «why aren't you coming?» «because I'm not»; *Lo vuoi o no?*, do you want it or not (*o* or don't you)? *C'è chi voterà per lui e chi no*, some will vote for him and some will not; *Che ti piaccia o no*, whether you like it or not; **se no**, if not; otherwise; or else (*anche come minaccia*): *Scrivilo, se no lo dimenticherai*, write it down, otherwise you'll forget it; *Porta il denaro a mezzanotte, se no...*, bring the money at midnight, or else; *Andremo in Sardegna, o se no in Corsica*, we shall go to Sardinia or else to Corsica; *Da un occhio ci vede, dall'altro no*, he can see with one eye but not with the other one; *Intelligente o no, Berti ha avuto il posto*, clever or not, Berti got the job **4** (*usato interrogativamente*) – *Bello, no?*, beautiful, isn't it?; *Ti piace, no?*, you like it, don't you?; *È questo il posto, no?*, this is the place, isn't it?; *Sono dimagrita, no?*, I have lost weight, haven't I? ● «*Allora non lo vuoi fare questo viaggio?*» «*Come no!*», «so you don't really want to go on this journey?» «of course I do!» □ **Credo** [**suppongo**] **di no**, I don't think [I don't suppose] so; I think [I suppose] not □ **far cenno di no**, (*con la testa*) to shake one's head; (*con un dito*) to wag one's finger in denial □ **Ma no!** (*escl. di incredulità*), no!; you don't say so! □ **più no che sì**, no rather than yes □ **È difficile, non dico di no**, it's difficult, I must admit; I won't say it isn't difficult □ **No e poi no**, no, I tell you; a thousand times no □ **Penso di no**, I don't think so; I think not □ **Preferisco di no**, I'd rather not □ **sì e no**, sì **o no** → **sì** □ **Spero di no**, I hope not □ **uno sì e uno no** → **sì** **B** m. (*rifiuto*) no; refusal; (*diniego*) denial; (*voto negativo*) no*, black ball: *La risposta fu un bel no* (*o un no chiaro e tondo*), the answer was a flat no (*o* a flat refusal); *Non voglio sentire un no* (*non accetto un rifiuto*), I won't take «no» for an answer; **sette no e tre sì**, seven noes and three yeses; *La proposta fu accettata con otto sì contro due no*, the proposal was carried by a vote of eight for and two against (*o* of eight to two); *Hanno vinto i no*, the noes won ● **essere per il no**, to be against it.

NO sigla **1** (*geogr.*, **nord-ovest**) north-west (NW) **2** (**Novara**) **3** (*chim.*, **numero**

---

di ottano) octane number.

nō (*giapponese*) m. inv. Noh: **il teatro nō**, the Noh theatre.

nòa m. inv. (*etnol.*) noa.

Nòbel m. inv. (*anche* **Premio N.**) **1** (*premio*) Nobel prize: *Ha avuto il N. per la biologia*, she won the Nobel prize for biology **2** (*vincitore*) Nobel prize-winner; Nobel laureate: **un N. per la chimica**, a Nobel laureate in chemistry; *È stato N. per la fisica nel 1962*, he won the Nobel prize for physics in 1962.

nobèlio m. (*chim.*) nobelium.

nobildònna f. noblewoman*; gentlewoman*; lady.

◆nòbile **A** a. **1** (*aristocratico*) aristocratic; noble; high-born; (*titolato*) titled: **famiglia n.**, aristocratic (*o* noble) family; **origini nobili**, noble origins; **sangue n.**, noble (*o* blue) blood; **di nascita n.**, of noble birth; high-born **2** (*elevato*, *magnanimo*) noble; high; lofty: **gesto n.**, noble gesture; **nobili ideali**, high ideals; **sentimento n.**, noble sentiment; **di animo n.**, noble-minded; high-minded **3** (*chim.*) noble: **gas [metallo] n.**, noble gas [metal] ● (*mil.*) **guardia n.**, (*di sovrano*) sovereign's guard; (*del papa*) papal guard □ **piano n.**, first floor (*GB*); second floor (*USA*); (*di palazzo ital.*, *anche*) piano nobile **B** m. aristocrat; nobleman*; noble; lord; (*in GB anche*) peer **C** f. noblewoman*; noble; lady; (*in GB anche*) peeress.

nobilésco a. (*spreg.*) noble; aristocratic; high-born: **signorotto n.**, petty nobleman; **stemma n.**, nobleman's coat of arms.

nobiliàre a. nobiliary; aristocratic; of the nobility: **almanacco n.**, almanac of the nobility; (*in GB*) peerage; **titolo n.**, aristocratic title.

nobilitàre **A** v. t. **1** to raise to the nobility; to bestow a title upon; (*in GB*) to raise to the peerage **2** (*fig.*) to ennoble; to dignify: *Il lavoro nobilita l'uomo*, work ennobles (a) man **B** **nobilitàrsi** v. rifl. to ennoble oneself; to acquire fame.

nobilitazióne f. ennobling; ennoblement; (*in GB*) elevation to the peerage.

nobiltà f. **1** (*condizione di nobile*) nobility: **una famiglia di antica n.**, a family of ancient nobility **2** (*i nobili*) nobility; nobles (pl.); lords (pl.); (*aristocrazia*) aristocracy, aristocrats (pl.); (*in GB*, *anche*) peerage: **l'antica n.**, the old nobility (*o* aristocracy); **la n. recente**, the new nobility (*o* aristocracy); **n. terriera**, landed aristocracy; **la n. siciliana**, the Sicilian nobility **3** (*eccellenza*) excellence, nobility; (*elevatezza*) loftiness, grandeur: **n. d'animo**, noble-mindedness; high-mindedness; **n. d'ingegno**, nobility of mind; **n. di sentimenti**, loftiness of feeling; **comportarsi con n.**, to behave nobly ● **n. di spada**, title earned for military prowess □ **n. di toga**, title earned for political or administrative services.

nobilùccio m. (*spreg.*) petty nobleman*; lordling.

nobilùme m. (*spreg.*) petty nobility; lordlings (pl.).

nobiluòmo m. nobleman*; noble; aristocrat; lord.

nòcca f. knuckle: *Battè con le nocche su ul vetro*, he rapped on the pane with his knuckles; **far schioccare le nocche**, to crack one's knuckles.

nocchière, **nocchièro** m. **1** (*lett.: pilota*) pilot, helmsman*; (*traghettatore*) boatman*, ferryman* **2** (*naut.*) boatswain; bosun.

nocchierùto a. knotty, knotted; knurly.

nòcchio m. gnarl; knot.

nocchiùto a. gnarled; knotty.

◆nocciòla **A** f. (*bot.*) hazelnut; filbert **B** m. (*colore*) light brown; hazel **C** a. inv. light brown; hazel (brown): **un completo n.**, a

light-brown suit; **occhi n.**, hazel eyes.

nocciolàia f. (zool., Nucifraga caryocatactes) nutcracker.

nocciolàio m. (f. **-a**) nut seller.

nocciolàto m. nut (o hazelnut) chocolate.

noccioléto m. hazel grove.

♦**nocciolìna** f. – **n. americana**, peanut; **noccioline salate**, salted peanuts.

nocciòlo ① m. (bot., Corylus avellana) hazel; filbert.

nòcciolo ② m. **1** stone; pit (USA): **n. di pesca [di ciliegia]**, peach [cherry] stone; **sputare il n.**, to spit out the stone **2** (estens.: parte centrale) core: **il n. di un reattore**, the core of a nuclear reactor **3** (fig.: cuore) core, heart, crux; (succo) substance, gist, essence; (il dunque) point, (the) nitty-gritty (slang): **il n. della questione**, the heart of the matter; **il n. del suo discorso**, the substance of his speech; **il n. duro del partito**, the hard core of the party; Veniamo al n., let's come to the point; let's get down to the nitty-gritty.

noccolière m. (tirapugni) knuckle-duster.

♦**nóce** Ⓐ m. **1** (bot., Juglans regia) walnut-tree **2** (legno) walnut: **un tavolo di n.**, a walnut table Ⓑ f. **1** (frutto del noce) walnut; nut: **bacchiare le noci**, to shake down nuts; **sgusciare [schiacciare] noci**, to shell [to crack] nuts; **guscio di n.**, nutshell; **gusto di n.**, nutty flavour; **olio di n.**, nut oil; **torta di noci**, walnut cake **2** (frutto di varie piante) nut: **n. di acagiù**, cashew (nut); **n. di betel**, areca nut; **n. del Brasile**, Brazil nut; **n. di cocco**, coconut; **n. moscata** (frutto e albero), nutmeg; **n. pecan**, pecan nut; **n. vomica** (frutto e albero), nux vomica **3** (macelleria) best end (of veal) ● (anat.) **n. del piede**, ankle-bone □ (cucina) **n. di burro**, knob of butter □ (bot.) **n. di galla**, gallnut.

nocèlla f. **1** (anat.) wrist-bone **2** (di compasso) pivot.

nocepèsca f. nectarine.

nocepèsco m. (bot., Prunus persica nectarina) nectarine.

nocéto m. walnut grove.

nocicettìvo a. (biol.) nociceptive.

nocicettóre m. (biol.) nociceptor.

nocicezióne f. (biol.) nociception.

nocìfero a. nut-bearing.

nocìno m. (liquore) walnut liqueur.

nocività f. harmfulness; noxiousness.

♦**nocìvo** a. harmful; bad; detrimental; injurious; noxious: **n. alla salute**, bad for one's health; injurious to one's health; **n. per la propria immagine**, bad for (o detrimental to) one's image; **influsso n.**, bad influence; **sostanza nociva**, noxious substance.

nòcqui 1ª pers. sing. pass. rem. di **nuocere**.

NOCS sigla (polizia, **Nucleo operativo centrale di sicurezza**) central security task force.

noctilùca f. (zool., Noctiluca) noctiluca*.

nocuménto m. (lett.) damage; injury; harm; detriment.

nodàle a. **1** (scient.) nodal: (astron.) **linea n.**, nodal line; (fis.) **punto n.**, nodal point **2** (fig.) crucial; key (attr.): **aspetto n.**, key aspect; **il punto n.**, the crucial point; the crux.

nodèllo m. **1** (zool.) fetlock **2** (bot.) joint; node.

nodìno m. **1** (ricamo) French knot **2** (macelleria) veal rib.

♦**nòdo** m. **1** knot; (in molti nomi di nodi, anche) hitch; (con passaggio attraverso un anello) bend: **n. a bocca di lupo**, boat knot; **n. comune** (o semplice), overhand knot; **n. del boia**, hangman's noose; **n. falso**, granny's bend; **n. delle guide**, overhand loop; **n. margherita**, sheepshank; **n. parlato**, clove

hitch; **n. piano**, reef knot; square knot; **n. di Prusik**, prusik (knot); **n. di Savoia**, figure-of-eight knot; true-love knot; **n. scorsoio**, slipknot; running bowline knot; noose; **n. semplice**, overhand knot; **n. vaccaio**, carrick bend; **allentare un n.**, to loosen a knot; **disfare un n.**, to untie (o to undo) a knot; **fare un n.**, to tie (o to make) a knot; **farsi il n. alla cravatta**, to knot one's tie; **fare un n. al fazzoletto**, to tie a knot in one's handkerchief; **stringere un n.**, to tighten a knot **2** (punto d'intersezione) junction; (di rete di distribuzione) branch point: **n. ferroviario**, railway junction; **n. stradale**, road junction **3** (bot.) node; knob; gnarl **4** (astron., geom., fis., comput.) node: **n. ascendente [discendente]** (dell'equinozio), ascending [descending] node; **linea dei nodi**, nodal line **5** (groppo) tangle; kink; knot **6** (crocchia di capelli) bun; (hair done up in a) knot **7** (fig.: vincolo) tie; bond: **il n. coniugale**, the marriage tie **8** (fig.: nocciolo) heart, core; (punto cruciale) crux: **il n. della faccenda**, the crux of the matter **9** (fig.: intreccio) plot: **lo scioglimento del n.**, the unravelling of the plot; the dénouement (franc.) **10** (fig.: difficoltà) knotty problem; puzzle: Bisogna sciogliere questo n., we must solve this knotty problem **11** (naut.: unità di misura di velocità) knot: **procedere a sette nodi**, to be doing seven knots ● **un n. alla gola**, a lump in one's throat □ **un n. allo stomaco**, a knot in the pit of one's stomach □ **n. di Salomone**, Solomon's seal □ **n. di vento**, whirlwind □ **n. gordiano**, Gordian knot □ (med.) **n. isterico**, globus hystericus □ **groviglio di nodi**, tangle □ **I nodi sono venuti al pettine**, the day of reckoning has come □ (ricamo) **punto a n.**, French knot stitch □ (prov.) **Tutti i nodi vengono al pettine**, sooner or later your sins will find you out.

nodosità f. **1** knottiness **2** (med.) nodosity; (nodo) node.

nodóso a. knotty; knobbed; gnarly; gnarled; (scient.) nodose: **bastone n.**, knotty stick; **mani nodose**, gnarled hands; **tronco n.**, knotty trunk.

nodulàre a. **1** (miner.) nodular **2** (med.) nodular; nodulated.

nodulectomìa f. (chir.) lumpectomy.

nòdulo m. **1** (miner.) nodule **2** (med.) lump; nodule.

nodulóso a. nodulose; nodulous.

NOE sigla (Carabinieri, **Nucleo operativo ecologico**) environmental crimes task force.

Noè m. (Bibbia) Noah.

noèma m. **1** (filos.) noema* **2** (ling.) noem.

noemàtico, noèmico a. (filos. e ling.) noemic.

noèsi f. (filos.) noesis.

noètico ① a. (filos.) noetic.

noètico ② a. (di Noè) Noachian.

no global Ⓐ a. anti-globalization; anti-global Ⓑ m. e f. anti-globalization protestor.

♦**nói** pron. pers. m. e f. 1ª pers. pl. **1** (sogg.) we: Noi andiamo, e voi?, we are going, what about you?; E noi, che facciamo?, what are we going to do?; **noi italiani**, we Italians; **noi cinque**, we five; the five of us; Nemmeno noi lo crediamo, we don't believe it either; Tutti noi ne fummo contenti, we were all glad of it; Siamo noi le vittime, we are the real victims; it is we who are the victims (form.); «Chi è?» «Siamo noi», «who is it?» «it's us» (form. «it is we»); L'abbiamo detto noi stessi, we said so ourselves **2** (compl. ogg. e indir.) us: È venuto con noi, he came with us; nessuno di noi, none of us; È per tutti noi, it's for all of us (o for us all); Tocca a noi decidere, it is for us to decide; Ci sia-

mo accordati tra noi, we have agreed among ourselves **3** (plurale maiestatico) we: Noi, Filippo, re di…, we, Philip, king of… **4** (con valore impers.: sogg.) one, we, you; (compl. ogg. e indir.) one, us, you: Noi dobbiamo ricordare anche chi soffre, we should also remember those that suffer ● **da noi** (a casa nostra: moto) to our house, to our place; (stato) with us, at our place, at home; (nel nostro paese) in our country; (nella nostra famiglia) in our family: Venite da noi a prendere il caffè, come to our place for coffee; Puoi dormire da noi, you can sleep at our place; we can put you up for the night □ **da noi** (da soli), (all) by ourselves □ **Beati noi!**, aren't we lucky? □ **Poveri noi!**, poor us! □ **Veniamo a noi!**, let's go back to what we were saying!

♦**nòia** f. **1** boredom; tediousness; tedium; (cosa o persona noiosa) bore, drag (fam.), yawn (fam.): **n. mortale**, deadly boredom; yawn (fam.); **essere di una n. mortale**, to be dreadfully boring; to be a drag (o a yawn) (fam.); **ammazzare la n.**, to relieve boredom; **morire di n.**, to die of boredom; to be bored to tears; Sarà una bella n. quella cerimonia, that ceremony is going to be a great bore (o very boring); Che n.!, how boring!; what a drag! **2** (seccatura, fastidio) nuisance Ⓤ; bother Ⓤ; trouble Ⓤ; hassle (fam.); (cosa o persona seccante) nuisance, pain in the neck (fam.): Non voglio avere noie, I don't want any trouble (fam. any hassle); **avere noie con la polizia**, to run into trouble with the police; **dare n. a q.**, (infastidire) to bother sb.; (irritare) to irritate sb.; Mi dà n. il rumore, noise bothers me; Che n., ora mi tocca riscrivere tutto!, oh bother (o what a nuisance), now I'll have to write it all over again **3** (guasto, disturbo) trouble Ⓤ: **noie al motore**, engine trouble ● **avere qc. a n.**, to be fed up with st.; to find st. tedious □ **ripetere sino alla n.**, to repeat ad nauseam □ **Tutta la faccenda mi è venuta a n.**, I'm fed up with (o sick of) the whole thing.

noiàltri m. pl., **noiàltre** f. pl. → **noi**.

noiosità f. boringness; tedium.

♦**noióso** Ⓐ a. **1** boring; tedious; dull: **una conferenza noiosa**, a boring lecture; **una giornata noiosa**, a dull day; **un lavoro n.**, a dull job; L'attesa fu lunga e noiosa, the wait was long and tedious **2** (che dà fastidio) troublesome; tiresome; bothersome; irritating: **una tosse noiosa**, a troublesome cough; Sono faccende noiose, it's all very annoying Ⓑ m. (f. **-a**) **1** bore **2** (seccatore) nuisance; pest; pain in the neck (fam.).

noisette (franc.) a. e m. inv. hazel.

noleggiànte m. e f. hirer; (aeron.) charterer; (naut.) freighter, charterer.

noleggiàre v. t. **1** (prendere a noleggio) to hire; to rent; (aeron.) to charter; (naut.) to charter, to affreight: **n. un'auto [una bicicletta]**, to hire a car [a bicycle]; **n. un film**, to rent a film **2** (dare a noleggio) to hire out; to rent out; (aeron., naut.) to charter: (cartello) Si noleggiano barche, boats for hire.

noleggiatóre m. (f. **-trìce**) hirer; hire contractor; (aeron.) charterer; (naut.) charterer, affreighter.

noléggio m. **1** hiring; hire; renting; (aeron.) charter, chartering; (naut.) charter, affreightment, freight: **n. d'un auto**, the hiring of a car; **il n. di un film**, the renting of a film; **aereo a n.**, charter plane; **auto da n.**, car for hire **2** (costo) hire (charge, rental); (aeron.) charter fee; (naut.) charter fee, freightage **3** (negozio) hire firm; rental firm: **n. di automobili**, car-hire (firm) ● **dare [prendere] a n.** → **noleggiare**.

nolènte a. (lett.) unwilling ● **volente o n.**, whether sb. likes it or not; willy-nilly.

nòli me tàngere Ⓐ loc. f. inv. (bot., Im-

patiens noli-tangere) touch-me-not; noli-me-tangere **B** a., m. e f. inv. (*scherz.*) stuck-up (person).

nòlo m. **1** hire (charge, rental); (*aeron.*) charter (fee); (*naut., anche*) freight, charter (fee): **costo, assicurazione e n.**, cost, insurance and freight; (*naut.*) **mercato dei noli**, charter (*o* freight) market **2** (*affitto di macchinario*) rent ● **dare [prendere] a n.** → **noleggiare**.

nòma m. (*med.*) noma.

nòmade **A** a. **1** (*etnol.*) nomadic; nomad: **popoli nomadi**, nomadic peoples **2** (*estens.*) nomadic; roaming; wandering: **fare vita n.**, to lead a nomadic life **B** m. e f. **1** (*etnol.*) nomad **2** (*estens.*) wanderer; drifter (*spreg.*).

nomadismo m. nomadism.

◆**nóme** m. **1** name: **n. completo**, full name; **n. d'arte**, stage-name; **n. da ragazza** (*o da signorina*), maiden name; **n. da sposa**, married name; **n. di battesimo**, Christian name; first name; **n. di famiglia**, family name; surname; **n. di fantasia**, fictitious name; **n. e cognome**, first name and surname; full name; **n. e indirizzo**, name and address; **falso n.**, assumed name; false name; alias; **i più bei nomi di Francia [del cinema]**, the greatest names in France [in cinema]; **sotto falso n.**, under an assumed name; *Che n. ha?*, what's its [his, her] name?; **cambiare n. a**, to change the name of; to rename; **mettere** (*o* **dare, imporre**) **a un bambino il n. di...**, to give a child the name of...; to name a child...; **prendere il nome da**, to be named after; *Porta il n. del nonno*, he bears his grandfather's name; he was named after his grandfather; **scrivere il proprio n. per esteso**, to write one's name in full; **un tale di n. Leo**, a man by the name of Leo; *Il giovane, di n. Marco Landi, ha dichiarato che...*, the youth, whose name is (*o* the youth, named) Marco Landi, said that...; **essere conosciuto con** (*o sotto*) **il n. di**, to go by the name of; **chiamare q. per n.**, to call sb. by his name; *Scrive sotto il n. di...*, she writes under the name of...; her nom-de-plume is... **2** (*fig.: reputazione*) reputation; name: **farsi un n.**, to make a name for oneself; to win a reputation; **godere di un buon n.**, to have a good reputation **3** (*gramm.*) noun: **n. astratto [concreto, comune, collettivo]**, abstract [concrete, common, collective] noun; **n. proprio**, proper noun (*o* name) ● **n. commerciale**, trade name □ **n. depositato**, registered trade name □ **n. di battaglia**, nom de guerre (*franc.*); code name □ **a n. di**, in the name of; (*per conto di*) on behalf of, for: **una prenotazione a n. di Martini**, a reservation in the name of Martini; *Parlo a n. di tutti*, I'm speaking for everyone □ **Digli a n. mio che...**, tell him from me that... □ (*fig.*) **avere un n.**, to be a name; to have a reputation □ (*fig.*) **chiamare le cose col proprio n.**, to call a spade a spade □ **conoscere q. di n.**, to know sb. by name □ **di n.**, in name: **solo di n.**, in name only; **di n. e di fatto**, in name and in fact □ (*fam.*) **Come fa di n.?**, what's his name? □ **fare il n. di q.**, to mention sb.'s name; to name sb.; (*denunciare*) to inform on sb. □ **fare (i) nomi**, to name names □ **Fuori i nomi!**, we want the names! □ **un grosso n.** (*una persona importante*), a big name; a name to conjure with □ **in n. di**, in the name of; (*a favore di*), on behalf of: **in n. della legge**, in the name of the law □ **In n. di Dio!** (inter.), for God's sake! □ (*relig.*) **nel n. del Padre, del Figlio e dello Spirito Santo**, in the name of the Father and of the Son and of the Holy Ghost □ **senza n.**, nameless; (*anonimo*) anonymous.

nomèa f. notoriety; reputation.

nomenclatóre m. (f. **-trice**) nomencla-

tor.

nomenclatùra f. nomenclature.

nomenklatùra f. (*spreg.*) nomenklatura.

nomignolo m. nickname: **dare a q. il n. di...**, to nickname sb...

nòmina f. **1** nomination; appointment; (*elezione*) election: **n. a giudice**, appointment as judge; **n. governativa**, government appointment; **ricevere la n. a direttore**, to be appointed director; **di fresca n.**, newly appointed; *Il giovane era di prima n.*, it was the young man's first post; (*leg.*) **decreto di n.**, decree of appointment **2** (*assegnazione*) assignment; constitution.

nominàbile a. mentionable ● **non n.**, unmentionable.

nominàle a. **1** (*per nome*) name (attr.); by name; nominal: **appello n.**, roll-call; **elenco n.**, list organized by name; name list **2** (*gramm.*) noun (attr.); nominal: **suffisso n.**, noun suffix **3** (*solo di nome*) nominal: **autorità n.**, nominal authority **4** (*econ., fin.*) nominal: **affitto n.**, nominal rent; peppercorn rent; **valore n.**, nominal value; face value: **tasso di interesse n.**, nominal interest rate; (*di titolo a reddito fisso*) coupon rate of interest.

nominalismo m. (*filos.*) nominalism.

nominalista m. e f. (*filos.*) nominalist.

nominalìstico a. (*filos.*) nominalistic.

nominalizzàre v. t. (*ling.*) to nominalize.

nominalizzazióne f. (*ling.*) nominalization.

nominalménte avv. nominally.

◆**nominàre** v. t. **1** (*dare un nome*) to name; to call: **n. una nuova specie**, to name a new species **2** (*menzionare*) to mention the name of, to mention; (*elencare*) to recite the names of: *Non n. il genero davanti a lei*, don't mention her son-in-law's name in her presence; **n. tutti i re di Roma**, to recite the names of all the kings of Rome; *Mai sentito n.*, never heard of it [him] **3** (*scegliere per una carica*) to appoint, to nominate, to assign; (*designare*) to designate; (*eleggere*) to elect: *È stato nominato direttore generale*, he has been appointed general manager; **n. q. erede**, to designate sb. as heir.

nominataménte avv. **1** (*per nome*) by name **2** (*espressamente*) expressly, particularly; (*esplicitamente*) explicitly.

nominativaménte avv. by name.

nominatività f. (*econ.*) registration system: **n. dei titoli**, registration of securities.

nominativo **A** a. **1** (*gramm.*) nominative: **caso n.**, nominative case **2** (*per nome*) by name: **elenco n.**, list organized by name; name list; (*comm.*) **ruolo n. dei contribuenti**, roll of contributors' names **3** (*intestato*) personal; registered: **libretto n. di risparmio**, personal savings book; **titoli nominativi**, registered securities **B** m. **1** (*gramm.*) nominative **2** (*bur.: nome e cognome*) full name **3** (*naut.*) ship's number; ship's pennants (pl.): **alzare il n.**, to hoist ship's pennants **4** (*aeron.*) number **5** (*radio*) call sign (*o* signal).

nominàto a. **1** named **2** (*noto*) renowned ● **non n.**, unnamed.

nomogràmma m. (*mat.*) nomogram; nomograph.

◆**non** avv. **1** (*con nomi, pron.*) not: **un prestito, non un regalo**, a loan, not a present; *Voglio te, non lui*, I want you, not him; **non quello**, not that one **2** (*con agg.*) not, un-; (*con avv.*) not; (*davanti a compar.*) no: **non ancora**, not yet; **non annunciato**, unannounced; (*leg.*) **non colpevole**, not guilty; **non lontano**, not far; **non oltre**, (*rif. a spazio*) no farther than, not beyond; (*rif. a tempo*) no later than; **non più**, (*rif. a tempo*) no

longer; (*rif. a quantità*) no more; **non più grande di un pugno**, no bigger than a fist; **non più tardi di ieri**, no later than yesterday; **non sposato**, not married; unmarried; **non ultimo**, not last **3** (*con verbi*) not (*spesso contratto in* n't): *È meglio non farlo*, it is better not to do it; *Non l'ho letto*, I have not read it; I haven't read it; *Non approvo la tua decisione*, I don't approve of your decision; *Non posso andare*, I cannot (*o* can't) go; *Non glielo dirò*, I won't tell him; *Non è giusto*, it is not fair; it isn't fair; it's not fair; *Non è vero?*, isn't that so?; *Per piacere, non far rumore*, please, don't make a noise; *Temo che non sarà pronto*, I'm afraid it won't be ready; *Fu multato per non aver pagato la tassa del cane*, he was fined for not paying (*o* for failing to pay) the dog licence; *Non abbiamo libri*, we have no books; we haven't (got) any books; *Non c'è acqua*, there is no water ❶ NOTA: *double negative* → **negative 4** (*in presenza di altra neg.*) – *Non gli diedi nulla*, I gave him nothing; *Non l'ha visto nessuno*, nobody saw him; *Non vidi nessuno*, I didn't see anyone; I saw no one; *Non ho mai detto questo*, I never said that; *Non ci sono né luce né gas*, there is neither electricity nor gas **5** (*davanti a sost. e agg., con funzione di quasi pref.*) non-: **non cattolico**, non-Catholic (*altri esempi sono dati come lemmi*) **6** (*idiom., pleonastico*) – *Non posso, finché non sarà finito*, I can't until it is finished; *Non appena usciva un cliente, ne entrava un altro*, no sooner had one customer left than another came in; as soon as a customer left, another came in; *Per poco non caddi*, I nearly fell down ● **Non c'è di che**, don't mention it; you're welcome (*USA*) □ (*leg.*) **non luogo a procedere**, nonsuit □ **Non posso non lagnarmi**, I cannot but complain □ **un non so che**, V. **il lemma** □ **in men che non si dica**, in a flash; before you could say Jack Robinson (*fam.*) □ **piaccia o non piaccia**, whether you like it or not □ **Se non fosse per lei...**, but for her...; were it not for her...

nòna f. **1** (*mus.: intervallo*) ninth **2** (*mus.: sinfonia*) ninth (symphony): **la n. di Bruckner**, Bruckner's Ninth **3** (*relig.*) none; nones (pl.).

nonagenàrio a. e m. (f. **-a**) nonagenarian.

nonagèsimo a. num. ord. e m. (*lett.*) ninetieth.

non aggressióne loc. f. non-aggression.

nonàgono m. (*geom.*) nonagon.

non allineaménto loc. m. (*polit.*) non-alignment.

non allineàto loc. a. (*polit.*) non-aligned.

nonàno m. (*chim.*) nonane.

non belligerànte loc. a. e m. non-belligerent.

non belligerànza f. non-belligerence.

nonchalance (*franc.*) f. nonchalance; unconcern; indifference; casualness.

nonché cong. **1** (*e inoltre*) as well as; and also: *C'era il vice-presidente, n. il presidente*, the chairman was there, as well as the vice-chairman **2** (*tanto meno*) still less; let alone: *Non vorrei parlarne, n. scriverne*, I wouldn't talk about it, let alone (*o* still less) write about it.

non collaborazióne f. non-cooperation; (*forma lotta sindacale*) slow-down strike.

nonconformìsmo m. nonconformism.

nonconformìsta a., m. e f. nonconformist.

non credènte loc. m. e f. non-believer.

noncurànte a. **1** (*che non si preoccupa*) careless (of, about); indifferent (to); unconcerned (with); heedless (of): **n. del proprio aspetto**, careless about one's appearance;

n. delle critiche, indifferent to criticism; **n. del pericolo**, heedless of danger **2** (*indifferente*) careless; nonchalant; insouciant; casual: **atteggiamento n.**, careless (*o* nonchalant) attitude; insouciance.

noncuranza f. **1** (*trascuratezza*) carelessness; negligence; neglect: **n. dei propri doveri**, neglect of one's duties; **n. nel vestire**, carelessness about one's clothes **2** (*indifferenza*) indifference; lack of concern; nonchalance; insouciance.

non deambulànte loc. a. unable to walk; disabled.

nondiméno cong. still; however; nevertheless; nonetheless: *Non credo di saperlo fare, n. ci proverò*, I don't think I can do it; still, I'll try; *Benché scettico, accettò n. di collaborare*, although sceptical, he nonetheless agreed to collaborate.

non docénte Ⓐ m. e f. member of the non-teaching staff Ⓑ a. non-teaching.

nòne f. pl. (*stor.*) Nones.

non-èssere m. (*filos.*) non-being.

nonétto m. (*mus.*) nonet.

non fumatóre Ⓐ loc. m. (f. **-trìce**) non-smoker ● (*ferr.*) **carrozza per non fumatori**, non-smoker; non-smoking carriage □ **posti per non fumatori**, non-smoking seats Ⓑ loc. a. non-smoking.

non intervènto loc. m. (*polit.*) non-intervention.

nònio m. (*scient.*) nonius.

non-io m. (*filos.*) other-than-I.

non marcàto loc. a. (*ling.*) unmarked.

non menzióne loc. f. (*leg.*) benefit of non-registration of one's conviction on one's criminal record.

non-metàllo m. (*chim.*) non-metal.

nònna f. **1** grandmother; grandma (*fam.*); granny (*fam.*); gran (*fam.*); nana (*fam.*) **2** (*vecchietta*) granny; dear old lady.

nonnìsmo m. (*gergo mil.*) bullying (of young recruits).

♦**nònno** m. **1** grandfather; grandpa (*fam.*); granddad (*fam.*) **2** (al pl.) (*nonno e nonna*) grandparents **3** (al pl.) (*antenati*) forefathers; ancestors **4** (*vecchietto*) old man; granddad **5** (*gergo mil.*) senior recruit ● (*scherz.*) **Sì, mio n.!**, tell that to the marines!

nonnùlla m. trifle; (a) mere nothing; (the) slightest thing: **litigare per un n.**, to quarrel over a trifle (*o* for the slightest thing); **offendersi per un n.**, to take offence for the slightest thing; *Basta un n. per farlo felice*, it takes very little to make him happy.

♦**nòno** a. num. ord. e m. ninth.

♦**nonostànte** Ⓐ prep. in spite of; despite; in the face of; notwithstanding (*anche pospositivo*): **n. tutto**, in spite of everything; *Partirono n. la neve*, they left, despite the snow; *È riuscito n. il suo handicap*, he succeeded in the face of his disability; **n. ciò**, even so; and yet; still; all the same; anyway (*USA*) Ⓑ cong. – **n. che**, (even) though; although.

nonpertànto cong. (*lett.*) nevertheless; however: **ciò n.**, notwithstanding this.

non plus ùltra loc. m. inv. (the) ne plus ultra (of); (the) height (of); (the) last word (in): *Questo è il non plus ultra*, this is the ne plus ultra; **il non plus ultra della villania**, the height of bad manners; **il non plus ultra della tecnologia**, the last word in technology.

non pòssumus (*lat.*) loc. m. non possumus.

non professionàle loc. a. non-professional.

non profit, no profit Ⓐ a. non-profit Ⓑ loc. m. inv. non-profit sector.

non proliferazióne loc. f. non-proliferation.

nonsense (*ingl.*) m. inv. **1** nonsense Ⓤ **2** (*poesiola*) nonsense rhyme.

nonsènso m. nonsense Ⓤ; absurdity: *Hai detto un n.*, what you said is nonsense.

non so che Ⓐ a. indefinable; indescribable; a note of: *Sentii non so che paura nella sua voce*, I heard a note of fear in his voice Ⓑ m. indefinable something; undefinable element: *Ha un non so che, che attrae gli uomini*, she has an indefinable something about her that attracts men; **avere un non so che di sgradevole**, to have something (vaguely) unpleasant about one; to be vaguely unpleasant; **un certo non so che**, a certain «je ne sais quoi» (*franc.*); an inexpressible something.

non stop Ⓐ loc. a. non-stop: **volo non stop**, non-stop flight Ⓑ loc. f. inv. (*radio, TV*) non-stop programme.

non tessùto Ⓐ loc. a. unwoven; non-woven Ⓑ m. unwoven (*o* non-woven) fabric.

nontiscordardimé m. (*bot.*, *Myosotis palustris*) forget-me-not.

non udènte → **udente**.

nònuplo Ⓐ a. nine times greater Ⓑ m. st. nine times greater; ninefold amount: **27 è il n. di 3**, 27 is nine times greater than 3.

non valóre loc. m. (*filos.*) non-value.

non vedènte → **vedente**.

non violènto loc. a. non-violent.

nonviolènza f. non-violence.

noologìa f. (*filos.*) noology.

noòtropo a. (*farm.*) nootropic.

noradrenalìna f. (*biochim.*) noradrenaline.

norcinerìa f. (*region.*: *mattatoio*) pork butchery; (*bottega*) pork butcher's (shop).

norcìno m. **1** (*macellatore, venditore*) pork butcher **2** (*chi castra i maiali*) swine gelder.

♦**nord** Ⓐ m. north: **il n. dell'Europa**, the north of Europe; **il n. geografico [magnetico]**, the geographical [magnetic] north; **n.-est → nordest**; **n.-ovest → nordovest**; **andare a n.**, to go north; **diretto a n.**, northbound; **a n. di**, (to the) north of: *Torino è a n. di Genova*, Turin is (to the) north of Genoa; **più a n.**, further north; **il lato esposto a n.**, the side facing north; **al (*o* nel) n.**, in the north; **venire da n.**, to come from the north; **da n. a sud**, from north to south; **l'America del N.**, North America; **l'Europa del N.**, Northern Europe; **il Mare del N.**, the North Sea; **le regioni del n.**, the northern regions; **nebbie del n.**, northern mists; **verso n.**, northwards; in a northern direction; **vento da n.**, northerly wind; **vento del n.**, north wind Ⓑ a. north; northern; northerly: **il Polo N.**, the North Pole; **parete n.**, north wall; **il conflitto N.-Sud**, the North-South conflict; **in direzione n.**, in a northerly direction; **venti gradi di latitudine n.**, thirty degrees latitude north.

nordafricàno a. e m. (f. **-a**) North African.

nordamericàno a. e m. (f. **-a**) North American.

nordatlàntico a. North Atlantic.

nordèst, nord-èst m. north-east: **il n. dell'Italia**, the north-east of Italy; **dirigersi a n.**, to head north-east; **a n. di**, (to the) north-east of; **da n.**, from the north-east; **north-east** (attr.); north-eastern; north-easterly; **vento da n.**, north-easterly wind; north-easter; **verso n.**, north-eastward, north-eastwards; in a north-easterly direction.

nordeuropèo a. e m. (f. **-a**) North European.

nòrdico Ⓐ a. **1** (*del nord*) North; climate: **clima n.**, northern climate; **regioni nòrdiche n.**, northern regions **2** (*dell'Europa del Nord*) North European; Nordic: **paesi nòrdici**, North European countries; **leggende nòrdiche**, Nordic legends; **sci n.**, Nordic skiing Ⓑ m. (f. **-a**) (*europeo del Nord*) North European.

nordirlandése Ⓐ a. Northern Irish Ⓑ m. e f. Ulsterman* (m.); Ulsterwoman* (f.).

nordìsta a. (*stor. USA*) Federal; Union (attr.): **l'esercito nordista**, the Union army Ⓑ m. e f. **1** (*stor. USA*) Federal; Unionist **2** (*abitante del nord di un paese*) northerner.

nordoccidentàle a. north-west; north-western; north-westerly.

nordorientàle a. north-east; north-eastern; north-easterly.

nordòvest, nord-òvest m. **1** north-west: **il n. della Francia**, the north-west of France; **dirigersi a n.**, to head north-west; **il Passaggio a n.**, the North-west Passage; **a n. di**, (to the) north-west of; **da n.**, from the north-west; north-west (attr.); north-western; north-westerly; **vento da n.**, north-westerly wind; north-wester; **verso n.**, north-westward, north-westwards; in a north-westerly direction **2** (*cappello*) nor'wester.

norepinefrìna f. (*biochim.*) norepinephrine.

nòria f. noria; water wheel.

Norimbèrga f. (*geogr.*) Nuremberg ● (*stor.*) **i processi di N.**, the Nuremberg trials.

nòrma f. **1** (*regola, anche leg.*) rule; regulation: **n. di legge**, rule of law; **norme di sicurezza**, safety regulations; **norme e regolamenti**, rules and regulations; (*leg.*) **norme giuridiche**, legal regulations; (*leg.*) **norme procedurali**, rules of procedure; **norme valutarie**, currency regulations; **le norme vigenti**, the current regulations; **applicare [infrangere, osservare] una n.**, to apply [to break, to observe] a rule; **stabilire delle norme**, to lay down rules; **il rispetto delle norme**, the observance of the rules **2** (*regola di comportamento*) norm; rule; standard: **n. di vita**, rule of life; **le norme della buona educazione**, the norms of good behaviour; *È buona n. non discutere*, it's a good rule not to argue **3** (*consuetudine*) rule; custom **4** (al pl.) (*avvertenze, istruzioni*) instruction: **norme per l'uso**, instructions; directions for use **5** (*standard*) standard; (*media*) norm; average: **n. di produzione**, production standard; **deviare dalla n.**, to deviate from the norm; **non essere nella n.**, to be below standard; **rientrare nella n.**, to be within the norm; to be average ● **a n. di legge**, in accordance with the law □ **di n.**, as a rule; generally speaking □ **per tua n. (e regola)**, for your information.

♦**normàle** Ⓐ a. **1** normal; standard; regular; (*solito*) usual; (*medio*) average: **condizioni normali**, normal conditions; (*med.*) **polso n.**, regular pulse; **procedura n.**, standard procedure; **tariffa n.**, standard tariff; (*alpinismo*) **via n.**, regular route; **di intelligenza n.**, of average intelligence; *Cominciò come una giornata n.*, it began like any other day; *Non è n. che si comporti così*, it isn't normal for her to behave like that; she doesn't usually behave like that; *È n. che piova in marzo*, it usually rains in March; *È n. che tu voglia sapere*, it's understandable that you should want to know; *La vita riprese n.*, life got back to normal **2** (*che dà una regola*) standard (attr.): **peso n.**, standard weight **3** (*geom.*) normal; perpendicular Ⓑ f. **1** (*geom.*) normal; perpendicular **2** (*alpinismo*) regular route **3** (*bur.*) circular.

normalità f. normality; normalcy (*USA*, *spec. econ.*, *polit.*): **ristabilire la n.**, to re-establish normality; **tornare alla n.**, to get back to normal (*o* to normality).

normalizzàre Ⓐ v. t. **1** to bring* back to normal; to normalize **2** (*standardizzare*) to

standardize **3** (*mat.*) to normalize B **normalizzàrsi** v. i. pron. (*raggiungere la normalità*) to be normalized; (*tornare alla normalità*) to get* back to normal.

normalizzàto a. (*bur.*) standard.

normalizzatóre A a. normalizing B m. (f. **-trice**) normalizer.

normalizzazióne f. **1** normalization **2** (*standardizzazione*) standardization.

normalménte avv. **1** (*in modo normale*) normally **2** (*di norma*) normally; as a rule.

Normandìa f. (*geogr.*) Normandy.

normànno a. e m. **1** (*dei normanni*) Norman: **castello n.**, Normal castle; (*stor.*) **la conquista normanna**, the Norman Conquest **2** (*della Normandia*) Normandy (attr.) • (*geogr.*) **le Isole Normanne**, the Channel Islands.

normativa f. set of rules; rules (pl.); regulations (pl.); provisions (pl.): **la n. in materia di vigilanza**, security rules; **imporre una n.**, impose regulations.

normativo a. prescriptive; normative; regulatory: **grammatica normativa**, normative grammar.

normoblàsto m. (*biol.*) normoblast.

normodotàto (*psic.*) A a. normally intelligent; of average intelligence B m. (f. **-a**) normally intelligent person.

normodotazióne f. (*psic.*) normal intelligence; average intelligence.

normògrafo m. lettering stencil.

normolìneo A a. (*med.*) having a normal build; normally built B m. (f. **-a**) person with a normal build; normally built person.

normopéso (*med.*) A a. inv. having a normal weight B m. inv. person with a normal weight.

normotensióne f. (*med.*) normal blood pressure.

normotermìa f. (*fisiol.*) normal body temperature.

normotéso (*med.*) A a. normotensive B m. normotensive person.

normotìpo m. person with a normal build; normally built person.

Nòrna f. (*mitol.*) Norn.

norrèno a. Norse: **lingua norrena**, Old Norse.

norvegése A a. Norwegian; Norway (attr.): **i fiordi norvegesi**, Norwegian fjords; **pino n.** (*Pinus resinosa*), Norway pine B m. e f. Norwegian C m. (*ling.*) Norwegian.

Norvègia f. (*geogr.*) Norway.

nosocomiàle a. nosocomial; hospital (attr.): **malattia n.**, nosocomial disease.

nosocòmio m. hospital.

nosofobìa f. (*psic.*) nosophobia.

nosogènesi f. (*med.*) pathogenesis.

nosografìa f. (*med.*) nosography.

nosogràfico a. (*med.*) nosographic.

nosologìa f. (*med.*) nosology.

nosològico a. (*med.*) nosological.

nosomanìa f. (*psic.*) nosomania.

nosotròpico a. (*farm.*) nosotropic.

nossignóre avv. (f. **-a**) **1** no, sir (f. madam) **2** (neg. enfat.) not at all; not in the least; certainly not.

♦**nostalgìa** f. (*di casa, del proprio paese*) homesickness; (*del passato*) nostalgia: **n. di casa**, homesickness; **n. della giovinezza**, nostalgia for one's youth; *Ho n. dell'Italia e dei miei amici*, I feel homesick for Italy and my friends; I miss Italy and my friends; **avere n. dei vecchi tempi**, to be nostalgic about the good old days; **provare n.**, to feel homesick; to be nostalgic; **ricordare il passato con n.**, to be nostalgic about one's past; to look back nostalgically on one's past; **riempire q. di n.**, to make sb. feel homesick

[nostalgic]; **soffrire di n.**, to be homesick.

nostalgicaménte avv. with nostalgia; nostalgically.

nostàlgico A a. **1** (*di persona che ha nostalgia della casa, del paese*) homesick **2** (*pieno di nostalgia, che suscita nostalgia*) nostalgic: **ricordi nostalgici**, nostalgic memories; **sentimento n.**, feeling of nostalgia B m. (f. **-a**) person who looks back nostalgically (on st.).

nòstoc m. (*bot.*) nostoc.

no-stòp → **non stop**.

nostràle, **nostràno** a. home-grown; home-made; home (attr.); local.

nostràtico a. (*ling.*) Nostratic.

♦**nòstro** A a. poss. our; (*n. proprio*) our own; (come pred. nominale) ours: **n. padre**, our father; **la nostra parte**, our share; **i nostri figli**, our children; *Che ne dice il n. Luigi?*, what does Luigi have to say about it?; **un n. amico**, a friend of ours; one of our friends; **tre nostri amici**, three friends of ours; three of our friends; **questo n. quadro**, this picture of ours; **una casa (tutta) nostra**, a house of our own; *Padre n., che sei nei cieli*, Our Father who art in Heaven; *Questo libro non è il n.*, this book isn't ours B pron. poss. **1** ours; our own: *Il tuo divano assomiglia al n.*, your sofa looks like ours; *La nostra è una storia curiosa*, ours is a curious story **2** (in espressioni ellittiche) – **il N.**, our author; *Viviamo del n.*, we live on our income; *Non vogliamo rimetterci del n.*, we don't want to lose by it; **la nostra del 12 u.s.**, our letter of the 12th last; *Sono tutti dalla nostra*, they're all on our side; *Vogliamo dire la nostra*, we want to have our say; *Abbiamo avuto le nostre (disgrazie)*, we've had our own share of trouble; **i nostri**, (*parenti*) our relatives; (*famiglia*) our family, our folk; (*amici, sostenitori, alleati*) our friends, our side (sing.), our allies; (*soldati*) our soldiers; *Vuoi essere dei nostri?*, will you join our side?; *Siete dei nostri stasera?*, are you joining us tonight?; *Hanno vinto i nostri*, our side has won; *Arrivano i nostri!*, (al cinema) the Cavalry's coming!; (*fig.*) help is on the way.

nostròmo m. (*naut.*) boatswain; bosun.

♦**nòta** f. **1** (*segno, contrassegno*) mark: **n. distintiva**, distinguishing mark; peculiar feature **2** (*mus.*) note: **le sette note**, the seven notes; **n. acuta**, high note; **n. fondamentale**, tonic; **alzare troppo una n.**, to sharpen a note; to be sharp (USA); *Non ha sbagliato una n.*, he didn't play a single false note **3** (*fig.: tocco, elemento, accento*) note: **una n. allegra**, a note of gaiety; **n. falsa**, false note; **n. stonata**, jarring (o discordant) note; *C'era una n. di vanità nella sua voce*, there was a note of vanity in his voice; **trovare la n. giusta**, to strike (o to hit) the right note **4** (*appunto*) note: **prendere n. di qc.**, to make a note of st.; to note st. down; (*velocemente*) to jot st. down; **prendere n. mentalmente di qc.**, to make a mental note of st.; (*comm.*) **prendere n. di un'ordinazione**, to book an order **5** (*a un testo*) note: **n. a piè di pagina** (o in calce), footnote; **n. dell'editore**, publisher's note; **n. esplicativa**, note; *Le note sono in fondo al libro*, the notes are at the end of the book; **aggiungere qc. in n.**, to add st. as a footnote; **corredare un testo di note**, to provide a text with notes; to annotate a text; **testo con note**, annotated text **6** (*commento, comunicazione, giudizio*) note: **n. di biasimo**, reprimand; **n. diplomatica**, diplomatic note; **note informative** (su un dipendente), report (sing.); evaluation (sing.) **7** (*lista, elenco*) list: **la n. della spesa**, the shopping list; **mettere in n.**, to put down (on the list); **mettersi in n.**, to add one's name to the list; *Mi misi in n. per giovedì*, I put myself down for Thursday **8** (*conto*) bill;

(*fattura*) invoice: **la n. della sarta**, the dressmaker's bill; **n. spese**, expense account; *Lo metta in n.*, put it down on the bill **9** (*comm., banca*) note; slip: **n. di accredito**, credit slip; (*Borsa*) **n. di acquisto**, bought note; **n. di addebito**, debit note; **n. di consegna**, delivery note; **n. di spedizione**, consignment note • (*stor.*) **note tironiane**, Tironian notes □ **a chiare note**, in no uncertain terms □ **degno di n.**, worthy of note; noteworthy □ (*fig.*) **le dolenti note**, the bad bit (sing.); the bad news (sing.).

nòta bène loc. m. nota bene (abbr. N.B.).

notabilàto m. notables (pl.); worthies (pl.) (*scherz.*).

notàbile A a. notable; remarkable; noteworthy; worthy of note B m. notable; notability; worthy (*scherz.*).

notabilità f. **1** notability; distinction **2** notability; notable.

notacànto m. (*zool.*, Notacanthus sexspinis) spineback.

notàio m. notary (public).

♦**notàre** v. t. **1** (*segnare*) to mark: **n. un errore con la matita blu**, to mark a mistake in blue pencil **2** (*prendere nota*) to note; to make* a note of; to write* down; (*registrare*) to register, to record: **n. le spese**, to register one's expenses **3** (*osservare*) to note, to observe; (*accorgersi*) to notice, to see*, to be aware of, to detect: **n. i difetti di q.**, to note sb.'s faults; *Hai notato come la guardava?*, did you notice how he was looking at her?; *Notai dell'ironia nella sua voce*, I detected a hint of irony in his voice; *La sua assenza non fu notata*, his absence went unnoticed; *Non notai niente di diverso nella stanza*, I didn't see (o I wasn't aware of) any change in the room; *È da n. che...*, it should be noted that...; *Da n.* (o Nota bene) *che nessuno aveva detto niente*, no one had said anything, mind you **4** (*commentare*) to note; to observe; to remark • **far n. qc. a q.**, to point st. out to sb. (*notice*); to draw attention (o notice); to draw attention to oneself; (*segnalarsi*) to distinguish oneself: *Farebbe qualunque cosa per farsi n.*, she would do anything to attract attention (to herself); *Giovanissimo si era fatto n. nella campagna d'Egitto*, while still very young, he had distinguished himself in the Egyptian campaign □ **Si nota la macchia?**, does the stain show?

notarésco a. notarial.

notariàto m. function of a notary (public).

notarìle a. **1** notarial; notary's: **atto n.**, notarial deed; **consiglio n.**, board of notaries; **copia n.**, certified copy; **procura n.**, power of attorney; **studio n.**, notary's chambers (o office) **2** (*fig.*) formal.

notàro → **notaio**.

notazióne f. **1** (*annotazione*) annotation; note **2** (*osservazione*) observation; remark **3** (*mus.*) notation **4** (*mat.*) notation • **n. delle pagine**, pagination.

nòtes m. inv. notebook; notepad.

♦**notévole** a. **1** (*degno di nota*) noteworthy; notable; (*pregevole*) remarkable: *C'è qualcosa di n. in questo paese?*, is there anything noteworthy in this village?; **un quadro n.**, a remarkable painting **2** (*considerevole*) considerable; marked; substantial; significant; sizeable: **un n. aumento**, a considerable (o marked) increase; **un n. ritardo**, a considerable delay; **una somma n.**, a sizeable sum.

notìfica f. (*bur.*) notice; notification: **n. di sfratto**, eviction notice; **dare n. di qc.**, to notify sb. of st.; **ricevere n. di qc.**, to be notified of st.

notificàbile a. notifiable.

notificàre v. t. **1** (*leg.*) to serve: **n. un mandato d'arresto**, to serve an arrest warrant; **n. un mandato di comparizione a q.**,

a b c d e f g h i j k l m **n** o p q r s t u v w x y z

to serve sb. with a summons; to serve a summons on sb.; to subpoena sb. **2** (*informare*) to give* notice of; to inform (sb.) of; to report: **n. un furto alla polizia**, to report a theft to the police; *Ci fu notificato il suo arrivo*, we were informed (*o* notified) of his arrival; *Si notifica che...*, notice is hereby given that... **3** (*comm.*) to advise.

notificazióne f. **1** notification; notice: **dare n. di qc.**, to notify sb. of st.; **ricevere n. di qc.**, to be notified of st. **2** (*leg.*) service; summons: **n. di una sentenza**, service of a judgment; **n. di comparire**, summons to appear; subpoena.

notista m. e f. (*giorn.*) political commentator.

♦**notizia** f. **1** (*lett.: cognizione*) knowledge **2** (*informazione su fatto recente*) piece (*o* bit) of news, news item (*giorn.*); news ⓤ: **una n. interessante**, an interesting piece of news; **una n. falsa**, a false report; (*giorn.*) **una n. in esclusiva**, exclusive news; a scoop; **una n. in quarta pagina**, a news item on the fourth page; (*giorn.*) **n. lampo**, newsflash; flash; **notizie recenti**, recent news; **le ultime notizie** (*le più recenti*), the latest news; (*giorn.*) **notizie dell'ultim'ora**, latest news; stop-press news; breaking news; *Ho una buona* [*cattiva*] *n.*, I have good [bad] news; *Che notizie ci sono?*, what is the news?; *Hai notizie recenti di Vanna?*, have you heard (any news) from Vanna recently?; **chiedere notizie di q.**, to ask (*o* to inquire) about sb.; *Dagli la n. con delicatezza*, break the news to him gently; *Dammi* (*o Fammi avere*) *tue notizie*, let me hear from you; *Non ha più dato notizie di sé*, he hasn't been heard from; **ricevere notizie di q.**, to hear from sb.; *La sai la n.?*, have you heard the latest?; *Siamo senza sue notizie da un mese*, we haven't heard from him for a month; (*non si è fatto vivo, anche*) we haven't had news of him for a month; *Siamo senza notizie da lunedì*, we've had no news since Monday **3** (*informazione, ragguaglio*) information ⓤ; data (pl.): **notizie biografiche**, biographical information (*o* data); *Scarseggiano le notizie storiche di quel periodo*, data are (*o* is) very scarce for that period ● **fare n.**, to be news; to capture the headlines □ **non fare n.**, to be of no interest; to be no news □ **Giunse n. che...**, word came that...

notiziàrio m. **1** (*radio, TV*) news bulletin; (the) news: **il n. delle 6**, the 6-o'clock news **2** (*cinem.*) newsreel **3** (*bollettino*) newsletter; news bulletin **4** (*giorn.: notizie*) news; reports (pl.).

♦**nòto** ① Ⓐ a. well-known; known; famous; (*familiare*) familiar; (*famigerato*) notorious: **il n. pianista polacco**, the well-known Polish pianist; **un fatto n.**, a known fact; **una persona a me nota**, a person known to me; **una voce nota**, a familiar voice; **n. alla polizia**, known (*o* well-known) to the police; **n. in tutto il mondo**, world-famous; **tristemente n.**, infamous; notorious; *È n. a tutti che...*, it is generally known that...; it is of common knowledge that...; *Com'è n.*, as everybody knows; **rendere n.**, to notify; to inform Ⓑ m. (the) known.

nòto ② m. **1** (*lett.*) southerly wind **2** (*est., poet.*) wind.

notocòrda f. (*zool.*) notochord.

notonètta f. (*zool., Notonecta glauca*) water boatman*; backswimmer.

notoriaménte avv. as everybody knows; (*in senso deteriore*) notoriously: **n. disonesto**, notoriously dishonest; **essere n. ospitale**, to be well-known for one's hospitality; *Ero n. amico dei Berni*, it was well-known that I was (*o* I was known to be) a friend of the Bernis.

notorietà f. fame; reputation; (*in senso deteriore*) notoriety ● (*leg.*) **atto di n.**, affidavit.

notòrio a. **1** well-known; (*in senso deteriore*) notorious: **un fatto n.**, a well-known fact; *È n. che...*, it is well-known that...; *La sua avarizia è notoria*, he is notoriously mean; he is all too well known for his meanness **2** (*leg.*) – **atto n.**, affidavit.

nottambulìsmo m. night-wandering.

nottàmbulo Ⓐ m. (f. **-a**) (*chi va in giro di notte*) night wanderer; (*chi fa schiamazzi notturni*) late-night reveller; (*chi sta alzato fino a tardi*) night bird (*fam.*), night owl (*fam.*) Ⓑ a. night-wandering.

nottàta f. night: **nottate d'inverno**, winter nights; **una n. di viaggio**, a night's journey; **passare una n. insonne**, to have a sleepless night; **fare n.**, to sit up all night.

♦**nòtte** f. night: **una n. buia** [**stellata**], a dark [starry] night; **la n. di sabato**, Saturday night; **ieri n.**, last night; **questa n.**, (*futura*) tonight; (*trascorsa*) last night; *Calava* (*o scendeva*, **cadeva**) *la n.*, night was falling; *Si sta facendo n.*, it's getting dark; **di n.**, at (*o* by) night; during the night; at night-time; **lavorare di n.**, to work at night; **viaggiare di n.**, to travel by night; *Parigi di n.*, Paris by night; *I ladri sono entrati di n.*, the burglars got in during the night; **a n. avanzata**, far (*o* late) into the night; **a n. fatta**, when it is (*o* was) completely dark; after nightfall; **fino a tarda n.**, until late at night; **in piena n.**, in the middle of the night; **nel cuore della n.**, at dead of night; (**per**) **tutta la n.**, all night long; **sul far della n.**, at nightfall; *Ci fermammo per una notte a Torino*, we spent one night in Turin; we stayed in Turin overnight; **passare la n.** (*in un luogo*), to stay overnight; *Il malato non passerà la n.*, the patient won't last the night (*o* won't see this night out); **giorno e n. senza interruzione**, day and night without stopping; round the clock; **turno di n.**, night shift ● **n. bianca** (*o* **in bianco**), sleepless night; **passare la n. in bianco**, to have a sleepless night; not to sleep a wink ● **n. brava**, riotous night out; night of revelry □ **la n. dell'ultimo dell'anno** (*o* **di San Silvestro**), New Year's Eve □ **la n. di Natale**, Christmas Eve □ **buona n.** → **buonanotte** □ **camicia da n.**, nightshirt □ **far baldoria tutta la n.**, to make a night of it □ **fare di n. giorno**, to turn night into day □ **fare n.**, to go on into the small hours □ (*fam.*) **fare la n.** (*fare il turno di n.*), to work the night shift □ **Quella farmacia fa servizio di n.**, that chemist is open at night □ **col favore della n.**, under cover of darkness □ **nella n. dei tempi**, in the dim and distant past □ (*letter.*) **«Le mille e una n.»**, «The Arabian Nights»; «The Thousand and One Nights» □ **una casa da mille e una n.**, a house that looks like something out of the Arabian Nights; a fabulous house □ **Peggio che andar di n.!**, worse than ever! □ **portiere di n.**, night porter □ (*prov.*) **La n. porta consiglio**, night is the mother of counsel.

nottetèmpo avv. at night; by night; at night-time; during the night.

nottilùca → **noctiluca**.

nottilucènte a. (*meteor.*) noctilucent.

nottivago a. (*lett.*) night-wandering.

nòttola f. **1** (*zool., Nyctalus noctula*) noctule **2** (*saliscendi*) latch.

nottolino m. **1** door latch **2** (*mecc.*) pallet; pawl: **n. di arresto**, ratchet; pawl.

nottolóne m. (*zool., Caprimulgus europaeus*) European nightjar; goatsucker.

nòttua f. (*zool., Noctua*) noctuid; owlet moth.

nottùrna f. (*sport*) evening match; evening game.

♦**nottùrno** Ⓐ a. night (attr.); nocturnal: **animale n.**, nocturnal animal; **guardiano n.**, nightwatchman; **locale n.**, nightclub; **ore notturne**, night hours; night-time

(sing.); **servizio n.**, night duty; night shift; **uccello n.**, nocturnal (*o* night) bird Ⓑ m. **1** (*eccles.*) early morning service; nocturn **2** (*mus., arte*) nocturne.

nòtula f. (*parcella*) fee; honorarium*.

nougat m. inv. nougat.

nouménica a. (*filos.*) noumenal.

noùmeno m. (*filos.*) noumenon*.

noùs m. inv. (*filos.*) nous.

Nov. abbr. (**novembre**) November (Nov.).

nòva f. (*astron.*) nova*.

novàle m. (*agric.*) newly-ploughed field.

♦**novànta** a. num. card. e m. ninety. (*Per gli esempi d'uso* → **quaranta**) ● (*fig.*) **pezzo da n.**, (*capo mafioso*) big mafia boss; (*estens.*) big shot, big gun (*USA*) □ (*scherz.*) **La paura fa n.**, fear is an ugly beast.

novantamila a. num. card. e m. ninety thousand.

novantènne Ⓐ a. ninety-year-old (attr.); ninety years old (pred.) Ⓑ m. e f. ninety-year-old person; (*persona sulla novantina*) person in his [her] nineties.

novantènnio m. (period of) ninety years: **l'ultimo n.**, the last ninety years.

novantèsimo a. num. ord. e m. ninetieth ● **al n. minuto**, (*calcio*) in the last minute of play; (*fig.*) at the eleventh hour, in the nick of time.

novantina f. **1** about ninety; ninety or so **2** (*90 anni di età*) ninety. (*Per gli esempi d'uso* → **quarantina**)

novarése Ⓐ a. of Novara; from Novara Ⓑ m. e f. native [inhabitant] of Novara.

novatóre (*lett.*) Ⓐ m. (f. **-trìce**) innovator Ⓑ a. innovating.

novazióne f. (*leg.*) novation.

♦**nòve** a. num. card. e m. inv. nine; (*nelle date*) (the) ninth; (*il numero*) number nine: **n. volte su dieci**, nine times out of ten; **un bambino di n. anni**, a nine-year-old (child); **il n. di Aprile**, the 9th of April; April (the) 9th; *Tutto è pronto per il n.*, everything is ready for the ninth; *Sono le n.*, it's nine (o'clock); *Vengo col n.*, I'm taking bus [tram] number nine; **prova del n.**, (*mat.*) casting out nines; (*fig.*) acid test.

novecentésco a. twentieth-century (attr.); 20th-century (attr.).

novecentèsimo a. num. ord. e m. nine-hundredth.

novecentìsmo m. modernism.

novecentìsta Ⓐ m. e f. twentieth-century artist [author, etc.] Ⓑ a. → **novecentìstico**.

novecentìstico a. twentieth-century (attr.).

novecènto Ⓐ a. num. card. inv. **1** nine hundred **2** (*del ventesimo secolo*) 20th-century (attr.); 20th-century (attr.): **un palazzo n.**, a 20th-century building Ⓑ m. inv. **1** nine hundred **2** (*il secolo*) (the) twentieth century: **gli scrittori del N.**, twentieth-century authors.

novela → **telenovela**.

novèlla f. **1** story; tale; short story: **le novelle del Boccaccio**, Boccaccio's stories; **una raccolta di novelle**, a collection of short stories; **scrittore di novelle**, short-story writer **2** (*lett.: notizia*) news ⓤ; tidings (pl.) (*lett.*) **3** (*leg., diritto romano*) novel ● (*relig.*) **la Buona N.**, the Gospel ❶ **FALSI AMICI** ● **novella** *nei sensi di racconto e di notizia non si traduce con* novel.

novellàme m. (*zool.*) fry.

novellàre v. i. (*lett.*) to tell* tales (*o* stories).

novellatóre m. (f. **-trìce**) (*lett.*) story-teller; teller of tales.

novellétta f. (*mus.*) novelette.

novellière m. (f. **-a**) **1** (*scrittore*) short-

-story writer **2** (*raccontatore*) story-teller **3** (*raccolta di novelle*) collection of short stories.

novellìno Ⓐ a. **1** (*primaticcio*) new; early **2** (*inesperto*) young and inexperienced; raw; green; still wet behind the ears (*fam.*) Ⓑ m. (f. *-a*) (raw) beginner; novice; greenhorn (*fam.*); raw recruit (*fam.*); rookie (*fam.*).

novellìsta m. e f. short-story writer ❶ **FALSI AMICI** • novellista *non si traduce con* novelist.

novellìstica f. short stories (pl.); short-story writing.

novellìstico a. short-story (attr.).

novellizzazióne f. novelization.

novèllo a. **1** (*nato da poco*) new; early; spring (attr.): **asparagi novelli**, early (o the first) asparagus; **l'età novella**, the early years; youth; **patate novelle**, new potatoes; **pollo n.**, spring chicken; **la stagione novella**, the spring **2** (*recente*) newly (+ agg. o p.p.): **sacerdote n.**, newly ordained priest; **sposa novella**, newly-wed bride **3** (*secondo*) second; another: **un n. Attila**, a second Attila.

♦**novèmbre** m. November. (*Per gli esempi d'uso* → **aprile**.)

novembrìno a. November (attr.): **pioggia novembrina**, November rain.

novemìla a. **num. card. e** m. nine thousand.

novèna f. (*relig.*) novena*.

novenàrio (*metrica*) Ⓐ a. of nine syllables; nine-syllable (attr.) Ⓑ m. nine-syllable line.

novendiàle Ⓐ a. nine-day (attr.); lasting nine days Ⓑ m. (*stor.*) novendial.

novennàle a. **1** (*che ricorre ogni nove anni*) occurring every ninth year **2** (*che dura nove anni*) nine-year (attr.): **piano n.**, nine-year plan.

novènne a. nine-year-old (attr.); nine years old (pred.); aged nine (pred.).

novènnio m. nine-year period; nine years (pl.).

noveràre v. t. (*lett.*) to count.

nòvero m. (*lett.*) group; category • **entrare nel n. di**, to become one of □ **porre q. nel n. degli amici**, to number sb. among one's friends.

novilùnio m. new moon.

novìssimo (*lett.*) Ⓐ a. superl. (*ultimo*) last: (*relig.*) **il n. bando**, the Last Judgment Ⓑ m. (*relig.*) – **i Novissimi**, Death, Judgment, Heaven, Hell.

♦**novità** f. **1** (*l'essere nuovo, originale*) novelty; newness; originality: **la n. di un metodo**, the originality of a method **2** (*cosa nuova*) novelty; new thing; something new; new experience; (*nuova idea*) new idea; (*nuova moda*) new fashion, latest trend: **le n. della moda**, the latest fashions; **n. discografica**, new release; **le n. letterarie [teatrali]**, new books [plays]; *Questo libro è una n.*, this book is just out; *L'ho comprato al banco delle novità*, I bought it at the novelty counter; **correre dietro alle n.**, to follow all the latest trends; **un desiderio di n.**, a longing for something new **3** (*fatto nuovo*) new event; new development; (*notizia*) news 🄤: **le n. del giorno**, the events of the day; the day's news; **le ultime n.**, the lastest events; the latest developments; *Lo misi al corrente delle n.*, I told him what had happened lately; *C'è qualche n.?*, has anything happened?; is there any news?; *Che n. ci sono?*, what's the news?; *Grosse n.!*, big news!; *La sai l'ultima n.?*, do you know the lastest news? **4** (*innovazione*) innovation; (*cambiamento*) change: **introdurre delle n.**, to make some changes (o innovations); **odiare le n.**, to hate change • **Che n. sono queste?**, what's the meaning of this?; what's the big

idea? (*fam.*) □ (*iron.*) **Sai che novità!**, so what else is new?

novìzia f. → **novizio, A**.

noviziàto m. **1** (*eccles.: periodo e collegio*) novitiate: **fare il n.**, to serve one's novitiate **2** (*tirocinio*) apprenticeship • (*fig.*) **scontare il n.**, to learn the hard way.

novìzio Ⓐ m. (f. *-a*) **1** (*eccles.*) novice **2** (*fig.*) novice; beginner; apprentice; new recruit Ⓑ a. inexperienced.

novocaìna® f. (*farm.*) novocaine.

nozionàle a. factual; (*spreg.*) purely factual.

nozióne f. **1** (*filos.*) concept; notion; idea **2** (*cognizione, idea*) sense; idea: **la n. del tempo**, the sense of time; **non avere la n. del bene e del male**, to have no sense of good and evil; *Non avevo un'esatta n. di quanto stava accadendo*, I didn't have a very clear idea of what was happening **3** (*conoscenza*) (factual) knowledge 🄤; (al pl.: *rudimenti*) rudiments, basics, elements: **avere qualche n. di latino**, to have a basic knowledge of Latin; to have a smattering of Latin; *Le mie nozioni di tedesco sono rudimentali*, my knowledge of German is very basic; *Non possiede nessuna n. di chimica*, she knows no chemistry whatsoever; she doesn't even know the rudiments of chemistry; **nozioni di grammatica**, elements of grammar.

nozionìsmo m. superficial factual knowledge; superficiality of knowledge.

nozionìstico a. (*spreg.*) purely factual.

♦**nòzze** f. pl. wedding (sing.); (*matrimonio*) marriage (sing.): **n. d'argento [d'oro, di diamante]**, silver [golden, diamond] wedding; **n. riparatrici**, shotgun wedding; **celebrare le n.**, to officiate at sb.'s wedding; to celebrate the marriage; **seconde n.**, second marriage; *L'ha sposato in seconde n.*, he is her second husband; **il giorno delle n.**, sb.'s wedding day; **lista di n.**, wedding list; wedding gift registry; **pranzo di n.**, wedding reception; wedding breakfast (*GB*); **regalo di n.**, wedding present; **viaggio di n.**, honeymoon • **andare a n.**, (*sposarsi*) to get married; (*fig.*) to go to town on st.; to have a ball with st. □ **convolare a (giuste) n.**, to get married; to tie the knot (*scherz.*) □ (*fig.*) **fare le n. coi fichi secchi**, to do things on a shoestring □ (*fig.*) **invito a n.**, **invitare a n.** → **invito, invitare**.

ns., N/s abbr. (*comm.*, **nostro**) our; ours.

NSGC sigla (*relig.*, **Nostro Signore Gesù Cristo**) Our Lord Jesus Christ.

NT sigla **1** (*banca*, **non trasferibile**) non--transferable; non-negotiable **2** (*relig.*, **Nuovo Testamento**) New Testament (NT).

NU sigla **1** (**Nazioni unite**) United Nations (UN) **2** (**Nettezza urbana**) city sanitation department; refuse department **3** (**Nuoro**).

nuance (*franc.*) f. inv. nuance; (*di significato, anche*) shade of meaning.

♦**nùbe** f. **1** (*meteor. e scient.*) cloud: (*fis.*) **n. elettronica**, electron cloud; **n. madreperlacea**, nacreous cloud; (*fis.*) **n. radioattiva**, radioactive cloud; (*astron.*) **n. stellare**, star cloud; **n. temporalesca**, storm-cloud; (*geol.*) **n. vulcanica**, volcanic cloud; **nubi alte [basse]**, high [low] clouds; **nubi minacciose**, threatening clouds; **pieno di nubi**, cloudy; overcast; **senza nubi**, cloudless; **formazione di nubi**, cloud formation **2** (*estens. e fig.*) cloud; veil: **una n. di polvere**, a cloud of dust; **nubi passeggere**, passing clouds; **felicità senza nubi**, unclouded happiness.

nubècola f. **1** (*astron.*) small nebula* **2** (*med.*) nebula*.

nubiàno a. e m. (f. *-a*) Nubian.

nubifràgio m. cloudburst; downpour;

storm.

nubilàto m. (*leg.*) spinsterhood.

nùbile Ⓐ a. **1** single; unmarried: **donna n.**, unmarried (o single) woman; **figlia n.**, unmarried daughter; **stato civile: n.**, marital status, single; **lo stato n.**, the unmarried state; **restare n.**, to remain single **2** (*lett.*; *in età da marito*) nubile ❶ **FALSI AMICI** • nubile *in senso anagrafico non si traduce con* nubile Ⓑ f. single (o unmarried) woman*; spinster (*leg.*) • **cognome da n.**, maiden name.

nùca f. (*anat.*) nape (of the neck); back of the neck; nucha* (*scient.*): **colpo alla n.**, blow on the back of the neck; (*di taglio con la mano*) rabbit punch.

nucàle a. (*anat.*) nuchal.

nùce → **in nuce**.

♦**nucleàre** Ⓐ a. **1** (*fis.*) nuclear: **arma n.**, nuclear weapon; **centrale n.**, nuclear power station; **energia n.**, nuclear energy; **esperimento n.**, nuclear test; **fisica n.**, nuclear physics; **medicina n.**, nuclear medicine; **potenza n.**, nuclear power; **reazione n.**, nuclear reaction **2** (*biol.*) nuclear: **membrana n.**, nuclear membrane **3** (*antrop.*) nuclear: **famiglia n.**, nuclear family **4** (*ling.*) nuclear: **frase n.**, nuclear sentence Ⓑ m. nuclear power.

nuclearìsta Ⓐ a. in favour of the use of nuclear power; pro-nuclear Ⓑ m. e f. supporter of the use of nuclear power.

nuclearizzàre Ⓐ v. t. to supply with nuclear power Ⓑ **nuclearizzàrsi** v. i. pron. to adopt nuclear power.

nuclearizzazióne f. adoption of nuclear power.

nucleàsi f. (*chim.*) nuclease.

nucleàto a. (*biol.*) nucleate; nucleated.

nucleazióne f. (*miner.*) nucleation.

nuclèico a. (*chim.*) nucleic: **acido n.**, nucleic acid.

nucleìna f. (*biol.*) nuclein.

nùcleo m. **1** (*scient.*) nucleus*; core; kernel: (*fis.*) **n. atomico**, atomic nucleus; (*fis.*) **n. composto**, compound nucleus; (*astron.*) **il n. di una cometa**, the nucleus of a comet; (*elettr.*) **n. magnetico**, magnetic core; (*mat.*) **n. risolvente**, resolvent kernel **2** (*parte centrale*) nucleus*; centre, core, kernel: **il n. da cui nacque questa industria**, the nucleus of this industry; **il n. di un'ideologia**, the kernel of an ideology **3** (*gruppo*) group; (*squadra*) team, squad: **n. abitativo**, residential complex; settlement; **n. antincendi**, fire squad; **n. antiterrorismo**, anti--terrorist squad; **n. familiare**, family unit; household; **n. investigativo**, team of detectives; detective squad; **il n. originario del partito**, the original group which founded the party.

nucleòfilo a. (*chim.*) nucleophilic.

nucleòlo m. (*biol.*) nucleolus*.

nucleóne m. (*fis. nucl.*) nucleon.

nucleònica f. (*fis. nucl.*) nucleonics (pl. col verbo al sing.).

nucleoplàsma m. (*biol.*) nucleoplasm.

nucleoproteìna f. (*chim.*) nucleoprotein.

nucleòside m. (*chim.*) nucleoside.

nucleotermoelèttrico a. (*fis.*) nuclear power (attr.): **centrale nucleotermoelettrica**, nuclear power plant.

nucleotìde m. (*chim.*) nucleotide.

nuclìde m. (*fis.*) nuclide.

nuculiàno a. (*bot.*) nuculianum*.

nude-look (*ingl.*) loc. m. inv. see-through clothes (pl.): **ragazze in nude-look**, girls wearing see-through clothes.

nudibrànchio m. (*zool.*) nudibranch; sea slug; (al pl., *scient.*) Nudibranchia.

nudìsmo m. nudism.

nudìsta a., m. e f. nudist: **campeggio di nudisti**, nudist camp; **spiaggia per nudisti**, nudist beach.

nudità f. 1 (*l'essere nudo*) nakedness; nudity 2 (al pl.) (*parti nude del corpo*) naked parts; nakedness ⬚: *Cercò di coprire le sue n.*, he tried to hide his nakedness 3 (*l'essere spoglio*) bareness 4 (*fig.*: *semplicità*) plainness.

♦**nùdo** A a. 1 (*senza indumenti*) naked; bare; nude; in the nude: **braccia nude**, naked (o bare) arms; **uomini nudi**, naked (o nude) men; **n. come un verme** (o **mamma l'ha fatto**), stark naked; in the altogether (*am.*); **n. dalla vita in su**, bare from the waist up; **mezzo n.**, half-naked; **dormire n.**, to sleep naked; **fare il bagno n.**, to bathe naked (o in the nude); to skinny-dip (*USA*); **a** (o **con i**) **piedi nudi**, barefoot; bare-footed (agg.); **andare a piedi nudi**, to go barefoot; **a testa nuda**, bareheaded (agg.); **a torso n.**, bare--chested (agg.) 2 (*spoglio, scoperto*) bare; naked: (*naut.*) **albero [pennone] n.**, bare pole; **montagne nude**, bare mountains; **pareti nude**, bare walls; (*naut.*) **scafo n.**, bare hull; **spada nuda**, naked sword; **sulla nuda terra**, on the bare earth 3 (*fig.*: *semplice, schietto*) plain; simple; bare; unadorned: **i nudi fatti**, the plain facts; **la nuda verità**, the plain (o naked, unadorned) truth ● **n. e crudo**, (agg.) plain, blunt; unvarnished; (avv.) plainly, bluntly, without mincing words: **parlare n. e crudo**, to speak plainly (o bluntly); to call a spade a spade □ (*leg.*) **nuda proprietà → proprietà** □ **a mani nude**, with one's bare hands □ (*anche fig.*) **mettere a n.**, to lay bare ● **visibile a occhio n.**, visible to the naked eye B m. (*spec. arte*) nude: **un n. di marmo**, a marble nude; **disegnare dal n.**, to draw from the nude; **lezioni di n.**, nude classes.

nùgolo m. swarm; cloud: **nugoli di frecce**, clouds of arrows.

♦**nùlla** (→ **niente**) A pron. indef. inv. nothing; (in presenza di altra neg.) anything: *N. gli sfugge*, nothing escapes him; *Non è n.*, it's nothing; *Non presi n.*, I didn't take anything; I took nothing; **n. di più facile**, nothing (could be) easier; *Non ci vedo n. di male*, I see no harm in it ● **n. di n.**, nothing at all □ **un buono a n.**, a good-for-nothing □ **come se n. fosse**, just like that; as if nothing was the matter; (*senza scomporsi*) without batting an eyelid, without turning a hair □ **una cosa da n.**, (*di lieve entità*) nothing, a trifle, a minor thing; (*facile*) a very simple thing, a doddle (*fam.*), a piece of cake (*fam.*) □ **non mancare di n.**, to lack nothing; (*essere benestante*) to be well-off B m. inv. 1 nothing: **finire in n.**, to come to nothing; **meglio che n.**, better than nothing 2 (*filos.*) nothingness; nothing: **creare dal n.**, to create from nothing 3 (*cosa o quantità minima*) slightest thing; tiniest bit: *Si offende per un n.*, she gets offended at the slightest thing C avv. nothing; (in presenza di altra neg.) anything: **non contare n.**, not to count; to count for nothing; *Non gli importa n. dei miei consigli*, he cares nothing for my advice; **per n.**, not at all; not in the least.

nullafacènte A a. doing nothing; idle B m. e f. idle person; (*sfaccendato*) good-for--nothing.

nullàggine f. 1 nothingness; worthlessness 2 (*nullità*) nonentity.

nullaòsta m. inv. authorization; permission; (*anche il documento*) permit: **dare il n.**, to give permission; to authorize (*st.*); to give* assent; to give the go-ahead (*fam.*); **rilasciare un n.**, to issue a permit.

nullatenènte A a. having no property; propertyless B m. e f. person with no property.

nullatenènza f. lack of property; proper-

tylessness.

nullificàre A v. t. to nullify; to make* void B **nullificàrsi** v. i. pron. to be nullified.

nullificazióne f. nullification.

nullìpara A f. (*med.*) nullipara B a. femm. nulliparous.

nulliparità f. (*med.*) nulliparity.

nullìsmo m. (*filos.*) nihilism.

nullìsta m. e f. (*filos.*) nihilist.

nullità f. 1 insignificance; nonentity; worthlessness; vacuity 2 (*leg.*) invalidity; nullity; voidness: **la n. di un contratto**, the invalidity of a contract; **la n. di un matrimonio**, the nullity of a marriage 3 (*persona*) nonentity; zero.

nùllo A a. 1 (*leg.*) null (and void); void; invalid: **contratto n.**, void contract; **matrimonio n.**, invalid marriage; **dichiarare n.**, to declare null and void; **rendere n.**, to invalidate 2 (*inutile*) useless, of no use (pred.); (*di nessun valore*) of no value (pred.): **rendere nulli tutti gli sforzi**, to render all effort useless ● (*sport*) **incontro n.**, draw □ (*calcio*) **rete nulla**, disallowed goal □ (*sport*) **risultato n.** (*pareggio*), draw □ **scheda nulla**, spoiled ballot paper; spoiled vote B a. indef. e pron. indef. (*lett.*) → **nessuno**.

nùme m. god; numen; deity: **n. tutelare**, tutelary deity ● **Santi numi!**, my goodness!; heavens above!

numeràbile a. countable. ❶ NOTA: *uncountable / countable* → **uncountable**.

numeràle A a. numeral B m. (*ling.*) numeral: **n. cardinale [ordinale]**, cardinal [ordinal] numeral.

numeràre v. t. to number: **n. delle fatture**, to number invoices; **n. le pagine di un libro**, to number the pages of a book; to paginate a book.

numeràrio m. (*banca*) cash.

numeràto a. numbered: **pagine numerate**, numbered pages; **posti numerati**, numbered seats; **non n.**, unnumbered.

numeratóre A m. 1 (f. *-trìce*) number-er; counter 2 (*mat.*) numerator 3 (*macchina*) numbering machine; counter B a. numbering.

numeratrìce f. (*cinem.*) numbering machine; encoding machine.

numerazióne f. 1 (*l'operazione*) numbering; numeration 2 (*mat.*) numeration; notation: **n. binaria**, binary notation; **n. decimale**, decimal notation; **n. romana**, Roman notation 3 (*sequenza di numeri*) numbering; numbers (pl.): **n. delle pagine**, numbering of pages; pagination; **n. stradale**, street numbers.

numericaménte avv. numerically: **n. superiore**, numerically superior.

numèrico a. numerical; numeric: **analisi numerica**, numerical analysis; **serie numerica**, numerical series; (*comput.*) **tastierino n.**, numeric keypad; **valore n.**, numerical value.

♦**nùmero** m. 1 (*mat.*) number: **n. astratto**, abstract number; **n. cardinale**, cardinal number; **n. decimale**, decimal number; **n. dispari**, odd number; **n. fisso**, fixed number; **n. frazionale**, fractional number; **n. immaginario**, imaginary number; **n. intero**, whole number; integer; **n. irrazionale**, irrational number; **n. ordinale**, ordinal number; **n. pari**, even number; **n. primo**, prime number; **n. razionale**, rational number; **n. reale**, real number; **legge dei grandi numeri**, law of large numbers; **teoria dei numeri**, number theory 2 number (*davanti a una cifra abbreviato più spesso che in ital. in* No.): (*fis.*) **n. atomico**, atomic number; (*chim.*) **n. di Avogadro**, Avogadro's number; **n. di codice**, code number; **n. di fabbrica-**

zione (*di motore, ecc.*), serial number; (*mecc.*) **n. di giri**, number of revolutions; (*fis.*) **n. di Mach**, Mach number; (*fis.*) **n. di massa**, mass number; **n. di matricola** (o **d'ordine**), serial number; **n. di pagina**, page number; (*fis.*) **n. di serie**, serial number; (*autom.*) **n. di targa**, (plate) number; **prendere il n. di targa di un'auto**, to take down a car's number; **n. di telefono**, telephone number; (*telef.*) **n. interno**, extension; (*leg.*) **n. legale**, quorum; **avere il [mancare del] n. legale**, to have [not to have] a quorum; (*fis.*) **n. quantico**, quantum number; *È uscito il n. 27*, number 27 was drawn; *Abitiamo al n. 14*, we live at No. 14 3 (*cifra*) figure; numeral; number; digit: **n. arabo [romano]**, Arab [Roman] numeral; **n. di sei cifre**, six-digit (o six-figure) number; **una pagina piena di numeri**, a page full of figures; (*telef.*) **formare un n.**, to dial a number 4 (*fascicolo di rivista, ecc.*) number; issue: **n. arretrato**, back number; **il n. di Natale**, the Christmas issue; **n. unico**, single number (o issue); **n. zero**, dummy issue; pre-publication issue; **il prossimo n.**, the next issue 5 (*misura, taglia*) size: *Che n. di scarpe porti?*, what size of shoes do you take? 6 (*quantità*) number: **un certo n. di persone**, a number of people; **un gran n. di trattori**, a large number of tractors; *Un piccolo n. di cavie morì*, a small number of guinea-pigs died; *Tu non sei del n. di quelli che criticano ogni novità*, you are not one of those who criticize anything new; **dieci di n.**, ten in number; *Ne ho mangiati tre di n.*, I ate just three; **in gran n.**, in great numbers; **in n. sufficiente**, in sufficient number; **senza n.** (*innumerevole*), without number; innumerable; countless 7 (*gramm.*) number 8 (*teatr.*) number; act; item: **n. di ballo**, dance number; **n. di varietà**, variety act; **fare un n. con q.**, to have an act with sb. 9 (*fam.*: *persona estrosa*) character; scream (pred.); hoot (*fam.*) 10 (al pl.) (*fig.*: *qualità, doti*) requisites; qualities; what it takes: **avere dei numeri**, to have much to recommend one; **avere i numeri per riuscire**, to have what it takes to succeed 11 (al pl.) (*Bibbia*) – il Libro dei Numeri (o i Numeri), the Book of Numbers; Numbers 12 (*sport: calcio*) piece of skill; trick; dummy ● **n. chiuso**, numerus clausus (*lat.*) □ (*fig.*) **n. due**, number two; second in command □ (*fig.*) **n. uno**, (*il più importante*) number one; (*il migliore*) first--class (attr.), A1 (*fam.*): *È il n. uno del tennis italiano*, he is the No. 1 Italian tennis player; **un atleta [un cervello] n. uno**, a first-class athlete [brain]; **il nemico pubblico n. uno**, public enemy number one □ (*telef.*) **n. verde**, Freefone® (*GB*); 800 number (o line) (*USA*) □ (*fig.*) **dare i numeri**, to be off one's head; to be nuts (*fam.*); to have lost one's marbles (*fam.*); **cominciare a dare i numeri**, to start raving; to flip (*fam.*) □ **far n.**, to make up the numbers; to swell the crowd □ (*fig.*) **Gli manca qualche n.**, he is not quite all there □ (*fig.*) **uscire dal n.**, to emerge from the crowd □ (*prov.*) **Tutto fa n.**, every little helps.

numerología f. numerology.

numeròlogo m. (f. **-a**) numerologist.

numerosità f. numerousness.

♦**numeróso** a. numerous; (solo davanti a sost. sing.) large, big; (solo davanti a sost. plur.) many, several: **una famiglia numerosa**, a large (o numerous) family; **un equipaggio n.**, a big crew; **numerosi incontri**, numerous (o several) meetings; **i suoi numerosi nipoti**, his many grandchildren; *Numerosi passeggeri protestarono*, several passengers protested; *Accorsero numerosi*, they came in great numbers; **essere più in n. di**, to outnumber.

nùmida a., m. e f. Numidian.

numìdico a. Numidian.

numinosità f. numinousness.

numinóso a. numinous.

numismàtica f. numismatics (pl. col verbo al sing.).

numismàtico A a. numismatic B m. (f. **-a**) numismatist.

nummolària, nummulària f. (*bot.*, *Lysimachia nummularia*) moneywort; creeping Jennie.

nummulìte f. (*paleont.*) nummulite.

nuncupatìvo a. (*leg.*) nuncupative; oral: **testamento n.**, nuncupative will.

nuncupazióne f. (*leg.*) nuncupation.

nundinàle a. (*stor.*) nundinal.

nùndine f. pl. (*stor.*) nundinae.

nunziatùra f. (*eccles.*) nunciature.

nùnzio m. 1 (*eccles.*) nuncio: **n. apostolico**, apostolic nuncio; **n. pontificio**, (papal) nuncio 2 (*lett.*: *messaggero*) messenger 3 (*zool.*) – **n. della morte** (*Blaps mortisaga*), darkling beetle.

nuòcere v. i. to damage (sb., st.); to harm (sb., st.); to be bad (for); to hurt (sb., st.); to be noxious (to): **n. al prestigio di q.**, to damage sb.'s prestige; **n. allo stomaco [alla disciplina]**, to be bad for the stomach [for discipline]; **n. alla salute**, to damage health; to be bad for sb.'s health; *Un po' di fatica fisica non gli nuocerà*, a bit of physical labour won't do him any harm (*o* won't hurt him); *Non volevo nuocergli*, I didn't mean to do him any harm (*o* to harm him); *Tentar non nuoce*, (there's) no harm in trying.

♦**nuòra** f. daughter-in-law ● **essere come suocera e n.**, to be like cat and dog.

nuorése A a. of Nuoro; from Nuoro; Nuoro (attr.) B m. e f. native [inhabitant] of Nuoro.

♦**nuotàre** A v. i. 1 to swim*: **n. a crawl [a dorso, a farfalla, a rana]**, to do the crawl [the backstroke, the butterfly (stroke), the breaststroke]; **n. come un pesce**, to swim like a fish; **n. bene**, to be a good swimmer; **n. sul dorso [sul fianco]**, to swim on one's back [on one's side]; **andare a n.**, to go swimming 2 (*galleggiare*) to swim; to float: *La carne nuotava nel sugo*, the meat was swimming in gravy ● (*fig.*) **n. nell'oro** (*o* **nell'abbondanza**), to be rolling in money □ **In questo cappotto ci nuoto dentro**, this coat is far too big for me B v. t. to swim*: **n. cento metri**, to swim a hundred metres.

nuotàta f. swim: **una bella n.**, a good swim; **fare una n.**, to have a swim; *Andiamo a fare una n.*, let's go for a swim.

nuotatóre m. (f. **-trìce**) swimmer.

♦**nuòto** m. swimming: **campione di n.**, swimming champion; **gara di n.**, swimming race; swimming competition; **stile di n.**, swimming stroke ● **n. a dorso**, backstroke □ **n. a farfalla**, butterfly stroke □ **n. a rana**, breaststroke □ **n. sincronizzato**, synchronized swimming □ **Andiamo a n. fino all'isola**, let's swim to the island □ **attraversare a n. un fiume**, to swim across a river □ **Ha attraversato a n. la Manica**, he swam the Channel □ **raggiungere la riva a n.**, to swim ashore □ **salvarsi a n.**, to swim to safety □ **cercare di salvarsi a n.**, to swim for it.

nuòva f. news ⓤ: **buone [cattive] nuove**, good [bad] news; (*prov.*) *Nessuna n., buona n.*, no news is good news.

Nuòva Caledònia f. (*geogr.*) New Caledonia.

Nuòva Guinèa f. (*geogr.*) New Guinea.

Nuòva Inghiltèrra f. (*geogr.*) New England.

nuovaménte avv. (*di nuovo*) again.

Nuòva Scòzia f. (*geogr.*) Nova Scotia.

Nuòva York f. (*geogr.*) New York.

nuovayorkése A a. New York (attr.) B m. e f. New Yorker.

Nuòva Zelànda f. (*geogr.*) New Zealand.

nuovìsmo m. neophilia; love of novelty.

nuovìsta A m. e f. neophiliac; lover of novelty B a. novelty (attr.).

♦**nuòvo** A a. 1 new: **l'anno n.**, the new year; **un n. arrivato**, a newcomer; **un cappello n.**, a new hat; **la casa nuova**, the new house; **nuova gestione**, new management; **luna nuova**, new moon; **il n. preside**, the new headmaster; **i nuovi arrivi**, the new arrivals; **n. di un luogo [di un mestiere]**, new to a place [to a job]; **sembrare n.**, to look new; (*di cosa non nuova*) to look as good as new; **come n.**, as good as new 2 (*altro*, *ulteriore*) other, further, new; (*diverso*) different: **nuova emissione**, new issue; **fino a n. ordine**, until further orders; *Tutte le sere mette un cappello n.*, he wears a different hat every night 3 (*intatto*) fresh: *Prendi un foglio n. e scrivi*, take a fresh sheet and write 4 (*fig.*: *novello*, *secondo*) second: **un n. Mozart**, a second Mozart ● **n. di zecca**, brand-new □ **il N. Mondo**, the New World □ **il N. Testamento**, the New Testament □ **Che c'è di n.?**, (*che è successo?*) what's happened now?; (*che notizie?*) what's the news? □ **di bel n.**, once (*o* over) again □ **di n.**, again □ **Di n.!** (*formula di commiato*), goodbye ● **di n. conio**, new-coined □ **Mi giunge n.**, that's news to me □ **Il suo nome mi è** (*o* **mi giunge**) **n.**, I've never heard of him □ **Il nome non mi giunge n.**, the name sounds familiar (*o* rings a bell) □ **rimettere a n.**, to do over; to renovate; (*fig.*, *di persona*) to do (sb.) a power of good B m. 1 new; novelty; new things (pl.): **il vecchio e il n.**, the old and the new; **amante del n.**, lover of novelty; **niente di n. sotto il sole**, nothing new under the sun; **qualcosa di n.**, something new 2 (f. **-a**) (*persona nuova*) new man* [boy, woman*, girl]; new colleague; new arrival 3 (*comm.*: *articoli nuovi*) new articles (pl.).

Nuòvo Mèssico m. (*geogr.*) New Mexico.

nuràghe m. (*archeol.*) nuraghe*; nuragh.

nuràgico a. (*archeol.*) nuraghic.

nurse (*ingl.*) f. inv. 1 (*bambinaia*) nurse; (*istitutrice*) governess 2 (*infermiera*) nurse.

nutazionàle a. (*astron.*, *med.*) nutational.

nutazióne f. (*astron.*, *med.*) nutation.

nutracèutico a. e m. (*farm.*) neutraceutical.

nùtria f. 1 (*zool.*, *Myocastor coypus*) coypu 2 (*pelliccia*) nutria.

nutrìce f. 1 wet nurse 2 (*fig.*) nourisher.

nutriènte A a. nourishing; nutritious: **cibo [pasto] n.**, nourishing (*o* nutritious) food [meal]; **crema n.**, nourishing cream B m. nutrient.

nutriménto m. nourishment; food: **trarre n. da qc.**, to draw nourishment from st.; (*fig.*) **n. dello spirito**, food for the spirit.

♦**nutrìre** A v. t. 1 to feed*; to nourish; (*estens.*: *sostentare*) to support: **n. il bestiame**, to feed cattle; **n. i figli**, to feed one's children; **n. la pelle**, to nourish the skin; *Come nutri il tuo cane?*, what do you feed your dog on?; *Mi ha nutrito e vestito*, she clothed and fed me 2 (*assol.*: *essere nutriente*) to be nourishing: *Il latte nutre molto*, milk is very nourishing 3 (*allattare*) to breast-feed*; to nurse 4 (*fig.*: *arricchire spiritualmente*) to nourish; to feed*; to cultivate 5 (*fig.*: *albergare*) to nourish; to harbour; to bear*; to cherish; to foster: **n. affetto per q.**, to feel affection for sb.; **n. dubbi**, to have doubts; **n. rancore contro qc.**, to bear sb. a grudge; **n. un sentimento d'odio**, to nourish a feeling of hatred; **n. simpatia per q.**, to have a liking for sb.; **n. una speranza**, to cherish) a hope; **n. molta stima per q.**, to hold sb. in great esteem; **n. timori**, to have fears; *Si nutrono gravi timori per la loro salvezza*, there is great fear for their safety B **nutrìrsi** v. rifl. to feed* (on); to eat* (st.): *Le pecore si nutrono d'erba*, sheep feed on grass; *Si nutre quasi esclusivamente di verdure*, he eats almost exclusively vegetables.

nutritìvo a. nutritional; nutritive; (*nutriente*) nourishing, nutritious: **cibi ad alto [basso] valore n.**, food with a high [low] nutritive value.

nutritìzio a. (*biol.*) nutritional; nutritive.

nutrìto a. 1 fed; nourished: **ben n.**, well-fed; well-nourished 2 (*fig.*: *numeroso*) large; considerable; substantial; solid: **un n. gruppo di giornalisti**, a large group of journalists; **nutriti applausi**, loud applause (sing.).

nutritóre m. 1 (f. **-trìce**) nourisher 2 (*zootecnia*) feeding trough; feeder.

nutrizionàle a. nutritional; nutritive.

nutrizióne f. 1 (*biol.*) nutrition: **scienza della n.**, nutrition 2 (*alimentazione*) feeding 3 (*alimento*) nourishment; food: **una n. abbondante**, a large quantity of food.

nutrizionista m. e f. nutritionist.

nutrizionìstica f. nutritionist; nutritionalist.

♦**nùvola** f. 1 cloud: **n. temporalesca**, storm cloud; *Le nuvole si addensavano*, the clouds were piling up; **coprirsi di nuvole**, to cloud over; **cime avvolte nelle nuvole**, mountain peaks wrapped in cloud; cloud-capped peaks; **un cielo coperto di nuvole**, a sky covered with clouds; an overcast sky; **senza nuvole**, cloudless 2 (*estens.*) cloud; mist; fog: **una n. di fumo [di polvere]**, a cloud of smoke [of dust] 3 (*fig.*: *contrarietà*) cloud: **le prime nuvole nel loro matrimonio**, the first clouds in their marriage ● (*fig.*) **avere la testa tra le nuvole** (*o* **essere sempre tra le nuvole**), to have one's head in the clouds □ (*fig.*) **cascare dalle nuvole**, to be astounded □ **Scendi dalle nuvole!**, come down on earth!; get real! (*slang USA*) □ **vivere nelle nuvole**, to live in cloud-cuckoo-land.

nuvolàglia f. mass of clouds.

nuvolétta f. 1 little cloud 2 (*di fumetto*) balloon.

nùvolo A a. cloudy; overcast B m. 1 (*tempo nuvoloso*) cloudy weather: *Oggi c'è n.*, it's cloudy today 2 (*lett.*: *nuvola*) cloud 3 (*fig.*: *moltitudine*) swarm; crowd: **un n. di moscerini**, a swarm of midges.

nuvolosità f. cloudiness; clouds (pl.): (*meteor.*) *N. in aumento sulle regioni del nord*, cloud formations growing (more intense) over the northern regions.

♦**nuvolóso** a. 1 cloudy; overcast: **cielo n.**, cloudy (*o* overcast) sky; **giornata nuvolosa**, overcast day 2 (*fig.*) hazy; misty; foggy.

nuziàle a. wedding (attr.); nuptial (*lett.*); (*della sposa*) bridal: **anello n.**, wedding ring; **cerimonia n.**, wedding; **dono n.**, wedding present; **marcia n.**, wedding march; *Messa n.*, nuptial mass; **torta n.**, wedding cake; **velo n.**, bridal veil.

nuzialità f. (*stat.*) marriage rate.

nylon ® m. nylon: **calze di n.**, nylon stockings; nylons; (*collant*) nylon tights (*GB*), nylon pantyhose (*USA*); **filato di n.**, nylon yarn.

o, O

O ①, **o** f. o m. (*tredicesima lettera dell'alfabeto ital.*) O, o ● (*telef.*) **o come Otranto**, o for Oscar □ **l'o di Giotto**, Giotto's O □ **a forma di o**, O-shaped.

O ② sigla (*geogr.*, **ovest**) west (W).

♦**o** ①, **od** cong. **1** or: **due o tre giorni**, two or three days; *Lo vuoi rosso o azzurro?*, do you want it red or blue?; *La porta è aperta o chiusa?*, is the door open or shut?; *Non so se dire di sì o di no*, I don't know whether to say yes or no; *Puoi rimanere o venire con noi, come preferisci*, you can either stay or come with us, as you choose **2** (*correl.*: **o... o**) either... or...: **o questo o niente**, either this one or nothing; *O dici la verità o taci*, either (you) tell the truth or (you) say nothing; *O ti scrivo o ti telefono*, I'll either write to you or phone you; **o l'uno o l'altro** (*non importa quale*), either: *Puoi prendere o l'una o l'altra strada*, you may go by either road **3** (*altrimenti*) or; or else; otherwise: *Paga o ti faccio causa*, pay or I'll sue; *Sbrigati o farai tardi*, hurry up or else you'll be late; *La supplicò di tornare, o lui si sarebbe ucciso*, he implored her to come back, otherwise he would kill himself **4** (*ossia, ovvero*) or: **la filosofia, o amore di sapienza**, philosophy, or love of wisdom.

o ② inter. **1** (*vocat.*) O: *O Signore!*, O Lord! **2** (*enfatico, lett.*) – *Ascoltate, o amici!*, listen, friends **3** (*pleonastico, region.*) – *O che fai?*, what are you doing?; *O che credevi?*, whatever did you think?

♦**òasi** f. **1** (*geogr.*) oasis* **2** (*fig.*) oasis*; haven: **un'o. di pace**, a haven of peace **3** (*riserva naturale*) (nature o wildlife) reserve; sanctuary; conservation area: **o. faunistica**, animal reserve.

obbediènte → **ubbidiente**.

obbediènza f. **1** → **ubbidienza 2** (*stor.*, *a un sovrano*) allegiance **3** (*eccles.*) – **voto di o.**, vow of obedience.

♦**obbedire** → **ubbidire**.

obbedìsco m. inv. act of obedience; submission.

obbiettàre e deriv. → **obiettare**, e deriv.

obbl. abbr. **1** (**obbligatorio**) compulsory; mandatory **2** (**obbligazione**) debenture; bond.

obbligànte a. **1** (*che vincola*) binding **2** (*cortese*) obliging.

♦**obbligàre** Ⓐ v. t. **1** (*imporre un obbligo*) to compel; to require; (*vincolare*) to bind*: *La sua coscienza lo obbligò a confessare*, his conscience compelled him to confess; *Lo Stato obbliga a pagare le tasse*, the state requires citizens to pay taxes; **o. q. per contratto a fare qc.**, to bind sb. (by an agreement) to do st. **2** (*costringere*) to oblige (sb. to do st.); to force (sb. to do st.); to make* (sb. do st.): *Nessuno ti obbliga a restare*, no one is forcing you to stay; *Mi obbligarono a firmare il documento*, they made me sign (o obliged me to sign) the paper; *La malattia lo obbligava a letto*, his illness confined him to his bed **3** (*rendere debitore*) to oblige: *Voi mi obbligate*, I am obliged to you Ⓑ **obbligàrsi** v. rifl. **1** to bind* oneself; (*farsi mallevadore*) to stand* surety: **obbligarsi in solido**, to bind oneself jointly and severally

2 (*impegnarsi*) to undertake*: *Mi obbligai a restituire il denaro entro un anno*, I undertook to pay back the money within a year **3** (*rendersi debitore*) to place oneself under an obligation (to sb.).

obbligatàrio m. (*leg.*) obligee.

obbligàto Ⓐ a. **1** (*vincolato*) under obligation, bound; (*costretto*) obliged, forced, compelled; (*relegato*) confined: *Sono o. a farlo*, I'm obliged to do so; I must do so; *Non sono o. ad accettare*, I am not obliged to accept; I am under no obligation to accept (*form.*); **essere o. per legge a fare qc.**, to have a legal obligation to do st.; **essere o. a letto**, to be confined to bed **2** (*riconoscente*) obliged; indebted; grateful; beholden (*form.*): *Vi sono molto o.*, I am very grateful (*form.* much obliged) to you **3** (*obbligatorio*) obligatory; forced; (*fissato*) set, fixed: **percorso o.**, set (o fixed) route; **rime obbligate**, set rhymes; **scelta obbligata**, forced choice; **schema o.**, set pattern **4** (*mus.*) obbligato: **con violino o.**, with violin obbligato **5** (*biol.*) obligate: **parassita o.**, obligate parasite Ⓑ m. (f. **-a**) (*leg.*) obligor; debtor: **o. principale**, principal debtor.

obbligatorietà f. obligatoriness; compulsoriness.

♦**obbligatòrio** a. **1** compulsory; obligatory: **assicurazione obbligatoria**, compulsory insurance; **fermata obbligatoria** (*di mezzo pubblico*), regular stop; **istruzione obbligatoria**, compulsory education; **servizio militare o.**, compulsory national service; *L'uso delle cinture di sicurezza in auto è o.*, the use of seat belts in cars is compulsory (o obligatory); *La frequenza è obbligatoria*, attendance is compulsory (o obligatory); *Non è o. acquistare*, you do (o one does) not have to buy; you are (o one is) under no obligation to buy (*form.*) **2** (*leg.*) binding; mandatory: **contratto o.**, binding agreement.

obbligazionàrio a. (*fin.*) debenture (attr.); bond (attr.): **capitale o.**, debenture capital; **debito o.**, debenture debt; **mercato o.**, bond market; **prestito o.**, debenture loan; **titolo o.**, bond security; bond.

obbligazióne f. **1** → **obbligo**, *def. 1* **2** (*leg.*) obligation; (*passività*) liability: **o. contrattuale**, contractual obligation; **o. in solido**, joint and several obligation (o liability); **assumere un'o.**, to undertake an obligation; **contrarre un'o.**, to contract an obligation; **soddisfare un'o.**, to meet (o to fulfil) an obligation **3** (*fin.*) bond; debenture (bond): **o. al portatore**, bond to bearer; bearer bond (o debenture); **o. nominativa**, registered bond; **o. garantita**, secured bond; **o. garantita da ipoteca**, mortgage-backed bond; **o. indicizzata**, index-linked bond; **obbligazioni negoziabili**, negotiable bonds; **obbligazioni nominative**, registered debentures; debenture stock; **emettere obbligazioni**, to issue bonds; **mercato delle obbligazioni societarie**, corporate debt market.

obbligazionìsta m. e f. (*fin.*) bondholder; debenture holder.

♦**òbbligo** m. **1** obligation; (*dovere*) duty: **o.**

di coscienza (o morale), moral obligation; **o. di frequenza**, compulsory attendance; **o. reciproco**, mutual obligation; **gli obblighi del proprio stato**, the obligations of one's position; **o. scolastico**, compulsory education; **obblighi di padre**, fatherly duties; *È o. del padre provvedere all'educazione dei figli*, it is a father's duty to provide his children with an education; *È mio o. avvertirvi che...*, it is my duty to warn you that...; I must inform you that...; **adempiere un o.**, to fulfil an obligation (o a duty); **avere l'o. di fare qc.**, to be under an obligation to do st.; to have a duty to do st.; **non avere obblighi con nessuno**, to be under no obligation to anybody; **essere in o. di**, to be under an obligation to; **non imporre obblighi a q.**, to put sb. under no obligation; **sciogliere q. da un o.**, to release sb. from an obligation; **venir meno a un o.**, to fail to fulfil an obligation; not to do one's duty; **venire meno ai propri obblighi**, to neglect one's duties; (*spec. leg.*) to default; **senza o. di acquisto**, with no obligation to buy **2** (*leg.*) obligation; (*debito*) debt, liability: **obblighi contrattuali**, contractual obligations; **o. di fornire le prove**, burden of proof ● (*leg.*) **o. di soggiorno**, compulsory residence □ **obblighi di leva** (o militari), compulsory military service: **soddisfare agli obblighi di leva**, to do one's military service □ **con l'o. di** (*a condizione che*), on condition that; provided that: *Te lo do con l'o. di restituirlo*, I'll let you have it on condition that (o provided that) you return it □ **d'o.**, obligatory; de rigueur (*franc.*): **i complimenti d'o.**, the obligatory congratulations; *È d'o. l'abito da sera*, evening dress is obligatory (o de rigueur); (*negli inviti e sim.*) evening dress required □ **fare o. a q. di fare qc.**, to make it compulsory for sb. to do st.; to request sb. to do st.: *Si fa o. ai partecipanti di osservare le regole*, participants are requested to observe the rules □ **farsi un o. di fare qc.**, to feel it is one's duty to do st. □ **essere [sentirsi] in o. verso q.**, to be [to feel] obliged (o indebted, under an obligation) to sb. □ **scuola dell'o.**, compulsory education.

obb.mo abbr. (*nelle lettere*, **obbligatissimo**) your obedient servant.

obbròbrio m. **1** (*disonore, infamia*) opprobrium; disgrace; abomination; infamy; ignomy: **essere l'o. della famiglia**, to be a disgrace to one's family **2** (*fig.*: *cosa orribile*) awful thing; disgrace; abomination; (*spettacolo orribile*) ghastly sight; (*edificio e sim.*) eyesore, monstrosity: *Che o., il suo ultimo film!*, his latest film is just awful; *La nuova biblioteca è un o.*, the new library is an eyesore ❶ **FALSI AMICI** ● obbrobrio *nel senso di cosa estremamente brutta non si traduce con* opprobrium.

obbrobriosità f. opprobriousness; disgracefulness; ignominiousness.

obbrobrióso a. **1** (*infame*) opprobrious; disgraceful; infamous; ignominious: **contegno o.**, disgraceful behaviour **2** (*orribile*) dreadful; ghastly; awful; grotesque: **un edificio o.**, an awful building; an eyesore (*fam.*); **uno spettacolo o.**, a dreadful scene.

obcordàto a. (*bot.*) obcordate.

obelisco m. (*archit.*) obelisk.

òbelo m. (*stor.*) obelus*.

oberàre v. t. to overburden; to overload: **o. q. di lavoro**, to overburden sb. with work.

oberàto a. overburdened; overloaded; encumbered; inundated; overwhelmed: **o. di debiti**, deep in debt; encumbered with debt (*form.*); up to one's ears in debt (*fam.*); **o. da ipoteche**, heavily mortgaged; **o. di lavoro**, overloaded with work; snowed under with work (*fam.*); **o. di responsabilità**, overburdened with responsibilities.

obesità f. obesity.

obèṣo A a. obese B m. (f. *-a*) obese person.

òbice m. (*mil.*) howitzer.

obiettàre v. t. to object: **o. su qc.**, to object to st.; *Non ho nulla da o.*, I have no objection; *Che cos'hai da o.?*, what have you got against it?; *Trova sempre da o.*, she always finds something to object to; *Obiettai che il denaro non era sufficiente*, I objected that there wasn't enough money.

obiettivaménte avv. objectively; (*imparzialmente*) impartially, fairly.

obiettivàre A v. t. to objectify; to objectivate 2 (*med.*) to reveal B **obiettivàrsi** v. i. pron. to be objective.

obiettività f. objectivity; (*imparzialità*) impartiality, fairness: **giudicare con o.**, to be an impartial (*o* unbiased) judge.

◆**obiettivo** A a. objective; impartial; unbiased; unprejudiced; fair: **giudice o.**, impartial (*o* unbiased) judge; **dare un giudizio o.**, to give an unbiased opinion; **un quadro o. della situazione**, an unprejudiced summary of the situation; *Cerco di essere o.*, I try to be objective B m. 1 (*ottica, di microscopio e telescopio*) objective (lens); (*fotogr.*) lens: **o. a focale fissa**, fixed-focus lens; **o. a focale variabile**, variable focus lens; zoom lens; **o. di proiezione**, projection lens; (*microscopio*) **o. doppio**, doublet; **o. grandangolare**, wide-angle lens; **o. zoom**, zoom lens 2 (*mil.: posizione*) objective (point); (*bersaglio*) target 3 (*fig.: fine, scopo*) objective; goal; aim; target: **o. di bilancio**, budget target; **o. di produzione**, production target; *Il nostro o. è di ridurre l'inquinamento urbano*, our objective is to reduce urban pollution; **proporsi qc. come o.**, to set oneself st. as a goal; **realizzare il proprio o.**, to succeed in one's objective; to reach one's goal; to fulfil one's aim.

obiettóre m. (f. *-trice*) 1 dissenter; protester 2 – **o. di coscienza**, conscientious objector.

◆**obiezióne** f. 1 objection: **o. di carattere formale**, formal objection; (*leg.*) **accogliere un'o.**, to sustain an objection; **fare** (*o* **muovere**) **o. a qc.**, to object to st.; **incontrare obiezioni**, to meet with objections; **muovere un'o.**, to raise (*o* to make) an objection; (*leg.*) **respingere un'o.**, to deny an objection; **rispondere a un'o.**, to meet an objection; *Hai qualche o. da fare se vado?*, do you object to my going?; *Obiezioni?*, any objections? 2 – **o. di coscienza**, conscientious objection.

obitòrio m. mortuary; morgue ❶ **FALSI AMICI** • obitorio *non si traduce con* obituary.

obituàrio m. (*stor.*) register of deaths; necrology.

obiurgàre v. t. (*lett.*) to rebuke severely.

obiurgazióne f. (*lett.*) severe rebuke.

oblàre v. t. (*leg.*) to settle (*a penalty*) by payment of a fine.

oblàta f. (*eccles.*) 1 (*offerta*) oblation 2 → **oblato**.

oblatività f. (*psic.*) altruism; disinterestedness.

oblatìvo a. (*psic.*) altruistic; disinterested.

oblàto m. (f. *-a*) (*eccles.*) oblate.

oblatóre m. (f. *-trìce*) (*donatore*) donor; giver.

oblatòrio a. (*eccles.*) oblatory; oblational.

oblazionàto a. (*leg.*) settled by payment of a fine.

oblazióne f. 1 (*offerta*) donation; offering 2 (*relig.*) oblation; offertory 3 (*leg.*) cash settlement (*of a penalty*); payment of a fine.

obliàbile a. (*lett.*) forgettable.

obliàre A v. t. (*lett.*) to forget* B **obliàrsi** v. rifl. (*lett.*) to forget* oneself; to become* engrossed (in st.).

oblìo m. (*lett.*) oblivion; forgetfulness: **cadere nell'o.**, to fall (*o* to sink) into oblivion; **morire nell'o.**, to die forgotten by all; **sottrarre all'o.**, to rescue from oblivion; **sepolto nell'o.**, buried (*o* sunk) in oblivion; past recollection; **il fiume dell'o.**, the waters of forgetfulness.

oblióso a. (*lett.*) 1 (*immemore*) oblivious; forgetful 2 (*che fa dimenticare*) that induces forgetfulness; that brings oblivion.

obliquaménte avv. 1 obliquely; sideways; slantwise; at an angle; aslant; (*di traverso*) askance, askew; (*diagonalmente*) diagonally, from corner to corner: **guardare q. o.**, to look askance at sb.; **muoversi o.**, to move sideways; **tagliare o.**, to cut slantwise 2 (*fig.: indirettamente*) in a roundabout way; indirectly 3 (*fig.: subdolamente*) deviously.

obliquàngolo m. (*geom.*) oblique angle.

obliquità f. 1 obliquity; obliqueness: (*astron.*) **o. dell'eclittica**, obliquity of the ecliptic 2 (*fig.*) deviousness.

obliquo a. 1 (*geom.*) oblique: **angolo o.**, oblique angle; **retta obliqua**, oblique line 2 (*sghembo*) oblique; slanting; slantwise; sidelong; placed at an angle (pred.): **occhiata obliqua**, sidelong glance; **raggio o.**, slanting ray; **taglio o.**, oblique (*o* slantwise) cut; **in direzione obliqua**, in a slanting direction; obliquely; sideways; (*diagonalmente*) diagonally, from corner to corner 3 (*fig.: indiretto*) oblique; indirect; (*perifrastico*) circuitous, roundabout: *Me lo disse in modo o.*, he told me in a roundabout way 4 (*fig.: subdolo*) devious: **andare per vie oblique**, to act deviously 5 (*gramm.*) oblique: **caso o.**, oblique case 6 (*anat.*) oblique: **muscolo o.**, oblique (muscle).

obliteràre v. t. 1 (*lett.: cancellare, eliminare*) to obliterate; to efface; to erase; to wipe out: **o. ogni ricordo**, to efface all memories 2 (*bur.: annullare, con timbro*) to stamp; (*un francobollo*) to cancel, to obliterate; (*con foro*) to punch 3 (*med.*) to obliterate; to occlude.

obliteratóre a. (*che timbra*) stamping; (*che perfora*) punching: **macchina obliteratrice** → **obliteratrice**.

obliteratrìce f. (*a timbro*) stamping machine; (*perforante*) punching machine; (*di francobolli*) obliterator.

obliterazióne f. 1 obliteration; effacement 2 (*di francobollo*) cancelling; cancellation 3 (*bur.: annullo, con timbro*) stamping; (*con foro*) punching 4 (*med.*) obliteration; occlusion.

oblò m. 1 (*naut.*) porthole 2 (*di elettrodomestico*) window.

oblomovìṣmo m. Oblomovism.

oblùngo a. 1 oblong 2 (*bot., zool.*) elongate.

obnubilaménto m. 1 clouding; obfuscation 2 (*psic.*) torpor.

obnubilàre v. t. (*lett.*) to cloud; to obscure; to obfuscate.

obnubilàto a. clouded; obscured; obfuscated.

obnubilazióne f. → **obnubilamento**.

òboe m. (*mus.*) oboe; (*stor.*) hautboy: **o. basso**, cor anglais (*franc.*); English horn; **o. d'amore**, oboe d'amore.

oboìsta m. e f. (*mus.*) oboist.

òbolo m. 1 offering; (*piccolo*) mite: **un o. per i poveri**, an offering for the poor; **l'o. di S. Pietro**, Peter's pence (pl.); **dare un o.**, to make an offering 2 (*archeol.*) obol.

obovàto a. (*bot.*) obovate.

obsolescènte a. obsolescent.

obsolescènza f. (*anche econ.*) obsolescence.

obsolèto a. 1 (*lett.*) obsolete; outdated; outmoded: **parole obsolete**, obsolete words; **uso o.**, obsolete (*o* outdated) custom 2 (*econ.*) obsolete.

oc m. inv. – **lingua d'oc**, langue d'oc.

OC sigla (*radio*, **onde corte**) short wave (SW).

◆**òca** f. 1 goose*: **oca canadese** (*Branta canadensis*), grey goose; **oca colombaccio** (*Branta bernicla*), brent (goose); brant (*USA*); **oca delle nevi** (*Chen hyperboreus*), snow-goose; **oca faccia bianca** (*Branta leucopsis*), barnacle goose; **oca giovane**, gosling; **oca maschio**, gander; **oca selvatica** (*Anser anser*), wild goose 2 (*fig.*) goose*; fool: **oca giuliva**, silly goose; *Non fare l'oca*, don't be a goose; don't be silly ● (*stor. romana*) **le oche capitoline**, the Capitoline geese □ **a becco d'oca**, in the shape of a horizontal S; S-shaped □ (*mecc.*) **collo d'oca**, gooseneck; crankshaft □ **fegato d'oca**, goose liver □ **gioco dell'oca**, snakes and ladders □ (*mil.*) **passo dell'oca**, goose step □ **pelle d'oca**, goose flesh (→ **pelle**) □ **penna d'oca**, goose-quill □ **piè d'oca** (*Chenopodium urbidum*), goosefoot □ **piumino d'oca**, down □ (*fam.*) **Porca l'oca!**, damn!

ocàggine f. stupidity; foolishness; silliness.

ocarìna f. (*mus.*) ocarina.

ocarinìsta m. e f. ocarina player.

occamìṣmo m. (*filos.*) Occamism.

occamìsta m. (*filos.*) Occamist.

occamìstico a. (*filos.*) Occamistic.

occaṣionàle a. 1 (*che è l'occasione di qc.*) immediate: **causa o.**, immediate cause 2 (*fortuito*) fortuitous; chance (attr.): **incontro o.**, chance meeting 3 (*saltuario*) occasional; casual; odd: **cliente o.**, occasional customer; **lavoratore o.**, casual worker; **lavori occasionali**, odd jobs; **visite occasionali**, occasional visits.

occaṣionalìṣmo m. (*filos.*) occasionalism.

occaṣionalità f. occasional nature.

occaṣionalménte avv. 1 (*casualmente*) fortuitously; by chance 2 (*saltuariamente*) occasionally; now and then.

occaṣionàre v. t. to cause; to bring* about; to give* rise to (*form.*).

◆**occaṣióne** f. 1 (*opportunità*) opportunity; chance: **una buona o.**, a good opportunity; **o. d'oro**, golden opportunity; **o. fortunata**, lucky chance; **o. irripetibile**, unique opportunity; one-off chance; (the) chance of a lifetime; **approfittare dell'o.**, to take advantage of the opportunity; **aspettare l'o. giusta**, to wait for the right moment; **cogliere l'o.**, to seize the opportunity; **lasciarsi sfuggire un'o.**, to miss an opportunity; *Ogni o. è buona per litigare*, he [you, etc.] never misses [miss] a chance to quarrel; **quando si presenta l'o.**, when the opportunity arises; **alla prima o.**, at the first opportunity 2 (*circostanza, situazione*) occasion; circumstance: **occasioni speciali**, special occasions; **in o. di**, on the occasion of; **in diverse occasioni**, on several occasions; **a seconda delle occasioni**, depending on circumstances; **per l'o.**, for the occasion 3

(*buon affare*) bargain: *Compralo, è un'o.!*, buy it, it's a real bargain!; **il banco delle occasioni**, the bargain counter **4** (*causa, motivo*) occasion; cause: **dare o. a lagnanze**, to give cause for complaint ● (*calcio*) **o. da goal**, chance to score a goal □ **all'o.** (*se necessario*), when necessary; should the need arise □ **d'o.**, (*vantaggioso*) bargain (attr.); (*usato*) second-hand (attr.): **prezzo d'o.**, bargain price; **comprare qc. d'o.**, to buy st. at a bargain price; (*di seconda mano*) to buy st. second-hand □ **frasi d'o.**, stock phrases □ **parole d'o.**, conventional remarks □ **poesie d'o.**, occasional poems □ (*prov.*) **L'o. fa l'uomo ladro**, opportunity makes the thief.

occàso m. (*lett.*) **1** (*tramonto*) setting; (*del sole*) sunset **2** (*occidente*) west.

occhiàccio m. – **fare gli occhiacci a q.**, to scowl at sb.; to glare at sb.; to look daggers at sb.

occhiàia f. **1** (*anat.*) eye socket **2** (al pl.) shadows under the eyes: **avere le occhiaie**, to have shadows under one's eyes.

occhialàio m. (f. *-a*) optician.

occhiàle m. **1** → **occhiali 2** (*pop.*) eyeglass; monocle.

occhialeria f. **1** (*negozio*) optician's (shop) **2** (*assortimento di occhiali*) glasses (pl.); spectacles (pl.).

occhialétto m. lorgnette.

♦**occhiàli** m. pl. glasses; spectacles; specs (*fam.*); (*protettivi*) goggles: **o. bifocali**, bifocal glasses; bifocals; **o. da miope**, glasses for short-sightedness; **o. da motociclista**, goggles; **o. da neve**, snow goggles; **o. da presbite**, glasses for long-sightedness; **o. da saldatore**, welder's goggles; **o. da sole**, sunglasses; **o. per leggere** (*o da vista*), reading glasses; *Non ci vedo senza o.*, I can't see without glasses; **mettersi** (*o inforcare*) **gli o.**, to put on one's glasses; **portare gli o.**, to wear glasses; **togliersi gli o.**, to take off one's glasses; **astuccio per o.**, spectacle-case; **montatura per o.**, spectacle-frames (pl.); **un paio d'o.**, a pair of glasses.

occhialino m. lorgnette.

occhialóne m. **1** (*zool., Pagellus centrodontus*) sea bream **2** (al pl.) goggles.

occhialùto a. (*scherz.*) bespectacled; wearing glasses (*o spectacles*).

♦**occhiàta**① f. look; (*rapida*) glance: **o. d'intesa**, meaningful (*o knowing*) look; **o. fredda**, cold look; **o. provocante**, provocative glance; come-hither glance (*fam.*); **o. scrutatrice**, searching look; **dare un'o. a qc.**, to glance at st.; to take a glance at st.; to have a look at st.; **dare un'o. al giornale**, to have a look at the paper; **dare un'o. intorno**, to look around; **gettare un'o. distratta a qc.**, to cast a cursory glance at st.; **lanciare un'o. a q.**, to cast a glance at sb.; to glance at sb.; **lanciare occhiate provocanti a q.**, to give sb. the come-on (*fam.*); **scambiarsi un'o.**, to exchange glances; *Mi bastò un'o. per capire che tipo fosse*, one look was enough to understand what sort of person he was; *Gli basta un'o. per identificare un quadro*, he can identify a painting at a single glance; *Mi fulminò con un'o.*, she gave me a withering look.

occhiàta② f. (*zool., Oblada melanura*) saddled bream.

occhiàto a. having eye-like spots; (*bot., zool.*) ocellated.

occhiazzùrro, occhicerùleo a. (*lett.*) blue-eyed.

occhieggiàre Ⓐ v. t. to eye; (*con desiderio*) to ogle, to make* eyes at: **o. le vetrine**, to eye the shop windows; *Passavano il tempo a o. le ragazze*, they spent their time ogling (*o making eyes at*) the girls Ⓑ v. i. (*far capolino*) to peep; to show Ⓒ **occhieggiàrsi** v. rifl. recipr. to exchange glances; to eye

each other.

occhiellàio m. (f. *-a*) **1** buttonholer **2** (*naut.*) eyelet-fitter.

occhiellatrìce f. **1** (*asolatrice*) buttonhole machine; buttonholer **2** (*ind.*) eyelet punch.

occhiellatùra f. **1** (*operazione*) buttonholing; eyelet punching **2** (*fila di occhielli*) line of buttonholes; line of eyelets.

occhièllo m. **1** (*asola*) buttonhole; (*per laccio o corda*) eyelet: **fare occhielli**, to sew buttonholes; to buttonhole; to punch eyelets **2** (*tecn.*) eye; grommet: **o. a vite**, screw eye **3** (*di giornale: sottotitolo*) subheading, subhead; (*di libro*) half-title, bastard title.

occhièra f. → **occhino**.

occhiétto m. – **fare l'o. a q.**, to wink at sb.

occhino m. (*med.*) eyeglass; eyecup (*USA*).

♦**occhio** Ⓐ m. **1** eye: **occhi a mandorla**, almond-shaped (*o slanting*) eyes; **occhi gonfi**, swollen (*o puffy*) eyes; **occhi infossati**, sunken eyes; **occhi rossi**, red eyes; **occhi sbarrati**, wide eyes; **occhi socchiusi**, narrow eyes; **occhi spenti**, dull eyes; **occhi sporgenti**, bulging eyes; **occhi velati di lacrime**, misty eyes; **avere un o. storto**, to have a cast in one eye; to have a walleye; **avere gli occhi storti**, to be cross-eyed; to have a squint; **dagli occhi neri [azzurri, ecc.]**, black-eyed [blue-eyed, etc.]; **affaticarsi** (*o consumarsi, logorarsi*) **gli occhi**, to strain one's eyes; **guardare q. dritto negli occhi**, to look at sb. straight in the eye; **guardarsi negli occhi**, to look into each other's eyes; **sbattere gli occhi**, to blink; **sgranare gli occhi**, to open one's eyes wide; to stare; to goggle; **socchiudere gli occhi**, to narrow one's eyes; **spalancare gli occhi**, to open one's eyes wide; to stare; **strizzare gli occhi**, to screw up one's eyes; *Non riuscivo a tenere gli occhi aperti*, I couldn't keep my eyes open; *Voglio vederlo coi miei occhi*, I want to see it with my own eyes; (*anche fig.*) **a occhi aperti**, with one's eyes open; **a occhi chiusi**, with one's eyes closed; (*fig.*) with one's eyes shut, blindfold; (*ciecamente*) blindly; *Potrei farlo a occhi chiusi*, I could do it with my eyes shut (*o blindfold*); **fidarsi di q. a occhi chiusi**, to trust sb. blindly; **cieco da un o.**, blind in one eye; **il bianco dell'o.**, the white of the eye; (*anat.*) **fondo dell'o.**, eye ground **2** (*sguardo*) eye; look; gaze; (*fisso*) stare; (*occhiata veloce*) glance: **o. assente**, blank look; **guardare qc. con o. assente**, to stare blankly at st.; **o. clinico**, experienced eye; **o. esperto**, practised eye; **o. vitreo**, glassy stare; **abbassare gli occhi**, to lower one's eyes; to look down; **alzare** (*o sollevare*) **gli occhi**, to raise one's eyes; to look up; **alzare gli occhi al cielo**, to raise one's eyes to heaven; (*per esasperazione, ecc.*) to roll one's eyes; *Mi cadde l'o. su un titolo*, my eye fell on a headline; *Lo cercai con gli occhi*, I looked around for him; **dare un o. a qc.**, (*guardare*) to have a look at st.; (*badare*) to keep an eye on st.; **distogliere gli occhi**, to look away; to avert one's eyes (*form.*); **gettare l'o. su qc.**, to cast an eye (*o to run one's eye*) over st.; **sotto gli occhi di q.**, under (*o before*) sb.'s eyes **3** (*foro, apertura*) eye; eyehole; hole: **o. del martello**, eye of the hammer; **gli occhi di una maschera**, the eyeholes of a mask **4** (*tipogr.*) typeface; face **5** (*zool.: segno a forma d'o.*) eye; ocellus* **6** (*bot.*) eye; eyespot; bud: **fagioli con l'o.**, black-eyed beans ● **o. artificiale**, artificial eye □ (*zool.*) **o. composto**, compound eye □ **o. di bue**, (*archit.*) oeil-de-boeuf (*franc.*); (*naut.*) bull's-eye; (*cinem.*) spotlight; (*bot., Buphthalmum salicifolium*) oxeye (daisy) □ (*anche fig.*) **o. del ciclone**, eye of the storm □ (*naut.*) **o. di cubia**, hawsehole □ (*miner.*) **o. di gatto**, cat's eye □ (*zool.*) **o. di pavone** (*Inachis io*), peacock but-

terfly □ **o. di pernice**, (*disegno su tessuto*) bird's eye pattern; (*callosità, anche* **o. pollino**) soft corn (between two toes) □ (*fotogr.*) **o. di pesce**, fisheye (lens) □ (*miner.*) **o. di tigre**, tiger's eye □ **o. di vetro**, glass eye □ (*radio*) **o. magico**, magic eye □ **o. nero** (*o pesto*), black eye; shiner (*slang*): **fare un o. nero a q.**, to give sb. a black eye □ **gli occhi del brodo**, the rings of fat on the broth □ **gli occhi della mente**, the mind's eye (sing.) □ (*fig.*) **occhi di lince**, keen sight: **avere occhi di lince**, to be lynx-eyed; to be keen-sighted □ (*fig.*) **occhi di pesce lesso**, cod-fish eyes □ **occhi pesanti**, eyes heavy with sleep ● **a o.**, roughly: *A o., direi che è lungo due metri*, I'd say it's roughly two metres long □ **a o. e croce**, at a rough guess: **calcolare qc. a o. e croce**, to make a rough estimate of st. □ **a o. nudo**, with the naked eye: (*fig.*) *Lo si vede a o. nudo che è usato*, you can see at a glance it's been used; **visibile a o. nudo**, visible to the naked eye □ **a perdita d'o.**, as far as the eye can [could] see □ **a quattr'occhi**, in private; (*privatamente*) **conversazione a quattr'occhi**, private conversation; tête-à-tête □ **a vista d'o.** (*velocemente*), fast; before one's very eyes: *L'acqua saliva a vista d'o.*, the water was rising fast; *Crebbe a vista d'o.*, it grew before our very eyes □ **agli occhi del mondo** (*della legge*), in the eyes of the world [of the law] □ **ai miei occhi**, in (*o to*) my eyes; in my opinion □ **aprire gli occhi**, (*spalancarli*) to stare; (*fig.: stare attento*) to keep one's eyes open, to watch out*; (*capire*) to open one's eyes (to st.), to awake to st., to get wise (*o to wise up*) to st. (*fam.*) □ (*fig.*) **aprire gli occhi a q.** (*disingannare*) to open sb.'s eyes (to st.); to undeceive sb.; (*essere rivelatore*) to be an eye-opener: *Quella lettera mi aprì gli occhi*, that letter was an eye-opener □ (*fig.*) **avere le bende sugli occhi**, to be blind to what's going on □ *Ce l'ho ancora davanti agli occhi*, I can still see it □ **avere** (*buon*) **o.**, to have an eye for st.; to be able to spot st. □ (*fig.*) **avere gli occhi**, to be able to see: *Dove hai gli occhi?*, are you blind?; can't you see? □ (*fig.*) **avere gli occhi dappertutto**, to have eyes in the back of one's head □ (*fig.*) **avere gli occhi foderati di prosciutto**, to be blind to facts (*o to the evidence*) □ **Hai gli occhi più grandi dello stomaco**, your eyes are too big for your stomach □ **avere occhi solo per q.**, to have eyes only for sb. □ **cavare gli occhi a q.**, to gouge sb.'s eyes; (*fig.*) to scratch sb.'s eyes out □ (*fig.*) **cavarsi gli occhi**, to ruin one's eyesight □ (*fam.*) **cavo dell'o.**, eyesocket □ (*eufem.*) **chiudere gli occhi**, to die □ **Mi si chiudono gli occhi**, I can't keep my eyes open □ (*fig.*) **chiudere un o.**, to let st. pass; to overlook st.; to turn a blind eye (to st.): *Decisi di chiudere un o. su quell'errore*, I decided to let that mistake pass; *La polizia sa tutto ma preferisce chiudere un o.*, the police know all about it but they choose to turn a blind eye □ **non chiudere o.**, not to sleep a wink □ (*fig.*) **colpire gli occhi**, to strike; to catch sb.'s eye □ **colpo d'o.**, (*vista*) view; (*occhiata*) quick glance; **un bel colpo d'o.**, a fine view; **a colpo d'o.**, at a glance; at first sight □ **con la coda dell'o.**, out of the corner of one's eye; sidelong (agg.): **guardare qc. con la coda dell'o.**, to watch st. out of the corner of one's eye; to cast st. a sidelong glance □ (*fig.*) **con gli occhi fuori dalla testa** (*o di fuori*) (*per la sorpresa*), with one's eyes popping (out of one's head); pop-eyed (agg.); goggle-eyed (agg.) □ **guardare qc. con tanto d'occhi**, to gape at st.; to have one's eyes out on stalks (*fam.*) □ **guardare qc. di buon o.**, to look favourably (*o kindly*) upon st. □ **costare un o.** (*della testa*), to cost a fortune (*fam.* an arm and a leg, a packet, a bomb) □ **dare nell'o.**, to attract attention; to be conspicuous; to be striking □

non dare nell'o., to pass unobserved □ **Darei un o. per...**, I'd give my right arm (*o my eye-teeth*) to... □ **davanti agli occhi**, under sb.'s eyes; under sb.'s nose: *Ce l'hai davanti gli occhi!*, it's right there under your eyes! □ (*fig.*) **dormire a occhi aperti**, to sleep with one eye open □ **essere tutt'occhi**, to be all eyes □ **fare l'o. a qc.**, to get used to (the sight of) st. □ **fare l'o. di triglia** (*o gli occhi dolci*) **a q.**, to make (sheep's) eyes at sb.; to give sb. the glad eye □ **Lui fece tanto d'occhi**, his eyes popped; he stood there gaping □ **fino agli** (*o fin sopra gli*) **occhi**, up to one's eyes: **indebitato fino agli occhi**, up to one's eyes in debt; **pieno di lavoro fino agli occhi**, up to one's eyes in work □ **in un batter d'o.**, in the twinkling of an eye; in a flash; in a split second □ **mangiarsi q. [qc.] con gli occhi**, to devour sb. [st.] with one's eyes □ (*fig.*) **aver messo gli occhi addosso a q.**, to be out to get sb. □ (*fig.*) **aver messo gli occhi su qc.**, to have one's eyes on st.; to have set one's sights on st. □ **non avere più occhi per piangere**, to have cried all one's tears □ **Non l'ho fatto per i tuoi begli occhi**, I didn't do it for love (*o for nothing*) □ **non riuscire a levare gli occhi di dosso a q.**, not to be able to take one's eyes off sb. □ **perdere d'o.**, to lose sight of □ **perdere gli occhi**, to lose one's sight □ **posare gli occhi su**, to set (*o to clap*) eyes on □ **presentarsi agli occhi di**, to meet sb.'s eyes □ (*scherz.*) **quattr'occhi**, four-eyes □ (*fig.*) **rifarsi gli occhi**, to feast one's eyes on st. □ (*fig.*) **saltare agli occhi**, (*attirare l'attenzione*) to catch (*o to strike*) the eye; (*essere evidente*) to be glaring, to stick out □ **Ce l'ho qui sott'occhio**, I've got it here in front of me □ **Mi capitò sott'occhio il suo articolo**, I came across his article □ **strizzare l'o. a q.**, to wink at sb. □ **tenere d'o. q. [qc.]**, (*badare a*) to keep an eye on sb. [st.]; (*studiare*) to have one's eye on sb. [st.] □ (*fig.*) **tenere gli occhi aperti**, to keep one's eyes open (*o, fam., peeled, skinned*); to keep a sharp lookout for st.; to watch out for sb. [st.] □ **uova all'o. di bue**, eggs fried on one side; eggs sunny side up (*USA*) □ (*fam.*) **Le carote mi escono dagli occhi**, I've got carrots coming out of my ears □ **vedere qc. di buon o.**, to look favourably (*o kindly*) upon st. □ **vedere qc. di mal o.**, to look on st. with disfavour; to disapprove of st. □ (*prov.*) **O. non vede, cuore non duole**, what the eye doesn't see, the heart doesn't grieve over □ (*prov.*) **L'o. del padrone ingrassa il cavallo**, the master's eye maketh the horse fat □ (*prov.*) **L'o. vuole la sua parte**, looks also count □ (*prov.*) **O. per o., dente per dente**, an eye for an eye, a tooth for a tooth □ (*prov.*) **Quattro occhi vedono meglio di due**, two heads work better than one ◪ **inter.** watch out (*st.*); mind (*st.*): *O. a dove metti i piedi!*, mind where you step (*o put your feet*)!; *O. ai borsaioli!*, watch out for pickpockets!; *O. al gradino!*, mind the step!; *O. al portafoglio!*, watch your wallet!; *O. al tempo!*, keep an eye on the clock!

occhiocòtto m. (*zool., Sylvia malanocephala*) Sardinian warbler.

occhiolìno m. – **fare l'o. a q.**, to wink at sb.

occhióne m. (*zool., Burhinus oedicnemus*) stone curlew; stone plover.

occhiùto a. **1** (*lett.: dai molti occhi*) many-eyed **2** (*pieno di macchie*) ocellated; oculate **3** (*fig.*) sharp-eyed; eagle-eyed; (*astuto*) shrewd.

♦**occidentàle** ◪ a. **1** (*a ovest, dell'ovest*) west (attr.), western; (*verso ovest*) westerly: **costa o.**, west coast; **direzione o.**, westerly direction; **l'emisfero o.**, the western hemisphere; **l'Europa o.**, Western Europe; **le Indie Occidentali**, the West Indies **2** (*dell'Oc-*

cidente) Western; Occidental: **paesi occidentali**, Western countries; **vestire all'o.**, to wear Western clothes ◪ m. e f. Westerner; Occidental.

occidentalìsmo m. Occidentalism.

occidentalìsta m. e f. Occidentalist.

occidentalizzàre ◪ v. t. to westernize; to occidentalize ◪ **occidentalizzàrsi** v. rifl. to westernize; to become* occidentalized.

occidentalizzazióne f. westernization; occidentalization.

♦**occidènte** m. **1** (*ovest*) west: *L'Italia è a o. della Grecia*, Italy is to the west of Greece; *Il Portogallo confina a o. con l'oceano*, Portugal is bounded by the ocean to the west; *A o. c'erano montagne invalicabili*, to the west there were impassable mountains; *Il sole tramonta a o.*, the sun sets in the west; **esposto a o.**, looking (*o facing*) west; west-facing (attr.); *Il vento soffiava da o.*, the wind was blowing from the west; **venti da o.**, westerly winds; **da oriente a o.**, from east to west; **la Chiesa d'O.**, the Western Church; **l'Impero romano d'o.**, the Western Empire; **diretto a o.**, westbound; **verso o.**, westward (agg.); westward, westwards (avv.) **2** (*regione occidentale*) west: **l'o. dell'Europa**, Western Europe **3** (*paesi occidentali*) (the) West.

occìduo a. (*lett.*) westering; setting.

occipitàle a. (*anat.*) occipital: **osso o.**, occipital bone.

occìpite m. (*anat.*) occiput*.

occitànico, **occitàno** a. e m. Occitan; Occitanian.

occlùdere v. t. to obstruct; to block; to occlude; to stop; to clog (up).

occlusióne f. **1** obstruction; blockage; stoppage; clogging **2** (*med.*) occlusion; obstruction: **o. intestinale**, intestinal obstruction (*o occlusion*) **3** (*ling.*) occlusion **4** (*meteor.*) occlusion; occluded front.

occlusìva f. (*fon.*) occlusive (consonant).

occlusìvo a. occlusive: (*fon.*) **consonante occlusiva**, occlusive (consonant).

occlùso a. obstructed (*anche med.*); blocked; clogged.

occorrènte ◪ a. necessary; needed; required: **il denaro o. per il progetto**, the money necessary (*o needed*) for the plan; **il materiale o.**, the necessary material ◪ m. what is necessary (*o needed*); everything necessary: **l'o. per un viaggio**, everything necessary for a journey; **l'o. per scrivere [disegnare]**, writing [drawing] materials (pl.); **l'o. per vivere**, the necessities of life; *Ho preparato tutto l'o.*, I've prepared all we need; *Hai l'o.?*, have you got what you need?

occorrènza① f. **1** (*bisogno*) necessity, need; (*evenienza*) eventuality: **all'o.**, in case of need; if need be; when required; **pronto a ogni o.**, ready for all eventualities **2** (*circostanza*) circumstance; instance; contingency; event ❶ **FALSI AMICI** • occorrenza *non si traduce con* occurrence.

occorrènza② f. (*ling., stat.*) occurrence.

♦**occórrere** v. i. **1** (*impers.: bisognare*) to be necessary, must (pres., pers.), to need (pers.), to have to (pers.); (*essere necessario*) to be needed, to be necessary, to be required, (*rif. a tempo*) to take* (impers.); (*abbisognare*) to need, to require: *Occorre farlo*, it must be done; it has to be done; it needs to be done; *Occorre far presto*, we must hurry; *Occorre che tu parta subito*, you must leave at once; you've got to leave at once; *Non occorre che tu venga*, you needn't come; there's no need for you to come; «*Posso aiutarti?*» «*No, grazie, non occorre*», «can I help you?» «no, thanks, there's no need»; *Non occorreva*,

there was no need for it; (*come formula di ringraziamento*) you shouldn't have; *Occorrono più operai*, more workers are needed (*o required*); *Mi occorre molto denaro*, I need a lot of money; *Mi occorrono altri tre giorni*, I need another three days; *Ti occorre altro?*, do you need anything else?; *Per arrivarci occorrono due ore*, it takes two hours to get there **2** (*accadere*) to occur; to happen ❶ **FALSI AMICI** • occorrere *nel senso di* essere necessario *non si traduce con* to occur.

occultàbile a. concealable; that can be concealed (*o hidden*).

occultaménte avv. secretly; in secret.

occultaménto m. concealment; hiding; (*soppressione*) suppression; (*insabbiamento*) cover-up, whitewash: (*leg.*) **o. di cadavere**, concealment of a corpse; (*leg.*) **o. di prove**, concealment of evidence; **o. della verità**, concealment (*o suppression*) of the truth.

occultàre ◪ v. t. **1** (*nascondere*) to conceal; to hide*; (*non rivelare*) to withhold*; (*mettere a tacere*) to suppress; (*insabbiare*) to cover up, to whitewash: **o. un cadavere**, to conceal a corpse; **o. informazioni**, to withhold (*o to suppress*) information; **o. prove**, to conceal (*o to suppress*) evidence; **o. la refurtiva**, to hide the stolen goods **2** (*astron.*) to occult ◪ **occultàrsi** v. rifl. **1** to hide*; to conceal oneself **2** (*astron.*) to occult.

occultazióne f. **1** → **occultamento 2** (*astron.*) occultation.

occultìsmo m. occultism.

occultìsta m. e f. occultist.

occultìstico a. occult (attr.); occultist (attr.).

occùlto ◪ a. **1** (*nascosto*) concealed, hidden; (*segreto*) secret: **movente o.**, hidden motive; ulterior motive; **pensiero o.**, secret thought; (*econ.*) **riserve occulte**, hidden reserves; (*leg.*) **socio o.**, sleeping partner; (*leg.*) **vizi occulti**, hidden defects; **in o.**, secretly **2** (*arcano*) occult: **forze occulte**, occult powers; **le scienze occulte**, the occult sciences ◪ m. occult.

occupàbile a. that can be occupied.

occupànte ◪ a. occupying: **l'esercito o.**, the occupying army ◪ m. e f. **1** occupant; occupier (*GB*); (*abusivo di edificio*), squatter; **l'o. dell'appartamento del primo piano**, the occupant of the first-floor flat **2** (*mil.*) occupier.

♦**occupàre** ◪ v. t. **1** (*prendere possesso di, installarsi in*) to occupy, to take* over; (*abitare illegalmente*) to squat in: **o. le fabbriche**, to occupy the factories; **o. un posto a sedere**, to occupy a seat; **o. il territorio del nemico**, to occupy the enemy's territory; *Hanno occupato una casa abbandonata*, they are squatting in an abandoned house **2** (*risiedere, avere sede in*) to occupy: *La famiglia occupa un appartamento all'ultimo piano*, the family occupies a flat on the top floor **3** (*una carica, un posto*) to hold*; to occupy; to fill: **o. una carica**, to hold a position; to hold an office; **o. la cattedra d'inglese**, to hold the chair of English; **o. una posizione di rilievo**, to hold (*o to occupy*) an important position; *Che posizione occupa nella ditta?*, what is his position in the firm? **4** (*riempire uno spazio*) to occupy; to take* up; to fill: **o. troppo posto**, to take up too much room; *Il camion occupava l'intera corsia*, the lorry occupied the whole lane **5** (*impegnare, assorbire*) to occupy; to take* up; to engage; to fill; (*tenere occupato*) to keep* busy: **o. l'attenzione**, to engage sb.'s attention; *Ho bisogno di o. la mente*, I need to occupy my mind; **tanto per o. il tempo**, just to fill (in) time; *Cerca di occuparlo mentre io finisco qui*, try and keep him busy while I finish this **6** (*dare lavoro a*) to employ: *La ditta occupa duecento persone*, the firm employs two hun-

a
b
c
d
e
f
g
h
i
j
k
l
m
n
o
p
q
r
s
t
u
v
w
x
y
z

dred people **7** (*trovare lavoro a*) to find* (sb.) a job: *L'hanno occupato in banca*, they have found him a job in a bank **8** (*rif. al tempo: impiegare, trascorrere*) to spend*; to fill; to occupy: *Come occupi il tempo libero?*, how do you spend (*o* occupy) your spare time? **B occupàrsi** v. i. pron. **1** (*prendersi cura*) to take* care (of), to see* (to), to attend (to); (*badare*) to look (after), to mind; (*interessarsi*) to be interested (in); (*giorn.*) to cover; (*attivamente*) to be involved (in), to be active (in); (*dedicarsi, svolgere*) to deal (with), to attend (to), to busy oneself (with): **occuparsi dei bambini**, to look after the children; **occuparsi dei clienti**, to attend to the customers; **occuparsi del giardino**, to look after the garden; **occuparsi di politica**, to be interested in politics; (*attivamente*) to be involved in politics; *Io mi occuperò del vino e dei dolci*, I'll see to the wine and sweets; *La moglie si occupa del negozio*, his wife minds the shop; *Io non mi occupo di quello che fa lui*, I'm not interested in what he does; *Del fatto si occuparono tutti i giornali*, all the papers covered the fact; *Me ne occuperò io*, I'll see to it; I'll take care of it; *Occupati dei fatti tuoi*, mind your own business **2** (*come attività di lavoro*) to work (in, with); to be (in); to deal* (with); to be involved (in); to handle; (*essere responsabile*) to be in charge (of), to be responsible (for); (*giorn.*) to cover: **occuparsi di computer** [**di moda**], to work with computers [in fashion]; **occuparsi delle vendite**, to be in charge of sales; to work in the sales department; *Si occupa degli immigrati*, he works with immigrants; *Lei di che cosa si occupa?*, what do you do?; what's your line of work (*o* of business)? (*fam.*); *Si occupa della cronaca cittadina*, she covers the local news **3** (*trovare lavoro*) to find* a job: *Non s'è ancora occupato*, he hasn't found a job yet **4** (*impicciarsi*) to meddle (in): **occuparsi dei fatti altrui**, to meddle in other people's affairs.

♦**occupàto** a. **1** (*sottoposto a occupazione*) occupied: **fabbrica occupata**, occupied factory; **paese o.**, occupied country **2** (*in uso*) occupied; taken (pred.); (*telef.*) engaged (GB), busy (USA): *Il gabinetto era o.*, the toilet was occupied (GB, anche engaged); *Questo posto è o.*, this seat is taken (*o* occupied); **posto non o.**, free (*o* vacant) seat; *La linea è occupata*, the line is engaged (*o* busy); *Il numero è* (*o* dà) *o.*, the number is engaged **3** (*affaccendato, impegnato*) occupied; busy; taken up; engaged: **tenere occupati i bambini**, to keep the children occupied; *Sono o. in cucina*, I'm busy in the kitchen; *Era o. a scrivere lettere*, he was busy writing letters; *È un uomo molto o.*, he's a very busy man; *Mi spiace, lunedì mattina sono già o.*, I'm sorry, I already have an engagement on Monday morning; *Stasera non posso venire, sono o.*, I can't come tonight, I'm busy (*o* I've got things to do).

occupatóre A a. occupying **B** m. (f. **-trice**) occupant: **o. abusivo** (*di edificio*), squatter; **i primi occupatori del Lazio**, the first occupants of Latium.

occupazionàle a. employment (attr.); occupational: **livello o.**, employment level; **problemi occupazionali**, unemployment problems; **terapia o.**, occupational therapy.

♦**occupazióne** f. **1** (*l'occupare*) occupation (anche leg.), occupancy; (*presa di possesso*) occupation: **o. abusiva** (*di edificio*), squatting; **l'o. del Belgio**, the occupation of Belgium; **l'o. delle fabbriche**, the occupation of factories; **l'o. delle terre**, land occupation; **o. di suolo pubblico**, occupancy of a public area; **diritto di o.**, right of occupancy; **esercito d'o.**, occupying army; army of occupation **2** (*lavoro*) occupation, job; (*attività*) occupation, activity: **o. fissa**, regular

activity; regular job; *La sua o. preferita è giocare a biliardo*, his favourite occupation is playing snooker; **senza o.**, jobless; unemployed; out of work (pred.); *Qual è la sua o.?*, what is his job? **3** (*econ.*) employment: **l'o. giovanile**, youth employment; **creare o.**, to create employment; **crisi dell'o.**, unemployment crisis.

OCD sigla (*relig., lat.*: *Ordo fratrum Carmelitarum Discalceatorum*) (**Ordine dei carmelitani scalzi**) Order of the Carmelites (*pop.*: the white friars).

oceanàuta m. e f. aquanaut; oceanaut.

Oceània f. (*geogr.*) Oceania.

oceaniàno a. e m. (f. **-a**) (*geogr.*) Oceanian.

oceànico a. **1** oceanic; ocean (attr.): **corrente oceanica**, ocean current; **isola oceanica**, oceanic island; **traversata oceanica**, ocean crossing; **uccello o.**, oceanic bird **2** (*fig.*) huge; immense: **folla oceanica**, huge crowd.

oceanìna f. (*mitol.*) Oceanid*.

oceanìno a. (*lett.*) oceanic; ocean (attr.) ● (*mitol.*) **ninfe oceanine**, Oceanids; Oceanides.

♦**oceàno** m. **1** (*geogr.*) ocean: **l'O. Antartico**, the Antarctic Ocean, **l'O. Artico**, the Arctic Ocean; **l'O. Atlantico**, the Atlantic Ocean; **l'O. Indiano**, the Indian Ocean; **l'O. Pacifico**, the Pacific Ocean; **le profondità dell'o.**, the oceanic depths; **vasto come l'o.**, ocean-wide **2** (*fig.*) ocean; sea: **un o. di guai**, a sea of troubles.

oceanografia f. oceanography.

oceanogràfico a. oceanographic.

oceanògrafo m. (f. **-a**) oceanographer.

ocellàto a. (*zool.*) ocellated.

ocèllo m. (*zool.*) ocellus*.

ocelòt m. **1** (*zool.*) → **ozelot 2** (*pelliccia*) ocelot.

ochétta f. **1** young goose; gosling **2** (*fig.*) silly girl; silly goose; (*ragazza sciocca e vistosa*) bimbo (*fam.*), bimbette (*fam.*) **3** (*del mare*) ripple: *Il mare faceva le ochette*, there were ripples on the water **4** (*med.*) feeding-cup.

ocìpode m. (*zool.*, *Ocypoda*) ghost crab.

oclocràtico a. (*polit.*) ochlocratic.

oclocrazìa f. (*polit.*) ochlocracy; mob-rule.

ocotòna m. inv. (*zool.*, *Ochotona*) pika; mouse-hare.

òcra f., m. e a. ochre, ocher (USA): **o. bruciata**, burnt ochre; **o. gialla**, yellow ochre; **o. rossa**, red ochre; ruddle; **color o.**, ochre; **giallo o.**, ochre yellow.

ocràceo a. ochreous; ochreish; ochry.

OCSE sigla (**Organizzazione per la cooperazione e lo sviluppo economico**) Organization for Economic Co-operation and Development (OECD).

octòpode → **ottopode**.

òctopus m. inv. (*zool.*, *Octopus vulgaris*) octopus.

oculàre A a. ocular; eye (attr.): **bagno o.**, eye bath; **bulbo o.**, eyeball; **ispezione o.**, ocular inspection; **muscolo o.**, eye muscle; **prova o.**, ocular proof; **testimone o.**, eye-witness **B** m. (*fis.*) eyepiece; ocular: **o. fisso**, fixed eyepiece.

oculatézza f. (*avvedutezza*) shrewdness; (*cautela*) caution, prudence; (*circospezione*) circumspection, wariness.

oculàto a. (*avveduto*) shrewd, sharp-witted, keen-witted; (*cauto*) cautious, prudent; (*circospetto*) circumspect, wary.

oculifórme a. eye-shaped; eye-like.

oculìsta m. e f. eye specialist; ophthalmologist; oculist.

oculìstica f. ophthalmology.

oculìstico a. ophthalmological; (*di oculi-*

sta) eye specialist's: **gabinetto o.**, eye specialist's surgery; **fare un esame o.**, to have one's eyes examined.

oculomotóre a. (*anat.*) oculomotor: **nervo o.**, oculomotor (nerve).

od → **o**①.

odalìsca f. odalisque.

oddìo inter. **1** (*di sorpresa, spavento, ecc.*) oh, dear!; oh, my God! **2** (*di dubbio, ecc.*) well, er.

òde f. (*letter.*) ode.

odèon m. (*stor.*) odeum*.

O.d.G. sigla (**ordine del giorno**) agenda; order of the day.

odiàbile a. hateful; detestable; loathsome.

♦**odiàre A** v. t. to hate; (*detestare*) to detest, to loathe: **o. q. a morte**, to have a deep hatred for sb.; to loathe the sight of sb.; to hate sb.'s guts (*slang*); **o. i ritardi**, to detest delays; *Odio la gente*, I hate onions; *Odio gl'impiccioni*, I can't stand busybodies; *Il mio cane odia i gatti*, my dog hates cats; *È odiato da tutte le segretarie*, he is loathed by all the secretaries; **farsi o.**, to make oneself hated; to be hated; to be loathed **B odiàrsi** v. rifl. to hate oneself **C odiàrsi** v. rifl. recipr. to hate each other; to detest each other.

odiàto a. hated; hateful; loathed: **l'o. tiranno**, the hateful tyrant.

odièrno a. **1** (*di oggi*) of today; today's (attr.): **la seduta odierna**, today's meeting; **in data odierna**, today; on this day **2** (*attuale*) present; current; present-day; today's: **le condizioni odierne**, the present conditions; **la moda odierna**, today's fashion **3** (*moderno*) modern: **gli studi odierni**, modern studies.

Odìno m. (*mitol.*) Odin; Woden; Wotan.

odinofagìa f. (*med.*) odynophagia.

odinofobìa f. (*psic.*) odynophobia; algophobia.

♦**òdio** m. **1** hatred ⓤ; hate ⓤ: **o. di classe**, class hatred; **o. mortale**, mortal hatred; **odii razziali**, racial hatred; *Era pieno d'o. per il nemico*, he was filled with hatred for the enemy; **attirarsi l'o. di q.**, to make sb. hate one; **covare o.**, to harbour hatred; **fare qc. in o. a q.**, to do st. out of hatred for sb.; **rapporto di o.-amore**, love-hate relationship **2** (*avversione, ripugnanza*) loathing; strong aversion; strong dislike; detestation: **avere in o.**, to hate; to detest; to loathe; *Ha un o. particolare per le moto*, motorbikes are his pet hate (*fam.*); **prendere in o.**, to take a strong dislike to; to conceive a strong aversion for.

odiosità f. **1** (*l'essere odioso*) hatefulness; odiousness; loathsomeness **2** (*azione odiosa*) hateful action; hateful behaviour ⓤ.

odióso a. hateful; odious; loathsome; vile; (*detestabile*) detestable: **delitto o.**, hateful crime; **faccia odiosa**, loathsome face; **frasi odiose**, hateful remarks; **insinuazioni odiose**, nasty (*o* vile) insinuations; **vizi odiosi**, detestable vices; **rendersi o. a q.**, to make oneself detested by sb.; *Lei è simpatica, ma suo marito è o.*, she is very nice, but her husband is detestable.

odissèa f. **1** (*letter.*) Odyssey **2** (*fig.*) odyssey.

Odissèo m. (*letter.*) Odysseus.

òdo 1ª pers. sing. indic. pres. di **udire**.

odògrafo m. (*fis.*) hodograph.

odòmetro m. mileometer (GB); odometer (USA).

odonimìa → **odonomastica**.

odònimo m. (*ling.*) street name.

odonomàstica f. **1** street names (pl.) **2** (*disciplina*) study of street names.

odontalgìa f. (*med.*) odontalgia; tooth-

ache (*com.*).

odontàlgico a. e m. (*farm.*) odontalgic.

odontoblàsto m. (*biol.*) odontoblast.

Odontocèti m. pl. (*zool.*) Odontoceti.

odontoglòsso m. (*bot.*, *Odontoglossum*) odontoglossum.

odontoiàtra m. e f. (*med.*) dental surgeon; dentist; odontologist.

odontoiatria f. (*med.*) dentistry.

odontoiàtrico a. (*med.*) dental; odontological; (*di dentista*) dentist's.

odontologìa f. (*med.*) odontology.

odontològico a. (*med.*) odontological.

odontòma m. (*med.*) odontoma*.

odontòmetro m. (*filatelia*) perforation gauge.

odontopatìa f. (*med.*) dental disease.

odontoscòpio → **odontometro**.

odontotècnica f. prosthodontics (pl. col verbo al sing.); dental technology; dental mechanics (pl. col verbo al sing.).

odontotècnico **A** a. prosthodontics (attr.); dental technology (attr.) **B** m. (f. *-a*) prosthodontist; dental technician; dental mechanic.

odoràre **A** v. t. **1** (*annusare*) to smell*: *Odora questo e dimmi se ti piace*, smell (o have a smell at) this and tell me if you like it **2** (*fig.*: *intuire*) to smell*; to scent, to sense: **o. un buon affare**, to scent (o to sniff out) a bargain; **o. un imbroglio**, to smell a trick; to smell a rat (*fam.*) **3** (*rendere odoroso*) to scent; to perfume **B** v. i. **1** (*mandare odore*) to smell*: **o. di buono [di muffa]**, to smell good [mouldy]; **o. di mandorle**, to smell of almonds; *Non odora*, it doesn't smell **2** (*fig.*) to smell*; to smack: **o. d'imbroglio**, not to smell right; to smell fishy; to smack of trickery.

odoràto ① a. (*lett.*) odorous; sweet-smelling; fragrant.

odoràto ② m. (sense of) smell: **l'organo dell'o.**, the organ of smell; the olfactory organ; **avere l'o. fino**, to have a keen sense of smell; **avere poco o.**, to have a poor sense of smell.

♦**odóre** m. **1** smell; odour, odor (*USA*) (*profumo*) scent, aroma; (*puzzo*) stench: **l'o. delle rose**, the scent of roses; **l'o. della preda**, the scent of the prey; **o. di chiuso**, fusty smell (o odour); fustiness; fug (*GB fam.*); **o. di cucina**, smell of cooking; **o. d'incenso**, smell (o perfume) of incense; **o. di muffa**, mouldy (o fusty) smell; fustiness; **buon o.**, good (o pleasant, nice) smell; **cattivo o.**, bad (o nasty, offensive) smell; (*puzzo*) stench; *C'è o. di cipolla*, there's a smell of onion; *Nella stanza c'è o. di chiuso*, the room smells musty; **avere o. di**, to smell of; *Che o. ha?*, what does it smell of?; **avere (un) buon o.**, to smell good (o nice); **avere (un) cattivo o.**, to smell bad; to be smelly (*fam.*); (*puzzare*) to stink; **emanare (o mandare) o.**, to smell; **sentire l'o. di qc.**, to smell st.; **sentire o. di bruciato**, to smell something burning; (*fig.*) to smell a rat; *Sento o. di gas*, I can smell gas; *Non sento nessun o.*, I can't smell anything; *Sento o. di pericolo*, I can smell danger; **senza o.**, without odour; odourless; scentless: **un fiore senza o.**, a scentless flower **2** (*essenza odorosa*) perfume; scent **3** (*fig.*: *indizio*, *sentore*) odour; smell; smack: **essere in o. di eresia**, to smack of heresy; **essere in o. di santità**, to be considered a saint; **morire in o. di santità**, to die in the odour of sanctity **4** (al pl.) (*cucina*) herbs.

odorìfero a. (*lett.*) odoriferous; odorous; sweet-smelling.

odorìmetro → **olfattometro**.

odorìno m. **1** good (o nice, pleasant) smell: *Che o.!*, what a nice smell! **2** (*iron.*) bad smell.

odorizzànte **A** a. odorizing **B** m. (*chim.*) odorant.

odorizzàre v. t. to odorize.

odorizzazióne f. odorization.

odoróso a. sweet-smelling; sweet-scented; fragrant: **fieno o.**, fragrant hay; **fiori odorosi**, sweet-smelling flowers.

oersted m. inv. (*elettr.*) oersted.

Ofèlia f. Ophelia.

ofelimità f. (*econ.*) ophelimity; utility.

off (*ingl.*) a. inv. **1** (*non in funzione*) off; disconnected **2** (*alternativo*) alternative; experimental; fringe (attr.): **locale off**, alternative night-club [restaurant, etc.]; **teatro off**, experimental theatre; fringe theatre ● **FALSI AMICI** • off *nel senso di alternativo non si traduce con* off.

♦**òffa** f. **1** (*focaccia di farro*) emmer cake **2** (*fig.*) sop: **dare** (o **gettare**) **l'o. a q.**, to give (o to throw) sb. a sop.

♦**offèndere** **A** v. t. **1** to offend; to give* offence to; (*ferire*) to hurt* (sb.'s) feelings, to upset*; (*insultare*) to insult: **o. Dio**, to offend God; *Mi spiace averlo offeso*, I am sorry I offended him (o I hurt his feelings, I upset him); *Accettai l'invito per non offenderla*, I accepted her invitation so as not to hurt her; *Non per offenderti, ma...*, excuse my saying so, but... **2** (*andare contro*) to offend, to go* against; to outrage; (*violare*) to infringe; (*infrangere*) to break*: **o. il buon senso**, to offend common sense; **o. i diritti di q.**, to infringe sb.'s rights; **o. la legge**, to break the law; **o. la modestia** (o **il pudore**) **di q.**, to offend sb.'s sense of propriety **3** (*danneggiare*) to damage; to harm; (*far male a*) to hurt*; (*ferire*) to injure: *La ferita ha offeso il fegato*, the wound has damaged the liver; **una luce che offende gli occhi**, a light that hurts the eyes **4** (*colpire sgradevolmente*) to offend: **o. la vista**, to offend the eye ● **o. q. nell'onore**, to offend sb.'s honour □ ● **o. q. nella persona**, to assault sb. **B offèndersi** v. i. pron. to take* offence (at st.); to be offended (at, by st.); to be hurt (by st.); to be upset (by st.): **offendersi per un nonnulla**, to be quick to take offence; *Si offese per le mie osservazioni*, she was hurt (o upset) by my remarks; *Non ti sarai mica offeso?*, you are not offended, are you?; *Non offenderti, ma devo proprio andare*, don't be offended, but I really must go **C offèndersi** v. rifl. recipr. to insult each other (o one another).

offenditrìce f. → **offensore**.

offensiva f. **1** (*mil.*) offensive; attack: **l'o. nemica**, the enemy attack; **sferrare l'o.**, to launch the offensive; **passare all'o.**, to take (o to go on) the offensive **2** (*fig.*: *azione energica*) drive; campaign: **o. di pace**, peace drive; **o. pubblicitaria**, advertising campaign.

offensivìsmo m. (*sport*) attack strategy.

offensivista m. e f. (*sport*) supporter of the attack strategy.

offensivo a. **1** (*ingiurioso*) offensive; insulting: **comportamento o.**, offensive behaviour; **parole offensive**, offensive (o abusive) words **2** (*mil.*) offensive: **armi offensive**, offensive weapons; **guerra offensiva**, war of attack.

offensóre m. (f. *offenditrìce*) **1** offender **2** (*mil.*) attacker; aggressor.

offerènte m. e f. **1** offerer **2** (*a un'asta*) bidder; (*in una gara d'appalto*) tenderer; bidder: **il miglior o.**, the highest bidder [tenderer].

♦**offèrta** f. **1** offer; offering: **o. d'aiuto**, offer of (o to) help; **o. di lavoro**, job offer; **offerte di impiego** (*su giornale*), appointments vacant; **o. di matrimonio**, offer of marriage; proposal; (*fig.*) **o. di pace**, peace offering; **offerte a Dio**, offerings to God; **fare un'o.**, to make an offer; **respingere** (o **rifiutare**) **un'o.**, to decline (o to turn down) an offer; *Gli ho fatto un'o. che non può rifiutare*, I made him an offer he can't refuse **2** (*donazione*) offering; donation; contribution: **o. in denaro**, donation; **le offerte per la chiesa**, the offerings for the church; **fare un'o.**, to make a donation; **raccogliere le offerte** (*in chiesa*), to take the collection; *Si ricevono offerte*, donations are gratefully received **3** (*comm.*) offer; (*quotazione*) quotation: **o. di lancio**, introductory offer; **o. promozionale**, special offer; bargain offer; **o. risparmio**, saving offer; **o. speciale**, special offer; **essere in o. (speciale)**, to be on (special) offer; **fare un'o.**, to make an offer; *Ho ricevuto un'o. di duecentomila euro per la casa*, I had an offer of two hundred thousand euros for the house **4** (*econ.*, *in una gara d'appalto*) tender, bid; (*in un'asta*) bid, bidding □: **o. aperta**, open bid; **o. pubblica d'acquisto**, takeover bid; acquisition offer; (*leg.*) **o. reale**, tender; **o. segreta**, sealed bid (o tender); **fare un'o.**, (*in un'asta*) to make a bid, to bid; (*per un appalto*) to put* in a tender, to tender; **fare un'o. migliore di q.**, to overbid sb.; **far salire le offerte**, to force up the bidding; to bid up **5** (*econ.*: *messa a disposizione*) supply; (*emissione*) issue: **o. anelastica** (o **rigida**), inelastic supply; **o. di BOT**, issue of treasury bonds; **o. di manodopera**, labour supply; **o. limitata**, limited supply; *L'o. supera la domanda*, supply exceeds demand; **eccedenza di o.**, oversupply; **economia dell'o.**, supply-side economy; **la legge della domanda e dell'o.**, the law of supply and demand.

offertoriàle a. (*eccles.*) Offertory (attr.).

offertòrio m. (*eccles.*) Offertory.

offésa f. **1** offence, offense (*USA*), (*insulto*) insult, affront; (*torto*) wrong: **o. al buon gusto**, offence against good taste; **o. alla dignità di q.**, affront to sb.'s dignity; **o. alla giustizia**, offence to justice; **o. al pudore**, offence against decency; (*leg.*) indecent behaviour; **un'o. fatta a Dio**, an offence against God; **ingoiare un'o.**, to swallow an insult; **patire** (o **subire**) **un'o.**, to suffer a wrong; **perdonare le offese**, to pardon wrongs; **prenderla come un'o. personale**, to take it as a personal insult (o affront); **recare o. a q.**, to give offence to sb.; (*Sia detto*) **senza o.**, no offence meant **2** (*danno*) damage, injury; (*ferita*) wound, lesion: **le offese del tempo**, the injuries (o ravages) of time **3** (*mil.*) offence; attack: *La miglior difesa è l'o.*, the best method of defence is attack; **armi di o.**, offence (o offensive) weapons; **guerra di o.**, offensive war.

♦**offéso** **A** a. **1** offended; hurt; angry; upset: *È o. con me*, he's angry with me; **sentirsi o. per qc.**, to feel offended at (o by) st.; to feel hurt by st. **2** (*danneggiato*) damaged; (*ferito*) injured, wounded: **il braccio o.**, the injured arm **3** (*leg.*) – **la parte offesa**, the plaintiff **B** m. (f. *-a*) offended person; injured party: **fare l'o.**, to get into a huff; to be in a huff.

office (*ingl.*) m. inv. pantry.

officiànte (*eccles.*) **A** a. officiating **B** m. e f. officiant.

officiàre (*eccles.*) **A** v. i. to officiate **B** v. t. – **o. una chiesa**, to serve a church.

♦**officìna** f. **1** (*mecc.*) shop; workshop: **o. di montaggio**, assembly shop; **o. di riparazione**, repair shop; (*autom.*) garage; **o. meccanica**, machine shop; **capo o.**, shop foreman; **aprire un'o.**, to open a workshop **2** (*fig.*) workshop.

officinàle a. (*bot.*, *farm.*) officinal: **erbe officinali**, officinal herbs.

officio → **ufficio**.

officiosità f. (*lett.*) kindness; obligingness.

officióso a. (*lett.*) helpful; kind; obliging.

offizio → **ufficio**.

off-limits (*ingl.*) loc. a. **1** (*proibito all'accesso*) off limits; out of bounds **2** (*non accettabile*) unacceptable; taboo.

♦**offrire** A v. t. **1** to offer; to give*; (*preghiera, ecc.*) to offer up: **o. un aiuto**, to offer help; **o. qc. in dono** [**in garanzia, in pegno**], to give st. as a gift [as a guarantee, as a pledge]; **o. la mano di una ragazza**, to offer a girl's hand in marriage; **o. un posto a q.**, to offer sb. a job; **o. un sacrificio**, to offer up a sacrifice; **o. i propri servigi**, to offer one's services; **o. delle scuse**, to offer one's apologies; *Ci hanno offerto centomila euro per la casa*, we've been offered one hundred thousand euros for the house; *Posso offrirti qualcosa da bere?*, will you have a drink?; (*in un locale*) may I buy you a drink?, may I offer you a drink (*form.*)?; **o. da bere a tutti**, to pay for a round of drinks; *Offro io*, it's my treat; this one's on me; *Offre la casa*, it's on the house; *Il programma è offerto dalla ditta B.*, the programme is sponsored by B. **2** (*presentare, fornire*) to offer, to afford (*form.*); (*esporre*) to expose: **o. il fianco alle critiche**, to lay oneself open to criticism; **o. qualche interesse**, to offer some interest; **o. resistenza al nemico**, to offer resistance to the enemy; **o. una spiegazione**, to offer an explanation; **o. vantaggi**, to offer advantages; *Questo ci offre l'occasione di fargli qualche domanda*, this gives us (*form.* affords us) the opportunity to ask him a few questions; *La terrazza offre una stupenda vista sulla valle*, the balcony affords a wonderful view of the valley below **3** (*invitare*) to invite: *Mi offrì di andare con lui*, he invited me to go with him **4** (*comm.*: *mettere in vendita*) to offer; (*reclamizzare*) to advertise **5** (*a un'asta*) to bid; (*a una gara d'appalto*) to tender: **o. di più**, to bid higher **6** (*produrre*) to produce: *La regione offre vino, grano e olio*, the region produces wine, wheat and oil B **offrirsi** v. rifl. **1** (*dichiararsi disposto*) to volunteer; to offer: **offrirsi come ostaggio**, to volunteer as a hostage; **offrirsi per un lavoro**, to volunteer for a job; **offrirsi volontario**, to volunteer; *Si offrì di andare al posto mio*, he volunteered to go in my place; *Si offrì di aiutarmi*, he offered to help me **2** (*esporsi*) to expose oneself; to face: **offrirsi al pericolo**, to face danger C **offrirsi** v. i. pron. (*presentarsi*) to offer; to present itself; to arise*: *Coglierò la prima occasione che si offre*, I'll take the first opportunity that arises (*o* offers); *Mi si è offerta la possibilità di...*, I've been offered the chance to...; *Ti si offre un'occasione unica*, you've been given the chance of a lifetime (*o* of your life); *Uno strano spettacolo s'offrì ai miei occhi*, a strange sight met my eyes; *Il lago si offrì alla nostra vista*, the lake stretched before us.

offset (*ingl.*) m. e a. inv. (*tipogr.*: *metodo*) offset process; (*macchina*) offset press: **stampa o.**, offset printing; **stampare in o.**, to offset.

off-shore (*ingl.*) A a. inv. **1** (*naut.*) powerboat (attr.): **gara off-shore**, powerboat race; **imbarcazione off-shore**, powerboat **2** (*ind. min.*) offshore (attr.): **piattaforma off-shore**, offshore platform **3** (*fin.*) offshore (attr.): **fondi off-shore**, offshore funds; **società off-shore**, offshore company B m. inv. powerboat racing.

offuscamento m. darkening; clouding; dimming; blurring; (*di metallo*) tarnish: **l'o. del sole**, the darkening of the sun; **o. della ragione**, clouding of reason; **o. della vista**, dimming (*o* blurring) of sight.

offuscare A v. t. **1** (*scurire*) to darken; (*metallo*) to tarnish: *Le nubi offuscarono il cielo*, clouds darkened the sky **2** (*fig.*: *appannare, oscurare*) to obscure; to tarnish; (*an-*

nebbiare) to cloud, to dim, to blur: **o. la felicità di q.**, to dim sb.'s happiness; **o. la gloria di q.**, to obscure sb.'s glory; **o. la mente**, to cloud the mind; **o. la vista**, to blur sb.'s sight B **offuscarsi** v. i. pron. **1** to darken; to grow* (*o* to become*, to get*) dark: *Il cielo s'offuscò*, the sky darkened (*o* clouded over) **2** (*fig.*: *appannarsi*) to become* (*o* to be) obscured; (*annebbiarsi*) to cloud over, to dim, to grow* (*o* to become*, to get*) dim (*o* hazy): *Gli si è offuscata la memoria*, his memory has grown hazy; *La vista mi si è offuscata*, my sight is dim **3** (*intorbidirsi*) to cloud over.

offuscato a. **1** darkened; dark; (*di metallo*) tarnished **2** (*fig.*) darkened; obscured; (*annebbiato*) clouded, blurred, dimmed, dim, hazy; (*intorbidito*) cloudy: **immagine offuscata**, blurred image; **una mente offuscata dal troppo vino**, a mind clouded with too much wine; **occhi offuscati dalle lacrime**, eyes dim with tears.

oficalce f. (*miner.*) ophicalcite.

oficleide m. (*mus.*) ophicleide.

ofide m. (*zool.*) ophidian; (al pl., *scient.*) Ophidia.

ofiocefalo m. (*zool.*, *Ophiocephalus striatus*) snake head.

ofiodismo m. (*med.*) snake venom poisoning.

ofiolatrìa f. ophiolatry.

ofiolite f. (*miner.*) ophiolite.

ofiologìa f. ophiology.

ofiotossina → **ofitossina**.

ofisauro m. (*zool.*, *Ophisaurus apodus*) glass lizard.

ofite f. (*miner.*) ophite.

ofitico a. (*miner.*) ophitic.

ofitossina f. snake poison.

OFM sigla (*relig.*, *lat.*: *Ordo Fratrum Minorum*) (**Ordine dei frati minori** (*o* **francescani**)) Order of Friars Minor.

oftalmìa f. (*med.*) ophthalmia; ophthalmitis.

oftàlmico a. (*med.*) ophthalmic.

oftalmite → **oftalmia**.

oftalmologìa f. (*med.*) ophthalmology.

oftalmològico a. ophthalmological.

oftalmòlogo m. (f. **-a**) (*med.*) ophthalmologist.

oftalmometrìa f. (*med.*) ophthalmometry.

oftalmòmetro m. (*med.*) ophthalmometer.

oftalmoscopìa f. (*med.*) ophthalmoscopy.

oftalmoscòpio m. (*med.*) ophthalmoscope.

OG sigla (**Ogliastra**).

oggettistica f. gifts and fancy goods (pl.); (*settore commerciale*) gift and fancy goods sector: **negozio di o.**, gift shop.

oggettivaménte avv. **1** objectively; from an objective point of view **2** (*obiettivamente*) impartially; fairly.

oggettivàre A v. t. to objectify; to express in a concrete form; to represent concretely B **oggettivàrsi** v. i. pron. to take* a concrete form; to be expressed in a concrete form.

oggettivazióne f. objectification.

oggettivismo m. (*filos.*) objectivism.

oggettivista m. e f. (*filos.*) objectivist.

oggettivistico a. (*filos.*) objectivistic.

oggettività f. **1** objectiveness **2** (*obiettività*) objectivity; impartiality.

oggettivo a. **1** (*che concerne l'oggetto*) objective: **dati oggettivi**, objective data; **realtà oggettiva**, objective reality **2** (*gramm.*) objective; object (attr.): **il caso o.**, the objec-

tive case; **proposizione oggettiva**, object clause **3** (*obiettivo*) objective; impartial; unbiased; unprejudiced: *Cerco di essere o.*, I'm trying to be objective; **dare un giudizio o.**, to give an unbiased opinion.

♦**oggètto** m. **1** (*filos.*) object **2** (*cosa*) object; thing; (*articolo*) article; (*manufatto*) artefact, artifact: **o. artistico**, artistic object; (*di collezione*) objet d'art (*franc.*); **o. da collezione**, collectible; collectable; **o. di legno**, wooden object; (*articolo*) wooden article; **o. inutile**, useless thing; **oggetti d'artigianato**, handcrafted objects; artefacts; **oggetti di vetro**, glass articles; glassware Ⓤ; **oggetti personali**, personal belongings; **oggetti preziosi**, precious things; (*valori*) valuables **3** (*argomento*) subject; theme; subject-matter: **l'o. di un contratto**, the subject-matter of a contract; **l'o. di una discussione**, the theme of a debate; (*fig.*) the subject of the letter **4** (*obiettivo, motivo*) object; subject: **l'o. amato**, the object of sb.'s love; **o. di desiderio**, object of desire; **o. di scherno**, object of scorn; laughing-stock; **essere (fatto) o. di critiche**, to be criticized; to come under criticism; **essere o. di pietà**, to be an object of pity; **essere fatto o. di persecuzione**, to be the victim of persecution **5** (*fine, scopo*) object; purpose; reason: **l'o. delle nostre ricerche**, the object of our search **6** (*gramm.*) object: **o. diretto** [**indiretto**], direct [indirect] object ● (*bur.*) **O.: domanda di trasferimento**, Re: Application for Transfer □ **o. volante non identificato**, unidentified flying object; UFO □ **in o.**, under discussion; in hand; (*bur.*) in re: **la questione in o.**, the matter under discussion (*o* in hand); **o.**, the matter under discussion (*o* in hand) □ **Ufficio oggetti smarriti**, Lost Property Office; Lost and Found Office (*USA*).

oggettuale a. object (attr.).

oggettualità f. objectuality.

♦**òggi** A avv. **1** today: *O. ho molto da fare*, I am very busy today; *O. piove*, it's raining today; **o. o domani**, today or tomorrow; one day or other; **o. pomeriggio**, in the afternoon; **o. stesso**, this very day; *O. è un anno che è partito*, it's a year today since he left **2** (*attualmente*) nowadays; these days; (*adesso*) now: *O. tutti la pensano così*, everybody thinks so nowadays; *Mi fidavo di lui, ma o. non più*, I trusted him once, but I no longer do now ● **o. a otto**, today week; a week today □ **o. a quindici**, a fortnight today □ **o. a un anno** [**a un mese**], a year [a month] from today □ **o. come o.**, at present; right now □ (*prov.*) *O. a me, domani a te*, I today, you tomorrow B m. **1** (*il giorno attuale*) today: *O. è domenica* [*il mio compleanno*], today is Sunday [my birthday]; **il giornale di o.**, today's paper; **in risposta alla tua lettera di o.**, in answer to your letter of today; **quest'o.**, today; **a tutt'o.**, till today; up to now; so far; **al giorno d'o.**, nowadays; at present; **da o. in poi**, from today onwards; **dall'o. al domani**, overnight; *Il tempo può cambiare dall'o. al domani*, the weather may change overnight; *Ha cambiato idea dall'o. al domani*, she changed her mind overnight; **entro o.**, by today; **fino a o.**, until (*o* up to) today; *Per o. basta*, that's enough for today; **prima d'o.**, before today; **tra o. e domani**, between today and tomorrow; overnight **2** (*il presente*) the present; today: **i ragazzi d'o.**, today's youth; **gli scrittori d'o.**, the writers of today; *Pensa solo all'o.*, he only thinks of the present.

oggidì, **oggigiórno** A avv. nowadays; these days; today: *O. tutto è più semplice coi computer*, things are much easier nowadays with computers B m. today: **il presente di o.**, today; today's; present-day's.

ogiva f. **1** (*archit.*) ogive: **a o.**, ogival; **arco a o.**, pointed (*o* Gothic) arch; **finestra a o.**,

lancet window **2** (*balistica, di proiettile*) ogive, head; (*di razzo*) nose cose, head: **o. nucleare**, atomic warhead; **o. dell'elica**, spinner.

ogivàle a. (*archit.*) ogival; pointed: **arco o.**, pointed (*o* Gothic) arch; **finestra o.**, lancet window; **stile o.**, pointed (*o* Gothic) style.

OGM sigla (*scient.*, **organismo geneticamente modificato**) genetically modified organism (GMO).

♦**ógni** a. indef. sing. **1** (*ciascuno*) every; each; (*tutti, tutte*) all (pl.): **o. anno**, every year; each year; **o. ben di Dio**, all sorts of good things; all one could desire; **o. cosa**, everything; **o. giorno**, every day; each day; **o. volta**, every time; each time; **o. uomo**, each man; everyman; everybody; **o. altra persona**, everybody else; **o. altra cosa**, everything else; *O. ragazzo ha un libro*, every (*o* each) boy has a book; *C'erano sedie lungo ogni parete*, chairs were lined against each wall; *Conosce il nome di o. studente della scuola*, she knows the name of every student in the school; *Mi telefona o. giovedì*, he phones me every Thursday; *O. giorno c'è una novità*, there's something new every day; *O. animale deve mangiare per vivere*, all animals must eat to live; *Ha ricevuto regali di o. genere*, he got all sorts of presents; **in o. luogo**, everywhere; **sotto o. aspetto**, from all points of view; **la vita d'o. giorno**, everyday life **2** (*qualsiasi*) any; all (pl.): *O. scusa è buona*, any excuse will do; **ad o. modo**, anyhow; anyway; at any rate; in any case (*o* event); **in o. caso**, in any case (*o* event); (*comunque, anche*) at all events, at any rate; **ad o. costo**, at all costs **3** (*distributivo*) every: **o. due giorni**, every other (*o* second) day; every two days; **o. quattro giorni**, every fourth day; every four days; **o. dieci kilometri**, every 10 kilometres; *O. tre case c'era un negozio*, at every third house there was a shop; *Lo vedo una volta o. cinque anni*, I see him once every five years ● **o. tanto**, every now and then (*o* and again); every so often □ **o. volta che**, every time; whenever: *O. volta che lo vedo è al telefono*, every time I see him, he is on the phone talking to someone; *O. volta che lo vedo, finge di non conoscermi*, whenever I see him, he pretends he doesn't know me □ **oltre o. dire**, beyond description; indescribably.

ogniqualvòlta cong. whenever; every time.

Ognissànti m. (*eccles.*) All Saints' Day.

ognitèmpo a. inv. all-weather.

ognóra avv. (*lett.*) always.

♦**ognùno** pron. indef. sing. **1** everybody; everyone; each (one); (*tutti, tutte*) all (pl.): *O. lo sa*, everybody (*o* everyone) knows that; *O. ricevette due libri*, each of them was given two books; they were given two books each; *Ne diede due a o.*, she gave two to each of them; *O. ha le sue debolezze*, we all have our weaknesses **2** (*seguito dal partitivo*) each; every one; (*tutti, tutte*) all (pl.): *O. di noi ha due libri*, each of us has two books; *O. di loro se n'era andato*, every one of them had left; *In ognuna delle buste c'era un biglietto aereo*, in each of the envelopes (*o* in each envelope) there was an air ticket; **o. di loro**, nessuno escluso, each and everyone of them ● (*prov.*) **O. per sé e Dio per tutti**, every man for himself.

♦**oh** inter. oh: *Oh, guarda!*, oh, look!; *Oh no!*, oh no!; *Oh povero me!*, oh dear me!

òhe, ohé inter. (*fam.*) ho!; hey there!

♦**òhi** inter. **1** (*di sorpresa, dolore*) oh!; ah!; (*di dolore fisico*) ouch! **2** (*di richiamo*) hey!

ohibò inter. **1** (*di indignazione*) tut tut!; pshaw! **2** (*di sorpresa*) come then now!

ohilà inter. hey!; hello there!

ohimè inter. oh dear!; alas! (*lett.*); woe is

me! (*lett.*).

ohm m. (*fis.*) ohm.

òhmico a. (*fis.*) ohmic.

òhmmetro m. (*fis.*) ohmmeter.

oibò → **ohibò**.

oìdio m. (*bot.*) oidium*.

OIL sigla (*ONU*, **Organizzazione internazionale del lavoro**) International Labour Organization (ILO).

oïl (*franc.*) m. inv. – **lingua d'oïl**, langue d'oïl.

oimè → **ohimè**.

O.K., OK → **okay**.

okàpi f. (*zool.*, *Okapia johnstoni*) okapi.

okay (*ingl.*) **A** inter. okay; OK **B** m. OK; go-ahead; green light: **dare l'o.**, to give the go-ahead; *Il capo mi ha dato l'o.*, my boss told me to go ahead **C** pred. okay; OK: *È tutto o.*, everything is OK.

OL sigla (*radio*, **onde lunghe**) long wave (LW).

òla f. (*sport*) Mexican wave.

olà inter. ho!; hello (there)!; hi! (*USA*).

olànda f. (*tela*) holland.

Olànda f. (*geogr.*) Holland; (*lo Stato*) (the) Netherlands, Holland.

olandése **A** a. Dutch: **formaggio o.**, Dutch cheese; **vacca o.**, Friesian (cow) **B** m. e f. (*abitante dell'Olanda*) Dutchman* (m.); Dutch woman* (f.) **C** m. **1** (*lingua*) Dutch **2** (*formaggio*) Dutch cheese; Edam; Gouda ● **l'O. volante**, the Flying Dutchman **D** f. (*ind. cartaria*) hollander.

olandesìsmo m. Dutch word; Dutch phrase.

old-fashion (*ingl.*) a. inv. old-fashioned.

Oleàcee f. pl. (*bot.*, *Oleaceae*) Oleaceae.

oleàceo → **oleoso**.

oleaginòso a. oleaginous.

oleàndro m. (*bot.*, *Nerium oleander*) oleander; rose-bay.

oleàre e deriv. → **oliare**, e deriv.

oleàrio a. oil (attr.): **il mercato o.**, the oil market.

oleàstro m. (*bot.*, *Olea europaea oleaster*) oleaster; wild olive.

oleàto ① a. oiled ● **carta oleata**, grease-proof paper.

oleàto ② m. (*chim.*) oleate.

olecràno m. (*anat.*) olecranon.

olefìna f. (*chim.*) olefin; alkalene.

olefìnico a. (*chim.*) olefinic.

olèico a. (*chim.*) oleic: **acido o.**, oleic acid.

oleicoltóre, oleicoltùra → **olivicoltore, olivicoltura**.

oleìfero a. oleiferous; oil-yielding (attr.).

oleifìcio m. (*ind.*) oil mill.

oleìna f. (*chim.*) olein.

oleoacidìmetro m. instrument to determine the acidity of vegetable oil.

oleobromìa f. (*fotogr.*) bromoil process.

oleochìmica f. chemistry of fats.

oleodinàmico a. (*tecn.*) oil-pressure (attr.).

oleodótto m. (*ind.*) (oil) pipeline.

oleografìa f. **1** (*procedimento*) oleography **2** (*quadro*) oleograph **3** (*fig.*) unoriginal description; conventional representation.

oleogràfico a. **1** oleographic **2** (*fig.*) unoriginal; conventional.

oleografìsmo m. (*spreg.*) unoriginality; conventionality.

oleomargarìna f. (*chim.*) oleomargarine.

oleòmetro m. (*fis.*) oil-gauge; oleometer.

oleopneumàtico a. oleo-pneumatic.

oleorèsina f. (*chim.*) oleoresin.

oleosità f. oiliness.

oleóso a. **1** (*che contiene olio*) oily; oil (attr.); oleaginous: **semi oleosi**, oil seeds; **sostanza oleosa**, oily substance **2** (*che sembra olio*) oily; oil-like: **liquido o.**, oily liquid.

òleum m. (*chim.*) oleum.

olezzànte a. **1** sweet-smelling; odorous; fragrant; balmy **2** (*iron.*) smelly; stinking.

olezzàre v. i. **1** (*lett.*) to be fragrant (*o* balmy); to smell* sweet **2** (*iron.*) to smell*; to stink*.

olézzo m. **1** (*lett.*) sweet smell; scent; fragrance **2** (*iron.*) bad smell; stink.

olfattìvo a. olfactory: **nervo o.**, olfactory nerve.

olfàtto m. sense of smell; olfaction (*scient.*) ● **organo dell'o.**, olfactory organ.

olfattòmetro m. olfactometer.

olfattòrio a. olfactory.

oliàre v. t. **1** to grease; (*lubrificare*) to oil: **o. un motore**, to oil an engine; **o. una teglia**, to grease a baking tin **2** (*fig.*) to bribe.

oliàrio m. oil store-room.

oliàta f. oiling; lubrication.

oliàto a. **1** (*lubrificato*) oiled **2** (*condito con olio*) dressed with oil.

oliatóre m. **1** (*recipiente*) oilcan; oiler **2** (*mecc.*) oil feeder; lubricator.

oliatùra f. oiling.

olièra f. oil cruet.

olifànte m. (*stor.*) oliphant.

oligàrca m. oligarch.

oligarchìa f. oligarchy.

oligàrchico a. oligarchical.

oligocène m. (*geol.*) Oligocene.

oligochèto m. (*zool.*) oligochaete; (al pl., *scient.*) Oligochaeta.

oligocitemìa f. (*med.*) oligocythemia.

oligoclàsio m. (*miner.*) oligoclase.

oligocrazìa f. oligarchy.

oligodendrocìta, oligodendrocìto m. (*biol.*) oligodendrocyte.

oligodinàmico a. (*biol.*) oligodynamic.

oligoelemènto m. (*biol.*) trace element.

oligoemìa f. (*med.*) oligaemia.

oligoèmico a. (*med.*) oligaemic.

oligofrenìa f. (*psic.*) feeble-mindedness.

oligofrènico a. e m. (f. **-a**) (*psic.*) feeble-minded (person).

oligomenorrèa f. (*med.*) oligomenorrhea.

oligomèrico a. (*chim.*) oligomer (attr.).

oligòmero m. (*chim.*) oligomer.

oligomineràle a. low in mineral content.

oligopòlio m. (*econ.*) oligopoly.

oligopolìsta m. (*econ.*) oligopolist.

oligopolìstico a. (*econ.*) oligopolistic.

oligopsònio m. (*econ.*) oligopsony.

oligopsonìstico a. (*econ.*) oligopsonistic.

oligosaccàride m. (*chim.*) oligosaccharide.

oligospermìa f. (*med.*) oligospermia.

oligotrofìa f. (*biol.*) oligotrophy.

oligotròfico a. (*biol.*) oligotrophic.

oligùria f. (*med.*) oliguria.

Olìmpia f. (*geogr.*) Olympia.

olimpìaco a. (*lett.*) Olympic.

♦**olimpìade** f. **1** (*stor.*: **i giochi**) Olympic (*o* Olympian) games (pl.); (*periodo fra due olimpiadi*) Olympiad **2** (al pl.) (*sport*) Olympic Games; Olympics: **le olimpiadi di Sydney**, the Sydney Olympics; **olimpiadi invernali**, Winter Olympics.

olimpicità f. Olympian calm; Olympian detachment.

olìmpico a. **1** (*dell'Olimpo*) Olympian: *Giove o.*, Olympian Jove **2** (*di Olimpia, delle olimpiadi*) Olympic; Olympian: **atleta o.**, Olympic

athlete; Olympian; **i giochi olimpici**, the Olympic Games; **stadio o.**, Olympic stadium; **villaggio o.**, Olympic village **3** (*fig.*: *imperturbabile*) Olympian.

olìmpio a. (*lett.*) Olympian: **gli dèi olimpi**, the Olympian gods; the Olympians; *Zeus o.*, Olympian Zeus.

olimpiònico Ⓐ a. Olympic: **piscina olimpionica**, Olympic-size (*o* -sized) swimming pool; **primato o.**, Olympic record; **squadra olimpionica**, Olympic team Ⓑ m. (f. *-a*) **1** (*campione*) Olympic champion **2** (*atleta*) Olympic athlete, Olympian.

olìmpo m. **1** (*élite*) elite; exclusive circle **2** (*iron.*) – *È sceso dal suo o. per consigliarci*, he deigned to give us advice.

Olìmpo m. (*geogr.*, *mitol.*) Olympus.

♦**òlio** m. oil: **o. animale**, animal oil; **o. combustibile**, fuel oil; **o. da ardere**, lamp oil; **o. da cucina**, cooking oil; **o. da tavola**, salad oil; **o. di arachide**, peanut oil; **o. di balena**, whale oil; **o. di catrame**, tar oil; **o. di fegato di merluzzo**, cod-liver oil; **o. di lino**, linseed oil; **o. di mandorle**, almond oil; **o. d'oliva**, olive oil; **o. di paraffina**, paraffin oil; **o. di ricino**, castor oil; **o. di semi**, seed oil; **o. di semi di girasole**, sunflower oil; **o. di vetriolo**, oleum; **o. essenziale**, essential oil; **extra-vergine di oliva**, extra-virgin olive oil; **o. fisso**, fixed oil; **o. leggero**, light oil; **o. lubrificante**, lubricating oil; **o. minerale**, mineral oil; **o. pesante**, fuel oil; **o. solare**, sun oil; **o. vegetale**, vegetable o.; **o. volatile**, volatile oil; **dipingere a o.**, to paint in oils; **colori a o.**, oil paints (*o* colours); oils; **lampada a o.**, oil-lamp; **quadro a o.**, oil painting; (*attr.*) sott'o., in oil ● (*fig.*) **o. di gomito**, elbow-grease □ (*eccles.*) **o. santo**, holy oil: **dare [ricevere] l'o. santo**, to give [to receive] extreme unction □ (*fig.*) **essere all'o. santo**, to be at death's door; to be at one's last gasp □ **È andato tutto liscio come l'o.**, it all went very smoothly (*o* like clockwork) □ **Oggi il mare è un o.** (*o* è liscio come l'o.), today the sea is like a millpond.

olióso e *deriv.* → **oleoso**, e *deriv.*

olìsmo m. (*biol.*) holism.

olìstico a. (*biol.*) holistic.

♦**oliva** Ⓐ f. **1** (*bot.*) **olive farcite**, stuffed olives; **olive nere**, black olives; **olive snocciolate**, stoned olives; **olive verdi**, green olives; **olio d'o.**, olive oil; **a forma d'o.**, olive-shaped **2** (*gergo giorn.*) miniature microphone; bug Ⓑ a. inv. olive (attr.); olive-green: olive-coloured: **un vestito verde o.**, an olive-green dress.

olivàceo a. olive-coloured.

olivàgno m. (*bot.*, *Elaeagnus angustifolia*) Russian olive.

olivàre a. (*anat.*) olivary.

olivàstro ① a. olive-coloured; olive (attr.): **carnagione olivastra**, olive complexion; **dalla pelle olivastra**, olive-skinned.

olivàstro ② m. (*bot.*, *Olea europaea oleaster*) oleaster; wild olive.

olivèlla ① f. (*mecc.*) **1** (*di chiave*) pear-shaped (key) bit **2** (*cuneo*) olive-shaped wedge.

olivèlla ② f. (*bot.*, *Daphne laureola*) spurge laurel; daphne.

olivenìte f. (*miner.*) olivenite.

olivetàno a. e m. (*eccles.*) Olivetan.

olivéto m. olive grove.

olivétta f. (*di alamaro*) toggle.

Olìvia f. Olive; Olivia.

olivìcolo a. olive (attr.); olive-growing (attr.).

olivicoltóre m. (f. **-trìce**) olive grower.

olivicoltùra f. olive-growing.

Olivièro m. Oliver.

olivìgno → **olivastro**①.

---

olivìna f. (*miner.*) olivine.

olivo m. **1** (*bot.*, *Olea europaea*) olive (tree): **ramoscello d'o.**, olive branch: (*fig.*) **offrire un ramoscello d'o.**, to hold out an olive branch **2** (*anche* **legno d'o.**) olive wood ● (*relig.*) **o. benedetto**, olive branch blessed on Palm Sunday □ (*bot.*) **o. di Boemia** (*Elaeagnus angustifolia*), oleaster; Russian olive (*USA*) □ **la Domenica degli Olivi**, Palm Sunday □ **il Monte degli Olivi**, the Mount of Olives.

òlla f. (*archeol.*) vase; jar: **o. cineraria**, cinerary vase (*o* urn).

olmàia f. elm grove.

olmària → **ulmaria**.

olmèco a. e m. Olmec.

olméto m. elm grove.

òlmio m. (*chim.*) holmium.

òlmo m. **1** (*bot.*, *Ulmus campestris*) elm **2** (*bot.*) – **o. bianco** (*Celtis occidentalis*), North American hackberry; **o. montano** (*o riccio*) (*Ulmus montana*), wych elm, witch elm **3** (*legno*) elm, elm-wood.

oloblàstico a. (*biol.*) holoblastic.

olocàusto m. **1** (*relig.*) holocaust **2** (*fig.*: *sacrificio*) sacrifice: **fare o. di qc.**, to offer up (*o* to give up) st.; **offrire in o.**, to sacrifice; to immolate **3** (*sterminio*) holocaust; mass murder; mass destruction: (*stor.*) **l'O.**, the Holocaust; the Shoah.

olocène m. (*geol.*) Holocene.

olocènico a. (*geol.*) Holocene.

olocristallìno a. (*miner.*) holocrystalline.

oloèdrico a. (*miner.*) holohedral.

Olofèrne m. (*Bibbia*) Holofernes.

olofonìa f. (*fis.*) holophony.

olofònico a. (*fis.*) holophonic.

olofràstico a. (*ling.*) holophrastic.

ologènesi f. (*biol.*) hologenesis.

ologenètico a. (*biol.*) hologenetic.

olografìa f. (*fotogr.*) holography.

ològrafico a. holographic.

ològrafo a. (*leg.*) holograph (attr.): **testamento o.**, holograph will.

ologràmma m. (*fis.*) hologram.

olometàbolo a. (*zool.*) holometabolous.

olóna f. (*anche* agg.: **tela o.**) sailcloth; duck; canvas.

olostèrico a. (*fis.*) holosteric.

olotìpo m. (*zool.*) holotype.

olotùria f. (*zool.*, *Holothuria*) holothurian; sea cucumber; bêche-de-mer* (*franc.*).

OLP sigla (**Organizzazione per la liberazione della Palestina**) Palestine Liberation Organization (PLO).

oltracotànte a. (*lett.*) arrogant; overbearing; high-handed.

oltracotànza f. (*lett.*) arrogance; high-handedness.

oltraggiàre v. t. **1** (*offendere*) to offend; (*insultare*) to insult, to abuse, to vituperate **2** (*profanare*) to violate; to desecrate: **o. una tomba**, to violate a tomb ❶ **FALSI AMICI** • oltraggiare *non si traduce con* outrage.

oltraggiatóre m. (f. **-trìce**) (*chi offende*) offender; (*chi insulta*) insulter; (*chi profana*) violator.

oltràggio m. **1** (*offesa*) offence, outrage; (*ingiuria*) insult, affront, abuse Ⓤ: **un o. alla nostra intelligenza**, an insult to our intelligence; **un o. alla miseria**, an insult to poverty; **un o. al senso civico**, an outrage against public feelings; **recare o. a q.**, to offend sb.; **subire un o.**, to suffer an affront **2** (*leg.*) contempt; disrespect: **o. alla corte**, contempt of court; **o. al pudore**, indecent behaviour; **o. a pubblico ufficiale**, insulting a public officer ❶ **FALSI AMICI** • oltraggio *nel senso di offesa nei confronti di una persona e nel senso legale non si traduce con* outrage e.

---

oltraggióso a. (*offensivo*) offensive; (*insultante*) insulting, abusive: **comportamento o.**, insulting behaviour; **parole oltraggiose**, abusive words; words of abuse ❶ **FALSI AMICI** • oltraggioso *non si traduce con* outrageous.

oltràlpe Ⓐ avv. beyond the Alps; on the other side of the Alps; north [east, west] of the Alps; (*est.*: *all'estero*) abroad: **emigrare o.**, to migrate abroad Ⓑ m. transalpine countries (pl.); (*estens.*: *straniero*) foreign: **idee d'o.**, foreign ideas; **paesi d'o.**, transalpine countries; countries beyond the Alps.

oltramontàno a. situated beyond the mountains; from beyond the mountains; ultramontane.

oltrànza f. – **a o.**, to the utmost; indefinitely; to the bitter end; all-out (attr.): **combattere a o.**, to fight to the bitter end; **resistere a o.**, to resist indefinitely; **guerra a o.**, all-out war; **lotta a o.**, fight to the death; **sciopero a o.**, extended (*o* all-out) strike.

oltranzìsmo m. (*polit.*) extremism; ultraism.

oltranzìsta m. e f. (*polit.*) extremist; ultraist.

oltranzìstico a. (*polit.*) extremist (attr.); ultraist (attr.).

♦**óltre** Ⓐ avv. **1** (*di luogo*) farther; further; past: *Non voglio andare o.*, I don't want to go any further (*o* farther); *Passò o. senza salutare*, he went past (*o* went by) without saying hello; *Non lessi o.*, I read no further; (*anche fig.*) **andare troppo o.**, to go too far **2** (*di tempo*) longer; more; later: *Non possiamo trattenerci o.*, we cannot stay any longer; **vent'anni e o.**, twenty years and more; over twenty years; **entro maggio e non o.**, by the end of May and no later Ⓑ prep. **1** (*al di là di*) beyond; on the other side of; over; (*dopo*) past, after: *Il lago è o. quelle colline*, the lake is beyond those hills; *La Francia è o. quelle montagne*, France lies on the other side of those mountains; *Saltai o. il muro*, I jumped over the wall; *O. quel punto non ci sono più case*, there are no houses beyond that point; *La fermata è oltre il semaforo*, the stop is after (*o* past) the traffic lights; **o. confine** → **oltreconfine**; **o. misura**, beyond measure; **o. ogni dire**, beyond description; **o. ogni limite**, beyond all limits; **andare o. ogni speranza**, to exceed all expectations; **andare o. le proprie intenzioni**, to overshoot the mark **2** (*più di*) more than; over: *Costa o. un milione di euro*, it costs over (*o* more than) a million euros; **distare o. tre kilometri**, to be more than (*o* over) three kilometres away; *Lo conosco da o. dieci anni*, I've known him for over two years; *Starò via non o. un mese*, I won't be away for more than a month; **(ben) o. i settanta**, (well) over seventy **3** (*di tempo*) after; later than: *Non stare fuori o. le dieci*, don't stay out after (*o* later than) ten **4** (*anche* **o. a**, **o. che**: *in aggiunta*) besides; in addition to; (*come pure*) as well as; (*a parte*) apart from: *C'erano molte altre persone o. a lui*, there were many others besides him; **o. a quello che ti dissi**, in addition to what I told you; **o. il suo stipendio**, in addition to his salary; *O. all'averlo incoraggiato, gli ho anche prestato denaro*, besides encouraging him, I also lent him some money; *O. che attore è anche pittore*, he is a painter, as well as an actor; **o. tutto**, besides; apart from everything else **5** (*anche* **o. a**, **o. che**: *eccetto*) apart from; other than: *O. a te non l'ho detto a nessuno*, I haven't told anyone apart from you; *Non ha menzionato nessun collega o. a Rossi*, she didn't mention any colleagues other than Rossi.

oltreconfine Ⓐ agg. across the border (pred.); (*straniero*) foreign Ⓑ avv. across the border; (*all'estero*) abroad Ⓒ m. inv. foreign territory ● **d'o.**, foreign (agg.).

oltrecortina (*stor.*) **A** avv. e a. beyond the Iron Curtain **B** m. Iron Curtain countries (pl.).

oltrefrontièra → **oltreconfine**.

oltremànica avv. e agg. across the (English) Channel; beyond the (English) Channel: **andare o.**, to cross the Channel; **paesi d'o.**, the British Isles.

oltremàre A avv. across (*o* beyond) the sea; overseas: **emigrare o.**, to migrate overseas **B** m. **1** overseas lands (pl.): **gente d'o.**, people from overseas; **paesi d'o.**, overseas countries; **venire d'o.**, to come from overseas **2** (*colore*) ultramarine (blue).

oltremarino a. **1** overseas (attr.) **2** – **azzurro o.**, ultramarine blue.

oltremisùra, **oltremòdo** avv. beyond measure; exceedingly; extremely.

oltremondàno a. ultramundane.

oltremontàno → **oltramontano**.

oltreocèano A avv. across the ocean; overseas; in [North, South] America: **emigrare o.**, to migrate to America **B** m. overseas countries (pl.); (*le Americhe*) the Americas (pl.); **d'o.**, overseas (attr.); from overseas; (*americano*) American, from America: **costumi d'o.**, American customs; **notizie d'o.**, news from overseas.

oltrepassàbile a. surpassable.

oltrepassàre v. t. **1** (*andare oltre*) to go* beyond, to surpass, to overstep; (*eccedere*) to exceed; (*superare*) to pass; (*cosa o persona in moto*) to overtake*; (*salire al di sopra*) to rise* above: **o. il limite di velocità**, to exceed the speed limit; **o. ogni limite**, to overstep (*o* to pass, to exceed) all limits; to go too far; *Il fiume ha oltrepassato il livello di guardia*, the river has risen above the danger level **2** (*fare meglio di*) to outstrip; to outdo*; to outshine*, to outclass; to surpass: **o. tutti i concorrenti**, to outstrip all competitors **3** (*attraversare, varcare*) to cross: **o. il confine**, to cross the frontier; **o. il confine di qc.**, to stray into st.; (*illegalmente*) to trespass on st.; **o. la soglia**, to cross the threshold (*o* the door) **4** (*naut.: doppiare*) to round; to double.

oltretómba m. hereafter; afterlife; life to come: **pensare all'o.**, to think of the life to come; **tornare dall'o.**, to come back from the grave ● (*fig.*) **voce d'o.**, gloomy voice; sepulchral voice.

oltretùtto avv. moreover; on top of it; apart from everything else.

oltreumàno a. more than human; superhuman.

OM sigla (*radio*, **onde medie**) medium wave (MW).

omaccióne m. big, hefty man*; hulk; bruiser (*fam.*); (*spreg.*) ugly brute.

omàggio A m. **1** (*segno di rispetto*) homage: **rendere o. a q.**, to pay homage to sb.; to honor sb. **2** (*dono*) gift; (*comm.*) giveaway, freebie (*fam. USA*): **fare o. a q. di qc.**, to present sb. with st.; **in o.**, free of charge; free (avv. e agg.); complimentary (agg.): **un CD in o. insieme alla rivista**, a free CD with the magazine; **sei copie in o.**, six complimentary copies; *Ordinando due libri ne riceverete un terzo in o.*, if you order two books you will be sent a third one free of charge **3** (al pl.) (*saluti*) regards; respects; compliments: *Omaggi a sua moglie*, my regards to your wife; **con gli omaggi della ditta**, with the compliments of the firm; **porgere** (*o* **presentare**) **i propri omaggi a q.**, to pay one's respects to sb. **4** (*stor.*) homage – (*scherz.*) **O. della ditta**, it's on the house □ **in o. alla legge**, in observance of the law □ **in o. alla tradizione**, following tradition □ **in o. alla verità**, out of regard for the truth **B** a. inv. free; complimentary; gratis; gift (attr.): **biglietto o.**, complimentary

ticket; **buono o.**, gift voucher; **campione o.**, free sample; **confezione o.**, gift pack; **copia o.**, free copy; complimentary copy.

omài (*lett.*) → **ormai**.

omanìta a., m. e f. Omani.

omarino m. little man*; (*spreg.*) shrimp of a man (solo sing.).

òmaro m. (*zool.*, *Homarus vulgaris*) (European) lobster.

omàso m. (*zool.*) omasum*; psalterium*.

ombelicàle a. (*anat.*) umbilical: (*anche tecn.*, *fig.*) **cordone o.**, umbilical cord; **ernia o.**, umbilical hernia.

ombelicàto a. (*scient.*) umbilicate.

ombelico m. **1** (*anat.*) navel; umbilicus* (*scient.*); belly button (*fam.*) **2** (*fig.*) navel: **l'o. del mondo**, the navel of the world **3** (*zool.*) umbilicus* **4** (*bot.*) – **o. di Venere** (*Cotyledon umbilicus*), pennywort.

♦**ómbra A** f. **1** (*zona d'o.*) shade; shadow: **piante che amano l'o.**, plants that thrive in the shade; **le ombre della sera**, the shades of the evening; *Non c'è un filo d'o.*, there isn't a patch of shade; **mettersi all'o.**, to move into the shade; **sedere all'o.**, to be sitting in the shade; **all'o. di una quercia**, in the shade of an oak; **40° all'o.**, 40° in the shade; *Il viso era in o.*, his face was in shadow; **il lato in o. della casa**, the side of the house that is in shadow; *Il giardino è in ombra per gran parte del giorno*, the garden is in shade for most of the day; *Le palme fanno poca o.*, palm trees give little shade; *Spostati, mi fai o.*, move away, you're standing in my light; **farsi o. con qc.**, to protect oneself from the sun with st.; **immerso nell'o.**, deep in shadow; **senza un palmo d'o.**, without a spot of shade; **un posto all'o.**, a place in the shade; a shady place **2** (*oscurità*) shadows (pl.); dark; darkness: **emergere dall'o.**, to emerge from the shadows (*o* the dark); **dileguarsi nell'o.**, to melt into the shadows; *Avanzammo protetti dall'o.*, we advanced under the cover of darkness; **nell'o. della notte**, in the dark of the night **3** (*sagoma proiettata*) shadow: (*astron.*) **l'o. della terra**, the earth's shadow; **le ombre dei pioppi**, the shadows of the poplars; *Nel pomeriggio le ombre si allungano*, shadows lengthen in the afternoon; **proiettare un'o.**, to cast a shadow; (*astron.*) **cono d'o.**, umbra **4** (*figura indistinta*) shadow; shadowy figure: *Un'o. si mosse nell'angolo*, a shadow moved in the corner; *Vidi due ombre in fondo al vicolo*, I saw two shadows at the other end of the alley **5** (*fantasma, spettro, spirito*) shade; ghost: **l'o. di Tiresia**, the shade (*o* ghost) of Tiresias; **le ombre dei morti**, the shades of the dead; **il regno delle ombre**, the shades (pl.) **6** (*fig.: vana apparenza*) shadow: **correre dietro alle ombre**, to chase shadows; **dare corpo alle ombre**, to give substance to shadows; to imagine things **7** (*fig.: minaccia, turbamento*) shadow; cloud; (*fraintendimento*) misunderstanding; (*sospetto*) suspicion: **l'o. della guerra**, the shadow of war; *C'era un'o. nella sua vita*, there was a shadow over his life; *Un'o. passò sul suo viso*, a shadow crossed her face; **gettare o. su qc.**, to cast a shadow on (*o* over) st.; **un'amicizia senza ombre**, a perfect friendship **8** (*fig.: traccia, parvenza*) shadow; shade; trace; touch; hint: **un'o. di ironia**, a hint (*o* a trace) of irony; **un'o. di tristezza**, a touch of sadness; *Non c'è o. (o un'o.) di dubbio*, there is not a shadow of doubt; **non avere l'o. di un quattrino**, not to have a penny; **senza l'o. di un sospetto**, without a hint (*o* the slightest) suspicion **9** (*piccola quantità*) dash; spot: **caffè con un'o. di latte**, coffee with a dash of milk **10** (*fig.: protezione, riparo*) protection; shelter: **crescere all'o. della famiglia**, to grow up

under the protection of his family; **all'o. della legge**, under shelter of the law **11** (al pl.) (*pitt.*) shade ⓤ: **luci e ombre**, light and shade **12** (*alone*) trace; mark **13** (*psic.*) Shadow **14** (*zool.*) → **ombrina** ● **ombre cinesi**, hand shadows □ **agire nell'o.**, to act secretly; to act behind the scenes □ **Crebbe all'o. della fama del padre**, he grew up in the shadow of his famous father □ (*boxe*) **allenamento contro l'o.**, shadow boxing □ (*boxe*) **allenarsi contro l'o.**, to shadow-boxe □ (*fig.*) **aver paura della propria o.**, to be afraid of one's own shadow □ (*fig.*) **essere diventato l'o. di sé stesso**, to be the shadow of one's former self □ (*fig.*) **essere l'o. di q.** (*seguirlo dovunque*), to be sb.'s shadow □ (*fig.*) **mettere in o.**, to put in the shade □ **essere nato all'o. della cupola di S. Pietro**, to be a Roman born and bred □ (*fig.*) **nell'o.**, (*segretamente*) secretly; (*dietro le scene*) behind the scenes, in the wings □ (*fig.*) **restare nell'o.**, to keep in the background; to remain unknown □ (*fig.*) **ridursi a un'o.**, to wear oneself away to a shadow ● **seguire q. come un'o.**, to follow sb. like a shadow □ **teatro delle ombre**, shadow theatre ● **tramare nell'o.**, to plot secretly □ (*fig.*) **vivere nell'o.**, to live a secluded life ● **zona d'o.**, (*radar*) blind area; (*radio*) radio blackout **B** a. inv. shadow (attr.): (*naut.*) **bandiera o.**, flag of convenience; **governo o.**, shadow cabinet; (*ricamo*) **punto o.**, shadow stitch; **ricamo a punto o.**, shadow work.

ombràre v. t. (*pitt.*) to shade; (*con tratteggio*) to hatch.

ombràtile → **umbratile**.

ombratùra f., **ombreggiaménto** m. → **ombreggiatura**.

ombreggiàre v. t. **1** to shade; to cast* one's shade on: **i platani che ombreggiano la piazza**, the plane trees shading the square **2** (*pitt.*) to shade; (*tratteggiare*) to hatch.

ombreggiàto a. **1** shaded; shady; shadowy: **viale o.**, shaded (*o* shady) avenue **2** (*pitt.*) shaded; (*a tratteggio*) hatched.

ombreggiatùra f. (*pitt.*) shading; (*tratteggio*) hatching.

ombrèlla f. **1** → **ombrello 2** (*bot.*) umbel **3** (*zool.*, *di medusa*) umbrella.

ombrellàio m. **1** (*fabbricante*) umbrella maker **2** (*aggiustatore*) umbrella mender **3** (*venditore*) umbrella seller.

ombrellàta f. blow with an umbrella.

ombrellìfera f. (*bot.*) umbellifer; (al pl., *scient.*) Umbelliferae.

ombrellifìcio m. umbrella factory.

ombrellifórme a. (*bot.*) umbrella--shaped.

ombrellìno m. parasol; sunshade.

♦**ombrèllo** m. **1** umbrella: **o. da sole**, parasol; sunshade; **o. da spiaggia**, beach umbrella; **o. pieghevole**, telescopic umbrella; **aprire l'o.**, to open (*o* to put up) one's umbrella; **chiudere l'o.**, to close one's umbrella; *Non porto mai l'o.*, I never carry an umbrella; **a forma d'o.**, umbrella-shaped; **manico d'o.**, umbrella handle; **stecche d'o.**, umbrella ribs **2** (*mil.*) umbrella: **o. aereo**, umbrella; **o. nucleare**, nuclear umbrella **3** (*zool.*, *di medusa*) umbrella.

ombrellóne m. beach umbrella.

ombrétto m. eye-shadow.

ombrìfero a. (*lett.*) shady; umbriferous (*lett.*).

ombrìna f. (*zool.*, *Umbrina cirrhosa*) umbrine.

ombrinàle m. (*naut.*) scupper.

ombròfilo a. (*bot.*) ombrophilous.

ombròfobo a. (*bot.*) ombrophobous.

ombròmetro m. rain gauge; rain gage (*USA*).

ombrosità f. **1** (*l'essere pieno d'ombra*) shadiness; shadowiness **2** (*di cavallo*) skittishness **3** (*suscettibilità*) touchiness; prickliness.

ombróso a. **1** (*pieno d'ombra*) shady; shadowy: **bosco o.**, shadowy (*o* shady) wood; **sentiero o.**, shadowy lane **2** (*che dà ombra*) shady: **alberi ombrosi**, shady trees **3** (*di cavallo*) skittish **4** (*suscettibile*) touchy; prickly.

ombudsman m. inv. (*leg.*) ombudsman*.

omèga m. o f. inv. (*ultima lettera dell'alfabeto greco*) omega ● (*fig.*) **dall'alfa all'o.**, from beginning to end.

omelette (*franc.*) f. inv. (*cucina*) omelette, omelet (*USA*): **o. al formaggio**, cheese omelette; **o. ai funghi**, omelette with mushrooms.

omelìa f. (*eccles. e fig.*) homily; sermon.

omeliàrio m. (*eccles.*) homiliary; book of homilies.

omelista m. homilist; preacher.

omentàle a. (*anat.*) omental.

oménto m. (*anat.*) omentum*.

omeomorfìsmo m. (*mat.*) homeomorphism.

omeomòrfo a. (*mat.*) homeomorphic.

omeòpata m. e f. homeopath.

omeopatìa f. (*med.*) homeopathy.

omeopàtico (*med.*) **A** a. (*anche fig.*) homeopathic: **dose omeopatica**, homeopathic dose **B** m. (f. **-a**) homeopath.

omeopatista m. e f. (*med.*) homeopathist.

omeopolàre a. (*chim.*) homopolar; covalent.

omeostàsi, omeòstasi f. homeostasis.

omeostàtico a. homeostatic.

omeostàto m. homeostatic organism.

omeotermàle a. homeothermal.

omeotermìa f. (*biol.*) homeothermy; homoiothermy.

omeotèrmo (*biol.*) **A** a. homeothermic; homeothermal; homoiothermic; homoiothermal **B** m. homeotherm; homoiotherm.

omeotònico a. (*mus.*) having the same tone.

omeràle A a. (*anat.*) humeral **B** m. (*eccles.*) humeral veil.

omèrico a. **1** (*letter.*) Homeric: **i poemi omerici**, the Homeric poems; Homer's poems; **la questione omerica**, the Homeric question **2** (*fig.*) Homeric; huge; vast: **risate omeriche**, Homeric (*o* roaring) laughter.

Omèro m. Homer.

òmero m. **1** (*anat.*) humerus* **2** (*lett.*: *spalla*) shoulder.

omertà f. (*della malavita*) code of silence, omertà; (*estens.*) (conspiracy) of silence: **spezzare il muro dell'o.**, to break the code of silence.

omertóso a. based on a code of silence; obeying a code of silence; (*estens.*) tacit: **complicità omertosa**, tacit complicity.

omèttere v. t. to omit; to leave* out; to drop; (*saltare*) to skip; (*trascurare*) to neglect: **o. di fare qc.**, to omit to do st.; (*per trascuratezza*) to neglect to do st.; *Questa frase può essere omessa*, this sentence may be omitted (*o* dropped); *Decisi di o. quel particolare*, I decided to leave out (*o* to skip) that detail.

omètto m. **1** (*uomo piccolo*) small man*; little man*; little fellow; (*spreg.*) shrimp, squirt **2** (*uomo da nulla*) nonentity; pipsqueak (*fam.*) **3** (*scherz.*, *di bambino*) little man* **4** (*per segnalazione*) cairn **5** (*biliardo*) (billiard) pin **6** (*region.*: *gruccia per abiti*) clothes-hanger **7** (*archit.*: *monaco*) king post; queen post.

OMG sigla (*scient.*, **organismo modifica-**

to geneticamente) genetically-modified organism (GMO).

omiciàttolo m. (*spreg.*) **1** shrimp; pygmy **2** (*uomo da poco*) nonentity; pipsqueak (*fam.*).

omicìda A m. e f. murderer; murderess (f.); killer; homicide **B** a. **1** (*che uccide o ha ucciso*) homicidal; murderous; murderer's (attr.); killer's: **arma o.**, killer's weapon; **pazzo o.**, homicidal maniac **2** (*da omicida*) homicidal; murderous; killer (attr.): **furia o.**, homicidal rage; **intenzioni omicide**, homicidal tendencies; **istinto o.**, killer instinct; **tendenze omicide**, homicidal tendencies.

omicìdio m. **1** (*leg.*) homicide; murder; manslaughter: **o. colposo**, manslaughter; **o. premeditato**, murder (with malice aforethought); first-degree murder (*USA*); **o. preterintenzionale**, manslaughter; second-degree murder (*USA*); **o. volontario**, wilful murder; **tentato o.**, attempted murder; **commettere un o.**, to murder somebody; to commit (a) murder; **essere accusato d'o.**, to be charged with murder; **essere colpevole d'o.**, to be guilty of murder; **essere condannato per o.**, to be convicted of murder; **accusa di o.**, murder charge; **processo per o.**, murder trial **2** (*uccisione*) murder; killing: **o. bianco**, on-the-job fatality (due to insufficient safety measures); **o. su commissione**, contract killing; **o. rituale**, ritual killing.

òmicron m. o f. inv. (*quindicesima lettera dell'alfabeto greco*) omicron.

omilèta m. homilist.

omilètica f. homiletics (pl. col verbo al sing.).

omilètico a. (*relig.*) homiletic.

omiliàrio → **omeliario**.

ominazióne f. (*biol.*) hominization.

omìnide m. hominid; (al pl., *scient.*) Hominidae.

omìno m. little man*; little fellow; (*nano*) midget, manikin.

omissìbile a. omissible; that can be omitted (*o* left out).

omissióne f. **1** omission: **l'o. d'una parola**, the omission of a word; **o. volontaria**, intentional omission; (*relig.*) **peccati di o.**, sins of omission; (*comm.*) **salvo errori e omissioni**, errors and omissions excepted **2** (*leg.*) omission; failure; default; nonfeasance; neglect: **o. di atto dovuto**, nonfeasance; **o. d'atti d'ufficio**, neglect of an official duty; **o. di soccorso**, failure to assist; **reato di o.**, nonfeasance.

omìssis (*lat.*) m. inv. (deliberate) omission.

OMM sigla (*ONU*, **Organizzazione meteorologica mondiale**) World Meteorological Organization (WMO).

ommatìdio m. (*zool.*) ommatidium*.

òmnibus (*lat.*) **A** m. inv. (*stor.*: *carrozza*) horse-drawn omnibus (*o* bus); (*treno*) local train; slow train **B** a. inv. (*leg.*) omnibus: **legge o.**, omnibus bill.

omnidirezionàle a. (*tecn.*) omnidirectional: **antenna o.**, omnidirectional antenna.

òmnium (*lat.*) m. inv. (*sport*) open race.

omnìvoro → **onnivoro**.

òmo a., m. e f. inv. (*fam.*) → **omosessuale**.

omocèntrico a. (*fis.*) homocentric.

omocìclico a. (*chim.*) homocyclic.

omocinètico a. (*mecc.*) constant-velocity (attr.).

omocromìa f. (*biol.*) homochromy.

omoeròtico a. homoerotic.

omoerotìsmo m. homoeroticism.

omofagìa f. (*etnol.*) homophagy.

omòfago a. (*etnol.*) homophagous.

omofilìa f. **1** (*eufem.*) homosexuality **2** (*biol.*) homophyly.

omòfilo A a. e m. (*eufem.*) homosexual **B** a. (*biol.*) homophylic.

omofobìa f. homophobia.

omofòbico a. homophobic.

omòfobo A a. homophobic **B** m. (f. **-a**) homophobe.

omofonìa f. (*mus.*, *ling.*) homophony.

omofònico a. (*mus.*, *ling.*) homophonic.

omòfono A a. (*mus.*, *ling.*) homophonous; homophonic **B** m. (*ling.*) homophone.

omogamìa f. (*bot.*) homogamy.

omogenàto m. (*biol.*) homogenized material.

omogeneità f. homogeneity; homogeneousness; uniformity: **o. di gusti**, uniformity of tastes; uniform tastes (pl.).

omogeneizzàre v. t. to homogenize.

omogeneizzàto A a. homogenized: **latte o.**, homogenized milk **B** m. homogenized food.

omogeneizzatóre m. homogenizer.

omogeneizzazióne f. homogenization.

omogèneo a. **1** homogeneous; uniform; (*armonico*) harmonious; (*ben miscelato*) well--blended, smooth: **elementi omogenei**, homogeneous elements; **un impasto o.**, a smooth mixture; **un insieme o. di colori e suoni**, a harmonious blend of colours and sounds; **rendere o.**, to make homogeneous; to homogenize **2** (*mat.*) homogeneous: **equazione omogenea**, homogeneous equation.

omografìa f. **1** (*ling.*) homography **2** (*mat.*) collineation.

omogràfico a. **1** (*ling.*) homographic **2** (*mat.*) collinear.

omògrafo (*ling.*) **A** a. homographic **B** m. homograph.

omogràmma m. (*ling.*) homograph.

omoiusìa f. (*relig.*) Homoiousianism.

omolìsi f. (*chim.*) homolysis.

omolìtico a. (*chim.*) homolytic.

omologàre v. t. **1** (*leg.*) to validate; (*un oggetto*, *un veicolo*) to type-approve; (*un testamento*) to prove, to probate (*USA*): **o. un prototipo**, to approve a prototype; **o. un testamento**, to prove a will; to probate a will; to grant probate **2** (*ratificare*) to ratify; (*sport*) **o. un primato**, to ratify a record **3** (*fig.*: *standardizzare*) to standardize; to homogenize.

omologàto a. **1** (*leg.*) validated; (*di oggetto*, *veicolo*) type-approved, type-tested; (*di testamento*) proved: **un'auto omologata per quattro persone**, a car type-approved to carry four passengers **2** (*ratificato*) ratified **3** (*fig.*: *standardizzato*) standardized; homogenized.

omologazióne f. **1** (*leg.*) validation; (*di oggetto*, *veicolo*) type-approval; (*di testamento*) probate **2** (*ratifica*) ratification **3** (*fig.*: *standardizzazione*) standardization; homogenization.

omologìa f. (*anche mat.*) homology.

omòlogo A a. homologous (*anche biol.*, *mat.*); (*corrispondente*) corresponding **B** m. (f. **-a**) counterpart; opposite number: *Il ministro delle finanze e il suo o. francese*, the Minister of Finance and his French counterpart; *Parlerò col mio o. nella vostra ditta*, I'll talk to my opposite number in your firm.

omomorfìa f. (*biol.*) homomorphism.

omomorfìsmo m. (*mat.*) homomorphism.

omomòrfo a. (*zool.*) homomorphous.

omomorfòsi f. (*biol.*) homomorphosis.

omóne m. big man*.

omonimìa f. **1** (the fact of) having the same name: *La nostra o. ci crea problemi*, having the same name creates problems; **un caso di o.**, a coincidence of names **2** (*ling.*) homonymy.

omònimo Ⓐ a. **1** (*che ha lo stesso nome*) having (o with) the same name; (*che ha lo stesso titolo*) of the same title: *Il film è basato sul romanzo o.*, the film is based on the novel of the same title **2** (*ling.*) homonymous Ⓑ m. **1** (f. **-a**) (*di persona*) namesake **2** (*ling.*) homonym.

omoplaṣìa f. (*biol.*) homoplasy.

omoplàta m. (*anat.*) shoulder-blade; scapula*.

omopolàre a. **1** (*chim.*) homopolar **2** (*elettr.*) unipolar.

omoritmìa f. (*mus.*) isorhythm.

omosessuàle a., m. e f. homosexual; gay: **bar per omosessuali**, gay bar; **diritti degli omosessuali**, gay rights; **legame o.**, homosexual relationship.

omosessualità f. homosexuality; gayness: **rivelare la propria o.**, to reveal one's homosexuality; to come out (of the closet) (*fam.*).

omosèx a., m. e f. homosexual; gay.

omosfèra f. (*geogr.*) homosphere.

omotipìa f. (*anat.*) homotypy.

omotònico a. (*mus.*) homotonic.

omotopìa f. (*mat.*) homotopy.

omotrapiànto m. (*chir.*) allograft; homotransplant.

omòttero m. (*zool.*) homopteran; (al pl., *scient.*) Homoptera.

omouṣìa f. (*relig.*) Homoousianism.

omoziġòṣi f. (*biol.*) homozygosity.

omoziġòte m. (*biol.*) homozygote.

omoziġòtico a. (*biol.*) homozygous.

OMPI sigla (*ONU*, **Organizzazione mondiale della proprietà intellettuale**) World Intellectual Property Organization (WIPO).

OMS sigla (*ONU*, **Organizzazione mondiale della sanità**) World Health Organization (WHO).

omùncolo m. **1** (*spreg.*: *nanerottolo*) dwarf*, pygmy, shrimp; (*uomo da poco*) nonentity; pipsqueak (*fam.*) **2** (*alchimia*) homunculus*; homuncule **3** (*fisiol.*) homunculus.

On. abbr. (**onorevole**) member of parliament (MP).

ònagro, **onàgro** m. **1** (*zool.*, *Equus onager*) onager*; wild ass **2** (*mil. stor.*) onager*.

onaniṣmo m. onanism.

onaniṣta m. e f. onanist.

óncia f. **1** (*misura di peso*) ounce (abbr. oz.): **sei once di zucchero**, six ounces of sugar; 6 oz. sugar; **un pacchetto da tre once**, a three-ounce packet **2** (*fig.*: *quantità minima*) bit; ounce; (*spazio minimo*) inch: *Quel ragazzo non ha un'o. di giudizio*, that boy hasn't an ounce of common sense; **non avere un'o. di cervello**, to have no brains at all; **non cedere di un'o.**, not to yield an inch **3** (*moneta e misura di peso romana*) uncia*.

onciàle Ⓐ a. uncial: **caratteri unciali**, uncial (script); **lettera o.**, uncial (letter); **manoscritto a caratteri onciali**, uncial; **scrittura o.**, uncial (writing, script) Ⓑ f. uncial writing.

oncocerchìaṣi, **oncocercòṣi** f. (*med.*) river blindness; onchocerciasis (*scient.*).

oncogène m. (*biol.*) oncogene.

oncogèneṣi f. (*med.*) oncogenesis.

oncògeno a. (*med.*) oncogenic.

oncologìa f. (*med.*) oncology.

oncològico a. (*med.*) oncological.

oncòlogo m. (f. **-a**) (*med.*) oncologist.

oncoterapìa f. (*med.*) oncotherapy.

♦**ónda** f. **1** wave; (al pl.: *moto ondoso*) swell (sing.): **o. anomala**, freak wave; **o. di marea**, tidal wave; (*alla foce di un fiume*) bore; **o. di maremoto**, tsunami; tidal wave (*non scient.*); **o. lunga**, long wave; roller; **o. morta**, swell; **o. nera**, oil slick; **fendere le onde** (*a nuoto*), to breast the waves; **solcare le onde**, to plough the waves; **battuto dalle onde**, lashed by the waves; **in balia delle onde**, tossed by the waves; **cresta dell'o.**, wave crest **2** (*fig.*) wave; surge; flood: **un'o. d'entusiasmo**, a wave (o surge) of enthusiasm; **l'o. della folla**, the surge of the crowd; **un'o. montante di indignazione**, a mounting wave of indignation; **un'o. di ricordi**, a flood of memories **3** (*linea o forma sinuosa*) wave: **le onde dei capelli**, the waves in one's hair; **dare l'o. ai capelli**, to wave one's hair; **disegno a onde**, wave pattern **4** (*scient.*) wave: **o. d'urto**, shock wave (*anche fig.*); blast wave; **o. portante**, carrier wave; **o. sonora**, sound wave; **o. termica**, heat wave; **onde corte**, short waves; **onde elettromagnetiche**, electromagnetic waves; **onde hertziane**, Hertzian waves; **onde lunghe**, long waves; **onde medie**, medium waves, onde radio, radio waves; airwaves; **lunghezza d'o.**, wavelength; **radio a onde corte**, short-wave radio; **treno d'onde**, wave train ● (*fig.*) **o. lunga**, long-lasting effect; long-term repercussions □ **o. verde**, synchronized traffic lights (pl.) □ (*radio, TV*) **andare in o.**, to be broadcast; to go on the air □ (*fig.*) **cavalcare l'o. di qc.**, to catch the current wave of st. □ (*radio, TV*) **essere [non essere] in o.**, to be on [off] the air □ (*fig.*) **Siamo sulla stessa lunghezza d'o.**, we are on the same wavelength □ (*fig.*) **essere sulla cresta dell'o.**, to be riding on the crest of a wave □ (*radio, TV*) **mandare** (o **mettere**) **in o.**, to broadcast; to air □ (*fig.*) **seguire l'o.**, to follow the crowd (o the trend); to go with the fashion.

ondàmetro m. (*fis.*) wavemeter.

ondàta f. **1** (*grossa onda*) big wave, billow; (*frangente*) breaker **2** (*fig.*) wave; surge: **o. di caldo**, heat wave; **o. d'entusiasmo**, wave (o surge) of enthusiasm; **o. d'interesse**, surge of interest; **ondate di folla**, a surging crowd; **a ondate**, in waves.

ondàtra f. (*zool.*, *Ondatra zibethica*) muskrat; musquash.

ónde (*lett.*) Ⓐ avv. **1** (*da dove*) from where; where... from; whence (*lett.*): *O. vieni?*, where do you come from?; *Nessuno sa o. venisse*, no one knows whence he came (o where he came from) **2** (*per dove*) through which: **i luoghi o. siamo passati**, the places through which we went **3** (*da cui, di cui, con cui*) by which; from which; with which: **i pensieri o. egli è oppresso**, the troubles by which he is beset; **le vesti o. era coperta**, the clothes with which she was covered Ⓑ cong. **1** (*affinché*) in order that; so that; that: *Ti avverto o. tu possa decidere*, I'm telling you so that you may decide **2** (*per*) in order to; so as to: *Bisogna lavorare sodo o. raggiungere lo scopo*, we must work hard in order to achieve our goals **3** (*per cui*) therefore; and so: *L'uomo non mi rispondeva, o. io mi rivolsi a un altro*, the man didn't answer, and so I turned to another one.

ondeggiaménto m. **1** (*di barca, ecc.*) rocking; rolling **2** undulation; (*di messi, pianta*) waving, billowing, swaying; (*di fiamma*) flickering; (*di stoffa, abito, ecc.*) swaying, fluttering; (*di bandiera, ecc.*) fluttering; (*di folla*) swaying **3** (*fig.*: *esitazione*) wavering; hesitation.

ondeggiànte a. **1** undulating; swaying; rocking; waving; (*di messi, erba*) waving, billowing, swaying, rippling; (*di fiamma*) flickering; (*di stoffa, abito*) swaying, fluttering; (*di bandiera, ecc.*) fluttering; (*di folla*) swaying **2** (*fig.*: *esitante*) wavering; hesitating; oscillating.

ondeggiàre v. i. **1** (*di barca, ecc.*) to rock; to roll: *Il battello ondeggiava dolcemente*, the boat was rocking gently **2** (*lett.*, *di acqua*) to ripple: *La superficie del lago ondeggiava al vento*, the surface of the lake was rippling in the wind **3** (*oscillare*) to sway; to undulate; to wave; to waver; (*di erba, messi*) to wave, to billow, to sway, to ripple; (*di bandiera, ecc.*) to flutter; (*di fiamma*) to flicker: *La linea dei soldati ondeggiò e poi si ruppe*, the line of troops wavered and then broke; *Camminava ondeggiando sui tacchi alti*, she swayed on her high heels; *Il vento faceva o. i rami*, the branches swayed in the wind; *Le tende ondeggiano alla brezza*, the curtains are fluttering in the breeze **4** (*fig.*: *esitare, titubare*) to waver; to hesitate; to dither: **o. fra due soluzioni**, to waver between two solutions.

ónde marténot f. pl. (*mus.*) ondes martenot.

ondìna f. **1** (*mitol.*) undine **2** (*fig.*) good swimmer.

ondìvago a. **1** (*lett.*) sea-roving **2** (*fig.*) wavering; undecided.

ondògrafo m. (*fis.*) ondograph.

ondoscòpio m. (*fis.*) ondoscope.

ondosità f. waviness; undulation.

ondóso a. **1** (*relativo alle onde*) wave (attr.): **moto o.**, wave motion **2** (*pieno di onde*) wavy; surging; rough **3** (*ondulato*) wavy.

ondulaménto m. oscillation; undulation.

ondulànte a. undulating; undulant ● (*med.*) **febbre o.**, undulant fever; Malta fever.

ondulàre Ⓐ v. t. **1** to wave: **farsi o. i capelli**, to have one's hair waved **2** (*tecn.*) to corrugate Ⓑ v. i. to wave (gently); to undulate; to ripple.

ondulàto a. **1** corrugated; (*scient.*) undulated: **cartone o.**, corrugated cardboard; **lamiera ondulata**, corrugated iron **2** (*a onde*) wavy; wave-like; (*mosso*) undulating: **capelli ondulati**, wavy hair; **terreno o.**, undulating ground.

ondulatóre m. (*elettr.*) **1** inverter **2** (*apparecchio registratore*) ondograph.

ondulatòrio a. wave-like; undulatory: **movimento o.**, wave-like movement; undulation; **terremoto o.**, undulatory earthquake.

ondulazióne f. **1** (*moto ondulatorio*) wave-like motion; undulation: **l'o. dell'aria**, the undulation of the air **2** (*disposizione a onde*) undulation; waving: **le ondulazioni del terreno**, the undulations of the ground **3** (*dei capelli*) wave: **o. permanente**, permanent (wave); perm (*fam.*) **4** (*elettr.*) ripple **5** (*metall.*) buckle.

ondurégno → **honduregno**.

oneràre v. t. to burden; to weigh down: **o. di tasse**, to burden with taxes.

oneràrio a. – (*stor.*) **nave oneraria**, cargo ship.

ònere m. **1** (*leg.*) burden: **l'o. della prova**, the burden of proof; **oneri previdenziali**, welfare contributions; **oneri fiscali** (o **tributari**), tax burden (sing.); taxation (sing.); taxes. **2** (*responsabilità*) responsibility, burden, onus; (*obbligo*) obligation: **o. gravoso**, heavy burden; **addossarsi un o.**, to shoulder (o to take upon oneself) a responsibility; *Gli onori sono oneri*, honour brings responsibility **3** (*spesa*) expense; charge: **oneri bancari**, bank charges; **oneri fissi**, fixed charges.

onerosità f. onerousness; burdensomeness.

oneróso a. **1** (*leg.*) onerous: **contratto o.**,

onerous contract; **a titolo o.**, for a consideration **2** (*gravoso*) onerous; burdensome; heavy; hard: **condizioni onerose**, hard terms; **doveri onerosi**, onerous duties.

onestà f. **1** (*integrità*, *rettitudine*) honesty; integrity; probity; uprightness: **o. commerciale**, honourable dealing; **o. di vita**, probity of life; upright life; **o. pubblica**, uprightness in public life; **di specchiata o.**, of unblemished honesty (*o* integrity); **in tutta o.**, in all honesty; in all fairness; **per o. verso**, in fairness to **2** (*lett.*: *decenza*) decency; propriety.

onestaménte avv. **1** (*rettamente*) honestly; uprightly: **denaro guadagnato o.**, honestly earned money; *Si guadagna da vivere o.*, she earns an honest living **2** (*francamente*) honestly, frankly; (*in coscienza*) in all honesty, in all fairness: *O., non so che fare*, I honestly don't know what to do; *Devo o. riconoscere che…*, I must admit in all honesty that…

♦**onèsto** Ⓐ a. **1** (*retto*) honest; honourable, honorable (*USA*); upright: **guadagni onesti**, honest profits (*o* earnings); **intenzioni oneste**, honourable intentions; **persona onesta**, honest (*o* upright) person **2** (*giusto*, *equo*) just; fair; decent: **giudice o.**, fair (*o* just) judge; **prezzo o.**, fair price **3** (*sincero*) honest; frank; straightforward: **una spiegazione onesta**, a straightforward (*o* frank) explanation; **viso o.**, honest face **4** (*onorevole*) honourable **5** (*decente*, *discreto*) honest; decent: **piacere o.**, decent (*o* honest) pleasure **6** (*casto*, *pudico*) honest; chaste; virtuous; modest Ⓑ m. **1** (f. **-a**) honest person **2** (*ciò che è o.*) what is honest [honourable, just, fair, etc.]; honourableness: **nei limiti dell'o.**, within the bounds of what is honourable; (*del decoro*) within the bounds of decency.

onestuòmo m. honest man*; decent man*.

onfacite f. (*miner.*) omphacite.

onfalìte f. (*med.*) omphalitis.

onfalocèle f. (*med.*) umbilical hernia.

ONG sigla (**organizzazione non governativa**) non-governmental organization (NGO).

ònice f. (*miner.*) onyx.

onicofagìa f. (*med.*) onychophagy; nail-biting (*com.*).

onicòsi f. (*med.*) onychosis*.

onìrico a. **1** dream (attr.); oneiric: **attività onirica**, dream activity **2** (*fig.*) dream-like; visionary: **atmosfera onirica**, dream-like atmosphere.

onirìsmo m. (*med.*) oneirism.

onirologìa f. (*psic.*) study of dreams.

oniromanzìa f. oneiromancy.

onìsco m. (*zool.*, *Oniscus asellus*) wood-louse*; sow-bug.

ONLUS sigla (**organizzazione non lucrativa di utilità sociale**) non-profit institution; not-for-profit organisation; charity.

onnicomprensìvo a. all-embracing; all-inclusive; catch-all.

onnidirezionàle → **omnidirezionale**.

onnipervasìvo a. all-reaching.

onnipossènte, onnipotènte Ⓐ a. **1** (*di divinità*) omnipotent; almighty: *Dio o.*, God omnipotent; the Almighty God **2** (*di uomo*) omnipotent; all-powerful: **ministro o.**, all-powerful minister; *Si crede o.*, he thinks he is omnipotent Ⓑ m. (*Dio*) (the) Almighty.

onnipotènza f. omnipotence; almightiness: **l'infinita o. di Dio**, the infinite omnipotence of God; (*psic.*) **delirio d'o.**, delusion of omnipotence; megalomania.

onnipresènte a. omnipresent; ubiquitous ● **Ma quello lì è o.!**, that fellow turns up everywhere!

onnipresènza f. omnipresence; ubiquity.

onnisciènte a. omniscient; all-knowing: *Dio è o.*, God is omniscient (*o* all-knowing); *Nessuno è o.*, no man is omniscient; you can't know everything.

onnisciènza f. omniscience.

onniveggènte a. all-seeing.

onniveggènza f. all-seeingness.

onnìvoro a. omnivorous: **animale o.**, omnivore; **lettore o.**, omnivorous reader.

ONO sigla (*geogr.*, **ovest-nord-ovest**) west-north-west (WNW).

onomanzìa f. onomancy.

onomasiologìa f. (*ling.*) onomasiology.

onomàstica f. onomastics (pl. col verbo al sing.); onomatology.

onomàstico Ⓐ m. name-day; saint's day Ⓑ a. onomastic: **lessico o.**, onomasticon; **ricerche onomastiche**, onomastic research.

onomatopèa f. (*ling.*) onomatopoeia.

onomatopèico a. (*ling.*) onomatopoeic: **termine o.**, onomatopoeic word; onomatope.

onoràbile a. honourable, honorable (*USA*).

onorabilità f. honourableness, honorableness (*USA*); (*buon nome*) reputation: **mettere in dubbio l'o. di q.**, to question sb.'s reputation.

onoràndo a. (*lett.*) honourable, honorable (*USA*).

onorànza f. (generalm. al pl.) honour, honor (*USA*): **onoranze funebri**, last honours; funeral rites; **onoranze militari**, military honours; **tributare solenni onoranze a q.**, to bestow (*o* to confer) solemn honours upon sb.

onoràre Ⓐ v. t. **1** to honour, to honor (*USA*); to hold* in honour: **o. la memoria di q.**, to honour the memory of sb.; *Onora il padre e la madre*, honour thy father and thy mother **2** (*conferire un onore*) to honour (sb. with st.); to do (sb.) the honour (of): *Egli mi onora della sua amicizia*, I have the honour of his friendship; *Ci onorò di una sua visita*, she did us the honour of a visit **3** (*dare onore*, *lustro*) to bring* honour to; to be a credit to: **o. il proprio Paese**, to bring honour (*o* to be a credit) to one's country **4** (*tener fede a*, *adempiere*) to honour; to keep*; to meet*; to fulfil: **o. una cambiale**, to honour a bill of exchange; **o. la propria firma**, to honour one's signature; **o. i propri obblighi**, to meet (*o* to fulfil) one's obligations; **o. le promesse**, to keep one's promises Ⓑ **onoràrsi** v. rifl. to feel* (*o* to be) highly honoured; to be proud; to feel* privileged: **onorarsi dell'amicizia di q.**, to be proud of sb.'s friendship; *Ci onoriamo della vostra presenza*, we are honoured by your presence.

onoràrio① a. **1** honorary: **cittadinanza onoraria**, honorary citizenship; **presidente o.**, honorary president; **socio o.**, honorary member **2** (*non effettivo*) titular; honorary: **carica onoraria**, titular office.

onoràrio② m. fee: **l'o. di un medico**, a doctor's fee; **pagare l'o. a q.**, to pay sb.'s fee.

onoratamente avv. honourably, honorably (*USA*); with honour ● **vivere o.**, to lead an honoured life.

onoratézza f. honourableness, honorableness (*USA*).

onoràto a. **1** honoured, honored (*USA*): **sentirsi o.**, to feel honoured; *O. di conoscerla*, it is an honour to meet you **2** (*onorevole*) honourable, honorable (*USA*); (*rispettabile*) respectable; dignified; (*rispettato*) respected: **di umile, ma onorata famiglia**, of a poor, but honoured family; **morte onorata**, honourable death; **nome o.**, respected name;

condurre una vita onorata, to lead an honourable life ● **l'onorata Società**, the Camorra; the Mafia.

♦**onóre** m. **1** honour, honor (*USA*); (*buon nome*, *reputazione*) good name, reputation; (*castità femm.*) honour, virtue: *Ne va del mio o.*, my honour is at stake; **impegnarsi** (*o* **garantire**) **sul proprio o.**, to give one's word (of honour); **sul mio o.**, on (*o* upon) my honour; **debito d'o.**, debt of honour; **parola** [**punto**, **questione**] **d'o.**, word [point, question] of honour; **dare la propria parola d'o.**, to give one's word of honour; **uomo d'o.**, man of honour; honourable man **2** (*gloria*, *vanto*) honour, glory; (*distinzione*) credit: **tener alto l'o. del proprio paese**, to uphold the honour of one's country **3** (*privilegio*) honour; privilege: **avere l'o. di fare qc.**, to have the honour (*o* the privilege) of doing (*o* to do) st.; to feel privileged to do st.; *Posso avere l'o. di questo ballo?*, may I have the honour of this dance? **4** (*dignità*) honour; dignity; pride; self-esteem: **uscirne con o.**, to come off honourably; to come through with dignity **5** (*omaggio*, *ossequio*) honour; homage; (al pl., *cerimonie*) ceremony (sing.): **l'o. delle armi**, the honours of war; **onori funebri** [**militari**] funeral [military] honours; **rendere o. a un sovrano**, to pay homage to a sovereign; **rendere gli estremi onori a q.**, to pay one's final respects to sb.; *Fu ricevuto con tutti gli onori*, he was received with great ceremony; he was given the red-carpet treatment (*fam.*); **un ricevimento in o. del presidente**, a party in honour of the president; **posto d'o.**, place of honour; **scorta d'o.**, guard of honour **6** (*stima*) esteem: **tenere qc. in grande o.**, to hold sb. in great esteem **7** (*ufficio*, *dignità*) office; dignity: **raggiungere i più alti onori**, to achieve the highest dignity; **salire agli onori degli altari**, to be raised to the altars **8** (in unione con il v. **fare**) – **fare o. a una cambiale**, to honour a bill; **fare o. alla propria famiglia**, to be a credit to one's family; **fare o. alla propria firma**, to honour one's signature; (*estens.*) to meet one's obligations; **fare o. ai propri impegni**, to meet one's obligations; **fare o. al proprio nome**, to live up to one's name; **fare o. a un pasto**, to do justice to a meal; **fare gli onori di casa**, to welcome [to entertain] the guests; **farsi o.**, to distinguish oneself; **farsi o. in qc.**, to excel in st.; *Questi sentimenti ti fanno o.*, these feelings do you credit; *Mi fece l'o. di essere testimone alle mie nozze*, he did me the honour of being my best man **9** (generalm. al pl.) (*bridge*) honour ● (**Sia reso**) **o. al merito**, give praise where praise is due; give credit where credit is due □ (*scherz.*) **l'onor del mento**, the beard □ **a o. del vero**, to tell the truth; truth to tell □ (*leg.*) **causa d'o.**, motive of honour □ **dama d'o.**, lady-in-waiting □ **damigella d'o.** (*di una sposa*), bridesmaid; maid of honor (*USA*) □ **delitto d'o.**, crime committed to vindicate one's honour □ (*sport*) **giro d'o.**, lap of honour □ **ospite d'o.**, guest of honour ● **serata d'o.**, gala evening □ **tribuna d'o.**, saluting stand □ (*a un giudice*) **Vostro O.**, Your Honor (*USA*); My Lord (*GB*).

onorévole Ⓐ a. **1** (*degno di onore*) honourable, honorable (*USA*): (*polit.*) **l'o. Bianchi**, the Honourable Mr Bianchi; **onorevoli deputati**, honourable members **2** (*che fa onore*) honourable, honorable; (*dignitoso*) respectable, creditable: **imprese onorevoli**, honourable deeds; **lavoro o.**, a respectable job; **menzione onorevole**, honourable mention; **pace o.**, honourable peace Ⓑ m. e f. (*parlamentare*) member of parliament (abbr. MP).

onorevolezza f. honourableness, honorableness (*USA*).

onorificènza f. honour, honor (*USA*); dignity; (*decorazione*) decoration: **o. al valor militare**, war decoration; **conferire un'o. a q.**, to confer an honour upon sb.; **ricevere un'o.**, to receive an honour [a decoration].

onorìfico a. honorific; honorary: **carica onorifica**, honorary appointment; **titolo o.**, honorific title; honorific.

ónta f. **1** (*vergogna*, *disonore*) shame; disgrace; dishonour, dishonor (*USA*); ignominy; infamy: **l'o. della sconfitta**, the shame of defeat; **arrecare o. alla propria famiglia**, to bring shame upon one's family; to disgrace (*o* to dishonour) one's family; **vivere nell'o.**, to live in dishonour **2** (*ingiuria*, *offesa*) insult; offence; affront: **cancellare un'o. col sangue**, to wipe out an insult with blood ● **a o. di**, in spite of; notwithstanding: **a o. del tempo cattivo**, in spite of the bad weather.

ontanéta f., **ontanéto** m. alder wood.

ontàno m. (*bot.*, *Alnus glutinosa*) alder.

òntico a. (*filos.*) ontic.

ontogènesi f. (*biol.*) ontogenesis; ontogeny.

ontogenètico a. (*biol.*) ontogenetic.

ontologìa f. (*filos.*) ontology.

ontològico a. (*filos.*) ontological.

ontologìsmo m. (*filos.*) ontologism.

ontologìsta Ⓐ m. e f. (*filos.*) ontologist Ⓑ a. ontological.

ONU sigla (**Organizzazione delle nazioni unite**) United Nations Organization (UNO).

onùsto a. (*lett.*) burdened (with); laden (with): **o. di allori**, wreathed with laurel; **o. d'anni**, burdened with years; **o. di gloria**, covered with glory.

ooblàsto m. (*biol.*) ooblast.

oocìsti f. (*biol.*) oocyst.

oocìta m. (*biol.*) oocyte.

ooforìte f. (*med.*) oophoritis.

oòforo (*biol.*) Ⓐ a. oophoric Ⓑ m. oophore.

oogamìa f. (*biol.*) oogamy.

oogènesi f. (*biol.*) oogenesis.

oogònio m. (*bot.*) oogonium*.

oolìte f. (*miner.*) oolite; roestone.

oologìa f. (*zool.*) oology.

ooplàsma m. (*biol.*) ooplasm.

OO.PP. sigla (**opere pubbliche**) public works.

oosfèra f. (*bot.*) oosphere.

oospòra f. (*bot.*) oospore.

OO.SS. sigla (**organizzazioni sindacali**) trade unions.

ootèca f. (*biol.*) ootheca.

Op. abbr. **1** (*bibl.*, **opera**) work **2** (*mus.*, **opera**) opus (Op.).

Òpa f. inv. (*Borsa*) takeover bid; acquisition offer.

opacìmetro m. (*tecn.*) opacimeter.

opacità f. **1** opacity; opaqueness; (*ossidazione*) tarnish **2** (*fig.*) dullness.

opacizzànte Ⓐ a. opacifying Ⓑ m. opacifier.

opacizzàre Ⓐ v. t. **1** to make* opaque; to opacify (*tecn.*); (*ossidare*) to tarnish **2** (*ind. tess.*) to delustre, to deluster (*USA*) Ⓑ **opacizzàrsi** v. i. pron. to become* opaque; to opacify (*tecn.*); (*ossidarsi*) to tarnish.

opacizzazióne f. **1** opacification; (*ossidazione*) tarnishing, tarnish **2** (*ind. tess.*) delustring.

opàco a. **1** (*non trasparente*) opaque; non-transparent: **corpo o.**, opaque body; **vetro o.**, opaque (*o* non-transparent) glass **2** (*senza lucentezza*) dull; lustreless; flat; matt: **colori opachi**, dull colours; **finitura opaca**, matt finish; **metallo o.**, dull metal; **vernice**

opàca, flat (*o* matt) paint **3** (*fig.*: *spento*, *attenuato*) dull; muffled; veiled; glazed: **sguardo o.**, glazed eyes **4** (*fig.*: *mediocre*) dull; lacklustre (*sport*) **prestazione opaca**, lacklustre performance.

opàle m. (*miner.*) opal: **o. comune**, common opal; **o. di fuoco**, fire opal; girasol; **o. nobile**, noble (*o* precious) opal.

opalescènte a. opalescent.

opalescènza f. opalescence.

opalìna f. **1** (*vetro*) opaline; opal glass; milk glass **2** (*cartoncino*) opalescent paper **3** (*tessuto*) light cotton.

opalìno a. opaline; opal (attr.): **azzurro o.**, opal blue.

opalizzàto a. (*tecn.*) opalized.

op art (*ingl.*) loc. f. inv. (*pitt.*) op art.

op. cit. abbr. (*lat.*: *opere citato*) (**nell'opera citata**) in the work cited (op. cit.).

òpe lègis (*lat.*) loc. agg. e avv. by law; by statute.

open space (*ingl.*) loc. m. inv. (*archit.*: *ufficio*) open-plan office; (*abitazione*) open-plan habitation [flat, etc.].

◆**òpera** f. **1** (*attività*, *lavoro*) activity, work Ⓤ; (*azione*) work, action, deed: **la sua o. politica**, his work in politics; **un'o. buona**, a good deed; **un'o. santa**, a virtuous action; **opere assistenziali**, relief work; **opere di bene**, good works; good deeds; **opere di carità**, charitable works; **compiere l'o.**, to complete one's work; **continuare l'o. di q.**, to carry on sb.'s work; **essere all'o.**, to be at work (on st.); **mettere q. all'o.**, to set sb. to work; **mettersi all'o.**, to get down to work; to set about one's work; *Voglio vederlo all'o.*, I want to see him at work (*o* at it, in action); **prestare la propria o.**, to be employed; to collaborate; *All'o.!*, to work! **2** (*prodotto di un'attività*, *di un lavoro*) work; piece of work: **o. d'arte**, work of art; **o. dell'ingegno**, original work; **o. delle mie mani**, my handiwork; **o. drammatica**, play; drama; **o. letteraria**, literary work; **o. prima**, first work; **le opere di Bach**, Bach's works; **opere giovanili**, juvenilia; **tutte le opere di Shakespeare**, the complete works of Shakespeare; *L'affresco è o. di Masolino*, the fresco is by Masolino; *Quelle caverne sono o. della natura*, those caves are the work of nature; *Questo pasticcio è o. sua*, this mess is all his doing **3** (*costruzione*) work; construction: **o. di muratura**, (*in pietra*) stonework; (*in mattoni*) brickwork; **opere di bonifica**, land reclamation works; **opere difensive**, defensive works; **opere di fortificazione**, fortifications; **opere pubbliche**, public works **4** (*mus.*, abbr. **op.**) opus* (abbr. op.): **sonata in la minore op. 113**, sonata in A minor op. 113; **l'op. 21 di Chopin**, Chopin's opus 21 **5** (*mus.*: *melodramma*) opera: **o. lirica**, opera; **o. buffa**, comic opera; opera buffa; *Stasera andiamo all'o.*, we are going to see an opera tonight; **cantante d'o.**, opera singer; **stagione dell'o.**, opera season; **teatro dell'o.**, opera house **6** (*intervento*, *mezzo*) means, agency; (*aiuto*) help; (*servigi*) services (pl.): **per o. di q.**, thanks to sb.; through the agency of sb.; through the good offices of sb.; with sb.'s help; **valersi dell'o. di q.**, to avail oneself of sb.'s services **7** (*organizzazione*, *istituto*, *ente*) organization; institution; institute; society: **o. pia**, charitable institution **8** (*lavoro a giornata*) day-labour; (*lavoratore a giornata*) day-labourer, hand **9** (*naut.*) works (pl.): **o. morta**, upper works; topside; **o. viva**, (ship's) bottom ● **l'o. dei pupi**, the Sicilian marionette theatre □ (*edil.*) **opere fluviali**, river works □ **fare o. di convincimento presso q.**, to try to convince sb. □ **fare o. di pace**, to act as a peacemaker □ **fare o. di persuasione presso q.**, to try to convince sb. □ **mano d'o.** → **mano-**

dopera □ **mettere in o. qc.**, (*dare inizio*) to get under way; (*mettere in azione*) to set going (*o* running); (*installare*) to install □ (*iron.*) **per compiere l'o.**, to top (*o* to crown) it all □ (*ind. tess.*) **raso a o.**, worked (*o* patterned) satin.

operàbile a. (*med.*) operable: **tumore non o.**, non-operable tumour.

operabilità f. (*med.*) operability.

◆**operàio** Ⓐ m. (f. **-a**) (*in fabbrica*) (factory) worker; (*lavoratore manuale*) workman* (m.), labourer, hand: **o. a cottimo**, pieceworker; **o. a giornata**, day-labourer; **o. addetto a una macchina**, operator; (*mecc.*) **o. addetto alla punzonatrice**, piercer; **o. di fabbrica**, factory worker; **o. disoccupato**, unemployed worker; **o. finitore**, finisher; **o. metallurgico**, steel worker; **o. montatore**, fitter; **o. sgrossatore**, rougher; **o. specializzato [non specializzato]**, skilled [unskilled] worker; **o. tessile**, textile worker; **o. tornitore**, turner; lathe worker; **operai e operaie**, male and female workers; working men and women; *È un buon o.*, he is a good workman; *La fabbrica ha bisogno d'altri duecento operai*, the factory needs two hundred extra hands; **case per operai**, workmen's houses; **ora di o.**, man-hour; **la paga di un o.**, a worker's wages (pl.) Ⓑ a. **1** (*che lavora*) working; worker: **ape operaia**, worker bee; **formica operaia**, worker ant; **prete o.**, worker priest **2** (*di*, *per operai*) working; workers'; workmen's; working-class (attr.); labour (attr.): **la classe operaia**, the working class; **la componente operaia**, the shopfloor; **lotte operaie**, struggles for workers' rights; **movimento o.**, labour movement; **partito o.**, workers' party; **quartiere o.**, working-class area.

operaìsmo m. (*polit.*) labourism, laborism (*USA*).

operaìsta m. e f. labourite, laborite (*USA*).

operaìstico a. (*polit.*) labourist, laborist (*USA*).

operàndo m. **1** (f. **-a**) (*med.*) patient about to be operated on **2** (*comput.*) operand.

operànte a. **1** operating; working; operative; effective: **diventare o.**, to become effective; to go into effect; **rendere o.**, to put into effect; to implement **2** (*chir.*) – **medico o.**, operating surgeon.

òpera òmnia (*lat.*) loc. f. inv. complete works (pl.).

◆**operàre** Ⓐ v. t. **1** to work; to do*; to make*; to perform; to carry out; (*produrre*, *causare*) to bring* about; to effect: **o. un arresto**, to make an arrest; **o. il bene**, to do good; **o. un cambiamento**, to bring about a change; **o. una riconciliazione**, to effect a reconciliation; **o. una riforma**, to carry out a reform **2** (*chir.*) to operate on: **o. q. al fegato**, to operate on sb.'s liver; **o. q. d'urgenza**, to perform an emergency operation on sb.; to operate on sb. immediately; *Fui operato allo stomaco*, I had a stomach operation; *Mi hanno operato di tonsille*, I had my tonsils removed; **farsi o.**, to undergo (*o* to have) an operation; **farsi o. di ernia**, to have a hernia operation **3** (*ind. tess.*) to work with a design; to diaper; to damask Ⓑ v. i. **1** (*agire*, *fare*) to act; to be active; to operate; (*lavorare*) to work: **o. a favore di [contro] q.**, to work for [against] sb.; to act well; **o. in un mercato**, to operate on a market; **o. nell'interesse di q.**, to act in sb.'s interest; *Leonardo operò a Milano*, Leonardo worked in Milan **2** (*avere effetto*) to work; (*avere influenza*) to exert an influence: (*di medicina*, *veleno*, *ecc.*) **o. in fretta [lentamente]**, to work quickly [slowly] **3** (*mil.*) to operate Ⓒ **operàrsi** v. i. pron. **1** (*verificarsi*) to come* about; to take* place **2**

(*chir.*) to have (*form.* to undergo*) an operation; to be operated on: *Quando ti operi?*, when are you going to have your operation?; **operarsi di appendicite**, to have one's appendix removed.

operativismo m. (*filos.*) operationalism.

operatività f. operativeness; effectiveness.

operativo a. **1** operating; operational; practical: **centro o.**, operations centre; **costi operativi**, operational costs; **piano o.**, plan of operation; **sul piano o.**, in practice; (*comput.*) **sistema o.**, operating system **2** (*in vigore, in azione*) operative; effective: *La disposizione è già operativa*, the norm is already effective.

operato A a. (*ind. tess.*) textured; figured; (*damascato*) damask (attr.) B m. **1** actions (pl.); conduct; work: **render conto del proprio o.**, to account for one's conduct; to account for what one did **2** (f. -a) (*med.*) operated patient.

operatore A a. operating; operative; working B m. (f. -trice) **1** (*addetto a una macchina, ecc.*) operator: **o. cinematografico [televisivo]**, camera operator; cameraman*; **o. fonico** (*o del suono*), recordist; sound engineer **2** (*econ.*) operator; dealer; broker: **o. autorizzato**, authorized (*o* licensed) dealer; **o. di Borsa**, stockbroker; **o. di cambio**, exchange broker; **o. economico**, dealer; businessman; entrepreneur (*franc.*) **3** (*chi presta la propria opera*) operator; worker: **o. carcerario**, prison worker; **o. ecologico**, refuse (*USA* garbage) collector; **o. sanitario**, health worker; **o. sociale**, social worker; **o. turistico**, tour operator; **o. umanitario**, aid worker **4** (*chir.*) (operating) surgeon **5** (*mat., comput.*) operator: **o. booleano**, Boolean operator; **o. differenziale**, differential operator.

operatorio a. **1** operating; surgical: **intervento o.**, (surgical) operation; surgery Ⓤ; **sala operatoria**, operating theatre; operating room (*USA*); **tavolo o.**, operating table **2** (*mat.*) operational.

operazionale a. (*mat., elettron.*) operational.

operazionalismo m. (*filos.*) operationalism.

♦**operazione** f. **1** (*azione*) operation; action; effort: **o. congiunta**, joint effort; **o. di facciata**, cosmetic exercise; window-dressing Ⓤ; **o. di salvataggio**, rescue operation; **o. diplomatica**, diplomatic action; **operazioni di carico e scarico**, loading and unloading operations **2** (*comm.*) transaction; deal; dealing (generalm. al pl.): **o. commerciale**, business deal; **o. di banca**, banking transaction; **o. di Borsa**, stock-exchange transaction; **fare operazioni di Borsa**, to trade; **operazioni a credito**, credit transactions; **operazioni attive [passive]**, lending [borrowing] transactions **3** (*mil., polizia*) operation: **un'o. di polizia**, a police operation; **operazioni navali**, naval operations; **teatro delle operazioni**, theatre **4** (*mat.*) operation: **le quattro operazioni**, the four operations; **fare un'o.**, to do an operation **5** (*chir.*) operation; op (*fam.*); surgery Ⓤ: **un'o. al cuore [allo stomaco]**, a heart [stomach] operation; heart [stomach] surgery; **o. a cuore aperto**, open-heart operation; open-heart surgery Ⓤ; **eseguire un'o. su q.**, to perform an operation on sb.; to operate on sb.; **eseguire un'o. di appendicite**, to remove an appendix; **rimettersi da un'o. al cuore**, to recover from a heart operation (*o* from heart surgery); **subire un'o.**, to undergo (*o* to have) an operation; to be operated on.

operazionismo m. (*filos.*) operationalism.

opercolato a. (*bot., zool.*) operculate.

opercolo m. (*bot., zool.*) operculum*.

operetta f. (*mus.*) operetta*; light opera ● (*fig.*) da o., frivolous; comedy (attr.).

operettista m. e f. (*mus.*) operettist.

operettistico a. **1** (*mus.*) operetta (attr.) **2** (*fig.*) frivolous; comedy (attr.); ridiculous.

operista m. e f. (*mus.*) composer of operas; opera composer.

operistico a. (*mus.*) opera (attr.); operatic: **arie operistiche**, operatic arias.

operone m. (*biol.*) operon.

operosamente avv. industriously; actively.

operosità f. industry; activity; hard work.

operoso a. industrious; hard-working; active; (*ricco di lavoro*) busy: **città operosa**, busy city; **un uomo o.**, a hard-working man; **vita operosa**, active life.

opificio m. factory; mill; works (pl. col verbo al sing. *o* al pl.).

opimo a. (*lett.*: *abbondante*) abundant, opulent, rich; (*fertile*) fertile, fruitful, rich: **terra opima**, fertile (*o* rich) soil.

opinabile a. debatable; arguable; questionable: **una questione o.**, a debatable point; *È o.*, it's a matter of opinion.

opinare v. t. e i. (*lett.*) to think*; to deem (*lett.*); to opine (*per lo più scherz.*).

♦**opinione** f. **1** opinion; (*convinzione*) conviction; (*punto di vista*) view: **l'o. corrente**, the general consensus; **l'o. pubblica [generale]**, public [general] opinion; **opinioni politiche**, political opinions; views on politics; **cambiare o.**, to change one's mind; **dire la propria o.**, to express one's opinion; to have one's say; *È o. comune che...*, it's a common notion that...; *Sono dell'o. che...*, I am of the opinion that...; **essere di o. diversa**, to hold different views; to disagree; **essere della stessa o. di q.**, to share sb.'s opinion (*o* view); **formarsi un'o. su qc.**, to form an opinion on st.; **vacillare continuamente nelle proprie opinioni**, not to know one's own mind; to blow hot and cold (*fam.*); **secondo la mia o.**, in my opinion; **secondo l'o. degli esperti**, in the opinion of the experts; **avere il coraggio delle proprie opinioni**, to have the courage of one's convictions; **libertà di o.**, freedom to express one's opinions; **scambio di opinioni**, exchange of views; discussion; *La matematica non è un'o.*, mathematics is not a matter of opinion **2** (*stima, considerazione*) opinion; esteem: **avere una buona [cattiva] o. di q.**, to have a good [poor] opinion of sb.; **avere grande o. di sé**, to have a high opinion of oneself; **scadere nell'o. di q.**, to fall in sb.'s esteem.

opinionista m. e f. (*giorn.*) leader writer; columnist; commentator.

opistosòma m. (*zool.*) opisthosoma.

opistòtono m. (*med.*) opisthotonos.

op là, **oplà** inter. **1** (*per incitare a saltare*) jump!; over you go! **2** (*a un bambino*) oops-a-daisy!; upsy-daisy! **3** (*nei giochi di destrezza*) hey presto!

oplita, **oplite** m. (*stor. greca*) hoplite.

oplologia f. hoplology.

opopònaco m. **1** (*bot., Opopanax chironium*) opopanax (tree) **2** (*gommoresina*) (gum) opopanax.

opòssum m. inv. (*zool., Didelphis virginiana*) Virginia opossum*.

opoterapia f. (*med.*) organotherapy.

opoteràpico a. (*med.*) organotherapeutic.

oppiàceo a. e m. opiate.

oppiàre v. t. **1** to opiate **2** (*fig.*) to drug.

oppiàto a. e m. (*farm.*) opiate.

òppio m. **1** opium: **fumatore d'o.**, opium

smoker; **mangiatore d'o.**, opium eater **2** (*fig.*) opium; opiate.

oppiofagia f. opium eating.

oppiòfago m. (f. -a) opium eater.

oppiòide a. e m. (*farm.*) opioid.

oppiòmane A a. opium addicted B m. e f. opium addict.

oppiomania f. (*med.*) opium addiction.

opponènte A a. opponent; opposing B m. e f. **1** → **oppositore 2** (*leg.*) adversary.

opponìbile a. opposable: **pollice o.**, opposable thumb.

♦**oppórre** A v. t. **1** (*addurre contro*) to raise; (*obiettare*) to object: **o. dubbi**, to raise doubts; (*leg.*) **o. un'eccezione**, to raise an objection; **o. un netto rifiuto**, to refuse categorically; *Si può o. che...*, one can object that... **2** (*contrapporre*) to oppose: **o. la persuasione alla forza**, to oppose force with persuasion; **o. resistenza al nemico**, to offer resistance to the enemy; *Egli oppose la sua volontà alla mia*, he pitched his will against mine B (*dichiararsi contrario*) to oppose (st., sb.), to set* oneself (against), to be opposed (to); (*fare obiezioni*) to object: **opporsi a q. con tutte le proprie forze**, to oppose sb. with all one's strength; **opporsi a un progetto**, to oppose a scheme; **opporsi al sistema**, to oppose the system; to buck the system (*fam.*); *Mi oppongo a questi sistemi*, I object to these methods; *Mi oppongo*, I object; *Nessuno si oppone?*, does anybody object?; any objections.

opportunaménte avv. **1** (*in modo appropriato*) duly; properly **2** (*tempestivamente*) at the right moment; opportunely.

opportunismo m. opportunism; time-serving.

opportunista m. e f. opportunist; time-server.

opportunìstico a. **1** opportunistic; opportunist (attr.); time-serving (attr.) **2** (*med.*) opportunistic.

opportunità f. **1** (*l'essere opportuno*) expediency; advisability; suitability; appropriateness; (*tempestività*) timeliness: **l'o. del nostro intervento**, the timeliness of our intervention; **avere il senso dell'o.**, to have a sense of the right moment **2** (*circostanza favorevole*) opportunity; chance: **approfittare dell'o.**, to take the opportunity; **avere l'o. di fare qc.**, to have the opportunity (*o* the chance) of doing st.; **cogliere l'o. del momento**, to seize the opportunity (*o* the chance); **dare a q. l'o. di fare qc.**, to give sb. an opportunity to do st.; **lasciarsi sfuggire l'o.**, to let the opportunity slip; to miss one's chance **3** (*prospettiva, sbocco*) opportunity; prospect; opening: **o. di carriera**, career opportunity; **o. di lavoro**, job opportunities; **un lavoro che non offre o.**, a job offering no prospects; **pari o.**, equal opportunities; **politica di o.**, opportunism; time-serving policy.

opportùno a. (*conveniente*) opportune, expedient; (*adatto*) suitable, fit, appropriate; (*consigliabile*) advisable; (*giusto*) right, proper; (*tempestivo*) opportune, well-timed, timely: **la cura più opportuna**, the most advisable treatment; **intervento o.**, timely intervention; **un'osservazione opportuna**, an appropriate remark; a timely remark; **scegliere il luogo e il momento opportuni per qc.**, to fix a suitable time and place for st.; **ritenere o. di...**, to think it right (*o* advisable, proper) to...; **scegliere un momento più o.**, to choose a better (*o* more suitable) moment; **al momento o.**, at the right time; in due time.

oppositivo a. opposition (attr.).

oppositore A a. opposing; contrary B m. (f. -trice) opponent; opposer: **un o. del re-**

gime, an opponent of the regime; **gli oppositori del progetto di legge**, the opponents of the bill.

♦**opposizióne** f. **1** (*contraddizione*) opposition; contradiction; conflict: **l'evidente o. di due affermazioni**, the manifest contradiction between two statements; **tesi in netta o.**, diametrically opposed views; clashing views; views that are in sharp conflict **2** (*atteggiamento contrario*) opposition ⊍; (*obiezione*) objection; (*resistenza*) resistance ⊍; (*sfida*) defiance: **incontrare forti opposizioni**, to meet with strong opposition; **trovarsi in o. con q.**, to find oneself in opposition to sb.; *Per sposarla dovette vincere l'o. della famiglia*, he had to overcome his family's opposition to marry her; **vincere ogni o.**, to overcome all resistance **3** (*polit.*) opposition; (*in un sistema bipartitico*) Opposition: **essere all'o.**, to be in the opposition; **passare all'o.**, to go over to the opposition; **deputato dell'o.**, member of the opposition; **partito d'o.**, opposition party **4** (*astron.*) opposition: **l'o. della luna col sole**, the opposition of the moon to the sun **5** (*leg.*) opposition; challenge: **o. di terzo**, third party's appeal **6** (*ling.*) opposition: **o. fonologica**, phononogical opposition.

♦**opposto** Ⓐ a. **1** (*di fronte*) opposite; facing: **il lato o.**, the opposite side; **la sponda opposta**, the opposite bank; *Sedevano l'uno o. all'altro*, they sat facing each other **2** (*contrapposto*) opposed, opposing, opposite; (*contrastante*) contrasting, conflicting; (*inverso*) reverse; (*contrario*) contrary, opposite: **caratteri opposti**, conflicting characters; **effetto o.**, opposite effect; **i lati opposti della sala**, the opposite sides of the room; **punti di vista opposti**, opposing (*o* conflicting) points of view; **reazioni opposte**, contrasting reactions; **diametralmente o.**, diametrically opposed; **opposti fra loro**, opposite; **guardare dalla parte opposta**, to look the other way; **in direzioni opposte**, in opposite directions **3** (*bot.*, *mat.*) opposite Ⓑ m. (*contrario*) opposite; contrary; reverse: **l'esatto o.**, opposite; contrary; reverse: **l'esatto o.**, the exact opposite; *Mio fratello è tutto l'o. di me*, my brother is my exact opposite; *È vero l'o.*, the reverse is true; **conciliare gli opposti**, to reconcile opposites; *Fece tutto l'o. di quello che gli chiesi*, he did the exact opposite of what I asked him; *Pensavo l'o.*, I thought the opposite; **all'o.**, instead; on the contrary; **all'o. di quanto credevo**, contrary to what I thought.

oppressióne f. (*atto, effetto dell'opprimere*) oppression; (*giogo*) yoke: **l'o. della famiglia**, the family yoke; **l'o. della schiavitù**, the yoke of slavery; **sentire l'o. di qc.**, to feel oppressed by st.; **liberarsi dal giogo dell'o.**, to free oneself from the yoke; **le vittime dell'o.**, the victims of oppression **2** (*fig.*: *sensazione opprimente*) oppression, heaviness; (*stretta*) constriction; (*peso*) weight; (*depressione*) depression: **un'o. al petto**, a constriction in the chest; **un'o. allo stomaco**, a weight on one's stomach; **o. di respiro**, difficulty in breathing; **un senso di o.**, a sense of oppression; a feeling of constriction; **dare un senso di o.**, to oppress (sb.); to depress (sb.); *Il tempo piovoso mi dà un senso d'o.*, the rainy weather depresses me (*o* makes me feel depressed); **sentire come un'o.**, to have a feeling of oppression.

oppressivo a. oppressive; (*soffocante*) stifling. **atmosfera oppressiva**, oppressive (*o* stifling) atmosphere; **caldo o.**, oppressive heat; **leggi oppressive**, oppressive laws.

oppresso Ⓐ a. **1** (*vessato*) oppressed; downtrodden: **un popolo o.**, an oppressed (*o* downtrodden) people; **o. da tirannia**, oppressed by tyranny **2** (*gravato*) oppressed, weighed down, crushed; (*oberato*) overloaded, overburdened: **o. dal caldo**, oppressed

by the heat; **o. dal dolore**, weighed down with grief; **o. dal lavoro**, overburdened (*o* overloaded) with work; **o. dalle preoccupazioni**, weighed down by cares; **o. dalle scadenze**, oppressed (*o* crushed) by all the deadlines; **o. dalle tasse**, overtaxed Ⓑ m. (f. *-a*) victim of oppression; (al pl., collett.) (the) oppressed, (the) downtrodden.

oppressóre Ⓐ m. oppressor: **o. del popolo**, oppressor of the people; **insorgere contro l'o.**, to rise against the oppressor Ⓑ a. oppressive; tyrannical.

opprimènte a. (*che abbatte*) oppressive, overwhelming; (*deprimente*) depressing, miserable; (*soffocante*) stifling; (*stancante*) tiresome; (*noioso*) boring: **compagnia o.**, depressing company; tiresome company; **caldo o.**, oppressive (*o* stifling) heat; **fatica o.**, grinding toil; **giornata o.**, depressing day; miserable day; **un lavoro o.**, a tiresome job (*o* occupation); *Non essere o.!*, don't be so tiresome!; don't be such a pain!

opprìmere v. t. **1** (*essere un peso, gravare su*) to oppress, to weigh on (*o* upon); to lie* heavy on; (*spossare*) to weigh down, to crush: *Un dubbio mi opprimeva la mente*, a doubt weighed on my mind; *cibo che opprime lo stomaco*, food that lies heavy on the stomach **2** (*caricare, sopraffare*) to load down; to overwhelm: **o. q. di lavoro**, to load sb. down with work; to overwork sb. **3** (*deprimere*) to oppress; to depress; to get* down: *Il tempo piovoso mi opprime sempre*, rainy weather gets me down **4** (*soffocare, infastidire*) to suffocate; to stifle; to torment: *Questo caldo mi opprime*, this heat is stifling; **o. la moglie con la propria gelosia**, to torment one's wife with one's jealousy **5** (*tiranneggiare*) to oppress: **o. i deboli**, to oppress the weak; **o. un popolo**, to oppress a people.

oppugnàbile a. (*confutabile*) confutable; refutable.

oppugnàre v. t. (*confutare*) to confute, to refute, to rebut; (*contrastare*) to oppose; (*impugnare*) to impugn.

oppugnatóre Ⓐ a. confuting; rebutting; opposing Ⓑ m. (f. *-trìce*) (*chi confuta*) confuter, rebutter; (*avversario*) opponent, opposer.

oppugnazióne f. (*confutazione*) confutation, refutation, rebuttal; (*impugnazione*) impugnation.

♦**oppùre** cong. **1** (*o invece*) or: *Vuoi questo o. quell'altro?*, do you want this one or the other one? **2** (*altrimenti*) otherwise; or else.

OPS sigla (*Borsa, fin.*) **, offerta pubblica di sottoscrizione**), public issue.

opsònico a. (*med.*) opsonic.

opsonìna f. (*med.*) opsonin.

optacon® m. inv. Optacon®.

optàre v. i. **1** to opt (for st., to do st.); to choose (st.): **o. per la facoltà di medicina**, to opt for medicine at university; **o. per il mantenimento di qc.**, to opt to keep st.; *Optammo per un ristorante cinese*, we chose a Chinese restaurant **2** (*Borsa*) to buy* an option.

òptimum (*lat.*) m. inv. optimum; (highest) peak: **o. produttivo**, production optimum; **essere all'o. della forma**, to be in peak form.

òptional (*ingl.*) Ⓐ a. inv. optional Ⓑ m. inv. optional extra.

optoelettrònica f. optoelectronics (pl. col verbo al sing.).

optoelettrònico a. optoelectronic.

optogràmma m. (*med.*) optogram.

optometrìa f. (*med.*) optometry.

optomètrico a. optometric.

optometrista m. e f. (*med.*) optometrist.

optòmetro m. (*med.*) optometer.

optòtipo → **ottotipo**.

opulènto a. **1** (*abbondante, ricco*) opulent; rich; wealthy; affluent: **società opulenta**, affluent society; **stile di vita o.**, opulent lifestyle **2** (*fig.*) opulent; rich; florid; (*di stile, ecc.*) overelaborate, ornate; (*rif. alle forme femm.*) voluptuous: **donna opulenta**, voluptuous woman; curvaceous woman (*scherz.*); **forme opulente**, voluptuous forms; Junoesque body.

opulènza f. **1** (*ricchezza*) opulence; wealth; affluence **2** (*fig.*) opulence; richness; floridness; (*di forme*) voluptuousness.

opùnzia f. (*bot.*, *Opuntia*) opuntia; (*fico d'India*) prickly pear.

òpus (*lat.*) m. inv. (*mus.*) opus*.

opùscolo m. booklet; (*pubblicitario*) brochure; (*politico, scientifico*) pamphlet; (*religioso*) tract.

opv sigla (*fin.*, **offerta pubblica di vendita**) public share offer; public offer for sale.

opzionàle a. optional.

opzióne f. **1** (*scelta*) option; choice: **esercitare un'o.**, to take up an option **2** (*econ., Borsa*) option: **o. d'acquisto**, option to purchase; (*Borsa*) call (option); **o. di vendita**, option to sell; (*Borsa*) put (option); (*Borsa*) **o. doppia**, double option; put and call; spread; **avere l'o. su qc.**, to have an option on st.; **ottenere un'o.**, to take out an option; **pagare il premio di o.**, to pay down the option money; **diritto d'o.**, first refusal; (*fin.*) pre-emptive right.

OR abbr. (**Oristano**).

ór → **ora**②.

♦**óra**① f. **1** (*60 minuti*) hour: **un'ora buona** (*intera*), a full (*o* good) hour; **un'ora di automobile**, an hour's drive; **un'ora di lezione**, an hour's lesson; **ora di operaio**, man-hour; **ora di punta**, rush hour; **un'ora e mezza**, an hour and a half; **ore di lavoro** (*lavorative*), working hours; **al di fuori delle ore di lavoro**, out of hours; **dopo le ore di lavoro**, after hours; *Ho fatto due ore di lavoro*, I did two hours' work; **ore di scuola** [di ufficio], school [office] hours; **ore di veglia**, waking hours; **24 ore su 24**, 24 hours a day; round the clock; *L'ora è suonata*, the hour has struck; **battere le ore**, to strike the hours; *Ci ho messo tre ore*, it took me three hours; *È a un'ora di strada*, (a piedi) it's an hour's walk; (in auto) it's an hour's drive; *Siamo a due ore da Milano*, we are two hours from Milan; **pagare all'ora**, to pay by the hour; **andare a 100 km all'ora**, to do 100 km an hour; *Leggevo da due ore*, I had been reading for two hours; **una gita di tre ore**, a three-hour trip; **una lezione di un'ora**, an hour-long lesson; *Sarò di ritorno fra due ore*, I'll be back in two hours' time; **per ore e ore**, for hours on end; **lancetta delle ore**, hour-hand **2** (*nel computo del tempo*) time (*o* idiom.): **ora astronomica**, sideral time; **l'ora di Greenwich**, Greenwich Mean Time (abbr. GMT); **ora estiva** (*o* legale), summer (*o* daylight-saving) time; **ora locale**, local time; **ora ufficiale**, standard time; *Che ora è* (*o* che ore sono)?, what time is it?; *Che ora fai?*, what time do you make it?; *A che ora comincia?*, what time does it start?; *Sai l'ora giusta?*, do you know the right time?; **alle ore dieci**, at ten; **leggere le ore**, to tell the time **3** (*tempo*) time ⊍; (*momento*) hour, moment: **l'ora di accendere le luci**, lighting-up time; **ora di andare a letto**, time to go to bed; bedtime; **l'ora di arrivo**, the time of arrival; **ora di bordo**, ship's time; **l'ora di chiusura**, closing time; **l'ora della morte**, the hour of death; **l'ora di pranzo**, lunchtime; **l'ora del tè**, teatime; **ore di presenza**, attendance time; **le ore più felici della mia vita**, the happiest hours of my life; **ore rubate**, spare moments (of

leisure); **le prime ore del giorno**, early morning; *Non ho mai un'ora di pace*, I never have a minute's rest; **all'ora dei pasti**, at meal times; **all'ultima ora**, at the last minute; at the eleventh hour; **a una cert'ora**, at a certain moment; **in ogni ora della giornata**, at any hour of the day; at any time of day; **a quest'ora**, at this time; (*ormai*) by now; **domani a quest'ora**, tomorrow at this time; *Non puoi telefonargli a quest'ora!*, you can't phone him at this time of day [of night]; *A quest'ora sarà arrivato*, he should be there by now; **all'ora fissata [solita]**, at the appointed [usual] time; **nell'ora del bisogno [del pericolo]**, in the hour of need [of danger]; *Per quell'ora sarò a casa*, I'll be at home by that time; *È giunta l'ora*, the time has come; *È ora di andare*, it's time to go; *È ora che tu vada a letto*, it's time for you to go to bed; *Era ora che qualcuno protestasse!*, it was high time someone complained about it!; *«Ho finito» «Era ora!»*, «I've finished» «about time too!»; *Sarebbe ora che me ne andassi*, it's (high) time I left; *La mia ora s'avvicina*, my time is drawing near; *Morì prima della sua ora*, she died before her time ● (*in prigione*) **ora d'aria**, exercise □ **l'ora della verità**, the crucial moment; the crunch □ **un'ora d'orologio**, a whole hour; exactly one hour □ **l'ora zero** (*o* **ora X**), (*mil.*) zero hour, H-hour; (*estens.*) the time: *È arrivata l'ora X*, the time has come □ (*eccles.*) **ore canoniche**, canonical hours □ **le ore piccole**, the small hours: **fare le ore piccole**, to stay up very late; (*tornare tardi*) to stay out till all hours □ **ore straordinarie** (*di lavoro*), overtime (sing.) □ **a ore**, by the hour: **noleggiare una bicicletta a ore**, to hire a bicycle by the hour; **domestica a ore**, part-time domestic help □ **a tarda ora**, late at night □ **Alla buon'ora!**, at last!; high time too! □ **andare a ore**, (*dipendere*) to depend on the time of day; (*fig.*: *essere mutevole*) to be changeable: *«Hai molto daffare in ufficio?» «Va a ore»*, «are you very busy at work?» «it depends on the time of day» □ **avere le ore contate**, to have very little time □ **Il regime ha le ore contate**, the regime is about to fall □ **da un'ora all'altra**, (*fra poco*) very soon; (*improvvisamente*) suddenly □ **di ora in ora**, hourly □ *Be', abbiamo fatto ora di cena!*, well, I see it's almost dinner time! □ (*eccles.*) **libro d'ore**, Book of Hours □ **non avere ore**, not to keep regular hours □ **non avere ore fisse**, to have no fixed time; to come at odd times; (*rif. al lavoro*) to work irregular hours □ **tener d'occhio l'ora**, to watch the clock □ **Non vedo l'ora di andarmene**, I can't wait to leave; I'm itching to leave □ **Non vedo l'ora di incontrarlo**, I can hardly wait to meet him □ **notizie dell'ultima ora**, latest news; breaking news; stop-press news □ (*prov.*) **Le ore del mattino hanno l'oro in bocca**, the early bird catches the worm.

♦ **òra** ② Ⓐ **avv. 1** (*adesso*) now; (*in questo momento*) just now, at present: *Ora sto meglio*, I feel better now; *Ora siamo pari*, we're quits now; *Ora ho da fare*, I'm busy just now; *Dobbiamo partire ora*, we must leave now; *Che fai ora?*, what are you doing now?; *Fallo ora*, do it now; **ora o mai più**, now or never; **ora più che mai**, now more than ever; **d'ora in avanti** (*o in poi*), from now on (*o* onwards); **per ora**, for the present; for the time being; **proprio ora**, right now; at this very moment; *E ora?*, what now?; *Ora sì che va bene*, now it is ok! **2** (*poco fa*) just; just now; **Sono arrivati ora**, they've just arrived; **L'ho visto ora**, I've just seen him; I saw him just now **3** (*fra poco*) now; in a moment; in a minute; any minute (now); presently: *Ora vedremo quel che succede*, now we shall see what happens;

Ora te lo dico, I'll tell you in a minute; *Ora vengo*, I'm just coming; *Ora vedo che si può fare*, I'll see what can be done about it; *Dovrebbe arrivare ora*, he should be here any minute (now) ● **ora... ora**, now... now; now... then; one moment... the next: *Ora dice una cosa ora un'altra*, now she says one thing, now another; *Ora fa freddo, ora fa caldo*, one moment it's cold, the next it's hot □ **ora come ora**, (*per ora*) at present; for the time being; (*in questo momento*) right now: *Ora come ora non ce l'ho, ma posso procurartelo*, I haven't got it right now, but I can get it for you; *Ora come ora non saprei*, I don't really know off hand □ **or non è molto**, not long ago *o* **or è un momento**, a moment ago: *L'ho visto or ora*, I saw him just now *o* **or è un anno**, a year ago *o* **or sono**, ago: **due anni or sono**, two years ago □ **fin (o sin) d'ora**, (*a partire da ora*) from now on; (*subito*) right now, here and now; (*in anticipo*) in advance: *Voglio cominciare fin d'ora a ridurre lo zucchero*, I want to cut down on sugar from now on; *Te lo dico sin d'ora: non lo voglio in casa mia*, I'm telling you here and now: I don't want him in my house; *Vi ringrazio fin d'ora*, I want to thank you in advance □ **né ora né mai**, neither now nor at any other time □ **prima d'ora**, before; in the past Ⓑ **cong.** well; now; now then: *Tu ci hai creduto, ora ti dimostro che non è vero*, you believed it and now I'm going to prove you it isn't true; *Ora avvenne che...*, now it happened that...; *Ora, se consideriamo che...*, now (then), if we consider that...; *Ora che hai finito puoi uscire*, now (that) you have finished, you can go out; *Ora che ci penso*, now that I think of it; come to think of it (*fam.*); **ora dunque**, now then.

oracolàre a. oracular.

oracoleggiàre v. i. (*iron.*) to pontificate.

oracolìstico a. oracular.

oràcolo m. (*anche fig.*) oracle: **l'o. delfico**, the Delphic oracle; **consultare l'o.**, to consult the oracle; **i responsi dell'o.**, the responses of the oracle.

òrafo Ⓐ m. (f. **-a**) goldsmith Ⓑ a. goldsmith's (attr.): **l'arte orafa**, the goldsmith's art.

oràle Ⓐ a. **1** (*rif. alla bocca*) oral: **la cavità o.**, the oral cavity; **contraccettivo o.**, oral contraceptive; (*psic.*) **fase o.**, oral phase; **igiene o.**, oral hygiene; (*farm.*) **per via o.**, by mouth; orally; oral (agg.) **2** (*a voce*) oral; oral: **comunicazione o.**, oral communication; **esame o.**, oral examination; oral (*fam.*); **tradizione o.**, oral tradition **3** (*ling.*) oral Ⓑ m. oral (examination).

oralità f. orality.

oralménte avv. orally; verbally.

oramài → **ormai**.

oràngo m., **orangutàn** m. inv. (*zool.*, *Pongo pygmaeus*) orang-utan, orang-utang; orang-outang.

orànte (*lett.*) Ⓐ a. praying Ⓑ m. e f. prayer.

oràre v. t. e i. (*lett.*) to pray.

♦ **oràrio** Ⓐ a. **1** (*delle ore, del tempo*) time (attr.): **fascia oraria**, time slot; **fuso o.**, time zone; **segnale o.**, time signal **2** (*all'ora*) hourly; (*rif. alla velocità*) per hour: **paga oraria**, hourly pay; **tariffa oraria**, hourly tariff; **velocità oraria**, speed per hour; **alla media oraria di 100 km**, at an average speed of 100 km per hour ● **disco o.**, parking disc □ **in senso o.**, clockwise; in a clockwise direction Ⓑ m. **1** (*tabella oraria*) timetable; schedule (*USA*): **o. delle ferrovie**, railway timetable; train schedule (*USA*); **o. delle lezioni**, school timetable; **o. estivo [invernale]**, summer [winter] timetable; **consultare l'o.**, to consult the timetable; **rispettare l'o.**, to arrive on time; *Questa coincidenza non è*

segnata sull'o., this connection is not in the timetable **2** (*tempo di svolgimento di qc.*) time; hours (pl.): **o. continuato**, nine-to--five; (*di negozio, ecc.*) all-day opening, continuous business hours; **fare o. continuato**, to work nine to five; (*di negozio, ecc.*) to be open all day; **o. d'apertura**, opening hours; (*di negozio, ecc.*) business hours; (*di museo, ecc.*) visiting hours; **o. di banca** (*o* **di sportello**), banking hours; **o. di lavoro**, working hours (*o* time); **dopo l'o. di lavoro**, after hours; **fuori dell'o. di lavoro**, out of hours; **o. di ricevimento** (*di dottore*), consulting hours; **o. d'ufficio**, office hours; **o. di visita**, visiting hours; **o. flessibile**, flexible timetable; (*di lavoro anche*) flexitime; flextime (*USA*); **fare o. intero**, to work full-time; **lavoro a o. intero**, full-time job; **o. ridotto**, part-time working; (*in fabbrica*) short time; **fare l'o. ridotto**, to work part-time; to work short time; to be on short time; **avere un o. pesante**, to have heavy hours; to work long hours; **non avere un o. fisso**, not to have a fixed timetable; not to work regular hours; **fare o. notturno [diurno]**, to work on the night [day] shift; *Che o. fate?*, what are your opening hours? **3** (*ora*) time: **l'o. della manifestazione**, the starting time for the event; **o. di apertura [di chiusura, di arrivo]**, opening [closing, arrival] time; *Questo non è l'o. ideale*, this is not the ideal time; **in anticipo sull'o.**, ahead of time (*o* of schedule); **in o.**, on time; **in perfetto o.**, dead on time; **in ritardo sull'o.**, behind time; behind schedule.

oràta f. (*zool.*, *Sparus auratus*) gilthead.

oratóre m. (f. **-trìce**) (public) speaker; orator; (*di conferenza*) lecturer: **brillante o.**, brilliant speaker; *Cicerone fu un grande o.*, Cicero was a great orator.

oratòria f. oratory; art of public speaking: **l'o. romana**, Roman oratory; **avere il dono dell'o.**, to be a great orator; to be an outstanding public speaker.

oratoriàle a. (*mus.*) oratorio (attr.).

oratoriàno m. (*eccles.*) Oratorian.

oratòrio ① a. oratorical; rhetorical: **l'arte oratoria**, oratory; the art of public speaking; **doti oratorie**, rhetorical skills; **stile o.**, oratorical style.

oratòrio ② m. **1** (*edificio sacro*) oratory **2** (*ordine relig.*) Oratory: **i Padri dell'O.**, the Fathers of the Oratory; the Oratorians **3** (*di parrocchia*) parish youth club; parish recreation centre.

oratòrio ③ m. (*mus.*) oratorio*.

oraziàno a. (*letter.*) Horatian; Horace's: **lo stile o.**, the Horatian style; **le satire oraziane**, Horace's Satires.

Oràzio m. Horace.

orazióne f. **1** (*preghiera*) prayer: **l'o. domenicale**, the Lord's Prayer; **recitare** (*o* **dire**) **le orazioni**, to say one's prayers **2** (*discorso*) oration; speech; address: **o. funebre**, funeral oration; eulogy; **le orazioni di Demostene**, the orations of Demosthenes; **pronunciare un'o.**, to deliver an oration.

orbàce m. **1** (Sardinian) hand-woven coarse woollen fabric **2** (*stor.*: *divisa fascista*) black fascist uniform.

orbàre v. t. (*lett.*) to bereave*; to deprive.

òrbe m. (*lett.*) **1** (*cerchio*) orb; circle **2** (*sfera*) orb; globe: **l'o. terrestre**, the globe **3** (*fig.*: *mondo*) world: **l'o. cattolico**, the Catholic world.

orbène cong. (*dunque*) so; well (then); now then; (*esortativo*) well, come on.

orbettìno m. (*zool.*, *Anguis fragilis*) slow-worm; blindworm.

orbicolàre a. (*anat.*) orbicular.

òrbita f. **1** (*astron.*, *fis.*, *miss.*) orbit: **l'o. della terra**, the earth's orbit; **o. di parcheg-**

gio, parking orbit; **o. geostazionaria**, geostationary orbit; **o. lunare**, lunar orbit; **compiere un'o. intorno a qc.**, to orbit st.; **abbandonare l'o.**, to go out of (*o* to go off) orbit; to deorbit; **entrare in o.**, to go into orbit; **lanciare [mettere] in o.**, to launch [to send] into orbit; **piano dell'o.**, plane of the orbit **2** (*fig.*: *ambito, area*) orbit; sphere; area; range of action [of influence]; area; (*limite*) limit: **l'o. del dollaro**, the dollar area; **l'o. socialista**, the Socialist orbit; **attrarre q. nella propria o.**, to draw sb. into one's orbit **3** (*anat.*) orbit; (*com.*) eye-socket: (*fig.*) **con gli occhi fuori dalle orbite**, with one's eyes popping out of one's head; pop-eyed (agg.).

orbitale Ⓐ a. (*fis.*) orbital Ⓑ m. (*chim., fis.*) orbital.

orbitante a. orbiting.

orbitare v. i. **1** (*astron., miss.*) to orbit: **o. intorno a un pianeta**, to orbit a planet **2** (*fig.*) to orbit; to gravitate.

orbitàrio a. (*anat.*) orbital.

òrbo Ⓐ a. **1** (*lett.*) bereaved; bereft; deprived: **o. dei genitori**, bereaved of both parents; **o. della vista**, deprived of sight **2** (*cieco*) blind: **o. da un occhio**, blind in one eye Ⓑ m. (f. **-a**) blind person ● **botte da orbi** → **bòtta**.

òrca f. **1** (*zool., Orcinus orca*) orca; killer whale **2** (*mostro marino*) sea-monster.

Òrcadi f. pl. (*geogr.*) (the) Orkney Islands; (the) Orkneys.

orchèssa f. (*anche fig.*) ogress.

orchèstica f. (*lett.*) orchestics (pl. col verbo al sing.).

orchèstico a. (*lett.*) orchestic.

♦**orchèstra** f. **1** (*teatro greco*) orchestra; (*teatro moderno*) orchestra (pit) **2** (*mus.*) orchestra; (*da ballo*) band: **o. d'archi**, string orchestra; **o. da camera**, chamber orchestra; **o. sinfonica**, symphony orchestra; **dirigere un'o.**, to conduct an orchestra; **direttore d'o.**, conductor; **fossa dell'o.**, orchestra pit; **musica per o.**, orchestral music; **professore d'o.**, member of an orchestra; orchestra player **3** (*fig. scherz.*) noise; racket; cats' concert (*fam.*).

orchestràle Ⓐ a. (*mus.*) orchestral; orchestra (attr.); **corpo o.**, orchestra players (pl.); **musica o.**, orchestral music Ⓑ m. e f. orchestra player; member of an orchestra.

orchestràre v. t. **1** (*mus.*) to orchestrate; to score **2** (*fig.*) to orchestrate.

orchestratóre (*mus. e fig.*) Ⓐ a. orchestrating Ⓑ m. (f. **-trice**) orchestrator.

orchestrazióne f. **1** (*mus.*) orchestration; scoring **2** (*fig.*) orchestration.

orchestrina f. small orchestra; (*di musica leggera*) light orchestra, band.

orchidàcea f. (*bot.*) orchis; (al pl., *scient.*) Orchidaceae.

orchidèa f. (*bot.*) orchid; orchis.

orchiectomia f. (*chir.*) orchidectomy.

orchiopessìa f. (*chir.*) orchidopexy.

orchite f. (*med.*) orchitis.

orciàia f. (olive oil) jar store.

orciàio m. potter.

órcio m. jar.

òrco m. **1** (*mitol.*) Orcus; Hades **2** (*mostro delle fiabe*) ogre; (*spauracchio*) bogey man* **3** (*uomo brutto*) ugly man*; monster **4** (*zool.*) **o. marino** (*Melanitta fusca*), white-winged scoter ● **voce d'o.**, deep (*o* hollow) voice □ **Non aver paura, non sono mica l'o.!**, don't be afraid; I'm not going to eat you!

òrda f. (*anche fig.*) horde: **orde di Tartari**, hordes of Tartars; **orde di turisti**, hordes of tourists.

ordàlia f. (*stor. e fig.*) ordeal.

ordàlico a. (*stor.*) ordeal (attr.).

ordìgno m. **1** (*congegno*) device; machine: **o. diabolico**, infernal machine; **o. esplosivo**, explosive device **2** (*congegno esplosivo*) explosive device; bomb: **o. al plastico**, plastic bomb; *L'o. esplose a mezzogiorno*, the bomb went off at 12 noon **3** (*fam.*: *arnese strano*) contraption, gadget; (*aggeggio*) whatsit, thingummy (*fam.*).

ordinàbile a. that can be ordered.

ordinàle Ⓐ a. (*mat.*) ordinal: **numero o.**, ordinal number Ⓑ m. **1** (*mat.*) ordinal (number) **2** (*eccles.*) ordinal; service-book.

ordinaménto m. **1** (*disposizione*) order, arrangement; (*organizzazione*) organization: **l'o. dell'universo**, the order of the universe; **l'o. delle scuole**, the organization of schools; **o. per colonne**, column order **2** (*complesso di leggi, regolamenti*) regulations (pl.); rules (pl.): **gli ordinamenti ecclesiastici [militari]**, ecclesiastical [military] regulations; **non previsto dall'o. scolastico**, not in the school regulations **3** (*compagine*) system; order: (*leg.*) **l'o. giudiziario**, the judicial system; (*leg.*) **l'o. giuridico**, the legal system **4** (*mat.*) sorting.

ordinàndo m. (*eccles.*) ordinand.

ordinànte (*eccles.*) Ⓐ a. ordaining Ⓑ m. ordinant; ordainer.

ordinànza f. **1** (*di autorità giudiziaria*) ordinance, order, injunction; (*mandato*) warrant, writ; (*legge*) law, rule: **o. di amnistia**, amnesty ordinance; **o. di non luogo a procedere**, nonsuit; **o. di rinvio a giudizio**, committal for trial; **o. di sequestro**, writ of attachment; sequestration order; **o. di tribunale**, court order; decree; injunction; **o. interlocutoria**, preliminary injunction; **annullare un'o.**, to vacate a warrant; **emettere un'o.**, to issue an order (*o* an injunction) **2** (*di autorità amministrativa*) ordinance; order; rule: **o. del consiglio comunale**, ordinance of the city council **3** (*mil.*) order: **marciare in o.**, to march in order; **d'o.**, regulation (attr.); **fuori o.**, non-regulation (attr.); **pistola d'o.**, service gun; **tenuta d'o.**, regulation uniform; regimentals (pl.); **ufficiale d'o.**, orderly officer.

♦**ordinàre** Ⓐ v. t. **1** (*mettere in ordine*) to put* (*o* to set*) in order; (*disporre*) to arrange; (*riordinare*) to tidy (up): **o. i propri libri**, to put one's books in order; **o. una stanza**, to tidy up a room; **o. alfabeticamente**, to arrange in alphabetical order; **o. per autore [per data]**, to order (*o* to arrange) by author [by date] **2** (*mat.*) to sort **3** (*mil.*: *schierare*) to array; to draw* up: *Il capitano ordinò le sue truppe per la battaglia*, the captain drew up his troops ready for battle **4** (*comandare*) to order; to command; to tell*; to bid* (*lett.*): *Gli ordinai di andarsene*, I ordered him to go away; *Mi fu ordinato di entrare [uscire]*, I was ordered in [out]; *Gli ordinai di tacere*, I told him to be quiet **5** (*prescrivere*) to order; to prescribe: **o. medicine a un malato**, to prescribe medicines for a patient; *Il dottore gli ha ordinato assoluto riposo*, the doctor ordered him total rest **6** (*comm.*) to order: *Ho ordinato un vestito nuovo*, I've ordered a new suit; *Abbiamo ordinato la merce alla Ditta Jones e C.*, we have ordered the goods from Messrs. Jones & Co. **7** (*in un locale pubblico*) to order: **o. una birra**, to order a beer; *Avete già ordinato?*, have you ordered yet?; *Desiderano o.?*, may I take your orders? **8** (*eccles.*) to ordain: **o. q. sacerdote**, to ordain sb. priest Ⓑ **ordinàrsi** v. rifl. e i. pron. (*disporsi*) to draw* up; to range oneself.

ordinariaménte avv. ordinarily; (*di solito*) usually, normally; (*di regola*) as a rule; (*per lo più*) generally, in most cases, mostly.

ordinariàto m. **1** (*universitario*) (full) professorship; (*cattedra*) chair **2** (*eccles.*) bish-

opric.

ordinarietà f. **1** ordinariness; normality **2** ordinariness; coarseness.

ordinàrio Ⓐ a. **1** ordinary; standard; (*medio*) average; (*abituale*) usual, habitual; (*comune*) common, everyday; (*normale*) normal, routine: **ordinaria amministrazione**, ordinary business; (*fig.*) routine: **dimensioni ordinarie**, ordinary (*o* average) size; (*mat.*) **frazione ordinaria**, common fraction; **posta ordinaria**, second-class mail; **seduta ordinaria**, ordinary meeting; **spese ordinarie**, day-to-day expenses; running expenses; **tariffa ordinaria**, standard rate; **telegramma o.**, ordinary telegram **2** (*senza particolari caratteristiche*) ordinary, plain, nondescript; (*mediocre*) mediocre; (*dozzinale*) cheap, of poor quality; (*grossolano*) common, coarse; (*volgare*) common, vulgar: **aspetto o.**, common (*o* nondescript) appearance; **modi ordinari**, common manners; **stoffa ordinaria**, cheap material; **di qualità ordinaria**, of poor quality; cheap **3** (*di docente*) regular; (*universitario*) full, tenured Ⓑ m. **1** (*ciò che è solito*) ordinary; common run of things: **fuori dell'o.**, out of the ordinary; unusual; extraordinary; exceptional; **un uomo fuori dell'o.**, an extraordinary man; a man above the common run; **uscire dall'o.**, to be out of the ordinary; **d'o.**, usually; ordinarily; as a rule; **più dell'o.**, more than usual; **secondo l'o.**, according to custom; as usual **2** (f. **-a**) (*professore o.*) regular teacher; (*universitario*) (full) professor: **l'o. di fisica**, the professor of physics; *È o. di inglese*, he has the chair of English **3** (*eccles.*) ordinary.

ordinàta① f. tidying up: *Qui ci vuole una bella o.*, this place needs a good tidying up; **dare un'o. alla stanza**, to tidy up the room.

ordinàta② f. **1** (*mat.*) ordinate **2** (*naut., aeron.*) frame.

ordinataménte avv. in an orderly way.

ordinatàrio m. (f. **-a**) (*comm.*) payee.

ordinativo Ⓐ a. regulating; governing: **principi ordinativi**, regulating principles Ⓑ m. (*comm.*) order: **o. arretrato**, back order; (*mar.*) **o. d'imbarco**, shipping note; **o. di prova**, trial order; **passare un o. a q.**, to place an order with sb.

♦**ordinàto** a. **1** (*richiesto*) ordered; on order: **gli articoli ordinati**, the ordered articles; the articles on order **2** (*che ama l'ordine*) tidy, neat; (*disciplinato*) orderly; (*in ordine*) orderly, tidy, neat; (*regolato*) orderly, regular; (*metodico*) methodical, systematic: **fila ordinata**, orderly line; **folla ordinata**, orderly crowd; **persona ordinata**, tidy person; **una stanza ordinata**, a tidy room; **tenere una stanza ordinata**, to keep a room tidy; **vita ordinata**, regular life; **in modo o.**, in an orderly manner; neatly; **dall'aspetto o.**, tidy-looking **3** (*eccles.*) ordained **4** (*mat.*) ordered.

ordinatóre Ⓐ a. regulating; regulative; ordering; organizing: **leggi ordinatrici**, regulating laws; **mente ordinatrice**, methodical mind Ⓑ m. **1** orderer; regulator; (*organizzatore*) organizer **2** (*catalogatore*) cataloguer, cataloger (*USA*) **3** (*comput.*) electronic computer.

ordinatòrio a. (*leg.*) ruling; regulative.

ordinazióne① f. (*comm.*) order: **o. di prova**, trial order; **o. su catalogo**, order from catalogue; **ordinazioni in corso**, outstanding orders; orders in hand; **passare [eseguire, annullare] un'o.**, to place [to carry out, to cancel] an order; **prendere un'o.** (*al ristorante, ecc.*), to take sb.'s orders; **lavorare su o.**, to work to order; **eseguire su o.**, to make to order; **fatto su o.**, made to order; (*di prodotto costruito*) custom-made.

ordinazióne② f. (*eccles.*) ordination.

a b c d e f g h i j k l m n o p q r s t u v w x y z

♦**órdine** m. **1** (*disposizione*) order; arrangement: **l'o. delle parti del discorso**, word order; **o. gerarchico**, hierarchical order; **cambiare l'o. dei libri**, to change the arrangement of the books; **disporre in o.**, to order; to arrange; *I fogli non sono in o.*, the pages are not in order; **in o. alfabetico [cronologico, numerico]**, in alphabetical [chronological, numerical] order; **in o. ascendente [discendente]**, in ascending [descending] order; **in o. di età [di altezza]**, in order of age [of height]; by age [height]; **in o. di tempo**, in chronogical order; chronologically **2** (*assetto ordinato*) order; orderliness; tidiness: **l'o. dell'universo**, the order in the universe; **o. pubblico**, public order; law and order; **essere amante dell'o.**, to like order (*o* tidiness); to like things tidy; **una parvenza d'o.**, some semblance of order; *I documenti non sono in o.*, the papers are not in order; **imporre l'o.**, to enforce order; **mantenere l'o.**, to keep order; **fare** (*o* **mettere**) **o. sulla scrivania**, to tidy up one's desk; **mettere o. fra le proprie carte**, to sort out one's papers; **mettere in o. le proprie cose**, to put one's things in order; *Metti in o. la tua camera*, tidy up your room; **mettersi in o.**, to tidy oneself up; **procedere con o.**, to proceed in order; **raccontare qc. con o.**, to tell st. in a logical order (*o* in the right sequence); **richiamare all'o.**, to call to order; **ristabilire l'o.**, to restore order; **tenere qc. in o.**, to keep st. in order (*o* tidy); *L'o. regna dappertutto*, there is order everywhere; order reigns everywhere; **in buon o.**, in an orderly fashion; **ritirarsi in buon o.**, (*mil.*) to retire in good order; (*fig.*) to back down; **nell'o. naturale delle cose**, in the natural order of things; **partito d'o.**, law and order party **3** (*mil.*) order; array; alignment; **o. sparso [chiuso]**, open [close] order; **in o. di battaglia**, in battle order (*o* array) **4** (*sequenza*) order; (*serie, successione*) series, sequence; (*fila*) row, rank: **o. di arrivo**, order of arrival; (*zool.*) **o. di beccata**, pecking order; **o. di partenza**, starting order; **due ordini di denti**, two rows of teeth; *Il teatro era esaurito in ogni o. di posti*, the theatre was sold out **5** (*ceto, categoria, classe*) order; class; rank; degree: **l'o. dei senatori**, the order of senators; **tutti gli ordini sociali**, all social ranks **6** (*comunità, associazione*) order; association; society; fraternity: **o. cavalleresco**, order of chivalry; **o. degli avvocati**, Bar Association; Roll of Solicitors; **l'O. dei Cavalieri di Malta**, the Order of the Knights of Malta; **l'O. della Giarrettiera**, the Order of the Garter; **o. dei medici**, Medical Association **7** (*o. religioso*) order: **l'o. dei Benedettini**, the Order of St Benedict; the Benedictine Order: **o. monastico**, monastic order **8** (*zool., bot.*) order **9** (*archit.*) order: **o. dorico [ionico, corinzio]**, Doric [Ionian, Corinthian] order **10** (*ambito, genere*) kind; nature; (*livello*) order: **problemi d'o. tecnico**, problems of a technical nature; technical problems; *È un altro o. di cose*, it's quite a different matter; **d'infimo o.**, of the lowest degree; **di prim'o.**, of the highest order; first-class; first-rate; topnotch (*fam.*); **un pittore di prim'o.**, a first-rate painter; **un ristorante di prim'o.**, a first-class restaurant; **di second'o.**, second-rate; second-class; **di terz'o.**, third-rate **11** (*comando*) order; orders (pl.); command: **o. dell'autorità**, official order; **o. di partenza**, order to leave; **ordini dall'alto**, orders from above (*o* from high up); *Ho l'o. di non lasciare entrare nessuno*, I have orders (*o* my orders are) to let no one in; *Ha avuto l'o. di partire*, he is under orders to leave; *Diede o. che si portasse il prigioniero*, he gave orders for the prisoner to be brought; **eseguire un o.**, to carry out an order; *Eseguivo degli ordini*, I was acting under orders; **essere agli ordini di q.**, (*mil.*) to be under sb.'s orders; (*fig., iron.*) to be at sb.'s beck and call; **obbedire agli ordini**, to obey orders; **prendere ordini da q.**, to take orders from sb.; **ricevere l'o. di**, to be ordered to; **fino a nuovo o.**, until further orders; **per o. di**, by order of; on the orders of; (*mil.*) *Agli ordini!*, yes, sir! **12** (*leg.*) order; injunction; (*norma*) rule; (*decreto*) decree; (*mandato*) warrant, writ: **o. di comparizione**, summons; citation; **o. di custodia**, custody order; **o. di non luogo a procedere**, nonsuit; **o. di rinvio a giudizio**, committal for trial; **o. di sequestro**, writ of attachment; sequestration order **13** (*comm.*: *ordinazione*) order: **un o. di duecento tonnellate di carbone**, an order for two hundred tons of coal; **o. di prova**, trial order; **ordini inevasi**, unfilled (*o* back) orders; backlog (sing.); **accusare ricevimento di un o.**, to acknowledge an order; **annullare un o.**, to cancel an order; **confermare un o.**, to confirm an order; **evadere un o.**, to deal with (*USA* to fill) an order; **inoltrare un o.**, to send in an order; **passare un o. a q.**, to place an order with sb. **14** (*comm., Borsa, banca*: *disposizione*) order; authorization: **o. di bonifico**, bank payment order; **o. di consegna**, delivery order; **o. di incasso**, payment order; **o. di pagamento**, order (*o* authorization) of payment; **o. condizionato**, conditional order; **dare o. di pagamento**, to authorize payment; **o. permanente**, standing order; **assegno all'o.**, cheque to order; **pagabile all'o.**, payable to order **15** (*eccles.*: *sacramento*) orders (pl.); holy orders (pl.): **ordini maggiori [minori]**, major [minor] orders; **prendere** (*o* **ricevere**) **gli ordini**, to take holy orders; **sacramento dell'o.**, holy orders (pl.) • **o. costituito**, established order □ **o. del giorno**, agenda: **o. del giorno definitivo**, approved agenda; **all'o. del giorno**, on the agenda; (*fig.*) normal, everyday (attr.); **mettere all'o. del giorno**, to put on the agenda; **questione all'o. del giorno**, items on the agenda; (*fig.*) matter of topical interest; (*fig.*) **una faccenda all'o. del giorno**, a normal thing; an everyday occurrence □ (*leg.*) **o. delle ipoteche**, rank of mortgages □ **o. di grandezza**, (*mat.*) magnitude; (*dimensioni*) size □ **o. d'idee**, sb.'s way of thinking; the way one sees things: **entrare nell'o. di idee di fare qc.**, to come round to the idea of doing st. □ **l'o. soprannaturale**, the supernatural □ **impiegato d'o.**, junior clerk □ **in o. a**, with regard to: **in o. alla Sua richiesta**, with regard to your request □ **in o. sparso** (*alla spicciolata*), by twos and threes; in dribs and drabs: **allontanarsi in o. sparso**, to trickle off □ **numero d'o.**, serial number □ (*mil.*) **parola d'o.**, password □ (*comm.*) **sempre ai Vostri ordini**, yours faithfully.

ordìre v. t. **1** (*ind. tess.*) to warp **2** (*fig.*: *abbozzare*) to sketch out; to work out **3** (*fig.*: *macchinare*) to plot; to hatch; to engineer: **o. un complotto**, to hatch a plot; **o. una congiura contro q.**, to plot (*o* to scheme) against sb.; **o. un imbroglio**, to plot something.

ordito m. **1** (*ind. tess.*) warp: **preparare l'o.**, to lay the warp; **filo dell'o.**, warp thread; **passo dell'o.**, shed **2** (*fig.*) web; tissue; (*di narrazione*) plotting; scheming; story-line: **un o. di menzogne**, a tissue of lies.

orditóio m. (*ind. tess.*) warping frame; (*macchina*) warping machine, warper.

orditóre m. (f. **-trìce**) **1** (*ind. tess.*) warper **2** (*fig.*) plotter; schemer; intriguer: **o. di intrighi**, intriguer.

orditùra f. **1** (*ind. tess.*) warping; (*ordito*) warp **2** (*fig.*: *macchinazione*) plotting; scheming; intrigue **3** (*fig.*: *trama*) plot: **l'o. di un romanzo**, the plot of a novel **4** (*edil.*) frame: **o. del tetto**, roof frame.

Ordovicìano m. (*geol.*) Ordovician.

orèade f. (*mitol.*) oread; mountain nymph.

♦**orécchia** f. **1** → **orecchio 2** (*di anfora*) handle **3** (*a una pagina*) dog-ear: **fare un'o. a una pagina**, to dog-ear a page **4** (*mus., di strumento ad arco*) F-hole **5** (*zool.*) – **o. di mare** (*Haliotis*), abalone.

orecchiàbile a. (*fam.*) easy; hummable; catchy: **un motivo o.**, an easy tune.

orecchiabilità f. catchiness.

orecchiàle m. (*tecn.*) earphone.

orecchiànte **A** a. **1** (*che suona a orecchio*) able to play by ear; (*che canta a orecchio*) able to sing by ear **2** (*fig.*) amateurish; superficial **B** m. e f. **1** (*chi suona a orecchio*) person who can play by ear; (*chi canta a orecchio*) person who can sing by ear **2** (*fig.*) person with a shallow knowledge of a subject.

orecchiàre v. t. **1** (*sentire per caso*) to overhear **2** (*ripetere a orecchio*) to repeat **3** (*imparare*) to pick up: **o. un motivo**, to pick up a tune; *Avevo orecchiato un po' di russo*, I had picked up some Russian.

orecchiétta f. (*anat.*) auricle.

♦**orecchìno** m. earring; (*pendente*) eardrop: **orecchini a clip**, clip-on earrings; **orecchini a vite**, screw-on earrings; **orecchini col buco**, pierced earrings; **un paio d'orecchini**, a pair of earrings.

♦**orécchio** m. (pl. ***orecchi***, m., o ***orecchie***, f., *nella def. 1*) **1** ear; (*estens.*: *udito*) hearing: **o. esterno**, external ear; (*zool.*) auricle; **o. interno**, inner ear; **o. medio**, middle ear; **orecchie a sventola**, ears that stick out; **dalle orecchie lunghe**, long-eared; **con le orecchie mozze**, crop-eared; **sordo da un o.**, deaf in one ear; **duro d'o.**, hard of hearing; **dolore** (*o* **male**) **all'o.**, earache; **dire qc. all'o. di q.**, to say st. in sb.'s ear; *Ho ancora le sue parole nelle orecchie*, I can still hear his words; **dare** (*o* **prestare**) **o. a qc.**, to give ear to st.; to listen to st.; *Mi fischiano le orecchie*, my ears are ringing; (*fig.*) my ears are burning; *Il cane rizzò gli orecchi*, the dog cocked its ears; *Mi ronzano le orecchie*, my ears are buzzing; *Da quell'o. non ci sente*, he's deaf in that ear; (*fig.*) he won't listen; **un rumore che stordisce le orecchie**, a deafening (*o* ear-splitting) noise; **straziare l'o.**, to torture sb.'s ear; **turarsi le orecchie**, to stop one's ears **2** (*anche* **o. musicale**) ear (for music): **o. assoluto**, absolute pitch; perfect pitch; **avere o. (per la musica)**, to have an ear (*o* a good ear) for music; **avere poco o.**, to have a poor ear for music; **non avere o.**, to have no ear for music; to have a tin ear; **cantare [suonare] a o.**, to sing [to play] by ear **3** (*d'aratro*) mould board **4** (*d'ancora*) fluke **5** → **orecchia**, *def. 3* • (*naut.*) **o. d'asino**, kevel □ (*bot.*) **o. di Giuda** (*Auricularia auricula-judae*), jelly fungus; jew's ear □ (*naut.*) **o. di lepre**, leg-of-mutton sail □ (*bot.*) **o. d'orso** (*Primula auricula*), auricula; bear's-ear □ **a forma d'o.**, ear-shaped □ **a portata d'o.**, within earshot □ (*fig.*) **aguzzare le orecchie**, to listen carefully; to sharpen one's ears □ (*fig.*) **allungare le orecchie**, to prick up one's ears □ (*fig.*) **aprire (bene) le orecchie**, to listen carefully; to pin back one's ears (*fam.*) □ (*fig.*) **avere gli orecchi foderati di prosciutto**, (*non sentire*) to be hard of hearing; (*non voler sentire*) not to want to listen □ (*fig.*) **avere le orecchie lunghe** (*essere ignorante*), to be a blockhead □ (*fig.*) **avere lavoro fin sopra le orecchie**, to be up to one's ears in work □ **averne fin sopra le orecchie di qc.**, to be sick and tired of st.; to have had enough of st. □ (*fig.*) **con l'o. teso**, with one's ear pricked □ (*fig.*) **con le orecchie basse**, crestfallen □ (*fig.*) **entrare da un o. e uscire dall'altro**, to go in one ear and out the other □ **fare l'o. a qc.**, to get used to (hear-

ing) st. □ **fare orecchi da mercante**, to turn a deaf ear to st. □ **Mi è giunto all'o. che...**, it has come to my ear that... □ (*fig.*) **mettere una pulce nell'o. a q.**, to drop a hint; to arouse sb.'s suspicions □ **porgere** (*o prestare*) **o. a qc.**, to lend an ear to st. □ **stapparsi le orecchie**, to unplug one's ears □ (*fig.*) **stare con l'o. teso**, (*stare in ascolto*) to be all ears; (*stare all'erta*) to keep one's ears to the ground □ **tendere l'o.**, to listen intently; to cock an ear □ **tirare gli orecchi a q.**, to pull (*o* to tweak) sb.'s ears; (*fig.*) to give sb. a ticking-off, to tick sb. off, to rap sb.'s knuckles □ **tirata d'orecchi**, tweak to sb.'s ear; (*fig.*) ticking-off, rap over the knuckles □ **essere tutt'orecchi**, to be all ears □ (*prov.*) **Chi ha orecchie per intendere intenda**, a word to the wise.

orecchióne m. **1** big ear **2** (*mil.*) trunnion **3** (*zool.*, *Plecotus auritus*) long-eared bat **4** (*region.*, *spreg.*) poof; fairy; fag (*USA*).

orecchióni m. pl. (*med.*) mumps (sing.).

orecchionièra m. (*mil.*) trunnion bearing.

orecchiùto a. big-eared; long-eared.

oréfice m. **1** (*orafo*) goldsmith **2** (*gioielliere*) jeweller, jeweler (*USA*).

oreficeria f. **1** (*arte*) goldsmith's (*o* jeweller's) art **2** (*laboratorio*) goldsmith's workshop **3** (*negozio*) jeweller's (shop) **4** (*preziosi*) jewellery.

oreòtrago m. (*zool.*, *Oreotragus oreotragus*) klipspringer.

Orèste m. (*mitol.*) Orestes.

Orestèade f. (*letter.*) Oresteia.

orfanèllo m. (f. **-a**) orphan child.

♦**òrfano A** a. orphan: **ragazzo o.**, orphan boy; **bambino o. di madre [di padre]**, motherless [fatherless] child; *È o. di madre*, his mother died; he lost his mother; **bambini resi orfani dalla guerra**, children orphaned by war; **rimanere o.**, to be left an orphan; to be orphaned **B** m. (f. **-a**) (*anche fig.*) orphan: **o. di guerra**, war orphan; **asilo per orfani**, orphanage.

orfanotròfio m. orphanage; children's home.

Orfèo m. (*mitol.*) Orpheus.

òrfico A a. **1** (*di Orfeo*) Orphean; Orphic: **inni orfici**, Orphic hymns; Orphics **2** (*dell'orfismo*) Orphic **B** m. (*filos.*) Orphic.

orfismo m. Orphism.

organàio → **organaro**.

organàrio a. organ (attr.): **arte organaria**, organ making; organ building.

organàro m. organ maker.

organdì, **organdis** m. (*ind. tess.*) organdie.

organétto ① m. **1** (*anche* **o. di Barberia**) barrel organ: **suonatore d'o.**, organ-grinder **2** (*fisarmonica*) accordion; concertina **3** (*pop.*: *armonica a bocca*) mouth organ.

organétto ② m. (*zool.*, *Carduelis linaria*) redpoll.

organica f. (*mil.*) (branch of military art dealing with the) organization of the armed forces.

organicàre v. t. (*biol.*, *chim.*) to transform into organic compounds.

organicazióne f. (*biol.*, *chim.*) transformation into organic compounds.

organicismo m. (*filos.*, *med.*) organicism.

organicista m. e f. organicist.

organicìstico a. organicist, organicistic.

organicità f. organicity; organic unity.

organico A a. **1** organic: **acido o.**, organic acid; **chimica organica**, organic chemistry; **composto o.**, organic compound; **concime o.**, compost; **deperimento o.**, physical decline; **malattia organica**, organic disease; **la vita organica**, organic life **2** (*fig.*) organic; organized; systematic: **un complesso o. di leggi**, an organic body of laws; **sistema o.**, organic system; **un tutto o.**, an organic whole **3** (*org. az.*) organization (attr.); organizational; (*del personale*) staff (attr.), personnel (attr.) **B** m. (*ruolo*) roll; (*personale*) personnel, staff; (*insieme dei componenti*) members (pl.); (*mil.*) structure, cadre, strength: **l'o. di un'azienda**, the staff of a company; **l'o. di un'orchestra**, the members of an orchestra; **l'o. di una squadra**, the players in a team; (*mil.*) **l'o. degli ufficiali**, the command structure; **avere un o. di cinquanta persone**, to have a staff of fifty; to be fifty strong; **ampliare [ridurre] l'o.**, to increase [to reduce] the staff; **essere in o.**, to be on the roll; to be on the permanent staff; **essere sotto di o.**, to be understaffed.

organigràmma m. **1** (*org. az.*) organization chart; organigram **2** (*comput.*) flow chart.

organìno → **organetto** ①.

♦**organìsmo** m. **1** organism: **un o. vivente**, a living organism (*o* being) **2** (*corpo umano*) body: **un o. sano**, a healthy body; **deperimento dell'o.**, physical decline; **fare bene all'o.**, to be good for one's health **3** (*fig.*: *struttura*) (organized) body; structure; (*ente*) organization, institution, authority, agency (*USA*): **o. amministrativo**, administrative body; **o. politico**, political structure; **organismi sindacali**, trade unions.

organista m. e f. organist.

organìstico a. (*mus.*) organ (attr.): **musica organìstica**, organ music.

♦**organizzàre A** v. t. to organize; to arrange; to arrange for; (*preparare*) to set* up, to make* preparations for; (*allestire*) to mount, to put* up, to stage: **o. una corsa [un concerto]**, to organize a race [a concert]; **o. un esercito**, to organize an army; **o. le idee**, to get one's ideas into order; to marshal one's thoughts; **o. una mostra**, to mount an exhibition; **o. una riunione**, to arrange a meeting; **o. una spedizione**, to organize an expedition; **o. uno spettacolo**, to put up a show; **o. i trasporti**, to organize transport; to arrange for transport; **o. un viaggio**, to make preparations for a journey; (*ind.*) **o. scientificamente**, to rationalize; **organizzarsi la giornata**, to organize one's day **B** **organizzàrsi** v. rifl. to organize (*anche biol.*); to get* (oneself) organized; to get one's act together (*fam.*): **organizzarsi in un sindacato**, to organize into a trade union; *Vediamo di organizzarci*, let's get organized; let's try and get our act together.

organizzativo a. organizational; organizing: **capacità organizzativa**, organizational ability; **comitato o.**, organizing committee; **fase organizzativa**, organizing phase; **struttura organizzativa**, organizational structure.

organizzàto A a. organized: **criminalità organizzata**, organized crime; **manodopera organizzata**, organized labour; **un ufficio ben o. [male o.]**, a well-organized [badly-organized] office; **viaggio o.**, package tour **B** m. member (of an organization).

organizzatóre A a. organizing **B** m. **1** (f. **-trice**) organizer **2** (*biol.*) organizer.

♦**organizzazióne** f. **1** (*l'organizzare*) organization; arrangement; planning: **l'o. di un congresso**, the organization of a conference; (*comput.*) **o. dei dati**, data organization; **avere una buona o.**, to be well organized; **mancanza di o.**, lack of organization **2** (*gestione*) management; administration: **o. del personale**, staff (*USA* personnel) administration (*o* management); **o. aziendale**, business management **3** (*complesso organiz*zato) organization: **o. internazionale**, international organization; *O. Mondiale della Sanità*, World Health Organization; **o. sindacale**, trade union.

♦**òrgano** m. **1** (*anat.*) organ: **o. della vista**, organ of sight; sight organ; **o. di senso**, sense organ; **o. trapiantato**, transplant; **o. vitale**, vital organ; **gli organi della digestione**, the organs of digestion: **organi genitali**, sex organs; **trapianto d'organi**, organ transplant **2** (*mecc.*) member; part: **o. d'una macchina**, machine member; **o. conduttore**, mover; driving unit **3** (*centro di funzioni*) organ; body: **o. collegiale**, collegiate body; **o. consultivo**, consulting body; **o. di vigilanza**, bank supervising body; **organi amministrativi**, organs of administration **4** (*pubblicazione*) organ: **o. di partito**, party organ; **o. di propaganda**, organ of propaganda **5** (*mus.*) organ: **o. a due tastiere**, two-manual organ; **o. elettrico**, electric organ; **o. idraulico**, hydraulic organ; (*stor.*) **o. portativo [positivo]**, portative [positive] organ; **canna d'o.**, organ pipe; **mantici dell'o.**, organ bellows; **registri dell'o.**, organ stops.

organogènesi f. (*biol.*) organogenesis.

organògeno a. (*geol.*) organogenic.

organografia f. (*biol.*) organography.

organolèttico a. organoleptic.

organologia f. **1** (*biol.*) organology **2** (*mus.*) study of musical instruments.

organològico a. **1** (*biol.*) organological **2** (*mus.*) relating to the study of musical instruments.

organòlogo m. (f. **-a**) **1** (*biol.*) organologist **2** (*mus.*) student of musical instruments.

organometàllico a. (*chim.*) organometallic.

organometàllo m. (*chim.*) organometallic compound.

organopatìa f. (*med.*) organopathy.

organoterapìa f. (*med.*) organotherapy.

orgànulo m. (*biol.*) organelle.

òrganum m. inv. (*mus.*) organum*.

organza f. (*ind. tess.*) organza.

organzìno m. (*ind. tess.*) **1** (*filo*) organzine **2** (*tessuto*) organzine silk.

orgàsmico a. orgasmic.

orgàsmo m. **1** (*fisiol.*) orgasm: **avere un o.**, to have an orgasm; **raggiungere l'o.**, to reach (*o* to achieve) an orgasm **2** (*fig.*: *agitazione*) excitement; fever; flutter: **l'o. della partenza**, the excitement of leaving; **essere in o.**, to be in a state of excitement; to be in a flutter; to be in a stew (*fam.*); **mettere q. in o.**, to fluster; to put sb. into a flutter.

òrgia f. **1** (*stor.*, *relig.*) orgy: **o. bacchica**, Bacchic orgy **2** (*estens.*) orgy; wild party; debauch: **darsi alle orge**, to debauch oneself; **fare un'o.**, to have an orgy **3** (*fig.*: *profusione*) orgy; riot; splurge: **un'o. di colori**, a riot of colour; **un'o. di luci**, a riot of lights; **un'o. di spese**, an orgy of spending; a spending orgy; a splurge.

orgiàsta m. e f. orgiast.

orgiàstico a. **1** orgiastic **2** (*fig.*) riotous; wild.

orgóglio m. **1** (*boria*, *superbia*) pride; arrogance; self-importance: **peccare d'o.**, to commit the sin of pride; **pieno d'o.**, full of arrogance **2** (*fierezza*) pride: **o. ferito**, injured pride; **ferire q. nell'o.**, to wound sb.'s pride **3** (*vanto*) pride: *È l'o. della nazione*, he is the pride of his country; *È l'o. di sua madre*, she is her mother's pride and joy.

♦**orgoglióso** a. **1** (*borioso*, *superbo*) proud; arrogant; self-important **2** (*fiero*) proud: **carattere o.**, proud character; **una risposta orgogliosa**, a proud answer; **essere** (*o andare*) **o. di qc.**, to be proud of st.; to take

pride in st.; **essere o. di q.**, to be proud of sb.

orgóne m. (*psic.*) orgone.

òribi m. (*zool.*, *Ourebia ourebi*) oribi*.

oricàlco m. 1 (*lega*) orichalc 2 (*ottone*) brass.

òrice m. (*zool.*, *Oryx*) oryx • **o. gazzella** (*Orix gazella*), gemsbok*.

oricèllo m. (*bot.*, *Roccella tinctoria*; *colorante*) orchil.

orientàbile a. (*mecc.*) adjustable; steerable; rotary; rotating; revolving: **antenna o.**, adjustable antenna; steerable antenna.

♦**orientàle** A a. 1 (*a est*, *dell'est*) east (attr.); eastern; (*verso est*) easterly: **costa o.**, east coast; **direzione o.**, easterly direction; **l'emisfero o.**, the eastern hemisphere; **le Indie Orientali**, the East Indies; **l'Africa O.**, East Africa; **i quartieri orientali**, the eastern districts 2 (*dell'Oriente*) Eastern; Asian; Oriental: **l'arte o.**, Eastern art; **la Chiesa o.**, the Oriental (*o* Eastern) Church; **lingue orientali**, Asian (*o* Eastern, Oriental) languages; **paesi orientali**, Asian (*o* Eastern) countries; **tappeto o.**, Oriental carpet; **vestire all'o.**, to dress in the Oriental (*o* Eastern) fashion B m. e f. Asian; Oriental.

orientaleggiànte a. Oriental-style (attr.).

orientalìsmo m. Orientalism.

orientalìsta m. e f. Orientalist.

orientalìstica f. Oriental studies (pl.).

orientalizzànte a. orientalizing.

orientalizzàre v. t. to orientalize.

orientalizzazióne f. orientalization.

orientaménto m. 1 orientation (*anche fis.*, *miner.*, *chim.*); direction; bearings (pl.): **o. mediante radio**, radio orientation; **perdere l'o.**, to lose one's bearings; **far perdere l'o.**, to disorientate; to disorient; **perdita dell'o.**, loss of bearings; disorientation; **senso di o.**, sense of direction 2 (*collocazione*) orientation: **l'o. di un edificio**, the orientation of a building 3 (*naut.*, *di vela*, *pennone*) trim; trimming 4 (*fig.*: *indirizzo*, *direzione*) orientation, direction; (*guida*) guidance: **l'o. di una ricerca**, the direction of a research; **o. professionale**, vocational guidance; career guidance 5 (*fig.*: *tendenza*) trend; tendency: **l'o. del mercato**, the market trend 6 (*fig.*: *posizione*, *atteggiamento*) position; stance: **o. politico**, political stance 7 (*sport*) orienteering.

♦**orientàre** A v. t. 1 to orient; to orientate; to set*; (*porre*) to position; (*rivolgere*) to turn, to point, to train: **o. una carta geografica**, to orient a map; **o. qc. verso sud**, to turn st. to face south; *Il riflettore fu orientato verso la porta*, the search-light was pointed towards the door 2 (*naut.*) to trim: **o. i pennoni**, to trim the yards 3 (*fig.*: *indirizzare*) to steer; to direct; to guide: **o. q. allo studio dei classici**, to steer sb. towards (studying) classics B **orientàrsi** v. i. pron. 1 (*disporsi*) to orient oneself 2 (*determinare la propria posizione*) to orient oneself; to orientate oneself; to get* (*o* to find*) one's bearings: *Lascia che mi orienti*, let me get my bearings; let me see where I am 3 (*fig.*: *raccapezzarsi*) to orient oneself; to find* one's way about; (in frasi neg., anche) to make* head or tail (of st.): *Si è orientato subito nel nuovo lavoro*, he quickly found his way about (*o* settled in) in his new job; *Non mi ci oriento con tutti questi moduli*, I can't make head or tail of all these forms 4 (*fig.*: *indirizzarsi*) to take* up (st.); to go* in (for); to opt (for): *Penso di orientarmi su una tre porte*, I think I'll opt for a hatchback.

orientativaménte avv. indicatively; tentatively; (*a titolo orientativo*) as a general guide, as an indication.

orientatìvo a. indicative; guiding; (*introduttivo*) introductory; (*preliminare*) preliminary: **colloquio o.**, preliminary interview; **prezzo o.**, indicative price; **a titolo o.**, as a general guide.

orientàto a. 1 (*rivolto*) oriented; facing: **una finestra orientata verso est**, a window facing east 2 (*fig.*: *diretto*) oriented; (*incline*) inclined: **o. verso il mercato**, market-oriented; (*Borsa*) **o. al rialzo**, bullish; (*Borsa*) **o. al ribasso**, bearish; *Mio figlio è o. verso una facoltà scientifica*, my son is thinking of enrolling in a science faculty 3 (*geol.*) oriented 4 (*mat.*) directed.

orientatóre m. (*tecn.*) guider; director.

orientazióne f. (*scient.*) orientation.

♦**oriènte** m. 1 (*est*) east: *La Grecia è a o. dell'Italia*, Greece is to the east of Italy; *La Spagna confina a o. col mare*, Spain is bounded by the sea to the east; *A o. c'era il mare*, to the east lay the sea; *Il sole sorge a o.*, the sun rises in the east; **una finestra rivolta a o.**, a window facing east; an east-facing window; **guardare a o.**, to look (to the) east; *Il vento soffia da o.*, the wind is blowing from the east; **da o. a occidente**, from east to west; **venti da o.**, easterly winds; **la Chiesa d'O.**, the Eastern Church; (*stor.*) **l'Impero romano d'o.**, the Eastern Empire; **diretto a o.**, eastbound; **verso o.**, eastward (agg.); eastward, eastwards (avv.) 2 (*paesi orientali*) (the) East; (the) Orient (*lett.*): **il commercio con l'O.**, trade with the East; **il Vicino [Medio, Estremo] O.**, the Near [Middle, Far] East 3 (*loggia massonica*) lodge: *Grande O.*, Grand Lodge 4 (*di perla*) orient.

orifiàmma f. (*stor.*) oriflamme.

orifìcio, **orifìzio** m. 1 opening; mouth; aperture; vent 2 (*anat.*) orifice; (*zool.*, *per la respirazione*) spiracle.

origàmi m. inv. origami; paper folding.

origamìsta m. e f. origami expert; paper folder.

orìgano m. (*bot.*, *Origanum vulgare*) oregano; wild marjoram.

Orìgene m. (*stor. filos.*) Origen.

♦**originàle** A a. 1 original: (*cinem.*) **edizione o.**, original version; **peccato o.**, original sin; **in lingua o.**, in the original language 2 (*genuino*, *autentico*) original; genuine: **documento o.**, original document; **tappeto o. cinese**, original (*o* genuine) Chinese carpet 3 (*fig.*: *nuovo*) original, new, novel, fresh, creative; (*individuale*) individual, idiosyncratic; (*ingegnoso*) ingenious; (*creativo*) inventive, creative: **idee originali**, original (*o* novel) ideas; **metodi originali**, original methods; **pensatore o.**, original thinker; **poco o.**, unoriginal; derivative 4 (*fig.*: *eccentrico*) eccentric; bizarre; odd: **abbigliamento o.**, eccentric clothes; **un tipo o.**, an eccentric; a character; an oddball (*fam.*) B m. 1 (*copia o.*) original (copy, document); (*di registrazione*) master copy: **l'o. di un documento**, the original copy of a document; *L'o. è andato perduto*, the original was lost; **collazionare con l'o.**, to collate with the original; **fedele all'o.**, faithful to the original; **copia conforme all'o.**, faithful copy 2 (*persona o cosa ritratta*) original: *Il ritratto è più bello dell'o.*, the portrait is better than the original 3 (*radio*, *TV*) – **o. radiofonico**, radioplay; **o. televisivo**, film made for TV 4 (*lingua o.*) original (language): **leggere un libro in o.**, to read a book in the original C m. e f. (*persona eccentrica*) eccentric; original; character; oddball (*fam.*): *È un bell'o.!*, he's quite a character!; he's an odd one!

originalità f. 1 originality; novelty; freshness; (*inventiva*) inventiveness: **o. d'idee**, originality of ideas 2 (*genuinità*) originality; genuineness: *Il marchio garantisce l'o. del*

prodotto, the mark is a guarantee of the genuineness of the product 3 (*bizzarria*) eccentricity; oddity: **una vecchia famosa per le sue o.**, an old woman noted for her eccentricities.

originalménte avv. 1 originally; in an original way 2 → **originariamente**.

originàre A v. t. to originate; to give* origin to; to give* rise to; to bring* about; to cause B v. i. e **originàrsi** v. i. pron. to originate; to arise*; to spring*; to stem.

originariaménte avv. originally; at first; in the beginning.

originàrio a. 1 (*nativo*) native, indigenous; (*primo*) first, original: *Il canguro è animale o. dell'Australia*, the kangaroo is native (*o* indigenous) to Australia; *Mio marito è o. dell'Austria*, my husband is of Austrian origin (*o* extraction); *È o. di Roma*, he comes from Rome; he is Roman by birth; **gli abitanti originari dell'isola**, the first (*o* original) inhabitants of the island 2 (*primitivo*, *autentico*) original; primitive: **la facciata originaria**, the original façade; *La statua ha perso i colori originari*, the statue has lost its original colours 3 (*che dà origine*) original; primary; first: **la causa originaria**, the originary (*o* primary) cause.

♦**orìgine** f. 1 (*principio*, *inizio*) origin, beginning, starting point; (*fonte*) source; (*radice*) root; (*causa*) cause: **l'o. del mondo**, the origin of the world; **l'o. della vita**, the origin of life; **le origini della civiltà**, the origins of civilization; **l'o. di un fiume**, the source of a river; **l'o. di una lite**, the cause of a quarrel; **l'o. di un male**, the cause of an illness; **avere o.** (*iniziare*), to originate; to begin; to arise; **avere o. da qc.**, to originate from (*o* in) st.; to arise from st.; to stem from st.; to have one's roots in st.; **dare o. a qc.**, to originate st.; to start st.; to give rise to st.; to cause st.; **risalire alle origini di qc.**, to trace st. back to its origins; **all'o.**, originally; **in o.**, in the beginning; originally 2 (*provenienza*) origin, provenance; (*derivazione*) derivation: **l'o. di una parola**, the derivation of a word; (*comm.*) **certificato d'o.**, certificate of origin; **luogo d'o.**, place of origin; **merce di dubbia o.**, goods of doubtful provenance; **parole di o. latina**, words derived from Latin; words of Latin derivation 3 (*estrazione*) origin, birth; (*stirpe*) extraction; (*discendenza*) descent: **di nobile o.**, of noble birth; **d'umile o.**, of humble origin; of low extraction; **una famiglia d'o. italiana**, a family of Italian origin; **un italiano di o. francese**, an Italian of French extraction; *Sono orgoglioso delle mie origini*, I am proud of my origins 4 (*mat.*) origin.

origliàre v. t. e i. to eavesdrop (on st.): **o. alla porta**, to eavesdrop from behind the door.

origlière m. (*lett.*) pillow.

orìna f. urine; water (*fam.*): **analisi dell'o.**, urine test.

orinàle m. chamber pot; urinal.

orinàre A v. i. to urinate; to pass water (*fam.*) B v. t. to urinate; to pass (*fam.*): **o. sangue**, to urinate (*o* to pass) blood.

orinàrio a. urinary.

orinatóio m. (public) urinal.

oriòlo m. (*zool.*, *Oriolus oriolus*) golden oriole.

Orìone m. (*mitol.*, *astron.*) Orion.

oristanése A a. of Oristano; from Oristano; Oristano (attr.) B m. e f. native [inhabitant] of Oristano.

orittèropo m. (*zool.*, *Orycteropus afer*) aardvark.

oriùndo a. - **essere o. italiano**, to have Italian origins; to be of Italian extraction; *Suo marito è o. di Enna*, her husband's fam-

ily comes from Enna; **piante oriunde del Brasile**, plants coming from Brasil.

orizzontàle Ⓐ a. **1** horizontal; level: **linea [piano]** o., horizontal line [plane]; (*sport*) **sbarra** o., horizontal (*o* high) bar; **in posizione o.**, in a horizontal position; horizontally; **mettere in posizione o.**, to place in a horizontal position (*o* horizontally); to lay flat; **mettersi in posizione o.**, to lie down; to lie flat; **portare in posizione o.**, to bring to a horizontal position **2** (*fig.*) horizontal: (*econ.*) **concentrazione o.**, horizontal merger; (*sociol.*) **mobilità o.**, horizontal mobility **3** (*nei cruciverba*) across: **la definizione del 5 o.**, the clue for 5 across Ⓑ f. (*spec. al pl.*) **1** (*nei cruciverba*) across **2** (*sport*) horizontal position.

orizzontalità f. horizontality; horizontal position.

orizzontalménte avv. (*rif. a posizione*) horizontally, level; (*rif. a misura*) across: **disporre qc. o.**, to place st. horizontally; to lay st. flat; *Il silo misura o. dieci metri*, the silo is ten metres across (*o* ten metres wide).

orizzontaménto m. **1** orientation **2** (*edil.*) ceiling.

orizzontàre Ⓐ v. t. to orient; to orientate; (*porre*) to position; (*rivolgere*) to turn, to rotate, to point Ⓑ **orizzontàrsi** v. rifl. **1** to get* (*o* to find*) one's bearings; to orient oneself; to orientate oneself: *Prima di ripartire cerchiamo di orizzontarci*, before setting out let's try and get our bearings; *Non riesco a orizzontarmi*, I've lost my bearings; I can't make out where I am **2** (*fig.: raccapezzarsi*) to orient oneself; to find* one's way about; (*in frasi neg., anche*) to make* head or tail (*of st.*) (*fam.*).

♦**orizzónte** m. **1** (*geogr.*) horizon; skyline: **o. visibile**, apparent (*o* visible) horizon; **apparire all'o.**, to appear on the horizon; **profilarsi all'o.**, to loom on the horizon; **scomparire all'o.**, to disappear below the horizon; **scrutare l'o.**, to scan the horizon; **sorgere sull'o.**, to rise above the horizon; **tramontare all'o.**, to sink below the horizon; **alto sull'o.**, high above the horizon; **un puntino all'o.**, a dot on the horizon **2** (*scient.*) horizon: (*astron.*) **o. astronomico**, true (*o* celestial) horizon; (*aeron., naut.*) **o. artificiale**, attitude indicator; (*fis.*) **o. degli eventi**, event horizon **3** (*fig.*) horizon: **l'o. politico**, the political horizon; **i nuovi orizzonti della scienza**, the new horizons in science; **ampliare il proprio o.**, to broaden one's horizons; **aprire nuovi orizzonti**, to open up new horizons (*o* new vistas); **avere orizzonti limitati**, to have limited horizons; to be narrow-minded; **fare un giro d'o.**, to make a general survey of st.; **profilarsi all'o.**, to be in sight; to appear on the horizon.

Orlàndo m. Roland.

orlàre v. t. **1** (*fare l'orlo a*) to hem; (*bordare*) to border, to edge; (*con un'applicazione*) to trim: **o. un fazzoletto**, to hem a handkerchief; **o. a giorno**, to hemstitch; **o. di pizzo**, to border (*o* to trim) with lace; **o. di pelliccia**, to trim with fur **2** (*circondare*) to border; to edge (generalm. al passivo); to run* along the edge of; (*una cosa rotonda*) to rim.

orlàto a. **1** (*fornito di orlo*) hemmed; (*bordato*) edged, bordered; (*con applicazione*) trimmed: **una sottoveste orlata di pizzo**, a petticoat bordered (*o* trimmed) with lace; a petticoat with a lace border; **o. di pelliccia**, trimmed with fur; **unghie orlate di nero**, black-edged nails **2** (*circondato*) bordered; edged; rimmed: **un'aiula orlata di violette**, a flower-bed bordered with pansies.

orlatóre m. (f. **-trice**) **1** (*operaio*) hemmer **2** (*macchina*) hemming machine; hemmer.

orlatùra f. (*l'orlare*) hemming; bordering; edging **2** (*orlo*) hem; (*bordo*) border,

edge: **o. a giorno**, hemstitch.

orleanìsta m. e f. Orleanist.

orléans (*franc.*) m. inv. (*ind. tess.*) orleans.

órlo m. **1** (*estremità, margine*) edge; border; margin; verge; brink; (*di cosa rotonda*) brim, rim, lip: **l'o. dell'acqua**, the water's edge; **l'o. d'un bicchiere**, the brim of a glass; **l'o. d'una brocca**, the lip of a jug; **l'o. d'un fosso**, the edge of a ditch; **o. del marciapiede**, kerb, curb (*USA*); **l'o. d'un precipizio**, the edge (*o* brink) of a precipice; **l'o. d'una scodella**, the rim (*o* lip) of a bowl; **l'o. d'un tappeto**, the border of a rug; **l'o. d'un tavolo**, the edge of a table; **l'o. d'un tetto**, the edge of a roof; (*di recipiente*) **pieno fino all'o.**, full to the brim **2** (*di vestito, tovaglia, ecc.*) hem, hemline; (*bordura*) border, trimming: **o. a giorno**, hemstitch; **o. arrotolato**, rolled hem; **o. di pizzo**, lace border; **o. ribattuto**, double hem; **fare l'o. a qc.**, to hem st.; **fare l'o. a giorno a qc.**, to hemstitch st.; **allungare [accorciare] l'o.**, to lower [to raise] the hemline; **pantaloni senza o.**, unhemmed trousers **3** (*mecc.*) edge; flange **4** (*fig.*) brink; edge; verge: **l'o. dell'abisso**, the brink of ruin; **sull'o. del fallimento**, on the edge of bankruptcy; **sull'o. della guerra**, on the brink of war; **sull'o. della pazzia**, on the edge of madness; **essere sull'o. della fossa**, to have one foot in the grave.

òrlon ® m. (*ind. tess.*) Orlon ®.

órma f. **1** (*pedata*) footprint; footmark; print; (*di animale*) print, (al pl.) (*tracce*) track (sing.), trail (sing.): **orme di scarponi**, boot prints; **orme di zampe**, paw prints; (*di cane*) **fiutare le orme**, to scent the trail; **lasciare le proprie orme sulla sabbia**, to leave one's footprints in the sand; (*fig.*) **mettersi sulle orme di q.**, to follow sb.'s track; (*fig.*) **seguire** (*o* **calcare**) **le orme di q.**, to follow in sb.'s footsteps **2** (*fig.: segno, impressione*) mark; trace; impression: *Quell'esperienza lasciò in lei un'o. indelebile*, that experience left an indelible impression on her **3** (al pl.) (*fig.: vestigia*) remains; traces; vestiges: **le orme d'una antica civiltà**, the traces (*o* vestiges) of an ancient civilization.

♦**ormài** avv. **1** (*rif. al presente*) by now; by this time; (*a questo punto*) at this point; (*adesso*) now; (*quasi*) almost, nearly: *Dovrebbe essere qui o.*, she should be here by now; *O. è tardi*, it's too late by now; it's already too late; *È un mese o. che è partito*, it's a month now since he left; *O. è tempo di concludere*, it is now time to conclude; *O. sei grande!*, you're a big boy [girl] now!; *O. non possiamo più fare niente*, it's too late to do anything now; *O. non posso più dire niente*, at this point I can't add a single word; (*iron.*) *O., per quel che m'importa!*, it's too late, and I no longer care; *O. siamo arrivati*, we're nearly there now **2** (*rif. al passato*) by then; by that time; already; (*a quel punto*) at that point: *O. era tardi*, by then it was late; *Lo cercai ma o. se n'era andato*, I looked for him, but he had already gone; *Era o. solo questione di pazienza*, at that point it was only a matter of waiting patiently.

ormàia f. wheel rut.

ormeggiàre v. t., **ormeggiàrsi** v. i. pron. (*naut.*) to moor; to make* fast; (*a una banchina*) to berth, to dock; (*a un molo*) to wharf: **ormeggiare una barca**, to moor a boat; **ormeggiare una nave**, to berth a ship; **ormeggiarsi a una banchina**, to berth at a quay; **ormeggiarsi di prua [di poppa]**, to moor head on [stern on].

orméggio m. (*naut.*) **1** (*manovra*) mooring, berthing, docking, wharfing; (*posizione*) mooring, moorings (pl.), berth; (*modo di ormeggiare*) mooring: **o. a barba di gatto**, two-arms mooring; **o. a ruota**, single mooring; **o. di poppa [di prua]**, stern-on [head-

-on] mooring; **o. in quattro**, fore-and-aft (*o* head and stern) mooring; **o. in rada**, open berth; **all'o.**, moored; **catena d'o.**, mooring chain; **cima d'o.**, mooring line; **diritti d'o.**, moorage; **pilone d'o.**, mooring post **2** (al pl.) (*cavi e catene di ormeggio*) moorings: **mollare** (*o* **salpare**) **gli ormeggi**, to slip moorings; to cast off (moorings); **rompere gli ormeggi**, to break one's moorings.

ormèsi f. (*med., biol.*) hormesis Ⓤ.

ormonàle a. (*med.*) hormonal; hormone (attr.): **attività o.**, hormonal activity; **cambiamenti ormonali**, hormonal changes; **squilibrio o.**, hormone imbalance; **terapia o.**, hormonal (*o* hormone) therapy; hormone treatment; **terapia o. sostitutiva**, hormone replacement therapy (abbr. HRT).

ormóne m. (*biol.*) hormone: **o. della crescita**, growth hormone.

ormònico → **ormonale**.

ormonoterapìa f. (*med.*) hormonal therapy; hormone treatment; (*in menopausa*) hormone replacement therapy (abbr. HRT).

ornamentàle a. ornamental; decorative: **fregio o.**, decorative frieze; **pianta o.**, ornamental plant.

ornamentazióne f. **1** (*l'ornamentare*) ornamentation; decorating **2** (*ornamenti*) ornamentation; ornament; decorations (pl.).

ornaménto m. **1** (*decorazione*) ornament Ⓤ; decoration; (*abbellimento*) embellishment: (*archit.*) **o. a ovoli e lancette**, egg-and-dart ornament; **ornamenti floreali**, floral ornament; **ornamenti retorici**, rhetorical embellishments; **una facciata ricca di ornamenti**, a façade rich in ornament; **sovraccarico di ornamenti**, overornate; overdecorated; *Le colonne sono di o.*, the columns are for ornament (*o* are merely decorative) **2** (*oggetto per adornare*) ornament; (*guarnizione*) trim, trimming; (*fronzolo*) frill **3** (*fig.: dote, virtù, cosa o persona che dà lustro*) ornament: **essere di o. a qc.**, to be an ornament to st. **4** (*mus.*) ornament; embellishment; grace note.

ornàre Ⓐ v. t. **1** to adorn; to embellish; to ornament; (*decorare*) to decorate; (*guarnire*) to trim; to trim: **o. una stanza di festoni**, to decorate (*o* to hang) a room with festoons; **o. un vestito con pizzi**, to trim a dress with lace; **o. le vie di bandierine**, to decorate the streets with bunting; **ornarsi i capelli con un fiore**, to adorn one's hair with a flower; *Foto e manifesti ornavano le pareti*, the walls were decorated with photos and posters **2** (*fig.*) to adorn: **o. l'anima di virtù**, to adorn one's soul with virtues Ⓑ **ornàrsi** v. rifl. to adorn oneself; to deck oneself out: **ornarsi di gioielli**, to adorn oneself with jewels.

ornatézza f. ornateness; (*eleganza*) elegance.

ornatìsta m. e f. ornamentalist.

ornativo a. ornamental; decorative.

ornàto① a. **1** (*adorno*) adorned; embellished; (*decorato*) decorated, decked (out); (*bordato*) trimmed: **una chiesa ornata di fiori**, a church decorated with flowers; **un salotto o. di quadri**, a drawing-room hung with paintings; **un vestito o. di pizzo**, a dress trimmed with lace; *Gli edifici erano ornati di bandiere e fiori*, buildings were decked out with flags and flowers **2** (*rif. allo stile*) ornate; flowery; florid: **scrittore o.**, ornate writer; **stile o.**, ornate (*o* flowery) style **3** (*fig.*) adorned: **o. di virtù**, adorned with virtues.

ornàto② m. **1** (*archit.*) ornament; ornamentation; decorations (pl.) **2** (*disegno*) ornamental design.

ornatóre m. (f. **-trice**) ornamenter.

ornatùra f. **1** (*l'ornare*) ornament; decoration **2** (*ornamenti*) ornamentation; decora-

tions (pl.).

orneblènda f. (*miner.*) hornblende.

ornèllo, **ornièllo** m. (*bot.*, *Fraxinus ornus*) manna ash; flowering ash.

ornìtico a. (*zool.*) avian; bird (attr.).

ornitìschio m. (*paleont.*) ornithischian.

ornitòfilo a. (*bot.*) bird-pollinated; ornithophilous.

ornitògalo m. (*bot.*, *Ornithogalum*) ornithogalum; star-of-Bethlehem.

ornitologìa f. ornithology.

ornitològico a. ornithological: **stazione ornitologica**, bird-watching post.

ornitòlogo m. (f. **-a**) ornithologist.

ornitomanzìa f. ornithomancy.

ornitorìnco m. (*zool.*, *Ornithorhynchus anatinus*) (duck-billed) platypus; ornithorhynchus (*scient.*).

ornitòsi f. (*med.*) ornithosis.

órno → **ornello**.

♦**òro A** m. **1** (*metallo*) gold: **oro a 18 carati**, 18-carat gold; **oro antico**, old gold; **oro bianco**, white gold; **oro di coppella**, 24-carat gold; **oro filato**, spun gold; **oro greggio**, unrefined gold; **oro in foglia**, gold foil; **oro in lingotti**, bullion; **oro in verghe**, bullion; **oro laminato**, rolled gold; **oro lavorato**, wrought gold; **oro rosso**, red gold; **oro massiccio**, solid gold; **oro musivo**, mosaic gold; **oro tipo**, standard gold; **oro vecchio**, old gold; **oro zecchino**, fine gold; **È d'oro**, it's (made of) gold; **miniera d'oro**, gold mine; **orologio d'oro**, gold watch; **pepita d'oro**, gold nugget; **polvere d'oro**, gold dust; **cerchiato d'oro**, gold-rimmed; **legare** (*o* **montare**) **in oro**, to set in gold; **pagare in oro**, to pay in gold; **placcare in oro**, to gold-plate **2** (*moneta aurea*) gold; (*estens.*: *denaro*, *ricchezza*) money, wealth, riches (pl.): **oro monetario**, coin gold; (*fig.*) **nuotare nell'oro**, to be rolling in money; *Non lo farei per tutto l'oro del mondo*, I wouldn't do it for all the money in the world; **sete dell'oro**, thirst for gold **3** (*arald.*) or **4** (al pl.) (*oggetti d'oro*) things made of gold; (*gioielli*) jewellery Ⓤ, jewels; (*posate*) gold plate Ⓤ **5** (al pl.) (*seme delle carte da gioco*) diamonds ● (*fig.*) **oro colato**, gospel truth: **prendere tutto per oro colato**, to take everything as gospel truth □ **oro matto**, Dutch metal (*o* gold); pinchbeck □ **oro nero** (*petrolio*), black gold □ **cercare oro**, (*sotto terra*) to dig for gold, to prospect; (*nei fiumi*) to pan for gold □ **cercatore d'oro**, golddigger □ (*fig.*) **comperare qc. a peso d'oro**, to pay a fortune for st. □ **corsa all'oro**, gold rush □ (*fig.*) **d'oro**, (*color dell'oro*) golden; (*ottimo*) golden, excellent, wonderful: **un affare d'oro**, a great bargain; (*fig.*) a golden opportunity; **fare affari d'oro** (**con qc.**), to do a roaring trade (in st.); **un anno d'oro per l'industria**, a golden year for industry; **un bambino d'oro**, a child who is as good as gold; **capelli d'oro**, golden hair; **un cuor d'oro**, a heart of gold; **l'epoca** (*o il periodo*) **d'oro di qc.**, the golden age of st.; the heyday of st.; **un marito d'oro**, a gem of a husband; **parole d'oro**, golden words; **occasione d'oro**, golden opportunity □ **età dell'oro**, golden age □ **febbre dell'oro**, gold fever □ **lettere d'oro**, gold letters □ **medaglia d'oro**, (*mil.*) gold medal for bravery; (*sport*) gold medal, gold (*fam.*) □ **nozze d'oro**, golden wedding □ (*mitol.*) **il vello d'oro**, the Golden Fleece □ **valere tanto oro quanto si pesa**, to be worth its weight in gold □ (*fig.*) **vendere qc. a peso d'oro**, to sell st. at a very high price □ (*prov.*) **Non è tutt'oro quel che riluce**, all that glitters is not gold **B** a. inv. gold: **giallo oro**, gold yellow.

orobànche f. (*bot.*, *Orobanche*) broomrape.

orofarìnge f. (*anat.*) oropharynx*.

orofaringèo a. (*anat.*) oropharyngeal.

orogènesi f. (*geol.*) orogeny; orogenesis.

orogenètico a. (*geol.*) orogenic.

orografìa f. **1** (*scienza e rappresentazione*) orography; orology **2** (*disposizione*) distribution of mountain ranges.

orogràfico a. orographic; orological.

oroidrografìa f. orohydrography.

oroidrogràfico a. orohydrographic.

orologerìa f. **1** watchmaking; clockmaking; horology **2** (*negozio*) watchmaker's (shop) **3** – **bomba a o.**, time-bomb; **congegno a o.**, timing device; timer.

orologiàio m. (f. **-a**) **1** (*fabbricante*) watchmaker; clockmaker **2** (*aggiustatore*) watch repairer; clock repairer **3** (*venditore*) watch seller; clock seller.

orologièro a. watch (attr.); clock (attr.).

♦**orològio** m. clock; (*indossabile*) watch; (*tecn. o stor.*) timepiece; (*di meccanismo a orologeria*) clock: **o. ad acqua**, water clock; **o. a carica automatica**, self-winding watch; **o. a carillon** (*o con soneria*), chiming clock; **o. a cronometro**, stopwatch; timer; **o. a cucù**, cuckoo clock; **o. a pendolo**, pendulum clock; **o. a peso**, weight clock; **o. al quarzo**, quartz watch [clock]; **o. a ripetizione**, repeater; **o. a sabbia**, hourglass; sandglass; **o. a sveglia**, alarm clock; **o. astronomico**, astronomical clock; **o. atomico**, atomic clock; **un o. che spacca il minuto**, a watch [clock] that keeps perfect time; **o. da polso**, wristwatch; **o. da tasca**, pocket-watch; **o. da taschino**, vest-pocket watch; **o. da tavolo**, table-clock; **o. di precisione**, chronometer; **o. digitale**, digital watch [clock]; **o. marcatempo**, time clock; **o. solare**, sundial; **o. subacqueo**, waterproof watch; *L'o. s'è fermato*, the clock has stopped; *L'o. del campanile suonò le tre*, the clock on the belltower struck three; *Il mio o. è* [*non è*] *preciso*, my watch keeps [does not keep] good time; *Il mio o. è avanti* [*indietro*] *di due minuti*, my watch is two minutes fast [slow]; *Che ora fa il tuo o.?*, what time is it by your watch?; *Il mio o. va avanti* [*resta indietro*] *due minuti al giorno*, my watch gains [loses] two minutes a day; **caricare un o.**, to wind up a clock [a watch]; **guardare** (*o consultare*) **l'o.**, to look at the watch; **mettere un o. all'ora esatta**, to set a clock [a watch]; **mettere avanti un o.**, to put a watch [clock] forward; **mettere indietro un o.**, to set a watch [clock] back; **regolare un o.**, to regulate a watch [clock]; **cassa dell'o.**, watchcase; **catena dell'o.**, watch-chain; **lancette dell'o.**, watch [clock] hands; **vetro dell'o.**, watch-glass ● (*biol.*) **o. biologico**, biological clock □ (*zool.*) **o. della morte** (*Anobium punctatum*), death-watch □ (*fig.*) **essere un o.**, to be as regular as clockwork; (*essere metodico*) to keep regular hours; (*essere puntuale*) to be always on the dot □ **funzionare come un o.**, to run like clockwork □ **nel senso contrario alle lancette dell'o.**, counter-clockwise; anticlockwise □ **nel senso delle lancette dell'o.**, clockwise □ **un'ora d'o.**, a whole hour; exactly one hour □ (*fig.*) **stare con l'o. in mano**, to be a stickler for punctuality.

oronasàle a. (*anat.*) mouth-and-nose (attr.); oronasal.

oronimìa f. (*ling.*) study of the names of mountains and mountain ranges.

orònimo m. (*ling.*) mountain name.

Orónte m. (*geogr.*) Orontes.

oroscopìa f. horoscopy.

oroscòpico a. horoscopic.

oròscopo m. **1** horoscope: **credere all'o.**, to believe in one's horoscope; **fare l'o. di qc.**, to cast sb.'s horoscope **2** (*pronostico*) forecast; prediction.

orosolùbile a. (*farm.*) that melts in the mouth.

orpellàre v. t. (*lett.*) **1** to cover with pinchbeck **2** (*fig.*) to gild; to tinsel.

orpellatùra f. **1** covering with pinchbeck **2** (*fig.*) gilding; tinselling.

orpèllo m. **1** (*metall.*) pinchbeck; Dutch metal (*o* gold) **2** (*fig.*) tinsel Ⓤ; show **3** (al pl.) (*fronzoli*) frills.

orpiménto m. (*miner.*) orpiment.

orrèndo a. **1** (*che desta orrore*) horrible; horrific; hideous; atrocious; ghastly: **delitto o.**, hideous crime; **scena orrenda**, horrific (*o* ghastly) scene **2** (*molto brutto*, *pessimo*) horrible; horrid; hideous; ghastly: **musica orrenda**, horrible music; **dire cose orrende**, to say horrid things.

♦**orrìbile** a. **1** (*che fa inorridire*) horrible; hideous; atrocious: **un o. delitto**, a horrible (*o* hideous, heinous) crime; **una morte o.**, a horrible death; **una prigione o.**, a horrible prison **2** (*terribile*) terrible; awful; dreadful; horrid: **un o. frastuono**, an awful noise; a terrible din; **un puzzo o.**, a horrid smell **3** (*bruttissimo*, *pessimo*) awful; dreadful; ghastly; horrendous; shocking: **calligrafia o.**, awful handwriting; **cibo o.**, dreadful food; **maniere orribili**, shockingly bad manners; **tempo o.**, dreadful weather; *Ha un aspetto o.*, she looks dreadful (*o* ghastly).

òrrido A a. horrid; hideous; awful: **un o. precipizio**, a horrid precipice; **sapore o.**, awful taste; **tempo o.**, awful weather **B** m. ravine; precipice.

orripilànte a. hair-raising; horrifying; hideous.

orripilàre v. i. (*lett.*) to be horrified.

orripilazióne f. (*med.*) horripilation.

♦**orróre** m. **1** horror; (*ripugnanza*) disgust, repugnance, abhorrence; (*terrore*) dread, terror: **l'o. della guerra**, the horror of war; **sacro o.**, awe; *Ho o. dei ragni*, I have a horror of spiders; **Ho o. del sangue**, I hate the sight of blood; **avere un sacro o. di qc.**, to be in awe of st.; (*fig. scherz.*) to hate the sight of st.; **avere qc. in o.**, to abominate st.; to abhor st.; **destare o.**, to fill (sb.) with horror; to inspire horror; **una vista che desta o.**, a horror-inspiring (*o* horrifying) sight; **arretrare per l'o.**, to step back in horror; **rabbrividire d'o.**, to shudder with horror; *Mi faceva o.*, it filled me with horror; it horrified me; **preso** (*o colto*) **da o.**, struck with horror (*o* terror), horror-stricken; horror-struck; **film dell'o.**, horror film **2** (*atrocità*) atrocity; (*cosa orribile*) horror, awful thing, monstrosity; (*di edificio*) eyesore: **gli orrori della guerra**, the atrocities of war; **un luogo pieno di orrori**, a place full of horrors; a chamber of horrors; *Il suo vestito era un o.*, her dress was atrocious; *Che o.!*, that's horrible!; *Che o. di donna!*, what a horrible woman!

órsa f. **1** (*zool.*) she-bear **2** (*astron.*) – **l'O. maggiore**, the Great Bear; Ursa Major; the Plough; the Dipper (*USA*); **l'O. minore**, the Little Bear; Ursa Minor.

orsacchiòtto m. **1** (*zool.*) bear cub; young bear **2** (*giocattolo*) teddy bear; teddy.

orsàggine f. (*scarsa socievolezza*) surliness; bearish manners (pl.).

orsàtto m. bear cub; young bear.

orsétto m. **1** (*orso di piccola taglia*) small bear; (*cucciolo*) bear cub **2** (*pelliccia*) wildcat fur **3** – (*zool.*) **o. lavatore** (*Procyon lotor*), raccoon; coon (*fam.*).

orsìno a. ursine; bear-like.

♦**òrso** m. **1** (*zool.*) bear: **o. bruno** (*Ursus arctos*), brown (*o* cinnamon) bear; **o. dell'Alaska** (*Ursus arctos middendorffi*), Kodiak bear; (*paleont.*) **o. delle caverne**, cave bear; **o. giocoliere** (*Melursus ursinus*), sloth bear; **o.**

grigio (*Ursus horribilis*), grizzly (bear); **o. malese** (*Helarctos malayanus*), (Malayan) sun bear; **o. polare** (*o bianco*) (*Thalarctos maritimus*), polar (*o white, sea*) bear; **caccia all'o.**, bear-hunting; **pelle d'o.**, bearskin **2** (*fig.*: *persona poco socievole*) unsociable person; surly person; bear: *Non fare l'o.!*, don't be so unsociable! **3** (*gergo di Borsa*) bear • **o. di peluche**, teddy bear; teddy □ **ballare come un o.**, to dance like an elephant (*prov.*) **Non vendere la pelle dell'o. prima di averlo preso**, don't count your chickens before they're hatched.

Òrsola f. Ursula.

orsolìna a. e f. (*eccles.*) Ursuline.

orsù inter. come on: *O., andiamo!*, come on, let's go!

ortàggio m. vegetable: *Le carote, i cavoli e i piselli sono ortaggi*, carrots, cabbages and peas are vegetables.

ortàglia f. **1** (*orto*) vegetable garden; kitchen garden **2** → **ortaggio**.

ortènsia f. (*bot.*, *Hydrangea hortensia*) hydrangea.

Ortènsia f. Hortense; Hortensia.

ortèsi f. (*med.*) orthesis.

ortìca f. (*bot.*, *Urtica dioica*) stinging nettle; nettle: **pungersi con le ortiche**, to be stung by nettles; *Avevo le mani tutte punte dalle ortiche*, my hands were badly stung by nettles; **puntura di o.**, nettle sting • (*fig.*) **gettare alle ortiche**, to throw away □ (*fig.*) **gettare la tonaca alle ortiche**, to unfrock oneself □ **un luogo in cui crescono le ortiche**, a place overgrown with weeds.

ortìcaio m. nettle-bed.

orticànte a. urticating; stinging.

orticària f. (*med.*) nettle-rash; hives (vb. al sing. o al pl.); urticaria (*scient.*): *Il cioccolato mi fa venire l'o.*, chocolate brings me out in a nettle-rash.

ortìcolo a. horticultural; vegetable: **mostra orticola**, horticultural show; **prodotti orticoli**, vegetable produce.

orticoltóre m. (f. **-trìce**) horticulturist; market gardener.

orticoltùra f. horticulture; market gardening.

òrticon, orticonoscòpio m. (*TV*) (image) orthicon.

ortìvo① a. (*agric.*) vegetable (attr.); garden (attr.): **pianta ortiva**, vegetable; **terreno o.**, vegetable garden; garden land.

ortìvo② a. (*astron.*) rising: **punto o.**, rising point.

♦**òrto**① m. (*domestico*) kitchen garden, vegetable garden; (*di orticoltore*) market garden, truck farm (*USA*): **prodotti dell'o.**, garden products • **o. botanico**, botanical garden (*o gardens*) □ **l'o. di Getsemani**, the Garden of Gethsemane □ (*bot.*) **o. secco**, herbarium; hortus siccus (*lat.*) □ (*fig.*) **coltivare il proprio o.**, to tend one's garden □ (*fig.*) **la via dell'o.**, the easiest way □ (*fig.*) **star coi frati a zappare l'o.**, to swim with the tide.

òrto② m. (*poet.*) **1** (*sorgere di un astro*) rising **2** (*oriente*) east; orient (*lett.*).

ortocèntrico a. (*mat.*) orthocentric.

ortocèntro m. (*mat.*) orthocentre, orthocenter (*USA*).

ortoclàsio m. (*miner.*) orthoclase.

ortocromàtico a. (*fotogr.*) orthochromatic.

ortodontìa → **ortodonzia**.

ortodòntico a. (*med.*) orthodontic.

ortodontìsta m. e f. orthodontist.

ortodonzìa f. (*med.*) orthodontics (pl. col verbo al sing.); orthodontia.

ortodossìa f. (*relig.* e *fig.*) orthodoxy.

ortodòsso **A** a. **1** (*relig.*) orthodox; Orthodox: **la Chiesa Ortodossa**, the (Eastern)

Orthodox Church; **l'ebraismo o.**, Orthodox Judaism; **un ebreo o.**, an orthodox Jew **2** (*estens.*) orthodox: **dottrine ortodosse**, orthodox doctrines; **metodi ortodossi**, orthodox methods; **non o.**, unorthodox, irregular **B** m. (f. **-a**) (*relig.*) member of the Eastern Orthodox Church.

ortodromìa f. (*naut.*) great circle arc; orthodrome.

ortodròmico a. (*naut.*) great circle (attr.): **linea ortodromica**, great circle arc; orthodrome; **navigazione ortodromica**, great circle sailing; **rotta ortodromica**, great circle route (*o* track, path).

ortoepìa f. (*ling.*) orthoepy.

ortoèpico a. (*ling.*) orthoepic.

ortofloricoltùra f. vegetable and flower growing.

ortoflorofruttìcolo a. vegetable, fruit and flower (attr.): **mercato o.**, vegetable, fruit and flower market.

ortoflorofrutticoltùra f. vegetable, fruit and flower growing.

ortofonìa f. **1** (*med.*) speech therapy **2** (*ling.*) correct enunciation; correct pronounciation.

ortofonìsta m. e f. (*med.*) speech therapist.

ortofrenìa f. (*psic.*) orthopsychiatry.

ortofrènico a. (*psic.*) orthopsychiatric.

ortofrùtta f. fruit and vegetables (pl.); market-garden produce (pl.): **mercato di o.**, fruit and vegetable market; **il settore dell'o.**, market-garden produce.

ortofruttìcolo a. fruit and vegetable (attr.); market-garden (attr.): **mercato o.**, fruit and vegetable market.

ortofrutticoltóre m. (f. **-trìce**) market gardener; truck farmer (*USA*).

ortofrutticoltùra f. market gardening; truck farming (*USA*).

ortogènesi f. (*biol.*) orthogenesis.

ortogenètico a. (*biol.*) orthogenetic.

ortognatìsmo m. (*antrop.*) orthognathism; orthognathy.

ortognàto a. (*antrop.*) orthognathous.

ortogonàle a. (*geom.*) orthogonal; at right angles: **proiezione o.**, orthogonal projection; **vettore o.**, orthogonal vector; *I raggi sono ortogonali al piano di proiezione*, the rays are at right angles to the plane of projection.

ortogonalità f. (*geom.*) orthogonality.

ortogonalménte avv. (*geom.*) orthogonally; at right angles.

ortografìa f. (*ling.*) orthography; spelling: **l'o. italiana**, Italian spelling; **sbagliare l'o. di una parola**, to misspell a word; **errore d'o.**, spelling mistake; **fare errori di o.**, to make spelling mistakes.

ortogràfico a. **1** orthographic; spelling (attr.): (*comput.*) **controllore o.**, spelling checker; spellcheck; spellchecker; **errore o.**, spelling mistake; **regole ortografiche**, rules of spelling **2** – **proiezione ortografica**, orthographic projection; orthography.

ortolàno **A** m. (f. **-a**) **1** (*agric.*) market gardener; truck farmer (*USA*) **2** (*negoziante*) greengrocer **3** (*zool.*, *Emberiza hortulana*) ortolan **B** a. market-garden (attr.).

ortologìa f. (*ling.*) orthology.

ortomercàto m. fruit and vegetable market.

ortomètrico a. (*scient.*) perpendicular; orthogonal.

ortopanoràmica f. (anche agg.: **radiografia o.**) orthopantomography.

ortopedìa f. (*med.*) orthopaedics (pl.) (col verbo al sing.).

ortopèdico (*med.*) **A** a. orthopaedic; (*correttivo*, anche) surgical: **apparecchio o.**, or-

thopaedic appliance; **busto o.**, corset; **calze ortopediche**, surgical stockings; **chirurgia ortopedica**, orthopaedic surgery; **collare o.**, orthopaedic collar; **scarpa ortopedica**, surgical boot **B** m. orthopaedist.

ortopnèa f. (*med.*) orthopnaea.

ortorómbico a. (*miner.*) orthorhombic.

ortosimpàtico m. (*anat.*) sympathetic system.

ortòsio m. (*miner.*) orthoclase.

ortostàtico a. (*med.*) orthostatic.

ortostatìsmo m. (*med.*) upright posture.

ortòtomo m. (*zool.*, *Orthotomus sutorius*) tailorbird.

ortòtono m. (*med.*) orthotonus.

ortòttero m. (*zool.*) orthopteran; (al pl., *scient.*) Orthoptera.

ortòttica f. (*med.*) orthoptics (pl. col verbo al sing.).

ortòttico① a. (*med.*) orthoptic.

ortòttico② a. (*med.*) orthoptic.

ortottìsta m. e f. (*med.*) orthoptist.

òrza f. (*naut.*) **1** (*fianco della nave sopravvento*) weather (*o* windward) side: **andare [venire] all'o.**, to haul up; to luff (up); **tenersi all'o.**, to keep close to the wind; to keep one's luff **2** (*cima*) luff-tackle; bowline.

orzaiòlo m. (*med.*) sty.

orzàre v. t. e i. (*naut.*) to haul up; to luff (up): *O.!*, down the helm!; luff (the helm)!; *O. tutto!*, helm's alee!

orzàta① f. **1** (*acqua d'orzo*) barley water **2** (*sciroppo di mandorle*) orgeat.

orzàta② f. (*naut.*) luffing (up).

orzàto a. made with barley; barley (attr.).

orzièro a. (*naut.*) griping: **essere o.**, to gripe.

òrzo m. (*bot.*, *Hordeum vulgare*) barley: **o. mondo**, hulled barley; **o. perlato**, pearl barley; **acqua d'o.**, barley water; **chicco d'o.**, barleycorn; **farina d'o.**, barley meal; **zucchero d'o.**, barley sugar.

osànna **A** inter. hosanna: **cantare o.**, to sing hosanna **B** m. inv. (*acclamazione*) hosanna; cheer; cheering □ **gli o. della folla**, the cheers of the crowd.

osannàre **A** v. i. **1** (*relig.*) to sing* hosanna **2** (*acclamare*) to cheer **B** v. t. (*acclamare, lodare*) to cheer; to acclaim; to applaud; to hail: **o. il vincitore**, to hail the winner; *La folla lo osannava*, the crowd cheered him; *È stato osannato dalla critica*, he was acclaimed by the critics.

osannàto a. applauded; praised: **un romanzo molto o.**, a highly praised novel.

♦**osàre** v. t. e i. **1** to dare*; to venture: *Mi chiedo come abbia osato dire cose simili*, I wonder how he dared to say such things; *Come osi venire qui?*, how dare you come here?; *Vorrebbe ma non osa*, she'd love to, but she daren't (*o* doesn't dare); *Non ho mai osato chiederglielo*, I never dared (to) ask him; *Non osai andare*, I did not dare to go; I dared not go; *Guai a te se osi!*, don't you dare!; *Se posso osare dire la mia opinione...*, if I may venture my opinion...; *Oso dire che...*, I venture to say that...; *Oso sperare che...*, I would hope that... ● **❶ Nota: to dare** → **to dare 2** (*arrischiare*) to risk; to venture; (*tentare*) to attempt: **o. l'impossibile**, to attempt the impossible; **o. il tutto per tutto**, to risk one's all.

Òscar® m. **1** (*cinem.*) Oscar: **premio O.**, Academy Award; Oscar; **vincere l'O. come miglior attore**, to win the Oscar for Best Actor; **essere candidato all'O.**, to have been nominated for an Oscar **2** (*primo premio*) first prize; award.

oscenità f. **1** (*l'essere osceno*) obscenity; indecency; lewdness **2** (*detto osceno, azione oscena*) obscenity; filth □ **dire o.**, to utter ob-

a b c d e f g h i j k l m n o p q r s t u v w x y z

scenities; to talk filth; *Non voglio che i bambini vedano queste o.*, I don't want the children to see such filth **3** (*opera brutta*) monstrosity; abortion (*fam.*); (*di edificio e sim.*, *anche*) eyesore: *Il monumento è un'o.*, the monument is a monstrosity.

oscèno a. **1** (*indecente, sconcio*) obscene; indecent; filthy; lewd: **danze oscene**, obscene dances; **discorsi osceni**, filth Ⓤ; smut Ⓤ; **gesto o.**, obscene (*o* lewd) gesture; **libro o.**, obscene book; **parole oscene**, obscene (*o* filthy) words; **pubblicazioni oscene**, obscene publications; filth Ⓤ; smut Ⓤ; (*leg.*) **atti osceni**, indecent behaviour Ⓤ **2** (*ripugnante*) abominable; loathsome **3** (*fam.*: *pessimo*) awful; horrible; monstrous.

oscillànte a. **1** oscillating; swinging, swaying; wavering **2** (*variabile*) fluctuating: **prezzi oscillanti**, fluctuating prices **3** (*fig.*: *incerto*) hesitating; wavering; (*tentennante*) dithering **4** (*elettr., radio*) oscillating; oscillatory: (*radio*) **circuito o.**, oscillatory circuit; **corrente o.**, oscillating current.

oscillàre v. i. **1** to swing*; to sway; to oscillate; to waver; (*dondolare*) to rock; (*trabalare*) to totter: *La corda oscillava*, the rope was swinging; *L'ago oscillò per qualche secondo e si fermò*, the needle oscillated (*o* wavered) for a few seconds, then stopped; *Il vaso oscillò e cadde*, the vase tottered and fell; **o. tra gioia e paura**, to swing (*o* to alternate) between joy and fear; **fare o.**, to swing; to set* swinging; to dangle; to rock; *L'esplosione fece o. i lampadari*, the blast set the chandeliers swinging; *Mi fece o. l'orologio sotto il naso*, he dangled the watch under my nose; *Non fate o. la barca*, don't rock the boat **2** (*fig.*: *variare*) to vary; (*essere instabile*) to fluctuate, to be unsteady: *L'euro continua a o.*, the euro keeps fluctuating; *I prezzi oscillano*, prices are unsteady; (*fin.*) **o. liberamente**, to float independently **3** (*fig.*: *essere incerto*) to hesitate; to waver; (*tentennare*) to dither: **o. fra due opinioni diverse**, to waver between two different opinions.

oscillatóre m. (*elettr., radio*) oscillator: **o. a battimenti**, beat-frequency oscillator; **o. a rilassamento**, blocking oscillator; **o. a valvola**, valve oscillator; **o. acustico**, audio oscillator; **o. di Hertz**, Hertzian oscillator; **o. in controfase**, push-pull oscillator; **o. pilota**, master (*o* pilot) oscillator.

oscillatòrio a. (*fis., mecc.*) oscillatory: **moto o.**, oscillatory motion.

oscillazióne f. **1** (*fis., mat.*) oscillation; vibration: **o. di torsione**, torsional vibration; **o. forzata**, forced oscillation; **o. persistente**, sustained oscillation; **o. smorzata**, damped oscillation; (*geol.*) **oscillazioni glaciali**, glacier oscillations; **ampiezza dell'o.**, oscillation amplitude **2** (*variazione*) variation; fluctuation: **o. dei cambi**, fluctuation of the exchange rates; **o. dei prezzi**, price fluctuation; price variation; **le oscillazioni della temperatura**, temperature variations **3** (*ondeggiamento*) oscillation; swinging; swing; swaying; (*dondolio*) rocking: **le oscillazioni d'un pendolo**, the oscillations of a pendulum; **le oscillazioni di una nave**, the rocking of a ship **4** (*ginnastica*) leg circle.

oscillografìa f. (*fis.*) oscillography.

oscillogràfico a. (*fis.*) oscillographic.

oscillògrafo m. (*fis.*) oscillograph: **o. a raggi catodici**, cathode-ray oscillograph.

oscillogràmma m. (*elettr.*) oscillogram.

oscillometrìa f. (*med.*) oscillometry.

oscillòmetro m. (*med., naut.*) oscillometer.

oscilloscòpio m. (*fis.*) oscilloscope: **o. a doppia traccia**, dual-trace oscilloscope.

Òscini m. pl. (*zool., Oscines*) Oscines.

òsco a. e m. (*stor.*) Oscan.

òsco-ùmbro a. e m. Osco-Umbrian.

osculàre v. t., **osculàrsi** v. rifl. recipr. (*mat.*) to osculate.

osculatóre a. (*mat.*) osculating; osculatory.

osculazióne f. (*mat.*) osculation.

òsculo m. (*zool.*) osculum*.

oscuraménte avv. obscurely; darkly; (*misteriosamente*) mysteriously; (*senza notorietà*) in obscurity.

oscuraménto m. obscuring; darkening; dimming; clouding; (*in guerra*) blackout.

oscurantìsmo m. obscurantism.

oscurantìsta m. e f. obscurantist.

oscurantìstico a. obscurantist.

oscuràre Ⓐ v. t. **1** (*rendere oscuro*) to obscure; to darken; to dim; to black out; to cloud; to overshadow; (*schermare*) to screen, to shade: **o. un ambiente**, to darken (*o* to black out) a room; **o. una lampada**, to screen a lamp; **o. la mente**, to cloud the mind; *La nuvola oscurò il sole*, the cloud obscured the sun; *Nuvoloni oscurarono l'orizzonte*, storm clouds darkened the horizon **2** (*superare in luminosità*) to outshine* **3** (*TV*) to black out **4** (*rendere poco chiaro*) to cloud; to confuse: *Le sue spiegazioni hanno oscurato le cose*, his explanations have clouded the issue **5** (*fig.*: *mettere in ombra*) to obscure; to overshadow; to eclipse: **o. la fama di q.**, to eclipse sb.'s fame; **o. il trionfo di q.**, to obscure sb.'s triumph Ⓑ v. i. (*lett.*) to become* (*o* to grow*, to get*) dark Ⓒ **oscuràrsi** v. i. pron. **1** (*diventare scuro*) to become* (*o* to grow*, to get*) dark; to darken; to cloud over; to grow* dim: *Il cielo si oscurò*, the sky clouded over; *Si oscurò in viso*, his face darkened; *La vista mi si oscura*, my sight is growing dim **2** (*fig.*) to be obscured: *La sua fama non tarderà a oscurarsi*, his fame will soon be obscured.

oscuratóre Ⓐ a. obscuring; darkening; dimming Ⓑ m. **1** (*naut.*) deadlight **2** (*aeron.*) hard shade.

♦**oscurità** f. **1** (*tenebre*) darkness: **l'o. della notte** [**delle strade, di una stanza**], the darkness of the night [of the streets, of a room]; **piombare nell'o.**, to be plunged in darkness; **avvolto nell'o.**, wrapped in darkness **2** (*fig.*: *non intelligibilità*) obscurity: **l'o. d'un testo**, the obscurity of a text **3** (*fig.*: *scarsa fama*) obscurity: **vivere nell'o.**, to live in obscurity.

♦**oscùro** Ⓐ a. **1** (*buio, scuro*) dark; (*del cielo, anche*) overcast: **foresta oscura**, dark wood; **una notte oscura**, a dark night; **una stanza oscura**, a dark room **2** (*difficile a comprendersi*) obscure, unclear, dark; (*misterioso*) mysterious, strange: **brano o.**, obscure passage; obscurity; **circostanze oscure**, mysterious circumstances; **il lato o. delle cose**, the dark side of things; **parole oscure**, obscure words; **i punti oscuri di una vicenda**, the obscure aspects of a story **3** (*fig.*: *difficile*) hard; difficult: **futuro o.**, difficult future; **tempi oscuri**, hard times **4** (*non noto*) obscure; unknown; (*umile*) humble, lowly: **una morte oscura**, an obscure death; **un o. villaggio**, an obscure village; **di origini oscure**, of humble birth **5** (*fosco, cupo, bieco*) dark; sombre; gloomy; sinister: **oscuri pensieri**, dark thoughts; **oscuri presagi**, sinister omens; forebodings; *Il suo viso si fece o.*, his face darkened Ⓑ m. dark: **essere completamente all'o. di qc.**, to be entirely in the dark about st.; **rimanere all'o.**, to be left in the dark about st.; **tenere q. all'o. di qc.**, to keep sb. in the dark about st.

osé (*franc.*) a. inv. risqué (*franc.*); off colour; racy; naughty.

Osìride m. (*relig.*) Osiris.

oṣmànico a. Osmanli; Ottoman.

oṣmànli a. e m. Osmanli; Ottoman.

oṣmidròṣi f. (*med.*) osmidrosis.

òṣmio m. (*chim.*) osmium.

oṣmòforo a. (*chim.*) osmophoric.

oṣmòmetro m. osmometer.

oṣmòṣi f. (*fis.* e *fig.*) osmosis: **sottoporre a o.**, to subject to osmosis; to osmose.

oṣmotattìṣmo m., **oṣmotàṣṣi** f. (*biol.*) osmotaxis.

oṣmòtico a. (*fis.*) osmotic: **pressione osmotica**, osmotic pressure.

oṣmùnda f. (*bot., Osmunda regalis*) osmunda; royal fern.

OSO sigla (*geogr.*, **ovest-sud-ovest**) west-south-west (WSW).

♦**ospedàle** Ⓐ m. hospital: **o. da campo**, field hospital; **o. pediatrico**, children's hospital; **o. psichiatrico**, psychiatric hospital; *Mia sorella è ancora in o.*, my sister is still in hospital; **essere portato all'o.**, to be taken to hospital; *Andai a trovarlo all'o.*, I went to see him in hospital; **lavorare in un o.**, to work at a hospital; **morire all'o.**, to die in hospital; **ricoverare in ospedale**, to admit to hospital; to hospitalize; **infermiera d'o.**, hospital nurse ● **o. delle bambole**, dolls' hospital □ (*scherz.*) **essere un o. ambulante**, to have all sorts of things wrong with one □ **mandare q. all'ospedale**, (*scherz.*) to land sb. in hospital; (*eufem.*) to beat sb. up Ⓑ a. inv. hospital (*attr.*): **nave o.**, hospital ship; **treno o.**, hospital train.

ospedalièro, **ospedalière** Ⓐ a. hospital (*attr.*): **assistenza ospedaliera**, hospital care; **istituto o.**, hospital; **personale o.**, hospital staff; **ricovero o.**, hospitalization; stay in hospital ● **Cavalieri Ospedalieri**, Knights Hospitallers Ⓑ m. (f. **-a**) **1** hospital worker **2** (*eccles.*) hospitaller.

ospedalìṣmo m. (*med.*) hospitalism.

ospedalità f. (*bur.*) hospitalization.

ospedalizzàre v. t. to admit to hospital; to send* to hospital; to hospitalize.

ospedalizzazióne f. admission to hospital; hospitalization.

ospitàle a. hospitable: **accoglienza o.**, hospitable reception; friendly welcome; **paese o.**, hospitable country; **persona o.**, hospitable person.

ospitalità f. hospitality: **dare** (*o* **offrire**) **o. a q.**, to give (*o* to offer) sb. hospitality; (*dare rifugio*) to give* sb. shelter, to take* sb. in; (*alloggiare*) to lodge sb., to accommodate sb., to put sb. up (*fam.*); **dare o. a qc.** (*su giornale, ecc.*) to publish st.; to carry; **abusare dell'o. di q.**, to outstay one's welcome; **trovare o. presso q.**, to be given hospitality by sb.; to be made welcome by sb.; **i doveri dell'o.**, a host's duties.

ospitànte Ⓐ a. **1** host **2** (*sport*) home (*attr.*): **squadra o.**, home team Ⓑ m. e f. host (m.); hostess (f.).

♦**ospitàre** v. t. **1** to give* hospitality to; to have as a guest; (*dare rifugio*) to give* shelter to, to take* in; (*dare alloggio*) to lodge, to accommodate, to house; to put* up (*fam.*); (*accogliere*) to welcome: *Saremo felici di ospitarti*, we look forward to having you as our guest (*o* having you staying with us); *Mi ospita un amico*, I'm staying with a friend; **o. rifugiati politici**, to take in political refugees; *I superstiti furono ospitati in una scuola*, the survivors were lodged in a school; *L'albergo può o. 500 persone*, the hotel can accommodate 500 guests; *Per qualche giorno ti posso o. io*, I can put you up for a few days; *L'Italia ospita ogni anno milioni di turisti*, Italy welcomes millions of tourists every year **2** (*un congresso, un campionato, ecc.*) to play host to; to host: *Sydney ha ospitato le Olimpiadi del 2000*, Sydney played host to the year 2000 Olympics **3**

(*sport*) to play at home against: *La Lazio ospiterà il Milan domenica prossima*, Lazio will play at home against Milan next Sunday **4** (*contenere*) to contain; to house; to hold*: *Il nostro museo ospita quadri famosi*, our museum contains some famous pictures **5** (*pubblicare*) to publish; to carry.

ospitata f. (*slang*, *TV*) (celebrity) guest appearance.

♦**òspite** A m. e f. **1** (*chi ospita*) host (m.); hostess (f.) **2** (*chi è ospitato*) guest; (*di albergo, anche*) resident; (*visitatore, turista*) visitor, tourist: (*anche radio, TV*) **o. d'onore**, special guest; **o. di riguardo**, important guest; **o. gradito** [**sgradito**], welcome [unwelcome] guest; **o. pagante**, paying guest; **avere ospiti** (*a cena, ecc.*), to have guests, to entertain (*form.*); (*per qualche giorno*) to have guests staying at one's place (*o* with one); **essere o. da qc.**, to be a guest at sb.'s place; to stay with sb.; **ricevere gli ospiti**, to welcome one's guests; **asciugamano per ospiti**, guest towel; **camera degli ospiti**, guest room **3** (*biol.*) host ● **partirsene insalutato o.**, to leave without saying goodbye; (*scappare*) to disappear, to decamp □ (*prov.*) **L'o. è come il pesce, dopo tre giorni puzza**, fish and guests smell in three days B a. **1** (*che ospita*) host (attr.): **nazione o.**, host nation **2** (*che è ospitato*) guest (attr.); visiting: **lavoratore o.**, guest worker; (*sport*) **squadra o.**, visiting team.

ospìzio m. **1** home; hospice; charitable institution: **o. di mendicità**, poor people's home; (*un tempo*) poorhouse, almshouse; **o. per i ciechi**, home for the blind; **o. per i trovatelli**, foundling hospital; **o. per vecchi**, old people's home; **finire all'o.**, to end up in a home **2** (*stor., per pellegrini*) hospice.

ospodàro m. (*stor.*) hospodar.

ossalàto m. (*chim.*) oxalate.

ossàlico a. (*chim.*) oxalic: **acido o.**, oxalic acid.

ossàlide f. (*bot., Rumex acetosa*) sorrel; dock.

ossalùria f. (*med.*) oxaluria.

ossàme m. **1** (*lett.*) heap of bones **2** (*naut.*) framework ⬚.

ossàrio m. ossuary; (*stor.*) charnel house.

ossatùra f. **1** (*anat.*) skeleton; bone structure; bones (pl.): **l'o. del corpo umano**, the human skeleton; **l'o. del braccio**, the bones of the arm; **o. robusta**, big-boned; **di esile o.**, small-boned; **avere una o. solida**, to be strongly built; to be sturdy **2** (*tecn.*) framework; frame; structure; shell; carcass: **l'o. d'un aeroplano**, the framework (*o* the chassis) of an aeroplane; **l'o. d'un grattacielo**, the skeleton (*o* the cage) of a skyscraper; **l'o. d'una nave**, the framework (*o* the structure) of a ship; **l'o. di un ponte**, the framework of a bridge **3** (*fig., di testo letter.*) structure; framework.

osseìna f. (*biol.*) ossein.

òsseo a. **1** (*di osso, delle ossa*) bone (attr.); bony; osseous: **escrescenza ossea**, bony excrescence; **formazione ossea**, ossification; **frattura ossea**, bone fracture; **tessuto o.**, bony tissue **2** (*simile a osso*) bony: **consistenza ossea**, bony consistence.

ossequènte a. obedient; respectful; deferential; submissive: **o. alla legge**, law-abiding; **o. alla tradizione**, respectful of tradition; **o. ai voleri di q.**, obedient to sb.'s wishes.

ossequiàre v. t. to pay* one's respects to; (*rendere omaggio*) to pay homage to: **o. le spoglie dei caduti**, to pay homage to those who died in the war; **essere ossequiato da tutti**, to be treated with great deference by everybody.

ossequiènte → **ossequente**.

ossèquio m. **1** (*deferenza*) respect, deference, consideration; (*omaggio*) homage; (*obbedienza*) obedience, observance: **in o. alle consuetudini**, out of respect for tradition; **in o. alla legge**, in obedience to (*o* observance of) the law; **in o. al regolamento**, in observance of the rules; **atto di o.**, sign (*o* token) of respect **2** (*al pl.*) (*saluti*) respects; regards: **i miei migliori ossequi**, my best regards; **porgere i propri ossequi a q.**, to pay one's respects to sb. (*form.*).

ossequiosaménte avv. **1** (*con deferenza*) deferentially; respectfully **2** (*con servilismo*) obsequiously.

ossequiosità f. **1** (*deferenza*) deference; respectfulness; (*cerimoniosità*) ceremoniousness, ceremony **2** (*servilismo*) obsequiousness.

ossequióso a. **1** (*deferente*) deferential; respectful; (*cerimonioso*) ceremonious **2** (*servile*) obsequious; kowtowing: **essere o. coi superiori**, to kowtow to one's superiors.

osservàbile a. noticeable; observable; visible; discernible; perceptible: **o. a occhio nudo**, visible to the naked eye; **differenze osservabili**, perceptible differences; (*fis.*) **grandezza o.**, observable quantity.

osservànte A a. **1** observing; observant **2** (*rispettoso*) respectful; observant; (*relig.*) practising, observant, (*di cristiano, anche*) church-going: **o. delle leggi**, law-abiding; **cattolico o.**, practising (*o* observant, church-going) Roman Catholic; **ebreo o.**, observant (*o* practising) Jew B m. e f. (*relig.*) practising Christian; observant Jew; (*di cristiano, anche*) regular church-goer C a. e m. (*eccles.*) Observant.

osservànza f. **1** (*obbedienza*) observance; compliance: **l'o. della legge**, the observance of the law; **o. religiosa**, religious observance; **in o. alle disposizioni vigenti**, in compliance with current regulations; **di stretta o.**, strict; rigorous **2** (*ossequio*) regards (pl.); respects (pl.): (*nelle lettere*) *Con o.*, Yours respectfully.

♦**osservàre** v. t. **1** (*guardare*) to look at; (*stare a guardare*) to watch; (*esaminare, studiare*) to observe, to watch, to examine, to view, to look closely at: **o. un quadro**, to look at a painting; **o. le stelle** [**il comportamento degli insetti**], to observe the stars [the behaviour of insects]; **o. qc. al microscopio**, to look at st. through a microscope; *Ci stanno osservando*, they are looking at us; we are being watched; *Lui si limitò a o. mentre gli altri correvano in aiuto*, he simply watched as the others ran to help; *Lo osservai mentre si accendeva la pipa*, I watched him as he was lighting his pipe; *Osservate bene questo graffio*, look closely at this scratch **2** (*rilevare*) to observe, to remark, to comment, to note; (*far notare*) to point out; (*notare*) to notice; (*obiettare*) to object: *Osservò che il vestito mi donava*, she observed (*o* remarked) that the dress suited me; *Osservò che mancavano tre giorni alla scadenza*, he pointed out that the deadline was three days away; *Occorre o. che...*, it must be noted that...; *Osservò che era troppo tardi*, she objected that it was too late; *Nulla da o.*, no remarks; **fare o. qc. a q.**, to point out st. to sb.; to draw sb.'s attention to st.; **senza farsi o.**, without attracting any attention **3** (*mantenere*) to observe; to keep* to: **o. una dieta**, to keep to (*o* to follow) a diet; **o. il digiuno**, to fast; **o. il silenzio**, to observe silence **4** (*rispettare, adempiere*) to observe; to keep*; (*obbedire a*) to abide by: **o. la domenica**, to observe the Sabbath; to keep Sunday; **o. le feste**, to observe (*o* to keep) the feasts of the Church; **o. un giuramento** [**un patto, una promessa**], to keep an oath [a bargain, a promise]; **o. la legge** [**i regolamenti**], to observe (*o* to abide by) the law

[the rules]; **far o. una regola**, to enforce a rule.

osservàto a. – **sentirsi o.**, to feel one is being watched; to feel under observation.

osservatóre A a. observing: **mente osservatrice**, observing mind; **essere o.**, to notice things; **poco o.**, unobservant B m. (f. **-trice**) **1** observer; watcher; (*persona che ha spirito di osservazione*) observant person, person who notices things: **un o. della natura**, an observer of nature; **o. esterno**, outsider; **o. imparziale**, impartial observer; **o. politico**, political observer **2** (*a un congresso, un corso, ecc.*) observer: **o. dell'ONU**, a UNO observer **3** (*mil.*) observer; spotter.

osservatòrio m. **1** (*scient.*) observatory: **o. astronomico**, observatory; **o. meteorologico**, weather station; **o. sismico**, seismic observatory **2** (*estens.*) observation post **3** (*mil.*) observation post; look-out.

♦**osservazióne** f. **1** observation: **l'o. d'un fenomeno**, the observation of a phenomenon; **osservazioni scientifiche**, scientific observations; *Il malato è in o.*, the patient is under observation; **tenere q. sotto o.**, to keep sb. under observation; **posto d'o.**, observation (*o* look-out) post; **spirito d'o.**, powers (pl.) of observation; **che ha [non ha] spirito di o.**, observant [unobservant] **2** (*nota, commento*) observation, remark, comment; (*obiezione*) objection: *Fammi sapere le tue osservazioni*, let me have your comments; **fare un'o.**, to make a remark; to raise an objection; **permettersi un'o.**, to venture a remark **3** (*rimprovero*) reprimand; criticism: **fare o. a q.**, to criticize sb.; to reprimand sb.

ossèssa → **ossesso**, B.

ossessionànte a. obsessive; obsessional: **idea o.**, obsessional idea; **ritmo o.**, obsessive rhythm; *Non essere o.!*, don't be obsessive!

ossessionàre v. t. **1** to obsess; to haunt: *Quell'idea orribile lo ossessionava*, that dreadful idea obsessed him; he was obsessed with that idea; *Il ricordo l'ossessionava*, that memory kept haunting her; *È ossessionato dal pensiero della morte*, he is obsessed by the thought of death; he has an obsession with death; *Cominciò a essere ossessionato dalle malattie*, he started obsessing about diseases **2** (*esasperare*) to torment; to pester; to nag: *Smetti di ossessionarmi con le tue domande*, stop pestering me with your questions.

ossessióne f. **1** (*psic.*) obsession: *La pulizia era diventata per lui un'o.*, cleanliness had become an obsession with him; he had developed an obsession about cleanliness; *Ha l'o. della puntualità*, he is obsessive about punctuality; *È un'o. tua*, you are really obsessing about it!; *Non farne un'o.!*, stop obsessing about it! **2** (*assillo*) nagging thought; nightmare **3** (*possessione*) possession.

ossessività f. (*psic.*) obsessiveness.

ossessìvo a. **1** (*psic.*) obsessive; obsessional **2** (*estens.*) obsessive; (*assillante*) haunting, nagging, pestering.

ossèsso A a. possessed B m. (f. **-a**) **1** (*indemoniato*) person possessed **2** (*invasato, energumeno*) madman* (f. madwoman*); lunatic: **urlare come un o.**, to yell like a madman (*o* like a man possessed).

ossèta A a. Ossete; Ossetian B m. e f. Ossete; Ossetian C m. (*ling.*) Ossetian; Ossete.

ossètico a. e m. Ossetic.

Ossèzia f. (*geogr.*) Ossetia.

♦**ossìa** cong. (*ovvero*) or; (*cioè*) that is, namely: **la filologia, o. la scienza delle lingue**, philology, or the science of languages.

ossiacetilènico a. (*chim.*) oxyacetylene (attr.): **cannello o.**, oxyacetylene blowpipe

(*USA* blow torch).

ossiàcido m. (*chim.*) oxyacid; (*idrossiacido*) hydroxy acid.

ossiànico a. (*letter.*) Ossianic: **canti ossianici**, Ossianic poems.

ossibenzène m. (*chim.*) phenol.

ossicino, **ossìcolo** m. (*anat.*) ossicle.

ossidàbile a. (*chim.*) oxidizable.

ossidabilità f. (*chim.*) oxidizability.

ossidànte (*chim.*) A a. oxidizing; oxidative B m. oxidant; oxidizer.

ossidàre A v. t. to oxidize; (*opacizzare*) to tarnish B **ossidàrsi** v. i. pron. to oxidize; to become* oxidized; (*opacizzarsi*) to tarnish.

ossidàsi f. (*biol.*) oxidase.

ossidàto a. (*chim.*) oxidized: **argento ossidato**, oxidized silver.

ossidazióne f. (*chim.*) oxidation; oxidization: **o. anodica**, anodic oxidation (*o* treatment); anodizing; **o. frazionata**, fractional oxidation; **numero di o.**, oxidation number.

ossidiàna f. (*miner.*) obsidian.

ossidimetrìa f. (*chim.*) oxidimetry.

ossidionàle a. (*lett.*) pertaining to a siege; obsidional.

òssido m. (*chim.*) oxide: **o. di calcio**, calcium oxide; **o. di carbonio**, carbon monoxide; **o. di rame**, copper oxide; **o. di zinco**, zinc oxide; zinc-white.

ossidoriduzióne f. (*chim.*) oxidation-reduction (abbr. redox).

ossìdrico a. (*chim.*) oxyhydrogen: **cannello o.**, oxyhydrogen blowpipe; **fiamma ossidrica**, oxyhydrogen flame; **saldatura ossidrica**, oxyhydrogen welding.

ossidrìle m. (*chim.*) hydroxyl.

ossidrìlico a. (*chim.*) hydroxylic.

ossìdulo m. (*chim.*) protoxide.

ossiemoglobìna f. (*biol.*) oxyhaemoglobin.

ossificàre v. t., **ossificàrsi** v. i. pron. (*anche fig.*) to ossify.

ossificazióne f. ossification.

ossìfraga f. (*zool.*, *Macronectes giganteus*) giant petrel; glutton; nelly.

ossigenàre A v. t. 1 (*arricchire di ossigeno*) to oxygenate: **o. il sangue**, to oxygenate the blood; **o. una stanza**, to oxygenate a room 2 (*trattare con acqua ossigenata*) to peroxide; to bleach: **ossigenarsi i capelli**, to bleach one's hair 3 (*fig.*) to reinvigorate; to revive; to revitalize B **ossigenàrsi** v. rifl. 1 (*rif. ai capelli*) to bleach one's hair 2 (*respirare*) to breathe pure air.

ossigenàto a. 1 (*arricchito di ossigeno*) oxygenated; oxygenized: **acqua ossigenata**, hydrogen peroxide; **aria ossigenata**, oxygenated air 2 (*decolorato*) peroxided; bleached: **bionda ossigenata** peroxide blonde; **capelli ossigenati**, bleached hair.

ossigenatóre m. oxygenator.

ossigenatùra f. (*dei capelli*) peroxiding; bleaching.

ossigenazióne f. (*chim.*) oxygenation.

♦**ossìgeno** m. 1 (*chim.*) oxygen: **o. liquido**, liquid oxygen; lox; **o. pesante**, heavy oxygen; **dare l'o. a un malato**, to give oxygen to a patient; **bombola d'o.**, oxygen bottle; **maschera per o.**, oxygen mask; **tenda a o.**, oxygen tent 2 (*aria fresca*) fresh air: **l'o. di montagna**, mountain air; **ho bisogno di o.**, I need some (*o* a breath of) fresh air 3 (*fig.*: *aiuto finanziario*) financial help: **dare o. a una ditta**, to give financial assistance to a firm ● (*fig.*) **essere all'o.**, to be on one's last gasp.

ossigenoterapìa f. (*med.*) oxygen therapy.

ossìmetro m. (*med.*) oximeter.

ossìmoro, **ossimòro** m. (*retor.*) oxy-

moron*.

ossitocìa → **oxitocia**.

ossitòcico → **oxitocico**.

ossitocìna → **oxitocina**.

ossitonizzàre v. t. (*ling.*) to stress the last syllable of.

ossìtono a. (*ling.*) oxytone.

ossiuriàsi f. (*med.*) oxyuriasis.

ossiùro m. (*zool.*, *Enterobius vermicularis*) pinworm.

♦**òsso** m. (pl. **òssa**, f., *rif. a quelle umane e con sign. collett.*; **òssi**, m., *rif. a parti ossee di animali e con sign. traslato*) **1** bone: **o. della caviglia**, ankle bone; **o. del collo**, collar bone; **rompersi l'o. del collo**, to break one's neck; **o. sacro**, sacrum; **o. per brodo**, soup bone; **le ossa del bacino**, pelvis (sing.); **le ossa della mano**, the bones of the hand; **ossa del polso**, wrist bones; **ossa lunghe**, long bones; (*scherz.*) **le mie povere ossa**, my weary bones; *Si è fratturato l'o. della gamba*, he has broken a bone in his leg; **avere le ossa grosse**, to be big-boned; *Il freddo mi penetrava nelle ossa*, I was frozen to the bone; **un bottone d'o.**, a button made of bone **2** (*nocciolo*) stone; pit (*USA*): **o. di ciliegia [di pesca]**, cherry [peach] stone ● **o. buco** *o* **ossobuco** *o* **o. di balena**, whalebone □ **o. di seppia**, cuttlebone □ (*fig.*) **o. duro (da rodere)**, hard nut to crack; (*di problema e sim.*, *anche*) headache, beast (*fam.*) □ (*fig.*) **essere all'o.**, to have nothing left □ (*fig.*) **avere le ossa rotte**, to be aching all over □ **bagnato fino alle ossa**, soaked to the skin; wet through □ (*fig.*) **buttare un o. a q.**, to throw a sop to sb. □ **carne (di manzo) con l'o.**, beef on the bone □ **economia all'o.**, very strict economy □ **essere di carne e ossa**, to be made of flesh and blood; to be human □ (*fig.*) **fare l'o. a qc.** (*abituarsi*), to get used to st. □ (*fig.*) **farsi le ossa**, to gain experience; to cut one's teeth (*fam.*): *Si è fatto le ossa in politica negli anni '60*, he cut his political teeth in the sixties □ **in carne e ossa**, in the flesh; in person □ (*fig.*) **marcio fino all'o.**, rotten to the core □ (*scherz.*) **Posa (o molla) l'o.!**, put it down!; give it back! □ **ridotto pelle e ossa**, to be (all) skin and bone □ **ridotto all'o.**, pared to the bone; (*di personale*) skeleton (attr.) □ **rimetterci l'o. del collo**, to get killed; (*fig.*: *rovinarsi*) to ruin oneself □ (*fig.*) **rompere le ossa a q.**, to beat sb. up; to break every bone in sb.'s body; to beat the living daylights out of sb. □ (*fig.*) **un sacco d'ossa**, a bag of bones □ **sentirselo nelle ossa**, to feel it in one's bones □ (*fig.*) **uscirne con le ossa rotte**, to have the worst of it; to take a beating □ **essere tutt'ossa**, to be (all) skin and bone.

ossobùco m. marrow-bone; (*cucina*) osso buco.

ossuàrio m. (*archeol.*) ossuary.

ossùto a. bony; raw-boned; scrawny: **mani ossute**, bony hands; **vecchio o.**, scrawny old man.

ostacolàre v. t. (*intralciare*) to obstruct, to hinder, to impede; to hamper; (*interferire*) to interfere with; (*impedire*) to obstruct, to thwart, to prevent, to frustrate; to stymie, to put* obstacles in the way of; (*mettere in svantaggio*) to handicap; (*ostruire*) to obstruct, to block: **o. il corso della giustizia**, to obstruct the course of justice; **o. i movimenti**, to hamper sb.'s movements; **o. il passaggio**, to block the way; **o. i progetti di qc.**, to interfere with sb.'s plans; **o. le riforme**, to hinder reform; **o. il traffico**, to obstruct the traffic; **essere ostacolato nel proprio lavoro**, to be hindered in one's work; *Cercherà di ostacolarmi*, she'll try to put a spoke in my wheel.

ostacolista m. e f. **1** (*atletica*) hurdler **2** (*equit.*) steeplechaser.

♦**ostàcolo** m. **1** (*intralcio*) obstacle; hindrance; handicap; impediment; hurdle; stumbling-block; drawback: **un o. al progresso**, an obstacle to progress; **un o. ai miei progetti**, a hindrance to my plans; **o. insormontabile**, insurmountable obstacle; **aggirare un o.**, to avoid an obstacle; to get round a difficulty; **essere di o.**, to constitute an obstacle; to be a bar (*o* a hindrance); to be a handicap; to stand in the way (of); **frapporre ostacoli a**, to place obstacles in the way of; **opporre un o.**, to create an obstacle; **superare tutti gli ostacoli**, to overcome (*o* to surmount) all obstacles (*o* difficulties); to win through (*fam.*); (*anche fig.*) **corsa a ostacoli**, obstacle race **2** (*sport*: *atletica*) hurdle; (*equit.*) obstacle: **corsa a ostacoli**, (*atletica*) hurdle race; (*equit.*) steeplechase; **i 110 ostacoli**, the 110-metre hurdles; (*di cavallo*) **rifiutare l'o.**, to shy at the obstacle; **saltare un o.**, to jump (over) a hurdle [an obstacle].

ostàggio m. hostage: **prendere q. in o.**, to take sb. (as a) hostage; **liberare (o rilasciare) gli ostaggi**, to release the hostages; **tenere q. in o.**, to hold sb. (as a) hostage; (*per ottenere un riscatto*) to hold sb. to ransom; **i prigionieri tenuti in o.**, the prisoners being held hostage; **scambio di ostaggi**, exchange of hostages.

ostàre v. i. to prevent (st.); to be of impediment to: *Nulla osta alla sua nomina*, nothing prevents (*o* there is no impediment to) his appointment.

ostativo a. impedimental.

òste ① m. host; innkeeper; landlord ● (*scherz.*) **domandare all'o. se ha buon vino**, to ask a silly question □ (*fig.*) **fare i conti senza l'o.**, to count one's chickens before they are hatched.

òste ② m. e f. (*lett.*) host; army.

osteggiàre v. t. to be hostile to; to be opposed to; to thwart; to oppose; to be against: **o. un progetto**, to oppose (*o* to be against) a plan; *Mi hai sempre osteggiato*, you have always been hostile to me; you have always thwarted me (*o* tried to obstruct me).

osteggiatóre A a. opposing B m. (f. **-trìce**) opposer.

osteite f. (*med.*) osteitis.

ostèllo m. **1** (*lett.*: *alloggio*) abode, dwelling; (*rifugio*) refuge, sanctuary **2** (anche **o. della gioventù**) (youth) hostel.

Ostènda f. (*geogr.*) Ostend.

ostensìbile a. (*lett.*) that may be shown ❶ **FALSI AMICI** • ostensibile *non si traduce con* ostensible.

ostensióne f. (*lett.*) ostension.

ostensivo a. ostensive; demonstrative.

ostensòrio m. (*eccles.*) monstrance; ostensory.

ostentàre v. t. **1** (*esibire*) to parade; to show* off; to flaunt: **o. un anello di brillanti**, to flaunt a diamond ring; **o. la propria bravura**, to parade one's talent; to show off; **o. la propria ricchezza**, to parade one's wealth **2** (*fingere*) to feign, to pretend, (*affettare*) to make* a show of, to affect, to parade: **o. coraggio**, to make a show of courage; **o. indifferenza**, to feign (*o* to put on an air of) indifference; **o. interesse**, to feign interest; to make a show of interest.

ostentataménte avv. ostentatiously; pretentiously.

ostentàto a. **1** (*esibito*) ostentatious, flaunted; (*vantato*) boasted: **ricchezze ostentate**, ostentatious (*o* flaunted) wealth; **la sua ostentata superiorità**, his boasted superiority **2** (*affettato*) feigned; put-on: **ostentata indifferenza**, feigned indifference.

ostentatóre m. (f. **-trìce**) flaunter;

boaster; show-off (*fam.*).

ostentazióne f. ostentation; parade; show; (pretentious) display; flaunting; showing off (*fam.*): **l'o. dei nuovi ricchi**, the ostentation of the nouveaux-riches; **o. di coraggio**, display of courage; **o. di ricchezza**, parade of wealth; *L'ha fatto per pura o.*, he did it only for show (*o* purely to show off); **con o.**, ostentatiously; in an ostentatious manner; pointedly.

osteoartrite f. (*med.*) osteoarthritis.

osteoblàsto m. (*biol.*) osteoblast.

osteocìta, osteocìto m. (*biol.*) osteocyte.

osteoclasìa f. (*med.*) osteoclasis.

osteoclàsto m. (*biol.*) osteoclast.

osteocondrìte f. (*med.*) osteochondritis.

osteodistrofìa f. (*med.*) osteodystrophy.

osteòfita, osteòfito m. (*med.*) osteophyte.

osteogènesi f. (*biol.*) osteogenesis.

osteòide a. (*anat.*) osteoid.

osteolìsi f. (*med.*) osteolysis.

osteologìa f. osteology.

osteològico a. osteological.

osteòlogo m. (f. **-a**) (*med.*) osteologist.

osteòma m. (*med.*) osteoma*.

osteomalacìa f. (*med.*) osteomalacia.

osteomielìte f. (*med.*) osteomyelitis.

osteomielìtico a. (*med.*) osteomyelitic.

osteóne m. (*anat.*) osteon.

osteòpata m. e f. (*med.*) osteopath.

osteopatìa f. (*med.*) osteopathy.

osteoporòsi f. (*med.*) osteoporosis.

osteoporòtico a. (*med.*) osteoporotic.

osteosarcòma m. (*med.*) osteosarcoma*.

osteoscleròsi f. (*med.*) osteosclerosis.

osteòsi f. (*med.*) osteosis.

osteosìntesi f. (*med.*) osteosynthesis.

osteotomìa f. (*med.*) osteotomy.

osteòtomo m. (*chir.*) osteotome.

osterìa f. **1** public house; tavern (*lett.*) **2** (*stor.*: *locanda*) inn ● (*fig.*) **fermarsi alla prima o.**, to take the first thing one finds □ **linguaggio da o.**, coarse language; foul language; gutter language.

osterìggio m. (*naut.*) skylight.

ostéssa f. hostess; landlady; innkeeper; (*moglie dell'oste*) innkeeper's wife*.

ostètrica f. (*levatrice*) midwife*.

ostetrìcia f. (*med.*) obstetrics (pl. col verbo al sing.).

ostètrico A a. obstetric ● **clinica ostetrica**, maternity home B m. obstetrician.

òstia f. **1** (*lett.*: *vittima espiatoria*) sacrifice; sacrificial victim **2** (*relig.*) host; wafer: **l'O. consacrata**, the Host **3** (*disco di farina*) wafer.

ostiariàto m. (*eccles.*) ostiary.

ostiàrio m. (*eccles.*) porter; ostiary.

òstico a. **1** (*lett.*: *di sapore sgradevole*) disgusting; unpleasant; nasty **2** (*fig.*: *duro*) harsh, hard; (*spiacevole*) unpleasant: **clima o.**, harsh climate; **compito o.**, unpleasant task **3** (*difficile*) difficult; hard; tough: **materia ostica**, difficult (*o* tough) subject.

ostìle a. **1** (*nemico*) hostile; enemy (attr.): **l'esercito o.**, the enemy (*o* hostile) army; **territorio o.**, hostile territory **2** (*avverso*) hostile, unfriendly; (*contrario*) contrary, adverse, opposed to: **atteggiamento o.**, hostile attitude; **atti ostili**, acts of hostility; **folla o.**, hostile crowd; **sguardi ostili**, hostile (*o* unfriendly) looks; **essere o. a qc.**, to be hostile (*o* contrary, opposed) to st.; *È o. a ogni cambiamento*, she is against any form of change; **la stampa o. al governo**, the papers opposed to the government; **mostrarsi o.**, to show hostility.

ostilità f. **1** hostility **2** (al pl.) (*mil.*) hostilities; conflict (sing.); warfare (sing.): **aprire [sospendere] le o.**, to open [to suspend] hostilities; **l'inizio [la cessazione] delle o.**, the beginning [the cessation] of hostilities.

ostinàrsi v. i. pron. (*persistere*) to persist, to persevere; (*insistere*) to insist: **o. a fare qc.**, to persist in doing st.; to insist on doing st.; **o. a mentire**, to persist in lying (*o* with one's lies); **o. a volere l'ultima parola**, to insist on having the last word; **o. nell'errore**, to persist in error; *Si ostinò a voler fare a modo suo*, he insisted on doing things his way; *È inutile o.*, it's pointless to insist.

ostinataménte avv. (*caparbiamente*) obstinately, stubbornly, doggedly, mulishly; (*insistentemente*) with dogged persistence, persistently.

ostinatézza f. (*caparbietà*) obstinacy, stubbornness, mulishness, (*irragionevolezza*) perverseness; (*pertinacia*) pertinaciousness, persistency.

ostinàto A a. **1** (*caparbio, tenace*) obstinate, stubborn, dogged; (*irragionevole*) perverse; (*testardo*) headstrong, mulish, pig-headed (*fam.*); (*pertinace*) persistent, determined; hard-nosed (*fam.*): **un ragazzo o.**, a stubborn (*o* a headstrong) boy; **perseveranza ostinata**, dogged perseverance; **resistenza ostinata**, obstinate (*o* dogged) resistance; **o. come un mulo**, as stubborn as a mule **2** (*che dura, che resiste*) obstinate; persistent; stubborn; nagging: **una malattia ostinata**, an obstinate disease; **pioggia ostinata**, persistent rain; **silenzio o.**, stubborn silence; **tosse ostinata**, persistent cough **3** (*mus.*) – **basso o.**, ground bass B m. **1** (f. **-a**) obstinate (*o* stubborn) person; mule (*fam.*) **2** (*mus.*) ground (bass); ostinato.

ostinazióne f. obstinacy; stubbornness; doggedness; (*irragionevolezza*) perverseness; (*testardaggine*) mulishness, pig-headedness (*fam.*); (*pertinacia*) persistence, perseverance; determination.

òstio m. (*biol.*) ostium*.

ostracìsmo m. **1** (*stor.*) ostracism: **condannare all'o.**, to ostracize **2** (*esclusione*) ostracism, banishment; (*boicottaggio*) boycott, boycotting: **dare l'o. a q.**, to ostracize sb.; **essere colpito da o.**, to be ostracized; to be boycotted; **fare o. a**, to boycott.

ostracizzàre v. t. to ostracize; to send* to Coventry (*GB*); (*boicottare*) to boycott.

òstrica f. (*zool.*, *Ostrea edulis*) oyster: **allevamento di ostriche**, oyster farm (*o* park); **banco di ostriche**, oyster bed; **coltello da ostriche**, oyster knife ● **o. perlifera** (*Meleagrina margaritifera*), pearl oyster □ **chiuso come un'o.**, (*silenzioso*) close-mouthed; (*poco comunicativo*) withdrawn □ **stare attaccato a qc. come un'o.**, to cling to st. like a leech (*o* a limpet).

ostricàio m. **1** (f. **-a**) (*venditore*) oyster seller; oysterman* (f. oyster woman*) **2** (*allevamento*) oyster farm (*o* park).

ostricoltóre m. (f. **-trìce**) oyster farmer.

ostricoltùra f. oyster farming.

òstro m. (*lett.*) **1** (*porpora*) purple **2** (*stoffa*) purple cloth.

ostrogòtico a. (*stor.*) Ostrogothic.

ostrogòto A a. (*stor.*) Ostrogothic B m. **1** (*stor.*) Ostrogoth **2** (*fig.*) barbarian ● (*fig.*) **parlare o.**, to speak Greek (*o* double Dutch) □ **Per me è tutto o.**, it's all Greek (*o* double Dutch) to me.

ostruènte A a. obstructing; blocking B a. e m. (*ling.*) obstructive.

ostruìre A v. t. (*bloccare*) to obstruct, to block; (*occludere*) to stop, to close up; (*intasare*) to clog, to choke, (*con melma, sabbia, ecc.*) to silt up: **o. un canale**, to block a channel;

o. un passaggio, to obstruct a passage; **o. una strada**, to block a road; **o. il traffico**, to obstruct the traffic; **o. un tubo**, to obstruct (*o* to clog) a pipe; **o. la vista**, to block (*o* to obstruct) the view B **ostruirsi** v. i. pron. to become* (*o* to get*) obstructed; to get* clogged; to clog; (*di melma, sabbia, ecc.*) to silt up.

ostruìto a. obstructed; blocked; clogged; choked.

ostruttìvo a. obstructive; obstructing.

ostruzióne f. **1** obstruction; blocking up; (*occlusione*) occlusion, stoppage; (*intasamento*) clogging, choking: **l'o. d'una strada**, the obstruction of a road; **un'o. di traffico**, an obstruction of the traffic; a traffic block; **l'o. d'un tubo**, the clogging of a pipe **2** (*impedimento*) obstruction; impediment; obstacle; hindrance: **fare o.**, to be obstructive; to create obstacles; to hinder; (*sport*) **fallo di o.**, obstructionism **3** (*naut.*) barrage: **o. con rete**, net barrage; **ostruzioni parasiluri**, anti-torpedo defence **4** (*med.*) obstruction; stoppage: **o. intestinale**, intestinal obstruction.

ostruzionìsmo m. **1** obstructionism; (*polit.*, *anche*) stonewalling (*GB*), filibustering (*USA*); (*sindacale*) go-slow tactics (pl.), work-to-rule: **fare o.**, to use obstructionist tactics; **fare o. parlamentare**, to stonewall (*GB*); to filibuster (*USA*) **2** (*sport*) obstructionism.

ostruzionìsta A m. e f. obstructionist; (*polit.*, *anche*) stonewaller (*GB*), filibuster (*USA*): **fare l'o.**, to be obstructive B a. → **ostruzionìstico**.

ostruzionìstico a. obstructionist; obstructive; (*polit.*, *anche*) stonewalling (*GB*), filibustering (*USA*): **tattica ostruzionìstica**, obstructionist tactics; filibuster (*USA*).

Osvàldo m. Oswald.

OT sigla (**Olbia-Tempio**).

otalgìa f. (*med.*) otalgia; (*com.*) earache.

otàlgico a. (*med.*) otalgic.

otàrda f. (*zool.*, *Otis tarda*) great bustard ● **o. minore** (*Otis tetrax*), little bustard.

otàrìa f. (*zool.*, *Otaria*) sea lion.

Otèllo m. Othello.

òtico a. (*anat.*) otic.

otìte f. (*med.*) otitis.

otoacùstico a. aural; hearing (attr.): **centro o.**, hearing centre.

otocióne m. (*zool.*, *Otocyon megalotis*) long-eared fox.

otocìsti f. (*anat.*) otocyst.

otoiàtra m. e f. (*med.*) ear specialist; otologist.

otoiatrìa f. (*med.*) otology.

otoiàtrico a. (*med.*) otological; otology (attr.).

otolìte f. (*med.*) otolith.

otologìa f. (*med.*) otology.

otopatìa f. (*med.*) otopathy.

otoplàstica f. (*med.*) otoplasty.

otorìno m. (*fam.*) → **otorinolaringoiàtra**.

otorinolaringoiàtra m. e f. (*med.*) ear, nose and throat specialist; otolaryngologist; otorhinolaryngologist.

otorinolaringoiatrìa f. (*med.*) otolaryngology; otorhinolaryngology.

otorinolaringoiàtrico a. ear-throat-and-nose (attr.); otolaryngological; otorhinolaryngological.

otorragìa f. (*med.*) othorrhagia; (*com.*) ear-bleeding.

otorrèa f. (*med.*) otorrhoea.

otoscleròsi f. (*med.*) otosclerosis.

otoscopìa f. (*med.*) otoscopy.

otoscòpio m. (*med.*) otoscope.

òtre m. leather bag (*o* bottle); goatskin; (*per vino*) wineskin ● **o. di zampogna**, windbag

□ (*fam.*) **pieno come un o.**, as full as an egg; full up (*fam.*); bloated (*fam.*) □ (*fig.*) **È un o. di vino**, he drinks like a fish.

otricolàre a. utricular; utriculate.

otrìcolo m. (*anat.*, *bot.*) utricle.

Ott. abbr. (**ottobre**) October (Oct.).

ottaèdrico a. octahedral.

ottaèdro m. (*geom.*) octahedron*.

ottagonàle a. (*geom.*) octagonal.

ottàgono m. (*geom.*) octagon.

ottàle a. (*mat.*) octal.

ottàmetro m. (*poesia*) octameter.

ottangolàre a. octagonal.

ottànico a. (*chim.*) octane (attr.).

ottanizzàre v. t. to increase the octane number of.

ottàno m. (*chim.*) octane: **numero di o.**, octane number; octane rating; **ad alto numero di o.**, high-octane.

♦**ottànta** a. num. card. e m. inv. eighty. (*Per gli esempi d'uso →* **quaranta**).

ottantamìla a. num. card. e m. inv. eighty thousand.

ottànte m. (*geom.*, *astron.*, *naut.*) octant.

ottantènne A a. eighty years old (pred.); eighty-year-old (attr.) B m. e f. eighty-year-old person; (*sull'ottantina*) person in his [her] eighties.

ottantènnio m. period of eighty years; eighty-year period.

ottantèsimo a. num. ord. e m. eightieth.

ottantìna f. 1 about eighty; eighty or so 2 (*80 anni di età*) eighty. (*Per gli esempi d'uso →* **quarantina**).

ottàstilo a. e m. (*archit.*) octastyle.

ottatìvo (*gramm.*) A a. optative B m. optative (mood).

ottàva f. 1 (*eccles.*) octave 2 (*poesia*) octave; octet; ottava rima 3 (*mus.*) octave; (*l'intervallo, anche*) ottava: **all'o.**, an octave higher (abbr. 8va) 4 (*Borsa*) stock exchange week 5 (*scherma*) octave.

ottavàrio m. (*eccles.*) octave.

Ottàvia f. Octavia.

Ottaviàno m. (*stor.*) Octavian.

ottavìno m. 1 (*mus.*) piccolo* 2 (*comm.*) commission of one eighth of one percent.

Ottàvio m. Octavius.

♦**ottàvo** A a. num. ord. eighth: **l'ottava meraviglia**, the eighth wonder; *Carlo o.*, Charles the Eighth; (*mat.*) **sei all'ottava**, six to the power of eight B m. 1 eighth 2 (*tipogr.*) – **in o.**, in octavo; in 8vo; **volume in o.**, (volume in) octavo 3 (*sport*) – **ottavi di finale**, qualifying heats; **entrare negli ottavi di finale**, to get into the last sixteen; **superare gli ottavi di finale**, to reach the quarterfinals.

ottemperànte a. obedient (to); observant (of); compliant (with); in compliance (with): **essere o. al regolamento**, to comply with the regulations; (*di atto, ecc.*) to be in compliance with the regulations.

ottemperànza f. obedience; compliance: **in o. alle regole**, in compliance with the regulations.

ottemperàre v. i. to obey; to comply with; to observe: **o. a un ordine**, to obey an order; **o. a una disposizione**, to comply with a norm; **o. a una formalità**, to observe a formality.

ottenebraménto m. darkening; obscuring; clouding.

ottenebràre v. t., **ottenebràrsi** v. i. pron. (*anche fig.*) to darken; to obscure; to cloud: **ottenebrare la mente**, to cloud the mind.

♦**ottenére** v. t. 1 to obtain; to get*; to achieve; to attain; to gain; to reach; (*vincere*) to win*: **o. il divorzio**, to get a divorce; **o. un**

impiego, to get a job; **o. informazioni**, to get (o to gain) information; **o. un permesso**, to obtain permission; **o. il plauso generale**, to be universally applauded; **o. un premio**, to win a prize; **o. un prestito**, to raise a loan; **o. una proroga**, to get an extesion; **o. il riconoscimento dei propri diritti**, to see one's rights recognized; **o. una riduzione**, to get a reduction; **o. un buon risultato**, to obtain (o to achieve) a good result; **o. il proprio scopo**, to reach one's goal; to achieve one's objective; **o. un grosso successo**, to be a great success; **o. una grande vittoria**, to gain (o to win) a great victory; *Ho ottenuto quel che volevo*, I got what I wanted; *Non otterrai niente da lui*, you won't get anything out of him 2 (*ricavare, estrarre*) to obtain; to extract: *L'olio si può o. dai semi di molte piante*, oil can be obtained from the seeds of several plants 3 (*comm.: realizzare*) to realize; to earn: **o. un utile**, to realize a profit • (*prov.*) **Chi vuole, ottiene**, where there's a will, there's a way.

ottenìbile a. obtainable; gettable; attainable; achievable.

ottenìmento m. obtainment; getting; attainment; achievement.

ottènne A a. eight years old (pred.); eight-year-old (attr.); aged eight (pred.) B m. e f. eight-year-old (child*).

ottentòtto A m. (f. -a) e a. Hottentot (*ora considerato offensivo*); Khoikhoi B m. (*fig. spreg.*) boor; oaf.

ottétto m. (*mus.*, *chim.*) octet.

òttica f. 1 (*fis.*) optics (pl. col verbo al sing.): **o. a fibre**, fiber optics; **o. di proiezione**, projection optics; **o. degli specchi**, mirror optics; **o. elettronica**, electron optics 2 (*tecnica*) lense making: **negozio d'o.**, (dispensing) optician's 3 (*insieme di lenti*) optics (pl. col verbo al sing.) 4 (*fig.*) perspective; (*punto di vista*) point of view, viewpoint, way of looking at st.: **in un'o. nuova**, with a new perspective; from a new point of view; **nell'o. giusta**, in the right perspective; *Ha un'o. tutta particolare*, she has a very personal way of looking at things.

òttico A a. 1 (*anat.*) optic: **nervo o.**, optic nerve 2 (*fis.*) optical: **asse o.**, optical axis; **caratteri ottici**, optical characters; **fenomeno o.**, optical phenomenon; **fibre ottiche**, optical fibres; **illusione ottica**, optical illusion; (*comput.*) **lettore o.**, optical character reader; optical scanner; **strumento o.**, optical instrument B m. (f. -a) (dispensing) optician.

òttile m. (*chim.*) octyl.

ottimàle a. optimum (attr.); optimal: **condizioni ottimali**, optimum conditions; **soluzione o.**, optimal solution.

ottimalizzàre v. t. (*econ.*) to optimize.

ottimalizzazióne f. (*econ.*) optimization.

ottimaménte avv. very well; excellently; splendidly: «*Come stai?*» «*O., grazie!*», «how are you keeping?» «very well, thank you»; *Si è comportato o.*, he behaved excellently.

ottimàre → **ottimizzare**.

ottimàte m. (*stor. romana*) optimate.

ottimìsmo m. optimism: **cauto o.**, cautious optimism; **motivi di o.**, grounds for optimism; **vedere le cose con o.**, to take an optimistic view of things.

ottimìsta A m. e f. optimist: **un eterno o.**, an eternal optimist B a. optimistic: *Cerca di essere o.*, try and be optimistic (about it); *Io sono o. di natura*, I'm an optimist by nature.

ottimìstico a. optimistic: **atteggiamento o.**, optimistic attitude.

ottimizzàre v. t. to optimize.

ottimizzatóre m. (f. -trice) optimizer.

ottimizzazióne f. optimization.

♦**òttimo** A a. very good; very fine; excellent; first-rate; splendid; (*perfetto*) perfect: **un o. giovane**, an excellent young man; **un o. whisky**, a very fine whisky; **un rimedio o.**, an excellent remedy; *Il viaggio è stato o.*, the journey went very well; the journey was excellent; **ottenere ottimi risultati**, to get very good (o excellent) results; *L'auto è in o. stato*, the car is in excellent condition (o repair); *Sono notizie ottime!*, this is splendid news!; *Hai un o. aspetto*, you are looking splendid; *Il cibo è o.*, the food is first-rate; **godere ottima salute**, to enjoy perfect (o the best of) health; *O.!*, excellent! great! (*fam.*) B m. 1 (*la cosa migliore*) (the) best 2 (*condizione ottimale*) optimum 3 (*qualifica massima*) top marks (pl.); (*come giudizio*) excellent.

♦**òtto** A a. num. card. eight: **o. giorni**, eight days; **o. persone**, eight people; **un bambino di o. anni**, an eight-year-old (child); **con o. lati**, eight-sided • (*tipogr.*) **corpo o.**, 8 point; brevier □ **dare gli o. giorni**, to give a week's notice □ **ogni o. giorni**, once a week; every week B m. 1 eight: **l'otto (di) marzo**, the eighth of March; March the eighth; **l'o. di cuori**, the eight of hearts; **il numero o.**, the number eight; *Tutto è pronto per l'o.*, everything is ready for the eighth; *Siamo in o.*, there are eight of us; **gruppi di o.**, groups of eight; *Sono le o.*, it's eight (o'clock); **fare colazione alle o.**, to have breakfast at eight; **prendere o. in fisica**, to get eight (out of ten) in physics 2 (*figura*) figure-of-eight: **descrivere un o. sul ghiaccio**, to describe a figure-of-eight on the ice • **o. volante**, roller coaster; big dipper □ **oggi a o.**, today week □ (*fam.*) **martedì a o.**, a week on (*USA* from) Tuesday; Tuesday week (*fam.*).

ottobràta f. 1 (*scampagnata*) October outing 2 (*giornata*) October day.

♦**ottóbre** m. October. (*Per gli esempi d'uso →* **aprile**).

ottobrìno a. of October; October (attr.).

ottocentésco a. nineteenth-century (attr.); 19th-century (attr.).

ottocentèsimo a. num. ord. e m. eight-hundredth.

ottocentìsta m. e f. 1 nineteenth-century artist [author, etc.] 2 (*studioso dell'Ottocento*) nineteenth-century specialist 3 (*sport*) eight-hundred-metre runner.

ottocentìstico a. nineteenth-century (attr.).

ottocènto A a. num. card. inv. 1 eight hundred 2 (*dell'Ottocento*) nineteenth-century (attr.); 19th-century (attr.): **mobili o.**, 19th-century furniture B m. 1 eight hundred 2 – l'O., the nineteenth century; **i poeti dell'O.**, 19th-century poets 3 (*sport*) – gli o., the eight-hundred-metre race; the eight hundred metres.

ottomàna f. ottoman; sofa; settee.

ottomàno a. e m. Ottoman: **l'Impero O.**, the Ottoman Empire; **tessuto o.**, ottoman fabric.

ottomìla a. num. card. e m. inv. eight thousand.

ottonàme m. brassware.

ottonàre v. t. to coat with brass; to plate in brass.

ottonàrio m. (*poesia*) octosyllabic (line); octosyllable.

ottonatùra f. brass coating; brass plating.

ottóne m. 1 (*ind.*, *metall.*) brass: **o. crudo**, hard-drawn brass; **o. giallo**, cartridge brass; **filo d'o.**, brass wire; **lamiera d'o.**, brass sheet; **targa d'o.**, brass plate; (*ind.*) **saldatura a o.**, brazing; hard-soldering 2 (al pl.) (*mus.*) brass Ⓤ: **banda di ottoni**,

brass band **3** (al pl.) (*oggetti e applicazioni d'o.*) brass Ⓤ: **lucidare gli ottoni**, to polish the brass.

Ottòne m. (*stor.*) Otto; Otho.

ottoniàno a. Ottonian; Othonian.

ottòpode m. (*zool.*) octopod; (al pl., *scient.*) Octopoda.

ottosillabo m. (*poesia*) octosyllable.

ottotìpico a. (*med.*) – **tavola ottotipica**, eye-chart.

ottòtipo m. (*med.*) eye-chart.

ottriàto a. (*stor.*) granted by a sovereign.

ottuagenàrio a. e m. (f. **-a**) octogenarian.

ottùndere Ⓐ v. t. **1** (*smussare*) to blunt **2** (*fig.*) to dull: **o. la mente**, to dull the mind Ⓑ **ottùndersi** v. i. pron. to blunt.

ottundiménto m. **1** blunting **2** (*fig.*) dulling.

ottuplicàre v. t. to multiply by eight; to increase eightfold; to octuple.

ottùplice a. eightfold.

òttuplo Ⓐ a. octuple; eightfold; eight times as much (pred.) Ⓑ m. eight times (pl.).

otturaménto m. **1** (*chiusura*) stopping; filling; closing up **2** (*tamponamento*) plugging **3** (*intasamento*) clogging; choking **4** (*ostruzione*) obstructing; obstruction; blocking; blockage.

otturàre Ⓐ v. t. **1** (*chiudere, tappare*) to stop; to fill; to close up; to bung up; to stuff up: **o. un dente**, to fill (*o* to stop) a tooth; (*naut.*) **o. una falla**, to stop a leak **2** (*tamponare*) to plug **3** (*intasare*) to clog, to choke up; (*ostruire*) to obstruct, to stop up, to block: **o. un filtro**, to clog (*o* to choke) a filter; **o. un tubo**, to stop up a pipe; *Le foglie hanno otturato lo scarico*, the leaves have choked up the drain Ⓑ **otturàrsi** v. i. pron. to clog; to get* chocked up; to get* blocked.

otturàto a. stopped; (*anche di dente*) filled; (*tappato*) bunged up, stuffed up; (*intasato*) blocked, clogged: **lavandino o.**, blocked sink; **molare o.**, filled molar; **naso o.**, bunged-up (*o* stuffed-up) nose.

otturatóre Ⓐ a. **1** stopping; plugging; blocking **2** (*anat.*) obturator: **muscolo o.**, obturator muscle Ⓑ m. **1** (*fotogr., cinem.*) shutter: **o. a tendina**, focal-plane shutter; **o. centrale**, central shutter; between-the-lens shutter; **o. per dissolvenza**, fade shutter; **o. rotante**, rotary (*o* revolving) shutter; **caricare l'o.**, to wind up the shutter **2** (*d'arma da fuoco*) breechblock; lock **3** (*idraul.*) cut-off.

otturazióne f. **1** (*l'otturare*) stopping; filling; plugging: **l'o. d'una falla**, the stopping of a leak; *Per questo dente basta l'o.*, this tooth only needs filling **2** (*amalgama dentistico*) filling: *Mi è saltata l'o.*, the filling has come out of my tooth **3** (*ostruzione*) obstruction; blocking up; clogging: **l'o. del lavandino**, the blocking of the sink.

ottusaménte avv. obtusely.

ottusàngolo a. (*geom.*) obtuse-angled.

ottusità f. **1** (*l'essere smussato*) bluntness **2** (*geom.*) obtuseness **3** (*fig.*) dullness; slowness; denseness.

ottùso a. **1** (*smussato, privo di filo*) blunt; obtuse **2** (*geom.*) obtuse: **angolo o.**, obtuse angle **3** (*fig.: lento di mente*) dense; obtuse; dull; dull-witted; slow; thick (*fam.*): **mente ottusa**, dull mind; **essere o. di mente**, to be dull-witted; **essere troppo o. per capire**, to be too obtuse to understand **4** (*fig.: non acuto, sordo*) dull; flat; muffled: **suono o.**, dull (*o* flat, muffled) sound.

outlet m. inv. (*ingl., comm.*) factory store; factory outlet.

ouverture (*franc.*) f. inv. (*mus.*) overture.

ovàia f., **ovàio** m. (*anat.*) ovary; ovarium*.

ovaiòlo a. (*di gallina*) laying.

ovalàre a. (*biol., med.*) oval.

♦**ovàle** Ⓐ a. oval: **foglia o.**, oval leaf; (*sport*) **palla o.**, rugby; **di forma o.**, oval; **dal viso o.**, oval-faced Ⓑ m. **1** un o. perfetto, a perfect oval **2** (*viso o.*) oval face.

ovalifórme a. oval.

ovalizzàre v. t. (*mecc.*) to make* oval.

ovalizzàto a. (*mecc.*) oval: **pistone o.**, oval piston.

ovalizzazióne f. (*mecc.*) ovalization.

ovàrico a. (*anat., bot.*) ovarian: **cisti ovarica**, ovarian cyst.

ovariectomìa f. (*chir.*) ovariectomy.

ovariectomizzàre v. t. (*chir.*) to perform an ovariectomy on.

ovàrio m. (*anat., bot.*) ovary.

ovariotomìa f. (*chir.*) ovariotomy.

ovarìte f. (*med.*) ovaritis.

ovàtta f. **1** (*ind. tess.*) wadding; (*per imbottire*) padding **2** (*cotone idrofilo*) cotton wool; cotton (*USA*): **batuffolo di o.**, ball of cotton wool ● (*fig.*) **crescere nell'o.**, to be mollycoddled (*o* cossetted, pampered) □ (*fig.*) **tenere q. nell'o.**, to wrap sb. up in cotton wool; to mollycoddle sb.; to pamper sb.

ovattàre v. t. **1** (*imbottire*) to pad; to wad **2** (*fig.: attutire*) to tone down, to soften; (*suoni*) to muffle, to deaden.

ovattàto a. **1** (*imbottito*) padded; wadded **2** (*fig.*) softened; (*di suono*) muffled; (*di atmosfera*) hushed.

ovattatùra f. padding.

ovazióne f. (*anche stor.*) ovation: *Lo accolsero con un'o.*, he was given an ovation.

óve (*lett.*) Ⓐ avv. (*di luogo*) where: *Ove è?*, where is it?; **ove crescono le rose**, where roses grow; **ove che sia**, (*in qualsiasi luogo*) anywhere; (*dappertutto*) everywhere Ⓑ cong. **1** (*se*) if; in case: **ove lo preferiate**, if you prefer; (*form.*) should you prefer so **2** (*mentre*) whereas.

over① m. (*ingl., nuoto*) sidestroke.

over② a. inv. (*ingl.*) over-: *Si praticano particolari sconti per gli o. sessanta*, special discounts are available for the over-60s.

overcloccàre v. t. (*comput.*) to overclock.

overdòse f. inv. overdose: **morire di o.**, to die for an overdose; **prendere un'o.**, to take an overdose; to overdose (on st.).

♦**òvest** Ⓐ m. west: **l'o. della Francia**, the west of France; **a o.**, in the west; **a o. di**, (to the) west of; *La Francia si trova ad o. dell'Italia*, France lies to the west of Italy; *Biella è a o. di Milano*, Biella is (to the) west of Milan; **essere esposto a o.**, to be facing west; **andare all'o.**, to go west: **diretto a o.**, west-bound (agg.); **venire da o.**, to come from the west; **da o. a est**, from west to east; **più a o.**, further west; **i paesi dell'o.**, the Western countries; **verso o.**, west (avv.); westwards (avv.); westward (agg.); **navigare verso o.**, to sail west (*o* westwards); **viaggio verso o.**, westward journey; **vento dell'o.**, west wind; **venti da o.**, westerly winds Ⓑ a. inv. west; western; westerly: **lato o.**, west side; **il lato o. dell'edificio**, the side of the building facing west; **zona o.**, western zone; **in direzione o.**, in a westerly direction; westward; westwards; **dieci gradi di longitudine o.**, ten degrees longitude west.

ovidepórre v. i. (*zool.*) to oviposit; to lay* eggs.

ovideposizióne f. (*zool.*) oviposition.

ovidiàno a. (*letter.*) Ovidian; Ovid's.

Ovìdio m. (*letter.*) Ovid.

ovidótto m. (*anat.*) oviduct.

ovifórme a. (*lett.*) egg-shaped; oviform.

ovìle m. sheepfold; sheep pen ● (*fig.*) **ricondurre** [**rientrare**] **all'o.**, to bring back [to return] to the fold.

ovìno Ⓐ a. ovine; sheep (attr.): **allevamen-**

to o., sheep farm; **carni ovine**, mutton Ⓤ Ⓑ m. sheep*: **trecento ovini**, three hundred sheep.

oviparìsmo m. (*zool.*) oviparity.

oviparità f. (*zool.*) oviparity.

ovìparo (*zool.*) Ⓐ a. oviparous Ⓑ m. oviparous animal.

OVNI sigla (*oggetto volante non identificato*) unidentified flying object (UFO).

òvo m. → **uovo**.

ovocèllula f. (*biol.*) oosphere.

ovocìta, **ovocìto** m. (*biol.*) oocyte.

ovodonazióne f. (*biol.*) egg donation.

ovogamìa → **oogamia**.

ovogènesi f. (*biol.*) oogenesis.

ovogònio → **oogonio**.

ovoidàle a. ovoidal; ovoid; egg-shaped.

ovòide a. e m. ovoid.

ovolàccio m. (*bot., Amanita muscaria*) fly agaric.

òvolo m. **1** (*bot., Amanita caesarea*) royal agaric **2** (*bot.: germe di pianta*) ovule **3** (*archit.*) ovolo* ● **o. malefico** → **ovolaccio**.

ovoplàsma → **ooplasma**.

ovopoșitóre (*zool.*) Ⓐ m. ovipositor Ⓑ a. ovipositing.

ovotèca → **ooteca**.

ovovìa f. cable car; gondola.

ovoviparìsmo m. (*zool.*) ovoviparity.

ovoviparità f. (*zool.*) ovoviparity.

ovovivìparo a. (*zool.*) ovoviviparous.

OVRA sigla (*stor.*, **Opera di vigilanza per la repressione dell'antifascismo**) fascist secret police.

ovulàre① a. **1** (*biol.*) ovular **2** → **ovale**.

ovulàre② v. i. to ovulate.

ovulatòrio a. (*biol.*) ovulatory.

ovulazióne f. (*biol.*) ovulation.

òvulo m. **1** (*anat.*) ovum*; egg cell: **o. fecondato**, fertilized egg **2** (*bot.*) ovule **3** (*farm.*) pessary; vaginal suppository.

♦**ovùnque** avv. **1** (*dappertutto*) everywhere: *Ho cercato o.*, I've looked everywhere **2** (*in qualsiasi luogo*) anywhere; wherever: **o. ti piaccia**, anywhere you like; **o. io guardi**, wherever I look.

ovvéro cong. **1** (*ossia*) that is **2** (*oppure*) or; or rather.

ovverosìa → **ossia**.

ovvìa inter. (*region.*) come on.

ovviaménte avv. obviously; evidently; naturally; of course.

ovviàre v. i. to obviate (st.); to remedy: **o. a una difficoltà**, to obviate a difficulty; **o. a un errore**, to remedy an error.

ovvietà f. **1** (*l'essere ovvio*) obviousness; self-evidence **2** (*cosa ovvia*) truism; triviality.

òvvio a. (*naturale*) natural; (*evidente*) self--evident, manifest, plain; (*scontato*) obvious: **supposizioni ovvie**, obvious suppositions; **una verità ovvia**, a manifest truth; *È o. che lui non ci tiene*, he obviously isn't keen on the idea; *È più che o.*, it's only too natural; it goes without saying; *«Ci sarete anche voi?»* *«O.!»*, «will you be there too?» «of course».

oxer (*ingl.*) m. inv. (*equit.*) oxer.

oxford (*ingl.*) m. Oxford cloth.

oxitocìa f. (*med.*) oxitocia.

oxitòcico a. e m. (*farm.*) oxytocic.

oxitocìna f. (*fisiol.*) oxytocin.

oxoniàno, **oxoniènse** a. Oxonian.

oʒelòt m. (*zool., Felis pardalis*) ocelot; tiger cat.

oʒèna f. (*med.*) ozaena, ozena.

oziàre, **ozieggiàre** v. i. to be idle; to idle about; to laze about; to loaf: *Ho oziato tutto il pomeriggio*, I've been lazing about all afternoon; *Non o.!*, don't idle about!; **perdere il tempo oziando**, to idle away one's

a b c d e f g h i j k l m n o p q r s t u v w x y z

time.

òzio m. **1** idleness; (*neghittosità*) indolence, sloth; (*inattività*) inactivity: (*prov.*) *L'o. è il padre dei vizi*, idleness is the root of all vice; **o. forzato**, forced inactivity; **vivere nell'o.**, to live in idleness; **stare in o.**, to be idle; to idle about; to laze about; to loaf about; **tanto per non stare in o.**, just to keep oneself occupied; **trascorrere la vita in o.**, to live a life of idleness; **trascorrere le giornate nell'o.**, to idle away one's days **2** (*tempo libero*) leisure: **ore d'o.**, leisure time.

oziosàggine f. idleness; laziness; indolence.

oziosamènte avv. idly; in idleness.

oziosità f. **1** idleness **2** (*inutilità*) futility; idleness **3** (al pl.) (*parole oziose*) idle talk ⓤ.

ozióso Ⓐ a. **1** idle; (*neghittoso*) indolent, sluggish, slothful; (*inoperoso*) inactive: **starsene o.** → **oziare 2** (*inutile, vano*) idle; futile; useless; vain: **domanda oziosa**, futile question Ⓑ m. (f. **-a**) idler; loafer; layabout.

ozocerìte f. (*miner.*) ozocerite.

oẓònico a. (*chim.*) ozonic; ozone (attr.).

oẓonizzàre v. t. (*chim.*) to ozonize.

oẓonizzatóre m. (*chim.*, *ind.*) ozonizer; ozone generator.

oẓonizzazióne f. (*chim.*) ozonization.

◆oẓòno m. (*chim.*) ozone: **il buco nell'o.**, the ozone hole; **strato dell'o.**, ozone layer.

oẓonometrìa f. ozonometry.

oẓonomètrico a. ozonometric.

oẓonòmetro m. ozonometer.

oẓonosfèra f. (*meteor.*) ozonosphere.

oẓonoterapìa f. ozonotherapy.

p, P

P ①, **p** f. o m. (*quattordicesima lettera dell'alfabeto ital.*) P, p ● (*telef.*) **p come Palermo**, p for Papa.

P ② sigla **1** (*scacchi*, **pedone**) pawn (P) **2** (*ferr.*, **Pendolino**) high-speed tilting train **3** (*autom.*, **posteggio**) parking (P) **4** (*autom.*, **privatista**) (*su auto di chi impara a guidare*), learner (driver) (L).

P. abbr. **1** (*relig.*, **padre**) father (Fr.) **2** (**Papa**, **Pontefice**) Pope **3** (*geogr.*, **punta**) point.

p sigla (*mus.*, **piano**) softly.

p. abbr. **1** (**pagina**) page (p.) **2** (*negli orari*, **partenza**) departure (dep.).

PA abbr. **1** (**Palermo**) **2** (*mil.*, **Patto Atlantico**) North Atlantic Treaty Organization (NATO) **3** (**pubblica amministrazione**) public administration.

pA sigla (*fis.*, **peso atomico**) atomic weight (at. wt).

p.a. sigla (*nei biglietti di visita*, **per auguri**) with best greetings.

pa' m. (*region.*) dad; pa; pop (*USA*).

PAC sigla **1** (**Padiglione d'arte contemporanea** (**Milano**)) Contemporary Art Pavilion (*gallery in Milan*) **2** (**Politica agricola comune**) Common Agricultural Policy (CAP).

pàca m. inv. (*zool.*, *Cuniculus paca*) paca.

pacataménte avv. calmly; with deliberation.

pacatézza f. calm; calmness.

pacàto a. calm; even; even-tempered; relaxed: **carattere p.**, even temper; **voce pacata**, calm voice; *Mi fece un discorso p.*, he talked to me calmly.

pàcca f. **1** slap; clap: **una p. sulle spalle**, a clap on the back; **dare una p. a q. sulle spalle**, to slap (o to clap) sb. on the back **2** (*schiaffo*) slap; smack.

◆**pacchétto** m. **1** (*piccolo pacco*) parcel; (*small*) package; *È arrivato un p. per te*, a parcel came for you **2** (*confezione*) packet; package (*USA*); pack; (*sacchetto*) bag: **un p. di sigarette**, a packet (*o* pack) of cigarettes; **un p. di zucchero**, a packet (*USA* package) of sugar; **confezionare un p. regalo**, to gift-wrap st. **3** (*fascio*) bundle: **un p. di lettere**, a bundle of letters **4** (*fig.*: *insieme*) package; (*fin.*) parcel: **p. azionario**, parcel of shares; **p. d'aiuti**, aid package; (*fin.*) **p. di maggioranza**, majority stake; **p. di misure**, package deal; **p. di proposte**, package of proposals; **p. di riforme**, reform package; **p. turistico** (*o di viaggio*), package holiday, package tour **5** (*rugby*) pack **6** (*tipogr.*) block **7** (*armi*) cartridge clip **8** (*comput.*) package: **p. applicativo**, application package.

pàcchia (*fam.*) f. – *Due mesi di vacanza? Che p.!*, a two-month holiday? brilliant!; *Non è mica una p.*, it's no fun; *Il suo lavoro è una p.*, she has a soft (o cushy) job; *La p. è finita.*, the party's over.

pacchianàta f. showy (o garish, loud) thing; tawdry thing; thing: *L'arredamento nuovo è una p.*, the new furniture is very tawdry.

pacchianerìa f. showiness; garishness;

tawdriness.

pacchiàno a. showy; garish; loud; tawdry: **eleganza pacchiana**, showy elegance.

pacciamàre v. t. (*agric.*) to mulch.

pacciamatùra f. (*agric.*) mulch.

pacciàme, **pacciùme** m. (*agric.*) mulch.

◆**pàcco** m. **1** parcel; (*confezione*) package, pack: **un p. di libri**, a parcel of books; **p. dono**, gift parcel; **p. postale**, parcel; **spedire come p. postale**, to send by parcel post; **p. viveri**, food parcel; **confezionare [legare, disfare] un p.**, to make up [to tie up, to unwrap] a parcel; **fare un p. di qc.**, to package st.; **carta da pacchi**, brown (o wrapping) paper; **servizio pacchi postali**, parcel post **2** (*involto*) bundle; (*pila*) deck: **un p. di giornali**, a bundle of papers; **un p. di schede**, a deck of cards **3** (*pop.*: *imbroglio*) swindle; con (*fam.*): **fare (o tirare) il p. a q.**, to swindle sb.; to con sb.

paccottiglia f. (*merce scadente*) shoddy goods (pl.), cheap stuff; (*oggetti di nessun valore*) trash, junk.

◆**pàce** f. **1** peace: **una p. onorevole**, peace with honour; **fare p.** (con), to make peace (with); to make it up (with); **essere in p. con sé stesso**, to be at peace with oneself; **firmare la p.**, to sign the peace treaty; **mettere p. tra due amici**, to make peace between two friends; **vivere in p. con**, to live at peace with; **accordo di p.**, peace deal; **forze di p.**, peace-keeping force; **marcia per la p.**, peace march; **proposta di p.**, peace proposal; **tempo di p.**, peacetime; **trattato di p.**, peace treaty **2** (*quiete*, *tranquillità*) peace, peace and quiet, tranquillity; (*riposo*) rest: **la p. della sera**, the peace of the evening; **la p. dello spirito**, peace of mind; **la p. eterna**, eternal rest; *Andate in p.*, go in peace; *Chiedo solo un po' di p.*, I'm only asking for a bit of peace and quiet; **lasciare q. in p.**, to leave sb. in peace; to leave sb. alone; *Lasciami un po' in p.!*, just leave me alone!; **non avere un momento di p.**, not to have a moment's peace; **vivere in p.**, to live in peace; *Che p. c'è qui!*, how peaceful (o how quiet) it is here! ● **P. agli uomini di buona volontà**, peace to men of good will □ **P. all'anima sua!**, God rest his [her] soul!; May he [she] rest in peace □ (*stor.*) **la p. di Dio**, the truce of God □ **andarsene in p.** (*morire*), to die □ **con buona p. di q.**, pace sb. □ **con vostra buona p.**, by your leave □ **darsi p.**, to resign oneself □ **non dare p.**, not to give (sb.) a moment's peace; (*infastidire*) to pester, to plague; (*tormentare*) to nag, to go on at □ **non darsi p.**, (*preoccuparsi*) to keep worrying; (*non rassegnarsi*) to be unable to resign oneself □ (*leg.*) **giudice di p.**, justice of the peace □ **mettersi il cuore in p.**, to set one's mind at rest □ **per amor di p.**, for the sake of peace and quiet □ **Riposa in p.!**, rest in peace! (abbr. R.I.P.) □ **Santa p.!**, oh dear! □ (*relig.*) **segno della pace**, sign of peace.

pacemaker (*ingl.*) m. inv. (*anat.*, *med.*) pacemaker.

pacfòng → **packfong**.

pachidèrma m. **1** (*zool.*) pachyderm **2** (*fig.*: *grassone*) fatty; mound of flesh **3** (*fig.*: *persona poco sensibile*) thick-skinned person.

pachidermìa f. (*med.*) pachydermia.

pachidèrmico a. (*zool.*) pachydermatous; pachydermal; pachydermic.

pachimenìnge f. (*anat.*) pachymeninx; dura mater.

pachimeningite f. (*med.*) pachymeningitis.

pachino m. inv. Sicilian cherry tomato.

pachipleurite f. (*med.*) pachypleuritis.

pachìşi m. (*gioco*) pachisi.

pachistàno a. e m. (f. **-a**) Pakistani.

pacière m. (f. **-a**) peacemaker: **fare da p.**, to act as a peacemaker.

pacificàbile a. pacifiable; appeasable.

pacificaménte avv. peacefully; in peace: **vivere p.**, to live peacefully; to lead a peaceful life; **convivere p.**, to live together in peace.

pacificaménto m. pacification; reconciliation.

pacificàre A v. t. **1** (*riconciliare*) to make* peace between **2** (*mettere in pace*) to pacify; to appease: **p. un paese**, to pacify a country **B pacificàrsi** v. rifl. recipr. to make* peace; to be reconciled (with each other); to make* it up **C pacificàrsi** v. i. pron. **1** (*calmarsi*) to calm down; to placate; (*sbollire*) to cool off **2** (*fare pace*) to make* peace (with); to make* it up (with).

pacificàto a. pacified; at peace.

pacificatóre A a. (*lett.*) pacifying; peacemaking; reconciliatory **B** m. (f. **-trice**) peacemaker; conciliator.

pacificatòrio a. pacificatory; reconciliatory; peacemaking.

pacificazióne f. peacemaking; reconciliation; pacification: **la p. di un paese**, the pacification of a country; **fare opera di p.**, to act as a peacemaker; **tentativi di p.**, peacemaking efforts.

◆**pacìfico A** a. **1** (*incline alla pace*, *non violento*) peaceful; peaceable; pacific: **coesistenza pacifica**, peaceful coexistence; **intenzioni pacifiche**, peaceful (o peaceable, pacific) intent; **manifestazione pacifica**, peaceful demonstration; (*mil.*) **occupazione pacifica**, peaceful occupation; **un paese p.**, a peaceful country **2** (*di indole calma*) calm, even-tempered; placid; relaxed; laid-back (*fam.*); (*amante della pace*) peace-loving, pacific; (*tranquillo*, *in pace*) peaceful: **indole pacifica**, placid disposition; **l'Oceano P.**, the Pacific Ocean; **vita pacifica**, peaceful life **3** (*ovvio*) obvious; self-evident **4** (*geol.*) Pacific **B** m. (f. **-a**) (*tipo tranquillo*) pacific person, laid-back person (*fam.*); (*amante della pace*) peace-loving person ● (*Bibbia*) **Beati i pacifici**, blessed are the peacemakers.

Pacìfico m. (*geol.*) (the) Pacific.

pacifìşmo m. pacifism.

pacifista a., m. e f. pacifist; peace (attr.): **atteggiamento p.**, pacifist attitude; **movimento p.**, peace movement; **raduno p.**, peace rally.

pacifìstico a. pacifism (attr.).

pacioccóne (*fam.*) **A** m. (f. **-a**) plump, placid person **B** a. **1** (*bonario*) placid; easy-going; jovial **2** (*grassoccio*) plump; chubby.

pacióne A m. (f. **-a**) (*fam.*) placid person;

easy-going person; laid-back person **B a.** placid; easy-going; relaxed; laid-back.

pacióso a. (*fam.*) peaceful; peaceable; placid; easy-going.

paciugàre v. t. (*region.*) to make* a mess of; to muck up (*fam.*).

paciùgo m. **1** (*region.*) mess **2** (*gelato*) ice cream sundae.

paciulì → **patchouli.**

pack (*ingl.*) m. inv. (*geogr.*) ice pack.

packfòng m. inv. paktong; packfong.

padàno a. (*geogr.*) Po (attr.); of the Po Valley: **la Pianura padana**, the Po Valley.

pàdda f. (*zool.*, *Padda oryzivora*) Java sparrow; rice bird; paddy-bird.

♦**padèlla** f. **1** frying pan; skillet (*USA*): (**cotto, fatto**) **in p.**, sauté; fried; **patate in p.**, sauté potatoes; **pesce in p.**, fried fish; **pentole e padelle**, pots and pans; (*fig.*) **dalla p. nella brace**, out of the frying pan into the fire **2** (*padellata*) panful: **una p. di cipolle**, a panful of onions **3** (*per infermi*) bedpan **4** (*scaldaletto*) warming pan **5** (*fam.*: *macchia*) grease stain; stain **6** (*gergale*) miss: **fare p.**, to miss (the target).

padellàre A v. t. (*cucina*) to sauté **B** v. i. (*fam.*) to miss (the target).

padellàta f. **1** (*quantità*) panful **2** (*colpo*) blow with a pan: **dare una p. in testa a q.**, to hit sb. on the head with a pan.

padellóne m. **1** large frying-pan **2** (*teatr.*, *cinem.*) bank of light; light bank **3** (*f. -a*) (*fam.*) messy eater.

padiglióne m. **1** (*edificio isolato*) pavilion; lodge; (*di fiera*) pavilion; (*d'ospedale*) pavilion, block **2** (*tenda da campo*) pavilion; marquee **3** (*baldacchino*) canopy **4** (*autom.*) roof; top **5** (*anat.*) – **p. auricolare**, auricle **6** (*di pietra preziosa*) pavilion **7** (*mus.*) bell (of a brass instrument) ● (*archit.*) **tetto a p.**, pavilion roof.

padiscià m. (*stor.*) Padishah.

Pàdova f. (*geogr.*) Padua.

padovanèlla f. **1** (*calessino*) sulky **2** (*gergo teatr.*) hamming; playing to the gallery.

padovàno A a. Paduan; of Padua; from Padua **B** m. (f. *-a*) native [inhabitant] of Padua.

♦**pàdre** m. **1** (*genitore*) father: **p. adottivo**, adoptive father; foster father; **p. di famiglia**, family man; **p. naturale**, natural father; **p. putativo**, putative father; *È p. di tre figli*, he is the father of three children; *Dio P.*, God the Father; *Ti parlo come se fossi tuo p.*, I'm talking to you as a father; *Sua moglie lo rese p. di un maschio*, his wife bore him a son; **fare da p. a q.**, to be a father to sb.; **fare le veci del p.**, to act as a father; **di p. in figlio**, from father to son; **cugino per parte di p.**, cousin on one's father's side; **ragazzo p.**, single father **2** (*fig.*: *fondatore, maestro*) father: **i Padri della Chiesa**, the Fathers of the Church; **padri fondatori**, founding fathers; (*stor.*) **i Padri Pellegrini**, the Pilgrim Fathers; *Dante è il p. della lingua italiana*, Dante is the father of the Italian language **3** (*di animale*) sire **4** (*eccles.*) Father: **p. conciliare**, council father; **p. spirituale**, father confessor; (*fig.*) teacher, mentor; *Reverendo P.*, Reverend Father; **il Santo P.**, the Holy Father; *P. Mattia*, Father Mattia **5** (al pl.) (*antenati*) forefathers; ancestors: **i nostri padri**, our forefathers ● (*stor. romana*) **Padri coscritti**, Conscript Fathers; senators **6** (*teatr.*) **p. nobile**, heavy father ● (*relig.*) **P. nostro che sei nei cieli**, our Father who art in Heaven **□ p. padrone**, tyrannical father **□** (*comm.*) **il signor Bianchi p.**, Mr Bianchi senior **□** (*leg.*) **diligenza del buon p. di famiglia**, due diligence **□** (*prov.*) **Quale il p., tale il figlio**, like father, like son.

padreggiàre v. i. to take* after one's father.

Padrenòstro → **paternostro.**

Padretèrno m. **1** (*relig.*) God the Father **2** (*fig.*) God Almighty: *Si crede un p.*, he thinks he is God Almighty; **fare il p.**, to throw one's weight about.

padrigno → **patrigno.**

padrinàggio m. power exercised by a mafia boss; godfather power.

padrino m. **1** (*eccles.*, *di battesimo*) godfather, sponsor; (*di cresima*) sponsor: **il p. e la madrina**, the godparents; **fare da p. a q.**, to stand godfather to sb. **2** (*in un duello*) second **3** (*capo mafioso*) mafia boss; godfather.

padróna f. **1** (*proprietaria*) owner; (*di casa, albergo, ecc.*) landlady; (*donna che ha autorità, che comanda*) mistress: **p. di casa**, (*proprietaria*) owner; (*colei che comanda*) lady of the house; (*colei che riceve*) hostess; **p. della situazione**, mistress of the situation; *Io sono la p. qui*, I am the mistress here; *Non è più p. in casa sua*, she is no longer mistress in her own house; *Chi di loro è la p. di casa?*, which of them is the lady of the house?; *La p. di casa ci accolse sull'uscio*, our hostess welcomed us at the door; *È una brava p. di casa*, (*sa ricevere*) she is an expert hostess; (*tiene bene la casa*) she is house-proud **2** (*datrice di lavoro*) employer. *V. anche la fraseologia sotto* **padrone.**

padronàle a. **1** (*del proprietario*) owner's; proprietor's; master's: **l'autorità p.**, the master's (*o* the owner's) authority; **casa p.** (*di proprietà terriera*) manor; hall **2** (*principale*) main (attr.): **bagno [ingresso] p.**, main bathroom [entrance] **3** (*privato*) private: **carrozza p.**, private coach **4** (*imprenditoriale*) employer's (attr.); managerial: **associazione p.**, employers' association; **la classe p.**, the managerial class.

padronànza f. **1** (*controllo, dominio*) control; command; mastery: **p. dei propri nervi**, self-control; coolness; **perdere la p. di sé**, to lose one's self-control; **avere la piena p. delle proprie facoltà**, to have full command of one's faculties **2** (*fig.*: *piena conoscenza*) mastery; command; grasp; knowledge: **p. di un argomento**, knowledge about (*o* grasp on) a subject; **la p. di una lingua**, a good command of a language; **piena p.**, total command; thorough knowledge.

padronàto m. **1** ownership **2** (*i padroni*) owners (pl.); (*i datori di lavoro*) employers (pl.).

padroncìno m. **1** (*giovane padrone*) young master; (*figlio del padrone*) boss's son **2** (*piccolo imprenditore*) small entrepreneur; small contractor **3** (*tassista autonomo*) self-employed taxi driver **4** (*piccolo trasportatore*) lorry owner-driver; truck owner-operator.

♦**padróne A** m. **1** (*proprietario*) owner, proprietor; (*terriero o di immobile*) landlord; (*uomo che ha autorità*) master, boss (*fam.*): **il p. di un'azienda**, the owner of a firm; **p. di casa**, (*proprietario*) landlord; (*colui che comanda*) master of the house; (*anfitrione*) host: **il mio p. di casa**, my landlord; **p. e servitore**, master and man; *Il cane difese il p.*, the dog defended its master; **essere p. in casa propria**, to be master in one's own house **2** (*datore di lavoro*) employer; boss (*fam.*): **lavorare sotto p.**, to be employed **3** (*naut.*) ship's master ● **p. della situazione**, master of the situation **2** (*fig.*) **il p. del vapore**, the big boss **□ p. di sé**, self-controlled; composed; cool-headed: **non essere p. di sé**, to have no self-control; **non essere più p. di sé**, to have lost one's self-control **□ p. di sé stesso**, one's own master **□ andare a p.**, to go into service **□ essere p. di fare qc.**, to be free to do st. **□ non essere p. delle proprie azioni**, not to be responsible for one's actions **□ Non è**

p. delle sue passioni, he has no control over his passions **□ essere a p. da q.**, to have been apprenticed to sb.; to be in sb.'s employment **□ farla da p.**, to play the lord and master; to throw one's weight about; to lord it over sb. **□** (*fig.*) **servire due padroni**, to serve two masters **B a.** – **padre p.**, tyrannical father; **serva padrona**, bossy housemaid.

padroneggiàre A v. t. **1** (*dominare*) to control, to rule, to handle; (*tenere a freno*) to check: **p. le proprie emozioni**, to control one's emotions; **p. una situazione**, to handle a situation **2** (*usare con padronanza*) to have a good command of; (*riuscire a p.*) to master: **p. una materia [una lingua]**, to have a good command of a subject [a language] **B** v. i. (*spadroneggiare*) to play the master (f. the mistress); to be bossy (*fam.*) **C** padroneggiàrsi v. rifl. to control oneself; to check oneself; to retain one's self-control: **non saper padroneggiarsi**, to lack self-control.

padronésco a. (*spreg.*) domineering; bossy.

padronìssimo m. (f. *-a*) – *Sei p. di andartene*, you're perfectly free to leave; *P. di farlo, se vuole*, he's perfectly free to do it; he can go ahead and do it, no one's stopping him; *Vuoi rinunciare? P.!*, you want to give up? suit yourself!

paduàna → **pavana.**

padùle m. (*region.*) bog; swamp; marsh.

♦**paesàggio** m. **1** landscape; scenery; (*panorama*) view, panorama: **p. alpino [fluviale]**, alpine [river] landscape; **p. di montagna**, mountain scenery; **ammirare il p.**, to admire the view; **rovinare un p.**, to spoil a landscape; **difesa del p.**, protection of the landscape **2** (*arte*) landscape: **p. marino**, seascape.

paesaggìsmo m. (*pitt.*) landscape painting.

paesaggìsta m. e f. **1** (*pitt.*) landscape painter; landscapist **2** (*architetto di giardini*) landscape gardener.

paesaggìstica f. **1** (*arte e tecnica*) landscape painting **2** (*opere*) landscape paintings (pl.).

paesaggìstico a. landscape (attr.).

paesanìsmo m. localism; provincialism; ruralism; local character.

paesàno A a. **1** (*di campagna, rustico*) country (attr.); of (*o* from) the country; rural, rustic: **danze paesane**, country dances; **usanze paesane**, rural customs; **la vita paesana**, country life; **alla paesana**, country-style (attr.); rustic **2** (*di villaggio*) village (attr.): **festa paesana**, village festival **B** m. (f. *-a*) **1** countryman* (f. countrywoman*); villager: **i paesani**, country people; country folk **2** (*region.*: *compaesano*) person coming from the same village (*o* town); (*compatriota*) fellow countryman*: *Siamo paesani*, we come from the same village (*o* town).

♦**paése** m. **1** (*regione, terra*) country; land; region; (*luogo*) place: **P. fertile**, fertile country; **P. montuoso**, mountainous country; **i paesi caldi**, warm regions; **scoprire paesi nuovi**, to discover new lands; **visitare paesi lontani**, to visit distant lands **2** (*nazione*) country; nation: **un P. libero**, a free country; **P. d'origine**, one's country of origin; one's mother country; **paesi di lingua inglese**, English-speaking countries; **paesi d'oltremare**, overseas countries; **paesi del Terzo Mondo**, Third-World countries; **paesi in via di sviluppo**, developing countries (*o* nations); **amare il proprio P.**, to love one's country; *Tutto il P. è in lutto*, the entire nation is in mourning **3** (*villaggio*) village; (*cittadina*) town: **un p. di pescatori**, a fishing village; **il p. natio**, one's native village [town]; one's birthplace; **al mio p.**, in the

town [village] where I live; at home; **fiera di p.**, village fair ● **il P. dei Balocchi**, Toy-Land □ **il P. della Cuccagna**, the Land of Cockaigne □ **il p. legale**, the government and the politicians □ **il p. reale**, the people; the general public □ **i Paesi Bassi**, the Netherlands; (*stor.*) the Low Countries □ **il bel P.**, Italy □ **gente di p.**, country people; provincials □ (*fam.*) **mandare q. a quel p.**, to tell sb. to go to hell □ (*prov.*) **P. che vai, usanza che trovi**, when in Rome, do as the Romans do □ (*prov.*) **Tutto il mondo è p.**, people are the same the whole world over.

paeṣista m. e f. (*pitt.*) landscape painter; landscapist.

paeṣistico a. landscape (attr.).

paf, pàffete inter. (*fam.: rumore di schiaffo*) slap, smack; (*rumore di cosa che cade*) thud.

paffutézza f. chubbiness; plumpness.

◆**paffùto** a. plump; chubby: **un bambino p.**, a plump baby; **guance paffute**, chubby cheeks.

◆**pàga A** f. **1** pay; (*salario*) wage, wages (pl.): **p. base**, basic pay; **p. intera**, full wages; **p. ridotta** (*o* **mezza p.**), half pay; **p. settimanale**, weekly pay (*o* wage); **p. supplementare**, extra pay; *La p. è buona*, the pay is good; **riscuotere la p.**, to draw one's pay; **aumento di p.**, increase in wages; pay rise; **giorno di p.**, pay day; **minimo di p.**, minimum wage; **tabella base delle paghe**, wage scale **2** (*fig.: ricompensa*) reward; recompense: *Ecco quello che ho ricevuto per tutta p.*, that's what I got for my pains (*o* in return, as thanks) **B a. inv.** pay (attr.): **busta p.**, pay packet (*GB*); pay envelope (*USA*); **foglio p.**, pay sheet; pay list; **libro p.**, pay register; (*ruolo paga*) payroll; **a libro p.**, on sb.'s payroll; (*fig.*) **essere sul libro p. di q.**, to be in sb.'s pay.

pagàbile a. **1** (*che si può pagare*) payable: **p. alla consegna**, payable on delivery; **p. all'ordine**, payable to order; **p. al portatore**, payable to bearer; **p. a rate**, payable by instalments (*o* on the instalment plan); **p. a trenta giorni**, payable at thirty days; **p. a vista**, payable at sight; **p. contro fattura**, payable against invoice; **p. in anticipo**, payable in advance **2** (*che si deve pagare*) due: **p. entro il 31 ottobre**, due by 31st October.

pagàia f. paddle: **p. doppia**, double paddle.

pagaiàre v. i. to paddle.

◆**pagaménto** m. payment; (*compenso*) fee, consideration; (*somma pagata*) amount paid: **p. alla consegna** (*o* **contro assegno**), cash on delivery (abbr. C.O.D.). **p. a mezzo assegno**, payment by cheque; **p. a rate** (*o* **rateale**), payment by instalments; **p. a ricezione della fattura**, payment on invoice; **p. a saldo**, full payment; settlement; **p. anticipato**, advance payment; prepayment; **p. completo**, payment in full; **p. in contanti**, cash payment; (*payment*) cash down; **p. in natura**, payment in kind; **p. per intervento** (*o per l'onore di firma*), payment for honour (*o* supra protest); **mancato p.**, non-payment; (*d'una cambiale, ecc.*) dishonour (by non-payment); **bloccare un p.**, to stop a payment; **dilazionare un p.**, to grant an extension of payment; **esigere il p. di una somma**, to demand payment of a sum; **fare un p.**, to make a payment; **far fronte a un p.**, to meet a payment; **richiedere il p. immediato**, to demand prompt payment; **a p.**, for money; for a fee: **fare qc. a p.**, to do st. for a fee; **camera** (*di ospedale*) **a p.**, private room; **paziente a p.**, fee-paying patient; **dietro p. di**, against (*o* for) payment of; **fino a p. totale**, until fully paid; **avviso di p.**, notice of payment; **condizioni di p.**, terms of payment; **mandato di p.**, money order.

paganeggiànte a. inclined towards paganism; paganish.

paganeggiàre v. i. (*lett.*) to think* as a pagan; to live like a pagan.

paganèllo m. (*zool.*, *Gobius paganellus*) rock goby.

paganéṣimo m. paganism; heathenism.

paganità f. **1** → **paganesimo 2** (*il mondo pagano*) pagan world; heathendom.

paganiżżàre v. t. to paganize.

paganiżżazióne f. paganization.

pagàno a. e m. (f. **-a**) pagan; heathen: **il mondo p.**, the pagan world; heathendom; **riti pagani**, pagan rites; **convertire i pagani**, to convert the heathen.

pagànte A a. paying: **paziente p.**, paying patient; **socio p.**, paying member **B** m. e f. payer, payor.

◆**pagàre** v. t. **1** (*dare denaro a*) to pay*: **p. i dipendenti**, to pay the staff; **p. i creditori**, to pay (off) one's creditors; **essere pagato a ore**, to be paid by the hour; **farsi p.**, to charge; to demand payment; **farsi p. caro**, to charge a lot; *Fatti p.!*, make sure you get paid!; make them pay you! **2** (*soddisfare un impegno versando una somma*) to pay*; (*saldare*) to settle, to pay* off; (*pagare un acquisto, un servizio*) to pay* for: **p. l'albergo**, to pay for the hotel; to pay the hotel bill; **p. una cambiale**, to pay (*o* to honour) a bill (of exchange); **non p. una cambiale**, to dishonour a bill (of exchange); **p. un conto**, to pay (*o* to settle) a bill; **p. un debito**, to pay off (*o* to settle) a debt; **p. una fattura**, to pay an invoice; **p. la merce**, to pay for the goods; **p. un salario a q.**, to pay sb. his wages; **p. le tasse**, to pay taxes; **p. a rate**, to pay in instalments; **p. a tamburo battente**, to pay on the nail; to pay spot cash; **p. alla consegna**, to pay cash on delivery; **p. alla romana**, to go Dutch; **p. caro qc.**, to pay a lot for st.; **p. con un assegno**, to pay by cheque; **p. in contanti**, to pay cash (down); **p. in natura**, to pay in kind; **p. qc. un occhio della testa** (*o* **salato**, **profumatamente**), to pay through the nose for st.; *Ho pagato sei milioni di riparazioni*, I paid six million for repairs; *Ti ho già pagato 30 dollari*, I've already paid you 30 dollars; *Quanto l'hai pagato?*, how much did you pay for it?; **far p. qc.**, to charge for st.; *Quanto te l'hanno fatto p.?*, how much did they charge you for it?; **far p. più del dovuto**, to overcharge **3** (*offrire*) to stand*; to buy*; to treat: **p. da bere a q.**, to stand (*o* to buy) sb. a drink; *Le ho pagato un gelato*, I treated her to an ice cream; *Stasera pago io!*, it's my turn to pay tonight!; it's on me tonight! **4** (*assol., fig.: portare utilità, vantaggio*) to pay*: *Il delitto non paga*, crime doesn't pay **5** (*fig.: scontare, espiare*) to pay*; to pay* for: **p. il fio** (*o la pena*), to pay the penalty; **p. lo scotto**, to pay the reckoning; **p. qc. con la vita**, to pay for st. with one's life; **p. di persona**, to answer (for st.) personally; to face the consequences; **p. caro qc.**, to pay dearly for st.; *Me la pagherai!*, you'll pay for this!; **farla p. a q.**, to get back at sb. **6** (*fig.*) (*ripagare, ricompensare*) to repay*; to reward: **p. q. con la stessa moneta**, to repay (*o* to pay back) sb. in his own coin ● (*eufem.*) **p. il debito alla natura**, to die □ **p. qc. per nuovo**, to buy st. thinking it is new □ (*fig.*) **p. salato qc.**, to pay dearly for st. □ **Non so cosa pagherei per...**, **Pagherei un occhio** per..., I would give anything to...

🟥 **Nota: *pagare***

1 Con il verbo to pay il servizio, il lavoro o il bene pagato è preceduto da for: *Devo pagarti i libri*, I have to pay you for the books (non ~~I have to pay you the books~~); *Ha pagato lui la cena*, he paid for the dinner (non ~~he paid the dinner~~); *La traduzione deve ancora essere pagata*, the translation still has to be paid for (non ~~the translation still has to be paid~~).

2 Davanti alla somma pagata e a termini che indicano una somma (**conto**, **debito**, **tassa**, **multa**, **affitto**, ecc.), non si usa alcuna preposizione: *Ho pagato soltanto 10 sterline*, I paid only 10 pounds; *Ha pagato l'appartamento 100.000 euro*, he paid 100,000 euros for the flat; *Dovetti pagare una multa salata*, I had to pay a hefty fine; *Chi ha pagato il conto?*, who paid the bill?

Se si nomina anche chi riceve il pagamento, nel caso **2** to pay è un verbo → **ditransitive**, cioè con un doppio complemento oggetto: *Non gli ho ancora pagato l'affitto*, I haven't paid him the rent yet; *Mi hanno pagato molto poco per la recensione*, They paid me very little for the review.

pagatóre A m. (f. **-trice**) payer, payor: **un cattivo p.**, a bad (*o* slow) payer **B** a. paying; pay (attr.): **agente p.**, pay clerk; **ufficiale p.**, paymaster.

pagatoria f. treasury paying office.

pagèlla f. (school) report; report card.

pagèllo m. (*zool.*, *Pagellus centrodontus*) sea bream.

paggétto m. **1** young page **2** (*di nozze*) pageboy; page.

pàggio m. **1** (*stor.*) page **2** (*di nozze*) pageboy; page ● **pettinatura alla p.**, pageboy (hairstyle).

pagheròm. (*comm.*) promissory note; IOU (abbr. di I owe you): **p. cambiario**, promissory note; note of hand.

paghétta f. (*fam.*) pocket money.

◆**pàgina** f. **1** page; (*foglio*) leaf: **p. bianca**, blank page; (*giorn.*) **le pagine dello sport**, the sports pages; **un libro di duecento pagine**, a book of two hundred pages; a two-hundred-page book; **una lettera di otto pagine**, an eight-page letter; **numerare le pagine di qc.**, to number the pages of st.; to paginate st.; **strappare una p. da un libro**, to tear a page from a book; **sfogliare le pagine di un libro**, to leaf through (*o* to page through) a book; **voltare p.**, to turn over the page; (*fig.*) to turn over a new leaf **2** (*estens.: brano*) passage; piece: **le pagine migliori di un libro**, the best parts (*o* passages) of a book; **pagine pianistiche**, piano pieces; **pagine scelte**, selected passages **3** (*fig.: vicenda*) page: **una p. eroica nella nostra storia**, a heroic page in our history **4** (*bot.*) pagina*; page **5** (*comput.*) page: **p. Web**, Web page ● (*tipogr.*) **p. dispari**, recto □ (*tipogr.*) **p. pari**, verso □ (*telef.*) **Pagine Gialle®**, Yellow Pages® □ **a piè di p.**, at the foot of the page; (*in nota*) in a footnote □ (*giorn.*) **a tutta p.**, full-page (attr.) □ (*giorn.*) **andare in p.**, to be printed □ (*giorn.*) **prima p.**, front page: **finire in prima p.**, to end up on the front page; **notizia da prima p.**, front-page news; headline-hitting news □ (*giorn.*) **la terza p.**, the literary page.

paginaménto m. (*comput.*) paging.

paginàta f. **1** (*pagina intera*) whole page; full page **2** (*al pl.*) (*molte pagine*) whole pages; pages and pages.

paginatùra, paginazióne f. pagination; page numbering.

paginóne m. **1** large page **2** (*giorn.*) spread; double spread; (*in rivista*) centre spread, centrefold.

◆**pàglia A** f. **1** straw; (*per tetti*) thatch: **dormire sulla p.**, to sleep on straw; **imbottito di p.**, stuffed with straw; **una balla di p.**, a bale of straw; **cappello di p.**, straw hat; (*maschile, anche*) boater; (*di Firenze*) leghorn (hat); **filo** (*o fuscello*) **di p.**, (single) straw; **letto di p.**, straw bed; **sedia di p.**, straw-bottomed chair; **tetto di p.**, thatched roof; **una casetta col tetto di p.**, a thatched cot-

tage **2** (*oggetto di p.*) straw artefact; (*cappello*) straw hat **3** (*metall.*) seam **4** (*naut.*) – **p. di bitta**, norman (pin); cable bolt ● **p. di ferro**, steel wool □ **p. di legno** (*per imballaggio*), wood shavings (pl.) □ **p. di riso**, rice straw □ (*fig.*) **avere la coda di p.**, to have a guilty conscience □ (*fig.*) **un fuoco di p.**, a flash in the pan; a nine days' (*o* seven-day) wonder □ (*fig.*) **mettere la p. vicino al fuoco**, to tempt fate □ (*fig.*) **uomo di p.**, man of straw **B** a. inv. straw (attr.): **biondo p.**, straw-blond; **color p.**, straw colour (sost.); straw-coloured (agg.).

pagliaccésco a. (*spreg.*) clownish; clown-like.

pagliaccétto m. **1** (*per bambino*) romper suit; rompers (pl.) **2** (*per donna*) camiknickers (pl.).

pagliacciàta f. **1** (*comportamento*) tomfoolery ⊞; buffoonery ⊞; antics (pl.): **fare pagliacciate**, to play the buffoon; to play the fool; to clown around **2** (*cosa poco seria*) farce; joke: *Le elezioni furono una p.*, the election was a farce.

♦**pagliàccio** m. **1** clown **2** (*fig.*) clown; buffoon; fool: **fare il p.**, to play the fool; to clown around.

pagliàio m. **1** (*cumulo di paglia*) straw stack; straw rick **2** (*edificio*) barn ● **È come cercare un ago in un p.**, it's like looking for a needle in a haystack ● **cane da p.**, mongrel.

pagliaréccia f. (*zool.*, *Emberiza*) bunting.

pagliaròlo m. (*zool.*, *Acrocephalus paludicola*) marsh warbler.

pagliàto → **paglierino**.

pagliericcio m. straw mattress; pallet; palliasse.

paglierino a. straw-coloured; straw-yellow: **giallo p.**, pale yellow (sost.); straw-yellow (agg.).

pagliétta f. **1** (*cappello*) straw hat; boater **2** (*fig. spreg., region.*) pettyfogger; shyster **3** (*lana d'acciaio*) steel wool **4** (*bot.*) palea* **5** (*elettr.*) connecting lug (*o* tag).

pagliétto m. (*naut.*) mat.

paglino **A** m. straw bottom (of a chair) **B** a. straw-coloured; straw-yellow.

pagliolàto m. (*naut.*) bottom boards (pl.); (*di barca*) floor-boards (pl.).

pagliòlo m. (*naut.*) bottom boards (pl.); platform; ceiling; (*per stivaggio*) dunnage.

paglióne m. (*region.*) pallet; palliasse ● (*fig.*) **bruciare il p.**, (*mancare di parola*) to go back on one's word; (*mancare a un appuntamento*) not to turn up, to stand sb. up (*fam.*); (*andarsene di nascosto*) to clear out, to do a bunk (*slang GB*).

pagliùzza f. **1** (blade of) straw **2** (*di metallo*) minute particle; speck: **pagliuzze d'oro**, minute particles (*o* specks) of gold; gold dust (sing.) ● (*Bibbia*) **la p. nell'occhio del fratello**, the mote in one's brother's eye □ (*fig.*) **attaccarsi a una p.**, to fasten on a ridiculous pretext.

pagnòtta f. **1** (round) loaf* **2** (*fig.*) (one's) living; (one's) bread and butter (*fam.*): **guadagnarsi la p.**, to earn one's living; **lavorare per la p.**, to work for one's bread and butter; **portare a casa la p.**, to be the breadwinner.

pàgo ① a. content (with); satisfied (with): *Non si ritiene ancora p.*, he does not consider himself satisfied yet; he is not satisfied yet.

pàgo ② m. (*archeol.*) pagus*; rural district.

pagòda f. **1** (*archit.*) pagoda **2** (*moneta indiana*) pagoda.

pàgro m. (*zool.*, *Pagrus pagrus*) porgy.

pagùro m. (*zool.*, *Eupagurus bernhardus*) hermit crab.

paidologia → **pedologia** ①.

---

paillard (*franc.*) f. inv. (*cucina*) grilled sirloin; minute steak.

paillette (*franc.*) f. inv. (*moda*) sequin; spangle.

paino m. (*region.*) fop; dandy.

♦**pàio** m. (pl. **paia**, f.) **1** (*di oggetti naturalmente accoppiati*) pair: **un p. di guanti [d'occhiali, di forbici, di pantaloni]**, a pair of gloves [of spectacles, of scissors, of trousers]; **un p. di scarpe nuove**, a new pair of shoes; **un bel p. di gambe**, a nice pair of legs; **centinaia di paia**, hundreds of pairs **2** (*coppia*) pair; couple; twosome (*fam.*); (*di selvaggina*) brace*; (*di buoi*) yoke*: **un p. di pernici**, a brace of partridges; **tre paia di lepri**, three brace of hares; **un p. di buoi**, a yoke of oxen; **cinque paia di buoi**, five yoke of oxen; **formare un p.**, to make a pair **3** (*fig.: alcuni*) couple; two or three; a few: **un p. di libri**, a couple of books; **tra un p. d'ore**, in a couple of hours; in an hour or two; *Inviterò un p. di amici*, I'll invite a few friends ● **fare il p.**, to be well-matched □ (*fig.*) **È un altro p. di maniche**, that's quite a different story; that's a different kettle of fish.

paiolàta f. potful; pot.

paiòlo m. (cooking) pot; (*calderone*) cauldron: **nero come un p.**, as black as a tinker's pot.

paisà m. (*region.*) fellow countryman*; fellow villager; paisan (*fam.*, USA).

pakistàno → **pachistano**.

paktòng → **packfong**.

♦**pàla** ① f. **1** (*attrezzo*) shovel: **p. caricatrice**, loading shovel; (power) loader; **p. del carbone**, coal shovel; **p. meccanica**, mechanical shovel; **raccattare con la p.**, to take up with a shovel **2** (*di remo, timone*) blade; (*di elica, ventilatore, turbina*) blade, vane; (*di ruota*) paddle; (*di mulino*) (windmill) sail, vane: **p. smontabile**, detachable blade; **battello a p.**, paddle steamer; **ruota a pale**, paddle wheel **3** (*arte, anche* **p. d'altare**) ancona; altar-piece ● (*fig.*) **buttare i soldi con la p.**, to spend money like water.

pàla ② f. (*roccia*) wide cliff.

palacongrèssi m. inv. conference building.

paladino m. **1** (*stor.*) paladin **2** (*fig.: difensore*) champion; defender: **farsi p. di un'idea**, to champion an idea; **farsi p. di q.**, to take up the cause of sb.

palafitta f. **1** (*edil.*) pilework ⊞; piles (pl.); stilts (pl.): **costruito su palafitte**, built on piles; **ponte su palafitte**, pile bridge **2** (*archeol.*) lake dwelling; palafitte: **villaggio di palafitte**, lake dwellings (pl.).

palafittàre v. t. (*edil.*) to pile; to support with piles.

palafitticolo **A** a. lake-dwelling (attr.); lake (attr.): **villaggio p.**, lake dwellings (pl.) **B** m. (f. **-a**) lake-dweller.

palafrenière m. **1** groom **2** (*mil., stor.*) riding instructor.

palafréno m. (*stor.*) palfrey; saddle horse.

palaghiàccio m. inv. ice rink.

palàia f. coppice (for pole timber).

palamedèa f. (*zool.*, *Anhima cornuta*) screamer.

palaménto m. (*naut.*) outfit of oars; set of oars.

palamidóne m. (*scherz.*) long frock-coat.

palamìta f. (*zool.*, *Sarda sarda*) pelamyd.

palàmite, palàmito m. **1** (*attrezzo*) trawl line; setline; trotline: **pescare col p.**, to trawl **2** (*barca*) trawler.

palànca ① f. **1** (*trave*) beam; girder **2** (*naut.*) gangway.

palànca ② f. (*pop.*) **1** (*moneta*) copper coin **2** (generalm. al pl.) (*region.*) money ⊞; bread

---

⊞ (*fam.*); brass ⊞ (*fam. GB*); bucks (pl.) (*fam. USA*): **non avere una p.**, to be broke (*fam.*); not to have a red cent (*fam., USA*).

palancàto m. palisade; stockade.

palanchìno ① m. (*mecc.*) crowbar; pinch bar.

palanchìno ② m. (*portantina*) palanquin; palankeen.

palànco → **paranco**.

palàncola f. **1** plank; footbridge **2** (*edil.*) sheet pile.

palàndra ① → **palandrana**.

palàndra ② f. (*naut., stor.*) bilander.

palandràna f. **1** man's dressing-gown **2** (*scherz.*) long coat; long, loose garment.

palàre v. t. to support with poles; to stake.

palaspòrt m. inv. indoor stadium.

palàta f. **1** (*contenuto di una pala*) shovelful: **una p. di neve**, a shovelful of snow **2** (*colpo di pala*) blow with a shovel **3** (*colpo di remo*) stroke ● (*fig.*) **a palate**, in plenty; loads (*o* heaps, piles) of (*fam.*): **denaro a palate**, loads (*o* heaps, piles) of money; **errori a palate**, heaps of mistakes; **fare soldi a palate**, to make money hand over fist.

palatàle **A** a. **1** (*anat.*) palatal; palatine: **osso p.** palatine (bone); **volta p.**, palatal arch **2** (*fon.*) palatal: **suono p.**, palatal sound **B** f. (*fon.*) palatal.

palatalizzàre (*fon.*) **A** v. t. to palatalize **B palatalizzàrsi** v. i. pron. to be palatalized; to palatalize.

palatalizzazióne f. (*fon.*) palatalization.

palatinàto m. (*stor.*) Palatinate.

palatino ① a. (*anat.*) palatine; palatal: **ossa palatine**, palatine bones; palatines; **velo p.**, soft palate; velum.

palatino ② a. **1** (*di palazzo*) palatine: **biblioteca palatina**, palatine library **2** (*stor.*) Palatine: **conte p.**, Count Palatine.

palatino ③ a. (*del Palatino*) Palatine.

Palatino m. (*geogr.*) Palatine (Hill).

palàto ① m. **1** (*anat.*) palate: **p. duro [molle]**, hard [soft] palate **2** (*senso del gusto*) palate; (sense of) taste: **avere il p. fine**, to have a delicate palate ● **che stuzzica il p.**, appetizing □ **gradevole al palato**, palatable.

palàto ② a. (*arald.*) paled.

palatoalveolàre a. (*fon.*) palato-alveolar.

palatoglòsso a. (*anat.*) glossopalatine: **arco p.**, glossopalatine arch.

palatografìa f. (*ling.*) palatography.

palatogràmma m. palatogram.

palatoplàstica f. (*chir.*) palatoplasty.

palatoschìsi f. (*med.*) cleft palate; palatoschisis.

palatùra f. (*agric.*) staking.

palazzétto m. **1** small building **2** – **p. dello sport**, sports hall.

palazzina f. small building; (*di appartamenti*) small block of flats: **una p. di due piani**, a two-storey building.

palazzinàro m. (*spreg.*) building speculator.

♦**palàzzo** m. **1** (*residenza reale, nobiliare, ecc.*) palace; (*italiano, anche*) palazzo*; (*grande casa privata*) large house: **il P. Ducale** (*a Venezia*), the Doge's Palace; **il P. Reale**, the Royal Palace; **p. vescovile**, bishop's palace; *P. Strozzi*, Palazzo Strozzi; the Strozzi Palace; **congiura di p.**, palace plot **2** (*estens.: corte*) court: **ballo a p.**, court ball; **dama di p.**, court lady **3** (*sede di uffici pubblici*) building; hall: **il P. della Borsa**, the Stock Exchange; **il P. di Giustizia**, the Hall of Justice; the Law Courts; **il P. dell'ONU** (*o il P. di vetro*), the UN Building; **il P. della Zecca**, the Mint; **il P. Municipale**, the Town (*o* City)

Hall **4** (*estens.*: *potere politico centrale*) halls (pl.) of power **5** (*edificio civile*) building; (*di appartamenti*) block of flats, apartment block (*USA*): **p. di uffici**, office building; **nel mio p.**, in my block of flats **6** (*sport*) – **p. del ghiaccio**, ice rink; **p. dello sport**, indoor stadium.

palazzóne m. (*di abitazione o di uffici*) high-rise building; tower block (*GB*).

palchettista m. e f. (*teatr.*) upper-tier box holder.

palchétto m. **1** (*ripiano*) shelf* **2** (*teatr.*) upper-tier box **3** (*giorn.*) box; sidebar (*USA*).

palchista m. e f. (*teatr.*) box holder.

pàlco m. **1** (*pedana, tribuna*) platform, stand; (*palcoscenico*) stage: **il p. della banda musicale**, the bandstand; **alzare** (*o* **rizzare**) **un p.**, to raise a platform **2** (*teatr.*) box: **p. di prima fila**, first-tier box; **p. di proscenio**, stage box; **una fila di palchi**, a tier of boxes **3** (*edil.*: *tavolato*) flooring, boarding; (*impalcatura*) scaffolding, stage **4** (*strato*) layer; (*livello, piano*) tier **5** (*scaffale*) shelf **6** (*patibolo*) scaffold **7** (*naut.*) bridge **8** (*zool.*) antler.

palcoscènico m. (*teatr.*) **1** stage **2** (*fig.*) stage; theatre, boards (pl.): **adattare qc. per il p.**, to adapt st. for the stage; **amare il p.**, to love the theatre; **animale da p.**, born actor [actress]; **calcare il p.**, to tread the boards; **darsi al p.**, to choose an acting career.

paleàntropo m. (*antrop.*) palaeoanthropic man*; Palaeoanthropus.

paleàrtico a. (*geogr.*) Palaearctic.

paleíno m. (*bot.*, *Anthoxanthum odoratum*) vernal grass.

palèlla f. **1** (*edil.*) scarf: **giunto a p.**, scarf joint **2** (*naut.*) caulking iron.

palèmone m. (*zool.*, *Palaemonetes varians*) prawn.

palèo ① m. (*bot.*) **1** (*Festuca pratensis*) fescue grass **2** – **p. odoroso** → **paleíno**; **p. peloso** (*Bromus mollis*), soft chess.

palèo ② m. **1** (*trottola*) (whipping) top **2** (*hockey*) puck.

paleoàntropo → **paleantropo**.

paleoantropologìa f. palaeoanthropology.

paleoàrtico → **paleartico**.

paleoasiàtico a. Palaeo-Asiatic.

paleoavanguàrdia f. early avant-garde movement.

paleobiologìa f. palaeobiology.

paleobotànica f. palaeobotany.

paleobotànico a. palaeobotanical.

paleocapitalìsmo m. **1** early capitalism **2** (*spreg.*) old-fashioned capitalism.

paleocapitalìsta m. e f., **paleocapitalìstico** a. **1** early capitalist **2** (*spreg.*) old-fashioned capitalist.

Paleocène m. (*geol.*) Palaeocene.

paleoclimatologìa f. (*geol.*) palaeoclimatology.

paleocortéccia f. (*anat.*) palaeocortex.

paleocristiàno a. early Christian.

paleoecologìa f. (*geol.*) palaeoecology.

paleoecològico a. (*geol.*) palaeoecological.

paleoetnologia → **paletnologia**.

Paleògene m. (*geol.*) Palaeogene.

paleogeografìa f. palaeogeography.

paleogeogràfico a. palaeogeographical.

paleografìa f. palaeography.

paleogràfico a. palaeographic.

paleògrafo m. (f. **-a**) palaeographer.

paleoindustriàle a. early industrial.

paleolìtico a. e m. Palaeolithic.

paleomagnetìsmo m. (*geol.*) palaeo-magnetism.

paleontogràfico a. (*geogr.*) palaeontographic.

paleontologìa f. palaeontology.

paleontològico a. palaeontological.

paleontòlogo m. (f. **-a**) palaeontologist.

paleopàllio m. (*anat.*) palaeopallium.

paleopatologìa f. (*biol.*) palaeopathology.

paleoslàvo m. (*ling.*) Old Church Slavonic.

paleotettònica f. (*geol.*) palaeotectonics (pl. col verbo al sing.).

paleozòico a. e m. (*geol.*) Palaeozoic.

paleozoologìa f. palaeozoology.

paleozoòlogo m. (f. **-a**) palaeozoologist.

palerìa f. poles and stakes (pl.).

palermitàno Ⓐ a. of Palermo; from Palermo; Palermo (attr.) Ⓑ m. (f. **-a**) native [inhabitant] of Palermo.

palesaménto m. revelation; disclosure.

palesàre Ⓐ v. t. (*manifestare*) to reveal; to manifest; to make* known; (*rivelare*) to disclose, to lay* open, to divulge: **p. le proprie intenzioni**, to reveal (*o* to make known) one's intentions; **p. un segreto**, to reveal (*o* to disclose) a secret Ⓑ **palesàrsi** v. rifl. e v. i. pron. (*rivelarsi*) to reveal (*o* to show*) oneself; to manifest oneself; (*apparire*) to look, to appear: *La situazione si palesa difficile*, the situation looks difficult; **palesarsi per quello che si è**, to appear as one truly is; to show one's colours.

palése a. manifest; clear; undisguised; (*noto*) well-known; (*evidente*) evident, obvious: **contraddizione p.**, evident (*o* manifest) contradiction; **errore p.**, evident (*o* obvious) mistake; **fatti palesi**, well-known facts; **verità p.**, manifest truth; *È ormai p. che...*, it is now evident that...; **rendere p.** → **palesare**.

paleseménte avv. manifestly; openly; clearly; obviously.

Palestìna f. (*geogr.*) Palestine.

palestinése a., m. e f. Palestinian.

♦**palèstra** f. **1** (*stor.*) palaestra **2** gymnasium*; gym: *Vado in p. due volte la settimana*, I work out in the gym twice a week **3** (*ginnastica*) gymnastics (pl.); exercise; workout (*fam.*): *Gli farebbe bene un po' di p.*, some exercise would do him good; he should work out (*fam.*) **4** (*alpinismo*) – **p. di roccia**, practice wall **5** (*fig.*) training ground; preparation: *La scuola è la p. della vita*, school is life's training ground.

palestràto a. e m. (f. **-a**) (*fam.*) with a gym-toned body (*o* physique); (*muscoloso*) muscle-bound.

paletnologìa f. palaeoethnology.

paletnològico a. palaeoethnological.

paletnòlogo m. (f. **-a**) palaeoethnologist.

palétta f. **1** small shovel **2** (*giocattolo*) spade **3** (*utensile di cucina*: *per mescolare*) spatula; (*per servire*) slice: **p. di legno**, wooden spatula; **p. per dolci**, cake slice **4** (*per spazzatura*) dustpan **5** (*mecc.*, *di turbina, ventilatore*) blade: **p. fissa**, guide blade; **p. mobile**, turbine blade **6** (*agric.*) trowel: **p. da giardiniere**, garden trowel **7** (*di capostazione*) disc signal; (*di poliziotto*) signalling disc **8** (*anat.*: *scapola*) blade bone, shoulder bone; (*rotula*) kneecap **9** (*ind.*) pallet ❶ **FALSI AMICI** • *paletta non si traduce con* palette.

palettàre v. t. (*agric.*) to stake.

palettàta f. **1** (*contenuto*) shovelful: **una p. di carbone**, a shovelful of coal **2** (*colpo*) blow with a shovel.

palettatùra f. (*mecc.*) blading: **p. ad azione**, impulse blading.

palettizzàre v. t. (*ind.*) to palletize.

palettizzazióne f. (*ind.*) palletization.

palétto m. **1** stake; pole; peg: **p. da tenda**, tent peg; (*sci*) **i paletti dello slalom**, the gate poles; **assicurare a un p.**, to tie to a stake; **cintare con paletti**, to stake off; **fissare con un p.**, to peg down **2** (*chiavistello*) bolt: **mettere [togliere] il p. alla porta**, to bolt [to unbolt] the door **3** (*fig.*) restriction; check; curb.

paletuvière m. (*bot.*) mangrove.

pàli m. e a. (*ling.*) Pali.

palificàre v. i. to drive* piles (*o* poles) into the ground.

palificazióne f. **1** (*edil.*: *l'operazione*) piling; (*i pali*) pilework **2** (*elettr., telef.*) (row of) poles.

palilalìa f. (*med.*) palilalia.

palilàlico a. (*med.*) palilalic.

palilogìa f. (*retor.*) palilogy.

palimpsèsto → **palinsesto**.

palìna f. surveyor's stake; ranging rod: **p. graduata**, level rod.

palindròmico a. palindromic.

palindromo Ⓐ m. palindrome Ⓑ a. palindromic.

palingènesi f. **1** (*relig.*) palingenesis **2** (*estens.*: *rinnovamento*) regeneration; renewal **3** (*geol.*) palingenesis.

palingenètico a. palingenetic.

palinodìa f. **1** (*letter.*) palinode **2** (*ritrattazione*) recantation; retraction.

palinografìa f. (*bot.*) description of pollen grains and spores.

palinologìa f. (*bot.*) palynology.

palinsèsto m. **1** (*filol.*) palimpsest **2** (*scherz.*) old and illegible piece of writing **3** (*TV*) programme schedule.

palinùro m. (*zool.*, *Palinurus*) spiny lobster.

pàlio m. **1** (*drappo*) banner (*given as a prize*) **2** – **il P.** (*di Siena*), the Palio; **correre il P.**, to race in the Palio ● **essere in p.**, to be at stake: *È in p. il titolo di campione mondiale*, at stake is the world title □ **mettere in p.**, to offer as a prize □ **i premi in p.**, the prizes to be won.

paliòtto m. (*eccles.*) frontal.

palischérmo m. (*naut. stor.*) open boat; ship's boat.

palissàndro m. rosewood.

palizzàta f. **1** (*steccato*) palisade; paling; fence: **rinchiudere con una p.**, to enclose (*o* to surround) with a fence; to fence in **2** (*bot.*) – **tessuto a p.**, palisade layer.

♦**pàlla** ① f. **1** (*sfera*) ball; sphere; globe: **p. di cristallo**, crystal ball; **p. di neve**, snowball; **giocare a palle di neve**, to throw snowballs; **a** (**forma di**) **p.**, spherical; globe-shaped **2** (*sport*) ball: **p. da biliardo**, billiard ball; **p. da tennis**, tennis ball; **p. di gomma**, rubber ball; **p. basca**, pelota; jai alai; (*calcio*) **p. gol**, good chance to score; **p. ovale**, (*la palla*) rugby ball; (*il gioco*) rugby; **afferrare una p.** (**al volo**), to catch a ball; **giocare a p.**, to play ball; **lanciare una p. a q.**, to throw a ball at sb. **3** (*tiro*) shot; ball: **p. corta**, short shot; short pass; short ball; **p. in rete**, shot into the net; **p. con l'effetto**, spinner; **p. smorzata**, drop shot; **p. tagliata**, sliced shot **4** (*proiettile*) bullet; shell; shot; (*di arma antica*) ball: **p. di cannone**, shell; cannonball (*stor.*); **p. di fucile**, bullet; **p. di schioppo**, lead pellet; **sparare a p.**, to fire live shot **5** (*per votazioni*) ballot: **p. bianca [nera]**, white [black] ballot **6** (al pl.) (*arald.*) balls **7** (al pl.) (*volg.*: *testicoli*) balls: (*fig.*) **avere le palle**, to have balls **8** (*volg.*: *fandonia*) balls (pl.) (*GB*); bollocks (pl.) (*GB*); bullshit ⓤ (*USA*): *È una p.!*, it's just bullshit!; **raccontare palle**, to talk a load of balls: *Non raccontarmi palle!*, don't give me any of your bullshit! **9** (*volg.*: *cosa noiosa*) drag (*fam.*), yawn (*fam.*), pain (*fam.*); (*persona noiosa*) pain in the neck (*fam.*): *Che palle!*,

what a drag! ● (*fig.*) **p. al piede**, (*ostacolo*) hindrance, millstone round sb.'s neck; (*seccatura, seccatore*) drag (*fam.*) □ (*fam.*) **p. dell'occhio**, eyeball □ (*spreg.*) **p. di lardo**, fat lump; tub of lard □ (*bot.*) **p. di neve** (*Viburnum opulus*), guelder rose; snowball bush (*o* tree) □ (*fig.*) **a p. ferma**, when it's all over □ (*volg.*) **averne piene le palle**, to be sick and tired (*o* sick to death) of st. □ (*fig.*) **cogliere la p. al balzo**, to seize an [the] opportunity; to take one's chance □ (*fig.*) **essere in p.**, to be in good form; to be on the ball □ (*volg.*) **far girare le palle a q.**, to piss sb. off □ (*fig.*) **mettere la p. al piede a q.** (*ostacolarlo*), to thwart sb.; to cramp sb.'s style (*fam.*) □ (*volg.*) **rompere le palle a q.**, (*infastidire*) to be a pain in the backside (*USA* ass); (*annoiare*) to bore the pants off sb. (*slang*), to be a pain in the ass (*volg.*) □ (*volg.*) **rompersi le palle**, to get pissed off □ (*volg.*) **rottura di palle**, pain in the backside (*o* arse, *USA* ass) □ (*volg.*) **sbattersene le palle**, not to give a shit (about st.) □ (*volg.*) **togliersi dalle palle**, to bugger off; to eff off; to piss off.

pàlla ② f. (*stor.*: *veste*) palla*.

pàlla ③ f. (*eccles.*) pall.

pallabàse f. (*sport*) baseball.

♦**pallacanèstro** f. (*sport*) basketball.

♦**pallacòrda** f. (*sport, stor.*) real (*o* royal) tennis.

Pàllade f. (*mitol.*) Pallas.

palladiàna f. crazy paving.

palladiàno a. (*archit.*) Palladian.

pallàdico a. (*chim.*) palladic.

pallàdio ① m. 1 (*mitol.*) Palladium 2 (*fig. lett.*) defence; bulwark.

pallàdio ② a. (*mitol.*) of Pallas; pertaining to Pallas.

pallàdio ③ m. (*chim.*) palladium.

pallamàglio m. o f. (*stor.*) pall-mall.

pallamàno f. (*sport*) handball.

pallamùro f. (*sport*) fives; handball.

pallanuotìsta m. e f. (*sport*) water polo player.

pallanuòto f. (*sport*) water polo.

pallàta f. blow from a ball: **prendere una p. in testa**, to be hit on the head by a ball.

pallavolìsta m. e f. (*sport*) volleyball player.

♦**pallavólo** f. (*sport*) volleyball.

palleggiaménto → **palleggio**.

palleggiàre A v. i. to bounce a ball; (*gettarsi la palla a vicenda*) to toss a ball; (*calcio*) to dribble (the ball), (*fra due o più giocatori*) to exchange passes; (*tennis, per esercizio*) to knock up B v. t. (*far oscillare*) to balance; to bounce: **p. un'asta**, to balance a spear C **palleggiàrsi** v. rifl. recipr. to shift (st.) onto each other: **palleggiarsi una responsabilità**, to pass the buck (*fam.*).

palleggiatóre m. (*sport: calcio*) dribbler; (*pallavolo*) tosser.

palléggio m. 1 (*sport: calcio*) dribbling, dribble, exchange of passes; (*tennis, per esercizio*) knock-up: **fare un po' di p.**, to kick the ball around; (*tennis*) to have a knock-up 2 (*fig.*) shifting: **p. di responsabilità**, shifting of responsibilities; passing the buck (*fam.*).

pallesteşìa f. (*fisiol.*) pallesthesia.

pallet (*ingl.*) m. inv. (*ind.*) pallet.

pallettiżżàre e deriv. → **palettizzare**, e deriv.

pallettóne m. (spec. al pl.) buckshot Ⓤ: **caricare a pallettoni**, to load with buckshot.

palliàle a. (*anat.*) pallial.

palliàre v. t. (*lett.*: *dissimulare*) to disguise; to conceal; to dissemble.

palliatìvo a. e m. (*farm. e fig.*) palliative.

pallidézza f. paleness; pallor.

♦**pàllido** a. 1 pale; colourless; wan: **faccia**

pallida, pale face; **p. come un morto** (*o un cadavere*), as pale as death; **diventare** (*o farsi*) **p.**, to turn (*o* to grow) pale; to go white (*fam.*) 2 (*estens.: tenue*) pale; dim: **p. chiarore**, pale light; **giallo p.**, pale yellow; **luce pallida**, pale (*o* dim) light 3 (*fig.*) pale; dim; faint; slight: **p. ricordo**, dim recollection; *Non ne ho la più pallida idea*, I haven't the faintest (*o* the slightest) idea.

pallìna f. 1 (*piccola palla*) little ball; (*pallottolina*) pellet 2 (*bilia*) marble 3 (*di macchina da scrivere*) golf ball.

pallinàre v. t. (*tecn.*) to shot-peen; to shot-bast.

pallinatùra f. (*tecn.*) shot-peening; shot-basting.

pallìno m. 1 (*delle bocce*) jack; kitty 2 (*del biliardo*) object ball 3 (*sferetta*) pellet 4 (*anche* **p. da caccia**) pellet; shot Ⓤ: **pallini di piombo**, lead shot 5 (*in un disegno su stoffa e sim.*) (polka) dot; spot: **a pallini**, spotted; (*di tessuto*) polka-dot (attr.); **cravatta a pallini**, spotted tie; **seta a pallini**, polka-dot silk 6 (*che si forma su un tessuto di lana*) bobble 7 (*fig.*: *idea fissa*) fixation; foible; fetish; thing (*fam.*); (*passione*) craze, bug (*fam.*): **avere il p. dell'ordine**, to have a fetish (*o* a thing) about tidiness; **avere il p. dell'archeologia**, to be crazy about archaeology; *Gli è venuto il p. del jogging*, he's been bitten by the jogging bug ● (*fam.*) **andare a p.**, to fail; to go up in smoke □ (*fam.*) **mandare a p.**, to put paid to; to blow: *Il ritardo mandò a p. i miei progetti*, the delay blew all my plans.

pàllio m. (*stor., relig., anat.*) pallium*.

pallonàio m. 1 (*fabbricante*) balloon maker 2 (*venditore*) balloon seller 3 (*fig.*: *bugiardo*) liar, storyteller (*fam.*); (*spaccone*) boaster.

pallonàta f. 1 (*colpo di pallone*) blow with a ball: **prendere una p. in testa**, to be hit on the head by a ball 2 (*fig.*: *fandonia*) lie, whopper (*fam.*); (*spacconata*) boast, boasting Ⓤ.

♦**palloncìno** m. 1 (*per bambini*) balloon: **gonfiare un p.**, to blow up a balloon; **maniche a p.**, balloon sleeves 2 (*lampioncino*) Chinese lantern 3 (*fam.*: *etilometro*) breathalyzer: **prova del p.**, breath test 4 (*bot.*, *Physalis Alkekengi*) winter cherry; Chinese lantern.

♦**pallóne** m. 1 ball: **p. da basket**, basketball; **p. da calcio**, football; **p. da rugby**, rugby ball; **p. da spiaggia**, beach ball 2 (*gioco del calcio*) football (*GB*); soccer (*USA*): **giocare a p.**, to play football 3 (*aeron.*) balloon: **p. da osservazione**, observation balloon; **p. dirigibile**, airship; dirigible; **p. frenato**, captive balloon; blimp; **p. libero**, free balloon; **p. sonda**, sounding balloon; **p. stratosferico**, stratospheric balloon 4 (*chim.*) flask: **p. per distillazione frazionata**, distilling flask; **p. tarato**, volumetric flask 5 (*edil., anche* **copertura a p.**) bubble ● (*bot.*) **p. di maggio** (*o di neve*) (*Viburnum opulus*), guelder rose; snowball bush (*o* tree) □ (*fig.*) **p. gonfiato**, bighead □ (*fig.*) **andare nel p.**, to get flustered; to get in a fuddle (*fam.*) □ (*fig.*) **essere nel p.**, to be thoroughly flustered □ (*fig.*) **fare la testa come un p. a q.**, to give sb. a headache; to bend sb.'s ear (*fam.*) □ (*fig.*) **mandare nel p.**, to fluster; to rattle (*fam.*) □ (*fig.*) **sentirsi la testa come un p.**, to be fuzzy-headed.

pallonétto m. (*sport: calcio*) chip; (*tennis*) lob: **fare un p.**, (*calcio*) to chip; (*tennis*) to lob.

pallóre m. pallor; paleness: **p. mortale**, deathly pallor; **p. malsano**, sickly pallor.

pallosità f. (*fam.*) boringness; dullness.

pallóso a. (*fam.*) very boring; deadly dull: *È un lavoro p.*, it's a very boring job; the job is a total bore (*fam.*); **libro p.**, dull book;

yawn (*fam.*); **individuo p.**, pain in the neck (*fam.*).

pallòttola f. 1 (small) ball; pellet: **p. di carta**, paper pellet; (*masticata*) spitball (*USA*) 2 (*di pallottoliere*) bead; counter 3 (*proiettile*) bullet: **p. esplosiva**, explosive bullet; **p. incendiaria**, incendiary bullet; **p. morta**, spent bullet; **p. tracciante**, tracer bullet; **p. vagante**, stray bullet; **beccarsi una p. in una spalla**, to be hit by a bullet in the shoulder ● (*scherz.*) **naso a p.**, snub nose.

pallottolière m. abacus*.

pallovàle f. (*sport*) rugby.

♦**pàlma** ① f. 1 (*della mano*) palm: **giungere le palme**, to join one's hands 2 (*di remo*) palm; blade ● (*fig.*) **tenere** (*o* **portare**) **q. in p. di mano**, to make much of sb.

♦**pàlma** ② f. 1 (*bot.*) palm (tree): **p. da datteri** (*Phoenix dactylifera*), date palm; **p. da sagù** (*Metroxylon rumphii*), sago (palm); **p. da vino** (*Mauritia vinifera*), wine palm; **p. delle Ande** (*Ceroxylon andicola*), wax palm; **p. del cocco** (*Cocos nucifera*), coconut palm; **p. dum** (*Hyphaene thebaica*), doum (palm); **p. palmetto** (*Sabal palmetto*), cabbage palmetto; **olio di p.**, palm oil; **vino di p.**, palm wine 2 (*foglia o ramo di p.*) palm: **la benedizione delle palme**, the blessing of the palms; **la domenica delle Palme**, Palm Sunday 3 (*fig.*) palm: **la p. del martirio** [**della vittoria**], the palm of martyrdom [of victory]; **riportare la p.**, to carry off the palm; *La p. è andata a un giovane regista belga*, a young Belgian director carried off the palm.

palmàre A a. 1 (*anat.*) palmar: **arcata p.**, palmar arch; **muscolo p.**, palmar (muscle) 2 (*che sta in una palma di mano*) palm (attr.): **computer p.**, palmtop; **videocamera p.**, palmcorder 3 (*fig.*) patent; palpable; evident; glaring: **prova p.**, evident proof B m. (*comput.*) PDA; personal digital assistant; handheld PC; palmtop.

palmarès (*franc.*) m. inv. 1 (*classifica dei premiati*) list of prizewinners 2 (*gruppo ristretto*) elite; top group 3 (*riconoscimenti ottenuti*) prize record.

palmàto a. 1 (*zool.*) palmate; webbed: **piedi palmati**, palmate (*o* webbed) feet; **dai piedi palmati**, web-footed 2 (*bot.*) palmate: **foglia palmata**, palmate leaf.

palménto m. millstone ● (*fig.*) **mangiare** (*o* **macinare**) **a quattro palmenti**, to eat heartily; to tuck in.

pàlmer ① m. inv. (*fis.*) micrometer gauge.

pàlmer ② m. inv. (*ciclismo*) tubular tyre.

palméto m. palm grove.

palmétta f. 1 (*bot.*) small palm 2 (*agric.*) fan training 3 (*archit.*) palmette.

palmìfero a. palm-bearing.

palmifórme a. (*archit.*) palmiform.

palminèrvio a. (*bot.*) palminerved.

palmìpede (*zool.*) A a. web-footed B m. web-footed bird.

palmìsti m. palm-kernel: **olio di p.**, palm-kernel oil.

palmitàto m. (*chim.*) palminate.

palmìtico a. (*chim.*) palmitic: **acido p.**, palmitic acid.

palmitìna f. (*chim.*) palmitin.

palmìzio m. 1 (*palma da datteri*) palm (tree); date palm 2 (*foglie di palma intrecciate*) palm.

pàlmo m. 1 (*spanna*) hand's span; (*estens.: pochi centimetri*) (a) few inches, (a) few centimetres: **largo un p.**, a span in width; **più corto di un p.**, a hand's span shorter; **a un p. dal muro**, a few centimetres from the wall; *Nella stanza c'erano due palmi d'acqua*, there was over a foot (*o* there were several centimetres) of water in the room; **non cedere di un p.**, not to yield an inch 2 (*palma della mano*) palm (of the

hand) • **a p. a p.**, (*a poco a poco*) inch by inch, by inches; (*bene, in ogni particolare*) thoroughly, in every detail: **conquistare un territorio a p. a p.**, to conquer a territory inch by inch; **contendere il terreno a p. a p.**, to fight for every inch of the ground; **esplorare un luogo a p. a p.**, to explore a place inch by inch □ (*scherz.*) **essere alto un p. da terra**, to be knee-high to a grasshopper □ (*fig.*) **avere un p. di lingua fuori**, to be gasping for breath □ (*fig.*) **restare con un p. di naso**, to be very disappointed; to have one's nose put out of joint.

pàlmola f. (*agric.*) pitchfork.

♦**pàlo** m. **1** pole; post; (*paletto di sostegno, ecc.*) stake: **p. di confine**, boundary post; **p. della cuccagna**, greasy pole; (*naut.*) **p. d'ormeggio**, mooring post; **p. del telegrafo**, telegraph pole; **p. indicatore**, signpost; **conficcare un p.**, to drive in a pole **2** (*edil.*) pile; pole: **p. a traliccio**, pylon; **p. di calcestruzzo**, concrete pile **3** (*sport*) **p. d'arrivo** (*o del traguardo*), winning post; (*calcio*) **p. della porta**, goalpost; post; **p. di partenza**, starting post; (*calcio*) **colpire un p.** (*o fare p.*), to hit a post, (*calcio*) **incrocio dei pali**, top corner (of the goal); angle of post and crossbar **4** (*naut.*) – **albero a p.**, jigger mast; **brigantino a p.**, barque; **goletta a p.**, fore-and-aft schooner; **nave a p.**, four-masted barque; four-masted ship **5** (*bridge*) suit **6** (*arald.*) pale **7** (*gergo criminale*) lookout: **fare il p.**, to act as a lookout • **restare fermo al p.**, (*ipp.*) to be left at the post; (*fig.*) to be left standing □ (*fig.*) **aver ingoiato un p.**, to be as stiff as a ramrod □ **piantato come un p.**, rooted to the spot □ **ritto come un p.**, as straight as a post □ **rigido come un p.**, as stiff as a poker (*o a* ramrod) □ (*fig.*) **saltare di p. in frasca**, to jump from one subject to another; to ramble □ (*fig.*) **supplizio del p.**, impalement.

palómba f., **palombàccio** m. (*zool., Columba palumbus*) wood pigeon; ringdove.

palombàro m. (*naut.*) diver.

palombèlla f. (*sport, pallanuoto*) lob.

palómbo m. (*zool., Mustelus mustelus*) smooth dogfish.

palpàbile a. **1** palpable **2** (*fig.: evidente*) palpable; tangible; patent; self-evident: **errori palpabili**, palpable errors; **verità palpabili**, self-evident truths.

palpabilità f. **1** palpability **2** (*fig.*) palpability; tangibility.

palpaménto m. **1** feeling; touching **2** (*med.*) palpation.

palpàre v. t. **1** to feel*; to finger; (*tastare*) to touch: **palparsi il collo**, to feel one's neck; **p. una stoffa**, to finger a fabric **2** (*med.*) to palpate; to feel* **3** (*palpeggiare*) to fondle; to grope.

palpàta f. feel; squeeze; (*spreg.*) grope, pawing.

palpazióne f. feel; (*med.*) palpation.

pàlpebra f. (*anat.*) eyelid: **p. superiore [inferiore]**, upper [lower] eyelid; **battere le palpebre**, to blink.

palpebràle a. (*anat.*) palpebral; of the eyelids.

palpeggiaménto m. (*spreg.*) groping; pawing.

palpeggiàre v. t. to feel*; to handle; (*spreg.*) to grope, to paw.

palpitànte a. **1** palpitating; throbbing: **cuore p.**, throbbing heart **2** (*fig.: fremente*) vibrant, tense; (*tremante*) trembling, quivering: **p. di gioia**, trembling with joy • **un argomento di p. attualità**, a burning (*o highly topical*) issue.

palpitàre v. i. **1** to palpitate; to beat* fast; to throb; to thump; (*pulsare*) to pulsate: *Mi palpitava forte il cuore*, my heart was beat-

ing fast (*o was thumping hard*) **2** (*fig.: vibrare*) to palpitate; to throb **3** (*fig.: tremare*) to tremble; to quiver: **p. d'ansia**, to tremble with apprehension; **p. per q.**, to tremble for sb.; (*essere innamorato*) to be in love with sb.

palpitativo a. (*med.*) palpitation (attr.).

palpitazióne f. **1** (*med.*) palpitation: **soffrire di palpitazioni**, to suffer from palpitations; (*fig.*) **far venire le palpitazioni**, to give palpitations; to make (sb.'s) heart beat fast **2** (*fig.: vibrazione*) palpitation; throbbing; pulsation **3** (*fig.: emozione*) excitement; throb; thrill.

pàlpito m. **1** (*del cuore*) palpitation; heartbeat **2** (*fig.: emozione*) throb; thrill: **un p. di gioia**, a thrill of joy; **palpiti d'amore**, throbs of love.

pàlpo m. (*zool.*) palp; palpus*.

pàlta f. (*region.*) mud; mire; slime.

paltò m. inv. overcoat.

paltoncino m. (*per bambino*) child's overcoat; (*per donna*) lady's overcoat.

paludaménto m. **1** (*abito regale*) rich robe; mantle **2** (*spreg.: abito di cattivo gusto*) elaborate get-up **3** (*spec. al pl.*) (*spreg.*) embellishment.

paludàre Ⓐ v. t. **1** (*ammantare*) to clothe; to wrap **2** (*scherz. o spreg.*) to dress up **3** (*spreg.: addobbare*) to overembellish Ⓑ **paludarsi** v. rifl. (*scherz. o spreg.*) to dress up; to caparison oneself.

paludàto a. **1** richly dressed **2** (*scherz. o spreg.*) dressed up **3** (*fig.*) solemn; (*ampolloso*) pompous, pedantic, self-important.

palùde f. marsh; marshland; swamp; bog: **le Paludi Pontine**, the Pontine Marshes; **p. salmastra**, salt marsh; **bonificare una p.**, to reclaim a marsh; **prosciugare una p.**, to drain a marsh; *La pioggia trasformò il campo da gioco in una p.*, the rain turned the pitch into a quagmire.

paludicolo a. **1** (*zool.*) paludal; marsh-dwelling **2** (*bot.*) paludal; growing in marshes.

paludóso a. **1** (*di palude*) stagnant: **acque paludose**, stagnant waters **2** (*ricco di paludi*) marshy; boggy; swampy: **regione paludosa**, marshy district; swampy region; **terreno p.**, marshland; bog.

palùstre a. marsh (attr.); swamp (attr.); paludal: **febbre p.**, marsh fever; malaria (fever); **quercia p.**, swamp oak; **uccelli palustri**, marsh birds; waders.

pam inter. **1** (*suono di sparo*) bang **2** (*suono di colpo violento*) thump; (*suono di schiaffo*) slap, smack; (*suono di caduta*) thud.

PAM sigla **1** (**Programma alimentare mondiale**) World Food Programme (WFP).

paméla f. woman's broad-brimmed straw hat.

pàmfete → **pam**.

pàmpa f. (*geogr.*) pampas (sing. o pl.).

pampeàno a. pampean.

pamphlet (*franc.*) m. inv. satiric pamphlet; satire.

pampìneo a. (*lett.*) leafy.

pàmpino m. (*bot.*) vine leaf*.

pampinóso a. (*lett.*) leafy.

pampsichìsmo → **panpsichismo**.

PAN sigla (*aeron.*, **Pattuglia acrobatica nazionale**) Italian Aerobatics Team.

panacèa f. panacea; cure-all.

panafricanìsmo m. (*polit.*) Pan-Africanism.

panafricanìsta a., m. e f. (*polit.*) Pan-Africanist.

panafricàno a. (*polit.*) Pan-African.

pànama m. panama (hat).

panamènse a., m. e f. Panamanian.

panamericanìsmo m. (*polit.*) Pan-

Americanism.

panamericàno a. (*polit.*) Pan-American.

panarabìsmo m. (*polit.*) Pan-Arabism.

panàrabo a. (*polit.*) Pan-Arab.

panàre v. t. (*cucina*) to coat with breadcrumbs; to bread; to crumb.

panàrio a. (*del pane*) bread (attr.); bread-making (attr.).

panaşiàtico a. (*polit.*) Pan-Asiatic.

panaşiatìsmo m. (*polit.*) Pan-Asianism.

panàta f. (*cucina*) bread soup; panada.

panatenàico a. (*stor. greca*) Panathenaic.

Panatenèe f. pl. (*stor. greca*) Panathenaea.

panàtica f. (*naut.*) board wages (pl.); board money.

panàto a. (*cucina*) coated with breadcrumbs; breaded.

panatùra f. (*cucina*) breadcrumb coating; breading; crumbing.

♦**pànca** f. bench: **p. di chiesa**, pew; **p. di legno**, wooden bench; **p. di scuola**, school bench; school form (*GB*); **p. ribaltabile**, folding bench.

pancàccio m. plank bed.

pancardìte f. (*med.*) pancarditis.

pancarrè m. inv. tin loaf*; sandwich loaf*.

pancèra → **panciera**.

pancètta f. **1** (*pancia sporgente*) paunch; potbelly: **metter su p.**, to develop a bit of a paunch **2** (*alim.*) belly of pork; pancetta; bacon.

panchétta f., **panchétto** m. stool; (*per i piedi*) footstool.

♦**panchìna** f. **1** garden seat; (*di parco*) park bench **2** (*sport, dell'allenatore*) (coacher's) bench; (*delle riserve*) substitutes' bench; (*estens.: il luogo*) sidelines (pl.), bench; (*l'allenatore*) coach, trainer; (*le riserve*) substitute players (pl.), substitutes (pl.): **fare p.**, to remain on the bench; to warm the bench (*fam.*); **lasciare in p.**, to bench; **sedere in p.**, to be a coacher; **tenere in p.**, to sideline; **le decisioni della p.**, the coacher's decisions; **giocatore che fa p.**, player who seldom plays; (*iron.*) bench warmer.

panchinàro m. (*gergo sportivo*) substitute player; player who seldom plays; (*iron.*) bench warmer.

♦**pància** f. **1** (*fam.*) stomach; tummy (*fam.*); belly; (*grossa*) paunch: **una gran p.**, a big belly; a paunch; *Teneva le mani incrociate sulla p.*, his hands were folded on his stomach; **avere la p. piena [vuota]**, to have a full [empty] stomach; **tirare in dentro la p.**, to draw in one's stomach; **a p. in giù**, on one's stomach; **a p. in su**, on one's back; **mal di p.**, stomach ache; (*di bambino*) tummy-ache **2** (*rigonfiamento, di fiasco, di vela, ecc.*) belly; (*di muro, ecc.*) bulge • (*fig.*) **grattarsi la p.**, to contemplate one's navel; to sit on one's hands □ (*fam.*) **mettere su p.**, to put on weight; (*di uomo, anche*) to develop a paunch □ **pensare solo alla p.**, to think only of one's stomach; to make a god of one's belly □ **rimanere a p. vuota**, to go without food □ **starsene a p. all'aria**, to lie on one's back; (*fig.*) to lie about doing nothing □ **tenersi la p. per le risa**, to hold one's sides laughing.

panciafichìsmo m. (*spreg.*) neutralism.

panciafichìsta m. e f. (*spreg.*) neutralist.

panciàta f. **1** (*tuffo di pancia*) belly flop: **dare una p.**, to do a belly flop **2** (*scorpacciata*) blow-out (*fam.*); pig-out (*fam.*); eating binge: **farsi una p. di qc.**, to stuff oneself with st.; to pig out on st.

pancièra f. **1** (*ventriera*) body belt; (*elastica, per donna*) stretch girdle, roll-on **2** (*di armatura*) tasset.

panciòlle vc. (*region.*) – **in p.**, idly; **stare in**

pancióne m. **1** (*grossa pancia*) fat stomach, paunch; big belly; beer belly; (*di donna incinta*) big tummy **2** (*fam.: persona grassa*) fatty; fatso ● (*fam., di donna*) **avere il p.**, to be heavily pregnant.

panciòtto m. waistcoat (*GB*); vest (*USA*).

panciùto a. **1** (*di persona*) big-bellied; pot-bellied **2** (*estens., di cosa: rigonfio*) bulging; (*rotondo*) rounded: **un borsellino p.**, a bulging purse; **un vaso p.**, a rounded vase.

panclastìte f. (*chim.*) panclastite.

pancóne m. **1** (*banco di lavoro*) bench, workbench: **p. da falegname**, carpenter's bench **2** (*grossa asse*) thick plank **3** (*di pianoforte*) wrest plank.

pancòtto m. (*cucina*) bread soup; panada.

pancràtico a. (*ottica*) pancratic.

pancràzio m. (*stor.*) pancratium.

Pancràzio m. Pancras.

pàncreas m. (*anat.*) pancreas: **cancro al p.**, pancreatic cancer.

pancreàtico a. (*anat.*) pancreatic: **succo p.**, pancreatic juice.

pancreatìna f. (*biol.*) pancreatin.

pancreatìte f. (*med.*) pancreatitis.

pancristiàno a. Pan-Christian.

pancromàtico a. (*fotogr.*) panchromatic.

pancronìa f. (*ling.*) panchrony.

pancrònico a. (*ling.*) panchronic.

pànda m. (*zool., Ailurus fulgens*) panda ● (*zool.*) **p. gigante** (*Ailuropoda melanoleuca*), giant panda.

pandàno m. (*bot., Pandanus*) pandanus; screw-pine.

pandemìa f. (*med.*) pandemic.

pandèmico a. (*med.*) pandemic.

pandemònio m. (*fig.*) pandemonium Ⓤ; uproar; bedlam Ⓤ; hell Ⓤ: **fare un p.**, to raise hell; to raise (*o* to kick up) a stink; **scatenare un p.**, to cause pandemonium: *Scoppiò un p.*, pandemonium broke out; all hell broke loose.

pandètte f. pl. (*leg., stor.*) Pandects.

pandettista m. (*leg.*) pandectist.

pandettìstica f. (*leg.*) study of the Pandects.

pandiatonicìsmo m. (*mus.*) pandiatonicism.

pandiatònico a. (*mus.*) pandiatonic.

pandiculazióne f. (*med.*) pandiculation.

pandispàgna m. (*cucina*) sponge (cake).

pandòra → **pandura**.

Pandòra f. (*mitol.*) Pandora: (*anche fig.*) **il vaso di P.**, Pandora's box.

pandòro m. (*alim.*) pandoro (a Veronese cake).

pandùra f. (*mus.*) bandora; bandore.

pandùro m. (*stor.*) pandour.

◆**pàne**① m. **1** bread: **p. arabo**, bap; **p. azzimo**, unleavened bread; **p. bianco**, white bread; **p. casereccio**, homemade bread; **p. di segala** [**di miglio**], rye [millet] bread; **p. di semola**, refined (*o* extrafine) bread; **p. duro**, stale bread; **p. fresco**, fresh bread; **p. grattato**, breadcrumbs (pl.); **p. integrale**, wholemeal bread; **p. nero**, brown bread; **p. raffermo** (*o* **secco**), stale bread; **p. tostato**, toast; **fetta di p.**, slice of bread; **filone di p.**, French loaf; **forma di p.**, loaf; **tozzo di p.**, hunk of bread **2** (*pagnotta, forma di p.*) loaf*: **p. in cassetta**, tin loaf; sandwich loaf; **il miracolo dei pani e dei pesci**, the miracle of the loaves and fishes **3** (*tipo di dolce*) bread; cake: **p. con l'uvetta**, currant bread (*o* loaf) (*GB*); raisin bread (*USA*); **pan di Spagna**, sponge cake; **p. di zenzero**, gingerbread **4** (*fig.: sostentamento*) daily bread, bread and butter, living, livelihood; (*lavoro*) job: **il p.**

quotidiano, one's daily bread; **guadagnarsi il p.**, to earn one's living; **avere il p. sicuro**, to have a steady job; **togliere il p. di bocca a q.**, to take the bread out of sb.'s mouth **5** (*massa a forma di parallelepipedo*) loaf*; pat; lump; cake: **p. di burro**, pat of butter; **p. di cera**, cake (*o* lump) of wax; **p. di zucchero**, sugar loaf ● (*anche fig.*) **p. e acqua**, bread and water: **mettere q. a p. e acqua**, to put sb. on bread and water □ (*bot.*) **p. di cuculo** (*Orchis morio*), dead man's finger (*o* hand) □ **p. di ferro**, pig iron □ (*bot.*) **pan di serpe** (*Arum maculatum*), cuckoo pint □ (*fig.*) **p. sudato**, hard-earned (*o* well-earned) bread □ (*bot.*) **albero del p.**, bread tree □ **buono come il p.**, good-hearted; with a heart of gold □ **dire p. al p. e vino al vino**, to call a spade a spade □ **mangiare p. a tradimento** (*o* a ufo), to be a layabout; to sponge on sb. □ **Non è p. per i miei denti**, (*non sono fatto per questo*) I'm not cut out for it; (*non mi va*) it's not my cup of tea □ **Non è p. per i tuoi denti**, it's not for you □ **L'ho avuto per un pezzo di p.**, I had it for next to nothing (*o* for a song) □ **rendere pan per focaccia**, to give tit for tat □ **Se non è zuppa è pan bagnato**, it's six of one and half a dozen of the other; it's much of a muchness (*fam.*) □ **spezzare il p. con q.**, to break bread with sb. □ **spezzare il p. della scienza**, to teach; to spread knowledge □ **trovare p. per i propri denti**, to find one's match □ **Non si vive di solo p.**, man cannot live on bread alone □ (*prov.*) **Pan rubato ha buon sapore**, stolen fruit is sweetest.

pàne② m. (*mecc., della vite*) (screw) thread.

panegìrico m. **1** (*letter.*) panegyric; eulogy: **pronunciare il p. di q.**, to pronounce (*o* to deliver) a panegyric upon sb.; to eulogize sb.; **scrivere un p.**, to write a panegyric (*o* lodi) lavish praises (pl.): **fare il p. di q.**, to praise sb. to the skies; to sing sb.'s praises; **fare il p. di sé stesso**, to sing one's own praises; to blow one's trumpet.

panegirìsta m. e f. **1** (*letter.*) panegyrist **2** (*fig.*) eulogizer.

pànel (*ingl.*) m. inv. panel: **un p. di esperti**, a panel of experts.

panellènico a. (*polit.*) Panhellenic.

panellenìsmo m. (*polit.*) Panhellenism.

panèllo m. oilcake.

panencefalìte f. (*med.*) panencephalitis.

panettatrìce f. butter-packaging machine.

◆**panetterìa** f. **1** (*forno*) bakery **2** (*negozio*) baker's (shop).

◆**panettière** m. (f. **-a**) baker.

panétto m. **1** (*panino*) roll **2** (*di burro*) pat **3** (*gergo teatr.*) applause in midscene.

panettóne m. (*alim.*) panettone (spiced brioche with sultanas).

paneuropèo a. Pan-European.

pànfilo m. (*naut.*) yacht.

panflettìsta m. e f. pamphleteer.

panflettìstica f. pamphlet writing; pamphlets (pl.).

panflettìstico a. pamphleteering.

panfòrte m. (*alim.*) panforte (Sienese cake made with honey and almonds).

pangermanèsimo, **pangermanìsmo** m. (*polit.*) Pan-Germanism.

pangermanìsta (*polit.*) Ⓐ m. e f. advocator of Pan-Germanism Ⓑ a. Pan-German; Pan-Germanic.

pangermanìstico a. (*polit.*) Pan-Germanic.

pangolìno m. (*zool., Manis*) pangolin; scaly anteater.

pangrattàto m. (*alim.*) breadcrumbs (pl.).

pània f. **1** birdlime **2** (*fig.*) snare; trap: **cadere nella p.**, to fall into the trap; to be

ensnared.

panicàto a. (*di carne macellata*) measly.

panicatùra f. (*vet.*) measles (pl. col verbo al sing. o al pl.).

pànico① Ⓐ a. (attr.): **timor p.**, panic fear Ⓑ m. panic; fright: **p. borsistico**, panic in the Stock Exchange; **p. dell'attore**, stage fright; **creare (il) p.**, to create a panic; **diffondere il p.**, to spread panic; **farsi prendere dal p.**, to panic; to get into a panic; **gettare nel p.**, to throw into panic; **in preda al p.**, panic-stricken; panic-struck; panicky (*fam.*); *Calma, niente p.!*, don't panic!; **attacco di p.**, panic attack.

pànico② m. (*bot., Setaria italica*) foxtail millet; Italian millet.

panicolàto a. (*bot.*) panicled; paniculate.

panièra f. (large) basket.

panieràio m. **1** (*fabbricante*) basket maker **2** (*venditore*) basket seller.

panieràta f. basketful; basket.

panière m. **1** basket; (*con coperchio*) hamper; (*il contenuto*) basketful, basket: **un p. d'uva**, a basket (*o* basketful) of grapes; **p. da picnic**, picnic hamper; **p. della spesa**, shopping basket **2** (*econ.*) basket: **p. di monete**, basket of currencies; **p. di mercato** (*per misurare l'andamento dell'inflazione*), market basket ● (*fig.*) **fare la zuppa nel p.**, to waste one's efforts □ (*ricamo*) **punto p.**, basket stitch □ (*fig.*) **rompere** (*o* guastare) **le uova nel p. a q.**, to upset sb.'s plans; to upset sb.'s applecart (*fam.*).

panierìno m. **1** (small) basket **2** (*della colazione*) lunch box.

panificàre Ⓐ v. t. to make* into bread Ⓑ v. i. to make* bread.

panificatóre m. (f. **-trìce**) baker.

panificazióne f. bread-making; bread-baking.

panifìcio m. **1** (*forno*) bakery **2** (*negozio*) baker's (shop).

panifòrte m. (*tecn.*) laminboard.

paninàro m. (f. **-a**) young boy (f. girl) frequenting sandwich bars and wearing fashionable clothes.

paninerìa → **paninoteca**.

◆**panìno** m. roll: **p. alla piastra**, toasted roll; **p. al prosciutto**, ham roll; **p. dolce**, bun; **p. imbottito**, roll with a filling.

paninotèca f. (*fam.*) sandwich bar.

panislàmico a. (*polit.*) Pan-Islamic.

panislamìsmo m. (*polit.*) Pan-Islamism.

panìsmo m. nature worship.

panlogìsmo m. (*filos.*) panlogism.

◆**pànna**① f. cream: **p. acida**, sour cream; **p. da montare**, whipping cream; **p. montata**, whipped cream; **ravioli alla p.**, ravioli with cream.

pànna② f. **1** (*naut.*) state of being hove-to: **essere** (*o* trovarsi) **in p.**, to be hove-to; **mettersi in** (*o* **prendere la**) **p.**, to heave to **2** (*tecn.*) boom defence; isolating boom.

pànna③ → **panne**.

pannàre v. i. (*del latte*) to cream; to form cream.

panne (*franc.*) f. inv. (*mecc.*) breakdown: **rimanere in p.**, to have a breakdown; *Ho la macchina in p.*, my car has broken down.

panneggiaménto m. draping; (*anche in arte*) drapery.

panneggiàre v. i. (*anche in arte*) to drape.

pannéggio m. draping; (*anche in arte*) drapery.

pannellàre v. t. to panel.

pannellatùra f. panelling; panelwork.

pannellìsta m. panel installer.

pannèllo m. **1** (*abbigliamento*) panel **2** (*riquadro decorativo*) panel **3** (*edil., tecn.*) panel; board: (*cinem.*) **p. antiluce**, gobo;

(*aeron.*) **p. dei comandi**, instrument board; (*elettr.*) **p. di controllo**, testboard; (*teatr.*) **p. delle luci**, lighting panel; (*edil.*) **p. di rivestimento**, wallboard; **p. divisorio**, partition board; (*elettr.*) **p. interruttori**, switchboard; **p. isolante**, insulating board; **p. radiante**, radiating panel; **p. solare**, solar panel; **p. truciolare**, particle board; **riscaldamento a pannelli radianti**, panel (*o* radiant) heating; **rivestire con pannelli**, to fit with panels; to panel **4** (*di busta*) window.

pannicèllo m. (*piccolo panno*) piece of cloth ● **pannicelli caldi**, (*impacchi*) hot packs; (*fig.*) inadequate remedies, palliatives.

pannicolo m. (*anat.*) panniculus*: **p. adiposo**, panniculus adiposus.

pannilàno → **pannolano**.

♦**pànno** m. **1** (*tessuto*) cloth: **p. di lana** [**di lino**], woollen [linen] cloth; **rotolo di p.**, roll of cloth **2** (*pezzo di stoffa destinato a qualche uso*) cloth: **p. per lavare i piatti**, dish cloth; **p. per spolverare**, dusting cloth; duster; **coprire con un p.**, to cover with a cloth **3** (*al pl.*) (*indumenti*) clothes; clothing ▣: **panni laceri**, tattered clothes; **panni pesanti**, heavy clothes; **panni da lavare**, laundry (sing.); wash (sing.); **panni da stirare**, ironing (sing.) **4** (*fig.: velo, membrana*) skin; membrane ● **p. funebre**, pall ● **p. verde** (*per tavolo da gioco*), baize □ (*fig.*) **essere** (*o* **trovarsi**) **nei panni di q.**, to be in sb.'s shoes: *Non vorrei essere nei tuoi panni*, I wouldn't like to be in your shoes □ (*fig.*) **mettersi nei panni di q.**, to put oneself in sb.'s place □ (*fig.*) **non stare più nei panni dalla gioia**, to be beside oneself with joy □ (*fig.*) **tagliare i panni addosso a q.**, to gossip about sb.; to badmouth sb. (*USA*) □ (*prov.*) **I panni sporchi si lavano in famiglia**, you shouldn't wash your dirty linen in public.

pannòcchia① f. **1** (*bot.*) panicle **2** (*spiga di graminacea*) ear: **p. di granturco**, ear of maize (*o* of corn); corncob (*USA*); (*cucina*) corn on the cob.

pannòcchia② f. (*zool.*, *Squilla mantis*) squill; mantis shrimp.

pannocchìna f. (*bot.*, *Dactylis glomerata*) cocksfoot.

pannofix® m. mouton (*franc.*).

pannogràfico a. – **lavagna pannografica**, feltboard.

pannolàno m. woollen cloth.

pannolènci® m. fine felt.

pannolino① m. **1** (*per bambini*) nappy (*GB*); diaper (*USA*) **2** (*assorbente igienico*) sanitary towel (*GB*); sanitary napkin (*USA*).

pannolino② m. linen (cloth).

pannolóne m. **1** (*per bambini*) nappy (*GB*); diaper (*USA*) **2** (*per adulti*) incontinence pad.

pannònico a. of Pannonia; Pannonian.

panoftalmìte f. (*med.*) panophthalmitis.

panòplia f. **1** complete suit of armour; panoply **2** (*trofeo*) trophy.

♦**panoràma** m. **1** panorama; view; vista; scenery: **un p. di Napoli**, a panorama (*o* a view) of Naples; **ammirare il p.**, to admire the view (*o* the scenery); *Di qui si gode un bel p.*, the view is beautiful from here **2** (*fig.: situazione*) scene; situation: **il p. politico**, the political scene **3** (*rassegna, descrizione*) outline; survey; panorama: **un p. della vita a Firenze nel Medioevo**, a panorama of life in medieval Florence; **fare un p. della situazione**, to give an outline of (*o* to outline) the situation **4** (*teatr.*) cyclorama.

panoràmica f. **1** (*fotogr.*) panorama; panoramic picture **2** (*cinem.*, *TV*) pan (shot); (*verticale*) tilt (shot): **fare una p.**, to pan **3** (*fig.: visione d'insieme*) general outline; general survey; overview; panorama **4** (*strada p.*) scenic route.

panoramicàre v. i. (*cinem.*, *TV*) to pan.

panoramicità f. panoramic character; scenic quality.

panoràmico a. **1** panoramic; (*ricco di panorami*) scenic: **giro p. di una città**, scenic tour of a town; **strada panoramica**, scenic route; **terrazza panoramica**, terrace with a panoramic view; **vista panoramica**, panoramic (*o* bird's-eye) view **2** (*fig.*) general; overall; panoramic: **esame p. della situazione**, general survey (*o* overall view) of the situation ● (*fotogr.*) **obiettivo p.**, wide-angle lens □ (*cinem.*, *TV*) **schermo p.**, wide screen.

panormita a. of Palermo; Palermo (attr.).

panòrpa f. (*zool.*, *Panorpa communis*) scorpion fly.

panòttico m. (*archit.*) panopticon.

panpepàto m. (*alim.*) panpepato (cake made with flour, honey, almonds and candied fruit).

panporcino m. (*bot. pop, Cyclamen hederifolium*) ivy-leaved cyclamen.

panpsichìsmo m. (*filos.*) panpsychism.

panromànzo a. (*ling.*) common to all Romance languages.

pansé f. (*bot.*, *Viola tricolor*) pansy.

pansessuàle a. pansexual.

pansessualìsmo m. (*psic.*) pansexuality.

panslavìsmo m. (*polit.*) Panslavism.

panslavìsta m. e f. (*polit.*) Panslavist.

pànta m., **pantacàlza** f. → **pantacollant**.

pantacollànt m. inv. leggings (pl.).

pantagònna f. divided skirt.

pantagruèlico a. **1** (*letter.*) Pantagruelian **2** (*estens.: enorme*) gargantuan; gigantic; enormous: **appetito p.**, gargantuan appetite; **pasto p.**, gigantic meal.

pantalonàio m. (*f. -a*) trouser maker.

pantaloncini m. pl. **1** children's trousers **2** shorts; trunks: **p. da bagno**, swimming trunks.

pantaloncino m. → **pantaloncini**.

♦**pantalóne** Ⓐ m. → **pantaloni** Ⓑ a. inv. – **gonna p.**, divided skirt.

Pantalóne m. Pantaloon ● (*iron. o scherz.*) **Tanto paga P.!**, it's all on the taxpayers' money; (*rif. a sé stessi*) of course, muggins will pay!

pantalóni m. pl. trousers; pants (*USA*); (*anche da donna*) slacks: **p. a zampa di elefante**, bell-bottom trousers; bell-bottoms; flared trousers; flares (*fam.*); **p. alla zuava**, knickerbockers; knickers (*fam. USA*); plus fours; **p. corti**, shorts; **p. lunghi**, long trousers; **un paio di p.**, a pair of trousers; **in p.**, wearing trousers; **piega dei p.**, trouser crease; **risvolto dei p.**, turn-up; cuff (*USA*); **tasche dei p.**, trouser pockets ● (*fig. fam.*) **farsela nei p.**, to be scared stiff; to shit in one's pants (*volg.*) □ (*fig.*) **portare i p.**, to wear the trousers (*USA* pants).

pantàna f. (*zool.*, *Tringa nebularis*) greenshank.

pantàno m. **1** quagmire; (*palude*) swamp; bog; (*fango*) mud; mire: *La pioggia trasformò il campo da gioco in un p.*, the rain turned the pitch into a quagmire **2** (*fig.*) quagmire; mess; fix: **trovarsi in un bel p.**, to be in a real quagmire (*o* in a fine mess, in a fix).

pantanóso a. swampy; boggy; (*fangoso*) muddy; miry: **terreno p.**, boggy soil; swampy ground; bog; **strada pantanosa**, muddy road.

pantedésco a. Pan-German.

pantegàna f. (*region.*) sewer rat.

panteìsmo m. (*filos.*) pantheism.

panteìsta m. e f. (*filos.*) pantheist.

panteìstico a. (*filos.*) pantheistic.

pànteon → **pantheon**.

♦**pantèra** f. **1** (*zool.*, *Panthera pardus*) panther **2** (*gergale*) police car **3** (*polit.*, *in USA*) – **Pantere nere**, Black Panthers.

pàntheon m. (*in tutti i sensi*) pantheon.

pantocràtore a. e m. (*relig.*) Pantocrator.

pantòfago a. (*zool.*) pantophagous.

pantofobìa f. (*psic.*) pantophobia.

♦**pantòfola** f. slipper; (*aperta dietro*) mule: **in pantofole**, slippered (agg.); wearing slippers; (*fig.*) at one's ease, informally; **essere in pantofole**, to be wearing slippers; **mettersi in pantofole**, to put on a pair of slippers; (*fig.*) to change into something comfortable.

pantofolàio Ⓐ m. (*f. -a*) **1** (*fabbricante*) slipper maker **2** (*venditore*) slipper seller **3** (*fig.*) stay-at-home person Ⓑ a. (*che non ama muoversi*) stay-at-home (attr.); (*inattivo*) idle, do-nothing (attr.).

pantoferìa f. **1** (*fabbrica*) slipper factory **2** (*negozio*) slipper shop.

pantogràfico a. pantographic.

pantografìsta m. e f. (*tecn.*) pantographer.

pantògrafo m. **1** (*arti grafiche*) pantograph **2** (*ferr.*) pantograph; current collector: **asta di presa a p.**, pantograph trolley.

pantomìma f. **1** (*teatr.*) mime; dumb show; pantomime **2** (*gesti*) dumb show; gestures (pl.) **3** (*fig.: finzione*) show ▣; play-acting ▣: *È tutta una p.*, it's nothing but show.

pantomìmico a. (*teatr.*) mime (attr.).

pantomìmo m. (*teatr.*) **1** → **pantomima 2** (*mimo*) mime.

Pantóne® m. inv. Pantone®.

pantotènico a. – (*chim.*) **acido p.**, pantothenic acid.

pànza e deriv. → **pancia**, e deriv.

panzàna f. lie; story (*fam.*); cock-and-bull story (*slang*).

panzé → **pansé**.

panzer (*ted.*) m. inv. **1** (*mil.*) panzer; (German) tank **2** (*fig.*) bulldozer.

Pàola f. Paula.

paolinìsmo m. (*relig.*) Paulinism.

paolino a. (*di san Paolo, di un papa di nome Paolo*) Pauline.

pàolo m. (*numism.*) paolo*.

Pàolo m. Paul.

paolòtto m. **1** (*eccles.*) Minim (Friar) **2** (*eccles.*) Lazarist; Vincentian **3** (*fig. spreg.*) sanctimonious person; religionist.

paonàzzo Ⓐ a. purple; (*per il freddo*) blue, livid: **abito p.** (*di vescovo*), purple robe; **diventare p. per la collera**, to become (*o* to turn) purple with rage; **p. per il freddo**, blue (*o* livid) with cold Ⓑ m. **1** (*colore*) purple **2** (*veste*) purple dress; purple robe.

♦**pàpa** m. **1** pope: *P. Gregorio Settimo*, Pope Gregory VII; **la successione dei papi**, the succession of popes; the papal line **2** (*fig.*) grand old man* **3** (*gergale*) mafia boss ● **il P. nero**, the General of the Jesuits ● (*fig.*) **a ogni morte di p.**, once in a blue moon □ (*fig.*) **andare a Roma e non vedere il p.**, to leave out the most important thing □ **stare** (*o vivere*) **come un p.**, to live like a lord; to be in clover (*fam.*) □ (*prov.*) **Morto un p., se ne fa un altro**, the king is dead, long live the king.

♦**papà** m. (*fam.*) dad; daddy; pa; pop; poppa (*USA*): *Chiama il p.*, call dad; *P. torna domani*, dad is coming back tomorrow; *Sono il tuo p.*, I am your daddy.

papàbile a. **1** likely to become a pope; eligible to be a pope **2** (*estens.*) likely to be elected: **candidato p.**, likely candidate; front-runner.

papàia f. (*bot.*, *Carica papaya*) pawpaw, pa-

paw.

papaìna f. (*chim.*) papain.

papàle A a. papal: **benedizione p.**, papal benediction; **corte p.**, papal court B avv. – **p. p.**, frankly; bluntly; without mincing words; in so many words.

papalìna f. skullcap.

papalìno (*iron.*, *spreg.*) A a. papist; popish; papalist B m. **1** (*soldato pontificio*) papal soldier **2** (*fautore del potere temporale dei papi*) papalist.

papamòbile f. Popemobile.

paparàzzo m. paparazzo*; freelance photographer.

papàsso m. **1** (*eccles.*) (Orthodox) pope **2** (*scherz.*: *caporione*) leader; ringleader.

papàto m. **1** (*carica*) papacy; popedom: **essere eletto al p.**, to be raised to the papacy **2** (*durata*) papacy; pontificate: **il p. di Pio IX**, the papacy (*o* pontificate) of Pius IX **3** (*governo papale*) papacy.

papaveràcea f. (*bot.*) poppy; (al pl., *scient.*) Papaveraceae.

papaveràceo a. (*bot.*) papaveraceous.

papavèrico a. **1** papaverine (attr.) **2** (*fig.*) soporific.

papaverìna f. (*chim.*) papaverine.

♦**papàvero** A m. **1** (*bot.*, *Papaver*) poppy: **p. da oppio** (*o* **sonnifero**) (*Papaver somniferum*), opium poppy; **p. selvatico** (*Papaver rhoeas*), corn (*o* field) poppy; wild poppy; **semi di p.**, poppy seed; **olio di semi di p.**, poppy-seed oil. **2** (*bot.*) – **p. della California** (*Eschscholtzia californica*), California poppy; **p. messicano** (*Argemone mexicana*), prickly poppy ● (*fig.*) **alti papaveri**, bigwigs; bigshots; (*mil.*) top brass B a. inv. poppy (attr.): **rosso p.**, poppy red (sost.); poppy-red (agg.).

papàya → **papaia**.

pàpera f. **1** young goose*; gosling **2** (*fig. fam.*: *donna stupida*) goose* **3** (*fig.*: *errore nel parlare*) slip of the tongue: **prendere una p.**, to trip over a word; (*di attore e sim.*) to fluff one's lines **4** (*fig.*: *errore grossolano*) blunder ● **camminare come una p.**, to waddle.

paperìna f. **1** gosling **2** (*scarpa*) pump.

Paperìno m. (*fumetti*) Donald Duck ● (*fis.*) **effetto P.**, Donald Duck effect.

♦**pàpero** m. (*zool.*) young goose*; gosling; gander.

Paperóne m. (*fumetti e fig.*) Uncle Scrooge.

papésco a. (*spreg.*) popish; papistical.

papéssa f. **1** woman* pope: **la p. Giovanna**, Pope Joan **2** (*fig.*) rich woman.

pàpi m. inv. (*fam.*) daddy; poppa (*USA*).

Papilionàcee f. pl. (*bot.*, *Papilionaceae*) Papilionaceae.

papilionàto a. (*bot.*) papilionaceous.

papiliònide m. (*zool.*) papilionid; (al pl., *scient.*) Papilionidae.

papìlla f. (*anat.*, *bot.*) papilla* ● (*anat.*) **p. gustativa**, taste bud □ (*anat.*) **p. ottica**, optic disk; blind spot □ **ricoperto di papille**, papillate.

papillàre a. (*anat.*, *bot.*) papillary: **prominenze papillari**, papillary protuberances.

papillòma m. (*med.*) papilloma*.

papillomatòsi f. (*med.*) papillomatosis.

papillon (*franc.*) m. inv. bow tie.

papiràceo a. papyrus (attr.): **codice p.**, papyrus manuscript.

papìro m. **1** (*bot.*, *Cyperus papyrus*) papyrus **2** (*foglio*, *manoscritto*) papyrus*: **papiri egiziani**, Egyptian papyri; **rotolo di p.**, papyrus scroll **3** (*fig. scherz.*: *documento*) paper; (*lettera*) long letter, screed.

papirologìa f. papyrology.

papirològico a. papyrological.

papiròlogo m. (f. *-a*) papyrologist.

papìsmo m. papism.

papìsta m. e f. papist ● **essere più papisti del Papa**, to be more royalist than the king.

papìstico a. papistical.

papòcchio m. (*region.*) **1** (*pasticcio*) mess; imbroglio **2** (*raggiro*) trick; swindle; con (*fam.*).

pàppa ① f. **1** pap; gruel; (*pancotto*) bread soup; (*spreg.*: *poltiglia*) mush **2** (*fam.*: *cibo*) food; din-dins (*infant.*): **la p. del cane**, the dog's food; **l'ora della p.**, time to eat **3** – **p. reale**, royal jelly ● (*fig.*) **p. molle** → **pappamolle** □ (*fig.*) essere p. e ciccia (con), to be as thick as thieves (with); to be hand in glove (with) □ (*fig.*) **mangiare la p. in capo a q.**, (*essere più alto*) to be taller than sb.; (*trovarsi in posizione di vantaggio*) to have the whip-hand over sb. □ (*fig.*) **trovare la p. fatta**, to find everything ready; to find all problems solved □ (*fig.*) **volere la p. fatta** (*o* **scodellata**), to expect everything on a plate.

pàppa ② m. inv. (*region. gergale*) pimp.

pappafìco m. **1** (*naut.*) fore topgallant (sail) **2** (*region.*: *barba*) Vandyke (beard).

pappagallescaménte avv. parrot fashion: **ripetere p.**, to repeat parrot fashion; to parrot.

pappagallésco a. parrot-like: **comportamento p.**, parrot-like behaviour; **in modo p.**, parrot fashion.

pappagallìno m. (*zool.*) – **p. ondulato** (*Melopsittacus undulatus*), budgerigar; budgie (*fam.*).

pappagallìsmo m. (*fam.*) importuning women in the street.

♦**pappagàllo** m. **1** (*zool.*) parrot: **p. cinerino** (*Psittacus erythacus*), grey parrot **2** (*fig.*: *chi ripete le parole*) parrot; (*chi copia*) copycat: **ripetere qc. come un p.** (*o* **a p.**), to repeat st. parrot fashion; to parrot st.; **imparare a p.**, to learn parrot fashion **3** (*fig.*: *uomo che molesta le donne*) man* who importunes women in the street **4** (*per degenti*) urinal; duck (*fam.*) **5** (*pop. pinza regolabile*) adjustable pipe wrench.

pappagòrgia f. double chin.

pappamòlle, **pappamòlla** m. e f. inv. **1** (*persona debole*) weakling **2** (*smidollato*) milksop; wimp (*fam.*); wet (*fam. GB*); wet sock (*fam. USA*).

pappardèlla f. **1** (al pl.) (*alim.*) pappardelle (broad pasta ribbons) **2** (*fig.*: *discorso*) long rigmarole; (*scritto*) screed.

pappàre v. t. **1** (*fam.*) to eat* up; to gobble up (*fam.*); to scoff (*fam.*): **Si è pappato tutto il gelato**, he scoffed all the ice cream **2** (*fig.*: *intascarsi*) to pocket.

pappàta f. **1** (*fam.*) good feed; pig-out; blow-out: **farsi una p. di qc.**, to pig out on st. **2** (*fig.*) rake-off.

pappatàci m. (*zool.*, *Phlebotomus papatasii*) sandfly: **febbre da p.**, sandfly fever.

pappatóre m. (f. *-trìce*) big eater; glutton.

pappatòria f. **1** (*fam.*) feeding; (*cibo*) food, feed (*fam.*), eats (*fam.*), grub (*fam.*) **2** (*fig.*) rake-off.

pappìna f. (*impiastro*) (linseed) poultice.

pàppo m. (*bot.*) pappus*.

pappolàta f. **1** pap; slop **2** (*fig. spreg.*) rambling talk; rigmarole.

pappóne m. **1** (f. *-a*) (*fam.*) greedy eater; guzzler **2** (*region.*: *protettore*) pimp.

pappóso ① a. (*bot.*) pappose; pappous.

pappóso ② a. (*molle*) pap-like; pappy; slushy.

pàprica f. paprika.

pap-test m. inv. (*med.*) Pap test.

pàpua, **papuàno** a. e m. (f. *-a*) papuan.

Pàpua Nuòva Guinèa f. (*geogr.*) Papua New Guinea.

Papuàsia f. (*geogr.*) Papua.

pàpula f. (*med.*) papula*; papule.

papulàre a. (*med.*) papular.

papulóso a. (*med.*) papulose, papulous.

par m. inv. (*golf*) par.

par. abbr. (**paragrafo**) paragraph; section (par.).

pàra f. (*gomma*) Para rubber.

parà m. (*mil.*) paratrooper; para (*fam.*); (al pl., collett.) paratroops.

parabancàrio A a. parabanking B m. parabanking sector; parabanking services (pl.).

paràbaṣi f. (*teatr. greco*) parabasis*.

parabèllum m. inv. (*mil.*) Parabellum.

paràbile a. that can be parried; (*calcio*) savable: **tiro p.**, savable shot.

parabiòṣi f. (*zool.*) parabiosis.

paràbola ① f. **1** (*mat.*) parabola **2** (*arco*, *traiettoria*) arc; trajectory; path: **la p. di un proiettile**, the path of a projectile; **tracciare una p.**, to describe an arc; **fase ascendente [discendente] di una p.**, upward [downward] phase of a trajectory; way up [down] **3** (*fig.*) path; course; rise and fall: **la p. della vita**, life's course; **nella fase ascendente [discendente] della propria p.**, on one's way up [down]; on the rise [decline]; **toccare il vertice della propria p.**, to reach one's peak **4** (*TV*) satellite dish.

paràbola ② f. parable: **la p. del seminatore**, the parable of the sower; **parlare per parabole**, to speak in parables.

parabòlico a. (*geom.*) parabolic: (*TV*) antenna parabolica, satellite dish; **curva parabolica**, parabolic curve; **specchio p.**, parabolic mirror.

paraboloìde m. **1** (*mat.*) paraboloid: **p. di rotazione**, paraboloid of revolution **2** (*tel.*) paraboloid antenna.

parabolòidico a. (*mat.*) paraboloidal.

parabórdo m. (*naut.*) fender.

parabràce m. (*fireplace*) fender.

parabrézza m. (*autom.*) windscreen (*GB*); windshield (*USA*): **p. avvolgente**, hooded windscreen; canopy shield.

paracadutàre (*aeron.*) A v. t. to parachute; to airdrop B **paracadutàrsi** v. rifl. to parachute; (*per emergenza*) to bale out.

paracadùte m. **1** (*aeron.*) parachute: **p. ad apertura automatica**, automatic (opening) parachute; **p. di emergenza**, emergency parachute; **p. di riserva**, reserve parachute; **p. freno** (*o* **di coda**), brake parachute; **p. pilota** (*o* **estrattore**), drogue parachute; **fare da p.**, to act as a parachute; (*fig.*) to shield; **lanciare col p.**, to parachute; to airdrop; **lanciarsi col p.**, to parachute; (*per emergenza*) to bale out; **lancio col p.**, parachute jump; (*di materiale*) airdrop **2** (*miss.*, *di razzo*, *ecc.*) paraglider.

paracadutìṣmo m. parachuting ● **p. acrobatico**, skydiving.

paracadutista A m. e f. **1** parachutist **2** (*mil.*) paratrooper; (al pl., collett.) paratroops ● **p. acrobatico**, skydiver B a. (*mil.*) paratroop (attr.): **reparto p.**, paratroop unit.

paracadutìstico a. parachute (attr.); parachuting (attr.); (*mil.*) paratroop (attr.): **gara paracadutistica**, parachuting competition; **lancio p.**, parachute jump.

paracàlli m. inv. corn-pad; corn protector.

paracamìno m. fireguard.

paracàrro m. stone post.

paracénere m. inv. (*fireplace*) fender; fireguard.

paracentèṣi f. (*med.*) paracentesis*; tapping.

paracéra m. inv. wax collector.

paracetamòlo m. (*farm.*) paracetamol.

paracheratòsi f. (*anat.*, *biol.*) parakeratosis.

paracistìte f. (*med.*) paracystitis.

Paraclèto, **Paràclito** m. (*teol.*) Paraclete.

paracóda m. (*sport*) tail bandage.

paracólpi m. inv. bumper; buffer; (*per porta*) doorstop.

paracomunista **A** a. sympathizing with communism **B** m. e f. communist sympathizer; fellow-traveller.

paràcqua m. inv. (*region.*) umbrella; brolly (*fam. GB*).

paracromatopsìa f. (*med.*) chromatopsia.

paracùlo m. (*region. volg.*) **1** (*omosessuale*) fairy; fag (*USA*) **2** (*furbacchione*) clever bastard; smart aleck.

paracùsi, **paracusìa** f. (*med.*) paracusis*; paracusia.

paradenìte f. (*med.*) paradenitis.

paradentàle a. (*anat.*) paradental.

paradènti m. (*boxe*) gumshield.

paradentìte f. (*med.*) periodontitis.

paradentologìa f. periodontology.

paradentòsi f. (*med.*) periodontosis.

paradènzio m. periodontium*.

paradìgma m. **1** (*gramm.*) paradigm; (inflected) forms (pl.) **2** (*filos.*) paradigm **3** (*schema*, *prospetto*) paradigm.

paradigmàtico a. (*gramm.* e *estens.*) paradigmatic.

paradìsea f. (*zool.*, *Paradisea*) bird of paradise.

paradisìaco a. **1** paradisiac; paradisal **2** (*fig.*) celestial; heavenly; blissful: **felicità paradisiaca**, heavenly bliss; blissful happiness; **pace paradisiaca**, heavenly peace.

♦**paradìso** m. **1** (*relig.*) heaven; paradise: **andare in P.**, to go to heaven; **i santi del P.**, the saints in heaven; **la via del P.**, the path to heaven **2** (*fig.*: *luogo delizioso*) paradise; heaven: *L'oasi è un p. per chi ama gli uccelli*, the reserve is a birdwatcher's paradise; *Questo giardino è un p.!*, this garden is sheer paradise ● **p. artificiale**, drug-induced euphoria □ **p. fiscale**, tax haven ● **«Il P. perduto» di Milton**, Milton's «Paradise Lost» □ **il P. Terrestre**, the Garden of Eden; (the) Earthly Paradise □ (*fig.*) **di p.**, heavenly; celestial; divine (*fam.*): **musica di p.**, heavenly (*o divine*) music; **pace di p.**, heavenly peace □ **Mi sembra d'essere in p.!**, this is heaven! □ **sentirsi in p.**, to be in the seventh heaven □ (*zool.*) **uccello del p.** (*Paradisea*), bird of paradise.

paradontàle → **paradentale**.

paradònto e deriv. → **paradenzio**, e deriv.

paradossàle a. paradoxical; (*assurdo*) absurd, ludicrous, crazy (*fam.*): **idee paradossali**, absurd ideas; **situazione p.**, paradoxical situation; **in modo p.**, paradoxically.

paradossalità f. paradoxicality; paradoxicalness.

paradòsso① **A** m. **1** (*filos.*) paradox: **il p. di Zenone**, Zeno's paradox; **parlare per paradossi**, to speak by paradox **2** (*estens.*) paradox; absurdity **B** a. (*med.*, *psic.*) paradoxical: **polso [sonno] p.**, paradoxical pulse [sleep].

paradòsso② m. **1** (*mil.*) parados **2** (*edil.*) rafter.

paradossùro m. (*zool.*, *Paradoxurus*) paradoxure.

paràfa f. (*bur.*) paraph.

parafàngo m. (*autom.*) wing (*GB*), fender (*USA*), (*di bicicletta*) mudguard (*GB*), fender (*USA*), (*di carrozza*) splashboard.

parafàre v. t. (*bur.*) to initial; to paraph.

parafarmacèutico a. over-the-counter

(abbr. OTC): **prodotto p.**, over-the-counter product.

parafarmacìa f. over-the-counter (*o* OTC) products (pl.).

parafàrmaco a. over-the-counter (*o* OTC) drug.

parafasìa f. (*med.*) paraphasia.

parafernàle a. (*leg.*) paraphernal ● **beni parafernali**, paraphernalia.

paraffìna f. (*chim.*) **1** paraffin (wax): **p. liquida** (*o olio di p.*), liquid paraffin; paraffin oil; **guanto di** (*o prova della*) **p.**, paraffin test **2** (*alcano*) paraffin, alkane.

paraffinàre v. t. to paraffin; to paraffinize.

paraffinàto a. paraffinized ● **carta paraffinata**, wax paper.

paraffinatùra f. paraffinizing.

paraffìnico a. (*chim.*) paraffinic: **idrocarburi paraffinici**, paraffinic hydrocarbons.

parafiàmma **A** a. inv. fireproof; fire-resistant: (*aeron.*, *naut.*) **paratia p.**, fireproof bulkhead **B** m. inv. **1** (*edil.*) firewall **2** (*di arma automatica*) flash eliminator.

parafilìa f. (*psic.*) paraphilia.

parafimòsi f. (*med.*) paraphimosis.

parafiscàle a. (*econ.*) pertaining to duties levied by other authorities than the central or local governments.

parafiscalità f. (*econ.*) levy of duties by other authorities than the central or local governments.

paràfisi f. (*bot.*) paraphysis*.

paraflying (*ingl.*) m. inv. (*sport*) paraflying; parasailing; parascending.

parafrasàre v. t. to paraphrase.

paràfrasi f. paraphrase: **fare una p.**, to paraphrase.

parafrasìa f. (*psic.*) paraphrasia.

parafràstico a. paraphrastic.

parafrenìa f. (*psic.*) paraphrenia.

parafùlmine m. lightning conductor (*GB*); lightning rod (*USA*): **fare da p.**, to act as a lightning conductor; (*fig.*) to act as a shield.

parafuòco m. firescreen; fireguard.

paragarrétto m. (*sport*) shin boot.

parageusìa f. (*psic.*) parageusia.

paràggio m. **1** (spec. al pl.) (*naut.*) (coastal) waters: **i paraggi di Rapallo**, Rapallo's waters; **nei paraggi di Amalfi [di un'isola]**, off Amalfi [an island] **2** (spec. al pl.) (*zona*) parts; (*quartiere*) neighbourhood (sing.); (*vicinanze*) environs: **in questi paraggi**, in this area; in these parts; near here; around here; *Abitano qui nei paraggi*, they live in this neighbourhood; they live somewhere around here; *C'è un bar in questi paraggi?*, is there a bar near here?; **restare nei paraggi**, to stay around; not to leave the neighbourhood; **nei paraggi di Firenze**, in the environs of Florence; somewhere near Florence.

paragócce m. inv. drip catcher.

paragòge f. (*gramm.*) paragoge.

paragògico a. (*gramm.*) paragogic.

paragonàbile a. **1** comparable (to); that can be compared (with, to): *I due fatti non sono paragonabili*, the two facts are not comparable (*o* cannot be compared) **2** (*pari a*) that compares (with); that stands (*o* bears) comparison (with); on a par (with): *La mia casa non è p. alla sua (è meno bella)*, my house does not compare with hers; *È un buon dizionario, ma non è p. a questo*, it's a good dictionary, but it won't stand comparison with this one; **un film di culto p. a «Casablanca»**, a cult film on a par with «Casablanca».

paragonàre **A** v. t. **1** (*mettere a confronto*) to compare (with, to): **p. i prezzi di que-**

---

st'anno con quelli dell'anno scorso, to compare this year's prices with those of last year; *Era una città tranquilla, paragonata alla nostra*, it was a quiet town, compared to ours **2** (*ritenere simile*) to liken; to compare (to): *I poeti hanno paragonato il sonno alla morte*, poets have likened sleep to death; *È una sensazione che posso solo p. al prurito*, it's a sensation I can only compare to an itch **B** **paragonàrsi** v. rifl. **1** to compare oneself (to) **2** to liken oneself (to).

paragóne m. **1** comparison; (*parallelo*) parallel: *Il p. non regge*, it is not a valid comparison; *Non c'è p. tra te e lui*, there is no comparison between you and him; **fare un p. fra** (*o* **mettere a p.**) **due cose**, to make a comparison (*o* to draw a parallel) between two things; to compare two things; **reggere al p.**, to bear (*o* to stand) comparison; **a p. di**, in comparison with (*o* to); compared with (*o* to); **senza p.**, beyond comparison; incomparable (agg.); matchless (agg.): **bellezza senza p.**, incomparable beauty **2** (*esempio*) example; (*analogia*) analogy: **portare un p.**, to give an example **3** (*modello*) paragon: **un p. di modestia**, a paragon of modesty ● (*fig.*) **pietra di p.**, touchstone; benchmark ❶ **FALSI AMICI** ● paragone *non sensi di confronto e di esempio non si traduce con* paragon.

paragonìte f. (*miner.*) paragonite.

paragrafàre v. t. to paragraph.

paragrafìa f. (*psic.*) paragraphia.

paràgrafo m. **1** (*sezione*, *suddivisione*) paragraph; section: **dividere in paragrafi**, to paragraph **2** (*simbolo grafico*) paragraph mark (*o* symbol).

paragràmma m. (*ling.*) paragram.

paraguaiàno a. e m. (f. **-a**) Paraguayan.

parainfluenzàle a. (*med.*) parainfluenza (attr.): **virus p.**, parainfluenza virus.

paraipotàssi f. (*ling.*) parahypotaxis.

paralalìa f. (*psic.*) paralalia.

paraldèide f. (*chim.*) paraldehyde.

paralèssi f. (*retor.*) paraleipsis*.

paralessìa f. (*psic.*) paralexia.

paraletteràrio a. popular-fiction (attr.); escapist.

paraletteratùra f. popular fiction; escapist literature.

Paralimpìadi, **Paraolimpìadi** f. pl. (*sport*) Paralympics.

paralinguàggio m. (*ling.*) paralanguage.

paralinguìstica f. paralinguistics (pl. col verbo al sing.).

paralinguìstico a. paralinguistic.

paralipòmeni m. pl. **1** (*Bibbia*) Paralipomena; Books of Chronicles **2** (*letter.*) paralipomena.

paràlisi f. **1** (*med.*) paralysis*; palsy: **p. agitante**, paralysis agitans; Parkinson's disease; **p. alle gambe**, paralysis of the legs; **p. cerebrale spastica**, cerebral palsy; **p. infantile**, poliomyelitis; **p. progressiva**, general paralysis of the insane (abbr. GPI); **p. spastica**, spastic paralysis; **colpito da p.**, affected with paralysis; paralysed, paralyzed (*USA*) **2** (*fig.*) paralysis: **p. economica**, economic paralysis; *La nevicata ha portato alla p. totale del traffico*, the snowfall caused total paralysis of the traffic (*o* brought traffic to a standstill).

paralìtico a. e m. (f. **-a**) paralytic.

paralizzàre v. t. **1** (*med.*) to paralyse, to paralyze (*USA*) **2** (*fig.*) to paralyse, to paralyze; to cripple; to freeze*; to bring* to a standstill: **p. il commercio**, to paralyse trade; **p. il traffico**, to paralyse traffic; to bring traffic to a standstill; *La paura la paralizzava*, she was paralysed by fear.

paralizzàto a. **1** (*med.*) paralysed, para-

lyzed (*USA*) **2** (*fig.*) paralysed, paralyzed; crippled; frozen; at a standstill: *L'attività economica è paralizzata*, economic activity is paralysed (*o* is at a standstill).

parallasse f. (*astron., fis.*) parallax: **p. annua**, annual parallax; **p. diurna** (*o* geocentrica), diurnal parallax; (*fotogr.*) **p. residua**, residual parallax; **errore di p.**, parallax error.

parallàttico a. (*astron., fis.*) parallactic.

parallèla f. **1** (*geom.*) parallel (line) **2** (al pl.) (*sport*) parallel bars: **parallele asimmetriche**, asymmetric bars; uneven bars (*USA*) **3** (al pl.) (*strumento per tracciare linee parallele*) parallel ruler (*o* rulers).

parallelaménte avv. parallel (to); in parallel (with); side by side (with): *La strada corre p. alla ferrovia*, the road runs parallel to (*o* parallels) the railway; **procedere p.**, to proceed side by side.

parallelepipedo m. (*geom.*) parallelepiped: **a forma di p.**, parallelepipedal.

parallelinèrvio a. (*bot.*) parallel-veined.

parallelismo m. **1** (*scient.*) parallelism: (*psic.*) **p. psicofisico**, psychophysical parallelism **2** (*fig.*) parallelism; analogy; similarity **3** (*retor.*) parallelism.

parallèlo 🅐 a. (*geom. e fig.*) parallel: **casi paralleli**, parallel cases; **linee parallele**, parallel lines; (*mus.*) **moto p.**, parallel movement; **piani paralleli**, parallel planes; **la strada parallela a questa**, the street parallel to this one 🅑 m. **1** (*confronto*) parallel, comparison; (*analogia*) analogy: **fare un p. tra due poeti**, to draw a parallel between two poets; *C'è un p. tra i due episodi*, there is an analogy between the two events **2** (*geogr.*) parallel (of latitude): **il 30° p.**, the 30th parallel; **città sullo stesso p.**, cities on the same parallel **3** (*elettr., comput.*) parallel: **porta parallela**, parallel port; **in p.**, in parallel; parallel (agg.); **batterie in p.**, batteries in parallel; **elaborazione in p.**, parallel processing; **messa in p.**, paralleling.

parallelogràmma, parallelogràmmo m. (*geom.*) parallelogram: (*fis.*) **p. delle forze**, parallelogram of forces.

paralogìa f. (*psic.*) paralogia.

paralogìsmo m. (*filos.*) paralogism.

paralogìstico a. (*filos.*) paralogistic.

paralogizzàre v. i. (*filos.*) to reason falsely; to paralogize.

paralùce m. inv. (*fotogr.*) lens hood.

paralùme m. lampshade; shade.

paramagnètico a. (*fis.*) paramagnetic.

paramagnetìsmo m. (*fis.*) paramagnetism.

paramàno m. **1** (*polsino*) cuff **2** (*edil.*) facing brick.

paramècio m. (*zool., Paramecium*) paramecium*.

paramèdico 🅐 a. paramedical: **personale p.**, paramedical personnel 🅑 m. paramedic.

paraménto m. **1** (*addobbo*) ornament; (al pl., *per finestra, parete*) hangings **2** (*eccles.*) vestment **3** (*edil.*) face.

paramètrico a. (*mat., stat.*) parametric.

paramètrio m. (*anat.*) parametrium*.

parametrìte f. (*med.*) parametritis.

parametrizzàre v. t. (*mat.*) to parameterize; to parametrize.

parametrizzazióne f. (*mat.*) parameterization.

paràmetro m. **1** (*mat., stat.*) parameter **2** (*estens.: misura di riferimento*) parameter; indicator **3** (*fig.: criterio*) parameter; criterion*; benchmark; yardstick **4** (*bur., anche* **p. retributivo**), wage level; salary level.

paramezzàle m. (*naut.*) keelson; kelson.

paramilitàre a. paramilitary.

paramìne m. inv. m. (*naut.*) paravane.

paramnesìa f. (*psic.*) paramnesia.

paramontùra f. (*sartoria*) facing.

paramorfìsmo m. (*med.*) paramorphism.

paramósche m. inv. fly net.

paranasàle a. (*anat.*) paranasal.

parancàre v. i. (*naut.*) to bowse; to purchase.

paranco m. (*mecc., naut.*) tackle; purchase: **p. a coda**, jigger; **p. differenziale**, differential tackle; **p. semplice** [**doppio**], single [two-fold] tackle ● (*comm.*) **sotto p.**, alongside; under tackle.

paranefrìte f. (*med.*) paranephritis.

paranéve m. inv. **1** (*barriera*) snow fence; (*tettoia*) snowshed **2** (*sport*) snow gaiter.

paraninfo m. **1** (*stor.*) paranymph **2** (*estens.*) matchmaker.

paranòia f. **1** (*psic.*) paranoia **2** (*fam.: depressione*) depression; (*cosa deprimente, deludente*) drag, bummer: **andare in p.**, to freak out; to go bananas (*slang*); to go bonkers (*slang GB*); **essere in p.**, to be down in the dumps; to be bummed out (*slang USA*); **mandare in p.**, (*deprimere*) to bum out (*slang*); (*far uscire di testa*) to freak out (*fam.*) **3** (*gergale: problema, angoscia*) hang-up (*fam.*).

paranòico a. e m. (f. **-a**) (*med.*) paranoiac.

paranòide a., m. e f. (*med.*) paranoid.

paranormàle 🅐 a. **1** (*parapsicologia*) paranormal **2** (*estens.*) not quite normal; odd 🅑 m. paranormal.

paranormalità f. paranormality.

paranza f. (*naut.*) **1** (*imbarcazione*) (fishing) smack; trawler **2** (*rete*) trawl-net; trawl; (*con divergente*) otter trawl.

paraòcchi m. inv. blinkers (pl.) ● (*fig.*) **avere i p.**, to wear blinkers; to be blinkered.

paraòcchio m. (*tecn.*) eyecup.

paraòlio m. (*mecc.*) oil seal.

paraónde m. (*naut.*) breakwater; manger board (*USA*).

paraorécchie m. inv. **1** (*rugby*) scrum cap **2** (*ala di berretto*) earflap; (*coppetta*) earmuff.

paraormóne m. (*biol.*) parahormone.

parapàlle m. inv. (*mil.*) butt.

paraparèsi f. (*med.*) paraparesis.

parapendìo m. inv. **1** (*paracadute*) paraglider **2** (*sport*) paragliding.

parapètto m. **1** (*edil.*) parapet; (*ringhiera*) rail **2** (*mil.*) parapet; breastwork **3** (*naut.*) rail; (*di murata*) bulwark.

parapìglia m. inv. commotion; pandemonium Ⓤ; general scramble; free-for-all; stampede: *Nel p. ci perdemmo di vista*, we lost sight of each other in the commotion; *Scoppiò un p.*, pandemonium broke out; *Ci fu un p. per i posti*, there was a general scramble for seats.

parapiòggia m. inv. umbrella; brolly (*fam. GB*).

paraplegìa f. (*med.*) paraplegia.

paraplègico a. e m. (f. **-a**) (*med.*) paraplegic.

parapòdio m. (*zool.*) parapodium*.

parapolìtico a. parapolitical.

parapsìchico a. parapsychic.

parapsicologìa f. parapsychology.

parapsicològico a. parapsychological.

parapsicòlogo m. (f. **-a**) parapsychologist.

♦ **paràre** 🅐 v. t. **1** (*addobbare*) to decorate; to hang*; to adorn; to deck (out): **p. a festa**, to deck out; to decorate; **p. a lutto**, to hang with black **2** (*riparare, proteggere*) to protect;

to shelter; (*schermare*) to shield **3** (*scansare*) to parry; to ward off; (*evitare*) to avoid: **p. un colpo**, to parry a blow; to ward off a blow **4** (*sport*) to save; (*fermare*) to stop: **p. un rigore**, to save a penalty; **p. un tiro**, to stop a shot 🅑 v. i. – **andare a p.**, to drive at; to get at (*fam.*): *Non capisco dove vuoi andare a p.*, I don't understand what you're driving at 🅒 **paràrsi** v. rifl. o i. pron. **1** (*abbigliarsi*) to dress up; to deck oneself out; to get* oneself up (*fam.*); (*di sacerdote*) to vest oneself **2** (*presentarsi*) to appear; to loom up: *Gli si parò davanti un poliziotto*, a policeman loomed up in front of him; *Dietro l'angolo mi si parò dinnanzi un muro*, I turned the corner and found a wall rising before me **3** (*proteggersi*) to shield oneself; (*ripararsi*) to shelter.

parasànga f. (*stor.*) parasang.

parasanitàrio 🅐 a. paramedical 🅑 m. (f. **-a**) paramedic.

parasàrtie m. inv. (*naut.*) channel; chain wale.

parascènio m. (*archeol.*) parascenium*.

parascève f. (*relig.*) Good Friday.

paraschégge m. inv. gun shield.

parascientifico a. pseudoscientific.

parascintìlle m. inv. (*ferr.*) spark arrester.

parascolàstico a. extracurricular.

paraselène, paraselènio m. (*astron.*) paraselene*.

parasilùri m. inv. (*naut.*) torpedo catcher.

parasimpàtico (*anat.*) 🅐 a. parasympathetic 🅑 m. parasympathetic system.

parasimpaticolìtico a. (*farm.*) parasympatholitic.

parasimpaticomimètico a. (*farm.*) parasympathomimetic.

parasintètico a. (*ling.*) parasynthetic.

parasinteto m. (*ling.*) parasyntheton*.

parasóle m. inv. **1** (*ombrello*) parasol; sunshade **2** (*tendale*) awning **3** (*fotogr.*) lens hood **4** (*autom.* – **aletta p.**, sun visor.

paraspàlle m. inv. (*hockey*) shoulder pad; shoulder guard.

paraspìgolo m. **1** (*edil.*) staff angle **2** (*per mobile*) corner pad; corner bump.

parasprùzzi m. inv. (*autom., ecc.*) mud flap.

parassìta 🅐 a. **1** (*biol. e fig.*) parasitic **2** (*fis., mecc.*) parasitic; parasite (attr.): **corrente p.**, parasitic current; **resistenza p.**, parasite drag 🅑 m. **1** (*biol.*) parasite **2** (*fig.*) parasite; hanger-on; (*scroccone*) scrounger, freeloader (*fam. USA*).

parassitàre v. i. (*biol.*) to parasite.

parassitàrio a. **1** (*biol.*) parasitic **2** (*fig.*) parasitical.

parassiticida 🅐 a. parasiticidal 🅑 m. parasiticide.

parassìtico a. **1** (*biol.*) parasitic **2** (*fig.*) parasitical.

parassitìsmo m. (*biol. e fig.*) parasitism.

parassitòide m. (*biol.*) parasitoid.

parassitologìa f. (*biol.*) parasitology.

parassitològico a. parasitological.

parassitòlogo m. (f. **-a**) parasitologist.

parassitòsi f. (*med.*) parasite disease.

paràsta f. (*archit.*) respond; pilaster.

parastatàle 🅐 a. state-controlled: **ente p.**, state-controlled body (*o* agency); state-controlled organization 🅑 m. e f. employee of a state-controlled body (*o* organization).

parastàto m. **1** (*gli enti*) state-controlled organizations (pl.) **2** (*i dipendenti*) employees (pl.) of state-controlled organizations.

parastinchi m. inv. (*sport*) shin guard; shin-pad.

parastràppi m. inv. (*mecc.*) (torsion) flex-

ible coupling.

parasubordinàto Ⓐ m. (f. *-a*) freelance; (external) consultant; (*edit.*) regular contributor Ⓑ a. freelance: **lavoratore p.**, freelance (worker).

paràta ① f. 1 (*scherma*) parry: **fare una p.**, to parry a blow 2 (*calcio*) save: **p. di testa**, head save; **p. a tuffo**, diving save; **fare una p.**, to make a save; to save.

paràta ② f. 1 (*sfoggio*) parade; display; show; **mettere in p.**, to display; to parade 2 (*mil.*) parade; review; march past: **p. aerea**, flypast (*GB*); flyover (*USA*); **ordine di p.**, parade order; review order; **passo da p.**, parade step; **sfilare in p. davanti a q.**, to march past sb. (on parade) 3 (*naut.*) parade ● **abito di p.**, full dress □ **mala p.** → **malaparata** □ **pranzo di p.**, full-dress dinner.

paratàsca f. pocket flap.

paratàssi f. (*ling.*) parataxis.

paratassìa f. (*psic.*) parataxis.

paratàttico a. (*ling.*) paratactic.

paratèsto m. (*editoria*) front and end matter.

paratìa f. (*naut.*) bulkhead: **p. di collisione**, collision bulkhead; **p. parafiamma** (*o* **tagliafuoco**), fireproof bulkhead; **p. stagna**, watertight bulkhead; **p. trasversale**, athwartship bulkhead.

paràtico m. (*stor.*) guild.

paratifico a. (*med.*) paratyphoid (attr.).

paratifo m. (*med.*) paratyphoid (fever).

paratiròide f. (*anat.*) parathyroid.

paràto Ⓐ a. (*addobbato*) hung; decorated; adorned: **p. a lutto**, hung with black Ⓑ m. 1 (*drappo*) hangings (pl.); (*arazzo*) tapestry 2 (*tappezzeria*) wallhanging; wallpaper Ⓤ: **carta da parati**, wallpaper.

paratóia f. sluice gate; floodgate.

paratormóne m. (*biol.*) parathormone.

parauniversitàrio a. at university level; university-level (attr.): **corso p.**, course at university level; university-level course.

paraùrti m. inv. 1 (*autom.*) bumper 2 (*ferr.*) buffer.

paravalànghe m. inv. avalanche barrier; (*tettoia*) snowshed.

paravènto m. inv. 1 screen 2 (*fig.*) screen; cover; front: *Il negozio serviva da p.*, the shop was a front.

pàrca f. 1 (*mitol.*) Parca*: **le tre Parche**, the three Parcae (*o* Fates) 2 (*lett.: morte*) death.

parcàre v. t. e i. (*mil.*) to park.

parcèlla f. 1 (*onorario*) fee; fees (pl.); bill: **p. dell'avvocato**, counsel's fees; lawyer's bill; **presentare la p.**, to give one's note of fees 2 (*leg.: particella*) parcel: **p. catastale**, cadastral parcel.

parcellàre a. 1 (*di terreno*) parcelled 2 (*med.*) localized; local.

parcellazióne f. parcelling out.

parcellizzàre v. t. to fragment; to subdivide; to segment.

parcellizzazióne f. fragmentation; subdivision; segmentation.

♦**parcheggiàre** v. t. 1 (*autom.*) to park: **p. in doppia fila**, to double-park; **essere bravo a p.**, to be good at parking; *Non ho trovato da p.*, I couldn't find anywhere to park 2 (*fig.*) to leave*; to park: *Ha parcheggiato la figlia dai nonni*, he left his daughter with her grandparents; he parked his daughter with her grandparents.

parcheggiatóre m. (f. *-trìce*) 1 person that parks 2 (*custode di parcheggio*) car park (*USA* parking lot) attendant.

♦**parchéggio** m. 1 (*zona per parcheggiare*) car park (*GB*); parking lot (*USA*): **p. a pagamento**, paying car park; **p. incustodito**, un-

attended car park; **p. per pullman**, coach park; **addetto al p.**, car park attendant; **posto di p.**, parking place 2 (*il parcheggiare*) parking Ⓤ: **p. vietato**, no parking; **fare un p.**, to park; *Odio i parcheggi*, I hate parking; **area di p.**, car park (*GB*); parking lot (*USA*); **divieto di p.**, no parking; **multa per divieto di p.**, parking ticket; (*miss.*) **orbita di p.**, parking orbit 3 (*fig.*) way of filling one's time; stopgap; filler: **di p.**, stopgap (attr.); temporary.

parchettatùra f. parqueting; parquetry.

parchettìsta m. parquetry layer.

parchìmetro m. parking meter.

♦**pàrco** ① m. 1 park; (*di casa privata, anche*) garden; (*terreno a p.*) parkland: **p. attrezzato**, park with recreational facilities; *P. della Rimembranza*, War Memorial Park 2 (*riserva*) park; reserve: **p. marino**, marine reserve; **p. nazionale**, national park; **p. naturale**, nature reserve 3 (*per divertimenti*) park; playground: **p. acquatico**, aquapark; **p. di divertimenti**, amusement park; funfair (*GB*); carnival (*USA*); **p. giochi**, adventure playground 4 (*complesso di macchinari o mezzi*) – (*mil.*) **p. d'artiglieria**, artillery park; (*mil.*) **p. d'assedio**, siege train; battering train; (*cinem.*) **p. lampade**, lighting equipment; **p. macchine**, fleet of cars; (*ferr.*) **p. rotabile**, rolling stock.

♦**pàrco** ② a. (*sobrio, frugale*) frugal, temperate, moderate; (*parsimonioso*) thrifty, careful, sparing: **cena parca**, frugal dinner; **essere p. nel mangiare [nel bere]**, to be a moderate eater [drinker]; **p. nello spendere**, thrifty; parsimonious; careful with one's money; **essere p. di lodi**, to be sparing of praise.

parcòmetro → **parchimetro**.

par condìcio (*lat.*) loc. f. inv. equal treatment.

pardalòto m. (*zool., Pardalotus punctatus*) pardalote; diamond bird.

pàrdo → **leopardo**.

pardon (*franc.*) inter. (*per scusarsi*) sorry, I beg your pardon; (*per chiedere permesso*) excuse me.

♦**parécchio** Ⓐ a. indef. 1 quite (*o* rather) a lot of; quite a bit of; a fair bit of (*fam.*); (*rif. a tempo*) quite (*o* rather) a long, (in frasi interr.) long: **p. denaro**, quite a bit of money; *Ci vorrà p. tempo*, it'll take (rather) a long time; *C'era parecchia gente*, there were quite a lot of people; *C'è p. vento oggi*, there's quite a bit of wind today; it's fairly windy today; *È p. tempo che non lo vedo*, I haven't seen him for a long time 2 (al pl.: *numerosi, diversi*) several; numerous; quite a few; quite a lot of: **parecchi libri**, quite a lot of (*o* quite a few) books; *Parecchie persone si voltarono*, several people turned round 3 (in espressioni ellittiche) (quite) a lot; quite a bit; a fair bit (*fam.*); a good deal; plenty; much; (*rif. a tempo*) quite a while, quite (*o* rather) a long time, (in frasi interr.) long: *Mi è costato p.*, it cost me quite a lot (*o* a fair bit); *Ho p. da fare*, I have a lot of things to do; I have plenty on my hands; *Hanno fatto p. per me*, they did a lot for me; *Ci sarebbe p. da dire al riguardo*, a lot (*o* much) could be said about it; (*iron.*) *È già p. che venga!*, we should be grateful he's coming at all!; *È p. che non gli telefono*, I haven't phoned him for quite a long time Ⓑ pron. indef. 1 quite (*o* rather) a lot; plenty; a fair bit (*fam.*): *Non otterrai tutto, ma p.*, you won't get everything, but you'll get quite a lot; *Occorre pazienza e io ne ho parecchia*, it takes patience, and I have a lot of it 2 (al pl.) several; quite (*o* rather) a lot; quite a few; many; several (*o* numerous) people: *Parecchi protestarono*, many (people) complained; **parecchie di noi**, many of us; *Ri-*

sposero in parecchi, quite a few answered; *Eravamo in parecchi*, there were quite a few of us; **parecchi altri**, quite a lot more Ⓒ avv. 1 (con agg.) really; a good deal (+ compar.); a lot (+ compar.): *È p. bravo a riparare le automobili*, he's really good at repairing cars; *Sono stanco, e p., delle sue continue lamentele*, I'm really very tired of his endless complaints; *È p. dimagrita*, she has lost a fair bit of weight; she's a lot thinner; *Il prossimo paese è p. lontano*, the next village is quite a long way away (*o* is at a fair distance from here); *Arrivò p. più tardi del previsto*, she arrived a good deal later than expected 2 (con verbo) quite (*o* rather) a lot; quite a bit (*fam.*); (*di tempo*) quite a while, quite (*o* rather) a long time, (in frasi interr.) long: *Cammino p.*, I walk quite a lot; I do quite a lot of walking; *Ti ho aspettato p.*, I waited quite a while for you; *È p. che aspetti?*, have you been waiting long?

pareggiàbile a. 1 that can be equalized (*o* equalled) 2 (*comm.*) that can be balanced (*o* settled).

pareggiaménto m. 1 (*livellamento*) levelling; smoothing; (*spuntatura*) trimming 2 (*pareggio*) equalization; evening out 3 (*comm.*) balancing; settlement; settling: **p. del conti**, balancing of the books; (*fig.*) squaring of accounts, settling of old scores.

pareggiàre Ⓐ v. t. 1 (*rendere pari*) to level; to make* level (*o* equal); to square; (*spuntare tagliando*) to trim: **p. una tavola**, to make a table level; **p. il terreno**, to level the ground; **p. l'erba**, to trim the grass; **farsi p. i capelli**, to get one's hair trimmed; to get a trim 2 (*comm.*) to balance; to settle; to square: **p. il bilancio**, to balance accounts; **p. il bilancio pubblico**, to balance the budget; **p. i conti**, to balance the books; (*fig.*) to square accounts (with), to settle old scores (with) 3 (*livellare*) to make* equal; to even out: **p. i redditi**, to equalize incomes 4 (*uguagliare*) to equal; to match 5 (*sport*) to draw: **p. un incontro**, to draw Ⓑ v. i. (*segnare il punto del pareggio*) to tie the score, to equalize (*GB*); (*finire in pareggio*) to draw*, to tie: *Le due squadre pareggiarono*, the two teams drew; *Il Milan ha pareggiato con la Lazio*, Milan drew with Lazio; **p. due a due**, to draw two all Ⓒ **pareggiàrsi** v. i. pron. to be equal; to balance out.

pareggiàto a. 1 (*livellato*) level; even; (*spuntato*) trimmed 2 (*in pareggio*) balanced: **conti pareggiati**, balanced accounts 3 (*di scuola*) officially recognized; certified.

pareggiatùra f. 1 (*livellamento*) levelling; smoothing; (*spuntatura*) trimming 2 (*il rendere pari*) equalization; equalizing; evening out.

paréggio m. 1 (*il rendere pari*) equalization; evening out 2 (*dei conti*) balance: **chiudere in p.**, to balance; to break even 3 (*dei punti in una gara*) draw; tie: *La gara finì con un p.*, the contest ended in a draw (*o* in a tie); **fare p.**, to draw; **in caso di p.**, in the event of a tie; **il gol del p.**, the goal that ties the score; the equalizer (*GB*); **partita finita in p.**, drawn game; draw; tie.

parèlio m. (*astron.*) parhelion*.

paremìa f. paroemia.

paremiografìa f. paroemiography.

paremiògrafo m. paroemiographer.

paremiologìa f. paroemiology.

paremiòlogo m. (f. *-a*) paroemiologist.

parènchima m. (*anat., bot.*) parenchyma*.

parenchimàtico a. (*anat., biol.*) parenchymal; parenchymatous.

parenchimatóso a. (*anat.*) parenchymatous.

parènesi f. (*lett.*) paraenesis; exhortation.

parenètica f. (*letter.*) paraenetical genre.

parenètico a. (*lett.*) paraenetical; hortatory.

parentàdo m. 1 (*vincolo di parentela*) relationship; kinship; kindred 2 (*insieme dei parenti*) relatives (pl.); relations (pl.); kinsfolk (pl.); family: **il p. più stretto**, one's nearest relatives; *C'era tutto il p.*, the whole family were (o was) there.

parentàle a. parental: **autorità p.**, parental authority; **malattia p.**, hereditary disease.

parentàli m. pl. 1 (*commemorazione*) memorial celebrations 2 (*stor. romana*) Parentalia.

♦**parènte** m. e f. 1 relative; relation; (*leg.*) kinsman* (m.), kinswoman* (f.): **p. acquisito**, relative by marriage; in-law; **p. lontano** (*o alla lontana*), distant relation; **p. povero**, poor relation; **p. stretto** (*o prossimo*), close relative; next of kin (sing. o pl.) (*form.*); **i parenti più prossimi**, sb.'s closest relatives; sb.'s immediate family; sb.'s next of kin (*form.*); **non avere parenti**, to have no relatives; *È tuo p.?*, is he related to you?; is he any relation to you?; *Siamo parenti* (*stretti*), we are (closely) related; *È mio p. da parte di madre*, we are related on my mother's side 2 (*figg.: cosa affine o simile*) – *Le api sono parenti delle vespe*, bees are related to wasps; *Il sonno è p. della morte*, sleep is akin to death **❶ FALSI AMICI** • *parente non si traduce con* parent.

parentèla f. 1 (*vincolo tra i parenti*) relationship; kinship: **p. naturale**, kinship; **p. per matrimonio**, relationship by marriage; **p. lontana**, distant relationship; **p. stretta**, close relationship; *Tra loro non c'è* (*rapporto di*) *p.*, they are not related; **avanzare diritti di p.**, to claim kinship; **grado di p.**, degree of kinship; **vincoli di p.**, family ties 2 (*i parenti*) relatives (pl.); relations (pl.); family; kinsfolk (pl.) (*form.*): **avere una numerosa p.**, to have numerous relations 3 (*figg.*) relationship; relation; connection; affinity: **p. linguistica**, linguistic relationship; *C'è una stretta p. tra le due teorie*, there is great affinity between the two theories; the two theories are closely related.

parenteràle a. (*med.*) parenteral.

parèntesi f. 1 (*inciso*) parenthesis*; digression; aside: **una lunga p.**, a long parenthesis; **dire qc. fra p.**, to say st. as an aside (o in parenthesis, parenthetically); (*Sia detto*) *fra p.*, incidentally; by the way; **fare una p.**, to make a digression; **fine della p.**, end of the digression 2 (*segno grafico*) bracket (generalm. al pl.); parenthesis*: **p. graffe**, braces; **p. quadre**, square brackets; **p. tonde**, round brackets; parentheses; *Aperta* [*chiusa*] *p.*, open [close] brackets; **mettere fra p.**, to put in brackets; to bracket; (*mat.*) to put brackets round (st.); **un commento fra p.**, a comment in brackets; (*mat.*) **togliere le p.**, to remove the brackets 3 (*figg.*) interval; interlude; pause: **una breve p.**, a short pause; **una p. felice**, a happy interlude.

parentètico a. parenthetical.

parèo m. (*abbigliamento*) pareu; wraparound skirt.

♦**parére** ① v. i. 1 to seem; (*dare la sensazione di*) to feel*; (*sembrare all'aspetto*) to look (+ agg.), to look like (+ sost.), to seem, to appear; (*al gusto*) to taste (+ agg.), to taste like (+ sost.); (*al suono*) to sound (+ agg.), to sound like (+ sost.); (*al tatto*) to feel* like: *Pareva un morto*, he looked like a corpse; *Quell'uomo mi pare sospetto*, that man looks suspicious to me; *Mi è parso molto interessato*, he seemed to be very interested; *Pareva un po' deluso*, he looked [he sounded] a bit disappointed; *Pareva un motore di aereo*, it sounded like the engine of a plane; *Pare zucchero*, it tastes like sugar;

Pare velluto, it feels like velvet; *Gli parve una buona idea*, it looked like a good idea to him 2 (*impers.*) to seem, to appear, to look (tutti anche pers.); to think*, to feel* (entrambi pers.): *Pare che non sia vero*, it doesn't seem to be true; *Pare che non ci sia niente di nuovo*, there doesn't seem to be anything new; *Parrebbe che tu lo abbia aiutato*, it would seem that you helped him; you would appear to have helped him; *Pare di sì*, it seems so; *Pare di no*, it doesn't seem so; *Pare che le cose si stiano mettendo bene*, it looks as if things are getting better; *Pare proprio che vogliano costruire una nuova autostrada*, it appears they want to build a new motorway; *Pare che voglia piovere* [*nevicare*], it looks like rain [snow]; «*Si è offeso?*» «*Pare* [*Pare di no*]», «was he upset?» «so it seems [apparently not]»; *Non mi pare che ci sia molta gente oggi*, there don't seem to be many people around today; *Mi pare che sia seccata*, she seems to be (o she looks) rather annoyed; *Mi pare di conoscerlo*, I think I know him; *Mi pare di ricordare che...*, I seem to remember (that)....; *Mi pare che non si chiami così*, I don't think it is called that; *Che te ne pare di quel ragazzo?*, what do you think of that boy?; *Mi pare di sì*, I think so; *Mi pare di no*, I don't think so; *Non ti pare?*, don't you think so?; *Mi pareva!*, I thought as much! 3 (*volere, piacere*) to like; to please; to want (tutti pers.): *Fa sempre quel che gli pare*, he always does what he likes; he always suits himself; *Partirò quando mi pare*, I'll leave when I please; *Fa' come ti pare*, do as you like (as you please); (*più brusco*) suit yourself; *Farò quel che mi pare e piace*, I'll do just as I like ● **a quanto pare**, apparently; it seems that...; (*come risposta*) so it seems □ **Ma ti pare!**, don't mention it!; not at all! □ **Mi par di sognare**, I can scarcely believe my eyes; it's all like a dream ● **Mi pare un secolo che non ci vediamo**, it seems ages since we last met □ **Non mi par vero**, it hardly seems true; it's almost too good to be true.

♦**parére** ② m. 1 (*opinione*) opinion: **pareri discordi**, discordant opinions; **dare** (*o esprimere*) **un p. su qc.**, to give (o to express) an opinion on st.; *Voglio sentire il suo p.*, I want to hear his opinion; **a mio p.**, in my opinion; **se vuoi il mio p.**, if you want my opinion; **essere dello stesso p.**, to agree; *Carlo è del p. di vendere*, Carlo thinks (o is of the opinion that) we should sell; *Sei anche tu del mio p.?*, do you think the same?; do you agree with me?; **mutare p.**, to change one's mind; *Rimango del p. che...*, I'm still of the opinion that... 2 (*consiglio*) advice ⓤ; counsel ⓤ: **il p. di un esperto**, expert opinion; expert advice; **il p. di un legale**, legal advice; **dare un p.**, to give advice; **dare p. favorevole** [**contrario**], to advise for [against] (st.); **sentire il p. di un avvocato** [**di un medico**], to consult a lawyer [a doctor]; **sentire il p. di un esperto**, to seek expert advice; **secondo il p. del mio legale**, according to my lawyer's advice.

parèrgo m. parergon*.

pàresi, parèṣi f. (*med.*) paresis*.

paresteṣìa f. (*med.*) paraesthesia.

paretàio m. bird nets (pl.).

♦**parète** f. 1 (*edil.*) wall: **p. divisoria**, partition (wall); **p. esterna** [**interna**], outside [inside] wall; **p. in mattoni**, brick wall; **attaccare un quadro alla p.**, to hang a picture on the wall; **a doppia p.**, double-walled; **lavabo a p.**, wall-hung washbasin 2 (*superficie interna o esterna*) side; surface; wall: **le pareti di una caverna**, the walls of a cave; **le pareti d'una caldaia**, the walls of a boiler 3 (*anat.*) paries*; wall: **p. addominale**, abdominal wall; **le pareti del cuore**,

the walls of the heart 4 (*figg.*) wall: **una p. di ostilità**, a wall of hostility 5 (*di montagna*) face; wall: **p. rocciosa**, rock face; **la p. nord dell'Eiger**, the north face of the Eiger ● **le pareti domestiche**, one's home: **tra le pareti domestiche**, at home.

parètico a. e m. (f. **-a**) (*med.*) paretic.

paretimologìa f. (*ling.*) popular etymology.

paretimològico a. (*ling.*) concerning popular etymology; derived by popular etymology.

pargoleggiàre v. i. (*lett.*) to behave like a baby.

pàrgolo (*lett.*) Ⓐ m. (f. **-a**) little child*; baby Ⓑ a. little; tiny; young.

♦**pàri** ① Ⓐ a. inv. 1 equal; same; like; (*per abilità, forza*) evenly matched; (*senza pendenze*) quits (pred.): **p. opportunità**, equal opportunities; **essere p. in bellezza**, to be equally beautiful; **essere p. grado**, to have the same rank; **essere p. di età**, to be the same age; **a p. condizioni**, under the same conditions; **a p. prezzo**, at the same price; **in p. tempo**, at the same time; *Nessuno è p. a lui per astuzia*, no one is his equal in cunning; he has no equal in cunning; *I due avversari erano p.*, the two opponents were evenly matched; **una distanza p. a 200 km**, a 200-km distance; *E con questo siamo p.*, so now we're quits 2 (*senza dislivelli*) level; even: *I piatti della bilancia erano p.*, the scales were even 3 (*mat.*) even: **numero p.**, even number; **i giorni p.**, the even-numbered days; **essere in numero p.**, to be even in number 4 (*in un punteggio*) level; even: *Le due squadre sono p.*, the two teams are level (o are breaking even) so far; **punteggio p.**, even score; **due p.**, two all; **trenta p.**, thirty all; (*tennis*) **quaranta p.**, deuce 5 (*adeguato, all'altezza*) equal (to); up (to): **non essere p. alla situazione**, not to be equal to (o not to be up to) the situation ● **p. e patta**, quits; square □ **a piè p.** → **piè** □ **di p. passo**, at the same rate (o pace): **procedere di p. passo con**, to proceed at the same rate as; **andare di p. passo con**, to keep up with; (*figg.*) to go hand in hand with □ **vincere a p. merito con q.**, to share the victory with sb. Ⓑ avv. 1 (*alla pari*) – *La partita è finita p.*, the match ended in a draw (o in a tie); the two teams drew; *Marco ed io siamo finiti p. nella gara*, I tied with Marco in the competition 2 – **p. p.**, exactly; word for word; **copiare p. p.**, to copy word for word; to crib (*fam.*); *Te lo riferisco p. p.*, I'm telling you exactly as I heard it Ⓒ m. inv. 1 (*uguaglianza, parità*) evenness; (*pari livello*) (equal) level: **mettere in p.**, to level 2 (*pareggio*) draw; tie: *La partita si concluse con un p.*, the match ended in a draw 3 (*numero pari*) even number; (*insieme di numeri pari*) even numbers (pl.); (*alla roulette*) even ● **al p. di**, as...; as; just like; in the same way as: *Sei intelligente al p. di lei*, you're as intelligent as she (is); **al p. di un bambino**, just like a child □ **del p.**, equally well; as well; too: *Io potrei del p. negarlo*, I could equally well deny it □ **mettersi in p. col lavoro**, to catch up with one's work; to work through one's backlog (*fam.*) □ **mettersi in p. con i pagamenti**, to pay the arrears Ⓓ m. e f. inv. (*persona dello stesso livello, condizione*) equal; peer: *È un mio p.*, he is my equal; **i vostri p.**, your peers; your equals; people like you; the likes of you; people of your ilk (*iron.*); **essere giudicato dai propri p.**, to be judged by one's peers; **parlarsi da p. a p.**, to speak (o to talk) as equals; **trattare q. da p. a p.**, to treat sb. as one's equal ● **Si è comportato da par suo**, he behaved as one would have expected of him □ **senza p.**, unequalled (agg.); peerless (agg.); matchless (agg.) Ⓔ f. 1 (*econ., fin., Borsa*) par: **alla p.**, at par; at

face value; **emettere azioni alla p.**, to issue stock at par; **vendere alla p.**, to sell at cost price; **sopra [sotto] la p.**, above [below] par **2 – alla p.**, equally; on an equal footing; (*presso una famiglia*) au pair; **essere alla p. di**, to equal; **trattare alla p. con q.**, to deal with sb. on an equal footing; **vivere alla p. presso una famiglia**, to live au pair with a family; **ragazza alla p.**, au pair (girl).

pàri ② m. **1** (*stor. francese*) peer: **i p. di Carlomagno**, Charlemagne's peers **2** (anche f.) (*in GB: membro della camera alta del Parlamento*) peer (m.); peeress (f.); lord (m.): **p. a vita**, life peer; **i p. del regno**, the peers of the Realm; **la Camera dei P.**, the House of Lords; **dignità di p.**, peerage.

pària ① m. e f. inv. **1** (*in India*) pariah **2** (*fig.*) pariah; social outcast.

paria ② f. **1** (*dignità di pari*) peerage; peerdom **2** (*ceto dei pari*) peerage.

Pàride m. (*mitol.*) Paris.

parietàle Ⓐ a. **1** wall (attr.); mural: **iscrizione p.**, wall inscription **2** (*anat.*) parietal: **ossa parietali**, parietal bones Ⓑ m. (*anat.*) parietal.

parietària f. (*bot., Parietaria officinalis*) pellitory (of the wall).

parìfica (*bur.*) → **parificazione**.

parificàre v. t. **1** (*rendere pari*) to equalize; to make* equal **2** (*una scuola*) to recognize officially; to certify.

parificàto a. (*di scuola*) state-recognized; certified.

parificazióne f. **1** equalization; equalizing **2** (*di scuola*) state recognition; certification.

Parìgi f. (*geogr.*) Paris.

parigina f. **1** Parisian woman* [girl]; Parisienne **2** (*stufa*) slow-combustion stove **3** (*ferr.*) hump.

parigino a. e m. Parisian.

parìglia f. **1** pair: **una p. di cavalli**, a pair of horses **2 – rendere la p. a q.**, to give sb. tit for tat; to pay sb. back in one's own coin.

parigràdo m. e f. inv. equal in rank.

pariménti avv. likewise; in like manner.

pàrio a. Parian; of Paros: **marmo p.**, Parian marble.

paripennàto a. (*bot.*) paripinnate.

parisillabo (*gramm.*) Ⓐ a. parisyllabic Ⓑ m. parisyllabic noun.

parità f. **1** parity; (*uguaglianza*) equality: **p. di diritti**, equality of rights; equal rights (pl.); **p. fra i sessi**, equality of the sexes; **p. salariale**, equal pay; **a p. di condizioni**, conditions being equal; **a p. di meriti**, merits being equal; **a p. di prezzo**, for the same price; **2 a p. di voti**, with an equal number of votes **2** (*fin.*) parity; par: **p. fra due tassi di cambio**, parity between two rates of exchange; **p. dei cambi**, par of exchange **3** (*sport*) draw; tie: **chiudere in p.**, to end in a draw (o in a tie); **portarsi in p.**, to tie the score; to score the equalizer (*GB*); **punteggio di p.**, even score; draw **4** (*mat., fis.*) parity; (*fis.*) **p. pari [dispari]**, even [odd] parity.

paritàrio a. equal; on equal terms: **trattamento p.**, equal treatment.

pariteticità f. equality; joint nature.

paritètico a. on equal terms; joint (attr.): **rapporto p.**, relationship on equal terms; **commissione paritetica**, joint committee.

pàrka m. inv. (*indumento*) parka.

parkerizzàre v. t. (*chim.*) to parkerize.

parkerizzazióne f. (*chim.*) parkerizing.

Pàrkinson m. inv. (*med.*) Parkinson's (disease).

parkinsoniàno (*med.*) Ⓐ a. parkinsonian Ⓑ m. (f. *-a*) person suffering from Parkinson's disease; Parkinson patient.

parkinsonìṣmo m. (*med.*) Parkinsonism; Parkinson's disease.

parlamentàre ① v. i. to parley; to negotiate; to arrange terms.

parlamentàre ② Ⓐ a. **1** parliamentary: **commissione p.**, parliamentary committee; **discussione p.**, parliamentary debate; **regole parlamentari**, rules of Parliament; **il sistema p.**, the parliamentary system **2** (*fig.*) tactful; diplomatic; proper Ⓑ m. e f. member of parliament (abbr. MP) (*GB*); congressman* (f. congresswoman*) (*USA*): **p. europeo**, member of the European Parliament (abbr. MEP).

parlamentarìṣmo m. parliamentarianism.

parlamentarista m. e f. upholder of parliamentarianism.

parlamentarìstico a. of [relating to] parliamentarianism.

♦**parlaménto** m. **1** (*polit.*) Parliament: **il P. europeo**, the European Parliament; **i due rami del p.**, the two branches of Parliament; (*in GB*) the Houses of Parliament; **convocare [riaprire] il p.**, to summon [to open] Parliament; **sciogliere il p.**, to dissolve Parliament **2** (*edificio*) Parliament building **3** (*stor.*) assembly; (*mil.*) parley.

parlàndo m. inv. (*mus.*) parlando.

♦**parlànte** Ⓐ a. **1** speaking; talking **2** (*fig.: evidente*) clear; self-evident; eloquent: **fatti parlanti**, self-evident facts **3** (*fig.: fedele*) lifelike; faithful; speaking: **ritratto p.**, lifelike portrait; speaking likeness; **essere il ritratto p. di q.**, to be the very image of sb. Ⓑ m. e f. speaker.

parlantina f. (*fam.*) talkativeness; loquaciousness; loquacity ● **avere la p. sciolta**, to have a glib tongue; to have the gift of the gab (*fam.*) □ **Che p. che ha quel ragazzo!**, how that boy talks!

♦**parlàre** Ⓐ v. i. **1** to speak*; to talk: «*Pronto, chi parla?*» «*Parla Rossi*», «hello, who's speaking?» «this is Rossi speaking»; **p. adagio**, to speak slowly; **p. ad alta voce**, to speak aloud; *Parla più forte!*, speak up!; **p. al telefono**, to speak on the phone; **p. fra sé**, to talk to oneself; **p. forbito**, to speak carefully; to choose one's words; **p. in dialetto**, to talk in dialect; **p. sottovoce**, to speak (o to talk) in a whisper (o in an undertone); to whisper; *Gli animali non parlano*, animals can't talk; *Il piccolo ha già cominciato a p.*, the baby has already started to talk; *Non parlate tutti insieme*, don't talk all (o don't all talk) at once; *Ho dovuto p. sempre io*, I had to do all the talking; *Fammi p.!*, let me speak!; let me say a word!; let me have my say! **2** (*rivolgersi a q.*) to speak*; to talk; (*a un pubblico*) to address (sb.): *Il direttore vuole parlarti*, the director wants to speak to you; *Non mi ha parlato per tutta la sera*, she didn't talk (o speak) to me for the whole evening; *Parlo a te!*, I'm speaking to you!; *Con chi credi di p.?*, who do you think you're talking to?; *Non parlo più con lui dopo quello che mi ha fatto*, I'm no longer on speaking terms with him, after what he did to me; *Mi fermai a p. con la vicina*, I stopped to talk to my neighbour; *Dovresti parlargli tu, che lo conosci meglio*, you should talk to him, since you know him better; *Il Primo Ministro parlerà alle due Camere domani*, the Premier will address both Houses tomorrow **3** (*trattare parlando*) to speak*; (*discutere*) to discuss (st.); (*trattare per scritto*) to write*; (*di libro*) to be (about); (*menzionare*) to mention (st.): **p. di affari**, to discuss business matters; to talk business; *Non parlo dei miei affari con estranei*, I don't talk about (o discuss) my business with strangers; **p. di cinema**, to talk about films; **p. di lavoro**, to talk shop; *Di che cosa stai parlando?*, what are you talking

about?; *Non parlavo di te*, I wasn't talking about you; *Mi ha parlato del suo progetto*, he spoke to me about his plan; *Ne parla Sciascia in un suo libro*, Sciascia writes about it (o mentions it) in one of his books; *Di che parla questo libro?*, what is this book about?; *Il prof. Verri parlerà del ruolo dell'informatica nella scuola*, Prof. Verri will speak on the role of computers in education; *Il giornale di oggi parla di te*, you are mentioned in today's paper; *Ne parlano tutti i giornali*, it's in all the papers; *Si parla di lui come del prossimo direttore*, his name is mentioned as that of the next manager; *Si parla di tagli al personale*, there is some talk about staff cuts; *Ne ho sentito p.*, I've heard it [him, her, etc.] mentioned; *Non vale la pena di parlarne*, it's not worth talking about (o mentioning); *Parliamone domani*, let's talk about it tomorrow **4** (*ricordare*) to remind; to bring* back memories: *Tutto qui mi parla di lei*, everything here reminds me of her **5** (*confessare*) to confess; to talk: *La spia ha parlato*, the spy has talked; **p. sotto tortura**, to confess under torture ● **p. a gesti**, to use sign-language □ (*fig.*) **p. al muro** (o **al vento**), to talk to the wall (o to a blank wall); to waste one's breath; to speak to deaf ears □ **p. al plurale**, to speak in the plural □ **p. a quattr'occhi con q.**, to speak privately (o in private) to sb.; to have a tête-à-tête with q. □ **p. a vanvera**, to talk at random; to talk nonsense; to talk through one's hat (*fam.*) □ **p. bene**, (*chiaramente*) to speak properly; (*con proprietà*) to speak well; to be very articulate; (*essere un buon oratore*) to be a good speaker □ **p. bene di q.**, to speak well of sb.; (*elogiare*) to praise; to commend □ **p. chiaro**, (*con pronuncia chiara*) to speak clearly, to enunciate clearly; (*schiettamente*) to be clear about st., to be plain, not to mince words, not to beat about the bush; (*di testo scritto*) to be clear: *Parliamoci chiaro!*, let's be quite clear about it!; *La legge parla chiaro*, the law is clear on this point □ **p. come un libro stampato**, to talk like a book □ **p. del più e del meno**, to talk about this and that; to chat □ **p. fra i denti**, to mutter □ **p. fuori dai denti**, to speak one's mind; to be outspoken; to be quite plain about st. □ **p. in punta di forchetta**, to be very precise in one's speech □ **p. male di q.**, to speak ill of sb.; to run down sb.; to badmouth sb. (*USA*) □ **p. male di qc.**, (*criticare*) to criticize st.; (*sminuire*) to run st. down □ **p. per esperienza**, to speak from experience □ **Parla per te!**, speak for yourself! □ **p. senza peli sulla lingua**, to speak one's mind; to be outspoken; not to mince one's words □ **Parlo sul serio**, I'm being serious; I really mean it □ **Parli sul serio?**, do you mean it?; are you serious? □ **p. tanto per p.**, to talk for the sake of talking □ **parlarsi addosso**, to like the sound of one's voice; to waffle; to blather □ **con rispetto parlando**, if you don't mind my saying so; pardon my French (*fam. scherz.*) □ **far p. di sé**, to be talked about □ **Non voglio far p. la gente**, I don't want people to talk □ **Meno se ne parla meglio è**, the least said about it the better □ «**Ho un mare di lavoro**» «**Non me ne p.!**», «I'm up to my ears in work» «same here» (*fam.*) □ **Per ora non se ne parla** (*non c'è niente da fare*), there's nothing doing for the moment □ **Non se ne parla nemmeno!**, that's completely out of the question! □ **Basta, non parliamone più**, let's forget about it □ **Non voglio più sentirne p.**, I won't hear any more about it □ **per non p. di**, not to mention; let alone: *È stato villano con me, per non p. di quello che ha detto a mio marito*, he was rude to me, not to mention what he said to my husband □ **Questo sì che è p.!**, this is straight talking!; now you're talking! □ **Senti chi parla!**, look who's talk-

ing! □ (*prov.*) **Altro è p. di morte, altro è morire**, it's one thing to say something, another to do it **B** v. t. to speak*: **p. inglese**, to speak English; *Parla un russo perfetto*, she speaks perfect Russian; (*cartello*) *Qui si parla italiano*, Italian spoken (here) ● (*fig. fam.*) **p. ostrogoto** (*o arabo, turco*), to talk double-Dutch □ (*fig.*) **p. la stessa lingua**, to speak the same language **C parlàrsi** v. rifl. recipr. **1** to speak* to each other [one another]; (*essere in buoni rapporti, anche*) to be on speaking terms: *Ci siamo parlati ieri*, we spoke (to each other) yesterday; *Non si parlano più*, they are no longer on speaking terms; they're not speaking to each other **2** (*pop.: amoreggiare*) to go* out **D** m. **1** (*la parola*) speech: *Il parlare è proprio dell'uomo*, speech is proper to man; speech is a human attribute **2** (*discorsi*) talk; (*parole*) words (pl.): *Ci sarà un gran parlare in paese*, there will be a lot of talk in the village; *Se ne è fatto un gran parlare*, there has been a lot of talk about it; it's been much talked about; *Hai un bel parlare, ma non mi convinci*, no matter what you say, you won't convince me **3** (*parlata*) language; dialect: **il parlare romanesco**, the Roman dialect; **il parlare popolare**, the vernacular **4** (*modo di parlare*) (way of) speaking: **un parlare elegante**, an elegant way of speaking; *Il suo parlare è sempre forbito*, he is always very refined in the way he speaks.

parlàta f. **1** (*modo di parlare*) way of speaking; (*accento*) accent: *Lo riconobbi alla p.*, I recognized him by his accent (*o* by the way he spoke) **2** (*gergo*) language; parlance.

parlàto ① **A** a. **1** spoken: **lingua parlata**, spoken language **2** (*cinem.*) talking: **cinema p.**, talking films (*o* pictures) (pl.); talkies (pl.) (*fam.*); **film p.**, talking film (*o* picture); talkie (*fam.*) **B** m. **1** (*la lingua comune*) spoken language **2** (*mus.*) spoken part; parlando (*ital.*) **3** (*cinem.: i dialoghi*) dialogues (pl.) **4** (*fam.: cinema p.*) talking films (*o* pictures) (pl.); talkies (pl.) (*fam.*).

parlàto ② a. (*naut.*) – **nodo p.**, clove hitch.

parlatóre m. (f. *-trice*) speaker; talker: *È un buon p.*, he speaks well; he is very articulate; (*di oratore*) he is a good speaker; *È un gran p.*, he talks a lot.

parlatòrio m. (convent) parlour.

parlottàre v. i. to whisper; to mutter.

parlottìo m. muttering; whispered words (pl.).

pàrma m. (*alim.*) Parma ham.

parmènse **A** a. of Parma; Parma (attr.) **B** m. e f. native [inhabitant] of Parma.

parmigiàno **A** a. of Parma; Parma (attr.): **formaggio p.**, Parmesan (cheese) ● (*cucina*) **alla parmigiana**, Parmigiana (agg. posposto) **B** m. **1** (f. *-a*) → **parmense**, **B 2** (*formaggio*) Parmesan.

parnàsio a. (*geogr., mitol., letter.*) Parnassian; of Parnassus.

Parnàso m. **1** (*geogr., mitol.*) Parnassus **2** (*letter.: la poesia*) poetry; (*i poeti*) poets (pl.).

parnàssia f. (*bot., Parnassia palustris*) grass of Parnassus.

parnassianésimo m. (*letter.*) Parnassianism.

parnassiàno a. e m. (*letter.*) Parnassian.

parodìa f. **1** parody; (*presa in giro*) burlesque; (*caricatura, imitazione*) caricature, spoof, send-up (*GB*): **fare la p. di**, to parody; to spoof; to send up (*GB*); **mettere in p.**, to make a parody of; to burlesque **2** (*contraffazione grottesca*) travesty; farce: **una p. della giustizia**, a travesty of justice; **una p. di processo**, a trial that is a farce.

parodiàre v. t. to parody; to spoof; to send* up (*fam.*).

paròdico a. (*letter.*) parodic; burlesque.

parodìsta m. e f. (*letter.*) parodist.

parodìstico a. (*letter.*) parodistic.

pàrodo m. (*letter. greca, teatro greco*) parodos*.

parodònto e deriv. → **periodonzio**, e deriv.

paròla f. **1** (*vocabolo, termine*) word: **p. chiave**, keyword; **p. composta**, compound word; (*comput.*) **p. d'accesso**, password; **una p. d'incoraggiamento**, a word of encouragement; **p. di moda**, vogue word; buzzword; **p. macedonia**, portmanteau word; **p. magica**, magic word; **le parole esatte**, the exact words; (*la dicitura*) the exact wording (sing.); **con parole semplici**, in simple language; in words of one syllable (*fam.*); **in altre parole**, in other words; **nel vero senso della p.**, in the true sense of the word; literally; **un uomo di poche parole**, a man of few words; *Non credetti a una sola p.*, I didn't believe a word of it; *Dimmelo con parole tue*, tell me in your own words; *Vorrei dirti una p.*, I'd like to (have) a word with you; **cavare una p. di bocca a q.**, to get a word out of sb.; *Non ti lasciare scappare una p. di ciò con nessuno*, don't say a word about this to anyone **2** (*facoltà di parlare, favella*) speech: *L'uomo è dotato di p.*, man is endowed with speech; **perdere la p.**, to lose the power of speech **3** (*promessa, impegno*) word; promise; (*spec. mil.*) parole: **p. d'onore**, word of honour; **essere di p.**, to keep one's word; to be as good as one's word; **un uomo di p.**, a man of his word; **credere a q. sulla p.**, to take sb.'s word for it; **essere in p. con q.**, to have half promised st. to sb.; **fidarsi della p. di q.**, to trust sb.'s word; **impegnare la propria p.**, to pledge one's word; **mantenere la p. data**, to keep one's word; **prendere q. in p.**, to take sb. at his word; **rimangiarsi la p. data**, to go back on one's word; **venir meno alla p. data**, to break one's word; not to keep one's word; **libertà sulla p.**, release on parole **4** (*modo di esprimersi*) speech; tongue: **avere la p. facile**, to be very articulate; to have a glib tongue; **non avere la p. facile**, not to be very articulate; to be tongue-tied **5** (*permesso di parlare*) leave to speak: **avere la p.**, to be one's turn to speak; (*in un'assemblea*) to be called upon to address the meeting; (*in parlamento*) to have the floor; **chiedere la p.**, to ask leave to speak; **dare la p. a q.**, to give sb. leave to speak; to call upon sb. to speak; *La Corte dà la p. alla difesa*, the court calls upon the defence; **negare la p. a q.**, not to allow sb. to speak; **togliere la p. a q.**, not to allow sb. to speak any further **6** (al pl.: *testo di canzone*) words; lyrics: **musica di Rodgers, parole di Hart**, music by Rodgers, lyrics by Hart ● **p. d'ordine**, (*mil.*) password, countersign; (*estens.*) watchword; (*slogan*) slogan, mantra □ **p. per p.**, word for word; verbatim □ **parole di fuoco**, scathing words □ **parole forti**, strong words □ **parole grosse**, strong language 💬; insults; words of abuse □ (*spreg.*) **parole in libertà**, hot air 💬 □ **parole incrociate**, crosswords; (*il singolo puzzle*) crossword (puzzle) (sing.) □ **Parole sante!**, how right you are! □ **parole vuote**, empty words; hot air (*fam.*) □ **Non ho parole!**, (*per ringraziare*) I don't know how to thank you!, you overwhelm me!; (*per l'indignazione*) words fail me! □ **A parole sembra semplice**, it sounds easy, when you explain it □ **A parole sa fare tutto**, she's only good at talking □ **avere l'ultima p.**, to have the last word □ (*iron.*) **Belle parole!**, fine talk! □ **Sono corse parole fra di loro**, they had words (*o* a row) □ **dire brutte parole a q.**, to call sb. names □ **dire qc. senza mezze parole**, to spell st. out □ **Non è detta l'ultima p.**, you [we, etc.] haven't heard the last of this □ **Non sa dire tre parole in croce**, he can't string two words together □ (*fig.*) **due parole**, a few words □ **scambiare due parole con q.**, to have a word with sb. □ (*fig.*) **È una p.!**, it isn't that simple!; it's easier said than done; it's no joke! □ **Non ci sono parole**, words aren't enough □ **fare p. di qc. con q.**, to mention st. to sb. □ **non far p.**, to keep silent; not to breathe a word □ **gioco di parole**, pun; play on words □ **giro di parole**, circumlocution; roundabout expression: *Ho cercato di dirglielo con un giro di parole*, I tried to tell him in a roundabout way; *Basta con i giri di parole!*, stop beating about the bush!; stop equivocating! □ **in parole povere**, to put it simply □ **in una p.** (*o* in tre parole), in a (*o* one) word; briefly □ **levare le parole di bocca a q.**, to take the words out of sb.'s mouth □ **male parole**, angry words □ **mangiarsi le parole**, to mumble; to swallow one's words □ **Meno parole e più fatti!**, less talk and more action! □ **mettere una buona p. a favore di q.**, to put in a good word for sb. □ **mettere le parole in bocca a q.**, to prompt sb.; to put words into sb.'s mouth □ **una mezza p.**, just a word □ **misurare le parole**, (*soppesarle*) to weigh one's words; to watch one's language □ **passare p. a q.**, to pass the word on to sb. □ **Passa p.!**, pass the word!; pass it on! □ **passare dalle parole ai fatti**, to pass from words to action; (*alle percosse*) to resort to blows □ **prendere la p.**, to begin to speak; (*polit.*) to take the floor □ **rimanere senza p.**, to be struck dumb; to be speechless □ **rivolgere la p. a q.**, to speak to sb.; to address sb. □ **scambio di parole**, brief conversation; (*alterco*) exchange □ **senza mezze parole**, plainly; without mincing words □ **togliere la p. di bocca a q.** (*anticiparlo*), to take the words out of sb.'s mouth □ (**Son**) **tutte parole!**, it's all hot air! □ **l'ultima p.**, the last word; the final say; (*comm.*) the final offer □ **ultime parole famose**, famous last words □ **venire a parole con q.**, to have words with sb. □ (*prov.*) **A buon intenditor poche parole**, a word to the wise is enough ❶ **FALSI AMICI** ● parola *nei sensi di vocabolo e favella non si traduce* words.

◆**parolàccia** f. rude word; swearword; four-letter word; expletive: **dire parolacce**, to swear; to use swearwords; *Non dire parolacce!*, don't swear!; *Mi ha detto una p.*, she used a rude word with me; **dire parolacce a q.**, to call sb. names.

parolàio **A** a. (*chiacchierone*) loquacious; garrulous **2** (*fatto di sole parole*) windy; long-winded **B** m. (f. *-a*) windbag; gasbag; hot-air merchant (*slang*).

parole (*franc.*) f. inv. **1** (*ling.*) parole **2** (*poker*) pass.

parolétta f. **1** short word **2** (*parola affettuosa*) endearment; (*al pl., anche*) sweet nothings; (*blandizia*) sweet talk 💬.

parolière m. lyricist.

parolìna f. **1** (*parola affettuosa*) endearment; (*al pl., anche*) sweet nothings **2** (*breve cenno*) a few words (pl.): *Ho una p. da dirti in privato*, I've something to tell you in private.

parolóna f., **parolóne** m. **1** long word; (*parola difficile*) difficult word **2** (*parola ampollosa*) high-sounding word; big word.

paronichìa f. (*med.*) paronychia; whitlow.

paronimìa f. (*ling.*) paronymy.

paronìmico a. (*ling.*) paronymous.

parònimo m. (*ling.*) paronym.

paronomàsia f. (*retor.*) paronomasia; play upon words.

paroressìa f. (*med.*) parorexia.

parosmìa f. (*psic.*) parosmia.

parossìsmo m. **1** (*med.*) paroxysm **2** (*fig.*) paroxysm; fit; (*di entusiasmo*) fever

pitch: **un p. d'ira** [**di risa**], an paroxysm (*o* a fit) of rage [laughter]; *L'entusiasmo della folla raggiunse il p.*, the excitement of the crowd reached fever pitch.

parossístico a. **1** (*med.*) paroxysmal **2** (*fig.*) furious; convulsive; frantic.

parossítono a. e m. (*gramm.*) paroxytone.

paròtide a. e f. (*anat.*) parotid (gland).

parotidèo a. (*anat.*) parotid.

parotíte f. (*med.*) parotitis: **p. epidemica**, infectious parotitis; mumps (pl. col verbo al sing.).

parquet (*franc.*) m. inv. parquet floor; parquet flooring; parquetry: **mettere il p.**, to lay down a parquet floor.

pàrra f. (*zool.*, *Actophilornis africanus*) jacana.

parricìda A a. parricidal B m. e f. parricide.

parricídio m. parricide.

parrocchétto m. **1** (*zool.*) parakeet: **p. canoro** (*Melopsittacus undulatus*), budgerigar; **p. della Carolina** (*Conuropsis carolinensis*) Carolina parakeet; **p. dal collare** (*Psittacula krameri*), ring-necked parakeet **2** (*naut.*: *vela*) fore-topsail; (*albero*) fore-topmast: **p. fisso**, lower fore-topsail; **p. volante**, upper fore-topsail; **albero di p.**, fore-topmast; **pennone di p.**, fore-topyard.

◆**parròcchia** f. **1** (*eccles.*: *circoscrizione*) parish; (*chiesa*) parish church; (*i fedeli*) parish **2** (*fig.*) set; entourage (*franc.*); clique.

parrocchiàle a. parish (attr.): **chiesa p.**, parish church; **libro p.**, parish register; **scuola p.**, parish school.

parrocchialità f. parochiality.

parrocchiàno m. (f. **-a**) parishioner.

◆**pàrroco** m. (*cattolico*) parish priest; (*anglicano*) parson, vicar.

◆**parrùcca** f. **1** wig; (*lunga, di tipo seicentesco*) periwig: **p. incipriata**, powdered wig; **portare la p.**, to wear a wig; **in p.**, wearing a wig; bewigged (agg.) **2** (*scherz.*: *zazzera*) long hair; mane; mop of hair **3** (*fig.: persona retriva*) old fogey; fuddy-duddy.

parruccàio m. (f. **-a**) wig maker.

◆**parrucchière** m. **1** (f. **-a**) hairdresser: **p. per signora**, ladies' hairdresser; **p. per uomo**, men's hairdresser; (*barbiere*) barber **2** → **parruccaio**.

parrucchíno m. toupee; hairpiece.

parruccóne m. (*spreg.*) old fogey; fuddy-duddy.

pàrsec f. inv. (*astron.*) parsec.

pàrser (*ingl.*) m. inv. (*comput.*) parser.

pàrsi a., m. e f. Parsee.

Pàrsifal m. Perceval; Parsifal.

parsimònia f. thrift; frugality (*spreg.*) parsimony: **vivere con p.**, to live frugally; **usare qc. con p.**, to make sparing use of st.; to use st. sparingly.

parsimonióso a. thrifty; frugal; sparing; (*spreg.*) parsimonious: **vita parsimoniosa**, frugal life; **essere p. di lodi**, to be sparing of praise.

partàccia f. **1** (*brutto ruolo*) nasty role **2** (*rimprovero*) strong reprimand; severe telling-off; tongue-lashing (*fam.*): **fare una p. a q.**, to give sb. a tongue-lashing; to bite sb.'s head off **3** (*figuraccia*) disgraceful impression: **fare una p.**, to make a fool of oneself; to disgrace oneself.

◆**pàrte** f. **1** part; (*porzione*) portion, share: **le parti del corpo**, the parts of the body; **le parti del discorso**, the parts of speech; **p. prima** [**seconda**], first [second] part; (*giorn.*, *TV*) part one [two]; **parti vitali**, vital parts; **due parti d'acqua e una di vino**, two parts water and one part wine; **la propria p. di responsabilità**, one's share of respon-

sibility; *Qui ce n'è solo una p.*, this is only a part of it; **dividere in due parti**, to divide into two parts; *Una buona p. dello stipendio se ne va per l'affitto*, a sizeable portion (*fam.* a fair bit, a good chunk) of the salary goes on rent; *Ciascuno ebbe la sua p.*, everyone had his share; *Ti darò una p. del guadagno*, I'll give you a share of the profits; **fare le parti**, to share out (st.); *Una p. di loro non tornò*, some of them didn't come back; *Pagai p. in contanti e p. con assegno*, I paid part cash and part check; **gran p. di loro**, a great many of them; **la maggior p. di**, most of; the greater (*o* better) part of; (con sost. pl.) most, the majority of; **la maggior p. del tempo**, most (*o* a lot) of the time; **la maggior p. degli italiani**, most Italians; **per la maggior p. della propria vita**, for most of (*o* the greater part of) one's life; **per la maggior p.** (*perlopiù*), for the most part; mostly **2** (*luogo, regione*) part; region; place; area: **da queste parti**, (*in questa zona*) in these parts, in this part of town, in this area, around here; (*qui in giro*) hereabouts, somewhere here; *Da queste parti parlano veneto*, they speak Venetian in this area (*o* around here); *Che ci fai da queste parti?*, what are you doing in these parts?; **dalle parti di Bologna** [**della stazione**], somewhere near Bologna [near the station]; **dalle mie parti**, where I live; in my part of the country; *Deve essere da quella p.*, it must be somewhere over there; **da nessuna p.**, nowhere; **da ogni p.**, from everywhere; **da qualche p.**, somewhere; some place (*USA*) **3** (*lato*) side, part, way; (*direzione*) direction: **p. inferiore**, bottom part; (*fondo*) bottom, underneath; **p. interna**, inside; interior; **p. sottostante**, underside; bottom; **p. superiore**, upper part; top; **dalla p. destra** [**sinistra**], on the right [left] side; on the right [on the left]; **dall'altra p. del monte**, on the other side of the mountain; **pendere da una p.**, to lean to one side; to hang down on one side; *Andiamo da questa p.*, let's go this way; *Da che p. soffia il vento?*, where is the wind blowing from?; *Da che p. è andato?*, which way did he go?; which direction did he take?; *Lui andò da una p. e io dall'altra*, he went off in one direction and I in another; (*fig.*) *Non so da che p. cominciare*, I don't know where to start; **da tutte e due le parti**, on both sides; **da ogni p.** (*o* **da tutte le parti**), (*stato*) on all sides, everywhere, in all directions; (*provenienza*) from all sides, from everywhere; *Ha debiti da tutte le parti*, she has debts all over the place; *Ci piombarono addosso da ogni p.*, they pounced on us from all sides; **farsi** (*o* **tirarsi**) **da p.**, to step aside; to step to one side; (*fig.: ritirarsi, dare le dimissioni*) to step aside (*o* down); **tirare q.** [**qc.**] **da p.**, to draw sb. [st.] to one side **4** (*fazione, partito*) faction; party; (*schieramento*) side: (*stor.*) **la p. guelfa**, the Guelph faction; **passare dalla p. di q.**, to go over to; **scegliere una p.**, to choose one side; **di p.**, partisan; one-sided; biased; **lotta di p.**, faction fighting **5** (*leg.*) party: **p. civile**, plaintiff; **costituirsi p. civile contro q.**, to sue sb. for damages in a criminal case; **la p. interessata**, the party concerned; **p. lesa**, injured party; **le due parti contraenti**, the two parties to the contract; **le parti in causa**, the parties to the case; **ascoltare le due parti**, to hear both parties **6** (*teatr.*) part; role, rôle: **la p. del protagonista**, the leading role; the lead; (*se il nome del personaggio è anche il titolo del lavoro*) the title role; **p. secondaria**, minor role; **piccola p.**, bit part; **assegnare le parti di una commedia**, to cast a play; *Mi fu affidata la p. del padre*, I was cast as the father; **fare una p.**, to play (*o* to take) a part; **fare la p. di Mirandolina**, to play Mirandolina; **distribuzione delle parti**, casting; (*gli attori scelti*) cast; **studia-**

re [**sapere**] **la p.**, to study [to know] one's part **7** (*mus.*) part: **fuga a quattro parti**, four-part fugue **8** (*fig.: compito, ruolo*) part; role: **avere una p. importante in un affare**, to play a leading role in an affair; **fare la p. dello sciocco**, to look like a fool; **fare la p. della vittima**, to play the victim **9** (*comportamento*) behaviour 🔟: *Ha fatto una brutta p.*, his behaviour was disgraceful; he behaved disgracefully ● (*scherz.*) **parti basse**, nether regions (pl.); bottom □ **parti intime**, private parts □ **le parti sociali**, the unions □ **a p.**, (*separato*) separate; (*separatamente*) separately; (*diverso*) different; (*eccettuato*) apart from, besides, apart (*posposto*): **una lista a p.**, a separate list; *Questo lo pago a p.*, I'll pay for this separately; **un mondo a p.**, a different world; *A p. qualche piccolo errore, la traduzione è buona*, apart from some minor errors, the translation is good; *A p. il mangiare, l'albergo non era male*, food apart, the hotel wasn't bad; **a p. ciò**, apart from that; besides that; **scherzi a p.**, joking apart □ **essere a p. di qc.**, to be informed of st.; to be in on st. (*fam.*) □ **da p. a p.**, right through: **passare** (*o* **trafiggere**) **da p. a p.**, to pierce right through; (*con una spada*) to run through □ **da p. di**, from; on the part of: **un telegramma da p. del ministro**, a telegram from the minister; **lamentele da p. dei clienti**, complaints from the customers; *Dille da p. mia che dovrà venire*, tell her on my behalf (*o* from me) that she'll have to come; *Salutalo da p. mia*, give him my regards (*form.*); give him my best wishes; *Fu un errore da p. sua*, it was a mistake on his part; *Questo non è gentile da p. tua*, this isn't very kind of you □ **d'altra p.**, on the other hand; however □ **da una p...., dall'altra...**, on (the) one hand..., on the other (hand)... □ **da un anno a questa p.**, this last year □ **da un po' di tempo a questa p.**, lately; these last few weeks [months] □ **entrare a far p. di**, to join □ **essere dalla parte della ragione**, to be in the right □ **essere** [**mettersi**] **dalla p. del torto**, to be [to put oneself] in the wrong □ **Noi siamo dalla tua p.**, we are on your side □ **essere p. di**, to constitute; to make* up; to go* to form □ (*fig.*) **essere p. in causa**, to be directly involved in st. □ **essere p. integrante di**, to be an integral part of; to be part and parcel of □ (*fig.*) **fare la p. del leone**, to take the lion's share □ *Ciascuno dovrà fare la sua p.*, everyone will have to do his bit (*o* to pull his weight) □ **fare p. di**, to be a part of; to belong; to be one of; to be a member of: **fare p. della famiglia**, to be one of the family; **fare p. della giuria**, to be a member of the jury; **fare p. di un comitato**, to sit on a committee □ **in gran p.**, largely; to a great extent; mostly; for the most part □ **in minima p.**, to a very limited extent; only marginally □ **in p.**, in part; partly; partially □ **mettere q. a p. di qc.**, to inform sb. about st.; to let sb. in on st. (*fam.*) □ **mettere da p.**, (*risparmiare*) to put aside, to save up; (*accantonare*) to put aside, to put on (*o* to) one side □ **mettere da p. gli scrupoli**, to forget one's scruples □ (*fig.*) **non sapere da che p. voltarsi**, not to know which way to turn; to be at one's wits' end □ (*fig.*) **Le parti si sono rovesciate**, the boot is on the other foot now □ (*rif. a parentela*) **per** (*o* **da**) **p. di padre** [**di madre**], on one's father's [mother's] side □ **per p. mia**, for my part; as far as I'm concerned: *Per p. mia non so che fare*, for my part, I don't know what to do □ **prendere p. a qc.**, to take part in st.; to join in st.; (*condividere*) to share □ **prendere p. alla conversazione**, to join in the conversation; **prendere p. al dolore di q.**, to share sb.'s grief □ **prendere le parti di q.**, to take sb.'s part; to side with sb.

partecipàbile a. communicable; that can be shared; shareable.

partecipànte ◩ a. **1** (*che prende parte*) participating; taking part: **le squadre partecipanti**, the teams taking part in a tournament **2** (*presente*) present; attending ◪ m. e f. (*chi prende parte*) participant, partaker, sharer; (*a una riunione, ecc.*) person present (*o* attending st.); (*a una gara, ecc.*) competitor, contestant, entrant: **i partecipanti al massacro**, the participants in the massacre; **i partecipanti all'incontro**, the people attending the meeting.

♦**partecipàre** ◩ v. i. **1** (*essere presente*) to attend (st.); to be present (at); to go* (to): **p. a una conferenza** [**a una cerimonia**], to attend a conference [a ceremony]; **p. a una festa**, to go to a party; to be present at a party; **p. a una riunione**, to attend a meeting; *Chi ha partecipato alla riunione?*, who was present at the meeting? **2** (*prendere parte attiva*) to take* part (in); to participate (in); (*essere partecipe*) to share (st.); (*condividere*) to share (in): **p. a un affare**, to take part in a business deal; **p. a una campagna contro il fumo**, to participate in a campaign against smoking; **p. a una congiura**, to take part in a conspiracy; **p. a una discussione**, to participate (*o* to take part) in a debate; **p. al dolore** [**alla gioia**] **di q.**, to share sb.'s grief [joy]; **p. a una gara**, to take part in a competition; **p. alle spese**, to share expenses; to contribute to expenses; **p. agli utili**, to share in the profits **3** (*avere in comune*) to share (st.); to partake* (of) (*form.*): **p. delle stesse caratteristiche di**, to share the same characteristics as ◪ v. t. **1** (*annunciare*) to announce; to acquaint (sb. with st.): **p. agli amici il proprio matrimonio**, to announce one's wedding to one's friends; **p. un segreto a q.**, to let sb. into a secret **2** (*lett.*: *concedere, accordare*) to grant; to bestow (st. on sb.): *Dio partecipa a tutti la sua grazia*, God bestows his grace on all **3** (*lett.*: *spartire*) to share out.

partecipativo a. participatory: **democrazia partecipativa**, participatory democracy.

partecipazióne f. **1** (*il partecipare*) participation; participating; taking part; (*presenza*) presence, attendance, turnout: **p. a un dibattito televisivo**, participation in a television debate; **p. al processo decisionale**, participation in the decisional process; **p. a una riunione**, attendance at a meeting; *C'è stata una p. massiccia alla manifestazione*, there was a massive turnout for the rally; **accusa di p. a una rapina**, charge of participating (*o* taking part) in a robbery; *Il ministro ha assicurato la sua p.*, the minister has promised he would be present; *È gradita la Sua p.*, your presence would be welcome; (*cinem.*) **con la p. di B. nel ruolo di...**, featuring B. as... **2** (*interessamento partecipe*) participation; sympathy; (*coinvolgimento emotivo*) intensity of feeling: **p. alle gioie di q.**, participation in sb.'s joys; **p. a un lutto**, participation in sb.'s grief; sympathy for sb.'s bereavement **3** (*annuncio*) announcement; (*comunicazione*) communication; (*biglietto*) card; (*invito*) invitation; (*lettera ufficiale*) official letter of communication: **p. di nozze**, announcement of a wedding; (*il biglietto*) wedding card **4** (*cointeressenza*) participation; interest; sharing; holding; stake: **p. agli utili**, profit-sharing; **p. azionaria**, shareholding; equity participation; **p. azionaria di maggioranza** [**di minoranza**], majority [minority] interest; **p. incrociata**, cross holding; mutual shareholding; **partecipazioni statali**, state holdings; **a p. statale**, state-controlled; **avere una p. del 45 per cento in un'impresa**, to have a 45 per cent stake in a company.

partecipazionismo m. tendency to extend any form of participation, especially that of citizens in political decision-making.

partécipe a. **1** (*che partecipa*) participating; partaking; taking part; involved; interested; (*che condivide*) sharing; (*che segue con attenzione*) attentive, intent, engrossed: **cittadini partecipi e responsabili**, responsible citizens actively interested in their country's welfare; **essere p. di una responsabilità** [**di un dolore**], to share a responsibility [a grief]; **fare p. q. di qc.** (*coinvolgere*), to involve sb. in st.; *Mi sentivo p. di quel nuovo mondo*, I felt a part of that new world **2** (*al corrente, informato*) aware (of); acquainted (with); privy (to): **fare** (*o* **rendere**) **p. q. di qc.** (*informare*), to inform sb. of st.; to acquaint sb. with st.; to apprise sb. of st.; **essere p. di un segreto**, to be privy to a secret.

parteggiàre v. i. to side (with); to take* sides (with); to support (sb., st.): **p. per q.**, to support sb.; to side with sb.; **p. per una causa**, to support a cause; **non p. né per l'uno né per l'altro**, not to take sides.

partenariàto m. partnership.

partènio m. (*bot.*, *Chrysanthemum parthenium*) feverfew.

partenocarpìa f. (*bot.*) parthenocarpy.

partenogènesi f. (*biol.*) parthenogenesis.

partenogenètico a. (*biol.*) parthenogenetic.

Partenóne m. (*archeol.*) Parthenon.

partenopèo ◩ a. (*lett.*) Neapolitan ◪ m. **1** Neapolitan **2** (*sport*) supporter of Napoli (Naples' football team).

partènte ◩ a. leaving; departing; (*di aereo*) taking off; (*di nave*) sailing ◪ m. e f. **1** leaver; person about to (*o* ready to) leave; person leaving **2** (*sport*) athlete (about to start a race).

♦**partènza** f. **1** departure; leaving; (*autom.*) start; (*naut.*) sailing; (*aeron.*) take-off; (*miss.*) blast-off, lift-off: **p. improvvisa**, sudden departure; (*autom.*) **p. in salita**, hill start; **alla mia p.**, on my leaving (*o* departure); **essere in p.**, to be about to leave; **il primo treno in p.**, the first train leaving; **il treno in p. per Roma**, the train leaving for Rome; the Rome train; **rimandare la p.**, to put off one's departure; *Manca poco alla p.*, it's nearly time to leave; we [they, etc.] are about to leave; *Partenza!* (*partiamo!*), we're off!; **luogo** (*o* **punto**) **di p.**, starting point; **ora di p.** (*di un treno, ecc.*), time of departure; (*aeron.*) **sala delle partenze**, departure lounge; **tabellone delle partenze**, departure indicator board **2** (*sport*) start: **p. da fermo**, standing start; **p. lanciata** (*o* **volante**), flying start; **falsa p.**, false start; **fare una falsa p.**, to have a false start; to jump the gun; **blocco di p.**, starting block; **linea di p.**, starting line; **segnale di p.**, starting signal **3** (*inizio*) start: **una p. difficile**, a difficult start; **una buona p.**, a good start; **avere una buona p.**, to be off to a good start; **punto di p.**, starting point.

parterre (*franc.*) m. inv. (*di giardino, teatr.*) parterre.

♦**particèlla** f. **1** particle; mote: **particelle di polvere**, particles of dust **2** (*gramm.*) particle; relation-word: **p. pronominale**, pronominal particle **3** (*fis.*) particle: **p. alfa** [**beta**], alpha [beta] particle; **p. elementare**, elementary particle; **p. ionizzante**, ionizing particle; **p. con carica negativa**, negatively-charged particle **4** (*leg.*) – **p. catastale**, (cadastral) parcel.

particellàre a. **1** (*fis.*) particle (attr.) **2** (*leg.*) parcel (attr.): **mappa p.**, cadastral parcel map.

particìna f. (*teatr.*, *cinem.*) bit part.

participiàle a. (*gramm.*) participial.

participio m. (*gramm.*) participle: **p. pre-**

sente [**passato**], present [past] participle.

particola f. (*relig.*) particle; consecrated Host.

♦**particolàre** ◩ a. **1** (*contrapposto a «generale»*) particular: **un esempio p.**, a particular instance; **in questo caso p.**, in this particular case **2** (*speciale*) special, particular; (*insolito*) unusual, singular, peculiar; (*singolare, caratteristico*) distinctive, peculiar, individual, distinctive: **un fascino p.**, a peculiar charm; **sapore p.**, distinctive flavour; **trattamento p.**, special treatment; **nulla di p.**, nothing special; nothing in particular; **non avere notizie particolari**, to have no particular news; **in modo p.**, in a particular manner; particularly; **una questione di p. interesse**, a matter of peculiar (*o* singular) interest; *È un tipo molto p.*, she is a very unusual person; *Il suo accento è molto p.*, his accent is very distinctive; *Segni particolari: nessuno*, distinguishing marks: none; **con p. riguardo a**, with particular reference to **3** (*proprio, personale*) very personal; of one's own: *Ha un modo tutto p. di vedere le cose*, he has a very personal outlook on things; *Ha una teoria sua p. su quello che è successo*, he has a theory of his own about what happened **4** (*privato*) private; personal: **interessi particolari**, private interests; **segretario p.**, personal secretary; **udienza p.**, private audience ◪ m. **1** (the) particular: **in p.**, in particular; particularly; especially; more specifically, notably: **citare un caso in p.**, to mention one case in particular **2** (*dettaglio*) detail; particular: **i particolari di un problema**, the details of a problem; **conoscere tutti i particolari d'una situazione**, to know all the details of a situation; *Su questo p. vorrei sentire il prof. A.*, on this point I would like to hear Prof. A.'s opinion; **con abbondanza di particolari**, with plenty of (*o* with a wealth of) details; **con tutti i particolari**, with all the details; in full details; **fin nei minimi particolari**, down to the smallest detail; **entrare** (*o* **scendere**) **nei particolari**, to go into detail **3** (*arte*) detail: **un p. della «Gioconda»**, a detail of the «Mona Lisa».

particolareggiàre ◩ v. t. **1** to give* particulars of; to give* (full) details of; to detail **2** (*rag.*) to itemize: **p. un conto**, to itemize an account ◪ v. i. to go* into detail.

particolareggiataménte avv. in detail; minutely; thoroughly.

particolareggiàto a. detailed; minute; (*circostanziato*) circumstantial; (*comm.*) itemized: **descrizione particolareggiata**, detailed description; **resoconto p.**, detailed account; circumstantial report; **preventivo p.**, itemized estimate.

particolarismo m. particularism.

particolarista a., m. e f. particularist.

particolarìstico a. particularistic.

particolarità f. **1** particular nature; special character; distinctiveness **2** (*elemento, circostanza particolare*) particular (circumstance); detail: **descrivere tutte le p.**, to give full details; to describe in detail **3** (*caratteristica specifica*) particularity; peculiarity.

particolarizzazióne f. particularization.

particolarménte avv. **1** (*nei dettagli*) in detail **2** (*specialmente*) particularly; especially **3** (*in particolare*) in particular; particularly.

particolàto a. e m. (*scient.*) particulate.

partigiàna f. **1** (*mil. stor.*) partisan, partizan **2** → **partigiano, B**.

partigianerìa f. partisanship; party spirit.

partigianésco a. (*spreg.*) partisan (attr.).

♦**partigiàno** ◩ a. **1** (*di parte*) partisan

(attr.); party (attr.); factious; partial: **politica partigiana**, partisan politics **2** (*dei partigiani*) partisan: **guerra partigiana**, partisan war B m. (f. **-a**) **1** (*fautore*) partisan; supporter; champion **2** (*mil.*) partisan; resistance fighter; freedom fighter.

partìre ① A v. t. (*lett.*) **1** (*tagliare*) to cut*; to divide; to split* **2** (*spartire*) to share **3** (*separare*) to part; to divide; to separate B **partìrsi** v. i. pron. (*lett.*) **1** (*separarsi*) to part **2** (*allontanarsi*) to leave* (a place): **partirsi dalla patria**, to leave one's native country.

♦**partìre** ② v. i. **1** to leave*; to go* away; to depart (*form.*); (*mettersi in moto, anche di motore*) to start; (*mettersi in viaggio*) to set* out, to set* off; (*salpare*) to sail; (*decollare*) to take* off, (*miss.*) to blast off, to lift off: **p. da casa**, to leave home; **p. da Linate**, to leave from Linate; **p. da Roma**, to leave from Rome; (*lasciare Roma*) to leave Rome; **p. in automobile**, (*per un viaggio*) to leave by car; (*allontanarsi*) to drive away; **p. per l'estero**, to leave for abroad; to go abroad; **p. per un lungo viaggio**, to set off on a long journey; **p. per lavoro**, to go away on business; **p. per le vacanze**, to go away on holiday; *A che ora parti?*, what time are you leaving?; *Si parte oggi alle cinque*, we are leaving this afternoon at five o'clock; *Finalmente è partito!*, he has left at last!; *Il treno sta partendo*, the train is leaving (*o* starting, moving away); *Il piroscafo parte da Napoli ogni settimana*, the steamship sails from Naples every week; *Da qui parte un aereo ogni due minuti*, a plane takes off from here every two minutes; *La mia macchina non parte*, my car won't start; *Si parte!*, we're off! **2** (*cominciare*) to start; to begin*; (*prendere le mosse*) to start: **p. da un semplice sospetto**, to start from a mere suspicion; **p. da zero**, to start from scratch; *Il filo parte da qui*, the wire starts from (*o* begins) here; *Avevo solo un nome da cui p. nelle mie ricerche*, I had only a name to go on; **a p. da**, from; beginning from; (*bur.*) as from, as of, with effect from; **a p. da oggi**, beginning from today; **a p. da pagina 70**, from page 70 onwards; *A p. dal 1° novembre non verranno rilasciati altri permessi*, as from the 1st of November no further permits will be issued **3** (*provenire*) to come*: *L'ordine partiva dall'alto*, the order came from above **4** (*prendere il via*) to start; to be off: (*sport*) *Sono partiti!*, they're off! **5** (*fam.: rompersi*) to go*; to go* phut (*o* kaputt) (*fam.*); to pack up (*fam.* GB): *La radio è partita*, the radio has gone phut; *Mi è partita la lavapiatti*, the dishwasher has packed up on me **6** (*fam.: ubriacarsi*) to get* tipsy: *Gli bastano due bicchieri per p.*, two glasses are enough to make him tipsy ● (*fig.*) **p. bene**, to get off to a good start □ (*fig.*) **p. in quarta**, to shoot off □ **p. per la tangente**, to go off at a tangent □ **Partì un colpo di fucile**, a shot was fired; a gun went off □ **fare** (*o* **lasciare**) **p. un colpo di fucile**, to fire a shot (*o* a gun) □ (*fam.*) **Mia figlia è partita per quel ragazzo!**, my daughter's gone on that boy!

♦**partìta** f. **1** (*comm.*) lot; consignment; parcel; batch: **p. di merce**, parcel of goods; consignment; shipment; **p. di frigoriferi**, consignment of refrigerators; **p. di droga**, drug haul; **piccole** [**grosse**] **partite**, small [large] lots; *L'ultima p. non era conforme al campione*, the last consignment was not up to sample; **dividere in partite**, to lot; **a partite**, by lots; **in una sola p.**, in a single lot **2** (*rag.: registrazione*) entry; item: **p. a credito** [**a debito**], credit [debit] item; **p. contabile**, item; **p. di giro**, clearing entry; **p. doppia**, double entry; **p. semplice**, single entry; **partite visibili**, visibles; **registrare** [**annullare**] **una p.**, to make [to cancel] an entry;

dividere in partite, to lot; **in p.**, by wholesale; in the lump; **contabilità in p. semplice** [**doppia**], single-entry [double-entry] bookkeeping; **libro a p. doppia**, ledger **3** (*competizione*) game; (*incontro, anche*) match; (*estens.: p. di calcio*) football match: **p. a carte**, game of cards; **p. a scacchi**, chess game; **p. a tennis**, tennis match; **p. amichevole**, friendly match; **p. di calcio**, football match; **p. di ritorno**, return match; **p. di spareggio**, playoff; (*tennis*) tie-breaker; **andare alla p.**, to go to a football match; **fare una p. a carte**, to have a game of cards; *Facciamo una p.?*, what about a game?; **giocare una p.**, to play a game (*o* a match) **4** (*numero di registrazione*) registration number: **p. catastale**, cadastral registration number; **p. IVA**, VAT registration number **5** (*mus.*) partita ● (*sport*) **p. del cuore**, benefit match □ **p. di caccia**, hunting party □ **p. d'onore**, duel □ (*fig.*) **avere p. vinta**, to get one's way □ (*fig.*) **dare p. vinta**, to admit defeat; to give in to sb. □ **essere della p.**, to be one of the party; to join the others: *Vuoi essere della p.?*, would you like to join us? □ (*fig.*) **pareggiare una p.**, to settle an old score □ (*fig.*) **È una p. chiusa**, it's a closed chapter; it's over and done with.

partitàrio m. (*comm.*) ledger.

partitèlla f. (*sport*) practice game; friendly game.

partìtico a. party (attr.); party-political.

partitìsmo m. (*polit.*) party politics (pl. col verbo al sing.).

partitìssima f. (*sport*) big match.

partitìvo a e m. (*gramm.*) partitive: **genitivo p.**, partitive genitive.

partitizzazióne f. excessive party-political influence (in a department, etc.); control by a political party.

♦**partìto** A a. **1** (*lett.*: *diviso*) divided; split **2** (*arald.*) party: **scudo p.**, party shield B m. **1** (*polit.*) party: **il p. al potere**, the party in power; **p. all'opposizione**, opposition party; **il P. Conservatore** [**Comunista, Democratico**], the Conservative [Communist, Democratic] Party; **p. di centro** [**di destra, di sinistra**], centre [right-wing, left-wing] party; **p. di maggioranza**, majority party; **il P. Laburista**, the Labour Party; Labour; **p. trasversale**, political grouping that cuts across party lines; **p. unico**, sole party; *Di che p. sei?*, what party do you vote for?; **iscriversi a un p.**, to join a party; **essere iscritto a un p.**, to be a member of a party; **gli iscritti al p.**, party members; **interessi di p.**, party-political interests; party-politics; **linea di p.**, party line; **lotte di p.**, inter-party struggles; **uomo di p.**, party man **2** (*risoluzione*) resolution, decision, (*alternativa*) alternative: *Scelse il p. migliore*, he took the best decision; he made the best choice; *Non c'è altro p. possibile*, there's no other possible alternative; **prendere un p.**, to come to a decision; to make up one's mind **3** (*occasione di matrimonio, possibile marito o moglie*) match: **un buon p.**, a good match **4** (*vantaggio*) advantage; profit; benefit: **trarre p. da qc.**, to profit from st. ● **a mal p.** → **malpartito** □ **mettere la testa** (*o* **il cervello**) **a p.**, to mend one's ways; to settle down □ **per p. preso**, uncritically; unreasonably; merely out of prejudice □ **prendere p. contro q.**, to take sides against sb.; to oppose sb. □ **prendere p. per q.**, to take sides with sb.; to side with sb.

partitocràtico a. (*polit.*) party-dominated.

partitocrazìa f. (*polit.*) partitocracy; government control by political parties.

partitóna f. (*sport, pop.*) important match; big match.

partitóre m. **1** (*idraul.*) diversion cham-

ber **2** (*elettr.*) divider: **p. di tensione**, potential (*o* voltage) divider.

partitùra f. (*mus.*) (full) score: **leggere in p.**, to read the (full) score; **mettere in p.**, to score; to orchestrate.

partizióne f. **1** (*suddivisione*) partition; division **2** (*parte*) part; section.

partnership (*ingl.*) f. inv. (*associazione*) partnership; (*accordo*) agreement, alliance; (*collaborazione*) cooperation.

pàrto ① m. **1** (*di donna*) childbirth; birth; delivery: **p. a termine**, full term delivery; **p. cefalico**, cephalic delivery; **p. cesareo**, Caesarean birth; **p. gemellare**, twin birth; **p. indolore**, painless childbirth; **p. laborioso**, difficult delivery; **p. multiplo**, multiple birth; **p. pilotato**, controlled (*o* enhanced) labour; **p. podalico**, breech delivery; **p. prematuro**, premature birth; **le doglie del p.**, labour, labor (*USA*) ①; labour pains; **essere prossima al p.**, to be near one's time; **morire di p.**, to die in childbirth; **sala p.**, delivery room **2** (*di animale*) delivery, birth, dropping; (*di bovino, elefante, cetaceo*) calving; (*di ovino*) lambing **3** (*fig.: opera*) product; work; fruit; brainchild*: **un p. della fantasia**, a product of the imagination; (*iron.*) a figment of the imagination.

pàrto ② a. e m. Parthian ● (*fig.*) **freccia del P.**, Parthian shot.

partóne m. (*fis.*) parton.

partoriènte A a. in labour; lying-in (attr.); parturient (*scient.*) B f. woman* in labour; parturient (*scient.*).

♦**partorìre** v. t. **1** (*di donna*) to give* birth to; to be delivered of; to bear*; to bring* forth (*lett.*); (*assol.*) to give* birth: **p. un maschio**, to give birth (*o* to be delivered of) a baby boy; to bear a son (*form.*); *Partorirà tra due mesi*, she will give birth in two months; **prossima a p.**, near her time; *La montagna partorì un topolino*, the mountain brought forth a ridiculous mouse **2** (*di animale*) to give* birth (to), to drop, to litter; (*di bestia feroce*) to cub; (*di cagna*) to pup; (*di cavalla*) to foal; (*di gatta*) to kitten; (*di ovino*) to lamb, to drop; (*di scrofa*) to farrow; (*di bovino, elefante, cetaceo*) to calve **3** (*fig.*) to breed*; to generate; to beget*; (*spesso spreg.*) to spawn; (*scherz.*) to produce: *La violenza partorisce odio*, violence breeds hatred; *Ha partorito un altro romanzo*, he has produced another novel.

part time (*ingl.*) A loc. a. inv. e avv. part-time: **occupazione part time**, part-time job; **lavorare part time**, to work part-time; **lavoratore part time**, part-timer B loc. m. inv. part-time work; part-time job.

parure (*franc.*) f. inv. parure; set.

parusìa f. (*teol., filos.*) parousia.

parvenu (*franc.*) m. inv. upstart; parvenu.

parvènza f. **1** (*lett.*) appearance; aspect **2** (*fig.: traccia*) shadow; trace; ghost: *Non c'è p. di giustizia nelle sue decisioni*, there is no trace of justice in his decisions **3** (*fig.: apparenza ingannevole*) semblance; veneer; show: **dietro una p. di rispettabilità**, beneath a veneer of respectability.

parziàle a. **1** (*incompleto*) partial; incomplete: **eclissi p.**, partial eclipse; **elezioni parziali**, by-election (sing.); **conoscenza p. dei fatti**, incomplete knowledge of the facts; **p. infermità di mente**, partial insanity; **risultati parziali**, partial results; **successo p.**, partial success **2** (*di parte*) partial; prejudiced; biased; unfair; (*unilaterale*) one-sided: **esaminatore p.**, partial examiner; **essere p.**, to be partial (*o* biased); to show partiality; to be unfair.

parzialità f. partiality; bias; unfairness; one-sidedness: **commettere una p.**, to be guilty of partiality; to behave unfairly; **essere accusato di p.**, to be accused of partial-

ity.

parzializzàre Ⓐ v. t. **1** to divide into parts **2** (*tecn.*) to choke; to shut*: **p. un flusso**, to choke the flow Ⓑ **parzializzàrsi** v. i. pron. (*tecn.*) to choke.

parzializzatóre m. (*tecn.*) choke.

parzializzazióne f. (*tecn.*) choking.

parzialménte avv. **1** (*in parte*) partially; partly; in part; to some extent: **p. vero**, partially true; true only in part **2** (*con parzialità*) with partiality; unfairly: **giudicare p.**, to judge with partiality; to be unfair in one's judgment.

parziarietà f. (*leg.*) severalty.

parziàrio a. (*leg.*) several.

pascal (*franc.*) m. inv. (*fis.*) pascal.

pàscere Ⓐ v. t. **1** (*mangiare*) to eat*; (*brucare*) to graze; (*nutrirsi*) to feed* on: **p. biada**, to eat fodder; **p. l'erba**, to graze **2** (*condurre al pascolo*) to pasture; to graze: **p. le greggi**, to pasture sheep **3** (*fig.*) to feed*; to nourish; to feast: **p. la mente**, to nourish one's mind; **p. gli occhi**, to feast one's eyes Ⓑ v. i. **1** (*pascolare*) to graze; to pasture: *Le mucche pascevano nei prati*, the cows were grazing in the fields **2** (*fig. lett.*) to feed* (on) Ⓒ **pàscersi** v. rifl. **1** (*nutrirsi*) to feed* (on); to live (on): **pascersi di ghiande**, to feed on acorns **2** (*fig.*) to cherish (st.); to nurse (st.); to feed* (on): **pascersi di vane speranze**, to cherish (o to cling to) false hopes.

pascià m. pasha, pacha • (*fig.*) **fare il p.** (*o* **vivere come un p.**), to live like a lord; to live in clover (*fam.*).

pasciàto m. pashadom, pachadom.

pasciulì → patchouli.

pasciùto a. fed; nourished: **ben p.**, well-fed; plump.

♦**pascolàre** v. t. e i. to pasture; to graze: **p. il gregge**, to pasture (o to graze) one's flock; *Le pecore pascolavano sul pendio*, sheep were grazing (o pasturing) on the slope.

pascolativo a. (*agric.*) pastoral; pasture (attr.); grazing (attr.): **terreno p.**, pastureland; grazing land.

pàscolo m. **1** (*terreno*) pasture; pasturage; pastureland; grazing land: **pascoli di alta montagna**, high pastures; **verdi pascoli**, green pastures **2** (*erba da pastura*) pasture; pasturage: **un p. abbondante**, a rich pasture **3** (*il pascolare*) pasturage; pasturing; grazing; feeding: **condurre il bestiame al p.**, to lead one's cattle to pasture; **essere al p.**, to be out to pasture; to be grazing; **mandare al p.**, to put out to pasture; **diritto al p.**, grazing right; **greggi al p.**, flocks out to pasture; flocks at grass **4** (*fig.*) nourishment; food: **dare p. all'invidia [al sospetto]**, to arouse envy [suspicion].

paşdaràn m. inv. **1** Pasdaran **2** (*fig.*) zealot; fanatic.

pashmìna f. pashmina.

paşigrafìa f. (*ling.*) pasigraphy.

pasionària (*spagn.*) f. **1** (*rivoluzionaria*) (female) revolutionary **2** (*fig.*) passionate woman*.

♦**Pàsqua** f. **1** (*cristiana*) Easter; **P. alta [bassa]**, late [early] Easter; **La P. è alta [bassa] quest'anno**, Easter falls late [early] this year; **augurare buona P. a q.**, to wish sb. a Happy Easter; (*eccles.*) **fare la Pasqua**, to fulfil one's Easter obligation; **la domenica di P.**, Easter Sunday (o Day); **uovo di P.**, Easter egg; **vacanze di P.**, Easter holidays **2** (*anche* **P. ebraica**) Passover; Pesach • (*pop.*) **P. delle rose**, Whit Sunday; Pentecost ☐ (*pop.*) **P. fiorita**, Palm Sunday • **contento come una P.**, as happy as can be; in heaven.

♦**pasquàle** a. **1** (*della Pasqua cristiana*) Easter (attr.); paschal: **cero p.**, paschal candle; **uova pasquali**, Easter eggs; **vacanze pasquali**, Easter holidays **2** (*della Pasqua ebrai-*

ca) Passover (attr.); paschal: **agnello p.**, paschal lamb.

pasquétta f. (*region.*) **1** (*lunedì di Pasqua*) Easter Monday **2** (*Epifania*) (the) Epiphany **3** (*Pentecoste*) Whit Sunday **4** (*gita*) Easter Monday outing.

pasquinàta f. (*letter.*) pasquinade; lampoon.

pass (*ingl.*) m. inv. pass.

pass. abbr. **1** (*lat.*: *passim*) (**in diversi luoghi**) passim **2** (**passaporto**) passport.

passàbile a. (*discreto, accettabile*) passable; tolerable; acceptable: **una p. conoscenza di qc.**, a passable knowledge of st.; **un'esecuzione p.**, a passable performance; *Il cibo era p.*, the food was tolerable.

passabilménte avv. passably; tolerably; (*abbastanza bene*) well enough, passably (o tolerably) well: **parlare l'inglese p.**, to speak English well enough; *Canta p.*, he sings tolerably well; his singing is not too bad.

passacàglia f. (*danza*) passacaglia.

passacàrte m. inv. (*spreg.*) paper pusher.

passacàvo m. (*naut.*) fairlead; chock.

passafièno m. inv. fodder hatch.

passafili m. inv. (*chir.*) ligature-carrier.

passafilm m. e f. inv. (*cinem.*) film checker.

passafìno m. inv. (*sartoria*) edging; braiding.

passafuòri m. inv. (*edil.*) rafter head; rafter end.

♦**passàggio** m. **1** (*transito*) passing, passage, transit; (*attraversamento*) crossing; (*traffico*) traffic: **il p. di un treno**, the passing of a train; **fare ala al p. di un corteo**, to line up on either side of a procession; *La folla applaudì al suo p.*, the crowd cheered as she went past; **un gran p. di camion**, heavy lorry traffic; *Vietato il p.*, no transit; no thoroughfare; (*leg.*) **servitù** (*o* **diritto**) **di p.**, right of way; right of passage **2 – di p.**, (*in transito*) in transit; (*di transito*) communicating; (*di sfuggita*) in passing, incidentally; (*occasionale*) occasional; **accennare a qc. di p.**, to make a passing reference to st.; to mention st. in passing; **essere di p.**, to be passing through: «*Sei mai stata a Verona?*» «*Solo un paio di volte, di p.*», «have you ever been to Verona?» «I only passed through it a couple of times»; **clienti di p.**, occasional customers; **stanza di p.**, communicating room **3** (*varco, spazio*) passage; way; way through; passageway; (*entrata*) way in; (*uscita*) way out; (*luogo di transito*) transit; (*punto di attraversamento*) crossing: **p. a livello**, level crossing (*GB*); grade crossing (*USA*); **p. a livello incustodito**, level crossing without gate; **p. ad arco**, archway; **p. navigabile**, navigable passage; (*geogr.*) **il P. a nord-ovest**, the North-West Passage; **p. obbligato**, fixed route; (*fig.*) necessary step; **p. pedonale**, pedestrian crossing; (*zebrato*) zebra crossing; **p. sotterraneo**, underground passage; **aprirsi un p. tra la folla**, to make one's way through the crowd; *Ho trovato un p.*, I've found a way though; **chiudere tutti i passaggi per impedire l'uscita**, to block all the ways out; **impedire** (*o* **ostruire**) **il p.**, to block the way; **ostacolare il p.**, to stand in the way **4** (*viaggio marittimo o aereo*) passage; (*traversata*) crossing: **prenotare un p. su una nave**, to book a passage on a ship; **guadagnarsi il p. lavorando**, to work one's passage **5** (*su automezzo*) lift: **chiedere un p.**, to ask for a lift; to hitch a lift (o a ride) (*fam.*); (*facendo segno col pollice*) to thumb a lift; **dare un p. a q.**, to give sb. a lift **6** (*transizione*) passage, transition, changeover; (*trasformazione*) transformation; (*trasferimento*) change, transfer: **il p. dall'ignoranza alla conoscenza**, the pas-

sage from ignorance to knowledge; **il p. dallo stato solido a quello liquido**, the transformation from a solid to a liquid state; **il p. all'euro**, the changeover to the euro; **p. delle consegne**, handing over; **p. di mano**, change of hands; **p. di potere**, transfer of power; **p. di proprietà**, change of ownership; (*leg.*) transfer of property **7** (*letter.*: *brano*) passage **8** (*mus.*) passage **9** (*astron.*) transit **10** (*sport*: *calcio, basket, ecc.*) pass: **p. al centro**, central pass; pass to the centre; **p. all'indietro**, back pass; **p. di testa**, head pass; **p. filtrante**, through pass; **p. in avanti**, forward pass; **p. in diagonale**, cross pass; **p. lungo**, long pass; long ball.

passamaneria f. **1** (*passamani*) braids (pl.); braiding; trimming; passementerie (*franc.*) **2** (*fabbrica di passamani*) ribbon and braid factory.

passamàno① m. passing from hand to hand: **fare il p.**, to pass (st.) from hand to hand; to form a human chain.

passamàno② m. (*sartoria*) braid; trimming.

passamèzzo m. (*danza*) passamezzo.

passamontàgna m. inv. balaclava; (*che nasconde anche il viso*) ski-mask.

passanàstro m. **1** (*tramezzo*) embroidery (o lace) insert with eyelets **2** (*infilanastri*) (ribbon) threader; bodkin.

pàssa-non pàssa loc. m. inv. (*mecc.*) go-no go gauge.

♦**passànte** Ⓐ a. passing; through: (*tennis*) **colpo p.**, passing shot; (*arald.*) **leone p.**, lion passant; (*telef.*) **selezione p.**, through line; (*ferr.*) **stazione p.**, through station Ⓑ m. e f. passer-by* Ⓒ m. **1** (*di cintura e sim.*) loop **2** (*collegamento stradale*) link road **3 – p. ferroviario**, underground railway link.

passaparòla m. **1** (*mil.*) order passed along by word of mouth **2** (*gioco*) Chinese whispers (pl.) **3** (*estens.*) bush telegraph; grapevine; (*pubblicità*) word-of-mouth advertising: **fare p.**, to pass the word.

passapatàte m. inv. potato masher.

passapiède m. (*danza*) passepied.

♦**passapòrto** m. **1** passport: **p. collettivo**, group passport; **p. diplomatico**, diplomatic passport; **p. valido**, valid passport; *Il mio p. è scaduto*, my passport has expired; **fare domanda per il p.**, to apply for a passport; **mettere il visto su un p.**, to visa a passport; **negare il p. a q.**, to refuse sb. a passport; **rinnovare il p.**, to renew one's passport; **controllo passaporti**, passport control **2** (*fig.*) passport: **un p. per il successo**, a passport to success.

♦**passàre** Ⓐ v. i. **1** (*transitare*) to pass; to pass by; to go* along; (*passare oltre*) to go* past (o by); (*attraversare*) to go* across, to go* through, to get* through; (*scorrere*) to flow: *L'ho vista p. un'ora fa*, I saw her pass (by) an hour ago; *Passi prima lei!*, you go first; *Lasciami p., per favore*, please let me pass; *L'autobus per la stazione è appena passato*, the bus for the station has just gone past; **p. come un fulmine**, to shoot by; to whizz past; *Per andare a Milano si passa da Pavia*, you go to Milan via Pavia; *Per fare prima passerò da via Cavour*, I'll take Via Cavour, it's quicker; **p. davanti a una chiesa**, to pass by a church; to pass a church; *Una nuvola passò davanti al sole*, a cloud passed across the sun; *Passa di qui ogni giorno*, she passes this way every day; *Passavo di qui per caso*, I was just passing through; **p. in macchina**, to drive past; to drive through; **p. per i campi**, to go across the fields; **p. per una strada**, to pass along a street; to go along a street; *Passammo per il paese*, we went through the village; *Di ritorno dalla Polonia passeremo per l'Austria*, we'll pass through Austria on our way

back from Poland; *Il Tevere passa per Roma*, the Tiber flows through Rome; **p. senza fermarsi**, to go past without stopping; *Il corteo passò tra due ali di folla*, the procession filed past the people lined on either side; *Di qui non si passa*, you can't get through here; *Non ci passo, è troppo stretto*, I can't get through, it's too narrow **2** (*entrare*) to go* in, to come* in, to get* in; (*uscire*) to go* out, to come* out, to get* out: **p. dalla porta sul retro**, to go in [to come in] via the backdoor; *Il ladro è passato dalla finestra*, the burglar got in through the window; *Passa aria da questa finestra*, there's a draught coming in through this window **3** (*spostarsi, andare*) to go*; to pass (on); to move (on); to go* over; (*per eredità*) to pass, to go*; (*cambiare*) to pass, to change: **p. ad altro**, to move on to something else; **p. al nemico**, to go over to the enemy; **p. all'opposizione**, to go over to the opposition; **p. da un lavoro all'altro**, to move from one job to another; **p. dalle parole ai fatti**, to pass from words to action; **p. dallo stato liquido a quello solido**, to pass from a liquid to a solid state; *È passato dalla nostra parte*, he has joined our side; **p. di bocca in bocca**, to spread by word of mouth; **p. di padre in figlio**, to be handed down from father to son; **p. in salotto**, to go into the sitting room; **p. per molte mani**, to go through many hands; *La ditta passerà al figlio*, the firm will pass to his son **4** (*trascorrere*) to pass; to elapse; to go* by: *Passò un mese*, a month went by; *Sono passati dieci anni*, ten years have passed; *Le ore passavano lentamente*, the hours passed slowly; *Non passa giorno che...*, there isn't a day goes by but...; *Come passa il tempo!*, how time flies! **5** (*finire, cessare*) to pass (away); to stop; to end; to go* (away); to be over: *Il pericolo è passato*, the danger has passed (*o* is over); *È passata la pioggia*, the rain has stopped; *La crisi è passata ormai*, the crisis is over now; *Mi è passato il mal di testa*, my headache has gone; *Gli passerà col tempo*, he'll get over it in time; *Passerà anche questa*, it won't last for ever; it will have to end some time; (*prov.*) *Tutto passa*, everything has an end **6** (*fare una breve visita*) to call in (on); to go* round (to); to look in (on); to drop in (on); to look up (sb.); (*in un negozio, un ufficio*) to call (at), to look in (at), to drop in (at), to pop into (*fam.*): *Sono passata da Marta*, I called in on Marta; *È passato un signore a cercarti*, a man called in to see you; *È passato il postino?*, has the postman called (*o* passed)?; *Passate a trovarci quando tornate da queste parti*, look us up next time you come this way; **p. dal panettiere**, to call at the baker's; *Sono passato dall'ufficio del signor Rossi*, I called at Mr Rossi's office; *Passerò in banca prima di venire a casa*, I'll drop in at the bank before coming home; *Potresti p. dal droghiere a prendermi del caffè?*, could you please pop into the grocer's and get me some coffee? **7** (*diventare*) to become*; (*essere promosso*) to be promoted: **p. in proverbio**, to become a byword; **p. direttore**, to become a manager; *Passò capitano*, he was promoted captain **8** (**passare per**: *essere reputato*) to pass for; to be considered; to be thought to be; to be taken for: **p. per artista**, to pass for an artist; **p. per facoltoso**, to be considered (*o* to be thought to be) well off; *Non voglio p. per scemo*, I don't want to be taken for a fool; **far p. per**, to pass off as; *Me l'ha fatto p. per autentico*, he passed if off to me as genuine; *L'hanno fatto p. per pazzo*, they passed him off as a lunatic; **farsi p. per**, to pass oneself off as; to make oneself out to be **9** (*essere approvato*) to pass; to get* through; (*essere accettato*) to be accepted: **p. a un esame**, to pass an exam; *Il progetto di legge è passato alla Camera*, the bill got through the Lower House; **far p. una legge in parlamento**, to get a law through Parliament; *Questa proposta non passerà in commissione*, this proposal won't be accepted by the committee **10** (*filtrare*) to filter (through); to be filtered; to percolate **11** (*intercorrere, esserci*) to be; to exist: *Fra me e lui passa una gran differenza*, there is a big difference between him and me **12** (*sport*: *effettuare un passaggio*) to make* a pass; to pass **13** (*a carte*) to pass ● (*eufem.*) **p. a miglior vita**, to die; to breathe one's last □ **p. a nuove** (*o* **seconde**) **nozze**, to be married again □ **p. a prendere**, to call for □ **p. a ritirare**, to pick up; to collect □ **p. alla storia**, to go down in history □ **p. avanti** (*in una coda*), to jump the queue (*GB*); to cut in line (*USA*) □ (*autom.*) **p. col rosso**, to run the red light □ **p. di cottura**, to cook too long; to be overdone (*o* overcooked) □ **p. di grado**, to get promotion □ **p. di mente**, to slip sb.'s mind □ **p. di moda**, to go out of fashion □ (*leg.*) **p. in giudicato**, to become res judicata; to become final □ **p. in testa** (*o* **al comando**), to surge into the lead □ **p. inosservato**, to go (*o* to pass) unnoticed (*o* unobserved) □ **p. per la mente**, to cross sb.'s mind □ (*fig.*) **p. sopra a qc.**, (*non tener conto di*) to overlook st., to pass over; (*dimenticare*) to forget st. □ **Passa via!**, go away!; get lost (*slang*); beat it! (*slang*) □ (*tel.*) **Passo e chiudo**, over and out □ (*fig.*) **Ci sono passato anch'io!**, I've been there too (*fam.*) □ **Dovrai p. sul mio corpo!**, over my dead body! □ **e passa**, and more: *Sarà alto due metri e passa*, he's two metres tall and maybe more; *Varranno due milioni e passa*, they must be worth more than two million □ **fare** (*o* **lasciare**) **p.** (*far entrare*), to let in □ **Molta acqua è passata sotto i ponti da allora**, a lot of water has gone under the bridge since then □ **Per questa volta passi, ma la prossima...**, I'll overlook it (*o* I'll let it go) this time, but next time... **B** **v. t.** **1** (*attraversare, valicare*) to pass through; to cross: **p. le Alpi**, to cross the Alps; **p. la dogana**, to pass (*o* to go) through Customs; **p. una frontiera**, to cross a border; **p. un fiume**, to cross (*a guado*, to ford) a river **2** (*oltrepassare*) to pass, to go* past, (*in auto*) to drive* past; (*superare*) to pass, to overtake*: *Credo che abbiamo già passato il negozio*, I think we've already gone past [driven past] the shop; *Passata la chiesa volta a destra*, after you pass the church, turn right; turn right past the church; *Ha passato la trentina*, she is over thirty **3** (*trascorrere*) to spend*; to pass: *Ha passato tutta la vita nello studio*, he has spent all his life in study; *Passa il tempo leggendo*, she spends her time reading; **tanto per p. il tempo**, just to pass the time; *Passerò quest'estate al mare*, I'll spend this summer at the seaside; **p. un brutto periodo**, to go through a bad patch; **far p. le ore**, to while away the hours **4** (*far scorrere, far entrare*) to pass; to run*: **p. una corda intorno a un palo**, to pass a rope round a pole; **p. un filo per la cruna dell'ago**, to pass a thread through the eye of a needle; to thread a needle; **passarsi le dita fra i capelli**, to run one's fingers through one's hair; **passarsi una mano sulla fronte**, to pass one's hand across one's forehead **5** (*dare*) to give*, to pass; (*porgere*) to hand; (*fornire*) to supply: **p. informazioni riservate a q.**, to pass confidential information on to sb.; (*comm.*) **p. un'ordinazione a q.**, to place an order with sb.; *Mi passi il pepe?*, could you pass me the pepper?; *Passami quel libro*, hand me that book; *Versati da bere e passa la bottiglia*, pour yourself a glass and pass the bottle (on); *Passa il vassoio*, hand the tray around; *Mi passa cento sterline al mese*, she gives me a hundred pounds a month; *La scuola non passa i libri*, the school does not supply books **6** (*telef.*) to put* (sb.) through to: *Le passo l'ufficio vendite*, I'll put you through to the sales department; *Mi passi Paola?*, can I speak to Paola? **7** (*sopportare, subire*) to go* through; to pass through; to suffer: *Ha passato un sacco di guai* (*o Ne ha passate tante*), he's had a rough time; he's been through a lot; **passarne di tutti i colori**, to go through all sorts of trouble; *Non sai quante me ne ha fatte p. mio marito!*, you've no idea of what my husband put me through! **8** (*promuovere, approvare*) to pass: **p. uno studente a un esame**, to pass a student at an exam; **p. un progetto di legge**, to pass a bill **9** (*spostare*) to move; to shift: *Mi hanno passato nel corso del pomeriggio*, I've been moved to the afternoon course **10** (*cucina*: *filtrare*) to strain; (*setacciare*) to sieve, to sift; (*ridurre a purè*) to purée, to mash; (*immergere*) to dip; (*ricoprire*) to coat: **p. il brodo**, to strain the stock; **p. le carote**, to purée carrots; **p. la farina**, to sift the flour; **p. le patate**, to mash potatoes; **p. nella farina**, to coat with flour; **p. nella pastella**, to dip in batter; **far p. al burro**, to sauté in butter **11** (*strofinare*) to wipe; to polish: **p. un panno sul tavolo**, (*per asciugare*) to wipe the table with a cloth; (*per spolverare*) to dust the table; **p. la cera sui mobili**, to polish the furniture; **p. l'aspirapolvere sul pavimento**, to vacuum the floor; **p. una mano di vernice su q.**, to give st. a coat of paint **12** (*trapassare*) to go* through; to pass through: *La pallottola gli ha passato il polmone*, the bullet went through his lung; **p. da parte a parte**, to run through **13** (*sport*) to pass ● **p. al vaglio**, to sift through □ **p. in rivista un reggimento**, to review a regiment □ (*radio, TV*) **Passo la linea a...**, over to... □ (*fig.*) **p. la misura** (*o* **il limite, il segno**), to be the limit; to be too much □ **p. parola**, to pass the word □ **p. per le armi**, to shoot □ (*fig.*) **p. il Rubicone**, to cross the Rubicon □ **p. qc. sotto silenzio**, to pass st. over in silence □ **p. la voce**, to pass the word □ **passarla liscia**, to get away with it; to get off scot-free □ **Come te la passi?**, how are you getting on?; how are things with you? □ **passarsela bene**, (*essere benestante*) to be doing all right; (*divertirsi*) to have a good time □ **passarsela male**, (*essere povero*) to be badly off; (*avere guai*) to be in a bad way, to go through a rough patch □ **Per questa volta te la passo**, I'll let you off this time □ **Non me ne passa una** (*o* **Non me ne lascia p. una**), he doesn't let me get away with anything **C** **m.** passing; course: **il p. delle stagioni**, the passing of the seasons; **col p. del tempo**, with the passing of time; in the course of time.

passascòtte **m. inv.** (*naut.*) sheet lead.

passàta **f.** **1** (*breve episodio*) short spell: **p. di pioggia**, spell of rain; shower **2** (*passo di selvaggina*) passage; migration **3** (*breve occhiata*) glance through; quick look; skimming: **dare una p. a un libro**, to glance (*o* to skim) through a book; *Ho dato una p. al tuo articolo*, I had a quick look at your article **4** (*strofinata*) (quick) rub, wiping; (*spazzolata*) brush; (*stirata*) quick ironing: **dare una p. a qc.**, to give st. a rub [a brush]; to wipe st.; to brush st.; **dare una p. col ferro a qc.**, to pass the iron over st.; to give st. a quick ironing **5** (*mano di vernice e sim.*) coat; lick (of paint) **6** (*cucina*: *rosolatura*) quick fry-up: **dare una p. in padella a qc.**, to sauté st. **7** (*filtratura*) filtering; percolating **8** (*region.*: *minestra di verdura*) soup; cream; puree: **p. di ceci**, chick-pea soup **9** (anche **p. di pomodoro**) puréed tomatoes (pl.) **10** (*a carte*) hand **11** (*naut., di cima*) turn ● **di p.**, in passing; incidentally.

passatèllo **a.** (*scherz.*) getting on (in years); rather long in the tooth (*fam.*).

a b c d e f g h i j k l m n o **p** q r s t u v w x y z

passatèmpo m. pastime; recreation; diversion; (*p. preferito*) hobby: **fare qc. per p.**, to do st. as a pastime; *La filatelia è il mio p. preferito*, stamp-collecting is my hobby.

passatìsmo m. traditionalism.

passatista m. e f. traditionalist; stick-in-the-mud (*fam.*); old fogey (*fam.*).

passatìstico a. traditionalist.

passàto Ⓐ a. **1** (*trascorso*) past; gone by; bygone; former: **esperienze passate**, past experiences; **le generazioni passate**, past generations; **i tempi passati**, past times; times gone by; bygone days; **in epoche passate**, in former times **2** (*scorso*) last; (*precedente*) former: **il mese [l'inverno] p.**, last month [winter]; **la passata amministrazione**, the former administration **3** (*che appartiene al passato*) past, old; (*antiquato*) outmoded, antiquated; (*sfiorito*) faded: **amori passati**, old loves; **una bellezza passata**, a faded beauty; **una moda passata**, an outdated fashion **4** (*gramm.*) past: **participio p.**, past participle; **tempo p.**, past tense ● **p. di cottura**, overcooked; overdone □ **p. di moda**, outdated; out (*fam.*) □ **i bei tempi passati**, the good old days □ **avere trent'anni passati**, to be over thirty □ **Son le due passate**, it's past two o'clock Ⓑ m. **1** (*tempo p.*) (the) past: *Non si può cambiare il p.*, you can't change the past; **il lontano p.**, the distant past; **dimenticare il** (*o* **mettere una pietra sul**) **p.**, to let bygones be bygones; **guardare al p.**, to look backwards; **in p.**, once; formerly; in past times; **come in p.**, as it was once; as before; **ricordi del p.**, memories of the past; **un taglio col p.**, a break with the past **2** (*condotta antecedente*) (sb.'s) past; past life; (*attività precedente*) record: *Non so nulla del suo p.*, I know nothing of his past; (*eufem.*) **una persona con un p.**, a person with a past **3** (*gramm.*) past; perfect: **p. prossimo**, present perfect; **p. remoto**, simple past; past simple ❶Nota: *present perfect / simple past* → **present**① **4** (*cucina*) cream; (*purè*) purée; (*minestra*) soup, cream: **p. di patate**, mashed potatoes; **p. di piselli**, pea soup; **p. di spinaci**, spinach purée; **fare un p. di**, to mash; to purée.

passatóia f. **1** (*tappeto*) runner; (*di scale*) stair carpet **2** (*ferr.*) crossing.

passatóio m. (*pietra*) stepping stone; (*insieme di pietre*) stepping stones (pl.).

passatóre m. **1** (*traghettatore*) ferryman* **2** (*guida*) guide.

passatùra f. **1** (*ind. tess.*) reeding **2** (*rammendo*) darning.

passatùtto m. inv. masher; vegetable mill; ricer (*USA*).

passavànti m. inv. (*naut.*) **1** (*documento*) pass **2** (*di imbarcazione*) gangway.

passaverdùra, passaverdùre m. inv. vegetable mill; ricer (*USA*) ● **passare al p.**, to purée; to rice (*USA*).

passavivànde m. inv. service hatch.

passe (*franc.*) m. inv. (*roulette*) high numbers (pl.).

passeggèro Ⓐ a. passing; transitory; transient; (*fugace*) fleeting, short-lived, ephemeral: **capriccio p.**, passing fancy; (*med.*) **disturbo p.**, brief disorder; **gioia passeggera**, fleeting (*o* short-lived) joy; **nuvole passeggere**, passing clouds; **successo p.**, ephemeral success Ⓑ m. (f. **-a**) **1** (*viaggiatore*) passenger; traveller; (*di taxi*) fare: **p. clandestino**, stowaway; **p. in lista d'attesa**, (passenger on) stand-by; **lista passeggeri**, passenger list; **nave passeggeri**, passenger ship **2** (*viandante*) wayfarer, traveller; (*passante*) passer-by*.

passeggiàre Ⓐ v. i. to walk; to take* a walk; to stroll; to promenade: **p. in campagna**, to walk in the country; **p. lungo il corso**, to walk (*o* to stroll) along the main street; **p. sul lungomare**, to promenade on (*o* along) the sea-front; **p. per la stanza**, to walk up and down the room; **p. senza meta**, to stroll about; to roam; **uscire a p.**, to go out for a walk Ⓑ v. t. to walk: **p. un cavallo**, to walk a horse.

passeggiàta f. **1** (*camminata*) walk; stroll; promenade; (*giro in bicicletta, a cavallo, in carrozza*) ride; (*in auto*) drive: **p. mattutina**, morning walk; **una p. in campagna [per i campi]**, a walk in the country [through the fields]; **la mia p. quotidiana nel parco**, my daily walk in the park; *È l'ora della nostra p.*, it's time for our walk; **fare una p.**, to take a walk (*o* a stroll); **andare a fare una p.**, to go for a walk; **portare q. a fare una p.**, to take sb. for a walk **2** (*luogo*) public walk; (*lungomare, lungolago*) promenade **3** (*itinerario*) trail: **p. naturalistica**, nature trail **4** (*fig. fam.: cosa facile*) piece of cake; doddle; cinch (*USA*); picnic (in frasi neg.); (*vittoria facile*) walkover: *Non sarà una p.!*, it won't be a picnic! ● (*mil.*) **p. militare**, route march; (*fig.*) walk-over □ (*miss.*) **p. nello spazio**, spacewalk.

passeggiatóre m. walker; promenader; stroller.

passeggiatrice f. **1** walker; promenader; stroller **2** (*eufem.*) streetwalker.

passeggino m. pushchair (*GB*); stroller (*USA*).

passéggio m. **1** (*il passeggiare*) walk; stroll; (*come rito sociale*) promenade: **il p. serale**, the evening promenade; **andare** (*o* **uscire**) **a p.**, to go for a walk; **portare q. a p.**, to take sb. out for a walk: *Sono tutti fuori a p.*, they've all gone out for a walk; **bastone da p.**, walking stick; cane; **scarpe da p.**, walking shoes **2** (*anche luogo di p.*) public walk; (*lungomare, lungolago*) promenade: **un p. affollato**, a crowded promenade **3** (*gente che passeggia*) promenaders (pl.).

passemèzzo → **passamezzo**.

passe-partout (*franc.*) m. inv. **1** (*chiave*) master-key; skeleton key; passe-partout **2** (*fig.*) key **3** (*cornice di cartone*) mat; matting; passe-partout: **montare con passe-partout**, to mat; **senza passe-partout**, unmatted.

pàssera f. **1** (*zool.*) (hen) sparrow: **p. scopaiola** (*Prunella modularis*), hedge sparrow; dunnock **2** (*pop. volg.*) pussy (*volg.*); beaver (*volg.*) **3** – (*zool.*) **p. di mare** (*Pleuronectes platessa*), flounder; plaice.

passeràceo m. (*zool.*) passerine; (al pl., *scient.*) Passeriformes.

passeràio m. **1** (*lett.*) chirping; chirruping; cheeping **2** (*fig.*) chattering.

passerèlla f. **1** gangway; walkway; footway; (*cavalcavia*) footbridge; (*ponte sospeso*) rope bridge; (*aeron.*) **p. d'imbarco**, boarding walkway **2** (*ferr.*) crossing **3** (*naut.*) catwalk; bridge; (*da sbarco e imbarco*) gangway, gangplank: **p. volante**, flying bridge **4** (*edil.*) gangway; platform **5** (*teatr.: pedana*) forestage parade; (*p. di servizio*) catwalk, fly gallery **6** (*per sfilate*) catwalk **7** (*fig.: sfilata di personaggi importanti*) parade.

passerifórme m. (*zool.*) passerine; (al pl., *scient.*) Passeriformes.

passerìno m. (*naut.*) lifeline ● (*naut.*) **p. dell'argano**, capstan swifter.

passerìo → **passeraio**.

pàssero m. (*zool., Passer*) sparrow: **p. domestico** (*Passer domesticus*), house-sparrow; **p. mattugio** (*Passer montanus*), tree sparrow; **p. repubblicano** (*Philetairus socius*), sociable (*o* social) weave; **p. solitario** (*Monticola solitarius*), blue rock-thrush; **uno stormo di passeri**, a flight of sparrows.

passeròtto m. young sparrow; fledgling sparrow.

pàssi m. inv. pass; permit.

passìbile a. liable; subject: **p. di arresto**, liable to arrest; **p. di multa**, liable to a fine; **p. di pena**, indictable.

passiflòra f. (*bot.*, *Passiflora incarnata*) passionflower.

pàssim (*lat.*) avv. passim.

passìno m. strainer.

Pàssio m. (*relig.*) Passion.

passionàle a. **1** (*di passione*) of passion: **delitto p.**, crime of passion **2** (*che subisce la passione*) passionate: **temperamento p.**, passionate nature.

passionalità f. passionateness.

passionàrio m. (*eccles.*) passionary; passional.

passióne f. **1** (*emozione*) passion: **frenare le passioni**, to curb one's passions; **essere schiavo delle passioni**, to be a slave to one's passions **2** (*forte predilezione*) love; enthusiasm; (*debolezza*) weakness: *La mia p. è viaggiare*, travelling is my passion; **avere la p. dei fumetti**, to be a comic strip fan; **avere la p. del gioco**, to be an inveterate gambler; **avere una p. per il cioccolato**, to have a weakness for chocolate; **prendere p. a qc.**, to develop a deep interest (*o* a passion) for st.; to become* very keen on st. **3** (*p. sensuale*) passion; (*amore*) love: **p. amorosa**, love; **p. fisica**, physical love; **folle p. per q.**, mad passion for sb.; *Carla è stata la mia prima grande p.*, Carla was my first real love **4** (*entusiasmo, dedizione*) enthusiasm; fervour: **fare qc. con p.**, to do something with enthusiasm; **parlare con p.**, to speak with fervour (*o* passionately) **5** (*dolore, tormento*) suffering; grief: **una giornata di p.**, a day of suffering; **morire di p.**, to die of grief (*o* of a broken heart) **6** (*relig.*) Passion: **la P. di Nostro Signore**, the Passion of Our Lord; **la P. secondo Matteo**, the Passion according to St Matthew; **la Domenica di P.**, Passion Sunday; **la settimana di P.**, Passion Week ● (*bot.*) **fior di p.** (*Passiflora incarnata*), passionflower.

passionìsta m. (*eccles.*) Passionist.

passìsta m. (*sport*) long-distance racing cyclist.

passìto m. raisin wine.

passivaménte avv. passively.

passivàre v. t. (*chim.*) to passivate.

passivazióne f. (*chim.*) passivation.

passivìsmo m. passivism.

passività f. **1** passivity; passiveness **2** (*comm.*) liabilities (pl.): **p. a lungo termine**, long-term liabilities; **p. (esigibili) a breve scadenza**, current liabilities; **p. correnti**, current liabilites; **p. inesigibili**, non-current liabilities; **accertare la p. d'una ditta**, to ascertain the liabilities of a firm **3** (*chim.*) passivity.

passìvo Ⓐ a. **1** (*che subisce*) passive; (*che non oppone resistenza*) passive, submissive; (*inerte*) inactive, inert: **atteggiamento p.**, passive attitude; **fumo p.**, passive smoking; **obbedienza passiva**, passive obedience; **resistenza passiva**, passive resistance; **rimanere p.**, to remain passive **2** (*gramm.*) passive: **forma passiva**, the passive voice; **verbo p.**, passive verb ❶Nota: *passive (progressive tenses)* → **passive**, ❶Nota: *to give* → *to give* **3** (*econ., comm.: che non dà utile*) unprofitable, loss-making; (*debitore*) debit (attr.), in the red: **azienda passiva**, loss-making company; **investimento p.**, unprofitable investment; **saldo p.**, debit balance Ⓑ m. **1** (*gramm.*) passive: **al p.**, in the passive; **mettere** (*o* **volgere**) **al p.**, to passivize **2** (*econ., comm.*) deficit; indebtedness; (*passività*) liabilities (pl.): **p. esigibile**, realizable liabilities; **p. inesigibile**, non-current liabilities; **p. sociale**, company's li-

abilities; *Il p. supera l'attivo*, the liabilities outweigh the assets; **attivo e p.**, assets and liabilities; **l'ammontare del p.**, the amount of liabilities; **addossarsi il p.**, to take on the liabilities; **andare in p.**, to go into the red; **essere in p.**, to be in the red; (*di impresa*) to be making losses; **registrare al p.**, to enter on the debit side; **ripianare un p.**, to make good a deficit; **bilancio in p.**, balance in the red; **conto corrente in p.**, current account in the red.

pàsso ① a. dried; withered ● **uva passa**, raisins (pl.).

♦**pàsso** ② m. **1** step; (*falcata*) stride: **un p. lungo [corto]**, a long [short] step; **pochi passi più avanti**, a few steps further (on); **allungare il p.**, to lengthen one's stride; to quicken one's pace; to walk faster; (*affrettarsi*) to hurry; **camminare a grandi passi**, to take long strides; to stride; **fare un p. avanti [indietro]**, to take a step forward [backward]; to step forward [back]; (*di bambino*) **fare i primi passi**, to be learning to walk **2** (*andatura*) pace; step; stride: **p. deciso**, purposeful stride; (*mil.*) **p. dell'oca**, goose step; **camminare con p. sciolto**, to walk with a spring in one's step; **camminare con p. vacillante**, to walk with a hesitating step; to totter; **a p. di corsa** (*o di carica*), at the double; **a p. di lumaca**, at a snail's pace; **a p. d'uomo**, at a walking pace; **a p. svelto**, at a brisk pace; **di buon p.**, at a good pace; **affrettare il p.**, to quicken one's pace; to walk faster; **forzare il p.**, to force the pace; **perdere il p.**, to fall out of step; **rallentare il p.**, to slacken one's pace; to slow down; **rompere il p.**, to break step; **sbagliare il p.**, to get [to be] out of step; **tenere il p.**, to keep pace **3** (*rumore di passi*) step; tread; footfall: *Sentii passi nel corridoio*, I heard steps in the corridor; **camminare con p. pesante**, to walk with a heavy tread; to tramp; to stomp **4** (*orma*) footstep; footprint; track: **passi sulla sabbia**, footprints (*o* tracks) in (*o* on) the sand **5** (*nel ballo*) step; pas (*franc.*): **p. di danza**, dance step; (*fig.*) **a p. di danza**, with a dancing step; **p. di valzer**, waltz step; **p. doppio**, pas de deux (*franc.*); **p. strisciato**, sliding step; glide **6** (*breve distanza*) step: **a due passi da qui**, close by; just a few steps from here **7** (*fig.*: *decisione, iniziativa*) step; decision: **un p. importante**, an important step; a big step; **primo p.**, first step; **un p. che non posso fare**, a step I cannot take; *Non sapeva decidersi a quel p.*, he couldn't bring himself to take that step; **fare dei passi per ottenere qc.**, to take steps to get st. **8** (*brano*) passage: **passi scelti**, selected passages; selections; excerpts **9** (*mecc.*) pitch: **p. dell'elica**, propeller pitch; **p. della vite**, screw pitch **10** (*ind. tess.*) shed **11** (*cinem.*) gauge: **film a p. normale** [*ridotto*], standard [sub-standard] gauge film ● **p. p.**, step by step (*molto adagio*) very slowly □ (*fig.*) **a ogni p.**, at every turn □ (*mil.*) **Al p.!**, (keep) in step! □ (*fig.*) **ai primi passi**, fledgling (attr.); in one's infancy □ (*fig.*) **andare di pari p. con**, to keep pace with; to go hand in hand with □ (*fig.*) **avvicinarsi a gran passi**, to approach apace □ **essere al p. coi tempi**, to be abreast with the times □ **non essere al p. coi tempi**, to be behind the times; to lag behind □ **di questo p.**, at this rate □ (*fig.*) **fare due** (*o* quattro) **passi**, to take (*o* to go for) a stroll □ (*fig.*) **fare il gran p.**, to take the plunge □ (*fig.*) **fare il p. più lungo della gamba**, to bite off more than one can chew □ (*fig.*) **fare il p. secondo la gamba**, to cut one's coat according to one's cloth □ **fare passi da gigante**, to take great strides; (*fig., anche*) to make great progress, to progress by leaps and bounds □ **fare un p. falso**, to stumble; (*fig.*) to make a false step (*o* a false move) ● **muovere i primi passi**, (*di bambino*) to take one's first steps;

(*fig.*: *essere agli inizi*) to be in its infancy, (*incominciare*) to get under way □ (*anche fig.*) **segnare il p.**, to mark time □ (*fig.*) **seguire i passi di q.**, to follow in sb.'s footsteps (*o* tracks) □ **stare al p. con**, to keep pace with; (*fig.*) to keep in step with □ **tornare sui propri passi**, to retrace one's steps □ **E via di questo p.**, and so on.

♦**pàsso** ③ m. **1** (*passaggio*) passage; way: **aprirsi il p. attraverso qc.**, to make one's way through st.; **cedere il p. a q.**, to give way to sb.; **ostruire il p.**, to block the passage; **uccelli di p.**, migratory birds; birds of passage **2** (*luogo di passaggio*) way: **p. carrabile**, driveway; vehicle entrance; (*cartello*) keep clear **3** (*geogr.*) pass: **il p. del Gran San Bernardo**, the Great St Bernard Pass; **p. di montagna**, mountain pass.

password f. inv. (*ingl., comput.*) password.

♦**pàsta** f. **1** (*sostanza di consistenza molle*) paste; (*ind. cartaria*) pulp: **p. dentifricia**, toothpaste; (*chim.*) **p. d'amido**, starch paste; **p. di legno**, wood pulp; **p. di stracci**, rag pulp; **p. di vetro**, vitreous paste **2** (*sostanza alimentare cremosa*) paste; (*da spalmare*) spread: **p. d'acciughe**, anchovy paste; **p. di mandorle**, almond paste; **formaggio a p. molle [dura]**, soft [hard] cheese **3** (*impasto, per pane*) dough; (*per pastici, dolci*) pastry: **p. cresciuta**, risen dough; **p. da pane**, bread dough; **p. frolla → pastafrolla**; **p. sfoglia**, flaky pastry; puff pastry; filo (*o* phyllo) pastry; **lavorare [spianare] la p.**, to knead [to roll out] the dough (*o* the pastry); **asse per la p.**, pastry board **4** (*anche* **p. alimentare**) pasta Ⓤ: **p. al burro**, plain pasta; **p. al sugo**, pasta with tomato sauce; **p. all'uovo**, egg pasta; egg noodles (pl.); **p. asciutta → pastasciutta**: **p. fatta in casa**, home-made pasta; **buttare la p.**, to put the pasta on to cook; **scolare la p.**, to strain the pasta; **macchina per la p.**, pasta maker **5** (*piccolo dolce*) pastry; (*pasticcino*) small cake, fancy cake: **prendere il tè con le paste**, to have tea and cakes **6** (*fig.*) stuff; (*indole*) nature, mould: **essere di buona p.**, to be good-natured; **essere della stessa p.**, to be cast in the same mould; **essere di tutt'altra p.**, to be made of different stuff; to have a different character ● **una p. d'uomo**, a good-natured man; a good soul (*fam.*) □ **p. reale**, (*marzapane*) Sicilian marzipan; (*soffice*) sponge-cake; (*per minestre*) egg dumplings (pl.) □ (*fig.*) **avere le mani in p. → mano**.

pastafròlla f. **1** (*alim.*) shortcrust (*o* short) pastry **2** (*fig.*) spineless (*o* nerveless) person; wimp (*fam.*): *Il direttore è una p.*, the director is a spineless man (*o* has no backbone) ● (*fig.*) **avere le mani di p.**, to be butter-fingered □ (*fig.*) **essere fatto di p.**, to have no backbone; to be a wimp (*fam.*).

pastàio m. (f. **-a**) **1** (*fabbricante*) maker of pasta **2** (*venditore*) seller of pasta.

♦**pastasciùtta** f. (*cucina*) pasta.

pastasciuttàio m. (f. **-a**) (*scherz.*) big pasta eater.

pastècca f. (*naut.*) snatch block.

pasteggiàbile a. (*enologia*) – **vino p.**, table wine.

pasteggiàre v. i. **1** (*rif. a cibo*) to have (st.) for one's meal: **p. a pollo**, to have chicken for one's dinner [lunch]; to dine [to lunch] on chicken **2** (*rif. a bevanda*) to drink* (st.) with one's meals: **p. a vino**, to drink wine with one's meals.

pastèlla f. (*cucina*) batter.

pastellista m. e f. (*arte*) pastellist.

pastèllo Ⓐ m. **1** pastel; crayon: **disegnato a p.**, done in pastel; **disegno a p.**, pastel (drawing); **matita a p.**, pastel crayon **2** (*dipinto a p.*) pastel Ⓑ a. inv. pastel: **verde p.**, pastel green; **tinte p.**, pastel shades.

pastétta f. **1 → pastella 2** (*fig.*: *broglio elettorale*) electoral fraud, rigged election; (*imbroglio*) trick, fraud, shenanigans (pl.).

pasteurellòsi f. (*vet.*) pasteurellosis.

pasteurizzàre e *deriv.* → **pastorizzare**, e *deriv.*

pasticca f. **1** (*da succhiare*) lozenge, tablet, pastille, drop; (*pillola*) pill: **p. di menta**, peppermint lozenge; peppermint drop; **pastiche per la tosse**, cough lozenges (*o* pastilles) **2** (*gergale: dose di LSD o di amfetamina*) pill; tab; acid Ⓤ.

pasticcère → pasticciere.

♦**pasticceria** f. **1** (*arte*) pastry making; confectionery **2** (*negozio*) pastry shop; confectioner's (shop) **3** (*paste*) confectionery; pastries (pl.).

pasticciàccio m. **1** (*grosso pasticcio*) complicated situation; imbroglio; (*can of worms*) (*fam.*) **2** (*delitto misterioso*) mystery murder.

pasticciàre Ⓐ v. t. **1** (*eseguire male*) to make* a mess of; to mess up; to bungle; to goof (*fam., USA*) to bungle a job; *Ha pasticciato tutto*, he's made a mess of everything **2** (*scarabocchiare*) to scribble (on) Ⓑ v. i. **1** (*fare pasticci*) to mess about; to make* a mess of things; to mix things up **2** (*fam.*: *mangiucchiare*) to nibble all day; to eat* between meals.

pasticciàto a. **1** (*malfatto*) messy; messed-up; bungled **2** (*scarabocchiato*) scribbled all over **3** (*cucina*) cooked with cheese, butter and ragout.

pasticcière Ⓐ m. (f. **-a**) pastry cook; confectioner Ⓑ a. (*cucina*) – **crema pasticciera**, custard.

♦**pasticcino** m. (*cucina*) fancy cake; tea cake.

♦**pasticcio** m. **1** (*alim.*) pie; pasty: **p. di carne**, meat pie; **p. di maccheroni**, macaroni pie **2** (*fig.*: *lavoro mal fatto*) mess; bungle; botch; dog's dinner (*fam.*): *Volevo aggiustarlo, ma ho fatto un p.*, I meant to fix it, but I've made a mess of it; **combinare pasticci**, to bungle things **3** (*fig.*: *situazione difficile*) mess; trouble; fix (*fam.*); jam (*fam.*); tight spot (*fam.*); pickle (*fam.*); (*spec. polit.*) imbroglio: *Siamo in un bel p.*, we are in a fine mess; **essere nei pasticci**, to be in trouble; to be in a fix; to be in a tight spot; **mettere q. nei pasticci**, to get sb. into trouble; **mettersi nei pasticci**, to get into trouble; **togliere q. dai pasticci**, to get sb. out of a tight spot **4** (*mus., letter.*) pastiche; pasticcio*.

pasticcióne Ⓐ m. (f. **-a**) (*fam.*: *persona che fa guai*) bungler, botcher, bumbler; (*persona disordinata*) messy person Ⓑ a. (*incompetente*) bungling, bumbling; (*disordinato*) messy.

pasticcioneria f. clumsiness; bungling behaviour; messiness.

pastiche (*franc.*) m. inv. (*letter., arte, mus.*) pastiche.

pastificàre v. i. to make* pasta.

pastificazióne f. pasta-making.

pastificio m. **1** (*fabbrica*) pasta factory **2** (*negozio*).

pastiglia f. **1** tablet; pill; (*da succhiare*) lozenge, pastille: **pastiglie per la tosse**, cough lozenges **2** (*impasto usato per decorare*) plaster **3** (*tecn.*) pellet; (*mecc.*) pad: **pastiglie dei freni**, brake pads.

pastina f. **1** (*pasta per brodo*) small pasta: **p. in brodo**, broth with pasta **2 → pasticcino**.

pastinàca f. **1** (*bot.*, *Pastinaca sativa*) parsnip **2** (*zool.*, *Dasyatis pastinaca*) stingray.

♦**pàsto** m. meal: **un p. abbondante**, a full (*o* a hearty) meal; **il p. di mezzogiorno**, lunch; **il pasto della sera**, the evening meal; **un magro p.**, a poor (*o* a scanty) meal; **fare**

due pasti al giorno, to have (o to take) two meals a day; **fare pasti regolari**, to eat regular meals; **saltare un p.**, to skip a meal; **stare ai pasti**, to eat only at meal times; *Che cosa bevi ai pasti?*, what do you drink with your meals?; **fuori p.**, between meals; (*di medicina*) **da prendersi lontano dai pasti**, to be taken on an empty stomach; **prima dei [dopo i] pasti**, before [after] meals; **tra un p. e l'altro** (o **fuori p.**), between meals; **ora del p.**, meal time; (*di animali*) feeding time; **vino da p.**, table wine ● (*fig.*) **dare una notizia in p. al pubblico**, to regale the public with a piece of news □ (*stor.* e *fig.*) **essere dato in p. alle belve**, to be thrown to the lions.

pastòcchia f. (*fandonia*) story, lie; (*imbroglio*) trick, sham.

pastóia f. **1** hobble; fetters (pl.): **mettere le pastoie**, to hobble; to fetter **2** (al pl.) (*fig.*) fetters; shackles; trammels: **pastoie burocratiche**, red tape 🔟; **liberarsi d'ogni p.**, to throw off all trammels; **libero da pastoie**, untrammelled **3** (*vet.*) pastern.

pastóne m. **1** (*per animali*) (bran) mash; (*per galline*) chicken feed **2** (*cibo troppo cotto*) soggy mess; mush **3** (*fig.: disordinata mescolanza*) hotchpotch, hodgepodge (*USA*); hash; jumble **4** (*giorn.*) scissors-and-paste story.

pastóra f. shepherdess.

pastoràle ① **A** a. **1** (*di pastore*) pastoral; bucolic; rural: **dramma p.**, pastoral play; **poesia p.**, pastoral poetry; **scena p.**, pastoral (o rural) scene **2** (*sacerdotale*) pastoral; priestly; priest's: **cura p.**, pastoral charge; **teologia p.**, pastoral theology; **l'ufficio p.**, a priest's office (*episcopale*) pastoral; bishop's: **anello p.**, bishop's ring; **lettera p.**, pastoral (letter) **B** f. (*eccles.*) pastoral.

pastoràle ② f. (*mus.*) pastorale.

pastoràle ③ m. (*eccles.*) pastoral staff; crosier.

pastoràle ④ m. (*vet.*) pastern.

♦**pastóre** m. **1** shepherd: **p. di capre**, goatherd; **p. di pecore**, shepherd; (*relig.*) **il Buon P.**, the Good Shepherd; **bastone da p.**, crook **2** (*fig.*) shepherd: **p. di anime**, shepherd of souls **3** (*relig.*) pastor; minister **4** (*zool.*, *anche* **cane da p.**) sheepdog; shepherd: **p. belga**, Belgian sheepdog; **p. scozzese**, collie; **p. tedesco**, German shepherd; Alsatian.

pastorèlla ① f. **1** young shepherdess; shepherd lass **2** (*cappello di paglia*) wide-brimmed straw hat.

pastorèlla ② f. (*mus.*, *letter.*) pastoral.

pastorellerìa f. (*spreg.*) pseudo-pastoral poem [play, etc.].

pastorèllo m. young shepherd; shepherd boy.

pastorìzia f. sheep-breeding; sheep-farming; pastoral farming.

pastorìzio a. sheep-breeding (attr.); pastoral.

pastorizzàre v. t. (*ind.*) to pasteurize.

pastorizzàto a. pasteurized: **latte p.**, pasteurized milk.

pastorizzatóre m. **1** (*apparecchio*) pasteurizer **2** (f. **-trice**) (*operaio*) pasteurizer.

pastorizzazióne f. (*ind.*) pasteurization.

pastosità f. **1** doughiness; pastiness; (*morbidezza*) softness **2** (*fig.*) richness; warmth; mellowness.

pastóso a. **1** (*simile a pasta*) doughy; pasty; (*morbido*) soft: **una sostanza pastosa**, a pasty substance **2** (*fig.*) rich; warm; mellow: **voce pastosa**, rich (o fruity) voice; **colori pastosi**, warm colours; **vino p.**, mellow wine.

pastràno m. overcoat; topcoat; (*mil.*) greatcoat.

pastròcchio m. (*fam.*) → **pasticcio**, *def. 2* e *3*.

pastùra f. **1** (*pascolo*) pasture, pasturage, grazing; (*terreno da pascolo*) pasture, pasturage: **condurre le bestie alla p.**, to lead the cattle to pasture; to pasture the cattle; **mandare alla p.**, to put out to pasture **2** (*pesca*) groundbait; chum (*USA*).

pasturàle ① → **pastorale** ③.

pasturàle ② → **pastorale** ④.

pasturàre v. t. **1** to pasture; to graze **2** (*fig.*) to feed*; to nourish.

pasturazióne f. (*pesca*) groundbaiting; chumming (*USA*).

patàcca f. **1** (*moneta di minimo valore*) worthless coin: *Non vale una p.*, it isn't worth a brass farthing **2** (*oggetto di scarso valore*) piece of junk; (*oggetto falso*) fake: **rifilare una p. a q.**, to palm off a fake on sb.; to sell sb. a pup (*fam. GB*) **3** (*macchia*) stain; spot: **una p. d'unto**, a grease stain; **farsi una p. sulla cravatta**, to stain one's tie **4** (*fig. scherz.: decorazione*) medal; gong (*slang GB*).

pataccàro m. (f. **-a**) **1** (*pop.*) seller of fakes **2** (*estens.: truffatore*) swindler; con-man* (m., *fam.*).

pataccóne ① m. (*spreg. fam.: orologio da tasca*) large, thick, old-fashioned watch; turnip (*fam.*).

pataccóne ② m. (f. **-a**) (*spreg.: persona che si macchia facilmente*) messy person; sloppy person.

patafìsica f. (*letter.*) pataphysics.

patàgio m. (*zool.*) patagium*.

patagóne a., m. e f. Patagonian.

patagònico a. Patagonian.

patapùm, **patapùnfete** inter. crash!; bang!; crash-bang-wallop!

pataràcchio → **pateracchio**.

pataràzzo → **paterazzo**.

patarìa f. (*stor. relig.*) Pataria.

patarìno a. e m. (*stor. relig.*) Patarine.

♦**patàta** f. **1** (*bot.*, *Solanum tuberosum*; *il tubero*) potato*: **p. da semina**, seed-potato; **patate farinose**, floury potatoes; **patate fritte**, fried potatoes; (*a bastoncino*) chips (*GB*); French fries (*USA*); **patate lesse**, boiled potatoes; **patate in umido**, stewed potatoes; **patate novelle**, new potatoes; **bucce di patata**, potato peelings; **fecola di patate**, potato flour; **purea di patate**, mashed potatoes ● (*bot.*) **p. dolce** (o **americana**) (*Ipomoea batatas*), batata; sweet potato □ (*fig.*) **p. bollente**, hot potato □ **naso a p.**, button nose □ (*fig.*) **sacco di patate**, clumsy person; big lump (*fam.*) □ (*fig.*) **spirito di p.**, weak humour.

pataticoltóre m. (f. **-trice**) potato grower.

pataticoltùra f. potato-growing.

patatina f. **1** (*patata novella*) new potato **2** (al pl., *anche* **patatine fritte**) (*a fettine croccanti*) crisps (*GB*), chips (*USA*); (*a bastoncino*) chips (*GB*), French fries (*USA*).

patatóne m. (f. **-a**) (*fam. spreg.: persona lenta*) slowcoach (*GB*), slowpoke (*USA*); (*persona sciocca*) ninny, gawk.

patatràc **A** inter. crack!; bang!; crash! **B** m. **1** (*scoppio*) crash; bang: *Si sentì un p.*, there was a sudden crash; **cadere a terra con un p.**, to crash to the floor **2** (*crollo, fallimento*) crash; collapse **3** (*disastro*) disaster.

patavinità f. Patavinity.

patavìno a. e m. (f. **-a**) Paduan.

patchouli (*franc.*) m. inv. patchouli.

pâté (*franc.*) m. inv. (*alim.*) pâté; paste.

patèlla f. **1** (*zool.*, *Patella*) limpet **2** (*anat.*) patella*; kneecap.

patellàre a. (*anat.*) – **riflesso p.**, patellar reflex; knee-jerk.

patèma m. anguish; worry; heartache; torment: **p. d'animo**, anxiety; worry; anguish; **assillato da mille patemi**, tormented by a thousand worries.

patèna f. (*eccles.*) paten.

patentàre v. t. to license; (*rif. a patente di guida*) to issue a driving licence to.

patentàto a. **1** (*abilitato*) licensed; certificated; qualified: **pilota p.**, licensed pilot **2** (*fig.*) thorough; downright; out-and-out: **sciocco p.**, downright fool; complete idiot.

patènte ① a. **1** (*manifesto*) patent; manifest; self-evident: **ingiustizia p.**, patent injustice **2** – (*leg.*) **lettera p.**, letter patent **3** (*bot.*) patent.

♦**patènte** ② f. **1** (*licenza*) licence, license (*USA*); permit: (*naut.*) **p. sanitaria**, bill of health **2** (*anche* **p. di guida**) driving licence; driver's license (*USA*); **prendere la p.**, to get one's driving licence; (*fam.*) **Ma chi ti ha dato la p.?**, where did you learn to drive?; **esame per la p.**, driving test; **ritiro della p.**, disqualification from driving **3** (*fig.*) title; label: **dare a q. la p. di ladro**, to label sb. as a thief ● **FALSI AMICI** ● patente *non si traduce con* patent.

patentìno m. **1** (*autom.*) temporary driving licence **2** (*autorizzazione*) licence, license (*USA*); permit.

pàter (*lat.*) m. inv. (*relig. pop.*) Paternoster.

pàtera f. (*archeol.*) patera*.

pateràcchio m. (*spreg.*) shady compromise agreement; fix; fiddle.

pateràzzo, **pateràsso** m. (*naut.*) backstay.

pateréccio m. (*med.*) whitlow.

pàter famìlias (*lat.*) loc. m. (*stor.* o *scherz.*) paterfamilias.

paterìno → **patarino**.

paternàle f. rebuke; reprimand; scolding; lecture; telling-off (*fam.*): **fare una p. a q.**, to read sb. a lecture; to tell sb. off.

paternalìsmo m. (*anche polit.*) paternalism.

paternalìsta (*anche polit.*) **A** m. e f. paternalist **B** a. paternalistic.

paternalìstico a. (*anche polit.*) paternalist (attr.); paternalistic.

paternaménte avv. paternally; like a father; in a fatherly way.

paternità f. **1** fatherhood; paternity: (*leg.*) **p. legale**, adoptive fatherhood; **p. naturale**, natural fatherhood (o paternity); **la p. di un bambino**, the paternity of a child; (*scherz.*) *La p. ti fa bene!*, paternity suits you!; **congedo per p.**, paternity leave; **i doveri [le gioie] della p.**, the duties [the joys] of fatherhood; **test di p.**, paternity test **2** (*nome del padre*) father's name **3** (*condizione di autore*) authorship; (*responsabilità*) responsibility: **la p. di un libro**, the authorship of a book; **rivendicare la p. di un attentato**, to claim responsibility for a terrorist attack **4** (*titolo relig.*) Fatherhood.

patèrno a. **1** (*del padre*) paternal, father's (attr.); (*da parte del padre*) paternal, on one's father's side: **autorità paterna**, paternal authority; **casa paterna**, paternal house; **figura paterna**, father figure; **nonno p.**, paternal grandfather; **zio p.**, uncle on one's father's side **2** (*da padre*) fatherly; paternal: **affetto p.**, fatherly love; **in tono p.**, paternally.

Paternòster (*lat.*) m. inv. (*relig.*) Paternoster; (the) Lord's Prayer: **recitare il P.**, to say the Lord's Prayer; **dire dieci P.**, to say ten Paternosters.

paternòstro m. **1** → **Paternoster 2** (*di rosario*) paternoster (bead) **3** (*naut.*) parrel truck **4** (*bot.*) – **albero dei paternostri** (*Abrus precatorius*), Indian liquorice; jequirity ● **sapere qc. come il p.**, to know st. by

heart; to have st. at one's fingertips (*fam.*).

pateticità f. pathetic character; (*tono patetico*) pathetic tone.

patètico A a. **1** (*che desta pietà*) pathetic, full of pathos; (*commovente*) moving, touching: **sguardo p.**, pathetic look; **parole patetiche**, moving (*o* touching) words; **una scena patetica**, a scene full of pathos; a moving scene **2** (*che affetta mestizia e malinconia*) pathetic; maudlin **3** (*fam.: inadeguato, penoso*) pathetic **4** (*anat.*) – **nervo p.**, trochlear nerve B m. **1** (*il genere p.*) sentimentality; mawkishness: **cadere nel p.**, to indulge in sentimentality; to become sentimental; to get soppy **2** (f. **-a**) (*persona svenevole*) mawkish person; sentimentalist: **fare il p.**, to sentimentalize; to go all soppy.

pateticùme m. (*spreg.*) sentimentality; soppiness; mush (*fam.*).

patetismo m. sentimentality.

pàthos m. pathos.

patibolàre a. sinister: **faccia p.**, sinister face.

patìbolo m. scaffold; (*forca*) gallows: **condannare q. al p.**, to send sb. to the scaffold [the gallows]; **salire al p.**, to mount the scaffold; *Sembra che vada al p.*, she looks as if she was about to be hanged.

patiménto m. suffering; affliction; torment; pain.

pàtina f. **1** (*su metallo*) patina **2** (*estens.: velatura*) patina; film; (*di calcare, ecc.*) fur **3** (*fig.*) patina; veneer: **la p. del tempo**, the patina of time; **una p. di rispettabilità**, a veneer of respectability **4** (*med., della lingua*) fur; coating **5** (*della carta*) coat; glaze.

patinàre v. t. **1** to patinate **2** (*carta*) to coat; to glaze.

patinàto a. **1** (*di metallo*) patinated **2** (*med., della lingua*) furred; coated **3** (*di carta*) glossy; art (attr.) **4** (*fig.: lezioso, leccato*) slick; smooth.

patinatùra f. **1** patination **2** (*di carta*) coating; glazing.

patinóso a. **1** (*coperto di patina*) patinated; covered with a patina **2** (*med., delle lingua*) furred; coated.

patio (*spagn.*) m. patio.

♦**patire** A v. t. **1** to suffer; to undergo*: **p. il caldo [il freddo]**, to suffer from the heat [the cold]; to feel the heat [the cold]; **p. la fame**, to go hungry; to starve; **p. il martirio**, to suffer martyrdom; (*fig.*) **p. le pene dell'inferno**, to go through hell; **p. la sete**, to suffer thirst; **p. un torto**, to suffer a wrong; **fare p. la fame a q.**, to starve sb. **2** (*subire, sopportare*) to bear*; to suffer; to put* up with: *Ha dovuto p. ogni genere di angherie*, he had to put up with all sorts of impositions B v. i. **1** to suffer: **p. di gelosia**, to suffer the pangs of jealousy; **p. di mal di capo [d'insonnia]**, to suffer from headaches [from insomnia]; (*eufem.*) *Ha finito di p.*, his (*o* her) sufferings are over **2** (*essere danneggiato*) to be damaged: *La merce ha patito durante il viaggio*, the goods were damaged in transit.

patito A a. (*malaticcio*) sickly; (*smunto*) haggard, pinched: **un bambino debole e p.**, a weak, sickly child; **avere l'aria patita**, to have a pinched look B m. (f. **-a**) (*appassionato*) enthusiast; fan; buff; fiend (*fam.*); bug (*fam. USA*); (*maniaco*) freak (*fam.*): **un p. del jazz**, a jazz fan; a jazz bug; **un p. del cinema**, a cinema buff; **un p. del giardinaggio**, a gardening fiend; *Mio cugino è un p. delle moto*, my cousin is crazy on motorbikes (*più forte*: is a motorbike freak); *Non sono un p. dell'opera*, I'm not very keen on opera; I don't go in much for opera (*fam.*).

patofobìa f. (*psic.*) pathophobia.

patòfobo m. (f. **-a**) (*psic.*) pathophobic person (*o* patient).

patogèneṣi f. (*med.*) pathogenesis.

patogenètico a. (*med.*) pathogenetic.

patogenicità f. (*biol.*) pathogenicity.

patògeno a. (*biol.*) pathogenic: **agente p.**, pathogen; **germe p.**, pathogenic germ.

patognomònico a. (*med.*) pathognomonic.

patografìa f. (*psic.*) pathography.

patois (*franc.*) m. inv. patois.

patologìa f. (*med.* e *fig.*) pathology.

patològico a. **1** (*med.*) pathological: **anatomia patologica**, pathological anatomy; **ansia patologica**, pathological worrying **2** (*fig.*) pathological; abnormal; morbid: **un bisogno p. di lodi**, a pathological need of praise; **attaccamento p.**, morbid attachment; (*scherz.*) **caso p.**, nutcase.

patòlogo m. (f. **-a**) (*med.*) pathologist.

pàtos → **pathos**.

patòṣi f. (*med.*) pathosis.

Patràsso m. (*geogr.*) Patras ● (*scherz.*) **andare a P.**, (*morire*) to die; (*andare in rovina*) to go to the dogs (*fam.*), to go west (*fam.*) □ (*scherz.*) **mandare a P.**, (*uccidere*) to kill; (*rovinare*) to ruin, to wreck.

♦**pàtria** f. **1** (*native*) country; native land; homeland; fatherland; (*contrapposto a «estero»*) home: **p. d'elezione**, country of adoption; **difendere [tradire] la p.**, to defend [to betray] one's country; **riportare in p.**, to repatriate; **tornare in p.**, to return (*o* to go back) home; **in p. e all'estero**, at home and abroad; **per il re e per la p.**, for king and country; **amor di p.**, love of one's country (*o* native land, homeland); **i caduti per la p.**, those who fell for their country; **i senza p.**, displaced persons **2** (*luogo di nascita*) birthplace: *Pisa, p. di Galileo*, Pisa, Galileo's birthplace **3** (*fig.: luogo d'origine*) home; land: (*relig.*) **p. celeste**, heavenly home; *L'Australia è la p. dei canguri*, Australia is the home of kangaroos; **la Liguria, p. di navigatori**, Liguria, land of navigators.

patriàrca m. (*stor., Bibbia, fig.*) patriarch.

patriarcàle a. (*stor., Bibbia, fig.*) patriarchal: **aspetto p.**, patriarchal (*o* venerable) appearance; **famiglia p.**, patriarchal family; **società p.**, patriarchal society.

patriarcàto m. **1** (*organizzazione familiare o sociale*) patriarchy **2** (*eccles.*) patriarchate.

patricida, patricidio → **parricida, parricidio**.

patrigno m. stepfather ● **p. e matrigna**, step-parents.

patrilineàre a. (*etnol.*) patrilineal; patrilinear.

patrilinearità f. (*etnol.*) patrilineal descent.

patrilìneo → **patrilineare**.

patrilocàle a. (*etnol.*) patrilocal, virilocal.

patrilocalità f. (*etnol.*) patrilocality; virilocality.

patrimoniàle A a. patrimonial; property (attr.); (*rif. a patrimonio ereditario, anche*) estate (attr.): (*leg.*) **asse p.**, estate; **beni patrimoniali**, patrimony Ⓤ; property Ⓤ; assets; **danno p.**, property damage; **imposta p.**, property tax; **reato p.**, crime against property; **rendita p.**, unearned income; (*comm.*) **stato p.**, statement of assets and liabilities; balance sheet B f. (*leg.*) property tax.

patrimonializzàre v. t. (*econ.*) to increase a company's equity.

patrimonializzazióne f. (*econ.*) increase of a company's equity: **indice di p.**, (*capital*) gearing (*GB*); leverage (*USA*).

patrimònio m. **1** (*leg.*) property; estate; assets (pl.); chattels (pl.): **p. aziendale**, corporate assets; **p. ereditario**, estate; **p. immobiliare**, real estate; real property; (*di società*) property assets; (*leg.*) **p. in possesso**

assoluto, estate in fee; (*leg.*) **p. in possesso condizionato**, estate upon condition; **p. mobiliare**, personal estate (*o* property); **p. netto** (*di società*), equity; **p. pubblico**, public property; **ereditare un grosso p.**, to inherit a large estate; **imposta sul p.**, property tax **2** (*estens.: ricchezza*) wealth; (*fortuna*) fortune: (*fig.*) **costare un p.**, to cost a fortune; **sperperare un p.**, to squander a fortune **3** (*fig.*) heritage; patrimony: **p. artistico**, artistic heritage (*o* patrimony); **p. forestale**, forests (pl.); forestry **4** (*biol.*) – **p. genetico**, genetic inheritance **5** (*stor.*) patrimony: **il P. di S. Pietro**, the Patrimony of St Peter.

pàtrio a. **1** (*paterno*) paternal; parental: **patria potestà**, parental authority **2** (*della patria*) of one's country; native: **amor p.**, love of one's country; patriotism; **il suolo p.**, one's native soil; (*scherz.*) **i patrii lidi**, one's native country; one's native shores.

patriòta m. e f. **1** patriot **2** (*partigiano*) partisan; freedom fighter.

patriottàrdo (*spreg.*) A a. jingoistic B m. (f. **-a**) jingoist; flag-waver.

patriòttico a. patriotic: **discorso p.**, patriotic speech; **spirito p.**, patriotic spirit.

patriottismo m. patriotism; love of one's country.

patristica f. (*eccles.*) patristics (pl. col verbo al sing.); patrology.

patristico a. (*eccles.*) patristic.

Patrizia f. Patricia.

patriziàto m. **1** (*stor. romana*) patriciate **2** (*aristocrazia*) aristocracy; patricians (pl.); aristocrats (pl.).

patrizio A a. **1** (*stor. romana*) patrician **2** (*estens.*) patrician; noble; aristocratic B m. (f. **-a**) **1** (*stor. romana*) patrician **2** (*estens.*) patrician; noble; aristocrat.

Patrizio m. Patrick.

patrizzàre v. i. to take* after one's father.

patrocinànte A a. **1** (*leg.*) defending; pleading: **avvocato p.**, counsel for the defence; defence counsel **2** (*che sostiene*) supporting; sponsoring B m. **1** (*leg.*) counsel* for the defence; defence counsel*.

patrocinàre v. t. **1** (*leg.*) to defend (sb.); to plead (st.): **p. una causa**, to plead a cause; **p. una parte**, to defend a party **2** (*sostenere*) to support; to back; to sponsor: **p. una candidatura**, to support a candidature; **un'iniziativa patrocinata dalla Regione**, a project sponsored by the Regional Authority.

patrocinatóre m. (f. **-trìce**) **1** (*leg.*) (defence) counsel* **2** (*sostenitore*) supporter; sponsor; (*di una causa*) pleader **3** (*protettore*) patron; protector: **p. delle arti**, patron of the arts.

patrocìnio m. **1** (*leg.*) defence; legal representation: **gratuito p.**, legal aid **2** (*relig.*) patronage; protection **3** (*appoggio, sostegno*) support; sponsorship; backing; aegis; (*delle arti*) patronage: **una mostra sotto il p. della Provincia**, an exhibition under the aegis of the Province.

patroclino a. (*biol.*) patroclinous.

Pàtroclo m. (*letter.*) Patroclus.

patrologìa f. (*eccles.*) patrology; patristics (pl. col verbo al sing.).

patrològico a. (*eccles.*) patrology (attr.); patristic.

patròlogo m. (f. **-a**) patrologist.

patròna f. (*eccles.*) patron saint.

patronage (*franc.*) m. inv. (*econ.*) financial support ● **lettera di p.**, comfort letter.

patronàle a. patronal: **festa p.**, patronal festival.

patronàto m. **1** (*protezione, sostegno*) patronage; auspices (pl.): **sotto l'alto p. della Croce Rossa**, under the patronage of the Red Cross **2** (*ente di assistenza*) aid society;

a b c d e f g h i j k l m n o **p** q r s t u v w x y z

(*istituzione benefica*) charitable institution, benevolent fund: **p. dei carcerati**, prisoners' aid society; **p. scolastico**, pupils' benevolent fund **3** (*eccles.*) patronage: **diritto di p.**, patronate.

patronéssa f. patroness; benefactress.

patronimìa f. patronymic system.

patronìmico a. e m. patronymic.

patròno m. **1** (*leg.*) counsel*: **p. di parte civile**, counsel for the defence **2** (*stor.*) patron **3** (*eccles.*) patron saint: *Sant'Ambrogio è il p. di Milano*, St Ambrose is the patron saint of Milan; **festa del (santo) p.**, festival of the patron saint; patronal festival **4** (*di istituzione benefica*) patron; benefactor.

pàtta ① f. (*sartoria*) fly-front closing; (*dei pantaloni*) fly, flies (pl.); (*di tasca*) flap.

pàtta ② f. (*nel gioco*) draw: **fare p.**, to draw; to have a draw • (*fig.*) **essere pari e p.**, to be quits.

pàtta ③ f. (*naut.*) **1** fluke; palm **2** – **p. d'oca**, crowfoot.

pattàre v. i. (*pareggiare*) to draw*.

patteggiàbile a. open to negotiation (pred.).

patteggiaménto m. **1** negotiation (spesso al pl.); bargaining **2** (*leg.*) plea bargaining.

patteggiàre Ⓐ v. t. **1** to negotiate; to arrange the terms of: **p. un armistizio**, to negotiate an armistice; **p. la resa**, to arrange the terms of surrender **2** (*leg.*) – **p. la pena**, to plea-bargain Ⓑ v. i. **1** (*essere in trattative, trattare*) to negotiate; to enter into negotiations; to discuss terms; to bargain: **p. con il nemico**, to negotiate with the enemy; *Ambedue le parti erano disposte a p.*, both parties were willing to negotiate **2** (*scendere a patti*) to come* to terms; to compromise: **p. con la coscienza**, to compromise with one's conscience.

patteggiatóre m. (f. -*trice*) negotiator.

pattern (*ingl.*) m. inv. pattern.

pattina f. **1** (*sartoria*) → **patta** ① **2** (*soletta*) felt pad.

♦**pattinàggio** m. (*sport*) skating: **p. a rotelle**, roller-skating; **p. artistico**, figure-skating; (*su ghiaccio a coppie*) ice-dancing; **p. di velocità**, speed skating; **pista di p.**, skating rink.

pattinaménto m. (*mecc.*) skid.

♦**pattinàre** v. i. **1** (*sport*) to skate; (*su pattini a rotelle*) to roller-skate: **p. su ghiaccio**, to ice-skate **2** (*autom.*) to skid.

pattinatóio m. skating rink.

pattinatóre m. (f. -*trice*) (*sport*) skater: **p. a rotelle**, roller-skater; **p. su ghiaccio**, ice-skater.

♦**pàttino** ① m. **1** (*sport*) skate: **pattini a rotelle**, roller skates; **pattini da ghiaccio**, (ice) skates; **pattini in linea**, in-line skates; Rollerblades® **2** (*di slitta*) runner **3** (*aeron.*) runner; skid: **p. centrale**, central runner; **p. di coda**, tail skid **4** (*mecc.*) sliding block; link block; shoe: **p. di contatto**, guide shoe; sliding shoe.

pàttino ② m. (*naut.*) twin-hull pleasure boat.

pattizio a. (*leg.*) pact (attr.).

♦**pàtto** m. **1** (*accordo*) agreement; understanding; deal; (*spec. leg.*) pact, compact; (*leg., relig.*) covenant; (*tra nazioni*) treaty: **il P. Atlantico**, the North Atlantic Treaty; **p. di non aggressione**, non-aggression pact; (*econ.*) **p. parasociale**, shareholder agreement; **p. segreto**, secret deal; (*relig.*) **l'Antico [il Nuovo] P.**, the Old [the New] Covenant; **concludere** (*o* **stringere**) **un p.**, to make (*o* to come to, to reach, to seal) an agreement; *Facciamo un p.*, let's make an agreement; **mantenere** (*o* **rispettare**) **un p.**, to keep an agreement; **rompere un p.**, to break an agreement; **stare ai patti**, to stand by an agreement; to keep one's word; to keep a bargain **2** (collett., *l'insieme degli aderenti*) partners; adherents; signatories: **riunione del p.**, partners meeting **3** (*condizione*) condition; proviso; (al pl., anche) terms: *Non posso accettare questi patti*, I can't accept these terms; **scendere** (*o* **venire**) **a patti**, to come to terms; to compromise; **a p. che**, on condition that; on the understanding that; provided that; with the proviso that; **a nessun p.**, on no account; on no condition; **a qualsiasi p.**, at any cost **4** (*filos.*) contract: **il p. sociale**, the social contract • (*econ.*) **p. di sindacato**, shareholders' agreement □ (*fig.*) **fare patti col diavolo**, to sell one's soul to the devil □ (*prov.*) **Patti chiari, amici cari** (*o* **amicizia lunga**), short reckonings make long friends.

pattùglia f. (*mil., polizia*) patrol: (*aeron.*) **p. acrobatica**, acrobatic team; **p. aerea**, air patrol; **p. stradale**, road patrol; **essere di p.**, to be on patrol; **in servizio di p.**, on patrol duty.

pattugliaménto m. (*mil.*) patrol; patrolling.

pattugliànte Ⓐ a. patrolling; on patrol (pred.) Ⓑ m. patroller.

pattugliàre v. i. e t. (*mil.*) to patrol.

pattugliatóre m. (*mil.*) patrolman*; patroller.

pattuìre v. t. to agree; to agree on; to negotiate; to arrange; to fix: **p. un prezzo**, to agree (on) a price; **p. la resa**, to arrange the terms of surrender; **p. una vendita**, to negotiate a sale.

pattuìto Ⓐ a. agreed on (*o* upon); arranged; settled: **il prezzo p.**, the price agreed upon; terms (pl.) (of an agreement): **attenersi al p.**, to keep to terms; **pagare il p.**, to pay the agreed sum.

pattuizióne f. **1** negotiation **2** (*patto*) agreement; understanding.

pattùme m. **1** (*immondizia*) rubbish; trash; garbage (*USA*) **2** (*fango, melma*) mud; mire; sludge.

pattumièra f. rubbish bin (*GB*); dustbin (*GB*); garbage can (*USA*); trash can (*USA*).

patùrnie f. pl. (*pop.: depressione*) low spirits, (the) dumps (*fam.*), (the) blahs (*fam.* USA); (*cattivo umore*) bad mood (sing.), ratty mood (sing.) (*fam. GB*); (*broncio*) fit (sing.) of the sulks (*fam.*): **avere le p.**, to be (down) in the dumps; to be in a bad mood; to have a fit of the sulks.

paulònia f. (*bot.*, *Paulownia tormentosa*) paulownia.

pauperìsmo m. pauperism.

pauperìstico a. of pauperism.

pauperizzazióne f. (*econ.*) pauperization.

♦**paùra** f. **1** fear; dread; (*spavento*) fright; scare: **p. del buio**, fear of the dark; **p. della morte [di morire]**, fear of death [of dying]; **una p. sacrosanta**, the fear of God; **avere p. di**, to be afraid of; to fear; to be scared of; *Ho p. ogni volta che do un esame*, I'm nervous every time I sit for an exam; **far morire q. di p.**, to scare (*o* to frighten) sb. to death; to scare sb. out of his wits; to scare the living daylights out of sb. (*fam.*); to give sb. the fright of his life; **far** (*o* **mettere**) **p. a q.**, to frighten sb.; to scare sb.; *Mi hai fatto p.!*, you scared me!; you gave me a fright!; **morire di p.**, to die of fright; (*fig.*) to be frightened (*o* scared) to death; **prendersi una gran p.**, to get scared out of one's wits; **tremare di p.**, to tremble with fear; **vivere nella p. di...**, to live in dread of...; **vincere la p.**, to overcome one's fear; *Che p.!*, what a fright!; **per p. di [che]**, for fear of [that]; **senza p.**, fearless **2** (*preoccupazione*) fear; anxiety; worry: *Ho p. che non venga*, I'm afraid that she might not come; *Ho p. che lui abbia ragione*, I have an awful feeling he is right; *Ho p. di saperlo in volo con questo tempo*, it worries me sick to know he's flying in this weather; *Ti aiuterò io, non aver p.*, don't worry, I'll help you; *Niente p.!*, not to worry! • (*fig.*) **Ha p. della sua ombra**, he couldn't say boo to a goose □ **avere una p. del diavolo** (*o* **matta**), to be scared to death; to be in a blue funk (*fam., GB*) □ **Ho p. di sì**, I'm afraid so □ **brutto da fare p.**, as ugly as sin □ **un tempo da far p.**, dreadful weather □ **Per strada c'è una confusione che fa p.**, the streets are dreadfully crowded □ **Aveva una faccia da far p.**, she looked dreadful.

♦**pauróso** a. **1** (*che ha paura*) fearful; timid; (*codardo*) cowardly, faint-hearted **2** (*che mette paura*) frightful; fearful; dreadful: **aspetto p.**, frightful appearance; **un p. incidente**, a fearful accident; **immagini paurose**, dreadful images **3** (*fam.: straordinario*) tremendous; incredible: *Ha una memoria paurosa*, she has an incredible memory.

pàusa f. **1** (*interruzione*) pause; (*intervallo*) (short) interval, break; (*momento di tregua*) lull, respite, intermission, gap; (*sosta*) stop, rest: **una p. di riflessione**, a pause for reflection; **una p. di qualche minuto nel frastuono**, a few minutes' respite (*o* a gap of a few minutes) in the din; **p. caffè**, coffee break; **p. pranzo**, lunch break; *Ci fu una lunga p.*, there was a long pause; **fare una p.**, to make a pause; to pause; to have a break; **senza p.**, without a pause; without a break **2** (*mus.*) rest: **p. di semibreve**, semibreve (*USA* whole note) rest.

pavàna f. (*danza*) pavan.

pavé (*franc.*) m. inv. paved street; paved road; paved path.

paventàre (*lett.*) Ⓐ v. t. to fear; to dread Ⓑ v. i. **1** to be afraid; to be frightened **2** (*di animale: adombrarsi*) to shy.

pavesàre v. t. **1** (*naut.*) to dress (with flags): **p. una nave**, to dress a ship **2** (*adornare*) to decorate; to deck (out); to hang*.

pavesàta f. (*naut.*) **1** top armours (pl.) **2** (*gala di bandiere*) flag dressing; flags (pl.).

pavése ① Ⓐ a. of Pavia; from Pavia; Pavia (attr.) Ⓑ m. e f. native [inhabitant] of Pavia.

pavése ② m. **1** (*naut.: gala di bandiere*) flag dressing; flags (pl.): **gran p.**, full dressing; **alzare il gran p.**, to dress ship; **piccolo p.**, dressing with masthead flags **2** (*stor.: scudo*) pavise.

pavidità f. timidity; fearfulness; cowardliness.

pàvido Ⓐ a. timid; fearful; cowardly Ⓑ m. (f. -*a*) coward.

pavimentàle a. floor (attr.); pavement (attr.).

pavimentàre v. t. **1** (*una stanza*) to floor **2** (*una strada*) to pave.

pavimentatóre m. (f. -*trice*) floor layer.

pavimentazióne f. **1** (*di stanza*) flooring (→ **pavimento**): **p. a mosaico**, mosaic flooring; **p. a parquet**, parquet flooring; parquetry; **p. in cemento [in legno, in piastrelle]**, concrete [wood, tile] flooring; **materiale per p.**, flooring **2** (*di esterni*) paving: **p. a elementi**, block-paving; **p. continua**, sheet-paving; **lastra per p.**, flagstone; **materiale per p. stradale**, road metal; **pietra per p.**, paving stone **3** → **pavimento**.

pavimentista m. (*edil.*) flooring specialist; floor layer.

♦**paviménto** m. **1** floor: **p. a parquet**, parquet floor; **p. alla veneziana**, terrazzo paving; **p. di legno**, wooden floor; **p. di marmo**, marble floor; **p. di piastrelle**, tiled floor; **p. di pietra**, stone floor; **a piano p.**, at floor level; **fare un p.**, to lay a floor **2** (*geol.*) – **p. abissale**, ocean floor ❶**FALSI AMICI** • pavi-

mento *non si traduce con* pavement.

pavimentóso a. (*anat.*) pavement (attr.): **epitelio p.**, pavement epithelium.

pavloviàno a. (*psic.*) Pavlovian.

pavonàzzo → **paonazzo**.

pavoncèlla f. (*zool., Vanellus vanellus*) lapwing.

♦**pavóne** Ⓐ m. **1** (*zool., Pavo cristatus*) peacock: **femmina del p.**, peahen **2** (*fig.*) peacock: **fare il p.**, to strut; to show off; **vanitoso come un p.**, as vain as a peacock • **a coda di p.**, fan-tailed □ (*fig.*) **farsi bello con le penne del p.**, to dress in borrowed plumes Ⓑ a. inv. peacock (attr.): **blu p.**, peacock blue (sost.); peacock-blue (agg.).

pavoneggiàrsi v. i. pron. to strut; to show* off.

pavònia f. (*zool., Eudia pavonia*) emperor moth.

pay tv (*ingl.*) loc. f. inv. pay TV; pay television.

pazientàre v. i. to have patience; to be patient; to wait patiently.

♦**paziènte** Ⓐ a. **1** patient; forbearing: **essere p. con q.**, to be patient with sb.; **p. attesa**, patient waiting **2** (*scrupoloso*) scrupulous; assiduous; (*accurato*) painstaking, patient; **pazienti cure**, assiduous cares; **pazienti ricerche**, painstaking research Ⓑ m. e f. (*med.*) patient: **p. a pagamento**, private patient; **p. ambulatoriale**, out-patient.

pazienteménte avv. patiently; with patience.

♦**paziènza** f. **1** patience; endurance; forbearance: **armarsi di p.**, to arm oneself with patience; **avere p.**, to be patient; **avere (o portare) p. con q.**, to bear with sb.; **mettere alla prova la p. di q.**, to try sb.'s patience; **perdere la p.**, to lose (one's) patience; *Sto per perdere la p.*, I'm about to lose my patience; my patience is wearing thin; **far scappare la p. a q.**, to wear out sb.'s patience; to make sb. lose his temper; *Ci vuole p.*, it takes (a good deal of) patience; one must be patient; **con p.**, with patience; patiently **2** (*eccles.: abito*) scapular **3** (*eccles.: cordone*) cordon **4** (*naut.*) belaying-pin rack • **la p. di Giobbe**, the patience of Job • **P., verrai la prossima settimana**, never mind, you'll come next week □ **Fossi ricco, p.!**, were I rich, it wouldn't matter so much □ **Abbi p.!**, be patient!; (*scusami*) excuse me; (*sii gentile*) there's a good boy [girl] □ (*carte*) **gioco di p.**, game requiring patience □ **Santa p.!**, oh, for goodness' sake! □ **La p. ha un limite**, there's a limit to anyone's patience.

pazzaménte avv. **1** (*come un pazzo*) like a madman; madly; wildly: **agire p.**, to act like a madman **2** (*intensamente*) – **desiderare qc. p.**, to be dying for st.; **divertirsi p.**, to have the time of one's life; **innamorato p. di q.**, madly (*o* head over heels) in love with sb.

pazzerèllo Ⓐ a. **1** (*matto*) mad, crackbrained **;** (*strambo*) odd, peculiar, funny **2** (*mutevole, capriccioso*) changeable; capricious: **tempo p.**, changeable weather Ⓑ m. (f. **-a**) madcap; crackpot (*slang*); weirdo (*slang*).

pazzerellóne Ⓐ a. jolly; rollicking Ⓑ m. (f. **-a**) madcap.

pazzésco a. **1** (*da pazzo*) crazy; mad; daft (*fam.*): **idee pazzesche**, crazy ideas; **un progetto p.**, a crazy scheme; **guidare a velocità pazzesca**, to drive like a maniac **2** (*assurdo*) absurd; mad; senseless; freaky: **costi pazzeschi**, absurd costs **3** (*fam.: straordinario*) extraordinary; amazing; fantastic; (spec. come escl.) far out.

pazzìa f. **1** madness; insanity; lunacy: **un accesso di p.**, a fit of madness; **dare segni di p.**, to show signs of insanity; **portare q.**

alla p., to drive sb. mad (*o* to madness, to insanity) **2** (*cosa assurda, irragionevole*) madness Ⓤ; lunacy Ⓤ; folly Ⓤ; (*azione o idea insensata*) foolish thing (to do), crazy (*fam.* wacky) idea, crazy notion: *È una p. uscire con questa pioggia*, it's madness to go out in this rain; *Sarebbe una vera p. sposare quella donna*, it would be sheer folly to marry that woman; **una delle sue pazzie**, one of his crazy notions (*o* wacky ideas); **fare una p.**, to do something foolish; *Non fare pazzie!*, don't do anything foolish; *Non farai mica la p. di vendere?*, I hope you won't be foolish enough to sell; **fare delle pazzie per una donna**, to be crazy (*o, slang,* nuts) over (*o* about) a woman; **un ramo di p.** → **ramo**.

♦**pàzzo** Ⓐ a. **1** mad; insane; lunatic (attr.); crazy; demented: **p. da legare**, stark staring mad; as mad as a hatter; **p. di dolore**, mad with pain; demented with grief; **p. di gioia**, beside oneself with joy; **p. furioso**, raving mad; (a) complete nut case (*fam.*); **diventare p.**, to go mad; (*anche fig.*) **far diventare p. q.**, to drive sb. mad (*o* crazy, insane); *Tu devi essere p.*, you must be crazy (*o* mad) **2** (*bizzarro, strambo*) mad; crazy; foolish; weird; freaky (*fam.*); wacky (*fam.*): **idea pazza**, crazy idea (*o* notion); **tempo p.**, freaky weather **3** (*eccessivo*) wild; uncontrolled; reckless: **risate pazze**, helpless laughter; **spese pazze**, reckless spending; wild extravagance; **fare spese pazze**, to spend a fortune • **andare p. per qc.**, to be crazy about st. □ **essere p. di q.**, to love sb. madly; to be madly in love with sb. □ **innamorato p.**, madly (*o* head over heels) in love Ⓑ m. (f. **-a**) **1** madman* (f. madwoman*); lunatic: **urlare come un p.**, to shout like a madman; **ospedale dei pazzi**, mental hospital **2** (*fig.*) mad person; odd person; oddball (*fam.*); nut case (*fam.*); nutter (*fam. GB*); screwball (*fam. USA*): *Mio zio è sempre stato un po' p.*, my uncle has always been a bit of an oddball; *Che pazza a comportarsi così!*, how crazy of her to behave like that! • **Cose da pazzi!**, that's crazy!; it's sheer madness! □ **come un p.** (*moltissimo*), like mad; like crazy; like a fury: **correre come un p.**, to run like mad; **lavorare come un p.**, to work like fury.

pazzòide Ⓐ a. crazy; half-mad; daft (*fam.*) Ⓑ m. e f. madcap.

PC abbr. (**Piacenza**).

p.c. sigla **1** (*nei biglietti di visita*, **per congedo**) for leave-taking visit **2** (*nei biglietti di visita*, **per congratulazioni**) offering congratulations **3** (*nei biglietti di visita*, **per condoglianze**) offering sympathy **4** (**per conoscenza**) carbon copy (CC).

p.c.c. sigla (**per copia conforme**) (the above is) certified to be a true copy.

PCI sigla (*stor.*, **Partito comunista italiano**) Italian Communist Party.

PCUS sigla (*stor.*, **Partito comunista dell'unione sovietica**) Communist Party of the Soviet Union (CPSU).

PD abbr. (**Padova**) Padua.

PdCI sigla (*polit.*, **Partito dei comunisti italiani**) Italian Communist Party.

PDS sigla (*polit., stor.*, **Partito democratico della sinistra**) Democratic Party of the Left.

PE sigla **1** (**Parlamento europeo**) European Parliament **2** (**Pescara**).

peàna m. (*letter.*) paean.

pebrìna f. (*agric.*) pebrine.

pecàn m. (*bot., Carya pecan*) pecan (tree): **noce di p.**, pecan nut.

pècari m. (*zool., Tayassu tajacu*) collared peccary.

pècca f. **1** (*vizio, difetto*) defect; fault; failing; shortcoming: *Abbiamo tutti le nostre piccole pecche*, we all have our little fail-

ings; **amare q. nonostante le sue pecche**, to love sb. despite his faults **2** (*errore, imperfezione*) flaw; imperfection; blemish: **senza pecche**, flawless; faultless.

peccaminosità f. sinfulness.

peccaminóso a. sinful: **pensieri peccaminosi**, sinful thoughts.

peccàre v. i. **1** (*commettere un peccato*) to sin; to commit a sin; to be guilty (of st.): **p. contro Dio**, to sin against God; **p. contro la legge divina**, to transgress (*o* to break) the Divine Law; **p. di superbia**, to commit the sin of pride; **p. mortalmente**, to commit (a) mortal sin **2** (*commettere un errore*) to err; to be guilty (of st.): **p. di troppa generosità**, to err on the side of generosity **3** (*essere difettoso*) to be faulty; (*essere manchevole*) to be lacking (in st.), to lack (st.): **p. di modestia**, to be lacking in modesty **4** (*esagerare*) to exceed; to overdo* (st.).

♦**peccàto** m. **1** sin: **p. di gola [di superbia]**, sin of gluttony [of pride]; **p. mortale**, mortal sin; **il p. originale**, the original sin; **p. veniale**, venial sin; **i sette peccati capitali**, the seven deadly sins; **cadere nel p.**, to lapse (*o* to fall) into sin; **commettere [confessare, espiare] un p.**, to commit [to confess, to expiate] a sin; **pentirsi dei propri peccati**, to repent (of) one's sins; **rimettere i peccati**, to forgive sins; **vivere in p.**, to live in sin **2** (*errore*) error; fault: **peccati di gioventù**, youthful errors; errors of youth • **brutto come il p.**, as ugly as sin □ **È un p. che...**, it's a pity that... □ **Che p.!**, what a pity!; what a shame!; too bad! □ **Sarebbe un p. svegliarlo**, it would be a shame to wake him □ **Sarebbe un p. mortale se...**, it would be a great pity if... □ (*prov.*) **P. confessato è mezzo perdonato**, a fault confessed is half redressed □ (*Bibbia*) **Chi è senza p. scagli la prima pietra**, let him who is without sin cast the first stone.

♦**peccatóre** m. (f. **-trice**) sinner: **p. incallito**, hardened sinner.

peccatùccio m. venial sin; peccadillo.

pécchia f. (*zool., Apis mellifera*) honeybee; bee.

pecchiaiòlo m. (*zool., Pernis apivorus*) honey buzzard.

pecchióne m. (*zool.*) drone.

pèccia f. → **peccio**.

péccio m. (*bot.*) spruce.

péce f. pitch: **coprire con p.**, to cover with pitch; to pitch • **p. da calzolaio**, cobbler's wax □ **p. greca**, rosin; colophony □ **p. liquida**, tar □ **nero come la p.**, as black as coal; pitch-black.

pecétta f. **1** (*region.*) sticking plaster **2** (*fig.: rimedio*) patch: **mettere una p. a qc.**, to patch up st. **3** (*fam. fig.: impiastro*) bore; pain in the neck (*fam.*) **4** (*fotogr.*) black strip (hiding parts of the body or preventing identification).

pechblènda f. (*miner.*) pitchblende.

pechinése Ⓐ a. Beijing (attr.); Peking (attr.); Pekinese Ⓑ m. e f. native [inhabitant] of Beijing Ⓒ m. **1** (*ling.*) Pekinese **2** (*cane*) Pekinese; peke (*fam.*).

Pechìno f. (*geogr.*) Beijing; Peking.

pecióso a. **1** (*sporco di pece*) pitchy; smeared with pitch **2** (*simile a pece*) pitchy; like pitch.

♦**pècora** f. **1** (*zool., Ovis aries*) sheep*; (*la femmina*) ewe: **un gregge di pecore**, a flock of sheep; **chiudere le pecore nell'ovile**, to shut the sheep up in the sheepfold; **tosare le pecore**, to shear sheep; **carne di p.**, mutton; **pelle di p.**, sheepskin **2** (*fig.*) sheep*; (*vile*) coward • (*fig.*) **p. bianca**, privileged person □ (*fig.*) **p. nera**, black sheep □ (*fig.*) **contare le pecore**, to count sheep.

pecoràggine f. moral cowardice; sub-

missiveness.

pecoràia f. shepherdess.

pecoràio m. 1 shepherd 2 (*fig.*) uncouth fellow; yokel; oaf.

pecoràme m. (*anche fig.*) flock of sheep.

pecoréccio a. coarse; smutty.

pecorèlla f. 1 sheep; (*agnello*) lamb: **la p. smarrita**, the lost sheep 2 (al pl.) (*nuvolette*) fleecy clouds; mackerel clouds: **cielo a pecorelle**, fleecy (o mackerel) sky; (*prov.*) *Cielo a pecorelle, acqua a catinelle*, a mackerel sky is never long dry 3 (al pl.) (*naut.*) whitecaps; white horses.

pecorino A a. of sheep; sheep's; ovine: **formaggio p.**, sheep's milk cheese; pecorino; **pelle pecorina**, sheepskin B m. sheep's milk cheese; pecorino.

pecoróne m. 1 large sheep 2 (*fig.*) sheep*; coward.

pectàsi f. (*chim.*) pectase.

pècten m. inv. (*anat.*) pecten*.

pèctico a. (*chim.*) pectic: **acido p.**, pectic acid.

pectina f. (*chim.*) pectin.

peculàto m. (*leg.*) embezzlement (of public funds); misappropriation; peculation (*form.*): **commettere p.**, to embezzle (o to misappropriate) public funds; to peculate (*form.*); **chi commette p.**, embezzler; peculator (*form.*).

peculiàre a. 1 (*che è proprio*) peculiar (to) (pred.): **le qualità peculiari di una lingua**, the features peculiar to a language 2 (*singolare, caratteristico*) peculiar; distinctive; of one's own; idiosyncratic; unique (to): **un sapore p.**, a peculiar flavour; *Ha idee peculiari*, he has ideas of his own.

peculiarità f. peculiarity; distinctiveness; characteristic.

pecùlio m. 1 (*leg.*) peculium 2 (*scherz.*: *denaro*) money; (*risparmi*) savings (pl.), nest-egg (*fam.*).

pecùnia f. (*lett. o scherz.*) money.

pecuniàrio a. pecuniary; money (attr.); monetary: **pena pecuniaria**, fine; **questione pecuniaria**, money matter; **vantaggio p.**, pecuniary advantage.

pedàggio m. toll: **p. autostradale**, motorway toll; **pagare il p.**, to pay toll; (*autom.*) **autostrada a p.**, toll motorway (GB); tollway (USA); turnpike (USA); **ponte a p.**, toll bridge.

pedàgna f. (*naut.*) stretcher.

pedagogìa f. pedagogy; pedagogics (pl. col verbo al sing.); educational theory; education: **laurea in p.**, degree in education.

pedagògico a. pedagogic; of pedagogy; educational; teaching (attr.): **metodi pedagogici**, pedagogic (o teaching) methods; **teorie pedagogiche**, educational theories.

pedagogìsmo m. 1 excessive importance given to pedagogy 2 pedantry in applying a pedagocical method 3 pedagogic zeal; teacherly attitude.

pedagogìsta m. e f. pedagogist; educationalist.

pedagogizzàre v. i. (*spreg.*) to pose as a pedagogue.

pedagògo m. (f. *-a*) (*anche spreg.*) pedagogue.

pedàina f. (*vet.*) foot-rot.

pedalàbile a. (*di strada*) good for cycling on; (*di salita*) that can be climbed by bicycle.

pedalàre v. i. 1 to pedal; to cycle: **p. all'indietro**, to backpedal 2 (*fig. fam.*) to walk fast; to hurry ● (*fam.*) **Ehi, tu, pedala!** (*vattene*), you there, scram!

pedalàta f. 1 (*spinta sul pedale*) push thrust 2 (*modo di pedalare*) way of pedalling 3 (*giro in bicicletta*) bicycle ride: **farsi una bella p.**, to go for a good bicycle ride.

pedalatóre m. (f. *-trìce*) pedaller; cyclist.

◆**pedàle** m. 1 (*mecc.*) pedal; foot lever; treadle: (*autom.*) **p. dell'acceleratore**, accelerator pedal; gas pedal (USA); **p. di avviamento** (*di motocicletta*), kick-starter; **p. di bicicletta**, bicycle pedal; **p. di comando**, foot-control lever; (*autom.*) **p. del freno**, brake pedal; (*autom.*) **p. della frizione**, clutch pedal; **il p. d'una macchina da cucire**, the treadle of a sewing-machine; **avviare col p.**, to kick-start; **azionare un p.**, to pedal; to work a treadle; to treadle; **pigiare sui pedali**, to push down hard on the pedals; **automobilina a pedali**, pedal car; **freno a p.**, foot brake; **interruttore a p.**, foot switch; **macchina a p.**, treadle machine; **pattumiera a p.**, pedal bin; **pompa a p.**, foot pump 2 (*di strumento mus.*) pedal: **p. del forte**, sustaining pedal; **p. del piano**, soft pedal 3 (*mus.*) pedal (point) 4 (*di calzolaio*) (cobbler's) leather strap 5 (*bot.*) foot; stem.

pedaleggiàre v. i. (*mus.*) to pedal; to use the pedals.

pedalièra f. 1 (*autom.*) pedals (pl.) 2 (*di bicicletta*) pedals (pl.) and chain wheel 3 (*aeron.*) rudder pedals (pl.); rudder bar 4 (*mus., di organo*) pedalboard; (*di pianoforte*) pedals (pl.).

pedalina f. (*tipogr.*) platen press.

pedalino m. (*region.*) (man's) sock.

pedalò, pedalóne m. pedalo; pedal boat.

pedàna f. 1 footboard; (*di cattedra*) platform, dais 2 (*sport*: *salto*, *anche* **p. elastica**) springboard; (*ginnastica*) floor; (*lancio del disco, ecc.*, *anche* **p. di lancio**) (throwing) circle; (*scherma*) piste; (*baseball*) (pitcher's) plate: **p. di rincorsa** (*o di battuta*), approach 3 (*autom.*) running board; footboard 4 (*tappeto*) rug 5 (*sartoria*) tape.

pedàno m. (*falegn.*) gouge.

pedànte A a. pedantic; (*pignolo*) fussy, hair-splitting, pedantic B m. e f. pedant; (*pignolo*) hair-splitter, nitpicker: **fare il p.**, to be pedantic; to split hairs (*fam.*): *Non fare il p.!*, don't be pedantic!

pedanteggiàre v. i. to be pedantic.

pedanterìa f. 1 (*l'essere pedante*) pedantry; (*pignoleria*) fussiness, hair-splitting 2 (*minuzia da pedante*) petty detail; (*osservazione pedante*) pedantic remark; (al pl., anche) minutiae, hair-splitting ⊎.

pedantésco a. pedantic; hair-splitting (attr.): **metodo p.**, pedantic method; **osservazioni pedantesche**, pedantic (o hair-splitting) comments.

pedàta f. 1 (*impronta*) footprint; footmark 2 (*calcio*) kick: **aprire un uscio con una p.**, to kick a door open; **cacciar via a pedate**, to kick out; **dare una p. a q. [qc.]**, to kick sb. [st.]; **prendere a pedate**, to kick 3 (*rumore di passo*) footstep; footfall 4 (*archit.*) tread.

pedatóre m. (*iron.*) footballer.

pedatòrio a. (*iron.*) football (attr.).

pedecollìna f. (*geogr.*) hill-foot region.

pedecollinàre a. (*geogr.*) situated at the foot of a hill (o a range of hills); hill-foot (attr.).

pedemontàno a. piedmont: **ghiacciaio p.**, piedmont glacier.

pedemónte m. (*geogr.*) piedmont.

pederàsta m. paederast.

pederastìa f. paederasty.

pederàstico a. paederastic.

pedèstre a. 1 foot (attr.): **milizia p.**, foot infantry 2 (*fig.*) pedestrian; prosaic; dull; unimaginative; uninspired: **discorso p.**, dull speech; **stile p.**, pedestrian (o dull) style.

pedestreménte avv. in a pedestrian way; dully; unimaginatively.

pediàtra m. e f. paediatrician; paediatrist; children's doctor.

pediatrìa f. paediatrics (pl. col verbo al sing.).

pediàtrico a. paediatric; children's: **ospedale p.**, children's hospital.

pèdibus calcàntibus (*lat.*) loc. avv. (*scherz.*) on Shanks's pony (o mare).

pèdice m. (*scient.*) subscript.

pedicellària f. (*zool.*) pedicellaria*.

pedicellàto a. (*bot., zool.*) pedicellate.

pedicèllo ① m. (*bot., zool.*) pedicel; pedicle.

pedicèllo ② m. 1 → **pediculo** 2 (*region.*: *brufolo*) pimple; zit (USA).

pedicolàre a. (*med.*) pedicular; lousy ● (*med.*) **morbo p.**, pediculosis; phthiriasis.

pedìculo m. (*zool.*) louse*.

pediculòsi f. (*med.*) pediculosis; phthiriasis.

pedicùre A m. e f. inv. chiropodist; pedicurist; podiatrist (USA) B m. inv. (*trattamento*) pedicure: **fare il p. a**, to pedicure.

pedìdio a. (*anat.*) pedal.

pedièra f. foot* of the bed.

pedigree (*ingl.*) m. inv. pedigree.

pedilùvio m. footbath.

pedina f. 1 (*dama*) draught (GB), checker (USA), piece, man*; (*scacchi*) pawn: **mangiare [soffiare] una p.**, to take [to huff] a man; **muovere una p.**, to make a move; (*fig.*) to set wheels in motion 2 (*fig.*) pawn: **essere una p. nelle mani di q.**, to be a pawn in sb.'s hands; *È solo una p. del gioco*, he is only a pawn ● (*fig.*) **saper muovere le proprie pedine**, to know which strings to pull.

pedinaménto m. shadowing; tailing (*fam.*).

pedinàre A v. t. to shadow; to tail (*fam.*); (*seguire*) to follow: **essere pedinato dalla polizia**, to be shadowed (o tailed) by the police; *L'hanno fatto p.*, they had him shadowed; a tail was put on him; **p. una ragazza**, to follow a girl; **sentirsi pedinato**, to feel followed B v. i. (*di uccello*) to run*; to hop.

pedióne m. (*miner.*) pedion.

pedipàlpo m. (*zool.*) pedipalp.

pedissequaménte avv. slavishly; uncritically; blindly: **imitare p.**, to imitate slavishly; **ripetere p.**, to repeat parrot-fashion; to regurgitate; **seguire p.**, to follow blindly.

pedissèquo a. slavish; uncritical; unimaginative; blind: **imitatore p.**, slavish imitator; **traduzione pedissequa**, literal (o uninspired) translation.

pedivèlla f. (*mecc.*) pedal crank.

pèdo m. 1 shepherd's staff; shepherd's crook 2 (*eccles.*) pastoral staff; crosier.

pedocèntrico a. child-centred.

pedocentrìsmo m. child-centred education.

pedoclìma m. pedoclimate.

pedoclimàtico a. pedoclimatic.

pedofilìa f. paedophilia.

pedòfilo m. paedophile.

pedogamìa f. (*biol.*) paedogamy.

pedogènesi ① f. (*biol.*) paedogenesis.

pedogènesi ② f. (*geol.*) pedogenesis.

pedologìa ① f. (*psic.*) paedology; soil science.

pedologìa ② f. (*agric.*) pedology.

pedològico a. (*agric.*) pedological.

pedòlogo m. (f. *-a*) (*agric.*) pedologist.

pedòmetro m. (*mecc.*) pedometer.

pedonàle a. pedestrian (attr.): **passaggio p.**, pedestrian crossing; **strisce pedonali**, zebra crossing (sing.); **traffico p.**, pedestrian traffic; **zona** (*o isola*) **p.**, pedestrian precinct.

pedonalizzàre v. t. to pedestrianize.

pedonalizzazióne f. pedestrianization.

♦**pedóne** m. **1** (f. **-a**) pedestrian: **zona riservata ai pedoni**, pedestrian precinct; **riservare ai pedoni**, to pedestrianize **2** (*scacchi*) pawn.

pedùccio m. **1** (*cucina, di maiale*) trotter; (*d'agnello*) leg **2** (*archit.*) corbel.

pedùla, pèdula f. walking boot; (*per roccia*) climbing boot.

pedùle m. foot* (of a sock).

peduncolàre a. (*bot., zool., anat.*) peduncular.

peduncolàto a. (*bot., zool.*) pedunculate; pedunculated.

pedùncolo m. **1** (*bot.*) peduncle; pedicel **2** (*anat., zool.*) peduncle; pedicle; pedicel: **peduncoli cerebrali**, cerebral peduncles.

peeling (*ingl.*) m. inv. (*cosmesi*) skin-peeling treatment.

PEEP sigla (**Piano edilizia economica popolare**) council housing plan.

pegamòide® m. o f. leatherette.

pegasèo a. (*lett.*) Pegasean; of Pegasus.

pègaso m. (*zool., Pegasus volans*) sea-moth.

Pègaso m. (*mitol.*) Pegasus.

♦**pèggio** A avv. **1** (*compar.*) worse: **Sto p.**, I feel worse; *Il malato sta p.*, the patient is worse (*o* has taken a turn for the worse); **cambiare in p.**, to change for the worse; **andare di male in p.**, to go from bad to worse; *Non sarebbe potuta andare p.*, it couldn't have been any worse; *Lo tratta p. di una bestia*, she treats him worse than an animal; (*Tanto*) *p. per lui!*, so much the worse for him!; that's his bad luck! (*fam.*); **ancora p.**, worse still; even worse; **p. che mai**, worse than ever; **molto p.**, much worse; **sempre p.**, worse and worse **2** (*superl. relat.*) (the) worst: *Il candidato p. preparato era lui*, he was the worst-prepared candidate ● (*fam.*) **p. che andar di notte**, worse than ever □ (*fam.*) **p. di così si muore**, things couldn't be worse B a. inv. **1** (*compar.*) worse: *Tu sei p. di lui*, you are worse than he is; *Questo giornale è p. di quello*, this paper is worse than that one; *Ne ho visti di p.*, I've seen worse; *Hai mai visto niente di p.?*, have you seen anything worse?; *Sarebbe impossibile fare di p.*, it would be impossible to do worse **2** (superl. relat.) (the) worst: *Mi hai dato i p. libri che avevi*, you have given me the worst books you had C m. e f. inv. (the) worst; (*la cosa peggiore*) (the) worst (thing); (*la parte peggiore*) (the) worst part: **temere il p.**, to fear the worst; *Il p. è passato*, the worst is over; *Il p. doveva ancora venire*, worse was to follow; **il p. che possa capitare**, the worst thing that can happen; *Il p. di quella canzone è il ritornello*, the worst part of that song is the refrain; *Il p. è che...*, the worst thing is that... (*o* what's worst is...); **prepararsi per il (o al) p.**, to be prepared for the worst; **volgere al p.**, to go wrong; to take a turn for the worse; **avere la p.**, to come off worst; to get the worst of it ● **alla p.** (*nella peggiore delle ipotesi*), at (the) worst; if the worst comes to the worst: *Alla p. torneremo indietro*, at worst we'll come back □ **alla p.** (*in qualche modo*), anyhow; in a slipshod way; sloppily □ **alla meno p.**, as best one can; somehow: *L'ho aggiustato alla meno p.*, I fixed it as best as I could; **campare alla meno p.**, to keep going as best as one can; **cavarsela alla meno p.**, to muddle through; **preparare qc. alla meno p.**, to cobble st. together.

peggioraménto m. worsening; deterioration: **un p. delle condizioni sociali**, a worsening of social conditions; **il p. dei nostri rapporti**, the deterioration of our relationship; **avere un p.**, to become (*o* to grow, to get) worse; to take a turn for the worse; *Si prevede un p. del tempo*, weather conditions are expected to worsen.

peggioràre A v. t. to make* worse; to worsen; to aggravate: **p. la situazione**, to make things worse; *A p. le cose arrivò la pioggia*, to make matters worse it started to rain B v. i. to become* (*o* to grow*, to get*) worse; to worsen; to take* a turn for the worse; (*deteriorare*) to deteriorate: *Il malato peggiora ogni giorno*, the patient is getting worse every day; *La sua salute sta peggiorando*, his health is deteriorating; *Da ieri le cose sono peggiorate*, things have taken a turn for the worse since yesterday; **p. sempre più**, to get worse and worse C m. worsening; deterioration.

peggiorativo A a. **1** pejorative; damaging **2** (*gramm.*) pejorative: **suffisso p.**, pejorative suffix B m. (*gramm.*) pejorative. ❶ **NOTA:** *diminutive, pejorative, terms of endearment → diminutive.*

♦**peggióre** A a. **1** (compar.) worse: *È p. di suo padre*, he is worse than his father; *La situazione non potrebbe essere p.*, the situation couldn't be worse; *Non avremmo potuto trovare un tempo p.*, we couldn't have run into worse weather; *Ho conosciuto tempi peggiori*, I have known worse times; *Questo vino non è p. di quello*, this wine is no worse than that one; **p. del previsto**, worse than expected **2** (superl. relat.) (the) worst: **i peggiori cittadini**, the worst citizens; **fare qc. nel p. dei modi**, to do st. in the worst possible way; *È il p. alunno della classe*, he is the worst pupil in the class; *È il p. nemico di sé stesso*, he is his own worst enemy; **nel p. dei casi**, if the worst comes to the worst; at worst; **la cosa p. che tu possa fare**, the worst thing you can do; **di gran lunga il p.**, by far the worst B m. e f. (the) worst.

pegmatìte f. (*miner.*) pegmatite.

pégno m. **1** (*leg.*) pawn; lien; security: **dare qc. in p.**, to pawn st.; (*fig.*) **dare la propria parola in p.**, to pledge one's word; **prestare su p.**, to lend against security; **tenere qc. in p.**, to hold st. in pawn; **polizza di p.**, pawn ticket; **prestatore (di denaro) su p.**, pawner; pawnbroker; **prestito su p.**, loan upon pledge (*o* against security) **2** (*oggetto dato in p.*) pawn; pledge: **riscattare un p.**, to redeem a pledge **3** (*nei giochi*) forfeit: **il gioco dei pegni**, the game of forfeits **4** (*fig.: testimonianza*) token; pledge: **p. d'amore**, token of one's love; **come p. d'amicizia**, as a token (*o* pledge) of friendship.

pegnoràre → pignorare

pégola f. (*lett.*) pitch.

peignoir (*franc.*) m. inv. peignoir.

pelagianìsmo m. (*relig.*) Pelagianism.

pelagiàno a. e m. (*relig.*) Pelagian.

pelàgico a. pelagic; deep-sea (attr.): **piante pelagiche**, pelagic plants.

pèlago m. **1** (*lett.*) open sea; high sea **2** (*fig.*) sea; host; mass: **un p. di guai**, a sea of troubles.

pelàme m. hair; (*di animale a pelo raso*) coat; (*pelliccia*) fur.

pelandróne m. (f. **-a**) loafer; slacker; lay-about; (*pigrone*) lazybones (*fam.*), lazyboots (*fam.*).

pelandronite f. laziness; indolence.

pelapatàte m. inv. potato peeler.

♦**pelàre** A v. t. **1** (*togliere i peli*) to unhair; to strip the hair from; to remove the hair from **2** (*spennare*) to pluck: **p. una gallina**, to pluck a hen **3** (*spellare*) to skin; to peel; (*per sfregamento*) to graze: **p. un coniglio**, to skin a rabbit; *Mi sono pelato un ginocchio*, I've grazed my knee; *Il sole mi ha pelato il naso*, the sun made my nose peel **4** (*sbucciare*) to peel: **p. una patata**, to peel a potato **5** (*scherz.: rapare*) to crop (sb.'s) hair short; to shave (sb.'s) head: *Si è fatto p.*, he had his hair cropped short; he had his head shaved

6 (*di freddo*) to pierce; to bite*; to cut* to the bone: **un freddo che pela**, a biting cold **7** (*di caldo*) to scorch; to scald: **acqua che pela**, scalding water **8** (*fig.: far pagare troppo*) to make* (sb.) pay through the nose (*fam.*); to rip off (*fam.*); to fleece (*fam.*): *In quel negozio ti pelano*, they rip you off in that shop **9** (*fig.: ripulire al gioco*) to clean out: *L'hanno pelato al poker*, he's been cleaned out at poker B **pelàrsi** v. i. pron. **1** (*perdere i peli o i capelli*) to lose* one's hair; (*diventare calvo*) to go* bald **2** (*perdere la pelle*) to peel.

pelargònico a. – (*chim.*) **acido p.**, pelargonic acid.

pelargònio m. (*bot., Pelargonium*) pelargonium.

pelàsgico a. Pelasgian.

pelàta f. **1** (*lo spennare*) plucking; (*il pelare*) peeling; (*lo sbucciare*) peeling: **dare una p. alle patate**, to peel potatoes **2** (*rasatura dei capelli*) cropping of the hair; close crop: **dare una p. a q.**, to give sb. a close crop; to crop sb.'s hair short **3** (*scherz.: testa rasa*) cropped poll; (*testa calva*) bald head, bald pate (*fam.*); (*calvizie*) baldness; (*zona calva*) bald spot **4** (*fig.: il far pagare troppo*) rip-off (*fam.*); fleecing (*fam.*): **dare una p. a q.**, to rip sb. off.

pelàto A a. **1** (*senza buccia*) peeled **2** (*calvo*) bald; hairless: **avere la testa pelata**, to have a bald head; to be bald-headed (*o* bald-pated); (*fam.*) **zucca pelata**, bald head; bald pate (*fam.*) B m. **1** (*fam.: uomo calvo*) bald man*; baldhead; baldpate (*scherz.*) **2** (spec. al pl.) (*pomodoro pelato*) peeled tomatoes.

pelatrice f. (*mecc.*) peeling machine; peeler.

pelatùra f. **1** (*il togliere via i peli*) unhairing; removal of hair **2** (*lo spennare*) plucking **3** (*lo spellare*) skinning **4** (*lo sbucciare*) peeling.

pellàccia f. **1** tough skin; hide **2** (*fig.: persona resistente alle fatiche*) tough person; tough fellow m.) **3** (*spreg.: birbante*) scoundrel; (*mascalzone*) bad lot, nasty piece of work (*fam.*).

pellàgra f. (*med.*) pellagra.

pellagróso (*med.*) A a. pellagrous B m. (f. **-a**) pellagrin.

pellàio m. **1** (*venditore*) hide dealer; leather dealer **2** (*conciatore*) tanner.

pellàme m. hides (pl.); skins (pl.); peltry: **p. conciato** [**non conciato**], tanned [untanned, raw] hides; **commerciante in pellami vari**, dealer in hides and skins.

♦**pèlle** A f. **1** (*cute*) skin: **p. chiara**, fair skin; fair complexion; **p. grassa**, oily skin; **p. liscia**, smooth skin; **p. secca**, dry skin; (*anat.*) **prima** [**seconda**] **p.**, outer [true] skin; (*di serpente*) **cambiare p.**, to slough (*o* to shed) the skin; **irritazione della p.**, irritation of the skin; skin irritation; rash; **malattia della p.**, skin disease **2** (*buccia*) peel; skin; (*di salume*) skin, rind: **la p. della pesca**, the skin of a peach **3** (*cuoio*) (dressed) hide; leather; (nei composti) skin; (*di animale da pelliccia*) pelt: **p. conciata** [**greggia**], dressed [raw] hide; **p. di cavallo**, horse hide; **p. di capretto**, kid (leather); **p. di daino** (*o di camoscio*), buckskin; deerskin; (*panno per lucidare*) chamois (*o* shammy) leather; **p. di foca**, sealskin; **p. di pecora**, sheepskin; **p. di serpente**, snakeskin; **p. di vacca**, cowhide; **p. di vitello**, calfskin; **p. scamosciata**, buff; **p. verde**, green hide; raw skin; **finta p.**, imitation leather; **conciare pelli**, to tan hides; **lavorare le pelli**, to dress hides; **rilegato in p.**, bound in leather; leather-bound; **articoli in p.**, leather goods; **concia della p.**, tanning; **giacca di p.**, leather jacket; **guanti di p. di cinghiale**, pigskin gloves; **scarpe di p. lucida**, patent

leather shoes **4** (*pellicola*) skin: *Il latte ha fatto la p.*, there's a skin over the milk **5** (*fig. fam.*) life; skin; hide (*fam.*): *Ne va della tua p.*, your life's at stake; *Ci giocherei la p.*, I'd stake my life on it; **lasciarci** (*o rimetterci*) **la p.**, to lose one's life; **rischiare la p.**, to risk one's skin; **salvare** (*o portare a casa*) **la p.**, to save one's skin; to save one's bacon (*fam.*); **temere per la propria p.**, to fear for one's life; **vendere cara la propria p.**, to sell one's life dearly ● **p. d'oca**, gooseflesh (*GB*); goose pimples (pl.) (*GB*); goose bumps (pl.) (*USA*): **avere la p. d'oca**, to be covered in gooseflesh (*o* goose pimples, goose bumps); (*per il ribrezzo o la paura*) to have the creeps; **far venire la p. d'oca a q.**, (*per freddo o paura*) to make sb. come out in goose pimples, to give sb. gooseflesh (*o* goose pimples, goose bumps); (*per ribrezzo o paura*) to make sb.'s flesh creep, to give sb. the creeps □ (*ind. tess.*) **p. d'uovo**, fine muslin □ **a fior di p.**, skin-deep; superficial □ **amici per la p.**, bosom friends; great pals (*fam.*) □ (*fig.*) **avere la p. dura**, to be as tough as nails □ (*fig. fam.*) **fare la p. a q.**, to do sb. in; to bump sb. off □ **essere p. e ossa**, to be skin and bones; to be skinny; to be scrawny □ (*fig.*) **levare la p. a q.**, to flay sb. alive □ **ridursi p. e ossa**, to wear oneself out □ **non stare più nella p. dalla gioia**, to be beside oneself with joy □ (*prov.*) **Non vendere la p. dell'orso prima di averlo preso**, don't count your chickens before they're hatched **B** a. inv. – (*elettr.*) **effetto p.**, skin effect.

pellegrina f. **1** → **pellegrino, B 2** (*mantellina*) pelerine; tippet.

pellegrinàggio m. **1** (*relig. ed estens.*) pilgrimage: **andare in** (*o* **fare un**) **p.**, to go on a pilgrimage; **luogo di p.**, place of pilgrimage **2** (*fig.: corteo, processione*) procession **3** (*insieme di pellegrini*) group of pilgrims; pilgrims (pl.).

pellegrinàre v. i. **1** → **peregrinare 1** (*lett.: andare in pellegrinaggio*) to go* on a pilgrimage.

pellegrino A a. **1** (*ramingo*) wandering; roaming; vagrant **2** (*lett.: straniero*) foreign; outlandish; strange **3** (*strano*) → **peregrino** ● (*zool.*) **falco p.**, peregrine (falcon) **B** m. (f. *-a*) **1** pilgrim: (*stor.*) **i Padri Pellegrini**, the Pilgrim Fathers; **andare p.**, to go as a pilgrim; to go on a pilgrimage; **il bastone del p.**, the pilgrim's staff **2** (*lett.: viandante*) wayfarer.

pelleróssa m. e f. American Indian; Native American; Red Indian, redskin (*entrambi ora considerati offensivi*).

pellet (*ingl.*) m. inv. (*ind.*) pellet.

pellétta f. (*ind. alimentare*) rennet.

pelletteria f. **1** (*attività*) leather production; leather trade; leather industry **2** (*prodotti*) (fancy) leather goods (pl.); (*di abbigliamento*) leatherwear **3** (*negozio*) leather goods shop.

pellettière m. (f. *-a*) **1** (*produttore*) leather goods manufacturer **2** (*commerciante*) dealer in leather goods.

pellettizzàre v. t. (*tecn.*) to pelletize.

pellettizzazióne f. (*tecn.*) pelletization.

pellicàno m. **1** (*zool.*, *Pelecanus onocrotalus*) pelican **2** (*med.*) tooth-root elevator.

pelliccerìa f. **1** (*negozio*) furrier's (shop) **2** (*pellicce*) furs (pl.) **3** (*attività, commercio*) fur trade.

pellìccia f. **1** (*pelle di animale vivo*) fur, coat; (*pelle conciata*) fur, pelt: **la p. del castoro**, a beaver's fur; **una p. di castoro**, a beaver fur; **p. di coniglio**, rabbit fur; **p. di ermellino**, ermine; **p. di visone**, mink (fur); **p. ecologica**, fake fur; **foderare di p.**, to line with fur; **foderato di p.**, fur-lined; **animali da p.**, fur-bearing animals; **cappello di p.**,

fur hat; **il commercio delle pellicce**, the fur trade; **guarnizione di p.**, fur trimmings (pl.) **2** (*indumento*) fur coat: **una p. di visone**, a mink coat.

pelliccìaio m. (f. *-a*) **1** (*chi lavora pellicce*) furrier; fur dresser **2** (*chi vende pellicce*) furrier; fur trader; dealer in furs.

pelliccìàme m. furs (pl.).

pelliccìòtto m. fur jacket.

pellicìna f. (*pop.: cuticola*) cuticle; hangnail.

pellìcola f. **1** (*membrana*) film, pellicle, skin; (*squama*) cuticle: **p. superficiale**, (surface) film; **p. trasparente** (*per alimenti*), clingfilm (*GB*); plastic wrap (*USA*); **coprire** (*o* **coprirsi**) **d'una p.**, to film; to film over **2** (*fotogr., cinem.*) film: **p. a passo ridotto**, reduced gauge film; substandard film; **p. impressionata** [**non impressionata**], exposed [unexposed] film; **p. in rullini**, roll film; **p. ininfiammabile**, safety film; **p. invertibile**, reversible film; **p. sonora**, sound film; sound motion picture; **p. vergine**, unexposed film; film stock; **sviluppare una p.**, to develop a film **3** (*cinem.*; *anche* **p. cinematografica**) film; motion (*o* moving) picture; movie (*fam. USA*).

pellicolàre a. pellicular; skin (attr.): (*elettr.*) **effetto p.**, skin effect.

pelliróssa → **pellerossa**.

pellucidità f. pellucidity; pellucidness.

pellùcido a. pellucid; translucent: (*astron.*) **zona pellucida**, pellucid zone.

pélo m. **1** hair; (al pl., collett.) hair Ⓤ: **un p. sulla manica**, a hair on one's sleeve; **p. ispido**, bristle; **due peli**, two hairs; **peli del viso**, facial hair Ⓤ; **peli superflui**, unwanted hair Ⓤ; *Il divano è pieno di peli del cane*, the sofa is covered with dog's hairs **2** (*pelame*) hair; (*corto*) coat; (*pelliccia*) fur; (*vello*) fleece: **il p. di un cane**, a dog's hair; **il p. di un cavallo**, a horse's coat; **a p. corto** (*o* **raso**), short-haired; **a p. lungo**, long-haired; **di p. rosso**, red-haired; **foderato di p.**, fur-lined; **collo di p.**, fur collar **3** (*setola*) bristle **4** (*bot.*) hair; (*peluria*) down: **p. radicale**, root hair **5** (*di tessuto, ecc.*) pile; nap: **un tappeto dal p. folto**, a deep-pile rug; **spazzolare nel senso del p.**, to brush with the nap **6** (*superficie*) surface: **il p. dell'acqua**, the surface of the water; the water's surface; **a p. d'acqua**, on the water's surface; **volare a p. d'acqua**, to skim the water **7** (*crepa*) fissure; crack **8** (*minima frazione*) hair's breadth; hair; inch: **arrivare** [**essere**] **a un p. da**, to come [to be] within an inch of; *C'è mancato un p.!*, that was close!; *Ci mancò un p. che non gli dessi uno schiaffo*, I was within a hair's breadth of slapping him; *C'è mancato un p. che non cadessi*, I was inches from falling (off, down, etc.); **cavarsela per un p.**, to have a narrow squeak (*o* a close shave); to come through by the skin of one's teeth; **mancare q. per un p.**, to miss sb. by an inch; *Lo salvarono per un p.*, they just managed to save him; **scamparla per un p.**, to escape death by a hair's breadth ● (*fig. fam.*) **pel di carota**, carrot-top □ (*fig.*) **avere il p. sullo stomaco**, (*non avere scrupoli*) to be callous (*o* hard-bitten); (*essere spietato*) to be ruthless □ **cavalcare a p.**, to ride bareback □ (*fig.*) **cercare il p. nell'uovo**, to split hairs; to be nitpicking □ **contro p.** → **contropelo** □ (*fig.*) **di primo p.**, inexperienced; callow: **un ragazzo di primo p.**, a callow youth; **non essere di primo p.**, to be no spring chicken (*fam.*) □ (*fig.*) **fare il p. e il contropelo a q.**, to flay sb.; to give sb. the rough edge of one's tongue (*fam.*) □ **levare il p. a q.**, (*picchiarlo*) to tan sb.'s hide; (*sgridarlo*) to flay sb.; to give sb. the rough edge of one's tongue □ (*fig.*) **lisciare il p. a q.**, (*adulare*) to soft-soap sb.; to fawn upon sb.; (*picchiare*) to give sb. a thrashing □ (*fig.*) **non**

avere peli sulla lingua, to be outspoken; to say things straight out □ (*fig.*) **senza peli sulla lingua**, outspoken (agg.); straight out (avv.).

pelòbate m. (*zool.*, *Pelobates fuscus*) spadefoot (toad).

peloponnesìaco a. e m. Peloponnesian.

Peloponnèso m. (*geogr.*) Peloponnese.

pelosèlla f. (*bot.*) **1** (*Arabis thaliana*) mouse-ear cress **2** (*Draba verna*) whitlow grass **3** (*Hieracium pilosella*) mouse-ear hawkweed.

pelosità f. hairiness; hirsuteness; shagginess.

pelóso a. **1** (*irsuto*) hairy; hirsute; shaggy: **gambe pelose**, hairy legs **2** (*di tessuto, ecc.*) with a nap; fleecy.

pelòta f. (*sport*) pelota; jai alai.

pelotàro m. (*sport*) pelota player.

pèlta f. (*stor.*) pelta*.

peltàsta, **peltàste** m. (*stor.*) peltast.

peltàto a. (*bot.*) peltate.

péltro m. pewter.

peluche (*franc.*) f. (*tessuto*) plush ● **giocattoli di p.**, soft toys □ **orso di p.**, teddybear.

pelùria f. **1** (*lieve villosità*) down: **guance coperte di p.**, cheeks covered with down; down-covered (*o* downy) cheeks **2** (*zool.*) down; undercoat; underfur **3** (*bot.*) down **4** (*di stoffa*) nap **5** (*lanugine*) fluff.

pèlvi f. (*anat.*) pelvis*: **p. renale**, renal pelvis.

pèlvico a. (*anat.*) pelvic: **cingolo p.**, pelvic arch (*o* girdle); **pavimento p.**, pelvic floor.

pelvimetrìa f. (*med.*) pelvimetry.

pèmfigo m. (*med.*) pemphigus.

pemmican m. inv. pemmican.

PEN sigla (**Piano energetico nazionale**) national energy plan.

péna f. **1** (*leg.*) sentence; punishment; penalty; (*sanzione*) sanction: **p. capitale**, capital punishment; **p. detentiva**, term of imprisonment; **p. di morte**, capital punishment; death penalty; **p. pecuniaria**, fine; *Gli fu inflitta una p. lieve*, he was given a light sentence: *Sta scontando una p. di sette anni*, she is serving a seven-year sentence; **casa di p.**, penal institution; prison; penitentiary; **il minimo** [**il massimo**] **della p.**, the minimum [maximum] penalty **2** (*relig.: punizione*) punishment; (*tormento*) torment: **le pene dell'inferno**, Hell's torments; **far passare a q. le pene dell'inferno**, to give sb. hell; (*fig.*) **soffrire le pene dell'inferno**, to suffer the pains (*o* torments) of hell; **un'anima in p.**, a soul in torment; (*fig.*) restless person **3** (*punizione*) punishment; penalty: **p. corporale**, corporal punishment; **sotto p. di morte**, on (*o* under) pain (*o* penalty) of death; **p. il disonore**, on pain of disgrace **4** (*dolore, patimento*) pain, suffering, pang; (*afflizione*) grief, sorrow, affliction: **le pene dell'amore**, the pangs of love; *Mi raccontò tutte le sue pene*, he told me of all his afflictions; *Le sue pene sono terminate*, his sufferings are over; *È una p. vedere i suoi sforzi*, it's painful to see his efforts; *È una p. sentirla cantare*, it's agony to hear her sing; **dare p. a**, to grieve; to afflict; **essere** (*o* **stare**) **in p. per q.**, to be worried (*o* to worry) about sb. **5** (*compassione*) pity; distress: **sentire p. per q.**, to feel pity for sb.; *Mi fa p.*, I feel sorry for him; (*iron.*) *Fai proprio pena*, you are pathetic **6** (*fatica, disturbo*) trouble; bother: **darsi** (*o* **prendersi**) **la p. di fare qc.**, to take the trouble to do st.; (al neg., anche) to bother to do st.; *Non si è neanche dato la p. di avvertire*, he didn't even bother to inform us; **darsi una gran p. per qc.**, to go to great pains to do st.; **valere la p.**, to be worth the effort (*o* the bother); to be worth it; *Non vale la p. di leggere questo libro*, this

book isn't worth reading; **un film che vale la p. vedere**, a film worth seeing ● **a mala p. = a malapena** → **malapena**.

penàle Ⓐ a. (leg.) criminal; penal: **azione p.**, criminal proceedings (pl.); **clausola p.**, penalty clause; **codice p.**, criminal code; **colonia p.**, penal colony; **diritto p.**, criminal law; **leggi penali**, penal laws; **processo p.**, criminal trial; **riforma p.**, penal reform Ⓑ f. (clausola p.) penalty clause; (somma) penalty: **essere passibile d'una p.**, to be liable to a penalty; **pagare una p.**, to pay a penalty.

penalìsta m. e f. (leg.) **1** (esperto di diritto penale) expert on criminal law **2** (avvocato) criminal lawyer.

penalìstico a. (leg.) criminal law (attr.); criminal (attr.); penal (attr.).

penalità f. **1** (leg.) penalty **2** (sport) penalty; (equit.) fault.

penalizzànte a. penalizing; damaging; handicapping.

penalizzàre v. t. **1** (sport) to penalize **2** (fig.: danneggiare) to penalize; to damage, to handicap; to disadvantage; (colpire) to hit*.

penalizzazióne f. (sport) penalization.

penàre v. i. **1** (soffrire) to suffer: **p. in esilio**, to suffer in exile; **far p. q.**, to make sb. suffer; Ha finito di p., his sufferings are over **2** (faticare) to have a lot of trouble (doing st.); to struggle; to be hardly able (to do st.): Ho penato a trovarli, I had (a lot of) trouble finding them; Ho penato ad aprire la porta, I had to struggle to open the door; **far p. q.**, to give sb. a lot of trouble; Hanno risolto tutto senza troppo p., they managed to solve everything without too much trouble.

penàti m. pl. **1** (mitol. romana) penates; household gods **2** (fig.) (one's) home (sing.).

pènchant (franc.) m. inv. penchant; inclination; tendency; (strong) liking.

pencolaménto m. **1** swaying; wobbling; (barcollamento) tottering, staggering, lurching **2** (fig.) vacillation; wavering; shilly-shallying (fam.).

pencolànte a. **1** swaying; wobbly; tottering; (barcollante) tottering, staggering, lurching **2** (fig.) vacillating; wavering; shilly-shallying (fam.).

pencolàre v. i. **1** (oscillare) to sway, to wobble; (barcollare) to totter, to stagger, to lurch: **p. come un ubriaco**, to stagger like a drunken man **2** (fig.: esitare) to vacillate; to waver; to shilly-shally (fam.).

pencolìo m. swaying; wobbling.

pendàglio m. **1** (ciondolo) pendant **2** (di sciabola) frog; hanger ● (fig.) **p. da forca**, bad lot; out-and-out villain; gallows bird.

pendant (franc.) m. inv. (riscontro) match; companion; (abbinamento) pendant: Questa specchiera è il p. di quella, this mirror is a pendant to (o the companion of) that one; **fare (da) p.**, (abbinarsi) to match (st.); (corrispondere) to correspond (to); La cintura fa da p. con la borsetta, the belt matches the handbag.

pendènte Ⓐ a. **1** (che pende, pendulo) hanging; dangling; pendent; pendulous: **fili elettrici pendenti**, dangling electric wires **2** (inclinato) leaning; sloping; slanting: **tetto p.**, slanting (o sloping) roof; **torre p.**, leaning tower **3** (non concluso) outstanding, pending; (non pagato) outstanding, owed, owing, due: (leg.) **carichi pendenti**, pending suits; charges pending; (leg.); **causa p.**, pending suit; (leg.) **avere una causa p.**, to have a suit pending; **conto p.**, outstanding account; **credito p.**, outstanding credit; **questioni pendenti**, outstanding matters; outstanding business Ⓑ m. **1** (orecchino) drop earring **2** (ciondolo) pendant.

pendènza f. **1** (inclinazione) inclination,

slant, pitch; (pendio) slope, incline; (geol.) dip: **la p. di una strada**, the slope of a road; **la p. di un terreno**, the inclination of a terrain; **una lieve [forte] p.**, a slight [steep] slope (o incline); **p. longitudinale**, longitudinal slope; Questa torre ha una forte p. a destra, this tower has a steep right slant; **essere in p.**, to slope; **strada in p.**, steep road; **tetto in p.**, sloping (o slanting) roof **2** (grado d'inclinazione) incline; gradient; grade (USA): **una p. del venti per cento**, a gradient of one in five; a twenty per cent incline; (ferr.) **p. limite**, maximum gradient; (ferr.) **p. massima**, ruling gradient **3** (mat.) slope **4** (leg.) pending suit **5** (comm.: conto aperto) outstanding account; (debito) outstanding debt; (faccenda aperta) outstanding matter, unfinished business: Sistemerò tutte quelle pendenze, I shall settle all those outstanding matters **6** (fig.) score: **avere vecchie pendenze con q.**, to have old scores to settle with sb.

pèndere v. i. **1** (essere appeso, anche fig.) to hang*; to dangle: Dalla finestra pendeva una fune, a rope was hanging from the window; Un mazzo di chiavi le pendeva dalla cintura, a bunch of keys dangled from her belt; Una spada gli pendeva al fianco, a sword hung from his side; **frutta che pende dai rami**, fruit hanging from the branches; Tutti pendevano dalle sue labbra, everyone hung upon his lips **2** (essere inclinato) to lean*; to incline; to be leaning; (essere declive) to slope, to slant: **p. da un lato**, to lean to one side; (fig.) La bilancia pende in tuo favore, the scales tip in your favour; Il pavimento pende un po' a destra, the floor slants down slightly to the right **3** (fig.: incombere) to hang* (over); to impend (over); to threaten (st.): Sul suo capo pende una grave accusa, a serious charge hangs over his head; Una taglia pende sul suo capo, a reward is offered for his capture **4** (fig.: essere in attesa di decisione) to be pending: **una causa che pende in Corte d'Appello**, a suit that is pending in the Court of Appeal (o Appeals) **5** (fig.: essere indeciso) to hesitate; to waver: **p. tra il sì e il no**, to be wavering between yes and no **6** (fig.: propendere) to be inclined; to lean: **p. dalla parte di**, to lean towards; **p. per il sì**, to be inclined to say yes (o to agree).

pendìce f. slope; side: **le pendici di un monte**, the slopes of a mountain; Il villaggio è sulle pendici di un colle, the village is on a hillside.

pendìno m. **1** (elettr.) suspension wire; hanger **2** (mecc.) hanger **3** (edil.) protruding tie rod.

◆**pendìo** m. **1** (pendenza) slope; slant; inclination; declivity: **essere in p.**, to slope; **in p.**, sloping (agg.); slopingly (avv.) **2** (luogo in pendenza) slope; declivity; incline; (di valle) side; (di collina) hillside: **un lieve [ripido] p.**, a slight [steep] slope; **p. montano**, mountain slope.

pèndola f. grandfather clock; long-case clock; pendulum clock.

pendolàre① v. i. to swing*; to dangle; to oscillate.

pendolàre② Ⓐ a. **1** pendular; pendulum (attr.): **moto p.**, pendular movement; swing **2** (commuting) **lavoratore p.**, commuting worker Ⓑ m. e f. commuter: **fare il p.** (o **essere un p.**), to commute; Faccio il p. tra Milano e Bologna, I commute between Milan and Bologna; **treno per pendolari**, commuter train.

pendolarìsmo m. **1** (fig.: atteggiamento oscillante) wavering **2** (di viaggiatore) commuting.

pendolarità f. condition of being a commuter; commuting.

pendolinìsta m. e f. diviner using a pen-

dulum; dowser using a pendulum.

pendolìno① m. (da rabdomante) diviner's pendulum.

pendolìno②, **Pendolino**® m. (ferr.) tilting train.

pendolìno③ m. (zool., Anthoscopus pendulinus) penduline tit.

◆**pèndolo** m. **1** (fis.) pendulum: **p. composto** (o **fisico**), compound (o physical) pendulum; **p. di Foucault**, Foucault's pendulum; **p. di torsione**, torsional pendulum; **p. semplice** (o **matematico**), simple (o mathematical) pendulum; **p. sferico**, spherical pendulum; **oscillazioni del p.**, oscillations of a pendulum; **orologio a p.**, pendulum clock **2** (orologio) pendulum clock **3** (filo a piombo) plumb rule; plumb line; (il peso) bob **4** (alpinismo) pendulum.

pendóne m. (ornamental) fringe; hanging (generalm. al pl.).

pèndulo a. (lett.) pendulous; pendent; hanging.

pène m. (anat.) penis*.

penèlope f. (zool., Anas penelope) widgeon.

Penèlope f. Penelope ● **la tela di P.**, Penelope's weaving; (fig.) a never-ending job.

penepiàno m. (geol.) peneplain.

pènero m. (ind. tess.) fringe.

penetràbile a. penetrable.

penetrabilità f. penetrability.

penetràle m. (spec. al pl.) **1** (archeol.) penetralia (pl.) **2** (fig.) recess; innermost part; depths (pl.): **i penetrali dell'anima**, the innermost recesses of one's soul.

penetraménto m. penetration; penetrating.

penetrànte a. **1** (che penetra, entra) penetrating **2** (profondo) deep: **ferita p.**, deep wound **3** (di suono) penetrating, piercing, shrill; (di sguardo, ecc.) penetrating, piercing, sharp; (di odore) penetrating, pungent; (di vento, ecc.) biting, penetrating: **fischio p.**, penetrating (o shrill) whistle; **freddo p.**, biting cold; **occhi penetranti**, piercing eyes; **occhiata p.**, penetrating (o piercing) look; **voce p.**, shrill voice **4** (fig.: perspicace, acuto) penetrating; sharp; perceptive; insightful: **osservazione p.**, penetrating remark.

penetrànza f. **1** (fis.) penetrative capacity **2** (biol.) penetrance.

◆**penetràre** Ⓐ v. i. **1** (riuscire a entrare) to penetrate (st., into st.), to enter (st.); (perforare) to pierce (st.); (filtrare) to filter through, (di liquido) to seep through: **p. nell'interno d'una foresta**, to penetrate the depths of a forest; **p. in un labirinto**, to penetrate into a maze; La lama gli penetrò nel petto, the blade penetrated his chest; La luce penetrava attraverso le persiane, the light filtered through the shutters; **un freddo che penetra nelle ossa**, cold that gets into your bones **2** (introdursi furtivamente) to get* in; to steal* in; to creep in: I ladri sono penetrati dal retro, the burglars got in through the back door Ⓑ v. t. **1** (trapassare) to penetrate; to pass through; to pierce; (di liquido) to seep through, to filter through: La luce penetra i corpi diafani, light penetrates (o passes through) diaphanous bodies; **p. qc. da parte a parte**, to pierce st. through; Un urlo penetrò il silenzio, a scream pierced the silence **2** (fig.: arrivare a capire) to penetrate; to fathom; to grasp: **p. un mistero**, to penetrate a mystery; to get to the heart of a mystery; **p. il significato di qc.**, to grasp the meaning of st.

penetrativo a. penetrative; penetrating.

penetrazióne f. **1** penetration: **p. del metallo**, metal penetration; **p. nel mercato**, market penetration; **p. pacifica**, peaceful penetration **2** (anche **p. sessuale**) penetration **3** (fig.: acume) penetration; acuteness;

discernment; insight.

pènfigo → **pemfigo**.

penicillìna f. (*farm.*) penicillin.

penicillìnico a. (*farm.*) penicillin (attr.).

penicìllio m. (*biol.*) penicillium*.

penicìllo m. (*biol.*) penicillus*.

pènico a. penis (attr.); penile: (*etnol.*) **astùccio p.**, penis sheath.

penièno a. (*anat.*) penial; penile.

peninsulàre a. (*geogr.*) peninsular ● **l'I-talia p.**, mainland Italy.

penìsola f. (*geogr.*) peninsula.

penitènte A a. repentant; penitent; contrite: **peccatore p.**, repentant sinner B m. e f. penitent.

penitènza f. 1 (*lett.: pentimento*) contrition; repentance; penitence 2 (*mortificazione*) penance: **fare p.**, to do penance 3 (*relig.*) penance: **dare una p. a q.**, to impose penance on sb. 4 (*punizione*) punishment 5 (*nei giochi*) penalty: **gioco con p.**, forfeit.

penitenziàle a. penitential: **atto p.**, act of contrition; **salmi penitenziali**, Penitential Psalms.

penitenziàrio A a. penitentiary; penal: **istituto p.**, penal institution (*o* establishment); **sistema p.**, penitentiary system B m. prison; jail, gaol; penitentiary (*USA*).

penitenzière m. (*eccles.*) penitentiary: P. Maggiore, Grand (*o* High) Penitentiary.

penitenzierìa f. (*eccles.*) penitentiary.

pénna f. 1 (*di uccello*) feather: **p. copritrice**, covert; tectrix* (→ **copritrice**); **p. della coda**, rectrix*; **p. di pavone**, peacock feather; **p. maestra**, quill feather; pen feather; **p. matta**, short feather; **p. remigante**, flight feather; remex* (→ **remigante**); **p. timoniera**, rectrix*; **mettere le penne**, to fledge; **mutare le penne**, to moult; **uccelli di grossa p.**, large-sized birds 2 (*ornamento*) feather; (*larga e morbida*) plume: **p. di struzzo**, ostrich feather (*o* plume) 3 (*per scrivere*) pen: **p. a sfera**, ballpoint (*o* ball) pen; **p. d'oca**, quill, goose-quill; **p. laser**, laser pen; (*comput.*) **p. luminosa** (*o* ottica), light pen; **p. stilografica**, fountain pen; (*fig.*) **p. intinta nel fiele**, pen dipped in hate; **mettere mano alla p.**, to put pen to paper; **passare a p. un disegno**, to ink in a drawing; **scrivere a p.**, to write with a pen (*o* in ink); **disegno a p.**, pen-and-ink drawing; **schizzo a p.**, ink sketch; **tratto di p.**, stroke of the pen 4 (*scrittore*) writer; author: **la miglior p. del nostro giornale**, the best writer on (*o* of) our paper 5 (*naut.*) peak (of a lugsail) 6 (*del martello*) pen: **martellare a p.**, to peen 7 (*della freccia*) feather (of an arrow) 8 (*mus.*) quill; plectrum* 9 (*al pl.*) (*cucina*) penne ● (*mil.*) **le Penne nere**, the Italian Alpine Troops □ **cane da p.**, bird dog □ (*fig.*) **lasciarci** (*o* rimetterci) **le penne**, (*morire*) to lose one's life; (*perdere soldi*) to get one's fingers burnt □ **Occhio alla p.!**, (*naut.*) mind the wind!; (*fig.*) keep a weather eye open! □ **uomo di p.**, learned man; scholar □ (*fig.*) **Non sa tenere la p. in mano**, he can barely write his own name □ (*prov.*) **Ne uccide più la p. che la spada**, the pen is mightier than the sword.

pennacchièra f. plume (of feathers).

pennàcchio m. 1 (*ciuffo di penne*) plume (of feathers); crest: **il p. di un elmo**, the plume (*o* the crest) on a helmet 2 (*fig.*) plume: **p. di fumo**, plume of smoke 3 (*archit.*) pendentive.

pennacchiùto a. plumed.

pennaccìno m. (*naut.*) dolphin striker; martingale.

pennaiòlo m. (*spreg.*) hack (writer); scribbler.

pennarèllo m. felt-tipped (*o* felt-tip) pen; felt tip.

pennatìfido a. (*bot.*) pinnatifid.

pennàto A a. 1 (*pennuto*) feathered; plumed; feathery 2 (*bot.*) pinnate B m. (*agric.*) pruning hook; billhook.

pennatopartìto a. (*bot.*) pinnatipartite.

pennatosètto a. (*bot.*) pinnatisect.

pennàtula f. (*zool.*, *Pennatula*) sea pen.

pennécchio m. (*ind. tess.*) bunch of staple (to be wound on the distaff).

pennellàre A v. i. to paint; to work with a brush B v. t. (*anche med.*) to paint.

pennellàta f. 1 (*tratto di pennello*) stroke (of the brush); brushstroke: **un colore applicato con larghe pennellate**, a colour applied in broad strokes; **dare l'ultima p.**, to put the finishing touch (*o* stroke) 2 (*maniera d'usare i pennelli*) brushwork ⓦ: **una p. sicura**, bold brushwork 3 (*fig.*) graphic detail; salient trait: **descrivere qc. con poche pennellate**, to describe st. in a few graphic details.

pennellatùra f. (*med.*) painting.

pennelléssa f. flat brush.

pennellifìcio m. brush factory.

pennèllo① m. 1 brush; (*da pittore, anche*) paintbrush: **p. da imbianchino**, painter's brush; **p. di martora**, marten brush; **p. di setole**, bristle brush; **il p. di Tiziano**, Titian's brush; **p. per la barba**, shaving brush; **p. per dolci**, pastry brush; **saper maneggiare il p.**, to be a good painter; **l'arte del p.**, the painter's art; painting 2 (*pittore*) painter: **uno dei migliori pennelli d'Italia**, one of the best painters in Italy 3 (*idraul.*) groyne 4 (*fis.*) beam: **p. elettronico**, electron beam ● **a p.**, to perfection; perfectly; to a T: **andare** (*o* stare) **a p.**, to fit perfectly; to fit like a glove; to fit to a T; *Questo vestito ti sta a p.*, this dress fits you to a T.

pennèllo② m. (*naut.*) pennant.

pennése m. (*naut.*) storekeeper.

pennichèlla f. (*region.*) nap; snooze; siesta; forty winks (pl.) (*fam.*): **fare una p.**, to have a nap; to have a snooze; to snooze.

pennifórme a. (*scient.*) feather-shaped.

penninèrvio a. (*bot.*) penninerved.

pennìno m. nib, pen-nib: **p. d'acciaio**, steel nib.

pennivéndolo m. (f. **-a**) (*spreg.*) hack (writer); time-serving writer (*o* journalist).

pennòla f. (*naut.*) short yard.

pennoncèllo m. 1 (*pennacchio*) plume (of feathers) 2 (*stendardo*) (small) pennant; pennoncel.

pennóne m. 1 (*stendardo*) pennant; pennon 2 (*naut.*) yard; spar: **p. di belvedere**, mizzen topgallant yard; **p. di controbelvedere**, mizzen royal yard; **p. di contromezzana**, mizzen topsail yard; **p. di controvelaccio**, main royal yard; **p. di gabbia**, main topsail yard; **p. di maestra**, main yard; **p. di mezzana**, mizzen yard; **p. di parrocchetto**, fore topsail yard; **p. di rispetto**, spare yard; **p. di trinchetto**, fore yard; **p. di velaccino**, fore topgallant yard; **p. di velaccio**, main topgallant yard; **pennoni maggiori** [minori], lower [upper] yards; **bracciare i pennoni**, to brace the yards; **orientare i pennoni**, to trim the yards 3 (*asta di bandiera*) flagstaff; mast.

pennonière m. (*naut.*) yardsman*.

pennùto A a. feathered; fledged B m. bird; fowl.

penómbra f. 1 half-light; semi-darkness; shadows (pl.): **la p. d'un bosco**, the half-light in a wood; **la p. della sera**, the shadows of evening; dusk; *Nella p. non lo riconobbi*, I didn't recognize him in the half-light; *La stanza era in p.*, the room was half-lit (*o* was in semi-darkness); **nascosto nella p.**, hidden in the shadows 2 (*fis.*,

astron.) penumbra*.

penosaménte avv. 1 painfully; agonizingly; pathetically; pitifully: **p. lento**, painfully (*o* agonizingly) slow; **p. magro**, pathetically (*o* pitifully) thin 2 (*con difficoltà*) with difficulty; painfully.

penosità f. painfulness.

penóso a. 1 (*che dà pena*) painful; distressing; distressful; pitiful; sad: **una notizia penosa**, painful (*o* distressing, sad) news; **una situazione familiare penosa**, a sad family situation; **muoversi con penosa lentezza**, to move painfully slowly 2 (*molesto*) painful, distressful, agonizing; (*imbarazzante*) embarrassing, very awkward; (*sgradevole*) unpleasant: **lentezza penosa**, agonizing slowness; **argomento p.**, embarrassing subject 3 (*scadente*) pitiful; sorry; pathetic; abysmal; excruciating: **esibizione penosa**, sorry performance; **penosa ignoranza**, pitiful ignorance; *Il tenore è stato p.*, the tenor was excruciating; **giocare in modo p.**, to play abysmally.

pensàbile a. thinkable; conceivable; imaginable: *Non è p. che...*, it is unthinkable (*o* inconceivable) that...

pensànte a. thinking: *L'uomo è un essere p.*, man is a thinking being.

pensàre A v. i. 1 to think*; (*riflettere*) to think (of), to consider, to think* (st.) over: *Penso, dunque sono*, I think, therefore I am; **p. a voce alta**, to think aloud; **p. con la propria testa**, to think for oneself; *Pensa prima di agire*, think before you act; *Pensa per te!*, mind your own business! *Pensate che ci conosciamo da quarant'anni!*, just think we've known each other for forty years!; *Pensa che bellezza!*, just think how marvellous!; *Pensaci bene*, think it over; *Pensaci bene...*, on reflection...; on second thoughts...; *Ora che ci penso...*, come to think of it...; *Non è poi strano, se ci pensi*, it's not so strange, really, when you think of it; *Ci penserò su*, I'll think about it; I'll think it over; *È una cosa che ti fa p.*, it makes you think; **dare da p.**, to make sb. think; (*preoccupare*) to be a source of worry; *Pensa e ripensa, alla fine decisi di...*, in the end, after racking my brains, I decided to... 2 (*pensiero*) to think* (of, about): *A che stai pensando?*, what are you thinking about?; *Pensate a me*, think of me; *Pensa solo a divertirsi*, he thinks only of enjoying himself; **p. all'avvenire**, to think of the future; **p. alla conseguenze**, to think about the consequences; *Pensavo ad altro*, I was thinking about something else; *Pensa a quello che deve aver passato!*, just think of what she must have been through!; *Non ci penso neppure!*, I wouldn't dream of it!; not on your life! (*fam.*); **pensarci due volte**, to think twice about st.; **senza pensarci due volte**, without a second thought 3 (*aspirare*) to aim (at); to aspire (to): *Egli pensa alla presidenza*, he is aiming at the presidency 4 (*escogitare*) to think* up (st.); to plan (st.); to devise (st.): **p. a un piano di fuga**, to think up a plan of escape; **p. a un espediente**, to devise an expedient 5 (*occuparsi, badare*) to mind* (st.); to take* care (of); to look (after), to see* (to): *Pensa ai fatti tuoi!*, mind your own business; *Tu pensa a lavorare!*, keep your mind on your work!; *Ha una famiglia a cui p.*, he has a family to look after; *Ci penso io*, I'll see to it; I'll take care of it; *Ho altro a cui p.*, I have more important things on my mind 6 (*giudicare*) to have an opinion (of): **p. bene** [male] **di q.**, to think well [ill] of sb.; to have a good [bad] opinion of sb. B v. t. 1 (*avere nel pensiero*) to think* of (*o* about); (*immaginare*) to imagine, to suppose; (*indovinare*) to guess: *Non ho pensato di chiederglielo*, I never thought to ask him; *Chi avrebbe mai pensato che fosse*

lui il colpevole?, who would have thought he was the culprit?; *Chi penserebbe che è un grande scienziato?*, who would imagine that he is a great scientist?; *Non pensava che tu fossi così sensibile*, I didn't think you were so sensitive; *Verranno stasera, penso*, they will come tonight, I suppose; *Pensa un po'!*, (*immagina!*) just imagine!; (*che curioso!*) fancy that!, how strange!; *Pensa un po' chi ho incontrato*, guess who I met **2** (*considerare*) to bear* in mind; to take* into consideration; to consider: *Devi p. che il prezzo sarà alto*, you should bear in mind that the price will be high **3** (*escogitare, inventare*) to think* up; to devise; *Ne pensa sempre una nuova*, he's always got something new up his sleeve; *L'hai pensata proprio bella*, you've really had a bright idea; *Una ne fa e cento ne pensa*, she is always up to something **4** (*credere, ritenere, supporre*) to think*; to reckon (*fam.*): *Pensi che pioverà?*, do you think it will rain?; *Penso di sì*, I think so; *Penso di no*, I don't think so; *Penso che sia utile studiare il latino*, I think it is useful to study Latin; *Penso che sarebbe meglio andarcene*, I think it would be better to go away; *Ho pensato bene di informarti*, I thought it better to let you know; *Era quello che pensavo*, I had thought the same thing; (*lo dicevo io*) I thought as much; *Lo pensavo più coraggioso*, I thought he was a braver man; *Che cosa ne pensi della nuova legge?*, what do you think about the new law? **5** (*avere intenzione*) to think*, to intend, to plan; (*decidere*) to decide, to make* up one's mind; *Penso di scrivergli*, I think I'll write to him; *Pensavo di invitare solo lei*, I was thinking of inviting just her; *Che cosa pensi di fare?*, what are you planning to do (o going to do?); *Ho pensato che rimarrò qui*, I've decided to stay here; *Non ho mai pensato di fare il medico*, I've never thought of becoming a doctor.

pensàta f. idea; thought; notion: **bella p.**, good (*o* clever) idea; **p. brillante**, bright (*o* brilliant) idea; brainwave.

pensàto a. considered; studied; thought out.

pensatóio m. (*scherz.*) place in which to think; holy of holies.

pensatóre Ⓐ a. thinking Ⓑ m. (f. **-trìce**) **1** thinker: **libero p.**, free-thinker **2** (*filosofo*) thinker; philosopher.

pensierino m. **1** thought: *Facci su un p.*, think about it; think it over; *Peccato, ci avevo fatto su un p.*, what a pity, I had rather set my mind on it **2** (*fam.: attenzione affettuosa*) little kindness; (*regalino*) little gift, small present **3** (*esercizio scolastico*) sentence: *Scrivete un p. sulla primavera*, write a sentence on spring.

♦**pensièro** m. **1** (*attività*) thought; thinking; (*la mente*) mind: **andare col p. a qc.**, to think of st.; **esercitare il p.**, to exercise one's mind; **fermare il p. su qc.**, to fix one's thoughts on st.; **riandare col p. a qc.**, to think back to st.; to recollect st.; *Il mio p. corse subito a loro*, my mind raced to them; **lettura del p.**, mind reading; **libertà di p.**, freedom of thought; **vigore del p.**, vigour of mind **2** (*oggetto, contenuto del pensare*) thought: **p. angoscioso**, tormenting thought; **p. fisso**, constant thought; preoccupation; **p. ricorrente**, recurring thought; *Sei sempre nei miei pensieri*, you are always in my thoughts; **scacciare i pensieri tristi**, to drive away (*o* to banish) sad thoughts; **travisare il p. di q.**, to misinterpret sb.; **assorto nei propri pensieri**, lost (*o* absorbed) in thought; **immerso nei pensieri**, deep in thought; **al p. di [che]**, at the thought of [that] **3** (*opinione*) mind, opinion; (*modo di pensare*) way of thinking: *Vorrei conoscere il tuo p. in proposito*, I'd like to

know your opinion on this; **dire il proprio p.**, to say what one is thinking; (*più forte*) to speak one's mind, to speak out **4** (*dottrina filosofica*) thought; philosophy, theory; doctrine: **il p. di Vico**, Vico's thought (*o* philosophy); **il p. sociale di Saint-Simon**, Saint-Simon's social theory (*o* doctrine) **5** (*ansia, apprensione*) trouble, worry; (*preoccupazione*) concern: *Ho i miei pensieri*, I have my own troubles (*o* worries); **non avere un p. al mondo**, not to have a worry in the world; **dare pensieri**, to give cause for worry; to worry; **darsi p. per qc.**, to worry about st.; **stare** (*o* **essere**) **in p. per q.**, to be anxious (*o* to worry) about sb.; *Il loro benessere è il mio unico p.*, their wellbeing is my one concern **6** (*intenzione*) thought, idea, intention; (*disegno, proposito*) plan: *È il p. che conta*, it's the thought that counts **7** (*attenzione*) thought; (*dono*) gift: **un p. gentile**, a kind thought ● **sopra p.** → **soprappensiero**.

pensieróso a. thoughtful; reflective; (*cogitabondo*) pensive.

pènsile Ⓐ a. hanging; suspended; pensile: **cesto p.** (*per fiori*), hanging basket; **giardino p.**, terraced garden; **i giardini pensili di Babilonia**, the hanging gardens of Babylon; **mobile p.**, (suspended) wall cupboard Ⓑ m. (*arredamento*) (suspended) wall cupboard; (suspended) wall unit.

pensilina f. **1** (*tettoia con riparo*) shelter; (*alla fermata di mezzi pubblici*) bus shelter **2** (*archit.*) cantilever roof; (*davanti a teatro, ecc.*) marquee **3** (*ferr.*) platform roof.

pensionàbile a. pensionable: **età p.**, pensionable (*o* retirement) age.

pensionabilità f. eligibility for a pension.

pensionaménto m. retirement: **p. anticipato [ritardato]**, early [delayed] retirement.

pensionànte m. e f. **1** boarder; lodger; paying guest: **prendere dei pensionanti**, to take in boarders **2** (*in ospedale*) private patient.

pensionàre v. t. to pension off; to retire; to superannuate (generalm. al passivo).

pensionàto Ⓐ a. retired Ⓑ m. **1** (f. **-a**) (*chi gode di una pensione*) retired person; pensioner: **p. di guerra**, war pensioner; **p. statale**, retired state employee; retired civil servant **2** (*istituto*) lodging house; hostel; home: **p. per anziani**, retirement home; **p. per cani**, kennels (sing. *o* pl.); **p. per studenti**, students' hall of residence.

♦**pensióne** f. **1** (*indennità*) pension: **p. contributiva**, contributory pension; **p. di anzianità**, retirement pension; **p. di guerra**, war pension; **p. d'invalidità**, disability pension; **p. di reversibilità**, survivorship pension; widow's pension; **p. di vecchiaia** (*o* **sociale**), old-age pension; social security pension (*USA*); **andare** (*o* **mettersi**) **in p.**, to retire; **avere diritto a una p.**, to be entitled to a pension; **essere in p.**, to be retired; **mandare** (*o* **mettere, collocare**) **in p.**, to pension off; to retire; **riscuotere una p.**, to draw a pension; **vivere d'una p.**, to live on a pension; **l'andata in p.**, retirement; **età della p.**, retiring age; pensionable age; **fondo pensioni**, pension fund; retirement fund **2** (*vitto e alloggio*) board (and lodging); bed and board; (*importo*) charge for board and lodging: **p. completa**, full board; **mezza p.**, half board; **essere a p. da q.**, to board at (*o* with) sb.'s; **fare p.**, (*di albergo*) to provide meals; (*prendere pensionanti*) to take in boarders; **mettere q. a p.**, to put sb. to board; **prendere [tenere] q. a p.**, to take in [to have] sb. as a boarder **3** (*esercizio alberghiero*) guest house; boardinghouse; (*nell'Europa continentale*) pension: *Preferisco la p. all'albergo*, I prefer boardinghouses to hotels; **una piccola p. a Rimini**, a small pen-

sion in Rimini.

pensionìstico a. pension (attr.); retirement (attr.): **riforma pensionistica**, pension reform; **sistema p.**, pension (*o* retirement) scheme; **trattamento p.**, retirement plan.

pènso m. (*a scuola, in passato*) school imposition; pensum.

pensosità f. thoughtfulness; pensiveness.

pensóso a. **1** (*assorto in pensieri*) thoughtful; pensive; lost (*o* absorbed) in thought; meditative: *Sedeva p. in un angolo*, he sat in a corner, looking pensive; **silenzio p.**, pensive silence **2** (*lett.: premuroso*) solicitous; considerate.

pentàcolo m. pentacle; pentagram.

pentacòrdo m. (*mus.*) pentachord.

pentadàttilo a. (*zool.*) pentadactyl.

pentadecàgono m. (*geom.*) pentadecagon.

pentàdico a. pentadic.

pentaèdro m. (*geom.*) pentahedron*.

pentafìllo a. (*bot., Potentilla reptans*) cinquefoil.

pentafònico a. (*mus.*) pentatonic.

pentagonàle a. (*geom.*) pentagonal.

pentàgono m. **1** (*geom.*) pentagon **2** – (*in USA*) **il P.**, the Pentagon.

pentagràmma m. (*mus.*) stave; staff* 🔒**FALSI AMICI** • pentagramma *non si traduce con* pentagram.

pentagrammàto a. (*mus.*) – **carta pentagrammata**, music paper.

pentalìneo a. (*mus.*) five-line (attr.): **rigo p.**, five-line stave.

pentàmero Ⓐ a. (*bot.*) pentamerous Ⓑ m. (*chim.*) pentamer.

pentàmetro m. (*poesia*) pentameter.

pentàno m. (*chim.*) pentane.

pentapartìto (*polit.*) Ⓐ m. five-party coalition government Ⓑ a. inv. five-party (attr.).

pentapodìa f. (*poesia*) pentapody.

pentàpoli f. (*stor.*) pentapolis.

pentaprìsma m. (*fotogr.*) pentaprism.

pentasìllabo a. (*poesia*) pentasyllabic.

pentàstico a. (*archit., arte*) pentastichous.

Pentatèuco m. (*Bibbia*) Pentateuch.

pentathlèta → **pentatleta**.

pèntathlon m. (*sport*) pentathlon.

pentatlèta m. e f. (*sport*) pentathlete.

pentatòmico a. (*chim.*) pentatomic.

pentatònico a. (*mus.*) pentatonic.

pentavalènte a. (*chim.*) pentavalent.

pentecostàle① a. (*relig.*) Pentecostal; Whitsun (attr.).

pentecostàle② m. e f. (spec. al pl.) Pentecostal; Pentecostalist.

pentecostalìsmo m. Pentecostalism.

Pentecòste f. **1** (*festa cristiana*) Pentecost; (*il giorno, anche* **la domenica di P.**) Whit Sunday; Pentecost: **il lunedì di P.**, Whit Monday; **la settimana di P.**, Whitsuntide; Whitsun **2** (*festa ebraica*) Pentecost; Shavuoth; Feast of Weeks.

pentèlico a. (*lett.*) Pentelic: **marmo p.**, Pentelic marble.

pentemìmera a. femm. (*poesia*) – **cesura p.**, penthemimeral caesura.

pentiménto m. **1** repentance; contrition; (*rincrescimento*) regret: **inutili pentimenti**, vain repentances; pointless regrets; **mostrare p.**, to show repentance; to be repentant; **provare p.**, to feel repentance; to repent **2** (*fig.*) change of mind; second thoughts (pl.) **3** (*ripensamento*) afterthought; (*pitt.*) pentimento*.

♦**pentirsi** v. i. pron. **1** to repent: **p. dei pro-**

pri peccati, to repent (of) one's sins; **p. d'avere fatto qc.**, to repent having done st.; *Non hai nulla di cui pentirti*, you have nothing to repent of **2** (*rammaricarsi*) to regret; to feel* regret; to be (*o* to feel*) sorry: *Mi pento della mia avventatezza*, I regret my rashness; *Non avrai a pentirtene*, you won't regret it; *Mi pento di non averlo fatto prima*, I regret not having done it sooner; I'm sorry I didn't do it sooner; *Se dirai d'essere pentito, ti perdonerò*, if you say you're sorry, I'll forgive you; *Te ne pentirai!*, you'll be sorry for it! **3** (*mutare proposito*) to repent; to change one's mind: *Fallo prima che se ne penta*, do it before he changes his mind.

pentitismo m. phenomenon of criminals turning state's evidence.

pentito Ⓐ a. **1** repentant; penitent; contrite; regretful; sorry **2** (*di criminale*) turned state's evidence (pred.) Ⓑ m. criminal [terrorist] who has turned state's evidence; turncoat (*fam.*); supergrass (*fam. GB*).

pentlandite f. (*miner.*) pentlandite.

pèntodo m. (*radio*) pentode.

♦**pèntola** f. **1** saucepan; pot; (*di coccio*) crock: **p. a pressione**, pressure cooker; **cuocere nella p. a pressione**, to pressure-cook; **pentole e tegami**, pots and pans; **mettere una p. sul fuoco**, to put on a saucepan (*o* a pot); **mettere in p.**, to put in a pot; **mettere qualcosa in p.**, to cook something **2** (*pentolata*) pot; potful: **una p. di fagioli**, a pot of beans **3** (*ind.*) kettle ● (*fig.*) *Qualcosa bolle in p.*, something is brewing □ (*fig.*) **sapere quel che bolle in p.**, to know what is brewing □ (*prov.*) **Il diavolo fa le pentole ma non i coperchi**, truth will out.

pentolàio m. **1** (*fabbricante*) potter **2** (*venditore*) seller of earthenware articles.

pentolàme m. pots and pans (pl.).

pentolàta f. **1** pot, potful: **una p. di patate**, a pot of potatoes **2** (*colpo di pentola*) blow with a pot.

pentolino m. (small) saucepan; pan.

pentoṣàno m. (*chim.*) pentosan.

pentòṣio m. (*chim.*) pentose.

pentotàl, **pentothàl**® m. inv. (*farm.*) Pentothal.

pentrite f. (*chim.*) penthrite.

penùltimo Ⓐ a. last but one; second last; next to last; penultimate; (*scorso*) before last (*posposto*): **il p. giorno**, the last day but one; **la penultima sillaba**, the last syllable but one; the penultimate syllable Ⓑ m. (f. **-a**) last but one; second-last.

penùria f. **1** shortage; scarcity; dearth; lack: **p. d'acqua**, lack of water; **p. di alloggi**, housing shortage; **p. di cibo**, scarcity of food; **p. di notizie**, shortage (*o* dearth) of news; **p. di pioggia**, scarcity of rain **2** (*estrema povertà*) poverty, penury; (*bisogno*) want, need.

penzolàre v. i. to hang* (down); (*ciondolare*) to flop; (*oscillando*) to dangle, to swing*: **p. da un ramo [da una finestra]**, to hang from a branch [from a window]; *Dalla sua cintura penzolava un mazzo di chiavi*, a bunch of keys dangled from his belt; **un impiccato che penzola dalla forca**, a hanged man swinging from the gallows.

penzoloni, **penzolóne** avv. dangling; hanging down; flopping; drooping: **con le braccia penzoloni lungo i fianchi**, with one's arms hanging down (*o* dangling) at one's sides; **con le orecchie penzoloni**, with flopping (*o* drooping) ears; **stare penzoloni**, to dangle; to hang down.

peóne m. (*poesia*) paeon.

peónes (*spagn.*) m. pl. (*polit.*) junior Mem-

bers of Parliament; junior MPs.

peònia f. (*bot.*, *Paeonia officinalis*) peony.

pepaiòla f. **1** (*recipiente per il pepe*) pepper pot **2** (*macinapepe*) pepper mill.

pepàre v. t. to pepper.

pepàto a. **1** peppery; peppered; flavoured with pepper: **minestra pepata**, peppery soup; soup with a lot of pepper in it; **salame p.**, peppery salami **2** (*fig.*: *pungente*) peppery; sharp; pungent; biting: **caratterino p.**, peppery character; **risposta pepata**, pungent (*o* sharp) reply **3** (*fig. fam.*: *troppo caro*) steep; stiff: **conto p.**, stiff bill; **prezzo p.**, steep price.

♦**pépe** m. **1** (*bot.*, *Piper nigrum*, *spezia*) pepper: **p. bianco**, white pepper; **p. in grani**, peppercorns (pl.); whole pepper; **p. macinato**, ground pepper; **p. nero**, black pepper; **bistecca al p.**, pepper steak; **color p. e sale**, pepper-and-salt (agg.) **2** (*bot.*) – **p. d'acqua** (*Polygonum hydropiper*), smartweed; **p. di Caienna** (*o* rosso), Cayenne pepper; red pepper; paprika; **p. della Giamaica** (*Pimenta officinalis*), pimento **3** (*fig.*) spirit; liveliness; zing (*fam.*); ginger (*fam.*): **essere tutto p.**, to be lively; to be full of life; to be full of ginger.

peperino① m. (*miner.*) peperino*.

peperino② m. (*fam.*) lively person; spirited person; (*persona grintosa*) peppery person, feisty person (*fam. USA*).

peperita → **piperita**.

peperòmia f. (*bot.*, *Peperomia*) peperomia.

peperonàta f. (*cucina*) sliced peppers (pl.) cooked with oil, tomatoes and onions.

peperoncino m. **1** (*frutto*) hot pepper; red pepper **2** (*cucina*) paprika; Cayenne pepper.

peperóne m. **1** (*bot.*, *Capsicum annuum*) Guinea pepper **2** (*frutto*) (sweet) pepper; capsicum: **peperoni rossi [verdi]**, red [green] peppers; **peperoni sott'aceto**, pickled peppers ● (*scherz.*) **un naso come un p.**, a big, red nose □ **rosso come un p.**, as red as a beetroot.

pepiera → **pepaiola**.

pepìna f. (*bot.*, *Filipendula ulmaria*) meadowsweet.

pepinièra f. plant nursery.

pepino m. (*bot.*, *Solanum muricatum*) pepino; melon-pear.

pepìta f. (*miner.*) nugget: **p. d'oro**, gold nugget.

pèplo m. (*stor.*) peplos; peplum.

pepònide, **pepònio** m. (*bot.*) pepo.

pèppola f. (*zool.*, *Fringilla montifringilla*) brambling.

pèpsi f. (*med.*) digestion.

pepsìna f. (*biochim.*) pepsin.

pepsinògeno m. (*biochim.*) pepsinogen.

pèptico a. (*fisiol.*) peptic: **secrezione peptica**, peptic secretion; **ulcera peptica**, peptic ulcer.

peptidàṣi f. (*biochim.*) peptidase.

peptide m. (*chim.*) peptide.

peptidico a. (*chim.*) peptide (attr.): **legame p.**, peptide bond.

peptògeno a. (*med.*) peptogenous.

peptóne m. (*biochim.*) peptone.

peptoniẓẓazióne f. (*biochim.*) peptonization.

♦**per** Ⓐ prep. **1** (*moto per luogo*) through; (*senza direzione fissa*) about; (*da ogni parte*) all over; (*lungo*) along: *Passò per Firenze*, she passed through Florence; **entrare per la finestra**, to go (*o* to come) in through the window; *Gironzolammo per il mercato*, we wandered about the market; *Sfilarono per le vie del centro*, they paraded through the streets of the town centre; **errare per il**

mondo, to wander all over the world; *Sono venuto per quel sentiero*, I came along that path; **cadere giù per le scale**, to fall down the stairs; **per tutto il corpo**, all over the body; **per terra e per mare**, over land and sea **2** (*direzione*) for; to; (*fig.*: *verso*) for: **partire per Napoli [per il mare]**, to leave for Naples [for the seaside]; **proseguire per Roma**, to go on to Rome; *Ho una grande ammirazione per lui*, I feel great admiration for him **3** (*stato in luogo*) in; on: **per la strada**, in the street; **per terra**, on the ground; (*sul pavimento*) on the floor **4** (*tempo continuato*) for; (all) through; throughout: **per due ore**, for two hours; **per quest'anno**, for this year; **per il momento** (*o* per ora), for the time being; for now; **per sempre**, forever; *Piovve per tutto il giorno*, it rained all day (*o* the whole day); **per tutto l'inverno**, all through (*o* throughout) the winter; **per la vita**, for life **5** (*tempo determinato*) for; (*entro*) by: **per la prima volta**, for the first time; *Lo farò per domani*, I'll do it for tomorrow; *Verrò per Pasqua*, I'll come for Easter; *Sarò lì per le sei*, I'll be there by six; *L'incontro è per martedì*, the meeting is on Tuesday; *Deve essere pronto per la fine del mese*, it must be ready by the end of the month; *Te lo preparerò per la tua festa*, I'll get it ready (in time) for your party; *Saranno di ritorno per il 26 marzo*, they'll be back by the 26th of March **6** (*mezzo*) by: **spedire per posta**, to send by post; **per ferrovia**, by rail; **per lettera**, by letter; **per telefono**, by phone; (*durante una telefonata*) over the phone; **per telegramma**, by telegram; **per via aerea**, by air mail; **per alzata di mano**, by show of hands **7** (*causa*) because of; for; on account of; out of; through; due to; owing to; over: **per causa loro**, because of them; on account of them; **per colpa mia**, through my fault; **per motivi di famiglia**, for family reasons; *Per quale motivo?*, for what reason?; why?; **fare qc. per ambizione [per ripicca]**, to do st. out of ambition [out of spite]; **per principio**, on principle; *Fu premiato per la sua diligenza*, he was rewarded for his diligence; *I voli sono sospesi per nebbia*, flights have been cancelled on account of the fog; **processare q. per omicidio**, to try sb. for murder; **morire per il freddo**, to die of exposure; **litigare per un'eredità**, to quarrel over an inheritance; **andare in estasi per qc.**, to go into ecstasies over st.; **urlare per il dolore**, to scream with pain **8** (*fine, scopo*) for: **la lotta per la vita**, the struggle for life; **una cura per il cancro**, a cure for cancer; **per divertimento**, for fun; **per denaro**, for money; **per scherzo**, as a joke; **pasticche per la tosse**, cough lozenges; **macinino per caffè**, coffee mill; **macchina per cucire**, sewing machine; **essere via per lavoro**, to be away on business **9** (*vantaggio, interesse, utilità, destinazione*) for; (*in previsione di*) towards: *Te lo dico per il tuo bene*, I'm telling you for your own good; *Fatelo per me*, do it for me (*o* for my sake); **lavorare per niente**, to work for nothing; *C'è una lettera per te*, there's a letter for you; **mettere da parte i soldi per le vacanze**, to save money towards one's holidays **10** (*modo*) by: **per mezzo di**, by means of; through; **per natura**, by nature; **chiamare per nome**, to call by name; *Mi prese per il braccio*, he took me by the arm; **procedere per gradi**, to proceed by degrees; **mettere per iscritto**, to put down in writing **11** (*prezzo*) for: *Glielo diedi per venti euro*, I gave it to him for twenty euros **12** (*estensione*) for: *L'accompagnai per due kilometri*, I went with him for two kilometres; *Segui questa strada per dieci miglia*, follow this road for ten miles; *La sua proprietà si estende per duecento ettari*, his estate covers two hundred hectares **13** (*limitazione*)

for; by; (*nei riguardi di*) to: **per quanto mi riguarda**, as for me; as far as I'm concerned; **per quanto ne so**, as far as I know; for all I know; **per questa volta**, (for) this time; **perdere per un punto**, to lose by one point; *È sempre stata un'amica per me*, she has always been a friend to me; *Quest'auto è troppo potente per lui*, this car is too powerful for him; *Il mio cavallo vinse per un'incollatura*, my horse won by a neck; *È famosa per la sua bellezza*, she is famous for her beauty; *Per me è un film molto mediocre*, it's a very mediocre film, in my opinion; I think it's a very mediocre film; *Per me non vinceranno*, I don't think they're going to win **14** (*distributivo*) by; for; per; in: **uno per uno**, one by one; **il dieci per cento**, ten per cent; **per persona**, per head; each; apiece; **due figure per pagina**, two pictures on each page (*o* per page); **uno per ogni cinque**, one for every five; **giorno per giorno**, day by day; **stanza per stanza**, room by room; *Ho diviso le matasse di lana per colore*, I've sorted out the wool skeins by colour **15** (*mat.*) by: **dividere [moltiplicare] per cinque**, to divide [to multiply] by five **16** (*come, in qualità di*) as: *Avrai un libro per regalo*, you'll have a book as a present; *L'ho avuta per insegnante*, I had her as a teacher; **dare q. per disperso**, to report sb. missing; **dare q. per morto**, to report sb. dead; **dare q. per spacciato**, to give sb. up for dead; **prendere per moglie**, to take as (a) wife; **arrivare per primo**, to arrive first **17** (*nelle escl.*) by; for (*o* idiom.): *Per Giove!*, by Jove!; *Per l'amor del cielo!*, for heaven's sake!; *Per la miseria!*, damn! **18** (*in cambio di*) in exchange for; for; (*per conto di*) for, on behalf of; (*al posto di*) for: *Me l'ha dato per due biglietti della partita*, he gave it to me in exchange for two tickets for the match; **occhio per occhio**, an eye for an eye; **rendere bene per male**, to render good for evil; *Parlerò io per lui*, I'll speak for him; *Mi prendi per uno sciocco?*, do you take me for a fool? ● **per bene** → **perbene** □ **per bocca**, orally; by mouth □ **per caso**, by chance □ **per di più**, what's more; moreover; furthermore □ **per fortuna**, luckily □ **per lo meno**, at least □ **per lo più**; **perlopiù** → **per modo che**, so that □ **per modo di dire**, so to say; so to speak □ **Per nulla!**, not at all! □ **per parte di madre [di padre]**, on one's mother's [father's] side □ **per tempo**, early □ **andare per i fatti propri**, to go about one's business □ **cambiare per il meglio [per il peggio]**, to change for the better [for the worse] □ **Cosa intendi per socialismo?**, what do you mean by socialism? **B** cong. **1** (*finale*) in order (+ inf.); to (*come parte dell'inf.*); so as (+ inf.); for (+ gerundio *o* sost.): *S'avvicinò per studiare il quadro*, she got closer (in order) to study the painting; *L'ho fatto per aiutarti*, I did it to help you; *Uscii per prendere un po' d'aria*, I went out to get a breath of air; *Tacqui per non rattristarlo*, I remained silent so as not to sadden him **2** (*causale*) for (+ gerundio *o* sost.): *Fu bocciato per aver copiato*, he was failed for copying **3** (*consecutivo*) to (*come parte dell'inf.*); for (+ gerundio *o* sost.): *È troppo stupido per capire*, he is too stupid to understand; **troppo bello per essere vero**, too good to be true; *Non c'è motivo per protestare*, there is no cause for complaint **4** (*concessivo*) however (+ agg. *o* avv.): **per veloce che tu vada**, however fast you go; **per intelligente che tu sia**, however clever you may be; clever as you may be; *Per essere uno straniero, parla molto bene*, he speaks very well for a foreigner; *Per essere nuovo, è nuovo, ma...*, all right, it's new, but...

❶ NOTA: *per*

Quando introduce una proposizione finale che indica un'intenzione, **per** si traduce di solito con to e il verbo all'infinito: *Lo chiamerò per informarlo della nuova scadenza*, I'll call him to tell him about the new deadline (non ~~I'll call him for telling him~~...); *Mi sono iscritto a questo corso per migliorare le mie capacità professionali*, I've enrolled on this course to improve my professional skills.

Costruzioni equivalenti sono so as to + infinito oppure in order to + infinito (quest'ultima più formale): I've enrolled on this course in order to improve (o so as to improve) my professional skills.

per è in genere tradotto con for + -ing per descrivere lo scopo o l'uso di un oggetto: *Il sismografo serve per misurare l'intensità e la durata di un terremoto*, a seismograph is used for measuring the force and duration of an earthquake; *Hai qualcosa per tagliare questa striscia di metallo?*, have you got anything for cutting this strip of metal?

◆ **péra** f. **1** (*frutto*) pear: **p. spadona**, William pear; **pere al forno**, baked pears; **pere cotte**, stewed pears; **a forma di p.**, pear-shaped **2** (*interruttore*) pear-switch **3** (*per clistere*) enema rubber syringe **4** (*scherz.: testa*) head; nut (*slang*): **grattarsi la p.**, to scratch one's head **5** (*gergo della droga*) fix: **farsi una p.**, to shoot up; to jack up ● (*fig.*) **p. cotta**, dull person; wimp (*fam.*) □ (*fam.*) **cascare come una p. cotta**, (*innamorarsi*) to fall head over heels in love; (*addormentarsi di colpo*) to conk out (*fam.*) □ (*fig. fam.*) **cascarci come una p. cotta** (*farsi imbrogliare*), to fall for st.

peràcido m. (*chim.*) peracid.

peràltro avv. though; however; on the other hand: *Non vorrei p. sbagliarmi*, I hope I'm not mistaken, though.

peràmele m. (*zool.*, *Perameles*) bandicoot.

peràstro m. (*bot.*) wild pear.

perbàcco inter. **1** (*escl. di sorpresa*) well!; goodness! **2** (*escl. di consenso*) of course!; sure! (*USA*)

perbène A a. respectable; decent; civilized: **gente p.**, respectable people **B** avv. properly; well.

perbenìsmo m. (*spreg.*) bourgeois respectability; conformism; priggishness.

perbenìsta A m. e f. (*spreg.*) conformist; prig **B** a. → **perbenìstico**.

perbenìstico a. bourgeois; conformist; priggish.

perboràto m. (*chim.*) perborate: **p. di sodio**, sodium perborate.

pèrca f. (*zool.*, *Perca*) perch.

percàlle m. (*ind. tess.*) percale.

percallìno m. (*ind. tess.*) percaline.

percentìle m. (*stat.*) percentile.

percènto m. percentage; per cent.

◆ **percentuàle A** a. percentage (attr.); per cent (avv.): **aumento p.**, percentage increase; **punto p.**, percentage point; **tasso p.**, rate per cent **B** f. **1** percentage; (*rapporto p.*) ratio: **p. di guadagno**, percentage of profit; **p. delle nascite**, percentage of births; (*fis.*) **p. isotopica**, isotopic ratio; *Il prezzo subì una certa p. di ribasso*, the price was reduced by a certain percentage **2** (*provvigione*) commission; percentage: **una p. del 3%**, a 3% commission; **essere pagato a p.**, to be paid by commission; *Riceve una p. su ogni copia venduta*, he earns a percentage on every copy sold.

percentualizzàre v. t. to calculate the percentage of.

percentualizzazióne f. calculation of percentages.

percepìbile a. **1** perceivable; detectable; discernible; perceptible; (*udibile*) audible **2** (*esigibile*) collectable; receivable.

percepìre v. t. **1** to perceive; to detect; to notice; (*sentire*) to feel*, to sense; (*cogliere*) to catch*; (*udire*) to hear*: **p. un mutamento**, to perceive a change; **p. un leggero odore di bruciato**, to notice a slight smell of something burning: *Dovette p. il mio disagio*, she must have sensed my unease; *Percepii la sua ostilità*, I felt his hostility **2** (*ricevere*) to be given; to receive; (*riscuotere*) to draw*; (*guadagnare*) to earn: **p. una provvigione del 3%**, to be given a 3% commission; **p. un salario**, to earn wages.

percettìbile a. perceptible; (*percepibile*) perceivable, detectable; (*udibile*) audible: **suoni percettibili**, perceptible (o audible) sounds; **in modo p.**, in (o to) a perceptible degree; perceptibly.

percettibilità f. perceptibility; perceptibleness.

percettività f. perceptibility; perceptiveness.

percettìvo a. **1** (*che percepisce*) perceptive; percipient **2** (*che riguarda la percezione*) perceptive; perceptual: **la facoltà percettiva**, the perceptive faculty.

percètto m. (*filos.*) percept.

percettóre A a. collecting; receiving **B** m. (f. **-trice**) collector; receiver; drawer: **p. di pensione**, drawer of a pension; **p. di reddito**, earner.

percezióne f. **1** (*psic.*) perception: **la p. del bello**, aesthetic perception; **la p. del dolore**, the perception of pain; **p. extrasensoriale**, extrasensory perception (abbr. ESP) **2** (*sensazione*) sensation; (*intuizione*) perception, intuition; (*presa di coscienza*) realization, awareness: **non aver la p. esatta di qc.**, not to realize st. clearly **3** (*bur.*) collection; reception.

percezionìsmo m. (*filos.*) perceptionism.

◆ **perché A** avv. (interr.) why; (*a che scopo*) what... for: *P. non me l'hai detto?*, why didn't you tell me?; *P. partire subito?*, why leave at once?; *P. non farlo subito?*, why not do it at once?; *P. l'hai fatto?*, why did you do that?; what did you do that for?; *P. studi il cinese?*, what are you studying Chinese for?; *Chissà p. non me ne ha parlato?*, I wonder why she didn't mention it to me; *Dimmi p. non vuoi andare*, tell me why you don't want to go; *Ecco p.*, that's why; *Lascia che ti spieghi p. non c'ero*, let me explain to you why I wasn't there; *Non capisco p. ce l'abbiano tutti con me*, I can't understand why they are all angry with me; **p. no?**, why not?; **p. mai?**, why on earth?; what on earth for?; **ma p.?**, but why? **B** cong. **1** (*causale*) because; as: *Ho venduto l'appartamento p. era troppo grande per me*, I sold the flat because it was too big for me; *Non posso muovermi p. ho la macchina guasta*, I can't go anywhere, as my car is out of order; **«P. non vieni?» «P. no!»**, «why aren't you coming?» «because I'm not» **2** (*finale*) so (that); in order that; so as: *Ecco un elenco p. tu non dimentichi niente*, here's a list so that you won't forget anything; *Non te l'ho detto p. non ti spaventassi*, I didn't tell you it so as not to frighten you: *Gli spedii un fax p. potesse leggere con calma la bozza di contratto*, I sent him a fax so that he might read (o in order for him to read) the draft contract at his leisure **3** (*correl. di «troppo»*) – *È troppo complicato p. io possa spiegartelo ora*, it's too complicated for me to explain it to you now; *È troppo pesante p. lo si possa trasportare*, it's too heavy to carry (o to be carried) **C** m. **1** (*motivo*) reason; motive; why: *I p. sono molti*, there are many reasons why; *Vuoi sapere il p.?*, do you want to know (the reason) why?; *Ti dirò il p.*, I'll tell

you why; **senza un p.**, for no particular reason; **il p. e il percome**, the whys and wherefores **2** (*interrogativo*) question; (*mistero*) mystery: **i p. dei bambini**, the questions children ask; **un uomo dai mille p.**, a man full of mystery.

❶ **NOTA:** *perché*

Quando **perché**, come avverbio interrogativo, è seguito da un verbo all'infinito, in inglese si traduce con why seguito dall'infinito senza to: *Perché leggere tutte queste sciocchezze?*, why read all this nonsense? (non ~~why to read all this nonsense?~~); *Perché avere paura?*, why be afraid? (non ~~why be afraid?~~). La regola vale anche quando l'infinito è preceduto dalla negazione: *Perché non andarci?*, why not go there? (non ~~why not to go there?~~).

♦**perciò** cong. so; therefore: *Era tardi, p. andai a casa*, it was late, so I went home; *Ha mancato al suo dovere, p. deve essere punito*, he did not do his duty, therefore he should be punished; *P. l'ho fatto*, that's why I did it.

perciocché (*lett.*) → **perché, B**, *def.* 1 *e* 2.

percipiènte **A** a. receiving; earning **B** m. e f. earner.

percloràto m. (*chim.*) perchlorate.

perclòrico a. (*chim.*) perchloric.

perclorùro m. (*chim.*) perchloride.

percolàre v. t. e i. (*chim.*) to percolate.

percolàre m. (*chim.*) percolate.

percolatóre m. (*chim.*) percolator.

percolazióne f. (*chim.*) percolation.

percóme m. – **il perché e il p.**, the whys and wherefores.

percorrènza f. (*distanza*) distance covered; (*tempo*) travelling time: **treno a lunga p.**, long-distance train.

♦**percórrere** v. t. **1** to cover; to go* along; (*in automobile*) to drive* along; (*a piedi*) to walk along (*o* down): **p. una distanza** [**molte miglia**], to cover a distance [many miles]: **p. cento miglia in un'ora**, to cover a hundred miles in an hour; **p. un lungo tratto di strada**, to go a long way; **p. un tratto di strada a cavallo** [**a piedi**], to ride [to walk] part of the way; **p. 5 km a nuoto** [**a piedi**], to swim [to walk] 5 km; *Percorsi il sentiero fino alla capanna*, I walked down the path to the hut; *C'è molta strada da p.*, there is a long way to go **2** (*attraversare*) to cross; to run* through (*o* across); (*viaggiare*) to travel over: *L'autostrada percorre tutta la regione*, the motorway crosses the whole region; *Per parecchie miglia la strada percorre una pianura*, the road runs across a plain for several miles; **p. in lungo e in largo una regione**, to travel throughout a region.

percorríbile a. **1** passable; open: *La strada è p. solo in estate* [*solo a piedi*], the road is open only in summer [is not open to vehicles]; **p. dagli autocarri**, open to lorry traffic **2** (*fig.*) practicable; viable; open: **l'unica via p.**, the only practicable way; the only way open to us.

percorribilità f. **1** passableness; (road) condition: **bollettino sulla p. delle strade statali**, report on the condition of national roads **2** practicability; viableness.

♦**percórso** m. **1** (*itinerario*) route; (*tracciato*) course; (*traiettoria*) path; (*cammino*) way; (*strada*) road: **il p. di un autobus**, the route of a bus; **il p. di un'autostrada**, the route of a motorway; **il p. di un fiume**, the course of a river; (*mil.*) **p. di guerra**, assault course; **il p. di un proiettile**, the path of a missile; **p. obbligato**, set course; **fare il p. più breve**, to go the shortest way; **fare parte del p. in aereo**, to fly part of the way; **seguire per-**

corsi diversi, to go by different routes; to follow different paths **2** (*distanza percorsa*) distance (covered) **3** (*viaggio*) journey, trip; (*a piedi*) walk; (*corsa*) run: **durante il p.**, during the journey; on the way; **per tutto il p.**, during the whole journey; all along the way **4** (*comput.*) path **5** (*sport*) course; round: **p. a ostacoli**, obstacle course; (*equit.*) **p. netto**, clear round.

percòssa f. blow; stroke; (al pl., *anche*) beating (sing.): **una p. al viso**, a blow on the face; **segni di percosse**, marks of beating.

percuòtere **A** v. t. **1** (*colpire*) to strike*; to hit*; to beat*: **p. qc. sulla testa**, to strike (*o* to hit) sb. on the head; **p. con la mano**, to strike with the hand; **p. qc. con un bastone**, to strike (*o* to hit) st. with a stick; **percuotersi il petto**, to beat one's breast; *La quercia fu percossa da un fulmine*, the oak was struck by lightning **2** (*urtare*) to strike*; to hit*; to knock: **p. il capo su un gradino**, to strike one's head on a step **3** (*fig.: colpire*) to strike*; (*affliggere*) to distress, to afflict **B** **percuòtersi** v. rifl. recipr. to strike* (*o* to hit*) each other [one another].

percussióne f. **1** percussion: **capsula a p.**, percussion cap; **fucile a p.**, percussion gun; (*mus.*) **strumento a p.**, percussion instrument; **orchestrina di strumenti a p.**, percussion band **2** (al pl.) (*mus.*) percussion instruments; percussion ◻ **3** (*med.*) percussion **4** (*leg.*) – **p. dell'imposta**, tax impact.

percussionista m. e f. (*mus.*) percussionist.

percussóre m. (*di arma da fuoco*) striker; firing pin.

percutàneo a. (*med.*) percutaneous.

perdènte **A** a. losing **B** m. e f. loser.

♦**pèrdere** **A** v. t. **1** (*cessare di avere*) to lose*: **p. un'abitudine**, to lose (*o* to get out of) a habit; **far p. un'abitudine a q.**, to break sb. of a habit; **p. l'appetito**, to lose one's appetite; **p. i capelli**, to lose one's hair; to go bald; **p. clienti**, to lose customers; **p. conoscenza**, to lose consciousness; **p. i contatti con q.**, to lose touch with sb.; **p. la fiducia in sé stesso**, to lose confidence in oneself; **p. un figlio**, to lose a son; **p. una gamba in un incidente**, to lose a leg in an accident; **p. la memoria**, to lose one's memory; **p. il posto**, (*a sedere*) to lose one's seat; (*il lavoro*) to lose one's job; **p. la ragione**, to lose one's reason; to go mad; **p. i sensi**, to lose consciousness; to faint; **p. la vista**, to lose one's sight; **p. la vita**, to lose one's life; *In autunno gli alberi perdono le foglie*, in autumn (the) trees lose (*o* shed) their leaves; *Non ho niente da p.*, I have nothing to lose **2** (*smarrire*) to lose*; to mislay*: **p. l'ombrello**, to lose one's umbrella; **p. la strada**, to lose one's way; (*scherz.*) *Hai perso la lingua?*, have you lost your tongue? **3** (*lasciarsi sfuggire*) to miss: **p. un'occasione**, to miss an opportunity; **p. uno spettacolo**, to miss a show; **p. il treno**, to miss the train; **p. il turno**, to miss one's turn; **non p. una sillaba di qc.**, not to miss a syllable of st.; *Non hai perso nulla: il film non era un granché*, the film wasn't much good, so you didn't miss anything **4** (*anche assol.:* rimetterci) to lose*; to lose* out; (*comm.*) to make* a loss: *Abbiamo perso un sacco di soldi con quel lavoro*, we lost a lot of money on that job; *Ci perdi a non comprare quelle azioni*, you're going to lose out by not buying those shares; *Che cosa ci perdi a farlo?*, what have you got to lose in doing it?; *Lo sciopero ci ha fatto p. diverse migliaia di euro*, the strike has lost us several thousand euros **5** (*sciupare, sprecare*) to waste: **p. il fiato**, to waste one's breath; **p. il tempo in chiacchiere**, to waste one's time chatting; *Io non perdo tempo quando si tratta di affari*, I don't waste any time when it's a question of business; *Non perderò*

tempo, lo farò subito, I'll lose no time in doing it **6** (*mandare in rovina*) to ruin: *I suoi nemici tentavano di perderlo*, his enemies tried to ruin him; *I tuoi vizi ti perderanno*, your vices will ruin you **7** (*essere sconfitto*) to lose*: **p. una causa** [**una guerra, una partita, una scommessa**], to lose a law-suit [a war, a match, a bet]; *Abbiamo perso per 4 a 2*, we lost 4-2 **8** (*lasciar uscire*) to leak: *Questa botte perde*, this barrel leaks; *Il rubinetto perde*, the tap is leaking ● (*a scuola*) **p. l'anno**, to have to repeat a year ◻ (*fig.*) **p. la bussola**, to lose one's head ◻ **p. colpi**, (*di motore*) to misfire; (*fig.*) to slow down, to slip ◻ **p. d'occhio**, to lose sight of ◻ **p. di vista**, to lose sight of; (*perdere i contatti*) to lose touch with ◻ **p. sangue**, to lose blood; (*sanguinare*) to bleed ◻ (*fig.*) **p. il sonno per qc.**, to lose sleep over st. ◻ (*anche fig.*) **p. terreno**, to lose ground ◻ (*fig.*) **p. la testa**, to lose one's head ◻ (*di contenitore*) **a p.**, non-returnable; disposable; throwaway ◻ **lasciar p.**, (*rinunciare*) to leave st.; to let st. go; to give st. a miss: *Lascia p.!*, leave it!; forget it!; *Lascialo p.!*, let him go!; (*non preoccuparتene*) never mind him! ◻ **Lasciamo p.!**, (*meglio non parlarne*) the least said the better; (*dimentichiamo*) let's forget about it ◻ **saper p.**, to be a good loser ◻ **uno che sa** [**che non sa**] **p.**, a good [poor] loser ◻ (*prov.*) **Chi perde ha sempre torto**, losers are always in the wrong ◻ (*prov.*) **Chi perde al gioco vince in amore**, unlucky at cards, lucky in love **B** v. i. to lose* (st.): **p. d'importanza**, to lose importance; **p. di prestigio**, to lose prestige **C** **pèrdersi** v. i. pron. **1** (*smarrirsi*) to lose* oneself; to get* lost; to lose* one's way: *La bambina si perse nel bosco*, the child got lost (*o* lost her way) in the wood; *Si persero per Roma*, they lost themselves (*o* got lost) in Rome **2** (*fig.: immergersi*) to lose* oneself; to be lost: **perdersi nei propri pensieri**, to be lost (*o* to lose oneself) in thought **3** (*fig.: confondersi*) to lose* oneself **4** (*fig.: svanire, dileguarsi*) to vanish; to disappear; to melt; (*di suono*) to fade away, to die away: **perdersi nell'aria**, to vanish into the air; **perdersi tra la folla**, to disappear (*o* to merge) into the crowd; *Si perse nella notte*, he melted into the night; *Il suono si perse in lontananza*, the sound faded into the distance **5** (*estinguersi*) to die out; **tradizioni che si stanno perdendo**, traditions which are dying out **6** (*rovinarsi*) to be ruined; to ruin oneself: *Quel ragazzo finirà col perdersi*, that boy will end up by ruining himself; *Si è perso per quella donna*, he was ruined because of that woman **7** (*andare smarrito*) to get* lost; to go* astray; to go* missing; (*di corrispondenza*) to be mislaid; to get* lost in the post: *Il pacco si è perso*, the parcel got lost in the post **8** (*dannarsi*) to be damned ● **perdersi d'animo**, to lose heart ◻ **perdersi dietro a q.**, to be besotted with sb. ◻ **perdersi in un bicchier d'acqua**, to be fazed (*o* thrown) by the simplest of problems ◻ **perdersi in fantasticherie**, to day-dream ◻ **perdersi in mare**, to be lost at sea ◻ **perdersi nella notte dei tempi**, to be lost in antiquity ◻ **perdersi in sciocchezze**, to waste one's time on trifles; to fritter away one's time ◻ **Mi ci perdo con questi conti**, I can't make head or tail of these accounts **D** v. rifl. recipr. – **perdersi di vista**, to lose* sight of each other; (*perdere i contatti*) to lose* touch (with each other).

perdiàna inter. (*escl. di meraviglia*) goodness!; gosh! (*fam.*); (*di impazienza*) for goodness' sake!; (*di irritazione*) damn!

perdifiàto vc. – **correre a p.**, to run at breakneck speed; to race; **gridare a p.**, to shout at the top of one's voice.

perdigiórno m. e f. inv. idler; loafer; layabout.

perdilégno m. (*zool.*, *Cossus cossus*) goat moth.

perdìnci, **perdindirindìna** → **perdiana**.

perdìo inter. by God!

♦ **pèrdita** f. **1** loss: **p. al gioco**, gambling loss; **la p. della libertà**, the loss of one's freedom; **la p. del padre**, the loss of one's father; **p. di peso**, loss of weight; **p. della vista**, loss of sight; **p. in Borsa**, loss on the Stock Exchange; **p. di sangue**, loss of blood; **p. di vite umane**, loss of life; casualties (pl.); **piangere la p. di un amico**, to mourn the loss of a friend; *Il nemico subì forti perdite*, the enemy suffered heavy losses **2** (*econ.*, *comm.*) loss; deficit: **p. di gestione**, operating loss; **essere in p.**, (*di società, ecc.*) to be losing money, to be in the red; (*di attività*) to be loss-making; **lavorare in p.**, to work at a loss; **in conto capitale**, capital loss; **ridurre le perdite**, to cut one's losses; **sostenere una p.**, to make (*o* to incur) a loss; **vendere in p.**, to sell at a loss; (*comm.*) **conto profitti e perdite**, profit and loss account **3** (*spreco*) waste; loss: **p. di tempo**, waste of time; loss of time **4** (*fuoriuscita*) leakage; leak; (*falla*) leak: **p. d'acqua [di gas]**, leakage of water [of gas]; water [gas] leak; **p. radioattiva**, leak of radioactivity; **una p. nel tubo**, a leak in the pipe; **riparare una p.**, to repair a leak ● (*med.*) **perdite bianche**, leucorrhoea (sing.); whites (*fam.*) □ **a p. d'occhio**, as far as the eye can see.

perditèmpo Ⓐ m. inv. waste of time Ⓑ m. e f. inv. dawdler; idler; layabout.

perdizióne f. **1** (*rovina*) ruin **2** (*relig.*) perdition: **essere sulla via della p.**, to be on the road to perdition; **portare alla p.**, to lead to perdition; **luogo di p.**, place of ill-fame.

perdonàbile a. forgivable; excusable; pardonable.

♦ **perdonàre** Ⓐ v. t. **1** to forgive*; to pardon: **p. i peccati**, to forgive sins; **p. un torto a q.**, to forgive sb. for a wrong; *Dio lo perdoni!*, God forgive him!; *Questa non te la perdonerò mai*, I'll never forgive you for that **2** (*scusare*) to forgive*; to excuse; to pardon: *Perdona la mia ignoranza, ma non capisco*, excuse (*o* pardon) my ignorance, but I don't understand; *Perdona il disturbo*, excuse me for troubling you Ⓑ v. i. **1** to forgive* (sb.): *Non gli ho perdonato*, I have not forgiven him; **un uomo che non perdona**, an unforgiving man **2** (*risparmiare*) to spare: *La morte non perdona a nessuno*, death spares no one; **un male che non perdona**, an incurable disease Ⓒ **perdonàrsi** v. rifl. recipr. to forgive* each other [one another].

perdonìsmo m. attitude of being in favour of granting pardon to convicted people.

perdonista a., m. e f. (person) in favour of granting pardon to convicted people.

♦ **perdóno** m. **1** forgiveness; pardon: **il p. di Dio**, God's forgiveness; **chiedere p. a q.**, to ask sb.'s forgiveness; **dare il proprio p. a q.**, to forgive sb.; *Non c'è p. per quello che ha fatto*, there is no forgiveness for what he did; what he did is unforgivable; *P.!*, I am sorry!; please forgive me! **2** (*scusa*) pardon: *Chiedo p. del ritardo*, I apologize for the delay (*form.*); I'm sorry I'm late **3** (*leg.*) – **p. giudiziale**, pardon for juvenile offenders.

perduellióne f. (*diritto romano*) perduellion; (high) treason.

perduràre v. i. **1** (*durare a lungo*) to continue; to go* on; to last: *Spero che il maltempo non perduri*, I hope this bad weather will not continue (*o* last) **2** (*perseverare*) to persist; to persevere: **p. nella propria ostinazione**, to persist in one's obstinacy.

perdutaménte avv. desperately; hopelessly: **innamorarsi p. di q.**, to fall desper-

ately in love with sb.

♦ **perdùto** a. **1** (*perso, anche fig.*) lost: **la perduta bellezza**, lost beauty; *Ho trovato l'anello p.*, I found the lost ring; **occasione perduta**, lost (*o* missed) opportunity; **p. nel deserto**, lost in the desert; **andare p.**, to get lost; to go missing; (*di corrispondenza*) to get lost in the mail **2** (*senza scampo*) done for; lost; (*rovinato*) ruined: *Siamo perduti!*, we're done for!; **sentirsi p.**, to give up all hope; *Si vide p.*, he thought all was lost; *Il braccio è p.*, the arm is lost; *Non tutto è p.*, all is not lost **3** (*sprecato*) wasted; useless; lost: **tempo p.**, time wasted; a waste of time **4** (*scomparso*) lost; (*estinto*) extinct: **specie perdute**, extinct species; **usanze perdute**, lost customs **5** (*dissoluto*) fallen: **donna perduta**, fallen woman **6** (*dannato*) lost; damned: **le anime perdute**, lost souls; the damned.

peregrinàre v. i. to wander; to roam; to rove: **p. per il mondo**, to wander through the world.

peregrinazióne f. peregrination; (al pl., anche) wanderings.

peregrìno a. **1** (*singolare*) singular; unusual; precious **2** (*stravagante*) weird; odd; (*improbabile*) far-fetched: **idea peregrina**, weird notion; **tesi peregrina**, far-fetched hypothesis.

perènne a. **1** (*continuo, perpetuo*) perennial; never-ending; perpetual; endless; (*eterno*) eternal; everlasting: **una p. carenza di manodopera**, a perennial shortage of labour; **una p. fonte di grattacapi**, an endless source of trouble; **fama p.**, everlasting fame; **nevi perenni**, perpetual snow (*o* snows); **sorgenti perenni**, perennial springs; **ricordo p.**, everlasting memory; **a p. memoria**, in eternal memory **2** (*bot.*) perennial.

perenneménte avv. perennially; perpetually; for ever.

perennità f. perennity; perpetuity; everlastingness.

perènto a. (*leg.*) extinguished; quashed; annulled; expired.

perentorietà f. peremptoriness.

perentòrio a. **1** peremptory: **ordine p.**, peremptory order **2** (*non dilazionabile*) final: **termine p.**, final date; deadline.

perenzióne f. (*leg.*) peremption; quashing; (*perdita di efficacia*) expiry, lapse.

perequàre v. t. **1** to equalize: **p. le imposte**, to equalize taxes; **p. gli stipendi**, to equalize salaries **2** (*stat.*) to smooth.

perequativo a. equalizing.

perequazióne f. **1** equalization; (*equa distribuzione*) equal distribution, equality: **p. fiscale** (*o* **tributaria**), equalization of taxes; tax equalization; equality of taxation; **p. dei redditi**, equalization of incomes **2** (*stat.*) smoothing.

peréto m. pear orchard.

perétta f. **1** small pear **2** (*elettr.*) pear-switch **3** (*med.*) rubber syringe; (*est.: clistere*) enema.

perfettaménte avv. **1** (*in modo perfetto*) perfectly; to perfection: **calzare p.**, to fit perfectly; **fare qc. p.**, to do st. to perfection **2** (*esattamente*) exactly **3** (*completamente*) completely; fully; perfectly; thoroughly; absolutely: **p. corretto**, absolutely right; **p. guarito**, fully (*o* completely) recovered; *Hai p. ragione*, you're absolutely right; *Capisco p.*, I fully understand; **conoscere qc. p.**, to know st. thoroughly; to have a thorough knowledge of st.; *Lo sai p. che...*, you know perfectly well that...

perfettìbile a. perfectible.

perfettibilità f. perfectibility.

perfettìvo a. (*lett., gramm.*) perfective.

♦ **perfètto** Ⓐ a. **1** (*completo, compiuto*) per-

fect; thorough; complete; whole; full: **la perfetta conoscenza di qc.**, the thorough knowledge of st.; **silenzio p.**, complete (*o* total) silence; **in p. accordo**, in full accordance **2** (*senza difetti*) flawless; faultless; perfect; (*ottimo*) excellent: *Nessuno è p.*, nobody's perfect; **pronuncia perfetta**, faultless pronunciation; **un lavoro veramente p.**, a flawless (*o* an excellent) piece of work; *L'esecuzione fu perfetta*, the performance was faultless (*esatto*) perfect; exact: **un circolo p.**, a perfect circle; **copia perfetta**, perfect (*o* exact) copy; **in p. orario**, perfectly on time **4** (*ideale*) ideal: (*fis.*) **gas p.**, ideal gas; **un mondo p.**, an ideal world **5** (*bot., zool., mat., gramm., mus.*) perfect: **accordo p.**, perfect chord; **insetto p.**, perfect insect; **numero p.**, perfect number; **tempo p.**, perfect tense **6** (*vero, autentico*) perfect; real; thorough; (*iron.*) out-and-out; downright; regular: **un p. cretino**, a perfect fool; **un p. gentiluomo**, a perfect gentleman; **un p. mascalzone**, a regular bastard Ⓑ m. (*gramm.*) perfect (tense).

perfezionàbile a. perfectible.

perfezionaménto m. **1** (*il perfezionare*) perfecting, refinement; (*miglioramento*) improvement, amelioration; (*completamento*) completion: **il p. di una tecnica**, the refinement of a technique; **suscettibile di p.**, capable of improvement **2** (*specializzazione*) specialization; specializing; (*postuniversitario*) postgraduate (*USA* graduate) studies (pl.): **corso di p.**, specialization course; postgraduate (*USA* graduate) course; **borsa di p.**, postgraduate scholarship (*o* grant) **3** (*leg., di contratto*) finalization; implementation.

perfezionàndo m. (f. **-a**) student following a specialization course; (*all'università*) postgraduate (student) (*GB*); graduate (student) (*USA*).

perfezionàre Ⓐ v. t. **1** (*rendere perfetto*) to perfect, to make* perfect; (*migliorare*) to improve, to ameliorate; (*raffinare*) to polish; (*rifinire*) to round off: **p. l'inglese**, to improve one's English; **p. un'invenzione**, to improve an invention **2** (*completare*) to perfect; to complete; to bring* to perfection **3** (*leg.*) – **p. un contratto**, to finalize (*o* to implement) a contract Ⓑ **perfezionàrsi** v. rifl. o i. pron. **1** (*diventare perfetto*) to become* perfect; (*migliorare*) to improve; (*progredire*) to progress, to make* progress: **p. fezionarsi in francese**, to improve one's French; to become proficient in French **2** (*fare studi di perfezionamento*) to specialize (in); to improve one's knowledge (of): **perfezionarsi in diritto del lavoro**, to specialize in industrial law.

perfezionativo a. perfecting.

perfezionatóre Ⓐ a. perfecting; improving Ⓑ m. (f. **-trìce**) perfecter; improver.

perfezióne f. **1** perfection: **aspirare alla p.**, to aim at perfection; **raggiungere la p.**, to reach perfection; **a p.** (*perfettamente*), to perfection; perfectly; thoroughly; **gradi di p.**, degrees of perfection **2** (*eccellenza, virtù*) perfection; virtue: **avere tutte le perfezioni**, to be endowed with all perfections.

perfezionìsmo m. perfectionism.

perfezionista m. e f. perfectionist.

perfezionìstico a. perfectionist (attr.); perfectionistic.

perfìdia f. **1** perfidy; perfidiousness; deceitfulness; (*malvagità*) wickedness, malice **2** (*azione perfida*) act of treachery.

pèrfido a. **1** perfidious; deceitful; false; (*malvagio*) wicked, evil, malicious **2** (*fig.: pessimo*) bad; awful; horrible: **gusto p.**, awful taste.

♦ **perfìno** avv. even; just: *È stato p. al Polo*

Sud, he has even been to the South Pole; *Ho vergogna p. a pensarlo*, I'm ashamed even (o just) to think of it; *P. un bambino saprebbe farlo*, even a child could do it.

perforàbile a. pierceable.

perforaménto m. **1** (*il forare, anche mecc.*) piercing; boring through; perforating **2** (*min.*) drilling **3** (*fis.*) puncturing.

perforànte a. perforating; piercing; (*anat.*) **arteria p.**, perforating artery; **proiettile p.**, armour-piercing shell; (*med.*) **ulcera p.**, perforating ulcer.

perforàre Ⓐ v. t. to pierce; to bore through; (*anche med.*) to perforate; (*un biglietto, una scheda, ecc.*) to punch; (*comput.*) to key-punch; (*ind. min.*) to drill Ⓑ **perforàrsi** v. i. pron. to be pierced; to be perforated.

perforàto a. pierced; (*anche med.*) perforated; (*anche comput.*) punched: **nastro p.**, punched tape; **scheda perforata**, punched card; punchcard; (*med.*) **ulcera perforata**, perforated ulcer.

perforatóre Ⓐ a. piercing; perforating; punching; (*ind. min.*) drilling ● **martello p.**, hammer (o rock) drill; rock hammer Ⓑ m. **1** (*macchina*) perforator; punch (*comput.*) key punch, card punch **2** (f. **-trìce**) (*comput.*) key punch operator.

perforatrìce f. **1** (*macchina*) drill; punch; (*ind. min.*) rock drill; (*comput.*) key punch; card punch **2** → **perforatore, B**, *def 2*.

perforazióne f. **1** perforation; boring; (*ind. min.*) drilling; (*comput.*) punching; punch: **p. sottomarina**, offshore (o submarine) drilling **2** (*serie di fori*) perforation; holes (pl.) **3** (*med.*) perforation; rupture: **p. del timpano**, perforation of the eardrum.

performance (*ingl.*) f. inv. (*anche econ., ling.*) performance.

performativo a. (*filos., ling.*) performative.

perfosfàto m. (*chim.*) superphosphate.

perfrigeràre v. t. to deep-freeze*.

perfrigerazióne f. deep-freezing.

perfusióne f. (*med.*) perfusion.

pergamèna f. **1** parchment; vellum: **rotolo di p.**, parchment scroll **2** (*documento*) parchment.

pergamenàceo a. (*di pergamena*) parchment (attr.), vellum (attr.); (*simile a pergamena*) parchment-like.

pérgamo m. (*arch.*) pulpit.

pèrgola ① f. pergola; arbour; bower.

pèrgola ② f. (*arald.*) pall.

pergolàto m. pergola; arbour; bower.

periadenìte f. (*med.*) periadenitis.

perianàle a. (*anat.*) perianal.

periànzio m. (*bot.*) perianth.

periarterìte f. (*med.*) periarteritis.

periàrtico a. (*geogr.*) periarctic.

periartrìte f. (*med.*) periarthritis.

periàstro m. (*astron.*) periastron.

perìbolo m. (*archeol.*) peribolus*; peribolos*.

pericàrdico a. (*anat.*) pericardial: **liquido p.**, pericardial fluid.

pericàrdio m. (*anat.*) pericardium*.

pericardìte f. (*med.*) pericarditis.

pericàrpo, pericàrpio m. (*bot.*) pericarp.

periciclo m. (*bot.*) pericycle.

periclàsio m. (*miner.*) periclase.

Pèricle m. (*stor.*) Pericles.

periclitàre v. i. (*lett.*) to be in danger; to be at risk.

pericolànte a. **1** threatening to fall; unsafe; unstable; unsteady; loose; (*traballante*) tottering: **casa p.**, unsafe house; **comignolo**

---

p., tottering chimney; **cornicione p.**, loose cornice; **muro p.**, unsafe wall **2** (*fig.*) in danger; at risk; tottering; shaky; on the rocks (*fam.*): **economia p.**, shaky economy; **governo p.**, tottering government.

pericolàre v. i. **1** to threaten to fall; (*traballare*) to totter: *L'edificio pericolava*, the building was threatening to collapse **2** (*fig.*) to be in danger; to be at risk; to totter.

◆**perìcolo** m. **1** danger; peril; hazard; (*rischio*) risk; (*stato di p.*) distress: **p. d'incendio**, fire hazard; fire risk; **p. di infezione**, danger (o risk) of infection; **p. imminente**, impending danger; **un p. per la salute**, a hazard to health; a health hazard; (*anche fig.*) **un p. pubblico**, a public menace; **i pericoli del fumo**, the dangers of smoking; **i pericoli del mare**, the perils (o dangers) of the sea; **i pericoli della strada**, the dangers of the road; road hazards; *C'è p. che scoppi un incendio*, there is a risk of a fire breaking out; **affrontare un p.**, to face a danger; **correre pericoli**, to run risks; *Corse p. di annegare*, she ran the risk of drowning; **costituire un p.**, to represent a danger; to pose a hazard; to be hazardous; **esporsi al p.**, to expose oneself to danger; **evitare un p.**, to avoid (a) danger (o a hazard); **fuggire il p.**, to fly from peril (o danger); **mettere in p.**, to endanger; to put at risk; to risk; to jeopardize; **scongiurare un p.**, to ward off (a) danger; **tenersi lontano dal p.**, to keep out of danger; **a proprio rischio e p.**, at one's own risk; at one's peril; **fuori p.**, out of danger; off the danger list; **in p.**, in danger; at risk; in jeopardy; endangered; *È in p. la nostra stessa sopravvivenza*, our very survival is at risk (o in danger); *La pace è in p.*, peace is in jeopardy; **una nave in p.**, a ship in distress; (*ecol.*) **una specie in p.**, an endangered species; **in p. di morte**, in danger of death; **in p. di vita**, in peril of one's life; **pieno di pericoli**, full of danger; fraught with danger; **senza p.**, safely; without danger; without risk; risk-free (agg.); **segnale di p.**, danger signal **2** (*fam.: probabilità*) fear; chance: *Non c'è p. che io vinca*, there's no danger (o fear) of my winning; *Non c'è p. che dia una mano!*, no chance of his giving a hand!

pericolosaménte avv. dangerously.

pericolosità f. dangerousness; (*rischiosità*) riskiness: **p. sociale**, social dangerousness.

◆**pericolóso** a. dangerous; hazardous; perilous; (*malsicuro, rischioso*) unsafe, risky: **curva pericolosa**, dangerous bend; (*calcio*) **gioco p.**, dangerous play; **guida pericolosa**, reckless (o dangerous) driving; **individuo p.**, dangerous individual; **mestiere p.**, dangerous (o hazardous) job; **strada pericolosa**, dangerous road; **rifiuti industriali pericolosi**, hazardous industrial waste; **viaggio p.**, dangerous (o perilous) journey; **p. per la salute**, dangerous to one's health; **potenzialmente p.**, potentially dangerous; dicey (*fam.*); *È p. avvicinarsi alla gabbia*, it is dangerous to get too close to the cage; *È p. uscire di sera in questo quartiere*, it is unsafe to go out at night in this neighbourhood.

pericòndrio m. (*anat.*) perichondrium*.

pericondrìte f. (*med.*) perichondritis.

pericope f. (*eccles.*) pericope.

peridentàrio a. (*med.*) periodontal.

peridèrma m. (*bot.*) periderm.

perididimo m. (*anat.*) perididyimis*.

peridio m. (*bot.*) peridium*.

peridotìte f. (*miner.*) peridotite.

peridòto m. (*miner.*) peridot; olivine.

periduràle a. (*anat.*) peridural.

periegèsi f. (*letter.*) periegesis*.

perieliaco a. (*astron.*) perihelion (attr.).

---

perièlio m. (*astron.*) perihelion*.

◆**periferìa** f. **1** (*circonferenza*) circumference; (*perimetro*) perimeter **2** (*area esterna*) periphery **3** (*di città*) outskirts (pl.); (*residenziale*) suburbs (pl.): *Pioltello è alla p. di Milano*, Pioltello is on the outskirts of Milan; **abitare in p.**, to live in the suburbs; **quartiere di p.**, suburb.

perifèrica f. (*comput.*) peripheral (device).

perifèrico a. **1** (*di periferia urbana*) suburban; in the suburbs; on the outskirts: **quartiere p.**, suburb; **zona periferica**, suburban area **2** (*anat.*) peripheral: **nervo p.**, peripheral nerve; **sistema nervoso p.**, peripheral nervous system **3** (*comput.*) – **unità periferica**, peripheral (device) **4** (*fig.*) peripheral; marginal; minor.

perìfrasi f. circumlocution; periphrasis* (*form.*): **usare una p.**, to use a circumlocution (o a periphrasis); to say st. in a roundabout way; **parlare senza p.**, to say things straight; not to beat about the bush; to get straight to the point.

perifràstico a. **1** (*espresso con perifrasi*) circumlocutory; periphrastic **2** (*gramm.*) periphrastic.

perigàstrico a. (*anat.*) perigastric.

perigastrìte f. (*med.*) perigastritis.

perigèo (*astron.*) Ⓐ m. perigee Ⓑ a. perigean.

periglióso a. (*lett.*) perilous; hazardous; dangerous.

perigònio m. (*bot.*) perigonium*; perigone.

perimetràle a. (*edil.*) perimetric; (*esterno*) external, outside (attr.): **misura p.**, perimetric measure; **muro p.**, external (o outside) wall.

perimetrìa f. (*med.*) perimetry.

perimètrico a. (*geom., med.*) perimetric.

perìmetro m. **1** (*geom.*) perimeter **2** (*circonferenza*) perimeter; boundary; outer edge; circumference: **il p. di un campo**, the perimeter (o outer edge) of a field; **il p. della città**, the city boundaries **3** (*oculistica*) perimeter.

perinatàle a. (*med.*) perinatal.

perinatalità f. (*med.*) perinatal period.

perinatologìa f. (*med.*) perinatology.

perineàle a. (*anat.*) perineal.

perinèo m. (*anat.*) perineum*.

perìoca f. (*letter.*) summary.

perioculàre a. (*anat.*) periocular.

periodàre Ⓐ v. i. to form (o to construct) sentences Ⓑ m. style.

periodicaménte avv. periodically; at regular intervals.

periodicìsta m. e f. contributor to a periodical.

periodicità f. periodicity; recurrence ● **con p.**, at regular intervals □ **con una certa p.**, fairly regularly □ **con p. mensile**, monthly.

periòdico Ⓐ a. **1** (*che avviene o appare a intervalli regolari*) periodic, periodical; recurrent; recurring: **febbre periodica**, periodic (o recurrent) fever; (*mat.*) **funzione periodica**, periodic function; (*mat.*) **numero decimale p.**, recurring (o repeating) decimal; (*chim.*) **sistema p.**, periodic system; (*chim.*) **tavola periodica**, periodic table **2** (*di pubblicazione, opuscolo, ecc.*) periodical Ⓑ m. periodical; (*rivista*) magazine: **p. sportivo**, sports magazine.

periodizzaménto m. periodization.

periodizzàre v. t. to periodize.

periodizzazióne f. periodization.

◆**perìodo** m. **1** (*intervallo di tempo*) period; time; spell; (*stagione*) season: **un p. di sei mesi**, a period of six months; a six-month

period; un p. di bel tempo, a spell of fine weather; **p. di calma**, lull; **p. d'inattività**, (del mercato, ecc.) slack; (di una macchina) downtime; (di lavoratore) lay-off; **p. di permanenza in carica**, term of office; **p. di prova**, trial period; (di nuovo assunto) period of probation; **p. di riposo**, period of rest; (leg.) **p. di validità**, term; **p. invernale**, wintertime; winter; **il p. natalizio**, the Christmas season; Christmastime; **p. morto**, slack period; **un p. meraviglioso della mia vita**, a wonderful period of my life; **lunghi periodi di depressione**, long periods of depression; **attraversare un brutto p.**, to be going through a bad patch; **andare a periodi**, to vary; **in quel p.**, at the time; **in questo p.**, at the moment; **nel lungo p.**, in the long run; **per un certo p.**, for a time; **per un lungo p.**, for a long time **2** (epoca storica) period; age; era: **il p. vittoriano**, the Victorian period (o age); **il p. d'oro della letteratura latina**, the golden age of Latin literature; **un glorioso p. della nostra storia**, a glorious period of our history **3** (geol.) period: **il p. devonico**, the Devonian period **4** (gramm.) period; sentence: **un p. ben costruito**, a well-constructed period; **p. ipotetico**, conditional (o if) clause **5** (mat.) period; repetend **6** (astron., fis.) period: **p. di vibrazione libera**, natural period; **p. radioattivo**, decay period; **p. della pila**, pile period **7** (mus.) period; phrase **8** (med.) period; stage; phase: **il p. iniziale di una malattia**, the initial stage of a disease; **p. d'incubazione**, incubation period.

periodontàle a. (anat.) periodontal.

periodontìte f. (med.) periodontitis.

periodònto m. (anat.) periodontium*; periodontal tissues (pl.).

periodontòṣi f. (med.) periodontosis.

periodonzìa f. (med.) periodontics (pl. col verbo al sing.).

periodònzio → **periodonto**.

perioftàlmo m. (zool., Periophthalmus koelreuteri) mudskipper.

periostàle a. (anat.) periosteal.

periòstio m. (anat.) periosteum*.

periostìte f. (med.) periostitis.

periòstraco m. (zool.) periostracum*.

peripatètica f. (eufem.) streetwalker; prostitute.

peripatètico (filos.) a. e m. Peripatetic.

peripatetiṣmo m. (filos.) peripateticism.

peripeziìa f. **1** (teatr.) peripeteia **2** (estens.: vicissitudine) vicissitude; (avventura) adventure: **il racconto delle mie peripezie**, the story of my vicissitudes; **un viaggio pieno di peripezie**, an adventurous journey.

pèriplo m. **1** circumnavigation; periplus*: **fare il p. di un'isola**, to circumnavigate an island; to sail round an island **2** (letter.) periplus*.

perire v. i. **1** (andare distrutto) to be destroyed; to be lost: Molti capolavori perirono in quell'incendio, many masterpieces were destroyed (o were lost) in that fire **2** (morire) to die; to perish: **p. in un naufragio**, to die in a shipwreck; **p. di spada**, to perish by the sword **3** (finire, estinguersi) to die; to be lost: La sua fama non perirà mai, his fame will never die.

periscòpico a. periscopic; periscope (attr.): **lente periscopica**, periscopic lens; (naut.) **quota periscopica**, periscope depth.

periscòpio m. (fiṣ., naut.) periscope.

perispèrma m. (bot.) perisperm.

perispòmeno a. (ling.) perispomenon.

perissodàttilo m. (zool.) perissodactyl; (al pl., scient.) Perissodactyla.

peristàlsi f. (fiṣiol.) peristalsis.

peristàltico a. (fiṣiol.) peristaltic: **movimento p.**, peristaltic movement.

peristìlio m. (archit.) peristyle.

peristòma m. (zool.) peristome.

peritàle a. (leg.) expert's (attr.); expert (attr.): **prova p.**, expert evidence; **relazione p.**, expert's report.

peritàrsi v. i. pron. not to dare; to hesitate; to have scruples: Non mi perito di dirti la verità, I have no scruples about telling you the truth.

peritècio m. (bot.) perithecium*.

peritèro m. (naut.) echo-detection device.

perìto A a. expert; skilled; well-trained B m. (f. -a) **1** expert; (ass.) assessor, adjuster; (estimatore) estimator, appraiser, valuer; (tecnico) technician: **p. calligrafo**, handwriting expert; **p. d'avaria**, average surveyor; **p. liquidatore**, claim assessor; **p. navale**, ship (o marine) surveyor; **p. nominato dal tribunale**, expert appointed by the court; **p. traduttore**, sworn translator; **chiedere il parere di un p.**, to ask for expert advice; **relazione di p.**, expert's report **2** (come titolo di studio) – **p. agrario**, agriculturist; **p. agronomo**, land surveyor; **p. chimico**, chemist; **p. commerciale**, qualified accountant; **p. edile**, master contractor; **p. industriale**, engineer; **p. ragioniere**, chartered accountant.

peritoneàle a. (anat.) peritoneal.

peritonèo m. (anat.) peritoneum*.

peritonìte f. (med.) peritonitis.

perittero a. (archit.) peripteral.

peritùro a. (lett.) perishable; transitory; fleeting.

perizìa f. **1** (abilità) skilfulness; skill; ability; expertise **2** (leg.: consulenza tecnica) expert opinion, expert evidence; (relazione) expert's report: **p. balistica**, ballistic report; **p. calligrafica**, expert opinion on a sample of handwriting; **p. giurata**, sworn expert evidence; **p. psichiatrica**, psychiatric examination **3** (stima di perito) survey; estimate; assessment; appraisal; valuation: **p. dei danni**, damage survey; **p. di avaria**, average survey; **fare una p. di**, to make a survey of; to survey; to assess; to value; to estimate.

periziàre v. t. to survey; to value; to estimate; to assess: **p. i danni**, to estimate (o to assess) (the) damage.

periziatóre m. (f. -trìce) (ipp.) handicapper.

periẓòma m. **1** (di popolazioni primitive) loincloth **2** (indumento intimo) g-string; tanga.

♦**pèrla** A f. **1** pearl: **p. artificiale**, imitation pearl; **p. barocca**, baroque pearl; **p. coltivata**, culture pearl; **p. di fiume**, freshwater pearl; seed pearl; (fig.) **gettare perle ai porci**, to cast pearls before swine; **pescare le perle**, to dive for pearls; to go pearling; **collana di perle**, string of pearls; **filo di perle**, string of pearls; **orecchino con p.**, pearl drop; **la pesca delle perle**, pearl-diving; pearling; **pescatore di perle**, pearl diver **2** (fig.) pearl; gem: **perle di saggezza**, pearls of wisdom; Portofino, p. della Liguria, Portofino, a gem of Liguria **3** (fig.: persona eccellente) gem; jewel: **una p. di figlia**, a jewel of a daughter; La mia segretaria è una p., my secretary is a gem **4** (farm.) pearl; capsule **5** (tipogr.) pearl (type) **6** (iron.: errore madornale) howler (fam.); (frase sorprendente) outrageous remark (o statement) B a. inv. (di perla) pearl (attr.): **color p.**, pearl-coloured; milky; **grigio p.**, pearl grey.

perlàceo a. pearly; pearl-like: **bianco p.**, pearly (o nacreous) white; **tinta perlacea**, pearly hue.

perlage (franc.) m. inv. (enologia) perlage.

perlaquàle (fam.) A a. inv. proper; well-behaved; respectable; decent B avv. well: La cosa non è andata troppo p., it didn't go very well.

perlàto a. **1** (color perla) pearly; pearl-like **2** (ornato di perle) set with pearls ● **orzo p.**, pearl barley.

perlé (franc.) a. inv. – **cotone p.**, corded cotton.

perlìfero a. pearl-yielding; pearl (attr.): **ostrica perlifera**, pearl oyster.

perlìna f. **1** small pearl; (perla di fiume) freshwater pearl, seed pearl; (elemento di collana) bead **2** (falegn.) matchboard **3** (numism.) pearl.

perlinàto A a. beaded: (cinem.) **schermo p.**, beaded screen B m. (falegn.) matchboarding.

perlinatùra f. **1** (cinem.) beading **2** (edil.) matchboarding.

perlinguàle a. (farm.) perlingual.

perlìte f. **1** (geol.) perlite; pearlstone **2** (metall.) pearlite.

perlocutìvo, perlocutòrio a. (ling.) perlocutionary.

perlomèno avv. at least.

perlopiù avv. mostly; in most cases; for the most part; (in genere) generally; (di solito) usually: A Perugia gli studenti sono p. stranieri, in Perugia the students are mostly foreigners; La sera p. mi troverai a casa, you'll usually find me at home in the evening.

perlustràre v. t. to search; to scour; to explore; (mil.) to reconnoitre: **p. un quartiere**, to search a district; **p. la campagna in cerca di vecchi mobili**, to scour the countryside for old furniture; Perlustrai la zona alla ricerca di acqua, I scouted around for water.

perlustratóre A a. searching; (mil.) reconnoitring B m. (f. -trìce) seacher; (mil.) reconnoitrer.

perlustrazióne f. search; exploration; (mil.) reconnaissance: **andare in p.**, to go on a reconnaissance; to reconnoitre; **fare una p.**, to mount a search.

permafrost (ingl.), **permagèlo** m. (geol.) permafrost.

permalloy (ingl.) m. inv. (metall.) permalloy.

permalosità f. touchiness; testiness; tetchiness.

permalóṣo A a. touchy; testy; tetchy; crotchety B m. (f. -a) touchy person.

permanènte A a. permanent; standing: **colori permanenti**, fast colours; **commissione parlamentare p.**, standing parliamentary committee; **dentizione p.**, permanent dentition; **educazione p.**, continuing education; (mil.) **esercito p.**, standing army; **invalidità p.**, permanent disability; **invito p.**, standing invitation; (fiṣ.) **magnete p.**, permanent magnet; **mostra p.**, permanent exhibition; **una p. situazione di instabilità**, a permanent state of instability B f. permanent (wave); perm (fam.): **p. a caldo [a freddo]**, hot [cold] perm; **farsi (fare) la p.**, to have one's hair permed.

permanènza f. **1** permanence **2** (soggiorno) stay; sojourn: **durante la mia p. a Roma**, during my stay in Rome; Buona p.!, have a good stay!; enjoy your stay!; **in p.**, permanently **3** (in una carica) term (of office); tenure.

permanére v. i. **1** (perdurare) to remain; to continue; to persist: Le sue condizioni permangono gravi, his condition remains serious; Il tempo permane bello, the weather is continuing fine **2** (continuare a stare) to remain; to stay on.

permanganàto m. (chim.) permanga-

nate: **p. potassico**, potassium permanganate.

permangànico a. (*chim.*) permanganic: **acido p.**, permanganic acid.

permeàbile a. (*fis.*) permeable.

permeabilità f. permeability: (*fis.*) **p. magnetica**, permeability.

permeànza f. (*fis.*) permeance.

permeàre v. t. (*anche fig.*) to permeate.

permeàsi f. (*biol., chim.*) permease.

permeatóre m. (*chim.*) permeator.

permeazióne f. permeation.

permésso① a. **1** permitted; allowed **2** – (*È*) *permesso?* (*posso entrare?*), may I come in?; *P., per favore* (*vorrei passare*), excuse me.

♦**permésso**② m. **1** (*autorizzazione*) permission; leave; (*licenza*) licence, license (*USA*); (*nullaosta*) permit, leave; (*di accesso*) pass: **p. di caccia**, shooting licence; (*autom.*) **p. di circolazione**, car registration; (*econ.*) **permessi di emissione negoziabili**, tradable emission permits; (*USA*) cap-and-trade system; **p. d'esportazione**, export licence; **p. di soggiorno**, residence permit; **p. di lavoro**, work permit; **p. scritto**, written permission; permit; **avere il p. di fare qc.**, to be allowed (*o* permitted) to do st.: *Non ho il p. di uscire di sera*, I am not allowed out at night; **chiedere a q. il p. di fare qc.**, to ask sb.'s permission to do st.; **dare a q. il p. di fare qc.**, to give sb. permission to do st.; **rifiutare il p.**, to refuse permission; **rilasciare un p.**, to grant a permit; **col vostro p.**, by your leave **2** (*di militare, impiegato, ecc.*) leave: **un mese di p.**, a month's leave; **un giorno di p.**, a day off; **essere in p.**, to be on leave.

♦**perméttere** v. t. **1** (*dare il permesso*) to allow; to let*; to permit (*form.*); (*rendere possibile*) to allow, to enable; (*autorizzare*) to authorize, to entitle: *Non gli permise di uscire*, he did not allow him to go out; he did not let him go out; *Permettimi di spiegarti*, allow me to explain; *La dilazione ci permise di finire il lavoro con calma*, the extension of the deadline allowed us to complete the job without hurrying; *Un radar interno permette al pipistrello di volare al buio*, an internal radar enables bats to fly about in the dark; *Il sindaco non ha permesso la dimostrazione*, the mayor did not authorize the demonstration; *Non ti permetto di parlare in questo modo!*, I forbid you to say such things!; *Mi permetta di presentarle mia moglie*, may I introduce my wife?; *I nostri mezzi non ci permettono questa spesa*, we can't afford this expense; *Crede che tutto gli sia permesso*, he thinks he can do anything he likes; **tempo permettendo**, weather permitting; *Permette?*, may I? **2** (**permettersi**) to allow oneself (st.); (*rif. a spese e sim.*) to afford (st.); (*prendersi la libertà*) to take* the liberty (of); (*osare*) to dare: *Di tanto in tanto mi permetto una sigaretta*, now and then I allow myself a cigarette; *Non posso permettermi una vacanza all'estero*, I can't afford a holiday abroad; *Mi sono permesso di chiamarle un taxi*, I have called a taxi for you; *Come si permette?*, how dare you?

❶ **NOTA:** *to allow* → **to allow**.

permettività f. (*fis.*) permittivity.

pèrmico, permiàno a. e m. (*geol.*) Permian.

permissìbile a. permissible; allowable.

permissionàrio m. (f. *-a*) (*leg.*) licensee.

permissivìsmo m. permissiveness.

permissività f. permissiveness.

permissìvo a. **1** (*leg.*) permissive **2** (*tollerante*) permissive; lenient; lax; indulgent: **educazione permissiva**, lax upbringing; **genitori permissivi**, permissive parents; **società permissiva**, permissive society.

pèrmuta f. **1** (*leg.*) exchange; (*baratto*)

barter: **p. di beni immobili**, exchange of real property; **p. parziale**, part exchange; **dare qc. in p.**, to trade st. in; **valore di p.**, trade-in value **2** (*scambio*) exchange; swap.

permutàbile a. exchangeable: **non p.**, not exchangeable; unexchangeable.

permutabilità f. exchangeability.

permutaménto m. → **permutazione**.

permutàre v. t. **1** (*comm.*) to exchange; (*barattare*) to barter: **p. merci**, to barter commodities **2** (*mat.*) to permute.

permutatóre A a. exchanging B m. (f. *-trice*) (*comm.*) exchanger.

permutazióne f. **1** exchange; barter **2** (*ling.*) commutation **3** (*mat., chim.*) permutation.

permutìte® f. (*chim.*) permutite.

pernàcchia f. raspberry: **fare una p.**, to blow a raspberry.

pernìce f. (*zool.*) partridge; grouse: **p. bianca** (*Lagopus mutus*), ptarmigan; snow-grouse; **p. di mare** (*Glareola pratincola*), pratincole; **p. grigia** (*Perdix perdix*), grey partridge; **p. rossa** (*Alectoris rufa*), red-legged partridge ● (*fig.*) **occhio di p.** → **occhio**.

pernicióso a. (*med.*) malignant fever.

perniciosità f. perniciousness; harmfulness.

pernicióso a. pernicious; harmful; injurious; ruinous: **anemia perniciosa**, pernicious anaemia; **dottrine perniciose**, pernicious doctrines; **febbre perniciosa**, malignant fever.

pèrnio → **perno**.

perniòne m. (*med.*) chilblain.

pèrno, pèrnio A m. **1** (*mecc.*) pin; gudgeon; stud; journal; pivot; axis; (*di ruota*) hub: **p. a forcella**, forked pin; **p. d'accoppiamento**, coupling pin; **p. di articolazione**, trunnion; **p. di bloccaggio**, check pin; **p. d'incerneramento**, hinge pin; **p. di banco**, (main) journal; **p. girevole**, pivot pin; **p. sferico**, ball-and-socket joint; **fare p. su qc.**, to pivot on st.; (*fig.*) to hinge on st. **2** (*cardine*) hinge **3** (*fig.: elemento fondamentale*) pivot; hinge; linchpin; (*sostegno*) prop B a. – (*naut.*) **nave p.**, pivot ship.

pernottaménto m. overnight stay.

pernottàre v. i. to stay overnight; to spend* the night: **p. a casa di un amico**, to stay overnight at a friend's house.

pernòtto m. **1** (*bur.*) overnight stay **2** (*mil.*) overnight stay.

péro m. **1** (*bot., Pyrus communis*) pear-tree; pear **2** (*bot.*) – **p. di terra**, Jerusalem artichoke; **p. selvatico** (*Pyrus pyraster*), wild pear.

♦**però** A cong. (*ma*) but; yet; still; (*tuttavia*) however; (*nondimeno*) nevertheless: *Ha detto che stava male, p. ha mangiato*, she said she wasn't feeling well, but she ate her meal; *Sarà un capolavoro, p. non mi piace*, it may be a masterpiece, but I still don't like it; *La cifra è ragionevole, p. non credo di potermelo permettere*, the sum is reasonable, however, I don't think I can afford it; *Sarà, p. non puoi dire che non ti avevo avvertito*, still, you can't say I didn't warn you; *Non è giusto, p.!*, still, it's not fair! B inter. – *P., niente male questo vino!*, hey, this wine isn't at all bad!; *Dieci milioni di euro? P.!*, ten million euros? whew!

perocché (*lett.*) → **poiché**.

peróne m. (*anat.*) fibula*.

peronèo a. (*anat.*) peroneal; fibular.

peronìsmo m. (*polit.*) Peronism.

peronìsta a., m. e f. (*polit.*) Peronist.

peronòspora f. **1** (*bot., Peronospora*) downy mildew **2** (*bot.*) – **p. della patata** (*Phytophtora infestans*), potato blight; **p. della vite** (*Plasmopara viticola*), grape mildew.

peroràre A v. t. to plead; to defend; to speak* (*o* to argue) in favour of; to advocate: **p. la propria causa**, to plead one's own cause; **p. la causa di q.**, to plead sb.'s cause; to defend sb.; (*leg.*) **p. una causa**, to plead a case B v. i. to perorate; (*leg.*) to plead.

perorazióne f. **1** (*il perorare*) pleading (*anche leg.*); defence; advocacy **2** (*parte di un'orazione*) peroration.

peròssido m. (*chim.*) peroxide.

perovskite f. (*miner.*) perovskite.

perpendìcola f. perpendicular.

perpendicolàre A a. perpendicular: *AD è p. a BC*, AD is perpendicular to BC; **retta p.**, perpendicular line B f. (*geom.*) perpendicular: **abbassare [tracciare] una p.**, to drop [to draw] a perpendicular.

perpendicolarità f. perpendicularity.

perpendicolarménte avv. perpendicularly.

perpendìcolo m. perpendicular ● **a p.**, perpendicularly.

perpetràre v. t. to perpetrate; to commit: **p. un delitto**, to perpetrate (*o* to commit) a crime.

perpetratóre m. (f. *-trice*) perpetrator.

perpètua f. priest's housekeeper.

perpetuaménte avv. perpetually; in perpetuity; for ever.

perpetuàre A v. t. to perpetuate: **p. il ricordo di q.**, to perpetuate sb.'s memory B **perpetuàrsi** v. i. pron. to be perpetuated.

perpetuatóre m. (f. *-trice*) perpetuator.

perpetuazióne f. perpetuation.

perpetuità f. perpetuity.

perpètuo a. **1** (*che non avrà fine*) perpetual, everlasting, never-ending; (*eterno*) eternal: **calendario p.**, perpetual calendar; **dannazione perpetua**, eternal damnation; **a p. ricordo**, in everlasting memory **2** (*continuo, incessante*) perpetual; incessant; continual; constant; eternal: **un p. chiacchiericcio**, incessant chatter; **una perpetua agitazione**, continual restlessness; **perpetue discussioni**, constant arguing; **moto p.**, perpetual motion **3** (*a vita*) permanent; for life; life (attr.): **carcere p.**, life imprisonment; **esilio p.**, exile for life; **rendita perpetua**, life annuity; **socio p.**, permanent member **4** (*mecc.*) endless: **vite perpetua**, endless screw.

perplessità f. perplexity; puzzlement; (*incertezza*) uncertainty, hesitation, irresolution; (*dubbio*) misgiving; doubt: **avere qualche p.**, to be perplexed; to be puzzled; to have misgivings; **suscitare p.**, to perplex; to be perplexing; to puzzle; to be puzzling.

perplèsso a. perplexed; puzzled; nonplussed; (*incerto*) uncertain, doubtful: **lasciare p.**, to puzzle; to perplex; to baffle; **rimanere p.**, to be puzzled; to be at a loss; *Sono molto p. su come muovermi*, I'm very uncertain as to how to act.

perquisìre v. t. to search; (*una persona, anche*) to frisk: **p. un appartamento**, to search a flat; *Mi perquisirono alla ricerca di armi*, they searched (*o* frisked) me for weapons.

perquisizióne f. search; searching; (*di persona, anche*) frisk: **p. accurata**, thorough search; **p. domiciliare**, house search; **p. personale**, body search; frisk; frisking; **fare una p.**, to carry out a search; **mandato** (*o* **ordine**) **di p.**, search warrant; **emettere un ordine di p.**, to issue a search warrant.

pèrsea f. (*bot.*) avocado pear.

persecutìvo a. **1** (*leg.*) persecutory **2** (*psic.*) persecution (attr.): **mania persecutiva**, persecution complex.

persecutóre A a. persecuting; persecutory B m. (f. *-trice*) persecutor.

persecutòrio a. persecutory.

persecuzióne f. **1** persecution: **la p. degli Ebrei**, the persecution of the Jews; **essere fatto oggetto di p.**, to be the victim of a persecution; to be persecuted; (*psic.*) **mania di p.**, persecution complex **2** (*fig.*: *persona o cosa fastidiosa*) torment; pest.

Persèfone f. (*mitol.*) Persephone.

perseguènte a. (*leg.*) prosecuting.

perseguibile a. **1** feasible; realizable; achievable **2** (*leg.*) prosecutable; indictable: **reato p.**, indictable offence; **rendere p.**, to penalize.

perseguiménto m. pursuit: **il p. della ricchezza**, the pursuit of wealth.

perseguire v. t. **1** to pursue; to follow up: **p. uno scopo**, to pursue an aim **2** (*leg.*) to prosecute; to indict.

perseguitàre v. t. **1** to persecute: *Nerone perseguitò i cristiani*, Nero persecuted the Christians; **essere perseguitato**, to be persecuted; to suffer persecution **2** (*fig.*: *molestare*) to pester, to dog, to harass; (*ossessionare*) to haunt, to plague: **essere perseguitato dalla sfortuna**, to be dogged by misfortune; **essere perseguitato da un timore [dal senso di colpa]**, to be haunted by a fear [by guilt].

perseguitàto m. (f. -*a*) victim of persecution: **p. politico**, victim of political persecution.

persèidi f. pl. (*astron.*) Perseids.

Pèrseo m. (*mitol.*, *astron.*) Perseus.

perseverànte a. persevering; perseverant; persistent.

perseverànza f. perseverance; persistence.

perseveràre v. i. **1** to persevere; to persist: **p. negli studi**, to persevere in one's studies; **p. nel male**, to persist in wrongdoing; **p. sino alla fine**, to persevere to the last.

Pèrsia f. (*geogr.*) Persia.

persiàna f. jalousie; (*imposta*) shutter: **p. avvolgibile**, roller shutter; **p. scorrevole**, sliding shutter; **aprire [chiudere] le persiane**, to open [to close] the shutters; **abbassare le persiane**, to lower (*o* to pull down) the shutters; **stecca di p.**, slat.

persianista m. e f. Persian scholar; Persianist.

persianìstica f. Persian studies (pl.).

persiàno **A** a. Persian: **tappeto p.**, Persian carpet **B** m. **1** (f. -*a*) Persian **2** (*ling.*) Persian **3** (*gatto*) Persian (cat) **4** (*pelliccia*) Persian lamb.

persicària f. (*bot.*, *Polygonum persicaria*) red shank; persicaria.

pèrsico① a. (*geogr.*) Persian: **il Golfo P.**, the Persian Gulf.

pèrsico② a. (*zool.*, *Perca fluviatilis*); anche agg.: **pesce p.**) perch; bass.

♦**persino** → **perfino**.

persistènte a. **1** persistent; persisting; (*ostinato*) obstinate: **pioggia p.**, persistent rain; **sforzi persistenti**, persistent efforts **2** (*bot.*) persistent.

persistènza f. persistence; persistency; (*ostinazione*) obstinacy: (*fis.*) **p. dell'immagine**, persistence of vision.

persìstere v. i. **1** (*insistere*, *perseverare*) to persist; to keep* on; to persevere: **p. in una cattiva abitudine**, to persist in a bad habit; **p. nel male**, to persist in doing wrong; **p. a sostenere qc.**, to persist in stating st. **2** (*durare*) to persist; to continue: *Se il dolore persiste, prenda due compresse*, if the pain persists, take two tablets; *Il maltempo persistette per una settimana*, the bad weather continued for a week.

pèrso a. (*smarrito*) lost; (*sprecato*) wasted; (*sfuggito*) missed: **anima persa**, lost soul; **causa persa**, lost cause; **occasione persa**, missed (*o* lost) opportunity; **tempo p.**, lost time; wasted time; a waste of time; **andare p.**, to get lost; to go missing; **a tempo p.**, in one's spare time; **riguadagnare il tempo p.**, to make up for lost time ● **p. per p.**, having nothing further to lose; if the worst comes to the worst □ **dare qc. per p.**, to give st. up for lost □ **innamorato p.**, head over heels in love □ **ubriaco p.**, dead drunk.

persolfàto m. (*chim.*) persulphate, persulfate (*USA*).

persolfòrico a. (*chim.*) persulphuric, persulfuric (*USA*): **acido p.**, persulphuric acid.

♦**persóna** f. **1** person; (al pl.) people, persons (*form. o leg.*): **una brava p.**, a nice person; **p. famosa**, famous person; celebrity; **persone scomparse**, missing people; **venti persone**, twenty people; **una tavola apparecchiata per dieci persone**, a table laid for ten; **un gruppo di persone**, a group of people **2** (*un tale*, *qualcuno*) somebody; someone; (in frasi interr. e neg.) anybody; anyone; (in frasi neg.: *nessuno*) nobody, no one: *C'è una p. di sotto che ti cerca*, there's someone (*o* somebody) downstairs looking for you; *Non c'è p. che...*, there isn't anyone who...; **nessuna p. al mondo**, nobody in the world **3** (*corpo*) body; (*aspetto*) personal appearance; (*figura*) figure: **aver cura della p.**, to take care over one's personal appearance **4** (*leg.*) person; body: **p. fisica**, natural person; **p. giuridica**, corporation; body corporate; legal person; **la p. del re**, the person of the king; **costituirsi in p. giuridica**, to incorporate; **danni alla p.**, personal injuries **5** (*teol.*) person: **le tre persone della Trinità**, the three persons of the Trinity **6** (*gramm.*) person: **prima p. singolare**, first person singular; **scrivere di sé in terza p.**, to write about oneself in the third person **7** (*psic.*) persona* **8** (*teatr.*) character ● **p. di servizio**, domestic (servant) □ (*leg.*) **p. non gradita**, persona non grata (lat.) □ **a** (*o* **per**) **p.**, per person; per head; each □ **di p.**, personally; in person: **conoscere q. di p.**, to know sb. personally; **partecipare di p.**, to take part in person □ *Fu ricevuto dal re in p.*, he was received by the king in person □ **È l'arroganza in p.** (*o* **fatta p.**), he is arrogance personified □ **È la generosità in p.**, he is generosity itself □ **in p. di**, instead of; in the place of □ **in prima p.**, personally; directly □ (*fig.*) **parlare in prima p.**, to speak for oneself □ (*fig.*) **pagare di p.**, to face the consequences (*o*, *fam.* the music) □ **per interposta p.**, indirectly; through a third party.

♦**personàggio** m. **1** (*persona ragguardevole*) figure; personality: **un p. importante**, an important figure; **p. politico**, political figure; **un noto p. televisivo**, a well-known TV personality **2** (*fam.*: *tipo*, *individuo*) character; fellow; guy (*USA*): **un p. curioso**, an odd character; a funny guy; *Sei un bel p.!*, you are quite a character! **3** (*di romanzo*, *ecc.*) character: **un p. di Verga**, a character from Verga; **il p. principale**, the main character; **i personaggi d'una commedia**, the characters in a play; *Interpretò il p. di Shylock*, he played Shylock.

pèrsonal m. inv. (*comput.*) personal computer; PC.

♦**personàle** **A** a. personal; (*privato*) private: **assistente p.**, personal assistant; **beni personali**, personal belongings; **biglietto p.**, non-transferable ticket; **domanda p.**, personal question; **favore p.**, personal favour; **libertà p.**, personal liberty; **mostra p.**, one-man exhibition; **opinione p.**, personal opinion; (*gramm.*) **pronome p.**, personal pronoun; **questione p.**, private matter; **strettamente p.**, strictly personal; **di uso p.**, personal; for one's personal use **B** m. **1** staff; personnel: **il p. di una ditta**, the staff of a firm; **p. di complemento**, extra staff; (*naut.*) **p. di coperta**, deck hands (pl.); (*naut.*) **p. di macchina**, engine-room hands (pl.); (*aeron.*) **p. di terra**, ground crew; **p. dipendente**, employees (pl.); **p. direttivo**, management; executives (pl.); **p. impiegatizio**, clerical staff; **p. insegnante**, teaching staff; (*ferr.*) **p. viaggiante**, train staff; **assumere p.**, to hire staff; **fare parte del p.**, to be on the staff; **a corto di p.**, short-staffed; understaffed; **con eccesso di p.**, overstaffed; **capo del p.**, personnel manager; **ufficio p.**, personnel department **2** (*figura*) figure: **un bel p.**, a beautiful figure **3** (*sfera privata*) private sphere; personal affairs (pl.); privacy **C** f. (*mostra p.*) one-man exhibition.

personalìsmo m. **1** (*filos.*, *polit.*) personalism **2** (*favoritismo*) favouritism.

personalìsta **A** a. personalist, personalistic **B** m. e f. personalist.

personalìstico **A** a. personalist; personalistic **B** m. e f. personalist.

personalità f. **1** (*carattere soggettivo*) subjectivity; personal nature; personal character **2** (*psic. ed estens.*) personality: **p. dissociata**, split personality; **p. multipla**, multiple personality; **avere una forte p.**, to have a strong personality; **non avere p.**, to lack personality; **culto della p.**, personality cult; **disturbi della p.**, personality disorders **3** (*personaggio*) personality; figure; celebrity: **p. di spicco**, famous personality; well-known figure; celebrity **4** (*leg.*) legal status; corporate status: **acquistare p. giuridica**, to be incorporated; **avente p. giuridica**, incorporated.

personalizzàre v. t. **1** (*dare un'impronta personale*) to personalize **2** (*adattare a esigenze personali*) to personalize; to customize.

personalizzàto a. **1** (*reso personale*) personalized **2** (*adattato a esigenze personali*) personalized; customized; (*fatto su ordinazione*) custom-made: **p. con le iniziali**, personalized with sb.'s initials.

personalizzazióne f. personalization.

personalménte avv. **1** (*di persona*) personally; in person: *Ci andai p.*, I went there in person; *Lo farò p.*, I'll do it personally (*o* myself); *Li conosco tutti p.*, I know each of them personally **2** (*da parte propria*) personally; for one's own part; from a personal point of view: *P. non credo che ce la faranno*, personally, I don't think they're going to make it.

personàta a. femm. (*bot.*) - **corolla p.**, personate corolla.

personificàre v. t. **1** (*rappresentare concretamente*) to personify: **p. il sole e la luna [i vizi e le virtù]**, to personify the sun and the moon [vices and virtues] **2** (*rappresentare*, *incarnare*) to personify; to embody; (*simboleggiare*) to symbolize, to represent.

personificàto a. personified; incarnate: *È l'avidità personificata*, she is greed personified (*o* incarnate); *È la pazienza personificata*, he is patience personified (*o* patience itself).

personificazióne f. **1** (*rappresentazione*) personification **2** (*incarnazione*) personification, embodiment; (*simbolo*) symbol: **essere la p. dell'orgoglio**, to be pride personified.

perspex® m. (*chim.*) perspex®.

perspicàce a. **1** (*penetrante*) perspicacious; penetrating; discerning; keen; acute: **intelletto p.**, penetrating (*o* keen) mind; **occhio p.**, keen eye **2** (*lungimirante*) far-sighted.

perspicàcia f. perspicacity; penetration; discernment; keenness.

perspicuità f. perspicuity; clearness; lucidity.

perspìcuo a. perspicuous; clear; lucid.

perspiràre v. i. (*fisiol.*) to perspire.

perspirazióne f. (*fisiol.*) perspiration.

persuadére A v. t. 1 (*convincere a fare qc.*) to persuade; to get* (sb. to do st.); to convince; (*parlando*) to talk (sb.) into (doing st.); to prevail upon (sb. to do st.): *Lo persuasi a partire*, I persuaded him to leave; *L'ho persuasa a non vendere la casa*, I've talked her out of selling her house; **p. q. ad accettare un invito**, to persuade sb. to accept an invitation; *Non si lasciò p.*, he wouldn't be persuaded 2 (*convincere di qc., a credere a qc.*) to convince; to persuade: *Lo persuasi che aveva torto*, I convinced (*o* persuaded) him that he was wrong; *Mi persuase della sua innocenza*, she convinced (*o* persuaded) me of her innocence 3 (*soddisfare*) – *Non è brutto, ma non mi persuade*, it isn't too bad, but I'm not sure I like it B **persuadérsi** v. rifl. 1 (*convincersi*) to convince oneself; to become* convinced (*o* persuaded): *Alla fine mi persuasi di aver sognato tutto*, in the end I became convinced I had dreamt everything 2 (*capacitarsi*) to bring* oneself to believe; (*accettare*) to accept, to agree: *Non riesco a persuadermi dell'accaduto*, I can't bring myself to believe what happened; *Devi persuadertene*, you must accept it; *Alla fine si persuase a scrivergli*, in the end he agreed to write to him.

persuadìbile, persuasìbile a. persuadable; persuasible.

persuaditrìce f. → **persuasore**.

persuasióne f. 1 persuasion; inducement: **forza di p.**, powers (pl.) of persuasion; **fare opera di p.**, to persuade; to convince; **di difficile p.**, difficult to persuade; **di facile p.**, easily persuaded 2 (*convinzione*) conviction; belief; persuasion: **persuasioni errate**, false beliefs.

persuasìva f. persuasiveness; persuasion: **mancare di p.**, to lack persuasion; to be unpersuasive.

persuasìvo a. 1 persuasive; convincing: **argomento p.**, persuasive argument; **parole persuasive**, persuasive words; (*eufem.*) **mezzi persuasivi**, forcible means; **prove persuasive**, convincing evidence 2 (*che ottiene consenso*) convincing.

persuaso a. persuaded; convinced; certain: *È p. che ho torto*, he is convinced I am wrong; *Non sono p. della necessità di queste misure*, I am not persuaded of the need for these measures.

persuasóre m. (f. *persuaditrìce*) persuader: **persuasori occulti**, hidden persuaders.

pertànto cong. 1 therefore; thus; so: *Siamo sprovvisti dell'articolo e p. non possiamo soddisfare il vostro ordine*, the article is out of stock and we therefore cannot meet your order; we cannot meet your order, as the article is out of stock; *Vi chiedo di..., I am therefore asking you to...; Ho bisogno di consiglio e vorrei p. conoscere la tua opinione*, I need advice, so I'd like to know what you think about it 2 – **non p.** → **nonpertanto**.

pèrtica f. 1 (*palo, bastone*) pole; rod; (*naut.*) barge-pole 2 (*attrezzo ginnico*) (climbing) pole: **salire sulla p.**, to climb the pole; **salita alla p.**, pole climbing 3 (*misura agraria*) perch; pole; rod 4 (*fig. fam.*) → **perticone**.

perticóne m. (f. *-a*) (*fig. fam.*) beanpole; lamppost.

pertinàce a. pertinacious; persistent; determined; dogged; tenacious; (*ostinato*) obstinate, stubborn.

pertinàcia f. pertinacity; persistency; determination; doggedness; tenacity; (*ostinazione*) obstinacy, stubbornness.

pertinènte a. pertinent; relevant; pertaining (to st.) (pred.); to the point (pred.):

domanda p., pertinent question; **fatti pertinenti**, relevant facts; **funzioni pertinenti al proprio ufficio**, duties pertaining to one's office; *La tua osservazione è molto p.*, your comment is very much to the point; **non p.**, not pertinent; irrelevant; beside the point; extraneous (to st.).

pertinènza f. 1 pertinence; relevance: *Non vedo la p. di queste osservazioni*, I fail to see the pertinence of these remarks; **non p.**, irrelevance 2 (*competenza*) competence: **essere [non essere] di p. di q.**, to fall within [to lie outside] sb.'s competence (*form.*); to be [not to be] sb.'s business 3 (spec. al pl.) (*leg.*) appurtenance; fixture.

pertinenziàle a. (*leg.*) appurtenant (to); pertaining (to); belonging (to): **unità p.**, appurtenances (pl.); fixtures (pl.).

pertósse f. (*med.*) hooping (*o* whooping) cough; pertussis (*scient.*).

pertrattàre v. t. (*lett.*) to treat exhaustively.

pertùgio m. hole; opening; gap.

perturbaménto m. 1 (*turbamento emotivo*) perturbation; disquiet; alarm 2 (*agitazione, sommovimento*) agitation; unrest; disturbance; upheaval.

perturbàre A v. t. to perturb; to upset*; to trouble; to disturb; to disrupt: **p. gli animi**, to upset people's minds; **p. la quiete**, to disturb the peace B **perturbàrsi** v. i. pron. 1 to be perturbed; to be upset 2 (*del tempo*) to cloud over; to worsen.

perturbativo a. perturbing; upsetting.

perturbàto a. 1 perturbed; upset; disturbed 2 (*del tempo*) bad.

perturbatóre A a. perturbing; disturbing; disruptive; upsetting: **elemento p.**, disruptive element B m. (f. *-trice*) perturber; disturber; disruptor: **p. della quiete pubblica**, disturber of the peace.

perturbazióne f. 1 (*agitazione*) agitation; disturbance; upset; upheaval; unrest Ⓤ: **perturbazioni politiche**, political disturbances; **perturbazioni sociali**, social unrest; social upheavals 2 → **perturbamento**, def. 1 3 (*astron.*) perturbation 4 (*meteor.*) disturbance; (*estens. - depressione*) low, bad weather Ⓤ: **p. atmosferica**, atmospheric disturbance; *È in arrivo una p. da ovest*, bad weather is coming in from the west.

Perù m. (*geogr.*) Peru ● **balsamo del P.**, Peru balsam □ (*fam.*) **valere un P.**, to be worth a fortune (*o* a mint of money).

perugino A a. of Perugia; from Perugia; Perugia B m. (f. *-a*) native [inhabitant] of Perugia.

peruviàno a. e m. (f. *-a*) Peruvian.

pervàdere v. t. to pervade; to permeate; to fill; to imbue: *Un odore di cipolla pervadeva l'appartamento*, a smell of onion pervaded the flat; **l'indifferenza che pervade tutto il paese**, the indifference that pervades the whole country; **p. l'animo di tristezza**, to fill the soul with sadness.

pervasìvo a. pervading; widespread.

pervàso a. pervaded (with); permeated (with); filled (with); full (of); imbued (with); infused (with): **p. di malinconia**, pervaded with melancholy.

◆**pervenìre** v. i. 1 (*giungere*) to reach (st.); to get* (to); to arrive: *Le domande devono p. al nostro ufficio entro...*, applications must reach our office by...; *L'avviso è pervenuto ieri*, the notice arrived yesterday; **fare p. qc. a q.**, to send sb. st. 2 (*fig.*) to reach (st.); to arrive (at); (*riuscire ad arrivare*) to attain (st.), to achieve (st.): **p. a un accordo**, to reach an agreement; **p. a una conclusione**, to reach (*o* to arrive at) a conclusion; **p. alla meta**, to attain one's goal; **p. al più alto grado di perfezione**, to achieve the highest

degree of perfection 3 (*spettare in eredità*) to go*: *Al nipote pervenne la casa di campagna*, the country house went to the nephew.

perversióne f. (*psic.*) perversion.

perversità f. 1 (*l'essere perverso*) depravity; wickedness 2 (*azione perversa*) wicked action; iniquity ❶ **FALSI AMICI** • perversità *non si traduce con* perversity.

pervèrso a. 1 (*malvagio*) depraved; wicked; malignant: **gente perversa**, depraved people; **gioia perversa**, malignant glee; **intenzioni perverse**, wicked intentions 2 (*avverso, ostile*) adverse; contrary; hostile: **destino p.**, adverse fate 3 (*negativo*) adverse; negative: **effetti perversi**, adverse effects 4 (*stravolto*) perverted; distorted: **logica perversa**, perverted logic ❶ **FALSI AMICI** • perverso *non si traduce con* perverse.

pervertiménto m. perversion; depravation; corruption: **p. della giustizia**, perversion of the law; **p. morale**, moral corruption; depravation.

pervertire A v. t. to pervert; (*corrompere*) to corrupt: **p. il corso della giustizia**, to pervert the course of justice; **p. l'ordine della natura**, to pervert the order of nature B **pervertirsi** v. i. pron. to be perverted; to become* corrupt (*o* depraved); to degenerate.

pervertito A a. perverted; depraved B m. (f. *-a*) pervert.

pervertitóre A a. perverting; corrupting B m. (f. *-trìce*) perverter; corrupter.

pervicàce a. headstrong; stubborn; obstinate; wilful.

pervicàcia f. stubbornness; obstinacy; wilfulness: **con p.**, wth stubbornness; obstinately.

perviètà f. (*anat., med.*) patency.

pervìnca f. (*bot.*, *Vinca minor*) periwinkle B a. e m. inv. periwinkle: **azzurro p.**, periwinkle (blue).

pèrvio a. 1 (*lett.*) open; accessible 2 (*anat., med.*) patent.

p. es. abbr. (**per esempio**) for example (e. g.).

pésa f. 1 (*pesatura*) weighing 2 (*luogo*) weighhouse 3 (*strumento*) weighing machine: **p. a ponte**, weighbridge.

pesabambini m. inv. (anche agg.: **bilancia p.**) baby scales (pl.).

pesàbile a. weighable.

pesafiltro m. (*chim.*) weighing bottle.

pesage (*franc.*) m. inv. weighing enclosure.

pesalèttere m. inv. letter scales (pl.).

◆**pesànte** a. 1 heavy: **baule p.**, heavy trunk 2 (*di indumento*) heavy; thick; warm: **abiti pesanti**, heavy clothes; **biancheria intima p.**, thermal underwear; **cappotto p.**, heavy coat; **maglione p.**, thick (*o* warm) sweater; **mettersi qualcosa di p.**, to put on warm clothes 3 (*di cibo*) heavy; rich; (*di torta, pasticcio, ecc.*) stodgy 4 (*di moneta*) hard 5 (*violento*) heavy; rough; (*sport*) gioco p., rough play; **mani pesanti**, heavy hands 6 (*lento, massiccio, ingombrante*) heavy; (*greve*) ponderous: **corporatura p.**, heavy build; **passi pesanti**, heavy steps; **stile p.**, ponderous style; **traffico p.**, heavy traffic 7 (*fig.: faticoso, gravoso*) heavy; hard; (*oneroso*) ponderous, weighty, burdensome: **compito p.**, heavy (*o* ponderous) task; **giornata p.**, hard day; **lavoro p.**, heavy work 8 (*fig.: grave*) heavy, serious, severe; (*duro*) hard, strong: **accuse pesanti**, serious charges; **critiche pesanti**, serious criticism; **pesanti perdite**, heavy losses; **responsabilità p.**, weighty responsibility; **p. sconfitta**, serious defeat; crushing defeat 9 (*fig., di aria, tempo*) close; stuffy 10 (*fig.: opprimente*) heavy; oppressive: **atmosfera p.**, oppressive atmosphere

11 (*fig.*: *noioso*) heavy; heavy-going; dull; tedious boring; tiresome; stodgy: **una persona p.**, a dull person; a bore; *Come sei p.!*, how tiresome you are!; God, you're (so) boring! **12** (*fig.*: *volgare*) coarse; vulgar; tasteless; in bad taste: **battuta pesante**, vulgar joke; joke in bad taste ● **p. come un macigno**, weighing a ton; (*noioso*) deadly boring, (*di persona*) (a) dead bore □ (*chim.*) **acqua p.**, heavy water □ (*mil.*) **artiglieria p.**, heavy artillery □ **atletica p.**, weight-lifting and wrestling □ **cuore p.**, heavy heart □ **droga p.**, hard drug □ **industria p.**, heavy industry □ **occhi pesanti**, eyes heavy with sleep □ **sonno p.**, deep sleep: **avere il sonno p.**, to be a heavy sleeper □ **terreno p.**, heavy ground; (*di campo da gioco, anche*) waterlogged pitch.

pesanteménte avv. heavily: **cadere p. a terra**, to fall heavily to the grounds; **p. indebitato**, heavily indebted.

pesantézza f. **1** heaviness **2** (*corporatura pesante*) heavy build; (*obesità*) obesity **3** (*dell'aria, del tempo*) stuffiness; closeness **4** (*dell'atmosfera*) oppressiveness **5** (*gravità*) heaviness; seriousness; severity; gravity **6** (*noiosità*) dullness; boringness ● **p. di stomaco**, bloated feeling □ **p. alla testa**, headache.

pesapersóne m. inv. bathroom scales (pl.).

◆**pesàre** A v. t. **1** to weigh: **p. un bambino**, to weigh a baby; **p. un pacco**, to weigh a parcel; *Il droghiere pesò due kili di zucchero*, the grocer weighed out two kilos of sugar **2** (*fig.*) to weigh; (*soppesare, valutare*) to weigh up: **p. le parole**, to weigh one's words; **p. i pro e i contro**, to weigh up the pros and cons B v. i. **1** (*avere un certo peso*) to weigh; (*essere pesante*) to be heavy: **p. una tonnellata**, to weigh a ton; *Questa valigia pesa*, this suitcase is heavy; *Quanto pesi?*, how much do you weigh?; what's your weight? **2** (*poggiare*) to weigh: *La volta pesa su quei pilastri*, the vault weighs on those pillars **3** (*fig.*: *gravare*) to weigh heavily; to lie* heavy; (*essere di peso*) to be a burden: **p. sulla coscienza**, to lie heavy on sb.'s conscience; **p. sulle spalle di q.**, to live off sb.; *Il lavoro mi pesa*, my work is getting on top of me; *Gli anni cominciano a pesarmi*, I'm beginning to feel my years; *Le nuove responsabilità gli pesavano*, his new responsibilities weighed on him (*o* were a burden to him); *Le uova mi pesano sullo stomaco*, I haven't digested the eggs **4** (*fig.*: *essere importante*) to carry weight; to count: *La sua opinione non pesa molto*, his opinion carries little weight **5** (*impers.*: *essere spiacevole*) to be hard (impers.); to find* it hard (pers.); to mind (pers.); to (*rincrescere*) to regret (pers.): *Gli è pesato di doverlo licenziare*, he found it hard to have to dismiss him; *Non mi pesa alzarmi presto*, I don't mind getting up early; *Mi pesa doverti dire questo*, I regret having to tell you this; it pains me to have to tell you this **6** (*fig.*: *incombere*) to hang*: *Sul suo capo pesa la minaccia dell'espulsione*, the threat of expulsion is hanging over him ● **p. come una piuma**, to be very light □ (*fig.*) **p. le cose col bilancino**, to be very fastidious; to be pernickety □ **Mi pesa la testa**, my head is heavy □ **far p. la propria autorità**, to underline one's authority; (*con un collega meno anziano*) to pull rank (over sb.) □ **Mi ha aiutato ma me l'ha fatto p.**, he made a big thing of the fact he was helping me out □ **Non è laureato e i colleghi glielo hanno sempre fatto p.**, his colleagues have never let him forget that he didn't go to university □ **Vale tant'oro quanto pesa**, she is worth her weight in gold C **pesàrsi** v. rifl. **1** to weigh oneself **2** (*sport, di pugile*) to weigh in; (*di fantino*) to weigh in, (*con sella, ecc., prima della gara*) to weigh out.

peşarése A a. of Pesaro; from Pesaro; Pesaro (attr.): **il festival p.**, the Pesaro Festival B m. e f. native [inhabitant] of Pesaro.

pesàta f. **1** (*operazione*) weighing; (*sport*) weigh-in **2** (*quantità pesata*) quantity weighed; weigh.

pesàto a. (*fig.*: *meditato*) well-considered; pondered; deliberated; calculated.

pesatóre m. (f. **-trice**) weigher.

pesatùra f. weighing; (*sport*: *boxe*) weigh-in ● **fare la p.**, to weigh.

◆**pèsca** ① A f. peach: **p. Melba**, peach Melba; **p. noce**, nectarine; **marmellata di pesche**, peach jam; **nocciolo di p.**, peach stone B a. inv. peach (attr.): **color p.**, peach (sost.); peach-coloured (agg.).

pésca ② f. **1** (*il pescare*) fishing; (*con la canna*) angling: **p. a mosca**, fly-fishing; **p. a strascico**, trawling; **p. con la lenza**, angling; **p. d'altura**, deep-sea fishing; **p. del merluzzo**, cod-fishing; **p. delle spugne**, sponge-diving; **p. di frodo**, poaching (on a river); **p. sportiva**, sports fishing; **p. subacquea**, underwater fishing; **andare a p.**, to go fishing; **essere un appassionato della p.**, to be fond of fishing; **guadagnarsi la vita con la p.**, to make a living by fishing; to be a fisherman; **arnesi da p.**, fishing tackle; **barca da p.**, fishing boat; **canna da p.**, fishing rod; **l'industria della p.**, the fishing industry; **rete per la p.**, fishing net **2** (*pescato*) catch (of fish); (*con rete*) haul: **una buona p.**, a fine catch; a good haul; **fare buona p.**, to have a good catch **3** (*specie di lotteria*) lucky dip (*GB*); grab bag (*USA*).

pescàggio m. **1** (*naut.*) draught: **p. a carico**, load draught; **p. a poppa [a prora]**, aft [forward] draught; **p. piccolo**, shallow draught; **marca di p.**, draught mark **2** (*idraul.*) suction lift; height of suction.

pescagióne f. **1** (*pescato*) catch (of fish); (*con rete*) haul **2** → **pescaggio**.

pescàia f. (fish) weir.

pescanóce f. nectarine.

◆**pescàre** A v. t. **1** to fish for; (*tuffandosi*) to dive* for; (*prendere*) to catch*: **p. a mosca**, to fish with a fly; **p. a strascico**, to trawl; **p. con la canna e la lenza**, to fish with a rod and line; to angle; **p. con la rete**, to fish with a net; **p. di frodo**, to poach (on a river); **p. trote**, to fish for trout; **p. perle [spugne]**, to dive for pearls [sponges]; *Ho pescato un salmone*, I caught a salmon; *È un'ora che pesco, ma senza fortuna*, I've been trying to catch something for an hour, but without any luck; **andare a p.**, to go fishing; *Oggi andiamo a p. le anguille*, today we are going to fish for eels **2** (*recuperare dall'acqua*) to fish out **3** (*fig.*: *trovare*) to find*; to get* hold of; (*una notizia e sim.*) to pick up: *Guarda che cosa ho pescato in fondo al baule!*, look what I've found at the bottom of the trunk!; *Dove lo pesco un idraulico di domenica?*, where can I get hold of a plumber on a Sunday?; *Dove hai pescato queste informazioni?*, where did you pick up this information? **4** (*fig.*: *acchiappare, sorprendere*) to catch*: **p. q. con le mani nel sacco**, to catch sb. red-handed; *Se ti pesco!*, if I catch you! **5** (*fig.*: *estrarre a caso*) to draw*, to draw* out; (*raccogliere a caso*) to pick up: **p. una carta da un mazzo**, to draw a card from a pack; *Metti la mano nell'urna e pesca un numero*, put your hand into the urn and draw out a number; *Pescò un libro dal mucchio*, she picked up a book from the heap ● (*fig.*) **p. nel torbido**, to fish in troubled waters B v. i. (*naut.*) to draw*: *Il battello pesca sei piedi*, the boat draws six feet.

pescarése A a. of Pescara; from Pescara; Pescara (attr.) B m. e f. native [inhabitant] of Pescara.

pescàta f. catch (of fish); (*con rete*) haul.

pescàtico m. (*stor.*) fishing dues (pl.).

pescàto m. catch (of fish); (*con rete*) haul.

◆**pescatóre** A m. (f. **-trice**) **1** fisherman* (m.); fisher; (*con la canna*) angler: **p. di frodo**, (fish) poacher; **p. di perle**, pearl diver; (*nel Vangelo*) **p. di uomini**, fisher of men; **p. subacqueo**, underwater fisherman; (*eccles.*) **l'anello del p.**, the Fisherman's Ring; (*letter.*) **il Re P.**, the Fisher King; **villaggio di pescatori**, fishing village **2** (*naut.*) catching hook **3** (*ind. min.*) fishing tool ● **alla pescatora**, fisherman's-style; (*cucina*) with a seafood sauce □ **pantaloni alla pescatora**, clamdiggers; pedal-pushers B a. → **martin p.**; **pescatrice**, def. 2.

pescatòrio → **piscatorio**.

pescatrice f. **1** → **pescatore**, def. 1 **2** (*zool.*, *Lophius piscatorius*, anche **rana p.**) angler.

◆**pésce** m. **1** fish*: **p. d'acqua dolce**, fresh-water fish; **p. di mare**, salt-water fish; **p. di scoglio**, rock fish; **prendere un grosso p. [due pesci, molti pesci]**, to catch a big fish [two fishes, a lot of fish]; *Quanti pesci hai preso?*, how many fish did you catch?; **pulire un p.**, to gut a fish; **un fiume ricco di pesci**, a river teeming with fish; **banco di pesci**, shoal of fish; **mercato del p.**, fish market; **spina di p.**, fishbone **2** (*zool.*) - **p. ago** (*Syngnathus acus*), needle fish; **p. angelo** (*Squatina*), angelfish; **p. azzurro**, anchovies, sardines, and mackerel; **p. cappone** (*Trigla hirundo*), sapphirine gurnard; **p. cane** → **pescecane**; **p. chitarra** (*Rhinobatus*), guitar fish; **p. combattente** (*Betta splendens*), fighting fish; **p. farfalla** (*Pterois volitans*), lionfish; **p. gatto** (*Ameiurus nebulosus*), catfish; **p. imperatore** (*Luvarus imperialis*), louvar; **p. istrice** (*Diodon hystrix*), porcupine fish; globe fish; **p. lucerna** (*Uranocopus scaber*), stargazer; **p. luna** (*Lampris regius*), opah; moonfish; **p. lupo** (*Morone labrax*), sea-bass*; **p. martello** (*Sphyrna zygaena*), hammerhead (shark); **p. palla** (*Ephippion maculatum*), globefish; puffer; **p. pappagallo** (*Scarus cretensis*), parrotfish; **p. persico** (*Perca fluviatilis*), perch; **p. pilota** (*Naucrates ductor*), rudder fish; pilot fish; **p. pipistrello** (*Oncocephalus vespertilio*), batfish; **p. porco** (*Oxynotus centrina*), angular roughshark (o roughfish); **p. prete** → **p. lucerna**; **p. ragno** (*Trachinus draco*), weever; **p. rondine** (*Dactylopterus volitans*), flying gurnard; **p. rosso**, goldfish; **p. S. Pietro** (*Zeus faber*), John Dory; dory; **p. sega** (*Pristis pristis*), sawfish; **p. siluro** → **siluro** ①; **p. spada** (*Xiphias gladius*), swordfish; **p. tamburo** → **p. luna**; **p. trombetta** (*Macrorhamphus scolopax*), snipe fish; trumpet fish; **p. vela** (o **ventaglio**) (*Istiophorus gladius*), sailfish; **p. violino** (*Rhinobatos rhinobatos*), guitar fish; **p. volante** (*Exocoetus*), flying fish **3** (*alim.*) fish: **p. affumicato**, smoked fish; **p. ai ferri**, grilled fish; **p. congelato**, frozen fish; **p. fresco**, fresh fish; **p. in bianco**, boiled fish; **p. salato**, salted fish; **p. secco**, dried fish; **bastoncini di p.**, fish fingers; **coltello da p.**, fish knife **4** (*tipogr.*) omission **5** (al pl.) (*astron.*) → **Pesci** ● **p. d'aprile**, trick played on April Fools' day: **fare un p. d'aprile a q.**, to make an April fool of sb.; *P. d'aprile!*, April fool! □ (*fig.*) **p. grosso**, big shot; bigwig □ (*anche fig.*) **pesci piccoli**, small fry □ (*fig.*) **come un p. fuor d'acqua**, like a fish out of water □ **buttarsi a p. su qc.**, to make a dive for st.; to throw oneself on st. □ **muto come un p.**, obstinately silent; dumb □ **non essere né carne né p.**, to be neither flesh nor fowl (nor good red herring) □ (*fig.*) **non sapere che pesci pigliare**, to be at a loss what to do; to be in a cleft stick □ **nuotare come un p.**, to swim like a fish □ (*fig.*) **prendere q. a pesci in faccia**, to treat sb. like dirt □ **sano come un p.**, as fit as a fiddle □ (*prov.*) **Chi dorme non**

piglia pesci, the early bird catches the worm □ (*prov.*) **Il p. puzza dalla testa**, fish begins to stink at the head.

pescecàne m. 1 (*zool.*) shark 2 (*fig.*) profiteer.

pescèra → **pesciera**.

pescheréccio **A** a. fishing (attr.): **industria peschereccia**, fishing industry **B** m. (*naut.*) fishing boat; smack; (*con rete a strascico*) trawler.

pescheria f. 1 (*mercato*) fish market; (*negozio*) fishmonger's, fish shop 2 (*region.: minutaglia*) small fry.

peschéto m. peach orchard.

peschìcolo a. peach-growing (attr.).

peschicoltóre m. (f. **-tríce**) peach grower.

peschicoltùra f. peach-growing.

peschièra f. fishpond; fish pool; fish tank.

Pésci m. pl. 1 (*astron.*, *astrol.*) Pisces; (the) Fishes 2 (*astrol.*, *di persona*) Pisces; Piscean.

pesciaiòla f. 1 fishwife* 2 → **pesciera** 3 (*zool.: Mergus albellus*) smew; white nun.

pesciaiòlo m. fishmonger.

pescicoltóre, **pescicoltùra** → **piscicoltore**, **piscicoltura**.

pescièra f. 1 (*recipiente*) fish kettle 2 (*vassoio*) fish tray.

pesciolìno m. 1 minnow 2 (*zool.*) – **p. d'argento** (*Lepisma saccharina*), silverfish 3 (al pl.) (*fig.*) small fry.

pescivéndola f. (*anche fig.*, *spreg.*) fishwife*.

pescivéndolo m. fishmonger.

♦**pèsco** m. (*bot.*, *Prunus persica*) peach (tree): **fiore di p.**, peach blossom.

pesconóce m. (*bot.*, *Prunus persica nectarina*) nectarine.

pescosità f. abundance of fish.

pescóso a. teeming with fish; abounding in fish.

peşèta f. (*moneta spagnola*) peseta.

pesièra f. 1 (*cassetta*) box of weights 2 (*pesi*) set of weights.

pesìsta m. e f. (*sport*) 1 (*sollevatore*) weightlifter 2 (*lanciatore*) weight putter.

pesìstica f. (*sport*) weightlifting.

pesìstico a. (*sport*) weightlifting (attr.).

♦**péso**① m. 1 weight: **p. a pieno carico**, fully loaded weight; **p. abbondante**, full weight; (*comm.*) **p. alla consegna**, weight on delivery; (*comm.*) **p. allo sbarco**, landed weight; (*fis.*) **p. atomico**, atomic weight; (*comm.*) **p. condizionato**, conditioned weight; **p. forma**, ideal weight; **p. lordo**, gross weight; (*fis.*) **p. molecolare**, molecular weight; (*anche fig.*) **p. morto**, dead weight; **p. netto**, net weight; **p. scarso**, short weight; (*fis.*) **p. specifico**, specific gravity; **p. utile**, live weight; **avere un p. di dieci kilogrammi**, to weigh ten kilos; to be ten kilos in weight; **aumentare di p.** (*o* **metter su p.**), to put on weight; **calare di p.**, to lose weight; **piegarsi sotto il p. di qc.**, to give way under the weight of st.; **vendere a p.**, to sell by (the) weight; **senza p.**, weightless; **sopra p.**, overweight; **sotto p.**, underweight; **assenza di p.**, weightlessness; (*comm.*) **eccedenza di p.**, overweight; **unità di p.**, unit of weight 2 (*carico*) load; weight: **alleggerire il p.**, to lighten the load; **distribuire il p.**, to spread the load; **portare pesi**, to carry weights; **reggere un p.**, to support a weight; **sollevare un p.**, to lift a weight; **trasportare grossi pesi**, to carry heavy loads 3 (*di bilancia*, *ecc.*) weight; (*del filo a piombo*, *del pendolo semplice*) bob; (*di lenza e sim.*) sinker: **pesi e misure**, weights and measures; **falsificare i pesi**, to falsify the weights; **mettere un p. a uno spago**, to put a weight on a piece of string 4 (*sport*:

boxe, **lotta**, **ecc.**) weight: **p. gallo**, bantamweight; **p. leggero**, lightweight; **p. medio leggero**, welterweight; **p. medio**, middleweight; **p. medio massimo**, light heavyweight; **p. massimo**, heavyweight; **p. mosca**, flyweight; **p. piuma**, featherweight 5 (*sport: atletica*) weight; shot: **lancio del p.**, shot put; **lanciatore del p.**, shot putter; **sollevamento pesi**, weightlifting 6 (*sport: ipp.*) (*handicap*) handicap 7 (*sport: pesatura*) (*boxe*) weigh-in; (*ipp.*) weigh-in, (*con sella*, *ecc.*) weigh-out; (*anche* **recinto del p.**) weighing enclosure 8 (*fig.: importanza*) weight ⓤ; importance; consequence; significance: **tutto il p. delle tue parole**, the full weight of your words; **avere (molto) p.**, to carry (great) weight; **avere un p. su qc.**, to influence st.; **avere maggior p. di**, to outweigh; **dar p. a qc.**, to attach importance to st.; **dare il giusto p. a qc.**, to give st. full weight; **dare poco p. a**, to play down; to minimize; **non dare p. a**, to neglect; to make light of; to shrug off; **di un certo p.**, of a certain importance; of some account; **di nessun p.**, of no importance; **di p.**, important 9 (*fig.: onere*, *fardello*) weight; load; burden: **il p. degli anni**, the weight of years; **p. sulla coscienza**, load on one's mind; **avere** (*o* **sentirsi**) **un p. sullo stomaco**, to feel something lying heavy on one's stomach; to have indigestion; **avere** (*o* **sentirsi**) **un p. alla testa**, to have a headache; **essere di p. a q.**, to be a burden to sb.; **portare tutto il p. di una famiglia**, to bear the burden (*o* weight) of a whole family; **togliere un p.** (*dal cuore*) **a q.**, to take a load off sb.'s mind; **togliersi un p. dallo stomaco**, to get st. off one's chest ● **aggiungere qc. per fare p.**, to throw st. in as a makeweight □ **a p. d'oro**, at a very high price □ (*fig.*) **comprare qc. a p. d'oro**, to pay a fortune for st. □ **far p.**, to be heavy □ **imbrogliare** (*o* **rubare**) **sul p.**, to give short weight □ **orologio a pesi**, clock worked by weights; weight-driven clock □ **passare il p.**, to be overweight □ (*fig.*) **prendere** (*o* **togliere**) **qc. di p. da**, to lift st. straight from □ **sollevare di p.**, to lift up bodily □ (*fig.*) **usare due pesi e due misure**, to operate double standards.

peso② (*spagn.*) m. (*unità monetaria sudamericana*) peso.

pessàrio m. (*med.: protesi e contraccettivo*) pessary.

pessimaménte avv. very badly; quite badly; terribly (*fam.*).

pessimìşmo m. (*anche filos.*) pessimism: **p. inguaribile**, incurable pessimism.

pessimìsta **A** m. e f. pessimist **B** a. pessimistic; **essere p. su qc.**, to be pessimistic about st.

pessimìstico a. pessimistic; negative: **previsioni pessimistiche**, pessimistic forecasts; **una visione pessimistica delle cose**, a pessimistic view of things.

pèssimo a. superl. very bad; terrible; ghastly; dreadful; appalling; abominable; awful (*fam.*); foul (*fam.*); rotten (*fam.*); vile (*fam.*); **cibo p.**, terrible (*o* vile) food; **pessime condizioni**, appalling conditions; **una pessima cuoca**, a very bad (*o* a rotten) cook; **pessime maniere**, dreadful manners; **pessime notizie**, terrible news; **un risultato p.**, a very bad result; **tempo p.**, terrible (*o* awful, dreadful, abominable, foul) weather; **avere un p. aspetto**, to look terrible (*o* awful); **essere di p. umore**, to be in a foul mood; **essere in pessimi rapporti con q.**, to be on very bad terms with sb.; *Questo vino è p.*, this wine is foul.

p. est. abbr. (**per estensione**) by extension.

pésta f. 1 (*orma*, *traccia*) track; trail; (*del piede*) footprint, footstep: **essere sulle peste**

di q., to be on the track of sb. 2 (al pl.) trouble ⓤ; mess (sing.): **essere nelle peste**, to be in trouble; to be in a mess; **lasciare q. nelle peste**, to leave sb. in the lurch; **mettere q. nelle peste**, to land sb. in trouble.

pestàggio m. beating up; (*rissa*) brawl, scuffle, donnybrook: **subire un p.**, to be beaten up.

♦**pestàre** **A** v. t. 1 (*calpestare*) to tread* on; to step on; to trample on; to stamp on; (*spiaccicare*) to crush: (*anche fig.*) **p. i calli a q.**, to tread on sb.'s corns; **p. i fiori**, to tread (*o* to step on) on the flowers; **p. un insetto col piede**, to crush an insect underfoot; (*anche fig.*) **p. i piedi a q.**, to tread on sb.'s toes 2 (*pigiare*) to tread*; (*schiacciare*) to crush; (*con un pestello*) to pound; (*triturare*) to grind*: **p. l'aglio**, to crush garlic; **p. il pepe**, to grind peppercorns; **p. l'uva**, to tread on grapes; **p. in un mortaio**, to pound in a mortar; **pestarsi un dito col martello**, to crush one's finger with a hammer 3 (*picchiare*) to hit*; (*riempire di botte*) to beat*, to beat* up; to thrash: **p. q. a sangue**, to beat the living daylights (*o* the hell) out of sb. ● (*fig.*) **p. l'acqua nel mortaio**, to flog a dead horse □ (*scherz.*) **p. il pianoforte**, to pound (on) a piano □ **p. i piedi**, to stamp one's feet **B** **pestàrsi** v. rifl. recipr. to come* to blows.

pestàta f. 1 (*il calpestare*) treading; trampling 2 (*schiacciata*) crushing; (*il ridurre in polvere*) pounding, grinding: **dare una p. a qc.**, to crush st.; to pound st.; to grind st. 3 (*botte*) beating; thrashing: **prendersi una buona p.**, to get a sound thrashing.

pestatóre → **picchiatore**.

pestatùra f. (*lo schiacciare*) crushing; (*il ridurre in polvere*) pounding, grinding.

♦**pèste** f. 1 (*med.*) plague; (*stor.*) Black Death: **p. bubbonica**, (bubonic) plague; **p. gialla**, oriental plague; **p. polmonare**, pneumonic plague; **p., fame e guerra**, plague, famine and war; *La p. si diffuse rapidamente*, the plague spread quickly; **morire di p.**, to die from the plague; **colpito dalla p.**, plague-stricken; **località infestata dalla p.**, plague-spot 2 (*vet.*) plague: **p. aviaria**, fowl plague; **p. bovina**, rinderpest; cattle plague; **p. equina**, horse plague; African horse sickness; **p. suina**, hog cholera; swine plague 3 (*fig.: calamità*) plague; bane; curse: *La corruzione è la p. della società moderna*, corruption is the bane of modern society 4 (*fig.: fetore*) stench; stink; foul (*o* evil) smell 5 (*fam.*, *di bambino*) menace, little terror; (*di adulto*) pest; nuisance 6 (*bot.*) – **p. d'acqua** (*Elodea canadensis*) Canadian pondweed ● **dire p. e corna di q.**, to demolish sb.; to tear sb. to bits □ (*scherz.*) **Non c'è mica la p.!**, you won't catch anything, you know! ❶ FALSI AMICI ● peste *nel senso medico e in quello di calamità non si traduce con* pest

pestèllo m. 1 pestle 2 (*batticarne*) meat pounder.

pesticciàre v. t. to trample on; to tread on.

pesticìda m. (*agric.*, *chim.*) pesticide.

pestìfero a. 1 (*che porta la peste*) plague-bearing; pestiferous; pestilent 2 (*fig.: fetido*) stinking; foul-smelling; evil-smelling 3 (*fig.: pernicioso*) pestiferous; pestilential; pernicious; noxious: **aria pestifera**, pestiferous air 4 (*fig.: molesto*) pestiferous; obnoxious: **ragazzino p.**, little pest; little terror.

pestilènza f. 1 (*med. e fig.*) pestilence; plague 2 (*fig.: calamità*, *rovina*) plague; bane; curse 3 (*fig.: fetore*) stink; stench; foul (*o* evil) smell.

pestilenziàle a. 1 pestilential; pestiferous: **esalazioni pestilenziali**, pestilential

exhalations **2** (*fig.*: *fetido*) stinking; stenchy; reeking.

pésto A a. (*pestato*) crushed; pounded; ground: **aglio p.**, crushed garlic; **pepe p.**, ground pepper ● **buio p.**, pitch darkness □ **carta pesta** → **cartapesta** □ **un occhio p.**, a black eye □ **avere gli occhi pesti**, to have shadows under one's eyes □ (*fig.*) **avere le ossa peste**, to ache all over B m. **1** (*poltiglia*) pulp; mush **2** (*alim.*, anche **p. alla genovese**) pesto.

pestóne m. **1** (*pestata*) tread (on a foot): **dare un p. a q.**, to tread heavily on sb.'s foot **2** (*tecn.*) rammer.

pestóso a. (*med.*) pestilential; plague (*attr.*).

petacciòla f. (*bot.*, *Plantago major*) plantain.

petalifórme a. petal-shaped; petal-like.

♦**pètalo** m. (*bot.*) petal.

petaloidèo a. (*bot.*) petaline; petal-like.

petàrdo m. **1** (*mil. stor.*) petard **2** (*bomba di carta*) petard; firecracker; cracker; banger (*fam.*) **3** (*ferr.*) detonator; fog signal.

pètaso m. (*stor.*, *mitol.*) petasus.

petàuro m. (*zool.*, *Petaurus*) flying phalanger.

petécchia f. (*med.*) petechia*.

petecchiàle a. (*med.*) petechial: **tifo p.**, petechial (*o* spotted) fever.

petit-four (*franc.*) m. inv. petit four.

petit-gris (*franc.*) m. inv. Siberian squirrel fur.

petitòrio a. (*leg.*) petitory: **azione petitoria**, petitory action.

petizióne f. **1** (*supplica*, *istanza*) request; instance; plea **2** (*leg.*) petition: **rivolgere una p. a q.**, to address a petition to sb.; to petition sb.; **stendere una p.**, to draw up a petition; **chi fa una p.**, petitioner **3** (*filos.*) – **p. di principio**, petitio principii (*lat.*); begging the question; **fare una p. di principio**, to beg the question.

péto m. breaking □ wind; fart (*volg.*): **fare un p.**, to break wind; to fart (*volg.*).

petonciàno m. (*bot.*, *Solanum melongena*) aubergine (*GB*); eggplant (*USA*).

petràia → **pietraia**.

Petràrca m. (*letter.*) Petrarch.

petrarcheggiàre v. i. (*letter.*) to imitate Petrarch; to Petrarchize.

petrarchésco a. (*letter.*) Petrarchan; Petrarch's (*attr.*): **sonetto p.**, Petrarchan sonnet; **lo stile p.**, Petrarch's style.

petrarchìsmo m. (*letter.*) Petrarchism.

petrarchìsta A m. e f. (*letter.*) Petrarchist B a. of Petrarchism; Petrarchist (*attr.*).

petrière, **petrièro** m. (*mil. stor.*) petrary.

petrochìmica f. **1** → **petrolchimica 2** (*geol.*) petrochemistry.

petrochìmico a. **1** → **petrolchimico 2** (*geol.*) petrochemical.

petrodòllaro m. pl. (*econ.*, *fin.*) petrodollar.

petrogènesi f. (*geol.*) petrogenesis.

petròglifo m. (*archeol.*) petroglyph.

petrografìa f. (*geol.*) petrography; petrology.

petrogràfico a. petrographic; petrological.

petrògrafo m. (f. -**a**) (*geol.*) petrographer; petrologist.

petrolchìmica f. petrochemistry.

petrolchìmico A a. petrochemical: **industria petrolchimica**, petrochemical industry; **prodotti petrolchimici**, petrochemicals B m. petrochemical industry worker.

petrolièra f. (*naut.*) (oil) tanker.

petrolière m. **1** oil worker **2** (*fam.*: *industriale petrolifero*) oil magnate; oilman*.

petrolièro a. oil (*attr.*); petroleum (*attr.*).

petrolìfero a. **1** (*contenente petrolio*) oil-bearing; oil (*attr.*); petroliferous: **giacimento p.**, oilfield; **industria petrolifera**, oil industry; **pozzo p.**, oil well **2** (*relativo alla lavorazione del petrolio*) oil (*attr.*): **compagnia petrolifera**, oil company; **industria petrolifera**, oil industry; **nave per ricerche petrolifere**, drill-ship; **ricerche petrolifere**, oil drilling □; **fare ricerche petrolifere**, to drill for oil.

♦**petròlio** m. **1** (*ind. min.*) oil; petroleum: **p. grezzo**, crude oil; raw petroleum; **p. grezzo leggero**, light crude oil; **cercare il p.**, to prospect for oil; to drill for oil; **estrarre il p.**, to extract oil; **trovare il p.**, to strike oil; **distillazione del p.**, petroleum distillation; **etere del p.**, petroleum ether; naphthalic ether; **macchia di p. galleggiante**, oil slick; **olio di p.**, petroleum oil; **pozzo di p.**, oil well; **raffinazione del p.**, oil refining **2** (*per illuminazione o combustione*) oil; paraffin (*GB*); kerosene (*USA*): **lume a p.**, paraffin lamp ❶ **FALSI AMICI** ● petrolio *non si traduce con* petrol.

petronciàno → **petonciano**.

petroniàno A a. of Bologna; from Bologna; Bolognese B m. e f. Bolognese*.

Petrònio m. (*stor.*) Petronius.

petróso → **pietroso**.

pettazzùrro m. (*zool.*, *Uraeginthus ianthinogaster*) purple grenadier.

pettégola f. (*zool.*, *Tringa totanus*) redshank.

pettegolàre v. i. to gossip □; to tattle □.

pettegolézzo m. gossip □; tittle-tattle □: **È solo un p.**, it's just gossip; **dare adito a pettegolezzi**, to give rise to gossip; **fare pettegolezzi**, to gossip; to tattle; **pieno di pettegolezzi**, gossipy.

pettegolìo m. (frequent) gossiping; tittle-tattling (*chiacchierio*) chit-chat, tittle-tattle.

pettégolo A a. gossipy; given to gossip B m. (f. -**a**) gossip; tattler; (*malalingua*) gossipmonger; rumour-monger; busybody: **fare il p.**, to be a gossip; **discorsi da pettegoli**, idle gossip □; tittle-tattle □.

pettièra f. breast harness.

pettìna f. (*chim.*) pectin.

pettinàio m. comb maker.

♦**pettinàre** A v. t. **1** (*capelli*, *ecc.*) to comb; (*acconciare*) to dress, to do*: **p. (i capelli a) q.**, to comb sb.'s hair; **p. q. con le trecce**, to do sb.'s hair up in plaits: *Come devo pettinarti?*, how do you want your hair combed? **2** (*ind. tess.*) to comb; to card; to tease; (*lino*, *canapa*) to hackle, to dress **3** (*fig.*: *conciare male*) to beat* up; to work over (*fam.*) **4** (*fig.*: *rimproverare*) to give* (sb.) a dressing-down (*o* a talking-to); (*criticare*) to slate B **pettinàrsi** v. rifl. to comb one's hair; (*acconciarsi*) to do* one's hair: *Devo ancora pettinarmi*, I still have to comb my hair; **pettinarsi all'indietro**, to comb one's hair back; **pettinarsi con i capelli raccolti**, (*in alto*) to gather up one's hair; (*sulla nuca*) to gather one's hair at the back; **pettinarsi con la riga**, to part one's hair.

pettinàta f. **1** (*il pettinare*) combing; comb: *Hai bisogno di una p.*, your hair needs combing (*o* a comb); **darsi una p.**, to comb one's hair **2** (*fig.*: *rimprovero*) dressing-down, talking-to (*critica*) slating.

pettinàto A a. **1** (*di capelli*) combed; (*di persona*) with combed hair: **capelli pettinati**, combed hair; *Sono p.?*, is my hair OK?; *Sei pettinata proprio bene*, your hair looks very nice **2** (*ind. tess.*) combed; carded; (*di lino*, *canapa*) hackled: **filato p.**, combed yarn; worsted; **lana pettinata**, combed wool B m. (*tessuto*) worsted.

pettinatóre m. (*ind. tess.*) comber; (*di canapa*) hackler; (*di lino*) hackler, flax dresser.

pettinatrice f. **1** hairdresser **2** (*ind. tess.*: *operaia*) → **pettinatore 3** (*ind. tess.*: *macchina*) combing machine; comber; (*per lino o canapa*) hackling machine.

pettinatùra f. **1** combing; (*acconciatura*) hairstyle, hairdo: *Questa p. ti sta bene*, this hairstyle suits you; **cambiare p.**, to change one's hairstyle **2** (*ind. tess.*) combing; carding; teasing; (*di lino o canapa*) hackling, dressing.

♦**pèttine** m. **1** comb: **p. a coda**, tail comb; teaser comb; **p. fitto**, fine-tooth comb; **p. rado**, rake comb; **darsi un colpo di p.**, to run a comb through one's hair **2** (*di telaio*) reed: **p. liccio**, rigid heddle **3** (*mecc.*) comb; (*per filettare*) chaser **4** (*mus.*) plectrum* **5** (*zool.*, *Pecten jacobaeus*) scallop; pecten **6** (*bot.*, *Scandix pecten Veneris*, anche **p. di Venere**) shepherd's needle; Venus's comb ● **parcheggio a p.**, diagonal parking □ (*prov.*) **Tutti i nodi vengono al p.**, truth will out.

pettinèlla f. **1** fine-tooth comb **2** (*scult.*) spatula.

pettineo a. (*anat.*) pectineal ● **muscolo p.**, pectineus.

pettinièra f. **1** (*scatola*) comb case **2** (*mobiletto*) dressing-table.

pettinìna f. fine-tooth comb.

pettinìno m. small comb; (*da tasca*) pocket comb.

pettìno m. **1** (*di grembiule*) bib **2** (*davantino*) plastron; dicky **3** (*di camicia masch.*) dicky; false shirt front.

pettiròsso m. (*zool.*, *Erithacus rubecula*) robin.

♦**pètto** m. **1** chest; breast: **debole di p.**, weak in the chest; with a weak chest; **ferito al p.**, wounded in the chest; (*anche fig.*) **battersi il p.**, to beat one's breast; **incrociare le braccia sul p.**, to fold one's arms across one's chest; **mettersi una mano sul p.**, to put a hand on one's breast; (*fig.*) to examine one's conscience, to ask oneself honestly; **stringersi q. al p.**, to clasp sb. to one's breast; *P. in fuori!*, stick out your chest (*o* chests)!; chest (*o* chests) out!; **a p. nudo**, bare-chested (agg.); *L'acqua arrivava al p.*, the water was breast-high (*o* was up to the chest); **immerso nel fango fino al p.**, up to one's chest in mud; **circonferenza del p.**, chest measurement; (*di donna*) bust; **dolori al p.**, chest pains; **malato di p.**, consumptive; **malattia di p.**, consumption; **raffreddore di p.**, chest cold; (*mus.*) **voce di p.**, chest voice; **un sospiro dal fondo del p.**, a deep sigh **2** (*seno*) breasts (pl.); bosom; bust: **p. forte**, big breasts (pl.); big bust; ample bosom; **avere poco p.**, to have small breasts; to be flat-chested; **avere al p. un bambino**, to have a baby at one's breast; to be nursing a baby **3** (*alim.*) breast: **p. di pollo**, chicken breast; **punta di p.**, brisket **4** (*di abito*) breast; (*di camicia*) front: (a) **doppio p.**, double-breasted; **a un p.**, single-breasted **5** (*fig.*: *cuore*, *animo*) breast; heart; (*mente*) mind; (*coraggio*) courage: **tenersi qc. in p.**, to keep st. to oneself ● **a p. di**, compared to; in comparison with □ (*mus.*) **do di p.**, high C □ (*fig.*) **di p.**, energetically; squarely; impetuously: **mettersi di p. a fare qc.**, to set about st. energetically (*o* impetuously); **prendere di p.**, to meet squarely; to face up to; to square up to.

pettoràle A a. pectoral; breast (*stor.*); chest (*attr.*): **croce p.**, pectoral (cross); **muscoli pettorali**, pectoral muscles B m. **1** (*di cavallo*) breast collar; breast strap **2** (*di armatura*) breastplate **3** (*sport*) number **4** (*anat.*) pectoral muscle; (al pl., *anche*) pecs (*fam.*).

pettorina f. **1** (*stor.*) stomacher **2** → **pettino**.

pettorùto a. **1** (di donna) full-breasted; big-bosomed; chesty (fam.); busty (fam.) **2** (fig.) puffed up; strutting: **incedere p.**, to strut.

petulànte a. **1** (insistente, molesto) importunate; tiresome; nagging **2** (impudente) impertinent; saucy; cheeky (fam.) ❶ FALSI AMICI • petulante non si traduce con petulant.

petulànza f. **1** (insistenza, molestia) insistence; tiresomeness **2** (impudenza) impertinence; sauciness; cheek (fam.).

petùnia f. (bot., Petunia) petunia.

peucèdano m. (bot., Peucedanum palustre) milk parsley; marsh hog's fennel.

pèvera f. casking funnel.

peyote, **peyoti** m. inv. (bot., Lophophora williamsii) peyote; mescal.

pèzza f. **1** (pezzetto di stoffa) piece of cloth; (pezzuola) cloth; (straccio) rag: Le misi una p. bagnata sulla fronte, I put a wet cloth on her forehead; **pulire qc. con una p. morbida**, to wipe st. with a soft cloth; **bambola di p.**, ragdoll **2** (toppa) patch: **pezze ai gomiti**, with patches on the elbows **3** (rotolo di tessuto) bolt; roll; piece: **p. di seta**, bolt of silk; **tessuti in p.**, piece goods **4** (bur.) document; voucher: **p. d'appoggio** (o giustificativa), (supporting) voucher; (anche fig.) supporting document **5** (arald.) – **pezze onorevoli**, emblazonments **6** (chiazza) patch; spot: **una mucca bianca con pezze marroni**, a white cow with brown patches **7** (numism.: moneta d'oro) gold piece; (d'argento) silver piece **8** (fig.: rimedio) patch; stopgap; Band-Aid (fam.): **mettere una p. sopra qc.**, to put a patch on st.; to paper over the cracks • **p. da piedi**, (mil. stor.) foot wrapping; (fig.) doormat: **trattare q. come una p. da piedi**, to treat sb. like a doormat; to treat sb. like dirt; to walk all over sb. □ **da lunga** (o gran) **p.**, for a long while.

pezzàmi m. pl. (ind. tess.) skirtings.

pezzàto Ⓐ a. dappled; pied; brindled; spotted: **p. di marrone**, brown-dappled; brown-spotted; **cane p. di nero**, black-spotted dog; **mucca pezzata**, pied (o brindled) cow; **cavallo bianco p. di nero**, piebald (horse); dapple Ⓑ m. piebald (horse); dapple.

pezzatùra ① f. (di animale) patches (pl.); spots (pl.); dapple (sing.).

pezzatùra ② f. (comm.) size: **di p. media**, middle-sized; **di piccola p.**, small-sized.

pezzènte m. e f. **1** (mendicante) beggar; tramp: **essere lacero come un p.**, to look like a tramp **2** (estens.: spilorcio) mean person; miser; skinflint.

pezzétto, **pezzettino** m. small piece; bit; (piccolissimo) tiny bit, particle; (frammento) scrap, shred: **p. di carta**, bit of paper; **un p. di pane**, a bit (o a morsel) of bread; **fare a pezzettini**, to reduce to tiny bits; (strappare) to tear to bits; **tagliare a pezzetti**, to cut into little pieces; to chop up.

• **pèzzo** m. **1** piece; (piccolo) bit; (grosso e informe) chunk, lump; (squadrato) block; (parte) part, portion; (fetta) slice, segment; (frammento) bit, fragment, scrap: **un p. di carne**, a piece (o chunk) of meat; (taglio) a cut of meat; **p. di carta**, piece (o bit, scrap) of paper; (fig.) school certificate, diploma, degree; **p. di ghiaccio**, block of ice; (fig.: persona gelida) iceberg; **p. di legno**, piece of wood; (fig.) unfeeling person; **p. di pane**, piece (o chunk) of bread; **p. di sapone**, bar of soap; **p. di torta**, slice of cake; (anche fig.) piece of cake; **a** (o in) **pezzi**, in pieces; (frantumato) smashed, shattered; **andare in pezzi**, to break into pieces (o bits); to shatter; to be smashed; **andare in mille pezzi**, to break into a thousand pieces; to be smashed to smithereens; **cadere a pezzi**, to be falling to pieces; **fare a pezzi**, to break (o

to pull) to pieces; (fracassare) to smash up; (strappare) to tear up; (fig.: criticare) to tear (st.) to pieces (o to shreds), to tear (sb.) limb from limb; **mandare in pezzi**, to break up; to shatter; (anche fig.) **raccogliere i pezzi**, to pick up the pieces; **tagliare a pezzi**, to cut up; to cut to pieces; (verdura, ecc.) to chop up; **p. per p.**, piece by piece; bit by bit **2** (elemento costitutivo) piece; (mecc., anche) part: **p. di ricambio**, spare part; **p. fucinato**, forging; **p. fuso**, casting; **p. grezzo**, blank; **p. in lavorazione**, workpiece; **p. lavorato**, machined part (o piece); **i pezzi di una collezione**, the pieces of a collection; **un servizio da caffè di dodici pezzi**, a twelve-piece coffee service; Costano 4 euro al p., they cost 4 euros each (o apiece); **montare qc. p. per p.**, to assemble st.; **smontare qc. p. per p.**, to dismantle st. piece by piece **3** (esemplare, oggetto) piece: **p. d'antiquariato**, antique; (anche fig.) **p. da museo**, museum piece; **p. unico**, collector's piece (o item); Ha arredato la casa con dei bei pezzi, he has furnished the house with some fine pieces of furniture **4** (mus.) piece, (aria) aria; (letter.: brano) piece, passage: **un p. di Bach**, a piece by Bach; **p. d'opera**, piece from an opera; aria; **p. di bravura**, bravura piece; (anche fig.) **p. forte**, show piece; bravura piece; pièce de résistence (franc.); (attrazione principale) highlight **5** (periodo di tempo) – **un p.**, quite a bit; quite a long time; quite a while: È un p. che non lo vedo, it's quite a while since I last saw him; I haven't seen him for quite a while; Ti ho aspettato un bel p., I waited for you quite some time **6** (tratto di spazio) stretch; part; piece; (distanza) distance, way: **p. di cielo**, bit (o patch) of sky; **p. di mare**, stretch of sea; **p. di terra**, piece (o plot) of land; **il primo p. dell'autostrada**, the first stretch of motorway; Lo accompagnai per un p. di strada, I went with him part of the way; È un bel p. da qui, it's a fair distance from here **7** (persona, individuo) – **p. da novanta**, big mafia boss; (estens.) big shot; **un bel p. di bugiardo**, a downright liar; (fam.) **un bel p. di figliola**, a strapping girl; **un p. di donna**, a big, tall woman; **un p. d'uomo**, a fine figure of a man; a big man; **p. grosso**, big shot; big noise; bigwig: Conosce diversi pezzi grossi dell'industria, she knows several big shots in industry; È un p. grosso del ministero del Tesoro, he's something big in Treasury **8** (di indumento) piece: **due pezzi** (abito) two-piece suit; (costume da bagno) two-piece bathing-suit; bikini **9** (mil.) piece; gun: **un p. da 75 mm.**, a 75 mm gun; **p. da campagna**, fieldgun; fieldpiece; **p. di artiglieria**, piece of artillery (o of ordnance); **una batteria di sei pezzi**, a six-gun battery; **caricare un p.**, to load a gun **10** (giorn.) article; story; report; (importante) feature: **p. di cronaca**, report; **un p. sul ruolo di Internet nella nostra vita**, a story on the role of the Internet in daily life; Mi è piaciuto il tuo p. di ieri, I liked the article you wrote yesterday **11** (moneta) piece, coin, bit; (banconota) note: **un p. da 50 euro**, a 50-euro note; Ho solo pezzi grossi, I only have large notes **12** (ferr.) carriage; car; wagon **13** (scacchi) piece; chessman* • **P. d'asino!**, you fool! □ (fig.) **a pezzi**, (stanco morto) exhausted, tired out, washed out (fam.); (con le ossa rotte) aching all over □ (fig.) **a pezzi e a bocconi**, piecemeal; in fits and starts: Mi paga a pezzi e a bocconi, he pays me piecemeal; **fare qc. a pezzi e bocconi**, to do st. in fits and starts □ **Ho i nervi a pezzi**, my nerves are in shreds □ (fig.) **per un p. di pane**, for next to nothing; for a song □ (fig.) **tutto d'un p.**, thoroughly honest; upright; principled.

pezzòtto m. woven rag rug.

pezzùllo m. (gergo giorn.) short article;

piece; paragraph.

pezzuòla f. **1** cloth **2** (fazzoletto da naso) handkerchief; (da collo) neckerchief; (da testa) kerchief.

p.f. sigla (per favore) please.

pfùi inter. bah!

PG abbr. **1** (Perugia) **2** (leg., Procura generale) Attorney-General's Office **3** (leg., procuratore generale) attorney-general (Att.-Gen.) **4** (polizia giudiziaria) Criminal Investigation Department.

PGR, **p.g.r.** sigla (relig., per grazia ricevuta) thanks for grace received.

pH m. inv. (chim.) pH.

phaéton (franc.) m. inv. phaeton.

phi → **fi**.

phmètro → **piaccametro**.

phon m. inv. **1** (fis.) phon **2** → **fon** ①.

photo finish (ingl.) loc. m. inv. photo finish • (fig.) **al photo finish**, by a very close margin; very close (agg.).

Photofit® m. inv. Photofit.

phỳlum (lat.) m. inv. (zool., ling.) phylum*.

pi f. o m. **1** (lettera dell'alfabeto italiano) (letter) p **2** (lettera dell'alfabeto greco) pi • (mat.) **pi greco**, pi.

PI sigla **1** (partita IVA) value added tax code (VAT code) **2** (Pisa) **3** (postacelere interna) first class post **4** (Pubblica istruzione) (Public) Education **5** (Pubblico impiego) Civil Service.

piaccàmetro m. (chim.) pH-meter.

piacènte a. attractive; charming.

• **piacére** ① v. i. **1** to like, to be fond of, to care for, to enjoy (tutti pers.); to be pleasing: A me piace il caldo, I like the heat; Mi piace uscire di sera, I like going out in the evening; Quell'uomo non mi piace, I don't like that man; I don't care for that man; Mi piace molto la musica, I'm very fond of music; L'idea mi piace molto, I like the idea a lot; Questo mi piace più dell'altro, I like this one better than the other; **quello che mi piace di più**, the one I like best; Non mi piace affatto, I don't like it at all; Gli piace mangiare, he enjoys his food; Dopo pranzo gli piace fare un sonnellino, after lunch he likes to take a nap; Non mi piace pensare al passato, I don't like (o I dislike) thinking about the past; Mi piace che tutto sia a posto, I like everything to be tidy; Non mi piace che tu esca con lui, I don't like your going out with him; Ti è piaciuto il film [il viaggio, il pranzo]?, did you enjoy the film [the trip, the meal]?; Mi è piaciuto da pazzi, I loved it; Mi piace da pazzi quell'attore, I'm crazy about that actor; Il suo ultimo libro è piaciuto molto, his last book was a great success; Le sue maniere non piacciono a tutti, his manners are not to everyone's taste; Piaccia a Dio che..., (may it) please God that...; Così mi piace!, that's more like it!; now you're talking! **2** (desiderare) to like, to wish, to want, to please, to choose* (tutti pers.): Mi piacerebbe molto andare in Spagna, I'd love to go to Spain; Mi sarebbe piaciuto incontrarlo, I would have liked to meet him; Ti piacerebbe venire?, would you like to come?; Come mi piacerebbe essere con voi!, how I would like to be with you!; (how) I wish I were with you!; Fai pure come ti piace, do as you please (o wish); suit yourself; Faccio come mi pare e piace, I do as I please; Sto in casa perché così mi piace, I'm staying in because I want to • **piaccia o non piaccia**, whether one likes (o you like) it or not □ **a Dio piacendo**, God willing □ **che ti piaccia o no**, whether you like it or not □ **un modello che piace**, a popular model □ **una ragazza che piace**, an attractive girl □ **farsi p. qc.**, to learn to like st.

• **piacére** ② m. **1** pleasure; (gioia) delight;

(*svago, divertimento*) entertainment: **i piaceri della tavola [dello spirito]**, the pleasures of the table [of the mind]; **avere il p. di fare qc.**, to have the pleasure of doing st.; *Ne ho p.*, I'm glad of that; (*iron.*: *ben gli sta*) it serves him right; **dare p.**, to give pleasure; **darsi ai piaceri**, to give oneself up to pleasure; *Mi fa sempre p. vederti*, I am always delighted to see you; *Se ti fa p.*, if you like; if you wish; *Mi farebbe p. conoscerlo*, I would like to meet him; *Ti farebbe p. un bel tè caldo?*, would you care for a nice cup of tea?; **mescolare il lavoro e il p.**, to mix work with pleasure; **provare p. a fare qc.**, to take pleasure in doing st.; to enjoy doing st.; *È stato un p. conoscerla!*, it was a pleasure meeting you (*o* to meet you); *Trattare con lui non è un p.*, it's no pleasure dealing with him; **trarre p. da qc.**, to enjoy st.; **mangiare con p.**, to eat with relish; to enjoy one's food; *L'ho rivisto con p.*, I was glad to meet him again; *Che p.!*, how lovely; how nice!; how delightful!; *Che p. rivedervi!*, how lovely to see you again!; *Con p.!*, it will be a pleasure!; (I'll be) delighted!; **amante dei piaceri**, pleasure-loving (agg.); pleasure-seeking (agg.); pleasure seeker (sost.); **gita di p.**, pleasure trip: **la ricerca del p.**, the pursuit of pleasure **2** (*favore*) favour: **chiedere un p. a q.**, to ask a favour of sb.; **fare un p. a q.**, to do sb. a favour; *Puoi farmi il p. di avvertirmi?*, could you please let me know?; (*più form.*) will you be so kind as to let me know?; *Vuoi farmi il p. di stare zitto?*, will you kindly shut up?; do be quiet, for goodness' sake!; **ricambiare un p.**, to reciprocate a favour **3** (*nelle presentazioni*) – *P.!*, how do you do?; «*Io sono Rossi*» «*P.*, *Bianchi*», «my name is Rossi» «mine is Bianchi, how do you do?»; *P. di conoscerla*, pleased to meet you ❶ **NOTA**: *introductions* → **introduction** ● **a p.**, (*a volontà*) at will; at pleasure; as much [many] as one wants; (*secondo il gusto*) to taste: *Prendine uno a p.*, take whichever you like; **pane a p.**, as much bread as one wants; **sale a p.**, salt to taste ● (*comm.*) **Al p. di leggervi**, looking forward to hearing from you □ **Piove che è un p.**, it's pouring; it's coming down in buckets □ **Questa macchina fila che è un p.**, this car runs like a dream □ **Mangia che è un p.**, it's a pleasure to see him eating □ (*iron.*) **Ma fammi il p.!**, nonsense!; don't be ridiculous! □ **per p.**, please: *Dammi quel libro, per p.*, give me that book, please; *Parlagli, te lo chiedo per p.*, please speak to him, as a favour to me □ (*iron.*) **Tanto p.!**, so what?

♦**piacévole** a. pleasant; agreeable; amiable; nice; pleasing (*form.*); (*godibile*) enjoyable: **compagnia p.**, pleasant company; **modi piacevoli**, pleasing manners; **un pomeriggio p.**, a pleasant afternoon; **un'occupazione p.**, a pleasant occupation; **una persona p.**, a pleasant person; **una vacanza p.**, an enjoyable holiday; **una voce p.**, an agreeable voice; **avere un aspetto p.**, to look nice; to be pleasing to the eye; **poco p.**, not very pleasant; rather unpleasant.

piacevolézza f. **1** (*amabilità*) pleasantness; agreeableness; amiableness: **p. di maniere**, pleasant manners (pl.) **2** (*battuta*) pleasantry; witticism.

piacevolménte avv. pleasantly; agreeably.

piaciménto m. (*gradimento*) liking; (*piacere*) pleasure, will, desire: **a p.**, at will; as one likes; as much as one likes: *Fate a vostro p.*, do as you like; *Prendine a tuo p.*, take as much as you like; **di mio p.**, to my liking.

piacióne m. (*fam.*) natural charmer.

piàda, piadina f. (*alim.*) (unleavened) flat bread (typical of Romagna).

piàga f. **1** sore; ulcer; (*ferita*) wound: **p. da decubito**, bedsore; **p. purulenta**, purulent

sore; **le piaghe di Cristo**, the wounds of Christ; **essere tutto una p.**, to be covered in sores **2** (*fig.*: *flagello*) scourge; plague; calamity; evil: **la p. della guerra**, the scourge of war; **p. sociale**, social evil; **le sette piaghe d'Egitto**, the seven plagues of Egypt **3** (*fig.*: *persona molesta*) nuisance; bore; pain in the neck (*fam.*): *Che p. che sei!*, what a bore you are!; how tiresome you are!; *Non fare la p.!*, don't be such a pain in the neck! **4** (*fig.*: *afflizione*) sorrow; affliction: *Il tempo rimargina tutte le piaghe*, time heals all sorrows ● (*fig.*) **girare il coltello nella p.**, to twist the knife (in the wound); to rub salt in the wound; to rub it in □ (*fig.*) **mettere il dito sulla p.**, to touch on a sore point □ (*fig.*) **riaprire vecchie piaghe**, to reopen old wounds.

piagàre v. t. to ulcerate; to produce a sore (in, on st.); (*ferire*) to hurt*, to wound.

piagàto a. covered in sores (pred.); ulcerated; (*ferito*) hurt, wounded.

piaggerìa f. (*lett.*) flattery Ⓤ; toadyism Ⓤ.

piàggia f. (*poet.*) land; country.

piaggiàre v. t. e i. (*lett.*) to flatter; to toady to; to fawn upon.

piaggiatóre m. (f. **-trice**) (*lett.*) flatterer; toady.

piagnistèo m. (*fam.*) whining Ⓤ; moaning Ⓤ; grousing (*fam.*); whingeing Ⓤ (*fam., GB*).

piagnóne m. (f. **-a**) (*fam.*) **1** (*chi piange sempre*) cry-baby; sniveller **2** (*chi si lamenta sempre*) whiner; moaner; grouser (*fam.*).

piagnucolaménto m. whining Ⓤ; whimpering Ⓤ.

piagnucolàre v. i. to whine; to whimper; (*frignare*) to snivel, (*di bambino piccolo*) to grizzle (*fam. GB*): *Il bimbo piagnucolò un po'*, the child whimpered a little; *Non venire a p. quando è troppo tardi*, don't come whining to me when it's too late.

piagnucolìo m. whine; whining Ⓤ; whimper; whimpering Ⓤ; grizzling Ⓤ (*fam. GB*).

piagnucolóne m. (f. **-a**) cry-baby; sniveller; whiner.

piagnucolóso a. **1** whining; snivelling: **bambino p.**, snivelling child; cry-baby **2** (*fig.*: *querulo*) querulous; whining: **con voce piagnucolosa**, in a querulous voice.

piàlla f. (*falegn.*) plane: **p. per rifinitura**, trying plane; **p. per scanalature**, grooving plane; **lavorare di p.**, to plane; **passare la p. su qc.**, to plane st.

piallàccio m. (sheet of) veneer.

piallàre v. t. (*falegn.*) to plane: **p. a misura**, to shoot; **p. a spessore**, to thickness; **p. per il diritto**, to plane with the grain.

piallàta f. (*falegn.*) planing: **dare una p. a qc.**, to plane st.

piallatóre Ⓐ a. planing Ⓑ m. (*falegn.*) planer.

piallatrice f. (*mecc.*) planer; planing machine: **p. a spessore**, thicknesser; **p. circolare**, circular planing machine.

piallatùra f. (*falegn.*) **1** planing: **p. circolare**, round planing **2** (*trucioli*) (wood) shavings (pl.).

piallettàre v. t. **1** (*falegn.*) to smooth **2** (*edil.*) to float.

piallétto m. **1** (*falegn.*) smoothing plane **2** (*edil.*) float.

piallóne m. (*falegn.*) trying plane.

piamàdre, pia màdre f. (*anat.*) pia mater.

piàna f. stretch of level ground; level tract; (*pianura*) plain, flat land.

pianàle m. **1** (*agric.*) level surface **2** (*di autocarro*) loading platform **3** (*ferr.*) flat wagon; flatcar (*USA*).

pianatóio m. flat chisel.

piancìto m. (*region.*) floor.

pianeggiànte a. level; flat: **regione p.**, flat country; **strada p.**, level road; **terreno p.**, level ground.

pianeggiàre Ⓐ v. i. to be almost level (*o* flat) Ⓑ v. t. to level off; to make* level.

pianèlla f. **1** slipper; (*aperta dietro*) mule **2** (*edil.*) flat tile **3** (*bot.*) – **p. della Madonna** (*Cypripedium calceolus*), lady's slipper.

pianeròttolo m. **1** (*edil.*) landing **2** (*alpinismo*) ledge; shelf.

♦**pianéta**① m. **1** (*astron.*) planet: **p. esterno [interno]**, outer [inner] planet; **i pianeti maggiori**, the major planets; **il nostro p.**, our planet **2** (*fig.*) world: **il p. donna**, the world of women; **il p. giovani**, the youth world **3** (*oroscopo*) horoscope ● (*fig. fam.*) **di un altro p.**, fabulous; out of this world.

pianéta② f. (*eccles.*) chasuble.

pianetino m. (*astron.*) asteroid; planetoid; minor planet.

piangènte a. crying; weeping; tearful; in tears (pred.): **occhi piangenti**, tearful eyes; **voce p.**, tearful voice; (*bot.*) **salice p.**, weeping willow.

♦**piàngere** Ⓐ v. i. **1** to cry; to weep*: **p. a calde lacrime**, to cry one's heart out; **p. a dirotto**, to cry one's eyes out; (*spreg.*) to blubber; **p. amaramente**, to weep bitterly; **p. di dolore [di rabbia]**, to cry with pain [with rage]; **p. di gioia**, to weep for joy; **p. in silenzio**, to weep silently; **far p. q.**, to make sb. cry; **essere lì lì (o stare) per p.**, to be close to (*o* on the verge of) tears; **mettersi a p.**, to start crying (*o* to cry); *Il bambino piange perché vuole la mamma*, the child is crying for her mother **2** (*soffrire, patire*) to suffer; to mourn: **p. sotto la tirannia**, to suffer under tyranny; (*nel Vangelo*) *Beati coloro che piangono*, blessed are those that mourn **3** (*fig.*: *gocciolare*) to drip, to trickle; (*colare*) to ooze; (*lacrimare*) to water; (*di pianta*) to bleed*: *Gli piangevano gli occhi per il freddo*, his eyes were watering with the cold ● **p. come un vitello** (*o come una vite tagliata*), to blubber □ (*fig.*) **p. da un occhio solo**, to pretend to cry; to weep crocodile tears □ (*fig.*) **p. sul latte versato**, to cry over spilt milk □ **da p.** (*penoso*), pitiful; awful □ (*fig. fam.*) **far p. i sassi**, to melt a heart of stone □ **un film [una storia] che fa p.**, a very moving film [story] □ **Mi piange il cuore**, it breaks my heart; my heart bleeds □ **Vien da p. a vedere cose simili**, it's enough to make you cry to see such things Ⓑ v. t. **1** to weep*: **p. lacrime amare**, to weep bitter tears; **p. lacrime di gioia**, to weep tears of joy; to weep with joy; **p. lacrime di coccodrillo**, to weep crocodile tears; **p. lacrime di sangue**, to weep tears of blood; *Ho pianto tutte le mie lacrime*, I have no tears left to cry **2** (*lamentare*) to mourn; to mourn for (sb.); to mourn over (st.); to grieve for; to lament; to bewail (*form.*): **p. il marito**, to mourn for one's dead husband; **p. la morte di q.**, to mourn sb.'s death; to mourn for sb.; **p. un amore perduto**, to lament a lost love **3** (*rimpiangere*) to regret ● **p. miseria**, to plead poverty; to poor-mouth (*fam. USA*) □ (*prov.*) *Chi è causa del suo mal, pianga sé stesso*, as you make your bed, so you must lie on it Ⓒ m. crying; weeping; (*lacrime*) tears (pl.): *Aveva gli occhi rossi dal p.*, his eyes were red with crying.

piangiucchiàre v. t. to whimper; to whine.

pianificàbile a. that can be planned: **difficilmente p.**, difficult to plan.

pianificàre v. t. to plan.

pianificàto a. planned: **economia pianificata**, planned economy.

pianificatóre m. (f. **-trice**) planner.

pianificazióne f. planning: **p. centrale**, central planning; **p. del bilancio**, budget

planning; **p. familiare**, family planning; **p. urbanistica**, town planning; city planning (*USA*).

pianigiàno A a. lowland (attr.) B m. (f. **-a**) lowlander.

pianino ① avv. slowly; gently.

pianino ② m. (*organetto*) barrel organ.

pianismo ① m. (*econ.*) tendency towards economic planning.

pianismo ② m. (*mus.*) pianism.

pianissimo m. (*mus.*) pianissimo.

pianista m. e f. pianist.

pianistico a. (*mus.*) piano (attr.); for (the) piano: **duo p.**, piano duo; **musica pianistica**, piano music; music for piano.

♦**piano** ① A a. **1** flat; level; even: **superficie piana**, level (o even) surface; **strada piana**, level road; **terreno p.**, flat land; **a fondo p.**, flat-bottomed **2** (*liscio*) smooth: **fronte piana**, smooth forehead; **roccia piana**, smooth rock **3** (*chiaro, semplice*) clear, plain, simple; (*agevole*) easy: *Il senso di questa frase è assai p.*, the meaning of this sentence is very clear; **in parole piane**, in simple (o plain) words **4** (*geom.*) plane: **geometria piana**, plane geometry **5** (*gramm.*) paroxytone: **parola piana**, paroxytone (word) ● (*sport*) **i cento (metri) piani**, the 100-metre sprint □ (*sport*) **corsa piana**, flat race □ (*eccles.*) **messa piana**, low mass B avv. **1** (*sommessamente*) softly; quietly; gently; (*a bassa voce*) in a low voice: *Fai p., se no si sveglia!*, move quietly or you'll wake him; *Chiudi p. la porta*, shut the door gently; **parlare p.**, to speak quietly (o in a low voice); *Parla più p.!*, lower your voice! **2** (*lentamente*) slowly; slow: **andare p.**, to go slow (o slowly); **camminare p.**, to walk slowly; *Vai più p.!*, go slower!; slow down!; *P.! (rallenta)*, slow down! **3** (*con cautela*) gently; carefully: *Fate p. o si rompe*, go carefully or it will break; *Posalo p.!*, put it down gently!; *P.!*, gently!; easy!; (*spostando qc.*) *Ecco, fate p., così*, there, easy does it! **4** (*mus.*) piano ● **pian p.** (*a poco a poco*), little by little ● **pian pianino** (*fam.*) very slowly; very gently; very carefully □ **andarci p.**, to take it [things] easy □ **andarci p. con qc.**, to go easy on st. □ (*prov.*) **Chi va p. va sano e va lontano**, slow and steady wins the race.

♦**piano** ② m. **1** (*geom.*) plane: (*astron.*) **p. dell'orbita**, orb; (*fis.*) **p. di polarizzazione**, plane of polarization; **p. di simmetria**, plane of symmetry; **p. inclinato**, inclined plane; **p. orizzontale**, horizontal plane; **piani paralleli**, parallel planes **2** (*superficie piana*) surface; top; platform: (*ferr.*) **p. caricatore** (*o di caricamento*), loading platform; **p. di cottura**, cooktop; hob; **p. di cristallo**, glass top; **p. di lavoro**, worktop; **p. di marmo**, marble top; (*mecc.*) **p. di scorrimento**, sliding surface (o slide); **p. del tavolo**, table top; **p. inclinato**, ramp; slide; **p. stradale**, roadway; road surface; road-bed; **in p.**, flat; level; horizontally **3** (*terreno piano*) level ground; flat land; level tract of land; (*pianura*) plain: *Dopo qualche chilometro di p., comincia la salita*, after a few kilometres of level ground the road starts to climb; **in piano**, on level ground; on the flat; (*in pianura*) in a plain **4** (*livello*) level; plane; (*fig.*) plane, level, (*base*) basis*; footing: (*naut.*) **p. di galleggiamento**, water plane; **sul p. politico**, on the political plane; **su un p. di parità**, on an equal footing; **sullo stesso p.**, on the same level (o plane, basis); **essere sullo stesso p.**, to be equal; **essere sullo stesso p. di**, to be on a par with; to equal; **mettere sullo stesso p.**, to equate; to consider equally important **5** (*strato*) layer; tier: **torta a tre piani**, three-tier cake **6** (*geol.*) layer; stratum*; plane: **p. di clivaggio** (*o di sfaldatura*), cleavage plane; **p. di faglia**, fault plane **7** (*cinem.*) – **p. americano**, medium full shot; **p. medio**, medium shot; **p.**

sequenza, tracking shot; single take; **mezzo primo p.**, medium close-up shot; **primo p.**, close-up (shot) **8** (*aeron.*) – **p. alare**, (main) plane; **p. di coda**, empennage; **p. di deriva**, fin; **p. stabilizzatore**, tail plane; stabilizer (*USA*) **9** (*di edificio*) floor, storey (*GB*), story (*USA*); (*di autobus*) deck: **p. nobile**, main floor; piano nobile; **p. rialzato**, mezzanine (floor); entresol; **p. superiore**, (*di edificio*) upper floor; (*di autobus*) upper deck; **p. terreno** (*o p. terra*), ground floor (*GB*); first floor (*USA*); **primo p.**, first floor (*GB*); second floor (*USA*); **abitare al p. terreno**, to live on the ground (*USA* first) floor; **al p. di sopra**, on the floor above; upstairs; **al p. di sotto**, on the floor below; downstairs; **scendere al p. di sotto**, to go downstairs; **le stanze al p. di sopra**, the upstairs rooms; **ai piani superiori**, upstairs; **un edificio di sette piani**, a seven-storey building; **autobus a due piani**, double-decker ● (*fig.*) **di primo p.**, leading; prominent; major: **un economista di primo p.**, a leading economist; **posizione di primo p.**, front line; lead □ (*fig.*) **di secondo p.**, secondary; minor ● **primo p.**, (*arte, fotogr.*) foreground; (*fotogr.*) close-up: **in primo p.**, (*anche fig.*) in the foreground; (*fig.*) in the fore, in the front line; **venire in primo p.**, to come to the fore □ **primissimo p.**, extreme close-up □ **secondo p.**, (*arte, fotogr., cinem.*) background: (*anche fig.*) **in secondo p.**, in the background □ (*fig.*) **passare in secondo p.**, to become less important; to take second place; to fade into the background: (*fig.*) **far passare in secondo p.**, to push into the background; to overshadow.

♦**piano** ③ m. **1** (*disegno industriale*) plan; design; blueprint: **il p. del nuovo teatro**, the plan of the new theatre **2** (*progetto*) plan; (*programma*) programme, program (*USA*), scheme, schedule: **un p. ambizioso**, an ambitious plan (o scheme); (*fin.*) **p. d'ammortamento**, sinking plan; **p. d'azione**, plan of action; strategy; **p. di battaglia**, (*mil.*) plan of battle; (*fig.*) plan of action; **p. di lavoro**, work plan (o programme); **p. di pensionamento**, pension scheme; retirement plan; **p. di produzione**, production plan; **p. di studi**, plan (*USA* program) of studies; syllabus; **p. di sviluppo economico**, economic development plan (o programme); (*aeron.*) **p. di volo**, flight plan; **il P. Marshall**, the Marshall Plan; **p. operativo**, operations plan; **p. quinquennale**, five-year plan; **p. regolatore**, town plan (*GB*); city plan (*USA*); **elaborare un p.**, to work out a plan; **fare piani**, to make plans; to lay plans; **secondo i miei piani**, according to my plans; **secondo i piani (prestabiliti)**, according to plan.

♦**piano** ④ → **pianoforte**.

piano ⑤ a. related to a pope named Pius.

piano-bar m. bar with live piano music.

pianocòncavo, **piàno-còncavo** a. (*fis.*) plano-concave.

pianoconvèsso, **piàno-convèsso** a. (*fis.*) plano-convex.

♦**pianofòrte** m. (*mus.*) piano*; pianoforte: **p. a coda**, grand piano; grand; **p. a mezza coda**, baby grand; **p. da concerto**, concert grand; **p. preparato**, prepared piano; **p. verticale**, upright piano; upright; **accompagnare al p.**, to accompany on the piano; **suonare il p.**, to play the piano; **studiare p.**, to study piano; **insegnante di p.**, piano teacher; **lezione di p.**, piano lesson; **sonata per p.**, piano sonata.

pianòla f. (*mus.*) player piano*; pianola.

pianòro m. (*geogr.*) plateau; tableland.

pianotèrra, **pianoterréno** → **pianterreno**.

piàn-parallèlo m. (*ottica*) plane-parallel.

♦**piànta** f. **1** (*bot.*) plant; (*albero*) tree: **p. a**

bulbo, bulbous plant; **p. acquatica**, water-plant; hydrophyte; **p. arborea**, tree; **p. carnivora**, carnivorous plant; **p. cimata**, pollard; **p. d'appartamento**, indoor plant; **p. da fiore**, flowering plant; **p. da frutto**, fruit-bearing plant; **p. da vaso**, potted plant; pot plant; **p. del tè** (*Thea sinensis*), tea-plant; **p. endogena**, endogen; **p. erbacea**, herbaceous plant; **p. grassa**, succulent plant; cactus; **p. officinale**, officinal plant; **p. ornamentale**, ornamental plant; **p. perenne**, perennial; **p. rampicante**, creeper; climber; vine; trailer; **p. sempreverde**, evergreen; **p. tropicale**, tropical plant **2** (*del piede, della scarpa*) sole: **scarpa a p. larga**, shoes with a wide sole **3** (*disegno tecnico*) plan, design; (*progetto*) layout; (*mappa*) map, plan: **p. a croce latina [greca]**, Latin-cross [Greek-cross] plan; **la p. del nuovo ospedale**, the plan of the new hospital; **una p. di Roma**, a map of Rome **4** (*organico, ruolo*) staff; personnel; rolls: **in p. stabile**, on the permanent (o regular) staff; (*fig.*) permanently; **sistemarsi in p. stabile**, to settle permanently ● **di sana p.**, (*completamente*) entirely, completely, totally; (*daccapo*) all over again: **copiare qc. di sana p.**, to copy st. word by word; **rifare qc. di sana p.**, to do st. all over again; **inventare una storia di sana p.**, to make up (o to fabricate) a story; **inventato di sana p.**, wholly invented; totally made up; made out of whole cloth (*fam. USA*); a complete fabrication □ **in p. stabile**, permanent; regular; (*di impiegato*) on the regular (o permanent) staff; (*stabilmente*) permanently, regularly; **personale in p. stabile**, regular (o permanent) staff ❶ **FALSI AMICI** • *tranne che nel senso botanico*, pianta *non si traduce con* plant.

piantàbile a. (*agric.*) plantable.

piantàggine f. (*bot.*, *Plantago major*) plantain.

piantagióne f. (*agric.*) plantation: **p. di caffè [di cotone, di tabacco]**, coffee [cotton, tobacco] plantation.

piantagràne m. e f. inv. (*fam.*) **1** troublemaker **2** (*pedante*) fault-finder; nitpicker.

piantàna f. **1** (*montante*) upright **2** (*edil.*) scaffold pole; standard **3** (*anche* **lampada a p.**) standard lamp; floor lamp.

♦**piantàre** A v. t. **1** (*agric.*) to plant: **p. alberi [fiori]**, to plant trees [flowers]; **p. a gelsi [a meli]**, to plant with mulberries [with apple-trees] **2** (*conficcare*) to thrust*, to drive*, to ram; (*porre saldamente*) to put, to fix, to set* (up): **p. una bandiera**, to raise a flag; **p. un chiodo in un muro**, to drive a nail into a wall; **p. un palo in terra**, to drive a pole into the ground; **p. con forza nel terreno**, to ram into the ground; **p. gli occhi addosso a q.**, to fix one's eyes on sb.; to stare at sb.; **p. un pugnale nel petto a q.**, to stab sb. in the chest; to thrust a knife into sb.'s chest **3** (*fig.: abbandonare*) to leave*; to quit; to walk out on (sb.); to dump (*fam.*); to ditch (*fam.*); (*un lavoro, ecc.*) to quit, to chuck in (*fam.*), to pack in (*fam. GB*): **p. il marito [la moglie]**, to leave (o to walk out on) one's husband [wife]; **p. la ragazza**, to dump (o to ditch) one's girlfriend; *L'ha piantato per uno più giovane*, she left him for a younger man; **p. il lavoro**, to quit (*fam.* to chuck in) one's job; *Ho voglia di p. tutto e partire*, I feel like chucking in everything and leaving **4** (*fig.: piantarla*) to stop; to quit; to knock off (*fam.*): **piantarla con qc.**, to quit doing st.; *Piantala di frignare!*, stop whining!; *Piantala!*, stop it!; cut it out!; knock it off!; *Ma piantala!* (*non scherzare*), come off it! ● **p. q. in asso**, to leave sb. standing; (*lasciare nei pasticci*) to leave sb. in the lurch □ (*fam.*) **p. (su) un casino**, to raise hell; to raise a stink; to raise the roof (*USA*) □ (*fig.*) **p. chiodi** (*fare debiti*), to get into debt □ (*fam.*) **p.**

una grana, to make trouble; to kick up a fuss □ (*fam.*) **p. grane**, to make trouble □ **p. una tenda**, to pitch a tent □ (*fig.*) **p. le tende**, to settle down □ (*scherz.*) **andare a p. cavoli**, to retire Ⓑ **piantàrsi** v. i. pron. **1** (*conficcarsi*) to stick*; to get* stuck; to become* embedded: *La freccia si piantò nel tronco*, the arrow stuck in the trunk; *Mi si è piantata una scheggia nel dito*, I have a splinter stuck in my finger; *La scheggia si era piantata in profondità*, the splinter was stuck deep **2** (*incepparsi*) to seize up; (*di motore*) to stall; (*di computer*) to crash Ⓒ **piantàrsi** v. rifl. (*fermarsi*) to plant oneself; to place oneself: *Si piantò sull'uscio di casa*, she planted herself on the doorstep; *Mi si è piantato in casa per un mese*, he came to stay and didn't leave for a month; he came and stayed for a whole month; *Il pasticcio di prosciutto mi si è piantato sullo stomaco*, I haven't digested the ham pie; (*di cavallo*) to refuse an obstacle Ⓓ **piantàrsi** v. rifl. recipr. to split* up: *Si sono piantati dopo anni di convivenza*, they split up after years of living together.

piantàta f. **1** (*il piantare*) planting **2** (*insieme di piante*) plantation **3** (*filare*) rows of trees.

piantàto a. **1** (*agric.*) planted: **p. a vite**, planted with vines **2 – ben p.**, sturdy; strongly built; well-built; strapping **3** (*fermo*) firmly planted: *Se ne stava p. in mezzo alla stanza*, he stood firmly planted in the middle of the room; **p. come un palo**, rooted to the spot.

piantatóre m. planter: **p. di cotone**, cotton planter.

piantatrice f. **1 → piantatore 2** (*macchina*) planting-machine; planter.

piantatùra f. (*agric.*) planting.

◆**pianterréno** m. (*edil.*) ground floor (*GB*); first floor (*USA*); (*di abitazione a due piani*) downstairs rooms (pl.), downstairs flat, downstairs: *La cucina è a p.*, the kitchen is downstairs; **abitare a p.**, to live on the ground floor; **affittare il p.**, to rent the downstairs flat; **scendere a p.**, to go downstairs; **stanza a p.**, ground-floor room; downstairs room.

piantìna f. **1** (*agric.*) small plant; (*pianta giovane*) seedling **2** (*mappa*) map: **p. stradale**, street map; road map **3** (*gergo mil.*) sentry; guard.

◆**piànto** m. **1** crying Ⓤ; weeping Ⓤ; (*lacrime*) tears (pl.); (*lamento*) wailing Ⓤ, wail: **un p. di gioia**, tears of joy; **un p. dirotto**, (a fit of) uncontrollable weeping; a flood of tears; **il p. di un neonato**, the cry of a newborn baby; **p. funebre**, keen; wail; *Si sentiva il p. del povero uomo*, you could hear the poor man crying; **asciugarsi il p.**, to wipe away one's tears; **avere il p. facile**, to cry over nothing; **cessare il p.**, to stop crying; **farsi un bel p.**, to have a good cry; **prorompere (o scoppiare) in p.**, to start crying; to burst into tears; **avere gli occhi pieni di p.**, to have tears in one's eyes; **un volto bagnato di p.**, a face wet with tears **2** (*dolore*) grief; (*lutto*) mourning: **essere in p. per la morte di q.**, to be mourning sb.'s death **3** (*fam.*: *disastro*) mess; disaster: *La cucina è un p.*, the kitchen is a mess; *Che p. quel film!*, that was a dreadful film! **4** (*bot.*) bleeding ● (*fig. fam.*) **p. greco**, long, boring thing; drag.

piantonàia f., **piantonàio** m. (*agric.*) nursery garden.

piantonaménto m. (*mil.*) guarding; surveillance.

piantonàre v. t. to guard; to stand* (*o* to mount) guard over; to guard; to keep* under guard: **p. un edificio**, to mount guard over a building: *Il fermato è piantonato in ospedale*, the arrested man is under sur-

veillance in hospital.

piantóne m. **1** (*agric.*) shoot; scion **2** (*mil.*) orderly; guard: **essere di p.**, to be on orderly duty; **stare di p.**, to stand guard **3** (*autom.*, *anche* **p. di guida, p. di sterzo**) steering-column.

piantumàre v. t. (*bot.*) to plant; to landscape.

piantumazióne f. tree planting.

piantùme m. (*bot.*) nursery plants (pl.).

◆**pianùra** f. plain; flat country: **p. alluvionale**, floodplain; **la p. padana**, the plain of the Po; the Po valley; **alta p.**, tableland; plateau (*franc.*); **bassa p.**, lowland; **le Grandi Pianure** (*degli USA*), the Great Plains; **città di p.**, town on the plain; **in p.**, on the plain; (*in piano*) on level ground, on the flat.

pianùzza f. (*zool.*, *Pleuronectes platessa*) plaice.

piassàva f. (*ind. tess.*) piassava.

piàstra f. **1** (*di metallo, legno, vetro*) plate; (*di pietra*) slab: **p. a muro**, wall-plate; **p. d'acciaio**, steel plate; **p. d'appoggio**, bearing slab; **p. di marmo**, marble slab; **p. in cemento armato**, reinforced concrete (*o* ferroconcrete) slab **2** (*mecc.*, *elettr.*, *edil.*) plate: **p. ad angolo**, angle plate; (*ferr.*) **p. d'appoggio**, soleplate; **p. d'arresto**, stop plate; **p. di fissaggio**, anchor plate; (*ferr.*) rail clip; **p. di fondazione**, soleplate; floor plate; (*ind. metall.*) **p. modello**, match (*o* pattern) plate; **p. orientabile**, swivel plate; (*elettr.*) **p. negativa [positiva]**, negative [positive] plate **3** (*di cucina*) hot plate: **alla p.**, (*tostato*) toasted (on the hot plate); (*grigliato*) grilled **4** (*di ferro da stiro, macchina per cucire, ecc.*) soleplate **5** (*anche* **p. di registrazione**) tape deck **6** (*di armatura*) plate **7** (*numism.*) piastre, piaster (*USA*) **8** (*biol.*) plate: **p. di agar**, agar plate.

piastrèlla f. **1** tile: **p. per pavimento**, floor tile; **pavimento a piastrelle**, tiled floor **2** (*sasso piatto*) flat pebble.

piastrellàio → piastrellista

piastrellaménto m. **1** (*aeron.*) bouncing; bounce **2** (*naut.*) porpoising.

piastrellàre Ⓐ v. t. to tile Ⓑ v. i. **1** (*aeron.*) to bounce **2** (*naut.*) to porpoise.

piastrellìsta m. **1** (*fabbricante*) tile maker **2** (*posatore*) tiler.

piastrìccio m. (*fam.*) **1** sticky mess **2** (*fig.*) mess; tangle; (*imbroglio*) swindle.

piastrìna f. **1** (*mecc.*) plaque; plate **2** (*targhetta*) tag; (*mil.*) **p. di riconoscimento**, identification tag; dog tag (*fam. USA*); **p. per cani**, dog tag **3** (*biol.*) platelet.

piastrìnico a. (*biol.*) platelet (attr.).

piastrìno m. **→ piastrina**, def. 2.

piastrinoafèresi f. (*med.*) platelet apheresis.

piastróne m. **1** large plate; slab **2** (*zool.*) plastron **3** (*scherma*) plastron.

piatire v. i. (*fig. fam.*) to beg: **p. favori**, to beg favours.

piattabànda f. (*archit.*) flat (*o* straight) arch; lintel; platband.

piattafórma f. **1** (*terreno spianato*) surface; shelf; floor: (*geogr.*) **p. continentale**, continental shelf; **p. rocciosa**, rock shelf; **p. stradale**, road surface **2** (*piano, anche tecn.*) platform; plate; pad: **p. di appoggio**, base plate; **p. di carico**, loading platform; (*miss.*) **p. di lancio**, launching pad; (*mil.*) **p. di tiro**, firing base; **p. girevole**, revolving platform; turntable; **p. mobile**, swing platform; **p. per cannoni**, gun platform; **p. per ricerche petrolifere**, oil rig; oil platform **3** (*di autobus, tram*) platform **4** (*sport: tuffi*) diving board **5** (*fig., polit.*) platform: **p. elettorale**, electoral platform; **p. rivendicativa**, package of requests; **p. programmatica**, stated platform **6** (*comput.*) platform.

piattàia f. plate rack; plate display shelf.

piattàio m. **1** (*fabbricante*) plate maker **2** (*venditore*) plate seller.

piattèllo m. **1** small plate **2** (*tiro a volo*) clay pigeon: **tiro al p.**, trap-shooting; clay-pigeon shooting; skeet shooting (*USA*).

piatterìa f. plates and dishes (pl.).

piattézza f. **1** flatness **2** (*fig.*) dullness; monotony.

piattìna f. **1** (*edil.*, *ind. min.*) bogie **2** (*elettr.*, *anche* **p. di massa**) ground strap **3** (*radio, TV*) twin lead **4** (*nastro metallico*) metal strap **5** (*cornice*) flat frame.

piattìno m. **1** (small) dish; (*di tazza*) saucer **2** (*manicaretto*) delicacy; dainty dish.

◆**piàtto①** a. **1** flat: **barca piatta**, flat boat; barge; **regione piatta**, flat region; **pesce p.**, flat fish; **piedi piatti**, flat feet; **tetto p.**, flat roof; (*med.*, *tecn.*) **tracciato p.**, flat line; **essere piatta di seno**, to be flat-chested **2** – (*geom.*) **angolo p.**, straight angle **3** (*fig.*) flat; dull; uninspired; pedestrian; commonplace: **stile p.**, flat (*o* dull) style; **traduzione piatta**, uninspired (*o* pedestrian) translation; **vita piatta**, dull (*o* uneventful) life.

◆**piàtto②** m. **1** (*stoviglia, per servire*) dish; (*individuale*) plate: **p. d'argento**, silver plate; **p. da forno**, oven dish; baking dish; **p. da frutta**, dessert plate; **p. da portata**, serving dish; **p. fondo**, soup plate; **p. piano**, (shallow) plate; dinner plate; **piatti da lavare**, dirty dishes; **asciugare i piatti**, to dry the dishes; **cambiare i piatti**, to change the plates; **lavare i piatti**, to wash up; to do the dishes; to do the washing-up; **mettere nei piatti**, to dish out; to serve; **riempirsi il p.**, to heap food on one's plate; **servizio di piatti**, dinner service **2** (*contenuto di un p.*) plateful; plate: **un p. di spaghetti**, a plate of spaghetti **3** (*estens.*: *vivanda*) dish; (*portata*) course: **p. caldo [freddo]**, hot [cold] dish; **il p. del giorno**, today's special; plat du jour (*franc.*); **p. di carne**, dish of meat; **p. di verdura**, vegetable dish; **p. forte**, main course; entrée (*franc.*, *USA*); (*fig.*) main attraction; highlight; **p. speciale**, special; **p. tipico**, local dish; **un p. tipico di Genova**, a typical Genoese dish; **p. unico**, single course; **primo p.**, first course; starter (*fam. GB*); **secondo p.**, second course; seconds (pl.) **4** (*parte piatta*) flat: **il p. della spada**, the flat of the sword; **colpire di p.**, to strike (*o* to hit) with the flat (of st.) **5** (*oggetto a forma di p.*) – **p. della bilancia**, scale pan; **p. giradischi** (*o* **portadischi**), turntable; deck; (*fis.*) **p. magnetico**, lifting magnet **6** (al pl.) (*mus.*) cymbals **7** (*nei giochi di carte*) kitty: (*fam.*) *Il p. piange*, the kitty's short **8** (*legatoria*) board.

piàttola f. **1** (*zool.*, *Phthirus pubis*) crab louse* **2** (*fig.*: *persona noiosa*) nuisance; pain in the neck (*fam.*) **3** (*region.*: *scarafaggio*) cockroach; roach.

piattonàre v. t. to strike* with the flat of a blade.

piattonàta f. blow with the flat of a blade.

piattóne m. **→ piattola**, def. 1.

piattùme m. (*spreg.*) flatness; dullness; greyness.

◆**piàzza** f. **1** square: **p. alberata**, square planted with trees; **p. d'armi**, (*mil.*) drill ground, parade ground; (*fig.*) huge (*o* vast) place; **p. delle erbe**, market-place; **p. del mercato**, market-place **2** (*persone convenute in una p.*) people (pl.) (in the square); (*folla*) crowd; (*volgo*) mob, rabble: *La p. fu invasa dal panico*, the crowd was panic-stricken; **le reazioni della p.**, the reaction of the crowd **3** (*comm.*) market; place: **la p. di Londra**, the London market; **i prezzi della p.** (*o* **quel che fa la p.**), the prices quoted on the market; (*banca*) **p. di pagamento**, place of payment; (*banca*) **assegno fuori [su] p.**, out-of-town [town] cheque **4** (*piazzaforte*)

stronghold; fortress ● (*fig. scherz.*) **andare in p.**, to get thin on top □ (*comm.*) **fare la p.**, to canvass; to tout □ **fare p. pulita**, to make a clean sweep (of st.); (*di premi, voti, ecc.*) to sweep the board; (*di un cibo*) to polish off everything; (*rubare tutto*) to clean out a place □ (*fig.*) **gridare qc. in p.**, to noise st. abroad; to shout st. from the rooftops □ **lenzuolo a una p.** [a due piazze], single-bed [double--bed] sheet □ **letto a una [a due] piazze**, single [double] bed □ **letto a una e mezzo**, three-quarter bed □ **manifestazione di p.**, demonstration; mass meeting □ (*fig.*) **mettere in p.**, to make public; to spread abroad □ **mettere in p. i propri affari privati**, to wash one's dirty linen in public □ (*fig.*) **rovinare la p. a q.**, to put a spoke in sb.'s wheels □ **scendere in p.** → **scendere** □ **È il migliore sulla p.**, he is the best in the business □ **tumulto di p.**, riot.

piazzaforte f. **1** (*mil.*) stronghold; fortress **2** (*fig.*) stronghold; bastion.

piazzaiolo Ⓐ a. vulgar; low; loutish Ⓑ m. lout; yob (*GB*).

♦**piazzàle** m. **1** (large) square: **il p. della chiesa**, the church square **2** (*spazio con servizi*) yard; area: **p. di carico**, loading area; **p. d'immagazzinaggio**, storeyard **3** (*di aeroporto*) apron.

piazzaménto m. (*sport, ecc.*) placing; (*ipp.*) place: **ottenere un buon p.**, to be well placed.

♦**piazzàre** Ⓐ v. t. **1** (*mettere in posizione, sistemare*) to place; to put*; to position; (*sentinella, poliziotto, ecc.*) to post; (*di nascosto*) to plant: (*di terrorista, ecc.*) **p. una bomba**, to plant a bomb; **p. guardie alle uscite**, to post guards at the exits; **p. una mitragliatrice**, to place a machine gun; **p. una poltrona davanti alla televisione**, to put an armchair in front of the TV **2** (*deporre*) to put*; to plonk (*fam.*): *Piazzò la valigia sul tavolo*, she plonked the suitcase on the table **3** (*comm.*) to sell*; to place; to market **4** (*fam.: assestare*) to give*; to land (*fam.*); to fetch (*fam.*): **p. un colpo**, to give a blow; *Gli piazzai un pugno nello stomaco*, I punched him hard in the stomach Ⓑ **piazzàrsi** v. rifl. **1** (*in una graduatoria*) to rank; (*in una gara*) to be placed, to place (*USA*), to come* (in): **piazzarsi bene**, to be well placed; **piazzarsi terzo**, to come (in) (o to finish) third; *Il mio cavallo non s'è piazzato*, my horse wasn't placed (*USA* didn't place) **2** (*mettersi in piedi*) to plant oneself, to stand*; (*sedersi*) to sit* oneself down, to plonk oneself (*fam.*); (*sistemarsi*) to settle oneself: **piazzarsi in prima fila**, to plant oneself in the front; **piazzarsi sulla porta**, to go and stand in the doorway; **piazzarsi davanti alla tv**, to settle oneself in front of the TV; *Si piazzò sul divano e aprì il giornale*, he plonked himself down on the sofa and opened the paper.

piazzàta f. (*scenata*) scene; row; shindy (*fam.*): **fare una p.**, to make a scene; to kick up a fuss.

piazzàto Ⓐ a. **1** (*posto, sistemato*) placed; positioned: **ben p.**, well-placed; in a good position **2** (*assestato*) – **ben p.**, (*di calcio*) well-aimed; (*di pugno, ecc.*) well-landed **3** (*anche ben p.: robusto*) sturdy; solidly-built; thickset; broad-shouldered **4** (*con una solida posizione*) well-established **5** (*ipp.*) placed **6** (*calcio, rugby*) – **tiro p.**, place kick Ⓑ m. (*ipp.*) placed horse.

piazzista m. e f. **1** (*intermediario*) agent; intermediary; middleman* (m.) **2** (*commesso viaggiatore*) commercial traveller; sales representative; salesman* (m.).

piazzòla, piazzuòla f. **1** clear space **2** (*di strada*) lay-by (*GB*); turnout, pull-off (*USA*): **p. d'emergenza**, emergency lay-by **3** (*golf*) – **p. di arrivo**, putting green; **p. di partenza**, teeing ground; tee **4** (*mil.*) (gun) emplacement.

pìca ① f. **1** (*zool.*, *Pica pica*) magpie **2** (*med.*) pica.

pìca ② m. inv. (*tipogr.*) pica.

picacìsmo m. (*med.*) pica.

picarésco a. picaresque.

pìcaro (*spagn.*) m. picaro; rogue.

pìcca ① f. **1** (*arma*) pike: **mezza p.**, half--pike **2** (*estens.: soldato*) pikeman **3** (al pl.) (*nelle carte da gioco*) spades (pl.): **asso di picche**, ace of spades; **seme di picche**, spades ● **contare quanto il due** (*o il fante*) **di picche**, to count for very little (o for nothing) □ **rispondere picche**, to refuse point-blank.

pìcca ② f. (*puntiglio*) pique: **fare qc. per p.**, to do st. out of pique.

piccànte a. **1** spicy; hot; strong: **cibo p.**, spicy (o hot) food; **formaggio p.**, strong cheese; **salsa p.**, hot sauce; **sapore p.**, strong flavour **2** (*fig.: scabroso*) spicy; (*spinto*) risqué: **particolari piccanti**, spicy details; **storiella p.**, risqué joke.

Piccardìa f. (*geogr.*) Picardy.

piccàrdo Ⓐ a. of Picardy; Picard Ⓑ m. **1** (f. *-a*) Picard **2** (*ling.*) Picard.

piccàrsi v. i. pron. **1** (*presumere*) to claim; to pride oneself (on st.): *Si picca d'essere il migliore tennista della scuola*, he claims to be the best tennis-player in the school **2** (*impermalirsi*) to be piqued; to be offended; to take* offence (over st.): **p. per niente**, to be easily offended.

piccàta f. (*cucina*) slice of veal pan-fired with parsley and lemon juice.

piccàto a. (*impermalito*) piqued; in a (fit of) pique; offended; resentful.

picchè m. → **piqué**.

picchettàggio m. (*in uno sciopero*) picketing: **fare p.**, to picket.

picchettaménto m. **1** (*delimitazione con picchetti*) staking out (o off); pegging out **2** → **picchettaggio**.

picchettàre v. t. **1** (*delimitare con picchetti*) to stake out (o off); to peg out **2** (*sartoria*) to scallop **3** (*in uno sciopero*) to picket **4** (*mus.*) to bow staccato; to bow spiccato.

picchettàto m. (*mus.*) staccato bowing; spiccato bowing.

picchettatóre m. (f. *-trìce*) **1** (*chi pianta i picchetti*) staker **2** (*in uno sciopero*) picket: **fila di picchettatori**, picket line.

picchettatùra, picchettazióne f. staking out (o off); pegging out.

picchétto ① m. **1** (*paletto*) stake; picket; peg: **delimitare con picchetti**, to stake out (o off) **2** (*mil.*) picket, picquet; guard: **p. d'onore**, guard of honour; **essere di p.**, to be on picket duty; **mettere di p.**, to post as a picket; to picket; **ufficiale di p.**, orderly officer **3** (*di scioperanti*) picket; picket line.

picchétto ② m. (*gioco di carte*) piquet.

picchiapètto m. e f. (*lett.*) sanctimonious person.

♦**picchiàre** ① Ⓐ v. t. **1** (*percuotere*) to beat*; to hit*; to thrash; (*bastonare*) to cudgel; (*con i pugni*) to thump; (*con la frusta*) to flog: **p. i figli**, to beat one's children; **picchiarsi il petto**, to beat one's breast; **p. a morte**, to beat to death; **p. a sangue**, to beat savagely; to beat the living daylights out of sb. (*fam.*); *Prese la frusta e lo picchiò a sangue*, he took the whip and flogged him till the blood ran; **p. con il martello**, to hit with a hammer; **picchiarsi q. di santa ragione**, to give sb. a good thrashing; **p. sodo**, to hit hard; *Fu picchiato selvaggiamente*, he was savagely beaten (up); *Se torna qui, lo picchio*, if he comes here again, I'll thump him **2** (*battere, urtare*) to strike*; to hit*; (*con forza*) to bang; (*leggermente*) to tap: **p. il gomito contro il tavolo**, to strike (o to

hit) one's elbow against the table; **p. la testa contro un muro**, to hit (o to bang) one's head against a wall; **p. un pugno sul tavolo**, to bang one's fist on the table; to thump on the table Ⓑ v. i. **1** (*battere*) to beat*; (*con forza*) to bang, to thump; (*leggermente*) to tap; (*bussare*) to knock; (*seccamente*) to rap: **p. alla porta**, to knock on (o at) the door; *La grandine picchiava sul tetto*, the hail beat down on the roof; *Il sole picchiava senza pietà*, the sun was beating down relentlessly; *La coda del cane picchiava sul pavimento*, the dog's tail was thumping on the floor; *Picchiò con le dita sul vetro della finestra*, she tapped on the window-panes **2** (*fig.: insistere*) to insist: *Picchia e ripicchia, ha ottenuto quel che voleva*, he got what he wanted through sheer doggedness ● (*fig.*) **p. a tutti gli usci**, to ask for help from all and sundry □ (*di motore*) **p. in testa**, to pink (*GB*); to ping (*USA*) Ⓒ **picchiàrsi** v. rifl. recipr. to fight*; to have a fight; (*venire alle mani*) to come* to blows: **p. di santa ragione**, to have a good fight.

picchiàre ② v. i. (*aeron.*) to nose-dive.

picchiàta ① f. (*colpo*) knock; hit; blow; tap; rap **2** (*percosse*) beating; thrashing: **una solenne p.**, a sound beating.

picchiàta ② f. **1** (*aeron.*) dive, nose-dive: **p. verticale**, vertical dive; **bombardare in p.**, to dive-bomb; **scendere in p.**, to dive; to nose-dive; to go into a dive; **bombardamento in p.**, dive-bombing; **bombardiere da p.**, dive bomber **2** (*estens.*) dive; swoop: **cadere in p.**, to plummet nose-first; (*di prezzi, ecc.*) to plummet; (*di uccello e fig.*) **gettarsi in p.**, to swoop down.

picchiatèllo (*scherz.*) Ⓐ a. nutty; dotty; potty; dippy Ⓑ m. (f. *-a*) nutty person; crank; crackpot.

picchiàto a. (*scherz.*) crazy; nutty; screwy.

picchiatóre m. **1** (*intimidatore*) thug; heavy **2** (*pugile*) slogger; bruiser.

picchière m. (*stor.*) pikeman*.

picchierellàre v. t. to tap; to drum: **p. con le dita sul tavolo**, to drum one's fingers on the table.

picchiettàre Ⓐ v. t. **1** (*picchiare a colpi lievi e rapidi*) to tap; to patter; to pat: *Picchiettò la matita sul libro*, he tapped his pencil on the book **2** (*punteggiare*) to dot; to spot; to speckle; to stipple **3** (*naut.*) to chip; to scrape Ⓑ v. i. **1** to tap; to patter; to pat: *La pioggia picchiettava sui vetri*, the rain was pattering on the window-pane **2** (*mus.*) to bow staccato; to bow spiccato.

picchiettàto Ⓐ a. spotted; dotted; spotty; speckled; stippled: **p. di nero**, black-spotted; **bianco p. di rosso**, white with red spots; **p. di lentiggini**, freckled Ⓑ m. (*mus.*) staccato bowing; spiccato bowing.

picchiettatùra f. **1** (*il picchiettare*) spotting; dotting; speckling; stippling **2** (*puntini*) dots (pl.); speckles (pl.).

picchiettìo m. tapping; pattering; patter; (*tamburello*) drumming: **il p. della pioggia**, the pattering of the rain.

picchiétto m. (*zool.*, *Dryobates minor*) barred woodpecker.

pìcchio ① m. (*colpo*) rap; knock; (*leggero*) tap.

pìcchio ② m. (*zool.*) woodpecker: **p. maggiore** (*Dendrocopus maior*), pied woodpecker; **p. minore** (*Dendrocopus minor*), barred woodpecker; **p. muratore** (*Sitta europaea*), (Eurasian) nuthatch; **p. nero** (*Pryocopus martius*), great black woodpecker; **p. verde** (*Picus viridis*), green woodpecker; yaffle.

pìcchio ③ m. rapping; tapping; knocking.

picchiottàre v. t. e i. to rap (with a door-knocker).

picchiòtto, picchiòttolo m. knocker,

doorknocker.

piccinerìa f. **1** narrow-mindedness; pettiness; meanness **2** (*azione meschina*) petty (*o mean*) act; petty (*o mean*) thing: *Che p.!*, what a petty thing to do [to say]!; that was petty (*o mean*)!

piccìno Ⓐ a. **1** (*molto piccolo*) very small; tiny; wee (*fam.*); (*di età*) very young: **bimbo p.**, tiny child; young child; (*neonato*) baby; (*che cammina appena*) toddler: **una casa piccina piccina**, a tiny little house; **p. di statura**, (very) short; *Quel bambino è p. per la sua età*, that boy is very small for his age; *È troppo p. per capire*, he is too young to understand **2** (*fig.: gretto*) narrow; narrow-minded; petty; mean: **mente piccina**, narrow mind; **di mente piccina**, narrow-minded; **scrupoli piccini**, narrow-minded scruples ● (*fig.*) **farsi p.**, (*per paura*) to cower; (*per vergogna*) to cringe; (*per passare inosservato*) to try to escape notice Ⓑ m. (f. **-a**) **1** child*; little one; (*neonato*) baby; (*bimbo che cammina appena*) toddler: **grandi e piccini**, grown-ups and children; **sin da p.**, since (I was) a child (*di animale*) → **piccolo**, B, *def. 2*.

picciolàto a. (*bot.*) petiolate.

picciòlo m. (*bot.*) petiole; stipe; footstalk; (*di foglia, anche*) leaf-stalk.

piccionàia f. **1** pigeonhouse; dovecote **2** (*sottotetto, soffitta*) garret; attic **3** (*scherz.: loggione*) gallery; (the) gods (pl.) (*fam.*).

piccioncìno m. **1** (*zool.*) young pigeon **2** (*fig. fam.*) sweetheart; (al pl.: *coppia di innamorati*) love birds.

piccióne m. **1** (*zool.*) pigeon; dove: **p. selvatico** (*Columba livia*), rock pigeon; rock dove; **p. viaggiatore**, carrier pigeon; homing pigeon; (*sport*) **tiro al p.**, pigeon-shooting **2** (*fig.: sciocco*) booby; pigeon; fall guy **3** (al pl.: *innamorati*) love birds ● (*sport*) **p. d'argilla**, clay pigeon (*fig.*) **prendere due piccioni con una fava**, to kill two birds with one stone.

picciòtto m. **1** (*region.*) youngster; young man* **2** (*stor.*) Sicilian fighter with Garibaldi troops; (*mafioso*) rank-and-file mafioso*; button man* (*slang*).

picco m. **1** (*vetta aguzza*) peak; summit; pinnacle: **p. roccioso**, rocky peak; **i picchi delle Alpi**, the peaks of the Alps **2** (*fig.: punto massimo*) peak: (*TV*) **p. di ascolto**, peak viewing time; **p. di pressione**, peak pressure; **valore di p.**, peak value **3** (*naut.*) gaff; peak: **p. della bandiera**, ensign gaff; **p. di carico**, derrick; **p. di maestra**, main-trysail gaff; **p. di mezzana**, spanker gaff ● **a p.**, (*scosceso*) precipitous; vertical; sheer; (*verticalmente*) vertically, sheer: **scogliera a p.**, vertical cliff; sheer cliff; **a p. sul mare**, high up above the sea; on a cliff dropping sheer to the sea; **scendere a p.**, to drop vertically; to drop sheer □ **andare** (*o colare*) **a p.** (*naut.*), to sink; to founder; (*fig.*) to go under □ **mandare a p.**, (*naut.*) to sink; (*fig.*) to scupper.

piccolétto m. (f. **-a**) (*scherz. o spreg.*) shorty.

piccolézza f. **1** smallness; littleness; (*di statura*) small stature, shortness: **la p. di una casa**, the smallness of a house **2** (*cosa piccola, inezia*) little thing; trifle: *È una vera p.*, it's such a little thing; it's only a trifle; *Sono piccolezze alle quali non si deve dare importanza*, it's not worth bothering about such trifles **3** (*meschinità*) pettiness; narrow-mindedness; meanness: **p. d'animo**, narrow-mindedness.

◆**piccolo** Ⓐ a. **1** (*di dimensioni*) small; little (attr.); (*di statura*) small, short; (*minuscolo*) tiny, wee (*fam.*): **bambino p.**, small (*o little*) child; **piccola ditta**, small firm; **p. gruppo**, small (*o little*) group; **piccola industria**,

small industry; **p. podere**, small farm; **p. possidente**, small landowner; *Aveva un naso p.*, she had a small (*o little*) nose; her nose was small; *Il più p. dei due reggeva una pistola*, the shorter man was holding a gun **2** (*di quantità*) small: **un piccolo numero di persone**, a small number of people; **piccola somma**, small sum of money; **le ore piccole**, the small hours **3** (*giovane*) little; young; (*più giovane*) younger; (*tra molti*) youngest: *Ho tre figli, tutti piccoli*, I have three children, all of them young; **il mio figlio** (**più**) **p.**, my younger (*o più*: youngest) son; **quando ero p.**, when I was little; as a child **4** (*breve, corto*) short; brief: **una piccola distanza**, a short distance; **una piccola pausa**, a short break; a brief pause; **piccoli passi**, short steps; **una piccola vacanza**, a short holiday **5** (*leggero*) light; (*debole*) slight: **un p. rumore**, a slight noise; **un p. colpo**, a light blow **6** (*semplice, mero*) simple; (*modesto*) modest; (*umile*) humble: **p. impiegato**, simple employee **7** (*di poco conto*) slight; small; minor; petty: **p. difetto**, small (*o slight*) defect; **p. errore**, small mistake; **p. inconveniente**, slight drawback; **piccola indisposizione**, slight indisposition; **piccoli problemi**, minor problems; **piccole riparazioni**, minor repairs; **piccole spese**, petty expenses **8** (*meschino*) petty, mean; (*ristretto*) narrow: **piccoli litigi**, petty quarrels (*o squabbles*); **una mente piccola**, a narrow mind ● (*comm.*) **piccola cassa**, petty cash □ (*spreg.*) **p.-borghese** (agg. e sost.), petit bourgeois (*franc.*); petty bourgeois □ **la piccola borghesia**, the lower middle class □ (*fis.*) **piccola caloria**, small calorie □ **p. furto**, petty theft; pilferage Ⓤ; petty larceny □ **p. peccato**, peccadillo □ **piccola pubblicità**, small advertisements (pl.); small ads (pl.) (*fam.*) □ (*di banconota*) **p. taglio**, small denomination □ (*ferr.*) **a piccola velocità**, by goods train □ **fare il p. commercio**, to be in business in a small way □ **farsi p.**, (*per paura*) to cower; (*per non essere visto*) to make oneself small; (*sminuirsi*) to belittle oneself □ **in p.**, on a smaller scale; in a small way: *Ora disegnerò la stessa figura in p.*, now I'll draw the same figure on a smaller scale; *È una Versailles in p.*, it's a smaller version of Versailles; *Vuol fare il Napoleone in p.*, he wants to be a little Napoleon □ **nel proprio p.**, in one's own small way: *È un vocabolario che nel suo p. vi dà tutto ciò che occorre*, in its own small way that dictionary gives you everything you want Ⓑ m. (f. **-a**) **1** child*; little one: **da p.**, as a child; when I was [you were, etc.] a child **2** (*di animale*) baby; young*; (*di cane*) pup, puppy; (*di gatto*) kitten; (*di volatile*) chick; (*di bovino, elefante, cetaceo*) calf*; (*di bestia feroce*) cub: **gli animali e i loro piccoli**, the animals and their young.

piccolòtto → **piccoletto**.

piccónàre Ⓐ v. t. **1** to pickaxe, to pickax (*USA*); to pick **2** (*fig.*) to lash out against; to lambaste; to give (sb.) stick (*fam.*) Ⓑ v. i. to wield a pickaxe; to pickaxe.

piccónàta f. **1** blow with a pickaxe (*o a pick*) **2** (*fig.*) severe censure; (al pl.) stick Ⓤ (*fam.*).

piccónatóre m. **1** person working with a pickaxe **2** (*fig.*) severe critic; censurer.

piccónatrìce f. **1** → **picconatore** **2** (*mecc.*) hammer pick.

piccóne m. pick; pickaxe, pickax (*USA*); mattock: **p. pneumatico**, pneumatic pick ● (*fig.*) **dare il primo colpo di p. a qc.**, (*per demolire*) to start pulling down st.; (*per costruire*) to start laying the foundations of st.

picconière m. pickman*.

piccóso a. peevish; crabbed; querulous; (*permaloso*) touchy, tetchy, testy.

piccózza f. ice-axe; piolet (*franc.*).

piccòzzo → **picozzo**.

pìcea f. (*bot.*, *Picea*) spruce.

picèno a. e m. (*ling.*) Picene.

pìceo a. (*lett.*) **1** (*di pece*) piceous; pitchy **2** (*simile a pece*) pitchy; (*nero*) pitch-black.

◆**pìcnic** (*ingl.*) m. inv. picnic: **fare un p.**, to have a picnic; to go on a picnic; to picnic.

picnìdio m. (*bot.*) pycnidium*.

picnometrìa f. (*chim.*) pycnometric analysis.

picnòmetro m. (*chim.*) pycnometer.

picnòsi f. (*biol.*) pycnosis.

picnòstilo (*archit.*) Ⓐ a. pycnostyle Ⓑ m. pycnostyle (temple).

picnòtico a. (*biol.*) pycnotic.

picofàrad m. inv. picofarad.

picornavìrus m. (*biol.*) picornavirus.

picosecóndo m. (*fis.*) picosecond.

picòzzo m. (*vet.*) central incisor.

pìcrico a. (*chim.*) picric: **acido p.**, picric acid.

picrìte f. (*geol.*) picrite.

picrotossìna f. (*med.*) picrotoxin.

pidocchierìa f. **1** stinginess; niggardliness; miserliness; meanness **2** (*azione meschina*) petty (*o mean*) act.

pidòcchio m. **1** (*zool.*, *Pediculus humanus*) louse*: **p. del capo**, head louse; **p. dei vestiti**, body louse **2** (*zool.*) – **p. dei libri** (*Liposcelis divinatorius*), book louse; **p. delle piante**, aphid; plant louse; **p. del pube** (*Phthirus pubis*), crab louse* **3** (*fig. spreg.*) miser; mean person: **p. rifatto**, upstart; parvenu; *Non fare il p.!*, don't be mean!

pidocchióso a. **1** (*pieno di pidocchi*) lousy; lice-ridden; full of lice **2** (*fig.: spilorcio*) stingy; niggardly; mean.

piè m. (*poet.*) foot* ● **piè di capra**, crowbar; jemmy (*GB*), jimmy (*USA*) □ (*bot.*) **piè d'oca**, (*Chenopodium urbicum*) goosefoot □ (*letter.*) **il piè veloce Achille**, the swift-footed Achilles □ **a piè di**, at the foot of: **a piè del monte**, at the foot of the mountain □ **a piè di lista**, on presentation of vouchers □ **a piè di pagina**, at the foot of the page; (*in nota*) in a footnote: **nota a piè di pagina**, footnote □ **a ogni piè sospinto**, at every turn □ **a piè fermo**, resolutely □ **a piè pari**, with one's feet together □ **saltare a piè pari**, to jump with both feet together; to take a standing jump; (*fig.*) to skip: *Saltò il capitolo a piè pari*, he skipped the whole chapter □ **salto a piè pari**, standing jump.

pìèce (*franc.*) f. inv. (*teatr.*) play.

piedàrm inter. e m. (*mil.*) order arms.

pied-à-terre (*franc.*) m. inv. pied-à-terre.

pied-de-poule (*franc.*) m. inv. (*ind. tess.*: *disegno*) hound's-tooth (check); (*stoffa*) hound's-tooth fabric.

◆**pìède** m. **1** foot*: **il p. destro [sinistro]**, the right [left] foot; **il p. d'una calza**, the foot of a stocking; **piedi grossi**, big feet; **piedi piatti**, flat feet; fallen arches; **avere i piedi piatti**, to have flat feet; to be flat-footed; to have fallen arches; **battere** (*o pestare*) **i piedi**, to stamp one's feet; **trascinare i piedi**, to drag one's feet; to shuffle; **a piedi**, on foot; **andare a piedi**, to walk; to go on foot; **a piedi asciutti**, dry-shod; **a piedi nudi**, barefoot; **ai miei piedi**, at my feet; **gettarsi ai piedi di q.**, to throw oneself at sb.'s feet; **in piedi**, on one's feet; standing; (*alzato*) up; **alzarsi in piedi**, to stand up; to rise to one's feet; **balzare in piedi** to jump to one's feet; (*anche fig.*) **cadere in piedi**, to fall on one's feet; **essere in piedi**, to stand, to be standing; (*essere alzato*) to be up; **essere di nuovo in piedi** (*dopo una malattia*), to be back on one's feet; *Sono in piedi dalle sei*, I've been up since six; **mettere in piedi** (*mettere ritto*), to stand; **posto in piedi**,

standing room; **restare in piedi**, to stand; (*non andare a letto*) to stay up; (*fig.*: *essere sempre valido*) to stand, to hold; **rimettersi in piedi**, to get back on one's feet; **stare in piedi**, to stand; *A dieci mesi un bambino comincia a stare in piedi*, a child begins to stand at the age of ten months; **tenere in piedi**, to prop up; *In piedi!*, on your feet!; stand up!; *La terra era asciutta sotto i piedi*, the ground was dry underfoot; **corsa a piedi**, foot race; **dita dei piedi**, toes; **mal di piedi**, sore feet (pl.); **avere mal di piedi**, to have sore feet; to be footsore; *Ho mal di piedi per il troppo camminare*, I have walked my feet sore; **pianta del p.**, sole (of the foot); **unghie del p.**, toenails **2** (*zool.*) foot; (*di cane, gatto, orso, ecc.*) paw; (*zoccolo*) hoof; (*di uccello*) claw; (*di rapace, anche*) talon: **p. fesso**, cloven hoof; **p. palmato**, webfoot **3** (*estremità inferiore*) foot*; end; (*base, sostegno*) foot*, base, (*di mobile*) leg; (*naut.*) **p. d'albero**, foot of the mast; (*mecc.*) **p. di biella**, connecting-rod small end; **il p. di una colonna**, the base (o the foot) of a column; **i piedi di una sedia**, the legs of a chair; **ai piedi del letto**, at the foot of the bed; **ai piedi del monte**, at the foot of the mountain **4** (*condizione, posizione*) footing: **sul p. di guerra**, on a war footing **5** (*unità di misura di lunghezza, pari a 30,48 cm*) foot*: **p. cubico**, cubic foot; (*fis.*) **p. libbra**, foot-pound; **p. quadrato**, square foot; *Sono alto sei piedi e due pollici*, I'm six feet two inches tall; I'm six foot two; **lungo tre piedi**, three-feet (o three-foot) long; **un'asse di sei piedi**, a six-foot plank **6** (*poesia*) foot* **7** (*bot.*) – **p. vitellino** (*Arum maculatum*) cuckoo-pint; lords-and-ladies; **p. di leone** (*Stellaria*), stitchwort • (*mil.*) **pied'arm!**, order arms! □ (*med.*) **p. d'atleta**, athlete's foot □ (*naut.*) **p. di pollo**, wall knot □ **p. di porco** (*ferro*), crowbar; jemmy (*GB*); jimmy (*USA*) □ (*naut.*) **p. di ruota**, forefoot □ (*med.*) **p. equino**, club foot □ (*naut.*) **p. marino**, sea legs (pl.) □ (*fam.*) **piedi dolci**, delicate feet; (*piatti*) flat feet □ (*leg.*) **a p. libero**, out on bail □ (*fig.*) **andare** (*o muoversi*) **con i piedi di piombo**, to proceed with great caution; to act cautiously □ (*fig.*) **Attento a dove metti i piedi!**, watch your step! □ (*fig.*) **avere un p. nella fossa**, to have one foot in the grave □ (*fig.*) **avere i piedi per terra**, to have one's feet firmly on the ground; to be very practical □ (*fig.*) **avere tutti ai propri piedi**, to have everybody at one's feet □ (*fig.*) **Dovresti baciargli i piedi**, you should be very grateful to him □ **cena in piedi**, buffet dinner □ (*fig.*) **con i piedi** (*male*), badly: **fare qc. coi piedi**, to do st. badly; to make a mess of st.; to bungle st.; **ragionare con i piedi**, to reason like an idiot; to talk nonsense □ **consegnarsi mani e piedi legati**, to give oneself up □ **da capo a piedi** (*o dalla testa ai piedi*), from head to foot; from top to toe □ **farsi mettere i piedi in testa**, to be put upon □ **fatto coi piedi**, slapdash; sloppy; messy; botched □ (*fig.*) **fra i piedi**, in the way; under sb.'s feet; underfoot □ **in punta di piedi**, on tiptoe; on tippy-toe (*fam.*); (*fig.*) quietly; **andarsene in punta di piedi**, to tiptoe away; **camminare in punta di piedi**, to walk on tiptoe □ (*fig.*) **leccare i piedi a q.**, to fawn on sb.; to toady to sb.; □ **levarsi** (*o togliersi*) **dai piedi**, to get out; to buzz off (*slang*); to scram (*slang*) □ **levarsi q. [qc.] dai piedi**, to get rid of sb. [st.] □ (*fig.*) **mettere in piedi un'azienda**, to set up a business □ **mettere in piedi uno spettacolo**, to produce a show □ **mettere p. a terra**, (*da cavallo*) to dismount; (*da un veicolo*) to get off, to get out, to alight; (*da una nave*) to go ashore, to land □ **mettere p. in un luogo**, to set foot in a place □ (*anche fig.*) **mettere un p. in fallo**, to take a false step; to trip □ (*anche fig.*) **mettere un p. innanzi all'altro**, to take one step at a time □ (*fig.*) **mettere i piedi nel**

piatto, to be very blunt; to say st. straightforwardly □ (*fig.*) **partire col p.** [**giusto**/**sbagliato**], to start off on the right [wrong] foot □ (*anche fig.*) **pestare i piedi a q.**, to tread (on) sb.'s toes □ **pranzo in piedi**, buffet lunch □ (*fig.*) **prendere p.**, to catch on; to gain ground; to become popular □ (*fig.*) **puntare i piedi**, to dig one's heels in; to put one's foot down □ **reggersi in piedi**, to stand; **non reggersi in piedi**, to be unable to stand; (*essere stanchissimo*) to be dead tired; to be bushed (*fam.*); → **stare in piedi** □ **rimanere a piedi**, (*perdere il treno, l'autobus*) to miss the train (the bus), to be stranded; (*fig.*) to be left in the lurch □ (*fig.*) **ritornare coi piedi sulla terra**, to come down to earth □ **schiacciare qc. con un p.**, to stamp on st.; to crush st. underfoot □ (*fig.*) **stare in piedi**, (*di ragionamento*) to hang together, to make sense; (*essere credibile*) to be believable, (*al neg.*) not to hold water □ (*fig.*) **su due piedi**, (*subito*) at once, on the spot, at the drop of a hat; (*senza preavviso*) without notice; (*senza preparazione*) off-hand, off the cuff: *Non ti posso rispondere su due piedi*, I can't answer you off the cuff □ (*fig.*) **tenere il p. in due staffe**, to run with the hare and hunt with the hounds □ (*fig.*) **tenere in piedi qc.**, to support st.; to keep st. going □ (*lett.*) **volgere il p.**, to go away.

piedestàllo → **piedistallo**.

piedìno m. **1** little foot*; tootsie, tootsy (*infant.*) **2** (*di macchina da cucire*) presser foot **3** (*elettron.*) pin • **fare p. a q.**, to play footsie with sb. □ **farsi p.**, to play footsie.

piedipiàtti m. inv. (*pop.*) flatfoot; flatty; cop.

piedistàllo m. (*archit.*) pedestal • (*fig.*) **cadere dal p.**, to tumble off one's perch □ (*fig.*) **mettere q. sul p.**, to set sb. on a pedestal □ (*fig.*) **scendere dal p.**, to get off one's high horse.

piedrìtto m. (*archit.*) pier; abutment.

pièga f. **1** fold; (*incurvatura, gomito*) crook; (*il segno*) crease; (*sartoria*) pleat; (*della bocca*) twist: **p. del braccio**, fold (*o* crook) of the arm; **la p. dei pantaloni**, the creases in a pair of trousers; **le pieghe d'una gonna**, the pleats of a skirt; **le pieghe d'un mantello**, the folds of a cloak; **fare una p. in un foglio**, to make a crease in a piece of paper; **non fare una p.**, to fit perfectly; to fit like a glove; (*fig., di ragionamento e sim.*) to be flawless; (*restare impassibile*) not to turn a hair; (*essere impassibile*) to be unflappable; (*di stoffa*) **prendere la p.**, to crease; **togliere una p. col ferro**, to iron out a crease; **a pieghe**, with pleats; pleated; **gonna a pieghe**, pleated skirt **2** (*fig.: andamento*) turn; (*aspetto*) look: **prendere una buona** [**brutta** o **cattiva**] **p.**, to take a turn for the better [for the worse] **3** (*geol.*) fold: **p. a ventaglio**, fan-shaped fold; **p. diritta**, symmetric fold; **p. rovesciata**, overturned fold; **sistema di pieghe**, folding **4** (*anche* **messa in p.**) hair-set: **fare la p. a q.**, to set sb.'s hair; **farsi fare la p.**, to have one's hair set; to have a hair-set **5** (*al pl.*) (*fig.: parte riposta*) recesses; depths: **le pieghe dell'animo**, the recesses of one's mind.

piegabàffi m. inv. moustache curler.

piegàbile a. **1** foldable; flexible; bendable **2** (*pieghevole*) folding (attr.).

piegacìglia m. inv. eyelash curler.

piegafèrro m. inv. (*edil.*) rod bender; bar bender.

piegaménto m. **1** (*il piegare*) folding; bending **2** (*flessione*) bending; bend; (*sulle gambe*) knee-bend; (*sulle braccia*) press-up (*GB*), push-up (*USA*).

♦**piegàre** Ⓐ v. t. **1** (*incurvare, flettere*) to bend*: **p. un ginocchio**, to bend a knee; (*in-*

ginocchiarsi) to go down on one knee; **p. una sbarra di ferro**, to bend an iron bar **2** (*ripiegare*) to fold; to fold up: **p. un angolo del foglio**, to fold down a corner of the page; **p. un lenzuolo** [**un giornale, un golf**], to fold a sheet [a newspaper, a pullover]; **p. una sedia**, to fold up a chair; *L'uccello piegò le ali*, the bird folded its wings; **p. in due** [**in quattro**], to fold in half [in four] **3** (*chinare*) to bow; to bend*; (*inclinare*) to bend*, to cock: **p. il capo**, to bend one's head; (*per reverenza e fig.*) to bow one's head **4** (*fig.: domare*) to bend*; to subdue: **p. la volontà di q.**, to bend sb.'s will; **p. un avversario**, to subdue an opponent **5** (*convincere*) to convince; to get* (sb.) to bend*; **p. q. al proprio punto di vista**, to convince sb. of one's point of view Ⓑ v. i. **1** (*lett.: inclinarsi*) to tilt; (*naut.*) to list **2** (*volgere*) to bend*; (*voltare*) to turn: *Il fiume piega a est*, the river bends east; *Più avanti la strada piegava a destra*, further on the road bent to the right Ⓒ piegàrsi v. rifl. e i. pron. **1** (*incurvarsi*) to bend*; (*deformarsi, cedere*) to buckle: **piegarsi fino a terra**, to bend down to the ground; **piegarsi in avanti**, to bend forward; **piegarsi in due**, to double up; **piegarsi sulle ginocchia**, to bend one's knees; (*inginocchiarsi*) to go down on one's knees; **piegarsi sotto un peso**, to buckle under a weight; *La forchetta si piegò ma non si ruppe*, the fork bent but did not snap **2** (*fig.: cedere*) to bend*; to yield, to give* in; (*sottomettersi*) to submit: **piegarsi al volere di q.**, to bend to sb.'s will; **piegarsi alla giustizia divina**, to submit to divine justice; *Mi spezzo ma non mi piego*, I can be broken but not bowed.

piegàta f. **1** fold; folding: **dare una p. a qc.**, to fold up st. **2** (*ipp.*) turn; bend.

piegatondìno m. (*edil.*) rod bender.

piegatóre Ⓐ a. folding Ⓑ m. folder.

piegatrìce f. **1** folder **2** (*legatoria*) folding machine **3** (*mecc.*) bender; bending machine; (*per carta, tessuti*) folding machine.

piegatùra f. **1** (*il piegare*) bending; (*anche tipogr.*) folding **2** (*flessione*) bending **3** (*piega*) fold; crease; (*sartoria*) pleat.

pieghettàre v. t. to pleat.

pieghettatóre m. (f. **-trìce**) pleater.

pieghettatrìce f. (*mecc.*) pleating machine.

pieghettatùra f. **1** (*operazione*) pleating **2** (*pieghe*) pleats (pl.).

pieghévole Ⓐ a. **1** (*che si può piegare*) pliable; pliant; flexible; bendy; bendable **2** (*che si ripiega su sé stesso*) folding; collapsible: **bicicletta p.**, collapsible bicycle; **porta p.**, folding door; **tavolo p.**, folding table **3** (*fig.: arrendevole*) pliant; yielding; flexible; submissive; docile Ⓑ m. brochure; leaflet.

pieghevolézza f. **1** pliancy; pliability; flexibility; suppleness **2** (*fig.: arrendevolezza*) submissiveness; pliancy; compliance.

piègo → **plico**.

pielite f. (*med.*) pyelitis.

pielografìa f. (*med.*) pyelography.

pielogràmma m. (*med.*) pyelogram.

pielonefrìte f. (*med.*) pyelonephritis.

piemìa f. (*med.*) pyaemia.

Piemónte m. (*geogr.*) Piedmont.

piemontése a., m. e f. Piedmontese.

piemontesìsmo m. (*ling.*) Piedmontese idiom.

pièna f. **1** (*di fiume*) flood; spate: **le piene del Nilo**, the floods of the Nile; **essere trascinato via dalla p.**, to be swept away by the flood; **fiume in p.**, river in flood (o in full spate); swollen river **2** (*fig.: empito*) intensity, height; (*impeto*) surge, flow **3** (*fig.: folla*) crowd; throng.

pienaménte avv. fully; totally; completely; utterly; entirely; (*affatto*) absolutely,

quite: **p. soddisfatto**, fully satisfied; **avere p. ragione**, to be absolutely right; *Sono p. d'accordo*, I fully (*o* entirely) agree.

pienézza f. **1** fullness; completeness; plenitude (*lett.*); (*massimo grado*) height: **p. di voce**, fullness of voice; **nella p. dei tempi**, in the fullness of time **2** (*intensità*) intensity: **p. di sentimento**, intensity of feeling.

♦**pièno A** a. **1** (*colmo*) full; full up: **un bicchiere p.**, a full glass; *La stanza era piena di gente*, the room was full of people; *L'armadio era p. di vestiti e borse*, the wardrobe was full up with clothes and handbags; *L'albergo è p.*, the hotel is full up; **occhi pieni di lacrime**, eyes full of tears; **parlare con la bocca piena**, to talk with one's mouth full; **p. a metà**, half full; **p. come un otre**, full up; full to overflowing; (*sazio*) full to the gills; **p. come un uovo**, chock-full; chock-a--block; **p. da scoppiare**, full to bursting; **p. fino all'orlo**, full to the brim; brimful; **p. zeppo**, filled (with st.); crammed; packed; jam-packed; **completamente p.**, filled to capacity; *Il cassetto era p. zeppo di carte*, the drawer was filled (*o* crammed) with papers; *Il tram era p. zeppo*, the tram was packed **2** (*che abbonda di qc.*) full: **p. di bontà**, full of kindness; **p. di debiti**, full of debts; debt-ridden; **p. d'entusiasmo**, full of enthusiasm; **p. di impegni**, very busy; **p. di soldi**, full of money; **una stanza piena di luce**, a room full of light; **parole piene di dolore**, sorrowful words; **essere p. di guai**, to have more than one's share of troubles; **essere p. di lavoro**, to be very busy; (*essere oberato*) to be up to one's eyes in work; to have one's hands full; **un viaggio p. di pericoli**, a journey fraught with danger **3** (*massiccio, non cavo*) solid: (*mecc.*) **albero p.**, solid shaft; (*autom.*) **gomma piena**, solid tyre; **muro p.**, solid wall; **mattone p.**, solid brick **4** (*paffuto, carnoso*) full; plump; chubby; rounded: **fianchi pieni**, rounded (*o* full) hips; **viso p.**, plump (*o* chubby) face **5** (*completo, totale, massimo*) full: **p. carico**, full load; full cargo; **piena maturità**, full maturity; **piena occupazione**, full employment; *C'è la luna piena*, there is a full moon; **prezzo p.**, full price; *Mi ha dato piena libertà di agire*, he gave me full liberty of action (*o* a free hand to act); **a piena velocità**, at full speed; **a piena voce**, at the top of one's voice; **eletto a pieni voti**, elected by (a) unanimous vote; *Sono stato promosso a pieni voti*, I have passed with full marks; **in piena efficienza**, in full working order; **in piena estate**, at the height of summer; in high summer; **in piena fioritura**, in full bloom (*o* blossom); **in p. giorno**, in broad daylight; **in p. inverno**, in the middle (*o* in the depths) of winter; **in piena notte**, at dead of night; **in piena ritirata**, in full retreat; **in piena stagione**, at the height of the season **6** (*sazio*) full (up) (*fam.*); satiated ● **p. di sé**, full of oneself; pompous; conceited □ **in p. viso**, full (*o* right) in the face □ (*mus.*) **nota piena**, full note □ **pagine piene**, closely written pages □ **respirare a pieni polmoni**, to breathe deeply □ **suono [colore] p.**, full (*o* rich) sound [colour] □ **tempo p.** → **tempo B** m. **1** (*parte piena o massiccia*) solid part **2** (*colmo*) height; (*mezzo*) middle: **nel p. del dibattito**, in the middle of the debate; **nel p. dell'estate**, at the height of summer; **nel p. delle proprie forze**, at the height of one's powers; **nel p. dell'inverno**, in the dead (*o* in the depths) of winter; **nel p. della notte**, in the middle of the night; at dead of night; **nel p. della stagione turistica**, at the height of the tourist season; **in p.**, (*completamente*) completely, entirely, fully; (*esattamente*) exactly; (*nel mezzo*) in the middle, squarely: **avere ragione in p.**, to be completely right; **colpire (o cogliere) in p.**, to hit squarely **3** (*carico completo, di autocarro, ecc.*)

full load; (*di nave*) full cargo **4** (*autom.*) full tank: *Un p. mi dura una settimana*, a full tank lasts me a week; **fare il p.**, to fill up; to fill it up; to tank up; *Il p., per favore*, fill it up, please **5** (*folla, calca*) crowd; throng ● (*fig.*) **fare il p. di** (*una bevanda*) to drink one's fill of.

pienóne m. big crowd; capacity crowd; (*teatro, cinema*) full house: *C'era un p. allo stadio*, the stadium was filled to capacity; *C'è gran p. stasera*, there is a full house tonight.

pienòtto a. (*grassoccio, paffuto*) plump; chubby: **un bambino bello p.**, a chubby little boy; **guance pienotte**, chubby cheeks.

piercing (*ingl.*) m. inv. **1** (*la pratica*) (body) piercing **2** (*estens., l'oggetto ornamentale*) piece of body jewellery.

Pièrino m. (*scherz.*) **1** (*bambino impertinente*) cheeky brat; (*bambino vivace*) little terror **2** (*primo della classe*) top of the class.

pièrre m. e f. inv. PR man* (m.); PR woman* (f.).

pierrot (*franc.*) m. inv. pierrot.

♦**pietà** f. **1** (*compassione*) pity, compassion; (*misericordia*) mercy: **avere p. di q.**, to have (*o* to take) pity (on sb.); to feel pity for sb.; *Dio, abbi p. di noi!*, Lord, have mercy on us!; **destare p.**, to arouse (*o* to excite) pity; **fare p.**, to arouse pity; (*essere miserando*) to be pitiful (*o* pitiable), to be pathetic; (*essere scadente*) to be hopeless (*o* dismal, disgraceful); *Mi fa p.*, I feel pity for her; I'm sorry for her; (*iron.*) she's pathetic; **in uno stato da far p.**, in a pitiful (*o* sorry) state; *Farebbe p. ai sassi!*, it would melt a heart of stone!; **fare qc. per p.**, to do st. out of pity; **muovere q. a p.**, to move sb. to pity (*o* to compassion); *Per p.!*, for pity's sake!; **senza p.**, pitiless (agg.); ruthless (agg.); merciless (agg.); pitilessly (avv.); ruthlessly (avv.); mercilessly (avv.); **un giudice senza p.**, a merciless judge; **essere senza p.**, to be pitiless; to have a heart of stone; **trattare q. senza p.**, to treat sb. without mercy (*o* mercilessly); **opere di p.**, charitable work **2** (*devozione*) piety; devoutness; piousness: **libri di p.**, devotional books; **pratiche di p.**, devotions **3** (*amore doveroso*) piety; devotion: **p. filiale**, filial piety **4** (*pitt., scult.*) Pietà.

pietànza f. (*piatto*) dish; (*portata*) (main) course: **una p. di carne**, a dish of meat; **preparare una p.**, to prepare a dish; *Come p. c'è arrosto con verdure*, the main course will be a roast with vegetables.

pietas (*lat.*) f. piety.

pietìca f. (*falegn.*) trestle.

pietìsmo m. **1** (*relig.*) Pietism **2** (*spreg.*) pietism; sanctimoniousness.

pietìsta m. e f. **1** (*relig.*) Pietist **2** (*spreg.*) sanctimonious person.

pietìstico a. **1** pietistic **2** (*spreg.*) pietistic; sanctimonious.

pietosaménte avv. **1** (*con pietà*) compassionately; mercifully **2** (*in modo da destare pietà*) pitiably; piteously; pitifully.

pietóso a. **1** (*che sente pietà, incline alla pietà*) pitiful; compassionate; tender: **essere p. verso il prossimo**, to be compassionate (*o* to show compassion) towards one's fellow creatures **2** (*che suscita pietà*) pitiful; pitiable; piteous; deplorable; lamentable: **una cosa pietosa a vedersi**, a piteous thing to see; **una vista pietosa**, a pitiful sight; **in condizioni pietose**, in a pitiful condition; in a piteous state; (*di oggetto*) in a sorry state; *La macchina è ridotta in condizioni pietose* (*è a pezzi*), the car is a wreck **3** (*che dimostra pietà*) merciful; charitable; helpful; humane: **bugia pietosa**, white lie; **mano pietosa**, charitable hand; **opera pietosa**, act of charity; charitable deed **4** (*rispettoso*) dutiful; respectful **5** (*pio*) pious; devout **6** (*spreg.*) pa-

thetic; (*scadente*) disgraceful, awful, hopeless, dismal: **esecuzione pietosa**, hopeless execution.

♦**piètra** f. **1** stone: **p. angolare**, corner stone; **p. artificiale**, artificial stone; **p. concia**, ashlar; **p. confinaria**, boundary stone; **p. da calce**, limestone; (*miner.*) **p. da gesso**, gypsum; **p. da mulino**, millstone; **p. da sarto**, tailor's (*o* French) chalk; **p. da taglio**, freestone; **p. dell'altare**, altar stone; **p. del focolare**, hearth-stone; **p. dura**, semi--precious stone; **p. focaia**, flint; **p. lavorata**, dressed stone; **p. litografica**, lithographic stone; (*miner.*) **p. lunare**, moonstone; **p. miliare**, (*anche fig.*) milestone; (*fig.*) landmark; **p. per affilare**, honing stone; whetstone; **p. pomice**, pumice-stone; **p. preziosa**, gem; precious stone; (*miner.*) **p. refrattaria**, fire-stone; **p. sacra**, altar stone; **p. sepolcrale**, tombstone; **p. sintetica**, synthetic stone; **posare la prima p.**, to lay the foundation stone; **duro come la p.**, as hard as stone; **cava di p.**, quarry; stonepit; **l'età della p.**, the Stone Age; **lastra di p.**, slab of stone; (*per pavimentazione*) flagstone; **lavorazione della p.**, stonework; stone dressing; **muro di p.**, stone wall; **pavimento di p.**, stone floor **2** (*sasso*) stone; rock (USA): **scagliare pietre a q.**, to throw stones (*o* rocks) at sb. **3** (*med., stor.*) calculus*: **mal della p.**, vesical calculus ● (*fig.*) **la p. dello scandalo**, (*chi dà cattivo esempio*) a bad example; (*il colpevole*) the culprit, the cause of all the trouble □ (*fig.*) **p. di paragone**, touchstone □ **la p. filosofale**, the philosopher's stone □ (*chim.*) **p. infernale**, silver nitrate □ (*fig.*) **cuore di p.**, heart of stone □ (*fig.*) **essere fatto di p.**, to have a heart of stone; to be stony-hearted □ (*fig.*) **far piangere le pietre**, to melt a heart of stone □ (*fig.*) **mettere una p. sul passato**, to forget about the past; to let bygones be bygones □ (*fig.*) **metterci una p. sopra**, to forget all about it; to let bygones be bygones □ **non lasciare p. su p.**, not to leave a stone standing; to raze st. to the ground □ (*fig.*) **portare la propria p. all'edificio**, to do one's little bit; to co-operate □ (*Bibbia*) *Chi è senza peccato scagli la prima pietra*, let him who is without blame cast the first stone.

pietràia f. **1** (*mucchio di pietre*) heap of stones **2** (*luogo sassoso*) stony ground **3** (*cava di pietre*) quarry; stone pit.

pietràme m. heap of stones; stones (pl.).

pietrificàre A v. t. **1** to petrify; to turn to stone **2** (*fig.*) to petrify **B pietrificàrsi** v. i. pron. **1** to petrify; to become* petrified **2** (*fig.*) to be petrified.

pietrificàto a. (*anche fig.*) petrified: **foresta pietrificata**, petrified forest; **p. dalla paura**, petrified with fear.

pietrificazióne f. petrifaction.

pietrina f. (*per accenditore*) (lighter) flint.

pietrìsco m. crushed stone; (*per strada*) (road) metal.

Piètro m. Peter ● (*fam.*) **Si chiama P.**, I want it back.

pietroburghése A a. of St Petersburg; from St Petersburg **B** m. e f. native [inhabitant] of St Petersburg.

Pietrobùrgo m. (*geogr.*) St Petersburg.

pietrosità f. stoniness; rockiness.

pietróso a. **1** (*di pietra*) made of stone; stone (attr.) **2** (*pieno di pietre*) rocky (USA); full of stones; full of rocks (USA) **3** (*simile a pietra*) stony **4** (*fig.*) stony; stone--hearted; insensitive.

pievanìa f. (*eccles.*) parish.

pievàno m. (*eccles.*) parish priest.

piève f. (*eccles.*) **1** (*chiesa parrocchiale*) parish church **2** → **pievania**.

pievelóce a. (*lett.*) swift-footed.

a b c d e f g h i j k l m n o p q r s t u v w x y z

piezoelettricità f. (*fis.*) piezoelectricity.

piezoelèttrico a. (*fis.*) piezoelectric: **accendigas p.**, piezoelectric gas lighter.

piezomagnètico a. (*fis.*) piezomagnetic.

piezomagnetìsmo m. (*fis.*) piezomagnetism.

piezometrìa f. (*fis.*) piezometry.

piezomètrico a. (*fis.*) piezometric.

piezòmetro m. (*fis.*) piezometer.

piezooscillatóre m. (*elettron.*) quartz oscillator.

pifferàio m. piper; fife player.

pìffero m. (*mus.*) 1 (*strumento*) pipe; fife 2 (*suonatore*) piper; fife player.

♦**pigiàma** m. pyjamas (pl.); pajamas (pl., *USA*); pair of pyjamas: **un p. rosso**, a pair of red pyjamas; **p. palazzo**, pyjama suit; **due pigiami**, two pairs of pyjamas: **mettersi in p.**, to put on one's pyjamas; **calzoni del p.**, pyjama trousers; **giacca del p.**, pyjama top (*o* coat).

pìgia pìgia loc. m. inv. (*calca*) press (of people); crush.

pigiàre A v. t. (*premere, calcare*) to press; (*schiacciare*) to crush, to squeeze; (*coi piedi*) to tread*; (*comprimere con colpi*) to tamp down; (*spingere*) to push; (*stipare*) to cram: **p. un bottone**, to press a button; **p. il tabacco in una pipa**, to press down the tobacco in a pipe; **p. la terra intorno a una pianta**, to tamp down the soil around a plant; **p. l'uva**, to press grapes; (*coi piedi*) to tread grapes; **p. sull'acceleratore**, to put one's foot down on the accelerator; to step on the gas (*USA*); *Pigiò i fogli nel cassetto*, he crammed the papers into the drawer B **pigiàrsi** v. i. pron. (*accalcarsi*) to press, to crowd, to throng; (*stringersi*) to squeeze up, to bunch up.

pigiàta f. press; push; crush; squeeze ● **dare una p. a qc.**, to press st.; to push st.; to squeeze st.

pigiàto a. packed; squeezed; crammed: **pigiati come sardine**, packed like sardines.

pigiatóre m. (f. **-trice**) (*di uva*) wine presser; (*coi piedi*) wine treader.

pigiatrìce f. (*macchina per pigiare l'uva*) wine press.

pigiatùra f. 1 pressing; crushing; squeezing 2 (*dell'uva*) winepressing; (*coi piedi*) grape treading.

pigionànte m. e f. tenant; lodger; roomer (*USA*).

pigióne f. rent: **tre mesi di p.**, three months' rent ● **dare a p. una camera**, to let a room □ **prendere a p. una camera**, to rent a room □ **prendere q. a p.**, to take in sb. as a lodger □ **stare a p.**, to rent a room; to be a lodger.

pigliamósche m. inv. 1 (*zool., Muscicapa grisola*) flycatcher 2 (*bot., Dionaea muscipula*) (Venus's) flytrap.

pìglia-pìglia m. inv. general grabbing; free for all.

♦**pigliàre** A v. t. (*fam.*) → **prendere** B v. i. (*attecchire*) to take* root.

pigliatùtto m. e f. greedy person; grabber.

pìglio ① m. (*atto del pigliare*) grabbing; grab; snatching; snatch.

pìglio ② m. 1 (*espressione*) expression, look, air; (*modo di fare*) manner, way: **p. disinvolto**, insouciant manner; **p. severo**, stern face; frown 2 (*tono*) tone.

Pigmalióne m. (*mitol.*) Pygmalion.

pigmentàle a. (*biol.*) – **cellula p.**, pigment cell.

pigmentàre (*biol.*) A v. t. to pigment B **pigmentàrsi** v. i. pron. to pigment; to become* pigmented.

pigmentàrio a. (*biol.*) pigmentary; pigmental.

pigmentazióne f. pigmentation; (*ind. tess.*) pigment printing.

pigménto m. (*biol., chim.*) pigment.

pigmèo A m. (f. **-a**) 1 Pygmy, Pigmy 2 (*fig.*) pygmy, pigmy B a. pygmy, pigmy (attr.).

♦**pìgna** f. 1 (*bot.*) cone; (*di abete*) fir cone; (*di pino*) pine cone 2 (*archit.*) crown; vertex* 3 (*fam.: pila*) pile, stack; (*mucchio*) heap ● (*fig. fam.*) **avere le pigne in testa**, to be daft.

pignàtta f. 1 (*fam.*) (cooking) pot 2 (*edil.*) perforated block.

pignattàio m. (*fam.*) pot maker; potter.

pignolàggine → **pignoleria**.

pignoleggiàre v. i. to be pedantic; to quibble; to split* hairs; to be a nitpicker (*fam.*).

pignolerìa f. 1 (*l'essere pignolo*) pedantry; fussiness; hairsplitting; nitpicking (*fam.*) 2 (*critica pignola*) cavil; quibble; hairsplitting Ⓤ; nitpicking Ⓤ (*fam.*) 3 (*particolare pignolo*) fussy (*o* petty) detail ● **È una p. la tua!**, you're being pedantic!, don't be such a nitpicker! (*fam.*).

pignolésco a. pedantic; fussy; hairsplitting; nitpicking (*fam.*).

pignòlo A a. (*meticoloso*) meticulous, fussy, over-particular, pernickety (*fam.*); (*pedante*) pedantic; (*cavilloso*) hairsplitting, picky, nitpicking (*fam.*) B m. 1 (*bot.*) → **pinolo** 2 (f. **-a**) (*fam.*) pedantic person; picky person; fusspot (*fam.*); hairsplitter; nitpicker (*fam.*): *Non fare il p.!*, don't be such a pedant (*o* a fusspot)!; don't be so fussy!

pignóne ① m. 1 (*argine*) embankment; dike, dyke 2 (*arch.*) gable.

pignóne ② m. (*mecc.*) pinion.

pignoràbile a. (*leg.*) distrainable; attachable; seizable.

pignoraménto m. (*leg.*) distraint; attachment; seizure; levy; (*di bene ipotecato*) foreclosure: **p. di beni**, distraint of property.

pignorànte (*leg.*) A a. distraining B m. e f. distrainer, distrainor.

pignoràre v. t. 1 (*leg.*) to distrain on (*o* upon); to attach; to seize; (*un bene ipotecato*) to foreclose on: **p. i beni di q. per mancato pagamento dell'affitto**, to distrain on sb.'s goods and chattels for rent 2 (*dare in pegno*) to pawn.

pignoratàrio m. (*leg.*) distrainee.

pignoratìzio a. – (*leg.*) **creditore p.**, secured creditor; pledgee; pawnee.

pignoràto a. 1 (*leg.*) distrained 2 (*in pegno*) pawned; (*fam.*) pawned.

pigolaménto m. peeping; cheeping; chirping.

pigolàre v. i. 1 to peep; to cheep; to chirp 2 (*fig.: piagnucolare*) to whine; to whimper.

pigolìo m. peeping; cheeping; chirping.

pigostìlo m. (*zool.*) pygostyle.

♦**pigrìzia** f. laziness; indolence; idleness.

♦**pìgro** A a. 1 (*indolente, svogliato*) lazy; indolent; idle 2 (*lento*) lazy; slow; sluggish: **mente pigra**, slow mind; **con passo p.**, at a sluggish pace; sluggishly 3 (*che rende pigri*) lazy: **un p. pomeriggio estivo**, a lazy summer afternoon B m. (f. **-a**) lazy person; idler; sluggard.

PIL ① m. inv. (*econ.*) GDP (*iniz. di* gross domestic product).

PIL ② sigla (**prodotto interno lordo**) gross domestic product (GDP)

♦**pìla** ① f. 1 pile; stack: **p. di lettere**, pile of letters; **p. di libri**, pile (*o* stack) of books; **p. di piatti**, stack of dishes 2 (*fis., elettr.*) pile; cell; battery: **p. a gas**, gas cell; **p. a secco**, dry pile (*o* battery); **p. atomica**, atomic pile; nuclear reactor; **p. di ricambio**, refill battery; **p. termoelettrica**, thermo-electric pile; thermopile; **p. voltaica**, voltaic pile (*o* cell); **a pile**, working on batteries; battery-operated 3 (*fam.: lampadina tascabile*) torch (*GB*); flashlight (*USA*) 4 (*di ponte*) pier.

pìla ② f. 1 (*vasca*) basin 2 (*in chiesa*) stoup 3 (*ind. cartaria*) pulp-making tank.

Pìlade m. (*letter.*) Pylades.

pilàf m. inv. (*cucina*) pilaf; pilau: **riso p.**, pilaf rice.

pilàre v. t. to husk (*rice*).

pilastràta f. row of pillars.

pilastrìno m. (*archit.*) baluster ● **p. terminale**, newel post.

pilàstro m. 1 (*archit.*) pillar; (square) column; post: **falso p.**, false pillar 2 (*anat.*) pillar: **p. delle fauci**, pillar of the fauces 3 (*geol.*) – **p. tettonico**, horst 4 (*fig.: sostegno*) pillar; mainstay; prop: **il p. della famiglia**, the mainstay of the family; **principi che sono i pilastri della nostra società**, principles that are the pillars of our society.

pilatésco a. Pilate-like. ● **tenere un comportamento p.**, to evade responsibilities; to pass the buck (*fam.*).

Pilàto m. (*stor.*) – *Ponzio P.*, Pontius Pilate.

pilatòio m. (*agric.*) (rice) husking machine; husker.

pilatùra f. (*agric.*) (rice) husking.

pìle (*ingl.*) m. inv. 1 (*ind. tess.*) synthetic fleece; polar fleece; PCR (= post-consumer recycled) fleece 2 (*indumento*) fleece; synthetic fleece garment ❶ **FALSI AMICI** ● **pile** *non si traduce con* **pila**.

pileàto a. 1 (*stor.*) pileated; wearing a pileus 2 (*zool.*) pileated.

pìleo m. 1 (*stor.*) pileus* 2 (*zool.*) pileum* 3 (*bot.*) pileus*.

pileorìza f. (*bot.*) root-cap.

pilière m. 1 pillar; column; (*di ponte*) pier 2 (*equit.*) pillar 3 (*paracarro*) stonepost; stone buffer.

pilìfero a. 1 (*anat.*) hair (attr.); piliferous (*scient.*): **bulbo p.**, hair bulb 2 (*bot.*) piliferous: **zona pilifera**, piliferous zone.

pillàcchera f. (*region.*) splash (of mud).

pillàre v. t. to ram down; to tamp down.

pìllo m. rammer; tamper.

pìllola f. (*farm.*) 1 pill; (*compressa*) tablet: **p. anticoncezionale**, contraceptive pill; **p. per dormire**, sleeping pill (*o* tablet); **prendere una p.**, to take a pill; **vitamine in pillole**, vitamins in pills (*o* in pill form) 2 (*p. anticoncezionale*) contraceptive pill; (the) pill (*fam.*): **p. del giorno dopo**, morning-after pill; **prendere la p.**, to be on the pill 3 (*gergale: pallottola*) bullet; slug ● (*fig.*) **una p. amara**, a bitter pill (to swallow) □ **pillole di saggezza**, nuggets of wisdom □ (*fig.*) **in pillole**, in small doses □ (*fig.*) **indorare la p.**, to sugar (*o* to sweeten) the pill □ (*fig.*) **inghiottire la p.**, to swallow the bitter pill.

pìllolo m. (*scherz.*) male contraceptive pill.

pillottàre v. t. (*cucina*) to baste.

pillòtto m. (*cucina*) basting ladle.

pìlo m. (*stor.*) pilum*.

pilocarpìna f. (*chim.*) pilocarpine.

pilocàrpo m. (*bot., Pilocarpus*) jaborandi.

pilóne m. 1 (*edil.*) pillar; post; (*sostegno*) support; (*di ponte*) pier: **p. di ormeggio**, (*naut.*) mooring post; (*aeron.*) mooring tower, mooring mast; **p. di sostegno**, supporting post (*o* tower) 2 (*traliccio*) pylon; tower 3 (*mazzapicchio*) rammer 4 (*rugby*) prop forward.

pilòrico a. (*anat.*) pyloric.

pilòro m. (*anat.*) pylorus*.

♦**pilòta** A m. e f. 1 (*naut.*) pilot; steersman*: **p. d'altura**, deep-sea pilot; **p. di porto**, dock pilot 2 (*aeron.*) pilot: **p. collaudatore**, test pilot; **p. di linea**, airline pilot; **p.**

istruttore, flying instructor; **secondo p.** (*o* **p. di riserva**), co-pilot; second pilot; **p. spaziale**, space pilot **3** (*autom.*) driver; (*da competizione*) racing driver: **p. di Formula 1**, Formula One driver **4** (*elettron.*) driver ● (*naut.*, *aeron.*) **p. automatico**, automatic pilot; autopilot; gyropilot **B a. inv.** pilot (attr.): (*elettron.*) **circuito p.**, driver (circuit); **impianto p.**, pilot plant; **fiamma p.**, pilot light; **studio p.**, pilot study.

pilotàbile a. 1 that can be piloted **2** (*fig.*) that can be manoeuvred (*o* manipulated).

pilotàggio m. 1 (*naut.*, *aeron.*) piloting; pilotage; steering: **diritti di p.**, pilotage (dues) **2** (*aeron.*) piloting; pilotage; flying: **scuola di p.**, flying school.

pilotàre v. t. 1 (*naut.*) to pilot; to steer **2** (*aeron.*) to pilot; to fly* **3** (*autom.*) to drive* **4** (*fig.*: *guidare*) to pilot, to steer; (*dirigere*) to direct; (*influenzare*) to manoeuvre, to manipulate.

pilotàto a. 1 piloted; steered **2** (*fig.*: *influenzato*) manipulated; manoeuvred **3** (*med.*) – **parto p.**, controlled (*o* enhanced) labour.

pilotìna f. (*naut.*) pilot boat.

pilotis (*franc.*) m. inv. (*archit.*) pilotis.

piluccàre v. t. 1 (*un grappolo d'uva*) to pick (*grapes from the bunch*) **2** (*mangiucchiare*) to pick at; to nibble; to nibble at: **p. il cibo**, to pick at one's food; **p. tra un pasto e l'altro**, to have nibbles between meals **3** (*fig.*: *arraffare*) to snatch; to grab.

piluccóne m. (f. **-a**) **1** nibbler **2** (*fig.*) snatcher; grabber.

pim inter. – **pim pam**, (*suono di sparo*) bang bang; (*suono di schiaffo*) slap slap; smack smack.

pimentàre v. t. (*cucina*) to season with pimento.

piménto m. pimento; allspice; Jamaica pepper.

pimfete → pim.

pimpànte a. (*vivace*) sprightly; bouncy; jaunty; full of beans (*fam.*).

pimpinèlla f. (*bot.*) **1** (*Sanguisorba minor*) salad burnet **2** – **p. bianca** (*Pimpinella saxifraga*), burnet saxifrage.

PIN sigla 1 (*econ.*, **prodotto interno netto**) net domestic product (NDP) **2** (**preminente interesse nazionale**) special national interest **3** (*banca.*, *ingl.* **personal identification number**) PIN (number).

pìna → pigna.

pinàccia f. (*naut.*) pinnace.

pinacòide a. e m. (*miner.*) pinacoid, pinakoid.

pinacotèca f. picture gallery.

pinàstro m. (*bot.*, *Pinus pinaster*) pinaster; cluster pine.

pince (*franc.*) f. inv. (*sartoria*) dart; tuck.

pince-nez (*franc.*) m. inv. pince-nez*.

pìnco ① m. fool; booby; twit; prat (*GB slang*) ● **P. Pallino**, just any one.

pìnco ② m. (*naut.*) pink.

pindàrico a. (*letter.*) Pindaric: **ode pindarica**, Pindaric ode ● (*fig.*) **volo p.**, abrupt digression.

Pìndaro m. (*letter.*) Pindar.

pineàle a. (*anat.*) pineal: **ghiandola p.**, pineal gland (*o* body).

pinèlla f. (*nella canasta*) deuce.

pinène m. (*chim.*) pinene.

◆**pinéta f.**, **pinéto m.** pinewood; pine forest.

◆**ping-pòng** (*ingl.*) m. inv. **1** ping-pong; table-tennis **2** (*fig.*) ping-pong.

pìngue a. 1 (*grasso*) fat; corpulent **2** (*fertile, ricco di vegetazione*) fat; rich; fertile; opulent: **pingui pascoli**, fat pastures; **terra p.**, fat (*o* rich) soil **3** (*lucroso*) fat; lucrative: **un p. stipendio**, a fat salary.

pinguèdine f. fatness; corpulence.

pinguìcola f. (*bot.*, *Pinguicula vulgaris*) butterwort.

◆**pinguìno m. 1** (*zool.*) penguin: **p. imperatore** (*Aptenodytes forsteri*), emperor penguin; **p. maggiore** (*o* **reale**) (*Aptenodytes patagonicus*), king penguin **2** (*gelato da passeggio*) chocolate-coated ice cream on a stick.

pinìfero a. 1 (*che produce pini*) pine-bearing **2** (*che produce pigne*) cone-bearing.

pinìte f. (*miner.*) pinite.

◆**pìnna ① f. 1** (*di pesce*) fin; (*di cetaceo, pinguino*) flipper: **p. caudale**, caudal fin; **p. dorsale**, dorsal fin; **p. pettorale**, pectoral fin; **p. ventrale**, ventral fin **2** (*sport*) flipper; fin (*USA*) **3** (*aeron.*) stub plane **4** (*naut.*) fin; foil: **p. di deriva**, centreboard; **p. stabilizzatrice**, gyro fin **5** (*anat.*) ala*; wing: **le pinne nasali**, the alae of the nose.

pìnna ② m. (*zool.*, *Pinna nobilis*) fan mussel.

pinnàcolo ① m. 1 (*archit.*) pinnacle; spire **2** (*vetta sottile*) pinnacle; aiguille.

pinnàcolo ② m. (*gioco di carte*) pinochle.

pinnàto a. – **nuoto p.**, swimming with flippers.

pinnipede m. (*zool.*) pinniped; (*al pl.*, *scient.*) Pinnipedia.

pìnnula f. (*zool.*) pinnule.

pinnulària f. (*bot.*) pinnularia.

◆**pìno m.** (*bot.*, *Pinus*) pine: **p. americano**, pitch pine; **p. di Aleppo** (*Pinus halepensis*), Aleppo pine; **p. domestico** (*o* **da pinoli**) (*Pinus pinea*), stone pine; umbrella pine; **p. marittimo** (*Pinus pinaster*), cluster pine; pinaster; **p. nano**, scrub pine; **p. silvestre** (*Pinus sylvestris*), Scots pine; **ago di p.**, pine needle; **legno di p.**, pinewood; **olio di p.**, pine-oil.

pinocchiàta f. (*cucina*) pine-seed cake.

pinocchìno m. (*edil.*) fine gravel; chippings (pl.).

pinòcchio → pinolo.

pinocitòsi f. (*biol.*) pinocytosis.

pinòlo m. pine nut; pine kernel.

pinot (*franc.*) m. inv. (*enologia*) Pinot: **p. bianco**, Pinot Blanc; **p. grigio**, Pinot Gris; **p. nero**, Pinot Noir.

pinsàpo m. (*bot.*, *Abies pinsapo*) Spanish fir.

pìnta f. (*misura di capacità pari a 0,568 l*) pint: **una p. di birra**, a pint (of beer).

pinyin m. (*ling.*, *anche* **sistema p.**) Pinyin.

pìnza f. (*generalm. al pl.*) **1** pliers (pl.); pincers (pl.); tongs (pl.); nippers (pl.): **p. ad ago**, needle-nose pliers; **p. a punta piatta** [**tonda**], flat-nose [round-nose] pliers; **p. da vetraio**, glass pliers; **p. per fusibili**, fuse tongs; **p. per occhielli** (**metallici**), eyelet pincers; **p. per saldatura**, welder's tongs; **p. per lo zucchero**, sugar tongs; **p. spellafilo**, wire splitter; **p. tagliafili**, wire nippers; **un paio di pinze**, a pair of pincers (*o* tongs, nippers) **2** (*med.*) forceps (sing. o pl.): **p. emostatica**, hemostat; tourniquet; **pinze da dentista**, dental forceps; **pinze da dissezione**, dissecting forceps; **pinze nasali**, nasal forceps **3** (*pop.*, *zool.*) pincer; nipper **4** (*cinem.*) clamp **5** (*fis.*) – **p. termoelettrica**, thermoelectric couple (*o* pair).

pinzàre v. t. 1 (*unire con punti metallici*) to staple **2** (*region.*, *d'insetto*) to sting*, to bite*; (*di granchio*) to nip: *Una vespa mi ha pinzato il dito*, a wasp stung my finger **3** (*stringere con le pinze*) to grip with pliers (*o* with tweezers); (*estens.*: *afferrare*) to catch*.

pinzàta f. 1 (*con punti metallici*) stapling: **dare una p. a dei fogli**, to staple pages together **2** (*region.*, *d'insetto*) stinging, biting; (*di granchio*) nipping: **dare una p.**, to sting; to bite.

pinzatrice f. stapler.

pinzatùra f. 1 (*region.*, *d'insetto*) sting, bite; (*di granchio*) nip **2** (*con punti metallici*)

stapling.

pinzétta f. (*generalm. al pl.*) tweezers (pl.).

pinzillàcchera f. (*scherz.*) trifle; bagatelle.

pinzimònio m. (*cucina*) dip for vegetables made with olive oil, pepper and salt.

pinzòchero m. (f. **-a**) (*spreg.*) sanctimonious person; religionist.

pìo ① a. 1 (*devoto*) pious; devout; devoutly religious; godly; (*santo*) holy: **luoghi pii**, holy places; **pensieri pii**, pious (*o* devout) thoughts; **un uomo pio**, a deeply religious man; **vita pia**, devout life **2** (*pietoso, caritatevole*) charitable; (*di opera, istituto*) charitable, charity (attr.): **pia dama**, charitable lady; **pio istituto** (*o* **opera pia**), charitable institution; (*relig.*) **le pie donne**, the three Marys; **scuole pie**, charity schools; (*fig.*) **fare un'opera pia**, to do a good deed **3** (*lett.*: *buono, magnanimo*) good; generous ● (*fig.*) **un pio desiderio** (*o* **una pia illusione**), a vain hope; wishful thinking 🖫 □ (*anat.*) **pia madre**, pia mater.

pìo ② → pio pio.

Pìo m. Pius.

piocèle m. (*med.*) pyocele.

piociàneo m. (*biol.*) Pseudomonas aeruginosa.

piodermìte f. (*med.*) pyoderma.

piogènico, **piògeno a.** (*med.*) pyogenic; pyogenous.

pioggerèlla f. drizzle.

◆**pioggia f. 1** rain; (*acquazzone*) shower: **p. a dirotto**, heavy rain; pouring rain; downpour; **p. acida**, acid rain; **p. artificiale**, artificial rain; **p. battente**, driving (*o* pelting) rain; **p. fine**, drizzling rain; drizzle; **p. fitta**, heavy rain; pouring rain; downpour; **p. ghiacciata**, sleet; **p. scrosciante**, driving (*o* pelting) rain; **p. torrenziale**, torrential rain; **le piogge d'autunno**, autumn rains; **piogge monsoniche**, monsoon rains; **piogge sparse**, scattered rain; scattered showers; *È cessata la p.*, the rain has stopped; it has stopped raining; *Sono previste forti piogge per tutta la settimana*, rain is forecast for the whole week; **ripararsi dalla p.**, to take shelter (*o* to shelter) from the rain; **inzuppato di p.**, drenched with rain; **resistente alla p.**, rainproof; (*a p. leggera*) showerproof; **sorpreso dalla p.**, caught in the rain; **sotto la p.**, in the rain; **giorno di p.**, rainy day; **goccia di p.**, raindrop; **nuvole di p.**, rain clouds; **scroscio di p.**, shower (of rain); **stagione delle piogge**, rainy season; (*ai tropici*) **wet season 2** (*fig.*) shower; torrent; storm; deluge: **p. di colpi**, deluge of blows; **p. di coriandoli**, shower of confetti; **p. d'insulti**, torrent of abuse; **p. di proiettili**, shower of bullets; **p. di proteste**, storm of protest; **p. di regali**, shower of presents ● (*astron.*) **p. meteorica**, meteor shower □ **p. radioattiva**, (radioactive) fall-out □ **a p.**, indiscriminate (agg.); indiscriminately (avv.) □ **mago della p.**, rain doctor; rainmaker □ (*fig.*) **parlare della p. e del bel tempo**, to talk of nothing in particular; to talk about this and that □ (*cucina*) **versare a p.**, to add slowly.

piòlo m. 1 (*paletto*) peg, stake; (*di scala*) rung: **scala a pioli**, ladder **2** (*agric.*) dibble; dibber (*GB*) **3** (*elettr.*) pin.

piombàggine f. 1 (*miner.*) plumbago; graphite **2** (*bot.*, *Plumbago europaea*) plumbago; leadwort.

piombàggio m. sealing with lead.

◆**piombàre ① A v. i. 1** (*cadere a piombo, essere perpendicolare*) to hang* vertically; (*di abito*) to hang* **2** (*cadere dall'alto*) fall* (straight down); to plummet; (*cadere di peso*) to fall* heavily, to slump; (*lasciarsi cadere*) to plump down; (*fig.*: *sprofondare, precipitare*) to sink*, to plunge: *Gli piombò una tegola sul*

capo, a tile fell on his head; **p. in un abisso**, to plummet into an abyss; **p. nella disperazione**, to plunge into despair; **p. in un sonno profondo**, to sink into a heavy sleep; *La stanza piombò nell'oscurità*, the room was plunged into darkness **3** (*gettarsi con impeto*) to fall*; to pounce; (*di un gruppo*) to descend; (*di uccello da preda e fig.*) to swoop down: **p. addosso a q.**, to fall upon sb.; to pounce upon sb.; *Gli assalitori piombarono loro addosso di sera*, the attackers descended upon them at nightfall; **p. sulla preda**, to pounce upon one's prey; to swoop down on one's prey; **p. sul nemico**, to swoop down on the enemy **4** (*giungere all'improvviso*) to turn up suddenly; (*di un gruppo*) to descend; (*entrare di colpo*) to storm, to rush: *Mi è piombato a casa martedì*, he turned up on my doorstep on Tuesday; *Il ragazzo piombò nella stanza*, the boy stormed into the room **B** v. t. to plunge: *Il guasto piombò il palazzo nel buio*, the power failure plunged the building into darkness.

♦**piombàre**② v. t. **1** (*sigillare con piombo*) to seal with lead; to put* a lead seal to: **p. un baule**, to seal a trunk with lead **2** (*un dente*) to fill.

piombàto a. **1** (*rivestito di piombo*) lead-covered; (*internamente*) lined with lead **2** (*appesantito con piombo*) weighted with lead **3** (*sigillato con piombo*) sealed with lead; with a lead seal.

piombatóia f., **piombatóio** m. (*mil. stor.*) machicolation.

piombatùra f. **1** (*operazione*) sealing with lead **2** (*piombo*) lead; (*sigillo*) lead seal **3** (*di dente*) filling.

piombemìa f. (*med.*) presence of lead in the blood.

piómbico a. (*chim.*) plumbic.

piombìfero a. lead-bearing; plumbiferous.

piombìno m. **1** (*peso di piombo*) (lead) weight; (*di lenza*) sinker **2** (*di filo a piombo*) plumb bob; plummet **3** (*naut.*: *scandaglio*) hand lead **4** (*sigillo di piombo*) lead seal **5** (*zool.*, *Alcedo ispida*) kingfisher.

♦**piómbo** m. **1** (*chim.*) lead: **p. in pani**, pig lead; **p. indurito**, hard lead; **p. tetraetile**, tetraethyl lead; **biossido di p.**, lead dioxide; **fonderia di p.**, lead works (sing.); **lastra di p.**, lead sheet; **soldatino di p.**, lead soldier; (*di combustibile*) **senza p.**, lead-free; unleaded; *Questa valigia sembra* (*di*) *p.*, this suitcase is as heavy as lead **2** (*piombino del filo a p.*) plumb bob; plummet: **filo a p.**, plumb line **3** (*di scandaglio o lenza*) sinker **4** (*per sigillare*) sealing lead; (*sigillo*) (lead) seal: **chiudere qc. col p.**, to seal st. with lead **5** (*proiettili*) bullets (pl.); lead; (*pallini del fucile*) shot; (*fuoco*) fire: **affrontare il p. nemico**, to face the enemy's fire; **riempire q. di p.**, to fill sb. full of lead; **una grandine di p.**, a shower of bullets **6** (*tipogr.*) type metal; type **7** (*al pl.*) (*lastre di p.*) leads ● **a p.**, plumb (agg. e avv.); straight down (avv.): **cadere a p.**, to fall plumb (o straight down); **essere a p.**, to be plumb; **non essere a p.**, to be out of plumb □ **sentirsi addosso una cappa di p.**, to feel weighed down □ **gli anni di p.**, the years of terrorist outrages (*in Germany and Italy*) □ **di p.**, (*di color p.*) lead-coloured, leaden; (*pesante*) as heavy as lead, heavy; (avv.: *di peso*) bodily, (*di schianto*) suddenly: **cielo di p.**, leaden sky; **sonno di p.**, heavy sleep.

piombóso a. **1** (*color del piombo*) lead-coloured; leaden **2** (*piombifero*) lead-bearing; plumbiferous **3** (*chim.*) plumbous; plumbic.

pióne m. (*fis. nucl.*) pion; pi-meson.

pionefròsi f. (*med.*) pyonephrosis.

pionière m. (*anche fig.*) pioneer: **i pionieri americani**, the American pioneers; **i**

pionieri della civiltà [**della scienza**], the pioneers of civilization [of science]; **fare da p.**, to pioneer; **opera da p.**, pioneering work; **spirito dei pionieri**, pioneer spirit **2** (*mil.*) sapper.

pionierìşmo m. pioneering; pioneering spirit.

pionierìstico a. pioneer (attr.); pioneering: **lavoro p.**, pioneering work.

pio pìo inter. e m. peep peep; cheep cheep: **fare pio pio**, to peep; to cheep.

pioppàia f., **pioppéto** m. poplar grove; poplar plantation.

pioppìcolo a. poplar (attr.).

pioppicoltóre m. (f. *-trice*) poplar grower.

pioppicoltùra f. poplar-growing.

pioppìno m. (*bot.*, *Armillaria mellea*) honey mushroom (o fungus).

pióppo m. (*bot.*, *Populus*) poplar: **p. bianco** (*Populus alba*), white poplar; **p. italico** (o **cipressino**) (*Populus nigra* var. *italica*), Lombardy poplar; **p. nero** (*Populus nigra*), black poplar; **p. nero americano** (*Populus deltoides*), cottonwood; **p. tremolo** (*Populus tremula*), aspen; trembling poplar.

piorrèa f. (*med.*) pyorrhoea: **p. alveolare**, pyorrhoea alveolaris; periodontitis.

piorròico a. (*med.*) pyorrhoeic; periodontal.

piòta f. **1** (*lett.*: *pianta del piede*) sole (of the foot) **2** (*agric.*: *zolla*) turf; sod.

piotàre v. t. to turf; to cover (o to lay* with turf.

piovanèllo m. (*zool.*, *Calidris ferruginea*) sandpiper ● **p. maggiore** (*Calidris canutus*), knot.

piovàno① a. rain (attr.): **acqua piovana**, rainwater.

piovàno② → **piovano**

piovàsco m. (*meteor.*) shower; rain squall.

♦**piòvere** **A** v. i. impers. **1** to rain: *Piove*, it's raining; *Piove a dirotto* (o *a catinelle*, **come Dio la manda**), it's pouring; it's raining in buckets; it's bucketing (*fam.*); *Sta per p.*, it's going to rain; *Oggi vuol p.*, it looks like rain today; *È piovuto tutta la notte*, it rained all night last night; **mettersi a p.**, to start raining; **smettere di p.**, to stop raining **2** (*gocciolare*) to trickle; (*per perdita*) to leak: *Mi piove in casa*, the rain is leaking in (through the roof); there is a leak in the roof; water is leaking through the ceiling. (*fig.*) *Piove sul bagnato*, (*rif. a qc. di positivo*) nothing succeeds like success; (*rif. a soldi*) money begets money; (*rif. a disgrazia*) it never rains but it pours ● (*fig.*) **che piova o splenda il sole**, come rain or sunshine □ (*fig.*) **Su questo non ci piove**, there's no doubt about that **B** v. i **1** (*scendere, cadere*) to rain down: *Piovevano coriandoli dalle finestre*, confetti rained down from the windows; *I colpi mi piovevano addosso da tutte le parti*, blows rained down on me from all directions **2** (*arrivare in quantità*) to pour in; (*comparire*) to turn up, to appear: *Piovvero le lettere di protesta*, letters of protest poured in; *Piovvero le congratulazioni*, congratulations were showered on us; **p. dal cielo**, to fall from heaven; to appear out of the blue; *Ieri mi è piovuto in casa mio cugino*, my cousin turned up on my doorstep yesterday **3** (*essere spiovente*) to slope; (*ricadere*) to fall*.

piovigginàre v. i. impers. to drizzle.

piovìggine f. (*meteor.*) drizzle; drizzling rain.

piovigginóso a. drizzly; (*piovoso*) rainy: **tempo p.**, drizzly (o rainy) weather; **un cielo p.**, a rainy sky.

piovìschio m. drizzle.

piovosità f. **1** raininess **2** (*quantità di*

pioggia) rainfall.

piovóso① a. rainy; wet: **la stagione piovosa**, the rainy season; **una giornata piovosa**, a rainy day; **tempo p.**, rainy (o wet) weather.

piovóso② m. (*stor. franc.*) Pluviôse (*franc.*).

piòvra f. **1** (*zool.*, *Octopus*) octopus; giant squid **2** (*fig.*: *sfruttatore*) bloodsucker (*fam.*) **3** (*fig.*: *mafia*) (the) Mafia; organized crime.

♦**pìpa**① f. **1** (tobacco) pipe: **p. di radica**, briar (pipe), brier (pipe); **p. di schiuma**, meerschaum; **p. di terracotta**, clay pipe; **caricare la p.**, to fill one's pipe; **fumare la p.**, to smoke a pipe; *Sedeva accanto al fuoco fumando la p.*, he was sitting by the fire, smoking his pipe; **fornello della p.**, pipe bowl **2** (*quanto tabacco sta in una p.*) pipeful; pipe: *Ne fumai tre o quattro pipe*, I smoked three or four pipefuls; **un paio di pipe di tabacco**, a couple of pipes of tobacco **3** (*oggetto a forma di p.*) tube; (*ugello*) nozzle, jet **4** (*fig. scherz.*: *naso grosso*) big nose; conk (*fam.*) **5** (*gergale*: *rimprovero*) telling-off 🄤; tongue-lashing 🄤 **6** (*volg.*: *masturbazione*) wank (*volg.*): **farsi le pipe**, to wank (off); to jerk off (*USA*) **7** (*volg.*, *di persona*) prick, wanker (*slang*, *GB*); (*di cosa*) drag, pain in the ass (*volg.*) **8** (*gergo mil.*: *mostrina*) flash **9** (*ling.*) inverted circumflex.

pìpa② f. (*zool.*, *Pipa americana*) Surinam toad.

pipàre v. i. to smoke a pipe.

pipàta f. **1** (*fumata*) smoke (of a pipe): **farsi una p.**, to have a smoke **2** (*quantità di tabacco*) pipeful; pipe.

pipatóre m. (*scherz.*) pipe smoker.

Piperàcee f. pl. (*bot.*, *Piperaceae*) Piperaceae; (the) pepper family.

piperaẓina f. (*chim.*) piperazine.

piperìta a. – (*bot.*) **menta p.** (*Mentha piperita*), peppermint.

pipèrno m. (*miner.*) piperno*; trachyte tuff.

pipètta① f. (*ling.*) inverted circumflex.

pipètta② f. (*chim.*) pipette.

pi pì → **pio pìo**

pipì **A** f. (*infant.* o *fam.*) pee, piddle; (*solo infant.*) wee (*GB*), wee-wee (*GB*), pee-pee (*USA*): **fare (la) p.**, to have (o to do) a pee; (*anche di animale*) to pee, to piddle; **andare a fare la p.**, to go for a pee; **fare la p. a letto**, to wet one's bed; *Mi scappa la p.*, I need a pee; I must go for (o to have) a pee; *Sto morendo dalla voglia di fare p.*, I'm bursting for a pee **B** m. (*infant.*) willy.

pipiàre v. i. to cheep; to peep.

♦**pipistrèllo** m. **1** (*zool.*, *Pipistrellus*) bat **2** (*mantello*) cloak.

pipìta f. **1** (*vet.*) pip **2** (*pellicola intorno alle unghie*) hangnail; agnail.

pìppa → **pipa**, def. 6 e 7.

pippiolìno m. picot.

pìpra f. (*zool.*, *Pipra aureola*) crimson-hooded manakin.

piqué (*franc.*) m. inv. (*ind. tess.*) piqué.

pìra f. (*lett.*: *funeraria*) pyre, funeral pile; (*per condannati al rogo*) stake.

piràgna → **piranha**

piràlide f. (*zool.*, *Pyralis*) pyralid ● **p. degli alveari** (*Galleria mellonella*), wax moth □ **p. del granturco** (*Pyrausta nubilalis*), corn borer.

piramidàle a. **1** pyramidal; pyramid-like; pyramid-shaped: **masso p.**, pyramid-shaped boulder; **tenda p.**, pyramid tent **2** (*anat.*) pyramidal **3** (*fig.*) pyramid (attr.): **gerarchia p.**, pyramid hierarchy; **organizzazione p.**, pyramid; **a struttura p.**, pyramid (attr.) **4** (*fig.*: *madornale*) colossal; huge: **errore p.**, colossal mistake.

piramidàto a. pyramidal; pyramid-shaped.

piràmide f. **1** (*geom.*) pyramid: **p. esagonale**, hexagonal pyramid; **p. tronca** (*o tronco di p.*), truncated pyramid; **a (forma di) p.**, in the shape of a pyramid; pyramid-shaped; pyramid **2** (*archit.*) pyramid: **p. a gradini**, step pyramid; **le piramidi d'Egitto**, the Egyptian Pyramids **3** (*di monte, catasta, monumento, ecc.*) pyramid: **una p. di pietre [di libri]**, a pyramid of stones [of books]; **p. sociale**, social pyramid; **p. umana**, human pyramid **4** (*anat.*) – **piramidi del Malpighi**, Malpighian (*o* renal) pyramids.

piramidóne® m. (*farm.*) Pyramidon.

pirandelliàno a. Pirandellian.

piranha (*portoghese*) m. inv. (*zool.*, *Serrasalmus*) piranha.

pirargirìte f. (*miner.*) pyrargyrite.

♦**piràta** Ⓐ m. **1** pirate: **vascello di pirati**, pirate ship; **da p.**, piratical **2** (*anche* **p. dell'aria**) hijacker; skyjacker **3** (*anche* **p. della strada**) cowboy driver (*fam. GB*); road hog (*fam.*); (*chi investe e non si ferma*) hit-and-run driver **4** (*comput.*) – **p. informatico**, hacker; (*con intenti criminali*) cracker **5** (*fig.: affarista senza scrupoli*) unscrupulous businessman; unscrupulous adventurer; buccaneer; shark Ⓑ a. inv. **1** (*di pirati*) pirate (attr.): **nave p.**, pirate ship **2** (*illegale*) pirate (attr.): **emittente p.**, pirate broadcaster **3** (*copiato*) pirate (attr.); pirated: **copia p.**, pirate copy; **videocassetta p.**, pirated video.

piratàre v. t. (*comput.*) to pirate; to bootleg; to copy illegally.

pirateggiàre v. i. **1** to be a pirate; to go* freebooting **2** (*fig.*) to rob; to steal*.

pirateria f. **1** piracy; buccaneering; freebooting: **esercitare la p.**, to be a pirate; to practise piracy; **atto di p.**, act of piracy **2** (*fig.: ruberia*) theft; robbery; (*costo esagerato*) daylight robbery, rip-off **3** (*riproduzione illegale, plagio*) piracy: **p. letteraria**, literary piracy ● **p. aerea**, hijacking; skyjacking □ **p. informatica**, hacking; cracking.

piratésco a. piratical: **barba piratesca**, piratical beard.

piràtico a. (*lett.*) piratic.

pirazòlo m. (*chim.*) pyrazole.

pirazolóne m. (*chim.*) pyrazolone.

pireliòmetro m. (*astrofisica*) pyrheliometer.

pirenàico a. (*geogr.*) Pyrenean.

pirène m. (*chim.*) pyrene.

Pirenèi m. pl. (*geogr.*) Pyrenees.

Pirèo m. (*geogr.*) Piraeus.

piressìa f. (*med.*) pyrexia; fever.

pirètico a. (*med.*) pyrexial; pyretic.

piretrìna f. (*chim.*) pyrethryn.

pirètro m. (*bot.*, *Chrysanthemum cinerariae-folium*) pyrethrum.

pìrex → **pyrex**.

pìrico a. fire-producing; fire (attr.): **polvere pirica**, gunpowder; **spettacolo p.**, firework display; fireworks (pl.).

piridìna f. (*chim.*) pyridine.

piridossìna f. (*chim.*) pyridoxine.

piriförme a. pear-shaped; piriformis (*spec. anat., med.*); pyriform (*spec. anat.*).

pirimidìna f. (*chim.*) pyrimidine.

pirimidìnico a. (*chim.*) pyrymidine (attr.).

pirìte f. (*miner.*) pyrite; (iron) pyrites.

pirìtico a. (*miner.*) pyritic; pyritous.

pìrla m. (*volg.*) **1** (*pene*) dick; prick **2** (*spreg.*) dickhead; prat (*GB*); wanker (*GB*); jerk (*USA*); dork (*USA*): **fare la figura del p.**, to look a real jerk.

pirobazìa f. fire-walking.

pirocatechìna f. (*chim.*) pyrocathecol.

piroclàsi f. (*ind. petrolifera*) cracking.

piroclàstico a. (*geol.*) pyroclastic: **rocce piroclastiche**, pyroclastic rocks.

piroclastìte f. (*geol.*) pyroclastic rock.

pirocorvétta f. (*naut.*) steam corvette.

piroelettricità f. (*fis.*) pyroelectricity.

piroelèttrico a. (*fis.*) pyroelectric.

piroétta f. **1** (*danza, ginnastica, equit.*) pirouette: **fare una p.**, to perform a pirouette; to pirouette **2** (*estens.: giravolta*) pirouette; twirl.

piroettàre v. i. to pirouette; to twirl; to whirl.

piròfila f. oven-proof (*o* heat-resistant) dish; Pyrex® dish.

piròfilo a. oven-proof; heat-resistant.

pirofobìa f. (*psic.*) pyrophobia.

piròfobo (*psic.*) Ⓐ a. pyrophobic Ⓑ m. (f. **-a**) pyrophobiac.

piroförico a. pyrophoric; pyrophorous.

piròforo m. (*zool.*, *Pyrophorus noctilucus*) fire beetle.

pirofregàta f. (*naut.*) steam frigate.

piròga f. (*naut.*) pirogue; (*scavata in un tronco, anche*) dugout (canoe).

pirogàllico a. – (*chim.*) **acido p.**, pyrogallic acid; pyrogallol.

pirogallòlo m. (*chim.*) pyrogallol; pyrogallic acid.

pirogenazióne f. (*chim.*) pyrogenation.

pirògeno (*farm.*) Ⓐ a. pyrogenic Ⓑ m. pyrogen.

pirografàre v. t. to pyrograph.

pirografìa f. pyrography; pokerwork (*GB*).

pirogràfico a. pyrographic; pokerwork (attr.) (*GB*).

pirografìsta m. e f. pyrographer.

piBrògrafo m. (*tecn.*) pyrographic tool; pyrographic poker.

piroincisióne f. pyrography; pyrogravure.

pirolegnóso a. (*chim.*) pyroligneous.

pirolétta e deriv. → **piroetta**, e deriv.

pirolìsi f. (*chim.*) pyrolysis: **sottoporre a p.**, to pyrolyze.

pirolìtico a. (*chim.*) pyrolytic.

pirolusìte f. (*miner.*) pyrolusite.

piròmane m. e f. (*psic.*) pyromaniac; fire-bug (*fam.*).

piromanìa f. (*psic.*) pyromania.

piromànte m. e f. pyromantic.

piromanzìa f. pyromancy; divination by fire.

pirometallurgìa f. (*metall.*) pyrometallurgy.

pirometrìa f. (*fis.*) pyrometry.

piromètrico a. (*fis.*) pyrometric.

piròmetro m. (*fis.*) pyrometer: **p. a radiazione**, radiation pyrometer; **p. elettrico**, electric pyrometer; **p. ottico**, optical pyrometer.

piro pìro m. inv. (*zool.*, *Tringa*) sandpiper: **piro piro culbianco** (*Tringa ochropus*), green sandpiper; **piro piro piccolo** (*Actitis hypoleucos*), common sandpiper.

piroplàsma m. (*vet.*) piroplasm; piroplasma*.

piroplasmòsi f. (*vet.*) piroplasmosis, babesiosis; redwater; murrain.

piròpo m. (*miner.*) pyrope (garnet).

piroscàfo m. (*naut.*) steamship (abbr. SS); steamer: **p. da carico**, cargo steamer; cargo boat; freighter; **p. passeggeri**, passenger steamer.

piroscìndere v. t. (*chim.*) to pyrolyze.

piroscissióne f. (*chim.*) pyrolysis.

piròsi f. (*med.*) pyrosis; heartburn.

pirosolfàto m. (*chim.*) pyrosulphate.

pirosolfìto m. (*chim.*) pyrosulphite.

pirosolfòrico a. – (*chim.*) **acido p.**, pyrosulphuric (*o* disulphuric) acid.

pirossenìte f. (*miner.*) pyroxenite.

piròsseno m. (*miner.*) pyroxene.

pirotècnica f. pyrotechnics (pl. col verbo al sing.); pyrotechny.

pirotècnico Ⓐ a. **1** pyrotechnic; firework (attr.): **arte pirotecnica**, pyrotechnics (pl. con verbo al sing.); pyrotechny (*raro*); **fuochi pirotecnici**, fireworks; **spettacolo p.**, pyrotechnic (*o* firework) display; fireworks (pl.) **2** (*fig.*) pyrotechnic; spectacular; dazzling Ⓑ m. **1** pyrotechnist **2** (*mil.*) munitions factory.

pirottìno m. (*pasticceria*) fluted paper case.

pìrrica f. (*danza*) pyrrhic.

pirrichio m. (*poesia*) pyrrhic.

Pìrro m. (*stor.*) Pyrrhus ● (*fig.*) **vittoria di P.**, Pyrrhic victory.

pirròlico a. (*chim.*) pyrrolic.

pirròlo m. (*chim.*) pyrrole.

Pirróne m. (*filos.*) Pyrrho.

pirronìsmo m. (*filos.*) Pyrrhonism.

pirronìsta m. e f. (*filos.*) Pyrrhonist.

pirrotìna, pirrotìte f. (*miner.*) pyrrhotite.

piruvàto m. (*chim.*) pyruvate.

pirùvico a. (*chim.*) pyruvic: **acido p.**, pyruvic acid.

pisàno Ⓐ a. of Pisa; from Pisa; Pisan Ⓑ m. (f. **-a**) native [inhabitant] of Pisa; Pisan.

piscatòrio a. piscatory; piscatorial ● (*eccles.*) **anello p.**, Fisherman's ring.

pischèllo m. (*region.*) **1** (*ragazzino*) young boy; lad (*fam.*) **2** → **pivello**.

pìscia f. (*volg.*) piss: **fare la p.**, to piss; to have (*o* to take) a piss.

pisciacàne m. (*bot.*, *Taraxacum officinale*) dandelion; pissabed (*fam.*).

pisciallètto m. e f. inv. **1** (*scherz.: bambino*) brat; chit **2** (*spreg: ragazzo imberbe*) one still wet behind the ears; greenhorn **3** → **pisciacane**.

pisciàre (*volg.*) Ⓐ v. i. **1** (*orinare*) to piss; to have (*o* to take*) a piss; to pee; to slash (*GB*): **pisciarsi addosso**, to piss oneself; **pisciarsi addosso dal ridere [dalla paura]**, to piss oneself with laughter [with fear]; **andare a p.**, to go for a piss **2** (*di recipiente*) to leak **3** (*di fontana e sim.*) to spurt; to piddle Ⓑ v. t. to piss: **p. sangue**, to pass blood.

pisciarèlla f. (*fam.*) continuous urge to urinate.

pisciasàngue m. → **piroplasmosi**.

pisciàta f. (*volg.*) **1** (*il pisciare*) pissing ⓤ; piss; slash (*GB*): **fare una p.**, to have (*o* to take) a piss (*o* a leak); to go for a slash **2** (*orina*) piss.

pisciatóio m. (*volg.*) (public) urinal.

piscìcolo a. piscicultural.

piscicoltóre m. (f. **-trice**) pisciculturist.

piscicoltùra f. pisciculture.

pisciförme a. fish-shaped.

♦**piscìna** f. swimming pool; pool; (*archeol.*) piscina*: **p. coperta [scoperta]**, indoor [outdoor] swimming pool; **p. olimpionica**, Olympic-size swimming pool.

piscìo m. (*volg.*) piss.

piscióne m. (f. **-a**) (*volg.*) pisser.

piscióso a. (*volg.*) pissy; wet with piss.

piscìvoro a. piscivorous; fish-eating.

pisellàia f., **pisellàio** m. pea field; pea bed.

♦**pisèllo** Ⓐ m. **1** (*bot.*, *Pisum sativum; il seme*) pea: **piselli freschi [secchi]**, green [dried] peas; **piselli in scatola**, tinned peas; **fiore di p.**, pea blossom; **guscio di p.**, pea pod; **passato di piselli**, pea soup **2** (*bot.*) – **p.**

odoroso (*Lathyrus odoratus*), sweet pea **3** (*fam.*: *pene*) willy **B** a. inv. pea (attr.): **verde p.**, pea-green.

pisellóne m. (*spreg.*) fool; twit (*fam. GB*); prat (*slang GB*); goof (*fam. USA*).

pisifórme m. (*anat.*) pisiform (bone).

pisolàre v. i. (*fam.*) to have (*o* to take*) a nap; to doze.

pisolino m. (*fam.*) nap; cat nap; doze; snooze (*fam.*); shut-eye (*fam.*); forty winks (pl.) (*fam.*); zizz (*slang, GB*): **fare** (*o* **schiacciare**) **un p.**, to have (*o* to take) a nap; to have a snooze; to doze.

pisòlite f. (*geol.*) pisolite.

pisolo → **pisolino**.

pispigliàre e *deriv.* → **bisbigliare**, e *deriv.*

pispola f. **1** (*zool.*, *Anthus pratensis*) meadow pipit; titlark **2** (*richiamo per cacciatori*) birdcall.

pispolàre v. i. to make* a birdcall.

pispolóne m. (*zool.*, *Anthus trivialis*) tree pipit.

pisside f. **1** (*eccles.*) pyx **2** (*bot.*) pyxidium*; pyxis*.

pissi pissi m. whisper; whispering: **fare pissi pissi**, to whisper secretly.

♦**pista** f. **1** (*traccia*, *orma*) track; tracks (pl.); footprints (pl.); (*di animale*, *anche*) trail, scent: **la p. di un cacciatore sulla neve**, a hunter's footprints (*o* footsteps) in the snow; **la p. di un daino**, a buck's trail (*o* tracks); **la p. di una volpe**, a fox's tracks (*o* scent) **2** (*fig.*) track; line; (*indizio*) lead, clue: **p. di indagine**, line of investigation; **p. falsa**, false lead; red herring; **p. sbagliata**, wrong track; **battere una nuova p.**, to follow a new lead; **essere sulla p. giusta**, to be on the right track; **mettere q. su una p. falsa**, to put sb. off the track (*o* off the scent); to send sb. on a wild-goose chase; to plant a red herring (for sb.) **3** (*percorso*) track; (*corsia*, *sentiero*) path: **p. battuta**, beaten track; **p. ciclabile**, cycle path; cycle way; **p. nel deserto**, track in the desert; **fuori p.**, off the track **4** (*circuito*) track; (*di stadio*) racetrack; (*ipp.*) racecourse; (*erbosa*) turf: **p. automobilistica**, motor-racing track; **p. di prova**, test track; **p. per bob**, run; **p. per corse ciclistiche**, cycling track; **gare su p.**, track events; **giro di p.**, round; lap **5** (*sci*) slope: piste (*franc.*); run; (*per fondo*) trail: **p. da fondo**, cross-country trail; **p. da sci**, ski slope; piste; **sci fuori p.**, off-piste skiing **6** (*hockey*, *pattinaggio*) rink: **p. di pattinaggio**, skating rink **7** (*anche* **p. da ballo**) (dance) floor: *Tutti in p.!*, everybody on the floor! **8** (*aeron.*) runway; strip: **p. d'atterraggio**, landing strip; airstrip; **p. di decollo**, take-off strip; runway; **p. d'emergenza**, emergency runway (*o* strip); **p. di lancio**, (*per alianti*) launching strip; (*per missili*) launching pad; **p. di rullaggio**, taxiway; peri-track; **toccare la p.**, to touch down; **luci di p.**, flarepath (sing.) **9** (*di circo*) ring **10** (*di registratore*, *elaboratore*, *ecc.*) track: **p. di sincronizzazione**, clock track; **p. magnetica**, magnetic track (*o* soundtrack); **p. sonora**, soundtrack ● **P.!**, gangway!; make way!

pistacchiàta f. (*cucina*) pistachio cake.

pistàcchio **A** m. **1** (*bot.*, *Pistacia vera*) pistachio* **2** (*il seme*) pistachio (nut) **B** a. inv. pistachio (attr.): **color p.**, pistachio; **verde p.**, pistachio (green).

pistacite f. (*miner.*) pistacite; green epidote.

pistàgna f. (*sartoria*) **1** (*di colletto*) neckband; (*di polsino*) wristband **2** (*bordino*) braid; piping.

pistard (*franc.*) m. inv. (*sport*) track cyclist.

pistillifero a. (*bot.*) pistilliferous; pistillate.

pistillo m. (*bot.*) pistil.

pistoiése **A** a. of Pistoia; from Pistoia; Pistoia (attr.) **B** m. e f. native [inhabitant] of Pistoia.

♦**pistòla** ① f. **1** (*arma*) pistol; gun; handgun: **p. ad acqua**, water pistol; squirt gun; **p. ad aria compressa**, airgun; **p. a una canna** [**a due canne**], single-barrelled [double-barrelled] pistol; **p. a tamburo**, revolver; **p. automatica**, automatic pistol; **p. calibro 45**, forty-five; .45; (*mil.*) **p. di ordinanza**, service pistol; **p. mitragliatrice**, sub-machine gun; **p. per segnalazioni**, Very pistol; **avere la p. facile**, to be trigger-happy; **essere veloce con la p.**, to be quick on the draw; **estrarre una p.** (*e* puntarla contro q.), to pull a gun (on sb.); **portare una p.**, to carry a gun; **puntare la p. contro q.**, to aim a gun at sb.; (*anche fig.*) **tenere la p. alla tempia di q.**, to hold a gun to sb.'s head; **tenere q. sotto il tiro di una p.**, to hold sb. at gunpoint; **a un tiro di p.**, within gunshot (*o* pistol shot); **colpo di p.**, gunshot; pistol shot; **duello alla p.**, duel fought with pistols **2** (*arnese a forma di p.*) gun: **p. a spruzzo**, spray gun; **p. per lavaggio**, washing gun; **p. per saldature**, soldering gun; **p. sparachiodi**, rivet (*o* riveting) gun; **p. sparapunti**, staple gun **3** (*region. spreg.*) berk (*slang, GB*); prat (*slang, GB*); jerk (*fam. USA*); (*pollo*) dupe, mug, sucker.

pistòla ② f. (*numism.*) pistole.

pistolèro m. gunman*; gunslinger (*fam.*).

pistolettàta f. pistol shot; gunshot.

pistolétto m. (*stor.*) horse pistol.

pistolòtto m. (*scherz.*) **1** (*esortazione*) sermon; lecture; tirade **2** (*panegirico*) panegyric; spiel (*fam.*) **3** (*gergo teatr.*) tirade.

pistóne m. **1** (*mecc.*) piston: **p. a testa convessa**, domed piston; **p. idraulico**, ram piston; **corsa del p.**, piston stroke; **testa del p.**, piston head **2** (*mus.*) piston; valve.

pita ① f. (*ind. tess.*) pita (fibre).

pita ② f. (*cucina*) pitta (bread).

Pitàgora m. (*filos.*) Pythagoras: (*geom.*) **il teorema di P.**, Pythagoras' theorem.

pitagoricìsmo m. (*filos.*) Pythagoreanism.

pitagòrico **A** a. e m. (*filos.*) Pythagorean: **la scuola pitagorica**, the Pythagorean School; **il sistema p.**, the Pythagorean system; (*mat.*) **tavola pitagorica**, multiplication table **B** m. Pythagorean.

pitagorìsmo → **pitagoricismo**.

pitàle m. (*pop.*) chamber pot.

pitànga f. (*bot.*, *Eugenia uniflora*) Surinam cherry.

pit bull (*ingl.*) m. inv. pit bull (terrier).

pitch pine (*ingl.*) m. inv. (*bot.*) pitch pine.

pitecàntropo m. Pithecanthropus*.

pitècia f. (*zool.*, *Pithecia monachus*) monk saki.

pitia → **pizia**.

pitico a. Pythian; Pythic: **i giochi pitici**, the Pythian games.

pitiriasi f. (*med.*) pityriasis.

pitoccàre v. t. e i. **1** to beg; to be a beggar **2** (*fig.*) to beg; to solicit; to cadge.

pitoccherìa f. **1** (*lett.*: *mendicità*) beggary; mendicity **2** (*spreg.*: *spilorceria*) miserliness; niggardliness; meanness **3** (*spreg.*: *azione spilorcia*) niggardly act; mean act.

pitòcco **A** a. beggarly **B** m. (f. **-a**) **1** (*accattone*) beggar **2** (*fig.*: *spilorcio*) miser; niggard; stingy person; skinflint.

pitòmetro m. (*fis.*) pitometer; Pitot tube; pitot.

pitóne m. **1** (*zool.*, *Python*) python: **p. diamantino** (*Python spilotes*), diamond python; carpet python; carpet snake **2** (*pelle*) python skin: **scarpe di p.**, python-skin shoes.

pitonéssa f. **1** (*pizia*) pythoness **2** (*scherz.*: *indovina*) pythoness; fortune-teller.

pitònico a. (*letter.*) pythonic.

pitòsforo → **pittosporo**.

pittàre v. t. (*region.*) to paint.

pìttima ① f. (*zool.*, *Limosa limosa*) godwit: **p. reale**, black-tailed godwit.

pìttima ② f. **1** (*med.*) poultice; cataplasm **2** (*fig.*: *persona noiosa*) pest; pain in the neck **3** (*fig.*: *spilorcio*) skinflint; niggard; cheapskate.

pittografìa f. pictography; picture-writing.

pittogràfico a. pictographic; pictorial: **scrittura pittografica**, pictography; picture-writing; **simbolo p.**, pictorial symbol; pictograph; pictogram.

pittogràmma m. pictograph; pictogram.

♦**pittóre** m. (f. **-trìce**) **1** painter; artist: **p. astrattista**, abstract painter; **p. di insegne**, sign painter; **p. di maniera**, mannerist; **p. di marine**, marine painter; seascapist; **p. di nature morte**, still-life painter; **p. di paesaggi**, landscape painter; landscapist; **p. di ritratti**, portrait painter; portraitist; **p. di scenari**, scene painter; **p. decoratore**, ornamental painter; decorator; **fare il p.**, to be a painter; **studio di p.**, painter's studio **2** (*imbianchino*) (house) painter; decorator **3** (*fig.*) painter; portrayer.

pittorésco a. **1** picturesque; charming; (*insolito o vecchiotto*) quaint; (*panoramico*) scenic: **luogo p.**, picturesque place; **veduta pittoresca**, picturesque view; scenic view **2** (*fig.*: *colorito*, *vivace*) picturesque; colourful; vivid: **descrizione pittoresca**, picturesque (*o* graphic) description; **stile p.**, picturesque (*o* vivid) style **3** (*fig.*: *stravagante*) colourful; flamboyant: **personaggio p.**, colourful character.

pittoricìsmo m. **1** (*letter.*) taste for the picturesque **2** (*pitt.*) pictorialism.

pittoricità f. pictorial qualities (pl.).

pittòrico a. **1** pictorial: **l'arte pittorica**, the pictorial art **2** (*fig.*) pictorial; graphic; picturesque.

pittòsporo m. (*bot.*, *Pittosporum tobira*) Japanese pittosporum.

♦**pittùra** f. **1** (*arte*) painting: **p. a olio**, oil painting; **p. ad acquerello**, watercolour painting; **p. a guazzo**, gouache; **p. astratta**, abstract painting; **p. dal vero**, painting from life; **p. di genere**, genre paiting; **p. su tela** [**su legno**], painting on canvas [on wood]; **la p. italiana del Trecento**, Italian Trecento painting; **studiare p.**, to study painting; **scuola di p.**, painting school **2** (*dipinto*) painting; picture: **una p. di Botticelli**, a painting by Botticelli; **pitture a olio**, oil paintings **3** (*fig.*: *descrizione*) vivid (*o* graphic) description; graphic representation **4** (*fam.*: *vernice*, *colore*) paint: **p. di guerra**, war-paint; **p. fresca**, wet paint; **mano di p.**, coat of paint **5** (*belletto*) make-up; rouge; (*scherz. o spreg.*) war-paint.

pitturàre **A** v. t. **1** (*dipingere*) to paint: **p. una stanza**, to paint a room **2** (*truccare*) to paint; to make* up: **pitturarsi gli occhi**, to make up one's eyes; **pitturarsi il viso**, to paint one's face; to put on make-up; to make up **B** pitturàrsi v. rifl. (*fam.*) to paint one's face; to make* up: **pitturarsi troppo**, to use too much make-up.

pitturazióne f. painting.

pituìta f. (*med.*) phlegm.

pituitàrio a. (*anat.*) pituitary: **ghiandola pituitaria**, pituitary gland (*o* body); hypophysis; **membrana pituitaria**, pituitary membrane.

♦**più** **A** avv. **1** (*compar.*) more; -er (suff. aggiunto agli avv., agli adg. monosillabi e ad alcuni bisillabi): **più autorevole**, more authoritative; **più giallo**, yellower; more yellow;

più profondo, deeper; **più semplice**, simpler; **più stretto**, narrower; **più a est**, further (to the) east; **più avanti**, further (on); **più velocemente**, more quickly; quicker; faster; *È più fortunato che intelligente*, he is lucky rather than intelligent; **più grigio che marrone**, more grey than brown; **più che contento** [**soddisfatto**], more than pleased [satisfied]; *È più che ricco, è un miliardario*, he is more than just rich, he's a multi-millionaire; **più che mai**, more than ever; **più di mille**, more than a thousand; over a thousand; **più di una volta**, more than once; *Mario è più intelligente di Carlo*, Mario is more intelligent than Carlo; *Sono più alto di te, e tu hai due anni più di me*, I'm taller than you and you are two years older than I am (o than me); *È molto più ricco di quanto tu non pensi*, he is much richer than you think; **dieci volte più grande**, ten times bigger; ten times as big as; **un'automobile due volte più grande della mia**, a car twice as big as mine; *Non per questo l'impresa è più difficile* [*facile*], the enterprise is none the more difficult [the easier] for this; **sempre più facile**, easier and easier; **sempre più difficile**, more and more difficult **2** (superl. relat.) (the) most; (the) -est (suff., aggiunto agli avv., agli agg. monosillabi e ad alcuni bisillabi); (*fra due*) (the) more, (the) -er (suff.): **il libro più difficile** [**facile**] **che io abbia mai letto**, the most difficult [the easiest] book I have ever read; *È il più ricco* [*strambo*] *dei due*, he is the richer [the more eccentric] of the two **3** (*anche di più*) (*rif. a numero, quantità*) more, most; (*rif. a tempo*) longer, longest; **mangiare** [**spendere**] **di più**, to eat [to spend] more; *Che vuoi di più?*, what more do you want?; **Me ne dia due di più**, give me two more (o another two); **Quello che più mi irrita** (*o che mi irrita di più*) **è che...**, what annoys me most is that...; *Di tutti noi Giorgio è quello che guadagna di più*, of all of us, Giorgio is the one who earns most; **Quale di questi quadri ti piace di più?**, which of these pictures do you like best (*tra due* better)?; **Ci sono rimasto di più**, I stayed there longer [the longest]; **un po' di più**, some more; a little more; a bit longer; **uno di più**, one more; an extra one **4** – **non... più**, (*rif. a quantità*) not... any more (o more; (*rif. a tempo*) no longer, not... any longer, not... any more; *Non ne voglio più*, I don't want any more; *Non c'è più pane*, there is no bread left; *Non c'è più tempo*, there is no time left; *Non siamo più bambini*, we are no longer children; we are not children any more; *Non è più con noi*, she is no longer with us; *Non abitano più qui*, they don't live here any more; they no longer live here; *Non ti voglio più vedere*, I don't want to see you any more; *Non ha più dipinto un quadro*, she has never painted another picture since **5** (correl.) the more... the more; -er..., ...er (suff.): (*Quanto*) *più studio questa materia*, (*tanto*) *più mi sembra difficile* [*facile*], the more I study this subject, the more difficult [the easier] it looks; *Più si è sensibili, più si soffre*, the more sensitive one is, the more one suffers; *Più avanti vai, più ripida diventa la strada*, the further (o the farther) you go, the steeper the road becomes; *Più s'invecchia, più si accumula esperienza*, the older you get, the more experience you acquire **6** (*mat.*) plus: *Uno più uno fa due*, one plus one is two; one and one are two; *Il termometro segna più dieci*, the thermometer reads seven degrees centigrades; **sei più**, six plus ● **più che altro**, mostly; mainly □ **più o meno**, more or less; (*all'incirca*) about; around: **più o meno completo**, more or less complete; **più o meno giusto**, about right; **più o meno venti**, twenty, more or less; about twenty; around

twenty □ **a più non posso**, as much [as fast, as hard, etc.] as possible (o as one can): **correre a più non posso**, to run as fast as one can; **gridare a più non posso**, to shout at the top of one's voice; to scream one's head off; **lavorare a più non posso**, to work as hard as possible; **mangiare a più non posso**, to eat as much as one can; to stuff oneself with food; *Lo picchiava a più non posso*, he was hitting him as hard as he could □ **al più** (*o tutt'al più*), at the most □ **al più presto**, at the earliest; at the soonest □ **al più tardi**, at the latest □ **chi più chi meno**, some more, some less □ **giorno più giorno meno**, give or take a day or two □ **il più possibile**, as much as possible □ (**il**) **più presto possibile**, as soon as possible; as soon as one can □ **in più**, in addition; additional (agg.); further (agg.); extra (agg. e avv.): **il 20% in più**, 20% extra; a further 20% □ **mai più**, never again: *Non torneranno mai più a Roma*, they will never go back to Rome; *Non lo farò mai più*, I'll never do it again □ **né più né meno**, neither more nor less; (*esattamente*) exactly; (*proprio*) just □ **non più di tanto**, not particularly; (*non eccessivamente*) not overly, not unduly, not overmuch; (*non molto*) only so much: *Non ne fui sorpreso più di tanto*, I wasn't particularly surprised; **non preoccuparsi più di tanto**, not to worry unduly (o too much, overmuch); *Non ho potuto fare più di tanto per aiutarlo*, there was only so much I could do to help him □ **per di più**, (*inoltre*) moreover, furthermore; (*in aggiunta*) what's more, on top of that, to boot: *Il mangiare era pessimo e per di più abbiamo speso un occhio*, the food was awful, and on top of that they overcharged us; *È un fannullone, e per di più è un bugiardo*, he's a layabout, and a liar to boot □ **per lo più** → **perlopiù** □ **per non dire di più**, to say the least □ **sempre (di) più**, more and more; increasingly □ **tanto più che**, all the more so because (o as) **B** prep. (*oltre a*) besides; in addition to; plus: *Siamo cinque più Mario*, there are five of us besides Mario **C** a. **1** (compar.) more: *Mettici più uova* [*più sale*], add more eggs [more salt]; *Avverti più persone che puoi*, warn as many people as you can; *Ho più soldi di lui*, I have more money than he has; **più auto che pedoni**, more cars than pedestrians; *Più di così non potevo fare*, I couldn't do more than that; **un'ora e più**, over an hour; one hour and more **2** (superl. relat.) the most: *Carlo ha più compact di tutti*, Carlo has the most CDs **3** (correl.) the more... the more: *Più soldi hai, più amici troverai*, the more money you have, the more friends you'll find **4** (*parecchi*) several: **più volte**, several times; *Ci vorranno più giorni per la riparazione*, the repairs will take several days **D** m. **1** most; (the) greater part **2** (*la cosa più importante*) (the) most important thing; (the) main thing: *Il più è cominciare*, the most important thing is to get started **3** (*mat.*) plus sign **4** (al pl.) most people; (the) majority: *I più la pensano così*, most people (o the majority) think that way ● **il più delle volte**, most times; mostly; generally □ *Il più è fatto*, we've broken the back of this job; we're over the worst □ **dal più al meno**, more or less; approximately □ **il di più**, the surplus; the surfeit □ **parlare del più e del meno**, to talk of nothing in particular; to talk about this and that; to chat casually □ (*scherz.*) **essere nel numero dei più**, to be dead (o among the dead).

piuccheperfètto m. (*gramm.*) pluperfect (tense); past perfect (tense).

◆**piùma** **A** f. **1** (*di uccello*) feather: **coprire di piume**, to cover with feathers; to feather; to plume; **guanciale** (**imbottito**) **di piume**, feather pillow; **materasso di piume**, feather bed; **leggero come una p.**, as light as a

feather **2** → **piumàggio 3** (*ornamento*) plume; feather **4** (*fig.: persona o cosa leggera*) featherweight **B** a. inv. – (*sport*) **peso p.**, featherweight.

piumàccio m. **1** feather pillow **2** (*naut.*) collision mat.

piumàggio m. plumage; feathering; feathers (pl.).

piumàto a. plumed; plumy: **elmo p.**, plumed helmet; **mantello p.**, plumed cloak.

piumétta f. **1** little feather **2** (*bot.*) plumule.

piumìno m. **1** (*piuma fine*) down: **p. d'oca**, eiderdown **2** (*cuscino da piedi*) eiderdown pillow **3** (*coperta di piume*) quilt; eiderdown; duvet **4** (*giubbotto*) quilted jacket; duvet jacket **5** (*per cipria*) powder puff **6** (*per spolverare*) feather duster **7** (*proiettile*) (airgun) dart.

piumóne m. eiderdown (quilt); continental quilt (*GB*); duvet.

piumosità f. featheriness; downiness.

piumóso a. feathery; downy.

piumòtto → **piumino**, def. 3.

piuòlo → **piolo**.

piùria f. (*med.*) pyuria.

◆**piuttòsto** **A** avv. **1** (*più facilmente*) more frequently: *Qui piove p. in primavera che in autunno*, it rains more frequently in spring than in autumn here **2** (*preferibilmente*) rather; (*invece*) instead; (*semplicemente*) just: *Prenderei p. una birra*, I would rather have a beer; I'd have a beer instead; *Ti telefono, o p. ti mando un fax*, I'll ring you, or rather (o or better still), I'll send you a fax; *Torna a casa, p.*, you had better go back home; *Vacci tu, p.*, you go instead **3** (*alquanto*) rather; somewhat; fairly: *A me pare p. carino*, I think he is rather good looking; *È p. difficile*, it's somewhat difficult; **p. bene**, fairly well; **p. male**, rather badly; **sentirsi p. stanco**, to feel rather tired **4** (*fam.*: **p. che**) or; and: **attori, p. che cantanti o personaggi televisivi**, actors, or singers, or TV personalities **B** **piuttòsto che**, **piuttòsto di** loc. cong. rather... than; sooner... than: *Vivrei p. a Londra che a Parigi*, I would rather (o sooner) live in London than in Paris; *P. che averlo come socio, vendo tutto*, I'd rather sell everything than have him as a partner; *P. morto che traditore*, better dead than a traitor; *P. morire!*, I'd sooner die!

pìva f. (*mus.*) bagpipes (pl.) ● (*fig.*) **tornarsene con le pive nel sacco**, to return empty-handed.

pivèllo m. **1** (f. **-a**) (*novellino*) raw beginner; novice; greenhorn (*fam.*); rookie (*fam. USA*); one still wet behind the ears (*fam.*) **2** (*giovincello pretenzioso*) cocky young man*; young pup.

piviàle m. (*eccles.*) cope.

pivière m. (*zool.*, *Charadrius*) (ringed) plover: **p. dorato** (*Charadrius apricarius*), golden plover; **p. tortolino** (*Charadrius morinellus*), (Eurasian) dotterel.

pivieréssa f. (*zool.*, *Squatarola squatarola*) black-bellied plover.

pìvot (*franc.*) m. inv. (*basket*) pivot; pivotman*.

pivotànte a. (*tecn.*) pivoting.

pìxel m. inv. (*comput.*) pixel.

pìzia f. (*stor.*) Pythia.

pìzio a. Pythius: *Apollo P.*, Apollo Pythius.

◆**pìzza** f. **1** (*cucina*) pizza*: **p. alla napoletana**, Neapolitan pizza; **p. al taglio** (o **al trancio**), pizza sold by the slice; sliced pizza **2** (*fig.*) bore; drag (*fam.*); yawn (*fam.*) **3** (*cinem.*: *scatola*) (film) can; (*pellicola*) reel.

pizzaiòlo m. (f. **-a**) **1** (*cuoco*) pizza maker **2** (*negoziante*) pizzeria owner ● (*cucina*) **alla pizzaiola**, cooked with peeled tomatoes, garlic and origano.

a b c d e f g h i j k l m n o p q r s t u v w x y z

pizzardóne m. (*region. scherz.*) traffic policeman*.

♦**pizzeria** f. pizzeria; pizza restaurant; pizza house.

pizzétta f. bit-size pizza.

pizzicàgnolo m. (f. *-a*) (*region.*) delicatessen merchant.

pizzicàre **A** v. t. 1 (*dare pizzicotti*) to pinch; (*torcendo*) to tweak: *Mi pizzicò il braccio*, he pinched my arm 2 (*solleticare, irritare*) to tickle; to prickle; (*di liquido sulla pelle*) to sting*: *Queste lenzuola pizzicano*, these sheets tickle 3 (*di insetto*) to sting*; to bite*: *Un'ape mi ha pizzicato*, I've been stung by a bee 4 (*di cibo, bevanda*) to burn*: **p. la lingua**, to burn the tongue 5 (*del freddo*) to pinch; to nip 6 (*fig.: punzecchiare*) to taunt; to tease 7 (*fig. fam.: cogliere di sorpresa*) to catch*; (*cogliere in flagrante*) to catch* (sb.) red-handed; (*arrestare*) to seize, to nab (*fam.*): *Se ti pizzico, sono guai!*, if I catch you, you'll pay for it!; **farsi p.**, to be (*o* to get) caught 8 (*fig. fam.: rubare*) to pinch; to filch: *Qualcuno mi ha pizzicato l'orologio*, somebody pinched my watch 9 (*mus.*) to pluck; to twang: **p. le corde d'un violino**, to pluck the strings of a violin; **p. una chitarra**, to twang a guitar **B** v. i. 1 (*sentire pizzicore*) to itch; to be (*o* to feel*) itchy; to tickle: *Le punture delle zanzare pizzicano*, mosquito bites itch; *Mi pizzica una gamba*, my leg is itchy; *Mi pizzica la gola*, my throat is tickling; I've got a tickle in my throat; **sentirsi p. dappertutto**, to be itching all over; (*anche fig.*) **sentirsi p. le mani**, to feel one's hand itching 2 (*essere piccante*) to be hot: **salsa che pizzica**, hot sauce **C pizzicàrsi** v. rifl. recipr. to tease each other [one another].

pizzicàta f. → **pizzico**, *def. 1 e 2*.

pizzicàto a. e m. (*mus.*) pizzicato*: **note pizzicate**, pizzicato notes.

pizzicheria f. (*region.*) delicatessen (shop).

pizzichìno a. (*fam.*) 1 (*piccante*) hot 2 (*frizzante*) fizzy.

pizzico m. 1 (*il pizzicare*) pinch; (*con torsione*) tweak: **dare un p.**, to give a pinch [a tweak]; to pinch; to tweak 2 (*presa*) pinch: **un p. di tabacco [di sale]**, a pinch of snuff [of salt] 3 (*fig.: piccola quantità*) touch; bit; hint: **un p. di umorismo**, a touch of humour; **un p. di buon senso**, a bit of common sense 4 (*puntura d'insetto*) sting; bite.

pizzicóre m. 1 (*prurito*) itch, itching; (*irritazione, formicolio*) tickle, tingling; (*bruciore*) smart, sting: **un p. in gola**, a tickle in one's throat; (*anche fig.*) *Mi viene il p. alle mani*, my hands are itching 2 (*fig.*) itch; urge.

pizzicottàre v. t. (*fam.*) to pinch; (*torcendo*) to tweak.

pizzicòtto m. pinch; (*con torsione*) tweak: **dare un p. a q.**, to give sb. a pinch; to pinch sb.

♦**pizzo** m. 1 (*punta, estremità*) end; top; point 2 (*picco montuoso*) peak; mountain top 3 (*trina*) lace 🔲: **colletto di p.**, lace collar; **ornato di pizzi**, trimmed with lace 4 (*barba a punta*) pointed beard; goatee; Van Dyke 5 (*region.: tangente*) protection money 🔲.

pizzòso a. (*fam.*) boring: **libro p.**, boring book; **individuo p.**, bore; pain in the neck (*fam.*).

P/L sigla (*ferr.*, **passaggio a livello**) level crossing (l.c.).

placàbile a. placable; appeasable; pacifiable.

placàre **A** v. t. (*anche fig.*) to placate; to appease; to pacify; to calm down; to soothe; to assuage; to allay: **p. q.**, to placate (*o* to pacify) sb.; to calm sb. down; **p. un dolore**, to soothe a pain; **p. la propria ira**, to appease one's anger; **p. la sete**, to quench one's thirst; **p. gli stimoli della fame**, to appease one's hunger **B placàrsi** v. i. pron. 1 (*di persona*) to calm oneself; to calm down 2 (*di cosa*) to calm down; to subside; to abate; to die down: *Il vento si era già placato*, the wind had already subsided; *Il mare si placò*, the sea calmed down; *Il dolore si placherà*, the pain will abate (*o* subside, die down); (*fig.*) **quando si sarà placata la bufera**, when the uproar has died down.

plàcca f. 1 (*lamina di metallo*) (metal) plate 2 (*targa*) plaque; (*piastrina*) metal badge 3 (*elettr.*) plate: **placche di deflessione**, deflector plates 4 (*alpinismo*) smooth rock face 5 (*anat.*) plate: **p. neurale**, neural plate; **p. neuromuscolare**, end plate 6 (*med.*) plaque; patch: **p. batterica**, dental plaque 7 (*geol.*) plate: **tettonica a placche**, plate tectonics.

placcàggio m. (*sport: rugby, football americano, ecc.*) tackle.

placcàre v. t. 1 to plate: **p. in argento**, to silver-plate; **p. in oro**, to gold-plate 2 (*sport: rugby, football americano, ecc.*) to tackle.

placcàto a. (*metall.*) plated: **p. in argento**, silver-plated.

placcatùra f. (*ind. metall.*) plating: **p. d'oro**, gold plating; **p. elettronica**, electroplating.

placchétta f. 1 small plate 2 (*arte*) plaquette 3 (*di occhiali*) nose pad.

placebo (*lat.*) **A** m. inv. (*farm.*) placebo* **B** a. inv. placebo (attr.): **effetto p.**, placebo effect.

placènta f. 1 (*anat.*) placenta*; afterbirth: **p. previa**, placenta previa 2 (*bot.*) placenta*.

placentàre a. (*anat., bot.*) placental; placentary.

placentàto m. (*zool.*) placental mammal; (al pl., *scient.*) Placentalia.

placentazióne f. (*anat., bot.*) placentation.

plàcet (*lat.*) m. inv. (*leg.*) placet.

placidità, **placidézza** f. placidity; tranquillity; (*pace*) peacefulness; calm.

plàcido a. placid; tranquil; (*pacifico, calmo*) peaceful, calm: **carattere p.**, placid nature; **notte placida**, peaceful night; **mare p.**, calm sea; **sonno p.**, placid (*o* peaceful) sleep.

plàcito m. (*stor.*) 1 (*sentenza, giudizio*) judgment; decree; placitum* 2 (*assemblea*) assembly; meeting.

placóde m. (*anat.*) placode.

placòide a. (*zool.*) placoid: **squame placoidi**, placoid scales.

plafonatùra f. 1 (*operazione*) ceiling building 2 → **plafond**, *def. 1*.

plafond (*franc.*) m. inv. 1 (*soffitto*) ceiling; plafond 2 (*limite massimo*) ceiling; (*banca, credito*) line of credit, credit line, credit limit.

plafóne m. ceiling; plafond.

plafonièra f. ceiling light fixture.

plàga f. (*lett.*) region; zone.

plagàle a. (*mus.*) plagal.

plagiàre v. t. 1 (*copiare*) to plagiarize 2 (*leg.*) to subjugate morally; to exert undue influence over.

plagiàrio **A** a. plagiarizing; plagiaristic **B** m. (f. *-a*) plagiarist.

plagiàto **A** a. 1 (*copiato*) plagiarized 2 (*leg.*) morally subjugated; unduly influenced; under the influence (of sb.) **B** m. (f. *-a*) (*leg.*) morally subjugated person; unduly influenced person.

plagiatóre **A** a. plagiarizing **B** m. (f. *-trice*) plagiarist.

plàgio m. 1 (*copiatura*) plagiarism: **accusare q. di p.**, to accuse sb. of plagiarism 2 (*opera frutto di un p.*) piece of plagiarism; plagiarized work: *Questo articolo è un p.*, this

article has been plagiarized 3 (*leg.*) moral subjugation; undue influence.

plagiocefalia f. (*med.*) plagiocephaly.

plagioclàsio m. (*miner.*) plagioclase.

plagiotropìşmo m. (*bot.*) plagiotropism.

plaid (*ingl.*) m. inv. knee rug; (*travelling*) rug (*GB*); throw (*USA*); lap robe (*USA*); (*lavorato a maglia o a uncinetto*) afghan: **p. scozzese**, tartan rug.

planaménto m. (*aeron.*) gliding.

planàre① a. 1 plane; flat; level 2 (*geom., elettron.*) planar: **dispositivo p.**, planar device; **sistema p.**, planar array.

planàre② v. i. 1 (*aeron.*) to glide; to volplane: (*di uccello*) to plane 2 (*naut.*) to plane; to skim.

planària f. (*zool.*) planaria.

planarità f. (*geom., elettron.*) planarity.

planàta f. (*aeron.*) glide; volplane.

planàto a. (*aeron.*) – **volo p.**, volplane.

plància f. 1 (*naut.: ponte di comando*) bridge: **p. corazzata**, battle bridge; **salire in p.**, to go up to the bridge 2 (*naut.: passerella*) gangplank; gangway.

plàncton m. inv. (*biol.*) plankton.

planctònico a. (*biol.*) planktonic.

planetàrio **A** a. 1 (*astron.*) planetary: **influsso p.**, planetary influence; **sistema p.**, planetary system 2 (*mondiale*) world; worldwide: **fama planetaria**, worldwide fame; **la popolazione planetaria**, the world population; **di dimensioni planetarie**, worldwide 3 (*mecc.*) planetary; planet (attr.): **rotismo (*o* treno) p.**, planetary gear train; **ruota planetaria**, planet (*o* planetary) gear (*o* wheel) **B** m. 1 (*macchina e luogo*) planetarium* 2 (*mecc.*) crown wheel.

planetòide m. (*astron.*) minor planet; (*anche artificiale*) planetoid.

planetologia f. (*astron.*) planetology.

planetològico a. (*astron.*) planetological.

planigrafia f. (*med.*) planigraphy.

planigràmma m. (*med.*) planigramme.

planimetrìa f. 1 (*geom.*) planimetry 2 (*rappresentazione in pianta*) (location) plan.

planimètrico a. (*geom.*) planimetric.

planimetro m. planimeter.

planiròstro a. (*zool.*) planirostral; flat-billed.

planisfèro m. (*astron.*) planisphere.

planitùdine f. planeness; flatness.

plànkton → **plancton**.

planogamète m. (*biol.*) planogamete.

planografia f. (*tipogr.*) planography.

planogràfico a. (*tipogr.*) planographic: **stampa planografica**, planographic printing.

plantagenèto a. (*stor.*) Plantagenet.

plantàre **A** a. (*anat.*) plantar: **arcata p.**, plantar arch **B** m. arch support.

plantìgrado a. e m. (*zool.*) plantigrade.

plàntula f. (*bot.*) seedling.

plaquette (*franc.*) f. inv. brochure; booklet.

plàsma m. (*biol., fis., miner.*) plasma; plasm ● (*tecn.*) **schermo al p.**, plasma screen.②

plaşmàbile a. 1 mouldable; malleable; plastic: **creta p.**, plastic clay 2 (*fig.*) malleable; pliable.

plaşmabilità f. (*anche fig.*) malleability.

plaşmacèllula f. (*biol.*) plasma cell.

plaşmafèreşi f. (*med.*) plasmapheresis.

plaşmalèmma m. (*biol.*) plasmalemma.

plaşmalògeno m. (*chim.*) plasmalogen.

plaşmàre v. t. (*anche fig.*) to mould; to shape; to form; to fashion: **p. la cera [la creta]**, to mould wax [clay]; **p. il carattere di q.**, to mould sb.'s character.

plaşmàtico a. (*biol.*) plasmatic; plasmic; plasma (attr.): **membrana plasmatica**, plasma membrane.

plaşmatóre A a. moulding B m. (f. *-trice*) moulder; shaper.

plaşmìde, plaşmìdio m. (*biol.*) plasmid.

plaşmocìta, plaşmocìto m. (*biol.*) plasmacyte.

plaşmocitòşi f. (*biol.*, *med.*) plasmacytosis.

plaşmodiàle a. (*biol.*) plasmodial.

plaşmòdio m. (*biol.*) plasmodium*.

♦**plàstica** f. 1 (*arte del modellare*) plastic art 2 (*chir.*) plastic surgery ⬚: **(intervento di) p. facciale**, plastic surgery on one's face; **farsi una p. al naso**, to undergo plastic surgery on one's nose; to have a nose job (*fam.*) 3 (*materia p.*) plastic: *I bicchieri sono di p.*, the glasses are (made of) plastic; **industria della p.**, plastics industry; **sacchetto di p.**, plastic bag.

plasticàre v. t. 1 (*modellare*) to mould 2 (*rivestire di plastica*) to coat with plastic; (*avvolgere in plastica*) to wrap in plastic.

plasticatóre m. (f. *-trice*) plastic artist; shaper.

plasticìşmo m. (*arte*) plasticism.

plasticità f. plasticity.

plasticiżżànte → **plastificante**.

plàstico A a. plastic: **argilla plastica**, plastic (*o* modelling) clay; **arti plastiche**, plastic arts; **chirurgia plastica**, plastic surgery; plastics (pl. col verbo al sing.); **chirurgo p.**, plastic surgeon; **esplosivo p.**, plastic explosive; **materie plastiche**, plastics; **posa plastica**, plastic attitude B m. 1 (*archit.*) (plastic) model 2 (*carta geografica*) relief map 3 (*esplosivo*) plastic explosive: **bomba al p.**, plastic bomb.

plastidio m. (*biol.*) plastid.

plastificànte (*chim.*) A a. plasticizing B m. plasticizer.

plastificàre v. t. 1 to plasticize 2 (*rivestire di plastica*) to plastic-coat.

plastificàto a. 1 plasticized 2 (*rivestito di plastica*) plastic-coated.

plastificazióne f. (*ind.*) 1 plasticization 2 (*rivestimento*) plastic-coating.

plastilìna® f. plasticine®, Plasticine.

plastisòl m. (*chim.*) plastisol.

plastron m. inv. (*cravatta*) ascot tie 2 (*sparato*) shirt front; plastron.

platanària f. (*bot.*, *Acer platanoides*) Norway maple.

platanéto m. plane-tree wood.

plàtano m. (*bot.*, *Platanus orientalis*) plane, plane-tree ● (*bot.*) **p. falso** (*Acer pseudoplatanus*), sycamore.

platèa f. 1 (*teatr.*) stalls (pl.) (*GB*); orchestra (*USA*): *La p. era semideserta*, the stalls were half empty; **poltrona di p.**, seat in the stalls; orchestra seat 2 (*gli spettatori*) audience (sing. *o* pl.) (in the stalls); (*estens.*: *pubblico*) audience 3 (*naut.*) floor; apron 4 (*edil.*) foundation; bed: **p. di calcestruzzo**, concrete bed 5 (*geol.*) shelf*; plateau: **p. continentale**, continental shelf.

plateàle a. 1 (*evidente*) blatant; glaring: (*sport*) **errore p.**, glaring mistake; **fallo p.**, blatant foul 2 (*ostentato*) ostentatious; (*teatrale*) theatrical, melodramatic: **gesto p.**, ostentatious gesture.

platealità f. 1 (*evidenza*) blatancy; glaringness 2 (*ostentazione*) ostentatiousness; theatricality.

plateàtico m. (*stor.*) stallage.

plateau (*franc.*) m. inv. 1 (*vassoio*) tray 2 (*cassetta*) crate: **un p. di mele**, a crate of apples 3 (*geogr.*) plateau; tableland 4 (*geol.*) shelf*; plateau.

platelmìnta m. (*zool.*) platyhelminth; flatworm; (al pl., *scient.*) Platyhelminthes.

platènse a. (*geogr.*) of Rio de la Plata.

platerésco a. (*archit.*) plateresque.

platéssa f. (*zool.*) plaice.

platicèrco m. (*zool.*, *Platycercus*) platycercus.

plàtina f. (*tipogr.*) platen.

platinàre v. t. 1 (*ind.*) to platinize 2 (*i capelli*) to dye platinum blonde.

platinàto a. 1 (*ind.*) platinized 2 (*di capelli*) platinum blonde: **una bionda platinata**, a platinum blonde.

platinatùra f. (*ind.*) platinization; platinizing.

platìnico a. (*chim.*) platinic: **acido p.**, platinic acid.

platinìfero a. (*miner.*) platiniferous; platinum-bearing.

plàtino A m. (*chim.*) platinum: **nero di p.**, platinum black; **spugna di p.**, platinum sponge B a. inv. – **biondo p.**, platinum blonde.

platirrìna f. (*zool.*, *Platyrrhina*) platyrrhine (primate).

Platóne m. (*stor. filos.*) Plato.

platonicaménte avv. platonically.

platònico A a. 1 (*filos.*) Platonic; of Plato: **i dialoghi platonici**, the Dialogues of Plato; **la filosofia platonica**, Platonic philosophy; **solidi platonici**, platonic bodies 2 (*fig.*) platonic: **amore p.**, platonic love 3 (*fig.*: *teorico*) platonic; confined to words; purely theoretical B m. (f. *-a*) (*filos.*) Platonist.

platonìşmo m. (*filos.*) Platonism.

plaudènte a. (*lett.*) applauding.

plaudìre v. i. (*lett.*, *anche fig.*) to applaud.

plauşìbile a. 1 (*lett.*: *degno di plauso*) praiseworthy; laudable; commendable 2 (*credibile*) plausible, believable; (*ragionevole*) reasonable; (*verosimile*) probable, likely: **ragioni plausibili**, plausible motifs; reasonable arguments; **scusa p.**, plausible excuse.

plauşibilità f. plausibility; reasonableness.

plàuşo m. 1 (*lett.*: *applauso*) applause 2 (*fig.*: *approvazione*) approbation, approval; (*lode*) plaudits (pl.), praise.

plàustro m. (*stor.*) plaustrum*.

plautìno a. (*letter.*) Plautine.

Plàuto m. (*stor. letter.*) Plautus.

playback (*ingl.*) m. inv. 1 (*cinem.*) synchronizing; dubbing 2 (*TV*, *rif. a canzoni*) lip-synch: **cantare in p.**, to lip-synch; to mine ❶ FALSI AMICI • playback *non si traduce con* playback.

playmaker (*ingl.*) m. e f. inv. (*sport*) playmaker.

play off (*ingl.*) m. inv. (*sport*) play-off.

P.le abbr. (*negli indirizzi*, **Piazzale**) Square (Sq.).

plebàglia f. (*spreg.*) mob; rabble; (*gentaglia*) rabble, riff-raff.

plèbe f. 1 (*stor. romana*) plebs* 2 (*popolo*) common people (pl.); lower classes (pl.); (*spreg.*) populace, mob, rabble.

plebeìşmo m. (*spreg.*) vulgarism; vulgar expression.

plebèo A a. 1 (*di, della plebe*) plebeian: **di origine plebea**, of plebeian (*o* low) birth 2 (*spreg.*) plebeian; common; (*volgare*) coarse, vulgar: **gusti plebei**, plebeian tastes; **linguaggio p.**, coarse language; **modi plebei**, plebeian (*o* vulgar) manners; vulgarity B m. (f. *-a*) 1 (*stor. romana*) plebeian: **patrizi e plebei**, patricians and plebeians 2 (*spreg.*) plebeian; pleb.

plebiscitàrio a. 1 plebiscitary 2 (*fig.*: *unanime*) unanimous: **approvazione plebiscitaria**, unanimous agreement; general consent.

plebiscìto m. 1 (*stor.*, *polit.*) plebiscite 2 (*fig.*: *consenso universale*) general consent; unanimous agreement: **un p. di lodi**, a chorus of praise.

plecòttero m. (*zool.*) plecopteran; (al pl., *scient.*) Plecoptera.

plèiade f. (*fig.*) pleiad: **una p. di poeti**, a pleiad of poets.

Plèiadi f. pl. (*mitol.*, *astron.*) Pleiades.

pleiotropìa f. (*biol.*) pleiotropism.

pleiotròpico a. (*biol.*) pleiotropic.

Pleistocène m. (*geol.*) Pleistocene.

pleistocènico a. (*geol.*) Pleistocene (attr.).

plenariaménte avv. plenarily.

plenàrio a. 1 plenary: **assemblea plenaria**, plenary assembly (*o* meeting); **sessione plenaria**, plenary session 2 (*totale*) full; plenary; complete: **consenso p.**, full consent; (*eccles.*) **indulgenza plenaria**, plenary indulgence.

plenilunàre a. of the full moon; full moon (attr.): **notte p.**, full moon night.

plenilùnio m. full moon.

plenipotenziàrio a. e m. plenipotentiary: **ministro p.**, minister plenipotentiary.

plenitùdine f. (*lett.*) plenitude; fullness: (*teol.*) **la p. dei tempi**, the fullness of time.

plènum (*lat.*) m. inv. plenum*; plenary assembly.

pleocroìşmo m. (*miner.*) pleochroism.

pleonàşmo m. (*ling.*) pleonasm.

pleonàstico a. (*ling.*) pleonastic.

pleonàsto m. (*miner.*) pleonaste.

pleròma ① m. (*filos.*) pleroma.

pleròma ② m. (*bot.*) plerome.

pleşiosàuro m. (*geol.*) plesiosaur.

plessìmetro m. 1 (*med.*) pleximeter 2 (*mus.*) metronome.

plèsso m. 1 (*anat.*) plexus*: **p. cardiaco**, cardiac plexus; **p. nervoso**, nerve (*o* nervous) plexus 2 (*bur.*) complex; unit.

pletişmografìa f. (*med.*) plethysmography.

pletişmògrafo f. (*med.*) plethysmograph.

plètora f. 1 (*med.*) plethora 2 (*fig.*) plethora; excess; superfluity; superabundance; surfeit.

pletòrico a. 1 (*med.*) plethoric 2 (*fig.*) plethoric; superabundant; redundant; (*di stile*) inflated, turgid.

plèttro m. (*mus.*) plectrum*; pick (*fam.*): **strumenti a p.**, plectrum instrument.

plèura f. (*anat.*) pleura*: **p. polmonare**, pulmonary pleura.

pleuràle, plèurico a. (*anat.*) pleural: **cavo pleurico**, pleural cavity.

pleurìte f. (*med.*) pleurisy.

pleurìtico (*med.*) A a. pleuritic B m. (f. *-a*) pleuritic patient.

pleurocentèşi f. (*med.*) pleurocentesis.

pleurodinìa f. (*med.*) pleurodynia.

pleuroperitonìte f. (*med.*) pleuroperitonitis.

pleuropolmonàre a. pleuropulmonary.

pleuropolmonìte f. (*med.*) pleuropneumonia.

pleuroscopìa f. (*med.*) pleuroscopy.

pleurotomìa f. (*med.*) pleurotomy.

plèuston m. inv. (*biol.*) pleuston.

plexiglàs® m. plexiglas, Plexiglas®.

PLI sigla (*stor.*, **Partito liberale italiano**) Italian Liberal Party.

plìca f. 1 (*anat.*) plica*; fold 2 (*mus.*) plica*.

plicatìvo a. (*geol.*) plicate.

plicàto a. (*bot.*) plicate.

plìco m. (*busta*) envelope; (*pacchetto*) packet, parcel: **p. di carte**, packet of papers; **p. sigillato**, sealed envelope [parcel]; **in p. a parte**, under separate cover.

plicòmetro m. (*med.*) skinfold caliper.

pliniàno a. Plinian: (*geol.*) **eruzione di tipo p.**, Plinian eruption.

Plìnio m. (*stor.*) Pliny.

plìnto m. **1** (*archit.*) plinth: **p. di fondazione**, foundation plinth **2** (*ginnastica*) box **3** (*mil.*) base ring.

Pliocène m. (*geol.*) Pliocene.

pliocènico a. (*geol.*) Pliocene (attr.).

pliopòlio m. (*econ.*) pliopoly.

pliopsònio m. (*econ.*) pliopsony.

plissé (*franc.*) **A** a. inv. plissé; pleated **B** m. inv. plissé.

plissettàre v. t. to pleat.

plissettàto a. pleated.

plissettatrìce f. pleating machine.

plissettatùra f. pleating.

plop inter. plop: **fare p.**, to plop.

plotóne m. **1** (*mil.*) platoon: **p. di fanteria [di cavalleria]**, infantry [cavalry] platoon; **p. d'esecuzione**, firing squad; firing party **2** (*ciclismo*) peloton (*franc.*); pack.

pluf inter. plop.

plùgo m. (*esca*) plug.

plùmbeo a. **1** (*color piombo*) leaden; plumbeous: **cielo p.**, leaden sky; **nuvole plumbee**, leaden clouds **2** (*fig.*) oppressive; heavy; suffocating.

plurale a. e m. (*gramm.*) plural: **sostantivo p.**, plural noun; **terza persona p.**, third person plural; **al p.**, in the plural; **prendere il p.**, to take the plural; *Come fa il p. di 'child'?*, what is the plural of 'child'?

plurális maiestàtis (*lat.*) loc. m. (the) royal we.

pluralìsmo m. pluralism.

pluralìsta m. e f. pluralist.

pluralìstico a. pluralist, pluralistic.

pluralità f. **1** (*molteplicità*) plurality, multiplicity; (*varietà*) variety: **p. di opinioni**, plurality of opinions **2** (*maggioranza*) plurality; (relative) majority: **la p. dei presenti**, the majority of those present; **a p. di voti**, by a majority.

pluralizzàre v. t. (*mettere al plurale*) to pluralize; to make* plural.

pluriaggravàto a. (*leg.*) having several aggravating circumstances.

pluriàrma a. inv. (*mil.*) relative to more that one of the armed forces.

pluriarticolàto a. (*bot.*, *zool.*) multiarticulate.

pluriatòmico a. (*fis.*) polyatomic.

pluricellulàre a. (*biol.*) multicellular.

pluricèntrico a. multicentre.

pluriclàsse f. (*scuola*) mixed-level elementary school class.

pluricoltùra f. (*agric.*) polyculture.

pluridecennàle a. lasting several decades; decade-long.

pluridecoràto **A** a. much-decorated **B** m. much-decorated person.

pluridimensionàle a. multidimensional.

pluridimensionalità f. multidimensionality.

pluridirezionàle a. multidirectional.

pluridisciplinàre a. multidisciplinary.

pluriennàle a. lasting several years; of many years; long-term: **contratto p.**, long-term contract; **corso p.**, course lasting several years; **esperienza p.**, long experience; several years' experience.

plurietnico a. multiethnic.

plurifàse a. polyphase; (*elettr.*, *anche*) multiphase.

plurigemellàre, **plurigèmino** a. multiparous.

plurilateràle a. multilateral; many-sided.

plurilìngue a. multilingual.

plurilinguìsmo m. multilingualism.

plurilinguìstico a. multilingual.

plurimandatàrio a. (*comm.*) representing different firms.

plurimiliardàrio m. (f. **-a**) multibillionaire.

plurimilionàrio m. (f. **-a**) multimillionaire.

plurimillenàrio a. thousands of years old; several-thousand-year-old (attr.).

plùrimo a. multiple; plural: **parto p.**, multiple birth; **voto p.**, plural voting.

plurimotóre (*aeron.*) **A** a. multi-engined **B** m. multi-engined aircraft.

plurinazionàle a. multinational.

plurinominàle a. (*polit.*) multi-member (attr.); plurinominal: **collegio p.**, multi-member constituency; **sistema p.**, plurinominal system.

plurinucleàto a. (*biol.*) multinucleate; multinuclear.

pluriomicìda m. e f. multiple homicide; serial killer.

plurìpara **A** a. multiparous **B** f. (*med.*) multipara; pluripara.

pluripartìtico a. (*polit.*) multiparty (attr.).

pluripartitìsmo m. (*polit.*) multiparty system; multipartyism.

pluriplàno a. e m. (*aeron.*) multiplane.

pluripòlide a. having more than one nationality.

pluripòsto a. e m. inv. (*aeron.*) multiseater.

pluripotènte a. (*biol.*) pluripotent.

pluripotènza f. (*biol.*) pluripotency.

plurireattóre (*aeron.*) **A** m. multi-jet engine (aircraft) **B** a. multi-jet (engined).

plurirèddito a. inv. having more than one income.

plurisecolàre a. centuries-old; age-old.

plurisettimanàle a. occurring several times a week.

plurisettoriàle a. regarding various sectors; multisector.

plurisìllabo a. (*gramm.*) polysyllabic.

pluristàdio a. inv. (*aeron.*) multistage.

pluristilìsmo m. coexistence of various styles.

pluristilìstico a. containing various styles.

pluriùso a. inv. multipurpose.

plurivalènte a. (*chim.*) multivalent; polyvalent.

plurivalutàrio a. (*econ.*) multicurrency.

plus m. inv. (*econ.*) plus.

plùsia f. (*zool.*, *Plusia gamma*) silver-Y moth.

plusvalènza f. (*econ.*) **1** (*apprezzamento*) appreciation **2** (*utile da capitale*) capital gain.

plusvalóre m. (*econ.*) surplus value.

Plutàrco m. (*stor. letter.*) Plutarch.

plùteo ① m. (*stor.*, *archit.*) pluteus*.

plùteo ② m. (*zool.*) pluteus*.

plutòcrate m. e f. plutocrat.

plutocràtico a. plutocratic.

plutocrazìa f. plutocracy.

plutóne m. (*geol.*) pluton.

Plutóne m. (*mitol.*, *astron.*) Pluto.

plutoniàno a. **1** (*astron.*) Plutonian **2** (*geol.*) plutonic.

plutònico a. **1** → **plutoniano 2** (*lett.*) plutonian; infernal.

plutònio **A** a. (*lett.*) Plutonian; plutonian **B** m. (*chim.*) plutonium.

plutonìsmo m. (*geol.*) plutonism.

pluviàle **A** a. rain (attr.); (*geol.*) pluvial: **acqua p.**, rainwater; (*edil.*) **conduttura p.**, downspout; downpipe; **erosione p.**, pluvial erosion; **foresta p.**, rainforest **B** m. (*edil.*) downspout; downpipe.

pluviògrafo m. (*meteor.*) recording rain gauge.

pluviometrìa f. (*meteor.*) pluviometry.

pluviomètrico a. (*meteor.*) pluviometric.

pluviòmetro m. (*meteor.*) rain gauge; pluviometer.

pM sigla (*fis.*, **peso molecolare**) molecular weight (mol. wt.).

PM sigla **1** (*mil.*, **polizia militare**) military police (MP) **2** (**polizia municipale**) municipal police **3** (*filat.*, **posta militare**) military post **4** (*leg.*, **pubblico ministero**) public prosecutor.

p.m. sigla (*lat.*: *post meridiem*) (**pomeridiano**) after noon (p.m.).

PMI sigla (**piccola e media impresa** (o **industria**)) small and medium-sized enterprise (o industry) (SME).

PN abbr. (**Pordenone**).

pnèuma m. (*filos.*, *mus.*) pneuma.

pneumàtico ① a. (*filos.*) pneumatic.

pneumàtico ② **A** a. pneumatic; air (attr.): **avvitatrice pneumatica**, pneumatic wrench; **macchina pneumatica**, air pump; **martello p.**, pneumatic hammer; **materassino p.**, air bed; **posta pneumatica**, pneumatic post; **scalpello p.**, pneumatic rock-drill; **trapano p.**, pneumatic drill **B** m. (*autom.*) tyre, tire (*USA*): **a bassa pressione**, low-pressure tyre; **p. ad alta pressione**, high-pressure tyre; **p. con battistrada a canale**, grooved-tread tyre; **p. consumato**, bald tyre; **p. da neve**, snow tyre; **p. radiale**, radial tyre; **p. rigenerato**, retreaded tyre; retread; **pneumatici accoppiati**, coupled tyres; **gonfiare uno p.**, to pump up a tyre; *È scoppiato lo p.*, the tyre has burst; **lo scoppio di uno p.**, the bursting of a tyre; a blow-out (*fam.*).

pneumatòforo m. (*bot.*, *zool.*) pneumatophore.

pneumatologìa f. (*filos.*) pneumatology.

pneumatòmetro m. (*med.*) spirometer.

pneumectomìa f. (*med.*) pneumonectomy.

pnèumico a. (*med.*) pneumonic.

pneumocèle m. (*med.*) pneumatocele; pneumocele.

pneumocòcco m. (*med.*) pneumococcus*.

pneumoconiòsi f. (*med.*) pneumoconiosis.

pneumoencefalografìa f. (*med.*) pneumoencephalography.

pneumografìa f. (*med.*) pneumography.

pneumologìa f. (*med.*) pneumology.

pneumòlogo m. (f. **-a**) lung specialist.

pneumometrìa f. (*med.*) pneumatometry.

pneumòmetro m. (*med.*) pneumatometer.

pneumonectomìa → **pneumectomia**.

pneumorragìa f. (*med.*) pneumorrhagia.

pneumotomìa f. (*chir.*) pneumotomy.

pneumotoràce m. (*med.*) pneumothorax.

PNF sigla (*stor.*, **Partito nazionale fascista**) National Fascist Party.

PNL sigla (**prodotto nazionale lordo**) gross national product (GNP).

PNN sigla (**prodotto nazionale netto**) net national product (NNP).

PNR sigla (**Programma nazionale per la ricerca**) national research programme.

PO sigla **1** (**posta ordinaria**) first class mail **2** (**Prato**).

♦**po'** → **poco**, **a** e **D**.

poc'ànzi avv. (*lett.*) a little while ago; a few minutes ago; just now.

pochade (*franc.*) f. inv. (*teatr.*) farce; light comedy.

pocherìno → **pokerino**.

pochette (*franc.*) f. inv. pochette; clutch bag; pocketbook (*USA*).

pochézza f. **1** (*scarsezza*) scarcity, lack, want; (*insufficienza*) insufficiency: **p. di mezzi**, lack of means **2** (*fig.*: *modestia*) smallness; (*ristrettezza*) narrowness; (*meschinità*) meanness, pettiness: **p. di mente**, narrow--mindedness.

pochino **A** a. (only a *o* too) little (pl. few); not much (pl. not many): *I partecipanti alla gara erano pochini*, there were only a few competitors **B** pron. indef. very little; not much; (al pl.) very few, not many; (*alcuni*, *alcune*) a few.

♦**pòco** **A** avv. **1** (con agg. e avv. di grado positivo; con part. pres. e pass. in funzione di agg.) not very; (con p. p.) little; not... very much; (con agg. e avv. di grado compar.) (a) little; not much: **p. conosciuto** (*o* **noto**), little known; **p. educato**, not very polite; **p. probabile**, not very likely **p. simpatico**, not very pleasant; *È p. convinto*, he's not very convinced; *Sto p. bene*, I am not (feeling) very well; I am unwell; *È p. più intelligente di lei*, he is not much (*o* he is little) more intelligent than she is; *Ha p. più di sessant'anni*, she is a little over sixty; *Il tuo giardino è p. più grande del mio*, your garden is not much bigger than mine; **p. più avanti** [**indietro**], a little further on [further back] **2** (con verbi) not much; little: *Questo vino mi piace p.*, I don't like this wine very much; *Esco p. la sera*, I don't go out much at night; *Dormo p.*, I don't get much sleep; *Ci vediamo p.*, we don't see much of each other; we see little of each other; *Lo conosco p.*, I don't know him well at all; I only know him slightly; **sentirci p.**, to be hard of hearing; **vederci p.**, to have poor eyesight **3** – **un p.** (*o* **un po'**), a little; a bit (*fam.*); (*rif. a tempo*) a while, some time; **un pochino**, a little bit; a tiny bit; a tad (*fam.*); **un bel po'**, a fair bit; quite a bit; *È un po' triste*, she is a little (*o* a bit) sad; *Mi sento un pochino meglio*, I feel a little bit better; *Gliene ho dato un bel po'*, I gave him quite a bit; *Non lo vediamo da un bel po'*, we haven't seen him for quite some time; *Ci avete messo un bel po'*, you took long enough!; **un po' alla volta**, a little (*o* a bit) at a time; bit by bit; **un po' per uno**, a little each; (*a turno*) in turns; **un po' più in su** [**in giù**], a little higher up [lower down]; **un po' più avanti** [**indietro**], a little further on [further back]; *Tu sei un po' più sensibile di me*, you're a little more sensitive than I (am); *Fa un po' ridere*, it's rather funny; *È un po' un problema*, it's a bit of a problem; *Un po' per il caldo, un po' per il silenzio, mi appisolai*, what with the heat and the silence, I dozed off **4** (*enfatico o pleonastico*) – *Di' un po'!*, hey! listen!; *Guarda un po' qui*, have a look at this; *Vediamo un po'*, now let's see; *Ma guarda un po'*, fancy that!; *Vedi un po' se ci riesci tu*, see here if you can do it ● **P. male**, it doesn't matter; never mind; no harm's done □ **p. o nulla**, very little or nothing at all □ **a dir p.**, to say the least □ **non p.**, not a little; quite: *Mi piace non p.*, I quite like it □ **press'a p.**, nearly; almost;

about **B** a. indef. **1** little (pl. few); not much (pl. not many): *C'è poca differenza*, there is little (o not much) difference; *C'è rimasto p. pane*, there isn't much bread left; there is little bread left; *C'è troppo poca luce qui*, there isn't enough light here; **un uomo di poche parole**, a man of few words; *Ho pochi amici*, I have few friends; I haven't many friends; *C'è p. da dire* [*da fare*], there isn't much one can say [do]; there is very little to be said [done]; *C'è p. da ridere*, it's no laughing matter; *C'è p. da scegliere*, there isn't much choice; *Ci vuole p. a farla felice*, it doesn't take much to make her happy; *Si contenta di p.*, he is easily satisfied; he is content with little **2** (in espress. di tempo) short; little; (in espress. ellittiche) a short time, a little while, not long, shortly: *Abbiamo p. tempo*, we have very little time; we haven't got much time; *Rimango qui solo per p. tempo*, I'm only going to stay here a little while; I won't stay here long; *In p. tempo tutta la casa fu in fiamme*, in a short time the whole house was on fire; **p. (tempo) fa**, a short time (o a little while) ago; **p. (tempo) dopo**, shortly after (o afterwards); a little later; **p. (tempo) prima**, shortly before; a little earlier; **p. più tardi**, a little later; *È p. che ho smesso di scrivere*, it's not long since I stopped writing; **durare p.**, not to last long; **fermarsi p.**, to stay only a few minutes; not to stay long; *Manca p. a Pasqua*, it's not long to Easter; *Manca p. al suo arrivo*, it will not be long now before she comes; she won't be long (in coming); *Gli manca p. per finire*, he's almost finished; **da p.**, (poco tempo fa) a short time ago; (poco tempo prima) a short time before; (nelle espress. di tempo continuato) for a short time; *È uscito da p.*, he left a few minutes ago; he has just left; *Abito qui da p.*, I haven't lived here long; *Come arrivai in Francia, mi informarono che mio padre era morto da p.*, when I arrived in France, I was told that my father had died a short time before; **di lì a p.**, shortly after (o afterwards); after a while; **fra p.**, in a short while; shortly; soon ● **a dir p.**, to say the least □ *C'è p. da Pisa a Lucca*, it's not (very) far from Pisa to Lucca □ **una cosa da p.**, a trifle; a small thing □ **un uomo da p.**, a worthless fellow □ **un vantaggio da p.**, an insignificant advantage □ *Ci mancò p. che cadessi*, I nearly fell □ **Per p. non fui investito da un'auto**, I was nearly run over by a car □ **vendere qc. per p.**, to sell st. cheap **C** pron. indef. **1** very little; not much; (un po') a little, some; (al pl.) very few, not many; (*alcuni*, *alcune*) a few: *Occorre molto denaro e io ne ho p.*, a lot of money is needed and I have very little; «*Quanta stoffa mi ci vorrà?*» «*Per una gonna, poca*», «how much material will I need?» «very little, for a skirt» □ **Dammene poche**, don't give me many **2** (al pl.) (poche persone) few (people); (alcuni) a few: **i pochi**, the few; **i pochi fortunati**, the lucky ones; **pochi di noi**, few of us; *Pochi hanno letto il mio pezzo*, few people have read my article; *Solo pochi risposero*, only a few answered; *Eravamo in pochi*, there were few of us; *Erano in pochi alla partita*, there weren't many people at the match **D** m. **1** little: *Il p. che ho è in banca*, the little (o what little money) I have is in the bank; *Il p. che fa lo fa bene*, the little he does, he does well; *Ogni p. conta*, every little helps; *Fece quel p. che poteva*, she did what little she could; **quel po' di greco che so**, the little Greek I know; **quel po' di tempo libero che ho**, the little free time I have **2** – **un p.** (*o* **un po'**), a little; a bit; **un po' di questo e un po' di quello**, a little of this and a little of that; **un po' di tutto**, a little of everything; **un po' di sale** [**di giudizio**], a little (o some) salt [common sense]; **un po' per uno**, a little each; *Vuoi un*

altro po' di vino?, will you have a little (o some) more wine?; *Dammene ancora un po'*, give me some more; *Ha un bel po' di quattrini*, he's got a fair bit of money **3** – **un po'** (*di tempo*), a short time; a little; a while; **da un po'**, (rispetto al presente) some time ago; (rispetto al passato) some time before; (tempo continuato) for some time; *È partito da un po'*, he left some time ago; *Vivo qui da un po'*, I have been living here for some time; **fra un po'**, in a short time; before long; *Restiamo un altro po'*, let's stay a bit longer ● **un p. di buono**, a bad lot □ **una p. di buono**, a tart; a slut □ **Che po' po' di faccia tosta!**, what a cheek!; what gall! □ **Con quel po' po' di casa...**, considering the house they have... □ **tra il p. e il molto**, between too little and too much □ (*prov.*) **Non lasciare il p. per l'assai**, never quit certainty for hope.

podàgra f. (*med.*) podagra; gout of the foot.

podàgrico, **podagróso** **A** a. (*med.*) podagric; podagral; gouty **B** m. (f. **-a**) podagric.

podàlico a. (*med.*) breech: **parto p.**, breech birth (o delivery); **presentazione podalica**, breech presentation.

podàrgo m. (*zool.*, *Podargus papuensis*) frogmouth.

poderàle a. (*agric.*) farm (attr.): **casa p.**, farmhouse.

poderànte **A** a. farming **B** m. e f. (*agric.*) **1** (padrone di podere) farm owner; farmer **2** (coltivatore, conducente) tenant farmer.

podére m. (*agric.*) farm; holding.

poderóso a. powerful; strong; mighty: **esercito p.**, powerful army; **mente poderosa**, mighty mind; **sforzo p.**, mighty effort; **voce poderosa**, powerful voice.

podestà f. (*stor.*) podestà.

podestarìle a. of a podestà: **carica p.**, office of a podestà.

podesterìa f. office [jurisdiction, tenure] of a podestà.

podiàtra m. e f. podiatrist; chiropodist.

podiatrìa f. podiatry; chiropody.

pòdice m. (*anat.*) bottom.

pòdio m. **1** (*archeol.*) podium* **2** (palco) podium; rostrum; platform; dais: **p. del direttore d'orchestra**, conductor's podium (o rostrum); **p. di oratore**, speaker's rostrum; **salire sul p.**, to mount the podium.

podìsmo m. (*sport*) track events (pl.); (corsa) running; (marcia) walking: **fare del p.**, to be a runner [a walker]; to do running [walking]; **gare di p.**, track events.

podista m. e f. **1** (*sport*) track athlete; (corridore) runner; (marciatore) walker **2** (*scherz.*: buon camminatore) good (o excellent) walker.

podìstico a. (*sport*: rif. a corsa) running (attr.); (rif. a marcia) walking (attr.): **gara podistica**, track event; (corsa) foot race; (marcia) walking race.

podocàrpo m. (*bot.*, *Podocarpus*) podocarp.

podofillìna f. (*farm.*) podophyllin.

podofillo m. (*bot.*, *Podophyllum peltatum*) May-apple.

podologìa f. (*med.*, *vet.*) podology.

podòlogo m. (f. **-a**) podiatrist.

podòmetro m. (contapassi) pedometer.

podùra f. (*zool.*, *Podura aquatica*) water springtail.

poèma m. **1** (*letter.*) (narrative) poem: **p. cavalleresco**, chivalric poem; metrical romance; **p. epico**, epic; **p. eroicomico**, mock--heroic poem; **i poemi omerici**, the Homeric poems; (*scherz.*) *Hai scritto un p., non una lettera!*, you've written an epic, not a letter!

2 (*mus.*) poem: **p. sinfonico**, symphonic poem; tone poem **3** (*fig.*: *cosa bellissima*) marvel, dream; (*cosa comica, ridicola*) something, (*alla vista*) sight: **un vino che è un p.**, a marvellous wine; **una vita che è un p.**, a very colourful life.

poemétto m. (long) poem.

♦**poesìa** f. **1** (*arte* e *tecnica*) poetry: **la p. burlesca**, mock-heroic poetry; **la p. epica [lirica, drammatica]**, epic [lyrical, dramatic] poetry; **la p. pastorale**, pastoral poetry; **la p. popolare**, popular poetry **2** (*produzione poetica*) poetry; poetical works (o writings) (pl.); verse: **la p. di Leopardi**, Leopardi's poetry (o poetical works); **la p. del Romanticismo**, Romantic poetry; **la p. italiana**, Italian poetry **3** (*componimento in versi*) poem; piece of poetry; verse Ⓤ: **le poesie di Carducci**, the poems of Carducci; **recitare una p.**, to recite a poem; **scrivere una p.**, to write a poem; **scrivere poesie**, to write poetry; **libro di poesie**, book of verse; **raccolta di poesie**, collection of poems **4** (*forma metrica, versi*) poetry; verse: **mettere in p.**, to put into verse; **scrivere in p.**, to write (o to compose) poetry **5** (*fig.*: *qualità poetica*) poetry; (*atmosfera romantica*) romance: **la p. della natura**, the poetry of nature; *La sua frase distrusse tutta la p. di quel momento*, his remark robbed the moment of all its romance (o magic) **6** (*fig.*: *sogni, illusioni*) dream; fantasy: **vivere di p.**, to live in a dream world.

♦**poèta** m. (f. **-téssa**) **1** poet: **p. di corte**, court poet; **p. lirico [epico, drammatico]**, lyrical [epic, dramatic] poet; **p. maledetto**, poète maudit (*franc.*); **un cattivo p.**, a rhymester; a versemonger; **il divino p.**, the divine Poet; Dante; **un grande p.**, a great poet; *Fu pittore e p.*, he was a painter and a poet **2** (*fig.*: *persona sensibile*) poet **3** (*scherz.* o *spreg.*: *sognatore*) dreamer, daydreamer; visionary.

poetàre v. i. to write* (o to compose) poetry (o verse).

poetàstro m. (f. **-a**) poetaster; rhymester; versemonger.

poetéssa f. (woman*) poet; poetess. (→ **poeta**).

poètica f. (*letter.*) poetics (pl. col verbo al sing.): **la p. di Aristotele**, Aristotle's Poetics.

poeticità f. poeticalness.

poeticizzàre v. t. to poeticize; to make* poetic.

poètico Ⓐ a. **1** poetic, poetical; **l'arte poetica**, the art of poetry; **composizione poetica**, poem; **espressione poetica**, poetic expression; **immagini poetiche**, poetic images; **licenza poetica**, poetic licence; **opere poetiche**, poetical works; **prosa poetica**, poetic prose **2** (*fig.*) poetic; romantic; sensitive: **amore p.**, poetic love; romance Ⓑ m. (the) poetic: **qualcosa di p.**, something poetic.

poetizzàre v. t. (*rendere poetico*) to poeticize; to make* poetic.

poetùcolo → **poetastro**.

poffarbàcco, **poffàre** inter. (*lett.*) by Jove!; by George!

pogàre v. i. to slam-dance; to mosh.

pòggia f. (*naut.*) leeward; lee-side ● **P.!**, up with the helm!; bear up! □ **andare a p.**, to bear up.

poggiacàpo m. inv. **1** (*di stoffa*) antimacassar **2** (*autom.*) headrest.

poggiafèrro m. inv. iron rest (o stand).

poggiamàmo m. inv. (*pitt.*) maulstick.

poggiapièdi m. inv. footrest; (*sgabello*) footstool.

♦**poggiàre** ① Ⓐ v. t. (*appoggiare*) to lean*, to rest; (*posare*) to put*, to place, to lay*: **p. una scala al muro**, to lean a ladder against the

wall; **p. la bottiglia sul tavolo**, to put the bottle on the table; **p. i piedi per terra**, to place one's feet on the floor Ⓑ v. i. **1** to rest; to be founded: *La casa poggia sulla roccia*, the house is founded on solid rock **2** (*fig.*: *basarsi*) to be based; to be founded; to rest **3** (*ling.*, *di accento*) to fall*.

poggiàre ② v. i. **1** (*naut.*: *andare a poggia*) to bear* up **2** (*naut.*: *rifugiarsi in porto*) to put* into harbour **3** (*accostare*) to move; to draw*: **p. a destra**, to move to the right.

poggiàta f. (*naut.*) bearing up.

poggiatèsta m. inv. (*autom.*) headrest.

poggièro a. (*naut.*) that carries a lee helm.

pòggio m. knoll; hillock; mound.

poggiòlo m. balcony.

pògrom m. inv. pogrom.

poh inter. pooh.

♦**pòi** Ⓐ avv. **1** (*in seguito, più tardi*) after; afterwards; later (on): *Ve lo dirò poi*, I'll tell you afterwards; *E se poi lui...?*, what if he...?; **da allora in poi**, from then onwards; ever since (then); **da domenica in poi**, from Sunday on; **da quel momento in poi**, from that time onwards; **d'ora in poi**, from now on; **da oggi in poi**, starting from today; **prima o poi**, sooner or later **2** (*successivamente*) then; (*più oltre, anche*) further on: **prima uno, poi l'altro**, first one, then the other; *Prima c'è il cinema e poi la chiesa*, first there's the cinema and then the church; *E poi?*, and then?; what then?; *Seguite questa strada per un miglio, poi voltate a destra*, follow this road for a mile, then turn to the right; *Si arrabbiò e poi si pentì*, she became angry and then she was sorry **3** (*in secondo luogo*) secondly; (*inoltre*) and besides: *Innanzi tutto non è intelligente, e poi si dà molte arie*, first of all he isn't intelligent, secondly he gives himself a lot of airs; *È troppo tardi per uscire, e poi piove*, it's too late to go out, and besides it's raining **4** (*avversativo*) but: *Io ti consiglio così, tu poi farai come credi*, that's my advice, but you do what you think fit; *Se poi sia vero, io non saprei*, but as to its being true, I don't really know **5** (*finalmente, insomma*) finally; at last; after all: *Ha poi deciso di venire?*, has he finally decided to come?; *Non era poi così difficile*, it wasn't all that difficult, after all; *Che diamine ho fatto io, poi?*, what am I supposed to have done? **6** (in frasi enfatiche o rafforzative) – *Questa poi non la credo!*, I honestly can't believe that!; *Questo poi è troppo!*, this is really too much!; *Questo poi no!*, certainly not!; *Io poi non c'entro*, it's nothing to do with me; *Perché poi se l'è presa?*, I wonder why she got so upset; *Come poi si sia laureato, Dio solo lo sa*, how he managed to get a degree, God only knows; *No e poi no!*, no, no, and again no!; **tanto e poi tanto**, so very much; ever so much (*fam.*) Ⓑ m. (the) future; (the) time to come: **senza pensare al poi**, without thinking of the future ● **il senno del poi**, wisdom after the event; hindsight Ⓒ **poi che** cong. (*lett.*) when; after.

poiàna f. (*zool.*, *Buteo vulgaris*) buzzard.

♦**poiché** cong. (dato che, dal momento che) as; since; because: *P. pioveva, non uscii*, as it was raining, I didn't go out; *P. non ho denaro, non posso comprarlo*, since I have no money, I can't buy it; *P. insisti, te lo dirò*, I'll tell you, since you insist.

poichilocìta, **poichilocìto** m. (*med.*) poikilocyte.

poïèsi f. (*filos.*) poïesis.

poïètico a. (*filos.*) poietic.

poinsèttia, **poinsèzia** f. (*bot.*, *Euphorbia pulcherrima*) poinsettia.

pointer (*ingl.*) m. inv. (*zool.*) pointer.

pointillisme (*franc.*) m. inv. (*pitt.*) pointillism.

pois (*franc.*) m. inv. polka dot: **stoffa a p.**, polka-dot material.

poise (*franc.*) m. inv. (*fis.*) poise.

pòker (*ingl.*) m. inv. **1** (*il gioco*) poker: **giocare a p.**, to play poker; **perdere al p.**, to lose at poker; **mano di p.**, hand of poker; **partita a p.**, poker game **2** (*la combinazione*) four of a kind: **p. di donne [d'assi]**, four queens [aces]; **fare p.**, to have four of a kind.

pokerino m. (friendly) game of poker.

pokerista m. e f. poker player.

pòla f. (*zool.*) crow.

polàcca ① f. **1** (*mus.*) polonaise **2** (*giacca*) polonaise **3** (*stivaletto*) laced ankle boot.

polàcca ② f. (*naut.*) polacre; polacca.

polacchìna f., **polacchìno** m. (spec. al pl.) laced ankle boot.

polàcco Ⓐ a. Polish Ⓑ m. **1** (f. **-a**) Pole (f. anche Polish woman*) **2** (*ling.*) Polish.

polàre a. **1** (*del polo*) polar; pole (attr.): **calotta p.**, polar cap; **i circoli polari**, the polar circles; **orso p.**, polar bear; **la Stella p.**, the Pole Star; the North Star; the Polaris; **le terre polari**, the polar regions **2** (*fig.*: *freddissimo*) arctic; freezing: **clima p.**, arctic weather; **freddo p.**, bitter (o freezing) cold **3** (*scient.*) polar; pole (attr.): (*mat.*) **coordinate polari**, polar coordinates; (*miss.*) **orbita p.**, polar orbit; (*miss.*) **satellite in orbita p.**, polar satellite.

Polària f. airport police.

polarimetrìa f. (*fis.*) polarimetry.

polarimètrico a. (*fis.*) polarimetric.

polarimetro m. (*fis.*) polarimeter.

polarità f. (*fis.* e *fig.*) polarity.

polarizzabilità f. (*fis.*) polarizability.

polarizzàre Ⓐ v. t. **1** (*fis.*) to polarize: **p. la luce**, to polarize light **2** (*fig.*: *concentrare*) to focus, to concentrate; (*attrarre*) to attract, to draw*: **p. il proprio interesse su qc.**, to focus one's interest on st.; to zero in on st.; **p. su di sé l'attenzione**, to attract attention Ⓑ **polarizzàrsi** v. i. pron. **1** (*fis.*) to polarize **2** (*fig.*) to focus; to center.

polarizzàto a. (*fis.*) polarized: **luce polarizzata**, polarized light.

polarizzatóre (*fis.*) Ⓐ m. polarizer Ⓑ a. polarizing.

polarizzazióne f. **1** (*fis.*) polarization; (*elettron.*) bias: **p. di griglia**, grid bias; **p. di segnale**, signal bias; **p. magnetica**, magnetic polarization; **piano di p.**, plane of polarization **2** (*fig.*: *contrapposizione*) polarization **3** (*fig.*: *concentrazione*) focusing; concentration.

polarografìa f. (*chim., fis.*) polarography.

polarògrafo m. (*chim.*) polarograph.

Polaròid® m., f. e a. Polaroid®: **foto P.**, Polaroid (photo); **macchina P.**, Polaroid camera; **occhiali con lenti P.**, Polaroids.

pòlca f. (*danza*) polka: **ballare la p.**, to dance the polka; to polka.

polemàrco m. (*stor.*) polemarch.

polèmica f. **1** (*contrasto di opinioni*) controversy; (heated) debate; dispute: **aspre polemiche**, bitter dispute; bitter controversy; **aprire una p.**, to start a dispute; **entrare in p. con qc.**, to cross swords with sb.; **suscitare polemiche**, to give rise to a heated debate; to arouse controversy **2** (*arte della polemica*) polemics (pl. col verbo al sing.) **3** (*contestazione, discussione futile*) argument: **fare polemiche**, to be argumentative; to make an issue of st.

polemicità f. polemic character; polemic quality.

polèmico a. **1** (*critico*) polemical, polemic, controversial, contentious; (*combattivo*) combative, polemical, bellicose: **saggio p.**, polemical essay; **scritti polemici**, polemic

writings; **spirito p.**, polemic spirit; spirit of contradiction; **con spirito p.**, in a polemic spirit **2** (*provocatorio*) argumentative; contentious; provocative: **tono p.**, argumentative (*o* provocative) tone.

polemìsta m. e f. **1** polemicist; (*spec. relig.*) controversialist **2** (*estens.*: *attaccabrighe*) quarrelsome person; troublemaker.

polemizzàre v. i. **1** (*disputare*) to debate; to carry on a controversy; to argue **2** (*criticare*) to be argumentative; to make an issue of st.; (*cavillare*) to quibble.

polemologìa f. polemology.

polemòlogo m. (f. **-a**) polemologist.

polèna f. (*naut.*) figurehead.

♦**polènta** f. **1** (*cucina*) polenta; maize porridge: **p. al forno [fritta]**, baked [fried] polenta; **p. concia**, polenta with cheese **2** (*estens.*, *spreg.*) pap; mush **3** (*fig.*) → **polentone**.

polentàta f. polenta party.

polentìna f. (*fam.*) linseed poultice.

polentóne m. (f. **-a**) **1** (*fig.*: *persona lenta e pigra*) slowcoach; slowpoke (*USA*) **2** (*spreg.* o *scherz.*: *italiano del Nord*) Northern Italian; northerner.

poleografìa f. (*geogr.*) urban geography.

poleògrafo m. (f. **-a**) urban geographer.

pole position (*ingl.*) f. inv. (*sport*; *anche fig.*) pole (position).

polèsine m. **1** alluvial plain **2** (*geogr.*) – **il P.**, the lower Po Valley.

Polfèr f. railway police.

poliaccoppiàto m. (*tecn.*) multicoupled.

poliacrilàto m. (*chim.*) polyacrylate.

poliacrìlico a. (*chim.*) polyacrylic.

poliaddizióne f. (*chim.*) polyaddition.

polìade f. (*scient.*) polyad.

poliàdico a. polyadic.

poliàlcol → **poliolo**.

polialìte f. (*miner.*) polyhalite.

poliambulatòrio m. group practice; health centre; polyclinic; (*di ospedale*) outpatients clinic.

poliammìde f. (*chim.*) polyamide.

poliammìdico a. (*chim.*) polyamide (attr.).

poliammìna f. (*chim.*) polyamine.

poliandrìa f. (*etnol.*, *zool.*) polyandry.

poliàndro a. (*bot.*) polyandrous.

poliarchìa f. polyarchy.

poliàrchico a. polyarchic.

poliartrìte f. (*med.*) polyarthritis.

poliatòmico a. (*chim.*) polyatomic.

polibasìte f. (*miner.*) polybasite.

polibòre m. (*zool.*, *Polyborus plancus*) common caracara.

polibutadiène m. (*chim.*) polybutadiene.

policaprolattàme m. (*chim.*) polycaprolactame.

policarbonàto m. (*chim.*) polycarbonate.

policàrpico a. (*bot.*) polycarpous.

policèntrico a. (*anche polit.*) polycentric.

policentrìsmo m. (*polit.*) polycentrism.

policìstico a. (*med.*) polycystic: **ovaio p.**, polycystic ovary.

policitemìa f. (*med.*) polycythemia.

policlìnico m. general hospital.

policlonàle a. (*biol.*) polyclonal.

policoltùra f. (*agric.*) polyculture.

policondensazióne f. (*chim.*) polycondensation.

policoràle a. (*mus.*) polychoral.

policòrdo m. (*mus.*) polychord.

policristallìno a. (*miner.*) polycrystalline.

policristàllo m. (*miner.*) polycrystal.

policroìsmo m. (*fis.*) polychroism.

policromàre v. t. to polychrome.

policromàtico a. **1** polychromatic; polychromic; polychrome **2** (*fis.*) polychromatic.

policromìa f. polychromy.

policromo a. polychromatic; polychromic; polychrome.

polidattìlia f. (*med.*) polydactyly.

polidàttilo a. e m. (*med.*) polydactyl.

polidipsìa f. (*med.*) polydipsia.

poliedricità f. **1** (*geom.*) polyhedric configuration **2** (*fig.*) many-sidedness; versatility; (*varietà*) variety.

polièdrico a. **1** (*geom.*) polyhedral; polyhedric: **figura poliedrica**, polyhedron **2** (*fig.*) many-sided; versatile; (*molteplice*) multiple: **genio p.**, many-sided genius; **interessi poliedrici**, multiple interests; **personalità poliedrica**, many-sided personality; **avere una cultura poliedrica**, to be a polymath.

polièdro m. (*geom.*) polyhedron*.

poliembrionìa f. (*biol.*) polyhembryony.

poliennàle a. pluriennial; long-term: (*fin.*) **buoni poliennali**, long-term bonds.

polièstere a. e m. (*chim.*) polyester.

poliestesìa f. (*med.*) polyaesthesia.

poliètere m. (*chim.*) polyether.

polietilène m. (*chim.*) polyethylene.

polifagìa f. **1** (*biol.*) polyphagia **2** (*med.*) bulimy.

polìfago a. **1** (*biol.*) polyphagous **2** (*med.*) bulimic.

polifàse a. (*elettr.*) polyphase.

Polifèmo m. (*mitol.*) Polyphemus.

polifenòlo m. (*chim.*) polyphenol.

polifilìa f. (*biol.*) polygenesis.

polifìllo a. (*bot.*) polyphyllous.

polifiodónte a. (*zool.*) polyphyodont.

polifonìa f. (*mus.*) polyphony.

polifònico a. (*mus.*) polyphonic.

polifonìsmo m. (*mus.*) polyphonic technique; use of polyphony.

polifonìsta m. e f. (*mus.*) polyphonist.

polìfora f. (*archit.*, anche agg.: **finestra p.**) multi-light window.

polifosfàto m. (*chim.*) polyphosphate.

polifunzionàle a. **1** multipurpose **2** (*chim.*) polyfunctional.

poligàla f. (*bot.*, *Polygala senega*) senega.

poligamìa f. (*etnol.*, *zool.*, *bot.*) polygamy.

poligàmico a. polygamic; polygamous.

polìgamo A a. (*etnol.*, *zool.*, *bot.*) polygamous B m. (f. **-a**) polygamist.

poligène m. (*biol.*) polygene.

poligèneṣi f. polygenesis; polygeny.

poligenètico a. polygenetic.

poligènico a. polygenic.

poligenìṣmo m. polygenism.

poliginìa f. (*etnol.*, *zool.*) polygyny.

poliglobulìa f. (*med.*) polycytaemia.

poliglòtta A a. polyglot; multilingual: *Bibbia poliglotta*, polyglot Bible; **dizionario p.**, polyglot (o multilingual) dictionary B m. e f. polyglot; multilingualist.

poliglòttico a. polyglot; polyglottal; multilingual.

poliglottìṣmo m. multilingualism.

poliglòtto → **poliglotta**.

poligonàle A a. (*geom.*) polygonal: **figura p.**, polygonal figure B f. (*topogr.*) traverse: **p. aperta [chiusa]**, open [closed] traverse.

poligonàto m. (*bot.*, *Polygonatum multiflorum*) polygonatum; Solomon's seal.

poligonazióne f. (*topogr.*) traversing.

polìgono① m. **1** (*geom.*) polygon: **p. regolare**, regular polygon **2** (*fis.*) – **p. delle forze**, polygon of forces **3** – (*miss.*) **p. di lancio**, launching site; (*nello spazio*) spaceport; **p. di tiro**, (*mil.*) firing ground; (*sport*) shooting range, rifle range.

polìgono② m. (*bot.*, *Polygonum*) polygonum; knotgrass.

poligrafàre v. t. to hectograph.

poligrafìa f. **1** hectography **2** (*copia poligrafica*) hectographic copy.

poligràfico A a. **1** (*della poligrafia*) hectographic **2** (*della stampa*) printing; print (attr.): *Istituto P. dello Stato*, State Printing Office; **officina poligrafica**, printing house; **operaio p.**, printer; print worker B m. (*operaio*) printer; print worker.

polìgrafo A m. **1** (*apparecchio riproduttore*) hectograph; copygraph **2** (*med.*) polygraph **3** (*scrittore versatile*) versatile writer B a. versatile.

poliìbrido m. (*biol.*) polyhybrid.

poliisoprène m. (*chim.*) polyisoprene.

polimastìa f. (*med.*) polymasty; polymastism.

polimatèrico a. made with different materials.

polimaterìṣmo m. use of different materials (within the same work of art).

polimeràṣi f. (*biol.*) polymerase.

polimerìa f. (*biol.*, *chim.*) polymerism.

polimèrico a. **1** (*chim.*) polymeric **2** (*biol.*) polymerous.

polimerìṣmo m. (*chim.*) polymerism.

polimerizzàre v. t. e i., **polimerizzàrsi** v. i. pron. (*chim.*) to polymerize.

polimerizzazióne f. (*chim.*) polymerization.

polìmero A m. (*chim.*) polymer B a. (*chim.*) polymeric.

polimetilmetacrilàto m. (*chim.*) polymethyl methacrylate.

polimetrìa f. (*poesia*) variety of metres.

polimètrico a. (*poesia*) using different metres.

polìmetro A a. (*poesia*) polymetric B m. **1** (*poesia*) polymetric poem **2** (*tecn.*) polymeter.

polimixìna f. (*farm.*) polymyxin.

polimorfìa f. → **polimorfismo**.

polimòrfico a. polymorphic.

polimorfìṣmo m. polymorphism.

polimòrfo a. polymorphous; polymorphic: **organismo p.**, polymorphous organism; polymorph.

Polinèṣia f. (*geogr.*) Polynesia.

polineṣiàno a. e m. (f. **-a**) Polynesian.

polineurìte, **polinevrìte** f. (*med.*) polyneuritis.

polinomiàle a. (*mat.*) polynomial.

polinòmio m. (*mat.*) polynomial.

polinsàturo a. (*chim.*) polyunsaturated.

polinucleàto a. (*biol.*) polynuclear.

pòlio f. (*med. fam.*) polio.

poliolefìna f. (*chim.*) polyolefin.

poliòlo m. (*chim.*) polyhydric alcohol.

poliomielìte f. (*med.*) poliomyelitis.

poliomielìtico A a. polio (attr.). B m. (f. **-a**) polio victim.

poliopìa, **poliopsìa** f. (*med.*) polyopia.

poliopsònio m. (*econ.*) polyopsony.

poliorcètica f. (*lett.*) poliorcetics (pl. col verbo al sing.).

poliorcètico a. (*lett.*) poliorcetic.

poliossimetilène m. (*chim.*) polyoxymethylene.

poliovìrus m. (*biol.*) poliovirus.

polipàio m. (*zool.*) polypary.

polipeptìde m. (*chim.*) polypeptide.

polipeptìdico a. (*chim.*) polypeptide (attr.).

poliplòide a. (*biol.*) polyploid.

poliploidìa f. (*biol.*) polyploidy.

polipnèa f. (*med.*) polypnoea.

polipnòico a. (*med.*) polypnoeic.

pòlipo m. 1 (*zool.*) polyp 2 (*zool.*: *polpo*) octopus* 3 (*med.*) polypus*; polyp.

polipòdio m. (*bot.*, *Polypodium*) polypody.

polipòide a. (*biol.*) polypoidal.

polipolìsta m. e f. (*econ.*) polypolist.

polìporo m. (*bot.*, *Polyporus*) polypore; bracket fungus.

polipòsi f. (*med.*) polyposis.

polipóso a. (*med.*) polypous; polypose.

polipropilène m. (*chim.*) polypropylene.

polipsònio m. (*econ.*) polypsony.

polipsonìsta m. e f. (*econ.*) polypsonist.

polìptero m. (*zool.*, *Polypterus bichir*) bichir.

polìptoto m. (*retor.*) polyptoton.

polìre v. t. (*anche fig.*) to polish.

poliremàtica f. (*ling.*) polyrematic.

polirème f. (*stor.*) polyreme.

poliritmìa f. (*mus.*) polyrhythm.

polirìtmico a. (*mus.*) polyrhythmic.

pòlis f. inv. (*stor. greca*) polis*; city-state.

polisaccàride m. (*chim.*) polysaccharide.

polisemàntico a. (*ling.*) polysemous; polysemic.

polisemìa f. (*ling.*) polysemy.

polisèmico a. (*ling.*) polysemous; polysemic.

polisènso Ⓐ a. polysemous Ⓑ m. (*gioco enigmistico*) riddle based on homonyms.

polisettoriàle a. multi-sector.

polisillàbico a. polysyllabic.

polisìllabo Ⓐ a. polysyllabic Ⓑ m. polysyllable.

polisillogìsmo m. (*filos.*) polysyllogism.

polisìndeto m. (*retor.*) polysyndeton.

polisolfùro m. (*chim.*) polysulphide.

polispecialìstico a. relative to multiple medical specialities: **ambulatorio p.**, general consultancy; health centre; **studio medico p.**, group practice.

polispermìa f. (*biol.*) polyspermy.

polisportìva f. sports club.

polisportìvo a. sports (attr.).

polìsta ① m. (*sport*) polo player.

polìsta ② (*polit.*) Ⓐ a. relating to the «Polo per le libertà» coalition: **deputato p.**, «Polo per le libertà» deputy Ⓑ m. e f. member or supporter of a party from the «Polo per le libertà» coalition.

polistàdio a. inv. multistage: **missile p.**, multistage rocket.

polìste f. (*zool.*, *Polistes gallicus*) paper wasp.

polìstico a. (*sport*) polo (attr.).

polìstilo a. (*archit.*) polystyle.

polistirène m. (*chim.*) polystyrene.

polistiròlico a. (*chim.*) polystyrene (attr.): **resine polistiroliche**, polystyrene resins.

polistiròlo m. (*chim.*) polystyrene: **p. espanso**, expanded polystyrene; styrofoam® (*USA*); **foglio di p.**, foam board.

politeàma m. (*archit.*) theatre.

politècnico Ⓐ a. polytechnic Ⓑ m. applied-science faculties (pl.); school of engineering.

politeìsmo m. polytheism.

politeìsta Ⓐ m. e f. polytheist Ⓑ a. polytheistic.

politeìstico a. polytheistic.

politemàtico a. (*mus.*) based on several themes.

politène m. (*chim.*) polythene.

politetrafluoroetilène m. (*chim.*) polytetrafluoroethylene.

politézza ① f. (*anche fig.*) polish; finish.

politézza ② f. (*lett.*: *educazione*) politeness; courtesy.

◆**polìtica** f. 1 (*scienza e arte del governare uno Stato*) politics (pl. col verbo al sing.); statecraft 2 (*attività p.*, *problemi politici*) politics (pl. col verbo al sing.); political life: **p. militante**, active politics; **discutere di p.**, to talk politics; **darsi alla p.**, to enter (*o* to go into) politics; **fare p.**, to be in politics; **intendersi di p.**, to know a lot about politics; **ritirarsi dalla p.**, to retire from political life; **esperto di p.**, political expert 3 (*linea di azione di chi governa*; *linea di condotta*) policy: **p. agraria**, agricultural policy; **p. antitrust**, antitrust policy; **p. aziendale**, company policy; **p. creditizia**, credit policy; **p. della concorrenza**, competition policy; **p. energetica**, energy policy; **p. dei redditi**, income policy; **p. del rischio calcolato**, brinkmanship; **la p. estera di Cavour**, Cavour's foreign policy; **la p. fiscale del nostro governo**, our government's fiscal policy; **p. interna**, domestic (*o* home) policy; **p. liberistica**, laissez-faire policy; **p. monetaria**, monetary policy; **p. salariale**, wages policy; **p. temporeggiatrice**, wait-and-see policy; **adottare una p. protezionista**, to adopt a protective policy; **mettere in atto una p.**, to implement a policy; *L'onestà è la migliore p.*, honesty is the best policy 4 (*fig.*: *diplomazia*) diplomacy, tact; (*astuzia*) shrewdness: **un po' di p.**, a little diplomacy.

politicaménte avv. 1 politically; from a political point of view; in political terms: **p. corretto**, (agg.) politically correct; (sost.) political correctness 2 (*fig.*) diplomatically; tactfully.

politicànte m. e f. (*spreg.*: *politico mediocre*) petty politician; (*chi fa politica per fini interessati*) political wheeler-dealer, politico*.

politicàstro m. (*spreg.*) petty politician; political hack.

politichése m. (*spreg.*) political jargon.

politichìno m. (f. -**a**) 1 petty politician 2 (*fig. fam.*) wheedling person.

politicìsmo m. tendency to politicize.

politicità f. political character; political quality; political nature.

politicizzàre Ⓐ v. t. 1 (*dare un carattere politico*) to politicize; (*un fatto*, *una situazione*) to turn into a political event 2 (*sensibilizzare alla politica*) to politicize Ⓑ **politicizzàrsi** v. rifl. e i. pron. 1 (*di persona*) to become* politicized; to become* politically aware 2 (*di fatto*, *situazione*) to become* politicized; to take* on a political colour.

politicizzàto a. 1 (*di persona*) politicized; politically aware 2 (*di fatto*, *situazione*) politicized.

politicizzazióne f. politicization.

◆**polìtico** Ⓐ a. 1 political: **asilo p.**, political asylum; **corrispondente p.**, political correspondent; **diritti politici**, political rights; **economia politica**, political economy; **elezioni politiche**, general election (sing.); **partito politico**, political party; **prigioniero p.**, political prisoner; **scienze politiche**, political science (sing.); **sciopero p.**, political (*o* politically motivated) strike; **storia politica**, political history; **uomo p.**, politician; **vita politica**, political life 2 (*fig.*: *diplomatico*) diplomatic: **risposta politica**, diplomatic answer 3 (*sociale*) social: *L'uomo è un animale p.*, man is a social animal Ⓑ m. (f. -**a**) 1 politician 2 (*fig.*: *persona astuta*) shrewd person; politician; diplomat Ⓒ m. (the) public sphere.

politicóne m. (f. -**a**) (*fam.*) schemer; shrewd operator; wheeler-dealer (*fam.*).

politìpo m. (*tipogr.*) logotype.

polìto a. (*anche fig.*) polished.

politologìa f. political studies (pl.).

politològico a. of [relative to] political studies.

politòlogo m. (f. -**a**) expert in political affairs; political commentator.

politonàle a. 1 (*mus.*) polytonal 2 (*letter.*) having a variety of tones or styles.

politonalità f. 1 (*mus.*) polytonality 2 (*letter.*) variety of tones or styles.

politòpico a. (*biol.*) polytopic.

polìtopo m. (*mat.*) polytope.

politrasfùso a., m. (f. -**a**) (person) that has undergone multiple tranfusions.

politrofo a. (*biol.*) polytrophic.

polìttico m. (*arte*) polyptych.

poliuretànico a. polyurethane (attr.): **resina poliuretanica**, polyurethane resin.

poliuretàno m. (*chim.*) polyurethane.

poliùria f. (*med.*) polyuria.

polivalènte a. 1 (*chim.*, *med.*) polyvalent; multivalent: **vaccino p.**, polyvalent vaccine 2 (*fig.*) multipurpose; versatile; multivalent.

polivalènza f. 1 (*chim.*, *med.*) polyvalence; multivalence 2 (*fig.*) versatility; multivalence.

polivinilclorùro m. (*chim.*) polyvinyl chloride.

polivinìle m. (*chim.*) polyvinyl: **cloruro di p.**, polyvinyl chloride.

polivinìlico a. (*chim.*) polyvinyl (attr.).

◆**polizìa** f. police (generalm. col verbo al pl.); police force: **p. di frontiera**, border police; **p. ferroviaria**, railway (*USA* railroad) police; **p. giudiziaria**, investigative police; **p. militare**, military police; **p. sanitaria**, health inspectorate; **p. scientifica**, forensic department; **p. segreta**, secret police; **p. stradale**, traffic police; highway police (*USA*); **p. tributaria**, inland revenue police; *La p. è sulle sue tracce*, the police are after him; *La p. ha arrestato l'assassino*, the police have arrested the murderer; **chiamare la p.**, to call the police; **entrare nella p.**, to join the police force; **essere ricercato dalla p.**, to be wanted by the police; **informare la p.**, to report (st.) to the police; **agente di p.**, police officer; policeman* (m.); policewoman* (f.); police constable (*GB*); **commissariato di p.** (*o* posto di p.), police station; **corpo di p.**, police force; **funzionario di p.**, police official; **ispettore di p.**, police inspector; *Stato di p.*, police state.

Poliziàno m. (*stor. letter.*) Politian; Poliziano.

poliziésco a. 1 police (attr.): **indagine poliziesca**, police investigation 2 (*spreg.*) inquisitorial: **sistemi polizieschi**, inquisitorial methods 3 (*letter.*, *cinem.*) detective (attr.): **romanzo [film] p.**, detective novel [film]; **il genere p.**, detective fiction.

◆**poliziòtto** Ⓐ m. (f. -**a**) policeman* (f. policewoman*); police officer: **p. in borghese**, plainclothes policeman Ⓑ a. inv. police (attr.): **cane p.**, police dog; **donna p.**, policewoman.

pòlizza f. 1 (*ass.*) (insurance) policy: **p. aperta**, open policy; **p. casco**, blanket policy; **p. di assicurazione**, insurance policy; **p. di assicurazione sulla vita [contro gli incendi]**, life-insurance [fire-insurance] policy; **p. globale [individuale, mista]**, comprehensive [individual, endowment] policy; **p. tipo**, standard policy; **sottoscrivere una p.**, to take out a policy; **titolare di una p.**, policy holder 2 (*ricevuta*) bill; receipt; warrant: **p. di carico**, bill of lading; **p. di carico diretta**, through bill of lading; **p. di deposito**, receipt; deposit warrant; **p. di pegno**, pawn ticket.

polizzàrio m. (*ass.*) policy register.

polizzìno m. (*naut.*) parcel receipt.

pòlka → **polca**.

pólla f. **1** spring (of water) **2** (*fig.*) source.

♦**pollàio** m. **1** poultry pen; hen house; chicken run **2** (*fig. fam.: luogo sporco*) pigsty; tip **3** (*fig. fam.: confusione*) hullabaloo; bedlam ⓤ.

pollaiòlo m. (f. **-a**) poulterer.

pollàme m. poultry.

pollàstra f. **1** (*gallina giovane*) pullet **2** (*fig. scherz.*) chick; bird (*GB*).

pollàstro m. **1** (*pollo giovane*) spring chicken; (*galletto*) cockerel **2** → **pollo**, def. 2.

pollerìa f. poultry shop; poulterer's (shop).

♦**pòllice** m. **1** (*anat.*) thumb **2** (*misura di lunghezza pari a 2,54 cm.*) inch: **p. quadrato**, square inch; **sei pollici**, six inches; **schermo da 21 pollici**, 21-inch screen ● **p. verso**, thumbs down □ (*fig.*) **p. verde**, green fingers (pl.) (*GB*); green thumb (*USA*) □ **non cedere di un p.**, not to yield an inch □ (*anche fig.*) **girare i pollici**, to twiddle one's thumbs.

pollicoltóre m. (f. **-trice**) poultry farmer; chicken farmer.

pollicoltùra f. poultry-farming; chicken--farming.

pollìna f. (*agric.*) chicken droppings (pl.); fowl dung.

pòlline m. (*bot.*) pollen.

pollìnico a. (*bot.*) pollinic.

pollìno a. poultry (attr.); chicken (attr.); fowl (attr.): **sterco p.**, chicken droppings (pl.); fowl dung.

pollinòsi f. (*med.*) pollinosis.

pollivéndolo m. (f. **-a**) poulterer.

♦**póllo** m. **1** chicken; fowl; (al pl.: *pollame*) poultry ⓤ: **p. alla cacciatora**, chicken cacciatore; **p. arrosto**, roast chicken; **p. d'allevamento** (*o di batteria*), battery chicken; **p. novello**, spring chicken; **p. ruspante**, free--ranging chicken; **spennare un p.**, to pluck a chicken; **tirare il collo a un p.**, to wring a chicken's neck; **vendere polli**, to sell fowls (*o* poultry); **allevamento di polli**, (*attività*) chicken farming, poultry farming; (*stabilimento*) chicken-farm, poultry-farm; **allevatore di polli** → **pollicoltore**; **brodo di p.**, chicken broth; **carne di p.**, chicken **2** (*fig.: semplicione*) booby, twit; (*chi si lascia imbrogliare*) dupe, mug, sucker ● (*zool.*) **p. sultano** (*Porphyrio porphyrio*), purple gallinule □ (*fig.*) **conoscere i propri polli**, to know one's customers; to be nobody's fool □ (*fig.*) **far ridere i polli**, to make a cat laugh.

pollóne m. (*bot.*) sucker; offset; tiller; scion; shoot.

Pollùce m. (*mitol.*) Pollux.

polluzióne① f. (*med.*) pollution.

polluzióne② f. (*inquinamento*) pollution.

polmonàre a. (*anat.*) pulmonary; of the lungs; lung (attr.): **arteria p.**, pulmonary artery; **circolazione p.**, pulmonary blood flow; **malattia p.**, pulmonary (*o* lung) disease; **tubercolosi p.**, pulmonary consumption.

polmonària f. (*bot., Pulmonaria officinalis*) lungwort.

♦**polmóne** m. **1** (*anat.*) lung: **avere buoni polmoni**, to have good lungs; **respirare a pieni polmoni**, to breathe deeply; **urlare a pieni polmoni**, to shout at the top of one's voice **2** (*fig.: cuore, forza animatrice*) core; driving force: *Il turismo è il p. della nostra economia*, tourism is the driving force of our economy ● (*med.*) **p. d'acciaio**, iron lung □ **I parchi sono i polmoni di una città**, parks function as the lungs of a city □ (*fig.*) **rimetterci i polmoni**, to waste one's breath.

polmonìte f. (*med.*) pneumonia: **p. doppia**, double pneumonia; **p. lobare**, lobar pneumonia.

♦**pòlo**① m. **1** (*geogr., astron.*) pole: **p. celeste**, celestial pole; **p. geografico**, geographic pole; **p. magnetico terrestre**, terrestrial magnetic pole; **il P. Nord [Sud]**, the North [South] Pole **2** (*fis., geom.*) pole: **p. negativo [positivo]**, negative [positive] pole; **poli opposti**, opposite poles; **i poli d'una sfera**, the poles of a sphere **3** (*fig.*) pole; (*centro*) centre, center (*USA*): **p. di attrazione**, centre of attraction; magnet; **p. di sviluppo industriale**, industrial development centre; **essere ai poli opposti**, to be at opposite poles; to be poles apart ● **dall'uno all'altro p.**, from pole to pole; from one extreme to the other.

pòlo② m. (*sport*) polo.

pòlo③ f. inv. (*tipo di camicia*) polo shirt.

polonaise (*franc.*) → **polacca**.

Polònia f. (*geogr.*) Poland.

polònio m. (*chim.*) polonium.

pólpa f. **1** (*di frutto*) pulp; flesh: **la p. d'una pesca**, the pulp of a peach **2** (*carne magra*) lean meat: **manzo tutto p.**, lean beef **3** (*anat.*) pulp: **p. dentaria**, dental pulp **4** (*lett.*) calf*: **in polpe**, wearing breeches **5** (*fig.*) substance; pith; gist; essence: **la p. d'un discorso**, the substance of a speech.

polpàccio m. (*anat.*) calf*.

polpacciùto a. **1** (*polposo*) fleshy; pulpy **2** (*di gamba*) thick-calved, fat; (*di persona*) having thick calves.

polpastrèllo m. (*anat.*) (fleshy part of the) fingertip; finger's end.

polpétta f. **1** (*cucina*) croquette; (*di carne, anche*) meatball, rissole; (*di pesce, anche*) fishcake **2** (*boccone avvelenato*) poisoned bait ● (*fig. fam.*) **fare polpette di q.**, to make mincemeat of sb.; to beat sb. to a pulp.

polpettóne m. **1** (*cucina*) meatloaf* **2** (*fig.: miscuglio*) hotchpotch, hodgepodge (*USA*); mishmash **3** (*fig. spreg., di film, libro, ecc.*) rambling love story: **p. lacrimoso**, weepie; tearjerker; **p. storico**, rollicking romance.

pólpo m. (*zool., Octopus vulgaris*) octopus*.

polpóso a. pulpy; pulpous; fleshy: **frutta polposa**, fleshy fruit; **sostanza polposa**, pulpy substance.

polpùto a. fleshy; fat; plump: **gambe polpute**, fat legs.

polsìno m. **1** cuff: **polsini inamidati**, starched cuffs **2** (*bottone*) cuff link.

♦**pólso** m. **1** (*anat.*) wrist: **legare q. ai polsi**, to tie sb. by the wrists; **orologio da p.**, wristwatch **2** (*med.*) pulse: **p. debole [frequente]**, weak [fast] pulse; **avere il p. irregolare**, to have an irregular pulse; **sentire il p. a q.**, to take (*o* to feel) sb.'s pulse **3** (*fig.: andamento, condizioni*) pulse: **il p. dell'economia**, the economic pulse **4** (*fig.: fermezza, energia*) firmness; firm hand; energy; resolution: **avere p.**, to show firmness; to be firm; **lavoro di p.**, work that calls for energy; **persona di p.**, firm person; person of resolution; **con p. fermo**, with a firm hand; **essere senza p.**, to be weak; to be spineless ● (*fig.*) **tastare il p. a q.**, to sound sb. out □ (*fig.*) **tastare il p. dell'elettorato**, to feel the pulse of the electorate.

Polstràda f. traffic police (pl.); highway police (*USA*).

poltàcceo a. soft; pulpy; pultaceous.

poltìglia f. **1** mash; mush; (*per impiastro*) poultice; (*pasta*) pulp: **una p. collosa**, a sticky mush; **p. di crusca**, bran mash; **ridurre qc. in p.**, to reduce st. to pulp; to mash st. **2** (*fanghiglia*) sludge; slush; slime ● **p. bordolese**, Bordeaux mixture □ (*fig.*) **ridurre q. in p.**, to beat sb. to a pulp (*o* to a jelly).

poltiglióso a. **1** mashy; mushy; pulpy **2** (*fangoso*) sludgy; slushy; slimy.

poltrìre v. i. **1** to lie* (lazily) in bed; to lie in (*GB*) **2** (*oziare*) to idle about; to laze about.

♦**poltróna** f. **1** armchair; easy chair; chair: **p. a dondolo**, rocking chair; rocker; **p. a rotelle**, wheelchair; **p. a sdraio**, lounge chair; deck chair; **p. girevole**, swivel armchair; **p. letto**, chairbed; **p. odontoiatrica**, dentist's chair; **sedere in p.**, to sit in an armchair; (*fig.*) **starsene in p.**, to sit around doing nothing **2** (*teatr.*) seat in the stalls (*GB*); orchestra seat (*USA*) **3** (*fig.: posizione di prestigio*) position; job: **p. di ministro**, ministerial position; *Mira alla p. di direttore generale*, he wants the general directorship; **essere attaccato alla p.**, to hang on to one's job.

poltronàggine → **poltroneria**.

poltroncìna f. **1** small armchair **2** (*teatr.*) seat in the back stalls (*GB*); back orchestra seat (*USA*).

poltróne Ⓐ a. lazy; indolent; sluggish Ⓑ m. (f. **-a**) **1** lazy (*o* indolent) person; idler; lazyboots (*fam.*); lazybones (*fam.*): *Alzati, p.!*, get up, lazyboots! **2** (*zool.*) sloth.

poltronerìa f. laziness; idleness; indolence.

poltronìssima f. (*teatr.*) seat in the front stalls (*GB*); front orchestra seat (*USA*).

poltronìte f. (*scherz.*) laziness: *È affetto da p. acuta*, he's a thorough (*o* total) lazybones.

♦**pólvere** f. **1** dust: **essere coperto di p.**, to be covered in dust; *Sui libri c'è un dito di p.*, there's an inch of dust on the books; **i libri sono coperti di p.**, the books are thick with dust; **fare la p.**, to do the dusting; to dust; (*anche fig.*) **raccogliere p.**, to gather dust; **scuotersi la p. di dosso**, to shake the dust off one's clothes; **sollevare la p.**, to raise the dust; **togliere la p.**, to do the dusting; to dust; **nube di p.**, cloud of dust; dust cloud **2** (*sostanza polverizzata*) powder; dust: **p. di carbone**, coal dust; coom; **p. di ferro**, iron filings (pl.); **p. d'oro**, gold dust; **p. di riso**, rice powder; ground rice; **p. di talco**, talcum powder; (*astron.*) **p. cosmica**, cosmic dust; **in p.**, in powder form; powdered; **caffè in p.**, instant coffee; **cipria in p.**, face powder; **latte in p.**, powdered milk; **medicina in p.**, medicine in powder form; **sapone in p.**, soap powder; **zucchero in p.**, icing sugar (*GB*); confectioner's sugar (*USA*); (*anche fig.*) **ridurre in p.**, to powder; to pulverize; to crush; **ridursi in p.**, to powder **3** (*anche* **p. da sparo**, **p. pirica**) gunpowder ⓤ; powder ⓤ: (*anche fig.*) **tenere asciutte le polveri**, to keep one's powder dry; **dare fuoco alle polveri**, to open fire; (*fig.: iniziare le ostilità*) to start hostilities, (*dare il via alla rivolta*) to spark off the rebellion **4** (*fig., relig.*) dust: **p. alla p.**, dust unto dust ● (*scient.*) **polveri sottili**, fine particulate matter □ (*fig.*) **far mangiare la p. a q.**, to leave sb. far behind □ (*fig.*) **gettare la p. negli occhi a q.**, to throw dust in sb.'s eyes □ (*fig.*) **mordere la p.**, to bite the dust □ **orologio a p.**, hourglass □ (*fig.*) **sentire** (*o* **fiutare**) **odore di p.**, to smell a fight.

polverièra f. (*mil.*) **1** powder magazine **2** (*fig.*) powder keg; tinderbox: **essere seduti su una p.**, to be sitting on a powder keg.

polverifìcio m. (*ind.*) powder factory; powder mill.

polverìna f. **1** dust; fine powder **2** (*farm.*) powder **3** (*gergale: cocaina*) coke; snow.

polverìno m. **1** (*per armi da fuoco*) priming; (*contenitore*) powder flask **2** (*per asciugare l'inchiostro*) sand; (*vasetto*) sandbox; dustbox **3** (*ind. min.*) – **p. di carbone**, coal

polverio m. (cloud of) dust: *Per le strade c'è un gran p.*, there's a lot of dust blowing in the streets; **fare un p.**, to raise dust.

polverizzàbile a. pulverizable.

polverizzàre **A** v. t. **1** to pulverize: **p. lo zucchero**, to pulverize sugar **2** (*nebulizzare*) to atomize **3** (*cospargere*) to sprinkle; to dust; to dredge; (*irrorare*) to spray, to dust, to sprinkle **4** (*fig.: annientare*) to pulverize; to destroy; to shatter: **p. l'avversario**, to pulverize one's opponent; (*sport*) **p. un record**, to shatter a record; *L'edificio fu polverizzato dall'esplosione*, the building was completely destroyed in the blast **B** **polverizzàrsi** v. i. pron. **1** to pulverize; to be reduced to powder; (*sbriciolarsi*) to crumble **2** (*fig.: sparire*) to melt away.

polverizzàto a. pulverized.

polverizzatóre m. **1** pulverizer **2** (*nebulizzatore*) atomizer; (*per polvere insetticida*) duster **3** (*mecc.*) nozzle; sprayer: **p. a pressione**, pressure nozzle; **p. a ventaglio**, fan nozzle.

polverizzazióne f. (*ind.*, *di solido*) pulverization; (*di liquido*) atomization.

polveróne m. **1** (thick) cloud of dust; dust cloud **2** (*fig.: confusione rumorosa*) commotion; fuss; hoo-ha: **sollevare un p.**, to cause much commotion; to kick up a fuss (*fam.*).

polveróso a. **1** (*coperto di polvere*) dusty: **abiti polverosi**, dusty clothes; **libri polverosi**, dusty books; **strade polverose**, dusty roads **2** (*simile a polvere*) powdery: **neve polverosa**, powdery snow.

polverulènto a. **1** (*simile a polvere*) powdery **2** (*lett.: coperto di polvere*) dusty.

polverùme m. **1** (thick) dust; coat of dust **2** (*spreg.*) old junk.

pomàio, **pomàrio** m. (*frutteto*) fruit garden; (*meleto*) apple orchard.

pomàta f. **1** (*farm.*) ointment; salve; liniment **2** (*per capelli*) pomade; hair cream **3** (*per la pelle*) cold cream.

pomellàto a. dappled; dapple: **cavallo p.**, dapple.

pomellatùra f. dappling.

pomèllo m. **1** (*di leva, di maniglia*) knob; ball grip; (*di bastone*) pommel **2** (*della gota*) cheekbone.

pomèlo m. (*bot.*, *Citrus grandis*) pomelo; pummelo; shaddock.

pomeràno a. e m. Pomeranian.

pomeridiàno a. in the afternoon; afternoon (attr.); postmeridian; (*nelle indicazioni di ora*) in the afternoon, p.m. (abbr. di post meridiem): **lezioni pomeridiane**, afternoon lessons; **passeggiata pomeridiana**, afternoon walk; **alle sei pomeridiane**, at six in the afternoon; at six p.m.; **nelle ore pomeridiane**, in the afternoon.

♦**pomeriggio** m. afternoon: **un p. afoso**, a sultry afternoon; **le lezioni [il volo] del p.**, the afternoon lessons [flight]; **alle tre del p.**, at three in the afternoon; at three p.m.; **di** (o **nel**) **p.**, in the afternoon; **nel primo [nel tardo] p.**, in the early [late] afternoon; early [late] in the afternoon; **domenica p.**, Sunday afternoon; **la domenica p.**, on Sunday afternoons.

pomèrio m. (*archeol.*) pomoerium*.

pómero m. (*zool.*) Pomeranian.

pométo m. apple orchard.

pomettàto a. (*arald.*) – **croce pomettata**, pommelé cross.

pòmfo m. (*med.*) itchy red swelling.

pómice f. (*miner.*, anche agg.: **pietra p.**) pumice (stone): **dare la p. a qc.**, to pumice st.

pomiciàre v. i. (*pop.*) to neck; to smooch; to snog (*GB*); to spoon (*USA*).

pomiciatùra f. (*levigatura*) pumicing.

pomicióne m. (f. **-a**) (*pop.*) **1** smoocher; snogger (*GB*) **2** (*spreg.*) lecherous old man*.

pomicoltóre m. (f. **-trìce**) (*agric.*) fruit farmer; fruit grower.

pomicoltùra f. (*agric.*) fruit-farming; fruit-growing.

pomidòro (*pop.*) → **pomodoro**.

pómo m. **1** (*region.: mela*) apple; (*estens.: melo*) apple-tree **2** (*lett.: frutto*) fruit **3** (*bot.*) pome **4** (*pomolo*) pommel; knob: **il p. d'una spada**, the pommel of a sword **5** (*naut.*) truck **6** (*anat.*) – **p. d'Adamo**, Adam's apple ♦ (*fig.*) **il p. della discordia**, the apple of discord □ (*relig.*) **il p. vietato**, the forbidden fruit.

pomodoràta f. blow with a tomato ♦ **prendere q. a pomodorate**, to throw tomatoes at sb.

♦**pomodòro** m. (*bot.*, *Solanum lycopersicum*; *il frutto*) tomato*: **pomodori maturi**, ripe tomatoes; **pomodori verdi**, green tomatoes; **insalata di pomodori** (o **pomodori in insalata**), tomato salad; **salsa di p.**, tomato sauce; **succo di p.**, tomato juice; **spaghetti al p.**, spaghetti with tomato sauce ♦ **rosso come un p.**, as red as a beetroot.

pomogranàto m. (*bot.*, *region.*) pomegranate.

pómolo m. pommel; knob; ball grip.

pomologìa f. pomology.

pomològico a. pomological.

pomòlogo m. (f. **-a**) pomologist.

pomóso a. (*lett.*) fruitful; fruit-laden.

pómpa① f. **1** (*apparato fastoso*) pomp; magnificence: **gran p.**, great pomp; pomp and circumstance; **un matrimonio fatto in gran p.**, a wedding celebrated with great pomp **2** (*ostentazione*) (ostentatious) display; parade; show: **fare p. di**, to parade; to show off; to flaunt ♦ **pompe funebri**, burial ceremonies; (*attività*) undertaker's business, undertaking □ **impresa di pompe funebri**, undertaker's firm (*GB*); funeral parlor (*USA*) □ **impresario di pompe funebri**, undertaker (*GB*); funeral director; mortician (*USA*) □ (*scherz.*) **in p. magna**, with great pomp; (*rif. all'abbigliamento*) in full regalia, in full splendour □ (*scherz.*) **mettersi in p. magna**, to dress up; to put on one's Sunday best.

♦**pómpa**② **A** f. **1** (*mecc.*) pump: **p. a ingranaggi**, gear pump; **p. a mano**, hand pump; **p. a pedale**, foot pump; **p. a stantuffo**, piston pump; **p. antincendi**, fire pump; **p. aspirante**, suction pump; **p. ausiliaria**, booster pump; **p. centrifuga**, turbo pump; (*autom.*) **p. dell'olio**, oil pump; (*autom.*) **p. elettrica**, electric fuel pump; **p. idraulica**, hydraulic pump; **p. premente**, force pump; **p. per bicicletta**, bicycle pump; **p. per vuoto**, air pump; **p. per pneumatici**, tyre (*USA* tire) pump; **p. pneumatica**, pneumatic pump; **alimentazione a p.**, pump feed; **fucile a p.**, pump gun; (*naut.*) **sala delle pompe**, pump room; well **2** (*mus.*) tuning slide **3** (*fam.: distributore di benzina*) petrol (*USA* gas) pump; petrol station **B** a. inv. – **carro p.**, fire engine.

pompàggio m. pumping: **centrale di p.**, pumping station.

pompàre v. t. **1** to pump; (*gonfiare*) to pump up: **p. acqua dal pozzo**, to pump water from the well; **p. aria nel palloncino**, to pump air into the balloon; **p. uno pneumatico**, to pump up a tyre **2** (*fig.: esagerare*) to blow* up, to inflate; (*lodare esageratamente*) to sing* the praises of; (*pubblicizzare*) to plug (*fam.*), to hype (*fam.*): *I giornali hanno pompato la notizia*, the press blew up the news; *Non fa che p. il nuovo libro di sua moglie*, he's constantly plugging his wife's new book.

pompàta f. **1** pumping; pump: **dare una p. a una gomma**, to pump up a tyre **2** (*quantità immessa o estratta*) pumpful.

pompàto a. **1** (*fig.: esagerato*) blown up, inflated; (*lodato esageratamente*) hyped **2** (*fam.: pieno di sé*) puffed up.

pompeggiàre **A** v. i. (*lett.*) **1** to show off; to parade **2** to live a life of luxury **B** **pompeggiàrsi** v. i. pron. to strut about; to show* off.

pompeiàno a. Pompeian; Pompeii (attr.): **gli scavi pompeiani**, the Pompeii excavations; **rosso p.**, Pompeian red.

pompèlmo m. (*bot.*, *Citrus paradisi*; *il frutto*) grapefruit.

Pompèo m. (*stor.*) Pompey.

pompétta f. pump; (*di contagocce*) dripper ♦ (*autom.*) **p. lavavetro**, windscreen washer.

♦**pompière** m. **1** firefighter; fireman* (m.); (al pl., collett.) fire brigade (*GB*), fire department (*USA*) (sing.): **chiamare i pompieri**, to call the fire brigade; **carro dei pompieri**, fire engine (*GB*); fire truck (*USA*); **caserma dei pompieri**, fire station; firehouse (*USA*); **corpo dei pompieri**, fire brigade **2** (*fig.*) peacemaker: **fare da p.**, to act as a peacemaker; to pour oil on troubled waters **3** (*pitt.*, *spreg.*) pompier (*franc.*); academic painter.

pòmpilo m. (*zool.*, *Pompilus*) spider-hunting wasp.

pompìno m. (*volg.*) blow job.

pompìsta m. e f. service-station attendant.

pompòn (*franc.*) m. inv. pompom.

pomposaménte avv. pompously; (*con ostentazione*) ostentatiously.

pompostà f. pompousness; pomposity: **p. di stile**, pomposity of style.

pompóso a. **1** (*solenne*, *fastoso*) magnificent; grand: **cerimonia pomposa**, grand ceremony; **vesti pompose**, magnificent garments **2** (*spreg.: appariscente*) ostentatious; showy **3** (*spreg.: vanaglorioso*) pompous; self-important; puffed-up **4** (*ampolloso*) pompous; inflated; bombastic **5** (*mus.*) pomposo.

pònce m. inv. punch: **p. al rum**, rum punch.

poncif (*franc.*) m. (*tecn.*) pounce.

pòncio m. poncho.

ponciro m. (*bot.*, *Poncirus trifoliatus*) trifoliate orange.

ponderàbile a. **1** that can be weighed; measurable **2** (*fig.*) ponderable.

ponderabilità f. ponderability.

ponderàle a. ponderal; weight (attr.).

ponderàre **A** v. t. **1** to ponder; to ponder over; to consider; (*soppesare*) to weigh: **p. le parole di q.**, to ponder sb.'s words; **p. il pro e il contro**, to weigh the pros and cons **2** (*stat.*) to weight **B** v. i. to reflect; to think* carefully.

ponderataménte avv. with due (o careful) consideration; after some deliberation.

ponderatézza f. deliberation; thoughtfulness; circumspection.

ponderàto a. **1** (*che procede con ponderatezza*) circumspect; careful **2** (*detto o fatto con ponderatezza*) well-pondered; well-considered; thought-out: **una decisione ponderata**, a well-pondered decision **3** (*stat.*) weighted: **media ponderata**, weighted average (o mean).

ponderazióne f. careful consideration; reflection; deliberation.

ponderóso a. **1** (*pesante*) heavy; ponderous **2** (*fig.: importante*) ponderous; weighty; momentous; (*estens.: arduo*) laborious, demanding.

pòndo m. (*lett.*) weight; burden.

ponènte m. **1** west: **a p.**, in the west; (*volto verso p.*) to the west, westward, westwards; **guardare a p.**, to look west; **rivolto a p.**, facing west; **da p.**, from the west; **di p.**, west (attr.); western; westerly (attr.): **vento di p.**, west (o westerly) wind; **dirigersi verso p.**, to go west; to be westbound **2** (*vento*) west wind.

ponentino m. light west wind.

ponèra f. (*zool.*, *Dinoponera gigantea*) giant ant.

pònfo → pomfo.

pòngide m. (*zool.*) pongid; (al pl., *scient.*) Pongidae.

pòngo ① m. (*zool.*, *Pongo*) pongo*.

póngo ®② m. plasticine®.

pontàto a. (*naut.*) decked.

◆**pónte** Ⓐ m. **1** (*archit.*) bridge: **p. a mensola**, cantilever bridge; **p. a schiena d'asino**, humpbacked bridge; **p. di barche**, pontoon bridge; **p. di corda**, rope bridge; **p. di ferro [di pietra]**, iron [stone] bridge; **p. di liane**, rope bridge; **p. ferroviario**, railway bridge; **p. girevole**, swing bridge; **p. in cemento armato**, concrete bridge; **p. levatoio**, drawbridge; **p. mobile**, movable bridge; lift bridge; **p. sospeso**, suspension bridge; **p. trasbordatore**, ferry bridge; **attraversare un p.**, to cross a bridge; **gettare un p. su un fiume**, to throw a bridge across a river; to bridge a river **2** (*collegamento*) bridge; link; connection: **p. aereo**, airlift; **p. radio**, radio link **3** (*naut.*) deck: **p. a torre**, turret deck; **p. di corridoio**, 'tween-deck; **p. corazzato**, armoured deck; **p. delle lance**, boat deck; **ponte di batteria**, gun deck; **p. di comando**, bridge; **p. di coperta**, upper deck; main deck; **p. di passeggiata**, promenade deck; **p. d'imbarco**, loading deck; **p. di prima classe**, saloon deck; **p. di terza classe**, steerage; **p. di stazza**, tonnage deck; (*di portaerei*) **p. di volo**, flight deck; **p. inferiore**, lower deck; **p. scoperto**, weather deck; **p. superiore**, upper deck; **nave a tre ponti**, three-decker (ship); **sul p.**, on deck; **salire sul p.**, to go (o to come) on deck; **sgomberare i ponti per l'azione**, to clear the decks for action **4** (*elettr.*) bridge: **p. ad alta frequenza**, high-frequency bridge; **p. magnetico**, permeability bridge **5** (*edil.*) scaffolding; scaffold **6** (*odontoiatria*) bridge **7** (*vacanza*) long holiday; (*a cavallo di un fine settimana*) long weekend: **fare il p.**, to take an extra day off (between two holidays); (*allungando il weekend*) to have a long weekend; **il p. dei Santi**, the All Hallows' Day long holiday ● **p. a bilico**, weighbridge; platform scale □ (*mat.*) **p. dell'asino**, pons asinorum (*lat.*) □ (*anat.*) **p. di Varolio**, pons Varolii □ (*autom.*) **p. sollevatore**, auto lift □ (*fig.*) **bruciarsi i ponti alle spalle**, to burn one's boats □ (*fig.*) **fare da p.**, to act as a support □ (*fig.*) **fare ponti d'oro a q.**, to offer advantageous terms to sb. □ (*fig.*) **tagliare (o rompere) i ponti con q.**, to break off with sb.; to sever all relations with sb. □ (*mil. e fig.*) **testa di p.**, bridgehead □ **vivere sotto i ponti**, to be a tramp Ⓑ a. inv. temporary; provisional; transition (attr.); stop-gap (attr.): **legge p.**, temporary law.

pontéfice m. **1** (*stor. romana*) pontifex*: **il P. Massimo**, the Pontifex Maximus **2** (*eccles.*) pope; pontiff: **il Sommo P.**, the Sovereign Pontiff; the Pope.

ponteggiatóre m. (*edil.*) scaffolder; scaffold builder.

pontéggio m. (*edil.*) scaffolding Ⓤ: **montare [smontare] un p.**, to erect [to take down] scaffolding.

ponticèllo m. **1** small bridge **2** (*mus.*) bridge **3** (*di occhiali*) bridge **4** (*di arma*) trigger guard **5** (*elettr.*) jumper.

pòntico a. (*geogr.*) Pontic.

pontière m. **1** (*mil.*) pontoneer, pontonier **2** (*radio*) radio link operator.

pontificàle Ⓐ a. **1** (*stor. romana*) pontifical **2** (*eccles.*) pontifical; papal: **paramenti pontificali**, pontifical robes; pontificals; **seggio p.**, papal seat **3** (*scherz.*) pontifical; pompous Ⓑ m. (*eccles.*) **1** (*messa*) Pontifical Mass **2** (*libro*) pontifical.

pontificàre v. i. (*eccles.* e *fig.*) to pontificate.

pontificàto m. **1** (*stor. romana*) pontificate **2** (*eccles.*) pontificate; papacy.

pontifìcio a. **1** (*stor. romana*) pontifical **2** (*eccles.*) papal; pontifical: **autorità pontificia**, papal authority; **bolla pontificia**, papal edict; bull; **guardia pontificia**, Papal Guards; **gli Stati Pontifici**, the Papal States.

pontìle m. (*naut.*) pier; landing stage; wharf*: **p. da sbarco**, landing stage; **p. di carico**, loading wharf.

pontìno a. (*geogr.*) Pontine: **le paludi Pontine**, the Pontine Marshes.

pontìsta → ponteggiatore.

pontóne m. (*naut.*, *mil.*) pontoon; (*chiatta*) lighter; (*nave in disarmo*) hulk: **p. a gru**, crane pontoon; **p. a biga**, shear hulk; (*stor.*) **p. armato**, monitor; gunboat; **ponte costruito su pontoni**, pontoon bridge.

pontonière → pontiere.

pony (*ingl.*) m. inv. **1** (*zool.*) pony **2** (*fattorino*) (motorcycle) dispatch rider.

ponzàre Ⓐ v. i. to rack one's brains Ⓑ v. t. **1** to pore over; to mull over; to ruminate **2** (*produrre*) to produce after a great effort; to come* out with.

pool (*ingl.*) m. inv. **1** (*econ.*) pool; consortium: **p. dell'oro**, gold pool **2** (*équipe*) team: **p. antimafia**, anti-Mafia investigation team **3** (*biol.*) - **p. genetico**, gene pool.

pop (*ingl.*) a. e m. inv. pop: **artista pop**, pop artist; **musica pop**, pop music.

pop art (*ingl.*) f. inv. (*arte*) pop art.

popcorn (*ingl.*) m. inv. popcorn.

pòpe m. (*eccles.*) pope.

pòpelin, popelina → popeline.

popeline (*franc.*) m. inv. (*ind. tess.*) poplin.

pòplite m. (*anat.*) popliteal muscle.

poplitèo a. (*anat.*) popliteal: **arteria [vena] poplitea**, popliteal artery [vein]; **nervi poplitei**, popliteal nerves.

popò (*infant.*) Ⓐ f. pooh; poo; poop (*USA*) Ⓑ m. botty.

popolàccio m. (*spreg.*) mob; rabble.

popolaménto m. peopling; population; settlement.

popolàno Ⓐ a. **1** of the (common) people; lower-class (attr.); uneducated: **origine popolana**, lower-class origin **2** (*tipico del popolo*) folk (attr.): **saggezza popolana**, folk wisdom Ⓑ m. (f. *-a*) man* (f. woman*) of the people; member of the lower classes.

◆**popolàre** ① Ⓐ v. t. **1** (*rendere abitato*) to populate; to people; (*colonizzare*) to settle: *I Germani popolarono gran parte della Gallia*, the Germans populated a large part of Gaul **2** (*abitare*) to populate; to inhabit **3** (*riempire*) to fill (with people); to crowd Ⓑ **popolàrsi** v. i. pron. **1** (*diventare popolato*) to become* populated **2** (*riempirsi di gente*) to fill with people; to become* crowded.

◆**popolàre** ② a. **1** (*del popolo*) of the people; people's; popular; working-class (attr.): **democrazia p.**, popular democracy; **il favore p.**, the favour of the people; **fronte p.**, popular front; (*leg.*) **giudice p.**, juryman; **interessi popolari**, the people's interests; **quartiere p.**, working-class neighbourhood; **repubblica p.**, people's republic; **rivolta p.**, popular revolt; **la sovranità p.**, the sovereignty of the people; **tumulti popolari**, riots **2** (*che proviene dal popolo*) folk (attr.); (*popolaresco*) folksy; (*rif. al linguaggio*) vernacular: **canzoni popolari**, folksongs; **etimologia p.**, folk etimology; popular etimology; **musica p.**, folk music; **poesia p.**, folk poetry; **espressione p.**, vernacular idiom **3** (*per il popolo*) working-class (attr.): **biblioteca p.**, lending library; **case popolari**, council houses (*GB*) (housing) project (sing., *USA*); **prezzi popolari**, cheap (o low) prices **4** (*che gode di popolarità*) popular: **scrittore p.**, popular writer; **un uomo politico p.**, a popular politician; **molto p. tra i giovani**, popular with the young; **rendere p.**, to make popular.

popolareggiànte a. inspired by folk tradition; folk (attr.); (*spreg.*) folksy.

popolarésco a. of the common people; folk (attr.): **costume p.**, folk custom; **con schiettezza popolaresca**, with the directness typical of the common people.

popolarìsmo m. populism.

popolarità f. popularity: **acquistare p.**, to win popularity; **crescere in p.**, to gain popularity; **godere di grande p. presso q.**, to be very popular with sb.

popolàto a. **1** populated; peopled **2** (*affollato*) crowded.

◆**popolazióne** f. **1** population: **p. attiva**, working population; **una p. di cinquanta milioni**, a population of fifty million; **p. fluttuante**, floating population; **aumento della p.**, rise in population; population increase; **ad alta densità di p.**, densely populated; **eccesso di p.**, overpopulation **2** (*abitanti di un paese*) people (pl.); country; (*cittadini*) people (pl.) (in a town), citizens (pl.): **sgomberare la p. dalle zone a rischio**, to evacuate the people in the risk areas; **appello alla p.**, appeal to the country **3** (*unità nazionale o etnica*) people; nation: **le popolazioni nordiche**, the northern peoples **4** (*biol.*) population.

popolazionìsmo → popolazionismo.

popolìno m. (the) common people (pl.); (the) lower classes (pl.); (the) masses (pl.); (*spreg.*) populace.

◆**pòpolo** m. **1** (*abitanti di uno Stato*) people (pl.): **il p. italiano**, the Italian people; **p. sovrano**, sovereign people; *Il p. si sollevò contro il dittatore*, the people rose against the dictator; **a furor di p.**, by popular acclaim **2** (*ceto dei popolani*) (the) (common) people (pl.); (the) lower classes (pl.); (the) working classes (pl.): **gente del p.**, working-class people; uneducated people; **costumanze del p.**, popular customs; folk customs; **nemico del p.**, enemy of the people; **venire dal p.**, to be of humble origin **3** (*unità etnica*) people; (*nazione*) nation, country; (*stirpe*) race: **un p. di navigatori**, a seafaring people; **p. giovane**, young nation; **p. guerriero**, warlike nation; **i popoli europei**, the peoples of Europe; **i popoli europei**, the European peoples **4** (*gente*) people (pl.); (*folla*) crowd (of people) ● (*stor.*) **il p. grasso**, the middle classes (pl.) □ (*stor.*) **il p. minuto**, the working classes (pl.); the lower classes (pl.).

popolóso a. populous; densely populated: **una città popolosa**, a densely populated town.

poponàia f. (*agric.*) melon bed.

poponàio m. melon seller.

popóne m. (*bot.*, *region.*) (musk) melon.

pòppa ① f. (*mammella*) breast; tit (*fam.*); boob (*fam*) (*di animale*) dug, udder: **dare la p.**, to suckle; to give the breast.

póppa ② f. (*naut.*) stern; poop: **a p. (o verso p.)**, aft; **andare a p.**, to go aft; **chiamare gli uomini a p.**, to call the men aft; **a p. di**, astern of; **da prora a p.**, from stem to stern; fore and aft; **di p.**, aft (avv.); after (attr.); stern (attr.); **ormeggiato di p.**, moored

stern-on; **il più prossimo alla p.**, aftermost; **cabina di p.**, after cabin; **fanale di p.**, stern light; **mare di p.**, following sea; **ponte di p.**, after deck; **vento di p.**, aft (o stern) wind; following wind; (anche fig.) **avere il** (o **navigare col**) **vento in p.**, to sail before the wind.

poppànte Ａ a. suckling Ｂ m. e f. **1** suckling; (di animale, anche) suckler **2** (fig.) callow youth; one still wet behind the ears (fam.): Sei solo un p.!, you're still wet behind the ears!

poppàre v. t. e i. **1** to suck; to suckle: **p. il latte**, to suck milk; **p. dal biberon**, to suck from the bottle **2** (scherz.: bere golosamente) to swig; to swill; to guzzle.

poppàta f. suck; (di bambino) feeding, feed: **dare sei poppate a un bambino**, to feed a baby six times; **fare una buona p.**, to have a good feed; **l'ora della p.**, feeding time.

poppatóio m. feeding bottle; feeder (GB).

poppavìa f. (naut.) – **a p.**, astern; aft; **a p. di**, abaft; **a p. del traverso**, abaft the beam; **portarsi a p.**, to go aft.

Poppèa f. (stor.) Poppaea.

poppétta f. (naut.) stern sheets (pl.); cockpit.

poppière m. (naut.) **1** (rematore) stroke, strokeoar **2** (marinaio) after hand.

poppièro a. (naut.) stern (attr.); after (attr.).

poppùto a. (scherz.) big-breasted; big-busted; chesty (fam.).

populazionìsmo m. (polit.) policy favouring population increase.

populazionìsta m. e f. person in favour of population increase.

populìsmo m. (polit.) populism.

populìsta a., m. e f. (polit.) populist.

populìstico a. (polit.) populistic.

pòrca f. (agric.) ridge; baulk, balk.

porcaccióne m. (f. -a) slob; pig.

porcàggine f. (lett.) obscenity; smut Ⓤ.

porcàio① m. (guardiano di porci) swineherd.

porcàio② m. **1** (luogo sudicio) pigsty; pigpen; tip **2** (fig.: luogo immorale) cesspit; sewer.

porcarèccia f. (agric.) swinery; piggery.

porcàro m. swineherd.

porcàta f. **1** (azione vile) dirty (o rotten) trick **2** (oscenità) obscenity; filth Ⓤ **3** (volg.: cosa di infimo valore) crap Ⓤ; hogwash Ⓤ **4** (volg.: cosa repellente) filth Ⓤ, crap Ⓤ; (cibo disgustoso) revolting muck Ⓤ.

porcellàna① f. **1** (zool., Porcellana platycheles) broad-clawed porcelain crab **2** (materiale) porcelain; china: **fatto di p.**, made of porcelain (o of china); **figurina di p.**, porcelain figure; **tazza di p.**, china cup **3** (oggetto di p.) piece of china; (al pl., collett.) porcelain Ⓤ, china Ⓤ, chinaware Ⓤ: **una bella p. francese**, a fine piece of French china; **una collezione di porcellane cinesi**, a collection of Chinese porcelain; **negozio di porcellane**, china shop **4** (mantello equino) blue roan.

porcellàna② f. **1** (bot., Portulaca oleracea) (common) purslane **2** (bot.) – **p. di mare** (Atriplex halimus), saltbush.

porcellanàre v. t. (ind.) to porcelainize; to enamel; to glaze.

porcellanàto a. (ind.) porcelain (attr.); enamelled; glazed.

porcellìno m. **1** (maialino) piglet; little pig: **p. di latte**, sucking pig **2** (infant.: maiale) piggy **3** (zool.) – **p. d'India** (Cavia cobaya), guinea-pig; cavy; **p. di terra** (Oniscus asellus), woodlouse; sow bug **4** (f. -a) (fig. scherz.) dirty little pig: Sei un p.!, you're a dirty little pig! **5** (stufetta) portable stove.

porcèllo m. **1** young pig **2** (fig., spreg.) pig; hog.

porcellóne m. (fig., spreg.: persona sudicia) pig, hog; (persona lubrica) dirty old person.

porchería f. **1** (sudiciume) filth Ⓤ; dirt Ⓤ; muck Ⓤ (fam.) **2** (fam.: robaccia) rubbish Ⓤ; trash Ⓤ; crap Ⓤ (slang): Quel romanzo è una vera p., that novel is trash **3** (fam.: cibo disgustoso) nasty food Ⓤ, yucky thing (fam.); (cibo malsano) junk food Ⓤ **4** (fatto, detto, cosa indecente) obscenity; filthy thing; filth Ⓤ; smut Ⓤ: **dire delle porcherie**, to talk smut (o filth); Non voglio che i bambini guardino quelle porcherie, I don't want the children to watch that filth **5** (azione disonesta) mean trick; dirty trick.

porchétta f. (cucina) roast sucking pig.

porciglióne m. (zool., Rallus aquaticus) water rail.

porcìle m. (anche fig.) pigsty; piggery; pigpen (USA).

porcìno Ａ a. piggish; hoggish; swinish; porcine; pig (attr.): **occhi porcini**, pig eyes; **carne porcina**, pork ● (bot.) **pan p.** → **panporcino** Ｂ m. (bot., Boletus edulis) edible boletus; penny bun; cep.

pòrco Ａ m. **1** (zool., Sus) pig; hog; swine*: **p. selvatico** (Sus scrofa), wild boar; **branco di porci**, herd of swine; **guardiano di porci**, swineherd; **allevare porci**, to raise pigs; **ingrassare il p.**, to fatten the pig; **ingozzarsi come un p.**, to make a pig of oneself; **sudicio come un p.**, as dirty as a pig **2** (carne di maiale) pork: **salciccia di p.**, pork sausage **3** (fig., spreg.: persona sudicia) pig; (persona volgare o odiosa) swine, pig; (persona viziosa) dirty-minded person Ｂ a. (volg.) filthy; rotten; damn; bloody (GB): **un p. lavoro**, a rotten job; Ma che ha 'sta porca macchina?, what's wrong with the damn (o bloody) car?; **fare i propri porci comodi**, only to think of number one; Porca miseria!, damn!; hell!; P. mondo! (o P. schifo!), bloody hell!

porcospìno m. **1** (zool., Hystrix) porcupine; hedgehog (USA) **2** (zool. pop.: riccio) hedgehog **3** (fig.: persona scontrosa) prickly person; cantankerous person.

pòrfido m. (geol.) porphyry.

porfìreo a. (lett.) porphyry (attr.).

porfirìa f. (med.) porphyria.

porfìrico① a. (geol.) porphyritic.

porfìrico② a. (med.) porphyric.

porfirióne m. (zool., Porphyrio porphyrio) purple gallinule.

porfirìte f. (geol.) porphyrite.

porfirizzàre v. t. to pulverize; to pound.

♦**pòrgere** Ａ v. t. **1** (tendere) to hand; (dare) to give*; (passare) to pass: Mi porse la lettera, she handed me the letter; Porgimi il vassoio, per favore, pass me the tray, will you?; **p. attenzione**, to pay attention; (fig.) **p. l'altra guancia**, to turn the other cheek; **p. la mano a q.**, to hold out one's hand to sb.; (fig.) to give sb. a hand, to lend sb. a helping hand; **p. orecchio** (o ascolto), to pay attention; to listen **2** (offrire) to offer; to give*; to hold* out; to present: **p. aiuto**, to help; **p. il braccio a q.**, to offer one's arm to sb.; **p. il destro**, to give an opportunity (o a chance); **p. i propri ringraziamenti**, to express one's thanks; **p. le proprie scuse**, to offer one's apologies; (nella corrispondenza) Le porgo i miei più cordiali saluti, yours sincerely, (meno form.) best regards Ｂ v. i. (declamare) to deliver (one's lines); to recite Ｃ **pòrgersi** v. rifl. (lett.) (presentarsi) to offer oneself; to present oneself.

porìfero m. (zool.) porifer; (al pl., scient.) Porifera.

pòrno Ａ a. inv. porn; porno; blue: **film p.**, porn (o porno) movie; blue movie; skin flick (slang); **rivista p.**, porn magazine Ｂ m. inv. porn.

pornoattóre m. porn actor; pornstar, porn star.

pornoattrìce f. porn actress; porn star.

pornocassétta f. porn video.

pornodìvo m. (f. -a) porn star.

pornofìlm m. inv. porn (o porno) movie; blue movie; skin flick (slang).

pornofumétto m. porn comic strip; porn comics (pl.).

pornografìa f. pornography; porn (fam.): **p. spinta**, hard (o hard-core) porn.

pornogràfico a. pornographic; porn (fam.); porno (fam.): **disegni pornografici**, pornographic drawings; **materiale p.**, pornography; porn; **romanzo p.**, pornographic novel.

pornògrafo m. (f. -a) pornographer.

pornolocàle m. porn cinema; porn club.

pornorivista f. porn magazine; nudie magazine (fam.).

pornoshop m. inv. porn shop; sex shop.

pornoshow m. inv. porn show.

pornostàmpa f. porn magazines (pl.).

pornostar m. e f. inv. porn star.

pornovideo m. inv. porn video.

pòro m. **1** (anat., bot.) pore: **p. sudoriparo**, sweat pore; **i pori del legno**, the pores of wood **2** (astron.) – **p. solare**, solar pore ● (fig.) **sprizzare rabbia da tutti i pori**, to be fuming □ (fig.) **sprizzare salute da tutti i pori**, to be bursting with health.

poroadenìte f. (med.) adenitis.

porosità f. porosity; porousness.

poróso a. porous: **legno p.**, porous wood.

pórpora f. **1** (colorante) purple (dye) **2** (colore) deep red; crimson: **cielo di p.**, crimson sky; **farsi di p.** (arrossire), to blush crimson **3** (stoffa) purple (cloth); (estens.: veste e dignità regia o cardinalizia) the purple: (eccles.) **indossare la p.**, to be made a cardinal; **vestire di p.**, to be dressed in purple **4** (med.) purpura: **p. emorragica**, purpura hemorrhagica.

porporàto Ａ a. wearing purple Ｂ m. (eccles.) cardinal.

porporìna f. **1** purpurin **2** (polvere metallica) bronze powder.

porporìno a. deep red; crimson.

porrandèllo m. (bot., Allium ampeloprasum) wild leek.

♦**pórre** Ａ v. t. **1** (mettere) to put*, to place; (deporre) to lay* down, to put* down; (collocare, disporre) to place, to set*: **p. la firma su un documento**, to put one's signature to a document; to sign a document; **p. guardie intorno al campo**, to place (o to set) guards all around the camp; **p. delle scatole l'una sull'altra**, to set boxes on top of each other; to pile boxes; Le posi la mano sulla fronte, I placed my hand on her forehead; **p. una domanda a q.**, to put a question to sb.; to ask sb. a question; **p. le fondamenta**, to lay the foundations; **p. piede in un posto**, to set foot in a place; **p. termine** (o **fine**) **a**, to put an end to; **p. a confronto**, to compare; **p. ai voti**, to put to the vote; **p. q. al comando di qc.**, to place sb. in command of st.; **p. da parte**, to set apart; to lay aside; to set aside; **p. in libertà**, to set free; **p. in salvo**, to rescue; to save **2** (supporre) to suppose; to assume: Poniamo il caso che..., (let us) suppose (that)... **3** (stabilire, imporre) to set*; to fix; to lay* down: **p. condizioni**, to lay down conditions; **p. un prezzo**, to set a price; **p. una scadenza**, to set a deadline; **p. un termine**, to set a limit **4** (presentare, suscitare) to pose: **p. difficoltà**, to pose difficulties **5** (lett.: erigere) to erect; to set* up: **p. una statua**, to erect a statue ● (Per ulteriori loc.

idiom. → **mettere** o sotto i vari sost.) **p. a effetto**, to put into effect; to carry out □ (*comm.*) **p. a frutto**, to invest; to lay out at interest □ **p. l'accento su**, to place emphasis on; to stress; to emphasize □ **p. la propria candidatura a qc.**, to stand (as a candidate) for st. □ **p. l'embargo su**, to lay an embargo on □ **p. un freno a**, to restrain; to curb; to check □ **porre in calce**, to affix □ **p. in dubbio**, to doubt; to question □ **p. in essere**, to adopt; to introduce; to implement; to initiate □ **p. in evidenza** (*o* **in rilievo**), to emphasize; to point out; to stress; to lay stress (*o* emphasis) on □ **p. mano a**, to begin (*o* to start); to get down to □ **p. mente a**, to pay attention to □ **p. tempo in mezzo**, to lose time; to delay; **senza p. tempo in mezzo**, without delay **B pórsi** v. rifl. **1** to put* oneself; (*collocarsi, disporsi*) to place oneself: *Si pose davanti al quadro*, he placed himself in front of the painting; **porsi a sedere**, to sit down; **porsi in cammino**, to set out; to start off; **porsi in salvo**, to escape; to find refuge **2** (*accingersi*) to set* (to, about); to get* down (to): **porsi al lavoro**, to set to work; to get down to work.

pòrro m. **1** (*bot.*, *Allium porrum*) leek **2** (*verruca*) wart **3** (*vet.*) canker.

porróso a. warty; full of warts.

♦**pòrta A** f. **1** (*uscio*) door; (*soglia*) doorway: **p. a due battenti**, double-leaf door; **p. a fisarmonica** (*o* **a soffietto**), folding door; **p. a vetri**, glass door; **p. antincendio**, fire door; fireproof door; **p. blindata**, reinforced door; **p. di casa**, front door; **p. di servizio**, back door; **p. di sicurezza**, emergency door (*o* exit); **p. finestra**, French window; **p. finta**, blind door; **p. girevole**, revolving door; **p. laterale [principale]**, side [front] door; **p. scorrevole**, sliding door; (*naut.*) **p. stagna**, watertight door; **abbattere** (*o* **sfondare**) **una p.**, to beat down a door; **accompagnare q. alla p.**, to see sb. to the door; **aprire [chiudere] la p.**, to open [to shut] the door; **aprire la p. a q.**, to open the door for sb.; (*fig.*) to welcome sb.; **chiudere la p. a chiave**, to lock the door; **chiudere la p. in faccia a q.**, to shut (*o* to close) the door in sb.'s face; (*fig.*) to refuse to help sb.; **bussare** (*o* **picchiare**) **alla p.**, to knock on the door; *Hanno bussato alla p.*, somebody knocked; *Bussarono alla p.*, there was a knock on the door; (*anche fig.*) **entrare per la p. di servizio**, to get in by the back door; **fermarsi sulla p.**, to stop in the doorway; **lasciare q. sulla p.**, to leave sb. standing on the threshold (*o* in the doorway); **mettere q. alla p.**, to show sb. the door; to turn sb. out; (*fig.*) **mostrare la p. a q.**, to show sb. the door; **sbattere la p.**, to slam the door; *Per voi la p. è sempre aperta*, you are always welcome; *Quella è la p.!*, get out of here!; **i vicini della p. accanto**, one's next-door neighbours; **p. a p.**, (*accanto*) next door (to); (*di p. in p.*) door-to-door (attr.); **abitare p. a p. con q.**, to live next door to sb.; **vendite p. a p.**, door-to-door selling; **di p. in p.**, from door to door; door-to-door (attr.) **2** (*di città, castello, ecc.*) gate: **le porte di una prigione**, the gates of a prison; **le porte del Paradiso [dell'Inferno]**, the gates of Heaven [of Hell]; (*anche fig.*) *Il nemico è alle porte*, the enemy is at the gates; **fuori p.**, outside the town; **gita fuori p.**, outing; day trip **3** (*sportello*) door: **la p. di un armadio**, the door of a wardrobe; **la p. dell'auto**, the car door; **la p. del forno**, the oven door; (*autom.*) **quinta [terza] p.**, hatch; tailgate; **auto a quattro porte**, four-door car; **auto a tre [cinque] porte**, hatchback **4** (*sport*: *calcio, rugby, hockey, pallanuoto*) goal; (*sci, slalom*) gate: **p. vuota**, open goal; **essere in p.**, to be a goalkeeper; **tirare in p.**, to shoot at goal; **area di p.**, goal area; **linea di p.**, goal line;

mischia sotto p., scramble in the goal area **5** (*fig.*: *accesso*) gateway; admission: **la p. dell'Oriente**, the gateway to the East **6** (*geogr.*: *valico*) pass; gate: **le porte d'Italia**, the passes of Italy **7** (*stor.*) – **la Sublime P.**, the (Sublime *o* Ottoman) Porte **8** (*comput.*) gate; port: **p. parallela [seriale]**, parallel [serial] port; **p. del modem**, modem port ● (*leg.*) **a porte aperte**, in open court □ **a porte chiuse**, behind closed doors; (*leg.*) in camera: **riunirsi a porte chiuse**, to hold a meeting behind closed doors; *Il processo sarà a porte chiuse*, the trial will be held in camera □ (*fig.*) **alle porte**, near; approaching; drawing close; around (*o* round) the corner: *Natale è alle porte*, Christmas is getting near (*o* is almost upon us); *L'esame è alle porte*, the exam is around the corner □ (*fig.*) **aprire la p. a qc.**, to usher in st. □ **Il denaro apre tutte le porte**, money opens all doors □ (*fig.*) **per la p. o per la finestra**, by hook or by crook □ **prendere la p.**, to leave □ (*fig.*) **sfondare una p. aperta**, to state the obvious; to preach to the converted □ (*fig.*) **trovare tutte le porte chiuse**, to draw a blank **B** a. – (*anat.*) **vena p.**, portal vein.

portaàcqua m. e f. inv. **1** water carrier **2** → **portaborracce**.

portaàghi m. inv. (*chir.*) needle holder.

portaattrézzi → **portattrezzi**.

portabagàgli A m. inv. **1** (*facchino*) (railway) porter **2** (*autom.*, *sul tetto*) roof rack; (*bagagliaio*) boot (*GB*), trunk (*USA*) **3** (*su treno, autobus*) luggage rack; baggage rack (*USA*) **B** a. inv. luggage (attr.); baggage (attr.): **carrello p.**, luggage trolley; **vano p.**, luggage compartment; (*autom.*) boot (*GB*), trunk (*USA*).

portabandièra m. e f. inv. **1** (*mil. stor.*) standard-bearer; ensign **2** (*fig.*) standard-bearer.

portabastóni m. inv. **1** walking-stick rack **2** (*golf*) caddie.

portabiancheria m. inv. **1** laundry bin; (*cesto*) laundry basket.

portabigliétti m. inv. (anche agg.: **custodia p.**) card case.

portàbile a. **1** (*trasportabile*) portable; transportable **2** (*indossabile*) wearable: *Questa giacca non è più p.*, this jacket is no longer wearable; **un completo molto p.**, an outfit that can be worn on many occasions; a versatile outfit.

portabilità f. (*di abito*) wearability; versatility.

portàbiti m. inv. clothes stand.

portabóllo m. inv. road tax disc holder.

portabómbe m. inv. (*aeron.*, anche agg.: **vano p.**) bomb bay.

portaborràcce m. inv. (*ciclismo*) cyclist who supplies the team captain with water.

portabórse m. e f. inv. (*spreg.*) politician's aide; flunkey; heeler (*USA*); (*galoppino*) errand-boy, dogsbody, gofer (*USA*).

portabottiglie m. inv. **1** (*rastrelliera*) bottle rack **2** (*cestello*) bottle crate.

portabùrro m. inv. butter dish.

portacandéla m. inv. candle-stick.

portacappèlli m. inv. hatbox; bandbox.

portacàrta → **portarotolo**.

portacàrte m. inv. paper holder; (*borsa*) briefcase; document case.

portacassétte m. inv. cassette rack.

portacatino m. inv. washstand.

portacénere m. inv. ashtray.

portachiàtte m. inv. (*naut.*) barge carrier.

portachiàvi m. inv. (*anello*) key ring; (*astuccio*) key case.

portacipria m. inv. (*astuccio*) powder

compact.

portacolóri m. e f. inv. (*sport*) athlete who wears the colour (of a team).

portacontainer A a. inv. container (attr.) **B** f. inv. (*naut.*) container ship.

portacontenitóri a. inv. container (attr.).

portacravàtte m. inv. tie rack.

portadischi A m. inv. **1** (*mobiletto*) record rack; record stand **2** (*album*) record holder **B** a. inv. – **mobile p.**, record rack; record stand; **piatto p.**, turntable.

portadocuménti m. **1** (*cartella*) briefcase; document case **2** (*custodia*) card holder; document holder.

portadólci m. inv. cake stand.

portaelicòtteri f. inv. (*naut.*) helicopter carrier.

portaèrei f. inv. (*naut.*) aircraft carrier: **p. a propulsione nucleare**, nuclear-powered aircraft carrier; **p. d'appoggio**, support aircraft carrier.

portaeromòbili f. inv. (*naut.*) aircraft carrier.

portaferiti m. inv. stretcher-bearer.

portafiàccole m. inv. torch holder.

portafiammìferi m. inv. matchbox; match holder.

portafiàschi m. inv. flask basket.

portafiàsco m. flask holder.

portafili, **portafilo** m. inv. (*ind. tess.*) thread guide.

portafinèstra f. French window.

portafióri m. inv. (*vaso*) flower vase; (*fioriera*) flower stand.

♦**portafòglio** m. **1** wallet; billfold (*USA*): **avere il p. gonfio** (*o* **ben fornito**), to have a fat wallet; **mettere mano al p.**, to pay up; *Mi hanno rubato il p.*, my wallet has been stolen; someone stole my wallet **2** (*per disegni, ecc.*) portfolio **3** (*fig.*: *carica ministeriale*) portfolio*; ministerial office: **il p. della Difesa**, the Defence portfolio; **ministro senza p.**, minister without portfolio **4** (*banca, fin.*) paper securities (pl.); bills in hand (pl.); portfolio*: **p. azionario**, share portfolio; **p. estero**, foreign bills: **p. titoli**, investment portfolio ● **gonna a p.**, wrap-over skirt.

portafortùna A m. inv. (*amuleto*) amulet; (*ciondolo*) lucky charm; (*mascotte*) mascot **B** a. inv. lucky: **ciondolo p.**, lucky charm.

portafòto, **portafotografie** m. inv. photograph holder; (*album*) photo album.

portafrùtta m. inv. fruit dish; fruit bowl.

portafusìbili m. inv. (*elettr.*) fuse block.

portaghiàccio m. inv. (anche agg.: **secchiello p.**) ice bucket.

portagiòie, **portagioièlli** m. inv. jewel case; jewel box.

portagomìtolo m. inv. wool holder.

portaimmondìzie m. inv. litter bin; (*pattumiera*) rubbish bin (*GB*); dustbin (*GB*); garbage can (*USA*); trash can (*USA*).

portaincènso m. inv. (*eccles.*) incense boat.

portainnèsto m. (*agric.*) rootstock.

portainségna → **portabandiera**.

portalàmpada m. inv. lamp holder; bulb socket: **p. a baionetta**, bayonet lamp holder; **p. a vite**, screw lamp holder.

portalàpis → **portamatita**; **portamatite**.

portàle① a. (*anat.*) portal.

portàle② m. **1** (*archit.*) portal; gateway **2** (*tecn.*) portal **3** (*comput.*) portal.

portalèttere m. e f. inv. postman* (m.); mailman* (m.) (*USA*); postwoman* (f.).

portaliquóri m. inv. liqueur tray.

portamatita m. (*cannello*) pencil holder.

portamatìte m. inv. (*astuccio*) pencil case; pencil box.

portaménto m. **1** bearing; carriage; deportment; (*andatura*) gait: **p. altero**, proud bearing; **p. elegante**, poise; **p. goffo**, awkward bearing; **avere un bel p.**, to have a good carriage; to carry oneself well **2** (*fig.*: *condotta*) bearing; demeanour; behaviour; conduct **3** (*mus.*) portamento*.

portamìna, **portamìne** m. inv. propelling pencil.

portamissìli a. inv. (*aeron.*) rocket (attr.); missile (attr.): **aereo p.**, rocket launcher; **nave p.**, missile carrier.

portamonéte m. inv. purse; change purse (*USA*).

portamòrso m. inv. (*equit.*) cheek strap; cheek piece.

portampólle m. inv. cruet stand.

portamunizióni m. inv. (*mil.*) ammunition carrier.

portamùsica m. inv. (*mobile*) music cabinet.

portànte **A** a. **1** bearing; carrying **2** (*edil.*) load-bearing; bearing; supporting: **muro p.**, bearing (o supporting) wall **3** (*fis.*) - **onda p.**, carrier wave **4** (*aeron.*) - **piano p.**, aerofoil **5** (*fig.*) fundamental; basic: **idee portanti**, fundamental ideas; **strutture portanti**, fundamentals ● **ben p.** → **benportante** **B** m. (*ambio*) amble.

portantìna f. **1** (*sedia*) sedan chair; (*lettiga*) litter; (*palanchino*) palanquin, palankeen **2** (*barella*) litter; stretcher.

portantìno m. **1** (*stor.*) sedan bearer **2** (*di ospedale*) stretcher-bearer.

portànza f. **1** carrying capacity **2** (*aeron.*) lift: **p. aerodinamica**, aerodynamic lift; **p. statica**, static lift; **perdita di p.**, lift loss.

portaobiettìvi m. inv. **1** (*di microscopio*) nosepiece **2** (*cinem.*) lens holder; lens casing.

portaocchiàli m. inv. spectacle case.

portaoggètti m. inv. **1** holder; (*vano*) compartment; (*autom.*) glove compartment; (*astuccio*) case; (*ripiano*) shelf; (*vassoio*) tray **2** (*anche* **vetrino p.**) slide.

portaòlio m. inv. (*oliera*) oil cruet.

portaombrèlli m. inv. umbrella stand.

portaórdini m. inv. messenger; courier; dispatch rider.

portapàcchi m. inv. **1** (*portabagagli, su motorino e sim.*) (parcel) carrier; (*autom.*) roof rack; (*a rete*) parcel net; (*a griglia*) parcel grid **2** (*fattorino*) delivery man*.

portapàne m. inv. bread bin; bread basket.

portapénne m. inv. pen holder; (*astuccio*) pen case.

portapèzzo m. inv. (*tecn.*) faceplate.

portapiàtti m. inv. plate rack.

portapíllole m. inv. pillbox.

portapìpe m. inv. pipe rack.

portaposàte m. inv. cutlery tray.

portaprànzi → **portavivande**.

portapùnta m. (*mecc.*) (drill) chuck.

♦**portàre** **A** v. t. **1** (*verso il luogo dove è o sarà il soggetto o l'interlocutore*) to bring*; (*andare a prendere*) to fetch, to get*; (*consegnare*) to deliver; (*trasferire ad altro luogo*) to take*: *Ti ho portato il giornale* [*un regalo*], I've brought you the paper [a present]; *Portami un bicchiere, per favore*, bring me a glass, please; *Ha portato cattive notizie*, she brought bad news; *Ho portato un amico*, I've brought a friend; *Gli portai il cappotto dall'anticamera*, I fetched him his coat from the hall; *Mi hanno appena portato questo pacco*, this parcel has just been delivered to me; *Porta questi fiori a tua sorella*, take these flowers to your sister; *Porto la spesa in cucina?*, shall I take the shopping to the kitchen?; *Questo vento ci porterà il bel tempo*, this wind will bring us good weather; **p. su** [**giù, dentro, fuori**], to bring up [down, in, out]; to take up [down, in, out] **2** (*avere con sé*) to carry: **p. l'ombrello** [**una spada, il fucile**], to carry an umbrella [a sword, a gun]; *Porto sempre con me il libretto degli assegni*, I always carry my cheque book with me; **p. sotto il braccio**, to carry under one's arm **3** (*portare un peso, trasportare*) to carry; (*poter trasportare, avere una data portata*) to carry, to hold*, to have a load capacity of; (*di bilancia*) to weigh up to; (*di gru*) to lift up to: **p. una valigia** [**un vassoio**], to carry a suitcase [a tray]; **p. il vino in cantina**, to carry the wine down to the cellar; **p. q. in braccio**, to carry sb. in one's arms; **p. q. in trionfo**, to carry sb. in triumph; **p. sulle spalle**, to carry on one's shoulders; **p. via di peso**, to carry away; **i tubi che portano l'acqua alla città**, the pipes that carry water to the city; *La nave porta un carico di minerale di ferro*, the ship carries a cargo of iron ore; *Questo autocarro porta oltre cinque tonnellate*, this lorry carries over five tons **4** (*trascinare*) to carry; to drag; to sweep*; (*del vento*) to blow*: *Il fiume portò tronchi e detriti*, the river carried logs and rubbish; *Il vento portò una nuvola di fumo*, the wind blew in a cloud of smoke; *Fu portato via dalla corrente*, he was swept away (o carried off) by the current; *La corrente lo portò a fondo*, the current dragged it to the bottom **5** (*prendere con sé*) to take* (along); to bring* (along): **portarsi a casa il lavoro**, to take one's work home; *Portati l'ombrello*, take an umbrella with you; *Decisi di p. con me alcuni campioni*, I decided to take along a few samples; *Posso p. mia moglie?*, can I bring my wife with me?; **portarsi dietro qc.**, to bring [to take] st. along **6** (*accompagnare*) to take*; (*in auto*) to drive*; (*condurre, guidare*) to lead*: **p. q. all'ospedale** [**al cinema**], to take sb. to hospital [to the cinema]; **p. le pecore al pascolo**, to lead sheep to pasture; *La portai a casa*, I took [I drove] her home; *Lo portai in giro per la città*, I took [I drove] him around the town; *La donna ci portò in ufficio*, the woman led us into the office; *Questa strada porta alla stazione*, this road leads to the station **7** (*guidare un mezzo*) to drive*: *Sai p. l'auto?*, can you drive (a car)? **8** (*far arrivare*) to bring*; (*a un livello, una posizione*) to take*: **p. l'elettricità a un paese**, to bring electricity to a village; *Le sue doti l'hanno portata in alto*, her talent has taken her to the top **9** (*fig.*: *addurre, presentare, offrire*) to give*; to offer; to cite; to bring* forward; to put* forward: **p. delle buone ragioni**, to offer (o to bring forward) good reasons; **p. un esempio**, to give an example; **p. un paragone**, to make a comparison; **p. prove**, to bring forward evidence **10** (*fig.*: *indurre*) to lead*; to make*: *Quella scoperta mi portò a dubitare della veridicità della sua storia*, that discovery led me to doubt the truth of his tale; *Ciò mi porta a pensare* (o *a credere*) *che...*, this makes me think that... **11** (*fig.*: *spingere*) to drive*; to lead*: **p. q. alla disperazione**, to drive sb. to despair; **p. q. alla pazzia**, to drive sb. insane **12** (*causare, arrecare*) to bring*; to cause; to bring* about: **p. danno**, to cause harm; to damage; **p. fortuna**, to bring good luck; **p. guai**, to bring trouble; **p. un cambiamento in meglio**, to bring about a change for the better; *Le nuove misure porteranno un abbattimento dell'inflazione*, the new measures will bring down inflation **13** (*reggere, sostenere*) to bear*: **le travi che portano il tetto**, the beams that bear the roof **14** (*avere indosso*) to wear*; (*vestire*) to have on: *Quando uscì quella sera, portava un cappotto grigio*, when she went out that evening she had on (o was wearing) a grey coat; **p. la barba**, to wear a beard; **p. i capelli corti**, to wear one's hair short; **p. un fiore all'occhiello**, to wear a flower in one's button-hole; **p. il lutto**, to wear mourning; **p. gli occhiali** [**gli orecchini**], to wear glasses [earrings]; **p. la taglia 46**, to take size 46; *Che numero porti di scarpe?*, what size of shoes do you take?; *Quest'autunno si porterà molto il beige*, beige will be the fashion this coming autumn **15** (*rif. al portamento*) to carry; to bear*: **p. diritta la persona**, to bear one's body upright; to walk with an upright carriage **16** (*avere, recare*) to have; to bear*: **p. un nome illustre**, to bear (o to have) a famous name; **p. i segni di qc.**, to bear the signs of st.; *Se non porta la mia firma, non è valido*, if it doesn't bear my signature, it isn't valid; *Lo porta scritto in fronte*, it's written all over his face (o all over him) **17** (*far guadagnare*) to bring* in; to fetch; (*fruttare*) to yield **18** (*provare, nutrire sentimenti*) to bear*; to feel*: **p. affetto a q.**, to feel affection for sb.; to be fond of sb.; **p. rancore verso q.**, to bear sb. a grudge; **p. rispetto a q.**, to bear sb. respect **19** (*mat.*) to carry: *Scrivo uno e porto sei*, I write (down) one and carry six **20** (*assol.*) (*naut., di vele*) to draw*: *Le vele portano bene*, the sails are drawing well ● **p. a buon fine**, to see through □ **p. a compimento**, to carry out □ **p. qc. a conoscenza di q.**, to bring st. to sb.'s knowledge; to inform sb. of st. □ **p. a galla**, to make (st.) rise to the surface □ **p. qc. alla bocca**, to raise st. to one's mouth □ **p. alla luce**, (*dissotterrare*) to dig out; (*fig.*) to reveal, to unearth □ **p. avanti una battaglia**, to fight a battle □ **p. avanti un discorso**, to be active in (doing st.); to work actively at (st.). □ **p. avanti un lavoro**, to get ahead with one's job □ **p. avanti un progetto**, to work at a plan □ **p. bene i propri anni**, not to look one's age □ **p. q. dalla propria parte**, to win sb. over □ (*fig.*) **p. q. in palmo di mano**, to have a high opinion of sb. □ **p. in tavola**, to serve □ **p. male i propri anni**, to look older than one is □ (*fig.*) **p. q. sulla cattiva strada**, to lead sb. astray □ **p. via**, to take away; to carry away; (*rubare*) to take, to steal; (*rif. al tempo*) to take; (*uccidere*) to carry off: *Portalo via, non lo voglio*, take it away, I don't want it; *La mamma mi ha portato via il cellulare*, Mum has taken my mobile away from me; *I ladri hanno portato via tutto quello che potevano trasportare*, the burglars took anything they could carry; *Il vento mi portò via il cappello*, the wind blew my hat off; *Il lavoro portò via tre mesi*, the work took three months; **un lavoro che porta via molto tempo**, a time-consuming job; *Se l'è portato via un cancro ai polmoni*, he was carried off by lung cancer □ *Che il diavolo ti porti!*, go to the devil! □ (*prov.*) *Tutte le strade portano a Roma*, all roads lead to Rome **B** **portàrsi** v. i. pron. **1** (*andare*) to go*; (*venire*) to come*; (*spostarsi*) to move: *La polizia si portò sul luogo dell'incidente*, the police went to the scene of the accident; *Portati un po' a destra*, move a little to the right; **portarsi avanti col lavoro**, to make headway **2** (*comportarsi*) to behave; to act: **portarsi bene** [**male**], to behave well [badly] **3** (*stare di salute*) to be well*: **portarsi bene** [**male**], to be (o to feel) well [ill].

portarelìquie m. inv. reliquary.

portarifiùti m. inv. **1** (*per strada*) litter bin; litter basket **2** → **portaimmondizie**.

portarinfùse f. inv. (*naut.*) bulk carrier.

portaritràtti m. inv. picture frame; photograph frame.

portarivìste m. inv. magazine rack.

portarocchétto m. (*di macchina da cucire*)

spool pin.

portarossétto m. inv. lipstick holder.

portaròtolo m. inv. **1** (*per carta igienica*) toilet roll holder **2** (*per carta da cucina*) kitchen roll holder.

portasapóne m. inv. (*vaschetta*) soap dish; (*scatoletta*) soap case.

portascàlmo m. inv. (*naut.*) crutch socket; rowlock housing.

portascì m. (*autom.*) ski rack.

portasciugamàno m. inv. (*a barra*) towel rail; (*ad anello*) towel ring; (*a cavalletto*) towel horse.

portascopìno m. toilet brush stand.

portasigarétte m. inv. cigarette case.

portasìgari m. inv. cigar case; cigar box.

portaspàzzole m. inv. brush holder.

portaspazzolìni m. inv. toothbrush holder.

portaspazzolìno m. toothbrush case.

portaspìlli m. inv. pincushion.

portastànghe m. inv. shaft strap.

portastecchìni m. inv. toothpick holder.

portastendàrdo m. standard-bearer.

portastuzzicadènti m. inv. toothpick holder.

portàta f. **1** (*di pranzo*) course: **pranzo di sei portate**, six-course dinner **2** (*di nave*) (carrying) capacity; (*stazza*) tonnage: **p. lorda**, dead weight capacity **3** (*di automezzo, bilancia*) capacity; (*di gru*) lifting (*o* hoisting) power; (*edil.*) capacity load: **p. massima**, maximum load **4** (*di fiume, condotto, ecc.*) flow: **p. al secondo**, flow per second **5** (*raggio d'azione*) range; reach; compass; (*di arma*) range: **a p. di mano**, within reach; (*sottomano*) to hand, handy; (*nelle vicinanze*) close by, convenient; **a p. d'orecchio**, within hearing (*o* earshot); **a p. di fucile**, within rifle range; **a p. di voce**, within call; within hailing distance; **fucile a lunga p.**, long--range rifle; **fuori p.**, out of range; **fuori della p. di**, beyond the range of **6** (*estensione, ampiezza*) range; scope; compass; reach: **la p. di un'indagine**, the scope of an investigation; **mutamenti di vasta p.**, far-reaching changes **7** (*importanza, significato*) importance; significance: **un problema di grande p.**, a problem of great importance **8** (*possibilità, capacità*) reach; (*intellettiva, anche*) grasp: **idee alla p. di tutti**, ideas that are within everybody's reach (*o* grasp); **prezzi alla p. di tutte le tasche**, prices within everybody's reach; **fuori della p. del profano**, out of the layman's reach **9** (*livello*) level; (*calibro*) calibre; (*capacità*) ability.

portatèssera, **portatèssere** m. inv. card holder; ticket holder.

♦**portàtile** Ⓐ a. portable: **armi portatili**, portable firearms; small arms; **macchina da scrivere p.**, portable typewriter; **televisore p.**, portable television Ⓑ m. inv. (*comput.*) portable computer; laptop.

portatimbri m. inv. stamp rack.

portatìvo a. – (*mus.*) **organo p.**, portative organ.

portàto Ⓐa. **1** (*di abito: già usato*) used, already worn; (*smesso*) reach-me-down; (*usato*) second-hand **2** (*incline*) prone; inclined: **essere p. all'ira**, to be prone to anger; *Sono p. a credere che...*, I'm inclined to think that... **3** (*dotato*) that has a talent (*o* a bent); gifted; talented: **essere p. alla musica**, to have a bent for music; to be musically talented; **essere portato per le lingue**, to have a facility with languages Ⓑ m. (*frutto*) result; outcome: **il p. del progresso tecnologico**, the result of technological progress.

portatóre m. (f. **-trice**) **1** (*chi trasporta pesi*) bearer; (*alpinismo*) porter: **p. di lettiga**, stretcher-bearer **2** (*latore*) bearer: **p. di buone notizie**, bearer of good news **3** (*fin.*,

banca: detentore) holder; (*chi presenta q.*) bearer; (*di assegno e sim.*) payee: **p. di azioni**, shareholder; **p. di cambiale**, bill holder; **pagabile al p.**, payable to bearer; **titoli al p.**, stocks to bearer **4** (*med., biol.*) carrier: **p. sano**, healthy carrier **5** (*fis.*) – **p. di carica**, (*zool.*) carrier **6** (*zool.*) – **p. di spada** (*Xiphophorus helleri*), swordtail **7** – **p. di handicap**, handicapped person; disabled person.

portatovagliòlo m. (*busta*) napkin holder; (*anello*) napkin ring.

portattrézzi m. inv. tool box.

portauòva m. inv. egg carton; egg box; (*di frigorifero*) egg tray; egg rack.

portauòvo m. inv. eggcup.

portautensìli m. inv. (*mecc.*) tool holder; tool post.

portavalóri Ⓐ m. inv. security guard Ⓑ a. inv. (*banca*) – **cassetta p.**, safe-deposit box; **furgone p.**, security van.

portavàsi m. inv. (*portafiori*) flower stand.

portavivànde m. inv. **1** (*contenitore*) food container **2** (*carrello*) trolley.

portavóce Ⓐ m. inv. (*naut.*) speaking--tube Ⓑ m. e f. inv. spokesman* (m.); spokeswoman* (f.); spokesperson* (*generalm. spreg.*) mouthpiece: **p. del governo**, government spokesman.

porte-enfant (*franc.*) m. inv. (baby) bunting.

portèlla f. → **portello**.

portellerìa f. (*naut.*) ports (pl.).

portellìno m. small port; small hatch; (*naut.*) porthole, bull's-eye.

portèllo m. **1** (*piccola porta*) (small) door **2** (*di veicolo*) port; hatch: (*naut.*) **p. di boccaporto**, hatch; **p. di carico**, raft port; (*autom.*) **p. posteriore**, hatch; tailgate **3** (*sportello*) door.

portellóne m. **1** (*aeron., naut.*) hatch **2** (*autom.*) hatch; tailgate.

portènto m. **1** (*prodigio, fatto straordinario*) portent; prodigy; wonder; marvel; miracle: **i portenti della natura**, the prodigies of nature; **operare portenti**, to work wonders (*o* miracles) **2** (*fig., di cosa*) marvel, prodigy; (*persona*) prodigy, phenomenon: **essere un p. di memoria**, to have a prodigious memory.

portentóso a. prodigious; wonderful; wonder (attr.); marvellous: **guarigione portentosa**, prodigious recovery; **medicinale p.**, wonder drug: **memoria portentosa**, prodigious memory; **risultati portentosi**, wonderful results.

porticàto (*archit.*) Ⓐ m. arcade; colonnade Ⓑ a. porticoed.

porticciòlo m. small harbour; (*turistico*) marina.

pòrtico m. **1** (*archit., di edificio*) portico*, porch; (*passaggio coperto*) arcade, colonnade: **passeggiare sotto i portici**, to stroll under the arcades **2** (*agric.*) shed; lean-to.

portièra① f. **1** (*autom.*) door **2** (*tenda*) door curtain; portière (*franc.*).

portièra② → **portinaia**.

portieràto m. caretaker's job ● **spese di p.**, caretaker's wages.

♦**portière** m. **1** doorkeeper; doorman*; porter (*GB*); janitor (*USA*); (*di albergo, ecc., in uniforme*) commissionaire; (*di casa privata*) caretaker, concierge (*franc.*), caretaker (*USA*) **2** (*sport*) goalkeeper; (*hockey su ghiaccio*) goaltender.

portinàia f. **1** (female) caretaker; concierge (*franc.*); **2** (*moglie del portiere*) caretaker's wife* **3** (*eccles.*) portress.

portinàio m. doorkeeper; doorman*; porter (*GB*); janitor (*USA*); (*di casa privata*) caretaker, concierge (*franc.*), doorman* (*USA*).

portinerìa f. porter's lodge; caretaker's

lodge.

portinfànte → **porte-enfant**.

pòrtland m. (*edil.*) Portland cement.

♦**pòrto**① m. **1** (*il portare*) carrying; possession; (*permesso*) licence, license (*USA*): **p. d'armi**, possession of firearms; (*permesso*) gun licence, licence to carry firearms **2** (*prezzo del trasporto*) carriage; (*anche naut.*) freight: **p. a carico**, carriage forward; **p. affrancato**, postage paid; **p. assegnato**, carriage forward; **franco di p.**, free of carriage; carriage free.

♦**pòrto**② m. **1** (*naut.*) harbour, harbor (*USA*); port: **p. artificiale**, artificial harbour; **p. canale**, canal harbour; **p. d'armamento**, fitting-out port; **p. di carico**, port of loading; **p. d'entrata**, port of entry; **il p. di Genova**, the port of Genoa; **p. d'imbarco**, (*comm.*) port of shipment; (*di passeggeri*) port of embarkation; **p. d'immatricolazione**, port of registry; home port; **p. di indoganamento**, port of entry; **p. di mare**, seaport; **p. di scalo**, port of call; **p. di scarico**, port of discharge; **p. di sbarco**, port of disembarkation; **p. fluviale**, river port; **p. franco**, free port; **p. interno**, inland port; **p. merci**, freight port; **p. militare**, naval port; **p. naturale**, natural harbour; **p. per traghetti**, ferry port; **p. sicuro**, safe harbour; **entrare in p.**, to enter port; **fare scalo a un p.**, to call at a port; **lasciare il p.**, to leave port; **capitaneria di p.**, harbour-master's office; **capitano di p.**, harbour-master; **diritti di p.**, harbour dues; **zona del p.**, dockland; (*fig.*) *Questa casa è un p. di mare!*, this house is like a railway station! **2** (*città portuale*) port; seaport **3** (*fig.: asilo, rifugio*) haven; port; shelter; refuge: **p. di salvezza**, haven of safety; **p. di pace**, haven of rest **4** (*fig.: meta ultima*) goal; success: **andare in p.**, to be successful; **condurre in p.**, to carry out; to conclude successfully; to see through; **essere in p.**, to have reached one's goal; to be home and dry (*fam.*); **mandare in p. qc.**, to see st. through.

pòrto③ m. (*vino*) port.

Portogàllo m. (*geogr.*) Portugal.

portoghése Ⓐ a. Portuguese Ⓑ m. e f. **1** Portuguese **2** (*fig.*) gatecrasher (*in a stadium, etc.*): **entrare alla p.**, to gatecrash; to get in free Ⓒ m. (*lingua*) Portuguese.

portolàno m. (*naut.*) sailing directions (pl.); (*stor.*) pilot's book; (*stor.*) portolan, portolano*.

portolàta f., **portolàto** m. (*naut.*) fish carrier.

portombrèlli → **portaombrelli**.

portoncino m. (*ritagliato nel portone*) wicket door.

portóne m. main door; street door; main entrance; front gate.

portorealista m. (*stor.*) Port-Royalist.

portoricàno a. e m. (f. **-a**) Puerto Rican.

Portorico m. (*geogr.*) Puerto Rico.

portuàle Ⓐ a. (*naut.*) harbour, harbor (*USA*) (attr.); port (attr.): **attrezzature portuali**, harbour (*o* port) facilities; **città p.**, seaport; **consorzio p.**, harbour trust; **diritti portuali**, harbour dues; port dues; dockage (sing.) Ⓑ m. dock worker; docker; longshoreman* (*USA*); stevedore.

portualità f. characteristics (pl.) of a harbour; port facilities (pl.).

portuàrio a. (*naut.*) harbour, harbor (*USA*) (attr.); port (attr.).

portulàca f. (*bot.*) **1** (*Portulaca grandiflora*) rose moss; portulaca **2** (*Portulaca oleracea*) purslane.

portuóso a. having many ports; rich in harbours.

porzióne f. **1** (*parte, quota*) portion; share; part: **dividere qc. in porzioni uguali**, to di-

vide st. into equal portions (o parts); to share out st. equally; *Ho anch'io la mia p. di seccature*, I too have my share of problems **2** (*di cibo*) helping, serving; (*al ristorante*) portion: **p. intera**, full portion; **porzioni abbondanti**, generous helpings; **una seconda p. di dolce**, a second helping of dessert.

pòsa f. **1** (*collocazione*) laying; setting: **la p. d'un cavo**, the laying of a cable; **la p. della prima pietra**, the laying of the foundation stone; **p. in opera**, laying; fitting **2** (*quiete, riposo*) rest; peace: **non avere mai p.**, to have no peace (o rest); **senza p.**, without rest; incessantly (avv.) **3** (*fotogr.*) exposure (*cinem.*) **teatro di p.**, studio; **tempo di p.**, exposure time **4** (*atteggiamento per un ritratto*) pose; (*seduta per un ritratto*) sitting; (*posizione del corpo*) posture, attitude, stance: **p. naturale**, natural attitude (o stance); **assumere una p.**, to strike a pose (o an attitude); **mettere q. in p.**, to stand sb. in a pose; **mettersi in p.**, to strike a pose; *Ci vollero dieci pose per il ritratto*, the portrait took ten sittings **5** (*spreg.: atteggiamento affettato*) pose; affectation; posturing ⬚ **6** (*mus.*) rest; pause.

posacàvi (*naut.*) Ⓐ a. inv. cable-laying Ⓑ f. inv. cable-laying ship; cable layer.

posacénere m. inv. ashtray.

posafèrro m. inv. iron stand.

posamine (*naut.*) Ⓐ a. inv. mine-laying: **sommergibile p.**, mine-laying submarine Ⓑ f. e m. inv. mine layer.

posamòlle m. inv. tongs stand.

posapiàno m. e f. inv. (*scherz.*) slow-coach; slowpoke (*USA*).

♦**posàre** Ⓐ v. t. (*deporre*) to put* (down), to lay* (down); (*appoggiare*) to rest, to lay*; (*mettere, collocare*) to put*, to place, to set*: **p. il cappello sulla sedia**, to put one's hat on the chair; **p. le armi**, to lay down (one's) arms; (*fig.*) to cease hostilities; **p. il capo sul guanciale**, to lay one's head on the pillow; **p. un cavo [una mina, rotaie]**, to lay a cable [a mine, railway tracks]; **p. gli occhi su qc.**, to lay one's eyes on st.; *Posa quel coltello!*, put down that knife!; *Posa la valigia e vieni a mangiare*, put down your suitcase and have something to eat; *Mi posò la mano sul braccio*, he laid (o put) his hand on my arm; *Posai il libro aperto sulle ginocchia*, I rested (o laid) the open book on my knees Ⓑ v. i. **1** (*poggiare*) to rest; to stand*; to be founded: *La casa posa sulla roccia*, the house is founded on rock; *Il palazzo posa su sedici pilastri*, the building stands (o rests) on sixteen pillars **2** (*fig.: fondarsi*) to be based (o founded); to rest: **p. su assunti errati**, to be based on wrong assumptions; **p. su solide basi**, to have firm foundations **3** (*per un ritratto*) to pose, to sit*; (*per una foto*) to pose: *Posa per alcuni pittori*, he poses for a few painters **4** (*assumere atteggiamenti affettati*) to pose: **p. a intellettuale**, to pose as an intellectual **5** (*di liquido*) to stand*; to settle: *Il vino deve p. prima d'essere imbottigliato*, wine must settle before it is bottled **6** (*lett.: fermarsi*) to stay*, to stop; (*riposare*) to rest **7** (*lett.: giacere*) to lie* Ⓒ **posàrsi** v. i. pron. **1** (*di uccello*) to alight; to settle; (*appollaiarsi*) to perch: *Ogni mattina un passero si posa sul mio davanzale*, every morning a sparrow alights on my window-sill; *Il gufo si posò sul ramo più alto prima di piombare sulla preda*, the owl perched on the highest branch before swooping down on its prey **2** (*aeron.*) to land; to touch down: *L'aviogetto si posò sulla pista d'emergenza*, the jet landed on the emergency runway **3** (*depositarsi*) to settle **4** (*dello sguardo*) to fall*; to rest; to stay* **5** (*di accento*) to fall*.

posaréti f. inv. (*naut.*) netlayer.

posàta f. **1** piece of cutlery; (*cucchiaio*) spoon; (*forchetta*) fork; (*coltello*) knife*; (al

pl., collett.) cutlery ⬚, silverware ⬚ (*USA*): **posate d'argento**, silver cutlery; **posate per il pesce**, fish cutlery; **alcune vecchie posate**, a few old pieces of cutlery; **mettere in tavola le posate**, to put the cutlery (o the knives and forks) on the table; **servizio di posate**, set of cutlery **2** (*posto a tavola*) place setting; place; (*coperto*) cover.

posateria f. cutlery; silverware (*USA*).

posatézza f. composure; steadiness; sobriety; calm.

posàto a. composed; steady; sober; sensible; self-possessed; (*calmo*) calm, moderate: **carattere p.**, sensible character; **un giovane serio e p.**, a serious, sober young man.

posatóio m. (*per volatili*) perch; roost.

posatóre m. (f. **-trìce**) **1** (*operaio*) layer **2** (*persona affettata*) poser; poseur.

posatùbi Ⓐ a. inv. pipe-laying Ⓑ m. inv. pipe layer.

posatùra f. sediment; settlings (pl.); lees (pl.); dregs (pl.).

pòscia (*lett.*) → **poi, dopo**.

poscritto m. postscript.

posdatàre e *deriv.* → **postdatare**, e *deriv.*

posdomàni avv. (*lett.*) the day after tomorrow.

positìva f. (*fotogr.*) positive.

positivaménte avv. **1** positively; (*affermativamente*) in the affirmative: **accogliere p.**, to welcome; **giudicare p.**, to react positively to; to give a good reception to; **reagire p.**, to react positively; **rispondere p.**, to answer in the affirmative; to answer yes **2** (*con sicurezza*) definitely; with certainty; for a fact: **sapere qc. p.**, to know st. for a fact.

positivìsmo m. (*filos.*) positivism.

positivìsta m. e f. (*filos.*) positivist.

positivìstico a. (*filos.*) positivistic; positivist (*attr.*).

positività f. **1** positiveness; positivity **2** (*risultato positivo*) positive result.

positivizzàrsi v. i. pron. (*med.*) to seroconvert; to become* positive.

positìvo Ⓐ a. **1** (*stabilito da un'autorità*) positive: **diritto p.**, positive law **2** (*affermativo*) positive; affirmative: **reazione positiva**, positive response; **risposta positiva**, affirmative answer **3** (*reale, concreto*) real; actual; positive; substantial **4** (*certo, sicuro*) certain; positive: *La notizia è positiva*, the news is certain **5** (*pratico*) practical; matter-of-fact **6** (*che conferma*) positive: *Il test è risultato p.*, the test was positive; (*med.*) **risultare p. al test per...**, to test positive for... **7** (*favorevole, vantaggioso*) positive; favourable; good: **atteggiamento p.**, positive attitude; **esito p.**, favourable conclusion; **giudizio p.**, favourable judgment; approval; **il lato p. della faccenda**, the upside of the matter; *L'unica cosa positiva è che...*, the only good thing is that... **8** (*scient.*) positive: **elettricità positiva**, positive electricity; **numero p.**, positive number; (*fis.*) **polo p.**, positive pole; **quantità positiva**, positive quantity; (*mat.*) **segno p.**, positive (o plus) sign **9** (*fotogr.*) positive **10** (*ling.*) positive: **grado p.**, positive degree **11** (*mus.*) – **organo p.**, positive organ Ⓑ m. **1** (*ciò che è certo*) what is certain; facts (pl.): *Ancora non c'è nulla di p.*, there is nothing certain yet **2** (*gramm.*) positive (degree).

positóne, positonio → **positrone, positronio**.

positróne m. (*fis.*) positron.

positrònio m. (*fis.*) positronium.

positùra f. **1** (*atteggiamento, posa*) posture; attitude **2** (*posizione*) position.

posizionàle a. (*fis., ling.*) positional.

posizionaménto m. **1** (*tecn.*) positioning; locating **2** (*comm., market.*) positioning: **p. competitivo**, brand positioning **3** (*com-*

put.) setting.

posizionàre v. t. **1** (*tecn.: sistemare*) to position **2** (*tecn.: determinare la posizione*) to locate **3** (*comm.*) to place **4** (*comput.*) to set*.

posizionàto a. **1** positioned; located; situated **2** (*nelle inserzioni comm., di persona*) successful, well-established; (*di appartamento e sim.*) well-situated.

♦**posizióne** f. **1** position; (*ubicazione*) situation, location: **p. chiave**, key position; **la p. dei pezzi sulla scacchiera**, the position of the pieces on the board; **la p. dell'Italia nel Mediterraneo**, Italy's position in the Mediterranean; (*naut.*) **la p. della nave**, the ship's position; **p. geografica**, geographical position; *La villa è in una p. incantevole*, the villa is in a charming situation (o is charmingly situated); (*naut.*) **determinare la p.**, to fix the position; **mettere in p.**, to put into position; to position; **luci di p.**, (*naut.*) navigation lights; (*autom.*) sidelights, parking lights **2** (*in una graduatoria*) place; (*in una gerarchia*) position: **in buona p.**, well placed; **nelle prime posizioni**, near the top; **in ultima p.**, at the bottom of the list; **portarsi in terza p.**, to advance to third place **3** (*mil.*) position: **le posizioni nemiche**, the enemy's positions; **guerra di p.**, trench warfare **4** (*del corpo*) position; attitude; posture: **p. eretta**, upright posture; **in p. eretta**, upright; standing; **p. fetale**, foetal position; **p. scorretta**, bad posture; **assumere una p. scorretta**, to develop a bad posture; **p. seduta**, sitting position; **in p. di attenti**, standing at attention; **mettersi in p. di attenti**, to stand to attention; **in p. distesa**, flat; **in p. supina**, supine; on one's back; **mettersi in p. supina**, to lie down; **essere seduto in una p. comoda**, to sit in a comfortable position; **mettersi in p. di difesa**, to take up a defensive position **5** (*opinione, atteggiamento*) position; attitude: *Qual è la tua p. in questa faccenda?*, what is your position (o attitude) in this matter?; **assumere una p. ben definita**, to take a clear position; **prendere p.** (*in una disputa*), to take sides; **prendere p. contro q. [qc.]**, to take a stand against sb. [st.]; **presa di p.**, stance **6** (*situazione*) situation; position; standing; status: **p. delicata**, delicate situation (o position); **p. di potere**, position of power; **p. finanziaria**, financial position; **p. sociale**, social status; **definire la propria p.**, to define one's position; **trovarsi in una p. imbarazzante**, to be (o to find oneself) in an awkward position; *Una persona nella tua p. non deve scendere così in basso*, a person in your position (o of your standing) shouldn't lower himself to this level; *Non sono in p. di poter giudicare*, I'm not in a position to pass judgment **7** (*condizione economica*) position, situation; (*lavoro*) job: **farsi una p.**, to reach a good position; **trovare una buona p.**, to find a good job **8** (*astron.*) position **9** (*comput.*) location **10** (*ling., mus.*) position.

poslùdio m. (*mus.*) postlude.

pòsola f. (*di finimento*) crupper.

posolìno m. (*di finimento*) dock.

posologìa f. (*farm.*) posology; (*nelle istruzioni di medicinale*) dosage.

pospórre v. t. **1** (*mettere dopo*) to put* after; to place after; (*fig.: subordinare*) to subordinate, to put* after: **p. il soggetto al verbo**, to put the subject after the verb; **p. la virtù alla ricchezza**, to subordinate virtue to wealth **2** (*rimandare*) to postpone; to put* off; to delay: **p. un viaggio**, to put off a journey; *Abbiamo posposto ogni decisione alla settimana prossima*, we have put off all decisions until next week; *Si dovette p. la riunione*, the meeting had to be postponed.

pospositìvo a. (*gramm.*) postpositive:

particella pospositiva, postpositive (particle).

pospoṣiżióne f. **1** postposition: **la p. degli aggettivi in francese**, the postposition of adjectives in French **2** (*rinvio*) postponement.

pòssa f. (*lett.*) might; power; (*forza*) strength, vigour.

◆**possedére** v. t. **1** to possess; to have; (*essere in possesso di*) to be in possession of; (*essere proprietario di*) to own: **p. molte qualità**, to have many qualities; **p. due macchine**, to own (*o* to have) two cars; **p. informazioni**, to be in possession of information; (*lett.*) **p. una donna**, to possess a woman; *Dovette vendere tutto ciò che possedeva*, she had to sell all she had (*o* possessed) **2** (*assol.: essere ricco*) to be wealthy; to be rich **3** (*fig.: dominare totalmente*) to possess: **essere posseduto dal demonio**, to be possessed by the devil; *Non lasciarti p. dall'ira*, don't let anger get the better of you **4** (*fig.: conoscere a fondo*) to know well (*o* in depth); to have an in-depth knowledge of: **p. una lingua**, to know a language well.

possedimento m. **1** (*il possedere*) possession; possessing **2** (*proprietà*) (landed) property Ⓤ; (*p. terriera*) estate: *Non gli rimangono molti possedimenti dopo aver pagato i debiti*, he hasn't much property left after paying his debts; *Hanno possedimenti in Lombardia*, they have an estate (*o* some property) in Lombardy **3** (*territorio posseduto*) possession; (*colonia*) colony: **possedimenti d'oltremare**, overseas possessions.

posseditrìce f. → **possessore**.

posseduto Ⓐ a. possessed Ⓑ m. (f. *-a*) person possessed.

possènte a. (*lett.*) powerful; mighty: **colpo p.**, mighty blow; **fisico p.**, powerful build; **voce p.**, powerful voice.

possessióne f. **1** (*possesso*) possession; ownership **2** (*psic.*) possession.

possessività f. possessiveness.

possessìvo Ⓐ a. **1** (*gramm.*) possessive: **aggettivo [pronome] p.**, possessive adjective [pronoun]; **caso p.**, possessive (case) **2** possessive: **amore p.**, possessive love; **atteggiamento p.**, possessive behaviour; possessiveness; **madre possessiva**, possessive mother; **essere p. nei confronti di q.**, to be possessive of sb. Ⓑ m. (*gramm.*) possessive.

possèsso m. **1** possession; holding; (*diritto di proprietà*) ownership: (*leg.*) **p. di buona fede [di mala fede]**, bona fide [mala fide] possession; **p. di azioni**, shareholding; (*sport*) **p. di palla**, possession; **p. illegale**, illegal possession; **p. legittimo**, lawful possession; **in p. di q.**, in sb.'s possession; in sb.'s hands; **nel pieno p. delle proprie facoltà mentali**, in full possession of one's mental faculties; **essere in p. di qc.**, to be in possession of st.; to possess st.; to have st.; to hold st.; **essere in p. di un diploma**, to hold a diploma; **entrare in p. di qc.**, to come into possession of st.; **prendere p. di qc.**, to take (*o* to get) possession of st.; **rientrare in p. di qc.**, to recover st.; to regain possession of st.; to get back st.; **venire in p. di qc.**, to come by st.; to acquire st.; **assunzione di p.**, assumption of ownership; **diritti di p.**, rights of ownership (*o* of tenure); **presa di p.**, taking possession **2** (*padronanza*) command; mastery: **il p. di una lingua**, the command (*o* mastery) of a language **3** (*spec. al pl.: possedimento*) property Ⓤ; (*terreni*) estate.

possessóre m. (f. *possedìtrice*) possessor; (*detentore*) holder; (*proprietario*) proprietor, owner: **p. di azioni**, shareholder; **p. di buona fede [mala fede]**, bona fide [mala fide] possessor (*o* holder); **legittimo p.**, rightful owner.

possessòrio a. (*leg.*) possessory: **azione possessoria**, possessory action.

◆**possìbile** Ⓐ a. **1** (*che può essere o accadere*) possible; (*probabile*) probable, likely; (*potenziale*) potential, prospective: **la p. causa di qc.**, the possible cause of st.; **possibili futuri clienti**, possible future customers; prospective customers; **guarigione p.**, possible recovery; likely recovery; **mondi possibili**, possible worlds; *Tutto è p.*, everything is possible; *Com'è p.?*, how is it possible?; how can it be so?; *È p. che si debba rimandare l'incontro*, the meeting may have to be postponed; *È p. che lui non lo sapesse*, he may not have known; *È (mai) p. che qui debba sempre fare tutto io?*, must I always do everything around here?; *P.?*, really?; *P. che nessuno se ne sia accorto?*, how can no one have noticed?; surely someone must have noticed!; *Non è p.!*, it can't be!; it isn't possible!; *Non è p. che un padre si comporti così!*, it's not possible for a father to behave like that; a father cannot possibly behave like that; *Non è p. che tu non lo sappia*, you can't possibly not know; *Non è p. confondere Marco con Gianni*, you can't mistake (*o* it's impossible to mistake) Marco for Gianni **2** (*realizzabile*) possible; (*fattibile*) feasible, practicable, viable: **un progetto [una scelta] p.**, a feasible scheme [choice]; **ogni sforzo p.**, every possible effort; **il più presto p.**, as soon as possible; (*rif. a velocità*) as quickly as possible; **il più tardi p.**, at the latest possible moment; *È p. farle visita?*, is it possible to visit her?; can she be visited?; *Mi spiace, ma non è p.*, it's impossible, I'm sorry; I'm sorry, but it can't be done; *Non è p. vedere il malato oggi*, it's not possible to see the patient today; *Non mi è stato p. scoprirlo*, I wasn't able (*o* it was impossible for me) to find out; *Spero mi sia p.*, I hope I can; **il meno [il più] p.**, as little [as much] as possible **3** (*passabile*) tolerable; reasonable Ⓑ m. **1** (*cio che può accadere*) (the) possible **2** (*ciò che è realizzabile, fattibile*) (the) possible; everything possible; one's best: **fare (tutto) il p.**, to do everything possible; to do all one can; to do one's best (*o* one's utmost); *Farò il p. per persuaderlo*, I'll do my best to persuade him; **nei limiti del p.**, as far as possible; *Faremo di tutto, nei limiti del p.*, we'll do everything that we possibly can.

possibiliṣmo m. attitude of one who does not rule out any possibility or solution; attitude in favour of compromise.

possibiliṣta Ⓐ a. not ruling out any possibility or solution; open to compromise Ⓑ m. e f. person open to compromise.

possibilìstico a. not ruling out any possibility or solution; open to compromise.

◆**possibilità** f. **1** (*eventualità*) possibility, chance; (*probabilità*) likelihood, probability: **la p. che i calcoli siano sbagliati**, the possibility (*o* likelihood) that calculations might be wrong; **una remota p.**, a vague possibility (*o* chance); *C'è ancora una p. che egli venga*, there is still a chance that he may come; he may still come; *C'era sempre la p. che tutto finisse in niente*, there was always the possibility that it might all come to nothing; *Che p. c'è che...?*, what is the likelihood of...?; what are the chances that...?; *Non ha nessuna p. di vincere*, she stands no chance of winning **2** (*realizzabilità*) possibility; (*fattibilità*) feasibility, viability: **la p. di andare su Marte**, the possibility of travelling to Mars **3** (*capacità*) possibility; capability; (*potere*) power: **dare a q. la p. di fare qc.**, to give sb. the possibility of doing st.; to enable sb. to do st.; *Non ho la p. di aiutarla*, I am in no position to help her; I cannot help her; **rientrare nelle p. di q.**, to be within sb.'s power **4** (*opportunità*) chance; opportunity;

scope: *Non appena mi si presentò la p.*, as soon as the opportunity arose; *Ho avuto la p. di conoscerlo*, I had the chance to meet him; *Ti rimane una sola p.*, you have just one chance left; **un lavoro che non offre p.**, a job that offers no scope **5** (*potenzialità*) potential; potentiality **le p. di un mercato**, a market's potentials **6** (*spec. al pl.: mezzi morali*) means (pl.), power; (*mezzi materiali*) means (pl.): **dare secondo le proprie p.**, to give according to one's means; **vivere al di sopra delle proprie p.**, to live beyond one's means.

possibilménte avv. if possible; if one can: *Ricordati di telefonarmi, p. prima delle tre*, remember to phone me, before three if possible (*o* if you can) ❶ **FALSI AMICI** • possibilmente *non si traduce con* possibly.

possidènte Ⓐ m. e f. property owner; person of property; propertied person; (*di terre*) landowner: **p. terriero**, landowner; **un ricco (una ricca) p.**, a rich landowner; a man [a woman] of property; **la classe dei possidenti**, the propertied class Ⓑ a. property-owning; propertied; land-owning.

possidènza f. (*lett.*) property Ⓤ; (*terreni*) estate.

pòsso 1ª pers. sing. indic. pres. di **potere**.

post m. inv. (*ingl.*, Internet, *su newsgroup, blog e simili*) post.

◆**pòsta** f. **1** (*posto di stalla*) stall; box **2** (*appostamento di cacciatore*) stand; (*nascosto*) hide **3** (*stor., anche* **stazione di p.**) stage; post (stage); post house: **cavalli di p.**, post horses **4** (*servizio postale*) post, mail (*spec. USA*); (*lettere*) mail, post, letters (pl.): **p. aerea**, airmail; **p. celere → postacelere**; **p. del mattino**, the morning mail; **p. elettronica**, electronic mail; e-mail; **p. in arrivo [in partenza]**, incoming [outgoing] mail; **p. ordinaria**, second-class mail; surface mail; **p. pneumatica**, pneumatic post (*o* dispatch); **p. prioritaria**, first-class mail; **p. raccomandata**, registered mail; (*giorn.*) **piccola p.**, readers' letters; *C'è molta p. per te*, there's a lot of mail (*o* of post, of letters) for you; **aprire la p.**, to open one's mail; **arrivare con la p.**, to come in the mail; **distribuire la p.**, to deliver the mail; **scorrere la p.**, to go through the post (*o* the mail); **smistare la p.**, to sort out the post (*o* the mail); **a giro di p.**, by return of post; **per p.** (*o* **a mezzo p.**), by post; by mail; through the post; with the mail; **arrivare per p.**, to arrive by post; come in the mail; **avvisare a mezzo p.**, to notify by post (*o* by mail); **ricevere qc. per p.**, to get st. through the mail; **spedire per p.**, to send by post (*o* by mail); to post; to mail; **distribuzione della p.**, mail delivery; **fermo p.**, poste restante (*franc.*) (*GB*); general delivery (*USA*); **spese di p.**, postal expenses; (*affrancatura*) postage (sing.); **voto per p.**, postal vote **5** (*ufficio postale*) post office; post: **p. centrale**, main post office; General Post Office (abbr. G.P.O.); **andare alla p.**, to go to the post office **6** (*al pl.*) postal service; mail service: **Poste e Telegrafi**, postal and telegraph services; **direttore delle poste**, postmaster; **impiegato delle Poste**, post-office clerk; (*in passato*) *Ministro delle Poste*, Postmaster General **7** (*puntata*) stake; (*piatto*) stakes (pl.), pool: **la p. minima**, the minimum stake; *La p. in gioco è alta*, the stakes are high; (*fig.*) there is a lot at stake; **alzare la p.**, to raise the stakes; (*fig., anche*) to raise (*o* to up) the ante; **raddoppiare la p.**, to double the stakes; (*fig.*) **giocare (o rischiare) una p. molto alta**, to play for high stakes **8** (*eccles. region.: stazione della Via Crucis*) station (of the Cross); (*parte del rosario*) decade ● **a bella p.**, on purpose; deliberately □ **fare la p. a q.**, to lie in wait for sb.

postacèlere m. fast delivery service.

a b c d e f g h i j k l m n o **p** q r s t u v w x y z

postagiro m. postal transfer; giro.

♦**postàle** Ⓐ a. postal; post (attr.); mail (attr.); post-office (attr.): **cartolina p.**, postcard; **casella p.**, post office box (abbr. P.O. box); **cassetta p.**, letter box; mail box (USA); **distretto p.**, postal district; **furgone p.**, mail van; **pacco p.**, parcel; **impiegato p.**, post-office clerk; **pacco p.**, parcel; packet; **regolamento p.**, postal regulations (pl.); **spese postali**, postage (sing.); **tariffe postali**, postal tariffs; **timbro p.**, postmark; **ufficio p.**, post office; **vaglia p.**, postal order Ⓑ m. 1 (naut.) packet (boat); mail boat 2 (ferr.) mail train.

postalizzàre v. t. to send* by ordinary post.

postappèllo m. late extra session of university examinations.

postàre v. t. (fam., Internet, su newsgroup, blog e simili) to post.

postatòmico a. post-atomic.

postavanguàrdia f. post avant-guarde.

postazióne f. 1 (mil.) position; post; emplacement: **p. d'artiglieria**, gun emplacement; **p. di mitragliatrici**, machine-gun post (o pit); **postazioni nemiche**, enemy positions; **mettere in p. un pezzo**, to position a gun 2 (radio, TV) position.

postbèllico a. post-war (attr.).

postbruciatóre m. (aeron.) afterburner.

postcoitàle a. (med.) post-coital.

postcomunìsmo m. post-Communism.

postcomunìsta a., m. e f. post-Communist.

postconciliàre a. (eccles.) post-conciliar.

postcongressuàle a. after-conference.

postconsonàntico a. (ling.) post-consonantal.

postdatàre v. t. to postdate: **p. un assegno**, to postdate a cheque.

postdatàto a. postdated.

postdatazióne f. postdating.

postdentàle a. (ling.) postdental.

postdibattimentàle a. (leg.) post-trial (attr.).

postdibattiménto m. (leg.) post-trial proceedings (pl.).

postdiluviàno a. postdiluvian.

posteggiàre v. t. e i. (autom.) to park.

posteggiatóre m. (f. **-trice**) 1 (autom.) car park attendant 2 (region.: venditore) stall holder.

postéggio m. 1 (autom.) parking place; parking space; (parcheggio) car park, parking lot (USA); (di taxi) taxi rank (GB), cab stand (USA) 2 (region.: per venditori di piazza) pitch.

Postel abbr. (servizio nazionale di posta elettronica) national electronic mail (actually: hybrid mail) service.

postelegràfico Ⓐ a. post and telegraph (attr.); postal and telegraphic: **servizi postelegrafici**, postal and telegraphic services Ⓑ m. (f. **-a**) post-office employee.

postelegrafònico Ⓐ a. post, telegraph and telephone (attr.) Ⓑ m. (f. **-a**) post-office employee.

postelementàre a. post-elementary.

pòster (ingl.) m. inv. poster.

postergàre v. t. 1 (lett.) to neglect 2 (annotare a tergo) to annotate on the back of; to endorse 3 (banca, leg.) to postpone; to defer: **p. un'ipoteca**, to postpone a mortgage; **azioni [obbligazioni] postergate**, deferred shares [bonds].

postergazióne f. 1 endorsement 2 (banca, leg.) postponement; deferment.

posterìa f. (region.) grocer's (shop); grocery.

♦**posterióre** Ⓐ a. 1 (che sta dietro) back; rear; hind: **file posteriori**, back rows; (mil.)

rear ranks; (autom.) **luci posteriori**, back lights; **la parte p.**, the back; the rear; **la parte p. del duomo**, the back of the cathedral; **la parte p. del cranio**, the back of the skull; **zampe posteriori**, hind legs 2 (che viene dopo) later; subsequent; following: **opere posteriori**, later works; **epoche posteriori**, subsequent epochs; **un poema p. a quello dantesco**, a poem subsequent to Dante's; **essere di poco p. a qc.**, to come (o to take place) soon after st. 3 (bot.) posticous Ⓑ m. (sedere) buttocks (pl.); rear; rear end; backside (fam.); rump (fam.).

posterióri → a posteriori.

posteriorità f. 1 (nello spazio) rear position 2 (nel tempo) posteriority.

posteriorménte avv. 1 (dietro) behind; at the back; in the rear 2 (in seguito) subsequently; later on.

posterità f. posterity; descendants (pl.); (spec. leg.) issue: **trasmettere alla p.**, to hand down to posterity.

postèrla → postierla.

pòstero m. descendant; (al pl., collett.) descendants, posterity (sing.): **i nostri posteri**, our descendants; **trasmettere ai posteri**, to hand down to posterity; **Giudicheranno i posteri**, posterity will be the judge of it.

posteroanterióre a. (anat.) posteroanterior.

posterolateràle a. (anat.) posterolateral.

posteromediàle a. (anat.) posteromedian.

postfascìsmo m. post-fascism.

postfascìsta a., m. e f. post-fascist.

postfazióne f. afterword; postface.

postglaciàle a. (geol.) postglacial.

postìccio Ⓐ a. artificial; false: **barba posticcia**, false beard; **capelli posticci**, false hair Ⓑ m. (toupet) hairpiece; toupet.

posticìno m. 1 (luogo) spot: **un p. tranquillo**, a quiet spot 2 (fig.: nicchia); (posto di lavoro comodo) cushy little number: **ritagliarsi un p.**, to carve oneself a niche 3 (locale) little place: **un p. gradevole e senza pretese**, a pleasant, unpretentious little place.

posticipàre v. t. to postpone; to put* off; to defer; to delay: **p. la partenza**, to postpone one's departure; **p. il pagamento**, to defer payment; **p. una partita**, to put off a match.

posticipàto a. deferred; delayed: **pagamento p.**, deferred payment.

posticipazióne f. postponement; deferment.

pòsticipo m. 1 → **posticipazione** 2 (calcio) postponed match: **p. di domenica sera**, Sunday night match.

postièrla f. (stor.) postern.

postiglióne m. postilion.

postìlla f. 1 marginal note; gloss 2 (fig.) comment; clarification.

postillàre v. t. to annotate; to gloss.

postillatóre m. (f. **-trice**) annotator; commentator.

postillatùra f. 1 (il postillare) annotating; glossing 2 (insieme delle postille) annotations (pl.); (marginal) notes (pl.); glosses (pl.).

pòstime m. (agric.) seedling.

postimpressionìsmo m. (arte) post-Impressionism.

postimpressionìsta m. e f. (arte) post-Impressionist.

postindustriàle a. post-industrial.

postinfartuàle a. (med.) post-infarction.

postinfluenzàle a. (med.) post-influenzal.

♦**postìno** m. (f. **-a**) postman* (f. postwoman*); mailman* (USA).

postìte f. (med.) posthitis.

postlàurea a. inv. postgraduate (attr.); graduate (attr.) (USA).

postlùdio m. → **posludio**.

postmatùro m. (med.) postmature.

postmilitàre a. after national service (attr.).

postmodernìsmo m. postmodernism.

postmodèrno a. postmodern; postmodernist.

post mòrtem (lat.) Ⓐ loc. avv. after death Ⓑ loc. agg. post mortem.

postnatàle a. post-natal.

pósto① a. placed; situated; set; put: Il villaggio è p. in riva al mare, the village is (situated) on the coast ● **p. che**, since; as □ **p. ciò**, having said that.

♦**pósto**② m. 1 place: Ogni cosa era al suo p., everything was in (its) place; Questo non è p. per te, this is no place for you; Mettiti al p. mio!, put yourself in my place!; **prendere il p. di q.**, to take the place of sb.; (sostituire) to replace sb.; **rimettere qc. al suo p.**, to put st. back (in its place); (fig.) **saper stare al proprio p.**, to know one's place; **a p.**, (in ordine) in order, all right; (risolto) settled, fixed, sorted out; (per bene) respectable, decent: È tutto a p., everything is in order; (è tutto sistemato) it's all settled, it has all been sorted out; Sono a p.?, (rif. all'aspetto), do I look all right?; **mettere a p. qc.**, to put st. back in its place; to replace st.; (riordinare) to tidy st.; (sistemare) to sort st. out; (aggiustare) to fix st.; Metti a p. le tue cose, put your things in order; **mettere a p. una stanza**, to tidy up a room; Mettiamo le cose a p.!, let's get things straight!; Lo metterò a p. io!, I'll put him in his place!; **tenere a p. la lingua**, to hold one's tongue; Tieni le mani a p.!, keep your hands to yourself!; **una persona a p.**, a respectable person; **al p. di**, in place of; instead of; **al p. di suo marito**, in place of (o instead of) her husband; **al p. tuo**, in your place; (Fossi) al tuo p., non ci andrei, if I were you, I wouldn't go; **fuori p.**, out of place; in the wrong place; misplaced: Era perfetta, non un capello fuori p., she was perfect, not a hair out of place; (fig.) **sentirsi fuori p.**, to feel out of place; (sentirsi poco bene) to feel out of sorts; **in nessun p.**, nowhere; not... anywhere; **in qualche p.**, somewhere; someplace (USA) 2 (spazio) room; space: (teatr.) **p. in piedi**, standing room; C'è p. nell'armadio per i tuoi vestiti, there is room in the wardrobe for your clothes; Il pianoforte occupa troppo p., the piano takes up too much space (o room); **fare p. per qc.**, to make room for st.; **Fammi un po' di p.** (spostati), move over 3 (spazio destinato a un dato fine) place; space; (anche **p. a sedere**) seat; (banco di scuola) desk; (in Parlamento) seat, bench: **p. a tavola**, place setting; (naut.) **p. barca**, berth; **p. d'angolo**, corner seat; **p. di guida**, driver's seat; **p. di teatro** [di cinema], theatre [cinema] seat; (aeron.) **p. di pilotaggio**, cockpit; **p. di platea**, seat in the stalls; **p. davanti**, front seat; **p. letto**, bed; (al pl., in albergo, anche) accommodation Ⓤ; **un albergo con 100 posti letto**, a 100-bed hotel; **p. auto**, parking space; **p. riservato**, reserved seat; **i primi posti**, first-row seats; orchestra (USA); **cedere il p. a q.**, to give up one's seat to sb.; **prendere p.**, to take a seat; to sit down; **prenotare un p.**, to book (o to reserve) a seat; **tenere il p. a q.**, to keep a seat for sb.; Il teatro era pieno in ogni ordine di posti, the theatre was sold out; **automobile a due posti**, two-seater 4 (postazione, posizione) post; station: (mil.) **p. avanzato**, outpost; **p. di blocco**, road block; (naut.) **posti di combattimento**, action stations; quarters; **p. di controllo**, check point; **p. di frontiera** (o di confine), frontier crossing; (mil.) **p. di guardia**, sen-

try post; **p. di medicazione**, dressing-station; **p. di osservazione**, observation post; **p. di pronto soccorso**, first-aid post; **p. di polizia**, police station; (*naut.*) **p. di quarantena**, quarantine anchorage; (*autom.*) **p. di rifornimento**, filling station; **p. in classifica**, place; placing; **p. telefonico pubblico**, public telephone **5** (*impiego*) job; position; post: **p. di direttore**, directorship; managership; **p. d'insegnante**, teaching job; teaching post; **p. di segretaria**, job as a secretary; **p. di lavoro**, job; **p. impiegatizio**, clerical job; **un p. in banca**, a job in a bank; **p. vacante**, vacancy; **creare nuovi posti di lavoro**, to create jobs; **fare domanda per un p.**, to apply for a job; *Gli hanno offerto un buon p.*, he's been offered a good job **6** (*luogo, sito*) spot; place: **p. di lavoro**, place of work; workplace; **sul p. di lavoro**, in one's place of work; in the workplace; **p. di villeggiatura**, holiday resort; *La villa è in un bel p.*, the villa is in a lovely spot; *Che bei posti!*, what beautiful places!; *Non ho mai visto quei posti*, I've never seen those places; (*eufem.*) **quel p.**, toilet; ladies; gents; **arrivare sul p.**, to reach the spot; to arrive on the scene; **essere sul p.**, to be on the spot; **studiare una lingua sul p.**, to study a language where it is spoken; *Li troveremo sul p.*, we'll find them when we get there; **la gente del p.**, the local people; the locals (*fam.*).

postònico a. (*ling.*) post-tonic.

postoperatòrio a. (*med.*) postoperative.

post pàrtum (*lat.*) (*med.*) **A** loc. m. first two hours after the expulsion of the placenta; post-partum period **B** loc. a. post-partum.

postprandiàle a. (*lett.*) postprandial; after-dinner (attr.).

postproduzióne f. (*cinem.*) post-production.

postraumàtico a. (*med.*) post-traumatic.

postrèmo a. (*lett.*) last.

postribolàre a. (*fig.*) bawdy; obscene; lewd.

postribolo m. (*lett.*) brothel.

postridentino a. (*eccles.*) post-Tridentine.

postrisorgimentàle a. after the Risorgimento; following the Risorgimento.

post scriptum → **poscritto**.

postulànte A m. petitioning; (*spec. eccles.*) postulating **B** m. e f. petitioner; (*spec. eccles.*) postulant.

postulàre v. t. **1** to petition for; to solicit **2** (*filos.*) to postulate.

postulàto ① m. (*filos., mat.*) postulate.

postulàto ② m. (*eccles.*) postulancy.

postulatóre m. (*eccles.*) postulator.

pòstumo A a. posthumous: **fama postuma**, posthumous fame; **figlio p.**, posthumous child; **scritti postumi**, posthumous writings **B** m. pl. after-effects; aftermath (sing.); (*med.*) consequences: **i postumi della guerra**, the aftermath of the war; **i postumi di una sbronza**, a hangover.

postunitàrio a. after the unification.

postuniversitàrio a. postgraduate (attr.); graduate (attr.) (*USA*).

postùra f. (*fisiol.*) posture; position.

posturàle a. (*fisiol.*) postural.

posturologìa f. (*med.*) posturology.

postùtto avv. (*lett.*) **al p.**, after all; all things considered.

postvocàlico a. (*ling.*) postvocalic.

postvulcànico a. (*geol.*) post-volcanic.

potàbile a. drinkable; drinking (attr.); potable; safe to drink (pred.): **acqua p.**, drinking (o drinkable, potable) water; *Non credo che quest'acqua sia p.*, I don't think this water is safe to drink.

potabilità f. drinkableness; potability.

potabilizzàre v. t. to make* drinkable (o potable); to purify.

potabilizzazióne f. purification.

potage (*franc.*) m. inv. (*cucina*) potage; thick soup.

potaiòlo → **potatoio**.

potamòchero m. (*zool.*, *Potamochoerus porcus*) (African) bush pig; red river hog.

potamologìa f. (*geogr.*) potamology.

potàre v. t. **1** (*agric.*) to prune; to lop; to trim: **p. una siepe**, to trim a hedge; **p. un vite**, to prune a vine **2** (*fig.*) to cut*; to curtail.

potàssa f. (*chim.*) potash: **p. caustica**, caustic potash.

potàssico a. (*chim.*) potassic; potassium (attr.): **sali potassici**, potassium salts.

potassiemìa f. (*med.*) potassium concentation in the blood.

potàssio m. (*chim.*) potassium: **carbonato di p.**, potassium carbonate; **cianuro di p.**, potassium cyanide; **cloruro di p.**, potassium chloride; **idrato di p.**, potassium hydroxide; caustic potash; **ioduro di p.**, potassium iodide; **nitrato di p.**, potassium nitrate; nitre; saltpetre; **permanganato di p.**, potassium permanganate.

potatóio m. (*agric.*) pruning hook; pruning knife*.

potatóre m. (f. **-trice**) (*agric.*) pruner; lopper.

potatrìce f. (*macchina agric.*) pruning machine.

potatùra f. (*agric.*) pruning; lopping; trimming.

potentàto m. (*lett.*) potentate.

♦**potènte A** a. **1** (*che ha potere, autorità, influenza*) powerful; (*possente*) mighty: **nazione p.**, powerful country; **uomo p.**, powerful man **2** (*forte*) powerful; strong; mighty; potent: **liquore p.**, strong liquor; **pugno p.**, powerful (o mighty) blow; **voce p.**, powerful (o mighty) voice **3** (*di grande efficacia*) powerful; potent; (*di strumento, anche*) high-powered: **armi potenti**, potent weapons; **binocolo p.**, high-powered binoculars; **medicinale p.**, powerful (o potent) drug; **veleno p.**, potent poison **B** m. powerful person; (al pl., collett.) (the) powerful, (the) mighty.

potentìlla f. (*bot.*) **1** (*Potentilla reptans*) creeping cinquefoil; five-leaf grass **2** (*Potentilla erecta*) cinquefoil herb.

♦**potènza** f. (*potere, influenza*) power: **la p. della stampa**, the power of the press; **la p. del denaro**, the power of money **2** (*forza, energia*) strength, power, potency, might, force; (*intensità*) power, intensity: **la p. delle passioni**, the strength of passions; **la p. di un temporale**, the power of a storm; **la p. di una lente**, the power of a lens; **la p. militare di un paese**, a country's military strength; **p. sessuale**, sexual potency **3** (*efficacia*) potency: **la p. di un veleno**, the potency of a poison **4** (*individuo potente*) powerful person; power **5** (*gruppo, nazione potente*) power: **una p. mediterranea**, a Mediterranean power; **una p. navale**, naval power; **le grandi Potenze**, the great Powers; **le Potenze alleate**, the allied Powers **6** (*relig.*) power: **le potenze delle tenebre**, the powers of darkness **7** (*fis.*) power: **p. acustica**, acoustic power; **p. continua**, active power; **p. elettrica**, electric power; **fattore di p.**, power factor **8** (*mecc.*) power; (*in cavalli*) horse-power: (*aeron.*) **p. a regime**, power rating; (*aeron.*) **p. di crociera**, cruising power; (*aeron.*) **p. di decollo**, take-off power; (*di motore*) **p. fiscale**, nominal horse-power **9** (*mat.*) power: **elevare x alla quarta p.**, to raise x to the fourth power (o to the power of four); (*fig.*) **all'ennesima p.**, at the nth power **10** (*geol.*) thickness ● **in p.**, potential (agg.); potentially (avv.).

potenziàle A a. **1** potential; prospective: **capacità potenziali**, potential; **p. cliente**, potential (o prospective) customer; (*fis.*) **energia p.**, potential energy; **nemico p.**, potential enemy; **allo stato p.**, potential (agg.); potentially (avv.) **2** (*gramm.*) potential; conditional: **modo p.**, potential (o conditional) mood **B** m. **1** (*fis.*) potential: **p. elettrico**, electric potential; **p. magnetico**, magnetic potential; **caduta di p.**, potential drop; **differenza di p.**, potential difference **2** (*fig.*) potential; capability; (*forza*) strength: **p. bellico**, military strength; **p. di lavoro**, working strength; (*comm.*) **p. di vendita**, sales potential; selling power; **p. economico**, economic potential; **p. umano**, manpower; **un forte p. di sviluppo**, a great potential for development.

potenzialità f. **1** potentiality; potential: **p. finanziaria [produttiva]**, financial [productive] potential; **sviluppare le proprie p.**, to develop one's potential **2** (*mecc.*) capacity; power: **p. di propulsione**, propelling power.

potenziaménto m. **1** (*rafforzamento*) strengthening; (*incremento*) development, expansion, boost **2** (*farm.*) potentiation.

potenziàre v. t. **1** (*rafforzare*) to strengthen; (*incrementare*) to develop, to expand, to boost **2** (*farm.*) to potentiate.

potenziòmetro m. (*elettr.*) potentiometer.

♦**potére A** v. i. **1** (*avere la capacità, la forza, la facoltà, la libertà di fare qc.*) can (indic. e congiunt. pres.), could (indic. e congiunt. pass., condiz.); to be able; (*riuscire*) to manage, to succeed (in doing st.): *Posso fare quello che voglio*, I can do what I like; *Non posso piegare il ginocchio*, I cannot bend my knee; *Non ho ancora potuto informarlo*, I haven't been able to inform him yet; *Puoi sempre telefonargli*, you can always phone him; *Hai potuto parlarle?*, were you able to speak to her?; *Quella sera non poté uscire*, that evening she could not (o was not able to) go out; *Feci tutto ciò che potevo*, I did all I could; I did my best; *Come potevo saperlo?*, how could I have known?; *Ho sempre potuto contare su di lui*, I have always been able to rely on him; *Farò tutto ciò che posso* (o *potrò*), I'll do all I can; *Qui dentro non si può respirare*, you cannot breathe in here; *Si fa quello che si può*, one does what one can; *Così non si può* (*più*) *andare avanti*, we cannot go on like this (any more); *Verranno quando potranno*, they'll come as soon as they can; *Finché non ci darà la chiave, non potremo aprire quella porta*, we won't be able to open that door till he gives us the key; *Potrai incontrarmi domani alle nove?*, will you be able to meet me tomorrow at nine?; *Non potendo dormire, accesi la tv*, as I could not sleep, I switched on the TV; *Potendo, lo farei*, I would do it, if I could; *Passando per Milano, potremmo fermarci da Mario*, while passing through Milan, we could call at Mario's; *Potrebbe spiegarti tutto lui, se volesse*, he could explain everything to you, if he wanted (to); *Potevi anche avvertirmi!*, you could have let me know, though!; *Si sarebbe potuto fare in un altro modo*, it could have been done differently; *Se avessi potuto reagire, le cose sarebbero andate diversamente*, if I had been able to react, things would have gone differently; *Se fossero venuti da me prima, li avrei potuti consigliare meglio*, if only they had come to me first, I would have been able to advise them better; *Se solo avessi potuto avvertirli!*, if only I had been able to warn

them!; *Potessimo almeno sapere che sta bene!*, if only we could be certain that he is well!; *Vorrei p. fare qualcosa*, I wish I could do something; *Spero di p. partire a fine mese*, I hope I shall be able to leave at the end of the month; *Mi spiace di non essere potuto venire*, I'm sorry I was not able to (o I could not) come; *Non posso che dire di sì*, I can but say yes; *Non potei non innamorarmi di quella ragazza*, I couldn't help falling in love with that girl; *Mi spiace ma non ci posso fare nulla*, I'm sorry, I can't do anything about it; *Non ci posso fare nulla se non hai soldi*, I can't help it, if you haven't any money 2 (*avere la possibilità, il permesso di fare qc.*) can (indic. pres.), could (condiz. e, nel discorso indiretto, indic. pass.); (*più formale*) may (indic. pres.), might (condiz. e, nel discorso indiretto, indic. pass.); to be allowed; to be permitted: *Posso uscire?*, can (o may) I go out?; *Mi chiese se poteva uscire*, she asked me if she could go out; *Possiamo dare un'occhiata?*, may we have a look around?; *Posso usare il suo telefono?* may I use your telephone?; *Posso dire una parola?*, may (o can) I say something?; *Potete prendere i miei libri*, you can take my books; *Ci dissero che potevamo restare*, they told us we could stay; *Mi hanno detto che non posso andare a trovarlo*, I've been told I cannot visit him; *Non si può entrare prima delle nove*, you are not allowed in (o you cannot go in) before nine o'clock; *Un minore non può sposarsi senza consenso dei genitori*, minors may not (o cannot) marry without their parent's consent 3 (*essere possibile*: al pres.) may, can, (*possibilità più remota*) might; (al pass. e al condiz.) might, could; (*essere probabile*) to be likely: *Può [Potrebbe] essere stato lui*, it may [might] have been he (o him); he may [might] have done it; *Posso aver torto*, I may be wrong; *Può essere (o Può darsi)*, maybe; *Può essere pericoloso*, it might be dangerous; *Può darsi che lo sappia*, he may know; maybe he knows; *Può darsi che arrivi stasera*, she may arrive this evening; *Può darsi che si sia fatto male*, he may (o might) have hurt himself; *Potrebbe non essere ancora tornato*, he might not be back yet; *Dove può essere andato a finire?*, where can it have gone?; *Dove poteva essersi nascosto?*, where could he have hidden?; *Potrebbe benissimo vincere*, he might well win; he could easily win; *Può benissimo essere andata così*, that may well be what happened; *È un farabutto, ma forse potrebbe aiutarti*, he's a mean one, but he might be able to help you; *Quali potrebbero essere le conseguenze?*, what are the consequences likely to be?; *In condizioni diverse, li si sarebbe potuti salvare*, had conditions been different, they might have been saved; *Potrebbe almeno rispondere!*, she might (o could) at least reply!; *Non può averlo detto*, he can't have said that; *Non può essere un errore*, it must be a mistake 4 (in esclam. di augurio, esortazione, consiglio) may (congiunt. e condiz. pres.), might (congiunt. e condiz. pass.); if only... could: *Possano essere felici!*, may they be happy! 5 (assol.: *poter fare*) can do (pres.), could do (pass.); (*avere influenza*) to be influential, to have influence, to have pull (*fam.*): *L'esempio può più delle parole*, an example can do more than words; *Può molto presso il presidente*, she has a lot of influence with the president; *Lui può tutto*, he can do anything; he is all-powerful; *È uno che può molto*, he is a very influential man; he has a lot of pull 6 (assol.: *avere molti mezzi*) to be well-off; to have means: **un uomo che può**, a man of means ● **a più non posso** → **più** ● **Non ne posso più**, (*sono esaurito*) I am exhausted; (*sono al limite della sopportazione*) I can't stand it any longer, I'm at

the end of my tether □ **Non ne posso più di loro** [**di sentirli litigare**], I cannot stand them [their quarrelling] any longer □ **Si salvi chi può!**, every one for himself! □ (*prov.*) **Volere è p.**, where there's a will, there's a way □ **poteri magici** [**soprannaturali**], magic [supernatural] powers; *Il mio p. non arriva a tanto*, my power does not extend that far 2 (*capacità, facoltà di operare*) power (*anche leg.*); capacity: **p. contrattuale**, bargaining power; **p. deterrente**, deterrent power; **p. d'acquisto**, purchasing power; **p. discrezionale**, discretional power 3 (*balìa*) power; domination: **cadere in p. di q.**, to fall into sb.'s power (o hands); **essere in p. di q.**, to be under sb.'s power 4 (*autorità, anche polit.*) power; authority: **p. assoluto**, absolute power; **p. civile** [**militare, legislativo, ecclesiastico, esecutivo**], civil [military, legislative, ecclesiastical, executive] power; **p. temporale** [**spirituale**], temporal [spiritual] power; **poteri occulti**, hidden powers; **pieni poteri**, full powers; (*fig.*) **il quarto p.**, the Press; the Fourth Estate; (*fig.*) **il quinto p.**, radio and television; the media; **i pubblici poteri**, the public authorities; **avere il p. di fare qc.**, to have the power to do st.; *Non è in mio p. di...*, it is not within (o in) my power to...; **andare al p.**, to come into power; to get in; **assumere il p.**, to take power; **conferire** [**ricevere**] **pieni poteri**, to grant [to be invested with] full powers; **essere** [**restare**] **al p.**, to be [to remain] in power; **fare tutto ciò che è in proprio p.**, to do everything in one's power; **impadronirsi del p.**, to seize power; **abuso di p.**, abuse of power; **ascesa al p.**, rise to power; **conflitto di poteri**, power struggle; (*polit.*) **divisione dei poteri**, division of powers; **lotta per il p.**, power struggle; **sete di p.**, thirst (o lust) for power 5 (*influenza*) influence, leverage, clout (*slang*); (*forza di persuasione*) sway: *Non ho alcun p. su di lui*, I have no influence over him; *Ha un certo p. sul comitato direttivo*, he has some leverage with the board; *Sta' attento, perché è uno che ha molto p.*, be careful, the man has a lot of clout; *Idee simili esercitano un grande p. sulle masse*, such ideas hold great sway over the masses 6 (*fis.*) power; value: **p. d'interruzione**, breaking capacity; **p. calorifico**, heat value.

potestà f. 1 (*potere*) power; (*autorità*) authority; (*leg.*) **p. di giudicare**, jurisdiction; **p. di vita e di morte**, power of life and death; (*leg.*) **patria p.**, parental authority; (*stor.*) patria potestas (*lat.*); **avere la p. di fare qc.**, to have the power to do st.; *Non è in mia p.*, it is not within (o in) my power 2 (al pl.) (*teol.*) Powers: **le p. angeliche**, the Angelic Powers.

potestativo a. (*leg.*) potestative: **condizione potestativa**, potestative condition.

pòthos, pòtos m. (*bot.*, *Pothos*) pothos.

pot-pourri (*franc.*) m. inv. 1 (*cucina*) stew of meat and vegetables 2 (*letter., mus.*) pot-pourri; medley 3 (*erbe e fiori secchi*) pot-pourri 4 (*miscuglio*) medley; miscellany; pot pourri; hotchpotch.

pouf (*franc.*) m. inv. pouf, pouffe (*GB*); hassock (*USA*).

poujadìsmo m. (*polit.*) Poujadism.

poujadìsta m. e f. (*polit.*) Poujadist.

poule (*franc.*) f. inv. 1 (*puntata*) stake; (*piatto*) pool, stakes (pl.) 2 (*biliardo*) pool 3 (*sport*) heat.

pourparler (*franc.*) m. inv. pourparler; informal preliminary conference; chat (*fam.*).

poveràccia ① f. poor woman*; poor soul.

poveràccia ② f. (*zool., Venus*) Venus shell; Venus clam; Venus.

poveràccio m. poor man* (o fellow); poor

guy (*USA*); poor devil.

poverèllo m. poor man* ● **il p. di Assisi**, St Francis of Assisi.

poverétto, poverino Ⓐ a. 1 (*indigente*) poor; needy 2 (*infelice*) poor; unhappy; wretched Ⓑ m. (f. *-a*) 1 (*indigente*) poor person; needy person 2 (*infelice*) poor thing; pour soul.

◆**pòvero** Ⓐ a. 1 (*indigente*) poor; needy; destitute: **famiglie povere**, poor (o needy) families; **parente p.**, poor relation; *Sono molto poveri*, they are very poor; **essere p. in canna**, to be as poor as a church mouse 2 (*infelice, sfortunato*) poor; wretched; unfortunate; unhappy: *P. diavolo!*, poor devil!; *Povera bestia!*, the poor creature!; *P. sciocco!*, (*tu*) you poor fool!; (*lui*) the poor fool!; *Il p. uomo annegò*, the unfortunate (o wretched, poor) man was drowned; *La povera Paola ha perso il posto*, poor Paola has lost her job 3 (*misero, scarso*) scanty; poor; meagre: **una povera cena**, a meagre supper; **un raccolto p.**, a scanty (o a poor) harvest; **poveri risultati**, poor results; *È povera cosa*, it's very little; it's not much! 4 (**p. di**: *carente*) poor in; lacking in; deficient in; (*a basso contenuto di*) low in: **p. di idee**, lacking in ideas; **p. di vitamine**, poor in (o deficient in) vitamins; **un alimento p. di grassi**, a food with a low fat content (o that is low in fats); a low-fat food; **un fiume p. d'acqua**, a shallow river; **un paese p. di materie prime**, a country lacking (o poor) in raw materials 5 (*sterile*) poor; barren; sterile: **terreno p.**, barren land 6 (*disadorno*) plain; bare: **stile p.**, plain style; *L'altare della chiesa è piuttosto p.*, the church altar is rather bare; **in parole povere**, to put it simply 7 (*umile*) poor; humble: **secondo il mio p. parere**, in my humble opinion 8 (*fam.: defunto*) late; poor: **il mio p. zio**, my late uncle ● **P. me!** (*che guaio!*) dear me!; oh dear! □ **Poveri noi** [**voi!**], heaven help us [you]! □ (*fam.*) **P. lui, se lo beccano!**, he'll be in for it if they catch him □ **arte povera**, Arte Povera □ **cucina povera**, simple cooking (o *autom.*) **miscela povera**, lean (o weak) mixture Ⓑ m. (f. *-a*) 1 (*indigente*) poor person; pauper; (al pl., collett.) the poor, (the) needy, poor people: **i poveri della città**, the city poor; **una cena da poveri**, a poor man's supper 2 (*mendicante*) beggar ● **p. di spirito**, simple-minded person □ (*relig.*) Beati i poveri di spirito, blessed are the poor in spirit.

◆**povertà** f. 1 poverty; indigence; want; penury; destitution: **cadere in p.**, to fall into poverty; **essere ridotto in p.**, to be poverty-stricken; **fare voto di p.**, to take the vow of poverty; **vivere in p.**, to live in poverty (o in want) 2 (*l'essere disadorno*) plainness; bareness: **la p. d'una stanza**, the bareness of a room 3 (*fig.: scarsezza*) poverty, scarcity, want, lack, dearth; (*piccolezza*) smallness, insignificance; (*pochezza*) paltriness: **p. d'idee**, poverty (o lack, dearth) of ideas; **p. di vitamine**, poverty in vitamins; **p. d'acqua**, scarcity of water; water shortage; **la p. d'un dono**, the smallness of a gift.

poveruòmo m. poor man*; poor fellow; poor guy (*USA*).

powellite f. (*miner.*) powellite.

pozióne f. 1 (*med.*) potion; draught 2 (*bevanda magica*) potion; philtre; magic brew.

pózza f. pool; (*pozzanghera*) puddle: **una p. di sangue**, a pool of blood; *La strada era piena di pozze*, the road was full of puddles.

◆**pozzànghera** f. puddle.

pozzétta f. (*fossetta*) dimple.

pozzétto m. 1 small well 2 (*naut.*) cockpit 3 (*anche* **p. fognario**) manhole 4 (*tecn.*) well; basin; trap; sink; drain: **p. di condensa**, condensate well; (*mecc.*) **p. di depurazione**, water filter; **p. di raccolta**, (*ing. civi-*

le) catch basin; (*mecc.*) drip pan; (*edil.*) drain.

♦**pózzo** m. **1** well: **p. asciutto**, dry well; **p. artesiano**, artesian well; **p. petrolifero**, oil well; **p. esplorativo**, wildcat well; **perforare un p.**, to drill a well; **scavare un p.**, to dig a well **2** (*cavità*) hole; pothole; (*tromba*) shaft: **p. dell'ascensore**, lift (*USA* elevator) shaft; **p. nero**, cesspool; sump **3** (*ind. min.*) shaft; pit: **p. di aerazione**, ventilating (*o* air) shaft; **p. di comunicazione**, winze; **p. di estrazione**, hauling (*o* hoisting) shaft; **p. inclinato**, sloping shaft; **p. verticale**, vertical shaft **4** (*naut.*) – **p. delle catene**, chain locker; cable locker; **p. dell'elica**, propeller aperture **5** (*nei giochi di carte*) pool; pack **6** (*fig.*: *grande quantità*) (a) loads (pl.) of; pots (pl.) of: **un p. di soldi**, pots of (*o* a mint of) money ● **un p. di scienza**, a walking encyclopaedia □ (*fig.*) **p. senza fondo**, bottomless pit: **essere un p. senza fondo**, to be like a bottomless pit.

pozzolàna f. (*miner.*) pozzolana.

pozzolànico a. (*miner.*) pozzolanic.

pp sigla (*mus.*, **pianissimo**) pianissimo (very softly).

p.p. sigla **1** (**pacco postale**) parcel post (p.p.) **2** (**per procura**) by proxy (per pro(c.)).

PPE sigla (*polit.*, **Partito popolare europeo**) European Peoples Party.

PPI sigla (*polit.*, **Partito popolare italiano**) Italian Peoples Party.

ppp abbr. (*mus.*, **più che pianissimo**) extremely softly.

PP.SS. sigla (**partecipazioni statali**) state-owned enterprises.

PP.TT. sigla (**poste e telecomunicazioni**) post, telephone and telegraph services.

PQ sigla (**primo quarto** (**di luna**)) first quarter (of the moon).

PR abbr. **1** (**Parma**) **2** (*polit.*, **Partito radicale**) Radical Party **3** (*leg.*, **Procuratore della Repubblica**) public prosecutor; district attorney (DA) **4** (**pubbliche relazioni**) public relations (PR).

PRA sigla (**Pubblico registro automobilistico**) bureau of motor vehicles.

pràcrito a. (*ling.*) Prakrit.

Pràga f. (*geogr.*) Prague.

praghése **A** a. of Prague; from Prague; Prague (attr.) **B** m. e f. native [inhabitant] of Prague.

pragmàtica f. (*filos.*) pragmatics (pl. col verbo al sing.).

pragmàtico a. **1** pragmatic; practical; matter-of-fact; realistic: **atteggiamento p.**, pragmatic attitude **2** → **prammatico**.

pragmatismo m. **1** (*filos.*) pragmatism **2** (*concretezza*) pragmatism; matter-of-factness.

pragmatista m. e f. (*filos.*) pragmatist.

pragmatìstico a. (*filos.*) pragmatistic; pragmatist (attr.).

pràho m. inv. (*naut.*) proa; prau; prahu.

pralìna f. praline.

pralinàre v. t. (*cucina*: *caramellare*) to coat with caramel; to caramelize; (*rivestire di cioccolato*) to coat with chocolate.

pram m. inv. (*naut.*) pram.

prammàtica f. **1** (*stor.*) pragmatic sanction **2** custom; use: **essere di p.**, to be customary.

prammàtico a. pragmatic: (*stor.*) **prammatica sanzione**, pragmatic sanction.

pràna m. (*induismo*) prana.

pranoterapèuta m. → **pranoterapista**.

pranoterapèutico a. energy healing (attr.).

pranoterapìa f. energy healing; pranotherapy.

pranoteràpico → **pranoterapeutico**.

pranoterapista m. e f. energy healer.

♦**pranzàre** v. i. to dine, to have dinner; (*a mezzogiorno*) to lunch, to have lunch: *A che ora si pranza?* what time is dinner [lunch]?; what time are we eating?; *Pranziamo insieme all'una*, we're having lunch together at one; *Stasera pranzo fuori*, I'm dining out tonight.

pranzétto m. **1** (*pranzo semplice*) simple meal; informal meal **2** (*pranzo ottimo*) delicious meal.

♦**pranzo** m. (*pasto principale*) dinner; (*con invitati*) dinner party, banquet; (*pasto del mezzogiorno*) lunch, luncheon (*form.*); (*pasto*) meal: **p. di gala**, gala dinner; **p. di nozze**, wedding banquet; **p. in piedi**, buffet dinner; **p. ufficiale**, (formal) dinner; **un ottimo p.**, an excellent meal; *Il p. è pronto*, dinner [lunch] is ready; **andare fuori a p.**, to dine out; **dare un p. in onore di q.**, to give a dinner party in sb.'s honour; *Sono a p. da amici*, I'm dining out [I'm having lunch out] with friends; **invitare q. a p.**, to ask sb. to dinner; **a p.** (*o* **all'ora di p.**), at dinnertime; at lunchtime; **dopo p.**, after dinner; after lunch; (*nel pomeriggio*) in the afternoon; **intervallo per il p.**, lunch break; *È l'ora di p.*, it's dinnertime [lunchtime]; **sala da p.**, dining room.

praseodimio m. (*chim.*) praseodymium.

pràssi f. **1** (*filos.*) praxis **2** (*procedura corrente*) (accepted *o* current) practice; (standard *o* usual) procedure; general rule; customs (pl.): **p. bancaria**, banking customs; *La p. prevede che...*, the standard procedure (*o* general rule, the practice) is...; **seguire la p. normale**, to follow the usual procedure; **secondo la p.**, according to the current practice.

prassia f. (*med.*) praxia.

prataiòla f. (*bot.*, *Bellis perennis*) daisy.

prataiòlo **A** a. field (attr.); meadow (attr.): **gallina prataiola**, meadow chicken **B** m. (*bot.*, *Psalliota campestris*) field mushroom.

pratellina → **pratolina**.

pratènse a. meadow (attr.); field (attr.): **fiori pratensi**, meadow flowers.

prateria f. (*pianura*) open grassland; prairie; (*in Sud Africa*) veldt **2** (*terreno erboso*) grassland; meadowland; pasture.

♦**pràtica** f. **1** practice: **la teoria e la p.**, theory and practice; *La perizia si acquista con la p.*, skill comes with practice; (*prov.*) *Val più la p. della grammatica*, practice is better than theory; **in p.** (*in sostanza*) practically, virtually; **nella p.**, in practice; **mettere in p.** (*attuare*) to put into practice; (*praticare*) to practise; **mettere in p. quello che si predica**, to practise what one preaches; **mettere in p. i consigli di q.**, to take sb.'s advice; to act upon sb.'s advice; **tradurre in p.**, to put into practice **2** (*esercizio*) practice: **la p. di una professione**, the practice of a profession; **pratiche magiche**, magical practices; **pratiche religiose**, religious practices **3** (*tirocinio*) training; (*apprendistato*) apprenticeship: **fare p. con un avvocato**, to be articled to a lawyer; **fare p. presso q.**, to train with sb.; to be trained by sb.; (*rif. ad artigiano*) to serve one's apprenticeship with sb. **4** (*esperienza*) experience; (*conoscenza*) (practical) knowledge; (*familiarità*) familiarity: **p. d'insegnamento**, practical teaching; **acquistare p.**, to gain experience; **avere p. di grafica al computer**, to have some experience with computer graphics; *Ho poca p. di questi argomenti*, I am not very familiar with these topics; **non avere p. del mondo**, to have no knowledge of the world; *Gli manca la p. in questo campo*, he lacks experience in this

field; *Ho perso la p.*, I'm out of practice; **parlare per p.**, to speak from experience **5** (spec. al pl.) (*atti, procedimenti*) practice, activity, dealing, business □; (*documenti*) papers (pl.), paperwork □: **pratiche disoneste**, dishonest (*o* underhand) practices; shenanigans (*fam.*); **pratiche illecite**, illegal activity □; illicit dealings (pl.); unlawful conduct □; **le pratiche per l'acquisto di una casa**, the paperwork involved in buying a house; **fare le pratiche per il passaporto**, to apply for (*o* to get all the right papers for) a passport **6** (*affare*) matter, affair; (*caso*) case; (*documenti*) papers; (*incartamento*) file, dossier: **p. personale**, personal file; **accantonare una p.**, to shelve a case; **cercare una p. in archivio**, to look for a file in the archives; **sbrigare una p.**, to deal with a matter; *La p. è ferma*, the case is being held up **7** (*naut.*, *anche* **libera p.**) pratique: **avere libera p.**, to be granted pratique; to be out of quarantine; **dare libera p. a una nave**, to grant pratique.

praticàbile **A** a. **1** (*fattibile*) practicable; feasible; workable; viable: **metodo p.**, practicable method; **soluzione p.**, workable solution **2** (*di strada, ecc.*) passable, negotiable, (*sgombro*) clear; (*accessibile*) accessible; (*di campo da gioco*) playable: *Il guado non era p.*, the ford was not passable; **strada p.**, practicable road; **non p.**, impracticable; impassable; inaccessible **B** m. (*teatr.*) platform.

praticabilità f. **1** (*fattibilità*) practicability; feasibility; workability; viability **2** (*di strada, ecc.*) negotiability, accessibility; (*di campo da gioco*) condition.

praticàccia f. (*fam.*) practical knowledge; experience: **avere una certa p. di qc.**, to have some experience of st.

praticaménte avv. **1** (*nella pratica*) in practice; (*con la pratica*) by practice, through experience **2** (*in sostanza*) practically, basically; virtually; to all intents and purposes; (*quasi*) almost; nearly: **p. certo**, virtually certain; **p. nuovo**, almost new; as good as new; *Il nostro lavoro è p. finito*, our work is basically finished.

praticantàto m. training practice; training; traineeship; internship (*USA*); apprenticeship.

praticànte **A** a. **1** (*che esercita una professione*) practising **2** (*relig.*) practising; observant; (*di cristiano, anche*) church-going: **cattolico p.**, practising Catholic; **essere p.**, to worship; to go to church **B** m. e f. **1** (*tirocinante*) trainee; apprentice; intern (*USA*): **p. contabile**, trainee accountant; junior accountant; **p. giornalista**, trainee reporter; **p. presso un avvocato**, trainee solicitor; articled clerk (*GB*) **2** (*spreg.*) → **praticone 3** (*relig.*) church-goer.

♦**praticàre** **A** v. t. **1** (*mettere in pratica*) to practise, to practice (*USA*); to put* into practice; to exercise: **p. il bene**, to do good; **p. la giustizia**, to practise justice; **p. la moderazione**, to exercise moderation **2** (*esercitare*) to practise, to practice (*USA*); to follow: **p. medicina** (*o* **la professione di medico**), to practise medicine; **p. una professione**, to follow a profession; **p. la schiavitù**, to practise slavery; **p. uno sport**, to go in for (*o* to play) a sport; *È medico, ma non pratica*, he is a doctor, but he doesn't practise **3** (*frequentare*: *un luogo*) to frequent, to be a regular at; (*una persona*) to associate with, to mix with: **p. i bar**, to frequent bars; *Pratica gente che non mi piace*, she associates with people I don't like **4** (*relig.*) to practise (*USA* to practice) (religion) **5** (*fare, eseguire*) to make*; (*dare*) to give*: **p. un foro**, to make (*o* to bore) a hole; **p. un'iniezione**, to give an injection; **p. un prezzo**, to quote a price; **p. sconti**, to give discounts; **p. un taglio**, to make a cut **B** v. i. (*con q.*) to associate

a b c d e f g h i j k l m n o **p** q r s t u v w x y z

(with); to mix (with); (*in un luogo*) to frequent (st.), to be a regular (at).

praticismo m. practicalism; empiricism.

praticità f. practicalness; practicality; convenience.

♦**pràtico** Ⓐ a. **1** practical; (*rif. ad addestramento, ecc., anche*) hands-on: **applicazioni pratiche**, practical applications; **consigli pratici**, practical advice; **difficoltà pratiche**, practical difficulties; **dimostrazione pratica**, practical demonstration; **esercizio p.**, practical exercise; **metodo p.**, practical method **2** (*realistico, positivo*) practical; realistic; businesslike; matter-of-fact; no-nonsense (*fam.*): **approccio p.**, practical (*o* businesslike, no-nonsense) approach; **mente pratica**, practical mind; **senso p.**, practical (*o* common) sense; **mancare di senso p.**, to lack common sense; to be impractical; **uomo p.**, practical man; matter-of-fact sort of man; *Siamo pratici!*, let's be practical (*o* realistic)! **3** (*funzionale*) practical; functional; sensible; handy; (*comodo*) convenient: **abiti pratici**, practical (*o* sensible) clothes; **arredamento p.**, functional furniture; **attrezzo p.**, handy tool; *Una valvola di ricambio è una cosa pratica in casa*, a spare fuse is a handy thing to have in the house: *È più p. andarci col treno*, it's more convenient to go by train **4** (*esperto*) experienced (in), competent (in); (*conoscitore*) familiar (with); (*abile*) skilled (in): *Sono p. di queste faccende*, I'm experienced in these matters; I know a lot about these matters; *È praticissimo di motori*, he knows everything about engines; he knows engines inside out; **essere p. del mestiere**, to have practical experience (of a job); (*fig.*) to know one's job; **essere p. di un posto**, to know one's way about a place; to be familiar with a place ● **all'atto p.**, in practice; when it comes to it ◻ **Vollero vedermi all'atto p.**, they wanted to put me to the test; they wanted to see me at work ◻ **nella vita pratica**, in real life ◻ (*filos.*) **ragione pratica**, practical reason Ⓑ m. (f. *-a*) **1** practical person **2** (*perito*) expert.

praticolo a. (*zool.*) prairie (attr.); grassland (attr.).

praticoltùra f. grassland farming.

praticóna f. (female) backstreet abortionist.

praticóne m. (*spesso spreg.*) old hand (at the trade).

Pratile m. (*stor. franc.*) Prairial (*franc.*).

prativo a. **1** meadowy; meadow (attr.); grass (attr.): **terreno p.**, meadow land; grassland **2** (*bot.*) meadow (attr.): **erba prativa**, meadow grass.

♦**pràto** m. **1** meadow; grass Ⓤ; (*p. rasato*) lawn: **p. all'inglese**, lawn; **p. fiorito**, flowery meadow; **giocare sul p.**, to play on the grass; **tosare un p.**, to mow a lawn; **fiori di p.**, meadow flowers; **tennis su p.**, lawn tennis **2** (*agric.*) field under grass; meadow: **p. monofito**, single-species meadow; **mettere a p. un terreno**, to let a field go to grass; **terreno a p.**, field under grass; grassland; (*pascolo*) grazing land.

pratolina f. (*bot., Bellis perennis*) daisy.

pratolino m. → **prataiolo**.

pravità f. (*lett.*) wickedness; iniquity.

pràvo a. (*lett.*) wicked; evil; iniquitous.

PRC sigla (*polit.*, **Partito della rifondazione comunista**) Refoundation Communist Party.

preaccennàre v. t. (*bur.*) to mention beforehand.

preaccennàto a. (*bur.*) mentioned before (*o* above); above-mentioned; aforesaid.

preaccensióne f. (*mecc.*) pre-ignition.

preaccòrdo m. preliminary agreement.

preadamìta m. e f. preadamite.

preadamìtico a. preadamite; preadamitic.

preadattaménto m. (*biol.*) preadaptation.

preadolescènte a., m. e f. pre-adolescent; pre-teen.

preadolescènza f. pre-adolescence.

preadolescenziàle a. pre-adolescent.

preaffrancàto a. pre-stamped.

preagònico a. (*med.*) pre-agonal.

preallàrme m. readiness; alert; (*mil.*) stand-to; (*segnale*) warning signal: **dare il p.**, to put on the alert; to give the warning signal; **essere in stato di p.**, to be in a state of readiness; to be on the alert; (*mil.*) to stand to; **mettere in stato di p.**, to put on the alert; to alert; (*mil.*) to stand (sb.) to.

prealpéggio m. period of re-adaptation to mountain pasture.

Preàlpi f. pl. (*geogr.*) foothills of the Alps; Prealps.

prealpìno a. (*geogr.*) in the foothills of the Alps.

preàmbolo m. preamble ● **dire qc. senza tanti preamboli** (*o* lasciare da parte i **preamboli**), to come straight to the point; not to beat about the bush.

preammòllo m. presoak (cycle): **fare il p.**, to presoak.

preamplificatóre m. (*elettron.*) preamplifier.

preanestesìa f. (*chir.*) basal anaesthesia; premedication.

preannunciàre Ⓐ v. t. **1** (*preavvertire*) to announce in advance (*o* beforehand); to inform in advance (*o* beforehand): **p. il proprio arrivo**, to inform in advance of one's arrival **2** (*prevedere*) to forecast*; to foretell*; to prognosticate **3** (*essere segno di*) to herald, to be a presage of; (*preludere a, far presagire*) to be a presage of, to portend: **nuvole che preannunciano un temporale**, clouds heralding a storm Ⓑ **preannunciàrsi** v. i. pron. to loom ahead; to promise to be: *Si preannunciano tempi duri*, hard times are looming ahead; *La giornata si preannunciava calda*, it was going (*o* it promised) to be a hot day; *Si preannuncia un temporale*, a storm is brewing.

preannùncio m. **1** announce in advance **2** (*segno*) sign; (*preludio*) prelude; (*presagio*) presage, omen.

preannunziàre, **preannùnzio** → **preannunciare**, **preannuncio**.

preappèllo m. early extra session of university examinations.

Preappennìni m. pl. foothills of the Apennines; Preapennines.

preappennìnico a. in the foothills of the Apennines; Preapennine (attr.).

preàrio a. (*ling.*) pre-Arian.

preatlètica f. (*sport*) preparatory exercises (pl.); warming-up.

preatlètico a. (*sport*) preparatory; warming-up (attr.).

preatletìsmo m. (*sport*) preparatory exercises (pl.); warming-up exercises (pl.).

preavvertiménto m. **1** (*avviso*) prior notice; (*messa in guardia*) (advance) warning, forewarning **2** (*premonizione*) premonition; presentiment; foreboding.

preavvertìre, **preavvisàre** v. t. (*informare*) to inform in advance (*o* beforehand), to give* prior notice; (*mettere in guardia*) to forewarn, to warn in advance: *Arrivò senza p.*, he arrived without giving prior notice; he arrived unexpectedly.

preavvìso m. **1** (prior) notice; (*messa in guardia*) (advance) warning, forewarning: **con breve p.**, at short notice; **con p. di quindici giorni**, at a fortnight's notice; die-

tro p., upon notice; **senza p.**, without notice; without any warning **2** (*leg.*) notice: **p. di finita locazione**, notice to quit; **p. di pagamento**, notice to pay; **p. di sfratto**, eviction notice; **dare un p. di tre mesi**, to give three months' notice; **per mancato p.**, for want of notice; **indennità di p.**, compensation in lieu of notice; **lettera di p.**, written notice.

prebàrba Ⓐ m. inv. (*lozione*) pre-shave lotion; (*crema*) pre-shave cream Ⓑ a. inv. pre--shave (attr.).

prebaròcco (*arte*) Ⓐ a. pre-Baroque Ⓑ m. Pre-Baroque (period).

prebèllico a. prewar (attr.).

prebènda f. **1** (*eccles.*) prebend; (*il beneficio, anche*) benefice **2** (*estens.: lucro*) profit: **laute prebende**, handsome profits.

prebendàrio m. (*eccles.*) prebendary.

prebendàto (*eccles.*) Ⓐ a. prebendal Ⓑ m. prebendary.

prebiòtico a. (*biol.*) prebiotic.

precambriàno, **precàmbrico** a. e m. (*geol.*) Pre-Cambrian.

precampionàto a. inv. (*calcio*) prechampionship.

precanceróso a. (*med.*) precancerous.

precariàto m. **1** (*condizione*) lack of job security; job insecurity **2** (*collett.*) *i precari*) temporary employees (pl.); (*insegnanti*) teachers (pl.) on a short-term contract.

precarietà f. precariousness; insecurity; (*instabilità*) uncertainty: **la p. della sua salute** [**della situazione**], the precariousness of her health [of the situation]; **p. del posto di lavoro**, job insecurity.

precàrio ① Ⓐ a. **1** (*incerto, malsicuro*) precarious; uncertain; unstable: **salute precaria**, precarious health; **in p. equilibrio**, precariously balanced **2** (*temporaneo*) temporary; short-term (attr.): **impiego p.**, temporary (*o* short-term) job; **insegnante p.**, teacher on a short-term contract; **lavoratore p.**, temporary worker; (*USA*) contingent worker Ⓑ m. (f. *-a*) temporary worker; temporary employee; (*insegnante*) teacher on a short-term contract.

precàrio ② a. (*leg.*) possession by sufferance (*o* at will); (*in Scozia*) precarium*.

precarìsta m. e f. temporary (*o* short--term) employee.

precauzionàle a. precautionary: **provvedimento p.**, precautionary measure; **prendere misure precauzionali**, to take precautionary measures; **a scopo p.**, as a precaution.

♦**precauzióne** f. **1** (*cautela*) caution; care: **abbandonare ogni p.**, to throw caution to the wind; **procedere con p.**, to advance with caution; **con la massima p.**, with the utmost care **2** (*misura precauzionale*) precaution: **le debite precauzioni**, the necessary precautions; **precauzioni sanitarie**, sanitary precautions; *Le precauzioni non sono mai troppe*, you can't take too many precautions; **prendere** (*o* **usare**) **precauzioni**, to take precautions; **per p.**, as a precaution.

prèce (*lett.*) → **preghiera**.

♦**precedènte** Ⓐ a. **1** preceding; previous; foregoing: **il giorno p.**, the previous day; the day before; **la lezione p.**, the previous lesson; **le pagine precedenti**, the preceding pages; *Nella discussione p. si è visto che...*, in the foregoing discussion it became clear that... **2** (*anteriore*) previous; prior; former; earlier: **un impegno p.**, a previous (*o* prior) engagement; **una vita p.**, a former life; **in tempi precedenti**, in former times Ⓑ m. **1** (*anche leg.*) precedent: **creare un p.**, to create (*o* to set) a precedent; **senza precedenti**, without precedent; unprecedented (agg.) **2** (al pl.) record (sing.); background (sing.);

p

past (sing.); history (sing.): **precedenti familiari**, family history (*o* background); (*leg.*) **precedenti penali**, criminal record; previous convictions; **avere buoni [cattivi] precedenti**, to have a good [bad] record; *Non mi interessano i suoi precedenti*, I'm not interested in his past; **senza precedenti** (*incensurato*), without a (criminal) record.

precedenteménte avv. previously; before; on a previous occasion; earlier; formerly.

precedènza f. 1 (*antecedenza*) precedence: **in ordine di p.**, in order of precedence; **in p.**, previously; before; on a previous occasion; earlier; formerly 2 (*considerazione di maggiore importanza*) precedence; (*priorità*) priority: *La p. spetta al più anziano*, the oldest person takes (*o* has) precedence; **avere la p. su**, to take precedence over; to take priority over; to come before; **dare la p. a q.**, to give precedence to sb.; **dare la p. a qc.**, to give st. priority; to put st. first; **dare p. assoluta a qc.**, to give st. top priority; *La p. sarà data ai casi di maggior bisogno*, priority will be given to the most needy cases 3 (*autom.*, *anche* **diritto di p.**) right of way; priority: **avere la p.**, to have right of way; **dare la p.**, to give way; to give priority; *La p. spetta alle macchine che vengono da destra*, cars coming from the right have right of way (*o* are given priority); **segnale di p.**, give-way sign; **strada con diritto di p.**, road with right of way.

♦**precèdere** A v. t. 1 (*andare prima*) to go* ahead of, to precede; (*guidare*) to head, to lead*: *Lo pregai di precedermi*, I asked him to go ahead (*o* to precede me); *Ci muovemmo, preceduti dalla guida*, we set off, preceded by our guide; *La banda cittadina precedeva il corteo*, the town band headed the procession; **farsi p. da q.**, to send sb. ahead; **farsi p. da qc.**, to send st. in advance 2 (*essere anteriore*) to precede; to come* before; to go* before: *Il lampo precede il tuono*, lightning precedes thunder; *La premiazione fu preceduta da un discorso del presidente*, the prize-giving was preceded by a speech from by the chairman; *Mi precedeva nella lista*, she was before me in the list 3 (*fare da introduzione a*) to preface 4 (*agire prima di*) to... before, to beat* (sb.) to it; (*prevenire*) to anticipate: *Mi ha preceduto nella risposta*, he answered before me; *Feci per prendere la lettera, ma lei mi precedette*, I made to pick up the letter, but she beat me to it; *Dobbiamo p. le loro mosse*, we must act before they do; we must anticipate their moves 5 (*lett.*: *avere la precedenza*) to have precedence over B v. i. to come* first: *Precede una sonata di Chopin*, first comes a Chopin sonata; **fare p.** (*premettere*), to put first.

precèltico a. pre-Celtic.

precessióne f. (*astron.*, *mecc.*) precession: **p. degli equinozi**, precession of the equinoxes.

precettàre v. t. 1 (*mil.*: *richiamare alle armi*) to mobilize, to call up, to draft (*USA*); (*requisire*) to order requisition 2 (*rif. a uno sciopero*) to order to resume work: *I controllori di volo sono stati precettati*, the air traffic controllers were ordered to resume work 3 (*leg.*) to garnish; (*convocare*) to summon.

precettazióne f. 1 (*mil.*: *richiamo alle armi*) mobilization, call-up, draft (*USA*); (*requisizione*) requisition order 2 (*di scioperanti*) order to resume work.

precettista m. e f. (*spreg.*) dogmatic teacher; pedantic teacher.

precettìstica f. 1 (*insieme di precetti*) precepts (pl.); rules (pl.) 2 (*insegnamento*) dogmatic teaching; pedantic teaching.

precettìstico a. dogmatic; pedantic.

precettìvo a. 1 (*lett.*) preceptive 2 (*leg.*) preceptive; mandatory.

precètto A m. 1 (*eccles.*) precept; (*obbligo*) duty, obligation: **i precetti della chiesa**, the precepts of the Church; **il p. pasquale**, Easter duties (pl.); **festa di p.**, day of obligation 2 (*norma*, *regola*) precept; rule: **i precetti della buona educazione**, the rules of good manners; *È di p.*, it is obligatory 3 (*leg.*) order; precept; writ 4 (*mil.*) call into active service; call-up (*USA* draft) notice B a. inv. – (*mil.*) **cartolina p.**, call-up (*USA* draft) papers (pl.).

precettóre m. tutor.

precipitàbile a. (*chim.*) precipitable.

precipitabilità f. (*chim.*) precipitability.

precipitànte a. (*chim.*) precipitant.

♦**precipitàre** A v. t. 1 (*gettare giù a capofitto*) to hurl down; to cast* down; to precipitate 2 (*fig.*: *affrettare troppo*) to precipitate; to rush; to hasten: **p. le cose**, to precipitate things; **p. una decisione**, to rush a decision; **p. la partenza**, to hasten one's departure 3 (*chim.*) to precipitate B v. i. 1 (*cadere rovinosamente*) to fall* (*headlong*); to plummet; to plunge; (*schiantarsi*) to crash: **p. a capofitto**, to fall headlong; to plummet head-first; **p. in una voragine**, to plummet (*o* to plunge) into a chasm; **p. da una scogliera**, to fall off a cliff; *L'aeroplano precipitò su una collina*, the plane crashed on a hillside 2 (*fig.*) to fall*; to be plunged; to plummet: **p. nella miseria**, to be plunged into poverty; **p. nello sconforto**, to fall (*o* to be plunged) into despair; *I prezzi precipitano*, prices are plummeting 3 (*succedersi vertiginosamente*) to come* to a head: *Gli eventi precipitano*, things are coming to a head 4 (*chim.*) to precipitate C **precipitàrsi** v. rifl. e i. pron. 1 (*gettarsi giù*) to throw* oneself down: **precipitarsi da una rupe**, to throw oneself from a cliff 2 (*lanciarsi*) to throw* (*o* to hurl, to fling*) oneself: **precipitarsi sul nemico**, to throw oneself against the enemy; **precipitarsi sul cibo**, to throw oneself on the food 3 (*accorrere in fretta*) to rush; to dash; to hurry; to hasten: **precipitarsi a casa [in ufficio]**, to rush home [to one's office]; **precipitarsi in [fuori da] una stanza**, to rush into [out of] a room; **precipitarsi in aiuto di q.**, to rush to sb.'s help; **precipitarsi a vendere qc.**, to hasten to sell st.

precipitàto A a. 1 (*caduto*) fallen; (*schiantato*) crashed 2 (*fig.*: *affrettato*) precipitate; overhasty; rash B m. (*chim.*) precipitate.

precipitatóre m. (*fis.*, *chim.*) precipitator.

precipitazióne f. 1 (*meteor.*) precipitation: **p. atmosferica**, precipitation; **precipitazioni sparse**, scattered showers; **p. radioattiva**, fall-out 2 (*chim.*) precipitation 3 (*fig.*: *fretta*) precipitation; rashness: **agire con p.**, to act with precipitation (*o* rashly); to rush into things; **decidere con p.**, to rush into a decision; to take a hasty decision.

precipite a. (*lett.*) 1 (*che cade col capo all'ingiù*) headlong 2 (*fig.*: *rapido*, *scosceso*) sheer; precipitous: **rupe p.**, sheer cliff.

precipitevolissimevolménte avv. (*scherz.*) precipitately; precipitously; headlong ● (*prov.*) **Chi troppo in alto sale cade sovente p.**, hasty climbers have sudden falls.

precipitosaménte avv. 1 (*a precipizio*) headlong; impetuously: **correre p.**, to run (*o* to rush) headlong; **gettarsi p. in qc.**, to rush headlong into st. 2 (*affrettatamente*) hastily, in haste, precipitately, precipitously; (*avventatamente*) rashly: **agire p.**, to act rashly; **tornare p.**, to haste (*o* to rush) back.

precipitóso a. 1 headlong: **corsa precipitosa**, headlong rush 2 (*fig.*: *affrettato*)

precipitous, abrupt, hasty, headlong; (*avventato*) precipitate, overhasty, rash, impetuous: **decisione precipitosa**, overhasty decision; **fretta precipitosa**, tearing hurry; headlong rush; blind haste; **partenza precipitosa**, hasty departure; precipitate departure.

precipìzio m. 1 precipice; cliff 2 (*fig.*: *rovina*) precipice; abyss: **essere sull'orlo del p.**, to be on the edge of a precipice (*o* on the verge of an abyss) 3 (*fig. fam.*: *grandissima quantità*) heaps (pl.); lots (pl.) ● **a p.**, (*ripidamente*) sheer (agg.); (*a capofitto*) headlong; (*precipitosamente*) precipitately, headlong: **una roccia a p. sul mare**, a cliff that drops sheer to the sea; **cadere a p.**, to fall headlong; **correre a p.**, to run (*o* to rush) headlong.

precipuaménte avv. (*lett.*) principally; mainly; chiefly; primarily; above all.

precipuo a. (*lett.*) 1 principal; main; chief; primary; salient: **argomento p.**, main topic; **dovere p.**, main (*o* first) duty; **interesse p.**, main (*o* primary) interest; **scopo p.**, chief (*o* primary) aim 2 (*per estens.*: *particolare*) particular; peculiar.

precisàbile a. clearly definable; that can be specified; that can be fixed.: **requisiti ben precisabili**, clearly definable qualifications; **una data non ancora p.**, a date still to be fixed.

precisaménte avv. 1 (*accuratamente*) precisely; accurately 2 (*esattamente*) precisely; exactly; just: *È p. quello che è accaduto*, that's exactly what happened; *Le cose stanno p. così*, that is exactly how things stand; **p. uguali**, exactly alike; **p. nel centro**, exactly in the middle; smack in the middle (*fam.*); *P.!*, precisely!; exactly!; quite so!

♦**precisàre** v. t. to specify; to tell* exactly; to be precise (*o* specific) about; (*chiarire*) to clarify; (*puntualizzare delimitando*) to qualify; (*dichiarare*) to state; (*fissare*) to fix: **p. la proprie condizioni**, to specify (*o* to state) one's conditions; **p. una data**, to be more specific about a date; to state a date; to fix a date; **p. i dettagli**, to give further details; **p. meglio qc.**, to be more precise about st.; **p. il senso della propria affermazione**, to qualify one's statement; *Tanto per p., io là non c'ero*, just to set the record straight, I wasn't there.

precisazióne f. specification; explanation; (*chiarimento*) clarification; (*puntualizzazione delimitativa*) qualification, qualifying statement.

precisìno (*iron.*) A a. fussy; finicky; pernickety B m. (f. **-a**) fussy (*o* finicky, pernickety) person; fusspot (*fam.*); fussbudget (*fam.*).

♦**precisióne** f. precision; accuracy; exactness: **p. di linguaggio**, precision (*o* accuracy) of language; **p. di tiro**, accuracy of fire; **la p. d'una traduzione**, the accuracy of a translation; **p. matematica**, mathematical accuracy; **p. millimetrica**, pinpoint accuracy; **fare qc. con molta p.**, to do st. with great precision (*o* accuracy); **sapere qc. con p.**, to know st. exactly; to know st. for a fact; to be (quite) sure about st.; *Sappimelo dire con p.*, let me know precisely; **per la p.**, to be precise; **bilancia di p.**, precision balance; **lavoro di p.**, precision work; **strumento di p.**, precision instrument.

♦**precìso** a. 1 (*esatto*) precise, exact; (*accurato*) accurate; (*particolareggiato*) detailed; (*specifico*) specific, express, explicit; (*ben determinato*) definite: **istruzioni precise**, precise directions; **l'ora precisa**, the exact time; **ordini precisi**, precise orders; express orders; **le sue precise parole**, his exact (*o* very) words; **resoconto p.**, detailed (*o* accurate) account; **in quel p. momento**, at that precise (*o* very) moment; **nulla di p.**, noth-

a b c d e f g h i j k l m n o **p** q r s t u v w x y z

ing definite; nothing specific; *Dov'è di p.?*, where is it exactly?; **per essere p.**, to be precise; *Puoi essere più p.?*, can you be more accurate (*o* specific)? **2** (*rif. a ora: in punto*) exactly (avv.); sharp; on the dot: **alle tre precise**, at three o'clock precisely (*o* sharp, on the dot); at exactly three o'clock; on the dot of three o'clock **3** (*che funziona con precisione*) accurate: **orologio p.**, accurate watch **4** (*scrupoloso, meticoloso*) precise; accurate; exact; thorough; (*di precisione*) meticulous: *È sempre molto p. in ciò che fa*, he is always very precise (*o* thorough) in everything he does; **lavoro p.**, meticulous job **5** (*identico*) identical (to); the same (as); exactly (*o* just) like: *Il suo vestito è p. al mio*, her dress is identical to (*o* exactly the same as) mine; *È p. suo padre*, he's just like his father; (*di aspetto*) he's the spitting image of his father (*fam.*) **6** (*fedele*) faithful; accurate: **copia precisa**, faithful copy; **traduzione precisa**, accurate (*o* faithful) translation; *«Ha detto proprio così?» «P.!»*, «did she really say that?» «her very words!».

precitàto a. above-mentioned (attr.); aforesaid (attr.).

preclàro a. (*lett.*) illustrious; most distinguished; eminent: **preclara memoria**, illustrious memory; **virtù preclare**, eminent virtues.

preclùdere v. t. **1** to bar; to block; to preclude (sb. from st.): **p. la fuga**, to block every escape route; **p. la via a q.**, to block (*o* to bar) sb.'s way; **p. a q. ogni probabilità di carriera**, to preclude sb. from any chance of promotion **2** (*leg.*) to estop.

preclusióne f. **1** exception; bar; impediment: **non avere preclusioni verso qc.**, to raise no exception to st.; to have nothing against st.; *Non ci sono preclusioni alla tua candidatura*, there is no bar (*o* impediment) to your being a candidate **2** (*leg.*) estoppel.

preclusìvo a. preclusive.

precòce a. precocious; (*anticipato*) early; (*prematuro*) premature, untimely: **bambino p.**, precocious child; **inverno p.**, early winter; **morte p.**, early death; untimely death; **piselli precoci**, early peas; **talento p.**, precocious talent; **vecchiaia p.**, premature old age.

precoceménte avv. precociously; early; (*prematuramente*) prematurely.

precocità f. precocity; precociousness; (*di frutto, stagione, ecc.*) earliness; (*l'essere prematuro*) untimeliness.

precognitìvo a. precognitive.

precògnito a. (*lett., scient.*) known beforehand (pred.).

precognizióne f. foreknowledge; precognition.

precolombiàno a. pre-Columbian.

precompressióne f. (*edil.*) prestression; prestress.

precomprèsso (*edil.*) **A** a. prestressed **B** m. prestressed concrete.

precomprìmere v. t. (*edil.*) to prestress.

preconcètto **A** a. preconceived; prejudiced; biased: **convinzione preconcetta**, preconceived belief; **idee preconcette**, preconceived ideas; (*pregiudizi*) prejudiced ideas, prejudices **B** m. preconception; preconceived idea (*o* belief); (*pregiudizio*) prejudice, bias: **giudicare senza preconcetti**, to judge without preconceptions; **abbandonare ogni p.**, to put (*o* set) aside all prejudices.

preconciliàre a. (*eccles.*) pre-conciliar.

preconcordatàrio a. pre-Concordat.

precondizióne f. prerequisite; precondition.

preconfezionaménto m. (*ind.*) prepacking; prepackaging; (*rif. ad abbigliamento*) manufacturing (*of ready-to-wear clothes*).

preconfezionàre v. t. (*ind.*) to prepack; to prepackage; (*abbigliamento*) to manufacture (*ready-to-wear clothes*).

preconfezionàto **A** a. **1** prepacked; (*di abito*) ready-to-wear, ready-made, off-the-peg **2** (*fig.*) ready-made **B** m. industrial sector producing prepackaged products; (*rif. ad abbigliamento*) ready-made clothes industry.

precongressuàle a. pre-conference (attr.); precongressional.

preconizzàre v. t. **1** (*eccles.*) to preconize **2** (*predire*) to foretell*; to predict; to prophesy.

preconizzatóre m. (f. **-trìce**) foreteller; predictor; prophet.

preconizzazióne f. **1** (*eccles.*) preconization **2** (*previsione*) prediction; prophecy.

preconoscènza f. (*lett.*) foreknowledge; precognition.

preconóscere v. t. to have foreknowledge of; to know* beforehand (*o* in advance).

precònscio a. e m. (*psic.*) preconscious.

preconsonàntico a. (*ling.*) preconsonantal.

preconsuntìvo m. provisional balance.

precontrattuàle a. pre-contract (attr.).

precordiàle a. (*anat.*) precordial.

precòrdio m. **1** (*anat.*) precordium* **2** (al pl.) (*lett.*) (one's) heart (sing.) of hearts; heartstrings: **toccare q. nei precordi**, to tug at sb.'s heartstrings.

precórrere **A** v. t. to anticipate: **p. gli eventi**, to anticipate events; **p. una moda**, to anticipate a fashion; **p. i tempi**, (*di idea, scoperta, ecc.*) to be ahead of one's time; (*anticipare gli eventi*) to anticipate events **B** v. i. (*lett.*) **1** to run* ahead **2** (*fig.*) to go* before; to precede (st.); to forerun* (st.).

precorritóre **A** a. forerunning; anticipating; heralding **B** m. (f. **-trìce**) forerunner; precursor; herald; harbinger.

precorritrìce f. → **precorritore**, **precursore**.

precostituìre v. t. to establish in advance; to pre-establish; to constitute in advance: **precostituirsi un alibi**, to establish an alibi in advance.

precostituìto a. established in advance; pre-established; preconstituted: **maggioranza precostituita**, pre-established majority.

precòtto **A** a. precooked **B** m. precooked food.

precottùra f. precooking.

precristiàno a. pre-Christian.

precrìtico a. precritical.

precucinàto → **precotto**.

precursóre **A** a. precursory; forerunning: **segno p.**, precursory sign; harbinger; **i sintomi precursori d'una malattia**, the precursory symptoms of a disease **B** m. **1** (f. **precorritrìce**) precursor; forerunner: **i precursori del Romanticismo**, the precursors of Romanticism **2** (*chim.*) precursor.

♦ **prèda** f. **1** (*bottino*) booty, plunder; (*spoglie*) spoils (pl.): **p. di guerra**, war booty; spoils of war; **diritto di p.**, right of plunder **2** (*naut.*) prize **3** (*animale*) prey; (*braccato*) quarry: **uccello da p.**, bird of prey; *La muta inseguì la p. fino alla tana*, the pack ran the quarry to ground; **un carniere ricco di prede**, a rich bag **4** (*fig.: vittima*) prey; victim: **essere una p. facile per q.**, to be easy prey for sb.; *È p. delle sue passioni*, he is a prey (*o* a slave) to his own passions; **diventare p. di**, to become (*o* to fall) prey to **5** (*fig.: balia*) grip; grasp: *Cadde in p. alla disperazione*, she gave in to despair; **essere in p. a una crisi di nervi [di pianto]**, to have a fit of nerves [of crying]; **in p. all'apprensione**,

in the grip of anxiety; **in p. alla disperazione**, racked by despair; **in p. a dolori atroci**, suffering (*o* seized with) terrible pains; **in p. alle fiamme**, on fire; ablaze; **in p. all'ira**, beside oneself with rage; **in p. al rimorso**, in the grip of remorse; torn by remorse; **in p. al terrore**, terror-struck; mad with fear.

predàre v. t. **1** (*rubare*) to rob; (*spogliare*) to despoil; (*saccheggiare*) to plunder, to pillage, to sack **2** (*assol.*) to practise plundering.

predatóre **A** a. **1** predatory; marauding; (*saccheggiatore*) plundering, pillaging **2** (*di animale*) predatory; raptorial **B** m. (f. **-trìce**) **1** (*predone*) robber, raider, marauder; (*saccheggiatore*) plunderer, pillager **2** (*animale*) predator; raptor.

predatòrio a. predatory; marauding.

predazióne f. (*biol.*) predation.

predecessóre m. **1** predecessor **2** (al pl.) (*antenati*) forefathers; forebears; ancestors.

predèlla f. **1** step; (*di cattedra e sim.*) dais, raised platform; (*di altare*) altar step, predella* **2** (*pitt.*) predella*.

predellìno m. (*di veicolo*) footboard; step; (*autom.*) running board.

predestinàre v. t. **1** (*teol.*) to predestinate; to predestine: **p. alla salvezza**, to predestinate to salvation **2** to predestine; to preordain; (*condannare*) to doom: *Fu predestinato a grandi cose*, he was predestinated for great things. (→ **predestinato**).

predestinàto **A** a. **1** (*teol.*) predestinated; predestined **2** predestined; fated; preordained; (*condannato*) doomed: *Era p. che ci ritrovassimo*, we were predestined (*o* fated) to meet again; *Era già tutto p.*, it was all preordained **B** m. (f. **-a**) predestinate.

predestinazióne f. **1** (*teol.*) predestination **2** (*destino*) fate; destiny; doom.

predestinazionìsmo m. (*teol.*) predestinarianism.

predeterminàre v. t. to predetermine; to preordain.

predeterminazióne f. predetermination.

predétto a. mentioned above; above-mentioned (attr.); aforesaid (attr.): **per la ragione predetta**, for the above-mentioned reason.

prediabète m. (*med.*) prediabetes.

prediàle a. (*leg.*) predial; land (attr.): **imposte prediali**, land taxes; (*stor.*) **servitù p.**, predial service.

predibattimentàle a. (*leg.*) pretrial (attr.).

predibattiménto m. (*leg.*) pretrial.

prèdica f. **1** (*relig.*) sermon; homily: **fare una p.**, to preach a sermon **2** (*fig. fam.: ramanzina*) lecture; talking-to; (*estens.: ammonizione*) sermon: **fare la p. a q.**, to give sb. a lecture (*o* a talking-to); to lecture sb.; **fare prediche**, to sermonize ● **Da che pulpito viene la p.!**, look who's talking!; you're a fine one to talk!

predicàbile **A** a. **1** (*filos.*) predicable **2** (*lett.*) preachable **B** m. (*filos.*) predicable.

predicaménto m. (*filos.*) predicament.

predicàre **A** v. t. **1** (*relig.*) to preach: **p. il Vangelo**, to preach the Gospel **2** (*andare insegnando pubblicamente*) to preach; to teach*: **p. la pace**, to preach peace; **p. l'uguaglianza**, to preach equality **3** (*filos.*) to predicate **B** v. i. (*relig.*) **1** to preach; to sermonize **2** (*fig. fam.: dare consigli, ammonimenti*) to preach; to sermonize; to lecture; (*dare ordini*) to lay* down the law: *Non fai che p.*, you are always sermonizing; *È tanto che glielo predico*, I've been telling him over and over again **3** (*filos.*) to predicate ● (*fig.*) **p. al deserto** (*o* **al vento**), to waste one's words □

(*fig.*) **p. bene e razzolare male**, not to practise what one preaches.

predicativo a. (*gramm.*, *filos.*) predicative.

♦**predicàto** m. **1** (*gramm.*) predicate: **p. verbale [nominale]**, verbal [nominal] predicate **2** (*filos.*) predicate **3** (*qualificazione onorifica*) title: **p. di nobiltà**, land title • **essere in p. per**, to be in line for; to be on the short list for.

predicatóre A a. preaching: **frate p.**, preaching friar; **ordine p.**, preaching order B m. (f. **-trìce**) **1** preacher **2** (*sostenitore*) advocate; upholder: **p. della pace**, advocate of peace.

predicatòrio a. predicatory; sermonizing: **tono p.**, sermonizing tone.

predicazióne f. **1** (*relig.*) preaching: **la p. del Vangelo**, the preaching of the Gospel **2** (*filos.*) predication.

predicòzzo m. (*scherz.*) lecture; talking--to: **fare un p. a q.**, to give sb. a lecture (*o* a talking-to); to lecture sb.

predigerito a. predigested.

predigestióne f. predigestion.

predilètto A a. favourite; best-loved; dearest: **figlio p.**, favourite son; **il mio amico p.**, my dearest friend; **i miei libri prediletti**, my favourite (*o* best-loved) books; **passatempo p.**, favourite pastime; hobby B m. (f. **-a**) favourite; darling; pet (*fam.*): *È il p. della mamma*, he is his mother's pet (*o* darling).

predilezióne f. **1** (*preferenza*) predilection; preference; partiality; penchant (*franc.*); strong liking; fondness; passion: **avere una p. per q.**, to have a predilection for sb.; to be particularly fond of sb.; *Ha una p. per la musica corale*, choral music is his favourite type of music; **mostrare p. per qc.**, to show a predilection (*o* a preference) for st. **2** (*ciò che si predilige*) favourite thing [person, etc.]: *La sua p. era la caccia*, his favourite pastime was hunting.

prediligere v. t. to have a preference for; to prefer; to like best (*fra due* better); to be particularly fond of: **p. la figlia maggiore**, to prefer one's eldest daughter, **p. la saggistica storica**, to have a preference for books on history.

predire v. t. to foretell*; to predict; to prophesy; (*prevedere*) to forecast*: **p. le azioni di q.**, to predict sb.'s actions; **il futuro a q.**, to tell sb.'s future; **p. a q. un futuro radioso [molte sventure]**, to predict sb. a rosy future [many misfortunes]; **p. la guerra**, to prophesy war; **p. il ritorno d'una cometa**, to predict the return of a comet; **p. il tempo**, to forecast the weather.

predisponénte a. predisposing: **fattori predisponenti**, predisposing factors.

predispórre A v. t. **1** (*preparare*) to arrange (in advance); to prepare; to lay* on; to get* ready; to organize: **p. tutto per un viaggio**, to arrange everything (*o* to get everything ready) for a journey; to make preparations for a journey; **p. una cerimonia**, to organize a ceremony; *Tutto era stato predisposto per il nostro arrivo*, everything had been arranged for our arrival; *Sono stati predisposti treni speciali*, special trains have been laid on **2** (*med.*) to predispose **3** (*preparare psicologicamente*) to prepare: *Cerca di predisporlo alla notizia*, try to prepare him for the news B **predispórsi** v. rifl. to prepare oneself; to get* ready: **predisporsi a una delusione**, to prepare oneself for a disappointment; **predisporsi a fare qc.**, to get ready to do st.

predisposizióne f. **1** (*il predisporre*) arrangement; organization **2** (*med.*) predisposition; susceptibility: **avere p. a certe malattie**, to have a predisposition to certain diseases **3** (*tendenza*, *inclinazione*) predisposition, inclination, tendency, propensity, (*attitudine*) facility, natural bent: **p. d'animo**, inclination of the mind; **una p. a ingrassare**, a tendency to put on weight (*o* to stoutness); **avere p. per le lingue**, to have a facility for languages; **mostrare p. alla musica**, to show a natural bent for music.

predispósto a. **1** (*organizzato*) pre-arranged; arranged beforehand (*o* in advance); organized: **accuratamente p.**, carefully pre-arranged; *È già tutto p.*, everything has already been arranged **2** (*tecnicamente pronto*) preset **3** (*incline*) inclined; disposed; willing **4** (*med.*) predisposed; susceptible; prone: **un organismo p. a una malattia**, an organism susceptible (*o* prone) to infection.

predittivo a. (*ling.*) predictive.

predizióne f. prediction; forecast; prophecy; prognostication.

prednisolóne m. (*chim.*) prednisolone.

prednisóne m. (*chim.*) prednisone.

predominànte a. **1** (*che si impone, che domina*) predominant; ruling: **colore p.**, predominant colour; **passione p.**, ruling passion; **il tratto p. del proprio carattere**, the predominant feature of one's character **2** (*prevalente, più diffuso*) prevailing; prevalent: **l'opinione p.**, the prevailing opinion; **venti predominanti**, prevailing winds.

predominànza f. predominance; prevalence; preponderance.

predominàre v. i. **1** (*essere prevalente, imporsi*) to predominate (over); to rule (supreme) (over): **voler p.**, to want to dominate; *Su ogni altra emozione predominava la paura*, fear predominated over all other emotions; *In lui predomina l'orgoglio*, pride is the dominant feature of his character **2** (*essere preponderante*) to prevail; to predominate; to be predominant: *Nei nostri boschi predominano le conifere*, conifers predominate in our woods; *Tra gli elettori predomina l'incertezza*, uncertainty prevailed among voters; *Nella stanza predominava il giallo*, yellow was the predominant colour in the room.

predominio m. **1** (*superiorità*) predominance, prevalence; (*supremazia*) supremacy; (*dominio*) domination, rule: **il p. dell'interesse personale**, the predominance of personal interest; **il p. della Chiesa nel Medioevo**, the supremacy of the Church in the Middle Ages; **il p. dei mari**, supremacy at sea; **avere il p. dei mari**, to rule the seas; **esercitare il p. su q.**, to dominate over sb.; to rule over sb. **2** (*preponderanza*) predominance; preponderance; prevalence.

predóne m. robber; marauder; raider; (*saccheggiatore*) plunderer, pillager: **predoni del mare**, raiders of the sea; pirates.

preedipico a. (*psic.*) pre-Oedipal.

preelettoràle a. pre-electoral; pre-election (attr.).

preellènico a. pre-Hellenic.

preeminènza → **preminenza**.

preesàme m. preliminary examination; prelim.

preesistènte a. pre-existent; pre-existing (attr.): **le condizioni preesistenti**, the pre-existent (*o* pre-existing) conditions; **la situazione p. alla mia venuta**, the situation prior (*o* pre-existent) to my arrival.

preesistènza f. pre-existence.

preesìstere v. i. to pre-exist.

prefabbricàre v. t. **1** (*edil.*) to prefabricate **2** (*fig.*) to fabricate; to concoct: **p. prove**, to fabricate evidence.

prefabbricàto A a. **1** (*edil.*) prefabricated: **edificio p.**, prefabricated building; pre-fab (*fam.*) **2** (*fig.*) fabricated; concocted:

prove prefabbricate, fabricated evidence B m. prefabricated building; prefab (*fam.*).

prefabbricazióne f. (*edil.*) prefabrication.

prefàre v. t. to preface.

prefascista a. pre-fascist.

prefatóre m. (f. **-trice**) prefacer; author of a preface.

prefàzio m. (*eccles.*) Preface.

prefazionàre v. t. to preface; to write* a preface to.

prefazióne f. preface; foreword; introduction: **fare da p. a**, to preface; to introduce.

preferènza f. **1** preference: **avere p. per**, to have a preference for; to prefer; **non avere preferenze**, to have no preferences; **dare la p. a**, to give preference to; *Le mie preferenze vanno ai film western*, my preference is for western movies; **godere delle preferenze dei giovani**, to be popular with the young; **a p. di**, rather than; in preference to; **di p.**, preferably; **titolo di p.**, preferential qualification **2** (*parzialità*) partiality; favouritism; bias (in favour of): **fare preferenze**, to show favouritism; to show preference; *Non voglio fare preferenze*, I want to be impartial (*o* fair) **3** (*polit., anche* **voto di p.**) preferential vote.

preferenziàle a. preferential: **azioni preferenziali**, preference shares; preferred shares (*o* stocks) (*USA*); **condizioni preferenziali**, preferential terms; **corsia p.**, bus and taxi lane; fast lane; **tariffa p.**, preferential tariff; **trattamento p.**, preferential treatment; **voto p.**, preferential vote.

preferìbile a. preferable; to be preferred; better; (*consigliabile*) advisable: *La tua proposta è p. alla mia*, your proposal is preferable to mine; *Sarebbe p. dirgli tutto*, it would be better to tell him everything.

preferibilità f. preferability.

preferibilménte avv. preferably.

♦**preferire** v. t. to prefer; to like best; (*fra due*) to like better; (*desiderare*) to like; (*desiderare piuttosto*) would rather; (al passato: *decidere, scegliere*) to decide, to choose, to opt: *Fa' come preferisci*, do as you prefer; *Preferisco la poesia alla prosa*, I prefer poetry to prose; *Preferisco leggere che guardare la TV*, I prefer reading to watching TV; *Il colore che preferisco è il verde*, green is the colour I like best; *Dei due, preferisco questo*, of the two, I like this one better; *Che cosa preferisci, tè o caffè?*, which would you rather have, tea or coffee?; *Preferirei* (*piuttosto*) *un succo di frutta*, I'd rather have some fruit juice; *Preferisco non andare*, I prefer not to go; *Preferisco di no*, I prefer not; I'd rather not; *Preferisci restare?*, would you rather stay?; *Preferisci che torni più tardi?*, would you prefer me to come back later?; would you rather I came back later?; *Come preferisce pagare?*, how would you like to pay?; *Ho preferito non parlargliene*, I decided not to mention it to him; *Abbiamo preferito l'aereo*, we opted for the plane; *Preferirei che andaste altrove a fumare*, I'd rather you smoked elsewhere; *Preferirei che tu andassi a casa*, I would prefer you to go home; I'd rather you went home.

♦**preferito** A a. favourite; best-loved: **il mio libro p.**, my favourite book; the book I prefer (*o* I like best) B m. (f. **-a**) favourite; (*beniamino*) pet, darling: **essere il p. di q.**, to be sb.'s favourite.

prefestivo a. before a holiday.

prefettizio a. prefectorial; prefect's (attr.): **commissario p.**, prefectorial commissioner; **palazzo p.**, prefect's palace; **di nomina prefettizia**, appointment by the prefect.

prefètto m. **1** (*stor.*, *polit.*, *eccles.*) prefect:

p. apostolico, prefect apostolic; (*in Francia*) **p. di polizia**, prefect of police **2** (*in un collegio, ecc.*) prefect: **p. degli studi**, master of studies.

prefettùra f. prefecture.

prèfica f. **1** hired (female) mourner **2** (*fig.*) moaner; whiner.

prefìggere v. t. **1** to fix; to establish; to set*; (*a sé stessi*) to set* oneself (st.), to be determined, to intend: **p. un limite** [**una data**], to fix a term [a date]; **prefiggersi uno scopo**, to set oneself a goal; *Si era prefisso di non chiedere aiuto a nessuno*, he was determined not to ask anyone's help **2** (*premettere*) to put* before; to prefix.

prefiggiménto m. (*lett.*) intention; resolve.

prefiguràre v. t. **1** (*rappresentare simbolicamente*) to foreshadow; to adumbrate **2** (*precorrere, anticipare*) to prefigure.

prefigurativo a. prerepresentational.

prefigurazióne f. foreshadowing; prefiguration.

prefinanziaménto m. bridging loan.

prefinanziàre v. t. to prefinance.

prefinito a. pre-finished: **pavimento p.**, pre-finished flooring.

prefioritùra f. (*bot.*) early flowering; early blossoming.

prefissàle a. (*gramm.*) prefix (attr.).

prefissàre v. t. **1** to fix (in advance); to prearrange; to set*; to appoint **2** (*gramm.*) to prefix.

prefissàto① a. fixed (in advance); prearranged; set; appointed: **termine p.**, set deadline; **all'ora prefissata**, at the appointed time.

prefissàto② m. (*ling.*) prefixed word.

prefissazióne f. (*gramm.*) prefixion.

prefisso A a. (*predisposto*) fixed (in advance); appointed; set: **il compito p.**, one's appointed task **B** m. **1** (*gramm.*) prefix: **anteporre come p.**, to prefix **2** (*telef.*) area code; dialling code (*GB*); dial code (*USA*): **p. internazionale**, international dialling code.

prefissòide m. (*gramm.*) prefix.

preflorazióne f. (*bot.*) prefloration; aestivation.

prefogliazióne f. (*bot.*) prefoliation; vernation.

preformàre v. t. to preform; to form (*o* to shape) beforehand.

preformazióne f. (*anche biol.*) preformation.

preformìsmo m. (*biol.*) preformationism.

prefrontàle a. (*anat.*) prefrontal.

Preg., Preg.mo abbr. (*negli indirizzi*, **Pregiato, Pregiatissimo**) Dear.

♦**pregàre** v. t. **1** (*supplicare*) to beg; (*chiedere*) to ask; (*invitare*) to invite, to pray (*form.*); (*richiedere*) to request, to desire (*form.*): *Ti prego di ripensarci*, please reconsider; I beg you to reconsider; *Pregalo di entrare*, ask him (to come) in; *La pregai di sedersi*, I asked (*o* invited) her to sit down; *Entri, la prego*, please come in; do come in; *Continui, la prego*, please go on; pray continue (*form.*); *I clienti sono pregati di non toccare la merce*, customers are requested to not touch the goods; *Il presidente mi ha pregato di comunicarle che...*, the president asked (*o* requested) me to inform you that...; **farsi p.**, (*fare il cerimonioso*) to stand on ceremony; (*fare il prezioso*) to play hard to get; **non farsi p.**, not to have to be asked twice; *Accettò senza farsi p.*, she accepted without having to be asked twice; *Neanche se mi preghi in ginocchio!*, not even if you beg me on bended knees! **2** (*dire preghiere, anche fig.*) to pray: **p. Dio**, to pray to God; **p.**

per i propri cari, to pray for one's dear ones; *Prego Dio che siano tutti bene*, I pray to God everyone is well; *Pregai che non se ne accorgesse*, I prayed he wouldn't notice.

pregévole a. **1** (*di valore*) valuable **2** (*notevole, eccellente*) remarkable; excellent; exquisite.

pregevolézza f. (*lett.*) **1** (*valore*) valuableness **2** (*pregio*) excellence.

♦**preghièra** f. **1** (*relig.*) prayer: **p. di ringraziamento**, prayer of thanksgiving; **la p. dominicale**, the Lord's Prayer; **le preghiere per i defunti**, the prayers of the dead; **la p. prima dei pasti**, grace (before meals); **dire le preghiere**, to say one's prayers; *Dio esaudirà le tue preghiere*, God will answer your prayers; **essere in p.**, to be praying; **rivolgere una p. a Dio**, to address a prayer to God; to pray to God; **libro di preghiere**, prayer book; **tappeto di p.**, prayer mat **2** (*richiesta*) request; (*supplica*) plea, entreaty: **una p. di aiuto**, a request for help; **un'ardente p.**, an ardent plea; **accogliere una p.**, to grant a request; **rivolgere una p. a q.**, to make a request to sb.; **dietro** (*o* su) **p. di q.**, at sb.'s request; **essere sordo alle preghiere di q.**, to be deaf to sb.'s pleas; (*comm.*) **con p. di inoltro immediato**, please forward immediately.

pregiàre A v. t. (*lett.*) to appreciate; to value; to esteem **B pregiàrsi** v. rifl. (*sentirsi onorato*) to be pleased: *Ci pregiamo d'informarla che...*, we are pleased to inform you that...

pregiatissimo a. **1** (*nell'intestazione di una lettera*) Dear: *P. Prof. Bianchi*, Dear Prof. Bianchi **2** (*in un indirizzo*) – *Al P. Prof. Mario Rossi*, Prof. Mario Rossi; *Pregiatissima Sig.a G. Bianchi*, Mrs G. Bianchi.

pregiàto a. **1** (*di valore*) valuable; precious; rich: **stoffe pregiate**, rich fabrics; **valuta pregiata**, hard currency **2** (*di grande qualità*) (very) fine; excellent; superior: **vini pregiati**, fine wines **3** (*stimato*) esteemed; valued **4** (*bur.*) – *Siamo in possesso della pregiata Vostra del 10 c.m.*, we have received your letter of the 10th of this month.

prègio m. **1** (*qualità*) (good) quality; good point; strength Ⓤ; (*merito*) merit: **pregi artistici**, artistic qualities; *Il p. di questo film sta in...*, the strength of this film lies in... **2** (*valore*) value; worth: **di gran p.**, of great value; **avere gran p.**, to be very valuable; **non avere nessun p.** (*o non essere di nessun p.*), to be of no value; to be worthless **3** (*stima, considerazione*) esteem; regard: **tenere** (*o avere*) **in gran p. q.**, to hold sb. in high esteem.

pregiudicàre v. t. (*compromettere*) to jeopardize; to endanger; to be prejudicial to; to prejudice (*form.*); (*danneggiare*) to impair, to harm, to damage, to injure: **p. l'esito di qc.**, to jeopardize the outcome of st.; **p. gli interessi di q.**, to be prejudicial to sb.'s interests; **p. la salute**, to impair sb.'s health.

pregiudicàto A a. (*danneggiato*) impaired, damaged; (*votato all'insuccesso*) bound to fail, doomed: **un progetto p.**, a plan bound to fail; a doomed plan **B** m. (f. **-a**) (*leg.*) previous offender.

pregiudiziàle (*leg.*) **A** a. preliminary: **questione p.**, preliminary question **B** f. preliminary question.

pregiudizialità f. (*leg.*) preliminary nature.

pregiudiziévole a. prejudicial; detrimental; harmful: **p. alla propria immagine**, detrimental to one's public image; **p. alla salute**, harmful for sb.'s health.

pregiudìzio m. **1** (*opinione erronea*) prejudice (spesso Ⓤ); bias; (*estens.: superstizione*) superstition: **p. radicato**, deep-rooted prej-

udice; **pregiudizi razziali**, racial prejudice; **avere un p. contro qc.**, to have a prejudice (*o* to be prejudiced) against st.; **non avere** (*o essere esente da*) **pregiudizi**, to be free from prejudice; to be unprejudiced; **pieno di pregiudizi**, full of prejudices **2** (*danno*) prejudice (*form.*); detriment; damage; harm: **con grave p. della sua salute**, to the great detriment of his health; **essere** (*o riuscire*) **di p. a qc.**, to be prejudicial (*o* detrimental) to st.

preglaciàle a. (*geol.*) preglacial.

pregnànte a. (*ricco di significato*) pregnant; meaningful; pithy: **parole pregnanti**, pregnant words; words full of meaning.

pregnànza f. pregnancy; meaningfulness.

prégno m. **1** gravid (*scient.*); pregnant; with child (pred.); (*di cagna*) in pup; (*di cavalla*) with foal; (*di mucca*) in calf **2** (*fig.: saturo*) saturated (with); impregnated (with); imbued (with); full (of): **di p. di umidità**, saturated with moisture; **un animo p. d'odio**, a mind imbued with (*o* full of) hatred; **un'atmosfera pregna di tensione**, an atmosphere impregnated with tension.

♦**prègo** inter. **1** (*risposta a chi ringrazia*) don't mention it; not at all; my pleasure; you're welcome (*USA*) ❶ Nota: *to thank* → **thank 2** (*interr.*) pardon?; sorry?; come again? (*fam.*) **3** (*in formule di cortesia*) please; (*cedendo il passo*) after you; (*invitando a entrare*) (come in,) please: *Si sieda p.*, please sit down; please be seated (*form.*); *Da questa parte, p.*, this way, please **4** (*a un cliente*) can I help you?

pregrafìsmo m. preliterary.

pregrammaticàle a. (*ling.*) pregrammatical.

pregrèco a. pre-Greek.

pregrèsso a. (*lett., bur., med.*) past; previous: **epoche pregresse**, past epochs; **malattia pregressa**, previous illness.

pregustàre v. t. to look forward to; to anticipate eagerly: **p. la gioia di rivedere q.**, to look forward to seeing sb. again; **p. il piacere di una vacanza riposante**, to look forward to a restful holiday.

pregustatóre m. (*stor.*) taster.

pregustazióne f. (*lett.*) foretaste; eager anticipation.

preindeuropèo → **preindeuropeo**.

preindicàto → **sopraindicato**.

preindoeuropèo a. (*ling.*) pre-Indo-European.

preindustriàle a. pre-industrial.

preiscrizióne f. early enrolment.

preistòria f. (*anche fig.*) prehistory ● (*fig.*) **fare ormai parte della p.**, to be ancient history.

preistòrico a. **1** prehistoric **2** (*fig.*) prehistoric; ancient; ancient history (pred.).

prelatésco a. (*spreg.*) prelatic; prelate-like.

prelatìzio① a. (*leg.*) pre-emptive.

prelatìzio② a. (*eccles.*) prelatic.

prelàto m. (*eccles.*) prelate.

prelatùra f. (*eccles.*) prelacy.

prelavàggio m. prewash (cycle): **fare il p.**, to prewash.

prelazióne f. (*leg.*) pre-emption: **diritto di p.**, right of pre-emption; pre-emptive right.

prelegatàrio m. (f. **-a**) (*leg.*) preferential legatee.

prelegàto m. (*leg.*) preferential legacy.

preletteràrio a. preliterary.

prelevaménto m. **1** taking: **il p. d'un campione**, the taking of a sample **2** (*banca*) withdrawal; drawing: **il p. di una grossa somma**, the withdrawal of a large sum; **p.**

di cassa, cash drawing; **fare un p.**, to withdraw money **3** (*somma prelevata*) amount drawn; drawings (pl.): **p. su un conto corrente**, drawings on a current account **4** (*ritiro*) collection.

prelevàre v. t. **1** (*denaro*) to withdraw*; to draw*: **p. denaro da un conto**, to withdraw money from an account; **p. dai propri risparmi**, to draw on one's savings **2** (*prendere, ritirare*) to collect: **p. merci da un magazzino**, to collect goods from a warehouse **3** (*prendere e portare via*) to take*; (*arrestare*) to arrest; (*rapire*) to kidnap **4** (*scherz.: passare a prendere*) to pick up; to collect **5** (*med.*) to take* a sample of: **p. il sangue**, to take a blood sample.

prelibàre v. t. (*lett.*) to foretaste; to anticipate with relish.

prelibatézza f. **1** deliciousness; tastiness **2** (*cosa prelibata*) delicacy; tit-bit (*GB*), tid-bit (*USA*).

prelibàto a. delicious; excellent; choice (attr.): **piatto p.**, delicious dish; **vino p.**, excellent wine; **boccone p.**, delicacy; tit-bit (*GB*), tid-bit (*USA*); dainty.

prelièvo m. **1** (*banca*) withdrawal; drawing; (*somma prelevata*) amount drawn, drawings (pl.): **fare un p.**, to withdraw money **2** (*fisc., anche* **p. fiscale**) levy; tax **3** (*ritiro*) collection: **p. a domicilio**, home collection **4** (*med.: il prelevare*) taking; (*campione*) sample: **il p. del sangue**, the taking of a blood sample; un p. di sangue, a blood sample.

preliminàre A a. preliminary; preparatory; introductory: **contratto p.**, preliminary agreement; **esame p.**, preliminary examination; **lavoro p.**, preparatory work; **misure preliminari**, preliminary measures; preparatory steps; **osservazioni preliminari**, preliminary (*o* introductory) remarks B m. **1** preliminary: **p. di vendita**, promise to sell; agreement to sell; **i preliminari di un trattato**, the preliminaries to a treaty; **saltare i preliminari**, to cut the preliminaries **2** (al pl.) (*del rapporto sessuale*) foreplay Ⓤ.

preliminarménte avv. preliminarily; as a preliminary; as a first step.

prelodàto a. (*lett.*) above-mentioned (attr.).

prelògico a. (*psic.*) prelogical.

prelogìsmo m. (*psic.*) prelogicality.

prelùdere v. i. **1** (*preannunciare*) to be a sign of; to presage; to announce; to herald; to betoken (*form.*): Tutto sembrava ormai p. alla guerra, everything seems to presage a war; **nuvole che preludono a un temporale**, clouds announcing a storm **2** (*lett.: introdurre*) to introduce: **p. con poche parole a un argomento**, to introduce a subject in brief.

preludiàre v. i. (*mus.*) to play a prelude.

prelùdio m. **1** (*mus.*) prelude **2** (*segno precursore*) prelude; sign; harbinger; token: **il p. della guerra**, the prelude to war; **essere p. di burrasca**, to be a sign of storm **3** (*introduzione*) introduction; preface: **servire come p.**, to serve as an introduction.

pré-maman® A m. inv. maternity dress B a. inv. maternity (attr.): **abiti pre-maman**, maternity wear Ⓤ.

premarcàto a. already filled in.

prematrimoniàle a. pre-marriage (attr.); premarital; prenuptial: **consultorio p.**, marriage guidance centre; **gravidanza p.**, prenuptial pregnancy; **rapporti prematrimoniali**, premarital sex; **visita p.**, pre-marriage check-up.

prematuraménte avv. prematurely: **agire p.**, to act prematurely; to jump the gun (*fam.*); **morire p.**, to die young; to die before one's time.

prematurità f. prematurity (*anche med.*);

prematureness; untimeliness.

prematùro A a. premature (*anche med.*); untimely: **conclusioni premature**, premature conclusions; **morte prematura**, untimely death; **parto p.**, premature delivery; È p. dire che..., it's too early to say... B m. (f. **-a**) premature baby.

premeditàre v. t. to premeditate; to plan (in advance): **p. un delitto**, to premeditate a crime; **p. una fuga**, to plan an escape.

premeditataménte avv. premeditatedly; with premeditation; deliberately.

premeditàto a. premeditated; planned; intentional; (*leg., anche*) with malice aforethought: **omicidio p.**, premeditated murder; **non p.**, unpremeditated; unintentional.

premeditazióne f. premeditation; (*leg., anche*) intention, malice aforethought: **senza p.**, without premeditation; unintentionally; unpremeditated (agg.); unintentional (agg.).

premenopàuṣa f. (*fisiol.*) premenopause: **della p.**, premenopausal.

premènte a. (*tecn.*) pressing; compressing; forcing: **pompa p.**, pressing pump.

♦**prèmere** A v. t. **1** (*pigiare, comprimere*) to press; to tamp (down): **p. un bottone [il grilletto]**, to press a button [the trigger]; **p. il tabacco nella pipa**, to press (*o* to tamp) down the tobacco into the pipe; **p. bene la terra intorno a una pianta**, to tamp down the soil around a plant **2** (*incalzare*) to press; to bear* down on: La folla ci premeva contro la barriera, the crowd pressed us against the barrier B v. i. **1** (*esercitare una pressione*) to press: **p. su un pulsante**, to press (on) a button; **p. sul pedale col piede**, to press one's foot on the pedal **2** (*fig.: fare pressione, cercare d'indurre*) to press (sb.); to put* pressure (on); to exert pressure (on); to urge (sb.): Premono su me per una risposta, they are pressing me for an answer; Il marito preme su di lei perché venda la casa, her husband is putting pressure on her to sell the house **3** (*fig.: insistere*) to insist (on); to press (st.): **non p. troppo su questo tasto**, don't insist too much on this subject; don't press this subject too far **4** (*gravare*) to press; to bear* down; to weigh; (*fig.*) to oppress: Il peso preme sulle stanghe del carro, the weight is pressing (*o* bearing down) on the shafts of the cart **5** (*stare a cuore, importare*) to matter; to be important; to be anxious (pers.): Mi preme la tua felicità, your happiness is all that matters to me; Mi preme di finire il più presto possibile, I am anxious to finish as soon as possible; Mi preme che tu riesca, I am anxious for you (*o* I want you) to succeed **6** (*urgere*) to be urgent; to be pressing: La faccenda preme, the matter is urgent (*o* pressing).

premèssa f. **1** (*introduzione*) introductory (*o* preliminary) remarks (pl.); introduction; (*preambolo*) preamble; (*prefazione di libro*) preface, foreword: Vorrei fare una p., I'd like to make some preliminary remarks (*o* to say something by way of introduction); **senza tante premesse**, without wasting words; without beating about the bush **2** (*presupposto*) prerequisite; condition; (*base*) basis*: **creare le premesse per qc.**, to create the conditions for st.; to pave the way for st.; Mancano le premesse per un accordo, there is no basis for an agreement **3** (*filos.*) premise; premiss **4** (*ling.*) protasis*.

premésso a. (*precedente*) preceding; previous: **le premesse considerazioni**, the previous considerations ● **p. che**, since; considering that; (*leg.*) whereas □ **ciò p.**, having said that; that having been said.

premestruàle a. premenstrual: **sindrome p.**, premenstrual syndrome (abbr. PMS); **tensione p.**, premenstrual tension.

preméttere v. t. **1** (*dire per prima cosa*) to state first; to say* straightaway: Premetto subito che..., I want to say first of all that...; Vorrei p. alcune considerazioni, I'd like to make some preliminary remarks **2** (*mettere prima*) to put* before; to prefix: **p. il nome al cognome**, to put one's first name before one's surname.

premiàndo m. (f. **-a**) prize winner.

premiàre v. t. **1** to give* (*o* to award) a prize to: **p. un regista [uno scrittore]**, to award a prize to a film director [an author]; **p. un film [un libro]**, to award a prize to a film [a book]; Sono stato premiato, I have been given a prize; Gli studenti più meritevoli furono premiati, the most deserving students were awarded prizes **2** (*rimunerare, ricompensare*) to reward; to repay*: **p. la fedeltà**, to reward loyalty.

premiàto A a. prize-winning B m. (f. **-a**) prize winner.

premiazióne f. prize-giving; (*cerimonia*) prize-giving ceremony.

prèmice a. that can be crushed between two fingers.

premier (*ingl.*) m. inv. (*polit.*) Prime Minister; Premier.

premieràto m. (*polit.*) premiership.

première (*franc.*) f. inv. (*teatr., cinem.*) premiere, première; first performance; opening night (*fam.*): **in p.**, to premiere a show; Il film ha avuto la sua p. a Londra, the film premiered in London.

premilitàre a. (*mil.*) before one's national service.

preminènte a. pre-eminent; leading; prime: **p. importanza**, prime importance; **posizione p.**, position of pre-eminence; leading position.

preminènza f. pre-eminence; superiority; primacy.

♦**prèmio** A m. **1** prize; award: **p. di consolazione**, consolation prize; **p. in denaro**, cash prize; **p. letterario**, literary prize; **p. Nobel**, Nobel prize; **p. Oscar**, Academy Award; Oscar; (*sport*) **Gran P.**, Grand Prix (*franc.*); **primo [secondo] p.**, first [second] prize; **dare** (*o* assegnare) **un p. a q.**, to award sb. a prize; **istituire un p.**, to endow a prize; **ricevere un p.**, to be given (*o* awarded) a prize; **ricevere qc. in p.**, to be awarded st.; **vincere il primo p.**, to win first prize; **concorso a premi**, prize contest; **distribuzione dei premi**, prize-giving **2** (*ricompensa*) reward; recompense: **un p. per i propri servizi**, a recompense (*o* reward) for one's services; Ogni fatica merita un p., every effort deserves recompense **3** (*ass.*) (insurance) premium **4** (*Borsa*) premium: **p. di emissione**, premium on shares; accumulation; **p. di richiamo**, call premium **5** (*amm.: indennità speciale*) bonus; premium: **p. d'anzianità**, long-service bonus; **p. di assunzione** (*di dirigente*), golden hello; **p. di fine anno**, year-end bonus; (*sport*) **p. d'ingaggio**, signing-on fee; (*sport*) **p. (di) partita**, match bonus; **p. di produttività**, productivity bonus; **p. di produzione**, production bonus **6** (*econ.: aggio*) premium: **fare p. su**, to be above par to; (*fig.*) to take precedence over **7** (*econ.: agevolazione*) bounty; rebate: **p. all'esportazione**, export bounty (*o* rebate); bounty on export B a. inv. prize; bonus: **licenza p.**, bonus (*o* special) leave; **viaggio p.**, free trip.

premistòffa m. inv. (*di macchina per cucire*) presser-foot.

premistóppa m. inv. (*mecc.*) stuffing box.

prèmito m. (*med.*) contraction; spasm.

premitùra f. pressure; pressing.

premolàre a. e m. (*anat.*) premolar.

premondiàle A m. (*sport*) pre-world championship B a. pre-world championship (attr.); world championship warm-up (attr.): **una partita p.**, a world cup warm-up match.

premonitóre A a. premonitory; forewarning; warning: **segno p.**, warning sign; **sogno p.**, premonitory dream B m. forewarner; harbinger.

premonitòrio a. → **premonitore**.

premonizióne f. premonition; forewarning; (*presentimento*) foreboding, presentiment.

premonstratènse m. e a. (*eccles.*) Premonstratensian.

premorènza f. (*leg.*) predecease.

premorire v. i. to die before; to predecease: **p. al padre**, to die before one's father.

premòrte → **premorienza**.

premunire A v. t. to fortify (beforehand); to forearm; to strengthen; (*proteggere*) to guard; to protect: **p. una fortezza**, to fortify a stronghold; to strengthen a fortress; **p. l'organismo**, to protect one's organism B **premunirsi** v. rifl. 1 (*proteggersi*) to take* precautions (*o* protective measures); to forearm oneself; to protect (*o* to guard) oneself; (*rafforzarsi*) to fortify oneself: **premunirsi contro il freddo**, to protect oneself against the cold; **premunirsi contro una malattia**, to take precautions against a disease; **premunirsi contro le tentazioni**, to fortify oneself against temptations 2 (*provvedersi*) to provide oneself (with); to arm oneself (with).

premunizióne f. (*med.*) premunition.

premùra f. 1 (*urgenza, fretta*) hurry; haste: **avere (molta) p.**, to be in a (great) hurry; *Ho p. di finirlo*, I'm in a hurry to get it done; **fare qc. di p.**, to do st. in haste (*o* in a hurry); *Non c'è p.*, there is no hurry; *Che p. c'è?*, what's the hurry?; why all the hurry?; **avere p. di sapere qc.**, to be anxious to know st.; **far p. a q.**, to hurry sb. up; to chivvy sb. along 2 (*sollecitudine, cura*) care; solicitude; concern: *Sarà mia p. di...*, I will make it my job to...; **darsi (molta) p. di fare qc.**, to take (great) pains to do st. 3 (*cortesia*) kindness; (*riguardo, attenzione*) attention, consideration: *Ti ringrazio della tua p. per mia madre*, thank you for your kindness to my mother; **colmare q. di premure**, to shower attentions upon sb.

premuràre A v. t. to hurry; to urge B **premuràrsi** v. i. pron. to take* pains (to do st.).

premurosità f. solicitousness; thoughtfulness; kindness.

premuróso a. solicitous; thoughtful; kind: **gesto p.**, thoughtful (*o* kind) gesture; **marito p.**, solicitous husband; *È stato molto p. con me*, he has been very kind to me.

prenatàle a. antenatal; prenatal: **assistenza p.**, antenatal care; **diagnosi p.**, antenatal diagnosis; **sviluppo p.**, prenatal development.

prenatalizio a. before Christmas (pred.); pre-Christmas (attr.).

♦**prèndere** A v. t. 1 (*afferrare*) to take*; to catch*; to seize; to grasp; to take* hold of; to grip; (*raccogliere*) to pick up; (*acchiappare*) to catch*: **p. un libro dallo scaffale**, to take a book down from the shelf; **p. un foglio dalla scrivania**, to pick up a piece of paper from the desk; **p. qc. fra le mani**, to take st. in one's hands; **p. un cavallo per le briglie**, to take (*o* take hold of) a horse by the bridle; **p. q. per la collottola**, to take sb. by the scruff of the neck; **p. q. per un braccio**, to seize sb. by the arm; **p. per mano**, to take by the hand; *Mi tirò la palla non riuscii a prenderla*, he threw me the ball but I couldn't catch it 2 (*togliere*) to take* out; (*sollevare*) to lift; (*attingere*) to draw*: **p. qc. da un cassetto**, to take st. out of a drawer; **p. in braccio**, to lift (*o* to take) in one's arms; **p. in grembo**, to sit in one's lap; **p. acqua da un pozzo**, to draw water from a well 3 (*procurarsi*) to take*; to get*; (*acquistare*) to buy*: *Prendi quello che vuoi*, take whatever you want; *Va' a p. il dizionario*, go and get (*o* go fetch) the dictionary; *Da dove ha preso tutto quel denaro?*, where did she get all that money from?; *Devo p. il pane*, I've got to get (*o* to buy) some bread; *Mi prendi il giornale?*, can you get me the paper?; **p. (o prendersi) le vacanze**, to take one's holidays 4 (*ricevere, accettare, ottenere*) to get*, to obtain, to take*; (*guadagnare*) to earn; (*vincere*) to win*: **p. un diploma [una laurea]**, to take a diploma [a degree]; **p. esempio da q.**, to follow sb.'s example; **p. informazioni**, to make inquiries; **p. lezioni private**, to take private lessons; (*comm.*) **p. un'ordinazione**, to take an order; **p. ordini da q.**, to take orders from sb.; (*eccles.*) **p. gli ordini**, to take orders; **p. dei pensionanti**, to take in boarders; **p. posto**, to take one's seat; **p. un buono stipendio**, to earn a good salary; **p. una telefonata**, to take a phone call; **p. in affitto**, to rent; to take* 5 (*portare con sé*) to take*: **p. l'ombrello**, to take an umbrella; *Presi solo una valigia*, I only took one suitcase; *Prendimi con te*, take me with you 6 (*un mezzo di trasporto*) to take*; to catch*: **p. l'aereo [l'autobus, il treno]**, to take (*o* to catch) a plane [a bus, a train]; **p. un tassì**, to take a taxi 7 (*ritirare*) to collect; to pick up; to fetch; to call for; (*chi arriva da un viaggio*) to meet*: **p. un pacco alla posta**, to collect a parcel from the post office; (**andare a) p. i bambini a scuola**, to fetch the children from school; *Passo a prenderti alle sei*, I'll pick you up (*o* I'll call for you) at six; *Vennero a prendermi all'aeroporto*, they met me at the airport 8 (*portare via*) to take* (away); (*rubare*) to steal*: *Mi hanno preso il portafoglio*, my wallet has been stolen; *I ladri gli hanno preso tutto*, the burglars took away all he had 9 (*catturare*) to catch*, to take*; (*a caccia, anche*) to bag; (*arrestare*) to arrest: **p. un ladro**, to catch a thief; **p. q. prigioniero**, to take sb. prisoner; **p. i topi**, to catch mice; *Il pescatore non ha preso niente*, the angler hasn't caught anything; *Prese tre pernici*, he bagged three partridges; **p. in trappola**, to catch in a trap; to trap; **lasciarsi (o farsi) p.**, to let oneself be caught; (*fig.*) **p. all'amo**, to hook; (*fig.*) **p. nella rete**, to trap; to ensnare 10 (*sorprendere*) to catch*; to take*; to get*: *Presero i nemici alle spalle*, they took the enemy from behind (*o* from the rear); **p. alla sprovvista**, to catch off guard; **p. in castagna**, to catch sb. out; **p. in fallo (*o* sul fatto, con le mani nel sacco)**, to catch sb. red-handed; to catch sb. in the act 11 (*cogliere nel segno, colpire*) to hit*; to get*: *Presi il cervo al primo colpo*, I hit the stag with my first shot; **p. in pieno**, to hit squarely; (*investire*) to run straight into 12 (*conquistare*) to take*; to capture: **p. una posizione strategica**, to take (*o* to capture) a strategic position; (*anche fig.*) **p. d'assalto**, to take by storm; **p. per fame**, to starve into submission 13 (*fig.: pervadere, impadronirsi*) to seize; (*sopraffare*) to overcome*, to overwhelm: **essere preso dal rimorso [dalla paura]**, to be seized with remorse [fear]; **essere preso dalle convulsioni**, to be seized by convulsions; *Fu preso dal panico*, he was gripped by panic; he panicked; *Fu preso dal sonno*, sleep overcame him; **lasciarsi p. dall'entusiasmo**, to get carried away with enthusiasm; **farsi p. dal panico**, to panic; **lasciarsi p. dallo sconforto**, to give way to despondency 14 (*fig.: occupare*) to take* up: *Quest'armadio prende troppo posto*, this wardrobe takes up too much room; *Il lavoro mi prese tutto il lunedì*, the job took up all day Monday 15 (*fig.: ritrarre, fotografare*) to take* a photo of 16 (*misurare, calcolare, valutare*) to take*; to measure: **p. le misure di**, to take the measurements of; (*di una persona, anche*) to measure (sb. for st.) 17 (*fig.: trattare*) to handle; to treat; to deal* with: **p. q. con le buone**, to handle sb. with tact; to treat sb. tactfully; **p. q. con le cattive**, to treat sb. harshly; to be rude to sb.; **p. di petto**, to meet squarely; to face up to; to square up to; **p. q. per il verso giusto [sbagliato]**, to rub sb. up the right [wrong] way; *Non sa prenderlo*, she doesn't know how to deal with him 18 (*fig.: affascinare, sedurre*) to charm; to capture 19 (*possedere sessualmente*) to take*: **p. una donna con la forza**, to take a woman by force 20 (*impiegare*) to take* on; to hire; to engage: **p. nuovo personale**, to take on additional staff; **p. alle proprie dipendenze**, to employ; to take on; **p. a servizio**, to hire; **p. in forza**, to enrol 21 (*assumere, assumersi*) to take*; to take* on; to assume; to take* over: **p. il comando di**, to assume command; to take command (of st.); **p. la direzione di una ditta**, to take over the management of a firm; **p. (o prendersi) un impegno**, to take on a commitment; *Mi sono preso l'impegno di...*, I have taken it upon myself to...; **p. il potere**, to take power; **p. (o prendersi) la responsabilità di qc.**, to assume (*o* to take) the responsibility for st.; **p. possesso di qc.**, to take possession of st.; **prendersi la libertà di fare qc.**, to take the liberty of doing st. 22 (*assumere un aspetto, una caratteristica*) to take*; (*un comportamento, ecc.*) to pick up: **p. forma**, to take shape; **p. un'abitudine**, to pick up a habit; to get into a habit; **p. un vizio**, to get into a bad habit; *Le cose prendono una brutta [una buona] piega*, things are taking a turn for the worse [for the better]; **p. da** (*somigliare*), to take after; *Ha preso dal padre*, he takes after his father 23 (*imboccare una via, una direzione*) to take*; to follow: **p. la direzione giusta**, to take the right direction; **p. una curva**, to go round a corner; to corner 24 (*mangiare, bere*) to have; (*anche rif. a medicina*) to take*: **p. i pasti**, to have (*o* to take) one's meals; *Che cosa prendi?*, what will you have?; *Che cosa prendi per la tosse?*, what are you taking for your cough?; *Presi un caffè e una brioche*, I had a cup of coffee and a bun; *Prendete qualcosa? (offrendo)*, would you like something to eat or drink?; *Prendo un whisky, grazie*, I'll have a whisky, thank you; *Prendi ancora un po' di pasta*, have some more pasta 25 (*intendere, interpretare*) to take*; to understand*: *Ha preso le mie parole come un'offesa*, she took my words as an insult; **p. alla lettera**, to take literally; *Prendila come vuoi*, take it as you wish; **p. fischi per fiaschi**, to get hold of the wrong end of the stick; **p. per buono**, to accept at face value 26 (*credere, giudicare*) to take*; to judge: **p. qc. alla leggera**, not to take st. seriously; to make light of st.; **p. qc. per oro colato**, to take st. as gospel truth 27 (*confondere, scambiare per*) to mistake*; to take*: **p. una cosa per un'altra**, to mistake one thing for another; *Lo presi per tedesco*, I mistook (*o* I took) him for a German; *La presi per la cameriera*, I took her for the maid; *Per chi mi hai preso?*, who do you take me for? 28 (*stabilire, fissare*) to take*; to make*: **p. un appuntamento**, to make (*o* to fix) an appointment; **p. una decisione**, to make (*o* to take) a decision; **p. una risoluzione**, to make up one's mind; *Non so che partito p.*, I don't know which way to decide 29 (*una malattia*) to catch*: **p. il raffreddore**, to catch a cold; *Ti prenderai un malanno a*

uscire senza cappotto, you'll catch your death of cold if you go out without a coat **30** (*ricevere*) to get*: **p. aria**, to get air; **p. luce**, to get light; to be lit; **uscire a p. aria**, to go out to get some air **31** (*subire*) to take*; to get*; to receive; to catch: **p. botte**, to be beaten up; **p. un colpo in testa**, to be hit on the head; to receive a blow on the head; **p. freddo**, to get (*o* to catch) cold; to catch a chill; **p. la pioggia**, to get caught in the rain; (*di cosa*) to get soaked in the rain; **p. uno schiaffo [un pugno]**, to be (*o* to get) slapped [punched]; **p. una sgridata**, to be scolded; **p. uno spavento** **32** (*far pagare*) to charge: *Quanto ti ha preso?*, how much did he charge you? ● **p. a calci**, to kick □ **p. a cuore qc.**, to take st. to heart □ **p. a** (*o* **in**) **prestito**, to borrow ○ **prendersi a pugni**, to punch; to beat up; (*una cosa*) to bang on □ (*naut.*) **p. a rimorchio**, to take in tow □ **p. appunti**, to take notes □ **p. congedo da q.**, to take leave of sb. □ **p. contatto con q.**, to get in touch with sb.; to contact sb. □ **p. coraggio**, to take heart □ **p. le cose come vengono**, to take things as they come □ **p. q. in disparte** (*o* **da parte**), to draw sb. aside □ **p. in giro q.**, (*irridere*) to make fun of sb., to poke fun at sb.; to tease sb.; (*stuzzicare*) to pull sb.'s leg, to take the mickey out of sb.; (*slang GB*) (*parodiare*) to send up sb. (*GB*); (*imbrogliare*) to fool sb., to kid sb., to take sb. for a ride: *Chi credi di p. in giro?*, who are you trying to fool?; who do you think you're kidding? □ **p. q. in parola**, to take sb. at his word □ **p. q. in simpatia [in antipatia]**, to take a liking [a dislike] to sb. □ **p. interesse a qc.**, to take an interest in st. □ **p. il largo**, (*naut.*) to put to sea, to bear off; (*fig.*) to make oneself scarce □ **p. lucciole per lanterne**, to be grossly mistaken □ **p. la mano** (*o* **pratica**) **a qc.**, to get the hang of st. □ **p. marito** (*o* **moglie**), to get married □ **p. le mosse**, to start □ **p. il nome di q.**, to take down sb.'s name □ **p. nota di qc.**, to take note of st. □ **P. o lasciare!**, take it or leave it! □ (*fig.*) **p. la palla al balzo**, to seize the opportunity □ **p. parte a qc.**, to take part in st. □ **p. piede**, to catch on; to become fashionable □ **p. paura**, to get frightened; to get scared □ (*aeron.*) **p. quota**, to climb; to gain height □ **p. una sbornia**, to get drunk □ **p. servizio**, to begin working; (*rif. a turno di lavoro*) to start one's shift □ **p. il sole**, to sunbathe; to bask in the sun □ **p. su**, (*sollevare*) to lift, to pick up; (*dare un passaggio*) to give a lift to □ **p. qc. sul ridere [sul serio]**, to take st. as a joke [in earnest] □ **p. il via**, to get under way □ **prenderla alla lontana**, to beat about the bush; (*per evitare di rispondere*) to hedge □ **prenderla bene**, to take it well □ **prenderla male**, to take it badly; to be upset □ **prenderle**, (*di bambino*) to get a spanking (*o* a smack), to catch it (*fam.*); (*anche sport*) to take a beating □ **prendersela** (*offendersi*), to take offence (at st.); to take st. amiss; to get upset (by): *Se l'è presa perché non l'abbiamo invitato*, he was upset that we hadn't invited him; **prendersela facilmente**, to be easily offended; *Non te la p.!*, don't take it badly!; don't let it get you!; *Cerca di non prendertela*, try not to let it get to you □ **prendersela con q.**, (*adirarsi*) to get angry with sb.; (*incolpare q.*) to pick on sb.; (*sfogarsi su q.*) to take it out on sb. □ **prendersela a cuore**, to take st. to heart □ **prendersela comoda**, to take it easy; to take one's time; to be laid-back about it all □ **prendersi cura di**, to look after □ **prendersi pensiero di**, to worry about ▶ **B** v. i. **1** (*girare, voltare*) to turn: **p. a destra**, to turn (to the) right; **p. per i campi**, to cut across the fields **2** (*p. a*: *cominciare*) to start (doing st.): *Quando prende a parlare, non la smette più*, when she starts talking she simply never stops; *Dopo il falli-*

mento, prese a bere, after he went bankrupt he took to drink **3** (*attecchire*) to take* root **4** (*di fuoco*) to catch* **5** (*rapprendersi, indurirsi*) to set*: *Il cemento ha preso*, the cement has set **6** (*capitare*) to take (sb.); to seize (sb.): *Che gli prende?*, what's the matter with him? **C** **prèndersi** v. i. pron. (*afferrarsi*) to take* (st.); to hang* on (to); to get* hold (of) **D** **prèndersi** v. rifl. recipr. **1** (*azzuffarsi*) – **prendersi a pugni**, to fight; to come to blows; to lay into each other (*fam.*); **prendersi per i capelli**, to seize each other by the hair **2** – **prendersi a noia**, to get bored with each other; **prendersi in antipatia**, to take against each other.

prendìbile a. takable, takeable; (*conquistabile*) conquerable.

prendisóle m. inv. sun dress.

prenditóre m. (f. **-trice**) **1** taker; receiver **2** (*comm.*) payee; (*chi prende in prestito*) borrower **3** (*sport*) catcher.

prenegoziàto m. preliminary talks (pl.).

prenóme m. **1** (*stor.*) praenomen*, prenomen*; personal name **2** (*nome proprio*) first name; given name.

prenominàto a. (*lett.*) above-mentioned; aforesaid.

prenotàbile a. bookable; reservable.

♦**prenotàre** **A** v. t. to book; to reserve; to put* one's name down for: **p. una camera in un albergo**, to book a room at a hotel; **p. un posto**, (*a teatro*) to book a seat; (*in treno*) to reserve a seat; **p. un tavolo**, to book (*o* to reserve) a table **B** **prenotàrsi** v. rifl. to put* one's name down (for): **prenotarsi per dieci copie d'un libro**, to put one's name down for ten copies of a book; **prenotarsi per una visita medica**, to make an appointment to see a doctor.

prenotàto a. booked; reserved; (*di persona*) booked, that has a reservation: **posto p.**, reserved seat; *L'albergo è tutto p.*, the hotel is fully booked (*o* is booked up).

prenotazióne f. booking; reservation: **p. alberghiera**, hotel reservation; **p. obbligatoria**, obligatory reservation; **annullare** (*o* **disdire**) **una p.**, to cancel a booking (*o* a reservation); **fare una p.**, to make a booking (*o* a reservation); **ritirare una p.**, to pick up a reservation; **tassa di p.**, booking (*o* reservation) fee; **ufficio prenotazioni**, booking office; booking agency.

prènsile a. (*zool.*) prehensile: **coda p.**, prehensile tail.

prensilità f. prehensility.

prensióne f. (*zool.*) prehension.

preoccupànte a. worrying; alarming; troubling; disturbing; disquieting.

♦**preoccupàre** **A** v. t. (*tenere, mettere in apprensione*) to worry; to trouble; to disturb; to bother (*fam.*): *Che cosa ti preoccupa?*, what is worrying you?; *La sua assenza mi preoccupa*, his absence was worrying me; *Quello che mi preoccupa è che...*, what troubles (*o* bothers) me is that... **❶** FALSI AMICI ● preoccupare *non si traduce con* to preoccupy **B** **preoccupàrsi** v. i. pron. **1** (*tormentarsi, essere in ansia*) to worry; to be worried; (*agitarsi*) to get worried, to get* anxious: *Si preoccupa sempre per me*, he is always worrying about me; *Non ti preoccupare, andrà tutto bene!*, don't worry, everything will be fine!; *Quando fu mezzanotte, cominciai a preoccuparmi*, at midnight I began to get worried **2** (*interessarsi di, provvedere a*) to take* care (to); to take* the trouble (to); (*generalm. nelle frasi neg.*) to trouble (oneself): *Mi preoccupo di avvertirli*, I'll take care to inform them; *Non si sono nemmeno preoccupati di avvertirmi*, they didn't even take the trouble to let me know; *Oh, non ti preoccupare, grazie!*, oh, don't trouble (yourself), thanks!

♦**preoccupàto** a. worried; anxious; concerned; troubled: *È p. perché la ditta non va bene*, he is worried because his firm isn't doing well; *È p. per la salute del figlio*, he is worried (*o* concerned) about his son's health; *È p. all'idea di non riuscire a vendere la casa*, he is worried that he may not be able to sell the house; *È preoccupata perché il marito tarda*, she is worried because her husband is late; *Non essere p.*, don't worry **❶** FALSI AMICI ● preoccupato *non si traduce con* preoccupied

♦**preoccupazióne** f. **1** (*stato di ansia*) anxiety; concern; alarm: **destare p.**, to give cause for concern; to be a cause for alarm **2** (*ciò che preoccupa*) worry; concern; (*al pl. anche*) cares: **le preoccupazioni della vita**, the cares of life; **piccole preoccupazioni**, petty worries; **essere una grande p. per q.**, to be a great worry to sb.; *La mia p. è che...*, my worry (*o* my main concern) is that...; I'm worried that...; **dare preoccupazioni**, to be a source of worry for; to be a cause of concern to.

preolìmpico, **preolimpiònico** a. (*sport*) Olympic: **gara preolimpica**, Olympic trial.

preomèrico a. (*letter.*) pre-Homeric.

preomìnide m. (*antrop.*) prehominid.

preordinaménto m. → **preordinazione**.

preordinàre v. t. **1** to pre-arrange; to arrange (*o* to establish) beforehand **2** (*predestinare*) to predestine; to preordain.

preordinazióne f. **1** pre-arrangement **2** (*predestinazione*) predestination.

prepagaménto m. payment in advance; advance payment.

prepagàto a. paid in advance; prepaid.

prepalatàle a. (*fon.*) prepalatal.

♦**preparàre** **A** v. t. **1** to prepare; (*apprestare*) to make* (*o* to get*) ready; (*allestire*) to lay* out; (*predisporre*) to arrange; (*stendere*) to draft, to write*: **p. il caffè**, to make coffee; **p. un contratto**, to draft a contract; **p. un disegno di legge**, to draft a bill; **p. un discorso**, to prepare a speech; **p. un esame**, to prepare an examination; **p. il fuoco**, to lay the fire; **p. il pranzo**, to prepare dinner [lunch]; to get dinner [lunch] ready; **p. la tavola**, to lay the table; (*fig.*) **p. il terreno**, to pave the way; **p. la valigia**, to pack (one's suitcase); **p. q. a ricevere una brutta notizia**, to prepare sb. for a piece of bad news **2** (*addestrare*) to coach; to train; (*per un compito particolare*) to groom: **p. q. a un esame**, to coach sb. for an examination; **p. q. a un mestiere**, to train sb. for a job **3** (*avere in serbo*) to have in store: *Chissà che ci prepara l'avvenire*, who knows what lies in store (*o* what the future has in store) for us **B** **preparàrsi** v. rifl. **1** to prepare (oneself); to get* ready; (*fare preparativi*) to make* preparations: **prepararsi a un esame**, to prepare for an examination; **prepararsi a un viaggio**, to make preparations for a journey; **prepararsi a morire**, to prepare for death; **prepararsi per uscire**, to get ready to go out; *È ora di prepararsi*, it's time to get ready; *Mi ero preparato al peggio*, I was prepared for the worst **2** (*accingersi*) to be about (to do st.) **C** **preparàrsi** v. i. pron. (*essere in procinto di manifestarsi*) to be in store; to be brewing: *Si stanno preparando tempi duri per tutti*, hard times are in store for everyone.

preparatìvo m. preparation: **preparativi per la partenza**, preparations for leaving; **fare i preparativi per un viaggio**, to make preparations for a journey.

preparàto **A** a. **1** (*pronto*) ready; prepared: **essere p. a fare qc.**, to be ready to do st.; **essere p. per sostenere un esame**, to be prepared for an examination; *Tutto è*

a b c d e f g h i j k l m n o **p** q r s t u v w x y z

p., everything is ready **2** (*allestito*) laid out; fitted out; equipped **3** (*abile*) well-trained, competent, proficient; (*informato*) aware: **un insegnante p.**, a competent teacher; **politicamente p.**, politically aware **B** m. **1** (*prodotto*, *sostanza*) preparation; substance: **p. chimico**, chemical compound (*o* preparation); chemical; (*biol.*) **p. microscopico**, specimen; **p. per lucidare**, polish: **p. per togliere la vernice**, paint remover; **p. per torte**, cake mix **2** (*med.*) – **p. anatomico**, anatomic preparation.

preparatóre m. (f. **-trìce**) **1** preparer **2** (*addestratore*) trainer; coach.

preparatòrio a. preparatory; (*preliminare*) preliminary: **corso p.**, preparatory course; **lavoro p.**, preliminary work.

♦**preparazióne** f. **1** (*approntamento*) preparation; (*lavoro preparatorio*) groundwork: **la p. degli alimenti**, food preparation; **la p. per un esame**, the preparation for an exam; *La p. di questo piatto richiede almeno due ore*, this dish takes at least two hours to prepare; **in p.**, in preparation **2** (*nozioni acquisite*, *esperienza*) grounding; background; qualifications (pl.): **p. culturale**, cultural background; **p. di base**, grounding; **solida p.**, good grounding; **essere privo della p. necessaria**, not to have the necessary qualifications **3** (*addestramento*) training: **p. atletica**, athletic training; **p. professionale**, vocational training **4** (*med.*) – **p. anatomica**, anatomical preparation.

prepensionaménto m. early retirement.

preponderànte a. preponderant; predominant; prevailing: **forza p.**, preponderant force; **pensiero p.**, predominating thought; **opinione p.**, prevailing opinion.

preponderànza f. (*maggioranza*) majority; (*superiorità*) superiority; (*prevalenza*) preponderance, predominance, prevalence; (*supremazia*) supremacy: **la p. dei voti**, the majority of votes; **la p. del nemico**, the superiority of the enemy.

prepórre v. t. **1** (*porre innanzi*) to place (*o* to put*) before; to prefix: **p. una pagina a un'altra**, to place a page before another; **p. una citazione al capitolo**, to prefix a quotation to the chapter **2** (*lett.: mettere a capo*) to put* at the head (of); to put* in charge (of): **p. all'amministrazione di qc.**, to put in charge of the administration of st.; **p. al governo di**, to put at the head of **3** (*anteporre*, *preferire*) to set* above: **p. il bene al male**, to set good above evil.

prepositàle a. (*eccles.*) of a provost; provostal.

prepositìvo a. (*gramm.*) prepositive; (*preposizionale*) prepositional: **locuzione prepositiva**, prepositional phrase; **particella prepositiva**, prepositive (particle).

prepòsito m. (*eccles.*) provost.

prepositùra f. (*eccles.*) provostship.

preposituràle a. (*eccles.*) provostal.

preposizióne f. (*gramm.*) preposition: **p. articolata**, preposition with article; **p. avverbiale**, prepositional adverb.

prepòsto **A** a. in charge (of); in control (of); at the head (of): **essere p. alle vendite**, to be in charge of sales; **gli organi preposti alla respirazione**, the organs that control breathing **B** m. **1** (*eccles.*) provost **2** (*leg.*) person in charge.

♦**prepotènte** **A** a. **1** overbearing; domineering; dictatorial; tyrannical; high-handed; bossy (*fam.*) **2** (*fig.: impellente*) pressing, urgent; (*irresistibile*) irresistible, irrepressible, forceful: **bisogno p.**, pressing need; **desiderio p.**, irrepressible wish; strong urge; **scatto p.**, irresistible burst of speed **B** m. e f. domineering person; bully: **fare il p.**, to be a bully; to throw* one's

weight about; to bully (sb.); to push (sb.) around.

prepotenteménte avv. (*fig.*) forcefully.

prepotènza f. **1** overbearing manner; domineering attitude; bullying: **agire con p.**, to behave in an overbearing manner; to behave arrogantly; **di p.**, by force **2** (*azione da prepotente*) bullying 🔊; (*sopruso*) imposition: *Sono stanco delle sue prepotenze*, I am tired of his bullying.

prepotére m. excessive power.

prepuberàle, **prepùbere** a. prepubertal; prepubescent.

prepubertà f. prepuberty.

prepuziàle a. (*anat.*) preputial.

prepùzio m. (*anat.*) prepuce.

preraffaellìsmo m. (*arte*, *letter.*) Pre-Raphaelitism.

preraffaellìta a., m. e f. (*arte*, *letter.*) Pre-Raphaelite.

preraffreddaménto m. (*tecn.*) precooling.

preraffreddàre v. t. (*tecn.*) to precool.

preregistràre v. t. to pre-record.

preregistràto a. pre-recorded.

prerequisìto m. prerequisite.

prerinascimentàle a. pre-Renaissance.

preriscaldaménto m. (*tecn.*) preheating.

preriscaldàre v. t. (*tecn.*) to preheat.

preriscaldatóre m. (*tecn.*) preheater.

prerogatìva f. **1** (*privilegio*) prerogative; privilege: **le prerogative della Corona**, the royal prerogatives; **godere di una p.**, to enjoy a privilege; **essere una p. di pochi**, to be enjoyed by a privileged few **2** (*dote tipica*) (special) quality; (*dono*) gift: **avere la p. di una memoria ferrea**, to have the gift of (*o* to be endowed with) an excellent memory **3** (*proprietà speciale*) property: **avere la p. di attrarre il ferro**, to have the property of attracting iron.

preromànico a. (*arte*) pre-Romanesque.

preromàno a. pre-Roman.

preromanticìsmo m. (*letter.*) pre-Romanticism.

preromàntico a. e m. (f. **-a**) (*letter.*) pre-Romantic.

preromànzo a. (*ling.*) pre-Romance.

preruòlo m. (*amm.*) period preceding enrolment among permanent staff.

♦**présa** f. **1** (*atto del prendere*, *dell'afferrare*) taking; seizing; seizure; catching **2** (*stretta*) grasp; grip; purchase; bite; hold; (*indurimento*) setting, set: **forte p.**, firm grip; solid grip; (*mecc.*) **p. diretta**, top gear; **abbandonare** (*o* **mollare**) **la p.**, to let go (one's hold); to leave go; to release one's hold; **allentare la p.**, to release one's hold; **avere p. su q.**, to have a strong hold over sb.; **fare p.**, to have a grip (on st.); to grip; (*indurirsi*) to set; (*attaccarsi*) to stick; (*mettere radici*) to take root; *Queste gomme non fanno p. sul fondo stradale bagnato*, these tyres have poor purchase on wet surfaces; (*di ancora*) **fare p. sul fondo**, to hold the bottom; **cane da p.**, lurcher; **colla a p. rapida**, quick-setting glue **3** (*ciò che serve per afferrare*) hold; holder; (*impugnatura*) grip; (*manico*) handle; (*presina*) pot holder; (*appiglio*) purchase, hold, (*per piede*) foothold **4** (*tecn.*) intake; inlet; outlet: **p. d'acqua**, water intake; **p. d'aria**, air intake; air inlet; **p. d'aria 5** (*elettr.*) socket; power point (*GB*); (electric) outlet (*USA*); (*a jack*) jack: **p. a incasso**, flush socket; **p. di corrente**, (power) socket; **p. di terra**, earth (*USA* ground) connection; **p. volante**, movable socket **6** (*pizzico*) pinch: **p. di tabacco [di sale]**, pinch of tobacco [of salt] **7** (*sport: lotta*, *ecc.*) hold; lock; grapple;

p. di judo, judo hold **8** (*carte*) trick: **fare una p.**, to tale (*o* to win) a trick **9** (*cattura*, *conquista*) taking; seizure; capture; storming: **la p. della Bastiglia**, the storming of the Bastille; **la p. di Sebastopoli**, the capture of Sebastopol; **la p. del canale di Suez**, the seizure of the Suez Canal **10** (*ritiro*) collection: **p. a domicilio**, collection from residence; **p. e consegna**, collection and delivery **11** (*cinem.*) take; shot: **macchina da p.**, camera; (*TV*) **in p. diretta**, live ● **p. d'atto**, recognition □ **p. di contatto**, contact □ **p. di coscienza**, realization; new awareness □ (*fig.*) **p. di posizione**, stance; attitude □ **p. di possesso**, taking possession; occupation; (*di carica*) take-over □ **p. di potere**, seizure of power □ **p. in esame**, consideration □ **p. in giro** (*o* **per il bavero**), leg-pull; put-on (*USA*); (*parodia*) send-up, take-off; (*farsa*) farce, mockery, travesty: *Il processo fu una p. in giro*, the trial was a farce □ (*volg.*) **p. per il culo** (*o* **per i fondelli**), pisstaking (*GB*); bullshitting (*USA*); fucking around (*USA*) □ **essere alle prese con**, to be grappling (*o* struggling, wrestling) with; to be up against □ **fare p.** (*imporsi*), to catch on, to become popular □ **fare p. su q.**, to grip sb.; to become popular with sb.

preságio m. **1** omen; presage: **buon [cattivo] p.**, good [bad] omen; **cupi presagi di guerra**, sombre presages of war; **essere p. di qc.**, to be an omen of st.; to presage st.; **essere di buon p.**, to be a good omen; **essere di cattivo p.**, to be a bad omen; to be ominous; *Vidi un p. in quell'incidente*, I took that accident as an omen; **carico di presagi (negativi)**, ominous; somber; grim **2** (*presentimento*) presentiment; premonition; foreboding: **avere un cattivo p.**, to have a presentiment that something might be wrong; to have a bad feeling about st. **3** (*previsione*) prognostication, forecast; (*profezia*) prophecy.

preságire v. t. **1** (*presentire*) to have a presentiment of; to have a premonition of: **p. una catastrofe**, to have a premonition of a disaster **2** (*prevedere*, *pronosticare*) to foresee*; to predict; to foretell*; to prognosticate: **p. un successo**, to predict success; **far p.**, to presage; **non far p. niente di buono**, not to augur well; *Tutto lascia p. che...*, all the indications are that...

preságo a. foreboding: **essere p. di qc.**, to foresee st.; to have a presentiment (*o* a premonition) of st.

presalàrio m. (student's) grant.

presàme m. **1** (*caglio*) rennet **2** (*bot.*) cardoon.

presbiacusìa, **presbiacùsi** f. (*med.*) presbyacousis.

presbiofrenìa f. (*med.*) presbyophrenia.

presbiopìa f. (*med.*) long-sightedness; far-sightedness (*USA*); presbyopia.

prèsbite (*med.*) **A** a. long-sighted; far-sighted (*USA*); presbyopic **B** m. e f. long-sighted (*USA* far-sighted) person.

presbiteràle a. (*eccles.*) presbyteral.

presbiteràto m. (*eccles.*) presbyterate.

presbiterianésimo, **presbiterianìsmo** m. (*relig.*) Presbyterianism.

presbiteriàno a. e m. (f. **-a**) (*relig.*) Presbyterian.

presbitèrio m. (*archit.*, *eccles.*) presbytery.

prèsbitero m. (*eccles.*) presbyter.

presbitìsmo m. → **presbiopia**

prescégliere v. t. to select; to choose*; to single out.

prescélto **A** a. selected; choice **B** m. (f. **-a**) chosen person.

presciènte a. (*lett.*) prescient; foreseeing; prophetic.

presciènza f. prescience; foreknowledge.

presciìstica f. pre-skiing exercises (pl.).

presciìstico a. pre-skiing (attr.).

prescìndere v. i. (*mettere da parte*) to set* (*o* to leave*) aside, to leave* out of consideration; (*non tenere conto di*) to disregard: **p. da considerazioni personali**, to set aside all personal considerations; **a p. da** (*o prescindendo da*), (*a parte*) apart from; (*senza tener conto di*) regardless (*o* irrespective) of; **a p. da ciò**, apart from that; leaving that aside.

prescolàre, **prescolàstico** a. pre-school (attr.): **età p.**, pre-school age; **bambini in età p.**, pre-school children.

prescrittìbile a. (*leg.*) defeasible; that may be statute-barred; subject to the statute of limitations: **non p.**, indefeasible.

prescrittibilità f. (*leg.*) defeasibility; subjection to the statute of limitations.

prescrittìvo a. **1** (*che ordina*) prescriptive **2** (*normativo*) prescriptive; normative: **grammatica prescrittiva**, prescriptive grammar.

prescritto a. **1** prescribed; (*stabilito*) fixed, established, set; (*obbligatorio*) obligatory, compulsory: **p. dalla legge**, prescribed by the law; **il tempo p.**, the prescribed time; **riempire il modulo p.**, to fill up the prescribed form; (*su un invito*) È p. l'abito da sera, evening dress (de rigueur) **2** (*leg.*) lapsed; statute-barred; barred by the statute of limitations: **reato p.**, statute-barred crime.

prescrìvere A v. t. **1** (*ordinare*) to prescribe (*anche med.*); (*disporre*) to set* out, to lay* down: **p. una medicina [una cura]**, to prescribe a medicine [a treatment]; *Mi hanno prescritto il riposo*, I've been ordered to rest; *così come è prescritto dalla legge*, laid down by the law **2** (*leg.*: *mandare in prescrizione*) to bar B **prescrìversi** v. i. pron. (*leg.*) to lapse; to be barred (by the statute of limitations).

prescrivìbile a. prescriptible; (*di farmaco*) available on prescription.

prescrizionàle a. (*leg.*) limitation (attr.): **termine p.**, limitation (period).

prescrizióne f. **1** (*il prescrivere*) prescription; prescribing **2** (*norma*) rule; precept; requirement; (al pl.: *direttive, istruzioni*) directions, instructions: **le prescrizioni della Chiesa**, the precepts of the Church; **le prescrizioni del dottore**, the doctor's instructions; **attenersi alle prescrizioni**, to keep to the rules; to follow the instructions **3** (*med.*: *ricetta*) prescription **4** (*leg.*) limitation; debarment: **p. acquisitiva**, acquisitive (*o* positive) prescription; **p. estintiva**, negative prescription; limitation of actions; **cadere in p.**, to lapse; to be barred by the statute of limitations; to be statute-barred; **un reato caduto in p.**, a statute-barred crime; **perdere un diritto per p.**, to be debarred from a right.

presegnalàre v. t. to signal in advance; to give* advance warning of.

presegnalazióne f. advance signalling; advance warning.

presegnàle m. advance signal.

preselettóre m. (*tecn.*) preselector.

preselezionàre v. t. to preselect.

preselezióne f. **1** preselection: **fare la p. di**, to preselect **2** (*tecn.*) preselection; (*comput., anche*) presort **3** (*di traffico*) routing: **p. delle correnti di traffico**, routing of traffic.

presèlla f. **1** (*di briglia*) handhold **2** (*metall.*) fuller; (*cianfrino*) caulking iron.

presellàre v. t. (*metall.*) to caulk.

presellatùra f. (*metall.*) caulking.

presémina f. (*agric.*) preparation for sowing; pre-sowing activities (pl.).

presenìle a. (*med.*) presenile.

preşentàbile a. (*anche fig.*) presentable: **rendere p.**, to make presentable; **non p.**, unpresentable.

♦**preşentàre** A v. t. **1** (*far vedere, mostrare*) to present; to show*; to produce: **p. i documenti**, to show one's identity papers; **p. il passaporto**, to present one's passport; **p. prove**, to produce evidence; **p. referenze**, to produce one's references **2** (*consegnare*) to deliver; to lodge; (*inoltrare*) to submit, to send* in; to file (*leg.*); to serve (*leg.*): **p. un conto**, to send in an account; (*rag.*) **p. i conti**, to render accounts; **p. la dichiarazione dei redditi**, to file an income-tax return; **p. una domanda**, to submit (*o* to send in) an application; (*leg.*) to file an application; (*polit.*) **p. un'interpellanza**, to ask a (parliamentary) question; (*leg.*) **p. un'istanza**, to lodge a request; (*leg.*) **p. istanza di divorzio**, to file for divorce; (*leg.*) **p. un mandato di comparizione**, to serve sb. a writ of summons; **p. un reclamo**, to make a complaint; **p. una ricevuta**, to present a receipt; **p. una richiesta di indennizzo**, to submit a claim for compensation **3** (*prospettare*) to present; to pose; (*offrire*) to offer: **p. molte difficoltà**, to present many difficulties; **p. un rischio [un problema]**, to pose a risk [a problem]; **p. vantaggi**, to offer advantages **4** (*porgere, offrire, anche fig.*) to present; to offer: (*mil.*) **p. le armi**, to present arms; **p. le proprie dimissioni**, to send (*o* to hand in, to tender) one's resignation; **p. un facile bersaglio**, to offer an easy target; **p. i propri omaggi**, to pay one's respects; **p. le proprie scuse**, to offer one's apologies; to apologize **5** (*proporre*) to propose; to table (*GB*): **p. q. come candidato**, to propose (*o* to present) sb. as a candidate; **p. la propria candidatura a**, to stand (as a candidate) for; to run for (*USA*) (*polit.*) **p. una mozione**, to present (*GB, anche* to table) a motion; **p. una mozione d'ordine**, to raise a point of order; (*polit.*) **p. un progetto di legge**, to introduce a bill; to put a bill before parliament **6** (*mettere in mostra, rivelare*) to show; to present; (*avere su di sé*) to have, to bear*: **p. un fronte compatto**, to present a united front; **p. ferite**, to bear wounds; *L'edificio presenta diverse crepe*, the building has cracks (*più form.* appears cracked) in several places **7** (*mostrare in pubblico*) to present; (*esibire*) to display, to exhibit; (*illustrare*) to present, to expound; to illustrate; (*teatr.*) to produce, to put* on; (*radio, TV*) to present, to host, to compere (*GB*); (*sponsorizzare*) to sponsor **8** (*far conoscere*) to introduce; to present (*form.*): *Posso presentarle mio marito?*, may I introduce my husband?; (*meno form.*) *I'd* like you to meet my husband; *Ti presento Luisa*, this is Luisa; meet Luisa; *Mi presenti a quella ragazza?*, will you introduce me to that girl?; **essere presentato a corte**, to be presented at Court ❶ Nota: *introductions* → *introduction* B **preşentàrsi** v. rifl. **1** (*recarsi di persona*) to present oneself; (*mettersi a rapporto, spec. mil.*) to report: **presentarsi al quartier generale**, to report to headquarters; **presentarsi in tribunale**, to present oneself in court; to appear before the court **2** (*arrivare*) to arrive; to show up; to turn up; (*comparire*) to appear, to show* oneself: **presentarsi in pubblico**, to appear in public; **presentarsi in ritardo [in anticipo]**, to arrive late [early]; **presentarsi a un esame**, to sit for an exam; **presentarsi in smoking**, to turn up wearing a dinner jacket; *Si presentò in vestaglia*, he appeared wearing a dressing-gown; *Tutti la aspettavano, ma lei non si presentò*, they were all waiting for her, but she didn't show up **3** (*offrirsi*) to volunteer; (*come candidato*) to stand (for st.), to run (for st.) (*USA*): **presentarsi alle elezioni**, to stand for election; **presentarsi candidato al Parlamento**, to stand for Parliament;

presentarsi volontario, to volunteer **4** (*farsi conoscere*) to introduce oneself: *Permette che mi presenti?*, may I introduce myself? ❶ Nota: *introductions* → *introduction* C **preşentàrsi** v. i. pron. **1** (*offrirsi*) to offer (oneself); (*capitare*) to occur, to arise*, to crop up: **presentarsi alla mente**, to occur to sb.; to come to mind; **se se ne presenterà l'occasione**, if the opportunity arises; *Un'occasione così non si presenterà mai più*, such a good opportunity will never occur (*o* come our way) again **2** (*apparire, sembrare*) to appear; to be; to look: *La crisi si presenta molto grave*, the crisis appears to be (*o* looks) serious; *La superficie si presenta levigata*, the surface has a smooth appearance (*o* is smooth in appearance, loocks smooth); **presentarsi bene** (*o* favorevolmente), to look good; **presentarsi difficile**, to look difficult.

preşentat'àrm, **preşentatàrm** loc. m. (*mil.*) present arms: **dare il presentat'àrm**, to give the order to present arms.

♦**preşentatóre** m. (f. **-trice**) **1** presenter; (*banca, comm., anche*) bearer: **il p. d'una cambiale tratta**, the bearer of a draft **2** (*di spettacolo*) presenter, master (f. mistress) of ceremonies (abbr. *fam.* emcee, MC) (*USA*); (*radio, TV, anche*) host, compere (*GB*); (*di quiz*) quiz master.

preşentazióne f. **1** presentation; (*esibizione*) production; (*consegna, inoltro*) submission, lodging, lodgment, filing: **la p. dei nuovi modelli**, the presentation of the new models; **p. della denuncia dei redditi**, filing of one's income-tax return; **p. di una domanda [di un progetto]**, submission of an application [of a plan]; **p. di un reclamo**, lodgment of a complaint; **dietro** (*o* contro) **p. di un documento**, on production of identification; (*comm.*) against documents **2** (*modo in cui si presenta qc.*) presentation; (*confezione*) packaging: **curare la p. di un piatto**, to present a dish in an attractive way **3** (*introduzione*) presentation; introduction; (*prefazione*) foreword: *La p. del programma sarà affidata a C.*, the programme will be presented (*o* hosted, compered) by C. **4** (*il far conoscere una persona a un'altra*) introduction: **fare le presentazioni**, to do the introducing; **lettera di p.**, letter of introduction ❶ Nota: *introductions* → *introduction* **5** (*proposta di nomina*) nomination: **la p. dei candidati per le elezioni**, the nomination of candidates for the elections; *Per essere ammessi al club occorre la p. da parte di due soci*, admittance to the club requires the nomination by two members **6** (*fisiol., del feto*) presentation: **p. cefalica**, cephalic presentation; **p. di spalla**, transverse presentation; **p. podalica**, breech presentation.

♦**preşènte**① A a. **1** (*sul luogo*) present: **essere p. a una riunione**, to be present at (*o* to attend) a meeting; *Tina era p. e ha visto tutto*, Tina was there and saw everything; *Fui p. al fatto*, I was there when it happened; I witnessed the fact; **il qui p. Paolo**, Paolo here; «**P.!**», «present!»; «here!» **2** (*attuale*) present; current: **gli avvenimenti presenti**, present events; **il p. mese**, the current month; **le tendenze presenti**, present (*o* current) trends **3** (*questo*) this*: **il p. volume**, this volume; **la p. settimana**, this week; (*comm.*) **la p. lettera**, this letter **4** (*gramm.*) present: **tempo p.**, present tense ● **essere p. a sé stesso**, to be self-possessed □ **essere p. nei pensieri di q.**, to be in sb.'s thoughts □ **avere p.**, (*ricordare*) to remember, to recall; (*avere davanti agli occhi*) to have before one's eyes: *In questo momento non ho p. il suo nome*, I can't recall his name just now; *Non ho p. se a quell'epoca fosse sposato*, I can't remember whether he was married at that time; *Hai p. suo fratello?*,

a b c d e f g h i j k l m n o **p** q r s t u v w x y z

you remember his brother, don't you?; *Ho sempre p. quella scena*, that scene is constantly before my eyes □ **far p. a q.**, *(far notare)* to point out to sb.; *(ricordargli)* to remind sb. (of st., that) □ **tenere p.**, to consider; to bear *(o* to keep) in mind **B** m. e f. (al pl.) those present; the people present; *(astanti)* bystanders, onlookers: *Era tra i presenti*, she was among those present; **i presenti alla cerimonia**, those present at the ceremony; the people attending the ceremony; *Il numero dei presenti era alto*, the number of those present was high; **esclusi i presenti**, present company excepted **C** m. **1** present: **pensare al p.**, to think about the present; **vivere nel p.**, to live in the present; **al p.**, at present **2** *(gramm.)* present (tense): **p. progressivo**, present continuous; **p. storico**, historic present; **verbo al p.**, verb in the present **D** f. *(comm., bur.)* this letter: **il latore della p.**, the bearer of this letter; **con la p.**, herewith; **incluso nella p.**, herein attached.

presènte ② m. *(lett.: dono)* present; gift: **fare un p. a q.**, to give sb. a present.

presenteménte avv. at present; at this moment; now; currently.

presentimènto m. presentiment; premonition; foreboding; feeling: **un p. di sciagure**, a presentiment of disaster; **avere un brutto p.**, to have a presentiment.

presentìre v. t. e i. to have a presentiment *(o* a premonition) (of st., that); to have a feeling (that); to sense (that); *(prevedere)* to foresee*: **p. una disgrazia**, to have a premonition of an accident; **p. quel che accadrà**, to foresee what will happen *(o* how things will turn out); *Presentivo che non sarebbe venuto*, I had a presentiment *(o* a feeling) that he would not come; *Presentii giorni tristi*, I foresaw evil days to come.

♦**presènza** f. **1** *(l'essere presente)* presence; *(il frequentare)* attendance; (al pl.: *persone presenti)* attendance Ⓓ: *La sua p. non fu quasi notata*, his presence was hardly noticed; *Si richiede la vostra p.*, your presence is requested; *La p. alle lezioni è obbligatoria*, attendance at lectures is compulsory; *Ogni alunno deve avere duecento presenze*, every pupil must have attended at least two hundred classes; **un alto numero di presenze**, a high attendance; **fare atto di p.**, to put in *(o* to make) an appearance; **registro delle presenze**, attendance register **2** *(esistenza)* presence: **la p. di grassi nei cibi**, the presence of fats in food; *Nell'acqua è stata riscontrata la p. di bacilli del tifo*, typhoid bacilli have been found in the water **3** *(cospetto)* presence: **alla p. di**, in the presence of; before; *Il concerto è stato tenuto alla p. del Papa*, the concert was given in the presence of the Pope; *Fu ammesso alla p. del re*, he was admitted before the king; **in p. di testimoni**, in the presence of witnesses; **in mia p.**, in my presence **4** *(prontezza)* presence: **p. di spirito**, presence of mind **5** *(aspetto)* appearance; looks (pl.); presence: **bella p.**, (good) looks; smart appearance; **avere *(o* essere di) bella p.**, to be good-looking; **cercasi stenodattilografa, bella p.**, wanted: shorthand typist, smart appearance; **non avere p.**, to have no presence **6** *(spirito, fantasma)* presence; ghost: *Sentii una p. accanto a me*, I felt a presence at my side.

presenzialìsmo m. showing oneself everywhere; ubiquitousness: **peccare di p.**, never to miss a public occasion.

presenzialìsta m. e f. person who puts in an appearance at every event; person who never misses a public occasion.

presenziàre v. t. e i. to attend (st.); to be present (at): **p. a una riunione [a un funerale]**, to attend a meeting [a funeral].

presèpe, presèpio m. Nativity scene; crib *(GB)*; crèche *(franc.)* *(USA)*.

preservàre v. t. *(mantenere)* to preserve, to keep*; *(proteggere)* to protect, to safeguard, to conserve.

preservatìvo A a. preservative **B** m. condom; sheath; prophylactic *(USA)* ❶ **FALSI AMICI** • preservativo *nel senso di profilattico non si traduce con* preservative.

preservatóre m. (f. **-trìce**) preserver.

preservazióne f. preservation.

prèside m. e f. *(di scuola)* headmaster (m.), headmistress (f.), head, principal *(USA)*; *(di facoltà universitaria)* dean.

♦**presidènte** m. e f. **1** *(di assemblea, società)* chairman* (m.), chairwoman* (f.), chairperson; chair; *(di associazione, club, ecc.)* president: **p. del consiglio d'amministrazione**, chairman of the board of directors; **p. di società**, company chairman; president *(USA)*; **essere nominato p.**, to be appointed chairman *(o* to the chair); to be appointed president **2** *(polit.)* president; premier; *(di assemblea legislativa)* speaker: **il P. della Comunità Europea**, the President of the European Community; **il P. della Repubblica**, the President of the Republic; **il P. del Consiglio dei Ministri**, the Prime Minister; Premier; **il P. della Camera dei deputati**, the Speaker of the Chamber of Deputies; **il p. Pertini**, President Pertini; **il p. Mao**, Chairman Mao **3** *(di tribunale)* presiding judge ● **p. di seggio** *(elettorale)*, returning officer; chief electoral officer.

presidentéssa f. **1** → **presidente 2** *(moglie del presidente)* president's wife; first lady *(USA)*.

presidènza f. **1** *(ufficio, dignità, durata in carica di presidente di assemblea, società)* chairmanship, presidency, presidentship; *(seggio presidenziale)* chair; *(sede)* chairman's office, president's office: **assumere la p.**, to become chairman; to assume the chairmanship; *(in un'assemblea)* to take the chair; **essere alla p.**, to act as chairman; to be in the chair; **sotto la p. di**, under the chairmanship *(o* presidentship) of **2** *(polit.)* presidency; *(di presidente del consiglio)* premiership; *(sede)* president's office, prime minister's office: **la p. di Reagan**, Reagan's presidency **3** *(ufficio, dignità di preside scolastico)* headmastership *(GB)*, principalship *(USA)*; *(di preside di facoltà universitaria)* deanship; *(sede)* headmaster's office, deanery **4** *(personale)* chairman's staff; president's staff.

presidenziàle a. presidential: **carica p.**, presidency; **elezioni presidenziali**, presidential election; **repubblica p.**, presidential republic; **seggio p.**, chair; **sistema p.**, presidential system.

presidenzialìsmo m. **1** *(sistema)* presidential system **2** *(tendenza)* upholding of the presidential system.

presidenzialìsta m. e f. upholder of the presidential system.

presidenzialìstico a. in favour of [relative to] the presidential system.

presidiàre v. t. **1** *(mil.)* to garrison; *(estens.: sorvegliare)* to guard; to police; *(picchettare)* to picket: **p. una fortezza**, to garrison a fort; **p. un'ambasciata**, to guard an embassy; **p. un quartiere**, to police a district **2** *(fig.: proteggere)* to protect; to safeguard; to defend: **p. la pace**, to protect the peace.

presidiàrio a. *(mil.)* of a garrison; garrison (attr.): **truppe presidiarie**, garrison troops.

presìdio m. **1** *(mil.)* garrison: **milizie di p.**, garrison troops **2** *(bur.)* health facility: **p. ospedaliero**, hospital facilities **3** *(fig.: protezione)* protection; *(difesa)* defence: **a p. di**, in defence of; **sotto il p. di**, under the

protection of **4** *(med.)* aid: **presidi diagnostici**, diagnostic aids; **presidi medici**, medical aids; **presidi terapeutici**, medicines; drugs.

presidium m. *(polit.)* presidium.

presièdere A v. t. **1** *(essere presidente)* to be the chairman of; *(in un'occasione specifica)* to preside at *(o* over), to be in the chair, to chair, *(fare da moderatore)* to moderate: **p. un consiglio di amministrazione**, to be the chairman of a board of directors; **p. un dibattito**, to moderate a debate; **p. una seduta**, to chair *(o* to preside at) a meeting [a debate]; to be in the chair **2** *(dirigere)* to head; to be at the head of; to be the head of: **p. una facoltà**, to be the dean of a faculty; **p. una scuola**, to be the head of a school; **p. una società**, to be at the head of a company **B** v. i. **1** *(dirigere, sovrintendere)* to head (st.); to be in charge (of): **p. alle operazioni di scavo**, to be in charge of the digging **2** *(fig.: essere preposto a)* to govern; to control: *Il cuore presiede alla circolazione*, the heart governs the circulation.

presìna f. **1** *(per pentola)* pot holder **2** *(farm.: cartina)* dose.

presinàptico a. *(med.)* presynaptic.

presìstole f. *(fisiol.)* presystole.

presistòlico a. *(fisiol.)* presystolic.

prèso a. **1** *(pervaso)* seized, smitten; *(catturato)* captivated, enthralled; *(assorbito)* engrossed, absorbed, wrapped up: **p. da paura**, seized with fear; **p. dal rimorso**, smitten with remorse; **p. dalla bellezza di lei**, captivated by her beauty; **p. da un libro**, engrossed in a book; *È tutto p. dal suo nuovo lavoro*, he's completely wrapped up in his new job **2** *(indaffarato)* busy; tied up; taken up; wrapped up: **essere molto p.**, to be very busy; **p. dal lavoro**, tied up with work; *È tutto p. dai suoi problemi*, he's wrapped up with his own problems **3** *(occupato)* taken; occupied: *Tutti i posti sono presi*, all the seats are taken.

presocràtico a. e m. *(filos.)* pre-Socratic.

prèssa f. **1** *(calca, ressa)* crowd (of people); throng crush: **fare p.** *(accalcarsi)*, to crowd; to throng **2** *(mecc.)* press: **p. a bilanciere**, fly press; **p. a frizione**, friction press; **p. a mano**, hand press; **p. a vite**, screw press; **p. idraulica**, hydraulic forging press; *(tipogr.)* **p. per legatore**, lying press; **p. multipla**, multiple press; **p. verticale**, standing press.

pressacàrte m. inv. paperweight.

pressafièno, pressaforàggio m. inv. *(agric.)* forage baler.

pressainsilatrìce f. *(agric.)* silage cutter.

pressànte a. pressing; urgent.

pressapàglia m. inv. *(agric.)* straw baler.

pressapòco → **pressappoco**

pressappocàggine f. **,** **pressappochìsmo** m. carelessness; inaccuracy; slapdash way of doing things: **lavoro fatto con p.**, careless *(o* slapdash) piece of work.

pressappochìsta m. e f. careless *(o* inaccurate) person.

pressappochìstico a. careless; inaccurate; slapdash.

♦**pressappòco** avv. approximately; roughly; about; more or less; pretty much: *Il catino contiene p. 30 litri*, the bowl holds approximately *(o* about) 30 litres; *Hanno p. lo stesso peso*, they weigh about *(o* roughly) the same; *È p. la stessa cosa*, it's roughly *(o* pretty much) the same thing.

pressàre v. t. **1** to press; to tamp down: *(mecc.)* **p. a caldo [a freddo]**, to hot-press [to cold-press]; **p. il terreno intorno a una pianta**, to tamp down the soil around a plant **2** *(fig.)* to press; to urge; to hurry **3** *(sport)* to press.

pressàto a. **1** pressed: **cartone p.**, pressed cardboard **2** (*fig.*: *incalzato*) urged, hurried; (*assillato*) beset.

pressatóre m. (f. **-trice**) presser.

pressatùra f. (*mecc.*) pressing.

prèssing (*ingl.*) m. inv. (*sport*) pressure: **fare p.**, to press (*o* to pile pressure on) the opposing team ❶ **FALSI AMICI** • pressing *non si traduce con* pressing.

♦**pressióne** f. **1** (*il premere*) pressure; (*spinta*) push: **esercitare una p. su qc.**, to exert pressure on st.; *La macchina si attiva con la sola p. di un pulsante*, the machine is operated by simply pressing a button **2** (*scient.*) pressure; (*di vapore*) head; (*di caldaia*) steam: **p. al livello del mare**, sea-level pressure; **p. atmosferica**, atmospheric pressure; (*med.*) **p. arteriosa**, arterial pressure; (*mecc.*) **p. cinetica**, kinetic pressure; (*chim.*, *fis.*) **p. critica**, critical pressure; (*med.*) **p. del sangue**, blood pressure; (*autom.*) **p. degli pneumatici**, tyre pressure; (*mecc.*) **p. di frenatura**, brake pressure; braking power; (*mecc.*) **p. totale**, total head (*o* pressure); **alta [bassa] p.**, high (low) pressure; (*med.*) **avere la p. alta**, to have high blood pression; **ad alta p.**, high-pressure (attr.); **a bassa p.**, low-pressure (attr.); **essere sotto p.**, to be under pressure; **mantenere la p.**, to keep up steam; **mettere in p.**, to raise steam; (*med.*) **misurare la p. a q.**, to take sb.'s blood pressure; **aumento di p.**, pressure increase; **caduta di p.**, drop (*o* fall) in pressure; **pentola a p.**, pressure cooker **3** (*fig.*) pressure; strain; (*peso*) burden: **p. fiscale** (*o* **tributaria**), pressure of taxation; **lavorare sotto p.**, to work under pressure; to be under strain; **mettere sotto p.**, to put under strain; to strain **4** (*fig.*: *influenza*) pressure; leverage: **la p. dell'opinione pubblica**, the pressure of public opinion; **pressioni politiche**, political pressures; **fare p. su q.**, to put pressure on sb.; to bring pressure to bear on sb.; to pressurize sb. (into doing st.); **fare p. per ottenere qc.**, to push for st.; **gruppo di p.**, pressure (*o* lobby) group.

♦**prèsso** A avv. nearby; near; close (at hand): *Lì p. c'è una scuola*, there is a school nearby; **più p.**, nearer; closer • **press'a poco** (*o* **a un di p.**) → **pressappoco** □ **da p.**, closely; at close quarters: **pedinare q. da p.**, to shadow sb. closely B prep. **1** (*vicino*) near; not far from: *Abito p. Mantova*, I live near (*o* not far from) Mantua **2** (*accanto a*, *a fianco di*) beside; next to; by: *Stava in piedi p. la porta*, she was standing near (*o* by) the door; *La canonica di solito si trova p. la chiesa*, the presbytery is usually next to (*o* beside) the church **3** (*a*, *da*) with; at; to: *Mi fermai presso amici*, I stayed with some friends; **prendere informazioni p. la parrocchia**, to inquire at the local parish; **ambasciatore p. la Santa Sede**, ambassador to the Holy See **4** (*alle dipendenze di*) with; for; at: *È impiegato p. una ditta di tessuti*, he works with (*o* for) a textile firm; *Lavoro p. il signor Mori [p. la Merlini & Bozzi]*, I work for Mr Mori [at Merlini & Bozzi] **5** (*negli indirizzi*) care of (abbr. c/o): *Scrivimi p. mio fratello*, write me care of my brother **6** (*fra*) with; among: *Ha un certo successo p. le casalinghe*, he is rather popular with housewives; *P. il popolo sopravvivono curiose credenze*, curious beliefs are still current among uneducated people **7** (*con*) with: **avere influenza p. q.**, to have influence over sb.; to have pull with sb.; *Mi adopererò p. di lui per farti dare quell'incarico*, I'll do my best with him to get you that assignment **8** (*temporale*, *anche* **p. a**) around; at about: **p. il** (*o* **al**) **tramonto**, around sunset; **essere p. a morire**, to be close to death C m. (al pl.) neighbourhood (sing.); (*dintorni*) environs, outskirts: **in quei pressi**, in the neighbourhood; *Dev'essere in questi pressi*, it should be somewhere around here; **nei pressi di Firenze**, on the outskirts of Florence; somewhere near Florence; *Un uomo si aggirava nei pressi della villa*, a man was hanging about (*con fare sospetto*: loitering near) the villa.

pressoché avv. (*lett.*) nearly; almost; all but: *Ero p. arrivato, quando si mise a piovere*, I was nearly there when it began raining; *È p. fatto*, it's all but done.

pressoflessióne f. (*mecc.*) combined compressive and bending stress.

pressofonditóre m. (*metall.*) pressure die-caster.

pressofusióne f. (*metall.*) pressure die-casting • **stampo per p.**, die.

pressofùso a. (*metall.*) pressure die-cast.

pressoiniezióne f. (*tecn.*) pressure injection moulding.

pressóio m. (*tecn.*) press.

pressóre a. pressure (attr.).

pressòrio a. (*med.*) pressure (attr.).

pressòstato m. **1** (*elettr.*) pressure switch **2** (*tecn.*) manostat; thrust meter.

pressoterapìa f. pressure therapy.

pressurizzàre v. t. to pressurize.

pressurizzàto a. pressurized: (*aeron.*) **cabina pressurizzata**, pressurized cabin.

pressurizzazióne f. pressurization.

prestabilìre v. t. to pre-arrange; to fix (in advance); to set* (in advance): **p. una data**, to set a date; **p. un segnale**, to pre-arrange a signal.

prestabilìto a. pre-arranged; fixed; set: **al segnale p.**, at a pre-arranged signal; **nel giorno p.**, on the set day; *Non c'era nulla di p.*, nothing had been fixed yet.

prestàmpa f. (*tipogr.*) prepress.

prestampàto A a. preprinted B m. (*modulo*) form.

prestanóme m. e f. inv. **1** figurehead; dummy; man* (m.) of straw **2** (*leg.*) nominee.

prestànte a. good-looking; handsome.

prestànza f. good looks (pl.); handsomeness.

♦**prestàre** A v. t. **1** (*dare in prestito*) to lend*; to loan (spec. *USA*): **p. denaro [libri, l'appartamento] a q.**, to lend sb. money [books, one's flat]; **p. denaro a interesse**, to lend money on interest; **farsi p. qc.**, to borrow st. **2** (*dare*, *concedere*) to lend*; to give*: **p. aiuto**, to lend a (helping) hand; to help; **p. attenzione**, to pay attention; **p. fede a q.**, to believe sb.; **p. giuramento**, to take an oath; **p. man forte**, to give help; **p. obbedienza a q.**, to obey sb.; **p. orecchio** (*o* **ascolto**), to lend an ear; to listen; **p. la propria opera**, to give one's services; **p. i primi soccorsi**, to give first aid B **prestàrsi** v. rifl. e i. pron. **1** (*offrirsi*) to offer, to volunteer; (*adoperarsi*) to help, to assist, to put* oneself out: *Si prestò ad accompagnarmi*, he offered to accompany me; *Mi sono prestato più volte a suo favore*, I helped him several times; I intervened several times on his behalf **2** (*acconsentire*) to agree, to consent; (*approvare*) to countenance: **prestarsi al compromesso**, to agree to compromise **3** (*essere adatto*) to be suitable (for); to be suited (to); to lend* itself (to): *Questo filato si presta per un maglione sportivo*, this yarn is suitable for a sports sweater; **un romanzo che si presterebbe bene a essere tradotto in film**, a novel that would lend itself to being made into a film **4** (*permettere*, *ammettere*) to allow, to admit (of); (*offrire il destro*) to lay* itself open (to): **prestarsi a diverse interpretazioni**, to admit (of) several interpretations; **prestarsi a malintesi**, to lay itself open to misinterpretation.

prestasòldi m. e f. moneylender.

prestatóre m. (f. **-trice**) **1** lender; (*di denaro*) moneylender: **p. su pegno**, pawnbroker **2** – **p. di lavoro** (*o* **d'opera**), hired person; employee.

prestavóce m. e f. inv. (*cinem.*) dubber.

prestazionàle a. performance (attr.).

prestazióne f. **1** (*fornitura*) supply; (*servizio*) service, work ⓤ: **p. d'opera**, work done; **p. di servizi**, supply of services; **p. professionale**, professional service; **le prestazioni di un medico [di un avvocato]**, the services of a doctor [of a lawyer]; **prestazioni senza compenso**, unpaid work; **prestazioni previdenziali**, social security benefits **2** (*risultato*, *rendimento*) performance (solo sing.); (*sport*, *anche*) showing (solo sing.): **p. atletica**, athletic performance; **le prestazioni di un motore**, the performance of an engine; (*autom.*) **p. su strada**, on-road performance; **una p. brillante [scadente]**, a brilliant [poor] performance (*o* showing); **dare un'ottima p.**, to perform very well.

prestidigitatóre → **prestigiatore**.

prestidigitazióne f. conjuring; sleight-of-hand; prestidigitation.

prestigiatóre m. (f. **-trice**) **1** (*chi fa giochi di prestigio*) conjurer; conjuror; prestidigitator; (*giocoliere*) juggler **2** (*fig.*) juggler; trickster.

prestìgio m. **1** (*autorità*) prestige; ascendancy: **il p. di un nome**, the prestige of a name; **godere di grande p.**, the enjoy great prestige; **posizione di p.**, position of prestige; prestigious position; **prestige post 2** (*fascino*) glamour; magic **3** – **gioco di p.**, sleight-of-hand; conjuring trick: **fare giochi di p.**, to perform conjuring tricks.

prestigióso a. prestigious; prestige (attr.); (*che colpisce*) impressive; (*che ha fascino*) glamorous.

prestìssimo m. (*mus.*) prestissimo.

♦**prèstito** m. **1** loan: **p. di denaro**, loan of money; **avere qc. in p.**, to have st. on loan; to be lent st.; **chiedere qc. in p.**, to ask for the loan of st.; **chiedere un p.**, to ask for a loan; **dare in p.**, to lend; to loan; **essere in p.**, to be on loan; **farsi dare qc. in p. da q.**, to borrow st. from sb.; (*anche fig.*) **prendere a** (*o* **in**) **p.**, to borrow; **prendere un libro in prestito da una biblioteca**, to get a book out of a library; **ricevere in p. qc.**, to be lent st. **2** (*banca*, *fin.*) loan; (*l'attività di concessione*) lending; (*l'attività di contrazione*) borrowing: **p. a breve [a lunga] scadenza**, short-term [long-term] loan; **p. a giornata**, day-to-day loan; **p. a interesse**, loan at interest; **p. agevolato**, subsidized loan; soft loan; **p. bancario**, bank loan; **p. commerciale**, commercial loan; **p. compensativo**, bridging loan; **p. dello Stato**, government loan; **p. di guerra**, war loan; **p. forzoso**, forced loan; **p. garantito**, secured loan; **p. ipotecario**, mortgage loan; **p. obbligazionario**, debenture (*o* loan) stock; **p. pubblico**, public loan; **p. rimborsabile a vista**, call money; **p. su garanzia di titoli**, loan on stock; **p. su pegno**, loan on pawn; **chiedere un p.**, to ask for a loan; **contrarre un p.**, to incur a loan; **emettere un p.**, to issue (*o* to float) a loan; **restituire un p.**, to redeem a loan; **non restituire un p.**, to default on a loan; **sottoscrivere un p.**, to subscribe to a loan; **agenzia di prestiti su pegno**, pawnshop; **emissione di un p.**, issue (*o* floating) of a loan; **limite di p.**, lending limit **3** (*ling.*, *anche* **p. linguistico**) loanword; borrowing.

♦**prèsto** A avv. **1** (*fra poco*, *in breve tempo*) soon; in a short time; before long: *Torno p.*, I'll be back soon; *Se ne pentirà p.*, she will soon regret it; she will regret it before long; *Mi accorsi presto che...*, I soon realized that...; *Vieni più p. che puoi!*, come as soon

as you can! (*Arrivederci*) a p., see you soon; **p. o tardi**, sooner or later 2 (*in fretta*) quickly; quick; soon: **fare p.**, to be quick; to hurry up; *Fallo p.*, do it quickly; *Come hai fatto p.!*, you were quick!; *Fece p. a vestirsi*, he got dressed quickly; *Farò più p. che posso*, I'll be as quick as I can; *P.!*, hurry up!; be quick! 3 (*di buon'ora*) early; (*prima del tempo stabilito*) early, soon: **alzarsi p.**, to get up early; **di mattino p.**, early in the morning; *È p. per cominciare*, it's too early (o too soon) to begin; *È meglio arrivare p. in stazione*, it's better to get to the station well beforehand; **arrivare troppo p. a un appuntamento**, to be too early for an appointment; *Temo di aver parlato troppo p.*, I'm afraid I spoke too soon; *È ancora troppo p.* (*per dire, per giudicare, ecc.*), it's too early to tell; it's still early days; it's early days yet 4 (*mus.*) presto ● **al più p.**, as soon as possible; (*non prima*) at the earliest: *Partirò al più p.*, I shall leave as soon as I can (o as soon as possible): *Sarà pronto al più p. venerdì*, it'll be ready on Friday at the earliest □ **È p. detto**, it's easy to say; (*è facile*) it's very easy; (*iron.*) it's easier said than done □ **È p. fatto**, it's soon done □ **Si fa p. a dire, ma...**, it's all very well, but... □ (*iron.*) **Si fa p. a comandare**, it's easy to give orders □ (*prov.*) **P. e bene raro avviene**, good and quickly seldom meet; haste is waste **B** **a.** (*lett.*) 1 (*lesto*) swift; rapid; nimble 2 (*pronto*) prepared; ready **C** **m. inv.** (*mus.*) presto.

prèsule m. (*eccles.*) bishop; prelate.

presùmere v. t. 1 (*ritenere*) to presume; to expect; (*supporre*) to suppose, to imagine, to think*: *Presumo che lo sappiano già*, I presume they know already; *E sarà là anche lei, presumo*, she'll be there too, I expect; *Presumo di sì*, I presume so 2 (*avere la pretesa di*) to think*; to claim: *Presume di sapere tutto*, she thinks she knows everything; *Presume di essere un esperto*, he fancies himself as an expert 3 (*stimare troppo*) to overrate (st.): **p. troppo della propria autorità** [**delle proprie forze**], to overrate one's authority [one's strength]; **p. troppo di sé**, to be overconfident.

presumìbile a. presumable; (*probabile*) probable, likely; (*previsto*) expected: *È p. che vengano* [*non vengano*], they are likely [unlikely] to come.

presumibilménte avv. presumably; possibly: *Il risultato è p. esatto*, the result is likely to be correct (o should be correct); *Verrà anche sua moglie, p.*, presumably his wife will come too; his wife is likely to come too.

presuntìvo **A** **a.** 1 presumptive; apparent: **diagnosi presuntiva**, presumptive diagnosis; **prova presuntiva**, presumptive evidence 2 (*prevedibile*) foreseeable; predictable; (*previsto*) estimated: **costo p.**, estimated cost; (*econ.*) **bilancio p.**, budget statement **B** **m.** (*spesa presunta*) estimated expenditure.

presùnto a. 1 presumed; assumed; (*supposto*) supposed, alleged: **morte presunta**, presumed death; **il p. omicida**, the alleged murderer 2 (*valutato*) estimated: **valore p.**, estimated value.

presuntuosità f. self-importance; conceit; pomposity.

presuntuóso **A** **a.** self-important; conceited; pompous; stuck-up (*fam.*) **B** **m.** (f. **-a**) self-important (o conceited) person.

presunzióne f. 1 (*congettura*) presumption; conjecture; supposition: **una semplice p.**, a mere conjecture 2 (*leg.*) presumption: **p. d'innocenza**, presumption of innocence; **p. legale**, presumption of law 3 (*boria*) self-importance; conceit; conceitedness; pomposity; stuck-up attitude (*fam.*).

presuòla f. (*bot.*, *Galium verum*) lady's bed-straw; cheese-rennet.

presuppórre v. t. 1 (*prevedere*) to presuppose; to assume; to surmise: *Presupponevo che voi lo sapeste*, I (had) assumed you knew; **lasciare p.**, to suggest 2 (*implicare*) to presuppose; to imply: *Un effetto presuppone una causa*, an effect presupposes a cause; *Le sue dichiarazioni presuppongono una conoscenza diretta dei fatti*, his statement implies a direct knowledge of what happened.

presupposizióne f. 1 (*supposizione*) presupposition; assumption 2 (*cosa presupposta*) presupposition; assumption; supposition; conjecture; speculation; surmise: *Sono semplici presupposizioni*, it's pure (o mere) speculation.

presuppósto m. 1 (*assunto*) assumption; (*premessa*) premise: **partire da un p. errato**, to move from a wrong assumption 2 (*condizione necessaria*) precondition, condition; (*prerequisito*) prerequisite: **i presupposti per la pace**, the preconditions for peace; **mancare dei presupposti necessari**, to lack the necessary conditions.

pretàglia f. (*spreg.*) bunch of priests; pack of priests.

prêt-à-porter (*franc.*) **A** **a. inv.** prêt-à-porter; ready-to-wear: **vestito prêt-à-porter**, ready-to-wear dress **B** **m. inv.** 1 (*indumento*) ready-to-wear (designer) garment 2 (*settore*) prêt-à-porter; ready-to-wear designer clothes (pl.).

◆**prète** m. 1 (*cattolico*) priest; (*anglicano*) clergyman*, priest; (*protestante*) minister: **p. operaio**, worker priest; **farsi p.**, to become a priest; **to take holy orders**; **morire senza il p.**, to die without receiving the last rites; **donna p.**, woman priest 2 (*fam.*: *telaio dello scaldino*) wooden frame (for a warming pan) ● (*cucina*) **boccone del p.**, choice part; choice morsel; (*codrione*) parson's nose □ (*pop.*) **scherzo da p.**, stupid practical joke; nasty trick.

pretèlla f. stone mould.

pretendènte m. e f. 1 pretender; claimant: **p. al trono**, pretender (o claimant) to the throne 2 (*corteggiatore*) suitor.

◆**pretèndere** **A** v. t. 1 (*esigere*, *aspettarsi*) to expect; to demand; (*rivendicare*) to claim; (*chiedere come prezzo*) to ask for: **p. di essere servito per primo**, to expect to be served first; **p. l'impossibile**, to expect the impossible; **p. la massima puntualità da q.**, to expect the utmost punctuality from sb.; **p. delle scuse** [**una spiegazione**], to demand an apology [an explanation]; **p. molto da sé**, to demand a lot of oneself; *Pretende una cifra assurda*, he's asking a ludicrously high price; *Pretesi ciò che mi spettava*, I claimed what was due to me; *Che cosa pretendevi?*, what did you expect? 2 (*volere a ogni costo*) to expect; to want; to insist (on st.); (*essere convinto di potere*) to think* one can: *Pretendevano che io stessi zitto*, they wanted me to keep silent; *Ha preteso che lo aspettassi*, he insisted on my waiting for him; he made me wait for him; *Pretende di fare quel che gli piace*, she thinks she can do anything she likes 3 (*sostenere*, *presumere*) to claim; to pretend; to profess: *Pretende di essere infallibile*, he claims to be infallible; he claims infallibility; *Non pretendo di essere un esperto*, I don't profess (o claim, pretend) to be an expert; I do not set myself up as an expert **B** v. i. to pretend (to); to lay* claim (to); (*chiedere*) to claim (st.): **p. al trono**, to pretend (o to lay claim) to the throne; **p. alla mano di una donna**, to pretend to a woman's hand; **p. a un'eredità**, to claim an inheritance.

pretensionatóre m. (*autom.*, *di cintura di sicurezza*) safety-belt pre-tensioner.

pretensióne① f. 1 (*lett.*; *esigenza*) need; requirement 2 (*lett.*: *arroganza*) pretentiousness; arrogance; self-importance 3 (*ostentazione*) ostentation; showiness.

pretensióne② f. (*edil.*) pre-tension.

pretensiosità, **pretensióso** → **pretenziosità**; **pretenzioso**.

pretenziosità f. pretentiousness; affectation; (*ostentazione*) ostentation, showiness.

pretenzióso a. pretentious; affected; la-di-da (*fam.*); (*di discorso*, *scritto*, *ecc.*, *anche*) inflated, high-flown; (*ostentato*) ostentatious, showy.

preterintenzionàle a. (*leg.*) unintentional ● **omicidio p.**, manslaughter.

preterintenzionalità f. (*leg.*) unintentionality.

preterìre v. t. (*lett.*) 1 (*omettere*) to omit; (*trascurare*) to neglect; (*passare sotto silenzio*) to pass over 2 (*trasgredire*) to transgress; to break*.

pretèrito **A** a. (*lett.*) past; former **B** m. 1 (*gramm.*) preterite; past tense 2 (*scherz.*: *sedere*) backside; posterior; bottom (*fam.*).

preterizióne f. (*retor.*) preterition; paralipsis*.

pretermétere v. t. (*lett.*) to pretermit; to omit.

pretermissióne f. (*lett.*) pretermission; omission.

preternaturàle a. preternatural.

pretésa f. 1 (*richiesta*, *esigenza*) claim (*anche leg.*); demand: **pretese ridicole**, absurd demands; **avanzare delle pretese**, to lay claims; (*leg.*) **avanzare pretese su qc.**, to claim rights over st.; *Ha la p. che io sia sempre a sua disposizione*, he expects me to be at his beck and call; **avere grandi pretese**, to be very demanding; **soddisfare una p.**, to satisfy a demand; **di poche pretese** (*non esigente*), undemanding; easy to please; (*iron.*) *Bella p.!*, that's asking too much! 2 (*presunzione*) pretension; claim; pretence: *Non ho la p. di passare per esperto*, I lay no claims to being an expert; I do not set myself up as an expert 3 (*pretenziosità*) pretentiousness; pretence; (*ostentazione*) ostentatiousness: **di grandi pretese** (o **pieno di pretese**), pretentious; ostentatious; **di poche pretese** (*modesto*), unpretentious; **senza pretese**, unpretentious (agg.); unpretentiously (avv.).

pretésco a. (*spreg.*) priestly; priest-like.

pretéso a. 1 (*reclamato*) claimed; demanded 2 (*supposto*) alleged; supposed; so-called: **il mio p. errore**, my alleged mistake 3 (*dubbio*) dubious; questionable; debatable.

pretèsta f. (*stor.*) (*toga*) praetexta*.

pretestàto a. (*stor.*) wearing a praetexta.

◆**pretèsto** m. 1 (*ragione apparente*, *scusa*) pretext; excuse; ostensible reason: **p. plausibile**, plausible excuse; **un mero p.**, a mere pretext; **col p. di**, on the pretext of; **addurre un p.**, to advance an excuse; *Uscì con un p.*, she left with an excuse; **cercare un p. per non fare qc.**, to try to find a pretext not to do st.; **prendere a p. qc.**, to use st. as an excuse 2 (*occasione*) opportunity: *È un ottimo p. per intervenire*, it's an excellent opportunity to step in; **cogliere il p. per fare qc.**, to seize the opportunity to do st.; **dare il p. di fare qc.**, to give an opportunity to do st.

pretestuosità f. speciosity.

pretestuóso a. used as an excuse; specious.

pretònico a. (*gramm.*) pretonic.

pretóre m. 1 (*stor. romana*) praetor 2 (*leg.*) lower court judge; magistrate.

pretoriano (*stor. romana*) **A** a. praetorian **B** m. 1 praetorian (guard) 2 (*spec. al pl.*, *spreg.*) henchman*; myrmidon.

pretorìle a. (*leg.*) of a lower court judge; magistrate's (attr.).

pretòrio① a. **1** (*leg.*) magisterial; magistrate's **2** (*municipale*) municipal: **albo p.**, municipal notice board **3** (*stor. romana*) praetorian; praetorial: **coorte pretoria**, praetorian cohort; **porta pretoria**, praetorian gate.

pretòrio② m. (*stor. romana*) praetorium*.

pretrattaménto m. (*tecn.*) pretreatment.

pretrattàre v. t. (*tecn.*) to pretreat.

prettaménte avv. (*schiettamente*) purely, genuinely; (*tipicamente*) typically, authentically.

prètto a. (*schietto*, *puro*) pure; genuine; true; (*autentico*) sheer, downright, unadulterated: **in p. accento genovese**, in a pure Genoese accent; *Questa è pretta ignoranza*, this is sheer (*o* downright) ignorance.

pretùra f. **1** (*stor. romana*) praetorship **2** (*leg.*) magistrates' court.

preumanèsimo m. pre-humanism.

preunitàrio a. preceding the unification of Italy (pred.); preunification.

prevalènte a. prevailing; prevalent; (*predominante*) predominating, predominant, ruling: **caratteristica p.**, predominant feature; **l'opinione p.**, the prevailing (*o* prevalent) opinion; **essere p.**, to prevail; to predominate.

prevalenteménte avv. mostly; mainly; chiefly; for the most part; principally.

prevalènza f. **1** (*maggioranza*) majority; (*superiorità*) prevalence, predominance, supremacy: **p. numerica**, numerical superiority; **essere in p.**, to be in the majority; to have a majority; **in p.**, mainly; mostly; for the most part; *I turisti erano in p. tedeschi*, the tourists were mostly Germans **2** (*idraul.*) discharge head.

prevalére Ⓐ v. i. **1** (*essere predominante*) to be prevalent, to be dominant, to prevail; (*essere diffuso*) to be widespread: *Fra gli italiani prevalgono i capelli scuri*, dark hair prevails among Italians; **p. per numero su**, to outnumber **2** (*risultare vittorioso*) to prevail; to win*; to carry the day: **p. sui propri nemici**, to prevail over one's enemies; *Prevarrà la verità*, truth will prevail; *È prevalsa la nostra linea di condotta*, our policy carried the day Ⓑ **prevalérsi** v. i. pron. to avail oneself (of); to take* advantage (of).

prevaricànte a. power-abusing (attr.); arbitrary; (*autoritario*, *prepotente*) high-handed, dictatorial, domineering: **atteggiamento p.**, high-handed attitude; **personalità p.**, domineering personality.

prevaricàre v. i. **1** (*agire in modo disonesto*) to act dishonestly; to transgress **2** (*abusare del potere*) to abuse one's power; to abuse one's office; to behave arbitrarily ❶ **Falsi amici** • prevaricare *non si traduce con* to prevaricate.

prevaricatóre m. (f. **-trìce**) transgressor; abuser ❶ **Falsi amici** • prevaricatore *non si traduce con* prevaricator.

prevaricazióne f. abuse of power; abuse of office ❶ **Falsi amici** • prevaricazione *non si traduce con* prevarication.

♦**prevedére** v. t. **1** (*predire*) to foretell*; to predict, (*il tempo atmosferico*) to forecast*: **p. il futuro**, to foretell the future; **p. un buon raccolto**, to predict a good harvest; *I meteorologi prevedono bel tempo*, the meteorologists have forecast fine weather; *Per domani si prevede pioggia e vento*, tomorrow is expected to be wet and windy **2** (*ritenere possibile o probabile*) to envisage; to expect; to anticipate; to reckon; (*in base a programma*, *calcolo*) to plan, to schedule, to estimate: *Non prevedevo difficoltà*, I envisaged no

difficulty; *Quando prevedi di partire?*, when are you planning to leave?; *Prevedo che mi ci vorranno altri due giorni*, I reckon I'll need another two days; *Era da p.!*, it was to be expected!; that's no surprise; *L'entrata in funzione dell'autostrada è prevista per la primavera prossima*, the motorway is scheduled to be opened to traffic next spring **3** (*considerare*, *disciplinare*) to provide for: *La legge non prevede questo caso*, the law does not provide for this case.

prevedìbile a. foreseeable; (*ovvio*, *scontato*) predictable, to be expected (pred.): **il p. futuro**, the foreseeable future; **comportamento p.**, predictable behaviour; **risultato p.**, predictable result; *Era p.*, it was to be expected; that's no surprise.

prevedibilità f. predictability.

preveggènte a. (*lett.*) **1** foreseeing **2**→ **previdente**.

preveggènza f. (*lett.*) **1** foresight; second sight **2**→ **previdenza**.

prevelàre a. e m. (*fon.*) prevelar.

prevéndita f. advance sale.

prevenìbile a. forestallable; avoidable; preventable.

prevenire v. t. **1** (*arrivare prima*, *precedere*) to arrive before: *Lo prevenni di circa mezz'ora*, I arrived about half an hour before him **2** (*agire prima*) to precede; (*anticipare*) to forestall, to anticipate, (*mandando a vuoto*) to pre-empt: **p. una domanda** [**un'obiezione**], to anticipate a question [an objection]; **p. un desiderio**, to anticipate a wish; **p. una mossa**, to pre-empt a move; *Intendevo scriverti, ma mi hai prevenuto*, I meant to write to you, but you preceded me **3** (*impedire*) to prevent; to avoid; to avert; to head off; to ward off: **p. una guerra**, to avert a war; **p. una malattia**, to prevent an illness; **p. un reato**, to prevent a crime; (*prov.*) *È meglio p. che curare*, prevention is better than cure **4** (*preavvertire*) to inform in advance; (*mettere sull'avviso*) to forewarn; to warn (beforehand), to tip off (*fam.*): *Vi prevengo che non riceverete risposta*, be warned, you can't expect a reply.

preventivàbile a. foreseeable, predictable.

preventivaménte avv. in advance; beforehand; previously.

preventivàre v. t. **1** (*rag.*) to estimate; (*in bilancio*) to budget **2** (*fig.*: *prevedere*) to foresee*; (*mettere in conto*) to reckon with; (*calcolare*) to plan.

preventivàto a. estimated; budgeted: **la spesa preventivata**, the estimated expenditure.

preventivazióne f. (*bur.*) budgeting.

preventìvo Ⓐ a. preventive; precautionary: **carcere p.**, preventive detention; (*med.*) **cura preventiva**, preventive treatment; **medicina preventiva**, preventive medicine; **misure preventive**, preventive (*o* precautionary) measures Ⓑ m. **1** (*stima*, *calcolo di spesa*) estimate; quotation; quote: **chiedere un p. per un lavoro**, to ask for an estimate (*o* a quote) for doing st.; **fare un p.**, to make an estimate; to give a quotation; *Ci ha fatto un p. di 5000 euro per ridipingere l'appartamento*, he quoted us 5,000 euros to paint the flat **2** (*rag.*) budget: **p. di cassa**, cash budget; **p. delle vendite**, sales budget; **mettere in p.**, to budget for; (*fig.*) to budget for, to allow for.

preventòrio m. (*med.*) preventorium*.

prevenùto a. prejudiced; biased: **essere p. contro q.** [**qc.**], to be prejudiced (*o* biased) against sb. [st.]; **essere p. verso q.** [**qc.**], to be biased towards sb. [st.].

prevenzióne f. **1** (*il prevenire*) prevention; (*misura preventiva*) precautionary measure: **p. degli infortuni** [**delle malattie**],

prevention of accidents [of diseases] **2** (*preconcetto*) prejudice; bias: **non avere nessuna p. contro q.**, to have no prejudice against sb.; to be unbiased towards sb.; **avere delle prevenzioni contro q.**, to be prejudiced (*o* biased) against sb.

prevenzionìstico a. preventive; preventative.

preverbàle a. preverbal.

prevèrbo m. (*gramm.*) preverb.

previaménte avv. previously; beforehand.

previdènte a. provident; far-sighted; (*prudente*) prudent, wise.

previdènza f. **1** (*il saper prevedere*) providence; foresight: **mancare di p.**, to lack foresight; to be short-sighted; **un uomo di grande p.**, a far-sighted man **2** (*provvedimenti assistenziali*) security; welfare: **p. integrativa**, supplementary benefit; **p. sociale**, national insurance (*GB*); social security (*USA*); **cassa di p.**, national insurance fund; **istituto di p.**, provident institution.

previdenziàle a. national insurance (attr., *GB*); social security (attr., *USA*); welfare (attr.): **oneri previdenziali**, national insurance contributions; social security contributions; **sistema p.** welfare system.

previgènte a. (*leg.*) pre-existing; previously in force: **un diritto p.**, a pre-existing right.

prèvio a. **1** previous; preceding; prior: **per p. accordo**, by previous agreement; **senza p. avviso**, without previous notice **2** (*assol.*, *bur.*) subject to; upon, by; through: **p. appuntamento**, by appointment; **p. avviso**, upon notice; **p. consenso**, subject to agreement; **previa domanda scritta**, through written application; **p. esame**, subject to examination; **p. pagamento**, upon (*o* against) payment **2** (*med.*) – **placenta previa**, placenta previa.

previsionàle a. anticipatory.

previsióne f. **1** (*il prevedere*) prediction **2** (*ciò che si prevede*) prediction; forecast (*anche econ.*, *meteor.*); (*aspettativa*) expectation, anticipation; (*prospettiva*) outlook; (*valutazione*, *calcolo*) estimate, assessment: **p. a breve termine** [**a medio termine**, **a lungo termine**], short-term [medium-term, long-term] forecast; **p. delle entrate** [**delle spese**], estimate of revenue [of expenditure]; **previsioni del tempo** (*o* **meteorologiche**), weather forecast; **p. prudente**, conservative estimate; *Le mie previsioni si sono avverate*, my predictions have come true; **al di là d'ogni p.**, beyond expectation; **contrariamente alle previsioni**, against (*o* contrary to) expectation (*o* expectations); **in p. di**, in expectation of; in anticipation of; **secondo le previsioni**, according to expectation (*o* expectations); **fare previsioni**, to make forecasts; to forecast; **fare la p. delle entrate** [**delle spese**], to estimate revenue [expenditure]; **fare previsioni meteorologiche**, to forecast the weather; **corrispondere alle proprie previsioni**, to meet (*o* to come up to) one's expectations; **superare ogni p.**, to surpass (*o* to go beyond) all expectations; **bilancio di p.**, budget.

previsto Ⓐ a. **1** predicted; foreseen; (*atteso*) expected, anticipated, envisaged: **il p. aumento della criminalità**, the predicted growth of crime rate; **un avvenimento p.**, a foreseen event; **il tempo p.**, the weather forecast **2** (*in base ad accordo*) set, arranged; (*in base a orario*) scheduled; (*calcolato*, *preventivato*) estimated: **la somma prevista**, the estimated amount; **ora di arrivo prevista**, estimated time of arrival (abbr. ETA); **all'ora prevista**, at the arranged time; at the scheduled time; *Era tutto p. per il loro arrivo*, everything had been arranged for their

a b c d e f g h i j k l m n o **p** q r s t u v w x y z

arrival **3** (*contemplato*) provided for: **un caso p. dalla legge**, a case provided for by law **B** m. what is expected; expectation: **oltre il p.**, more than expected; **più (a lungo) del p.**, longer than expected; **spendere più del p.**, to spend more than one expected to; *Tutto andò come p.*, everything went as expected; everything went according to plan.

prevocàlico a. (*fon.*) prevocalic.

prevòsto m. **1** (*eccles.*) parish priest **2** (*stor.*) provost.

preziàrio → **prezzario**.

preziosìsmo m. preciosity (*anche letter.*); affectation.

preziosità f. **1** (*l'essere prezioso*) preciousness; great value: **la p. della salute**, the great value of good health **2** (*fig.*) preciosity; affectedness: **p. di stile**, preciosity of style.

♦**preziòso** **A** a. **1** precious; valuable; costly; rich; (*di gran pregio*) of great value: **metalli preziosi**, precious metals; **pietra preziosa**, precious stone; gem; **libri [quadri] preziosi**, books [paintings] of great value **2** (*fig.: che si tiene in gran conto*) precious; most valued; valuable; invaluable; highly prized; cherished: **aiuto p.**, invaluable help; **consigli preziosi**, valuable advice; **il dono p. della vita**, the precious gift of life; **doti preziose**, highly prized qualities; **ricordo p.**, precious memory; cherished memory; **tempo p.**, precious (o valuable) time **3** (*fig.: ricercato*) precious; affected **4** (*fig. fam., di persona*) hard to get: **rendersi p.**, to play hard to get **B** m. **1** (*gemma*) jewel; gem; (al pl.: *gioielli*) jewellery **□ commerciante in preziosi**, dealer in gems; jeweller **2** (*fig. fam.*) – **fare il p.**, to play hard to get.

prezzàre v. t. (*comm.*) to price-mark.

prezzàrio m. **1** (*catalogo*) priced catalogue **2** (*listino prezzi*) price list.

prezzàto a. priced.

prezzatrìce f. pricing machine.

prezzatùra f. (*operazione*) price-marking, pricing; (*cartellino*) price tag.

prezzemolino m. (*scherz., spec. TV*) ever-present; fixture.

prezzèmolo m. (*bot., Petroselinum sativum*) parsley ● (*fig.*) **essere come il p.**, to be (o to turn up) everywhere.

♦**prèzzo** m. **1** price; (*costo*) cost, costs (pl.); (*tariffa*) fee, rate, (*di mezzo di trasporto*) fare; (*valore*) value, worth: **p. al consumo**, consumer price; **p. al minuto** (o **al dettaglio**), retail price; **p. all'ingrosso**, wholesale price; **p. alto [basso]**, high [low] price; **p. base**, base price; (*a un'asta*) reserve price (*GB*), upset price (*USA*); (*in un contratto d'appalto*) target price; **p. corrente** (o **del giorno**), current (o market) price; **p. del biglietto dell'autobus**, bus fare; **il p. della manodopera**, labour costs; (*econ.*) **p. di offerta**, supply price; **p. d'acquisto**, purchase price; (*Borsa*) **p. di apertura**, opening price; (*Borsa*) **p. di chiusura**, closing price; (*Borsa*) **p. di conversione**, conversion price; **p. di favore**, special price; **p. d'ingresso**, admission fee; **p. di listino**, list price; **p. di monopolio**, monopoly price; **p. di occasione**, bargain price; **p. di realizzo**, (*comm.*) giveaway price; **p. equo**, fair price; **p. esorbitante**, exorbitant price; **p. fisso**, fixed (o set) price; **p. globale**, inclusive (o all-in) price; **p. lordo [netto]**, gross [net] price; **p. ridotto**, reduced price; cut price; **a p. ridotto**, cut-rate; budget, budget-priced; cheap; **p. stracciato**, rock-bottom price; **p. tutto compreso**, all-in price; **prezzi in vertiginosa ascesa**, soaring (o rocketing) prices; **ultimo p.**, bottom (o lowest) price; **a basso p.**, at a low price; cheap (agg.); cheaply (avv.); on the cheap; **a buon p.**, reasonable (agg.); reasonably priced (avv.); **a caro p.**, at a high price;

dearly; **a poco p.**, at a low price; cheaply; **a metà p.**, at half price; **a p. di costo**, (at) cost price; **a qualunque p.**, at any cost (o price); **di poco p.**, inexpensive; cheap; **senza badare al p.**, regardless of cost; **abbassare il p. di qc.**, to mark down st.; **abbassare i prezzi**, to reduce prices; **alzare il p. di qc.**, to up the price of st.; to mark up st.; **aumentare i prezzi**, to raise (o to increase) prices; **fissare un p.**, to fix (o to set) a price; **livello massimo [minimo] di p.**, price ceiling [floor]; **mantenere i prezzi bassi**, to keep prices down; **non avere p.**, to be priceless; **pagare qc. a caro p.**, to pay a high price for st.; **pagare il giusto p.**, to pay the right price; **pattuire un p.**, to agree on a price; **praticare buoni prezzi**, to charge fair prices; **salire di p.**, to go up; (*fin.*) to appreciate; **tirare sul p.**, to haggle (about the price); **vendere sotto p.**, to sell below cost price; *I prezzi salgono* [*scendono*], prices are rising [falling]; *Ieri in Borsa i prezzi sono crollati*, prices tumbled yesterday on the Stock Exchange; *Alla notizia del rimpasto governativo, i prezzi si alzarono di colpo*, prices soared immediately at the news of the government reshuffle; *Il p. della casa è calato*, the value of the house has gone down; *Il vero p. di quest'opera non è calcolabile*, the real worth (o value) of this work cannot be calculated; **andamento** (o **corso**) **dei prezzi**, course of prices; **aumento** (o **rialzo**) **dei prezzi**, rise in prices; **condizioni di p.**, price terms; **diminuzione dei prezzi**, fall (o decline) in prices; **fluttuazioni dei prezzi**, fluctuations in prices; price fluctuations; **listino dei prezzi**, price list; (*Borsa*) Stock Exchange quotations (pl.) **2** (*fig.*) price: **il p. della libertà**, the price of freedom; **il p. del silenzio**, hush-money; **ottenere qc. a caro p.**, to get st. at a price; **pagare qc. a caro p.**, to pay dearly for st.; **vendere la vita a caro p.**, to sell one's life dearly **3** (*cartellino del p.*) price tag; (*etichetta*) price label.

prezzolàre v. t. to hire; (*corrompere*) to bribe: **p. un sicario**, to hire a hitman.

prezzolàto a. hired; mercenary: **assassino p.**, hired killer; **gente prezzolata**, hirelings; **stampa prezzolata**, bought press.

PRG sigla (**Piano regolatore generale**) general town planning scheme; overall development plan.

PRI sigla (*polit.*, **Partito repubblicano italiano**) Italian Republican Party.

prìa (*poet.*) → **prima**①.

prìamo m. (*zool., Papilio priamus*) birdwing butterfly.

Prìamo m. (*letter.*) Priam.

priapèo **A** a. priapean; priapic **B** m. (*poesia*) priapean.

priapìsmo m. (*anche med.*) priapism.

Prìapo m. (*mitol.*) Priapus.

♦**prigióne** f. **1** (*carcere*) prison; jail; gaol: **p. di Stato**, state prison; **p. militare**, military prison; stockade (*USA*); **andare in p.**, to go to jail (o to prison); **essere in p.**, to be serving (*fam.* to be doing) time; **evadere di p.**, to escape from prison; to break jail; **mandare q. in p.**, to send sb. to prison (o jail); **marcire in p.**, to rot in jail; **mettere in p.**, to imprison; to jail **2** (*pena detentiva*) imprisonment; detention: **condannare q. a due anni di p.**, to sentence sb. to two years in prison; to give sb. a two-year sentence; **fare tre anni di p.**, to spend three years in jail; to serve a three-year sentence; **condanna a sei anni di p.**, six-year sentence **3** (*fig.*) prison: *Questa casa è una p.*, this house is like a prison; **sentirsi in p.**, to feel imprisoned.

prigionìa f. **1** (*cattività*) captivity **2** (*detenzione*) imprisonment; detention: **fare tre anni di p.**, to spend three years in jail; to

serve a three-year sentence **3** (*fig.*) enslavement; slavery; thrall; thraldom.

♦**prigionièro** **A** a. imprisoned; captive; (*mil.*) taken prisoner; (*rinchiuso*) locked up, confined, shut in; (*intrappolato*) trapped: **animale p.**, captive animal; **un uccello p. in gabbia**, a bird shut up in a cage; *Il marito la tiene prigioniera in casa*, her husband keeps her locked up at home **B** m. (f. *-a*) (*anche fig.*) prisoner; captive: **p. di guerra**, prisoner of war (abbr. P.O.W.); **p. politico**, political prisoner; **essere p. di q.**, to be held (o kept) prisoner (o captive) by sb.; (*fig.*) **essere p. di qc.**, to be a prisoner to st.; *È stato p. in India*, he was a prisoner of war in India; **fare p. q.**, to take sb. prisoner.

prillàre v. i. (*region.*) to spin*; to whirl.

♦**prìma** ① **A** avv. **1** (*in precedenza*) before, previously; (*un tempo, una volta*) once, formerly: *P. non lo conoscevo bene*, I didn't know him well before; *Si viveva meglio p.*, life was better once; *P. aveva lavorato per una ditta commerciale*, before that (o previously) she worked for a commercial firm; she had been formerly employed with a commercial firm; *È tutto come p.*, everything is just as before (o just as it was); *Ne so quanto p.*, I know as much as I did before; *È tornata a essere quella di p.*, she is her normal self again; *Non è più quello di p.* (*è cambiato*), he isn't the man he was; *Siamo più amici di p.*, we are closer friends than ever; *Dovevi pensarci p.*, you should have thought about it earlier; **molto p.**, long before; **poco p.**, shortly (o a short time) before **2** (*in anticipo*) beforehand; in advance: *Sapevo che sarebbe venuto, perciò avevo preparato tutto p.*, I knew he would come, so I had prepared everything beforehand; *La prossima volta che vieni, telefonami p.*, the next time you come phone me in advance **3** (*più presto*) earlier; sooner; (*più rapidamente*) quicker: *Dovrò alzarmi p.*, I'll have to get up earlier; *Questa volta partiremo p.*, this time we'll leave earlier; *Avrò finito alle dieci o forse p.*, I'll be finished at ten, or even sooner; *Da questa parte si fa p.*, it's quicker this way; **p. o poi**, sooner or later; **quanto p.**, as soon as possible; **quanto p. tanto meglio**, the sooner the better **4** (*in un luogo che precede*) further back; back: *Un kilometro p. c'è il distributore*, the petrol station is one kilometre further back; *Lo troverai tre pagine p.*, you'll find it three pages back **5** (*per prima cosa, per primo*) first: *P. mettiamoci a sedere*, let's sit down first; **p. il dovere**, duty first; **p. le cattive notizie**, bad news first; *Entra tu p.*, you go in first **B** **prima di** *loc.* prep. **1** (*rif. a tempo*) before; prior to: **p. delle 10**, before 10; **p. del 1980**, before (o prior to) 1980; **p. di Cristo**, before Christ (abbr. B.C.); **p. di tutto** (*innanzi tutto*), first of all; *Sarà pronto p. di martedì*, it'll be ready before (o by) Tuesday **2** (*rif. allo spazio*) before: *Il giornalaio è cinquanta metri p. del panettiere*, the newsagent is fifty metres before the baker's; *Fermati p. dell'incrocio*, stop before you come to the crossing **C** **prima di**, **prima che** *loc. cong.* **1** before; prior to: *Esci di qui, p. che perda la pazienza*, get out of here before I lose my patience; *P. di partire* (o *che partisse*), *mi ringraziò*, before leaving (o before he left) she thanked me; **p. che sia troppo tardi**, before it is too late; *Ho fatto p. del previsto*, it took me less than I thought; *Arrivò p. di quanto pensassi*, he arrived sooner than I expected; *Ho fatto p. che ho potuto*, I came as soon as I could; I came as quickly as I could **2** (*piuttosto di, piuttosto che*) rather (o sooner) than: *Si farebbe uccidere p. di tradirlo*, he'd let himself be killed rather than betray him; *P. la morte che il disonore*, death rather than (o death before) dishonour **D** a. inv. previous;

preceding; before (avv.): **il giorno p.**, the previous day; the day before; *Ci eravamo incontrati il lunedì p.*, we had met the previous Monday (o the Monday before).

♦**prima**② f. **1** (*classe scolastica*) first class; first year; first grade (*USA*): **la p. liceo**, the first year of the secondary school; **frequentare la p.**, to be in the first year (o grade) **2** (*di nave, treno*) first class; first (*fam.*): **viaggiare in p.**, to travel first class; **cabina [carrozza] di p.**, first-class cabin [carriage] **3** (*eccles.*) prime **4** (*teatr., cinem.*) first (o opening) night; premiere: **la p. del «Don Carlos»**, the first night of «Don Carlos»; **p. mondiale**, world premiere; **p. teatrale**, first night of a play; *Lo spettacolo sarà dato in p. mondiale a Londra*, the show will premiere in London **5** (*autom.*) first gear; first (*fam.*): **essere in p.**, to be in first gear; **inserire (o mettere) la p.**, to engage (o to go into) first gear; **to put the car in gear 6** (*scherma*) prime; first **7** (*alpinismo*) first ascent **8** (*danza*) first position.

primadònna f. **1** (*di prosa, operetta*) leading lady; (*di opera lirica*) prima donna **2** (*fig.*) very important woman*; leading personality **3** (*fig. spreg.*) prima donna.

primanòta f. (*rag.*) **1** entry **2** (*registro*) daybook; blotter (*USA*).

primariaménte avv. **1** (*principalmente*) primarily; principally; mainly; chiefly **2** (*in primo luogo*) primarily; first; firstly; in the first place.

primariàto m. (*med.*) post of head of a hospital department; consultancy (*GB*).

primàrio Ⓐ a. **1** (*che precede*) primary; (*primo*) first; (*in USA*) **elezioni primarie**, primary (election); (*geol.*) **l'era primaria**, the Primary (o Palaeozoic) era; **istruzione primaria**, primary education; **scuola primaria**, primary (o elementary) school **2** (*principale*) primary; chief; prime; paramount; main; leading: **azienda primaria**, leading firm; **motivo p.**, main reason; **scopo p.**, primary aim; **settore p.**, primary sector; **di primaria importanza**, of primary (o paramount, prime, the greatest) importance **3** (*chim.*) primary: **ammina primaria**, primary amine Ⓑ m. **1** (*med.*) head of a hospital department; consultant (*GB*) **2** (*econ.*) primary sector.

primàte① m. (*eccles.*) primate.

primàte② m. (*zool.*) primate; (al pl., *scient.*) Primates.

primaticcio a. (*agric.*) early: **pesche primaticce**, early peaches.

primatista m. e f. (*sport*) record holder: **il p. mondiale nel salto con l'asta**, the holder of the world pole-vaulting record; *È p. regionale nel lancio del peso*, he holds the regional record for putting the weight.

primàto m. **1** (*supremazia*) supremacy; superiority; pre-eminence; primacy; leadership: **p. artistico**, artistic pre-eminence; **p. marittimo**, naval supremacy; *Il nostro paese ha il p. nell'esportazione dei motocicli*, our country is the world's leading exporter of motorcycles **2** (*sport*) record: **il p. italiano nei 100 metri**, the Italian record for the 100 metres; **p. mondiale**, world record; **battere un p.**, to break (o to beat) a record; **detenere un p.**, to hold a record; **stabilire un p.**, to set (o to establish) a record; **a tempo di p.**, in record time; (*fig.*) **da p.**, record (attr.); **profitti da p.**, record profits.

primatologìa f. (*biol.*) primatology.

primatòlogo m. (f. **-a**) (*biol.*) primatologist.

primattóre m. **1** (*teatr.*) leading man* **2** (*fig.*) man* who likes to be in the limelight.

primattrìce f. **1** (*teatr.*) leading lady **2** (*fig.*) prima donna.

♦**primavèra**① f. **1** spring; (*periodo primave-*

rile) springtime: **la p. scorsa [prossima]**, last [next] spring; *È arrivata la p.*, spring has arrived; *Qui si gode una eterna p.*, it's always spring here; **in p.**, in spring; in springtime; **nella p. del 1990**, in the spring of 1990; **un giorno di p.**, a day in spring; a spring day; **pulizie di p.**, spring cleaning **2** (*fig.*) spring: **la p. della vita**, the spring of life **3** (*fig. scherz.: anno*) year; winter: **avere cinquanta primavere**, to be fifty; **avere sulle spalle parecchie primavere**, to have seen many winters.

primavèra② f. (*bot.*, *Primula acaulis*) primrose.

♦**primaverile** a. spring (attr.); springlike: **aria p.**, spring air; **fiori primaverili**, spring flowers; **temperatura p.**, springlike temperature.

primazìa f. (*eccles.*) primateship.

primaziàle a. (*eccles.*) primatial: **chiesa p.**, primatial church.

primeggiàre v. i. **1** (*eccellere*) to excel; to shine*; to surpass all others; to take* the lead; (*assol.*) to stand* out: **p. come oratore**, to excel as an orator; **p. nello sport [nella matematica]**, to excel at sport [in mathematics]; *Gli atleti italiani hanno primeggiato nella corsa*, Italian athletes took the lead in racing; *Vuole sempre p.*, she wants to stand out at all times.

primèvo a. (*lett.*) primeval.

primicèrio m. (*eccles.*) primicerius*.

primièra f. (*antico gioco di carte*) primero.

primièro Ⓐ a. (*poet.*) → **primo** Ⓑ m. (*in una sciarada*) first.

primigènio a. primordial; primeval; primitive: **le forze primigenie della natura**, nature's primordial forces; **l'uomo p.**, primitive man.

primìna f. (*bot.*) primine.

primìno (*slang, a scuola*) Ⓐ a. first-year Ⓑ m. first-year (student).

primìpara f. primipara*.

primis → **in primis**.

primitìva f. (*mat.*) primitive.

primitivìsmo m. primitivism.

primitività f. primitivity; primitiveness.

♦**primitìvo** Ⓐ a. **1** (*originale, degli inizi*) primitive; original; early: **arte primitiva**, primitive art; **la Chiesa primitiva**, the early Church; **il significato p.**, the original meaning; **uomo p.**, primitive man **2** (*lett.: di prima*) former; earlier; previous: **riprendere la forma primitiva**, to go back to one's former shape **3** (*rozzo, rudimentale*) primitive; crude; rough: **metodo p.**, crude method; **strumenti primitivi**, primitive tools; **vita primitiva**, rough living **4** (*incivile*) uncouth; uncivilized: **maniere primitive**, uncouth manners **5** (*gramm.*) – **nome p.**, root-word; primitive **6** (*mat.*) – **funzione primitiva**, primitive Ⓑ m. **1** (*uomo dei tempi preistorici*) primitive (man*) **2** (*arte*) primitive **3** (f. **-a**) (*fig.*) uncouth (o uncivilized) person.

primìzia f. **1** (*frutto*) first (o early) fruit; (*verdura*) first (o early) vegetable; (al pl., anche) early produce **2** (*notizia fresca*) hot news ⓤ **3** (*novità*) novelty.

♦**primo** Ⓐ a. num. ord. **1** (*in una serie*) first; (*di due*) former; (*più vecchio*) eldest; (*di due*) elder; (*più vicino*) next, first; (*dall'alto*) top (attr.); (*dal basso*) bottom (attr.); (*il più avanzato*) front (attr.): **i primi arrivati**, the first comers; **il p. cassetto**, the top drawer; the bottom drawer; **il mio p. figlio**, my first child; (*il maggiore*) my eldest child, (*di due*) my elder child; **la prima fila di posti**, the front row of seats; **il p. giorno del mese**, the first day of the month; (*mil.*) **prima linea**, front line; **il mio p. marito**, my first husband; (*di due*) my former husband; **il p. nato**, the first-born; **prima pagina**, first page;

(*di giornale*) front page; **il p. passo**, the first step; (*gramm.*) **prima persona singolare**, first person singular; **p. piano**, (*di edificio*) first floor (*GB*), second floor (*USA*); (arte e *fig.*) foreground; (*fotogr., cinem., TV*) close-up; **i primi anni di università**, the first years of university; **uno dei primi iscritti al partito**, one of the first members of the party; **atto I, scena VII**, act one, scene seven; *Pietro p.*, Peter the First; (*fig.*) **essere al p. posto in qc.**, to rank first in st.; **prendere il p. aereo**, to take the first available flight; *Questa è la prima e l'ultima volta che ti avverto*, this is the first and last time I'm warning you; *Preferisco la prima proposta alla seconda*, I prefer the former proposal to the latter; *Lo farò per prima cosa domattina*, I'll do it first thing in the morning; *Ci fermeremo al p. villaggio*, we'll stop at the next (o first) village; *Abita nella prima casa dopo la mia*, he lives in the house next to mine; **arrivare p.**, to come in first; to be first at the finish; **a prima vista**, at first sight; **in p. luogo**, in the first place; first of all; **dal p. momento**, from the very first (moment); **per p.**, first; **parlare per p.**, to speak first; *L'ho saputo per p.*, I was the first to know **2** (*iniziale, più lontano nel tempo*) early, first; (*precedente*) former: **il primo amore**, one's first love; **i primi Cristiani**, the early Christians; **la prima giovinezza [infanzia]**, early youth [childhood]; **la prima maniera di Picasso**, Picasso's early style; **i primi mesi della guerra**, the early (o first) months of the war; **p. pomeriggio**, early afternoon; **i miei primi ricordi**, my earliest memories; **le prime ore del giorno**, the early hours of the day; the early morning; **di prima sera**, early in the evening; **nelle prime ore del mattino**, in the early hours of the morning; **sin dalla prima età**, from a very early age **3** (*principale, più importante*) first; chief; main; foremost; prime; top; (*il migliore*) best: **p. attore**, leading man; **prima attrice**, leading lady; **prima classe**, first class; **il p. dovere di un cittadino**, a citizen's first (o chief) duty; *P. Ministro*, Prime Minister; **p. ufficiale**, (*mil.*) executive officer; (*marina mercantile*) first mate; **il p. dei miei pensieri**, my main (o foremost) concern; **uno dei primi tenori d'Italia**, one of Italy's top tenors **4** (*econ.*) – **costo p.**, prime cost **5** (*fig.*) **il p. cittadino**, (*della città*) the mayor; (*dello Stato*) the president (of the republic) **6** (*teatr.*) **prima donna** → **primadonna** □ (*comm.*) **prima offerta**, reserve price (*GB*); upset price (*USA*) □ **p. piatto**, first course; starter □ (*edil.*) **prima pietra**, cornerstone □ (*fig.*) **p. venuto**, anybody: *Non è il p. venuto*, he's not just anybody □ (*mus.*) **p. violino**, first violin; leader □ **a tutta prima**, at first; initially □ **di prima mano**, first-hand □ (*fig.*) **di prim'ordine**, first-class; first-rate □ (*fig.*) **di p. piano**, first-rate □ **di prima qualità**, top-quality; first-class □ **in un p. tempo**, at first; initially □ **minuto p.**, minute □ **sulle prime**, at first; initially Ⓑ avv. first; firstly; first of all; in the first place Ⓒ m. **1** (f. **-a**) (*di due*) former: **il p. che capita**, the first person that happens to come along; **il p. dopo di me**, the next person after me; *Sei il p. della lista*, you are top of the list; *Fu una delle prime a saperlo*, she was one of the first to know; *Sono stato io il p. a difenderlo*, I was the first to defend him; *Dei due quadri mi piaceva più il p.*, of the two pictures I preferred the former; **dal p. all'ultimo**, from first to last **2** (f. **-a**) (*il migliore, il più importante*) best; first; top: *Fu tra i primi della scuola*, he was among the best in the school; *È il p. della classe*, he is top of his class **3** (f. **-a**) (*primo giorno*) first day; (*nelle date*) first, 1st: **il p. del mese**, the first day of the month; **il p. dell'anno** (*Capodanno*), New

Year's Day; **il p. di maggio**, the first of May; May the 1st **4** (*unità di misura*) minute **5** (*prima portata*) first course **6** (al pl.) (*inizio*) beginning: **ai primi di febbraio**, at the beginning of February; in early February; **ai primi del Trecento**, in the early 14th century.

primogènito a. e m. (f. *-a*) first-born: **figlio p.**, first-born child; eldest [elder] child; first-born; eldest [elder] son (f. daughter).

primogenitóre m. (f. *-trìce*) primogenitor; ancestor; forefather.

primogenitrìce f. primogenitrix; ancestress.

primogenitùra f. primogeniture; birthright.

primordiàle a. **1** primordial; primeval; original; elemental; (*iniziale*) initial, early, embryonic: **forme primordiali di vita**, primordial life forms; **materia p.**, primordial matter; **a uno stadio p.**, at a very early stage; at an embryonic stage **2** (*fig.: primitivo*) primitive; undeveloped; crude: **istinti primordiali**, primitive instincts; **sistema p.**, primitive (o crude) method; **vivere allo stato p.**, to live in primitive conditions.

primòrdio m. **1** (spec. al pl.) (very) beginning; earliest stage; dawn; infancy: **i primordi del mondo**, the beginning of the world; **i primordi della civiltà**, the dawn of civilization; **la televisione ai suoi primordi**, television in its infancy **2** (*biol.*) anlage*; primordium.

♦**primula** f. (*bot.*) **1** (*Primula*) primula; primrose **2** (*fig.*) – *P. rossa*, Scarlet Pimpernel.

primulàcea f. (*bot.*) primulaceous plant; (al pl., *scient.*) Primulaceae.

princesse (*franc.*) f. inv. (*moda*) princess dress.

♦**principàle** **A** a. main; chief; principal; major; most important; foremost; leading: **la cosa p.**, the main (o most important) thing; **i fiumi principali della Francia**, the chief rivers of France; **le opere principali d'un poeta**, the major works of a poet; (*teatr.* e *fig.*) **parte p.**, leading role; (*gramm.*) **proposizione p.**, main clause; **lo scopo p.**, the main (o chief) object; **la sede p. di una società**, the head office of a company; **piazza [strada] p.**, main square [street]; **una delle principali aziende automobilistiche**, one of the leading car manufacturing firms **B** m. e f. (*fam.: capo*) head; boss (fam.) ❶ **FALSI AMICI** • principale *non si traduce con* principal **C** m. **1** main (o chief) thing; main point; essentials (pl.) **2** (*mus.*, *registro d'organo*) principal.

principalménte avv. principally; chiefly; mainly; primarily; (*soprattutto*) above all, first and foremost.

principàto m. **1** (*ufficio, dignità di principe*) princedom **2** (*stato retto da un principe*) principality; princedom: **il p. di Monaco**, the Principality of Monaco **3** (*governo di un principe*) rule (by a prince); (*stor. romana*) principate: **sotto il p. di Augusto**, under Augustus's rule (o principate) **4** (al pl.) (*teol.*) Principalities.

♦**prìncipe** **A** m. (*anche fig.*) prince: (*fig.*) **il p. azzurro**, Prince Charming; **p. consorte**, Prince Consort: *P. della Chiesa*, Prince of the Church; (*fig.*) **il p. dei poeti**, the prince of poets; (*fig.*) **p. del foro**, famous barrister; **p. del sangue** (o di Casa Reale), prince of the blood; **il p. delle tenebre**, the Prince of Darkness; **p. di Galles**, Prince of Wales; (*tessuto*) Prince of Wales check; **p. ereditario**, Crown Prince; **il p. Giovanni**, Prince John; **p. reggente**, Prince Regent; (*fig.*) **stare** (o **vivere**) **come un p.**, to live like a prince **B** a. **1** (*lett.*) principal; main; prime **2** (*editoria*) – **edizione p.**, editio princeps (*lat.*); original edition.

principescaménte avv. in a princely manner (o style); like a prince.

principésco a. **1** princely **2** (*fig.*) princely; splendid; magnificent: **casa principesca**, splendid house; **dono p.**, princely (o magnificent) gift.

principéssa f. princess: **la p. Anna**, Princess Anne; **p. del sangue** (o di Casa Reale), princess of the blood.

principessìna f. **1** (*giovane principessa*) young princess **2** (*figlia di principe*) prince's daughter.

principiànte **A** m. e f. beginner; novice; tyro; (*apprendista*) apprentice: **corso per principianti**, beginners' course; **la fortuna del p.**, beginner's luck **B** a. inexperienced; new; raw; green.

principiàre (*lett.*) → **cominciare**.

principìno m. **1** (*giovane principe*) young prince **2** (*figlio di principe*) prince's son.

♦**princìpio** m. **1** beginning; start; outset; commencement (*form.*): **il p. della fine**, the beginning of the end; **buon [cattivo] p.**, good [bad] start; **al** (o da, in, sul) **p.**, at the beginning; at first; **al p. dell'anno scolastico**, at the beginning of the school year; **al p. del mondo**, at the beginning of the world; **dal p. alla fine**, from beginning to end; **fin dal p.**, right from the start; from the very beginning; from the very outset; **nel** (o in) **p.**, in the beginning; **avere p. da**, to start from; to stem from; **dare p. a qc.**, to begin st.; to start st. **2** (*origine*) origin; (*nascita*) birth; (*causa prima*) (prime) cause: **il p. dell'universo**, the origin of the universe; (*filos.*) **il p. del bene e del male**, the origin of good and evil **3** (spec. al pl.) (*concetto fondamentale*) (first) principle; (*cognizione elementare*) rudiment: **i principi della matematica**, the principles of mathematics; *Non sa neanche i principi della chimica*, he doesn't even know the rudiments of chemistry **4** (*verità, norma*) principle: **il p. della giustizia [dell'uguaglianza]**, the principle of justice [of equality]; (*fis.*) **il p. di Archimede**, the principle of Archimedes; **il p. di non contraddizione**, the principle of contradiction; **principi morali [religiosi, politici]**, moral [religious, political] principles; **sani principi**, sound principles; **di alti principi**, high-principled; **uomo di sani principi morali**, man of principle; principled man; **per p.**, on principle; **fedele ai propri principi**, true to one's principles; **senza principi**, of no principles; unprincipled; **questione di p.**, matter of principle; **fare di qc. una questione di p.**, to make st. a matter of principle; **partire dal p. che...**, to start from the principle that...; **in linea di p.**, in principle; **sollevare un'obiezione di p.**, to object on principle; to raise a principled objection **5** (*farm.*) – **p. attivo**, active principle (o ingredient).

principòtto m. (*spreg.*) princeling.

principsbécco m. pinchbeck • (*fig.*) **rimanere di p.**, to be dumbfounded.

prióne m. (*biol.*) prion.

prióra f. (*eccles.*) prioress.

priorale a. (*eccles.*) of a prior; of a prioress: **casa p.**, priory; **ufficio p.**, office of a prior; priorate; priorship.

prioràto m. (*eccles.*) **1** (*ufficio, dignità*) priorate; priorship **2** (*sede*) priory.

prióre m. (*eccles.*) prior.

priòri → **a priori**

prioria f. (*eccles.*) priorate; priorship.

priorità f. **1** priority; (*precedenza*) priority, precedence: **p. assoluta**, top priority; **p. di data [di nascita]**, priority of date [of birth]; **diritto di p.**, right of priority; **avere la p. su**, to take priority over; **dare la p. a qc.**, to give priority to st.; to prioritize st.; **decidere quali sono le proprie p.**, to get one's priorities right; **elencare** (o **mettere**) **in ordine di p.**, to prioritize; **stabilire le p.**, to set priorities **2** (*prevalenza*) prevalence; prominence.

prioritàrio a. priority (attr.); overriding: **essere p.**, to be of overriding importance; to be a top priority; **esigenza prioritaria**, overriding need; **posta prioritaria**, first-class mail; **una questione prioritaria**, a matter of priority; **scelta prioritaria**, priority choice; **con priorità**, with priority.

prisco a. (*poet.*) ancient; old.

prisma m. (*geom.*, *fis.*, *miner.*, *fig.*) prism: **p. deflettore**, deflecting prism; **p. di rinvio**, reflecting prism; **p. raddrizzatore**, erecting (o rectifying) prism; **p. triangolare**, triangular prism.

prismàtico a. (*geom.*, *fis.*, *miner.*) prismatic; prismal: **colori prismatici**, prismatic colours; **cristalli prismatici**, prismatic crystals; **effetto p.**, prismatic effect.

prismòide m. (*geom.*) prismoid.

pristino a. (*lett.*) pristine; original; former; ancient: **p. vigore**, pristine vigour.

pritanèo m. (*stor.*) prytaneum.

♦**privàre** **A** v. t. (*togliere*) to deprive, to divest, to take* away (st. from sb.); (*spogliare*) to rob, to strip: **p. q. dei suoi diritti**, to deprive sb. of his rights; to rob sb. of his rights; **p. q. della libertà**, to deprive sb. of his freedom; **p. q. del potere**, to divest sb. of his power; **p. q. di una soddisfazione**, to deprive sb. of a satisfaction; **p. q. di un titolo**, to strip sb. of a title; **p. q. della vista**, to blind sb.; to deprive sb. of his sight (*form.*); **p. q. della vita**, to take sb.'s life; to kill sb. **B** **privàrsi** v. rifl. to deprive oneself of; (*negarsi*) to deny oneself (st.); (*rinunciare a*) to give* up (st.): *Si privarono di molte cose per aiutare i poveri*, they deprived themselves of (o they gave up) many things to help the poor; *Perché dovrei privarmi di questo lusso?*, why should I deny myself this luxury?; *Per lei mi sono privato di tutto*, I have given up everything for her.

privataménte avv. **1** (*da privato*) as a private person (o citizen) **2** (*in privato*) privately; in private.

privatézza f. privacy.

privatista m. e f. **1** private student; (*a un esame*) external candidate **2** (*leg.*) expert in private law.

privatìstico a. **1** (*econ.*) private-enterprise (attr.) **2** (*leg.*) regarding private law; private-law (attr.).

privativa f. **1** (*esclusiva*) sole right; (*monopolio*) monopoly: **la p. dei tabacchi**, the tobacco monopoly; **diritto di p.**, patent-right; **generi di p.**, state monopolies **2** (*region.*) tobacconist's.

privativo a. (*anche gramm.*) privative: **prefisso p.**, privative affix.

privatizzàbile a. that can be privatized (o denationalized).

privatizzàre v. t. (*econ.*) to privatize; to denationalize.

privatizzazióne f. (*econ.*) privatization; denationalization.

♦**privàto** **A** a. private; (*personale*) personal: **appartamento p.**, private apartment; **corrispondenza privata**, private (o personal) correspondence; **diritto p.**, private law; **faccenda privata**, private (o personal) affair (o matter); **iniziativa privata**, private enterprise; **investigatore p.**, private detective; private eye (*fam.*); **scuola privata**, private (o independent) school; (*in GB anche*) public school; **segretario p.**, private (o personal) secretary; (*econ.*) **il settore p.**, the private sector; **la mia vita privata**, my private life; my privacy; *P. - vietato l'ingresso*, private - no admittance; **in forma privata**, in a private (o an unofficial) way; privately

B m. **1** (f. *-a*) private person; private individual; private citizen; (*comm.*) private customer; (*fin.*) private shareholder: *Non si vende ai privati*, no retail sales **2** (*sfera, vita privata*) private life; privacy: **difendere il proprio p.**, to defend one's privacy; **in p.**, in private; privately; in confidence.

privazióne f. **1** (*il privare*) deprivation; depriving; taking away; (*perdita*) loss: **p. dei diritti politici**, deprivation [loss] of political rights; **p. della libertà**, loss of freedom; (*med.*) **sindrome da p.**, withdrawal symptoms (pl.) **2** (*sacrificio*) privation; hardship: **affrontare dure privazioni**, to undergo severe privations; **una vita di privazioni**, a life of hardships.

privilegiàre v. t. **1** (*concedere un privilegio a*) to privilege; to grant a privilege (*o privileges*) to **2** (*favorire*) to favour, to favor (*USA*) **3** (*preferire*) to prefer.

privilegiàto **A** a. **1** privileged; preferential; (*speciale*) special: **classi privilegiate**, privileged classes; **posizione privilegiata**, privileged position; **trattamento p.**, preferential treatment; **avere un rapporto p. con q.**, to have a special relationship with sb. **2** (*comm.*) preference (attr.); preferred: **azioni privilegiate**, preference shares; preferred stock (*USA*); **credito p.**, preferred right (*o* debt) **B** m. (f. *-a*) privileged person: **pochi privilegiati**, a privileged few; *Si crede un p.*, he thinks he is special.

privilègio m. **1** privilege: **accordare un p. a q.**, to grant sb. a privilege; **godere di un p.**, to enjoy a privilege **2** (*leg.*) lien: **p. del venditore**, seller's lien; **p. sul nolo**, lien on freight **3** (*immunità, franchigia*) franchise; privilege (*stor.*) **4** (*onore speciale*) honour; privilege: *Ho avuto il p. di conoscerlo*, I had the honour of meeting him **5** (*qualità, dote*) distinctive quality, merit; (*vantaggio*) advantage: *Il suo discorso ha avuto il p. della chiarezza*, his speech had the merit of being clear.

♦**privo** a. devoid (of); (*mancante*) lacking (in), wanting (in); (*senza*) without (prep.), -less (suff.), un- (pref.): **p. di coraggio**, wanting in courage; **p. di doti musicali**, unmusical; **p. di errori**, faultless; flawless; **p. di fondamento**, unfounded; baseless; **p. di luce**, without light; dark; **p. di originalità**, lacking in originality; **privo di sensi**, unconscious; **p. di senso**, devoid of any sense; meaningless; **p. di tatto**, tactless; **p. dell'udito**, deaf; **p. di valore**, valueless; (*meschino*) miserly, paltry; (*non valido*) invalid; **p. della vista**, blind; **p. di vita**, lifeless; **una casa priva di riscaldamento**, a house without any form of heating; **un quartiere privo d'acqua**, a district without water; **essere p. di tutto**, to lack everything; to be completely destitute; **essere p. dei genitori**, to be an orphan; **essere p. di senso dell'umorismo**, not to have a sense of humour; **non p. di qualche merito**, not without merit.

pro ① prep. for; in favour of: **donazioni pro terremotati**, donations for the victims of the earthquake; **ragioni pro e contro lo sciopero**, reasons for and against the strike.

pro ② m. **1** (*vantaggio*) good; profit; advantage; benefit: **a pro di q.**, to sb.'s advantage; *A che pro?*, what's the good of it?; what's the use?; *A che pro faticare tanto?*, what's the use of working so hard?; **senza alcun pro**, to no advantage; **fare buon pro**, to be good for sb.'s health; *Buon pro ti faccia!*, much good may it do you! **2** – **il pro e il contro**, the pros (pl.) and cons; **ascoltare i pro e i contro**, to listen to the pros and cons; **valutare il pro e il contro**, to weigh the pros and cons.

pro ③ a. m. e f. inv. (*fam., sport*) pro*; professional (player).

proàva f. (*lett.*) great-grandmother.

proàvo m. **1** (*lett.*) great-grandfather **2** (al pl.) ancestors.

♦**probàbile** a. probable; (*verosimile*) likely; (*eventuale*) prospective: *È p. che egli venga*, it is likely that he will come; he will probably come; he is likely to come; *È p. che io vada a Parigi*, I may probably go to Paris; **un p. cliente**, a prospective customer; **un p. vincitore**, a likely winner; a front-runner (*fam.*); **abbastanza p.**, fairly probable; **molto p.**, very likely; highly probable; **poco p.**, unlikely; improbable.

probabiliorìsmo m. (*relig.*) probabiliorism.

probabilìsmo m. (*filos., relig.*) probabilism.

probabilìsta m. e f. (*filos., relig.*) probabilist.

probabilìstico a. **1** (*filos., relig.*) probabilist (attr.); probabilistic **2** probabilistic.

probabilità f. **1** (*condizione di essere probabile*) probability; likelihood: **la p. di un incidente**, the probability of an accident **2** (*possibilità*) chance; likelihood; (the) odds (pl.): **una p. al cinquanta per cento**, a fifty-fifty chance; **una buona p.**, a good chance; **una discreta p.**, a sporting chance; **una p. remota**, an outside chance; **una p. su mille**, a chance in a thousand; a one-in-thousand chance (of doing st.); **avere una buona p. di successo**, to have a good chance of success; **non avere nessuna p. di vincere**, to have no chance of winning; *Quali p. ci sono?*, what are the probabilities?; what are the odds?; *C'è una sola p.*, there is just one chance; *Ci sono poche p. che la cosa si ripeta*, there is little chance it will happen again; the odds are against its happening again; *Non c'è la minima p.*, there isn't the slightest (*o* the least) chance; there isn't a ghost of a chance (*fam.*); **con tutta p.**, in all probability (*o* likelihood); most probably; most likely; **un alto grado di p.**, a high degree of probability **3** (*mat.*) probability: **una p. del 5%**, a probability of 0.5; **calcolo delle p.**, probability theory.

probabilménte avv. probably; likely; easily; (*forse*) possibly: *P. vincerà*, she will probably win; she is likely to win; *P. non andrò*, I probably won't go; *È p. il più abile dei nostri politici*, he is easily the cleverest of our politicians; **molto p.**, most probably; in all probability (*o* likelihood).

probandàto m. (*eccles.*) probationship.

probàndo m. (f. *-a*) (*eccles.*) postulant; probationer.

probànte a. **1** (*leg.*) probative; evidential **2** (*estens.: convincente*) convincing; positive; forceful; solid: **poco p.**, unconvincing.

probativo, probatòrio a. (*leg.*) probative; probatory; evidential: **lettera probatoria**, probatory letter.

probiòtico a. e m. (*med.*) probiotic.

probità f. probity; integrity; rectitude; honesty: **p. di vita**, integrity of life; **di specchiata p.**, of great probity (*o* integrity).

♦**problèma** m. **1** (*questione*) problem: **un p. d'algebra**, a problem of algebra; **un p. etico**, an ethical problem; a problem of ethics; **formulare un p.**, to define the terms of a problem; **risolvere un p.**, to solve a problem; **i dati [la soluzione] d'un p.**, the data [the solution] of a problem **2** (*caso complesso*) problem, question, issue; (*situazione difficile*) problem, trouble: **il p. della droga**, the drugs problem; **problemi di salute**, health problems; **problemi finanziari**, financial problems; *Il p. è che...*, the problem (*o* the trouble) is that...; *Sarà un p. trovarlo in ufficio a quest'ora*, it won't be easy to find him in his office at this time of day; *È un p. tuo, non mio*, that's your problem, not mine; **affrontare un p.**, to face a problem; *È un p.*

che affronteremo quando si presenterà, we'll cross that bridge when we come to it; **avere un sacco di problemi**, to have a lot to worry about; *Non ho problemi a partire più tardi*, I have no problem with leaving later; **creare** (*o* **porre**) **un p.**, to pose a problem; **creare dei problemi a q.**, to create problems for sb.; to make things difficult for sb.; *Non c'è p.!*, not to worry; (it's) no problem; no sweat (*fam. USA*); *Non fartene un p.*, don't worry about it; don't let it worry you; **trovare la risposta a un p.**, to find the solution to a problem **3** (*persona difficile*) problem, worry; (*persona enigmatica*) enigma: *Per me quell'uomo è un p.*, that man is an enigma to me; I just can't make out that man.

problemàtica f. problems (pl.); issues (pl.): **la p. del nostro tempo**, the problems of our age; **p. sociale**, social issues.

problematicìsmo m. (*filos.*) problematicism.

problematicità f. problematic nature.

problemàtico a. **1** (*complicato*) problematic; awkward; tricky; (*difficile*) difficult, something of a problem (pred.): **questione problematica**, problematic question **2** (*dubbio, incerto*) doubtful; uncertain; in doubt (pred.): *L'accordo tra i partiti appare p.*, an agreement between the parties looks uncertain.

problematizzàre v. t. to problematize; to make* into a problem.

pròbo a. (*lett.*) honest; righteous; upright.

proboscidàto a. e m. (*zool.*) proboscidean; proboscidian; (al pl., *scient.*) Proboscidea.

probòscide f. **1** (*zool.*) trunk; (*scient. e di insetto*) proboscis* **2** (*scherz.: grosso naso*) proboscis*; hooter (*fam.*, GB); schnozzle (*fam. USA*).

provòvìro m. (*leg.*) arbitrator.

procàccia m. e f. inv. rural postman* (m.); rural postwoman* (f.); carrier.

procacciaménto m. procurement; procuring; obtaining: **p. di notizie**, obtaining of information.

procacciànte a. (*spreg.*) profiteering; profit-hunting.

procacciàre v. t. to procure; to obtain; to get*; to earn*: **p. un impiego a q.**, to get sb. a job; **procacciarsi i mezzi per qc.**, to procure the means to do st.; **procacciarsi da vivere**, to earn one's living; to make a living.

procacciatóre **A** a. procuring **B** m. (f. *-trice*) procurer; agent; broker: **p. d'affari**, business agent; broker.

procàce a. **1** (*lett.: sfacciato*) impertinent; forward; pert; saucy **2** (*provocante*) provocative; sexy; erotic: **forme procaci**, sexy figure; curvaceous figure; **ragazza p.**, sexy girl; (*dalle forme procaci*) curvaceous girl.

procacità f. **1** (*sfacciataggine*) impertinence; forwardness; pertness; sauciness **2** (*l'essere provocante*) provocativeness; sexiness.

procaìna ® f. (*farm.*) procaine.

pro càpite (*lat.*) loc. agg. inv. e avv. per capita; per head: **consumo pro capite**, per capita consumption.

procariòte m. (*biol.*) prokaryote, procaryote.

♦**procèdere** **A** v. i. **1** (*andare avanti*) to proceed; to move; to go*; to go ahead*; (*seguire il proprio corso*) to proceed, to go* (ahead): **p. adagio**, to proceed (*o* to move) slowly; **p. a tutta velocità**, to speed ahead; (*naut.*) to forge ahead; **p. di buon passo**, to walk at a quick pace; **p. di pari passo con**, to go hand in hand with; **p. lentamente**, to proceed slowly; to crawl along; **p. faticosamente**, to trudge along; to plod along; (*di situazione*) to

drag along; **p. speditamente**, to speed ahead; *Le auto procedevano in colonna*, the cars were moving in a column; *Il lavoro procede*, work is going ahead; *Le trattative procedevano con lentezza*, talks were proceeding slowly; *Procediamo con ordine!*, let's proceed in an organized manner **2** (*continuare*) to continue; to go* on; to carry on; to proceed: **p. con la cura**, to continue with the treatment; *Procedi con il racconto*, go on with your story; *Noi ci fermammo a Milano e lui procedette per Venezia*, we stopped at Milan, while he went on to Venice; *Su, procediamo, il tempo stringe!*, let's get on with it, we've got no time to waste; **prima di p. oltre**, before proceeding any further **3** (*comportarsi, agire*) to act; to behave: **p. con cautela**, to act cautiously; to tread carefully; to feel one's way; **modo di p.**, way of behaving; way of doing (*o* of going about) things **4** (*derivare, originare*) to arise*; to issue; to result; to be a result (of); to be due (to); to proceed (*form.*): *Tutti i suoi guai procedono dalla sua imprudenza*, all his trouble is due to (*o* is the result of) his recklessness **5** (*dare inizio*) to proceed; to move on: **p. alla votazione**, to proceed to a vote; **p. a un'inchiesta**, to institute an inquiry; *La polizia procedette a sigillare il locale*, the police proceeded to seal up the room **6** (*leg.*) to proceed; to start (*o* to take*) proceedings: **p. contro q.**, to proceed against sb.; to prosecute sb.; **p. per vie legali contro q.**, to take legal proceedings against sb.; **non luogo a p.**, nonsuit **B** m. (*il passare*) passing; (*il progredire*) progress: **con il p. del tempo**, with the passing of time; in the course of time; **col p. dell'inchiesta**, with the progress of the inquiry.

procedibile a. (*leg.*) prosecutable.

♦**procedimento** m. **1** (*svolgimento, corso*) course: **il p. naturale dei fatti**, the natural course of events **2** (*modo di procedere, metodo*) method; procedure; technique: **p. deduttivo**, deductive method; **p. elaborato**, elaborate procedure; **p. tradizionale**, traditional method **3** (*tecn.*) process: **p. chimico**, chemical process; **p. di fabbricazione**, manufacturing process **4** (*leg.*) proceedings (pl.); process: **p. civile**, civil proceedings; **p. disciplinare**, disciplinary proceedings; **p. giudiziario** (*o* **legale**), legal proceedings; process; **p. penale**, criminal proceedings; **p. sommario**, summary proceedings; **iniziare un p. legale contro q.**, to initiate (*o* to bring, to institute) (legal) proceedings against sb.

procedura f. **1** procedure; practice: **p. burocratica**, bureaucratic procedure; red tape ⓤ; **p. corrente** (*o* **normale**), standard procedure; **p. irregolare**, irregular procedure; **secondo la p. comune**, according to common practice; **osservare** (*o* **seguire**) **la p. in uso**, to follow standard procedure; **regole di p.**, rules of procedure **2** (*leg.*) procedure; proceedings (pl.): **p. civile [penale]**, civil [criminal] procedure; **codice di p.**, code of procedure; **vizio di p.**, procedural flaw **3** (*comput.*) procedure; subroutine.

procedurale a. (*leg.*) procedural; of (*o* relating to) procedure: **errore p.**, procedural error; **regole procedurali**, rules of procedure.

procedurista m. e f. expert in procedure.

proceleusmàtico m. (*poesia*) proceleusmatic.

procèlla f. (*lett.*) **1** storm; tempest **2** (*fig.*) catastrophe.

procellària f. (*zool., Hydrobates pelagicus*) (stormy) petrel.

procellóso a. (*lett.* e *fig.*) stormy; tempestuous.

processàbile a. (*leg.*) triable; liable to prosecution.

processàre ① v. t. (*leg.*) to try; to bring* to trial: **p. q. per furto [per omicidio]**, to try sb. for theft [for murder]; **essere processato**, to stand trial; to be brought to trial; *Lo processeranno tra un mese*, he will stand trial in a month ❶ FALSI AMICI • processare *non si traduce con* to process.

processàre ② v. t. (*tecn.*) to process.

processionàle a. processional: **inno p.**, processional hymn.

processionària f. (*zool., Cnethocampa processionea*) processionary (moth).

processióne f. **1** (*eccles.*) (religious) procession: **la p. del Corpus Domini**, the procession of Corpus Christi; **andare in p.**, to walk in procession **2** (*estens.*) procession; long line; string; (*colonna*) column: **una p. di auto**, a column of cars; **una p. di creditori**, a procession of creditors; **una p. di visite**, a stream of visitors; (*fam.*) **andare** (*o* **camminare**) **in p.**, to walk in single file **3** (*teol.*) procession: **la p. dello Spirito Santo**, the Procession of the Holy Ghost.

processista m. e f. (*tecn.*) process engineer.

♦**procèsso** m. **1** (*successione di fenomeni, corso*) process; course: **p. di sviluppo**, process of growth; **p. di evaporazione**, process of evaporation; **p. evolutivo**, evolutionary process; (*med.*) **p. infiammatorio**, inflammatory process; **p. storico**, historic process; **in p. di**, in the process of **2** (*metodo*) method; (*anche tecn., scient.*) process: **p. chimico**, chemical process; (*chim.*) **p. delle camere di piombo**, chamber process; **p. di fabbricazione**, manufacturing process; **p. di lavorazione**, production process; **sottoporre a p. di lavorazione**, to process; **p. di laminazione**, rolling process; **p. elettrolitico**, electrolytic process; **p. industriale**, industrial process; **p. logico**, logical process; (*chim.*) **p. Solvay**, ammonia-soda process **3** (*leg.*) trial; (*azione legale*) (legal) action, lawsuit, suit, case, (legal) proceedings (pl.): **p. civile [penale]**, civil [criminal] lawsuit; **p. con rito abbreviato**, summary proceedings; **p. farsa**, travesty of justice; **p. indiziario**, trial based on circumstantial evidence; **p. verbale**, trial minutes (pl.); *Il p. è stato rinviato alla prossima settimana*, the trial has been adjourned till next week; **andare sotto p.**, to be brought to trial; to be put on trial; to stand trial; **arrivare a un p.**, to come to trial; **essere in attesa di p.**, to be awaiting trial; **essere sotto p.**, to be on trial; **intentare un p. a q.**, to bring an action against sb.; **mettere sotto p.**, to bring to trial (against); **perdere un p.**, to lose an action (*o* a case, a suit); **vincere un p.**, to win a case; (*fig.*) **fare il p. a q.**, to come down on sb.; (*fig.*) **fare il p. alle intenzioni**, to construe sb.'s motives; to jump to conclusions about sb.'s motives **4** (*anat., bot., zool.*) process: **p. ciliare**, ciliary process; **p. mammillare**, mammillary process ❶ FALSI AMICI • processo *in senso legale non si traduce con* process.

processóre m. (*comput.*) processor: **p. di memoria**, storage processor; **p. vettoriale**, array processor.

processuàle a. (*leg.*) of a trial; trial (attr.); procedural: **atto p.**, document in a court case; **diritto p.**, law of procedure; procedural (*o* adjective) law; **spese processuali**, (legal) costs.

processualista m. e f. expert in procedural law.

Proc. Gen. abbr. (*leg., procuratore generale*) attorney-general (Att.-Gen.).

procidènza f. (*med.*) procidence.

procinto m. – **in p. di**, about to; on the point of; **essere in p. di partire**, to be about to leave; to be on the point of leaving.

procióne m. (*zool., Procyon lotor*) raccoon.

proclàma m. proclamation: **emettere un p.**, to issue a proclamation.

proclamàre **A** v. t. **1** (*promulgare*) to promulgate: **p. una legge [un decreto]**, to proclaim (*o* to promulgate) a law [a decree] **2** (*annunciare pubblicamente*) to proclaim; to announce; to declare: **p. la guerra**, to proclaim (*o* to declare) war; **p. q. re**, to proclaim sb. king; **p. uno sciopero**, to call a strike; **p. q. vincitore**, to declare sb. the winner **3** (*affermare enfaticamente*) to proclaim; to declare: **p. la propria innocenza**, to proclaim one's innocence **B** **proclamàrsi** v. rifl. to proclaim oneself; to declare oneself: **proclamarsi re**, to proclaim oneself king; **proclamarsi innocente**, to declare oneself innocent; (*leg.*) to plead not guilty.

proclamazióne f. proclamation; announcement; declaration: **la p. dei diritti dell'uomo**, the proclamation (*o* declaration) of the rights of man; **la p. dell'indipendenza**, the proclamation of independence; **la p. del nuovo re**, the proclamation of the new king; **la p. dei risultati**, the announcement of the results; **la p. d'uno sciopero**, a strike call.

pròclisi f. (*gramm.*) proclisis*.

proclìtica f. (*ling.*) proclitic (word).

proclìtico a. (*gramm.*) proclitic.

proclìve a. (*lett.*) prone; inclined: **p. al dubbio**, prone to doubt; **p. all'indulgenza**, prone to indulgence; **p. al male**, prone to evil; **essere p. all'ozio**, to be inclined to be lazy; to have a tendency to laziness.

proclività f. proclivity; inclination; tendency; propensity.

procombènte a. (*lett.* o *bot.*) procumbent.

procómbere v. i. (*lett.*) **1** (*cadere prono*) to fall* on one's face **2** (*estens.: morire in battaglia*) to die in battle.

proconsolàre a. (*stor. romana*) proconsular.

proconsolàto m. (*stor. romana*) proconsulate; proconsulship.

procònsole m. (*stor. romana*) proconsul.

procrastinàbile a. postponable; deferrable; that can be put off: *La decisione non è più p.*, the decisione cannot be put off (*o* cannot be deferred) any further.

procrastinaménto m. procrastination; postponement; delaying.

procrastinàre **A** v. t. to postpone; to delay; to put* off; to defer: **p. una decisione**, to put off a decision; **p. una seduta**, to postpone a meeting **B** v. i. to procrastinate; to delay.

procrastinatóre **A** a. procrastinatory; procrastinating; dilatory **B** m. (f. **-trìce**) procrastinator.

procrastinazióne f. procrastination; postponement; deferral; deferment; delay.

procreàbile a. that can be procreated.

procreàre v. t. to procreate; to beget* (*form.* o *lett.*); to generate; (*essere padre*) to father; (*partorire*) to give* birth to: **p. un erede**, to father [to give birth to] an heir; **incapacità di p.**, inability to procreate.

procreatóre **A** a. procreating; procreative; begetting **B** m. (f. **-trìce**) procreator (f. procreatress, procreatix); begetter.

procreazióne f. procreation; begetting; generation.

proctàlgia f. (*med.*) proctalgia.

proctìte f. (*med.*) proctitis.

proctologìa f. (*med.*) proctology.

proctològico a. (*med.*) proctological.

proctòlogo m. (f. **-a**) (*med.*) proctologist.

proctorragìa f. (*med.*) proctorrhagia.

proctoscopìa f. (*med.*) proctoscopy.

proctoscòpio m. (*med.*) proctoscope.

procùra f. **1** (*leg.*) power of attorney; proxy; (*il documento*) letter (o warrant) of attorney: **p. generale**, general power of attorney; **p. speciale**, special (o particular) power of attorney; **dare la p. a q.**, to appoint sb. as one's proxy; **firmare una p.**, to sign a letter of attorney; **per p.**, by proxy; **firmare [sposare, votare] per p.**, to sign [to marry, to vote] by proxy; **lettera di p.**, letter (o power) of attorney **2** (*ufficio, sede di procuratore*) public prosecutor's office: **p. della Repubblica**, public prosecutor's office; (*in USA*) **p. distrettuale**, district attorney's office.

♦**procurare** v. t. **1** (*fare in modo*) to see* (to it); to make* sure; (*cercare, sforzarsi*) to try, to endeavour (): *Procura che vengano*, see to it that they come; *Procura che tutto sia pronto*, see (o make sure) that everything is ready **2** (*procacciare*) to get*, to obtain; to procure (*form.*); (*provvedere*) to provide: **p. dei soldi a q.**, to get sb. some money; **p. un libro a q.**, to get sb. a book; to get a book for sb.; **procurarsi delle informazioni**, to get (o to obtain) information; **procurarsi un lavoro**, to get a job; **procurarsi da vivere**, to make (o to earn) a living; *Ci ha procurato due biglietti*, she got us (o procured us) two tickets **3** (*provocare causare*) to cause; to bring* about: **p. molte noie a q.**, to cause sb. a lot of trouble; **procurarsi una distorsione alla caviglia**, to sprain one's ankle; **procurarsi una ferita**, to be injured; to be wounded; **procurarsi guai**, to get into trouble.

procuratoràto m. procuratorship.

procuratóre m. (f. **-trìce**) **1** (*leg.*: *rappresentante*) attorney (in fact); agent; procurator; proxy: **agire quale p. di**, to stand proxy for; to act as proxy for sb.; to act as sb.'s agent **2** (*leg.*, *anche* **p. legale**) solicitor (*GB*); attorney-at-law (*USA*) **3** (*leg.*) – **P. della Repubblica**, prosecuting magistrate; public prosecutor; **p. capo**, chief prosecutor; (*in USA*) **p. distrettuale**, district attorney; **p. generale**, chief appeal court prosecutor; (*in USA*) Attorney General; **sostituto p.**, deputy prosecutor; investigating magistrate **4** (*anche* **p. di banca**) bank officer **5** (*stor.*, *eccles.*) procurator: *P. di San Marco*, Procurator of St Mark.

procuratòrio a. (*leg.*) of (o relating to) an attorney.

pròda f. (*lett.*: *sponda*) shore, strand; (*di fiume*) bank.

pròde (*lett.*) **A** a. brave; valiant; gallant **B** m. brave (o valiant, gallant) man* (al pl., collett.) (the) brave: **morire da p.**, to die a hero's death.

prodèse m. (*naut.*) bow-fast.

prodézza f. **1** (*l'essere prode*) bravery; valour; gallantry: **affrontare il pericolo con p.**, to meet (o to face) danger with bravery; to brave danger **2** (*impresa da prode*) act of valour; feat; exploit; deed **3** (*fam. iron.*) escapade; caper; prank: **una delle sue solite prodezze**, one of his usual pranks; *Bella p. la tua!*, that was clever of you!; *Belle prodezze!*, fine goings-on indeed!

pro die (*lat.*) loc. avv. (*med.*) per day; a day: **due compresse pro die**, two tablets a day.

prodière m. (*naut.*) bowman*; bow oar.

prodièro a. (*naut.*) **1** (*di prua*) fore; forward; bow (attr.): **cannone p.**, fore gun; **onda prodiera**, bow wave **2** (*di nave in un convoglio*) leading.

prodigalità f. **1** (*di denaro, ecc.*) prodigality; profligacy; extravagance; squandering **2** (*fig.*: *larghezza*) prodigality, largesse, munificence; (*profusione*) lavishness, profuseness **3** (*atto da prodigo*) extravagance; extravagancy.

prodigàre **A** v. t. **1** (*denaro, ecc.*) to lavish; to be prodigal (o extravagant) with; (*sperperare*) to squander, to waste **2** (*fig.*) to lavish: **p. affetto**, to lavish one's affection; **p. lodi [onori]**, to lavish praise [honours] **B** **prodigàrsi** v. rifl. to try (o to do*) one's utmost; to do* everything in one's power: **prodigarsi in tutti i modi**, to do one's very utmost; to spare no pains; **prodigarsi in aiuto di q.**, to go out of one's way to help sb.; to do one's utmost for sb.; **prodigarsi in complimenti**, to be lavish with compliments.

prodìgio **A** m. **1** (*miracolo*) miracle, wonder; (*segno premonitore*) prodigy, omen: **operare prodigi**, to perform miracles; to work wonders **2** (*fatto eccezionale*) prodigy; wonder; marvel: **i prodigi della scienza**, the marvels of science; *Un mese di riposo ha fatto prodigi*, a month's rest has worked wonders **3** (*persona eccezionale*) prodigy; phenomenon: **essere un p. di memoria**, to have a prodigious (o a phenomenal) memory **B** a. inv. – **bambino p.**, child prodigy.

prodigiosità f. prodigiousness.

prodigióso a. **1** (*miracoloso*) prodigious; wonderful; miraculous: **eventi prodigiosi**, prodigious happenings; **rimedio p.**, miraculous remedy **2** (*eccezionale*) prodigious; phenomenal; incredible; astonishing: **memoria prodigiosa**, prodigious (o phenomenal) memory; **velocità prodigiosa**, incredible speed.

pròdigo **A** a. **1** prodigal; extravagant: **il figliol p.**, the prodigal son **2** (*generoso*) generous; lavish; profuse; free: **p. di consigli**, generous (*iron.* free) with one's advice; **p. di lodi**, lavish with praise **B** m. (f. **-a**) spendthrift; squanderer.

proditoriaménte avv. treacherously; by treachery; treasonably.

proditòrio a. treacherous; treasonous; treasonable: **atto p.**, treacherous action.

prodittatóre m. pro-dictator.

♦**prodòtto** **A** a. **1** (*fatto*) produced; made; (*fabbricato*) manufactured: **p. in Italia**, made in Italy; **p. in serie**, mass-produced **2** (*allegato, addotto*) produced; exhibited: **la testimonianza prodotta dal querelante**, the evidence produced by the plaintiff **B** m. **1** product; (al pl., *spec. agric.* o *alim.*) produce ⬚: **p. derivato**, by-product; **p. di bellezza**, beauty product; **p. di scarto**, waste product; **p. finito**, finished product; **p. lavorato**, manufactured product; **p. principale**, staple product; **i prodotti della terra**, the produce of the soil; **prodotti agricoli**, agricultural produce; **prodotti caseari**, dairy products (o produce); **prodotti alimentari**, foodstuffs; **prodotti chimici**, chemical products; chemicals; **prodotti farmaceutici**, pharmaceuticals; **prodotti industriali**, industrial products; **prodotti tessili**, textiles; **lanciare un nuovo p.**, to launch a new product; **gamma di prodotti**, range of products **2** (*risultato del processo di produzione*) product; production; output: **p. interno lordo**, gross domestic product (abbr. GDP); **p. nazionale lordo**, gross national product (abbr. GNP) **3** (*creazione*) product; creation: **un p. dell'ingegno umano**, a product of human ingenuity; **p. della fantasia**, figment of the imagination; **il p. di una mente malata**, the work of a sick mind **4** (*risultato, frutto*) product; result: **il p. di un anno di lavoro**, the result of one year's work; **un p. dell'ignoranza**, a product of ignorance; **p. finale**, end product **5** (*mat.*) product: **il p. dei fattori**, the product of factors **6** (*med.*) secretion.

pròdromo m. **1** (*segno precursore*) premonitory sign; harbinger: **prodromi di guerra**, premonitory signs of war **2** (*med.*) prodrome; early (o premonitory) symptom: **i prodromi d'una malattia**, the prodromes (o early symptoms) of a disease.

producènte a. productive: **poco p.**, unproductive.

producìbile a. producible.

♦**prodùrre** **A** v. t. **1** (*agric.*) to produce; (*di terreno, anche*) to yield; (*di pianta, ecc.*) to bear*, to yield: *La terra produce erbe, fiori e frutti*, the earth produces (o yields) grass, flowers, and fruit; *Qui produciamo olio e vino*, we produce oil and wine **2** (*fig.*: *avere come risultato*) to bear*; (*fruttare*) to yield, to bring*, to earn*: **p. frutti**, to bear fruit; **p. un buon interesse**, to yield good interest **3** (*fig.*: *dare i natali*) to produce: *La Toscana ha prodotto grandi artisti*, Tuscany has produced great artists **4** (*ind. min.*) to produce; (*estrarre*) to extract, to mine **5** (*energia*) to generate: **p. calore [elettricità]**, to generate heat [electricity] **6** (*fare, fabbricare*) to produce; to manufacture; to make*; to turn out: **p. mobili [scarpe, viti e bulloni]**, to produce (o to make) furniture [shoes, screws and bolts]; **p. tremila pezzi al giorno**, to turn out three thousand pieces a day; **p. a getto continuo**, to churn out; to grind out; **p. in serie**, to mass-produce **7** (*cagionare, originare*) to cause; to produce; to give rise to; to create; to generate; to yield: **p. un cambiamento**, to produce (o to effect) a change; **p. confusione**, to cause (o to create) confusion; **p. danni**, to cause damage; **p. una grande delusione**, to cause great disappointment; **p. l'effetto contrario**, to have the opposite effect; **p. un'impressione favorevole**, to produce (o to create) a favourable impression; **p. interesse**, to generate interest; **p. polemiche**, to give rise to controversy; **p. un risultato**, to produce (o to yield) a result; *La febbre fu prodotta dall'infezione*, the fever was caused by (the) infection; **prodursi una ferita**, to be injured; to be wounded; (*deliberatamente*) to inflict oneself a wound; **prodursi una ferita alla gamba**, to injure one's leg **8** (*cinem.*) to produce: (*teatr.*) to produce, to stage, to put* on: **p. sulle scene**, to stage; to put on **9** (*di scrittore, ecc.*) to produce; (*pubblicare*) to bring* out: *È uno scrittore che non produce molto*, he's a writer who doesn't produce much; he isn't a prolific writer **10** (*bur.*: *esibire*) to show*; to produce: **p. un biglietto [i documenti]**, to show (o to produce) a ticket [one's identity papers] **11** (*presentare*) to produce: **p. prove**, to produce evidence; (*leg.*) **p. testimoni**, to call (o to bring forward) witnesses **12** (*addurre*) to produce; to give*; to offer: **p. argomenti validi**, to give valid reasons; **p. scuse**, to offer one's apologies; to apologize **B** **prodùrsi** v. rifl. (*esibirsi*) to perform; to appear: **prodursi in pubblico**, to perform in public; **prodursi sulla scena**, to appear on the stage; **prodursi in un'imitazione di Totò**, to give an impersonation of Totò; **prodursi in un numero di prestigio**, to perform a conjuring trick **C** **prodùrsi** v. i. pron. (*verificarsi*) to happen; to occur; (*comparire*) to appear: *Questi fenomeni si producono ogni dieci anni*, these phenomena occur every ten years; *Sul muro si è prodotta una crepa*, a crack has appeared in the wall.

produttivìstico a. production (attr.); productivity (attr.).

produttività f. **1** productiveness; productivity: **la p. di un terreno**, the productiveness of a piece of land; (*stat.*) **p. matrimoniale**, birth rate **2** (*econ.*) productivity: **p. massima**, peak productivity; **incrementare la p.**, to boost productivity; **premio di p.**, productivity bonus **3** (*ling.*) productivity.

produttìvo a. **1** (*che produce, fruttifero*) productive; fruitful; fecund; (*fertile*) fertile,

travagancy.

rich; (*prolifico*) prolific: **campi produttivi**, productive (*o* fertile) fields; **lavoratore p.**, productive worker; **scrittore p.**, productive (*o* prolific) writer **2** (*econ.*: *della produzione*) productive; production (attr.): **capacità produttiva**, productive capacity; **ciclo p.**, production cycle; **metodi produttivi moderni**, modern production methods **3** (*econ.*: *che produce reddito*) productive; profitable; profit-yielding; profit-bearing: **azienda produttiva**, profit-yielding firm; **investimento p.**, productive (*o* profitable) investment; (*fin.*) **p. d'interesse**, interest-bearing; (*fin.*) **p. di reddito**, revenue-bearing.

♦**produttóre** Ⓐ m. (f. **-trice**) **1** producer; maker; (*fabbricante, anche*) manufacturer; (*agric.*) producer, grower: **p. di automobili [di giocattoli, di scarpe]**, car [toy, shoe] manufacturer; **p. di vino**, wine grower **2** (*cinem.*) producer: **p. cinematografico**, film (*USA* movie) producer **3** (*comm.*) sales agent; selling agent; salesman* Ⓑ a. making; producing; manufacturing; (*coltivatore*) growing: **paese p. di caffè [di petrolio]**, coffee-producing [oil-producing] country; **industrie produttrici**, manufacturing industries.

♦**produzióne** f. **1** (*l'attività*) production; (*fabbricazione*) manufacture; (*coltivazione*) growing: **la p. dell'acciaio [della carta]**, the production of steel [of paper]; steel [paper] production; **la p. di anticorpi**, the production of antibodies; **la p. del riso**, the production of rice; rice growing; **p. nazionale**, home (*o* domestic) production; **aumentare [diminuire, accelerare, rallentare] la p.**, to increase [to cut down, to accelerate, to slow down] production; **entrare in p.**, to go into production; **di p. inglese**, of English manufacture; English-made (agg.); **di p. straniera**, of foreign manufacture; foreign- (agg.); *Questo modello non è più in p.*, this model is no longer in production; **direttore della p.**, production manager; **eccesso di p.**, overproduction; **spese di p.**, production costs; **tecniche di p.**, production (*o* manufacturing) techniques **2** (*quantità prodotta in un dato tempo*) output; production; (*agric.*) yield, (*raccolto*) harvest, crop: **la p. annua di una fabbrica**, the annual output (*o* production) of a factory; **la p. letteraria francese del dopoguerra**, France's post-war literary output; **p. media**, average output; (*econ.*) **p. aggregata**, aggregate production (*o* output); *Quest'anno c'è stata una grossa p. di pesche*, there has been a big peach harvest this year; **capacità di p.**, capacity of output; production capacity; **volume della p.**, volume of production **3** (*opera prodotta*) piece of work; (*teatr., cinem.*) production: **una p. di alto livello**, an outstanding piece of work; **una nuova p. della «Medea»**, a new production of «Medea»; **casa di p. cinematografica [televisiva]**, film [television] studios (pl.); **direttore di p.**, production manager **4** (*bur., leg.*) production: **p. di documenti**, production of documents; **mancata p. di documenti**, failure to produce documents; **la p. di testimoni**, the calling of witnesses.

proemiàle a. (*lett.*) proemial; prefatory; introductory: **discorso p.**, introductory speech.

proemiàre v. i. (*lett.*) to write* a proem; to preface.

proèmio m. (*lett.*) proem; preamble; preface; introduction.

proenzìma m. (*biochim.*) proenzyme.

prof m. e f. inv. abbr. *fam.* di **professore**, **professoressa**.

pròfago m. (*biol.*) prophage.

profanàre v. t. **1** (*violare la santità di*) to desecrate; to profane; to violate: **p. un altare [una chiesa]**, to desecrate an altar [a church]; **p. una tomba**, to profane (*o* to violate) a tomb **2** (*fare uso indegno di*) to profane; to defile: **p. una tradizione**, to profane a tradition; **p. il ricordo di q.**, to defile sb.'s memory.

profanatóre Ⓐ m. (f. **-trice**) desecrator; profaner; violator Ⓑ a. desecrating; profaning; violating.

profanazióne f. **1** desecration; profanation; violation: **la p. d'un luogo sacro**, the violation of a sacred place; **la p. di una tomba**, the violation of a tomb; **la p. del nome di Dio**, the profanation of the name of God; **commettere una p.**, to commit an act of profanation **2** (*fig.*) profanation; defilement.

profanità f. profanity; profaneness.

profàno Ⓐ a. **1** (*non sacro*) profane; secular; lay: **arte profana**, profane art; **musica profana**, secular music **2** (*irriverente, blasfemo*) profane; blasphemous **3** (*nuovo, inesperto*) ignorant; uninitiated; unskilled: **essere p. in un'arte**, to be ignorant of (*o* unskilled in) an art Ⓑ m. **1** (the) profane: **il sacro e il p.**, the sacred and the profane **2** (f. **-a**) (*relig.*) profane person; uninitiated person **3** (f. **-a**) (*non del mestiere*) layman* (f. laywoman*), layperson, (al pl. collett., anche) (the) uninitiated; (*non competente*) ignorant person, not an expert, no judge: *Sono un p. in astronomia*, I'm very ignorant (*o* I know very little) about astronomy; *Sono un p. in fatto di musica*, I'm not an expert (*o* I'm no judge) of music; I know very little about music; **una spiegazione difficile per un p.**, an explanation that is difficult for a layman; *Alle orecchie dei profani ciò suonerà incomprensibile*, this will sound unintelligible to people unfamiliar with the subject (*o* to the uninitiated).

profàrmaco m. (*med., farm.*) prodrug.

profàse f. (*biol.*) prophase.

profènda f. provender; fodder.

proferìbile a. utterable; pronounceable: **parole non proferibili**, unrepeatable words.

proferìre Ⓐ v. t. **1** (*pronunciare, dire*) to utter; to pronounce; to say*: **p. minacce**, to utter threats; **p. un nome**, to say a name; **senza p. parola**, without uttering a word **2** (*lett.*: *offrire*) to offer; to proffer (*lett.*) Ⓑ **proferirsi** v. rifl. to offer oneself; (to do st.) ❶ **FALSI AMICI** • proferire *nel senso di pronunciare non si traduce con* to proffer.

professànte a. professing; practising: **un cattolico p.**, a practising Catholic.

professàre Ⓐ v. t. **1** (*dichiarare apertamente*) to declare (openly); to acknowledge; to profess: **p. il proprio amore**, to declare one's love; **p. gratitudine**, to profess gratitude **2** (*aderire a una credenza*) to profess: **p. una religione [una dottrina]**, to profess a religion [a doctrine]; **p. il buddismo**, to profess Buddhism **3** (*esercitare una professione*) to practise; to practice (*USA*): **p. la medicina [l'avvocatura]**, to practise medicine [law] Ⓑ **professàrsi** v. rifl. to profess oneself; to declare oneself; to claim: **professarsi amico di q.**, to profess (to be) sb.'s friend; **professarsi innocente**, to declare oneself innocent; (*leg.*) to plead not guilty.

♦**professionàle** a. **1** (*relativo a una professione*) professional; (*conseguenza di una professione*) occupational: **abilità p.**, professional skill; **doveri professionali**, professional duties; **esperienza p.**, professional experience; **etica p.**, professional ethics; **ordine p.**, professional roll; **malattia p.**, occupational disease; **rischio p.**, occupational hazard; **segreto p.**, professional secrecy **2** (*di, da professionista*) professional: **un architetto molto p.**, a very competent architect; **un lavoro altamente p.**, a highly

professional job **3** (*che prepara a una professione*) vocational: **istruzione p.**, vocational training; **istituto p.**, training school **4** (*usato professionalmente*) professional; used by professionals: **cinepresa p.**, professional camera **5** (*leg.*) habitual: **delinquente p.**, habitual criminal.

professionalità f. (*rif. a professione*) professional competence, professionalism; (*rif. a mestiere*) skill.

professionalizzàre Ⓐ v. t. to professionalize Ⓑ **professionalizzàrsi** v. i. pron. to acquire professional skills; to become* professional.

professionalizzazióne f. professionalization.

♦**professióne** f. **1** (*pubblica dichiarazione*) profession; protestation; declaration: **la p. d'una credenza [di un'opinione]**, the profession of a belief [of an opinion]; **professioni d'amicizia**, protestations of friendship; **p. di fede**, profession of faith **2** (*relig.*) profession: **fare p.**, to make one's profession **3** (*esercizio d'una disciplina, di un'arte*) profession; calling; occupation: **la p. di architetto [d'avvocato]**, the profession of an architect [of a lawyer]; (*eufem.*) **la più antica p. del mondo**, the oldest profession in the world; **libera p.**, private practice; **esercitare una p.**, to practise a profession: **esercitare la p. dell'avvocato [del medico]**, to be a lawyer [a doctor] (by profession); **scegliere una p.**, to take up (*o* to choose) a profession; **di p.**, by profession; professionally (avv.); professional (agg.); **essere (*o* fare il) pittore di p.**, to be a painter by profession; to be a professional painter; **bugiardo di p.**, professional liar.

professionìsmo m. (*anche sport*) professionalism: **passare al p.**, to turn professional.

professionìsta Ⓐ m. e f. **1** (*anche libero p.*) professional man* (m.); professional woman* (f.); professional person; professional **2** (*sport*) professional; pro (*fam.*) **3** (*persona esperta*) professional; pro (*fam.*): **un lavoro da p.**, a professional job • (*eufem.*) **p. del sesso**, prostitute; working girl (*fam.*) Ⓑ a. professional: **fotografo p.**, professional photographer.

professionìstico a. (*anche sport*) professional.

professo (*eccles.*) Ⓐ a. professed Ⓑ m. (f. **-a**) professed monk (f. professed nun).

professoràle a. **1** professorial; of a professor: **dignità p.**, professorial dignity **2** (*spreg.*) professorial; academic; pedantic: **tono p.**, professorial tone.

professoràto m. professorship.

♦**professóre** m. (f. **-èssa**) **1** (*di scuola secondaria*) teacher; (*universitario*) professor; (*non titolare di cattedra*) lecturer: **p. di fisica**, physics teacher; (*universitario*) professor of physics, lecturer in physics; **p. di piano**, piano teacher; **p. di ginnastica**, physical education (*o* PE) teacher; gym teacher; **p. di ruolo**, permanent teacher; permanent professor; **p. ordinario**, full professor; **il professor [la professoressa] Jones**, Mr [Mrs] Jones; (*universitario*) Professor Jones; *È p. di latino al liceo*, he teaches Latin in a liceo; **sala (dei) professori**, staff room **2** (*mus.*) player: **p. d'orchestra**, orchestral player (*o* musician); member of an orchestra; **p. di violino**, violinist; *È p. d'orchestra al San Carlo*, he plays in the San Carlo orchestra **3** (*pop.*) learned person **4** (*spreg.*) know-all; pedantic person: *Non fare il p.!*, don't be so pedantic! • (*scherz.*) **parlare come un p.**, to speak like a professor ▫ (*scherz.*) **saperne quanto un p.**, to be a know-all ❶ **FALSI AMICI** • professore e professoressa *nel senso di insegnante di scuola media o secondaria non si tra-*

ducone con professor.

professoróne m. (f. *-a*) big-name professor; (*estens.*) savant, highbrow, egghead (*fam.*).

profèta m. (*anche fig.*) prophet: **il p. Isaia**, the prophet Isaiah; **p. di sventura**, prophet of doom; **falso p.**, false prophet; *È stato buon* [*cattivo*] *p.*, his prediction was right [wrong]; (*prov.*) *Nessuno è p. in patria*, no man is a prophet in his own country.

profetàre → **profetizzare**.

profetéssa f. prophetess.

profètico a. prophetic: **libri profetici**, prophetic books; **parole profetiche**, prophetic words; **sogno p.**, prophetic dream; **spirito p.**, prophetic spirit.

profetismo m. prophetism.

profetizzàre v. t. e i. to prophesy.

profezìa f. prophecy: *La p. si avverò*, the prophecy was fulfilled; **fare profezie**, to prophesy; *Non voglio fare profezie*, I don't want to make any prophecy; **il dono della p.**, the gift of prophecy.

profferire → **proferire**, *def. 2*.

proffèrta f. offer; proffer (*lett.*): **p. d'aiuto**, offer of help.

proficuo a. (*lucrativo*) profitable, lucrative; (*utile*) profitable, fruitful, worthwhile: **attività proficua**, profitable (*o* lucrative) activity; **ore proficue**, profitable hours.

profilàre Ⓐ v. t. 1 (*delineare i contorni di*) to outline; to sketch 2 (*bordare, orlare*) to border; to trim; to edge: **p. un cappotto di velluto**, to trim a coat with velvet; **p. un fazzoletto**, to hem a handkerchief 3 (*mecc.*) to profile 4 (*rendere aerodinamico*) to streamline Ⓑ **profilàrsi** v. i. pron. 1 (*stagliarsi*) to be outlined, to be silhouetted; (*apparire*) to appear, to come* into view, (*solo di cosa grande o minacciosa*) to loom up, to loom into view: *Contro il cielo si profilavano le colline*, the hills were silhouetted against the sky; *Una nave si profilò all'orizzonte*, a ship appeared on the horizon (*o* hove in sight) 2 (*fig.: essere prossimo*) to be in sight; to be ahead; (*solo di cosa negativa*) to loom: *Si profilano cambiamenti*, changes are in sight; *Si profila un periodo difficile*, we have a difficult period ahead of us; *Si profila una guerra* [*una nuova crisi politica*], war [a new political crisis] is looming (ahead).

profilàssi f. (*med.*) prophylaxis*; preventive medicine; (*trattamento*) preventive treatment.

profilàto Ⓐ a. 1 (*delineato nei contorni*) drawn in profile; outlined; silhouetted: **p. nel cielo**, outlined against the sky 2 (*orlato, filettato*) bordered; trimmed; edged: **p. di pelliccia** [**di seta**], trimmed with fur [with silk]; **p. di pizzo**, edged with lace 3 (*tecn.*) profiled Ⓑ m. (*mecc.*) section (iron); structural shape: **p. a doppio T**, H-beam; H-girder; **p. a L**, angle iron; **p. a T**, T-iron; tee-iron; **p. a U**, channel iron; **p. di acciaio**, structural steel; **p. leggero** [**normale**], light [standard] section; **p. speciale**, shape.

profilatóio m. profiling tool; profile cutter.

profilatrìce f. (*mecc.*) forming machine; (*lavorazione del legno*) profiling machine.

profilàttico Ⓐ a. (*med.*) prophylactic; preventive: **cura profilattica**, preventive treatment Ⓑ m. (*preservativo*) condom; sheath; prophylactic (*USA*).

profilatùra f. 1 (*il profilare*) outlining; drawing in outline 2 (*il bordare*) bordering, edging, trimming; (*bordatura*) border, trimming 3 (*mecc.*) profiling; forming: **p. al tornio**, profile turning.

profìllo m. (*bot.*) prophyll.

profilo m. 1 (*linea di contorno*) contour; profile; outline; silhouette; (*contro il cielo*) skyline: **il p. d'una costa**, the contour of a coastline; **il netto p. di un monte**, the sharp profile (*o* contour) of a mountain; **il profilo di Manhattan**, the Manhattan skyline 2 (*diagramma di sezione*) profile; section: (*aeron.*) **p. aerodinamico**, aerofoil profile; (*aeron.*) **p. alare**, wing profile 3 (*geol., geogr.*) profile: **p. geologico**, profile 4 (*linea del volto*) profile: **un p. delicato** [**spigoloso**], a delicate [angular] profile; **guardarsi di p.**, to look at oneself in profile; **mettersi di p.**, to turn side on; **ritratto di p.**, portrait in profile 5 (*fig.: breve studio critico*) outline: **un p. della letteratura inglese**, an outline of English literature 6 (*fig.: breve biografia*) profile; biographical sketch 7 (*fig.: insieme di caratteristiche, di qualità*) profile: **il p. del lettore medio**, the profile of the average reader; **di alto p.**, high-profile (attr.); (*eccellente*) superior, excellent; **di basso p.**, low-profile (attr.); (*poco notevole*) middling, unimpressive; **mantenere un basso p.**, to keep a low profile 8 (*fig.: aspetto*) aspect; view; viewpoint: **sotto il p. di**, as far as (st.) is concerned; with regard to; **sotto il p. morale** [**tecnico**], from a moral [technical] point of view (*o* viewpoint) 9 (*sartoria*) trimming; piping 10 (*profilatoio*) profiling tool; profile cutter.

profiterole (*franc.*) m. inv. (*alim.*) profiterole.

profittàre v. i. 1 (*far profitto, progredire*) to progress; to make* progress: **p. negli studi**, to make progress in one's studies 2 (*trarre profitto*) to profit (from, by); (*sfruttare*) to take* advantage (of), to avail oneself (of): **p. di un'occasione**, to take advantage (*o* to avail oneself) of an opportunity; to seize a chance 3 (*abusare*) to exploit (st.); to take* (undue) advantage (of); to abuse (st.): **p. della debolezza di q.**, to exploit sb.'s weakness; **p. dell'indulgenza di q.**, to take (undue) advantage of sb.'s indulgence; **p. della fiducia di q.**, to abuse sb.'s trust.

profittatóre m. (f. *-trìce*) profiteer; (*sfruttatore*) exploiterer: **p. di guerra**, war profiteer; *Non ti ama, è solo un p.*, he doesn't love you, he just wants to exploit you.

profittévole a. (*lett.*) profitable; fruitful; worthwhile; (*lucrativo*) lucrative, profit-making.

profitto m. 1 (*vantaggio*) profit, advantage; avail; (*giovamento*) benefit: **andare a p. di q.**, to benefit sb.; **mettere qc. a p.** (*farne buon uso*), to make good use of st.; to make capital out of st.; to turn st. to account (*o* to advantage); **trarre p. da qc.**, to profit (*o* to benefit) from (*o* by) st.; **trarre p. dall'esperienza altrui**, to profit by (*o* from) somebody else's experience; **trarre il massimo p. da qc.**, to make the most of st.; **volgere a proprio p. qc.**, to turn st. to one's advantage; to capitalize on st.; **a tutto p. di**, to the full advantage of; *Cercai di convincerlo, ma senza p.*, I tried to convince him, but to no avail 2 (*progresso*) progress; results (pl.): **studiare con p.**, to study (st.) with good results; to make progress in one's studies 3 (*econ.*) profit; (al pl.: *utili*) profit, profits, earnings, return, returns, yield (sing.), proceeds: **p. di gestione**, operating profit; **p. lordo**, gross profit; **p. netto**, net (*o* clear) profit; **p. sul capitale**, return on capital; **profitti e perdite**, profit and loss; **profitti ricavati da azioni**, profits on shares; *I profitti sono scesi* [*saliti*] *dall'anno scorso*, profits are down [up] since last year; **accertare i profitti di q.**, to determine (*o* to assess) sb.'s profits; **mettere qc. a p.**, to turn st. to profit; **non mirare ad alcun p.**, to have no thought of material gain; **realizzare un p.**, to profit; to gain; **ricavare un buon p. da una vendita**, to make a good profit on a sale; **conto profitti e perdite**, profit and loss account; **margine di p.**, profit margin.

proflùvio m. 1 (*lett.*) (copious) discharge; (abundant) flow 2 (*fig.*) flood; deluge; stream; outpouring: **un p. di lacrime**, a flood of tears; **un p. di lamentele**, a flood of complaints; **un p. di parole**, a stream (*o* an outpouring) of words.

profondaménte avv. 1 (*a fondo, molto addentro*) deeply; deep: **p. addormentato**, fast asleep; **conoscere qc. p.**, to have an in-depth knowledge of st.; **dormire p.**, to sleep soundly; **inchinarsi p.**, to bow deeply (*o* low); to make a deep curtsy; **scavare p.**, to dig deep into the ground 2 (*fig.: intensamente*) deeply; profoundly; intensely: **p. commosso**, deeply moved; **p. grato**, profoundly grateful; **p. interessato**, deeply interested; **amare q. p.**, to love sb. with all one's heart; **odiare p.**, to hate intensely; **sentire qc. p.**, to feel st. deeply.

profondàrsi v. i. pron. (*lett.*) to sink* (into); to plunge deeply (into); to become* immersed (in).

profóndere Ⓐ v. t. 1 (*prodigare*) to lavish; to be lavish with: **p. elogi**, to lavish (*o* to be lavish with) praise; **p. il proprio denaro in un'impresa**, to lavish one's money on an enterprise 2 (*scialacquare*) to squander; to waste Ⓑ **profóndersi** v. i. pron. to be lavish (with); to... profusely: **profondersi in lodi**, to be lavish with (*o* to lavish) praise; **profondersi in ringraziamenti**, to thank sb. profusely; **profondersi in scuse**, to apologize profusely.

profondìmetro m. depth gauge.

♦**profondità** f. 1 depth: **la p. di un lago** [**di un pozzo**], the depth of a lake [of a well]; (*fotogr.*) **p. di campo**, depth of field; (*fotogr.*) **p. di fuoco**, depth of focus; (*naut.*) **p. d'immersione**, draught; **avere una p. di tre metri**, to have a depth of three metres; to be three metres deep; **a una p. di**, at a depth of; **in p.**, in depth; deeply; **bomba p.**, depth charge 2 (*fig., di pensiero*) profundity; (*di sentimento*) depth, profundity, strength; (*di suono, colore*) depth: **la p. di una dottrina**, the profundity of a doctrine; **la p. del mio amore**, the depth (*o* strength) of my love; **esaminare qc. in p.**, to examine st. in depth 3 (al pl.) (*luogo profondo*) depths: **le p. oceaniche**, the depths of the ocean; **p. nascoste**, hidden depths; **nelle p. del suo animo**, deep down in his soul 4 (*spazio prospettico*) depth.

♦**profóndo** Ⓐ a. 1 deep: **ferita profonda**, deep wound; **foro p.**, deep hole; **inchino p.**, deep (*o* profound, low) bow; deep curtsy; **lago p.**, deep lake; **pentola profonda**, deep saucepan; **profonde radici**, deep roots; *È p. oltre 50 metri*, it is over 50 metres deep; **poco p.**, shallow 2 (*fig.*) deep; profound; (*che ha profonde radici*) deep-rooted, deep-seated; (*intenso*) intense, strong, great: **colore p.**, deep colour; **p. conoscitore**, great expert; **crisi profonda**, deep-seated crisis; **profonda delusione**, bitter disappointment; **dolore p.**, deep (*o* deep-seated) sorrow; **gioia profonda**, intense joy; **profonda ignoranza**, profound ignorance; **profonda tristezza**, profound sadness; **mistero p.** deep mystery; **mutamenti profondi**, profound changes; **odio p.**, deeply-rooted hatred; **passione profonda**, great passion; **p. pensatore**, profound (*o* deep) thinker; **p. rispetto**, deep respect; **silenzio p.**, deep (*o* profound) silence; **respiro** [**sospiro**] **p.**, deep breath [sigh]; **il p. Sud**, the deep South; **suono p.**, deep sound; **sonno p.**, deep (*o* sound) sleep; **verità profonde**, profound truths; **voce profonda**, deep (*o* low-pitched) voice Ⓑ m. 1 depths (pl.); deep; (*fig., anche*) bottom, heart: **il p. della nostra**

psiche, the depths of our psyche; **dal p. del cuore**, from the bottom of one's heart; **nel p. del cuore**, at the bottom (o in the depths) on one's heart; deep in one's heart; in one's heart of hearts; **nel p. della notte**, in the dead of night; *Nel suo p. non era convinto*, deep down he was unconvinced **2** (*psic.*) (the) unconscious: **psicologia del p.**, depth psychology **C** avv. deep; deeply; far down: **scavare p.**, to dig deep (o deeply).

pro fórma (*lat.*) **A** loc. avv. for form's sake; as a matter of form; pro forma: *Te lo chiedo solo pro forma*, I'm asking you this purely as a matter of form **B** a. inv. purely formal; perfunctory; token (attr.); (*comm.*) pro forma: **controllo pro forma**, purely formal (o perfunctory) check; **esame pro forma**, purely formal examination; (*comm.*) **fattura pro forma**, pro-forma invoice **C** loc. m. inv. formality: *La cerimonia fu solo un pro forma*, the ceremony was a mere formality.

Prof.ssa abbr. (**professoressa**) (female) teacher, professor.

prófugo **A** a. (*fuggiasco*) fleeing (pred.); (*esule*) exiled: **famiglie profughe**, families fleeing st. (o from st.) **B** m. (f. **-a**) refugee; displaced person; (*esule*) exile; (*fuggiasco*) fugitive: **p. di guerra**, war refugee; **campo di profughi**, refugee camp.

♦**profumàre** **A** v. t. to perfume; to scent; to put* scent on: **p. il fazzoletto**, to put some scent on one's handkerchief; **p. una stanza**, to perfume a room **B** v. i. to smell*; to have a scent; to be fragrant: **p. di lavanda**, to smell of lavender; **p. gradevolmente**, to smell sweet; to have a pleasant smell; to be sweet-smelling; *L'aria profumava di fiori*, the air was fragrant with the scent of flowers (o was scented with flowers); *Senti come profuma!*, smell it, isn't it lovely?; *Come profumano questi giacinti*, these hyacinths smell delicious!; **non p.**, to have no scent; to be scentless **C** profumàrsi v. rifl. to put* on some perfume; (*d'abitudine*) to use perfume: *Come ti sei profumato!*, what a lot of perfume you have put on!

profumatamente avv. (*fig.*) **1** (*generosamente*) generously; handsomely: *Mi pagano p.*, they pay me generously **2** (*molto caro*) – **pagare qc. p.**, to pay a lot of money for st.; to pay through the nose for st. (*fam.*); **farsi pagare p.**, to charge a lot.

♦**profumàto** a. **1** fragrant; sweet-smelling; scented; perfumed: **aria profumata**, fragrant (o scented) air; **fazzoletto p.**, perfumed handkerchief; **fiore p.**, sweet-smelling (o scented, perfumed) flower; **sapone p.**, scented soap; **p. di lavanda**, lavender-scented **2** (*fam.: generoso*) generous; (*caro*) very high: **compenso p.**, generous fee.

profumatóre m. pomander; (*sacchetto*) perfumed sachet.

profumazióne f. **1** (*il profumare*) perfuming **2** (*profumo*) perfume; fragrance.

profumerìa f. **1** (*arte*) perfumery **2** (*negozio*) perfumer's (shop); perfumery **3** (al pl.) (*profumi*) perfumes; scents.

profumièra f. perfume bottle; (*per bruciare profumi*) perfume burner.

profumière m. (f. **-a**) perfumer; perfume seller.

profumièro a. perfume (attr.).

♦**profùmo** m. **1** (*esalazione odorosa*) perfume; scent; fragrance; sweet smell; pleasant smell: **il p. delle rose [del fieno]**, the scent (o perfume, fragrance) of roses [of hay]; **il p. del pane fresco**, the pleasant smell of freshly baked bread; **un p. di pulito**, a nice clean smell; **un p. delicato [pungente, sottile]**, a delicate [pungent, subtle] perfume (o scent); **p. che dà alla testa**, heady perfume; **al (o dal) p. di rose**, rose-

-scented; **fiori senza p.**, scentless flowers; **avere (o mandare) un buon p.**, to smell good; to be fragrant **2** (*sostanza odorosa*) perfume; scent: **mettersi il p.**, to put on some perfume; **mettere un po' di p. sul fazzoletto**, to put some perfume on one's handkerchief; **usare p.**, to wear perfume; **boccetta di p.**, bottle of perfume **3** (*fig.*) scent: **il p. dei soldi**, the scent of money.

profusióne f. **1** (*abbondanza*) profusion; abundance; flood; (*sovrabbondanza*) overabundance: **una p. di ornamenti**, a profusion of ornament (o ornaments); **una p. di parole**, a flood of words; **a p.**, in profusion; in abundance; galore (agg. posposto): **cibo a p.**, food in profusion; food galore; **fiori a p.**, flowers growing in profusion **2** (*generosità*) profusion, lavishness; (*prodigalità*) extravagance, prodigality: **spendere a p.**, to spend lavishly; to spend extravagantly.

profùso a. **1** (*sparso, versato*) shed (pred.); spilt: **il sangue p. per la patria**, the blood shed for one's country **2** (*med.*) copious; abundant: **sudore p.**, copious sweat **3** (*fig.: speso*) spent; lavished; (*dissipato*) squandered: **denaro inutilmente p.**, money spent in vain; squandered money; **p. generosamente**, lavished.

progènie f. inv. **1** (*lett.: discendenza*) progeny, issue, offspring; descendants (pl.); (*schiatta*) stock: **la p. di Napoleone**, the progeny (o descendants) of Napoleon; **provenire da bassa p.**, to come from humble stock **2** (*spreg.: genìa*) spawn; rabble **3** (*scherz.: figli*) offspring; progeny **4** (*biol.*) progeny: (*zootecnia*) **esame della p.**, progeny test.

progenitóre m. progenitor; ancestor; forebear (generalm. al pl.); forefather: **il nostro primo p., Adamo**, Adam, our first progenitor; **i nostri progenitori**, our ancestors; our forebears.

progenitrìce f. progenitrix*; ancestress.

progerìa f. (*med.*) progeria.

progesteróne m. (*biochim.*) progesterone.

progestìna f. (*biochim.*) progestin; progestogen.

progestìnico a. (*biochim.*) progestogenic.

progettàre v. t. **1** (*ideare, programmare*) to plan: **p. una spedizione**, to plan an expedition; **p. d'andarsene**, to be planning to leave; *Progettavo di fermarmi a Londra un mese, e invece...*, I had planned on staying in London for a month, but... **2** (*tecn., edil.*) to design; to plan: **p. un'auto [un ponte]**, to design a car [a bridge]; **p. un complesso sportivo**, to plan (o to design) a sports centre.

progettatóre m. (f. **-trìce**) planner; designer.

progettazióne f. planning; design: **la p. di un centro commerciale**, the design of a shopping mall; **p. industriale**, industrial planning; **p. al computer**, computer-aided design (abbr. CAD); **in fase di p.**, at the planning stage.

progettìsta m. e f. designer; planner; (*mecc.*) design engineer.

progettìstica f. designing; design.

progettìstico a. design (attr.); planning.

♦**progètto** m. **1** (*programma, piano di lavoro*) project, scheme, blueprint; (*idea, proposito*) plan, design, scheme: **p. assurdo**, hare-brained scheme; **p. campato in aria**, air-fairy plan; castle in the air; (*econ.*) **p. di bilancio**, draft budget; **p. di finanziamento**,

financial scheme; (*leg.*) **p. di legge**, bill; **presentare un p. di legge**, to introduce (o, *GB*, to table) a bill; **p. di sviluppo urbano**, urban development project; **progetti per l'avvenire**, plans for the future; *Che progetti hai per le vacanze?*, what are your plans for the holidays?; **avere grandi progetti per q.**, to have great things in mind for sb.; **avere in p. di fare qc.**, to plan (to do) st.; *Non ho in p. di andare in pensione*, I have no plans to retire; I'm not planning to retire; **essere in p.**, to be planned; to be on the drawing board; *È in p. una nuova autostrada*, a new motorway is being planned; **fare progetti**, to make plans **2** (*tecn., edil.*) plan; design; lay-out; (*i disegni*) drawings (pl.): **il p. d'un ponte**, the plan (o design) of a bridge; **p. di massima**, preliminary plan; **p. esecutivo**, working plan; **approvare un p.**, to approve a plan; **fare un p.**, to make a plan; **presentare [respingere] un p.**, to submit [to reject] a plan.

progettuàle a. planning; design (attr.): **fase p.**, planning stage.

progettualità f. **1** (*l'essere progettuale*) nature of a plan **2** (*attitudine a progettare*) planning skill.

proglòttide f. (*zool.*) proglottid.

prognatìsmo m. (*anat.*) prognathism.

prognàto a. (*anat.*) prognathous; prognathic.

prògnosi f. (*med.* e *fig.*) prognosis*: **p. favorevole [infausta]**, favourable [negative] prognosis; **p. riservata**, uncertain prognosis; **essere in p. riservata**, to be on the danger list; **riservarsi la p.**, to put (sb.) on the danger list; **sciogliere la p.**, to take (sb.) off the danger list; to make a prognosis.

prognosticàre → **pronosticare**.

prognòstico a. (*med.*) prognostic.

♦**progràmma** m. **1** (*progetto di attività*) programme, program (*USA*); plan; agenda; (*piano dettagliato*) schedule, blueprint: **il p. della giornata**, one's programme for the day; **il p. della riunione**, the agenda of the meeting; **p. di consegne**, delivery schedule; **p. di investimenti**, investment programme (o plan); **p. di lavoro**, work programme (o schedule); **p. di pensionamento**, retirement plan; pension scheme; **p. di ricerca**, research programme; **p. di spesa**, budget; **p. energetico**, energy programme; *Che p. avete per domani?*, what is your plan (o what have you got planned) for tomorrow?; *Oggi ho un p. molto fitto*, I have a busy schedule today; **non avere programmi**, to have no plans; **avere in p. (di fare) qc.**, to be planning (to do) st.; **attenersi a un p.**, to keep up a programme; **essere indietro [avanti] col p.**, to be behind [ahead of] schedule; **fuori p.**, (*inatteso*) unexpected; (*non previsto*) unscheduled; **in p.**, planned; scheduled; slated (*USA*); **secondo il p.**, according to schedule; according to plan; (*mus.*) **musica a p.**, programme music **2** (*di studi*) syllabus; schedule (*USA*): **il p. di fisica**, the physics syllabus; **svolgere tutto il p.**, to cover the syllabus; **le materie del p.**, the subjects on the syllabus **3** (*manifesto*) manifesto; (*p. politico*) platform, program (*USA*): **il p. d'un nuovo movimento letterario**, the manifesto of a new literary movement; **il p. d'un partito**, the platform of a political party; **p. elettorale**, electoral program; platform **4** (*teatr.*) programme: **il p. di prosa di quest'anno**, this year's theatre programme; **p. di sala**, programme; playbill **5** (*radio, TV*) programme, program (*USA*); (*spettacolo*) show: **p. di attualità**, current affairs programme; **p. di quiz**, quiz show; **i programmi per bambini**, children's (o kids') programmes **6** (*tecn., di macchina*) programme; cycle: (*di lavabiancheria*) **p. del risciacquo**, rinse programme **7** (*comput.*) program; (al pl., col-

lett.) software Ⓤ; (*procedura*) routine: **p. applicativo** [**diagnostico**], application [diagnostic] program; **p. di scrittura**, word processor; **caricare un p.**, to load a program; **far girare un p.**, to run a program; **scrivere un p.**, to write (*o* to compile) a program.

programmàbile a. programmable.

programmabilità f. programmability.

programmàre v. t. **1** (*organizzare*) to plan (*anche econ.*); to programme, to program (*USA*): **p. la produzione**, to plan production; **p. un viaggio**, to plan a trip; **p. la propria vita**, to programme one's life **2** (*inserire in un programma*) to schedule; to programme, to program (*USA*) to slate (generalm. al passivo) (*USA*) *La riunione è programmata per domani alle tre*, the meeting is scheduled for 3 pm tomorrow **3** (*teatr.*) to put* on; to stage; (*TV*) to broadcast*, to programme, to program (*USA*), to show; (*cinem.*) to screen, to show **4** (*tecn. e fig.*: *predisporre*) to programme, to program (*USA*); to set* up: **p. una videoregistrazione**, to programme a videorecording **5** (*comput.*) to program: **p. un calcolatore**, to program a computer.

programmàtico a. programmatic.

programmàto a. planned; programmed; (*in programma, anche*) scheduled, slated (*USA*): **economia programmata**, planned economy; **istruzione programmata**, programmed learning; *La nostra giornata è già programmata*, our day has already been planned; **un incontro p. da tempo**, a meeting that has been planned for a long time.

programmatóre m. (f. **-trice**) **1** (*econ.*) planner **2** (*comput.*) programmer.

programmatòrio a. planning; programming.

programmazióne f. **1** (*organizzazione*) planning (*anche econ.*); programming; scheduling; **p. a lungo termine**, long-term planning; **p. della produzione**, production planning; **p. didattica**, educational programming; **essere allo stadio di p.**, to be at the planning stage **2** (*tecn. e fig.*: *predisposizione*) programming **3** (*comput.*) programming **4** (*cinem.*) screening; showing: **essere in p.**, to be showing; to be on; **di prossima p.**, coming soon; **periodo di p.**, run **5** (*mat.*) – **p. lineare**, linear programming.

programmìsta m. e f. **1** programmer; planner **2** (*radio, TV*) programme compiler; (*conduttore*) programme host, compere (*GB*).

progredìre v. i. **1** (*procedere*) to progress; to advance; to get* on; to make* progress: **p. a gran passi**, to progress by leaps and bounds; **p. bene**, to be progressing well; to be making progress; **p. negli studi**, to make progress in one's studies; *La malattia progredì rapidamente*, his disease progressed quickly; *Il lavoro non progredisce*, the work is not making much progress (*o* is not getting on); **via via che i lavori progredivano** (*o* **col p. dei lavori**), as work progressed **2** (*fig.*: *migliorare*) to make* progress; to improve: **p. nelle scienze**, to make progress in science; *Le sue condizioni non progrediscono*, her condition is not improving; she is not making progress.

progredìto a. advanced; developed; (*civilmente*) civilized: **idee progredite**, advanced ideas; **paese p.**, advanced (*o* developed) country; **società progredita**, civilized society.

progressióne f. **1** (*il progredire*) progression; progress: **crescere con p. lenta**, to increase gradually; **essere in p. costante**, to make steady progress; to progress steadily **2** (*mat.*) progression: **p. aritmetica** [**geometrica**], arithmetic [geometric] progression; (*fig.*) **crescere in p. geometrica**, to increase exponentially **3** (*mus.*) progression:

p. armonica [**melodica**], harmonic [melodic] progression.

progressìsmo m. (*polit.*) progressivism; liberalism; radicalism.

progressìsta a., m. e f. (*polit.*) progressive; liberal; radical: **politica progressista**, progressive policy; **partito p.**, liberal party.

progressìstico a. (*polit.*) progressive; liberal; radical.

progressività f. progressiveness.

progressìvo a. **1** (*graduale*) progressive: **imposta progressiva**, progressive tax; **malattia progressiva**, progressive disease **2** (*gramm.*) progressive; continuous: **forma progressiva**, progressive (*o* continuous) form ❶ **NOTA**: *passive* (*progressive tenses*) → **passive**, ❶ **NOTA**: *future* → **future 3** (*mus.*) progressive.

♦ **progrèsso** m. (*avanzamento*) progress Ⓤ; (*sviluppo*) development, advance; (*incremento*) growth; (*miglioramento*) progress Ⓤ, improvement, advancement: **il p. della civiltà**, the progress of civilization; **il p. della conoscenza**, the advance of knowledge; **il p. scientifico**, scientific progress; **il p. tecnologico**, technological progress; **i progressi della medicina** [**della scienza**], the advances in medicine [in science]; **i miei progressi nel francese**, my progress in French; **credere nel p.**, to believe in progress; **essere in continuo p.**, to be making constant progress; **fare progressi**, to make progress; to make headway; *Non ho fatto molti progressi ultimamente*, I haven't made much progress lately; **fare progressi rapidissimi**, to make very rapid progress; to forge ahead; to race ahead; to advance by leaps and bounds (*fam.*); *Si sono fatti notevoli progressi in questo campo*, there has been considerable progress in this field; *Questa scoperta segna un grosso p. nella lotta contro il cancro*, this discovery marks a dramatic development in the battle against cancer; **in p. di tempo**, in the course of time.

♦ **proibìre** v. t. **1** to forbid* (st., sb. to do st.); to prohibit (st., sb. from doing st.); (*mettere al bando*) to ban; (*interdire*) to debar (sb. from doing st.): **p. a q. di mettere piede in un luogo**, to forbid sb. to enter a place; to bar sb. from a place; **p. il fumo nei ristoranti**, to ban smoking in restaurants; **p. una dimostrazione**, to ban a public rally; *Ti proibisco di parlare*, I forbid you to speak; *La legge proibisce la vendita di stupefacenti*, the law prohibits (*o* forbids) the sale of drugs; *Il dottore mi ha proibito il vino*, the doctor has forbidden me wine (*o* told me not to drink wine); *Ci è proibito bere in servizio*, we are not allowed to drink (*form.* we are prohibited from drinking) while on duty; *Mi proibiscono di scrivere a casa*, I am not allowed to write home; *È proibito superare il limite di 70 km all'ora*, it is forbidden to drive faster than 70 kmph; *È severamente proibito fumare*, smoking is strictly prohibited; *È proibito disturbarlo mentre suona*, you mustn't disturb him while he is playing; *Proibito l'ingresso*, no admittance **2** (*impedire*) to forbid* (sb. to do st.); to prevent (st., sb. from doing st.); to prohibit (st., sb. from doing st.): *L'orgoglio gli proibì di chiedere aiuto*, his pride forbade him to ask for help; *Impegni di lavoro mi proibiscono di partire*, work commitments prevent me from leaving. ❶ **NOTA**: *to allow* → **to allow**.

proibitìvo a. **1** (*che vieta*) prohibitive: **provvedimento p.**, prohibitive measure **2** (*estens.*) prohibitive: **condizioni del tempo proibitive**, prohibitive weather conditions; **prezzi proibitivi**, prohibitive prices.

♦ **proibìto** a. forbidden; prohibited; not allowed; (*messo al bando*) banned, outlawed; (*non ammesso*) illegal, illicit: **argomento p.**,

forbidden topic; **armi proibite**, illegal weapons; **attività proibite dalla legge**, activities forbidden (*o* prohibited) by law; (*a Pechino*) **la Città proibita**, the Forbidden City; (*boxe*) **colpo p.**, illegal blow; **desideri proibiti**, forbidden desires; **libri proibiti**, forbidden books; (*Bibbia*) **il frutto p.**, the forbidden fruit; **sogni proibiti**, impossible dreams; **zona proibita**, forbidden area; no-go area (*GB*).

proibitóre m. (f. **-trice**) forbidder; prohibiter.

proibitòrio a. prohibitive.

proibizióne f. prohibition; forbiddance; (*messa al bando*) ban, outlawing; (*interdizione*) debarment: **la p. di fumare**, the prohibition of smoking; the ban on smoking; *Qui vige la p. di vendere alcolici*, there is a prohibition here against selling alcohol; it is forbidden here to sell alcohol.

proibizionìsmo m. **1** (*stor., negli USA*) Prohibition **2** (*estens.*) prohibitionism.

proibizionìsta Ⓐ m. e f. prohibitionist Ⓑ a. prohibitionist (attr.); prohibition (attr.); (*stor., negli USA*) Prohibition (attr.): **lega p.**, prohibition league.

proibizionìstico a. prohibitionist (attr.); prohibition (attr.); (*stor., negli USA*) Prohibition (attr.): **politica proibizionistica**, prohibitionist policy.

♦ **proiettàre** Ⓐ v. t. **1** (*gettare*) to project; to throw*; to propel; to cast*: **p. un'ombra**, to cast a shadow; *La lampada proiettava una forte luce sul tavolo*, the lamp threw a strong light on the table **2** (*fig.*) to project; to cast: **p. il presente nel futuro**, to project the present into the future **3** (*fotogr.*) to project; (*cinem.*) to show; to screen: **p. diapositive su un muro**, to project slides on a wall **4** (*geom.*) to project Ⓑ **proiettàrsi** v. rifl. e i. pron. **1** (*gettarsi*) to throw* oneself **2** (*fig.*) to cast* one's mind (into st.) **3** (*di luce, ombra*) to be projected; to be cast.

proiettifìcio m. ammunition factory.

proiettìle m. (*oggetto scagliato*) missile; (*di arma*) projectile; (*di cannone*) shell; (*pallottola*) bullet, ball: **p. a razzo**, rocket missile; **p. dumdum**, dumdum bullet; **p. illuminante**, star shell; **p. incendiario**, incendiary shell; **p. inesploso**, unexploded shell; **p. tracciante**, tracer bullet; *Lanciavano ogni genere di proiettili*, they were throwing all sorts of missiles; *Il p. lo colse in pieno petto*, the bullet hit him full in the chest; **a prova di p.**, shell-proof; bullet-proof.

proiettività f. (*mat.*) projectivity.

proiettìvo a. (*mat., psic.*) projective: **geometria proiettiva**, projective geometry; **test p.**, projective test.

proiètto m. **1** (*mil.*) projectile; shell; bullet **2** (*geol.*) – **proietti vulcanici**, volcanic ejecta.

proiettóre m. **1** (*fotoelettrica*) floodlight; (*orientabile*) searchlight **2** (*autom.*) headlight; headlamp: **proiettori abbaglianti**, headlights on full (*USA* high) beam; main beams; **proiettori anabbaglianti**, dipped (*USA* dimmed) headlights; low beams (*USA*); **p. fendinebbia**, fog light **3** (*cinem., fotogr.*) projector: **p. cinematografico**, film (*USA* motion-picture) projector; **p. per diapositive**, slide projector.

proiezióne f. **1** (*il proiettare*) projection: **la p. di un'ombra su una superficie**, the projection of a shadow upon a surface: **la p. della voce**, voice projection **2** (*geom., geogr.*) projection: **p. cartografica**, map projection; **p. di Mercatore**, Mercator's projection; **p. conica** [**ortogonale, prospettica**], conic [orthogonal, perspective] projection **3** (*fotogr.*) projection: **p. di diapositive**, slide projection; **conferenza con p. di diapositive**, lecture with slides **4** (*cinem.*)

a b c d e f g h i j k l m n o p q r s t u v w x y z

projection; screening; showing; (*spettacolo*) show: **la p. d'un film**, the showing (*o* the projection) of a film; **tre proiezioni al giorno**, three shows a day; **cabina di p.**, projection booth; **sala da p.**, projection room **5** (*stat.*) projection: **p. demografica**, population projection; **proiezioni di bilancio**, budget projections; **proiezioni elettorali**, electoral vote projections **6** (*psic.*) projection.

proiezionista m. e f. projectionist.

proinsulina f. (*biochim.*) proinsulin.

prolammina f. (*biochim.*) prolamine.

prolassàto a. (*med.*) prolapsed.

prolàsso m. (*med.*) prolapse; prolapsus: **p. rettale**, rectal prolapse; **p. uterino**, prolapse of the uterus; **subire un p.** (*di viscere*), to prolapse.

prolattina f. (*biochim.*) prolactin.

pròle f. **1** children (pl.); offspring; issue (*per lo più leg.*); (*zool.*) brood: **p. legittima**, legitimate children; **p. maschile**, male issue; **sons** (pl.); **senza p.**, childless; (*leg.*) without issue; **avere una p. numerosa**, to have many children; to have a large family **2** (*lett.: progenie*) progeny; (*genere*) race: **l'umana p.**, the human race.

prolegàto m. (*stor.*) deputy-legate.

prolegòmeni m. pl. (*lett.*) prolegomena.

prolèssi f. (*ling., filos.*) prolepsis*.

proletariàto m. **1** (*classe*) proletariat; workers (pl.); working class: **il p. e la borghesia**, the proletariat and the bourgeoisie; **p. industriale [urbano]**, industrial [urban] proletariat; **appartenere al p.** to belong to the working class **2** (*condizione*) proletarianism.

proletàrio a. e m. proletarian; working-class (attr.): **la classe proletaria**, the proletariat; **cultura proletaria**, working-class culture; **ideologia proletaria**, proletarian ideology; **rivoluzione proletaria**, proletarian revolution.

proletarizzàre v. t., **proletarizzàrsi** v. i. pron. to proletarianize.

prolèttico a. (*gramm., filos.*) proleptic.

proliferàre v. i. **1** (*biol.*) to proliferate **2** (*fig.*) to proliferate, to multiply; (*diffondersi*) to spread*.

proliferativo a. (*biol.*) proliferative.

proliferazióne f. (*biol.* e *fig.*) proliferation: **la p. delle armi nucleari**, the proliferation of nuclear weapons.

prolìfero a. (*biol.*) proliferous.

prolificàre v. i. (*biol.* e *fig.*) to proliferate.

prolificazióne f. prolification.

prolificità f. prolificacy; fertility: **la p. dei conigli**, the prolificacy of rabbits.

prolìfico a. (*anche fig.*) prolific: **animali prolifici**, prolific animals; **romanziere p.**, prolific novelist.

prolìna f. (*biochim.*) proline.

prolissaménte avv. with prolixity; verbosely; diffusely; long-windedly.

prolissità f. prolixity; long-windedness; verboseness; diffuseness.

prolìsso a. prolix; verbose; lengthy; diffuse: **discorso p.**, prolix (*o* long-winded) speech; **oratore p.**, prolix (*o* long-winded) speaker; **spiegazione prolissa**, lengthy (*o* verbose) explanation.

pro lòco loc. f. inv. local tourist office.

pròlogo m. **1** (*lett., teatr., mus.*) prologue **2** (*fig.*) prologue; overture; prelude **3** (*ciclismo*) prologue.

prolùdere v. i. (*lett.*) **1** (*pronunciare una prolusione*) to give* an inaugural lecture **2** (*cominciare a parlare*) to begin* to speak.

prolùnga f. **1** extension; (*di scala*) ladder extension; (*di tavolo*) leaf **2** (*elettr., telef.*) extension lead (*o* cable); extension cord

(USA).

prolungàbile a. extensible; extendible.

prolungabilità f. extensibility; extendibility.

prolungaménto m. **1** (*l'allungare nello spazio*) prolongation; extension: **il p. d'una retta**, the prolongation of a straight line; **il p. d'una linea ferroviaria**, the extension of a railway **2** (*nel tempo*) prolongation; extension; lengthening; (*il protrarre*) protraction: **il p. della vita**, the prolongation of life; **un p. delle proprie vacanze**, an extension to one's holidays **3** (*cosa che prolunga*) extension.

♦**prolungàre** A v. t. **1** (*nello spazio*) to prolong; to extend; to lengthen: **p. un muro [una linea ferroviaria]**, to extend a wall [a railway] **2** (*nel tempo*) to prolong; to extend; to lengthen; (*protrarre*) to protract: **p. una discussione**, to protract a debate; **p. l'orario di apertura**, to extend opening hours; **p. un termine**, to grant an extension; **p. una visita**, to prolong (*o* to extend) a visit **B** **prolungàrsi** v. i. pron. **1** (*nel tempo*) to grow* longer; to stretch; (*continuare*) to go* on; (*durare*) to last: *La sua «breve visita» si prolungò per due ore*, his «short visit» stretched to two hours **2** (*nello spazio: allungarsi*) to lengthen; (*estendersi*) to extend, to stretch **3** (*dilungarsi*) to dwell (on).

prolungàto a. prolonged; extended; lengthy: **applausi prolungati**, prolonged applause; **assenza prolungata**, prolonged absence; **per un periodo di tempo p.**, over an extended period of time.

prolungazióne f. **1** → **prolungamento** **2** (*mus.*) suspension.

prolusióne f. **1** (*discorso di apertura*) opening speech **2** (*all'università*) inaugural lecture.

prolùvie f. inv. (*lett., anche fig.*) flood.

promanàre v. i. to issue; to emanate.

promemòria m. memorandum*; memo; note: *Lasciami un p.*, leave me a note about it; **fare da p.**, to act as a reminder.

promèrico a. (*ind. tess.*) promeric.

♦**promèssa①** f. **1** promise: (*fig.*) **p. di marinaio**, empty promise; **p. di matrimonio**, promise of marriage; **p. di pagamento**, promise to pay; (*leg.*) **p. di vendita**, agreement to sell; **p. formale [solenne]**, formal [solemn] promise; pledge; (*leg.*) **p. unilaterale**, one-sided promise; **p. vana**, empty promise; **dare la propria p. a q.**, to give sb. one's promise; **fare una p.**, to make a promise; **mancare a una p.**, to break a promise; **mantenere una p.**, to keep a promise; **rimangiarsi una p.**, to go back on a promise; **venir meno alle promesse**, to fail to fulfil one's promises; **impegnato da una p.**, bound by a promise; promise-bound; *Sono tutte belle promesse!*, promises, promises!; (*prov.*) *Ogni p. è debito*, promise is debt **2** (*fig.: persona promettente*) promising person; promising musician [athlete, actor, etc.]; rising star; young hopeful: **una giovane p. del calcio**, a promising football player.

promèssa② f. (*lett.: fidanzata*) fiancée.

promèsso A a. promised: **la Terra Promessa**, the Promised Land ● **gli sposi promessi**, the betrothed B m. (*lett.: fidanzato*) fiancé.

prometèico a. (*lett.* e *fig.*) Promethean.

promèteo → **promezio**.

Promèteo m. (*mitol.*) Prometheus.

promettènte a. promising: **alunno p.**, promising pupil; **futuro p.**, promising future; **avere l'aria p.**, to look promising; **dimostrarsi p.**, to show promise; **essere molto p.**, to show great promise; **poco p.**, unpromising.

♦**prométtere** A v. t. **1** to promise: *Ha promesso di aiutarci*, she has promised to help us; *Promisi di arrivare prima delle quattro*, I promised to arrive (*o* that I would arrive) before four o'clock; *Promettimi che mi telefonerai appena arrivi*, promise you'll phone me as soon as you arrive; *Lo prometti (davvero)?*, do you promise?; *Non prometto nulla*, I'm not promising anything; **p. mari e monti**, to promise the moon (*o* the earth); **p. solennemente**, to give solemn promise; to pledge oneself **2** (*fig., anche assol.: far presagire*) to promise; (*minacciare*) to threaten: **p. bene**, to promise well; to be [to look, to sound] promising; (*essere promettente*) to show promise; (*essere di buon auspicio*) to bode well (*form.*), to augur well (*form.*); **p. male**, to bode ill (*form.*); to augur ill (*form.*); *Questo caldo promette di durare*, this warm weather promises to last; *Il tempo promette pioggia*, it looks like rain; *La sua faccia non prometteva niente di buono*, his face boded no good B **prométtersi** v. rifl. **1** to pledge oneself; to dedicate oneself: **promettersi a Dio**, to dedicate (*o* to give) oneself to God **2** (*fidanzarsi*) to become* engaged; to betroth oneself (*lett.*).

promettitóre m. (f. **-trìce**) promiser.

promèzio m. (*chim.*) promethium.

prominènte a. prominent; jutting out; projecting; (*protuberante*) protuberant, bulging: **naso p.**, prominent nose; **ventre p.**, protuberant belly; **zigomi prominenti**, prominent cheekbones; **essere p.**, to protrude; to jut (out); to project.

prominènza f. **1** (*l'essere prominente*) prominence; protrusion **2** (*parte prominente*) prominence; projection; (*protuberanza*) protuberance, bulge.

promiscuità f. **1** (*mescolanza*) promiscuity; mingling; heterogeneity **2** (*dei sessi*) promiscuity; promiscuousness.

promìscuo A a. **1** promiscuous; heterogeneous; (*misto*) mixed: **folla promiscua**, promiscuous crowd; **scuola promiscua**, mixed (*o* co-educational) school **2** (*gramm.*) common: **genere p.**, common gender B m. (*gergale*) goods and passenger vehicle.

promissàrio m. (*leg.*) promisee.

promissòrio a. (*leg.*) promissory.

promittènte a. e f. (*leg.*) promisor.

pròmo m. e a. inv. promo.

promontòrio m. **1** (*geogr.*) promontory; headland **2** (*anat.*) promontory **3** (*meteor.*) ridge.

promòsso A a. **1** promoted **2** (*a scuola*) successful B m. (f. **-a**) successful student; (*a un esame*) successful candidate: **elenco dei promossi**, pass list.

promotóre A m. (f. **-trìce**) **1** promoter; initiator; instigator; organizer: **p. dell'unità europea**, promoter of European unity; **p. di un referendum**, initiator of a referendum; **p. di una riforma**, instigator of a reform; **farsi p. di qc.**, to promote st.; to initiate st.; to champion st. **2** (*di società per azioni*) company promoter; founder B a. promoting; organizing: **il comitato p.**, the organizing committee.

promozionàle a. (*comm.*) promotional: **campagna [vendita] p.**, promotional campaign [sale].

promozionàre v. t. (*comm.*) to promote.

promozióne f. **1** (*avanzamento*) promotion; advancement: **p. a colonnello**, promotion to colonel; **p. per anzianità [per merito]**, promotion by seniority [by merit]; **ottenere la p.**, to get one's promotion; **ottenere la p. a dirigente [a tenente]**, to be promoted to manager [(to) lieutenant]; **prospettive di p.**, chances of promotion **2** (*a scuola*) pass: **ottenere la p.**, to get a pass; to go into the next form; (*agli esami*) to pass

one's exams **3** (*sport*) promotion: (*calcio*) **p. in serie A**, promotion to the Premier League **4** (*comm.*) promotion: **p. delle vendite**, sales promotion **5** (*scacchi*) promotion.

promulgàre v. t. **1** to promulgate: **p. una legge [un dogma]**, to promulgate a law [a dogma] **2** (*diffondere*) to spread*: to propagate: **p. una teoria**, to spread a theory.

promulgatóre A a. promulgating B m. (f. **-trìce**) promulgator.

promulgazióne f. **1** promulgation: **la p. d'una legge [d'un dogma]**, the promulgation of a law [of a dogma] **2** (*diffusione*) spread; propagation.

♦**promuòvere** v. t. **1** (*far progredire, favorire*) to promote; to further; to foster: **p. la cultura**, to promote learning; **p. la ricerca**, to promote (*o* to further) research **2** (*iniziare, dare il via a*) to initiate; to promote: **p. un disegno di legge**, to promote a bill; **p. delle riforme [un referendum]**, to initiate reforms [a referendum]; **p. un'azione legale contro q.**, to bring an action against sb.; **p. una sottoscrizione**, to open a subscription **3** (*far avanzare a un grado superiore*) to promote: **p. q. colonnello**, to promote sb. (to) colonel; *L'hanno promosso capo del personale*, he has been promoted to staff manager **4** (*a scuola*) to pass: **p. uno studente**, to pass a pupil; **essere [non essere] promosso a un esame**, to pass [to fail] an exam; *È stato promosso in terza*, he is going into (*o* is moving up to) third form **5** (*provocare, stimolare*) to cause; to induce: **p. l'insoddisfazione dei cittadini**, to cause general dissatisfaction; **p. il vomito**, to induce vomiting **6** (*comm.*) to promote: **p. le vendite**, to promote sales **7** (*scacchi*) to promote.

prònao m. (*archit.*) pronaos*.

pronatóre m. (*anat.*) pronator.

pronazióne f. (*anat.*) pronation.

pronipóte m. e f. **1** (*di prozio*) grandnephew (m.); great-nephew (m.); grandniece (f.); great-niece (f.) **2** (*di bisnonno*) great-grandson (m.); great-granddaughter (f.), (al pl., m. e f.) great-grandchildren **3** (spec. al pl.) (*discendente*) descendant; offspring ⒰; issue ⒰.

pròno a. **1** prone; prostrate; lying on one's face (*o* face downwards): **posizione prona**, prone position; **gettarsi p.**, to prostrate oneself; to fall on one's face; **giacere p.**, to lie prone; to lie on one's face **2** (*fig.: incline*) prone; inclined: **p. al dubbio**, prone to doubt **3** (*fig.: arrendevole*) submissive.

pronóme m. (*gramm.*) pronoun: **p. dimostrativo**, demonstrative pronoun; **p. interrogativo**, interrogative pronoun; **p. personale**, personal pronoun; **p. possessivo**, possessive pronoun; **p. relativo**, relative pronoun.

pronominàle a. (*gramm.*) pronominal.

pronominalizzàre v. t. (*gramm.*) to pronominalize.

pronominalizzazióne f. (*gramm.*) pronominalization.

pronosticàre v. t. **1** (*predire*) to prognosticate; to predict; to foretell*; to forecast*: **p. un avvenimento**, to prognosticate (*o* to predict) an event; **p. una sconfitta**, to predict a defeat; **p. ulteriori complicazioni**, to prognosticate further complications **2** (*far presagire*) to presage; to promise; to herald: *Questi nuvoloni pronosticano tempesta*, these dark clouds presage a storm.

pronosticatóre A a. prognosticatory; foretelling; forecasting B m. (f. **-trìce**) prognosticator; predictor; foreteller; forecaster.

pronòstico m. **1** (*predizione*) prediction; forecast; prognostication: *Il p. si è avverato*, the prediction has come true; **fare un p.**, to make a prediction (*o* a forecast) to prognos-

ticate; **fare un brutto p.**, to predict st. unpleasant; **godere il favore dei pronostici**, to be the favourite; to be tipped as the winner **2** (*presagio*) sign; omen.

prontaménte avv. (*senza indugio*) promptly, readily, straightaway, without delay; (*subito*) immediately, at once.

prontézza f. readiness; quickness; promptitude: **p. d'ingegno**, quick-wittedness; lively intelligence; **p. di mano**, quickness of hand; **p. di mente**, quickness of mind; mental agility; **p. di movimenti [di riflessi]**, quickness of movement [of reflex]; **p. di spirito**, presence of mind; quick-wittedness; (*nel rispondere*) quick (*o* ready) wit; **reagire con p.**, to react quickly; **rispondere [ubbidire] con p.**, to reply [to obey] promptly.

♦**prónto** A a. **1** (*preparato*) ready; prepared: **p. all'azione**, prepared (*o* ready) for action; **p. a partire**, ready to leave; *La stanza è pronta*, the room is ready; *La colazione sarà pronta fra mezz'ora*, lunch will be ready in half an hour; *Tutto era p. per il viaggio*, everything was ready for the journey; **tenersi p.**, to be prepared; to be ready **2** (*disposto*) ready; prepared; willing: **p. a dare la vita**, ready (*o* prepared) to give one's life; **p. a ogni evenienza**, prepared (*o* ready) for every eventuality; **p. a tutto**, ready to do anything; *Siamo pronti a venirvi incontro*, we are willing to meet you halfway; *Sarei p. a giurarlo*, I could swear to it **3** (*rapido, sollecito*) quick; ready; prompt; speedy; (*vivace, intelligente*) quick, quick-witted, alert: (*comm.*) **pronta cassa**, ready cash; cash down; (*comm.*) **pronta consegna**, prompt delivery; (*comm.*) **pronti contanti**, ready money; ready cash; **pronta guarigione**, speedy recovery; **intelligenza** (*o* **mente**) **pronta**, quick (*o* lively) mind; **riflessi pronti**, quick reflexes; **risposta pronta**, (*sollecita*) ready answer, prompt reply; (*calzante*) pat answer; *Ha sempre la risposta pronta*, he always has a ready answer; (*med.*) **p. soccorso**, first aid; (*il reparto*) casualty (*GB*), emergency (room) (*USA*); (*comm.*) **pronta spedizione**, speedy conveyance; **p. a criticare**, ready to find fault; **p. di mente**, quick-witted; **p. di riflessi**, quick to react; having quick reflexes; **p. nelle risposte**, ready (*o* quick) in one's answers; **cemento a pronta presa**, quick-setting cement **4** (*facile, propenso*) quick: **p. all'ira**, quick to anger; quick-tempered B m. inv. – (*banca*) **pronti contro termine**, repurchase agreement; (*comm.*) **pagamento a pronti**, cash (*o* down) payment; payment cash down C inter. **1** (*al telefono*) hello: *P., sono io!*, hello, it's me! **2** – (*all'inizio di una gara*) *Pronti!... Via!*, ready, steady, go!

prontuàrio m. **1** (*manuale*) manual; handbook: **p. dell'ingegnere**, the engineer's handbook; **p. degli interessi**, interest table; **p. di calcoli**, ready reckoner **2** (*farm.*) codex*.

prònuba f. (*stor. romana*) pronuba*.

prònubo m. **1** (*stor. romana*) pronubus* **2** (*lett.: paraninfo*) matchmaker **3** (*bot.*) pollinator.

pronùcleo m. (*biol.*) pronucleus.

pronùncia f. **1** (*ling.*) pronunciation: **la p. dell'inglese**, the pronunciation of English; English pronunciation; **sbagliare la p. di qc.**, to mispronounce st.; to get the pronunciation of st. wrong; **difetto di p.**, speech defect (*o* impediment); **dizionario di p.**, pronouncing dictionary; **errore di p.**, mistake in pronunciation; **fare un errore di p.**, to pronounce st. wrongly (*o* incorrectly); to get the pronunciation of st. wrong; *Fa molti errori di p.*, his pronunciation is poor (*o* bad) **2** (*accento*) accent: *L'ho riconosciuto dalla p.*, I recognized him from his accent **3** (*leg.*)

ruling; judgment: **p. interlocutoria**, interlocutory judgment.

pronunciàbile a. pronounceable: **facilmente p.**, easy to pronounce.

pronunciaménto, pronunciamiento (*spagn.*) m. (*polit.*) military coup*.

♦**pronunciàre** A v. t. **1** (*ling.*) to pronounce: **p. qc. correttamente**, to pronounce st. correctly; **p. male qc.**, to pronounce st. incorrectly; to mispronounce st. **2** (*dire, proferire*) to utter; to say*; to speak*; to articulate: **p. un nome**, to say a name; **p. poche parole**, to say a few words; **non p. una parola**, not to say a word; not to utter a word; **p. lentamente**, to articulate slowly; **p. lettera per lettera**, to spell **3** (*dichiarare pubblicamente, esporre*) to pronounce: **p. un discorso**, to deliver a speech; **p. un giuramento**, to swear an oath; **p. una sentenza**, to return a verdict; to give (*o* to pass) judgment; (*relig.*) **p. i voti**, to pronounce one's vows; to take religious vows B **pronunciàrsi** v. i. pron. (*dichiararsi*) to declare oneself; to speak*; (*dare la propria opinione*) to give* one's opinion (on); (*fare una dichiarazione*) to pronounce (on), to give* one's (*o* a) statement (on): **pronunciarsi contro [a favore di] qc.**, to declare oneself against [in favour of] st.; *Il ministro si pronuncerà domani sulla questione*, the minister will pronounce (*o* give a statement) on the matter tomorrow; *Non mi pronuncio*, I'd rather not comment.

pronunciàto A a. **1** pronounced **2** (*spiccato*) pronounced; marked; strong; (*sporgente*) prominent, protruding: **un p. accento tedesco**, a pronounced (*o* strong) German accent; **naso p.**, prominent nose; **mento p.**, protruding chin; **tratti pronunciati**, marked (*o* pronounced) features; **zigomi pronunciati**, prominent cheekbones B m. (*leg.*) ruling; judgment; findings (pl.): **attenersi al p. del tribunale**, to abide by the ruling of the court.

pronunziàre e deriv. → **pronunciare**, e deriv.

propagàbile a. propagable; (*med.*) contagious.

propagaménto m. → **propagazione**.

propagànda f. **1** propaganda: **p. antinucleare**, antinuclear propaganda; **p. elettorale**, electioneering; canvassing; **la p. nemica**, enemy propaganda; **p. politica**, political propaganda; agitprop (*spreg.*); *È tutta p.*, it's pure propaganda; **fare della p.**, to propagandize; to spread propaganda; **fare p. elettorale per q.**, to canvass for sb.; **campagna di p.**, propaganda campaign **2** (*comm.*) advertising; publicity; promotion: **p. chiassosa**, loud advertising; hype (*fam.*); ballyhoo (*fam.*); **fare p. a qc.**, to advertise st.; to promote st.; to push st.; to plug st. (*fam.*).

propagandàre v. t. **1** to publicize; to promote; (*spreg.*) to propagandize **2** (*reclamizzare*) to advertise; to push; to plug (*fam.*).

propagandìsta m. e f. **1** propagandist; (*elettorale*) canvasser **2** (*comm.*) sales representative; salesman* (m.); saleswoman* (f.).

propagandìstico a. **1** propaganda (attr.); (*spesso spreg.*) propagandistic: **campagna propagandistica**, propaganda campaign; **manifesto p.**, propagandistic poster **2** (*comm.*) advertising (attr.); promotional.

propagàre A v. t. **1** (*biol.*) to propagate: **p. le piante per seme [per talea]**, to propagate plants from seeds [from cuttings] **2** (*spargere, diffondere*) to propagate; to spread*: **p. una malattia**, to propagate a disease; **p. false notizie**, to propagate (*o* to spread) (false) rumours **3** (*fis.*) to propagate: **p. il suono [la luce, il calore]**, to

propagate sound [light, heat] **B** **propagàrsi** v. i. pron. 1 (*biol.*) to propagate 2 (*diffondersi*) to spread*: *La notizia si è propagata in un lampo*, the news spread in a flash; *Il contagio si propagò a tutta la regione*, the infection spread through the whole area 3 (*fis.*) to be propagated; to propagate.

propagatóre **A** a. propagating; spreading **B** m. (f. **-trìce**) propagator.

propagazióne f. 1 (*biol.*) propagation: **la p. delle piante**, the propagation of plants 2 (*il diffondersi*) propagation; spreading; spread: **la p. di una dottrina**, the propagation of a doctrine; **la p. d'una malattia**, the propagation (*o* the spread) of a disease 3 (*fis.*) propagation: **la p. del suono [della luce, del calore]**, the propagation of sound [of light, of heat].

propagginaménto m. → **propagginazione**, *def. 1*.

propagginàre v. t. 1 (*agric.*) to layer 2 (*stor.*) to bury alive head downwards.

propagginazióne f. 1 (*agric.*) layering 2 (*stor.*) execution by burying alive head downwards.

propàggine f. 1 (*agric.*) layer: **riprodursi per p.**, to propagate as a layer 2 (*fig. lett.: prole*) offspring; progeny 3 (*fig.: diramazione*) offshoot: **le propaggini delle Alpi**, the offshoots of the Alps.

propagolazióne f. (*bot.*) propagation by propagules.

propàgolo m. (*bot.*) propagule.

propagulazióne → **propagolazione**.

propàgulo → **propagolo**.

propalàre **A** v. t. to spread* (abroad, around); to divulge; to propagate: **p. informazioni riservate**, to spread abroad confidential information **B** **propalàrsi** v. i. pron. to spread* (abroad); to go* around; to propagate.

propalatóre m. (f. **-trìce**) divulger; spreader.

propalazióne f. divulgation; spreading (abroad).

propàno m. (*chim.*) propane.

propanóne m. (*chim.*) propanone; acetone.

propantriòlo m. (*chim.*) glycerol; glycerine.

proparossìtona f., **proparossìtono** m. (*gramm.*) proparoxytone.

propedèutica f. propaedeutics (pl. col verbo al sing.).

propedèutico a. propaedeutic, propaedeutical; preparatory; (*preliminare*) preliminary: **corso p.**, preparatory course; (*all'università*) **esame p.**, preliminary examination.

propellènte **A** a. propellent; propelling **B** m. propellant: **p. liquido**, liquid propellant.

propèndere v. i. to be inclined; to incline; to tend; to favour (st.): **p. per l'indulgenza**, to be inclined to use leniency; **p. per il no [per il sì]**, to be rather against [in favour of] st.; *Io propendo per l'opinione contraria*, I incline to (take) the opposite view; *Propendo a credere che...*, I am inclined to believe that...; **far p. q. per qc.**, to incline sb. towards st.

propensióne f. 1 (*inclinazione, tendenza*) propensity; inclination; proneness; disposition: **p. a ingrassare**, tendency to put on weight; **p. a prendere decisioni avventate**, proneness to rash decisions; (*econ., stat.*) **p. al consumo [al risparmio]**, propensity to consume [to save] 2 (*disposizione*) natural bent: **avere una p. alla pittura**, to have a natural bent for painting 3 (*simpatia*) penchant (*franc.*); liking; (*preferenza*) preference, inclination, leaning: *Ha una p. per gli*

uomini alti, she has a penchant for tall men 4 (*disponibilità*) readiness; willingness.

propènso a. inclined; disposed; prone; (*disposto*) willing: *Sono p. a credere nella tua innocenza*, I am inclined to believe in your innocence.

properispòmeno a. (*gramm. greca*) properispomenon*.

Propèrzio m. (*stor. letter.*) Propertius.

propilammìna f. (*chim.*) propylamine.

propìle m. (*chim.*) propyl.

propilène m. (*chim.*) propylene.

propilèo m. (*archit.*) propylaeum*.

propìlico a. (*chim.*) propyl (attr.): **alcool p.**, propyl alcohol.

propìna f. examiner's fee.

propinàre v. t. to give*; to feed*; to serve up: **p. un sonnifero a q.**, to give (*di nascosto* to slip) sb. a sleeping drug; *Ci ha propinato uno strano intruglio*, he fed us a strange concoction; *Vedrò di propinargli qualche scusa*, I'll see if I can fob him off with some excuse or other.

propinquità f. (*lett.: affinità*) propinquity; affinity; closeness.

propìnquo (*lett.*) **A** a. near; close **B** m. (spec. al pl.) relative; relation.

propiònico a. (*chim.*) propionic: **acido p.**, propionic acid.

propitèco m. (*zool., Propithecus*) sifaka.

propiziàre v. t. 1 (*rendere propizio*) to propitiate; (*ingraziarsi*) to ingratiate oneself with: **p. gli dei**, to propitiate the gods; **propiziarsi gli insegnanti**, to ingratiate oneself with one's teachers 2 (*favorire*) to induce; to favour.

propiziatóre **A** a. propitiating; propitiating **B** m. (f. **-trìce**) propitiator.

propiziatòrio a. propitiatory: **dono p.**, propitiatory gift.

propiziazióne f. propitiation: **sacrificio di p.**, propitiatory sacrifice.

propìzio a. 1 (*favorevole, benigno*) propitious; favourable: *Gli auspici non sono propizi*, the auspices are not propitious (*o* favourable); *Le circostanze erano propizie ai nostri piani*, the circumstances were propitious to our plans; **rendersi propizi gli dei**, to propitiate the gods; **vento p.**, favourable wind 2 (*opportuno, adatto*) propitious; favourable; suitable; right: **l'occasione propizia**, the right opportunity; **il momento più p. per fare qc.**, the most suitable time for doing st.; **non p.**, unfavourable; unsuitable.

pròpoli m. o f. propolis.

proponènte **A** a. proponent **B** m. e f. proponent; proposer; propounder; (*di mozione*) mover.

proponìbile a. 1 proposable 2 (*leg.: ammissibile*) admissible.

proponiménto m. resolution; intention: *Entrai col fermo p. di dire la mia*, I went in firmly resolved to have my say; *La lasciai col p. di ritornare subito a casa*, I left her intending to go (*o* with the intention of going) back home at once; **fare buoni proponimenti**, to make good resolutions.

proponitóre a. e m. (f. **-trìce**) → **proponente**.

♦ **propórre** **A** v. t. 1 (*suggerire*) to propose; to suggest: **p. un argomento**, to propose a subject; **p. un brindisi**, to propose a toast; to propose (sb.'s) health; «*Che si fa ora?*» «*Tu che cosa proponi?*», «what are we going to do now?» «what do you propose (*o* suggest)?»; *Ci propose di tornare la sera dopo*, he proposed that we should come back the following evening; *Propongo di partire subito*, I suggest leaving (*o* we leave) at once; *Propongo di aggiornare la seduta*, I suggest we adjourn the meeting; I suggest the meeting be adjourned (*form.*) 2 (*presentare*) to

propose; to set*; to put*; to put* forward; give*; (*sottoporre a giudizio*) to submit: **p. un affare**, to propose a deal; to make a business proposition; **p. la candidatura di q.**, to propose sb. as a candidate; **p. un disegno di legge**, to introduce a bill; **p. una mozione**, to propose a motion; **p. un prezzo** (*chiederlo*), to ask a price; **p. un quesito a q.**, to put a question to sb.; **p. un rimedio**, to propose a remedy; **p. q. per una carica**, to propose sb. for a post; **p. un libro a un editore**, to submit a book to a publisher 3 (*offrire*) to offer: **p. un premio**, to offer a prize; **p. un prezzo**, to offer a price; **p. qc. a esempio**, to hold (*o* to set) st. up as an example; to point to st. as an example; **i programmi che propone stasera il primo canale**, the programmes offered tonight on channel one 4 (**proporsi**: *prefiggersi*) to propose, to intend, to set* oneself; (*decidere*) to resolve: **proporsi un obiettivo**, to set oneself a goal; *Mi propongo di indagare personalmente sulla faccenda*, I intend to investigate the matter myself; *Come vi proponete di finanziare questa impresa?*, how do you propose to finance this venture?; *Mi proposi di dimagrire*, I resolved to lose weight; *Mi ero proposto di parlargli*, I had intended to speak to him; (*prov.*) *L'uomo propone e Dio dispone*, man proposes, God disposes **B** **propórsi** v. rifl. (*offrirsi*) to propose oneself; to offer oneself; to volunteer.

proporzionàle **A** a. 1 proportional; proportionate: **imposta p.**, proportional tax; (*polit.*) **rappresentanza p.**, proportional representation; **p. a qc.**, proportional (*o* proportionate) to st. 2 (*mat.*) proportional: **quantità proporzionali**, proportional quantities; **direttamente [inversamente] p.**, directly [inversely] proportional **B** m. (*polit.*) proportional representation **C** f. (*legge*) proportional representation law; (*sistema*) proportional representation.

proporzionalìsmo m. (*polit.*) 1 upholding of proportional representation 2 (*sistema*) proportional representation.

proporzionalità f. (*anche mat.*) proportionality.

proporzionalménte avv. proportionally: **p. a**, in proportion to.

proporzionàre v. t. to proportion; to adjust; to make* (st.) fit (st.): **p. le spese ai redditi**, to proportion (*o* to adjust) one's expenditure to one's income; **p. la pena al delitto**, to make the punishment fit the crime.

proporzionàto a. 1 (*di giuste proporzioni*) proportioned: **ben p.**, well-proportioned; **perfettamente p.**, perfectly proportioned; *Le sue braccia sono [non sono] proporzionate al corpo*, his arms are in [out of] proportion to his body; **non p. a qc.**, out of proportion to st. 2 (*commisurato, adeguato*) proportionate (to); proportional (to); in proportion (to); commensurate (with); on a par (with): *Le nostre spese sono proporzionate alle entrate*, our expenditure is proportionate (*o* in proportion) to our income; *Lo stipendio sarà p. all'esperienza*, the salary will be commensurate with experience.

proporzióne f. 1 (*rapporto di misura*) proportion; (*rapporto*) ratio: **la p. delle parti al tutto**, the proportion of the parts to the whole; **p. diretta [inversa]**, direct [inverse] ratio; **la p. tra le nascite e le morti**, the ratio between births and deaths; *Non c'è p. tra le finestre e la facciata*, the windows are out of proportion with the façade; *Non c'è p. tra il suo valore e il prezzo che ho pagato*, its value bears no relation to the price I paid for it; **mancante di p.**, wanting in proportion; disproportionate; **in p. con** (*o* **a**), in proportion to; proportionately to; **spendere in p. ai propri redditi**, to spend in proportion to one's income; **nella p. di**

tre a uno, in the proportion of three to one; senza p., disproportionate; out of proportion; il senso delle proporzioni, a sense of proportion 2 (simmetria) proportion ⓤ; symmetry; harmony 3 (mat.) proportion: p. armonica, harmonic ratio; p. geometrica, geometric proportion; estremi [medi] di una p., extremes [means] of a proportion; i termini di una p., the terms of a proportion 4 (al pl.) (dimensioni) proportions (anche fig.); dimensions; size (sing.): le proporzioni d'una statua, the proportions of a statue; una nave di proporzioni colossali, a ship of colossal proportions; uno scandalo di enormi proporzioni, a scandal of enormous proportions; di proporzioni ridotte, small; assumere gravi proporzioni, to reach vast proportions.

propositivo a. 1 constructive; positive; proactive: atteggiamento p., constructive attitude 2 (polit.) – referendum p., law--making referendum.

◆**proposito** m. 1 (intento) purpose; (intenzione) intention, design, plan; (proponimento) resolve; (scopo) aim, object: propositi di vendetta, designs (o plans) of revenge; buoni propositi, good intentions; fermo p., firm purpose, firm resolution; Il mio p., nello scrivere questo romanzo..., my aim, in writing this novel...; Il suo p. era di far saltare il ponte, his object was to blow up the bridge; Ci andai col p. di parlargli, I went there intending to speak (o with the intention of speaking) to him; Me ne andai col fermo p. di non tornare più, I left firmly resolved (o with the firm resolve) never to come back; cambiare p., to change one's mind; fare il p. di fare qc., to resolve to do st.; di p., on purpose; deliberately; intentionally; senza p., without purpose; pointlessly; aimlessly; fermezza di p., firmness of purpose 2 (tema, argomento, assunto) subject; point: La tua osservazione è molto a p., your observation is very much to the point; parlare a p., to speak to the point; A che p. me ne parli?, why are you telling me this?; a questo p., on this point; in this connection; fuori di p., irrelevant (agg.); out of place (pred.); inopportune (agg.); inappropriate (agg.); irrelevantly (avv.); beside the point (pred.); Parla sempre fuori di p., he invariably chooses the wrong moment to speak; Vorrei più informazioni in p., I'd like more information on that point (o about it); Sai qualcosa in p.?, do you know anything about it? ● Sparla di lui a ogni p., she never misses a chance (o an opportunity) of running him down □ A p., lo sai che...?, by the way (o speaking of which), did you know that...? □ a p. di, speaking of; apropos of; in connection with: a p. di ciò che mi hai detto ieri, apropos of what you told me yesterday; A p. di libri, l'hai letto l'ultimo di Stephen King?, speaking of books, have you read Stephen King's latest? □ arrivare (o capitare, venire) a p., to come at the right moment; to come pat □ male a p., unsuitable (agg.); ill-timed (agg.); inopportune (agg.); inopportunely (avv.); at the wrong time (o moment) □ Tutto tornò a p., everything turned out all right.

propositore m. (f. -trice) proposer; promoter.

proposizionale a. propositional: (logica) calcolo p., propositional calculus.

proposizione f. 1 (gramm.) clause; sentence: p. coordinata, coordinate clause; p. principale, main clause; p. subordinata, subordinate clause; p. semplice, simple clause 2 (filos., mat.) proposition.

◆**proposta** f. proposal; (di accordo, affari e sim.) proposition; (mozione) motion; (suggerimento) suggestion; (offerta) offer; (eufem.) proposition: la p. di aprire un cen-

tro sportivo, the proposal to open a sports centre; the proposal that a sports centre should be opened; p. contrattuale, contract offer; p. di affari, business proposition; p. di investimento, investment proposition; p. di legge, bill; p. di matrimonio, proposal (of marriage); fare una p. di matrimonio a q., to propose to sb.; ricevere una proposta (di matrimonio), to be proposed to; p. di pace, peace proposal; p. indecente, improper suggestion; proposition; accettare una p., to accept a proposal; to take an offer; avanzare una p., to put forward a proposal; to make a suggestion; fare una p. a q., to make sb. a proposal (o a proposition); Ti faccio una p.: io ti pago i debiti e tu mi prendi come socio, I'm going to make you a proposition: I'll pay your debts and you make me your partner; (eufem.) fare delle proposte a q., to make improper suggestions to sb.; to proposition sb.; respingere (o rifiutare) una p., to reject (o to turn down) a proposal.

propretóre m. (stor. romana) propraetor.

propriamente avv. 1 (realmente, veramente) really; quite; actually; (esattamente) exactly: Non ti so dire p. come sia successo, I can't quite tell you how it happened 2 (in senso proprio) literally: Il termine è da intendersi p., the term should be taken literally; p. detto, proper (posposto) 3 (con proprietà di linguaggio) with propriety of language; properly: esprimersi p., to express oneself with propriety of language 4 (decentemente) properly: p. vestito, properly dressed.

◆**proprietà** f. 1 (caratteristica) property: le p. della materia, the properties of matter; p. chimiche, chemical properties; p. medicinali, medicinal properties 2 (diritto di disporre di qc.) ownership; proprietorship; possession; title: p. assoluta, absolute ownership; (di immobile) freehold; (di terra) fee simple; p. collettiva, collective ownership; p. comune, common property; p. esclusiva, absolute (o complete) ownership; (ind.) p. industriale, patent rights (pl.); p. intellettuale, intellectual property right; p. letteraria (o artistica), copyright; violazione di p. letteraria, infringement of copyright; p. limitata, restricted ownership; p. presunta, reputed ownership; p. pubblica (dello Stato), government (o state) ownership; nuda p., remainder interest; essere di p. di q., to be sb.'s property; to belong to sb.: La casa è di p. di mia moglie, the house belongs to my wife; di p. dello Stato, state-owned (agg.); state property (pred.); rivendicare la p. di qc., to claim ownership of st.; diritto di p., right of ownership; title; trapasso (o passaggio) di p., transfer of title 3 (bene posseduto) property; (al pl., anche) possessions, belongings, assets, estate (sing.); (possedimento) (landed) property, (landed) estate: p. fondiaria, landed property; landed estate; p. immobiliare, real property (o estate); p. mobiliare, personal property (o estate); (cartello) P. privata, private property; no trespassing; p. terriera, property; (tenuta) estate; Ha una piccola p. in Toscana, he has a small property in Tuscany; Si ritirò nelle sue p. in campagna, she retired to her country estate 4 (i proprietari) owners (pl.); proprietors (pl.); (proprietari terrieri) landowners (pl.) 5 (precisione di significato) propriety; correctness: p. di linguaggio, correctness of language; propriety; parlare con p., to speak properly 6 (decoro, garbo) propriety; decorum: vestire con p., to dress with propriety (o properly) ●FALSI AMICI · proprietà nei sensi di caratteristica, bene posseduto e proprietari non si traduce con propriety.

◆**proprietàrio** Ⓐ m. (f. -a) owner; proprietor (f. proprietress); (di pensione, pub, ecc.) landlord (f. landlady): il p. del-

l'auto, the owner of the car; il p. d'un albergo, the owner (o proprietor) of a hotel; p. di fabbrica, factory owner; legittimo p., lawful owner; p. terriero, landowner; landholder; p. unico, sole owner; la società proprietaria di questo immobile, the company that owns (o owning) this building; essere il p. di qc., to be the owner of st.; to own st. Ⓑ a. proprietary: diritti proprietari, proprietary rights.

◆**proprio** Ⓐ a. 1 (strettamente inerente) proper (mat.) frazione propria, proper fraction (astron.) moto p., proper motion; nome p., proper noun; proper name; senso p., proper (o literal) sense 2 (particolare, caratteristico) peculiar; characteristic; distinctive; typical: l'azione propria di certi veleni, the effect peculiar to certain poisons; Il riso e il pianto sono propri dell'uomo, laughter and tears are peculiar to man; con la generosità che gli è propria, with the generosity that distinguishes him (o that is his hallmark) 3 (personale, rafforzativo di agg. poss.) own: Lo vidi con i miei propri occhi, I saw it with my own eyes 4 (esatto, corretto) proper; correct: linguaggio p., correct language; termini propri, correct terms; vero e p. → vero 5 (lett.: decoroso) proper; decorous Ⓑ avv. 1 (precisamente, per l'appunto) just; exactly; precisely; quite; (esattamente) right, very (agg.): p. allora [ora], just then [now]; p. così, just so; quite so; precisely; exactly; p. davanti al teatro, right opposite the theatre; p. in cima, right at the top; p. in mezzo alla stanza, right (o, fam., smack, plumb) in the middle of the room; p. all'ultimo momento, at the very last moment; È p. ciò che volevo, it's exactly (o just) what I wanted; È p. lui!, it's him (all right)!; L'hai detto p. tu, you said so yourself; Ha fatto p. quello che gli ho detto di fare, he did exactly what I told him to do; non p., not exactly; not quite; P. a lui doveva succedere!, why did it have to happen to him, of all people! 2 (veramente, davvero) really; quite; indeed: Quella ragazza è p. bella, that girl is really beautiful; È p. senza scrupoli, she's quite unscrupulous; Sei p. tu?, is it really you?; Non so p. che cosa dire, I really don't know what to say; «Avevo ragione io!» «P.!», «I was right!» «you were indeed!» 3 (affatto) at all; in the least: Non ne ho p. voglia, I don't feel like it at all; Non mi interessa p., I'm not at all (o in the least) interested Ⓒ a. poss. one's: one's own; of one's own; (di lui) his (own); (di lei) her (own); (di animale o cosa) its (own); (di loro) their (own): avere uno stile p., to have a style of one's own; to have one's own style; badare ai fatti propri, to mind one's own business; fare del p. meglio, to do one's best; Mio figlio abita in casa propria, my son lives in his own house; La moglie ha una rendita propria, his wife has an income of her own (o her own income); L'ha scritto lui di proprio pugno, he wrote it in his own hand; Ciascuno tornò al p. posto, everyone went back to his (o their) place ● amor p., self-respect; self-esteem □ fare propria una proposta, to endorse a proposal □ per conto p., by oneself; on one's own Ⓓ pron. poss. one's own; (di lui) his, his (own); (di lei) hers, her (own); (di cosa o animale) its (own); (di loro) theirs, their own Ⓔ m. 1 (ciò che appartiene a q.) one's own, what belongs to one; (ciò che spetta a q.) one's due: rimetterci [spendere] del p., to lose [to spend] one's own money; a ciascuno il p., to each his due (o his own) 2 (eccles.) proper ● Ha una casa in p., he [she] has a house of his [her] own □ lavorare in p., to be self-employed; to work on one's own □ mettersi in p., to set up one's own business □ rispondere in p., to be (held) personally responsible.

propriocettivo a. (fisiol.) propriocep-

tive.

propriocettóre m. (*fisiol.*) proprioceptor.

propriocezióne f. (*fisiol.*) proprioception.

propugnàcolo m. (*fig. lett.*) bulwark.

propugnàre v. t. (*fig.*) to fight* for; to support; to advocate; to champion; to defend: **p. l'abolizione della pena di morte**, to fight for the abolition of the death penalty; **p. riforme**, to advocate (*o* to champion) reforms.

propugnatóre m. (f. *-trìce*) supporter; advocate; champion; defender.

propugnazióne f. support; defence; advocacy; championship.

propulsàre v. t. (*tecn.*) to propel.

propulsióne f. 1 (*mecc., fis., aeron., naut.*) propulsion: **p. a getto** (*o* **a reazione**), jet propulsion; **p. a razzo**, rocket propulsion; **p. liquida** [**solida**], liquid [solid] propulsion; **p. turbo-elettrica**, turbo-electric propulsion; **p. autonoma**, self-propelled 2 (*fig.*) impulse; boost: **dare p. al turismo**, to give tourism a boost.

propulsivo a. propulsive; propelling; driving: **forza propulsiva**, propulsive power; (*anche fig.*) driving force; **spinta propulsiva**, (propelling) thrust.

propulsóre **A** m. 1 (*mecc.*) propulsion system; engine: **p. a elica**, (screw) propeller; **p. a reazione**, reaction engine 2 (*etnol.*) spear-thrower **B** a. propelling; propellent.

propulsòrio → **propulsivo**.

proquestóre m. (*stor. romana*) proquaestor.

pròra → **prua**.

pro ràta loc. avv. e a. inv. (*leg.*) pro rata.

proravìa f. (*naut.*) – **a p.**, forward; ahead; **due miglia a p.**, two miles ahead; **a p. dell'albero di maestra**, before the mainmast.

prorettóre m. pro-rector; pro-Vice Chancellor.

pròroga f. 1 (*dilazione*) extension; respite: **p. di pagamento**, extension of payment; **una p. di tre giorni**, a three days' respite; *Ci sarà una p. di una settimana*, there will be a week's delay; **chiedere** [**concedere, ottenere**] **una p.**, to ask for [to grant, to get] an extension (*o* a respite) 2 (*differimento*) deferment; postponement; delay 3 (*prolungamento*) continuation, extension; (*rinnovo*) renewal: **la p. di un contratto** [**di una licenza**], the extension of a contract [of a licence].

prorogàbile a. extendible; extensible; subject to extension; liable to deferment: *Il contratto è p. per altri due anni*, the contract is extendible for a further two years; **scadenza p.**, expiry date liable to deferment.

prorogabilità f. extendibility; extensibility; liability to deferment.

prorogàre v. t. 1 (*dilazionare*) to extend: **p. la scadenza d'una cambiale**, to extend the time of payment of a bill; to prolong a bill; **p. il termine di iscrizione fino a...**, to extend the deadline for enrolments until...; **p. di alcuni giorni**, to extend for a few days 2 (*differire*) to postpone; to defer; to delay; to put* off: **p. la data di un processo**, to postpone a trial.

prorómpere v. i. (*anche fig.*) to burst*; to burst out (*o* forth); to break* out (*o* forth); (*sgorgare*) to gush: **p. in un applauso**, to burst into an applause; **p. in una risata**, to burst out laughing; **p. in pianto**, to burst into tears; **p. in invettive**, to break out into invectives; *La sua ira, sin allora repressa, proruppe*, his anger, till then repressed, broke out; *«Questo è troppo!» proruppi*,

«this is too much!» I burst out.

pròsa f. 1 prose: **p. letteraria** [**poetica**], literary [poetic] prose; *Ha una p. elegante*, she writes elegant prose; **leggere della p.**, to read prose (*o* prose works); **scrivere in p.**, to write in prose; **un'antologia della p. inglese**, an anthology of English prose; **scrittore di p.**, prose writer 2 (*opera in p.*) prose work, prose writing; (*brano*) piece of prose: **le prose di Montale**, Montale's prose works; **scelta di prose**, selected prose writings 3 (*genere drammatico*) theatre; plays (pl.): *Preferisco la p. all'opera*, I prefer plays to opera; **amante della p.**, theatre lover; playgoer; **attore di p.**, theatre actor; **compagnia di p.**, theatrical company; **stagione di p.**, season of plays; theatrical season; **teatro di p.**, (*genere*) drama; (*attività*) (the) stage; (*edificio*) playhouse 4 (*fig.*) prosaicness; ordinariness.

prosaicìsmo m. prosaicism; prosaism; prosaic character.

prosaicità f. prosaicness; ordinariness; dullness.

prosàico a. (*fig.*: *alieno dalla poesia*) prosaic, matter-of-fact, prosy; (*piatto*) pedestrian, uninspired, dull, humdrum; (*poco poetico*) unpoetic, mundane: **scrivere in modo p.**, to write in a prosaic manner (*o* prosily); *Come sei p.!*, how unpoetic you are!; **vita prosaica**, dull (*o* humdrum) life.

prosàpia f. (*lett.*) stock; lineage; descent; (*nascita*) birth, extraction: **p. illustre**, famous lineage; **di nobile p.**, of noble birth.

prosasticità f. (*lett.*) prosaicness.

prosàstico a. (*lett.*) prose (attr.); prosaic: **scritti prosastici**, prose writings.

prosatóre m. (f. *-trice*) prose writer; prosaist.

proscènio m. (*teatr.*) proscenium*; forestage: **palco di p.**, proscenium (*o* stage) box; **presentarsi al p.** (*per gli applausi*), to take a curtain call.

proscimmia f. (*zool.*) prosimian; (al pl. *scient.*) Prosimii.

prosciògliere v. t. 1 (*liberare*) to release; to free; to set* free; to absolve: **p. q. da un obbligo**, to release (*o* to free) sb. from an obligation; to relieve sb.; **p. q. da un voto** [**da una promessa**], to free sb. from a vow [from a promise] 2 (*leg.*) to acquit: **p. q. dall'accusa di omicidio**, to acquit sb. of murder (*o* on the charge of murder, of murder charge).

proscioglimento m. 1 release: **ottenere il p. da un obbligo**, to obtain (a) release from an obligation 2 (*leg.*) acquittal.

prosciòlto a. (*leg.*) acquitted.

prosciugamento m. 1 (*il prosciugare*) draining; drainage 2 (*il prosciugarsi*) drying up 3 (*il bonificare*) reclamation.

prosciugàre **A** v. t. 1 (*disseccare*) to dry up: *Il sole prosciugò le pozzanghere*, the sun dried up the puddles 2 (*liberare dall'acqua*) to drain; (*bonificare*) to reclaim: **p. campi allagati**, to drain flooded fields; **p. una palude**, to reclaim a marsh 3 (*fig.: esaurire*) to drain; (*scialacquare*) to go* through, to squander: **p. le energie di q.**, to drain sb.'s energy; *La villa ha prosciugato tutti i miei risparmi*, the villa drained all my savings **B** **prosciugàrsi** v. i. pron. 1 (*disseccarsi*) to dry up; (*asciugarsi*) to become* dry: *Quell'estate tutti i torrenti si prosciugarono*, all the streams dried up that summer 2 (*fig.: estinguersi*) to drain away.

• **prosciùtto** m. (cured) ham: **p. affumicato**, smoked ham; **p. di cinghiale**, boar ham; **p. cotto**, (cooked) ham; **p. crudo**, Parma ham; raw ham; prosciutto; **fetta di p.**, slice of ham; **panino al p.**, ham roll; **uova al p.**, ham and eggs ● (*fam.*) **avere le fette di p. sugli occhi**, to be blind to facts [to evidence,

to reality] □ (*fam.*) **avere gli orecchi foderati di p.**, to be totally deaf.

proscritto **A** a. proscribed; banished; exiled **B** m. (f. *-a*) exile.

proscrivere v. t. 1 (*condannare all'esilio*) to proscribe; to banish; to exile 2 (*vietare*) to proscribe; to prohibit; to ban: **p. un'usanza**, to proscribe a custom.

proscrizióne f. 1 proscription; banishment; exilement: **liste di p.**, proscription lists 2 (*divieto*) proscription; prohibition; ban.

prosecutóre m. (f. *-trìce*) continuator.

prosecuzióne f. 1 continuation; prosecution: **durante la p. dell'inchiesta**, while the enquiry was on; as the enquiry was being carried out 2 (*ciò che segue*) sequel; follow-up; development; (*rimanente*) rest.

proseggiàre v. i. (*lett.*) to write* in prose; to use a prose style.

prosegretàrio m. (f. *-a*) vice-secretary.

proseguimento m. (*continuazione*) continuation; prosecution; sequel; follow-up: **p. degli studi**, the continuation of one's studies; **il p. d'un articolo**, the sequel of an article ● **Buon p.!**, (*a chi viaggia*) enjoy the rest of your journey; (*a chi resta*) enjoy your stay [your holidays]!

◆ **proseguire** **A** v. t. to continue; to go* on; to carry on; to keep* up; (*riprendere*) to resume: **p. il cammino**, to continue on one's way; **p. la lettura**, to go on reading; **p. il lavoro**, to go on (*o* to carry on) with one's work; to go on (*o* to continue) working; **p. gli studi**, to continue one's studies; **p. lo studio del francese**, to continue one's study of French; to keep up one's French; **p. il viaggio**, to continue one's journey; (*ripartire*) to resume one's journey **B** v. i. 1 (*continuare ad andare*) to go* on; to drive* on; to keep* going: **p. per Napoli**, to go on to Naples; *Proseguimmo in silenzio fino a Roma*, we drove on in silence till we reached Rome; *Prosegui, non fermarti*, keep going, don't stop; *Il treno prosegue fino a Ferrara* 2 (*continuare*) to continue (st.); to go* on (with st., doing st.); to proceed (with st.): *Le ricerche proseguono*, the search is going on; *Lui proseguì a parlare*, he went on speaking; *Proseguiremo nelle indagini*, we will continue (*o* proceed with) our enquiry; *Prosegui di questo passo*, keep on like this; *Va bene, proseguite pure*, all right, carry on; *Proseguii dicendo che...*, I went on saying that... ● (*su lettera*) «**Far p.**», please forward.

proselitìsmo m. proselytism.

proselitìsta m. e f. proselytizer.

proselito m. (f. *-a*) proselyte; convert: **fare proseliti**, to make proselytes (*o* converts); to proselytize.

prosencèfalo m. (*anat.*) forebrain; prosencephalon.

prosènchima m. (*bot.*) prosenchyma*.

prosettóre m. (f. *-trìce*) (*med.*) prosector; anatomist.

prosièguo m. (*bur.*) continuation ● **in p. di tempo**, subsequently; at a later date.

prosillogìsmo m. (*filos.*) prosyllogism.

prosìndaco m. deputy (*o* acting) mayor.

pròsit (*lat.*) inter. (*nei brindisi*) prosit; cheers; your health.

prosodìa f. prosody.

prosòdiaco, prosòdico a. (*lett.*) prosodic.

prosodìsta m. e f. prosodist.

prosopagnosìa f. (*med.*) prosopagnosia.

prosopografìa f. (*retor.*) prosopography.

prosopopèa f. 1 (*retor.*) prosopopoeia 2 (*spreg.*) pomposity; stuffiness; airs (pl.): **avere una gran p.**, to be pompous; to give oneself a lot of airs; to be toffee-nosed (*GB*).

prosperàre v. i. to prosper; to flourish; to thrive*; to boom: *I suoi affari prosperano*, his business is flourishing (*o* thriving); *Le vendite prosperano*, sales are booming; *In questa regione prospera la vite*, vines flourish in this region; *Queste piante non prosperano nei climi freddi*, these plants don't thrive in cold climates; **p. in salute**, to prosper; to be flourishing; to be thriving.

prosperità f. prosperity; welfare: **la p. di una nazione**, a country's prosperity (*o* welfare); **una lunga p.**, a long period of prosperity; **augurare salute e p.**, to wish (sb.) health and prosperity; **un periodo di grande p.**, a period of great prosperity.

pròspero a. **1** (*fiorente*) prosperous; flourishing; thriving; successful; booming: **economia prospera**, thriving economy; **industrie prospere**, flourishing (*o* booming) industries; **nazione prospera**, prosperous country; **salute prospera**, thriving health; excellent health **2** (*propizio*) propitious, favourable; (*felice*) happy, lucky, fortunate: **anno p.**, prosperous year; **p. inizio**, happy start; **la prospera fortuna**, good luck; **vento p.**, favourable (*o* fair) wind.

prosperóso a. **1** (*prospero*) prosperous; flourishing; thriving: **regione prosperosa**, prosperous region **2** (*fiorente, sano*) healthy; blooming; (*formoso*) well-rounded, buxom, curvaceous, voluptuous: **ragazza prosperosa**, buxom girl; **seno p.**, voluptuous bosom.

prospettàre A v. t. **1** (*presentare, esporre*) to set* out (*o* forth); to present; to point out: **p. le difficoltà di qc.**, to set out the difficulties of st.; **p. un'ipotesi**, to advance a hypothesis; **p. i vantaggi di un progetto**, to point out the advantages of a plan **2** (*proporre*) to propose; to put* forward: **p. un affare**, to propose a deal; **p. una soluzione di compromesso**, to put forward a compromise solution B v. i. (*affacciarsi*) to face (st.); to front (onto); to overlook (st.); to look (onto): *L'albergo prospetta sul mare*, the hotel faces (*o* fronts onto) the sea C **prospettàrsi** v. i. pron. (*apparire, presentarsi*) to appear to be, to look, to promise to be; (*profilarsi*) to be in sight, to loom ahead, to be in store: *La situazione si prospetta favorevole*, the situation appears to be favourable; *Si prospettano decisioni difficili*, difficult decisions are looming ahead; *Mi si prospetta una lunga attesa*, I was in for a long wait; *Chissà che cosa ci si prospetta*, I wonder what is in store for us.

prospèttico a. perspective (attr.); perspectival: **errore p.**, error of perspective; **linee prospettiche**, perspective lines.

prospettìva f. **1** (*nel disegno*) perspective: **a due [tre] punti di fuga**, two-point [three-point] perspective; **p. aerea**, aerial perspective; **p. lineare**, linear perspective; *La p. è sbagliata*, the perspective is wrong; **mancare di p.**, to lack perspective; **fuori p.**, out of perspective; **in p.**, in perspective; **disegnare in p.**, to draw in perspective; **le leggi della p.**, the rules of perspective **2** (*vista panoramica*) view; prospect; vista: *C'è una bella p. da qui*, there is a lovely view from here **3** (*fig.*: *punto di vista*) perspective; standpoint; point of view; angle; slant: *Cerca di vedere la cosa dalla nostra p.*, try and see the thing from our point of view; **vedere le cose sotto una nuova p.**, to see things from a new perspective; **in una p. ambientalistica**, from an environmentalist point of view; **errore di p.**, misjudgment; mistaken estimation **4** (*fig.*: *possibilità futura*) prospect; outlook (solo sing.); (*opportunità*) chance, opening, prospects (pl.): **p. allettante**, attractive prospect; **prospettive di crescita**, growth prospects; **prospettive di impiego**, job prospects; *Le prospettive non*

sono molto brillanti, the prospects are not bright; *Che prospettive ci sono?*, what's the outlook?; what prospects are there?; *Non c'è p. di accordo*, there is no prospect of an agreement; **avere buone prospettive**, to have good prospects; **avere prospettive di successo**, to have some chance of success; *Ho la p. di un lavoro più interessante*, I have a more interesting job in view; **essere senza prospettive**, to offer no prospects; to look bleak; **un lavoro che non offre prospettive**, a job holding no prospects; a dead-end job (*fam.*); **vedere qc. in p.**, to see st. with the future in mind.

prospètto m. **1** (*in grafica*) elevation **2** (*veduta*) view; prospect: **prospetti montani**, mountain views **3** (*ciò che sta di fronte*) front; face; (*facciata*) façade, facade: **il p. d'un edificio**, the front of a building; **guardare qc. di p.**, to get a front view of st.; **vedere qc. di p.**, to see st. from the front; to have a front view of st.; (*teatr.*) **palchi di p.**, front boxes; **ritratto di p.**, full-face portrait **4** (*tabella, specchietto*) table; list; schedule; (*comm., anche*) statement: **p. delle entrate e delle uscite**, list of assets and liabilities; **p. dei costi [degli utili]**, statement of costs [of profits]; **p. informativo**, prospectus; **p. statistico**, statistical table ❶ **FALSI AMICI** • *tranne che nel senso di veduta*, prospetto *non si traduce con* prospect.

prospettóre m. (*ind. min.*) prospector.

prospezióne f. (*tecn.*) prospecting; (*geol.*) survey: **p. geochimica**, geochemical prospecting; **p. oceanografica**, oceanographic survey; **eseguire prospezioni**, to prospect.

prospiciènte a. facing; overlooking; looking onto: **il lato p. la strada**, the side facing the street; *I villini sono prospicienti il mare*, the villas face (*o* look onto) the sea.

prossèmica f. proxemics (pl. col verbo al sing.).

prossenèta m. **1** (*lett.*: *sensale*) go-between; intermediary; broker **2** (*spreg.*: *mezzano*) procurer; pander.

prossenètico m. (*lett.*) brokerage.

prossimàle a. (*anat., geol.*) proximal.

prossimaménte A avv. soon; before long; presently: *Si sposeranno p.*, they are getting married soon; *Ci saranno cambiamenti p.*, there are going to be changes soon (*o* before long); *P. su questo schermo*, coming (*o* showing) soon B m. inv. (*cinem.*) trailer.

prossimità f. (*nello spazio*) proximity, closeness, nearness; (*nel tempo*) closeness, imminence: **la p. del mare**, the proximity (*o* closeness, nearness) of the sea; *La p. delle elezioni accentuò il dibattito*, with the election approaching, the debate heated up; **in p. del lago**, near the lake; *Si era in p. di Pasqua*, Easter was drawing near.

♦**pròssimo** A a. **1** (*molto vicino*) (very) near; close (avv.); (*nel tempo, anche*) at hand (pred.); (*imminente*) imminent, in the offing, coming soon; (*recente*) recent: **il p. futuro**, the near future; **parente p.**, near (*o* close) relative; *Natale è p.*, Christmas is at hand (*o* near, getting close); **p. alla fine**, near the end; (*fig.*) near one's end; *È p. un aumento delle tariffe telefoniche*, an increase in the telephone tariffs is imminent; **l'ormai prossima data di scadenza**, the impending deadline; the looming deadline; *Le vacanze sono ormai prossime*, the holidays are almost upon us; **essere p. ai quarant'anni**, to be nearly forty; to be getting on for forty; **essere p. a fare qc.**, to be about to do st.; to be on the point of doing st.; **in un passato p.**, recently; not long ago **2** (*successivo*) next: **la settimana prossima**, next week; **il p. mese**, next month; **il p. treno**, the next train; **la**

prossima volta che ti vedrò, the next time I see you; **nei prossimi giorni**, in the next few days ● **p. venturo**, next; following □ **le cause prossime**, the direct causes □ (*gramm.*) **passato p.**, present perfect □ (*gramm.*) **trapassato p.**, past perfect; pluperfect B m. neighbour, neighbor (*USA*); fellow man*; fellow creatures (pl.); (*gli altri*) the others: **il nostro p.**, our neighbour; our fellow creatures; *Ama il p. tuo come te stesso*, love thy neighbour as thyself; **parlar male del p.**, to speak ill of one's neighbour; **rispetto del p.**, respect for one's neighbour.

prostaglandìna f. (*biol., chim.*) prostaglandin.

pròstata f. (*anat.*) prostate.

prostatectomìa f. (*med.*) prostatectomy.

prostàtico a. (*anat.*) prostate (attr.); prostatic: **ghiandola prostatica**, prostate (*o* prostatic) gland.

prostatìsmo m. (*med.*) prostatism.

prostatìte f. (*med.*) prostatitis.

prosternàre A v. t. (*lett.*) to prostrate; to throw* down B **prosternàrsi** v. rifl. **1** to prostrate oneself: **prosternarsi ai piedi di q.**, to prostrate oneself at sb.'s feet **2** (*fig.*) to abase oneself; to kowtow (to sb.).

prosternazióne f. prostration.

pròstesi f. (*ling.*) prosthesis*.

prostètico a. (*ling., chim.*) prosthetic.

pròstilo m. (*archit.*) prostyle.

prostituìre A v. t. (*anche fig.*) to prostitute: **p. il proprio corpo**, to prostitute oneself; to sell one's body; **p. il proprio talento**, to prostitute one's talent B **prostituìrsi** v. rifl. (*anche fig.*) to prostitute oneself.

prostitùta f. prostitute.

prostitùto m. male prostitute.

prostituzióne f. (*anche fig.*) prostitution: **darsi alla p.**, to prostitute oneself; to become a prostitute; **esercitare la p.**, to be a prostitute.

prostràre A v. t. **1** (*lett.*: *distendere a terra*) to lay* flat on the ground; (*abbattere*) to throw* down **2** (*fig.*: *indebolire, fiaccare*) to prostrate; to exhaust; to lay* low: *La lunga malattia lo ha prostrato*, the long illness has prostrated him **3** (*fig.*: *abbattere*) to prostrate, to demoralize; (*umiliare*) to humble, to abase B **prostràrsi** v. rifl. **1** to prostrate oneself: **prostrarsi ai piedi di q.**, to prostrate oneself before sb. **2** (*fig.*: *umiliarsi*) to abase oneself; to kowtow (to sb.).

prostràto a. **1** prostrate **2** (*fig.*: *sfinito*) prostrate; exhausted **3** (*fig.*: *abbattuto*) prostrate; demoralized; dejected: **p. dalle fatiche [dal dolore]**, prostrate with toil [with grief].

prostrazióne f. **1** prostration **2** (*fig.*: *sfinimento*) prostration; exhaustion **3** (*fig.*: *abbattimento*) prostration; demoralization; dejection: **essere in uno stato di p.**, to be in a state of prostration.

prosuòcera f. mother of one's father-in-law [mother-in-law].

prosuòcero m. father of one's father-in-law [mother-in-law].

protagonìsmo m. (*spreg.*) desire to be the centre of attention; desire to be in the limelight; attention-seeking; self-advertisement; self-promotion: **p. esasperato**, incessant self-promotion; **essere malato di p.**, to be constantly trying to put oneself in the limelight; to be an attention-seeker.

♦**protagonìsta** m. e f. **1** (*teatr.*) leading actor (m.), leading actress (f.); (*cinem.*) star; (*nel teatro greco antico*) protagonist: **protagonisti e comprimari**, leading and supporting actors; *Ha vinto l'Oscar come migliore attore [non] p.*, he won an Academy Award for best actor [supporting actor]; **parte di p.**, leading role; lead; (*in un lavoro che ha per*

titolo il nome del protagonista) title role 2 (*personaggio principale di romanzo, ecc.*) main character; protagonist; (*eroe*) hero; (*eroina*) heroine: *Il romanzo ha tre protagonisti*, the novel has three main characters; **la p. di «Jane Eyre»**, the heroine of «Jane Eyre»; **un film senza protagonisti**, a film without a main character 3 (*estens.: figura principale*) protagonist; person playing a leading role: **i protagonisti della rivoluzione**, the protagonists of the revolution; those who played a leading role in the revolution; *Fu p. di un fatto comico*, something funny happened to him.

protagonìstico a. self-advertising; self-promoting.

protàllo m. (*bot.*) prothallium*.

protanopìa f. (*med.*) protanopia.

protàntropo → **protoantropo**.

pròtasi f. (*letter., gramm.*) protasis*.

proteàsi f. (*biochim.*) protease.

♦**protèggere** Ⓐ v. t. 1 to protect; (*difendere*) to defend, to guard, to shield; (*custodire*) to take* care of, to watch over; (*salvaguardare*) to safeguard; (*mettere al riparo*) to shelter: *Dio lo protegga!*, God protect him!; *Mentii per proteggerlo*, I lied to protect (*o* to shield) him; **p. da un attacco**, to protect from (an) attack; to safeguard against attack; **p. dalle delusioni**, to safeguard from disappointments; **p. dal contagio**, to guard against the spread of infection; **p. dal pericolo**, to protect from danger; to guard; **p. dalla pioggia**, to shelter from the rain; **proteggersi la testa dal sole**, to protect one's head from the sun 2 (*soccorrere*) to help; to aid; to defend 3 (*promuovere*) to promote; to foster; to patronize; (*econ.*) to protect; (*favorire*) to favour: **p. le arti**, to promote (*o* to patronize) the arts; **p. l'industria**, to promote (*o* to foster) industry 4 (*comput.*) to protect Ⓑ **protèggersi** v. rifl. to protect oneself; to guard oneself; to shield oneself; (*mettersi al riparo*) to take* shelter.

protèico a. (*chim.*) proteinaceous; proteinous; protein (attr.): **contenuto p.**, protein content; **sostanze proteiche**, proteins.

proteifórme a. protean.

proteìna f. (*chim.*) protein.

proteìnico → **proteico**.

proteinoterapìa f. (*med.*) protein therapy.

proteinùria f. (*med.*) proteinuria.

pròtele m. (*zool., Proteles cristatus*) aardwolf*.

pro tèmpore (*lat.*) loc. avv. pro tempore; pro tem; for the time being.

protèndere Ⓐ v. t. to hold* out; to stretch out: **p. le braccia**, to stretch out one's arms Ⓑ **protèndersi** v. rifl. 1 (*allungarsi*) to stretch out; to reach forward [out]; (*sporgersi*) to lean* forward [out] 2 (*sporgere*) to stretch (out); (*estendersi*) to extend (out), project (out), to jut (out), to push (out): *I rami si protendono oltre il muro*, the branches stretch out beyond the wall; *Una lingua di terra si protende nel mare*, a land-spit juts out into the sea; **protendersi da una finestra**, to lean out of a window; **protendersi in avanti per afferrare qc.**, to lean forward to grab sb.; *Si protese verso di me*, he reached out towards me; *Si protese sul tavolo per prendere la penna*, she reached over the table to take the pen.

pròteo m. (*zool., Proteus anguineus*) proteus; olm.

Pròteo m. (*mitol.*) Proteus.

proteoglicàno m. (*chim.*) proteoglycan.

proteolìsi f. (*biol., chim.*) proteolysis.

proteolìtico a. (*chim.*) proteolytic.

proteòma m. (*biol.*) proteome.

proteòmica f. (*biol.*) proteomics (pl. col verbo al sing.)

proteòmico a. (*biol.*) proteomic.

proterandrìa f. (*biol.*) protandry.

proteràndro a. (*biol.*) protandrous.

proterànto a. (*bot.*) proteranthous.

proteranzìa f. (*bot.*) proteranthy.

proteroginìa f. (*biol.*) protogyny.

proterògino a. (*biol.*) protogynous.

proteròglifo m. (*zool.*) proteroglyph.

protèrvia f. (*lett.*) arrogant obstinacy; arrogance; insolence.

protèrvo a. (*lett.*) arrogant; obstinate; insolent.

pròtesi f. 1 (*med.*) prosthesis*: **p. acustica**, hearing aid; **p. al silicone**, silicone implant; **p. dell'anca** (*l'operazione*), hip replacement; **p. dentaria**, dental prosthesis; false set of teeth; **p. ortopedica**, artificial limb 2 (*gramm.*) prosthesis, prothesis.

protèsico a. (*med.*) prosthetic.

protesìsta m. e f. prosthetist; (*odontotecnico*) prosthodontist.

protèso a. 1 outstretched; leaning forward [out, over st.]: **braccia protese**, outstretched arms; *Era p. sul tavolo*, he was leaning over the table 2 (*fig.*) intent (on): **p. a far carriera**, intent on his career.

♦**protèsta** f. 1 protest; (*lamentela*) complaint, remonstrance: **p. verbale [scritta]**, oral [written] protest; **p. ufficiale**, official protest; **per p.** (*o* **in segno di p.**), in protest; as a (gesture of) protest; **gesto di p.**, gesture of protest; **marcia [sciopero] di p.**, protest march [strike] 2 (*ribellione, contestazione*) rebellion: **la p. giovanile**, youthful rebellion 3 (*attestazione pubblica*) protestation; avowal: **p. d'amore [d'amicizia]**, protestation of love [of friendship].

protestànte a., m. e f. (*relig.*) Protestant: **la riforma p.**, the Protestant Reformation.

protestantèsimo m. (*relig.*) Protestantism.

protestàntico a. (*relig.*) Protestant (attr.).

♦**protestàre** Ⓐ v. t. 1 (*dichiarare formalmente*) to protest; to declare: **p. amicizia [fedeltà]**, to protest one's friendship [one's loyalty]; **p. la propria innocenza**, to protest one's innocence 2 (*comm.*) to protest: **p. una cambiale**, to protest a bill (of exchange) Ⓑ v. i. to protest; to make* a protest; (*lagnarsi*) to complain, to remonstrate: **p. contro un provvedimento**, to protest against a measure; *Fu indetto uno sciopero per p. contro i licenziamenti*, a strike was called in protest against the lay-offs Ⓒ **protestàrsi** v. rifl. to protest; to declare: *Si protestò innocente*, he protested his innocence; (*leg.*) he pleaded not guilty.

protestatàrio a. protesting; of protest.

protestatóre m. (f. **-trice**) protester.

protèsto m. (*leg.*) protest: **p. per mancata accettazione**, protest for non-acceptance; **fare un p.**, to make a protest; **in p.**, under protest; **mandare una cambiale in p.**, to protest (*o* to dishonour) a bill; **avviso di p.**, notice of protest; **spese di p.**, protest charges.

protettìvo a. protective: **atteggiamento p.**, protective attitude; protectiveness; **dazi protettivi**, protective duties; **occhiali protettivi**, protective glasses.

♦**protètto** Ⓐ a. protected; shielded; (*riparato*) sheltered: (*econ.*) **industrie protette**, protected industries; **luogo p.**, sheltered place; (*ecol.*) **specie protette**, protected species; (*ecol.*) **zona protetta**, protected area Ⓑ m. (f. **-a**) protégé (*franc.*) (f. protégée); favourite.

protettoràto m. (*polit.*) protectorate.

protettóre Ⓐ m. (f. **-trice**) 1 protector (f. protectress); defender; guardian: **p. degli oppressi**, protector of the oppressed 2 (*fautore*) patron (f. patroness): **p. delle arti**, patron of the arts 3 (*di prostituta*) pimp; ponce (*GB*) Ⓑ a. protecting; protective ● **santo p.**, patron saint □ **Società protettrice degli animali**, Society for the Prevention of Cruelty to Animals.

♦**protezióne** f. 1 (*il proteggere, difesa*) protection; defence; care; (*riparo*) shelter: **p. antiaerea**, air-raid protection; **p. antincendio**, fire protection; **p. civile**, civil defence; **p. dal freddo**, protection against the cold; **p. dell'ambiente**, protection of the environment; environmental protection; **p. del consumatore**, consumer protection; **la p. dei deboli**, the protection of the weak; **sotto la p. di q.**, under sb.'s protection (*o* care); **senza p.**, without protection; unprotected; unguarded; defenceless; **chiedere la p. della polizia**, to ask for police protection; **dare p.**, to protect; **invocare la p. di Dio**, to invoke God's (help and) protection; **offrire p.**, to offer protection; **prendere q. sotto la propria p.**, to take sb. under one's tutelage (*o, fam.*, under one's wing); **copertura [involucro] di p.**, protective cover [wrapper]; **crema di p. antisolare**, sun-protection cream; **misure di p.**, protective measures; precautions 2 (*patrocinio*) patronage; support: **la p. delle arti**, the patronage of the arts 3 (*appoggio, favoritismo*) favouritism; help from people in high places 4 (*gergo criminale*) protection 5 (*comput.*) security: **p. dei dati**, data security ● **aria di p.**, patronizing air □ **tono di p.**, patronizing tone □ **Società per la p. degli animali**, Society for the Prevention of Cruelty to Animals.

protezionìsmo m. 1 (*econ.*) protectionism 2 (*ecol.*) conservationism.

protezionìsta a., m. e f. 1 (*econ.*) protectionist 2 (*ecol.*) conservationist.

protezionìstico a. (*econ.*) protectionist (attr.).

protìde m. (*biol.*) protein.

protìdico a. (*biol., chim.*) proteic.

pròtio m. (*chim.*) protium.

pròtiro m. (*archit.*) prothyrum*.

protìsta m. (*biol.*) protist; (al pl., *scient.*) Protista.

protistologìa f. protistology.

pròto m. (*tipogr.*) chief composer.

protoàntropo m. (*antrop.*) protohuman.

protoattìnio m. (*chim.*) protactinium.

protocanònico a. (*eccles.*) protocanonical.

protocollàre① v. t. (*bur.*) to record; to register; to file.

protocollàre② a. 1 protocol (attr.); required by protocol; official 2 (*fig.*) formal; ceremonial.

protocollìsta m. e f. keeper of records; filing clerk.

protocòllo m. 1 (*registro*) register of documents; record; book: **p. della corrispondenza in arrivo [in partenza]**, inward [outward] letter-book; **essere a p.**, to be on record; **mettere a p.**, to record; to register; to file; **numero di p.**, reference number 2 (*accordo internazionale*) protocol 3 (*cerimoniale*) protocol; ceremonial: **secondo il p.**, according to the protocol 4 **carta (formato) p.**, foolscap (paper) 5 (*procedura*) protocol 6 (*comput.*) protocol.

protogermànico a. e m. (*ling.*) Proto-Germanic.

protògino① a. protogynous.

protògino② m. (*miner.*) protogine.

protoindoeuropèo a. e m. (*ling.*) Proto-Indo-European.

protolingua f. (*ling.*) protolanguage.

protomàrtire m. e f. (*relig.*) protomartyr;

first martyr.

protomatèria f. (*astrofisica*) primordial matter.

protomèdico m. (*stor.*) chief physician; archiater.

protomotèca f. collection of busts.

protóne m. (*fis.*) proton.

protònico① a. (*fis.*) protonic; proton (attr.): **carica protonica**, proton charge.

protònico② a. (*gramm.*) pretonic.

protonotariàto m. (*eccles.*) protonotaryship.

protonotàrio m. (*eccles.*, *stor.*) protonotary.

protooncogène m. (*biol.*) proto-oncogene.

protoplàsma m. (*biol.*) protoplasm.

protoplaşmàtico a. (*biol.*) protoplasmic.

protoplàsto m. (*biol.*) protoplast.

protoràce m. (*zool.*) prothorax.

protoromàntico a. e m. (f. **-a**) (*letter.*) early Romantic.

protoromànzo a. e m. (*ling.*) Proto-Romance.

protosemìtico a. e m. (*ling.*) Proto-Semitic.

protosincrotróne m. (*fis.*) proton synchrotron.

protoşlàvo a. e m. (*ling.*) Proto-Slavonic.

protòssido m. (*chim.*) protoxide: **p. di azoto**, nitrous oxide.

protostélla f. (*astron.*) protostar.

protostòria f. protohistory.

protostòrico a. protohistoric.

protòtipo Ⓐ m. **1** prototype: **il p. dei moderni sottomarini**, the prototype of modern submarines **2** (*fig.*) prototype; typical example: **il p. del borghese**, the typical middle-class man; **il p. dell'idiota**, a perfect idiot Ⓑ a. prototypal; prototypic.

protòttero m. (*zool.*, *Protopterus annectens*) (African) lungfish.

protovangèlo m. protoevangelium.

protoȥoàrio a. (*zool.*) protozoal; protozoic.

protoȥòico a. (*geol.*) Archeozoic.

protoȥòo m. (*zool.*) protozoan; protozoon*; (al pl., *scient.*) Protozoa.

protràrre Ⓐ v. t. **1** (*prolungare*) to protract; to prolong; to extend: **p. i colloqui**, to protract the talks; **p. la propria permanenza di alcuni giorni**, to extend one's stay for a few days **2** (*differire*) to postpone; to defer; to delay; to put* off: **p. la partenza**, to postpone (o to put off) one's departure Ⓑ **protràrsi** v. i. pron. to be protracted; to go* on; (*durare*) to last: *La riunione si protrasse fino a mezzanotte*, the meeting went on until midnight; **una situazione che si protrae da mesi**, a situation that has been going on for months.

protràttile a. (*zool.*) protrusible; protractile.

protrazióne f. **1** (*prolungamento*) protraction; prolongation **2** (*differimento*) postponement; deferment; delay; putting off.

protrombìna f. (*biol.*, *chim.*) prothrombin.

protrombìnico a. (*biol.*) prothrombin (attr.).

protrùdere v. t. e i. (*med.*) to protrude.

protrudìbile a. (*scient.*) protrusible.

protruşióne f. (*med.*) protrusion.

protrùşo a. (*med.*) protrusive; protruding.

protuberànte a. protuberant; bulging; prominent.

protuberànȥa f. **1** protuberance; bulge; swelling; (*bernoccolo*) bump, lump: **formare una p.**, to form a protuberance; to bulge out

2 (*astron.*) prominence: **p. solare**, solar prominence.

protutèla f. (*leg.*) protutorship; deputy guardianship.

protutóre m. (*leg.*) protutor; deputy guardian.

proustiàno a. Proustian.

proustìte f. (*miner.*) proustite.

prov. abbr. **1** (**provincia**) province, district **2** (**provinciale**) provincial.

♦**pròva** f. **1** (*verifica*) trial; test; proof; (*esperimento*) experiment, test: **p. a freddo**, cold test; (*mecc.*) **p. al banco**, bench test; (*cucina*) **p. di assaggio**, tasting; **p. di collaudo**, acceptance test; **p. di durata**, endurance test; **p. di elasticità**, elasticity test; **p. di forza**, trial of strength; **p. di resistenza**, endurance test; **p. di sicurezza**, reliability test; (*mil.*) **p. di tiro**, range trial; **p. di velocità**, speed trial; **p. su strada**, road test; **in p.**, on trial; (*di persona assunta*) on probation; (*comm.*) on approval; **assumere q. in p.**, to take sb. on for a trial period; **fare una p.**, to do a test (o to try (st.) out; *Fa' prima la p. su un campione*, try it out on a sample first; **mettere alla p.**, to put to the test (o to the proof); to test; to try; to put (sb.) through his [her] paces; **reggere alla p.**, to stand the test; **superare [non superare] una p.**, to pass [to fail] a test; *Voglio vederlo alla p.*, (*di cosa*) I want to see it tested; (*di persona*) I want to put him to the test; **apparecchio di p.**, test set; **banco di p.**, test bench; (*fig.*) acid test; **campione di p.**, trial sample; **offerta di p.**, trial offer; **periodo di p.**, trial period; (*mecc.*) test period; (*di persona assunta*) period of probation; (*naut.*) **viaggio di p.**, trial cruise; (*aeron.*) **volo di p.**, trial flight **2** (*di abito*) fitting: **fare una p.**, to have a fitting **3** (*esame*) examination; exam; test: **p. orale**, oral examination (o test); **p. psicotecnica**, intelligence test; **p. scritta**, written test; *Le prove d'inglese avranno luogo domani*, the English examinations will take place tomorrow; **sostenere una p.**, to sit for (o to take) an examination (o an exam); **superare una p.**, to pass a test (o an examination) **4** (*cimento*) ordeal; trial; test: (*stor.*) **p. delle armi**, trial by combat; **p. del fuoco**, (*stor.*) ordeal by fire; (*fig.*) acid test **5** (*tribolazione*) trial; affliction: **subire dure prove**, to undergo hard trials; to suffer bitterly **6** (*sport: gara*) trial; (*evento*) event; (*prestazione*) performance: **p. a cronometro**, time trial; **p. di durata**, long-distance trial; **p. di resistenza**, test of stamina; **p. di salto con l'asta**, pole vaulting event; **prova deludente**, poor performance **7** (*sforzo*, *tentativo*) attempt; try; go (*fam.*); shot (*fam.*); bash (*fam.*); crack (*fam.*): *Dopo l'ennesima p., rinunciò*, after the umpteenth try (o attempt) he gave up; **fare una p.**, to try; to have a try; to have a go (o bash, shot) at st. (*fam.*) **8** (*dimostrazione*) proof: **p. d'acquisto**, proof of purchase; **a p. di quanto ho detto...**, as (a) proof of what I said...; **p. ne sia che...**, the proof is that...; **prova ne sia il...**, witness the...; **fino a p. contraria**, until proved otherwise; **dare p. di affidabilità**, to prove (to be) reliable; **dare p. di coraggio**, to show one's courage; to behave bravely; **dare p. d'intelligenza**, to show one's intelligence; **essere la p. vivente di**, to be the living proof of **9** (*leg.*) proof; (*elemento di p.*) piece of evidence, evidence Ⓤ: **p. a carico**, evidence for the prosecution; **p. a discarico**, evidence for the defence; **una p. determinante**, a crucial piece of evidence; **p. in contrario**, evidence to the contrary; **p. indiziaria**, circumstantial evidence; **p. legale**, legal evidence; **p. testimoniale**, testimonial evidence; **prove concrete**, concrete evidence; **prove schiaccianti**, incontrovertible evidence; **prove false**, fabricated evidence; **addurre prove**, to

bring evidence; **falsificare le prove**, to fabricate evidence; **fornire prove**, to produce evidence; **inquinare le prove**, to tamper with the evidence; **usare come p.**, to produce as evidence; *Ci servono delle prove*, we need evidence; *Abbiamo le prove di un suo coinvolgimento*, we have evidence of his involvement; *Non hanno nessuna p. in mano*, they have no evidence; **assoluzione per insufficienza di prove**, acquittal on the grounds of lack of evidence (o of insufficient evidence); *Mancano le prove per condannarlo*, there isn't enough evidence to convict him; *Questo non fa p. in giudizio*, this evidence won't stand (up) in court; **l'onere della p.**, the burden of proof **10** (*teatr.*) rehearsal: **p. generale**, dress rehearsal; *La commedia andrà in p. la settimana prossima*, the play will go into rehearsal (o rehearsals of the play will start) next week; **fare le prove**, to rehearse **11** (*mat.*) proof: **la p. dell'addizione**, the proof of the addition; **p. del nove**, casting out nines; (*fig.*) crucial test **12** (*tipogr.*: *bozza*) proof: **tirare una p.**, to pull a proof ◆ **a p. d'acqua**, waterproof □ **a p. di bomba**, bomb-proof □ **a p. di cannone**, shell-proof □ **a p. di fuoco**, fireproof □ **a p. di scasso**, burglar-proof □ **a tutta p.**, well-tried; proven; (*fidato*) reliable, trusty □ **dare buona p.**, to stand the test □ **dare buona p. di sé**, to give a good account of oneself; to put up a good show □ **fare buona [cattiva] p.**, to prove good [bad] □ **mettere a dura p.**, to try sorely; to tax; to put a strain on: **mettere a dura p. la pazienza di q.**, to try (o to tax) sb.'s patience; **una persona duramente messa alla p.**, a sorely tried person □ **conoscere qc. per p.**, to know st. from experience.

provàbile a. provable; verifiable; demonstrable.

provacircùiti m. inv. (*elettr.*) circuit analyzer.

provapìle m. inv. (*elettr.*) battery tester.

♦**provàre** Ⓐ v. t. **1** (*sperimentare, mettere alla prova*) to try; to try out; (*collaudare, saggiare*) to test: **p. un'auto**, to try a car; (*prima di comprarla*) to test-drive a car; **p. un'auto su strada**, to road-test a car; **p. un fucile [un cavallo]**, to try a gun [a horse]; **p. le capacità di q.**, to test sb.'s abilities; **p. la purezza di un metallo**, to test the purity of a metal; **p. una medicina [un nuovo metodo]**, to try out a medicine [a new method]; *Provalo prima su un pezzetto di stoffa*, try it out on a piece of material first **2** (*assaggiare*) to taste; to try: *Prova queste castagne!*, taste these chestnuts! **3** (*un abito, ecc.*) to try on; (*dal sarto*) to have a fitting: (o **provarsi**) **un paio di scarpe [un cappello]**, to try on a pair of shoes [a hat]; *Provalo!*, try it on!; *Verrò a provarmi il vestito la settimana prossima*, I'll come to have a fitting (o for a fitting) next week **4** (*fare un tentativo*) to try; to attempt; to have a try (o a go, a bash, a shot, a crack) (*fam.*); (*cimentarsi in*) to try one's hand (at st.): **p. a fare qualche passo**, to try to take a few steps; *Provai a spingere il tavolo*, (*feci il tentativo*) I tried to push the table; (*feci la prova*) I tried pushing the table; *Prova a indovinare*, try and guess; *Proviamo un po'!*, let's have a try (o a go, a bash); *Prova tu adesso*, now you try; now you have a go at it; *Fammi p.*, let me try; let me have a go at it; *Prova se riesci a sapere quando verrà*, try and find out when he will come **5** (*sperimentare in sé*) to feel*; to experience; to have: **p. amore**, to feel love; **p. avversione per qc.**, to have (o to feel) dislike for st.; **p. delusione**, to feel disappointed; **p. dolore [gioia]**, to feel pain [joy]; **p. la fame [la miseria, la sete]**, to experience hunger [poverty, thirst]; **p. pietà per q.**, to feel pity for sb.; **p. i piaceri della vita all'aperto**, to ex-

perience the pleasures of outdoor life; **p. piacere in qc.**, to get pleasure out of st.; *Che cosa hai provato quando l'hai scoperto?*, what did you feel when you found out about it? **6** (*cimentare, mettere alla prova*) to try; (*indebolire*) to weaken: *La disgrazia lo ha duramente provato*, misfortune has sorely tried him; *La malattia l'ha molto provato*, his illness weakened him a lot **7** (*dimostrare*) to prove; to show*; to demonstrate: **p. la propria innocenza**, to prove one's innocence; **p. la validità di una teoria**, to demonstrate the validity of a theory; **p. la verità di qc.**, to demonstrate the truth of st.; *Questo è ancora* (*o è tutto*) *da p.*, this has yet to be proved; *Te lo proverò con documenti*, I'll prove it to you with documents; *Il suo comportamento prova la sua intelligenza*, his behaviour shows his intelligence **8** (*teatr.*) to rehearse **B provàrsi** v. i. pron. **1** (*tentare*) to try, to attempt; (*sforzarsi*) to do* one's best, to endeavour: *Mi proverò a essere più puntuale*, I'll try to be more punctual; (*fam.*) *Provati ad alzare un dito!*, just you try and lift a finger!; *Mi ci proverò*, I'll try; I'll have a go at it (*fam.*) **2** (*cimentarsi, misurarsi*) to put* oneself to the test; to measure oneself (against sb.): *Mi voglio provare con lui*, I want to measure myself (*o* my strength) against him. ● NOTA: *to try* → **to try** ● (*fam.*) **provarci**, (*cercare di farla franca*) to try it on; (*fare avances*) to come on to (o with); to try it on with; to hit on; *Provaci!*, just you try!; *Vorrei vedere che ci provasse con me!*, I'd like to see him try it out on me!; *Ci stai provando?*, are you coming on to me?; are you hitting me? □ **P. non costa nulla**, there's no harm in trying □ **P. per credere**, first try and then trust □ (*prov.*) **L'eccezione prova la regola**, the exception proves the rule.

provàto a. **1** (*sperimentato*) proven; tried; reliable: **provata capacità**, proven ability; **di provata fiducia**, trustworthy; (*fedele*) loyal **2** (*colpito*) tried: **p. dalle sventure**, tried by misfortune **3** (*affaticato*) exhausted, worn-out; (*indebolito*) weakened: **p. nel fisico e nel morale**, both physically and morally exhausted.

provatransistóri m. inv. (*elettron.*) transistor tester.

provatùbi → **provavalvole**.

provatùra f. fresh buffalo-milk cheese.

provavàlvole m. inv. (*elettron.*) tube tester.

proveniènza f. (*origine*) origin; (*luogo d'origine*) provenance, place of origin; (*fonte*) source: **merci di p. italiana**, goods of Italian provenance; **di p. ignota**, of unknown provenance; **notizie di p. attendibile**, news coming from a reliable source; **luogo di p.**, place of origin; **paese di p.**, country of origin.

◆**provenìre** v. i. **1** (*arrivare, venire*) to come*; to be (from): *Queste merci provengono dalla Spagna*, these goods come from Spain **2** (*derivare*) to derive, to come*, to stem; (*avere origine*) to originate, to arise*; (*essere causato*) to be caused: *Molti termini scientifici provengono dal greco*, many scientific terms derive from Greek; *Le nostre difficoltà provengono da una serie di fattori*, our difficulties are caused by a number of facts.

provènto m. (*comm.*) proceeds (pl.); receipts (pl.); return; gain; income; earnings (pl.): **il p. di una vendita**, the proceeds of a sale; **proventi illeciti**, illicit gains; **vivere dei proventi del proprio lavoro**, to live on one's earnings.

proventrìglio m. (*zool.*) proventriculus*; proventricule.

Provènza f. (*geogr.*) Provence.

provenzàle A a. Provençal; Provence

(*attr.*): **la poesia p.**, Provençal poetry B m. e f. Provençal C m. (*ling.*) Provençal.

provenzaleggiànte a. (*letter.*) in the Provençal style.

provenzaleggiàre v. i. (*letter.*) to use Provençal forms (o idioms).

provenzalìsmo m. (*letter.*) Provençal idiom.

provenzalìsta m. e f. (*letter.*) student of Provençal language and literature; Provençal scholar.

proverbiàle a. **1** proverbial: **detto p.**, proverbial saying; proverbialism; **saggezza p.**, proverbial wisdom **2** (*fig.*) proverbial; (*rif. a qualità negative, anche*) notorious: *Si tratta del p. nodo gordiano*, it's a case of the proverbial Gordian knot; *La sua avarizia è p.*, his stinginess is proverbial (o notorious); *Questo ufficio è proverbiale per la sua incompetenza*, this office is a by-word for incompetence.

◆**provèrbio** m. proverb; saying; (*adagio*) adage, (wise) saw: **come dice il p.**, as the saying goes; **passare in p.**, to become proverbial; (*Bibbia*) **il Libro dei Proverbi**, the Book of Proverbs.

proverbióso a. full of proverbs; sententious.

provètta f. **1** (*chim.*) test tube: **p. graduata**, graduated tube; **bambino in p.**, test-tube baby **2** (*mecc.*) test bar.

provètto a. **1** experienced; practised; skilled: **alpinista p.**, skilled mountain climber; **insegnante p.**, experienced teacher; **mano provetta**, practised hand **2** (*lett.*) mature: **età provetta**, mature age.

provider (*ingl.*) m. inv. (*comput.*) (Internet) provider.

◆**provìncia** f. **1** (*circoscrizione amministrativa*) province; district: *L'Italia è divisa in province*, Italy is divided into provinces **2** (*ente emministrativo*) provincial council: *Lavora alla P.*, she works for the provincial council **3** (*di contro a «capoluogo»*) (the) provinces (pl.): **abitare in p.**, to live in the provinces (o in a small town); **venire dalla p.**, to come from the provinces; **abitudini di p.**, provincial customs; **città di p.**, small town; **gente di p.**, provincials; country people; **la vita di p.**, provincial life; life in a small town **4** (*paese, regione*) country; district; region; land: **viaggiare in lontane province**, to travel through distant countries (o lands) **5** (*stor. romana, eccles.*) province **6** (*geol.*) province.

provincialàto m. (*eccles.*) provincialate.

◆**provinciàle** A a. **1** (*della provincia*) provincial: **consiglio p.**, provincial council; **strada p.**, provincial road **2** (*di provincia*) provincial; (*spreg., anche*) small-town (attr.), parochial: **mentalità p.**, small-town (o parochial) mentality **3** (*eccles.*) – **padre p.**, provincial B m. e f. provincial; (*spreg.*) small-towner C f. (*strada p.*) provincial road.

provincialìsmo m. **1** (*l'essere provinciale*) provincialism; (*spreg., anche*) parochialism **2** (*ling.*) provincialism; local word.

provincialità f. provinciality; (*spreg.*) provincialism, parochialism.

provincializzàre v. t. to provincialize.

provincializzazióne f. provincialization.

provìno m. **1** (*cinem.*) screen test: **fare un p. a q.**, to screen-test sb. **2** (*campione*) test piece; specimen **3** (*chim.: provetta*) test tube **4** (*fotogr.*) contact print.

provitamìna f. (*biol., chim.*) provitamin.

provocànte a. **1** (*che provoca*) provocative: **parole provocanti**, provocative remarks **2** (*che eccita*) provocative; sexy: **atteggiamento p.**, provocative pose; **donna**

p., sexy woman; **fisico p.**, sexy figure; **occhiate provocanti**, provocative glances; come-hither glances (*fam.*); **lanciare occhiate provocanti a q.**, to give sb. the come-on (*fam.*); **vestito p.**, sexy dress.

◆**provocàre** v. t. **1** (*causare, suscitare*) to cause; to produce; to trigger; (*indurre*) to induce: **p. danni**, to cause damage; **p. fastidi a q.**, to give sb. a lot of trouble; **p. il mal di testa**, to cause (o to give) a headache; **p. un raffreddore**, to bring on a cold; **p. una reazione**, to provoke (o to trigger) a reaction; **p. il vomito**, to induce vomiting **2** (*eccitare*) to provoke; to excite; to arouse; to stir up; (*istigare*) to incite: **p. la collera [la pietà] di q.**, to arouse sb.'s anger [pity]; **p. commenti**, to arouse comment; **p. il riso**, to provoke laughter; **p. un tumulto**, to provoke (o to excite) a riot **3** (*eccitare eroticamente*) to excite; to arouse **4** (*irritare*) to provoke; to irritate; to annoy: *Provocheresti anche un santo*, you are enough to provoke a saint; *Non mi p.!*, don't provoke me!

provocatìvo a. provocative.

provocatóre A m. (f. **-trice**) provoker; troublemaker B a. provocative; provoking ● **agente p.**, agent provocateur (*franc.*).

provocatòrio a. provocative.

provocazióne f. **1** (*atto, effetto del provocare*) provocation; **reagire alla minima p.**, to react to the slightest provocation **2** (*sfida*) challenge: **raccogliere la p.**, to accept the challenge.

pròvola f. round-shaped soft cheese made from buffalo milk.

provolóne m. roundish firm cheese made from cow's milk.

◆**provvedére** A v. i. **1** to provide (for); (*mantenere*) to support; (*prendersi cura*) to take* care (of); to look (after): **p. ai bisogni della propria famiglia**, to provide for one's family; *Ho quattro persone a cui p.*, I have four people to support; **p. all'istruzione dei figli**, to provide for the education of one's children; **p. ai rifugiati**, to take care of refugees; *Chi provvederà ai bambini?*, who'll look after the children? **2** (*prendere un provvedimento*) to take* steps; to take* measures; to act: *Dobbiamo p. subito*, we must act immediately (o take immediate steps); *Si è già provveduto*, steps have already been taken **3** (*incaricarsi di, organizzare*) to see* (to, about); to take* care (of); to attend (to); to arrange (st.): **p. ai preparativi**, to see to the preparations; to arrange everything; to take care of things; *Provvederò io*, I'll see to it; I'll take care of everything; **p. di persona**, to see (o to attend) to st. personally; **p. alla sistemazione dei senzatetto**, to arrange accommodation for the homeless; *Ho provveduto a saldare i miei debiti*, I have paid my debts B v. t. **1** (*procurare*) to provide; to get*; to secure: **p. legna per il camino**, to get wood for the fireplace **2** (*dotare, fornire*) to provide; to supply; to furnish: *La natura ha provvisto l'uomo di due mani*, nature has provided man with two hands: **p. di viveri la spedizione**, to supply the expedition with provisions C **provvedérsi** v. rifl. to provide oneself (with); to equip oneself (with); to furnish oneself (with); to get* (st.): **provvedersi di abiti caldi**, to provide oneself with warm clothes; **provvedersi di passaporto**, to get a passport.

◆**provvedimènto** m. **1** (*riparo, rimedio*) measure; action; step: **p. disciplinare**, disciplinary measure; **prendere provvedimenti contro**, to take steps (o measures) against; to provide against **2** (*misura di previdenza*) precaution: **provvedimenti di sicurezza**, safety precautions; **provvedimenti sanitari**, sanitary precautions; **prendere provvedimenti**, to take precautions **3** (*leg.*)

order; regulation; sanction: **p. amministra-tivo**, administrative regulation.

provveditoràto m. (*polit.*) local superintendency (*o* authority): **p. agli studi [ai trasporti]**, local education [transport] superintendency.

provveditóre m. (f. **-trice**) **1** (*polit.*) local superintendent: **p. agli studi**, local education superintendent **2** (*fornitore*) provider; furnisher: (*naut.*) **p. navale**, ship chandler.

provvedùto → **provvisto**.

provvidaménte avv. providently; with foresight.

provvidènza f. **1** (*il provvedere*) providing; provision **2** (*provvedimento*) measure; provision; (*sussidio*) benefit, allowance: **provvidenze a favore dei disoccupati**, measures (*o* provisions) for the unemployed; **provvidenze sociali**, social benefits **3** (*relig.*) providence; heaven: **la divina P.**, Divine Providence; **ringraziare la p.**, to thank heaven; **dono della p.**, godsend; **le vie della p.**, the ways (*o* workings) of Providence **4** (*evento fortunato*) providential event; piece of good luck: **Fu una vera p.**, it was really providential; it was heaven-sent; it was a real piece of good luck.

provvidenziàle a. providential; heaven--sent; (*tempestivo*) timely: **aiuto p.**, providential (*o* heaven-sent) help; **pioggia p.**, providential rain.

provvidenzialìsmo m. (*filos.*) providentialism.

provvidenzialità f. providential nature; timeliness.

provvidenzialménte avv. providentially.

pròvvido a. (*lett.*) **1** (*previdente*) provident; foreseeing; (*prudente*) prudent, wise **2** (*provvidenziale*) providential; (*tempestivo*) timely; (*opportuno*) wise, appropriate.

provvigionàle a. (*comm.*) related to a commission or brokerage.

provvigióne f. (*comm.*) commission: **p. di intermediazione**, brokerage; **p. sulle vendite**, commission on sales; sales commission; **una p. del 5%**, a 5% commission; **fare pagare una p.**, to charge a commission; **vendere a p.**, to sell on commission; **franco p.**, free of commission; **contratto di p.**, commission contract.

provvisionàle a. (*leg.*: *indennizzo*) interim compensation; (*sentenza*) interim award.

provvisióne f. (*eccles.*, *stor.*) provision.

provvisoriaménte avv. provisionally; temporarily; for the time being.

provvisorietà f. provisional character.

provvisòrio a. provisional; preliminary; draft (attr.); temporary; interim; makeshift: **bilancio p.**, preliminary draft budget; **contratto p.**, provisional contract; **governo p.**, provisional government; **impiego p.**, temporary job; **misure provvisorie**, interim measures; **programma p.**, preliminary programme; **riparazione provvisoria**, makeshift repair; **in via provvisoria**, provisionally; temporarily; in the interim.

◆**provvìsta** f. **1** (*il provvedere*) provision; supply **2** (*cose provvedute*) provision (generalm. al pl.); supply; (*scorta*) store, stock: **provviste alimentari**, food supplies; provisions; (*naut.*) **provviste di bordo**, ship's stores; **una buona p. di scatolame**, a good stock of tinned food; **Le nostre provviste si stanno esaurendo** [*sono finite*], our supplies are running short [have run out]; **avere una buona p. di qc.**, to have a good supply of st.; to be well-supplied with st.; **essere a corto di provviste**, to be short of supplies; to be understocked; **fare p. di qc.**, to get in a stock of st.; to stock up on (*o* with)

st.; (*naut.*) **fare p. d'acqua**, to take in water; to water; **fare provviste**, to make provisions; to lay in stores **3** (*eccles.*, *stor.*) provision **4** (*banca*) provision.

provvìsto a. **1** provided (with); equipped (with); supplied (with); stocked (with): **un freezer ben p.**, a well-stocked freezer; **p. di ogni comodità**, a equipped with every comfort (*o*, *fam.*, with all mod cons) **2** (*fig.*) – **ben p.** (*ricco*), well off; wealthy.

prozìa f. great-aunt.

prozìo① m. great-uncle.

pròzio② m. (*fis.*) protium.

prùa f. **1** (*naut.*) bow, bows; stem; head; prow: **p. a rompighiaccio**, icebreaker stem; **p. a rostro**, beak-headed bow; **a p.**, forward; at the bow; **andare a p.**, to go forward; **La nave era inclinata a p.**, the ship was (down) by the head; **con la p. al vento**, head to the wind; (*nella virata*) in stays; **da poppa a p.**, from stem to stern; fore and aft; **di p.**, forward (attr.); fore (attr.); **castello di p.**, forecastle; fo'c'sle; **vento di p.**, head wind; **di p. a dritta [a sinistra]**, on the starboard [port] bow; **dirigere la p. al largo**, to stand out to sea; to stand off; **mettere la p. al vento**, to head into the wind; **volgere la p. verso**, to head for **2** (*aeron.*) nose **3** (*aeron.*, *naut.*: *angolo*) heading: **p. magnetica**, magnetic heading; **p. vera**, true heading.

prude (*franc.*) a. inv. prudish; prim.

◆**prudènte** a. prudent; careful; judicious; wise; (*cauto*) cautious, wary: **decisione p.**, prudent decision; **guidatore p.**, careful driver; **stima p.**, conservative estimate; *È più p. girare armati*, it is more prudent to carry a gun; *Sii p. nel parlare*, be careful what you say; **poco p.**, imprudent; unwise; **troppo p.**, over-cautious.

prudènza f. prudence; (*cautela*) caution, circumspection; (*precauzione*) precaution: **abbandonare ogni p.**, to cast prudence to the winds; **agire con p.**, to act with circumspection; **avere** (*o* usare) **p.**, to use caution; to be prudent; **guidare con p.**, to drive carefully; **per p.**, as a precaution; to be on the safe side; *È meglio abbondare in p.*, better be safe than sorry; *Ti consiglio maggior p.*, you should be more prudent; *La p. non è mai troppa*, you can never be too prudent.

prudenziàle a. prudential; precautionary: **misure prudenziali**, precautionary measures; precautions; **stima p.**, conservative estimate; **per motivi prudenziali**, for prudential reasons.

prùdere v. i. to itch; to be itchy; (*pizzicare*) to tickle: *Mi prude un piede*, my foot is itching; *Mi prude la gola*, my throat tickles; *Mi prude dappertutto*, I'm itchy all over; *Dove ti prude?*, where does it itch? ● (*fig.*) **sentirsi le mani**, (*voler fare qc.*) to be itching to do st.; (*voler picchiare*) to be itching to punch [to slap, etc.] sb. □ (*fig.*) **sentirsi p. la lingua**, to be itching to say what one thinks.

pruderie (*franc.*) f. inv. prudery; prudishness; primness: **p. sessuale**, sexual prudery.

prueggiàre v. i. (*naut.*) to sail against the wind; to beat* to windward.

pruéggio m. (*naut.*) sailing against the wind; beating to windward: **andare a p.** → **prueggiare; stare a p.**, to be moored head--on.

prùgna Ⓐ f. (*bot.*) plum: **p. regina Claudia**, greengage; **prugne cotte**, stewed prunes; **prugne denocciolate**, pitted prunes; **prugne secche**, dried plums; prunes Ⓑ a. inv. plum (attr.): **color p.**, plum-coloured.

prùgno m. (*bot.*, *Prunus domestica*) plum, plum-tree.

prùgnola f. (*bot.*) sloe.

prùgnolo m. (*bot.*, *Prunus spinosa*) blackthorn; sloe.

pruìna f. **1** (*bot.*) bloom **2** (*poet.*: *brina*) hoarfrost.

pruinóso a. (*bot.*) pruinose.

prunàio m. **1** thorn-bush; blackthorn thicket **2** (*fig.*) thorny situation; predicament; fix (*fam.*); tight corner (*fam.*).

prunàlbo m. (*bot.*) hawthorn.

prunèlla① f. (*bot.*, *Brunella vulgaris*) prunella; self-heal.

prunèlla② f. **1** (*ind. tess.*) prunella **2** (*liquore*) plum brandy.

prunéto m. thorn-bush; blackthorn thicket.

prùno m. **1** (*bot.*, *Prunus spinosa*) blackthorn; sloe **2** (*spina*) thorn.

prurìgine f. **1** (*lett.*) itchiness; itch (*anche fig.*) **2** (*med.*) prurigo; pruritus.

pruriginóso a. **1** itchy; pruriginous (*med.*); prurient (*med.*) **2** (*fig.*: *stuzzicante*) prurient; titillating.

prurìto m. **1** itch; itching; itchiness; pruritus (*med.*); (*pizzicore*) tickle: **un p. alla schiena**, an itching in one's back; **dare p.**, to itch; to be itchy; **sentire p.**, to itch; to be itchy; feel itchy **2** (*fig.*) itch: **un p. alle mani**, an itch to do st.; (*voglia di picchiare*) an itch to slap (sb.).

prussianèsimo, **prussianìsmo** m. Prussianism.

prussiàno a. e m. (f. **-a**) Prussian.

prussiàto m. (*chim.*) prussiate; cyanide: **p. giallo [rosso] di potassio**, yellow [red] prussiate of potash.

prùssico a. (*chim.*) prussic: **acido p.**, prussic (*o* hydrocyanic) acid.

PS abbr. **1** (**Pesaro**) **2** (**Polizia di Stato**) police **3** (*lat.*: *post scriptum*) (**poscritto**) postscript (PS) **4** (*med.*, **pronto soccorso**) accident & emergency; emergency room; casualty **5** (**pubblica sicurezza**) public security.

psammìte f. (*geol.*) sandstone.

psammòfilo a. (*bot.*) psammophylous.

psammòfita f. (*bot.*) psammophyte.

psàmmon m. (*zool.*) psammon.

PSCARL sigla (*econ.*, **piccola società cooperativa a responsabilità limitata**) small cooperative (company) with limited liability.

PSDI sigla (*polit.*, *stor.*, **Partito socialista democratico italiano**) Italian Socialist Democratic Party.

psefìte f. (*geol.*) psephite.

psefìtico a. (*geol.*) psephitic.

psefologìa f. psephology.

pseudacàcia f. (*bot.*, *Robinia pseudoacacia*) false acacia; locust-tree.

pseudepìgrafo Ⓐ a. pseudepigraphic Ⓑ m. pseudepigraphic text; (al pl.) pseudepigrapha.

pseudoacàcia → **pseudacacia**.

pseudoartròsi f. (*med.*) pseudoarthrosis.

pseudocàrpo m. (*bot.*) pseudocarp.

pseudoconcètto m. (*filos.*) pseudo-concept.

pseudocultùra f. pseudoculture.

pseudoepìgrafo → **pseudepigrafo**.

pseudoermafroditìsmo m. (*biol.*) pseudohermaphroditism.

pseudoermafrodìto Ⓐ a. pseudohermaphroditic Ⓑ m. pseudohermaphrodite.

pseudoestesìa f. (*med.*) pseudaesthesia.

pseudofrùtto m. (*bot.*) pseudocarp; false fruit.

pseudogravidànza f. (*med.*) phantom

pregnancy; pseudopregnancy.

pseudointellettuàle a., m. e f. (*spreg.*) pseudo-intellectual; pseud (*fam.*).

pseudomembràna f. (*med.*) pseudomembrane.

pseudomòrfo a. (*miner.*) pseudomorphic; pseudomorphous.

pseudomorfòṣi f. (*miner.*) pseudomorphism.

pseudònimo m. pseudonym; assumed name; fictitious name; (*di scrittore*) pen-name, nom de plume (*franc.*); (*di attore*) stage-name: **scrivere sotto p.**, to write under an assumed name (*o a nom de plume*); *Tofano scrisse sotto lo p. di Sto*, Tofano wrote under the name of Sto; **scritto sotto p.**, pseudonymous.

pseudoparàliṣi f. (*med.*) pseudoparalysis.

pseudòpo m. (*zool.*, *Ophisaurus apodus*) glass lizard; glass snake.

pseudopòdio m. (*biol.*) pseudopodium*; pseudopod.

pseudoprofèta m. false prophet.

pseudoscientìfico a. pseudoscientific.

pseudosciènza f. pseudoscience.

pseudoscorpióne m. (*zool.*) false scorpion; pseudoscorpion.

pseudosimmetrìa f. (*miner.*) pseudosymmetry.

pseudosoluzióne f. (*chim.*) pseudosolution.

psi m. o f. (*ventitreesima lettera dell'alfabeto greco*) psi.

PSI sigla (*polit.*, *stor.*, **Partito socialista italiano**) Italian Socialist Party.

psicagogìa f. psychagogy.

psicagògico a. psychagogic.

psicagògo m. psychagogue.

psicanàliṣi e *deriv.* → **psicoanalisi**, e *deriv.*

psicastenìa f. (*psic.*) psychasthenia.

psicastènico a. (*psic.*) psychasthenic.

psìche① f. **1** psyche; mind **2** (*psic.*) psyche.

psìche② f. (*specchio*) cheval glass.

psìche③ f. (*zool.*, *Canephora unicolor*) psyche.

Psìche f. (*mitol.*) Psyche.

psichedèlico a. psychedelic: **droga psichedelica**, psychedelic drug; **luci psichedeliche**, psychedelic lights.

psichiàtra m. e f. psychiatrist.

psichiatrìa f. psychiatry.

psichiàtrico a. psychiatric; mental: **disturbi psichiatrici**, psychiatric disorders; **ospedale p.**, mental hospital; **perizia psichiatrica**, psychiatric examination.

psichiatrizzàre v. t. to consider a psychiatric patient; to give* psychiatric treatment to; to psychiatrize.

psichiatrizzazióne f. psychiatrization.

psìchico a. psychic; mental: **disturbi psichici**, mental (*o* psychic) disorders; **fenomeni psichici**, psychic phenomena; **minorato p.**, mentally defective person; **trauma p.**, psychic trauma.

psichìṣmo m. (*psic.*) psychism.

psicoanalèttico a. e m. (*farm.*) psychotonic.

psicoanàliṣi f. psychoanalysis.

psicoanalista m. e f. psychoanalyst.

psicoanalìtico a. psychoanalytic.

psicoanalizzàre v. t. (*med.*) to psychoanalyse, to psychoanalyze (*USA*).

psicoastenìa → **psicastenia**.

psicoastènico → **psicastenico**.

psicoattitudinàle a. aptitude (attr.): **test p.**, aptitude test.

psicoattìvo a. (*farm.*) psychoactive; psychotropic.

psicobiologìa f. psychobiology.

psicochirurgìa f. psychosurgery.

psicocinèṣi f. (*psic.*) psychokinesis.

psicodiagnòstica f. (*psic.*) psychodiagnostics (pl. col verbo al sing.).

psicodiagnòstico a. (*psic.*) psychodiagnostic.

psicodidàttica f. applied psycholinguistics.

psicodinàmica f. (*psic.*) psychodynamics (pl. col verbo al sing.).

psicodinàmico a. (*psic.*) psychodynamic.

psicodràmma m. (*psic.*) psychodrama.

psicofàrmaco m. (*farm.*) psychotropic drug; psychoactive drug; psychotherapeutic drug.

psicofarmacologìa f. psychopharmacology.

psicofarmacològico a. psychopharmacological.

psicofìṣica f. (*psic.*) psychophysics (pl. col verbo al sing.).

psicofìṣico a. (*psic.*) psychophysical.

psicofiṣiologìa f. psychophysiology.

psicofiṣiològico a. psychophysiological.

psicogalvànico a. – (*med.*) **riflesso p.**, psychogalvanic response.

psicogèneṣi f. (*psic.*) psychogenesis.

psicogenètico a. (*psic.*) psychogenetic.

psicògeno a. (*psic.*) psychogenic.

psicografìa f. psychography.

psicogràfico a. (*psic.*) psychographic.

psicògrafo m. psychograph.

psicogràmma m. psychogram.

psicoimmunologìa f. psychoneuroimmunology.

psicolàbile Ⓐ a. psychically unstable Ⓑ m. e f. psychically unstable person.

psicolèttico (*farm.*) Ⓐ a. psycholeptic Ⓑ m. psycholeptic drug.

psicolinguìsta m. e f. psycholinguist.

psicolinguìstica f. psycholinguistics (pl. con verbo al sing.).

psicolinguìstico a. psycholinguistic.

◆**psicologìa** f. **1** (*scienza*) psychology: **p. analitica**, analytic psychology; **p. applicata**, applied psychology; psychotechnics (pl. col verbo al sing.); **p. clinica**, clinical psychology; **p. dell'età evolutiva**, developmental psychology; **p. del profondo**, depth psychology; **p. del lavoro**, occupational psychology; **p. evolutiva**, developmental psychology; **p. sociale**, social psychology **2** (*conoscenza dell'anima umana*) **usare un po' di p.**, to use some psychology **3** (*maniera di pensare, fattori psicologici*) psychology; mental make-up.

◆**psicològico** a. **1** (*relativo alla psicologia*) psychological: **guerra psicologica**, psychological warfare; **metodi psicologici**, psychological methods; **studio p.**, psychological study **2** (*relativo alla mente*) psychological; psychic; mental: **danno p.**, psychological damage; **differenze psicologiche**, psychological differences; **il mondo p.**, the psychic world.

psicologìṣmo m. psychologism.

psicologìsta m. e f. psychologue.

psicologìstico a. psychologistic.

psicologizzàre v. t. to psychologize.

psicòlogo m. (f. **-a**) (*anche estens.*) psychologist.

psicomanzìa f. psychomancy.

psicometrìa f. **1** (*psic.*) psychometrics (pl. con verbo al sing.); psychometry **2** (*parapsicologia*) psychometry.

psicomètrico a. psychometric: **test p.**, psychometric test.

psicomimètico a. psychoactive; psychotropic.

psicomotòrio a. (*med.*) psychomotor.

psicomotricìsta m. e f. psychomotility therapist.

psicomotricità f. (*psic.*) psychomotility.

psiconeuròṣi, **psiconeuròtico** → **psiconevrosi**, **psiconevrotico**.

psiconevròṣi f. (*psic.*) psychoneurosis.

psiconevròtico a. e m. (f. **-a**) (*psic.*) psychoneurotic.

psicopatìa f. (*psic.*) psychopathy; mental illness; mental disorder.

psicopàtico (*psic.*) Ⓐ a. psychopathic Ⓑ m. (f. **-a**) psychopath.

psicopatologìa f. (*psic.*) psychopathology.

psicopatològico a. (*psic.*) psychopathological.

psicopatòlogo m. (f. **-a**) psychopathologist.

psicopedagogìa f. educational psychology.

psicopedagògico a. of (*o* relating to) educational psychology; educational psychology (attr.).

psicopedagogìsta m. e f. educational psychologist.

psicoplegìa f. (*med.*) psychoplegia.

psicoplègico a. (*farm.*) psychoplegic.

psicopòmpo Ⓐ m. psychopomp; psychopompos Ⓑ a. psychopompous.

psicoprofilàssi f. (*psic.*) psychoprophylaxis.

psicoprofilàttico a. (*psic.*) psychoprophylactic.

psicosensoriàle a. psychosensory.

psicosessuàle a. psychosexual.

psicosessuologìa f. psychosexology.

psicòṣi f. **1** (*psic.*) psychosis* **2** (*fig.*) hysteria; panic: **la p. di un'epidemia**, the hysteria about an epidemic; **la p. degli esami**, the examination panic; **p. collettiva**, mass hysteria.

psicosociàle a. psychosocial.

psicosociologìa f. social psychology.

psicosomàtico a. (*med.*) psychosomatic: **disturbo p.**, psychosomatic disorder; **medicina psicosomatica**, psychosomatic medicine.

psicostaṣìa f. (*relig.*) psychostasy.

psicostimolànte m. (*farm.*) psychostimulant.

psicotècnica f. (*psic.*) psychotechnology.

psicotècnico (*psic.*) Ⓐ a. psychotechnic Ⓑ m. (f. **-a**) psychotechnician.

psicoterapèuta m. e f. psychotherapist.

psicoterapèutico a. psychotherapeutic.

psicoterapìa f. (*med.*) psychotherapy: **p. di gruppo**, group psychotherapy.

psicoteràpico a. (*med.*) psychotherapeutic.

psicoterapìsta → **psicoterapeuta**.

psicòtico a. e m. (f. **-a**) (*psic.*) psychotic.

psicotomimètico a. (*farm.*) psychotomimetic.

psicotònico a. e m. (*med.*) psychostimulant.

psicòtropo a. (*farm.*) psychotropic.

psicròfilo a. (*biol.*) psychrophilic.

psicromètrico a. (*meteor.*) psychrometer (attr.).

psicròmetro m. (*meteor.*) psychrometer.

psictère m. (*archeol.*) psykter, psycter.

psìlla f. (*zool.*, *Psylla*) psylla.

psilomelàno m. (*miner.*) psilomelane.

psilòṣi f. (*med.*, *ling.*) psilosis.

psittacismo m. (*med.*) psittacism.
psittacòsi f. (*med.*) psittacosis.
psòas m. (*anat.*) psoas*.
psocòttero m. (*zool.*) psocopteran; (al pl., *scient.*) Psocoptera.
psoriasi f. (*med.*) psoriasis.
psòrico a. (*med.*) psoriatic.
PT abbr. **1** (**Pistoia**) **2** (**Polizia tributaria**) excise and revenue police **3** (**poste e tele-comunicazioni**) post and telecommunications service.
P.ta abbr. **1** (**porta**) gate **2** (geogr., **punta**) point.
ptàrmica → **tarmica**.
ptèride f. (*bot.*, *Pteris aquilina*) bracken; brake.
pteridòfita f. (*bot.*) pteridophyte; (al pl., *scient.*) Pteridophyta.
pterìgio m. (*anat.*) pterygium*.
pterigòide m. (*anat.*) pterygoid process.
pterigoidèo a. (*anat.*) pterygoid.
pterilòsi f. (*zool.*) pterylosis.
ptèrocle m. (*zool.*, *Pterocles*) sandgrouse.
pterodàttilo m. (*paleont.*) pterodactyl.
pteròide m. (*zool.*, *Pterois volitans*) red volitan lion; red firefish.
ptèropo m. (*zool.*, *Pteropus*) flying fox.
pteròpode m. (*zool.*) pteropod; (al pl., *scient.*) Pteropoda.
pterosàuro m. (*paleont.*) pterosaur; (al pl., *scient.*) Pterosauria.
ptialina f. (*biol.*) ptyalin.
ptialismo m. (*med.*) ptyalism.
ptilonorinco m. (*zool.*, *Ptilonorhyncus violaceus*) satin bower-bird.
ptilòsi f. (*med.*) ptilosis.
ptomaina f. (*chim.*) ptomaine.
ptòsi f. (*med.*) ptosis.
PTP sigla (**posto telefonico pubblico**) local telephone office; telephone booth.
PU sigla **1** (**Pesaro e Urbino**) **2** (**polizia urbana**) municipal police.
puàh inter. ugh!; yuk!
pubblicàbile a. publishable.
pubblicaménte avv. publicly; in public.
pubblicàno m. (*stor.*) publican; tax collector.
♦**pubblicàre** v. t. **1** (*lett.*: *divulgare*) to make* public; to divulge; to broadcast*; to spread* (about): **p. una notizia**, to spread a piece of news; **p. un segreto**, to divulge a secret **2** (*promulgare*) to publish; to promulgate; to issue: **p. una legge**, to publish a law; (*sulla Gazzetta Ufficiale*) to gazette a law; **p. un decreto**, to issue a decree **3** (*editoria*) to publish; to bring* out; to issue: **p. un giornale** [**un libro**], to publish a newspaper [a book]; **p. a puntate**, to publish in serial form (o serially); to serialize; **p. un annuncio su un giornale**, to put an advertisement in a paper; to advertise in a paper; *Il mio nuovo romanzo sarà pubblicato in giugno*, my new novel will come out in June; *L'avviso è stato pubblicato su tutti i giornali*, the warning appeared in all the papers.
pubblicazióne f. **1** (*il rendere pubblico*) publication: **la p. d'una legge**, the publication of a law **2** (*editoria*) publication; publishing: **la p. d'un libro**, the publication of a book; **a p. mensile**, published monthly; **di recente p.**, recently published; just out; **di prossima p.**, forthcoming; in press; **curare la p. d'un libro**, to edit a book; **sospendere la p.**, to suspend publication **3** (*opera pubblicata*) publication; (*titolo*) title: **p. aziendale**, house organ; **p. mensile**, monthly (magazine); **p. periodica**, periodical; journal; magazine; **p. trimestrale**, quarterly (magazine, journal) **4** (al pl., *anche* **pubblicazioni matrimoniali**) banns: **fare le pubblica-**

zioni, to publish the banns.
pubblicista m. e f. **1** (*giorn.*) freelance journalist **2** (*leg.*) expert in public law.
pubblicìstica f. (*giorn.*) **1** (*attività*) political journalism; current affairs journalism **2** (*pubblicazioni*) current affairs press.
pubblicìstico a. **1** (*giorn.*) related to political journalism; current affairs (attr.) **2** (*leg.*) public law (attr.).
♦**pubblicità** f. **1** (*carattere pubblico*) publicity: **la p. dei processi**, the publicity of trials **2** (*divulgazione, diffusione*) publicity: **dare p. a qc.**, to give publicity to st.; to publicize st. **3** (*notorietà*) publicity: **p. negativa**, adverse publicity; **andare in cerca di p.**, to seek publicity; **evitare ogni p.**, to avoid publicity; **farsi p.**, to publicize oneself; **una trovata per farsi p.**, a publicity stunt **4** (*propaganda commerciale*) advertising; (*campagna pubblicitaria*) advertising campaign: **p. comparativa**, comparative advertising; **p. diretta**, direct advertising; **p. luminosa**, neon advertising; **p. martellante**, relentless publicity campaign; hype (*fam.*); **p. radiofonica [televisiva]**, radio [television] advertising; **p. sensazionalistica**, hype (*fam.*); *La p. è l'anima del commercio*, advertising is the very soul of trade; **fare p. a qc.**, to advertise; (*promuovere*) to promote st., to push st. (*fam.*), to plug st. (*fam.*); to give st. a plug (*fam.*); *Era lì solo per fare p. al suo nuovo disco*, he was there only to plug his new disc; **lavorare in p.**, to work in advertising; **agente di p.**, advertising agent; adman* (*fam.*); **agenzia di p.**, advertising agency; **direttore della p.**, advertising manager; **spese di p.**, advertising costs **5** (*annuncio pubblicitario*) advertisement; ad (*fam.*); (*radio, TV*) commercial; (*insegna luminosa*) neon sign: *Ho visto la p. sui giornali*, I saw the ad in the papers; *I film alla TV sono sempre interrotti dalla p.*, films on TV are always interrupted by commercials; **piccola p.**, small advertisements (pl.); small ads (pl.) (*fam.*).
pubblicitàrio Ⓐ a. advertising (*comm.*); publicity (attr.); (*promozionale*) promotional: **campagna pubblicitaria**, advertising campaign; publicity campaign; **agente p.**, advertising agent; **annuncio p.**, advertisement; ad (*fam.*); **manifesto p.**, advertising poster; **spazio p.**, advertising space; **trovata pubblicitaria**, publicity stunt Ⓑ m. (f. *-a*) advertising agent; adman* (m., *fam.*).
pubblicizzàre v. t. **1** (*rendere noto, diffondere*) to publicize; (*promuovere*) to promote, to advertise **2** (*comm.*) to advertise.
♦**pùbblico** Ⓐ a. **1** (*che concerne la collettività*) public; (*comune*) common, general; (*nazionale*) national; (*statale*) state (attr.), government (attr.): **il bene p.**, the common good; **calamità pubblica**, national disaster (o calamity); **debito p.**, national debt; **diritto p.**, public law; **ente p.**, public body; **finanza pubblica**, public finance; **interesse p.**, common interest; public concern; **pubblica istruzione**, (state) education; **lavori pubblici**, public works; (*leg.*) **p. ministero**, public prosecutor; **nemico p.**, public enemy; **p. notaio**, notary public; **opinione pubblica**, public opinion; **pubbliche relazioni**, public relations; **salute pubblica**, public health; **scuole pubbliche**, state schools; (*in USA*) public schools; **servizi pubblici**, public utilities; (*econ.*) **il settore p.**, the public sector; **la Pubblica Sicurezza**, the Police **2** (*che è di tutti, aperto a tutti*) public; open: **bagni pubblici**, public baths; **esame p.**, open examination; **giardini pubblici**, public gardens; **riunione pubblica**, public (o open) meeting; **essere di dominio p.**, to be general knowledge; **rendere p. qc.**, to make st. public; to broadcast st. Ⓑ m. public; (*spettatori*) audience, spectators (pl.); (*ascoltatori*) listeners (pl.): **il p. dei lettori**, the reading

public; **il p. allo stadio**, the spectators in the stadium; **p. radiofonico**, radio listeners; **il p. italiano**, the Italian public; (*teatr., cinem.*) Italian audiences; **il grande p.**, the general public; *Il p. applaudì*, the audience applauded; *C'era poco p. alla conferenza*, the lecture was poorly attended; there was poor attendance at the lecture; **aperto al p.**, open to the public; **che piace al grande p.**, very popular; **i gusti del p.**, the tastes of the public; public tastes; **in p.**, publicly; in public; **dare qc. in pasto al p.**, to regale the public with st.; **mostrarsi in p.**, to appear in public; to show one's face in public; **rendere noto al p.**, to make st. public (o publicly known); to publicize ❶ NOTA: *public, audience, spectators* → **public**.
pùbe m. (*anat.*) **1** (*osso pubico*) pubis* **2** (*regione pubica*) pubes*.
puberàle a. puberal; pubertal; of puberty: **l'età p.**, the age of puberty.
pùbere Ⓐ a. puberal; pubertal; pubescent Ⓑ m. e f. pubescent boy (m.); pubescent girl (f.).
pubertà f. puberty.
pubescènte a. (*bot.*) pubescent; downy.
pubescènza f. (*biol.*) pubescence.
pùbico a. (*anat.*) pubic: **peli pubici**, pubic hair; **regione pubica**, pubic area; pubes.
puddellàggio m. (*metall.*) puddling.
puddellàre v. t. (*meteor.*) to puddle.
puddìnga f. (*geol.*) pudding-stone.
pudènda, **pudènde** f. pl. (*anat.*) pudenda; private parts.
pudibóndo a. modest; demure; (*in modo affettato*) bashful, coy, prim.
pudicìzia f. modesty; demureness; chasteness: **offendere la p. di q.**, to offend sb.'s modesty.
pudìco a. modest; demure; (*casto*) chaste; (*decente*) decorous; (*in modo affettato*) bashful, coy: **abbigliamento p.**, decorous clothes; **bacio p.**, chaste kiss; **sorriso p.**, bashful smile.
pudóre m. (*verecondia*) modesty; chasteness; (*decenza*) decency; (*vergogna*) shame; (*ritegno*) reserve: **falso p.**, false modesty; *Abbi almeno il p. di tacere*, at least have the decency to keep silent; **non avere p.**, to have no shame; **offendere il p.**, to offend against decency; **avere perduto ogni p.**, to have lost all sense of decency (o all shame); **senza p.**, without shame; shameless (agg.); shamelessly (avv.); **il comune senso del p.**, common decency; **mancanza di p.**, want of decency; shamelessness; **offesa al p.**, offence against decency.
pueblo (*spagn.*) m. inv. pueblo.
puericultóre m. paediatrician; baby doctor.
puericultrice f. **1** (*medico*) paediatrician; baby doctor **2** (*in asilo nido, ecc.*) nursery nurse.
puericultùra f. puericulture; child care.
puerile a. **1** childlike; children's (attr.): **età p.**, childhood; **giochi puerili**, children's games **2** (*spreg.*) puerile; childish; juvenile: **idea p.**, childish idea; **motivo p.**, puerile (o childish) reason; *Non essere p.*, don't be childish (o puerile).
puerilismo m. (*med.*) infantilism.
puerilità f. **1** puerility; childishness **2** (*osservazione puerile*) childish remark, puerility; (*azione puerile*) childish act, childish behaviour ⓤ.
puerilménte avv. childishly; like a child: **comportarsi p.**, to behave like a child.
puerìzia f. childhood.
puerocentrismo m. theory that sees the child as the centre of the educational process.

puèrpera f. woman* in childbirth; lying--in patient.

puerperàle a. puerperal: **febbre p.**, puerperal fever.

puerpèrio m. puerperium*.

puf → **pouf**.

puffino m. (*zool.*, *Puffinus*) shearwater.

pùggia e *deriv.* → **poggia**, e *deriv.*

pugiadìsmo e *deriv.* → **poujadismo**, e *deriv.*

pugilàto m. **1** (*sport*) boxing: **p. professionista**, professional boxing; **fare del p.**, to box; **incontro di p.**, boxing match **2** (*estens.*) fight; punch-up (*fam.*).

pugilatóre, **pùgile** m. (*sport*) boxer.

pugilìstico a. (*sport*) boxing (attr.): **attività pugilistica**, boxing; **incontro p.**, boxing match.

pùglia f. **1** (*gettone*) counter; fish; chip **2** (*al poker: le puntate*) pool.

Pùglia f. (*geogr.*) Apulia.

pugliése a., m. e f. Apulian.

pùgna f. (*lett.*) battle; fight: **entrare nella p.**, to join battle.

pugnàce a. (*lett.*) pugnacious; bellicose; combative: **indole p.**, bellicose nature.

pugnalàre v. t. to stab: (*anche fig.*) **p. q. alle spalle**, to stab sb. in the back.

pugnalàta f. **1** (*colpo di pugnale*) stab: (*anche fig.*) **p. alle spalle**, stab in the back; **colpire q. con una p.**, to stab sb.; **uccidere a pugnalate**, to stab to death **2** (*fig.*) terrible blow; severe shock: *Quella notizia fu per me una p.*, the news was a terrible blow to me.

pugnalatóre m. (f. **-trice**) stabber.

pugnàle m. dagger: **colpo di p.**, dagger blow; stab; **uccidere q. a colpi di p.**, to stab sb. to death.

pugnétta f. (*volg.*, *region.*) wank; hand--job: **farsi le pugnette**, to wank off; to jerk off (*USA*).

♦**pùgno** m. **1** (*mano serrata*) fist; (*estens.*: *mano*) hand: **allargare** (*o* **aprire**) **il p.**, to open (*o* to unclench) one's fist; **mostrare i pugni a q.**, to shake one's fist at sb.; **salutare col p. chiuso**, to give a clenched fist salute; **stringere** (*o* **serrare**) **i pugni**, to clench one's fists; **a pugni stretti**, with clenched fists; **con la spada in p.**, sword in hand; **di proprio p.**, in one's own hand (*o* handwriting); **firmato di mio p.**, signed in my hand; *Scrisse la lettera di suo p.*, she wrote the letter herself **2** (*colpo*) punch; blow with the fist; box; cuff; clout (*fam.*); thump (*fam.*); wallop (*fam.*); sock (*slang*): **un p. alla mascella** [**in faccia**], a punch on the jaw [in the face]; **assestare** (*o* **dare**) **un p. a q.**, to punch sb.; to give (*o*, *fam.*, to land) sb. a punch; *Gli mollai un p. sul mento*, I punched him on the chin; I socked him one on the chin (*fam.*); *Con un p. lo stese a terra*, he knocked him down with one punch; *Sfondò il vetro con un p.*, he put his fist through the window; **fare a pugni**, to fight; **fare a pugni per entrare**, to fight one's way in; **prendere a pugni**, to hit; to punch; to thump; **tirare pugni**, to punch; to use one's fists; *Gli tirai un p.*, I punched him; I socked (*o* landed) him one (*fam.*); *Non mi piace tirare pugni*, I don't like using my fists; **una scarica di pugni**, a hail of blows **3** (*manciata*) fistful; (*anche fig.*) handful: **un p. di diamanti**, a fistful (*o* handful) of diamonds; **un p. di eroi**, a handful of heroes; **un p. di terra**, a small piece of land ● **p. di ferro**, iron hand (*o* fist); (*arma*) knuckle-duster: **governare con p. di ferro**, to rule with an iron hand □ (*fig.*) **p. di ferro in guanto di velluto**, an iron fist in a velvet glove □ (*fig.*) **un p. nell'occhio**, an eyesore; a monstrosity □ (*fig.*) **avere** (*o* **tenere**) **in p.**, to hold (*o* to

have) sb. in one's power; to have sb. on a string □ **avere in p. la situazione**, to have control of the situation □ **avere la vittoria in p.**, to have victory in one's grasp □ **darsi pugni in testa**, to sock oneself on the head □ (*fig.*) **fare a pugni**, (*stonare*) to clash, to jar; (*essere in contraddizione*) to go against, to flout: *La cravatta fa a pugni con la giacca*, the tie chashes with the jacket; **fare a pugni con il buon senso**, to go against (*o* to flout) common sense □ (*fig.*) **rimanere con un p. di mosche in mano**, to come away empty--handed.

pùla ① f. (*agric.*) chaff.

pùla ② f. (*gergale*) (the) police; (the) cops (pl.) (*fam.*); (the) fuzz (*slang*); (the) heat (*slang USA*).

pùlce A f. **1** (*zool.*, *Pulex irritans*) flea: (*anche fig.*) **morso di p.**, flea bite; **morso dalle pulci**, flea-bitten; **pieno di pulci**, flea-ridden **2** (*microspia*) bug ● (*zool.*) **p. d'acqua**, water-flea □ (*fig.*) **una p. nell'orecchio**, a nagging suspicion [doubt, etc.]: **mettere una p. in un orecchio a q.**, to arouse sb.'s suspicions; to sow doubts in sb.'s mind □ (*fig.*) **fare le pulci a q.**, to pick holes in sb.'s work; to be a nitpicker □ **gioco delle pulci**, tiddly-winks (pl. col verbo al sing.) □ **mercato delle pulci**, flea-market □ (*fig.*) **sacco di pulci**, flea-bag **B** a. inv. – color p., puce.

pulcèlla f. (*lett.*) maid; damsel: **la p. d'Orleans**, the Maid of Orleans.

pulciàio m. **1** (*luogo pieno di pulci*) fleapit **2** (*luogo sporco*) pigsty.

pulcinàio m. chicken house; chicken coop.

pulcinèlla m. **1** (*maschera*) Punchinello **2** (*fig. spreg.*) buffoon; clown; fool: **fare il p.**, to play the clown **3** (*zool.*) – **p. di mare** (*Fratercula arctica*), puffin ● **segreto di p.**, open secret.

♦**pulcino** m. **1** chick: **una chioccia coi pulcini**, a hen and its chicks; **una covata di pulcini**, a brood of chicks **2** (*fam.*: *bambino piccolo*) toddler; (tiny) tot **3** (*calcio*) colt ● (*fig.*) **p. bagnato**, timid person; sheepish person □ (*fig.*) **p. nella stoppa**, inept person; bumbling person; wimp; babe in arms □ **bagnato come un p.**, drenched (*o* soaked) to the skin; like a drowned rat.

pulcióso a. full of fleas; flea-ridden.

pulédra f. filly.

pulédro m. colt; foal.

puléggia f. (*mecc.*) pulley; (*scanalata*) sheave: **p. a diametro variabile**, expanding pulley; **p. fissa**, fast (*o* fixed) pulley; **p. folle**, idle (*o* loose) pulley; idler.

pùlica f. (*tecn.*) bubble; airbubble; (*nel vetro*) seed.

pulicària f. (*bot.*, *Plantago psyllium*) fleabane.

puligóso a. (*tecn.*, *di vetro*) seedy.

pulimentàre v. t. (*tecn.*) to polish.

pulimentatóre m. (*tecn.*) polisher.

pulimentazióne f. (*tecn.*) polishing.

puliménto m. (*tecn.*) **1** (*operazione*) polishing: **tirare a p.**, to polish **2** (*prodotto*) polish.

♦**pulìre** v. t. **1** (*togliere il sudicio*) to clean, (*strofinando*) to wipe, (*fregando*) to scrub, (*spazzolando*) to brush; (*lavare*) to wash; (*spolverare*) to dust: **p. la casa**, to clean the house; **p. la lavagna**, to clean (*o* to wipe) the blackboard; **p. il pavimento**, to scrub the floor; **p. una stanza**, to clean a room; **p. i vetri (delle finestre)**, to clean the windows; **pulirsi la bocca**, to wipe one's mouth; **pulirsi i denti**, to clean (*o* to brush) one's teeth; **pulirsi la faccia** [**le mani**], to clean (*o* to wash) one's face [one's hands]; **pulirsi il naso**, to wipe (*o* to blow) one's nose; **pulirsi le unghie**, to clean one's nails; **pulirsi le**

scarpe, to brush [to polish] one's shoes; (*sullo stuoino*) to wipe one's shoes; **p. a fondo**, to clean thoroughly; to clean out; **p. a secco**, to dry-clean; **mandare a p. un vestito**, to send a suit to the cleaner's **2** (*lucidare*) to polish: **p. l'argenteria**, to polish the silver **3** (*mondare*) to clean; to clear: **p. il riso**, to clean rice; **p. una aiuola dalle erbacce**, to clear a flower-bed of weeds; to weed a flower-bed ● (*fig.*) **p. il piatto**, to eat up everything.

pulisciorécchi m. inv. ear-pick; ear--picker.

puliscipénne m. inv. pen wiper.

puliscipièdi m. inv. (*zerbino*) doormat.

puliscìscàrpe m. inv. **1** shoe polisher **2** (*zerbino*) doormat.

pulìta f. cleaning; cleaning up; clean; (*con uno straccio*) wipe, wiping, (*lavata*) wash; (*strofinata*) scrub; (*spazzolata*) brush: *La stanza ha bisogno d'una bella p.*, the room needs a good cleaning (*o* clean); **dare una p. a qc.**, to clean st.; to give st. a wipe, to wipe st.; to give st. a wash, to wash st.; to give st. a brush, to brush st.; **dare una p. all'automobile**, to give the car a wash (*o* a wash--down): *Ti ho dato una p. alle scarpe*, I've given your shoes a brush (*o* a clean); *Va' a darti una p.*, go and have a wash.

pulitaménte avv. (*fig.*) neatly; nicely; properly.

pulitézza f. (*fig.*) polish; refinement.

♦**pulìto A** a. **1** clean; (*lindo*, *ordinato*) neat, tidy: **acqua pulita**, clean water; **lenzuola pulite**, clean bedsheets; **stanza pulita**, clean (*o* tidy) room; **un vestito p.**, a clean dress; *Hai le mani pulite?*, are your hands clean?; **odorare di pulito**, to smell clean; **tenere p. un bambino**, to keep a child clean; **p. come uno specchio**, spick-and--span; **pulitissimo**, spotlessly clean; spick--and-span; squeaky-clean **2** (*fig.*) clean; clear; tidy; neat: **copia pulita**, fair copy; **foglio p.**, clean sheet of paper; **una scrittura pulita**, neat handwriting **3** (*fig.*: *onesto*, *leale*) fair; clean; open: **faccia pulita**, open face; **gioco p.**, fair play; **fedina penale pulita**, clean record; **lavoro p.**, clean job; **avere la coscienza pulita**, to have a clear conscience; **poco p.**, shady **4** (*fig.*: *senza soldi*) cleaned out: **lasciare q. p.**, to clean sb. out **5** (*non inquinante*) clean: **energia pulita**, clean energy **6** (*pop.*: *senza armi*, *senza droga*, *ecc.*; *non rubato*) clean: **auto pulita**, clean car ● **fare piazza pulita**, to make a clean sweep; (*al gioco*) to sweep the board (*o* the stakes); (*mangiare tutto*) to clean up everything, to polish off st.; (*rubare tutto*) to clean out (a place) **B** avv. **1** cleanly; neatly: **scrivere p.**, to write neatly **2** (*fig.*: *lealmente*) fair: **giocare p.**, to play fair **C** m. clean place; clean part: **vivere nel p.**, to live in a clean place.

pulitóre A a. cleaning; cleansing **B** m. cleaner.

pulitrìce f. **1** cleaner **2** (*mecc.*) buffer; polishing machine **3** (*agric.*) seed winnower.

pulitùra f. **1** (*il pulire*) cleaning, (*strofinando*) wiping, (*sfregando*) scrubbing, (*spazzolando*) brushing; (*il lavare*) washing: **p. a fondo**, thorough cleaning; **p. a secco**, dry-cleaning; **p. meccanica**, mechanical cleaning **2** (*il lucidare*) polishing: **la p. del marmo** [**dei metalli**], the polishing of marble [of metals] **3** (*il levigare*) smoothing down; rubbing down **4** (*mondatura*) cleaning; winnowing: **la p. del riso**, rice cleaning; **la p. del grano**, wheat winnowing.

♦**pulizìa** f. **1** (*l'essere pulito*) cleanliness; cleanness; neatness: **p. personale**, personal cleanliness; *Qui c'è molta p.*, it's very clean here **2** (*pulitura*) cleaning 🔟; clean-up;

(*sgombero*) clearing out, clear-out: **pulizie di fino**, thorough cleaning; **pulizie di Pasqua**, spring cleaning; **fare le pulizie**, to do the housework (*o* the cleaning); to clean house (*USA*); **fare p. in un locale**, to clean a room; (*riordinarlo*) to clean up (*o* out) a room; (*sgombrarlo*) to clear out a room; **fare p. nei cassetti**, to clear out the drawers; **fare p. di qc.**, to clear out st.; **donna delle pulizie**, cleaner; cleaning woman; charwoman (*arc.*); **impresa di pulizie**, cleaning contractor; cleaners (pl.); **uomo delle pulizie**, cleaner ● (*polit.*) **pulizia etnica**, ethnic cleansing.

pull (*fam.*) → **pullover**.

♦**pullman** (*ingl.*) m. inv. **1** (*ferr.*) Pullman (car) **2** (*corriera*) coach; bus; (*i passeggeri*) coachload, busload: **un p. di tifosi**, a coachload of football supporters; **gita in p.**, coach tour ❶ **FALSI AMICI** ● pullman (*nel senso di autobus di linea*) *non si traduce con* pullman.

pullmino → **pulmino**.

pullòver (*ingl.*) m. inv. pullover; jersey: **p. senza maniche**, slipover; vest (*USA*).

♦**pullulàre** v. i. **1** (*spuntare*) to spring* up; to sprout: *Pullulano le iniziative culturali*, cultural activities are springing up everywhere **2** (*essere gremito*) to swarm; to teem: *Il fiume pullula di pesci*, the river is teeming with fish; *Le vie del centro pullulano di turisti*, the streets of the town centre are swarming with tourists.

♦**pulmino** m. (*autom.*) minibus; minicoach.

pulmistico a. coach (attr.); bus (attr.): **trasporto p.**, coach transport; transport by coach.

pulóne m. (*agric.*) chaff.

pulpite f. (*med.*) pulpitis.

pùlpito m. pulpit ● (*iron.*) **Da che p. (viene la predica)!**, look who's talking! □ (*fig.*) **salire sul p.** (*o* montare in p.), to start preaching; to sermonize; to get on one's high horse □ (*fig.*) **scendere dal p.**, to stop preaching; to get off one's high horse.

♦**pulsànte** **A** a. pulsating; throbbing: (*elettr.*) **corrente p.**, pulsating current; **vena p.**, throbbing vein; (*fig.*) **p. di vita**, throbbing (*o* vibrating) with life **B** m. button, push-button; (*di campanello*) bell push: (*fotogr.*) **p. di scatto**, shutter release button; **premere il p.**, to push the button; **telefono a pulsanti**, push-button telephone.

pulsantièra f. (*elettr.*) push-button panel.

pùlsar f. o m. inv. (*astron.*) pulsar.

pulsàre v. i. **1** to throb; to pulsate; to beat*; to pound: *Il suo cuore pulsava ancora*, his heart was still beating; *Gli pulsavano le tempie*, his temples were throbbing **2** (*fig.*) to throb; to vibrate; to be vibrant: **p. di vita**, to vibrate with life **3** (*mus.*) to pulse; to beat*.

pulsatìlla f. (*bot.*, *Anemone pulsatilla*) pasque flower; pulsatilla.

pulsazióne f. **1** (*fisiol.*) pulsation; beat; beating; throb; throbbing; (al pl., *anche*) pulse (sing.): **la p. di un'arteria**, the pulsation of an artery; **pulsazioni del cuore**, heartbeats; **una p. alle tempie**, a throbbing at the temples; **avere 70 pulsazioni al minuto**, to have a pulse of 70 beats per minute; **far salire le pulsazioni a q.**, to feel (*o* to take) sb.'s pulse **2** (*mus.*) pulse; beat **3** (*fis.*) angular frequency; pulsatance.

pulsimetro m. (*med.*) pulsimeter.

pulsionàle a. (*psic.*) drive (attr.).

pulsióne f. **1** (*spinta*) pulsion; thrust **2** (*psic.*) drive.

pulsogètto → **pulsoreattore**.

pulsòmetro m. (*mecc.*) pulsometer (pump).

pulsoreattóre m. (*aeron.*) pulse jet.

pulverulènto → **polverulento**.

pulvìnar (*lat.*) m. inv. (*anat.*) pulvinar.

pulvinàre m. (*stor. romana*) pulvinar*.

pulvìno m. (*archit.*) dosseret; pulvino.

pulvìscolo m. **1** (*sottile polvere*) (fine) dust: **p. atmosferico**, dust particles (pl.) **2** (*bot.*) pollen.

pulzèlla → **pulcella**.

pum inter. (*rumore di sparo*) bang; (*rumore di tonfo*) thud.

pùma m. (*zool.*, *Felis concolor*) puma*; cougar*; mountain lion.

pùmfete → **pum**.

punch (*ingl.*) m. inv. (*alim.*) punch.

punching-bag (*ingl.*) m. inv. (*boxe*) punchbag (*GB*); punching bag (*USA*).

punching-ball (*ingl.*) m. inv. (*boxe*) punchball.

pungènte a. **1** (*che punge*) prickly; pricking; stinging **2** (*fig.*: *di odore*) pungent; penetrating **3** (*fig.*: *del freddo*) biting, bitter, sharp; (*del vento*) biting, piercing **4** (*fig.*: *mordace*) pungent; biting; stinging; sharp: **commento p.**, pungent (*o* barbed, sharp) remark; **satira p.**, pungent satire.

♦**pùngere** v. t. **1** (*penetrare nella carne, bucare*) to prick; (*di pianta, insetto*) to sting*: **pungersi il dito con uno spillo [con una spina]**, to prick one's finger with a pin [on a thorn]; *L'ortica punge*, nettles sting; **pungersi con l'ortica**, to be stung by nettles; *Una vespa m'ha punto*, I've been stung by a wasp **2** (*fig.*, *di stoffa, barba, ecc.*) to prickle; to be prickly: *Questo maglione punge*, this sweater is prickly **3** (*fig.*, *del freddo*) to bite*; to nip; to be nippy: *Il freddo punge oggi*, it's nippy today; there is a cold nip in the air today; **un vento che punge**, a biting wind; *Il vento mi pungeva le guance*, the wind made my cheeks smart **4** (*fig.*: *rimordere*) to prick: *Lo pungeva la coscienza*, his conscience pricked him **5** (*fig.*: *stimolare*) – *Mi pungeva il desiderio di vederlo*, I was itching to see him; (*scherz.*) *Mi punge vaghezza di fare...*, I rather feel like doing... **6** (*fig.*: *ferire, offendere*) to sting*; (*stuzzicare*) to tease: **p. q. sul vivo**, to sting sb. to the quick.

pungiglióne m. (*zool.*) sting.

pungitòpo m. (*bot.*, *Ruscus aculeatus*) butcher's broom.

pungolàre v. t. **1** to prick with a goad; to goad **2** (*fig.*: *spronare*) to prod, to spur; (*incitare*) to urge on, to goad on.

pùngolo m. **1** goad: **stimolare col p.**, to prick with a goad; to goad **2** (*fig.*: *stimolo*) goad; (*sprone*) spur; (*morso*) prick: **il p. dell'ambizione**, the spur of ambition; **il p. della fame**, the pangs (pl.) of hunger; **il p. della coscienza**, the prick of conscience.

punìbile a. punishable.

punibilità f. punishability; punishableness; liability to punishment.

puníceo a. (*lett.*) purplish-red.

pùnico a. Punic: **le guerre puniche**, the Punic Wars.

♦**punìre** v. t. **1** to punish: **p. i traditori**, to punish traitors; **p. con la prigione**, to punish with imprisonment; **p. q. a titolo d'esempio**, to make an example of sb. **2** (*fig.*) to penalize.

punitìvo a. **1** punitive: **legge punitiva**, punitive law; **spedizione punitiva**, punitive expedition **2** (*fig.*) penalizing; (*di tassa, ecc.*) punitive: **provvedimenti punitivi per l'agricoltura**, measures penalizing agriculture.

punitóre **A** a. punishing; punitive; retributive: **giustizia punitrice**, retributive justice **B** m. (f. *-trice*) punisher; chastiser.

♦**punizióne** f. **1** punishment; retribution; chastisement; chastising: **p. divina**, divine retribution; **p. esemplare**, exemplary punishment; **dare a q. una p. esemplare**, to make an example of sb.; *Ha avuto la sua giusta p.*, he was rightly punished; he got his comeuppance (*fam.*); **infliggere una p. a q.**, to inflict a punishment on sb.; **meritare una p.**, to deserve punishment; *Per p. resterai a casa*, as a punishment you'll stay at home **2** (*sport*) penalty; (*calcio*, *anche* **calcio di p.**) free kick: **battere una p.**, to take a free kick.

punkabbèstia m. e f. inv. (*fam.*) crusty.

♦**pùnta**① f. **1** (*estremità acuminata*) point; spike; (*di amo, freccia, ecc.*) barb; (*parte terminale*) tip, end; (*di calza, scarpa*) tip, toe; (*cima*) top; (al pl., *nella danza*) points: **la p. di un ago**, the point of a needle; **la p. di un bastone**, the tip of a stick; **la p. di un chiodo [di un coltello]**, the point of a nail [of a knife]; **la p. di un dito**, the tip of a finger; a fingertip; (*anche fig.*) **la p. dell'iceberg**, the tip of the iceberg; **la p. di una matita**, the point of a pencil; **la p. del naso**, the tip of the nose; **a p.**, pointed; pointy (*fam.*); **cappello a p.**, pointed hat; **orecchie a p.**, pointy ears; **scarpe a p.**, pointed shoes; **scarpe a p. quadrata**, square-toed shoes; **stella a sei punte**, six-pointed star; **con la p. all'insù [all'ingiù]**, point upwards [downwards] □ **p. (con la p. in avanti)**, end-on; **danzare sulle punte**, to dance on points; **fare la p. a una matita**, to sharpen a pencil; **ferire di p.**, to wound with the point of st.; to stab; **ferita di p.**, stab wound **2** (*massima frequenza*) peak; (*livello*) level: **p. massima**, peak; **p. minima**, lowest point; **punte di analfabetismo che arrivano al 95%**, peaks of illiteracy up to 95%; *La temperatura ha raggiunto punte di 30°*, temperatures reached peaks of 30°; **raggiungere la p. massima**, to peak; **toccare punte preoccupanti**, to reach worrying levels; **ora di p.**, peak hour; (*del traffico*) rush hour **3** (*quantità minima*) pinch; (*accenno*) touch, tinge, trace, hint: *Ci sento una p. di cannella*, I can taste a hint of cinnamom; *C'era una p. di invidia nel suo sguardo*, there was a touch of envy in his look **4** (*tecn.*: *chiodo*) nail: **p. conica**, casing nail **5** (*tecn.*, *di trapano, ecc.*) bit; drill: **p. elicoidale**, twist drill **6** (*geogr.*: *vetta*) peak: **le maggiori punte delle Alpi**, the major Alpine peaks **7** (*geogr.*, *di costa*) spit of land; landspit; headland; (*con i toponimi*) cape, point **8** (*etnol.*, *di lancia*) spearhead; (*di freccia*) arrowhead **9** (*di vino*) sourness: *Questo vino ha preso un po' di p.*, this wine has gone slightly sour; **levare la p.**, to take away the sourness (*o* acidity) **10** (*calcio*) attacker **11** (*macelleria*, *anche* **p. di petto**), breast of beef ● (*mecc.*) **p. avanzata**, spearhead □ **essere la p. di diamante di qc.**, to be at the cutting edge of st. □ (*danza*) **p. e tacco**, heel and toe □ **p. secca** → **puntasecca** □ **a p. di diamante**, pyramid-shaped □ (*fig.*) **avere qc. sulla p. delle dita**, to have st. at one's fingertips □ (*anche fig.*) **avere qc. sulla p. della lingua**, to have st. on the tip of one's tongue □ **camminare in p. di piedi**, to walk on tiptoe; to tiptoe □ **cappello a tre punte**, three-cornered hat □ **compasso a punte fisse**, dividers (pl.) □ (*di capelli*) **doppie punte**, split ends □ (*fig.*) **gruppo di p.**, leading group □ **parlare in p. di forchetta**, to speak affectedly □ **prendere q. di p.**, to clash with sb. □ **prendere qc. di p.**, to meet st. head-on □ (*fis.*) **pressione di p.**, peak pressure □ (*fig.*) **scrivere in p. di penna**, to write in an elaborate style □ **uomo di p.**, leading man; (*calcio*) attacker □ **Non vedi più in là della p. del tuo naso**, you can't see beyond the end of your nose.

pùnta② f. (*di cane da caccia*) point: **essere**

in p., to be on point; **cane da p.**, pointer.

puntàle m. **1** (*punta metallica o rinforzata: di bastone, ombrello, ecc.*) ferrule, shoe; (*di racchetta da sci*) pole tip; (*di stringa*) tag **2** (*di attacco di sci*) – **p. di sicurezza**, toe piece **3** (*decorazione di albero di Natale*) top decoration **4** (*di stecca da biliardo*) shaft **5** (*mecc.*) push rod **6** (*naut.*) pillar; stanchion; (*altezza della nave*) depth.

puntaménto m. **1** (*mil.*) aiming; sighting; (*di cannone*) laying, (*in elevazione*) pointing, (*in direzione*) training: **p. diretto [indiretto]**, direct [indirect] laying **2** (*comput.*) – **dispositivo di p.**, pointer.

puntapièdi m. inv. (*naut.*) stretcher; footrest.

♦**puntàre** ① **A** v. t. **1** (*poggiare con forza*) to put*; (*spingere con forza*) to push; (*affondare*) to dig*, to poke: **p. i gomiti sul tavolo**, to put one's elbows on the table; (*anche fig.*) **p. i piedi**, to dig one's heels in; *Gli puntai il gomito nel fianco*, I dug my elbow into his side **2** (*volgere, dirigere*) to point; to direct; (*prendendo la mira*) to aim, to sight, to level, to lay*: **p. il dito verso qc.**, to point at (*o* to) st.; **p. l'attenzione [lo sguardo] su qc.**, to direct one's attention [one's gaze] on st.; **p. un binocolo**, to point a pair of binoculars; (*metterlo a fuoco*) to focus a pair of binoculars; **p. una pistola contro q.**, to aim (*o* to level) a gun at sb.; **p. un cannone**, to lay a gun; **p. i propri sforzi su qc.**, to direct one's efforts towards st.; to concentrate one's efforts on st.: *Bisogna p. prima di sparare*, you must aim (*o* take aim) before shooting **3** (*scommettere*) to bet*; to lay* a stake; (*anche fig.*) **p. dieci sterline sul favorito**, to bet ten pounds on the favourite; **p. contro il banco**, to lay a stake against the bank; to punt; **p. sul rosso**, to bet on the red; (*anche fig.*) **p. sul cavallo perdente**, to back the wrong horse; *Abbiamo puntato tutto sulla sua riuscita*, we have staked everything on his success **4** (*comput.*) to point at **B** v. i. **1** (*dirigersi*) to head (for): **p. verso sud**, to head south; **p. su Calais**, to head for Calais **2** (*mirare, anche fig.*) to aim (at): **p. alla testa di q.**, to aim at sb.'s head; **p. al successo**, to aim at success; **p. alla presidenza**, to aim at the presidency; *Punta a diventare direttore generale*, he aims to become general manager **3** (*fig.*: *fare assegnamento*) to count (on, upon); to rely (on, upon): **p. su un'eredità**, to count on an inheritance; **p. solo sulle proprie forze**, to rely only on one's strength.

puntàre ② v. t. **1** (*di cane da caccia*) to point: **p. un fagiano**, to point a pheasant **2** (*guardare fisso*) to eye; to ogle: **p. le ragazze**, to eye (*o* to ogle) the girls.

puntàre ③ v. t. (*segnare con un puntino*) to dot; to mark with a dot.

puntarèlla f. (*region.*) chicory sprout.

puntasécca f. (*tecnica e incisione*) dry--point.

puntaspilli m. inv. pincushion.

puntàta ① f. **1** (*colpo di punta*) thrust; poke; jab **2** (*mil.*) raid; foray; strike **3** (*calcio*) run; attack: **p. a rete**, run on goal; forward run **4** (*breve gita o visita*) trip; flying visit: **una p. in riviera**, a trip to the coast; *Abbiamo fatto una p. dai Bonelli*, we paid a flying visit to the Bonellis; we called briefly on the Bonellis.

♦**puntàta** ② f. (*al gioco: il puntare*) betting, staking; (*somma scommessa*) bet, stake: **fare una p.**, to place a bet; to lay a stake; **fare una p. su un cavallo [sul rosso]**, to bet (*o* to put money) on a horse [on the red]; **raddoppiare la p.**, to double the stake.

♦**puntàta** ③ f. (*di romanzo, articolo, ecc.*) instalment, installment (*USA*); (*radio, TV*) episode: **pubblicare a puntate**, to publish in

instalments (*o* in serial form); to serialize; **trasmettere a puntate**, to serialize; *Stasera danno la terza p. di «Marco Polo»*, the third episode of «Marco Polo» is on tonight; *Il seguito alla prossima p.*, to be continued; **pubblicazione [trasmissione] a puntate**, serialization; **romanzo a puntate**, serialized novel; serial (novel).

puntàto a. **1** dotted; followed by a full stop: **linea puntata**, dotted line; (*mus.*) **nota puntata**, dotted note; **una emme puntata**, an M followed by a full stop **2** (*tipogr.*) bulleted: **elenco p.**, bulleted list.

puntatóre m. **1** (f. **-trice**) (*mil.*) layer; (*in elevazione*) pointer; (*in direzione*) trainer **2** (f. **-trice**) (*scommettitore*) better; punter **3** (*comput.*) pointer.

puntazióne f. (*ling.*) punctuation.

puntàzza f. **1** (*edil.*) pile shoe **2** (*mecc.*) pipe bit.

punteggiaménto m. (*punti*) dots (pl.).

punteggiàre v. t. **1** (*segnare con punti*) to dot; to mark with dots **2** (*bucare col punteruolo*) to prick **3** (*fig.*: *intercalare*) to punctuate; to intersperse; to pepper: **p. un discorso di citazioni**, to pepper a speech with quotations.

punteggiàto a. **1** (*segnato con punti*) dotted: **linea punteggiata**, dotted line **2** (*cosparso di macchioline*) dotted; spotted; speckled: **p. d'azzurro**, dotted with blue; (*con blue dots* (*o* spots); **un'ala punteggiata di rosso**, a wing speckled with red; **un cielo p. di stelle**, a sky dotted with stars; **un prato p. di pecore**, a field dotted with sheep **3** (*fig.*: *intercalato*) punctuated; interspersed; peppered.

punteggiatùra f. **1** (*gramm.*) punctuation: **segni di p.**, punctuation marks **2** (*macchiettatura*) dotting; dots (pl.); spotting; spots (pl.); speckling; speckles (pl.); (*zool. e bot.*) punctation.

puntéggio m. **1** (*sport*) score: **p. pieno**, full score; *Il p. fu di 3 a 2*, the score was 3-2; **tenere il p.**, to keep score; **totalizzare un buon p.**, to make a good score **2** (*in un esame*) points (pl.).

puntellaménto m. propping; shoring; underpinning.

puntellàre **A** v. t. **1** to prop (up); to shore up; to underpin: **p. un edificio** to underpin (*o* to shore up) a building; **p. un tetto**, to prop a roof; **p. un ramo con uno stecco**, to prop up a branch with a stick **2** (*fig.*) to prop up; to underpin; to back up; to bolster up; to buttress up: **p. una tesi con argomenti deboli**, to back up a theory with shaky arguments **B** **puntellàrsi** v. rifl. to prop oneself up; to brace oneself.

puntellatùra f. **1** (*il puntellare*) propping; shoring; underpinning **2** (*insieme di puntelli*) propping; props (pl.); shoring; shores (pl.).

puntèllo m. **1** prop; support; stay; buttress: **mettere un p. a un muro**, to set a prop against a wall [a door]; to prop a wall; **tenere aperta una porta con un p.**, to prop a door open **2** (*naut.*) prop; shore: **p. di sentina**, bilge shore; **p. d'albero**, mast prop; **p. di bacino**, bilge block **3** (*fig.*) prop; support; mainstay: **essere il p. della famiglia**, to be the mainstay of one's family; *È lei il p. della mia vecchiaia*, she is the staff of my old age; **i puntelli di una tesi**, the arguments supporting a thesis.

puntería f. **1** (*mecc.*) tappet: (*autom.*) **registrare le punterie**, to set the tappets **2** (*mil.*) gun laying: **mettere i pezzi in p.**, to lay the guns.

punteruòlo m. **1** (*tecn.*) punch; pricker; (*per metalli*) drift (pin); (*per cuoio o legno*) awl; bradawl; (*per stoffa*) bodkin; (*naut.*, *per cavi*) marline spike **2** (*zool.*) weevil: **p. del grano** (*Calandra granaria*), granary weevil; **p.**

del riso (*Calandra oryzae*), rice weevil.

puntifórme a. dot-like.

puntìglio m. **1** (*ostinazione*) stubbornness, obstinacy; (*picca*) pique, wilfulness: **fare qc. per puro p.**, to do st. in a fit of pique **2** (*tenacia*) determination, perseverance, doggedness; (*meticolosità*) meticulousness.

puntigliosaménte avv. **1** (*ostinatamente*) stubbornly, obstinately; (*per picca*) out of pique **2** (*con tenacia*) with determination, doggedly; (*con meticolosità*) meticulously.

puntigliosità f. **1** (*ostinazione*) stubbornness; obstinacy **2** (*meticolosità*) meticulousness.

puntiglióso a. **1** (*ostinato*) stubborn; obstinate **2** (*tenace*) determinate, persevering, dogged; (*meticoloso*) meticulous, fussy (*fam.*).

puntillìsmo m. (*mus.*) pointillisme.

puntìna f. **1** (*tipo di chiodo*) brad **2** (*anche p. da disegno*) drawing pin (*GB*); thumbtack (*USA*): **fissare con puntine da disegno**, to pin; to tack **3** (*punta fonografica*) needle; stylus **4** (*mecc.*) point: **p. di candela**, spark plug point.

puntinàto a. (*disegno*) dotted.

puntinìsmo m. (*pitt.*) pointillism; divisionism.

puntinìsta m. e f. (*pitt.*) pointillist; divisionist.

puntìno m. dot; pinpoint; (*macchiolina*) spot: **un p. all'orizzonte**, a dot on the horizon; **p. luminoso**, pinpoint of light; **il p. sulla i**, the dot over the letter i; **puntini di sospensione**, dots; ellipsis (sing.); **puntini rossi in faccia**, red spots on one's face; **a puntini**, dotted; **mettere i puntini sugli i**, to dot one's i's; (*fig.*) to be very clear about it, to spell it out; **segnare con un p.**, to mark with a dot; to dot ● **a p.**, properly; perfectly: **arrivare a p.**, to come pat; **cotto a p.**, done to a turn; **descritto a p.**, described to a perfection; **fare le cose a p.**, to do things properly; *Tutto procedette a p.*, everything went like clockwork □ (*eufem.*) **puntini puntini**, dot, dot, dash.

♦**pùnto** ① m. **1** (*geom.*, *scient.*, *tecn.*) point: **p. cardinale**, cardinal point; **p. di appoggio**, (*edil.*) point of support; (*fis.*) fulcrum; (*fig.*) purchase, footing; (*mecc.*) **p. d'articolazione**, pivot point; **p. di arresto**, stop; **p. d'avvio**, release point; **p. di caduta**, impact point; **p. di contatto**, point of contact; **p. di entrata**, point of entry; **p. di fuga**, vanishing point; **p. di giuntura**, join; **p. d'intersezione**, intersection point; **p. di tangenza**, point of tangency; **p. di mira**, point of aim; **p. di riferimento**, point of reference; (*aeron.*) check point; (*topogr.*) datum point; (*mat.*) **p. limite**, limit point; **p. morto**, (*mecc.*) dead point (*o* centre); (*mil.*) dead angle; (*fig.*) deadlock, gridlock, stalemate, impasse; **arrivare a un p. morto**, to reach a deadlock (*o* a gridlock, a stalemate, an impasse); to get stuck in a bottleneck; **essere a un p. morto**, to be deadlocked; to be at a standstill **2** (*naut.*) ship's position; fix: **p. corretto**, corrected fix; **p. di mezzogiorno**, noon position; **fare (o calcolare) il p.**, to determine the ship's position; to take the ship's bearings; **segnare il p. sulla carta**, to prick off the chart **3** (*segno grafico*) dot; mark; (*nell'alfabeto Morse*) dot; (*segno d'interpunzione*) full stop (*GB*), period (*USA*): **p. e a capo**, full stop and new paragraph; **p. e virgola**, semicolon; **p. fermo**, full stop; period; **due punti**, colon (sing.); **p. esclamativo**, exclamation mark; **p. interrogativo**, question mark; (*fig.*) enigma, mystery; *Segnò tre punti sul foglio*, he marked three dots on the paper **4** (*oggetto o segno molto piccolo*) dot; spot; speck: **un p. all'orizzonte**, a dot on the horizon; **p. nero**, (*comedone*) black-

head, comedo; (*fig.*) black mark, (*elemento negativo*) drawback, flaw **5** (*luogo, posto, anche fig.*) point; place; spot; (*posizione*) position; (*parte*) part; (*lato*) side: (*fig., polit.*) **p. caldo**, hot spot; (*anat.* e *fig.*) **p. cieco**, blind spot; (*anche fig.*) **p. debole**, weak point; **p. di arrivo**, point of arrival; **p. d'atterraggio**, landing point (*o* place); **p. d'incontro**, meeting place; (*incrocio*) junction; (*fig.*) common ground; **p. d'osservazione**, look-out point; (*anche fig.*) **p. di partenza**, starting point; point of departure; (*comm.*) **p. di ritrovo**, meeting place; (*comm.*) **p. di vendita**, point of sale; outlet; **p. dolente**, sore spot; (*fig.*) sore point; **un p. incantevole della costa**, an enchanting spot on the coast; **p. luce**, light source; **p. nevralgico → nevralgico**; **un p. pericoloso**, a dangerous spot; *Ci sono state frane in più punti*, landslides occured in several places; *Da questo p. si vede tutta la città*, from this point (*o* spot) you can see the whole town; *Il p. in cui si trova la tua casa è bellissimo*, the position of your house is very beautiful; **nel p. opposto della città**, on the opposite side of the town; *A che p. siamo?*, where (*o* how far) have we got to?; where are we?; **a un p. critico**, at a crucial point; *Le cose sono a buon p.*, things are going well; *Siamo a buon p.*, we have made good progress; *La faccenda è al p. di prima*, the matter stands as before; *Fra dieci anni sarai allo stesso p. di oggi*, in ten years' time you'll be just where you are today; **al p. in cui stanno le cose**, as matters stand; **essere (*o* ritrovarsi) al p. di partenza**, to be back to where one started; (*fig.*) to be back to square one **6** (*passo, brano*) passage; point: **p. controverso**, controversial passage; *C'è un p. della lettera che non capisco bene*, there is a point in the letter that I don't quite understand **7** (*questione, argomento*) point; item; (*dettaglio*) detail; (*aspetto*) aspect: **il primo p. all'ordine del giorno**, the first item on the agenda; **il p. essenziale**, the main point; **punti oscuri**, obscure aspects; **chiarire un p.**, to clear up a point; **cogliere il p.**, to see (*o* to get) the point; *Il p. che voglio mettere in rilievo è questo*, the point I wish to emphasize is this; *Il p. è che...*, the point is that...; *Siamo d'accordo su quasi tutti i punti*, we agree almost on everything; *Questo è il p.!*, that's the whole point!; *Vieni al p.!*, come to the point!; **p. per p.**, point by point; in detail **8** (*momento*) point; moment; time: **un p. nel tempo**, a moment (*o* a point) in time; **p. culminante**, culminating moment; climax; highlight; **a un certo p.** (*dopo un po'*), after a while; **in p. di morte**, at the point of death; **in buon p.**, at the right moment **9** (*limite, grado*) degree; extent; point; stage: (*aeron.* e *fig.*) **p. di non ritorno**, point of no return; **p. limite**, limit; **a tal p. che**, to such an extent that; to the point where; *Le cose sono giunte a tal p. che non si può neanche parlargli*, things have come to the point where one can't even speak to him; *Arrivò al p. di offrirmi dei soldi*, she went so far as to offer me some money; **fino al punto di**, to the point (*o* extent) that; **fino a che p...?**, to what extent...?; **fino a un certo p.**, to a certain extent; up to a point **10** (*di punteggio*) point: (al pl.: *punteggio*) score (sing.): (*anche fig.*) **un p. a mio favore**, a point in my favour; **p. della bandiera**, consolation point; face saver; **quindici punti di vantaggio**, a start of fifteen points; *Quanti punti ha l'Italia?*, what's Italy's score?; *Quanti punti hai?*, how many points did you score?; what's your score?; **fare molti punti**, to make (*o*, *fam.*, to knock up) a good score; **fare (*o* segnare) un p.**, to score; **segnare due punti**, to score two points; *Ogni asso vale tre punti*, every ace is worth three points; (*boxe*) **vincere ai punti**, to win on points **11** (*fin.*, *econ.*, *Borsa*)

point: **salire [scendere] di tre punti**, to go up [to fall] three points; **scattare di un p.**, to move up one point; *L'euro ha perso tre punti*, the euro lost three points; **punti di contingenza**, points of the cost-of-living allowance **12** (*voto*) mark: **essere promosso col massimo dei punti**, to pass with full marks **13** (*cucito, ricamo*) stitch: **p. a catenella**, chain stitch; **p. a smerlo**, buttonhole stitch; **p. a giorno**, hem stitch; **p. a croce**, cross stitch; **p. erba**, stem stitch; **p. festone**, buttonhole stitch; **p. fiamma**, bargello; **p. filza**, running stitch; **p. indietro**, backstitch; **p. nascosto**, blind stitch; **p. pieno**, satin stitch; **p. rammendo**, darning stitch; **punti fitti**, close stitches; close stitching (sing.); **piccolo p.**, tent stitch; petit point (*franc.*); **dare un p. (*o* due punti) a qc.**, to stitch up st. **14** (*lavoro a maglia, uncinetto*) stitch: **p. a coste**, rib stitch; ribbing; **p. alto**, treble; **p. basso**, double crochet; **p. dritto (*o* a legaccio*)**, plain stitch; **p. rovescio**, purl (stitch); **p. riso**, moss stitch; **p. (a) treccia**, cable stitch; **aumentare [calare, lasciar cadere] un p.**, to increase [to decrease, to drop] a stitch; **mettere su i punti**, to cast on (stitches) **15** (*med.*) stitch: **dare [togliere] i punti**, to put in [to take out] stitches; *Mi hanno dato sei punti*, I had six stitches **16** (*fis.*) point: **p. critico**, critical point; **p. di accensione**, fire (*o* burning) point; **p. di combustione**, ignition point; **p. di congelamento**, freezing point; **p. di cottura**, cooking point; **p. d'ebollizione**, boiling point; **p. d'equilibrio**, balance point; (*chim.*) end point; **p. di fusione**, melting point; **p. d'infiammabilità**, flash point; **p. di rottura**, breaking point; **p. di saturazione**, saturation point; (*fis. nucl.*) **p. zero**, ground zero **17** (*gradazione di colore*) shade: **un bel p. di rosso**, a nice shade of red **18** (*mus.*) dot **19** (*anche* **p. tipografico**) point ● **p. chiave**, key point; key aspect □ (*leg.*) **p. di diritto**, point of law □ (*fig.*) **p. di forza**, strength □ **p. d'onore**, point of honour □ (*econ.*) **p. d'oro**, gold point □ (*fig.*) **p. di riferimento**, (*termine di confronto*) frame of reference; blueprint, benchmark; (*consigliere*) source of advice [of information], consultant, (*esempio*) standard setter, example □ **p. di vista**, (*opinione*) point of view, viewpoint, opinion; (*idea, tesi*) point: **dal mio p. di vista**, in my opinion; as I see it; **illustrare il proprio p. di vista**, to illustrate one's point □ **P. e basta**, and that's that; period! □ (*fig.*) **p. forte**, strong point; forte; strong suite (*fam.*) □ (*anat.*) **p. lacrimale**, lacrimal point □ **p. metallico**, staple □ **P. primo... p. secondo...**, first (of all)... secondly... □ (*fig.*) **dare dei punti a qc.**, to knock the spots off sb.; to run rings around sb. □ **di p. in bianco**, all of a sudden; out of the blue □ **di tutto p.**, fully: **armato di tutto p.**, fully armed; armed from head to foot; **vestirsi di tutto p.**, to dress up □ **fare il p. della situazione**, to take stock of the situation; to see how one stands □ **fare il p. su qc.**, to define (*o* to clarify) st. □ (*fig.*) **fare p.**, to stop; to call it a day: *Basta, per oggi facciamo p.*, all right, let's stop here for today (*o* let's call it a day) □ **alle tre in p.**, at three o'clock sharp; on the dot of three □ **messa a p. → messa** ② □ **mettere a p. → mettere** □ **essere sul p. di fare qc.**, to be on the point of doing st.; to be about to do st. □ (*prov.*) **Un p. in tempo ne salva cento**, a stitch in time saves nine □ (*prov.*) **Per un p. Martín perdé la cappa**, for want of a nail the shoe is lost.

pùnto ② **A** a. indef. (*region.*) (not) any; (not)... the slightest: *Non ho p. vino in cantina*, I haven't any wine (at all) in the cellar; *Non ho punti quattrini*, I haven't any (*o* I have no) money; *Non ha punta voglia di lavorare*, he hasn't the slightest desire to work **B** avv. (*region.*) not at all: *Non ero p.*

contento, I wasn't at all pleased; «*Come stai?*» «*P. bene*», «how are you?» «not at all well»; *Non ci vede p.*, she can't see at all.

puntofrànco m. bonded warehouse.

puntóne m. (*edil.*) strut; (principal) rafter: **p. d'angolo**, hip rafter; **falso p.**, (common) rafter.

♦**puntuàle** a. **1** (*che giunge a tempo giusto*) punctual; on time; on the dot (*fam.*): *Cerca di essere p.*, try and be punctual; **arrivare p.**, to arrive on time; *Il treno era p.*, the train was on time; **essere p. nei pagamenti**, to be punctual in payments; to pay punctually **2** (*scrupoloso*) accurate; precise; close; detailed; (*centrato*) sharp: **analisi p.**, accurate analysis; **critica p.**, detailed criticism; **descrizione p.**, exact description; **osservazione p.**, sharp comment **3** (*mat.*) point (attr.).

puntualità f. **1** punctuality: **p. nei pagamenti**, punctuality in payments; **esigere la massima p.**, to exact scrupulous punctuality; *Conosco la tua p.*, I know how punctual you are **2** (*precisione*) precision; accuracy.

puntualizzàre v. t. to be precise (about st.); to clarify; (*aggiungere riserve*) to qualify.

puntualizzazióne f. clarification; (*aggiungendo riserve*) qualification.

puntualménte avv. **1** (*in orario*) punctually; on time; on the dot (*fam.*): **arrivare p.**, to arrive on time; **pagare p.**, to pay punctually **2** (*accuratamente*) accurately; precisely; (*punto per punto*) point by point **3** (*regolarmente*) regularly; (*invariabilmente*) invariably, unfailingly.

♦**puntùra** f. **1** prick; (*di ape, vespa e sim.*) sting; (*di zanzara e sim.*) bite: **p. d'ago**, needle prick; **p. di spillo**, pin prick; **punture di zanzara**, mosquito bites **2** (*chir.*) puncture: **p. esplorativa**, exploratory puncture; **p. lombare**, lumbar puncture; spinal tap (*USA*) **3** (*fam.: iniezione*) injection; shot (*fam.*); jab (*fam.*): **fare una p. a q.**, to give sb. a shot; **farsi fare una p.**, to have an injection **4** (*trafittura, anche fig.*) sharp pain; twinge of pain; stab of pain: **punture alla spalla**, sharp pains in one's shoulder; **una p. in un fianco**, a stitch in the side **5** (*fig.: frecciata*) stinging remark; dig; gibe ❶**FALSI AMICI** • *tranne che in senso chirurgico*, puntura *non si traduce con* puncture.

puntùto a. pointed; sharp; spiky.

punzecchiaménto m. **1** (*il pungere*) pricking; (*d'insetto*) stinging, biting **2** (*fig.*) teasing; needling.

punzecchiàre **A** v. t. **1** (*pungere*) to prick, to prickle; (*d'insetto*) to sting*, to bite*: *Le zanzare lo punzecchiarono tutto*, he was badly bitten by mosquitoes **2** (*fig.: stuzzicare*) to tease; to needle; to have a dig at (*fam.*) **B** **punzecchiàrsi** v. rifl. recipr. to tease each other [one another].

punzecchiatùra f. **1 → punzecchiamento**, def. 1 **2** sting; bite: **punzecchiature di zanzara**, mosquito bites **3** (*fig.*) teasing □; needling □.

punzécchio m. (*di sperone*) rowel.

punzonàre v. t. **1** (*mecc.*) to punch; to stamp **2** (*sport*) to seal.

punzonatóre m. puncher.

punzonatrìce f. **1** puncher **2** (*mecc.*) punching machine; punch press; (*a mano*) punch: **p. per occhielli**, eyelet punch.

punzonatùra f. **1** (*mecc.*) punching; stamping; (*su oggetti d'oro, d'argento*) hallmark **2** (*sport*) sealing.

punzóne m. **1** (*per marcare metalli*) punch; stamp; die: **p. per monete**, minting die; punch **2** (*punteruolo*) punch; prick punch.

punzonìsta m. **1** (*chi fa i punzoni*) punch cutter **2** (*chi punzona*) puncher.

può 3ª pers. sing. indic. pres. di **potere**.

puòi 2ª pers. sing. indic. pres. di **potere**.

pùpa ① f. **1** (*bambola*) doll **2** (*fam.*: *bambina*) child; (*neonata*) baby girl; (*che cammina appena*) toddler **3** (*pop.*: *ragazza*) doll; bird (*GB*); chick.

pùpa ② f. (*zool.*) pupa*.

pupàrio m. (*zool.*) puparium*.

pupàro m. (Sicilian) puppeteer; puppet--master.

pupàttola f. **1** (*bambola*) doll **2** (*fig. spreg.*) doll; bimbo.

pupazzettista m. e f. caricaturist.

pupazzétto m. **1** (*figurina disegnata*) stick figure; (*figurina ritagliata*) cut-out doll, paper doll **2** (*fantoccio*) doll; puppet **3** (*caricatura*) caricature.

♦**pupàzzo** m. **1** (*fantoccio*) doll; puppet; (*di ventriloquo*) dummy: **p. di carta**, paper doll; cut-out doll; **p. di neve**, snowman; **p. di stoffa**, ragdoll **2** (*fig.*) puppet.

pupilàre v. i. to shriek; to screech.

pupilla f. **1** (*anat.*) pupil **2** (*estens.*: *iride*) iris; (*occhio*) eye: **con le pupille asciutte**, with dry eyes; without shedding a tear; (*scherz.*) *Cosa vedono le mie pupille?!*, I can't believe my eyes! **3** (*fis.*) diaphragm opening → **pupillo ● la p. degli occhi di q.**, the apple of sb.'s eye.

pupillàre ① a. (*anat.*) pupillary: **riflesso p.**, pupillary reflex.

pupillàre ② a. (*leg.*) pupillary; of a ward.

pupillo m. (f. **-a**) **1** (*leg.*) ward; pupil **2** (*estens.*: *favorito*) favourite; darling; pet (*fam.*); blue-eyed boy (*fam. GB*); white--haired boy (*fam. USA*): **il p. del direttore**, the director's favourite (*o* blue-eyed boy); **il p. della maestra**, the teacher's pet.

pupinizzàre v. t. (*telef.*) to coil-load.

pupinizzazióne f. (*telef.*) coil loading.

pùpo m. **1** (*fam.*) child; (*neonato*) baby boy; (*che cammina appena*) toddler: *Che bel p.!*, what a darling baby! **2** (*burattino*) puppet: **teatro dei pupi**, (Sicilian) puppet theatre.

pupù → **popò**.

pur → **pure**.

puraménte avv. **1** (*in modo puro*) purely; chastely **2** (*unicamente, solamente*) merely; simply; solely; only; just: *Ero andato là p. per aiutarlo*, I had gone there merely (*o* only, just) to help him; *Parla p. per il piacere di parlare*, he talks merely for the sake of talking; **una cortesia p. formale**, a purely formal courtesy **3** (*del tutto, perfettamente*) purely; totally; entirely; perfectly: **p. casuale**, purely (*o* entirely) coincidental; purely by chance (loc. avv.); **p. inutile**, totally (*o* perfectly) useless.

♦**purché** cong. **1** (*a condizione che*) provided (that); on condition that; as long as: *Ti aspetterò, p. tu ti sbrighi*, I'm going to wait for you, provided you hurry up; *Gli fu permesso d'andare, p. tornasse entro una settimana*, he was allowed to go on condition that would come back within a week; *Lo puoi prendere, p. tu lo tenga pulito*, you can take it as long as you keep it clean **2** (*esclam.*) if only; let's hope (that)...: *P. venga presto!*, if only she would come soon!; *P. non piova!*, let's hope it doesn't rain!

purchessìa a. indef. inv. any; any... whatever; any... whatsoever: *Me ne basta uno p.*, any one will do; **in un momento p.**, at any time; **in un luogo p.**, in any place whatever; anywhere.

♦**pùre** **A** cong. **1** (*tuttavia, eppure*) but; still; yet; however: *Sebbene lo avessi avvisato, p. non volle ascoltarmi*, although I had warned him, he still wouldn't listen to me; *È certo molto difficile, p. dovremo tentare*, it is indeed very difficult; however, we must make an attempt; *Bisogna pur vivere*, one still has to live; **pur tuttavia**, and yet; all the same; nevertheless **2** (*anche se*) even if; even though: *Pur volendo, non ne sarei capace*, I wouldn't know how to do it, even if I wanted to; *Riuscii a chiudere il cassetto, sia p.* (*o pur se*) *con qualche difficoltà*, though with some difficulty, I managed to push the drawer back in; *Dovevo incontrarlo, fosse p. per pochi minuti*, I had to see him, if only for a few minutes; **pur senza nutrire grandi speranze**, though without much hope **B** avv. **1** (*anche*) also; too; as well: *P. io sono andato a quella festa*, I too went to that party; *P. io sono italiano*, I too am Italian; *C'era p. lei*, she was there too; *L'ha detto p. a me*, she told me too; *P. mio fratello c'è stato*, my brother has also been there; my brother has been there too; *Noi p. verremo con te*, we'll go with you as well; «*Ho una bicicletta*» «*P. io*», «I have a bicycle» «so have I»; «*Conosco bene Venezia*» «*P. io*», «I know Venice well» «so do I» **2** (*rafforzativo*) – «*Le dispiace?*» «*Faccia p.!*», «do you mind?» «not at all»; «*Posso sedermi qui?*» «*Faccia p.!*», «may I sit here?» «please do»; *Fa' p. come vuoi*, do as you like; (*più brusco*) suit yourself; *Diglielo p.*, tell him, if you like; *Vieni p. stasera*, you can come tonight if you wish: (più enfat.) come tonight by all means! **3** (*lett.*: *proprio*) certainly; indeed: *È pur vero che..., tuttavia noi...*, it is certainly true that..., but we...; while it is true that..., we still... **C** pur di loc. cong. – *Rinuncerei a tutto pur di vederli felici*, I'd give up everything, just to see them happy; *Darei qualsiasi cosa pur di scoprirlo*, I'd give anything to find out; *È pronto a tutto pur di fare carriera*, he is ready to do anything to further his career.

purè m., **purèa** f. (*cucina*) purée: **p. di castagne**, chestnut purée; **p. di patate**, mashed potatoes (pl.), mash (*fam. GB*); **fare p. di qc.**, to purée st.; to mash st.

purézza f. **1** purity; pureness: **la p. dell'aria**, the purity of the air; **p. di cuore**, purity (*o* pureness) of heart; **p. di linee**, purity of line; **p. di stile**, purity of style; **p. di suono**, purity of sound **2** (*estens.*: *castità*) purity, chastity; (*verginità*) virginity.

pùrga f. **1** (*il purgare*) purgation; purging; purge **2** (*farm.*: *purgante*) purgative; laxative: *L'olio di ricino è adoperato come p.*, castor oil is used as a purgative; **agire da p.**, to act as a purge; **prendere una p.**, to take a laxative **3** (*fig.*: *epurazione*) purge.

purgànte A a. **1** (*farm.*) purgative; laxative **2** (*teol.*) – **le anime purganti**, the souls in Purgatory **B** m. (*farm.*) purgative; laxative: **un p. blando [drastico]**, a mild [a drastic] purgative; **prendere un p.**, to take a laxative.

purgàre A v. t. **1** (*somministrare una purga*) to give* a purgative (*o* a laxative) to; to purge: *Il malato è stato purgato ieri*, the patient was given a purgative yesterday **2** (*depurare, purificare*) to purify; to depurate; to clarify: **p. l'aria**, to purify the air; **p. un liquido**, to clarify a liquid; **p. il sangue**, to purify (*o* to depurate) the blood **3** (*fig.*: *espurgare*) to expurgate; to bowdlerize: **p. un testo**, to expurgate a text **4** (*fig.*: *epurare*) to purge **5** (*fig.*: *mondare, liberare*) to purify; to cleanse; to clear; to free: **p. l'anima dal peccato**, to cleanse the soul from sin; to purify the soul **6** (*relig.*: *espiare*) to purge; to expiate; to atone: **p. il peccato**, to expiate sin **B** purgàrsi v. rifl. **1** (*prendere una purga*) to take* a purgative (*o* a laxative) **2** (*fig.*) to purge oneself; to purify oneself **3** (*liberarsi*) to clear oneself: **purgarsi di un'accusa**, to clear oneself of a charge.

purgatézza f. (*lett.*) purity.

purgativo a. (*farm.*) purgative; laxative: **sali purgativi**, purgative salts.

purgàto a. **1** (*depurato*) purified; depurated; cleansed; clarified: **aria purgata**, purified air **2** (*fig.*: *castigato*) purified; pure: **stile p.**, pure style **3** (*fig.*: *espurgato*) expurgated; bowdlerized: **edizione purgata**, expurgated edition.

purgatóre m. (f. **-trìce**) purger; cleanser.

purgatòrio A m. **1** (*teol.*) Purgatory: **le anime del P.**, the souls in Purgatory **2** (*fig.*) purgatory; hell: *La loro vita è un p.*, their life is hell ● (*fig. fam.*) **un'anima del p.**, a restless person **B** a. purgatorial.

purgatùra f. **1** (*tecn.*) purifying; depurating; cleansing **2** (*impurità*) impurities (pl.); dross.

purgazióne f. **1** (*il purgare*) purgation; purging; cleansing **2** (*teol.*) purgation; expiation; atonement: **la p. dei propri peccati**, the expiation of one's sins **3** (*leg.*) redemption: **la p. d'una ipoteca**, the redemption of a mortgage.

purificaménto m. purifying; purification; cleansing.

purificàre A v. t. **1** (*rendere puro*) to purify; to clear: **p. l'aria d'una stanza**, to purify the air of a room; **p. il sangue**, to purify the blood **2** (*relig.*) to purge; to purify; to cleanse: **p. l'anima**, to purify the soul **B** purificàrsi v. rifl. e i. pron. **1** to purify oneself; to purge oneself **2** (*diventare puro*) to be purified; to become* pure: **purificarsi con la sofferenza**, to be purified through suffering.

purificatóio m. (*eccles.*) purificator.

purificatóre A a. purifying; cleansing **B** m. (f. **-trìce**) purifier; cleanser.

purificazióne f. **1** (*purificare*) purifying; cleansing: **la p. dell'aria**, the purification of the air; **la p. del sangue**, the purifying of the blood **2** (*relig.*) purification; cleansing; purging: **la P. della Vergine**, the Purification of the Virgin Mary.

purina f. (*chim.*) purine.

purìnico a. (*chim.*) purine (attr.).

purino m. (*agric.*) liquid manure.

purìsmo m. purism.

purìsta m. e f. purist.

puristico a. puristic.

purità f. purity; pureness: **p. di stile**, purity of style.

puritanésimo m. **1** (*relig.*) Puritanism **2** (*estens.*) puritanism.

puritàno A a. **1** (*relig.*) Puritan **2** (*estens.*) puritanical: **leggi puritane**, puritanical laws **B** m. **1** (*relig.*) Puritan **2** (*estens.*) puritan.

♦**pùro A** a. **1** pure; clear: **acqua pura**, pure (*o* clear) water; **alcol p.**, absolute alcohol; **aria pura**, fresh air; **oro p.**, pure gold; **seta pura**, pure silk; **vino p.**, undiluted wine; **p. al cento per cento**, ultrapure; **di razza pura**, purebred; pure-blooded; thoroughbred **2** (*teorico*) pure; theoretical: **matematica pura**, pure mathematics; **scienziato p.**, theoretical scientist **3** (*semplice, schietto*) pure; sheer; mere; plain; bare; naked: **pura follia**, sheer madness; **un p. effetto ottico**, a mere optical effect; **il p. necessario**, the bare essentials (pl.); what is strictly necessary; **la pura e semplice verità**, the plain, unvarnished truth; the truth pure and simple; **i fatti puri e semplici**, the naked facts; **pure illusioni**, mere illusions; **per p. abitudine**, out of sheer habit; **per p. caso**, by mere chance; **per pura coincidenza**, by sheer coincidence; **per pura necessità**, out of pure (*o* sheer) necessity; *È pura invenzione*, it's sheer invention **4** (*fig.*) pure; innocent; (*casto*) chaste; (*incontaminato*) untainted; unblemished: **p. di mente**, pure in mind; **anima [vita] pura**, chaste (*o* pure) soul [life]; *Le mie intenzioni sono pure*, my intentions

are pure **B** m. (f. **-a**) pure person.

purosàngue **A** a. **1** thoroughbred; pure-bred; pure-blooded **2** (*fig.*) trueborn: **un milanese p.**, a trueborn Milanese **B** m. e f. thoroughbred; purebred.

purpùreo a. (*rosso vivo*) deep red.

purpùrico a. (*chim.*) purpuric.

♦**purtròppo** avv. unfortunately; alas; worse luck: *P. è già partito*, unfortunately he has already left; *P. è arrivato prima lui*, he got here [there] first, worse luck; *P. è vero*, it's only too true; *Lo so, p.*, I know only too well; *Non è così facile, p.*, alas, it's not that easy; *P. non ne abbiamo*, I'm afraid we don't have any; *«Cattive notizie?» «Sì, p.»*, «bad news?» «I'm afraid so»; *«Non c'è più vino?» «No, p.»*, «isn't there any wine left?» «I'm afraid not».

purulènto a. (*med.*) purulent; running; suppurating; festering: **ascesso p.**, purulent abscess; **ferita purulenta**, festering wound; **materia purulenta**, matter; pus; **piaga purulenta**, running sore.

pus m. (*med.*) pus; matter.

pusillànime **A** a. pusillanimous; cowardly; faint-hearted; chicken-livered (*fam.*): **comportamento p.**, cowardly behaviour **B** m. e f. coward.

pusillanimità f. pusillanimity; cowardliness; faint-heartedness.

pùssa via loc. inter. (*region. fam.*) get lost!; scram! (*slang*).

pùstola f. (*med.*) pustule; pimple: **p. vaiolosa**, smallpox pustule.

pustolóso a. **1** (*med.*) pustular **2** (*coperto di pustole*) covered with pimples; pimply.

puszta (*ungherese*) f. inv. puszta.

put (*ingl.*) m. o f. inv. (*Borsa*) put (option).

putacàso avv. suppose; supposing; by chance: *Se, p., io m'addormentassi...*, supposing I should go to sleep...; *P. ch'egli non venisse...*, if by chance he didn't come...

putàmen m. inv. (*anat.*) putamen*.

putatìvo a. putative: **padre p.**, putative father.

puteàle m. **1** (*archeol.*) puteal **2** (*archit.*) well curb.

pùtido a. (*lett.*) fetid; stinking; foul-smelling.

Putifàrre m. (*Bibbia*) Potiphar.

putifèrio m. uproar; row; bedlam Ⓤ; stink (*fam.*); rumpus (*fam.*): *Che cos'è tutto questo p.?*, what's all this row about?; **fare un p.**, to kick up a row (*o, fam.*, a stink); to raise hell (*o* Cain) (*fam.*); *Scoppiò un p.*, there was a general uproar; all hell broke loose; *Se lo scoprono succede un p.*, if they find out, there'll be hell to pay.

putìre (*lett.*) → **puzzare**.

putìzza f. (*geol.*) hydrogen sulphide exhalations (pl.).

putrèdine f. **1** (*processo*) putrescence; putrefaction **2** (*sostanza*) putrid matter; rot **3**

(*fig.*) (moral) corruption; (moral) decay.

putredinóso a. putrescent; putrefying; rotting.

putrefàre **A** v. t. to cause to putrefy; to decompose; to rot **B** v. i. e **putrefàrsi** v. i. pron. to putrefy; to decompose; to decay; (*marcire*) to rot, (*di cibo*) to go* bad: *Il pesce si putrefà rapidamente*, fish goes bad quickly.

putrefàtto a. **1** putrefied; putrid; decomposed; decayed; rotten: **pesce p.**, rotten fish **2** (*fig.*) (morally) corrupted; (morally) decayed; rotten.

putrefazióne f. **1** putrefaction; decomposition; decay; rot: **andare in p.**, to decay; to decompose; to rot away; *Il ghiaccio ritarda la p.*, ice retards decay; **in uno stato di avanzata p.**, in an advanced state of decomposition **2** (*fig.*) (moral) corruption; (moral) decay.

putrèlla f. (*edil.*) iron beam; girder; H-beam.

putrescènte a. putrescent; putrefying; decaying; rotting: **concime p.**, putrescent manure.

putrescènza f. putrescence; putrefaction; decay.

pùtrido **A** a. **1** putrid; decayed; rotten: **acqua putrida**, putrid (*o* tainted) water; **carne putrida**, rotten meat **2** (*fig.*) putrid; corrupt; rotten **B** m. (*fig.*) (moral) corruption; (moral) decay; something rotten.

putridùme m. **1** putridity; rot **2** (*fig.*) corruption; decay.

putsch (*ted.*) m. inv. (*polit.*) putsch; coup (d'état) (*franc.*).

putschìsta m. e f. putschist.

putt m. inv. (*golf*) putt.

puttàna f. (*volg.*) whore; slut; tart (*fam.*); (*prostituta*) prostitute, streetwalker, hooker (*slang USA*): **andare a puttane**, to go whoring; (*fig.*) to go down the tubes (*fam.*); **fare la p.**, to be a whore; to be on the game (*slang*); to hook (*slang USA*) ♦ **figlia di p.**, bitch □ **figlio di p.**, son of a bitch; bastard □ (*fig.*) **mandare a puttane**, to foul up; to balls up (*GB*); to ball up (*USA*).

puttanàio m. (*volg.*) **1** brothel **2** (*fig.*: *luogo caotico*) shambles; (*confusione*) row; bedlam Ⓤ.

puttanàta f. (*volg.*) **1** (*sciocchezza*) bullshit Ⓤ; crap Ⓤ: *Non dire puttanate!*, don't talk crap! **2** (*azione vile*) lousy trick.

puttaneggiàre v. i. (*volg.*) to whore; to be a prostitute.

puttanèlla f. (*volg.*) little slut; tart.

puttanésco a. (*volg.*) whorish; sluttish: **avere un'aria puttanesca**, to look like a whore ♦ **spaghetti alla puttanesca**, spaghetti with tomato sauce, anchovies, caper and black olives.

puttanière m. (*volg.*) **1** whoremonger **2** (*estens.*) womanizer.

putter (*ingl.*) m. inv. (*golf*) putter.

pùtto m. (*pitt.*, *scult.*) putto*.

pùzza f. → **puzzo** ♦ (*fig.*) **avere la p. sotto il naso**, to be snooty (*o* stuck-up) (*fam.*); to be toffee-nosed (*fam. GB*).

puzzàre v. i. **1** to smell* (bad); to stink*; to reek: **p. d'aglio**, to smell (*o* to reek) of garlic; **p. di muffa** [**di rancido**], to smell mouldy [rancid]; **p. di whisky**, to reek of whisky; **p. orrendamente**, to smell horribly; to stink to high heaven; *Questo pesce puzza*, this fish smells (*o* stinks); *Gli puzza il fiato*, his breath smells; he has bad breath; *Gli puzzano i piedi*, his feet smell; he has smelly feet **2** (*fig.*) to smack; to smell*: **p. d'eresia**, to smack of heresy; **p. d'anarchia**, to smell of anarchy ♦ (*fig.*) **Ti puzza la salute?**, are you tired of life? □ (*fig.*) **La cosa mi puzza**, it's all very fishy; there is something fishy about it □ (*fig.*) **La sua spiegazione puzza**, there is something fishy about his explanation □ (*fig.*) **Mi puzza di plagio**, it looks suspiciously like plagiarism.

puzzle (*ingl.*) m. inv. **1** (*a incastro*) jigsaw (puzzle) **2** (*cruciverba*) crossword (puzzle).

pùzzo m. **1** (bad) smell; stench; stink; reek; pong (*fam. GB*): **p. che leva il fiato**, overpowering stench; **p. di sudore**, sweaty smell; **p. d'uova fradice**, stench of rotten eggs; *C'è (un) p. di cipolle* [*di bruciato, di gas*], there is a smell of onions [of burning, of gas]; *Si sente un gran p. qui*, there is a nasty smell in here; **mandare via il p.**, open the window to get rid of the smell **2** (*fig.*: *sentore, indizio*) smack; smell; taint: **un p. d'eresia**, a smack of heresy ♦ (*fig.*) **Qui c'è p. di bruciato**, something is not quite right here □ (*fig.*) **C'è p. d'imbroglio**, the whole thing smells fishy.

pùzzola f. (*zool.*, *Mustela putorius*) polecat.

puzzolènte a. foul-smelling; smelly; stinking; reeking; fetid; rank: **fiato p.**, stinking (*o* reeking) breath; **formaggio p.**, smelly cheese; **piedi puzzolenti**, smelly feet; **sigaro p.**, foul-smelling cigar.

puzzonàta f. (*volg.*) **1** (*azione disonesta*) lousy trick **2** (*cosa mal riuscita*) botched job; trash Ⓤ; crap Ⓤ (*volg.*).

puzzóne m. (f. **-a**) (*volg.*) **1** stinking person; foul-smelling person **2** (*fig.*) stinker; rotten bastard.

PV abbr. (**Pavia**).

p.v. sigla ((**mese**) **prossimo venturo**) next month (prox.).

PVC m. (*chim.*) PVC: **in PVC**, PVC (attr.).

PVS sigla (**paese in via di sviluppo**) developing country.

pyrex® m. Pyrex.

PZ sigla (**Potenza**).

Pz abbr. **1** (*med.*, **paziente**) patient **2** (**pezzo**) piece.

P.za abbr. (**piazza**) square (Sq.).

q, Q

Q, q f. o m. (*quindicesima lettera dell'alfabeto ital.*) Q, q ● (*telef.*) **q come Quarto**, q for Quebec.

q. sigla **1** (**quadrato**) square (sq.) **2** (*comm.*, **quota**) quota **3** (*geogr.*, **quota**) elevation.

qat m. inv. (*bot.*, *Catha edulis*) khat, kat, qat.

q.b. sigla (**quanto basta**) as much as will suffice (q.s., *lat.*: *quantum sufficit*).

q.e.d. sigla (*lat.*: *quod erat demonstrandum*) (**ciò che era da dimostrare**) which was to be demonstrated (QED).

QG sigla (*mil.*, **quartier generale**) headquarters (HQ).

QI sigla (**quoziente d'intelligenza**) intelligence quotient (IQ).

qu → **cu.**

♦**qua** ① avv. **1** here: **qua dentro**, in here; **qua e là**, here and there; about; *Correvano qua e là*, they were running here and there; **sparso qua e là**, scattered about; **qua fuori**, out here; **qua giù**, down here; **qua intorno**, around here; hereabout, hereabouts; **qua su** (*o* **sopra**), up here; **di qua**, (*da questo lato*) on this side; (*per di qua*) this way; (*nella stanza accanto*) in the next room; *Resta di qua!*, stay on this side!; *Passiamo di qua*, let's go this way; *Chi c'è di qua?*, who's in the next room?; **il mondo di qua**, this world; **di qua da** (*o* **al di qua di**), on this side of; **al di qua del fiume**, on this side of the river; **in qua**, this way; this side; *Vieni* (o *Fatti*, *Tirati*) *in qua*, move this way (*o* over here); *Voltati in qua*, turn this way; **più in qua**, closer; **da sei mesi in qua**, for the last six months; **da quando in qua?**, since when?; **da un po' di tempo in qua**, for some time now; **per di qua**, this way; *Da' qua!*, give it to me!; give it here!; *È qua che volevo arrivare!*, this is what I was getting at!; *Ecco qua!*, here you are!; *Ecco qua il tuo cappello*, here's your hat; *Eccolo qua*, here he is; *Eccoci qua*, here we are; *Sono qua*, I'm here; *Venite qua!*, come here; come over here!; *Qua la mano*, let's shake hands; let's shake on it; *Qua ti volevo!*, I've got you there! **2** (enfat.) – **questo libro qua**, this book (here); *Dammi qua il mestolo*, give (o hand) me the ladle; *Guarda qua che pasticcio!*, look at this mess here!; *È tutto un Mario qua, Mario là*, it's always «Mario, do this; Mario, do that».

qua ② inter. e m. quack: **fare qua qua**, to quack.

quaccherìsmo m. (*relig.*) Quakerism.

quàcchero (*relig.*) 🅰 m. (f. **-a**) Quaker 🅱 a. Quaker (attr.); Quakerish.

quàcquero e deriv. → **quacchero**, e deriv.

quad ① m. inv. (*fis.*) quad.

quad ② m. inv. (*sport*, *trasp.*) quad (bike).

quadèrna → **quaterna.**

quadernàccio m. (*brogliaccio*) blotter; jotter.

quadernàrio 🅰 a. quaternary 🅱 m. (*quartina*) quatrain.

♦**quadèrno** m. exercise book; (*registro*) book: **q. ad anelli**, loose-leaf exercise book; ring binder; **q. a quadretti** [**a righe**], squared [ruled] exercise book; **q. di appun-**

ti, notebook; **q. di cassa**, cashbook; **il q. di francese**, the French exercise book.

quàdra f. (*naut.*) square sail.

quadràbile a. (*rag.*) that can be balaced; balanceable.

quadragenàrio a. e m. (f. **-a**) (*lett.*) quadragenarian.

quadragèsima f. (*eccles.*) – **domenica di q.**, Quadragesima (Sunday).

quadragesimàle → **quaresimale.**

quadragèsimo a. e m. (*lett.*) fortieth: **q. primo** [**secondo**, *ecc.*], forty-first [forty-second, etc.].

quadrangolàre a. **1** (*geom.*) quadrangular: **prisma q.**, quadrangular prism **2** (*sport*) four-sided; four-way: **incontro q.**, four-sided (*o* four-way) match.

quadràngolo (*geom.*) 🅰 a. quadrangular 🅱 m. quadrangle.

quadrantàle a. quadrantal: **deviazione q.**, quadrantal deviation.

quadrànte m. **1** (*geom.*) quadrant **2** (*astron.*, *naut. stor.*) quadrant; (*di bussola*) quarter **3** (*di strumento di misurazione*) dial; face: **q. di orologio**, dial; clock face **4** – **q. solare**, sundial **5** (*legatoria*) board.

quadràre 🅰 v. t. **1** (*geom.*) to square: (*anche fig.*) **q. il cerchio**, to square the circle **2** (*mat.*: *elevare al quadrato*) to square **3** (*rag.*) to balance 🅱 v. i. **1** (*rag.*) to balance (out); (*anche estens. e fig.*) to add up: *I conti quadrano*, the accounts balance (out); **far q. i conti**, to balance the accounts; (*anche fig.*) *Non quadra*, it doesn't add up **2** (*fig.*: *corrispondere*) to tally, to agree, to fit; (*adattarsi*) to suit: *Il suo alibi non quadra con le testimonianze dei presenti*, his alibi doesn't tally (*o* agree) with the eyewitnesses' testimonies **3** (*fig. fam.*: *andare a genio*) to like (pers.); (*essere convincente*) to add up, to convince, to make* sense: *Non mi quadra* (*o* *Mi quadra poco*), I don't like it; I'm not convinced; (*c'è sotto qualcosa*) there's something fishy here; *Il tuo ragionamento non quadra*, your argument doesn't make sense; **una spiegazione che non quadra**, an unconvincing explanation.

quadràtico a. (*mat.*) quadratic: **equazione quadratica**, quadratic (equation).

quadratìno m. **1** (*piccolo quadrato*) (small) square **2** (*naut.*) gunroom **3** (*tipogr.*) en quad.

♦**quadràto** ① a. **1** (*che ha forma quadrata*) square: **pietra quadrata**, square stone; **scollo q.**, square neck; **tavolo q.**, square table **2** (*mat.*) square: **metro q.**, square metre; **radice quadrata**, square root **3** (*fig.*: *robusto*) solid; stocky: **fisico q.**, solid build; **spalle quadrate**, broad shoulders **4** (*fig.*: *assennato*) sensible; reliable; level-headed: **persona quadrata**, sensible (*o* reliable) person; **testa quadrata**, level head.

♦**quadràto** ② m. **1** (*geom.*) square **2** (*mat.*) square: *Il q. di 4 è 16*, the square of 4 is 16; **4 squared is 16; 8 al q.**, 8 squared; **elevare al q.**, to square **3** (*oggetto di forma quadrata*) square: **un q. di stoffa**, a square of cloth **4** (*pannolino per neonati*) nappy (GB); diaper (USA) **5** (*mil.*) – **formare il q.** (*o* **fare q.**), to form a square; (*fig.*) to close ranks **6**

(*sport*) ring: **salire sul q.**, to get into the ring **7** (*naut.*, *anche* **q. ufficiali**) wardroom; (*anche* **q. sottufficiali**) gunroom **8** (*astrol.*) quadrature **9** (*tipogr.*) em quad **10** – **q. magico**, magic square.

quadratóne m. (*tipogr.*) em quad: **due quadratoni**, two-em quad.

quadratùra f. **1** (*il quadrare*) squaring; (*riquadro*) square **2** (*mat.*) quadrature; squaring: **trovare la q. del cerchio**, to square the circle; (*anche fig.*) **tentare la q. del cerchio**, to try to square the circle **3** (*fig.*: *solidità*, *buon senso*) level-headedness; sensibleness; reliability: **q. mentale**, level-headedness **4** (*fis.*) quadrature **5** (*rag.*) balancing; balance **6** (*astron.*) quadrature: **in q. con**, in quadrature with **7** (*pitt.*) trompe l'oeil (*franc.*).

quadraturìsmo m. (*pitt.*) trompe l'oeil (*franc.*).

quadraturìsta m. (*pitt.*) painter of trompe l'oeil (*franc.*).

quadrellatùra f. grid.

quadrèllo m. **1** (*lett.*: *freccia*) arrow; quarrel **2** (*di guanto*) gusset **3** (*mattonella*) square tile **4** (*macelleria*: *lombata*) loin **5** (*ago*) packing needle **6** (*righello*) square ruler.

quadrerìa f. picture gallery.

quadrettàre v. t. to divide into squares; to square off.

quadrettàto a. **1** (*diviso in quadretti*) squared; in squares: **foglio q.**, sheet of squared paper **2** (*a scacchi*, *spec. di stoffa*) checked; check (attr.); (*a scacchi multicolori*) chequered: **giacca quadrettata**, check jacket.

quadrettatùra f. **1** (*il quadrettare*) division into squares; squaring off **2** (*quadretti*) checks (pl.); (*multicolori*) chequered pattern, chequerwork.

quadrétto m. **1** (*piccolo quadro*) small picture **2** (*piccolo quadrato*) small square; (*di motivo quadrettato*) check: **a quadretti**, squared; (*di stoffa*) checked, check (attr.); (*multicolori*) chequered; **suddividere in quadretti**, to square off; **carta a quadretti**, squared paper; **camicia a quadretti bianchi e rossi**, red-and-white check shirt **3** (*archit.*) moulding **4** (*fig.*: *scenetta*) scene; picture: **un q. di vita campestre**, a country scene.

quadribànda a. inv. (*radio*, *tel.*) quad band (attr.): **cellulare q.**, quad band (mobile) phone.

quàdrica f. (*mat.*) quadric (surface).

quadricìclo m. (*autom.*) quadricycle.

quadricilìndrico a. (*mecc.*) four-cylinder (attr.).

quadricìpite m. (*anat.*) quadriceps.

quadricromìa f. (*tipogr.*) four-colour process; four-colour reproduction.

quadridimensionàle a. four-dimensional.

quadriennàle 🅰 a. **1** (*che dura quattro anni*) four-year (attr.): **un corso q. di studi**, a four-year course of studies **2** (*che ricorre ogni quattro anni*) quadrennial; four-yearly: **esposizione q.**, four-yearly (*o* quadrennial)

exhibition; **giochi quadriennali**, quadrennial games B f. (*arte*) four-yearly (*o* quadrennial) exhibition.

quadriènnio m. four-year period; quadrennium*.

quadrifòglio m. **1** (*bot.*) four-leaf (*o* four-leaved) clover **2** (*archit.*) quatrefoil **3** (*raccordo stradale*) cloverleaf (junction) • **a q.**, four-leaved.

quadrifonìa f. quadraphonics (pl. col verbo al sing.).

quadrifònico a. quadraphonic; quadrophonic.

quadrìfora (*archit.*) A f. four-lancet window; four-light mullioned window B a. four-lancet (attr.).

quadrifórme a. (*lett.*) quadriform.

quadrifrónte a. four-sided.

quadrìga f. (*stor.*) quadriga*.

quadrigàrio (*stor.*) A a. of [relative to] a quadriga B m. quadriga driver.

quadrigemellàre, **quadrigèmino** a. – **parto q.**, birth of quadruplets.

quadrigètto m. (*aeron.*) four-jet aircraft*; four-jet plane.

quadrìglia f. (*danza, mus.*) quadrille: **ballare la q.**, to dance a quadrille; to quadrille.

quadrigliàti m. pl., **quadrìglio** m. (*gioco di carte*) quadrille (sing.).

quadrilàtero A a. (*geom.*) quadrilateral; four-sided: **edificio q.**, four-sided building B m. **1** (*geom.*) quadrilateral **2** (*mil.: fortificazione*) four-sided stronghold; (*gruppo di quattro fortezze*) quadrilateral **3** (*calcio*) box.

quadrilìngue a. quadrilingual: **iscrizione q.**, quadrilingual inscription.

quadrilióne m. (*mat.*) **1** (10^{15}) quadrillion **2** (10^{24}) septillion; quadrillion (*GB*).

quadrilobàto a. **1** (*bot.*) quadrilobate; quadrilobed **2** (*archit.*) quadrilobate; quatrefoil (attr.).

quadrìlobo A m. (*archit.*) quatrefoil B a. quatrefoil (attr.).

quadrilùstre a. (*lett.*) twenty-year-old (attr.); twenty years old (pred.).

quadrimèmbre a. (*lett.*) quadripartite.

quadrimensionàle a. four-dimensional.

quadrimestràle A a. **1** (*che dura quattro mesi*) four-month (attr.) **2** (*a intervalli di quattro mesi*) four-monthly: **rivista q.**, four--monthly review B m. four-monthly publication.

quadrimestralità f. **1** (*durata*) four--month duration **2** (*periodicità*) four-monthly occurrence **3** (*pagamento*) four-monthly payment.

quadrimestralménte avv. every four months; on a four-monthly basis.

quadrimèstre m. **1** (*periodo*) four-month period **2** (*somma pagata ogni quattro mesi*) four-monthly payment; (*affitto*) four--monthly rent: **pagare a quadrimestri**, to pay every four months.

quadrimotóre (*aeron.*) A a. four-engined B m. four-engined aircraft*.

quadrinòmio m. (*mat.*) quadrinomial.

quadripàla a. (*aeron.*) four-bladed (attr.).

quadripartìre v. t. to divide into four parts.

quadripartìtico a. (*polit.*) four-party (attr.).

quadripartìto ① a. divided into four parts; quadripartite.

quadripartìto ② A a. (*polit.*) four-party (attr.); quadripartite: **accordo q.**, quadripartite agreement; **coalizione quadripartita**, four-party coalition B m. four-party government.

quadripètalo a. (*bot.*) four-petalled;

four-petal (attr.).

quadriplegìa f. (*med.*) quadriplegia; tetraplegia.

quadriplègico a. e m. (f. **-a**) (*med.*) quadriplegic; tetraplegic.

quadripolàre a. (*elettr.*) quadrupole (attr.).

quadripòlo m. (*elettr.*) quadrupole.

quadripòrtico m. (*archit.*) four-sided portico*.

quadripósto A a. four-seat (attr.) B m. four-seater.

quadrireattóre m. (*aeron.*) four-jet aircraft*; four-jet plane.

quadrirème f. (*stor.*) quadrireme.

quadrirotóre a. (*aeron.*) four-rotor (attr.).

quadrisillàbico a. quadrisyllabic; tetrasyllabic.

quadrisìllabo A m. quadrisyllable; tetrasyllable B a. quadrisyllabic; tetrasyllabic.

quadrìsta m. (*tecn.*) control panel operator.

quadrittòngo m. (*fon.*) double diphthong.

quadrivalènte a. (*chim.*) quadrivalent; tetravalent.

quadrivettóre m. (*fis.*) four-vector.

quadrìvio m. **1** crossroads **2** (*stor. medievale*) quadrivium*.

♦**quàdro** ① a. **1** square: **parentesi quadra**, square bracket; (*naut.*) **vela quadra**, square sail **2** (*robusto*) solid; sturdy; broad: **spalle quadre**, broad shoulders; (*fig.*) **testa quadra**, level-headed person; (*spreg.*) blockhead **3** (*mat.*) square: **metro q.**, square metre.

♦**quàdro** ② A m. **1** picture; painting: **q. ad acquerello**, watercolour (painting); **q. a olio [a pastello]**, oil [pastel] painting; **q. astratto**, abstract painting; **un q. di Morandi**, a painting by Morandi; **quadri viventi**, tableaux vivants (*franc.*); **dipingere un q.**, to paint a picture; to do a painting; **galleria di quadri**, picture gallery; *Che bello! Pare un q.*, how beautiful! It's just like a picture **2** (*riquadro*) square; (*come motivo*) check: **disegno a quadri**, check pattern; (*a quadri multicolori*) chequered pattern; **stoffa a quadri**, check material; **tovaglia a quadri rossi e blu**, red-and-blue checked (*o* check) tablecloth **3** (*fig.: descrizione*) picture; description; account; outline; (*scena*) scene, sight; (*contesto*) context, framework: (*med.*) **q. clinico**, case history; **q. politico**, political picture (*o* scene); **q. riassuntivo**, summary; **un q. confuso della situazione**, a confused account of the situation; *Questo è il q. della situazione*, this is how things stand; **fare il q. della situazione**, to outline the situation; to sum up the situation; **fare un q. nero di qc.**, to paint a gloomy picture of st.; **nel q. di**, within the context (*o* framework) of **4** (*tabella*) chart; table; (*sezione*) section: **q. delle condizioni meteorologiche**, weather chart; **q. dei risultati**, results chart; **q. murale**, wall chart; **q. sinottico**, synoptic table **5** (*tecn.*) board; panel: **q. a muro**, wall-type board; **q. a pulsanti**, push-button board; **q. dei fusibili**, fuse board; (*elettr.*) **q. degli interruttori**, switchboard; **q. di comando**, control board; console; **q. di distribuzione**, distribution panel; **q. elettrico**, power-board; control board; (*autom.*) **q. strumenti**, instrument panel; dashboard **6** (*TV, cinem.*) frame: **fuori q.**, out of frame; **mettere in q.**, to frame **7** (*generalm. al pl.*) (*mil., polit.*) cadre; (*org. az.*) executive; manager: **i quadri dell'esercito**, the cadres of the army; **quadri direttivi**, (*di partito*) executive cadres; (*org. az.*) executives, managerial staff; **quadri intermedi**, middle-ranking

managers; middle management (sing.) **8** (*cinem., TV*) frame: (*al cinema*) *Q.!*, focus! **9** (*teatr.*) scene **10** (al pl.) (*nelle carte da gioco*) diamonds: **fante di quadri**, jack of diamonds **11** (*naut.*) – **q. di poppa**, upper stern **12** (*ginnastica*) – **q. svedese**, window ladder B a. inv. – **legge q.**, framework act.

quadróne m. (*lastra per pavimentazione*) flagstone.

quadròtta f. squarish paper.

quadrùccio m. (*cinem.*) (film) gate.

quadrùmane (*zool.*) a. four-handed; quadrumanous.

quadrùmviro e deriv. → **quadrunviro**, e deriv.

quadrunviràto m. (*stor.* e *estens.*) quadrumvirate.

quadrùnviro m. (*stor.*) quadrumvir.

quadrùpede (*zool.*) A a. four-footed; quadrupedal B m. **1** quadruped; four-footed animal **2** (*spreg.*) boor; lout; barbarian.

quadruplicàre A v. t. **1** (*moltiplicare per quattro*) to multiply by four; (*accrescere quattro volte*) to quadruple: **q. un numero**, to multiply a number by four; **q. la produzione**, to quadruple production **2** (*fig.*) to redouble; to increase: **q. gli sforzi**, to redouble one's efforts B v. i. e **quadruplicàrsi** v. i. pron. to quadruple; to increase fourfold.

quadruplicazióne f. (*mat.*) quadruplication.

quadrùplice a. quadruple; quadruplicate; fourfold: (*stor.*) **la Q. Alleanza**, the Quadruple Alliance; **vantaggio q.**, fourfold advantage; **in q. copia**, in quadruplicate.

quadruplicità f. quadruplicity.

quàdruplo (*mat.*) A a. quadruple; fourfold; four times as large (*o* great) (pred.): **una somma quadrupla rispetto alla precedente**, an amount four times as large as the previous one; **velocità quadrupla**, quadruple speed; *Il nostro rendimento è q. rispetto all'anno scorso*, our production has quadrupled since last year; *L'ho comprato per un prezzo q.*, I bought it for four times as much B m. quadruple; fourfold amount; four times (pl.) as (+ agg. o avv.): **20 è il q. di 5**, 20 is four times 5 (*o* is the quadruple of 5); *Loro sono il q. di noi*, they are four times as many as we are; **grosso il q.**, four times as big; **aumentare del q.**, to increase (*o* to rise) fourfold; to undergo a fourfold increase; **costare il q.**, to cost four times as much C avv. fourfold.

quadrupòlo → **quadripolo**.

quàgga m. (*zool., Equus quagga*) quagga.

quaggiù avv. **1** down here: **q. a Taranto**, down here in Taranto; *Vieni q.*, come down here; **da** (*o* **di**) **q.**, from down here **2** (*estens.: a sud*) here in the south **3** (*in questo mondo*) here below; in this world; on earth: **le cose di q.**, earthly things; **la vita di q.**, life on earth.

quàglia f. (*zool., Coturnix coturnix*) (common) quail* • (*zool.*) **re di q.** (*Crex crex*), corncrake.

quagliàre v. i. **1** (*region.: cagliare*) to curdle **2** (*fig.*) to gel.

quaglière m. quail pipe.

quagliòdromo m. piece of land where dogs are trained to hunt quail.

♦**quàlche** a. indef. **1** (*alcuni: in frasi afferm. quando si offre o si suggerisce qc.*) some, a few (+ pl.); (*in frasi neg., interr., dubitative e interr. neg.*) any: **q. anno fa**, some (*o* a few) years ago; **per q. minuto**, for a few minutes; **tra q. giorno**, in a few days' time; *Ti darò q. libro*, I'll give you some books; *Invitiamo q. amico*, let's invite a few friends; *Ho bisogno di q. consiglio*, I need some advice; *Vuoi q. caramella?*, would you like some sweets?; *Hai q. vecchio straccio?*, have you got any

old rags?; *Non so se sia rimasto q. biscotto*, I don't know whether there are any biscuits left; *Non ha q. amico?*, hasn't he got any friends?; *Hai q. prova di quello che dici?*, have you got any evidence for what you said? **2** (*un certo*) some: **q. tempo fa**, some time ago; **da q. tempo**, for some time; lately; **godere di (una) q. considerazione**, to be held in some esteem; *Lo disse con q. certezza*, she said it with some certainty; **non senza q. difficoltà**, not without some difficulty; **di q. importanza**, of some importance **3** (*uno qualsiasi, quale che sia*) in frasi afferm.) some; (in frasi interr.) any: *Deve avere (una) q. fonte di reddito*, he must have some source of income; *Trova q. pretesto*, find some excuse; *C'è (una) q. ragione per crederlo?*, is there any reason to believe it?; **per q. motivo**, for some reason • **q. altro**, (*diverso*) some other, any other; (*in più*) some more, any more □ **q. cosa → qualcosa** □ **q. volta** sometimes, occasionally; (*alcune volte*) a few times □ **in q. modo**, somehow; some way or other; (*alla bell'e meglio*) somehow; (*senza cura*) any old how □ **in q. posto** (*o da q. parte*), somewhere; someplace (*USA*); anywhere: *Dev'essere qui da q. parte*, it must be somewhere here (*o* round here, hereabouts); *Deve pur essere in q. posto!*, it has to be somewhere!; *Li hai visti da q. parte?*, have you seen them anywhere? □ **in q. punto**, somewhere.

qualchedùno → **qualcuno**.

♦**qualcòsa A pron. indef. 1** (in frasi afferm. o quando si offre o si suggerisce qc.) something; (in frasi interr., dubitative o condiz.) anything: **q. da mangiare [da leggere]**, something to eat [to read]; **q. da bere**, something to drink; (*una bibita, un liquore, ecc.*) a drink; **q. di strano [bello, vecchio]**, something strange [beautiful, old]; **q. di più costoso**, something more expensive; **qualcos'altro**, something else; anything else; *Di' q.*, say something; *Q. mi dice che...*, something tells me that...; *Deve essere successo q.*, something must have happened; *Beviamo q.?*, shall we have a drink?; *Ti ha detto q.?*, did she say anything to you?; *Hai bisogno di q.?*, is there anything you need?; *Posso offrirti q.?*, can I offer you something?; will you have something?; *C'è q. di nuovo?*, is there anything new?; *Ti occorre qualcos'altro?*, do you need anything else?; *Se q. non va, avvertimi*, if there's anything wrong (*o* if anything goes wrong), let me know; *Dovesse succedere q., non saprei come fare*, if anything should happen, I wouldn't know what to do **2** (*fig.*: *persona importante*) somebody: **diventare q.**, to become somebody • **q. come diecimila euro**, something like (*o* something in the region of) ten thousand euros □ **q. del genere** (*o di simile*), something of the kind; something like that: *Fa il programmatore o q. di simile*, he is a computer programmer or something (like that); *Avete mai visto q. di simile?*, did you ever see anything like it? □ **q. di meno**, something less; a bit less □ **avere q. al sole**, to own a piece of land □ **contare q.**, to count for something □ **alle dieci e q.**, just after ten; sometime after ten □ **Costa trenta euro e q.**, it costs thirty-odd euros □ **Ha un conto in banca di cento milioni e q.**, he has a bit more than a hundred million in the bank □ (*fam. enfat.*) **q. di**, really; truly: **un tappeto che è q. di bello**, a really super carpet; *Il nostro viaggio è stato q. di pazzesco*, our journey was truly dreadful □ **È già q.!**, that's something! □ **Ne so q. io!**, I know!; don't I know! **B m. inv.** (*elemento indefinibile*) something: **un certo q.**, an indefinable something; **avere un q. in più**, to have an extra something.

♦**qualcùno pron. indef. 1** (*alcuni*) some (pl.); a few (pl.); (*rif. a persone, anche*) some people (pl.); (*con un partitivo*) some (pl.), (in frasi interr., neg., dubitative e condiz.) any (pl.): *Q. dice che il direttore ha ragione, ma io no*, some (people) say that the director is right but I don't; *Ha molti libri, ma solo q. è interessante*, he has many books but only a few are interesting; *È giornata da funghi: ne ho già visto q.*, it's a good day for mushrooming, I've already seen a few; *Q. di voi mi chiederà se...*, some of you are going to ask me if...; **q. dei suoi film**, a few of his films; *C'era q. dei suoi amici?*, were any of his friends there?; *Ne conosci q.?*, do you know any of them?; *Ne è avanzato q.*, there are some (*o* a few) left (over) **2** (*una qualche persona, persone non note*) somebody, someone; (in frasi interr., neg., dubit. e condiz.) anybody, anyone; (*con partitivo*) some, any: *Glielo avrà detto q.*, somebody (*o* someone) must have told him; *Bisogna trovare q. che lo faccia*, we must find somebody (*o* someone) who'll do it; *Q. vuole venire con me?*, does anyone want to come with me?; *C'è q. in casa?*, is anybody in?; *Hai incontrato q. in strada?*, did you meet anybody (*o* anyone) in the street?; *Se viene q., digli che non sono in casa*, if anyone (*o* anybody) comes, say I'm not at home; *Conosci q. della sua famiglia?*, do you know any of his relatives?; *C'è q. di loro disposto a trasferirsi a Milano?*, are any of them willing to move to Milan?; *C'è qualcun altro che vuole parlare?*, is there anyone else who wants to say something?; *C'era q. che io conosco?*, was there anyone I know? **3** (*una persona non nota o non nominata*) somebody; someone: *Q. ti cerca*, someone (*o* somebody) is looking for you; *Posso portare q. con me?*, can I bring someone with me?; *Lo dovrà fare qualcun altro*, somebody else will have to do it **4** (*fig.*: *persona importante*) somebody: *Credi di essere q., ma sei una nullità*, you think you are somebody, but you are a nobody • **Ne starà facendo qualcuna delle sue**, he must be up to one of his usual tricks.

♦**quàle A a. interr. ❶ NOTA: *chi* → chi① 1** (*fra due, o fra un numero limitato di cose o persone*) which: *Q. vestito hai scelto?*, which suit have you chosen?; *Quali città europee sono su un fiume?*, which European cities lie on a river?; *In quali giorni sei occupato?*, on which days are you busy? **2** (*fra un numero indeterminato di cose o persone*) what; (*che genere di*) what kind of: *A q. pagina?*, on what page?; *Q. tipo di stoffa hai scelto?*, what kind of material did you choose?; *Per q. ragione vuoi andare?*, what is your reason for going?; *Non so q. carriera abbia intrapreso*, I don't know what career she has taken up • **Ma q. promessa! Io non ho promesso niente!**, what promise? I didn't make any promise! □ **non so q.**, vague; uncertain; indefinable: *Mi assalì non so q. dubbio*, a vague (*o* an indefinable) doubt came to me **B a. escl.** what (a): *Q. onore!*, what an honour!; *Q. coraggio!*, how brave!; (*iron.*) what a cheek!; *Quali meraviglie!*, what marvels! **C a. relat. 1** (in correl. con «tale», espresso o sottinteso) such as; (*proprio come*) (just) what, (just) as: **un successo q. non si era mai visto prima**, a success such as had never been seen before; *L'esito fu q. si sperava*, the outcome was just what was hoped for; **la città q. la vediamo ora**, the city as we see it now; *È tale q. me l'aspettavo*, it's just as (*o* what) I thought; *Ne voglio uno tale e q.*, I want one exactly the same; *È tale q. suo fratello*, (*nel carattere*) he's just like his brother; (*fisicamente*) he's the spitting image of his brother; *Ve la dico tale q. l'ho sentita*, I'll tell you exactly what I heard; (*prov.*) *Q. il padre, tale il figlio*, like father, like son **2** (*nelle esemplificazioni*) such

as: **poeti quali Foscolo e Leopardi**, poets such as Foscolo and Leopardi **3** (*in qualità di*) as: *Fu inviato q. intermediario*, he was sent as an intermediary **4** (*lett. enfatico*) which: **la qual cosa mi insospetti**, which aroused my suspicions; **per la qual cosa**, for which reason **D a. indef. 1** (*qualunque*) whatever: *Quali che siano state le sue colpe...*, whatever his mistakes (may have been)... **2** (*pleonastico con valore rafforzativo*) – **in certo qual modo**, in a way; somehow; **una certa qual tristezza**, a touch (*o* hint) of sadness **E pron. interr. 1** (*fra due, o fra un numero limitato di cose o persone*) which: *Quali preferisci?*, which do you prefer?; *Qual è tua sorella?*, which is your sister?; *Qual è il mio?*, which is mine?; *Dovrò venderne uno dei due, ma q.?*, I'll have to sell one of the two, but which one?; *Sono incerto su q. comprare*, I'm not sure which one to buy **2** (*fra un numero indeterminato di cose o persone*) what: *In base a q. ragionamento supponi che ...?*, on what basis do you assume that ...?; *Non saprei dirti quali siano le sue intenzioni*, I really couldn't tell you what his intentions are; *Qual è il prezzo di quella merce?*, what is the price of those goods? • **per la q.**, as (*o* what) it should be; very good; (*rispettabile*) decent, respectable; (*bene*) very well: *Questa carne non è troppo per la q.*, this meat isn't very good; **un lavoro non tanto per la q.**, not a very good job; **non sentirsi molto per la q.**, not to feel very well **F pron. relat. 1** (*rif. a persone*) (sogg.) who, that; (compl. ogg.) whom, that; (compl. indir.) whom; (poss.) whose: *C'era lì vicino un signore, il q. gentilmente mi aiutò*, there was a man close by who kindly helped me; *Coloro i quali si abboneranno entro dicembre riceveranno un omaggio*, those who subscribe before the end of December will receive a special gift; **un uomo del q. tutti riconoscono l'onestà**, a man whose honesty is recognized by everyone; *Mia cognata, alla q. ho fatto un grosso piacere, non mi ha neanche ringraziato*, my sister-in-law, for whom I did a great favour, didn't even thank me; **un amico sul q. posso sempre contare**, a friend I can always rely on; (*più form.*) a friend on whom I can always rely; **la ragazza con la q. esco**, the girl I'm going out with; the girl I'm dating (*USA*) **2** (*rif. a cose o animali*) which; that; (poss.) of which, whose: **il vestito col q. sono uscito**, the suit in which I went out; the suit I went out in; **il paese del quale ti parlavo**, the village I was telling you about; **la porta dalla q. è uscito**, the door he came out of; **la scuderia dalla q. viene questo cavallo**, the stables from which this horse comes; the stables this horse comes from; **la ditta per la q. lavoro**, the firm I work for; **la ragione per la q. ti ho voluto vedere**, the reason why I wanted to see you **G pron. indef.** (*correlativo*) some... some (*o* others): **q. qui, q. là**, some here, some there; **q. in silenzio, q. protestando vivamente**, some quietly, others protesting vehemently.

qualifica f. 1 (*attributo*) label; name; tag: *È una q. che non mi merito*, it's a name I don't deserve; *Si è guadagnato la q. di stupido*, he has been quite rightly labelled as a fool **2** (*titolo*) qualification: **le qualifiche necessarie**, the necessary qualifications; **qualifiche professionali**, professional qualifications **3** (*posizione*) status; rank: **q. di impiegato**, clerical status; *Mi hanno assunto con la q. di dirigente*, I've been taken on as (a) manager **4** (*giudizio*) grade; (*bur.*) rating.

qualificàbile a. qualifiable.

qualificànte a. 1 qualifying **2** (*significativo*) main; significant; key.

qualificàre A v. t. 1 (*definire*) to define

(as); to describe (as); to call; to term; to style; to put* down (as); (*caratterizzare*) to characterize (as), to mark out (as): **un comportamento che si può solo q. come vergognoso**, behaviour that can only be called disgraceful; *L'hanno qualificato come uno sciocco*, they put him down as a fool **2** (*dare una qualifica professionale*) to qualify; (*addestrare*) to train **B** **qualificàrsi** v. rifl. **1** (*definirsi*) to describe oneself (as); to call oneself; to style oneself (as); (*presentarsi*) to introduce oneself (as): *Si qualifica come programmatore*, he describes himself as (*o* calls himself) a programmer **2** (*ottenere una qualifica*) to qualify: **qualificarsi idoneo [come operaio specializzato]**, to qualify as suitable [as a skilled worker]; (*sport*) **qualificarsi per le semifinali**, to qualify for the semifinals.

qualificativo a. **1** qualifying **2** (*gramm.*) descriptive; qualifying: **aggettivo q.**, descriptive adjective; qualifier.

qualificàto a. **1** (*che si distingue*) distinguished; leading; remarkable: **ambiente q.**, distinguished circle **2** (*dotato di qualifica professionale*) qualified; (*addestrato*) trained; (*competente*) competent: **insegnante q.**, qualified teacher; **essere pienamente q. a fare qc.**, to be fully qualified to do st.; *Non è abbastanza q.*, he is not qualified enough (*o* competent enough) **3** (*esperto*) skilled; skilful: **operaio q.**, skilled workman.

qualificazióne f. **1** (*il qualificare o qualificarsi*) qualification **2** (*definizione*) definition; description; (*valutazione*) evaluation; (*classificazione*) rating **3** (*acquisizione di qualifica professionale*) qualification; (*addestramento*) training: **corso di q. professionale**, training course **4** (*sport*, anche **prova di q.**) qualifying event; qualification.

♦**qualità** f. **1** quality; (*natura*) nature; (*proprietà*) property: **la q. di un articolo**, the quality of an article; **le q. della materia**, the properties of matter; **la q. del suolo**, the nature of the the soil; **q. acquisite [innate]**, acquired [inborn] qualities; **q. negative**, negative qualities; **q. positiva**, good quality; virtue; good point; **q. peculiare**, characteristic; **di q. inferiore**, inferior; **di q. scadente**, second-class; third-class; inferior; cheap; substandard; **di q. superiore**, high--quality; high-grade; superior; top-grade; **di alta q.**, high-quality; high-grade; top-quality (attr.); exclusive; **di ottima q.**, of excellent quality; **di prima q.**, first-rate; outstanding; choice (attr.); (the) choicest (*fam. USA*); **di q.**, quality (attr.); choice (attr.); first-rate; **prodotti di q.**, quality (*o* choice) products; **scrittore di q.**, fine (*o* first-rate, accomplished) writer; **salto di q.**, complete (*o* radical) change **2** (*virtù, pregio*) (good) quality; virtue; merit: **essere ricco di q.**, to be full of good qualities **3** (*specie, genere*) kind; sort; variety: **diverse q. di mele**, several varieties of apples; **cioccolato di due q., amaro e al latte**, two kinds of chocolate, plain and milk; **vini di diverse q.**, wines of many kinds **4** (*insieme di caratteristiche, standard*) quality: (*aeron.*) **q. di volo**, airworthiness; (*naut.*) **q. nautiche**, seaworthiness; **q. di vita**, quality of life; living standards (pl.) **5** (*condizione sociale, rango*) class; social standing: **gente di ogni q.**, people of all classes **6** (*grado, ufficio, carica*) capacity: **nella mia q. di medico**, in my capacity as a doctor; **in q. di collega**, as a colleague **7** (*org. az.*) quality: **q. totale**, total quality management; **circolo di q.**, quality circle; **controllo della q.**, quality control.

qualitativo **A** a. qualitative: (*chim.*) **analisi qualitativa**, qualitative analysis; **dati qualitativi**, qualitative data; **giudizio q.**, qualitative judgment; **salto q.**, complete (*o* radical) change **B** m. (*comm.*) quality.

qualménte avv. (*fam. scherz.*) how: *Ci raccontò come (e) q. gli avessero offerto un grosso affare*, he told us how he had been offered a very profitable deal.

qualóra cong. in case; if: **q. non si potesse**, if it should prove impossible; should it prove impossible (*form.*); **q. piovesse**, in case (*o* if) it should rain; **q. ci fossero cambiamenti**, should there be any changes.

♦**qualsìasi** **A** a. indef. **1** any; (*ogni*) every, all: **q. cosa**, anything; (*ogni cosa*) everything; *Avrebbe fatto q. cosa pur di avere quel posto*, she'd have done anything to get that job; **a q. costo**, at all costs; whatever the cost; **a q. ora**, at any time; **con q. tempo**, in any weather; in all kinds of weather; whatever the weather; **in q. caso**, in any case; in **q. modo**, anyhow; **consegne in q. parte della città**, deliveries to any part of town; *Quel meccanico sa riparare q. motore*, that mechanic can repair any engine; **uno q. di voi [di noi, ecc.]**, any one of you [of us, etc.]; *Lo potrebbe fare uno q.*, anyone could do it; *Dammi un piatto q.*, give me just any plate; *«Che marca vuole?» «Va bene una q.»*, «which brand would you like?» «any one will do» (*o* «just any») **2** (*spreg.*: *comune, ordinario*) ordinary; common; unremarkable: **bicchieri q.**, ordinary glasses; **un uomo q.**, an ordinary man **B** a. relat. indef. whatever; (*riferito a un numero limitato*) whichever: *Q. cosa accada, voi non muovetevi*, stay put whatever happens; *Q. cosa faccia, la fa bene*, he is good at whatever he does; everything he does, he does well; *Q. decisione tu prenda, ricordati della tua promessa*, whatever decision you take (*o* whatever you decide), remember your promise; **q. direzione tu prenda**, in whichever direction you go; whatever direction you take; *Q. partito vada al potere, la nostra politica estera non cambia*, whichever party comes to power, our foreign policy remains the same; **in q. modo tu lo guardi**, whichever way (*o* from whatever angle) you look at it; **in q. momento vengano**, whenever they come.

qualsisìa, **qualsivòglia** (*lett.*) → **qualsiasi**.

♦**qualùnque** → **qualsiasi**.

qualunquìsmo m. political indifference; political cynicism.

qualunquìsta **A** m. e f. politically indifferent person; political cynic **B** a. → **qualunquistico**.

qualunquìstico a. politically indifferent; politically cynical.

qualvòlta → **ogniqualvolta**.

quandànche cong. even if: *Q. arrivassimo in tempo...*, even if we get there in time...

♦**quàndo** **A** avv. **1** when: *Q. parti?*, when are you leaving?; *Q. fu fondata Roma?*, when was Rome founded?; *Non so q. mi pagherà*, I don't know when she'll pay me; *Q. mai l'ho detto?*, whenever did I say that?; *A q. il prossimo incontro?*, when is the next meeting going to be?; *Da q. esci con lei?*, how long have you been going out with her?; *Da q. lo sai?*, how long have you known?; *Da q. in qua non si mangia puntualmente in questa famiglia?*, since when are meals not taken punctually in this family?; *Di q. è quel giornale?*, what's the date of that newspaper?; *Fino a q. potrai resistere?*, till when (*o* how long) will you be able to hold out?; *Fino a q. dovrò sopportarlo?*, how long will I have to put up with him?; *Per q. è la prossima partita?*, when is the next match?; *Per quando ne hai bisogno?*, when do you need it (for)? **2** (*correl.*) **q... q.**, sometimes... sometimes: *Va in ufficio q. a piedi q. in autobus*, sometimes he walks to the office and sometimes he takes the bus: *«Fai ginnastica al mattino?» «Q. sì q. no»*,

«do you exercise in the morning?» «sometimes I do and sometimes I don't» ● (*fam.*) **Ma q. mai?** (*macché*), not at all!; it's out of the question! □ **di q. in q.**, from time to time; every now and then; every so often: *Facciamo una partita a carte di q. in q.*, we have a game of cards every now and then; we have the occasional game of cards **B** cong. **1** when: *Q. ero a Roma, ero felice*, I was happy when I was in Rome; *Te lo dirò q. ci rivedremo*, I'll tell you when we meet again; *È meglio non gesticolare q. si guida*, you should not gesticulate when driving; *Da q. è arrivato non fa che brontolare*, he has been grumbling since the moment he arrived; *Da q. ho divorziato, niente mi va bene*, nothing has gone right with me since I divorced my wife; *Da q. ho cominciato questo lavoro, non ho un momento libero*, I haven't had a free moment ever since I started (on) this job; *Dimmi di q. abitavi in Africa*, tell me of the time when you lived in Africa; *Sarò in pena fino a q. non mi telefoni*, I'll be worrying until you phone me; *Che tutto sia pronto per q. torno*, I want everything to be ready when (*o* by the time) I come back; *Questo è per q. sarò vecchio*, this is for (the time) when I am old **2** (*escl.*) talk about...: *Q. si nasce con la camicia!*, talk about being born lucky!; *Q. si dice la coincidenza!*, talk about coincidences! **3** (*ogni volta che*) whenever: *Q. la incontro, mi sorride*, whenever I meet her she smiles at me **4** (*in cui*) when; in which; that: **quella volta q. siamo andati a trovarli**, that time (when) we visited them; **lo stesso giorno q. ti ho parlato**, the same day (that) I spoke to you **5** (*mentre, laddove*) when; whereas: *Non capisco perché tu ti alzi così presto, q. potresti startene a letto*, I don't understand why you get up so early, when you could stay in bed; *Ha voluto parlare, q. gli conveniva tacere*, he insisted on speaking, whereas he should have kept silent **6** (*se*) if: *Q. voi voleste...*, if you wish...; **q. è così**, if that is the case; **q. anche**, even if; even though **7** (*giacché*) when; if; since: *Perché protesta lui, q. chi ci ha rimesso sono io?*, why is he complaining, when I'm the one losing out?; *Q. ti dico che non lo so!*, if I tell you I don't know! ● **q. che sia**, sooner or later □ **quand'ecco**, when suddenly: *Andavamo a passeggio quand'ecco scoppiò un temporale*, we were out for a walk when suddenly a storm broke out **C** m. when: **il come e il q.**, the how and the when; **il dove e il q.**, the where and the when; the time and the place.

quàntico a. (*fis.*) **1** quantum (attr.); quantal: **numero q.**, quantum number; **rivelatore q.**, quantum detector; **salto q.**, quantum jump **2** → **quantistico**.

quantificàbile a. quantifiable.

quantificàre v. t. to quantify: **q. i danni**, to quantify damage.

quantificatóre **A** m. (*mat., filos.*) quantifier: **q. esistenziale**, existential quantifier (*o* operator); **q. universale**, universal quantifier **B** a. quantifying.

quantificazióne f. (*anche filos.*) quantification.

quantile m. (*stat.*) quantile.

quantìstico a. (*fis.*) quantum (attr.); quantal: **meccanica [elettrodinamica] quantistica**, quantum mechanics [electrodynamics]; **teoria quantistica**, quantum theory; **teoria quantistica dei campi**, quantum field theory.

♦**quantità** f. **1** quantity; (*quantitativo, anche*) amount: *La q. va spesso a scapito della qualità*, quantity is often detrimental to quality; **una q. trascurabile**, a negligible quantity (*o* amount); **la q. necessaria**, the necessary (*o* required) amount; *C'è un limite alla q. di lavoro che si può fare in un*

giorno, there is a limit to the amount of work that can be done in a day; **in grandi q.**, in large quantities (*o* amounts); en masse; wholesale; (*in abbondanza*) in abundance; **in piccole q.**, in small quantities (*o* amounts); piecemeal **2** (*gran numero, moltitudine*) (a) lot; lots (pl.); (a) great deal; quantities (pl.); abundance: **una q. di turisti**, lots of tourists; *C'è una q. di gente che non lo sa*, there are a lot of (*o* lots of, many) people who don't know about it; *C'era una q. di gente alla festa*, there was quite a crowd at the party; *Ha una q. di amici*, he has a lot of (*o* lots of) friends; *Ho una q. di cose da fare*, I have a lot of (*o* lots of) things to do; **permettersi una q. di lussi**, to indulge in many luxuries; **soldi in q.**, lots of money **3** (*ling.*) quantity: **la q. di una vocale**, the quantity of a vowel **4** (*mat.*) quantity: **q. finita**, finite quantity; **q. negativa**, negative quantity; **q. variabile**, variable **5** (*fis.*) quantity: **q. di elettricità**, charge; **q. di luce**, quantity of light; **q. di moto**, momentum; **q. osservabile**, observable quantity **6** (*filos.*) quantity.

quantitativo ◆A a. **1** quantitative (*chim.*) **analisi quantitativa**, quantitative analysis **2** (*ling.*) quantitative: **verso q.**, quantitative line ◆B m. quantity; amount: **una q. di merce**, a quantity of goods; **il q. disponibile**, the amount available; **q. fissato** (*o* stabilito), quota; **q. minimo**, minimum amount; **in grandi quantitativi**, in large quantities (*o* amounts).

quantizzàre v. t. (*fis.*) to quantize.

quantizzazióne f. (*fis.*) quantization.

◆**quànto**① ◆A interr. ❶Nota: *chi* → *chi*① how much; (pl. how many): *Q. pane c'è?*, how much bread is there?; *Q. tempo ci resta?*, how much time have we got left?; *Q. tempo è passato da quando...?*, how long is it since...?; *Non so q. denaro abbia*, I don't know how much money she has; *Quanti appartamenti possiede?*, how many flats does he own?; *Quante volte te l'ho detto?*, how many times have I told you?; *Chissà quanti anni gli ci sono voluti*, I wonder how many years it took him; *Quanti anni hai?*, how old are you? ◆B a. escl. what a lot of; how (+ agg.): *Q. denaro spendi in vestiti!*, what a lot of money you spend on clothes!; *Q. tempo sprecato!*, what a waste of time!; *Q. freddo faceva!*, how cold it was!; *Quanti libri hai!*, what a lot of books you have!; *Quante bugie ha detto!*, what a lot of lies she told!; *Quante risate ci siamo fatti!*, how we laughed!; *Q. tempo ho aspettato!*, what a long time I had to wait! ◆C a. relat. **1** (*tutto quello che*) as much... as (pl. as many... as): *Gli darò q. denaro gli serve*, I'll give him as much money as he needs; *Prendi quanti libri ti servono*, take as many books as you need; *Resta per quanti giorni vuoi*, stay for as many days (*o* for as long) as you like **2** (correl. di «tanto») as: *Ha avuto tanti dolori quante gioie nella vita*, he has had as many sorrows as joys in life ● **e quant'altro**, and what have you; and whatever ◆D pron. interr. ❶Nota: *chi* → *chi*① **1** how much (pl. how many): *Q. te ne serve?*, how much do you need?; *Quanti ne hai presi?*, how many did you take?; *Quanti partirono con lui?*, how many left with him?; *Q. c'è di vero in quello che dice?*, how much truth is there in what he says?; *In quanti eravate?*, how many of you were there? **2** (*per ellissi: q. tempo*) how long: *Q. ci vorrà per riparare la mia auto?*, how long will it take to repair my car?; *Q. intendi restare?*, how long are you planning to stay?; *Quant'è che è morta?*, how long has she been dead (for)?; *Ogni q. viene?*, how often does she come?; **per q. ancora?**, how much longer?; *Q.* (*o Quant'è che*) *ti è costato?*, how much did it cost you?; *Q. vogliono per quella ca-*

sa?, how much are they asking for that house? **4** (*per ellissi: quanta distanza*) how far: *Q. c'è da Milano a Parigi?*, how far is it from Milan to Paris?; *Q. dista da qui?*, how far is it from here? **5** (altre forme ellittiche) – *Q. hai preso nell'esame?*, what mark did you get in your exam?; *Q. hai di febbre?*, how high is your temperature?; *Q. ha il bimbo?*, how old is the baby?; *Quanti ne abbiamo oggi?*, what is the date today?; what is today's date? ◆E pron. escl. what a lot: «*Ecco il pane*» «*Q. ne hai comprato!*», «here's the bread» «what a lot you've bought!»; *Quanti sono venuti!*, what a lot of people came!; *Q. deve aver penato!*, what he must have gone through!; *Quante gliene ho dette!*, I sure told him where to get off!; *Quante ne ho viste!*, the things I've seen! ◆F pron. relat. **1** (al pl.: *tutti quelli che*) (all) those who; (*chiunque*) whoever (sing.): *Quanti desiderano andare possono farlo ora*, those who wish to leave can do so now; **all'insaputa di quanti erano con lui**, unknown to those who were with him; *Ne prese quanti ne trovò*, she took all (*o* as many as) she found; *Truffò quanti incontrò sul suo cammino*, he swindled anyone and everyone he met on his way; *È a disposizione di quanti me lo chiederanno*, it is available to whoever asks for it; **tutti quanti**, everyone; all of you [us, them] **2** (correl. di «tanto») as: *Riceverà tanto denaro q. gliene serve*, she'll get as much money as she needs; *Conosce tante ragazze quante tutti voi messi insieme*, he knows as many girls as all of you put together; *C'erano tanti pareri quanti erano i presenti*, there were as many viewpoints as there were people present **3** (*quello che*) what; (*tutto quello che*) everything: *Farò q. è in mio potere*, I'll do what (*o* everything) I can; *Ha creduto a q. gli ho detto*, he believed what I told him; *L'ho pagato q. valeva*, I paid what it was worth; **q. di più bello**, the most beautiful; **q. basta per vivere**, enough to live on; **q. di meglio**, the best; *È q. di meglio ci sia in fatto di stampanti laser*, it's the best laser printer there is on the market; *Mi mostrò q. aveva di meglio nella sua raccolta*, he showed me the best (pieces) of his collection; **q. di peggio**, the worst; **q. sopra**, the above; **più [meno] di q. pensassi**, more [less] than I thought; **tutto q.**, everything ● **a q. si dice**, according to what I've heard; apparently □ **a** (*o* per) **q. ne so**, as far as I know □ **A q. pare aumenteranno le tasse**, it seems there's going to be an increase in taxes □ **A q. pare nessuno se n'era accorto**, apparently, no one had noticed □ **per q. ne so**, as far as I know □ **per q. mi riguarda**, as far as I'm concerned □ **per q. mi risulta**, as far as I'm aware; to the best of my knowledge □ **Questo è q.**, and that is that □ (*per ellissi: q. denaro*) □ **q. dovuto**, the amount (*o* owing).

◆**quànto**② ◆A avv. **1** (*in quale misura o quantità*) how (+ agg. o avv.); how (much) (+ verbo); (nelle escl.) what a lot (of): *Q. è grande la casa?*, how big is the house?; *Q. è bella quella ragazza!*, how beautiful that girl is!; *Q. mi manchi!*, how (much) I miss you!; *Q. mi hai reso felice!*, how happy you've made me!; *Q. hanno mangiato!*, what a lot they ate!; *Q. ho camminato oggi!*, what a lot of walking I did today!; *Q. mi avete aiutato!*, how helpful you have been!; what a lot of help you have given me! **2** (*nella misura, nella quantità che*) as much as: *Ne so* (*tanto*) *q. prima*, I know as much as (o no more than) I did before; *Non ti ama* (*tanto*) *q. dovrebbe*, he doesn't love you as much as he should; *Mi sono stancata q. mai in vita mia*, I was as tired as I had ever been in my life; **q. basta**, as much as needed (*o* as necessary); (*a sufficienza*) enough; (nelle ricette) to taste **3**

(*come*, nei compar. di uguaglianza) as: *Ha uno stipendio alto q. il mio*, she has as high a salary as I (have); *Ha una casa bella q. la tua?*, has he got as beautiful a house as you (have)?; has he got a house as beautiful as yours?; *Il sole non era tanto caldo q. mi aspettavo*, the sun wasn't as (o so) hot as I expected; *Ho speso* (*tanto*) *q. te*, I spent spend as much as you did **4** (nei compar. di maggioranza e minoranza) than: *È più di q. intenda tollerare*, it's more than I intend to tolerate; **meno di q. mi aspettassi**, less than I expected **5** (correl. di «tanto»: *sia... sia*) and: *Hanno telefonato tanto lui q. la moglie*, both he and his wife phoned; *La farò pagare tanto a te q. a lui*, I'll get my own back on both you and him ● **q. a**, as for; as far as... is [was] concerned; as regards; (*circa*) as to: **q. a me**, as for me; as far as I am concerned; *Q. a lasciarlo guidare, non ci penso nemmeno*, as to letting him drive, I wouldn't dream of it □ **Q. è vero Iddio!**, as God is my witness! □ **q. mai** (*molto*), extremely; most: **q. mai generoso**, extremely (*o* most) generous □ **q. meno**, at the least; to say the least □ **q. più... tanto meno**, the more... the less; the (+ compar.)... the less: *Q. più lo conosco, tanto meno mi piace*, the more I get to know him, the less I like him; *Q. più si è vecchi, tanto meno si ha voglia di viaggiare*, the older one gets, the less ready to travel one is □ **q. più... tanto più**, the more... the more; the (+ compar.)... the (+ compar.): *Q. più studi, tanto più impari*, the more you study, the more you learn; *Q. più si arrabbiava, tanto più gridava*, the angrier she got, the louder she shouted □ **Vieni q. prima**, come as soon as possible □ **q. prima, tanto meglio**, the sooner, the better □ **in q.** (*in qualità di*), as: **in q. medico**, as a doctor; **in q. minorenne**, as a minor □ **in q. a**, as for: **in q. a ciò**, as for that; for that matter; **in q. a me**, as for me □ **Te lo giuro, q. è vero che sono qui!**, it's as true as I'm standing here, I swear! □ **non tanto... q...**, not so much..., as...: *Non si opponeva tanto per il costo dei lavori, q. per la loro inutilità*, he was against it not so much for the cost of the works, as for their pointlessness ◆B **in quanto** loc. cong. as; since; because; in that: *Si sente più inglese che americano, in q. è nato e cresciuto in Inghilterra*, he feels more English than American, as he was born and brought up in England; *Non ho potuto parlargli in q. non è più venuto*, I couldn't talk to him, because he never came again; **in q. che**, inasmuch as ◆C **per quanto** loc. cong. **1** (*nonostante*, con agg. e avv.) however, no matter how; (con verbi) however much, no matter how much, much as: *Per q. tu sia ricco, non potrai comprarlo*, however rich you may be (o no matter how rich you are), you won't be able to buy it; *Per q. lo ami, non lo sposerà mai*, much as she loves him, she'll never marry him; *Per q. mi sforzassi...*, no matter how much I tried...; *Per q. corressi, non riuscii a raggiungerli*, run as I might, I couldn't catch up with them **2** (*anche se, benché*) although; though; but: *Vedrò di aiutarlo, per q. non lo meriti*, I'll see what I can do to help him, though he does not deserve it.

◆**quànto**③ m. (*fis.*) quantum*: **teoria dei quanti**, quantum theory.

quantomài avv. extremely; most: **q. semplice**, extremely simple.

quantomeccànica f. (*fis.*) quantum mechanics (pl. col verbo al sing.).

quantoméno avv. at least: *Potevi q. telefonarmi*, you should at least have phoned me; *È q. insolito*, it's rather unusual.

quantòmetro m. (*metall.*) quantometer.

quantosòma m. (*bot.*) quantasome.

quàntum (*lat.*) m. inv. **1** quantity;

amount; quantum **2** (*fis.*) → **quanto** ③.

♦quantùnque cong. **1** (*benché*) although; (even) though; albeit (*form.*): *Q. fosse piuttosto tardi, ci andai*, I went, although it was rather late; *Accettai, q. malvolentieri*, I agreed, though not enthusiastically; *Q. piccoli, ci sono stati alcuni cambiamenti*, there have been some changes, albeit small ones **2** (*assol.*: *però*) but; though: *E va bene, compriamolo, q. non so dove lo metteremo*, all-right, let's buy it, though I really don't know where we are going to put it.

qua qua → **qua** ②.

quaquaraquà m. **1** (*region.*) windbag; stuffed shirt **2** (*pop.*) informer; squealer (*pop.*); snitch (*pop.*).

♦quaranta a. num. card. e m. forty; (*il numero*) number forty: *Mi è costato q. euro*, it cost me forty euros; *L'avrò letto almeno q. volte*, I must have read it at least forty times; *Hanno estratto il q.*, number forty has been drawn; *Sto aspettando il q.*, I'm waiting for bus number forty; **avere quarant'anni**, to be forty; **un periodo di q. giorni**, a forty-day period; **andare per i q.**, to be pushing forty (*fam.*); **avere passato i q.**, to be well over forty; to be on the wrong side of forty (*fam.*); **avvicinarsi ai q.**, to be nearly forty; **una donna di q. anni**, a woman of forty (*o* aged forty); a forty-year-old woman; **essere sui q.**, to be about forty; to be fortyish; **essere tra i 40 e i 50**, to be in one's forties; *Sono nato nel '40*, I was born in 1940; **portare il 40 di scarpe**, to wear size 40 shoes; **gli anni Q.**, the forties; (*tennis*) **q. pari**, deuce.

quarantamila a. num. card. e m. forty thousand.

quarantèna f. **1** forty days (pl.) **2** (*med.*) quarantine: **essere in q.**, to be in quarantine; **fare la q.**, to pass quarantine; **mettere in q.**, to put in quarantine; to quarantine **3** (*fig.*) isolation: **mettere q. in q.**, to isolate sb.; to ignore sb.

quarantennàle A a. **1** (*che dura 40 anni*) forty-year (attr.) **2** (*che dura da 40 anni*) forty-year-old (attr.) **3** (*che avviene ogni 40 anni*) of forty years **3** (*che avviene ogni 40 anni*) occurring every forty years; held every fortieth year B m. **1** (*ricorrenza*) fortieth anniversary **2** (*celebrazione*) fortieth anniversary celebration.

quarantènne A a. forty years old (pred.); forty-year-old (attr.) B m. e f. forty-year-old man* (m.); forty-year-old woman* (f.); (*sulla quarantina*) man* in his forties, woman* in her forties.

quarantènnio m. period of forty years; forty-year period; forty years (pl.).

quarantèsimo a. num. ord. e m. fortieth.

quarantìna f. **1** about forty; forty or so: **una q. di ragazzi**, about forty children; *Saremo una q.*, we'll be about forty; *È a una q. di kilometri da qui*, it's about forty kilometres from here **2** (*40 anni di età*) (age of) forty: **avere passato la q.**, to be over forty; to be in one's forties; to be on the wrong side of forty (*fam.*); **essere sulla q.** (*o* avere una q. d'anni*), to be about forty; to be fortyish; (*tra i 40 e i 50*) to be in one's forties; **vicino alla q.**, approaching forty; pushing forty (*fam.*); **un uomo sulla q.**, a man of about forty.

quarantóre f. pl. (*relig.*) forty hours' devotion.

quarantottàta f. (*polit., spreg.*) rowdy but ineffectual demonstration.

quarantottésco a. **1** (*stor.*) of 1848: **i moti quarantotteschi**, the revolutionary risings of 1848 **2** (*fig. spreg.*) hotheaded; tub-thumping.

quarantottèsimo A a. num. ord. e m. forty-eighth B m. (*tipogr.*) fortyeightmo

(*abbr.* 48mo).

quarantòtto A a. num. card. e m. forty-eight ● (*fam.*) **finire a carte q.**, to go up in smoke; to go down the tubes; to go to the dogs □ (*fam.*) **mandare a carte q.**, to upset; to wreck B m. inv. **1** – (*stor.*) **il Q.**, the risings (pl.) of 1848 **2** (*fam.*) chaos; shambles (pl. col verbo al sing.); mayhem Ⓤ; bedlam Ⓤ; pandemonium Ⓤ: *La stanza era un q.*, the room was a mess (*o* a shambles); *Nella sala riunioni c'era un q.*, it was bedlam in the meeting hall; *È successo un q.*, pandemonium (*o* all hell) broke loose; **fare un q.**, to kick up a shindy; to raise Cain (o hell).

quarantott'óre, **quarantottóre** A f. pl. forty-eight hours B f. inv. weekend case.

quarésima f. **1** (*relig.*) Lent: **fare la q.**, to keep Lent; **rompere la q.**, to break the Lenten fast; **metà q.**, Mid-Lent; **la prima domenica di q.**, the first Sunday in Lent; Quadragesima (Sunday); **la quarta domenica di q.**, the fourth Sunday in Lent; Mid-Lent (Sunday) **2** (*fig.*) penury; lean years (pl.) ● (*fig.*) **fare q.**, to go without food □ (*fig.*) **lungo come la q.**, long and boring; never-ending □ (*fig.*) **sembrare la q.**, to look half-starved.

quaresimàle A a. (*relig.*) Lenten; Lent (attr.): **digiuno q.**, Lenten fast; **funzioni quaresimali**, Lenten services; **osservanza q.**, Lent observance; **predica q.**, Lent sermon B m. **1** (*relig.*) Lent sermon **2** (*fig.*) long and boring sermon; (*ramanzina*) long and tedious lecture.

quaresimalista m. (*relig.*) **1** (*predicatore*) Lent preacher **2** (*autore*) author of Lent sermons.

quark m. inv. (*fis. nucl.*) quark.

Quark m. inv. (*formaggio*) quark.

quàrta f. **1** (*classe scolastica*) fourth year; fourth form; fourth grade (*USA*): **frequentare la q.**, to be in the fourth form **2** (*autom.*) fourth gear: **innestare** (*o* mettere) la q.**, to change (*o* to shift) into fourth gear **3** (*mus.*) (interval of a) fourth **4** (*danza*) fourth position **5** (*scherma*) carte; quarte **6** (*naut.*) point (of the compass) ● **partire in q.**, (*autom.*) to drive away at top speed; (*correre via*) to dash off, to be off like a shot; (*lanciarsi a fare qc.*) to get off to a flying start, to hit the ground running, to launch oneself into st.

quartabuòno m. (*falegn.*) quarter round.

quartàna f. (*med.*) quartan (fever).

quartàto a. (*robusto*) strongly built; sturdy.

quartazióne f. (*metall.*) quartation.

quartettìsta m. e f. (*mus.*) **1** (*musicista*) member of a quartet **2** (*compositore*) composer of quartets.

quartettìstico a. (*mus.*) quartet (attr.): **produzione quartettistica**, quartets (pl.).

quartétto m. **1** (*mus.*) quartet: **q. d'archi**, string quartet **2** (*fam.*) foursome; quartet.

quàrtica f. (*mat.*) quartic.

♦quartière m. **1** (*parte di città*) district; area; quarter; (*vicinato*) neighbourhood, neighborhood (*USA*): **q. elegante**, elegant district (*o* area, part of the town); **q. latino a Parigi**, the Latin Quarter in Paris; **q. periferico**, suburban district; suburb; **q. popolare**, working-class neighbourhood; **q. di case popolari**, housing estate (*GB*); housing project (*USA*); **q. residenziale**, residential district (*o* area); **un vecchio q. Roma**, an old Roman quarter; **il mio q.**, my neighbourhood; **quartieri alti**, exclusive neighbourhoods; **quartieri bassi**, poor neighbourhoods; **consiglio di q.**, district council; **i negozi del q.**, the local shops **2** (*mil.*: *alloggiamento*) quarters (pl.): **quartieri d'estate [d'inverno]**, summer [winter] quarters; **q. generale**, headquarters (pl. con verbo al sing.) (abbr. HQ) **3** (*clemenza*) quarter: **chiedere [dare] q.**, to ask for [to give] quarter;

lotta senza q., fight with no quarter given; fight to the death; (*estens.*) relentless fight **4** (*region.*: *appartamento*) flat; apartment (*USA*) **5** (*naut.*) body: **q. di centro**, middle body; **q. di poppa**, afterbody; **q. di prora**, forebody; fore **6** (*arald.*) quarter; quartering: **a quartieri**, quartered.

quartierino m. (*region.*) small flat; flatlet.

quartiermàstro m. (*mil., stor.*) quartermaster: **Q. generale**, Quartermaster General.

quartile m. (*stat.*) quartile.

quartìna f. **1** (*poesia*) quatrain **2** (*filatelia*) block of four stamps **3** (*mus.*) quadruplet **4** (*di carta da lettere*) large-size writing paper.

quartìno m. **1** (*misura d'un quarto di litro*) quarter of a litre: **farsi un q.**, to have a few glasses of wine (at a bar) **2** (*tipogr.*) four-page folder **3** (*mus.*) small clarinet.

♦quàrto A a. num. ord. fourth: **la quarta fila di poltrone**, the fourth row of the stalls; **la quarta parte**, the fourth part; a quarter; (*autom.*) **quarta velocità**, fourth gear; *Sisto Q.*, Sixtus the Fourth; **al q. piano**, on the fourth floor; *Fa il q. anno di università*, he is in his fourth year at university; **arrivare [finire] q.**, to arrive [to finish] fourth; (*mat.*) **tre alla quarta**, three (raised) to the power of four ● **la quarta arma**, the Air Force □ **q. centenario**, quatercentenary □ **la quarta dimensione**, the fourth dimension □ (*med.*) **quarta malattia**, pseudoscarlatina □ **il q. mondo**, the Fourth World □ (*fig.*) **il q. potere** (*la stampa*) the fourth estate; the press □ **il q. stato**, the proletariat B m. **1** fourth; (*quarta parte, anche*) quarter: **un q. della somma dovuta**, a fourth of the amount due; **un q. di dollaro**, a quarter; **un q. di pollo**, a quarter of (a) chicken; **un q. di vino**, a quarter of a litre of wine; **il primo q. della luna**, the first quarter of the moon; **i tre quarti della popolazione mondiale**, three-fourths (*o* three-quarters) of the world's population; **un miglio e un q.**, a mile and a quarter; **nel primo q. dell'Ottocento**, in the first quarter of the nineteenth century; **in quest'ultimo q. di secolo**, in this last quarter of a century; **un sacco pieno per tre quarti**, a sack three-quarters full; **dividere qc. in quarti**, to divide st. into (quarters); to quarter st.; (*a carte, a tennis*) **fare il q.**, to make a fourth; **ridurre di un q.**, to reduce by a quarter; *Hai fatto solo un q. di ciò che ho fatto io*, you've only done a fourth of the work I've done; *Te lo vendo per un q. del suo vero valore*, I sell it to you for a quarter of its value **2** (*nell'indicazione di ora*) quarter: **un q. d'ora**, a quarter of an hour; *Ho aspettato un buon q. d'ora*, I waited a good quarter of an hour; **tre quarti d'ora**, three quarters of an hour; **due ore e un quarto**, two and a quarter hours; *Sono le sei e un q.*, it's a quarter past six; *Sono le tre meno un q.*, it's a quarter to (USA, anche of) three; **le dieci e tre quarti**, a quarter to (*USA, anche of*) eleven; (*di orologio*) **battere i quarti**, to strike the quarters **3** (*tipogr.*) quarto: **edizione in q.**, quarto edition **4** (*naut.*: *turno di guardia*) watch **5** (*arald.*) quarter ● **q. d'ora di celebrità**, moment of glory; brief spell of fame □ **un q. d'ora di pace**, a moment's peace □ (*calcio*) **q. uomo**, fourth official □ (*sport*) **quarti di finale**, quarterfinals □ (*fis.*) **a q. d'onda**, quarter-wave □ **avere i quattro quarti di nobiltà**, to have the four quarterings of nobility □ *Ho passato un brutto q. d'ora*, I went through a few unpleasant minutes; it was very unpleasant while it lasted □ **far passare un brutto q. d'ora a q.**, to give sb. a rough time □ **un tre quarti**, a three-quarter length coat C m. (f. *-a*) fourth (person): **il q. di sei figli**,

the fourth of six children; *Sei la quarta che mi fa questa domanda*, you are the fourth (person) to ask me this question.

quartodècimo a. (*lett.*) fourteenth.

quartogènito a. e m. (f. **-a**) fourth-born.

quartùltimo a. e m. last but three; fourth from (the) last: **finire q.**, to finish four from last.

quarzìfero a. (*miner.*) quartziferous.

quarzìte f. (*miner.*) quartzite.

quàrzo m. (*miner.*) quartz: **q. bruno**, brown quartz; **q. ialino**, rock crystal; **q. latteo**, milky quartz; (*elettron.*) **q. piezoelettrico**, (quartz) crystal; **q. rosa**, rose quartz; **cristallo di q.**, quartz crystal; **lampada al q.**, quartz lamp; **orologio al q.**, quartz clock [watch]; **oscillatore a q.**, quartz oscillator.

quarzóso a. (*miner.*) quartziferous; quartzose.

quàsar m. o f. inv. (*astron.*, *fis.*) quasar.

♦**quàsi** A avv. **1** (*poco meno che*, *all'incirca*, *per poco non*) almost; nearly; (*pressoché*) almost, all but, practically, virtually; (con significato neg.) hardly: **q. finito**, almost (*o* nearly) finished (*o* over); **q. impossibile**, almost impossible; (*più forte*) all but impossible, virtually impossible; **q. mai**, hardly ever; *Non viene q. mai a trovarmi*, she hardly ever comes to see me; **q. niente**, almost nothing; hardly anything; *Non mi resta q. niente*, I've hardly anything left; **q. sempre**, almost (*o* nearly) always; **q. tutti**, nearly all; *Non ho q. denaro in tasca*, I have hardly any money on me; *È q. un'ora che aspetto*, I've been waiting for almost (*o* nearly) an hour; *Sono q. uguali*, they are almost identical; *È q. scuro*, it's almost (*o* nearly) dark; *«È uno spiantato?» «Q.»*, «is he penniless?» «almost» (*o* «very nearly»); *Q. buttavo giù la lampada*, I nearly knocked over the lamp; *Sono stato q. per morire*, I came close to dying; *Q. q. ci credevo*, I very nearly fell for it; *Q. q. lo compro*, I've half a mind (*o* I'm almost tempted) to buy it «*È q. a brandelli*» «*Senza q.*», «it's almost in tatters» «what do you mean, almost?» **2** (*forse*) perhaps (o costruz. verbale con might): *Sarebbe q. meglio rimandare a domani*, perhaps we should put it off until tomorrow; *Potremmo q. andare*, we might leave **3** (in composti) quasi-; near-: (*leg.*) **q. contratto**, quasi-contract; **q. pubblico**, quasi-public; **q. ufficiale**, quasi-official B cong. as if: *Stringeva a sé il bambino q. temesse che glielo potessero portare via*, she was clutching the child as if (she were) afraid it might be taken from her.

quasiché cong. as if: *Dà ordini a tutti q. fosse lui il padrone*, he orders people about as if he were the owner.

quasiconduttóre (*fis.*) A a. quasi-metallic B m. quasi-conductor.

quasicristallìno a. (*miner.*) quasi-crystalline.

quasimetàllico a. (*fis.*) quasi-metallic.

quasimòdo m. (*eccles.*) Low Sunday.

quàsi-particèlla f. (*fis.*) quasi-particle.

quassazióne f. (*farm.*) crushing.

quàssia f. (*bot.*, *Quassia amara*) quassia.

quassìna f. (*chim.*) quassin.

quàssio m. quassia, quassia-wood.

quassù avv. up here: **q. in montagna**, up here in the mountains; **q. al nord**, here in the north; **di q.**, from up here; *Venite q.*, come up here.

quatèrna f. **1** (*al lotto, tombola, ecc.*) (set of) four (winning) numbers: **fare q.**, to get four winning numbers **2** (*quattro elementi*) four (agg.): **una q. di numeri**, four numbers; **una q. di candidati**, a shortlist of four candidates.

quaternàrio A a. **1** quaternary **2** (*poe-sia*) four-syllable (attr.): **verso q.**, four-syllable line **3** (*chim.*) quaternary **4** (*geol.*) Quaternary: **l'era quaternaria**, the Quaternary period B m. **1** (*poesia*) line of four syllables; four-syllable line **2** (*geol.*) Quaternary **3** (*econ.*) quaternary sector.

quaternióne m. (*mat.*) quaternion.

quàtto a. crouching; squatting: **starsene q. dietro un muretto**, to crouch behind a low wall ● **q. q.**, very quiet (agg.); very quietly (avv.); (*furtivamente*) stealthily, on the quiet: **andarsene q. q.**, to steal away; **avanzare q. q.**, to creep forward; to steal forward: **starsene q. q.**, to keep very quiet; to lie low.

quattordicènne A a. fourteen years old (pred.); fourteen-year-old (attr.); of fourteen B m. e f. fourteen-year-old (boy m.; girl, f.).

quattordicèsima f. holiday bonus.

quattordicèsimo a. num. ord. e m. four-teenth.

♦**quattórdici** a. num. card. e m. fourteen: **il q. giugno**, the fourteenth of June; June the fourteenth; **alle q.**, at two p.m.; at two in the afternoon; *Luigi q.*, Louis the Fourteenth (scritto Louis XIV); *Nacque nel '14*, he was born in 1914.

quattrina f. (*bot.*, *Lysimachia nummularia*) moneywort; creeping Jennie.

quattrinàio (*lett.*) A a. **1** (*ricco*) rich; wealthy **2** (*avido*) money-grubbing B m. (f. **-a**) **1** (*persona ricca*) rich person **2** (*persona avida*) money-grubber.

quattrinària, **quattrinèlla** → **quattrina**.

quattrino m. **1** (*numism.*) quattrino* **2** (*estens.*: *quantità minima di denaro*) penny; farthing: *Non vale un q.*, it's not worth a brass farthing (*o* a penny, tuppence); *Non ha lasciato un q.*, he didn't leave a single penny when he died; **non avere il becco (*o* l'ombra) d'un q.**, to be penniless; to be flat (*o* stony) broke (*fam.*); **restituire fino all'ultimo q.**, to pay sb. back to the last penny; **spendere fino all'ultimo q.**, to spend to the (very) last penny **3** (al pl.) (*denari*) money Ⓓ: **quattrini a palate**, lots of money; bags of money; **avere quattrini a palate**, to be rolling in money; *Ci vogliono un bel po' di quattrini*, you need a lot of money; **buttare via tempo e quattrini**, to waste one's time and money; **essere a corto di quattrini**, to be hard up; **fare (un sacco di) quattrini**, to make money (hand over fist); **star bene a quattrini**, to have plenty of money; to be well-off; **senza quattrini**, penniless; broke (*fam.*); **fior di quattrini**, a fortune; a mint of money; **un sacco di quattrini**, a fortune; a mint of money (*fam.*); a pile (*fam.*). ● (*prov.*) **Q. risparmiato, due volte guadagnato**, a penny saved is a penny earned.

♦**quàttro** a. num. card. e m. four; (*il numero*) number four; (*nelle date*) fourth: **i q. punti cardinali**, the four cardinal points; **le q. stagioni**, the four seasons; **il q. di picche**, the four of spades; **il q. maggio**, the fourth of May; May the fourth; **il q. per cento**, four per cent; **alle q. (di pomeriggio, di mattino)**, at four (p.m., a.m.); **animali a q. zampe**, four-legged animals; **un bambino di q. anni**, a child of four; a four-year-old child; **una comitiva di q. persone**, a party of four; **il tram numero q.**, tram number four; **a q. a q.**, four by four; four at a time; **in fila per q.**, four abreast; **dividere in q.**, to divide into four (parts); to quarter; *Due e due fanno q.*, two and two make four; *Abito al q.*, I live at number four; *Ci siamo tutti e q.*, all four of us are here; *Siamo in q.*, there are four of us; **sonata a q. mani**, sonata for four hands ● (*canottaggio*) **q. con**, coxed four □ **quattr'occhi** → **quattrocchi** □ (*autom.*) **q. per q.**, four-by-four; 4-by-4 □ (*canottaggio*) **q. senza**, coxless four □ **q. soldi**, next to nothing; a pittance □ **a q. passi** (*molto vicino*), very close; round the corner □ **dire q. parole**, to say a few words □ **Gliene ho dette q.**, I gave him a piece of my mind; I told him where to get off (*fam.*) □ **fare q. chiacchiere**, to have a chat; to pass the time of day (*fam.*) □ **fare q. passi**, to take a stroll □ **fare q. salti**, to have a bit of a dance □ **farsi in q.**, to do all one can; to do one's utmost; to bend over backwards (*fam.*) □ **in q. copie**, in quadruplicate □ **in q. e quattr'otto**, in less than no time; before you could say Jack Robinson (*fam.*) □ **in q. parole**, in a few words □ (*prov.*) **Non dir q. se non l'hai nel sacco**, don't count your chickens before they're hatched.

quattròcchi, **quattr'òcchi** m. **1** (*zool.*, *Bucephala clangula*) goldeneye; garrot **2** (*fam. scherz.*) four-eyes **3** – **a q.**, in private; in confidence; confidentially; **incontro a q.**, private meeting; tête-à-tête (*franc.*).

quattrocentésco a. fifteenth-century (attr.); (*arte e letter. ital.*, *anche*) of the Quattrocento, Quattrocento (attr.): **palazzo q.**, fifteenth-century building; **pittore q.**, Quattrocento painter.

quattrocentèsimo a. num. ord. e m. four-hundredth.

quattrocentino a. – **volume q.**, incunabulum*.

quattrocentista m. e f. **1** (*arte*, *letter.*) fifteenth-century author [artist, etc.]; (*rif. all'Italia*, *anche*) Quattrocento author [artist, etc.], quattrocentist: **i quattrocentisti fiorentini**, the Florentine quattrocentists **2** (*specialista del Quattrocento*) fifteenth-century specialist **3** (*sport*) four-hundred-metre runner.

quattrocentistico → **quattrocentesco**.

quattrocènto A a. num. card. inv. four hundred B m. inv. (*secolo*) (the) fifteenth century; (*arte e letter. ital.*) (the) Quattrocento: **gli scrittori del Q.**, the writers of the fifteenth century; fifteenth-century writers; **un poeta del Q.**, a fifteenth-century poet.

quattrofòglie m. inv. (*arald.*) quatrefoil.

quattromìla a. num. card. e m. inv. four thousand.

quattroruòte m. o f. inv. (*slang*) wagon; wheels (pl.).

quebecchése A a. of Quebec; Quebec (attr.) B m. e f. Quebecker.

quebracho (*spagn.*) m. inv. (*bot.*: *albero e legno*) quebracho.

quechua a. e m. Quechua.

quégli pron. dimostr. m. (*lett.*) that man; he.

quél → **quello**.

♦**quéllo** A a. dimostr. **1** that (pl. those): **quel ragazzo**, that boy; **q. zaino**, that knapsack; **quegli uomini**, those men; **quella bambina**, that little girl; **quelle parole**, those words; **quel mio libro**, that book of mine; **quella casa laggiù**, that house over there; **in quegli stessi anni**, in those same years; **in q. stesso istante**, at that very moment; **q. snob di Gino**, that snob Gino; **quel-l'egoista di suo marito**, that selfish husband of hers; *Spegni quella radio!*, turn off that radio! **2** (con valore di art. determ.) the: **quel poco tempo che ho**, the little time I have; *Non è più quella bella ragazza di un tempo*, she isn't the lovely girl she was (years ago) **3** (enfat., con ellissi di una proposizione relat.) – *Ho avuto una di quelle paure!*, I had such a fright!; I was scared stiff!; *Ho uno di quei raffreddori!*, I've got such a cold!; I've got a dreadful cold; *Ne ha fatte di quelle!*, he's been up to all sorts of things; *Ne dice di quelle!*, she talks such nonsense!;

Ne ho passate di quelle!, the things I've been through! ● **in quel mentre**, in the meantime □ **in quella**, at that very moment; just then □ **Ehi, quell'uomo!**, hey, you there! □ (*eufem.*) **una di quelle**, a prostitute **B pron. dimostr. 1** (*quella cosa*) that* (one) (pl. those, those ones) (*rif. a persona*) that one, that man* (f. that woman*), that boy (f. that girl) (pl. m. e f. those people): *Che cos'è q.?*, what's that?; *Chi è q.?*, who's that man?; **q. lì**, that one; **q. là**, that one there; *Sì, è q.*, yes, that's the one; *Se non vuoi questa penna, prendi quella*, if you don't want this pen, take that one; *Non è q. il colore che voglio*, that is not the colour I want; *Quelli sono i figli di Marta*, those are Marta's children; *Quelle non sono le mie scarpe*, those aren't my shoes; *Questo libro è mio; il tuo è q.*, this book is mine; that one is yours; *Hai visto che ha fatto quella?*, did you see what that woman did?; *Io quelli non li conosco*, I don't know those people; (enfat.) *Q. è vino!*, now that's what I call wine!; *Gran fortuna fu quella!*, that was really lucky! **2** (seguito da un agg. o da una specificazione) (*rif. a cosa*) the... one (omesso dopo un gen. sassone); (*rif. a persona*) the one, the person, the man (f. the woman*), the boy (f. the girl); (al pl.) those, (the) people: *Preferisco l'anello d'oro a q. di platino*, I prefer the gold ring to the platinum one; *Preferisci il clima caldo o q. freddo?*, do you prefer a warm climate or a cold one?; *Mettiti i calzoni grigi, non quelli verdi*, put on the grey trousers, not the green ones; *Quella dei Lanza fu una festa noiosissima*, the Lanza's party was terribly boring; *Non trovo il mio cappello, prendo q. di papà*, I can't find my hat, so I'll take Dad's; (*fam.*) **q. del latte [del carbone]**, the milkman [the coalman]; **quelli di Roma**, people in Rome; the Romans; **quelli del piano di sopra**, the people upstairs **3** (seguito da prop. relat.) (*la cosa che*) the one; (*la persona che*) the one, the person, the man (f. the woman*), the boy (f. the girl); (al pl.: *coloro che*) those, (the) people; (*chiunque*) whoever, anyone: *Prenderò q. che mi piace di più*, I'll take the one I like best; **una casa come quella dove stai tu**, a house like the one you live in; *Q. che l'ha fatto l'avrà sulla coscienza*, the person who (o whoever) did that will have it on his conscience; *Quella con il vestito verde è mia sorella*, the girl in the green dress is my sister; *Quelli che vogliono possono rimanere*, those who want can stay behind; *Quelli senza biglietto d'invito non saranno ammessi*, those without an official invitation will not be admitted; *Quelli che non hanno una macchina non sono necessariamente poveri*, people who don't own a car are not necessarily poor **4** (*lo stesso*) - *Non è più q.*, he's not his old (o former) self; *Il paese è sempre q.*, the village is still the same as it used to be; *Non sono più q. di prima*, I'm not the man I was once **5 - q. che** (*ciò che*), what; **tutto q. che**, all (that), everything (that): *Capisco q. che vuoi dire*, I see what you mean; *Fece per lui q. che poteva*, she did what she could for him; *Farà per lui tutto q. che potrà*, he'll do all he can for him; *Ho fatto per lei tutto q. che era umanamente possibile*, I did everything that was humanly possible for her **6** (con valore di pron. pers. sogg.) he (f. she); (pl. m. e f. they): *Q. mi disse che non era vero*, he told me it wasn't true; *Quelli non volevano andare*, they didn't want to go **7** (correl. di «questo»: *il primo*) the former: *Giulia e Laura frequentano l'università; quella studia medicina, questa lettere*, Giulia and Laura are both at University; the former is studying medicine, the latter Arts **8** (correl. di «questo»: *l'altro*) another; (al pl.) some, others: *Questi giocavano a carte, quelli cantavano*, some were playing cards, some (o others) were singing

quercéta f., **quercéto** m. oak wood; oak grove.

quercetina f. (*chim.*) quercetin.

◆**quèrcia** f. **1** (*bot.*, *Quercus*, *Quercus robur*) oak, oak-tree: **q. da sughero** (*Quercus suber*) cork-oak; **q. dei tintori** → **quercitrone**; **q. rossa** (*Quercus rubra*), red oak; **q. spinosa** (*Quercus coccifera*), kermes (o scarlet) oak **2** (*legno*) oak: **porta di q.**, oak door; **fatto di q.**, made of oak; oaken (attr.); oak (attr.) **3** (*fig.*, *di persona*) strong person; tough person ● **forte come una q.**, as strong as an ox □ **saldo come una q.**, as solid as a rock.

quercino a. oaken (attr.); oak (attr.); of oak: **legno q.**, oak wood.

querciòla f. **1** young oak; oakling **2** (*bot.*, *Teucrium chamaedrys*) wall germander.

querciòlo m. young oak; oakling.

quercitrina f. (*chim.*) quercitrin.

quercitróne m. **1** (*bot.*, *Quercus tinctoria*) black oak **2** (*estratto colorante*) quercitron.

querèla f. **1** (*leg.*) action; lawsuit: **q. per diffamazione**, slander suit; (*a mezzo stampa*) libel suit; **presentare** (o **sporgere**) **q. contro q.**, to bring an action against sb.; to sue sb.; **ritirare una q.**, to withdraw an action **2** (*lett.: lamento*) lament; complaint.

querelàbile a. (*leg.*) actionable; amenable to court.

querelànte m. e f. (*leg.*) plaintiff; complainant.

querelàre A v. t. (*leg.*) to sue; to bring* an action against; to proceed against **B querelàrsi** v. rifl. (*lett.: lamentarsi*) to complain; to lament.

querelàto m. e a. (*leg.*) defendant.

querelle (*franc.*) f. inv. controversy.

querimònia f. (*lett.*) complaint.

querimonióso a. (*lett.*) querulous; given to complaining.

quèrulo a. querulous; complaining: **vecchio q.**, querulous old man; **con voce querula**, in a querulous tone.

querulomanìa f. (*psic.*) paranoia querulans.

quesìto① m. question; query; (*problema*) problem: **un q. facile**, an easy question; **proporre un q.**, to put a question; to raise a query; **risolvere un q.**, to solve a problem; **rispondere a un q.**, to answer a question (o a query).

quesìto② a. (*leg.*) – **diritti quesiti**, vested interests.

quésti pron. dimostr. m. (*lett.*) **1** this man; he **2** → **questo**, **B**, def. 4.

questionàre v. i. **1** (*discutere*) to argue; to dispute: **q. di politica**, to argue about politics **2** (*litigare*) to argue; to quarrel ❶ **FALSI AMICI** ● *questionare non si traduce con* to question.

questionàrio m. questionnaire: **compilare** (o **riempire**) **un q.**, to fill up (o out) a questionnaire.

◆**questióne** f. **1** (*problema*, *quesito*, *controversia*) question; problem, issue; point; (*faccenda*) question; matter; issue: **una q. che sta a cuore a noi tutti**, an issue that we all feel strongly about; **la q. di fondo**, the heart of the matter; (*leg.*) **q. di competenza**, question of jurisdiction; (*leg.*) **q. di diritto**, issue (o question) of law; (*leg.*) **q. di fatto**, issue (o question) of fact; **q. di procedura**, point of

order; **una q. di vita o di morte**, a matter of life and death; **una q. irrisolta**, an unsolved problem; (*polit.*) **la q. morale**, the issue of morals (in political life); **q. pregiudiziale**, preliminary question; **la q. principale**, the main issue; **una q. scottante**, a hot issue; **la q. trattata**, the point under discussion; **questioni economiche [politiche]**, economic [political] matters (o issues, questions); **dibattere una q.**, to debate an issue; **risolvere una q.**, to settle an issue (o a question); to solve a problem; **sollevare una q.**, to raise an issue (o a question); *La q. è che tu sei minorenne*, the point is that you're a minor (o under age); *È q. di pochi minuti*, it's a matter of a few minutes; *Non è q. di soldi*, it's not a question of money; **essere in q.**, to be in question; to be at issue; **la persona in q.**, the person in question; **il punto in q.**, the point at issue; **il nodo della q.**, the crux of the matter; the nub of the question **2** (*controversia*, *disputa*) argument; dispute; (*lite*) quarrel: **una q. di lana caprina**, a futile dispute; a pointless discussion; (*leg.*) **q. pendente**, pending suit; **avere una q. con q.**, to have a quarrel (o a fight) with sb.; **essere in q.** (*in dubbio*) to be in doubt; to be under dispute; **mettere in q.**, to doubt; to dispute.

◆**quèsto A** a. dimostr. **1** this (pl. these): **q. bambino**, this child; **questa finestra**, this window; **questi fiori**, these flowers; **queste macchine**, these machines; **quest'altro libro**, this other book; **questa tua proposta**, this proposal of yours; **queste due mie amiche**, these two friends of mine; **questi ultimi decenni**, these last few decades; *C'erano Paolo e Gianni, quest'ultimo con la fidanzata*, Carlo and Gianni were there, the latter with his fiancé; *Da questa parte, prego*, this way, please; **fino a q. punto**, up to this point; **in q. momento**, at the moment; *L'ho sentito con questi orecchi*, I heard it with my own ears; *Li ho visti con questi occhi*, I saw them with my own eyes **2** (in espressioni di tempo) this; (*prossimo*) next; (*scorso*) last: **q. lunedì**, next Monday; last Monday; **questa notte**, tonight; (*quella scorsa*) last night; **quest'oggi**, today; **questa sera**, this evening; tonight; **fino a q. momento**, until now; **in questi giorni**, these days; (*uno dei prossimi giorni*) within the next few days; *Quest'inverno non vado a sciare*, I won't go skiing next winter **3** (*simile*, *siffatto*) such; this: *Non voglio più sentire queste parole*, I don't want to hear such words ever again; *Devi proprio uscire con questa pioggia?*, do you really have to go out in this rain? **4** (in escl. ellittiche) – *Questa è bella!*, that's a good one!; *Questa me la paghi!*, I'll make you pay for this (one)!; *Questa me la segno!*, this I must remember!; *Questa poi!*, oh, come on!; I don't believe it!; *Questa poi non ci voleva!*, we could have done without this!; *Ci mancherebbe anche questa!*, that's all we need!; *Sentite questa!*, listen to this (one)! **B** pron. dimostr. **1** this*; this one: *Q. è mio fratello*, this is my brother; *Questa è l'ultima volta che te lo dico*, this is the last time I'm telling you; *Che cos'è q.?*, what is this?; *Non è q. il problema*, this isn't the problem; *Preferisci questa o quella*, do you prefer this one or that one?; *Prendo q. qui*, I'll take this one here; **q. vicino a me**, this one near me **2** (con valore di pron. pers. sogg.) he (f. she) (pl. m. e f. they): *Aiutai la signora [il giovane], ma questa [q.] non mi ringraziò*, I helped the lady [the young man] but she [he] didn't thank me (o this); this: *Q. è quanto mi ha detto lui*, that is what he told me; *Q. è tutto*, that is all; *Q. non lo farò mai*, that is something I'll never do; *Tutto q. per nulla*, all that (o this) for nothing; *È q. tutto quello che disse?*, is that (o this) all she said?; *E con q.?*, so what?; *E con q. vi salu-*

to, well, goodbye; *Perché mi dici q.*, why are you telling me this?; *Con tutto q., le è rimasto fedele*, in spite of (*o* despite) all that, he has remained faithful to her; *In q. non siamo d'accordo*, we don't agree about that; *Per q. ho rifiutato*, that's why I refused **4** (correl. di «quello»: *il secondo*) the latter: *Cesare e Berto sono fratelli; quello è avvocato, q. dentista*, Cesare and Berto are brothers; the former is a lawyer, the latter a dentist **5** (correl. di «quello»: *l'uno*) one; (al pl.) some: *Questi parlavano, quelli ridevano*, some were talking, some (*o* others) were laughing ● **Q. è quanto**, that's that □ **Q. sì!**, (*certo che lo farò, te lo darò, ecc.*) of course I will!; (*è proprio vero!*) yes, that's true! □ **Q. sì che è un whisky!**, this is what I call a whisky! □ **È un segreto, non andare a ripeterlo a q. e a quello**, it's a secret, don't go around telling everybody □ **chiacchierare di q. e quello**, to talk about this and that.

questóre m. **1** (*stor. romana*) quaestor **2** (*di polizia*) (provincial) chief of police; police superintendent **3** (*polit.*) serjeant-at-arms.

questòrio a. (*stor. romana*) quaestorial.

quèstua f. **1** begging (of alms): **andare alla q.**, to go begging **2** (*in chiesa*) collection: **fare una q.**, to take round the collection plate.

questuànte **A** a. begging; mendicant: **frate q.**, begging friar **B** m. e f. beggar.

questuàre **A** v. i. to go* begging; to beg **B** v. t. (*fig.*) to beg; to solicit.

questùra f. **1** (*stor. romana*) quaestorship **2** (provincial) police headquarters (pl.); central police station: **funzionario di q.**, police officer; **recarsi in q.**, to go to the police headquarters; **telefonare alla q.**, to call the police.

questurìno m. (*pop.*) policeman*; police officer; cop (*fam.*).

quetzal (*spagn.*) m. inv. **1** (*zool., Pharomachrus mocinno*) resplendent quetzal **2** (*unità monetaria del Guatemala*) quetzal.

♦ **qui** avv. **1** (*di luogo*) here: **qui dentro**, in here; here inside; **qui dietro**, behind here; **qui dirimpetto**, opposite here; **qui e là**, here and there; **qui fuori**, out here; here outside; **qui intorno**, around here; hereabout, hereabouts; **qui sopra**, up here; **qui sotto**, down here; **qui vicino**, near here; close by; *Non abita più qui*, she doesn't live here any more; *Vieni qui*, come (over) here; *Resta qui da noi stasera*, stay here with us tonight; *Ti aspetto qui*, I'll wait for you here; *Mi fa male qui*, I've got a pain here; it hurts here; *Mi piace qui*, I like it here; *Eccomi qui*, here I am; *Eccoli qui*, here they are; *Guarda qui!*, look here!; **da qui a lì**, from here to there; **da qui a Roma**, from here to Rome; *Sono di qui*, I was born here; I'm from these parts; I'm a local; **la gente di qui**, the local people; the locals; *Non è di qui*, he is not a local; he is a stranger here; *Di qui non si passa*, you cannot go this way; you cannot get through here; you cannot go this way; **fin qui**, up to here; up to this point; **per di qui**, this way; through here **2** (*di tempo*) now: *Qui, pensai, ci vuole calma*, now, I thought, I must keep calm; **da qui innanzi**, from now on; **di qui a un mese [a un anno]**, a month [a year] from now; in a month's [a year's] time; **di qui a poco**, in a short while; shortly; soon; **di qui a quindici** (*giorni*), a fortnight today; **di qui a una settimana**, in a week's time; **fin qui**, up to now; so far ● **qui accluso** (*o* allegato), attached; (*bur.*) herein enclosed □ **Qui hai torto**, that is where you are wrong □ **Qui lo dico e qui lo nego**, I'll deny having said this, but... □ (*iron.*) **Qui ti voglio!**, see if you can wriggle out of this □ **Qui ti volevo!** (*in una discussione*), this is what I wanted you to admit □ **Di qui consegue che...**, hence it follows

that... □ **Di qui nacque la sua antipatia per quell'uomo**, his aversion to that man arose from that □ **Non finisce qui!**, that's not the end of it!; (*come minaccia*) you've not heard the last of this! □ **«Quale libro preferisci?» «Questo qui»**, «which book do you prefer?» «this one (here)» □ **Questi ragazzi qui hanno fame**, these boys (here) are hungry □ **non spostarsi di qui a lì**, not to budge an inch □ **Tutto qui?**, is that all?

quia (*lat.*) m. inv. (*lett.*) main point; (the) facts (pl.): **stare al q.**, to stick to the facts.

quiche (*franc.*) f. inv. (*alim.*) quiche.

quid (*lat.*) m. inv. **1** (*qualcosa*) something: *Ha un q. che non mi persuade*, there's something about him that doesn't convince me **2** (*fam.: somma*) some money.

quiddità f. (*filos.*) quiddity.

quidditativo a. (*filos.*) quidditative.

quiescènte a. quiescent; (*geol., bot.*) dormant: **corpo q.**, quiescent body; (*ling.*) **lettera q.**, quiescent letter; **vulcano q.**, dormant volcano.

quiescènza f. **1** quiescence **2** (*pensionamento*) retirement: **porre in q.**, to send into retirement; to cause to retire; **trattamento di q.**, (retirement) pension **3** (*leg.*) abeyance **4** (*geol., bot.*) dormancy.

quietànza f. (*comm.*) receipt; quittance; release: **q. a saldo**, receipt in full; (*naut.*) **q. per nolo**, freight release; **per q.**, paid; value received; **rilasciare una q.**, to give a receipt; **modulo di q.**, receipt form; **tassa di bollo per q.**, receipt stamp duty.

quietanzàre v. t. (*comm.*) to receipt: **q. una fattura**, to receipt an invoice; **fattura regolarmente quietanzata**, invoice duly receipted; **fattura non quietanzata**, unreceipted invoice.

quietàre **A** v. t. **1** to calm; to placate; (*alleviare*) to soothe, to ease **2** (*appagare*) to satisfy; to appease; (*un creditore, ecc.*) to pay **B** **quietàrsi** v. i. pron. **1** to quiet down; to calm down **2** (*cessare*) to abate; to die* down; to subside **3** (*tacere*) to fall* silent.

quiète f. **1** quiet; quietness; peace; (*calma*) calm; (*tranquillità*) stillness, tranquillity; (*silenzio*) silence, stillness: **la q. che precede la tempesta**, the calm before the storm; **la q. della campagna in inverno**, the stillness of the countryside in winter; **la q. della notte**, the stillness (*o* the silence) of the night; **la q. della sera**, the quiet (*o* the peace) of evening; *Mi piace la q. di questo luogo*, I like the quietness of this place; *Vorrei un po' di q.*, I'd like some peace and quiet; **turbare la q. pubblica**, to disturb the peace; **un periodo di q.**, a period of calm **2** (*riposo, requie*) rest; respite; pause: **non trovare q.**, to find no rest; **la q. eterna**, eternal rest **3** (*tranquillità dell'animo*) peace of mind **4** (*fis.*) rest: **un corpo in stato di q.**, a body in a state of rest.

quietìsmo m. **1** (*relig.*) quietism **2** (*apatia*) quietism; passivity.

quietìsta m. e f. (*relig.*) quietist.

quietìstico a. **1** (*relig.*) quietistic **2** (*fig.*) passive; apathetic.

quièto a. quiet; (*calmo*) calm; (*tranquillo*) peaceful, tranquil; (*immobile e silenzioso*) still; (*silenzioso*) silent: **aria quieta**, calm (*o* still) air; **una bestia quieta**, a quiet animal; **mare q.**, calm sea; **un q. paesino di campagna**, a quiet (*o* peaceful) country village; **una serata quieta**, a peaceful evening; *Non sta mai q.*, he is never still; *Non puoi restare q.?*, can't you keep still?; *Il malato passò una notte quieta*, the patient had a quiet night ● **q. q.**, very quietly (*o* softly): **andarsene q. q.**, to leave quietly; to steal away □ **il q. vivere**, a quiet life; peace and quiet: **essere amante del q. vivere**, to be fond of a quiet life; **per amore del q. vivere**, for the sake

of peace and quiet.

quillàia f. (*bot., Quillaia saponaria*) soapbark; quillai.

quinàrio **A** a. **1** (*mat.*) – **sistema q.**, quinary system **2** (*metrica*) pentasyllabic; five-syllable: **verso q.**, pentasyllabic line **B** m. **1** (*poesia*) pentasyllabic (*o* five-syllable) line **2** (*numism.*) quinarius*.

quinci avv. (*lett.*) **1** (*da qui*) hence; from here: **da q. innanzi**, henceforward; henceforth; in future **2** (*di qua*) this way: **q. e quindi**, this way and that.

quincónce m. inv. quincunx.

quinconciàle a. quincuncial.

quindecèmviro e deriv. → **quindecenviro**, e deriv.

quindecenvìrato m. (*stor. romana*) quindecemvirate.

quindecènviro m. (*stor. romana*) quindecemvir.

quindècimo a. num. ord. e m. (*lett.*) fifteenth.

♦ **quindi** **A** avv. **1** (*poi*) then; afterwards: *Lessi la lettera, q. dissi...*, I read the letter and then I said... **2** (*lett.: di qui*) hence; from here **3** (*lett.: da quella parte*) that way: **quinci e q.**, this way and that **B** cong. **1** (*perciò, di conseguenza*) so; therefore; consequently: *Q. le consiglio di...*, so (*o*, form., therefore, consequently) I advise you to...; *E q., che cos'hai deciso?*, so, what have you decided?; *Hai sbagliato e q. devi pagare*, you made a mistake, therefore you must pay for it **2** (*per tale motivo*) for that reason; so.

quindicennàle **A** a. **1** (*che dura 15 anni*) lasting fifteen years; fifteen-year (attr.) **2** (*che dura 15 anni*) fifteen-year-old (attr.); fifteen-year-long (attr.); of fifteen years **3** (*che ricorre ogni 15 anni*) occurring every fifteen years; held every fifteen years **B** m. **1** (*ricorrenza*) fifteenth anniversary **2** (*celebrazione*) fifteenth anniversary celebration.

quindicènne **A** a. fifteen years old (pred.); fifteen-year-old (attr.) **B** m. e f. fifteen-year-old (boy, m.; girl, f.).

quindicènnio m. fifteen-year period.

quindicèsimo a. num. ord. e m. fifteenth.

♦ **quìndici** a. num. card. e m. fifteen: **il numero q.**, number fifteen; **q. giorni**, a fortnight; **ogni q. giorni**, once every fortnight; fortnightly (agg. e avv.); **il q. aprile**, the fifteenth of April; April the fifteenth; **alle q.**, at three p.m.; at three in the afternoon; *Luigi q.*, Louis the Fifteenth (*scritto* Louis XV); *Morì nel '15*, she died in 1915 ● **lunedì a q.**, a fortnight next Monday; Monday fortnight □ **oggi a q.**, a fortnight today.

quindicimìla a. num. card. e m. fifteen thousand.

quindicìna f. **1** about fifteen: **una q. di libri** [di persone], about fifteen books [people] **2** (*fam.: 15 giorni*) fortnight; two weeks (pl.): **la prima q. di giugno**, the first two weeks in June; **fra una q. di giorni**, in a fortnight **3** (*paga di quindici giorni*) fortnight's pay.

quindicinàle **A** a. **1** (*che dura 15 giorni*) lasting a fortnight; lasting two weeks: **turni quindicinali**, shifts lasting a fortnight **2** (*che ricorre ogni 15 giorni*) fortnightly; bimonthly: **riunione q.**, fortnightly meeting; **rivista q.**, fortnightly magazine **B** m. fortnightly magazine; bimonthly (journal).

quinquagenàrio a. (*lett.*) quinquagenarian.

quinquagèsima f. (*relig.*) Quinquagesima (Sunday).

quinquagèsimo a. e m. (*lett.*) fiftieth.

quinquennàle a. **1** (*che dura cinque anni*) five-year (attr.): **corso di laurea q.**, five--year degree course; **periodo q.**, five-year period; quinquennium; **piano q.**, five-year

plan **2** (*che ricorre ogni cinque anni*) quin-quennial; five-yearly.

quinquennalità f. five years' (*o* five-yearly) payment.

quinquènnio m. five-year period; quin-quennium*.

quinquerème f. (*stor.*) quinquereme.

quìnta f. **1** (*teatr.*) wing: **fra le quinte**, in the wings; (*fig.*) **dietro le quinte**, behind the scenes; in the background **2** (*classe scolastica*) fifth form; fifth year; fifth grade (*USA*): **frequentare la q.**, to be in the fifth form **3** (*autom.*) fifth gear: **ingranare la q.**, to shift into fifth gear **4** (*mus.*) (interval of a) fifth **5** (*danza*) fifth position **6** (*scherma*) quinte.

quintàle m. quintal; hundred kilograms.

quintàna ① f. (*med.*) quintan fever; trench fever.

quintàna ② f. (*stor.*) quintain: **correre la q.**, to tilt at a quintain.

quintèrno m. five sheets (pl.) of paper folded in two.

quintessènza f. (*filos.* e *fig.*) quintessence.

quintessenziàle a. quintessential.

quintètto m. **1** (*mus.*) quintet **2** (*gruppo di cinque*) fivesome; quintet.

Quintiliàno m. (*stor. letter.*) Quintilian.

quintilióne m. **1** (10^18) quintillion **2** (10^30) nonillion.

quintìna f. **1** (*mus.*) quintuplet **2** → **cinquina**, *def.* 2.

quintìno m. (*misura*) fifth (part) of a litre; (*recipiente*) vessel holding a fifth of a litre.

♦**quìnto A** a. num. ord. fifth: **il q. mese dell'anno**, the fifth month of the year; **Carlo Q.**, Charles the Fifth; **la quinta colonna**, the fifth column; **la quinta parte**, the fifth part; one fifth; **abitare al q. piano**, to live on the fifth floor; (*mat.*) **due alle quinta**, two (raised) to the power of five **B** m. **1** fifth: **un q. dello stipendio**, a fifth of one's salary; **due quinti**, two fifths; **una maggioranza di tre quinti**, a three-fifths majority **2** (*f.* -*a*) fifth (person): *Sei il q. a cui lo chiedo*, you are the fifth person I have asked; *Vuoi essere il q.?*, do you want to be the fifth?

Quìnto m. Quintus.

quintogènito a. e m. (*f.* -*a*) fifth-born.

quintùltimo a. e m. (*f.* -*a*) last but four; fifth from (the) last.

quintuplicàre A v. t. (*moltiplicare per cinque*) to multiply by five; (*accrescere cinque volte*) to quintuple **B quintuplicàrsi** v. i. pron. to quintuple; to increase fivefold.

quintùplice a. quintuple; quintuplicate; fivefold.

quìntuplo A a. quintuple; fivefold; five times as large (*o* great) (pred.) **B** m. quintuple; five times (pl.) as (+ agg. o avv.): **20 è il q. di 4**, 20 is the quintuple of 4 (*o* is five times 4); **largo il q.**, five times as large.

qui pro quo (*lat.*) loc. m. inv. misunderstanding.

Quirinàle m. (*geogr.*, *polit.*) Quirinal.

quirinalìsta m. e f. (*giorn.*) reporter on the political activity of the President of the Republic; Quirinal reporter.

quirinalìzio a. (*polit.*) concerning the President of the (Italian) Republic.

Quirìno m. (*mitol.*) Quirinus.

quirìte m. (*stor. romana*) Quirite.

Quisling m. inv. (*polit.*) quisling.

quisquìlia f. trifle; bagatelle; minutia* (generalm. al pl.): **perdersi in quisquilie**, to get lost in trifles; *Quisquilie!*, nonsense!; rubbish!

quivi avv. (*lett.*) **1** (*lì*) there **2** (*allora*) then.

quiz m. inv. **1** (*gioco*) quiz (game); (*domanda*) question: **partecipare a un q.**, to take part in a quiz game; **presentatore di q.**, quiz master; **programma di q.**, quiz programme **2** (*al pl.*) (*esame a q.*) multiple-choice (examination); quiz.

quòkka m. inv. (*zool.*, *Setonyx brachyurus*) quokka.

quòndam (*lat.*) avv. **1** (*un tempo*) formerly; sometime; former (agg.); quondam (agg.): **il nostro q. direttore**, our former (*o* quondam) director **2** (*defunto*) late (agg.): **il q. signor Cerri**, the late Mr Cerri.

quòrum (*lat.*) m. (*leg.*) quorum; legal number: **raggiungere il q.**, to form a quorum; **mancanza del q.**, absence of a quorum.

quòta f. **1** (*porzione*) part; share; portion; amount: (*econ.*) **q. d'ammortamento**, depreciation allowance; **q. di capitale**, capital share; **q. di eredità**, share of an inheritance; **q. di mercato**, market share; **q. delle spese**, (sb.'s) share of the expenses; **q. sociale**, capital share; partnership share; **q. imponibile**, taxable quota; **pagare la propria q.**, to pay one's share **2** (*somma dovuta*) dues (pl.); fee; (*rata*) instalment, installment (*USA*): **q. associativa**, membership fee; **q. di abbonamento**, subscription fee; **q. di iscrizione**, entrance fee; **q. mensile**, monthly instalment: **pagare** (*o* **versare**) **la prima** [**l'ultima**] **q.**, to pay the first [the last] instalment **3** (*contingente*) quota: **q. di esportazione** [**d'importazione**], export [import] quota; **q. d'immigrazione**, immigrant (*o* immigration) quota **4** (*geom.*) height: **q. d'equilibrio**, height of equilibrium **5** (*geogr.*, *topogr.*) level; altitude; elevation: **q. zero**, sea level; **a 3000 metri di q.**, at an altitude of 3,000 metres; at 3,000 metres above sea level; (*alpinismo*) **tenersi in q.**, to proceed at the same altitude **6** (*aeron.*) height; altitude: **q. di crociera**, cruising height (*o* altitude); **q. di tangenza**, ceiling; **q. di volo**, flying height; **ad alta** [**bassa**] **q.**, at a high [low] altitude; **volare ad alta** [**bassa**] **q.**, to fly high [low]; **raggiungere la q. di seimila metri**, to reach an altitude of six thousand metres; **perdere q.**, to lose height; **prendere q.**, to gain height; to climb; **perdita di q.**, loss of height **7** (*naut.*) depth: **q. di crociera**, cruising depth; **q. periscopica**, periscope depth; **a q. 200 metri**, at a depth of 200 metres **8** (*ipp.*) odds (pl.) **9** (*disegno tecnico*) dimension ● **Siamo a q. sette punti**, we have totalled seven points so far □ (*fig.*) **perdere q.**, to lose popularity □ (*fig.*) **prendere q.**, to begin to catch on.

quotalìte f., **quotalìzio** m. (*leg.*) champerty.

quotàre A v. t. **1** (*obbligare per una quota*) to put* down (for) **2** (*comm.*, *fin.*) to quote; to list: **q. i titoli**, to quote stocks; **q. un prezzo in dollari**, to quote a price in dollars; **essere quotato in Borsa**, to be quoted (*o* listed) on the Stock Exchange **3** (*fig.*: *valutare*, *stimare*) to value; to rate; (al passivo, anche) to be thought highly of, to be regarded highly: **q. un dipinto**, to assess a painting; *È molto quotato sul lavoro*, he is very highly thought of on the job **4** (*disegno tecnico*) to dimension **B quotàrsi** v. i. pron. to subscribe (st.); to put* oneself down (for).

quotàto a. **1** (*comm.*, *fin.*) quoted; rated; (*valutato*) estimated; (*Borsa*) listed: **valori non quotati**, unquoted (*o* outside) securities; **titoli non quotati** (*in Borsa*), unlisted securities; **titoli quotati** (*in Borsa*), listed securities **2** (*fig.*) valued; highly rated; highly thought of; (highly) regarded: **un chirurgo q.**, a highly regarded surgeon; **un pittore molto q.**, a highly rated painter **3** (*disegno tecnico*) dimensioned.

quotatùra f. (*nel disegno tecnico*) dimensioning.

quotazióne f. **1** (*comm.*) quotation, rating; (*Borsa*) listing, quotation: **q. d'acquisto**, bid; **q. d'apertura**, opening price; **q. di chiusura**, day's close; closing quotation; **q. di mercato**, market quotation; **q. di vendita**, ask; **q. ufficiale di Borsa**, Stock Exchange list; **essere ammesso alla q. in Borsa**, to be listed (*o* quoted) on the Stock Exchange; **titoli non ammessi alla q. ufficiale di Borsa**, unquoted securities **2** (*valore commerciale*) value: **q. filatelica**, catalogue value **3** (*fig.*: *valutazione di una persona*) standing; reputation: *Le sue quotazioni sono in ribasso* [*un rialzo*], his reputation is dwindling [is growing].

quotidiàna f. (*med.*) quotidian (*o* daily) fever.

quotidianaménte avv. (*ogni giorno*) daily, every day, each day; (*di giorno in giorno*) day by day: **un giornale pubblicato q.**, a newspaper published daily; **leggere il giornale q.**, to read the paper every day.

quotidianità f. **1** daily nature; daily character **2** (*vita di ogni giorno*) everyday life.

♦**quotidiàno A** a. daily; everyday (attr.); (*abituale*, *di routine*) day-to-day: **attività quotidiana**, day-to-day activity; **bisogni quotidiani**, daily needs; **giornale q.**, daily newspaper; **passeggiata quotidiana**, daily walk; **stampa quotidiana**, daily press; **vita quotidiana**, everyday life; day-to-day life; (*relig.*) *Dacci oggi il nostro pane q.*, give us this day our daily bread **B** m. daily: **q. indipendente**, independent daily.

quotìsta m. e f. **1** shareholder **2** (*socio*) partner in a limited company.

quotizzàre v. t. **1** (*distribuire*) to share; to apportion **2** (*lottizzare*) to divide into lots; to parcel out: **q. un terreno**, to divide a piece of land into lots.

quòto m. (*mat.*) quotient.

quoziènte m. **1** (*mat.*) quotient **2** quotient; ratio; (*tasso*) rate: (*psic.*) **q. d'intelligenza**, intelligence quotient (abbr. IQ); (*econ.*) **q. di liquidità**, current ratio; (*stat.*) **q. di mortalità**, death-rate; (*med.*) **q. respiratorio**, respiratory quotient; (*calcio*) **q. reti**, goal difference.

qwerty a. inv. (*comput.*) – **tastiera q.**, qwerty keyboard.

qzerty a. inv. (*comput.*) – **tastiera q.**, qzerty keyboard.

a
b
c
d
e
f
g
h
i
j
k
l
m
n
o
p
q
r
s
t
u
v
w
x
y
z

r, R

R① , r f. o m. (*sedicesima lettera dell'alfabeto ital.*) R, r ● (*telef.*) **r come Roma**, r for Romeo.

R② sigla **1** (*ferr.*, **(treno) regionale**) regional train **2** (*scacchi*, **re**) king (K) **3** (*fr. reservation*) (*ferr.*, **prenotazione**) reservation.

r sigla (*mat.*, **raggio**) radius (R).

R. abbr. **1** (*posta*, **raccomandata**) registered (letter *o* parcel) **2** (*relig.*, **reverendo**) reverend **3** (*comm.*, **ricevuta**) receipt.

r. abbr. (*bibl.*, **recto**) recto.

RA abbr. **1** (**Ravenna**) **2** (**Regia Accademia**) Royal Academy (RA) **3** (*econ.*, **ritenuta d'acconto**) withholding tax (WT).

r.a. sigla (*telef.*, **ricerca automatica** (**della linea libera**)) automatic PBX.

rabàrbaro m. **1** (*bot.*, *Rheum officinale*) rhubarb **2** (*liquore*) rhubarb liqueur.

rabàzza f. (*naut.*) heel.

rabbellire → **riabbellire**.

rabberciaménto m. patching up; vamping up.

rabberciàre v. t. **1** (*aggiustare, anche fig.*) to patch up; to vamp up: **r. un vestito**, to patch up a dress; *Capii di averla detta grossa e cercai di rabberciarla*, I realized I had put my foot in it and tried to patch things up **2** (*mettere insieme alla bell'e meglio*) to cobble together; to patch together; to botch together; (*improvvisare*) to improvise: **r. un articolo**, to cobble together an article.

rabberciàto a. **1** (*aggiustato*) clumsily repaired; patched-up: **scarpe rabberciate**, clumsily repaired shoes **2** (*fatto alla bell'e meglio*) cobbled together, patched together; botched together; makeshift: **un articolo r. in fretta**, an article hurriedly cobbled together; (*spreg.*) **lavoro r.**, cobbled job; botched job, botch.

rabberciatùra f. **1** (*il rabberciare*) patching up; vamping up **2** (*cosa rabberciata*) patch-up job; (*spreg.*) cobbled job, botched job, botch.

ràbbi m. inv. rabbi.

♦**ràbbia** f. **1** (*med.*) rabies; hydrophobia: **avere la r.**, to be affected with rabies; to be rabid **2** (*ira, furore*) anger; fury: **cieco di r.**, blind with rage; **fuori di sé dalla r.**, beside oneself (*o* mad) with anger (*o* rage); **pieno di r.**, filled with anger; livid (with rage); **essere preso da r.**, to fly into a rage; **accesso di r.**, fit of anger; **gesto di r.**, angry gesture; **in un impeto di r.**, in a fit of rage **3** (*irritazione, stizza*) annoyance; vexation; irritation: **fare r.**, to infuriate; to madden; *Lo fa solo per farmi r.*, she only does it to infuriate me; *Mi fa r. vedere tutto questo spreco*, I hate to see all this waste; *Che r.!*, how infuriating!; (*che peccato*) what a shame!, it's too bad! **4** (*accanimento*) frenzy, fury; (*furia degli elementi*) rage, fury **5** (*bramosia*) greed: *Addentò con r. la pagnotta*, he bit into the loaf greedily (*o* ravenously).

ràbbico a. (*med.*) rabid.

rabbinàto m. rabbinate.

rabbìnico a. rabbinic: **la letteratura rabbinica**, rabbinic literature; **la lingua rabbinica**, Rabbinic Hebrew.

rabbinìsmo m. rabbinism.

rabbinìsta m. e f. rabbinist.

rabbìno m. rabbi.

rabbióso a. **1** (*vet.*) rabid; hydrophobic **2** (*pieno di rabbia, iroso*) angry; furious; mad: **sguardo r.**, angry look; **con tono r.**, in a furious tone **3** (*collerico*) choleric; irascible; cantankerous: **un vecchio r.**, a choleric old man **4** (*violento, accanito*) violent; furious; raging: **mare r.**, raging sea; **odio r.**, violent hatred; **vento r.**, furious wind; howling gale; **avere una fame rabbiosa**, to be ravenous.

rabboccàre v. t. **1** to fill up; to top up **2** (*edil.*) to grout; to level.

rabboccatùra f., **rabbócco** m. filling up; topping up.

rabbonacciàre, **rabbonacciàrsi** → **rabbonire**, **rabbonirsi**.

rabbonire **A** v. t. to appease; to mollify; (*calmare*) to calm down, to placate: *La mia nuova offerta la rabbonì*, my new offer appeased (*o* mollified) her; **lasciarsi r.**, to let oneself be mollified **B** v. i. e **rabbonirsi** v. i. pron. to calm down; to be mollified: *Gli spiegammo il malinteso e lui si rabbonì*, we explained the mix-up and he calmed down **2** (*di mare*) to calm down; (*di vento*) to fall*; (*del tempo*) to clear up.

rabbottonàre → **riabbottonare**.

rabbrividire v. i. to shiver; (*anche fig.*) to shudder: **r. per il freddo [per lo spavento]**, to shiver with cold [with fear]; **r. alla vista del sangue**, to shudder at the sight of blood; **r. all'idea di**, to shudder at the thought of; **far r. q.**, to give sb. the shivers; (*di paura, ecc., anche*) to send a shiver down sb.'s spine, to make sb.'s flesh creep; *Alla vista della pistola rabbrividii*, when I saw the gun, I felt a shiver down my spine.

rabbuffàre **A** v. t. **1** (*arruffare*) to ruffle (up); to tousle: **r. i capelli a q.**, to tousle sb.'s hair **2** (*rimproverare*) to scold; to take* to task; to tell* off (*fam.*); to tick off (*fam.*) **B** **rabbuffàrsi** v. i. pron. (*del tempo*) to cloud over; (*del mare*) to grow* rough: *Il tempo si rabbuffa*, it's clouding over; a storm is brewing.

rabbuffàta f. → **rabbuffo**.

rabbuffàto a. **1** (*arruffato*) tousled; ruffled; dishevelled **2** (*del mare*) rough; choppy **3** (*fig.: del viso*) dark; glowering.

rabbùffo m. scolding; telling-off (*fam.*); ticking-off (*fam.*): **un solenne r.**, a good scolding (*o* telling-off); **prendersi un r.**, to be scolded; to be taken to task; to be told off; to be ticked off.

rabbuiàre **A** v. i. **1** (*impers.: annottare*) to grow* (*o* to get*) dark (*o* darker) **2** (*rannuvolarsi*) to cloud over; to darken; (*farsi notte*): *In un attimo il cielo si rabbuiò*, suddenly the sky darkened **B** **rabbuiàrsi** v. i. pron. **1** → **rabbuiare 2** (*fig.: incupirsi*) to darken; to cloud over: *La ragazza si rabbuiò in volto*, the girl's face darkened.

rabdomànte m. e f. dowser; water-diviner (*GB*): **bacchetta da r.**, dowsing rod; divining rod.

rabdomàntico a. dowsing; water-divining (*GB*).

rabdomanzìa f. dowsing; water-divining (*GB*); rhabdomancy.

rabdomiòlisi f. inv. (*med.*) rhabdomyolysis.

rabeleṣiàno, **rabelaiṣiàno** a. Rabelaisian.

rabescàre e deriv. → **arabescare**, e deriv.

racc. abbr. (*posta*, **raccomandata**) registered (letter *o* parcel).

raccapezzàre **A** v. t. **1** (*riuscire a trovare*) to scrape up (*o* together); to rake up: **r. un po' di denari**, to scrape together some money **2** (*riuscire a capire*) to make* out; to figure out: **r. il senso di una frase**, to make out the meaning of a sentence **B** **raccapezzàrsi** v. i. pron. (*capire*) to make* (st.) out; to figure (st.) out; (*orientarsi*) to find* one's way: *Non mi ci raccapezzo*, I can't figure it out; I can't make head or tail of it; **raccapezzarsi in un dedalo di stradine**, to find one's way in a maze of narrow streets.

raccapricciànte a. horrifying; ghastly; blood-curdling; gruesome; grisly: **i particolari raccapriccianti d'un assassinio**, the gruesome (*o* grisly) details of a murder; **racconto r.**, blood-curdling tale; **vista r.**, gruesome sight; **urla raccapriccianti**, blood-curdling yells.

raccapricciàre v. i. to be horrified; (*rabbrividire*) to shudder: *Raccapricciai a quella vista*, I was horrified (*o* my blood ran cold) at that sight; **far r. q.**, to fill sb. with horror; to make sb.'s blood run cold; to make sb.'s hair stand on end; **uno spettacolo che fa r.**, a blood-curdling scene.

raccapriccio m. horror; (*terrore*) terror: **destare r.**, to horrify; to make sb. shudder; to make sb.'s blood run cold; **guardare qc. con r.**, to looked at st. in horror; to shudder at the sight of st.; **pensare con r. a qc.**, to shudder at the thought of st.; **brivido di r.**, shudder; **urlo di r.**, terrified scream.

raccàre v. i. (*naut.*) to vomit; to throw* up.

raccattacénere m. inv. ash-pan; ash-hole.

raccattacìcche m. e f. inv. person who picks up cigarette butts in the streets.

raccattafièno m. inv. horse-rake.

raccattapàlle m. e f. inv. (*sport*) ball-boy (m.); ball-girl (f.).

raccattàre v. t. **1** (*raccogliere*) to pick up; to take* up: **r. una penna**, to pick up a pen **2** (*trovare*) to pick up; (*mettere insieme*) to gather, to put* together; (*con fatica*) to scrape together: **r. informazioni qua e là**, to pick up information here and there; **r. qualche soldo**, to scrape together some money.

raccattàto a. (*fig.: trovato*) picked up; (*messo insieme*) scraped together; (*approssimato*) haphazard, rough-and-ready.

raccattatùra f. **1** (*il raccattare*) picking up **2** (*ciò che si raccatta*) pickings (pl.).

raccèndere → **riaccendere**.

raccerchiàre v. t. **1** to surround completely **2** (*una botte*) to hoop again.

raccertàre **A** v. t. to ascertain beyond doubt; to confirm **B** **raccertàrsi** v. rifl. e i. pron. to make* sure; to satisfy oneself.

racchetàre (*lett.*) **A** v. t. to calm down; to

soothe B **racchetàrsi** v. i. pron. to calm down.

racchétta f. **1** (sport) racket, racquet: **r. da neve**, snowshoe; **r. da ping-pong**, table tennis bat; **r. da sci**, ski pole; ski stick; **r. da tennis**, tennis racket **2** (tennista) tennis player **3** (autom.) windscreen wiper blade **4** (mil.) rocket; flare.

racchettàre v. i. (sci) to pole.

racchettóne m. (tennis) maxi racket.

ràcchio ① m. small bunch of stunted grapes.

ràcchio ② (fam.) A a. unattractive; plain; ugly B m. (f. -a) unattractive person; (di donna, anche) dog (slang).

racchiùdere v. t. (contenere) to contain, to hold*, to house, to host, to have*; (nascondere) to hide*; (implicare) to imply, to carry: Il forziere racchiudeva un tesoro, the casket held a treasure; Il museo racchiude molte opere preziose, the museum contains (o houses) many valuable works; **una storia che racchiude un briciolo di verità**, a story that has a grain of truth in it; **una figura racchiusa in un cerchio**, a figure inscribed in a circle; La domanda racchiude già la risposta, the question carries its own answer.

♦**raccògliere** A v. t. **1** (tirare su) to pick up: **r. un ciottolo**, to pick up a stone; **r. i feriti**, to pick up the wounded; (di mezzo di trasporto) **r. passeggeri**, to pick up passengers; (lavoro a maglia) **r. un punto**, to pick up a stitch; **r. un segnale**, to pick up a signal; **r. con un cucchiaio**, to scoop up (with a spoon); **r. con uno straccio**, to mop up **2** (cogliere) to pick; to pluck; (agric.) to pick, to harvest: **r. ciliegie [cotone]**, to pick cherries [cotton]; **r. fiori**, to pick flowers; **r. il grano**, to harvest wheat; **r. uva**, to harvest grapes; Quest'anno abbiamo raccolto poco, the harvest has been poor this year **3** (radunare, mettere insieme) to gather; to get* together; to collect: **r. un po' di amici**, to get together a few friends; **r. i capelli in una crocchia**, to gather (up) one's hair into a bun; **r. le proprie carte dal tavolo**, to gather up one's papers from the table; **r. fondi**, to collect (o to raise) funds; **r. le idee**, to collect one's thoughts; **r. informazioni su qc.**, to gather information about st.; **r. legna**, to gather wood; **r. polvere**, to gather dust; **con la scopa**, to sweep up **4** (chiamare a raccolta, riunire) to gather; to assemble; to muster; to marshal; to rally: **r. un esercito**, to muster an army; **r. le proprie forze**, to gather (o to muster, to marshal) one's strength; **r. gli studenti nell'aula magna**, to assemble all the pupils in the hall; Raccolse i suoi uomini nella piazza, he assembled (o gathered, mustered) his men in the square; Erano tutti raccolti intorno a lui, they were all gathered round him **5** (riunire e ripiegare) to fold; to furl; to gather up: **r. le gonne**, to gather up one's skirts; **r. le reti**, to haul in one's nets; (naut.) **r. le vele**, to furl the sails **6** (collezionare) to collect: **r. monete [francobolli]**, to collect coins [stamps] **7** (dare rifugio a) to shelter; to take* in; to house: **r. i bambini abbandonati**, to take in abandoned children; **r. profughi**, to shelter (o to house) refugees **8** (ricevere) to receive; to get*; (ottenere) to gain, to win*; (incontrare) to meet* with: **r. consensi**, to meet with approval; **r. critiche**, to come in for criticism; **r. lodi**, to win (o to gain) praise; **r. successi**, to meet with success; to be successful; **r. voti**, to get votes; Il Po raccoglie le acque di molti affluenti, the Po receives the waters of many tributaries **9** (accettare) to accept; to take* up; (reagire a) to react to: **r. un'allusione**, to take a hint; **r. un'eredità**, to accept an inheritance; **r. un invito**, to accept an invitation; **r. una provocazione**, to react to a provocation; **r. una sfida**, to take up a chal-

lenge; **non r. un insulto**, to ignore an insult; Gli strizzai l'occhio ma lui non raccolse, I winked at him, but he didn't react ● (fig.) **r. il frutto del proprio lavoro**, to harvest the fruits of one's labour □ (fig.) **r. il guanto**, to take up the gauntlet □ **r. la mente**, to compose one's thoughts; to concentrate □ **r. qua e là**, to glean □ (prov.) Si raccoglie quel che si semina, as you sow, so you reap B **raccògliersi** v. rifl. **1** (del corpo) to curl up; to snuggle; to crouch **2** (concentrarsi) to collect one's thoughts; to concentrate: **raccogliersi in preghiera**, to collect one's thoughts in prayer; **raccogliersi su un problema**, to concentrate on a problem C **raccògliersi** v. i. pron. **1** (radunarsi) to gather; to assemble: I passeggeri si raccolsero in coperta, the passengers gathered (o assembled) on deck; Ci raccogliemmo intorno alla guida, we gathered round our guide **2** (ammassarsi) to gather; to collect: L'acqua si raccoglie in un avvallamento, the water collects in a hollow.

raccoglimento m. concentration; meditation; attention: **ascoltare qc. con r.**, to listen to st. with concentration; **pregare con r.**, to be absorbed in prayer; **un minuto di r.**, a minute's silence.

raccogliticcio A a. put together at random; haphazard; scratch; motley: **cultura raccogliticcia**, haphazard education; **insieme r.**, motley collection; **squadra raccogliticcia**, scratch team; **truppe raccogliticce**, irregular troops B m. haphazard collection; medley; mishmash; hotchpotch (fam.); ragbag (fam.): **un r. di idee scombinate**, a hotchpotch (o mishmash) of half-baked notions.

raccoglitóre m. **1** (f. -trìce) picker; gatherer: **r. di cotone**, cotton picker; (etnol.) **cacciatori e raccoglitori**, hunters and gatherers **2** (f. -trìce) (collezionista) collector: **r. di francobolli**, stamp collector **3** (f. -trìce) (compilatore) compiler; (curatore) editor **4** (custodia, cartella) folder; binder: **r. ad anelli**, ring binder; **r. a fogli mobili**, loose-leaf binder **5** (recipiente) receptacle; (vaschetta) tray.

raccoglitrìce f. **1** → **raccoglitore**, def. 1-3 **2** (agric.) harvester.

♦**raccòlta** f. **1** (il raccogliere) gathering; collection: **r. di dati**, data collection; **iniziare la r. dei dati**, to start gathering data; **la r. dell'immondizia**, rubbish collection; **r. di fondi**, raising of funds; fund raising; **r. differenziata dei rifiuti**, separate (o selective) collection of household waste; La r. fruttò poco, the collection brought in little **2** (agric.) harvesting; harvest; (di frutta, cotone, olive, ecc.) picking; (epoca del raccolto) harvest-time: **la r. dei pomodori [dell'uva]**, tomato [grape] harvest; **la r. delle pesche**, peach picking; **fare la r. delle mele**, to pick apples **3** (insieme di cose riunite, collezione) collection: **r. di etichette**, label collection; **r. di francobolli**, stamp collection; **r. di leggi**, body of laws; statute book; **r. di poesie**, collection of poems; **fare (la) r. di qc.**, to collect st. **4** (adunanza) gathering; assembly; rally: **chiamare a r.**, to gather; to rally; **chiamare a r. le proprie energie**, to gather (o to marshal) one's energies (o one's strength); Chiamai a r. tutta la mia pazienza, I summoned up all my patience; (mil.) **suonare a r.**, to sound the rally **5** (sport) tuck position.

raccoltaménte avv. with concentration; with concentrated attention: **pregare r.**, to be absorbed in prayer.

♦**raccòlto** A a. **1** (colto) picked: **fiori raccolti**, picked flowers **2** (riunito, adunato) gathered; collected; mustered: **la folla raccolta nel luogo dell'incidente**, the crowd gathered at the scene of the accident; **essere raccolti insieme**, to be gathered togeth-

er; to be grouped; to form a group **3** (tenuto insieme) gathered together; (legato) tied; (di capelli) gathered up, done up, tied: **capelli raccolti da un elastico**, hair tied with an elastic band; **capelli raccolti in una crocchia**, hair gathered up in a bun ● (rannicchiato) curled up; crouching; drawn up: Dormiva r. sotto la trapunta, he was sleeping curled up under the quilt; Sedeva r. vicino al fuoco, he was crouching by the fire; Sedeva sul sofà con le gambe raccolte, she was sitting on the sofa with her legs drawn up **5** (fig.: assorto) absorbed, engrossed; (pensoso) pensive; (concentrato) collected; (composto) composed, sedate, sober: **r. nei propri pensieri**, absorbed in thought; **calmo e r.**, calm and collected **6** (fig.: accogliente) cosy, snug; (intimo) intimate: **una stanza raccolta**, a cosy room **7** (fig.: contenuto) restrained; quiet: **dolore r.**, restrained grief; **gioia raccolta**, quiet joy B m. crop; yield; harvest; (periodo) harvest-time: **r. abbondante [scarso]**, good [poor] harvest (o crop); **dare un buon r.**, to yield a good crop; Quest'anno il r. è andato bene, we've had a good crop this year; **l'epoca del r.**, harvest-time.

raccomandàbile a. **1** (consigliabile) recommendable; advisable: **un investimento r.**, a recommendable investment; Non è r. uscire di sera qui, it's not advisable to go out at night here **2** (affidabile) reliable; trustworthy: **poco r.**, unreliable; untrustworthy; suspicious; shady (fam.).

♦**raccomandàre** A v. t. **1** (affidare) to entrust; to recommend; to commend (lett.): Prima di partire, mi raccomandò il figlio, before leaving, she entrusted her son to me (meno form. she asked me to look after her son); Ti raccomando le mie piante mentre sono via, please look after my plants while I'm away; **r. l'anima a Dio**, to commend one's soul to God **2** (appoggiare) to recommend; to put* in a word for: **r. q. per una promozione**, to recommend sb. for promotion; **r. il figlio di un amico**, to put in a good word for a friend's son; È raccomandato da un pezzo grosso, he's got a powerful friend behind him **3** (consigliare) to recommend, to advise; (richiedere) to enjoin; (esortare) to exhort, to urge; (mettere in guardia) to warn; (ricordare) to remind: **r. un albergo [una dieta]**, to recommend a hotel [a diet]; Ci raccomandò il silenzio, he enjoined silence upon us (form.); he enjoined us to keep silent; Il dottore mi ha raccomandato il riposo, the doctor has recommended me rest; Gli raccomandai di non andare, I advised him not to go; I urged him not to go; I recenti fatti ci raccomandano la prudenza, the recent events urge caution upon us; E soprattutto vi raccomando la prudenza, and above all, be prudent **4** (una lettera, un plico) to send by recorded delivery (USA by certified mail) **5** (lett.: attaccare, fissare) to fasten; to secure; to make* fast B **raccomandàrsi** v. rifl. **1** (supplicare, chiedere) to beg; to beseech*: Si sono raccomandati a me, they have begged me to help them; Si raccomandò alla clemenza della corte, she threw himself upon the mercy of the court; Telefona appena arrivi, mi raccomando, mind you don't forget to phone as soon as you arrive; Non te lo dimenticare, mi raccomando, don't forget, mind you!; Mi raccomando, non dirlo a nessuno, you won't tell anyone, will you? **2** (affidarsi) to appeal: **raccomandarsi al buon senso**, to appeal to common sense ● (scherz.) **raccomandarsi alle proprie gambe**, to take to one's heels □ **raccomandarsi da sé**, to need no recommendation □ (iron.) **Te lo raccomando proprio!**, I wouldn't touch it [him] with a barge pole!

raccomandàta f. recorded delivery let-

ter (*GB*); certified mail letter (*USA*): **r. con ricevuta di ritorno**, recorded delivery letter with advice of delivery; **fare una r.**, to send a letter by recorded delivery (*USA* by certified mail); **spedire un pacco per r.**, to send a parcel by recorded delivery (*USA* by certified mail).

raccomandatàrio m. **1** person to whom st. is recommended **2** (*naut.*) ship's agent; ship's husband.

raccomandatizio a. – **lettera raccomandatizia**, letter of recommendation.

raccomandàto Ⓐ a. **1** (*consigliato*) recommended **2** (*che ha appoggi importanti*) with good connections; well-connected **3** (*di lettera, plico*) sent by recorded delivery (*GB*); sent by certified mail (*USA*): **spedire un pacco r.**, to send a parcel by recorded delivery (*o* by certified mail) Ⓑ m. (f. **-a**) applicant with good connections; well-connected person; protégé (*franc.*): **È il r. del direttore**, he is the director's protégé; **È un r. di ferro**, he has friends in high places.

raccomandatòrio a. recommendatory; of recommendation: **lettere raccomandatorie**, letters of recommendation.

raccomandazióne f. **1** (*il raccomandare*) recommendation; (*presentazione*) introduction; (*appoggio*) connections (pl.), friends (pl.): **fare una r.**, to make a recommendation; to put in a good word; **ottenere un posto grazie a una r.**, to get a job thanks to one's connections; **lettera di r.**, letter of recommendation; letter of introduction **2** (*consiglio*) advice Ⓤ; (*esortazione*) urging; (*avvertimento*) warning: **fare mille raccomandazioni a q.**, to give sb. lots of advice **3** (*di lettera, plico*) sending by recorded delivery (*GB*); sending by certified mail (*USA*); (*affrancatura*) postage for recorded delivery postage (*GB*); certified mail postage (*USA*).

raccomodaménto m. repairing; mending; fixing.

raccomodàre v. t. **1** (*accomodare*) to repair; to mend; to fix: **r. un orologio [un ombrello]**, to repair a watch [an umbrella]; **r. un paio di scarpe**, to mend a pair of shoes **2** (*fig.: rimettere a posto*) to sort out; to set* right (again); to straighten out; to fix (*fam.*): **r. ogni cosa**, to sort things out; to set things right; to straighten out things.

raccomodatùra f. **1** (*l'aggiustare*) repairing; mending; fixing **2** (*aggiustatura*) repair: **fare raccomodature**, to make repairs **3** (*costo*) repair costs (pl.).

racconciàre Ⓐ v. t. **1** (*riparare, anche fig.*) to repair; to mend; to fix: **r. una strada**, to repair a road **2** (*rassettare*) to put* in order; to tidy up; to straighten out Ⓑ **racconciàrsi** v. i. pron. (*del tempo*) to improve; to clear up.

racconciatùra f. repairing; mending.

racconsolàre v. t. (*lett.*) to comfort; to encourage.

raccontàbile a. worth telling; fit to be told.

raccontafàvole m. e f. inv. (*spreg.*) story-teller; yarn-spinner (*fam.*).

♦**raccontàre** v. t. to tell*; (*riferire*) to relate: **r. l'accaduto**, to tell (sb.) what happened; to relate the facts; **r. una barzelletta**, to tell a joke; **r. una bugia**, to tell a lie; **r. fandonie**, to tell tales; **r. una storia**, to tell a story; **r. tutto**, to reveal everything; to spill out everything; *Raccontami tutto*, tell me all about it; **r. qc. per filo e per segno**, to tell st. in detail; *Mi raccontò tutta la storia*, she told me the whole story; *È andato a raccontargli i fatti miei*, he has been telling him all about me; *Così mi hanno raccontato*, so I've been told; **per raccontarne una**, just to tell you one thing; *Il libro racconta di un uomo che...*, the book is about a man

who...; *Si racconta che...*, the story goes that...; **l'arte del r.**, the art of storytelling ● (*fam.*) **r. la rava e la fava**, to relate the whys and wherefores of st. □ **raccontarne delle belle**, to have a few things to tell □ **Ringrazia Dio che la puoi r.**, you are lucky you are alive to tell the story □ (*iron.*) **A chi credi di raccontarla!** (*o* **Raccontala a un altro!**, **Raccontala altrove!**), pull the other one! (*fam. GB*); tell that to the marines! (*fam. USA*) □ **A me la racconti!**, and you're telling me? (*fam.*) □ (*fam.*) **È uno che la sa r.**, he can spin a yarn.

raccontatóre m. (f. **-trìce**) teller; narrator: **un buon r.**, a good narrator; (*di aneddoti, ecc.*) a raconteur (*franc.*).

♦**raccónto** m. **1** (*esposizione, narrazione*) story; (*relazione*) account: **il r. del nostro viaggio**, the story of our journey; *A metà del r. s'interruppe*, halfway through his story, he stopped; **fare un r. ordinato dei fatti**, to give a clear account of the facts **2** (*storia*) story; short story; (*novella*) tale: **r. di avventure**, adventure story; **r. di fate**, fairy tale; **r. per bambini**, children's story; (*per bambini piccoli*) nursery tale; **i racconti di Buzzati**, Buzzati's short stories; **libro di racconti**, book of short stories.

raccorciaménto m. shortening.

raccorciàre Ⓐ v. t. to shorten: **r. un discorso**, to shorten a speech; **r. un vestito**, to shorten a dress Ⓑ **raccorciàrsi** v. i. pron. to shorten; to get* shorter; (*di giornata*) to draw* in; (*di vista*) to weaken: *Le giornate si raccorciano*, the days are drawing in.

raccordàre ① v. t. to join; to connect; to link; to link up; (*mecc.*) to joint; (*elettr.*) to wire (up): **r. due tubi**, to connect two pipes; **r. due strade**, to link up two roads.

raccordàre ② v. t. (*una racchetta*) to string*.

raccordatùra f. (*di racchetta*) stringing.

raccòrdo m. **1** (*collegamento*) connection; link: **servire da r.**, to connect; to link up; **di r.**, connecting; linking **2** (*di strada*) link road: **r. a quadrifoglio**, cloverleaf; **r. anulare**, orbital road; ringroad (*GB*); beltway (*USA*); **r. autostradale**, motorway junction; **anello di r.**, loop; **punto di r.**, road link-up; junction **3** (*ferr.*) feeder line (*o* track); spur line (*o* track) **4** (*mecc.*) fitting; connector; union: **r. a gomito**, elbow; **r. a T**, tee; **r. a tre pezzi**, pipe union; **r. a U**, U-bend; **r. a vite**, nipple.

raccostaménto m. **1** (*avvicinamento*) approaching **2** (*confronto*) comparison.

raccostàre Ⓐ v. t. **1** (*avvicinare*) to draw* near; to pull close; (*chiudere*) to pull (st.) to; to pull together **2** (*confrontare*) to compare **3** → **riaccostare** Ⓑ **raccostàrsi** v. i. pron. **1** to approach; to come* up **2** → **riaccostarsi**.

raccozzàre v. t. to scrape together.

racé (*franc.*) a. distinguished.

racèmico a. (*chim.*) racemic: **acido r.**, racemic acid.

racemìfero a. (*bot.*) racemiferous.

racemizzazióne f. (*chim.*) racemization.

racèmo m. **1** (*bot.*) raceme **2** (*chim.*) racemate.

racemóso a. (*bot.*) racemose.

Rachèle f. Rachel.

ràchi m. inv. (*liquore*) raki.

rachialgìa f. (*med.*) backache.

rachianestesìa f. (*chir.*) epidural anaesthesia.

rachicentèsi f. (*med.*) lumbar puncture; spinal tap (*USA*).

ràchide f. e m. (*anat., bot., zool.*) rachis*.

rachidèo, rachidiàno a. (*anat.*) spinal; rhachidian.

rachìtico Ⓐ a. **1** (*med.*) rachitic; with rickets; rickety **2** (*fig.*) stunted: **piante rachitiche**, stunted plants Ⓑ m. (f. **-a**) (*med.*) person with rickets.

rachitìsmo m. (*med.*) rickets (pl. col verbo al sing.).

racimolàre v. t. **1** (*agric.*) to glean (*grapes*) **2** (*fig.*) to scrape together; to glean: **r. un po' di soldi**, to scrape together some money; **r. notizie**, to glean scraps (*o* bits) of news.

racimolatóre m. (f. **-trìce**) (*anche fig.*) gleaner.

racimolatùra f. **1** (*agric.: il racimolare*) gleaning (*grapes*) **2** (*agric.: ciò che si racimola*) gleanings (pl.) (of a vinyard) **3** (*fig.: il raccogliere*) scraping together; gleaning **4** (*cose raccolte*) scrapings (pl.); gleanings (pl.).

racimolo m. small bunch of grapes.

ràcket (*ingl.*) m. inv. racket: **il r. della droga**, drugs racket; **gestire un r.**, to run a racket.

racon m. inv. (*naut.*) racon.

racquetàre e deriv. → **racchetare**, e deriv.

rad m. (*fis.*) rad.

ràda f. roadstead; roads (pl.).

Radamànto m. (*mitol.*) Rhadamanthus.

radància f. (*naut.*) thimble.

ràdar Ⓐ m. inv. radar: **r. a microonde**, microwave radar; **r. a onde persistenti**, continuous-wave radar; **r. anticollisione**, anti-collision radar; **r. di avvistamento**, warning radar; search radar; **r. per intercettazione aerei**, aircraft interception radar; **r. primario**, primary radar; **r. secondario**, secondary radar; **r. terrestre**, land-based radar; **r. topografico**, plan position indicator; **attrezzato con r.**, radar-fitted; **seguire con r.**, to monitor with a radar; to radar-track; **trovare un bersaglio col r.**, to acquire a target by radar Ⓑ a. inv. radar (attr.): **collegamento r.**, radar link; **controllo r.**, radar monitoring; **installazione r.**, radar installation; (*fam.*) **uomo r.**, air-traffic controller.

radaràbile a. radar-reflecting.

radaraltìmetro m. radar altimeter.

radarassistènza f. (*aeron., naut.*) radar assistance.

radarastronomìa f. radar astronomy.

radarfàro m. radar beacon; racon.

radargeodesìa f. radar geodesy.

radarìsta m. e f. radar operator.

radarìstica f. radar technology.

radarlocalizzazióne f. radar detection.

radarmeteorologìa f. radar meteorology.

radarnavigazióne f. radar navigation.

radarriflettènte a. radar-reflecting.

radarsónda f. (*meteor.*) radarsonde.

radarspolétta f. proximity fuse.

radartachìmetro m. radar gun.

radartècnica f. (*elettr.*) radar engineering.

radarterapìa f. (*med.*) short-wave therapy.

radartopografìa f. radar surveying.

radartopogràfico a. radar-surveying (attr.).

radàzza f. (*naut.*) swab; mop.

radazzàre v. t. (*naut.*) to swab; to mop.

raddensaménto m. thickening.

raddensàre v. t., **raddensàrsi** v. i. pron. thickening.

raddensatóre Ⓐ a. thickening Ⓑ m. thickener.

raddobbàre v. t. (*naut.*) to refit; to repair.

raddòbbo m. (*naut.*) refit; repair: **bacino di r.**, dry dock; graving dock; **cantiere di r.**, repair yard.

raddolciménto m. **1** (*il rendere dolce*) sweetening **2** (*fig.*) softening; easing; mitigation **3** (*tecn.*) softening **4** (*ling.*) palatalization.

raddolcire Ⓐ v. t. **1** to sweeten **2** (*fig.*) to soften; (*alleviare*) to ease, to mitigate: **r. un rimprovero**, to soften a reproach; **r. la voce**, to soften one's voice **3** (*tecn.*) to soften Ⓑ v. i. e **raddolcirsi** v. i. pron. **1** to become* sweet **2** (*fig.: rabbonirsi*) to soften, to mollify, to mellow; (*del tempo*) to grow* (*o* to get*) milder: **raddolcirsi con gli anni**, to mellow with age.

raddoppiaménto m. **1** doubling, redoubling; duplication: **il r. d'un numero**, the duplication of a number; **il r. dello stipendio**, the doubling of one's salary **2** (*ling., di sillaba*) reduplication; (*di consonante*) gemination.

raddoppiàre Ⓐ v. t. **1** (*rendere doppio*) to double; to make* double; to duplicate: **r. un numero**, to double a number; **r. la paga a q.**, to double sb.'s pay; **r. una scommessa**, to double a bet; *Lascia o raddoppia*, double or quits **2** (*autom., ferr.*) – **r. un'autostrada**, to widen (*o* to add extra lanes to) a motorway; **r. una linea ferroviaria**, to lay a second track **3** (*accrescere*) to redouble; to increase: **r. i propri sforzi**, to redouble one's efforts **4** (*ling.*) to reduplicate Ⓑ v. i. **1** (*aumentare del doppio*) to double: *I costi sono raddoppiati*, costs have doubled **2** (*crescere*) to redouble; to increase **3** (*biliardo*) to double **4** (*calcio*) to score a second goal.

raddóppio m. **1** doubling; redoubling; duplication: **il r. della produzione**, the doubling of production **2** (*autom., ferr.*) – **il r. di un'autostrada**, the widening of a motorway; **il r. di una linea ferroviaria**, the laying of a second track; (*ferr.*) **binario di r.**, double track **3** (*biliardo, bridge, mus.*) double **4** (*ling., di sillaba*) reduplication; (*di consonante*) gemination **5** (*calcio*) second goal **6** (*teatr.*) dual role; double part.

raddrizzàbile a. that can be straightened (pred.).

raddrizzaménto m. **1** straightening **2** (*fig.*) straightening; rightening; redress; rectification **3** (*elettr.*) rectification.

raddrizzàre Ⓐ v. t. **1** (*rendere diritto*) to straighten; (*rimettere in posizione diritta*) to put* straight, to straighten, to right, to set* upright: **raddrizzarsi la cravatta**, to straighten one's tie; **r. un fil di ferro**, to straighten a piece of wire; **r. un libro**, to set a book upright; **r. un quadro**, to put a picture straight; **r. la schiena**, to straighten one's back; to straighten up; **r. il volante**, to right the wheel **2** (*fig.: correggere*) to right, to redress; (*sistemare*) to straighten out, to sort out, to put* (*o* to set*) right: **r. le cose**, to straighten things out; **r. un torto**, to redress (*o* to right) a wrong **3** (*elettr.*) to rectify ● (*fig.*) **r. le gambe ai cani**, to attempt the impossible □ (*fig.*) **r. le ossa a q.**, to beat sb. up □ (*fig.*) **r. la testa a q.**, to straighten sb. up (*fam.*) □ (*fam.*) **Ora ti raddrizzo io!**, I'll teach you! Ⓑ **raddrizzàrsi** v. rifl. e i. pron. **1** (*di persona*) to straighten up: *Il vecchio si raddrizzò adagio*, the old man straightened up slowly **2** (*di cosa*) to right itself: *La barca si raddrizzò*, the boat righted itself **3** (*fig.*) to right itself; to straighten out; to sort itself out: *La situazione dovrebbe raddrizzarsi presto*, the situation should right itself soon **4** (*fig., del tempo*) to clear up.

raddrizzatóre m. (*elettr.*) rectifier.

raddrizzatrìce f. (*tecn.*) straightener.

raddrizzatùra f. → **raddrizzamento**.

radènte a. grazing; skimming: (*fis.*) **attrito r.**, sliding friction; **sole r.**, sun low on the horizon; low sun; **tiro r.**, grazing shot; grazing fire; **volo r.**, grazing flight.

radènza f. grazing (*o* skimming) movement.

♦**ràdere** Ⓐ v. t. **1** (*liberare dai peli*) to shave: **radersi il mento**, to shave one's chin; **farsi r.**, to get shaved; to have (*o* to get) a shave **2** (*tagliare*) to shave off: **radersi i baffi**, to shave off one's moustache; **radersi a zero i capelli**, to shave one's head **3** (*distruggere*) to raze; to level; to flatten: **r. al suolo**, to raze (to the ground); **una città rasa al suolo da un terremoto**, a town razed by an earthquake **4** (*fig.: rasentare*) to graze; to brush; to skim: **r. il suolo**, to graze the ground; **r. la superficie dell'acqua**, to skim the surface of the water Ⓑ **ràdersi** v. rifl. to shave: **radersi tutte le mattine**, to shave every morning.

radèzza f. **1** (*di tessuto, ecc.*) looseness **2** (*scarsità*) sparseness; thinness; scarcity **3** (*sporadicità*) rareness; infrequency.

radiàle① Ⓐ a. radial: **pneumatico r.**, radial (tyre); **simmetria r.**, radial symmetry; **strada r.**, radial (road); **trapano r.**, radial drill; (*astron.*) **velocità r.**, radial velocity Ⓑ f. **1** radial line **2** (*linea tramviaria*) tramline linking the centre with a suburb Ⓒ m. (*pneumatico*) radial (tyre).

radiàle② a. (*anat.*) radial: **arteria [nervo, vena] r.**, radial artery [nerve, vein].

radiànte① a. (*lett.*) radiant; shining **2** (*scient.*) radiant: **calore [energia] r.**, radiant heat [energy]; **pannello r.**, radiant heater; (*astron.*) **punto r.**, radiant (point); (*med.*) **terapia r.**, radiation therapy; radiotherapy **3** (*fig.*) radiant; shining; glowing.

radiànte② m. (*geom.*) radian.

radiànza f. (*fis.*) radiance.

radiàre① v. i. (*lett.*) to radiate.

radiàre② v. t. **1** (*cancellare*) to strike* off; (*espellere*) to expel, to throw* out: **r. dall'albo**, to strike off the professional register; (*un medico*) to strike off the medical register; (*un avvocato*) to strike off the rolls of solicitors; (*un penalista*) to disbar; **r. dall'esercito**, to cashier; **r. da un partito [dall'università]**, to expel from a party [from university]; *Il suo nome fu radiato dalla lista*, his name was struck off the list **2** (*naut.*) to strike* off the list; to condemn.

radiativo a. (*fis.*) radiative.

radiàto① a. (*a raggi*) radiate.

radiàto② a. (*di professionista*) struck off the professional list; (*espulso*) expelled, (*mil.*) cashiered.

♦**radiatóre** m. radiator: **r. ad alette**, finned (*o* gilled) radiator; **r. a nido d'ape**, honeycomb radiator; (*autom.*) **maschera per r.**, radiator cowl; **tappo del r.**, radiator cap.

radiatorìsta m. e f. radiator engineer.

radiazióne① f. (*fis.*) radiation Ⓤ; (al pl.: *raggi*) rays, radioactivity (sing.): **r. cosmica**, cosmic rays (pl.); **r. infrarossa**, infrared radiation; **r. nera**, black-body radiation; **r. solare**, solar radiation; **radiazioni atomiche**, radioactivity; **caratteristica di r.**, radiation pattern; **gli effetti delle radiazioni**, the effect of radiation; **esposizione a radiazioni**, irradiation; **essere esposto a radiazioni**, to be exposed to radiation; to be irradiated; **fuga di radiazioni**, leak of radioactivity.

radiazióne② f. (*da un albo*) striking off (a professional register); (*dall'esercito*) cashiering, dishonourable discharge; (*espulsione*) expulsion.

ràdica f. **1** (*anche r. di noce*) walnut (root) **2** (*per pipe, ecc.*) briar, briarwood: **pipa di r.**, briar (pipe) **3** (*region.: radice*) root.

radicàle Ⓐ a. **1** (*bot.*) radical; root (attr.):

apparato r., root system; **peli radicali**, root hairs; **umido r.**, radical moisture **2** (*ling.*) radical; root (attr.) **3** (*fig.*) radical; thorough; drastic; root-and-branch (attr.): **cambiamento r.**, radical (*o* drastic) change; **rimedio r.**, drastic remedy; **riforma r.**, radical (*o* root-and-branch) reform **4** (*polit.*) radical: **il Partito R.**, the Radical Party Ⓑ m. **1** (*mat., chim.*) radical: **r. acido**, acid radical **2** (*ling.*) radical; root: **il r. d'una parola**, the root of a word Ⓒ m. e f. (*polit.*) Radical.

radicaleggiànte a. having radical sympathies; leaning towards radicalism.

radicaleggiàre v. i. (*polit.*) to have radical sympathies; to lean* towards radicalism.

radicalìsmo m. radicalism.

radicalità f. radicalism; radicalness.

radicalizzàre (*polit.*) Ⓐ v. t. to radicalize Ⓑ **radicalizzàrsi** v. i. pron. to become* radicalized.

radicalizzazióne f. radicalization.

radicalménte avv. radically; thoroughly; fundamentally; utterly; root and branch.

radicaménto m. (*fig.*) rooting; rootedness.

radicàndo m. (*mat.*) radicand.

radicàre Ⓐ v. i. **1** (*bot.*) to root; to take* root: **una pianta che radica bene in questo terreno**, a plant that will easily take root in this soil **2** (*fig.*) to take* root Ⓑ **radicàrsi** v. i. pron. to take* root; to become* rooted: *Quell'idea mi si radicò nel cervello*, that idea became rooted in my mind.

radicàto a. rooted; deep-rooted; deep-seated: **abitudini radicate**, deep-seated habits; **opinioni radicate**, rooted opinions; *Questa credenza è radicata nella tradizione popolare*, this belief is rooted in folk tradition; **essere r. nelle proprie abitudini**, to be set in one's habits.

radicazióne f. (*bot.*) **1** (*il mettere radici*) rooting; taking root **2** (*le radici*) rootage.

radìcchio m. (*bot.*, *Cichorium intybus*) chicory; radicchio.

♦**radìce** f. **1** (*bot.*) root: **r. a fittone**, taproot; **r. aerea**, aerial root; **r. fascicolata**, fasciculate root; **r. superficiale**, shallow root; **mettere (le) radici**, to root; to take root; to grow* (*o* to put* out) roots; **senza radici**, rootless; **cuffia della r.**, root cap **2** (*parte bassa di qc.*) root (*anche anat., med.*); base: **la r. della lingua** [d'un dente, d'un unghia, d'un callo], the root of the tongue [of a tooth, of a nail, of a corn]; **r. del naso**, bridge of the nose **3** (*fig.: origine, causa*) root; origin; source: **la r. di tutti i mali**, the root cause of all evil; **alla r. di un problema**, at the root of a problem; **andare alla r. di qc.**, to get to the root of st.; **avere (o affondare) le proprie radici in**, to have one's origins in; to date back to; **avere radici lontane**, to have distant origins; **colpire alla r.**, to strike at the root; **essere alla ricerca delle proprie radici**, to be in search of one's roots; **un uomo senza radici**, a rootless man **4** (*ling.*) root; stem **5** (*mat.*) root: **r. quadrata [cubica]**, square [cube] root; **la r. quarta [quinta, ecc.]**, the fourth [the fifth, etc.] root; **la r. di un'equazione**, the root (*o* solution) of an equation; **estrarre la r. d'un numero**, to extract the root of a number; **segno di r.**, radical sign **6** (*bot.*) – **r. della vita** (*Panax ginseng*), ginseng; **r. colubrina** (*Aristolochia serpentaria*) snakeroot ● **distruggere qc. sino alle radici**, to destroy st. root and branch □ (*fig.*) **mettere radici**, (*radicarsi*) to take root; (*stabilirsi*) to put down roots, to settle □ (*scherz.*) **vedere l'erba dalla parte delle radici**, to push up (the) daisies.

radichétta f. (*bot.*) radicle; rootlet.

radicìcolo a. (*bot.*) radicicolous; living in

roots.

radicifórme a. (*bot.*) root-like; root--shaped; radiciform.

radicolàre a. (*bot.*, *anat.*, *med.*) radicular.

radicolite f. (*med.*) radiculitis.

ràdi e gètta a. inv. – **rasoio radi e getta**, disposable razor.

radiesteṣìa e *deriv.* → **radioestesia**, e *deriv.*

ràdio ① m. (*anat.*) radius*.

ràdio ② m. (*chim.*) radium.

ràdio ③ **A** f. inv. **1** (*radiofonia*) radio*: **r. ricevente** [**trasmittente**], radio transmitter [receiver]; **trasmettere via r.**, to send by radio; to radio **2** (*radioricevitore*) radio (set); wireless: **r. a transistor**, transistor radio; **r. a cinque valvole**, five-valve receiver; **r. a galena**, crystal set; **r. portatile**, portable radio; **accendere la r.**, to switch (*o* to turn) on the radio; **abbassare la r.**, to turn down the radio; **ascoltare la r.**, to listen to the radio; **ascoltare qc. alla r.**, to listen in to st.; **sentire qc. alla r.**, to hear st. on the radio; **spegnere la r.**, to switch (*o* to turn) off the radio; *La r. era accesa* [**spenta**], the radio was on [off]; **trasmettere per r.**, to broadcast; to radiocast (*USA*) **3** (*stazione emittente*) broadcasting station; radio (station): **r. locale**, local radio station; **lavorare alla r.**, to work for the radio; to be in radio ● **r. carcere**, prison grapevine □ **r. fante**, soldiers' grapevine **B** a. inv. radio (attr.): **apparecchio r.**, radio set; **contatto r.**, radio contact; **giornale r.**, radio news; **onda r.**, radio wave; **ponte r.**, radio link; **silenzio r.**, radio silence; **stazione r.**, radio station; broadcasting station; **trasmissioni r.**, radio programmes; **via r.**, by radio; over the radio.

radioabbonàto m. (f. **-a**) radio subscriber.

radioaltìmetro m. radio altimeter.

radioamatóre m. (f. **-trìce**) amateur radio operator; radio amateur; (radio) ham (*fam.*).

radioamatoriàle a. amateur radio (attr.); ham radio (attr.).

radioascoltatóre m. (f. **-trìce**) (radio) listener.

radioascólto m. radio listening.

radioaṣṣistènza f. (*aeron.*, *naut.*) radio assistance; radio aid.

radioaṣṣistìto a. (*aeron.*) radio-aided.

radioastronomìa f. radio astronomy.

radioastronòmico a. radio-astronomy (attr.).

radioastrònomo m. (f. **-a**) radio astronomer.

radioattìnio m. (*chim.*) radioactinium.

radioattivazióne f. (*fis.*) radioactivation.

radioattività f. radioactivity: **r. artificiale** [**indotta**, **naturale**], artificial [induced, natural] radioactivity.

radioattìvo a. radioactive: **elemento r.**, radioactive element; **ferro r.**, radioiron; **periodo r.**, half-life; **pioggia radioattiva**, fall--out; **scorie radioattive**, radioactive waste Ⓤ.

radioaudizióne f. radio listening; (*i programmi*) radio programmes (pl.).

radiobiologìa f. radiobiology.

radiobiòlogo m. (f. **-a**) radiobiologist.

radiobùssola f. (*aeron.*, *naut.*) radio compass.

radiocanàle m. radio channel.

radiocarbònico a. radiocarbon (attr.): **analisi radiocarbonica**, radiocarbon dating.

radiocarbònio m. (*chim.*) radiocarbon: **datazione col r.**, radiocarbon dating.

radiocèntro m. broadcasting station.

radiochìmica f. radiochemistry.

radiochìmico a. radiochemical.

radiochirurgìa f. radiosurgery.

radiocobàlto m. radiocobalt.

radiocollàre m. radio collar; (*per uccelli, ecc.*) electronic tag.

radiocollegaménto m. radio link.

radiocollegàre v. t., **radiocollegàrsi** v. rifl. to link up by radio.

radiocomandàre v. t. to radio-control.

radiocomandàto a. radio-controlled.

radiocomàndo m. radio control.

radiocommèdia f. radio play.

radiocomunicazióne f. radio communication.

radiocontaminazióne f. radioactive contamination.

radioconversazióne f. radio talk; radio debate.

radiocrònaca f. running (radio) commentary: **fare la r. di un incontro**, to do a running commentary on a match.

radiocronìsta m. e f. radio commentator.

radiodermatìte, **radiodermìte** f. (*med.*) radiodermatitis.

radiodiàgnoṣi f. (*med.*) radiodiagnosis*.

radiodiagnòstica f. (*med.*) radiodiagnostics (pl. col verbo al sing.).

radiodiagnòstico a. (*med.*) radiodiagnostic.

radiodiffóndere v. t. to broadcast*.

radiodiffuṣióne f. broadcasting.

radiodilettànte m. e f. amateur radio operator.

radiodistùrbo m. radio interference; noise; static: **r. artificiale**, man-made noise.

radiodràmma m. radio play.

radioèco m. o f. radio echo.

radioecologìa f. radio-ecology.

radioeleménto m. (*fis. nucl.*) radio-element.

radioelèttrico a. radio (attr.).

radioemanazióne f. (*chim.*) radon.

radioemissióne f. **1** (*fis.*) radiation **2** (*trasmissione radio*) radio broadcast.

radioesteṣìa f. divining; dowsing.

radioesteṣìsta m. e f. diviner; dowser.

radiofàro m. (*aeron.*, *naut.*) radio beacon: **r. di avvicinamento**, approach beacon; **r. di rotta**, course-indicating beacon; **r. omnidirezionale**, omnidirectional radio-beacon (abbr. ORB).

radiofonìa f. **1** (*radiotelefonia*) radio-telephony **2** (*radiodiffusione*) radio broadcasting.

radiofònico a. **1** radio-telephonic **2** radio (attr.): **apparecchio r.**, radio set; **trasmissione radiofonica**, radio broadcast.

radiofonìsta m. e f. (*mil.*) radio-telephony engineer.

radiofonobàr m. inv. combined radio, gramophone and cocktail cabinet.

radiofonògrafo m. radio-gramophone; radiogram (*GB*).

radiofòto f. inv. radiophotograph; radiophoto.

radiofotografìa → **radiotelefotografia**.

radiofrequènza f. radio frequency.

radiofurgóne m. mobile radio unit.

radiogalàṣṣia f. (*astron.*) radio galaxy.

radiògeno a. (*scient.*) radiogenic.

radiogiornàle m. radio news Ⓤ.

radiogoniometrìa f. direction finding; radiogoniometry.

radiogoniomètrico a. radiogoniometric.

radiogoniòmetro m. radiogoniometer; direction finder.

radiografàre v. t. **1** to radiograph; to X-ray **2** (*fig.*) to give* an in-depth analysis of.

radiografìa f. **1** radiography; X-ray photography **2** (*lastra*) X-ray (photograph): **fare una r. a**, to take an X-ray of **3** (*fig.*) in--depth analysis: **fare la r. di una situazione**, to carry out an in-depth analysis of a situation.

radiogràfico a. radiographic; X-ray (attr.): **esame r.**, X-ray examination.

radiogràmma ① m. radio-telegram; radiogram.

radiogràmma ② m. (*lastra*) radiograph; X-ray (photograph).

radiogrammòfono m. radio-gramophone.

radioguìda f. (*aeron.*, *naut.*) radio control.

radioguidàre v. t. to radio-control.

radioimmunologìa f. (*biol.*) radioimmunology.

radioindicatóre m. (*chim.*, *fis. nucl.*) radioactive tracer.

radiointerferòmetro m. radio interferometer.

radiointervìsta f. radio interview.

radioiòdio m. (*fis. nucl.*) radioiodine.

radioiṣòtopo m. (*chim.*, *fis.*) radioisotope.

radiolàrio m. (*zool.*) radiolarian; (al pl., *scient.*) Radiolaria.

radiolarite f. (*geol.*) radiolarite.

radiolina f. (*fam.*) portable transistor radio.

radiolocaliẓẓàre v. t. to locate by radar.

radiolocaliẓẓatóre m. radar.

radiolocaliẓẓazióne f. radar location.

radiologìa f. (*fis.*, *med.*) radiology.

radiològico a. radiological; X-ray (attr.).

radiòlogo m. (f. **-a**) (*med.*) radiologist.

radioluminescènza f. (*fis.*) radioluminescence.

radiomessàggio m. radio message.

radiometallografìa f. radiometallography.

radiometeorologìa f. radio meteorology.

radiometrìa f. (*fis.*) radiometry.

radiomètrico a. (*fis.*) radiometric.

radiòmetro m. (*fis.*) radiometer.

radiomicròfono m. radio microphone.

radiomicròmetro m. (*fis.*) radiomicrometer.

radiomiṣùra f. **1** (*tecn.*) radio-electric measurement **2** (*mil.*) electronic countermeasure.

radiomòbile f. (*autom.*) radio car.

radiomontàggio m. radio montage.

radiomontatóre m. (f. **-trìce**) radio engineer.

radionavigazióne f. radio navigation.

radionuclìde m. (*fis. nucl.*) radionuclide.

radioónda f. radio wave.

radiooscillatóre m. radio-frequency generator.

radiopàco a. (*fis.*, *med.*) radiopaque.

radiopilòta m. (*aeron.*) radio-controlled autopilot.

radiopolarìmetro m. radiopolarimeter.

radiopropagazióne f. (*fis.*) radio--wave propagation.

radioprotettóre a. radioprotective.

radioprotezióne f. radiation protection; radioprotection.

radioregistratóre m. radio tape recorder; radio cassette recorder.

radioricevènte A a. radio-receiving (attr.) B f. 1 (*apparecchio*) radio receiver 2 (*stazione*) radio-receiving station.

radioricevitóre m. radio receiver.

radioricezióne f. radio reception.

radioriflettènte a. radio-reflecting.

radiorilevaménto m. (*aeron.*, *naut.*) radio bearing; radio location.

radioriparatóre m. radio repairer.

radioripetitóre m. radio relay.

radioscandàglio m. radio sounding apparatus.

radioscintillazióne f. (*astron.*) radio scintillation.

radioscopìa f. (*med.*) radioscopy.

radioscòpico a. (*med.*) radioscopic.

radioscrivènte f. radioteletype.

radiosegnalatóre m. radio-signal indicator.

radiosegnàle m. radio signal.

radiosensibilità f. (*med.*) radiosensitivity.

radiosentièro m. (*aeron.*) beam path.

radioservìzio m. 1 radio news report 2 (*aeron.*) radio navigation aid.

radiosità f. radiance; brilliance, brilliancy.

radióso a. radiant; bright; beaming; brilliant; shining: **cielo r.**, bright sky; **futuro r.**, bright future; **giornata radiosa**, sunny day; (*anche fig.*) glorious day; **sorriso r.**, beaming (*o radiant*) smile; **viso r.**, radiant face.

radiosónda f. (*meteor.*) radiosonde.

radiosondàggio m. (*meteor.*) radiosondage.

radiosorgènte f. (*astron.*) radio source: **r. discreta**, radio star.

radiospèttro m. (*fis.*) radio spectrum.

radiospettrògrafo m. radio spectrograph.

radiospìa f. bugging device; bug: **piazzare radiospie in un locale**, to bug a room.

radiospolétta f. proximity fuse.

radiostazióne f. broadcasting station.

radiostélla f. (*astron.*) radio star.

radiostellàre a. (*astron.*) radio-star (attr.).

radiostereofonìa f. radio stereophony.

radiostereofònico a. radio stereophonic.

radiosvéglia f. clock radio; radio alarm.

radiotassì, radiotàxi m. radiotaxi.

radiotècnica f. radio engineering.

radiotècnico A m. radio engineer B a. radio-engineering (attr.).

radiotelecomandàre v. t. to radio--control.

radiotelecomandàto a. radio-controlled.

radiotelefonìa f. radio-telephony.

radiotelefònico a. radio-telephonic.

radiotelefonìsta m. e f. radio-telephone operator.

radiotelèfono m. 1 radio-telephone 2 (*telefono cellulare*) cellular phone.

radiotelefotografìa f. radio-facsimile system.

radiotelegrafàre v. t. to radiotelegraph; to wire.

radiotelegrafìa f. radiotelegraphy; wireless telegraphy.

radiotelegràfico a. radiotelegraphic: **comunicazione radiotelegrafica**, radiotelegram; radiogram.

radiotelegrafìsta m. e f. (*naut.*) radiotelegraph operator; radio (*o wireless*) operator.

radiotelègrafo m. radiotelegraph.

radiotelegràmma m. radiotelegram; radiogram.

radiotelemetrìa f. (*naut.*) radiotelemetry.

radiotelèmetro m. (*elettron.*) radiotelemeter; range-finder.

radiotelescòpio m. (*astron.*) radio telescope.

radiotelescrivènte f. radioteletype.

radiotelevisióne f. 1 radio and television 2 (*ente radiotelevisivo*) broadcasting company (*o corporation*).

radiotelevisìvo a. radio and television (attr.); broadcasting (attr.).

radioterapèutico a. (*med.*) radiotherapeutic.

radioterapìa f. (*med.*) radiotherapy; radiotherapeutics (pl. col verbo al sing.).

radioteràpico a. (*med.*) radiotherapeutic.

radioterapìsta m. e f. radiotherapist.

radiotrasméttere v. t. (*programmi*) to broadcast*; (*messaggi*) to radio.

radiotrasmettitóre m. radio transmitter; wireless.

radiotrasmissióne f. 1 (*di programmi*) broadcasting 2 (*di segnali*, *messaggi*) transmission by radio; radioing 3 (*programma*) radio broadcast.

radiotrasmittènte A a. (radio) transmitting (attr.); broadcasting (attr.) B f. 1 (*stazione*) broadcasting station 2 (*apparecchio*) radio transmitter.

radiotrasparènte a. (*med.*) radiolucent; radiotranslucent.

radioulnàre a. (*anat.*) radioulnar.

radioutènte m. e f. radio licence-holder; (*ascoltatore*) (radio) listener.

radiovènto m. (*meteor.*) rawinsonde.

ràdium m. (*chim.*) radium.

radiumterapìa → **radioterapia**.

ràdo ① a. 1 (*non fitto*) thin; **nebbia rada**, thin (*o light*) mist; **pettine r.**, wide-toothed comb 2 (*di trama: non compatto*) loose; (*di stoffa*) loose-woven; **maglia rada**, loose knitting; **tessuto r.**, loose-woven material 3 (*non folto*) thin; sparse; scattered: **alberi radi**, sparse trees; **barba rada**, sparse beard; **capelli radi**, thinning hair; **radi casolari**, scattered (*o sparse*) houses 4 (*non frequente*) infrequent; occasional; few: **visite rade**, occasional (*o infrequent*) visits; **scambiarsi rade parole**, to exchange few words; **di rado** (*o rade volte*), seldom; rarely; **non di rado**, not infrequently.

ràdo ② → **radon**.

radome (*ingl.*) m. inv. (*aeron.*) radome.

ràdon m. (*chim.*) radon.

ràdula f. (*zool.*) radula*.

radunàbile a. that can be assembled; that can be gathered.

♦**radunàre** A v. t. 1 (*adunare*, *riunire*) to assemble; to gather (together); to round up; to rally; (*mil.*) to muster: **r. una folla intorno a sé**, to gather a crowd around one; **r. truppe**, to muster troops; *Ci radunò in cortile*, she gathered us in the courtyard; *Radunò i suoi uomini e lanciò un nuovo attacco*, he rallied his men and launched a new attack 2 (*raccogliere*) to collect; to gather; to put* together: *Radunai i miei libri e mi alzai*, I gathered my books and stood up 3 (*accumulare*) to put* together; to accumulate; to heap up: **r. un bel gruzzolo**, to put together a nice sum 4 (*naut.*) – **r. le rotte**, to work a traverse B **radunàrsi** v. i. pron. to assemble; to gather; to collect; to meet; to get* together; to rally: *Gli studenti si radunarono nell'aula magna*, the students assembled in the great hall; *Gli si radunò intorno una piccola folla*, a small crowd gathered around him; *Si ra-*

dunarono per deliberare, they met to make a decision; *I dimostranti si radunarono davanti al Parlamento*, the demonstrators rallied outside Parliament.

radunàta f. 1 (*il radunare*, *il radunarsi*) gathering; assembling; meeting 2 (*riunione*) gathering; meeting; assembly: (*leg.*) **r. sediziosa**, unlawful assembly 3 (*mil.*) gathering; muster.

radùno m. 1 (*il radunare*, *il radunarsi*) gathering; assembling; meeting 2 (*incontro*) gathering; assembly; meeting; rally; convention: **r. automobilistico**, car rally; **un r. di ex combattenti**, a convention of ex-servicemen; **r. di protesta**, protest rally; **r. politico**, political rally; **r. sportivo**, sports meeting.

♦**radùra** f. clearing; glade.

ràfano m. (*bot.*, *Raphanus sativus*) radish.

ràfe m. (*anat.*, *bot.*) raphe.

ràffa → **riffa** ①.

Raffaèle m. Raphael.

raffaèlla a. – **alla r.**, after (*o in*) the style of Raphael: **berretto alla r.**, soft cap in the style of Raphael; **capelli alla r.**, hair worn long in the style of Raphael.

raffaellésco a. 1 (*di Raffaello*) Raphael's; by Raphael 2 (*nello stile di Raffaello*) Raphaelesque; after the style of Raphael: **colori raffaelleschi**, Raphaelesque colours 3 (*fig.*: *delicato*) delicate; pure: **un profilo r.**, a delicate profile.

Raffaèllo m. Raphael.

raffazzonaménto m. 1 cobbling together; botching 2 → **raffazzonatura**.

raffazzonàre v. t. (*fare male*) to do* (st.) in a slapdash way, to botch; (*fare alla meglio*) to cobble together, to patch together, (*improvvisare*) to improvise: **r. un discorso**, to cobble together a speech; *Questo lavoro l'hai proprio raffazzonato*, you really botched that job.

raffazzonàto a. slapdash; slipshod; done any old how (pred.); botched; (*messo insieme alla meglio*) cobbled together, patched together.

raffazzonatóre m. (f. -**trice**) slapdash worker; botcher.

raffazzonatùra f. (*cosa fatta male*) slapdash (*o slipshod*) piece of work, cobbled job, botched job, botch; (*cosa messa insieme*) something cobbled (*o patched*) together.

rafférma f. 1 confirmation (in office) 2 (*mil.*) re-enlistment.

raffermàre A v. t. (*region.*) to confirm (in office) B **raffermàrsi** v. i. pron. (*region.*) to become* stale; to go* hard C **raffermàrsi** v. rifl. (*mil.*) to re-enlist.

rafférmo a. stale: **pane r.**, stale bread.

ràffia f. 1 (*bot.*, *Raphia ruffia*) raffia (palm) 2 (*la fibra*) raffia.

ràffica f. 1 gust; blast: **r. di aria gelata**, blast of icy air; **r. di neve**, flurry of snow; **r. di vento**, gust of wind; windblast; **raffiche di pioggia**, driving rain (sing.); **vento a raffiche**, wind blowing in gusts 2 (*di proiettili*) burst; volley: **r. di mitragliatrice**, burst of machine-gun fire; **r. di pallottole**, volley of bullets; **sparare a r.**, to blast away 3 (*fig.*) volley; shower; stream; torrent; spate: **r. di domande**, volley (*o barrage*) of questions; **r. d'ingiurie**, volley (*o torrent*) of abuse; **r. di scioperi**, spate of strikes; *Ci furono licenziamenti a raffica*, there was a spate of redundancies.

raffievolìre → **affievolire**.

raffiguràbile a. 1 (*rappresentabile*) representable; describable 2 (*immaginabile*) conceivable; imaginable.

♦**raffiguràre** v. t. 1 (*lett.*: *riconoscere*) to recognize. 2 (*rappresentare*) to represent; to portray; to depict; to show*; (*descrivere*) to

describe, to present: *La scena raffigura una strada di campagna*, the scene represents a country road; *Il quadro raffigura una scena di caccia*, the painting portrays a hunting scene **3** (*immaginare*) to imagine; to picture; to see*: *Me lo raffiguravo altissimo*, I imagined him as a very tall man; *Non riesco a raffigurarmelo come direttore*, I can't see him as a director; *Mi raffigurai nella mente tutta la scena*, I saw the whole scene in my mind's eye **4** (*simboleggiare*) to symbolize; to be a symbol of; to represent: *L'innocenza è raffigurata da una colomba*, innocence is symbolized by a dove.

raffigurazióne f. **1** (*il rappresentare*) representation; portraying; portrayal **2** (*figura*) portrayal; portrait; picture: **le raffigurazioni della Madonna**, portrayals of the Virgin **3** (*simbolo*) symbol.

raffilàre v. t. **1** (*affilare*) to sharpen; to whet **2** (*pareggiare*) to trim; to pare.

raffilatóio m. (*tipogr.*) guillotine.

raffilatrice f. (*tecn.*) trimmer.

raffilatùra f. **1** (*l'affilare*) sharpening; whetting **2** (*il pareggiare*) trimming; paring **3** (*materiale asportato raffilando*) trimmings (pl.); parings (pl.).

raffinaménto m. **1** refinement; refining: **il r. dello zucchero** [**del petrolio, dell'oro**], the refinement of sugar [of oil, of gold]; (*ind.*) **r. a fuoco**, forge-refining **2** (*fig.*) refinement; polishing; **r. del gusto**, refinement of taste.

raffinàre Ⓐ v. t. **1** (*tecn.*) to refine; to clarify; to purify: **r. lo zucchero** [**il petrolio, l'oro**], to refine sugar [oil, gold] **2** (*fig.*) to refine; to improve; to polish: **r. la propria educazione** [**il proprio gusto**], to refine (o to improve) one's manners [one's taste]; **r. una lingua** [**uno stile**], to refine (o to polish) a language (a style) Ⓑ **raffinàrsi** v. i. pron. to become* refined; to acquire polish: *Si è raffinato nel vestire*, his way of dressing has become more refined.

raffinataménte avv. in a refined way; with refinement.

raffinatézza f. **1** (*finezza, eleganza*) refinement; elegance; polish; (*ricercatezza*) sophistication: **r. di gusti**, refinement (o elegance) of taste; refined tastes (pl.); **mancare di r.**, to lack refinement (o polish); **vestire con r.**, to dress with elegance; **di grande r.**, very refined; highly sophisticated **2** (*sottigliezza*) subtlety; nicety; fine point: **raffinatezze stilistiche**, stylistic subtleties **3** (*cosa squisita*) exquisite thing; (*rif. al cibo*) delicacy; (*piacere*) pleasure: **le raffinatezze della vita moderna**, the pleasures of modern life.

raffinàto Ⓐ a. **1** (*tecn.*) refined; clarified; purified: **zucchero** [**petrolio**] **r.**, refined sugar [oil]; **non r.**, unrefined; coarse; raw; crude **2** (*fine, elegante*) refined; polished; cultivated; fine; elegant; tasteful; sophisticated; (*sottile*) fine, subtle: **accento r.**, refined accent; **cibi raffinati**, fine food; **gusti raffinati**, cultivated (o sophisticated) tastes; **lavorazione raffinata**, fine workmanship; **modi raffinati**, polished manners; **orecchio r.**, fine ear; **ristorante r.**, elegant restaurant; **stile r.**, polished style; **non r.**, common; uncouth Ⓑ m. (f. *-a*) refined person; cultivated person.

raffinatóio m. (*metall.*) refining furnace.

raffinatóre Ⓐ a. refining Ⓑ m. (f. *-trìce*) refiner.

raffinatùra f. → **raffinamento**; **raffinazione**.

raffinazióne f. refining; refinement: **la r. del petrolio**, oil refining; **r. elettrolitica**, electrolytic refining; electrorefining; **prodotti di r.**, refinery products.

raffinerìa f. (*ind.*) refinery: **r. di petrolio**,

oil refinery; **r. di zucchero**, sugar refinery.

ràffio m. grappling-iron; grapnel; gaff.

rafforzaménto m. strengthening; reinforcement; consolidation; fortification: **il r. di una guarnigione** [**di un convincimento**], the strengthening of a garrison [of a belief].

rafforzàre Ⓐ v. t. to strengthen; to reinforce; to consolidate; to fortify; (*intensificare*) to intensify: **r. un muro**, to strengthen (o to reinforce) a wall; **r. i muscoli** [**il carattere**], to strengthen one's muscles [one's character]; **r. le proprie opinioni**, to strengthen one's opinions; **r. lo spirito**, to fortify one's mind Ⓑ **rafforzàrsi** v. i. pron. to strengthen; to grow* (o to get*) stronger; to gain force.

rafforzativo a. **1** strengthening; reinforcing **2** (*ling.*) intensifying.

raffratellàre Ⓐ v. t. to reconcile; to restore harmony between (o among); to bring* together again Ⓑ **raffratellàrsi** v. rifl. recipr. to be reconciled.

raffreddaménto m. **1** cooling: **r. ad acqua** [**ad aria**], water [air] cooling; **r. per espansione**, dynamic cooling; **impianto di r.**, cooling plant **2** (*fig.*) cooling; (*freddezza*) chill, coolness; (*attenuazione*) dampening: **un r. nei loro rapporti**, a cooling of relations between them; **un r. del suo entusiasmo**, a dampening of his enthusiasm; **un r. delle relazioni diplomatiche**, a chill in diplomatic relations **3** (*econ.*) slowing down **4** (*med.*) cold; chill: **malattie da r.**, colds.

♦**raffreddàre** Ⓐ v. t. **1** to cool; to make* cool (o cooler, cold); to chill: **r. ad acqua**, to water-cool; **r. ad aria**, to air-cool; **r. una bevanda**, to cool a drink; *La pioggia ha raffreddato l'aria*, the rain has cooled the air; **lasciar r. il motore**, to allow the engine to cool down **2** (*fig.*) to cool; to chill; to dampen: **r. l'atmosfera**, to chill the atmosphere; **r. l'entusiasmo di q.**, to dampen sb.'s enthusiasm Ⓑ **raffreddàrsi** v. i. pron. **1** to cool (down); to get* cool (o cooler, cold); to chill: *Il motore ci mette ore a raffreddarsi*, the engine takes hours to cool down; *L'aria si sta raffreddando*, it's getting cold (o chilly); *Mangialo subito prima che si raffreddi*, eat it at once before it gets cold; *Lascia che la minestra si raffreddi*, let the soup cool down **2** (*fig.*) to cool down: *La nostra amicizia si è un po' raffreddata*, our friendship has cooled down a little; *Il mio entusiasmo si raffreddò*, my enthusiasm cooled down **3** (*prendere un raffreddore*) to catch* cold; (*prendere un'infreddatura*) to catch* cold (o a chill).

raffreddàto a. **1** cooled; chilled: **r. ad acqua**, water-cooled; **r. ad aria**, air-cooled **2** (*che ha il raffreddore*) – **essere (molto) r.**, to have a (bad) cold.

raffreddatóre m. (*metall.*) chill; chiller.

raffreddatùra f. (*il raffreddarsi*) cooling; chilling.

♦**raffreddóre** m. (common) cold: **r. di testa**, head cold; **un brutto r.**, a bad (o nasty) cold; *Sono a casa col r.*, I'm at home with a cold; **avere il r.**, to have a cold; **prendere il r.**, to catch a cold; *Mi sono buscato un terribile r.*, I've caught (o I'm down with) a nasty cold.

raffrenàre Ⓐ v. t. to check; to curb; to restrain; to control: **r. la propria ira**, to check (o to control) one's anger; **r. la lingua**, to curb one's tongue Ⓑ **raffrenàrsi** v. rifl. to restrain oneself; to control oneself.

raffrescàre → **rinfrescare**.

raffrontàre v. t. to compare; (*collazionare*) to collate.

raffrónto m. comparison; (*collazione*) collation: **fare un r. tra due descrizioni**, to compare two descriptions.

ràfia → **raffia**.

rafìdia f. (*zool.*, *Raphidia ophiopsis*) snake fly.

Rag. abbr. (*ragioniere*) accountant.

ràga ① m. inv. (*mus. indiana*) raga.

ràga ② m. pl. (*slang*) boys and girls; guys (*spec. USA*).

ràgade f. (*med.*) fissure; rhagade.

raganèlla f. **1** (*zool.*, *Hyla arborea*) tree frog **2** (*mus.*) rattle.

♦**ragàzza** f. **1** girl; teenager (*tra i 13 e i 19 anni*); kid (*fam.*): **una brava r.**, a good girl; **da r.**, When I was [she was, etc.] a girl; as a girl; *Ci conosciamo fin da ragazze*, we've known each other since we were girls (o we were young) **2** (*figlia*) daughter; girl **3** (*donna nubile*) unmarried (o single) woman*: **r. madre**, single mother; **rimanere r.**, to remain single; **nome da r.**, maiden name **4** (*innamorata*) girlfriend; girl: **avere la r.**, to have a girlfriend; *La sua r. era uno schianto*, his girlfriend was a knockout ● **r. di vita**, prostitute; working girl (*slang*) □ **r. pompom**, cheerleader □ **r. squillo**, call girl.

ragazzàglia f. (*spreg.*) rowdy crowd of kids; gang of youths.

ragazzàta f. childish prank; boyish prank; mischief Ⓤ: *È stata una vera r.*, it was a childish thing to do.

ragazzìna f. little girl; schoolgirl; kid (*fam.*).

ragazzìno m. little boy; schoolboy; kid (*fam.*).

♦**ragàzzo** m. **1** (*adolescente maschio*) boy, teenager (*tra i 13 e i 19 anni*), youth, youngster, kid (*fam.*), lad (*fam.*); (*giovanotto*) young man*, lad (*fam.*): **un r. di undici anni**, a boy of eleven; an eleven-year-old boy; **un r. sui sedici anni**, a boy (o youngster) of about sixteen; **un r. che promette molto**, a promising lad; **r. prodigio**, child prodigy; enfant prodige (*franc.*); wunderkind (*ted.*); **da r.**, when I was [he was, etc.] a boy; as a boy; *Ci conosciamo fin da ragazzi*, we've known each other since we were boys **2** (*figlio maschio*) boy; son; kid (*fam.*) **3** (al pl., *generico*) (*bambini*) children; (*adolescenti*) boys and girls, young people, teenagers (*tra i 13 e i 19 anni*), youngsters, kids (*fam.*); (*collett., anche*) young, youth; (*figli*) children, kids (*fam.*): **i ragazzi della mia scuola**, the boys and girls at my school; **i ragazzi di oggi**, today's youth (o youngsters), young people, young); **un gruppo di ragazzi**, a group of youngsters; *Sono solo ragazzi*, they are just kids; *Dove sono i ragazzi?*, where are the children (o kids)?; **libri per ragazzi**, children's books **4** (al pl.) (*fam.*: *uomini*) lads; guys (*USA*); (*generico*) folks, guys (*USA*): **i ragazzi della volante**, the lads from the flying squad; *Sotto, ragazzi!*, come on, folks!; come on, you guys! (*USA*) **5** (*innamorato*) boyfriend: **avere il r.**, to have a boyfriend **6** (*garzone*) boy: **r. dell'ascensore**, lift boy; **r. di bottega**, (*fattorino*) errand-boy; (*apprendista*) apprentice ● **r. di strada**, street urchin □ **r. di vita**, lout; yob □ **r. padre**, single father □ **cose da ragazzi**, childish things □ *È un giochetto da ragazzi*, it's child's play.

raggelànte a. (*fig.*) freezing; chilling.

raggelàre Ⓐ v. t. (*fig.*) to freeze*; to chill: *Li raggelò con una sola occhiata*, she froze them with a single glance; *La sua uscita raggelò l'atmosfera*, his remark chilled the atmosphere; *La notizia raggelò la festa*, the news put a damper on the party; **uno sguardo che raggela**, a chilling stare Ⓑ v. i. e **raggelàrsi** v. i. pron. (*fig.*) to freeze*; to be appalled: *Mi si raggelò il sangue*, my blood froze (o ran cold); *A quella risposta si sentì raggelare*, his blood froze at that answer.

raggiànte a. **1** (*che emana raggi*) shining;

bright **2** (*fis.*) → **radiante**①, *def. 2* **3** (*fig.*) radiant; beaming; shining; bright: **occhi raggianti**, radiant eyes; eyes beaming with joy [enthusiasm, etc.]; **sorriso r.**, beaming smile; **viso r.**, radiant face; **r. di gioia**, beaming with joy.

raggiàre Ⓐ v. i. **1** (*lett.*: *emanare raggi*) to radiate; (*splendere*) to shine* **2** (*fis.*) to radiate **3** (*fig.*) to beam; to shine*: to beam: **r. di gioia**, to beam with joy Ⓑ v. t. to radiate (*anche fig.*): **r. luce**, to radiate light; **r. felicità**, to radiate happiness.

raggiàto a. radial; radiate: **ruota raggiata**, radial wheel; **simmetria raggiata**, radial symmetry.

raggièra f. radial pattern; rays (pl.): **la r. di un ostensorio**, the rays of a monstrance; *Dalla piazza si dipartono a r. sei strade*, six streets radiate from the square; (**disposto**) **a r.**, radial; radiating; **disposizione a r.**, radial arrangement; **strade a r.**, radial roads.

♦**ràggio** m. **1** ray; beam: **r. di luce**, ray (*o* beam) of light; **r. di luna**, ray of moonlight; moonbeam; **i raggi della luna**, the rays of the moon; the moon's rays; (*luce della luna*) the moonlight (sing.); **r. di sole**, ray of sunlight; sunbeam; (*fig.*: *tempo sereno*) ray of sunshine; *Non vediamo un r. di sole da settimane*, we haven't had a ray of sunshine for weeks; **i raggi del sole**, the rays of the sun; the sun's rays; (*luce del sole*) the sunlight; **r. diretto** [**riflesso**], direct [reflected] beam; **r. luminoso**, ray of light; **fascio di raggi**, beam of light **2** (*fig.*) ray; gleam; glimmer: **un r. di speranza**, a ray (*o* gleam, glimmer) of hope **3** (*fis.*) ray; beam: **r. catodico**, cathode ray; **r. laser**, laser beam; **r. positivo**, positive (*o* canal) ray; **raggi alfa** [**beta, gamma**], alfa [beta, gamma] rays; **raggi cosmici**, cosmic rays; **raggi infrarossi** [**ultravioletti**], infrared [ultraviolet] rays; **raggi X**, X-rays **4** (al pl.) (*fam.*: *radiografia*) X-rays: **farsi fare i raggi**, to have an X-ray; *Mi hanno fatto i raggi alla spalla*, my shoulder was X-rayed; *Che cosa dicono i raggi?*, what do the X-rays show? **5** (*geom.*) radius*: **il r. di un cerchio**, the radius of a circle; **r. di curvatura**, radius of curvature; (*mecc.*) **r. di sterzata**, turning radius; **r. vettore**, radius vector **6** (*area*) radius*; (*estens.*: *ambito*) range; field: **r. d'azione**, radius of action; (*estens.*) range, field of action; **in un r. di dieci miglia**, within a ten-mile radius (*o* a radius of ten miles); for ten miles round; **armi a corto** [**lungo**] **r.**, short-range [long-range] weapons; **a vasto r.**, large-scale (attr.) **7** (*di ruota*) spoke: **a raggi**, spoked **8** (*ala di edificio*) wing **9** (*zool.*) spine **10** (*bot.*) – **r. midollare**, medullary ray.

raggiràre Ⓐ v. t. (*ingannare*) to trick; to fool; to dupe; to take* in; (*truffare*) to cheat, to swindle: *Ti hanno raggirato*, you have been tricked; *Mi sono lasciato r. dalle sue belle parole*, I was taken in by his fine words Ⓑ **raggiràrsi** v. i. pron. **1** (*muoversi in giro*) to wander about; to roam **2** (*vertere*) to be (about); to revolve (around).

raggiratóre Ⓐ a. deceiving; cheating; swindling Ⓑ m. (f. -**trice**) deceiver; cheat; swindler.

raggiro m. deception; trick; cheat; fraud; swindle; scam (*fam.*); dodge (*fam.*); fiddle (*fam. GB*).

♦**raggiùngere** v. t. **1** (*riunirsi a q.*) to reach; to catch* up with; to catch* up; to join: *Va' avanti, ti raggiungo tra un minuto*, go ahead, I'll catch up with you (*o* I'll catch you up) in a minute; *Raggiungiamoli in giardino*, let's join them in the garden **2** (*arrivare a, toccare, anche fig.*) to reach; to get* to; to arrive at; (*colpire*) to hit*: **r. un accordo**, to come to an agreement; **r. il bersaglio**, to hit the target; **r. i novant'anni**, to reach

ninety; **r. i limiti di età**, to reach retiring age; **r. il livello minimo**, to hit the lowest level; to touch bottom; **r. la maggiore età**, to come of age; **r. una punta massima di**, to peak at; **r. il punto critico**, to reach the climax; to climax; **r. la vetta**, to reach (*o* to get to) the top; *Riesci a r. quel ramo?*, can you reach that branch?; *La temperatura raggiunse i trenta gradi*, the temperature reached (*o* touched) thirty degrees **3** (*conseguire, ottenere*) to attain; to achieve; to gain: **r. la fama**, to achieve fame; **r. lo scopo**, to attain one's goal; to achieve one's end.

raggiungìbile a. **1** (*accessibile*) accessible; reachable: **facilmente r.**, easily accessible; **r. dal mare**, accessible from the sea (*o* by boat); *Il paese è r. solo con l'elicottero*, the village can only be reached by helicopter **2** (*di persona*) available; approachable: *Il direttore al momento non è r.*, the director is not available at the moment; *Sono r. col telefonino*, you can call me on my mobile **3** (*conseguibile, realizzabile*) attainable; achievable.

raggiungiménto m. **1** reaching: **il r. della maggiore età**, sb.'s coming of age **2** (*conseguimento*) attainment; achievement: **il r. d'un fine**, the attainment of a goal; **il r. della maggioranza**, the achievement of a majority; **mancato r. della maggioranza**, failure to achieve a majority.

raggiuntàre v. t. to join together; to piece together.

raggiustaménto m. **1** repairing; mending; fixing **2** (*fig.*) settling; settlement; reconciling; reconcilement; patching up (*fam.*).

raggiustàre Ⓐ v. t. **1** (*riparare*) to repair; to mend; to fix **2** (*mettere in ordine*) to tidy up; to straighten up **3** (*fig.*: *comporre, accomodare*) to settle; to reconcile; to patch up (*fam.*) Ⓑ **raggiustàrsi** v. rifl. recipr. to come* to an agreement; to make* peace; to make* (*o* to patch) it up (*fam.*).

raggomitolàre Ⓐ v. t. to wind* into a ball; to roll up Ⓑ **raggomitolàrsi** v. rifl. to curl up; to huddle up; (*a palla*) to roll up: **raggomitolarsi sul divano**, to curl up on the sofa.

raggranellàre v. t. to scrape up; to scrape together: **r. qualche soldo**, to scrape together a little money.

raggricciàre v. i., **raggricciàrsi** v. i. pron. **1** to shrink*; to cringe: **raggricciarsi dall'imbarazzo**, to cringe with embarrassment **2** (*rabbrividire*) to shiver; (*per paura, ecc.*) to get* the creeps: **far raggricciare la pelle**, to make sb.'s flesh creep; to give (sb.) the creeps.

raggrinzaménto m. wrinkling; crumpling; puckering.

raggrinzàre → **raggrinzire**.

raggrinzire Ⓐ v. t. to wrinkle; to crumple; to pucker; to shrivel Ⓑ v. i. e **raggrinzirsi** v. i. pron. to become* wrinkled; to wrinkle; to crumple; to pucker; (*seccare*) to shrivel.

raggrinzito a. wrinkled; crumpled; puckered; wizened; shrivelled; una mela raggrinzita, a wizened apple; **pelle raggrinzita**, wrinkled skin; **viso r.**, wizened face.

raggrumàre v. t., **raggrumàrsi** v. i. pron. to clot; to coagulate; to congeal; (*cagliare*) to curdle.

raggruppaménto m. **1** (*il raggruppare*) grouping; assembling; pooling **2** (*gruppo*) group; cluster; assemblage: **r. politico**, political group; (*mil.*) **r. tattico**, tactical group.

♦**raggruppàre** Ⓐ v. t. to group; to gather in a group [in groups]; to assemble Ⓑ **rag-**

grupparsi v. rifl. to group (together); to cluster; (*riunirsi*) to get* together, to assemble, to collect.

raggruzzolàre v. t. to scrape up; to scrape together.

ragguagliàre v. t. **1** (*paragonare*) to compare **2** (*mettere al corrente*) to inform; to fill in (*fam.*); to brief; to give* a run-down; to put* in the picture (*fam.*): *Lo ragguagliai sugli ultimi fatti*, I informed him of (*o* filled him on) the latest events.

ragguàglio m. (*informazione*) information Ⓤ; (*resoconto*) run-down, account, report; (al pl.: *particolari*) details: **chiedere ragguagli**, to ask for information; **dare un r. di qc. a q.**, to give sb. a run-down on st.; to fill in sb. on st. (*fam.*); **dare ampio r. su qc.**, to give full information on st.; to draw a complete picture of st.; *Mi servono ulteriori ragguagli*, I need further information (*o* details).

ragguardévole a. **1** (*degno di stima*) distinguished; notable; eminent: **i cittadini più ragguardevoli**, the most eminent citizens **2** (*cospicuo, ingente*) considerable; substantial; sizeable; respectable; remarkable: **cifra r.**, substantial (*o* sizeable) figure; **risultati ragguardevoli**, remarkable results.

ragià m. rajah.

♦**ragionaménto** m. **1** reasoning; line of reasoning; logic Ⓤ; (*argomentazione*) argument: **r. deduttivo** [**induttivo**], deductive [inductive] reasoning; **un r. astruso**, convoluted reasoning (*o* thinking); **il r. dietro una decisione**, the reasoning (*o* the logic) behind a decision; **un r. poco convincente**, an unconvincing line of reasoning; an unconvincing argument; **secondo il tuo r.**, according to your reasoning (*o* argument); *Cerca di seguire il mio r.*, try and follow my reasoning; **fare ragionamenti stupidi**, to talk nonsense; *Questo non è un r.*, that's illogical; that doesn't make sense; (*iron.*) *Bel r.!*, that's a fine way to talk! **2** (*filos.*) inference **3** (*lett.*: *conversazione*) conversation.

ragionànte a. rational; thinking.

♦**ragionàre** v. i. **1** (*usare la ragione*) to reason; to think* rationally; to use one's reason: **un curioso modo di r.**, a funny way of reasoning; *Con lui non si può r.*, you can't reason with him; **far r. q.**, to make sb. see some sense; to reason with sb.; *Ragiona* (*o Cerca di r.*)*!*, be reasonable!; **r. con i piedi**, to talk nonsense; *Quando ho fame non ragiono*, I can't think straight when I'm hungry **2** (*riflettere*) to think*: *Ragionaci sopra e vedrai che ho ragione io*, think about it (*o* think it over), and you'll see I'm right; **r. a lungo su qc.**, to mull st. over **3** (*discutere*) to discuss (st.); (*parlare*) to talk (about): **r. di filosofia**, to discuss philosophy; **r. di politica**, to talk politics; *Ne ragionammo per ore senza risultato*, we talked about it for hours without getting anywhere.

ragionàto a. reasoned; well-reasoned; well thought-out; (*razionale*) rational; (*logico*) logical: **un giudizio r.**, a reasoned judgment; **proposta ragionata**, well thought-out proposal; **scelta ragionata**, rational choice; sensible choice ● **bibliografia ragionata**, annotated bibliography □ **catalogo r.**, catalogue raisonné (*franc.*).

ragionatóre m. (f. -**trice**) reasoner; thinker.

♦**ragióne** f. **1** (*raziocinio*) reason: **agire contro** [**secondo**] **r.**, to act contrary to [according to] reason; **ascoltare la voce della r.**, to listen to reason; **essere dotato di r.**, to be endowed with reason; **lasciarsi guidare dalla r.**, to let oneself be guided by reason; **perdere la r.**, to lose one's reason; **l'età della r.**, the age of reason (*o* of discretion); **l'uso della r.**, the use of reason **2** (*argomentazione*) reason; argument; case; (*considerazio-*

ne) consideration; (*spiegazione*) explanation; (*giustificazione*) justification: **una r. inoppugnabile**, an indisputable argument; **ragioni valide**, valid arguments; a good case; *Parecchie ragioni hanno influito sulla sua decisione*, several considerations influenced his decision; **ascoltare le ragioni delle due parti**, to listen to the arguments on both sides; **chiedere r. a q. di qc.**, to call sb. to account for st.; **darsi r. di qc.**, to understand the reason for st.; to explain st.; *Non so darmi r. del suo strano comportamento*, I can't understand (the reason for) his strange behaviour; *Non so darmi r. di quel che ho detto*, I can't explain why I said what I did; **dire le proprie ragioni**, to speak up for oneself; **esporre le proprie ragioni**, to set out one's reasons; to present one's case; **farsi una r. di qc.**, to resign oneself to st.; to accept st.; to get over st.; to come to terms with st.; *Non riesco proprio a farmene una r.*, I simply can't resign myself to it; *Dovrai fartene una r.*, you'll just have to live with it; *Non vuole sentire (o intendere) r.*, she won't listen to reason; *Non volle sentir r.*, he would have none of it **3** (*causa legittima*) reason; (*motivo*) reason, ground; (*diritto*) right: **ragion d'essere**, reason for existence; justification; raison d'être (*franc.*); *Questa norma non ha più ragion d'essere*, this norm is no longer justified; **la r. della sua gelosia**, the reason for his jealousy; the reason why he is jealous; **la r. ultima di qc.**, the first cause of st.; **ragioni di famiglia**, family reasons; **ragioni di salute**, health reasons; **r. di più per [perché]**, all the more reason for [why]; **la r. per la quale (o per cui) vado all'estero**, the reason why I'm going abroad; my reason for going abroad; *Ecco la r. per cui l'ho fatto*, that's why I did it; *Ragion per cui sono venuto*, which is why I came; *Non è una buona r.*, that's no reason; *La r. è dalla sua parte (o Ha la r. dalla sua)*, he is in the right; **cercare di capire dove sta la r. e dove il torto**, to try to establish who is right and who is wrong; **avere r.**, to be right; *Hai perfettamente r.*, you are quite right; *Hai avuto r. di rifiutare quell'offerta*, you were right to refuse that offer; **avere r. da vendere (o avere mille ragioni)**, to be absolutely right; *Vuole sempre avere r.*, she always wants to have her own way; *Ho tutte le ragioni per crederlo*, I have every reason to believe it; *Ho le mie buone ragioni per tacere*, I've got my (good) reasons for not speaking; **dare r. a q.** (*dire che q. ha ragione*) to say (o to admit) sb. is right; (*concordare*) to agree with sb., to side with sb.; (*provare che q. ha ragione*) to prove (o to show) that sb. is right; (*di giudice, ecc.*) to find for sb.: *Dà sempre r. al marito*, she always agrees (o sides) with her husband; *Dovette darmi r.*, he had to admit that I was right; *Non è giusto, dài sempre r. a lui!*, it's not fair, you are always siding with him!; *Il tempo mi darà ragione*, time will prove me right; **dare r. di qc.**, to give reasons for st.; to account for st.; **far valere le proprie ragioni**, to assert one's rights; *Non vedo r. di farlo*, I see no reason to do it; **essere dalla parte della r.**, to be in the right; *Non ho potuto farlo per ragioni di tempo*, I couldn't do it for lack of time; **per nessuna r.**, for no reason; on no account; **senza r.**, for no reason; (*ingiustamente*) unjustly **4** (*rapporto, misura, proporzione*) ratio; proportion; (*tasso*) rate: **r. geometrica [aritmetica]**, geometrical [arithmetical] ratio; **in r. del cinque per cento**, at the rate of five per cent; *Ci toccano mille euro in r. di cinquanta euro a testa*, we are due 1,000 euros at the rate of fifty each; **calcolare la quantità in r. del numero dei presenti**, to calculate the quantity in proportion to the number of those present; **in r. diretta [inversa]**, in direct [inverse]

ratio **5** (*leg.*) – **r. sociale**, business (o corporate, firm) name **6** (*polit.*) – **r. di Stato**, raison d'état (*franc.*); reason of state ● (*comm.*) **r. di scambio**, terms (pl.) of trade □ **a chi di r.**, to the proper person; to the proper authorities; (*in certificati, circolari, ecc.*) to whom it may concern: *Ricorrerò a chi di r.*, I shall have recourse to the proper (o competent) authorities □ **a maggior r.**, all the more so; all the more reason (for doing st.) □ **a r.**, rightly; justly □ **a r. o a torto**, rightly or wrongly □ **a ragion veduta**, after due consideration; (*intenzionalmente*) deliberately □ **avere r. di q. [qc.]**, to get the better of sb. [st.] □ **darle di santa r. a q.**, to give sb. a sound beating (o thrashing); to beat sb. black and blue (*fam.*) □ **di pubblica r.**, public; generally known □ **di r.**, properly: **come di r.**, quite properly; as a matter of course □ (*fig.*) **perdere il lume della r.**, to lose one's temper; to blow one's top (*fam.*) □ **prenderle di santa r.**, to get a beating (o a thrashing) □ **rendere qc. di pubblica r.**, to announce st. publicly; to make st. public □ (*prov.*) *La r. è sempre del più forte*, might is right.

ragionerìa f. **1** (*disciplina*) accountancy; (*estens.*: *corso di studi*) commercial school; commercial college **2** (*contabilità*) accounting; bookkeeping **3** (*ufficio*) accounting department.

♦**ragionévole** a. **1** (*dotato di ragione*) reasoning; rational; thinking: **un essere r.**, a rational being **2** (*che obbedisce alla ragione*) reasonable; sensible; sane: *Sii r.!*, be reasonable!; be sensible! **3** (*legittimo, fondato*) well-founded; well-grounded; legitimate: **sospetto r.**, well-founded suspicion; **timore r.**, well-grounded fear **4** (*equilibrato*) reasonable; equitable; fair; (*moderato*) moderate: **offerta r.**, reasonable offer; **prezzo r.**, reasonable (o fair) price; **dimensioni ragionevoli**, moderate size; **richiesta r.**, reasonable demand; **a condizioni ragionevoli**, on reasonable terms; **entro un periodo di tempo r.**, within reasonable time.

ragionevolézza f. **1** reasonableness; sensibleness; reason **2** (*fondatezza*) soundness **3** (*equità*) reasonableness; fairness; moderation.

ragionevolménte avv. **1** (*secondo ragione*) reasonably; according to reason; in a reasonable fashion **2** (*fondatamente*) with reason; legitimately **3** (*giustamente, abbastanza*) reasonably; fairly.

ragionière m. (f. **-a**) accountant; (*contabile*) bookkeeper: **r. capo**, head (o chief) accountant; **r. iscritto all'albo**, chartered accountant (*GB*); certified public accountant (*USA*).

ragionierésco → **ragionieristico**, *def. 2.*

ragionierìstico a. **1** accounting (attr.); account (attr.) **2** (*spreg.*) pedantic; fussy (*fam.*); nit-picking (*fam.*).

raglàn a. inv. (*moda*) raglan: **manica (alla) r.**, raglan sleeve.

ragliaménto m. (*anche fig.*) braying; hee-hawing.

ragliàre ▲ v. i. (*anche fig.*) to bray; to hee-haw ▣ v. t. to bray out: **r. un discorso**, to bray out a speech.

ragliàta f. braying; hee-hawing.

ràglio m. bray; hee-haw; (al pl., *anche fig.*) braying ▣: **fare un r.**, to bray; to hee-haw.

ràgna f. **1** (*rete per catturare uccelli*) bird's net; snare **2** (*fig.*: *tranello*) snare; trap; net.

♦**ragnatéla** f. **1** spiderweb; cobweb: *Il ragno tesseva la sua r.*, the spider was weaving its web; **un angolo pieno di ragnatele**, a corner full of cobwebs **2** (*fig.*: *intrico*) web; tangle: **una r. d'inganni**, a web of deceit; **una r. di viuzze**, a tangle of narrow

streets **3** (*fig.*: *tessuto leggero*) light gauze, gossamer; (*tessuto logoro*) threadbare material: **ridotto a una r.**, threadbare ● **leggero come una r.**, as light as gossamer □ (*fig.*) **raccogliere ragnatele**, to gather dust.

ragnatelóso a. cobwebby.

♦**ràgno** ▲ m. (*zool.*) spider: **r. crociato** (*Araneus diadematus*), diadem spider; **r. d'acqua** (*Argyroneta aquatica*), water spider; **r. tessitore**, weaver spider; **r. tessitore**, cobweb ● (*fig.*) **non cavare un r. da un buco**, to get nowhere; to draw a blank ▣ a. inv. – (*zool.*) **pesce r.** (*Trachinus draco*), sting-bull; (*nel circo*) **uomo r.**, contortionist.

ragù m. (*cucina*) meat sauce.

ragutièra f. sauce-boat.

RAI sigla **1** (**RAI - Radiotelevisione italiana**) Italian broadcasting corporation **2** (**Registro aeronautico italiano**) Italian air registry.

ràia → **razza**②.

ràid (*ingl.*) m. inv. **1** (*sport*) (long-distance) car rally **2** (*aeron., polizia*) raid **3** (*scorreria*) raid.

raidìsta m. e f. (*sport*) rallyist.

Raimóndo m. Raymond.

ràion m. (*ind. tess.*) rayon.

ràis m. inv. (*polit., di paese arabo*) leader; rais.

rajah → **ragià**.

ralenti (*franc.*) m. inv. → **rallentatore**, *def. 2.*

ralìnga f. (*naut.*) bolt-rope: **r. di caduta**, leech rope.

ralingàre v. t. (*naut.*) to rope.

ràlla f. (*mecc.*) **1** (*mecc.*) thrust block **2** (*di rimorchio*) fifth wheel **3** (*morchia*) sludge.

rallargàre v. t., **rallargàrsi** v. i. pron. to widen.

rallegraménto m. **1** (*il rallegrarsi*) rejoicing; joy **2** (al pl.) (*congratulazioni*) congratulations: **fare i rallegramenti a q. per qc.**, to congratulate sb. on st.; *Le faccio i miei rallegramenti*, (please accept my) congratulations.

rallegràre ▲ v. t. to cheer up; to gladden; (*ravvivare*) to brighten: **r. il cuore**, to gladden the heart; to cheer up; **r. una stanza**, to brighten (o to cheer up) a room; *La tua visita mi ha rallegrato*, your visit has cheered me up; *Le tue notizie ci hanno rallegrato*, we were happy to hear your news; we all rejoiced at your news ▣ **rallegràrsi** v. i. pron. **1** (*tornare allegro*) to cheer up; to brighten: *Si rallegrò subito quando glielo dissi*, he cheered up at once when I told him **2** (*gioire*) to rejoice (at, in, over st.); to be glad: *Ci rallegrammo tutti a quella notizia*, we all rejoiced at that news; *C'è poco di cui rallegrarsi*, there is very little to be glad about **3** (*congratularsi*) to congratulate (sb. on st.).

rallegràta f. (*equit.*) prance.

rallentaménto m. **1** (*di velocità*) slowing down; (*rif. al traffico, anche*) delay, hold-up: **causare un r. del traffico**, to slow up the traffic; *Il traffico subisce un forte r. nelle ore di punta*, traffic slows down considerably during rush hours; *C'è stato un r. sull'autostrada*, there was a hold-up on the motorway **2** (*d'intensità*) slowdown; slackening; let-up; (*freno*) check: **r. della produzione**, a slackening (o slowdown) in production; **r. della crescita**, check on growth; **r. del lavoro** (*come forma di sciopero*), go-slow **3** (*cinem.*) slow-motion take.

rallentàndo m. (*mus.*) rallentando.

♦**rallentàre** ▲ v. t. **1** (*diminuire di velocità*) to slow up; to slacken; (*frenare*) to check: **r. la corsa**, to slow down; **r. la crescita**, to check growth; **r. il passo**, to slacken one's pace; (*mus.*) **r. il tempo**, to slacken the tem-

po; **r. la velocità**, to slow down; to reduce (*o* to slacken) speed; *La pioggia ha rallentato il traffico*, rain slowed up the traffic **2** (*diminuire*) to slacken; to ease off; to relax: **r. la produzione**, to slow down production; **r. la sorveglianza**, to relax surveillance **3** (*diradare*) to make* (st.) less frequent; to reduce the number of: *Ha rallentato le sue visite*, his visits have become less frequent **B** v. i. (*decelerare*) to slow down; to reduce speed: **r. in curva**, to slow down at a bend **C rallentàrsi** v. i. pron. **1** (*diminuire*) to drop; to slacken: *Il suo entusiasmo si è un po' rallentato*, his enthusiasm has dropped a bit **2** (*diradarsi*) to become* less frequent: *Le sue visite si rallentarono*, his visits became less frequent.

rallentàto m. inv. (*mus.*) rallentando.

rallentatóre m. **1** (*mecc.*) decelerator **2** (*cinem.*) slow motion: **proiettare qc. al r.**, to show st. in slow motion; **ripresa al r.**, slow-motion take; **scena al r.**, slow-motion scene **3** (*fotogr.*) restrainer ● (*fig.*) **fare qc. col r.**, to be very slow in doing st. □ (*fig.*) **procedere al r.**, to proceed very slowly; to crawl along.

rallista m. e f. participant in a rally.

rallistico a. rally (attr.).

ràllo m. (*zool.*, *Rallus*) rail.

rallungàre → **allungare**.

rally (*ingl.*) m. inv. (*sport*) rally.

Ramadàn m. (*relig.*) Ramadan.

ramages (*franc.*) m. pl. floral pattern (sing.): **stoffa a r.**, fabric with a floral pattern.

ramàglia f. brushwood; (*rami tagliati, anche*) loppings (pl.), prunings (pl.).

ramàio m. coppersmith.

ramaiòlo m. ladle.

ramanzìna f. scolding; lecture; talking-to (*fam.*); telling-off (*fam.*); dressing-down (*fam.*): **fare una bella r. a q.**, to lecture sb.; to give sb. a good talking-to (*o* dressing-down) (*fam.*); to pull sb. up sharply; to have sb. on the carpet (*fam.*); **prendersi una r.**, to be ticked off (*fam.*); (*spec. sul lavoro*) to be carpeted (*fam.*).

ramàre v. t. **1** (*ind.*) to copper **2** (*agric.*) to spray with copper sulphate.

ramàrro **A** m. (*zool.*, *Lacerta viridis*) green lizard **B** a. inv. – **verde r.**, lizard-green.

ramàto **A** a. **1** (*color rame*) copper (attr.); copper-coloured; auburn: **capelli ramati**, auburn hair **2** (*contenente rame*) containing copper; coppery **B** m. (*agric.*) copper sulphate.

ramatùra f. **1** (*ind.*) coppering **2** (*agric.*) spraying with copper sulphate.

ramàzza f. broom; besom ● (*mil.*) **essere di r.**, to be on fatigue (duty).

ramazzàre v. t. to sweep*.

rambismo m. Ramboism.

Ràmbo m. Rambo.

rambutàn m. (*bot.*, *Nephelium lappaceum*) rambutan.

◆**ràme** **A** m. **1** (*chim.*) copper: **r. fuso**, casting copper; **r. grezzo**, black copper; (*archeol.*) *Età del r.*, Copper Age; **filo di r.**, copper wire; **lega di r.**, copper alloy; **moneta di r.**, copper (coin); **solfato di r.**, copper sulphate **2** (*recipiente di r.*) copper pot; copper vase; (al pl., anche) copper ⨆ **3** (*incisione su r.*) copperplate **B** a. inv. copper (attr.): **color r.**, copper (attr.); copper-coloured; (*di capelli*) auburn; **verde r.**, copper green.

rameggiàre v. t. (*agric.*) to stake; to support with stakes.

ramèico a. (*chim.*) cupric.

raméngo m. (*region.*) ruin: **andare a r.**, to go to the dogs (*o* to pot, down the tubes) (*fam.*); **mandare a r.**, to wreck; *Ma va' a r.!*, get lost!; go to hell!

rameóso a. (*chim.*) cuprous.

ramétto m. twig; sprig.

ramìa → **ramiè**.

ramiè m. **1** (*bot.*, *Boehmeria nivea*) ramie **2** (*fibra*) ramie (hemp).

ramìfero a. (*ricco di rami*) full of branches; branchy.

ramificàre **A** v. i. to put* out branches; to branch out; to divide into branches **B ramificàrsi** v. i. pron. **1** (*diramarsi*) to branch; to ramify; (*dipartirsi*) to branch off: **ramificarsi in tre direzioni**, to branch into three directions; *Il fiume si ramifica alla foce*, the river branches out at its mouth; *Le vene si ramificano*, veins ramify; **sentieri che si ramificano in tutte le direzioni**, paths that branch off in all directions **2** (*fig.*) to expand: *La nostra attività si è ramificata in varie direzioni*, our activity has expanded (*o* branched off) in several directions.

ramificàto a. **1** (*bot.*) branched; brachiate **2** (*chim.*) – **catena ramificata**, branched chain **3** (*fig.*, *di azienda, ecc.*) having several branches; expanded.

ramificazióne f. **1** (*bot.*) ramification; branching; (al pl.: *i rami*) branches (pl.) **2** (*diramazione*) ramification: **le ramificazioni d'un fiume** [**d'un argomento**], the ramifications of a river [of a topic] **3** (*fig.*: *espansione*) expansion; branching off; (*agenzie*) branches (pl.) **4** (*zool.*, *di corna*) tine.

ramina f. **1** (*scaglia di rame*) copper flake **2** (*paglietta d'acciaio*) steel wool.

ramingàre v. i. (*lett.*) to wander; to roam; to ramble; to rove.

ramìngo a. wandering; roaming; rambling; roving: **andarsene r.**, to wander; to rove; **vita raminga**, wandering (*o* roving) life.

ramino ① m. **1** (*vaso di rame*) copper pot; kettle **2** (*region.*: *ramaiolo*) skimmer.

ramino ② m. (*gioco di carte*) rummy.

rammagliàre e deriv. → **rimagliare**, e deriv.

rammaricàre **A** v. t. to sadden; to afflict; to pain; to grieve; to make* (sb.) feel very sorry: *Il suo comportamento mi rammarica*, his behaviour pains me **B rammaricàrsi** v. i. pron. to regret (st., doing st.); to feel* (*o* to be) very sorry: **rammaricarsi dei propri errori**, to regret one's mistakes; *Si rammaricò d'essere partito* [*di non averli visti*], he regretted leaving [not having seen them]; he was sorry he had left [he had not seen them]; *Mi rammarico profondamente del ritardo*, I am deeply sorry for this delay.

rammaricàto a. very sorry: *Sono r. di non poter venire*, I am very sorry (*o* I regret) I cannot come.

rammàrico m. **1** regret: **ricordare qc. con r.**, to look back on st. with regret; **esprimere il proprio r.**, to express one's regret; *Devo riconoscere con r. che...*, I must regretfully admit that...; **con mio grande r.**, much to my regret **2** (*lagnanza*) complaint.

rammemoràre, **rammemoràrsi** → **rammentare**, **rammentarsi**.

rammemorazióne f. (*lett.*) remembrance; memory; recollection.

rammendàre v. t. to darn; to mend: **r. un buco in una calza**, to mend a hole in a stocking; **r. una calza**, to darn a stocking; **r. una rete**, to mend a net.

rammendatóre m. (f. **-trìce**) darner.

rammendatùra f. **1** (*il rammendare*) darning **2** → **rammendo**.

rammèndo m. **1** (*tecnica*) darning; mending: **ago per r.**, darning needle; **punto r.**, darning stitch **2** (*parte rammendata*) darn: **invisibile**, invisible darn; **fare un r. a qc.**, to darn st.

rammentàre **A** v. t. **1** (*aver presente nella memoria*) to remember; (*richiamare alla memoria*) to remember; to recall, to recollect, to call to mind: *Rammento bene quel giorno*, I remember that day well; *Non rammento di averla mai incontrata*, I don't remember (*o* recall) ever meeting her; *Non rammento il nome di quell'uomo*, I don't remember (*o* can't recall) that man's name **2** (*ripensare a*) to think* back to (*o* over); to look back on: *Rammentò tutta la sua vita passata*, she thought back over her past life **3** (*richiamare alla memoria altrui*) to remind (sb. of st.); to recall; (*far menzione*) to mention: *Gli rammentai l'appuntamento*, I reminded him of his appointment; *Ti rammento che qui siamo ospiti*, let me remind you that we are guests here; *Questi odori mi rammentano la mia infanzia*, these smells remind me of (*o* take me back to) my childhood **4** (*suggerire*) to prompt: **r. la parte a un attore**, to prompt an actor **B rammentàrsi** v. i. pron. to remember; to recall; to recollect: *Mi rammento benissimo di voi*, I remember you distinctly; *Ti rammenti perché non ci siamo andati?*, can you remember (*o* recall) why we didn't go?; *Non mi rammento nulla*, I can't remember anything.

rammentatóre m. (f. **-trìce**) **1** reminder **2** (*teatr.*) prompter.

rammodernàre v. t. to modernize; to renew.

rammolliménto m. softening: (*med.*) **r. cerebrale**, softening of the brain.

rammollire **A** v. t. **1** to soften: **r. la cera**, to soften wax **2** (*fig.*) to make* (st.) go soft; to weaken; to enfeeble: **r. i muscoli**, to make sb.'s muscles go soft; *Il matrimonio l'ha rammollito*, marriage has made him go soft **B** v. i. e **rammollirsi** v. i. pron. **1** to soften; to become* (*o* to get*) soft **2** (*fig.*) to go* soft: *Ti sei proprio rammollito*, you've really gone soft; *Gli si è rammollito il cervello*, he's gone soft in the head; *Devi fare un po' di sport se non vuoi rammollirti*, you must do some sport if you don't want your muscles to go soft (*o* if you want to keep fit).

rammollito **A** a. **1** soft; flabby **2** (*fig.*) weak; spineless; wimpish (*fam.*) **B** m. (f. **-a**) (*fig.*) milksop; wimp (*fam.*); drip (*fam.*).

rammorbidiménto m. softening.

rammorbidìre v. t. e i., **rammorbidìrsi** v. i. pron. (*anche fig.*) to soften.

ràmno m. (*bot.*, *Rhamnus*) buckthorn.

◆**ràmo** m. **1** (*bot.*) branch; limb; (*principale, anche*) bough: **r. da frutto**, bruit branch; **r. d'ulivo**, olive branch; **r. maestro**, main branch; bough; **r. secco**, dead branch; **mettere i rami**, to put out branches; to branch out **2** (*diramazione*) branch; ramification; arm: **il r. di una ferrovia**, a branch in a railway line; **i due rami del lago di Como**, the two arms of Lake Como; (*anat.*) **i rami d'un nervo** [**d'una vena**], the ramifications of a nerve [of a vein] **3** (*di scienza, arte*) branch; (*materia di studio, disciplina*) field (of study, of research); sphere: **un r. dello scibile**, a branch of knowledge **4** (*di istituzione*) division; (*di parlamento*) house: **i due rami del parlamento**, the two houses of Parliament **5** (*settore*) branch, division; (*attività*) line, field, (*comm.*) business: **un r. dell'amministrazione**, a branch in the administration; **il r. abbigliamento** [**assicurazioni**], the clothing [insurance] business; (*ass.*) **r. incendi** [**vita**], fire [life] insurance; **i rami di un'azienda**, the divisions of a company; **i rami dell'industria**, the fields of industry; *Qual è il tuo r.?*, what's your line of business?; *Non è il mio r.*, that's not in my line; that's out of my line; *È un esperto nel suo r.*, he's an expert in his field **6** (*geom.*) - **r. di una curva**, branch of a curve **7** (*miner.*)

vein 8 (*zool.*, *delle corna del cervo*) branch; **beam** 9 (*di parentela*) branch; line: **r. cadetto**, cadet line; **r. collaterale**, collateral line; **i rami di un albero genealogico**, the lines of a genealogical tree; **i rami d'una famiglia**, the branches of a family ● **un r. di pazzia**, a streak of madness: *In famiglia c'è un r. di pazzia*, there is a streak of madness in the family □ (*fig.*) **rami secchi**, dead wood ⓤ.

ramolàccio m. (*bot.*, *Raphanus niger*) winter radish ● **r. selvatico** (*Raphanus raphanistrum*), wild radish.

ramoscèllo m. small branch; twig; (*con foglie*) sprig, spray: **r. d'agrifoglio**, sprig of holly; (*anche fig.*) **r. d'ulivo**, olive branch.

ramosità f. branchiness.

ramóso a. 1 (*ricco di rami*) branchy; full of branches; ramose 2 (*ramificato*) branched.

ràmpa f. 1 (*di scale*) flight (of stairs) 2 (*piano inclinato*) ramp; (*ferr.*) incline: **r. di accesso**, ramp; (*di autostrada*) slip road (*GB*) (*USA*); **r. di carico**, loading ramp 3 (*salita*) steep slope; steep incline; ramp 4 (*aeron.*) apron 5 (*miss. e fig*) – **r. di lancio**, launching pad 6 (*anat.*) scala: **r. vestibolare**, scala vestibuli 7 (*arald.*) paw.

rampànte A a. 1 (*arald.*) rampant (*posposto*): **leone r.**, lion rampant 2 (*archit.*) – **arco r.**, rampant arch; flying buttress 3 (*fig. fam.*) ambitious; go-getting; on the way up (*pred.*); yuppie (*attr.*) ❶ FALSI AMICI ● rampante *nel senso di ambizioso non si traduce con* rampant B m. 1 (*rampa di scale*) flight 2 (*di sci*) edge.

rampantìsmo m. go-getting attitude; yuppie attitude.

rampàro m. (*edil.*) rampart.

rampàta f. (*salita*) ramp; steep slope.

rampicànte A a. 1 (*bot.*) climbing; creeping: **pianta r.**, climbing plant; climber; creeper 2 (*zool.*) climbing B m. 1 (*bot.*) climber; creeper 2 (al pl.) (*zool.*) climbers.

rampicatóre A a. climbing B m. (f. **-trìce**) climber.

rampichìno m. 1 (f. **-a**) (*scherz.*, *di bambino*) boisterous child; house ape (*fam.*) 2 (*zool.*, *Certhia brachydactyla*) tree creeper 3 (*bot.*) climber; creeper.

rampinàre v. t. (*naut.*) to drag with a grapnel.

rampinàta f. blow with a grapnel.

rampìno m. 1 (*ferro a uncino*) hook: **a r.**, hook-shaped; hooked 2 (*naut.*) grapnel; grappling-iron 3 (*fig.*) pretext; excuse; cavil; quibble: **attaccarsi a tutti i rampini**, to seize upon any pretext.

rampìsta m. (*aeron.*) apron attendant.

rampógna f. (*lett.*) rebuke; reproach; reprimand.

rampognàre v. t. (*lett.*) to rebuke; to reproach; to reprimand.

rampollàre v. i. 1 (*scaturire*) to spring* forth; to gush; (*di sorgente*) to rise* 2 (*mettere germogli*) to sprout; to shoot* forth 3 (*fig.*: *discendere*) to descend; to issue 4 (*fig.*: *sorgere, generarsi*) to arise*; to surge up: *Mille idee rampollavano nella sua mente*, a thousand ideas surged in his mind 5 (*fig.*: *derivare*) to issue; to stem; to originate; to come*.

rampóllo m. 1 (*sorgente*) spring 2 (*germoglio*) sprout; shoot 3 (*fig.*: *discendente*) scion; descendant: **un r. di nobile famiglia**, a scion of a noble family 4 (*scherz.*: *figlio*) child*; offspring*; (*maschio*) son.

rampóne m. 1 (*ferro a uncino*) hook; grapnel 2 (*fiocina*) harpoon 3 (*per arrampicarsi su tronchi*) climbing iron; calk 4 (*alpinismo*) crampon.

ramponière m. harpooner.

Ramsète m. (*stor.*) Ramses.

♦**ràna** A f. 1 (*zool.*, *Rana*) frog: **r. alpina** (*Rana temporaria*), European frog; **r. toro** (*Rana catesbeiana*), bullfrog; **rana verde** (*Rana esculenta*), edible frog **uova di r.**, frogspawn ⓤ 2 (*zool.*) – **r. pescatrice** (*Lophius piscatorius*), angler (fish); frogfish; monkfish 3 (*nuoto*) breaststroke: **i 100 r.**, the 100-metre breaststroke; **nuotare a r.**, to swim the breaststroke ● (*fig.*) **cantare come una r.**, to croak ○ (*fig.*) **gonfio come una r.**, puffed up; conceited B a. inv. – **uomo r.**, frogman.

ràncico m. (*pop.*) rancid taste in one's mouth.

rancidézza f. rancidity.

rancidìre v. i. to go* rancid.

rancidità f. rancidity.

ràncido A a. 1 rancid: **burro r.**, rancid butter 2 (*fig.*: *antiquato*) antiquated; stale; fusty: **idee rancide**, stale (o fusty) ideas B m. (*sapore*) rancid taste; (*odore*) rancid smell: **avere il r.**, to be rancid; **prendere il r.**, to go rancid; **sapere di r.**, to taste rancid.

rancidùme m. 1 rancid smell 2 (*materia rancida*) rancid stuff 3 (*fig.*) stale (o fusty) stuff.

ràncio m. (*mil.*) meal; mess; (*razioni*) rations (pl.): **servire il r.**, to serve out mess; to distribute the rations.

♦**rancóre** m. grudge; grievance; ill will ⓤ; rancour ⓤ; hard feelings (pl.): **vecchi rancori**, old grudges (o grievances); bad blood; **covare** (o **serbare**) **r. a q.**, to nurse a grudge against sb.; **portare r. a q.**, to bear sb. a grudge; **dire qc. senza r.**, to say st. without rancour; *Senza r.!*, no hard feelings!

rancoróso a. rancorous; bitter; resentful.

rànda f. 1 (*naut.*) gaff-sail; trysail; (*di trinchetto o maestra*) spencer; (*di poppa*) spanker; (*in imbarcazione da diporto*) mainsail: **r. di maestra**, main trysail (o spencer); course; **r. di poppa**, spanker; **r. di trinchetto**, fore trysail (o spencer) 2 (*compasso a verga*) beam compass.

randàgio a. 1 (*lett.*) wandering; vagabond: **uomo r.**, wanderer; vagabond; **vita randagia**, vagabond life 2 (*di animale*) stray.

randagìsmo m. straying.

randeggiàre v. i. (*naut.*) to haul along the coast; to hug the coast.

randellàre v. t. to cudgel; to club; to bludgeon.

randellàta f. blow with a cudgel [a club, a bludgeon]: **prendere a randellate**, to cudgel; to club; to bludgeon.

randèllo m. cudgel; club; bludgeon.

ràndom (*ingl.*) a. (*comput.*, *stat.*) random: (*comput.*) **accesso r.**, random access.

randomizzàre v. t. (*comput.*, *stat.*) to randomize.

randomizzazióne f. (*comput.*, *stat.*) randomization.

randonnée (*franc.*) f. (*sport*) 1 long-distance race 2 (*sci*) long-distance cross-country race.

ranétta → **renetta**.

rànfia f. (*pop.*) claw; talon.

ranforìnco m. (*zool.*) rhamphorhyncus.

ranfotèca f. (*zool.*) rhamphotheca.

range m. inv. (*scient.*, *tecn.*) range.

ranger (*ingl.*) m. inv. 1 (*mil.*) ranger; commando 2 (*guardia forestale*) (park) ranger.

ranghinatóre m. (*agric.*) swather: **r. rotante**, rotary swather.

ràngo m. 1 (*mil. e fig.*: *schiera*) rank; line: **rientrare nei ranghi**, to fall in; (*fig.*: *conformarsi*) to fall back into line; (*lasciare una carica*) to step down; (*anche fig.*) **serrare i ranghi**, to close ranks; (*anche fig.*) **uscire dai ranghi**, to break rank (o ranks); to fall out; **in ranghi serrati**, in close rank 2 (*naut.*,

---

stor.) rate: **vascello di terzo r.**, third-rate (ship) 3 (*ceto*, *grado*) rank; degree; standing; status; position: **r. sociale**, social class (o status, position); **d'alto r.**, of high rank; high-ranking; **di basso r.**, of low rank; low-ranking; **persone d'ogni r.**, people from all walks of life; (*fig.*) **di r.**, first-class 4 (*mat.*, *stat.*) rank.

ranìsta m. e f. (*sport*) breaststroke swimmer.

ranneràre v. i., **ranneràrsi** v. i. pron. to darken; to grow* (o to get*) dark (o darker); to blacken.

rannerìre A v. t. to blacken B v. i. e **rannerìrsi** v. i. pron. to blacken; to grow* (o to become*) black.

rannicchiàre A v. t. to draw* up: **r. le gambe**, to draw up one's legs B **rannicchiàrsi** v. rifl. to huddle; to cuddle up; to nestle; (*per paura*) to cower; (*accoccolarsi*) to crouch, to squat: **rannicchiarsi in un angolo**, to crouch (o to huddle) in a corner; **rannicchiarsi accanto a q.**, to cuddle up (o snuggle, nestle) against sb.; **rannicchiarsi in poltrona**, to curl up in an armchair; **rannicchiarsi sotto le coperte**, to snuggle down under the blankets; **rannicchiarsi nelle spalle**, to hunch one's shoulders.

rannidàrsi v. rifl. e i. pron. (*nascondersi*) to hide*; to lie* concealed.

rànno m. lye ● (*fam.*) **perdere il r. e il sapone**, to waste time and money.

rannodàre → **riannodare**.

rannuvolaménto m. 1 clouding over; darkening 2 (*fig.*) darkening; clouding.

rannuvolàre A v. t. to cloud 2 (*fig.*: *annebbiare*) to cloud; to dim 3 (*fig.*: *incupire*) to cloud; to darken; to make* gloomy B **rannuvolàrsi** v. i. pron. 1 (*ricoprirsi di nubi*) to cloud over, to become* overcast; (*oscurarsi*) to grow* dark, to darken: *Sta rannuvolandosi*, the sky is clouding over; *Il cielo si rannuvolò all'improvviso*, the sky suddenly became overcast 2 (*fig.*: *oscurarsi in volto*) to grow* troubled; (*del viso*) to cloud over, to darken: *A quelle parole si rannuvolò*, at those words his face darkened C v. i. impers. (*region.*) to cloud over; to become* overcast.

rannuvolàta f. sudden clouding over.

rannuvolàto a. 1 clouded; cloudy; overcast; (*oscuro*) dark: **cielo r.**, cloudy (o overcast) sky 2 (*fig.*) gloomy; dark; (*accigliato*) sullen, frowning: **volto r.**, dark face.

ranòcchia f. frog.

ranocchiàia f. 1 place full of frogs 2 (*spreg.*) marshy place; swamp.

ranocchiésco a. froglike; froggy; froggish.

♦**ranòcchio** m. 1 (*zool.*) frog 2 (*fig. spreg.*) runt 3 (*scherz.*: *bambino*) brat; rug rat (*fam.*).

rantolàre v. i. to wheeze; to gasp for breath; (*di moribondo*) to have the death-rattle (in one's throat).

rantolìo m. wheezing; gasping for breath; (*di moribondo*) rattling (in the throat).

ràntolo m. 1 wheeze; rattle; (*di moribondo*) death-rattle 2 (*med.*) rale, râle (*franc.*).

rantolóso a. wheezing; wheezy.

rànula f. (*med.*) ranula.

Ranuncolàcee f. pl. (*bot.*) Ranunculaceae; (the) buttercup family.

ranùncolo m. (*bot.*, *Ranunculus*) ranunculus*; buttercup: **r. bulboso** (*o dei fossi*) (*Ranunculus bulbosus*), kingcup; **r. dei prati** (*Ranunculus acer*), meadow buttercup; **r. palustre** (*Ranunculus sceleratus*), crowfoot.

ràpa f. 1 (*bot.*, *Brassica rapa*; *radice mangereccia*) turnip: **cime di r.**, turnip tops 2 (*fig. fam.*, *anche* **testa di r.**) blockhead; numb-

skull; dummy **3** (*scherz.*: *testa calva*) bald head; bald pate • **non valere una r.**, not to be worth a straw □ (*fig.*) **spirito di r.**, poor humour □ (*fig.*) **voler cavare sangue da una r.**, to try to get blood from (o out of) a stone ❶ FALSI AMICI • rapa *non si traduce con* rape.

rapàce Ⓐ a. **1** (*di animale*) predatory; rapacious; (*di uccello, anche*) raptorial **2** (*avido*) rapacious; avid; greedy; grasping: **mani rapaci**, rapacious (o grasping) hands Ⓑ m. (*zool.*) bird of prey; raptor: **r. diurno** [**notturno**], diurnal [nocturnal] bird of prey.

rapacità f. **1** predatoriness; rapacity **2** (*avidità*) rapaciousness; avidity; greed; graspingness.

rapàio m. (*agric.*) turnip field.

rapanèllo → ravanello.

rapàre Ⓐ v. t. to crop (*sb.'s hair*); (*a zero*) to shave (*sb.'s head*) Ⓑ **rapàrsi** v. rifl. to have one's hair cropped (o cut very short); (*a zero*) to shave one's head, to have one's head shaved.

rapàta f. cropping, hair-cropping.

rapàto a. closely cropped; (*a zero*) shaved.

rapatùra f. hair-cropping; (*a zero*) head--shaving.

rapè a. inv. – **tabacco r.**, rappee.

raperìno m. (*zool.*, *Serinus canarius*) serin.

raperónzolo m. (*bot.*, *Campanula rapunculus*) rampion.

raperùgiolo → raperino.

ràpida f. **1** (*di fiume*) rapid (generalm. al pl.) **2** (*ferr.*) emergency braking.

rapidaménte avv. rapidly; very quickly; swiftly; fast.

rapidità f. quickness; swiftness; speed; rapidity; celerity; (*nell'agire*) dispatch: **la r. di una corrente**, the swiftness (o rapidity) of a current; **la r. del pensiero**, the rapidity (o quickness) of thought; **con r.**, quickly; swiftly; speedily; with dispatch; **con la r. del fulmine**, as quick as lightning.

♦**ràpido** Ⓐ a. **1** (*veloce*) rapid; fast; swift; quick; speedy: **rapida crescita**, rapid (o fast) growth; **fiume r.**, fast-flowing river; **rapida guarigione**, speedy (o quick) recovery; (*mil.*) **tiro r.**, rapid fire; **r. come il pensiero** [**come il fulmine**], as quick as thought [as lightning] **2** (*fatto in breve tempo, affrettato*) quick; swift; brief; short: **r. calcolo**, quick calculation; **rapida decisione**, quick (o swift) decision; **r. esame**, brief examination (o survey); **movimento r.**, quick movement; **rapida occhiata**, quick (o brief) glance; (*di esame, controllo*) (the) once--over (*fam.*); **rapida visita**, brief (o short) visit **3** (*fotogr.*) fast **4** (*tecn.*) high-speed: **acciaio r.**, high-speed steel Ⓑ m. (*ferr.*) express (train); intercity (train).

rapiménto m. **1** kidnapping; abduction: **r. a scopo di estorsione**, kidnapping for ransom; **il r. di Elena**, the abduction of Helen **2** (*estasi*) ecstasy; ecstatic trance **3** (*fig.: emozione profonda*) rapture; ecstasy; transport: **contemplare qc. con r.**, to gaze ecstatically on st.; to be lost in the contemplation of st.

♦**rapìna** f. **1** robbery; (*saccheggio*) plunder: **r. a mano armata**, armed robbery; hold-up; (*con aggressione*) mugging; **r. aggravata**, robbery with violence; **r. in banca**, bank robbery; bank raid; **fare una r. in banca**, to rob a bank **2** (*fig.: prezzo esoso*) theft; rip--off; (daylight) robbery Ⓤ **3** (*lett.: violenza, furia*) violence; fury • **animale che vive di r.**, predatory animal; **uccello di r.**, predatory bird; bird of prey; raptor.

rapinàre v. t. to rob; (*a mano armata*) to hold* up; (*con aggressione*) to mug; (*saccheggiare*) to plunder: **r. una banca**, to rob a bank; **r. un negozio**, to rob (o to burgle) a

shop; *Fu rapinato per strada*, he was mugged.

rapinatóre m. (f. **-trìce**) robber; (*che aggredisce per strada*) mugger; (*di appartamenti, ecc.*) burglar.

rapinóso a. **1** (*lett.*) swift; rushing; precipitous **2** (*fig.: irresistibile*) irresistible; fascinating.

♦**rapìre** v. t. **1** to abduct; (*per ottenere un riscatto*) to kidnap: *Il padre di lei non voleva che si sposassero e lui l'ha rapita*, her father didn't want them to marry, so he abducted her; *Hanno rapito la moglie di un grosso industriale*, the wife of a big industrialist has been kidnapped **2** (*carpire, strappare*) to snatch, to seize; (*rubare*) to steal*, to carry off: **r. il consenso di q.**, to snatch sb.'s consent **3** (*trascinare via*) to carry away; to sweep* away: *Fu rapito dalla corrente*, he was carried (o swept) away by the current **4** (*fig.*) to enrapture; to entrance; to ravish; to transport: **r. la mente**, to enrapture the mind; **una musica che rapisce**, ravishing music ❶ FALSI AMICI • rapire *non si traduce con* to rape.

rapìto Ⓐ a. **1** abducted; (*per ottenere un riscatto*) kidnapped **2** (*estasiato*) enraptured; rapt; entranced; spellbound; transported; in a transport: **r. dallo stupore**, rapt with wonder; **sguardo r.**, enraptured look; *La guardava r.*, he was looking raptly at her Ⓑ m. (f. **-a**) abducted person; (*per ottenere un riscatto*) kidnap victim.

rapitóre m. (f. **-trìce**) abductor; (*che chiede un riscatto*) kidnapper.

rapónzolo → raperonzolo.

ràppa f. **1** (*cima di pianticella*) bunch; tuft **2** (*nappina*) tassel.

rappaciàre, rappaciàrsi (*lett.*) **→ rappacificare, rappacificarsi.**

rappacificaménto m. **→ rappacificazione.**

rappacificàre Ⓐ v. t. **1** (*riconciliare*) to reconcile: **r. due amici**, to reconcile two friends **2** (*calmare*) to pacify Ⓑ **rappacificàrsi** v. rifl. recipr. to become* (o to be) reconciled; to make* it up (*fam.*): *Le due parti si sono rappacificate*, the two parties have become reconciled; *I due fratelli si rappacificarono dopo anni di freddezza*, after years of strained relationship the two brother were finally reconciled; *Mi sono rappacificato con lei*, I've made it up with her.

rappacificazióne f. **1** reconciliation **2** pacification.

rappàre v. i. (*mus.*) to rap.

rappattumàre Ⓐ v. t. to patch up Ⓑ **rappattumàrsi** v. rifl. recipr. to patch things up (*fam.*).

rapper (*ingl.*) m. e f. inv. (*mus.*) rapper.

rappezzaménto m. patching up; mending.

rappezzàre v. t. **1** (*aggiustare*) to patch (up); to mend **2** (*mettere insieme alla meglio*) to patch together; to cobble together: **r. un articolo**, to cobble together an article.

rappezzatóre m. (f. **-trìce**) patcher; mender.

rappezzatùra f. **1** (*il rappezzare*) patching up; mending **2** (*parte rappezzata*) patch; mend **3** (*cosa rappezzata*) patched job; (*cosa malfatta*) botched job, botch, bungle.

rappèzzo m. **1** (*rappezzatura*) patch: **fare un r. a qc.**, to put a patch on st.; *Questi calzoni sono tutti un r.*, these trousers are full of patches **2** (*ripiego*) stopgap; patched job.

rapportàbile a. **1** (*riferibile*) referable (to); that can be related (to) **2** (*confrontabile*) comparable (to).

rapportàre v. t. **1** (*lett.: riferire*) to report; to relate **2** (*mettere in relazione*) to refer; (*confrontare*) to compare **3** (*un disegno*)

to protract.

rapportatóre m. (*strumento da disegno*) protractor.

♦**rappòrto** m. **1** (*resoconto*) report; rundown (*fam.*): **r. di polizia**, police report; **r. particolareggiato**, detailed report; complete rundown; **r. riservato**, confidential report; **r. ufficiale**, official report; **andare a r. da q.**, to report to sb.; **chiamare a r.**, to summon; to order (sb.) to report to sb.; *Fece r. contro di me ai miei superiori*, he reported me to my superiors; **fare r. su qc.**, to report on st.; (*mil.*) **mettersi a r.**, to demand a hearing from sb.; **stendere un r.**, to draw up a report; **omissione di r.**, failure to report **2** (*relazione, connessione, attinenza*) connection; relation; relationship; (*aspetto, punto di vista*) aspect; respect: **r. di causalità**, relation of cause and effect; causality; *Non c'è r. fra i due avvenimenti*, there is no connection between the two facts; the two facts are unrelated; **non avere nessun r. con qc.**, to bear no relationship to st.; to have no connection (o relationship) with st.; not to be related to st.; **mettere in r. una cosa con un'altra**, to relate one thing to another; **in r. a ciò**, in connection with that; in relation to that; **sotto questo r.**, in this respect; **sotto tutti i rapporti**, in every respect; from all points of view **3** (*relazione fra persone o organismi*) relation; relationship: **r. di amicizia**, friendship; **r. di amore e odio**, love-and--hate relationship; **r. di parentela**, relationship; *Tra noi non non c'è nessun r. di parentela*, we are not related; **r. extraconiugale**, extramarital affair; liaison; **buoni rapporti**, good relations; (*buona intesa*) rapport (*franc.*) (sing.); **il r. fra genitori e figli**, the parent-child relationship; **r. sentimentale**, sentimental relation; love affair; **rapporti commerciali**, business (o trade) relations; **rapporti di affari**, business relations; **rapporti di amicizia**, friendly relations; **essere in rapporti di amicizia con q.**, to be on friendly terms with sb.; **rapporti di lavoro**, business relations; (*gerarchici*) employer--employee relations; **rapporti epistolari**, correspondence (sing.); **avere rapporti epistolari con q.**, to correspond with sb.; **rapporti diplomatici**, diplomatic relations; **rompere i rapporti diplomatici**, to break off (o to sever) diplomatic relations; **rapporti sociali**, social relations; *I rapporti fra i due paesi sono tesi*, relations between the two countries are strained; **avere rapporti con q.**, to have relations with sb.; *Ho un buon r. con i miei figli*, I have a good rapport with my children; *Non abbiamo nessun r. con quella ditta*, we have no connection with that firm; **creare un buon r. con q.**, to establish (o to develop) a good rapport with sb.; *Tra di noi non c'è stato altro r. se non d'affari*, there have only been business relations between us; **entrare in rapporti con una ditta**, to enter into (o to begin) relations with a firm; **essere in buoni rapporti con q.**, to be on good terms with sb.; **mettersi in r. con q.**, to get in touch with sb.; to contact sb.; **riallacciare i rapporti**, to resume relations; **rompere i rapporti con una ditta**, to break off connections with a firm; **rompere** (*o troncare*) **ogni r. con q.**, to break off (o to sever) all relations with sb. **4** (*anche* **r. sessuale**) intercourse Ⓤ; sex Ⓤ: **rapporti intimi**, intercourse; **rapporti prematrimoniali**, premarital sex; **avere rapporti** (*sessuali*) **con q.**, to have intercourse (o sex) with sb. **5** (*mat., scient., tecn.*) ratio; proportion: **r. costo-benefici**, cost-benefit ratio; (*fis.*) **r. di compressione**, pressure ratio; (*fin.*) **r. di conversione**, conversion ratio; (*mecc.*) **r. di frenatura**, braking ratio; (*fis.*) **r. di lavoro**, work ratio; (*chim.*) **r. di riflusso**, reflux ratio; (*fis.*) **r. di trasformazione**, ratio of

transformation; (*mecc.*) **r. di trasmissione**, gear (ratio); **in r. di uno a trenta**, in the ratio (*o proportion*) of one to thirty; **in r. diretto [inverso] a**, in direct [inverse] proportion to **6** (*di bicicletta*) gear ratio; speed: **cambiare r.**, to change speed; **bicicletta a 10 rapporti**, ten-speed bicycle **7** (*in tessitura*) repeat.

rapprèndere v. t. e i., **rapprèndersi** v. i. pron. (*coagulare, coagularsi*) to coagulate, to clot, to congeal, (*di gelatina*) to set*; (*indurire*) to harden, to cake; (*addensare, addensarsi*) to thicken; (*cagliare, cagliarsi*) to curdle.

rappresàglia f. retaliation ⛢; (*anche mil.*) reprisal: **atto di r.**, reprisal; act of retaliation; **compiere una r.**, to carry out a reprisal; **compiere rappresaglie**, to retaliate; **minacciare una r.**, to threaten a reprisal; **per r.**, in (*o as a*) reprisal; in (*o by way of*) retaliation; **uccidere q. per r.**, to kill sb. in retaliation.

rappresentàbile a. (*teatr.*) performable; playable; that can be staged.

♦**rappresentànte** Ⓐ a. representative Ⓑ m. e f. **1** representative; delegate; deputy; (*portavoce*) spokesman* (m.), spokeswoman* (f.): **r. al Parlamento**, parliamentary representative; (*in GB*) member of parliament (abbr. MP); (*in USA*) delegate; **r. sindacale**, union representative; shop steward; **i rappresentanti di una nazione**, the representatives of a nation; **agire come r. di q.**, to act as sb.'s deputy **2** (*esempio*) representative; (*esponente*) exponent: **un tipico r. del bel mondo**, a typical representative of the jet set; **un r. del classicismo**, an exponent of classicism **3** (*comm.*) agent; representative: **r. commerciale**, sales representative; **r. di commercio**, travelling salesman; rep (*fam.*); **r. esclusivo**, sole agent.

rappresentànza f. **1** (*il rappresentare*) representation: **r. nazionale**, national representation; **r. processuale**, legal representation; (*polit.*) **r. proporzionale**, proportional representation; **in r. di**, on behalf of **2** (*comm.*) agency: **r. esclusiva**, sole agency; **avere la r. di una ditta**, to be the agent for a firm; **contratto di r.**, agency contract; (*econ.*) **teoria della r.**, agency theory **3** (*insieme di rappresentanti*) representatives (pl.); (*delegazione*) deputation; delegation: **r. parlamentare**, parliamentary representatives; **r. sindacale**, bargaining unit; *Una r. di lavoratori è stata ricevuta dal ministro*, a delegation of the workforce was received by the minister **4** (*immagine di prestigio*) – **appartamento di r.**, state apartment; guest apartment; **automobile di r.**, official car; **spese di r.**, entertainment expenses.

♦**rappresentàre** v. t. **1** (*mostrare, descrivere*) to represent; to portray; to picture; to depict; to show: *Il quadro rappresenta una scena di caccia*, the painting represents a hunting scene; *Il romanzo rappresenta con vivezza la vita cittadina nel medioevo*, the novel gives a vivid portayal of Medieval town life; *Il grafico rappresenta l'andamento delle vendite*, the graph shows the sales trend **2** (*agire per conto di*) to act for, to speak* for; (*fare le veci di*) to represent, to deputize for; (*leg.*) **r. in giudizio**, to represent in court; to appear for; *Io rappresento tutta la famiglia*, I am acting for the whole family; *Il Ministro si farà r. dal Prefetto*, the Minister will be represented by the Prefect **3** (*comm.*) to be the (*o an*) agent for: **r. una ditta**, to be the agent for (*o to travel for*) a firm **4** (*simboleggiare*) to symbolize; to stand* for; to represent: *La «x» rappresenta l'incognita*, «x» represents the unknown; *Le linee continue rappresentano le strade nazionali*, the continuous lines represent the main arterial roads **5** (*essere tipico di*) to be representative of, to typify, to be the es-

sence of; (*incarnare*) to personify, to embody, to stand* for: *I suoi lavori rappresentano lo spirito del tempo*, his works are representative (*o embody*) the spirit of his age **6** (*significare*) to mean*; (*essere, costituire*) to be, to constitute, to represent, to account for: *Lei rappresenta tutto per me*, she means everything to me; *La disoccupazione rappresenta un grave problema per il paese*, unemployment constitutes (*o poses*) a serious problem for this country; *Il terziario rappresenta i due terzi della nostra attività economica*, services account for two-thirds of our economic activity **7** (*teatr.*) to stage; to perform; to put* on (*fam.*): **r. l'«Otello»**, to put on «Othello»; *Che cosa si rappresenta al «Duse»?*, what's on at the «Duse»? **8** (*cinem.*) to show; to screen.

rappresentativa f. **1** (*sport*) selected group of athletes: **la r. italiana**, the Italian athletes **2** (*delegazione*) delegation.

rappresentatività f. representativeness.

rappresentativo a. **1** representative: **arte rappresentativa**, representative art; (*stat.*) **campione r.**, representative sample; (*polit.*) **sistema r.**, representative system; (*sport*) **squadra rappresentativa**, selected group of athletes **2** (*tipico, che simboleggia*) representative; emblematic; exemplary; typical.

rappresentazióne f. **1** (*raffigurazione*) representation, portrayal; (*descrizione*) description: **una r. allegorica della giustizia**, an allegorical representation of Justice; **r. cartografica**, map representation **2** (*cinem., teatr.: spettacolo*) performance, show; (*produzione*) production, staging; (*lavoro teatrale*) play: **r. cinematografica**, film show; **una r. dell'«Enrico IV»**, a production (*o a staging*) of «Henry IV»; **r. diurna**, matinée (*franc.*); **prima r.**, first (*o opening*) night; first performance; premiere; **prima r. assoluta**, world premiere; **sacra r.**, miracle play; mystery; *Le rappresentazioni avranno inizio alle ore 20*, performances will begin at 8 p.m. **3** (*filos., psic., mat.*) representation **4** (*leg.*) representation.

rapsodìa f. (*letter., mus.*) rhapsody.

rapsòdico a. **1** (*letter., mus.*) rhapsodic **2** (*frammentario*) fragmentary; disjointed; disconnected.

rapsodìsta m. e f. (*mus.*) rhapsodist.

rapsòdo m. (*letter.*) rhapsodist; rhapsode.

raptatòrio, raptòrio a. (*zool.*) raptorial.

ràptus (*lat.*) m. inv. **1** (*psic.*) fit: **un r. omicida**, a fit of homicidal madness; **in un r. di follia**, in a fit of madness **2** (*fig.: ispirazione*) sudden inspiration; burst of inspiration.

raraménte avv. seldom; rarely; hardly ever: *Viaggia r.*, he seldom travels; *Quell'anno ci vedemmo molto r.*, that year we hardly ever met; *Accade r. che questo treno ritardi*, it is rare for this train to be late; *Esce sempre più r.*, she goes out less and less.

rarefàre Ⓐ v. t. to rarefy; to thin out; (*nel tempo*) to make* less frequent: **r. i gas**, to rarefy gases; **r. le visite a q.**, to visit sb. less frequently Ⓑ **rarefàrsi** v. i. pron. to rarefy; to thin out; to become* less dense; (*nel tempo*) to become* less frequent: *La nebbia si è rarefatta*, the fog has thinned; *Il traffico tende a rarefarsi dopo le dieci*, traffic tends to be less dense after ten; *I nostri incontri si sono rarefatti*, our meetings have become less frequent.

rarefattìbile a. rarefiable.

rarefattìvo a. rarefactive.

rarefàtto a. rarefied (*anche fig.*); rare: **aria rarefatta**, rarefied (*o rare*) air; (*fig.*) **atmosfera rarefatta**, rarefied atmosphere; **i gas rarefatti**, rarefied gases.

rarefazióne f. **1** rarefaction **2** (*dirada-*

mento) thinning out.

rarità f. **1** (*l'essere raro*) rarity; rareness: **la r. di un evento**, the rarity of an event **2** (*oggetto raro*) rarity; curio*: *Questo libro è una r.*, this book is a rarity; **collezionare r.**, to collect curios **3** (*cosa o evento raro*) rarity; rare thing; rare sight: *La neve è una r. da queste parti*, snow is a rare sight in these parts; *Era una r. che il capo fosse in ritardo*, it was a rarity for the boss to be late; *Una brava cuoca è una r.*, good cooks are rare (*o are few and far between*) **4** (*scarsezza*) scarcity; scarceness.

♦**ràro** a. **1** (*poco comune*) rare; uncommon; (*insolito*) unusual: **un esemplare r.**, a rare specimen; **una rara eccezione**, a rare exception; **oggetto r.**, rarity; curiosity; curio; *È un uomo r.*, he's a man in a million **2** (*poco frequente*) rare; infrequent; uncommon; (*sporadico*) occasional, sporadic: **avvenimento r.**, rare (*o infrequent*) occurrence; **un fenomeno quanto mai r.**, a most uncommon phenomenon; **rare visite**, occasional visits; **rari visitatori**, few visitors; **rari casi di malaria**, rare cases of malaria; **rare volte**, seldom; hardly ever; rarely; *È r. che alzi la voce*, it is unusual for her to raise her voice; she rarely raises her voice **3** (*eccezionale*) rare; uncommon; exceptional; singular; (*prezioso*) precious: **r. coraggio**, singular courage; **un viso di rara bellezza**, a face of rare beauty; **pietre rare**, precious stones ● (*fam., fig.*) **bestia rara**, rara avis (*lat.*); rarity □ **gas rari**, rare (*o noble*) gases □ **più unico che r.**, exceptional; one in a million □ (*chim.*) **terre rare**, rare earths.

ras m. inv. **1** (*capo etiope*) ras **2** (*fig. spreg.*) boss.

RAS sigla **1** (**Riunione Adriatica di sicurtà**) united Adriatic insurance companies **2** (**rappresentanze aziendali sindacali**) trade union company representatives.

rasàre Ⓐ v. t. **1** (*radere*) to shave: **farsi r.**, to get shaved; to get a shave **2** (*pareggiare*) to trim; to clip; (*l'erba*) to mow; (*livellare*) to level: **r. un prato**, to mow a lawn; **r. una siepe**, to trim (*o to clip*) a hedge Ⓑ **rasàrsi** v. rifl. to shave.

rasatèllo m. (*ind. tess.*) sateen.

rasàto Ⓐ a. **1** shaven, clean-shaven: **cranio r.**, shaven head; **guance ben rasate**, clean-shaven (*o smooth*) cheeks **2** (*pareggiato*) trimmed; clipped; (*di erba*) mown **3** (*di tessuto*) napless; (*simile al raso*) satin-like, satin (attr.) **4** (*di tappeto*) short-pile (attr.) **5** (*lavoro a maglia*) – **maglia rasata**, stocking stitch; stockinette Ⓑ m. (*ind. tess.*) sateen.

rasatóre Ⓐ a. shaving Ⓑ m. (*ind.*) shearer.

rasatrìce f. **1** (*operaia*) shearer **2** (*macchina*) shearing-machine.

rasatùra f. **1** (*il radere*) shave; shaving: **darsi una r.**, to have a shave; to shave **2** (*il pareggiare*) trimming; clipping; (*l'erba*) mowing: **la r. d'una siepe**, the trimming (*o clipping*) of a hedge **3** (*ind.*) shaving **4** (*ciò che si asporta rasando*) trimmings (pl.); clippings (pl.); shavings (pl.).

raschiaménto m. **1** scraping **2** (*med.*) dilatation and curettage (abbr. D&C).

raschiaòlio m. inv. (*mecc.*) scraper ring.

raschiàre v. t. **1** to scrape; to abrade; (*cancellare*) to erase, to scratch out: **r. un muro**, to scrape a wall; **r. via la ruggine**, to scrape off the rust; **r. una scritta**, to scratch out an inscription; **r. via la vernice da un tavolo**, to scrape the paint off a table **2** (*med.*) to curette ● (*fig.*) **r. il fondo del barile**, to scrape the bottom of the barrel □ **raschiarsi la gola**, to clear one's throat; to hawk; to harrumph.

raschiàta f. scrape; scraping: **dare una r. a qc.**, to scrape st.

raschiatóio m. **1** scraper; (*per metalli*) rabble **2** (*med.*) curette.

raschiatùra f. **1** (*il raschiare*) scraping, abrasion; (*il cancellare*) erasure, scratching out **2** (*il segno prodotto*) scrape mark; score **3** (*ciò che si asporta raschiando*) scrapings (pl.).

raschiettàre v. t. (*mecc.*) to scrape.

raschiettatùra f. (*mecc.*) scraping.

raschiétto m. **1** (*mecc.*) scraper **2** (*per cancellare*) eraser; erasing knife* **3** (*per le scarpe*) shoe-scraper.

raschino → **raschietto**, def. 1 e 2.

ràschio① m. **1** (*rumore di chi si raschia la gola*) throat clearing; hawk: **fare un r.**, to clear one's throat; to hawk; to harrumph **2** (*irritazione alla gola*) irritation in the throat; tickle: **dare il r.**, to irritate (*o* to tickle) sb.'s throat.

raschio② m. continuous scraping; (*rumore*) scraping noise, rasping.

ràscia f. **1** (*ind. tess.*) frieze **2** (*drappo funebre*) funeral hangings (pl.).

rasciugàre A v. t. to dry; (*prosciugare*) to dry up B **rasciugàrsi** v. i. pron. to dry up.

rasciugatùra f. drying; drying up.

rasentàre v. t. **1** to keep* close to; (*sfiorare*) to graze, to skim, to brush, to shave; (*costeggiare*) to skirt; (*mancare per poco*) just to miss, to miss by a hair's breadth: **r. un paracarro**, to graze a kerbstone; just to miss a kerbstone; *Camminava rasentando il muro*, he walked close to the wall; *L'uccello sfrecciò rasentando la superficie del lago*, the bird skimmed over the lake; *Hai rasentato la bocciatura*, you came close to failing your courses **2** (*fig.: avvicinarsi a*) to border on; to verge on; to near; to come* up to: **r. la follìa**, to border on insanity; **r. la sessantina**, to be nearly sixty; *parsimonia che rasenta la tirchieria*, parsimony bordering on stinginess; *Stiamo rasentando i duecento* (**all'ora**), we are nearing two hundred **3** (*fig.: rischiare*) to escape (st.) by a hair's breadth: **r. la morte**, to escape death by a hair's breadth; to have a narrow escape; to have a close shave (*fam.*). ● **r. il codice penale**, to be only just inside the law; to sail close to the wind.

rasènte prep. close to: **r. il muro**, close to the wall; **r. terra**, close to the ground; (*di volo*) skimming the ground; **volare r. il pelo dell'acqua**, to skim the surface of the water; *L'autobus mi passò r.*, the bus passed very close to me; the bus barely missed me; *La pallottola gli fischiò r. l'orecchio*, the bullet whizzed past his ear.

rasièra f. **1** (*agric.*) strickle **2** (*falegn.*) scraper.

ràso A a. **1** (*rasato*) shaven, clean-shaven: **cranio r.**, shaven head; **guance rase**, clean-shaven cheeks; **pelo r.**, short hair; **cane a pelo r.**, short-haired dog **2** (*privo di sporgenze*) flat; level; flat; flush; smooth: **campagna rasa**, flat countryside **3** (*pieno, ma non colmo*) level, full; (*pieno fino all'orlo*) full to the brim: **un cucchiaio r.**, a level spoonful; **un bicchiere r.**, a glass full to the brim; (*agric.*) **misura rasa**, struck measure **4** (*ricamo*) **punto r.**, satin stitch B m. (*ind. tess.*) satin: **r. operato**, brocaded satin; **abito di r.**, satin dress C prep. - **r. terra**, close to the ground; level with the ground; skimming the ground; (*fig.*) mediocre, dull, trivial; **volare r. terra**, to skim the ground; **discorsi r. terra**, trivial conversation; (*sport*) **tiro r. terra**, level shot.

rasoiàta f. razor slash; razor cut.

◆**rasóio** m. razor: **r. a mano libera**, cut-throat razor; **r. di sicurezza**, safety razor; **r. elettrico**, electric razor; shaver; **r. usa e getta**, disposable razor; **affilare un r.**, to sharpen a razor; **affilato come un r.**, razor-

-sharp; **filo del r.**, razor's (*o* razor) edge ● (*filos.*) **il r. di Occam**, Occam's (*o* Ockham's) razor ▢ (*fig.*) **camminare sul filo del r.**, to walk on a knife's edge; to skate on thin ice ▢ **lingua tagliente come un r.**, razor-sharp tongue.

rasotèrra A a. e avv. → **raso**, C B m. inv. (*sport*) level shot.

ràspa① f. (*falegn.*) rasp.

ràspa② f. (*ballo*) raspa.

raspaménto m. **1** (*falegn.*) rasping **2** (*il grattare*) scratching.

raspàre A v. t. **1** (*falegn.*) to rasp; to scrape: **r. un'asse**, to rasp a plank **2** (*grattare con le unghie*) to scratch; (*di cavallo*) to paw **3** (*irritare*) to rasp; to irritate: **r. la gola**, to irritate (*o* to burn) the throat; **una barba che raspa**, a rasping beard **4** (*fam.: rubare*) to pinch (*fam.*) B v. i. **1** (*grattare*) to rasp; to scratch; to grate: *Il cane raspava alla porta*, the dog was scratching at the door **2** (*razzolare*) to scratch about **3** (*frugare*) to rummage: **r. in un cassetto**, to rummage in a drawer.

raspatóio m. (*agric.*) harrow.

raspatùra f. **1** (*il raspare*) rasping; scraping **2** (*ciò che si asporta raspando*) scrapings (pl.); filings (pl.) **3** (*il razzolare*) scratching about.

rasperèlla f. (*bot.*, *Equisetum arvense*) common horsetail.

raspìno m. scraper; riffler.

raspìo m. rasping; rasp; scraping; grating.

ràspo m. (*agric.*) grape-stalk.

raspollàre v. t. (*agric.*) to glean grapes.

raspóllo m. (*agric.*) small bunch of grapes.

raspóso a. rasping; rough.

rassègna f. **1** (*mil.*) review; inspection: **passare in r.**, to pass in review; to review **2** (*esame*) review; survey; examination; inspection: **una r. della situazione politica**, a review (*o* survey) of the political situation; **passare in r. le misure prese durante l'anno**, to review the measures taken during the year; **passare in r. le proposte**, to examine the proposals; *Passammo in r. tutti gli scaffali senza trovare il libro*, we inspected all the shelves without finding the book **3** (*resoconto*) review; report: **r. stampa**, press review; **r. teatrale**, theatrical review (*o* mostra*) show; exhibition: **r. cinematografica**, film show; film festival; **r. dell'antiquariato**, antique dealers' show; **una r. pirandelliana**, a season of plays by Pirandello.

◆**rassegnàre** A v. t. (*presentare, consegnare*) to resign; to hand in; to send* in: **r. le proprie dimissioni**, to tender (*o* to hand in) one's resignation; to resign; **r. un mandato**, to resign a post; to renounce a mandate B **rassegnàrsi** v. i. pron. to resign oneself; to be reconciled; to accept (st.); (*cedere*) to give* in: **rassegnarsi al proprio destino**, to resign oneself to one's fate; **rassegnarsi alla volontà di Dio**, to submit oneself to God's will; **rassegnarsi a fare qc.**, to resign oneself to doing st.; to be reconciled to doing st.; *Non riesce a rassegnarsi alla sua morte*, he can't be reconciled to his death; he can't accept he is dead; *Davanti alla sua intransigenza abbiamo dovuto rassegnarci*, we had to give in to his intransigence; *Devo rassegnarmici*, I must make the best of it; I'll just have to live with it.

rassegnàto a. resigned; reconciled: **essere r. al proprio destino**, to be resigned to one's fate; *Era rassegnato a partire*, he was resigned (*o* reconciled) to leaving.

rassegnazióne f. resignation; submission; forbearance: **accettare qc. con r.**, to be resigned (*o* reconciled) to st.; **sopportare qc. con r.**, to bear st. with resignation (*o* patiently); *Ci vuole r.*, you must accept

things as they are; you must learn to accept it.

rasserenaménto m. **1** (*del tempo*) clearing up; brightening **2** (*fig.*) brightening (up); cheering up.

rasserenànte a. cheering; heartening; comforting.

rasserenàre A v. t. **1** to clear (up); to brighten: *Questo vento rasserenerà il cielo*, this wind will clear the sky; *La tramontana rasserena sempre*, the north wind always brings fair weather **2** (*fig.*) to cheer up; to brighten (up): *La bella notizia lo rasserenò*, the good news cheered him up B v. i. e **rasserenàrsi** v. i. pron. **1** to clear up; to become* clear; to brighten up: *Il cielo* [*il tempo*] *si rasserena*, the sky [the weather] is clearing up (*o* brightening up) **2** (*fig.*) to cheer up; to brighten (up): *Si rasserenò subito quando gli promisi di andare con lui*, he cheered up at once when I promised to go with him; *A quelle parole si rasserenò in viso*, at those words his face brightened.

rasserenàto a. **1** clear (again): *Il cielo era tutto r.*, the sky was clear again; the clouds had cleared **2** (*fig.*) in better spirits; more cheerful.

rasserenatóre a. cheering; comforting.

rassestàre → **riassestare**.

rassettaménto m. tidying up.

rassettàre A v. t. **1** (*riordinare*) to tidy up; to put* in order: **r. una stanza** [**un cassetto**], to tidy up a room [a drawer] **2** (*riparare*) to mend; to repair; to fix B **rassettàrsi** v. rifl. to tidy up; to make* oneself tidy.

rassettatùra f. **1** (*riordino*) tidying up; putting in order **2** (*riparazione*) mending; repairing; fixing.

rassicurànte a. reassuring; encouraging: **notizie rassicuranti**, encouraging news; **parole rassicuranti**, reassuring words; **avere una faccia poco r.**, to look rather sinister; *La situazione è poco r.*, the situation looks rather grim.

◆**rassicuràre** A v. t. to reassure; to set* (sb.'s mind) at rest; to settle (sb.'s) doubts; (*incoraggiare*) to encourage: *Cercai di rassicurarlo*, I tried to reassure him; *La sua telefonata ci rassicurò*, his phonecall set our minds at rest B **rassicuràrsi** v. i. pron. to be reassured; to take* heart: *Alle mie parole si rassicurò*, she took heart at my words.

rassicuràto a. reassured.

rassicurazióne f. assurance; reassurance: **nonostante le mie rassicurazioni**, despite my assurances; **dare ampie rassicurazioni su q.**, to give ample reassurances of st.

rassodaménto m. **1** hardening; stiffening; (*di parti del corpo*) firming up; toning up **2** (*fig.*) strengthening; consolidation.

rassodànte a. hardening; stiffening; (*rif. al corpo*) toning: **crema r.**, skin-toning cream; **ginnastica rassodante**, toning exercises (pl.).

rassodàre A v. t. **1** to harden; (*rif. al corpo*) to firm up, to tone up: **r. l'argilla**, to harden clay; **r. le cosce**, to firm up the thighs; **r. i muscoli**, to tone up the muscles **2** (*fig.: consolidare*) to consolidate; to strengthen; to cement: **r. un'amicizia**, to strengthen (*o* to cement) a friendship; **r. l'autorità di q.**, to consolidate sb.'s authority B v. i. e **rassodàrsi** v. i. pron. **1** to harden; to strengthen; to set*; (*di parte del corpo*) to firm up, to tone up: *La calcina si rassoda*, mortar hardens; *La mousse non si è rassodata*, the mousse didn't set; *I muscoli si rassodano con l'esercizio*, muscles tone up with exercise **2** (*fig.*) to strengthen; to become* stronger; to consolidate; to cement: *La loro unione con gli anni si è rassodata*, their union has strengthened with

time.

rassomigliànte a. **1** (*simile*) similar; alike (pred.) **2** (*a un modello*) lifelike: **un ritratto r.**, a lifelike portrait; a good likeness; **un ritratto poco r.**, a poor likeness.

rassomigliànza f. resemblance; likeness; (*analogia*) similarity: **una forte r.**, a strong likeness; **una vaga r.**, a vague resemblance; *C'è molta r. fra i due*, there is a close resemblance between the two; **avere una r. con qc.**, to bear a resemblance to st.; to be similar to st.

rassomigliàre Ⓐ v. i. to be like (st.); to be similar (to); to resemble (st.); (*nell'aspetto*) to look like (st.), to bear* a likeness to; (*prendere*) to take* after: *Rassomigli molto a tua sorella*, you look very much like your sister; *Il ragazzo rassomiglia al padre*, the boy takes after (*o* resembles) his father; *Non rassomiglia a niente che io abbia mai visto*, it looks like nothing I've ever seen before Ⓑ **rassomigliàrsi** v. rifl. recipr. to be alike; to resemble each other; (*nell'aspetto*) to look alike (*o* like each other): *I due ragazzi si rassomigliano*, the two boys look alike; *Le nostre posizioni si rassomigliano moltissimo*, our positions they are very much alike.

rassottigliàre, **rassottigliàrsi** → **assottigliare**, **assottigliarsi**.

ràsta a. e m. inv. Rasta.

rastafarianìsmo m. Rastafarianism.

rastafariàno a. e m. inv. Rastafarian.

rastrellaménto m. **1** (*fig.*: *raccogliere*) raking (*o* together) **2** raking up; (*Borsa*) buying up **3** (*di territorio*) combing, scouring; (*di persone*) rounding up, roundup; (*mil.*) mopping up, mop-up: **r. delle campagne**, combing of the countryside; **un r. della polizia**, a police roundup; **operazione di r.**, mopping-up operation; mop-up.

rastrellàre v. t. **1** to rake; to rake up (*o* together): **r. il fieno**, to rake up hay; **r. la ghiaia**, to rake the gravel **2** (*fig.*: *raggranellare*) to rake up; to scrape together; (*Borsa*) to buy* up: **r. azioni**, to buy up shares; **r. i soldi necessari**, to rake up the necessary money **3** (*mil.*) to mop up **4** (*polizia: una zona*) to comb; to scour: **r. un quartiere**, to comb a district **5** (*naut.*) to drag; (*mil.*) to sweep*.

rastrellàta f. **1** (*il rastrellare*) raking **2** (*quantità rastrellata*) rakeful **3** (*colpo di rastrello*) blow with a rake.

rastrellatùra f. raking.

rastrellièra f. **1** (*agric.*, *per fieno*) hay-rack **2** rack: **r. per fucili**, rifle rack; **r. per piatti**, dishrack; **r. per stecche da biliardo**, cue rack.

rastrèllo m. rake: **r. da croupier**, croupier's rake; **r. meccanico**, dump rake; **riunire col r.**, to rake up (*o* together).

rastremàre v. t., **rastremàrsi** v. i. pron. (*archit.*, *mecc.*) to taper (off).

rastremàto a. (*archit.*, *mecc.*) tapered: **colonne rastremate**, tapered columns.

rastremazióne f. (*archit.*, *mecc.*) tapering (off); taper.

ràstro m. **1** (*agric.*) cultivator **2** (*mus.*) music pen.

rasùra f. (*in un manoscritto antico*) erasure.

ràta f. **1** (*comm.*) instalment, installment (*USA*): **ultima r.**, final instalment; **a rate mensili [trimestrali]**, in monthly [quarterly] instalments; **acquistare qc. a rate**, to buy st. on hire purchase (*USA* on the installment plan); **pagare a rate**, to pay by (*o* in) instalments **2** (*naut.*) rate: **r. di nolo**, (freight) rate Ⓘ **FALSI AMICI** • **rata** *nel senso di frazione di pagamento non si traduce con* **rate**.

ratafià m. ratafia.

ratània f. (*bot.*, *Krameria triandra*) rathany.

rataplàn inter. rataplan; rub-a-dub.

---

ratatouille (*franc.*) f. inv. **1** (*cucina*) ratatouille; vegetable casserole **2** (*fig.*) hotchpotch, hodgepodge (*USA*); jumble; mess.

rateàle a. **1** (*di rata*) instalment (attr.), installment (*USA*) (attr.): **scadenza r.**, instalment maturity; **versamento r.**, instalment **2** (*a rate*) by (*o* in) instalments: **pagamento r.**, payment by (*o* in) instalments; **vendita r.**, hire purchase; installment plan (*USA*).

ratealìsta m. e f. instalment plan salesman* (f. saleswoman*).

ratealménte avv. by instalments; on hire purchase (*GB*); on the installment plan (*USA*).

rateàre e deriv. → **rateizzare**, e deriv.

rateizzàre v. t. **1** (*un importo*) to divide into instalments **2** (*un pagamento*) to arrange by instalments; to spread*: *Il pagamento fu rateizzato in cinque anni*, payment was spread over five years.

rateizzazióne f., **rateìzzo** m. **1** (*divisione in rate*) division into instalments **2** (*pagamento*) payment by (*o* in) instalments.

ratèle m. (*zool.*, *Mellivora capensis*) ratel.

ràteo m. (*rag.*) accrual: **r. attivo**, accrued income; **r. d'interesse**, accrued interest; **r. passivo**, accrued expense; accrued (*o* anticipated) liability.

ratièra f. (*ind. tess.*) dobby: **telaio a r.**, dobby loom.

ratìfica f. ratification; sanction; (*conferma*) confirmation: **r. d'un accordo**, ratification of an agreement; **r. di una nomina**, confirmation of an appointment.

ratificànte Ⓐ a. ratifying Ⓑ m. e f. ratifyer.

ratificàre v. t. to ratify; to sanction; (*confermare*) to confirm: **r. un accordo**, to ratify an agreement; **r. un contratto**, to ratify a contract; **r. una nomina**, to confirm an appointment.

ratìna f. (*ind. tess.*) frieze.

ratinàre v. t. (*ind. tess.*) to nap.

ratinatrìce f. (*ind. tess.*) napping machine.

ratinatùra f. (*ind. tess.*) napping.

ràtio (*lat.*) f. inv. – **estrema** (*o* **ultima**) **r.**, last resource.

Ratisbóna f. (*geogr.*) Ratisbon.

ratizzàre e deriv. → **rateizzare**, e deriv.

rat musqué (*franc.*) m. inv. muskrat (fur).

ràto a. (*leg.*) ratified; sanctioned.

ràtta f. (*archit.*) – **r. inferiore [superiore]**, lower [upper] segment (of a column).

rattàn m. inv. (*bot.*, *Calamus rotang*) rattan.

rattenére, **rattenérsi** → **trattenere**, **trattenersi**.

rattézza f. (*lett.*) rapidity; rapidness; swiftness.

ratticida m. rat poison.

rattiepidìre → **intiepidire**.

rattìna → **ratina**.

rattizzàre v. t. **1** (*attizzare*) to stir up; to poke: **r. il fuoco**, to poke (*o* to stir up) the fire **2** (*fig.*) to rekindle; to resurrect; to rake up: **r. un vecchio rancore**, to rake up (*o* to rekindle) an old grudge.

ràtto① m. (*rapimento*) abduction; rape (*lett.*): **r. a scopo di matrimonio**, abduction with intent to marry; **il r. delle Sabine**, the rape of the Sabine women.

ràtto② (*lett.*) Ⓐ a. rapid; quick; swift Ⓑ avv. rapidly; quickly; swiftly.

ràtto③ m. **1** (*zool.*, *Rattus*) rat: **r. comune** (*Rattus rattus*), common (*o* black) rat; **r. delle chiaviche** (*Rattus norvegicus*), Norway (*o* brown, sewer) rat **2** (*zool.*) – **r. canguro** (*Dipodomys*), kangaroo rat.

rattoppaménto m. patching; mending.

rattoppàre v. t. **1** to patch (up); to put* a

---

patch (*o* patches) on; to mend: **r. un paio di pantaloni**, to patch a pair of trousers; **r. un paio di scarpe**, to mend a pair of shoes **2** (*fig.*) to patch up: *Cercai di rattopparla con una scusa*, I tried to patch things up with an excuse.

rattoppàto a. patched up: **una giacca rattoppata sui gomiti**, a coat patched at (*o* with patches on) the elbows.

rattoppatùra f. **1** patching; mending **2** (*toppa*) patch.

rattòppo m. (*anche fig.*) **1** patching up; mending **2** (*toppa*) patch: **mettere un r. a qc.**, to put a patch on st.; to patch up st.; **pieno di rattoppi**, full of patches; all patched-up.

rattòrcere → **attorcere**.

rattrappiménto m. **1** (*contrazione*) cramping; twisting **2** (*intorpidimento*) benumbment; numbing.

rattrappire Ⓐ v. t. **1** (*contrarre*) to cramp; to twist **2** (*intorpidire*) to stiffen; to benumb: *Il freddo mi aveva rattrappito le braccia*, the cold had stiffened my arms Ⓑ **rattrappìrsi** v. i. pron. **1** (*contrarsi*) to become* contracted; to be cramped; to twist **2** (*intorpidirsi*) to become* numb; to stiffen: *Mi si sono rattrappite le mani per il freddo*, my hands are numb with cold.

rattrappìto a. **1** (*contratto*) cramped; twisted; (*ingobbito*) bent: **un vecchietto r.**, a bent old man **2** (*intorpidito*) numb; benumbed; stiff: **dita rattrappite per il freddo**, fingers numb with cold.

rattristànte a. saddening; sad.

rattristàre Ⓐ v. t. to make* sad; to sadden; to distress; (*una situazione*) to cast* a gloom (*o* a shade) over, to take the joy out of: *Rattrista vederlo così ridotto*, it's sad to see him like that; *Non voglio rattristarti*, I don't want to sadden you; *Il matrimonio fu rattristato da quella notizia*, that news cast a gloom over the wedding Ⓑ **rattristàrsi** v. pron. to grow* sad; to feel* (*o* to be) sad; to grieve: **rattristarsi per q.**, to feel sad for sb.; **rattristarsi per la morte di q.**, to grieve over sb.'s death.

rattristàto a. saddened; sad: *Fu profondamente r. dalla morte dell'amico*, he was deeply saddened by his friend's death; **espressione rattristata**, sad expression.

rattristìre → **rattristare**.

raucédine f. hoarseness; huskiness: **avere la r.**, to be hoarse.

ràuco a. **1** (*affetto da raucedine*) hoarse: **essere r.** (*o* **avere la voce rauca**), to be hoarse; *Sei r. perché hai parlato troppo*, you've talked yourself hoarse **2** (*aspro*, *roco*) hoarse; (*di voce*, *anche*) husky, croaky, raucous; (*di suono*) raucous, harsh, rasping Ⓘ **FALSI AMICI** • **rauco** *nel senso medico non si traduce con* raucous.

rauwòlfia f. (*bot.*, *Rauwolfia serpentina*) Indian rauwolfia.

ravagliàre v. t. (*agric.*) to trench-plough.

ravagliatóre m. (*agric.*) trench-plough.

ravanàre v. i. (*region.*) to rummage.

ravanèllo m. (*bot.*, *Raphanus sativus radicula*) radish.

ravastrèllo m. (*bot.*, *Cakile maritima*) sea rocket.

ravennàte Ⓐ a. of Ravenna; from Ravenna; Ravenna (attr.) Ⓑ m. e f. native [inhabitant] of Ravenna.

ravièra f. oblong serving dish (for hors d'oeuvres).

raviolatóre m. ravioli mould.

raviolatrìce f. ravioli machine.

raviòlo m. (*cucina*) pasta envelope with a savoury filling; (al pl., *piatto*) ravioli Ⓤ.

ravizzóne m. (*bot.*, *Brassica napus oleifera*)

rape; cole; colza: **olio di r.**, rape (*o* rapeseed, colza) oil; **semi di r.**, rapeseed Ⓤ.

ravvalorare v. t. (*convalidare*) to confirm; to corroborate; to bear* out; to strengthen.

ravvedersi v. i. pron. to reform; to mend one's ways; (*pentirsi*) to repent, to see* the error of one's ways: *Promise di r.*, she promised to mend her ways; *Spero che si ravveda in tempo*, I hope he'll see the error of his ways in time.

ravvedimento m. **1** reformation; mending of one's ways; (*pentimento*) repentance **2** (*fisc.*) – **r. operoso**, voluntary disclosure (of tax evasion).

ravveduto a. reformed; (*pentito*) repentant.

ravvenamento m. (*idraul.*) replenishment (of an aquifer); recharge.

ravviare Ⓐ v. t. **1** (*riordinare*) to tidy; to tidy up; to straighten: **ravviarsi i capelli**, to tidy (*col pettine* to comb) one's hair; **ravviarsi il vestito**, to straighten one's dress **2** (*rattizzare*) to poke: **r. il fuoco**, to poke the fire Ⓑ **ravviàrsi** v. rifl. to tidy oneself.

ravviàta f. tidying up: **darsi una r.**, to tidy oneself; **darsi una r. ai capelli**, to tidy (*col pettine* to comb) one's hair; **darsi una r. al vestito**, to straighten one's dress.

ravvicinamento m. **1** coming closer; drawing nearer (*o* closer); approach: *Grazie al suo r. riusciamo a vederci più spesso*, now that has moved closer to me, we can see each other more often **2** (*fig.*) reconciliation; rapprochement (*franc.*).

ravvicinare Ⓐ v. t. **1** (*avvicinare di più*) to move (*o* to draw*, to bring*) up (*o* closer, nearer) **2** (*fig.: confrontare*) to compare **3** (*fig.: riconciliare*) to reconcile; to bring* together Ⓑ **ravvicinàrsi** v. rifl. e rifl. recipr. **1** (*avvicinarsi di più*) to draw* nearer (*o* closer) **2** (*fig.: riconciliarsi*) to be reconciled; to make* it up.

ravvicinàto a. close: **incontro r.**, close encounter; **a distanza ravvicinata**, at close range; close up.

ravviluppare Ⓐ v. t. to wrap up; to bundle up: *Ravviluppò il bimbo in una coperta*, she wrapped up the child in a blanket Ⓑ **ravviluppàrsi** v. rifl. e i. pron. **1** (*fare viluppo*) to become entangled; to tangle **2** (*avvolgersi*) to wrap up; to muffle up: **ravvilupparsi in uno scialle**, to wrap oneself up in a shawl; *Era tutto ravviluppato nel mantello*, he was muffled up in his cloak.

ravvisàbile a. recognizable.

ravvisare v. t. to recognize; (*vedere*) to see*: **r. gli estremi del reato**, to recognize grounds for prosecution; *Non ravvisiamo alcuna possibilità d'intervento*, we can see no possibility of intervention.

ravvivamento m. reanimation; revival; revitalization; renewal of vigour.

ravvivante a. reanimating; reviving; revitalizing; invigorating.

ravvivare Ⓐ v. t. **1** (*rianimare*) to revive; to invigorate: *L'aria fresca la ravvivò*, the fresh air revived her; *La pioggia ha ravvivato le piante*, the rain has revived the plants **2** (*dare nuovo vigore, far rinascere*) to revive; to revivify; to breathe new life into; to reanimate; to quicken; (*risvegliare*) to reawaken; (*riaccendere*) to rekindle: **r. il commercio**, to enliven trade; **r. il fuoco**, to poke (*o* to stir) the fire; **r. l'interesse**, to reawaken interest; **r. la speranza**, to revive (*o* to reawaken, to rekindle) hope; **r. vecchie usanze**, to revive old customs **3** (*animare, rallegrare*) to enliven; to animate; to liven up; to brighten (up); to cheer up: **r. un colore**, to brighten up a colour; **r. una giacca con una spilla**, to brighten up a jacket with a brooch; **r. una stanza**, to brighten up a room; *Un sorriso le ravvivava il volto*, a smile bright-

ened (*o* lit up) her face; *Il loro arrivo ravvivò la festa*, their arrival livened up the party **4** (*tecn.*) (di un utensile) Ⓑ **ravvivàrsi** v. i. pron. **1** (*riprendere vigore*) to revive; to perk up: *Le mie speranze si ravvivarono*, my hopes revived **2** (*animarsi, rallegrarsi*) to brighten up; to light* up: *Gli occhi della ragazza si ravvivarono*, the girl's eyes brightened (*o* lit) up.

ravvivatùra f. (*tecn.*) dressing, tool-dressing.

ravvòlgere Ⓐ v. t. **1** (*avviluppare*) to wrap (up); to envelop (*fig.*): **r. q. in una coperta**, to wrap sb. up in a blanket; **r. qc. in carta velina**, to wrap st. (up) in tissue-paper **2** (*girare intorno*) to wind* (round): **r. una benda intorno al braccio**, to wind a bandage round sb.'s arm Ⓑ **ravvòlgersi** v. rifl. **1** (*avvilupparsi*) to wrap (oneself) up; to wrap (st.) around one: *Si ravvolse nel mantello*, he wrapped (himself) up in his cloak; he wrapped his cloak around him **2** (*su sé stesso*) to wind* up; to coil: **ravvolgersi in spire**, to coil up.

ravvolgimento m. **1** (*giro*) winding; (*spira*) coil **2** (*fig.: tortuosità*) tortuosity; convolution.

ravvoltolàre Ⓐ v. t. to wrap up; to bundle up; (*arrotolare*) to roll up Ⓑ **ravvoltolàrsi** v. rifl. **1** to wrap oneself up: (*a letto*) **ravvoltolarsi nelle coperte**, to snuggle down under the blankets **2** (*rotolarsi*) to roll (about); to wallow (*anche fig.*) **ravvoltolarsi nel fango**, to wallow in mud; **ravvoltolarsi per terra**, to roll on the ground.

ràyon® m. (*ind. tess.*) rayon.

raz (*franc.*) m. inv. – (*naut.*) **raz di marea**, tidal wave.

raziocinante a. rational; reasoning; thinking.

raziocinare v. i. (*lett.*) to reason; to ratiocinate.

raziocinativo a. (*lett.*) ratiocinative.

raziocinatóre Ⓐ a. reasoning; ratiocinating Ⓑ m. (f. **-trice**) reasoner.

raziocìnio m. **1** (*ragione*) (faculty of) reason **2** (*estens.: buon senso*) common sense; reason: **agire con r.**, to act reasonably; **mancare di r.**, to lack common sense; *Usa un po' di r.*, use your common sense.

razionàle① Ⓐ a. **1** (*dotato di ragione*) rational; reasoning; thinking: **anima r.**, rational soul; **creatura r.**, rational being **2** (*secondo ragione*) rational; reasonable: **comportamento r.**, rational behaviour; **spiegazione r.**, rational explanation **3** (*scientifico*) rational: **metodo r.**, rational method **4** (*pratico*) sensible; (*funzionale*) functional: **abbigliamento r.**, sensible clothes; **arredamento r.**, functional furniture **5** (*per deduzione logica*) rational: **geometria r.**, rational geometry; **meccanica r.**, rational mechanics **6** (*mat.*) rational: **numero r.**, rational number Ⓑ m. rational.

razionàle② m. (*relig.*) rational.

razionalismo m. **1** (*filos.*) rationalism **2** (*archit.*) functionalism.

razionalista Ⓐ m. e f. rationalist Ⓑ a. rationalistic.

razionalistico a. rationalistic.

razionalità f. **1** rationality **2** (*funzionalità*) functionality ● (*econ.*) **r. limitata**, bounded rationality.

razionalizzàre v. t. (*anche mat., psic.*) to rationalize.

razionalizzazióne f. (*anche mat., psic.*) rationalization.

razionalménte avv. **1** rationally **2** (*in modo scientifico*) scientifically **3** (*in modo funzionale*) functionally.

razionamento m. rationing: **r. dei viveri**, food rationing.

razionàre v. t. to ration: **r. l'acqua**, to ration water; *Mia moglie mi raziona le sigarette*, my wife rations my cigarettes.

razióne f. **1** ration (*anche mil.*); allowance: (*med.*) **r. calorica**, (daily) caloric requirement; **razioni di viveri**, food rations; *La nostra r. di sigarette era di tre al giorno*, our cigarette allowance was three a day; **a razioni ridotte**, on short rations **2** (*porzione, parte*) portion; (*anche fig.*) share: *Ho avuto la mia r. di critiche*, I had my fair share of criticism; **prendersi una buona r. di botte**, to get a sound beating.

♦**ràzza**① f. **1** (*zool.*) breed; stock: **r. bovina**, cattle breed; **r. canina**, breed of dog; **di buona r.**, of good breed; **di r. (pura)**, purebred; pedigree (attr.); (*di cavallo*) thoroughbred; **di razza incrociata**, crossbred; **incrociare le razze**, to crossbreed; **migliorare le razze**, to improve the breeds; **animale da r.**, breeder; **cane di r.**, purebred dog; **cavallo di r.**, thoroughbred; **fare r.**, to breed **2** (*antrop.*) race: **la r. bianca [gialla]**, the white [yellow] race; **di r. mista**, half-blooded; half-caste; **di r. pura**, full-blooded; **differenze di r.**, differences of race; **odio di r.**, race-hatred; racism; racialism **3** (*generazione*) race; (*stirpe*) stock, descent, line; (*famiglia*) family: **la r. umana**, the human race; mankind; **essere di buona r.**, to come of good stock; *Odio lui e tutta la sua r.*, I hate him and his whole family **4** (*fam. spreg.*) specie, sorta) kind; sort: **d'ogni r.**, of all kinds (*o* sorts); *Che r. d'uomo è?*, what sort of a man is he?; *Che r. di musica è questa?*, what's this music?; what kind of music is this supposed to be?; *Che r. di gente!*, what strange people!; *Che r. di spiegazione!*, this is no explanation!; *Che r. di stupido!*, what a fool!; *Che r. di amici hai!*, fine friends you have! ● **R. di mascalzone!**, you bastard! □ (*fig.*) **r. di vipere**, breed of vipers □ (*fig.*) **di r.**, first-class; first-rate: **musicista di r.**, first-rate musician; **campione di r.**, born champion □ (*fig.*) **fare r. a sé**, to be a race apart.

ràzza② f. (*zool.*, *Raja*) ray; skate ● **r. cornuta** (*Manta birostris*), devil fish.

ràzza③ f. (*di ruota*) spoke.

razzamàglia → **razzumaglia**.

razzatóre m. (*zootecnia*) breeder.

ràzzia f. raid; foray; (*ruberia*) looting, plunder: **r. di bestiame**, cattle raid; cattle rustling (*USA*); **fare una r.**, to make a raid; to raid a place; **fare di qc.**, to steal st.; (*fig. scherz.*) to clean out st.; **fare r. di bestiame**, to steal (*USA* to rustle) cattle; *La volpe ha fatto r. di galline*, the fox raided the henhouse; (*fam.*) *Chi ha fatto r. di cioccolatini?*, who's cleaned out all the chocolates?

razziàle a. racial: **caratteristica r.**, racial characteristic; **discriminazione r.**, racial discrimination; segregation; **integrazione r.**, racial integration; **pregiudizio r.**, racial prejudice.

razziàre v. t. (*un luogo*) to raid; to make* a raid on; (*saccheggiare*) to plunder, to pillage, to loot; (*rubare*) to steal*, to clean out: **r. bestiame**, to steal (*USA* to rustle) cattle; **r. le campagne**, to plunder the countryside; **r. la dispensa**, to raid the larder; **r. un pollaio**, to raid a coop; *Hanno razziato tutto quello che c'era*, they've cleaned out everything.

razziatóre Ⓐ a. pundering; pillaging; looting Ⓑ m. (f. **-trice**) raider; plunderer; pillager; looter; (*ladro*) thief: **r. di bestiame**, cattle thief; cattle rustler (*USA*).

razzismo m. racism; racialism.

razzista a., m. e f. racist; racialist.

razzistico a. racist; racialist.

♦**ràzzo** m. **1** (*pirotecnico*) rocket: **r. da segnalazioni**, signal rocket; **r. illuminante**, flare; **r. incendiario**, incendiary rocket **2**

(aeron., miss.) rocket: **r. a energia nucleare**, nuclear-powered rocket; **r. antigrandine**, anti-hail rocket; **r. ausiliario**, booster rocket; **r. di spinta**, thrusting rocket; **r. frenante**, retrorocket; retro; **r. pluristadio**, multi-stage rocket; (meteor.) **r. sonda**, sounding rocket; **r. vettore**, carrier rocket; **motore a r.**, rocket engine; **propulsione a r.**, rocket propulsion ● **correre come un r.**, to run like a shot □ **partire a r.**, to be off like a shot □ **passare come un r.**, to shoot past; to flash past □ **veloce come un r.**, as quick as lightning □ **Sei un r.!**, you sure are quick!

razzolàre v. i. **1** (dei polli) to scratch about **2** (scherz.: rovistare) to rummage: **r. in un cassetto**, to rummage in a drawer ● (fig.) (predicare bene e) **r. male**, not to practise what one preaches.

razzolàta, razzolatùra f. scratching about.

razzumàglia f. (spreg.) riffraff; rabble; ragtag and bobtail.

RC sigla **1** (**Reggio Calabria**) **2** (leg., **responsabilità civile**) tort liability (insurance) **3** (polit., (**Partito della**) **Rifondazione comunista**) Refoundation Communist Party.

RCA sigla (leg., **responsabilità civile autoveicoli**) motor-vehicle liability insurance

♦**re** ① m. **1** (sovrano) king; monarch; sovereign: **re assoluto [costituzionale]**, absolute [constitutional] monarch; **re bambino**, infant king; **il Re Artù**, King Arthur; **il Re dei Cieli**, the King of Heaven; **il re di Danimarca**, the king of Denmark; **il re Carlo II**, King Charles II; **i re di Roma**, the kings of Rome; Eolo re dei venti, Aeolus, ruler of the winds; Sua Maestà il Re, His Majesty the King; **da re**, kingly; (degno di un re) fit for a king, (generoso, abbondante) lavish; **portamento da re**, kingly bearing; **un pranzo da re**, a lavish meal **2** (fig.) king: **il re del cotone [dell'acciaio]**, the cotton [steel] king; **il re dei cuochi**, the best of chefs; Il leone è il re degli animali, the lion is the king of beasts **3** (scacchi, carte da gioco) king: **il re di fiori**, the king of clubs; **il re nero**, the black king; **alfiere [torre] di re**, king's bishop [rook] **4** (zool.) – **re dei granchi** (Paralitodes camtschatica), Alaskan king crab; **re di quaglie** (Crex crex), corncrake; **re di triglie** (Apogon imberbis) cardinal fish ● (arald.) **re d'armi**, King-of-Arms □ **re da burla** (o da operetta), mock king □ **il Re dei Re**, the King of Kings □ **i Re Magi**, the Three Wise Men; the Three Kings; the Magi □ **il Re Sole**, the Sun-King □ **Re Travicello**, King Log □ **Cristo Re**, Christ the King □ (Bibbia) **i Libri dei Re**, the Books of Kings □ **vivere da re**, to live like a king.

re ② m. (mus.) D; (nel solfeggio) ray.

RE sigla (**Reggio Emilia**).

reaganìsmo m. (polit., econ.) Reaganism.

reagentàrio m. (chim.) **1** (i reagenti) reagents (pl.) **2** (mobile) reagents cupboard.

reagènte A a. reacting B m. (chim.) reagent; reactant.

reagibilità f. (chim.) reactivity.

reagìna f. (biol.) reagin.

reagìre v. i. **1** to react; (opporsi) to resist, to show opposition; (protestare) to speak* up, to protest; (contrattaccare) to fight* back, to strike* back: **r. a una provocazione**, to react to a provocation; **non r. agli insulti**, not to react to insults; **sopportare qc. senza r.**, to bear st. without protesting; Devi r.!, (devi agire) you've got to do something (about it); (non abbatterti) don't let it get you down **2** (avere una reazione) to react; to respond: **r. a un farmaco**, to react to a drug; **r. bene a una cura**, to respond well to a therapy **3** (chim.) to react.

reàl m. inv. (moneta brasiliana) real.

♦**reàle** ① A a. **1** (vero, autentico) real; actual; (effettivo, concreto) concrete, tangible: **fatti reali**, real (o actual) facts; **un oggetto r.**, a real object; **un personaggio r.**, a real person; **le sue reali intenzioni**, his real intentions; (comput.) **tempo r.**, real time; **vantaggi reali**, concrete advantages **2** (econ., leg., mat.) real: **azione r.**, real (o personal) action; **imposta r.**, real property tax; **reddito r.**, real income B m. reality; (the) real.

♦**reàle** ② A a. **1** (del re) royal: **la casa r.**, the Royal House; **la famiglia r.**, the royal family; **palazzo r.**, royal palace; **principe r.**, royal prince; prince of the blood; **sangue r.**, royal blood; Sua Altezza R., His [Her] Royal Highness **2** (fig.) royal: **aquila r.**, royal (o golden) eagle; **palma r.**, royal palm B m. pl. (the) Royal Couple; (the) King and Queen.

reàle ③ m. (numism.) real.

realgàr m. (miner.) realgar; red arsenic.

realìsmo m. **1** (filos.) realism **2** (senso della realtà) realism: **guardare alle cose con r.**, to take a realistic look at things; to be realistic; **mancare di r.**, to lack realism; to be unrealistic **3** (letter., pitt.) realism: **il r. del Caravaggio**, Caravaggio's realism; **r. socialista**, socialist realism.

realista ① m. e f. **1** (filos., letter., pitt.) realist **2** (persona concreta) pragmatist.

realista ② m. e f. (polit.) royalist ● (fig.) **essere più r. del re**, to be more Catholic than the Pope.

realìstico a. **1** (fondato sulla realtà) realistic, down-to-earth; (pragmatico) pragmatic, matter-of-fact: **decisione realistica**, realistic decision; **una visione realistica delle cose**, a realistic (o down-to-earth) view of things; Sii più r., be more realistic **2** (filos., letter., pitt.) realistic: **descrizione realistica**, realistic description; **romanzo r.**, realistic novel.

reality show, reality loc. m. inv. (ingl., TV) reality (television) show.

realizzàbile a. **1** realizable; feasible; practicable: **progetto r.**, feasible plan; **sogno r.**, realizable dream **2** (comm.) realizable; convertible into cash.

realizzabilità f. **1** realizability; feasibility **2** (comm.) realizability; convertibility into cash.

♦**realizzàre** A v. t. **1** (mettere in atto) to realize; to carry out; to accomplish; (un desiderio, ecc.) to fulfil, to achieve, to realize; (fare) to make*: **r. un'ambizione**, to achieve an ambition; **r. un film**, to make a film; **r. grossi guadagni**, to make large profits; **r. un profitto di 3000 euro**, to realize a profit of 3,000 euros; **r. un progetto**, to carry out a plan; **r. un sogno**, to fulfil (o to realize) a dream **2** (sport, anche assol.) to score: **r. un gol**, to score a goal **3** (fig.: capire) to realize; to understand*: **r. l'importanza di un avvenimento**, to realize the importance of an event **4** (econ., fin.) to realize; to convert into cash; (vendere) to sell*: **r. titoli**, to realize securities; to sell shares **5** (mus.) to make B v. i. (guadagnare) to make* profit C realizzàrsi v. i. pron. to come* true; to materialize: Tutti i miei sogni si realizzarono, all my dreams came true D realizzàrsi v. rifl. to fulfil oneself; to find* fulfilment: **realizzarsi nel lavoro**, to find fulfilment in one's job.

realizzàto a. (appagato) fulfilled: **sentirsi r.**, to feel fulfilled; **un lavoro che ti fa sentire r.**, a fulfilling job.

realizzatóre m. (f. -trice) **1** realizer; accomplisher; maker **2** (sport) scorer; goalscorer.

♦**realizzazióne** f. **1** (attuazione) realization, carrying out, making; (di desiderio, ecc.) fulfilment, realization, accomplishment: **la r. d'un film**, the making of a film; **la r. d'un**

piano, the realization (o carrying out) of a plan; **r. di profitti**, profit making; **la r. delle proprie speranze**, the realization of one's hopes **2** (econ., fin.) realization; (vendita) sale **3** (teatr.) production; staging: **r. scenica**, staging **4** (mus.) realization.

realìzzo m. **1** (econ., fin.) realization; (vendita) sale: **r. di titoli**, realization of securities; **di facile r.**, easily realized; **conto di r.**, realization account; **valore di r.**, break-up value **2** (vendita forzata) executive sale; forced sale; (saldo) clearance sale: **vendita di r.**, clearance sale; **a prezzi di r.**, at cost (price).

realménte avv. really; truly; actually: Come stanno r. le cose, how are things really?; Ne sei r. convinto?, do you really believe it?; Sono r. dispiaciuto, I'm really (o truly) sorry; **fatti r. accaduti**, things that actually happened; actual occurrences; **un personaggio r. esistito**, a person who actually existed.

Realpolitik (ted.) f. (stor., polit.) realpolitik.

♦**realtà** f. **1** reality; actuality; (vita reale) real life; (fatto reale) fact, reality: **la r. dei fatti**, the reality of a situation; actual facts (pl.); **una r. di fatto**, a fact; a reality; **la r. di un fenomeno**, the reality of a phenomenon; **la r. esterna**, the external world; the world out there; **la r. oggettiva**, objective reality; **la dura r. della vita**, the harsh reality of life; La droga è una r. con cui dobbiamo fare i conti, drugs are a reality (o a fact) we must face; È sogno o r.?, am I dreaming or is it really true?; **in r.**, in reality; really; actually; as a matter of fact; Sembra scostante ma in r. è un brav'uomo, he seems standoffish, but he's really (o actually) very decent; **nella r.**, in reality; (nella vita reale) in real life; **affrontare la r.**, to face reality; **avere il senso della r.**, to be realistic; **avvicinarsi alla r.**, to be true to real life; **diventare r.**, to come true; to be fulfilled; **guardare in faccia la r.**, to face facts; **mancare di contatto con la r.**, to be out of touch with reality; **perdere il contatto con la r.**, to lose touch with reality; **trasformare i sogni in r.**, to transform dreams into realities; **basato sulla r.**, based on fact **2** (veridicità) truthfulness; truth: **verificare la r. di un fatto**, to verify (the truth of) a fact **3** (situazione) situation; (mondo, ambiente) world: **la r. economica del paese**, the country's economic situation; **la r. giovanile**, the world of the young **4** (comput.) – **r. virtuale**, virtual reality.

reàme (lett.) → regno.

reàto m. **1** (leg.) offence, offense (USA); crime; (grave) felony; (lieve) misdemeanour: **r. civile**, tort; **r. comune**, non-political crime; **r. contro la proprietà**, property crime; **r. di diffamazione**, slander; (a mezzo stampa) libel; **r. di furto**, theft; **r. di sangue**, (omicidio) murder, homicide; (ferimento) wounding; **r. di stampa**, libel; **r. grave**, serious offence; felony; **r. minore**, petty offence; misdemeanour; violation; **r. penale**, criminal offence; **r. tributario**, tax offence; **accusare q. di un r.**, to charge sb. with a crime; **commettere (o rendersi colpevole di) un r.**, to commit a crime (o an offence); **costituire r.**, to amount to a crime; **sorprendere q. in flagrante r.**, to catch sb. in the act of committing a crime; to catch sb. red-handed (fam.); **corpo del r.**, physical evidence Ⓤ **2** (fam.) crime; sin: Non è mica un r.!, it's not a crime!; È forse un r.?, what's wrong with it (o that?)

reattànza f. (elettr.) reactance: **r. capacitiva**, capacity reactance; **r. induttiva**, inductive reactance.

reattìno m. (zool., Troglodytes troglodytes) wren.

reattività f. **1** responsiveness; reactivity **2** (*chim.*) reactivity.

reattivo Ⓐ a. **1** responsive; reactive; sensitive **2** (*chim.*, *fis.*) reactive: **carta reattiva**, test paper; (*elettr.*) **potenza reattiva**, reactive power; **sostanza reattiva**, reactive substance; reagent **3** (*psic.*) reactive Ⓑ m. **1** (*chim.*) reagent **2** (*psic.*, *anche* **r. mentale**) test.

reattóre m. **1** (*aeron.: motore*) jet engine; (*aereo*) jet (plane) **2** (*fis. nucl.*, *anche* **r. nucleare**) (nuclear) reactor: **r. a fusione**, fusion reactor; **r. ad acqua bollente**, boiling-water reactor (abbr. BWR); **r. autofertilizzante**, breeder (reactor); **r. termico**, thermal reactor; **nocciolo del r.**, reactor core **3** (*chim.*, *elettr.*) reactor.

Réaumur a. inv. (*fis.*) Réaumur: **scala R.**, Réaumur scale.

reazionàrio Ⓐ a. reactionary; (*retrogrado*) conservative, blimpish Ⓑ m. (f. **-a**) reactionary; (*persona retrograda*) conservative, old fogey (*fam.*), stick-in-the-mud (*fam.*).

reazionarìsmo m. (*polit.*) reactionism.

♦**reazióne** f. **1** reaction; response; (*anche* **r. di protesta**) protest, outcry, clamour: **r. automatica**, automatic reaction; reflex; **r. esagerata**, excessive reaction; overreaction; **r. lenta**, slow reaction; **r. violenta**, violent reaction; backlash; (*protesta*) violent protest; *La sua r. mi colse di sorpresa*, his reaction caught me by surprise; *Abbiamo avuto poche reazioni alla nostra proposta*, our proposal met with little response; **provocare una r.**, to cause a reaction; (*di protesta*) to cause an outcry; **non suscitare reazioni**, to meet with no response; **azione e r.**, action and reaction; **eccesso di r.**, overreaction **2** (*polit.*) reaction; (*i reazionari*) reactionaries: **le forze della r.**, the forces of reaction; reactionary forces **3** (*scient.*) reaction; (*elettr.*, *radio*) feedback; (*med.*) reaction, response: (*fis.* e *fig.*) **r. a catena**, chain reaction; (*chim.*) **r. acida** [**basica**], acid [alkaline] reaction; (*elettr.*) **r. acustica**, acoustic feedback; (*med.*) **r. allergica**, allergic reaction; **r. chimica**, chemical reaction; (*fis.*) **r. nucleare**, nuclear reaction; (*chim.*) **capacità di r.**, reagency; (*biol.*) **tempo di r.**, reaction time **4** (*aeron.*) reaction; jet (attr.): **r. aerodinamica**, aerodynamic reaction; **aereo a r.**, jet (plane); **motore a r.**, jet engine; **propulsione a r.**, jet propulsion.

rèbbio m. prong; tine.

reboànte a. **1** (*rimbombante*) reverberating; resounding; booming; sonorous **2** (*fig.*, *spreg.*) high-sounding; (*ampolloso*) bombastic, inflated: **parole reboanti**, high-sounding words; **stile r.**, bombastic style.

rèbus m. inv. **1** (*gioco*) rebus **2** (*fig.*) enigma; puzzle; poser; riddle; conundrum; mystery: *Questo caso è un vero r.*, this case is a real puzzle; *La sua partenza improvvisa è un r.*, his sudden departure is a mystery (*o* is baffling); *Quell'uomo è un r.*, that man is an enigma.

recalcitrànte a. **1** (*di animale*) kicking **2** (*fig.*) recalcitrant; rebellious; stubborn.

recalcitràre v. i. **1** (*di animale*) to kick **2** (*fig.*) to be recalcitrant; to kick (against); to balk (at): **r. di fronte alla disciplina**, to kick against discipline.

recapitàre v. t. to deliver: **r. un pacco**, to deliver a parcel; *Glielo faccio r. oggi stesso*, I'll have it delivered to you today; **non recapitato**, undelivered.

recàpito m. **1** (*indirizzo*) address; (*di comodo*) delivery address, accommodation address (*GB*): **dare** (*o* **indicare**) **il proprio r.**, to give one's address; **dare un r. falso**, to give a false address; *Ha il r. presso l'ufficio di un amico*, he uses a friend's office as his ac-

commodation address **2** (*consegna*) delivery: **r. a domicilio**, home delivery; **r. a mano**, delivery by hand; **r. urgente**, special delivery; **pronto r.**, prompt delivery; **provvedere al r. di qc.**, to arrange for st. to be delivered; *In caso di mancato r. restituire al mittente*, if undelivered please return to sender **3** (*naut.*) – **r. marittimo**, ship's papers (pl.).

♦**recàre** Ⓐ v. t. **1** (*portare*) to bring*; to take*; to carry; to bear*: **r. doni**, to bring (*o* to bear) gifts; **r. qc. in dono a q.**, to bring sb. st. as a present; **r. un messaggio a q.**, to take a message to sb.; **r. notizie**, to bear news; *Non recava nulla con sé*, she had nothing with her; she was carrying nothing; **r. soccorso**, to bring help **2** (*avere su di sé*) to bear*; to carry: *Il corpo non recava traccia di ferite*, the body bore no traces of wounds; *Il documento reca la sua firma*, the document bears his signature; *La lapide recava solo il suo nome*, the tombstone bore only his name; *Nessun giornale recava la notizia*, no paper carried the news **3** (*arrecare*, *cagionare*) to bring*; to cause; (*dare*) to give*: **r. danno**, to harm; to damage; **r. disturbo**, to disturb; to trouble; to inconvenience; **r. dolore**, to cause (*o* to give) pain; to pain; **r. gioia**, to bring joy; **r. gioia a q.**, to make sb. happy; **r. piacere a q.**, to give sb. pleasure; **r. sollievo**, to bring relief **4** (*lett.: tradurre*) to translate (into); to turn (into) Ⓑ **recàrsi** v. i. pron. to go*: **recarsi dal dentista**, to go to the dentist's; **recarsi all'estero**, to go abroad; **recarsi a far visita a q.**, to visit sb.

recchióne m. (*region. volg.*) fairy; poof (*GB*); fag (*USA*).

recèdere v. i. **1** (*arretrare*) to withdraw*; to back down; (*cedere*) to yield: **non r. d'un passo**, to refuse to back down; not to yield an inch **2** (*rinunciare a*, *abbandonare*) to withdraw* (from); to back out (of); to back down (on); to pull out (of); to give* up (st.); to abandon (st.): **r. da un'idea**, to give up an idea; **r. da una pretesa**, to give up a claim; **r. da un progetto**, to back out (*o* to pull out) of a plan **2** (*leg.*) to rescind (st.); to withdraw* (from); to back out (of): **r. da un contratto**, to back out of a contract.

recensióne f. **1** review; (*di spettacolo*, *anche*) notice, write-up: **recensioni di libri**, book reviews; **r. favorevole**, good review; **r. negativa**, bad (*o* poor) review; **fare la r. di un libro**, to review a book; **avere buone recensioni**, to get good reviews **2** (*filol.*) recension.

recensìre v. t. **1** to review; to write* a review of; (*di spettacolo*, *anche*) to write* up **2** (*filol.*) to make* a recension of.

recensóre m. (f. **-a**) **1** reviewer; critic **2** (*filol.*) editor.

♦**recènte** a. recent; (*ultimo*) late; (*fresco*) fresh; (*aggiornato*) up-to-date; (*nuovo*) new: **un avvenimento r.**, a recent event; **le recenti disposizioni fiscali**, the new fiscal regulations; **notizie recenti**, recent (*o* fresh) news; **le piogge recenti**, the recent rains; **secondo i dati più recenti in nostro possesso**, according to our latest (*o* most recent) data; **edificio di r. costruzione**, recently erected building; **di r.**, recently; lately; of late; **pubblicato di r.**, recently published; *L'ho visto di r.*, I saw him recently.

recenteménte avv. recently; lately; of late.

recentìssime f. pl. (*giorn.*) stop-press (news) (sing.).

recenzióre a. (*form.*) later.

recepiménto m. **1** acknowledgment; acceptance **2** (*leg.*) adoption; implementation.

recepìre v. t. **1** (*accogliere*) to acknowledge; to accept: **r. le istanze dei lavoratori**,

to acknowledge the workers' demands **2** (*capire*) to understand*; to realize; to gather **3** (*leg.*) to adopt; to implement: **r. una normativa**, to adopt a set of regulations.

reception (*ingl.*) f. inv. (*l'ufficio*) reception; (*il banco*) reception desk.

receptionist (*ingl.*) m. e f. inv. receptionist.

recessióne f. **1** (*ritiro*, *rinuncia*) withdrawal; backing out **2** (*econ.*) recession; slump: **far uscire un paese dalla r.**, to pull (*o* to bring) a country out of the recession; **espansione e r.**, boom and bust **3** (*astron.*) – **r. delle galassie**, recession of galaxies.

recessionìstico a. (*econ.*) recessionary; recession (attr.).

recessività f. (*biol.*) recessiveness.

recessivo a. **1** (*biol.*) recessive: **carattere** [**gene**], recessive trait [gene]; recessive **2** (*econ.*) recessionary: **sintomi recessivi**, recessionary symptoms.

recèsso m. **1** (*luogo nascosto*, *anche fig.*) recess: **un r. montano**, a mountain recess; **gli intimi recessi del cuore**, the inmost recesses of the heart **2** (*leg.*) withdrawing; withdrawal: **clausola di r.**, escape clause **3** (*med.*) remission.

recettivo e deriv. → **ricettivo**, e deriv.

recettóre Ⓐ m. **1** (*biol.*, *fisiol.*) receptor **2** (*fis.*) receiver Ⓑ a. receiving.

recezióne Ⓑ → **ricezione**.

recìdere v. t. to cut* off; to cut*; to sever; (*amputare*) to cut* off, to amputate: **r. un arto**, to sever a limb; (*amputarlo*) to amputate a limb; **r. un legame**, to sever a link; **r. un ramo da un albero**, to cut a branch off a tree; **recidersi le vene dei polsi**, to slash one's wrists; *Gli fu recisa la testa*, his head was cut off.

recidiva f. **1** (*leg.*) recidivism; relapse (into crime) **2** (*med.*) recurrence.

recidivànte a. relapsing; recurring; recurrent.

recidivàre v. i. **1** (*leg.*) to relapse (into crime); to reoffend **2** (*med.*, *di malattia*) to reappear, to recur; (*di malato*) to relapse, to suffer a relapse.

recidività f. (*leg.*) recidivism.

recidivo Ⓐ a. **1** (*leg.*) habitual; recidivist (attr.); recidivistic: **delinquente r.**, habitual criminal **2** (*estens.*) inveterate; chronic **3** (*med.*, *di malattia*) recurring; (*di malato*) relapsing Ⓑ m. (f. **-a**) **1** (*leg.*) recidivist; reoffender; habitual offender **2** (*med.*) relapser.

recìngere v. t. to enclose; to surround; to fence (in): **r. un giardino con un muro**, to enclose a garden with a wall; to wall in a garden; **r. con filo spinato**, to fence in with barbed wire; **r. di mura**, to surround with walls; **r. di palizzate**, to palisade.

recintàre v. t. to enclose; to surround; (*con steccato*, *ecc.*) to fence (in, off): **r. un giardino con un muro**, to build a wall around a garden; **r. un pascolo**, to fence a pasture; **r. con filo spinato**, to fence in with barbed wire; **r. con una siepe**, to hedge in.

♦**recìnto** m. **1** (*spazio cintato*) enclosure; (*per animali*) pen, corral (*USA*); (*per cavalli*) paddock; (*per bambini*) playpen: **r. di sabbia** (*per giochi*) sandbox; sandpit; **rinchiudere in un r.**, to shut up in a pen; to pen in **2** (*recinzione*) enclosure; (*di legno*, *ecc.*) fence, paling; **r. di filo spinato**, barbed-wire fence; **r. elettrificato**, electrified fence; **r. in muratura**, wall enclosure ● (*Borsa*) **r. delle grida**, floor; pit (*USA*) □ (*sport*) **r. del peso**, weighing-in room.

recinzióne f. **1** (*il recingere*) enclosure; fencing in: **fare la r. di un campo**, to fence in a field **2** (*recinto*) enclosure; fence; fencing; (*palizzata*) paling: **r. a rete metallica**, wire-net fencing; **r. in muratura**, wall en-

closure.

◆**recipiènte** m. container; receptacle; vessel; (*vasca*) vat: **r. di latta**, tin; can (*USA*) **r. di raccolta**, (*tecn.*) collecting vessel; (*chim.*) receiver; **r. di vetro**, glass container; (*chim.*) **r. per generi alimentari**, food container ❶ **FALSI AMICI** • recipiente *non si traduce con* recipient.

reciprocaménte avv. reciprocally; mutually; (*l'un l'altro*) each other, one another: **escludersi r.**, to be mutually exclusive; **odiarsi r.**, to hate each other (*o* one another).

reciprocàre v. t. to reciprocate.

reciprocità f. reciprocity; reciprocality; mutuality: **di r.**, reciprocal; mutual; **accordo di r.**, mutual agreement; (*comm.*) **su base di r.**, on mutual terms.

reciproco Ⓐ a. **1** reciprocal; mutual: **affetto** [**aiuto**] **r.**, mutual affection [help]; **favori** [**obblighi**] **reciproci**, reciprocal favours [obligations]; **simpatia reciproca**, mutual liking; **vantaggio r.**, mutual benefit; **testamenti reciproci**, mutual wills **2** (*mat.*) reciprocal **3** (*gramm.*) reciprocal: **pronome r.**, reciprocal pronoun Ⓑ m. (*mat.*) reciprocal; inverse.

recisaménte avv. resolutely; decidedly; flatly; emphatically.

recisióne f. **1** (*taglio*) cutting; cutting off; (*chir.*) excision, resection, (*amputazione*) amputation **2** (*fig.*: *fermezza*) firmness; resoluteness.

reciso a. **1** (*tagliato*) cut; cut off: **fiori recisi**, cut flowers; **rami recisi**, cut-off branches **2** (*fig.*: *risoluto*) resolute; firm; (*netto*) curt, flat: **rifiuto r.**, firm refusal; flat no; **rispondere in tono r.**, to answer firmly (*o* flatly).

◆**rècita** f. (*teatr.*) performance; play; show: **r. all'aperto**, outdoor performance; **r. di beneficenza**, charity performance; **r. scolastica**, school play; school show; (*iron.*) *È tutta una r.!*, it's all show!; it's all play-acting! he [she, etc.] is just putting it on!

recitàbile a. playable; performable.

rècital m. inv. recital.

recitànte a. – (*mus.*) **voce r.**, speaker.

◆**recitàre** v. t. **1** (*dire a memoria*) to recite; to repeat; to say*: **r. la lezione**, to repeat one's lesson; **r. una poesia**, to recite a poem; **r. le preghiere**, to say one's prayers **2** (*teatr.*) to play; to act; (*rappresentare*) to perform, to put* on; (*assol.*: *essere attore*) to be an actor: **r. la parte di Amleto**, to act (*o* to play) Hamlet; (*anche fig.*) **r. la propria parte**, to play one's part; **r. in un dramma di Ibsen**, to act (*o* to appear) in a play by Ibsen; *Non sa r.*, she can't act **3** (*fig.*: *fingere*) to act; to put* on; (*assol.*) to play-act, to put* on an act: **r. la parte dell'ingenua**, to act the innocent; **r. la commedia**, to play-act; to put on an act **4** (*di legge, norma*: *affermare*) to state; to say*: *L'articolo 3 recita:...*, Article 3 states:... **5** (*di titolo, testo, ecc.*) to read*; to say*.

recitativo a. e m. (*mus.*) recitative.

recitatóre m. (f. **-trice**) reciter.

recitazióne f. **1** (*il recitare*) recitation; recital; reciting: **la r. d'una poesia**, the recitation of a poem **2** (*teatr.*) acting: *La sua r. fu ottima*, his acting was excellent; **scuola di r.**, drama school.

reclamànte m. e f. claimant; claimer; complainant.

◆**reclamàre** Ⓐ v. i. (*protestare*) to protest; to complain; to make* a complaint; (*sporgere reclamo*) to lodge a complaint: **r. contro q.** [**qc.**], to protest against sb. [st.]; **r. presso q.**, to complain to sb.; to make a complaint to sb. Ⓑ v. t. **1** (*rivendicare*) to claim, to lay* claim to; (*chiedere*) to ask for, to demand, to urge; (*esigere in restituzione*) to reclaim, to claim back: **r. i propri diritti**, to claim one's

rights; **r. giustizia**, to demand justice; **r. misure urgenti contro l'inflazione**, to demand urgent measures against inflation; **r. una parte del patrimonio**, to lay claim to a part of the estate; **r. il risarcimento di una somma**, to claim back a sum **2** (*fig.*: *abbisognare*) to require; to need; to call for.

réclame (*franc.*) f. inv. **1** (*pubblicità*) advertising; publicity: **fare r. a qc.**, to advertise st.; to plug st. (*fam.*); *È tutta r.*, it's all publicity **2** (*avviso pubblicitario*) advertisement; ad (*fam.*); (*radio, TV*) commercial ❶ **FALSI AMICI** • réclame *non si traduce con* reclaim.

reclamìsta m. e f. **1** (*agente di pubblicità*) advertising agent **2** (*chi ama mettersi in vista*) self-promoter.

reclamìstico a. **1** advertising; publicity (attr.); promotional **2** (*fig.*) ostentatious; showy.

reclamizzàre v. t. to advertise; to plug (*fam.*).

reclamizzazióne f. advertising.

reclàmo m. complaint; claim: **avanzare** (*o* **sporgere**) **un r.**, to lodge a complaint; **contestare un r.**, to dispute a claim; **fare r. su qc.**, to complain (*o* to make a complaint) about st.; **respingere un r.**, to reject a complaint; **ufficio reclami**, complaints department ❶ **FALSI AMICI** • reclamo *non si traduce con* reclaim.

reclinàbile a. reclining: **sedile r.**, reclining seat.

reclinàre v. t. **1** (*piegare*) to bow; to bend*: *Reclinò il capo e non si mosse più*, she bent her head and remained still **2** (*adagiare, appoggiare*) to rest; to recline: **r. il capo su un guanciale**, to rest (*o* to recline) one's head on a pillow; **r. la testa sul braccio**, to lean one's head on one's arm **3** (*inclinare*) to recline: **r. un sedile**, to recline a seat.

reclinàto a. **1** bowed; bent; reclining **2** (*di sedile*) reclined **3** (*bot.*) recumbent.

reclino a. (*lett.*) reclining; (*chino*) bowed, bent.

reclùdere v. t. **1** (*lett.*) to seclude; to confine **2** (*leg.*) to imprison.

reclùsa f. → recluso, B.

reclusióne f. **1** (*il recludere*) reclusion; confinement **2** (*isolamento*) seclusion; isolation; confinement **3** (*leg.*) detention; imprisonment; confinement: **r. a vita**, life imprisonment; **tre anni di r.**, three years' imprisonment; **condanna a dieci anni di r.**, ten-year sentence.

reclùso Ⓐ a. secluded; confined; isolated; shut up Ⓑ m. (f. **-a**) (*detenuto*) convict; inmate; prisoner ● **fare una vita da r.**, to live like a recluse ❶ **FALSI AMICI** • recluso *non si traduce con* recluse.

reclusòrio m. prison; jail.

rècluta f. **1** (*mil.*) recruit; conscript **2** (*fig.*: *nuovo arrivato*) new recruit; (*novellino*) beginner, novice, raw recruit, rookie (*fam.*).

reclutaménto m. **1** (*mil.*) recruitment; recruiting; enlisting; conscription **2** (*estens.*: *assunzione*) recruitment; recruiting; hiring.

reclutàre v. t. **1** (*mil.*) to recruit; to enlist **2** (*estens.*: *assumere*) to recruit, to hire; (*trovare*) to recruit: **r. manodopera qualificata**, to hire skilled workers; **r. nuovi iscritti**, to recruit new members.

reclutatóre (*mil.*) Ⓐ a. recruiting Ⓑ m. (f. **-trice**) recruiter.

recòndito a. **1** (*di luogo*) secluded; isolated; remote: **luogo r.**, secluded place **2** (*fig.*: *nascosto*) hidden; (*occulto*) covert, ulterior; (*segreto*) secret; (*intimo*) innermost: **fine r.**, secret purpose; ulterior motive; **pensieri reconditi**, secret (*o* innermost)

thoughts; **speranza recondita**, secret hope.

reconditòrio m. (*eccles.*) reliquary.

◆**rècord** Ⓐ m. inv. **1** (*primato*) record: **il r. del salto in alto**, the record for the high jump; **un r. di spettatori**, a record number of spectators; a record attendance; **r. mondiale**, world record; **r. personale**, personal record; **battere un r.**, to break (*o* to beat) a record; **detenere un r.**, to hold a record; **stabilire un r.**, to set a record; **detentore di un r.**, record holder; (*fig.*) **a tempo di r.**, in record time **2** (*comput.*) record Ⓑ a. inv. record (attr.); unprecedented: **cifra r.**, record figure; *I prezzi hanno raggiunto vette r.*, prices have reached a record high (*o* have soared).

recordìsta m. e f. (*cinem.*) recordist.

rècordman m. inv. (*sport*) record holder.

recriminàre Ⓐ v. i. to regret; to lament; to mourn over: **r. sull'accaduto**, to regret what happened; **r. sul passato**, to mourn over the past; *È inutile r.*, regrets leads nowhere Ⓑ v. t. (*biasimare*) to blame; to reproach; (*lamentarsi*) to complain (about st.).

recriminatòrio a. recriminatory.

recriminazióne f. (*lamentela*) complaint; reproach: **fare recriminazioni**, to complain.

recrudescènza f. recrudescence; fresh outbreak; fresh upsurge; resurgence: **una r. dell'epidemia**, a recrudescence of the epidemic; **una r. dei disordini**, a fresh outbreak of disorder; **una r. del crimine**, a fresh upsurge in crime.

rècto (*lat.*) m. (*di foglio*) recto; (*di moneta, ecc.*) obverse.

recuperàbile a. recoverable; retrievable; salvageable; (*redimibile*) reformable; (*riutilizzabile*) reclaimable, recyclable; (*di ritardo, ecc.*) that can be made up: **denaro r.**, recoverable money; **delinquente r.**, reformable criminal; **relitto r.**, salvageable wreck; **non più r.**, beyond retrieval (*o* retrieving).

recuperabilità f. recoverableness; retrievableness; (*di criminale*) reformability.

◆**recuperàre** v. t. **1** (*riacquistare, riottenere*) to recover, to retrieve, to get* back, to regain; (*ritrovare*) to recover, to find*; (*rifarsi di*) to recoup: **r. il proprio denaro**, to get one's money back; **r. le forze**, to recover one's strength; **r. la libertà**, to regain one's freedom; **r. una perdita**, to recoup a loss; **r. il portafoglio**, to recover (*o* to retrieve) one's wallet; **r. la refurtiva**, to recover the stolen goods; **r. le spese**, to recoup expenses; **r. la vista**, to recover (*o* to regain) one's sight; *Non è stata ancora recuperata l'arma del delitto*, the murder weapon hasn't been found yet; *Solo cinque corpi sono stati finora recuperati*, only five bodies have so far been recovered; (*comm.*) **crediti da r.**, outstanding credits **2** (*salvare da incendio o naufragio*) to salvage; to rescue: *Sono riuscito a r. solo poche cose dall'incendio*, I managed to salvage only a few things from the fire **3** (*naut.*: *tirare a bordo*) to haul in **4** (*riabilitare*) to reform; to rehabilitate: **r. i tossicodipendenti**, to rehabilitate drug addicts; **r. q. alla società**, to restore sb. to society; to reintegrate into society **5** (*riutilizzare*) to reutilize; (*restaurare*) to restore; (*restituire funzionalità a*) to rehabilitate; (*rivalorizzare*) to reclaim, to renovate; (*riciclare*) to recycle; (*ind.*: *rigenerare*) to regenerate; (*mecc.*) to salvage: **r. un vecchio edificio**, to rehabilitate (*o* to restore) an old building; **r. il vetro**, to recycle glass **6** (*rimontare uno svantaggio*) to make* up for; (*assol.*) to catch* up; (*riprendersi*) to recover, to rally, to make up ground: **r. un ritardo**, to make up time; to make up for a delay; **r. uno svantaggio**, to close a gap; to catch up; **r. il tempo perduto**, to make up for lost time; **r. terreno**, to make up ground;

Sono stato via un mese e ora devo r., I've been away for a month and now I have to catch up; *La destra ha recuperato nelle elezioni*, the right made up ground in the election; *L'euro ha recuperato sul dollaro*, the euro rallied against the dollar **7** (*sport, anche assol.*) to play (time lost): **r. tre minuti**, to play three minutes' injury time; **r. una partita**, to play a rescheduled match.

recuperatóre m. (f. **-trice**) **1** (*ind.*) regenerator; recuperator **2** (*naut.*) salvager; wrecker (*USA*).

recùpero m. **1** (*riacquisto*) recovery; retrieval; (*di spesa, ecc.*) recoupment; (*ritrovamento*) recovery, rescue: **r. del capitale**, capital recovery; **r. dei costi**, recovery (o recoupment) of costs; **r. dei crediti**, debt collection; **r. di dati**, data retrieval; **r. delle forze**, recovery of one's strength; **r. della refurtiva**, recovery of the stolen goods; **il r. delle salme**, the recovery of the bodies; **r. dell'udito**, recovery of one's hearing; **operazioni di r.**, rescue operations **2** (*salvataggio da incendio o naufragio*) salvage; salvaging: **r. di un relitto**, wreck raising; **diritti di r.**, salvage charges; **operazioni di r. del carico**, salvage operations; **società di recuperi marittimi**, salvage company **3** (*riabilitazione*) rehabilitation; reformation; socialization: **il r. degli ex detenuti**, the rehabilitation of ex convicts **4** (*riutilizzo*) reutilization; (*rivalorizzazione*) reclamation, rehabilitation, renovation; (*restauro*) restoration; (*riciclaggio*) recycling; (*rigenerazione*) regeneration: **il r. della carta**, paper recycling; **il r. del centro storico**, the urban renewal of the old town; **il r. di un quartiere**, the reclamation of a district **5** (*rimonta*) recovery; comeback; making up: **r. del ritardo**, making up for the delay; **un lieve r. del partito alle ultime elezioni**, a slight recovery of the party in the last election; **C'è stato un r. dello yen**, the yen picked up; *C'è stato un r. del Foggia nel secondo tempo*, Foggia rallied (o made a comeback, fought back) in the second half **6** (*med., psic.*) recovery **7** (*sport, anche tempo, minuti di r.*) injury time; (*anche partita di r.*) rescheduled match: **disputare il r.**, to play a rescheduled match • **classe di r.**, remedial class □ **capacità di r.**, recuperative powers (pl.); ability to bounce back; resilience □ **lezione di r.**, extra lesson □ **materiale di r.**, scraps (pl.); salvaged material; (*ind.*) salvage □ (*fin.*) **società di r. crediti**, collection agency.

redan m. inv. (*naut.*) step.

redància f. (*naut.*) thimble.

redarguìbile a. reproachable; censurable; blameworthy.

redarguìre v. t. to reproach; to reprimand; to scold: *Fu redarguito dall'arbitro*, he was reprimanded by the referee; *Il maestro redarguì i ragazzi*, the teacher scolded his pupils.

redàtto a. drawn up; written; worded; formulated: **un contratto r. in modo chiaro**, a clearly drawn-up contract.

redattóre m. (f. **-trice**) **1** (*chi redige*) writer; author; (*compilatore*) compilator: **il r. di una relazione**, the author of a report **2** (*giorn.*) member of the editorial staff; subeditor; editor: **r. capo**, managing editor; **r. letterario**, literary editor; **r. sportivo**, sports editor; **i redattori di un giornale**, the editorial staff of a newspaper; **lavorare come r. di giornale**, to be on the editorial staff of a newspaper **3** (*di casa editrice*) copy editor; editor.

redazionàle a. editorial.

redazióne f. **1** (*il redigere*) drawing up; writing; wording **2** (*attività di redattore*) editing **3** (*insieme dei redattori*) editorial staff: **far parte della r.**, to be on the editorial staff

4 (*ufficio*) editorial office; (*giorn.*) newsroom, desk: **r. sportiva**, sports desk **5** (*giorn.*: *composizione di giornale*) assembling **6** (*versione*) version; draft: **la prima r. di un romanzo**, the first draft of a novel.

redàzza → **radazza**.

rèdde ratiònem (*lat.*) loc. m. inv. reckoning; day of reckoning.

redditière m. (f. **-a**) (*econ.*) rentier (*franc.*); beneficiary of an income.

redditività f. (*econ.*) profitability.

redditìzio a. profitable; profit-making; lucrative; remunerative; paying; cost-effective: **commercio r.**, lucrative trade; **un'impresa redditizia**, a profitable business; **investimento r.**, profitable investment; **lavoro r.**, lucrative job; *Non è r.*, it is unprofitable; it's not cost-effective; it does not pay; there's no money in it; **diventare r.**, to become profit-making; to begin to pay.

rèddito m. (*provento*) income, revenue; (*utile*) profit, return; (*interesse*) interest ⑩: **r. annuo**, annual income; **r. complessivo**, aggregate income; **r. da fabbricati**, rent (o rental) income; **r. da lavoro**, earned income; earnings (pl.); **r. da lavoro autonomo**, income from self-employment; **r. da lavoro dipendente**, income from employment; salary income; wage income; **il r. d'un investimento**, the yield of an investment; **r. esente da imposta**, tax-free income; **r. fisso**, (*di lavoratore*) fixed income; (*di titoli*) fixed interest; **r. imponibile**, taxable (o assessable) income; **r. nazionale lordo**, gross national income; **r. patrimoniale**, estate income; **r. personale**, private income; **r. pro capite**, per capita income; **redditi da capitale**, unearned income; **capital gains**; return on capital; **redditi professionali**, professional earnings; **redditi saltuari**, casual earnings; **a r. fisso**, fixed-interest (attr.); **a basso [alto] r.**, low-income [high-income]; **i cittadini a basso r.**, low-income citizens, the low-paid; **dichiarare un r. di...**, to return one's income as...; **dichiarazione dei redditi**, income-tax return; **imposta sul r.**, income tax; **scaglioni di r.**, income brackets.

redditòmetro m. income assessment system.

reddituàle a. income (attr.).

redènto a. **1** redeemed; (*pentito*) reformed: **r. dal peccato**, redeemed (o delivered) from sin; **criminale r.**, reformed criminal **2** (*liberato*) liberated: **un popolo r.**, a liberated people.

redentóre Ⓐ m. (f. **-trice**) redeemer; saviour; (*relig.*) **il R.**, the Redeemer; the Saviour Ⓑ a. redeeming.

redentorìsta m. (*eccles.*) Redemptorist.

redenzióne f. **1** (*liberazione*) liberation; deliverance: **la r. di un popolo**, the deliverance of a people **2** (*relig.*) redemption.

redibitòrio a. (*leg.*) redhibitory: **azione redibitoria**, redhibitory action; redhibition; **vizio r.**, redhibitory defect.

redigènte Ⓐ a. drafting Ⓑ m. e f. drafter; compiler.

redìgere v. t. to draw* up; to make* out; (*scrivere*) to write*; (*compilare*) to compile: **r. un articolo**, to write an article; **r. un atto [un bilancio, un contratto]**, to draw up a deed [a balance sheet, a contract]; **r. un dizionario**, to compile a dictionary; **r. una relazione**, to write a report; **r. il verbale (di una seduta)**, to draw up the minutes.

redìmere Ⓐ v. t. **1** (*liberare*) to redeem; to rescue; to deliver: **r. q. dal peccato**, to redeem (o to deliver) from sin **2** (*riformare*) to reform; to rehabilitate **3** (*fin.: estinguere*) to redeem; to pay* off: **r. un'ipoteca**, to redeem a mortgage Ⓑ **redìmersi** v. rifl. to redeem oneself; to reform.

redimìbile a. **1** redeemable **2** (*riformabile*) reformable **3** (*fin.*) redeemable: **prestito r.**, redeemable loan; **titoli redimibili**, redeemable stock.

redimibilità f. redeemability (anche *fin.*); reformability.

rèdine f. (anche *fig.*) rein: **le redini di un cavallo [dello Stato]**, the reins of a horse [of the state]; **allentare le redini**, to slacken the reins; (*fig.*) **cedere le redini a q.**, to let sb. take the lead; to hand over to sb.; **prendere le redini del governo**, to take over the reins of government; **tenere le redini**, to hold the reins; **tirare le redini**, to draw rein; to rein up.

redingote (*franc.*) f. inv. **1** (*cappotto maschile*) frock coat **2** (*abito femminile*) redingote; coat dress.

redivìvo Ⓐ a. restored to life; brought back to life • **essere un Raffaello r.**, to be another (o a second) Raphael Ⓑ m. (f. **-a**) person restored to life: (*scherz.*) *Ecco che arriva il r.!*, look who's back in the land of the living!

redolènte a. (*lett.*) sweet-smelling; fragrant.

rèdox a. inv. (*chim.*) redox: **reazione r.**, redox reaction.

rèduce Ⓐ a. returned; back; **essere r. da un lungo viaggio**, to be back from a long journey; *Sono r. da una brutta avventura*, I've just been through an unpleasant experience; *È r. da una sconfitta elettorale*, he was defeated in the last election Ⓑ m. e f. ex-serviceman* (m.); ex-servicewoman* (f.); (war) veteran (*USA*); (*superstite*) survivor • (*fam.*) **r. dalle patrie galere**, ex-convict.

reducìsmo m. condition of ex-serviceman (*USA* a veteran); attitude of an ex-serviceman (*USA* of a veteran).

reduplicàre v. t. (*lett.*) to reduplicate; to double; (*ripetere*) to repeat.

reduplicatìvo a. reduplicative.

reduplicazióne f. **1** (*lett.*) reduplication; repetition **2** (*ling.*) reduplication **3** (*biol., chim.*) reduplication.

reduttàsi f. (*biol., chim.*) reductase.

rèfe m. (*ind. tess.*) twist; (*filo*) thread.

referendàrio Ⓐ m. (*stor.*) referendary Ⓑ a. referendum (attr.): **consultazione referendaria**, referendum; **risultato r.**, referendum results (pl.); **voto r.**, vote in a referendum.

referendarìsta Ⓐ a. pro-referenda Ⓑ m. e f. person in favour of referenda.

referèndum m. inv. **1** (*polit.*) referendum*: **r. abrogativo**, law-repealing referendum; **r. istituzionale**, plebiscite; **r. propositivo**, law-making referendum; **indire un r.**, to call a referendum; **risolvere una questione attraverso un r.**, to put a question to a referendum **2** (*indagine*) survey.

referènte Ⓐ a. reporting; referring Ⓑ m. **1** (*ling.*) referent **2** (anche f.) person one reports to.

referènza f. **1** reference; (*benservito*) testimonial: **referenze bancarie**, banker's reference (sing.); **referenze commerciali**, trade reference (sing.); **rilasciare una r. a q.**, to give sb. (o to provide sb. with) a reference; **presentare referenze**, to supply references; **lettera di referenze**, (letter of) reference **2** (*chi può dare referenze*) referee: **fare da r.**, to act as a referee **3** (*ling.*) reference.

referenziàle a. (*ling.*) referential.

referenziàre Ⓐ v. t. to provide with references Ⓑ v. i. to supply references.

referenziàto a. supplied with references: **essere ben r.**, to have good references; *Cercasi colf referenziata*, wanted domestic help with first-class references.

refèrto m. report: **r. medico**, medical report.

refettòrio m. dining-hall; refectory.

refezióne f. midday meal: **r. scolastica**, school meals (pl.).

refilàre v. t. (*editoria*) to trim.

refill (*ingl.*) m. inv. refill.

refìlo m. (*editoria*) trimming.

reflazióne f. (*econ.*) reflation.

reflazionìstico a. (*econ.*) reflationary.

reflessògeno → **riflessogeno**.

reflessologìa → **riflessologia**.

rèflex (*ingl.*) (*fotogr.*) **A** m. inv. reflex (attr.) **B** f. inv. reflex camera.

refluìre → **rifluire**.

rèfluo a. flowing back; refluent: **acque reflue**, sewage Ⓤ.

reflùsso m. (*med.*) reflux.

rèfolo m. puff of wind.

reforming (*ingl.*) m. inv. (*chim.*) reforming: **sottoporre a r.**, to reform; **benzina di r.**, reformed petrol.

refrain (*franc.*) m. inv. (*mus.*) refrain; chorus.

refrattarietà f. (*scient.* e *fig.*) refractoriness.

refrattàrio a. **1** (*chim.*, *tecn.*) refractory: **argilla refrattaria**, fireclay; **materiale r.**, refractory material; **mattone r.**, refractory brick; firebrick; **sabbia refrattaria**, fire sand **2** (*med.*, *biol.*) refractory; unresponsive; (*immune*) immune: **un malato r. alle cure**, a patient refractory (*o* unresponsive) to treatment **3** (*fig.*) refractory; impervious; resistant; (*indifferente*) indifferent; (*insensibile*) insensitive; (*scherz.*: *negato*) no good, allergic: **r. alle critiche**, impervious (*o* deaf) to criticism; **r. alla disciplina**, resistant (*o* not amenable) to discipline; **r. al dolore**, insensitive to pain; **r. al matrimonio**, not cut out for marriage; *Sono r. alla matematica*, I have no aptitude for mathematics; I'm no good at mathematics.

refrigeraménto m. → **refrigerazione**.

refrigerànte A a. **1** (*che dà refrigerio*) refreshing; cooling: **bevanda r.**, cooling (*o* refreshing) drink **2** refrigerant; refrigerating: **cella r.**, refrigerating room (*o* cell); **fluido r.**, coolant; **miscuglio r.**, freezing mixture **B** m. **1** (*apparecchio*) refrigerator; cooler **2** (*fluido*) refrigerant; coolant.

refrigeràre A v. t. **1** (*rinfrescare*, *dar refrigerio*) to cool; to refresh **2** to refrigerate; to cool; to chill: **r. alimenti**, to chill food **B** refrigeràrsi v. rifl. to refresh oneself.

refrigerativo a. refrigerant; cooling.

refrigeratóre A a. refrigeratory; refrigerating; cooling **B** m. refrigerator; cooler: **r. ad acqua**, water cooler; **r. per vini**, wine cooler.

refrigerazióne f. refrigeration; cooling: **r. ad acqua [ad aria]**, water [air] cooling; **impianto di r.**, refrigerator.

refrigèrio m. **1** (*frescura*) coolness; freshness; cool relief: **cercare r.**, to seek relief from the heat; **portare r.**, to bring cool relief; **provare r.**, to feel refreshed **2** (*fig.*: *sollievo*) relief; (*conforto*) comfort, solace.

refùgium peccatòrum (*lat.*) loc. m. (*scherz.*) **1** (*persona*) big-hearted person; meal ticket (*fam.*); soft touch (*fam.*) **2** (*posto*) safe job; meal ticket (*fam.*).

refurtìva f. stolen goods (pl.); stolen property.

refùso m. **1** (*tipogr.*) wrong font **2** (*errore di stampa*) misprint; typo (*fam.*); literal (*GB*).

Reg., **Regol.**, **Reg.to** abbr. (*o* **regolamento**) regulation.

regalàbile a. suitable as a present: *Non è un libro r. a un bambino*, this book is not suitable as a present for a child; you can't

regalàre v. t. **1** (*donare*) to give* (as a present); to present (sb. with st.); (*dare via*) to give* away: *Gli ho regalato una stilografica*, I gave him a fountain pen (as a present); *Me l'hanno regalato quando mi sono sposata*, I was given it as a wedding present; *Gli fu regalato un orologio*, he was presented with a watch; *Te lo regalo*, you can have it; it's yours; *Non te lo presto, te lo regalo*, it's not a loan, it's a present **2** (*fig.*: *concedere*) to give* away; (**regalarsi**) to treat oneself to; (*dare*) to give*: (*iron.*) **r. a q. un occhio nero**, to give sb. a black eye; (*sport*) **r. una partita**, to give away a match; **r. una promozione a q.**, to give sb. an undeserved pass mark; **regalarsi un sigaro [una vacanza]**, to treat oneself to a cigar [to a holiday] **3** (*fig.*: *vendere a basso prezzo*) to give* away: *Qui la roba te la regalano*, they're giving away their stuff here; *Me l'hanno praticamente regalato*, I got it for next to nothing; I bought it for a song.

regalàto a. **1** presented; given **2** (*venduto a basso prezzo*) cheap; dirt cheap (*fam.*): *Questa pelliccia è regalata*, this fur coat is a bargain (*o*, fam. *GB*, a snip); this fur coat is dirt cheap; *A questo prezzo è r.*, at this price it's a giveaway (*o* they're giving it away) • **una promozione regalata**, an undeserved pass mark ▢ **una vittoria regalata**, a walkover.

regàle A a. **1** royal; (*di re*) kingly; (*di regina*) queenly: **dignità r.**, royal dignity; **corona r.**, kingly crown **2** (*fig.*) regal; majestic; fit for a king; princely; (*splendido*) splendid, magnificent: **dono r.**, magnificent (*o* splendid) gift; **gesto r.**, majestic wave of the hand; (*azione*) princely gesture; **portamento r.**, regal bearing; **splendore r.**, regal splendour; **magnificenza r.**, kingly magnificence **B** m. (*mus.*) regal.

regàle m. (*zool.*, *Regalecus*) oarfish; king of the herring.

regalìa f. **1** (*mancia*) gratuity; tip **2** (*stor.*) royal privilege **3** (*in passato*: *prestazione in natura*) payment in kind ❶ **FALSI AMICI** • regalia *non si traduce con* regalia.

regalìsmo m. (*stor.*) regalism.

regalìsta m. e f. (*stor.*) regalist.

regalìstica f. gifts (pl.).

regalità f. **1** (*condizione*, *dignità di re*) royalty; sovereignty; kingship **2** (*l'essere regale*) kingliness; queenliness; majesty; grandeur, magnificence: **r. d'aspetto**, regal appearance.

regalménte avv. regally; royally.

regàlo A m. **1** present; gift: **r. di compleanno**, birthday present; **r. di Natale**, Christmas present; **r. di nozze**, wedding present; **r. in denaro**, gift of money; **fare un r. a q.**, to give sb. a present; **dare qc. in r. a q.**, to give st. as a present to sb.; to make a present (*o* gift) of st. to sb.; **ricevere un r.**, to receive (*o* to get) a present; **carta da r.**, gift paper; gift wrapper **2** (*comm.*: *omaggio*) free gift; freebie (*fam.*) **3** (*fig.*: *favore*) favour; (*piacere*) pleasure; (*denaro inaspettato*) windfall: *Mi fai un vero r. se vieni anche tu*, you will do me a great favour if you come too **4** (*fig.*: *cosa che costa poco*) bargain; giveaway; snip (*fam. GB*): *A questo prezzo la macchina è un r.*, the car is a bargain at this price **B** a. inv. **1** (attr.); (*dato in omaggio*) free: **confezione r.**, gift wrapping; **fare una confezione r. di qc.**, to gift-wrap st. **2** (*fig.*: *che costa poco*) giveaway (attr.): **prezzi r.**, give-away prices.

regàta f. (*sport*) (boat) race; (*serie di gare*) regatta: **disputare una r.**, to sail a race.

regatànte m. e f. (*sport*) competitor in a boat race; racer.

regatàre v. i. (*sport*) to sail a race; to race.

regèsto m. **1** (*stor.*) register **2** (*riassunto di documento*) document summary.

reggènte A a. **1** (*gramm.*) governing: **il verbo r.**, the governing verb; **proposizione r.**, main clause **2** (*facente funzioni*) acting, vice-; (*di sovrano*) regent (*pospositivo*): **il Principe r.**, the Prince Regent **B** m. e f. (*di uno Stato*) regent; (*di un ufficio*) deputy **C** f. (*gramm.*) main clause.

reggènza A f. **1** (*in uno Stato*) regency; (*in un ufficio*) deputyship: **esercitare la r.**, to be a regent; to act as a deputy **2** (*gramm.*) government **B** a. Regency (attr.): **stile r.**, Regency style; **in stile r.**, Regency (attr.).

règgere A v. t. **1** (*tenere ritto*) to hold* up; to support; (*tenere in mano*) to hold*; (*portare*) to carry: **r. q. per le braccia**, to hold sb. up by the arms; **r. un ferito**, to support a wounded man; **r. lo strascico della sposa**, to hold the bride's train; *Reggimi il cappello*, hold my hat for me; *Reggimi la scala*, hold the ladder steady (for me); *Il facchino reggeva tre valigie*, the porter was carrying three suitcases **2** (*sostenere*) to bear*; to support; to hold*: **r. un peso**, to bear a weight; *Questa trave regge il tetto*, this beam supports the roof; *Quel ramo non ti reggerà*, that branch won't support you; *Le gambe non lo reggono più*, his legs can't carry him any more; *Reggerà questa scala?*, will this ladder support (*o* hold) my weight? **3** (*fig.*: *sostenere*, *sopportare*) to stand*; to bear*: **r. il ritmo di lavoro**, to stand the pace (of work); **r. il vino**, to hold (*o* to carry) one's wine; *Io suo fratello non lo reggo*, I can't stand his brother **4** (*gramm.*) to take*; to govern: *Questo verbo regge il dativo*, this verb takes the dative **5** (*governare*) to rule, to govern; (*dirigere*) to manage, to run*; (*essere a capo di*) to be in charge of, to head: **r. una diocesi**, to be in charge of a diocese; **r. un impero**, to rule over an empire; **r. una nazione**, to rule a country (*o* nation); **r. un popolo**, to rule a people; *Il paese è retto da un governo di coalizione*, the country is governed by a coalition government **6** (*guidare*) to guide: *Gli ressi la mano nella firma*, I guided his hand as he signed • **r. l'anima coi denti**, to be at one's last gasp; (*fig.*) to be on one's last leg ▢ (*fig.*) **r. la coda a q.**, to fawn on sb.; to toad on sb. ▢ (*fig.*) **r. bene il colpo**, to take it on the chin ▢ (*naut.*) **r. il mare**, to be seaworthy ▢ (*fig. fam.*) **r. il moccolo**, to play the unwanted third party; to play gooseberry (*GB*) ▢ **reggersi la pancia (dalle risa)**, to hold one's sides with laughter ▢ (*fig.*) **r. il sacco a q.**, to aid and abet sb. ▢ (*anche fig.*) **r. il timone**, to be at the helm **B** v. i. **1** (*resistere*, *tener duro*) to hold* out; to resist: **r. bene**, to hold up well; *Non credo che reggerò a lungo*, I don't think I will hold out much longer; (*sport*) *La difesa ha retto*, the defence held its own; *Provo a legarlo*, *ma non reggerà*, I'm going to tie it on, but it won't hold; *I suoi nervi non hanno retto*, his nerves couldn't take the strain; *Non mi reggeva il cuore di dirglielo*, I hadn't the heart to tell him: *Non ho retto più e me ne sono andato*, I couldn't take it any longer, so I left **2** (*sopportare*, *resistere*, *tener testa*) to stand* (st.); to withstand* (st.); to bear* (st.); to stand* up (to); (*resistere*) to resist (st.): **r. a un assalto**, to hold out against (*o* to withstand) an attack; **r. a un attento esame**, to stand (*o* to bear) close examination; **r. al caldo**, to stand the heat; **r. al calore**, to be heat-resistant; **r. a un colpo**, to withstand a blow; **r. al confronto (con)**, to bear comparison (with); to compare (with); **r. bene al confronto**, to compare favourably (with); **r. al dolore**, to stand (*o* to bear) pain; **r. alla concorrenza**, to stand up to competition; **r. alla fatica**, to stand up to hard work; to stand the fatigue;

r. **alle lusinghe**, to resist flattery; **r. alla prova dei fatti**, to stand up to facts; **r. alla sete**, to stand (*o* to bear) thirst; **r. alla tensione**, to hold out under the strain; **r. alla tentazione di fumare**, to resist the temptation to smoke; *L'argine non resse alla piena*, the dyke did not resist (*o* didn't hold out against) the floodwater; *Non tutti possono r. a una tale vita*, not everyone can put up with such a life **3** (*durare*) to last; to hold*; (*di cibo*) to keep*: *Domani, se il tempo regge, partiremo*, we'll leave, tomorrow, if the weather holds; *Questo governo non reggerà a lungo*, this government won't last long; *Questo è un colore che regge*, this is a colour that does not fade **4** (*essere plausibile*) to stand* up; to hold* water: *È un'accusa che non regge*, this charge doesn't stand up; **un argomento che non regge**, an argument that doesn't hold water; *La sua spiegazione non regge*, his explanation doesn't hold water (*o, fam.*, won't wash); *Le sue opinioni non reggono ai fatti*, his opinions are disproved by the facts **5** (*stare in piedi*) to stand*: *Le grandi cattedrali gotiche reggono da oltre sei secoli*, the great Gothic cathedrals have stood for over six centuries **C** **règgersi** v. rifl. e i. pron. **1** (*sostenersi*) to stand* (on); (*appoggiarsi*) to lean* (on): **reggersi a fatica** (*o* appena) to be hardly able to stand; **reggersi sulle stampelle**, to lean on crutches; *È così ubriaco che non si regge in piedi*, he's so drunk that he can't stand (on his feet) **2** (*aggrapparsi*) to hold* on (to); to cling* on (to): **reggersi a una fune**, to hold on to a rope; *Reggetevi a me*, hold on to me; *Reggiti forte!*, hold fast!; hold on tight!; *Si resse al lampione*, she clung on to the lamp-post **3** (*resistere, sopportare*) to keep* going; (*mantenersi*) to keep*; (*durare*) to last: **reggersi a galla**, to float; to keep afloat; **reggersi in vita**, to keep oneself alive; to hold on to life **4** (*fondarsi*) to rest; to be founded; to be based: **reggersi su un equivoco**, to be based on a misunderstanding; *La sua argomentazione si regge su due postulati*, his argument rests on two assumptions **5** (*governarsi*) to be governed: **reggersi a repubblica**, to be a republic **D** **règgersi** v. rifl. recipr. (*aiutarsi l'un l'altro*) to hold* each other [one another] up.

reggétta f. (*mecc.*) hoop, hoop-iron; metal strip; plastic band.

♦**règgia** f. (royal) palace: **la r. di Versailles**, the palace of Versailles; *Questa è una r.!*, this place is like a palace!

reggiàno **A** a. of Reggio Emilia; from Reggio Emilia **B** m. **1** (f. *-a*) native [inhabitant] of Reggio Emilia **2** (*formaggio*) Parmesan (cheese).

reggicàlze m. inv. suspender belt; garter belt (*USA*).

reggicóda m. e f. inv. (*tirapiedi*) flunkey; lackey; henchman*.

reggilibri, **reggilibro** m. bookend.

reggilùme m. lamp fixture.

reggimentàle a. (*mil.*) regimental.

reggiménto m. **1** (*mil.*) regiment: **r. di fanteria**, infantry regiment; **la bandiera del r.**, the regimental colours (pl.) **2** (*fig.*) crowd; horde: **un intero r. di parenti**, a whole crowd of relations.

reggino **A** a. of Reggio Calabria; from Reggio Calabria **B** m. (f. *-a*) native [inhabitant] of Reggio Calabria.

reggipància m. inv. (*fam.*) girdle; body belt.

reggipénne m. inv. pen holder.

reggipètto m. **1** → **reggiseno** **2** (*di cavallo*) breast collar; breast strap.

reggipiccòzza f. inv. wrist sling.

reggiposàta m. inv. knife-rest.

reggiséno m. bra; brassiere: **r. a balcon-** cino, strapless bra; **r. con ferretti**, wired bra; **r. a schiena nuda**, backless bra.

reggispìnta m. inv. (*mecc.*) thrust bearing (*o* block).

reggitèsta m. inv. headrest.

reggitóre **A** a. ruling **B** m. (f. *-trice*) **1** (*lett.*) ruler; governor **2** (*region.*) head of a (farming) family.

regìa f. **1** (*teatr., radio, TV*) production; (*cinem.*) direction: (**per la**) **regìa di...**, produced (*o* directed) by...; **curare la r. di qc.**, to produce st.; (*TV*) **cabina di r.**, control room **2** (*organizzazione*) organization; direction.

regicìda **A** a. regicidal **B** m. e f. regicide.

regicìdio m. regicide **U**: **commettere un r.**, to commit regicide.

regimàre v. t. **1** (*idraul.*) to optimize the regime of **2** (*mecc.*) to optimize operating conditions of.

regimazióne f. **1** (*idraul.*) optimization of the regime **2** (*mecc.*) optimization of operating conditions.

regìme m. **1** (*forma di governo*) form of government, rule, regime; (*governo*) government; (*dittatura*) regime, dictatorship: **r. democratico**, democracy; **r. dittatoriale**, dictatorship; **r. militare**, military regime (*o* government); **r. repubblicano**, republican government; **il vecchio r.**, the old regime; **un paese a r. parlamentare**, a country with a parliamentary form of government; **abbattere un r.**, to overthrow a regime; **stampa di r.**, state-controlled press **2** (*leg.*) regime; system; regulations (pl.): **r. aureo**, gold standard; **r. dei prezzi**, price system; **r. dei tassi di cambio**, exchange rate regime; **r. degli scambi**, system of trade; **r. di monopolio**, monopoly system; (*fisc.*) **r. fiscale** (*o* tributario*), tax regime; tax regulations (pl.); **r. valutario**, currency regime; **r. vincolistico**, restriction scheme **3** (*dieta*) regimen; (*dieta*) diet: **r. alimentare** (*o* dietetico*), diet; **r. di vita**, lifestyle; **r. vegetariano**, vegetarian diet; **essere [mettersi] a r.**, to be [to go] on a diet **4** (*andamento*) regime: **r. pluviometrico**, rainfall regime; **fiume a r. torrentizio**, river with an irregular flow **5** (*tecn.: funzionamento*) running, operating; (*velocità*) speed: **r. di marcia**, running speed; **r. del motore**, number of revolutions; **r. massimo**, maximum speed; peak r.p.m. (= revolutions per minute); **basso r.**, low speed; **a basso r.**, slow-running; (*anche fig.*) **essere a r.**, to be running regularly; (*anche fig.*) **funzionare a pieno r.**, to work at full capacity; to operate at maximum speed.

♦**regìna** **A** f. **1** queen; sovereign; monarch; (*moglie del re*) queen consort: **la r. d'Olanda**, the queen of Holland; **la r. Anna**, Queen Anne; **la r. madre**, the Queen Mother; **r. vedova**, queen-dowager; **la R. del Cielo**, Queen of Heaven; *Elisabetta I, r. d'Inghilterra*, Elizabeth I, Queen of England; *Elisabetta R.*, Elizabeth Regina; *Sua Maestà la R.*, Her Majesty the Queen; **da r.**, queenly, queenlike (agg.); regal (agg.); **portamento da r.**, queenly bearing **2** (*fig.*) queen: *La rosa è la r. dei fiori*, the rose is the queen of flowers; *Venezia, r. dell'Adriatico*, Venice, the queen of the Adriatic; **la r. di maggio**, the queen of May; the May Queen; **la r. della festa**, the belle of the ball **3** (*zool.*) queen **4** (*scacchi, carte da gioco*) queen: **la r. di cuori**, the queen of hearts; **andare a r.**, to queen ● (*bot.*) **R. Claudia**, greengage □ (*bot.*) **r. dei prati** (*Spiraea ulmaria*), goat's-beard; meadow-sweet □ **stile r. Anna**, Queen Anne style; Queen-Anne (agg.) **B** a. queen (attr.): **ape r.**, queen bee.

Reginàldo m. Reginald.

reginétta f. **1** young queen **2** (*fig.*) queen: **r. di bellezza**, beauty queen.

règio **A** a. **1** royal: **autorità regia**, royal authority; **r. decreto**, royal decree; **la Regia Marina**, the Royal Navy; **potere r.**, royal power **2** – (*chim.*) **acqua regia**, aqua regia **3** (*fig.*) – **scala regia**, ceremonial staircase; **via regia**, main road **B** m. pl. (*stor.: soldati del re*) king's troops.

regiolètto m. (*ling.*) regional dialect.

regionàle a. **1** regional; local: **autonomia r.**, regional autonomy (*o* self-government); **cucina r.**, regional food; **espressione r.**, local idiom **2** (*geol.*) regional.

regionalìsmo m. **1** (*campanilismo*) localism; provincialism **2** (*polit.*) regionalism **3** (*ling.*) localism; local idiom.

regionalista **A** m. e f. **1** (*campanilista*) localist; provincialist **2** (*polit.*) regionalist **B** a. regionalistic.

regionalìstico a. regionalist.

regionalizzàre v. t. (*bur.*) to regionalize.

regionalizzazióne f. (*bur.*) regionalization.

♦**regióne** f. **1** (*territorio, area*) region; land; district; area: **r. agricola**, agricultural district; **r. artica**, Arctic region; **r. climatica**, climatic region; **la r. dei laghi**, the lake district; **r. montuosa**, mountainous area (*o* region); *Il maltempo interesserà una vasta r.*, the bad weather will affect a wide area **2** (*divisione amministrativa*) region: **le regioni d'Italia**, the regions of Italy; **r. a statuto speciale**, region under special statutes (conferring local autonomy) **3** (*anat.*) region: **la r. del cuore**, the region of the heart; **r. lombare**, lumbar region **4** (*fig.: campo*) realm; domain; province: **la r. della fantasia**, the realm of the imagination; **le regioni della scienza**, the domain (sing.) of science.

♦**regìsta** m. e f. **1** (*teatr., radio, TV*) producer, director; (*cinem.*) director: **aiuto r.**, assistant director; assistant producer **2** (*fig.*) organizer; coordinator; (*la mente*) brains: **il r. di un'impresa**, the coordinator of an enterprise; **il r. di una rapina**, the brains behind a robbery.

regìstico a. **1** (*di regista*) of a director; director's; of a producer; producer's **2** (*di regia*) directing; producing.

registràbile a. **1** recordable; fit to be recorded **2** (*mecc.*) adjustable.

♦**registràre** v. t. **1** (*scrivere in un registro*) to register; to record; to enter; to book; to log; (*protocollare*) to file: (*rag.*) **r. a credito**, to enter on the credit side; to credit; (*rag.*) **r. a debito**, to enter on the debit side; to debit; (*rag.*) **r. a mastro**, to post; **r. una fattura**, to enter an invoice; **r. un'istanza**, to file a petition; **r. un marchio**, to register a trademark; **r. una morte [una nascita]**, to register a death [a birth]; **r. un'ordinazione**, to book an order; **r. un pagamento**, to enter a payment; **r. una perdita**, to enter a loss; **r. una società**, to incorporate a company; **r. un testamento**, to register a will; **r. un veicolo**, to register a vehicle; (*naut.*) **r. nel giornale di bordo**, to log **2** (*prendere nota di*) to note down; to make* a note of; (*riportare*) to record, to report: *La storia registra i fatti*, history records facts; *Questa parola non è registrata nei dizionari*, this word is not recorded in any dictionary; *La cronaca oggi registra un altro incidente stradale*, the news today reports another road accident **3** (*rilevare*) to register; to pick up: **r. una scossa sismica**, to register an earth tremor; **r. un segnale**, to pick up a signal; *Ieri il termometro ha registrato trenta gradi*, yesterday the thermometer registered thirty degrees; *Si registra un aumento della domanda*, there has been a rise in demand; **r. un grande successo**, to be a great success (*o* a hit); to meet with great success; *Il program-*

ma ha fatto registrare alti indici di ascolto, the audience ratings for the programme were high **4** (*mecc., elettr.*) to adjust; to set*; (*mettere a punto*) to tune: **r. i freni** [**le punterie**], to adjust the brakes [the tappets]; **r. il manubrio di una bicicletta**, to adjust (*o* to set) the handlebar of a bicycle; **r. un orologio**, to set a watch **5** (*suoni, immagini*) to record; to tape; to video: **r. su nastro**, to tape (*o* to tape-record); **r. su videocassetta**, to videotape; to video; to tape; **r. un concerto**, to record (*o* to tape) a concert; **r. un film**, to video a film; **r. dal vivo**, to record live **6** (*mus.*) to tune: **r. un organo**, to tune an organ **7** (*turismo*) to check in: **r. il bagaglio**, to check in one's luggage.

registràta f. (*radio, TV*) recorded programme (*o* broadcast).

registràto a. **1** (*annotato*) entered; recorded; on record; on file; logged; registered: **marchio r.**, registered mark **2** (*rilevato*) registered; recorded; on record: **i dati registrati non lasciano dubbi**, the recorded data leave no doubt; **la temperatura più alta mai registrata**, the highest temperature on record **3** (*di suono, immagine*) recorded; taped: **musica registrata**, recorded music; **partita registrata**, recorded match **4** (*mecc., elettr.*) adjusted; set; (*messo a punto*) tuned.

registratóre **A** a. recording: **apparecchio r.**, recording apparatus; recorder **B** m. **1** (f. **-trìce**) (*chi registra*) recorder **2** (*apparecchio*) recorder: **r. a cassette**, cassette recorder; **r. a nastro**, tape recorder; (*comm.*) **r. di cassa**, cash register; till; (*aeron.*) **r. di quota**, altitude recorder; **r. di videocassette**, video cassette (*o* videotape) recorder (abbr. VCR); (*aeron.*) **r. di volo**, flight recorder; **r. magnetico**, magnetic recorder **3** (*cartella per documenti*) file.

registrazióne f. **1** (*l'annotare su registro*) entering, recording, registering, logging; (*leg.*) registration; (*l'annotazione*) entry, record, registration: (*rag.*) **r. a credito** [**a debito**], credit [debit] entry; **r. a giornale**, journal entry; (*rag.*) **r. a mastro**, posting; **r. contabile**, book entry; accounting record; **r. di un marchio**, registration of a mark; **r. di una società**, incorporation of a company; **r. di un trattato**, recording of a treaty; (*naut.*) **r. sul libro di bordo**, logging; log entry; **registrazioni di cassa**, cash records; **annullare una r.**, to cancel an entry; **numero di r.**, registration number; (*leg.*) **spese di r.**, registration charges **2** (*rilevamento*) recording; registration: **la r. di una scossa sismica**, the recording of a seismic shock **3** (*mecc., elettr.*) adjustment; adjusting; (*messa a punto*) tuning: **r. della distribuzione**, timing adjustment: **r. del motore**, engine tuning; **r. delle punterie**, tappet adjustment **4** (*di suoni, immagini*) recording: **r. su nastro**, tape recording; taping; **r. su video**, video recording; **r. televisiva**, telerecording; **cabina di r. sonora**, monitor room; **studio di r.**, recording studio **5** (*mus.*) tuning **6** (*turismo*) check-in.

regìstro m. **1** register; book: (*aeron., naut.*) **r. di bordo**, log book; **r. di classe**, class register; **r. della parrocchia**, parish register; **r. dei visitatori**, visitors' book (*o* register); **r. genealogico** (*di cavalli*), stud book; **r. scolastico**, school register; **annotare le spese su un r.**, to write down (*o* to enter) the expenses in a register **2** (*leg., rag.*) register; book: **r. a madre e figlia**, counterfoil book; **r. a matrice**, counterpart register; **r. acquisti**, bought journal; **r. catastale**, cadastral register; cadastre; **r. contabile**, account book; **r. di carico e scarico**, stock book; (*naut.*) **r. dei carichi**, cargo book; ship's book; (*naut.*) **r. di classificazione del Lloyd**, Lloyd's register; **r. di magazzino**, warehouse book; **r. delle ipoteche**, register of charges; **r. di stato civile**, register of births, marriages and deaths; **r. immobiliare**, property register; **essere a r.**, to be on record; **mettere a r.**, to enter; to book; to log; **tassa di r.**, registration fee **3** (*conservatoria, ufficio*) Registry; Records Office: **R. Aeronautico**, Air Registration Board; **R. dello stato civile**, Registry Office **4** (*mus.*) register; voice: **r. alto** [**basso**], high [low] register; **r. d'organo**, organ stop (*o* register); **r. di testa**, head voice **5** (*mecc.*) register, regulator; (*di freno*) brake adjuster; (*valvola di regolazione per l'aria*) register: **r. dell'orologio**, clock (*o* watch) regulator **6** (*ling., comput., tipogr.*) register **7** (*comput.*) registry ● (*fig.*) **cambiare r.**, to change one's tune; (*ravvedersi*) to mend one's ways, to turn over a new leaf.

regnànte **A** a. **1** reigning; ruling: **la casa r.**, the reigning house; **il sovrano r.**, the ruling sovereign **2** (*fig.*) dominant; prevailing: **opinione r.**, prevailing opinion **B** m. e f. sovereign; ruler.

regnàre v. i. **1** to reign: **r. su un paese**, to reign over a country; *La Regina Vittoria regnò 64 anni*, Queen Victoria reigned 64 years **2** (*dominare, anche fig.*) to reign; to rule; to dominate: *I Romani regnarono sul Mediterraneo*, the Romans dominated (*o* ruled over) the Mediterranean; *Regnava un silenzio assoluto*, complete silence reigned; *Tra noi regna l'armonia*, harmony reigns between us; *In casa regna il caos*, the house is in a total chaos; chaos reign in the house **3** (*fig.*: *predominare*) to prevail: **regioni dove regnano i monsoni**, regions where the monsoons prevail **4** (*prosperare, allignare*) to flourish; to thrive*: *Qui non regna l'ulivo*, olive-trees do not flourish here.

♦**régno** m. **1** (*paese retto a monarchia*) kingdom; realm: **il R. Unito**, the United Kingdom; **regnare su un r.**, to rule a kingdom; **i confini di un r.**, the boundaries of a kingdom; **le leggi del r.**, the laws of the realm **2** (*esercizio e durata del potere di un re*) reign; (*autorità e dignità di re*) throne, crown, kingship: **un r. glorioso**, a glorious reign; **sotto il r. di Enrico II**, during the reign of Henry II; **rinunciare al r.**, to renounce the throne **3** (*fig.*: *luogo di predominio*) kingdom; (*mondo, ambito*) realm, province, domain: **il R. dei cieli**, the Kingdom of Heaven; **il r. della fantasia**, the realm of imagination; **il r. della legge**, the reign of law; **il r. della mente**, the kingdom of mind; **il r. della scienza**, the domain of science; **il r. delle tenebre**, the kingdom of darkness; **il R. del Terrore**, the Reign of Terror; *Questa casa è il r. del caos*, this house is in a constant mess; *La cucina è il suo regno*, the kitchen is her domain; *L'ambiente delle corse è il suo r.*, the racing world is his element; *Parigi era il r. degli artisti*, Paris was the capital of artists; *Questa regione è il r. delle piogge*, it rains all the time in this area **4** (*biol.*) kingdom: **il r. animale** [**minerale, vegetale**], the animal [mineral, vegetable] kingdom.

♦**règola** f. **1** (*anche mat., ling.*) rule; (*chim., fis.*) **r. delle fasi**, phase rule; (*mat.*) **la r. del tre semplice**, the rule of three; **r. di grammatica**, rule of grammar; grammatical rule; **r. empirica**, empirical rule; rule of thumb; **r. fissa**, set rule; **r. ferrea**, hard-and-fast rule; **r. generale** [**particolare**], general [particular] rule; **le regole della moltiplicazione**, the rules of multiplication; **le regole di un gioco**, the rules (*o* laws) of a game; **secondo le regole**, according to the rules; (*obbedendo alle regole*) by the rules; **agire secondo le regole**, to follow the rules; to go by the book; **attenersi a una r.**, to follow (*o* to stick to) a rule; **fare le regole**, to make the rules; **infrangere** (*o* **trasgredire**) **una r.**, to break a rule; **seguire una r.**, to follow a rule; **stabilire una r.**, to establish (*o* to lay down) a rule; **un'eccezione alla r.**, an exception to the rule; **L'eccezione conferma la r.**, the exception proves the rule **2** (*norma, principio*) rule, norm, principle, code; (*ordine*) order: **r. di condotta**, code of conduct; **r. morale**, moral code; **le regole del galateo**, (rules of) etiquette; *È buona r. ascoltare prima di parlare*, it is a good rule to listen before one speaks; **come r. generale**, as a general rule; **di r.**, as a rule; generally; **disporre le cose con una certa r.**, to arrange things in a certain order; **fare r.**, to constitute the norm **3** (*misura, moderazione*) moderation; restraint: **non aver r. nel mangiare**, to be immoderate in one's eating; **non conoscere r.**, to know no restraint; **imporsi una r. in qc.**, to observe moderation in st.; **spendere senza r.**, to spend extravagantly **4** (*eccles.*) rule; (*ordine*) order: **la r. di S. Benedetto**, the rule of St Benedict; **la r. domenicana**, the Dominican order **5** (al pl.) (*mestruazioni*) menstruation (sing.); period (sing., *fam.*) ● (*mil.*) **regole d'ingaggio**, rules of engagement □ **a r.**, strictly speaking □ (**fatto**) **a r. d'arte**, perfect; (*di oggetto*) well made, beautifully made; (*di lavoro*) professional □ (*fig.*) **cambiare le regole del gioco**, to change the rules; to move the goalposts □ **essere fuori di ogni r.**, not to come under any rule; (*essere disonesto*) to be unfair, to be unlawful □ **fare uno strappo alla r.**, to bend (*o* to stretch) the rules □ **farsi una r. di**, to make it a rule (*o* a practice) to: *Io mi faccio una r. di* (*o È mia r.*) *controllare sempre tutto*, I make it a rule always to check everything □ **in piena r.**, regular (attr.); full-scale (attr.); outright (attr.); all-out (attr.): **un attacco in piena r.**, a full-scale attack □ **in r.**, (*a posto*) in order; (*aggiornato*) up-to-date; (*bene, come si deve*) properly: *I miei documenti sono in r.*, my papers are in order; **in r. con i pagamenti**, up-to-date with one's payments; *Sono in r. con la mia coscienza*, my conscience is clear; **mettere in r. i propri affari**, to put one's affairs in order; to put (*o* to set) one's house in order; **mettere in r. un dipendente**, to give an employee a regular contract; **mettersi in r. con i pagamenti**, to bring one's payments up to date; **tenere tutto in r.**, to keep everything in order □ **per tua (norma e) r.**, for your information □ (*fig.*) **stare alle regole del gioco**, to stick to the rules; to play the game.

regolàbile a. (*mecc.*) adjustable.

regolamentàre① a. **1** (*del regolamento*) of the regulations: **disposizione r.**, regulation; **norma r.**, regulation **2** (*conforme al regolamento*) prescribed; regulation (attr.); (*rif. a misura*) regulation-size (attr.): **distanza r.**, prescribed distance; **uniforme r.**, regulation uniform; **di misura r.**, regulation-size (attr.); **nella forma r.**, in the prescribed form; **non essere r.**, to be against regulations.

regolamentàre② v. t. to regulate; to control: **r. i prezzi**, to regulate (*o* to control) prices; **r. il traffico**, to regulate traffic.

regolamentazióne f. **1** (*il regolare*) regulation; control: **r. del diritto di sciopero** [**del traffico**], regulation of the right to strike [of traffic] **2** (*insieme di norme*) regulations (pl.); set of rules.

♦**regolaménto** m. **1** (*il regolare*) regulation; control **2** (*insieme di norme*) regulations (pl.); rules (pl.); code; (*statuto*) regulation, statute: **r. antincendio**, fire regulations; **r. d'igiene**, hygiene regulations; **il r. di polizia**, police regulations; **r. edilizio**, building regulations; planning regulations; **il r. interno di un ufficio**, the internal regulations of an office; (*fin.*) **r. interno di una società**, articles of association; **r. provvisorio**, provi-

sional regulations; **r. scolastico**, school regulations; (*leg.*) **regolamenti esecutivi**, rules for the enforcement of a law; **applicare il r.**, to apply the rules; **attenersi al r.**, to follow (*o* to stick to) the rules; to go by the book; **infrangere il r.**, to break (*o* to infringe) the rules; **stabilire un r.**, to establish (*o* to lay down) rules; **a termini** (*o* **norma**) **di r.**, in accordance to the rules; **contro il r.**, against the rules (*o* the regulations); **secondo (quanto prescrive) il r.**, in accordance with the regulations; as is prescribed by the rules; **infrazione al r.**, infringement of the rules 3 (*pagamento*) settlement; payment: **il r. dei propri debiti**, the settlement of one's debts; **r. di conti**, settlement of accounts; (*fig.*) settling of scores, score-settling, (*nella malavita*) underworld feud, (*sparatoria*) shoot-out; **r. in contanti**, cash settlement.

♦**regolàre** ① **A** v. t. 1 (*disciplinare, dirigere*) to regulate; to govern: **r. la circolazione stradale**, to regulate traffic; **r. la propria vita**, to govern one's life *La grammatica regola l'uso della lingua*, grammar regulates the use of language; *Gli ormoni regolano l'attività fisiologica*, hormones regulate organ functions; **le norme che regolano i rapporti sociali**, the rules governing social relations; **le leggi che regolano l'universo**, the laws governing the universe 2 (*adattare, adeguare, modificare*) to control, to adjust, to adapt; (*moderare*) to reduce, to limit, to check: **r. l'afflusso della benzina**, to regulate the flow of petrol; **r. il corso di un fiume**, to control the flow of a river; **r. la propria condotta alle circostanze**, to adapt one's conduct to the situation; **r. il riscaldamento di un ambiente**, to adjust the heating of a room; **r. il volume della radio**, to adjust the volume of the radio; *Regola la tua velocità sulla mia*, adjust your speed to mine 3 (*mecc., elettr.*) to regulate; to adjust; to set*; to tune; to fine-tune (*sintonizzare*) to tune: **r. un carburatore**, to adjust a carburettor; **r. i freni**, to adjust the brakes; **r. un orologio**, to set a watch; **r. le punterie**, to adjust (*o* to set) the tappets; **r. la pressione dei pneumatici**, to regulate tyre pressure; **r. la sveglia sulle sei**, to set the alarm-clock for six; **r. un motore**, to tune up an engine 4 (*sistemare*) to settle; to square; (*pagare*) to pay*: **r. un conto**, to settle an account; (*fig.*) **r. i conti con q.**, to square accounts with sb.; to settle a score with sb.; (*fig.*) **r. vecchi conti**, to settle old scores; **r. un debito**, to settle (*o* to pay) a debt; **r. una questione**, to settle a matter; *Passerò poi a r.*, I'll call later to pay 5 (*rendere regolare*) to trim: **r. una siepe**, to trim a hedge; **farsi r. i capelli**, to have one's hair trimmed **B** (*regolàrsi v. rifl.* 1 (*agire*) to act; (*fare*) to do*; (*comportarsi*) to behave: **regolarsi secondo le circostanze**, to act as circumstances suggest; **regolarsi di conseguenza**, to act accordingly; **regolarsi secondo quello che fanno gli altri**, to do what the others do; *Non so come regolarmi con loro*, I don't know how to act (*o* what line to take) with them; *Dimmelo entro le tre, così mi potrò regolare*, let me know by three, so I can decide what to do (*o* how to organize myself); *Saprò come regolarmi!*, I'll know what to do!; *Come devo regolarmi per il pagamento?*, how shall I pay?; *Regolati come meglio credi*, do as you think best; *Non tollero i ritardatari, perciò regolati!*, I do not tolerate people being late, so please take note! 2 (*controllarsi*) to control oneself; to moderate (in doing st.); to go* easy (on st.) (*fam.*): **regolarsi nel bere**, to be moderate in one's drinking.

♦**regolàre** ② a. 1 (*che obbedisce a una regola*) regular; standard; formal; (*legale*) legal, statutory; (*consentito dalle regole*) fair; (*sport*) **carica r.**, fair tackle; **clero r.**, regular clergy;

esercito r., regular army; **unione r.**, legal marriage; (*gramm.*) **verbo r.**, regular verb; **stendere un r. contratto**, to draw up a formal contract; (*leg.*) **con r. processo**, by due process of law; (*sport*) *Il gol non era r.*, the goal was not allowable 2 (*consueto, normale*) regular; standard; normal; ordinary; (*a posto*) in order: **il r. orario di apertura**, normal opening hours; **studi regolari**, normal course of studies; *Mi pare che sia tutto r.*, everything seems to be in order 3 (*medio*) average; medium: **statura r.**, average (*o* medium) height 4 (*senza irregolarità o imperfezioni*) regular; even; smooth: **lineamenti regolari**, regular features; **poligono r.**, regular polygon; **superficie r.**, even (*o* smooth) surface 5 (*uniforme*) regular, smooth; (*costante*) steady; (*puntuale*) punctual: **crescita [aumento] r.**, steady growth [rise]; **moto r.**, regular movement; **respiro r.**, regular breathing; **passo r.**, even (*o* steady) pace; **polso r.**, regular pulse; **traffico r.**, smooth traffic; **r. come un orologio**, as regular as clockwork; **r. nei pagamenti**, punctual with one's payments; **fare una vita r.**, to lead a regular life; **a intervalli regolari**, at regular intervals.

regolarista m. e f. (*sport*) competitor in a reliability trial.

regolarità f. 1 (*l'essere conforme alle regole*) regularity; validity: **la r. di un atto**, the regularity of a deed; **garantire la r. di svolgimento di qc.**, to ensure that st. takes place regularly; *Il processo si svolse con r.*, the trial was held regularly; (*sport*) **gara di r.**, reliability trial 2 (*normalità*) regularity; normality; orderliness: *Tutto procede con r.*, everything is going regularly (*o* smoothly) 3 (*uniformità*) regularity; uniformity; evenness; steadiness: **la r. del battito cardiaco**, the regularity of a heartbeat; **r. di lineamenti**, regularity of features; **la r. del terreno**, the evenness of the ground 4 (*periodicità*) regularity; (*puntualità*) punctuality: **la r. dei pagamenti**, the punctuality of payments; **un fatto che si ripete con r. ogni due mesi**, an event occurring regularly every third month; **con la r. di un orologio**, punctually; like clockwork.

regolarizzàre v. t. 1 to regularize; (*rendere legale, anche*) to legalize: **r. la propria posizione**, to regularize one's condition (*o* status); *Hanno deciso di r. la loro unione*, they have decided to legalize their union 2 (*sistemare*) to settle; (*pagare*) to pay*: **r. un conto**, to settle an account.

regolarizzazióne f. 1 regularization 2 (*pagamento*) settlement.

regolarménte avv. 1 regularly; duly: **r. autorizzato**, duly authorized; **r. eletto**, regularly (*o* duly) elected; *I musei sono r. aperti*, museums are open as usual 2 (*ordinatamente*) regularly; normally; smoothly; evenly: **funzionare r.**, to work normally; to run smoothly; **disposti r. su tre file**, evenly arranged in three rows 3 (*puntualmente*) punctually: **pagare r.**, to pay punctually 4 (*come al solito*) as usual; (*iron.: sempre*) regularly: *Il loro telefono è r. occupato*, their line is regularly engaged.

regolàta f. adjustment; correction; (*messa a punto*) tuning, tune-up: **dare una r. all'orologio**, to set the watch ● (*fam.*) **darsi una r.**, to pull one's socks up; to clean up one's act □ (*fam.*) **darsi una r. nel fumare**, to cut down on smoking.

regolataménte avv. (*con moderazione*) moderately; in moderation: **mangiare [bere] r.**, to eat [to drink] moderately (*o* in moderation); to be moderate in one's eating [drinking].

regolatézza f. 1 orderliness 2 (*moderatezza*) moderation.

regolativo a. regulative.

regolàto a. 1 (*conforme alle regole*) regulated 2 (*ordinato, regolare*) well-regulated; orderly; balanced: **vita regolata**, orderly life; **in modo r.**, in an orderly way 3 (*mecc., elettr.*) set; adjusted; (*messo a punto*) tuned: *La sveglia è regolata per le sette*, the alarm is set for seven 4 (*moderato*) moderate: **un regime r.**, a moderate regime; **essere r. nel mangiare**, to be moderate in one's eating.

regolatóre **A** a. regulating: **principio r.**, regulating principle; **piano r.**, town plan (*GB*) city plan (*USA*) **B** m. 1 (f. **-trice**) (*chi regola*) regulator 2 (*mecc., elettr., fis.*) regulator; governor; adjuster; control: **r. automatico**, automatic governor; (*radio*) **r. automatico di frequenza**, automatic frequency control; **r. centrifugo**, centrifugal governor; **r. di giri**, speed governor; **r. di pressione**, pressure regulator; **r. della tensione**, voltage regulator; (*radio, TV*) **r. di tono [di volume]**, tone [volume] control.

regolazióne f. 1 (*il regolare*) regulation; regulating; controlling; control: **r. del traffico**, traffic control 2 (*mecc.*) adjustment; adjusting; tuning; (*autom.*) tuning up: **r. micrometrica** (*o* **di precisione**), micrometer (*o* fine) adjustment; **vite di r.**, adjusting screw 3 (*elettr., radio*) regulation; adjustment; tuning: **r. di fase**, phase control; **r. della tensione**, voltage regulation; **r. del volume**, volume adjustment; **a r. automatica**, self-regulating; self-adjusting; automatic.

regolìstica f. set of rules; rules (pl.).

regolìzia f. (*pop.*) liquorice, licorice (*USA*).

règolo ① m. 1 rule; ruler: **r. calcolatore**, slide rule 2 (*edil.*) straight edge 3 (*scacchi: fila orizzontale*) rank; (*verticale*) file.

règolo ② m. 1 (*spreg.*) kinglet 2 (*zool., Regulus regulus*) goldcrest.

Règolo m. (*stor.*) Regulus.

regredìre v. i. 1 (*arretrare*) to recede; (*abbassarsi*) to recede, to decrease, to drop, to fall*: *I ghiacciai stanno regredendo*, glaciers are receding; *La febbre regredì*, the fever dropped; *Il livello della piena è regredito*, the flood level has fallen 2 (*fig.*) to regress; to retrogress; to recede; to get* back; to slide* back; to slip back; to relapse; (*peggiorare*) to worsen, to get* worse; **r. al livello delle bestie**, to regress to the level of animals; **r. nello studio**, to slip back in one's studies 3 (*psic.*) to regress 4 (*biol.*) to retrogress; to revert (to).

regressióne f. 1 (*arretramento*) receding; (*geol.*) regression; (*abbassamento*) decrease, drop, fall 2 (*fig.*) regression; regress; retrogression; (*deterioramento*) decline 3 (*psic.*) regression 4 (*biol.*) retrogression; reversion 5 (*stat.*) regression: **linea di r.**, regression curve 6 (*astron.*) retrogradation; retrogression.

regressista **A** a. backward-looking; conservative **B** m. e f. conservative.

regressivo a. 1 regressive; retrograde; backward; retrogressive: **andamento r.**, regression; **fase regressiva**, regression phase; **ordine r.**, backward order 2 (*filos.*) regressive 3 (*fisc.*) regressive: **imposta regressiva**, regressive tax.

regrèsso m. 1 (*arretramento*) regress, regression, retrogression; (*abbassamento, diminuzione*) decrease, drop, falling off: **r. della domanda**, drop in demand; **r. demografico**, decrease in population 2 (*naut., aeron.*) slip: **r. apparente**, apparent slip; **r. dell'elica**, screw slip 3 (*ferr.*) switch-back; back-shunt 4 (*fig.: deterioramento, decadenza*) regression; retrogression; decadence; decline: **un r. nelle arti**, a decline in the arts; **r. economico**, recession; **essere in r.**, to be in decline; to go through a period of decline 5 (*leg., comm.*) recourse: **azione di r.**, action

for recourse **6** (*biol.*) reversion; throwback.

reidratànte A a. rehydrating; (*cosmesi*) moisturizing B m. (*cosmetico*) moisturizer.

reidratàre v. t. to rehydrate; (*cosmesi*) to moisturize.

reidratazióne f. rehydration; (*cosmesi*) moisturization.

reiètto A a. rejected; unwanted B m. (f. *-a*) outcast: **un r. della società**, an outcast from society; **i reietti della società**, society's outcasts.

reiezióne f. **1** (*leg.*) rejection; dismissal **2** (*psic.*) rejection.

reificàre v. t. to reify.

reificazióne f. reification.

Reiki m. reiki.

reimbarcàre v. t., **reimbarcàrsi** v. rifl. to re-embark; to reship.

reimbàrco m. re-embarkation; reshipment.

reimpaginàre e *deriv.* → **rimpaginare**, e *deriv.*

reimpiantàre v. t. **1** (*agric.*) to replant **2** (*chir.*) to reimplant.

reimpiànto m. **1** (*agric.*) replantation **2** (*chir.*) reimplantation.

reimpiegàre v. t. **1** (*riutilizzare*) to reuse; to reutilize **2** (*personale*) re-employment **3** (*reinvestire*) to reinvest; to plough back.

reimpiègo m. **1** (*riutilizzo*) reuse; reutilization **2** (*di personale*) **3** (*reinvestimento*) reinvestment; ploughing back.

reimportàre v. t. to reimport.

reimportazióne f. reimportation; reimport.

reimpostàre v. t. to redefine; to reformulate: **r. un problema**, to redefine a problem.

reimpostazióne f. redefinition; reformulation.

reimpressióne f. (*ristampa*) reprinting; reprint.

reincaricàre v. t. to reappoint.

reincàrico m. reappointment.

reincarnàre A v. t. to reincarnate B **reincarnàrsi** v. i. pron. to be reincarnated; to reincarnate.

reincarnàto a. reincarnate.

reincarnazióne f. **1** (*relig.*) reincarnation **2** (*fig.*) – **essere la r. di q.**, to be sb. reincarnate.

reinfettàre A v. t. to reinfect B **reinfettàrsi** v. i. pron. to become* reinfected.

reinfezióne f. reinfection.

reingaggiàre v. t. to renew (sb.'s) contract; (*sport*) to re-sign: *È stato reingaggiato dall'Inter*, he re-signed with Inter.

reingàggio m. renewal of contract; (*sport*) re-signing.

reingrèsso m. re-entry.

reinnestàre v. t. **1** (*agric.*) to regraft **2** (*fig.*) to rejoin **3** (*mecc.*) to re-engage: **r. una marcia**, to re-engage a gear.

reinnèsto m. (*agric.*) new graft; second graft.

reinscrìvere v. t. (*bur.*) to re-enter.

reinsediàre A v. t. to reinstate; to restore B **reinsediàrsi** v. i. pron. to resume one's place; to be reinstated.

reinseriménto m. **1** (*reintroduzione*, *reintegrazione*) reinstatement: **il r. di una norma**, the reinstatement of a rule; **il r. di q. nelle sue mansioni**, sb.'s reinstatement in his former position **2** (*riabilitazione*) reintegration; rehabilitation: **il r. degli ex detenuti nella società**, the reintegration of ex-convicts into society; **istituto di r.**, halfway house **3** (*nuovo inserimento*) reinsertion.

reinserìre A v. t. **1** (*infilare di nuovo*) to reinsert **2** (*reintrodurre*) to reintroduce; to restore; (*reintegrare*) to reinstate: **r. un ani-**

male in un ambiente, to reintroduce an animal to an environment **3** (*riabilitare*) to reintegrate: **r. gli emarginati nella vita sociale**, to reintegrate dropouts into society B **reinserìrsi** v. i. pron. to take* one's place again; to resume one's place: **reinserirsi nella società**, to take one's place in society again; **avere difficoltà a reinserirsi**, to find it difficult to resume one's former life (*o* to fit back in).

reinstallàre v. t. **1** to reinstall; install again **2** → **reinsediare**.

reintegràre A v. t. **1** (*ripristinare*) to restore; to replenish: **r. le proprie forze**, to restore one's strength; **r. le scorte**, to replenish one's stocks **2** (*risarcire*) to indemnify; to compensate: **r. q. del danno subito**, to indemnify (*o* to compensate) sb. for the damage (*o* damages) **3** (*reinserire*) to reinstate; to reintegrate; to restore: **r. q. nelle sue funzioni**, to reinstate sb. in his post; **r. q. nei suoi diritti**, to restore sb.'s rights B **reintegràrsi** v. rifl. to take* up one's former position; to reinstate oneself.

reintegrativo a. reintegrative.

reintegrazióne f. **1** (*ricostituzione*) replenishment; restoration: **r. delle forze**, restoration of one's strength; **r. delle scorte**, replenishment of stocks **2** (*ripristino*) restoration; restitution: **r. di un diritto** [**di una norma**], the restoration of a right [of a rule] **3** (*risarcimento*) indemnification; compensation; restitution **4** (*reinserimento*) reinstatement; reintegration: **r. in una carica**, reinstatement in an office.

reìntegro m. (*bur.*) → **reintegrazione**.

reinterpretàre v. t. to reinterpret.

reinterpretazióne f. reinterpretation; new interpretation.

reintrodùrre A v. t. to reintroduce; to restore; to reinsert; to put* back in: **r. una disposizione**, to reintroduce a norm; **r. il perno nel foro**, to put the peg back into the hole B **reintrodùrsi** v. i. pron. to re-enter; to go* back in.

reinventàre v. t. to reinvent.

reinvestiménto m. (*fin.*) reinvestment; ploughing back.

reinvestìre v. t. **1** (*fin.*) to reinvest; to plough back: **r. una somma in azioni**, to re-invest a sum in stock; **r. gli utili nell'azienda**, to plough the profits back into the business **2** (*con un veicolo*) to knock down again; to run* over again **3** (*in una carica*) to reinvest (sb. with st.).

reità f. guilt; guiltiness.

reiteràbile a. repeatable.

reiteràre v. t. (*lett.*) to reiterate; to repeat: **r. una domanda**, to repeat a question; **r. le proteste**, to reiterate one's protests; **r. gli sforzi**, to renew (*o* to redouble) one's efforts.

reiterataménte avv. repeatedly; over and over again; again and again.

reiteràto a. reiterated; repeated.

reiterazióne f. reiteration; repetition.

relais (*franc.*) m. inv. relay.

relàpso a. (*relig.*) relapsed.

relatìva f. (*gramm.*) relative clause.

relativaménte avv. relatively; comparatively: **r. nuovo**, relatively new; **in condizioni r. agiate**, in comparative comfort; **r. a quanto mi hai detto**, with regard to (*o* as regards) what you told me.

relativìsmo m. (*filos.*) relativism.

relativìsta m. e f. (*filos.*) relativist.

relativìstico a. (*filos.*) relativistic.

relatività f. (*anche fis.*) relativity: **la r. dei gusti**, the relativity of tastes; (*fis.*) **r. generale** [**ristretta**], general [special] relativity; (*fis.*) **la teoria della r.**, the theory of relativ-

ity.

relativizzàre v. t. to relativize.

relativizzazióne f. relativization.

◆**relatìvo** a. **1** (*che riguarda*) concerning (st.); regarding (st.); related (to): **le informazioni relative al caso**, the information concerning (*o* regarding, about) the case; **i problemi relativi alla riorganizzazione dell'ufficio**, the problems involved in the reorganization of the office; **uno studio r. alla fattibilità del progetto**, a study of the viability of the plan **2** (*attinente*) relevant; (*che si accompagna*) attendant: **un incarico e le relative responsabilità**, an appointment and its attendant responsibilities; **una tovaglia e i relativi tovaglioli**, a tablecloth and its napkins (*o* and matching napkins); **addurre le relative prove**, to produce the relevant evidence **3** (*rispettivo*) respective: **secondo i loro relativi meriti**, according to their respective merits; **i delegati e le relative mogli**, the delegates and their wives **4** (*gramm.*) relative: **pronome r.**, relative pronoun; **proposizione relativa**, relative clause **5** (*non assoluto*) relative; comparative: **godere di relativa libertà**, to enjoy relative freedom; *Questi sono vantaggi relativi*, these are relative advantages; *L'operazione fu compiuta con relativa facilità*, the operation was performed with comparative ease **6** (*proporzionale*) proportional; proportionate: *Il guadagno è r. al lavoro fatto*, the earnings are proportional to the work done **7** (*mat., fis.*) relative: **densità relativa**, relative density; **numero r.**, relative number **8** (*mus.*) relative.

relatóre A a. reporting B m. (f. *-trìce*) **1** (*chi riferisce*) reporter; rapporteur (*franc.*); (*portavoce*) spokesman* (m.), spokeswoman* (f.), spokesperson **2** (*di comitato, ecc.*) chairman* (m.); chairwoman* (f.) **3** (*polit., di disegno di legge*) sponsor (of a bill) **4** (*di tesi universitaria*) supervisor **5** (*in un congresso e sim.*) speaker.

relàx (*ingl.*) m. inv. relaxation; rest: **fare mezz'ora di r.**, to have half an hour's rest; to relax for half an hour; **una piacevole forma di r.**, a pleasant form of relaxation.

relazionàle a. (*filos.*) relational.

relazionalità f. (*filos.*) relational nature.

relazionàre v. t. (*bur.*) to report to; to acquaint (sb. with st.).

◆**relazióne** f. **1** (*collegamento, nesso*) connection; link; relation; relationship; correlation; bearing: **r. di causa e d'effetto**, relationship of cause and effect; **la r. fra due fatti**, the connection between two events; *I due episodi sono in stretta r.*, there is a close connection between the two episodes; the two episodes are closely connected (*o* linked); **avere r. con**, to be connected with; to bear a relation with; to have a bearing on; **mettere in r. due fatti**, to establish a connection (*o* link) between two facts; to connect two facts; **in r. a quanto ti avevo detto**, in connection with (*o* with regard to) what I had told you **2** (*mat.*) relation: **r. di equivalenza**, equivalence relation **3** (*rapporto tra persone*) relationship; relations (pl.); connections (pl.): **relazioni d'affari**, business connections (*o* relations); **avere** (*o* **essere in**) **r. d'affari con q.**, to have business connections (*o* dealings) with sb.; **entrare in r. d'affari con q.**, to establish business relations with sb.; **r. d'amicizia**, friendship; **r. di parentela**, family connections (*o* ties); kinship; *Tra noi non ci sono relazioni di parentela*, we are not related; **relazioni commerciali**, trade relations; **relazioni diplomatiche**, diplomatic relations; **rompere** [**riprendere**] **le relazioni diplomatiche con uno Stato**, to break off [to resume] diplomatic relations with a State; **r. platonica**,

platonic relationship; **relazioni sindacali**, labour relations; **relazioni industriali**, industrial relations; **pubbliche relazioni**, public relations; **relazioni umane**, human relations; **essere in buone [cattive] relazioni con q.**, to be on good [bad] terms with sb.; **interrompere le relazioni con q.**, to break off relations with sb.; **stabilire una r. con q.**, to establish a relationship with sb. **4** (*anche* **r. amorosa**) (love) affair; liaison (*franc.*): **r. illecita**, illicit love affair; **avere una r. con q.**, to have an affair with sb. **5** (*contatto*) touch; contact: *Non sono più in r. con i miei parenti americani*, I'm no longer in touch with my American relatives; **mettere q. in r. con q. altro**, to put sb. in touch with sb. else; **mettersi in r. con q.**, to get in touch with sb.; to contact sb. **6** (*conoscenza*) acquaintance; connection; contact: *Ha numerose relazioni al Ministero*, he has numerous acquaintances at the Ministry; **avere molte relazioni**, to be well-connected **7** (*resoconto*) report; account; (*a un congresso e sim.*) paper; (*rag.*) **r. annuale del bilancio**, annual report; **r. di minoranza**, minority report; **r. informativa**, briefing paper; **r. interinale**, interim report; **r. scritta**, report; written account; **fare una r. di qc.**, to give an account of st.; **fare una r. su qc.**, to make a report on st.; **stendere una r.**, to draw up a report.

relazionìsmo m. (*filos.*) relationism.

relazionìsta m. e f. (*filos.*) relationist.

relè m. (*elettr.*) relay: **r. a tempo**, timing relay; **r. con ritorno**, homing relay; **r. di massima corrente**, overload (*o* overcurrent) relay; **r. termico**, temperature relay; thermal cut-out.

release (*ingl.*) f. inv. (*comput.*) release.

relegaménto → **relegazione**.

relegàre v. t. to relegate; to confine; (*bandire*) to banish: *Fu relegato in un'isola*, he was relegated (*o* confined) to an island; *Sono stato relegato in questo ufficio*, I have been relegated to this office; **r. qc. in soffitta**, to relegate (*o* to consign) st. to the attic.

relegazióne f. relegation; confinement; banishment.

◆**religióne** f. **1** religion: **la r. cattolica**, the Catholic religion; **r. di Stato**, established (*o* state) religion; **la r. islamica**, the religion of Islam; **r. monoteistica [politeistica]**, monotheistic [polytheistic] religion; **r. naturale [rivelata]**, natural [revealed] religion; **senza r.**, without religion; unreligious; **abbracciare [abiurare] una r.**, to embrace [to abjure] a religion (*o* a faith); **i dogmi della r.**, religious dogmas; **guerre di r.**, wars of religion **2** (*venerazione*, *culto*) worship; cult: **la r. del denaro**, the worship of money; **avere la r. del denaro**, to worship money; **la r. della famiglia**, the cult of the family **3** (*attenzione*, *rispetto*) reverent care; respect: *Ascoltarono le sue parole con r.*, they listened to his words reverently ● (*fam.*) **Non c'è più r.!**, what's the world coming to!

religiósa f. religious*; (*suora*) nun.

religiosaménte avv. **1** religiously; piously; devoutly **2** (*fig.*: *scrupolosamente*) religiously; scrupulously; with great care.

religiosità f. **1** religiousness; devoutness; piety **2** (*fig.*: *scrupolosità*) scrupulousness; conscientiousness: **con r.**, religiously; scrupulously.

◆**religióso** A a. **1** religious: **abito r.**, habit; **credo r.**, religious belief; religion; **dottrina religiosa**, religious doctrine; **matrimonio r.**, church wedding; **ordine r.**, religious (*o* monastic) order; **pratiche religiose**, religious practices; **precetto r.**, religious precept **2** (*devoto*) religious; devout; (*pio*) pious: **persona religiosa**, religious (*o* devout) person **3** (*fig.*: *scrupoloso*) religious, scrupu-

lous; (*riverente*) reverent, respectful: **rispetto r.**, scrupulous respect; **silenzio r.**, reverent (*o* absolute) silence B m. religious*; (*monaco*) monk; (*frate*) friar.

relìquia f. **1** (*relig.*) relic: **r. sacra**, holy relic; **le reliquie dei santi**, the relics of saints; (*fig.*) **conservare qc. come una r.**, to treasure st. dearly **2** (*fig.*) relic; vestige: **le reliquie del passato**, the relics (*o* vestiges) of the past.

reliquiàrio m. reliquary; shrine.

relìtto A a. (*geol.*) relict (attr.): **lago [ghiacciaio] r.**, relict lake [glacier] B m. **1** (*rottame*) piece of wreckage; wreckage ▯; (*di nave*) wreck: **i relitti di un aereo**, the wreckage of a plane; **relitti galleggianti**, floating wreckage; flotsam; *Il naufrago era aggrappato a un r.*, the survivor was clinging to a piece of wreckage; (*naut.*) **recuperare un r.**, to raise a wreck **2** (*fig.*) wreck; derelict: **r. umano**, human wreck; **i relitti della società**, the outcasts of society; the down-and-outs.

rem m. (*fis.*) rem.

REM a. inv. (*fisiol.*) REM: **fase REM**, REM phase.

rèma ① f. (*di marea*) tidal wave; race.

rèma ② m. (*ling.*) rheme.

remàinder (*ingl.*) m. inv. **1** (*libro*) remaindered book; remainder: **finire tra i r.**, to be remaindered **2** (*anche* **libreria r.**) remainder bookshop.

remàre v. i. to row.

remàta f. **1** (*il remare*) row: **fare una r.**, to go for a row **2** (*colpo di remo*) stroke; (*vogata*) stroke, pull: **avere una r. regolare**, to have a regular stroke; *Lo raggiunse con poche remate*, he reached it with a few strokes; **sbagliare la r.**, to catch a crab.

rematóre m. (f. **-trice**) rower; oarsman* (m.); oarswoman* (f.).

remeggiàre → **remigare**.

rèmico a. oar-propelled: **navigazione remica**, oar-propelled navigation.

remièro a. (*sport*) rowing.

remigànte A a. rowing B m. e f. (*lett.*) rower C **remigànti** f. pl. (*zool.*, *anche* **penne remiganti**) flight feathers; remiges: **remiganti primarie**, primary feathers; **remiganti secondarie**, secondary feathers.

remigàre v. i. **1** (*lett.*: *remare*) to row **2** (*di uccello*) to flap its wings.

reminiscènza f. **1** (*ricordo*) reminiscence; recollection; memory: **una vaga r.**, a vague recollection; **reminiscenze di gioventù**, reminiscences of one's youth; **abbandonarsi alle reminiscenze**, to reminisce **2** (*letter.*, *mus.*) reminiscence; echo*: *Vi sono alcune reminiscenze di Keats*, there are some reminiscences of Keats; **una composizione piena di reminiscenze brahmsiane**, a composition full of echoes of Brahms.

remisier (*franc.*) m. inv. (*Borsa*) half-commission man*.

remissìbile a. remissible; pardonable: **peccato r.**, remissible sin.

remissióne f. **1** (*perdono*) remission; forgiveness; pardon: **la r. dei peccati**, the remission of sins **2** (*leg.*: *condono*) remission; discontinuance: **r. d'un debito**, remission of a debt; **r. della pena**, remission; **r. di querela**, discontinuance of an action **3** (*sottomissione*) submission; submissiveness; docility: **r. al volere dei genitori**, submission to one's parents **4** (*med.*) remission **5** (*scampo*) way out; escape ● **senza r.**, unremittingly; inexorably.

remissività f. submissiveness; docility; meekness.

remissìvo a. **1** submissive; docile; meek **2** (*leg.*) remitting.

remittènte a. – (*med.*) **febbre r.**, remittent fever.

remittènza f. (*med.*) remission.

remix (*ingl.*) m. inv. (*mus.*) remix.

remixàre v. t. (*mus.*) to remix.

rèmo m. oar: **r. alla battana**, double-bladed oar; **r. a pagaia**, paddle; **r. a palella**, scull; **r. da bratto**, sculling oar; scull; **r. sensile**, sweep; **barca a remi**, rowing boat; row-boat (*USA*); **nave a remi**, oared ship; **alzare i remi** (*in segno di saluto*), to toss (*o* to peak) oars; *Alza remi!*, up oars!; **andare a remi**, to row; **armare i remi**, to put out the oars; *Arma remi!*, out oars! **mettere in voga i remi**, to start rowing; **rientrare i remi**, to ship (*o* to lay in) oars; **colpo di r.**, stroke; **pala del r.**, oar blade ● **condannare al r.**, to condemn to the oars ▯ (*fig.*) **tirare i remi in barca**, to cease st.; (*rinunciare*) to give* up; (*ritirarsi*) to pull out.

Rèmo m. Remus.

rèmora ① f. **1** (*indugio*) delay **2** (*esitazione*) hesitation; qualm **3** (*impedimento*) impediment; drawback **4** (*naut.*) eddy water.

rèmora ② f. (*zool.*, *Remora remora*) remora; sharksucker; suckerfish.

remòto a. **1** (*nello spazio*) distant; remote; faraway; (*isolato*) isolated; (*solitario*) secluded, lonely: **regione remota**, remote (*o* distant) region; **in un angolo r. della mente**, in a far corner of one's mind; **at the back of one's mind 2** (*nel tempo*) remote; distant; far-off: **un r. antenato**, a distant ancestor; **avvenimenti remoti**, remote events; **età remote**, distant ages; **in tempi remoti**, in far-off times; in the remote (*o* distant) past **3** (*fig.*: *vago*) vague; remote; distant: **una remota somiglianza**, a vague resemblance; **una remota possibilità**, a remote possibility (*o* chance); an outside chance; *Non ho la più remota intenzione di andare*, I haven't the slightest intention of going **4** (*gramm.*) – **passato r.**, historic (*o* simple) past; past historic; past definite; **trapassato r.**, past anterior.

removìbile → **rimovibile**.

remuage (*franc.*) m. (*enologia*) remuage.

remuneràre e *deriv.* → **rimunerare**, e *deriv.*

réna f. sand.

renàccio m. sandy soil.

renàio m. **1** (*arenile*) sands (pl.) **2** (*cava di rena*) sandpit.

renaiòla f. (*bot.*, *Spergula arvensis*) spurrey; spurry.

renaiòlo m. sand digger.

renàle a. (*anat.*) renal; of the kidneys; kidney (attr.): **blocco r.**, renal (*o* kidney) failure; **calcoli renali**, kidney stones; **colica r.**, renal colic; **infiammazione r.**, inflammation of the kidneys.

Renània f. (*geogr.*) Rhineland.

renàno a. Rhenish; Rhine (attr.): **il bacino r.**, the Rhine basin; **vino r.**, Rhenish wine.

renard (*franc.*) m. inv. (*pelliccia di volpe*) fox fur.

Renàta f. Renée.

Renàto m. René.

◆**rèndere** A v. t. **1** (*restituire*) to give* back; to return; to restore: **r. dei libri alla biblioteca**, to return books to the library; *Devo rendergli il dizionario*, I must give him back (*o* return him) his dictionary; **r. la libertà a q.**, to set sb. free; *Le terre furono rese ai proprietari legittimi*, the lands were returned (*o* restored) to their rightful owners; *Gli ho reso tutti i soldi che gli dovevo*, I paid him back in full **2** (*contraccambiare*) to return; to repay*; to render: **r. bene per male**, to render good for evil; **r. il saluto a q.**, to return sb.'s greeting; **r. una visita**, to return a visit; *A buon r.!*, my turn next time! **3**

a b c d e f g h i j k l m n o p q r s t u v w x y z

(*dare*, *tributare*) to give*; to pay*; to do*; to render: **r. conto di qc.**, to account for st.; to answer for st.: *Dovrai r. conto delle tue decisioni al comitato*, you'll have to account for your decisions to the board; **r. giustizia a q.**, to render justice to sb.; to give sb. his due; (*anche fig.*) to do justice to sb.; **r. grazie**, to thank; **r. grazie a Dio**, to thank God; to render thanks unto God (*form.*); **r. lode a q.**, to praise (*o* to give praise to) sb.; **r. omaggio a q.**, to pay homage to sb.; **r. gli estremi onori a q.**, to pay one's last respects to sb.; **r. ragione di qc.**, to explain st.; to justify st.; **r. un servizio a q.**, to do sb. a favour; **r. un buon servizio a q.**, to do sb. a good turn; **r. testimonianza**, to give evidence; to bear witness **4** (*produrre*, *fruttare*) to bring* in; to yield; to return; to bear*; (*assol.*) to pay* off, to pay* well, to return a profit, to be profitable, to be profit-making: **r. un interesse del 5%**, to bear 5% interest; **un affare che renderà molto**, a deal that will bring in a lot of money; *Quanto ti rende il tuo investimento?*, how much does your investment yield?; *Quanto hanno reso queste azioni?*, how much profit have these shares returned?; *Il negozio gli rende molto*, his shop brings in a lot of money; *Il mio mestiere non rende*, my job doesn't pay; *La vendita dell'appartamento ha reso bene*, the flat fetched a good price; **un impiegato che non rende**, an inefficient employee; *A scuola non rende*, he isn't working at school; he is a low achiever (*form.*); *Il delitto non rende*, crime does not pay; (*fam.*) *Le zucchine rendono più degli spinaci*, zucchini go further than spinach **5** (*far diventare*) to render; to make*: **r. allegro**, to cheer up; to brighten; **r. q. cinico**, to make sb. cynical; **r. dolce**, to sweeten; **r. q. felice**, to make sb. happy; **r. q. padre**, to make sb. a father; **r. pubblico qc.**, to publicize st.; to make st. known (*o* public); to come out with st. (*fam.*); **r. triste**, to sadden; to make sad; **r. visibile**, to make visible; **r. la vita difficile a q.**, to make life difficult for sb. **6** (*esprimere*, *rappresentare*, *riprodurre*) to express; to convey; to render; to reproduce: *La foto non rende l'atmosfera del posto*, the photo doesn't convey the atmosphere of the place; (*di attore*) *Ha reso bene il personaggio del dottore*, he played the doctor well; *Rendo l'idea?*, do you see what I mean?; do you get my drift? (*fam.*); *Non so se rendo l'idea*, I don't know if I make myself clear; if you see what I mean **7** (*tradurre*) to translate; to render: **r. in inglese**, to translate into English; **un'espressione che è difficile r. in inglese**, a phrase that is not easily rendered in English ● **r. l'anima a Dio** (*o* **r. l'ultimo respiro**), to breathe one's last; to give up the ghost □ (*fig.*) **r. pan per focaccia** (*o* **la pariglia**), to pay sb. back in his own coin; to repay in kind; to give tit for tat; to get one's own back □ **r. conto di qc.**, to account for st. □ **rendersi conto di**, (*capire*) to realize; (*essere consapevole*) to be conscious of, to be aware of; (*capacitarsi di*) to explain: *Si rese conto dell'errore*, he realized his mistake; *Ti rendi conto di quello che hai fatto?*, do you realize what you've done?; *Mi resi conto che non sarei arrivato in tempo*, I realized I wouldn't get there in time; *Non si rendeva conto che stava peggiorando le cose*, she couldn't see that she was making things worse; *Non so rendermi conto di come sia avvenuto l'incidente*, I can't explain how the accident happened □ **Dio te ne renda merito**, God bless you for it □ **Dio te ne renderà merito**, God will reward you for it □ **Quel che è fatto è reso**, tit for tat □ **vuoti a r.**, returnable containers; empties to be returned **B rèndersi** v. rifl. e v. i. pron. **1** to make* oneself; to become*; to be*: **rendersi colpevole di qc.**, to be guilty of st.; **ren-**

dersi impopolare, to make oneself unpopular; **rendersi insopportabile**, to become unbearable; **rendersi irreperibile**, to make oneself scarce; to abscond; **rendersi necessario**, to become necessary; **rendersi ridicolo**, to make a fool of oneself; **rendersi utile**, to make oneself useful **2** (*lett.*: *andare*) to go*; to proceed.

rendez-vous (*franc.*) m. inv. rendez-vous*; appointment: **rendez-vous spaziale**, space rendezvous.

rendicontàre v. i. (*bur.*) to present a financial statement.

rendicontazióne f. (*bur.*) presentation of a financial statement.

rendicónto m. **1** (*comm.*) statement (of accounts); account; report: **r. dei profitti**, revenue account; **r. annuale**, annual report; **r. delle spese**, statement of expenses; **r. finanziario**, cash-flow statement; **r. mensile**, monthly statement; **fare un r.**, to make a statement of accounts **2** (*resoconto*) account; report **3** (*atti di un'istituzione*) report of proceedings; minutes (pl.); notes (pl.).

♦**rendiménto** m. **1** (*il rendere*) rendering: **r. di conti**, rendering of account; **r. di grazie**, rendering of thanks; thanksgiving **2** (*produzione*) yield, production, output; (*reddito*, *frutto*) yield, return: **r. all'ora**, hourly output; **r. annuo**, yearly production; (*di un titolo, ecc.*) annual return; **r. azionario**, equity yield; **un r. del 4%**, a 4% yield (*o* return); **un r. di 4 euro per azione**, a yield of 4 euros per share; **il r. di un'azienda**, the yield (*o* output) of a firm; **il r. del capitale**, the return on capital; **il r. di una miniera**, the output of a mine; *Qual è il r. per ettaro?*, what is the yield (*o* production) per hectare?; **ad alto r.**, high-yield (attr.); high-return (attr.) **3** (*efficienza*, *resa professionale*) efficiency; performance: **il r. di un atleta**, an athlete's performance; **r. scolastico**, progress at school; **buon r.**, good performance; **r. scarso**, poor performance; **avere un r. scarso**, to perform poorly; **un impiegato di buon [di scarso] r.**, an efficient [an inefficient] employee **4** (*fis.*, *mecc.*) efficiency; performance: **r. del motore**, engine efficiency; (*aeron.*) **r. di propulsione**, propulsive efficiency; **r. effettivo**, rating performance; **r. meccanico [termico]**, mechanical [thermal] efficiency; **r. totale**, overall efficiency; **massimo r.**, optimum efficiency; **motore ad alto r.**, high-efficiency engine.

rèndita f. **1** (*privata*) (unearned) income; (*pubblica*) revenue; (*da affitti*) rent; (*da capitale*) yield, return: **r. annua**, yearly income; **r. catastale**, cadastral rent; **r. fondiaria**, land rent; **le rendite dello Stato**, the revenues of the state; **vivere di r.**, to live on a private income; to have private means; (*fig.*) to live on one's reputation (*o* name) **2** (*leg.*, *comm.*) annuity: **r. perpetua**, perpetual annuity; **r. vitalizia**, life annuity **3** (al pl.) (*Borsa*) stock: **rendite ammortizzabili**, redeemable stock; **rendite nominative**, registered stock; **rendite del 4%**, 4% stock.

♦**rène** m. (*anat.*) kidney: **r. artificiale**, artificial kidney; **r. mobile**, floating kidney.

renèlla ① f. (*med.*) gravel.

renèlla ② f. (*bot.*, *Asarum*) asarabacca.

renétta f. (*mela*) rennet.

réni f. pl. (*anat.*) loins; (*schiena*) back (sing.): **avere mal di r.**, to have a backache (*o* a sore back); **filo delle r.**, backbone; spine ● (*fig.*) **spezzare le r. a q.**, to crush sb.; to annihilate sb.

reniccio m. silt.

renifórme a. kidney-shaped; (*bot.*, *miner.*) reniform.

renina f. (*biol.*) renin.

rènio m. (*chim.*) rhenium.

renitènte A a. **1** reluctant; unwilling; re-

calcitrant; (*restio*) loath (pred.): **r. ai consigli di q.**, reluctant (*o* unwilling) to follow sb.'s advice; **r. agli ordini**, unwilling (*o* loath) to accept orders; recalcitrant **2** (*mil.*) – **essere r. alla leva**, to fail to report for military service; to avoid conscription; to dodge the draft (USA) **B** m. **1** recalcitrant person **2** (*mil.*) person who fails to report for military service; draft dodger (USA).

renitènza f. **1** reluctance; unwillingness; recalcitrance **2** (*mil.*) – **r. alla leva**, failure to report for military service; draft dodging (USA).

rènna f. **1** (*zool.*, *Rangifer tarandus*) reindeer* **2** (*pelle*) buckskin.

rennìna f. (*biochim.*) rennin.

Rèno m. (*geogr.*) (the) Rhine.

renosità f. sandiness.

renóso a. sandy.

rènsa f. (*ind. tess.*) fine linen cloth.

rentier (*franc.*) m. inv. rentier; person living on an unearned income.

rentrée (*franc.*) f. inv. return; reappearance; comeback.

rèo A m. (f. **-a**) **1** (*leg.*) offender; culprit; criminal: *È reo di di furto [d'omicidio]*, he is guilty of theft [of murder]; **essere reo confesso**, to have pleaded guilty; to be a self-confessed offender **2** (*lett.*: *persona malvagia*) wicked person **B** a. (*lett.*: *malvagio*) wicked; evil.

reoencefalografìa f. (*med.*) rheoencephalography.

reoencefalògrafo m. (*med.*) rheoencephalograph.

reoencefalogràmma m. (*med.*) rheoencephalograph.

reòforo m. (*elettr.*) rheophore.

reografìa f. (*med.*) rheography.

reògrafo m. (*med.*) rheograph.

reogràmma m. (*med.*) rheograph.

reologìa f. rheology.

reòmetro m. (*elettr.*) rheometer; galvanometer.

reoscòpio m. (*elettr.*) rheoscope.

reostàtico a. (*elettr.*) rheostatic.

reòstato m. (*elettr.*) rheostat: **r. di avviamento**, starting rheostat (*o* resistance); **r. di campo**, field rheostat.

reotàssi, **reotassìa** f. (*zool.*) rheotaxis.

reòtomo m. (*fis.*) rheotome.

reotropìsmo m. (*biol.*) rheotropism.

reovìrus m. inv. (*biol.*) reovirus.

♦**repàrto** m. **1** (*compartimento*, *sezione*) department; division; section; (*di ospedale*) ward, unit; (*di officina*) bay, shop: **r. abbigliamento maschile**, men's clothing department; **r. collaudi**, testing department; **r. contabilità**, accounts department; **r. maternità**, maternity ward; (*mecc.*) **r. montaggio**, fitting shop; assembly bay; **r. di terapia intensiva**, intensive care unit; **r. vendite**, sales department; **capo r.** → **caporeparto**; **dirigente di r.**, departmental executive **2** (*mil.*) unit; detachment; party: **un r. di fanteria**, a detachment of infantry; **reparti d'assalto**, storm troops; **reparti di paracadutisti**, paratroops; **reparti speciali**, special units; task force (sing.) **3** (*sport*) – **r. d'attacco**, attack; **r. di difesa**, defence.

repêchage (*franc.*) m. inv. **1** retrieval; recovery; revival **2** (*sport*) repêchage.

repellènte A a. **1** (*fig.*) repellent; repulsive; revolting; disgusting; repugnant; loathsome: **aspetto r.**, revolting (*o* disgusting) appearance; **individuo r.**, repulsive (*o* repellent) individual; **odore r.**, foul smell **2** (*chim.*, *biol.*) repellent **B** m. (*chim.*) insect repellent.

repellènza f. **1** repulsiveness; loathsomeness **2** (*chim.*, *biol.*) repellency.

repèllere v. i. to be revolting (o disgusting); to repel (sb.); to revolt (sb.); to disgust (sb.).

repentàglio m. risk; danger; hazard; jeopardy: **mettere a r.**, to jeopardize; to put at risk; to endanger; to imperil; to hazard; to put on the line (*fam.*); **mettere a r. la propria reputazione**, to risk one's reputation; to put one's reputation on the line (*fam.*); **mettere a r. la vita di q.**, to endanger sb.'s life; to put sb.'s life at risk.

repènte (*lett.*) **A** a. sudden; abrupt: **di r.**, all of a sudden; suddenly; abruptly **B** avv. suddenly; all of a sudden.

repentinità f. suddenness; abruptness; unexpectedness.

repentino a. sudden; abrupt; (*inatteso*) unexpected: **un r. cambiamento del tempo**, a sudden change in the weather; **morte repentina**, sudden death; **partenza repentina**, sudden departure.

reperibile a. available; traceable: *Il dottore è r. dalle 8 alle 12*, the doctor is available (o can be contacted) from 8 till 12; **r. in commercio** (o **sul mercato**), on sale; **r. nei migliori negozi**, available in the best shops; **difficilmente r.**, difficult to find; **facilmente r.**, easily found.

reperibilità f. availability: (*med.*) **essere (in servizio) di r.**, to be on call.

reperimènto m. finding; locating; tracing; (*comput.*) retrieval: **r. delle prove**, finding the evidence; **r. di informazioni**, information retrieval; *Il reperimento del relitto non fu facile*, locating the wreck wasn't easy.

reperire v. t. to find*; to trace; (*comput.*) to retrieve: **r. un indizio**, to find a clue; **r. fondi**, to raise funds.

repertàre v. t. 1 (*leg.*) to produce; to exhibit; to submit: **r. prove**, to produce evidence 2 (*med.*) to find*; to discover.

repèrto m. 1 find: **r. archeologico**, archeological find 2 (*leg.*) exhibit; evidence Ⓤ 3 (*med.*) report.

repertòrio m. 1 (*teatr.*) repertory; repertory: **il r. di un cantante**, a singer's repertoire; **avere in r.**, to have in one's repertoire 2 (*indice, catalogo*) index*; catalogue; list; (*registro*) register: **r. bibliografico**, bibliography; **mettere a r.**, to index 3 (*fondo, raccolta*) fund; store; stock; repertoire; collection: **r. di aneddoti**, fund (o repertoire) of anecdotes; **r. di errori**, collection of errors; **tutto il suo r. di insulti**, his whole repertoire of abuse 4 (*cinem., TV*) library stock: **immagini di r.**, film footage Ⓤ; **materiale di r.**, library footage Ⓤ; stock footage Ⓤ.

replay (*ingl.*) m. inv. (*TV*) (action) replay: **r. al rallentatore**, slow-motion replay.

rèplica f. 1 (*il replicare*) repetition; (*anche scient.*) replication; (*cosa replicata*) repetition, repeat; (*copia*) replica: *È la r. esatta di quello che abbiamo già sentito*, it's the exact repeat of what we heard 2 (*leg.*) reply 3 (*risposta*) reply; answer; retort; rejoinder: **r. spiritosa**, witty retort; repartee 4 (*obiezione*) objection; retort: *Non ammetto repliche*, I won't allow any objections; **un tono che non ammette repliche**, a tone of voice which brooks no argument 5 (*teatr.*) repeat performance; (*radio, TV*) repeat, re-run: **avere dieci repliche**, to run for ten nights; **avere molte repliche**, to have a long run 6 (*di opera d'arte*) replica ❶ **FALSI AMICI** - replica *nei sensi di ripetizione e risposta e nel senso teatrale non si traduce con replica*.

replicàbile a. repeatable; replicable (*scient.*).

replicabilità f. replicability.

replicànte A a. (*biol., chim*) replication (attr.): *DNA r.*, replication DNA **B** m. e f. 1 (*androide*) android 2 (*fig.*) clone.

replicàre v. t. 1 (*fare di nuovo*) to repeat; to replicate (*scient.*): **r. un esercizio**, to repeat an exercise; **r. un esperimento**, to repeat (o to replicate) an experiment 2 (*dire di nuovo*) to repeat; to say* again; to reiterate 3 (*rispondere*) to reply; to answer; (*ribattere*) to retort, to rejoin, to answer back (*fam.*); (*obiettare*) to object: *Non ho nulla da r.*, I have nothing to say in reply; *E guai a te se replichi!*, and don't you dare answer back!; *Non c'è molto da r.*, there isn't much that can be said against it; *Obbedì senza r.*, she obeyed without comment (o without a word) 4 (*teatr.*) to repeat, to perform again; (*radio, TV*) to repeat, to re-run*: *Lo spettacolo fu replicato per due settimane*, the show had a run of two weeks; *Domani si replica*, repeat performance tomorrow.

replicazióne f. 1 (*ling.*) repetition 2 (*biol.*) replication.

rèplo m. (*bot.*) replum*.

reportage (*franc.*) m. inv. report; story; reportage: **r. di guerra**, war report; **r. fotografico**, reportage.

repòrter (*ingl.*) m. e f. inv. reporter.

repositòrio m. (*eccles.*) repository.

reprensibile → **riprensibile**.

reprensióne → **riprensione**.

repressióne f. 1 repression: **la r. di un tumulto**, the repression of a riot 2 (*psic.*) suppression.

repressivo a. repressive: **leggi repressive**, repressive laws.

represso a. 1 repressed; withheld; (*soffocato*) stifled, muffled: **grido r.**, muffled cry; **ira repressa**, repressed anger; **sbadiglio r.**, stifled yawn; **singhiozzi repressi**, choked sobs 2 (*psic.*) suppressed: **istinto r.**, suppressed instinct.

repressóre A a. repressive **B** m. 1 (f. *reprimitrice*) represser 2 (*biochim.*) repressor.

reprimènda f. reprimand; rebuke; lecture: **fare una r.**, to reprimand; to scold; to lecture.

reprimere A v. t. 1 (*frenare, dominare*) to repress; to restrain; to check; to hold* back; to withhold*; (*soffocare*) to stifle, to choke back: **r. un grido**, to repress (o to check, to stifle) a cry; **r. l'ira**, to restrain (o to check, to withhold) one's anger; **r. uno sbadiglio**, to stifle a yawn; **r. i propri sentimenti**, to repress one's feelings; **r. i singhiozzi**, to choke back one's sobs 2 (*psic.*) to suppress 3 (*domare con la forza*) to repress; to put* down; to crush: **r. una rivolta**, to repress (o to put down) an uprising **B reprimersi** v. rifl. to restrain oneself; (*dominarsi*) to control oneself.

reprimibile a. repressible; suppressible.

reprimitrice f. → **repressore, B**, *def. 1*.

rèprobo A a. (*lett.*) evil; wicked; (*relig.*) reprobate, damned **B** m. (f. *-a*) evil (o wicked) person; (*relig.*) reprobate.

reprografia f. (*tecn.*) reprography.

reprogràfico a. (*tecn.*) reprographic.

reps (*franc.*) m. inv. (*ind. tess.*) rep.

reptànte a. (*zool.*) repent; creeping.

reptatòrio a. (*zool.*) reptatory; reptatorial.

repùbblica f. 1 republic: **r. aristocratica**, aristocratic republic; (*spreg.*) **r. delle banane**, banana republic; **r. democratica**, democratic republic; **la R. di San Marino**, the Republic of San Marino; **r. federale**, federal republic; **la R. Italiana**, the Italian Republic; **r. oligarchica**, oligarchic republic; **parlamentare**, parliamentary [republic]; **r. popolare**, people's republic; **r. presidenziale**, presidential republic; **reggersi a r.**, to have a republican government; to be a republic 2 (*fig.*) - **la r. letteraria** (o **delle let-**

tere), the republic of letters 3 (*fam.*: *confusione*) confusion; chaos; mess.

repubblicanéşimo m. (*polit.*) republicanism.

repubblicàno a. e m. (f. *-a*) republican: **governo r.**, republican government; **il Partito R.**, the Republican Party.

repubblichino A a. (*stor., spreg.*) of the Italian Social Republic; Fascist **B** m. (f. *-a*) supporter of the Italian Social Republic.

repùdio e deriv. → **ripùdio**, e deriv.

repugnàre e deriv. → **ripugnare**, e deriv.

repulìsti m. - (*fam. scherz.*) **far r.**, (*togliere tutto*) to clean out everything; (*fare piazza pulita*) to make* a clean sweep; (*mangiare tutto*) to polish off (st.); (*rubare tutto*) to clean out (a place).

repulsióne f. 1 (*fis.*) repulsion 2 (*ripugnanza*) repulsion; repugnance; aversion loathing: **sentire r. per qc.**, to feel repugnance for st.; **ispirare r.**, to inspire repulsion.

repulsivo a. 1 (*fis.*) repulsive 2 (*ripugnante*) repulsive; repellent; revolting; loathsome.

reputàre A v. t. to repute (generalm. al passivo); to consider; to think*; to deem (*form.*): *Lo reputano un uomo onesto*, he is reputed to be (o he is considered) an honest man; *Reputo la sua condotta vergognosa*, I consider his conduct disgraceful; *Lo reputavo necessario*, I thought it necessary; *Non reputo molto il nuovo direttore*, I don't think much of the new director **B reputarsi** v. rifl. to consider oneself: **reputarsi un genio**, to consider oneself a genius; *Si reputa un gran che*, she has a high opinion of herself; *Si reputi licenziato!*, consider yourself dismissed!

reputàto a. (*stimato*) well-thought-of; respected; esteemed.

reputazióne f. reputation; repute; credit; standing: **buona [cattiva] r.**, good [bad] reputation (o repute); **essere all'altezza della propria r.**, to live up to one's reputation; **farsi una r.**, to build a reputation; to make a name for oneself; to earn a reputation; **godere di una buona r.**, to have (o to enjoy) a good reputation; **rovinarsi la r.**, to lose one's reputation; *Ha la r. d'essere severissimo*, he has the reputation of being very strict.

rèquie f. (*riposo*) rest; (*pace*) peace; (*tregua*) respite, relief: **non avere mai un minuto di r.**, never to have a moment's peace; **non dare r.**, to give no peace; (*di dolore*) to give no respite; **trovare un po' di r.**, to find some peace; **senza r.**, incessantly; unceasingly.

rèquiem (*lat.*) m. 1 (*eccles.*) prayer for the dead: *Messa di* (o *da*) *r.*, requiem (Mass) 2 (*mus.*) requiem.

requirènte a. (*leg.*) investigating; inquiring.

requisire v. t. 1 to requisition; to commandeer: **r. automezzi**, to requisition vehicles 2 (*fig.*) to commandeer; to seize; to appropriate; to monopolize: *Ha requisito l'ospite per tutta la sera*, he monopolized the guest for the whole evening.

requisìto m. requirement; requisite; (*qualifica*) qualification: **r. indispensabile**, prerequisite; **requisiti d'ammissione**, requisites for admission; **requisiti di servizio**, service requirements; **i requisiti di un buon giornalista**, the requisites of a good journalist; (*banca*) **requisiti patrimoniali**, capital requirement (sing.); *Uno dei requisiti richiesti è la laurea in chimica*, one of the requirements is a chemistry degree; **avere i requisiti necessari per qc.**, to possess the necessary qualifications for st.; to qualify for st.; to be eligible for st.; **avere tutti i requisiti per fare carriera**, to have all the requi-

sites to succeed professionally; **soddisfare a tutti i requisiti**, to meet all the requirements.

requisitòria f. **1** (*leg.*) public prosecutor's final address **2** (*estens.*) reprimand; lecture; tirade.

requisizióne f. (*mil.*) requisitioning; commandeering; requisition: **r. di vettovaglie**, requisition of provisions; **ordinare una r.**, to order a requisition.

R&S sigla (**ricerca e sviluppo**) research and development (R&D).

résa f. **1** (*l'arrendersi*) surrender: **r. incondizionata**, unconditional surrender; **r. per capitolazione**, capitulation; **costringere alla r. l'avversario**, to force one's opponent to yield; **intimare la r. a q.**, to call on sb. to surrender; **trattare la r.**, to discuss the terms of surrender; **condizioni di r.**, terms of surrender **2** (*restituzione*) return; (*di denaro*) repayment, refund: **la r. dell'invenduto**, the return of unsold goods; **chiedere la r. di un prestito**, to demand repayment (*o* refund) of a loan; **termine di r.**, delivery deadline **3** (*merce invenduta*) returned goods (pl.); returns (pl.) **4** (*profitto, rendimento*) yield, return; (*produzione*) output; (*prestazioni, efficienza*) performance: **la r. di queste azioni**, the return of these shares; **la r. di un impianto**, the output of a plant; **r. garantita**, guaranteed yield; **r. in peso**, yield in weight; **r. stimata**, estimated yield; *La mia auto mi ha dato un'ottima r.*, I've had an excellent performance from my car **5** (*modo di rendere*) rendering, rendition; (*traduzione*) translation ● **r. dei conti**, (*comm.*) rendering of accounts; (*fig.*) day of reckoning, (*momento cruciale*) crunch, (*scontro finale*) final confrontation, (*prova di forza*) showdown.

rescìndere v. t. **1** (*lett.*) to break* off; to sever **2** (*leg.*) to rescind; to cancel; to annul; to avoid; to terminate: **r. un contratto**, to rescind (*o* to avoid) a contract; **r. il contratto d'impiego con q.**, to terminate sb.'s employment.

rescindìbile a. (*leg.*) rescindable; cancellable; annullable; avoidable.

rescindibilità f. (*leg.*) rescindability.

rescissióne f. rescission; cancellation; annulment; avoidance; termination: **la r. d'un contratto**, the rescission (*o* the cancellation) of a contract.

rescissòrio a. (*leg.*) rescissory.

rescritto m. (*leg., stor., eccles.*) rescript.

resecàre v. t. **1** (*tagliar via*) to cut* off **2** (*chir.*) to resect.

reséda f. (*bot., Reseda*) reseda; mignonette ● **r. dei tintori** (*Reseda luteola*), weld; dyer's rocket.

reserpìna f. (*chim.*) reserpine.

reset (*ingl.*) m. inv. (*comput.*) **1** resetting; reset: **fare il r.**, to reset **2** (*anche* **tasto di r.**) reset button (*o* key).

resettàre v. t. (*comput.*) to reset*.

resezióne f. (*chir.*) resection.

residence (*ingl.*) m. inv. block of service flats (*GB*); apartment hotel (*USA*) ❶ FALSI AMICI ● residence *non si traduce con* residence.

residènte A a. **1** resident; residing; (*bur.*) domiciled: **i lavoratori residenti all'estero**, workers residing abroad; **ministro r.**, resident; **la popolazione r.**, the resident population; **essere r. a Roma**, to be domiciled (*o* to reside) in Rome; (*di società*) to be resident in Rome **2** (*comput.*) resident: **r. in memoria**, memory-resident B m. e f. **1** resident: **non r.**, non-resident **2** (*ministro r.*) resident.

residènza f. **1** (*soggiorno*) stay **2** (*luogo ove si risiede*) residence; (*bur.*) domicile, (*di organizzazione, istituzione*) seat; (*di organizzazione, istituzione*) seat: **r. abituale**, residence; permanent

address; **la r. del governo**, the government's seat; **avere la r. a Genova**, to be domiciled in Genoa; **cambiare r.**, to change one's address; **essere senza r. fissa**, to have no fixed address; **fissare** (*o* **stabilire**) **la propria r. in una città**, to take up one's residence in a town; **certificato di r.**, certificate of domicile; **diritto di r.**, right of abode; **luogo di r.**, place of residence (*o* of abode); *C'è obbligo di r.*, residence is required; **permesso di r.**, residence permit **3** (*edificio in cui si abita*) residence; house: **r. di campagna**, country house; (*di nobile*) country seat; **r. di caccia**, hunting lodge; **r. estiva**, summer residence **4** (*sede*) seat; residence: **la r. del governo**, the seat of the government.

residenziàle a. residential: **zona r.**, residential area.

residuàle a. **1** residual; remaining **2** (*leg.*) residual; residuary.

residuàre v. i. to remain; to be left over.

residuàto A a. **1** residual; remaining; surplus (attr.): **materiale r.**, residual material B m. **1** (*rimanenza*) surplus: **r. bellico**, war surplus **2** (*scarto*) scrap: **residuati di lavorazione**, scraps; remnants.

resìduo A a. **1** remaining; residual; left over (pred.): **la merce residua**, the remaining goods; **la parte residua**, what is left over; the excess; **la somma residua**, the residual amount; the balance; **la stoffa residua**, the remaining material; the material left over; **tracce residue**, remnant traces; *Il tempo r. sarà dedicato alle domande*, the remaining time will be devoted to questions **2** (*fis., elettr.*) residual: **magnetismo r.**, residual magnetism B m. **1** (*ciò che resta*) remainder; residue; remnant; remains (pl.); (*eccedenza*) surplus; (*saldo*) balance; (*traccia*) trace; (*vestigio*) vestige: **r. di bilancio**, balance; **r. di cassa**, cash surplus; **un r. di forze**, the little strength one has left; the last scrap of one's strength; **un r. di unto**, a trace of grease; **residui attivi**, residual assets; revenue arrears; **i residui di un incendio**, the remains of a fire; **residui di lavorazione**, scraps; tailings; **residui invenduti**, left-over stock (sing.); **residui passivi**, expenditure arrears; residual liabilities; **residui radioattivi**, roadioactive waste ⓊＬ **2** (*mat.*) remainder **3** (*chim.*) residue: **r. catramoso**, tarry residue; **r. della calcinazione**, calx; **residui di combustione**, residual combustion products.

resiliènte a. (*fis., mecc.*) resilient.

resiliènza f. (*fis., mecc.*) resilience; resiliency.

rèsina f. resin: **r. acrilica**, acrylic resin; **r. di pino**, pine resin; galipot; **r. minerale**, fossil resin; **r. sintetica**, synthetic resin; resinoid; **r. termoplastica**, thermoplastic resin; **r. vinilica**, vinyl resin; **colla di r.**, resin size.

resinàceo a. resinous.

resinàre v. t. **1** (*estrarre resina*) to extract resin from **2** (*ind. tess.*) to resin.

resinàto A a. **1** treated with resin; resined **2** – **vino r.**, resinated wine B m. (*chim.*) resinate.

resinatùra f. **1** resin extraction; resin tapping **2** (*ind. tess.*) resin finish.

resinazióne f. resin extraction; resin tapping.

resìnico a. resin (attr.).

resìnifero a. resin-yielding; resiniferous.

resinificàre A v. t. to resinify B v. i. e **resinificàrsi** v. i. pron. to resinify; to become* resinous.

resinificazióne f. (*chim.*) resinification.

resinóso a. (*anche elettr.*) resinous: **elettricità resinosa**, resinous electricity; **pianta resinosa**, resinous plant; **sostanze resinose**, resinous substances.

resipiscènte a. (*lett.*) repentant.

resipiscènza f. (*lett.*) repentance.

resistènte A a. **1** resistant; resisting; -proof (suff.); (*di colore, anche* **r. al lavaggio**) fast, permanent: **r. al calore**, heat-resistant; **r. alla fatica**, capable of physical endurance; tough; **r. al fuoco**, fireproof; **r. al gelo**, frost-proof; **r. alle intemperie**, weatherproof; **r. alle macchie**, stain-resistant; **r. agli urti**, shockproof; shock-resistant **2** (*robusto*) strong; tough; hardy; (*r. al logorio*) hard-wearing, durable; (*di macchina*) heavy-duty: **avere un fisico r.**, to be robust (*o* tough); **stoffa r.**, strong (*o* hard-wearing) material **3** (*bot.*) hardy B m. e f. resistance fighter.

♦**resistènza** f. **1** (*opposizione*) resistance; opposition; (*ostilità*) hostility: **r. attiva** [**passiva**], active [passive] resistance; **r. all'autorità**, resistance to authority; **strenua r.**, fierce resistance; **avere una certa r. a fare qc.**, to be reluctant to do st.; **fiaccare la r. di q.**, to wear down sb.'s resistance; **incontrare r.**, to meet with (*o* to come up against) resistance (*o* opposition); **opporre r.**, to put up (*o* to offer) resistance; to put up a fight; **vincere la r. di q.**, to overcome sb.'s resistance **2** (*fis.*) resistance; strength: **r. acustica**, acoustic resistance; **r. al calore**, resistance to heat; heat resistance; **r. alla corrosione**, corrosion strength; **r. alla trazione**, tensile strength; **r. all'urto**, impact strength; (*radio*) **r. anodica**, plate resistance; **r. dell'aria**, air resistance; **r. di attrito**, frictional resistance; **r. di contatto**, contact resistance; **r. di terra**, earth resistance; (*radio*) **r. dinamica**, dynamic resistance; **r. elastica**, elastic strength; **r. elettrica**, electric resistance **3** (*aeron.*) drag: **r. aerodinamica**, drag; **r. indotta**, induced drag; **coefficiente di r.**, drag coefficient **4** (*elettr.: resistore*) resistor; resistance, resistance-coil: **r. di polarizzazione**, bias resistor **5** (*robustezza*) strength; hardiness; toughness; durability; wear: **la r. di una stoffa**, the strength of a material; **r. all'uso**, wear; **r. fisica**, physical stamina **6** (*psic.*) resistance **7** (*biol.*) resistance: **r. alle infezioni**, resistance to infection **8** (*capacità di resistere*) endurance (*anche sport*); resistance: **r. alla fatica**, endurance; stamina; **capacità di r.**, powers (pl.) of endurance; stamina; staying power; **gara di r.**, endurance trial; **prova di r.**, endurance test; (*sport*) endurance trial **9** (*stor., polit.*) resistance; underground: **r. armata**, armed resistance; *Ha fatto la R.*, he was in the underground; **focolai di r.**, hotbeds of resistance; **movimento di r.**, underground movement.

resistenziàle a. (*stor., polit.*) resistance (attr.); underground (attr.).

♦**resìstere** v. i. **1** (*opporre resistenza, opporsi*) to resist (sb., st.), to withstand* (sb., st.); (*tener duro*) to hold* out (against); (*assol.*) to hold* out, to hang* on: **r. a un assedio**, to withstand a siege; **r. al nemico**, to resist the enemy; **r. alle tentazioni**, to resist temptation; **r. fino alla fine**, to hold out (*o* on) to the last; *Dopo i pasti, non so r. a una sigaretta*, after meals, I can't resist a cigarette; *Fino a quando potrà r. il nemico?*, how long will the enemy be able to hold out?; *Cerca di r. ancora un po'*, try to hold out a bit longer; *Resisti, arriviamo!*, hang on, we're coming!; **un'offerta a cui non si può r.**, an irresistible offer **2** (*reggere, sopportare*) to endure (st.); to bear* (st.); to stand* (st.); to put* up (with); (*assol.*) to endure, to stand* it, to bear* it; (*assol.: durare*) to last, to endure: **r. al dolore** [**alla fame**], to endure (*o* to bear) pain [hunger]; **r. al freddo**, to stand the cold; **r. alle intemperie**, to withstand the weather; to weather well; **r. alla prova**, to stand the test; **r. alle provocazio-**

ni, to put up with provocations; **r. alla tortura**, to endure (*o* to hold out under) torture; *Non resistetti più e gli dissi di tacere*, I couldn't contain myself and I told him to shut up; *Non (ci) resisto più*, I can't stand it any more; I can't take any more of this; *Non ci resisto a vederla soffrire così*, I can't bear to see her suffer so much; *Non credo che il nuovo direttore resisterà a lungo*, I don't think the new director will last (long); *Il bel tempo resistette per una settimana*, the good weather lasted for a week; **opere che hanno resistito nei secoli**, works that have lasted centuries **3** (*essere resistente*) to stand* (st.); to be resistant (to); to be proof (against); to be... resistant; to be...-proof; (*di colore*) to be fast: **r. agli acidi**, to be acid-proof; (*edil.*) **r. al fuoco**, to be fire-resistant (*o* fireproof); (*edil.*) **r. allo sforzo**, to take the stress; **r. agli urti**, to be shock-resistant; *Queste piante resistono ai climi rigidi*, these plants can stand cold climates; these are hardy plants; *La sua onestà resiste a qualsiasi adulazione*, his honesty is proof against all flattery.

resistìbile a. resistible.

resistività f. (*elettr.*) resistivity: **r. magnetica**, magnetic resistivity.

resistìvo a. (*elettr.*) resistive.

resistóre m. (*elettr.*) resistor.

res nùllius (*lat.*) loc. f. inv. nobody's property.

rèso① A a. **1** (*restituito*) returned; given back (pred.); (*di denaro*) paid back (pred.) **2** (*comm.*) delivered: **r. a bordo**, delivered on board **3** (*fatto diventare*) made; rendered: **r. famoso**, made famous **4** (*dato*) rendered: **per i servizi resi**, for service rendered B m. (*comm.*) returned goods (pl.); returns (pl.).

rèso② m. (*zool., Macacus rhesus*) rhesus (monkey).

resocontista m. e f. (*giorn.*) reporter: **r. giudiziario**, court reporter.

resocónto m. **1** (*relazione*) report, account; (*ragguaglio*) run-down; (*cronaca*) story: **r. dettagliato**, detailed (*o* circumstantial) account; **il r. di una seduta**, the report of a meeting; **il r. completo della sua vita**, the complete story of his life; **fare un r.**, to give an account; to make a report; *Fammi un veloce r. di quello che è successo*, give me a quick run-down on what happened **2** (*rendiconto*) statement.

resòrcina f. (*chim.*) resorcinol.

respingènte m. **1** (*ferr.*) buffer; bumper (*USA*) **2** (al pl.) (*pop.: seni femminili*) knockers.

♦**respìngere** v. t. **1** (*spingere indietro*) to repel; to drive* back; to push back; to repulse; to beat* back; (*lottando*) to fight* back: **r. un'accusa**, to rebut a charge; **r. un assalitore**, to repel an assailant; **r. un attacco**, to repel an attack; **r. il nemico**, to drive back the enemy; **r. una tentazione**, to resist (*o* to fight back) a temptation; *Fu respinto contro le transenne*, he was pushed (*o* driven, thrown) back against the barriers **2** (*rimandare indietro*) to return; to send* back: **r. una lettera al mittente**, to return a letter to the sender; **r. la palla**, to throw back the ball **3** (*calcio*) to clear (the ball); to save: **r. di pugno**, to parry with one's fists; **r. di testa**, to head off the ball **4** (*non accogliere, rifiutare*) to reject; to turn down; to refuse; to repulse; (*in una votazione*) to vote down; to defeat: **r. un'obiezione**, to overrule an objection; **r. un'offerta**, to reject an offer; **r. un pretendente**, to refuse a suitor; **r. un progetto di legge**, to defeat (*o* to vote down, to reject) a bill; **r. una proposta**, to reject (*o* to turn down) a proposal **5** (*bocciare in un esame*) to fail: **r. un candidato a un esame**, to fail a candidate in an examination; *Fu respinto in*

latino, he failed Latin.

respingiménto m. **1** (*lo spingere indietro*) repulsion; repelling; driving back **2** (*il non accettare*) rejection; refusal; turning down.

respìnta f. (*calcio*) parry; clearance; save: **r. di piede**, a save with one's feet; **fare una r. di piede**, to save with one's feet; **fare una r. di pugno**, (*di un tiro*) to parry with one's fists; (*di un cross*) to punch (the ball) clear; **r. di testa**, headed clearance.

respìnto A a. **1** pushed back; driven back; repelled **2** (*rifiutato*) rejected; turned down; refused **3** (*bocciato in un esame*) failed B m. (f. **-a**) failed candidate: *Ci sono stati tre respinti*, three candidates were failed; **i respinti in greco**, those who failed Greek.

respiràbile a. breathable; respirable: **aria r.**, breathable air.

respirabilità f. breathableness; respirability.

♦**respiràre** A v. i. **1** to breathe; (*inalare*) to breathe in: **r. a fatica**, to breathe with difficulty; **r. a pieni polmoni**, to breathe deeply; **r. con la bocca [col naso]**, to breathe through one's mouth [one's nose]; **r. liberamente**, to breathe freely; **r. profondamente**, to take a deep breath; *I pesci respirano con le branchie*, fish breathe through their gills; *Quando arrivai, respirava ancora*, when I arrived, she was still breathing; *Non respira più*, he has stopped breathing; **stare sott'acqua due minuti senza r.**, to be under water for two minutes without drawing breath; (*fig.*) **non avere il tempo di r.**, not to have time to breathe; **lasciar r. la pelle**, to allow the skin to breathe; *Qui dentro non si respira*, it's stuffy in here; *Nella stanza non si respira dal fumo*, one can hardly breathe for the smoke in the room **2** (*riprendere fiato*) to get* one's breath back; to catch* one's breath: *Lasciatemi r. e poi vi risponderò*, let me get my breath back, and then I'll answer you **3** (*fig.: essere sollevato*) to breathe again; to breathe easier: *A quella notizia respirai*, when I heard the news, I breathed again B v. t. to breathe; (*inspirare*) to breath in ● (*fig.*) **aver bisogno di r. aria nuova**, to need a change of air □ **Sono libero come l'aria che respiro**, I'm as free as the air I breathe □ **Si respira aria di cambiamento**, there are changes in the air.

respirativo a. respiratory; breathing.

respiratóre m. **1** (*med., tecn.*) respirator **2** (*aeron.*) oxygen mask **3** (*per immersioni*) snorkel; (*autorespiratore*) aqualung: **nuoto col r.**, snorkelling.

respiratòrio a. respiratory; breathing: **funzioni respiratorie**, respiratory functions; **malattie respiratorie**, respiratory diseases; **vie respiratorie**, respiratory tract (sing.).

respirazióne f. respiration; breathing: **r. artificiale**, artificial respiration; ventilation; **r. bocca a bocca**, mouth-to-mouth resuscitation; kiss of life (*fam.*); **r. cutanea**, porous respiration; **r. difficile**, difficult breathing; **la r. vegetale**, respiration in plants; **difficoltà di r.**, difficulty in breathing; **organi della r.**, respiratory (*o* breathing) organs.

♦**respìro** m. **1** (*respirazione*) breathing, respiration; (*singolo movimento, fiato*) breath; (*sospiro*) sigh: **r. accelerato**, quick breathing; *Ascoltò il r. del bambino*, he listened to the child's breathing; **fare un r. profondo**, to take a deep breath; to breathe in deeply; **mandare (*o* tirare) un r. di sollievo**, to heave a sigh of relief; to sigh with relief; **avere il r. corto**, to be short of breath; **avere il r. affannoso**, to breathe with difficulty; to pant; **esalare l'ultimo r.**, to breathe one's last; *Mi manca il r.*, I can't breathe; **trattenere il r.**, to hold one's breath; (*fig.*) **togliere il r.**, to take sb.'s breath away; **una velocità da togliere il r.**, a breath-taking speed; (*fig.*) **fino all'ultimo r.**, till the last gasp; to the last **2** (*fig.: sollievo*) rest, respite; (*agio*) leisure: **non avere mai un minuto di r.**, never to have a moment's rest; *Dammi un attimo di r.!*, let me breathe!; let me get my breath back!; **lavorare con un certo r.**, to work at a leisurely pace; **pausa di r.**, breather **3** (*fig.: dilazione*) respite; reprieve; grace; breathing space: **accordare un breve r. per il pagamento**, to grant a short respite for the payment; *Ci hanno dato tre giorni di r.*, we've been given three days' grace **4** (*fig.: portata, estensione*) range; breadth: **di vasto r.**, wide-ranging; far-reaching: **uno studio di vasto r.**, a wide-ranging study **5** (*mus.*) breath mark.

♦**responsàbile** A a. **1** responsible; answerable; accountable; liable; (*incaricato*) in charge: **essere r. delle proprie azioni**, to be responsible (*o* accountable) for one's own actions; **essere r. delle spedizioni**, to be in charge of deliveries; **essere r. di fronte a q.**, to be responsible to sb.; *Non posso essere r. di quello che ha fatto un altro*, I can't be held accountable (*o* I can't answer) for what someone else did; *Mi faccio r. io di ciò*, I'll answer for that; **ritenere q. r. di qc.**, to hold sb. responsible (*o* accountable) for st.; *Vi teniamo personalmente responsabili del ritardo*, we hold you personally responsible for the delay **2** (*in grado di assumersi responsabilità*) responsible; reliable; conscientious: **un bambino r.**, a responsible little boy **3** (*colpevole*) guilty ● (*giorn.*) **direttore r.**, editor B m. e f. **1** person responsible **2** (*chi dirige*) person in charge; manager; head: **il r. delle pubbliche relazioni**, the person in charge of public relations; the PR officer; (*org. az.*) **r. di prodotto**, product manager; *Chi è il r. qui?*, who's in charge here? **3** (*colpevole*) culprit; perpetrator: **il r. del furto**, the person who committed (*o* the perpetrator of) the theft; the thief; **il r. dell'incidente**, the person who caused the accident; *Hanno arrestato il r.*, they have arrested the culprit.

♦**responsabilità** f. **1** responsibility; (*compito, anche*) task, job: **una bella r.**, a serious responsibility; **una grave r.**, a heavy responsibility; *La r. ricade interamente su di voi*, the responsibility rests entirely with you; *Non è mia r. controllare chi entra*, it isn't my job to check those who come in; *La direzione non accetta alcuna r. per gli oggetti non depositati in custodia*, the management accepts no responsibility for items not left in safe custody; **affidare a q. la r. di un lavoro**, to put sb. in charge of a job; **assumersi la (piena) r. di q.c**, to take (full) responsibility for st.; **assumersi le proprie r.**, to accept (*o* to assume) responsibility for one's actions; **avere la r. di qc.**, to have responsibility for st.; **avere la r. di fare qc.**, to have a responsibility to do st.; **dividere la r. con altri**, to share the responsibility with others; **palleggiarsi le r.**, to pass the buck (*fam.*); **prendersi la r. di fare qc.**, to take the responsibility of doing st.; to do st. on one's own responsibility; **sottrarsi a una r.**, to evade (*o* to avoid, to shirk) responsibility; *È stato deciso sotto la mia r.*, I take full responsibility for that decision; **un lavoro di (grossa) r.**, a (highly) responsible job; **un posto di r.**, a position of responsibility; **r. sociale di impresa**, corporate social responsibility **2** (*leg.*) responsibility; liability: **r. civile**, tort liability; third-party liability; **r. contrattuale**, contractual liability; **r. limitata [illimitata]**, limited [unlimited] liability; **r. penale**, criminal liability; **senza r. da parte nostra**, with no responsibility on our part; *Non incorrerete in nessuna r.*, you will incur

no liability; **società a r. limitata**, limited company **3** (*anche* **senso di r.**) (sense of) responsibility.

responsabilizzàre **A** v. t. to invest (sb.) with a responsibility; (*rendere responsabile*) to make* (sb.) aware of his [her, etc.] responsibilities **B responsabilizzàrsi** v. i. pron. to become* aware of one's responsibilities; to accept (*o* to assume) one's responsibilities.

responsabilizzazióne f. **1** (*di q.*) investment with responsibility; making responsible **2** (*di sé stessi*) assumption of responsibilities; becoming responsible.

responsività f. (*biol.*) responsiveness.

respònso m. **1** (*lett.*, *di oracolo*) response: **chiedere il r. di un oracolo**, to seek a response from an oracle **2** (*risposta*) reply; answer; (*opinione*) opinion; (*decisione*) decision; verdict: **il r. della giuria**, (*leg.*) the jury's verdict; (*di gara*, *concorso*) the jury's decision; **il r. dei medici**, the doctors' opinion (*o* verdict); **il r. delle urne**, the electoral results (pl.); *Finalmente ci ha dato il suo r.!*, she has let us know her answer at last!

responsoriàle m. (*eccles.*) responsorial.

responsòrio m. (*eccles.*) responsory; response.

rèssa f. crush; throng; crowd: **una r. di ammiratori**, a crush of fans; *C'era una gran r. nella piazza*, people were thronging in the square; the square was chock-a-block with people (*fam.*); *Nella r. ci perdemmo di vista*, we lost sight of each other in the crush; **fare r.**, to crowd; to throng.

rèsta① f. **1** (*bot.*) awn; beard **2** (*lisca di pesce*) fishbone.

rèsta② f. (*stor.*) rest: **con la lancia in r.**, with lance in rest.

rèsta③ f. (*filza*) string: **una r. di cipolle**, a string of onions.

restànte **A** a. remaining; left over (pred.): **la parte r.**, the remaining part; the remainder; **la somma r.**, the amount of money left over **B** m. remainder; rest.

♦**restàre** v. i. **1** (*trattenersi*) to stay; to remain; to stay behind; (*fermarsi*) to stop: **r. a casa**, to stay at home; to stay in; **r. a cena**, to stay for (*o* to) dinner; **r. a letto**, to stay in bed; **r. alzato**, to stay up; **r. fino alla fine**, to stay on until the end; **r. in città**, to remain in town; **r. indietro**, to hang behind; to lag behind; to fall behind; **r. indietro nel lavoro**, to fall behind in one's work; *Resta con me*, stay with me; *Restai dov'ero*, I stayed (*o* stopped) where I was; I stayed put (*fam.*); *Resti fra noi*, this is just between you and me; *Restate lì* (*dove siete*), stay where you are; stay put (*fam.*); *Noi ce ne andammo, lui restò*, we left, he stayed behind; **pensare a chi resta**, to think of those who remain; *Ci restai per alcuni giorni*, I stayed (*o* stopped) there for a few days **2** (*continuare a essere*) to be; to remain; (*mantenersi*) to keep*; (*durare*) to stay, to remain, to last: **r. a galla**, to remain afloat; **r. amici**, to remain friends; **r. attaccato**, to stick; **r. calmo**, to keep calm; *Resti comodo!*, please don't get up!; **r. fedele**, to remain faithful; **r. fermo**, to stand still; to keep still; **r. in carica**, to stay (*o* to remain) in office; **r. in contatto con q.**, to keep in touch with sb.; **r. in dubbio**, to be doubtful; **r. intesi su qc.**, to be agreed upon st.; **r. scapolo**, to remain a bachelor; **r. seduto**, to remain seated; **r. sveglio**, to stay awake; **r. zitto**, to keep (*o* to remain) silent; *L'ufficio resterà chiuso tutto il mese*, the office will be closed for the whole month **3** (*essere, ritrovarsi*) to be; (*diventare*) to become*; (*essere lasciato*) to be left: **r. al buio**, to be left in the dark; **r. a piedi**, to be (left) without transport; **r. deluso**, to be disappointed; **r. ferito**, to be injured; to be wounded; **r. in mutan-**

de, to be left wearing only one's underpants; (*spogliarsi*) to strip to one's underpants; **r. incinta**, to get pregnant; **r. orfano**, to be left an orphan; **r. sbalordito**, to be astonished; **r. senza qc.**, (*non riceverlo*) to be left without st.; (*esaurire la scorta*) to run out st.; **r. senza parole**, to be left speechless; **r. soddisfatto**, to be satisfied; **r. solo**, to be left alone; **r. ucciso**, to be killed; **r. vedova**, to be left a widow; **r. zoppo**, to be crippled; to be lamed **4** (*anche* **r. d'accordo**) to agree; to settle: *Come siete restati (d'accordo)?*, what did you agree to do?; *Restarono che lui sarebbe partito subito*, they agreed that he would leave at once; *D'accordo, restiamo così*, all right, let's leave it at that **5** (*avanzare*) to be left; to be left over; to have (st.) left (pers.); (*esserci ancora*) to remain: *Restano pochi minuti*, there are only a few minutes left (*o* to go); *Quanto dolce resta?*, how much dessert is there left?; *Ce n'è restato solo uno*, there is only one left; **l'unico dubbio che resta**, the only remaining doubt; *Ecco tutto quel che resta*, that's all that remains (*o* that is left); *Restate solo voi*, you are the only ones left; *Gli restano pochi mesi da vivere*, he has only a few months to live; *Restano pochi giorni a Natale*, there are only a few days to go before Christmas; Christmas is only a few days away; *Resta ancora molto da fare*, there is still a lot to do; much remains to be done; *Resta ben poco da dire*, very little remains to be said; *Se da cinque togli quattro, resta uno*, four from five leaves one; *Mi restano solo dieci sterline*, I've only ten pounds left; *Mi restano da fare due o tre cose*, there are a couple of things left for me to do; I still have a couple of things to do; *Mi resta un dubbio*, I still have one doubt; *Non ci resta che pagare*, there is nothing left for us to do but pay; *Non ti resta altra scelta*, you have no choice; *Non resta che sperare*, there is nothing left to do but hope **6** (*essere situato, trovarsi*) to be; to be located (*o* situated): *Dove resta il tuo ufficio?*, where exactly is your office? **7** (*restare in proprietà*) to go*: *La casa resterà al figlio*, the house will go to the son ● **r. a bocca aperta**, to gape; to be struck dumb □ **r. a bocca asciutta**, to go hungry; (*fig.*) to be left empty-handed □ **r. a corto di qc.**, to run short of st. □ (*fig.*) **r. di sale**, to be struck dumb; to be dumbfounded □ (*telef.*) **r. in linea**, to hang on; to hold on □ **fermo restando che...**, it being understood that... □ **Resta da vedere se...**, it remains to be seen whether... □ **Resti fra noi**, this is just between you and me; don't let this go any further □ **Resta il fatto che...**, the fact remains that... □ **restarci**, (*restare sorpreso*) to be astonished; to be dumbfounded; (*essere catturato*) to be caught; (*morire*) to drop dead, to cop it (*fam.*) □ **restarci male**, (*essere deluso*) to be disappointed, to feel let down; (*essere ferito*) to be hurt, to be upset; (*offendersi*) to take it amiss.

restauràbile a. restorable.

restauràre v. t. **1** (*rinnovare*) to restore; (*riparare*) to repair: **r. un monumento**, to restore a monument; **r. un quadro**, to restore a painting **2** (*ripristinare*) to restore; to re-establish; to reinstate: **r. la monarchia**, to restore the monarchy.

restaurativo a. restoration (attr.).

restauratóre **A** a. restoring **B** m. (f. **-trice**) restorer: **r. di mobili**, furniture restorer; **r. di quadri**, restorer of paintings; picture restorer.

restaurazióne f. **1** restoration; reinstatement; re-establishment: **la r. della monarchia**, the restoration (*o* the re-establishment) of the monarchy; **la r. dei Borboni**, the reinstatement of the Bourbons **2** (*stor.*) – **la R.**, the Restoration.

restàuro m. restoration; (*riparazione*) repairs (pl.): **il r. di un quadro**, the restoration of a painting; **un r. mal fatto**, a bad restoration job; **fare dei restauri**, to do restoration work; *Il palazzo necessita restauri*, the palace is in need of restoration; **occuparsi di restauri**, to do restoration work; *L'affresco fu scoperto nel corso dei restauri*, the fresco was discovered during the restorations (*o* during restoration work); **chiuso per restauri**, close for restoration (*o* repairs); **in r.**, under restoration; under repair; **lavori di r.**, restoration work Ⓤ; repairs.

restìo a. **1** reluctant; unwilling; disinclined; loath: **r. ad accettare qc.**, reluctant to accept st.; **r. a cedere qc.**, loath to give up st.; **r. a collaborare**, unwilling to cooperate; uncooperative; **r. a obbedire**, unwilling to obey; **r. a partire**, reluctant to leave **2** (*di animale*) restive; jibbing; balky: **un cavallo r.**, a balky horse.

restituìbile a. returnable; (*rimborsabile*) repayable, reimbursable, refundable.

♦**restituire** v. t. **1** (*ridare, rendere*) to return; to give* back; to hand back; (*rispedire*) to send* back; (*rimborsare*) to repay*, to pay* back, to refund: **r. il denaro preso in prestito**, to give back the borrowed sum; **r. un libro**, to return (*o* to give back) a book; *Il libro deve essere restituito tra un mese*, the book must be returned (*o* is due back) in a month's time; **r. merce avariata**, to return (*o* to send back) damaged goods; **r. i prigionieri**, to return prisoners; *Mi restituì la lettera con un sorriso*, she handed back the letter to me with a smile **2** (*ripristinare*) to restore; to give* back; to bring* (st.) back (to st.): **r. l'appetito**, to restore sb.'s appetite; **r. il colore originario a q.**, to restore st. to its original colour; **r. la forma originale a qc.**, to bring st. back to its former shape; **r. le forze**, to restore sb.'s strength; **r. la libertà a q.**, to give sb. back his freedom; to set sb. free; **r. la vista a q.**, to restore sb.'s sight **3** (*contraccambiare*) to return; to repay*; to... back: **r. un colpo**, to hit back; to strike back; **r. un favore [una visita]**, to return (*o* to repay) a favour [a visit]; **r. un'occhiata a q.**, to return sb.'s glance; to glance back at sb.; **r. uno schiaffo a q.**, to slap sb. back **4** (*lett.*: *reintegrare*) to restore; to reinstate: **r. q. nei propri diritti**, to restore sb. to his rights.

restitutìvo a. restitutive.

restitutóre **A** m. (f. **-trice**) **1** (*chi restituisce*) returner **2** (*chi ripristina*) restorer **B** a. **1** (*rif. a restituzione*) restitutory **2** (*rif. a ripristino*) restoring **C** m. (*tecn.*) graph plotter.

restitutòrio a. (*leg.*) restitutory.

restituzióne f. **1** (*il restituire*) return; restitution; (*di denaro*) repayment, (*rimborso*) refund: **la r. di beni confiscati**, the restitution of confiscated property; **la r. di un favore**, the return of a favour; **la r. di un libro preso in prestito**, the return of a borrowed book; **r. di merce**, return of goods; **r. di un prestito**, repayment of a loan; **r. dei vuoti**, return of empties; **chiedere la r. di qc.**, to ask for st. to be returned; to ask for st. back; **mancata r.**, failure to return; **in caso di mancata r. del libro**, if the book is not returned **2** (*reintegrazione*) restoration; reinstatement **3** (*filol.*) critical editing; restoration.

♦**rèsto** m. **1** (*ciò che rimane*) remainder; remainder: *Il r. è compito tuo*, the rest is up to you; *Ti dirò il r. domani*, I'll tell you the rest tomorrow; **il r. del giorno**, the rest (*o* the remainder) of the day; **il r. del mondo**, the rest of the world; **il r. del racconto**, the rest of the story; **il r. del viaggio**, the rest (*o* the remainder) of the journey; **il r. del tempo**, the rest of the time; the remaining time; **quanto al r.**, as for the rest **2** (*di una somma di de-*

naro) change; (*differenza a saldo*) balance: *Ho speso 7 euro ed eccoti il r.*, I spent 7 euros and here's your change; *C'è un r. di 2 euro*, there is 2 euros change; *Non ho da darti il r.*, I have no change; **dare a q. un r. inferiore al dovuto**, to shortchange sb.; **pagare il r. a rate mensili**, to pay the balance in monthly instalments; *Tenga il r.*, keep the change **3** (al pl.) (*residui*) remnants; remains; (*di cibo*) leftovers; (*ruderi*) remains, ruins; (*vestigia*) vestiges: **i resti di un'antica gloria [bellezza]**, the vestiges (*o* the remains) of former glory [beauty]; **i resti di un tempio greco**, the ruins (*o* the remains) of a Greek temple; **i resti di un pranzo**, the remnants of a meal; the leftovers; **resti mortali**, mortal remains; **nutrirsi di resti**, to feed on leftovers **4** (*mat.*) remainder; (*di sottrazione, anche*) difference ● **del r.**, (*inoltre*) besides; (*a dire il vero*) for that matter; (*d'altronde*) however: *Non voglio annoiarti, e del r. è già tardi*, I don't want to bore you, besides it's already late; *Ci disse cose che, del r., si sapevano già*, he told us things which, however, were already known □ **per il r.**, otherwise ❶ **FALSI AMICI** ▪ resto *nel senso di differenza di una somma di denaro non si traduce con* rest.

restringere Ⓐ v. t. **1** (*rendere più stretto*) to narrow; to reduce; (*contrarre*) to shrink*, to contract; *r. un'apertura*, to narrow an opening; **r. le pupille**, to contract the pupils; *L'acqua calda può r. il capo*, washing the garment in hot water may shrink it **2** (*cucina: far addensare*) to reduce: (**far**) **r. un sugo**, to reduce a sauce **3** (*fig.*: *limitare, contenere*) to limit, to restrict; (*concentrare*) to narrow down; (*ridurre*) to reduce, to cut* down, to tighten; (*condensare*) to condense: **r. il credito**, to tighten credit; **r. un discorso**, to condense a speech; **r. le indagini**, to narrow down the investigations; **r. gli inviti ai parenti stretti**, to restrict invitations to one's close relatives; **r. le proprie ricerche**, to narrow down one's researches; **r. le spese**, to cut down expenses **4** (*assol.*: *essere astringente*) to be astringent Ⓑ **restringersi** v. i. pron. **1** (*diventare stretto*) to narrow; to get* narrower; (*contrarsi*) to contract; (*di tessuto, indumento*) to shrink*: *La strada in questo punto si restringe*, the road gets narrower here; *Il golf si è ristretto*, the jumper has shrunk; **stoffa che non si restringe**, shrink-resistant (*o* non-shrinking) material; *I metalli, raffreddandosi, si restringono*, metals contract as they cool down **2** (*ridursi*) to come* down; to decrease; (*venir limitato*) to be narrowed down: *Il numero dei concorrenti si è ristretto a dieci*, the number of contestants has come down to ten; *Le indagini si sono ristrette alla famiglia della vittima*, investigations have been narrowed down to the relatives of the victim **3** (*avvicinarsi per fare spazio*) to move up; to move closer; to squeeze up **4** (*fig.*: *limitarsi*) to limit (oneself); to restrain (oneself): **restringersi nelle spese**, to limit (*o* to cut down) one's expenses **5** (*fig.*: *traslocare in casa più piccola*) to move into a smaller house (*o* flat).

restringimento m. **1** narrowing (*contrazione*) contraction; (*di tessuto*) shrinkage **2** (*strettoia*) bottleneck: **un r. nel sentiero**, a narrowing in the path **3** (*med.*) stricture; stenosis*: **r. uretrale**, urethral stricture.

restrittività f. restrictiveness.

restrittivo a. restrictive: **leggi restrittive**, restrictive regulations; **provvedimento r.**, restrictive measure; (*leg.*) **interpretazione restrittiva**, strict interpretation.

restrizióne f. **1** restriction; tightening; limitation; squeeze; curtailment; constraint: **restrizioni al commercio**, trade restrictions; **r. creditizia**, tightening of credit; credit squeeze; **restrizioni valutarie**, currency restrictions; **imporre restrizioni a qc.**, to impose restrictions on st.; **abolire una r.**, to lift a restriction; **restrizioni alla libertà di stampa**, restrictions on the freedom of the press **2** (*riserva*) reservation; qualification: **r. mentale**, mental reservation; **senza restrizioni**, unqualified (agg.); unreservedly (avv.).

restrizionismo m. (*polit.*) restrictionism.

restyling m. inv. (*market.*) restyle: **fare il r.**, to restyle.

resultàre e deriv. → **risultàre**, e deriv.

resupìno a. (*lett.*) supine.

resurrezióne, **resuscitàre** → **risurrezione**, **risuscitare**.

resveratròlo m. (*biochim.*) resveratrol.

retablo (spagn.) m. retable; retablo.

retàggio m. (*fig.*: *eredità, patrimonio spirituale*) legacy; heritage.

retail (*ingl.*, *comm.*) Ⓐ m. inv. retailing; retail sector Ⓑ a. inv. retail (attr.); retailing: **mercato r.**, retail market.

retard (*ingl.*) a. inv. (*med.*) slow-release (attr.): **preparato r.**, slow-release drug; **capsula r.**, spansule ❶ **FALSI AMICI** ▪ retard *non si traduce con* retard.

retàta f. **1** (*gettata di rete*) cast; (*pesce preso*) catch, draught, haul: **una bella r.**, a fine (*o* good) catch **2** (*fig.*) roundup; (*di polizia, anche*) bust (*fam.*): **r. della polizia**, police roundup; **r. di spacciatori**, drugs bust.

◆**réte** f. **1** (*da pesca o caccia*) net: **r. a deriva**, drift net; **r. a strascico**, trawl net; dragnet; **r. da lancio**, cast net; **r. da pesca**, fishing net; **r. per farfalle**, butterfly net; **calare le reti**, to drop (*o* to let down) one's nets; (*anche fig.*) **gettare le reti**, to cast one's nets; **prendere con la r.**, to net; **tendere le reti**, to set the nets; **tirare le reti**, to haul in the nets; **pesca con reti a strascico**, trawling **2** (*intreccio di fili*) netting; network; mesh; (*oggetto di r.*) net; (*naut.*) **r. antisommergibili**, anti-submarine net; **r. del letto**, wired bed frame; (*anche fig.*) **r. di sicurezza**, safety net; **r. metallica**, wire net (*o* netting); wire mesh; **r. mimetica**, camouflage net; (*naut.*) **r. parasiluri**, torpedo (*o* anti-torpedo) net; (*ferr.*) **r. per i bagagli**, luggage rack; **r. per i capelli**, hairnet; (*anche fig.*) **senza r.**, without a safety net; **calze a r.**, fishnet stockings; **tendine a r.**, net curtains; **tessuto a r.**, fishnet; **maglia di r.**, mesh; (*anche fig.*) **passare tra le maglie della r.**, to slip through the net **3** (*sport*: *calcio, pallanuoto, ecc.*) net; (*punto segnato*) goal: **andare a r.**, to score a goal; **calciare la palla in r.**, to kick the ball into the net; to score a goal; **segnare una r.**, to score a goal; **sparare in r.**, to shoot the ball into the back of the net (*fam.*); *La partita finì a reti inviolate*, the game ended in a goalless draw; **quoziente reti**, goal average; goal difference **4** (*sport*: *tennis*) net: **mandare la palla in r.**, to net the ball; **scendere a r.**, to come up to the net; **gioco a r.**, net-play; **giudice di r.**, net judge **5** (*anche fig.*: *intreccio*) network; mesh; web; (*reticolato*) grid, lattice: **una r. di intrighi**, a web of intrigue; **r. dei meridiani e dei paralleli**, grid of parallels and meridians; **r. di rapporti**, web of relationships; **r. di venuzze**, network of fine veins; **r. di vicoli**, network of alleys **6** (*sistema reticolato o ramificato*) network; system; grid: (*anat.*) **r. arteriosa**, arterial system; **r. autostradale**, motorway network; **r. di canali**, network of canals; **r. di conoscenze**, circle of acquaintances; **r. di distribuzione**, (*comm.*) distribution system, network of distributors; (*di elettricità, di gas*) grid; **r. di informatori**, network of informers; **r. di spie**, spy network; **r. di tubature**, pipe network; piping system; (*comm.*) **r. di vendita**, sales network; **r. di-** stributiva, distribution network; **r. elettrica**, electricity network; (*the*) national grid (*GB*); **r. ferroviaria**, railway network; **r. fognaria**, drainage system; **r. idrica**, water system; **r. stradale**, road network; **r. telegrafica [telefonica]**, telegraph [telephone] system (*o* network); (*anat.*) **r. venosa**, venous system **7** (*radio, TV*) radio [television] network; (*canale televisivo*) channel: **r. commerciale**, commercial network; **r. privata**, private network; private channel; **la seconda r. della RAI**, Channel 2 of RAI; **trasmesso a reti unificate**, broadcast simultaneously on all channels **8** (*comput.*) network: **r. locale**, local area network (abbr. LAN); **collegamento in r.**, networking **9** (*fam.*: *Internet*) (the) Net; (the) Web: **navigare in r.**, to surf the Net; *L'ho trovato in r.*, I found it on the Net (*o* the Web) **10** (*fig.*: *intrico*) web; (*trappola, insidia*) trap, snare, meshes (pl.): **r. di inganni**, web of deceit; **cadere (*o* incappare) nella r.**, to fall into the trap; to be caught in a snare; **cadere nelle reti di uno strozzino**, to fall into the clutches of a loan shark; **prendere nella r.**, to trap; **essere preso nella propria r.**, to fall into one's own trap; to be hoist with one's own petard (*lett.*); **tendere le proprie reti**, to lay one's traps.

retentiva e deriv. → **ritentiva**, e deriv.

reticèlla f. **1** (small) net **2** (*per capelli*) hairnet; (*per ornamento*) snood **3** (*borsetta*) reticule; (*per la spesa*) string bag **4** (*ferr.*) luggage rack **5** (*di lume a gas*) mantle **6** (*chim.*) wire gauze.

reticènte a. **1** (*che non dice quello che dovrebbe*) reticent: **testimone r.**, reticent witness **2** (*restio a parlare*) reticent; tight-lipped; unforthcoming; secretive; (*riservato*) reserved: **essere r. sul proprio passato**, to be reticent about one's past; **mostrarsi r.**, to be reticent.

reticènza f. reticence; reserve; secretiveness; (*leg.*) withholding information: **senza r.**, without reserve; freely; **parlare senza reticenze**, to speak without reserve; to speak out; to speak freely; **incriminare q. per r.**, to charge sb. for withholding information.

rètico Ⓐ a. (*geogr.*, *stor.*) Rhaetian Ⓑ m. (*ling.*) Rhaetic.

reticolàre a. reticular; reticulate; net-like: (*anat.*) **formazione r.**, reticular formation; **membrana r.**, reticular membrane; **struttura r.**, net-like structure; network.

reticolàto Ⓐ a. reticulate; reticular; net-like; criss-cross (attr.) Ⓑ m. **1** network; criss-cross; reticulation; grid; lattice; grating: **r. geografico**, grid of parallels and meridians; graticule; reticule (*USA*) **2** (*rete metallica*) wire netting; mesh fence: **r. di filo spinato**, barbed-wire fence.

reticolatùra f. (*fotogr.*) reticulation.

reticolazióne f. **1** reticulation **2** (*chim.*) cross-linkage; cross-link.

reticolo m. **1** network; criss-cross; reticulation; grid; lattice: **r. di nervi**, network of nerves; **r. geografico**, grid of parallels and meridians; graticule; reticule (*USA*); **tracciare un r. su qc.**, to criss-cross st. **2** (*chim.*, *fis.*, *mat.*, *miner.*) lattice; grating: **r. a gradinata**, echelon grating; **r. cristallino**, crystal lattice; **r. di diffrazione** diffraction grating **3** (*biol.*, *zool.*) reticulum*.

reticoloendoteliàle a. (*biol.*) reticuloendothelial.

retifórme a. retiform; reticular; net-like.

rètina① f. (*anat.*) retina*.

retina② f. **1** (small) net **2** (*per capelli*) hairnet.

retinàle → **retinene**.

retinàre v. t. **1** (*tecn.*) to reinforce with wires; (*vetro*) to wire **2** (*tipogr.*) to screen.

retinène m. (*chim.*) retinene; retinal.

retìnico a. (*anat.*) retinal.

retinìte f. (*med.*) retinitis.

retìno m. 1 (*per la pesca*) landing net; (*cestello*) fish basket 2 (*per farfalle*) butterfly net 3 (*tipogr.*) half-tone screen; (*illustrazione*) half-tone.

retinòide m. (*chim.*) retinoid.

retinòlo m. (*biochim.*) retinol.

retinopatìa f. (*med.*) retinopathy.

rètore m. 1 (*stor.: oratore*) orator, rhetor; (*estens.: maestro di retorica*) rhetor, rhetorician 2 (*spreg.*) rhetorician.

retòrica f. 1 rhetoric: **l'arte della r.**, the art of rhetoric 2 (*spreg.*) rhetoric; (*ampollosità*) bombast: **vuota r.**, empty rhetoric; **Questa è solo r.**, this is mere rhetoric; **un discorso pieno di r.**, a speech full of bombast.

retòrico a. 1 rhetorical: **artificio r.**, rhetorical device; **domanda retorica**, rhetorical question; **figura retorica**, figure of speech 2 (*spreg.*) rhetorical; (*ampolloso*) inflated, bombastic: **espressioni retoriche**, rhetorical flourishes; **esprimersi in modo r.**, to be bombastic.

retoricùme m. (*spreg.*) empty rhetoric; bombast; (*abbellimenti stilistici*) hackneyed embellishments (pl.).

retoromànzo (*ling.*) Ⓐ a. Rhaeto-Romance Ⓑ m. Rhaeto-Romance; Rhaeto-Romanic.

retràttile a. retractile; retractable: (*aeron.*) **carrello r.**, retractable undercarriage; **unghie retrattili**, retractile claws.

retrattilità f. retractility.

retrazióne f. retraction.

retribuìre v. t. 1 (*pagare*) to pay*: **r. al completamento del lavoro**, to pay on completion of work; **r. inadeguatamente**, to underpay 2 (*fig.: ricompensare, premiare*) to recompense; to repay*; to reward: **r. le buone azioni**, to remunerate good actions; **r. q. secondo il merito**, to reward sb. according to his merits.

retribuìto a. 1 (*pagato*) paid; (*stipendiato*) salaried: **r. a ore**, paid by the hour; **ben r.**, well-paid; high-salaried; **mal r.**, badly paid; underpaid; **non r.**, without pay; unpaid; (*onorario*) honorary 2 (*ricompensato*) recompensed; rewarded.

retributìvo a. pay (attr.); wage (attr.); salary (attr.): **aumento r.**, pay increase; wage increase; **livello r.**, wage level.

retribuzióne f. 1 (*compenso*) payment; (*pagamento*) pay; (*salario*) wages (pl.); (*stipendio*) salary: **r. in denaro**, payment in money; **r. mensile**, monthly pay 2 (*ricompensa, premio*) reward; recompense ❶ **FALSI AMICI** • retribuzione *non si traduce con* retribution.

retrìvo Ⓐ a. backward-looking; conservative; reactionary; blimpish Ⓑ m. (f. **-a**) reactionary; old fogey (*fam.*); stick-in-the-mud (*fam.*); fuddy-duddy (*fam.*).

rètro Ⓐ m. 1 back; (*di edificio, anche*) rear: **il r. del negozio**, the back of the shop; **sul r.**, (*di edificio*) at the rear; at the back; in back (*USA*); (*di foglio*) on the back, overleaf; **ingresso sul r.**, rear (*o* back) entrance; **locale sul r.**, back room; **entrare dal r.**, to get in through the back entrance; *Vedi r.*, please turn over (abbr. PTO); see overleaf 2 (*di moneta, medaglia, ecc.*) reverse; back; verso* Ⓑ avv. (*lett.*) behind.

rétro (*franc.*) a. inv. retro: **moda r.**, retro fashion.

retroagìre v. i. (*leg.*) to be retroactive; to operate with a retrospective effect.

retroattività f. retroactivity; retrospective action; retrospective validity: **la r. di una legge**, the retroactivity of a law.

retroattìvo a. retroactive; retrospective:

aumento r., retroactive (*o* retrospective) increase; **effetto r.**, retroactive (*o* retrospective) effect; **legge retroattiva**, retroactive law; **rendere r.**, to backdate.

retroazióne f. 1 retrospective effect; retroaction 2 (*elettron., comput.*) feedback.

retrobottéga m. o f. back (of a shop).

retrocàmera f. backroom.

retrocàrica f. - **a r.**, breech-loading; **fucile a r.**, breech-loading gun; breech-loader.

retrocèdere Ⓐ v. i. 1 (*indietreggiare*) to retreat; to step back; (*ritirarsi*) to withdraw*: **r. di qualche passo**, to retreat a few steps 2 (*fig.: tirarsi indietro*) to withdraw*; to go* back (on st.): **r. da una decisione**, to go back on a decision Ⓑ v. t. 1 (*mil.*) to degrade; to demote 2 (*di qualifica*) to downgrade; to demote 3 (*sport*) to relegate: **r. una squadra in serie B**, to relegate a team to the lower division.

retrocessióne f. 1 (*indietreggiamento*) retrocession; regression; (*ritiro*) withdrawal, retreat 2 (*mil.*) degrading; demotion 3 (*di qualifica*) downgrading; demotion; relegation 4 (*sport*) relegation 5 (*leg.*) reconveyance.

retrocognizióne f. (*psic.*) retrocognition.

retrocopertìna f. back cover.

retrocucìna m. e f. back kitchen; scullery.

retrodatàre v. t. 1 (*bur.*) to backdate: **r. un assegno**, to backdate a cheque 2 (*un testo, un'opera d'arte*) to antedate.

retrodatazióne f. backdating; antedating.

rètrofit (*ingl.*) m. inv. (*autom.*) retrofit (catalyst).

retroflessióne f. (*anche fon., med.*) retroflexion.

retroflèsso a. (*anche fon., med.*) retroflex; retroflexed.

retroformazióne f. (*ling.*) back-formation.

retrofrontespìzio m. back of the title page.

retrogradàre v. i. (*astron.*) to retrograde.

retrogradazióne f. (*astron.*) retrograde motion; retrogradation.

retrògrado Ⓐ a. 1 (*astron., biol., psic.*) retrograde: **amnesia retrograda**, retrograde amnesia; **moto r.**, retrograde motion 2 (*fig.: retrivo*) backward-looking; old-fashioned; hidebound; reactionary: **atteggiamento r.**, backward-looking attitude; **idee retrograde**, hidebound notions Ⓑ m. (f. **-a**) (*polit.*) reactionary; stick-in-the-mud (*fam.*); fuddy-duddy (*fam.*).

retrogressióne f. retrogression; regression; backward movement.

retroguàrdia f. 1 (*mil. e fig.*) rearguard; rear: **alla r.**, at the rear; (*fig.*) **formare la r.**, to bring up the rear 2 (*sport*) rearguard; defence.

retrogùsto m. aftertaste.

retroilluminàto a. (*comput.*) backlit.

retromàrcia f. (*autom.: il movimento*) reverse motion, backing; (*l'ingranaggio*) reverse (gear): **fare r.**, to reverse; to back; (*fig.*) to back down, to backpedal; **mettere (o ingranare) la r.**, to engage the reverse; to change into reverse; **in r.**, in reverse; **entrare nel box in r.**, to back into the garage; to reverse the car into the garage; **uscire in r. da un vicolo**, to back (*o* to reverse) out of a lane; **luci della r.**, reversing (*USA* back-up) lights.

retromutazióne f. (*biol.*) back-mutation.

retronébbia m. inv. (*autom.*) rear fog-light.

retropàlco m. (*teatr.*) back of the stage.

retropassàggio m. (*sport*) back (*o* backward) pass.

retropensièro m. hidden thoughts; thinking behind st.: *Non è la decisione del governo che spaventa i cittadini, ma il suo r.*, people are not scared by the government's decision but by the thinking behind it.

retroproiezióne f. (*fotogr.*) back (*o* background) projection.

retropulsióne f. (*med.*) retropulsion; backward progression; titubation.

retroràzzo m. (*miss.*) retrorocket: **accendere un r.**, to retrofire.

retròrso a. (*bot.*) retrorse.

retrosapóre m. aftertaste.

retroscèna Ⓐ f. (*teatr.*) back of the stage Ⓑ m. inv. 1 (*teatr.*) backstage activity 2 (*fig.: attività nascosta*) behind-the-scenes activity, goings-on (pl.) behind the scenes; (*intrighi*) intrigue, underhand dealings (pl.): **i r. della politica**, behind-the-scenes political dealings; **rivelare i r. del negoziato**, to reveal what went on behind the scenes at the talks.

retroscrìtto a. written on the back.

retrospettìva f. retrospective.

retrospettìvo a. retrospective: **mostra retrospettiva**, retrospective exhibition; **una visione retrospettiva degli avvenimenti**, a retrospective view of the events; **sguardo r.**, review; run-over.

retrospezióne f. (*psic.*) retrospection.

retrostànte a. lying behind; behind (prep.); (*sul retro*) at the back, in back (*USA*): **il cortile r.**, the courtyard at the back; **la valle r.**, the valley lying behind; **r. l'ingresso**, behind the entrance; **r. l'edificio principale**, behind (*o* at the back of, *USA* in back of) the main building.

retrostànza f. backroom.

retrotèrra m. inv. 1 (*geogr.*) hinterland: **il r. ligure**, the Ligurian hinterland; inland Liguria 2 (*fig.*) background: **r. sociale**, social background.

retrotrèno m. 1 (*autom.*) rear axle 2 (*zool.*) hindquarters (pl.).

retrovéndere v. t. to sell* back (to the seller).

retrovéndita f. (*comm.*) sale and/or return.

retroversióne f. 1 (*anche med.*) retroversion 2 (*ritraduzione nella lingua originale*) retranslation: **fare la r.**, to translate back (into the original language).

retrovèrso a. (*med.*) retroverted.

retrovìa f. (spec. al pl.) 1 (*mil.*) zone behind the lines (o the front): **nelle retrovie**, behind the lines 2 (*fig.*) rear.

retrovìrus m. inv. (*biol., med.*) retrovirus.

retrovisìvo a. rear-view (attr.): (*autom.*) **specchietto r.**, rear-view mirror.

retrovisóre m. (*autom.*) rear-view mirror.

retrusióne f. (*med.*) retrusion.

rètta ① f. - **dare r. a**, (*badare a*) to pay* attention (to), to take* notice (of); (*ascoltare*) to listen (to), to pay* heed (to): *Non dategli r., lo fa per farsi notare*, take no notice of him, he's only showing off; *Dammi r.*, listen to me; (*credimi*) take my word for it; *A dar r. a lui, sono tutti ladri*, they are all a bunch of thieves, according to him.

rètta ② f. (*di collegio, pensione, ecc.*) fees (pl.); terms (pl.).

♦**rètta** ③ f. (*geom.*) (straight) line: **rette coniugate**, conjugate lines; **rette parallele**, parallel lines; **tracciare una r.**, to draw a (straight) line.

rettàle a. (*anat.*) rectal.

rettaménte avv. 1 (*con rettitudine*) right-

eously; honestly; uprightly: **agire r.**, to act righteously **2** (*giustamente*) justly; rightly **3** (*correttamente*) correctly; properly: **interpretare r. un testo**, to interpret a text correctly.

♦**rettangolàre** a. (*geom.*) rectangular.

♦**rettàngolo** Ⓐ a. (*geom.*) right-angled: **triangolo r.**, right-angled triangle Ⓑ m. **1** (*geom.*) rectangle **2** (*sport*) – **r. di gioco**, pitch; field.

rettangolòide m. (*geom.*) rectangloid.

rettìfica f. **1** (*correzione*) correction; amendment; rectification; (*ritocco*) adjustment; (*giorn.*: *ritrattazione*) retraction: **r. d'un errore**, correction of a mistake; **r. dei prezzi**, adjustment of prices **2** (*mecc.*) grinding.

rettificàbile a. (*anche mat.*) rectifiable.

rettificàre v. t. **1** (*rendere retto*) to straighten; to make* straight **2** (*fig.*: *correggere*) to rectify; to correct; to amend; (*giorn.*: *ritrattare*) to retract; (*aggiustare, ritoccare*) to adjust: **r. un'affermazione**, to rectify a statement; **r. una data**, to rectify (*o* to correct) a date; **r. un errore**, to rectify (*o* to correct) a mistake; (*mil.*) **r. il tiro**, to adjust the range **3** (*chim., mat.*) to rectify: **r. l'alcol**, to rectify alcohol; **r. un arco di curva**, to rectify a curve **4** (*mecc.*) to grind*.

rettificàto a. **1** (*fig.*: *corretto*) rectified; corrected; amended **2** (*chim.*) rectified: **alcol r.**, rectified alcohol **3** (*mecc.*) ground.

rettificatóre Ⓐ a. rectifying: (*chim.*) **colonna rettificatrice**, rectifier; condenser Ⓑ m. **1** (*chim.*) rectifier **2** (f. *-trice*) (*mecc.*: *operaio*) grinding-machine operator.

rettificatrice f. (*mecc.*) grinder; grinding machine: **r. per ingranaggi**, gear grinding machine; **r. per piani**, surface grinder.

rettificazióne f. **1** straightening; straightening out **2** (*fig.*: *correzione*) correction; rectification; amendment; adjustment **3** (*chim., mat.*) rectification **4** (*mecc.*) grinding: **r. a secco**, dry grinding; **r. di precisione**, precision grinding.

rettifìlo m. straight stretch; straight road.

rettilàrio m. reptile house.

♦**rèttile** ① m. (*zool.* e *fig.*) reptile.

rèttile ② a. (*bot.*) repent; creeping.

rettilìneo Ⓐ a. **1** rectilinear (*anche geom.*); rectilineal; straight: **costa rettilìnea**, straight coastline; **moto r.**, rectilinear motion; **in direzione rettilìnea**, in a rectilinear direction; **in a straight line 2** (*fig.*: *onesto*) straighforward; upright; honest: **condotta rettilìnea**, upright conduct Ⓑ m. (*rettifilo*) straight stretch; straight road: (*sport*) **r. d'arrivo**, home stretch; home straight (*GB*).

rettitùdine f. rectitude; honesty; integrity; uprightness; probity: **operare con r.**, to act honestly.

♦**rètto** Ⓐ a. **1** (*diritto*) straight; right: **angolo r.**, right angle; **linea retta**, straight line **2** (*onesto*) honest; upright; high-minded: **persona retta**, upright person **3** (*corretto, giusto*) right; correct; proper; exact: **retta interpretazione**, correct interpretation; **la retta via**, the straight path; the straight and narrow (*scherz.*); **farsi una retta opinione di q.**, to form a correct opinion of sb. **4** (*anat.*) – **intestino r.**, rectum Ⓑ m. **1** (*lett.*: *ciò che è giusto*) (the) right **2** (*tipogr.*) recto* **3** (*numism.*) obverse **4** (*anat.*) rectum*.

rettocèle m. (*med.*) rectocele.

rettoràle a. rectorial.

rettoràto m. **1** (*di università*: *in Italia*) rectorate, rectorship; (*in GB*) chancellorship (*carica rappresentativa*), vice-chancellorship (*carica amministrativa*); (*in USA*) presidency **2** (*di collegio, ecc.*) wardenship; mastership **3** (*eccles.*) rectorate **4** (*ufficio di un rettore*) rec-

torate; vice-chancellor's office; presidency; master's office.

rettóre m. (f. *-trice*) **1** (*di università*: *in Italia*) rector; (*in GB*) chancellor (*con funzioni rappresentative*), vice-chancellor (*con funzioni amministrative*); (*in USA*) president **2** (*di collegio, ecc.*) warden; master **3** (*eccles.*) rector.

rettorìa f. (*eccles.*) rectorate.

rettòrico e deriv. → **retorico**, e deriv.

rettoscopìa f. (*med.*) proctoscopy.

rettoscòpio m. (*med.*) proctoscope.

reùccio m. **1** (*spreg.*) kinglet **2** (*nelle favole*) young king; (*principe*) prince.

rèuma m. → **reumatismo**.

reumàtico a. (*med.*) rheumatic: **dolori reumatici**, rheumatic pains.

reumatìsmo m. (*med.*) rheumatism Ⓤ: **r. articolare**, rheumatic fever; **r. muscolare**, muscular rheumatism; myalgia; **affetto da reumatismi**, rheumatic; **soffrire di reumatismi**, to suffer from rheumatism; to be rheumatic; *Come vanno i tuoi reumatismi?*, how is your rheumatism?

reumatizzàre Ⓐ v. t. to cause rheumatism Ⓑ **reumatizzàrsi** v. i. pron. to become* rheumatic.

reumatizzàto a. affected with rheumatism; rheumatic.

reumatòide a. (*med.*) rheumatoid: **artrite r.**, rheumatoid arthritis.

reumatologìa f. rheumatology.

reumatòlogo m. (f. *-a*) rheumatologist.

Rev. abbr. (*relig.*, **reverendo**) reverend (Rev.).

revanscìsmo m. (*polit.*) revanchism; revanche.

revanscìsta m. e f. (*polit.*) revanchist.

revanscìstico a. (*polit.*) revanchist (*attr.*).

reverendìssimo a. (*rif. a vescovo*) right reverend; (*rif. ad arcivescovo*) most reverend.

♦**reverèndo** Ⓐ a. reverend: **reverenda madre**, reverend mother; **r. Padre**, reverend father; **il r. padre Dini**, the Rev. Father Dini Ⓑ m. (*fam.*) reverend; padre; (*al vocat.*) father, padre.

reverènte, **reverènza** → **riverente**, **riverenza**.

reverenziàle a. reverential: **timore r.**, awe; **avere un timore r. di q.**, to be (*o* to stand) in awe of sb.

rêverie (*franc.*) f. inv. reverie; daydream.

revers (*franc.*) m. inv. revers; turned-back lapel edge.

reversàle f. **1** (*ferr.*) consignment receipt **2** (*banca*) collection order; collection voucher.

reversìbile a. **1** (*anche chim., fis.*) reversible: **processo r.**, reversible process **2** (*leg.*) reversionary: **diritto r.**, reversionary right; **rendita r.**, reversionary annuity.

reversibilità f. **1** reversibility **2** (*leg.*) reversion: **r. dei beni**, reversion of property ● (*autom.*) **r. dello sterzo**, caster action □ **pensione di r.**, survivorship pension; widow's pension.

reversìna f. (sheet) turn-down.

reversióne f. **1** (*leg.*) reversion: **tornare per r. a**, to revert to **2** (*biol.*) reversion; throwback.

revisionàre v. t. **1** (*rivedere, correggere*) to revise; (*un testo, anche*) to edit: **r. un dizionario**, to revise a dictionary; **r. un manoscritto**, to revise (*o* to edit) a manuscript **2** (*verificare, controllare*) to audit; to check: **r. conti**, to audit accounts **3** (*mecc.*) to overhaul; to service: **r. un motore**, to overhaul an engine; **far r. l'auto**, to have one's car serviced.

revisióne f. **1** (*correzione*) revision; (*di testo, anche*) editing: **la r. d'un dizionario**, the

revision of a dictionary; **la r. d'un manoscritto**, the editing of a manuscript; **r. delle bozze**, proofreading **2** (*riesame*) review; reconsideration; reassessment; reappraisal: **r. d'un contratto**, revision of a contract; **r. delle imposte**, review of taxation; **r. di una posizione**, reconsideration (*o* reassessment) of a position; **r. dei salari**, wage review; **r. d'un trattato**, revision of a treaty; **sottoporre a r.**, to review; **essere sottoposto a r.**, to be reviewed; to come under review **3** (*comm., rag.*) review; revision; audit; auditing: **r. amministrativa**, administrative review; **r. di bilancio**, budget revision; **r. contabile**, audit; auditing of accounts; **società di r. contabile**, auditing firm **4** (*mecc.*) overhaul; overhauling; servicing: **r. delle valvole**, valve overhauling; **fare la r. dell'auto**, to have one's car serviced **5** (*leg.*) review; rehearing: **r. d'una causa**, review of a case; **r. d'un processo**, rehearing of a trial; retrial.

revisionìsmo m. (*polit.*) revisionism.

revisionìsta a., m. e f. (*polit.*) revisionist.

revisionìstico a. (*polit.*) revisionist (*attr.*).

revisóre m. (f. *revisionatrice*) **1** (*di testi*) reviser; editor: **il r. d'un manoscritto**, the editor of a manuscript; **r. di bozze**, proofreader **2** (*anche* **r. dei conti**) auditor: **r. esterno**, external auditor.

revival (*ingl.*) m. inv. revival.

revivalìsmo m. revivalism.

revivalìsta m. e f. revivalist.

revivalìstico a. revivalist (*attr.*); revivalistic.

reviviscènte a. reviviscent; reviving.

reviviscènza f. **1** (*biol.*) revivification **2** (*fig.*) revival; resurgence: **la r. di una tradizione**, the revival of a tradition.

rèvoca f. revocation; cancellation; annulment; repeal; reversal; removal: **r. d'una disposizione**, revocation of a provision; **r. d'una legge**, repeal of a law; **r. d'una nomina**, annulment of an appointment; (*comm.*) **r. di un'ordinazione**, cancellation of an order; **r. d'un testamento**, revocation of a will; (*Borsa*) **a r.**, valid until cancelled.

revocàbile a. (*leg.*) revocable; repealable.

revocabilità f. (*leg.*) revocability.

revocàre v. t. **1** (*lett.*: *richiamare, anche fig.*) to recall; to call back **2** (*annullare, disdire*) to revoke; to reverse; to countermand; to retract; to repeal; to annul; to call off; (*un'imposizione*) to lift; (*comm.*) to cancel: **r. una concessione**, to revoke a grant; **r. l'embargo**, to lift the embargo; **r. una nomina**, to annul an appointment; **r. un ordine**, to countermand an order; **r. uno sciopero**, to call off a strike.

revocatìvo, **revocatòrio** a. revoking; revocatory.

revocazióne → **revoca**.

revòlver (*ingl.*) m. inv. revolver; handgun.

revolveràta f. revolver shot.

revulsióne f. (*med.*) revulsion.

revulsìvo a. e m. (*farm.*) revulsive.

Rèzia f. (*stor., geogr.*) Rhaetia.

reziàrio m. (*stor.*) retiarius*.

rézzo m. **1** (*venticello*) puff of wind; gentle breeze **2** (*poet.*) shady place; shade.

RG abbr. (**Ragusa**).

Rh m. inv. (*biol.*) Rh; rhesus facto: **Rh positivo [negativo]**, Rh positive [negative].

rhodesiàno a. e m. (f. *-a*) Rhodesian.

rhum → **rum**.

RI sigla **1** (*o R.I.*) (**Repubblica italiana**) Italian Republic **2** (**Rieti**).

rìa (*spagn.*) f. inv. ria; creek.

riabbaiàre v. t. **1** (*abbaiare di nuovo*) to bark again **2** (*abbaiare a propria volta*) to

bark back.

riabbandonàre A v. t. to abandon (o to leave*) again; to desert again B **riabbandonàrsi** v. rifl. to abandon oneself again (to st.).

riabbassaménto m. further lowering; further drop.

riabbassàre A v. t. to lower again; (ridurre) to reduce again ● (telef.) r. **il ricevitore**, to hang up B **riabbassàrsi** v. rifl. to bend* down again; to stoop again C **riabbassàrsi** v. i. pron. (ridiscendere) to go* down again; to come* down again; to drop again: La temperatura si è riabbassata, the temperature has dropped again.

riabbàttere v. t. to knock down again.

riabbellire A v. t. (abbellire ancora) to re--embellish, to make* beautiful again; (abbellire di più) to make* more beautiful (o attractive); (rinnovare) to refurbish, to renovate B **riabbellìrsi** v. i. pron. to become* beautiful (again); to grow* more beautiful.

riabbonàre A v. t. to renew a subscription for B **riabbonàrsi** v. rifl. to renew one's subscription (to); to buy* a new season ticket (for).

riabbottonàre A v. t. to button up again B **riabbottonàrsi** v. rifl. to button (oneself) up again.

riabbracciàre A v. t. 1 to embrace again; to hug again 2 (fig.: rivedere) to see* again; to be reunited with: r. **la famiglia**, to be reunited with one's family 3 (fig.: aderire di nuovo) to embrace again; to return to: r. **la fede**, to return to one's faith B **riabbracciàrsi** v. rifl. recipr. 1 to embrace again; to hug again 2 (fig.: rivedersi) to meet* again (after a long time).

riabilitànte a. rehabilitating; rehabilitation (attr.): **terapia r.**, rehabilitative treatment.

riabilitàre A v. t. 1 (rimettere in grado di fare qc.) to re-enable 2 (med.) to rehabilitate: r. **un paziente**, to rehabilitate a patient 3 (leg.: reintegrare in un diritto o in una funzione) to rehabilitate; to reinstate; to restore (sb.) to his former right [rank, etc.]: r. **un condannato politico**, to rehabilitate a political prisoner 4 (fig.: rendere nuovamente la buona fama a) to rehabilitate; to clear (sb.'s) name: r. **la memoria di q.**, to clear (o to vindicate) sb.'s memory B **riabilitàrsi** v. rifl. to recover one's reputation.

riabilitativo a. rehabilitative.

riabilitazióne f. 1 (med.) rehabilitation 2 (leg.: reintegrazione) reinstatement; restoration to (sb.'s) former right [rank, etc.]: r. **d'un fallito**, discharge of a bankrupt 3 (fig.) rehabilitation.

riabituàre A v. t. to reaccustom; to readjust B **riabituàrsi** v. rifl. to reaccustom oneself; to get* used (to st.) again.

riaccèndere A v. t. 1 (fuoco e sim.) to light* again 2 (luce, gas) to put* (o to switch, to turn) on again; (radio, TV) to switch on again, to put* on again 3 (motore) to switch on again; to restart 4 (fig.) to rekindle; to revive; to reignite: r. **un interesse**, to revive an interest; r. **l'odio**, to rekindle hatred; r. **una passione**, to revive a passion 5 (banca) to reopen: r. **un conto**, to reopen an account B **riaccèndersi** v. i. pron. 1 (prendere fuoco di nuovo) to catch* fire again; (di fuoco) to flare up again 2 (di luce) to go* on again; to come* on again 3 (fig.: erompere di nuovo) to flare up again, to erupt again; (di sentimento, speranza) to be rekindled, to be revived, to stir again.

riaccennàre v. t. e i. 1 (menzionare) to mention again; to hint again at 2 (ripetere il gesto di) to make* again as if (to do st.).

riaccensióne f. 1 (di fuoco) relighting; rekindling 2 (di luce, radio, ecc.) switching

on again; putting on again; turning on again 3 (autom.) restarting; switching on again 4 (banca) reopening: r. **d'un conto**, reopening of an account 5 (fig.) rekindling; reviving.

riaccettàre v. t. 1 to reaccept; to accept once again 2 (in restituzione) to accept back.

riacchiappàre, **riacciuffàre** v. t. (fam.) to catch* again; to grab again; to recapture.

riacclimatàre A v. t. to reacclimatize B **riacclimatàrsi** v. rifl. to reacclimatize (oneself); to get* used (to st.) again.

riaccògliere v. t. to welcome back; to take* back.

riaccomodàre A v. t. 1 (riparare di nuovo) to repair (again); to mend (again); to fix (again) 2 (riparare) → **raccomodare** B **riaccomodàrsi** v. rifl. to sit* down again; to resume one's seat C v. rifl. recipr. (fig.: riconciliarsi) to be reconciled; to make* it up.

riaccompagnàre A v. t. 1 (accompagnare di nuovo) to reaccompany 2 (ricondurre indietro) to accompany back; to take* back; to go* back with; (a piedi) to walk back; (in auto) to drive* back B **riaccompagnàrsi** v. rifl. recipr. to join company again (with).

riaccorciàre → **raccorciare**.

riaccostàre A v. t. 1 to move close again; to draw* up again 2 (una porta, una finestra) to half-close; to leave* ajar (o half--open) B **riaccostàrsi** v. rifl. to re-approach; to go* near again; to come* up again; (anche fig.) to return: **riaccostarsi alla fede**, to return to one's faith.

riaccreditàre A v. t. to credit again B **riaccreditàrsi** v. i. pron. to gain new credit.

riaccrèdito m. new crediting; new credit.

riaccusàre v. t. to accuse again; to bring* a new charge against.

riacquisìre v. t. to reacquire; (recuperare) to retrieve, to recover, to regain.

riacquistàbile a. (recuperabile) recoverable.

riacquistàre v. t. 1 (acquistare di nuovo) to buy* again; to repurchase 2 (acquistare di nuovo ciò che si era venduto) to buy* back; to repurchase 3 (recuperare) to recover; to regain; to get* back: r. **l'appetito**, to recover one's appetite; r. **la libertà**, to recover one's freedom; r. **le forze**, to get back one's strength; r. **fiducia**, to regain confidence; r. **la salute**, to regain health; to recover (one's health); r. **sicurezza**, to regain self-confidence.

riacquisto m. 1 repurchase 2 (recupero) recovery.

riacutizzàre A v. t. 1 (med.) to cause a relapse in 2 (fig.) to rekindle; to sharpen B **riacutizzàrsi** v. i. pron. to worsen; to deteriorate again.

riacutizzazióne f. 1 worsening 2 (med.) relapse; worsening.

riadagiàre A v. t. to lay* down again (gently); to replace carefully B **riadagiàrsi** v. rifl. to lie* down again; to lie* back 2 (fig.) to sink* back.

riadattaménto m. readaptation; readjustment.

riadattàre A v. t. to readapt; to readjust; (modificare) to alter: r. **un abito**, to alter a dress B **riadattàrsi** v. i. pron. to readapt oneself; to readjust.

riaddormentàre A v. t. to put* back to sleep; to send* back to sleep B **riaddormentàrsi** v. i. pron. to go* back to sleep; to fall* asleep again.

riadoperàre v. t. to reuse; to use again; to reutilize: r. **più volte**, to use again and again; to use more than once.

riaffacciàre A v. t. (fig.: ripresentare) to put* forward again; to raise again; to bring* up again B **riaffacciàrsi** v. rifl. e i. pron. 1

to reappear; to show oneself again: **riaffacciarsi alla finestra**, to reappear at the window 2 (fig.: ripresentarsi) to return; to reoccur; to come* up again; to crop up again: **riaffacciarsi alla memoria**, to reoccur; to come back to mind: Si riaffacciò l'idea del trasloco, the idea of a move came up again.

riaffermàre A v. t. to reaffirm; to reassert; to state again B **riaffermàrsi** v. rifl. to prove oneself again; to prove once more to be (st.): **riaffermarsi grande scrittore**, to prove once again to be a great writer.

riaffermazióne f. 1 reaffirmation; reassertion 2 (fig.: successo) new achievement.

riafferràre A v. t. to seize again; (anche fig.) to recapture B **riafferràrsi** v. rifl. to catch* hold of (st., sb.) again; to grasp (st., sb.) again.

riaffioràre v. i. 1 to surface again; to resurface 2 (fig.) to resurface; to re-emerge; to come* back: r. **alla memoria**, to come back to mind; Mi riaffiorò in mente il ricordo di ..., the memory of ... came back to me; I recollected ...; Riaffiora il nazionalismo, nationalism is re-emerging.

riaffittàre v. t. 1 (dare in affitto di nuovo) to let* again; to relet* 2 (prendere in affitto di nuovo) to rent again.

riaffrontàre A v. t. to face again; to confront again B **riaffrontàrsi** v. rifl. recipr. to face each other again.

riaggranciàre A v. t. 1 (agganciare di nuovo) to hook up again; to refasten 2 (riappendere) to hang up again 3 (telef.) to hang* up B **riaggranciàrsi** v. i. pron. (fig.) 1 (fare riferimento a) to refer back (to); to go* back (to): Riaggranciandomi a quanto ho detto prima..., referring (o to go) back to what I said before 2 (essere collegato con) to hark back (to); to be linked (to): **un film che si riaggancia al neorealismo**, a film that harks back to neorealism.

riaggàncio m. back reference.

riaggiustàre → **raggiustare**.

riaggravàre A v. t. to make* worse; to aggravate again; to exacerbate again B **riaggravàrsi** v. i. pron. to get* worse again; to worsen again; to deteriorate again.

riaggregàre v. t., **riaggregàrsi** v. i. pron. to reassemble; to regroup.

riaggregazióne f. reassembling; regrouping.

riagguantàre v. t. to catch* again; to grab again.

riàl m. inv. (unità monetaria) rial, riyal.

riallacciaménto m. 1 (telef.) new connection 2 (fig.) resumption of relations.

riallacciàre A v. t. 1 (legare di nuovo) to tie up again; to fasten again 2 (unire di nuovo) to reconnect; to link again: r. **una linea telefonica**, to reconnect a telephone line 3 (riprendere) to resume; to renew: r. **una vecchia amicizia**, to resume an old friendship B **riallacciàrsi** v. i. pron. 1 (fig.: fare riferimento a) to refer back (to): **riallacciarsi a quanto già detto**, to refer back to what was said before 2 (essere collegato) to be connected to.

riallineaménto m. realignment.

riallineàre v. t., **riallineàrsi** v. i. pron. to realign.

riàlto m. height; rise.

rialzaménto → **rialzo**, def. 1, 2, 3.

♦**rialzàre** A v. t. 1 (rendere più alto) to raise; to elevate; to add to: r. **un edificio di un piano**, to add an extra storey to a building; r. **il livello della strada**, to raise the street level 2 (sollevare) to raise up again; (da terra) to lift up, to pick up: r. **un bambino (da terra)**, to pick up (o to lift up) a child; Rialzò da terra la vecchietta, he helped the old woman to

her feet; **r. la testa**, to raise one's head again **3** (*fig.*: *aumentare*) to raise; to increase; to put* up: **r. i prezzi**, to raise prices **B** v. i. to rise* (again); to go* up: *I prezzi continuano a r.*, prices continue to rise **C** **rialzàrsi** v. rifl. e i. pron. **1** (*risollevarsi*) to get* up (again); to lift oneself up; (*da terra*) to pick oneself up, to get* back to one's feet: *Si rialzò da sola*, she got up by herself; **aiutare q. a rialzarsi**, (to get) up; to help sb. to get back to his feet **2** (*aumentare*) to rise* again; to go* up again: *I prezzi si rialzeranno*, prices will go up again.

rialzàto a. raised; elevated: **piano r.**, mezzanine (floor); entresol.

rialzista (*Borsa*) **A** m. e f. bull; long **B** a. bullish; bull (attr.): **mercato r.**, bull market.

♦**riàlzo** m. **1** (*aumento*) rise; increase: **r. dei prezzi**, rise in prices; price rise (*o* increase); *C'è stato un rialzo dei prezzi questo mese*, prices have gone up this month; **r. della temperatura**, rise in temperature; **r. improvviso**, sudden rise; boom; (*Borsa*) **comprare al r.**, to buy for a rise; **essere in r.**, to be going up; to be rising; to be on an upward trend; (*fig.*) **giocare al r.**, to up the ante; (*Borsa*) **speculare al r.**, to bull (the market); **tendente al r.**, on an upward trend; (*Borsa*) bullish; (*Borsa*) **azioni in r.**, rising stock; (*Borsa*) **mercato in forte r.**, booming market; (*Borsa*) **speculatore al r.**, bull; long; (*Borsa*) bullish trend; **con tendenza al r.**, on an upward trend **2** (*parte rialzata*) height; elevation **3** (*spessore*) chock; wedge; (*di scarpa*) lift **4** (*tipogr.*) underlay.

riamàre v. t. **1** (*contraccambiare amore*) to return (sb.'s) love to requite (sb.'s) love: *Credeva di essere riamato*, he thought his love was returned (*o* requited) **2** (*amare di nuovo*) to love again.

riammalàre v. i., **riammalàrsi** v. i. pron. (*ammalarsi di nuovo*) to fall* ill again.

riamméttere v. t. to readmit; to admit again.

riammissìbile a. readmissible.

riammissióne f. readmittance; readmission.

riammobiliàre v. t. to refurnish; to change the furniture.

riammogliàrsi v. i. pron. to remarry; to get* married again.

riandàre **A** v. i. to go* back; to return: **r. col pensiero a**, to look back on; to think back on (*o* to); to recall; *Riandò con la mente a quel giorno*, her mind travelled back to that day; she cast her mind back to that day **B** v. t. (*lett.*) **1** (*ripercorrere*) to retrace; to go* back over **2** (*ricordare*) to think* back on (*o* to); to go* over; to recall: **r. le cose passate**, to recall the past.

rianimàre **A** v. t. **1** (*riportare in vita*) to revive; to reanimate; to bring* round; (*med.*) to resuscitate **2** (*fig.*: *rallegrare*) to cheer up; to revive; (*ravvivare*) to put* new life into: *La mia visita lo ha rianimato*, my visit has cheered him up **3** (*fig.*: *ridare coraggio*) to reanimate; to rally: **r. le truppe demoralizzate**, to rally the demoralized troops **B** **rianimàrsi** v. i. pron. **1** (*riaversi*) to revive; (*estens.*: *riprendere vigore*) to rally, to recover **2** (*fig.*: *rincuorarsi*) to cheer up; to take* heart; to rally **3** (*fig.*: *ridiventare animato*) to come* to life again; to liven up again: *Le vie si rianimarono*, the streets came to life again.

rianimatologìa f. (*med.*) study of resuscitation techniques (pl.).

rianimatóre (*med.*) **A** a. resuscitating **B** m. (f. **-trice**) resuscitator.

rianimatòrio a. (*med.*) resuscitative.

rianimazióne f. **1** reanimation; (*fig.*) cheering up, heartening **2** (*med.*) resuscitation: **centro di r.**, intensive care (*o* intensive therapy) unit.

riannessióne f. (*spec. polit.*) reannexation.

riannèttere v. t. to reannex; to annex again.

riannodàre **A** v. t. **1** to knot again; to tie again **2** (*fig.*) to renew: **r. un'amicizia**, to renew a friendship **B** **riannodàrsi** v. pron. (*fig.*) to be renewed.

riannuvolàre v. i., **riannuvolàrsi** v. i. pron. to cloud over again; to grow* cloudy again.

riapertùra f. reopening; (*inizio*) beginning; (*ripresa*) resumption: **la r. dei corsi**, the beginning of classes; **la r. del Parlamento**, the opening of Parliament; **la r. delle ostilità**, the resumption of hostilities; **la r. delle scuole**, the reopening of schools; **la r. d'un teatro**, the reopening of a theatre.

riappaltàre v. t. **1** (*appaltare di nuovo*) to contract again **2** (*subappaltare*) to subcontract.

riappaltatóre m. (f. **-trice**) subcontractor.

riappàlto m. subcontract.

riapparecchiàre v. t. **1** to prepare again; to get* ready again **2** (*la tavola*) to lay* (*o* to set*) the table again.

riapparire v. i. to reappear; to appear again.

riapparizióne f. reappearance; reappearing.

riappèndere v. t. **1** to hang* up again **2** (*telef.*) to hang* up.

riappigionàre → **riaffittare**.

riappisolàrsi v. i. pron. to doze off again.

riapplicàre **A** v. t. to apply again **B** **riapplicàrsi** v. rifl. to apply oneself again.

riapprèndere v. t. to re-learn*.

riappressàre **A** v. t. to bring* near again **B** **riappressàrsi** v. rifl. to re-approach.

riappropriàrsi v. i. pron. to regain possession; to reappropriate (st.).

riappropriazióne f. repossession; reappropriation.

riapprovàre v. t. to approve again.

riaprire **A** v. t. to reopen; to open again; to open up again: **r. un caso**, to reopen a case; **r. un conto**, to reopen an account; **r. una discussione**, to reopen a discussion; (*fig.*) **r. vecchie ferite**, to open up old wounds; **r. la finestra**, to open the window again; **r. le indagini**, to resume investigations; **r. un libro**, to open a book again; **r. un negozio**, to reopen a shop; **r. gli occhi**, to open one's eyes; (*riprendere i sensi*) to come round (*o* to); **r. un teatro**, to open up a theatre again; *La strada è stata riaperta al traffico*, the road has been reopened to traffic **B** v. i. e **riaprìrsi** v. i. pron. to reopen; to open again: *La scuola (si) riaprirà in settembre*, school will begin again in September; *L'ufficio riapre alle 3*, the office reopens at 3 p.m.

riàrdere **A** v. t. (*anche fig.*) to burn* (again) **2** (*inaridire*) to parch; to dry up **B** v. i. to flare up again; to be rekindled.

riarmaménto m. **1** rearmament **2** (*naut.*) recommissioning.

riarmàre **A** v. t. **1** to rearm; to arm again **2** (*arma da fuoco*) to recock **3** (*naut.*) to recommission **B** **riarmàrsi** v. rifl. to rearm.

riarmatùra f. (*edil.*) reinforcement of falsework.

riàrmo m. rearmament: **corsa al r.**, arms race.

riàrso a. parched; dry; arid; (*dal sole, anche*) sun-baked: **labbra riarse**, parched (*o* chapped) lips; **terra riarsa**, parched ground; sun-baked earth; **avere la gola riarsa**, to be parched.

riascoltàre v. t. to listen to (sb., st.) again.

riassaggiàre v. t. to taste again; to try again.

riassaporàre v. t. (*anche fig.*) to taste again; to savour again; to relish again.

riassegnàre v. t. to reassign; to assign again.

riassestaménto m. readjustment; rearrangement; (*riorganizzazione*) reorganization; (*di terreno, ecc.*) settlement: **r. dei prezzi**, readjustment of prices; **il r. del terreno dopo una frana**, the settlement of the soil after a subsidence; **periodo di r.**, period of readjustment.

riassestàre **A** v. t. (*riorganizzare*) to rearrange, to reorganize; (*riordinare*) to put* in order, to tidy up; to straighten up: **r. un'azienda**, to reorganize a firm; **r. un carico**, to rearrange a load **B** **riassestàrsi** v. rifl. e i. pron. (*riorganizzarsi*) to get* oneself organized again; to get* oneself sorted out **2** (*risistemarsi*) to resettle; to settle down again: *Il paese si sta riassestando lentamente*, the country is slowly settling back into normality; *Il terreno si è riassestato*, the ground has settled.

riassettàre, **riassettàrsi** → **rassettare**, **rassettarsi**.

riassètto m. **1** readjustment; realignment: **r. economico**, economic readjustment **2** (*riorganizzazione*) reorganization.

riassicuràre (*ass.*) **A** v. t. **1** to insure again; to renew the insurance of **2** (*stipulare una riassicurazione*) to reinsure **B** **riassicuràrsi** v. rifl. **1** to renew one's insurance **2** (*stipulare una riassicurazione*) to reinsure oneself.

riassicuratóre (*ass.*) **A** a. reinsurance (attr.) **B** m. (f. **-trice**) reinsurer.

riassicurazióne f. (*ass.*) reinsurance; reassurance.

riassociàre **A** v. t. to associate again; to reassociate **B** **riassociàrsi** v. rifl. to become* a member again; to rejoin.

riassoggettàre **A** v. t. to subdue again; to conquer again **B** **riassoggettàrsi** v. rifl. to submit again; to yield again.

riassopire **A** v. t. to send* back to sleep **B** **riassopìrsi** v. i. pron. to doze off again.

riassorbiménto m. **1** reabsorption **2** (*fig.*: *reimpiego*) re-employment: **r. di manodopera**, re-employment of labour **3** (*med.*) resorption.

riassorbire **A** v. t. **1** to reabsorb; to absorb again; to soak up again **2** (*fig.*) to absorb; to take* up; to swallow up **3** (*fig.*: *reimpiegare*) to re-employ **B** **riassorbìrsi** v. i. pron. to be reabsorbed.

riassortiménto m. (*com.*) new range.

♦**riassùmere** v. t. **1** (*riprendere*) to reassume; to resume: **r. una carica**, to reassume an office; **r. un'aria d'indifferenza**, to resume an air of indifference **2** (*impiegare di nuovo*) to re-employ; to take* back **3** (*compendiare, ricapitolare*) to summarize; to sum up; to recapitulate; to recap (*fam.*); (*condensare*) to condense: **r. un libro**, to summarize a book; **r. qc. in poche parole**, to sum up st. briefly; to condense st. in a few words; **per r.**, to sum up; in brief.

riassumìbile a. **1** (*reimpiegabile*) re-employable **2** (*compendiabile*) summarizable; that may be summed up: *Il suo discorso è r. in una sola frase*, his speech can be summed up in one sentence.

riassuntivo a. recapitulatory; summarizing: **capitolo r.**, recapitulatory chapter; **qualche osservazione riassuntiva**, a few comments to sum up; **tabella riassuntiva**,

a b c d e f g h i j k l m n o p q **r** s t u v w x y z

table.

♦**riassùnto** m. summary; résumé (*franc.*); (*solo scritto*) précis*; (*ricapitolazione*) summing up, recapitulation, recap (*fam.*): **il r. di un romanzo**, the summary of a novel; **fare un r.**, to make a summary; to give a summary; *Mi fece un r. delle loro proposte*, he gave me a summary of their proposals; he outlined their proposals.

riassunzióne f. **1** (*di carica, ecc.*) reassumption; resumption **2** (*di lavoratore*) re-employment **3** (*leg.: ripresa*) resumption.

riattaccàre A v. t. **1** (*unire di nuovo*) to join again, to reattach; (*appiccicare*) to stick* on again; (*con colla*) to glue on again; (*cucire*) to sew* on again, to stitch back on: **r. un bottone**, to sew a button on again; **r. un francobollo sulla busta**, to stick a stamp back on the envelope **2** (*riappendere*) to hang* up again; to rehang*; (*assol., telef.*) to hang* up: **r. un quadro**, to hang up a picture again; to rehang a picture; (*telef.*) **r. il ricevitore**, to hang up (*o* to replace) the receiver; to hang up; *Ha riattaccato*, she's hung up **3** (*fam.: ricominciare*) to begin* again; to start again: **r. una canzone**, to start singing a song again **4** (*ritornare all'attacco, anche fig.*) to attack again; to renew one's assault B v. i. (*fam.: ricominciare*) to begin* again; to start again: **r. a piangere**, to start crying again; *Riattaccò a piovere*, it began raining again; *Non r., per favore!*, don't start again, please! C **riattaccàrsi** v. rifl. e i. pron. **1** to become* attached again; (*appiccicarsi*) to stick* again, to stick* together **2** (*riaffezionarsi*) to become* (*o* to get*) attached again **3** (*fig.: riprendere*) to revert; to go* back: **riattaccarsi a una vecchia idea**, to revert to an old idea.

riattaménto m. refitting; restoration; repair.

riattàre v. t. to refit; to restore; to refurbish; to repair.

riatterràre A v. t. to knock down again B v. i. to land again; to alight again.

riattivàre v. t. **1** to reactivate; to re-establish; (*riaprire*) to reopen; (*riparare*) to repair: **r. una strada**, to reopen a road; **r. una linea telefonica**, to reactivate (*o* to repair) a telephone line **2** (*med.*) to activate; to stimulate **3** (*chim.*) to reactivate.

riattivazióne f. **1** reactivation; re-establishment; (*riapertura*) reopening; (*riparazione*) repair **2** (*med.*) activation; stimulation **3** (*chim.*) reactivation.

riattizzàre → **rattizzare**.

riattraversàre v. t. to recross; to cross again.

riavére A v. t. **1** (*avere di nuovo*) to have again; to get* back again: *Oggi ho riavuto la febbre*, I've had a temperature again today; *Riebbi la stessa impressione*, I had (*o* got) the same impression again **2** (*avere in restituzione*) to have back; to get* back: *Finalmente ho riavuto il mio libro*, I got my book back at last; *Vorrei riaverli indietro*, I'd like to have them back **3** (*riacquistare*) to recover; to regain: **r. la vista**, to recover one's sight; **r. la libertà**, to regain one's freedom ● *L'aria fresca lo fece* **r.**, the fresh air revived him B **riavérsi** v. i. pron. **1** (*riprendere i sensi*) to regain consciousness; to come* to; to come* round; to revive **2** (*riprendere vigore*) to recover; to get* over st.; (*di azienda, ecc.*) to recover, to recoup: **riaversi da una malattia**, to recover from (*o* to get over) an illness; **riaversi da uno spavento**, to recover from a fright; **riaversi da una brutta notizia**, to get over the bad news.

riavvertìre v. t. **1** (*avvisare di nuovo*) to inform again; to warn again **2** (*sentire di nuovo*) to feel* again.

riavvezzàre. riavvezzàrsi → **riabitua-**

re, riabituarsi.

riavviàre v. t. to start again; (*comput.*) to restart; to reset, to reboot.

riavvicinaménto m. **1** reapproaching; renewed approach **2** (*fig.: riconciliazione*) reconciliation; rapprochement (*franc.*): **un r. tra i due partiti**, a rapprochement between the two parties.

riavvicinàre A v. t. **1** (*portare di nuovo vicino*) to move (*o* to draw*, to bring*) up (*o* close, near) again **2** (*fig.*) to reconcile; to bring* together: *Riavvicinai i due fratelli*, I reconciled the two brothers B **riavvicinàrsi** v. rifl. **1** to reapproach; to move up (*o* close, near) again; to draw* close again **2** (*fig.*) to get* close again C **riavvicinàrsi** v. rifl. recipr. **1** to draw* close again **2** (*ritrovare un'intesa*) to reconverge; (*riconciliarsi*) to become* reconciled (with); to make* it up (with): *Avevano litigato, ma si sono ora riavvicinati*, they quarrelled, but they have now made it up.

riavvìo m. (*comput.*) restart; reboot; reset.

riavvisàre → **riavvertire**, def. 1.

riavvòlgere A v. t. **1** (*fasciare di nuovo*) to wrap up again **2** (*su rocchetto, bobina, ecc.*) to rewind*; (*arrotolare di nuovo*) to roll up again: **r. una pellicola**, to rewind a film B **riavvòlgersi** v. rifl. e i. pron. **1** (*rilupparsi*) to wrap oneself up again **2** (*riarrotolarsi*) to wind* up again; to roll up again.

riavvolgiménto m. rewinding; (*il meccanismo*) rewind: **tasto di r.**, rewind button.

riavvolgitóre m. rewinder; rewind.

riazzonaménto m. re-zoning.

RÌBA f. inv. bank receipt.

ribaciàre A v. t. **1** (*baciare di nuovo*) to kiss again **2** (*baciare a propria volta*) to kiss back B **ribaciàrsi** v. rifl. recipr. to kiss again.

ribadiménto m. **1** (*mecc.*) riveting; clinching **2** (*fig.*) confirmation; reassertion; stressing.

ribadìre A v. t. **1** (*mecc.*) to rivet (down, in); (*anche naut.*) to clinch: **r. un chiodo**, to rivet (*o* to clinch) a nail; **martello a r.**, riveting hammer **2** (*fig.: riconfermare*) to reassert; to repeat; to confirm; to stress: **r. un'accusa**, to confirm an accusation; **r. un concetto**, to stress a point; *Il governo ha ribadito il suo no alla svalutazione*, the government has reasserted its opposition to devaluation; *Ribadii che non intendevo dimettermi*, I repeated I had no intention of resigning **3** (*fig.: rafforzare*) to impress; to drive*; to hammer: **r. qc. nella mente a q.**, to impress st. on sb.'s mind; to drive (*o* to hammer) st. into sb.'s head B **ribadìrsi** v. i. pron. (*fig.*) to be impressed on one's mind; to take* root (in one's mind).

ribadìtóio m. (*mecc.*) riveting hammer.

ribaditrice f. (*mecc.*) riveter; riveting machine: **r. ad aria compressa**, pneumatic riveter; **r. a serraggio pneumatico**, pneumatic squeeze riveting machine; **r. elettrica**, electric riveting machine; **r. idraulica**, hydraulic riveting machine.

ribaditùra f. (*mecc.*) riveting; clinching: **r. a caldo [a freddo]**, hot [cold] riveting; **r. a macchina**, power riveting.

ribalderìa f. **1** (*l'essere ribaldo*) villainy; roguery (*lett.*) **2** (*azione da ribaldo*) villainous deed; villainous behaviour Ⓔ.

ribàldo m. rascal; scoundrel; villain; rogue (*lett.*).

ribàlta f. **1** (*piano mobile*) flap; folding (*o* hinged) top; (*di tavolo*) drop leaf*: **la r. d'una scrivania**, the flap (*o* the folding top) of a desk; **letto a r.**, folding bed; **piano a r.**, folding (*o* hinged) top; **tavolo a r.**, drop-leaf table **2** (*di botola*) trapdoor **3** (*d'autocarro, ecc.*) tailboard **4** (*teatr.: proscenio*) forestage:

presentarsi alla r. (*per gli applausi*), to take a curtain call; **chiamata alla r.**, curtain call; **luci della r.**, footlights **5** (*fig.: posizione di primo piano*) fore; forefront; (*notorietà*) limelight: **essere alla r.**, to be in the forefront; to be in the limelight; **portare alla r.**, to bring to the fore; **tornare alla r.**, to make a comeback; (*di questione*) to come up again; **venire alla r.**, to come to the fore; (*acquistare notorietà*) to come into the limelight.

ribaltàbile a. **1** (*di sedile, piano*) folding; hinged; tip-up (attr.): **piano r.**, folding (*o* hinged) top; (*di tavolo*) drop-leaf; **sedile r.**, tip-up (*o* folding) seat **2** (*rif. a veicolo*) tipping; dump (attr.): **autocarro (a cassone) r.**, tipper lorry (*o* truck); dumper (truck) (*GB*); dump truck (*USA*); **cassone r.**, tipping body; **carrello r.**, tip waggon.

ribaltaménto m. overturning; upending; tipping over; (*di barca e sim.*) capsizing; (*fig.*) reversal; switch.

ribaltàre A v. t. **1** (*capovolgere, rovesciare*) to overturn; to tip over, to upend; to invert; (*una barca e sim.*) to capsize **2** (*fig.*) to reverse **3** (*inclinare*) to fold over; to tilt B v. i. e **ribaltàrsi** v. i. pron. **1** to turn upside down; to tip over; to overturn; (*di barca e sim.*) to capsize: *L'auto (si) ribaltò*, the car overturned **2** (*fig.*) to reverse; to overturn.

ribaltatóre m. (*trasp.*) dumping (*o* tipping) device; dumper; tipper.

ribaltatùra f. → **ribaltamento**.

ribaltìna f. **1** (*scrivania*) bureau **2** (*di libro*) jacket flap.

ribaltóne m. (*fam.*) **1** jerk; jolt; shake **2** (*fig.: capovolgimento*) sudden reversal; complete switch.

ribassàre A v. t. to lower; to reduce; to mark down; to cut*; to abate: **r. i prezzi**, to reduce (*o* to cut, to mark down) prices; **r. il tasso di sconto**, to lower the bank rate B v. i. to lower; to be reduced; to go* down; to fall*; to decrease; to decline; to sag: *Gli affitti sono ribassati*, rents have gone down; *I prezzi sono ribassati*, prices have fallen (*o* gone down): *Il valore della sterlina è ribassato*, the value of the pound has decreased.

ribassàto a. reduced; cut down: **offerte a prezzi ribassati**, cut-price offers.

ribassìsta (*Borsa*) A m. e f. bear; short B a. bear (attr.); bearish: **mercato r.**, bear market; **tendenze ribassiste**, bearish trends.

♦**ribàsso** m. **1** (*diminuzione di prezzo o valore*) reduction; abatement; fall; drop; decline; sag: **r. dei prezzi**, fall (*o* decline) in prices; **in r.**, falling; declining; sagging: **subire un forte r.**, to slump; **subire un brusco r.**, to plummet; **mercato in r.**, sagging market; (*econ.*) **ondata di r.**, slump **2** (*Borsa*) fall: **r. dei titoli**, fall in the price of stocks; **comprare al r.**, to buy on a fall; **speculare al r.**, to bear (the market); to sell for a fall; **mercato azionario tendente al r.**, bearish stock market; **operazione al r.**, bearish transaction; **speculatore al r.**, bear **3** (*sconto*) discount; mark-down: **un r. del 20%**, a 20% discount; **un r. del 10% su tutti gli articoli**, a 10% mark-down of all prices ● (*fig.*) **essere in r.**, to be on the decline, to be going downhill □ **tendenza al r.**, downward trend; downtrend; (*Borsa*) bearish trend.

ribàttere v. t. **1** (*battere di nuovo*) to beat* again; (*una porta*) to knock again: *Batti e ribatti, mi hanno aperto*, I knocked and knocked, and at last the door was opened **2** (*mecc.: ribadire*) to rivet; to clinch: **r. un chiodo**, to rivet (*o* to clinch) a nail **3** (*fig.: confutare*) to refute; to rebut; to confute: **r. un'accusa**, to rebut a charge; **r. gli argomenti dell'avversario**, to refute the opponent's arguments **4** (*fig., assol: replicare*) to retort; to reply; (*rimbeccare*) to answer back (*fam.*);

(*discutere*) to argue: «*Fa' come ti pare*» ri- batté, «suit yourself» he retorted; *Basta r. e obbedisci!*, stop arguing and do as you're told! **5** (*riscrivere a macchina*) to type again; to retype **6** (*sport*) to return; to throw* back: **r. la palla**, to throw back the ball **7** (*cucito*) to fell: **r. una cucitura**, to fell a seam ● (*fig.*) battere e r. → **battere**.

ribattezzàre v. t. (*fig.*) to rename; (*soprannominare*) to nickname.

ribattino m. (*mecc.*) rivet: **r. a testa cilindrica**, flat-head rivet; **r. a testa tonda**, round-head rivet; **r. esplosivo**, explosive rivet.

ribattitóre m. (*mecc.*) riveter.

ribattitùra f. **1** (*mecc.*) riveting; clinching **2** (*cucito*) felling.

ribattùta f. (*sport*) return.

ribèca f. (*mus.*) rebeck.

♦**ribellàre** Ⓐ v. t. to incite to rebellion: *Gli ribellò contro il paese*, he incited the country to rebel against him Ⓑ **ribellàrsi** v. i. pron. **1** (*insorgere*) to rebel (against); to rise* up (against); to revolt (against); to mutiny: *Il popolo si ribellò*, the people rose; *La provincia si ribellò al re*, the province rebelled against the king **2** (*opporsi*) to defy (against); (*reagire, rivoltarsi*) to react (to, against), to revolt (against); (*protestare*) to protest (against), to be up in arms (against): **ribellarsi ai genitori**, to rebel against one's parents; **ribellarsi a un'ingiustizia**, to protest against an injustice; **ribellarsi a un ordine**, to defy an order; **ribellarsi al partito**, to rebel against one's party; *I negozianti si sono ribellati alle nuove disposizioni*, shopkeepers are up in arms against the new regulations.

ribèlle Ⓐ a. **1** (*rivoltoso*) rebel (attr.); rebellious; mutinous: **esercito r.**, rebel army; **marinai ribelli**, mutinous sailors; **provincia r.**, rebellious (o rebel) province **2** (*indocile*) rebellious; defiant; unruly; (*insubordinato*) rebellious, defiant; unruly: **carattere r.**, rebellious character; **ragazzo r.**, unruly boy; **riccioli ribelli**, unruly locks; **essere r. all'autorità**, to rebel against authority **3** (*fig.*: *ostinato*) refractory; resistant: **malattie ribelli**, refractory diseases Ⓑ m. e f. **1** (*insorto*) rebel; insurgent **2** (*persona indocile o insubordinata*).

ribellióne f. **1** (*insurrezione*) rebellion; revolt; uprising; insurrection: **r. armata**, armed rebellion; **la r. d'una città**, the insurrection of a town; **reprimere una r.**, to put down a rebellion; *Scoppiò una r.*, an insurrection broke out **2** (*opposizione, disubbidienza*) rebellion; defiance; (*insubordinazione*) insubordination; (*rivolta, reazione*) rebellion, revolt, reaction: **r. contro il conformismo**, revolt against conformism; **essere in aperta r. contro qc.**, to be in open rebellion against st; **atto di r.**, rebellious act; act of insubordination.

ribellìsmo m. rebellious tendency; rebelliousness.

ribellìstico a. rebellious.

ribére v. t. to drink* again; (*continuare a bere*) to go* on drinking, to drink* on: *Bevi e ribevi, gli girava la testa*, he had drunk himself dizzy.

rìbes m. (*bot.*, *Ribes*) currant: **r. nero** (*Ribes nigrum*), blackcurrant; **r. rosso** (*Ribes rubrum*), redcurrant; **r. spinoso** (*Ribes grossularia*), gooseberry.

ribobinàre v. t. to rewind*; to respool.

riboccàre v. i. to be full to bursting point; to overflow.

riboflavìna f. (*biochim.*) riboflavin.

ribollìménto m. **1** (*il bollire*) boiling; (*con forza*) bubbling **2** (*lo spumeggiare*) foaming; churning **3** (*fig.*: *fermento*) seething; surge;

turmoil; ferment: **un r. d'ira**, a surge of anger.

ribollìre Ⓐ v. i. **1** (*bollire di nuovo*) to boil again, to reboil; (*bollire forte*) to boil away, to bubble: *Quando l'acqua comincia a r., togliere dal fuoco*, when the water starts boiling again, remove from the flame; **far r.**, to bring back to the boil **2** (*spumeggiare*) to foam; to churn; to bubble; *Le onde ribollivano intorno*, waves surged (o the sea was boiling) all around; *L'acqua ribolliva in fondo alla gola*, the water foamed (o churned) at the bottom of the gorge **3** (*fermentare*) to ferment; to work: **far r. qc.**, to make st. work **4** (*fig.*: *essere in fermento*) to seethe; to bubble: *La città ribolle di attività*, the city is bubbling with activity; *Mille progetti gli ribollivano in testa*, his mind seethed with plans **5** (*fig.*, *rif. a emozione*) to boil; to seethe: **r. di rabbia**, to boil (o to seethe) with anger; *Sento ribollirmi il sangue*, my blood is boiling Ⓑ v. t. (*far bollire di nuovo*) to boil again.

ribollitùra f. **1** boiling again; reboiling **2** (*fermentazione*) fermenting; working.

ribonuclèico a. (*biochim.*) ribonucleic.

ribòsio m. (*chim.*) ribose.

ribosòma m. (*biol.*) ribosome.

ribovìrus m. inv. (*biol.*) ribovirus.

ribrézzo m. disgust; repugnance; revulsion; loathing: **fare r.**, to disgust; to revolt; to fill with disgust; to sicken; *La scena gli faceva r.*, the scene revolted him (o made his stomach turn); *I ragni mi fanno r.*, I loathe spiders; *Mi fa r. il solo vederlo*, the very sight of it disgusts me (o, *fam.*, gives me the creeps); **provare r. di qc.**, to loathe st.; to feel a loathing for st.; to be sickened by st.; *Che r.!*, how disgusting!

ributtànte a. repulsive; revolting; nauseating; sickening: **aspetto r.**, repulsive appearance; **spettacolo r.**, nauseating sight.

ributtàre Ⓐ v. t. **1** (*buttare di nuovo*) to throw* again; to fling* again: **r. qc. in terra**, to throw st. down again; *Taci o ti ributtiamo fuori!*, shut up, or we'll throw you out again! **2** (*buttare indietro*) to throw* back: *Ributtami la palla*, throw the ball back to me; *Il mare ributtò a riva i relitti*, the wreckage was washed up on the shore **3** (*respingere con violenza*) to drive* back; to repel: *Ributtarono i nemici fuori dalle mura*, they drove the enemy outside the walls **4** (*vomitare*) to throw* up; to vomit Ⓑ v. i. **1** (*ripugnare*) to disgust; to revolt; to sicken; to nauseate: *Mi ributta*, it revolts me; **azioni che ributtano**, disgusting actions **2** (*bot.*: *germogliare di nuovo*) to sprout again; to put* out new buds Ⓒ **ributtàrsi** v. rifl. **1** (*throw* o *to fling**) oneself again: *Si ributtò sul letto*, she threw herself back on to the bed; **ributtarsi giù**, to throw oneself down again; (*fig.*: *scoraggiarsi*) to lose heart again.

ricacciàre Ⓐ v. t. **1** (*cacciare di nuovo*) to chase away again; to drive* away again; to expel again: *Tornarono, ma li ricacciai*, they came back, but I chased them away again **2** (*respingere*) to drive* out; to drive* back; to repel: *Li assalimmo e li ricacciammo al di là del fiume*, we attacked them and drove them back beyond the river; *I nemici furono ricacciati dalla città*, the enemy were driven out of the town **3** (*rinfilare con forza*) to thrust* back; to shove back; *Ricacciò in tasca la lettera*, she thrust the letter back into her pocket; *Ricacciò il chiodo nel muro*, he drove the nail back into the wall **4** (*pop.*: *tirare fuori*) to cough up ● **r. le parole in gola a q.**, to make sb. eat his words □ **ricacciarsi il pianto in gola**, to swallow one's tears Ⓑ **ricacciàrsi** v. rifl. (*cacciarsi di nuovo*) to plunge again (o back): *Il coniglio si ricacciò nel buco*, the rabbit plunged back in-

to the hole; **ricacciarsi nei pasticci**, to get into trouble again.

ricadére v. i. **1** (*cadere di nuovo, anche fig.*) to fall* again; to fall* back; (*fig.*) to relapse, to slip back: **r. ammalato**, to fall ill again; **r. nelle cattive abitudini**, to relapse into bad habits; to backslide; **r. nella depressione**, to relapse into depression; **r. nella droga**, to slip back into drug abuse; **r. nello stesso errore**, to make the same mistake again; **r. nell'oblio**, to fall back into oblivion; **r. sul letto**, to fall back onto the bed **2** (*scendere, pendere*) to hang*; to fall*: *I capelli le ricadevano sulle spalle*, her hair hung over (o fell over) her shoulders; *La giacca ricade bene*, the jacket hangs well **3** (*di cosa lanciata in aria*) to fall* **4** (*fig.*: *gravare, riversarsi*) to fall*: *La colpa ricadrà su di te*, the blame will fall upon you; they will lay the blame on you; **far r. la colpa su q.**, to put the blame on sb.; to lay the blame at sb.'s door **5** (*fig.*: *ripercuotersi, colpire*) to affect (sb.); to be felt (by).

ricadùta f. **1** (*med.*) relapse: **avere una r.**, to have a relapse **2** (*fig.*) relapse; backsliding: **r. nella droga**, relapse into drug-taking **3** (*fig.*: *conseguenza*) effect; repercussion; by-product; spin-off **4** (*fis.*) – **r. radioattiva**, fallout.

ricalàre Ⓐ v. t. to lower again; to let* down again Ⓑ v. i. to go* down again.

ricalcàbile a. traceable: **disegno r.**, traceable drawing.

ricalcàre v. t. **1** (*calcare di nuovo*) to press again; (*calcare di più*) to press down: *Si ricalcò il berretto in testa*, he pressed the hat down on his head **2** (*disegno*) to transfer; to trace: **r. un disegno**, to transfer a drawing; **carta da r.**, tracing paper **3** (*fig.*: *imitare*) to imitate; to follow: **r. lo stesso schema**, to follow the same pattern **4** (*metall.*) to upset*; to head ● (*fig.*) **r. le orme di q.**, to follow in sb.'s footsteps □ (*teatr.*) **r. le scene**, to return to the stage.

ricalcatrice f. upsetting machine; header: **r. idraulica**, hydraulic upsetting press.

ricalcatùra f. **1** (*disegno*: *il ricalcare*) transfer, transferring, tracing; (*disegno ricalcato*) transfer **2** (*fig.*) imitation; copy **3** (*metall.*) upsetting; heading: **r. a caldo**, hot-heading; **r. a freddo**, cold-heading; **r. elettrica**, electric upsetting.

ricalcificàre v. t., **ricalcificàrsi** v. i. pron. (*med.*) to recalcify.

ricalcificazióne f. (*med.*) recalcification.

ricalcitràre e deriv. → **recalcitrare**, e deriv.

ricàlco m. tracing: **carta da r.**, tracing paper; **copia a r.**, tracing.

♦**ricamàre** v. t. **1** to embroider: **r. un fazzoletto [le proprie iniziali]**, to embroider a handkerchief [one's initials] **2** (*fig.*: *perfezionare*) to polish; to refine: **r. una frase**, to polish a sentence **3** (*fig.*, *spreg.*) to embroider (st., on st.): *Era un fatto da poco, ma i giornali ci hanno ricamato su*, it was a minor event but the newspapers embroidered on it.

ricamàto a. embroidered: **r. a mano**, hand-embroidered.

ricamatóre m. (f. **-trice**) (*anche fig.*) embroiderer.

ricamatùra f. **1** (*il ricamare*) embroidering **2** (*ricamo*) embroidery.

♦**ricambiàre** Ⓐ v. t. **1** (*contraccambiare*) to return; to reciprocate; to repay*: **r. gli auguri**, to reciprocate (sb.'s) wishes; **r. un complimento**, to return a compliment; **r. un favore**, to return a favour; to repay sb. for a favour; **r. una visita**, to return a visit; *Il mio amore non èra ricambiato*, my love was not returned **2** (*cambiare di nuovo*) to change again Ⓑ v. i. to change again Ⓒ **ricambiàr-**

si v. i. pron. (*cambiarsi di nuovo d'abito*) to change again **D ricambiàrsi** v. rifl. recipr. to exchange: **ricambiarsi i saluti**, to exchange greetings.

ricàmbio m. **1** (*sostituzione*) replacement; change; reshuffle: **r. dell'aria**, change of air; **un r. nella dirigenza di una società**, a reshuffle at the top of the company; **pezzo di r.**, spare part; **ruota di r.**, spare wheel; **vestiti di r.**, spare clothes; a change (sing.) of clothes **2** (*oggetto che sostituisce*) replacement; (*mecc.*) spare (part); (*ricarica*) refill **3** (*contraccambio*) reciprocation; return; exchange; repayment: **un r. di favori**, a reciprocation (*o* an exchange) of favours **4** (*avvicendamento*) turnover: **r. del personale**, staff turnover; **r. delle scorte**, stock turnover; **r. sociale**, social mobility **5** (*fisiol.*) metabolism: **malattie del r.**, metabolism diseases.

ricambìsta m. e f. spare parts dealer.

ricàmo m. **1** (*arte*) embroidery, needlecraft; (*lavori*) embroidery, needlework ⓤ, stitchwork: **r. in seta**, silk embroidery; **r. sfilato**, drawn work; **r. traforato**, openwork embroidery; **un bel r.**, a lovely piece of embroidery; **un r. di margherite**, an embroidery of daisies; **ago da r.**, embroidery needle **2** (*fig.: trama delicata*) lacework ⓤ; tracery: *La facciata è un r. di marmo*, the façade is a lacework in marble **3** (*fig.: abbellimento*) embroidery; embellishment.

ricandidàre Ⓐ v. t. to propose (*o* to put* forward) again as a candidate **B ricandidàrsi** v. rifl. to stand* for re-election; to run* again.

ricantàre v. t. **1** (*cantare di nuovo*) to sing* again **2** (*fig. fam.*) to keep* on repeating (st.); to say* (*o* to tell*) over and over again: *Gliel'ho ricantata su tutti i toni*, I've told him over and over again.

ricapitalizzàre v. t. (*econ.*) to recapitalize; to refinance.

ricapitalizzazióne f. (*econ.*) recapitalization; refinancing.

ricapitàre v. i. **1** (*accadere di nuovo*) to happen (*o* to occur) again: *Mi ricapitò di vederlo*, I happened to see him again **2** (*giungere di nuovo per caso*) to happen to come again; to happen (*o* to chance) to be again (in); to turn up again: *Ricapitai da quelle parti il mese dopo*, I happened to be in that part of town a month later.

ricapitolàre v. t. to recapitulate; to sum up: *Ricapitolando, quanti ce ne sono?*, to sum up, how many are there?

ricapitolazióne f. recapitulation; summing up.

ricàrica f. (*di arma*) reloading; (*elettr.*) recharge; (*di apparecchio a molla*) rewinding; (*ricambio*) refill; (*di cellulare*) top-up.

ricaricàbile a. **1** (*elettr.*) rechargeable; (*di accendino, ecc.*) refillable **2** (*di cellulare*) pay-as-you-go.

ricaricàre Ⓐ v. t. **1** (*un veicolo, ecc.*) to reload; to load up again: **r. un carro**, to reload a cart **2** (*riempire*) to refill: **r. la pipa** [**l'accendino**], to refill one's pipe [one's lighter] **3** (*un'arma, una molla*) to reload; (*un apparecchio a molla*) to rewind*, to wind* up; (*elettr.*) to charge: **r. una batteria**, to recharge a battery; **r. un fucile**, to reload a gun; **r. l'orologio**, to wind up one's watch **4** (*rag.*) to mark up **5** (*fig.: ridare vigore*) to reinvigorate; to pep up; to buck up (*fam.*) **6** (*telef., di cellulare*) to prepay; to top up **B ricaricàrsi** v. rifl. e i. pron. **1** (*gravarsi di nuovo*) to burden oneself again **2** (*fig.: riprendere vigore*) to rally; to buck up (*fam.*).

ricàrico m. **1** reloading **2** (*rag.*) markup.

ricascàre v. i. **1** to fall* again: *Non la sciarlo r.*, don't let it fall again **2** (*fig.*) to fall* again; to relapse; to slip back: **r. nelle cattive abitudini**, to relapse into bad hab-

its; **r. nella droga**, to slip back into drug abuse; **r. nello stesso errore**, to make the same mistake again; (*fam.*) **ricascarci**, (*fare lo stesso errore*) to make the same mistake again; (*farsi ingannare di nuovo*) to fall for it again.

ricattàbile a. liable to be blackmailed.

ricattàre v. t. **1** to blackmail **2** (*fig.*) to hold* (sb.) to ransom: *Il governo rifiuta di farsi r.*, the government won't be held to ransom.

ricattatóre m. (f. **-trice**) blackmailer.

ricattatòrio a. blackmail (attr.); blackmailing.

ricàtto m. (*anche fig.*) blackmail ⓤ: **cedere a un r.**, to give in to blackmail; **subire un r.**, to be blackmailed; *È un vero r.!*, this is pure blackmail!; *È un r. psicologico da parte sua*, it's psychological blackmail on her part; **usare l'arma del r.**, to resort to blackmail; **tentativo di r.**, attempt to blackmail; **vittima di un r.**, victim of blackmail.

ricavàbile a. obtainable.

◆**ricavàre** v. t. **1** (*trarre*) to get*, to make*; (*derivare*) to draw*, to derive; (*riuscire a ottenere*) to obtain, to get*: **r. beneficio da questa cura**, to get (*o* to derive) some benefit from a treatment; **r. una conclusione**, to draw a conclusion; **r. un film out of a novel**; **r. una giacca da un pezzo di stoffa**, to get a jacket out of a piece of material; **r. due stanze da un salone**, to divide a large room into two smaller ones; *In questa rientranza abbiamo ricavato la dispensa*, we've made this niche into a pantry; *Da lui non ne ricaverai mai niente*, you'll never get anything out of him **2** (*estrarre*) to extract; to get*: *L'olio si ricava dalle olive*, oil is extracted from olives **3** (*ottenere un ricavo*) to make*; to earn: **r. un utile**, to make a profit; **r. come utile netto**, to net; *Da quella vendita ho ricavato molto poco*, I made very little on that sale.

ricavàto m. **1** proceeds (pl.); receipts (pl.); takings (pl.): *Il r. serve solo a coprire le spese*, the proceeds just cover expenses **2** (*fig.*) result; profit.

ricàvo m. **1** proceeds (pl.); receipts (pl.); revenue; return; take: **r. di esercizio**, operating revenue; **r. lordo** [**netto**], gross [net] proceeds; **r. marginale**, marginal revenue; **ricavi da vendite**, revenues from sales **2** (*fig.*) profit; benefit: *Qual è il tuo r. da tutto ciò?*, what's your profit from it?; what do you get out of it?

riccaménte avv. **1** richly; sumptuously: **un appartamento r. ammobiliato**, a richly furnished flat **2** (*generosamente*) generously; handsomely **3** (*profusamente*) profusely; lavishly.

Riccàrdo m. Richard ● (*stor.*) **R. Cuor di Leone**, Richard Lionheart (*o* Coeur de Lion).

◆**ricchézza** f. **1** (*l'essere ricco di beni o denaro*) wealth: *La r. non è tutto*, wealth is not everything **2** (*fig., di beni spirituali*) riches (pl.): **r. interiore**, inner riches **3** (*econ.*) (economic) wealth; affluence: **la r. di un paese**, a country's wealth; **r. mobile**, personal property; **r. nazionale**, national wealth; **fonte di r.**, source of wealth **4** (*spesso al pl.*) (*averi, sostanze*) wealth ⓤ; fortune (sing.): riches (pl.): **una r. di origini misteriose**, a fortune of mysterious origin; **ricchezze incalcolabili**, an incalculable fortune; **accumulare ricchezze**, to accumulate wealth; **godersi le proprie ricchezze**, to enjoy one's wealth (*o* fortune) **5** (*fig.: bene prezioso*) treasure; (*risorsa*) resource: **ricchezze artistiche**, artistic treasures; **ricchezze naturali**, natural resources **6** (*ab-*

bondanza) richness; wealth; abundance: **la r. del suolo**, the richness of the soil; **la r. lessicale d'una lingua**, the wealth of words in a language; **una regione che ha r. di foreste**, a region rich in forests; **con r. di particolari**, with a wealth of detail **7** (*di abito: ampiezza*) fullness: **la r. d'una gonna**, the fullness of a skirt.

ricchióne → **recchione**.

◆**rìccio**① Ⓐ a. curly; (*crespo*) frizzy, kinky: **barba riccia**, curly beard; **capelli ricci**, curly (*o* frizzy) hair; **avere i capelli ricci**, to have curly hair; to be curly-haired; **insalata riccia**, crinkly salad leaves (pl.); **pelo r.**, curly hair; **cane a pelo r.**, curly-haired dog; **testa riccia**, curly head **B** m. **1** (*ciocca di capelli*) curl; lock: *I miei sono ricci naturali*, my hair curls naturally (*o* is naturally curly); *Non ho i tuoi ricci*, my hair is not as curly as yours; **farsi i ricci**, to curl one's hair; **ferro da ricci**, curling tongs; curling irons **2** (*di violino*) scroll **3** (*ind. tess.*) loop **4** (*cinem., di pellicola*) loop **5** (*mecc.*) burr; (*di tornitura*) chip ● **r. di burro**, butter-curl □ **ricci di legno**, wood shavings.

◆**rìccio**② m. **1** (*zool., Erinaceus europaeus*) hedgehog **2** (*zool., anche r. di mare*) (*Paracentrotus lividus*), sea urchin **3** (*bot.*) bur; (*di castagna*) husk ● (*fig.*) **chiudersi a r.**, to shut up like a clam; to clam up.

rìcciola f. (*zool., Seriola dumerii*) amberjack.

ricciolìna f. **1** (*fam.*) curly-haired little girl **2** (*insalata*) curly endive.

ricciolino Ⓐ m. **1** curl; ringlet **2** (*fam.*) curly-haired little boy **B** a. curly; curly-haired.

rìcciolo m. (*di capelli*) curl; lock; ringlet.

ricciolùto → **ricciuto**, def. 1.

ricciùto a. **1** curly; curly-haired: **bambino r.**, curly-headed child; **capelli ricciuti**, curly hair; **testa ricciuta**, curly head **2** (*ind. tess.*) terry (attr.): **velluto r.**, terry velvet.

◆**rìcco** Ⓐ a. **1** (*che ha molto denaro o beni*) rich; wealthy; affluent; moneyed: **un r. proprietario di terre**, a rich landowner; **la ricca borghesia**, the wealthy middle class; **paesi ricchi**, rich countries; affluent nations; **essere r. di famiglia**, to come from a wealthy family; (*fam.*) **r. sfondato** (*o* a palate), rolling in money; loaded (with money); stinking rich (*fam.*); **diventare r.**, to become rich; to come into money **2** (*che abbonda di qc.*) rich (in); abounding (in, with); full (of): **r. di esperienza**, full of experience; **r. di fantasia** [**di idee**], full of imagination [of ideas]; **r. di vitamine**, rich in vitamins; **un Paese r. di minerali**, a country rich in minerals; **un libro r. d'informazioni**, a book full of information; **un mare r. di pesci**, a sea teeming with fish; (*autom.*) **miscela ricca**, rich mixture **3** (*sontuoso, sfarzoso*) rich; sumptuous; lavish: **un r. banchetto**, a sumptuous feast; **ricchi addobbi**, rich decorations **4** (*abbondante*) abundant; rich; luxuriant: **un r. raccolto**, an abundant crop; **vegetazione ricca**, luxuriant vegetation; (*fam.*) **una ricca dormita**, a good (night's) sleep; (*fam.*) **una ricca mangiata**, a hearty meal **5** (*ingente per valore*) rich; valuable; (*lucroso*) profitable; (*generoso*) generous, handsome: **una ricca collezione di cammei**, a valuable collection of cameos; **ricca dote**, rich dowry; **r. dono**, valuable gift; **ricca eredità**, rich inheritance; **ricca mancia**, generous tip **6** (*di gusto, suono, ecc.*) rich: **r. aroma**, rich aroma **7** (*di indumento*) full: **gonna ricca**, full skirt ● (*iron.*) **r. di debiti**, up to one's eyes in debt **B** m. (f. **-a**) rich (*o* wealthy) person: **i ricchi**, the rich; the wealthy; **nuovo r.**, nouveau riche (*franc.*).

riccóna f. very rich woman*.

riccóne m. very rich man*; moneybags

(*fam.*); fat cat (*spreg.*).

◆**ricérca** f. **1** (*attività del cercare*) search (solo sing.); quest; hunting Ⓤ; hunt; (*di petrolio, minerali, ecc.*) exploration, prospecting (for); (*perseguimento*) pursuit, seeking: **la r. di un bambino scomparso**, the search for a missing child; **la r. di una casa [di un lavoro]**, house [job] hunting; **la r. di un evaso**, the search for an escaped convict; **la r. della felicità**, the pursuit of happiness; **la r. dell'oro**, the quest for gold; **la r. del profitto**, profit seeking; **la r. della verità**, the search (*o* the quest) for truth; **ricerche di petrolio**, oil exploration; prospecting for oil; *Le ricerche dei superstiti continuano*, the search for survivors continues; **r. a tappeto**, thorough search; (*tecn.*) **r. automatica**, auto-search; **alla r. di qc.**, in search of st.; after st.; on the lookout for st.; **andare alla r. di**, to go in search of; to hunt for; *Sono alla r. di un lavoro*, I'm looking (*o* I'm on the lookout) for a job; **sospendere le ricerche**, to call off a search; **squadra di r.**, search party **2** (*studio, indagine*) research Ⓤ; study; (*anche* **r. scolastica**) project; (*sondaggio*) survey: **r. di mercato**, market research; (*ind.*) **r. operativa**, operations (*o* operational) research; **r. scientifica**, scientific research; **r. sul campo**, field research; **la r. sul cancro**, cancer research; **r. sul consumo di tabacco**, research into tobacco consumption; **una r. interessante**, an interesting piece of research; **fare una r. su qc.**, to research st.; **fare ricerche**, to do research; to research; *Sto facendo una r. bibliografica*, I'm doing some bibliographical research; *Mi occupo di ricerche sui pesticidi*, I'm researching into pesticides; **stanziare denaro per la r.**, to allocate money for research; **pubblicare i risultati delle ricerche**, to publish the result of one's research (*o* researches); **centro** (*o* **istituto**) **di r.**, research centre (*o* institute); **finanziamenti per la r.**, funding for research; **laboratorio di ricerche**, research laboratory; **lavoro di r.**, research work **3** (*scritto*) study; work; (*articolo*) paper: **pubblicare una r. scientifica**, to publish a scientific paper **4** (*investigazione*) investigation; inquiry: *La polizia sta svolgendo ricerche sulle sue attività all'estero*, the police are conducting investigations into (*o* are investigating) his foreign dealings; *Le ricerche non sono approdate a nulla*, the inquiries led to nothing **5** (*econ.*: *richiesta*) demand (for) **6** (*comput.*) search: **motore di r.**, search engine.

ricercapersóne m. inv. bleeper.

◆**ricercàre** Ⓐ v. t. **1** (*cercare di nuovo*) to look for (st., sb.) again: **cercare e r. qc.**, to look (*o* to search) for st. everywhere; to search (*o* to hunt) for st. high and low **2** (*cercare con impegno*) to look for; to search for; to seek*: **r. un effetto**, to seek an effect; **r. un testimone oculare**, to look for an eye-witness; **r. un omicida**, to search for (*o* to hunt for) a murderer; *È ricercato dalla polizia*, the police are searching for him; he is wanted by the police **3** (*investigare*) to investigate; to inquire into; (*studiare*) to study: **r. la possibilità di vita su Marte**, to inquire into the possibility of life on Mars **4** (*perseguire*) to pursue; to seek*; to strive* for: **r. la felicità**, to seek (*o* to pursue) happiness; **r. un ideale**, to pursue an ideal; **r. la perfezione**, to strive for perfection **5** (*esigere*) to want; to require; to demand Ⓑ m. (*mus.*) ricercare.

ricercataménte avv. **1** (*in modo raffinato*) refinedly; elegantly; with refined elegance **2** (*in modo affettato*) affectedly; with affectation.

ricercatézza f. **1** (*raffinatezza*) refinement; elegance; sophistication: **r. di modi**, refinement of manners; refined manners; **r.**

di stile, refinement of style; **r. eccessiva**, overrefinement; (*di stile*) preciosity; **vestire con r.**, to dress with elegance; **non avere r. nel vestire**, to be a casual dresser **2** (*affettazione*) affectation.

ricercàto Ⓐ a. **1** (*oggetto di ricerche*) in demand; popular; sought-after: **un articolo molto r.**, a very popular item; an article that is in great demand; **oggetti ricercati dai collezionisti**, highly collectable objects **2** (*leg.*) wanted: **r. dalla polizia**, wanted by the police **3** (*raffinato*) refined; elegant; sophisticated; studied; elaborate: **eleganza ricercata**, refined (*o* studied) elegance; **stile r.**, refined style; **vestire in modo r.**, to dress with elegance **4** (*affettato*) affected; precious; recherché (*franc.*): **modi ricercati**, affected manners Ⓑ m. (f. **-a**) wanted person.

ricercatóre m. **1** (f. **-trice**) searcher; seeker **2** (*studioso*) researcher; research worker **3** (*apparecchio*) detector.

ricetrasméttere v. t. to transmit and receive.

ricetrasmettitóre m. → **ricetrasmittente, B**.

ricetrasmissióne f. transmission and reception.

ricetrasmittènte (*radio*) Ⓐ a. transmitting and receiving; two-way (attr.) Ⓑ m. e f. two-way radio; transceiver: **r. portatile**, walkie-talkie.

◆**ricètta** f. **1** (*med.*) prescription: **fare una r.**, to make out a prescription; **dietro presentazione di r. medica**, on prescription **2** (*rimedio*) remedy; cure: **una r. contro l'insonnia**, a remedy against (*o* a cure for) insomnia **3** (*cucina*) recipe: **una r. per la zuppa di cipolle**, a recipe for onion soup; **libro di ricette**, recipe book; cookery book; cook book (*USA*) **4** (*fig.*) recipe; formula; (*chiave*) key: **la r. della felicità**, the formula for happiness; **la r. del successo**, the key to success ❶ **FALSI AMICI** • ricetta *non si traduce con* receipt.

ricettàcolo m. **1** (*deposito*) receptacle; repository: **r. di microbi**, breeding-ground for microbes; **r. di polvere**, dust trap **2** (*fig.*: *luogo frequentato*) haunt; (*nascondiglio*) den, hideout: *Il bar dell'angolo è un r. di spacciatori*, the bar on the corner is the haunt of drug pushers **3** (*bot.*) receptacle.

ricettàre① v. t. (*leg.*) to receive (stolen goods); to fence (*fam.*).

ricettàre② v. t. (*med.*) to prescribe.

ricettàrio m. **1** (*med.*) book of prescriptions **2** (*cucina*) recipe book; cookery book; cook book (*USA*).

ricettatóre m. (f. **-trice**) (*leg.*) receiver of stolen goods; fence (*fam.*).

ricettazióne① f. (*leg.*) receiving of stolen goods; fencing (*fam.*): **essere arrestato per r.**, to be arrested for receiving stolen goods.

ricettazióne② f. (*med.*) prescribing; writing out a prescription.

ricettività f. **1** (*psic.*) receptivity; (*sensibilità*) sensitivity **2** (*med.*) susceptibility **3** (*radio, TV*) receptivity; reception **4** (*capacità di accogliere*) (accommodation) capacity; facilities (pl.): *La r. del nostro albergo è di 200 letti*, our hotel can accommodate (*o* has accommodation for) 200 people; *La r. della sala è di 500 posti*, the hall can seat 500; **r. alberghiera**, hotel facilities.

ricettìvo a. **1** (*psic.*) receptive; open; (*sensibile*) sensitive: **mente ricettiva**, receptive mind **2** (*med.*) susceptible **3** (*radio, TV*) receptive: **potenza ricettiva**, receptive power; receptivity **4** (*turismo*) accommodation (attr.); (*di luogo*) having accommodation: **capacità ricettiva**, accommodation capacity; **strutture ricettive**, accommodation facilities; **una località turistica molto**

ricettiva, a tourist resort with excellent accommodation facilities.

ricètto m. (*lett.*) shelter; refuge: **dare r.**, to give shelter; to shelter; **trovare r.**, to find shelter.

ricettóre → **recettore**.

ricevènte Ⓐ a. (*anche radio*) receiving: **stazione r.**, receiving station Ⓑ m. e f. receiver; (*comm.*, *anche*) consignee.

◆**ricévere** v. t. **1** (*accogliere, prendere*) to get*; to receive; to be given; to be awarded; (*riscuotere*) to get*, to draw*; (*accettare*) to accept, to take*; (*subire*) to undergo*, to suffer: **r. aiuto**, to get (*o* to receive) help; to be helped; **r. il Battesimo**, to be baptized; **r. un colpo sulla testa**, to receive a blow on his head; to be hit on the head; **r. la Comunione**, to receive Holy Communion; **r. un indennizzo**, to be awarded compensation; **r. una lettera**, to get (*o* to receive) a letter; **r. una lode**, to receive praise; to be praised; **r. notizie**, to receive (*o* to get) news; **r. notizie da q.**, to hear from sb.; **r. un'offesa**, to receive an offence; to be offended; **r. un ordine**, to be given an order; **r. ordini**, to take orders; **r. un premio**, to receive (*o* to be awarded; to be given) a prize; **r. una proposta di matrimonio**, to receive a marriage proposal; to be proposed to; **r. una pallottola in una gamba**, to get a bullet in a leg; **r. prenotazioni**, to accept bookings; **r. una punizione**, to be punished; **r. un regalo**, to be given (*o* to get) a present; **r. uno stipendio**, to get (*form.* to draw) a salary; **r. una telefonata**, to get a phone call; **r. un forte trauma**, to undergo severe trauma; to be severely traumatized; **r. molti voti**, to get a lot of votes; **r. qc. in cambio**, to get st. in exchange (*o* in return); **r. qc. in eredità**, to inherit st.; **r. qc. in prestito**, to be lent st.; **r. qc. in premio**, to receive (*o* to be given) st. as a prize; *Ho ricevuto un'educazione severa*, I had a strict upbringing; *Il giardino non riceve mai sole*, the garden never gets any sunlight **2** (*accogliere, contenere*) to accommodate; to hold*: *La cittadina può r. mille turisti*, the town can accommodate one thousand tourists; *Il bacino può r. grosse navi*, the dock can hold big ships **3** (*provare, sentire*) to experience; to receive; to get*: **r. una delusione**, to experience a disappointment; to be disappointed; **r. un'impressione favorevole**, to receive (*o* to get) a favourable impression; **r. sollievo**, to be relieved **4** (*ammettere*) to admit; (*dare ricovero*) to shelter, to take* in: **r. q. come novizio**, to admit sb. as a novice; **r. profughi**, to take in refugees **5** (*accogliere all'arrivo*) to receive; to welcome; to meet*; (*assol.*: *dare ricevimenti*) to entertain: **r. gli ospiti**, to receive (*o* to welcome, to meet) the guests; **r. q. a braccia aperte**, to welcome sb. with open arms; *Le piace r.*, she enjoys entertaining **6** (*visitatori, clienti*) to receive; to see*; (*ammettere a un'udienza*) to grant an audience to: *L'avvocato riceve i clienti dalle 9 alle 11*, the lawyer receives clients from 9 to 11 a.m.; *Il dottore riceve solo al mattino*, the doctor receives patients (*o* holds surgery) only in the morning; *Il direttore si scusa di non poterla r. oggi*, the director is sorry he cannot see you today; *Si riceve solo su appuntamento*, visits are by appointment only; **chiedere di essere ricevuto da q.**, to ask to see sb.; **rifiutarsi di r. q.**, to refuse to see sb. **7** (*radio, TV*) to receive; to pick up; to read*: **r. segnali [una stazione]**, to pick up signals [a station]; **r. forte e chiaro**, to read (sb.) loud and clear; *Come mi ricevi? Passo*, how are you reading me? over; *Ricevuto!*, roger! **8** (*sport*) (*calcio*: *la palla*) to collect; to gather; (*un passaggio*) to receive; (*tennis, pallavolo*) to receive; (*baseball*) to catch*.

riceviménto m. **1** (*il ricevere*) receiving;

reception; receipt: **al r. della merce**, upon receipt of the goods; **orario di r.**, office hours; (*di dottore e sim.*) consulting hours **2** (*accoglienza*) welcome; reception; (*ammissione*) admission: **il r. della delegazione**, the reception of the delegation **3** (*trattenimento, festa*) reception; party: **r. di nozze**, wedding reception; **dare un r.**, to hold a reception; **sala di r.**, reception room; salon.

ricevitóre Ⓐ m. **1** (f. **-trice**) (*chi riceve*) receiver; (*destinatario*) recipient; (*di consegna*) consignee **2** (f. **-trice**) (*chi riscuote*) collector: **r. delle dogane**, collector of customs; **r. delle imposte**, tax collector; **r. di scommesse**, bookmaker **3** (*radio, TV*) receiver: **r. a galena**, crystal receiver; **r. acustico**, sounder **4** (*telef.*) receiver: **alzare il r.**, to pick up the receiver (o the phone); **riattaccare** (*o* **abbassare, mettere giù**) **il r.**, to replace the receiver (o to hang up; **staccare il r.**, to disconnect the phone **5** (*sport: tennis, pallavolo*) receiver; (*baseball*) catcher Ⓑ a. receiving; (*tecn.*) take-up: **bobina ricevitrice**, take-up spool.

ricevitoria f. (receiving) office: **r. del lotto**, lottery office; **r. di scommesse**, betting office (o shop); **r. del totocalcio**, football pools office.

♦**ricevùta** f. receipt; (*quietanza*) quittance: **r. a saldo**, receipt in full; **r. bancaria**, cash order; (*di versamento, ecc.*) bank receipt; **r. d'acquisto**, receipt for item purchased; **r. di spedizione**, consignment receipt (o note); **r. di versamento**, receipt for payment; **r. fiscale**, receipt for tax purposes; **accusare r.**, to acknowledge receipt; **rilasciare una r.**, to give a receipt; **blocchetto di ricevute**, receipt book; **raccomandata con r. di ritorno** → **raccomandata**.

ricezióne f. **1** (*ricevimento*) receipt **2** (*di albergo, ecc.*) reception: **rivolgersi alla r.**, to inquire at reception; **addetto alla r.**, receptionist; reception clerk; **banco della r.**, reception desk **3** (*radio, TV*) reception **4** (*sport*) receiving the ball.

richiamàbile a. (*mil.*) liable to called up.

♦**richiamàre** Ⓐ v. t. **1** (*chiamare di nuovo*) to call again; (*ritelefonare*) to phone back, to call back: **r. sotto le armi**, to recall; to call up; to draft (*USA*); **chiamare e r.**, to call and call; *Ti richiamo domani*, I'll call you back tomorrow **2** (*per far ritornare*) to call back; to recall; to call off; (*ritirare*) to withdraw*: **r. un ambasciatore**, to recall an ambassador; **r. il cameriere**, to call back the waiter; **r. i cani**, to call off the dogs; **r. le truppe**, to withdraw the troops; **r. q. al dovere**, to recall sb. to his duty; **r. q. all'ordine**, to call sb. to order; **r. q. alla realtà**, to bring sb. back to reality; **r. q. in carica**, to call sb. back to office; **r. q. in vita**, to restore (o to bring back) sb. to life; *Ero già sulla porta quando mi richiamò*, I was already at the door when she called me back; *L'hanno richiamato alla sede centrale*, he has been called back to head office **3** (*far ricordare*) to remind; to call to mind; to be reminiscent of: *Quella scena me ne richiamò un'altra*, the scene reminded me of another one; **un profilo che richiama il Correggio**, a profile reminiscent of Correggio **4** (*attirare, far accorrere*) to attract; to draw*; to pull (*fam.*): **r. l'attenzione**, to attract attention; to catch sb.'s eye; *Il cartellone richiamò la mia attenzione*, the poster caught my eye; *Richiamo la vostra attenzione sul terzo comma*, I want to draw (o to call) your attention to the third paragraph; *Richiamò la mia attenzione sul fatto che...*, he pointed out to me that...; **r. folla**, to draw a crowd; **r. un pubblico enorme**, to draw a large audience; to pull crowds (*fam.*); *Il suo nome richiama molto pubblico*, he is a box-office attraction; he is a good

crowd-puller; *La luce richiama le falene*, light attracts moths **5** (*rimproverare*) to rebuke; to reprimand; (*ammonire*) to admonish, to give* a warning to: *Il direttore lo richiamò severamente*, the manager rebuked (o reprimanded) him severely **6** (*citare, riportare*) to quote: *Richiamò un verso del Tasso*, she quoted a line from Tasso **7** (*aeron.*) to flatten out; to level out (o off); (*dopo una picchiata*) to pull out Ⓑ **richiamàrsi** v. i. pron. (*riferirsi*) to refer: **richiamarsi a un articolo del regolamento**, to refer to an article in the regulations.

richiamàta f. (*aeron.*) flattening out; levelling out (o off); (*dopo una picchiata*) pull-out: **deflettore di r.**, recovery flap.

richiamàto m. (*mil.*) recalled reservist.

♦**richiàmo** m. **1** (*il richiamare indietro*) recall: **r. alle armi**, recall to arms; call-up; **il r. d'un ambasciatore**, the recall of an ambassador; **fare un gesto di r. a q.**, to beckon to sb. **2** (*invito*) call; (*ammonimento*) warning, admonition; (*rimprovero*) reprimand: **r. all'ordine**, call to order; **r. dell'arbitro**, warning from the referee; *Deve stare attento, ha già avuto due richiami*, he's already been warned twice, so he'd better be careful **3** (*voce*) voice; (*grido, anche di animale*) call; cry: **il r. della ragione**, the voice of reason; **grido di r.**, call; cry **4** (*fig.: attrazione*) call, attraction, appeal, pull (*fam.*); (*fascino*) lure: **il r. della foresta [del mare]**, the call of the wild [of the sea]; **il r. della metropoli**, the lure of the big city; *Quella pubblicità è un potente r.*, that advertising has tremendous (o a lot of) pull; **attore [spettacolo] di grande r.**, very popular actor [show]; box-office attraction; crowd-puller (*fam.*) **5** (*riferimento, rimando*) reference; (*menzione*) mention: **fare r. a una disposizione**, to refer to a rule **6** (*tipogr.*) cross-reference mark; (*estens.: nota*) note, cross-reference: **segno di r.**, cross-reference mark **7** (*nella caccia*) bird call; (*uccello*) decoy: (*anche fig.*) **fare da r.**, to act as a decoy; **caccia al r.**, hunting with decoys; **uccello da r.**, decoy **8** (*med., anche* **vaccino di r.**) booster: **vaccinazione di r.**, booster (shot); **fare il r.**, to have a booster (shot).

richiedènte Ⓐ a. applying; petitioning Ⓑ m. e f. **1** applicant; petitioner **2** (*leg.*) demandant; plaintiff; petitioner.

♦**richièdere** v. t. **1** (*chiedere di nuovo*) to ask again for: *Mi richiese l'indirizzo*, he asked for my address again; **chiedere e r.**, to ask and ask: to ask again and again **2** (*chiedere in restituzione*) to ask for (st.) back: *Gli richiesi i soldi*, I asked him for my money back **3** (*chiedere, domandare*) to ask for; (*con insistenza o decisione*) to demand, to insist on; (*per acquistare*) to ask for, (al passivo) to be in demand: **r. la collaborazione di q.**, to ask for sb.'s collaboration; **r. la propria parte di eredità**, to demand one's part of an inheritance; *Questo modello è molto richiesto*, this model is in great demand **4** (*volere, esigere*) to request; to exact; to demand: **r. la massima ubbidienza da q.**, to exact absolute obedience from sb.; *Si richiede la vostra presenza*, your presence is required; *Si richiede la conoscenza di due lingue straniere*, knowledge of two foreign languages is required **5** (*bur.: fare domanda*) to apply for: **r. un'autorizzazione [il passaporto]**, to apply for a permit [a passport] **6** (*necessitare*) to require; to need; to call for; to demand; to take*: **r. concentrazione**, to require (o to need) concentration; **r. anni di lavoro**, to take years of work; **r. pazienza**, to call for patience; **r. tempo e denaro**, to take time and money; *La malattia richiede lunghe cure*, this disease requires (o needs) a long treatment; *Per quel paese è richiesto il visto*, a visa is required for that country;

you need a visa for that country; *Questo lavoro richiede un esperto*, this job calls for an expert; **un gioco che richiede destrezza**, a game that requires skill.

richièsta f. request; demand (*anche econ.*); call; (*ufficiale e scritta*) application; (*rivendicazione, pretesa*) claim: **r. di aiuto**, call for help; request for aid; **r. d'aumenti salariali**, wage claim; **r. di denaro**, request for money; **r. di fondi**, call for funds; **r. d'informazioni**, inquiry; **r. d'iscrizione**, application for enrolment; **r. di lavoro**, application for a job; **r. di manodopera**, demand for labour; **r. di pagamento**, call for payment; (*ass.*) **r. di risarcimento (di danni)**, damage claim; claim for damage; **r. legittima**, rightful claim; **r. scritta**, (written) application; **richieste esagerate**, excessive demands; **richieste insistenti**, solicitations; *C'è grande r. di infermiere*, there is a great demand for nurses; **accettare una r.**, to accept (o to grant) a request; **fare una r. giusta**, to make a fair claim; **fare r. di**, to make a request for; (*per iscritto*) to apply for; **fare r. scritta**, to apply in writing; to send off a written application; **fare r. di essere assunto**, to apply for a job (o for employment); **presentare una r. di rimborso**, to put in a claim for reimbursement; **soddisfare le richieste di q.**, to satisfy sb.'s demands; **a (o su, dietro) r.**, by (o on) request; on demand; **a (o dietro) r. scritta**, on written application; **a (o su, dietro) vostra r.**, at your request; **a r. generale**, by general request; *L'opuscolo è disponibile su r.*, the pamphlet is available on request; **come da r.**, as requested; **per r. di**, at the request of; **fermata a r.**, request stop.

richièsto a. **1** (*ricercato*) in demand; popular; sought-after: **un articolo molto r.**, a very popular item; an item much in demand; **un ritrattista molto richiesto**, a much sought-after portrait painter; **parere non r.**, unwanted (o unsolicited) opinion **2** (*necessario*) necessary; required: **i requisiti richiesti**, the necessary qualifications; **la somma richiesta**, the required sum **3** (*comm.: ordinato*) ordered; on order.

richiùdere Ⓐ v. t. **1** (*chiudere di nuovo*) to close again; to shut* again; (*a chiave*) to lock up again **2** (*chiudere*) to close; to shut*; (*a chiave*) to lock up; (*un mobile apribile*) to fold up; (*un contenitore*) to put* the lid [the top, etc.] back on: *Richiusi piano la porta*, I closed the door gently; **r. una cassaforte**, to lock up a safe; **r. un barattolo**, to put (o to screw) the top back on a jar Ⓑ **richiùdersi** v. i. pron. **1** (*chiudersi di nuovo*) to close again; to shut* again **2** (*chiudersi*) to close; to shut*; (*di nobile apribile*) to fold up: *La porta si richiuse dietro di noi*, the door closed behind us **3** (*rimarginarsi*) to close up; to heal ● **r. in sé stesso**, to withdraw into oneself.

richiudìbile a. (*di confezione*) resealable; that can be closed (again).

riciclàbile a. (*anche fig.*) recyclable.

riciclabilità f. recyclability.

riciclàggio m. **1** (*tecn.*) recycling: **il r. del vetro**, glass recycling; **il r. dei rifiuti urbani**, the recycling of urban waste; **impianto di r.**, recycling plant **2** (*reimpiego*) reutilization; (*riqualificazione*) retraining **3** (*econ.*) **r. di denaro sporco**, money laundering.

riciclàre v. t. **1** (*tecn.*) to recycle: **r. la carta [materiali di scarto]**, to recycle paper [scrap materials]; *L'acqua viene riciclata*, the water is recycled **2** (*fig.: rimaneggiare e riproporre*) to revamp; to resurrect; to rehash **3** (*utilizzare in altro modo*) to reutilize; (*riqualificare*) to retrain **4** (*econ.*) – **r. denaro sporco**, to launder money.

riciclàto a. **1** (*tecn.*) recycled: **carta rici-**

clata, recycled paper **2** (*fig.*: *rimaneggiato e riproposto*) revamped; resurrected; rehashed **3** (*econ.*) **– denaro r.**, laundered money.

riciclo m. **1** (*chim.*) recycling **2** → **riciclaggio**, def. 2.

ricino m. (*bot.*, *Ricinus communis*) castor-oil plant: **olio di r.**, castor oil.

ricircolo m. (*autom.*) air recirculation device.

rickèttsia f. (*biol.*) rickettsia*.

rickettsiòsi f. (*med.*) rickettsiosis.

riclassificàre v. t. to reclassify.

riclassificazióne f. reclassification.

ricognitivo a. **1** (*di ricognizione*) reconnaissance (attr.) **2** (*leg.*) of acknowledgment: **atto r.**, act of acknowledgment.

ricognitóre m. **1** (f. *-trice*) reconnoiterer; scout **2** (*aeron.*) reconnaissance aircraft; spotter plane.

ricognizióne f. **1** (*lett.*: *riconoscimento*) recognition **2** (*leg.*) acknowledgment; (*ricostruzione*) identification **3** (*mil.*) reconnaissance; reconnoitring: **r. in forze**, reconnaissance in force; **r. terrestre**, land reconnaissance; **fare una r. di**, to reconnoitre, to reconnoiter (*USA*); **essere in r.**, to be on reconnaissance duty; **mandare in r.**, to send out on reconnaissance; **aereo da r.**, reconnaissance aircraft; spotter plane **4** (*estens.*: *esplorazione, sopralluogo*) exploration; investigation: **fare una r. nei dintorni**, to explore (*o* to check out) the area; to have a look around the area; **mandare q. in r.**, to send sb. to have a look around.

ricollegàbile a. relatable; that can be connected (to); that can be associated (with); (*riconducibile*) that can be traced back (to): **paure spesso ricollegabili a traumi infantili**, fears that can often be traced back to childhood traumas.

ricollegàre **A** v. t. **1** (*collegare di nuovo*) to reconnect; to connect again; to join again: (*elettr.*) **r. due fili**, to reconnect two wires **2** (*mettere in relazione*) to connect; to associate; to link; (*far risalire*) to trace back: **r. due episodi**, to connect two occurrences; **un fatto a un altro**, to associate one fact with another **B ricollegàrsi** v. rifl. e i. pron. **1** (*riferirsi*) to refer: **Mi ricollego al nostro colloquio di ieri**, I refer to the talk we had yesterday **2** (*radio, TV*) to link up again; to go* back: **Ci ricolleghiamo col Viminale per gli ultimi risultati elettorali**, now back to Viminale for the latest polling results **3** (*essere collegato*) to be connected; to be linked; to be related **C ricollegàrsi** v. rifl. recipr. to be connected; to be linked; to be related; to interrelate: **Le due cose si ricollegano strettamente**, the two things are closely linked (*o* related).

ricollocàre v. t. **1** to replace; to put* back; to return: **r. qc. al suo posto**, to put st. back in (*o* to return st. to) its place; to replace st. **2** (*org. az.*) to reinstate; (*all'esterno*) to outplace.

ricollocazióne f. **1** replacement **2** (*org. az.*) reinstatement; (*all'esterno*) outplacement.

ricolmàre v. t. **1** (*riempire di nuovo*) to fill again, to refill; (*riempire fino all'orlo*) to fill up, to top up **2** (*fig.*) to fill; to shower; to overwhelm: **r. q. di elogi**, to overwhelm sb. with praises; **r. di gentilezza**, to overwhelm with kindness; **r. di regali**, to shower sb. with presents.

ricólmo. a. **1** full to the brim (pred.); brimful (pred.); (*carico*) laden (pred.): **un bicchiere ricolmo di vino**, a glass full to the brim with wine; **piatti ricolmi di cibo**, plates laden with food **2** (*fig.*) brimful; brimming; overflowing; overwhelmed: **r. di gioia [di speranza]**, brimful (*o* brimming) with joy [with hope]; **r. di dolore**, overwhelmed

with grief.

ricoloràre, ricolorire **A** v. t. to colour again; (*ripitturare*) to repaint **B ricoloràrsi, ricolorirsi** v. i. pron. to colour up again; to put* on colour again.

ricombinànte a. e m. (*biol.*) recombinant: **DNA r.**, recombinant DNA.

ricombinàre **A** v. t. **1** (*rimettere insieme*) to put* together again; to recombine **2** (*risistemare*) to rearrange **3** (*stabilire di nuovo*) to rearrange; to agree again **B ricombinàrsi** v. i. pron. e rifl. recipr. (*chim.*) to recombine.

ricombinazióne f. **1** rearrangement **2** (*fis., biol.*) recombination.

♦**ricominciàre** **A** v. t. to begin* again; to start again; (*riprendere*) to resume: **r. a piangere**, to start crying (*o* to cry) again; **r. da pagina uno**, to start again from page one; **r. daccapo** (*o da zero*), to begin all over again; to start again from scratch; to start over (*USA*); to go back to the beginning (*o* to square one); **Ho ricominciato a fumare**, I've started smoking again; **r. una discussione [una partita]**, to resume a discussion [a game] **B** v. i. to begin* again; to start again; (*riprendere*) to resume, to restart, to recommence (*form.*): **Le prove ricominceranno alle quattro**, rehearsals will resume at four; **Sono ricominciati i colloqui di pace**, peace talks have resumed; **Non r., per favore!**, please, don't start that again!; **Ecco che ricominci!**, there you go again!; (*iron.*) **Si ricomincia!**, (o here) we go again! **C** v. i. impers. to begin* again; to start again; (*ritornare*) to be back: **Ricomincia a piovere**, it's beginning (*o* starting) to rain again; **Ricomincia il freddo**, the cold weather is back again.

ricomméttere v. t. **1** (*commettere di nuovo*) to commit again; to make* again: **r. lo stesso errore**, to make the same mistake again; to repeat the same mistake **2** (*ricongiungere*) to put* together again; to join again; to rejoin.

ricommettitùra f. (*punto di unione*) join; joint.

ricompaginàre v. t. to regroup; to round up.

ricomparìre v. i. to reappear; to appear again; to show* up again; to turn up: **Ricomparve sulla soglia**, he reappeared at the door; **È ricomparso il sole**, the sun has come out again; **Ricomparve dopo un anno**, he turned up again after a year; **Non è più ricomparso**, she hasn't shown up again.

ricompàrsa f. reappearance: **la r. dei sintomi**, the reappearance of the symptoms; **La sua improvvisa r. mi meravigliò**, I was surprised by his sudden reappearance (*o* to see him turn up again); **fare la propria r.**, to reappear; to turn up.

ricompattàre v. t., **ricompattàrsi** v. i. pron. to regroup.

♦**ricompènsa** f. **1** recompense; reward; remuneration: **lavorare senza r.**, to work without recompense; **senza la speranza d'una r.**, without hope of reward; **in** (*o per*) **r. di**, in recompense for; as a reward for; **Ecco cosa ho avuto per tutta r.**, that's all I got for my pains; (*iron.*) **Ha avuto la r. che si meritava**, he got his just deserts (*o, fam.*, his comeuppance) **2** (*mil.*) **– r. al valore**, award for valour **3** (*psic.*) reinforcement.

ricompensàbile a. rewardable.

♦**ricompensàre** v. t. to recompense; to reward; to remunerate; to repay*: **r. il bene col male**, to recompense good with evil; **r. q. per le sue prestazioni**, to remunerate sb. for his services; **La sua felicità mi ricompensa di tutto**, his happiness is ample reward for all I went through; **La sua pazienza fu ricompensata dal successo**, his patience was rewarded with success.

ricomperàre → **ricomprare**.

ricompilàre v. t. (*redigere di nuovo*) to draw* up again; to make* out again; (*un modulo*) to fill in again.

ricompórre **A** v. t. **1** (*rimettere insieme*) to reassemble; to put* back together; to recompose: **r. i frammenti di una lettera**, to reassemble the torn pieces of a letter **2** (*riordinare*) to rearrange **3** (*ricostruire*) to reconstruct: **r. un fatto**, to reconstruct a sequence of events **4** (*riscrivere*) to rewrite* **5** (*fig.*: *sanare*) to settle **6** (*tipogr.*) to reset* ● **r. il viso**, to recompose one's features **B ricompórsi** v. i. pron. to compose oneself; to recover one's composure; to recollect oneself.

ricomposizióne f. **1** (*il rimettere insieme*) recomposition; reassemblage; reassembling **2** (*risistemazione*) rearrangement; reorganization; (*rimpasto*) reshuffle **3** (*riscrittura*) rewriting **4** (*tipogr.*) resetting; reset.

ricompràbile a. repurchasable.

ricompràre v. t. **1** (*comprare per rifornire o sostituire*) to buy*: **r. della birra**, to buy some beer; **Devo ricomprarmi un portafoglio**, I must buy another wallet **2** (*una cosa in precedenza venduta*) to buy* back; to repurchase: **Vorrei poter r. il quadro che ho venduto**, I wish I could buy back the picture I sold **3** (*comprare a propria volta*) to buy*.

ricomunicàre **A** v. t. **1** (*informare di nuovo*) to inform again; to notify again **2** (*eccles.*) to administer Communion again to **B ricomunicàrsi** v. i. pron. (*eccles.*) to receive Communion again.

riconcentràre **A** v. t. **1** to concentrate again; to gather again; (*mil.*) to mass again **2** (*chim.*) to reconcentrate **B riconcentràrsi** v. rifl. to concentrate again.

riconciliàbile a. reconcilable.

riconciliàre **A** v. t. **1** to reconcile: **r. due amici**, to reconcile two friends **2** (*far riacquistare*) to regain; to win* back (*o* again): **Quel gesto gli riconciliò il favore del pubblico**, that gesture won him back his popularity; he regained his popularity with that gesture ● **r. il sonno**, to lull (sb.) back to sleep **B riconciliàrsi** v. rifl. e rifl. recipr. to become* reconciled; to make* one's peace (with sb.); to make* it up (*fam.*): **Si riconciliarono dopo molti anni**, they became reconciled (*o* made their peace with each other) many years later; **Mi sono riconciliato con mia moglie**, I've made it up with my wife.

riconciliatóre m. (f. *-trice*) reconciler; peacemaker.

riconciliazióne f. reconciliation; reconcilement: **la r. di due nemici**, the reconciliation between two enemies; **in segno di r.**, as a mark of reconciliation; **fare opera di r.**, to act as a peacemaker.

ricondannàre v. t. to condemn again; (*leg.*) to sentence again.

ricondensàre v. t., **ricondensàrsi** v. i. pron. to recondense; to condense again.

ricondizionàre v. t. (*psic.*) to recondition.

riconducìbile a. referable (to); ascribable (to); that can be traced back (to).

♦**ricondùrre** v. t. **1** (*condurre di nuovo*) to bring* again; to take* again; to lead* again: **Riconducilo qui**, bring him here again **2** (*riportare indietro*) to bring* back; to take* back; to lead* back: **r. q. a casa**, to take sb. back home; **r. q. alla ragione**, to make sb. see reason **3** (*fig.*: *far risalire*) to trace back: **r. qc. alle sue cause**, to trace st. back to its causes.

riconduzióne f. (*leg.*) renewal (of a lease).

riconférma f. **1** reconfirmation; confirmation; (*riprova*) fresh evidence (*o* proof): **la**

r. di una prenotazione, the confirmation of a booking; **a r. del fatto**, in confirmation of the fact; as evidence of the fact **2** (*rinnovo di incarico*) reappointment: **avere la r. di un incarico**, to be reappointed **3** (*sport*) re--signing.

riconfermàbile a. reconfirmable; confirmable.

riconfermàre Ⓐ v. t. **1** (*confermare di nuovo*) to reconfirm; to confirm (again): **r. una notizia**, to confirm a piece of news **2** (*riasserire, ribadire*) to reaffirm; to reassert; to maintain: **r. la propria opinione**, to reassert (*o* to maintain) one's opinion; *Riconfermò che intendeva dare le dimissioni*, she reaffirmed her intention to resign **3** (*confermare in carica*) to reappoint: **r. q. in una posizione**, to reappoint sb. to a post **4** (*sport*) to re-sign Ⓑ **riconfermàrsi** v. rifl. to prove again (to be): *Si riconfermò un prezioso alleato*, he once again proved a valuable ally.

riconfiguràre Ⓐ v. t. (*anche comput.*) to reconfigure Ⓑ **riconfiguràrsi** v. i. pron. to re-emerge.

riconfortàre Ⓐ v. t. to comfort (again); to cheer up Ⓑ **riconfortàrsi** v. i. pron. to be comforted; to cheer up.

riconfrontàre Ⓐ v. t. to compare again Ⓑ v. rifl. to meet* again (sb., st.); to confront again (sb., st.).

ricongelàre v. t. to refreeze*; to freeze* again.

ricongelazióne f. refreezing.

ricongiùngere Ⓐ v. t. to rejoin; to join again; to reunite: **r. i due frammenti**, to rejoin the two pieces; **r. i membri di una famiglia**, to reunite a family Ⓑ **ricongiùngersi** v. rifl. e rifl. recipr. to rejoin; to reunite; to be reunited: **ricongiungersi ai compagni**, to join one friends again; to rejoin one's friends; **ricongiungersi con la famiglia**, to be reunited with one's family.

ricongiungiménto m. rejoining; reunion; reuniting.

ricongiunzióne f. rejoining.

riconnèttere Ⓐ v. t. to reconnect; to connect again; to link again Ⓑ **riconnèttersi** v. i. pron. (*essere connesso*) to be connected (*o* linked), to be related; (*riallacciarsi*) to refer: *Per riconnettermi a quanto detto dal collega...*, to refer back to what my colleague said...

riconoscènte a. grateful; thankful; appreciative; (*obbligato*) obliged: **parole riconoscenti**, words of thanks; *Vi sono assai r.*, I am very grateful (*o* much obliged) to you; *Mi accompagni? Te ne sono davvero r.*, are you coming with me? I really appreciate it.

riconoscènza f. gratitude; thankfulness: **avere r.**, to feel gratitude; to be grateful (*o* thankful); **esprimere la propria r.**, to express one's gratitude; *Mi sorrise con r.*, she smiled at me gratefully; *Ecco un piccolo segno della nostra r.*, here is a small token of our gratitude (*o* appreciation); **debito di r.**, debt of gratitude; **sorriso di r.**, grateful smile.

♦**riconóscere** Ⓐ v. t. **1** (*ravvisare*) to recognize; to know*: **r. q. alla voce [al passo]**, to recognize sb. by his voice [by his walk]; **r. al tatto**, to feel; *Mi riconobbe subito*, she recognized (*o* knew) me at once; *Lo riconoscerei tra mille*, I'd know him anywhere; *Si travestì per non farsi r.*, he disguised himself so as not to be recognized; *Non lo riconosco più*, he is a changed man; he is not the man I used to know **2** (*identificare*) to identify; to recognize: **r. un cadavere**, to identify a body; **r. un motivo musicale**, to recognize a tune; **r. un sintomo**, to recognize a symptom; *È stato riconosciuto grazie alla valigia*, he was identified thanks to the suitcase; **farsi r.**, to identify oneself; to make

oneself known **3** (*distinguere*) to recognize; to know*; to tell* the difference (between): **r. un buon vino**, to recognize (*o* to know) a good wine; **r. un Van Gogh vero da uno falso**, to tell the difference between a real Van Gogh and a fake; **r. il giusto dall'ingiusto**, to tell right from wrong; *So r. un bravo attore quando lo vedo*, I know a good actor when I see one **4** (*leg.*) to recognize; to acknowledge; (*un ente, ecc.*) to incorporate: **r. un figlio**, to recognize (*o* to acknowledge) a child; **r. un diritto**, to recognize a right; **r. uno Stato**, to recognize a state; **r. titoli di studio stranieri**, to recognize foreign diplomas; *Fu riconosciuto innocente*, his innocence was recognized; (*leg.*) he was found not guilty; *Il tribunale ha riconosciuto la validità della richiesta*, the court ruled the validity of the claim **5** (*accettare apertamente*) to acknowledge; to recognize: **r. i meriti di q.**, to recognize the merits of sb.; *Riconobbi la giustizia delle loro rivendicazioni*, I acknowledged the justice of their claims; *È riconosciuto come il maggior fisico vivente*, he is acknowledged as the greatest living physicist **6** (*ammettere*) to recognize; to admit; to own (to); to concede: **r. la propria colpevolezza**, to admit one's guilt; **r. i propri torti**, to admit one's faults; *Riconosco di aver avuto torto*, I admit that I was wrong; *Bisogna riconoscere che ha avuto coraggio*, you must hand it to him that he showed courage; *Riconobbe di aver accettato una tangente*, he owned to taking a bribe; *Riconobbe di aver agito con leggerezza*, she admitted she had been careless; she owned to having been careless **7** (*comput.*) to recognize: **r. una stampante**, to recognize a printer **8** (*mil.*) to reconnoitre: **r. le posizioni nemiche**, to reconnoitre the enemy positions Ⓑ **riconóscersi** v. rifl. **1** (*ammettere di essere*) to admit one is; to admit being: **riconoscersi colpevole**, to admit one's guilt; (*leg.*) to plead guilty; **riconoscersi vinto**, to admit defeat; *Mi riconosco in torto*, I admit I was wrong **2** (*sentire affinità*) to identify (with); (*essere d'accordo*) to agree (with): **non riconoscersi nella linea del partito**, not to agree with the party line Ⓒ **riconóscersi** v. rifl. recipr. to recognize each other [one another].

riconoscìbile a. recognizable; identifiable: **appena r.**, hardly recognizable.

riconoscibilità f. recognizability; identifiability.

riconosciménto m. **1** (*il riconoscere*) recognition: *Il r. fu immediato*, recognition was immediate **2** (*identificazione*) identification: **il r. di un cadavere**, the identification of a body; **il r. del colpevole**, the identification of the culprit; **documento di r.**, identification (paper) (abbr. ID); **segno di r.**, identification mark **3** (*leg.*) recognition; acknowledgment: **il r. di un figlio**, the acknowledgment of a child; **il r. di uno Stato**, the recognition of a state **4** (*ammissione*) acknowledgment; admission; avowal: **r. di colpevolezza**, admission of guilt; (*leg.*) guilty plea; **r. di un errore**, admission (*o* avowal) of an error **5** (*apprezzamento*) recognition; appreciation; (*lode*) praise: **in r. delle sue prestazioni**, in recognition of his services **6** (*ricompensa*) award.

riconosciùto a. **1** recognized: **legalmente r.**, legally recognized; **feste riconosciute**, (official) public holidays **2** (*accettato*) acknowledged; recognized: *È un'autorità riconosciuta in campo informatico*, he is an acknowledged (*o* recognized) authority on computer science **3** (*fig.*: *indiscusso*) unquestionable.

riconquista f. **1** reconquest; recapture: **la r. di una regione**, the reconquest of a region **2** (*riottenimento*) regaining: **la r. del-**

l'indipendenza, the regaining of independence.

riconquistàre v. t. **1** to reconquer; to conquer back; to recapture: **r. un paese**, to reconquer a country; **r. un villaggio**, to recapture a village **2** (*riottenere*) to regain; to win* back: **r. l'amore di q.**, to win back sb.'s love; **r. la libertà**, to regain one's freedom; **r. il potere**, to regain power.

riconsacràre v. t. to reconsecrate.

riconsacrazióne f. reconsecration.

riconségna f. **1** (*nuova consegna*) redelivery **2** (*restituzione*) return; handing back; restitution.

riconsegnàre v. t. **1** (*consegnare di nuovo*) to redeliver **2** (*restituire*) to return; to hand back; to give* back.

riconsideràre v. t. **1** (*considerare di nuovo*) to consider again **2** (*riesaminare*) to reconsider, to rethink*; (*rivalutare*) to reassess; (*riflettere su*) to reflect upon, to think* over.

riconsiderazióne f. reconsideration; reassessment; rethink.

riconsigliàre v. t. to advise again.

ricontàre v. t. **1** to recount: **r. i voti**, to recount votes; to do a recount **2** (*raccontare di nuovo*) to retell*.

ricontestualizzàre v. t. to contextualize differently.

ricontràrre v. t. to contract again.

ricontrattàre v. t. to renegotiate.

ricontrollàre v. t. to check again; to go* over again.

riconvalidàre v. t. to validate again; to make* valid again.

riconvenìre Ⓐ v. i. to agree again Ⓑ v. t. (*leg.*) to bring* a counterclaim against; to bring* a countercharge against.

riconvenzionàle a. (*leg.*) counterclaim (attr.): **domanda r.**, counterclaim.

riconvenzióne f. (*leg.*) counterclaim.

riconversióne f. **1** reconversion **2** (*econ.*) reconversion; changeover: **r. industriale**, industrial reconversion.

riconvertìre Ⓐ v. t. **1** (*relig. ed estens.*) to reconvert **2** (*ritrasformare*) to reconvert; to change back: **r. il vapore in acqua**, to change steam back to water; to reconvert steam into water **3** (*econ.*) to reconvert; to change over Ⓑ **riconvertìrsi** v. rifl. e i. pron. **1** (*relig. ed estens.*) to be reconverted; to go* back: **riconvertirsi all'antica fede**, to be reconverted to one's old faith **2** (*essere ritrasformato*) to be reconverted; to be changed back.

riconvocàre v. t. to reconvene; to summon again: **r. un'assemblea**, to reconvene a meeting.

riconvocazióne f. reconvocation; second convocation; resummons*.

ricopèrto a. covered; (*con uno strato sottile*) coated; (*placcato*) plated: **r. di neve**, covered with snow; snow-covered; **r. d'oro**, gold-plated; **r. di pelle**, leather-covered; **r. di zucchero**, coated with sugar; **un masso r. di muschio**, a moss-grown (*o* mossy) boulder; **una torta ricoperta di cioccolato**, a chocolate-coated cake; a cake with chocolate icing; **dente r.**, capped tooth; **gelato r.**, chocolate-coated ice cream.

ricopertùra f. covering; cover; (*strato sottile*) coating; (*placcatura*) plating.

ricopiàre v. t. **1** (*copiare di nuovo*) to recopy; to copy again; (*a macchina*) to retype **2** (*trascrivere*) to copy (out); (*in bella copia*) to make* a fair copy of, to write* out; (*a macchina*) to type out.

ricopiatùra f. **1** (*il ricopiare*) recopying; copying; (*a macchina*) retyping **2** (*cosa copiata*) copy; imitation.

ricopribile a. coverable.

ricopriménto m. **1** (*il ricoprire*) covering **2** (*copertura*) cover **3** (*geol.*) overlap.

♦**ricoprire** **A** v. t. **1** (*coprire di nuovo*) to cover again; to put* the cover back on: **r. una pentola**, to put the lid back on a pot **2** (*coprire*) to cover; to cover up: **r. qc. di sabbia**, to cover st. up with sand **3** (*rivestire*) to cover; (*con uno strato sottile*) to coat; (*placcare*) to plate: **r. un divano**, to cover a sofa; **r. un libro**, to cover a book; **r. di glassa**, to cover with icing; to ice; **r. di stagno**, to coat with tin **4** (*nascondere, anche fig.*) to cover; to conceal; to hide* **5** (*fig.: colmare*) to load; to overwhelm; to smother: **r. q. di baci**, to smother sb. with kisses; **r. q. di gentilezze**, to overwhelm sb. with kindness; **r. q. di onori**, to shower sb. with honours; **r. q. di regali**, to shower presents upon sb. **6** (*occupare*) to hold*; to occupy: **r. una posizione importante**, to hold an important position **B** **ricoprirsi** v. rifl. e i. pron. **1** (*anche fig.*) to cover oneself: **ricoprirsi di gloria** [**di vergogna**], to cover oneself with glory [with shame] **2** (*venire coperto*) to become* covered: *Il terreno si ricoprì di foglie*, leaves covered the ground; the ground became covered with leaves; *I campi si sono ricoperti di neve*, the fields are covered with snow.

ricordàbile a. **1** (*degno di ricordo*) memorable; worth remembering **2** (*facile da ricordare*) easy to remember; easily remembered.

ricordànza f. (*poet.*) remembrance; recollection.

♦**ricordàre** **A** v. t. **1** (*aver presente nella memoria*) to remember; (*richiamare alla memoria*) to remember, to recall, to recollect: **r. con affetto**, to remember fondly; to have fond memories of; **r. poco o male**, to have a bad memory; *Ricordo benissimo di avere detto ciò*, I remember (*o* I recall) very well having said that; *Ricorda di passare in farmacia*, remember to call at the chemist's; *Ricordo che si era a fine estate*, it was late summer, as I recall; *Non ricordo il suo nome*, I can't remember (*o* I forget) his name; *Non ricordo di avere fatto quella telefonata*, I don't remember (*o* recall) making that phone call; *Non ricordo che mi abbia pagato*, I don't remember his paying me; *Non ricordo più dove l'ho conosciuto*, I can't remember (*o* recall) where I met him; *Non ricordi che siamo usciti insieme?*, don't you remember (that) we went out together?; **per quanto ne ricordo**, as far as I remember (*o* recall); **se ben ricordo**, if I remember rightly; **se non ricordo male**, if I remember rightly; if my memory serves me well; **far fatica a r. (le cose)**, to have difficulty in remembering things ❶ **NOTA: to remember →** **to remember 2** (*richiamare alla memoria altrui*) to remind: *Gli ricordammo la sua promessa*, we reminded him of his promise; *Ricordami di comprare il giornale*, remind me to buy the paper; *Si ricorda ai clienti che...*, customers are reminded that... **3** (*far venire in mente*) to remind (sb.); to call to (sb.'s) mind; to bring* back; to be reminiscent of; (*rassomigliare*) to look like, to take* after: *Mi ricordi tua madre*, you remind me of your mother; *Il suo nome mi ricordava cose tristi*, his name brought back sad memories; *Con quel cappello mi ricordi la Garbo*, you look like Garbo with that hat; *Il volto ricorda Raffaello*, the face is reminiscent of Raphael **4** (*menzionare*) to mention; (*registrare*) to record: **r. qc. come esempio**, to mention st. as an example; *Il suo nome viene ricordato spesso*, his name is often mentioned **5** (*commemorare*) to commemorate: **una lapide che ricorda i caduti**, a stone commemorating those who died in the war **B** **ricordàrsi** v. i. pron. (*aver presente nella memoria*) to

remember (sb., st.); (*richiamare alla memoria*) to remember, to recall, to recollect: *Me ne ricordo benissimo*, I remember it very well; *Non ti ricordi di me?*, don't you remember me?; *Me ne ricordo come se fosse ieri*, I remember it as if it had happened yesterday; *Non mi ricordo quando*, I don't remember when; *A un tratto si ricordò del biglietto*, she suddenly remembered about the ticket; *Non mi ricordo di aver detto niente di simile*, I don't remember (*o* recollect) having said anything of the kind; *Non posso ricordarmi di tutti i particolari*, I can't remember all the details; *Se ne ricorderà per un pezzo!*, he won't forget that in a hurry! ❶ **FALSI AMICI** • ricordare *nel senso di aver presente nella memoria non si traduce con* to record

ricordévole a. (*lett.*) **1** (*memore*) mindful **2** (*memorabile*) memorable.

ricordìno m. **1** souvenir; memento **2** (*immaginetta sacra*) holy picture; (*di defunto*) memoriam card.

♦**ricòrdo** **A** m. **1** (*il ricordare*) recollection; remembrance; (*memoria, cosa ricordata*) memory, recollection, remembrance: **r. confuso**, blurred memory; blur; **r. preciso**, clear memory (*o* recollection); **r. vago**, vague memory (*o* recollection); **ricordi d'infanzia**, childhood memories; **ricordi di giorni felici**, memories of happy days; *Ormai è solo un r.*, it's only a memory now; *Ho un bel r. di quel viaggio*, I have happy memories of that journey; *I miei primi ricordi risalgono a quando avevo due anni*, my first (*o* earliest) recollections go back to when I was two; *Al solo r., mi vengono i brividi*, I shudder at the mere recollection of it; **degno di r.**, memorable; worth remembering; **a r. di**, in memory of; as a memorial to; **un monumento a r. dei caduti**, a war memorial; a memorial to those who died in the war; **in** [**per**] **r.**, as a souvenir; as a memento; as a keepsake; *Lo prendo in r. di questa giornata*, I'll take it as a souvenir of (*o* to remind me of) this day; **lasciare qc. per r.**, to leave st. as a memento [a keepsake]; **abbandonarsi ai ricordi** (*o* al filo dei ricordi), to reminisce; to take a stroll down memory lane; **conservare un r. preciso di qc.**, to retain (*o* to have) a precise recollection (*o* clear memory) of st.; **essere in vena di ricordi**, to be in a reminiscent mood; **risvegliare ricordi tristi**, to awaken sad memories; **vivere di ricordi**, to live on one's memories; to live in the past **2** (*al pl.: reminiscenze*) reminiscences; (*letter.*) memoirs: **scambiarsi ricordi di gioventù**, to exchange reminiscences of one's youth; **un libro di ricordi**, a book of memoirs **3** (*oggetto che ricorda un luogo, un fatto*) souvenir; (*un defunto*) memento*; (*una persona assente*) keepsake: **un r. da Parigi**, a souvenir from Paris; **r. di famiglia**, heirloom; **r. di viaggio**, souvenir; *Questa spilla è un r. di mia nonna*, this brooch is a memento of my grandmother; *La cicatrice era un r. di guerra*, the scar was a souvenir of the war **4** (*testimonianza*) record; (*vestigio*) vestige: *Non esiste più r. di quegli antichi popoli*, there is no extant record of those ancient peoples **B** a. inv. souvenir (attr.): **foto r.**, souvenir photo; **oggetto r.**, souvenir ❶ **FALSI AMICI** • ricordo *nel senso di reminiscenza o memoria non si traduce con* record

ricoricàre **A** v. t. to lay* down again **B** **ricoricàrsi** v. rifl. to lie* down again; (*tornare a letto*) to go* back to bed.

ricorréggere v. t. **1** to correct again **2** (*rivedere*) to revise.

ricorrènte **A** a. **1** recurrent; recurring; regular: **fenomeno r.**, regular phenomenon; **motivo r.**, recurring (*o* recurrent) theme; **sogno r.**, recurring dream; **una r. sensazio-**

ne di inquietudine, a recurrent sense of uneasiness **2** (*anat., med.*) recurrent: **arterie ricorrenti**, recurrent arteries; **febbre r.**, recurrent (*o* relapsing) fever **3** (*mat.*) recursive **4** (*leg.*) petitioning; claiming **B** m. e f. (*leg.*) petitioner; plaintiff; claimant.

ricorrènza f. **1** recurrence: **la r. di un fenomeno**, the recurrence of a phenomenon **2** (*anniversario*) anniversary; (*festività*) feast; (*giorno*) day; (*occasione*) occasion: **la r. della nascita di q.**, the anniversary of sb.'s birth; sb.'s birthday; **r. religiosa**, religious feast; **nella r. del Natale**, at Christmas; *Oggi è una r. importante per me*, today is a special day for me.

♦**ricórrere** **A** v. i. **1** (*correre di nuovo*) to run* again; (*tornare indietro di corsa*) to run* back **2** (*fig., del pensiero*) to go* back; to think* back **3** (*di anniversario, di festa*) to be; (*cadere*) to fall*, to come*: *Oggi ricorre il mio compleanno*, today is my birthday; *Santo Stefano ricorre il 26 dicembre*, St Stephen's Day falls on the 26th of December **4** (*ripetersi*) to recur; to occur: *È un fenomeno che ricorre spesso*, it's a phenomenon that recurs frequently; *Sono parole che ricorrono spesso nei suoi scritti*, these are words which often recur in his writings; **un fregio che ricorre sul basamento**, a frieze that is repeated on the base **5** (*rivolgersi*) to apply; to turn; to seek* the help of; to appeal; to have recourse: **r. a q. per aiuto**, to turn to sb. for help; **r. a un avvocato**, to seek the help of a lawyer; to seek legal help; **r. alle autorità competenti**, to apply to the proper authorities; **r. alla giustizia**, to take legal action; to go to court; *Quando è a corto di quattrini, ricorre a sua madre*, when he's short of money, he runs to his mother **6** (*servirsi*) to have recourse; to resort: **r. al dizionario**, to consult the dictionary; **r. a un espediente**, to have recourse to a stratagem; **r. alla forza**, to resort (*o* to have recourse) to force; *Dovetti r. ai miei risparmi*, I had to draw on my savings **7** (*leg.*) to appeal: **r. contro una sentenza**, to appeal against a sentence; **r. in appello**, to appeal; **r. in Cassazione**, to appeal to the Supreme Court **B** v. t. (*sport*) to rerun*; to run* again: *Ricorrerà i cento metri*, he will run the hundred metres again.

ricorrezióne f. new correction.

ricorsività f. (*mat., ling.*) recursiveness.

ricorsìvo a. (*mat., ling.*) recursive.

ricórso m. **1** recourse; resort: **far r. all'astuzia**, to have recourse (*o* to resort) to cunning; *Fece r. a suo zio per i soldi*, she turned (*o* had recourse) to her uncle for the money; *Non era possibile orientarsi senza far r. alla bussola*, it was impossible to find one's bearings without (recourse to) a compass **2** (*leg.*) petition; claim; (*appello*) appeal: **r. in appello**, appeal; **r. in Cassazione**, appeal to the Supreme Court; **accogliere un r.**, to uphold an appeal; **fare r. contro una sentenza**, to appeal against a sentence; **fare r. in Cassazione**, to appeal to the Supreme Court; **presentare un r. a q.**, to lodge (*o* to file) a petition with sb.; **presentare r.**, to lodge an appeal; **respingere un r.**, to turn down an appeal **3** (*ripetersi periodico*) recurrence: **il r. dei fenomeni stellari**, the recurrence of stellar phenomena; **i ricorsi storici**, historical recurrences.

ricostituènte (*farm.*) **A** a. tonic; fortifying; restorative **B** m. tonic.

ricostituìre **A** v. t. **1** to reconstitute; to re-establish; to set* up again; (*formare di nuovo*) to re-form; to form again: **r. una società**, to reconstitute a partnership; to re-establish a company; **r. un partito**, to re-form a party; **r. le scorte**, to restock; **r. su nuove basi**, to set up on new bases **2** (*rinvigorire*) to fortify; to invigorate; to restore **B** **ricostituìrsi** v. i. pron. to be reconstituted;

to be re-established; to re-form.

ricostituito a. (*chim.*) reconstituted: **latte r.**, reconstituted milk.

ricostituzióne f. reconstitution; re-establishment: **r. di un partito**, reconstitution of a party; **r. delle scorte**, restocking.

ricostruibile a. rebuildable; reconstructible.

♦**ricostruire** v. t. **1** to rebuild*; to reconstruct: **r. una città**, to rebuild a town; (*autom.*) **r. un copertone**, to retread a tyre; **r. l'economia d'un Paese**, to rebuild a country's economy **2** (*un testo*) to reconstruct; to restore **3** (*un avvenimento*) to reconstruct; to re-enact: **r. l'accaduto**, to reconstruct the facts; **r. un delitto**, to re-enact a crime.

ricostruttivo a. reconstructive: (*chir.*) **intervento r.**, reconstructive surgery Ⓤ.

ricostruttóre Ⓐ a. rebuilding; reconstructing Ⓑ m. (f. **-trice**) rebuilder; reconstructor.

ricostruzióne f. **1** rebuilding; reconstruction; (*di pneumatico*) retreading: **la r. postbellica**, the reconstruction after the war **2** (*di avvenimento*) reconstruction; re-enactment: **la r. dei fatti**, the reconstruction of the facts.

ricòtta f. ricotta (soft white unsalted cheese) ● (*fig.*) **avere le mani di r.**, to be butter-fingered □ (*fig.*) **essere fatto di r.**, to be a milksop.

ricottàio, **ricottàro** m. seller of ricotta.

ricòtto a. **1** recooked; cooked again **2** (*metall.*) annealed.

ricottùra f. **1** recooking; cooking again **2** (*metall.*) annealing: **forno di r.**, annealing furnace.

ricoveràre Ⓐ v. t. **1** (*dare rifugio*) to shelter; to give* shelter to **2** (*in istituzione: accogliere*) to admit, to take* in; (*mandare*) to put*, to send*: **r. in manicomio**, to send to a mental hospital; **r. in un ospedale**, to admit to hospital; to hospitalize; **r. in un ospizio**, to put into a home; **r. d'urgenza**, to rush to hospital; **far r. in ospedale**, to send to hospital ● (*fig. fam.*) **Sei da r.!**, you're stark staring mad!; you're completely nuts! ❶**FALSI AMICI** ● ricoverare *non si traduce con* to recover Ⓑ **ricoveràrsi** v. i. pron. **1** (*rifugiarsi*) to take* shelter **2** (*in ospedale, ecc.*) to go* (into hospital, etc.).

ricoveràto m. (f. **-a**) **1** (*in un istituto, ospizio, ecc.*) inmate **2** (*in un ospedale*) in-patient; patient.

ricóvero m. **1** (*rifugio*) shelter; refuge: **r. antiaereo**, air-raid shelter; **r. sotterraneo**, underground shelter; **cercare r.**, to seek shelter; **dare r. a q.**, to give shelter to sb.; to shelter sb.; **trovare r.**, to find shelter **2** (*in istituzione*) admission: **r. in ospedale**, admission to hospital; hospitalization; (*periodo di degenza*) stay (in hospital); **r. urgente**, emergency admission **3** (*anche* **casa di r.**) (old people's) home **4** (*per poveri*) hostel; poor house (*stor.*).

ricreàre Ⓐ v. t. **1** (*creare di nuovo*) to re-create: **r. un'atmosfera**, to re-create an atmosphere **2** (*ristorare*) to refresh; to restore; **r. la mente**, to refresh the mind; to cheer up; **una bevanda che ricrea**, a refreshing drink **3** (*divertire*) to entertain; (*assol.*) to be entertaining Ⓑ **ricreàrsi** v. rifl. to enjoy oneself; to have a pleasant time; to relax: *Ho bisogno di ricrearmi*, I need some recreation (*o* relaxation).

ricreativo a. recreational; recreative; (*divertente*) entertaining; (*piacevole*) pleasant, relaxing: **attività ricreative**, recreational activities; **centro r.**, social club; **letture ricreative**, light reading.

ricreatòrio m. recreation centre.

♦**ricreazióne** f. **1** (*il ricreare*) recreation **2** (*svago*) recreation; pastime; diversion: *La mia r. preferita è il lavoro a maglia*, knitting is my favourite recreation **3** (*pausa*) break; (*a scuola*) recreation time, playtime, recess (*USA*): **concedersi un po' di r.**, to take a break; **l'ora della r.**, recreation time; playtime; recess (*USA*); **sala di r.**, recreation room.

ricrédersi v. i. pron. to change one's mind (*o* one's opinion): **r. sul conto di q.**, to change one's mind about sb.; to change one's opinion of sb.; *Lo credevo onesto, ma mi sono ricreduto*, I thought he was honest, but I've changed my mind.

♦**ricréscere** v. i. **1** to grow* again; to grow* back; to regrow*: *Sono ricresciute le erbacce*, the weeds have grown back; **farsi r. la barba**, to grow a beard again **2** (*aumentare*) to rise* again; to go* up again.

ricréscita f. **1** regrowth; fresh (*o* new) growth; (*di capelli, barba*) growth **2** (*aumento*) increase.

ricristallizzàre v. t. e i. to recrystallize.

ricristallizzazióne f. recrystallization.

ricsciò → **risciò**.

rictus (*lat.*) m. inv. (*med.*) rictus*.

ricucire v. t. **1** (*cucire di nuovo*) to sew* up again; to restitch: **r. un bottone**, to sew back a button; **r. un orlo**, to sew up a hem again **2** (*rammendare*) to mend: **r. uno strappo**, to mend a tear **3** (*chir.*) to stitch (up) **4** (*fig., di scritto*) to put* together; to cobble together **5** (*fig.: ristabilire*) to re-establish; (*riparare*) to heal: **r. il dialogo tra due partiti**, to re-establish a dialogue between two parties; **r. la frattura nella maggioranza**, to heal the rift in the majority; **r. i rapporti**, to re-establish relationships.

ricucitùra f. **1** (*il cucire di nuovo*) sewing up again; restitching **2** (*il rammendare*) mending **3** (*nuova cucitura*) (new) seam; (*rammendo*) mend **4** (*fig., di scritto*) jumble; hodge-podge; cobbled job **5** (*fig.: ricomposizione*) re-establishment; mending.

ricuòcere v. t. **1** (*cuocere di nuovo*) to re-cook; to cook again **2** (*metall.*) to anneal.

ricuperàre e deriv. → **recuperare**, e deriv.

ricùrvo a. (*piegato*) bent; (*incurvato*) curved, hooked; (*ritorto*) crooked: **bastone r.**, crook; **naso r.**, hooked nose; **un vecchio r.**, a bent old man; **r. a un'estremità**, curved at one end; ending in a curve; **r. sotto un peso**, bent under a weight.

ricùsa f. **1** refusal; rejection; repudiation; denial **2** (*leg.*) challenge; objection.

ricusàbile a. **1** rejectable; admitting of refusal **2** (*dir.*) open to challenge.

ricusàre Ⓐ v. t. **1** to refuse; to reject; to repudiate: **r. un'offerta**, to reject an offer; **r. un regalo**, to refuse a present; **r. di fare qc.**, to refuse to do st. **2** (*leg.*) to challenge; to object to; **r. un giurato**, to challenge a member of the jury Ⓑ **ricusàrsi** v. i. pron. to refuse; to decline Ⓒ v. i. (*naut.*) **1** (*di nave*) to miss stays **2** (*del vento*) to draw* ahead; to scant.

ricusazióne f. (*leg.*) challenge; objection.

ridacchiàre v. i. to chuckle; to chortle; (*con malignità*) to snigger, to tee-hee.

ridanciàno a. **1** jolly; merry; full of fun (pred.) **2** (*che fa ridere*) funny; comical.

♦**ridàre** Ⓐ v. t. **1** (*dare di nuovo*) to give* again: *Ridammi il tuo indirizzo*, give me your address again **2** (*restituire*) to give* back; to hand back; to return; to restore: *Mi ridiede il libro che gli avevo prestato*, he gave me back (*o* returned me) the book I had lent him; **r. fiducia**, to restore confidence; **r. la libertà a q.**, to set sb. free; **r. validità a una legge**, to revive a law ● (*fig.*) **dagli e ridagli = dagli e dagli** → **dàgli** Ⓑ v.

i. (*pop.*) to reappear; to re-occur: *Gli ha ridato fuori lo sfogo*, he's come out in a rash again.

ridarèlla f. (*fam.*) (the) giggles (pl.): **avere la r.**, to have the giggles; **far venire la r. a q.**, to give sb. the giggles; **attacco di r.**, fit of the giggles.

ridarèllo a. jolly; merry.

rìdda f. **1** (*antico ballo*) round dance **2** (*fig.*) whirl; turmoil; tumult: **una r. di emozioni**, a tumult of emotions; **una r. di pensieri**, a tumult of thoughts; **una r. di supposizioni**, a whole range of theories.

ridefinire v. t. **1** to redefine **2** (*rivedere*) to rethink*; to reconsider: **r. i propri obiettivi**, to change one's objectives.

ridefinizióne f. **1** redefinition **2** (*revisione*) reconsideration.

ridenominàre v. t. **1** (*anche comput.*) to rename: **r. un file**, to rename a file **2** (*econ.*) to redenominate: **r. il debito in euro**, to redenominate debt in euros.

ridènte a. **1** (*che ride*) laughing; (*che sorride*) smiling **2** (*allegro*) smiling; cheerful; merry; bright: **faccia r.**, cheerful face; **occhi ridenti**, smiling eyes **3** (*ameno*) pleasant, charming; (*luminoso*) bright: **paesaggio r.**, pleasant landscape; **giornata r.**, bright day.

♦**ridere** Ⓐ v. i. **1** to laugh; (*senza suono, mostrando i denti*) to grin: *L'ho sentito r.*, I heard him laugh; *Che c'è da r.?*, what is there to laugh about?; **r. a crepapelle**, to split one's sides with laughter; to fall about laughing; **r. a denti stretti**, to give a forced laugh; **r. a fior di labbra**, to give a thin smile; **r. alle spalle di q.**, to laugh behind sb.'s back; **r. come un matto**, to laugh one's head off; to be in stitches (o in hysterics); **r. dentro di sé** (*o* **in cuor proprio**), to laugh secretly; to smile to oneself; **r. di** (*o* **dietro a**) **q.**, to laugh at sb.; to laugh behind sb.'s back; *Ridono tutti di lui*, they are all laughing at him; *Non voglio che si rida di me* (*o che mi si rida dietro*), I don't want to be laughed at; I don't want to be a laughing-stock; **r. di qc.**, to laugh at st.; **r. di cuore** (*o di gusto*), to laugh heartily; to laugh out loud; *Risi fino alle lacrime*, I laughed till I cried; **r. forzatamente**, to give a forced laugh; **r. in faccia a q.**, to laugh in sb.'s face; **r. nervosamente**, to giggle; to titter; **r. rumorosamente**, to laugh loudly; to roar (o to howl) with laughter; **r. sgangheratamente**, to laugh like a drain; **r. sommessamente** (*o tra sé*), to chuckle; to chortle; **aver voglia di r.**, to be in a laughing mood, *Ma non farmi r.!*, don't make me laugh!; don't be ridiculous!; **farsi r. dietro**, to make a fool of oneself; to become a laughing-stock; *Si fece r. dietro da tutto l'ufficio*, he became the laughing-stock of the whole office; **scoppiare a r.**, to burst out laughing; **sforzarsi di non r.**, to struggle to keep a straight face; *Mi venne da r.*, I felt like laughing; I started to giggle **2** (*fig.: essere splendente*) to be bright; to be resplendent; to sparkle: *Gli ridono gli occhi*, his eyes are sparkling (o shining); *Ridono i giardini a primavera*, gardens are a blaze of colour in spring **3** (*lett.: arridere*) to smile on: *La fortuna ride agli audaci*, fortune smiles on the brave ● (*fig.*) **r. per ultimo**, to have the last laugh □ **r. sotto i baffi**, to laugh up one's sleeve □ **r. storto** (*o verde*), to laugh on the other side of one's face □ **C'è poco da r.** (*la cosa è seria*), it's no laughing matter; it's no joke □ **da r.**, (*comico*) funny; comical; (*farsesco, grottesco*) farcical, ludicrous: **cosa da r.** (*cosa comica*) joke (*cosa di poca importanza*) trifle, laughing matter; (*cosa farsesca*) joke, farce; (*cosa facile*) cinch (*fam.*), doddle (*fam.*): *Questa non è cosa da r.*, this is no laughing matter; *Sono state elezioni da r.*, the election was just a farce; *Lo stipendio è da r.*, the salary is a joke (o is ludicrous) ●

dire qc. per r., to say st. for fun (*o* as a joke): *Dicevo solo per r.*, I only said it for fun; I only meant it as a joke; *Dici sul serio o per r.?*, do you really mean it or are you joking? □ **Bada che io non rido!**, I'm not joking!; I'm not in a laughing mood! □ **far passare a q. la voglia di r.**, to wipe the smile off sb.'s face □ **far r. i polli**, to be pathetic □ **Non so se r. o se piangere**, I don't know whether to laugh or cry □ *Gli è passata la voglia di r.*, he's laughing on the other side of his face □ **Ridendo e scherzando, abbiamo fatto le due**, the next thing we knew it was two o'clock; would you believe it – it's already two! □ (*prov.*) **Ride bene chi ride ultimo**, he who laughs last laughs longest (*o* best) **B ridersi** v. i. pron. **1** (*burlarsi*) to laugh (at); to make* fun (of); to ridicule (st.): **ridersi della stoltezza di q.**, to laugh at sb.'s stupidity **2** (*anche ridersela*) to laugh (at); not to give* a fig (o a hoot) (for) (*fam.*): *Se la ride delle nostre minacce*, she doesn't give a hoot for our threats **C m.** laughter; laughing: *Tutto questo ridere mi dà sui nervi*, all this laughing (o laughter) gets on my nerves; **fare un gran ridere**, to laugh a lot; to have a good laugh; *Quanto ridere (abbiamo fatto)!* (*o Che ridere!*), how we laughed!; **far morire dal ridere**, to have (sb.) in stitches (*o* in hysterics) (*essere comicissimo*) to be terribly funny, to be a riot (*fam.*); **morire dal ridere**, to be in stitches (*o* in hysterics); *C'era da morire dal ridere*, we nearly died laughing; it was a riot (*fam.*); it was a hoot (*fam.*); **trattenersi dal r.**, to keep a straight face; *Non potei trattenermi dal r.*, I couldn't help laughing; **prendere qc. in** (*o* sul) **ridere**, (*con senso dell'umorismo*) to take st. laughingly, to see the funny side of st.; (*dare poca importanza*) to make light of st., to make a joke of st., to laugh st. off.

riderèlla → **ridarella**.

riderèllo → **ridarello**.

ridestàre **A** v. t. **1** (*destare di nuovo*) to wake* up again **2** (*destare*) to wake* up; to awaken: *Lo ridestò uno sparo*, he was woken up by a shot **3** (*fig.*) to reawaken; to rouse again; to stir again: **r. l'entusiasmo [l'ira] di q.**, to rouse (*o* to stir) sb.'s enthusiasm [anger] again **B ridestàrsi** v. i. pron. **1** (*destarsi di nuovo*) to wake* up again; to reawaken **2** (*destarsi*) to wake* up; to awake: *Mi ridestai alle sei*, I woke up at six **3** (*fig.*) to reawaken; to revive; to be roused again: *Si ridestò in lei la speranza*, hope reawakened within her.

ridicolàggine f. **1** (*l'essere ridicolo*) ridiculousness; absurdity; ludicrousness **2** (*cosa ridicola*) absurdity; nonsense ⓤ; ridiculous (*o* ludicrous) thing: *Che r.!*, what nonsense!; what a ludicrous thing to say!; *Non dire ridicolaggini!*, don't talk nonsense!; don't be ludicrous!

ridicolézza f. **1** ridiculousness; absurdity; ludicrousness **2** (*inezia*) trifle; mere nothing.

ridicolizzàre v. t. to ridicule; to laugh at.

♦**ridìcolo** **A** a. **1** ridiculous; ludicrous; (*assurdo*) absurd, silly: **pretese ridicole**, absurd claims; **prezzo r.**, (*molto alto*) unreasonable (*o* ridiculous) price; (*molto basso*) ridiculously low price; *Ma è r.!*, that's ridiculous!; that's ludicrous!; *Non essere r.!*, don't be absurd!; don't be ludicrous!; *Ha un aspetto r.*, she looks ridiculous; **fare una figura ridicola**, (*rif. all'aspetto*) to cut a ludicrous figure; (*rif. al comportamento*) to make a fool of oneself; **rendersi r.**, to make a fool of oneself **2** (*esiguo, meschino*) paltry; insignificant: **stipendio r.**, paltry salary **B m. 1** ridicule; mockery: *Non ho paura del r.*, I'm not afraid of ridicule (*o* of being ridiculous, of being laughed at); **cadere nel r.**, to become ridiculous; **essere oggetto di**

---

r., to be the object of ridicule; to be a laughing-stock; **esporsi al r.**, to expose oneself (*o* to lay oneself open) to ridicule; **gettare il r. su q.**, to make a laughing-stock of sb.; to pour ridicule on sb.; to ridicule sb.; **mettere in r.**, to ridicule; to make fun of; to hold up to ridicule **2** (*aspetto ridicolo*) ridiculousness, (the) ridiculous; (*assurdità*) absurdity: **il r. d'una situazione**, the absurdity of a situation; *Il r. è che...*, the ridiculous thing is that...; **avere il senso del r.**, to have a sense of the ridiculous.

ridimensionaménto m. **1** (*ristrutturazione e riduzione*) reorganization; retrenchment; scaling down; downsizing; (*taglio*) cutback: **r. di un'azienda**, downsizing of a company; **r. della produzione**, scaling down of production; **r. delle spese**, reduction (*o* cutback) in expenses **2** (*diminuzione*) reduction: **un r. delle pretese**, a reduction in claims **3** (*fig., di un fatto, una persona*) reassessment; reappraisal; putting (st.) back into perspective.

ridimensionàre **A** v. t. **1** (*riorganizzare e ridurre*) to reorganize; to retrench; to reduce; to downsize; to scale down; (*tagliare*) to cut* down (on); to cut* back (on): **r. un'azienda**, to downsize a company; **r. il personale**, to reduce (*o* to cut back) the staff; **r. le spese**, to cut down (on) expenses **2** (*diminuire, abbassare*) to reduce; to tone down; to moderate **3** (*fig.: un fatto, una persona*) to reconsider; to reassess; to reappraise; to put* back into perspective; (*iron., di persona*) to cut* down to size: **r. la portata di un evento**, to reassess the importance of an event; **r. uno scrittore**, to reconsider an author **B ridimensionàrsi** v. i. pron. **1** (*ridursi*) to be reduced; to be scaled down **2** (*di un fatto*) to appear less serious.

ridipìngere v. t. to repaint; to paint again; (*un locale*) to redecorate: **r. il cancello**, to repaint the gate; **r. la cucina**, to redecorate the kitchen.

ridipintùra f. repainting; repaint; redecoration.

♦**ridìre** v. t. **1** (*dire di nuovo*) to say* again, to tell* again; (*ripetere*) to repeat: **r. sempre le stesse cose**, to say the same things again and again; *Non me lo r. un'altra volta*, don't tell me again; *Te l'ho detto e ridetto cento volte*, I've told you over and over again **2** (*riferire*) to repeat; to tell*: *È andato a ridirlo a tutti*, he went and told everybody **3** (*raccontare*) to tell*; to relate; (*descrivere*) to describe **4** (*criticare, anche assol.*) to find* fault (with); to criticize; to pick holes (in); (*obiettare*) to object (to): *Trova da r. su tutto*, she's always finding fault with everything; *Troverà certo da r. sul mio lavoro*, he is sure to pick holes in my work; *Spero che non troverai nulla da r.*, I hope you won't object; *Hai qualcosa da r.?*, have you any objection?

ridiscéndere v. t. e i. to come* [to go*] down again; to redescend; to climb down again.

ridisegnàre v. t. to redraw*.

ridispórre v. t. to rearrange; to arrange again.

ridistribuire v. t. to redistribute; to reallocate; to reassign; (*personale, ecc.*) to redeploy.

ridistribuzióne f. redistribution; reallocation; reassignment; redeployment: **la r. della ricchezza**, the redistribution of wealth; **la r. dei lavoratori**, the redeployment of workers.

♦**ridivenìre**, **ridiventàre** v. i. to become* again; to grow* again.

ridivìdere v. t. to divide again; to redivide.

ridomandàre v. t. **1** (*domandare di nuovo*)

---

to ask again; (*domandare con insistenza*) to keep* on asking, to ask over and over again, to ask repeatedly: *Non fa che r. sempre le stesse cose*, he keeps on asking the same things over and over again **2** (*chiedere in restituzione*) to ask for (st.) back: *Gli ridomandai i miei libri*, I asked him for my books back.

ridonàre v. t. **1** (*donare di nuovo*) to give* again **2** (*restituire*) to restore; to give* back: **r. la fiducia a q.**, to restore sb.'s confidence; **r. la libertà a q.**, to set sb. free again; **r. la salute [la vita] a q.**, to restore sb. to health [to life].

ridondànte a. **1** (*lett.: traboccante*) abounding (in); overflowing (with); replete (with) **2** (*ampolloso*) inflated; verbose; bombastic **3** (*pleonastico*) redundant; superfluous.

ridondànza f. **1** (*sovrabbondanza*) superabundance; superfluity; excess; plethora **2** (*scient.*) redundancy.

ridondàre v. i. (*lett.*) **1** (*sovrabbondare*) to be overloaded (with); to be crammed (with): **r. di decorazioni**, to be overloaded with decorations **2** (*lett.: risultare*) to redound (to): *Ciò ridonda a suo onore*, that redounds to his credit **3** (*naut.*) to veer aft.

ridossàre (*naut.*) **A** v. t. to shelter **B ridossàrsi** v. rifl. to seek* shelter (under); to get* in the lee (of).

ridòsso m. **1** shelter; lee: **a r. di**, (*al riparo di*) sheltered by, in the lee of; (*dietro*) at the back of, behind; (*vicino*) close to; *Il monte è a r. della città*, the mountain rises up behind the town; *La città ha a r. le montagne*, the town has mountains at its back; *La tenda era a r. d'una rupe*, the tent was close to a cliff; *Siamo a r. delle vacanze*, the holidays are close at hand; **un paese di case a r. l'una dell'altra**, a village with houses huddled together; *Le cose avvennero una a r. dell'altra*, things happened on top of each other **2** (*naut.*) shelter; lee: **a r. di**, under (*o* in) the lee of.

ridotàre v. t. (*rifornire*) to re-equip; (*dotare di nuova rendita*) to re-endow.

ridotazióne f. re-equipping; re-endowment.

ridótta f. (*mil.*) redoubt.

ridótto **A** a. **1** (*condotto, portato*) reduced; (*spinto*) driven: **r. alla disperazione**, driven to despair; **r. al minimo**, reduced to the minimum; **r. in cenere**, burnt to ashes; **r. in miseria**, reduced to penury; **r. male** (*o mal r.*), in a bad state (*o* way); in bad shape; *Guarda come sei r.!*, look at the state you're in! **2** (*più piccolo*) reduced; small: **formato r.**, small size **3** (*diminuito*) reduced; cut; short; curtailed: **orario r.**, part-time working; (*in fabbrica*) short time; **prezzo r.**, cut price; **tariffa ridotta** (*su trasp.*), cheap fare; **velocità ridotta**, reduced speed **4** (*adattato*) abridged; adapted: **versione ridotta**, abridged version; **r. per il teatro**, adapted for the stage **B m. 1** (*teatr.*) foyer; lobby (*USA*) **2** (*mil.: ridotta*) redoubt.

riducènte **A** a. reducing; (*chim.*) **agente r.**, reducing agent; reductant; **crema r.**, reducing cream **B m.** (*chim.*) reductant; reducing agent.

riducìbile a. (*anche chim., mat., med.*) reducible: **frazione r.**, reducible fraction; **spese riducibili**, reducible expenses.

riducibilità f. (*anche chim., mat.*) reducibility.

♦**ridùrre** **A** v. t. **1** (*lett.: ricondurre*) to bring* back; to take* back; (*radunare*) to gather: **r. il gregge all'ovile**, to bring back the flock to the fold; **r. tutti sotto una sola bandiera**, to gather everyone under the same flag **2** (*condurre, portare*) to reduce; to bring*: **r. q. all'obbedienza**, to force sb. to

obedience; **r. q. alla ragione**, to bring sb. to reason; to make sb. see reason; **r. q. al silenzio**, to reduce sb. to silence **3** (*portare a una condizione peggiore*) to drive*; to reduce: **r. q. alla disperazione**, to drive (*o* to reduce) sb. to despair; **r. q. alla rovina**, to reduce sb. to ruin; **r. q. alla pazzia**, to drive sb. mad; **r. q. in fin di vita**, nearly to kill sb.; to bring sb. close to death; **r. in schiavitù**, to reduce to slavery; **essere ridotto a fare qc.**, to be reduced (*o* driven) to doing st.; *La fame lo ridusse a rubare*, hunger drove him to steal (*o* to the point of stealing); *Fu ridotto a mendicare*, he was reduced to begging **4** (*mutare, generalm. in peggio*) to reduce; to turn: **r. in briciole**, to crumble; (*distruggere*) to shatter; (*di esplosione*) to blow to smithereens; **r. in cenere**, to reduce to ashes; (*un edificio, ecc.*) to burn to the ground; **r. in pezzi**, to break into pieces; to smash; **r. in poltiglia**, to reduce to a pulp; **r. in polvere**, to reduce to dust; to pulverize; *Ha ridotto la casa a un letamaio*, he's turned the house into a pigsty; *La macchina è ridotta a un un rottame*, the car is a wreck; *Guarda come hai ridotto la giacca!*, look at the state of your jacket! **5** (*convertire*) to convert; to change: **r. le miglia in kilometri**, to convert miles into kilometres **6** (*adattare*) to adapt; (*mus.*) to arrange: **r. un romanzo per lo schermo**, to adapt a novel for the screen **7** (*tradurre*) to translate; to turn: **r. un brano d'italiano in latino**, to translate an Italian passage into Latin; **r. in prosa**, to turn into prose **8** (*diminuire*) to reduce; to cut* down; to cut* back; to abate; to bring* down; (*abbassare*) to lower; (*accorciare*) to shorten, to cut*; (*abbreviare*) to abbreviate, to cut* short, to curtail; (*compendiare*) to abridge; (*limitare*) to curtail; (*attenuare*) to reduce, to lessen, to ease off, to relax; (*smorzare*) to dampen: **r. un articolo**, to cut (*o* to shorten) an article; **r. il consumo di carburante**, to cut down (on) fuel consumption; **r. il dolore**, to reduce pain; **r. la durata di qc.**, to shorten the length of st.; **r. l'entusiasmo**, to dampen (sb.'s) enthusiasm; **r. il fumo**, to cut down (on) smoking; **r. il personale**, to cut back on staff; **r. il potere di q.**, to curtail sb.'s powers; **r. i prezzi**, to reduce (*o* to lower, to bring down) prices; **r. le restrizioni valutarie**, to relax currency restrictions; **r. le spese**, to cut down (on) expenses; **r. le tasse**, to reduce (*o* to abate, to bring down) taxes; (*naut.*) **r. la velatura**, to shorten (*o* to take in) sail; **r. la velocità**, to reduce speed; **r. il volume della radio**, to turn down the radio; **r. di un centimetro**, to shorten by a centimetre; **r. qc. della metà**, to halve st.; **r. drasticamente**, to slash; **r. gradatamente**, to step down; **r. progressivamente**, to scale down **9** (*indumento: stringere*) to take* in; (*accorciare*) to take* up: **r. una gonna in vita**, to take in a skirt at the waist; **r. l'orlo**, to take up the hem **10** (*cucina: far addensare*) to reduce; to thicken: **r. una salsa**, to reduce a sauce **11** (*mat.*) to reduce: **r. una frazione ai minimi termini**, to reduce a fraction to its lowest terms **12** (*chim.*) to reduce: **r. un ossido**, to reduce an oxide **13** (*med.*) to reduce; to set*: **r. un'ernia**, to reduce a hernia; **r. una frattura**, to set a fracture **B** **ridùrsi** v. i. pron. **1** (*pervenire a una condizione peggiore*) to be reduced; to come* (down); to end up: **ridursi a mendicare**, to be reduced to begging; **ridursi in miseria**, to be reduced to penury; **ridursi pelle e ossa**, to be reduced to skin and bone (*o* to a skeleton); *Tutti i miei progetti si sono ridotti a nulla*, all my plans have come to nothing; **ridursi all'ultimo** (**momento**), to leave st. to the last moment **2** (*diminuire*) to be reduced; to decrease; to dwindle; to come* down; to drop; (*accorciarsi*) to get* shorter; (*contrarsi, restringersi*) to shrink*; (*attenuarsi*) to ease

off, to relax, to slacken: **ridursi a ben poco**, to be reduced to next to nothing; **ridursi di valore**, to shrink in value; **ridursi della metà**, to halve; *I margini di profitto si sono ridotti*, profit margins have shrunk; *L'efficienza del motore si è molto ridotta*, the engine's performance has been severely reduced; *Si riducono le speranze di un accordo*, hopes of an agreement are dwindling; **una stoffa che si riduce nel lavaggio**, a material that shinks with washing **3** (*essere riconducibile*) to come* down; to boil down: *Il costo si riduceva a poche centinaia di euro*, the cost came (down) to a few hundred euros; *Tutto si riduce a una questione di soldi*, it all boils down to money; it's all a question of money in the end **4** (*cucina*) to reduce: *Bollire finché il sugo si è ridotto della metà*, boil until the sauce has reduced to half the quantity **5** (*ritirarsi*) to retire: **ridursi a vita privata**, to retire into private life.

riduttàsi → **reduttasi**.

riduttivo a. **1** (*che serve a ridurre*) curtailing; limiting; restrictive: **misure riduttive dei costi**, measures that cut down (on) costs **2** (*limitante, sminuente*) reductive; narrow: **giudizio r.**, reductive judgment; **visione riduttiva**, narrow view.

riduttóre **A** m. (f. **-trice**) **1** (*chi riduce*) reducer **2** (*di testi, ecc.*) adapter; abridger; (*teatr., cinem.*) adaptor **3** (*mecc.*) reducer: **r. di velocità**, speed reducer; **r. di pressione**, pressure reducer **4** (*elettr.: trasformatore*) transformer: **r. di corrente**, power transformer **5** (*elettr.: adattatore*) (plug) adapter **6** (*chim.*) reductant **7** (*fotogr.*) adapter **B** a. (*anche mecc.*) reducing.

♦**riduzióne** f. **1** reduction **2** (*diminuzione*) reduction; (*abbassamento*) lowering; (*taglio*) cut, cutback; (*accorciamento*) cut, curtailment, (*di opera letter.*) abridgment; (*attenuazione*) mitigation; (*allentamento*) easing off, relaxation, slackening: (*comm.*) **r. di capitale**, reduction of capital; **r. delle imposte**, tax reduction; abatement of taxes; **r. di numero**, reduction in numbers; **r. di pena**, reduction (*o* mitigation) of a sentence; **r. dei prezzi**, reduction in prices; **r. dei salari**, cut in wages; wage cut; **r. delle spese**, cutback in expenditure; **r. drastica**, slashing; **r. graduale**, scaling down **3** (*abbuono, sconto*) discount; rebate; reduction; allowance; (*su prezzo già fissato*) mark-down: **fare una r.**, to grant a discount; **una r. del 10%**, a 10% discount **4** (*adattamento*) adaptation; (*mus.*) arrangement: **r. cinematografica**, screen adaptation; **r. per pianoforte**, arrangement for piano **5** (*traduzione*) translation **6** (*mat.*) reduction: **la r. di una frazione ai minimi termini**, the reduction of a fraction to its lowest terms; **formula di r.**, reduction formula **7** (*ling.*) reduction **8** (*biol., chim., mecc., fotogr.*) reduction: **la r. dei metalli**, the reduction of metals; **ingranaggio di r.**, step-down gear **9** (*med.*) reduction; setting: **la r. di una frattura**, the setting of a fracture **10** (*di tubo*) adaptor.

riduzionìsmo m. (*filos., biol.*) reductionism.

riduzionista a., m. e f. reductionist.

riduzionìstico a. reductionist; reductionistic.

riècco avv. here again; there again: *Riecco ci qua*, here we are again; *Rieccoti a Milano*, here you are back in Milan; *Rieccolo!*, here he is (*o* comes) again!; there he goes again!; *Rieccoti il libro*, here's your book back; *R. la pioggia*, it's raining again; rain's on again.

riecheggiaménto m. **1** echoing, re--echoing; resounding; reverberation **2** (*fig.*) echo; imitation.

riecheggiàre v. i. e t. **1** to echo, to re-

-echo; to reverberate; to resound: *Il cortile riecheggiava di voci*, the courtyard resounded with voices; *Un gong riecheggiò nel vestibolo*, a gong echoed (*o* reverberated) through the hall **2** (*fig.*) to echo; to be reminiscent of: **una scrittura che riecheggia quella di Gadda**, a style that echoes (*o* is reminiscent of) Gadda's.

riedificàbile a. rebuildable.

riedificàre v. t. to rebuild*; to reconstruct: **r. una città**, to rebuild a city; **r. una chiesa**, to reconstruct a church.

riedificatóre m. (f. **-trice**) rebuilder; reconstructor.

riedificazióne f. rebuilding; reconstruction.

rièdito a. republished; reissued.

riedizióne f. **1** (*di libro*) new edition; reissue **2** (*cinem.*) remake **3** (*teatr.*) revival **4** (*fig.*) revival; return; new version.

rieducàbile a. re-educable; (*anche med.*) that can be rehabilitated.

rieducàre v. t. **1** to re-educate; to rehabilitate; to reform **2** (*med.*) to rehabilitate: **r. un disabile**, to re-educate a disabled person; **r. un arto**, to rehabilitate a limb.

rieducativo a. re-educating; (*anche med.*) rehabilitating: **terapie rieducative**, rehabilitating therapies.

rieducazióne f. re-education; (*anche med.*) rehabilitation.

rielaboràre v. t. to rework; to refashion; to revise.

rielaborazióne f. reworking; refashioning; revision.

rielèggere v. t. to re-elect: **r. q. alla presidenza**, to re-elect sb. to the chair; **essere rieletto all'unanimità**, to be re-elected by a unanimous decision.

rieleggìbile a. eligible for re-election; re--elegible.

rieleggibilità f. eligibility for re-election; re-eligibility.

rielezióne f. re-election.

riemèrgere v. i. **1** to resurface **2** (*fig.*) to re-emerge; to resurface; to crop up again.

riemersióne f. **1** resurfacing **2** (*fig.*) re--emergence; resurfacing.

rieméttere v. t. to re-issue.

riempìbile a. refillable.

riempibottiglie m. inv. bottling machine.

riempiménto m. **1** (*il riempire*) filling: **a r. automatico**, self-filling; **foro di r.**, filling hole; (*ind. costr.*) **materiale di r.**, infill, infilling **2** (*compilazione*) filling in (*o* out): **il r. d'un modulo**, the filling in of a form **3** (*naut.*) filler; filling.

♦**riempìre** **A** v. t. **1** (*anche fig.*) to fill; (*completamente*) to fill up; (*farcire, imbottire, anche fig.*) to stuff: **r. una bottiglia**, to fill (up) a bottle; **r. di cemento un buco**, to fill a hole with cement; **r. q. il cervello di sciocchezze**, to fill sb.'s mind with nonsense; **r. un cuscino**, to stuff a pillow; **r. una lacuna**, to fill a gap; **r. un panino**, to stuff a roll; **r. un pollo**, to stuff a chicken; **r. uno stadio di tifosi**, to pack a stadium with supporters; **r. di gioia [di tristezza]**, to fill with joy [with sadness]; **r. di nuovo**, to refill; **r. di nuovo un bicchiere**, to refill a glass; to top up a glass (*GB*); **r. fino all'orlo**, to fill to the brim; **r. troppo**, to overfill; **riempirsi le tasche di caramelle**, to stuff one's pockets with sweets; *La pioggia ha riempito i fossati*, the rain has filled up the ditches; *Il fumo riempì la stanza*, the smoke filled the room; *Non l'hai riempito tutto*, you didn't fill it up **2** (*compilare*) to fill in (*o* out): **r. un modulo**, to fill in (*o* out) a form ● **r. il carniere**, to make a bag □ **r. q. di botte**, to beat sb. up; to beat sb. black and blue □ **r. q. di regali**, to show-

er presents on sb. □ **r. q. di gentilezze**, to heap kindnesses on sb. □ **r. q. di piombo**, to pump sb. full of lead □ **r. q. di chiacchiere**, to bore sb. with idle chatter □ **r. i vuoti**, (*le bottiglie*) to refill the empties; (*le lacune*) to fill in the gaps □ **riempirsi la pancia**, to gorge oneself; to stuff oneself (*eufem.*) **riempirsi le tasche**, to line one's pockets **B** **riempirsi** v. i. pron. **1** to fill (with); to be filled (with): *La sala si riempì di gente*, the room filled with people; *Le si riempirono gli occhi di lacrime*, her eyes filled with tears; *Il suo cuore si riempì di tristezza*, his heart was filled with sadness; **riempirsi di polvere**, to be covered in dust **2** (*ingrassare*) to become* rounder; to fill out **C** **riempirsi** v. rifl. (*fam.*: *rimpinzarsi*) to stuff oneself; to gorge oneself: *Si riempì di biscotti*, he stuffed himself with biscuits.

riempita f. (*fam.*) filling up; top-up (*GB*): **dare una r. a qc.**, to fill st. up.

riempitivo **A** a. filling **B** m. **1** filler; filling: **r. di plastica**, plastic filler **2** (*fig.*) makeweight; stop-gap: **fare da r.**, to act as a makeweight; to fill a gap; *Mi hanno invitato solo come r.*, I was invited only to make up the numbers **3** (*parola, frase*) padding ⓤ.

riempitóre m. (f. **-trice**) filler, refiller.

riempitrice f. (*mecc.*) filling machine; filler; (*per imbottigliatura*) bottling machine.

riempitura f. **1** (*il riempire*) filling up; filling in; stuffing **2** (*ciò che serve a riempire*) filler; filling; (*ind. costr.*) infill, infilling.

rientràbile a. retractable; collapsible; (*di parte di mobile*) fold-away, slide-away (*su sé stesso*) telescoping: **antenna r.**, telescopic aerial; **carrello r.**, retractable undercarriage; **obiettivo r.**, collapsible lens.

rientraménto m. → **rientranza**.

rientrànte **A** a. **1** (*che rientra*) re-entering; re-entrant; concave: **angolo r.**, re-entrant (*o* re-entering) angle; **superficie r.**, concave surface **2** (*incavato*) sunken; hollow; deep-set: **petto r.**, hollow chest **B** m. (*mil.*) re-entrant (angle).

rientrànza f. **1** (*geogr.*) indentation: **le rientranze di una costa**, the indentations in a coastline **2** (*edil.*) niche; recess; alcove; bay: **una r. nel muro**, a niche (*o* recess) in the wall.

♦**rientràre** **A** v. i. **1** (*entrare di nuovo*) to re-enter (st.); (*tornare*) to go* back, to come* back, to get* back, to return, (*naut.*) to put* back: **r. alla base**, (*mil.*) to return to base; (*fig.*) to go back; **r. dalle vacanze**, to get back from one's holidays **r. in casa**, to go back in; to come back in; **r. in chiesa**, to re-enter the church; **r. nell'esercito**, to go back into the army; **r. in gioco**, (*sport*) to return to the game; (*fig.*) to come back into play; **r. in porto**, to put back into port; **r. nella stanza**, to go back into the room; *Uscì dalla stanza ma rientrò quasi subito*, he left the room but came back (*o* re-entered) almost immediately; *Siamo rientrati in città ieri*, we came back yesterday; *Rientrando in ufficio, trovò un telegramma*, when she went back (*o* returned) to the office, she found a telegram; *Il dottore rientrerà alle sei*, the doctor will be back at six **2** (*assol.*: *rincasare*) to get* back (home); to come* back (home); to go* home; to come* home: *Sono rientrato ieri*, I got back yesterday; *Quando rientro, voglio vedere ordine*, when I get back, I want to see everything tidy; *A che ora rientri?*, what time will you be back? **3** (*ritornare nel proprio alloggiamento*) to fold (into); to collapse; (*su sé stesso*) to telescope: *Il letto rientra nella parete*, the bed folds into the wall; *L'antenna rientra automaticamente*, the aerial telescopes automatically; **far r. il carrello**, to retract the undercarriage **4** (*restringersi*) to shrink* **5**

(*fig.*: *essere sospeso*) to be called off; (*essere ritirato*) to be withdrawn, to be dropped *Lo sciopero rientrò*, the strike was called off; *Il progetto è rientrato*, the plan has been withdrawn **6** (*passare, terminare, risolversi*) to be over; to disappear: *Il pericolo è rientrato*, the danger is over **7** (*med.*: *riassorbirsi, scomparire*) to disappear **8** (*presentare una rientranza*) to curve inwards; to be indented; to form a niche: *In quel punto la costa rientra*, the coast curves inwards at that point; (*tipogr.*) **far r. una riga**, to indent a line **9** (*essere compreso, far parte*) to form (*o* to be) part (of); to be included (in); to come* (within in); to fall* (within): **r. in una categoria diversa**, to come under (*o* to fall within) a different category; **r. nella normale prassi**, to be the usual practice; **r. negli obblighi di q.**, not to form part of sb.'s duties; *Questo non rientra nel nostro programma*, this isn't included in (*o* isn't part of) our plans **10** (*recuperare*) to recover (st.): **r. in possesso di qc.**, to recover st.; to regain possession of st.; **r. nelle spese**, to recover one's expenses ● (*fig.*) **r. in lizza**, to return to the fray **r. nei ranghi**, (*mil.*) to fall in again; (*fig.*) to fall back into line, to toe the line □ **r. in sé**, to recover one's senses; to be oneself (*o* one's normal self) again □ **r. in servizio**, to resume one's duties □ **r. nelle grazie di q.**, to regain sb.'s favour □ (*teatr.*) **Rientra Ofelia**, re-enter Ophelia **B** v. t. **1** to retract; to collapse; to telescope: **r. l'antenna**, to telescope the aerial **2** (*naut.: ritirare a bordo*) to haul in; to ship: **r. la lancia**, to haul in the launch; **r. i remi**, to ship oars **3** (*naut.: una vela*) to take* in.

rientràta f. (*naut.*) tumblehome.

rientràto a. **1** (*sospeso*) called-off, cancelled; (*ritirato*) withdrawn, dropped; (*venuto meno*) that came to nothing, failed: **dimissioni rientrate**, withdrawn resignation; **sciopero r.**, called-off strike; **tentativo r.**, failed attempt **2** (*infossato*) hollow; sunken: **guance rientrate**, hollow cheeks.

rièntro m. **1** (*il rientrare*) re-entry; (*ritorno*) return; (*miss.*) re-entry: **r. in patria**, return home; homecoming; **il grande r.** (*dalle vacanze*), the return home after the summer holidays; **al mio r.**, on my return; when I come [came] back **2** (*restringimento*) shrinkage **3** (*rientranza*) indentation; (*edil.*) niche, recess **4** (*tipogr.*) indent **5** (*comm.*) return.

riepilogàre v. t. to recapitulate; to sum up: *Dunque, riepilogando...*, well now, to sum up...

riepilogo m. recapitulation; summing up; (*di notiziario*) round-up: **un r. delle notizie di questa sera**, a round-up of tonight's news; **due parole di r.**, a few words to recapitulate; a brief summing up.

riequilibràre **A** v. t. **1** to redress the balance of; to equalize; to redress: **r. due pesi**, to balance two weights; **r. una situazione**, to redress a situation; **r. la bilancia dei pagamenti**, to redress the balance of payments **2** (*mecc.*) to re-equilibrate; to re-balance **B** **riequilibràrsi** v. i. pron. to reach an equilibrium; to find* a balance; (*ritornare alla normalità*) to return to normality, to get* back on an even keel.

riequilibrio m. redressing; readjustment.

rièsame m. re-examination; reassessment; reappraisal; review: **un r. della situazione**, a reassessment (*o* reappraisal) of the situation; (*leg.*) **r. di una causa**, review of a case.

riesaminàre v. t. **1** to re-examine: **r. un candidato**, to re-examine a candidate **2** (*riconsiderare, rivedere*) to re-examine; to reassess; to reappraise; to review; (*ricontrollare*) to check (again): **r. una decisione**, to review

(*o* to re-examine, to reconsider) a decision; **r. una situazione**, to reassess a situation; **r. i conti**, to check the accounts.

rieseguire v. t. to execute again; to do* again; to carry out again.

riesercitàre **A** v. t. **1** to re-exercise; to retrain; to exercise: **r. un arto**, to exercise a limb **2** (*una professione*) to practise again **B** **riesercitàrsi** v. rifl. to train oneself (to do st.) again; to practise (doing st.) again: **riesercitarsi a parlare inglese**, to practise speaking English again.

riesplòdere v. i. **1** to explode again; to blow* up again **2** (*fig.*) to break* out again; to erupt again.

riespórre **A** v. t. **1** (*rimettere in mostra*) to re-exhibit, to exhibit again, to show* again, to display again; (*rimettere fuori*) to put* out again; (*in bacheca*) to put * up again; (*riappendere*) to hang* up again **2** (*a un rischio*) to expose again **3** (*spiegare di nuovo*) to expound again; to set* forth again; to restate: **r. una tesi**, to expound a thesis again; **r. il proprio caso**, to restate one's case **B** **riespórsi** v. rifl. to expose oneself again.

riesportàre v. t. (*comm.*) to re-export.

riesportatóre m. (f. **-trìce**) (*comm.*) re-exporter.

riesportazióne f. (*comm.*) re-exportation.

riesposizióne f. **1** new exhibition; new display **2** (*nuova spiegazione*) re-exposition; restatement.

rièssere v. i. to be again; to be back again: *Devi a casa alle dieci*, you must be back home at ten; *Ci risiamo!*, here we go again!

riesumàre v. t. **1** to exhume; to disinter **2** (*fig.: riportare in auge*) to resurrect: **r. una moda**, to revive a fashion **3** (*fig.: scoprire*) to dig* up; (*una lite, torto*) to rake up: **r. un vecchio scandalo**, to dig up an old scandal; **r. una vecchia storia**, to rake up an old story.

riesumazióne f. **1** exhumation; disinterment **2** (*fig.: rimessa in auge*) revival; resurrection **3** (*fig.: riscoperta*) digging up; (*di lite, torto*) raking up.

rievocàre v. t. **1** (*ricordare*) to recall; to reminisce: **r. il passato**, to recall the past; **r. i bei tempi**, to reminisce about the good old times **2** (*far ricordare*) to call up; to remind (sb. of st.); to be reminiscent of: *Quel quadro rievocava giorni felici*, that picture called up memories of (*o* reminded me of) happy days **3** (*commemorare*) to commemorate: **r. (la memoria di) q.**, to commemorate sb.

rievocativo a. evocative; reminiscent.

rievocazióne f. **1** recalling **2** (*cosa rievocata*) memory; recollection **3** (*commemorazione*) commemoration.

rifabbricàbile a. rebuildable.

rifabbricàre v. t. to rebuild*; to reconstruct.

rifaciménto m. **1** (*il rifare*) remaking **2** (*ricostruzione*) rebuilding; reconstruction; (*restauro*) restoration **3** (*di opera letter.*) rewriting; (*adattamento*) adaptation **4** (*cinem.*) remake.

rifacitùra f. remake.

rifampicina® f. (*farm.*) rifampicin.

♦**rifàre** **A** v. t. **1** to do* again; to make* again; to remake*: **r. un articolo**, to rewrite an article; **r. qc. da capo**, to do st. all over again (*o* from scratch); to start over (*USA*); *Questo lavoro è da r.*, this job needs to be done (over) again; *Rifarò quel viaggio prima o poi*, I'll make that journey again sooner or later; *L'hanno rifatto presidente*, they have re-elected him chairman **2** (*restaurare*) to restore, to do* up (*fam.*); (*ricostruire*) to rebuild*; (*riparare*) to repair: **r. una faccia-**

ta, to restore a façade; **r. il tetto a una casa**, to reroof a house; *Il palazzo fu completamente rifatto dai Visconti*, the palace was entirely rebuilt by the Viscontis; *Feci r. le suole delle mie scarpe*, I had my shoes resoled **3** (*ripetere*) to repeat; to... again: **r. una domanda**, to ask again; **r. un esame**, to resit an examination; **r. una torta**, to make a cake again **4** (*ripercorrere*) to go* back: **r. la strada**, to go [to walk, to drive] back; **r. le scale**, to go back upstairs [downstairs] **5** (*sostituire*) to change; to renew: **r. l'arredamento di una stanza**, to change the furniture of a room; **rifarsi il guardaroba**, to renew one's wardrobe **6** (*imitare*) to imitate; to mimic; (*contraffare*) to forge; (*scimmiottare*) to ape: **r. la firma di q.**, to forge sb.'s signature; **r. i gesti di q.**, to mimic sb.'s gestures; **r. la voce di q.**, to imitate (*o* to mimic) sb.'s voice; *Rifà tutto quello che faccio io*, she apes everything I do **7** (*indennizzare, compensare*) to indemnify; to refund; to reimburse: **r. q. delle spese sostenute**, to indemnify (*o* to reimburse) sb. for expenses incurred **8** (*cucina*) to cook again ● **r. le camere**, to do the bedrooms □ **r. un letto**, to make a bed ● **r. la pace**, to make it up (again) □ **r. il verso a q.**, to mimic sb.; to impersonate sb. □ (*fig.*) **rifarsi la bocca**, to take an unpleasant taste out of one's mouth □ (*fam.*) **rifarsi il naso**, to have a nose job □ (*fig.*) **rifarsi l'occhio**, to feast one's eyes (on st.) □ (*scherz.*) **rifarsi il look**, to tart oneself up □ **rifarsi il trucco**, to touch up one's makeup □ **rifarsi una vita**, to make a new life for oneself; to start a new life **B rifàrsi v. i. pron. 1** (*diventare nuovamente*) to become* again; (*del tempo atmosferico*) to turn again: *Si rifece serio*, he became serious again; *Si sta rifacendo freddo*, it's turning cold again; **rifarsi vivo**, to turn up again; to show up again **2** (*ristabilirsi*) to recover **3** (*risarcirsi*) to make* up (for); to recoup (st.); to recoup oneself (for): **rifarsi del tempo perduto**, to make up for lost time; **rifarsi d'una perdita**, to make up a loss; **rifarsi delle spese**, to recoup expenses; *Speravo di rifarmi con quell'affare*, I was hoping to make good my losses (*o* to get back on my feet again) with that deal **4** (*prendersi la rivincita*) to get* even with sb.; to get* one's own back on sb. **5** (*cominciare*) to start; (*attingere*) to draw* (on); (*richiamarsi*) to go* back (to): **rifarsi dal principio**, to start from the beginning; **rifarsi alla propria esperienza**, to draw on one's experience; *Rifacciamoci alla fine del secolo scorso*, let's go back to the end of the last century **6** (*ispirarsi, seguire*) to follow (st.); to go* (by): **rifarsi all'insegnamento di q.**, to follow sb.'s teachings; *Io mi rifaccio a quello che mi è stato detto*, I'm going by what I was told.

rifasaménto m. (*elettr.*) power factor correction.

rifasàre v. t. (*elettr.*) to correct the power factor.

rifasatóre m. (*elettr.*) power factor corrector; phase advancer.

rifasciàre v. t. **1** (*bendare di nuovo*) to bandage again; to bind* up again: *Mi rifasciò la mano*, he bandaged my hand again **2** (*avvolgere di nuovo*) to wrap up again; (*un neonato*) to swaddle again.

rifàtto a. remade; redone: *Il letto è già r.*, the bed has already been made ● **villan r.**, upstart; parvenu (*franc.*).

riferibile a. **1** (*ripetibile*) fit to be repeated **2** (*relativo a*) referable (to); concerning (st.).

riferiménto m. **1** (*rimando, menzione*) reference; mention: **riferimenti storici**, historical references; **fare r. a**, to make reference to; to refer to; to mention; *Parlò senza* (*fare*) *alcun r. agli ultimi fatti*, he spoke without referring to (*o* without mentioning)

the latest events **2** (*relazione, rapporto*) reference; connection: (*comm.*) **con r. a**, with reference to; **punto di r.**, (*topogr.*) landmark; (*fig.*) point of reference; (*mat., fis.*) **sistema di r.**, reference frame **3** (*tecn.*) benchmark **4** (*aeron.*) datum*.

◆**riferire A** v. t. **1** to report; to tell*: *Dovrò r. la cosa ai miei superiori*, I'll have to report the fact to my superiors; *Mi riferì le loro precise parole*, she told me their precise words; *Ti riferirò*, I'll let you know **2** (*ascrivere*) to attribute; to ascribe: **r. gli effetti alle cause**, to attribute effects to causes ❶ **FALSI AMICI** ▸ *riferire non si traduce con* to refer **B riferirsi v. i. pron. 1** (*fare riferimento, alludere*) to refer; to make* reference: *Mi riferisco alla questione attuale*, I'm referring to the present question; *Non mi riferivo a voi*, I wasn't referring to you; *Si riferì più volte a quanto detto dall'oratore precedente*, he made frequent reference to what the previous speaker had said **2** (*riguardare*) to refer; to be related; to apply: *Queste cifre si riferiscono al primo semestre*, these figures refer to the first semester; *La norma si riferisce solo ai minori*, the regulation only applies to minors; *L'aggettivo concorda col nome a cui si riferisce*, adjectives agree with the nouns they refer to **C** v. i. to make a report; to report; to report back; to tell*: *Riferirò a chi di dovere*, I'll report to the person concerned; *Controllerò e riferirò*, I'll check and report back.

rifermàre A v. t. **1** (*fermare di nuovo*) to stop again **2** (*fissare di nuovo*) to refasten; to fasten again; to close again **B rifermàrsi v. i. pron.** to stop again.

rifermentàre v. i. to referment.

rifermentazióne f. refermentation.

rìffa① f. (*lotteria*) raffle.

rìffa② f. – **di r. o di raffa**, by hook or by crook; one way or another.

rifiatàre v. i. **1** (*respirare*) to breathe **2** (*fig.: riprendere fiato*) to get* one's breath back; to breathe again: *Lascialo r.*, let him get his breath back; let him breathe; **senza r.**, without a moment's rest; uninterruptedly **3** (*dire parola*) to breathe a word; to utter a word: *Guai a te se rifiati!*, mind you don't breathe a word of this!; *Ubbidì senza r.*, he obeyed without (uttering) a word.

rificcàre A v. t. to thrust* back; to drive* back; to stuff back; to cram back: **r. un chiodo nel muro**, to drive a nail back into the wall; **rificcarsi in tasca una lettera**, to thrust (*o* stuff) a letter back into one's pocket; **rificcarsi il cappello in testa**, to press one's hat back on to one's head **B rificcàrsi v. rifl.** to squeeze back; to get (into st.) again; to get* back: **rificcarsi in uno sgabuzzino**, to squeeze back into a cubby-hole; **rificcarsi a letto**, to get back into bed; **rificcarsi nei guai**, to get into trouble again.

rifilàre v. t. **1** (*tagliare a filo*) to trim; to pare down **2** (*fam.: assestare*) to give*; to deal*; to deliver: **r. un pugno a q.**, to give sb. a punch **3** (*fam.: affibbiare*) to foist (st. on sb.); to pass off (st. to sb.); to palm off (st. on sb.); to fob off (st. on sb. *o* sth. with st.): **r. a q. un lavoro noioso**, to foist a boring task on sb.; **r. denaro falso a q.**, to pass off fake money to sb.; *Me l'hanno rifilato come un Carrà autentico*, they palmed it off on me as a genuine Carrà; *Gli rifilò un sacco di scuse*, he fobbed him off with a string of excuses.

rifilatrìce f. (*mecc.*) trimmer.

rifilatùra f. trimming; paring.

rifiltràre v. t. to refilter; to filter again; to strain again.

rifinanziaménto m. refinancing; refunding.

rifinanziàre v. t. to refinance; to refund.

rifinìre v. t. **1** to finish off; to put* the finishing touch (*o* touches) to; to polish (up) **2** (*guarnire*) to decorate; (*sartoria*) to trim.

rifinitézza f. finish.

rifinito a. **1** finished; well-finished: **un vestito ben r.**, a well-finished suit **2** (*guarnito*) trimmed: **r. in pelle**, trimmed with leather.

rifinitóre m. (f. *-trìce*) finisher.

rifinitùra f. **1** (*ultima mano*) finish; finishing touches (pl.); polishing **2** (*ornamento*) decoration; trim: (*autom.*) **rifiniture interne**, interior trims (*o* fittings).

rifinizióne f. (*ind. tess.*) finishing; dressing.

rifioriménto m. (*fig.*) revival; rebirth: **r. letterario**, literary revival.

rifiorìre v. i. **1** (*fiorire di nuovo*) to blossom again; to bloom again: *La pianta rifiorì l'anno dopo*, the plant blossomed again the following year; *I peschi sono rifioriti*, the peach trees are in blossom again; the peach blossoms are out again **2** (*fig.: riprendere vigore*) to flourish again; to bloom again: *I miei affari rifioriscono*, my business is flourishing again; *Rifioriscono le arti*, arts are flourishing again; *La sua salute sta rifiorendo*, his health is improving; *Lontana da casa rifiorisce*, she blooms when she's away from home **3** (*di macchia*) to reappear; to come* out again.

rifiorita → **rifioritura**, def. 1.

rifioritùra f. **1** (*nuova fioritura*) new blossoming; second blossoming; new blooming **2** (*fig.*) revival; rebirth **3** (*fig.: abbellimento*) embellishment; flourish **4** (*di macchia*) reappearance.

rifischiàre v. t. e i. **1** (*fischiare di nuovo*) to whistle again **2** (*fischiare a propria volta*) to whistle back **3** (*fam.: riferire*) to repeat; to tell*; to blab (*fam.*); (*fare la spia*) to rat (on sb.) (*fam.*): *Ha rifischiato le nostre parole al direttore*, he ratted on us to the manager.

rifischióne m. (f. *-a*) (*fam.*) tale-bearer; (*spia*) rat.

rifiutàbile a. refusable: **un'offerta difficilmente r.**, an offer one cannot easily refuse.

◆**rifiutàre A** v. t. **1** (*non accettare*) to refuse; (*declinare*) to decline; (*respingere*) to reject; to turn down: **r. una carica**, to refuse an office; **r. i consigli di q.**, to reject sb.'s advice; **r. un dono**, to refuse a gift; **r. un invito**, to decline an invitation; **r. un lavoro**, to turn down a job; **r. un'offerta**, to refuse (*o* to decline) an offer; **r. una proposta**, to turn down a proposal; **r. una sfida**, to decline a challenge; *Rifiutò di unirsi a noi*, she refused to join us **2** (*non voler concedere*) to refuse; to deny; withhold*: **r. il consenso**, to refuse (*o* to withhold) one's consent; **r. un favore a q.**, to deny sb. a favour; **r. obbedienza a q.**, to refuse obedience to sb.; *Non gli si può r. nulla*, you can't refuse him anything **3** (*rinnegare*) to disown; to deny: **r. le proprie opere giovanili**, to disown one's juvenile works **4** (*ipp.*) to refuse: **r. un ostacolo**, to refuse a jump **B** v. i. (*naut., del vento*) to draw* ahead; to scant **C rifiutàrsi v. i. pron.** to refuse; to decline: **rifiutarsi di rispondere**, to refuse to answer; *Si rifiutò di aiutarci*, he refused to help us.

◆**rifiùto** m. **1** (*il non accettare*) refusal, declination, rejection, the turning down, turndown; (*il non concedere*) denial, refusal: **il r. d'un invito [d'una nomina]**, the refusal of an invitation [of an appointment]; **il r. d'un prestito**, the denial of a loan; **r. di rispondere**, refusal to answer; **cortese r.**, polite refusal; **netto r.**, flat refusal; **opporre un r.**, to refuse; **ricevere un r.**, to be met with a refusal **2** (*scarto*) waste Ⓤ; refuse Ⓤ; (al pl.: *immondizie, anche*) rubbish Ⓤ, garbage Ⓤ (*USA*), trash Ⓤ (*USA*), litter Ⓤ: **rifiuti dome-**

stici, household waste; **rifiuti industriali**, industrial waste; waste products; **rifiuti radioattivi**, radioactive waste; **rifiuti solidi**, solid waste; **rifiuti umidi**, household organic waste; **acque di r.**, wastewater; **bidone dei rifiuti**, litter bin; trash can (*USA*); **raccolta dei rifiuti**, rubbish (*USA* garbage) collection; **smaltimento dei rifiuti**, waste disposal; disposal of waste material **3** (*ipp.*) refusal ● **i rifiuti della società**, the dregs (*o* scum) of society □ (*comm.*) **r. di accettazione**, non-acceptance.

♦**riflessióne** f. **1** (*anche fis.*) reflection: **la r. della luce [del suono]**, the reflection of light [of sound]; **r. multipla del suono**, sound reverberation; (*radar*) **r. del terreno**, background return; **r. totale**, total reflection; **angolo di r.**, angle of reflection **2** (*meditazione*) reflection; meditation; consideration; deliberation: *Non disturbare le sue riflessioni*, don't disturb his meditations; **dopo lunga r.**, after long reflection; after lengthy deliberation; **dopo matura r.**, after due consideration; **agire senza r.**, to act without thinking **3** (*pensiero, osservazione*) reflection; thought; remark; observation; comment; (*scritta*) note: **riflessioni filosofiche**, philosophical reflections; **riflessioni di viaggio**, travel notes.

riflessività f. reflexivity; reflexiveness.

riflessivo a. **1** reflective; thoughtful: **un ragazzo r.**, a thoughtful boy **2** (*gramm., mat.*) reflexive: **pronome [verbo] r.**, reflexive pronoun [verb].

♦**riflèsso** ① m. **1** (*luce riflessa*) reflection; (*luccichio*) glint; (*riverbero*) glare: **il r. della luna sull'acqua**, the reflection of the moon on water; **mandare riflessi**, to send back reflections; to reflect back; *Questo r. mi fa male agli occhi*, this glare is hurting my eyes **2** (*immagine riflessa*) reflection **3** (*fig.: conseguenza*) effect; repercussion; consequence: **riflessi negativi sulle vendite**, negative repercussions on sales; (*fig.*) **di r.**, as a consequence; **per r.**, indirectly **4** (*fisiol.*) reflex: **r. condizionato**, conditioned reflex; **r. patellare**, knee-jerk; **r. pupillare**, pupillary reflex; **avere i riflessi pronti [lenti]**, to have quick [slow] reflexes **5** (*nei capelli*) light; (*artificiale*) highlight.

riflèsso ② a. **1** (*anche fig.*) reflected: **immagine riflessa**, reflection; **luce riflessa**, reflected light; **raggi riflessi**, reflected rays **2** (*fisiol.*) reflex: **atto r.**, reflex action; **movimento r.**, reflex movement.

riflessògeno a. (*med.*) reflexogenic.

riflessologìa f. (*fisiol.*) reflexology.

riflessoterapìa f. (*med.*) reflex treatment.

riflettènte a. (*fis.*) reflecting; reflective: **potere r.**, reflecting power; **superficie r.**, reflective surface.

♦**riflèttere** Ⓐ v. t. **1** (*fis.*) to reflect: **r. la luce [il calore]**, to reflect light [heat] **2** to reflect: **r. un'immagine**, to reflect an image; *Le acque del lago riflettevano le montagne*, the waters of the lake reflected the mountains **3** (*fig.*) to mirror; to reflect: *Le nostre azioni riflettono i nostri pensieri*, our actions reflect our thoughts Ⓑ v. i. to think*; to reflect (upon); to think* (st.) over; to consider (st.); (*soppesare*) to weigh (st.): **r. prima di agire**, to think before acting; **r. su una possibilità**, to think upon (o to consider) a possibility; *Devo rifletterci su*, I must think it over (o reflect upon it); **senza r.**, without thinking; unthinkingly; *Riflettendoci su, preferisco di no*, on reflection (o on second thoughts), I'd rather not; **dopo avere ben riflettuto**, after careful consideration; **lasciare il tempo di r.**, to give time for reflection Ⓒ **riflèttersi** v. i. pron. **1** (*essere riflesso*) to be reflected; to be mirrored: *Le luci si*

riflettevano nel lago, the lights were reflected (o were mirrored) in the lake; *La gioia le si rifletteva sul volto*, joy was reflected in her face **2** (*fig.: ripercuotersi*) to have repercussions (o an impact) (on); to affect (st.): *Le decisioni del governo si rifletterono sull'andamento del mercato*, the government's decisions had repercussions on the market.

riflettività f. (*fis.*) reflectivity.

riflettografìa f. reflectography.

riflettometrìa f. (*fis.*) reflectometry.

riflettòmetro m. (*fis.*) reflectometer.

riflettóre m. **1** (*fis., radar*) reflector **2** (*astron.*) reflecting telescope; reflector **3** (*proiettore elettrico*) floodlight; spotlight; searchlight: **r. per palcoscenico**, stage floodlight; **puntare i riflettori su qc.**, to spotlight st.; **illuminato dai riflettori**, floodlit; spotlit; (*fig.*) **sotto i riflettori**, in the spotlight.

riflettorizzàre v. t. to reflectorize.

riflettorizzazióne f. reflectorization.

rifluire v. i. **1** (*scorrere di nuovo*) to flow again: *Il sangue tornò a r.*, the blood flowed again; **far rifluire**, to get flowing again; to cause to flow again **2** (*scorrere indietro*) to flow back; to reflow; (*della marea*) to ebb: **fluire e r.**, to flow and reflow **3** (*tornare ad affluire*) to pour again (into); to stream (into): **r. nelle strade**, to pour into the streets.

riflùsso m. **1** (*flusso contrario*) reflux; refluence; flowing back (*della marea*) ebb; ebb tide: **il flusso e r. della marea**, the ebb and flow of the tide; **col r. della marea**, on the ebb tide; when the tide is on the ebb **3** (*fig.*) reaction; return: **r. culturale**, cultural reaction; **un r. verso posizioni conservatrici**, a return to conservative views.

rifocillaménto m. refreshment.

rifocillàre Ⓐ v. t. to refresh; to set* up again: **r. lo stomaco** → **rifocillarsi** Ⓑ **rifocillàrsi** v. rifl. to take* refreshment; to have something to eat and drink: *Mi rifocillai con una tazza di tè*, I had a refreshing cup of tea.

rifoderàre v. t. to reline.

rifoderatùra f. relining.

rifondàre v. t. to refound.

rifondazióne f. refounding.

rifóndere v. t. **1** (*fondere di nuovo*) to remelt **2** (*metall.*) to recast*; to refound: **r. il ferro**, to recast iron **3** (*fig.: rimborsare*) to refund; to reimburse; to pay* back; to repay*: **r. i danni**, to pay for damage caused; to pay damages (o compensation); **r. le spese**, to refund expenses **4** (*fig.: rimaneggiare*) to recast*; (*riscrivere*) to rewrite*.

rifondìbile a. (*rimborsabile*) refundable; reimbursable; repayable.

rifonditóre m. (f. **-trice**) **1** (*chi rimborsa*) refunder; reimburser **2** (*chi rifonde metalli*) recaster.

riforestazióne f. reforestation; reafforestation.

♦**rifórma** f. **1** reform; reformation: **la r. del calendario**, the reform of the calendar; **r. dei costumi**, moral reform; **r. monetaria [parlamentare, sociale]**, monetary [parliamentary, social] reform; **riforme istituzionali**, constitutional reforms; **riforme radicali**, sweeping reforms; **chiedere riforme**, to call for reforms; **realizzare una r.**, to carry through a reform **2** (*emendamento, correzione*) amendment; correction; improvement **3** (*stor.*) – **la R.**, the Reformation **4** (*leg.*) reversal; amendment **5** (*mil.*) declaration of unfitness for military service; rejection (on medical grounds).

riformàbile a. **1** reformable **2** (*mil.*) apt to be declared unfit for military service; rejectable.

riformàre Ⓐ v. t. **1** (*formare di nuovo*) to

re-form; to reshape; to form (o to shape) again (o anew): **r. una squadra**, to re-form a team **2** (*modificare*) to reform: **r. i costumi**, to reform manners; **r. la scuola**, to reform education **3** (*emendare, correggere*) to amend; to correct; to improve **4** (*relig.*) to reform: **r. un ordine religioso**, to reform a religious order **5** (*leg.*) to reverse; to overturn **6** (*mil.*) to declare unfit for military service; to reject (as unfit): **farsi r.**, to dodge military service Ⓑ **riformàrsi** v. i. pron. to form again; to re-form: *Si è riformato il ghiaccio*, ice has formed again.

riformativo a. reformative; reformatory.

riformàto Ⓐ a. **1** (*formato di nuovo*) re--formed; formed again (o anew) **2** (*emendato*) reformed; amended; improved **3** (*relig.*) reformed: *Chiesa riformata*, Reformed Church; **un ordine r.**, a reformed religious order **4** (*mil.*) declared unfit for military service; rejected (as unfit) Ⓑ m. (f. **-a**) **1** (*eccles.*) member of a reformed church **2** (*mil.*) person declared unfit for military service.

riformatóre Ⓐ a. reforming; reformatory: **principio r.**, reforming principle Ⓑ m. (f. **-trice**) reformer; reformist.

riformatòrio m. residential institution for young offenders; approved school (*GB*); community home (*GB*); reformatory (*USA*).

riformattàre v. t. (*comput.*) to reformat.

riformazióne f. re-formation.

riformìsmo m. (*polit.*) reformism.

riformìsta (*polit.*) Ⓐ m. e f. reformist; reformer Ⓑ a. reformist.

riformìstico a. (*polit.*) reformist.

riforniménto m. **1** (*il rifornire, il rifornirsi*) supplying; providing; restocking; replenishment; (*di carburante*) refuelling: (*aeron.*) **r. in volo**, in-flight refuelling; (*autom.*) **posto** (o **stazione**) **di r.**, filling station; petrol (*USA* gas) station **2** (*scorta, provvista*) supply; stock; provisions (pl.): **r. d'acqua**, water supply; **un buon r. di medicine**, a large stock of medicines; **rifornimenti di viveri**, food supplies; provisions; **fare r. di qc.**, to stock up on st.; to lay in st.; (*naut.*) **fare r. d'acqua**, to take in water; **fare r. di benzina**, to fill up the tank; **fare r. di carburante**, to refuel; **fare r. di viveri**, to lay in provisions.

rifornire Ⓐ v. t. to supply; to provide; to furnish; to stock; to restock; to replenish; (*di carburante*) to refuel: **r. q. di qc.**, to supply (o to provide) sb. with st.; **r. di viveri**, to supply with victuals; **r. di armi**, to provide with weapons; **r. una biblioteca di libri**, to supply (o to stock) a library with new books; **r. la dispensa**, to stock the larder; **r. la cantina**, to replenish the cellar; **r. il proprio guardaroba**, to replenish one's wardrobe; (*naut.*) **r. una nave**, to victual a ship; to lay in stores; **r. un negozio**, to stock a shop; *Ci rifornirono di tutto il necessario*, they supplied (o provided) us with everything we needed Ⓑ **rifornirsi** v. rifl. to stock up (on, with); to supply oneself (with); to lay* in (st.); to take* in (st.): (*naut.*) **rifornirsi d'acqua**, to take in water; **rifornirsi di carburante**, to stock up with fuel; **rifornirsi di viveri**, to lay in provisions; (*naut.*) to take in stores; *I negozi si riforniscono per le feste*, shops are stocking up for the holidays.

rifornitóre m. (f. **-trice**) supplier; purveyor.

rifornitùra f. → **rifornimento**.

rifrangènte a. (*fis.*) refractive; refracting.

rifrangènza f. (*fis.*) refractivity.

rifràngere Ⓐ v. t. (*fis.*) to refract Ⓑ **rifràngersi** v. i. pron. **1** (*lett.: spezzarsi*) to break* **2** (*fis.*) to be refracted.

rifrangìbile a. (*fis.*) refrangible.

rifrangibilità f. (*fis.*) refrangibility.

rifrattività → **rifrangenza**.

rifrattivo → **rifrangente**.

rifràtto a. (*fis.*) refracted: **luce rifratta**, refracted light.

rifrattometrìa f. (*fis.*) refractometry.

rifrattòmetro m. (*fis.*) refractometer.

rifrattóre A a. refracting B m. 1 refractor 2 (*astron.*) refractor; refracting telescope.

rifrazióne f. (*fis.*, *astron.*) refraction: **r. atmosferica**, atmospheric refraction; **angolo di r.**, angle of refraction; **indice di r.**, refractive index.

rifreddàre A v. t. to cool again B **rifreddàrsi** v. i. pron. to become* (*o* to get*) cold again.

rifrìggere v. t. 1 (*friggere di nuovo*) to fry (up) again; to refry 2 (*fig.*) to keep* on repeating; to rehash: **friggere e r. sempre le stesse cose**, to keep on repeating the same things; **r. le stesse idee**, to rehash old ideas.

rifrìtto A a. 1 (*fritto di nuovo*) fried (up) again 2 (*fig.*: *trito*) rehashed; stale: **idee rifritte**, rehashed ideas; **argomento fritto e r.**, stale topic; **le stesse cose fritte e rifritte**, the same old stuff (*fam.*) B m. (*odore*) stale smell of fried food; (*sapore*) rancid taste. **sapere di r.**, to taste rancid; (*fig.*) to be stale.

rifrittùme m. (*fig.*) rehash.

rifrittùra f. 1 (*cibo rifritto*) refried food 2 (*fig.*) rehash: *Il suo secondo libro è una r. del primo*, his second book is just a rehash of his first.

rifrugàre v. t. e i. to search again; to go* through again; to rummage again: *Si rifrugò le tasche*, he rummaged (*o* went through) his pockets again.

rifuggìre A v. i. 1 (*fuggire di nuovo*) to run* away again; to escape again; to flee* again 2 (*fig.*) to shrink*; to recoil; to shun (st.): **r. dai compromessi**, to shun compromise; **r. dal fare nuove conoscenze**, to shrink from meeting people; **r. dai pettegolezzi**, to shun gossip; **r. dalle responsabilità**, to shun responsibilities B v. t. to shun; to shirk.

♦**rifugiàrsi** v. i. pron. 1 to take* refuge; (*ripararsi*) to shelter, to take* shelter, to take* cover; (*nascondersi*) to hide*; (*fuggire*) to escape: **r. all'estero**, to escape abroad; to take refuge abroad; **r. in un'ambasciata**, to take refuge in a foreign embassy; **r. in casa d'un amico**, to find shelter (*o* to hide) in a friend's house; **r. in un fienile**, to take shelter in a barn; **r. in un paese straniero**, to flee to a foreign country; **r. in un porto**, to put into a port; **r. sotto un albero**, to shelter (*o* to take cover) under a tree; **r. sulle montagne**, to take to the mountains 2 (*fig.*: *cercare conforto*) to seek* refuge; to seek* comfort (*o* solace): **r. nella lettura**, to seek refuge in reading; **r. nel vino**, to seek solace in wine.

rifugiàto m. (f. **-a**) refugee.

♦**rifùgio** A m. 1 (*riparo*) shelter, cover; (*asilo*) refuge, asylum, sanctuary: **cercare r.**, to seek refuge (*o* shelter); **dare r.**, to shelter; to give shelter; to take in; to offer asylum; **trovare r.**, (*ripararsi*) to take shelter, to shelter, to take cover; (*trovare asilo*) to find asylum (*o* refuge); *Trovai r. sotto un albero*, I took shelter (*o* cover) under a tree 2 (*luogo di r.*) shelter; cover; (*nascondiglio*) hideout; (*in montagna*) shelter, hut: **r. antiaereo**, air-raid shelter; **r. antiatomico**, atomic shelter; **dalla pioggia**, shelter from the rain 3 (*ritiro personale*) retreat; den; hideaway: *Questa stanza è il mio r.*, this room is my den 4 (*ritrovo abituale*) haunt; hangout; meeting-

-place 5 (*fig.*: *conforto*) refuge; comfort; solace: **il r. della fede**, the comfort of faith 6 (*ospizio*) hostel; home B a. inv. – (*econ.*) **beni r.**, shelter goods.

rifulgènte a. (*lett.*) refulgent; resplendent; shining.

rifùlgere v. i. (*anche fig.*) to shine* brightly; to radiate; to be refulgent: *Il sole rifulgeva*, the sun shone brightly; **un viso che rifulge di felicità**, a face radiating happiness.

rifusióne f. 1 (*metall.*) remelting 2 (*fig.*: *rifacimento*, *rielaborazione*) reworking (*riscrittura*) rewriting 3 (*rimborso*) reimbursement, refund, repayment; (*risarcimento*) compensation.

rifùso a. 1 (*metall.*) remelted 2 (*rimborsato*) reimbursed; refunded; repaid.

♦**rìga** f. 1 (*linea*) line: **tirare una r.**, to draw a line; **a righe**, ruled; lined; **foglio a righe**, ruled sheet of paper; sheet of ruled paper; **quaderno a righe**, ruled exercise-book 2 (*di scrittura, di stampa*) line: **r. di stampa**, line of print; **r. tipografica**, line; **pagina di venticinque righe**, twenty-five-line page; **mandare** (*o* **scrivere**) **due righe a q.**, to drop sb. a line; **rientrare una r.**, to indent a line; **saltare una r.**, to skip a line; **in fine di r.**, at the end of a line 3 (*fila*) row; (*mil.*, *anche*) rank: **su una r.**, in a row; **mettersi in r.**, to line up; to form a row; (*mil.*) to fall in: *In r.!*, fall in!; (*mil.*) **rompere le righe**, to break ranks; *Rompete le righe!*, dismiss!; **serrare le righe**, to close ranks 4 (*striscia*) stripe; band: **a righe**, striped; **calzini a righe**, striped socks; **a righe bianche e nere**, red-and-striped; with red and black stripes; **rosso a righe bianche**, red with white stripes 5 (*segno, graffio*) line; scratch 6 (*regolo*) rule; ruler: **r. a T**, T-square; **r. d'acciaio**, steel ruler; **r. da disegno**, drawing ruler (*o* rule); (*metall.*) **r. per modellisti**, contraction rule 7 (*scriminatura*) parting: **r. di lato [in mezzo]**, side [centre] parting; **farsi la r. a sinistra [in mezzo]**, to part one's hair on the left [in the middle]; **pettinarsi con la r.** (*o* **portare la r.**), to part one's hair 8 (*mus.*) stave; staff* 9 (*lavoro a maglia*) row: **r. a diritto [a rovescio]**, knit [purl] row; **lavorare tre righe a diritto [a rovescio]**, to knit [to purl] three rows ● (*fis.*) **r. spettrale**, spectrum line □ (*fig.*) **leggere fra le righe**, to read between the lines □ (*fig.*) **mettersi in r.**, to toe the line □ (*fig.*) **mettersi in r. con q.**, to fall into line with sb. □ (*fig.*) **rimettere in r. q.**, to make sb. toe the line; to bring sb. to task; to knock sb. into shape □ (*fig.*) **sopra le righe**, exaggerated; overstated; emphatic □ (*fig.*) **stare in r.**, to toe the line; to behave.

rigabèllo m. (*mus.*) regal.

rigàggio m. (*tipogr.*) linage.

rigàglia f. 1 (*spec. al pl.*) (*interiora di volatile*) giblets (pl.) 2 (*cascame di seta*) silk waste; floss ● **FALSI AMICI** • rigaglia *non si traduce con* regalia.

rigàgnolo m. 1 rivulet; rill; brook 2 (*di strada*) rainwater flowing in a gutter.

rigàme m. shutter guide groove.

rigàre A v. t. 1 (*tracciare righe*) to rule 2 (*scalfire*) to scratch; (*incidere*) to score, (*la canna di un'arma da fuoco*) to rifle 3 (*fig.*: *solcare*) to furrow; (*scorrere*) to stream down: *Le lacrime le rigavano il volto*, tears streamed down her face B v. i. – **r. diritto**, to behave properly; to toe the line; **far r. diritto q.**, to make sb. toe the line; to discipline sb.; to knock sb. into shape.

rigassificatóre m. (*tecn.*) regasification terminal.

rigassificazióne f. (*tecn.*) regasification.

rigàta f. (*mus.*) stave; staff*.

rigatino m. (*ind. tess.*) striped cotton ma-

terial.

rigàto a. 1 (*segnato da righe*) ruled; lined: **carta rigata**, ruled paper 2 (*a strisce*) striped: **panno r.**, striped material 3 (*scalfito*) scratched; (*inciso*) scored, (*di canna d'arma da fuoco*) rifled: **a canna rigata**, rifled 4 (*fig.*: *solcato*) furrowed; (*bagnato*) wet: **guance rigate di lacrime**, cheeks wet with tears; tear-stained cheeks.

rigatóni m. pl. (*cucina*) rigatoni (pasta in the form of short hollow fluted tubes).

rigatrìce f. (*mecc.*) ruling machine; ruler.

rigatterìa f. 1 (*merce di rigattiere*) junk 2 (*ciarpame*) junk; trash.

rigattière m. junk dealer: **r. ambulante**, rag-and-bone man*; **bottega di r.**, junk shop; **roba da r.**, junk; trash.

rigatùra f. 1 (*il segnare con righe*) ruling; lining 2 (*righe*) lines (pl.); (*bande, strisce*) stripes (pl.) 3 (*graffi*) scratches (pl.); scores (pl.) 4 (*di arma da fuoco*) rifling.

rigelàre v. t. e i. to freeze* again; to refreeze*.

rigèlo m. (*fis.*, *geogr.*) regelation.

rigeneràbile a. regenerable.

rigenerànte a. regenerating; regenerative.

rigeneràre A v. t. 1 (*generare di nuovo*, *anche biol.*) to regenerate: (*biol.*) **r. i tessuti**, to regenerate tissue 2 (*fig.*) to regenerate; to revive; to revitalize: **r. la società**, to regenerate society; **r. le forze**, to reinvigorate 3 (*ind.*) to recondition; (*gomma*) to reclaim; (*uno pneumatico*) to retread, to remould, to recap; (*metallo*) to restore B **rigeneràrsi** v. i. pron. 1 (*anche biol.*) to regenerate; to grow* again 2 (*fig.*) to be reborn; to be regenerated; to be renewed.

rigeneratìvo a. regenerative.

rigeneràto a. (*anche biol.*) regenerated 2 (*fig.*) regenerated; reborn; born again; renewed 3 (*ind.*) reconditioned; reclaimed; (*di pneumatico*) retreaded, remoulded, recapped; (*di metallo*) restored: **gomma rigenerata**, reclaimed rubber; **lana rigenerata**, reconditioned wool.

rigeneratóre A m. (*anche ind.*, *fig.*) regenerator: (*ind.*) **r. termico**, heat-exchanger B a. regenerative; (*fig.*, *anche*) reviving, revitalizing, refreshing: **lozione rigeneratrice dei capelli**, hair-restorer; **sonno r.**, refreshing sleep.

rigenerazióne f. 1 (*anche biol.*) regeneration: **la r. dei tessuti**, tissue regeneration 2 (*fig.*) regeneration; renewal; (*rinascita*) rebirth: **la r. d'una nazione**, the regeneration of a nation; **r. spirituale**, spiritual rebirth 3 (*ind.*) reconditioning; reclaiming; (*di pneumatico*) retreading, remoulding, recapping; (*di metallo*) restoring.

rigerminàre v. i. to regerminate.

rigermogliàre v. i. to bud again; to sprout again.

rigettàre A v. t. 1 (*gettare di nuovo*) to throw* again; to fling* again 2 (*gettare indietro*) to throw* back; to fling* back: *Il ragazzo prese la palla al volo e me la rigettò*, the boy caught the ball and threw it back to me 3 (*metall.*) to recast*: **r. una statua**, to recast a statue 4 (*gettare a riva*) to cast* ashore; to cast* up; to wash up 5 (*respingere*) to drive* back; to repel: **r. il nemico oltre le trincee**, to push the enemy back beyond the trenches 6 (*fig.*: *non accogliere*) to reject; to turn down: **r. una proposta**, to reject (*o* to turn down) a proposal 7 (*biol.*, *med.*) to reject 8 (*anche assol.*, *fam.*: *vomitare*) to vomit; to throw* up (*fam.*); to be sick (*GB*): **r. il pranzo**, to throw up one's dinner; *Mi viene da r.*, I think I'm going to be sick 9 (*bot.*, *anche assol.*: *rigermogliare*) to bud (again); to sprout (again); to put* out fresh

shoots: *L'azalea sta rigettando*, the azalea is putting out fresh shoots **B rigettàrsi** v. **rifl.** to throw* (*o* to fling*) oneself again.

rigètto m. **1** (*rifiuto*) rejection; turning down; refusal: **il r. d'un domanda**, the rejection of an application; **il r. d'una proposta**, the rejection (*o* the turning down) of a proposal **2** (*bot.*) offset; scion; tiller **3** (*biol., med.*) rejection: **crisi di r.**, rejection crisis **4** (*cosa rigettata*) reject **5** (*geol.*) displacement: **r. orizzontale**, heave; **r. stratigrafico**, slip; **r. verticale**, throw.

righèllo m. rule; ruler; straightedge (*USA*).

righettàre v. t. to rule; to stripe.

righettàto a. ruled; striped: **stoffa righettata**, striped material.

righino m. (*tipogr.*) break (line).

rigidézza f. **1** rigidness; rigidity; stiffness: **r. muscolare**, stiffness of the muscles **2** (*del clima*) harshness; rigours (pl.); inclemency **3** (*fig.: rigore*) rigour; strictness; severity; sternness; harshness: **la r. d'una disciplina**, the rigour (*o* the harshness) of a discipline; **la r. d'una legge**, the rigour of a law; **r. di principi**, rigour of principles.

rigidità f. **1** rigidness; rigidity; stiffness **2** (*del clima*) harshness; rigours (pl.); inclemency **3** (*fig.: rigore*) rigour; strictness; severity; sternness; harshness: **la r. della giustizia**, the rigour of justice **4** (*med.*) rigidity; stiffness: **r. muscolare**, stiffness of the muscles; **r. cadaverica**, rigor mortis (*lat.*) **5** (*econ.*) inelasticity: **r. della domanda** [**dell'offerta**], inelasticity of demand [of supply].

rigido a. **1** rigid; stiff; hard: **colletto r.**, stiff collar; (*comput.*) **disco r.**, hard disk; **gambe rigide**, stiff legs; **materasso r.**, hard mattress **2** (*di clima*) rigorous; severe; harsh; inclement: **inverno r.**, harsh winter **3** (*fig.: severo, rigoroso*) rigid; rigorous; strict; stern; severe; harsh: **disciplina rigida**, rigorous (*o* strict) discipline; **educazione rigida**, strict upbringing; **genitori rigidi**, strict parents; **giudice r.**, stern judge; **norme rigide**, strict rules; **principi rigidi**, rigid principles **4** (*econ., di domanda, prezzo, ecc.*) inelastic; rigid.

rigiocàre v. t. e i. (*sport*) to replay; to play again.

rigiràre **A** v. t. e i. **1** (*girare di nuovo*) to turn again, to turn round again; (*girare più volte*) to turn over; (*avvolgere*) to twist (round): **r. la chiave**, to turn the key again; to give the key another turn; **r. le bistecche sulla griglia**, to turn over the steaks on the grill; **r. qc. tra le mani**, to turn st. over in one's hands **2** (*fig., una persona: farle fare quello che si vuole*) to twist round one's little finger (*fam.*); (*menare per il naso*) to lead* by the nose (*fam.*); (*imbrogliare*) to dupe, to take* in, to lead* up the garden path (*fam.*) **3** (*percorrere girando attorno*) to go* all round (*a place*); (*cingere*) to surround, to encircle: *Un muro rigira tutto il giardino*, a wall runs all round the garden ● **r. le cose** (**a proprio vantaggio**), to turn things to one's advantage □ **r. il discorso**, to change the subject □ **r. una frase**, to rephrase a sentence □ **r. le parole di q.**, to twist sb.'s words □ (*cinem.*) **r. una scena**, to reshoot a scene □ **rigirarla** (*o* **saperla r.**), to know how to turn things to account; to be savvy □ **comunque rigiri la cosa**, however you look at it □ **far r. q. nella tomba**, to make sb. turn in his grave □ **Gira e rigira, alla fine l'ho trovato**, I looked everywhere, till at last I found him **B rigiràrsi** v. **rifl.** **1** (*voltarsi*) to turn round: (*fig.*) **non sapere dove rigirarsi**, not to know which way to turn **2** (*rivoltarsi*) to turn over; (*muoversi*) to move: **rigirarsi nel letto**, to turn over in bed; (*più volte*) to toss and turn; *Qui non ci si rigira*, you can hardly move in

here.

rigiro m. **1** turning back; turning round; (al pl.) windings, twists and turns **2** (*rotazione*) rotation; (*giro*) turn **3** (*fig.*: garbuglio, viluppo) tangle; twist; (*di parole*) circumlocution: **fare troppi rigiri di parole**, to beat about the bush; *Lascia perdere i rigiri*, stop beating about the bush **4** (*fig.*: imbroglio) trick; dodge; intrigue.

rigiudicàre v. t. (*leg.*) to rejudge.

rigo m. **1** (*tratto di penna, ecc.*) line; stroke: **cancellare qc. con un r.**, to cross out st. with a stroke; to strike through **2** (*linea di stampa o di scrittura*) line: **scrivere un r. a q.**, to drop sb. a line **3** (*mus.*) stave; staff*.

rigodóne m. (*antica danza*) rigadoon (*o* rigaudon.

rigóglio m. **1** (*di vegetazione*) luxuriance; lushness; lush growth **2** (*fig.*) luxuriance; bloom: **in pieno r.**, in full bloom; in one's heyday; in one's prime; **nel r. della giovinezza**, in the bloom of youth.

rigogliosità f. (*anche fig.*) luxuriance; exuberance.

rigogliòso a. **1** (*di vegetazione*) luxuriant; lush; exuberant: **crescere** (*o* **venir su**) **r.**, to grow luxuriantly; to be thriving **2** (*fig.*) luxuriant; blooming; flourishing: **economia rigogliosa**, blooming economy; **fantasia rigogliosa**, luxuriant (*o* exuberant) imagination; **salute rigogliosa**, blooming health.

rigògolo m. (*zool., Oriolus oriolus*) golden oriole.

rigonfiaménto m. swelling; bulge: **r. del legno**, wood swelling.

rigonfiàre **A** v. t. (*gonfiare di nuovo*) to blow* up (again), to puff out (again); (*uno pneumatico*) to pump up (again) **B** v. i. (*lievitare*) to rise*; to ferment **C rigonfiàrsi** v. i. **pron.** to swell* (out) again; to swell* up; to bulge: *Le vele si rigonfiarono*, the sails swelled out again; *Il legno nell'acqua si rigonfia*, wood swells in water; *Gli si è rigonfiato il braccio*, his arm has swollen up again.

rigónfio **A** a. swollen; puffed out; puffy; bulging: **tasche rigonfie**, bulging pockets; **vele rigonfie**, bulging sails; **r. d'orgoglio**, puffed up (*o* swollen) with pride **B** m. swelling; bulge.

♦**rigóre** m. **1** (*freddo intenso*) rigour, rigor (*USA*) (generalm. al pl.); harshness; inclemency: **il r. invernale**, the rigours of winter **2** (*med.*) rigor; rigidity **3** (*severità, rigidità*) rigour; strictness; harshness; severity: **il r. di una pena**, the harshness of a sentence; **il r. d'una regola monastica**, the rigour of a monastic rule; **punire q. col massimo r.**, to punish sb. with the utmost severity **4** (*austerità*) austerity; severity; (*intransigenza*) intransigence **5** (*rigorosità, esattezza*) rigour; exactitude; precision; thoroughness: **il r. della logica**, the rigour of logic; **il r. di una ricerca**, the thoroughness of a piece of research; **r. intellettuale**, intellectual rigour **6** (*sport, anche calcio di r.*) penalty (kick); (al pl., *per decidere un risultato*) penalty shoot-out (sing.): **andare ai rigori**, to have a penalty shoot-out; **battere un r.**, to take a penalty; **concedere un r.**, to give (*o* award) a penalty; **segnare su r.**, to score from a penalty; **area di r.**, penalty area ● **a r.**, strictly speaking □ **a r. di legge**, according to the law □ **a r. di logica**, logically speaking □ **a r. di termini**, strictly speaking □ (*mil.*) **arresti di r.**, close arrest (sing.) □ (*mil.*) **cella di r.**, solitary confinement cell □ **essere di r.**, to be required; to be de rigueur (*franc.*)

rigorismo m. **1** rigorism; extreme strictness **2** (*filos.*) rigorism.

rigorista **A** m. e f. **1** intransigent person; rigorist **2** (*filos.*) rigorist **3** (*sport*) penalty kicker **B** a. rigorist; rigoristic.

rigorìstico a. rigorist; rigoristic.

rigor mòrtis (*lat.*) loc. m. inv. rigor mortis; post-mortem rigidity.

rigorosaménte avv. rigorously; strictly: **r. parlando**, strictly speaking; **r. vietato**, strictly forbidden.

rigorosità f. **1** (*severità*) rigorousness; rigour, rigor (*USA*); rigidity; strictness; severity; sternness: **la r. della disciplina**, the rigour of discipline **2** (*precisione*) rigorousness; precision; scrupulousness; thoroughness: **la r. di un metodo**, the rigorousness of a method.

rigoróso a. **1** (*severo, rigido*) rigorous; rigid; strict; stringent; severe; stern: **disciplina rigorosa**, strict (*o* rigorous) discipline; **disposizioni rigorose**, stringent measures; **insegnante r.**, strict teacher; **ordine r.**, strict order; **principi rigorosi**, rigid principles; **nel più r. silenzio**, in absolute silence **2** (*esatto, preciso*) rigorous; strict; exact; (*accurato, scrupoloso*) thorough, painstaking, meticulous: **controlli rigorosi**, rigorous testing; **definizione rigorosa**, rigorous (*o* strict) definition; **in r. ordine d'arrivo**, in strict order of arrival **3** (*mus.*) strict: **contrappunto r.**, strict counterpoint.

rigovernàre v. t. **1** (*stoviglie*) to wash up: **r. i piatti**, to wash up; to do the dishes **2** (*un animale*) to look after; (*un cavallo*) to groom.

rigovernàta f. quick washing-up: **dare una r. ai piatti**, to wash up quickly.

rigovernatùra f. **1** (*il rigovernare i piatti*) washing up **2** (*l'acqua di piatti*) dishwater.

riguadagnàre v. t. **1** (*guadagnare di nuovo*) to earn again **2** (*ricuperare*) to regain; to win* back; to recover: **r. la stima di q.**, to regain (*o* to win back) sb.'s good opinion; **r. il tempo perduto**, to make up for lost time; **r. terreno**, to regain ground; **r. velocità**, to regain (*o* to pick up) speed **3** (*raggiungere di nuovo*) to regain; to get* back to: **r. la testa della colonna**, to get back to the head of the column; **r. la strada maestra**, to regain (*o* to get back on to) the main road.

riguardànte a. regarding; concerning; about (prep.).

♦**riguardàre** **A** v. t. **1** (*guardare di nuovo*) to look at (st., sb.) again; to have another look at: **guardare e r. qc.**, to look at st. again and again **2** (*esaminare*) to examine; (*controllare*) to check, (*o* to go* over): **r. le spese di casa**, to check (*o* to go over) the household expenses; *Ho riguardato il tuo articolo, e mi pare buono*, I've had another look at your article, and I think it's rather good **3** (*considerare*) to regard; to consider; to look on **4** (*concernere*) to concern; to regard; to relate (to): *Questo non mi riguarda*, this does not concern me; *È un problema che riguarda le autorità locali*, it's a matter for the local authorites; *La cosa non ti riguarda*, it doesn't concern you; (*non devi impicciarti*) it's no concern of yours, it's none of your business; **per quanto riguarda**, as for; as to; as regards; regarding: **per quel che mi riguarda**, as far as I'm concerned **5** (*interessare, colpire*) to affect **6** (*custodire con riguardo*) to look* after; to take* care of: *È una pianta molto delicata; riguardala!*, take care of this plant, it's very delicate **B riguardàrsi** v. **rifl.** (*avere riguardo di sé*) to take* care of oneself, to look after oneself; (*proteggersi*) to protect oneself (from), to keep* away (from): *Riguardati durante il viaggio*, take care of yourself (*o* look after yourself) during the journey; *Dopo la malattia, si riguardò bene*, after his illness, he took good care of himself; **riguardarsi dalle correnti d'aria**, to keep away from draughts; **riguardarsi dal freddo**, to protect oneself from the cold.

riguardàta f. quick look; glance; once-over (*fam.*): **dare una r. a**, to have a look

at; to glance at; (*squadrare brevemente*) to give (sb., st.) the once-over (*fam.*).

riguardàto a. looked after; well-cared for: **stare r.**, to take good care of oneself; **stare r. nel mangiare**, to be careful about what one eats; **tenere q. r.**, to take good care of sb.

♦**riguàrdo** m. **1** (*attenzione, cura*) care ⓤ; (*delicatezza, tatto*) tact: **avere r. di**, to take care of; **avere r. nel fare qc.**, to do with care; *Abbi un po' di r.!*, do be careful!; **non avere alcun r. per le cose**, to handle things roughly; **maneggiare con r.**, to handle with care; **coi dovuti riguardi**, with due care; **col massimo r.**, with the utmost care; **senza riguardi**, careless (agg.); rough (agg.); carelessly (avv.); roughly (avv.); *Non avere riguardi, prendi quello che vuoi*, don't stand on ceremony, take what you want **2** (*rispetto, deferenza*) respect; regard; consideration; (*premura*) solicitude, thoughtfulness: **non avere r. per nessuno**, to have no respect (o consideration) for anyone; **comportarsi senza alcun r. per q.**, to show no consideration (o regard) for sb.; **mancare di r. verso q.**, to be disrespectful to sb.; **trattare q. con tutti i riguardi**, to shower sb. with attentions; **col dovuto r.**, with due respect; **per un r. alla sua età**, out of consideration for his age; **per r. verso q.**, out of respect for sb.; **pieno di r.**, respectful; deferential; **senza r.**, inconsiderate, thoughtless; (*non rispettoso*) disrespectful; **pieno di riguardi**, thoughtful; solicitous; **senza tanti riguardi**, abruptly; brusquely; (*rif. a cose dette*) bluntly, curtly, without mincing words; **parlare senza r.** (*liberamente*), to speak freely (o openly); **mancanza di r.**, disrespect; inconsiderateness; **ospite di r.**, distinguished guest; **persona di r.**, important person; person of consequence **3** (*relazione, attinenza, aspetto*) respect; connection; regard: **r. a**, with regard to; as to; in connection with; **r. a quanto mi hai detto**, with regard to (o as to) what you told me; **r. a me**, as far as I am concerned; as for me; **a questo r.**, in this [that] connection; in this [that] respect; with regard to that; **informazioni al r.**, information on the matter; *Che cosa sapete al r.?*, what do you know about it?; **nei riguardi di**, (*riguardo a*) with regard to; (*verso*) towards; **nei vostri riguardi**, with regard to you; towards you; **sotto ogni r.**, in every respect; **sotto questo r.**, in this [that] respect.

riguardóso a. respectful; regardful; considerate: **r. dei diritti altrui**, respectful of other people's rights; **r. dei sentimenti di q.**, considerate of sb.'s feelings; **r. con q.**, respectful to sb.; **poco r.**, inconsiderate; thoughtless; (*privo di rispetto*) disrespectful.

rigurgitànte a. **1** (*traboccante*) overflowing **2** (*fig.*) teeming; swarming; packed; jam-packed: **un fiume r. di pesci** a river teeming with fish; *Lo stadio era r. di tifosi*, the stadium was jam-packed with fans.

rigurgitàre Ⓐ v. i. **1** (*sgorgare*) to pour out; to gush out; to erupt; (*rifluire*) to gush back; (*traboccare*) to overflow **2** (*fisiol.*) to regurgitate **3** (*fig.*) to swarm; to teem; to be packed; to be stacked: *Le strade rigurgitavano di gente*, the streets were swarming with people; *Il fiume rigurgita di pesci*, the river is teeming with fish; *Le spiagge rigurgitano di vacanzieri*, the beaches are packed with holydaymakers; *Il suo studio rigurgita di libri*, his study is stacked with books Ⓑ v. t. (*fisiol.*) to regurgitate; to bring* up: *Il bambino ha rigurgitato il latte*, the baby has brought up its milk.

rigùrgito m. **1** (*di acque, ecc.*) gushing back; back flow; (*il traboccare*) overflowing **2** (*fisiol.*) regurgitation: **r. di sangue**, regurgitation of blood; **r. di latte**, milk brought up **3** (*fig.: ritorno*) resurgence: **r. di razzismo**,

resurgence of racism **4** (*fig.: accesso*) fit; outburst: **r. di rabbia**, fit of rage.

rilanciàre Ⓐ v. t. **1** (*lanciare di nuovo*) to throw* again; to fling* again **2** (*lanciare a propria volta*) to throw* back; to fling* back; to toss back **3** (*a un'asta, ecc.*) to raise; to make* (a higher bid); to up: **r. (l'offerta)**, to raise the bid; to make a higher bid **4** (*al gioco*) to raise; to up: **r. la posta**, to raise the stakes; *Rilancio di 20*, I'll raise you 20 euros **5** (*assol.: fare una richiesta più alta*) to up the ante **6** (*fig.: riproporre, ripresentare*) to reintroduce; (*far tornare attuale*) to revive, to bring* in again: **r. un'idea**, to reintroduce a proposal; **r. una moda**, to revive a fashion; **r. le gonne lunghe**, to bring long skirts in again **7** (*econ.*) to relaunch: **r. l'economia**, to relaunch the economy; **r. un prodotto**, to relaunch a product Ⓑ **rilanciàrsi** v. rifl. to fling* (o to throw*) oneself again.

rilàncio m. **1** (*il lanciare di nuovo*) throwing again **2** (*il lanciare a propria volta*) throwing back; tossing back **3** (*a un'asta*) raising; (*l'offerta*) higher bid **4** (*al gioco*) raising; raise: **il r. di un'offerta**, the raising of a bid; a higher bid; **fare un r.**, to raise the bid; to make a higher bid **5** (*fig.*) revival; relaunching: **r. economico**, economic revival; **r. pubblicitario**, new advertising campaign; **il r. di un progetto**, the relaunching of a plan; **il r. di una stazione turistica**, the revival of a touristic resort; *C'è stato un r. del tailleur*, there has been a revival of the two-piece suit; the two-piece suit is making a comeback (*fam.*).

rilasciaménto f. **1** relaxing; slackening; loosening **2** (*med.*) relaxation.

rilasciàre Ⓐ v. t. **1** (*lasciare di nuovo*) to leave* again **2** (*dare*) to give*; to issue; to grant; to allow: **r. una dichiarazione**, to issue a statement; **r. un'intervista**, to give an interview; **r. un passaporto**, to issue a passport; **r. un permesso**, to issue a permit; **r. (una) ricevuta**, to issue (o to make out) a receipt; **farsi r. la ricevuta**, to ask for a receipt; **farsi r. una licenza**, to take out a licence **3** (*liberare*) to release; to set* free; to let* go: **r. un prigioniero**, to release a prisoner; to set a prisoner free **4** (*allentare*) to loosen; to slacken; to relax: **r. una fune**, to slacken a rope; **r. i muscoli**, to relax the muscles Ⓑ **rilasciàrsi** v. i. pron. to become* loose (o lax); to slacken; to relax: *La pelle si è rilasciata*, the skin has become loose Ⓒ **rilasciàrsi** v. rifl. recipr. (*lasciarsi di nuovo*) to leave* each other [one another] again; to part again.

rilàscio m. **1** (*il lasciare libero*) release: **il r. d'un ostaggio**, the release of a hostage; (*leg.*) **r. su cauzione**, release on bail **2** (*consegna, emissione*) issue; grant: **il r. d'un brevetto**, the grant of a patent; **il r. d'un passaporto**, the issue of a passport **3** (*comm.*) clearance.

rilassaménto m. **1** (*fisiol.*) relaxation: **r. muscolare**, muscular relaxation **2** (*fig.: distensione*) relaxation; rest **3** (*fig.: allentamento*) relaxation; slackening; loosening: **un r. della disciplina**, a relaxation in discipline.

rilassànte a. relaxing; (*riposante, anche*) restful.

♦**rilassàre** Ⓐ v. t. **1** (*distendere*) to relax; to calm down: **r. i muscoli**, to relax one's muscles; **r. i nervi**, to relax **2** (*fig.*) to relax; to slacken; to ease up: **r. la disciplina**, to relax discipline; **r. la sorveglianza**, to relax (o to ease up) surveillance Ⓑ **rilassàrsi** v. rifl. (*distendersi*) to relax; to unwind*; to take* it easy (*fam.*): *Cerca di rilassarti*, try and relax; *Dopo un po' cominciò a rilassarsi e a dire qualcosa*, after a while she began to unwind and talked Ⓒ **rilassàrsi** v. i. pron. (*allentarsi*) to relax; to slacken; to become*

slack; to become* loose (o lax): *I muscoli si sono rilassati*, the muscles have relaxed; *La morale si è rilassata*, morals have become loose (o lax).

rilassatézza f. (*fig.*) laxity; looseness: **la r. dei costumi**, the laxity of morals.

rilassàto a. **1** (*fisiol.*) relaxed: **muscolo r.**, relaxed muscle **2** (*fig.: disteso*) relaxed; (*calmo*) unhurried, calm, easy, laid-back (*fam.*): **viso r.**, relaxed face **3** (*allentato*) lax; slack: loose: **disciplina rilassata**, lax discipline.

rilassatóre a. relaxing.

rilavàre v. t. to wash again; to rewash: **lavare e r. qc.**, to wash st. over and over again.

rilavatùra f. **1** washing again; rewashing **2** (*acqua di rigovernatura*) dishwater.

rilavoràre v. t. to rework.

rilavorazióne f. reworking.

rileccàre v. t. (*fig.*) to polish.

rilegàre v. t. **1** (*legare di nuovo*) to tie (up) again; to retie; to bind* again **2** (*un libro e sim.*) to bind*: **r. con spirale**, to spiral-bind; **r. in mezza pelle**, to half-bind; **r. in tela**, to bind in cloth **3** (*incastonare*) to set*.

rilegàto a. **1** (*legato di nuovo*) tied (up) again; retied; bound again **2** (*di libro*) bound: **r. in mezza pelle**, half-bound; **r. in pelle**, leather-bound; **r. in tela**, cloth-bound; **r. in tela azzurra**, bound in blue cloth.

rilegatóre m. binder; bookbinder.

rilegatrìce f. **1** binder; bookbinder **2** (*macchina*) bookbiding machine.

rilegatùra f. **1** (*il rilegare*) binding; bookbinding: **r. ad anelli [a spirale]**, ring [spiral] binding; **r. in mezza pelle**, half binding; **r. in pelle**, leather binding **2** (*legatura*) binding **3** (*incastonatura*) setting.

rilèggere v. t. **1** (*leggere di nuovo*) to read* again; to reread*: *Rilessi ancora una volta la lettera*, I read the letter once more; **r. «Guerra e pace»**, to reread «War and Peace»; **leggere e r. qc.**, to read and reread st.; to read st. over and over again **2** (*rivedere*) to go* over again: *Rilessi il brano alla ricerca di errori*, I went over the passage again looking for mistakes.

rilènto avv. – **a r.**, (*con lentezza*) slowly; (*con cautela*) carefully, with caution: **procedere a r.**, to progress slowly; to drag on.

rilettùra f. rereading; second reading.

rilevàbile a. detectable; perceivable; noticeable.

rilevaménto m. **1** (*topogr.*) survey; (*geogr.*) mapping: **r. delle altitudini**, survey of heights; **r. del terreno**, land survey; **r. topografico**, survey; **fare un r. topografico di qc.**, to survey st.; **posto di r.**, station **2** (*raccolta di dati*) survey; assessment: (*fisc.*) **r. fiscale**, tax assessment; **r. statistico**, statistical survey **3** (*lettura*) reading: **r. della pressione**, pressure reading **4** (*econ.: acquisizione*) takeover; (*acquisto*) buy-out **5** (*aeron., naut.*) bearing: **r. alla bussola**, compass bearing; **r. costante**, steady bearing; **r. magnetico**, magnetic bearing; **r. ottico**, visual bearing; **r. polare**, polar (o relative) bearing; **r. radar**, tracking; **r. vero**, true bearing; **prendere un r.**, to take a bearing **6** (*sporgenza*) prominence **7** (*mil.: cambio*) relief; relieving.

rilevànte a. **1** (*considerevole*) considerable; substantial; remarkable; (*ragguardevole*) sizeable; (*pesante*) heavy; (*importante*) important, significant; (*di rilievo*) prominent, salient, outstanding, striking: **aumento r.**, substantial increase; **contributo r.**, significant contribution; **danni rilevanti**, considerable damage; **numero r.**, considerable number; **perdita r.**, heavy loss; **somma r.**,

considerable (*o* sizeable) sum **2** (*pertinente*) relevant.

rilevànza f. (*importanza*) importance; significance; (*grandezza*) size: **la r. della cifra offerta**, the size of the sum offered; **di scarsa r.**, of little significance; unimportant.

rilevàre Ⓐ v. t. **1** (*levare di nuovo*) to take* away again; to take* off again: *Si rilevò il golf*, she took off her jumper again **2** (*trarre, ricavare*) to take*, to draw*; (*apprendere*) to learn*, to gather, to get*: *Ho rilevato quella notizia dai giornali*, I learnt that news from the newspapers; *L'ho rilevato da quello che mi ha detto*, I gathered it from what he said **3** (*cogliere, notare*) to notice; to detect; (*trovare*) to find*: **r. una differenza [un cambiamento]**, to notice a difference [a change]; **r. alcune irregolarità**, to detect some irregularities; *Non fu rilevato alcun indizio di effrazione*, no sign of breaking and entering was found; *Non si rileva alcun motivo di allarme*, there seems to be no reason for alarm **4** (*far notare*) to point out; to bring* out: *Vorrei r. che...*, I'd like to point out that...; *Gli feci r. l'errore*, I pointed out the mistake to him **5** (*stat.*) to survey **6** (*raccogliere dati*) to take*, to gather, to collect; (*misurare*) to measure, to register: **r. impronte digitali**, to take fingerprints; **r. la temperatura di q.c**, to measure the temperature of st. **7** (*topogr.*) to survey **8** (*geogr.*) to map **9** (*aeron., naut.*) to take* the bearing of **10** (*econ., fin.*) to acquire; to take* over; to buy* out: **r. una società**, to take over (*o* to acquire) a company; **r. la parte di un socio**, to buy out a partner; **r. un pacchetto azionario**, to buy out a shareholder **11** (*dare il cambio, anche mil.*) to relieve: **r. una sentinella**, to relieve a sentry **12** (*andare a prendere*) to call for; to pick up; to collect: *Passai a r. mio fratello alle dieci*, I called for (*o* picked up) my brother at ten Ⓑ v. i. **1** (*fare rilievo*) to stand* out: *Queste figure non rilevano*, these figures do not stand out **2** (*lett.: avere importanza*) to be important; to count; to matter Ⓒ **rilevàrsi** v. rifl. (*alzarsi, sollevarsi, anche fig.*) to rise* again.

rilevatàrio m. buyer; purchaser; new owner.

rilevàto a. **1** (*in rilievo*) raised; in relief **2** (*sporgente*) protuberant; projecting; protruding.

rilevatóre m. **1** (f. **-trìce**) (*topogr.*) surveyor **2** (f. **-trìce**) (*stat.*) data collector; (*nei censimenti*) enumerator **3** (*topogr.*) circumferentor **4** (*tecn.*) detector: **r. di fumo**, smoke detector; (*elettron.*) **r. di segnali**, signal tracer.

rilevazióne f. **1** (*topogr.*) surveying; survey **2** (*geogr.*) mapping **3** (*stat.*) data gathering; (*raccolta di dati*) survey **4** (*osservazione*) observation; (*registrazione*) recording, record **5** (*dati raccolti, risultati*) data (pl.); findings (pl.) **6** (*comput.*) sensing **7** (*econ.*) takeover; acquisition; (*dall'interno*) buy-in; (*dall'esterno*) buy-out.

♦**rilièvo** m. **1** (*risalto, stacco*) relief: **dare r. a una figura**, to bring a figure into relief; **in r.**, in relief; relief (attr.); raised (agg.); (*geogr.*) **carta in r.**, relief map; **ricamo in r.**, relief (*o* raised) embroidery; **libro a r.**, embossed book; **stampa a r.**, relief printing **2** (*arte*) relief; relievo, rilievo: **alto r.**, high relief; alto-relievo; **basso r.**, bas-relief; basso-relievo **3** (*sporgenza*) bulge; protuberance **4** (*geogr.: altitudine*) relief; (*altura*) rise, elevation, eminence, height, hill; (*catena montuosa*) range **5** (*fig.: importanza*) importance; prominence; account; stress; emphasis: **assumere r.**, to gather prominence; **avere scarso r.**, to be of little importance; **dare r. a qc.**, to give st. prominence; to lay stress (*o* emphasis) on st.; to highlight st.; **dare r. alla pericolosità di una situazione**, to lay stress (*o*

emphasis) on the dangers of a situation; *Il giornale diede un certo r. alla notizia*, the paper gave the news a certain prominence; **mettere in r.**, to point out; to emphasize; to stress; **di r.**, prominent; outstanding; **una faccenda di grande r.**, a matter of great importance; **personalità di r.**, prominent (*o* leading) personality; **posizione di r.**, position of prominence; prominent position; **di nessun r.**, unimportant; of no account; **di scarso r.**, minor; trivial; **di tutto r.**, considerable; remarkable; substantial **6** (*osservazione*) remark, comment, observation; (*critica*) criticism: **fare utili rilievi su qc.**, to make useful remarks on st. **7** (*topogr.*) survey: **r. fotografico**, photographic survey; **r. topografico**, survey; plotting; **fare rilievi**, to carry out surveys; **fare un r. topografico di qc.**, to survey st. **8** (*org. az.*) – **r. dei tempi**, time-taking; timing.

rilievografìa f. (*tipogr.*) relief printing; letterpress.

rilievogràfico a. (*tipogr.*) relief printing (attr.); letterpress (attr.).

rilocazióne f. (*anche comput.*) relocation.

rilòga f. curtain rail; traverse rod.

rilucènte a. resplendent; shining; bright; sparkling.

rilùcere v. i. to be resplendent; to shine*; to be bright; (*luccicare*) to sparkle ● (*prov.*) *Non è tutt'oro quel che riluce*, all that glitters is not gold.

riluttànte a. reluctant; unwilling; disinclined; loath; (*fatto o dato controvoglia*) reluctant, grudging: **essere r. a fare qc.**, to be reluctant to do st.; **essere r. a una proposta**, to hesitate before a suggestion.

riluttànza f. **1** reluctance; unwillingness; disinclination; (*esitazione*) hesitation: **mostrare r.**, to show reluctance; **vincere la r. di q.**, to overcome sb.'s reluctance; **con r.**, with reluctance; reluctantly **2** (*fis.*) reluctance: **r. specifica**, reluctivity.

riluttàre v. i. (*lett.*) to be reluctant; to hesitate: *Riluttava ad accettare l'invito*, she was reluctant to accept the invitation.

riluttività f. (*fis.*) reluctivity.

rìma ① f. (*poesia*) **1** rhyme: **r. al mezzo** → **rimalmezzo**; **r. alternata**, alternate rhymes (pl.); **r. baciata**, rhymed couplet; **a r. baciata**, in rhyming couplets; **r. equivoca**, perfect rhyme; **r. imperfetta**, near rhyme; **r. interna**, internal (*o* middle) rhyme; **r. piana**, feminine rhyme; **r. tronca**, masculine rhyme; **rime obbligate**, set rhymes; **ottava r.**, octave; **sesta r.**, sestet; **terza r.**, terza rima; **fare r. con**, to rhyme with; **mettere in r.**, to put into rhyme; **scrivere in r.**, to write in rhyme; **in r.**, in rhyme; rhyming; rhymed; **sistema di rime**, rhyme structure **2** (al pl.) (*versi*) rhymes; verse Ⓤ; poems; poetry Ⓤ: **rime d'amore**, love poetry; **le Rime del Petrarca**, Petrarch's Rhymes ● (*fig.*) **dire** (*o* **cantare**) **qc. in r.**, to say st. straight out ● (*fig.*) **rispondere a q. per le rime**, to give sb. a sharp reply.

rìma ② f. (*anat.*) rima*: **r. buccale**, rima oris; **r. palpebrale**, rima palpebrarum.

rimagliàre v. t. to darn; to mend.

rimagliatrìce f. darner (of women's stockings).

rimagliatùra f. darning; mending.

rimalmèzzo f. inv. (*poesia*) internal (*o* middle) rhyme.

rimandàbile a. (*differibile*) postponable; deferrable.

♦**rimandàre** v. t. **1** (*mandare di nuovo*) to send* again: *Lo rimandai fuori*, I sent him out again **2** (*mandare indietro, far tornare*) to send* back: **r. a casa**, to send home; (*fig.*) *L'hanno rimandato al suo Paese*, he's been sent back to his country; *Ho rimandato mio figlio*

a scuola, I sent my son back to school **3** (*rilanciare*) to throw* back; to toss* back: **r. la palla**, to throw back the ball **4** (*restituire*) to send* back; to return **5** (*differire*) to put off*, to postpone; to defer; (*procrastinare*) to delay*; (*aggiornare*) to adjourn: **r. una riunione**, to put off a meeting; **r. la partenza**, to put off (*o* to delay) one's departure; **r. alle calende greche**, to put off till doomsday; **r. qc. all'ultimo momento**, to leave st. to the last minute; *Rimandiamo tutto a domani*, let's put everything off until tomorrow; *Non r. a domani quello che puoi fare oggi*, don't put off to tomorrow what you can do today **6** (*fare riferimento*) to refer; to send: **r. a una nota**, to refer to a footnote **7** (*a scuola*) to make* (sb.) resit an examination: *Lo hanno rimandato in latino*, he has to resit his Latin exam.

rimandàto Ⓐ a. (*di studente*) required to resit an examination Ⓑ m. (f. **-a**) student required to resit an examination.

rimàndo m. **1** (*rinvio*) sending back; (*anche sport*) return: **di r.**, in return; back: **dire qc. di r.**, to say st. in return; *Gli feci un cenno con la mano e mi sorrise di r.*, I waved at him and he smiled back **2** (*differimento*) postponement, putting off, deferment, deferring; (*procrastinazione*) delay; (*aggiornamento*) adjournment **3** (*in un testo*) reference; cross-reference: **un testo ricco di rimandi**, a text full of cross-references; **segno di r.**, reference mark **4** (*mecc.*) intermediate control: **r. dei freni**, brake intermediate control.

rimaneggiaménto m. **1** (*rielaborazione*) reworking; recasting; (*riscrittura*) rewriting; (*spreg.*) rehashing, rehash **2** (*riorganizzazione*) reorganization; rearrangement; restructuring; reshuffle.

rimaneggiàre v. t. **1** (*maneggiare di nuovo*) to rehandle **2** (*rielaborare*) to rework; to recast*; (*riscrivere*) to rewrite*; (*spreg.*) to rehash: **r. una commedia**, to rework a play; **un testo molto rimaneggiato**, a much rewritten text; *Ha semplicemente rimaneggiato un suo vecchio scritto*, he has simply rehashed an old piece of his **3** (*riorganizzare*) to reorganize; to rearrange; to restructure; to reshuffle.

rimanènte Ⓐ a. remaining; residual; (*avanzato*) left over: **la parte r.**, the remaining part; the remainder; **il denaro r.**, the money left over Ⓑ m. **1** (*ciò che avanza*) remainder; rest; (*saldo*) balance; (*residuo*) residue: **il r. della merce**, the remainder of the goods; **il r. della somma**, the rest of the amount; the balance; **pagare il r.**, to pay the balance; *Ti manderò domani il r.*, I'll send you the rest tomorrow **2** (al pl.) (*persone rimanenti*) (the) remainder; (the) rest; (the) others.

rimanènza f. **1** (*ciò che rimane*) remnant; rest **2** (*avanzo*) remnant; oddment; residue **3** (al pl.) (*comm.*) left-over stock (sing.); (*residuati*) surplus (sing.) **4** (*saldo, anche rag.*) balance: **r. di cassa**, cash balance.

♦**rimanére** v. i. **1** (*trattenersi*) to remain; to stay; (*dopo che gli altri se ne sono andati*) to stay on; (*fermarsi*) to stop: **r. a casa**, to stay at home; to stay in; **r. a guardare**, to watch; **r. a letto**, to stay in bed; **r. a pranzo**, to stay for (*o* to) lunch; **r. alzato** (*o* **in piedi**), to stay up; **r. fuori casa** (*rimanere assente*), to be away; **r. indietro**, to hang behind; to lag behind; **r. indietro col lavoro**, to fall behind; **r. indietro col lavoro**, to fall behind in one's work; *Ci rimasi ancora due settimane*, I stayed on for another two weeks; *Rimasi a dormire da loro*, I stayed the night (*o* stayed overnight, stayed over) at their place; *Rimani lì finché torno*, stay there (*fam.* stay put) till I come back; *Rimasi dov'ero*, I stayed (*o* stopped) where I was; *Dove eravamo rimasti?*, where were

a b c d e f g h i j k l m n o p q r s t u v w x y z

we? **2** (*continuare a essere*) to be; to remain; (*mantenersi*) to keep*; (*durare*) to remain, to stay, to last; (*persistere*) to persist: **r. a galla**, to keep afloat; **r. amici**, to remain friends; **r. attaccato**, to stick; **r. calmo**, to keep calm; **r. comodo**, to remain seated; not to get up; *Rimanga comodo!*, please don't get up!; **r. fedele**, to remain faithful; **r. immobile**, to remain motionless; **r. in carica**, to remain (*o* to stay) in office; **r. in contatto con q.**, to keep in touch with sb.; **r. in forse**, to be uncertain; (*di cosa*) to be doubtful; **r. in sospeso**, to remain unsettled; to remain to be decided; **r. insieme**, to keep (*o* to stay) together; **r. seduto**, to remain seated; **r. sveglio**, to stay awake; **r. zitto**, to keep (*o* to remain) silent; **r. uniti**, to remain united; to stay together; *Il pericolo rimane*, the danger persists **3** (*essere, ritrovarsi*) to be; (*diventare*) to become*, to get*; (*essere lasciato*) to be left: **r. a piedi**, to be left without transport; **r. al freddo**, to be left in the cold; **r. celebre**, to become famous; **r. cieco**, to become blind; **r. deluso**, to be disappointed; to feel let down; **r. ferito**, to be wounded (*o* injured); **r. in mutande**, to be left wearing only one's underpants; (*spogliarsi*) to strip to one's underpants; **r. in piedi** (*non trovare da sedere*), to be left standing; **r. incinta**, to get pregnant; **r. orfano**, to be left an orphan; to be orphaned; **r. senza qc.**, (*non ricevarlo*) to be left without st.; (*esaurire la scorta*) to run out of st.; **r. senza lavoro**, to lose one's job; **r. senza parole**, to be left speechless; **r. soddisfatto**, to be satisfied; **r. ucciso**, to be killed; to get killed; **r. vedovo**, to be left a widower **4** (*essere sbalordito*) to be astonished; to be dumbfounded; to be left speechless: *A vederlo così cambiato*, (*ci*) *rimasi*, I was astonished to see such a change in him; *Nel sentire la notizia*, (*ci*) *rimasi*, the news left me speechless **5** (*anche* **r. d'accordo**) to agree; to settle: *Rimanemmo che avrebbero pagato loro*, we agreed that they would pay; *Rimanemmo d'incontrarci a Venezia*, we agreed to meet in Venice **6** (*avanzare*) to be left; to be left over; to have (st.) left (pers.); (*esserci ancora*) to remain: *Rimane poco tempo*, there is little time left; *Rimangono solo due ore*, there are only two hours left (*o* to go); *Siete rimasti solo voi*, you are the only ones left; *È rimasto del prosciutto*, there is some ham left; *Ci rimangono pochi euro*, we have only a few euros left; *Mi rimane un dubbio*, I still have one doubt; *Rimane ben poco da dire*, very little remains to be said; *Rimane molto da fare*, there is still a lot to do; much remains to be done; *Ecco quel che rimane*, that's all that remains (*o* that is left); *Non mi rimane* (*altro*) *che pagare*, there is nothing left for me but to pay; *Non gli è rimasta altra scelta*, he has no choice **7** (*essere situato, trovarsi*) to be; to be located (*o* situated): *Il suo ufficio rimane dietro il parco*, his office is behind the park; *Dove rimane la stazione?*, where is the station? **8** (*restare in proprietà*) to go*: *La villa rimarrà alla figlia*, the villa will go to his daughter ● (*fig.*) **r. a bocca aperta**, to gape; to be struck dumb □ **r. a bocca asciutta**, to go hungry; (*fig.*) to be left empty-handed □ **r. a corto di**, to run short of □ (*telef.*) **r. in linea**, to hang on; to hold on □ **r.** (*o* **rimanerci**) **male**, (*essere deluso*) to be disappointed, to feel let down; (*essere ferito*) to be hurt, to be upset; (*offendersi*) to take it amiss □ **r. sullo stomaco**, to give indigestion; (*fig.*) to stick* in sb.'s throat, to rankle: *Quella sua frase mi è rimasta sullo stomaco*, his words stuck in my throat (*o* still rankle) □ **Rimane da vedere se...**, it remains to be seen whether... □ **Rimane il fatto che...**, the fact remains that... □ **Fermo rimanendo che...**, it being understood that... □ **Questo deve r. fra noi**, this is just between you and me; don't let it

go any further □ **rimanerci**, (*essere sbalordito*) → def. **4**; (*essere catturato*) to be caught; (*morire*) to get killed, to cop it (*slang*) □ **rimanerci sul colpo**, to be struck dead.

rimangiàre v. t. **1** (*mangiare di nuovo*) to eat* again **2** (*fig.*: *ritrattare*) to take* back; (*non mantenere*) to go* back on: **rimangiarsi una promessa**, to go back on a promise (*o* on one's word); *Gli ho fatto r. quello che aveva detto*, I made him take back what he had said; I made him eat his words.

rimarcàbile → **rimarchevole**.

rimarcàre v. t. (*notare, osservare*) to notice; to remark; to observe; (*far notare*) to point out.

rimarchévole a. remarkable; notable; outstanding.

rimàrco m. (*bur.*) remark; comment; (*critica*) censure, criticism.

rimàre v. t. e i. to rhyme.

rimarginàre v. t. (*anche fig.*) to heal: *Il tempo rimargina tutte le ferite*, time is a great healer **v. i. e rimarginàrsi** v. i. pron. to heal; to heal up: **rimarginarsi lentamente**, to heal slowly; *La ferita si rimarginò presto*, the wound soon healed up.

rimàrio m. rhyming dictionary.

rimaritàre v. t. to remarry; to marry again **rimaritàrsi** v. i. pron. to remarry; to marry again; to get* married again.

rimasticàre v. t. **1** (*masticare di nuovo*) to chew again; (*ruminare*) to chew (the cud), to ruminate **2** (*fig.*: *rimuginare*) to chew (st.) over; to mull (st.) over; to ruminate over (*o* on); to brood on **3** (*fig.*: *ripetere*) to repeat; to rehash.

rimasticaticcio m. **1** chewed food **2** (*fig. spreg.*) rehash.

rimasticatùra f. **1** new chewing **2** (*fig. spreg.*) rehash.

rimasùglio m. **1** (*ciò che rimane, avanzo*) remnant, bit; (al pl., anche) odds and ends, oddments, scraps, (*di cibo*) leftovers: **un r. di detersivo**, a few remaining drops of detergent; **un r. di arrosto**, some leftover roast; **rimasugli di stoffa**, oddments of material **2** (*fig.*) vestige; trace.

rimàto a. rhymed; rhyming: **versi rimati**, rhymed verse.

rimatóre m. (f. **-trice**) **1** (*letter.*: *poeta*) poet **2** rhymer; versifier; (*spreg.*) rhymester.

rimbacuccàre A v. t. to muffle up; to wrap up B **rimbacuccàrsi** v. rifl. to muffle oneself up; to wrap oneself up.

rimbaldanzìre (*lett.*) A v. t. to embolden B v. i. e **rimbaldanzìrsi** v. i. pron. to take* heart; to perk up; to rally.

rimbalzàre v. i. **1** to bounce; to rebound, (*essere deviato*) to glance off; (*di proiettile*) to ricochet; (*di suono*) to reverberate, to echo: **r. contro** (*o* **su**) **qc.**, to bounce off st.; **far r.**, to bounce **2** (*fig.*: *trasmettersi*) to spread* (quickly): *La notizia rimbalzò di bocca in bocca*, the news spread quickly.

rimbalzèllo m. ducks and drakes: **fare** (*o* **giocare**) **a r.**, to play ducks and drakes.

rimbalzino m. pitch-and-toss.

rimbalzista m. e f. (*basket*) rebounder.

rimbàlzo m. **1** bounce; rebound; (*di proiettile*) ricochet: **di r.**, on the rebound; (*fig.*) indirectly: **afferrare una palla di r.**, to catch a ball on the rebound; (*sport*) **calciare di r.**, to drop-kick; *La decisione interessa di r. anche noi*, the decision indirectly affects us as well; (*sport*) **calcio di r.**, drop-kick **2** (*basket*) rebound.

rimbambiménto m. **1** (*di anziano*) dotage; senility **2** (*intontimento*) daze; stupor; woziness.

rimbambìre A v. i. e **rimbambìrsi** v. i.

pron. **1** (*di anziano*) to become* senile; to go* gaga (*fam.*) **2** (*rincretinire*) to go* soft in the head (*fam.*) B v. t. to addle sb.'s brain: *L'età l'ha rimbambito*, age has addled his brain **2** (*intontire*) to daze; to make* woozy; to drive* (sb.) crazy: *Mi ha rimbambito con le sue chiacchiere*, she drove me crazy with her incessant talk.

rimbambìto A a. **1** (*di anziano*) senile; doddering; gaga (*fam.*) **2** (*intontito*) dazed; woozy **3** (*stupido*) soft in the head; cuckoo, coo-coo (*fam.*) B m. (f. **-a**) **1** (*di anziano*) dodderer; dotard **2** (*persona stupida*) idiot; fool.

rimbarcàre e *deriv.* → **reimbarcare**, e *deriv.*

rimbeccàre A v. t. to retort; to answer back B **rimbeccàrsi** v. rifl. recipr. to bicker; to squabble.

rimbécco m. retort; backchat: **di r.**, in retort.

rimbecilliménto m. stultification; getting soft in the head (*fam.*); (*di anziano*) growing senile, going gaga (*fam.*).

rimbecillìre A v. t. **1** (*rendere stupido*) to stultify; to addle (sb.'s) brain **2** (*intontire, confondere*) to befuddle; to stun; (*di rumore, ecc.*) to drive* (sb.) crazy B v. i. e **rimbecillìrsi** v. i. pron. to grow* stupid; to get* soft in the head (*fam.*); to go* crazy; (*di anziano*) to go* gaga (*fam.*).

rimbecillìto A a. stupid; imbecile; dopey (*fam.*); soft in the head (*fam.*); (*di anziano*) gaga (pred.) B m. (f. **-a**) stupid; imbecile.

rimbellìre A v. t. to embellish; to beautify; to make* pretty (*o* prettier) B v. i. to grow* more beautiful; to become* prettier.

rimbiancàre v. t. **1** (*rendere bianco di nuovo*) to whiten again; to make* white again; to rewhiten **2** (*tessuti*) to bleach again **3** (*rimbiancare a calce*) to whitewash (again).

rimboccàre A v. t. **1** (*ripiegare*) to turn down: **r. un lenzuolo**, to turn down a bedsheet; **r. le coperte a q.**, to tuck sb. up in bed **2** (*arrotolare*) to roll up; to turn up: (*anche fig.*) **rimboccarsi le maniche**, to roll up one's sleeves; **rimboccarsi i pantaloni**, to turn up one's trousers.

rimboccatùra f., **rimbócco** m. **1** turning down; rolling up; turning up **2** (*parte rimboccata*) turn-down; turn-up.

rimbombànte a. **1** (*che rimbomba*) booming, rumbling, thundering; (*risonante*) echoing, reverberating: **voce r.**, booming voice; **salone r.**, echoing hall **2** (*fig.*: *altisonante*) bombastic; high-flown: **frasi rimbombanti**, bombastic (*o* high-flown) sentences.

rimbombàre v. i. to boom; to rumble; to thunder; to roar; (*risuonare*) to resound, to re-echo: *I cannoni rimbombavano lontano*, guns were booming (*o* roaring) in the distance; *Rimbombò un tuono*, there was a rumbling of thunder; *La caverna rimbombò del grido*, the cave re-echoed the shout.

rimbómbo m. boom; rumble; rumbling; roar: **il r. d'una grossa campana**, the boom of a large bell; **il r. dei tuoni**, the rumbling of thunder; **il r. d'una cascata**, the roar of a waterfall.

rimborsàbile a. reimbursable; refundable; repayable; (*riscattabile*) redeemable: **biglietto r.**, refundable ticket; **deposito r.**, repayable deposit; **obbligazione r.** [**non r.**], redeemable [unredeemable] debenture: **r. a richiesta**, repayable at call.

rimborsabilità f. repayability; refundability; redeemability.

rimborsàre v. t. **1** to reimburse; to refund; (*restituire*) to pay* back: **r. un prestito**, to pay back a loan; **r. le spese**, to reimburse expenses; **r. le spese postali**, to refund post-

age; *Agli spettatori fu rimborsato il biglietto*, the spectators had their tickets refunded **2** (*riscattare*) to redeem: **r. un'obbligazione**, to redeem a bond.

rimbórso m. **1** reimbursement; (*restituzione*) repayment, refund: **r. a piè di lista**, reimbursement on presentation of vouchers; **il r. d'un debito**, the repayment of a debt; **il r. delle spese**, the repayment (*o* the reimbursement) of expenses; **r. fiscale**, tax refund **2** (*riscatto*) redemption: **il r. di un'obbligazione**, the redemption of a debenture.

rimboscaménto → **rimboschimento**.

rimboscàre Ⓐ v. t. to reforest; to reafforest Ⓑ **rimboscàrsi** v. i. pron. (*lett.*) to hide* in the woods (again); to take* to the woods (again).

rimboschiménto m. reforestation; reafforestation.

rimboschìre Ⓐ v. t. to reforest; to reafforest Ⓑ v. i. to become* wooded again.

rimbrottàre v. t. to scold.

rimbròtto m. scolding.

rimediàbile a. remediable; repairable: *È cosa r.*, there is a remedy; *Non è più r.*, it's past all remedy; it's beyond recall.

♦**rimediàre** Ⓐ v. i. **1** (*portare rimedio*) to remedy (st.); to put* (st.) right; to rectify (st.); to make* up (for): **r. a un errore**, to remedy (*o* to rectify) a mistake; **r. a un torto**, to right a wrong; **r. al tempo perduto**, to make up for lost time; *Rimedierò io*, I'll put it right; I'll see to it; *Come si rimedia?*, what can we do about it? **2** (*lett.: provvedere*) to see* (to); to take* care (of) Ⓑ v. t. (*fam.*) **1** (*mettere insieme*) to scrape together (*o* up); to get*; to fix: **r. qualche soldo**, to scrape together (*o* up) some money; **r. qualcosa per pranzo**, to fix something for lunch; **r. appena il necessario per vivere**, to scrape a living; **r. l'occorrente**, to get what is needed; *Ho rimediato solo seccature*, all I got in return (*o* for my pains) was trouble **2** (*accomodare alla meglio*) to patch up; to mend; to fix: **r. uno strappo nei pantaloni**, to mend a tear in a pair of trousers ● **rimediarla**, to scrape along.

rimediàto a. scraped together (*o* up); (*alla buona*) make-do, rough and ready.

♦**rimèdio** m. **1** (*medicamento*) remedy; cure; medicine: **un r. contro** (*o* **per**) **il mal di testa**, a remedy for a headache; **r. sovrano**, sovereign remedy; **r. universale** (*o* **per tutti i mali**), cure-all; *Il miglior r. è il riposo*, rest is the best cure **2** (*provvedimento*) remedy; answer; solution; (*via d'uscita*) way out: **un r. contro la disoccupazione**, a remedy for unemployment; **r. temporaneo**, stopgap measure; patch; **porre r. a qc.**, to find a remedy for st.; to put st. right; *Non c'è r.*, there is no way out of it; **trovare un r.**, to find a solution; to find a way out; **senza r.**, (*non più rimediabile*) beyond (*o* past) remedy; (*irreparabile*) irreparable (agg.); (*irrimediabilmente*) irreparably (avv.), beyond recall ● *Il r. è peggiore del male*, the remedy is worse than the disease □ (*prov.*) **A mali estremi, rimedi estremi**, desperate diseases need desperate remedies.

rimeditàre v. t. to reconsider; to think* over; to deliberate again.

rimèma m. (*ling.*) rhyming word; rhyme.

rimembrànza f. (*lett.*) remembrance; recollection; memory: **rimembranze del passato**, memories (*o* remembrances) of the past ● **parco delle rimembranze**, memorial park.

rimembràre v. t., **rimembràrsi** v. i. pron. (*poet.*) to remember; to recollect; to recall.

rimenàre v. t. (*lett.*) **1** (*condurre di nuovo*) to bring* again; to take* again **2** (*condurre*

indietro) to bring* back; to take* back; to lead* back **3** (*rimescolare*) to stir.

rimenàta f. **1** (*rimescolata*) stir **2** (*region.: sgridata*) scolding; lecture; talking-to (*fam.*).

rimeritàre v. t. (*lett.*) to reward; to recompense.

rimescolaménto m. **1** (*il mescolare di nuovo*) mixing again **2** (*il mescolare bene*) mixing; (*il rimestare*) stirring **3** (*di carte da gioco*) shuffling; reshuffle **4** (*fig.: trambusto*) confusion; bustle **5** (*fig.: turbamento*) shock; thrill.

rimescolàre Ⓐ v. t. **1** (*mescolare di nuovo*) to mix again **2** (*mescolare bene*) to mix up; to stir: **r. il risotto**, to stir the risotto **3** (*carte da gioco*) to shuffle; to reshuffle **4** (*rovistare*) to rummage about **5** (*rivangare*) to rake up: **r. questioni vecchie**, to rake up old matters ● (*fig.*) **far r. il sangue**, to make (sb.'s) blood boil □ **sentirsi r. il sangue**, to feel one's blood boil Ⓑ **rimescolàrsi** v. i. pron. **1** (*essere agitato*) to be upset; to be shocked **2** (*mischiarsi a un gruppo*) to mingle; to mix: **rimescolarsi tra la folla**, to mingle with the crowd ● **A quella vista gli si rimescolò il sangue**, (*d'ira*) the sight made his blood boil; (*di paura*) the sight made his blood run cold.

rimescolàta f. **1** stir; mix: **dare una r. alla minestra**, to stir the soup **2** (*alle carte da gioco*) shuffle: **dare una r. alle carte**, to shuffle the cards.

rimescolìo m. **1** continuous stirring **2** (*fig.: trambusto*) confusion; bustle **3** (*fig.: turbamento*) shock; thrill.

rimèssa f. **1** (*il rimettere*) replacing; resetting: (*tecn.*) **r. a zero**, reset; **r. in funzione**, re-starting; **r. in ordine**, tidying-out; (*teatr.*) **r. in scena**, restaging **2** (*sport: giochi di palla*) putting the ball back into play; (*tennis*) return: (*calcio*) **r. dal fondo**, goal kick; **r. laterale**, (*calcio*) throw-in; (*rugby*) line-out; **fare una r. laterale**, to throw the ball in; (*fig.*) **giocare di r.**, to play a defensive game **3** (*sport: scherma*) remise **4** (*riserva*) store; reserve: **fare una buona r. di granturco**, to lay in a good store of corn **5** (*per auto*) garage; (*per carrozze*) coach-house; (*per aeroplani*) hangar; (*per tram, autobus*) depot; (*per barche*) boathouse; (*capannone*) shed **6** (*invio di denaro*) remittance, transfer; (*invio di merce*) consignment, shipment: **r. di fondi**, remittance of funds; **r. telegrafica**, cable transfer; **fare una r. di denaro a q.**, to remit a sum of money to sb. **7** (*comm.: perdita*) loss: **vendere a r.**, to sell at a loss **8** (*bot.: nuovo germoglio*) sprout; shoot.

rimessàggio m. garaging.

rimessióne f. (*leg.*) remittal.

rimessitìccio m. (*agric.*) offshoot; scion.

rimésso Ⓐ a. (*ristabilito in salute*) well again; fit again **2** (*sollevato nel morale*) in better spirits (pred.) Ⓑ m. **1** (*tarsia in legno*) inlay; inlaying: **lavoro di r.**, inlaid work; marquetry **2** (*pitt.*) retouch **3** (*orlo*) hem.

rimestaménto m. **1** stirring up **2** (*fig.*) raking up.

rimestàre v. t. **1** to stir; to mix **2** (*fig.*) to rake up: **r. vecchi rancori**, to rake up old grudges.

rimestatóre m. (f. **-trice**) **1** stirrer **2** (*fig.*) troublemaker.

rimestìo m. continuous stirring.

rimettàggio m. (*ind. tess.*) drawing-in.

♦**riméttere** Ⓐ v. t. **1** (*mettere di nuovo*) to put* again; (*al proprio posto*) to put* back, to replace: **r. qc. a posto**, to put st. back (in its place); to replace st.; **r. un libro nello scaffale**, to put a book back (*o* to replace a book) on the shelf; **r. piede in un luogo**, to set foot in a place again; **r. i sigilli**, to put the seals on again; **r. un vestito nell'armadio**, to put a suit back into the wardrobe; **rimettersi il**

cappotto, to put on one's coat again; *L'hanno rimesso in collegio*, they have put him back in boarding school **2** (*riportare a uno stato precedente*) to put back*; to set*back; to return; to restore: **r. a nuovo**, to renovate; to do up; (*tecn.*) **r. a zero**, to reset; **r. in circolazione**, to put back into circulation; to re-circulate; **r. in ordine**, to tidy up; to put in order; **r. in piedi q.**, to set sb. back on his feet; **r. in sesto un'azienda**, to put a company back on its feet; **r. in uso** (*o* **in funzione**), to bring into use again; to reactivate; **r. in vigore** (*una legge, ecc.*), to revive; to re--enact; to re-implement; to reinstate **3** (*tornare a produrre*) to put* out again: **r. fiori**, to put out flowers again; to blossom again **4** (*demandare*) to refer; to submit; to leave*; (*affidare*) to entrust: **r. un affare al giudizio di q.**, to refer a matter to sb.'s judgment; **r. una questione a un arbitro**, to refer a matter to an arbitrator; **r. una decisione a q.**, to leave a decision to sb. **5** (*condonare, perdonare*) to remit; to forgive*; to pardon: **r. un debito**, to remit a debt; (*nel «Padre nostro»*) *Rimetti a noi i nostri debiti come noi li rimettiamo ai nostri debitori*, forgive us our trespasses as we forgive them that trespass against us; **r. i peccati**, to remit sins **6** (**rimetterci**, *fam.: perdere*) to lose*; (*rovinare*) to ruin: **rimetterci la carriera**, to ruin one's career; **rimetterci la reputazione**, to lose one's reputation; **rimetterci la salute**, to ruin one's health; **rimetterci la vita**, to lose one's life; to get killed; *Ci ho rimesso tre milioni*, I lost three million; *Non ci rimetto niente*, I've got nothing to lose; *Non voglio rimetterci*, I don't want to lose (out) on it **7** (*differire*) to defer; to postpone, to put* off; (*aggiornare*) to adjourn: **r. una causa**, to postpone (*o* to adjourn) a case **8** (*inviare*) to remit; (*consegnare*) to hand, to deliver; (*presentare*) to submit: **r. denaro a q.**, to remit money to sb.; **r. un prigioniero alla giustizia**, to hand a prisoner over to justice; *Vogliate rimetterci l'assegno a stretto giro di posta*, kindly remit us the cheque by return of post **9** (*vomitare*) to vomit; to bring* up; (*assol., anche*) to be sick (*GB*): **r. il pranzo**, to throw up (*o* to bring up) one's meal; *Mi viene da r.*, I feel sick ● **r. a posto lo stomaco**, to settle the stomach □ (*med.*) **r. a posto un osso**, to set a bone □ (*calcio*) **r. in gioco la palla**, (*con le mani*) to throw in; (*dal fondocampo*) to take a goal kick □ **r. in piedi un'associazione**, to revive a club □ **r. mano a qc.**, to take up st. again □ **rimetterci la pelle**, (*morire*) to die; (*essere ucciso*) to be killed, to get killed □ (*fig.*) **rimetterci le penne**, to get one's fingers burnt Ⓑ **rimétters**i. pron. **1** (*mettersi di nuovo*) to put* oneself again; (*ricominciare*) to start again, to go* back: **rimettersi in una posizione difficile**, to put oneself into a difficult situation again; **rimettersi a dormire**, to go back to sleep; **rimettersi al lavoro**, to go back to work; **rimettersi in cammino**, to set out (*o* off) again; **rimettersi nei guai**, to get into more trouble; to be in trouble again **2** (*ristabilirsi*) to recover; to get* over (st.): **rimettersi da una crisi**, to get over a crisis; **rimettersi da uno spavento**, to recover from a shock; **rimettersi in forze** [**in salute**], to recover one's strength [one's health]; (*di una coppia*) **rimettersi insieme**, to get back together again; **rimettersi in sesto**, to recover; (*di ditta, ecc.*) to get on one's feet again **3** (*affidarsi*) to submit (to); to rely (on): **rimettersi all'arbitrato**, to submit to arbitration; **rimettersi alla clemenza della corte**, to throw oneself on the mercy of the court; **rimettersi al giudizio di q.**, to submit to sb.'s judgment; *Mi rimetto alla tua discrezione*, I rely on your discretion **4** (*del tempo*) to clear up: **rimettersi al bello**, to clear up; *Sembra che voglia rimettersi*, it looks like it's clear-

ing up.

rimettitóre m. (f. **-trice**) replacer.

rimettitùra f. **1** replacement; replacing **2** → **rimettaggio**.

rimiràre A v. t. to gaze at; to contemplate B v. i. (*prendere di nuovo la mira*) to aim again (at) C **rimiràrsi** v. rifl. to look at oneself; to contemplate oneself.

rimischiàre v. t. to mix again; to remix; (*carte da gioco*) to reshuffle.

rimisuràre v. t. to measure again; to re-measure.

rimmel ® m. mascara.

rimminchionìre v. i. (*volg.*) to go* soft in the head (*fam.*); (*di anziano*) to go* gaga (*fam.*).

rimminchionìto a. (*volg.*) stupid; foolish; dumb (*fam.*); soft in the head (*fam.*); dopey (*fam.*); (*di anziano*) gaga (*fam.*).

rimodellàre v. t. to remodel; to refashion; to reshape; to remould.

rimodernaménto m. modernization; updating; renovation.

rimodernàre A v. t. to modernize; to update; (*rinnovare, restaurare*) to renovate, to do* up; (*un abito, ecc.*) to remodel: **r. un appartamento**, to renovate (*o* to do up) a flat; **r. le attrezzature**, to update equipment; **r. un cappello**, to remodel a hat B **rimodernàrsi** v. rifl. to bring* oneself up to date; to renovate; to update.

rimodernàta f. superficial renovation.

rimodernatóre A a. modernizing B m. (f. **-trice**) modernizer.

rimodernatùra f. modernization; updating; renovation; (*di vestito, ecc.*) remodelling.

rimónta f. **1** (*sport*) recovery; comeback **2** (*mil. stor.*) remount: **cavallo di r.**, remount **3** (*ind. min.*) slant **4** (*di scarpa*) vamping.

rimontàggio m. **1** (*mecc.*) reassembling; reassemblage **2** (*enologia*) pumping must over grape dregs.

rimontàre A v. t. **1** (*mecc.*) to reassemble: **r. un fucile**, to reassemble a rifle; **r. un orologio**, to reassemble a watch **2** (*recuperare uno svantaggio*) to recover; to catch* up; (*di squadra*) to pull (the game) back **3** (*risalire un fiume*) to sail up: **r. la corrente**, to sail upstream; **r. il Po**, to sail up the Po; **r. un promontorio**, to double (*o* to round) a headland **4** (*calzoleria*) to revamp **5** (*mil.*) to remount B v. i. **1** (*salire di nuovo*) to remount (st.); to get* on again; to go* up again; to climb back: **r. a cavallo**, to remount one's horse; to get back in the saddle; **r. in macchina**, to get (*o* to climb) back into the car; **r. in sella**, to remount; **r. sulla bicicletta**, to get on one's bicycle again **2** (*fig.*) to date back; to go* back: *Le origini di questa usanza rimontano al Medio Evo*, this practice goes back to the Middle Ages **3** (*in una classifica*) to recover; to pull back; to move up the results list (*di disco, ecc.* the charts).

rimontatùra f. (*mecc.*) reassemblage.

rimorchiàre v. t. **1** (*anche naut.*) to tow; to have in tow; to take* in tow: **r. un'automobile**, to tow a car; **r. una barca**, to tow a boat; (*naut.*) **r. di fianco [di poppa]**, to tow alongside [astern]; (*naut.*) **r. in porto**, to tow into port; **essere rimorchiato**, to be on tow; **farsi r.**, to be towed; (*naut.*) to take a tow **2** (*fig.*: *trascinarsi dietro*) to have in tow; to drag along: *Si rimorchia sempre dietro la figlia*, he always has his daughter in tow **3** (*fig. fam.*: *fare un approccio a*) to pick up; to pull: **r. una ragazza**, to pick up a girl.

rimorchiatóre A m. **1** (*naut.*) tow, tow-boat; tug, tug-boat: **r. d'alto mare**, ocean-going tug **2** (*aeron.*) tug; towing aircraft B a. towing; tug (attr.); tow (attr.).

rimòrchio m. **1** (*il rimorchiare, l'essere rimorchiato*) tow; towing; towage: **andare (*o* essere) a r.**, to be towed; to be on tow; (*fig.*) to be in tow; (*anche fig.*) **avere a r.**, to have in tow; **prendere a r.**, to take in tow; to tow; **cavo da (*o* di) r.**, towline; towing line; tow rope; **gancio per r.**, towing bracket; **operazioni di r.**, towage operations; **spese di r.**, towage **2** (*veicolo rimorchiato*) trailer: **camion con r.**, lorry (USA truck) with trailer **3** (*naut.*: *cavo*) towing cable; towing hawser; towing line; tow rope.

rimòrdere v. t. **1** (*mordere di nuovo*) to bite* again **2** (*mordere a propria volta*) to bite* back **3** (*fig.*) to prick; to bother: *Mi rimordeva la coscienza*, my conscience was pricking (*o* bothering) me; I was conscience-stricken.

rimòrso m. remorse ⑩; (*lieve*) compunction (USA); (*senso di colpa*) guilt; (*rammarico*) regret: **avere (*o* provare) r.**, to feel remorse; to be conscience-stricken; to feel guilty (about st.); *Ho r. per quel che ho fatto*, I feel remorse for (*o* I regret) what I did; *Non ha rimorsi*, she feels no remorse; **essere preso da rimorsi**, to be conscience-stricken; **pieno di r.**, filled with remorse; remorseful; **senza rimorsi**, without remorse; remorseless (agg.); **il pungolo del r.**, the prick of remorse.

rimòsso A a. **1** removed **2** (*psic.*) repressed B m. (*psic.*) repressed experiences (pl.); repressed content.

rimostrànza f. remonstrance; protest; complaint: **fare le proprie rimostranze a q.**, to remonstrate with sb.

rimostràre A v. t. (*mostrare di nuovo*) to show* again B v. i. (*fare rimostranze*) to remonstrate (with sb. about st.); to protest (to sb. about st.); to complain (to sb. about st.).

rimovìbile a. removable; (*superabile*) surmountable; (*licenziabile*) dismissable: **ostacolo r.**, surmountable obstacle.

rimozióne f. **1** (*il rimuovere*) removal; removing; clearing; clearance: **r. dei detriti**, clearance of rubble; **la r. d'un dubbio** [**d'un ostacolo**], the removal of a doubt [of a hindrance]; **r. dei rifiuti**, waste removal; (*fig.*) **r. dei sigilli**, removal of seals; **la r. d'una statua**, the removal of a statue; (*autom.*) **r. forzata**, forced removal; (*autom.*) **zona di r. forzata**, towaway zone **2** (*destituzione*) removal; dismissal; (*anche mil.*) discharge **3** (*psic.*) repression.

rimpacchettàre v. t. to repackage.

rimpadronìrsi v. i. pron. to seize (st.) again; to take* possession again.

rimpaginàre v. t. (*tipogr.*) to make* up again.

rimpaginatùra, **rimpaginazióne** f. (*tipogr.*) new make-up.

rimpagliàre v. t. **1** to cover with straw again; (*una sedia, ecc.*) to bottom again with woven straw **2** (*imbottire*) to re-stuff with straw.

rimpagliatóre m. (f. **-trice**) mender of straw chair-seats.

rimpagliatùra f. **1** (*il rimpagliare sedie, ecc.*) mending of straw chair-seats; (*fondo rimpagliato*) new woven straw seat **2** (*l'imbottire*) re-stuffing with straw; (*nuova imbottitura*) new straw stuffing.

rimpallàre v. i. **1** (*calcio e sim.*) to rebound; to bounce back **2** (*biliardo*) to cannon.

rimpàllo m. **1** (*calcio e sim.*) rebound; bounce back **2** (*biliardo*) cannon.

rimpannucciàre A v. t. **1** to dress in new clothes **2** (*fig.*) to improve (sb.'s) financial situation B **rimpannucciàrsi** v. rifl. (*fig.*) to improve one's financial situation; to feather one's nest.

rimpastàre v. t. **1** (*impastare di nuovo*) to knead again **2** (*fig.*: *riorganizzare*) to reshuffle: **r. il governo**, to reshuffle the government **3** (*fig.*: *rimaneggiare*) to rework; to recast*; (*spreg.*) to rehash.

rimpàsto m. **1** (*l'impastare di nuovo*) kneading again **2** (*fig.*: *riorganizzazione*) reshuffling; reshuffle: **r. governativo**, government reshuffle **3** (*cosa rimpastata*) mixture **4** (*fig.*: *rimaneggiamento*) reworking; recast; rehash.

rimpatriàre A v. i. to go* home; to return to one's own country B v. t. to repatriate.

rimpatriàta f. (*fam.*) get-together.

rimpàtrio m. repatriation: **ottenere il r.**, to be repatriated.

rimpellàre v. t. (*edil.*) to gallet; to garret.

rimpètto A avv. opposite B (*di*) rimpèt-to a, a rimpètto di loc. prep. **1** (*di fronte a*) opposite; facing: *Abitavano r. a noi*, they lived in the house opposite ours; they lived across the road from us **2** (*in confronto a*) in comparison with.

rimpiàngere v. t. **1** (*ripensare con dispiacere*) to regret: **r. un'occasione perduta**, to regret a lost opportunity; *Rimpiangeva di essere partito*, he regretted having left; he wished he had not left **2** (*rammentare con nostalgia*) to look back with nostalgia on; (*piangere*) to mourn for; (*sentire la mancanza di*) to miss: **r. il passato**, to look back with nostalgia on the past; **r. la felicità perduta**, to mourn for one's lost happiness; *Rimpiango la mia vecchia casa*, I miss my old home; *Mi rimpiangerai!*, you'll miss me!

rimpiànto A a. regretted; (*di defunto*) late lamented B m. regret; (*nostalgia*) nostalgia: *Ho il r. di non averlo mai conosciuto di persona*, I regret never having met him; **provare un vivo r. per quel tempo felice**, to feel a sharp nostalgia for those happy days; *Non ho rimpianti*, I have no regrets.

rimpiattàre A v. t. to hide*; to conceal B **rimpiattàrsi** v. rifl. to hide*; to conceal oneself; (*acquattarsi*) to crouch: **rimpiattarsi dietro a una siepe**, to hide behind a hedge.

rimpiattàto a. hidden; in hiding; (*acquattato*) crouching.

rimpiattìno m. hide-and-seek: **fare (*o* giocare) a r.**, to play hide-and-seek.

rimpiazzàre v. t. **1** to replace; to substitute; to find* a replacement for: (*sport*) **r. un giocatore**, to replace a player; **r. un impiegato**, to find a replacement for an employee **2** (*fare le veci*) to take* (sb.'s) place; to fill in for: *Lo rimpiazzerò durante la sua assenza*, I'll take his place (*o* I'll fill in for him) during his absence; **farsi r.**, to get a substitute.

rimpiàzzo m. **1** (*sostituzione*) replacement; substitution: **merce di r.**, replacement goods **2** (*persona o cosa che rimpiazza*) replacement; (*sostituto*) substitute; (*sport*) stand-in; (*vice*) deputy, substitute.

rimpiccioliménto m. reduction in size; (*restringimento*) shrinking, shrinkage.

rimpicciolìre A v. t. to make* smaller; to reduce in size; (*ridurre*) to pare down; (*restringere*) to shrink*; (*far apparire più piccolo*) to make* (st.) look smaller, (*sovrastando*) to dwarf B v. i. e **rimpicciolìrsi** v. i. pron. to get* smaller; to be reduced in size; (*restringersi*) to shrink*.

rimpiegàre e *deriv.* → **reimpiegare**, e *deriv.*

rimpigrìre A v. t. to make* lazier B v. i. e **rimpigrìrsi** v. i. pron. to grow* (*o* to get*) lazier.

rimpinguàre A v. t. **1** to fatten **2** (*riempire*) to fill; to enrich: **r. le casse dello Stato**, to fill the coffers of the state **3** (*fig.*: *un testo*) to stuff; to pad B **rimpinguàrsi** v. i. pron.

1 to fatten up **2** (*riempirsi*) to be filled up; to be enriched **3** (*arricchirsi*) to become* rich.

rimpinzaménto m. stuffing; gorging.

rimpinzàre Ⓐ v. t. to fill; to stuff; to gorge: **r. lo stomaco**, to fill up one's stomach; **r. un ospite**, to stuff a guest Ⓑ **rimpinzàrsi** v. i. pron. to stuff oneself (with); to gorge (on); to gorge oneself (with); to pig out (on) (*slang, USA*): **rimpinzarsi di pane**, to stuff oneself with bread.

rimpinzàta f. food binge (*fam.*); blow-out (*slang*).

rimpolpàre Ⓐ v. t. **1** (*ingrassare*) to fill out **2** (*fig.: accrescere*) to flesh out; to fill out: **r. un articolo**, to flesh out an article **3** (*fig.: arricchire*) to enrich Ⓑ **rimpolpàrsi** v. i. pron. **1** (*ingrassare*) to fill out; to fill out **2** (*fig.: arricchire*) to become* rich; to feather one's nest.

rimpossessàrsi v. i. pron. to take* possession (of st.) again.

rimproveràbile a. reproachable; reprovable; censurable; blameworthy.

♦**rimproveràre** Ⓐ v. t. **1** (*redarguire*) to reproach; (*ufficialmente*) to reprimand, to rebuke, to take* to task, to tell* off (*fam.*), to tick off (*fam.*); (*sgridare*) to scold: *Il commesso fu rimproverato per essere stato villano con un cliente*, the assistant was reprimanded (*fam.* was ticked off) for being rude to a customer; *La mamma l'ha rimproverato per aver rotto il vaso*, his mother scolded him for breaking the vase; *Non per rimproverarti, ma cerca di essere più puntuale*, I don't mean it as a reproach, but try and be more punctual **2** (*rinfacciare*) to blame (sb. with st.); (*accusare*) to accuse (sb. of st.): **r. un errore a q.**, to blame sb. for a mistake; *Gli si rimprovera un'eccessiva cautela*, they blame him for being overcautious; *Non devi r. me, io non c'entro*, don't blame me, I've got nothing to do with it Ⓑ **rimproveràrsi** v. rifl. to reproach oneself (with, for); to blame oneself (for); (*rammaricarsi*) to regret (st., doing st.): *Si rimprovera dell'incidente*, he blames himself for the accident; *Non ho nulla di cui rimproverarmi*, I have nothing to reproach myself with; *Mi rimprovero di non averlo aiutato*, I am sorry I didn't help him; I regret not having helped him.

♦**rimpròvero** m. reproach; (*ufficiale*) reprimand, rebuke, telling-off (*fam.*); ticking-off (*fam.*); (*sgridata*) scolding: **muto r.**, silent reproach; **beccarsi un r.**, to be told off; **muovere un r. a q.**, to reproach sb.; **ricevere un severo r. da q.**, to be severely reprimanded by sb.; **sguardo di r.**, look of reproach; reproachful look.

rimuginàre v. t. e i. (*meditare*) to ponder (over); to mull (over); (*continuare a pensare*) to turn (st.) over and over in one's mind, to ruminate (on), to brood (on *o* over): **r. un progetto**, to mull over a plan; **r. sempre le stesse cose**, to turn the same things over and over in one's mind; **r. su una frase**, to ponder (*o* to mull) over a sentence; *Chissà che cosa sta rimuginando*, I wonder what she's thinking of (*o* meditating); *È acqua passata, smettila di rimuginarci su!*, stop brooding over it, it's water under the bridge!

rimuneràre v. t. **1** (*ricompensare*) to recompense; to reward; to repay* **2** (*pagare*) to pay*; to remunerate; to compensate: *L'ho rimunerato bene per il suo lavoro*, I've paid him well for what he did **3** (*assol.: rendere*) to yield profit; to be profitable; to pay* (well): **un lavoro che non rimunera**, a job that doesn't pay.

rimuneratività f. profitability; remunerativeness: **un investimento di sicura r.**, a profitable investment.

rimunerativo a. **1** remunerative; profitable; fruitful; lucrative; paying: **attività rimunerativa**, lucrative business; **investimento r.**, profitable investment; **lavoro r.**, remunerative (*o* well-paid) job; **non r.**, uneconomic; unprofitable **2** (*fig.: gratificante*) rewarding.

rimunerazióne f. **1** (*ricompensa*) recompense; reward **2** (*pagamento*) remuneration; payment; (*paga*) pay.

rimuòvere Ⓐ v. t. **1** (*togliere, spostare*) to take* off; to remove; (*sgombrare*) to clear away: **r. un coperchio**, to take off a lid; **r. le macerie**, to clear away the rubble; (*leg.*) **r. i sigilli**, to break the seals **2** (*fig.: eliminare*) to remove; to eliminate: **r. ogni dubbio**, to remove all doubts; **r. un ostacolo**, to eliminate an obstacle **3** (*dissuadere*) to dissuade; to deter: **r. q. dal suo proposito**, to deter sb. from his resolution **4** (*licenziare*) to remove; to dismiss; to discharge: *Fu rimosso dal suo posto*, he was removed from his position **5** (*psic.*) to repress Ⓑ **rimuòversi** v. i. pron. to move; to budge (in frasi neg.).

RINA abbr. (**Registro italiano navale**) Italian Shipping Registry.

Rinàldo m. Reginald; Ronald; (*letter.*) Renault, Rinaldo.

rinarràre v. t. to retell*; to tell* again.

rinascènte a. renascent; reviving; resurgent.

rinascènza f. **1** (*lett.*) renascence; revival; resurgence; rebirth **2** → **rinascimento**.

rinàscere v. i. **1** (*nascere di nuovo*) to be born again **2** (*germogliare, crescere di nuovo*) to grow* again; to resprout; to spring* up again: *L'erba comincia a r.*, the grass is beginning to grow again; *La pianta rinacque*, the plant sprang up again **3** (*fig.: rivivere, risorgere*) to return to life; to revive; to sprout anew; to resurge: *Ci rinacquero le speranze*, our hopes revived; **sentir r. in sé le forze**, to feel one's strength flowing back (*o* returning); *Si sentì r. dentro l'entusiasmo*, he felt his former enthusiasm sprout anew; **sentirsi r.**, to feel revived; to feel another man [woman]; *Rinascono antiche tradizioni*, old traditions are being revived; there is a revival of old traditions **4** (*del sole*) to rise* again.

rinascimentàle a. (*stor.*) Renaissance (attr.); of the Renaissance: **l'arte r.**, Renaissance art.

rinasciménto Ⓐ m. **1** (*il rinascere*) renaissance; revival: **r. delle arti**, a revival of the arts **2** (*stor.*) Renaissance; Renascence: **il R. italiano**, the Italian Renaissance; **l'architettura del R.**, Renaissance architecture Ⓐ a. inv. Renaissance (attr.): **mobili (stile) r.**, Renaissance furniture.

rinàscita f. **1** rebirth **2** (*fig.*) revival; rebirth; regeneration; renaissance; renascence; renewal; (*ripresa*) recovery: **la r. delle arti**, the revival of arts; **una r. dell'interesse per il balletto**, a renewed interest in ballet; **la r. morale di un paese**, the moral regeneration of a country **3** (*lett.: Rinascimento*) Renaissance.

rinàto a. **1** reborn; born again **2** (*fig.*) renewed; renascent; revived: **un r. interesse per qc.**, a renewed interest in st.; **sentirsi r.**, to feel another man [woman].

rincagnàto a. pug (attr.): **naso r.**, pug nose; **col** (*o* **dal**) **naso r.**, pug-nosed.

rincalcàre v. t. (*fam.*) to press down; to pull down: *Gli rincalcai il cappello fin sugli orecchi*, I pulled his hat down over his ears.

rincalcaménto m. → **rincalzatura**.

rincalzàre v. t. **1** (*agric.*) to earth up: **r. una pianta**, to earth up a plant **2** (*fermare con rinforzi, assicurare alla base*) to prop (up); to buttress; (*con una zeppa*) to wedge: **r. un palo con sassi**, to prop a stake with stones; **r. un tavolo**, to put a wedge under the leg of a table **3** (*lenzuola, coperte*) to tuck: **r. un lenzuolo**, to tuck a bedsheet under a mattress; **r. il letto** (*o* **le coperte**) **a q.**, to tuck sb. up in bed.

rincalzàta f. **1** (*agric.*) earthing up: **dare una r. a una pianta**, to earth up a plant **2** (*rimboccata*) tucking: **dare una r. alle coperte**, to tuck the blankets under the mattress; (*quando q. è nel letto*) to tuck sb. in (*o* up).

rincalzatóre m. (*agric.*) ridger.

rincalzatùra f. **1** (*agric.*) earthing up **2** (*il fermare con rinforzi*) propping up; (*con una zeppa*) wedging.

rincàlzo m. **1** (*supporto*) prop; (*zeppa*) wedge, chock **2** (*rinforzo, aiuto*) support; aid; reinforcement: **di** (*o* **come**) **r. a**, in support of; (*mil.*) **truppe di r.**, reserves; reinforcements **3** (*sport*) reserve.

rincamminàrsi v. i. pron. to set* out again; to resume one's way.

rincanalàre v. t. to channel back.

rincantucciàre Ⓐ v. t. to drive* (*o* to put*) into a corner Ⓑ **rincantucciàrsi** v. rifl. to huddle (in a corner); to sneak (into a corner).

rincappàre v. i. **1** (*reincontrare*) to run* (into st.) again; to come* across (st.) again **2** (*ricadere*) to fall* (into st.) again: **r. in un errore**, to fall into the same mistake again.

rincaràre Ⓐ v. t. **1** to raise the price of; to put* up: **r. i prezzi**, to put up prices; **r. gli affitti**, to put up the rents **2** (*fig.: ribattere*) to add; to chime in: «*E poi sei sempre in ritardo!*» *rincarò la moglie*, «And you are always late» chimed in his wife ● (*fig.*) **r. la dose**, to add to st. Ⓑ v. i. to become* more expensive; to go* up; to rise* (in price): *La benzina rincarerà di 10 centesimi*, petrol will go up by 10 cents; *I prezzi rincarano*, prices are going up (*o* rising).

rincarceràre v. t. to reimprison; to send* back to prison.

rincarnàre e *deriv.* → **reincarnare**, e *deriv.*

rincàro m. rise in prices; price rise; increase: **il r. degli affitti**, rent rise; **un r. del costo della benzina**, a rise in the price of petrol; **il r. dei prezzi**, the increase in prices; **il r. della vita**, the rising cost of living.

rincasàre v. i. to go* home; to come* home; to get* home: *È ora di r.*, it's time to go home; *Rincasò più tardi del solito*, he got home later than usual; *Rincasando, passò dal panettiere*, on her way home she called in at the baker's.

rincatenàre v. t. to chain up again.

rinchiodàre v. t. to nail down again.

rinchite m. (*zool.*, *Rhynchites*) snout-beetle.

♦**rinchiùdere** Ⓐ v. t. to shut* up; (*a chiave*) to lock up (*o* in); (*segregare*) to confine: **r. i gioielli nella cassaforte**, to lock up one's jewels in the safe; **r. q. in una stanza**, to lock sb. up in a room; **r. il gatto in cucina**, to shut up the cat in the kitchen; **r. q. in manicomio**, to shut sb. up in a mental home; to lock sb. up (*fam.*); **r. in gabbia**, to cage; (*fam.*) *Sei da r.!*, you're completely off your head! Ⓑ **rinchiùdersi** v. rifl. to shut* oneself up; to lock oneself in; (*ritirarsi*) to withdraw*: **rinchiudersi nello studio**, to shut oneself up in one's study; **rinchiudersi in convento**, to withdraw to a monastery **2** (*fig.*) to withdraw*; to retire: **rinchiudersi in sé stesso**, to withdraw into oneself.

rinchiùso Ⓐ a. **1** shut up (*o* in); locked up (*o* in) **2** (*di aria*) stale; stuffy Ⓑ m. (*spazio chiuso*) enclosed place; enclosure; (*recinto*) enclosure, pen ● **odore di r.**, musty smell; stuffiness □ **sapere di r.**, to smell musty; to be stuffy: **una stanza che sa di r.**, a stuffy room.

rincitrullìre Ⓐ v. t. to stultify; to addle

(sb.'s) brain **B** v. i. e **rincitrullìrsi** v. i. **pron.** to grow* stupid; to grow* soft in the head (*fam.*); (*di anziano*) to grow gaga (*fam.*).

rincitrullìto a. **1** (*istupidito, intontito*) stupefied; groggy; punch-drunk (*fam.*); dopey (*fam.*) **2** (*rincretinito*) stultified; foolish; brainless; soft in the head (*fam.*); (*di anziano*) gaga (pred.).

rincivilimènto m. civilizing; refinement.

rincivilìre **A** v. t. to civilize; to refine **B** **rincivilìrsi** v. i. pron. to become* civilized; to become* refined.

rincocèfalo m. (*zool.*) rhyncocephalian; (al pl., *scient.*) Rhyncocephalia.

rincòforo m. (*zool.*) snout beetle; (al pl., *scient.*) Rhyncophora.

rincoglionìre **A** v. t. (*volg.*) to fuck up (sb.'s) brain (*volg.*); to fuck up (*sfibrare*) to knock out: *Il caldo mi rincoglionisce*, heat knocks me out **B** v. i. e **rincoglionìrsi** v. i. pron. (*volg.*) to grow* soft in the head (*fam.*); to be fucked up (*volg.*); (*di anziano*) to go* gaga (*fam.*).

rincoglionìto **A** a. (*volg.*) **1** (*intontito*) dopey (*fam.*); punch-drunk (*fam.*); fucked-up (*volg.*) **2** (*rincretinito*) stupid; dumb-assed (*volg.*); fucked-up (*volg.*); (*di persona anziana*) gaga (pred.) (*fam.*) **B** m. (f. **-a**) (*volg.*) asshole (*volg.*); dickhead (*volg.*).

rincollàre v. t. to glue (o to paste) together again; to stick together again; to paste (o to glue) on again: **r. due pezzetti di legno**, to glue two pieces of wood together again (o back together); **r. una foto in un album**, to paste a photo back in an album.

rincòllo m. blockage; stagnation.

rincominciàre → **ricominciare**.

rincontràre v. t. to meet* again; to run* into again; to re-encounter: *Ci rincontrammo diverse altre volte*, we met again several times; *Lo rincontrai per caso in biblioteca*, I ran into him again in the library.

rincóntro **A** m. meeting **B** (*di*) r. a loc. **prep.** in front of; opposite.

rincoraggiàre v. t. to encourage (again).

rincoràre, **rincoràrsi** → **rincuorare**, **rincuorarsi**.

rincorporàre v. t. to reincorporate.

♦**rincórrere** **A** v. t. to run* after; to go* after; to chase; to chase after; to pursue; (*fig.*) to chase, to pursue: **r. un ladro**, to run after a thief; **r. la fama**, to pursue fame; **r. il successo**, to chase success; *Mi rincorse per darmi il resto*, he ran (o chased) after me to give me the change; *Il cane rincorreva una gallina*, the dog was chasing a hen **B** **rincórrersi** v. rifl. recipr. to run* after each other [one another]; to chase each other [one another] ● **fare** (o **giocare**) **a rincorrersi**, to play tag (o tig).

rincórsa f. run; run-up: **prendere la r.**, to take a run-up; **saltare prendendo** (o **con**) **la r.**, to do a running jump; **saltare senza r.**, to do a standing jump; **di r.**, at a run.

rincospèrmo m. (*bot.*, *Trachelospermum iasminoides*) star jasmine.

rincospòra f. (*bot.*, *Rhyncospora*) Rhyncospora.

♦**rincréscere** v. i. to be sorry (pers.); to regret (pers.); (*anche nelle formule di cortesia*) to mind (pers.): *Mi rincresce di non poter venire*, I am sorry I cannot come; I regret being unable to come (o that I cannot come) (*form.*); *Mi rincresce che tu non possa andare*, I am sorry you cannot go; *Mi rincresce molto*, I am very sorry (about it); I deeply regret it; *Gli rincrebbe di dover lasciare quella città*, he was sorry to have to leave that town; *Non mi rincrebbe che lei non ci fosse*, I didn't mind her not being there; *Se non ti rincresce*, if you don't mind.

rincresciménto m. regret: **esprimere il proprio r.**, to express one's regret; **provare r. per qc.**, to feel sorry for st.; **con mio grande r.**, much to my regret.

rincresciùto a. sorry; regretful.

rincretinimènto m. stultification; getting soft in the head (*fam.*).

rincretinìre **A** v. t. to addle (sb.'s) brain; to turn into a moron; to numb the mind; (*di rumore, ecc.*) to drive* (sb.) crazy; (*del caldo, ecc.*) to knock out: **r. q. di chiacchiere**, to bash (o to bang) sb.'s ears (*fam.*) **B** v. i. to grow* stupid; to turn into a moron; to grow* soft in the head (*fam.*); (*di anziano*) to go* gaga (*fam.*).

rincretinìto a. stupid; imbecile; dopey (*fam.*); soft in the head (*fam.*); (*di anziano*) gaga (pred.).

rincrudimènto m. aggravation; worsening: **il r. d'un male**, the aggravation (o worsening) of an illness; **un r. del tempo**, a worsening of the weather.

rincrudìre **A** v. t. to aggravate; to make* worse; to worsen **B** v. i. e **rincrudìrsi** v. i. pron. to get* worse; to worsen.

rinculàre v. i. **1** (*indietreggiare*) to recoil; to back away; to step back **2** (*d'arma da fuoco*) to recoil; to kick.

rinculàta f. **1** recoiling; stepping back **2** (*d'arma da fuoco*) recoiling; kicking.

rincùlo m. (*d'arma da fuoco*) recoil; kick.

rincuoràre **A** v. t. to encourage; (*confortare*) to comfort, to cheer up **B** **rincuoràrsi** v. i. pron. (*riprendere animo*) to take* heart, to feel* encouraged; (*riconfortarsi*) to cheer up, to buck up.

rincupìre **A** v. t. **1** to make* darker; to darken **2** (*fig.*) to darken; to trouble; to cast* a gloom over **B** v. i. e **rincupìrsi** v. i. pron. **1** to grow* (o to get*) darker; to cloud over; to darken: *Tutt'a un tratto il cielo rincupì*, it suddenly got darker; the sky suddenly clouded over **2** (*fig.*) to darken; to cloud over; to become* gloomy; to grow* troubled: *Il suo volto rincupì*, his face darkened (o clouded over).

rincurvàre **A** v. t. to bend* again **B** **rincurvàrsi** v. i. pron. **1** to bend* again **2** to bend* over.

rindurìre v. t. e i., **rindurìrsi** v. i. pron. to harden (again).

rinegoziàbile a. renegotiable.

rinegoziabilità f. renegotiability.

rinegoziàre v. t. to renegotiate.

rinencèfalo m. (*anat.*) rhinencephalon*.

rinfacciamènto m. reproach; accusation.

rinfacciàre v. t. **1** (*rimproverare*) to throw* (st.) back in (sb.'s) face; to reproach (sb.) with; to accuse (sb.) of: **r. una vecchia colpa a q.**, to throw an old fault back in sb.'s face; *Gli rinfacciai la sua debolezza*, I reproached him with his weakness; I accused him of being weak **2** (*ricordare con risentimento*) to remind; to bring* up; to rub in: *Mi rinfaccia sempre tutto quello che ha fatto per me*, she keeps bringing up (o she's always reminding me, she keeps rubbing in) all the things she did for me.

rinfagottàre **A** v. t. **1** (*riavvolgere in un fagotto*) to bundle up **2** (*imbacuccare*) to wrap up; to muffle up **B** **rinfagottàrsi** v. i. pron. to muffle oneself up; (*assol.*) to wear* shapeless clothes.

rinfarinàre v. t. (*cucina*) to cover in flour again.

rinfervoràre **A** v. t. to reanimate; to enliven again **B** **rinfervoràrsi** v. i. pron. to become* animated (again); to warm up again; to rouse again.

rinfiammàre **A** v. t. **1** to rekindle **2** (*fig.*) to inflame again; to rekindle; to stir up

again **B** **rinfiammàrsi** v. i. pron. **1** to take* (o to catch*) fire again **2** (*fig.*) to become* (o to get*) inflamed again; to flare up again.

rinfiancàre v. t. (*anche fig.*) to back; to support; to buttress; to prop: **r. un'accusa con nuove prove**, to support a charge with new evidence; **r. un'ipotesi**, to support a hypothesis.

rinfiànco m. **1** (*sostegno, anche fig.*) support; prop **2** (*edil.*) spandrel.

rinfierìre v. i. **1** (*infierire di nuovo*) to rage again **2** (*diventare più forte*) to become* stronger; to worsen.

rinfilàre v. t. **1** (*infilare di nuovo*) to re-thread: **r. l'ago**, to rethread the needle **2** (*reintrodurre*) to insert again; to put back in; to push back in; to slip back in; to slide* back in: *Rinfilò la mano in tasca*, he slipped his hand back into his pocket.

rinfittìre v. i., **rinfittìrsi** v. i. pron. to thicken; to grow* (o to get*) thicker.

rinfocolamènto m. rekindling.

rinfocolàre **A** v. t. (*fig.*) to rekindle; to stir up; to pour fuel on: **r. vecchi rancori**, to stir up old grudges **B** **rinfocolàrsi** v. i. pron. to be rekindled; to be stirred up; to flare up.

rinfoderàre v. t. to sheathe: **r. la spada**, to sheathe one's sword; **r. gli artigli**, to draw in (the) claws.

rinfornàre v. t. to put* back into the oven.

rinfornàta f. (*anche fig.*) new batch.

rinforzàbile a. reinforceable.

rinforzamènto m. strengthening; reinforcement.

rinforzàndo m. inv. (*mus.*) rinforzando.

rinforzàre **A** v. t. **1** (*ridare forza*) to strengthen; to make* stronger; to give* strength to: **r. i muscoli**, to strengthen the muscles; *Questa medicina ti rinforzerà*, this medicine will make you stronger **2** (*rendere più saldo*) to reinforce; to strengthen; to consolidate; to toughen; to stiffen; (*edil.*) to back, to stiffen; (*puntellare*) to prop up, to shore up: **r. i gomiti di una giacca**, to reinforce the elbows of a jacket; **r. un muro**, to back a wall; **r. lo schienale di una sedia**, to reinforce the back of a chair **3** (*avvalorare, corroborare*) to strengthen; to reinforce; to bolster; to shore up; to corroborate; to support: **r. un'opinione**, to strengthen a conviction **4** (*mil.*) to reinforce; to strengthen: **r. un esercito**, to reinforce an army **B** v. i. to become* (o to get*) stronger; (*del vento*) to blow* up, to freshen; (*del mare*) to rise* **C** **rinforzàrsi** v. i pron. to strengthen; to become* stronger.

rinforzàto a. **1** reinforced; strengthened; stiffened **2** (*edil.*) reinforced; backed; (*puntellato*) propped up.

rinfòrzo m. **1** (*il rinforzare*) reinforcement; strengthening; stiffening **2** (*cosa che irrobustisce*) reinforcement; stiffener; backing: **mettere un r. ai tacchi**, to reinforce the heels **3** (*sostegno*) support; prop; stay; buttress **4** (*edil.*) reinforcement; backing; brace; prop: **nervatura di r.**, stiffening rib **5** (*fig.*: *appoggio, aiuto*) support; help; aid: **venire in r. di q.**, to come to sb.'s aid; to back sb. up **6** (*fig.*: *conferma*) support; confirmation; corroboration **7** (*mil.*) reinforcements (pl.): **chiedere rinforzi**, to ask for reinforcements; **truppe di r.**, reinforcement troops **8** (*psic.*) reinforcement.

rinfrancàre **A** v. t. to reassure; to give* new confidence to; to encourage; to buoy; to cheer up: *Quelle parole mi rinfrancarono*, those words reassured me (o cheered me up) **B** **rinfrancàrsi** v. i. pron. to be reassured; to feel* more confident; to get* back one's courage; to take* heart again; to be

buoyed; to cheer up.

rinfrescànte A a. refreshing; cooling: **bevanda r.**, refreshing (o cooling) drink B m. (*fam.*) mild laxative.

♦**rinfrescàre** A v. t. **1** (*rendere fresco*) to refresh; to freshen; to cool: *La pioggia ha rinfrescato l'aria*, the rain has cooled the air; **r. una stanza**, to cool the air in a room; **r. l'aria in una stanza**, to change the air in a room; **una bibita che rinfresca**, a cooling drink **2** (*med., fam.*) to give (sb.) a mild laxative; to act as a mild laxative **3** (*fig.*: *ritoccare, rinnovare*) to freshen up; to renovate; (*ravvivare*) to brighten up; (*ridipingere*) to paint, to do* up (*fam.*): **r. un vestito vecchio**, to renovate an old dress; **r. i colori di un quadro**, to brighten up the colours of a painting; *Voglio far r. la sala da pranzo*, I want to do up the dining room **4** (*fig.*: *ripassare*) to brush up: *Devo r. il mio francese*, I must brush up my French • **r. la memoria a q.**, to refresh sb.'s memory B v. i. (*del tempo*) to cool, to get* cool (o cooler); (*del vento*) to freshen: *L'aria rinfresca*, the air is getting cooler C **rinfrescàrsi** v. rifl. **1** (*ristorarsi*) to refresh oneself; to take* refreshment: **rinfrescarsi con un tè ghiacciato**, to refresh oneself with some iced tea **2** (*lavarsi*) to freshen up.

rinfrescàta f. **1** (*del tempo*) cooling, cooler weather; (*del vento*) freshening: *È venuta una bella r.*, the weather has got much cooler **2** (*fam.: lavata*) freshening-up: **darsi una r.**, to freshen up **3** (*fig.*: *imbiancatura*) coat of paint; painting: **dare una r. alle pareti**, to paint (o, *fam.*, to do up) a room **4** (*fig.*: *ripassata*) brushing up; brush-up: *Devo dare una r. al mio tedesco*, I must brush up my German • **Non ti ricordi? Ti darò io una r.**, don't you remember? I'll refreshen your memory.

rinfrésco m. **1** refreshments (pl.); buffet **2** (*ricevimento*) (cocktail) party; reception.

rinfronzolire A v. t. to decorate with frills; to doll up B **rinfronzolìrsi** v. rifl. to doll oneself up.

rinfùsa f. **1 – alla r.**, haphazardly; higgledy-piggledy; anyhow; (*naut.*) in bulk; **merci alla r.**, bulk goods **2** (al pl.) bulk goods; (*naut.*) bulk cargo: **rinfuse liquide**, liquid bulk cargo.

ring (*ingl.*) m. inv. **1** (*sport*) (boxing) ring: **salire sul r.**, to go into the ring; **campione del r.**, boxing champion **2** (*econ.*) ring **3** (*ind. tess.*) ring-frame.

ringagliardiménto m. reinvigoration; strengthening.

ringagliardire A v. t. to reinvigorate; to brace B v. i. e **ringagliardìrsi** v. i. pron. to become* more vigorous; to become* stronger.

ringalluzzìre A v. t. to embolden; to make* cocky (*fam.*) B v. i. e **ringalluzzìrsi** v. i. pron. to grow* bolder; to get* cocky (*fam.*).

ringalluzzìto a. made bold (pred.); cocky (*fam.*).

ringentilìre A v. t. to refine; to soften; to tame B **ringentilìrsi** v. i. pron. to become* refined; to soften; to mellow.

ringhiàre v. i. (*anche fig.*) to snarl; to growl.

ringhièra f. (*di balcone*) railing, railings (pl.); (*di scala*) banisters (pl.).

rìnghio m. snarl; growl.

ringhióso a. **1** snarling; growling **2** (*fig.*) snarling; cantankerous; crabby: **tono r.**, snarling tone; **un vecchio r.**, a cantankerous old man.

ringiovaniménto m. rejuvenation.

ringiovanìre A v. t. **1** (*far ritornare giovane*) to make* young again; to rejuvenate **2** (*far sembrare più giovane*) to make* (sb.) look younger: *Quel vestito ti ringiovanisce*, that dress makes you look younger B v. i. e **ringiovanìrsi** v. i. pron. **1** to grow* young again **2** (*apparire più giovane*) to look younger **3** (*sentirsi più giovane*) to feel* younger.

ringiovanìto a. younger; rejuvenated; younger-looking: **sentirsi r.**, to feel young again; to feel younger.

ringoiàre v. t. **1** (*ingoiare di nuovo*) to swallow (up) again **2** (*fig.*) to take* back; to withdraw*; to eat* (*fam.*): **r. un'accusa**, to take back an accusation; **ringoiarsi tutte le parole**, to eat all one's words.

ringranàre A v. t. (*mecc., autom.*) to re-engage; to engage again: **r. la terza**, to engage third gear again B v. i. (*fig.*) to get* going again: *Dopo la malattia non riesce a r.*, he doesn't seem able to get going again after his illness.

ringrandire A v. t. to enlarge further B v. i. e **ringrandìrsi** v. i. pron. to grow* (o to get*) larger; to expand further.

ringrassàre A v. t. to fatten again; to make* fatter B v. i. to put* on weight again; to grow* (o to get*) fatter.

ringraziaménto m. **1** thanks (pl.); thank-you; (al pl., *in un libro, ecc.*) acknowledgments: **sentiti ringraziamenti**, heartfelt thanks; **fare i propri ringraziamenti a q.**, to express one's thanks to sb.; to thank sb.: *Per tutto r. mi mandò una cartolina*, all the thanks I got was a postcard; *Devo un r. speciale a mia moglie*, I owe a special thank-you to my wife; **lettera di r.**, letter of thanks; thank-you letter; **pagina dei ringraziamenti**, acknowledgment page **2** (*relig.*) thanksgiving.

♦**ringraziàre** v. t. to thank: **r. q. di qc.**, to thank sb. for st.; **r. a voce**, to thank personally; **r. anticipatamente**, to thank in advance; **r. per iscritto**, to send a letter of thanks; *Ti ringrazio*, thank you; *Vi ringrazio infinitamente*, thank you very much indeed; *Vi ringrazio tutti di essere venuti*, I thank you all for being here; *Ti ringrazio del tuo aiuto*, thank you (o thanks) for your help; *Sia ringraziato Iddio* [*il cielo*]!, thank God [Heaven]!; *Puoi r. la tua buona stella*, you may thank your lucky stars; (*iron.*) *Non hai che r. te stesso*, you have only yourself to thank; *Non c'è bisogno di ringraziarmi*, there's no need to thank me. ❶ NOTA: *to thank → to thank*.

ringuainàre v. t. to sheathe.

rinìte f. (*med.*) rhinitis.

rinnamoraménto m. falling in love again.

rinnamoràre A v. t. to make* (sb.'s) fall in love again B **rinnamoràrsi** v. i. pron. to fall* in love again.

rinnegàre v. t. to deny; to repudiate; to disown; to recant: **r. gli amici**, to disown one's friends; **r. il proprio partito**, to repudiate one's party; **r. il proprio passato**, to repudiate one's past; **r. i propri principi**, to deny (o to repudiate) one's principles; **r. la propria religione**, to recant one's religion.

rinnegàto A a. renegade (attr.); traitorous B m. (f. **-a**) renegade; traitor.

rinnegatóre m. (f. **-trìce**) denier; renouncer.

rinnestàre e deriv. → **reinnestare**, e deriv.

rinnovàbile a. renewable: **contratto r.**, renewable contract.

rinnovaménto m. **1** renewal; renovation: **un r. della società**, a renewal of society; **r. politico**, political renewal **2** (*sostituzione*) change, renewal; (*rimodernamento*) updating, modernization; (*riorganizzazione*) reorganization, redevelopment; (*svecchiamento*) rejuvenation: **il r. del guardaroba**, a renewal of one's wardrobe; **r. urbanistico**, redevelopment.

♦**rinnovàre** A v. t. **1** (*rendere nuovo*) to renew; (*rimettere a nuovo*) to renovate, to redecorate, to do* up (*fam.*); (*rimodernare*) to update, to modernize: **r. un edificio**, to renovate a building; **r. la casa**, to redecorate (o to do up) the house **2** (*un contratto, un documento, ecc.*) to renew: **r. l'abbonamento a un giornale**, to renew one's subscription to a newspaper; **r. una cambiale**, to renew a bill; **r. un contratto d'affitto**, to renew a lease; **r. il passaporto**, to renew one's passport **3** (*ripetere*) to repeat; to renew; to redouble: **r. un assalto**, to renew an attack; **r. una richiesta** [**una protesta**], to repeat a request [a protest]; **r. i ringraziamenti**, to thank again; **r. le scuse**, to renew one's apologies; to apologize again; **r. i propri sforzi**, to renew (o to redouble) one's efforts **4** (*sostituire*) to renew; to replace; to change: **r. l'aria in una stanza**, to change the air in a room; **r. il consiglio d'amministrazione**, to replace the board of directors; **r. il guardaroba**, to renew one's wardrobe; **r. il personale**, to renew (o to replace) the staff B **rinnovàrsi** v. i. pron. **1** (*tornare nuovo*) to be renewed; to be renovated; (*fig.*) to undergo a radical change; (*rimodernarsi*) to update, to be modernized **2** (*ripetersi*) to happen again; to occur again; to be repeated: *Non vorrei che si rinnovasse la stessa situazione*, I wouldn't like the same situation to occur again; *Si sono rinnovati i disordini*, there have been new disorders **3** (*rif. a sentimento*) to grow* stronger; to increase: *A quella scoperta si rinnovarono i nostri sospetti*, our suspicions grew stronger after that discovery.

rinnovativo a. renewing; renovating.

rinnovatóre A a. renewing; renovating B m. (f. **-trìce**) renewer; renovator.

rinnovazióne f. renewal; renovation.

rinnovellàre v. t. (*poet.*) **1** to renew **2** to repeat.

rinnòvo m. **1** (*di documento, ecc.*) renewal: **il r. di un abbonamento**, the renewal of a subscription; **il r. di una cambiale**, the renewal of a bill; **il r. di un passaporto**, the renewal of a passport; **avviso di r.**, renewal notice **2** (*ripetizione*) renewal; repeat: **il r. di un'ordinazione**, the repeat of an order **3** (*sostituzione*) replacement; renewal; change: **r. delle attrezzature**, equipment replacement.

rinòbato m. (*zool., Rhinobatos rhinobatos*) guitar fish.

rinocerónte m. (*zool., Rhinoceros*) rhinoceros; rhino (*fam.*).

rinofarìnge f. (*anat.*) nasopharynx.

rinofarìngeo a. (*anat.*) nasopharyngeal.

rinofarìngite f. (*med.*) nasopharyngitis.

rinofonìa f. (*med.*) rhinophonia.

rinògeno a. (*med.*) rhinogenous; rhinogenic.

rinolalìa f. (*med.*) rhinolalia.

rinolaringìte f. (*med.*) rhinolaryngitis.

rinòlofo m. (*zool., Rhinolophus*) horseshoe bat.

rinologìa f. (*med.*) rhinology.

rinòlogo m. (f. **-a**) rhinologist.

rinomànza f. renown; fame: **avere r.**, to be renowned; **un artista di r. mondiale**, an artist of world renown.

rinomàto a. renowned; acclaimed; famous; well-known.

rinominàre v. t. **1** (*nominare di nuovo*) to name again **2** (*rieleggere*) to re-elect **3** (*designare di nuovo*) to reappoint.

rinopitèco m. (*zool., Rhinopithecus*) snub-

-nosed monkey.

rinoplàstica f. (*chir.*) rhinoplasty.

rinopòma m. (*zool.*, *Rhinopoma microphyllum*) mouse-tailed bat.

rinorragìa f. (*med.*) rhinorrhagia; epistaxis; nosebleed (*com.*).

rinorrèa f. (*med.*) rhinorrhea.

rinoscleròma m. (*med.*) rhinoscleroma.

rinoscopìa f. (*med.*) rhinoscopy.

rinoscòpio m. (*med.*) rhinoscope.

rinovirus m. inv. (*biol.*) rhinovirus.

rinquadràre v. t. **1** to reframe **2** (*mil.*) to regroup.

rinsaccàre A v. t. **1** (*insaccare di nuovo*) to put* back in a sack (*o* in a bag) **2** (*scuotere*) to shake* down B v. i. e **rinsaccàrsi** v. i. pron. **1** (*affondare la testa nelle spalle*) to draw* one's head in; (*alzare le spalle*) to shrug one's shoulders **2** (*sobbalzare a cavallo*) to be jolted.

rinsaldamento m. strengthening; consolidation; reinforcement.

rinsaldàre A v. t. to strengthen; to consolidate; to reinforce: **r. un'amicizia**, to consolidate a friendship B **rinsaldàrsi** v. i. pron. to be strengthened (*o* consolidated, reinforced): **rinsaldarsi nella propria decisione**, to be strengthened in one's decision.

rinsanguamento m. reinvigoration; boost; (*rif. a denaro*) injection of fresh money.

rinsanguàre A v. t. **1** (*rinvigorire*) to give* new strength to; to reinvigorate; to boost **2** (*econ.*) to inject fresh money into B **rinsanguàrsi** v. i. pron. **1** (*riprendere vigore*) to grow stronger; to recover; to be revived **2** (*fig.*, *econ.*) to get* a boost; to get* back on one's feet.

rinsaporìre A v. t. to add more flavour to; to add seasoning to B **rinsaporìrsi** v. i. pron. to acquire flavour.

rinsavire v. i. **1** to recover one's sanity **2** (*fig.*) to return to reason; to come* to one's senses.

rinsecchìre v. i., **rinsecchìrsi** v. i. pron. **1** (*diventare secco*) to dry up; (*inaridire*) to wither, to shrivel, to shrink* **2** (*diventare magro*) to grow* very skinny; to become* emaciated.

rinsecchìto, **rinseccolìto** a. **1** (*diventato secco*) dry, dried up; (*inaridito*) withered, wizened, shrivelled: **albero r.**, dead tree; **guance rinsecchìte**, wizened cheeks; **pane r.**, stale bread **2** (*magro*, *sparuto*) skinny; gaunt; scrawny.

rinselvàrsi v. i. pron. **1** (*ritornare nella selva*) to hide* in the woods again **2** (*rimboschire*) to become* wooded again.

rinselvatichìre A v. t. to let* go wild again B v. i. e **rinselvatichìrsi** v. i. pron. to grow* (*o* to go*) wild again.

rinserràre A v. t. to shut* in (*o* up); (*a chiave*) to lock in (*o* up) B **rinserràrsi** v. rifl. to shut* oneself in (*o* up); (*a chiave*) to lock oneself in (*o* up): **Mi rinserrai in camera**, I locked myself up in my room.

rintanàrsi v. rifl. **1** (*rientrare nella tana*) to go* into one's hole again; (*scavando*) to burrow; (*di volpe*) to run* (*o* to go*) to earth **2** (*fig.*) to shut* oneself up; to hole up (*fam.*); (*nascondersi*) to go* into hiding: *È andato a r. in un paesino sui monti*, he has holed up in a little village in the mountains.

rintanàto a. shut up; holed up (*fam.*); (*nascosto*) hidden, in hiding.

rintavolàre v. t. to restart; to bring* up again; to reopen: **r. una discussione**, to restart an debate; **r. le trattative**, to reopen negotiations.

rintegràre, **rintegrazióne** → **reinte-**grare, **reintegrazióne**.

rintelaiatùra f. reframing; remounting.

rintelàre v. t. (*un dipinto*) to apply a new canvas backing to.

rintelatùra f. (*di un dipinto*) application of a new canvas backing.

rinterraménto m. filling up (with earth); silting up.

rinterràre A v. t. **1** (*colmare di terra*) to fill up with earth; to silt up **2** (*interrare di nuovo*) to cover with earth; to bury again B **rinterràrsi** v. i. pron. to fill up with earth; to silt up.

rintèrro m. filling up (with earth); silting-up.

rinterrogàre v. t. to reinterrogate; to interrogate again; to question again: (*leg.*) **r. un testimone**, to re-examine a witness.

rintoccàre v. i. (*di campana*) to toll, to ring*, (*con suono melodioso*) to chime; (*di orologio*) to strike*; to chime: **r. le sei**, to strike six.

rintòcco m. (*di campana*) toll, ring; (*di orologio*) stroke: **i rintocchi d'una campana**, the tolling of a bell; **r. funebre**, (death) knell; **suonare a rintocchi**, to toll; **dare due rintocchi**, to toll twice; to strike two.

rintonacàre v. t. to replaster.

rintonacatùra f. replastering; new plastering.

rintontiménto m. stupor; daze.

rintontìre A v. t. to stupefy; to daze; to stun B v. i. e **rintontìrsi** v. i. pron. to become* stupefied; to be dazed; to become* numb.

rintontìto a. dulled; dazed; numb; stunned; groggy (*fam.*); punch-drunk (*fam.*).

rintoppàre v. i., **rintoppàrsi** v. i. pron. (*region.*) **1** to run* (into); to bump (into) **2** (*in un ostacolo*) to come* up (against) **3** (*inciampare*, *anche fig.*) to stumble (upon): **rintopparsi nella verità**, to stumble upon the truth.

rintòppo m. stumbling block; hitch; snag.

rintracciàbile a. traceable; that can be found (*o* contacted): *Sono r. a questo numero*, I can be found at this number; *Il dottore è r. anche durante le ore notturne*, the doctor can also be contacted during the night; **difficilmente r.**, hard to trace; difficult to find; not easily found.

rintracciàre v. t. to trace; to find*; to locate; to track down: **r. una citazione**, to find (*o* to identify) a quotation; **r. l'origine di qc.**, to trace the source of st.; **r. un relitto**, to locate a wreck; *Stiamo cercando di rintracciarlo*, we are trying to trace him; *La polizia lo rintracciò da un amico*, the police tracked him down at a friend's place; *Nelle sue poesie si rintracciano echi di Montale*, echoes of Montale can be found in his poems.

rintràccio m. (*bur.*) tracing; locating.

rintristìre v. i. to grow* melancholy; to waste away; (*di pianta*) to wilt.

rintronaménto m. **1** (*rimbombo*) roar; boom; booming **2** (*fig.*: *intontimento*) daze; stupor.

rintronàre A v. i. (*rimbombare*) to boom; to reverberate; to rumble; to thunder; to roar: *Il tuono rintronò nella valle*, thunder reverberated through the valley B v. t. **1** (*assordare*, *anche fig.*) to deafen: *Lo scoppio ci rintronò le orecchie*, the blast deafened us; *Mi ha rintronato con le sue chiacchiere*, she deafened me with her jabbering **2** (*stordire*) to daze; to make* dizzy; to stun.

rintronàto a. dazed; stunned; groggy (*fam.*).

rintuzzàre v. t. **1** (*spuntare*) to blunt **2** (*fig.*: *reprimere*) to check; to curb; to repress **3** (*fig.*: *respingere*) to check; to drive* back: **r. un assalto**, to drive back an assault **4** (*fig.*: *ribattere*) to counter; to retort; to rebut: **r. un'accusa**, to counter an accusation.

rinumeràre v. t. to renumber.

rinùncia f. **1** renunciation; renouncement; giving up; relinquishment; surrender; resignation; (*privazione*, *sacrificio*) sacrifice: *La sua r. alla presidenza fu una sorpresa*, his renunciation of the chair came as a surprise; *Ha annunciato la sua r. alla candidatura alle elezioni*, he announced his decision not to stand at the next election; *Non fare quel viaggio è stata una grossa r.*, giving up that trip was a big sacrifice; *Non sono disposto a nessuna r.*, I don't intend to give up anything; **fare rinunce**, to make sacrifices; (*relig.*) **fare atto di r.**, to renounce; **lettera di r.**, letter of renunciation; **una vita di rinunce**, a life of sacrifice **2** (*leg.*) renunciation; release; waiver: **la r. a un diritto [a un titolo]**, the renunciation of a right [of a title]; **r. implicita**, implied waiver; *La r. non dà diritto a rimborso*, no refund is due in case of renunciation; **clausola di r.**, waiver clause; **atto di r.**, waiver.

rinunciàbile a. renounceable; waivable (*leg.*).

♦**rinunciàre** v. i. to renounce (st.); to give* up (st.); to relinquish (st.); to resign (*leg.*); to waive (anche *leg.*); (*lasciar cadere*) to drop (st.), to abandon (st.); to forgo* (st.); (*cedere*) to relinquish (st.), to surrender (st.): **r. alla carriera**, to give up a career; **r. a un diritto**, to waive a right; **r. al fumo**, to give up smoking; **r. al mondo**, to renounce the world; **r. al piacere di fare qc.**, to give up the pleasure of doing st.; **r. a un privilegio**, to renounce (*o* to waive) a privilege; **r. a un progetto**, to drop a plan; **r. a una rivendicazione**, to waive a claim; **r. al trono**, to renounce the throne; **r. a partire**, to give up (*o* to abandon) the idea of leaving; **r. a partecipare a una gara**, to give up the idea of entering a competition; *Ci rinuncio!*, I give up!

rinunciatàrio A a. defeatist: **atteggiamento r.**, defeatist attitude B m. (f. **-a**) defeatist; quitter (*fam.*).

rinunziàre e deriv. → **rinunciare**, e deriv.

rinvasàre v. t. (*floricoltura*) to repot.

rinvasatùra f., **rinvàso** m. (*floricoltura*) repotting.

rinvenìbile a. traceable; retrievable; that can be found.

rinveniménto[1] m. **1** (*ritrovamento*) recovery; retrieval: **il r. del quadro rubato**, the recovery of the stolen painting **2** (*scoperta*) discovery; finding; find: **r. casuale**, chance discovery; **un importante r. archeologico**, an important archaeological find.

rinveniménto[2] m. **1** (*il ricuperare i sensi*) return to consciousness; coming round **2** (*metall.*) tempering.

rinvenìre[1] v. t. **1** (*ritrovare*) to find*; to recover; to retrieve: *La lettera fu rinvenuta tra vecchie carte*, the letter was found among old papers **2** (*scoprire*) to discover; to find*: *Il corpo fu rinvenuto sotto un cespuglio*, the body was discovered under a bush; *Rinvennero frammenti di anfore romane*, they found fragments of Roman amphoras.

rinvenìre[2] v. i. **1** (*riprendere i sensi*) to regain consciousness; to come* round: *Quando rinvenni, la mia valigia non c'era più*, when I came round, my suitcase was missing; **fare r. q.**, to bring sb. round **2** (*riprendere freschezza*) to revive: *Misi i fiori in acqua e rinvennero subito*, I put the flowers in water and they soon revived **3** (*riprendere morbidezza*) to soften: *L'uvetta messa a bagno rinviene*, sultanas soften if you soak them; **mettere a r. i funghi secchi**, to soak

dried mushrooms **4** (*metall.*) to temper.

rinverdire **A** v. t. **1** to make* green again **2** (*fig.*) to revive; to renew; to rekindle: **r. la speranza**, to revive (*o* to rekindle) hope **B** v. i. e **rinverdirsi** v. i. pron. **1** (*ritornare verde*) to grow* green again **2** (*fig.*) to revive; to be renewed; to rekindle: *Le mie speranze rinverdirono*, my hopes revived.

rinvestìre e *deriv.* → **reinvestire**, e *deriv.*

rinviàbile a. postponable: *La decisione non è r. più a lungo*, the decision cannot be postponed further.

rinviàre v. t. **1** (*mandare indietro*) to send* back; (*rispedire*) to return: **r. q. a casa**, to send sb. back home; (*sport*) **r. la palla**, to return the ball; *Si prega di r. la ricevuta firmata*, please return the receipt duly signed **2** (*rimandare a un testo, ecc.*) to refer: **r. all'appendice**, to refer to the appendix; *Si rinvia alla nota 10*, see note 10 **3** (*rimandare ad altro tempo*) to put* off; to postpone; to put* back; (*dilazionare*) to defer, to delay; (*aggiornare*) to adjourn; (*accantonare*) to suspend, to table (*USA*): **r. a data da destinarsi** (*o* **ad altra data**), to put off to a later date; **r. al giorno dopo**, to put off until the next day; **r. una causa**, to adjourn a case; **r. una decisione**, to postpone making a decision; to defer a decision; **r. un pagamento**, to delay (*o* to defer) a payment; **r. una partita**, to put back a match; (*sport*) **r. per pioggia**, to rain off; to rain out (*USA*); *L'incontro è rinviato a ottobre*, the meeting is postponed until October; (*prov.*) *Non r. a domani quello che puoi fare oggi*, never put off until tomorrow what you can do today **4** (*leg.*) – **r. q. a giudizio**, to commit sb. for trial.

rinvigorimènto m. reinvigoration; strengthening.

rinvigorìre **A** v. t. to reinvigorate; to strengthen; to restore (sb.'s) strength; to brace; (*anche fig.*) to revive: **r. il fisico**, to strengthen the body; **r. una speranza**, to revive a hope; *La dormita lo rinvigorì*, sleep restored his strength **B** v. i. e **rinvigorìrsi** v. i. pron. to gain (new) vigour; to regain strength; (*anche fig.*) to revive.

rinvìo m. **1** (*il mandare indietro*) sending back; (*anche sport*) return **2** (*rimando in un testo*) reference, cross-reference: **segno di r.**, reference mark **3** (*differimento*) putting off; postponement; (*dilazione*) deferment, delay, respite; (*aggiornamento*) adjournment: **il r. d'una causa**, the adjournment of a case; **il r. d'una conferenza**, the postponement of a lecture; **il r. di una decisione**, the deferment of a decision; **r. di un pagamento**, deferment of payment; **chiedere un r.**, to ask for a deferment; **subire un r.**, to be postponed; to be put off; to be put back **4** (*leg.*) – **r. a giudizio**, committal for trial **5** (*mecc.*) – **albero di r.**, countershaft.

rinvitàre v. t. **1** (*invitare di nuovo*) to invite again; to reinvite **2** (*invitare a propria volta*) to return an invitation.

rinvogliàre v. t. to induce again; to tempt again.

rinvoltàre **A** v. t. **1** (*riavvolgere*) to wrap up again; (*riarrotolare*) to roll up again **2** (*avvolgere bene*) to wrap up well; (*arrotolare bene*) to roll up well **B** **rinvoltàrsi** v. rifl. to wrap oneself up; to roll oneself up.

rinvoltolàre **A** v. t. to wrap round and round **B** **rinvoltolàrsi** v. rifl. to roll about; to wallow: **rinvoltolarsi nel fango**, to wallow in mud.

rinzaffàre v. t. (*edil.*) to render.

rinzaffatùra f. (*edil.*) **1** rendering **2** → **rinzaffo**.

rinzàffo m. (*edil.*) rendering coat; scratch coat (*USA*).

rinzeppàre v. t. to stuff; to fill up; to cram.

rìo ① m. **1** (*lett.*) rivulet; stream; brook **2** (*a Venezia*) canal **3** (*geogr.*) - **il Rio delle Amazzoni**, the (River) Amazon.

rìo ② a. (*lett.*) wicked; evil.

riobbligàre **A** v. t. to reoblige; to oblige again; to compel again; to force again **B** **riobbligàrsi** v. rifl. to bind* oneself again.

rioccupàre **A** v. t. to reoccupy; to occupy again **B** **rioccupàrsi** v. rifl. to occupy oneself again (with); to resume (st.).

rioccupazióne f. reoccupation.

rioffèrta f. second offer; new offer; (*a un'asta di appalto*) new tender.

rioffrìre v. t. to offer again; to reoffer.

riolìte f. (*miner.*) rhyolite.

rionàle a. district (attr.); local: **biblioteca r.**, district library; local library; **cinema r.**, local cinema; **mercato r.**, local market.

rióne m. district; quarter; (*vicinato*) neighbourhood, neighborhood (*USA*): **r. centrale**, central district; **r. periferico**, suburb; **r. popolare**, working-class district; **un r. tranquillo**, a quiet neighbourhood; *Nel suo r. conosce tutti*, he knows everybody in his neighbourhood.

riordinamènto m. rearrangement; (*riorganizzazione*) reorganization: **il r. della carriera statale**, the reorganization of the civil service.

♦**riordinàre** **A** v. t. **1** (*rimettere in ordine*) to put* (*o* to set*) in order (again); (*rassettare*) to tidy up, to straighten up: **r. una camera**, to tidy up a room; **r. un cassetto**, to tidy up a drawer; to make order in a drawer; **r. gli oggetti sulla scrivania**, to straighten up (the things on) the desk; **riordinarsi i capelli**, to tidy one's hair **2** (*fig.: organizzare*) to organize: **r. i fatti**, to organize the facts; **r. le idee**, to collect one's ideas **3** (*disporre in altro ordine*) to rearrange **4** (*riorganizzare*) to reorganize: **r. una biblioteca**, to reorganize a library; **r. un reparto**, to reorganize a department **5** (*fare una nuova ordinazione*) to reorder **6** (*eccles.*) to reordain **B** **riordinàrsi** v. rifl. to tidy oneself up.

riordinàta f. tidying up: **dare una r. alla stanza**, to tidy up the room.

riordinatóre m. (f. **-trìce**) reorganizer; rearranger.

riordinazióne f. (*comm.*) reorder.

riórdino (*bur.*) → **riordinamento**.

riorganizzàre **A** v. t. to reorganize; to rearrange; to restructure; to rebuild*; (*a fondo*) to shake* up: **r. la distribuzione**, to reorganize distribution; **r. una ditta**, to restructure (*o* to rebuild) a firm; **r. un esercito**, to reorganize an army; **r. il lavoro**, to reorganize work; **r. una società da cima a fondo**, to shake up a company **B** **riorganizzàrsi** v. rifl. to reorganize; to get* oneself reorganized; to get oneself sorted out (*fam.*).

riorganizzatóre m. (f. **-trìce**) reorganizer.

riorganizzazióne f. reorganization; rearrangement; restructuring; (*a fondo*) shake-up.

riottosità f. **1** (*lett.: litigiosità*) quarrelsomeness **2** (*indocilità*) rebelliousness; unruliness; intractability; wilfulness; (*resistenza*) refractoriness.

riottóso a. **1** (*lett.: litigioso*) quarrelsome **2** (*indocile*) rebellious; unruly; wilful; intractable; (*refrattario*) refractory ❶ **FALSI AMICI** • riottoso *non si traduce con* riotous.

rìpa f. (*lett.*) steep bank ● (*zool.*) **uccelli di r.**, waders; wading birds.

ripagàre v. t. **1** (*pagare di nuovo*) to pay* again **2** (*ricambiare*) to repay*; to pay* back; (*ricompensare*) to reward, to recompense: **r. con l'ingratitudine**, to pay back with ingratitude; **r. q. delle sue fatiche**, to repay sb. for his hard work; (*fig.*) **r. q. con la stessa moneta**, to pay sb. back in his own coin; *Come posso ripagarlo?*, how can I repay him?; **essere ripagato dal successo**, to be rewarded with success **3** (*risarcire*) to pay* for; to refund; to replace: *Ho dovuto ripagargli il vetro della porta*, I had to pay for a new pane for his door.

riparàbile a. (*aggiustabile*) repairable; (*rimediabile*) reparable, remediable: **facilmente r.**, easily repairable; *È r. in poche ore*, it can be repaired in a few hours; *Non è r.*, it cannot be repaired; it is beyond repair.

riparabilità f. repairability; reparability.

riparametràre v. t. (*bur.*) to apply new parameters; to reparameterize.

riparametrazióne f. (*bur.*) new parameterization.

♦**riparàre** ① **A** v. t. **1** (*difendere*) to protect; (*dare riparo*) to shelter; (*fare scudo*) to shield; (*schermare*) to screen: **r. dal freddo**, to protect from (*o* against) the cold; **r. dalla neve**, to shelter from the snow; *La riparò con il suo corpo*, he shielded her with his body **2** (*porre rimedio*) to redress, to right; (*fare ammenda, risarcire*) to make* amends for, to make* up for: **r. un danno**, to make up for damage caused; **r. un'ingiustizia**, to right an injustice; **r. un'offesa**, to make amends for an insult; **r. un torto**, to redress a wrong **3** (*un esame*) to resit* (*an examination*) **4** (*accomodare*) to repair; to mend; to fix; (*edil.*) to restore; (*aeron., naut.*) to refit: **r. una foratura**, to repair (*o* to mend) a puncture; **r. un muro**, to repair a wall; **r. un paio di scarpe**, to repair (*o* to mend) a pair of shoes; **r. un rubinetto che perde**, to fix a leaking tap (*USA* faucet); **r. un vestito**, to mend a dress; **far r. la bicicletta**, to get one's bicycle repaired **B** v. i. **1** (*mettere riparo*) to remedy (st.); to rectify (st.); to repair (st.); to make* up for; to make* (st.) good: **r. a un errore** [**un'omissione**], to remedy a mistake [an omission]; **r. a una perdita**, to make up for (*o* to make good) a loss **2** (*a scuola*) to resit* an examination **C** **riparàrsi** v. rifl. **1** (*mettersi al riparo*) to shelter; to take* shelter; to take* cover: **ripararsi dal temporale in una capanna**, to shelter from the storm in a hut **2** (*difendersi*) to protect oneself: **ripararsi dal vento**, to protect oneself from the wind.

riparàre ② v. i. (*mettersi in salvo*) to escape; to flee*; to take* refuge: **r. all'estero**, to escape abroad; **r. in Francia**, to flee to France; (*naut.*) **r. in un porto**, to put into a port.

riparàta f. (quick) fix: **dare una r. a qc.**, to fix st.; *Ha bisogno d'una r.*, it needs fixing.

riparàto a. **1** (*difeso, protetto*) sheltered; protected: **un luogo ben r.**, a well-sheltered place; **r. dal freddo**, protected from the cold; **r. dal vento**, sheltered from the wind **2** (*aggiustato*) repaired; mended; fixed.

riparatóre **A** a. reparative; repairing; reparatory; remedial: **gesto r.**, gesture of reparation; **matrimonio r.** = **matrimonio B** m. (f. **-trìce**) repairer; mender; fixer; (*restauratore*) restorer.

riparatòrio a. reparatory.

♦**riparazióne** f. **1** (*risarcimento*) reparation; amends (pl.); redress; (*indennizzo*) compensation: **la r. di un torto**, the reparation of a wrong; **riparazioni di guerra**, war reparations; **chiedere una r.**, to demand reparation (*o* satisfaction); **fare r. di qc.**, to make amends for st.; **a titolo di r.**, by way of amends; **in r. di un torto**, in reparation for (*o* as amends for) a wrong; **atto di r.**, act of reparation; **esame di r.**, resit exam **2** (*aggiustatura*) repair; repairing; mending; fixing; (*mecc.*) repair, fixing; (*aeron., naut.*) refit: **riparazioni ordinarie e straordinarie**, ordinary and extraordinary repairs; *La r.*

del tratto di ferrovia richiese molti mesi, the repairs of (*o* repairing) the railway track took many months; **essere in r.**, to be under repair; **fare delle riparazioni**, to do repairs; **officina per riparazioni**, repair shop; (*cartello*) *Strada in r.*, road up.

riparèlla ① f. (*bot.*, *Lythrum salicaria*) purple loosestrife.

riparèlla ② f. (*mecc.*) washer.

ripàrio a. (*lett.*) riparian; riverine.

riparlàre Ⓐ v. i. 1 to speak* again 2 (*tornare a discutere*) to discuss (st.) again; to talk again (about): *Ne riparleremo un'altra volta*, we'll discuss it some other time; *Ripparliamone domani*, let's talk about it tomorrow; *Ne riparlerò tra un momento*, I'll come back to that in a moment; (*come minaccia*) *Ne riparleremo!*, you haven't heard the last of it! Ⓑ **riparlàrsi** v. rifl. recipr. (*dopo una lite*) to be back on speaking terms.

♦**ripàro** m. 1 (*protezione, difesa*) shelter; cover; protection; refuge; haven: *Gli alberi non sono un r. sicuro dai lampi*, trees are not a safe shelter from lightning; **al r. da**, safe from; away from; **al r. dai curiosi**, (*rif. al vedere*) safe (*o* away) from prying eyes; (*rif. all'udire*) out of hearing range; **al r. dalla piena**, safe from the flood; **al r. di un'albero**, under the shelter of a tree; **cercare r.**, to seek shelter; **dare r.**, to shelter; to protect; to safeguard; **essere al r.**, to be sheltered; **essere al r. dal vento**, to be sheltered from the wind; **farsi r. con le mani**, to shield (*o* to protect) oneself with one's hands; **mettere al r.**, to shelter, to get in; **mettersi al r.**, to take cover; to take refuge; **offrire r.**, to offer protection; to offer shelter; **tenere al r. dalle correnti d'aria [dal sole]**, to keep out of draughts [out of the sun]; **trovare r.**, to find shelter 2 (*struttura che ripara*) shelter; defence; shield; screen: **r. antivento**, wind shield; **r. di frasche**, shelter made of branches; **r. improvvisato**, makeshift shelter 3 (*mecc.*) guard; shield; apron: **r. della cinghia**, belt safety-guard; **r. di protezione per fresa**, cutter guard 4 (*rimedio*) remedy; cure: **correre ai ripari**, to find remedy; to take measures; to take remedial action; **mettere** (*o* **porre**) **r. a qc.**, to find a remedy for st.; to remedy st.

ripartènza f. 1 restart 2 (*calcio*) counter-attack.

ripartibile a. divisible; apportionable.

ripartiménto m. (*bur.*) division; department; section.

♦**ripartìre** ① v. i. 1 (*partire di nuovo*) to leave* again; (*di veicolo*) to leave*, to drive* off, to pull away: *Ripartì dopo alcuni giorni*, she left again after a few days; *L'auto ripartì in velocità*, the car drove off at top speed 2 (*mecc.: mettersi in moto*) to start: *Il motore non vuole r.*, the engine won't start; **far r.**, to restart.

♦**ripartìre** ② v. t. 1 (*dividere in parti*) to divide (into parts); to split* (up); (*di terreno e sim.*) to parcel out: **r. una vincita tra sei giocatori**, to split a win among six players; **ripartirsi un'eredità**, to divide an inheritance; *Si ripartirono il denaro*, they divided the money between (*o* among) themselves; they split up the money 2 (*distribuire*) to distribute; to share out; (*assegnare*) to apportion, to allocate: **r. i costi**, to allocate costs; **r. gli incarichi**, to allocate duties; **r. le spese**, to share out expenses; **r. gli utili**, to distribute profits; *Ripartiamoci i compiti*, let's distribute the tasks 3 (*smistare*) to sort out.

ripartitóre m. 1 (*impiegato postale*) (f. **-trìce**) mail sorter 2 (*telef.*) distribution frame.

ripartizióne f. 1 (*il ripartire*) division; apportionment; portioning out; sharing out; distribution; allotment: **r. dei costi**, alloca-

tion of costs; **r. del guadagno**, division of the profits; **r. delle imposte**, tax sharing; **r. degli incarichi**, allocation of tasks; **la r. della ricchezza**, the distribution of wealth; **r. degli utili**, sharing out of the profits; profit sharing 2 (*parte*) share; portion; allotment: **ripartizioni di terreno**, allotments of land 3 (*bur.*) division; department; section.

ripàrto m. distribution; allocation; (*fin., Borsa*) allotment: **r. azionario**, allocation of shares; share allocation; **r. dell'utile d'esercizio**, distribution of the operating profit.

♦**ripassàre** Ⓐ v. t. 1 (*attraversare di nuovo*) to cross again; to recross; to go* through again; (*tornando indietro*) to go* back through [across]: **r. il confine**, to recross the border again; **r. la dogana**, to go through customs again; to go back through customs; **r. il fiume**, to cross the river again; to go back across the river 2 (*far passare di nuovo*) to pass again; to run* again: **r. lo spago nell'occhiello**, to pass the string through the eye again; **ripassarsi una mano fra i capelli**, to run one's hand again through one's hair 3 (*passare sopra di nuovo, ritracciare*) to go* over again: **r. i contorni d'un disegno**, to go over the outlines of a drawing; **r. un disegno a inchiostro**, to ink in a drawing 4 (*stirare*) to iron, to press; (*spolverare*) to dust; (*lucidare*) to polish: **r. una camicia col ferro**, to iron a shirt; to give a shirt an ironing; **r. i mobili**, to dust the furniture; **r. i pavimenti**, to polish the floors 5 (*ridipingere*) to repaint; (*ritoccare*) to touch up, to retouch: **r. le finestre**, to repaint the windows; **r. la vernice su una porta**, to put another coat of paint on a door 6 (*porgere di nuovo*) to pass again, to hand again; (*in restituzione*) to give* back, to hand back: *Ripassami quel giornale*, pass me that paper again, please 7 (*colare, filtrare di nuovo*) to strain again; to restrain; (*al setaccio*) to sift again 8 (*riesaminare*) to go* through (again); (*rivedere*) to go* (*o* to run*) over; (*controllare*) to check; (*mecc.: revisionare*) to overhaul: **r. la biancheria**, to check the linen; **r. i conti**, to go over (*o* to check) the accounts; **r. un motore**, to overhaul an engine 9 (*ripetere per studio*) to go* over; to brush up; (*anche assol.*) to revise: **r. la lezione**, to go over one's lesson; **r. fisica**, to revise physics; (*di attore*) **r. la parte**, to go over one's lines; **r. per un esame**, to revise for an exam; to cram 10 (*fam.: rimproverare*) to scold, to tell* off (*fam.*), to lecture (*fam.*); (*picchiare*) to give* a (good) hiding to Ⓑ v. i. 1 to pass again: **r. da Bologna [per il bosco]**, to pass through Bologna [through the wood] again; **passare e r. davanti a una casa**, to pass back and forth in front of a house 2 (*tornare*) to come* back; to go* back; to call back; to call (on sb.) again: **r. dal macellaio**, to call back at the butcher's; **r. più tardi**, to call back later; *Ripasserò da te domani*, I'll call on you again tomorrow.

ripassàta f. 1 (*scorsa*) another look; glance through; (*rilettura, ripetizione*) run through; (*di materia di studio*) brush-up: **dare una r. agli appunti**, to have another look at one's notes; to run through one's notes again 2 (*pulita*) clean, cleaning, (*veloce*) once-over (*fam.*); (*spolverata*) dusting, wipe-over; (*lucidata*) polish; (*stirata*) ironing, press: **dare una r. ai mobili**, to give the furniture a polish; **dare una r. (col ferro) ai pantaloni**, to give the trousers a press; **dare una r. al pavimento**, to give the floor a clean (*o* a cleaning); **dare una r. al tavolo**, to give the table a wipe-over 3 (*mano di colore, di vernice*) fresh (*o* new) coat of paint: *Dovremo dare una r. al salotto*, we'll have to repaint the drawing-room 4 (*controllata*) checking; check; (*veloce*) once-over (*fam.*);

(*mecc.: revisione*) overhaul, overhauling: **dare una r. alla biancheria**, to check the linen; **dare una r. a un motore**, to give an engine an overhaul 5 (*fig.: sgridata*) scolding, telling-off (*fam.*), lecture (*fam.*), dressing-down (*fam.*); (*botte*) (good) hiding: *Gli hanno fatto una solenne r.*, he was given a good telling-off; he was pulled up sharply.

ripassatóre m. (f. **-trìce**) checker; quality controller.

ripassatùra f. (*tecn.*) quality control.

ripàsso m. 1 (*ritorno*) return: **il r. degli uccelli migratori**, the return of migratory birds 2 (*revisione*) revision: **fare il r. di qc.**, to revise st.; *Domani comincio il r.*, I'll start revising tomorrow; **esercizi di r.**, revision exercises.

ripàtica f., **ripàtico** m. (*leg.*) riparian rights (pl.).

ripensaménto m. 1 (*riesame*) reconsideration, reappraisal, reassessment, rethink; (*pensiero successivo*) afterthought: *Occorre un r. di tutta la faccenda*, the whole thing needs reassessing (*o* rethinking); *L'aggiunta di quel particolare sembrava frutto di un r.*, that detail looked as if it had been added as an afterthought 2 (*mutamento d'idea*) change of mind; second thoughts (pl.): *All'ultimo ebbe un r.*, at the last moment she had second thoughts about it (*o* she changed her mind).

♦**ripensàre** Ⓐ v. i. 1 (*tornare a pensare*) to think* (again) (of, about): *Ci ripensai il giorno dopo*, I thought about it again the next day; *Ora che ci ripenso...*, now that I think of it...; *Non farmici r.!*, don't remind me of it!; I don't even want to think about it; *Pensa e ripensa, mi ricordai che...*, I racked my brains, and then I remembered that... 2 (*riflettere*) to think* over; to reflect (on); to consider (st.): *Ripensa a quanto t'ho detto*, think over what I've said; *Ripensaci!*, think it over!; **ripensandoci**, on reflection; on second thoughts; *Ripensandoci, decisi di non andare*, on second thoughts, I decided not to go 3 (*cambiare idea*) to change one's mind, to have second thoughts; (*decidere di no*) to think* better of it: *Ci ho ripensato, rimango qui*, I've changed my mind, I'm going to stay here; *Stavo per dirgli tutto ma poi ci ripensai*, I was about to tell him everything, but then I thought better of it 4 (*riandare con la mente*) to recall (st.); to think* back (on): **r. ai bei giorni del passato**, to recall the good old times Ⓑ v. t. 1 (*lett.: ricordare*) to recall; to think* back on 2 (*riesaminare*) to re-examine; to reassess; to reconsider; to rethink*: **r. il proprio ruolo nella società**, to re-examine one's role in society; *Dobbiamo r. il nostro modo di considerare le malattie*, we need to rethink our attitude towards diseases.

ripentiménto → **pentimento**.

ripentìrsi → **pentirsi**.

ripercórrere v. t. 1 (*percorrere di nuovo*) to go* [to walk, to drive*, etc.] along (st.) again; (*percorrere in senso inverso*) to go* [to walk, to drive*, etc.] back (over, along st.): **r. un sentiero**, to go along (*o* down) a path again; **r. lo stesso itinerario**, to take the same route; to go the same way; *Ripercorremmo tutta la strada fino al cinema*, we went all the way back to the cinema 2 (*fig.: passare in rassegna*) to go* over (st.) again; to think* back to: *Ripercorsi tutti gli avvenimenti di quel pomeriggio*, I went over everything that happened that afternoon.

ripercuòtere Ⓐ v. t. 1 (*percuotere di nuovo*) to strike* again; to hit* again 2 (*lett.: riflettere*) to reflect; to send* back Ⓑ **ripercuòtersi** v. i. pron. 1 (*rimbalzare*) to bounce back; (*riflettersi*) to be reflected, to reverberate, to echo back 2 (*di scossa, urto*) to jolt

(st.): *La frenata si ripercosse su tutti i vago-ni*, the braking jolted all the carriages **3** (*fig.*) to influence (st.); to affect (st.); to have repercussions (on): *L'aumento del costo della benzina si ripercosse sui prezzi di molti prodotti*, the rise in price of petrol affected the prices of many products; **riper-cuotersi in modo negativo su qc.**, to have a bad effect on st.; to affect st. negatively.

ripercussióne f. **1** (*di luce*) reflection; (*di suono*) repercussion, reverberation, echo **2** (*fig.*: *conseguenza*) repercussion; reverberation; consequence; after-effect; backwash (sing.): **la r. dei recenti avvenimenti politi-ci sul nostro mercato**, the repercussion of the late political events on our market; **ri-percussioni fiscali**, tax consequences.

ripesàre v. t. to weigh again; to reweigh.

ripescàre v. t. **1** (*pescare di nuovo*) to fish again **2** (*recuperare dall'acqua*) to fish out (*o* up); to pull out (of the water): **r. qc. da un pozzo**, to fish st. out of a well **3** (*fig.*: *ritro-vare*) to find*; to retrieve; to unearth; to dig* out: **r. un vecchio libro di ricette**, to retrieve an old recipe book; *Ma dove l'hai ri-pescato?*, where on earth did you find it (*o* dig it out of)?; *Sono andati a r. una storia vecchia*, they have dug up an old story; *Se lo ripesco!*, if I catch him at it again! **4** (*fig.*: *ri-proporre all'attenzione*) to revive; to resurrect; to resuscitate; to bring* back: **r. un vecchio progetto**, to revive an old plan; **r. un vec-chio attore**, to bring an old actor out of re-tirement.

ripetènte **A** a. repeating a year **B** m. e f. pupil repeating a year.

◆**ripètere** **A** v. t. **1** (*fare di nuovo*) to repeat: **r. un anno a scuola**, to repeat a year at school; **r. un esperimento [un errore]**, to repeat an experiment [a mistake]; **r. un esame**, to resit an exam; *Il pianista ripeté il brano*, the pianist repeated the piece (*o* played the piece again); *Il programma sarà ripetuto martedì*, the programme shall be repeated on Tuesday; there will be a repeat of the programme on Tuesday **2** (*dire di nuo-vo*) to repeat; to say* again; to tell* again; to renew: **r. una frase**, to repeat a sentence; **r. un ordine**, to repeat an order; **r. a memo-ria**, to repeat from memory; **r. a pappagal-lo**, to repeat parrot-fashion; **r. parola per parola**, to repeat word for word; to repeat verbatim; *Ripete tutti i pettegolezzi che sente*, she repeats all the gossip she hears; *Le spiace r.?*, would you mind repeating that (*o* saying that again), please?; *L'ho ri-petuto cento volte!*, I've said it again and again; I've repeated it a hundred times; *Te l'ho detto e ripetuto*, I've told you again and again; *Non c'è bisogno che tu me lo ripeta*, there's no need for you to tell me again; *Non se lo fece r. due volte*, he didn't need to be told twice **3** (*ottenere di nuovo*) to meet* again with: *Lo spettacolo ha ripetuto il suc-cesso di Berlino*, the show met with the same success it had in Berlin **4** (*leg.*) to claim back ● **far r. la lezione a q.**, to hear sb.'s lesson ● (*scherz.*) **Paganini non ripe-te!**, once is enough **B** **ripètersi** v. rifl. (*dire cose già dette*) to repeat oneself **C** **ripètersi** v. i. pron. (*di fatto o avv.*) to be repeated; to recur; to happen (*o* to occur) again: *Il rumo-re si ripeté due volte*, the noise was repea-ted twice; *Il fenomeno si ripeté diverse vol-te*, the phenomenon recurred several times; *Questo fatto si sta ripetendo un po' troppo spesso*, this thing keeps happening a bit too often; *Che la cosa non si ripeta!*, let it not happen again!; (*prov.*) *La storia si ripete*, history repeats itself **D** **ripètersi** m. inv. recurrence; repetition: **il ripetersi di un so-gno**, the recurrence of a dream.

ripetìbile a. **1** repeatable; (*riproducibile*) reproducible: **cura r.**, repeatable treatment;

parole non ripetibili, unrepeatable words **2** (*leg.*: *restituibile*) returnable.

ripetibilità f. **1** repeatability; reproduci-bility **2** (*leg.*) returnability.

ripetitività f. repetitiveness.

ripetitìvo a. repetitive; repetitious: **lavoro r.**, repetitive job.

ripetitóre **A** a. **1** repeating **2** (*radio*, *TV*) relay (attr.): **stazione ripetitrice**, relay sta-tion **B** m. (f. **-trice**) **1** repeater **2** (*insegnan-te privato*) coach; private tutor **3** (*gergo teatr.*) prompter **C** m. **1** (*tecn.*) repeater: (*tel.*) **r. d'impulsi**, impulse repeater; (*ferr.*) **r. di segnali**, signal repeater **2** (*radio*, *TV*) relay.

ripetizióne f. **1** (*il ripetere*) repetition; (*il ripetersi*) repetition, repeat, reoccurrence, recurrence: **la r. di una parola**, the repeti-tion of a word; **la r. di un concorso**, the repetition (*o* the repeat) of a contest; **la r. d'un fenomeno**, the repetition (*o* the reoccur-rence) of a phenomenon; **arma a r.**, repeat-er; **fucile a r.**, repeating rifle; repeater; **oro-logio a r.**, repeater; **fare domande a r.**, to keep asking questions; to shoot questions (at sb.) **2** (*parola*, *frase ripetuta*) repetition; reiteration **3** (*ripasso*) revision **4** (*lezione pri-vata*) private lesson: **andare a r. da q.**, to take private lessons from sb.; to be coached by sb.; **dare ripetizioni a q.**, to give private lessons to sb.; to coach sb. **5** (*ling.*) redupli-cation **6** (*leg.*) claiming back.

ripetutaménte avv. repeatedly; over and over (again); again and again.

ripetùto a. repeated; reiterated; (*frequen-te*) frequent, several: **errori ripetuti**, repea-ted mistakes; **i ripetuti attacchi dell'oppo-sizione**, the repeated attacks by the opposi-tion; **in ripetute occasioni**, on several occa-sions.

ripianaménto m. **1** (*tecn.*) levelling off (*o* out) **2** (*econ.*) balancing; (*estinzione*) settle-ment, paying off: **il r. del bilancio**, the bal-ancing of the budget; **il r. del debito pubbli-co**, the settlement of public deficit.

ripianàre v. t. **1** (*tecn.*) to level off (*o* out) **2** (*econ.*) to balance; to make* good; (*estin-guere*) to settle, to pay* off: **il bilancio**, to balance the budget; **r. un debito**, to settle a debt; **r. una perdita**, to make good a loss.

ripiàno m. **1** (*terreno pianeggiante*) level ground **2** (*agric.*) terrace: **a ripiani**, ter-raced **3** (*nella roccia*) ledge; bench **4** (*scaffa-le*) shelf* **5** (*pianerottolo*) landing.

ripiantàre v. t. to replant; to plant again.

ripìcca f. spite; petty vengeance: **fare qc. per r.**, to do st. out of spite.

ripicchiàre **A** v. t. to hit* again; to strike* again; to beat* again **B** v. i. **1** to knock again: *Picchia e ripicchia, non veniva nes-suno*, I knocked and knocked, but nobody came **2** (*fig.*: *insistere*) to insist (on); to harp (on).

ripìcco m. → **ripicca**.

ripìcolo a. (*biol.*) riparial.

ripidaménte avv. steeply; precipitously.

ripidézza f. steepness; precipitousness.

◆**rìpido** a. steep; precipitous: **r. pendio**, steep slope; **salita ripida**, steep climb.

ripiegaménto m. **1** (*il piegare di nuovo*) folding again; refolding; (*il piegare più volte*) folding up **2** (*mil.*) retreat; withdrawal **3** (*fig.*: *arretramento*) falling back **4** (*fig.*: *rac-coglimento*) withdrawal into oneself.

ripiegàre **A** v. t. **1** (*piegare di nuovo*) to fold again; to refold: **piegare e r.**, to fold and refold **2** (*piegare più volte*) to fold (up): **r. le lenzuola**, to fold the sheets **3** (*piegare su sé stesso*) to fold; to fold back: **r. le ali**, to fold the wings; **r. l'angolo d'una pagina**, to fold back the corner of a page; **r. le gambe**, to draw up (*o* to curl up) one's legs **B** v. i. **1**

(*mil.*) to retreat; to withdraw* **2** (*fig.*: *trova-re un ripiego*) to fall* back (on); to resort (to); to make* do (with): **r. su un progetto meno ambizioso**, to fall back on a less ambitious plan; **r. su vacanze poco costose**, to make do with a cheap holiday **C** **ripiegàrsi** v. i. pron. **1** (*piegarsi*, *incurvarsi*) to bend*; to buckle; to sag: **ripiegarsi sotto un peso**, to bend (*o* to buckle) under a weight **2** (*fig.*) – **ripiegarsi in sé stesso**, to withdraw into oneself.

ripiegàta f. folding; folding up: **dare una r. a qc.**, to fold up st.

ripiegatùra f. folding; (*piega*) fold.

ripiègo m. expedient; makeshift; (*espediente*) expedient: **r. d'emergenza**, emergency stopgap; **ricorrere a un r.**, to resort to an expedient; **vivere di ripieghi**, to live by one's wits; **di r.**, makeshift (attr.); stopgap (attr.); **per r.**, as a makeshift; **soluzione di r.**, makeshift solution; stopgap.

ripièna f. (*ind. min.*) gob.

ripienìsta m. e f. (*mus.*) ripieno player.

ripièno **A** a. **1** full up; replete; (*pieno fino all'orlo*) full to the brim, brimful; (*stipato*) crammed, packed **2** (*pervaso*) full (of); per-vaded (with): **r. di gioia**, pervaded with joy **3** (*farcito*) stuffed; (*di dolce*, *panino*) filled; (*di cioccolatino*) soft-centred: **cipolle ripiene**, stuffed onions; **cioccolatino r.**, soft-centred chocolate; **tacchino r.**, stuffed turkey; **pasta ripiena di crema**, pastry filled with cream (*o* with a cream filling) **B** m. **1** (*imbottitura*) stuffing; filling; padding: **il r. d'un cuscino**, the stuffing of a cushion **2** (*farcia*) stuffing; (*di dolce*, *panino*, *ecc.*) filling; (*di cioccolatino*) soft centre: **pasta con r. di marmellata**, pastry with a jam filling **3** (*fig.*) make-weight **4** (*mus.*) ripieno*.

ripigliàre → **riprendere**.

ripiglìno m. (*gioco*) cat's-cradle.

ripiombàre **A** v. t. to plunge back: **r. q. nella disperazione**, to plunge sb. back into despair **B** v. i. **1** (*cadere di nuovo*) to fall* (down); (*fig.*) to plunge back: **r. a ter-ra**, to fall down again; **r. nello sconforto**, to plunge back into despair **2** (*gettarsi di nuo-vo*) to fall* again: *Ci sono ripiombati addos-so nel buio*, they fell on us again in the dark **3** (*arrivare di nuovo*) to turn up again; (*entra-re di nuovo*) to burst* back: *Ci ripiombò in ca-sa senza preavviso*, he suddenly turned up again on our doorstep without notice; *Ri-piombarono nella stanza*, they burst back into the room.

ripopolaménto m. repopulation; (*di ani-mali*) repopulation, restocking; (*di piante*) re-planting, reafforestation.

ripopolàre **A** v. t. to repopulate; (*con ani-mali*) to repopulate, to restock; (*con piante*) to replant, to reafforest **B** **ripopolàrsi** v. i. pron. **1** to be repopulated **2** (*riaffollarsi*) to fill with people again.

◆**ripórre** **A** v. t. **1** (*rimettere a posto*) to put* back, to replace; (*mettere via*) to put* away; (*nascondere*) to hide*: **r. un libro sullo scaf-fale**, to put a book back on the shelf; **r. le proprie cose**, to put away one's things; **r. i gioielli in cassaforte**, to lock up the jewels in the safe **2** (*fig.*: *collocare*) to put*; to place; to set*: **r. la propria fiducia in q.**, to put (*o* to set) one's trust in sb.; to place con-fidence in sb.; **r. ogni speranza in q.**, to place one's hopes in sb. **B** **ripórsi** v. i. pron. (*rimettersi a*) to resume; to start again: **riporsi a sedere**, to sit down again.

◆**riportàre** **A** v. t. **1** (*portare di nuovo*) to bring* back; (*lontano dall'interlocutore*) to take* again **2** (*portare indietro*) to bring* back; to take* back; to carry back; (*di cane*) to retrieve; (*riaccompagnare*) to take* back, (*in auto*) to drive* back; (*rimettere*) to put* back: **r. una risposta a q.**, to bring back an

answer to sb.; **r. qc. ad aggiustare**, to take st. back to be repaired; **r. q. a casa**, to take sb. home; (*in auto*) to drive sb. home; **r. tutto all'ordine**, to put everything back in order; *Riporta qui quella borsa*, bring back that bag; *Ti ho riportato la bici*, I've brought your bike back; *Gli devo r. questi libri*, I have to take these books back to him; *Riportami l'ombrello quando vieni*, bring me back my umbrella when you come over; *Riportò il ferito alla cascina*, he carried the injured man back to the farmhouse; *La scena mi riportò alla mente un particolare dimenticato*, the scene brought a forgotten detail back to my mind; *Vederti mi riporta indietro di vent'anni*, seeing you takes me back twenty years **3** (*restaurare, ricreare*) to restore; to bring* back; (*rimettere*) to put* back; **r. l'ordine nel Paese**, to restore order in the country; **r. la pace in famiglia**, to bring back peace in the family **4** (*riferire*) to report, to relate, to tell*; (*citare*) to quote, to cite; (*pubblicare*) to report, to carry: **r. l'opinione di un esperto**, to quote the opinion of an expert; **r. un passo da un libro**, to quote a passage from a book; *Tutti i giornali hanno riportato questa notizia*, all the papers reported (*o* carried) the news **5** (*un disegno*) to transfer **6** (*fig.: ricevere, ottenere*) to receive, to get*; to obtain; (*conquistare*) to carry off; (*subire*) to suffer, to meet* with: **r. gravi danni**, to suffer extensive damage; **r. ferite**, to receive injuries; to be injured (*o* wounded); **r. una buona impressione**, to receive (*o* to get) a good impression; **r. forti perdite**, to sustain heavy losses; **r. buoni risultati**, to obtain good results; **r. una sconfitta**, to suffer a defeat; to be defeated; **r. la vittoria**, to carry off the victory; to win; **r. un buon voto**, to get a good mark **7** (*mat.*) to carry: *Scrivo cinque e riporto uno*, I write down five and carry one **8** (*rag.*) to carry forward (*o* over); to bring* forward: **r. una somma alla pagina seguente**, to carry a total forward to the next page **9** (*Borsa*) to contango; to carry over **B** **riportàrsi** v. i. pron. **1** (*tornare con la mente*) to cast* one's mind back; to go* back: **riportarsi (con la mente) all'inizio del secolo**, to cast one's mind back to the beginning of the century **2** (*richiamarsi, riferirsi*) to refer **3** (*rimettersi*) to rely (on): **riportarsi al parere di un esperto**, to rely on the opinion of an expert **4** (*ritornare, ritrasferirsi*) to go* back: **riportarsi sul luogo dell'incidente**, to go back to the site of the accident.

r

riportàto **A** a. – **materiale r.**, filling material; fill; **tasca riportata**, patch pocket **B** m. (*Borsa*) giver-on.

riportatóre m. (f. **-trice**) **1** reporter **2** (*Borsa*) taker-in; contango broker.

ripòrto m. **1** (*il portare indietro*) bringing back; taking back; (*di cane*) retrieving: **cane da r.**, retriever; gun dog **2** (*edil.*) – **materiale di r.**, filling material; fill; **terra da r.**, made ground **3** (*mat.*) amount to be carried **4** (*rag.*) amount carried forward (*o* over); carry-forward; carry-over **5** (*Borsa*) contango: **tasso di r.**, contango rate **6** (*cucito*) appliqué **7** (*di capelli*) strand (of hair) combed over a bald patch.

riposànte a. restful; (*distensivo*) relaxing, soothing; (*tranquillo*) peaceful: **colore [illuminazione] r.**, restful colour [lighting]; **letture riposanti**, relaxing readings; **musica r.**, soothing music; **paesaggio r.**, peaceful landscape; **vacanza r.**, restful holiday.

riposàre ① **A** v. t. (*posare di nuovo*) to put* back; to place back; to lay* down again: **r. il bicchiere sul tavolo**, to put (*o* to place) the glass back on the table; **r. in terra una borsa**, to put a bag down again; *Riposò il fucile per terra*, he laid the rifle down again on the ground **B** **riposàrsi** v. rifl. (*posarsi di nuovo*) to settle again; to land again; (*di uccello*) to alight again, to land again.

♦**riposàre** ② **A** v. i. **1** to rest; (*dormire*) to sleep*: *Voglio r. un'oretta, prima di partire*, I want to rest for an hour before leaving; *Non ho riposato bene stanotte*, I didn't sleep well last night; (*fig.*) **r. sugli allori**, to rest on one's laurels **2** (*eufem., di defunto*) to rest; to lie*; (*essere sepolto*) to be buried: **r. in pace**, to rest in peace; *Qui riposa X.Y.*, here lies X.Y. **3** (*di terra*) to lie* fallow: *I campi hanno bisogno di r.*, fields must lie fallow between crops **4** (*poggiare, reggersi*) to rest (on); to be built (on); to be supported (by): *L'edificio riposa su terreno argilloso*, the edifice is built on clay soil; *L'arcata riposa su due grandi pilastri*, the arch is supported by two huge pillars **5** (*fig.: basarsi*) to rest (on), to lie* (in), to depend (on); (*fare affidamento*) to rely (upon): *Riposiamo sulla tua promessa*, we rely upon your word **6** (*di liquido*) to settle **7** (*di impasto, ecc.*) to stand*: **lasciar r. la pasta per due ore**, let the dough stand for two hours **B** v. t. to rest: **r. le gambe**, to rest one's legs; **r. la mente**, to rest the mind; **r. la vista**, to rest one's eyes **C** **riposàrsi** v. i. pron. to rest; to have (*o* to take*) a rest; (*sdraiarsi*) to lie* down: *Ho bisogno di riposarmi*, I need a rest; *Mi riposerò per un'ora*, I'll have an hour's rest.

riposàta f. (*fam.*) (short) rest.

riposàto a. **1** (*ristorato, non stanco*) rested; refreshed; fresh: *Non mi sono mai sentito più r.*, I never felt fresher in my life **2** (*tranquillo*) restful; peaceful; quiet; calm: **fare vita riposata**, to lead a quiet (*o* restful) life.

riposino m. (*fam.*) short rest; lie-down; nap; forty winks (*fam.*): **r. pomeridiano**, afternoon rest; afternoon siesta; **fare un r.**, to take a nap; to have a lie-down.

riposizionaménto m. **1** replacing **2** (*econ.*) repositioning.

riposizionàre v. t. **1** (*tecn.*) to replace; to lodge back **2** (*chir.*) to reposition **3** (*econ.*) to reposition.

riposizióne f. (*chir.*) reposition.

♦**ripòso** **A** m. **1** rest; repose (*lett.*); (*pausa*) break; (*dal lavoro*) time off; (*rilassamento, sollievo*) relaxation: **assoluto r.**, complete rest; **un breve r. dopo pranzo**, a short rest (*o* a nap) after lunch; **r. compensativo**, compensatory (*o* compensation) time; (*eufem.*) **l'eterno r.**, eternal rest; **r. festivo**, holiday; **r. settimanale**, weekly day off; *Un mese in campagna è il miglior r.*, a month in the country is the best form of rest (*o* of relaxation); *Facciamo cinque minuti di r.*, let's have a five-minute break; **non concedere r.**, to give no respite; not to give a moment's rest; **prendersi un po' di r.**, to take a little rest; (*fare una pausa*) to take a break; **stare a r.**, to rest; **stare in r.**, to be at rest; **non trovare r.**, to find no rest; (*essere irrequieto*) to be restless; **di tutto r.**, relaxing; (*di incarico*) easy, soft, cushy (*fam.*); **senza r.**, without rest; **casa di r.**, rest home; old people's home; **giorno di r.**, day of rest; (*dal lavoro*) day off; *Il martedì è il mio giorno di r.*, Tuesday is my day off **2** (*sonno*) sleep: **conciliare il r.**, to induce sleep; **una notte di r.**, a night's sleep; *Buon r.!*, sleep well! **3** (*lett.: tranquillità, pace*) peace; quiet; tranquillity: **atmosfera di r.**, peaceful (*o* restful) atmosphere **4** (*cessazione di attività, pensionamento*) retirement: **a r.**, in retirement; retired; **generale a r.**, retired general; **andare (o mettersi) a r.**, to retire; **collocare (o mettere) a r.**, (*per malattia*) to put on the sick-list; (*per limiti d'età*) to pension off, to superannuate **5** (*sport*) rest; (*intervallo*) interval, intermission: **giornata di r.**, rest day **6** (*mil.*) standing at ease (*o* easy): **ordinare il r.**, to order to stand at ease **7** (*mus.*) pause; hold **8** (*della terra*) rest; lying fallow: **stare in r.**, to lie fallow **B** inter. **1** (*mil.*) at ease!; stand easy! **2** (*sport*) easy!

ripostiglio m. **1** (*stanzino*) walk-in cupboard (*GB*), closet (*USA*); (*stanza*) storeroom, lumber room (*GB*) **2** (*capanno*) shed **3** (*naut.*) locker.

ripósto a. **1** (*isolato, appartato*) secluded; out-of-the-way **2** (*segreto*) secret; concealed; hidden: **i più riposti pensieri**, one's most secret thoughts.

ripper (*ingl.*) m. inv. (*agric.*) ripper; scarifier.

riprecipitazióne f. (*metall.*) re-precipitation.

♦**riprèndere** **A** v. t. **1** (*prendere di nuovo*) to take* again; to resume: **r. le armi**, to take up arms again; **r. in mano la penna**, to take up the pen again; **r. moglie (o marito)**, to remarry; to marry again; **r. il proprio posto**, to resume one's place [seat]; **r. il raffreddore**, to catch a cold again; to catch another cold; *Fu ripreso dallo sconforto*, he fell back into despair **2** (*assumere di nuovo*) to take* on again; to re-engage; to re-employ **3** (*riavere, prendere indietro*) to take* back; to get* back; (*cosa lasciata*) to pick up, to collect: *Mi riprendo il libro*, I'm taking my book back; *Sono venuto a r. i miei guanti*, I've come to collect my gloves; *Verrò a riprenderti alle sei*, I'll come and pick you up at six **4** (*riacquistare, recuperare*) to regain; to get* back; to recover; to resume: **r. il controllo**, to regain control; **r. coraggio**, to take courage again; **r. il fiato**, to get one's breath back; **r. forza**, to recover one's strength; **r. il potere**, to resume power; **r. il primo posto**, to regain top position; **r. quota**, (*aeron.*) to regain height; (*fig.*) to regain popularity; (*autom.*) **r. velocità**, to pick up (*o* to regain) speed; **r. i sensi**, to recover consciousness; to come round; to come to **5** (*riconquistare*) to retake*, to recapture; (*ricatturare*) to recapture, to catch* again; (*riacchiappare*) to catch* again: **r. una città**, to retake (*o* to recapture) a town; *Mi era scappato il canarino, ma l'ho ripreso*, my canary had flown away, but I caught him again **6** (*ripetere*) to take* up again: *L'immagine è ripresa pochi versi più sotto*, the same image is taken up again few lines later **7** (*teatr.*) to revive **8** (*trarre, derivare*) to take*; to draw* (on); (*imitare*) to imitate: *Tasso riprende questa similitudine da Dante*, Tasso draws this simile from Dante; *Nella sua sinfonia ha ripreso alcuni temi popolari*, he has drawn on (*o* made use of) some popular tunes in his symphony **9** (*ricominciare*) to resume; to go* back to: **r. il cammino**, to set out again; **r. il discorso**, (*r. a parlare*) to resume, to go on; (*ricollegarsi a qc. di già detto*) to resume, to go back, to pick up; **r. il lavoro**, to resume one's work; to go back to work; **r. l'insegnamento**, to go back to teaching; **r. un racconto**, to resume a story; **r. il viaggio**, to set out again; to resume one's journey (*form.*); **r. la solita vita**, to resume (*o* to go back to) one's normal life **10** (*assol.: continuare*) to go* on; to continue; to resume; to pick up; (*continuare a dire*) to go* on, to continue; (*soggiungere*) to resume, to add: *Riprendiamo da dove eravamo rimasti*, let's pick up where we left off; *«Come vedete» riprese «è tutt'altro che facile»*, «as you can see», she went on, «it is far from easy»; *«Se vuoi» riprese «posso andarci domani»*, «if you wish», he added, «I can go there tomorrow»; *«Eppure» riprese dopo un momento «mi pareva di averne accennato»*, «and yet», he resumed after a moment, «I thought I had mentioned it» **11** (*rimproverare*) to reprimand; (*criticare*) to find* fault with: **r. severamente q.**, to reprimand sb. sharply; *Non fa altro che riprenderci*, all she does is find fault with us **12** (*sartoria*) to take* in: **r. una gonna in vita**,

to take in a skirt at the waist **13** (*pitt.*) to portray **14** (*cinem.*, *fotogr.*) to take*; to shoot*; to film: **r. un primo piano**, to shoot a close-up; **r. una scena**, to take (*o* to shoot) a scene; *L'ho ripreso mentre si grattava*, I caught him as he was scratching himself ● (*fig.*) **r. piede**, to recover ground; to make a comeback □ (*lavoro a maglia*) **r. un punto**, to pick up a stitch □ **r. sonno**, to go back to sleep **B** v. i. **1** (*ricominciare*) to resume; to start (*o* to begin*) again; to go* back: **r. a scrivere**, to begin writing again; *La vita riprende*, life is going back to normal; *Le trasmissioni riprenderanno alle sei*, programmes will resume at six **2** (*di piante*) to revive **C riprèndersi** v. i. pron. **1** (*da una malattia*) to recover; (*da una disgrazia*) to get* over (st.); (*da un dissesto*) to get* back on one's feet: **riprendersi da una polmonite**, to recover from pneumonia **2** (*riprendere il controllo di sé*) to compose oneself; to collect oneself; to pull oneself together; to get* a grip on oneself: *Cerca di riprenderti, ti guardano tutti*, pull yourself together, everybody's looking at you **3** (*econ.*) to recover; to pick up; (*di azienda*) to get back on one's feet: *Il mercato si sta riprendendo*, the market is picking up **4** (*di piante*) to revive **5** (*correggersi*) to correct (*o* to check) oneself.

riprensìbile a. (*lett.*) reprehensible; blameworthy.

riprensióne f. (*lett.*) reprehension; reproof; rebuke.

riprensìvo a. (*lett.*) of reproof; of reproach: **parole riprensive**, words of reproof.

riprésa f. **1** (*il ricominciare*) resumption; renewal: **la r. del lavoro**, the resumption of work; **r. delle ostilità**, renewal of hostilities; **r. delle trattative**, resumption of talks; **r. di un processo**, resumption of a trial; **r. in esame**, re-examination **2** (*estens.: volta*) time; (*occasione*) occasion; (*fase*) stage: **in tre riprese**, three times; in three stages; **a più riprese**, (*in più fasi*) in successive stages; (*più volte*) on several occasions, repeatedly **3** (*da malattia, ecc.*) recovery: *Sta facendo una lenta r. dopo la polmonite*, he is slowly recovering after his pneumonia; **capacità di r.**, powers (pl.) of recovery **4** (*econ.*) recovery; revival; upswing: **r. degli scambi**, revival in trade; **r. economica**, economic recovery; upturn in the economy; *Il mercato azionario è in r.*, the stock market is on the upswing **5** (*riconquista*) recapture **6** (*teatr.*) revival **7** (*autom.*) acceleration; pick-up (*USA*): **avere una buona r.**, to have good acceleration (*o* pick-up) **8** (*cinem.*, *fotogr.*) shot; take; (al pl.) shooting ▣, filming ▣: **r. di un interno**, interior shooting; **r. inclinata**, angle shot; **r. muta**, mute shot; **riprese in esterni**, shooting on location; **riprese sottomarine**, under-water shots; *Le riprese cominceranno in primavera*, shooting will start in the spring; **durante le riprese del film**, while shooting the film; **macchina da r.**, film (*USA* movie) camera; (*fotogr.*) **velocità di r.**, film speed **9** (*sport: boxe, lotta, ecc.*) round; (*scherma*) bout; (*calcio, rugby, ecc.*) second half **10** (*mus.*) repeat; reprise **11** (*poesia*) refrain **12** (*sartoria*) tuck; dart.

ripreşentàre A v. t. **1** (*offrire, proporre di nuovo*) to present again; to put* forward again; to offer again: **r. un disegno di legge**, to introduce (*o* to bring in) a bill again; **r. un'istanza**, to re-present a plea; **r. le proprie scuse**, to offer one's apologies again **2** (*mostrare di nuovo*) to show* again; (*esporre di nuovo*) to re-exhibit **B ripreşentàrsi** v. rifl. to present oneself again; (*ritornare*) to go* back, to come* back: **ripreşentàrsi a casa di q.**, to present oneself at (*o* to go back to) sb.'s house again; **ripreşentàrsi alle ele-**zioni, to stand again (as a candidate); to stand at the next election; **ripreşentàrsi a un esame**, to resit an examination; *Si ripreşenti alle tre*, come back at three **C ripreşentàrsi** v. i. pron. to occur again; to arise* again; to come* up again: *Il fenomeno si ripresentò il giorno dopo*, the same phenomenon occurred again the next day; **quando si ripresenterà l'occasione**, when the opportunity arises (*o* comes up) again.

riprincipiàre → **ricominciare**.

ripristinaménto → **ripristino**.

ripristinàre v. t. **1** (*restaurare*) to restore; (*rimettere in funzione*) to reactivate, to reopen: **r. un edificio**, to restore a building; **r. un tratto di autostrada**, to reopen a stretch of motorway **2** (*ristabilire*) to restore; to re-establish; (*rimettere in vigore*) to reintroduce, to bring* back; (*riportare in uso*) to revive: **r. le comunicazioni**, to re-establish communications; **r. una legge**, to reintroduce a law; **r. l'ordine**, to bring back (*o* to re-establish, to restore) order; **r. una vecchia usanza**, to revive an old custom; **r. il vecchio orario**, to reintroduce (*o* to bring back) the old timetable **3** (*elettr., comput.*) to reset.

ripristinazióne → **ripristino**.

ripristìno m. **1** (*restauro*) restoration; (*riattivazione*) reactivation, reopening: **il r. d'una vecchia chiesa**, the restoration of an old church; **il r. di una linea ferroviaria**, the reactivation of a railway line **2** (*ristabilimento*) restoration; re-establishment; (*reintroduzione*) reintroduction, reinstatement; (*di usanza, ecc.*) revival: **r. delle comunicazioni**, re-establishment of communications; **il r. d'una norma**, the reinstatement (*o* the reintroduction) of a regulation; **il r. dell'ora legale**, the reintroduction of summer time; **r. dell'ordine**, restoration of order **3** (*elettr., comput.*) reset.

riprivatizzàre v. t. to reprivatize.

riprocessàre v. t. (*leg.*) to retry; to try again.

riproducìbile a. reproducible.

riproducibilità f. reproducibility.

♦**riprodùrre A** v. t. **1** (*produrre di nuovo*) to reproduce; to produce again; to repeat: **r. un esperimento**, to reproduce an experiment; **r. gli stessi effetti**, to produce the same effects (again) **2** (*copiare*) to reproduce; to copy; to duplicate: **r. qc. nei minimi particolari**, to reproduce st. in its minutest details; **r. un suono**, to reproduce a sound **3** (*stampare*) to print; (*pubblicare*) to publish: *La foto è stata riprodotta su tutti i giornali*, the photo appeared in all the papers **4** (*rappresentare*) to reproduce; (*ritrarre*) to portray **5** (*ricreare*) to recreate **B riprodùrsi** v. rifl. e i. pron. **1** (*moltiplicarsi*) to reproduce, to breed*; (*di piante, anche*) to propagate: **riprodursi in cattività**, to breed in captivity; **riprodursi per gemmazione**, to reproduce by gemmation **2** (*riformarsi*) to form again **3** (*ripetersi*) to happen again; to occur again: *Si riprodusse lo stesso fatto*, the same thing happened again.

riproduttività f. reproductiveness.

riproduttìvo a. reproductive.

riproduttóre A a. reproducing; (*biol.*) reproductive: **organi riproduttori**, reproductive organs **B** m. **1** reproducer **2** (*bot., zool.*) breeder **3** (*tecn., di suoni*) reproducer; player: **r. a cassette [a nastro]**, cassette [tape] player; **r. di suoni** (*o* acustico), sound system **4** (*tecn.*) rotor.

riproduttrìce f. → **riproduttore**, def. *1* e *2* **2** (*comput.*) – **r. di banda**, tape reperforator.

riproduzióne f. **1** (*il ripetere*) reproduction: **la r. d'un esperimento**, the reproduction of an experiment **2** (*biol.*) reproduction; breeding; (*di piante, anche*) propagation: **r. asessuata**, asexual reproduction; **r. per gemmazione**, gemmation; **r. sessuata**, sexual reproduction; **organi della r.**, reproductive organs; **animale [pianta] da r.**, breeder **3** (*a stampa*) reproduction; copying; printing: **r. vietata**, all rights reserved; **diritto di r.**, copyright **4** (*acustica*) reproduction; **r. del suono**, sound reproduction; **r. stereofonica**, stereophonic reproduction **5** (*cosa riprodotta*) reproduction; (*copia*) copy, replica: **r. fotografica**, photographic reproduction; **r. in miniatura**, miniature; model; small replica: **r. in scala**, reduction; *Il quadro è una r. fedele dell'originale*, the painting is a faithful copy (*o* replica) of the original.

riprografìa e *deriv.* → **reprografia**, e *deriv.*

riprogrammàre v. t. **1** to replan; (*nel tempo*) to reschedule **2** (*comput.*) to reprogram.

riprogrammazióne f. **1** replanning; (*nel tempo*) rescheduling **2** (*comput.*) reprogramming, reprograming (*USA*).

ripromèttere A v. t. to promise again **B ripromèttersi** v. i. pron. **1** (*aspettarsi*) to expect: *Ci ripromettiamo una riuscita*, we expect a success **2** (*avere intenzione*) to intend; to propose: *Mi riprometto di finire il lavoro domani*, I intend to finish the work tomorrow.

ripropórre A v. t. to propose again; to repropose; to reintroduce; to revive: **r. un progetto**, to repropose a plan; **r. una commedia**, to revive a play **B ripropórsi** v. rifl. e i. pron. **1** (*offrirsi*) to offer oneself again: **riproporsi come candidato**, to run (for st.) again; (*polit.*) to stand for re-election, to stand as a candidate again **2** (*insorgere di nuovo*) to come* up again; to arise* again; to crop up again: *Si è riproposto lo stesso problema*, the same problem has come up again **3** (*intendere*) to intend; to propose: *Mi ripropongo di andare personalmente*, I intend to go personally.

riproposizióne f. **1** re-presentation; reproposal; (*polit. anche*) renomination **2** re-emergence.

ripròva f. (*nuova prova*) new (*o* additional) proof, new (*o* additional) evidence ▣; (*conferma*) confirmation: *Ecco la r. di quanto ti dissi*, this is the proof of (*o* this confirms) what I told you; **la r. di**, as a proof of; in confirmation of; (*leg.*) **testimone a r.**, refuting witness.

♦**riprovàre** ① **A** v. t. e i. **1** (*tentare di nuovo*) to try again; to reattempt: *Guai a se ci riprovi!*, don't you try that again!; *Prova e riprova, alla fine la chiave entrò*, I tried and tried, and eventually got the key in **2** (*controllare di nuovo*) to test again; to retest **3** (*un vestito, ecc.*) to try on again; (*in sartoria*) to have a new fitting **4** (*sentire di nuovo*) to feel* again; to re-experience **5** (*assaggiare di nuovo*) to taste again **B riprovàrsi** v. i. pron. to try again; to retry: *Ci si riprovò più volte senza riuscirci*, she tried again and again, without success.

♦**riprovàre** ② v. t. **1** (*disapprovare*) to disapprove; to censure; to blame: **r. la condotta di q.**, to censure sb.'s behaviour **2** (*bocciare*) to fail (in an examination).

riprovatòrio a. reproachful; disapproving; of censure: **tono r.**, reproachful tone.

riprovazióne f. (*disapprovazione*) disapproval; censure; criticism; blame: **incontrare la r. generale**, to meet with general criticism **2** (*bocciatura*) failing; failure.

riprovévole a. reprehensible; blameworthy: **azione r.**, reprehensible action.

ripuàrio a. riparian; riverine.

ripubblicàre v. t. to republish; to reissue.

ripubblicazióne f. republication; new publication; reissue.

ripudiàre v. t. **1** (*disconoscere, rinnegare*) to disown; to repudiate: **r. un figlio**, to disown a son; **r. la moglie**, to repudiate one's wife; **r. i vecchi amici**, to repudiate one's former friends **2** (*sconfessare, respingere*) to reject; to repudiate; to renounce; (*rifiutare*) to disavow: **r. un'ideologia**, to reject (*o* to renounce) an ideology; **r. una linea politica**, to repudiate a policy; **r. le proprie opere giovanili**, to disown one's youthful works; **r. la violenza**, to disavow violence.

ripùdio m. **1** (*disconoscimento*) repudiation; (*rifiuto*) rejection; (*leg.*) disclaimer: **il r. della moglie**, the repudiation of one's wife **2** (*sconfessione*) rejection; repudiation; (*rifiuto*) disavowal: **r. di un'ideologia**, rejection of an ideology; **r. della violenza**, disavowal of violence.

ripugnànte a. repulsive; revolting; loathsome; repugnant; ghastly; vile: **aspetto r.**, revolting look; **odore r.**, disgusting (*o* vile) smell; **vista r.**, repulsive (*o* revolting) sight.

ripugnànza f. **1** repugnance; revulsion; distaste; loathing; abhorrence: **avere r. per qc.**, to loathe st.; to abhor st.; **provare (*o* sentire) r. per qc.**, to feel repugnance for st.; (*rif. a cibo*) to have an aversion to st.; **suscitare r.**, to arouse revulsion (*o* disgust); to disgust; to be disgusting (*o* revolting, repugnant); **vincere la propria r. per qc.**, to overcome one's revulsion to st. **2** (*riluttanza*) reluctance; disinclination: **avere r. a fare qc.**, to be reluctant (*o* loath) to do st.

ripugnàre v. i. **1** (*suscitare disgusto, avversione*) to fill (sb.) with repugnance (*o* with disgust); to revolt (st.); to repel (sb.): *La sola idea mi ripugna*, the very idea of it fills me with disgust; *La scena mi ripugnò*, the scene revolted me; *La carne mi ripugna*, I have an aversion to meat **2** (*essere contrario*) to be repugnant (to); to be contrary (to); to go* (against); to be incompatible (with); to be contradictory (to): **r. al senso morale**, to be repugnant to one's moral sense; **r. al senso comune [ai propri principi]**, to be contrary to (*o* to go against) common sense [one's principles].

ripulimento m. → **ripulitura**.

♦**ripulire** A v. t. **1** (*pulire di nuovo*) to clean again **2** (*pulire bene, anche fig.*) to clean; to clean up: **r. la casa**, to clean up the house; **r. la città [un quartiere]**, to clean up the town [a district]; **ripulirsi le scarpe**, to clean one's shoes; **r. un posto da qc.**, to clear st. out of a place; **r. il giardino dalle erbacce**, to weed the garden **3** (*fig.: portar via tutto da*) to clean out; (*mangiare tutto*) to eat* up, to polish off: **r. la dispensa**, to clean out the larder; **r. il piatto**, to clean one's plate; to eat up everything on the plate; *Gli hanno ripulito la casa*, the burglars cleaned out his house; *Mi hanno ripulito*, I've been cleaned out; I was taken to the cleaners (*fam.*); *Sono stato ripulito al poker*, I've been cleaned out at poker **4** (*fonderia*) to trim **5** (*fig.: rivedere*) to polish up; (*perfezionare*) to refine, to hone **r. il proprio stile**, to polish up one's style **6** (*fig.: dirozzare*) to civilize; to refine B **ripulirsi** v. rifl. **1** to clean oneself up; to make* oneself neat and tidy **2** (*fig.: dirozzarsi*) to become* civilized; to become* refined; to polish up one's manners.

ripulìsti → **repulìsti**.

ripulìta f. **1** (*pulita, anche fig.*) clean; clean-up; (*edil.*) face-lift: **dare una r. a qc.**, to give st. a clean-up; **dare una r. alla facciata di un edificio**, to give a building a face-lift; **dare una r. a un quartiere**, to clean up a district; **darsi una r.**, to have a clean-up; to go* and get clean; **fare una r.**

generale, to give st. a thorough clean-up; to clear out everything; *Devo fare una r. tra queste carte*, I must get rid of (*o* weed out) some of these papers **2** (*fig.: rifinitura*) finishing; finishing touches (pl.).

ripulìto a. **1** (*pulito*) clean; nice and clean (*fam.*) **2** (*in ordine*) tidy **3** (*fig.: dirozzato*) civilized.

ripulitùra f. **1** → **ripulita 2** (*ciò che si toglie nel ripulire*) rubbish ⍟; refuse ⍟.

ripullulàre v. i. to swarm again (with); to teem again (with).

ripùlsa f. refusal; rejection: **ricevere una r.**, to meet with a refusal.

ripulsióne e deriv. → **repulsione**, e deriv.

riputàre, **riputazióne** → **reputare**, **reputazione**.

riquadràre v. t. **1** (*squadrare*) to square **2** (*dividere in riquadri*) to square off **3** (*una stanza*) to paint the friezes and baseboards of **4** (*tipogr.*) to box.

riquadràto A a. squared off B m. (*giorn.*) box; sidebar (*USA*).

riquadratùra f. **1** (*lo squadrare*) squaring **2** (*il dividere in riquadri*) squaring off **3** (*spazio quadro*) square **4** (*di una stanza*) painting of the friezes and baseboards.

riquàdro m. **1** square; panel; (*cornice*) frame **2** (*archit.*) panel: **soffitto a riquadri**, panelled ceiling **3** (*tipogr.*) box **4** (*giorn.*) box; sidebar (*USA*).

riqualificàre A v. t. **1** (*riaddestrare*) to retrain **2** (*promuovere*) to upgrade B **riqualificàrsi** v. rifl. to retrain.

riqualificazióne f. **1** (*riaddestramento*) retraining **2** (*promozione*) upgrading.

risàcca f. undertow; backwash; surf.

risàia f. rice-field; paddy, paddy-field.

risaiòlo m. (f. **-a**) rice-field (*o* paddy) worker; (*mondariso*) rice weeder.

risaldàre v. t. (*tecn.*) to resolder; to solder again; to reweld; to weld again; to weld back.

risaldatùra f. (*tecn.*) **1** (*il risaldare*) resoldering; rewelding **2** (*punto risaldato*) new weld; new soldering.

risalènte a. (*lett.*) re-ascending **2** dating back: *una costruzione r. al 1750*, a building dating back to 1750.

♦**risalire** A v. t. **1** (*salire di nuovo*) to go* up again; to climb again; to mount again: **r. le scale**, to go up (the stairs) again **2** (*ripercorrere in salita*) to go* up; to climb up; to ascend: **r. una collina**, to go up (*o* to climb up) a hill; **r. un pendio**, to go up a slope; (*fig.*) **r. la china**, to be on the way up again; to get back on top **3** (*percorrere navigando*) to sail up; (*a nuoto*) to swim up: **r. la corrente**, to go upstream; (*fig.*) to pick up, to get on one's feet again; **r. la costa**, to sail up the coast; **r. un fiume**, to sail up a river; to go upriver; (*a nuoto*) to swim upriver; (*di salmoni, ecc*) to run B v. i. **1** to go* [to come] up again; to climb up again; to remount; to mount again; to re-ascend; (*in superficie*) to resurface: **r. a cavallo**, to remount (one's horse); to mount one's horse again; to climb back into the saddle; **r. al piano di sopra**, to go back up; **r. a quota duemila**, to climb again to a height of two thousand metres; **r. in macchina**, to get (*o* to climb) back into the car; **r. in camera**, to go up to one's room again; **r. sul trono**, to re-ascend the throne **2** (*fig.: crescere, aumentare*) to go* up again; to rise* again: *I prezzi risalgono*, prices are rising (*o* going up) again; *La temperatura [il barometro] risale*, the temperature [the barometer] is rising (*o* is going up) again; *Il livello dell'acqua risalì*, the water level rose again **3** (*fig.: riandare con la mente*) to think* back; to go* back: **r. col pensiero a un episodio**, to think back to an episode **4** (*fig.:*

rintracciare) to trace (st.); (*nel tempo*) to trace (st.) back (to): **r. alle cause [alla fonte] di qc.**, to trace the causes [the source] of st.; **r. al colpevole**, to trace the culprit; **r. alle origini di qc.**, to go back to the origins of st.; to trace st. back to its origins; **far r. qc. a**, to trace st. back to; **far r. le proprie origini a**, to trace one's origins to **5** (*fig.: rimontare nel tempo*) to go* back (to); to date back (to); to date (from): *La chiesa risale al XII secolo*, the church dates back to the 12th century; *La sua paura risale probabilmente a un trauma infantile*, his fear is probably to be traced back to some childhood trauma; *Il fatto risale all'estate scorsa*, it happened last summer; *La sua scomparsa risale a tre giorni fa*, he disappeared three days ago.

risalìta f. **1** climb (back); (*alla superficie*) resurfacing **2** (*fig.*) new rise: **la r. dei prezzi**, a new rise in prices; (*sport invernali*) **mezzi di r.**, lifts; ski-lift facilities.

risaltàre A v. t. e i. (*saltare di nuovo*) to jump again; to leap* again: **r. un fosso**, to jump (*o* to leap) over a ditch again; **r. un ostacolo**, to jump an obstacle again; **r. indietro**, to jump back; to leap back B v. i. **1** (*archit.: sporgere*) to project; to jut out **2** (*fare spicco*) to stand* out; to show* up: *Il giallo risaltava sullo sfondo scuro*, the yellow stood out against the dark background; *Questo è il colore che risalta di più*, this is the colour that shows up best; **far r.**, to show up; (*sottolineare*) to set* off, to highlight, to enhance; *Quei vestiti fanno r. la sua figura*, those clothes set off her figure; **un trucco che fa r. l'abbronzatura**, make-up that highlights one's tan **3** (*fig.: emergere, distinguersi*) to stand* out; to distinguish oneself; to excel **4** (*fig.: apparire evidente*) to stand* out; to appear clearly; to be evident; to be revealed: *Dal confronto risalta una differenza fondamentale*, the comparison reveals a crucial difference; on comparison, a crucial difference becomes evident.

risàlto m. **1** (*spicco, rilievo*) prominence; relief; (*accento, enfasi*) emphasis, stress: **il r. del giallo sul nero**, the prominence of yellow against black; **avere r. (*o* essere in r.)**, to stand out; to be prominent; to be thrown into relief; **dare r. a qc.**, to give prominence to st.; (*sottolineare*) to lay emphasis (*o* stress) on st., to highlight st.; *Nella foto non si dà abbastanza r. al nostro prodotto*, our product isn't given sufficient prominence in the photo; *Devi dare più r. al mento nel tuo disegno*, you must give more relief to the chin in your drawing; *I giornali hanno dato poco r. alla notizia*, the papers gave little prominence to the news; **mettere in r.**, to bring out; to throw into relief; to show off; to show to advantage; to set off; to highlight; (*sottolineare*) to stress: **un colore che mette in r. il biondo dei suoi capelli**, a colour that sets off her fair hair; **mettere in r. gli aspetti positivi di qc.**, to stress the positive aspects of st. **2** (*sporgenza rocciosa*) ledge **3** (*archit.*) projection; relief **4** (*tecn.*) ridge.

risanàbile a. **1** curable; healable **2** (*bonificabile*) reclaimable.

risanaménto m. **1** (*il risanare*) recovering; healing: **il r. d'una piaga**, the healing of a sore **2** (*bonifica*) reclamation; (*edil.*) renewal, redevelopment: **r. edilizio**, urban renewal **3** (*rinnovamento*) renewal: **r. morale**, renewal of moral values **4** (*econ.*) reconstruction; recovery; (*di bilancio*) balancing; (*di azienda*) reorganization, restructuring.

risanàre A v. t. **1** (*guarire*) to restore to health; to cure; to heal: *Un lungo periodo di riposo lo risanò*, a long period of rest restored him to health **2** (*bonificare*) to reclaim; (*edil.*) to redevelop: **r. un'area paludosa**, to reclaim a marsh; **r. un quartiere**, to redevelop a district **3** (*fig.: riformare*) to

reform 4 (*econ.*) to reconstruct; (*un bilancio*) to balance; (*un'azienda*) to reorganize, to restructure, to put* back on its feet **B** v. i. to recover; to get* well again: **r. da lunga malattia**, to recover from a long illness.

risanatóre A a. **1** healing **2** (*fig.*) remedial; restructuring; (*riformatore*) reforming **B** m. (f. *-trice*) healer.

risapére v. t. to get* to know; to know*; to hear* of: *Tutto il paese lo riseppe il giorno dopo*, the whole village knew about it the next day.

risapùto a. (*noto*) well-known; widely known: *È r.* (*o è cosa risaputa*) *che...*, it is a well-known fact that...; it's common knowledge that...

risarcìbile a. refundable; repayable.

risarcibilità f. refundability; repayability.

risarcimento m. (*indennizzo*) compensation Ⓤ; damages (pl.) (*leg.*); (*rimborso*) refund: **r. dei danni**, compensation for damage; damages (pl.); **r. delle spese**, refund of expenses; **un r. di 50 000 euro**, 50,000 euros in compensation; **chiedere un r.**, to claim compensation; to claim damages; **ottenere un r.**, to obtain (*o* to get) compensation; (*leg.*) **a r. di**, in satisfaction of; **richiesta di r.**, claim for damages.

risarcìre v. t. **1** (*indennizzare*) to compensate; to indemnify; to make* up for; to make* good; (*rimborsare*) to refund: **r. q. dei danni**, to pay sb. for damages; to pay sb. compensation; to make up for damage done; **r. q. di una perdita**, to compensate sb. for a loss; to make good sb.'s loss; **r. q. di una spesa**, to refund sb.'s expenses **2** (*riparare*) to make* amends for; to make* up for; to redress: **r. un'offesa**, to make amends for a wrong.

risarèlla f. (*fam.*) giggles (pl.): *Gli è venuta la r.*, he had a fit of the giggles; he started giggling irrepressibly.

◆**risàta** f. laugh; (al pl., anche) laughter Ⓤ: **r. beffarda**, mocking laugh; **r. forzata**, forced laughter; **r. fragorosa**, belly laugh; **r. grassa**, hearty (*o* rollicking) laugh; **grossa r.**, big laugh; **r. sgangherata**, guffaw; **risate omeriche**, Homeric laughter; **risate e applausi**, laughter and cheering; *Mi rispose con una r.*, he answered me with a laugh; *Dissipò le mie paure con una r.*, she laughed away my fears; **fare una r.**, to laugh; to break into a laugh; **fare una r. in faccia a q.**, to laugh in sb.'s face; **farsi una bella r.**, to have a good laugh; **farsi matte** (*o* un mucchio di) **risate**, to laugh one's head off; (*fam.*) **farsi quattro risate**, to have a good laugh; **tanto per farsi quattro** (*o* due) **risate**, just for a laugh (*o* for the laugh of it); **provocare una r. generale**, to raise general laughter; **finire in risate**, to end up in laughter; **scoppiare in una r.**, to burst out laughing; *Che risate!*, how we laughed!; what a laugh!; (*iron.*) *Sai che risate!*, some fun!

risatìna f. chuckle; (*nervosa o sciocca*) giggle; (*ironica*) snigger: **fare una r.**, to chuckle; to giggle; to snigger.

◆**riscaldaménto** m. **1** (*aumento di temperatura*) warming; heating; heating up: **il r. della terra**, global warming **2** (*di edificio, ambiente*) heating: **r. ad acqua** [**ad aria**] **calda**, hot-water [hot-air] heating; **r. a vapore** [**a carbone**], steam [coal] heating; **r. a pannelli radianti**, panel heating; radiant heating; **r. autonomo**, independent central heating; **r. centrale**, central heating; **r. elettrico**, electric heating; **accendere** [**spegnere**] **il r.**, to turn on [to turn off] the heating; **impianto di r.**, heating system (*o* apparatus) **3** (*sport*) warming-up; warm-up: **fare r.**, to warm up; **esercizi di r.**, warm-up exercises **4** (*fam.: infiammazione*) inflammation.

◆**riscaldàre A** v. t. **1** (*scaldare di nuovo*) to heat up; to warm up; to warm over (*USA*): **r. la minestra**, to heat up the soup **2** (*scaldare*) to warm; to heat: **r. una stanza**, to heat (*o* to warm) a room; **riscaldarsi le mani al fuoco**, to warm one's hands in front of the fire; (*sport*) **riscaldarsi i muscoli**, to warm up **3** (*fig.: eccitare, infiammare*) to stir up; (*animare*) to warm up, to enliven: *Il discorso riscaldò l'assemblea*, the speech stirred up the assembly; *La discussione riscaldò l'atmosfera*, the discussion soon enlivened the atmosphere **4** (*fam.: provocare infiammazione*) to cause inflammation to **B** v. i. (*surriscaldarsi*) to overheat **C riscaldàrsi** v. rifl. **1** (*riprendere calore*) to warm oneself; to get* warm; to warm up: **riscaldarsi vicino al fuoco**, to warm oneself by the fire; *Non riesco a riscaldarmi*, I can't get warm **2** (*sport*) to warm up: *Fece qualche flessione sulle braccia per riscaldarsi*, he did a few press-ups to warm up; **esercizi per riscaldarsi**, warm-up exercises **D riscaldàrsi** v. i. pron. **1** (*diventare caldo*) to warm up; to heat up; to get* warm: *La minestra sta riscaldandosi*, the soup is heating up; *Il ferro non si è ancora riscaldato*, the iron isn't hot yet; *Questa stanza ci mette molto a riscaldarsi*, this room takes a long time to warm up **2** (*fig.: diventare animato*) to become* heated (*o* animated) **3** (*fig.: infervorarsi*) to get* worked up, to get* excited; (*arrabbiarsi*) to get* worked up, to raise one's voice: *Si riscalda sempre quando si parla di politica*, she always gets worked up about politics; *Non c'è bisogno di riscaldarsi, sai!*, there's no need to get so worked up (*o* to raise your voice)!

riscaldàta f. warming up: **dare una r. a qc.**, to warm st. (up).

riscaldàto a. **1** heated; warm: *Tutte le stanze sono riscaldate*, all the rooms are heated **2** (*di cibo*) heated up; warmed up; warmed over (*USA*) **3** (*fig.: eccitato*) excited; heated **4** (*fig.: arrabbiato*) worked up ● (*fig.*) **minestra riscaldata**, old hat Ⓤ; (*di scritto*) rehash.

riscaldatóre m. heater; heating element: **r. a resistenza**, resistance heater.

riscàldo m. (*fam.: infiammazione*) inflammation; (*eruzione cutanea*) skin rash.

riscattàbile a. redeemable; callable: **titoli riscattabili**, redeemable stock; **r. ai fini pensionistici**, redeemable for pension purposes; **non r.**, unredeemable; **programma a deposito r.**, callable deposit programme.

riscattàre A v. t. **1** (*liberare pagando un riscatto*) to ransom; to redeem: **r. un prigioniero**, to ransom a prisoner; **r. uno schiavo**, to redeem a slave **2** (*cosa impegnata*) to redeem from the pawnbrokers; to take* out of pawn **3** (*bur., fin.*) to redeem; (*ass.*) to surrender: **r. un appartamento**, to redeem the mortgage on a flat; (*bur.*) **r. cinque anni di lavoro ai fini pensionistici**, to redeem five years' work for pension purposes; **r. un'ipoteca**, to redeem a mortgage; **r. una polizza d'assicurazione**, to surrender an insurance policy **4** (*fig.: liberare*) to free; to save; to deliver; (*relig.*) to redeem: **r. la patria**, to free one's country **5** (*fig.: compensare*) to redeem; to make* up for; to atone for: *L'eleganza dello stile riscatta la debolezza della trama*, the elegance of style makes up for the weak plot **B riscattàrsi** v. rifl. (*redimersi*) to redeem oneself; to atone (for st.); (*estens.: riprendersi*) to revive, to pick up, to rally: **riscattarsi da un passato turbolento con l'impegno sociale**, to atone for a disorderly past with dedicated social work; *La commedia si è riscattata nel finale*, the play revived (*o* picked up) towards the end; *Il Genoa si è riscattato nel secondo tempo e ha segnato due volte*, Genoa rallied in the second half and scored twice.

riscàtto m. **1** (*il riscattare*) ransoming **2** (*il prezzo pagato*) ransom: **chiedere un r.**, to ask for a ransom; *Hanno pagato un r. di un milione di euro*, they paid a ransom of one million euros; *L'hanno rapito per chiedere un r.*, he's been kidnapped and held to ransom; **denaro del r.**, ransom money **3** (*di cosa impegnata*) redemption; (*bur., fin.*) redemption; (*ass.*) surrender: **r. d'ipoteca**, redemption of mortgage; **r. di una polizza**, surrender of an insurance policy; **diritto di r.**, right of redemption; **prezzo di r.**, redemption price; **vendita con patto di r.**, sale with right of redemption; **a r.**, on mortgage; with right of redemption; redeemable **4** (*fig.: liberazione*) liberation, deliverance, (*relig.*) redemption; (*estens.: ripresa, elevazione*) advance, improvement, amelioration.

rischiaraménto m. **1** (*l'illuminare*) lighting up; illumination **2** (*del tempo*) clearing up; brightening **3** (*di liquido*) clarification; clearing.

rischiaràre A v. t. **1** (*illuminare, anche fig.*) to light* up; to illuminate: *La grotta era rischiarata da torce*, the cave was lit up by torches; *La felicità le rischiarava il viso*, happiness lit up her face **2** (*rendere più chiaro*) to lighten: **r. un colore**, to lighten a colour **3** (*rendere più vivace*) to brighten up: **r. una gonna con una camicetta bianca**, to brighten up a skirt with a white blouse **4** (*rendere limpido*) to clarify; to clear **5** (*fig.: chiarire*) to clear; to clarify; to enlighten: **rischiararsi le idee**, to clarify one's thoughts; to clear one's mind **B** v. i. e **rischiaràrsi** v. i. pron. **1** (*del tempo*) to clear up; to brighten: *Comincia a rischiarare*, it's beginning to clear up; the sky is brightening **2** (*fig.*) to lighten; to light* up; to brighten: *La sua espressione si rischiarò*, her expression lightened; her face brightened **3** (*di liquido*) to become* clear; to clarify.

◆**rischiàre A** v. t. **1** (*mettere a repentaglio*) to risk; to hazard; to venture; to put* on the line (*fam.*); (*giocarsi, scommettere*) to stake, to gamble; (*assol.: correre un rischio*) to take* (*o* to run*) a risk (*o* risks), to take* a chance (*o* chances), to stick one's neck out (*fam.*): **r. il proprio denaro**, to risk one's money; **r. grosso**, to run a big risk; to take a chance; **r. la pelle**, to risk one's neck; **r. il posto**, to risk losing one's job; to put one's job on the line (*fam.*); **r. la propria reputazione con qc.**, to stake one's reputation on st.; **r. la salute**, to risk one's health; **r. il tutto per tutto**, to stake everything; to go* for broke (*fam.*); **r. la vita**, to risk one's life; **r. in prima persona**, to risk personally; *Non voglio r.*, I don't want to take chances; *Mi piace r.*, I like taking risks (*o* a gamble); *Non gli va di r.*, he doesn't like risks; he doesn't like to gamble; he isn't one for gambling; he doesn't want to stick his neck out (*fam.*); **per non r.**, to be on the safe side **2** (*essere a rischio di*) to run* the risk of; to risk (doing st.); to be at risk of; (*assol.*) to be at risk: **r. il fallimento**, to run the risk of (*o* to risk) going bankrupt; *Il parco nazionale rischia la chiusura*, the nature park is in danger of closing down; *Rischia una condanna a sei anni*, she is facing a six-year sentence; *Chi rischia di più sono i bambini*, children are most at risk **B** v. i. to run* the risk of; to risk (doing st.); to be in danger of: **r. di fallire**, to risk going bankrupt; **r. di morire**, to risk death; *Rischi di buscarti una polmonite*, you're risking pneumonia; *Ho rischiato di perdere tutto*, I risked losing everything; *Se aspetti ancora, rischi di non trovarli*, if you wait any longer, you run the risk of not finding them **C** v. i. impers. to look like; to threaten: *Rischia di nevicare*, it looks like snow.

rischiaríre → **rischiarare**.

◆rischio m. risk (*anche comm.*, *ass.*); chance; gamble; (*pericolo*) hazard, danger: **r. calcolato**, calculated risk; (*comm.*) **r. del compratore [del vettore]**, buyer's [carrier's] risk; **r. d'incendio**, fire risk; (*econ.*) **r. paese**, country risk; (*econ.*, *fin.*) **r. di cambio**, currency risk; exchange rate risk; **r. per la salute**, health hazard; **r. professionale**, occupational hazard; **rischi di guerra**, war risks; *C'è il r. di perdere tutto*, there's a risk of losing everything; (*iron.*) *C'è il r. che chieda scusa?*, any chance he'll apologize?, **amare il r.**, to like to take risks; **assicurarsi contro ogni r.**, to insure against all risks; **correre un r.**, to run (*o* to take) a risk; to take a chance (*o* a gamble); **correre il r. di**, to run the risk of; *Preferisco non correre rischi*, I'd rather play it safe; **per non correre rischi**, not to run any risk; to be on the safe side (*fam.*); **senza correre rischi**, safely (avv.); **esporsi a un r.**, to lay oneself open to a risk; **essere a r.**, to be at risk; (*in pericolo*) to be in danger (*o* in jeopardy, at stake); **mettere a r.**, to risk; to venture; (*mettere in pericolo*) to jeopardize; to endanger; **mettere a r. la propria vita**, to risk one's life; to put one's life at stake; **mettere a r. l'esito di una trattativa**, to jeopardize the results of a negotiation; **categorie a r.**, categories at risk; (*comm.*) **a r. del compratore**, at buyer's risk; **ad alto r.**, high-risk (attr.); **a proprio r. (e pericolo)**, at one's own risk (and peril); **col r. di**, at the risk of; **esente da r.**, risk-free; **politica del r. calcolato**, brinkmanship.

rischiosità f. riskiness; (*pericolosità*) dangerousness, hazardousness.

rischióso a. risky; chancy; (*pericoloso*) hazardous, dangerous, dicey (*fam.*), dodgy (*fam.*): **gioco r.**, dangerous game; **impresa rischiosa**, risky undertaking; *È un po' r. viaggiare di notte*, it's reather dicey travelling at night; *È un piano un po' r.*, it's a rather dodgy plan.

risciacquàre v. t. to rinse (out): **r. il bucato**, to rinse (out) the washing; **risciacquarsi la bocca**, to rinse (out) one's mouth.

risciacquàta f. **1** (*il risciacquare*) rinse; rinsing: **dare una r. a qc.**, to give st. a rinse; to rinse st. **2** (*fig. fam.: rabbuffo*) scolding, telling-off (*fam.*); dressing-down (*fam.*): **fare (o dare) una r. a q.**, to tell sb. off; to give sb. a dressing-down.

risciacquatùra f. **1** rinse; rinsing **2** (*acqua di riacquatura*) rinse-water; (*dei piatti*) dishwater, washing-up water **3** (*fig. spreg., di bevanda, ecc.*) slops (pl.): **r. di bicchieri**, cheap wine **4** (*spreg., di scritto*) long, rambling piece of writing.

risciàcquo m. **1** rinsing; rinse; (*di lavatrice, ecc.*) rinse cycle **2** (*med.*) mouthwash; mouth-rinse.

risciò m. rickshaw.

riscolo m. (*bot.*, *Salsola kali*) (prickly) glasswort.

riscontàre v. t. (*banca*) to rediscount.

riscónto m. **1** (*banca*) rediscount **2** (*rag.*) deferment; deferral: **r. attivo.** deferred asset (*o* charge, expense); **r. passivo**, deferred credit (*o* income, liability).

riscontràbile a. **1** (*confrontabile*) comparable **2** (*verificabile*) verifiable; checkable **3** (*reperibile*) that can be found; discoverable; (*osservabile*) noticeable.

riscontràre A v. t. **1** (*confrontare*) to compare; (*collazionare*) to collate: **r. la copia con l'originale**, to compare (*o* to collate) the copy with (*o* against) the original **2** (*verificare*) to verify; to check; (*con controlli incrociati*) to crosscheck: **r. un conto**, to verify an account; **r. il peso**, to check the weight **3** (*rilevare*) to find*; to discover; (*notare*) to notice: **r. un errore**, to find a mistake; **r. molti di-**

-fetti, to notice many defects; **non r. nulla d'insolito** B v. i. to notice anything unusual B v. i. to correspond; to agree; to match; to tally.

riscontràta f. check.

riscóntro m. **1** (*confronto*) comparison; (*collazione*) collation: **fare un r.**, to make a comparison; to compare; **fare il r. d'una copia con l'originale**, to compare (*o* to collate) a copy with (*o* against) the original **2** (*verifica*) check; checking; crosscheck: **r. dei conti**, checking (*o* audit) of accounts **3** (*constatazione*, *scoperta*) discovery: **r. d'un ammanco di cassa**, discovery of a cash deficit **4** (*spec. leg.: riprova*, *conferma*) corroboration; substantiation; confirmation; collateral evidence ⊍: **fornire riscontri**, to produce collateral evidence; to corroborate st.; **trovare r. in**, (*essere confermato*) to be corroborated by; to find confirmation in; to agree with; to tally with: *Le dichiarazioni del teste trovano r. nelle prove in nostro possesso*, the witness's statement is corroborated by our evidence; **senza r.**, uncorroborated; unsubstantiated **5** (*equivalenza*) correspondence, match; (*parallelo*) parallel: **avere r. in**, to be paralleled (*o* matched) by; **fare r. a**, to correspond to; to parallel (st.); to match (st.); to make a pendant to; (*essere di fronte*) to be opposite to; **senza r.**, unparalleled; unmatched **6** (*comm.: risposta*) reply; acknowledgment: **in r. alla vostra lettera**, in reply to your letter; **inviare un cenno di r.**, to acknowledge receipt; **in attesa di un cortese r.**, awaiting your reply **7** (*corrente d'aria*) draught: *Il mio appartamento non ha r. (d'aria)*, I can't create a draught in my flat.

riscopèrta f. **1** rediscovery **2** (*fig.*) revival; renewed interest: **la r. della canzone popolare**, a revival of (*o* a renewed interest in) folk songs.

riscoprìre v. t. **1** to rediscover; to discover again **2** (*fig.*) to rediscover an interest in.

riscòssa f. **1** (*contrattacco*) counterattack; rally: **andare alla r.**, to counterattack; **chiamare alla r.**, to rally; to rouse; (*incitare a ribellarsi*) to incite (sb.) to rise; *Alla r.!*, charge!; at arms! **2** (*fig.*) redemption; liberation.

riscossióne f. collection; drawing; cashing: **r. degli affitti [delle tasse]**, collection of rents [of taxes]; **r. dello stipendio**, drawing of one's salary; **r. di un assegno**, cashing of a cheque.

riscossóne m. (violent) start; jerk; jolt.

riscotìbile → riscuotibile.

riscrittùra f. rewriting; (*rifacimento*) rewrite.

riscrìvere A v. t. (*scrivere di nuovo*) to rewrite*; to write* again B v. i. (*rispondere*) to write* back; to answer (sb.).

riscuòtere A v. t. **1** (*scuotere di nuovo*) to reshake*; to shake* again **2** (*scuotere per destare*) to shake*; (*fig.*, *anche*) to rouse: *Lo riscossi per svegliarlo*, I shook him to wake him up; *Non si riusciva a riscuoterlo dal suo torpore*, he could not be roused from (*o* shaken out of) his lethargy **3** (*ricevere*, *percepire*) to collect; to draw*; (*incassare*) to cash: **r. l'affitto**, to collect the rent; **r. un assegno**, to cash a cheque; **r. le imposte**, to collect taxes; **r. lo stipendio**, to draw one's salary; **r. una somma**, to collect a sum of money **4** (*fig.: ottenere*) to win*, to gain, to obtain, to get*, to earn; (*godere*) to enjoy, to have: **r. la fiducia di q.**, to win sb.'s confidence; to enjoy sb.'s confidence; **r. lodi**, to win praise; **r. simpatia**, to be liked; to be popular; **r. un buon successo**, to meet with success B v. i. pron. **1** (*trasalire*) to start; to be startled **2** (*riprendersi*) to rouse oneself; to pull oneself together: **riscuotersi dal son-**

-no, to rouse oneself from sleep; *Non riesce a riscuotersi dalla sua prostrazione*, she can't seem to be able to shake herself out of her depression.

riscuotìbile a. collectable; cashable: **non r.**, uncollectable; uncashable.

riscuotitóre m. (f. *-trice*) collector; collecting agent: **r. delle imposte**, tax-collector.

risecàre v. t. to cut* off.

riseccàre A v. t. to desiccate; to dry up B **riseccàrsi** A v. i. pron. to become* desiccated; to dry up.

risecchìre v. i., **risecchìrsi** v. i. pron. to dry (up); to wither; to shrivel; (*di albero*) to die.

risecchìto a. dry; wizened; shrivelled: **mela risecchita**, wizened apple; **pianta risecchita**, dead plant.

riséga f. (*archit.*) offset; set-back: **fare una r.**, to offset.

risegnàre v. t. **1** to re-mark; to mark again **2** (*sport*) to score again.

riselciàre v. t. to repave; to pave again.

risèmina f. (*agric.*) resowing; new sowing.

riseminàre v. t. (*anche fig.*) to resow*; to sow* again.

risentiménto m. **1** resentment; bitterness; grievance; (*rancore*) grudge, hard feelings (pl.): **covare (o nutrire) un r. verso q.**, to harbour a grudge (*o* hard feelings); to nurse a grievance; **dare sfogo al proprio r.**, to give vent to one's resentment (*o* bitterness); **provare r. contro q.**, to feel resentment towards sb; to bear sb. a grudge **2** (*med.*) after-effect.

risentire A v. t. **1** (*udire di nuovo*) to hear* again; (*ascoltare di nuovo*) to listen to (st.) again: **r. un rumore**, to hear a noise again; **r. un disco**, to listen to a record again; **far r. una registrazione**, to play back a recording **2** (*avere notizie di*) to hear* from: *Non ho più risentito Giorgio*, I haven't heard from Giorgio lately **3** (*provare di nuovo*) to feel* again: *Risentii il dolore dopo qualche ora*, I felt the pain again after a few hours **4** (*sentire*, *provare*) to feel*; to experience; (*subire*) to suffer: **r. le conseguenze di qc.**, to experience the after-effects of st.; to suffer the consequences of st.; **r. l'effetto di qc.**, to feel the effect of st.; **r. la mancanza di affetto**, to suffer from a lack of affection; **r. la perdita di q.**, to feel the loss of sb. B v. i. to feel* the effect (*o* effects) (of); (*soffrire*) to be affected (by), to suffer (from); (*mostrare tracce*) to reflect (st.), to show* traces (of): **r. di un'educazione manchevole**, to feel the effects of a deprived upbringing; **r. di una vecchia ferita**, still to suffer from (*o* to feel) an old wound; **r. in negativo**, to be adversely affected; *Ha risentito del divorzio dei suoi*, she has suffered from her parents' divorce; *La produzione ha risentito del sommovimento al vertice*, production has suffered from the shake-up at the top; *L'industria del turismo ha risentito dell'inclemenza del tempo*, the tourist industry has been badly affected by the inclement weather; *Questo libro risente dell'epoca in cui fu scritto*, this book reflects the period in which it was written C **risentìrsi** v. i. pron. **1** (*lett.: rinvenire*) to regain consciousness; (*svegliarsi*) to awake*, to wake* up **2** (*offendersi*) to resent (st.); to take* offence (at); to take* (st.) amiss; to react angrily (to): **risentirsi di un'osservazione**, to resent (*o* to take offence at) a remark; **risentirsi con q.**, to be angry with sb.: *Io dicevo per scherzo, ma lui si è risentito*, I meant it as a joke, but he took it amiss (*o* badly) D **risentìrsi** v. rifl. recipr. to call each other; to speak* on the phone ● A **risentirci!**, goodbye for now!

risentìto a. **1** (*offeso*) resentful; angry; offended; bitter: **parole risentite**, resentful (*o*

angry, bitter) words; **tono r.**, angry tone **2** (*forte*) strong; vigorous: **polso r.**, strong pulse.

riseppelliménto m. reburial; reinterment.

riseppellìre v. t. to rebury; to bury again; to reinter.

riserbàre, **riserbatézza**, **riserbàto** → **riservare**, **riservatezza**, **riservato**.

risèrbo m. reserve; (*ritegno*) self-restraint; (*discrezione*) discretion, secrecy, silence: **agire con r.**, to act with discretion; **mancare di r.**, to lack all reserve (*o* self-restraint); **mantenere uno stretto r. su qc.**, to observe strict silence on st.; to be tight-lipped about st.; **uscire dal proprio r.**, to drop one's reserve; **senza r.**, unreserved (agg.); unreservedly (avv.).

riseria f. rice mill.

◆**risèrva** f. **1** (*il riservare, destinazione esclusiva*) reservation **2** (*territorio riservato*) preserve; reserve; (*ecol.*) reserve, wildlife sanctuary, (*etnol.*) reservation, reserve: **r. di caccia [di pesca]**, game [fishing] preserve; **r. indiana**, Indian reservation; **r. naturale**, nature reserve; wildlife sanctuary **3** (*enologia*) reserve; bin: **r. 1978**, 1978 reserve; **r. speciale**, special reserve **4** (*scorta*) reserve (*anche fig.*); supply; stock: **r. di energie**, reserves (pl.) of strength; **r. di storielle**, stock of jokes; **riserve di grano**, wheat supplies; **riserve di munizioni [di viveri]**, supplies of ammunition [of food]; **riserve idriche**, water supply (sing.); **fare r. di qc.**, to lay in a supply of st.; to store st.; **esaurire le riserve**, to run out of supplies; *Stiamo esaurendo la nostra r. d'acqua*, our water supply is running low; we are running out of water; *La mia r. di pazienza si sta esaurendo*, my patience is running low; **di r.**, (*messo da parte*) in reserve; (*di rimpiazzo*) reserve (attr.), spare, backup (attr.); *Ho qualche bottiglia di r.*, I have a few bottles in reserve; **tenere qc. di r.**, to keep st. in reserve; (*comput.*) **copia di r.**, backup copy; **motore di r.**, back-up engine; **un paio di scarpe di r.**, a spare pair of shoes; **paracadute di r.**, reserve parachute; **piano di r.**, fall-back plan; **pneumatico di r.**, spare tyre **5** (*fin.*, *rag.*) reserve: **r. aurea [bancaria, monetaria, statutaria]**, gold [bank, monetary, statutory] reserve; (*banca*) **r. obbligatoria**, legal bank reserve; (*rag.*) **r. occulta**, secret reserve; **fondo di r.**, reserve fund; **passivo di r.**, reserve liabilities (pl.) **6** (*autom.*) reserve fuel: *Quant'è la r. nella tua auto?*, how much fuel does your reserve tank hold?; **essere in r.**, to be low on petrol; **spia della r.**, fuel warning light **7** (*mil.*) reserve; reserve list; (*naut.*) **r. navale**, naval reserve; **mobilitare le riserve**, to call up the reserves; **truppe di r.**, reserves; reserve troops; **ufficiale di r.**, officer on the reserve list **8** (*sport*) reserve: *Gioca da r. nell'Inter*, he is a reserve for Inter; **far giocare una r.**, to play a reserve **9** (*naut.*) **r. di galleggiabilità**, reserve buoyancy; **r. di spinta**, buoyancy **10** (*ind. tess.*) resist **11** (*restrizione*) reservation; (*condizione*) condition, proviso*: (*leg.*) **r. di legge**, saving clause; **r. mentale**, mental reservation; **accettare qc. con r.**, to accept st. conditionally; to reserve the right to accept st.; **acconsentire con una r.**, to agree with one reservation (*o* with one proviso, on one condition); **avere qualche r. su qc.**, to have some reservations about st.; **fare delle riserve**, to make reservations; **sciogliere la r.**, to make one's decision known; to drop one's reservation; **sollevare riserve**, to voice one's reservations; **con tutte le debite riserve**, with all due (*o* all proper) reservation; **accettazione con r.**, qualified acceptance; **senza riserve**, without reservation; unqualified (agg.); unconditional (agg.); **approvazione**

senza riserve, unconditional approval; **appoggiare q. senza riserve**, to give sb. one's unconditional support; to back sb. all the way; **vendita con r. di proprietà**, conditional sale.

◆**riservàre** v. t. **1** (*tenere o avere in serbo*) to reserve, to keep*; (*mettere in serbo*) to put* aside, to set* aside; (*destinare*) to have in store: **r. una somma per un acquisto**, to set aside a sum for a purchase; **riservarsi il diritto [la facoltà] di fare qc.**, to reserve the right [the faculty] to do st.; *Questo vino lo riservo per una grande occasione*, I'm keeping this wine for an important occasion; *Riserviamo questa questione alla prossima riunione*, let's keep this issue till the next meeting; *Chissà che cosa ci riserva il futuro*, I wonder what the future has (*o* holds) in store for us **2** (*prenotare*) to book; to reserve **3** (*fig.*: *dimostrare*) to give*; to show: **r. particolari attenzioni a q.**, to give (*o* to show) sb. special attention; *Tutto il suo affetto lo riserva al nipotino*, his love goes all to his grandchild **4** (**riservarsi**: *ripromettersi*) to intend; to reserve (st.): *Mi riservo di tornare più tardi su questo punto*, I will come back to this point later on; *Mi riservo di darvi il mio parere più tardi*, I'll let you know my opinion later on; I'll reserve my opinion till later; (*comm.*) *Ci riserviamo di inviarvi...*, we shall send you...

riservataménte avv. **1** reservedly; with reserve **2** (*in modo confidenziale*) confidentially; in private.

riservatézza f. **1** reserve; (*discrezione*) discretion; **mancanza di r.**, lack of discretion; indiscretion **2** (*segretezza*) confidential nature; secrecy: **la r. di un'informazione**, the confidential nature of a piece of information; **con la massima r.**, in the utmost secrecy **3** (*sfera privata*) privacy: **diritto alla r.**, right of privacy **4** (*carattere riservato*) reservedness; (*ritegno*) self-restraint.

riservàto a. **1** (*non accessibile a tutti*) private, restricted; (*prenotato*) reserved: **parcheggio r.**, car-park for residents [hotel guests, customers, etc.] only; **posti a sedere riservati agli invalidi**, seats for disabled persons; **saletta riservata**, private room; **tavolo r.**, reserved table **2** (*privato*) private, confidential; (*segreto*) secret; (*di documento, anche*) classified: **informazioni riservate**, confidential information; classified information; **lettera riservata**, confidential letter; **numero di telefono r.**, ex-directory (*USA*) unlisted) telephone number; **in via (del tutto) riservata**, (strictly) in confidence; (very) confidentially; **riservatissimo**, highly confidential; top-secret (attr.) **3** (*pieno di riserbo*) reserved, quiet; (*discreto*) discreet, prudent **•** (*med.*) **prognosi riservata**, prognosis withheld □ **proprietà letteraria riservata**, copyright.

riservista m. f. (*mil.*) reservist.

risguàrdo m. (*tipogr.*) flyleaf*; endpaper.

risibile a. laughable; ludicrous; risible.

risibilità f. ludicrousness; risibility.

risicàre v. t. to risk; to venture **•** (*prov.*) *Chi non risica, non rosica*, nothing ventured nothing gained.

risicàto a. very narrow; scanty; meagre: **maggioranza risicata**, scanty majority; **vittoria risicata**, narrow victory.

risicolo a. rice (attr.); rice-growing (attr.).

risicoltóre m. (f. **-trice**) rice grower.

risicoltùra f. (*agric.*) rice-growing.

risièdere v. i. **1** (*avere domicilio*) to reside, to live; (*avere sede*) to be based: **r. a Milano**, to reside (*o* to live) in Milan; **r. all'estero**, to reside abroad **2** (*stare, trovarsi*) to reside; to lie*: *Il segreto del suo successo risiede nella sua dedizione al lavoro*, the secret of his success lies in his dedication to work.

risièra f. rice mill.

risière m. (f. **-a**) rice-mill worker.

risièro a. rice (attr.): **industria risiera**, rice industry.

risificio m. rice mill.

risifórme a. rice-shaped.

risigillàre v. t. to reseal; to seal again.

risìna ① f. (*riso di scarto*) broken rice.

risìna ② f. (*scivolo per tronchi*) timber slide.

risìpola f. (*med.*, *pop.*) erysipelas; St Anthony's fire (*fam.*).

risistemàre v. t. to rearrange; to readjust; to reorganize; (*ristrutturare*) to restructure.

rìsma f. **1** (*di carta*) ream **2** (*fig. spreg.*) kind; sort: **gente d'ogni r.**, all kinds of people; *Sono tutti della stessa r.*, they are all the same; they are all tarred with the same brush.

◆**rìso** ① m. (pl. **rìsa**, f.) **1** laughter 〔U〕; (*risata*) laugh: **r. convulso**, convulsive laughter; **r. irrefrenabile**, irrepressible laughter; **risa di bambini**, children's laughter; **risa sfrenate**, roars of laughter; *Non potei frenare il r.*, I couldn't help laughing (*o* keep from laughing); **sbellicarsi (*o* sganasciarsi) dalle risa**, to split (*o* to burst) one's sides with laughter (*o* laughing); (*a teatro, ecc.*) to be rolling in the aisles; **oggetto di r.**, laughing-stock; **scoppio di risa**, burst of laughter **2** (*fig.*) beauty; joy; splendour **•** (*med.*) **r. sardonico**, risus sardonicus; trismus cynicus □ (*prov.*) **Il r. fa buon sangue**, laugh and be (*o* grow) fat; laughing is good for you.

◆**rìso** ② 〔A〕 m. (*bot.*, *Oryza sativa*) rice: **r. al burro**, rice with butter; **r. brillato**, polished rice; **r. in bianco**, boiled rice; **r. integrale**, brown rice; **r. soffiato**, puffed rice; rice crispies (pl.); **r. vestito**, paddy; **acqua di r.**, rice water; **budino di r.**, rice pudding; **carta di r.**, rice paper; **la coltivazione del r.**, rice growing; **farina di r.**, rice meal; **insalata di r.**, rice salad; **minestra di r.**, rice soup 〔B〕 a. inv. – (*lavoro a maglia*) **punto r.**, moss stitch.

risocializzàre v. t. to reintegrate into society; to recuperate.

risoffiàre 〔A〕 v. i. to blow* again 〔B〕 v. t. (*fig. fam.*: *riportare*) to tell*; to blab (*fam.*).

risolàre e deriv. → **risuolare**, e deriv.

risolìno m. little laugh; chuckle; (*compiaciuto*) smirk; (*ironico o di scherno*) snigger.

risollevàre 〔A〕 v. t. **1** (*sollevare di nuovo*) to raise again; to lift up again **2** (*fig.*: *riproporre*) to raise again; to bring* up again: **r. una questione**, to raise a question again; to bring up a question again **3** (*fig.*: *migliorare*) to improve; (*liberare*) to free: **r. le sorti di una ditta**, to improve a firm's fortunes; **r. dalla miseria**, to free from poverty **4** (*fig.*: *confortare*) to comfort; to relieve; to cheer up: **r. a mente**, to relieve the mind; **r. il morale di q.**, to cheer up sb. 〔B〕 **risollevàrsi** v. rifl. **1** to pick oneself up; to get* up again **2** (*fig.*: *riprendersi*) to recover; to pick up **3** (*fig.*: *confortarsi*) to cheer up; to feel* relieved.

risolùbile a. **1** (*risolvibile*) solvable; soluble; resolvable **2** (*leg.*) rescindable; terminable: **contratto r.**, rescindable contract.

risolubilità f. **1** solvability; resolvability **2** (*leg.*) rescindability; terminability.

risolutézza f. resolution; resolve; determination; (*fermezza*) firmness, energy.

risolutìvo a. **1** (*che risolve*) solving; solution (attr.): **formula risolutiva**, solution formula **2** (*leg.*) resolutive; rescinding: **clausola risolutiva**, resolutive clause **3** (*determinante*) crucial; (*decisivo*) decisive: **fase risolutiva**, crucial phase **4** (*fis.*) – (*ottica*) **potere r.**, resolving power.

risolùto a. resolute; resolved (pred.); determined; (*energico*) firm: *Erano pochi, ma*

risoluti, they were few, but resolute; *Ero r. a parlare*, I was determined (*o* resolved) to speak.

risolutóre **A** a. solving; (*decisivo*) decisive **B** m. (f. *-trice*) solver.

risoluzióne f. **1** (*soluzione*) resolution; solution: **la r. d'un dubbio**, the resolution of a doubt; **di facile r.**, easily solved; easy to solve **2** (*deliberazione*) resolution; (*decisione*) decision: **una r. dell'ONU**, a UN resolution; **la r. votata dall'assemblea**, the resolution voted by the assembly; **prendere una r.**, to make a decision; to resolve (st.); *Presi la r. di lasciare la città*, I resolved (*o* I decided) to leave town **3** (*leg.*) termination; rescission; cancellation; dissolution: **r. di contratto**, rescission of contract **4** (*mat.*) solution **5** (*chim., fis.*) resolution **6** (*mus.*) resolution.

risolvènte **A** a. resolving; resolvent: (*farm.*) **farmaco r.**, resolvent; (*fis.*) **potere r.**, resolving power **B** m. (*farm.*) resolvent.

♦**risòlvere** **A** v. t. **1** (*scomporre, anche chim.*) to resolve; to break* down; to reduce: **r. un composto nei suoi elementi**, to reduce a compound to its elements; to break down a compound into its elements **2** (*trovare la soluzione a*) to solve (*anche mat.*); to resolve; to work out: **r. un caso**, to solve a case; **r. una crisi di governo**, to resolve a government crisis; **r. una difficoltà**, to resolve a difficulty; **r. un dubbio**, to resolve (*o* to clear up) a doubt; **r. un'equazione**, to solve an equation; **r. un indovinello**, to solve (*o* to work out) a riddle; **r. un mistero**, to solve (*o* to unravel) a mystery; **r. un problema**, to solve (*o, fam.*, to crack) a problem **3** (*concludere, comporre*) to settle: **r. una questione [una vertenza]**, to settle a question [a dispute] **4** (*deliberare, decidere*) to decide; to resolve: *Ha risolto di accettare*, he has resolved (*o* decided) to accept **5** (*rescindere*) to rescind; to annul: **r. un contratto**, to rescind a contract **6** (*med.*) to resolve **7** (*mus.*) to resolve **B** v. i. to conclude; to get* things done **C** **risòlversi** v. i. pron. **1** (*trasformarsi*) to change (into); to turn (into): *La sua delusione si risolse in rabbia*, his disappointment turned into fury **2** (*andare a finire*) to turn out; to work out: to end: **risolversi in nulla**, to come to (*o* to end in) nothing; **risolversi per il meglio**, to work out for the best **3** (*di malattia*) to clear up; to resolve; to disappear: *L'eczema si risolverà in pochi giorni*, the rash will clear up in a few days **4** (*decidersi*) to resolve; to decide; to make* up one's mind: *Si risolse a rompere la relazione*, she decided to end the affair; *Presto o tardi, ti dovrai risolvere*, sooner or later, you'll have to make up your mind (*o* to come to a decision).

risolvìbile a. solvable; soluble; resolvable.

risolvibilità f. solvability; resolvability.

risonànte a. resonant (*anche fis.*); resounding; sonorous: **voce r.**, resonant (*o* sonorous) voice.

risonànza f. **1** (*fis.*) resonance: **r. acustica**, acoustic resonance; (*anche med.*) **r. magnetica nucleare**, magnetic resonance imaging; (*radio*) **r. in serie**, series resonance; (*mus.*) **cassa di r.**, resounding chamber; (*di violino, ecc.*) soundbox; (*radio*) **circuito di r.**, resonator; **entrare in r.**, to resonate **2** (*eco, rimbombo*) resonance; sonority **3** (*fig.*) echo; (*interesse*) interest; (*pubblicità*) publicity; (*clamore*) éclat (*franc.*), sensation: **avere vasta r.**, (*suscitare interesse*) to arouse a great deal of interest; (*diffondersi*) to become known far and wide; **dare r. a qc.**, to publicize st.

risonàre → **risuonare**.

risonatóre m. (*fis.*) resonator.

risóne m. paddy.

---

risorgénte → **risorgiva**.

risórgere v. i. **1** (*nascere di nuovo*) to rise* (again); to come* up (again): *Il sole risorge ogni mattino*, the sun rises every morning; *È risorto un problema*, a new problem has come (*o* cropped) up **2** (*risuscitare*) to rise* from the dead; to rise* again **3** (*fig.*) to revive; to recover; (*rifiorire*) to flourish again; (*essere ricostruito*) to rise* again, to be rebuilt: *Le mie speranze risorsero*, my hopes revived; *Dovunque risorgevano le arti*, the arts were flourishing again everywhere; *La città risorse dalle rovine*, the city rose again from its ruins; **far r.**, to resurrect; to revive.

risorgimentàle a. (*stor.*) of (*o* concerning) the Risorgimento; Risorgimento (attr.).

risorgimentìsta m. e f. student of the Risorgimento.

risorgiménto m. **1** (*rinascita*) revival; rebirth **2** – (*stor.*) **il R.**, the Risorgimento.

risorgìva f. (*geol.*) resurgence.

risorgìvo a. (*geol.*) resurgent.

♦**risórsa** f. **1** resource: **risorse di energia**, energy resources; **risorse finanziarie**, financial resources; **risorse naturali**, natural resources; **l'ultima r.**, sb.'s last resource; **non avere più risorse**, to be at the end of one's resources; to have exhausted every resource; **come ultima r.**, as a last resort; **dalle molte risorse** (*o* **pieno di risorse**), resourceful; **senza risorse**, resourceless **2** (*comput.*) resource; facility.

risórto a. **1** risen (from the dead); resurrected **2** (*fig.*) revived.

risospìngere v. t. **1** (*spingere di nuovo*) to push again; to drive* again **2** (*fig.*: *incitare di nuovo*) to urge again; to drive* again **3** (*respingere*) to push back; to drive* back.

risotterràre v. t. to bury again; to re- -inter.

risòtto m. (*cucina*) risotto.

risovvenìrsi v. i. pron. (*lett.*) to remember; to recollect; to recall.

risp. abbr. **1** (*borsa*, (**azione**) **di risparmio**) savings (share) **2** (**risposta**) answer.

♦**risparmiàre** **A** v. t. **1** (*non sprecare*) to save; (*economizzare*) to economize on, to cut* back on: **r. il fiato**, to save one's breath; **r. le proprie forze**, to save one's strength; **r. soldi**, to save money; **r. tempo**, to save time; **metodo che fa r. tempo**, time-saving method; **r. sui vestiti**, to save (*o* to economize) on clothes; *Mia madre ha risparmiato per farmi studiare*, my mother scrimped and saved to pay for my schooling (*o* education); *Va a piedi per r. i soldi dell'autobus*, he walks to save the bus fare **2** (*mettere da parte*) to save up; to put* by (*o* aside): **r. per sposarsi**, to save up to get married: *Ho risparmiato un bel gruzzolo*, I've put aside a fair sum **3** (*assol.*: *fare economia*) to save; to make* economies; to reduce expenses; to be careful with one's money; (*in un lavoro, spreg.*) to skimp; to cut* corners: *Questo mese dobbiamo r.*, we must be careful with our money this month; *Se si vuole fare un buon lavoro non si può r.*, you can't cut corners if you want to do a good job; **far r.**, to be economical **4** (*evitare*) to spare; to save: **r. un dolore a q.**, to spare sb. a pain; **r. a q. il fastidio di fare qc.**, to save sb. the trouble of; **risparmiarsi di fare qc.**, to save oneself the trouble of doing st.; *Ti risparmio i particolari*, I'll spare you the details; *Risparmiami la predica!*, keep your sermons to yourself!; *Potevo risparmiarmi la fatica*, I needn't have bothered **5** (*non logorare, non affaticare*) to spare: **r. gli occhi**, to spare one's eyes **6** (*salvare*) to spare: **r. la vita a q.**, to spare sb.'s life; *Le sue critiche non risparmiarono nessuno*, his criticism spared nobody; *La morte non risparmia nessuno*, death spares nobody; death comes to all ● **tanto di ri-**

---

sparmiato, so much the better □ (*prov.*) **Quattrino risparmiato, due volte guadagnato**, a penny saved is a penny gained **B** **risparmiàrsi** v. rifl. to spare oneself.

risparmiatóre **A** a. thrifty **B** m. (f. *-trice*) saver; (*econ.*) investor; (*persona economa*) thrifty person: **piccolo r.**, small saver.

rispàrmio **A** m. **1** (*il risparmiare*) saving; (*economia*) thrift, economy; (*parsimonia*) parsimony: *Questo sistema è un gran r. di tempo*, this method saves a lot of time; *Non sa cos'è il r.*, she doesn't know how to economize; **fare r. di qc.**, to save st.; **non fare r. di qc.**, not to spare st.; to be unsparing with (*o* in) st.; **senza r.**, lavishly; sparing no pains; **prodigarsi senza r.**, not to spare oneself; to spare no pains; **senza r. di forze**, sparing no effort **2** (*econ.*) saving; (*al pl.*: *denaro risparmiato*) savings, economies: **il r. delle famiglie**, personal (*o* household) saving; **r. forzato**, forced saving; **r. nazionale**, national saving; **r. negativo**, dissaving; **r. privato**, private saving; **i risparmi d'una vita**, the economies of a lifetime; **attingere ai propri risparmi**, to draw on one's savings; to take out of the kitty (*fam.*); **fare risparmi**, to save money; to economize; to make economies; **incoraggiare il r.**, to encourage private saving; to encourage people to save; **intaccare i propri risparmi**, to dip into one's savings; **vivere dei propri risparmi**, to live on one's savings; **mettere i propri risparmi in banca**, to deposit one's savings in a bank; **cassa di r.**, savings bank; **libretto di r.**, savings book **3** (*conservazione*) conservation; saving: **r. energetico**, energy conservation **B** a. ĭnv. economy (attr.): **confezione r.**, economy pack.

rispecchiàre **A** v. t. **1** (*specchiare di nuovo*) to mirror again; to reflect again **2** (*riflettere, anche fig.*) to mirror; to reflect: *Il lago rispecchiava gli alberi*, the lake reflected the trees; *Le nostre cifre rispecchiano la situazione generale*, our figures reflect (*o* mirror) the general situation **B** **rispecchiàrsi** v. i. pron. to be mirrored; to be reflected.

rispedìre v. t. **1** (*spedire di nuovo*) to send* again; (*comm.*) to forward again, (*spec. per mare*) to ship again **2** (*inoltrare*) to forward; to send* on; to redirect **3** (*spedire indietro*) to send* back; to return; (*comm., spec. per mare*) to ship back **4** **al mittente**, to return to sender; *Ti rispedirò in collegio*, I'll send you back to boarding school.

rispedizióne f. **1** (*nuova spedizione*) reforwarding; (*spec. per mare*) reshipment, reshipping **2** (*inoltro*) forwarding; redirecting **3** (*lo spedire indietro*) sending back; return.

rispettàbile a. **1** (*degno di rispetto*) respectable; decent: **poco r.**, questionable; disreputable **2** (*considerevole*) respectable; considerable; sizeable: **età r.**, respectable age; **reddito r.**, considerable income; **somma r.**, respectable (*o* sizeable, *fam.* tidy) sum **3** (*scherz.*: *piuttosto grosso*) biggish: **naso r.**, biggish nose.

rispettabilità f. respectability; dignity.

♦**rispettàre** **A** v. t. **1** to respect: **r. gli anziani**, to respect the old; **essere rispettato da tutti**, to command general respect; **farsi r.**, to make oneself respected; to command respect **2** (*tenere in considerazione*) to respect; to honour; to fulfil; (*avere cura di*) to respect, to treat with care: **r. l'ambiente**, to respect the environment; **r. i desideri di q.**, to respect sb.'s wishes; **r. i diritti altrui**, to respect other people's rights; **r. i libri**, to treat books with care; *Il nuovo piano regolatore ha rispettato il vecchio centro*, the new city plan has left the old city centre untouched; *Rispettate le aiole!*, do not walk on the grass **3** (*osservare*) to observe; to obey; to abide by; (*mantenere*) to keep*: **r. le feste**,

to keep (o to observe) the sabbath; **r. le leggi**, to obey (o to abide by) the law; **r. il limite di velocità**, to observe the speed limit; **r. le previsioni**, to fulfil expectations; **r. una promessa**, to keep a promise; **r. il regolamento**, to obey the regulations; **r. una scadenza**, to meet a deadline; **r. la tradizione**, to respect (o to be respectful of) tradition; **far r. la legge [le regole]**, to enforce the law [the rules]; **non r. un accordo**, to break an agreement **4** (*essere fedele a*) to respect; to be faithful to; to follow closely; to keep* close to: **r. lo spirito di un testo**, to respect the spirit of a text; **r. il testo originale**, to be faithful to (o to keep close to) the original text ● **che si rispetti**, self-respecting: *Un film giallo che si rispetti deve tenerti col fiato sospeso fino all'ultimo*, a self-respecting thriller must keep you on the edge of your seat till the last moment **B rispettàrsi** v. rifl. to respect oneself; to have self-respect.

rispettivaménte avv. respectively: *Appartengono a mio padre, a mio fratello e a me*, they belong to my father, my brother and me respectively; **r. a**, with respect to; (*in confronto con*) compared to.

rispettìvo a. respective: *Furono scelti secondo i rispettivi meriti*, they were chosen according to their respective merits; **gli alunni e i rispettivi genitori**, the pupils and their (respective) parents.

♦**rispètto** m. **1** (*deferenza*) respect; (*riguardo*) regard, consideration: **r. di sé**, self-respect; **r. umano**, respect for public opinion; **avere o nutrire, portare) r. per q.**, to have respect for sb.; *Non ha r. per nessuno*, he has no regard (o consideration) for anybody; **incutere r.**, to command respect; **mancare di r. a q.**, to be disrespectful to sb.; **meritare r.**, to be deserving (o worthy) of respect; **perdere il r. per q.**, to lose one's respect for sb.; **trattare q. con r.**, to treat sb. with respect; **degno di r.**, worthy of respect; **pieno di r.**, respectful; **col dovuto r.**, with due respect; **con r. parlando**, if you don't mind my saying so; pardon my French (*fam.*); **di tutto r.** (*considerevole*), considerable; respectable; **per r. a q.**, out of respect for sb.; **senza r.**, disrespectful; **mancanza di r.**, lack of respect; disrespectfulness **2** (*osservanza*) observance; obedience: **r. della legge**, observance of the law; **nel pieno r. di**, in full obedience of **3** (al pl.) (*omaggi*) regards: **presentare i propri rispetti a q.**, to give one's regards to sb. **4** (*punto di vista*) respect; point of view: **sotto molti rispetti**, in many respects; **sotto ogni r.**, in every respect; **sotto questo r.**, from this point of view **5** (*naut.*) – **di r.**, spare (agg.): **ancora [pennone, vela] di r.**, spare anchor [yard, sail] ● **r. a**, (*in relazione a*) as regards, as to; (*in confronto a*) in comparison with, compared to: **r. alla vostra richiesta**, as regards your request; *C'erano pochi camerieri r. al numero degli invitati*, the waiters were few compared to the number of guests; *R. all'anno scorso, le vendite sono andate meglio*, sales have been better than last year.

rispettóso a. (*deferente*) respectful, deferent; (*obbediente*) observant: **essere r. verso q.**, to be respectful to sb.; to show respect (o deference) to sb.; **essere r. delle tradizioni**, to be respectful of (o to respect) tradition; **r. della legge**, law-abiding; **a rispettosa distanza**, at a respectful distance; **in r. silenzio**, in respectful silence.

rispiegàre v. t. **1** (*chiarire meglio*) to re-explain; to explain again **2** (*svolgere di nuovo*) to unfold again.

risplendènte a. shining (*anche fig.*); bright; resplendent; (*luccicante*) glittering: **occhi risplendenti**, bright eyes; **r. di bellezza**, shining with beauty.

risplèndere v. i. to shine* (*anche fig.*); to be bright; to be resplendent; (*luccicare*) to glitter: *Risplendeva il sole*, the sun shone; *La città risplendeva di luci*, the city was glittering with lights; **r. come l'oro**, to glitter like gold; **r. di bellezza**, to shine with beauty.

rispolveràre v. t. **1** to dust again **2** (*fig.*: *ripescare*) to dust off **3** (*fig.*, *di nozioni*) to brush up: *Devo r. il mio tedesco*, I must brush up my German.

rispolveràta f. dusting ● **dare una r. alle proprie nozioni di latino**, to brush up one's Latin; to give one's Latin a brush-up.

rispondènte a. (*in armonia*) in keeping (with); (*in conformità*) in conformity (with), in accordance (with); (*adeguato*) suitable (to), answering (st.): **r. al vero**, truthful; **un prodotto r. alle mie esigenze**, a products that answers my needs.

rispondènza f. **1** (*corrispondenza*) correspondence; (*conformità*) conformity, agreement **2** (*ripercussione*, *riflesso*) repercussion; effect.

♦**rispóndere** **A** v. i. **1** (*a voce o per iscritto*) to answer (st., sb.); to reply (to): **r. a un annuncio**, to answer an advertisement; **r. all'appello**, to answer the roll-call; (*fig.*) to answer the call; **r. a una domanda**, to answer a question; **r. a un invito**, to reply to an invitation; **r. a una lettera**, to answer (o to reply to) a letter; **r. alla porta**, to answer the door; **r. al telefono**, to answer the telephone; **r. a mezza bocca**, to answer reluctantly; to mumble an answer; **r. a tono**, to answer to the point; (*rimbeccare*) to retort, to give a sharp answer; **r. a voce**, to give a verbal answer; **r. affermativamente**, to answer in the affirmative; **r. bene**, to give the right (o a good) answer; **r. di sì [di no]**, to answer yes [no]; to answer in the affirmative [in the negative]; **r. male**, (*sbagliare*) to give a wrong answer; (*r. con sgarbo*) to answer rudely; to answer back (*fam.*); (*fig.*) **r. per le rime a q.**, to give sb. a sharp answer; to pay sb. back in his own coin; **r. per iscritto**, to answer in writing; **r. seccamente**, to give (sb.) a curt answer; *Rispondigli che sono uscito*, tell him I'm out; (*telef.*) *Rispondo io?*, shall I answer?; *È una domanda alla quale non so come r.*, it's a question I am unable to answer **2** (*replicare vivacemente*) to give* a sharp answer (to); to answer back (to) (*fam.*): *Non r. a tua madre!*, don't answer back to your mother! (*fam.*) **3** (*con mezzi non verbali*) to answer; to acknowledge; to reply (to); to answer (st.); to react (to); to counter (st.): **r. al saluto di q.**, to acknowledge sb.'s greeting; **r. al fuoco del nemico**, to reply to the enemy's fire; **r. a una provocazione**, to react to a provocation; **r. con una risata [con un'occhiata interrogativa]**, to answer with a laugh [with a questioning look] **4** (*farsi garante*) to answer (for); to vouch (for); to be responsible (for); to be answerable (for): **r. personalmente di qc.**, to answer for st. personally; *Rispondo io della sua onestà*, I can vouch (o answer) for his honesty; *Dovrà risponderne in tribunale*, he'll have to answer for this in court; *Se mi provoca ancora, non rispondo delle mie azioni*, if he provokes me again, I won't be answerable for my actions; *La ditta non risponde di eventuali ritardi nella consegna*, the firm cannot be held responsible for delays in delivery **5** (*corrispondere*) to answer (st.); to correspond (to); to meet* (st.); (*soddisfare*) to satisfy, to come* up (to): **r. alle proprie attese**, to come up to one's expectations; **r. a un bisogno [a uno scopo]**, to answer a need [a purpose]; **r. a una descrizione**, to answer (o to fit, to match) a description; **r. ai requisiti**, to meet (o to satisfy) requirements; **r. a verità**, to be in ac-

cordance with facts; to be true **6** (*obbedire*, *reagire*) to respond (to); to answer (st.): **r. alle cure**, to respond to treatment; **r. allo sterzo**, to respond to the steering wheel; **r. bene allo sterzo**, to steer easily **7** (*di finestra*) to look on (to); (*di porta*) to give* on (to) **8** (*a carte*) to reply; to return (st.): **r. a fiori**, to return a club; **r. a colore**, to follow suit; **r. con un re**, to reply with a king **9** (*radio*) to come* in ● **r. al nome di**, to answer to the name of □ (*leg.*) **r. in giudizio**, to answer in court **B** v. t. to answer: **r. poche parole [righe]**, to say [to write] a few words in reply; **non r. verbo**, not to answer a word; *Che cosa devo rispondergli?*, what shall I say to him? ● (*fig.*) **r. picche**, to refuse flatly; to give (sb.) a flat denial.

risponditóre m. (*radar*) responder; transponder.

risposàre **A** v. t. to remarry; to marry again **B rispoșàrsi** v. i. pron. to remarry; to get* married again.

♦**rispósta** f. **1** answer; reply; (*rapida o secca*) retort: **r. arguta**, witty retort; **r. per le rime**, sharp retort; comeback (*fam.*); **r. secca**, retort; **r. spiritosa**, witty retort; comeback (*fam.*); **risposte impertinenti**, backchat Ⓤ (*fam.*); **domande e risposte**, questions and answers; *Per tutta r. sorrise*, she said nothing, only smiled; *La miglior r. è far finta di niente*, the best thing is to act as if nothing happened; **avere r.**, to get a reply; **dare una r. a q.**, to give sb. an answer; **trovare una r. a tutto**, to find an answer for everything; **in attesa di una sollecita r.**, looking forward to a prompt reply; **in r. a**, in reply to; **senza r.**, unanswered; unanswerable: **domanda senza r.**, unanswerable question; **lasciare una lettera senza r.**, to leave a letter unanswered; **restare senza r.**, not to receive (o to get) an answer; (*di domanda, ecc.*) to go unanswered, to meet with no reply; **cenno di r.**, answering sign; (*lettera*) reply; **un biglietto in r.**, a note in reply; **lettera di r.**, letter of reply **2** (*responso*) response **3** (*scherma*) riposte **4** (*reazione*) reaction; (*anche med.*) response: **r. condizionata**, conditioned response (o reflex); **r. immunitaria**, immune response **5** (*mus.*) answer **6** (*elettr.*, *comput.*) response: **r. in frequenza**, frequency response; **tempo di r.**, response time **7** (*a carte*) return: **r. a fiori**, return to clubs **8** (*leg.*) – **comparsa di r.**, answer.

rispostàccia f. rude answer; back answer.

rispuntàre **A** v. i. **1** (*riapparire*) to reappear; to come* up again: *Il sole rispuntò da dietro una nuvola*, the sun reappeared from behind a cloud **2** (*ricrescere*) to come* up (o out) again; to sprout: *Sono rispuntate le margherite*, the daisies have come up again **3** (*di persona: ricomparire*) to reappear; to turn (o to show*) up again (*fam.*): *Rispuntò in fondo al corridoio*, he reappeared at the end of the corridor; *Rispuntò un bel giorno senza marito*, she turned up one day without her husband **B** v. t. (*accorciare di nuovo*) to trim again.

rissa f. **1** fight; brawl; punch-up (*fam.*); set-to (*fam.*): **r. da bar**, bar-room brawl; **attaccare r.**, to start a fight; *La discussione finì in r.*, the discussion ended in a punch-up **2** (*fig.*) row.

rissaiòlo **A** a. quarrelsome; brawling; rowdy **B** m. (f. **-a**) brawler.

rissàre v. i. to brawl; to fight; to have a punch-up (*fam.*).

rissosità f. quarrelsomeness; rowdiness.

rissóso a. quarrelsome; brawling; rowdy.

rist. abbr. (**ristampa**) reprint; printing.

ristabiliménto m. **1** (*il ristabilire*) re-establishment; restoration; reinstatement; reintroduction: **il r. della monarchia**, the re-

storation of the monarchy; **il r. dell'ordine**, the restoration of order **2** (*guarigione*) recovery.

ristabilire Ⓐ v. t. **1** (*stabilire di nuovo*) to re-establish; to establish again; (*reintrodurre, riportare in vigore*) to restore, to reinstate, to reintroduce, to bring* back: **r. l'armonia**, to restore harmony; **r. una vecchia consuetudine**, to bring back (*o* to revive, to reintroduce) an old custom; **r. l'ordine**, to restore order **2** (*rimettere in salute*) to restore to health; to cure Ⓑ **ristabilirsi** v. i. pron. **1** (*stabilirsi di nuovo*) to settle again **2** (*guarire*) to recover; to get* well again: **ristabilirsi da una malattia**, to recover after an illness **3** (*del tempo*) to turn fine again; to clear up.

ristagnaménto → **ristagno**.

ristagnànte a. **1** (*di acqua*) stagnant; brackish **2** (*fig.*) stagnant; sluggish; slack.

ristagnàre ① Ⓐ v. i. **1** to stagnate; to be stagnant; (*cessare di scorrere*) to become* stagnant **2** (*fig.*) to stagnate; to be stagnant; to be slack; to be at a standstill: *Gli affari ristagnano*, business is slack Ⓑ v. t. to stanch; to staunch: **r. il sangue**, to stanch blood Ⓒ **ristagnàrsi** v. i. pron. to stagnate.

ristagnàre ② v. t. (*stagnare di nuovo*) to re--tin; to tin again; to re-solder; to solder again.

ristagnatùra f. re-tinning; re-soldering.

ristàgno m. **1** (*di liquido*) stagnation; (*del sangue*) stasis, stagnation **2** (*fig.*) stagnation; slackness; standstill: **r. nelle vendite**, stagnation in sales; *C'è un r. negli affari*, trade is slack; business is at a standstill.

ristàmpa f. **1** (*il ristampare*) reprint; reprinting; new impression; reissue: **sesta r.**, sixth reprint (*o* impression); *Il libro è in r.*, the book is being reprinted; **fare una r. di**, to reprint **2** (*opera ristampata*) reprint.

ristampàre v. t. to reprint; to reissue.

ristàre v. i. (*lett.*) **1** (*fermarsi*) to stop; to halt **2** (*fig.*: *smettere*) to cease; to desist; (*astenersi*) to refrain (from doing st.).

ristobàr m. inv. small restaurant.

♦**ristorànte** Ⓐ m. restaurant; (*di stazione, ecc.*) buffet, refreshment room Ⓑ a. inv. – **caffè r.**, café; luncheonette; (*ferr.*) **carrozza** (*o* **vagone**) **r.**, dining car.

ristoràre Ⓐ v. t. **1** (*dare ristoro*) to refresh, to restore; to revive: *Il sonno mi ristorò*, sleep refreshed me **2** (*rifocillare*) to refresh; to set* right: **r. lo stomaco**, to take refreshment; *Un buon brodo ti ristorerà*, a good broth will set you right **3** (*fig. lett.*: *risarcire*) to compensate; to repay* Ⓑ **ristoràrsi** v. rifl. (*rifocillarsi*) to take* refreshment, to have something to eat or drink; (*rinfrescarsi*) to refresh oneself: **ristorarsi con una tazza di tè**, to refresh oneself with a cup of tea; **ristorarsi con una bella dormita**, to have a long, refreshing sleep.

ristorativo a. refreshing; restorative: **bevanda ristorativa**, refreshing drink.

ristoratóre Ⓐ m. **1** (f. **-trice**) (*gestore di ristorante*) restaurateur (*franc.*); restaurant manager **2** (*bur.*: *ristorante*) restaurant; (*di stazione, ecc.*) buffet, refreshment room Ⓑ a. refreshing; restorative; reviving: **pioggia ristoratrice**, refreshing rain; **sonno r.**, refreshing sleep.

ristorazióne f. **1** refreshment **2** (*su scala industriale*) catering: **r. collettiva**, institutional catering; **r. rapida**, fast food industry; **servizio di r.**, catering service.

ristórno m. **1** (*comm.*) discount; refund **2** (*rag.*) drawback.

ristòro m. **1** (*sollievo*) relief; (*conforto*) comfort, solace: **dare r.**, to refresh; **trovare r.**, to find relief **2** (*rifocillamento*) refreshment: **posto di r.**, refreshment bar; buffet; **servizio di r.**, buffet service.

ristrettézza f. **1** (*angustia*) narrowness; pokiness: **la r. di un corridoio**, the narrowness of a corridor **2** (*fig.*: *scarsità*) lack; scarcity; paucity: **r. di mezzi** [**di tempo**], lack of means [of time] **3** (al pl.) (*angustie economiche*) straitened circumstances, financial straits: **trovarsi in ristrettezze**, to be in financial straits; **vivere in ristrettezze**, to live in straitened circumstances; **periodo di ristrettezze**, lean period **4** (*fig.*: *grettezza*) meanness; small-mindedness; narrow-mindedness: **r. di mente** (*o* **di idee**), narrow-mindedness.

ristrétto Ⓐ a. **1** (*racchiuso*) confined; cramped **2** (*circoscritto, specifico*) narrow: **in senso r.**, in the narrow sense **3** (*angusto*) narrow; cramped; poky: **passaggio r.**, narrow passage **4** (*limitato*) restricted; limited; narrow; (*scarso*) reduced, scanty, straitened, tight: **campo d'azione r.**, restricted (*o* narrow, limited) field of action; **cerchia ristretta**, limited circle; **mezzi ristretti**, limited means **5** (*cucina*: *concentrato*) concentrated; thick; dense; (*di caffè*) strong: **brodo r.**, consommé (*franc.*); **salsa ristretta**, thick sauce **6** (*fig.*: *condensato*) condensed; concentrated: **molte idee ristrette in poche parole**, many ideas condensed into few words **7** (*fig.*: *gretto, meschino*) mean; petty; narrow; small-minded; narrow-minded: **r. di mente**, small-minded; narrow-minded; **avere idee ristrette**, to be narrow-minded; **mentalità ristretta**, narrow views (pl.) Ⓑ m. **1** (*compendio*) summary; précis; abstract **2** (*Borsa*) unlisted market; over-the-counter market.

ristringersi → **restringersi**.

ristrutturàre v. t. **1** (*riorganizzare*) to restructure; to reorganize; (*un'azienda, anche*) to shake* up **2** (*edil.*: *un edificio*) to restore; (*un appartamento*) to renovate, to do* up (*fam.*): **appartamento completamente ristrutturato**, fully renovated flat.

ristrutturazióne f. **1** (*r. organizzativa*) restructuring; reorganization; (*di azienda, anche*) shakedown, shake-up **2** (*edil.*, *di edificio*) restoration; (*di appartamento*) renovation.

ristuccàre v. t. to putty again.

ristuccatùra f. new puttying.

ristudiàre v. t. to study again; to re-examine.

risucchiàre v. t. **1** (*attirare in un risucchio*) to suck (up, down, etc.): *Il nuotatore fu risucchiato da un gorgo*, the swimmer was sucked under by a whirlpool **2** (*attirare*) to suck in; to draw* in: **farsi r. in una disputa**, to let oneself be sucked (*o* drawn) into a quarrel **3** (*assorbire*) to swallow up: *È completamente risucchiato dal lavoro*, he is totally swallowed up by his work; *Il rinnovo della casa ha risucchiato i nostri risparmi*, renovating the house has swallowed up (*o* drained away) all our savings.

risùcchio m. **1** (*vortice*) eddy; whirlpool **2** (*forza di attrazione*) suck: **il r. del gorgo**, the suck of the whirlpool.

risùlta f. (*tecn.*) – **materiali di r.**, debris Ⓤ; wreckage Ⓤ.

risultànte Ⓐ a. resultant; resulting; ensuing Ⓑ m. o f. (*fis., mat.*) resultant Ⓒ f. (*fig.*: *risultato*) result; outcome.

risultànza f. **1** result; outcome **2** (al pl.) findings (pl.): **le risultanze del processo**, the outcome of the trial.

♦**risultàre** v. i. **1** (*derivare*) to result; to originate; to ensue; to derive: *L'acqua risulta dalla combinazione di idrogeno e ossigeno*, water results from the combination of hydrogen and oxygen; *Ne risultarono molti guai*, serious trouble ensued as a consequence; *Non so dirti che cosa ne è risultato*, I can't tell you what the result (*o* the outcome) of it was; *Ne risulta che...*, it follows

that... **2** (*scaturire da indagine, ricerca, ecc.*) to result; to come* out; to turn out; to be found out; to emerge; (*rivelarsi, dimostrarsi*) to turn out to be, to prove (to be), to be shown; (*apparire*) to appear: *Dalle indagini risultò che aveva un alibi di ferro*, the investigations revealed that he had a cast-iron alibi; *Le mie paure risultarono infondate*, my fears proved to be unfounded; *Ai test il prodotto è risultato completamente innocuo*, laboratory tests have shown the product to be completely harmless; *Al club risultano iscritti 350 soci*, the club has a membership of 350; *Risulta che la telefonata fu fatta alle dieci*, it appears that the phonecall was made at ten; *Risultano gravi indizi a suo carico*, there appears to be strong evidence against him; *Risultò che lui non c'entrava*, it turned out he had nothing to do with it; *Risulta chiaro che...*, it is obvious that... **3** (*essere noto*) to understand*, to hear*, to know* (tutti pers.): *Mi risulta che sia stato licenziato*, I understand (*o* have heard) that he was sacked; *A lui risulta che abbiano litigato*, he says they have quarrelled; *Ti risulta che abbia pagato?*, do you know whether she has paid?; *Ti risulta davvero, o lo sospetti solo?*, do you know it for a fact, or is it just a suspicion?; *Non ci risulta che sia indagato*, he is not under investigation, as far as we know; *Non mi risulta*, not as far as I know; *Mi risulta nuovo*, it's new to me; *Il nome non mi risulta nuovo*, the name rings a bell; **per quanto mi risulta**, as far as I know **4** (*riuscire*) to come* out; to be: *È risultato vincitore*, he was the winner; he won.

risultativo a. (*anche ling.*) resultative.

♦**risultàto** m. **1** result; outcome; issue: **r. a sorpresa**, surprising result; **buon** [**cattivo**] **r.**, good [poor] result; **il r. di un intervento**, the outcome of an operation; **r. negativo** [**positivo**], negative [positive] result; **r. ultimo**, net result; **i risultati degli esami**, the examination results; **risultati di fine anno**, end-of-year results; **risultati di gestione**, operating results; **risultati elettorali**, election results; **dare ottimi risultati**, to give excellent results; **produrre risultati**, to have results; to bear fruit **2** (*mat.*) result; solution **3** (*effetto, conseguenza*) result; effect; upshot; consequence: **non avere nessun r.**, to have no effect; *Tu non hai voluto studiare, ed eccone il r.*, you didn't want to study, and this is the result (*o* this is what it leads to) **4** (*sport*) result; (*punteggio*) score: **r. di parità**, draw; tie.

risuolàre v. t. to sole; to resole: **r. un paio di scarpe**, to sole a pair of shoes.

risuolatùra f. soling.

♦**risuonàre** Ⓐ v. t. (*suonare di nuovo*) to play again; (*campana, campanello*) to ring* again: **r. lo stesso brano**, to play the same piece again; *Suona e risuona, alla fine aprirono*, I rang and rang till at last the door opened Ⓑ v. i. **1** (*riecheggiare*) to resound; to ring*; to echo: **r. di applausi**, to resound with applause; **r. di voci**, to echo with voices; **r. nella memoria**, to echo in sb.'s memory; **r. nelle orecchie**, to ring in sb.'s ears; *Risuonò uno sparo*, a shot rang out **2** (*fis.*) to resonate.

risuonatóre → **risonatore**.

risurrezióne f. **1** (*relig.*) resurrection; rising: **la r. della carne**, the resurrection of the body **2** (*fig.*) resurrection; revival.

risuscitaménto m. → **risurrezione**.

risuscitàre Ⓐ v. t. **1** (*richiamare in vita*) to raise from the dead; to bring* back to life: *Gesù risuscitò Lazzaro*, Jesus raised Lazarus from the dead; **r. i morti**, to raise the dead **2** (*fig.*: *far riavere*) to revive **3** (*fig.*: *rimettere in uso*) to resurrect; to revive; to

bring* back (into use): **r. una moda**, to revive (*o* to resurrect) a fashion **4** (*fig.*: *ridestare*) to reawaken; to rekindle; to rouse: **r. l'entusiasmo di q.**, to reawaken (*o* to rekindle) sb.'s enthusiasm; **r. dall'oblio**, to rescue from oblivion **B** v. i. **1** (*tornare in vita*) to be resurrected; to rise* from the dead; to rise* again **2** (*fam.*: *riaversi*) to revive; to pick up.

♦**risvegliàre** **A** v. t. **1** (*svegliare di nuovo*) to wake* up again; to reawaken; to rouse again **2** (*svegliare*) to wake* (up); to awake*; to rouse (spec. al passivo): *Il rumore mi risvegliò*, the noise woke me up; *Non si riesce a risvegliarlo*, he can't be roused **3** (*fig.*: *destare*) to awaken, to arouse; (*stimolare*) to stimulate, to whet; (*ridestare, ravvivare*) to revive, to rekindle, to stir up, to bring* back: **r. l'appetito [la curiosità]**, to whet sb.'s appetite [curiosity]; **r. l'entusiasmo**, to arouse sb.'s enthusiasm; **r. l'interesse di q. per qc.**, to arouse sb.'s interest in st.; **r. antiche passioni**, to wake (*o* to arouse) old passions; **r. un ricordo**, to stir up (*o* to bring back) a memory **B** **risvegliàrsi** v. i. pron. **1** to wake* up; to awaken*: *Mi risvegliai col sole*, I woke up with the sun **2** (*fig.*) to be aroused; to be rekindled; to revive.

♦**risvéglio** m. **1** awakening; waking up: **brusco r.**, sudden awakening; (*fig.*) rude awakening; *Decidemmo di aspettare il suo r.*, we decided to wait until she woke up; **al mio r.**, when I woke up; on waking up **2** (*fig.*) reawakening; revival; resurgence: **r. d'attività**, resurgence of activity; **r. del commercio**, revival of trade; **r. delle coscienze**, moral reawakening; **r. dell'interesse**, revival of interest.

risvòlto m. **1** (*di giacca*) lapel; (*di manica*) cuff; (*di tasca*) flap; (*di pantaloni*) turn-up (*GB*), cuff (*USA*) **2** (*di libro*) jacket flap; (*estens.*: *il testo*) blurb **3** (*fig.*: *aspetto*) implication, aspect; (*conseguenza*) repercussion **4** (*edil.*) return.

♦**ritagliàre** v. t. **1** (*tagliare di nuovo*) to cut* (again) **2** (*tagliare tutt'intorno*) to cut* out: **r. un articolo**, to cut out an article **3** (*fig.*) to carve out; to set* aside: **ritagliarsi uno spazio**, to carve out a niche for oneself; **r. un po' di tempo per uno hobby**, to set aside some time to pursue a hobby.

ritàglio m. **1** cutting; clipping: **r. di giornale**, press-cutting **2** (*avanzo*) remnant; (*scarto*) scrap; (*pezzetto*) bit: **ritagli di carne**, scraps of meat; **r. di stoffa**, scrap (of material); remnant; offcut; (*scampolo*) oddment ● (*fig.*) **ritagli di tempo**, odd moments; (*tempo libero*) spare time.

ritardàbile a. that can be delayed (*o* postponed).

ritardàndo m. inv. (*mus.*) ritardando.

ritardànte a. **1** retarding; delaying **2** (*chim.*) retardant: **agente r.**, retardant agent; retardant; retarder.

♦**ritardàre** **A** v. i. **1** (*tardare a giungere*) to be overdue; (*essere in ritardo*) to be late: *I rifornimenti ritardano*, supplies are overdue; *Il treno oggi ritarda*, the train is late today; *Hai ritardato troppo*, you are too late; **r. ad arrivare**, to be late in coming **2** (*di orologio*) to be slow; to lose*: *Il mio orologio ritarda di tre minuti al giorno*, my watch loses three minutes a day **B** v. t. **1** (*rallentare*) to slow down; to delay; to retard (*tecn.*): *La pioggia ritarderà i lavori*, rain will slow down work; **r. le consegne**, to delay deliveries; **r. la crescita**, to stunt growth; **r. lo sviluppo**, to retard development; **r. il moto**, to retard motion **2** (*trattenere*) to hold* up: *Ci ha ritardato la neve*, we were held up by the snow **3** (*rimandare*) to delay; to put* off; to postpone; to stave off; to hold* off: **r. una decisione di un mese**, to delay a decision for a month; **r.**

la partenza, to delay (*o* to put off) one's departure; **r. una punizione**, to stave off a punishment **4** (*mus.*) – **r. una nota**, to suspend a note.

ritardatàrio m. (f. **-a**) **1** (*chi arriva tardi*) latecomer; (*chi arriva distaccato da un gruppo*) straggler: *I ritardatari non saranno ammessi*, latecomers won't be admitted; *Sei il solito r.!*, you are late as usual! **2** (*nel pagare, ecc.*) defaulter.

ritardàto **A** a. **1** delayed: **effetto r.**, delayed effect; **ad azione ritardata**, delayed--action (attr.); time-lag (attr.); **dispositivo ad azione ritardata**, time-lag device; **ordigno a scoppio r.**, delayed-action bomb **2** (*psic.*) (mentally) retarded **B** m. (f. **-a**) (*psic.*) retarded person; retardate (*USA*).

ritardatóre m. (*farm., med.*) retardant; retarder.

♦**ritàrdo** **A** m. **1** delay; (*sfasamento, anche scient.*) (time) lag: **un r. di due ore**, a two--hour delay; (*comput.*) lag; **r. di risposta**, lag; **r. nel pagamento**, delay in payment; **r. tecnologico**, technological lag; *Il r. fu causato da una caduta di corrente*, the delay was caused by a power failure; *Chiedo scusa del r.*, I apologize for being late (*o, form.*, for my late arrival); I'm sorry I'm late; *Fu punito per il suo r.*, he was punished for being late; **accumulare r.**, to build up a delay; **arrivare in r.**, to arrive late; to be late; *Arrivai all'appuntamento con due ore di r.*, I was two hours late for my appointment; *La lettera arrivò con un mese di r.*, the letter arrived a month late; *Il suo pentimento arrivò in r.*, his regret came too late; **avere un r. di tre ore**, to be three hours late; **avere un forte r.**, to be very late; **in r.**, late; overdue; delayed; (*rispetto a un programma*) behind (*o* behindhand), behind schedule; (*di orologio*) slow; **arrivo in r.**, late arrival; **treno in r.**, delayed train; overdue train; **essere in r. coi pagamenti [col lavoro]**, to be behindhand (*o* in arrears) with payments [with one's work]; **essere in r. per qc.**, to be late for st.; *I lavori sono in forte r.*, work is heavily behind schedule; *Oggi sono in r. in tutto*, I'm terribly behind time today; *L'orologio era in r. di un'ora*, the clock was one hour slow; **partire in r.**, to leave late; **provocare il r. di qc.**, to delay st.; **recuperare il r.**, to make up time; to make up for the delay; **subire un r.**, to be delayed; **viaggiare con un'ora di r.**, to be running an hour late; (*tecn.*) **dispositivo di r.**, time-lag device **2** (*psic.*) (mental) retardation **3** (*mus.*) suspension **B** a. inv. – (*farm.*) **effetto r.**, slow release; timed release; (*farm.*) **preparato r.**, slow-release (*o* timed-release) drug.

ritégno m. **1** (*freno*) restraint; moderation: **agire con r.**, to act with restraint; **non conoscere r.**, to know no restraint; **spendere con r.**, to spend with moderation; **senza r.**, without restraint; unrestrainedly **2** (*riserbo*) reserve: **vincere il r. di q.**, to break through sb.'s reserve; **senza r.**, without reserve; unreservedly; (*spudoratamente*) shamelessly **3** (*riluttanza*) reluctance; hesitation: **avere r. a fare qc.**, to hesitate (*o* to be reluctant) to do st.; to shrink from doing st.

ritempràre **A** v. t. **1** (*ridare la tempra*) to retemper; to temper again **2** (*fig.*: *rafforzare*) to restore; to fortify; to strengthen; to invigorate, to reinvigorate: **r. le forze**, to restore sb.'s strength **B** **ritempràrsi** v. rifl. (*fig.*) to recover one's strength; to gain new strength; to be fortified.

♦**ritenére** **A** v. t. **1** (*lett.*: *trattenere*) to hold*; to hold* back; (*med.*) to retain; **r. le lacrime**, to hold back one's tears; (*med.*) **r. l'orina**, to retain urine **2** (*arrestare*) to arrest; to stop: **r. la caduta dei capelli**, to stop loss of hair **3** (*operare una ritenuta*) to withhold*: **r. il dieci per cento sulla paga**, to

withhold ten per cent of sb.'s pay **4** (*fig.*: *ricordare*) to remember; to retain **5** (*credere, giudicare*) to think*; to reckon; to believe; to consider; to hold*; to regard: *Ritengo che sia stato il ragazzo a rubare il denaro*, I think it was the boy who stole the money; *Ho ritenuto che fosse meglio così*, I thought that was the best course; *Ritenni necessario quel provvedimento*, I believed that measure necessary; *Non lo ritengo necessario*, I don't think (*o* hold) it necessary; *Lo ritengo mio dovere*, I regard it as my duty; *Il mio avvocato ritiene che dovremmo vincere la causa*, my lawyer reckons we should win the case; *Non lo ritengo un uomo intelligente*, I don't consider (*o* regard) him as an intelligent man; I don't think he is intelligent; *Vi riterrò responsabili*, I will hold you responsible; *È ritenuto il miglior dentista della città*, he is considered (*o* regarded) as (*o* he is held to be) the best dentist in town **B** **ritenérsi** v. rifl. **1** (*considerarsi*) to regard oneself; to consider oneself; to think* oneself: *Si ritiene un grande atleta*, he regards himself (as) a great athlete; *Si ritiene infallibile*, she thinks herself infallible; *Mi ritengo soddisfatto*, I consider myself satisfied **2** (*lett.*: *trattenersi*) to restrain oneself.

ritentàre v. t. **1** (*riprovare*) to try again; to retry; to make* another attempt; to have another try (*o* go) (*fam.*): **Dài, ritenta!**, go on, have another try! (*fam.*); **tentare e r.**, to try and try again **2** (*sottoporre di nuovo a tentazione*) to tempt again.

ritentiva f. retention.

ritentività f. retentiveness; retentivity.

ritentivo a. retentive.

ritenùta f. **1** (*fisc.*) deduction: **r. alla fonte**, deduction at source; withholding tax; (*sullo stipendio, anche*) pay as you earn (*GB*, abbr. PAYE), pay as you go (*USA*); **r. d'acconto**, withholding tax; **r. sullo stipendio**, deduction from salary; stoppage (*GB*); **operare una r.**, to make a deduction; **al netto delle ritenute**, before deductions; before stoppages **2** (*naut.*) stay; guy: **r. del boma**, boom guy.

ritenutézza f. **1** (*cautela*) cautiousness; circumspection **2** (*riserbo*) reserve; restraint.

ritenùto a. **1** (*cauto*) cautious; circumspect **2** (*riservato*) reserved.

ritenzióne f. **1** (*il ritenere*) retaining; retention **2** (*fisc.*) withholding; (*somma trattenuta*) deduction, stoppage **3** (*med.*) retention: **r. idrica**, water retention; **r. urinaria**, retention of urine; **cisti da r.**, retention cyst.

ritingere v. t. **1** (*tingere di nuovo*) to dye again; to redye **2** (*tingere di altro colore*) to dye a different colour.

ritintùra f. redyeing; new dyeing.

♦**ritiràre** **A** v. t. **1** (*gettare di nuovo*) to throw* again: **r. la palla**, to throw the ball again **2** (*tirare di nuovo verso di sé*) to pull again **3** (*tirare indietro*) to withdraw*; to pull back; to take* back: **r. la mano**, to pull back one's hand; *Ritirò la testa dalla finestra*, she drew back her head from the window **4** (*tirare dentro*) to take* in; (*far rientrare*) to draw* in; (*togliere*) to take* off, to remove: **r. il bucato**, to take in the washing; **r. una pentola dal fuoco**, to take a saucepan off the fire; **r. le reti**, to draw in (*o* up) the nets; *La lumaca può r. le corna*, snails can retract (*o* draw in) their horns **5** (*richiamare*) to recall; to withdraw*; (*fin.*) to retire, to call; (*mil.*) to withdraw*; to pull out: **r. una cambiale**, to retire a bill; **r. i propri atleti da una gara**, to withdraw one's athletes from a competition; **r. le proprie truppe**, to withdraw (*o* to pull out) one's troops **6** (*farsi dare, prendere*) to collect; to pick up: **r. i biglietti [un pacco]**, to collect the tickets [a par-

cel]; **r. un vestito dalla tintoria**, to pick up a dress at the dry-cleaners' **7** (*riscuotere*) to draw*; to withdraw*: **r. denaro dalla banca**, to withdraw money from the bank; **r. lo stipendio**, to draw one's salary **8** (*togliere dalla circolazione*) to withdraw* from circulation; to call in; to recall: **r. un modello difettoso [una banconota, un francobollo]**, to recall (*o* to call in) a faulty model [a banknote, a stamp]; **r. dalla circolazione**, to withdraw from circulation; to recall **9** (*disdire*) to withdraw*, to take* back; (*revocare*) to revoke; (*ritrattare*) to retract, to take* back: **r. un'accusa**, to withdraw an accusation; **r. la candidatura**, to withdraw one's candidature; to stand down; **r. una dichiarazione**, to retract a statement; **r. un'offerta**, to take back (*o* to withdraw) an offer; **r. un ordine**, to revoke an order; **r. la parola data**, to take back one's word; **r. la patente a q.**, to revoke (*o* to take away) sb.'s driving licence; **r. una promessa**, to take back (*o* to go back on) a promise; **r. una proposta**, to withdraw a proposal; *Ritira quello che hai detto!*, take back what you said! **B ritirarsi** v. rifl. **1** (*indietreggiare, tirarsi indietro*) to draw* back, to back off; (*ripiegare*) to withdraw*, to retreat, to fall* back: **ritirarsi davanti al nemico**, to retreat (*o* to fall back) before the enemy; **ritirarsi in buon ordine**, to retire in good order; (*fig.*) to back down; **ritirarsi su posizioni strategiche migliori**, to withdraw to (*o* to fall back on) better strategic positions **2** (*appartarsi*) to retire; to withdraw*: **ritirarsi a vita privata**, to retire; **ritirarsi in campagna**, to retire to the country; **r. in sé stesso**, to retire into oneself; *Si ritirarono in biblioteca*, they withdrew into the library **3** (*assol.: rientrare in casa*) to go* home; (*andare a letto*) to go* to bed, to retire **4** (*abbandonare, lasciare*) to withdraw* (from); to retire (from); to leave* (st.); to drop out (of): **ritirarsi dagli affari**, to retire from business; **ritirarsi da un corso**, to drop out of a course; **ritirarsi da una gara**, to withdraw from a competition; **ritirarsi dalla politica**, to retire from politics; **ritirarsi dalle scene**, to leave the stage **5** (*tornare su quanto deciso*) to go* back on one's word; to take* back one's word; to back out (of); (*non partecipare più a qc.*) to pull out (of), to opt out (of): **ritirarsi da un accordo**, to pull out of an agreement; *Ho promesso e non mi ritiro*, I have promised and I am not going back on my word; *Non è uomo che si ritiri quando ha detto qualcosa*, he's not a man to take back his word **6** (*leg., di tribunale*) to adjourn; (*di giuria*) to retire: *La corte si ritira*, the court adjourns **C ritirarsi** v. i. pron. **1** (*di acqua*) to subside, to fall* (*di mare*) to recede; (*di marea*) to go* out: *La piena comincia a ritirarsi*, the floodwaters are beginning to subside; *Il mare si è ritirato di oltre tre metri*, the sea has receded more than three metres; *Aspettiamo che la marea si ritiri*, let's wait for the tide to go out **2** (*di tessuto: restringersi*) to shrink*.

ritiràta f. **1** (*ripiegamento*) retreat; withdrawal; pull-out: **r. strategica**, strategic withdrawal (*o* retreat); (*anche fig.*) **battere in r.**, to beat a retreat; **effettuare una r.**, to make a retreat (*o* a withdrawal); **essere in r.**, to be in retreat; **proteggere la r. di q.**, to cover sb.'s retreat; **suonare la r.**, to sound the retreat; **tagliare la r. a q.**, to cut off sb.'s retreat; **esercito in r.**, withdrawing army **2** (*fig.: rinuncia, abbandono*) retreat; climb-down **3** (*mil.: rientro in caserma*) recall; (*il segnale*) tattoo: **suonare la r.**, to beat (*o* to sound) the tattoo; **segnale di r.**, tattoo **4** (*latrina*) lavatory.

ritiràto a. retired; secluded; (*solitario*) solitary: **luogo r.**, secluded spot; **vita ritirata**,

retired life: **fare vita ritirata**, to lead a very quiet life; to live in retirement.

ritìro m. **1** (*il ritirare, il richiamare*) withdrawal; (*mil., anche*) pull-out: **il r. di un ambasciatore**, the withdrawal of an ambassador; **il r. delle truppe da un luogo**, the withdrawal of the troops from a place **2** (*esclusione dalla circolazione*) withdrawal from circulation; calling in; recall: **r. dalla circolazione**, withdrawal from circulation; recall; **il r. delle banconote vecchie**, the withdrawal of old banknotes from circulation; **il r. d'un modello difettoso**, the recall of a faulty model **3** (*raccolta*) collection: **r. dei biglietti**, ticket collection; **r. dei rifiuti**, rubbish (*USA* garbage) collection **4** (*riscossione*) collection; drawing: **il r. di una somma da un conto**, the withdrawal of a sum from an account; **il r. della paga**, the drawing of one's pay **5** (*revoca*) revocation; cancellation: **il r. di una licenza**, the cancellation of a licence; **il r. della patente di guida**, the revocation of sb.'s driving licence **6** (*l'appartarsi*) retreat; seclusion: **r. spirituale**, spiritual retreat; **andare in r. per una settimana**, to go into retreat for a week; **vivere in r.**, to live in seclusion; to lead a secluded life **7** (*allontanamento da un'attività*) retirement: **r. dalla vita pubblica [dallo sport]**, retirement from public life [from sport] **8** (*abbandono*) withdrawal: **r. da una gara**, withdrawal from a competition; **essere costretto al r.**, to be forced to withdraw **9** (*luogo appartato*) retreat, secluded spot; (*eremo*) hermitage: **un r. sui monti**, a retreat in the mountains **10** (*sport*) training camp **11** (*contrazione, restringimento*) shrinkage.

ritìsma m. (*bot., Rhytisma acerinum*) tar spot.

ritmàre v. t. (*scandire*) to mark the rhythm of: **r. una canzone battendo le mani [con un piede]**, to clap [to tap one's foot] in time with a song; **r. il tempo**, to beat time.

ritmàto a. measured; cadenced; rhythmical: **passo r.**, measured (*o* cadenced) step.

rìtmica f. (*poesia, mus.*) rhythmics (pl. col verbo al sing.).

ritmicaménte avv. rhythmically.

ritmicità f. rhythmicity.

rìtmico a. rhythmic, rhythmical; cadenced; measured: **accento r.**, rhythmical accent; **ginnastica ritmica**, rhythmic gymnastics; **movimento r.**, rhythmical movement; **prosa ritmica**, rhythmical (*o* cadenced) prose; (*mus.*) **sezione ritmica**, rhythm section; **il tonfo r. dei remi**, the rhythmic splash of the oars.

♦ **rìtmo** m. **1** rhythm: **r. cadenzato**, measured rhythm; **il r. della respirazione**, the rhythm of breathing; **il r. delle stagioni**, the rhythm of seasons; **il r. di un verso**, the rhythm (*o* the beat) of a line; **ritmi biologici**, biological rhythms **2** (*mus*) rhythm; beat; time: **r. binario [ternario]**, duple [triple] time; **il r. d'una danza**, the rhythm of a dance; **r. di walzer**, waltz rhythm; **ritmi sudamericani**, South-American rhythms; **muoversi al r. della musica**, to move in time with (*o* to the beat of) the music; **avere un buon senso del r.**, to have a good sense of rhythm **3** (*metrica, arte*) rhythm **4** (*andamento, passo*) rate; pace; tempo; rhythm: (*med.*) **r. cardiaco**, cardiac rhythm; heart rate; (*mecc.*) **r. di alternanza**, rate of reciprocation; **r. di crescita**, rate of growth; growth rate; **r. di lavoro**, work pace (*o* tempo); **r. di produzione**, rate of production; production rate; **r. frenetico**, frenzied pace; **procedere allo stesso r. di q.**, to proceed at the same pace as sb.; to keep the pace with sb.; **reggere il r.**, to stand the pace; **trovare il giusto r.**, to find one's rhythm (*o* pace); to settle into one's rhythm; **al r. di**, at the rate

of; **a pieno r.**, at full rate (*o* capacity); **a r. serrato**, at a fast rhythm; **a r. sostenuto**, at a brisk pace; **secondo i propri ritmi**, at one's own pace; (*med.*) **disturbi del r.**, arrhythmia (sing.); **regolatore del r.**, pacemaker.

ritmologìa f. rhythmics (pl. col verbo al sing.).

ritmomelòdico a. (*mus.*) rhythmic-melodic.

rìto m. **1** (*cerimonia religiosa*) rite; ceremony: **il r. del Battesimo**, the rite of baptism; (*etnol.*) **r. di iniziazione [di passaggio]**, the rite of initiation [of passage]; **il r. nuziale**, the wedding ceremony; nuptials (pl.); **riti funebri**, burial rites; **sposarsi con r. religioso [civile]**, to be married in church [in a civil ceremony] **2** (*rituale*) rite; ritual; (*liturgia*) liturgy: **r. ambrosiano**, Ambrosian rite; **il r. della purificazione**, the ritual of purification; **r. bizantino**, of the Byzantine rite **3** (*fig.*) ritual; rite; (*usanza*) custom, practice, usage: **il r. dei regali a Natale**, the custom of exchanging gifts at Christmas; **il r. della sigaretta dopo il caffè**, the ritual of a cigarette after coffee; **il r. del tè delle cinque**, the rite of five-o'clock tea; **di r.**, ritual; customary; usual; traditional; **i complimenti di r.**, the customary compliments; *È di r...*, it is customary (*o* the custom) to... **4** (*leg.: procedura*) procedure: **r. abbreviato**, summary procedure; **r. civile [penale]**, civil [criminal] procedure.

ritoccàre v. t. **1** (*toccare di nuovo*) to touch again **2** (*migliorare*) to touch up, to retouch; (*modificare*) to alter, to make* changes to: **r. un disegno [una foto]**, to touch up (*o* to retouch) a drawing [a photo]; **r. qua e là un articolo**, to make a few changes to an article; **ritoccarsi il trucco**, to touch up (*o* to fix) one's make-up; **r. un vestito**, to alter a dress **3** (*rivedere un prezzo, ecc.*) to revise; to readjust: **r. le previsioni**, to revise forecasts; **r. le tariffe**, to readjust rates.

ritoccàta f. quick touch-up (*o* retouching).

ritoccatóre m. (f. **-trìce**) (*arte, fotogr.*) retoucher.

ritoccatùra f. → **ritocco**.

ritócco m. **1** touch-up; retouching; (*modifica*) alteration, change: **apportare ritocchi a qc.**, to touch up (*o* to make a few alterations to st.); *L'articolo ha bisogno di qualche r.*, the article needs touching up; **dare gli ultimi ritocchi a qc.**, to give st. the finishing touches **2** (*revisione di prezzo, ecc.*) revision; readjustment.

ritògliere v. t. **1** (*prendere di nuovo*) to take* again: *Ritolse il libro dallo scaffale*, he took the book from the shelf again (*o* back down from the shelf) **2** (*levare di nuovo*) to take* off again: *Mi ritolsi i guanti*, I took off my gloves again **3** (*portare via di nuovo*) to take* (away) again: *Le è stato ritolto il figlio*, her child has been taken from her again **4** (*riappropriarsi di*) to take* back: *Ritolsero al nemico la collina*, they took back the hill from the enemy.

ritòrcere A v. t. **1** (*torcere di nuovo*) to twist again; to wring* again: *Si torceva e ritorceva le mani*, she kept wringing her hands **2** (*torcere con forza*) to wring* out **3** (*fig.*) to throw* back; to return: **r. un'accusa**, to throw back (*o* to return) an accusation **4** (*ind. tess.*) to twist; to twine; to throw*; to rove **B ritòrcersi** v. i. pron. to rebound (on); to backfire (on); to boomerang: *Le sue parole si ritorsero contro di lui*, his words rebounded on him; *Il suo piano gli si è ritorto contro*, his plan backfired (on him); his plan boomeranged.

ritorcitóio m., **ritorcitrìce** f. (*ind. tess.*) twisting frame; twister.

ritorcitùra f. (*ind. tess.*) twisting; throw-

ing.

•ritornàre Ⓐ v. i. **1** to return; to go* back; to come* back; to get* back; to be back; (*fig., anche*) to revert: **r. a casa**, to go (*o* to get) back home; **r. a scuola**, to go back to school; **r. alle origini di qc.**, to go back (*o* to return) to the origins of st.; **r. al potere**, to return to power; **r. alle vecchie abitudini**, to go back (*o* to revert) to one's old habits; **r. dall'estero**, to come (*o* to get) back from abroad; **r.** (*o* **ritornarsene**) **in Italia**, to go back to Italy; **r. sui propri passi**, to retrace one's steps; **r. a piedi**, to walk back; to return on foot; **r. col pensiero**, to go back; to think back; **r. in aereo**, to fly back; **r. in auto**, to drive back; to return by car; *A che ora ritorni stasera?*, what time are you coming home tonight?; *Ritorno tra un momento*, I'll be back in a minute; *Lo incontrai ritornando in ufficio*, I met him on my way back to the office **2** (*ricomparire, ripresentarsi*) to come* back; to reappear; (*ricorrere*) to recur: *Mi è ritornato il gonfiore*, the swelling has come back (*o* has reappeared); *È ritornata l'estate*, summer is here again; *Gli è ritornata la febbre*, he's running a temperature again; *È ritornato il freddo*, the cold weather has set in again; *È ritornato il sole*, the sun has come out again; *Gli è ritornata la memoria*, his memory has come back to him; he has got his memory back **3** (*ridiventare*) to become* again; to be... again: **r. allegro**, to cheer up; **r. calmo**, to calm down; **r. sano**, to be cured; to recover; **r. come nuovo**, to be as good as new • (*fig.*) **r. all'ovile**, to return to the fold □ (*fig.*) **r. coi piedi sulla terra**, to come back to earth □ **r. di moda**, to come back into fashion □ **r. in auge**, to come back; to make a comeback (*fam.*) □ **r. in mente**, to come back to mind: *Mi è ritornato in mente*, it's come back to me; now I remember □ **r. in possesso di qc.**, to regain possession of st.; to get st. back □ **r. in sé**, (*riprendere coscienza*) to come round, to regain consciousness; (*rinsavire*) to come to one's senses □ **r. su un argomento**, to take up a subject again Ⓑ v. t. (*restituire*) to return; to give* back; to send* back: *Ti ritorno i libri che mi hai prestato*, I'm returning you the books you lent me; **r. al mittente**, to return to sender.

ritornèllo m. **1** (*mus.*) refrain; chorus; (*di composizione orchestrale*) ritornello; (*segno grafico*) repeat mark **2** (*lett.*) chorus **3** (*fig.*) refrain; mantra: **il solito r.**, the same old story.

•ritórno m. **1** return; (*periodico*) recurrence; (*a uno stato precedente*) reversion, throwback: **r. a casa [in patria]**, return home; homecoming; **r. alla natura**, return to nature; **r. al potere**, return to power; **r. allo stato ferino**, reversion to the wild state; **il r. di un'epidemia**, the recurrence of an epidemic; **il r. dalle vacanze**, the return from the holidays; **r. sulle scene**, return to the stage; comeback (*fam.*); **un triste r. (a casa)**, a sad homecoming; **aspettare il r. di q.**, to wait for sb. to return (*o* to come back); **essere di r.**, to be back; *Sarò di r. fra un'ora*, I'll be back in an hour; *Già di r.?*, back already?; **fare r.**, to come back; to come home; **al mio r.**, on my return; when I got back; **volo di r.**, return flight; **viaggio di r.**, return trip; (*per mare*) return voyage; **viaggio senza r.**, journey with no return; *Il loro r. è previsto per martedì*, they are expected to be back on Tuesday; *Hai già deciso per il r.?*, have you already decided when [how] you are going back?; *Questa moda è un r. agli anni '60*, this fashion is a throwback to the '60s; **via del r.**, way back; **mettersi sulla via del r.**, to start (on one's way) back **2** (*ricomparsa*) return; reappearance; recurrence; (*reviviscenza*) resurgence: **r. della feb-**

bre, return (*o* recurrence) of the temperature; **r. della primavera**, the return of spring **3** (*comm.*: *restituzione.*) return: **r. dell'invenduto**, return of unsold goods; **merci di r.**, returned goods; returns; **spese di r.**, return charges; **vuoti di r.**, empties; returnable bottles **4** (*mecc., tecn.*) return; (*di pistone*) reversal: **r. del carrello** (*di macchina per scrivere*), carriage return; **r. elastico**, spring back; **filo di r.**, return wire; **tasto del r.**, backspace key; backspacer **5** (*sport, anche* **girone di r.**) second round (of games): **partita di r.**, return match (*o* game) • (*comput.*) **r. a capo automatico**, word wrapping □ **r. a galla**, resurfacing □ (*fis.*) **r. acustico**, acoustic feedback □ **r. di fiamma**, (*mecc.*) backfire; (*fig.*) resurgence, revival: **avere un r. di fiamma**, to backfire; (*fig.*) to reappear, to make a comeback (*fam.*) □ **r. in auge**, revival; comeback □ **r. in uso**, revival □ (*di legge, ecc.*) **r. in vigore**, revival □ (*archit.*) **angolo di r.**, return angle □ (*naut.*) **carico di r.**, homeward cargo *o* st., (*in cambio, in risposta*) in return; **dire di r.**, to reply; to say in return □ (*naut.*) **nolo di r.**, homeward freight □ (*aeron. e fig.*) **punto di non r.**, point of no return □ **teoria dell'eterno r.**, theory of the eternal return.

ritorsióne f. **1** (*di un'accusa, ecc.*) retort **2** (*rappresaglia*) reprisal; retaliation: **r. commerciale**, trade retaliation; **misure di r.**, retaliatory measures; **per r.**, by way of retaliation; in retaliation.

ritòrta f. **1** (*agric.*) withy; withe **2** (*mus., di ottoni*) loop.

ritòrto Ⓐ a. **1** (*torto*) twisted; twined: **filo r.**, twisted thread; twine **2** (*contorto*) twisted Ⓑ m. **1** twisted yarn; twine **2** (*al pl.*) (*mus.*) loops.

ritradùrre v. t. **1** (*tradurre di nuovo*) to retranslate; to translate again **2** (*nella lingua d'origine*) to translate back: **r. un brano in inglese**, to translate a passage back into English.

ritraduzióne f. **1** retranslation; new translation **2** (*retroversione*) retroversion.

ritràrre Ⓐ v. t. **1** (*tirare indietro*) to withdraw*, to draw* back, to pull back; (*tirare dentro*) to retract, to draw* in, to pull in: **r. la mano [il piede]**, to withdraw (*o* to draw back, to pull back) one's hand [one's foot]; *Il gatto ritrasse le unghie*, the cat drew in its claws **2** (*distogliere*) to turn away; to avert: **r. lo sguardo**, to turn one's eyes away; to avert one's eyes; to look away **3** (*ricavare, percepire*) to derive; to obtain; to gain; to get*: **r. un insegnamento da qc.**, to derive a lesson from st.; to get a lesson out of st.; **r. un vantaggio da qc.**, to gain an advantage from st. **4** (*riprodurre, rappresentare*) to portray; to depict; to reproduce; to represent; (*fotogr.*) to photograph, to take* a photograph of: **r. una scena campestre**, to depict a country scene; *Lo ritrassi in piedi*, I portayed him standing; **farsi r.**, to have one's portrait painted **5** (*descrivere*) to describe; to depict; to paint; to portray: **r. un ambiente**, to describe a milieu; **r. una situazione con vivacità**, to paint a vivid picture of a situation; *L'evoluzione psicologica del personaggio è ritratta con finezza*, the psychological development of the character is depicted with subtlety Ⓑ **ritràrsi** v. rifl. **1** (*ritirarsi*) to withdraw*; to shrink*; to draw* back; to step back; to pull back: *La chiocciola si ritrasse nel suo guscio*, the snail withdrew (*o* shrank) into its shell; *Si ritrasse spaventato*, he drew back (*o* shrank) in fright; *La folla si ritrasse per lasciarli passare*, the crowd pulled back to let them pass **2** (*fig.*) to withdraw* (from); to get* out (of); to back out (of): **ritrarsi da un'impresa**, to withdraw from (*o* to back out of) a venture **3** (*rappresentarsi*) to portray

oneself Ⓒ **ritràrsi** v. i. pron. (*ling.*) to move back: *L'accento si ritrae sulla prima sillaba*, the stress moves back to the first syllable.

ritrasméttere v. t. **1** (*radio, TV*) to broadcast* again; to rebroadcast*; (*TV, anche*) to show again **2** (*tel.*) to retransmit; to relay: *Il segnale viene ritrasmesso a terra*, the signal is relayed back to earth.

ritrasmissióne f. **1** (*radio, TV*) rebroadcasting; rebroadcast; repeat broadcast **2** (*tel.*) retransmission; relay.

ritrattàbile a. retractable.

ritrattàre① v. t. **1** (*tecn.*) to reprocess **2** (*esporre di nuovo*) to deal* with again.

ritrattàre② v. t. (*ritirare, rinnegare*) to retract; to withdraw*; to take* back; (*pubblicamente*) to recant: **r. un'accusa**, to retract (*o* to withdraw) an accusation; **r. una dichiarazione**, to retract a statement; **r. le proprie teorie**, to recant one's theories.

ritrattatóre m. (f. **-trìce**) recanter.

ritrattazióne f. **1** retraction; withdrawal; (*pubblicamente*) recantation.

ritrattista m. e f. portrait painter; portraitist.

ritrattìstica f. portrait painting; portraiture.

ritrattìstico a. portrait painting (attr.); of portraiture (pred.).

•ritràtto Ⓐ a. **1** (*tratto indietro*) drawn back; withdrawn; (*di artigli, ecc.*) drawn in **2** (*rappresentato, figurato*) portrayed; pictured; depicted Ⓑ m. **1** (*effigie*) portrait: **r. a figura intera**, full-length portrait; **r. a mezzo busto**, half-length portrait; **r. a olio**, oil portrait; portrait in oils; **r. a penna**, pen-and-ink portrait; **r. fotografico**, photographic portrait; **r. somigliante**, faithful (*o* lifelike) portrait; **dipingere un r. di q.**, to paint a portrait of sb.; **farsi fare il r.**, to have one's portrait painted **2** (*fig.*: *descrizione*) portrait; portrayal; description: **un vivace r. di una città medioevale**, a lively description of a Medieval town; *Con poche parole ne ha fatto il fedele r.*, he has given a faithful portrait of him in few words **3** (*fig.*: *immagine*) image; picture: *È il r. di suo padre*, he is the living image (*o, fam.* the spitting image) of his father; *È il r. della salute*, she is the picture of health; **essere il r. della bontà**, to be the soul of goodness; to be goodness personified.

ritrazióne f. **1** retraction **2** (*med.*) contraction.

ritrito a. (*fig.*) trite; stale; hackneyed: **argomento trito e r.**, hackneyed topic; *È una storia ritrita*, it's old hat (*fam.*).

ritrosàggine → **ritrosia**.

ritrosia f. **1** bashfulness; shyness **2** (*riluttanza*) reluctance: **avere r. a fare qc.**, to be reluctant to do st.

ritróso a. **1** (*che va all'indietro*) moving backwards; retrograde: **a r.**, backwards; back; **andare a r.**, backwards; **r. nel tempo**, back in time; **rifare il cammino a r.**, to retrace one's steps **2** (*schivo*) shy; bashful: *Non essere* (*o fare il*) *r.!*, don't be shy! **3** (*restio*) reluctant; unwilling.

ritrovàbile a. findable; (*recuperabile*) recoverable.

ritrovaménto m. **1** (*il ritrovare*) finding; (*recupero*) recovery: **il r. del quadro rubato**, the recovery of the stolen painting **2** (*scoperta*) finding, find, discovery: **r. archeologico**, archaeological find; **il r. del cadavere**, the discovery of the corpse.

•ritrovàre Ⓐ v. t. **1** (*trovare cose, persone smarrite*) to find*: **r. un amico**, to find an old (*o* a lost) friend; **r. il portafoglio**, to find one's wallet; **r. la strada**, to find one's way again; *Lo ritrovarono addormentato nel bo-*

sco, they found him asleep in the wood; *Se ti ritrovo a toccare le mie cose...*, if I catch you again touching my things... 2 (*fig.*: *recuperare*) to recover; to regain; to get* back: **r. l'entusiasmo**, to recover (*o* to recapture) one's enthusiasm; **r. le forze**, to regain (*o* to get back) one's strength; (*fig.*) **r. la parola**, to find one's tongue again; **r. la salute**, to recover (one's health) 3 (*incontrare di nuovo*) to meet* (again): *Ritrovai tutti i miei vecchi amici a quella riunione*, I met all my old friends at that reunion 4 (*fig.*: *scoprire*) to find*; to discover: *Mi ritrovai sul conto un bel po' di soldi*, I found out I had a tidy sum on my bank account 5 (*riconoscere*) to recognize: *Non la ritrovo in questa foto*, I don't recognize her in this photo 6 (*fam.*: *avere*) to have got: *Con tutto il lavoro che mi ritrovo...*, with all the work I've got...; *Con la fortuna che mi ritrovo...*, with my luck... **B** ri-**trovàrsi** v. i. pron. 1 (*trovarsi senza volere*) to find* oneself; (*fig.*, *anche*) to end up: **ritrovarsi nei guai**, to find oneself in trouble; *Ci ritrovammo davanti all'albergo*, we found ourselves outside the hotel; *Si ritrovò erede di una fortuna*, she found herself the heir to a fortune 2 (*raccapezzarsi*) to make* sense (of); (*orizzontarsi*) to find* one's way about: *Non mi ci ritrovo con queste cifre*, I can't make sense of these figures; *Non ci si ritrovava in quel quartiere*, he couldn't find his way about in that district 3 (*trovarsi a proprio agio*) to be (*o* to feel*) at ease; to be in one's element; (*con persone*) to get* on well: *Non mi ci ritrovo in quell'ambiente*, I feel out of place in that milieu **C ritrovàrsi** v. rifl. recipr. (*incontrarsi*) to meet*, to meet* up, to gather; (*trovarsi di nuovo insieme*) to meet* again: *Ritroviamoci qui fra un'ora*, let's meet here in an hour's time; *Ci ritrovammo al solito caffè*, we met up at the usual café; *Ci ritrovammo dopo dieci anni di separazione*, we met again after a separation of ten years.

ritrovàto m. 1 (*scoperta*) discovery; (*invenzione*) invention 2 (*espediente*) contrivance; ploy.

ritrovatóre m. (f. **-trìce**) 1 (*chi ritrova*) finder 2 (*scopritore*) discoverer; (*inventore*) inventor.

ritròvo m. 1 (*il ritrovarsi insieme*) meeting; gathering; reunion: **r. di ex combattenti**, gathering of ex servicemen; **darsi r.**, to meet; to gather; **luogo di r.**, meeting place; **sala di r.**, lounge, common room 2 (*locale, punto d'incontro*) meeting-place; haunt; hangout (*fam.*); stamping-ground (*fam.*); (*circolo*) club: **r. elegante**, elegant place; **r. di spacciatori**, haunt of drug-pushers; **un noto r. di giornalisti**, a well-known haunt (*o* hangout) of journalists; **r. favorito**, favourite hangout; stamping ground.

ritta f. (*lett.*) right hand.

ritto A a. 1 (*in posizione verticale o eretta*) standing; upright; erect; straight; vertical; on end: **un palo r.**, an upright post; **r. come un fuso**, as straight as a pole; *Avevo i capelli ritti dal terrore*, my hair stood on end (with terror); **mettere qc. r.**, to stand st.; to place st. on end (*o* vertically); **stare r.**, to stand (erect); **tenere r. qc.**, to hold st. vertical; **a coda ritta**, with one's tail erect (*o* up); **col naso r.**, with one's nose turned up 2 (*destro*) right: **la mano ritta**, the right hand; **volgersi a man ritta**, to turn to the right **B** m. 1 (*edil.*) upright; prop 2 (*sport*) (high--jump) upright 3 (*di spada, pugnale*) quillon 4 (*di arma da fuoco*) sight bar 5 (*lato diritto*) right side: **il r. di una stoffa**, the right side of a piece of cloth; **stoffa con due ritti**, double-faced fabric ● **né per r. né per rovescio**, in no wise ● (*prov.*) **Ogni r. ha il suo rovescio**, there are two sides to every question; no rose without a thorn.

rituàle A a. 1 (*secondo il rito*) ritual: **canto r.**, ritual song; **formula r.**, ritual formula 2 (*conforme all'abitudine*) customary; usual **B** m. 1 (*eccles.*) ritual: **il r. romano**, the Roman ritual; **il r. della Pasqua**, the Easter ritual 2 (*cerimoniale*) ceremonial 3 (*fig.*) rite; ceremony.

ritualìsmo m. ritualism.

ritualìsta m. e f. ritualist.

ritualìstica f. rites (pl.); ceremonies (pl.).

ritualìstico a. ritualistic.

ritualità f. rituality.

ritualizzàre A v. t. to ritualize **B** ritualizzàrsi v. i. pron. to be ritualized.

ritualizzàto a. ritualized: **comportamento r.**, ritualized behaviour.

ritualizzazióne f. ritualization.

ritualménte avv. ritually.

riunificàre v. t., **riunificàrsi** v. rifl. recipr. to reunify.

riunificazióne f. reunification.

♦**riunióne** f. 1 (*il riunirsi*) reunion; (*riconciliazione*) reconciliation: **la r. della famiglia**, the reunion of the family 2 (*raduno*) gathering; reunion; get-together (*fam.*): **r. di ex allievi**, school reunion; **r. di famiglia**, family gathering (*o* reunion); **r. mondana**, social gathering; **r. tra amici**, gathering (*o* get-together) of friends 3 (*assemblea, incontro*) meeting; conference: **r. al vertice**, summit (meeting); **r. del consiglio di amministrazione**, board meeting; **r. di lavoro**, business meeting; **r. di partito**, party meeting; **r. politica**, political meeting; **indire una r.**, to call a meeting; **partecipare a una r.**, to attend a meeting; **sciogliere una r.**, to break up a meeting; **tenere una r.**, to hold a meeting; *Il direttore è in r.*, the director is in conference; **luogo di r.**, meeting place; **sala delle riunioni**, conference room; (*di consiglio di amministrazione*) boardroom 4 (*sport*) meeting.

♦**riunire A** v. t. 1 (*unire di nuovo*) to reunite: **r. famiglie separate dalla guerra**, to reunite families torn apart by war 2 (*fig.*: *riconciliare*) to bring* together again; to reconcile: *La disgrazia li ha riuniti*, the sad event brought them together again; *La nascita del nipote riunì le due famiglie*, the birth of the grandchild reconciled the two families 3 (*raccogliere*) to gather together (*o* up), to get* together; (*mettere insieme*) to put* together; (*risorse, denaro, ecc.*) to pool (together): **r. alcuni amici**, to gather a few friends together; **r. i propri libri**, to gather up one's books 4 (*adunare, convocare*) to convene; to call: **r. un'assemblea**, to call a meeting; to convene an assembly **B** riunìrsi v. i. pron. 1 (*unirsi di nuovo*) to join (st.) again; (*anche di strade, ecc.*) to rejoin (st.); to be reunited (with): **riunirsi al gruppo**, to rejoin the group; *Fece di tutto per riunirsi al marito in America*, she tried everything to be reunited with her husband in America 2 (*associarsi*) to unite; to form an association 3 (*raccogliersi, adunarsi*) to meet*; to gather; to get* together: **riunirsi intorno al fuoco**, to gather round the fire; *La commissione si riunirà domani*, the committee will meet tomorrow 4 (*tornare insieme*) to be reunited: *Alla fine padre e figlio poterono riunirsi*, father and son were eventually reunited.

♦**riunito A** a. 1 (*di nuovo insieme*) reunited 2 (*raccolto*) gathered 3 (*associato*) united; associated **B** m. dentist's unit.

riunitrice f. lapping machine.

riusàbile a. reusable.

riusàre v. t. to reuse; to use again.

♦**riuscire** v. i. 1 (*uscire di nuovo*) to go* out again: *Entrò e riuscì subito*, she came in and went out again immediately 2 (*sboccare, arrivare*) to lead* (to): *Questa strada rie-*

sce in Piazza del Duomo, this road leads to Piazza del Duomo 3 (*avere esito*) to come* out; to turn out; (*avere esito positivo*) to be successful, to come* off: *L'esperimento è riuscito*, the experiment was successful (*o* was a success); *La festa riuscirà bene*, the party will be a success; *È riuscito a metà*, it was only partially successful; *La torta non mi è riuscita*, my cake didn't come (*o* turn) out well; *Il primo tentativo non riuscì*, the first attempt didn't come off; the first attempt failed; *Il tuo progetto non può r.*, your plan cannot possibly work; *Riesci bene in fotografia*, you come out well in photos 4 (*risultare*) to be; (*mostrarsi*) to prove (to be): **r. dannoso**, to prove harmful; **r. vincitore**, to be the winner; to win; *La cosa mi riesce nuova*, it is new to me; *La sua faccia non mi riesce nuova*, his face looks familiar; *Mi riesce difficile continuare*, I find it difficult to go on; *Riesce odioso a tutti*, he is disliked by everyone; *Riesce simpatica a tutti*, everybody likes her 5 (*avere successo*) to succeed: **r. negli affari**, to succeed in business; **r. nel proprio intento**, to achieve one's goal; **r. nella vita**, to succeed in life; **il segreto per r.**, the secret of success 6 (*arrivare a*) to succeed (in); to manage (*aver modo*) to get* (to); (*essere capace, essere in grado*) can (difett.), to be able: *Alla fine riuscimmo a risolvere il problema*, we finally succeeded in solving the problem; *Riuscii a liberarmi dalla corda*, I managed to free myself from the rope; *Sei riuscito a parlare col dottore?*, did you get to speak to the doctor?; *Riesci a capirlo?*, can you understand it?; *Riesco appena a ...*, I can barely manage to...; *Non riesco ad aprire la porta*, I can't open the door; *Prova tu se ci riesci* (*o* ti riesce), see if you can do it; *Non ci riesco!*, I can't (do it)!; *Non riuscirò a finire in tempo*, I won't be able to finish in time; *Non so se riuscirò a superare il test*, I don't know whether I'll be able to pass the test; *Non riuscì a trattenere le risa*, he couldn't refrain from laughing; *Non riuscii a vederlo*, I couldn't see him; *Non riuscimmo a vincere la partita*, we failed to win the match; *Non riesco a capire che cosa ci trovi in lui*, I fail to see what you see in him 7 (*avere attitudine, capacità*) to be good (at); to be clever (at): **r. nel disegno**, to be good at drawing; to be a good draughtsman; **r. nella musica**, to be good at music; to be very musical; **r. negli studi**, to do well in one's studies.

riuscita f. (*esito*) result; outcome; (*successo*) success: **buona r.**, success; **cattiva r.**, failure; lack of success; **qualunque sia la r.**, whatever the result (*o* the outcome) may be; *La r. dell'operazione dipende da molti fattori*, the success of the operation depends on many factors; *La festa ha avuto una splendida r.*, the party was a splendid success; *Quest'auto ha fatto una buona r.*, this car has lasted well; *Questo cappotto ha fatto una buona* [*cattiva*] *r.*, I've had a lot of wear [I haven't had much wear] out of this coat; *Questo nuovo prodotto ha fatto una cattiva r.*, this new product has been a failure.

riuscito a. (*che ha avuto successo*) successful; (*ben fatto*) well-made, good: **festa riuscita**, successful party; **matrimonio r.**, successful marriage; **una torta ben riuscita**, a well-made cake; **mal r.**, unsuccessful; **non r.**, failed.

riutilizzàbile a. reusable.

riutilizzàre v. t. to use again; to reuse; to reutilize; (*riciclare*) to recycle.

riutilizzazióne f., **riutilizzo** m. (*anche ind.*) reutilization; (*riciclaggio*) recycling.

♦**riva** f. 1 (*di mare, lago*) shore; (*di fiume*) bank: **le rive dello Ionio**, the shores of the Ionian Sea; **le rive del Tevere**, the banks of

the Tiber; **toccare la r.**, to set foot on shore; to touch land; **a r.**, on shore; ashore; (*del mare, ecc.*) **portare** (*o gettare*) **a r.**, to wash up; **venire a r.**, to come ashore; **in r. al fiume**, on the bank of the river; by the riverside; **in r. al lago**, by the lakeside; **in r. al mare**, on the seashore; by the sea; **ristorante in riva al lago**, lakeside restaurant; **città in r. al mare**, seaside town; **lungo la riva del mare**, along the seashore **2** (*naut.*) – **a r.**, aloft; **alzare** (*o mandare*) **a r.**, to send aloft; **andare a r.**, to go aloft; *Tutti a r.!*, all hands up!; **da r.**, from aloft.

rivaccinàre A **v. t.** to revaccinate; to vaccinate again B **rivaccinàrsi v. i. pron.** to be revaccinated.

rivaccinazióne f. revaccination.

rivàle A **a.** rival; competing: **società r.**, rival company; **una squadra r.**, a rival team; **la squadra r.**, the other team B **m. e f.** rival; competitor; (*sport*) opponent: **rivali in amore**, rivals in love; **rivali negli affari**, business rivals; **non avere rivali** (*o essere senza rivali*), to have no rivals; to be unrivalled; to be second to none.

rivaleggiàre v. i. 1 (*competere*) to compete; to vie: **r. per una nomina**, to vie (*o* to compete) for an appointment **2** (*fig.: tener testa*) to hold* one's own; to match (st.): *Come pianista può r. con i migliori del secolo*, as a pianist he holds his own with the best of the century.

rivalérsi v. i. pron. 1 (*valersi di nuovo*) to avail oneself again; to make* use again **2** (*rifarsi di una perdita*) to make* up for st. (at sb.'s expense) **3** (*prendersi la rivincita*) to get* one's own back; to get* even (with); to retaliate (against).

rivalità f. rivalry: **r. in amore** [**negli affari**], rivalry in love [in business]; **r. letterarie** [**politiche**], literary [political] rivalries; *Tra i due c'è una vecchia r.*, the two are long-standing rivals.

rivalorizzàre A **v. t.** to revalue B **rivalorizzàrsi v. i. pron.** to be revalued.

rivalorizzazióne f. revaluation.

rivàlsa f. 1 (*compensazione*) compensation; (*risarcimento*) recoupment **2** (*rivincita*) revenge; retaliation; satisfaction: **prendersi una r. su q.**, to take one's revenge on sb.; to get one's own back **3** (*comm.*) redraft **4** (*leg.*) recourse: **senza r.**, without recourse.

rivalutàre A **v. t. 1** (*valutare di nuovo*) to revalue: **far r. un quadro**, to have a painting revalued **2** (*elevare il valore, anche econ.*) to revalue; to upvalue; to revalorize: **r. una moneta**, to revalue a currency **3** (*riconsiderare*) to reassess; to reappraise; to rethink*; (*riscoprire il valore di*) to rediscover: **r. tutta la situazione**, to reassess (*o* to rethink) the whole situation; **r. uno scrittore**, to rediscover a writer B **rivalutàrsi v. i. pron.** to increase in value; to be revalued: *La nostra casa si è rivalutata da quando l'abbiamo acquistata*, our house has increased in value since we bought it; *Il governo cinese ha rivalutato lo yuan*, the Chinese government has revalued the yuan.

rivalutativo a. revaluation (attr.); appreciation (attr.)

rivalutazióne f. 1 (*nuova valutazione*) revaluation **2** (*fin., econ.*) revaluation, revalorization: **la r. dello yuan sul dollaro**, the revaluation of the yuan against the dollar; **r. monetaria**, currency revaluation (*in regime di cambi fissi*) **3** (*riconsiderazione*) reassessment; reappraisal; (*riscoperta*) rediscovery.

rivangàre v. t. (*fig.*) to rake up; to dig* up: *È andato a r. una vecchia storia*, he raked up an old story; *Non rivanghiamo il passato!*, let's not dig up the past!; let bygones be bygones.

rivascolarizzazióne f. (*med.*) neovas-

cularization; revascularization.

♦**rivedére** A **v. t. 1** (*vedere di nuovo*) to see* again; (*incontrare di nuovo*) to meet* again; (*tornare in un luogo*) to go* back to, to come* back to: *Lo rivedrò domani*, I'll see him again tomorrow; *Chi sa quando la rivedremo*, who knows when we shall see her again; *Se gli presterai dei soldi, non li rivedrai più*, if you lend him money, you'll never see it again; *Ogni tanto lo rivedo*, I see him every now and then; *Quando lo rividi, quasi non lo riconobbi*, when I met him again, I scarcely recognized him; *Rivide l'Italia dopo dieci anni di assenza*, she went back to Italy after a ten-year absence; *Fammi r. quella foto*, let me see (*o* show me) that photo again; *Fatti r. ogni tanto*, come and see again us every now and then; *Non si fece più r.*, he never came back; (*scherz.*) *Guarda chi si rivede!*, look who's here!; (*scherz.*) *Chi non muore si rivede!*, long time no see!; well, hello, stranger! **2** (*rileggere*) to read* again **3** (*ripassare*) to go* over; to revise (*GB*); to go* through (st.) again: **r. la lezione**, to go over one's lesson; **r. il programma**, to go through the programme again **4** (*riesaminare*) to re-examine, to review, to revise, to go* over; (*verificare*) to check; (*ispezionare*) to inspect, to examine; (*revisionare*) to overhaul: **r. bozze**, to proofread; **r. i conti**, to check (*o* to go over) the accounts; (*rag.*) to audit the accounts; **r. un manoscritto**, to edit a manuscript; **far r. il motore**, to have the engine overhauled; **r. un preventivo**, to revise an estimate; (*leg.*) **r. un processo**, to review a case; **r. una traduzione**, to revise a translation **5** (*riconsiderare e modificare*) to revise; to change; (*prezzi, tariffe*) to revise, to readjust: **r. la propria opinione su q.**, to revise one's opinion of sb.; **r. i prezzi**, to revise prices B **rivedérsi v. rifl.** to see* oneself again: *Mi rividi mentre gli davo la lettera*, I saw myself again as I gave him the letter; *Si rivede in suo figlio*, he sees himself reflected in his son C **rivedérsi v. rifl. recipr.** to see* each other [one another] again; (*reincontrarsi*) to meet* again: *Ci rivediamo tra due giorni*, see you in two days' time; *Si rividero dopo anni di separazione*, they met again after years of separation • (*fig.*) *Ci rivedremo a Filippi!*, my day will come!

rivedìbile a. 1 revisable; liable (*o* subject) to revision **2** (*mil.*) temporarily unfit (for military service).

rivedibilità f. (*mil.*) temporary unfitness (for military service).

rivedùta f. (quick) revision; quick look; run-through: **dare una r. a qc.**, to go over st.; (*dare una scorsa*) to run through st.

rivedùto a. revised; checked; corrected: **bozze rivedute**, revised proofs; **conti riveduti**, checked accounts; **nuova edizione riveduta e corretta**, new revised edition.

rivelàbile a. revealable.

♦**rivelàre** A **v. t. 1** (*svelare*) to reveal (*anche relig.*); to disclose; (*dire*) to tell*: **r. il futuro**, to disclose the future; **r. un nome**, to reveal a name; **r. un segreto**, to reveal (*o* to disclose) a secret; *Ora ti rivelo un segreto*, I'm going to let you into a secret; **r. la verità**, to reveal (*o* to make known) the truth; *Ha rivelato alla stampa informazioni riservate*, he leaked out secret information to the press; *Te lo rivelerò in stretta confidenza*, I'll tell you in strict confidence **2** (*palesare, manifestare*) to reveal; to indicate; to show*; to display: **r. la propria debolezza**, to show one's weakness; **r. le proprie qualità**, to reveal one's qualities **3** (*tecn.*) to detect: **r. la presenza di gas**, to detect the presence of gas B **rivelàrsi v. rifl. e i. pron. 1** (*dimostrarsi*) to show* oneself; to prove (oneself); (*risultare*) to turn out to be: **rivelarsi coraggioso**, to

show oneself a brave man; *Si rivelò un vero amico*, he proved a true friend; *Le misure prese si rivelarono insufficienti*, the measures taken proved inadequate; *La villa si rivelò essere un vecchio rustico*, the villa turned out to be an old cottage **2** (*mostrarsi, apparire*) to be revealed; to become* manifest; to appear clearly **3** (*relig.*) to reveal oneself.

rivelativo a. revealing; telling.

rivelàto a. 1 revealed; disclosed **2** (*relig.*) revealed: **religione rivelata**, revealed religion.

rivelatóre A **a.** revealing; revelatory; telling; telltale: **parole rivelatrici**, revealing words; **segni rivelatori**, telltale signs B **m. 1** (f. **-trice**) (*chi rivela*) revealer; discloser **2** (*tecn.*) detector; sensor; pick-up; (*elettron.*) demodulator: **r. a cristallo**, crystal detector; **r. di gas** [**di metalli**], gas [metal] detector; (*fis.*) **r. di particelle**, particle detector **3** (*chim., fotogr.*) developer **4** (*fig.: segnale, indizio*) symptom; sign; clue.

rivelazióne f. 1 (*svelamento*) revelation; disclosure: **la r. d'un segreto**, the revelation (*o* the disclosure) of a secret **2** (*cosa rivelata*) revelation: **rivelazioni sulla loro relazione**, revelations about their love affair **3** (*relig.*) Revelation **4** (*manifestazione inaspettata*) revelation; (*scoperta rivelatrice*) eye-opener (*fam.*): *Quel libro è stato una r.*, that book has been a revelation; *Le loro parole furono una r.*, their words were an eye-opener **5** (*tecn.*) detection.

rivellino m. (*archit., mil.*) ravelin.

rivéndere v. t. 1 (*vendere di nuovo*) to sell* again; (*vendere a terzi*) to resell*; (*vendere all'ex proprietario*) to sell* back: **r. la merce con un forte guadagno**, to resell the goods at a considerable profit; *Ho cambiato idea: me lo rivendi?*, I've changed my mind; would you sell it back to me? **2** (*fig. region.: superare*) to outdo*; to outshine*: *Rivende tutti in furbizia*, she outdoes everyone in craftiness • **La rivendo come l'ho sentita**, I'm repeating it as I heard it.

rivendìbile a. resalable.

rivendibilità f. resalability.

rivendicàre v. t. 1 (*leg.*) to claim; to lay* claim to: **r. un'eredità**, to claim an inheritance; **r. il trono**, to lay claim to the throne **2** (*esigere il riconoscimento di*) to claim; (*chiedere*) to demand: **r. aumenti salariali**, to demand higher wages; **r. un diritto**, to claim a right; **r. la paternità di un'opera**, to claim authorship of a work **3** (*attribuirsi la responsabilità di*) to claim responsibility for: **r. un attentato**, to claim responsibility for a terrorist attack.

rivendicativo a. (*leg., sindacale*) of (*o* concerning) a claim (*o* a demand): **piattaforma rivendicativa**, platform of union demands.

rivendicatóre A **a.** claiming B **m.** (f. **-trice**) claimer; claimant.

♦**rivendicazióne f. 1** (*leg.*) claiming: **la r. dei propri diritti**, the claiming of one's rights **2** (*riaffermazione*) assertion; claim **3** (*richiesta*) claim; demand: **rivendicazioni salariali**, wage claims; **rivendicazioni sindacali**, union demands; **avanzare una r.**, to put in a claim.

rivendicazionìsmo m. (*spec. sindacale*) tendency to make frequent (union) demands.

rivéndita f. 1 (*il rivendere*) resale; reselling: **prezzo di r.**, resale price **2** (*negozio*) (retail) shop; store (*USA*): **r. di generi alimentari**, food shop; **r. di giornali**, newsagent's; **r. di tabacchi**, tobacconist's.

rivenditóre m. (f. **-trìce**) **1** (*chi rivende*) reseller **2** (*rigattiere*) second-hand dealer **3** (*chi rivende al minuto*) retailer; reseller; (*nego-*

ziante) tradesman* (m.), shopkeeper: **r. autorizzato**, authorized dealer.

rivendùgliolo m. small retailer; (*di generi alimentari*) (small) grocer.

rivenire v. i. to come* again; to come* back; to return: **r. in mente**, to come back to one's mind; *Ora mi riviene in mente*, now I remember.

riverberaménto m. reverberation; reflection.

riverberàre A v. t. (*luce o calore*) to reverberate, to reflect; (*suono*) to re-echo, to reverberate B **riverberàrsi** v. i. pron. (*anche fig.*) to reverberate; to reflect; to be reflected.

riverberatòio m. (*metall.*) reverberatory furnace screen.

riverberazióne f. 1 reverberation; reflection 2 (*acustica*) reverberation.

rivèrbero m. 1 (*il riverberare*) reverberation; reverberating; reflection; reflecting 2 (*luce o calore che si riverbera*) reverberation; (*riflesso*) reflection; (*luce abbagliante*) glare: **il r. del sole sull'acqua**, the glare of the sun on the water 3 (*mus., acustica*) reverb ● **di r.**, by reflection; (*fig. anche*) indirectly □ (*metall.*) **forno a r.**, reverberatory furnace □ **lampada a r.**, reverberator.

riverènte a. reverent; deferent; deferential; (*rispettoso*) respectful: **atteggiamento r.**, respectful attitude; **parole riverenti**, reverent words.

riverènza f. 1 reverence; deference; (*rispetto*) respect: **con r.**, reverently; deferently; respectfully; **with respect** 2 (*inchino*) bow; obeisance; (*di donna*) curtsy: **fare una r.**, (*di uomo*) to bow; (*di donna*) to make a curtsy, to curtsy →

riverenziàle → **reverenziale**.

riverire v. t. 1 to revere; to honour; to respect: **r. i genitori**, to respect one's parents; **r. la memoria di q.**, to honour sb.'s memory **essere riverito da tutti**, to be respected by all; (*iron.*) to be indulged in every whim 2 (*ossequiare*) to pay* one's respects to; to greet respectfully: *La riverisco*, my respects.

riverito a. revered; honoured; respected; (*stimato*) esteemed: *Riverito, signor dottore!*, my respects, sir!

riverniciàre v. t. to repaint; to paint again; (*a spruzzo*) to respray; (*a smalto*) to revarnish.

riverniciàta f. quick repainting.

riverniciatùra f. repainting; (*a spruzzo*) respraying; (*a smalto*) revarnish.

riversaménto m. 1 pouring out; outpouring 2 (*tecn., comput.*) transfer; copying.

riversàre A v. t. 1 (*versare di nuovo*) to pour again; to pour out again: *Riversalo nel fiasco*, pour it back into the flask 2 (*versare*) to spill; to pour: *Il fiume riversa le sue acque nel lago*, the river flows into the lake 3 (*fig.*) to pour; to heap; to lavish; to throw*: **r. il proprio affetto su q.**, to lavish affection on sb.; **r. la colpa su q.**, to lay (o to throw) the blame on sb.; **r. tutte le proprie energie nel lavoro**, to pour all one's energies into work; **r. insulti addosso a q.**, to heap abuse on sb.; **r. la propria ira su q.**, to vent one's anger upon sb. 4 (*tecn., comput.*) to transfer; to copy B **riversàrsi** v. i. pron. 1 (*traboccare*) to spill* (over); (*inondare*) to flood 2 (*sfociare*) to flow: *Il fiume si riversa nel mare*, the river flows into the sea 3 (*affluire*) to pour: *La gente si riversò nella piazza*, people poured into the square 4 (*ricadere*) to fall*: *Tutta la responsabilità si è riversata su di lui*, all the responsibility fell on him.

riversibile, **riversióne** → **reversibile**, **reversione**.

rivèrso a. (*lett.*: *supino*) on one's back (pred.); supine: **cadere [giacere] r.**, to fall [to lie] on one's back.

rivestiménto m. 1 (*il rivestire*) covering; (*con uno strato*) coating; (*internamente*) lining 2 (*copertura*) covering, cover; (*strato coprente*) coating; (*di poltrona, ecc.*) upholstery ▯; (*pannelli*) panelling ▯; (*edil.*) sheathing; (*archit.*) facing: **r. a pannelli**, panelling; (*aeron.*) **r. d'ala**, wing covering; **r. di gomma**, rubber coating; (*ind.*) **r. di serbatoio**, tank lining; (*elettrochimica*) **r. galvanico**, electroplating; (*edil.*) **r. in legno**, wood panelling; wainscoting; (*ind.*) **r. in mattoni refrattari**, fire-brick lining; **r. interno**, inner coating; lining; (*autom.*) upholstery; **r. isolante**, insulation; (*ind.*) **r. refrattario**, refractory lining; **materiali di r.**, covering materials.

rivestire A v. t. 1 (*vestire di nuovo*) to dress again 2 (*provvedere di abiti nuovi*) to clothe; to provide with clothes; to fit out: **r. q. da capo a piedi**, to fit sb. out from head to toe 3 (*indossare, vestire*) to wear* (*anche fig.*); to put* on: **r. la toga**, to wear the robe; *Rivestì la divisa*, he put on his uniform; (*fig.*) he joined the army 4 (*ricoprire*) to cover; to clothe; (*con uno strato*) to coat; (*una poltrona, ecc.*) to upholster; (*edil.*) to line, to face; (*edil.*) to face: **r. un cassetto**, to line a drawer; **r. un divano**, to upholster a sofa; **r. una facciata di marmo**, to face a façade with marble; **r. un muro**, (*intonacarlo*) to whitewash a wall; (*di pianta, ecc.*) to cover a wall; (*ind.*) **r. con materiale isolante**, to lag; to insulate; **r. con mattonelle**, to tile; **r. con pannelli**, to panel; (*edil.*) **r. con pannelli di legno**, to wainscot 5 (*fig.*: *mascherare*) to cover; to conceal 6 (*fig.*: *ricoprire una posizione*) to hold*: **r. una carica**, to hold a position [an office]; **r. il grado di colonnello**, to hold colonel rank; to be a colonel 7 (*fig.*: *assumere, avere*) to have: **r. una grande importanza**, to have (o to be of) great importance B **rivestirsi** v. rifl. e v. i. pron. 1 (*vestirsi di nuovo*) to get* dressed again; to put* on one's clothes again 2 (*provvedersi d'abiti nuovi*) to get* new clothes; to get* a new wardrobe 3 (*indossare, mettersi*) to put* on 4 (*fig.*: *ricoprirsi*) to become* covered (with).

rivestito a. 1 (*vestito*) dressed (in); clothed (in) 2 (*provvisto di abiti*) fitted out with new clothes 3 (*ricoperto*) covered; clothed; clad; faced; (*da uno strato*) coated; (*foderato*) lined: **r. di marmo**, marble-faced; **r. di paglia**, covered with straw; straw-covered; **r. di piastrelle**, tiled; **r. di pietra**, stone-covered; stone-clad; **r. in legno**, panelled (in wood); **r. in pelle**, leather-covered ● (*spreg.*) **villano r.**, upstart; parvenu (*franc.*).

rivestitùra f. → **rivestimento**.

rivettàre v. t. (*mecc.*) to rivet.

rivettatrìce f. (*mecc.*) riveting machine; riveter.

rivétto m. (*mecc.*) rivet: **r. a maschio**, screw rivet; **r. a testa piana [svasata]**, flathead [countersunk] rivet; **r. spaccato**, split rivet; **r. tubolare**, tubular rivet; **ribattere rivetti**, to rivet.

rivièra f. 1 coast; riviera: **la r. ligure**, the Italian Riviera 2 (*equit.*) water jump.

rivieràsco A a. coast (attr.); coastal; riparian (*leg.*): **città rivierasche**, coastal cities; **popolazioni rivierasche**, people living along the coast B m. (f. **-a**) coast-dweller.

rivincere v. t. 1 (*vincere di nuovo*) to win* again 2 (*recuperare vincendo*) to win* back.

rivincita f. 1 (*seconda partita*) return match; rematch; (*anche a carte, ecc.*) return game: **chiedere [dare] la r.**, to ask for [to agree to] a return match (o game) 2 (*estens.*: *successo che ripaga di una sconfitta, ri-*

valsa) revenge: **concedere a q. una possibilità di r.**, to give sb. a chance to get his revenge; **prendersi la r.**, to get one's revenge (on sb.) (*anche sport*); to get one's own back; to get* even (with sb.).

rivisitàre v. t. 1 to revisit; to visit again; (*ritornare*) to go* back to 2 (*fig.*: *riesaminare*) to reassess; to reappraise.

rivisitàto a. (*fig.*) reassessed; reappraised; (*riveduto*) revised.

rivisitazióne f. 1 revisiting 2 (*fig.*) reassessment; reappraisal.

♦**rivista** f. 1 (*revisione, riesame*) revision; re-examination 2 (*mil.*) review; parade; (*ispezione*) inspection: **r. dell'equipaggiamento**, kit inspection; **passare in r.**, to pass in review; to review 3 (*periodico: letterario*) review, journal; (*scient.*) journal; (*rotocalco*) magazine: **r. settimanale**, weekly (magazine); **r. trimestrale**, quarterly (review); **r. letteraria**, literary review (o journal); **r. scientifica**, scientific journal; **r. su carta patinata**, glossy magazine; **giornali e riviste**, newspapers and magazines 4 (*teatr.*, *anche* **r. di varietà**, **spettacolo di r.**) revue; variety show; vaudeville (*USA*): **attore [attrice] di r.**, revue artiste.

rivistaiòlo a. 1 (*teatr.*) revue (attr.); variety show (attr.) 2 (*spreg.*) frivolous; superficial; silly.

rivisto a. 1 → **riveduto** 2 – **visto e r.** → **visto**.

rivitalizzàre A v. t. to revitalize B **rivitalizzàrsi** v. i. pron. to be revitalized.

rivitalizzazióne f. revitalizing; revitalization.

rivìvere A v. i. 1 (*ritornare in vita*) to live again; to come* back to life 2 (*fig.*: *riprendere vigore*) to revive; (*tornare in uso, in auge*) to be revived, to see* a revival: *Rivissero le arti e le lettere*, arts and letters revived (o saw a revival); **far r. un'antica usanza**, to revive an old custom; **sentirsi r.**, to feel revived 3 (*fig.*: *continuare, perpetuarsi*) to live on: *Le sue doti rivivono nel figlio*, his qualities live on in his son B v. t. to live over again; (*fig.*) to relive: *Poter r. la propria vita!*, if only one could live one's life over again!; *Rivissi con orrore quel momento*, I relived that moment with horror.

rivivificàre v. t. to revivify.

rivivificazióne f. revivification.

riviviscènza → **reviviscenza**.

rivo m. 1 (*ruscello*) brook; stream; rill; runnel; bourn (*lett.*) 2 (*liquido che scorre*) stream: **rivi di lava**, streams of lava.

rivolàre v. i. 1 (*volare di nuovo*) to fly* again 2 (*volare indietro*) to fly* back.

rivolére v. t. 1 (*volere di nuovo*) to want again 2 (*volere indietro*) to want back: *Rivuole le sue lettere*, he wants his letters back; *Come vi rivorrei qui con me!*, how I wish you were here with me again!

♦**rivòlgere** A v. t. 1 (*girare*) to turn; to turn over: **r. la chiave nella toppa**, to turn the key in the lock; *Rivolgeva l'accendino tra le mani*, she was turning the lighter over and over in her hands 2 (*volgere*) to turn; to bend*; to focus: **r. l'attenzione a qc.**, to turn (o to address, to direct) one's attention to st.; to focus one's attention on st.; **r. gli occhi a qc.**, to turn one's eyes to st.; **r. i propri interessi a qc.**, to turn one's interests to st.; **r. i propri sforzi a qc.**, to bend one's efforts to doing st.; *Rivolse il pensiero ai suoi*, he thought of (o his thoughts turned to) his family 3 (*indirizzare*) to address, to direct; (*parlare*) to speak* to: **r. un'accusa a q.**, to level a charge against sb.; **r. un complimento a q.**, to pay a compliment to sb.; **r. una critica a q.**, to criticize sb.; **r. una domanda a q.**, to ask sb. a question; to put a question to sb.; **r. la parola a q.**, to speak to sb.; to

address sb.; **r. una preghiera a q.**, to address a prayer to sb.; **r. il saluto a q.**, to greet sb.; to say hello to sb.; *Madre e figlia non si rivolgono più la parola*, mother and daughter are no longer on speaking terms **4** (*distogliere*) to turn away (*o* aside); to avert: *Rivolsi lo sguardo da quella scena*, I turned my eyes away (*o* I averted my eyes, I looked away) from that scene **5** (*lett.*: *capovolgere*) to turn upside down; to overturn; to upend **6** (*lett.*: *dissuadere*) to turn away; to dissuade **B rivolgersi v. rifl. 1** (*voltarsi*) to turn (round, away): **rivolgersi verso il sole**, to turn towards the sun; *Si rivolse per vedere chi era*, she turned round to see who it was; *Si rivolse fingendo di non avermi visto*, he turned away pretending he hadn't seen me **2** (*volgersi verso q.*) to turn; (*apostrofare*) to address (sb.), to speak*; (*ricorrere*) to turn, to go*, to apply; (*per informazioni, ecc.*) to ask (sb.), to apply (*form.*): **rivolgersi a Dio**, to turn to God; **rivolgersi a q. per un prestito**, to turn to sb. for a loan; **rivolgersi alla polizia**, to go to the police; **rivolgersi ai vicini**, (*per aiuto*) to turn to one's neighbours; (*per informazioni*) to ask the neighbours; **rivolgersi in segreteria**, to apply to the secretary; *Si rivolse a me con tono secco*, he addressed me sharply; *Mi rivolgo a tutti i presenti*, I'm speaking to all the people here; *Io non ne so niente, rivolgiti a lui*, I know nothing about it, ask him; *Se hai bisogno di qualcosa, rivolgiti pure a me*, if you need something, ask me (*o* come and see me); *Non so a chi rivolgermi*, I don't know who to turn to (*o* to ask); *Mi è stato detto di rivolgermi a questo ufficio*, I have been referred to this office **3** (*fig.*: *darsi, applicarsi*) to turn; to devote oneself: **rivolgersi alla musica [alla pittura]**, to turn (*o* to devote oneself) to music [to painting]; **rivolgersi alla religione**, to turn to religion.

rivolgiménto m. **1** (*sconvolgimento*) upheaval; disorder; trouble: **rivolgimenti sociali**, social upheaval (sing.) **2** (*cambiamento*) revolution; change: **un periodo di grandi rivolgimenti**, a period of great change (sing.) **3** (*med.*) version.

rìvolo m. **1** (*ruscello*) rivulet; little stream; runnel; brook **2** (*fig.*) trickle; dribble: **un r. di sangue**, a trickle of blood; **scendere a rivoli**, to trickle down.

rivòlta f. **1** (*ribellione*) revolt; rebellion; (*ammutinamento*) mutiny; (*sommossa*) riot: **una r. contro la dittatura**, a revolt against the dictatorship; **una r. nelle carceri**, a prison riot; **far scoppiare una r.**, to cause a revolt; to spark a riot; **reprimere una r.**, to put down a rebellion; *Scoppiò una r.*, a revolt broke out **2** (*fig.*) revolt; mutiny.

rivoltànte a. revolting; disgusting; sickening; loathsome; repellent: **odore r.**, revolting smell; **maniere rivoltanti**, disgusting manners.

rivoltàre A v. t. 1 (*voltare di nuovo*) to turn again; to turn over again: *Voltò e rivoltò le pagine*, he turned the pages back and forth; he flipped over the pages **2** (*rovesciare*) to turn (over); to flip over; (*con l'interno verso l'esterno*) to turn inside out; (*capovolgere*) to turn upside-down, to upend; (*raddrizzare*) to turn right side up: **r. una bistecca**, to turn over a steak; **r. il fieno**, to turn the hay; **r. la frittata**, to turn the omelette; (*fig.*) to twist an argument, to equivocate; **r. un guanto**, to turn a glove inside out; **r. qc. in sotto [in su, in dentro]**, to turn st. under [up, inside]; **r. il materasso**, to turn the mattress; **r. la torta sul piatto**, to turn the cake over onto the plate; **r. le zolle**, to turn (up) the soil; **rivoltarsi le tasche**, to turn out one's pockets **3** (*sartoria*) to turn: **r. un cappotto**, to turn a coat **4** (*fig.*: *sconvolgere*) to upset*; (*disgustare, ripugnare*) to disgust; to revolt: **r.**

lo stomaco, to upset sb.'s stomach; *Il tuo cinismo mi rivolta*, your cynicism disgusts me; I find your cynicism revolting **5** (*mescolare*) to mix; to toss: **r. l'insalata**, to toss the salad **B rivoltàrsi v. rifl. e i. pron. 1** (*nel letto*) to turn over; (*più volte*) to toss about, to turn and turn: *Si rivoltò dall'altra parte e si riaddormentò*, he turned over and went back to sleep; *Continuava a rivoltarsi nel letto*, he tossed and turned in her bed; *Il nonno si rivolterà nella tomba*, Grandfather must be turning (over) in his grave **2** (*voltarsi indietro*) to turn round **3** (*ribellarsi*) to revolt; to rebel; to turn (against, on): *Gli si rivoltarono e lo cacciarono dalla città*, they revolted (*o* rebelled) against him and chased him from town; *Finirà per rivoltartisi contro*, he'll end up by turning against you; *Le si rivoltò contro con parole velenose*, he turned on her with spiteful words **4** (*fig.*: *sconvolgersi*) to turn: *Mi si rivolta lo stomaco a pensarci*, my stomach turns at the thought.

rivoltàta f. turning over: **dare una r. a qc.**, to turn st. over; to flip st. over.

rivoltàto a. **1** (*girato*) turned; (*con l'interno verso l'esterno*) turned inside out (pred.); (*capovolto*) turned upside down (pred.): **un guanto r.**, a glove turned inside out **2** (*sartoria*) turned: **vestito r.**, turned dress **3** (*arald.*) regardant **4** (*mus.*) inverted.

rivoltatùra f. (*sartoria*) turning.

rivoltèlla f. revolver; gun; handgun: **r. a sei colpi**, six-shooter.

rivoltellàta f. revolver shot.

rivòlto a. **1** (*girato*) turned; (*orientato*) facing: **r. a destra**, turned to the right; **r. a sud**, facing south; *La camera è rivolta a levante*, the room faces east **2** (*destinato*) addressed; (*di accusa ecc.*) levelled **3** (*fig.*: *intento*) intent (on); bent (on): **r. al profitto**, bent on making a profit.

rivoltolaménto m. turning over; rolling about.

rivoltolàre A v. t. (*voltolare più volte*) to roll; to turn over **B rivoltolàrsi v. rifl.** to roll about; to wallow: **rivoltolarsi nel fango**, to wallow in mud; **rivoltolarsi nel letto**, to toss and turn in bed.

rivoltolìo m. rolling about; turning over.

rivoltolóne m. somersault; tumble; caper: **fare un r.**, to turn a somersault.

rivoltóso A a. rebellious; rebel (attr.); mutinous **B m.** (f. **-a**) rebel; insurgent; mutineer.

rivoluzionàre v. t. 1 (*anche fig.*) to revolutionize **2** (*fig.*: *mettere sottosopra*) to turn upside down; to disrupt: **r. la casa a q.**, to turn sb.'s house upside down; **r. la vita a q.**, to disrupt sb.'s life.

rivoluzionàrio A a. (*anche fig.*) revolutionary: **governo r.**, revolutionary government; **idee rivoluzionarie**, revolutionary ideas; **moto r.**, insurrection; uprising; **scoperta rivoluzionaria**, revolutionary discovery **B m.** (f. **-a**) (*anche fig.*) revolutionary; revolutionist.

rivoluzionarìsmo m. revolutionism.

◆**rivoluzióne f. 1** (*polit., stor.*) revolution: **la R. culturale**, the Cultural Revolution; **la R. d'ottobre**, the October Revolution; **la R. francese**, the French Revolution; **lo scoppio di una r.**, the outbreak of a revolution **2** (*estens., fig.*) revolution: **la r. copernicana**, the Copernican revolution; **la r. industriale**, the industrial revolution **3** (*fig. fam.*: *scompiglio*) mess; shambles: *Che r.!*, what a mess!; **mettere tutto in r.**, to turn everything upside down; **scatenare la r.**, to create havoc **4** (*astron., geom.*) revolution: **la r. della terra intorno al sole**, the revolution of the earth round the sun; **solido di r.**, solid of revolution.

rivulària f. (*bot.*, *Rivularia*) blue-green anga*.

rivulsióne → revulsione.

rivulsìvo → revulsivo.

rivuotàre v. t. to empty again; to re--empty.

rizàtono → rizoatono.

rizìna f. (*bot.*) rhizine.

rizoàtono a. (*ling.*) having the accent on on the affix.

rizòbio m. rhizobium*.

rizocàrpico a. (*bot.*) rhizocarpous.

rizòide m. (*bot.*) rhizoid.

rizòma m. (*bot.*) rhizome; rootstock.

rizomatóso a. (*bot.*) rhizomatous.

rizomòrfo a. rhizomorphous.

rizòpode m. (*zool.*) rhizopod; (al pl., *scient.*) Rhizopoda.

rizostòma m. (*zool.*) rhizostome.

rizotàssi f. (*bot.*) rhizotaxis; arrangement of roots.

rizotonìa f. (*ling.*) characteristic of having the accent on the root syllable.

rizotònico a. (*ling.*) having the accent on the root syllable.

rizza f. (*naut.*) lashing.

◆**rizzàre ① A v. t. 1** (*alzare, mettere ritto*) to set* up; to raise; to lift; to hoist; to cock: **r. il capo**, to raise (*o* to lift) one's head; **r. le orecchie**, to cock one's ears; (*anche fig.*) to prick up one's ears; **r. un palo**, to set up a post; **r. il pelo**, to bristle; **r. una tenda**, to set up (*o* to pitch) a tent **2** (*erigere*) to erect; to raise; (*costruire*) to build*: **r. un muro**, to build a wall; **r. una statua**, to raise (*o* to erect) a statue ● (*fig.*) **r. la cresta**, to put on (*o* to give oneself) airs; to get cocky (*fam.*) □ (*fig.*) **cose da far r. i capelli**, hair-raising things; things that would make your hair stand on end **B rizzàrsi v. rifl. e i. pron. 1** (*alzarsi in piedi*) to stand* up; to rise* (to one's feet); (*mettersi in posizione seduta*) to sit* up: **rizzarsi sulla punta dei piedi**, to stand on tiptoe; **rizzarsi a sedere**, to sit up; *Si rizzò in tutta la sua statura*, he rose to his full height **2** (*dei capelli*) to stand* on end; (*del pelo*) to bristle: *Mi si rizzarono i capelli per l'orrore*, my hair stood on end with horror.

rizzàre ② v. t. (*naut.*) to lash (down); to secure.

RM sigla (**Roma**) Rome.

RMN sigla (*med.*, **risonanza magnetica nucleare**) nuclear magnetic resonance (NMR).

RN abbr. (**Rimini**).

RNA m. inv. (*biol.*) RNA: **RNA di trasporto**, transfer RNA; **RNA messaggero**, messenger RNA.

ro m. o f. inv. (*diciassettesima lettera dell'alfabeto greco*) rho.

RO abbr. (**Rovigo**).

roaming m. inv. (*ingl., tel.*) roaming (service).

roàno a. e m. roan.

◆**ròba f. 1** (*oggetti, cose, materiale*) stuff Ⓤ; things (pl.); (*attrezzatura*) gear Ⓤ; (*cose da mangiare*) things (pl.), food; (*effetti personali*) things (pl.), belongings (pl.); (*qualcosa*) something: **r. da buttare**, useless things; junk; trash; **r. da leggere**, something to read; books and magazines; **r. da mangiare**, things to eat; food; something to eat; **la mia r. da pesca**, my fishing tackle; **r. del genere**, things (*o* stuff) like that; that sort of things; *È tua questa r.?*, are these things yours?; is this stuff yours?; *Radunarono in fretta la loro r. e scapparono*, they hastily gathered their things together and ran; *Che r. è?*, what is it?; *Di che r. è fatto?*, what is it made of?; *Non è r. adatta ai bambini*, it is

not fit for children **2** (*beni*) goods (pl.); property; possessions (pl.); fortune; wealth: **r. di casa**, household goods; **r. di valore**, valuable goods; valuables (pl.); *Ha lasciato la sua r. ai poveri*, he left all his possessions (*o* all he had) to the poor; (*Bibbia*) *Non desiderare la r. d'altri*, thou shalt not covet thy neighbour's goods **3** (*affare, faccenda*) matter; business; affair; thing: **r. da matti** (*o da chiodi*), sheer lunacy; nonsense; **r. da nulla** (*facile*), child's play; a doddle (*fam.*); a breeze (*fam.*); **r. grossa**, hot stuff; **r. vecchia** (*risaputa*), old hat (pred.); *È r. da non credere!*, you wouldn't believe it!; *Non è r. che ti riguardi*, it's no business of yours; *Non immischiarti in questa r.*, don't get mixed up in this affair; *Non è r.* (*che fa*) *per me*, it's not for me; it's not my cup of tea; it's not my scene **4** (*lavoro, contenuto*) stuff; thing; work ⓤ: *Vorrei farti vedere della r.*, I'd like to show you something; *È proprio r. sua*, it's all his own work **5** (*stoffa*) material; cloth; stuff **6** (*indumenti*) things (pl.); clothes (pl.); gear ⓤ: **r. da lavare**, things to wash; washing; **r. da sci**, skiing gear; **r. di lana**, woollens (pl.); **r. firmata**, designer clothes; **r. pesante**, warm things; warm clothes; **indossare r. nuova**, to put on new clothes; *Che razza di r. hai addosso?*, what on earth have you got on? **7** (*merce, articolo*) goods (pl.): **r. a buon mercato**, cheap goods; **r. di scarto**, discarded goods; rejects (pl.); seconds (pl.); **r. rubata**, stolen goods; **r. usata**, second-hand stuff (*o* things) **8** (*gergo: droga*) stuff; dope ● (*iron.*) **Bella r.!**, (*bel guaio!*) great!, fantastic!; (*che cosa da poco!*) big deal!, congratulations!; (*che cosa vergognosa!*) a fine state of affairs!; (*che parole!*) fine things to say!

robàccia f. rubbish; trash; junk (*fam.*): *Che è questa r.?*, what's this rubbish (*o* trash)?; **leggere r.**, to read trash; **mangiare r.**, to eat junk food; **vendere r.**, to sell junk.

róbbia f. (*bot.*, *Rubia tinctorum*) madder.

robe-manteau (*franc.*) m. inv. coat-dress.

Robèrto m. Robert.

robètta f. (*fam.*: *cosa o cose di poco valore*) cheap stuff ⓤ; (*di poca importanza*) small change, small beer (*GB*), picayune stuff (*USA*); (*di poca sostanza*) fluff ⓤ.

robinia f. (*bot.*, *Robinia pseudo-acacia*) false acacia; locust-tree.

robiòla f. robiola (mild creamy cheese made in Lombardy).

robivècchi m. e f. inv. junk dealer; second-hand dealer.

roboànte → **reboante**.

robóne m. (*stor.*) long robe.

♦**robòt** m. inv. **1** robot **2** (*fig.*) robot; zombie.

robòtica f. robotics (pl. col verbo al sing.).

robòtico Ⓐ a. **1** robot (attr.); robotic **2** (*fig.*) robot-like Ⓑ m. (f. **-a**) robotization expert.

robotizzàre Ⓐ v. t. **1** to robotize **2** (*fig.*) to render robot-like Ⓑ **robotizzàrsi** v. i. pron. **1** (*tecn.*) to become* robotized **2** (*fig.*) to become* robot-like.

robotizzàto a. **1** (*tecn.*) robotized **2** (*fig.*) robot-like.

robotizzazióne f. robotization.

robustézza f. **1** (*di persona*) robustness; strength; sturdiness; (*eufem.: corpulenza*) stoutness: **r. di membra**, sturdiness of limb **2** (*solidità*) strength; solidity; sturdiness: **la r. di una porta**, the solidity of a door.

♦**robùsto** a. **1** (*di persona*) robust; strong; (*vigoroso*) vigorous; (*solido*) well-built, sturdy; (*eufem.: grassoccio*) plump, chubby; (*corpulento*) stout: **bambino r.**, strong little boy; **braccia robuste**, strong (*o* vigorous)

arms; **costituzione robusta**, robust (*o* strong) constitution; **un uomo alto e r.**, a tall, well-built man **2** (*di oggetto*) strong; sturdy; solid; (*di attrezzo, macchina*) heavy-duty: **forbici robuste**, heavy-duty scissors; **porta robusta**, robust (*o* solid) door; **sostegno r.**, sturdy prop **3** (*fig.: vigoroso*) robust; strong; vigorous; hearty: **r. appetito**, hearty appetite; **robuste qualità intellettuali**, strong intellectual faculties; **vino r.**, robust wine.

rocàggine f. hoarseness.

rocambolésco a. (*audace*) daring; (*sbalorditivo*) extraordinary, incredible, adventurous: **fuga rocambolesca**, daring escape; **viaggio r.**, adventurous journey.

rócca ① f. **1** (*conocchia*) distaff **2** (*ind. tess.*) cone.

rócca ② f. **1** (*fortezza*) stronghold (*anche fig.*); fortress **2** (*alpinismo*) rock **3** (*anat.*) – **r. petrosa**, petrosal bone ● **la R. di Gibilterra**, the Rock of Gibraltar.

roccafòrte f. stronghold (*anche fig.*); fortress; citadel.

roccatrice f. (*ind. tess.*) cone-winding machine; winder.

roccatùra f. (*ind. tess.*) winding; (*incannatura*) spooling.

rocchettàro → **rockettaro**.

rocchettièra f. (*ind. tess.*) winder.

rocchétto ① m. **1** (*per filato*) reel; spool; bobbin: **un r. di filo**, a reel of thread **2** (*mecc.*, anche **r. dentato**) sprocket (wheel) **3** (*elettr.*) coil: (*autom.*) **r. d'accensione**, ignition coil; **r. d'induzione**, induction coil **4** (*cinem.*) spool: **r. avvolgitore**, take-up spool; **r. svolgitore**, delivery spool **5** (*fotogr.*) roll.

rocchétto ② m. (*eccles.*) rochet.

ròcchio m. **1** (*archit.*) drum **2** (*estens.: pezzo*) (thick) piece; roll.

♦**ròccia** f. **1** (*geol.*) rock: **r. argillosa**, argillaceous rock; claystone; **r. friabile**, brittle rock; **r. eruttiva**, igneous rock; **r. sedimentaria**, sedimentary rock; **r. silicea**, siliceous rock; ganister **2** rock; (*masso*) rock, boulder; (*picco*) crag, peak; (*spec. sul mare*) cliff: **r. viva**, living rock; **una r. a picco**, a sheer rock face; a sheer cliff; **rocce inviolate**, unclimbed peaks; **rocce scoscese**, steep cliffs; crags; **costruire sulla r.**, to build on rock; **duro come la r.**, rock-hard; **parete di r.**, rock face **3** (*alpinismo: scalate*) rock-climbing: **fare r.**, to practice rock-climbing; **scarpe da r.**, climbing boots **4** (*fig.*) rock; (*persona moralmente forte*) tower of strength.

rocciatóre m. (f. **-trìce**) rock-climber.

rocciòso a. rock (attr.); rocky: **fondo r.**, rock bed; **formazione rocciosa**, rock formation; **montagne rocciose**, rocky mountains; **spiaggia rocciosa**, rocky shore.

ròcco m. (*eccles.*) crosier; crozier.

ròccolo m. nets (pl.) to catch birds.

rochézza f. → **rocaggine**.

rock (*ingl.*) Ⓐ m. (*mus.*) rock (music): **ballare il r.**, to rock; **fare del r.**, to play rock music Ⓑ a. inv. rock (attr.): **cantante r.**, rock singer.

rocker (*ingl.*) m. e f. inv. (*mus.*) rocker.

rockettàro m. (*mus.*) (young) rocker.

rockstar f. inv. rockstar.

ròco a. hoarse; (*di voce, anche*) raucous, husky, croaky; (*di suono*) raucous, harsh, rasping: husky.

rococò m. e a. (*archit.*) rococo.

rodàggio m. **1** (*autom., mecc.*) running-in; (*il periodo*) run-in: *L'auto è ancora in r.*, the car is still being run in; **fare il r.**, to run in a car; **periodo di r.**, running-in (period); run-in **2** (*fig.*) period of adjustment; settling-in period; breaking-in period: *Ho bisogno di qualche settimana di r.*, I need a few

weeks to settle in (*o* to get the hang of things); *La squadra è ancora in r.*, the team is still being broken in; **in fase di r.**, in the trial stage.

Ròdano m. (*geogr.*) (the) Rhone.

rodàre v. t. **1** (*autom.*, *mecc.*) to run* in **2** (*fig.*) to break* in.

rodàto a. **1** (*autom.*, *mecc.*) run in **2** (*fig.*) working smoothly; well-oiled; well-adjusted: *un'equipe di lavoro ormai rodata*, a well-oiled team.

rodènse a., m. e f. Rhodian.

rodenticida m. (*chim.*, *agric.*) rodenticide.

ròdeo ① m. (*zool.*, *Rhodeus amarus*) bitterling.

ròdeo ② (*spagn.*) m. rodeo.

ródere Ⓐ v. t. **1** (*rosicchiare*) to gnaw: **r. un osso**, to gnaw (at) a bone **2** (*di insetto*) to gnaw through; to eat* away: *I tarli rodono il legno*, woodworms gnaw through wood **3** (*corrodere*) to corrode, to eat* into; (*erodere*) to erode: *L'acqua salata rode il nichel*, salt water corrodes nickel; *Gli acidi rodono la pietra*, acids eat into stone; *La corrente aveva roso le sponde del fiume*, the current had eroded the river banks **4** (*fig.*) to torment; to consume; to eat*; to gnaw at; to torture: *Un senso di colpa gli rodeva l'animo*, guilt was gnawing at his mind; **essere roso dalla gelosia**, to be consumed with jealousy; **rodersi il fegato**, to torture oneself; (*per l'invidia, ecc.*) to eat one's heart out; *Che cosa lo rode?*, what's eating him? **5** (*scherz.: mangiare*) to eat*: *C'è qualcosa da r. in casa?*, is there anything to eat? ● (*fig.*) **r. il freno**, to champ at the bit; to chafe under restraint Ⓑ **ródersi** v. rifl. (*fig.: consumarsi*) to be consumed; (*preoccuparsi*) to worry, to be worried, to torment oneself; (*logorarsi*) to wear* oneself down (*o* out): **rodersi d'invidia**, to be consumed with envy; **rodersi di rabbia**, to fume with rage; *Si rode per quella ragazza*, he is wearing himself down for that girl.

Ròdi m. (*geogr.*) Rhodes.

rodiàre v. t. to rhodium-plate.

rodiatùra f. rhodium-plating.

rodiése a., m. e f. Rhodian.

rodìggio m. (*ferr.*) wheel-and-axle set.

rodilégno m. inv. (*zool.*, *Cossus cossus*) goat moth.

rodiménto m. **1** (*il rodere*) gnawing **2** (*corrosione*) corrosion; (*erosione*) erosion **3** (*fig.: cruccio*) worry; anxiety; torment.

ròdio ① m. (*chim.*) rhodium.

ròdio ② a. (*geogr.*) Rhodian.

rodio ③ → **rodimento**.

rodiòta a., m. e f. Rhodian.

rodìte f. (*min.*) rhodite.

roditóre ① m. (*zool.*) rodent; (al pl., *scient.*) Rodentia.

roditóre ② a. rodent; gnawing (*anche fig.*).

roditrìce f. (*mecc.*) nibbling machine; nibbler.

rodocrosìte f. (*miner.*) rhodochrosite.

rododèndro m. (*bot.*, *Rhododendron*) rhododendron.

Rodòlfo m. Rudolph; Ralph.

rodomontàta f. rodomontade; bragging ⓤ; braggadocio ⓤ.

rodomónte m. braggart; braggadocio: **fare il r.**, to brag.

rodomontésco a. bragging; boastful; vainglorious.

rodonite f. (*miner.*) rhodonite.

rodopsìna f. (*biol.*) rhodopsin.

Rodrigo m. Roderick.

Roentgen e deriv. → **Röntgen**, e deriv.

rogànte m. e f. (*leg.*) party to a notarial deed.

rogàre v. t. (*leg.*) **1** (*richiedere*) to request **2** (*redigere*) to draw* up: **r. un atto notarile**, to draw up a notarial deed.

rogatàrio m. (*leg.*) drafter (and certifier).

rogatóre m. (*leg.*) party to a notarial deed.

rogatòria f. (*leg.*) letters (pl.) rogatory.

rogatòrio a. (*leg.*) rogatory.

rogazióne f. **1** (*stor.*) rogation **2** (al pl.) (*eccles.*) rogations; Rogation Days.

róggia f. (*sett.*) irrigation ditch.

rogitàre v. i. (*leg.*) to draw* up a (notarial) deed.

rògito m. (*leg.*) (notarial) deed; (*estens.*, *per la vendita di un appartamento*) exchange of contracts: **fare un r.**, to draw up a deed; *Ieri abbiamo fatto il r. per la casa*, we exchanged contracts yesterday.

rógna f. **1** (*vet.*) (*di pecore, cani, ecc.*) scab; mange **2** (*bot.*) scab **3** (*fig. fam.*: *seccatura*) trouble Ⓤ; bother Ⓤ; headache; hassle Ⓤ (*fam.*); (*cosa difficile*) tricky thing, bitch (*fam.*): **cercare rogne**, to be asking (for trouble); *Non voglio darti delle rogne*, I don't want to give you any hassles; *Sarà una bella r. smontare il motore*, dismantling the engine's going to be really tricky (*o* a real bitch) **4** (*fig. fam*: *persona molesta*) pain in the neck.

rognàre v. i. (*region.*) to grumble; to go* on (about st.); to bitch (*fam.*); to whinge (*fam.*).

rognonàta f. (*cucina*) kidney casserole.

rognóne m. (*cucina*) kidney.

rognóso a. **1** (*vet.*) scabby; mangy **2** (*fig. fam.*: *fastidioso*) troublesome, bothersome, aggravating (*fam.*), pesky (*fam.* USA); (*noioso*) boring, tiresome; (*difficile*) tricky, knotty; (*che richiede lavoro minuzioso*) fiddly.

rògo, **rógo** m. **1** (*per funerale*) pyre **2** (*supplizio*) stake: **andare al r.**, to go to the stake; **condannare al r.**, to condemn (*o* to send) to the stake **3** (*estens.*: *incendio*) fire, blaze; (*falò*) bonfire: *Nel r. sono morte tre persone*, three people died in the fire (*o* blaze); **fare un r. di qc.**, to make a bonfire of st.

Rolàndo m. Roland.

ròlfing m. (*med.*) Rolfing.

rollàre① v. t. **1** (*naut.*: *arrotolare*) to roll up **2** (*pop.*: *arrotolare sigarette*) to roll.

rollàre② v. i. (*aeron.*, *naut.*) to roll.

rollàta f. (*aeron.*, *naut.*) roll.

rollatùra → **rullatura**.

rollè m. (*cucina*) roulade (*franc.*).

ròller (*ingl.*) m. inv. (anche agg.: **penna r.**) rollerball.

rollìno → **rullino**.

rollìo m. (*aeron.*, *naut.*) rolling; roll.

rollòmetro m. (*naut.*) oscillometer.

rom a., m. e f. inv. Rom; Romany; Roma: **la lingua dei rom**, Romany.

Róma f. (*geogr.*) Rome: **i sette re di R.**, the seven kings of Rome ● (*fam.*) **capire R. per toma**, to get it all wrong; to get hold of the wrong end of the stick □ (*prov.*) **R. non fu fatta in un giorno**, Rome was not built in a day □ (*prov.*) **Tutte le strade portano a R.**, all roads lead to Rome.

romagnòlo Ⓐ a. of Romagna; from Romagna Ⓑ m. (f. **-a**) native [inhabitant] of Romagna.

romàico a. e m. Romaic.

romàncio a. e m. Romansh.

romàndo Ⓐ a. of French-speaking Switzerland; French-speaking: *Svizzera romanda*, French-speaking Switzerland Ⓑ m. Swiss French.

romanésco Ⓐ a. of Rome; Roman: **il dialetto r.**, the Roman dialect Ⓑ m. (*dialetto di Roma*) Roman dialect ❶ FALSI AMICI • romanesco *non si traduce con* Romanesque.

Romanìa f. (*geogr.*) Rumania.

romànico a. e m. (*archit.*) Romanesque: **stile r.**, Romanesque style.

romanìsmo m. **1** (*ling.*) Roman dialect idiom **2** (*eccles.*) loyalty to the Roman Church; acceptance of the authority of Rome; Romanism.

romanìsta m. e f. **1** (*leg.*, *filol.*, *stor.*) Romanist **2** (*sport*) supporter of the Roma Football Club.

romanìstica f. **1** (*leg.*) Roman law studies (pl.) **2** (*filol.*) Romance philology.

romanìstico a. **1** (*leg.*) of (*o* concerning) Roman law **2** (*filol.*) of (*o* concerning) Romance philology **3** of (*o* concerning) Roman antiquities.

romanità f. **1** Roman spirit; ancient Roman traditions (pl.) **2** (*mondo romano*) Roman world.

romanizzàre Ⓐ v. t. to Romanize Ⓑ **romanizzàrsi** v. i. pron. to become* Romanized; to adopt Roman ways.

romanizzazióne f. Romanization.

♦**romàno**① Ⓐ a. Roman; of Rome: **antichità romane**, Roman antiquities; **il calendario r.**, the Roman calendar; **il diritto r.**, Roman law; **la chiesa romana**, the Church of Rome; the Roman Church; **gli imperatori romani**, the Roman Emperors; **numeri romani**, Roman numerals; **saluto r.**, Fascist salute; (*pitt.*) **la scuola romana**, the Roman school; **alla romana**, in the Roman way; after the Roman fashion ● (*tipogr.*) **carattere r.**, roman (type) □ **fare alla romana**, to go Dutch Ⓑ m. (f. **-a**) Roman: **i Romani**, the Romans; (*scherz.*) **un r. di Roma**, a true-born Roman.

romàno② m. (*della stadera*) sliding weight (of a steelyard).

romano-barbàrico a. (*stor.*) Germano-Roman.

romanticherìa f. romantic nonsense Ⓤ; (*atteggiamento romantico*) sentimentality, mawkishness: *Sono tutte romanticherie*, it's all romantic nonsense.

romanticìsmo m. **1** (*arte*, *letter.*) Romanticism: **il R. inglese**, English Romanticism **2** (*sentimentalismo*) romanticism; sentimentality: **fare del r. su qc.**, to be sentimental (*o* to sentimentalize) about st.; to wax romantic about st.

romàntico Ⓐ a. **1** (*arte*, *letter.*) Romantic: **poeta r.**, Romantic poet; **scuola romantica**, Romantic School **2** (*sentimentale*) romantic; sentimental: **avventura romantica**, romantic adventure; romance; **canzoni romantiche**, sentimental songs; **ragazza romantica**, romantic girl **3** (*che induce pensieri romantici*) romantic: **passeggiata romantica**, romantic walk Ⓑ m. (f. **-a**) **1** (*arte*, *letter.*) Romantic; Romanticist **2** (*persona sentimentale*) romantic; sentimentalist: **fare il r.**, to be romantic; (*fare il sentimentale*) to be sentimental, to sentimentalize about st.

romanticùme m. (*spreg.*) romantic nonsense; slush; schmaltz (*fam.*); (*atteggiamenti romantici*) mawkishness.

romànza f. **1** (*poesia*) ballade **2** (*mus.*) romance; (*d'opera*) aria.

romanzàre v. t. **1** (*dare forma di romanzo a*) to fictionalize; to novelize: **r. la storia**, to fictionalize history **2** (*dare coloritura romanzesca a*) to romanticize; to romance.

romanzàto a. **1** (*in forma di romanzo*) fictionalized; novelized: **biografia romanzata**, fictionalized biography **2** (*che ha coloritura romanzesca*) romanticized.

romanzésco Ⓐ a. **1** (*rif. al romanzo*) novel (attr.); fiction (attr.); fictional: **letteratura romanzesca**, fiction; **personaggio r.**, fictional character **2** (*rif. ai romanzi medievali*) romance (attr.): **poema r.**, romance **3** (*av-*

venturoso) adventurous, romantic; (*fantastico*) fantastic, fabulous: **avventure romanzesche**, romantic adventures; **impresa romanzesca**, fantastic feat; **storia romanzesca**, romantic story; romance; **vita romanzesca**, adventurous life Ⓑ m. fantastic character; romance: **una storia che ha del r.**, a fantastic story; a story full of romance; (*improbabile*) a far-fetched story.

romanzétto m. **1** (*letter.*) novelette; (*spreg.*) light romantic novel, cheap romance **2** (*fig.*: *fatto ricamato o inventato*) fantastic story; fiction; cheap romance **3** (*fig.*: *relazione sentimentale*) brief love-affair; brief romance.

romanzière m. (f. **-a**) novelist.

romanzièro, **romanzèro** m. (*letter.*) **1** (f. **-a**) author of romances **2** collection of romances.

romànzo① a. (*ling.*) Romance (attr.): **filologia romanza**, Romance philology; **lingue romanze**, Romance languages.

♦**romànzo**② m. **1** (*opera narrativa*) novel: **r. a puntate**, serialized novel; **r. d'appendice**, serialized novel; (*fig. spreg.*) potboiler; **r. a tesi**, novel with a message; **r. epistolare**, epistolary novel; **r. fiume**, saga; roman-fleuve (*franc.*); **r. giallo**, detective novel; crime story; thriller; whodunnit (*fam.*); **r. nero**, horror novel; Gothic novel; **r. psicologico**, psychological novel; **r. rosa**, romantic novel; romance; (*TV*) **r. sceneggiato**, novel adapted for TV; serialized novel; **r. storico**, historical novel; **personaggio da r.**, character straight out of a novel; *Roba da r.!*, that is pure fiction! **2** (*letter. medievale*) romance: **r. cavalleresco**, courtly romance **3** (*genere letterario*) fiction; novel: **il r. italiano del dopoguerra**, Italian postwar fiction; **la morte del r.**, the death of the novel **4** (*fig.*: *storia inverosimile*) romance; saga: *La sua vita è un r.*, his life is quite a romance **5** (*fig.*: *relazione sentimentale*) love-affair; romance: **r. d'amore**, romance ❶ FALSI AMICI • romanzo *nel senso di* opera narrativa *moderna non si traduce con* romance.

rombànte a. rumbling; roaring; thundering.

rombàre v. i. to rumble; to roar; to thunder: *L'auto passò rombando*, the car roared past; *Il tuono rombò lontano*, thunder rumbled in the distance.

rombencèfalo m. (*anat.*) hindbrain; rhombencephalon*.

ròmbico a. **1** (*geom.*) rhombic **2** (*miner.*) orthorhombic.

ròmbo① m. (*rumore grave e forte*) rumble; roar; thunder; boom: **il r. dei cannoni**, the rumble of cannons; **il r. del tuono**, the rumble (*o* the roll) of thunder.

ròmbo② m. **1** (*geom.*) rhomb; rhombus*; (*losanga*) lozenge, diamond: **motivo a rombi**, lozenge (*o* diamond) pattern **2** (*etnol.*) bullroarer **3** (*zool.*) – **r. chiodato** (*Psetta maxima*), turbot*; **r. liscio** (*Scophthalmus rhombus*), brill*.

ròmbo③ m. (*naut.*, *della bussola*) point; (*in cartografia*) rhumb; (*stor.*: *rotta*) rhumb line.

rombododecaèdro m. (*geom.*) rhombododecahedron*.

romboèdrico a. (*geom.*) rhombohedral.

romboèdro m. (*geom.*) rhombohedron*.

romboidàle a. (*geom.*) rhomboid, rhomboidal.

rombòide m. (*geom.*, *anat.*) rhomboid.

romèico → **romaico**.

romèno a. e m. (f. **-a**) Rumanian; Romanian.

roméo① Ⓐ m. (f. **-a**) pilgrim (going to Rome) Ⓑ a. – **strada romea**, pilgrim route (to Rome).

roméo② m. (*scherz.*) young Romeo.

a b c d e f g h i j k l m n o p q r s t u v w x y z

rómice f. (*bot.*, *Rumex crisous*) dock.

romitàggio (*lett.*) → **eremitàggio**.

romito (*lett.*) **A** a. secluded; solitary **B** m. (*anche fig.*) hermit.

romitòrio m. **1** hermitage **2** (*fig.*) solitary place.

Ròmolo m. (*stor.*) Romulus.

♦**rómpere A** v. t. **1** (*spezzare*) to break*; (*con rumore secco*) to snap; (*un guscio, ecc.*) to crack; (*staccare*) to break* off; (*lacerare*) to tear*: **r. un bastone [un bicchiere]**, to break a stick [a glass]; (*anche fig.*) **r. il ghiaccio**, to break the ice; **r. una noce**, to crack a nut; **r. un ramoscello**, to break off (o to snap) a twig; **r. la terra con l'aratro**, to break up the soil with the plough; *Il fiume ruppe gli argini*, the river broke its banks; **r. qc. in due [in tre, ecc.]**, to break st. in two [in three, etc.]; **rompersi un braccio [una costola]**, to break an arm [a rib]; **rompersi i pantaloni**, to tear one's trousers **2** (*guastare*) to break*: **r. un giocattolo [l'orologio]**, to break a toy [the watch] **3** (*anche fig.*: *interrompere, metter fine*) to break* (off): **r. un'amicizia con q.**, to break (off) a friendship with sb.; (*sport*) **r. l'andatura**, to break step; **r. un contratto**, to break a contract; **r. un fidanzamento**, to break (off) an engagement; **r. l'incantesimo** (*o l'incanto*), to break the spell; **r. la monotonia**, to break the monotony; **r. i rapporti con q.**, to break off (o to sever) all relations with sb.; **r. il digiuno**, to break one's fast; **r. le trattative**, to break off negotiations; **r. il silenzio**, to break the silence **4** (*violare*) to break*; to violate: **r. una promessa**, to break a promise; **r. la tregua**, to break the truce; **r. un trattato**, to break a treaty **5** (*fam., anche assol.*: *infastidire*) to pester (sb.); to be a pain (in the neck) (*fam.*); to get* in sb.'s hair (*fam.*); to be pesky (*fam. USA*); to aggravate (*slang GB*): *Come rompi!*, what a pain in the neck you are!; *Piantala di r.!*, stop being a pain in the neck!; get out of my hair!; *Mi hai rotto!*, I've had you up to here!; *Mi rompe doverci andare*, it's a real pain having to go ● (*pop.*) **r. l'anima a q.** → def. 5 □ (*naut.*) **r. il blocco**, to run the blockade □ (*volg.*) **r. i coglioni a q.** → **r. le palle** □ (*mil.*) **r. la consegna**, to disobey orders □ **r. gli indugi**, to hesitate no longer □ **r. le linee nemiche**, to break through the enemy lines □ (*pop.*) **r. il muso** (*o la faccia*) **a q.**, to smash (o to bash) sb.'s face in □ **r. le ossa a q.**, to beat sb. up □ **rompersi l'osso del collo** (*o rompersi una neck*) (*volg.*) □ **r. le palle a q.**, to be a pain in the arse (*USA* ass) (*volg.*): *Mi hai rotto le palle!*, you're a pain in the ass! □ (*mil.*) **r. il passo**, to break step □ **r. le reni a q.**, to break sb.'s back □ (*mil.*) **r. le righe**, to break ranks; to fall out: *Rompete le righe!*, dismiss! □ **r. le scatole** (*o le tasche*) **a q.** → def. 5 □ **r. la testa a q.**, to bash sb.'s head in; to crack sb.'s skull; (*fig.*) to drive sb. crazy □ (*fig.*) **rompersi la schiena**, to slave away; to overwork oneself □ (*fig.*) **rompersi la testa su qc.**, to rack one's brains over st. □ **r. i timpani a q.**, to burst sb.'s eardrums; (*fig.*) to deafen □ (*fig.*) **r. le uova nel paniere a q.**, to upset sb.'s apple-cart; to put a spoke in sb.'s wheel □ (*prov.*) *Chi rompe paga e i cocci sono suoi*, you've made your bed, now you must lie on it **B** v. i. **1** (*straripare*) to break* the banks **2** (*troncare i rapporti*) to sever relations; (*di una coppia*) to break* up, to split* up: *Ha rotto con i suoi*, she severed relations with her family; *Paolo ha rotto con Sara*, Paolo broke up (o split up) with Sara; Paolo and Sara have broken up **3** (*mettere fine*) to break* (with): **r. con le vecchie abitudini [col passato]**, to break with old habits [with the past]; *Rompendo con la tradizione, decise di...*, in a break with tradition, he decided to... **4** (*prorompere*) to burst*: **r. in pianto [in singhioz-**

zi], to burst into tears [into sobs] **C** **rómpersi** v. i. pron. **1** (*spezzarsi*) to break*; to get* broken; (*con rumore secco*) to snap; (*andare in pezzi*) to fall* apart, to come* apart: *Il piatto cadde e si ruppe*, the plate fell and broke; *Si rompe facilmente*, this breaks easily; it's easily broken; *Le onde si rompevano contro il molo*, the waves broke against the pier; *Mi si è rotto in mano*, it came apart (o it broke) in my hand; **rompersi in mille pezzi**, to shatter; to be smashed; to smash; to smash to smithereens (*fam.*) **2** (*guastarsi*) to break down* **3** (*di vena, vescica*) to rupture; to burst* **4** (*pop.: seccarsi*) to be fed up (with); to be sick and tired (of) (*fam.*); to have had a bellyful (of) (*slang*).

rómpi → **rompiscatole**.

rompibàlle → **rompipalle**.

rompìbile a. breakable.

rompicàpo m. inv. **1** (*indovinello*) brain teaser; riddle; conundrum **2** (*preoccupazione*) worry; trouble; (*fastidio*) headache, hassle (*fam.*) **3** (*problema difficile*) poser; tricky thing.

rompicàzzo, **rompicoglióni** m. e f. inv. (*volg.*) pain in the arse (*USA* ass); balls-ache (*GB*); asshole (*USA*).

rompicòllo m. inv. daredevil; madcap; scapegrace ● **a r.**, at breakneck speed; headlong.

rompifiàmma m. **1** (*mil.*) flash hider **2** (*cucina*) fire wire mat.

rompigètto m. aereating nozzle; aereator.

rompighiàccio m. inv. **1** (*attrezzo*) ice-breaker; ice pick **2** (*naut.*) icebreaker.

rompiménto m. **1** breaking **2** (*fam.* o *volg.*) → **rottura**, def. 6.

rompipàlle m. e f. inv. (*fam.* o *volg.*) pain in the neck; pain in the arse (*USA* ass) (*volg.*).

rompiscàtole, **rompitàsche** m. e f. inv. (*fam.*) pain in the neck; pain.

rónca → **roncola**.

roncatùra f. (*agric.*) pruning; (*sarchiatura*) weeding.

ronchétto m. (*agric.*) pruning knife.

roncinàto a. **1** hooked **2** (*bot.*) runcinate.

rónco① m. (*med.*) rhonchus*; rale.

rónco② m. (*zool.*, *Echinorhinus spinosus*) bramble shark.

róncola f. (*agric.*) billhook.

roncolàre v. t. (*agric.*) to prune; (*sarchiare*) to weed.

róncolo m. (*agric.*) pruning knife.

rónda f. (*mil.*) rounds (pl.); (*anche naut.*) watch; (*di poliziotto*) beat; (*pattuglia*) patrol: (*stor.*) **la r. di notte**, the night watch; **essere di r.**, to be on patrol duty; (*di poliziotto*) to be on one's beat; **fare la r.**, to do the rounds; (*di polizia*) to patrol st.; *Passa la r.*, the patrol is doing the rounds; **cammino di r.**, parapet walk; rampart walk ● (*fig.*) **fare la r. a una ragazza**, to hang round a girl.

rondèlla f. (*mecc.*) washer.

rondèllo m. **1** (*letter.*) rondeau; rondel **2** (*mus.*) rondo.

♦**róndine** f. (*zool.*) (*Hirundo rustica*) swallow: **r. di mare** (*Sterna hirundo*), sea swallow; (common) tern ● **coda di r.**, swallowtail; (*mecc.*) dovetail: **a coda di r.**, swallowtailed; **giacca a coda di r.**, tail coat; tails (pl.) □ (*prov.*) *Una r. non fa primavera*, one swallow does not make a summer.

rondinèlla f. (*zool.*) – **r. di mare** (*Exocoetus volitans*), flying fish.

rondinìno, **rondinòtto** m. young swallow.

rondò m. **1** (*mus.*) rondo **2** (*letter.*) ron-

deau **3** (*isola spartitraffico*) roundabout (*GB*); traffic circle (*USA*).

rondóne m. (*zool.*, *Apus apus*) swift.

ronfàre v. i. **1** to snore (loudly) **2** (*di gatto*) to purr.

ronfàta f. (*fam.*) long, sound sleep.

ron ron inter. – **fare ron ron**, (*russare*) to snore; (*di gatto*) to purr.

Röntgen (*ted.*) m. inv. (*fis.*) roentgen.

röntgenografìa f. (*fis.*) roentgenography.

röntgenstratigrafìa f. (*med.*) tomography.

röntgenterapìa f. (*med.*) roentgenotherapy.

ronzaménto → **ronzio**.

ronzàre v. i. **1** (*emettere un ronzio*) to hum; to buzz; to drone; (*di pallottola*) to whine; (*di ali, ecc.*) to whirr: *Le api ronzavano nel giardino*, the bees were humming (o buzzing) in the garden; *Nella stanza ronzava un ventilatore*, a fan whirred in the room; *Il motore ronzava piano*, the engine was droning softly; *Mi ronzano le orecchie*, I've got a buzzing in my ears **2** (*fig.*: *mulinare, girare*) to buzz around; to go* round and round: *Un'idea mi ronzava in testa*, an idea was buzzing around my head; *Mi ronzavano in testa le sue parole*, his words kept going round and round in my head (o kept ringing in my ears) **3** (*fig.*: *girare*) to hang around: **r. intorno a una ragazza**, to hang round a girl.

Ronzinànte m. **1** (*letter.*) Rosinante **2** (*fig.*) nag; jade.

ronzìno m. nag; jade.

ronzìo m. humming; buzz; buzzing; drone; (*di pallottola*) whine; (*di ali, ecc.*) whirr: **il r. delle api**, the humming (o the buzzing) of bees; **il r. del motore**, the hum (o the drone) of the engine; **un r. nelle orecchie**, a buzzing in one's ears; **il r. del ventilatore**, the whirr of the fan.

ropàlico a. (*poesia*) rhopalic.

ròrido a. (*poet.*) dewy.

ROS sigla (*Carabinieri*, **Raggruppamento operativo speciale**) special operations task force.

♦**ròsa A** a. **1** (*bot.*, *Rosa*) rose: **r. antica**, old rose; **r. canina** (*o di macchia*) (*Rosa canina*), dogrose; wild rose; **r. centifoglia** (*Rosa centifolia*), cabbage rose; **r. damascena**, damask rose; **r. muschiata**, musk rose; **r. rampicante**, rambler; rambling rose; climbing rose; **r. selvatica**, wild rose; **r. tea**, tea rose; **acqua di rose**, rose-water; (*anche fig.*) **bocciolo** (*o bottone*) **di r.**, rosebud; **legno di r.**, rosewood; **mazzo di rose**, bunch of roses; **pianta di rose**, rosebush **2** (*bot.*) – **r. delle Alpi**, alpine rhododendron; **r. del Giappone**, camellia; **r. di Gerico**, rose of Jericho; **r. di Natale**, Christmas rose **3** (*miner.*) – **r. del deserto**, gypsum rose; desert rose; sandrose **4** (*fig.*: *scelta di persone*) short-list: **r. di candidati [di nomi]**, shortlist; **entrare nella r.**, to be shortlisted **5** (*sport*) squad **6** (*arald.*) rose **7** (*mus.*) rose **8** (*anche* **r. di tiro**) dispersion pattern: **r. di pallini**, burst pattern **9** (*naut.*) – **r. della bussola**, compass rose; **r. dei venti**, wind rose; compass-card; compass rose ● (*fig.*) **all'acqua di rose** → **acqua** □ (*fig.*) **essere su un letto di rose**, to be on a bed of roses □ **fresco come una r.**, as fresh as a daisy □ (*stor. ingl.*) **la guerra delle due Rose**, the Wars of the Roses (pl.) □ **La vita non è un letto di rose**, life is not a bed of roses □ **Pasqua di rose**, Whitsunday □ **Non è stato tutto rose e fiori**, it hasn't been all plain sailing □ (*prov.*) **Non c'è r. senza spine**, there is no rose without a thorn □ (*prov.*) **Se son rose fioriranno**, the proof of the pudding is in the eating **B** m. inv. pink: **r. antico**, old rose; **r.**

shocking, shocking pink; *Il r. non ti sta bene*, pink does not suit you; **vestire di r.**, to dress in pink; to wear pink **C** a. inv. **1** pink; (*roseo, rosato*) rose, rose-coloured: **cielo r.**, rose-coloured sky; (*ciclismo*) **maglia r.**, pink jersey; **quarzo r.**, rose quartz; **un vestito r.**, a pink dress **2** (*fig.*: *romantico, amoroso*) romantic: **cronaca r.**, gossip column; **letteratura r.**, romantic fiction; romances (pl.); love stories (pl.); **romanzo r.**, romantic novel; romance ● **vedere tutto r.**, to see things through rose-coloured (*o* rose-tinted) glasses.

Ròsa f. Rose; Rosa.

rosàcea f. **1** (*med.*) (acne) rosacea **2** (*bot.*) rosaceous plant; (al pl., *scient.*) Rosaceae.

rosàceo a. **1** pinkish; rosy **2** (*bot.*) rosaceous.

rosàio m. (*bot.*) **1** (*cespuglio*) rosebush **2** → **roseto**.

Rosalìa f. Rosalie; Rosalia.

Rosalìnda f. Rosalind.

Rosamarìa f. Rosemary.

Rosamùnda f. Rosamond.

rosanilìna f. (*chim.*) rosaniline.

rosàrio m. **1** (*eccles.*) rosary; beads (pl.): **r. d'avorio**, ivory rosary; **recitare il r.**, to say one's rosary; to tell one's beads **2** (*fig.*) series; train; string: **un r. di disgrazie**, a train of accidents; **un r. di improperi**, a string of abuse.

rosàta f. (*di fucile da caccia*) burst pattern.

rosatèllo m. (*vino*) rosé (*franc.*).

rosàto A a. **1** (*roseo*) rosy; rose-coloured; pink: **cielo r.**, rosy (*o* rose-coloured) sky; **labbra rosate**, pink lips; **vino r.**, rosé (*franc.*) **2** (*che contiene essenza di rose*) rose (attr.): **acqua rosata**, rose-water; **miele r.**, rose-hip honey **B** m. (*vino*) rosé (*franc.*).

ròsbif m. inv. (*cucina*) roast beef.

rosé (*franc.*) a. e m. inv. (*vino*) rosé.

♦**ròseo A** a. **1** (*di color rosa*) rosy; rose-coloured; (*rose*) pink: **gote rosee**, rosy cheeks **2** (*fig.*) rosy; sweet: **avvenire r.**, rosy future; **prospettive rosee**, rosy prospects; **sogni rosei**, sweet dreams; **vedere tutto r.**, to see things through rose-coloured (*o* rose--tinted) glasses **B** m. **1** (*carnagione*) rosy complexion; roses (pl.) **2** (*colore*) rosy colour.

roseòla f. (*med.*) roseola.

roseto m. (*aiola*) rose bed; (*giardino*) rose garden, rosary.

rosètta f. **1** (*diamante*) rose (diamond): **taglio a r.**, rose (cut) **2** (*coccarda*) rosette **3** (*mecc.*) washer.

rosicànte m. (*zool.*) rodent.

rosicàre v. t. to gnaw (at); to nibble (at) ● (*prov.*) **Chi non risica, non rosica**, nothing ventured nothing gained.

rosicatùra f. gnawing; nibbling.

rosicchiaménto m. gnawing; nibbling.

♦**rosicchiàre** v. t. to gnaw (at); to nibble (at): **r. un biscotto**, to nibble (at) a biscuit; **r. un osso**, to gnaw (at) a bone; **rosicchiarsi le unghie**, to bite one's nails.

rosicoltóre m. (f. **-trìce**) rose grower.

rosicoltùra f. rose-growing.

rosmarìno m. (*bot.*, *Rosmarinus officinalis*) rosemary.

rosminianìsmo m. (*filos.*) Rosminianism.

rosminiàno a. e m. Rosminian.

Rosmùnda f. Rosamond.

** róso** a. gnawed; eaten away; worn away; corroded: **r. dalla ruggine**, rust-eaten; **r. dai tarli**, eaten away by woodworms; worm-eaten; **r. dalle tarme**, moth-eaten; **r. dal tempo**, timeworn.

rosolàccio m. (*bot.*, *Papaver rhoeas*) corn poppy.

rosolàre v. t., **rosolàrsi** v. i. pron. (*cucina*) to brown ● (*fig.*) **rosolarsi al sole**, to bask in the sun.

rosolàta f. (*cucina*) browning.

rosolatùra f. (*cucina*) browning.

rosolìa f. (*med.*) German measles (pl. generalm. col verbo al sing.); rubella.

rosòlida f. (*bot.*, *Drosera rotundifolia*) common sundew.

rosolièra f. rosolio set; liqueur set.

rosòlio m. rosolio.

ròsolo m. (*cucina*) browning.

rosóne m. **1** (*motivo ornamentale*) rosette; (*su soffitto*) ceiling rose **2** (*archit.*: *vetrata rotonda*) rose window.

ròspo m. **1** (*zool.*, *Bufo vulgaris*) toad **2** (*fig.*: *persona repellente*) ugly person; creep (*fam.*) **3** (*fig.*: *persona scontrosa*) unsociable person, bear **2** (*zool.*) **coda di r.** → **coda** ● (*fig.*) **ingoiare un r.**, to swallow a bitter pill; to (like it or) lump it (*fam.*) □ (*fig.*) **sputare il r.**, to spit it out; to get st. off one's chest.

Rossàna f. Roxana.

rossàstro a. reddish.

rosseggiànte a. ruddy; reddening; glowing; bright red: **cielo r.**, reddening sky; **foglie rosseggianti**, ruddy leaves; **fuoco r.**, glowing fire; **papaveri rosseggianti**, bright red poppies.

rosseggiàre v. i. (*apparire rosso*) to be reddish, to glow, to shine* red; (*di fuoco e sim.*) to glow, to flame, to blaze; (*tendere al rosso*) to turn red, to redden: *Il cielo rosseggiava a occidente*, the sky glowed red in the west; *Il fuoco rosseggiava nel camino*, the fire blazed in the fireplace; *Nel fogliame rosseggiavano le ciliegie*, bright red cherries shone among the leaves.

rossèllo m. (*chiazza rossa*) red spot (on the skin).

rossétta f. (*zool.*, *Pteropus edulis*) flying fox; fruit-bat.

rossétto m. **1** (*per le labbra*) lipstick: **darsi** (*o* **mettersi**) **il r.**, to put on lipstick; **portare** (*o* **usare**) **il r.**, to wear lipstick **2** (*per le guance*) rouge.

rossìccio A a. reddish; rusty; ginger: **capelli rossicci**, reddish (*o* ginger) hair **B** m. reddish colour; ginger.

rossiniàno a. of Rossini; Rossini: **festival r.**, Rossini festival **B** m. (f. **-a**) follower (*o* imitator) of Rossini.

♦**rósso A** a. **1** red: **bandiera rossa**, red flag; **capelli rossi**, red hair; **vino r.**, red wine; **r. come un gambero** (*o* **un peperone**), as red as a beetroot (*o* as a lobster); **r. di rabbia**, red with fury; **r. dallo sforzo**, flushed with the effort; **avere il viso r.**, to be red in the face; **occhi rossi di pianto**, eyes red with weeping; **diventare** (*o* **farsi**) **r.**, (*per emozione, rabbia*) to go red (in the face), to flush; (*per imbarazzo*) to turn red, to blush **2** (*polit., fam.*) red **3** (*arald.*) gules (*posposto*) ● **a luci rosse** → **luce** □ **l'Armata Rossa**, the Red Army □ (*stor.*) **le camicie rosse**, the Red Shirts □ **la Croce Rossa**, the Red Cross □ **pesce r.**, goldfish □ (*fig.*) **vedere r.**, to see red **B** m. **1** (*colore*) red: **r. acceso**, fiery red; **r. bruno**, russet; **r. cardinale**, cardinal red; **r. ciliegia**, cherry red; cerise; **r. corallo**, coral red; **r. cupo**, dull red; **r. di Venezia**, Venetian red; **r. fegato**, maroon; **r. mattone**, brick red; (*chim., pitt.*) **r. inglese**, English red; **r. ruggine**, rust; (agg.) rusty, rust-coloured; **r. sangue**, blood red; **r. scuro**, dark red; **r. Tiziano**, Titian; auburn; **r. vivo**, bright red; crimson; **dipingere qc. di r.**, to paint st. red; **vestirsi di r.**, to wear red; **vestito di r.**, dressed in red **2** (f. **-a**) (*persona dai capelli rossi*) red-haired person; redhead;

(*scherz.*) carrot-top: *Gli piacciono le rosse*, he likes redheads **3** (f. **-a**) (*polit., fam.*) left--winger; Red **4** (*parte rossa di qc.*) red part; (*di uovo*) yolk **5** (*vino*) red (wine) **6** (*di semaforo*) red light: **attraversare col r.**, to cross when the lights are red; **passare col r.**, to drive through (*fam.* to jump) a red light **7** (*comm.*) red: **essere in r.**, to be in the red; to be overdrawn; **essere in r. per due miliardi**, to be two billion in the red; **non andare in r.**, to stay out of the red; overdrawn account **8** (*arald.*) gules ● **r. per labbra**, lipstick □ (*prov.*) **R. di sera, buon tempo si spera**, red sky at night, shepherd's delight.

róssola f. (*bot.*, *Russula*) russula.

rossóre m. **1** (*l'essere rosso*) redness: **il r. della pelle**, the redness of the skin **2** (*colore rosso*) red **3** (*di chi prova vergogna*) blush: *Gli salì il r. alla fronte per la vergogna*, he blushed with shame **4** (*fig.*: *vergogna*) shame: **senza r.**, shameless (agg.); shamelessly (avv.).

ròsta f. (*archit.*) fan window.

rosticceria f. rôtisserie (*franc.*); delicatessen; deli (*fam.*).

rosticciàna f. (*cucina*) grilled pork chop.

rosticcière m. (f. **-a**) owner of a rôtisserie (*o* delicatessen).

rosticcìo m. (*metall.*) dross.

rostràle a. **1** (*zool.*) rostral; rostrate **2** (*archeol.*) rostral: **corona r.**, rostral crown.

rostràto a. **1** (*zool.*) rostrate; beaked **2** (*archeol.*) rostral: **colonna rostrata**, rostral column.

ròstro m. **1** (*zool.*) rostrum*; (*becco*) beak **2** (*di ponte*) cutwater **3** (*naut.*) beak; ram; rostrum* **4** (al pl.) (*archeol.*) rostrum* (sing.).

ròta f. – (*eccles.*) **la Sacra R.**, the Rota.

rotàbile A a. **1** carriage (attr.): **strada r.**, carriage road **2** (*ferr.*) – **materiale r.**, rolling stock **B** f. (carriage) road **C** m. carriage; wagon.

rotacìsmo m. (*ling.*) rhotacism.

rotacizzàre v. t., **rotacizzàrsi** v. i. pron. (*ling.*) to rhotacize.

♦**rotàia** f. **1** (*solco di ruote*) rut; wheeltrack **2** (*mecc., ferr.*) rail; track: **r. a cremagliera**, rack rail; **r. centrale** (*o* **terza r.**), third rail; **r. corta**, make-up rail; **r. di scorrimento**, sliding rail; **r. esterna [interna]**, outer [inner] rail; **r. per gru**, crane rail (*o* track); **r. tramviaria**, tram rail; **le rotaie del treno**, the railway line (sing.); the railway tracks; **scorrere su rotaie**, to run on tracks (*o* on rails); (*anche fig.*) **uscire dalle rotaie**, to go off the rails; **su r.**, on rails; rail (attr.); railway (attr.): **traffico su r.**, railway traffic; **trasporto su r.**, rail transport.

rotàle a. (*eccles.*) rotal; of (*o* relating to) the Rota.

rotàmetro m. (*fis.*) rotameter.

ròtang m. inv. (*bot.*, *Calamus rotang*) rattan (palm).

rotànte a. rotating; rotary; revolving.

rotàre → **ruotare**.

rotariàno a. e m. Rotarian.

rotatìva f. (*tipogr.*) rotary press.

rotativìsta m. e f. (*tipogr.*) rotary-press worker.

rotatìvo a. **1** rotative; rotating; rotary: (*tipogr.*) **macchina rotativa**, rotary press; **pompa rotativa**, rotary pump **2** (*agric.*) – **sistema r.**, (*crop*) rotation **3** (*banca*) – **credito r.**, revolving credit.

rotàto a. (*bot.*) rotate; wheel-shaped.

rotatòria f. (*autom.*) roundabout (*GB*); traffic circle (*USA*).

rotatòrio a. rotatory; rotary: **moto [movimento] r.**, rotatory motion; (*anat.*) **muscolo**

r., rotator; **in senso r.**, in a circle.

rotazionàle a. **1** rotational **2** – **isola r.**, roundabout (*GB*); traffic circle (*USA*).

rotazióne f. **1** (*moto rotatorio*) rotation; turn; spin: **r. complèta**, complete rotation (*o* turn); **r. del polso**, rotation of the wrist; **r. in senso orário [antiorário]**, clockwise [anticlockwise] rotation; **r. invertìta**, reverse rotation; **imprìmere una r. a qc.**, to impart st. a spinning motion **2** (*geom.*, *astron.*) rotation: **la r. della Tèrra**, the rotation of the Earth; **asse di r.**, axis of rotation; **sòlido di r.**, rotation solid **3** (*fig.*: *avvicendamento.*) rotation; turnover: (*agric.*) **r. delle colture**, rotation of crops; crop rotation; (*amm.*) **r. delle mansióni**, job rotation; **r. del personàle**, staff turnover; **a r.**, in rotation; by turns **4** (*sport*) rotation **5** (*fon.*) shifting.

roteàre A v. i. to whirl (round); to twirl; to gyrate; (*volare in cerchio*) to wheel, to circle: *Un falco roteava nel cielo*, a hawk was wheeling in the sky **B** v. t. to whirl (round); to twirl; to roll: **r. un bastóne**, to twirl a stick; **r. gli òcchi**, to roll one's eyes.

roteazióne f. gyration; twirl.

♦**rotèlla** f. **1** wheel; (*orientabile*) castor; (*cilindrica*) roller; (*di sperone*) rowel; (*di bicicletta*) trainer wheel: (*mecc.*) **r. d'arrèsto**, grip roller; (*cucina*) **r. tagliapasta**, pastry cutter; **rotèlle di orológio**, wheelwork (sing.); **pattini a rotèlle**, roller skates; **sèdia a rotèlle**, wheelchair **2** – **r. mètrica**, measuring tape **3** (*anat.*) → **ròtula** ● (*fig.*) **avére una r. fuòri pòsto**, not to be all there; to have a screw loose □ (*fig.*) **èssere una r. nell'ingranàggio**, to be a cog in the machine.

rotellìsta m. e f. (*sport*) roller skater.

rotìfero m. (*zool.*) rotifer; (al pl., *scient.*) Rotifera.

rotìsmo m. (*mecc.*) wheelwork; gearing; gear: **r. a ingranàggi cilìndrici**, spur gearing; **r. epicicloidàle**, epicyclic train; sun-and-planet motion; **rotìsmi moltiplicatóri**, step-up wheels.

rotobàlla f. (*agric.*) round bale; rotobale.

rotocàlco m. **1** (*tipogr.*) rotogravure **2** (*periodico*) (illustrated) magazine; glossy magazine.

rotocalcografìa f. (*tipogr.*) rotogravure.

rotocalcogràfico a. (*tipogr.*) rotogravure (attr.).

rotocalcògrafo m. (f. -**a**) (*tipogr.*) rotogravure operator.

rotocompressóre m. (*mecc.*) rotary compressor.

rotoidàle a. (*mecc.*) turning: **còppia r.**, turning pair.

rotoimballatrìce f. (*agric.*) baler.

rotolaménto m. rolling.

♦**rotolàre A** v. t. to roll: **r. una bótte** [**un sasso**], to roll a barrel [a stone] **B** v. i. **1** to roll: *Gròssi macìgni rotolàvano giù per la collìna*, big boulders were rolling down the hillside **2** (*ruzzolare*) to tumble: **r. giù per le scale**, to tumble down the stairs; **far r.**, to roll **C** **rotolàrsi** v. rifl. to roll about: **rotolàrsi per tèrra**, to roll on the ground.

rotolìno m. **1** little roll **2** (*fotogr.*) roll (of film).

rotolìo m. rolling.

ròtolo m. **1** roll; (*di corda*) coil; (*gomitolo*) ball: **r. di banconòte**, wad of banknotes; bankroll; **r. di carta da paráti**, roll of wallpaper; **r. di carta igiènica**, roll of toilet paper; (*fam.*) **r. di cìccia**, roll of fat; **r. di spàgo**, ball of string; **r. di garza**, roll of bandage; **r. di nastro adesìvo**, roll of adhesive tape; **r. di stòffa**, roll of cloth **2** (*fotogr.*) roll (of film) **3** (*libro antico*) scroll: **i ròtoli del Mar Mòrto**, the Dead Sea Scrolls ● (*fig.*) **andàre a ròtoli**, (*fallire*) to fall through; to misfire; (*fallire*) to go under; (*andare male*) to

go downhill, to go to the dogs (*fam.*): *Il nostro progètto è andàto a ròtoli*, our plan fell through; *L'aziènda sta andàndo* [*è andàta*] *a ròtoli*, the firm is going downhill [went under]; *Sta andàndo tutto a ròtoli*, things are going from bad to worse □ (*fig.*) **mandàre a ròtoli** = **andàre a ròtoli**.

rotolóne m. **1** (*capitombolo*) tumble; fall: **fare un r.**, to have a fall; to fall head over heels; to come a cropper (*fam.*); **fare un r. giù per le scale**, to tumble down the stairs **2** (*il rotolarsi*) roll: **fare rotolóni sul prato**, to roll about on the grass.

rotolóni avv. (*rotolando*) rolling; tumbling: **cadére o venìre giù) a r.**, to tumble down ● (*fig.*) **andàre a r.** = **andàre a ròtoli** → **ròtolo**.

rotonàve f. (*naut.*) rotor ship.

rotónda f. **1** (*edificio*) rotunda **2** (*terrazza*) round terrace.

rotondeggiànte a. roundish; rounded.

rotondeggiàre v. i. to take* on a round shape; to be roundish.

rotondétto a. roundish; plump; chubby.

rotondità f. **1** roundness: **la r. della Tèrra**, the roundness of the Earth **2** (*fig.*, *di stile*, *ecc.*) rotundity **3** (al pl.) (*curve del corpo*) curves.

♦**rotóndo** a. **1** round; (*arrotondato*) rounded: **r. cóme una palla**, as round as a ball; **fàccia rotónda**, round face; **tórre rotónda**, round tower; **di fórma rotónda**, round **2** (*fig.*: *grassoccio*) plump; chubby; rotund (*scherz.*) **3** (*fig.*, *di stile*, *ecc.*) sonorous; rotund.

rotóne m. (*fis. nucl.*) roton.

rotóre m. **1** (*elettr.*, *mecc.*) rotor: **r. ad anèlli**, slip-ring rotor **2** (*aeron.*) rotor **3** (*fis.*, *mat.*) curl; rotation.

rotòrico a. rotor (attr.): **disco r.**, rotor disk.

♦**ròtta**① f. **1** (*mil.*) rout; disorderly retreat: *La ritirata diventò una r.*, the retreat turned into a rout; **méttere in r.**, to put to rout; to rout **2** (*rottura d'argine*) breaking of the banks: **la recènte r. del Po**, the last time the Po broke its banks ● (*fig.*) **a r. di còllo**, at breakneck speed; **córrere a r. di còllo**, to run at breakneck speed; to career; to tear (up, down, etc.): *Córse a r. di còllo giù per il sentièro*, she tore down the path □ **èssere in r. con q.**, to be on bad terms with sb.

♦**ròtta**② f. **1** (*naut.*, *aeron.*: *direzione*) course; (*percorso*, *itinerario*) route, lane: **r. aèrea**, air route; air-lane; (*anche fig.*) **r. di collisióne**, collision course; **r. costièra**, inshore route; **la r. d'una nàve**, a ship's course; **r. magnètica**, magnetic course; **la r. polàre**, the Polar route; the route over the Pole; **r. prestabilìta [presùnta]**, fixed [estimated] course; **rótte commerciàli**, trade routes; **le grandi rótte transatlàntiche**, the transatlantic lanes; **cambiàre la r.**, to change (*o* to alter) (one's) course; **deviàre dalla r.**, to veer off course; **fare r. per (*o* su, vèrso)**, to steer for; to head for: (*naut. anche*) to sail for; **fare r. vèrso nord [est, ecc.]**, to head northwards [eastwards, etc.]; **invertìre la r.**, to turn about; to alter course; **mantenére (*o* seguìre) la ròtta**, to stay on (*o* to hold) one's course; **tagliàre la ròtta a q.**, to cross sb.'s bows; **tenére la r.**, to stay on course; **tracciàre una r.**, to plot (*o* to lay) a course; **uscìre di r.**, to veer off course; (*anche fig.*) **fuòri r.**, off course; **in r. per**, bound for; heading for; **cambiaménto di r.**, change of course; **ufficiàle di r.**, navigating officer; navigator **2** (*fig.*) course (of action); direction: **cambiàre r.**, to change direction; to change tack.

rottàggio m. → **rottamazióne**.

rottamàio m. scrap dealer.

rottamàre v. t. (*ind.*) to scrap.

rottamazióne f. (*ind.*) scrapping.

rottàme m. **1** (*frammento*) scrap Ⓤ: **rottami di fèrro**, scrap iron; (*naut.*) **rottami galleggiànti**, flotsam (sing.); **depòsito di rottami**, scrap yard; **mùcchio di rottami**, scrap heap **2** (*di veicolo distrutto in un incidente*) piece of wreckage; (al pl.) wreckage Ⓤ; (*estens*: *veicolo distrutto*) wreck: **i rottami di un aèreo**, the wreckage of a plane; *La màcchina èra un ammàsso di rottami*, the car was a complete wreck (*o*, *GB*, a write-off) **3** (*fig.*, *di persona*) wreck: **r. umàno**, human wreck; **èssere ridótto a un r.**, to be reduced to a wreck **4** (*fig. spreg.*, *di auto*, *ecc.*) crock; crate.

♦**ròtto A** a. **1** (*a pezzi*) broken (*anche fig.*); (*strappato*) torn, split; (*logoro*) worn-out: **bràccio r.**, broken arm; **calze rótte**, torn stockings; **scàrpe rótte**, worn-out shoes; shoes with holes in them; split shoes; **sèggiola rótta**, broken chair; **vétri rótti**, broken glass **2** (*guasto*) out of order; broken-down: *L'ascensóre è r.*, the lift is out of order **3** (*fig.*: *pesto*, *indolenzito*) aching: **avére le òssa rótte (*o* sentìrsi tutto r.)**, to be aching all over **4** (*fig.*: *incrinato*) broken: **vóce rótta**, broken voice **5** (*abituato*, *avvezzo*) accustomed; inured; hardened: **r. alle fatìche**, inured to hard work **6** (*dedito*) given; addicted: **r. a ógni vìzio**, given (*o* addicted) to every vice; utterly depraved **B** m. – (*fig.*) **cavàrsela per il r. della cùffia**, to come out (of st.) by the skin of one's teeth, to have a narrow escape; **passàre per il r. della cùffia**, to scrape (*o* to squeak) through **C** m. pl. (*spiccioli*) small change (sing.): **cinquànta èuro e rótti**, fifty odd euros; fifty euros something; **duecènto e rótti kilòmetri**, two hundred odd kilometres.

rottùra f. **1** (*il rompere*) breaking; breakage: **la r. di un vétro**, the breaking of a pane of glass; **la r. di un tùbo**, the bursting of a pipe; a pipe burst; **pagàre per la r. dei bicchièri**, to pay for breaking (*o* the breakage of) the glasses; (*edil.*) **càrico di r.**, maximum stress; breaking load; **punto di r.**, breaking point; (*tecn.*) crack point **2** (*punto rotto*) break: **una r. in un tùbo**, a break in a pipe **3** (*interruzione*) break; breaking off; breakdown; (*spaccatura*) rift: **la r. di un fidanzaménto**, the breaking off of an engagement; **la r. dei rappòrti diplomàtici**, the breaking off (*o* the severing) of diplomatic relations; **r. dei negoziàti**, breakdown in negotiations; **una r. in séno al partìto**, a rift within the party; **r. col passàto**, break with the past; *Tra di lóro c'è stata una grave r.*, they fell out badly **4** (*infrazione*, *violazione*) breach: **r. di contràtto**, breach of contract; **r. di promèssa**, breach of promise **5** (*med.*: *frattura*) fracture **6** (*fam.*: *seccatura*) drag; hassle; pain; pain in the neck: *Che r. di scàtole!*, what a drag!; (*volg.*) **r. di pàlle (*o* di coglióni)**, pain in the arse (*USA* ass) **7** (*meteor.*) deterioration; worsening.

ròtula f. (*anat.*) kneecap; rotula*, patella*.

rotùleo a. (*anat.*) patellar.

roulette (*franc.*) f. inv. **1** roulette: **giocàre alla r.**, to play roulette; **tàvolo da r.**, roulette table **2** – **r. russa**, Russian roulette.

roulotte (*franc.*) f. inv. (*autom.*) caravan (*GB*); trailer (*USA*).

roulottìsta m. e f. caravan driver; trailer driver.

round (*ingl.*) m. inv. (*sport e fig.*) round.

routinàrio a. routine (attr.).

routine (*franc.*) f. inv. **1** (*andamento uniforme*) routine; (*spreg.*) grind: **r. quotidiàna**, daily routine; (*spreg.*) daily grind; **èssere prigionièro della sòlita r.**, to be in a rut; to be stuck in a groove; **lavóro di r.**, routine

work **2** (*estens.*: *pratica*) habit; routine **3** (*comput.*) routine.

routinièro **A** a. routine (attr.) **B** m. (f. *-a*) person who follows a routine; person set in his [her] habit.

rovèllo m. (*lett.*: *stizza*) vexation; irritation; (*tormento interiore*) nagging thought.

rovènte a. **1** (*arroventato*) red-hot; (*bruciante*) burning; scorching: **ferro r.**, red-hot iron; **sole r.**, scorching sun **2** (*fig.*: *bruciante*) burning, scalding; (*caustico*) scathing; (*scottante*) hot: **lacrime roventi**, burning (*o* scalding) tears; **parole roventi**, scathing words; **questione r.**, burning (*o* hot) issue.

róvere **A** m. o f. (*bot.*, *Quercus robur*) sessile oak; durmast oak **B** m. (*legno*) oak: **di r.**, oaken; oak (attr.).

roverèto m. oak wood.

rovèscia f. **1** – **alla r.**, (*capovolto*) upside down, wrong side up; (*con l'interno all'esterno*) inside out, wrong side out; (*col davanti dietro*) back to front, the wrong way round; (*in direzione opposta*) backwards; (*fig.*: *male*) wrong, the wrong way, badly: *Teneva il libro alla r.*, she was holding the book upside down; *Si mise le calze alla r.*, she put on her stockings inside out; **mettersi il pullover alla r.**, to put on one's pullover back to front; *Prova a leggere «Roma» alla r.*, try reading «Roma» backwards; **fare qc. alla r.**, to start at the wrong end; *Ha fatto tutto alla r.*, he did it all wrong; he messed everything up; **capire qc. alla r.**, to get st. wrong; to misconstrue st.; **prendere qc. alla r.** (*offendersi*), to take st. the wrong way; (*miss.*) **conto alla r.**, countdown **2** (*risvolto, di manica*) cuff; (*di giacca*) lapel.

rovesciàbile a. reversible: **stoffa r.**, reversible fabric.

rovesciaménto m. **1** upsetting; overturning; reversal **2** (*di una barca*) capsizing **3** (*di un governo, ecc.*) overthrowing; toppling.

♦**rovesciàre** **A** v. t. **1** (*versare intenzionalmente*) to pour; (*materiale solido*) to tip, to dump; (*accidentalmente*) to spill*: **r. acqua sulle fiamme**, to pour water on the flames; **r. spazzatura in una discarica**, to dump rubbish into a tip; **rovesciarsi olio bollente su una mano**, to spill hot oil on one's hand; *Il vulcano rovesciava lava*, the volcano poured out (*o* spewed) lava; *Rovesciò il contenuto della borsetta sul tavolo*, she tipped the contents of the handbag out on to the table **2** (*fig.*: *riversare*) to pour; to shower; to heap: **r. la colpa su q.**, to lay (*o* to throw) the blame on sb.; **r. insulti su q.**, to pour (*o* to shower) abuse on sb. **3** (*capovolgere*) to turn upside down; to upend; to reverse; (*un'imbarcazione*) to capsize; (*rivoltare*) to turn over; (*con l'interno all'esterno*) to turn inside out; (*col davanti dietro*) to turn back to front: **r. una barca**, to overturn a boat; **r. una carta**, to turn over a card; **r. la clessidra**, to turn the hourglass upside down; to reverse the hourglass; **r. un guanto**, to turn a glove inside out; **r. un sacco**, to turn a sack upside down; to upend a sack; **r. le tasche**, to turn out one's pockets **4** (*fig.*: *invertire, capovolgere*) to reverse; to invert: **r. l'ordine di due cifre**, to reverse the order of two figures; to change two figures round; **r. la situazione**, to reverse the situation **5** (*piegare all'indietro*) to turn back: **r. un polsino**, to turn back a cuff **6** (*arrovesciare*) to throw* back: **r. la testa**, to throw back one's head **7** (*far cadere*) to upset*; to knock over; to overturn; (*intenzionalmente*) to throw* down: **r. un bicchiere pieno di vino**, to knock over a glass of wine; **r. una sedia**, to knock over a chair **8** (*fig.*: *abbattere*) to overthrow*; to topple: **r. un regime**, to overthrow a regime; *Lo scandalo rovesciò il governo*, the scandal toppled the government **B** **rovesciàrsi** v. i. pron. **1** (*cadere*) to fall* over; to fall* down; to crash: *La bottiglia si è rovesciata*, the bottle fell over; *Un albero si rovesciò sulla macchina*, a tree crashed down on the car **2** (*capovolgersi*) to overturn; (*di imbarcazione*) to capsize: *Nell'urto l'auto si rovesciò*, the car overturned on impact **3** (*fig.*: *invertirsi, mutare radicalmente*) to be reversed; to change **4** (*abbandonarsi, gettarsi*) to throw* oneself: *Si rovesciò sul divano*, he threw himself on the sofa **5** (*versarsi*) to pour; to spill: *Il vino si rovesciò sulla tavola e sul pavimento*, the wine spilt over the table and onto the floor **6** (*riversarsi*) to pour; (*ricadere*) to fall*: *La pioggia si rovesciò a catinelle*, the rain poured down in buckets **7** (*fig.*: *accorrere*) to pour: *La folla si rovesciò per strada*, the crowd poured into the streets.

rovesciàta f. (*sport*: *calcio*) back flip.

rovesciàto a. **1** (*versato*) spilt **2** (*capovolto*) overturned; upside down (pred.); upended; reversed; bottom-up (pred.); (*di imbarcazione*) capsized: **auto rovesciata**, overturned car; **quadro r.**, reversed picture; **vaso r.**, upended vase **3** (*arald.*) inverted **4** (*rivoltato con l'interno all'esterno*) inside out; (*col davanti dietro*) back to front; (*abbassato*) turned down; (*rivoltato*) turned over, reversed; (*piegato all'indietro*) turned back **5** (*fig.*: *mutato radicalmente*) reversed **6** (*arrovesciato*) thrown back **7** (*fig.*: *abbattuto*) overthrown **8** (*geol.*) overturned **9** (*bot.*) resupinate **10** (*sport*) overhead (attr.).

rovèscio **A** a. **1** (*supino*) supine; (*lying on one's back* (pred.): **cadere** [**giacere**] **r.**, to fall [to lie] on one's back **2** (*inverso*) reverse **3** (*lavoro a maglia*) purl **▪ a r. = alla rovescia → rovescia** **B** m. **1** (*meteor.*) downpour, cloudburst; storm: **r. di pioggia**, downpour; **r. di grandine**, hailstorm **2** (*fig.*: *caduta, pioggia*) shower; hail; volley: **un r. di ingiurie**, a shower of abuse; **un r. di sassi**, a volley (*o* a shower) of stones **3** (*fig.*: *grave danno*) setback; reverse: **r. finanziario**, financial setback; **rovesci di fortuna**, reverses of fortune **4** (*lato r.*) back; reverse (side); (*of wrong side*): **il r. di una busta** [**di un foglio**], the back of an envelope [of a sheet of paper]; **il r. della stoffa**, the reverse side of the cloth **5** (*lavoro a maglia*) purl stitch: **lavorare a r.**, to purl **6** (*numism.*) reverse: **il r. di una moneta**, the reverse of a coin **7** (*contrario*) opposite; reverse **8** (*manrovescio*) backhander **9** (*tennis*) backhand (stroke): **avere un bel r.**, to have a good backhand; **tirare di r.**, to play a backhand stroke; **tirare sul r. di q.**, to play on sb.'s backhand **●** (*fig.*) **il r. della medaglia**, the other side of the coin **□** (*prov.*) **Ogni diritto ha il suo r.**, there are two sides to everything.

rovescióne① m. **1** (*di pioggia*) downpour; cloudburst **2** (*manrovescio*) backhander.

rovescióne②, **rovescióni** avv. on one's back; supine: **giacere r.**, to lie on one's back.

rovéto m. thorn bush; thorn thicket; bramble bush: (*Bibbia*) **il r. ardente**, the burning bush.

♦**rovina** f. **1** (*crollo, caduta*) collapse; fall: **la r. di una casa** [**di un ponte**], the collapse (*o* the fall) of a house [of a bridge]; **provocare la r. di qc.**, to cause st. to collapse **2** (*estens.*: *deterioramento*) disrepair; decay; devastation; dilapidation: **in r.**, in ruins; (*di edificio*) dilapidated, run-down, tumble-down; **andare** (*o* **cadere**) **in r.**, to be in a state of decay; to go to rack and ruin; (*di edificio*) to be dilapidated, to fall into disrepair **3** (*macerie*) ruins (pl.); rubble ⓤ; debris ⓤ; (al pl.: *ruderi*) ruins, (*resti*) remains: **le rovine del terremoto**, the debris left by the earthquake; **le rovine di Troia**, the ruins of Troy; **le rovine di una città greca**, the remains of a Greek city; **frugare tra le rovine**, to search among the rubble (*o* the debris); *Il paese era tutto una r.*, the whole village was in ruins; *La città risorse dalle rovine*, the town rose from its ruins; **mucchio di rovine**, pile of rubble **4** (*sfacelo, scempio, disfacimento*) ruin; disaster; wreck; (*distruzione*) destruction; (*caduta*) downfall; collapse: **la r. di un impero**, the downfall of an empire; **andare in r.** (*finanziariamente*), to be ruined; **andare verso la r.**, to be heading for disaster; **galoppare verso la r.**, to rush headlong to one's destruction; **mandare in r. q.**, to ruin sb.; **mandare in r. qc.**, to ruin st.; to wreck st.; (*guastare*) to spoil st.; **portare morte e r.**, to bring death and destruction; **sfuggire alla r.**, to escape destruction; **volere la r. di q.**, to want to ruin sb. **5** (*causa di r.*) undoing; downfall: *Quell'uomo sarà la r. della sua famiglia*, that man will be the ruin of his family; *Il gioco sarà la tua r.*, gambling will be your undoing (*o* ruin) **6** (*lett.*: *violenza, furia*) violence; fury.

rovinafamiglie m. e f. inv. homewrecker; home wrecker.

♦**rovinàre** **A** v. i. **1** (*crollare*) to collapse; to fall*: *Il campanile rovinò con fragore*, the bell-towers collapsed (*o* fell) with a tremendous crash **2** (*precipitare dall'alto*) to fall* down; to crash (down); to hurtle down: **r. a terra**, to crash to the ground; *L'albero gli rovinò addosso*, the tree crashed down on him; *I massi rovinarono a valle*, the boulders hurtled down the valley **B** v. t. **1** (*guastare, sciupare*) to damage, to spoil*; (*mandare in sfacelo, distruggere*) to ruin, to wreck, to destroy; (*mandare in miseria*) to ruin: **r. una carriera**, to wreck a career; (*anche fig.*) **r. la festa**, to spoil the party; **r. un raccolto**, to ruin a crop; **r. la reputazione di q.**, to ruin sb.'s reputation; **rovinarsi l'appetito**, to spoil one's appetite; **rovinarsi la salute** [**gli occhi**], to ruin (*o* to damage) one's health [one's eyes]; *Il crollo finanziario lo rovinò*, the crash ruined him; *Hai rovinato tutto con quella frase*, you spoiled everything with that remark **2** (*abbattere, demolire*) to demolish; to pull down **C** **rovinàrsi** v. rifl. o i. pron. **1** to ruin oneself: **rovinarsi con il gioco**, to ruin oneself by gambling **2** (*essere rovinato*) to be ruined; (*guastarsi, sciuparsi*) to get* spoilt (*o* damaged); (*deteriorarsi*) to deteriorate: *L'affresco si è rovinato negli anni*, the fresco had deteriorated with time.

♦**rovinàto** a. (*distrutto*) ruined, wrecked; (*guastato, sciupato*) spoilt; (*danneggiato*) damaged; (*logoro*) worn out: *Se non mi aiuti, sono r.*, if you don't help me, I'm ruined.

rovinio m. **1** (*crollo*) collapse; crash; downfall **2** (*fracasso*) crash.

rovinismo m. taste for ruins; (*pitt.*) painting of ruins.

rovinista m. (*pitt.*) painter of ruins.

rovinografia f. doomwriting.

rovinògrafo m. doomwriter.

rovinologia f. study of the damage caused by man to the environment.

rovinòlogo m. (f. *-a*) expert on the damage caused by man to the environment.

rovinóso a. **1** (*disastroso*) ruinous; disastrous; (*che distrugge o danneggia*) devastating, destructive; (*suicida*) suicidal: **caduta rovinosa**, headlong fall; **guerra rovinosa**, ruinous war; **speculazione rovinosa**, ruinous (*o* suicidal) speculation **2** (*impetuoso*) violent; furious.

rovistàre v. t. (*cercare*) to search; (*frugare*) to rummage in (*o* through), to rifle through: **r. nella borsa**, to rummage in (*o* to rifle through) one's handbag; **r. (in) un cassetto**,

to rummage in a drawer; **r. dappertutto**, to search everywhere; **r. ogni angolo della casa**, to search every corner of the house; to turn the house upside down; **rovistarsi le tasche**, to rummage in (o through) one's pockets; **r. nella memoria**, to search one's memory; to rack one's brains; **r. nella spazzatura**, to rummage about (di animale to root about) in the rubbish.

rovistio m. searching; rummaging.

♦**ròvo** m. (bot., Rubus fruticosus) bramble • **mora di r.**, blackberry.

ròzza f. jade; nag.

rozzézza f. **1** roughness; coarseness **2** (fig.) roughness; uncouthness; coarseness; (villanìa) rudeness: **r. di modi**, uncouth manners.

♦**ròzzo** a. **1** (non rifinito) rough, coarse; (dirozzato) rough-hewn: **pietre rozze**, rough stones; **stoffa rozza**, coarse material; **tavola rozza**, rough board **2** (rudimentale) rough; crude; primitive: **mobili rozzi**, rough furniture; **strumento r.**, crude tool **3** (fig.: non ingentilito) rough, uncouth, unrefined; (inesperto) inexperienced, raw: **artista r.**, rough artist; **gusti rozzi**, unrefined tastes **4** (spreg.: zotico) uncouth, coarse, boorish; (villano) rude: **modi rozzi**, uncouth manners.

RSI sigla (stor., **Repubblica sociale italiana**) Italian Social Republic.

RSM sigla (**Repubblica di San Marino**) Republic of San Marino.

RSU sigla **1** (**Rappresentanze sindacali unitarie**) trade union representatives organization **2** (**rifiuti solidi urbani**) solid urban refuse.

R/T abbr. (**radiotelegrafia**) wireless telegraphy (WT).

RU sigla **1** (**Regno Unito**) United Kingdom (UK) **2** (**relazioni umane**) human relations.

ruandése Ⓐ a. Rwandese; Rwandan Ⓑ m. (f. **-a**) Rwandese; Rwandan Ⓒ m. (ling.) Rwanda.

rùba f. **– andare a r.**, to sell like hot cakes (fam.); to be snapped up (fam.).

rubacchiàre v. t. to pilfer; to filch.

rubacuòri Ⓐ a. bewitching; ravishing Ⓑ m. lady-killer Ⓒ f. charmer; heart-breaker.

rubagalline m. e f. inv. small-time thief.

rubamàzzo m. (gioco di carte) snap.

♦**rubàre** Ⓐ v. t. **1** to steal*; to pinch (fam.); to nick (fam.); (rubacchiare) to pilfer, to filch (fam.); (fare taccheggio) to shoplift: **r. il portafogli a q.**, to steal (o to pinch) sb.'s wallet; **r. nei grandi magazzini**, to shoplift in department stores; Le hanno rubato la borsetta, her handbag was stolen; she had her handbag stolen; Mi hanno rubato tutti i soldi, all my money has been stolen; I've been robbed of all my money; Chi mi ha rubato il posto?, who pinched my seat?; Gli hanno rubato tutto, he's been cleaned out (fam.); Fu sorpreso a r., he was caught stealing; Rubò qualche pacchetto di sigarette, he filched a few packets of cigarettes **2** (svaligiare) to rob; (con scasso) to burgle, to burglarize (USA): Hanno rubato dal gioielliere, the jeweller's has been robbed; Mi hanno rubato in casa, my house was burgled **3** (fig.: carpire, portare via) to steal*: **r. un bacio**, to steal a kiss; **r. i clienti a q.**, to steal sb.'s customers; **r. il cuore a q.**, to steal sb.'s heart; **r. il mestiere a q.**, to steal sb.'s job; **r. la moglie a q.**, to steal sb.'s wife **4** (plagiare) to plagiarize; to pirate • **a man salva**, to plunder □ **r. i soldi della cassa**, to dip into the till; to have one's fingers in the till □ **r. le ore al sonno**, to lose sleep (doing st.); (per studiare) to burn the midnight oil □ **r. la parola a q.**, to take the words out of sb.'s mouth □ **r. il sonno a q.**, to deprive sb.

of sleep; to keep sb. awake (o up) □ (fig.) **r. lo stipendio**, to shirk work □ **r. sulla spesa**, to steal from the shopping money □ **r. sul resto**, to short-change (sb.) □ **Posso rubarti un momento?**, can I have a moment of your time?; can you spare me a minute? □ **La morte ce l'ha rubato**, death took him away from us Ⓑ **rubàrsi** v. rifl. recipr. (contendersi) to compete for; to fight* over: Alla festa tutte le ragazze se lo rubavano, all the girls at the party were fighting over him.

rubàto a. **1** stolen: **denari rubati**, stolen money; **roba rubata**, stolen goods **2** (mus.) **– tempo r.**, rubato.

rubber (ingl.) m. inv. (bridge) rubber.

rubefacènte a. e m. (farm.) rubefacient.

rubefazióne f. (med.) rubefaction.

rubellite f. (miner.) rubellite.

rubèola → **rosolia**.

ruberìa f. **1** (furto) theft, stealing Ⓤ, robbery Ⓤ; (malversazione) embezzlement, illicit gains (pl.), graft Ⓤ: **commettere ruberie**, to steal; **vivere di ruberie**, to live by stealing; È una vera r.!, that's daylight robbery! **2** (lett.: saccheggio) plunder, pillage, looting; (rapina) robbery.

rubicóndo a. ruddy; rubicund: **gote rubiconde**, ruddy cheeks; **faccia rubiconda**, rubicund face.

Rubicóne m. (geogr.) Rubicon: (fig.) **passare il R.**, to cross the Rubicon.

rubidio m. (chim.) rubidium.

rubinetterìa f. taps and fittings (pl.).

♦**rubinétto** m. tap; faucet (USA); cock; valve: **r. a tre vie [a quattro vie]**, three-way [four-way] cock; **r. dell'acqua**, water tap; **r. d'arresto**, stopcock; **r. del gas**, gas tap; **r. di spurgo**, drain cock; **r. generale**, shutoff valve; **r. miscelatore**, mixer tap; (ind.) mixing valve; **aprire [chiudere] il r.**, to turn on [to turn off] the tap; **lasciare il r. aperto**, to leave the tap running; Il r. perde, the tap leaks; **acqua di r.**, tap water.

rubino Ⓐ m. **1** (miner.) ruby **2** (di orologio) jewel **3** (lett.: colore) ruby Ⓑ a. inv. ruby; ruby-red: **color r.**, ruby-red.

rubizzo a. hale and hearty; sprightly; vigorous.

rùblo m. rouble, ruble.

rubrica f. **1** (quaderno) index book; (per indirizzi) address book: **una r. di nomi**, an index of names; **r. telefonica**, list of telephone numbers; telephone book **2** (rag.: elenco dei conti) account code list **3** (giorn.) column; (regular) feature: **r. mondana**, gossip column; **r. sportiva**, sports column; **r. teatrale**, theatre column; **tenere una r.**, to run a column **4** (radio, TV) daily programme; spot **5** (titolo in rosso) rubric; heading (in red ink) **6** (eccles.) rubric.

rubricàre v. t. **1** (arte amanuense) to rubricate **2** (registrare) to enter; to index; to file: **r. un pagamento**, to enter a payment; La pratica è stata rubricata, the case has been filed.

rubricazióne f. **1** (arte amanuense) rubrication **2** (registrazione) entering; indexing; filing.

rubricista m. **1** (giorn.) columnist **2** (eccles.) rubricist.

ruche (franc.) f. inv. ruche; frill.

ruchétta, **rùcola** f. (bot.) **1** (Eruca sativa) garden rocket; (USA) arugula **2 – selvatica** (Diplotaxis tenuifolia), wall rocket; (USA) arugula.

rùde a. **1** (lett.: rozzo) rough, uncouth **2** (semplice e schietto, non sofisticato) rough; rugged; plain; unpolished; blunt: **rudi lavoratori**, rough, simple workmen; **maniere franche e rudi**, plain, direct ways; **un r. uomo dei boschi**, a rugged backwoodsman; **vita rude**, rugged life **3** (fig.: aspro, duro)

hard; harsh: **disciplina r.**, harsh discipline; **lavoro r.**, hard work ❶ **FALSI AMICI** • rude non si traduce con rude.

rudentàto a. (archit.) cabled.

rudènte m. (archit.) cable; cabling.

ruderàle a. (bot.) ruderal.

rùdere m. **1** (spec. al pl.) ruin, ruins (pl.); remains (pl.); (fig.) remnants (pl.); relics (pl.): **il r. di un castello**, the ruins of a castle; **i ruderi di Roma**, the ruins (o the remains) of Rome; **i ruderi di un'antica bellezza**, the remnants of a past beauty **2** (fig., di persona) ruin; wreck: È ormai un r., he is a mere wreck; **ridursi a un r.**, to become the shadow of one's former self.

rudézza f. **1** (rozzezza) roughness; uncouthness **2** (schietta semplicità) roughness; ruggedness; plainness; lack of polish; bluntness **3** (fig.: asprezza, durezza) harshness.

rudimentàle a. **1** (elementare) rudimentary; elementary: **una conoscenza r. del latino**, a rudimentary knowledge of Latin **2** (grezzo, primitivo) rudimentary; primitive; crude; (appena sbozzato) rough: **arma r.**, primitive weapon **3** (biol., bot.) rudimentary: **foglie rudimentali**, rudimentary leaves; **organo r.**, rudimentary organ; rudiment.

rudimentazióne f. (biol.) rudimentation.

rudimento m. **1** (spec. al pl.) rudiment; first principle; element; fundamental; basic: **i rudimenti della matematica**, the rudiments (o the first principles) of mathematics **2** (abbozzo) rudiment **3** (biol.) rudiment; vestige.

ruffiàna f. **1** procuress; bawd; (mezzana) go-between **2** (fig.: adulatrice) → **ruffiano**.

ruffianàta f. (fig. volg.) toading Ⓤ; bootlicking Ⓤ; brown-nosing (fam. USA).

ruffianeggiàre v. i. **1** to pander; to pimp **2** (fig.) to toady; to crawl (fam. GB); to suck up (to sb.) (fam.); to brown-nose (fam. USA).

ruffianerìa f. **1** bawdiness **2** (fig.) toading; fawning.

ruffianésco a. **1** pandering **2** (fig.) toadyish; bootlicking.

ruffiàno m. **1** procurer; pander; pimp; (mezzano) go-between **2** (fig.: adulatore) toady; bootlicker; crawler (fam. GB); brown-noser (fam. USA) ❶ **FALSI AMICI** • ruffiano non si traduce con ruffian.

♦**rùga** f. wrinkle; line: **segnato da rughe**, lined (with wrinkles); **senza rughe**, unlined; wrinkle-free.

rugbista m. rugby player.

rugby (ingl.) m. inv. (sport) rugby.

ruggènte a. roaring • **anni ruggenti**, roaring years □ **gli anni ruggenti** (gli anni Venti), the Roaring Twenties.

Ruggèro, **Ruggièro** m. Roger.

rùgghio m. (lett., anche fig.) roar.

rùggine Ⓐ f. **1** rust: **fare (o prendere) la r.**, to get rusty; to rust; **roso dalla r.**, rusting away; rusted away; **macchia di r.**, iron mould **2** (bot.) rust: **r. del grano**, (il fungo) wheat rust; (la malattia) blight **3** (fig.: astio, rancore) bad blood; ill feeling; grudge; rancour: Tra loro c'è della r., there is bad blood between them; **avere della r. con q.**, to bear sb. a grudge Ⓑ a. inv. rust-brown; russet (attr.) • **color r.**, rust brown; russet □ **mela r.**, russet.

rugginóso a. **1** (arrugginito) rusty **2** (color rust-coloured; rust-brown; rusty.

ruggìre Ⓐ v. i. **1** to roar **2** (fig.) to roar; to bellow; (di tuono, ecc.) to rumble Ⓑ v. t. to roar; to bellow: **r. ordini**, to roar (o to bellow) orders.

ruggìto m. **1** roar **2** (fig.) roar; bellowing: **il r. delle onde**, the roar of the waves.

rughétta → **ruchetta**.

rugiàda f. **1** dew: **gocce di r.**, dewdrops; **punto di r.**, dew point **2** (*fig. lett.*) comfort; balsam.

rugiadóso a. (*anche fig.*) dewy.

rugliàre v. i. **1** (*di animale*) to growl **2** (*rumoreggiare*) to rumble; to roar; (*gorgogliare*) to gurgle.

rùglio m. **1** (*di animale*) growl **2** (*fig.*) roar; rumble; (*gorgoglio*) gurgle.

rugosità f. **1** (*della pelle*) wrinkledness **2** (*scabrosità*) roughness; coarseness **3** (*bot.*) rugosity.

rugóso a. **1** (*di pelle*) wrinkled; lined; furrowed: **viso r.**, wrinkled (*o* lined) face **2** (*scabro*) rough; coarse **3** (*bot.*) rugose.

rullafiòcco m. (*naut.*) jib roller-furler.

rullàggio m. (*aeron.*) taxiing: **pista di r.**, taxiway.

rullarànda m. (*naut.*) spanker roller.

rullàre① v. i. **1** (*di tamburo*) to roll **2** (*aeron.*) to taxi **3** (*naut.*) → **rollare**.

rullàre② v. t. (*comprimere*) to pack down, to tamp down; (*spianare con rullo*) to roll: **r. una strada**, to roll a road.

rullàta f. rolling.

rullatrice f. (*mecc.*) rolling machine.

rullatùra f. **1** (*mecc.*) rolling **2** (*agric.*) packing down; tamping down **3** (*ind. tess.*) calendering.

rullino m. (*fotogr.*) roll of film.

rullìo m. **1** (*di tamburi*) rolling **2** (*naut.*) → **rollio**.

rùllo m. **1** (*di tamburi*) roll **2** (*tecn.*) roller; roll: **r. compressore**, road roller; (*fig.*) steamroller; **r. conico**, conical roller; (*ind. tess.*) **r. di trazione**, drawing-frame roller; **r. inchiostratore**, ink roller; **r. per imbiancare**, paint roller; (*mecc.*) **r. portacingolo**, track roller; **r. spianatore**, straightening roll; **applicare con un r.**, to roll on; **catena a rulli**, roller-chain; (*mecc.*) **cuscinetto a rulli**, roller-bearing; **trasportatore a rulli**, roller conveyor **3** (*fotogr.*) **r. di pellicola**, roll of film **4** (*cinem.*) reel **5** (*di macchina da scrivere*) platen **6** (*mus.*) piano roll **7** (*tombolo*) bolster.

rulottista → **roulottista**.

rum m. inv. rum.

rùmba f. (*danza*) rumba.

rumèno → **romeno**.

ruminànte (*zool.*) **A** a. ruminant **B** m. ruminant; (al pl., *scient.*) Ruminantia.

ruminàre v. t. e i. **1** (*zool.*) to ruminate; to chew the cud **2** (*fig.*) to ruminate; to ponder; to mull over; to revolve in one's mind; to brood (on, over): *Sta ruminando qualcosa*, she is ruminating something.

ruminazióne f. rumination; cud-chewing.

rùmine m. (*zool.*) rumen*.

♦**rumóre** m. **1** noise; (*suono*) sound; (*strepito*) din, racket: **r. di applausi**, clapping; **il r. della folla**, the din of the crowd; **un r. di passi**, footfalls (pl.); **un rumore di piatti**, a clatter of dishes; **il r. della pioggia**, the sound of rain; **r. assordante**, deafening noise; **r. forte**, loud noise; **r. infernale**, infernal noise; awful din; **r. metallico**, clang; **r. secco**, sharp noise; crack; **i rumori della strada**, the noise of traffic; (*teatr.*) **rumori fuori scena**, noises off; **far r.**, to make a noise; *La macchina fa un r. strano*, the car is making a strange noise; *I bambini fanno tanto r. che non riesco a dormire*, the children are making so much noise (*o* such a racket) that I can't sleep; **senza far r.**, without making a noise; silently; quietly; noiselessly; **campagna contro i rumori** (*molesti*), antinoise campaign; **inquinamento da r.**, noise pollution **2** (*med.*) bruit; sound **3**

(*elettron.*) noise: **r. bianco**, white noise; **r. di fondo**, background noise **4** (*fig.*: *chiacchiera*) gossip; (*scalpore*) stir, sensation, commotion; (*allarme*) alarm: **fare molto r.**, to cause a stir; to create a sensation; **molto r. per nulla**, a lot of fuss about nothing ❶ **FALSI AMICI** ▸ rumore *non si traduce con* rumour.

rumoreggiàre v. i. **1** to rumble; to roar **2** (*di folla*) to protest, to clamour; (*di un pubblico*) to interrupt.

rumorìo m. low rumble.

rumorista m. e f. (*cinem.*, *TV*) sound-effects person.

rumorosità f. noisiness; noise.

♦**rumoróso** a. **1** (*che fa molto rumore*) noisy; loud: **folla rumorosa**, noisy crowd; **risata rumorosa**, loud laugh **2** (*pieno di rumore*) noisy; full of noise: **appartamento r.**, noisy flat; **strade rumorose**, noisy streets.

rùna f. (*ling.*) rune.

rùnico a. (*ling.*) runic: **alfabeto r.**, runic alphabet; **caratteri runici**, runic letters; runes.

ruolino m. roster; list: **r. di marcia**, (*mil.*) marching orders (pl.); (*fig.*) schedule, timetable; **r. dei turni**, roster.

ruolizzàre v. t. **1** to cast (sb.) in a role **2** (*bur.*) to assign to the regular staff; (*un docente*) to give* tenure to.

ruolizzàto a. (*sociol.*) cast in a role.

ruolizzazióne f. **1** role-casting **2** (*bur.*) assignation to the regular staff; (*di docente*) tenure.

♦**ruòlo** m. **1** (*leg.*: *registro*) register: **mettere a r. una causa**, to enter a case (for trial); **rimandare una causa a nuovo r.**, to adjourn a case **2** (*amm.*: *elenco*) list; roll: **r. attivo**, active list; **r. di anzianità**, seniority list; **r. delle imposte**, tax roll; assessment book; **il r. del personale insegnante**, the list of state teachers; **iscritto nei ruoli**, registered in the rolls; **di r.**, permanent; regular; (*università*) tenured; **docente di r.**, (*scuola*) regular teacher; (*università*) tenured lecturer; **personale di r.**, permanent (*o* regular) staff; **essere di r.**, to be on the permanent (*o* regular) staff; (*università*) to be tenured, to have tenure; **passare di r.**, (*scuola*) to be made permanent; (*università*) to be given tenure; **passare in r.**, to be put on the employee roll; to be made permanent; **fuori r.** (*o* non di r.), temporary; (*di docente*, *anche*) untenured **3** (*teatr.*) role, rôle (*franc.*); part: **r. principale**, leading role; lead; **interpretare il r. principale**, to play the lead; **recitare nel r. di Amleto**, to play Hamlet **4** (*fig.*: *funzione*) role; (*compito*) job, task; (*dovere*) duty: **il r. della scuola nella società moderna**, the role of education in modern society **5** (*sociol.*) role: **inversione dei ruoli**, role reversal **6** (*fig.*: *parte*) role: **avere** (*o* giocare) **un r.**, to play a role; **svolgere il r. di**, to act as a **7** (*naut.*) bill; roll.

♦**ruòta** f. **1** wheel: **r. a raggi**, spoked wheel; (*autom.*) **r. anteriore**, front wheel; **r. da vasaio**, potter's wheel; **r. dentata**, cogwheel; **r. dentata d'arresto**, ratchet wheel; **r. di carro**, cartwheel; **la r. della fortuna**, Fortune's wheel; **r. d'ingranaggio**, gear-wheel; **r. di mulino**, millwheel; **r. della roulette**, roulette wheel; **r. di scorta**, spare wheel; spare tyre; **r. di turbina**, rotor; **r. elicoidale**, tangent wheel; **r. idraulica**, water wheel; (*bicicletta*) **r. libera**, freewheel; **andare a r. libera**, to coast; to freewheel; (*autom.*) **r. motrice**, driving wheel; **avere quattro ruote motrici**, to have four-wheel drive; **r. panoramica**, Ferris wheel; (*autom.*) **r. posteriore**, rear wheel; *Le ruote girano a vuoto*, the wheels aren't gripping; **a** (**forma di**) **ruota**, wheel-shaped; circular; **trasporto su r.**, road haulage; **veicolo a due** [**a quattro**] **ruote**, two-wheeled [four-wheeled] vehicle;

giro di r., turn of the wheel; **veicolo su ruote**, wheeled vehicle **2** (*naut.*) wheel: **r. a pale**, paddle wheel; **r. del timone**, (steering) wheel; **r. di poppa**, stern post; **r. di prora**, stem post; **piroscafo a r.**, paddle steamer **3** (*urna girevole per lotteria*) lottery drum: *È uscito il tre sulla r. di Bari*, number three was drawn at Bari **4** (*stor.*: *supplizio*) wheel **5** (*nei conventi*) revolving door **6** (*ginnastica*) cartwheel: **fare la r.**, to turn a cartwheel ● (*fig.*) **a r. libera**, freely; non-stop: **parlare a r. libera**, to talk freely; to speak volubly □ **arrivare a r. di q.**, to arrive hot on the heels of sb. □ **fare la r.**, (*di uccello*) to display; (*fig.*) to strut like a peacock, to show off: **un pavone che fa la r.**, a peacock displaying □ **gonna a r.**, flared skirt □ **mantello a r.**, circular cape □ (*fig.*) **mettere i bastoni fra le ruote a q.**, to put a spoke in sb.'s wheel; to cramp sb.'s style □ **quattro ruote** (*mezzo di trasporto*), a car; wheels (*fam.*) □ **seguire q. a r.**, to follow hot on the heels of sb. □ (*fig.*) **essere l'ultima r. del carro**, to count for nothing; to be a mere cipher (*o* a nonentity) □ (*fig.*) **ungere le ruote**, to give bribes; to bribe sb.; to grease palms.

♦**ruotàre** **A** v. i. **1** to rotate; to revolve; to turn; to gyrate; to spin*: **r. intorno a un asse**, to rotate (*o* to revolve) on an axis; *La terra ruota intorno al sole*, the earth revolves round the sun; **far r. una trottola**, to spin a top **2** (*volare in circolo*) to circle (round); to wheel **3** (*alternarsi*) to rotate **4** (*fig.*: *incentrarsi*) to turn (on); to revolve (around); (*di argomento*) to be (about) **B** v. t. to rotate; to roll; to whirl; to twirl: **r. un braccio**, to rotate an arm; **r. gli occhi**, to roll one's eyes; (*anche fig.*) **r. i pollici**, to twiddle (*o* to twirl) one's thumbs.

ruotino m. **1** (*di bicicletta*) training wheel; stabilizer **2** (*autom.*) spare wheel.

ruotìsmo → **rotismo**.

rùpe f. cliff; rock; crag: **la r. Tarpea**, the Tarpeian Rock.

rupèstre a. **1** rocky; craggy **2** (*fatto su rupe*) rupestrian; rock (attr.): **iscrizione r.**, rupestrian inscription; **pittura r.**, rock painting **3** (*bot.*) rock (attr.): **pino r.**, rock pine.

rùpia① f. (*med.*) rupia.

rupìa② f. **1** (*unità monetaria di India, Maldive, Mauritius, Nepal, Pakistan, Seychelles, Sri Lanka*) rupee **2** (*unità monetaria dell'Indonesia*) rupiah.

rupìcola f. (*zool.*, *Rupicola rupicola*) cock-of-the-rock.

rupìcolo a. (*bot.*, *zool.*) growing on rocks; rock-dwelling; inhabiting rocks.

♦**ruràle** **A** a. rural; country (attr.): **casa r.**, farmhouse; **economia r.**, rural economy; **paesaggio r.**, country landscape; **popolazione r.**, rural population **B** m. country dweller; (*agricoltore*) farmer; (*contadino*) peasant.

ruralità f. rurality; ruralism.

♦**ruscèllo** m. brook; stream; creek (*USA*); rivulet.

rùsco m. (*bot.*, *Ruscus aculeatus*) butcher's broom.

rùspa f. (*mecc.*) scraper; grader; bulldozer.

ruspànte a. **1** (*di pollo*) farmyard (attr.); free-range (attr., *GB*) **2** (*fig.*: *genuino*) genuine; natural; authentic; unsophisticated.

ruspàre **A** v. i. (*razzolare*) to scratch about **B** v. t. (*livellare con la ruspa*) to scrape; to grade.

ruspista m. e f. scraper [grader] operator.

russàre v. i. to snore.

Rùssia f. **1** Russia **2** – **R. bianca**, White Russia; Belarus.

russificàre v. t. to Russify.

russificazióne f. Russification.

russìsmo m. (*ling.*) Russian loan-word.

a b c d e f g h i j k l m n o p q r s t u v w x y z

♦**rùsso** Ⓐ a. Russian: **la lingua russa**, the Russian language; Russian; **roulette russa**, Russian roulette Ⓑ m. (f. *-a*) Russian: **r. bianco**, White Russian Ⓒ m. (*lingua*) Russian.

russofilìa f. Russophilia.

russòfilo a. e m. (f. *-a*) Russophile.

russòfono Ⓐ a. Russian-speaking Ⓑ m. (f. *-a*) Russian speaker; speaker of Russian.

rùssola f. (*bot., Russula*) russula.

rusticàggine f. rusticity.

rusticàle a. (*lett.*) rustic; rural; bucolic.

rusticaménte avv. **1** rustically **2** (*fig.*) roughly; rustically.

rusticàno a. rustic; rural; country (attr.): **maniere rusticane**, rustic manners.

rustichézza f. rusticity; rustic manners (pl.).

rusticità f. **1** rusticity **2** (*stato grezzo*) roughness.

rùstico Ⓐ a. **1** (*di campagna*) rural; country (attr.); village (attr.): **atmosfera rustica**, country (o village) atmosphere; **casa rustica**, rural house; cottage; **gente rustica**, country people (o folk); **scene rustiche**, rural scenes; **la vita rustica**, country life **2** (*fig., di stile campagnolo*) rustic; country-style (attr.); farmhouse-style (attr.): **arredamento r.**, rustic furniture; **cibi rustici**, plain farmhouse food (o fare); **pranzo r.**, simple country meal **3** (*fig.: non rifinito*) rustic; plain; crude: **muro r.**, rustic wall **4**

(*fig.: non raffinato, rozzo*) rough; uncouth; hick (*USA*): **maniere rustiche**, rough manners **5** (*fig.: non socievole*) surly; unsociable • **alla rustica**, simply; country-style (attr.) Ⓑ m. **1** (*alloggio per contadini*) (farmworker's) cottage; (*per attrezzi*) outhouse, shed **2** (*edil.*) carcass; shell **3** (*lett.*) peasant.

rùta f. (*bot., Ruta graveolens*) rue: **r. di muro** (*Asplenium ruta muraria*), wall-rue.

Rutènia f. (*geogr., stor.*) Ruthenia.

rutènio m. (*chim.*) ruthenium.

rutèno a. e m. (f. *-a*) Ruthenian.

rutherford m. inv. (*fis.*) rutherford.

rutherfòrdio m. (*chim.*) rutherfordium.

rutilànte a. (*lett.*) glowing; shining; bright; rutilant.

rutilìsmo m. (*antrop.*) tendency to have red hair.

rùtilo m. (*miner.*) rutile.

rutìna f. (*chim.*) rutin.

rutinàrio → **routinario**.

ruttàre Ⓐ v. i. to belch; to burp (*fam.*) Ⓑ v. t. (*fig. lett.*) to erupt; to belch forth.

ruttino m. (*fam., di lattante*) burp: **far fare il r. a un bambino**, to burp a baby; to wind a baby (*GB*).

rùtto m. belch; burp (*fam.*): **fare un r.**, to give a belch.

ruttóre m. (*elettr.*) contact-breaker; trembler.

ruvidézza, ruvidità f. **1** roughness;

---

coarseness: **r. di superficie**, surface roughness; **la r. d'una stoffa**, the coarseness of a material **2** (*fig.*) roughness; brusqueness: **r. di maniere**, roughness of manners; brusqueness.

rùvido a. **1** (*non liscio*) rough; coarse: **carta ruvida**, rough paper; **mani ruvide**, rough hands; **stoffa ruvida**, coarse fabric; **rendere r.**, to roughen **2** (*fig.*) rough; brusque: **modi ruvidi**, rough (o brusque) manners.

ruzzàre v. i. (*di animali*) to frisk; (*di bambini*) to romp, to lark (about).

rùzzo m. romping Ⓤ.

ruzzolàre Ⓐ v. i. **1** (*cadere rotolando*) to tumble; to fall*: **r. dalle scale**, to tumble down the stairs **2** (*rotolare*) to roll Ⓑ v. t. to roll: **r. una botte**, to roll a barrel.

ruzzolàta f. → **ruzzolone**.

ruzzolìo m. tumbling.

ruzzolóne m. tumble: **fare un r.**, to have a tumble; to fall head over heels; (*anche fig.*) to come a cropper (*fam.*).

ruzzolóni avv. tumbling down; head over heels: **cadere r.**, to tumble down; **fare le scale (a) r.**, to tumble down the stairs; **finire r. per terra**, to be sent sprawling.

RVM sigla (*TV*, **registrazione video magnetica**) magnetic video recording.

RX, Rx sigla (*med.*, **raggi X**; **radiografia**) X-ray(s) (XR).

r

s, S

S① , s f. e m. (*diciassettesima lettera dell'alfabeto ital.*) S, s. • (*telef.*) **s come Salerno**, s for Sierra □ **a forma di S**, S-shaped □ **curva a S**, S-bend.

S② sigla **1** (**sabato**) Saturday (Sat.) **2** (*geogr.*, **sud**) south (S).

S. sigla (**santo**, **santa**) saint (St.).

s. sigla (**secondo**) second (s).

SA abbr. **1** (**Salerno**) **2** (**società anonima**) joint-stock company **3** (**Sua Altezza**) His (*o* Her) Highness (HH).

S.a abbr. (**signora**, **signorina**) Mrs or Miss (Ms).

Sab. abbr. (**sabato**) Saturday (Sat.).

Sàba m. (*stor.*, *geogr.*) Sheba: **la regina di S.**, the queen of Sheba.

sabadìglia f. (*bot.*, *Sabadilla officinalis*) sabadilla.

♦**sàbato** m. Saturday; (*ebraico*) Sabbath. (*Per gli esempi d'uso* → **martedì**) • **s. grasso**, Saturday before Lent □ (*eccles.*) **S. Santo**, Holy Saturday □ (*prov.*) **Dio non paga il s.**, the mills of God grind slowly.

sabàudo a. of the House of Savoy; Savoy (*attr.*): **la dinastia sabauda**, the Savoy dynasty.

sàbba m. (witches') sabbath.

sabbàtico a. sabbatic: **anno s.**, sabbatical year; **congedo s.**, sabbatical (leave).

♦**sàbbia** A f. **1** sand: **s. alluvionale**, alluvial sand; **s. bituminosa**, tar sand; **s. di cava**, pit sand; **s. di mare**, sea sand; **s. grossolana** (*o* **a spigoli vivi**), sharp sand; gravel; grit; (*ind.*) **s. isolante**, parting (sand); **s. refrattaria**, refractory sand; fire-sand; (*geol.*) **s. verde**, greensand; **sabbie aurifere**, placer (sing.); **sabbie mobili**, quicksand 🔲; quicksands; **banco di s.**, sandbank; **cava di s.**, sandpit; **granello di s.**, grain of sand; **orologio a s.**, sandglass; **recinto di s.** (*per giochi*), sandbox; sandpit; **sacchetto di s.**, sandbag; **tempesta di s.**, sandstorm **2** (*al pl.*) (*med.*) urinary sand • (*fig.*) **costruire sulla s.**, to build on sand □ (*fig.*) **nascondere il capo nella s.**, to bury one's head in the sand □ (*fig.*) **scrivere sulla s.**, to write on (*o* in) water. B a. inv. sandy.

sabbiàre v. t. (*tecn.*) to sandblast.

sabbiatóre m. **1** (*cavatore*) sand digger **2** (*tecn.*) sandblaster.

sabbiatrice f. sandblasting machine; sandblaster.

sabbiatùra f. **1** (*med.*) sand-bathing; sand bath **2** (*tecn.*) sandblasting.

sabbièra f. **1** (*ferr.*) sandbox **2** (*spargisabbia*) sand spreader **3** (*per giochi*) sandbox; sandpit.

sabbiétta f. cat litter.

sabbionàio m. sand digger.

sabbióne m. coarse sand.

sabbioníccio m. sandy soil.

sabbióso a. (*anche med.*) sandy: (*med.*) **calcolo s.**, sandy calculus; **materiale s.**, sandy material; **terreno s.**, sandy soil.

sabeìsmo m. (*stor.*) Sabianism.

sabellianìsmo m. (*stor.*) Sabellianism.

sabelliàno a. e m. (*stor.*) Sabellian.

sabèllico a. (*stor.*) Sabellian; Sabellic.

sabèllo m. (*stor.*) Sabellian.

sabèo a. e m. (*stor.*) Sabaean.

sabìna f. (*bot.*, *Juniperus sabina*) savin.

Sabìna f. (*stor.*, *geogr.*) Sabina.

sabìno a. e m. (f. **-a**) (*stor.*) Sabine: **i Sabini**, the Sabines; **il ratto delle Sabine**, the rape of the Sabine women.

sabotàggio m. sabotage 🔲: **atto di s.**, act of sabotage; **fare qc. per s.**, to do st. as an act of sabotage (*o* to sabotage st.).

sabotàre v. t. to sabotage: **s. i macchinari**, to sabotage the machinery; **s. un progetto**, to sabotage a plan.

sabotatóre A m. (f. **-trice**) saboteur B a. sabotaging.

sàbra m. e f. inv. sabra.

S.acc. abbr. (*comm.*, **società in accomandita**) limited partnership (Ltd.).

sàcca f. **1** bag; (*zaino*) knapsack, pack; (*da spalla*) haversack: **s. da marinaio**, seabag; **s. da viaggio**, travelling bag; holdall (*GB*); carryall (*USA*); **s. militare**, kit bag **2** (*med.*, *bot.*) sac: **s. di plasma**, sac of plasma; **s. di pus**, sac of pus; **s. pollinica**, pollen sac **3** (*region.*: *tasca*) pocket **4** (*insenatura*) cove, creek, bight, inlet; (*di fiume*) loop **5** (*fig.* e *mil.*) pocket: **s. d'aria**, air pocket; **sacche di resistenza**, pockets of resistance; **sacche di sottosviluppo**, pockets of underdevelopment **6** (*di altoforno*) bosh.

saccade m. (*med.*) saccade.

saccàdico a. (*fisiol.*) – **movimento s.**, saccadic movement.

saccaràsi f. (*chim.*) invertase.

saccàride m. (*chim.*) saccharide.

saccarìfero a. sugar (*attr.*): **industria saccarifera**, sugar industry.

saccarimetrìa f. (*chim.*) saccharimetry.

saccarìmetro m. (*chim.*) saccharimeter.

saccarìna f. (*chim.*) saccharin.

saccarinàto a. (*chim.*) saccharinated.

saccarìno a. (*chim.*) saccharine.

saccaromètrico a. (*chim.*) saccharometric.

saccaròmetro m. (*chim.*) saccharometer.

saccaromicète m. (*bot.*, *Saccharomyces*) saccharomycete.

saccaròsio m. (*chim.*) saccharose.

saccàta f. **1** sackful; sackload; bagful **2** (*fig.*: *grande quantità*) bags (pl.); heaps (pl.): **una s. di soldi**, bags of money.

saccàto a. (*med.*, *bot.*) saccate.

saccatùra f. (*meteor.*) trough: **s. equatoriale [polare]**, equatorial [polar] trough.

saccènte A a. pedantic; (*presuntuoso*) self-important, bumptious B m. e f. pedant; know-it-all (*fam.*); wiseacre: **fare il s.**, to be a know-all; *Fa tanto il s. lui*, he reckons he knows all the answers.

saccenterìa f. pedantry; (*presunzione*) self-importance; bumptiousness.

saccentóne → **saccente**, B.

saccheggiàre v. t. **1** (*mettere a sacco*) to sack; to pillage; to plunder;: **s. una città**, to sack a city; *Il nemico saccheggiò le campagne*, the enemy troops pillaged (*o* plundered) the countryside **2** (*depredare, svaligia-*

re) to loot; (*rapinare*) to rob; (*devastare*) to rape; (*scherz.*: *svuotare*) to raid: *Una banda di teppisti gli ha saccheggiato il negozio*, a gang of thugs looted his shop; *I ragazzi saccheggiarono la dispensa*, the kids raided the larder **3** (*fig.*: *plagiare*) to plagiarize; to plunder: **s. un libro**, to plagiarize a book.

saccheggiatóre m. (f. **-trice**) **1** pillager; plunderer **2** (*svaligiatore*, *rapinatore*) looter; robber **3** (*fig.*: *chi plagia*) plagiarizer; plagiarist.

sacchéggio m. **1** (*messa a sacco*) sack; pillage; plunder: **abbandonare una città al s.**, to give over a town to pillage **2** (*rapina*) looting; robbery; (*devastazione*) rape **3** (*fig.*: *plagio*) plagiarism.

saccherìa f. sack factory.

sacchétta f. (*per cavallo*, *ecc.*) nosebag.

sacchettatrice f. (*mecc.*) bagging machine.

sacchettificio m. paper bag factory.

♦**sacchétto** m. **1** bag; pouch: **s. di carta [di plastica]**, paper [plastic] bag; (*per la spesa*) carrier bag, carrier (*GB*), shopping bag (*USA*); **s. di sabbia**, sandbag; **s. per la spazzatura**, bin liner; **s. per la spesa**, carrier bag; carrier (*GB*); shopping bag (*USA*); **s. profumato**, scent-bag; sachet **2** (*quantità contenuta in un s.*) bag, bagful: *Si è mangiato tutto un s. di caramelle*, he ate a whole bag of sweets.

sacchificio m. sack factory.

saccifórme a. sac-shaped; saccular (*anat.*); saccate (*bot.*).

♦**sàcco**① m. **1** sack; bag; **s. di juta**, jute bag; **s. di tela**, canvas bag; **s. postale**, postbag; mailbag; **corsa nei sacchi**, sack race; **tela da sacchi**, sacking; sackcloth **2** (*contenuto di un s.*) sack; sackful; sackload; bag; bagful: **s. di calce [di farina]**, sack of lime [of flour]; *Versò un s. di calce nell'impastatrice*, he poured a sackful of lime into the mixer; **vendere qc. a sacchi**, to sell st. by the sack **3** (*fam.*: *grande quantità*) lot; lots (pl.); heaps (pl.); loads (pl.); bags (pl.); pile; masses (pl.); scads (pl. *USA*); raft (*USA*): **un s. di botte**, a regular thrashing; **un s. di bugie**, a pack of lies; **un s. di cose**, lots (*o* loads) of things; **un s. di domande**, a lot of questions; **un s. di gente**, lots of people; **un s. di lavoro**, piles of work; **un s. di soldi**, loads (*o* heaps, bags, pots, piles) of money; a bomb; a packet: *Ha un s. di soldi*, she's got bags of money; she is rolling in money; *Mi è costato un s. di soldi*, it cost a bomb (*o* a packet); **un s. di tempo**, ages; donkey's years (pl.); yonks (pl.) (*GB*); forever; **metterci un s. di tempo**, to take ages; to take forever; *Non ci vedevamo da un s. di tempo*, we hadn't seen each other for ages (*o* for yonks); **un s. di volte**, a hundred times; a dozen times; *In ufficio mi aspetta un s. di posta*, there's a pile (*USA* a raft) of mail waiting for me in my office; *Gli voglio un s. di bene*, I'm very fond of him; I love him; *Mi è piaciuto un s.*, I like it a lot; I loved it; *Ci siamo divertiti un s.*, we had a terrific time **4** (*tela per sacchi*) sacking; sackcloth; hessian **5** (*estens.*: *veste per penitente*) sackcloth; (*saio*) habit: **vestito di s.**, in sackcloth **6**

(*sacca*) sack; bag; (*zaino*) backpack, pack; (*bisaccia*) haversack: **s. a pelo**, sleeping bag; **s. alpino** (*o* **da montagna**), rucksack; knapsack; **s. da viaggio**, travelling bag; holdall; **s. militare**, kitbag **7** (*boxe*) punchball (*GB*); punching bag (*USA*) **8** (*calcio*) goal; back of the net **9** (*anat.*, *zool.*, *bot.*) sac: **s. embrionale**, embryo sac; **s. lacrimale**, lacrymal sac; **s. vitellino**, yolk sac **10** (*fig. fam.*: *stomaco*) belly; stomach: **riempirsi il s.**, to fill (up) one's belly **11** (*gergale*: *banconota da mille lire*) thousand-lire note; (*il valore*) one thousand lire ● (*fig.*) **s. d'ossa**, bag of bones □ (*fig.*) **s. di patate**, lump; goof (*USA*) □ (*fig.*) **s. di pulci**, fleabag □ (*fig.*) **s. di stracci**, bundle of rags □ **un s. e una sporta**, loads (pl.); heaps (pl.); oodles (pl.); (*eufem. botte*) a beating, a hiding: **darne un s. e una sporta a q.**, to give sb. a sound beating (*o* a good hiding); to beat the living daylights out of sb. (*slang*); **prenderne un s. e una sporta**, to take a sound beating; to be beaten up □ **abito a s.**, sack dress □ **colazione al s.**, picnic lunch; packed lunch □ **con le mani nel s.** → **mano** □ (*fig.*) **con le pive nel s.** → **piva** □ (*fig.*) **con la testa nel s.** → **testa** □ **fare il s.** (**al letto**) **a q.**, to make sb. an apple-pie bed; to short-sheet sb. □ (*fig.*) **farina** (*o* **roba**) **del proprio s.**, one's own work □ **fuori s.**, by special delivery: **corrispondenza fuori s.**, special delivery mail; special mail □ (*fig.*) **mettere q. nel s.**, (*superarlo*) to beat sb.; (*imbrogliarlo*) to outsmart sb., to trick sb.; to pull the wool over sb.'s eyes: *È uno che non si lascia mettere nel s.!*, there are no flies on him! □ (*fig.*) **tenere** (*o* **reggere**) **il s. a q.**, to be sb.'s accomplice; to aid and abet sb. □ (*fig.*) **vuotare il s.** (*sfogarsi*) to speak one's mind, to tell what's on one's mind (*fam.* what's eating one); (*confessare*) to talk, to come clean, to spill the beans (*fam.*) □ (*prov.*) **S. vuoto non sta in piedi**, you can't work on an empty stomach.

sacco② m. (*saccheggio*) sack; pillage; plunder: **il s. di Roma**, the sack of Rome; **mettere a s.**, to sack; to pillage.

saccoccia f. (*region.*) pocket: **mettersi qc. in s.**, to pocket st.

saccocciata f. pocketful.

saccone m. (*pagliericcio*) straw mattress; pallet; palliasse.

saccopelista m. e f. tourist who sleeps in the open in a sleeping bag; backpacker.

S.acc.p.a. abbr. (*comm.*, **società in accomandita per azioni**) partnership limited by shares.

sacculare a. (*anat.*) saccular.

sacculo m. **1** (*anat.*) sacculus*; saccule **2** (*biol.*) saccule.

SACE sigla (**Sezione speciale per l'assicurazione del credito all'esportazione**) (*ora* **Istituto per i servizi assicurativi del commercio estero**) foreign trade insurance board.

sacello m. **1** (*cappelletta*) (small) chapel **2** (*archeol.*) sacellum*.

sacerdotale a. priestly; sacerdotal: **ordine s.**, priestly order; **ministero s.**, priesthood; **ufficio s.**, priestly office; priesthood; **veste s.**, priestly robe.

♦**sacerdote** m. **1** priest: **il Sommo S.**, (*nella Bibbia*) the High Priest; (*il Papa*) the Pope; **farsi s.**, to become a priest; to enter the priesthood; **ordinare q. s.**, to ordain sb. priest **2** (*fig.*) devotee; votary: **s. della giustizia**, devotee of justice; judge.

sacerdotessa f. priestess; woman* priest.

sacerdozio m. priesthood; ministry: **s. universale**, universal priesthood; **seguire il s.**, to enter the priesthood.

sacertà f. (*lett.*) sacredness; sanctity; sacrality.

Sacher f. inv. (*alim.*) Sachertorte*.

sacrale① a. sacred, holy; sacral: **riti sacrali**, sacred (*o* holy) rites.

sacrale② a. (*anat.*) sacral: **vertebra s.**, sacral vertebra.

sacralgia f. (*med.*) sacralgia.

sacralità f. sacredness; sanctity.

sacralizzare v. t. to make* sacred; to sacralize.

sacralizzazione① f. sacralization.

sacralizzazione② f. (*med.*) sacralization.

sacramentale ▲ a. **1** sacramental: **confessione s.**, sacramental confession **2** (*fig. scherz.*) ritual; traditional ▼ m. (*relig.*) sacramental.

sacramentare ▲ v. t. **1** (*relig.*) to administer the sacraments to **2** (*giurare*) to swear* **3** (*pop. imprecare*) to swear*; to curse ▼ **sacramentarsi** v. rifl. (*relig.*) to receive the sacraments.

sacramentario (*relig.*) ▲ a. of (*o* concerning the) sacraments ▼ m. (*stor.*) Sacramentarian.

sacramentato a. (*relig.*) consecrated ● **Gesù s.**, Christ in the Blessed Sacrament.

sacramento m. (*relig.*) sacrament: **i sette sacramenti**, the seven sacraments; **il Santissimo S.**, the Blessed (*o* the Holy) Sacrament; **accostarsi ai sacramenti**, to go to confession and to take Holy Communion; **amministrare** [**ricevere**] **un s.**, to administer [to receive] a sacrament ● (*fig. fam.*) **con tutti i sacramenti**, thoroughly; properly; as it should be done; with all due ceremony.

sacrare ▲ v. t. (*lett.*) to consecrate ▼ v. i. (*pop.: bestemmiare*) to swear*; to curse.

sacrario m. **1** (*archeol.*) sacrarium*; shrine **2** (*in una chiesa*) piscina; sacrarium* **3** (*santuario*) shrine; memorial (building, chapel, etc.).

sacrato, **sacrestano**, **sacrestia** → **sagrato**, **sagrestano**, **sagrestia**.

sacrificabile a. sacrifiable; expendable.

sacrificale a. sacrificial: **offerte sacrificali**, sacrificial offerings.

♦**sacrificare** ▲ v. t. **1** (*uccidere in sacrificio*) to sacrifice: **s. un bue**, to sacrifice an ox **2** (*rinunciare a*) to sacrifice; to give* up; to forgo*: **s. la carriera**, to give up one's career; **s. i propri interessi**, to sacrifice one's interests; **s. la vita**, to give one's life; to lay down one's life (*form.*); to make the final (*o* supreme) sacrifice (*form.*); **s. qc. a vantaggio di**, to sacrifice st. for the sake of; *Ha sacrificato le vacanze per aiutarmi*, he gave up his holidays to help me; *Hanno sacrificato il progetto della nuova scuola per costruire un autosilo*, the plan to build a new school was scrapped in favour of a multi-storey carpark **3** (*non valorizzare*) to waste; to throw* away: **s. il proprio talento**, to waste (*o* throw away) one's talent; *Lo sacrifichi quel quadro dietro la porta*, that painting is wasted behind the door **4** (*negli scacchi*) to sacrifice ▼ **sacrificarsi** v. rifl. **1** (*dare la vita*) to give* (*o* to lay* down) one's life; to sacrifice one's life **2** (*fig.*) to sacrifice oneself; to make* (a lot of) sacrifices: **sacrificarsi per i figli**, to sacrifice oneself (*o* to make a lot of sacrifices) for one's children ■ v. i. **1** to sacrifice; to offer sacrifices: **sacrificare a Zeus**, to sacrifice (*o* to offer sacrifices) to Zeus **2** (*fig.*) to be a devotee (of); to be a votary (to) ● (*fig. scherz.*) **sacrificare a Bacco**, to sacrifice to Bacchus; to be fond of the bottle □ (*fig. scherz.*) **sacrificare a Venere**, to indulge in venery.

sacrificato a. (*offerto in sacrificio*) sacrificed **2** (*che subisce privazioni*) suffering; miserable: **vita sacrificata**, life of sacrifice;

miserable life **3** (*rif. a spazio*: ridotto, angusto) cramped, poky; (*allo stretto*) cramped for space, squeezed: **vivere sacrificati in due stanze**, to be cramped for space in two rooms **4** (*non valorizzato*) wasted: *In quel lavoro è s.*, he is wasted in that job.

sacrificatore ▲ a. sacrificing ▼ m. (f. **-trice**) sacrificer.

♦**sacrificio**, **sacrifizio** m. (*relig. ed estens.*) sacrifice: **s. cruento**, bloody sacrifice; **il s. d'Abramo**, Abraham's sacrifice; **il s. della Messa**, the sacrifice of the Mass; **s. di sé**, self-sacrifice; **s. espiatorio**, expiatory sacrifice; **s. incruento**, bloodless sacrifice; **l'estremo s.**, the final (*o* supreme) sacrifice; **s. propiziatorio**, propitiatory sacrifice; **fare un s.**, to make a sacrifice; **offrire sacrifici**, to offer sacrifices; **offrire qc. in s.**, to offer st. as a sacrifice; to sacrifice st.

sacrilegio m. (*anche fig.*) sacrilege ▨: **commettere un s.**, to commit sacrilege; *Ogni critica delle sue teorie è un s.*, any criticism of his theories is sacrilege.

sacrilego a. **1** sacrilegious: **ladri sacrileghi**, sacrilegious robbers **2** (*fig.*) wicked; irreverent; (*blasfemo*) blasphemous: **lingua sacrilega**, wicked tongue; blasphemous tongue.

sacripante ▲ m. **1** (*uomo grande e grosso*) colossus; ogre; behemoth **2** (*gradasso*) braggart; swaggerer (*prepotente*) bully: **fare il s.**, to brag; to swagger; to bully ▼ inter. damn; blast.

sacrista m. sacristan; sexton.

sacristia → **sagrestia**.

♦**sacro**① ▲ a. **1** sacred; holy: **luogo s.**, holy place; **musica sacra**, sacred music; **ordini sacri**, holy orders; **il S. Collegio**, the Sacred College; **il S. Cuore**, the Sacred Heart; **la Sacra Famiglia**, the Holy Family; **sacra rappresentazione**, miracle play; mystery; (*stor.*) **il S. Romano Impero**, the Holy Roman Empire; **la Sacra Scrittura**, the Holy Scriptures; the Holy Writ **2** (*inviolabile*) sacred; sacrosanct: **un dovere s.**, a sacred duty; *Ogni promessa è sacra*, a promise is sacred **3** (*consacrato*) sacred: *La colomba era sacra a Venere*, the dove was sacred to Venus; **s. alla memoria di**, sacred to the memory of **4** (*che incute riverenza*) holy; awesome: **il s. silenzio della notte**, night's awesome silence; **s. terrore**, holy terror ▼ m. (the) sacred: **il s. e il profano**, the sacred and the profane.

sacro② m. (*anat.*, anche agg.: **osso s.**) sacrum*.

sacroiliaco a. (*anat.*) sacroiliac.

sacrosantamente avv. (*meritatamente*) deservedly; (*giustamente*) rightly; (*assolutamente*) absolutely, fully, altogether; (*indiscutibilmente*) indisputably: **s. meritato**, rightly (*o* fully) deserved; **s. vero**, absolutely true.

sacrosanto a. **1** (*sacro*) sacrosanct; most sacred; holy **2** (*inviolabile*) sacrosanct; sacred: **diritto s.**, sacrosanct right **3** (*indubitabile*) indisputable: **parole sacrosante**, indisputable words; (*come escl.*) well said!, hear hear!; **verità sacrosanta**, indisputable truth; gospel truth **4** (*meritato*) well-deserved: **sacrosanta lezione**, well-deserved lesson.

sadduceo, **saduceo** (*stor.*) ▲ a. Sadducean ▼ m. Sadducee.

sadico ▲ a. sadistic ▼ m. (f. **-a**) sadist.

sadismo m. sadism.

sadomaso (*psic. fam.*) ▲ a. S and M (attr.); B and D (attr.) (abbr. di bondage and discipline) ▼ m. e f. inv. S and M (*o* B and D) type.

sadomasochismo m. (*psic.*) sadomasochism.

sadomasochista m. e f. (*psic.*) sado-

masochist.

sadomaşochìstico a. (*psic.*) sadomasochistic.

saducèo → **sadduceo**.

saétta f. **1** (*freccia*) arrow; dart (*lett.*) **2** (*fulmine*) thunderbolt; (*lampo*) flash of lightning **3** (*calcio*) lightning shot; scorcher **4** (*mecc.*) bit **5** (*edil.*) strut; pendant post ● **correre come una s.**, to run like (greased) lightning □ **passare come una s.**, to shoot past; to flash past □ **scappare via come una s.**, to be off like a shot.

saettànte a. darting; shooting.

saettàre Ⓐ v. t. **1** (*colpire con frecce*) to hit* with arrows **2** (*scagliare frecce*) to shoot* arrows at; (*scagliare*) to shoot* **3** (*fig.*) to shoot* (*anche sport*); to flash; to dart: **s. occhiate furiose**, to shoot angry glances; **s. la palla in rete**, to shoot the ball into the goal; **s. un sorriso a q.**, to flash a smile at sb. Ⓑ v. i. to shoot*; to flash: *L'auto saettò lungo il viale*, the car shot down the avenue.

saettàto a. (*bot.*) sagittate.

saettatóre m. (f. **-trice**) (*lett.*) darter.

saettèlla f. (*mecc.*) drill bit.

saettifórme a. (*bot.*) sagittate.

saettóne m. **1** (*zool., Elaphe longissima*) Aesculapian snake **2** (*edil.*) strut; pendant post.

safàri m. inv. safari: **s. fotografico**, photographic safari; **fare un s.**, to go [to be] on a safari; **tenuta da s.**, safari suit.

safarìsta m. e f. person on a safari.

safèna f. (*anat.*) saphenous vein: **grande [piccola] s.**, long [short] saphenous vein.

safèno a. (*anat.*) saphenous.

sàffica f. (*metrica*) Sapphic ode.

sàffico a. **1** (*metrica*) Sapphic: **metro s.**, Sapphic metre; **strofe saffica**, Sapphic (stanza); **versi saffici**, Sapphics **2** (*lesbico*) Sapphic; lesbian.

saffìşmo m. sapphism; lesbianism.

Sàffo f. (*letter.*) Sappho.

safranàle m. (*chim.*) safranal.

safranìna f. (*chim.*) safranin.

sàga f. (*letter.* e *fig.*) saga.

sagàce a. sagacious; shrewd; astute; (*perspicace*) perceptive, sharp-witted, keen-witted.

sagàcia f. sagacity; shrewdness; astuteness.

sagacità (*lett.*) → **sagacia**.

saggézza f. wisdom; (*prudenza*) prudence; (*buon senso*) good sense: **s. popolare**, folk wisdom; **comportarsi con s.**, to act wisely (*o sensibly, judiciously*); **dar prova di s.**, to prove wise.

saggiàre v. t. **1** (*un metallo*) to assay; to test **2** (*provare, valutare*) to test, to put* to the test, to try out; (*tastando*) to feel*; (*cercare di capire*) to sound (sb.) out: **s. le capacità di q.**, to test sb.'s ability; **s. le conoscenze di q.**, to put sb.'s knowledge to the test; **s. le proprie forze**, to try out one's strength; **s. una parete in cerca di un appiglio**, to feel a rockface for a hand-grip (*o* purchase); **s. il terreno**, to feel the ground; (*fig.*) to test the waters, to fly a kite (*fam.*); *Cerca di s. le loro opinioni sulla faccenda*, try and sound them out on this.

saggiatóre m. **1** (f. **-trice**) assayer; tester **2** (*strumento*) assay balance.

saggiatùra f. assaying; testing.

saggiavìno m. (*enologia*) wine-taster.

saggìna f. (*bot., Sorghum vulgare*) sorghum; durra; broomcorn: **s. da granate** (*Sorghum saccharatum*), sweet sorghum; Guinea corn; **scopa di s.**, besom.

sagginàre v. t. to fatten: **s. i maiali**, to fatten pigs.

sagginàto a. (*roano*) roan.

◆**sàggio** ① Ⓐ a. wise; sage; (*di buon senso*) sensible, judicious; (*che ha esperienza*) experienced; (*prudente*) prudent, well-advised: **consigli saggi**, sound advice ▣; **decisione saggia**, wise decision; **parole sagge**, wise words; *Sei stato s. a non andare*, you were wise not to go Ⓑ m. (f. **-a**) **1** wise person; sage: **i Sette Saggi dell'antichità**, the Seven Sages, the Wise Men of Greece; **agire da s.**, to act wisely **2** (*esperto*) expert.

◆**sàggio** ② m. **1** (*prova*) assay; test; trial: **s. di durezza**, hardness test; **s. di minerale aurifero**, gold ore assay; **fare il s. d'un metallo**, to assay (*o* to test) a metal; **tubo da s.**, test tube **2** (*campione, esemplare*) specimen; sample: **s. di scrittura**, specimen of handwriting; **copia di s.**, specimen copy **3** (*prova, dimostrazione*) proof, evidence ▣; (*esame*) test, paper; (*esibizione*) display, recital: **un s. della propria intelligenza**, a proof of one's intelligence; **s. di danza**, dance recital; **s. ginnico**, gym display; PE display; **s. musicale**, school concert; **dare un s. della propria bravura**, to give proof of one's skill **4** (*fin.: tasso*) rate: **s. dei profitti**, rate of profit; **s. di sconto**, rate of discount; discount rate.

◆**sàggio** ③ m. (*studio scritto, ricerca*) essay; study: **s. biografico**, biographical essay; **s. critico**, critical essay.

saggìsta m. e f. (*letter.*) essayist; writer of essays.

saggìstica f. **1** (*attività*) essay-writing **2** (*saggi*) essays (pl.); (*critica*) criticism; (*il genere*) non-fiction: **s. letteraria**, literary essays; literary criticism; **narrativa e s.**, fiction and non-fiction.

saggìstico a. essay (attr.); critical; non-fiction (attr.).

sagittàle a. (*anat.*) sagittal: **sutura s.**, sagittal suture.

sagittària f. (*bot., Sagittaria sagittifolia*) arrowhead.

sagittàrio ① m. (*zool., Sagittarius serpentarius*) secretary bird; serpent eater.

sagittàrio ② m. **1** (*astron., astrol.*) Sagittarius; the Archer **2** (*astrol.: la persona*) Sagittarian; Sagittarian.

sagittàto a. (*bot.*) sagittate.

sàglia → **saia**.

sàgo → **sagù**.

sàgola f. (*naut.*) line; (*per alzare e abbassare*) halyard: **s. da getto**, heaving line; **s. della bandiera**, flag halyard; **s. dello scandaglio**, sounding (*o* lead) line; **s. del solcometro**, log line; **s. di salvataggio**, lifeline.

sàgoma f. **1** (*profilo*) outline; silhouette; profile; (*forma*) shape; (*linea*) lines (pl.): **la s. di una nave all'orizzonte**, the outline of a ship on the horizon; **s. elegante**, elegant lines; **s. ritagliata**, cut-out **2** (*ferr.*) gauge: **s. di carico**, loading gauge; **s. limite**, clearance gauge **3** (*forma esemplare, modello*) template; pattern; (*stampo*) mould **4** (*da tiro a segno*) target **5** (*fam., tipo divertente*) funny one; character: *È una vera s.*, he's quite a character.

sagomàre v. t. to shape; to mould; to model.

sagomàto a. shaped; modelled: **ben s.**, well-shaped.

sagomatrìce f. (*mecc.*) profiling machine.

sagomatùra f. **1** shaping; moulding; modelling **2** → **sagoma, def. 1**.

sàgra f. festival; fair; feast; fête (*franc.*): **s. dell'uva**, grape-harvest festival; **s. di paese**, village fair.

sagràto ① m. parvis; church square.

sagràto ② m. (*pop.*): **bestemmia** swear-word; curse: **tirare sagrati**, to swear.

sagrestàna f. **1** nun in charge of a convent's sacristy **2** (*pop.*) sacristan's wife.

sagrestàno m. sacristan; sexton.

sagrestìa f. sacristy; vestry ● (*fig.*) **C'è odor di s.**, it smacks of the church.

sagrì, sagrino m. (*zool., Etmopterus spinax*) lantern shark; velvet belly.

sagrìsta → **sacrista**.

sagù m. sago: (*bot.*) **palma da s.** (*Metroxylon sagu*), sago palm.

saguàro m. (*bot., Carnegiea gigantea*) saguaro (cactus).

saharàna f. (*giacca*) safari jacket.

saharàno a. Saharan; Sahara (attr.).

saheliàno a. Sahelian; Sahel (attr.).

SAI sigla **1** (**Società astronomica italiana**) Italian Astronomical Society **2** (**Società attori italiani**) (*ora* **Sindacato attori italiani**) Italian Actors Union.

sàia f. (*ind. tess.*) twill; (*a diagonali marcate*) whipcord.

sàiga f. (*zool., Saiga tatarica*) saiga (antelope).

saintpàulia f. (*bot.*) saintpaulia; African violet.

sàio m. habit; frock: **s. francescano**, Franciscan habit; **vestire il s.**, to take the cowl; to become a monk.

sakè (*giapponese*) m. inv. sake.

◆**sàla** ① f. **1** hall; room; (*di aeroporto, ecc.*) lounge; (*di cinema, teatro*) house: **s. cinematografica**, cinema; movie house (*o* theater) (*USA*); **s. d'aspetto** (*o* **d'attesa**), waiting room; reception room; **s. da ballo**, dance hall; ballroom; **s. da biliardo**, billiard room; poolroom (*USA*); **s. da gioco**, card room; **s. da pranzo**, dining room; (*in una biblioteca*) **s. di consultazione**, reference room; **s. di lettura**, reading room; **s. interna**, back room; (*in un bar*) saloon, saloon bar; **s. partenze**, departure lounge; **s. per concerti**, concert hall; **s. riunioni**, conference room (*o* hall); (*di consiglio di amministrazione*) boardroom; **s. transiti**, transit lounge; **il pubblico in s.**, the audience in the house **2** (*fig.: il pubblico*) audience; (*i presenti*) people in the room ● **s. anatomica**, dissecting room **2** → **s. d'armi**, (*di scherma*) salle d'armes (*franc.*); (*armeria*) armoury □ **s. d'aste**, auction room; saleroom (*GB*) (*naut.*) **s. caldaie**, stokehold □ **s. da tè**, tea-room □ (*Borsa*) **s. delle contrattazioni**, floor; ring; (*di Borsa merci*) pit □ (*tecn.*) **s. di controllo**, control room □ (*ipp.*) **s. corse**, betting shop □ **s. d'esposizione**, showroom □ **s. giochi**, amusement arcade □ (*naut.*) **s. macchine**, engine room □ (*naut.*) **s. nautica**, chart room; chart house □ (*med.*) **s. operatoria**, operating room; operating theatre □ (*med.*) **s. parto**, delivery room □ (*ind.*) **s. pompe**, pump room □ **s. professori**, staff room □ (*cinem.*) **s. di proiezione**, projection room □ (*ind.*) **s. prova**, test room; testing room □ (*TV*) **s. di regia**, control room; (*radio, TV*) **s. di registrazione**, sound studio □ (*sport*) **s. di scherma**, fencing room □ (*mil., polizia*) **s. operativa**, operations room ● **s. stampa**, press room.

sàla ② f. (*mecc.*) axle; axle-tree.

sàla ③ f. (*bot., Sparganium erectum*) bur reed.

salàcca f. (*zool., Alosa alosa*) allis shad.

salàce a. **1** (*lascivo, scurrile*) salacious; racy; lewd; risqué (*franc.*): **storiella s.**, racy anecdote **2** (*mordace*) pungent; spicy: **battuta s.**, pungent quip.

salacità f. **1** (*l'essere lascivo*) salacity; salaciousness; raciness; lewdness **2** (*mordacità*) pungency; spiciness.

Saladìno m. (*stor.*) Saladin.

salagióne f. salting.

salamàndra f. (*zool., Salamandra; fig.*) salamander ● (*zool.*) **s. acquaiola** (*Triturus cristatus*), newt; triton.

♦**salàme** m. **1** salami* **2** (*dolce*) roll **3** (*fig.*) silly fool; clot; lump; prat: *Che s., ho dimenticato gli occhiali!*, silly fool, I've left my glasses behind!; *Forza, s., che aspetti?*, come on, you lump, what are you waiting for?; **starsene lì come un s.**, to stand there like a fool.

salamelècco m. salaam; low bow; (*fig. spreg.*: *cerimonie*) ceremony 🔲, (*maniere adulatorie*) bowing and scraping 🔲: **fare salamelecchi**, to bow and scrape; to bow right and left; **senza tanti salamelecchi**, without ceremony.

Salamìna f. (*geogr.*) Salamis.

salamòia f. **1** (*alim.*) brine; pickle; **aringa in s.**, pickled herring; **olive in s.**, pickled olives; **mettere in s.**, to pickle **2** (*tecn.*) brine.

salamoiàre v. t. to pickle.

salàre v. t. **1** (*per insaporire*) to put* salt in (*o* on); to add salt to; to salt: **s. la minestra**, to add salt to (*o* to put salt in) the soup **2** (*per conservare*) to salt (down): **s. il merluzzo**, to salt down cod ● (*fig. region.*) **s. la scuola**, to play truant; to cut classes; to play hooky (*USA*).

salariàle a. wage (attr.); pay (attr.); **accordo s.**, pay settlement; **aumento s.**, pay rise (*USA* raise); wage hike (*USA*); **contrattazioni salariali**, wage talks; pay negotiations; **controversia s.**, wage dispute; **minimo s.**, minimum wage; **rivendicazione s.**, wage claim.

salariàto 🅰 a. wage-earning ❶ **FALSI AMICI** • salariato *non si traduce con* salaried 🅱 m. (f. **-a**) wage-earner; wageworker (*USA*).

salàrio m. wage (generalm. al pl.); pay: **s. a cottimo**, piece wage (*o* rate); **s. a giornata**, daily wage; day's pay; **s. a incentivo**, premium pay; **s. arretrato**, back pay; arrears (pl.) of wages; **s. base**, basic wages; **s. da fame**, starvation wage; **s. garantito** (*o* **minimo**), minimum (*o* living) wage; **s. iniziale**, initial wages (*o* pay); **s. netto**, take-home pay; net pay; **s. nominale**, nominal wages; **s. reale**, real wages; **contenere i salari**, to control wages; **riscuotere il s.**, to draw one's pay; **ridurre i salari**, to cut wages; **anticipo sul s.**, subsistence allowance (*GB*); advance on wages (*USA*); **aumento dei salari**, pay rise (*USA* raise); **blocco dei salari**, wage freeze; **contenimento dei salari**, wage control; **indicizzazione dei salari**, wage indexation; **politica dei salari**, pay policy; **riduzione dei salari**, wage cut ❶ **FALSI AMICI** • salario *non si traduce con* salary.

salassàre v. t. **1** (*med.*) to bleed* **2** (*fig.*: *spremere denaro a*) to bleed*; (*del fisco, anche*) to soak (*fam.*); (*far pagare troppo*) to ask for a steep (*o* stiff) price, to fleece (*fam.*): *La ristrutturazione della casa ha salassato drasticamente il nostro conto in banca*, renovating the house has bled our bank account dry; *Quello è un meccanico che ti salassa*, they really fleece you at that garage.

salassàta f. → **salasso**, def. 2.

salassatùra f. → **salasso**, def. 1.

salàsso m. **1** (*med.*) bleeding; blood-letting: **fare un s.**, to bleed sb. **2** (*fig.*) drain on sb.'s money [resources, etc.]; (*di conto, prezzo*) steep (*o* stiff) bill, steep (*o* stiff) price: *L'operazione è stata un vero s.*, the operation was a real drain on my money; *Il conto del ristorante è stato un bel s.*, the restaurant bill was really tiff.

salàta f. salting: **dare una s. a qc.**, to put salt in st.; to add salt to st.

salatìno m. salt biscuit; cracker; cocktail snack.

♦**salàto** 🅰 a. **1** salty; salted; (*non dolce*) savoury; (*salino*) salt (attr.): **acqua salata**, salt water; (*alim.*) salted water, (*per conserve*) brine; **biscotto s.**, savoury biscuit; **burro s.**, salted butter; **noccioline salate**, salted peanuts; *Questa minestra è* (*troppo*) *salata*, this soup is too salty (*o* has too much salt in it); *Non è abbastanza s.*, it isn't salted enough **2** (*sotto sale*) salt (attr.); (*conservato in acqua salata*) corned (*USA*): **manzo s.**, salted beef; corned beef (*USA*); **merluzzo s.**, salt cod **3** (*fig.*: *costoso*) expensive; pricey (*fam.*); (*di prezzo, conto, ecc.*) high, stiff, steep (*fam.*): **abbonamento s.**, steep subscription fee; **un dentista s.**, a dentist that charges a lot; **prezzi salati**, stiff prices; **costare s.**, to be expensive; to be pricey; to cost a pretty penny; *La tua imprudenza ti costerà salata*, you'll pay dearly for your rashness; **pagare qc. s.**, to pay through the nose for st. (*fam.*); (*fig.*) to pay dearly for st.; **far pagare qc. s.**, to charge a lot for st. **4** (*fig.*: *mordace*) pungent; sharp; cutting; biting: **risposta salata**, sharp retort 🅱 m. **1** (*sapore salato*) salty taste: **sapere di s.**, to have a salty taste; *Preferisco il s. al dolce*, I prefer salty (*o* savoury) things to sweets **2** (*salumi*) salami.

salatòio m. salting room.

salatóre m. (f. **-trìce**) salter.

salatùra f. salting.

salbànda f. (*geol.*) selvage.

salbastrèlla → **salvastrella**.

salcerèlla f. (*bot.*, *Lythrum salicaria*) purple loosestrife.

salciaiòla f. (*zool.*, *Locustella luscinioides*) Savi's warbler.

salcìccia (*pop.*) → **salsiccia**.

salcìgno a. **1** (*di salice*) willow (attr.) **2** (*di legname*) knotty; gnarled.

salciòlo m. withy; withe.

sàlda f. (*appretto*) starch water.

saldàbile a. **1** (*metall.*) weldable; solderable **2** (*comm.*) payable.

saldabilità f. (*metall.*) weldability; solderability.

saldacónti → **saldaconto**.

saldacontìsta m. e f. bookkeeper.

saldacónto m. (*amm.*) account book; ledger.

saldaménte avv. firmly; solidly; (*fermamente*) fast, steadily; (*strettamente*) tightly; (*tenacemente*) tenaciously.

saldaménto m. (*med.*) healing; cicatrization.

saldàre 🅰 v. t. **1** (*congiungere*) to join; to weld together **2** (*fig.*: *collegare, coordinare*) to connect; to link **3** (*metall.*) to solder; to weld: **s. a dolce** (*o* **a stagno**), to soft-solder; **s. a forte** (*o* **a ottone**), to hard-solder; **braze**; **s. a freddo**, to cold-weld; **s. a pressione**, to pressure-weld; **s. a punti**, to spot-weld **4** (*comm.*) to settle (up); to balance; to pay* off; to square up (*fam.*): **s. un conto**, to settle an account; **s. un debito**, to pay off a debt **5** (*med.*) to join ● (*fig.*) **s. i conti con q.**, to settle accounts with sb.; to even the score with sb. 🅱 **saldàrsi** v. i. pron. **1** (*di ferita*) to heal; (*di osso*) to knit*, to set* **2** (*fig.*: *collegarsi*) to be connected; to tie up; to fit: *Le due parti del racconto non si saldano bene*, the two parts of the story don't fit together.

saldàto a. **1** (*unito*) joined; welded together **2** (*metall.*) welded: **s. a pressione**, pressure-welded; **giunto s.**, weld **3** (*comm.*) settled; paid off.

saldatòio m. (*mecc.*) soldering iron: **s. a martello**, soldering hammer; **s. a pistola**, soldering gun.

saldatóre m. **1** (*operaio*) welder; solderer **2** → **saldatoio**.

saldatrìce f. **1** (*operaia*) welder; solderer **2** (*apparecchiatura*) welder; welding machine: **s. ad arco**, arc welding machine.

saldatùra f. **1** (*operazione*) soldering; welding: **s. ad arco**, arc welding; **s. a dolce** (*o* **a stagno**), soft soldering; **s. a forte** (*o* **a ottone**), hard soldering; brazing; **s. a freddo**, solid-state welding; **s. a fuoco**, forge welding; **s. a gas**, gas-welding; **s. a onda**, flow soldering; **s. a pressione**, pressure welding; **s. a punti**, spot welding; tack welding; **s. a rilievo**, projection welding; **s. a scintillio**, flash welding; **s. a sovrapposizione**, lap welding; **s. autogena**, autogenous welding; gas welding; **s. continua**, seam welding; **s. elettrica**, electric welding; **s. ossidrica**, oxyhydrogen welding; **s. per resistenza**, resistance welding; **lega per s. forte**, hard solder; **lega per s. tenera** (*o* **dolce**), soft solder **2** (*punto di s.*) weld; welded joint: **s. continua**, seam weld **3** (*fig.*) welding together; linking; connection: *Non c'è s. tra le parti del romanzo*, there is no linking between the parts of the novel; **fungere da s.**, to connect (st.); to link (st.) **4** (*di ferita*) healing; (*di osso*) knitting, setting.

saldézza f. firmness; steadiness; (*solidità*) solidity; (*tenacia*) steadfastness: **la s. dei metalli**, the solidity of metals; **s. di propositi**, firmness of intentions.

sàldo① a. **1** (*lett.*: *compatto, intero*) solid; sound; whole **2** (*forte, resistente*) firm; strong; solid; (*stabile*) steady, secure; (*robusto*) sturdy; (*tenace*) steadfast: **appiglio s.**, firm purchase; firm hold; secure footing; **braccia salde**, strong arms; **presa salda**, strong grip; *È salda questa scala?*, is this ladder firm?; **reggersi s. sulle gambe**, to stand steady; *Tenetevi saldi!*, hang on! **3** (*fig.*) strong; solid; secure; steady; (*tenace*) tenacious, staunch, steadfast: **salda amicizia**, strong (*o* staunch) friendship; **salde convinzioni**, firm (*o* strong) convictions; **base salda**, solid (*o* steady) foundation; **fede salda**, staunch faith; **nervi saldi**, steady nerves; **saldi principi**, firm principles; **essere s. nei propri principi**, to stand firm to one's principles; to be staunch; **s. come la roccia**, as firm as a rock.

sàldo② m. **1** (*fin., rag.*: *differenza tra attivo e passivo*) balance: **s. a conto nuovo**, balance carried forward; **s. attivo** (*o* **a credito**), balance in hand; credit balance; **s. attivo con l'estero**, balance of payments surplus; **s. attivo della bilancia commerciale**, trade surplus; **s. compensativo**, compensating balance; **s. debitore**, balance due; **s. di apertura**, opening balance; **s. di cassa**, cash balance; balance in hand; **s. di chiusura**, closing balance; **s. di un conto**, balance of an account; **s. passivo** (*o* **a debito**), debit balance; **s. in banca**, balance at (*o* in) the bank; **s. negativo**, balance deficit; **s. scoperto**, outstanding balance; **libro dei saldi**, balance book **2** (*importo residuo*) balance; (*estinzione di debito*) settlement, payment in full, full payment: **liquidare il s.**, to settle the balance; **versare il s.**, to pay the balance; **a s. completo**, in full payment; **a s. di**, in settlement of; **pagare a s.**, to pay in full; **ricevuta a s.**, receipt in full **3** (*liquidazione*) sale; clearance sale: **saldi di fine stagione**, end-of-season sale; **saldi estivi [invernali]**, summer [January] sales; **saldi per cessazione di esercizio**, closing-down sale; **a prezzi di s.**, at sale prices; *L'ho comprato in s.*, I bought it at a sale.

saldobraşatùra f. (*metall.*) braze welding; brazing.

♦**sàle** m. **1** salt; (*farm. anche*) sal: **s. ammoniaco**, sal ammoniac; **s. comune**, common salt; sodium chloride; **s. da cucina** (*o* **grosso**), kitchen salt; **s. da tavola** (*o* **fino**), table salt; **s. inglese**, Epsom salts (pl.); **s. marino**, sea salt; **s. ossigenato**, oxysalt; **sali** (*aromatici*), (smelling) salts; **sali da bagno**, bath salts; **sali minerali**, mineral salts; **sali volatili**, volatile salts; sal volatile; **dolce di**

s., saltless; tasteless; (*fig.*) stupid; **senza s.**, saltless; unsalted; (*di dieta*) salt-free; **sotto s.**, salted; pickled; corned: *Va bene* (o *È giusto*) *di sale?*, is it salty (o salted) enough?; is there enough salt in it?; **conservare sotto s.**, to salt (down); **cospargere le strade di sale**, to salt roads; **mancare di sale**, not to be salted enough; to need some salt; **sapere di s.**, to taste salty; (*fig.*) to taste bitter; **boccetta dei sali**, smelling bottle; **giacimento di s.**, salt-pan; **miniera di s.**, salt mine; **pizzico di s.**, pinch of salt **2** (*agric.*) fertilizer: **dare il s.**, to fertilize **3** (*fig.: senno*) common sense; good sense; mother wit: **avere s. in testa**, to have common sense; to be sensible **4** (*arguzia*) wit; salt: **s. attico**, Attic wit (o salt); **pieno di s.**, witty; full of humour ● (*fig.*) **il s. della terra**, the salt of the earth □ (*color*) **s. e pepe** (attr.), pepper-and-salt (attr.) □ **s. in zucca** (*fam.*), common sense; savvy (*fam.*); gumption (*fam.*) □ (*fig.*) **con un grano di s.**, with a pinch (o grain) of salt □ (*fig.*) **restare di s.**, to be dumbfounded; to be struck dumb; to be left speechless.

salernitáno Ⓐ a. of Salerno; from Salerno; Salerno (attr.); Salernitan: **la costa salernitana**, the Salerno coast; (*stor.*) **la Scuola Salernitana**, the Schola Salernitana; the Salernitan School Ⓑ m. (f. **-a**) native [inhabitant] of Salerno.

saleşiàna f. (*eccles.*) Salesian (nun).

saleşiàno a. e m. (*eccles.*) Salesian.

salétta f. **1** room: **s. d'attesa**, waiting room **2** (*naut.*) officers' mess.

salgèmma m. (*min.*) rock salt; halite: **miniera di s.**, salt mine.

◆**sàlice** m. (*bot.*, *Salix*) willow (tree): **s. americano** (*Salix discolor*), pussy willow; **s. bianco** (*Salix alba*), white willow; **s. da vimini** (*Salix viminalis*), osier; **s. piangente** (*Salix babylonica*), weeping willow; **s. rosso** (*Salix purpurea*), purple willow.

salicéto m. willow grove.

salicilammìde f. (*chim.*) salicylamide.

salicilàto m. (*chim.*) salicylate.

salicìle m. (*chim.*) salicyl.

salicìlico a. (*chim.*) salicylic: **acido s.**, salicylic acid.

salicilizzazióne f. (*chim.*) salicylization.

salicìna f. (*chim.*) salicin.

salicìneo a. willow (attr.).

sàlico a. (*stor.*) Salic: **legge salica**, Salic law.

salicóne m. (*bot.*, *Salix caprea*) sallow; goat willow.

salicòrnia f. (*bot.*, *Salicornia herbacea*) saltwort; glasswort; samphire.

saliènte Ⓐ a. **1** (*lett.*: *che sale*) rising; ascending **2** (*sporgente*) projecting; jutting (out); prominent **3** (*fig.: fondamentale, rilevante*) salient; prominent; conspicuous; noteworthy; (*principale*) main; key (attr.): **punti salienti**, salient points; **il tratto più s. del quadro**, the most salient feature in the picture; **le caratteristiche salienti**, the main (o key) features Ⓑ m. **1** (*salienza*) prominence; protrusion; salience **2** (*mil.*, *archit.*) salient.

saliènza f. prominence; protrusion; salience.

salièra f. (*a vaschetta*) salt cellar; (*perforata*) salt cellar (GB); salt shaker (USA).

salìfero a. saliferous; salt (attr.): **acque salifere**, saliferous waters; **giacimento s.**, salt pan; **industria salifera**, salt industry; **miniera salifera**, salt mine.

salificàre v. t. (*chim.*) to salify.

salificazióne f. (*chim.*) salification.

salìgno a. **1** (*simile a sale*) salt-like **2** (*impregnato di sale*) saline; salty.

salìna f. **1** (*deposito naturale*) salt pan, salt marsh **2** (*ind.*) saltworks (pl. col verbo al

sing.); (*miniera di salgemma*) salt mine.

salinàio m. (f. **-a**) salter.

salinàre v. i. to extract salt; to mine salt.

salinatóre m. (f. **-trìce**) → **salinaio**.

salinatùra f. salt extraction.

salinèlla f. (*geol.*) salinelle; saline mud volcano.

salinità f. salinity.

salìno Ⓐ a. saline (anche chim.); salty; salt (attr.): **acqua salina**, salty water; **deposito s.**, salt deposit; **soluzione salina**, saline solution Ⓑ m. **1** (*saledine*) saltiness; salinity; (*incrostazione salina*) salt (deposit) **2** (*region.*) salt cellar (GB); salt shaker (USA).

salinòmetro m. salinometer.

◆**salìre** Ⓐ v. i. **1** (*andare su*) to go* up; to come* up; to climb*; to mount: **s. a piedi**, to walk up; **s. in ascensore**, to go [to come] up in the lift (USA in the elevator); to take the lift; **s. in cima a una torre**, to climb to the top of a tower; **s. in ufficio**, to go up to one's office; **s. per le scale**, to climb the stairs; to go upstairs; **s. su un albero**, to climb a tree; **s. su un colle**, to climb (o to go up) a hill; **s. sul tetto**, to climb (o to get up) on to the roof; **s. con difficoltà**, to struggle up; **s. di corsa**, to run up; to race up; **s. (al piano di) sopra**, to go upstairs; **s. e scendere**, to go up and down; *L'edera era salita su per il muro*, the ivy had grown up the wall; *Salite a prendere un caffè*, come up for a cup of coffee; *Salgo un attimo dai Rossi*, I'll just pop upstairs to the Rossi's; **far s. q.**, (*mandarlo su*) to send sb. up; (*lasciarlo s.*) to let sb. up: *Quando arriva, fallo s. subito*, when he arrives, send him up at once; *Ti prego, falla s.!*, please let her come up! **2** (*montare*) to mount; to climb*; (*su un mezzo di trasporto*) to get* on, to get* in (o into), to board (st.): **s. a bordo (di)**, to go (o to get) on board (st.); to board (st.): *Salimmo a bordo della «Vespucci»*, we went on board the «Vespucci»; **s. a cavallo**, to mount a horse; (*autom.*) **s. davanti [di dietro]**, to get into the front [the back] seat; **s. in bicicletta**, to get on (o to mount) a bicycle; **s. in macchina**, to get into a car; **s. su un autobus [un treno, un aereo]**, to get on (o to board) a bus [a train, an airplane]; **s. su una scala a pioli**, to climb (up) (o to mount, to go up) a ladder; **s. su una sedia**, to climb (o to get) on to a chair; **far s. q.**, (*prendere a bordo*) to take sb. aboard; (*dare un passaggio*) to give sb. a lift **3** (*levarsi, alzarsi*) to rise*; to climb; to go* up: *La luna saliva in cielo*, the moon was rising in the sky; *La marea sale in fretta*, the tide is coming in (o rising) fast; *Sta salendo la nebbia*, the fog is setting in; *L'aereo saliva lentamente*, the plane was climbing slowly; *Le salirono le lacrime agli occhi*, tears rose to her eyes; (*di fumo, scintille*) **s. su per il camino**, to go up the chimney; **far s. le lacrime agli occhi di q.**, to bring tears to sb.'s eyes **4** (*ergersi*) to rise*; to stand* **5** (*essere in salita*) to climb: *La strada saliva ripidamente*, the road climbed steeply **6** (*fig.: pervenire a una condizione migliore*) to rise*; to go* up: **s. di grado**, to rise in rank; **s. in alto**, to go up in the world; **s. nella stima di q.**, to rise in sb.'s estimation **7** (*crescere, aumentare*) to rise*; to go* up; to climb*; to increase; to be on the increase; to grow*: *I prezzi salgono*, prices are rising (o going up); *La febbre continua a salire*, the temperature is still going up (o keeps rising); *Il barometro è salito*, the barometer has risen; *Il fiume è salito oggi*, the river has risen today; *La popolazione è salita a venti milioni di abitanti*, the population has grown to twenty million (inhabitants); **s. di colpo**, to shoot up; **s. rapidamente** (o **vertiginosamente**), to soar; **far s. la febbre**, to send up the temperature; **far s. le offerte** (a un'asta), to force the bidding; **far s. il bid up**; **far s. i prez-**

zi, to send up prices; to push up prices ● (*di prezzi*) **s. alle stelle**, to rocket □ (*del vino*) **s. alla testa**, to go to sb.'s head □ **s. al trono**, to mount (o to ascend) the throne □ (*aeron.*) **s. in candela**, to zoom □ (*fig.*) **s. in cattedra**, to get on one's high horse; to start pontificating □ **s. in cielo**, (*morire*) to go to Heaven; (*ascendere in cielo*) to ascend into Heaven Ⓑ v. t. to climb; to go* up; to mount; to ascend: **s. un colle**, to climb up a hill; **s. i gradini a due a due**, to mount the steps two at a time; **s. le scale**, to go upstairs.

Salisbùrgo f. (*geogr.*) Salzburg.

saliscéndi m. inv. **1** (*chiusura*) latch: **chiudere col s.**, to latch **2** (*successione di salite e discese*) ups and downs: *La strada è un continuo s.*, the road is all ups and downs.

◆**salìta** f. **1** (*il salire*) (uphill) climb; climbing; ascent; (*come segnalazione*) way up, (*su ascensore, ecc.*) up: **una s. dura [facile]**, a hard [an easy] climb; **s. alla fune [alla pertica]**, rope [pole] climbing; **s. al trono**, ascent to the throne; (*aeron.*) **s. in candela**, zoom; zooming; **ascensore in s.**, lift going up **2** (*pendìo*) (upward) slope; rise; hill: **s. ripida**, steep slope (o rise); **fare una s.**, to climb a slope; to get up a hill; to go uphill; **a metà della s.**, halfway up (the slope, the hill); **in s.**, (*di strada*) uphill; upgrade (USA); (*di strada, ferrovia*) on a gradient; on the upgrade (USA); *Cambia marcia prima della s.*, change gear before the hill; (*autom.*) **partenza in s.**, hill start **3** (*aumento*) rise; increase: **s. dei prezzi**, rise in prices; **s. improvvisa**, sudden rise; jump; **in s.**, rising; on the way up; *I prezzi sono in s.*, prices are rising (o are on the rise); (*Borsa*) **mercato in s.**, bullish market (USA) **4** (*pendenza*) gradient; upgrade (USA): **forte s.**, steep gradient (o upgrade).

salìva f. saliva; spittle: **produrre s.**, to salivate; to secrete saliva.

salivàre① a. (*anat.*) salivary: **ghiandole salivari**, salivary glands.

salivàre② v. i. to salivate; to slaver; to drool.

salivatòrio a. salivary.

salivazióne f. salivation.

Sallùstio m. (*stor. letter.*) Sallust.

sàlma f. corpse; (dead) body ● **la cara s.**, the dear departed.

salmarìno① m. sea salt.

salmarìno② → **salmerino**.

salmàstro Ⓐ a. brackish; salty: **acqua salmastra**, brackish water; **pianta salmastra**, brackish water plant; **sapore s.**, brackish (o salty) taste Ⓑ m. brackish (o salty) taste: **sapere di s.**, to taste brackish (o salty).

salmeggiàre Ⓐ v. i. to sing* psalms; to intone psalms Ⓑ v. t. to sing*; to intone*.

salmerìa f. (*spec. al pl.*, *mil.*) **1** (*convoglio*) baggage train **2** (*materiale trasportato*) baggage Ⓤ.

salmerìno m. (*zool.*, *Salvelinus alpinus*) char.

salmerìsta m. (*mil.*) baggage man*.

salmì m. (*cucina*) salmi: **fagiano in s.**, pheasant salmi; **lepre in s.**, jugged hare.

salmiàco m. (*miner.*) sal ammoniac.

salmìsta m. psalmist.

salmistràre v. t. (*cucina*) to corn: **lingua salmistrata**, corned tongue.

sàlmo m. psalm: **salmi graduali**, gradual psalms; **il Libro dei Salmi**, the Book of Psalms; **raccolta di salmi**, psalter ● (*prov.*) **Tutti i salmi finiscono in gloria**, we all know how it is going to end.

salmodìa f. psalmody; (anche *fig.*) chant, intonation.

salmodiànte a. (anche *fig.*) chanting; intoning.

salmodiàre v. i. to sing* psalms; (*anche fig.*) to chant, to intone.

salmòdico a. psalmodic.

salmonàto a. having salmon-coloured flesh; salmon (attr.): **trota salmonata**, salmon trout.

salmóne A m. 1 (*zool.*, *Salmo salar*) salmon*: **s. affumicato**, smoked salmon; **s. in scatola**, tinned (*o* canned) salmon; **s. maschio**, cock salmon; (*zool.*) **s. rosso** (*Oncorhynchus nerka*), red salmon; sockeye; **pieno di salmoni**, full of salmon 2 (*colore*) salmon pink B a. inv. salmon (attr.); salmon-coloured.

salmonèlla f. (*biol.*) salmonella.

salmonellòsi f. (*med.*) salmonellosis.

salnitro m. (*chim.*) saltpetre, saltpeter (*USA*); potassium nitrate; nitre, niter (*USA*).

salnitróso a. (*chim.*) saltpetrous; saltpetre (attr.).

salòlo m. (*chim.*) salol; phenyl salicylate.

Salomè f. Salome.

salomóne m. (*persona saggia*) Solomon.

Salomóne ① m. (*Bibbia*) Solomon: **il giudizio di S.**, the Judgment of Solomon.

Salomóne ② f. pl. (*geogr.*) Solomon Islands.

salomònico a. 1 of Solomon; Solomon's 2 (*fig.*) worthy of Solomon; impartial: **giudizio s.**, impartial judgment; judgment worthy of Solomon.

♦**salóne** ① m. (*grande sala*) (large) hall; salon; reception hall: **s. da ballo**, dance hall; ballroom; dancing saloon (*USA*); **s. da cerimonia**, stateroom.

♦**salóne** ② A m. 1 (*esposizione*) show; (*il locale*) showroom: **s. dell'automobile**, motor show 2 (*region.: negozio di barbiere*) barber's (shop); (*negozio di parrucchiere*) (hairdresser's) salon 3 – **s. di bellezza**, beauty parlour (*o* salon) B a. inv. – (*ferr.*) **vettura s.**, saloon (car) (*GB*); parlor car (*USA*).

Salonicco f. (*geogr.*) Salonica.

salopette (*franc.*) f. inv. (*moda*) dungarees (pl., *GB*); bib and brace (*GB*); (bib) overalls (pl., *USA*); (*tuta da sci*) salopettes (pl.).

salottièro a. drawing-room (attr.); (*spreg., anche*) frivolous, superficial: **conversazione salottiera**, drawing-room conversation; small-talk.

♦**salòtto** m. 1 drawing room; sitting room; (*soggiorno*) living room, lounge 2 (*mobilia*) sitting room suite; living room (*o* lounge) furniture 3 (*riunione*) salon: **s. letterario**, literary salon; **tenere s.**, to hold a salon ● **s. buono**, best sitting room; parlour; (*fig.*) inner circle □ **cane da s.**, lapdog □ **conversazione da s.**, drawing-room conversation; small-talk □ **fare s.**, to chat; to gossip.

sàlpa f. (*zool.*, *Salpa*) salp*.

salpàncora m. (*naut.*) anchor winch.

♦**salpàre** A v. t. (*naut.*) to draw* up; to hoist: **s. l'ancora**, to weigh (*o* to up) anchor; **s. le reti**, to draw up the nets B v. i. 1 (*naut.*) to sail; to weigh anchor; to set* sail; to put* (out) to sea; to get* a ship under way; (*di nave, anche*) to get* under way: **s. da Napoli per New York**, to sail from Naples to New York; *Salpiamo domani*, we sail tomorrow; *La nave è pronta a s.*, the ship is ready to sail (*o* to weigh anchor); *Il «Gabbiano» salperà domani*, the «Gabbiano» is getting under way tomorrow; **tenersi pronti a s.**, to stand by the anchor 2 (*fig. scherz.*) to leave*; to make* off; to decamp.

salpinge f. 1 (*anat.*) Fallopian tube 2 (*archeol.*) salpinx*.

salpingectomìa f. (*chir.*) salpingectomy.

salpingite f. (*med.*) salpingitis.

♦**sàlsa** ① f. sauce; (*per insalata o verdura*) dressing: **s. agrodolce**, sweet-and-sour

sauce; **s. all'agro**, vinaigrette; **s. bianca**, white sauce; **s. d'acciughe**, anchovy sauce; **s. di pomodoro**, tomato sauce; **s. piccante**, hot sauce; relish; **s. tartara**, tartar (*o* tartare) sauce; **s. vellutata**, velouté (*franc.*); **s. verde**, green sauce; parsley sauce ● (*fig.*) **in tutte le salse**, in every possible way.

sàlsa ② f. (*geol.*) mud volcano.

salsa ③ f. (*mus.*) salsa.

salsamentàrio m. (*region.*) delicatessen seller.

salsapariglia f. (*bot.*, *Smilax medica*) smilax; sarsaparilla.

salsàto a. (*cucina*) with sauce (pred.).

salsèdine f. 1 (*salinità*) saltiness, salinity; (*elementi salini nell'aria*) sea salt; (*odore*) smell of the sea, sea smell: **un vento impregnato di s.**, a wind carrying the smell of the sea 2 (*incrostazione salina*) salt (deposit): **incrostato di s.**, encrusted with salt.

salsedinóso a. salty.

salsèfica, **salsèfrica** f. (*bot.*) salsify.

salsiccia f. (pork) sausage ● (*fig. fam.*) **far salsiccia di q.**, to make mincemeat of sb.

salsicciàio m. 1 (*fabbricante*) sausage maker 2 (*venditore*) pork-butcher.

salsicciòtto m. 1 large sausage 2 (*fig.: rotolo di grasso*) roll of fat ● **dita come salsicciotti**, chubby fingers.

salsièra f. sauce boat; gravy boat.

sàlso A a. salt (attr.); salty; briny; (*salmastro*) brackish: **acqua salsa**, salt water B m. 1 (*salsedine*) saltiness 2 (*sapore di sale*) salty taste.

salsobromoiòdico a. (*chim.*) containing sodium chloride, bromide, and iodide.

salsoiòdico a. (*chim.*) containing sodium chloride and iodide.

saltabècca f. (*pop.*) 1 (*cavalletta*) grasshopper 2 (*cervo volante*) stag beetle.

saltabeccàre v. i. to hop; to skip.

saltafòsso m. (*fam.*) trick; trap.

saltaleóne m. (*molla*) spring.

saltamartino m. 1 (*pop.: grillo*) cricket; (*cavalletta*) grasshopper 2 (*fig.: bambino vivace*) imp; scamp 3 (*giocattolo*) jumping toy.

♦**saltàre** A v. i. 1 to jump; (*balzare*) to leap*, to spring*; (*su un piede solo o a piccoli balzi*) to hop; (*muoversi a balzi*) to bound; (*imbalzare*) to bounce; (*fare un volteggio*) to vault: **s. a cavallo**, to leap (*o* to spring) upon one's horse; to leap into the saddle; **s. a piè pari**, to jump with both feet together; to take a standing jump; **s. addosso a q.**, to leap on sb.; to spring (*o* to rush) at sb.; to pounce upon sb.; to jump sb. (*fam.*); **s. alla gola di q.**, to leap at sb.'s throat; **s. al di là di qc.**, to jump (*o* to leap) across st.; to jump (*o* to leap) over st.; (*con un volteggio*) to vault over st.; **s. avanti [indietro, dentro, fuori, ecc.]**, to jump (*o* to leap, to spring, etc.) forward [back, in, out, etc.]; **s. dalla finestra**, to jump (*o* to leap) out of the window; **s. dalla gioia**, to jump for joy; **s. giù (o fuori) dal letto**, to jump (*o* to leap) out of bed; **s. in acqua**, to jump into the water; **s. in groppa a q.**, to jump on sb.'s back; **s. in piedi**, to jump (*o* to leap, to spring) to one's feet; to jump up; **s. in sella**, to leap into the saddle; **s. qua e là**, to jump about; **s. su un tavolo**, to jump on to a table; **s. su un taxi**, to leap into a taxi; **s. su un tram**, to hop on a tram; *La tigre saltò sulla preda*, the tiger sprang on its prey; **far s. un bambino sulle ginocchia**, to bounce a baby on one's knees 2 (*passare da un punto all'altro*) to skip; to switch: **s. a un nuovo argomento**, to switch to a new topic; **s. da una pagina all'altra**, to skip from one page to the next 3 (*schizzar via, staccarsi*) to come* off; (*rompersi*) to break*, to snap: *Mi è saltato il bottone*, this button has come off; *È saltata via la manopola del volume*, the

volume knob has come off; *È saltata la cinghia di trasmissione*, the driving belt snapped; **far s. una serratura**, to break a lock 4 (*anche* **s. in aria**) to explode; to blow* up; to go* up: *Tutte le mine saltarono*, all the mines blew up; **far s. in aria**, to blow up 5 (*elettr.*) to blow* (out); to fuse: *È saltata la luce*, the lights have fused; *Sono saltate le valvole*, the fuses have blown; **far s. le valvole di qc.**, to fuse st. 6 (*fig.: fallire*) to fail; (*essere annullato*) to be called off, to be cancelled, to be canceled (*USA*): *Le trattative sono saltate*, the talks have failed; *Mi sono saltati tutti gli appuntamenti*, all my engagements had to be cancelled 7 (*fig.: essere licenziato*) to be fired; to be sacked; to get* the sack (*fam.*): *È saltato il direttore commerciale*, the sales manager has been fired (*o* has been sacked, has been given the sack); **far s. q.** (*licenziarlo*), to fire sb.; to sack sb.; to give sb. the sack (*fam.*) ● **s. al collo di q.**, (*abbracciarlo*) to throw one's arms around sb.'s neck, to hug sb. tight; (*aggredirlo*) to attack sb., to jump sb. (*fam.*); **s. alla corda**, to skip (*GB*); to jump rope (*USA*) □ (*fig.*) **s. agli occhi** (*essere lampante*), to be self-evident; to be staring sb. in the face; to hit sb. (*between the eyes*) □ (*sport*) **s. con l'asta**, to pole-vault □ (*fig.*) **s. di palo in frasca**, to jump from one subject to another; to ramble □ **s. fuori**, (*comparire all'improvviso*) to appear all of a sudden, to pop up, to turn up; (*accadere*) to turn up, to crop up; (*essere ritrovato*) to turn up: *Da dove salti fuori?*, where have you sprung from?; *È saltato fuori un nuovo erede*, a new heir has turned up; *Vedrai che il tuo anello salterà fuori*, your ring will turn up, you'll see; *È saltata fuori una difficoltà*, a problem has cropped up; **far s. fuori qc.**, to find st.; to produce st. □ **s. fuori con qc.** (*dire a un tratto*) to come up with: *Saltò fuori con una proposta*, he came up with an idea □ (*sport*) **s. in alto [in lungo]**, to do the high jump [the long jump] □ **s. in mente a q.**, to cross sb.'s mind □ *Che ti salta in mente?*, what's got into you?; what's the idea? □ **s. su a dire che...**, to say all of a sudden that...; to come out with (st., the story that...); to blurt out that... □ (*fam.*) **s. su con qc.**, to come out with st.; to burst out with st. □ **far s. il banco**, to break the bank □ **far s. il governo**, to bring down the government □ **far s. i nervi → nervo** □ **far s. un tappo**, to pop a cork □ **farsi s. le cervella**, to blow out one's brains B v. t. 1 (*scavalcare*) to jump (over); to leap* (over); (*con un volteggio*) to vault (over); (*senza sfiorare*) to clear: **s. un fosso**, to jump over (*o* across) a ditch; (*sport*) **s. un ostacolo**, to clear a hurdle; **s. una siepe**, to jump (*o* leap) over a hedge; **s. uno steccato**, to jump (over) a fence; to vault over a fence; **far s. uno steccato a un cavallo**, to jump a horse over a fence 2 (*fig.: tralasciare, omettere*) to jump; to skip; to pass over; to omit; to leave* out; to give* (st.) a miss; to go* without; to miss: **s. un capitolo**, to skip a chapter; **s. una lezione [una parola]**, to skip a class [a word]; **s. un pasto**, to skip a meal; to miss a meal; *Mi hanno saltato*, I've been passed over 3 (*cucina*) to sauté ● (*fig.*) **s. il fosso**, to take the plunge □ **s. la coda**, to jump the queue (*GB*); to cut in line (*USA*).

saltarèllo m. (*danza*) saltarello.

saltarùpe m. (*zool.*, *Oreotragus oreotragus*) klipspringer.

saltàto a. (*cucina*) sauté: **patate saltate**, sauté potatoes.

saltatóre A a. jumping; leaping; hopping: **animale s.**, jumping animal; jumper B m. (f. **-trìce**) 1 jumper; springer 2 (*acrobata*) acrobat, tumbler 3 (*sport*) jumper; vaulter; (*ostacolista*) hurdler; (*ipp.*) jumper.

saltellaménto m. hopping; skipping.

saltellànte a. hopping; skipping.

♦**saltellàre** v. i. **1** to skip; to trip; (*su un piede solo o di uccello*) to hop **2** (*fig.: palpitare*) to throb; to thump.

saltellìo m. hopping; skipping.

saltèllo m. hop; skip: **fare un s. all'indietro**, to hop back; **a saltelli**, hopping; **avanzare a saltelli**, to hop forward.

saltellóni avv. jumping; leaping: **avanzare (a) s.**, to jump along; to advance in leaps and bounds.

salterellàre → **saltellare**, def. 1.

salterèllo m. **1** little jump; hop; skip **2** (*fuoco d'artificio*) cracker **3** (*di clavicembalo*) jack **4** → **saltarello**.

saltèrio m. **1** (*mus.*) psaltery **2** (*eccles.: libro dei salmi*) psalter; psalm book.

sàltico m. (*zool., Salticus scenicus*) jumping spider.

saltimbànco m. (f. **-a**) **1** (*acrobata*) acrobat; tumbler **2** (*fig. spreg.*) mountebank; charlatan; (*spec. di medico*) quack.

saltimbócca m. inv. (*cucina*) saltimbocca.

saltimpàlo m. (*zool., Saxicola torquata*) stonechat.

♦**sàlto** m. **1** jump; leap; spring; (*balzo*) bound; (*volteggio*) vault; (*rimbalzo*) bounce: **s. a piè pari** (*o da fermo*), standing jump; **s. con rincorsa**, running jump; (*anche fig.*) **s. in avanti**, leap forward; **fare** (*o spiccare*) **un s.**, to jump; to leap; to take (*o* to make) a jump; **fare un s. dalla paura**, to jump; to start; **far fare un s.** (*di paura*) **a q.**, to make sb. jump; to give sb. a start; **fare salti di gioia**, to dance about with joy; **a salti**, leaping; bounding; (*fig.*) in fits and starts, in snatches, stop-and-start (attr.); **allontanarsi a salti**, to leap off; to bound off; **procedere a salti**, to proceed in fits and starts; **scavalcare qc. con un s.**, to leap across (*o* over) st.; **scendere con un s. da**, to jump down from; *Con un s. l'animale scomparve tra gli alberi*, with one bound the animal disappeared among the trees **2** (*sport*) jump; (*volteggio*) vault: **s. con l'asta**, pole vault; **s. dal trampolino**, ski jump; (*la disciplina*) sky jumping; **s. in alto**, high jump; **s. in lungo**, long jump (*GB*); broad jump (*USA*); **s. mortale**, somersault; **s. mortale all'indietro**, backward somersault; **s. mortale doppio**, double somersault; **fare un s. mortale**, to turn a somersault; **s. triplo**, triple jump; **fare un s. di sei metri**, to jump six metres **3** (*fig.: breve distanza*) short distance; (*breve visita*) short call, flying visit; (*breve viaggio in aereo*) hop: *È a un s. da qui*, it's only a short distance from here; **fare un s. da q.**, to pop round (*o* over, down, etc.) to sb.; (*far visita, anche*) to drop in on sb.; to drop by (*o* round): *Fate un s. da noi stasera*, pop round tonight; drop by tonight; **fare un s. dal droghiere**, to pop round (*o* over, down) to the grocer's; **fare un s. a Torino**, to pop over to Turin; **fare un s. in Svizzera**, to hop across the border into Switzerland **4** (*omissione, lacuna*) lacuna; gap: *C'è un s. di due pagine*, there is a two-page lacuna; two pages have been omitted (*o* left out) **5** (*fig.: cambiamento*) change; (*miglioramento*) improvement; (*promozione*) step up the ladder; (*aumento*) jump, leap, step up: **s. di qualità** (*o* **qualitativo**), definite (*o* significant) improvement; **un s. dei prezzi all'insù**, a jump (*o* a sudden rise) in prices; *Trasferirsi in città è stato un bel s.*, moving to town has been quite a change; *L'hanno promosso direttore: un bel s.!*, he's been made a director – quite a jump (up the ladder)! **6** (*caduta*) drop; fall: (*elettr.*) **s. di tensione**, power drop **7** (*dislivello*) drop; fall: **un s. di sei metri**, a six-metre drop **8** (*mus.*) interval; leap: **s. di terza**, (interval of) third; **per salti**, by leaps ● (*autom.*) **s. di corsia**, crashing

through the barrier □ (*equit.*) **s. del montone**, buck; buck-jump; bucking Ⓤ □ **s. di vento**, shift in the wind □ (*fig.*) **s. nel buio**, leap in the dark □ (*fis.*) **s. quantico**, quantum jump □ (*cucina*) **al s.**, sauté: **cuocere al s.**, to sauté; **patate al s.**, sauté potatoes □ **fare due** (*o* **quattro**) **salti**, to have a bit of a dance □ (*fig.*) **fare i salti mortali**, to bend over backwards; nearly to kill oneself (to do st.) □ (*fig.*) **in un s.** (*velocemente*), in a second; in a flash.

saltòmetro m. (*sport*) (high-jump) upright.

saltuariaménte avv. occasionally; on and off; irregularly; intermittently; (*senza metodo*) desultorily: **incontrarsi s.**, to meet occasionally (*o* now and then); **lavorare s.**, to work irregularly (*o* on and off).

saltuarietà f. irregularity; discontinuity; (*non sistematicità*) desultoriness.

saltuàrio a. occasional; casual; irregular; sporadic; on-and-off (attr.); fitful; (*fatto senza metodo*) desultory: **lavori saltuari**, casual (*o* odd) jobs; **letture saltuarie**, desultory readings; **riunioni saltuarie**, occasional meetings; **visite saltuarie**, irregular visits.

salubèrrimo a. very healthy; highly salubrious.

salùbre a. healthy; salubrious; wholesome: **aria** [**clima**] **s.**, healthy (*o* salubrious) air [climate]; **cibo s.**, wholesome food; **luogo s.**, healthy place.

salubrità f. healthiness; salubrity; salubriousness; wholesomeness: **la s. dell'aria**, the salubrity of the air.

salumàio m. (f. **-a**) → **salumiere**.

salùme m. (spec. al pl.) salami and cold pork meat.

♦**salumeria** f. delicatessen (shop).

♦**salumière** m. (f. **-a**) delicatessen seller (*o* merchant).

salumificio m. sausage and salami factory.

♦**salutàre** ① a. **1** (*sano*) healthy; wholesome: **rimedio s.**, healthy remedy **2** (*giovevole*) salutary; wholesome; beneficial; (*che è di ammonimento*) chastening: **pentimento s.**, salutary repentance.

♦**salutàre** ② Ⓐ v. t. **1** (*anche assol.*) to greet (sb.); to say* hello (*o* hallo) (to); to say* good morning [good evening, etc.] (to); (*accomiatandosi*) to say* goodbye (to), (*di sera tardi*) to say* good night (to); (*alla partenza*) to see* off, to send* off; (*dire addio*) to bid* (sb.) farewell, to say* one's farewells (to), (*fig.*) to kiss (st.) goodbye: **s. gli ospiti**, to greet one's guests; **s. q. con un bacio**, (*incontrandosi*) to greet sb. with a kiss; (*accomiatandosi*) to kiss sb. good-bye; **s. q. con un cenno del capo**, to give sb. a nod; to nod to sb.; **s. q. con un cenno della mano**, to wave (one's hand) to (*o* at) sb.; (*accomiatandosi*) to wave sb. goodbye; **s. q. con un inchino**, to bow to sb.; **s. q. con un sorriso**, to greet sb. with a smile; to smile at sb; **s. q. togliendosi il cappello**, to take off (*o* to lift) one's hat to sb.: *Non mi salutò nemmeno*, he didn't even say hello; *È tardi, vi devo s.*, it's late, I must say be off; *Se ne andò senza s.*, she left without saying good-bye; *Stiamo andando alla stazione a s. Paolo che parte*, we're going to the station to see Paolo off; (*accomiatandosi*) *Ti saluto!*, goodbye!; be seeing you!; bye-bye!; *Puoi salutarle, le tue vacanze!*, you can kiss your holidays goodbye! **2** (*portare i saluti a*) to give* sb.'s regards to (*form.*); to give* sb.'s love to (*fam.*): *Salutami tua sorella*, give my regards to your sister (*form.*); give my love to your sister (*fam.*); *Salutami tutti*, say hello to everybody for me **3** (*accogliere*) to welcome, to greet; (*acclamare*) to salute, to hail, to acclaim; (*rendere onore*) to salute: **s. una nuova era**, to welcome a new

era; **s. q. re**, to hail sb. (as) king; *Il discorso fu salutato da applausi* [*da fischi*], the speech was greeted with cheers [with hoots] **4** (*mil.*) to salute: **s. la bandiera** [**un ufficiale**], to salute the flag [an officer]; **s. con una salva di cannoni**, to fire a salute; **s. con ventun colpi di cannone**, to give a twenty-one gun salute; (*naut.*) **s. l'arrivo a bordo del comandante**, to pipe the captain aboard **5** (*fare visita*) to call (in) on; to look up; to drop in on: *Prima di partire, andrò a salutarla*, I shall call on her before leaving **6** (*nelle formule di fine lettera*) – *Distintamente La salutiamo*, yours faithfully (*form.*); yours sincerely; *La saluto cordialmente*, with my best (*o* kindest) regards; *Ti saluto affettuosamente*, yours affectionately; with love (*fam.*); lots of love (*fam.*) ● **mandare a s. q.**, to send one's regards to (*fam.* one's love) to sb. □ **passare a s. q.**, to call on sb.; to call in (*o* to drop in, look in) on sb.; to look sb. up □ **passare oltre senza s. q.**, to cut sb. (dead) (*fam.*) Ⓑ **salutàrsi** v. rifl. recipr. to say* hello [good morning, goodbye, etc.] to each other [one another]; to greet each other (*form.*) ● **salutarsi con una stretta di mano**, to shake hands ● **non salutarsi più**, to be no longer on speaking terms.

salutazióne f. (*lett.*) salutation: (*relig.*) **la s. angelica**, the Angelic Salutation; the Hail Mary.

♦**salùte** Ⓐ f. **1** (*stato di benessere*) health: **buona s.**, good health; **cattiva s.**, poor health; ill health; **s. cagionevole**, delicate (*o* poor) health; **s. di ferro**, iron constitution; **s. fisica** [**mentale**], bodily [mental] health; **conservarsi in s.**, to keep well; **fare bene** [**male**] **alla s.**, to be good [bad] for one's health; **godere di ottima s.**, to enjoy excellent health; **guastarsi la s.**, to ruin one's health; **rimettersi in s.**, to recover; **rimettersi la s.**, to ruin one's health; **stare bene di s.**, to feel well; to be in good health; **in** (**buona**) **s.**, in good health; healthy; (*fig., di economia, ecc.*) healthy, thriving, strong; **in perfetta s.**, in perfect health; as fit as a fiddle (*fam.*); **per motivi di s.**, for health reasons; on medical grounds; **assente** (**dal lavoro**) **per motivi di s.**, away on sick leave; **nocivo alla s.**, bad for one's health; unhealthy; unwholesome; **pieno di s.**, full of health; in fine fettle (*fam.*); **cattive condizioni di s.**, poor health; **stato di s.**, state of health; physical condition; *È delicato di s.*, his health is delicate; he is delicate; *La sua s. migliora* [*peggiora*], his health is improving [getting worse]; *La mia s. ne ha risentito*, my health suffered from it; *Come va la s.?*, how are you keeping? **2** (*salvezza*) safety: **s. pubblica**, public safety **3** (*teol.*) salvation ● **Alla s.!**, (your) health!; cheers! □ **bere alla s. di q.**, to drink to sb.'s health □ (*med.*) **casa di s.**, nursing home □ *Quando c'è la s. c'è tutto*, health is everything □ **essere il ritratto della s.**, to look the picture of health □ **scoppiare di s.** (*o* **sprizzare s. da tutti i pori**), to be bursting with health □ *È tutta s.*, it does one good; it's good for your health □ **Il moto è s.**, exercise is good for you Ⓑ **inter. 1** (*in un brindisi*) your health!, cheers!; (*escl. di saluto*) hello! **2** (*di meraviglia*) goodness!; good grief! **3** (*a chi starnuta*) bless you! ● **S. e figli maschi!**, bless you!; all the best to you!

salutìfero a. (*lett.*) health-giving; wholesome.

salutìsmo m. health consciousness.

salutìssimi m. pl. (*in una lettera, scherz.*) all the best; lots of love.

salutìsta m. e f. **1** hygienist; health fanatic (*o* fiend) (*scherz.*) **2** (*membro dell'Esercito della Salvezza*) Salvationist.

salutìstico a. health (attr.); health-conscious.

◆**salùto** m. **1** greeting; (*di commiato*) goodbye; (*di addio*) farewell; (*gesto col capo*) nod; (*gesto con la mano*) wave (of the hand); (*mil., naut., scherma*) salute: **s. amichevole**, friendly greeting; (*mil.*) **s. alla bandiera**, salute to the flag; (*mil.*) **s. alla voce**, salute with cheers; **accennare un s.**, to nod slightly; (*mil.*) **fare il s.**, to salute; **fare un s. prima di partire**, to say goodbye before leaving; **rispondere al s.**, to return sb.'s greeting [nod, wave, etc.]; (*mil.*) to return the salute; **scambiarsi un s.**, to say hello; to say good-bye; **cenno di s.**, (*col capo*) nod; (*con la mano*) wave of the hand; **fare un cenno [un gesto] di s. a q.**, to nod [to wave] to sb.; **due righe di s.**, two lines to say hello; **in segno di s.**, in greeting; **scambio di saluti**, exchange of greetings ❶ NOTA: *goodbye* → **goodbye**. ❶ NOTA: *hello* → **hello 2** (*estens.*: *discorso di benvenuto*) welcome: **rivolgere un s. a q.**, to welcome sb. **3** (al pl., *nelle formule di cortesia*) regards; greetings; best wishes; love (sing., *fam.*): *Saluti dalla mamma*, regards from my mother; love from mum (*fam.*); *Gli porga i miei saluti*, please give him my best regards; *Carlo ti manda i suoi saluti*, Carlo sends you his regards; (*in una lettera*) *Cari saluti*, love (from); (*in una lettera*) *Cordiali saluti*, kind regards; yours sincerely (*form.*); (*comm.*) (*Vogliate gradire i nostri*) *distinti saluti*, yours faithfully (o sincerely); *Tanti saluti*, best regards; all the best ● **levare** (o **togliere**) **il s. a q.**, to cut sb. off □ **porgere l'estremo s. a q.**, to pay one's last respects to sb.

sàlva f. **1** (*sparo senza proiettile*) salvo*; volley: **s. di saluto**, salute; **una s. di ventun colpi**, a twenty-one gun salute; **sparare a s.** (o **a salve**), to fire blanks; (*per saluto*) to fire a salvo, to fire salvoes; **cartuccia a** (o **da**) **salve**, blank cartridge; **colpo a salve**, blank shot **2** (*fig.*) salvo*; volley; hail; storm: **una s. di applausi**, a salvo of cheers; **una s. di fischi**, a volley of catcalls.

salvàbile Ⓐ a. savable; (*recuperabile*) salvageable Ⓑ m. – (*fam.*) **salvare il s.**, to save whatever can be saved; to salvage what one can.

salvacondòtto m. safe-conduct; pass.

salvadanàio m. moneybox; (*a forma di porcellino*) piggy bank.

salvadorégno a. e m. (f. **-a**) Salvadorean.

salvagènte Ⓐ m. **1** (*naut.*) lifebuoy; (*a ciambella*) life belt; (*giubbotto*) life jacket, life vest (*USA*) **2** (*stradale*) traffic island Ⓑ a. inv. life-saving; life (attr.): **giubbotto s.**, life jacket; life vest (*USA*).

salvagócce m. inv. drip-catcher.

salvaguardàre Ⓐ v. t. to safeguard; to guard; (*proteggere*) to protect, to preserve; (*difendere*) to defend: **s. i propri diritti**, to safeguard one's rights Ⓑ **salvaguardàrsi** v. rifl. to protect oneself (against, from); to guard (against, from).

salvaguàrdia f. safeguard; protection; defence; preservation: **s. della pace**, preservation of peace; **a s. della libertà**, in defence of (o to defend) freedom.

salvaménto m. **1** (*il salvare*) saving; rescuing **2** (*salvezza*) safety ● **condurre** (o **portare**, **trarre**) **a s.**, to save; to rescue.

salvamotóre m. (*mecc.*) motor protector; overload cut-out.

salvamùro m. inv. (*edil.*) skirting board (*GB*); baseboard (*USA*); mopboard (*USA*).

salvapùnte m. inv. **1** (*di matita*) pencil cap **2** (*di scarpa*) toecap.

◆**salvàre** Ⓐ v. t. **1** to save; to rescue; to deliver; (*recuperare*) to retrieve, to salvage; (*spec. fin.*) to bail out: **s. q. che annega**, to save sb. from drowning; **s. q. da un incendio**, to rescue sb. from the fire; **s. un'azien**da in difficoltà, to bail out a company; **s. lo spettacolo dal disastro**, to rescue the show from disaster; **s. la vita a q.**, to save sb.'s life; **correre a s. q.**, to run to sb.'s rescue; *I dottori sperano di salvarlo*, the doctors hope to save him (o to pull him through); *La casa è distrutta, ma abbiamo potuto s. i mobili*, the house was destroyed, but we managed to salvage the furniture; *Dio salvi il re!*, God save the king! **2** (*proteggere*) to save; to guard; to safeguard; to protect; to preserve; to keep*; to defend: **s. la propria reputazione**, to protect (o to guard) one's reputation **3** (*mettere in serbo*) to save; to put* by: **s. qc. per dopo**, to save st. (o to put st. by) for later; *Ti ho salvato un po' di gelato*, I've saved some ice-cream for you **4** (*sport*) to save **5** (*comput.*) to save ● **s. capra e cavoli**, to get out of an impasse (o a corner); to (manage to) have it both ways; to (manage to) keep everybody happy □ **s. dall'oblìo**, to rescue from oblivion □ **s. la faccia**, to save face □ **s. la pelle**, to save one's skin; to save one's bacon (*fam.*); **s. la situazione**, to save the situation □ **s. le apparenze**, to save (o to keep up) appearances; to save one's face Ⓑ **salvàrsi** v. rifl. **1** to save oneself; (*scampare*) to escape, to survive; (*rifugiarsi*) to seek* refuge, to take* refuge: **salvarsi da un naufragio**, to survive a shipwreck; **salvarsi dalla morte [dalla rovina]**, to escape death [ruin]; **salvarsi in Francia**, to seek refuge in France; *La macchina era un rottame, ma lui si è salvato*, the car was a wreck, but he escaped alive; *Tutti i passeggeri si sono salvati*, all the passengers have survived **2** (*proteggersi, difendersi*) to protect oneself, to defend oneself; (*essere al riparo da*) to escape (st.), to be safe: **salvarsi dalle critiche**, to defend oneself from criticism; to escape criticism; **salvarsi dalla maldicenza**, to protect oneself from slander **3** (*teol.*) to be saved ● **salvarsi dai guai**, to get out of trouble □ **salvarsi in extremis** (o **all'ultimo istante**), to escape at the eleventh hour (o in the nick of time) □ **salvarsi per miracolo** (o **per un soffio, per un pelo**), to have a narrow escape; to have a close shave (*fam.*); to escape miraculously; to save oneself by the skin of one's teeth □ **salvarsi per il rotto della cuffia** (*o un esame*), to scrape through □ **Si salvi chi può!**, every man for himself! □ (*fig.*) *Paolo è l'unico che si salva*, Paolo is the only decent one.

salvaschèrmo m. (*comput.*) screensaver.

salvaslìp m. inv. panty liner.

salvaspàzio a. inv. space-saving.

salvastrèlla f. (*bot.*, *Poterium sanguisorba*) burnet.

salvatàcco m. heeltap.

salvatàggio m. **1** rescue; (*naut., di nave*) salvage; (*spec. fin.*) bail-out: **compiere un s.**, to carry out a rescue; **tentare il s. di q. [qc.]**, to try to rescue sb. [st.]; **scialuppa di s.**, lifeboat; **cintura di s.**, life belt; (*naut.*) **compenso di s.**, salvage (money); **giubbotto di s.**, life jacket; life vest (*USA*); **operazioni di s.**, rescue operations **2** (*sport*) save: **fare un s.**, to save **3** (*comput.*) save: **s. di sicurezza**, backup.

salvatelecomàndo m. (remote control) skin case.

salvatóre Ⓐ m. (f. **-trìce**) rescuer; saviour, savior (*USA*) ● **il S.**, the Saviour Ⓑ a. saving; rescuing.

salvatùtto a. inv. all-saving.

salvavìta® Ⓐ m. inv. (*elettr.*) automatic cut-out; circuit breaker Ⓑ a. inv. life-saving: **farmaco s.**, life-saving drug.

salvazióne f. (*lett., teol.*) salvation.

◆**sàlve**① inter. **1** hello!; hi! (*fam. USA*); hail! (*lett.*) **2** (*a chi starnuta*) bless you!

sàlve② → **salva**.

salveregìna f. (*relig.*) Salve Regina.

salvézza f. salvation (*anche teol.*); (*scampo*) escape, safety: **la s. dell'anima**, the salvation of the soul; *La musica fu la sua s.*, music was his salvation; *Siete stati la mia s.!*, you saved my life!; **cercare s. nella fuga**, to seek safety in flight; **pensare alla propria s.**, to think of one's own safety; **speranza di s.**, hope of escape; **via di s.**, means of escape; way out ● (*naut.* e *fig.*) **àncora di s.**, sheet anchor □ **l'Esercito della S.**, the Salvation Army □ (*sport*) **partita della s.**, deciding match; decider.

sàlvia f. (*bot.*, *Salvia officinalis*) sage.

salviétta f. **1** (*tovagliolo*) napkin; serviette: **s. di carta**, paper serviette (o napkin) **2** (*region.*: *asciugamano*) towel ● **s. per la faccia**, flannel (*GB*); washcloth (*USA*) □ **s. rinfrescante**, refreshing tissue; refresher.

salvìfico a. (*lett.*) salvific.

salvìnia f. (*bot.*, *Salvinia natans*) floating fern.

◆**sàlvo** Ⓐ a. **1** (*scampato a un pericolo*) safe, unhurt, unharmed; (*salvato*) saved; (*intatto, non danneggiato*) safe, whole, intact, unharmed, unscathed, undamaged; (*fuori pericolo*) out of danger; (*al sicuro*) safe, secure, out of harm's way: **s. dai pericoli**, safe (o secure) from danger; **s. per miracolo**, saved by a miracle; *Finalmente eravamo salvi*, we were safe at last; *Siamo salvi!*, we're saved!; *Il dottore ci ha appena detto che è s.*, the doctor's just told us he's out of danger; *Ne sono usciti salvi*, they emerged unscathed; *L'onore è s.*, honour is saved; *I bicchieri sono salvi*, the glasses are whole; *Ebbe salva la vita*, her life was spared; she was spared; *Obbedisci, se vuoi salva la vita!*, do what you're told if you value your life; **sano e s.** safe and sound; safely (avv.) **2** (*teol.*) saved: *Spero che la sua anima sia salva*, I hope his soul has been saved Ⓑ m. – **in s.**, safe; in a safe place; out of harm's way; to safety: **essere in s.**, to be safe; **mettere in s.**, (*salvare*) to save; to rescue; to get out of harm's way; (*nascondere*) to put in a safe place; **mettersi in s.**, (*rifugiarsi*) to take shelter, to take (o to find) refuge; (*salvarsi*) to save oneself, to escape, to reach safety, to find safety; *Mettetevi in s.!*, save yourselves!; *Riuscirono a mettersi in s. oltre confine*, they managed to escape across the border; **aiutare q. a mettersi in s.**, to help sb. to safety; **portare in s.**, to rescue; to save Ⓒ prep. except; save; but; barring: **tutti i giorni s. il lunedì**, every day except Monday; *C'era poco da fare s. aspettare*, there was little I could do except wait; *Uscirono tutti, s. due*, all but two left the room; *S. quest'ultimo, tutti i suoi film sono noiosissimi*, all his films, bar his latest one, are terribly boring ● **s. avviso contrario**, unless otherwise instructed □ (*comm.*) **s. buon fine**, subject to collection □ (*comm.*) **s. benestare**, subject to approval □ **s. casi di forza maggiore**, (*comm.*) acts of God excepted; (*fam.*) circumstances permitting □ **s. il caso che**, unless □ **s. complicazioni**, if no complications arise □ **s. convenzione contraria**, unless otherwise provided □ **s. contrordini**, unless countermanded (*form.*); unless you hear to the contrary □ **s. controindicazioni**, unless contraindicated □ **s. diversa disposizione**, if there is no provision to the contrary □ **s. errore**, subject to correction (*form.*); if I'm not mistaken □ **s. errori e omissioni**, errors and omissions excepted □ **s. imprevisti**, barring accidents; all being well; circumstances permitting (*form.*) □ **s. indicazione contraria**, unless otherwise stated □ **s. prova contraria**, unless shown to be otherwise; unless one has evidence to the contrary □ (*comm.*) **s. venduto**, subject

to being unsold □ **s. il vero**, if I'm not mistaken 🄓 **salvo che** loc. cong. except that; save that; (*a meno che*) unless: *D'accordo, s. che preferisco parlargli io*, all right, except that I prefer to talk to him myself; *Va tutto bene, s. che per due o tre particolari*, it's all right, except for a couple of details.

sàmara f. (*bot.*) samara; key.

samàrio m. (*chim.*) samarium.

samaritàno a. e m. (f. *-a*) Samaritan.

sàmba f. (*mus.*) samba.

sambernàrdo → **sanbernardo**.

sambista m. e f. author [dancer, singer] of sambas.

sambùca① f. **1** (*mus.*) trigon; sambuca **2** (*mil.*) sambuca.

sambùca② f. (*liquore*) aniseed-flavoured liqueur; sambuca.

sambùco① m. (*bot.*, *Sambucus nigra*) elder: **bacca di s.**, elderberry.

sambùco② m. (*naut.*) sambuk, sambuq; dhow.

samizdat m. inv. samizdat.

sammarinése 🄐 a. of (the Republic of) San Marino; San Marino (attr.) 🄑 m. e f. native [inhabitant] of San Marino.

Sàmo f. (*geogr.*) Samos ● (*fig.*) **portare vasi a S.**, to carry coals to Newcastle.

samoàno a. e m. (f. *-a*) Samoan.

samoièdo a. e m. (f. *-a*) Samoyed.

Samotràcia f. (*geogr.*, *stor.*) Samothrace.

samovàr m. inv. samovar; tea urn.

sampàn m. inv. (*naut.*) sampan.

sampiètro m. (*zool.*, *Zeus faber*) John Dory.

Samuèle m. Samuel.

samurài m. inv. samurai*.

san → **santo**.

sanàbile a. **1** (*guaribile*) curable; (*di ferita*) healable **2** (*fig.*) that can be healed; that can be remedied: **una divisione s.**, a rift that can be healed **3** (*leg.*) remediable; retrievable.

sanabilità f. **1** curability **2** (*rimediabilità*) remediableness; retrievability.

sanàre 🄐 v. t. **1** (*risanare, guarire*) to cure; to restore to health; (*una ferita, ecc.*) to heal: **s. gli infermi**, to cure the sick; **s. una piaga**, to heal a sore; *Il tempo sana tutti i mali*, time heals all sorrows **2** (*correggere*) to amend, to rectify, to put* right; (*eliminare*) to eliminate, to get* rid of: **s. una colpa**, to amend a fault; **s. un errore**, to rectify a mistake; **s. la piaga della disoccupazione**, to get rid of unemployment **3** (*econ.*) to put* right; to balance; to make* up; (*un'azienda*) to put* back on its feet: **s. un bilancio**, to balance a budget; **s. un passivo**, to make up a deficit; **s. una società**, to put a company back on its feet **4** (*leg.*) to amend; to correct **5** (*bonificare*) to reclaim: **s. un terreno paludoso**, to reclaim a marsh 🄑 **sanàrsi** v. i. pron. to heal (up); to be healed: *La ferita si è presto sanata*, the wound soon healed up.

sanativo a. healing; curative; sanative.

sanàto m. (*region: l'animale*) fatted calf; (*la carne*) veal.

sanatòria f. (*leg.*) act of indemnity; amnesty: **s. fiscale**, tax amnesty.

sanatoriàle a. (*med.*) sanatorium (attr.): **cura s.**, sanatorium treatment.

sanatòrio 🄐 a. (*leg.*) indemnifying; amending: **disposizione sanatoria**, act of indemnity 🄑 m. (*med.*) sanatorium*.

sanbernàrdo m. (*cane*) St Bernard (dog).

sancire v. t. **1** (*decretare*) to rule; to decree: *La legge sancisce che...*, the law rules that... **2** (*dare carattere stabile*) to sanction; (*ratificare*) to ratify: **s. un diritto con la consuetudine**, to sanction a right through custom; **s. una nomina**, to ratify a nomination.

sàncta sanctòrum loc. m. inv. **1** (*Bibbia*) Holy of Holies **2** (*tabernacolo*) tabernacle **3** (*fig.*) holy of holies; inner sanctum.

sànctus m. (*relig.*) Sanctus: **recitare il S.**, to say the Sanctus; **suonare il S.**, to ring the Sanctus bell.

sanculòtto m. (*stor.*) sans-culotte (*franc.*).

sandalifìcio m. sandal factory.

sandalìno → **sandolino**.

sàndalo① m. (*bot.*) **1** (*Santalum album*) (white) sandalwood; sandal: **legno di s.**, sandalwood; **olio di s.**, sandalwood oil **2** (*Pterocarpus santalinus*) (red) sandalwood.

sàndalo② m. (*calzatura*) sandal.

sàndalo③ m. (*naut.*) punt.

sàndhi m. inv. (*ling.*) sandhi.

sandinista a., m. e f. (*polit.*) Sandinista.

sandolìno m. (*naut.*) sculler; scull.

San Domìngo m. (*geogr.*) Santo Domingo.

sàndra f. (*zool.*, *Lucioperca lucioperca*) zander; pikeperch.

sandràcca f. (*resina*) sandarac.

sandwich (*ingl.*) 🄐 m. inv. sandwich: **s. al prosciutto**, ham sandwich 🄑 a. inv. (*posposito*) sandwich (attr.): **struttura s.**, sandwich construction; **uomo s.**, sandwich man.

sanfedìsmo m. **1** (*stor.*) Sanfedismo **2** (*estens.*) reactionarism; clericalism.

sanfedista a., m. e f. **1** (*stor.*) Sanfedista **2** (*estens.*) reactionary; clericalist.

sanforizzàre v. t. (*ind. tess.*) to Sanforize.

sanforizzàto a. (*ind. tess.*) Sanforized®.

sangàllo m. (*ind. tess.*) broderie anglaise (*franc.*).

sangiaccàto m. (*stor.*) sanjak.

sangiàcco m. (*stor.*) sanjakbeg.

sangría (*spagn.*) f. sangria.

◆**sàngue** 🄐 m. **1** blood; (*di ferite, spec. come fonte di raccapriccio*) gore: **s. arterioso**, arterial blood; **s. dal naso**, nose-bleed; *Gli esce s. dal naso*, his nose is bleeding; **perdere s. dal naso**, to bleed from the nose; **s. venoso**, venous blood; **s. vivo**, red blood; **coperto di s.**, covered in blood; bloody; **grondante di s.**, dripping (*o* streaming) with blood; **iniettato di s.**, bloodshot; **macchiato di s.**, stained with blood; bloodstained (*anche fig.*); (*fig.*) blood-guilty; **un film pieno di violenza e di s.**, a film full of violence and gore; **avere orrore del s.**, not to stand the sight of blood; (*fig.*) to abhor bloodshed; **donare il s.**, to give (*o* to donate) blood; **far uscire il s.**, to make sb. bleed; **fermare il s.**, to stanch the blood; to stop the bleeding; **perdere s.**, to lose blood; to bleed; to haemorrhage; **analisi del s.**, blood test; **animale a s. caldo [freddo]**, warm-blooded [cold-blooded] animal; **avvelenamento del s.**, blood-poisoning; (*med.*) **banca del s.**, blood bank; **circolazione del s.**, circulation of blood; **donatore di s.**, blood donor; (*med.*) **esame del s.**, blood test; **goccia di s.**, drop of blood; **grumo di s.**, blood clot; **lago (o pozza) di s.**, pool of blood; **macchia di s.**, blood-stain; smear of blood; **perdita di s.**, loss of blood; bleeding; haemorrhage; **temperatura del s.**, blood heat; **trasfusione di s.**, blood transfusion **2** (*fig.*: *parentela, stirpe, origine*) blood; stock; descent; birth; extraction; origin, origins: **s. blu**, blue blood; **di s. blu**, blue-blooded; **s. nobile**, noble blood; **s. plebeo**, humble extraction; low birth; **s. reale**, royal blood; blood royal; **di s. reale**, of royal blood; of the blood; **avere s. italiano nelle vene**, to have Italian blood in one's veins; to be of Italian descent; **essere di s. nobile**, to have noble blood; to be of noble extraction; **essere dello stesso s.**, to be of the same blood; **di s. misto**, of mixed

blood; half-blood; **legami di s.**, blood ties; **persona del proprio s.**, blood relation; **quelli del proprio s.**, one's kin ● (*fig.*) **s. bollente**, hot blood: **avere il s. bollente**, to be hot-blooded □ **s. del proprio s.** (*o s. proprio*), one's own flesh and blood □ **s. di drago** (*resina*), dragon's blood □ (*fig.*) **s. freddo**, sang-froid (*franc.*); composure; self-control; cool (*fam.*): **mantenere il proprio s. freddo**, to keep a cool head; to keep cool; **calma e s. freddo!**, steady now!; keep calm! □ (*fig.*) **s. giovane**, new (*o* fresh) blood □ **s. misto** → **sanguemisto** □ (*fig.*) **a s. freddo**, in cold blood □ **aborrire il s.**, to abhor violence □ **agghiacciare il s.**, to make sb.'s blood run cold □ **Mi sentii agghiacciare il s.**, my blood ran cold □ (*cucina*) **al s.**, underdone; rare □ **all'ultimo s.**, to the death □ **Gli andò il s. alla testa e la colpì**, his blood went to his head and he hit her □ **assetato di s.**, bloodthirsty □ **In quella famiglia sono tutti musicisti: ce l'hanno nel s.**, they're all musicians in that family, it's really in their blood □ **Ha il teatro nel s.**, acting runs in his blood □ (*fig.*) **non avere s. nelle vene**, to be a wimp □ **bagno di s.**, bloodbath □ (*fig.*) **cattivo s.**, (*animosità*) bad blood, ill feeling; (*preoccupazione*) worrying: *Tra i due corre cattivo s.*, there is bad blood between the two of them; **farsi cattivo s.** (*o guastarsi il s.*) **per qc.**, to worry about (*o* over) st.; to get worked up about st. □ (*fig.*) **fare buon s.**, to do sb. good; to be good for sb. □ **Non corre** (*o non c'è*) **buon s. tra di noi**, there's no love lost between us □ **cavare s. a q.**, to bleed sb. (*anche fig.*); to draw (*o* to let) blood from sb. □ **far scorrere il s.**, to shed blood □ **fatto di s.**, act of violence □ **fratello di s.**, blood brother □ **frustare a s.**, to flay □ **scuoiare il s.**, to make sb.'s blood run cold: *Mi si gelò il s.*, my blood ran cold □ (*fig.*) **lacrime di s.**, bitter tears □ **lavare un'offesa col s.**, to wipe out an insult with blood □ **macchiarsi del s. di q.**, to have sb.'s blood on one's hands □ (*fig.*) **avere le mani sporche di sangue**, to have blood on one's hands □ (*cavallo di*) **mezzo s.**, half-bred (horse) □ (*fig.*) **Gli montò il s. alla testa**, his blood was up □ **pagare col s.**, to pay with one's life □ **picchiare q. a s.**, to beat sb. until he bleeds; to beat sb. savagely (generalm. al passivo); to beat the living daylights out of sb. (*fam.*) □ (*med.*) **pressione del s.**, blood pressure □ (*fig.*) **prezzo del s.**, blood money □ **principe del s.**, prince of the blood □ (*cavallo di*) **puro s.**, blood-horse; thoroughbred □ **Mi fece ribollire il s.**, it made my blood boil □ **Mi sentii ribollire il s.**, my blood was up □ **Mi sento rimescolare il s. al solo pensarci**, my blood stirs at the very thought of it □ **Mi salì il s. alla testa**, the blood rushed to my head; (*fig.*) I saw red □ **rosso (come il) s.**, blood-red □ **Scorrerà s.**, blood will run □ **scritto col s.**, written in blood □ **sete di s.**, blood lust □ **avere sete di s.**, to be bloodthirsty □ **soffocare una rivolta nel s.**, to put down a rebellion with bloodshed □ **spargere s.**, to shed (*o* to spill) blood □ **spargimento di s.**, bloodshed; **senza spargimento di s.**, bloodlessly (avv.); without bloodshed; bloodless (agg.) □ (*fig.*) **succhiare il s. a q.**, to bleed sb. white □ (*fig.*) **sudare s.**, to toil (over st.) □ **Ho dovuto sudar s. per convincerlo**, it took a lot of doing to persuade him □ **versare s.**, to spill blood □ **versare il proprio s. per la patria**, to bleed for one's country □ **vittoria ottenuta a prezzo di s.**, bloody victory □ **volere il s. di q.**, to demand sb.'s head □ (*prov.*) **Non si può cavar** (*o levar*) **s. da una rapa**, you can't get blood from a stone □ (*prov.*) **Buon s. non mente**, (*come previsione*) blood will tell; (*come constatazione*) he [she] is true to his [her] family name □ (*prov.*) **Il s. non è acqua**, blood is thicker than water 🄑 a. inv. blood (attr.):

color s. (o **rosso s.**), blood-red.

sanguemisto m. **1** half-breed; half--caste; half-blood **2** (zool.) cross-breed; cross.

sanguìfero a. conveying blood; blood (attr.).

sanguificàre Ⓐ v. t. e i. to form (blood) Ⓑ v. i. to be converted in blood.

sanguìgna f. **1** (miner.) red haematite **2** (pitt.) sanguine.

sanguìgno Ⓐ a. **1** blood (attr.); sanguineous: **gruppo s.**, blood group; **plasma s.**, blood plasma; **vaso s.**, blood vessel **2** (che abbonda di sangue) sanguine; ruddy: **complessione sanguigna**, sanguine (o ruddy) complexion **3** (fig.: focoso) full-blooded; fiery **4** (color sangue) blood-red; blood (attr.); sanguine: **arancia sanguigna**, blood orange; **cielo s.**, blood-red sky Ⓑ m. (rosso sangue) blood red.

sanguinàccio m. (cucina) black pudding; blood pudding; blood sausage (USA).

sanguinànte a. bleeding; bloody: **ferita s.**, bleeding wound; **naso s.**, bloody nose; (fig.) **col cuore s.**, with a bleeding heart.

sanguinàre v. i. **1** to bleed*: **s. abbondantemente**, to bleed freely; Gli sanguina il naso, his nose is bleeding **2** (cucina, di bistecca, ecc.) to be underdone (o rare) **3** (fig.) to bleed*; (di insulto, ecc.) to smart, to hurt*: Mi sanguina il cuore, my heart bleeds.

sanguinària f. (bot., Sanguinaria canadensis) bloodroot.

sanguinàrio Ⓐ a. bloodthirsty; bloody; cruel; sanguinary (lett.): **tiranno s.**, bloodthirsty tyrant; **violenza sanguinaria**, bloody violence; Maria la Sanguinaria, Bloody Mary Ⓑ m. (f. **-a**) bloodthirsty person.

sànguine m., **sanguinèlla** f. (bot., Cornus sanguinea) cornel; dogwood; (drupa) dogberry.

sanguinèllo m. blood orange.

sanguineròla f. (zool., Phoxinus phoxinus) minnow.

sanguinolènto a. (sanguinante) bleeding, dripping with blood; (insanguinato) bloody, covered in (o full of) blood, (anche di scena, storia, ecc.) gory; (di carne poco cotta) underdone, rare: **ferita sanguinolenta**, bleeding wound; **mani sanguinolente**, bloody hands; **particolari sanguinolenti**, gory details.

sanguinosaménte avv. bloodily; violently; (con spargimento di sangue) with much bloodshed.

sanguinóso a. **1** (pieno di sangue) bloody; blood-stained: **ferite sanguinose**, bloody (o gory) wounds **2** (cruento) bloody; sanguinary; gory: **battaglia sanguinosa**, bloody (o gory) battle; **conflitto s.**, bloody conflict; **fatto s.**, bloody deed; act of blood **3** (fig.) mortal; deadly: **insulto s.**, mortal (o deadly) insult.

sanguisòrba f. (bot., Poterium sanguisorba) burnet.

sanguisùga f. **1** (zool., Hirudo medicinalis) leech **2** (fig.: persona avida) bloodsucker; leech **3** (fig.: persona insistente) pest; nuisance ● **stare attaccato come una s.**, to stick like a leech.

sanìcola f. (bot., Sanicula europaea) sanicle.

sanidìno m. (miner.) sanidine.

sanificàre v. t. to sanitize.

sanificazióne f. sanitization.

sanità f. **1** (salute) health; healthiness; soundness; sanity: **perfetta s.**, perfect health; **s. mentale**, soundness of mind; sanity; **certificato di s.**, health certificate **2** (l'essere moralmente sano) soundness: **s. di principi**, soundness of principles **3** (salubrità) salubrity; healthiness; wholesomeness:

la s. dell'aria, the salubrity of the air; **la s. dei cibi**, the wholesomeness of food **4** (organismo preposto alla salute pubblica) public health service; health board; (mil.) Army Medical Corps: **S. Marittima**, Port Medical Office; Ministero della S., Ministry for Health; (in GB) Department of Health; (in USA) Department of Health and Human Services; Organizzazione mondiale della S., World Health Organization; **ufficio di s.**, health office ❶ FALSI AMICI ● tranne che in senso psicologico, sanità non si traduce con sanity.

sanitàrio Ⓐ a. sanitary; medical; health (attr.); health-care (attr.): **articoli sanitari**, medical products; **centro s.**, health centre; **certificato s.**, health certificate; **cordone s.**, sanitary cordon; **corpo s.**, health staff; **ente s.**, health office; health service; health authorities (pl.); **impianti sanitari**, sanitary fittings; bathroom fittings (USA); sanitary-ware Ⓤ; **leggi sanitarie**, sanitary (o health) laws; **materiale s.**, medical supplies (pl.); **operatore s.**, health (o health-care) worker; (al pl. collett.) non-medical staff (sing.); **riforma sanitaria**, health-care reform; **servizio s.**, health (o medical) service; **ufficiale s.**, health officer Ⓑ m. **1** doctor; (al pl. collett., anche) medical staff (sing.) **2** (al pl.) sanitary fixtures; sanitaryware Ⓤ.

sanitarìsta m. e f. sanitaryware manufacturer.

sanitizzànte Ⓐ a. sanitizing Ⓑ m. sanitizer.

sanitizzàre v. t. to sanitize.

sanitizzazióne f. sanitization.

sannìta a., m. e f. Samnite.

sannìtico a. Samnite (attr.).

◆**sàno** a. **1** (in buona salute, anche fig.) healthy, fit; (senza difetti) sound: **bambino s.**, healthy child; **costituzione sana**, sound constitution; **cuore s.**, sound heart; **denti sani**, sound teeth; **economia sana**, healthy economy; **membra sane**, sound limbs; **come un pesce**, in the best of health; as sound as a bell; as fit as a fiddle; **s. di mente e di corpo**, sound in mind and body; **s. di mente**, sane; of sound mind; **non s. di mente**, insane **2** (che denota salute) healthy: **colorito s.**, healthy complexion; **appetito s.**, healthy appetite **3** (salubre) healthy; wholesome; salubrious: **aria sana**, salubrious air; **cibi sani**, wholesome food; **vita sana**, healthy life **4** (integro, non danneggiato) sound; whole; intact; undamaged: **edificio s.**, sound building; **pesche sane**, sound peaches **5** (region. fig.: intero, completo) entire; whole; full: **un anno s.**, a whole (o full) year **6** (fig.: onesto, retto) sound; healthy: **ambiente s.**, healthy environment; **sana educazione**, sound upbringing; **sani principi morali**, sound moral principles ● **s. e salvo**, safe and sound; unharmed; unhurt; unscathed; whole □ **s. e vispo**, spry □ **mente sana in corpo s.**, a healthy mind in a healthy body □ **stare** (o **conservarsi**) **s.**, to keep well; to take care of oneself.

San Pietrobùrgo m. (geogr.) St (abbr. di Saint) Petersburg.

sanrocchino m. (stor.) (pilgrim's) cloak.

sànsa① f. olive residue; olive pulp: **olio di s.**, oil from olive residue.

sànsa② f. (mus.) sansa; thumb piano; mbira.

sanscritìsta m. e f. Sanskritist; Sanskrit scholar.

sànscrito a. e m. Sanskrit.

sansevièria f. (bot., Sansevieria trifasciata) sansevieria.

sansimonìsmo m. (filos.) Saint-Simonianism; Saint-Simonism.

sansimonìsta m., m. e a. (filos.) Saint-Simonian.

Sansóne m. (anche fig.) Samson.

sans papiers (franc.) loc. m. e f. inv. undocumented (o illegal) immigrant.

santabàrbara f. **1** (naut.) powder magazine **2** (fig.) powder keg; dynamite Ⓤ.

santaménte avv. holily; piously; devoutly ● **morire s.**, to die a saintly death □ **vivere s.**, to live a saintly life.

santarellìna, **santerellìna** f. innocent--looking girl; goody-goody (fam.): **avere un'aria di s.** (o **fare la s.**), to look as if butter wouldn't melt in one's mouth; **essere una s.**, to be a goody-goody.

santificànte a. sanctifying: **grazia s.**, sanctifying grace.

santificàre Ⓐ v. t. **1** (rendere santo) to sanctify; to make* holy; to hallow: Santificarono il loro amore col matrimonio, they sanctified their love with marriage; Sia santificato il Tuo nome, hallowed be Thy name **2** (canonizzare) to canonize **3** (onorare) to honour, to celebrate; (osservare) to observe, to keep*: **s. il nome di Dio**, to celebrate the name of God; **s. le feste**, to keep holy days; to keep the Sabbath Ⓑ **santificàrsi** v. rifl. to sanctify one's life.

santificazióne f. **1** (il santificare) sanctification **2** (canonizzazione) canonization **3** (osservanza) observance; keeping: **la s. delle feste**, the observance of holy days; the keeping of the Sabbath.

santimònia f. (spreg.) sanctimony; sanctimoniousness.

santìno m. (small) holy picture.

Santìppe f. **1** Xanthippe **2** (fig.) shrewish wife; shrew; nag.

santìssimo Ⓐ a. superl. (most) holy; most sacred; blessed: **S. Padre**, Holy Father; **il S. Sacramento**, the Holy (o Blessed) Sacrament ● (fam.) Fammi il s. piacere di lasciarmi in pace, will you do me the great favour of leaving me alone? Ⓑ m. (relig.) – **il S.**, the Holy (o Blessed) Sacrament.

santità f. **1** holiness; sanctity; (dignità di santo) sainthood: **la s. di Dio**, the holiness of God; **aspirare alla s.**, to aspire to sainthood; **morire in odore di s.**, to die in the odour of sanctity **2** (sacralità, inviolabilità) sanctity; sacredness: **la s. d'un giuramento**, the sanctity of an oath; **la s. d'un tempio**, the sacredness of a temple **3** (bontà, integrità) holiness; saintliness; piousness: **s. di vita**, holiness of life; saintliness **4** (titolo di papa) Holiness: **Sua S.**, His Holiness.

◆**sànto** Ⓐ a. **1** (inviolabile, sacro) sacred: Il giuramento è s., oaths are sacred **2** (rif. a Dio, alla religione, ecc.) holy; blessed: **acqua santa**, holy water; (stor.) **la Santa Alleanza**, the Holy Alliance; **le anime sante**, the Holy Souls; **anno s.**, jubilee; **città santa**, holy city; **la Santa Comunione**, Holy Communion; **il Giovedì S.**, Holy Thursday; Maundy Thursday; **guerra santa**, holy war; **la Santa Messa**, Holy Mass; **olio s.**, holy oil; **il S. Padre**, the Holy Father; **la Santa Sede**, the Holy See; **lo Spirito S.**, the Holy Spirit (o Ghost); **la Terra Santa**, the Holy Land; **il Sant'Uffizio**, the Holy Office; **il Venerdì S.**, Good Friday; **la Santa Vergine**, the Blessed Virgin **3** (seguito da nome proprio) Saint (abbr. St, pl. SS): **San Paolo**, Saint (o St) Paul; **Sant'Anna**, St Anne; (la chiesa di) **San Pietro**, St Peter's; Oggi è San Giuseppe, today it's St Joseph's day (o the feast of St Joseph); **S. Stefano** (il giorno), St Stephen's Day; December 26th; (in GB) Boxing Day **4** (pio, devoto) saintly; holy; pious: **pensieri santi**, pious thoughts; **vita santa**, saintly (o holy) life **5** (fig. fam.: buono) good, virtuous, saintly; (paziente) long-suffering: È un sant'uomo, he's a truly good man; he's a real saint; Poveretta quella santa donna di sua moglie!, that poor long-suffering wife of his!

6 (*fig. fam.*: *utile, efficace*) good; helpful; useful; beneficial: *Sarebbe un'opera santa*, it would be really helpful; *Parole sante!*, how right you are [he is, etc.]! **7** (*fam.*, rafforzativo) blessed; good: *Sant'Iddio!*, good Lord!; good heavens!; *Fammi il s. piacere di stare zitto!*, will you kindly shut up; oh, do shut up for heaven's sake!; *tutti i santi giorni*, every single (o blessed) day; *tutto il s. giorno*, all day long; from morning till night; the whole blessed day; *Santa pazienza!*, for heaven's sake!; for Pete's Sake; God give me patience! **B** m. (f. **-a**) **1** saint: **s. patrono**, patron saint; **il S. dei Santi**, the Holy of Holies; **proclamare s.**, to canonize; **una pazienza da s.**, the patience of a saint (o of Job) **2** (*giorno*) saint's day: *Oggi è il mio s.*, today is my saint's day; (*Tutti*) *i Santi* (*Ognissanti*), All Saints' Day **3** (*fig.*) saint; godly person: *Quell'uomo è un s.*, that man is a saint ● (*fig.*) **a dispetto dei santi** (*a ogni costo*), at any cost □ **Deve avere un s. dalla sua**, he was born lucky; he must have a guardian angel □ (*fig.*) **avere santi in paradiso**, to have friends in high places □ **far scappare la pazienza anche a un s.**, to try the patience of a saint □ (*fam.*) **Non c'è s.** (**che tenga**), there's no way round it □ **non essere uno stinco di s.**, to be far from being a saint; to be no angel □ (*fig.*) **non sapere a che s. votarsi**, not to know which way to turn; to be at one's wits' end □ **Qualche s. ci aiuterà**, let's hope for the best □ **raccomandarsi a tutti i santi**, to implore everybody's help □ (*prov.*) **Passata la festa, gabbato lo s.**, once on shore we pray no more.

santocchieria f. (*spreg.*) sanctimony; sanctimoniousness; sanctified airs (pl.).

santòcchio m. (f. **-a**) (*spreg.*) sanctimonious person; holier-than-thou person.

sàntola f. (*region.*) godmother.

santolina f. (*bot.*, *Santolina chamaecyparissus*) cotton lavender; lavender cotton.

sàntolo m. (*region.*) godfather.

santóne m. **1** holy man*; hermit **2** (*iron.*) guru.

santònico m. (*bot.*, *Artemisia cina*) santonica.

santonina f. (*chim.*) santonin.

santoréggia f. (*bot.*, *Satureia hortensis*) garden (o summer) savory.

santuàrio m. **1** (*luogo sacro, anche fig.*) sanctuary; shrine **2** (*in un tempio*) sanctum sanctorum* (*lat.*); holy of holies **3** (*fig.*: *luogo inaccessibile*) sanctum*.

sanzionàbile a. sanctionable; punishable.

sanzionàre v. t. **1** (*sancire, ratificare*) to approve; to sanction; to ratify; to endorse; (*confermare*) to confirm: **s. una legge**, to ratify a law; to approve a bill; **s. un'usanza**, to sanction a custom **2** (*applicare sanzioni punitive*) to sanction; to impose a sanction on; (*punire*) to punish.

sanzionatòrio a. concerning a sanction (o sanctions).

sanzióne f. **1** (*anche leg.*: *approvazione, ratifica*) approval; sanction; ratification; endorsement; (*conferma*) confirmation: **la s. del Parlamento**, the sanction (o approval) of Parliament; **la s. dei propri superiori**, the sanction of one's superiors **2** (*penalità*) sanction; penalty; (al pl.: *blocco economico*) embargo: **sanzioni economiche**, economic sanctions; **sanzioni penali**, penalties; **imporre sanzioni a q.**, to impose sanctions against (o on) sb.; **incorrere nelle sanzioni della legge**, to incur legal sanctions; to be punished by law **3** (*stor.*) – **Prammatica s.**, Pragmatic Sanction.

sanzionista a. that tends to apply sanctions.

sanzionìstico a. sanctions (attr.): **prov-**

vedimento s., sanction.

sapèrda f. (*zool.*, *Saperda calcarata*) poplar borer.

♦**sapére**① **A** v. t. **1** (*conoscere*) to know*; (*essere consapevole di*) to realize, to be aware of: **s. il nome di q.**, to know sb.'s name; **s. il proprio mestiere**, to know one's job; **s. il tedesco**, to know German; **s. tutto**, to know everything; *Sì, so tutto*, yes, I know all about it; *È uno che sa*, (*è colto*) he is a learned man; (*se ne intende*) he is a knowledgeable man **2** (*essere a conoscenza, avere conoscenza di*; *anche assol.*) to know*: **s. che cos'è la vita**, to know what life is like; **s. che cosa dire [fare]**, to know what to say [to do]; *Sai chi è?*, do you know who she is?; *Sapete per caso se è arrivato?*, do you know by any chance if he has arrived?; *Sai, partirò domani*, I'm leaving tomorrow, you know; *So che il ragazzo ha ragione*, I know (that) the boy is right; *Sai com'è*, you know how it is; *So di avere torto*, I know I'm wrong; *Non sapevo di dover venire*, I didn't know I had to come; *So dove trovarli*, I know where to find them; *Sai benissimo* (*o meglio di me*) *che...*, you know perfectly well that...; *Lo so*, I know; *Lo sapevo che sarebbe tornato*, I knew he would come back; *Ecco, lo sapevo!*, there! I knew it!; *Non so*, I don't know; *Non ne so niente*, I know nothing about it; *Non saprei*, I don't know; I wouldn't know; I can't say; *Non sapevo della loro esistenza*, I didn't know of their existence; *So di un ristorantino qui accanto*, I know of a little restaurant near here; *Sai di qualcuno che voglia comprarlo?*, do you know of anybody who might want to buy it? **3** (*essere consapevole*) to know*; to realize; to be aware of: *Sai che sei seduto sul mio cappello?*, do you realize (o are you aware) that you're sitting on my hat?; *Ma lo sai che ora è?*, do you realize what time it is? **4** (*venire a conoscenza*) to know*; to get* to know; to learn* (about); to hear* (about); to find* out (about): **s. qc. da q.**, to learn (o to hear) st. from sb.; *L'ho saputo da buona fonte*, I had it from a reliable source; *L'ho saputo ieri*, I was told (o I learnt, I found out) about it yesterday; *Come hai fatto a saperlo?*, how did you get to know about it?; how did you find out?; *Ho saputo che...*, I have heard (o I have been told) that...; *Non abbiamo più saputo niente di loro*, we haven't heard any more about them; *Di lui non si seppe più nulla*, he was never heard of again **5** (+ inf.: *essere capace, essere in grado, riuscire*) can (indic. e congiunt. pres.), could (indic. e congiunt. pass., condiz.); to be able (to); (*s. come si fa*) to know* (how to): *So giocare a scacchi*, I can play chess; *So distinguere una cosa buona da una cattiva*, I can tell a good thing from a bad one; *Sai essere gentile quando vuoi!*, you can be nice when you choose!; *È uno che sa comandare*, he knows how to give orders; *Sai nuotare* [*guidare, far da mangiare*]?, can you swim [drive, cook]?; *Sai aggiustare un rubinetto?* do you know how to fix a tap?; *Sai come* (*si fa a*) *metterlo in moto?*, do you know how to start it?; *Tra un anno saprai suonare benissimo*, in a year's time you'll be able to play beautifully; *Saprò dirtelo domani*, I'll be able to tell you tomorrow; *Saprebbe dirmi dove siamo?*, could you tell me where we are?; *Sapreste descrivere l'aggressore?*, would you be able to describe the assailant?; *Non so distinguerli*, I can't tell them apart; *Non so dirti la mia gioia*, I can't tell you how glad I was; *Non sapeva scrivere a macchina*, he couldn't type; *Non sa dire bugie*, she is incapable of lying; she is a hopeless liar; *Non so dirti granché*, I cannot tell you much; *Non ho saputo rispondere*, I wasn't able to answer; *Non sa neanche rifare il letto*, she doesn't even know how to make a bed; *Non*

so spiegarlo, I don't know how to explain it; *Non saprei farne a meno*, I couldn't do without it ● **s. qc. a memoria** (*o a mente*), to know st. by heart (o by rote) □ **s. qc. a menadito**, to know st. perfectly (o thoroughly); to know st. backwards; to have st. at one's fingertips □ **s. come va il mondo**, to know the score (*fam.*) □ **s. di storia [di latino]**, to be well versed in history [in Latin] □ **s. fare di tutto**, to be good at everything □ **s. fare il proprio mestiere**, to be good at one's job □ **s. il fatto proprio**, to know one's job; to know what's what □ **s. l'ora**, to know the time; to know what time it is □ **s. per certo**, to know for certain (o for a fact) □ **s. qc. per esperienza**, to know st. by experience □ **s. qc. per filo e per segno**, to know st. like the back of one's hand □ **s. quel che si vuole**, to know what one wants; to know one's own mind □ **s. sempre tutto**, to know all the answers □ **s. vivere**, to know how to enjoy life; to be a man of the world □ **il s. vivere**, (good) manners; etiquette □ (*fam.*) **saperci fare**, (*conoscere il proprio mestiere*) to know one's job; (*essere in gamba*) to be clever; to know what's what □ **saperci fare con q.**, to be good with sb.; to have a way with sb. □ **saperci fare con qc.**, to be clever at (o with): *Ci sa fare con i numeri*, he's clever at figures □ **saperla lunga**, to know what's what; to know a thing or two; to have been around (*fam.*) □ *Mi guardò con l'aria di chi la sa lunga*, he gave me a knowing look □ **saperle tutte**, to know all the tricks □ **saperne una più del diavolo**, to be as shrewd as the devil □ **saperne quanto prima**, to be none the wiser □ **Ah, averlo saputo!**, if only I had known (about it)! □ **a quanto ne so**, as far as I know □ **Buono a sapersi!**, that's worth knowing!; thanks for telling me! □ **che io sappia**, as far as I know □ **Che io sappia, no**, not as far as I know; not that I know of □ **Che ne so io!**, how should I know? □ **Chi (lo) sa?**, who knows?; who can tell?; it's anybody's guess; (*dubitativo*) I wonder: *L'anno prossimo? Chi lo sa!*, next year? who knows?; *Chi lo sa se verrà*, I wonder whether she will come; → **chissà** □ **Devi s. che lui...**, the fact is that he...; well, he... □ **Dio sa...**, God (o Heaven) knows... □ **...e che so io**, and what not □ **far s. qc. a q.**, to let sb. know st.; (*per iscritto*) to send sb. word about st., to drop sb. a line about st. □ **Lo sa Dio (il cielo)!**, God (Heaven) only knows! □ **Lo so da me**, I don't need anyone to tell me; I don't need telling □ **Ne so quanto te**, your guess is as good as mine □ **non c'è modo di s.**, there's no way of knowing (o telling) □ **Non se ne sa molto di lui**, not much is known about him □ **Non si sa mai** (o **non si può mai s.**), you never know; you never can tell □ **non s. quel che si dice**, to talk nonsense; to talk through one's hat (*fam.*) □ **Ha conosciuto non so che cantante**, she met some singer or other □ **Non so che farci**, I can't help it □ **Non so che farei per lui**, I'd do anything for him □ **Non so voi, ma io ho fame**, I don't know about you, but I am hungry □ **Non voglio saperne nulla di questo affare**, I don't want to have anything to do with this □ **Non vuole saperne di lavorare**, he won't hear of getting a job □ **Per quel che ne so io**, potrebbe anche essere morto, he might be dead, for all I know □ **Sappimi dire**, let me know; keep me informed □ **Saperlo!**, if [we] only knew!; I wish I knew!; that's anyone's guess! □ **Sappi che questa è l'ultima volta**, remember that this is the last time □ **Se solo sapessi!**, if only I knew! □ **Se sapeste quello che è successo!**, you'll never guess what happened! □ **Si può sapere che vuoi?**, would you mind telling me [us] what you want? □ **Si sa che frequenta gente dubbia**, he's known to go around with dubious characters □ **Questo lo si sa!**,

a
b
c
d
e
f
g
h
i
j
k
l
m
n
o
p
q
r
s
t
u
v
w
x
y
z

everybody knows that!, of course! □ **un non so che** → **non so che**, loc. m. □ **venire a s.**, to find out about: *Non voglio che si venga a s.*, I don't want people to find out about it; I don't want it to get about **B** v. i. **1** (*avere sapore*) to taste, to savour; (*avere odore*) to smell*: **s. di amaro** [**di bruciato**], to taste bitter [burnt]; **s. di cipolla**, to taste of onions; **s. di muffa** [**di pulito**], to smell mouldy [clean]; **s. di sale**, to be salty; (*fig.*) to taste bitter; **s. di sapone**, to taste of soap; to have a soapy taste; **s. di tappo**, to be corked; *Di che cosa sa?*, what does it taste of?; **non s. di nulla**, to be tasteless; (*anche fig.*) to be insipid **2** (*fig.*: *dare l'impressione, far supporre, sospettare*) to think*; to guess; to bet* (*fam.*), to have a feeling (tutti costruiti pers.): *Quell'uomo mi sa di imbroglione*, I think he's a crook; *Mi sa che hai ragione*, I think (o I guess) you're right; *Mi sa che qui dovrò pagare io*, I guess I'll have to pay **3** (*fig.*: *avere sentore*) to smack; (*sembrare*) to look (like): *Odio tutto quel che sa di pedanteria*, I hate anything that smacks of pedantry; *L'affare sa di imbroglio*, the deal looks like a rip-off; the entire deal stinks (*fam.*).

◆**sapére** ② m. knowledge; (*dottrina*) learning: **l'umano s.**, human knowledge; **amante del s.**, fond of learning; **ostentare il proprio s.**, to parade one's knowledge; **ramo del s.**, branch of knowledge.

sapidità f. tastiness; savouriness; sapidity.

sàpido a. **1** tasty; savoury, savory (*USA*); sapid (*lett.*); (*di vino*) full-bodied **2** (*fig.*) witty.

sapiènte **A** a. **1** (*saggio*) wise; sage: **parole sapienti**, wise words **2** (*colto*) learned; (*erudito*) erudite; (*dotto*) scholarly **3** (*abile, esperto*) able; expert; masterly: **amministratore s.**, able administrator; **cuoco s.**, expert cook; **tocco s.**, expert touch **4** (*ammaestrato*) trained; performing: **cavallo s.**, performing horse **B** m. **1** (*uomo saggio*) wise man*, sage; (*generalm. iron.*) savant: **i sapienti**, the wise; **i sette sapienti della Grecia**, the seven wise men (o sages) of Greece **2** (*uomo colto*) learned man*; man* of learning; (*dotto*) scholar; (*generalm. iron.*) savant, pundit **C** f. **1** (*donna saggia*) wise woman* **2** (*donna colta*) learned woman*; woman* of learning; scholar; (*iron.*) savante.

sapientóne m. (f. **-a**) (*iron.*) know-all; know-it-all; wiseacre.

sapiènza f. **1** (*saggezza*) wisdom: **la s. di Salomone**, Solomon's wisdom **2** (*sapere*) knowledge; (*dottrina*) learning, erudition, scholarship **3** (*abilità, perizia*) skill; ability; mastery **4** (*libro della Bibbia*) Book of Wisdom.

sapienziàle a. (*relig.*) sapiential: **i libri sapienziali**, the sapiential books.

saponàceo a. soapy; saponaceous.

saponària f. (*bot., Saponaria officinalis*) soapwort ● (*bot.*) **albero della s.** (*Quillaia saponaria*), soapbark.

saponàrio a. **1** soap (attr.): **prodotti saponari**, soap products; **radice saponaria**, soapwort root **2** (*miner.*) – **pietra saponaria**, soapstone.

saponàta f. (*acqua con sapone*) soapy water; (*schiuma*) soapsuds (pl.); lather: **fare una s.**, to make a lather.

◆**sapóne** m. **1** soap: **s. allo zolfo**, sulphur soap; **s. da barba**, shaving soap; **s. da bucato**, washing soap; **s. da toeletta**, toilet soap; **s. di Marsiglia**, Marseille soap; **s. in polvere**, soap powder; **s. in scaglie**, soap flakes (pl.); **s. liquido**, liquid (o soft) soap; **s. neutro**, mild soap; **s. per pelli delicate**, mild soap; (*anche fig.*) **bolla di s.**, soap bubble; **pezzo di s.**, bar of soap **2** (*saponetta*) cake of soap; bar of soap **3** (*fig. fam.*: *adu-*

lazione) soft soap: **dare del s. a q.**, to soft-soap sb. **4** (*chim.*) – **s. dei vetrai**, glassmakers' soap.

saponería f. **1** (*saponificio*) soap works; soap factory **2** (*negozio*) soap shop.

saponétta ① f. cake of soap: **s. all'olio di mandorle**, cake of almond soap.

saponétta ② f. (*orologio*) hunting-watch; hunter.

saponièra f. soap case.

saponière m. **1** (*operaio*) soap boiler **2** (*fabbricante*) soap manufacturer.

saponièro a. soap (attr.).

saponificàbile a. saponifiable.

saponificàre v. t. to saponify.

saponificatóre **A** a. saponifying **B** m. (f. **-trice**) saponifier.

saponificazióne f. saponification.

saponifìcio m. soap works; soap factory.

saponina f. (*chim.*) saponin.

saponite f. (*miner.*) soapstone.

saponóso a. soapy.

saporàccio m. nasty (o bad) taste.

◆**sapóre** m. **1** taste (*anche fig.*); (*aroma*) flavour, flavor (*USA*): **s. amaro** [**gradevole, intenso**], bitter [pleasant, rich] taste (o flavour); **s. di bruciato**, burnt taste; **s. di cipolla**, taste (o flavour) of onions; **s. di muffa**, mouldy taste; **s. piccante**, sharp flavour; nip; bite; tang; (*fig.*) zest; **s. strano**, funny taste; **il s. del caffè**, the taste (o the flavour) of coffee; **il s. del successo**, the taste of success; **un leggero s. di**, a slight taste of; a tinge (o a trace a hint) of; **al s. di mango**, mango-flavoured; **di s. amaro** [**dolce**], bitter [sweet] (agg.); **senza s.**, tasteless; flavourless; insipid; (*fig.*) uninteresting, dull, insipid; **avere un s. di limone**, to taste of lemon; to have a lemony taste; **avere un buon s.**, to taste good; **non avere s.**, to have no taste (o flavour); to be tasteless (o insipid); *Che s. ha?*, what does it taste of?; *Com'è il s.?*, how does it taste?; what does it taste like?; (*cucina*) **dare s. a qc.**, to add taste (o flavour) to st.; to flavour st.; (*anche fig.*) **lasciare un cattivo** [**buon**] **s. in bocca**, to leave a bad [pleasant] taste in the mouth; to have a bad [pleasant] aftertaste; **sentire il s. di qc.**, to taste st. **2** (*fig.*: *caratteristica, tono*) flavour: **parole di s. amaro**, bitter words; **un romanzo di s. dickensiano**, a novel with a Dickensian flavour; **una vicenda di s. romantico**, a romantic story **3** (*fig.*: *vivacità, colore*) relish; spice; zest: **dare s. alla vita**, to give some spice to life; *La vicenda ha perso un po' del suo s. nel raccontarla*, the story has lost some of its zest in the telling **4** (*fis. nucl.*) flavour **5** (al pl.) (*alim., region.*) herbs.

saporire v. t. to season; to flavour.

saporitaménte avv. with gusto; with relish ● **dormire s.**, to sleep soundly; to sleep like a log (*fam.*). □ **ridere s.**, to laugh heartily.

◆**saporito** a. **1** tasty; savoury, savory (*USA*): **piatto s.**, tasty dish; **poco s.**, tasteless; dull **2** (*salato*) salty **3** (*fig.*: *esorbitante*) steep; stiff: **conto s.**, stiff bill **4** (*fatto con piacere*) good; hearty; sound: **risata saporita**, hearty laugh; **sonno s.**, sound sleep **5** (*fig.*) spicy; piquant; (*arguto*) witty.

saporosità f. tastiness; savouriness.

saporóso a. **1** tasty; savoury **2** (*fig.*) spicy; piquant.

sapòta f. (*bot., Achras sapota*) sapodilla.

sapotìglia, sapotilla f. (*bot.*) sapodilla (plum).

sapròbio (*biol.*) **A** m. saprobe **B** a. saprobiotic.

saprofagìa f. (*biol.*) saprophagy.

sapròfago a. (*biol.*) saprophagous: **orga-**

nismo s., saprophage.

saprofilìa f. (*biol.*) saprophily.

sapròfilo a. saprophilous.

saprofita → **saprofito**.

saprofitìsmo m. (*bot.*) saprophytism.

sapròfito (*bot.*) **A** m. saprophyte **B** a. saprophytic.

saprògeno a. (*biol.*) saprogenic; saprogenous.

sapropèl m. (*geol.*) sapropel.

sapropèlico a. (*geol.*) sapropelic.

sapropelite f. (*geol.*) sapropelite.

saprotrofìa f. (*biol.*) saprotrophy.

sapròtrofo (*biol.*) **A** m. saprotrophe **B** a. saprotrophic.

saprozòico a. (*biol.*) saprophagous.

saprozoite m. (*biol.*) saprozoon.

saputèllo m. (f. **-a**) know-all; clever-clogs; smarty-pants: **fare il s.**, to show off; *Non fare tanto il s.*, don't be such a know-all!

saputo **A** a. **1** (*che si sa*) known; well-known; **s. e risaputo**, (*noto*) well-known; (*trito*) hackneyed, trite, stale **2** (*lett.*: *che sa*) well-informed; acquainted: **fare q. s.**, to inform sb.; to acquaint sb. **3** (*che presume di sapere*) pedantic; too clever by half: **ragazzino s.**, little know-all **B** m. (f. **-a**) know-all; clever dick (*fam.*); smart alec (*fam.*): **fare il s.**, to show off one's knowledge; *Non fare tanto il s.!*, don't be such a know-all.

SAR sigla (**Sua Altezza Reale**) His (o Her) Royal Highness (HRH).

Sàra f. Sarah.

sarabànda f. **1** (*mus.*) saraband **2** (*fig.*: *clamore*) uproar, hullabaloo; (*chiasso*) racket; (*confusione*) commotion, bedlam Ⓤ; (*turbinio*) whirl, turmoil, riot: **una s. di macchine e motorini**, a bedlam of cars and motorbikes; **una s. di colori**, a riot of colour.

saràcca → **salacca**.

saràcco m. ripsaw ● **s. a costola**, backsaw; tenon saw.

saracèno a. e m. (f. **-a**) Saracen ● (*bot.*) **grano s.**, buckwheat.

saracinésca f. **1** (*serranda*) (rolling) shutter: **alzare** [**abbassare**] **la s.**, to pull up [to pull down] the shutter **2** (*di castello*) portcullis: **alzare** [**abbassare**] **la s.**, to raise [to lower] the portcullis **3** (*idraul.*) – **valvola a s.**, slide (o gate) valve.

saracino m. **1** (*nel gioco della quintana*) quintain: **giostra del s.**, quintain **2** (*pop.*) → **saraceno**.

sàrago m. (*zool., Diplodus sargus*) white sea bream.

Saragòzza f. (*geogr.*) Saragossa.

sarcàsmo m. sarcasm Ⓤ; (*osservazione sarcastica*) sarcastic remark: **s. feroce**, scathing (o withering) sarcasm; **s. pungente**, biting (o piercing) sarcasm; **fare del s.**, to make sarcastic remarks; to be sarcastic; *Risparmiaci i tuoi sarcasmi*, spare us your sarcasm; *Sono stufo dei suoi sarcasmi*, I'm tired of his sarcastic remarks.

sarcàstico a. sarcastic.

sarchiàre v. t. to hoe; to weed; to spud: **s. un campo**, to hoe (o to weed) a field; **s. le erbacce**, to hoe up (o to spud) weeds.

sarchiatóre m. (f. **-trice**) **1** weeder **2** → **sarchiatrice**.

sarchiatrice f. (*mecc.*) weeder; hoeing machine.

sarchiatùra f. weeding; hoeing.

sarchiellàre v. t. to weed.

sarchièllo m. weeder; weeding hook.

sàrchio m. spud.

sarcòfaga f. (*zool., Sarcophaga carnaria*) flesh fly.

sarcòfago m. sarcophagus*; (*di mummia, anche*) mummy case.

sarcofillo m. (*bot.*) sarcophyllum*.

sarcòfilo m. (*zool.*, *Sarcophilus harrisii*) Tasmanian devil.

sarcòide m. (*med.*) sarcoid.

sarcoidòsi f. (*med.*) sarcoidosis.

sarcolèmma m. (*anat.*) sarcolemma.

sarcòma m. (*med.*) sarcoma*.

sarcomatòsi f. (*med.*) sarcomatosis.

sarcomatóso a. (*med.*) sarcomatous.

sarcoplàsma m. (*biol.*) sarcoplasm.

sàrda ① f. (*zool.*) **1** (*sardina*) sardine **2** (*palamita*) bonito.

sàrda ② f. (*miner.*) sard.

sardàna f. (*mus.*) sardana.

sardanapalésco a. Sardanapalian.

Sardanapàlo m. (*stor.*) Sardanapalus.

Sardégna f. (*geogr.*) Sardinia.

sardegnòlo a. e m. (*pop.*) Sardinian.

sardèlla f. (*zool.*) **1** sardine **2** (*palamita*) salted bonito.

sardina f. (*zool.*, *Sardina pilchardus*) pilchard; (*giovane*) sardine: **scatola di sardine**, tin of sardines; **pigiati come le sardine**, packed like sardines.

sardìsmo m. **1** (*polit.*) movement for Sardinian autonomy **2** (*ling.*) Sardinian idiom.

sardista A a. in support of Sardinian autonomy B m. e f. supporter of Sardinian autonomy.

sàrdo a. e m. (f. *-a*) Sardinian.

sardònia f. (*bot.*, *Ranunculus sceleratus*) celeryleaf buttercup; cursed crowfoot.

sardònica ① (*bot.*) → **sardonia**.

sardònica ②, **sardònice** f. (*miner.*) sardonyx.

sardònico a. sardonic: **ghigno s.**, sardonic grin.

sargàsso m. (*bot.*, *Sargassum bacciferum*) sargasso*: (*geogr.*) *Mar dei Sargassi*, Sargasso Sea.

sàri m. (*veste indiana*) sari, saree.

sariga f. (*zool.*, *Didelphis virginiana*) opossum.

sàrmata m. Sarmatian.

sarmàtico a. Sarmatian.

Sarmàzia f. (*geogr.*, *stor.*) Sarmatia.

sarménto m. (*bot.*) runner; stolon; (*di vite*) vine shoot, vine branch.

sarmentóso a. (*bot.*) sarmentose; sarmentous.

saròng m. inv. (*indumento malese*) sarong.

sàros m. (*astron.*) saros.

sàrpa → **salpa**.

sarracènia f. (*bot.*, *Sarracenia*) sarracenia; pitcher plant.

sarrussòfono m. (*mus.*) sarrusophone.

sàrta f. **1** dressmaker; (*stilista*) couturière (*franc.*); (*cucitrice*) seamstress **2** (*teatr.*) wardrobe mistress.

sàrtia f. (*naut.*) shroud: (al pl., collett, anche) rigging (sing.): **sartie di dritta [di sinistra]**, starboard [port] shrouds; **sartie di belvedere**, mizzen-topgallant shrouds; **sartie di granvelaccio**, main-topgallant shrouds; **sartie maggiori [minori]**, lower [upper] rigging.

sartiàme m. (*naut.*) shrouds (pl.); rigging.

sartiàre v. t. (*naut.*) to ease off (*o* away); to overhaul.

sartina f. (apprentice) dressmaker.

sartiòla f. (*naut.*) upper shroud.

◆**sàrto** m. tailor; (*da donna*) dressmaker; (*stilista*) fashion designer, couturier (*franc.*): **fare il s.**, to be a tailor; **abito fatto dal s.**, tailor-made suit; **il mestiere del s.**, tailoring; **forbici da s.**, (tailor's) shears; **gessetto da s.**, tailor's chalk; **metro da s.**, tape measure.

sartoria f. **1** (*laboratorio: da uomo*) tailor's (shop); (*da donna*) dressmaker's (shop); (*di*

alta moda) fashion house, couture house; (*cinem.*) dressmaking department: **vestito di s.**, (*da uomo*) tailor-made suit; (*da donna*) tailor-made dress **2** (*arte del sarto: da uomo*) tailoring; (*da donna*) dressmaking: **alta s.**, (haute) couture (*franc.*); **capolavoro di s.**, sartorial masterpiece.

sartoriàle a. tailor's; tailoring (attr.); dressmaking (attr.); sartorial.

sartòrio m. (*anat.*) sartorius*.

sartotècnica f. tailoring; dressmaking.

S.a.s. sigla (*comm.*, **società in accomandita semplice**) limited partnership.

sasànide a. e m. (*stor.*) Sassanian; Sassanid.

sashimi m. inv. (*cucina giapponese*) sashimi.

sassafràsso m. (*bot.*, *Sassafras officinale*) sassafras.

sassàia f. **1** (*terreno sassoso*) stony ground; (*strada sassosa*) stony road **2** (*riparo, argine*) stone barrier; stone dike.

sassaiòla f. **1** (*grandine di sassi*) hail of stones **2** (*battaglia coi sassi*) stone-fight: **fare la s.**, to have a stone-fight.

sassaiòlo a. rock (attr.): (*zool.*) **colombo s.** (*Columba livia*), rock pigeon; rock dove.

sassànide → **sasanide**.

sassarése A a. of Sassari; from Sassari B m. e f. native [inhabitant] of Sassari.

sassàta f. blow with (*o* from) a stone: **fare a sassate**, to throw stones at each other; to have a stone-fight; **prendere q. a sassate**, to pelt sb. with stones; **tirare una s. a q.**, to throw a stone at sb.; **uccidere q. a sassate**, to stone sb. to death.

sassèllo m. (*zool.*, *Turdus musicus*) red-winged thrush; redwing.

sasséto m. stony ground.

sassìcolo a. (*bot.*, *zool.*) saxatile; growing [living] among rocks.

sassìfraga f. (*bot.*, *Saxifraga*) saxifrage.

◆**sàsso** m. **1** (*materia*) stone; rock: **una casa costruita sul s.**, a house built upon rock **2** (*frammento di pietra*) stone, rock (*USA*); (*masso*) boulder; (*ciottolo*) pebble: **seduto su un s.**, sitting on a stone; **tirare sassi contro q.**, to throw stones (*o* rocks) at sb.; **spiaggia di sassi**, pebble (*o* pebbly) beach; **pieno di sassi**, full of stones; stony **3** (*parete rocciosa*) rock-face; (*roccia*) rock **4** (*lett.: pietra sepolcrale*) tombstone; gravestone ● **avere un cuore di s.**, to have a heart of stone; to be stony-hearted □ **cadere come un s.**, to fall like a stone □ **dormire come un s.**, to sleep like a log □ **essere a un tiro di s. da**, to be a stone's throw from □ **lasciare di s.**, to astound; to leave dumbfounded (*o* astounded) □ **duro come un s.**, as hard as (a) stone (*o* as rock) □ **Fa pietà anche ai sassi**, it would make the very stones weep; it would melt a heart of stone □ (*fig.*) **gettare sassi in piccionaia**, to foul one's nest □ (*fig.*) **mettersi un s. al collo**, to (hang a stone round one's neck and) drown oneself □ **restare di s.**, to be speechless; to be stunned; to be dumbfounded: *A quella notizia restai di s.*, I was stunned by the news □ **Lo sanno anche i sassi!**, everybody knows that! □ (*fig.*) **tirare il s. e nascondere la mano**, to attack from under cover.

sassofonista m. e f. (*mus.*) saxophonist; saxist (*fam.*).

sassòfono m. (*mus.*) saxophone; sax (*fam.*).

sassofràsso → **sassafrasso**.

sàssola f. **1** (*naut.*) bailer; bailing scoop **2** (*cucchiaia*) ladle.

sassolino m. pebble.

sàssone a., m. e f. Saxon.

Sassònia f. (*geogr.*) Saxony.

sassóso a. stony; rocky; (*ciottoloso*) pebbly: **spiaggia sassosa**, pebbly beach; **terreno s.**, stony ground.

sassotrómba f. (*mus.*) saxotromba.

Sàtana m. Satan; the Devil: **darsi a S.**, to sell one's soul to the Devil; *Vade retro, S.!*, get thee behind me, Satan!

satanàsso m. **1** (*pop.*) (the) Devil; Satan; Old Nick (*fam.*) **2** (*fig.: persona violenta*) person possessed; fiend: **gridare come un s.**, to yell like one possessed **3** (*fig.: persona irrequieta*) live wire.

satànico a. **1** satanic: **culto s.**, satanic cult **2** (*diabolico*) satanic; diabolic; devilish; fiendish: **piano s.**, diabolical (*o* devilish) plan; **risata satanica**, sanatic laugh.

satanìsmo m. satanism.

satanista m. e f. satanist.

satellitàre, **satellitàrio** a. a. satellite (attr.): **antenna s.**, satellite dish; **telefono satellitare**, satellite telephone.

◆**satèllite** A m. **1** (*astron.*) satellite; (*luna*) moon: **satelliti galileiani**, Galilean moons **2** (*miss.*, *aeron.*, *radio*, *TV*) satellite: **s. artificiale**, (artificial) satellite; **s. meteorologico**, weather satellite; **s. spia**, spy satellite; **trasmettere in diretta via s.**, to broadcast live by satellite; **collegamento [trasmissione] via s.**, satellite link-up [broadcast] **3** (*polit.*) satellite (state, country) **4** (*seguace*) satellite; follower; (*spreg.*) henchman*, hanger-on* **5** (*mecc.*) planet wheel **6** (*biol.*) satellite **7** (*comput.*) satellite computer B a. satellite (attr.): **città s.**, satellite town; **organizzazione s.**, satellite organization; **paese s.**, satellite country.

satellòide m. (*aeron.*) satelloid.

sàtem a. inv. (*ling.*) – **lingue s.**, satem languages.

sàti, **satì** m. (*relig. induista*) suttee.

satin (*franc.*) m. (*ind. tess.*) satin.

satinàto a. satin (attr.): **carta satinata**, satin paper; **finitura satinata**, satin finish.

satinatrice f. satinizing machine.

satinatùra f. **1** (*procedimento*) satinizing **2** (*effetto*) satin finish.

satinèlla f. (*ind. tess.*) satinette.

sàtira f. **1** (*letter.*) satire: **le satire di Orazio**, the satires of Horace; **scrittore di satire**, satirist **2** satire; **una s. dei costumi**, a satire on manners; **s. graffiante**, stinging (*o* biting) satire; **fare la s. di** (*o* mettere in s.), to satirize; **fare della s.**, to be satirical; to write satires.

satireggiàre A v. t. to satirize; to lampoon B v. i. **1** (*fare della satira*) to be satirical **2** (*letter.*) to write* satires.

satirésco a. **1** (*di satiro*) satyric; satyr-like; satyr (attr.) **2** (*letter.*) – **dramma s.**, satyr play; (*genere*) satyr drama.

satirìasi f. (*psic.*) satyriasis.

satirico A a. satirical: **rivista satirica**, satirical magazine; **poeta s.**, satirical poet; **tono s.**, satirical tone B m. (*autore di satire*) satirist.

satirióne m. (*bot.*, *Phallus impudicus*) stinkhorn.

sàtiro m. **1** (*mitol.*) satyr **2** (*fig.*) satyr; lecher ● (*scherz.* o *spreg.*) **vecchio s.**, dirty old man.

satisfattòrio a. (*leg.*) – **pagamento s.**, payment (*o* settlement) in full.

sativo a. (*agric.*) **1** (*seminabile*) sowable; fit for sowing **2** (*coltivabile*) cultivable.

satollàre A v. t. (*saziare*) to satiate; to sate; to fill* up B **satollàrsi** v. i. pron. to eat* one's fill.

satòllo a. replete; satiated; sated; full (*fam.*).

satrapìa f. (*stor.*) satrapy.

satràpico a. satrapic.

sàtrapo m. **1** (*stor.*) satrap **2** (*fig.*) petty tyrant.

satsùma m. inv. (*bot.*, *Citrus reticulata*) satsuma.

saturàbile a. saturable.

saturàre A v. t. **1** (*chim.*, *fis.*) to saturate **2** (*fig.*) to saturate; to fill; (*econ.*, *anche*) to glut, to overstock: **saturarsi il cervello di formule**, to fill one's mind with formulas; **s. il mercato**, to saturate (*o* to glut) the market B **saturàrsi** v. rifl. (*fig.*: *saziarsi*) to satiate oneself (with); to sate oneself (with); (*essere sazio*) to have a surfeit (of) C **saturàrsi** v. i. pron. to become* saturated (with): *L'aria si saturò di umidità*, the air became saturated (*o* charged) with humidity.

saturatóre m. (*tecn.*) saturator.

saturazióne f. (*anche fig.*) saturation; glut (*econ.*): **s. del mercato**, saturation of the market; market saturation; glut in the market; **s. magnetica**, magnetic saturation; (*anche fig.*) **punto di s.**, saturation point; (*anche fig.*) **arrivare al punto di s.**, to reach saturation point.

saturèia f. (*bot.*, *Satureja hortensis*) garden (*o* summer) savory.

saturnàle A a. (*mitol.*) of Saturn; Saturnian B m. pl. (*stor.*) Saturnalia.

saturnia f. (*zool.*, *Saturnia*) saturniid.

saturniàno a. **1** (*astron.*) Saturnian **2** (*di temperamento*) saturnine; Saturnian.

saturnino a. **1** (*lett.*) saturnine; gloomy **2** (*med.*) saturnine; symptomatic of lead poisoning.

satùrnio A a. (*lett.*) Saturnian B m. (*poesia*) Saturnian (verse).

saturnismo m. (*med.*) lead poisoning; plumbism.

satùrno m. (*alchimia*) Saturn; lead.

Satùrno m. (*mitol.*, *astron.*) Saturn.

sàturo a. **1** (*scient.*) saturated: **s. di umidità**, saturated with humidity; **soluzione satura di salnitro**, saturated solution of nitre; **vapore s.**, saturated steam **2** (*fig.*: *pieno*) full (of); (*zeppo*) crammed (with); (*stipato*) stowed (with); (*econ.*) overstocked (with); (*di atmosfera*) charged (with): **s. di fumo**, full of smoke; **atmosfera satura di elettricità**, highly charged atmosphere; **mercato s.**, overstocked market.

saudiano a. → **saudita**.

saudìta a., m. e f. Saudi; Saudi Arabian: *Arabia Saudita*, Saudi Arabia.

sàuna f. **1** (*bagno*) sauna (bath): **fare la s.**, to take a sauna (bath) **2** (*stabilimento*) sauna.

sàuro ① m. (*zool.*) saurian; (al pl., *scient.*) Sauria.

sàuro ② a. e m. sorrel; chestnut: **giumenta saura**, sorrel mare; **cavalcare un s.**, to ride a sorrel.

sauté (*franc.*) a. e m. inv. (*cucina*) sauté: **s. di cozze**, mussels sauté.

savàna f. (*geogr.*) savannah.

savarin (*franc.*) m. inv. (*cucina*) savarin.

Savèrio m. Xavier.

saviézza f. (*assennatezza*) sensibleness, judiciousness; (*saggezza*) wisdom; (*prudenza*) prudence.

sàvio A a. **1** (*assennato*) sensible, sober, judicious; (*saggio*) wise; (*prudente*) prudent, cautious; (*posato*) good, responsible: **s. e avveduto**, wise and wary; **parole savie**, wise words **2** (*lett.*: *sano di mente*) sane B m. (*sapiente*) wise man*; sage: **i sette savi della Grecia**, the seven wise men (*o* sages) of Greece.

Savòia f. (*geogr.*) Savoy.

savoiàrdo A a. Savoy (attr.); Savoyard B m. **1** (f. **-a**) (*abitante della Savoia*) Savoyard **2** (*biscotto*) sponge finger.

savoir-faire (*franc.*) loc. m. inv. savoir-faire; adroitness; tact.

savonaròla f. (*sedia*) Savonarola chair; scissors chair.

savonése A a. of Savona; from Savona; Savona (attr.) B m. e f. native [inhabitant] of Savona.

savoréggia → **santoreggia**.

sax m. inv. (*mus.*) sax.

saxhorn m. inv. (*mus.*) saxhorn.

saxofonìsta, **saxòfono**, **saxotròmba** → **sassofonista**, **sassofono**, **sassotromba**.

saziàbile a. satiable.

saziàre A v. t. **1** (*riempire*) to satiate; to fill up; (*dar da mangiare*) to give* enough to eat, to feed*: *cibo che sazia*, filling food; *Le patate saziano presto*, potatoes soon fill you up; *C'è roba da s. venti persone*, there's enough food to feed twenty people **2** (*soddisfare*) to satisfy; to sate: **s. l'appetito**, to satisfy (*o* to sate) the appetite; **s. la curiosità [la sete di sapere] di q.**, to satisfy sb.'s curiosity [thirst for knowledge] **3** (*soddisfare fino alla nausea*) to cloy; to jade; to glut: *Il troppo miele sazia*, too much honey is cloying; *Mi saziai presto di tutti quei complimenti*, all those compliments soon began to cloy; I was soon fed up with all those compliments (*fam.*). B **saziàrsi** v. i. pron. **1** (*empirsi di cibo*) to eat* one's fill; (*essere sazio*) to have had one's fill, to be satisfied, to be full (*fam.*); (*essere appagato*) to be satiated, to be sated: *Mangia e saziati!*, eat your fill!; *Non si sazia mai*, he is never satisfied; he is never full (*fam.*) **2** (*fig.*: *stancarsi*) to get* tired; to grow* tired; to have *enough: *Me ne saziai presto*, I soon got tired of it; I soon had enough of it.

sazietà f. satiety (*anche fig.*); repletion: **mangiare fino alla s.**, to eat to satiety; to eat one's fill (*fam.*); **un senso di s.**, a feeling of satiety • **a s.**, as much as one wants; (*in abbondanza*) in abundance □ **avere soldi a s.**, to have more than enough money; to have all the money one could desire □ **averne a s. di**, to have more than enough of □ **mangiare [bere] a s.**, to eat [to drink] one's fill.

saziévole a. **1** (*che sazia*) filling; satisfying **2** (*fig.*: *stucchevole*) cloying; jading.

sàzio a. **1** (*senza più appetito*) replete; full (up) (*fam.*): *Non ce la faccio più, sono s.*, I cannot eat anything else, I'm full (up); **essere s. di frutta**, to have had enough fruit (*o* one's fill of fruit); **sentirsi s.**, to be full; to have had enough; *Non è mai s.*, he's never satisfied; he never has enough (of st.) **2** (*soddisfatto*) satisfied; (*appagato*) satiated (with), sated (with); (*stanco*) tired (of), fed up (with) (*fam.*): **s. di lodi**, sated with praise; *Sono s. di questa vita*, I am tired of this life.

sbaccellàre v. t. to shell; to pod; to shuck (*USA*): **s. piselli**, to shell peas.

sbaccellatùra f. shelling; podding; shucking (*USA*).

sbacchettàre v. t. to beat* (with a rod): **s. un tappeto**, to beat a carpet.

sbaciucchiaménto m. repeated kissing; (*tra innamorati*) necking (*fam.*), smooching (*fam.*), snogging (*fam.*).

sbaciucchiàre A v. t. to smother with kisses B **sbaciucchiàrsi** v. rifl. recipr. to smother each other with kisses; (*di innamorati*) to neck (*fam.*), to smooch (*fam.*), to snog (*fam.*).

sbadàggine f. **1** carelessness; inadvertence; thoughtlessness; (*negligenza*) negligence; (*distrazione*) absent-mindedness; (*goffaggine*) clumsiness: **per s.**, through inadvertence (*o* negligence) **2** (*atto sbadato*) inadvertence; slip; oversight; blunder: **commettere una s.**, to do st. inadvertently; to

blunder; *È una delle sue solite sbadataggini*, it is one of her usual oversights; she's been careless as usual.

sbadàto A a. careless; inadvertent; thoughtless; (*distratto*) absent-minded; (*sventato*) scatterbrained; (*goffo*) clumsy: *Che s.!*, how careless of me [you, etc.]! B m. (f. **-a**) careless person; clumsy person; scatterbrain (*fam.*).

♦**sbadigliàre** v. i. to yawn: **s. di noia**, to yawn with boredom; **non far altro che s.**, to yawn one's head off.

sbadiglierèlla f. (*fam.*) fit of yawning; (the) yawns: *Mi è venuta la s.*, I had an attack of the yawns.

sbadìglio m. yawn: **fare uno s.**, to yawn; to give a yawn; **fare un grosso s.**, to give a big yawn; **soffocare uno s.**, to stifle a yawn.

sbafàre v. t. (*fam.*) **1** (*mangiare con avidità*) to polish off; to gobble up; to scoff: *Si sono sbafati tutta la torta*, they've polished off the whole cake **2** (*scroccare*) to scrounge; to cadge; to bum (*USA*); (*assol.*) to sponge: **s. un pranzo**, to scrounge (*o* to cadge) a dinner; *È sempre pronto a s.*, he's always ready to sponge off you.

sbafàta f. (*fam.*) **1** (*scorpacciata*) great feed; binge; nosh-up (*fam. GB*): **farsi una s. di qc.**, to have a binge on st.; **farsi una bella s.**, to have a real binge; to have a nosh-up **2** (*mangiata a ufo*) free meal.

sbafatóre m. (f. **-trice**) (*fam.*) **1** (*mangione*) glutton **2** (*scroccone*) sponger; scrounger; cadger.

sbaffàre A v. t. to smudge; to smear B v. rifl. to get* smeared; to get* smudged: **sbaffarsi di rossetto**, to get smeared with lipstick.

sbàffo m. smudge; smear: **fare uno s. su**, to smudge; to smear.

sbàfo m. (*fam.*) sponging; scrounging; cadging; bumming (*USA*): **a s.**, by sponging; by scrounging; (*senza pagare*) without paying; **entrare a s.**, to get in without paying; (*a un concerto, ecc., anche*) to gatecrash (st.); **vivere a s.**, to scrounge off people; to scrounge a living.

♦**sbagliàre** A v. t. **1** (*fare in modo errato*) to mistake*; to get* (st.) wrong; (*in un calcolo*) to miscalculate; to be out (in st.): **s. i calcoli**, to miscalculate; to be out in one's calculations; **s. il colpo**, to miss the target; **s. le dosi di una ricetta**, to miscalculate the quantities for a recipe; **s. l'ortografia di una parola**, to spell a word incorrectly; to misspell a word; **s. la pronuncia di**, to mispronounce; **s. la risposta**, to get the answer wrong **2** (*scambiare, confondere, fraintendere*) to get* (st.) wrong; to get* the wrong...; to mistake*; (*scegliere male*) to choose the wrong...: **s. giorno**, to get the day wrong; to get the wrong day; **s. indirizzo**, to mistake the address; to go to the wrong address; **s. mestiere**, to choose the wrong career (*o* job); (*scherz.*) to miss one's vocation; **s. momento**, to choose the wrong time; to do st. at the wrong time; **s. numero** (*al telefono*), to dial the wrong number; **s. l'ora**, to get the time wrong; to mistake the time; **s. persona**, to mistake sb. for sb. else; to get the wrong person; **s. strada**, to take (*o* to go) the wrong way; to take the wrong turn; **s. treno**, to take (*o* to get onto) the wrong train • (*teatr.*) **s. la battuta**, to fluff one's lines • **s. il passo**, to get out of step; to be out of step □ **s. tutto**, (*nel fare*) to make a mess, to bungle everything; (*nel capire*) to get everything wrong, to get it all wrong: *Ho sbagliato tutto nella vita*, I've made a mess of my life B v. i. e **sbagliàrsi** v. i. pron. (*fare un errore*) to make* a mistake, to be mistaken, to be wrong, to go* wrong; (*avere torto*) to be wrong, to be in the wrong*: *Scusi, ho sba-*

gliato, I'm sorry, I've made a mistake (*al telefono* I dialled the wrong number); **sbagliarsi spesso**, to make a lot of mistakes; **sbagliarsi a dare il resto**, to give the wrong change; **sbagliarsi a fare il conto**, to add it up wrong; **sbagliarsi su q.**, to be wrong about sb.; **sbagliarsi sul conto di q.**, to misjudge sb.; *Sbagli a non comprarlo*, you are wrong not to buy it; *Ho sbagliato a dirgli la verità*, I made a mistake when I told him the truth; *Il cuore non sbaglia mai*, the heart is never wrong; *Tutti possono sbagliarsi*, anybody can make a mistake; *Riconosco che ho* (*o di aver*) *sbagliato*, I admit I was wrong (*o* I made a mistake); *Se non sbaglio*, if I am not mistaken; unless I am mistaken; *È qui che ti sbagli*, here's where you are wrong; *Può darsi che io sbagli* (*o Potrei sbagliarmi*, *Sbaglierò*), *ma...*, I may be mistaken (*o* wrong), but...; *Sbaglio, o lei è la signora Rossi?*, you are Mrs Rossi, aren't you?; *Non capisco dove ho sbagliato*, I can't understand where I went wrong; *È la seconda porta a sinistra, non puoi sbagliarti*, it's the second door on the left, you can't go wrong (*o* you can't miss it). ● (*fam.*) **sbagliarsi di grosso**, to make a big mistake; to have got it all wrong; to be off (*o* wide of) the mark; to have another think coming (*fam.*); to bark up the wrong tree (*fam.*): *Se pensa di farcela da sola, si sbaglia di grosso*, if she thinks she can do it on her own, she is making a big mistake; *Ti sbagli di grosso se credi che pagherò io!*, if you think I'm going to pay, you have another think coming! □ **sbagliarsi di poco**, not to be far wrong; not to be far out (*fam.*) □ **sbagliarsi nel fare i propri conti**, to miscalculate □ (*prov.*) *Sbagliando s'impara*, you learn from your mistakes.

◆**sbaglià̀to** a. **1** (*errato, scambiato*) wrong; (*erroneo*) mistake, erroneous, incorrect: **affermazione sbagliata**, incorrect statement; **impressione sbagliata**, wrong impression; **indirizzo s.**, wrong address; **interpretazione sbagliata**, wrong interpretation; misinterpretation; **pronuncia sbagliata**, wrong pronunciation; **pronostici sbagliati**, incorrect predictions; **dare una risposta sbagliata**, to give a wrong answer; to answer incorrectly; **giungere a una conclusione sbagliata**, to reach the wrong conclusion; *È tutto s.*, it's all wrong; **in modo s.**, the wrong way; badly **2** (*malfatto*) badly done; full of mistakes: **lavoro s.**, badly done job; **mossa sbagliata**, wrong move **3** (*mal scelto*) wrong; badly chosen: **al momento s.**, at the wrong moment; **scegliere il momento s.**, to choose the wrong time; *Scusa, forse ho scelto il momento s.*, I'm sorry, maybe I've caught you at the wrong time (*o* in a bad moment).

◆**sbà̀glio** m. **1** (*errore*) mistake; error; (*svista*) oversight: **s. d'ortografia**, spelling mistake; **uno s. di persona**, a case of mistaken identity; **s. grossolano**, gross mistake; blunder; **piccolo s.**, minor mistake; slip; **fare** (*o* **commettere**) **uno s.**, to make a mistake; to go wrong: *È stato uno s. invitarlo*, it was a mistake to invite him; *Lo s. è stato mio*, it was my mistake; **per s.**, by mistake; **through an oversight 2** (*colpa morale*) error; mistake; fault: **sbagli di gioventù**, youthful errors; **pagare per i propri sbagli**, to pay for one's mistakes.

sbaldanzire Ⓐ v. t. to dishearten; to demoralize Ⓑ **sbaldanzirsi** v. i. pron. to lose* heart; to be disheartened.

sbaldanzito a. disheartened; demoralized.

sbalestramé̀nto m. **1** (*spostamento*) sudden displacement **2** (*confusione mentale*) bewilderment; confusion.

sbalestrà̀re v. t. **1** (*gettare, scagliare*) to fling*; to throw*; to send* flying; (*spostare*

violentemente qua e là) to hurl about, to fling* about: *Il vento sbalestrò la barca contro gli scogli*, the wind hurled the boat against the rocks **2** (*trasferire bruscamente*) to send* off; to catapult: *Da Roma fu sbalestrato a Torino*, from Rome he was catapulted to Turin **3** (*fig.: confondere*) to bewilder; to confuse; to disorientate; to flummox; (*turbare*) to unsettle, to upset*.

sbalestrà̀to a. **1** (*disorientato*) bewildered; confused; (*a disagio*) uneasy **2** (*disordinato*) irregular; disorderly; unsettled; messy; chaotic.

sballà̀re Ⓐ v. t. **1** (*togliere l'involucro*) to unpack, to unbale; (*togliere da una cassa*) to uncrate: **s. la merce**, to unpack the goods **2** (*fam.: dire, raccontare*) – **s. una cifra pazzesca**, to name a staggering figure **3** (*fam.: guastare, rovinare*) to wreck; to bust: **s. il motore**, to wreck the engine; *Hanno sballato tutto il progetto*, they busted the whole project **4** (*fam.: sbagliare*) to be out (in st.): **s. le previsioni**, to be out in one's forecast Ⓑ v. i. **1** (*nel gioco*) to go* out; to bust **2** (*fam.: sbagliare per eccesso*) to be out: *Abbiamo sballato di 600 euro*, we were out by 600 euros **3** (*gergale: essere ubriaco*) to be high; (*essere drogato*) to get* off, to freak out, to be on a high, to be stoned **4** (*fig. fam.*) to go* bananas (*slang*).

sballà̀to Ⓐ a. **1** (*liberato dall'involucro*) unpacked; (*tolto da una cassa*) uncrated **2** (*fam.: assurdo*) wild, absurd, crazy; (*inventato*) bogus; (*matto*) crazy, nutty, wacky (*USA*), crack-brained: **affare s.**, wild (*o* crazy) deal; **notizie sballate**, bogus news **3** (*gergo della droga*) high; freaked out; spaced (out); stoned Ⓑ m. (f. -a) crackpot; nutcase; wacko (*USA*).

sballatù̀ra f. unpacking; uncrating.

sbà̀llo m. **1** → **sballatura 2** (*gergo della droga*) high; freak-out **3** (*fig. fam.*) blast; flip-out; Endsville (*USA*): *Il concerto è stato uno s.*, the concert was a total blast; **da s.**, mind-blowing; to die for; awesome: **una moto da s.**, an awesome bike.

sballonà̀ta f. brag: boast; bragging Ⓤ boasting Ⓤ.

sballó̀ne m. (f. -a) boaster; one who talks big.

sballottamé̀nto m. jolting; jostling; jerking; (*di vento, mare*) tossing about, buffeting.

sballottà̀re v. t. to jolt about; to jostle; (*di vento, mare*) to toss about, to buffet: *L'autobus ci sballottò per una buona mezz'ora*, the bus jolted us (about) for a good half-hour; *Le onde sballottavano la barchetta*, the waves tossed the little boat about; **essere sballottato dalla folla**, to be jostled by the crowd; **essere sballottato da un posto all'altro**, to be shunted from one place to another.

sballottìo m. continuous jolting (*o* jostling).

sbalordimé̀nto m. amazement; astonishment.

sbalordì̀re Ⓐ v. t. **1** (*stupire, meravigliare*) to astonish; to astound; to stun; to flabbergast; to dumbfound: *Ci sbalordì con la chiarezza delle sue risposte*, she astonished us with the clarity of her answers; *È di una bravura che sbalordisce*, her ability is astonishing; *La sua sfrontatezza mi sbalordì*, I was flabbergasted by his presumption **2** (*intontire*) to stun; to daze Ⓑ v. i. to be astonished; to be astounded: *Sbalordì al vedere tutta quella folla*, he was astonished at the crowd; *mi amazed him to see such a crowd*; *Sbalordii a sentirla parlare italiano*, I was astonished to hear her speak Italian.

sbalordità̀ggine f. **1** (*balordaggine*) stupidity, foolishness; (*sventatezza*) thoughtlessness **2** (*azione sventata*) foolish act, foolish

thing; (*parole sventate*) nonsense Ⓤ, stupid thing.

sbalorditì̀vo a. (*sorprendente*) astonishing; astounding; breath-taking; stunning; staggering; (*straordinario*) incredible, fantastic, sensational: **bellezza sbalorditiva**, stunning beauty; **bravura sbalorditiva**, astounding cleverness; **notizie sbalorditive**, sensational news; **spettacolo s.**, breath-taking sight; **prezzo s.**, staggering (*o* fantastic) price.

sbalordì̀to a. (*attonito, allibito, incredulo*) astonished, astounded, stunned, dumbfounded, knocked out (*fam.*); (*confuso, stordito*) bewildered, dazed, in a daze, stunned: **sguardo s.**, astonished stare; **guardarsi attorno s.**, to look round in bewilderment; **lasciare s.**, to astonish; to astound; to stun; **rimanere s.**, to be astonished (*o* astounded) (by, at); to be stunned; to be dumbfounded: *Quando mi vide, rimase s.*, he was astonished at seeing me; **sembrare s.**, to look bewildered.

sbalzà̀re① Ⓐ v. t. **1** (*far balzare, lanciare*) to throw*; to fling*; to toss; to send* flying: **s. da cavallo**, to throw from the horse; to unhorse; **s. di sella**, to throw (from the saddle); to toss; (*anche fig.*) to unsaddle: *Il cavallo lo sbalzò di sella*, the horse tossed him; *L'urto lo sbalzò dal sedile*, the collision threw (*o* flung) him out of his seat; *Fu sbalzato in aria*, he was sent flying through the air; *Un'ondata lo sbalzò in mare*, a huge wave tossed him overboard **2** (*fig.: rimuovere, esautorare*) to dismiss; to remove; to send* packing (*assol.*) Ⓑ v. i. (*balzare*) to leap*; to jump; to shoot* **2** (*fig.: salire vertiginosamente*) to leap*, to shoot*; (*crollare*) to plunge, to sink: *La temperatura è sbalzata sopra i 30°* [*sotto lo zero*], the temperature shot above 30° [plunged below zero].

sbalzà̀re② v. t. (*metall.*) to emboss.

sbalzà̀to a. (*metall.*) embossed; repoussé (*franc.*): **argento s.**, embossed silver.

sbalzató̀re m. (f. -**trìce**) embosser.

sbalzellà̀re v. i. to jolt: *La bicicletta avanzava sbalzellando*, the bicycle jolted along.

sbalzellóni avv. jerkily; joltingly; in jerks and jolts ● avanzare (**a**) **s.**, to jerk (*o* to jolt, to bump) along.

sbà̀lzo① m. **1** (*scossone*) jolt; jerk; start: **s. improvviso**, sudden jerk; jolt **2** (*fig.: cambiamento*) sudden change, jump; (*aumento*) sharp rise; (*caduta*) sharp drop: **s. di temperatura**, sudden change in temperature; **sbalzi d'umore**, sudden changes of mood; moodiness ● **a sbalzi**, (*con scossoni*) joltingly, jerkily; (*in modo irregolare*) in fits and starts, (*fig.*: *saltuariamente*) irregularly, on and off: **procedere a sbalzi**, (*di veicolo*) to bump along; (*fig.*) to progress in fits and starts.

sbà̀lzo② m. **1** (*metall.*) embossing; repoussé (*franc.*) work: (*lavorato*) **a s.**, embossed; repoussé; **lavorare a s.**, to emboss; **lavoro a s.**, embossing; repoussé (work) **2** (*archit.*) projecting part; overhang: **a s.**, overhanging; cantilevered.

sbambagià̀re v. i. to fray; to unravel.

sbancamé̀nto m. (*edil.*) excavation; (*ind. min.*) stripping.

sbancà̀re① Ⓐ v. t. **1** (*in un gioco d'azzardo*) to clean out; (*assol.*) to break* the bank **2** (*far fallire*) to ruin; to bankrupt; to leave* (sb.) broke (*fam.*): *Riparare la macchina mi ha sbancato*, those car repairs have left me broke Ⓑ **sbancàrsi** v. i. pron. (*fam.*) to ruin oneself; to go* broke (*fam.*).

sbancà̀re② v. t. (*scavare*) to excavate; to move earth from; (*ind. min.*) to strip.

sbandamé̀nto① m. **1** (*dispersione*) dispersion; dispersal; (*anche mil.*) disbandment, disbanding **2** (*fig.*: *disgregazione*)

breaking up; break-up.

sbandaménto ② m. **1** (*naut.*) listing; heeling **2** (*aeron.*) banking; bank **3** (*autom.*) skidding; skid; sideslip **4** (*scarto*) lurch; swerve **5** (*fig.*: *disorientamento, disordine*) disorientation; confusion: *Ha avuto un periodo di s.*, she went through a period of disorientation.

sbandàre ① **A** v. t. to disband (*anche mil.*); to disperse; to scatter: **s. un esercito**, to disband an army **B** **sbandàrsi** v. i. pron. **1** (*disperdersi*) to disband; to disperse; to scatter; to break* up; (*restare isolato, restare indietro*) to straggle: *I soldati minacciavano di sbandarsi*, the soldiers were threatening to disband; *Quando arrivò la polizia, la folla si sbandò*, the crowd dispersed (*o* broke up, scattered) when the police came **2** (*fig.*: *disgregarsi*) to break* up; to fall* apart: *Con la guerra la famiglia si sbandò*, during the war the family broke up; *Il movimento si sbandò presto*, the movement soon fell apart.

sbandàre ② v. i. **1** (*naut.*) to list; to heel (over): *La nave sbandava a dritta*, the ship was listing to starboard **2** (*aeron.*) to bank **3** (*autom.*) to skid; to go* into a skid; to get* out of control; (*con un compl. di direzione*) to career, to careen: *L'auto sbandò in curva*, the car skidded at a corner; **s. e uscire di strada**, to career off the road; **far s.**, to send into a skid (*o* into a slide) **4** (*fig.*: *deviare*) to veer; to lean*; (*prendere una cattiva strada*) to go* astray.

sbandàta f. **1** (*naut.*) list; listing; heeling over **2** (*aeron.*) banking **3** (*di auto*) skid; sideslip: **s. controllata**, controlled skid; **prendere una s.**, to go into a skid; *Dopo un'improvvisa s. l'auto finì contro un muro*, the car skidded suddenly and crashed (*o* the car careered) into a wall; **sterzare nel senso della s.**, to steer into the skid; **uscire da una s.**, to come out of a skid **4** (*fig.*: *brusca deviazione*) veering; leaning **5** (*fam.*: *infatuazione*) infatuation; (*giovanile*) crush: **prendersi una s. per q.**, to fall madly in love with sb.; to get a crush on sb.

sbandàto ① a. (*naut.*) listing; heeling over; on her beam-ends.

sbandàto ② **A** a. **1** (*disperso*) disbanded; dispersed; broken; scattered; stray: **esercito s.**, disbanded army; **famiglia sbandata**, broken home; **i resti sbandati del reggimento**, the stray remnants of the regiment **2** (*fig.*: *disorientato*) bewildered, confused, mixed-up; (*sregolato*) wild, wayward, disorderly: **ragazzo s.**, wild boy; **vita sbandata**, disorderly life **B** m. (f. **-a**) **1** (*persona dispersa, anche mil.*) straggler; stray **2** (*fig.*: *persona senza radici*) drifter; (*disadattato*) misfit, dropout: *È uno s., senza famiglia e senza amici*, he is a drifter, without family or friends.

sbandieraménto m. **1** waving of flags; flag-waving **2** (*fig.*) parade; showing-off; flaunting **3** (*fig.*: *grandi proclami*) trumpeting about; touting.

sbandieràre v. t. **1** to wave (flags) **2** (*fig.*: *ostentare*) to parade; to flaunt; to show off **3** (*fig.*: *annunciare*) to proclaim; to trumpet about; to tout.

sbandieràta f. flag display; flag-waving.

sbandieratóre m. (f. **-trìce**) flag-waver.

sbandire v. t. (*lett.*) to banish; to exile.

sbàndo m. — **allo s.**, adrift; running wild; in total chaos; in shambles; **un paese allo s.**, a country in total chaos; *La situazione è ormai allo s.*, the situation is total mayhem; **lasciare allo s.**, to let (st.) run wild; **ragazzi allo s.**, wild youths; young dropouts.

sbandòmetro m. (*aeron.*) bank-and-turn indicator.

sbaraccàre (*fam.*) **A** v. t. (*eliminare*) to

get* rid of; (*svuotare*) to clear out: *Vogliono s. tutto l'ufficio tecnico*, they want to get rid of the whole technical department; *Dobbiamo s. questa stanza*, we must clear out this room; *Sbaracca la tua roba*, take your things away **B** v. i. to pack up and leave*; to clear out; to decamp; to scram (*slang*): *Viene brutto, è meglio s.*, it's clouding over, we'd better pack up and leave; *Sbaracchiamo o si mette male!*, things are turning nasty, let's clear out (*o* let's scram).

sbaragliàre v. t. **1** (*mil.*) to rout; to put* to rout: **s. il nemico**, to put the enemy to rout **2** (*fig.*) to rout; to thrash (*fam.*); to trounce (*fam.*): **s. l'opposizione**, to rout the opposition; *Il Milan ha sbaragliato il Real Madrid*, Milan thrashed Real Madrid; *Ha sbaragliato tutti*, he carried all before him.

sbaraglìno m. (*gioco*) backgammon.

sbaràglio m. (*sconfitta*) rout; defeat ● **buttarsi allo s.**, to risk everything; to chance it; to jump in at the deep end (*fam.*) □ **mandare allo s.**, (*mil.*) to send to certain defeat; (*fig.*) to throw in at the deep end (*fam.*) □ **portare allo s.**, to lead to ruin.

sbarazzàre **A** v. t. (*sgombrare*) to clear; to rid*, to clean out; (*riordinare*) to clear up, to tidy up; (*liberare q.*) to free, to rid*, to get* (st., sb.) off sb.'s hands (*o* back) (*fam.*): **s. la tavola**, to clear the table; (*sparecchiare*) to clear up the table; **s. il tavolo dai libri**, to clear away the books from the table; **s. il terreno da tutti gli ostacoli**, to clear the ground of all obstacles: *Devi sbarazzarmi di quel seccatore*, you must rid me of that bore; *Posso sbarazzarti di questo peso, se vuoi*, I can get this load off your back, if you wish **B** **sbarazzàrsi** v. rifl. (*liberarsi*) to rid* oneself (of), to get* rid (of), to dispose (of), to dump (st., sb.) (*fam.*), to shuck off (st., sb.) (*fam. USA*), to get* shot (of) (*fam.*), to get* (st., sb.) off one's hands (*o* back, mind) (*fam.*); (*di un indumento, ecc.*) to throw* off (st.), to get* rid (of), to shuck off (st.) (*fam. USA*); (*togliere di mezzo*) to dispose of; (*eufem.*: *uccidere*) to dispose (of), to put* (sb.) out of the way: **sbarazzarsi di un piccione** [**di un vecchio divano**], to get rid of a nosy parker [of an old sofa]; **sbarazzarsi di tutte le obiezioni**, to dispose of all objections; **sbarazzarsi di un documento compromettente**, to dispose of a compromising document; **sbarazzarsi di una responsabilità scaricandola su un altro**, to shift a responsibility onto sb. else; to pass the buck (*fam.*); *Si sbarazzò dello zaino*, she threw off her rucksack; *Finalmente ci siamo sbarazzati di loro!*, we are rid of them at last!; *Ti sarai sbarazzata di un bel peso!*, it must be a big load off your mind!; *Si sbarazzarono degli oppositori nel modo più spiccio*, they disposed of all opponents in the quickest way.

sbarazzina f. impish girl; scamp; tomboy.

sbarazzinàta f. prank; lark.

sbarazzìno **A** m. (f. **-a**) scamp; little rascal; little monkey; gamine (f.) **B** a. (*allegramente noncurante*) casual, carefree; (*allegro, vivace*) jaunty; (*malizioso, impertinente*) impish, perky; (*giovanile*) youthful, boyish, gamine (attr.) (f.): **aria sbarazzina**, boyish looks (pl.); gamine looks (pl.); **atteggiamento s.**, impish manners (pl.); **modo di vestire s.**, youthful taste in clothes; **taglio di capelli s.**, boyish haircut; gamine haircut; **alla sbarazzina**, jauntily; (*di cappello*) worn at a jaunty angle; **con fare s.**, jauntily; impishly.

sbarbàre **A** v. t. **1** (*radere*) to shave: **farsi s.**, to get a shave **2** (*agric.*) to uproot; to root out **3** (*med.*) to shave **B** **sbarbàrsi** v. rifl. (*radersi*) to shave.

sbarbatèllo m. stripling; pup; (*ragazzo inesperto*) one still wet behind the ears,

rookie (*fam.*); (*ragazzo inesperto e presuntuoso*) cocky lad, whipper-snapper.

sbarbàto a. **1** (*rasato*) shaven, clean--shaven **2** (*di fresco*) freshly shaven **2** (*sradicato*) uprooted **3** (*mecc.*) shaven.

sbarbatrìce f. (*mecc.*) shaving machine.

sbarbatùra f. (*mecc.*) shaving.

sbarbificàre v. t., **sbarbificàrsi** v. rifl. (*scherz.*) to shave.

sbarcàre **A** v. t. **1** (*persone*) (*naut.*) to land (*anche mil.*), to disembark, to set* ashore, to put* ashore; (*aeron.*) to disembark; (*fam.*: *da un veicolo*) to put* down, to drop off; (*materiale, merci*) to unload, to discharge, to unship: **s. un carico**, to unload a cargo; **s. passeggeri**, to land (*o* to disembark) passengers; **s. truppe**, to land troops; *L'autobus ci sbarcò proprio davanti al cinema*, the bus dropped us right in front of the cinema **2** (*fig.*: *passare un periodo di tempo*) to get* through: *Sbarcò quell'inverno dando lezioni private*, he got through that winter giving private lessons ● **s. il lunario**, to get by; to make ends meet; to eke out a living; to scrape a living **B** v. i. **1** (*naut.*) to land, to disembark, (*temporaneamente*) to go* ashore; (*aeron.*) to disembark, to get* off a plane: **s. a Napoli**, to land at Naples; *Le truppe sbarcarono all'alba*, the troops landed at dawn; **a tutti i porti**, to go ashore at every port **2** (*naut.*, *di marinaio*) to be discharged; to be paid off; to sign off **3** (*fig. fam.*: *arrivare*) to land: *È sbarcato in casa nostra martedì*, he installed himself at our place on Tuesday.

sbarcatóio m. landing place; landing stage; (*su fiume*) levee (USA).

sbàrco m. **1** (*lo sbarcare persone*) (*naut.*) landing (*anche mil.*), disembarkation; (*aeron.*) disembarkation; (*merci*) unloading, discharge, unshipping: **lo s. di Colombo nel Nuovo Mondo**, Columbus' landing in the New World; *Lo s. dei passeggeri avverrà tra dieci minuti*, disembarkation of passengers will take place in ten minutes' time; *Allo s. c'erano tutti ad accoglierli*, everyone was there to welcome them when they disembarked (*o* landed); **luogo** (*o* **punto**) **di s.**, landing place **2** (*mil.*) landing: **lo s. in Normandia**, the D-Day landings (pl.); (*mil.*) **mezzo da s.**, landing craft; **ponte di s.**, gangway; (*mil.*) **testa di s.**, beachhead; **truppe da s.**, landing force (sing.); **unità da s.**, landing party **3** (*luogo di s.*) landing; landing place; landing stage: **s. sicuro**, safe landing place **4** (*naut.*: *cessazione del contratto di imbarco*) discharge.

sbardàre v. t. to unharness.

sbarellaménto m. **1** (*fam.*) tottering; lurching **2** (*gergo della droga*) high; buzz.

sbarellàre v. i. (*fam.*) **1** (*barcollare*) to totter; to lurch **2** (*fig.*) to be off one's head.

sbarellàto a. (*fam.*) crazy; off one's head.

◆**sbàrra** f. (*asta, spranga*) bar; (*orizzontale*) crossbar; (*verticale*) stanchion; (*di porta*) bar, bolt; (*come barriera*) barrier: (*elettr.*) **s. collettrice**, bus-bar; **s. di ferro**, iron bar; **la s. di un passaggio a livello**, the barrier of a level crossing; **s. del timone**, tiller; helm; **le sbarre d'una inferriata**, the bars of a grating; **mettere la s. alla porta**, to bolt the door; **mettere delle sbarre a una finestra**, to fit a window with bars; **sollevare la s.**, to raise the barrier; (*anche fig.*) **dietro le sbarre**, behind bars **2** (*tribunale*) bar: **alla s.**, at the bar; **presentarsi alla s.**, to appear before the court (*o* at the bar) **3** (*ginnastica*) horizontal bar: **esercizi alla s.**, bar exercises **4** (*danza*) barre **5** (*tipogr.*) (*inclinata*) slash, (*obliqua*) stroke, oblique, solidus, virgule; (*inclinata verso sinistra*: \) backslash; (*verticale*) vertical stroke; (*tratto*) stroke, dash; (*della lettera «t»*) crossbar **6** (*mus.*)

bar (line): **doppia s.**, double bar **7** (*arald.*) bend sinister.

sbarraménto m. **1** (*lo sbarrare*) blocking; barring; (*di acque*) damming **2** (*barriera*) barrier; block; blockage; obstruction; (*di fiume, ecc.*) barrage, weir, boom; (*diga*) dam, dyke; (*ind. min.*) brattice, stopping: **s. stradale**, roadblock; *Le Alpi sono uno s. naturale*, the Alps are a natural barrier; **diga di s.**, barrage; **fare da s.**, to act as (*o* to be) a block (*o* a barrier); **porre uno s.**, to block; to set up a barrier **3** (*polizia*) cordon; line **4** (*mil.*) barrage; defence: **s. antiaereo**, anti-aircraft barrage; (*naut.*) **s. antisommergibile**, antisubmarine barrier; **s. di filo spinato**, barbed wire defence; **s. di mine**, mine defence; mine barrage; **s. di palloni**, balloon barrage; (*naut.*) **s. di reti**, net defence; **s. radar**, radar defence; **fuoco di s.**, barrage (fire); **pallone di s.**, barrage balloon.

sbarràre v. t. **1** (*sprangare*) to bar: **s. porte e finestre**, to bar doors and windows **2** (*bloccare, impedire*) to block; to bar; (*ostruire*) to block, to obstruct: **s. il passo**, to bar (*o* to block) sb.'s way; **s. l'ingresso** (*o* **l'accesso**), to block the entrance; to obstruct the entrance; **s. una strada**, to block a road; **s. tutte le uscite**, to block all exits; *Un albero caduto sbarrava il sentiero*, a fallen tree was blocking the path **3** (*arginare*) to dam: **s. un fiume**, to dam a river **4** (*segnare con una o più sbarre*) to cross; to cross out; to strike* out; (*spuntare*) to tick: **s. un assegno**, to cross a cheque; **s. un intero capoverso**, to cross out a whole paragraph; *Si prega di s. la casella*, please tick the appropriate box **5** (*spalancare*) to open wide: **s. gli occhi**, to open one's eyes wide; to goggle.

sbarràto a. **1** (*sprangato, munito di sbarre*) barred: **finestra sbarrata**, barred window **2** (*bloccato, impedito*) blocked; barred; (*ostruito*) obstructed: **strada sbarrata**, blocked road **3** (*arginato*) dammed **4** (*segnato con una o più sbarre*) crossed; (*spuntato*) ticked: **assegno s. [non s.]**, crossed [open] cheque; **casella sbarrata**, ticked box **5** (*di occhi*) wide open: **con gli occhi sbarrati**, with wide-open eyes; wide-eyed; round-eyed; goggle-eyed.

sbarratùra f. (*di assegno*) crossing.

sbarrétta f. (*inclinata: /*) slash, (oblique) stroke, oblique, solidus, virgule; (*inclinata verso sinistra: *) backslash; (*verticale*) vertical stroke; (*tratto*) stroke, dash; (*della lettera «t»*) crossbar ● **sbarrette parallele**, parallels.

sbarrista m. e f. (*ginnastica*) (horizontal) bar specialist.

sbassàre v. t. to lower.

sbastìre v. t. to take* the basting (*o* the tacking) out of.

sbatacchiaménto m. banging; slamming; rattling; (*di ali, vela, ecc.*) flapping: **s. di porte**, banging (*o* slamming) of doors; **s. di finestre**, rattling of windows.

sbatacchiàre A v. t. **1** (*scuotere ripetutamente, scrollare*) to rattle; (*ali, vela, ecc.*) to flap; (*una campana*) to clang: **s. un cucchiaio in una padella**, to rattle a spoon in a pan; *Il vento sbatacchiava le imposte*, the wind rattled the shutters; *Lo presi per le spalle e lo sbatacchiai ben bene*, I grabbed him by the shoulders and gave him a good shake; *L'uccello sbatacchiò le ali*, the bird flapped its wings **2** (*sbattere con violenza*) to bang; to slap down; to slam down; (*gettare, spingere*) to shove; (*muovere in malo modo*) to bang about, to bash about: **s. un libro sulla scrivania**, to slap a book down on the desk; **s. un piatto sul tavolo**, to bang a plate down on the table; *Non sbatacchiare quella sedia, è delicata!*, don't bang that chair about, it's delicate! **3** (*chiudere con violenza*) to slam; to bang: *Chiuse il cassetto sbatacchiandolo*,

she slammed the drawer shut B v. i. **1** (*sbattere in continuazione*) to keep* banging, to rattle; (*di vela, bandiera, ecc.*) to flap: *Le porte sbatacchiavano*, the doors kept banging; *La vela sbatacchiava contro l'albero*, the sail flapped against the mast **2** (*andare a sbattere*) to bang (against) C **sbatacchiàrsi** v. rifl. (*fam.*) to rush around; to be in a flap (*fam.*).

sbatacchiàta f. bang; slam.

sbatàcchio ① m. prop; (*ind. min.*) stull.

sbatàcchio ② m. continuous banging; continuous rattling.

◆**sbàttere** A v. t. **1** (*scuotere, agitare*) to shake*; (*di ali, vela, ecc.*) to flap, to beat*: **s. le coperte**, to shake the blankets; **s. un cuscino**, to shake up a pillow; **s. uno straccio fuori della finestra**, to shake a duster out of the window; *Sbattei la tovaglia per togliere le briciole*, I shook the crumbs out of the tablecloth; I shook out the tablecloth **2** (*chiudere con forza*) to slam; to bang: **s. la porta**, to bang (*o* to slam) the door; **s. la porta in faccia a q.**, to slam the door in sb.'s face; *Uscì sbattendosi dietro la porta*, she left, slamming the door behind her **3** (*gettare, buttare*) to throw*; to fling*; to slam; to dash; to hurl; to knock; to chuck (*fam.*); (*spingere, far cadere*) to knock: *Sbattei la borsa sul tavolo*, I threw (*o* I flung) the bag on the table; *Il vento lo sbatté contro il muro*, the wind hurled (*o* knocked) him against the wall; *La nave fu sbattuta contro gli scogli*, the ship was dashed against the rocks; *Lo sbatté a terra con un pugno*, he knocked him down (*o* floored him) with one blow of his fist; *Mi ha sbattuto giù il telefono*, she slammed the phone down on me; **s. fuori**, to throw out; to eject; to kick out; to turf out (*fam. GB*); **s. q. fuori di casa**, to throw sb. out; *L'hanno sbattuto fuori dal club*, he's been kicked out (*o* turfed out) of the club; **s. giù una porta**, to smash down a door; **s. q. giù dal letto**, to throw sb. out of bed; **s. in galera**, to fling (*o* to throw, to clap, to slam) in jail; **s. via qc.**, (*eliminare*) to throw st. away (*o* out), to chuck st. away (*o* out) (*fam.*); (*sprecare*) to throw st. away, to waste **4** (*fig.: mandare d'autorità*) to send* off; to pack off: *L'hanno sbattuto in un paesino di montagna*, they sent him off to a little mountain village **5** (*picchiare, urtare*) to knock; to bang; to bash (*GB*): **s. la testa contro il cassetto**, to knock (*o* to bang) one's head against the drawer **6** (*cucina*) to beat*; to whisk; (*montare*) to whip: **s. le chiare a neve**, to whip the egg whites until stiff; **s. la panna**, to whip cream; **s. un uovo**, to beat (*o* to whisk) an egg **7** (*volg.: possedere sessualmente*) to bang; to bonk **8** (*fam.: rendere smorto*) to make* (sb., st.) look pale: *Il verde mi sbatte*, green makes me look pale **9** (*fam.: stancare*) to shake* up: *Il volo mi ha sbattuto un po'*, the flight has shaken me up a bit ● **s. q. dentro**, to lock sb. up; to clap sb. in jail □ **s. gli occhi**, to blink □ **s. i tacchi**, to click one's heels □ (*fig.*) **s. qc. in faccia a q.**, to hurl st. into sb.'s face □ (*giorn.*) **s. qc. in prima pagina**, to splash st. across the front page □ **s. le palpebre**, to blink; to flutter one's eyelids □ **Non so dove s. la testa**, I don't know which way to turn; I am at my wits' end □ **È come sbattere la testa nel muro**, it's like banging your head against a brick wall B v. i. **1** (*urtare*) to knock (into, against); to bump (into, against, on); to bash (against); to collide (with); to crash (into): **s. contro un tavolo**, to bump into a table; *Ho sbattuto col gomito contro lo spigolo del tavolo*, I banged my elbow against the edge of the table; **andare a s. contro qc.**, to collide with st.; to crash into st.; *Feci due passi indietro e andai a s. contro qualcuno*, I took two steps backward and collided with someone; *Inciampò e an-

dò a s. contro un palo*, he stumbled and smashed against a lamp-post; *L'auto andò a s. contro un paracarro*, the car hit (*o* crashed into*, in retromarcia* backed into) a kerbstone **2** (*di porta, finestra*) to bang; to slam; (*scrollarsi*) to rattle: *Attento che la porta non sbatta*, mind the door doesn't slam (*o* bang) **3** (*di ali, tenda, ecc.*) to flap: *Le vele sbattevano alla brezza*, the sails were flapping in the breeze C **sbàttersi** v. rifl. e i. pron. **1** (*gettarsi*) to throw* oneself; to fling* oneself **2** (*agitarsi*) to toss about; (*dibattersi*) to struggle **3** (*fig. fam.: darsi da fare*) to run* around; to exert oneself; to spare no effort: *Non ho intenzione di sbattermi troppo per lui*, I have no intention of exerting myself for him **4** (*volg.*) – **sbattersene**, not to give a damn (*o* a toss) (about) (*fam.*): *Me ne sbatto di loro*, I don't give a damn about them; *Se ne è sempre sbattuto altamente di noi*, he never gave a damn about us; *Lui se ne sbatte*, he couldn't care less; *Chi se ne sbatte?*, who cares?

sbattezzàre A v. t. to make* (sb.) abjure Christianity B **sbattezzàrsi** v. rifl. **1** (*abiurare la religione cristiana*) to abjure Christianity **2** (*cambiare nome*) to change one's name.

sbattighiàccio m. inv. shaker.

sbattiménto m. **1** (*di porte, finestre*) banging; slamming; (*di vele, ali, ecc.*) flapping **2** (*scuotimento*) shaking; tossing; (*aeron.*) flutter; (*delle pale*) flapping: ● **s. asimmetrico**, asymmetrical flutter □ **s. di stallo**, stalling flutter □ **cerniera di s.**, flapping hinge **3** (*fig., fam.: noia*) boredom; (*cosa, situazione noiosa*) yawn, drag.

sbattitóre m. (*elettrodomestico*) beater; mixer.

sbattitrìce f. (*ind. dolciaria*) beater; mixer.

sbattitùra f. → **sbattimento**.

sbattiuòva m. inv. whisk, egg-whisk; egg-beater.

sbattùta f. **1** shake; shaking; beating: **dare una s. ai tappeti**, to give the carpets a good shaking; *Da' una s. a quel cuscino*, shake up that cushion **2** (*cucina*) whisk; **dare una s. alle uova**, to beat up the eggs; to give the eggs a good whisk.

sbattùto a. **1** (*sballottato*) tossed: **s. dalle onde**, tossed (about) by the waves; **s. dalla tempesta**, storm-tossed; storm-beaten **2** (*di uova*) beaten: **uovo s.**, beaten egg **3** (*fig.: tirato, stanco*) tired, drawn; (*pallido*) pale: *Hai l'aria sbattuta*, you look tired.

sbavaménto m. slavering; slobbering; dribbling; drooling.

sbavàre A v. i. **1** (*perdere bava*) to dribble; to drool; to slobber; to slaver: *Il bambino sbava perché sta mettendo i denti*, the baby drools because it is teething; *Non mi piace questo cane, sbava troppo*, I don't like this dog, it slobbers too much; *Era così furioso che sbavava addirittura*, he was dribbling at the mouth, he was so furious **2** (*fig.: desiderare*) to drool (*o* to slobber) over: *Sono mesi che sbava dietro a quell'uomo*, she's been drooling over that man for months **3** (*spandersi*) to run*; to smudge; (*di rossetto, vernice, ecc.*) to smear: *Il verde è sbavato sul rosso*, the green has run into the red; *L'inchiostro ha sbavato*, the ink has smudged B v. t. **1** (*sporcare di bava*) to dribble over; to slobber over; to slaver over: *Il piccolo mi ha sbavato la camicetta*, the baby has dribbled over my blouse; *Mi baciò sbavandomi tutta*, he kissed me, slobbering all over my face **2** (*macchiare di colore*) to smear; to smudge: **s. qc. di rossetto**, to smear st. with lipstick; *Hai sbavato tutto il disegno!*, you've smudged the whole drawing! **3** (*metall.*) to burr; to shave; to trim C **sbavàrsi** v. rifl. e

i. pron. 1 (*sporcarsi di bava*) to dribble (*o* to drool, to slobber) over oneself **2** (*macchiarsi*) to get* smudged: *L'acquerello si è tutto sbavato*, the watercolour got all smudged.

sbavàto a. **1** (*macchiato di colore*) smeared; smudged: **stampa sbavata**, smudged print **2** (*confuso*) smudgy; blurred; **contorni sbavati**, blurred contours **3** (*metall.*) burred; shaved; trimmed.

sbavatóre m. (*metall.*) cleaner; trimmer.

sbavatrìce f. (*metall.*) burring machine; snagging machine; snag grinder.

sbavatùra f. **1** (*lo sbavare*) slavering; slobbering; dribbling; drooling **2** (*bava*) slaver; slobber; dribble; (*di lumaca*) slime **3** (*sbaffo di colore, rossetto, ecc.*) smear; smudge **4** (*tipogr.*) blur; smudge; blotch **5** (*fig.: divagazione*) rambling, wandering from the point; (*imperfezione*) flaw, imperfection **6** (*metall.: operazione*) burring; trimming; shaving **7** (*metall.: bava di fusione*) burr; flash.

sbavóne m. (*fam.*) dribbler; slobberer.

sbeccàre A v. t. (*rompere il beccuccio di qc.*) to break* (*o* to chip) the spout of; to chip B **sbeccàrsi** v. i. pron. to chip.

sbeccàto a. broken (*o* chipped) at the spout; chipped.

sbeccatùra f. chip.

sbeccucciàre e *deriv.* → **sbeccare**, e *deriv.*

sbeffeggiàre v. t. to mock; to jeer at.

sbeffeggiatóre m. (f. *-trìce*) mocker; jeerer.

sbellicàrsi v. i. pron. – **s. dal ridere** (*o* **dalle risa**) to split one's sides (laughing); to fall* about laughing; to be in stitches (*fam.*): *Ci ha fatto sbellicare*, she had us in stitches.

sbendàre v. t. (*una ferita*) to unbandage, to remove the bandage (*o* bandages) from, to undress; (*gli occhi*) to uncover.

sbèrla f. **1** slap (in the face); box on the ear: **dare una s. a q.** (*o* **prendere a sberle q.**), to slap sb. in the face; to box sb.'s ear; to give sb. a thick ear (*fam. GB*) **prendersi una s.**, to get slapped in the face; to get a box on the ear; to get a thick ear (*fam. GB*) **2** (*fig. fam.: colpo, shock*) shock; blow: *Che s. la bolletta del telefono!*, the telephone bill really stung this time! **3** (*al pl.*) (*fig., fam.: sconfitta*) licking (sing.); thrashing (sing.); trouncing (sing.): *Gliene abbiamo date di sberle all'Inter!*, we gave Inter a proper licking!

sberléffo m. (*gesto di scherno*) sneer; (*smorfia*) grimace, face: **fare uno s. a q.**, to sneer at sb.; to make a face at sb.

sberrettàrsi v. i. pron. to take* off one's cap.

sbertucciàre v. t. **1** (*gualcire*) to crush; to crumple **2** (*fig.: schernire*) to mock; to jeer at; to make* fun of.

sbertucciàto a. crushed; crumpled; battered; tattered; in tatters (pred.): **un vecchio cappello s.**, a battered old hat.

sbevazzàre v. i. (*alcolici*) to drink* heavily; to booze (*fam.*): **s. con gli amici**, to booze with one's pals.

sbevazzatóre m. (f. *-trìce*) guzzler; boozer (*fam.*).

sbevicchiàre, **sbevucchiàre** v. i. to tipple.

SBF, s.b.f. sigla (*comm.*, **salvo buon fine**) subject to collection; under usual reserve.

sbiadìre A v. i. e **sbiadìrsi** v. i. pron. **1** to fade: *Le tende si sono sbiadite*, the curtains have faded; **colori che non sbiadiscono**, fast colours **2** (*fig.*) to fade; to grow* dim: *A poco a poco quel ricordo sbiadì*, gradually that memory faded (*o* grew dim) B v. t. to fade; to discolour: *Il sole aveva sbiadito il*

tappeto, the sun had faded the carpet.

sbiaditézza f. paleness; faintness.

sbiadìto a. **1** (*scolorito*) faded: **colore s.**, faded colour; **foto sbiadita**, faded photo **2** (*fig.: slavato*) washed-out; (*scialbo, monotono*) colourless, dull, flat; lifeless: **azzurro s.**, washed-out blue; **stile s.**, flat (*o* lifeless) style; **personalità sbiadita**, dull (*o* colourless) personality **3** (*fig.: sfiorito*) faded: **bellezza sbiadita**, faded beauty.

sbiànca f. (*ind.*) bleaching.

sbiancànte A a. bleaching; whitening: **polvere s.**, bleaching powder B m. bleacher; whitener; (*ind.*) bleach.

sbiancàre A v. t. **1** (*rendere bianco*) to whiten; to blanch; to bleach **2** (*ind. tess.*) to bleach **3** (*il riso*) to polish B v. i. e **sbiancàrsi** v. i. pron. **1** (*diventare bianco*) to whiten; to turn white; (*ingrigire*) to go* grey; (*incanutire*) to go* white **2** (*impallidire*) to go* (*o* to turn) pale; to go* white; to blanch: **sbiancarsi di paura**, to go white with fear; *Sbiancò a quella vista*, he blanched at that sight **3** (*ind.*) to bleach.

sbiancàto a. **1** whitened; blanched; bleached; (*bianco*) white **2** (*pallido*) pale; wan; white.

sbianchiménto m. **1** whitening; bleaching **2** (*ind.*) bleaching.

sbianchìre A v. t. **1** to whiten; to bleach **2** (*cucina*) to blanch B v. i. e **sbianchìrsi** v. i. pron. **1** to whiten; to go* white **2** → **sbiancare**, def. 2.

sbicchieràta f. drinking party.

sbiecaménte avv. = **di sbieco** → **sbieco, A**.

sbièco A a. **1** (*obliquo, inclinato*) at an angle (pred.); angled; aslant (pred.); oblique; slanting; slantwise; sloping; cater-cornered (*USA*); catty-cornered (*USA*): **muro s.**, wall at an angle; angled wall; **scrittura sbieca**, sloping handwriting **2** (*storto*) askew (pred.); awry (pred.); crooked; squint: *Camminava tutto s.*, he was walking all crooked **3** (*di stoffa*) cut on the bias ● B a **di s.**, (*obliquamente*) slantwise, sideways, at an angle, on the slant; (*di stoffa*) on the bias; (*di traverso*) askew, askance, awry: **guardare qc. di s.**, to give st. a sidelong glance; to look at st. out of the corner of one's eye; (*con diffidenza, ecc.*) to look askance at st.; **occhiata di s.**, sidelong glance; **scrivere qc. di s.**, to write st. slantwise; **tagliare una stoffa di s.**, to cut a piece of material on the bias B m. **1** (*di stoffa*) bias **2** (*merceria*) bias binding.

sbiellàre v. i. **1** (*autom.*) to break* down; to conk out (*fam.*) **2** (*pop.: perdere la testa*) to flip; to freak (out).

sbiettàre v. t. (*levare la bietta*) to unwedge.

sbiettàta f. unwedging.

sbigottiménto m. (*costernazione*) dismay, consternation; (*sconcerto*) bewilderment; (*stupore*) amazement, awe: **silenzio di s.**, dismayed silence; amazed silence.

sbigottìre A v. t. (*costernare*) to dismay, to appal; (*sconcertare*) to bewilder; (*lasciare attonito*) to amaze, to shock, to stagger; to fill with awe: *La notizia del suo arresto ci ha sbigottito tutti*, we were appalled (*o* dismayed) by the news of his arrest B v. i. e **sbigottìrsi** v. i. pron. to be stunned; to be staggered: *A quelle parole sbigottì e tacque*, she was stunned by those words and fell silent.

sbigottìto a. (*costernato*) dismayed, aghast, appalled; (*sconcertato*) bewildered; (*attonito*) amazed, shocked, staggered, awed: *La sua rivelazione mi lasciò s.*, his disclosure left me aghast; *Si scambiarono un'occhiata, sbigottiti dal suo ardire*, they looked at one another, awed by his daring; *Lo guardai s., ma lui continuò come se niente te fosse*, I looked at him in amazement, but

he went on as if nothing had happened.

sbilanciaménto m. **1** (*lo sbilanciare*) unbalancing; (*fig.*) upsetting, disruption **2** (*effetto*) loss of balance; (*fig.*) disruption.

sbilanciàre A v. t. **1** to unbalance; to throw* off balance; to upset* the balance of; to overbalance **2** (*fig.: disturbare*) to upset*; to disrupt: *Il suo arrivo mi sbilancia tutti i programmi*, his arrival upsets all my plans **3** (*dissestare economicamente*) to put* in financial difficulties B v. i. **1** (*perdere l'equilibrio*) to lose* one's balance; to overbalance **2** (*pendere da una parte*) to list; to be top-heavy: *Il carico sbilancia a destra*, the cargo lists to the right C **sbilanciàrsi** v. i. pron. (*fig.: compromettersi, impegnarsi*) to commit oneself; (*andare troppo in là*) to say* [to promise] too much, to go* too far: *Preferisco non sbilanciarmi*, I'd rather not commit myself; *Meglio non sbilanciarsi e aspettare che sia lui a proporre qualcosa*, better not say too much and wait for him to make an offer.

sbilanciàto a. **1** out of balance; unbalanced; (*anche fig.*) off balance: **carico s.**, unbalanced load; **trovarsi s.**, to find oneself off balance **2** (*poco equilibrato*) unbalanced; (*sproporzionato*) disproportionate; **dieta sbilanciata**, unbalanced diet.

sbilàncio m. **1** unbalance; lack of balance **2** (*fin., rag.*) deficit; deficiency: **uno s. di ottanta sterline**, a deficit of eighty pounds **3** (*sproporzione*) imbalance; disproportion.

sbilènco a. **1** (*storto*) lop-sided; crooked; rickety: **andatura sbilenca**, lop-sided gait; **vecchietto s.**, crooked old man; **tavolo s.**, rickety table **2** (*fig.: sconclusionato*) disjointed; incoherent; absurd.

sbirciàre v. t. **1** (*guardare furtivamente*) to peep at [into, etc.], to cast* a quick (*o* sidelong) glance at; (*guardare di sfuggita*) to glance at, to steal* a glance at: *Si avvicinò in punta di piedi alla stanza e sbirciò dentro*, she tiptoed to the room and peeped inside; *Si sbirciò nello specchio*, he peeked at himself in the mirror; *Sbirciai l'orologio con impazienza*, I glanced impatiently at my watch **2** (*scrutare*) to peer at [into, etc.]; to eye; to look closely at; (*socchiudendo gli occhi*) to squint at: *Sbirciò nel buio della cantina*, she peered into the darkness of the cellar.

sbirciàta f. peep; glance: **dare una s.**, to have (*o* to take) a peep; to peep: *Diedi una s. al neonato nella culla*, I had a peep (*o* I peeped) at the baby in its cradle; *Ho dato solo una s. ai giornali*, I only had a glance at the papers.

sbirràglia f. **1** (*spreg.: polizia*) (bunch of) cops **2** (*spreg.: banda di armati*) (band of) hirelings; heavies (pl.).

sbirrésco a. **1** (*da poliziotto*) cop-like **2** (*brutale*) rough; strong-arm (attr.); bullying.

sbirro m. (*spreg.: poliziotto*) cop; copper.

sbizzarrìrsi v. i. pron. **1** (*assol.: indulgere ai propri capricci*) to indulge one's whims; to have one's own way; to do* as one pleases; (*in una scelta*) to take* one's pick, to run* wild; (*correre la cavallina*) to sow one's wild oats: *Lascia che si sbizzarrisca per un po'*, let him have his way (*o* do as he pleases) for a while; let him run wild for a while; *Vuoi scegliere tu? Ecco, sbizzarrisciti pure*, you want to choose? there, take your pick; **lasciar s. la fantasia**, to let one's imagination run free (*o* wild); to give full play to one's imagination **2** (+ inf.) to have a great time (doing st., with st.); to run* riot (with st.): *Si sbizzarrì a dipingere le pareti di colori diversi*, she had a great time painting the walls in different colours; *Mi sbizzarrii a fare le ricette più esotiche*, I ran riot with the most exotic recipes.

sbloccàggio, **sbloccaménto** → **sblocco**.

sbloccàre 🅐 v. t. **1** (*liberare da un blocco*) to unblock; to unlock; (*aprire*) to open up; (*liberare*) to free; (*allentare*) to release, to loosen; (*mecc.*) to unlock, to release: **s. il freno**, to release the brake; (*med.*) **s. l'intestino**, to loosen the bowels; **s. le ruote**, to free the wheels; **s. lo sterzo**, to unlock the steering wheel; **s. una strada**, to open up (*o* to unblock, to clear) a road; **s. una nave dai ghiacci**, to free a ship from ice **2** (*di situazione*) to resolve; to break* the deadlock in: **s. una situazione**, to resolve a stalemate; to break a deadlock; **s. le trattative**, to break the deadlock in the talks **3** (*mil.*) to raise (*o* to lift) the blockade of: **s. una città**, to raise the blockade of a town **4** (*psic.*) to remove a block **5** (*econ.*) to decontrol; to unfreeze*: **s. gli affitti**, to decontrol rents; **s. un credito**, to unfreeze a credit; **s. i salari**, to unfreeze wages **6** (*comput.*) to unlock; to enable 🅑 **sbloccàrsi** v. i. pron. **1** to become* unlocked; (*allentarsi*) to loosen up: *Lo sterzo si è sbloccato da solo*, the steering wheel has become unocked **2** (*di situazione*) to loosen up; to clear up; (*di negoziato, ecc.: riprendere*) to get* out of its stalemate; to resume: *La situazione politica non accenna a sbloccarsi*, the political situation shows no sign of clearing up; **aspettare che si sblocchi la trattativa**, to wait until the negotiations get out of their stalemate **3** (*di persona*) to loosen up; to open up; to let* oneself go: *È troppo timido, ha bisogno di sbloccarsi un po'*, he's too shy, he should let himself go more.

sbloccàto a. **1** unblocked; unlocked; clear; free **2** (*mecc.*) unlocked; released **3** (*econ.*) decontrolled; unfrozen: **affitto s.**, decontrolled rent; **prezzi sbloccati**, unfrozen prices.

sblòcco m. **1** opening up; clearing up; freeing **2** (*mecc.*) unlocking; releasing **3** (*econ.*) decontrol; unfreezing: **lo s. dei prezzi [degli stipendi]**, the unfreezing of prices [of salaries].

sbòbba f. (*pop.*) slop Ⓤ; swill Ⓤ; dishwater Ⓤ.

sbobinaménto m. transcription (of a tape).

sbobinàre v. t. to transcribe (*a tape*).

sbobinatùra f. **1** (*azione*) transcription (of a tape) **2** (*testo*) transcription; transcript.

sboccàre 🅐 v. i. **1** (*di corsi d'acqua*) to flow (into); to run* (into): *Il Po sbocca nell'Adriatico*, the Po flows into the Adriatic Sea **2** (*di strada*) to lead* (to, into, etc.), to come* out, to end up (in); (*di valle*) to come* out (onto): *Dove sbocca questa strada?*, where does this road lead to?; *Il vicolo sboccava in una piazzetta*, the alley ended up in a little square **3** (*di persona: arrivare*) to come* (to); to emerge (onto): *Continui sempre dritto e sboccherà in piazza Mazzini*, go straight on and you'll come to Piazza Mazzini; *Finalmente sboccammo sulla statale*, we eventually emerged onto the main road **4** (*irrompere*) to pour (into); to rush (into): *La folla sboccò sulla piazza*, the crowd poured into the square **5** (*fig.: concludersi*) to end up (in); to lead* (to) 🅑 v. t. **1** (*togliere liquido da*) to pour off (st.) from **2** (*rompere all'imboccatura*) to chip.

sboccatàggine, **sboccatézza** f. coarseness of language; coarse language.

sboccàto a. **1** (*triviale*) coarse; dirty; scurrilous; (*di persona*) foul-mouthed: **linguaggio s.**, coarse language; **storiella sboccata**, dirty (*o* scurrilous) joke **2** (*rotto all'imboccatura*) chipped.

◆**sbocciàre** v. i. **1** (*di fiore*) to open, to come* out, to bloom; to burst* into bloom; (*di albero*) to blossom: *Sono sbocciate le rose*, the roses have opened (*o* are out); *Questa varietà di tulipani sboccia a giugno avanzato*, this variety of tulip blooms in late June; **far s.**, to bring out **2** (*fig.: nascere, manifestarsi*) to begin*; to blossom; to sprout; to arise*; to dawn: *La loro amicizia sbocciò all'università*, their friendship began at university.

sbòccio m. blooming; blossoming: **lo s. dei fiori**, the blossoming of flowers ● (*fig.*) **di primo s.**, in the bloom of youth □ **in pieno s.**, in full bloom.

sbocciolatùra f. disbudding.

sbòcco m. **1** (*fuoriuscita di liquido*) outflow; outpour; (*bocca di fiume*) mouth: **s. di fogna**, sewage outflow; outfall; (*pop.*) **s. di sangue**, haemoptysis; *Lo s. delle acque era a valle del vecchio mulino*, the water flowed out below the old mill **2** (*apertura, luogo di uscita*) opening; outlet; exit; way out; end: **lo s. di una conduttura**, the outlet of a pipe; **lo s. di una galleria**, the exit of tunnel; **lo s. di una valle**, the end of a valley; **uno s. per le proprie energie**, an outlet for one's energies; **un paese senza s. sul mare**, a country with no access to the sea; a landlocked country; **situazione senza s.**, dead end; impasse; **strada senza s.**, dead-end; cul-de-sac **3** (*fig.: prospettiva*) opportunity; prospect: **sbocchi per laureati**, job opportunities for university graduates; **un lavoro senza sbocchi**, a job with no prospect **4** (*econ.*) outlet; market: **s. commerciale**, commercial outlet; **s. di mercato**, market outlet; **cercare nuovi sbocchi all'estero**, to look for new foreign markets.

sbocconcellàre v. t. **1** to nibble (st., at st.) **2** (*sbeccare*) to chip **3** (*fig.: spezzettare*) to fragment.

sbocconcellatùra f. **1** (*lo sbocconcellare*) nibble; nibbling **2** (*sbeccatura*) chip.

sbòffo m. puff: **maniche a s.**, puff (*o* puffed) sleeves; balloon sleeves.

sbollàre v. t. to break* the seal of; to unseal.

sbollentàre v. t. (*cucina*) to blanch.

sbollíre v. i. **1** to go* off the boil **2** (*fig.*) to cool down; to simmer down: *Spero che gli sia sbollita l'ira*, I hope his anger has cooled down; *Diamogli il tempo di s.*, let's give him time to simmer down.

sbolognàre v. t. **1** (*rifilare*) to palm off, to foist, to fob off (*GB*); (*scaricare*) to unload, to dump: *Mi voleva s. un orologio che non funzionava*, he wanted to palm off on me a watch that didn't work; *Ha sbolognato i figli a sua madre ed è partito*, he dumped the children with his mother and left **2** (*fam.: sbarazzarsi di*) to get* rid of; to get* shot of: *Sbologno questo seccatore e sono da te*, I'll just get rid of this bore and I'll be with you **3** – **sbolognarsela**, to make oneself scarce.

sboom m. inv. bust: **s. delle nascite**, baby bust.

sbòrnia f. (*fam.*) **1** (*ubriacatura*) drunkenness; drunk (*fam.*); jag (*slang*): **avere la s. triste**, to have the crying jag (*slang*); **prendersi una bella s.**, to get really drunk; **prendersi una solenne s.**, to get roaring (*o* blind) drunk; to get plastered (*slang*); **smaltire una s.**, to sober up; (*dormendo*) to sleep it off, to sleep off a drunk; **postumi di una s.**, hangover (sing.) **2** (*fig.: infatuazione*) infatuation; crush.

sborniàrsi v. i. pron. (*fam.*) to get* drunk; to get* plastered (*slang*).

sbornióne m. (f. **-a**) (*fam.*) boozer; soak; lush (*USA*).

sbórra f. (*volg.*) come; spunk (*GB*); jizzom, jizm (*USA*); cheese.

sborràre v. i. (*volg.*) to come*; to cream; to shoot one's load (*USA*).

sborsàre v. t. **1** (*pagare*) to pay* out; to come* up with; (*malvolentieri*) to fork out (*fam.*), to cough up (*fam.*); to stump up (*fam. GB*): **s. senza fiatare**, to pay up without batting an eyelid; *Sborsò subito l'intera somma*, she came up with the whole sum at once; *Mi toccò s. cinquecento euro*, I had to fork out five hundred euros; *Credo che non sborseranno una lira*, they are unlikely to cough up.

sbórso m. **1** (*lo sborsare*) disbursement; payment **2** (*denaro sborsato*) outlay; disbursement.

sbottàre v. i. to burst* out; (*assol.*) to burst* out, to snap, to explode: **s. a ridere**, to burst out laughing; «*Ne ho abbastanza!*» *sbottò*, «I've had enough of this!» he burst out; *Alla fine sbottai*, I couldn't keep quiet any longer.

sbottàta f., **sbòtto** m. outburst; fit; rush; surge: **s. di risa**, outburst of laughter; **s. di rabbia**, angry outburst.

sbottonàre 🅐 v. t. to unbutton; to undo* the buttons of: **sbottonarsi il cappotto**, to unbutton one's coat 🅑 **sbottonàrsi** v. rifl. (*fig. fam.*) to open up (*o* out): **sbottonarsi con q.**, to open up to sb.; **non sbottonarsi**, to be tight-lipped; to be secretive; to keep things to oneself.

sbottonatùra f. **1** unbuttoning **2** (*floricoltura*) disbudding.

sbòvo m. (*naut., antiq.*) windlass; capstan.

sbozzàre v. t. **1** (*sgrossare*) to rough-hew*; to rough: **utensile per s.**, roughing tool **2** (*pittura*) to sketch; to rough-in **3** (*fig.: un progetto, una teoria*) to sketch out; to block out; to rough out.

sbozzatóre 🅐 a. roughing (attr.) 🅑 m. (f. **-tríce**) rough-hewer.

sbozzatùra f. **1** (*lo sbozzare*) roughing; rough-hewing **2** (*metall.*) blocking; breaking out **3** (*fig.*) sketching out; blocking out; roughing out **4** → **sbozzo**, def. 2.

sbozzimàre v. t. (*ind. tess.*) to desize.

sbozzimatríce f. (*ind. tess.*) desizing machine.

sbozzimatùra f. (*ind. tess.*) desizing.

sbozzíno m. (*carpenteria*) jack-plane.

sbòzzo m. **1** → **sbozzatura 2** (*abbozzo*) rough outline; sketch; draft.

sbozzolàre 🅐 v. t. to gather the cocoons 🅑 v. i. to come* out of the cocoon.

sbozzolatùra f. cocoon gathering.

sbracalàto a. **1** wearing baggy trousers **2** (*fig.*) slovenly; sloppy.

sbracaménto m. **1** (*trasandatezza*) slovenliness; dishevelment; (*scompostezza*) letting one's hair down **2** (*sguaiataggine*) loudness; vulgarity; coarseness **3** (*cedimento, degrado*) degeneration; going to pieces.

sbracàre① v. t. (*togliere l'imbracatura*) to unsling*.

sbracàre② 🅐 v. t. (*togliere i calzoni*) to take* (sb.'s) trousers off; to debag (*slang GB*) 🅑 v. i. (*fam.: degenerare*) to degenerate; to go* to pieces 🅒 **sbracàrsi** v. rifl. **1** to take* off one's trousers **2** (*fig.: rilassarsi*) to put* one's feet up, to let* one's hair down; (*stravaccarsi*) to sprawl out, to slouch; (*spreg.: lasciarsi andare*) to behave without restraint ● **sbracarsi dalle risa**, to split one's sides with laughter.

sbracàto a. **1** (*senza calzoni*) trouserless **2** (*trasandato*) slovenly; (*in disordine*) dishevelled **3** (*stravaccato*) sprawling; slouching **4** (*fig.: sguaiato*) without restraint; (*volgare*) coarse, vulgar.

sbracciàrsi 🅐 v. rifl. (*scoprirsi le braccia*) to bare one's arms; (*arrotolare la manica*) to roll up one's sleeve; (*portare vestiti senza maniche*) to wear* sleeveless clothes 🅑 v. i. pron. **1** (*gesticolare*) to wave one's arms about; to gesticulate; (*spec. di attore*) to saw* the air **2** (*darsi da fare, agitarsi*) to do* all one can; to bend* over backwards (*fam.*).

sbracciàto a. **1** (*di persona*) with bare arms; bare-armed; (*con le maniche rimboccate*) with one's sleeves rolled up **2** (*di abito: senza maniche*) sleeveless; (*con maniche corte*) short-sleeved.

sbràccio ① m. (*sport*) throwing action; throwing movement.

sbràccio ② m. (*di gru, giraffa e sim.*) straddle; range, reach.

sbraciàre v. t. to poke; to stir: **s. il fuoco**, to poke (*o* to stir) the fire.

sbraciatóio m. poker.

sbragàre e *deriv.* → **sbracare** ②, e *deriv.*

sbràgo m. **1** (*region.: squarcio*) tear; rent; rip **2** (*region., fig.: scadimento, degenerazione*) degeneration; going to pieces; (*caos*) chaos, shambles **3** (*gergale: cosa, persona divertente*) scream; hoot.

sbraitàre v. i. to shout (at the top of one's voice); to yell; to bawl; to rant; to bark: **s. come un ossesso**, to shout like one possessed; **s. un ordine**, to bark out an order; *Non fa che s. coi figli tutto il giorno*, he's always yelling at his children.

sbraitóne m. (f. **-a**) (*fam.*) yeller; bawler.

sbramàre v. t. (*agric.*) to husk.

sbramatùra f. (*agric.*) husking.

sbramino m. (*agric.*) husker.

sbranaménto m. tearing to pieces; mauling.

sbranàre △ v. t. **1** to tear* to pieces; to tear* apart; to tear* at; to maul: *La tigre sbranò il cacciatore*, the tiger tore the hunter to pieces; *Il leone stava sbranando i resti di una gazzella*, the lion was tearing at the remains of a gazelle; *Fu ritrovato orrendamente sbranato*, he was found horribly mauled (by some wild beast) **2** (*fig.: straziare*) to tear*; to rend* **3** (*fig.: attaccare duramente*) to tear* to pieces; to tear* apart; to tear* limb from limb: *È stato sbranato dalla critica*, he was torn to pieces by the critics; *Se potesse lo sbranerebbe*, he'd tear him limb from limb, if he could △ **sbranàrsi** v. rifl. recipr. (*fig.*) to tear* each other [one another] to pieces.

sbrancàre △ v. t. **1** (*far uscire dal branco*) to take* from the flock [the herd]; to cut* out **2** (*disperdere*) to disperse; to scatter; to break* up; (*sbandare*) to disband △ **sbrancàrsi** v. i. pron. **1** (*uscire dal branco*) to leave* the flock [the herd] **2** (*disperdersi*) to disperse; to scatter; to break* up; to straggle; to stray.

sbrancàto a. **1** (*uscito dal branco*) stray; separated; cut out **2** (*disperso*) scattered; stray.

sbràno m. (*region.*) tear; rent; rip.

sbrattàre v. t. **1** (*pulire*) to clean up, to clean out; (*riordinare*) to tidy up, to clear up; (*sgombrare*) to clear out: **s. una stalla**, to clean out a cowshed; **s. una stanza**, to clean up (*o* to tidy up) a room; to clear out a room **2** (*assol.: andare via*) to clear out; to quit; to decamp (*fam.*).

sbrattàta f. (*pulita*) clean-up, tidy-up, clearing-up; (*sgombero*) clear-out: *Questa stanza ha bisogno di una s. a fondo*, this room needs a thorough clean-up.

sbràtto m. cleaning up; tidying up.

sbreccàre v. t. to chip.

sbrecciàre v. t. **1** to breach; to make* a breach in **2** (*sbreccare*) to chip.

sbrégo m. (*region.: strappo*) tear; rent; (*taglio*) slash.

sbrendolàre v. i. (*region.*) to hang* in tatters.

sbrèndolo m. (*region.*) shred; (al pl., anche) tatters, rags; (*pezzo che pende*) dangling bit: **a sbrendoli**, in tatters; in rags; ragged.

sbrendolóne m. (f. **-a**) (*region.*) **1** (*straccione*) person dressed in rags **2** (*persona trasandata*) shabby person; slovenly person.

sbriciolaménto m. crumbling.

sbriciolàre △ v. t. **1** to crumble; (*fare briciole*) to make* crumbs; (*sporcare di briciole*) to drop crumbs on: **s. il pane**, to crumble bread; *Sbriciolai un biscotto per il pesce rosso*, I crumbled up a biscuit for the goldfish; *Hai sbriciolato dappertutto*, you've dropped crumbs all over the place **2** (*distruggere, annientare*) to shatter; to crush; to disintegrate; (*di esplosione*) to blow* to smithereens: *La bomba sbriciolò due palazzi*, the bomb blew two buildings to smithereens △ **sbriciolàrsi** v. i. pron. **1** to crumble: **un dolce che si sbriciola**, a cake that crumbles; *Il muro si sta sbriciolando tutto*, the wall is crumbling away **2** (*fig.*) to crumble (away); to disintegrate.

sbriciolatùra f. **1** (*lo sbriciolare*) crumbling **2** (*briciole*) crumbs (pl.).

♦**sbrigàre** △ v. t. **1** (*porre fine*) to do*, to get* done, to get* through, to dispatch; (*occuparsi di*) to see* to, to deal* with, to handle; (*sistemare*) to sort out, to fix, to settle: **s. affari**, to dispatch business; **s. la corrispondenza**, to clear the mail; **s. una faccenda**, to deal with a matter; **s. le faccende domestiche**, to do the housework; **s. un lavoro**, to get a job done; **s. un bel po' di lavoro**, to get through a good deal of work; **s. una pratica**, to deal with a case; **s. le pratiche doganali**, to effect customs clearance (*form.*); to get (*o* to go) through customs; *Ho un paio di cose da s.*, I have a couple of things to do (*o* to see to); *Hanno già sbrigato tutto loro*, they have already sorted out (*o* fixed) everything; *Con lui me la sbrigo io*, I'll see to (*o* deal with) him; *Che se la sbrighi da solo*, let him sort it out by himself; **imparare a sbrigarsela da soli**, to learn to fend for oneself **2** (*una persona*) to attend to; (*liberarsi di*) to get* rid of: **s. un cliente**, to attend to a customer; *Li sbrigo in un attimo e sono da te*, I'll just get rid of them and I'll be with you in a moment △ **sbrigàrsi** v. i. pron. **1** (*fare presto*) to hurry up; to be quick; to get* on with it; to get* moving; (generalm. solo all'imper.) to come* on, to get* a move on (*fam.*), to look sharp (*fam.*), to make* it snappy (*fam.*): *Sbrigati!*, hurry up; get on with it!; get a move on!; look sharp!; *Sbrighiamoci!*, let's get moving!; *Mi sbrigo subito!*, I won't be a minute; *Sbrigati a vestirti!*, hurry up and get dressed! **2** (*liberarsi di*) to get* rid (of); to be rid (of): **sbrigarsi da un seccatore**, to get rid of a bore.

sbrigativaménte avv. **1** (*rapidamente*) quicky, speedily, summarily; (*affrettatamente*) hastily, hurriedly, in a hurry: **agire s.**, to act quicky; to make short work of it **2** (*bruscamente*) brusquely; curtly: **rispondere s.**, to answer brusquely; to give a brusque (*o* curt) answer.

sbrigatività f. **1** (*rapidità, efficienza*) quickness, speed, dispatch; (*fretta*) hastiness, impatience **2** (*maniere spicce*) suddenness; curtness; abruptness.

sbrigativo a. **1** (*rapido*) quick, speedy, summary; (*spiccio, efficiente*) brisk, no-nonsense; (*affrettato, superficiale*) hasty, hurried, cursory, perfunctory: **giudizio s.**, summary opinion; hasty judgment; **modi sbrigativi**, brisk ways; **tipo s.**, brisk type; no-nonsense type **2** (*asciutto*) brusque; curt; abrupt: **maniere sbrigative**, brusque manners; **risposta sbrigativa**, curt answer; *È stato piuttosto s. con me*, he was rather brusque with me ● **in modo s.** → **sbrigativamente**.

sbrigliaménto m. unbridling.

sbrigliàre △ v. t. **1** (*levare la briglia*) to unbridle **2** (*fig.*) to give* free rein to; to allow free play to: **s. la fantasia**, to give free rein to one's imagination; to let one's imagina-

tion run (away with one) **3** (*chir.*) to débride △ **sbrigliàrsi** v. i. pron. (*fig.*) to let* oneself go; to run* free.

sbrigliàta f. (*fig.*) scolding; lecture; dressing down (*fam.*).

sbrigliatézza f. unrestraint; unruliness; wildness.

sbrigliàto a. (*fig.: libero da freni*) unbridled, unrestrained, runaway; (*indisciplinato*) unruly, wild: **fantasia sbrigliata**, unbridled imagination.

sbrinaménto m. defrosting.

sbrinàre v. t. to defrost; (*autom.*) to demist (*GB*), to defrost (*USA*).

sbrinatóre m. defroster; (*autom.*) demister (*GB*), defroster (*USA*).

sbrinatùra f. defrosting; (*autom.*) demisting (*GB*), defrosting (*USA*).

sbrindellàre △ v. t. to reduce to tatters; to tear* to shreds △ v. i. (*cadere a brandelli*) to be in tatters; to hang* in tatters.

sbrindellàto a. torn to shreds; in tatters; tattered; ragged.

sbrindèllo m. (*pop.*) shred; (al pl., anche) rags, tatters.

sbrindellóne → **sbrendolone**.

sbrinz m. Brienz cheese.

sbroccàre ① v. t. (*ind. tess.*) to cleanse.

sbroccàre ② v. t. (*agric.*) to prune.

sbrodàre → **sbrodolare**.

sbrodolaménto m. **1** staining (with soup, milk, sauce, ec.); spilling (st.) **2** (*fig.*) → **sbrodolata**.

sbrodolàre △ v. t. **1** to stain (with soup, milk, sauce, etc.); to spill* (soup, milk, sauce, etc.) on: *Il bambino ha sbrodolato il bavaglino al latte*, the baby has spilt milk on its bib **2** (*fig.*) – **s. una storia sconclusionata**, to tell a long, rambling story △ **sbrodolàrsi** v. rifl. to spill* (soup, milk, sauce, etc.) over oneself.

sbrodolàta f. (*fig.*) long-drawn-out speech; long-winded story; rigmarole.

sbrodolàto a. **1** stained (with soup, milk, sauce, etc.); dirty **2** (*fig.*) long-drawn-out; long-winded.

sbrodolatùra f. **1** (*macchia*) (soup, milk, sauce, etc.) stain **2** → **sbrodolata**.

sbrodolóne m. (f. **-a**) **1** messy eater **2** (*fig.*) long-winded speaker; waffler.

sbròglia f. wool waste.

sbrogliàre △ v. t. **1** (*sciogliere*) to disentangle; to undo*: **s. una matassa** [**i capelli**], to disentangle a skein [one's hair]; **s. un nodo**, to undo a knot **2** (*naut.*) to unfurl **3** (*fig.: liberare*) to extricate; to get* out: **s. q. dai pasticci**, to get sb. out of trouble **4** (*fig.: risolvere*) to solve; to clear up; to unravel: **s. una faccenda**, to clear up an affair; **s. la situazione**, to solve the situation **5** (*naut.: le vele*) to unfurl **6** (*sgombrare, sbarazzare*) to clear ● (*fig.*) **s. la matassa**, to unravel a mystery; to solve (*o* to crack) a problem: *La polizia è riuscita a s. la matassa*, the police have finally cracked the case; *Non riesco a s. la matassa*, I cannot make sense of it □ **sbrogliarsela da sé**, to manage by oneself; to manage all alone; to fend for oneself □ **non riuscire a sbrogliarsela**, not to be able to get out of a difficulty △ **sbrogliàrsi** v. rifl. (*liberarsi*) to extricate oneself, to get* out (of); (*sbarazzarsi*) to get* rid (of): **sbrogliarsi da una situazione difficile**, to extricate oneself from a difficulty.

sbrónza, **sbronzàrsi** → **sbornia**, **sborniarsi**.

sbrónzo a. (*fam.*) drunk; high (*fam.*); plastered (*slang*); pissed (*volg. slang*).

sbruffàre v. t. **1** (*spruzzare dalla bocca*) to splutter; to spurt; (*dal naso*) to snort **2** (*fig. assol.: vantarsi*) to brag; to bluster; to talk big

(*fam.*); to blow* hard (*fam.*); (*pavoneggiarsi*) to swank (about).

sbruffàta f. (*spruzzata dalla bocca*) spluttering, splutter, spurting, spurt; (*dal naso*) snorting, snort.

sbrùffo m. **1** (*spruzzo*) splutter; spatter; spurt **2** (*fig.*: *bustarella*) bribe; backhander.

sbruffóna f. → **sbruffone**.

sbruffonàta f. brag; bragging ⓤ; bluster ⓤ; big words (pl.): *Non era una s. la mia*, I wasn't bragging; *Siamo stufi delle sue sbruffonate*, we are fed up with his bragging (*o* big words).

sbruffóne m. (f. **-a**) braggart; boaster; blowhard (*fam.*); swanker: *Non farci caso, è solo uno s.*, don't worry, he's all talk; *fare lo s.*, to brag; to bluster; to talk big (*fam.*).

sbruffonerìa f. **1** bragging ⓤ; bluster ⓤ **2** → **sbruffonata**.

♦**sbucàre** v. i. **1** (*uscire all'aperto*) to come* out (of); to get* out (of); to emerge (from); (*all'improvviso*) to spring* out (of), to pop out (of); (*far capolino*) to peep out (of): *Il treno sbucò dalla galleria*, the train emerged from (*o* came out of) the tunnel; *Il tunnel sbuca oltre le mura*, the gallery comes up beyond the walls; *La lepre sbucò dalla tana*, the hare popped out of its hole **2** (*arrivare*) to come* out; to end up: *Il vicolo sbucava in una piazzetta*, the alley came out (o ended up) in a little square **3** (*comparire all'improvviso*) to appear suddenly (from); to emerge (from); to pop out (of, from); to spring* (from); (*in velocità*) to shoot* out (of): **s. da dietro una porta**, to emerge from behind a door; **s. di sotto il letto**, to pop out from under the bed; *L'auto è sbucata da una strada laterale*, the car shot out of a sidestreet; *E tu da dove sbuchi?*, where did you spring from?

sbucciapatàte m. inv. potato peeler.

sbucciàre Ⓐ v. t. **1** to take* off (*o* to remove) the skin of; to peel; (*sbaccellare*) to shell, to shuck (*USA*): **s. un'arancia**, to peel an orange **2** (*produrre un'abrasione*) to graze; to bark: **sbucciarsi un gomito**, to graze one's elbow Ⓑ **sbucciàrsi** v. i. pron. (*di serpente, ecc.*) to shed* (*o* to slough off) the skin.

sbucciatóre m. (f. **-trìce**) peeler.

sbucciatùra f. **1** (*lo sbucciare*) peeling; (*lo sbaccellare*) shelling, shucking (*USA*) **2** (*abrasione della pelle*) graze; bark: **farsi una s. al ginocchio**, to graze (*o* to bark) one's knee.

sbudellaménto m. disembowelment; disembowelling; (*di pesce*) gutting; (*di pollo e sim.*) drawing.

sbudellàre Ⓐ v. t. **1** to disembowel; to eviscerate; (*un pesce*) to gut; (*un pollo e sim.*) to draw* **2** (*ferire al ventre*) to gore; to rip open; to knife in the guts; to run* (sb.) through Ⓑ **sbudellàrsi** v. rifl. recipr. to stab (*o* to knife) each other in the guts Ⓒ **sbudellàrsi** v. rifl. – (*fig.*) **sbudellarsi dalle risa** (*o* **dal ridere**), to split one's sides (with laughter); to roll about (with laughter); to be in hysterics.

sbuffànte a. **1** (*ansimante*) puffing panting; (*di cavallo*) snorting; (*di locomotiva*) chuffing, puffing **2** (*di vestito*) puffed; puff (attr.).

sbuffàre Ⓐ v. i. **1** (*emettere fiato*) to puff; (*di cavallo*) to snort; (*ansimare, anche*) to pant; to puff and pant; (*per l'irritazione*) to snort; (*per l'impazienza*) to fume; (*fig.*: *brontolare*) to grumble: **s. come una locomotiva**, to puff like an engine; to puff and pant; **s. per il caldo**, to pant from the heat; *Sbuffò e mi girò le spalle*, she snorted and turned her back to me; *Il pubblico cominciava a s.*, the audience was beginning to grumble; *Devi sempre fare tutto sbuffando?*, must you grumble at everything you do? **2** (*emettere*

vapore) to puff, to let* off steam; (*di locomotiva*) to puff, to chuff: *Il treno passò sbuffando*, the train chuffed past Ⓑ v. t. to puff; to blow*: *Mi sbuffò in faccia una nuvola di fumo*, he puffed (*o* blew) a cloud of smoke into my face.

sbuffàta f. puff; (*di noia, irritazione*) snort.

sbùffo m. **1** (*di fiato, vapore*) puff; (*di noia, irritazione*) snort **2** (*di fumo, vapore*) puff, whiff; (*di vento*) puff, gust: **emettere sbuffi**, to puff; **uscire a sbuffi**, to come out in puffs; to come puffing out **3** → **sboffo**.

sbugiardàre v. t. to give* the lie to; (*una persona, anche*) to show (sb.) up for a liar [for a fake].

sbullettàre Ⓐ v. t. to untack Ⓑ v. i. (*di intonaco*) to blister Ⓒ **sbullettàrsi** v. i. pron. to come* untacked.

sbullettatùra f. **1** untacking **2** (*di intonaco*) blistering, blister.

sbullonaménto m. unbolting.

sbullonàre v. t. to unbolt.

sbullonàto a. **1** unbolted **2** (*gergale*) crazy; spaced out; spacey.

sburocratizzàre v. t. to free from excessive bureaucracy; to reduce the burocracy (*o* the red tape) in; to streamline.

sburocratizzazióne f. reduction of bureaucratic procedures; streamlining.

sburràre v. t. to skim (milk).

sbuzzàre Ⓐ v. t. **1** (*un pollo e sim.*) to draw*; (*un pesce*) to gut **2** (*pop.*: *ferire al ventre*) to gore; to rip open; to run* through (with a knife, etc.) **3** (*fig.*: *squarciare*) to rip open; to tear* open Ⓑ **sbuzzàrsi** v. rifl. recipr. to run* each other through Ⓒ **sbuzzàrsi** v. i. pron. to burst* open.

SC sigla **1** (*massoneria*, **Sacro collegio**) Sacred College **2** (*relig.*, **Sacro Cuore**) Sacred Heart **3** (**sede centrale**) head office; headquarters (HQ) **4** (**stato civile**) municipal registry (*of births, marriages and deaths*) **5** (*leg.*, **Suprema corte** (**di cassazione**)) Supreme Court (of Cassation).

sc. abbr. (*teatro*, **scena**) scene (sc.).

scàbbia f. **1** (*med.*) scabies **2** (*vet.*) mange; scab.

scabbiósa → **scabiosa**.

scabbióso a. **1** (*med.*) scabious; scabby **2** (*vet.*) mangy; scabbed.

scabìno m. (*stor.*) echevin.

scabiósa f. (*bot.*, *Knautia arvensis*) scabious; devil's bit.

scabrézza f. roughness; ruggedness; harshness.

scàbro a. **1** (*ruvido*) rough, coarse-grained, coarse, scabrous **2** (*lett.*: *pietroso, aspro*) rough; rugged; craggy **3** (*fig.*: *essenziale*) concise; austere; astringent.

scabrosità f. **1** (*ruvidezza*) roughness; coarseness; ruggedness **2** (*punto ruvido*) rough part; asperity **3** (*fig.*: *difficoltà*) thorniness; trickiness; knottiness; (*parte difficile*) thorny (*o* tricky, knotty) part (*o* aspect) **4** (*fig.*: *delicatezza di argomento*) indelicacy; awkwardness; (*carattere spinto*) indelicacy, offensive (*o* risqué) nature **5** (*mecc.*) roughness.

scabróso a. **1** (*ruvido*) rough, coarse-grained, coarse, scabrous **2** (*fig.*: *malagevole*) rough; rugged **3** (*fig.*: *difficile*) thorny; tricky; knotty **4** (*fig.*: *delicato, imbarazzante*) delicate, ticklish, awkward; (*fig.*) indelicate, scabrous, risqué, racy: **domanda scabrosa**, delicate (*o* awkward) question; **particolare s.**, scabrous detail; **un film pieno di scene scabrose**, a film full of risqué scenes.

scacazzaménto m. (*volg.*) shitting; crapping.

scacazzàre (*volg.*) Ⓐ v. i. to shit* all over the place; to crap (around) Ⓑ v. t. (*di mo-*

sche, ecc.) to cover in droppings.

scaccàto a. chequered, checkered (*USA*); checked.

scacchiàre v. t. (*agric.*) to remove side-growths from.

scacchièra f. board; (*per scacchi*) chessboard; (*per dama*) draughtboard (*GB*), checkerboard (*USA*) ● **controlli a s.**, spot checks □ **sciopero a s.**, staggered strike.

scacchière m. **1** (*mil.*) sector; zone **2** (*in GB*) Exchequer: *Cancelliere dello s.*, Chancellor of the Exchequer ● (*mil.*) **a s.**, in echelon □ **formazione a s.**, echelon formation.

scacchìsmo m. chess-playing; chess.

scacchìsta m. e f. chess-player.

scacchìstico a. of chess; chess (attr.): **torneo s.**, chess tournament.

scàccia m. inv. (*caccia*) beater.

scacciacàni m. e f. blank pistol.

scacciafùmo m. inv. (*mil.*) air-blast.

scacciaguài m. inv. amulet.

scacciamósche m. inv. fly whisk; fly flap.

scacciapensièri m. inv. **1** (*mus.*) jew's harp **2** (*passatempo*) pastime.

♦**scacciàre** v. t. **1** to drive* away (*o* off, out); to chase away (*o* out, off); to turn out; (*bandire*) to banish: **s. un gatto randagio**, to chase away a stray cat; **s. le mosche**, to drive away (the) flies; **s. il nemico**, to drive out the enemy; **s. gli spiriti maligni**, to drive out (the) evil spirits; **s. di casa**, to turn out; *Il sole scacciò la nebbia*, the sun dispelled the mist; *Il vento scacciò le nubi*, the wind drove away the clouds **2** (*fig.*: *liberarsi di*) to get* rid of; (*dissipare*) to dispel, to banish: **s. un dubbio**, to get rid of (*o* to dispel) a doubt; **s. la noia**, to chase off boredom; **s. i pensieri tristi**, to drive away (*o* to banish) sad thoughts; **s. un timore**, to get rid of (*o* to banish, to dispel) a fear; **s. la malinconia**, to banish melancholy.

scacciàta f. (*espulsione*) driving out; expulsion; (*messa al bando*) banishment.

scaccìno m. sacristan; sexton.

scàcco m. **1** (al pl.: *gioco*) chess (sing.): **giocare a scacchi**, to play chess; **gioco degli scacchi**, chess; (*scacchiera e pezzi*) chess set; **partita a scacchi**, game of chess; **pezzo degli scacchi**, chessman **2** (*mossa al gioco degli scacchi*) check: **s. al re**, check; **s. matto**, checkmate (*anche fig.*); mate; **s. in tre mosse**, check in three moves; **dare s. matto a q.**, to checkmate sb. (*anche fig.*); to mate sb.; (*anche fig.*) **in s.**, in check **3** (*fig.*: *insuccesso, sconfitta*) setback; check: **subire uno s.**, to suffer a setback **4** (*quadratino di scacchiera*) square **5** (*riquadro*) chequer, checker (*USA*); (*quadretto*) check: **a scacchi**, chequered, checkered (*USA*); (*a quadretti*) check (attr.), checked: **bandiera a scacchi**, chequered flag; **camicia a scacchi**, chequered shirt; check (*o* checked) shirt; **disegno a scacchi**, chequered pattern; (*su stoffa*) check ● (*fig. scherz.*) **vedere il sole a scacchi**, to be in jail; to be behind bars.

scaccografìa f. chess notation.

scaccogràmma m. chess diagram.

scaccolàre (*pop.*) Ⓐ v. t. to pick (one's nose) Ⓑ **scaccolàrsi** v. rifl. to pick one's nose.

scaccomàtto → **scacco matto**, alla voce **scacco**, def. 2.

scaciàto a. (*region.*) slovenly; sloppy.

scadènte a. **1** (*di poco pregio, di bassa qualità*) second-rate; inferior; poor-quality; low-quality; shabby; low; (*insufficiente*) poor; (*malfatto*) shoddy: **cibo s.**, poor food; **merce s.**, low-quality goods; inferior goods; **lavoro s.**, shoddy (piece of work); **qualità s.**, poor quality; low quality; **recitazione s.**, poor acting; **voto s.**, low mark **2** (*comm.*: *che*

scade) falling due; expiring; maturing.

scadènza f. **1** (*di documento, accordo, ecc.*) expiration, expiry; (*di obbligazione, prestito, ecc.*) maturity: **s. a tre mesi,** maturity at three months; **s. a vista,** maturity at sight; **s. d'un contratto,** expiration of a contract; **s. di una tratta,** maturity of a draft; **alla s. del contratto [del passaporto],** upon expiry of the contract [of the passport]; **alla s.,** on maturity; when due; **fino alla s.,** until maturity; until due; **in s.,** falling due; mature; **prossimo** (*o vicino*) **alla s.,** almost due; near the end of the term; (*di cambiale e sim.*) with a short time to run; (*di contratto*) expiring shortly, due to expire; **rinnovabile alla s.,** renewable upon expiry; **giungere a s.,** to fall due; to mature; to reach maturity; **pagare alla s.,** to pay on maturity; **tratta con s. al 15 luglio,** draft falling due on the 15th of July **2** (*anche* **data di s.**) date of expiry; expiry date; due date; deadline; (*di alimento*) use-by date, best-before date; (*di medicinale*) use-by date: **s. improrogabile,** deadline; **s. rateale,** expiry date for an instalment payment; **rispettare una s.,** to meet a deadline; **non rispettare una s.,** to miss a deadline **3** (*pagamento*) payment; (*estens.: impegno*) obligation, commitment, deadline; (*decisione*) decision; (*compito*) task: **scadenze annuali,** yearly payments; *Il Parlamento ha di fronte scadenze improrogabili,* crucial decisions (o deadlines) await parliament; **rispettare le scadenze,** to meet payments; to honour one's commitments; **non rispettare le scadenze,** to default on payments ● **a breve s.,** short-term (agg.); short (o short-dated) (agg.); at short maturity; (*fig.*) in the near (o short-term) future, within a short time, shortly, short-term (agg.); **cambiale [mutuo] a breve s.,** short (o short-dated) bill [loan]; **progetto a breve s.,** short-term plan; *Gli effetti di questo cambiamento si sentiranno a breve s.,* the effects of this change will be felt in the near future (o in the short term) □ **a lunga s.,** long-term (agg., *anche fig.*); long (o long-dated) (agg.); **cambiale a lunga s.,** long (o long-dated) bill; **programma a lunga s.,** long-term programme □ **a s. fissa,** fixed-term (agg.).

scadenzàre v. t. (*bur.*) to fix an expiry date for.

scadenzàrio m. (*comm.*) due register; bill-book.

scadére v. i. **1** (*declinare*) to decline; to fall* off; to go* downhill; to deteriorate; to worsen; (*diminuire*) to decrease (in st.), to go* down (in st.), to lose* (st.): **s. d'importanza,** to lose importance; **s. di qualità,** to fall off in quality; **s. di valore,** to decrease in value; to lose value; **s. nell'opinione pubblica,** to lose credit; to go down in the public's estimation; *Il nostro tenore di vita è scaduto negli ultimi anni,* our standard of living has worsened (o deteriorated) in recent years; *Mi è molto scaduto,* he has gone down in my estimation; he has really disappointed me **2** (*divenire pagabile, esigibile*) to fall* due; to mature: *La cambiale scade il 3 corrente,* the bill falls due (o matures) on the 3rd of this month **3** (*perdere di validità, cessare, spirare*) to expire; to lapse: *Questo passaporto scade fra due mesi,* this passport is due to expire in two months; *Il mio abbonamento è scaduto il 10 giugno,* my subscription expired on June 10; *Giovedì scade il termine di presentazione delle domande,* Thursday is the deadline for submitting applications; *Mi spiace, il tempo è scaduto,* I'm sorry, time is up; **lasciar s. un contratto,** to allow a contract to lapse **4** (*di alimento, ecc.*) – *Questo latte scade tra quattro giorni,* the use-by (o best-before) date for this milk is in four days' time **5** (*naut.: spostarsi lateralmente*) to fall off*; to fall* to

leeward; to sag to leeward; (*restare indietro*) to drop astern, to fall* astern.

scadiménto m. decline; decadence; deterioration.

scadùto a. **1** (*in arretrato*) due: overdue: **cambiale scaduta,** overdue bill; **fattura scaduta,** overdue invoice **2** (*fin., banca*) mature; payable **3** (*non più valido*) expired; lapsed; out of date: **abbonamento s.,** expired subscription; **contratto s.,** expired (o lapsed) contract; **passaporto s.,** expired passport **4** (*di alimento*) past its use-by (o best-before) date; (*di medicinale*) past its use-by date **5** (*decaduto*) in decline; on the wane.

scafàndro m. **1** (*naut.*) diving suit **2** (*aeron.*) pressure suit; (*di astronauta*) spacesuit.

scafàre (*region.*) Ⓐ v. t. to teach* (sb.) a thing or two; to lick into shape: *Vivere in città l'ha scafato un po',* living in a big city has taught him a thing or two Ⓑ **scafàrsi** v. i. pron. to get* smart; to learn* a thing or two.

scafàto a. (*region.*) smart on the ball street-wise; savvy; (*scaltro*) crafty.

scàffa f. (*alpinismo*) ledge.

scaffalàre v. t. **1** (*munire di scaffali*) to provide (o to fit) with shelves **2** (*mettere negli scaffali*) to shelve; to arrange on shelves.

scaffalàta f. (*whole*) shelf*; shelf-ful: **una s. di romanzi,** a whole shelf of novels.

scaffalatùra f. (*serie di scaffali*) shelves (pl.); set of shelves; shelving Ⓤ; (*in biblioteca o archivio*) stack; (*per bottiglie*) rack.

♦**scaffàle** m. (*mensola*) shelf* **2** (*mobile*) set of shelves: **s. per libri,** bookshelves; bookcase; **s. a rastrelliera,** rack.

scafista m. (*naut.*) **1** (*operaio*) hull-maintenance man* **2** (*motoscafista*) motorboat pilot; (*che trasporta immigrati clandestini*) people smuggler.

scàfo m. **1** (*naut.*) hull: **s. ad ala portante,** hydrofoil speedboat; **s. aerodinamico,** streamlined hull; **s. esterno,** outer hull; **s. nudo,** bare hull; **s. resistente,** pressure hull **2** (*aeron.*) hull.

scafòide m. (*anche agg.:* **osso s.**) (*anat.*) scaphoid; navicular (bone).

scafòpodo m. (*zool.*) scaphopod; (al pl., *scient.*) Scaphopoda.

scagazzàre e *deriv.* → **scacazzare,** e *deriv.*

scagionàre Ⓐ v. t. (*discolpare*) to free from blame, to clear, to exonerate, to exculpate, (*leg.*) to acquit; (*giustificare*) to justify; (*scusare*) to excuse: **s. q. da un'accusa,** to exonerate (o to clear) sb. of a charge; *È stato completamente scagionato,* he has been freed from all blame Ⓑ **scagionàrsi** v. rifl. to exculpate oneself; to clear oneself; (*giustificarsi*) to justify oneself.

scàglia f. **1** (*zool.*) scale: **coperto di scaglie,** scaly **2** (*piastra di armatura*) scale **3** (*falda*) flake, scale; (*scheggia*) chip, splinter, sliver: **s. di formaggio,** sliver of cheese; **s. d'intonaco,** flake of plaster; **s. di sapone,** soap flake; **s. di vernice,** flake of paint; **scaglie di ferro,** scales of iron; **scaglie di forfora,** dandruff flakes; **scaglie di roccia,** flakes of rock; **sapone a scaglie,** soap flakes (pl.).

scagliàre① Ⓐ v. t. **1** to throw*; to fling*; to hurl; to shoot*; to sling*: **s. una bomba,** to throw a bomb; **s. frecce,** to shoot arrows; **s. una lancia,** to hurl a spear; **s. un sasso contro q.,** to throw (o to fling) a stone at sb.; **s. q. contro un muro,** to hurl sb. against a wall **2** (*fig.: dire, pronunciare*) to hurl; to level: **s. un'accusa,** to level an accusation; **s. insulti contro q.,** to hurl abuse at sb. ● (*fig.*) **s. i fulmini** (*su*) to fulminate (against) □ (*fig.*) **s. la prima pietra,** to cast the first

stone Ⓑ **scagliàrsi** v. rifl. **1** (*gettarsi*) to throw* (o to fling*, to hurl) oneself (at, against, upon) **2** (*fig.: inveire*) to attack (st.); to rail (at, against).

scagliàre② v. t., **scagliàrsi** v. i. pron. to flake; to scale.

scagliòla f. **1** (*edil.*) scagliola **2** (*bot., Phalaris canariensis*) canary grass.

scaglionaménto m. **1** spacing out; staggering; spreading: **s. delle ferie,** staggering of holidays; **s. dei pagamenti,** staggering (o spreading) of payments **2** (*mil.*) arrangement in echelons; echelon formation.

scaglionàre Ⓐ v. t. **1** (*distribuire a intervalli*) to space out; to stagger; to spread*: **s. le ferie,** to stagger holidays; **s. i pagamenti su un periodo di un anno,** to stagger (o to spread) payments over a year **2** (*mil.*) to echelon Ⓑ **scaglionàrsi** v. i. pron. to spread out.

scaglióne① m. **1** (*geol.*) terrace; shelf: **a scaglioni,** terraced **2** (*arald.*) chevron.

scaglióne② m. **1** (*mil.*) echelon; (*di leva*) draft: **a scaglioni,** in echelon **2** (*econ.*) bracket; class: **s. d'imposta,** income tax bracket; **s. di reddito,** income bracket (o class) **3** (*estens.: fascia, gruppo*) group; batch: **s. d'età,** age group; **a scaglioni,** in groups; in batches.

scagliosità f. scaliness; flakiness.

scaglióso a. scaly; flaky.

scagnòzzo m. (*spreg.*) henchman*; flunkey; (*gorilla*) heavy, thug.

♦**scàla** f. **1** (*fissa*) stair, stairs (pl.); staircase (sing.); stairway (sing.); (*in metallo o legno*) ladder: **s. a chiocciola,** spiral staircase; winding stairs; **s. antincendio,** fire escape; (*naut.*) **s. di boccaporto,** companionway; companion ladder; **s. di marmo,** marble staircase; **s. di servizio,** backstairs; **s. di sicurezza,** fire escape; **s. mobile,** escalator; moving staircase; **la S. Santa,** the Holy Stairs (o Staircase); **a metà s.,** halfway up [down] the stairs; **cadere dalle (o ruzzolare per le) scale,** to fall (o to tumble) down the stairs; **fare le scale → salire [scendere] le scale; salire le scale,** to go [to come] up the stairs; to go [to come] upstairs; to climb the stairs; **scendere le scale,** to go [to come] down the stairs; to go [to come] downstairs; **la signora della s. accanto,** the lady (who lives) on the next staircase; **rampa di scale,** flight of stairs; **tromba delle scale,** stairwell **2** (*trasportabile*) ladder; (*aeron.*) ramp: **s. a libretto,** stepladder; steps (pl.); **s. a pioli,** (rung) ladder; (*naut.*) **s. a tarozzi** (*o volante*), Jacob's ladder; **s. aerea,** turntable ladder; (*GB*) aerial ladder (*USA*); **s. allungabile,** extension ladder; (*stor.*) **s. d'assedio,** scaling ladder; **s. da pompieri,** fireman's ladder; (*naut.*) **s. di comando** (*o reale*), accommodation ladder; **s. di corda,** rope ladder; (*aeron.*) **s. d'imbarco,** boarding ramp; **s. pieghevole,** folding ladder; **s. Porta → s. aerea; s. romana,** extension ladder; **salire su una s.,** to climb (o to mount) a ladder; **scendere da una s.,** to get off a ladder **3** (*ginnastica*) **s. svedese,** Swedish ladder **4** (*fig.: serie progressiva*) scale; sequence; (*gerarchia*) ladder: **s. dei colori,** scale of colours; (*fotogr.*) **s. delle distanze,** distance scale; (*fis.*) **s. di durezza,** scale of hardness; **s. di valori,** scale of values; **s. sociale,** social ladder (o scale); **in s.,** in sequence; **disporre in s.,** to arrange in sequence **5** (*econ.*) scale: **s. dei prezzi,** price scale; **s. degli stipendi,** pay scale; **s. mobile (dei salari),** wage indexation scale; sliding scale; **economia di s.,** scale economy **6** (*mat.*) scale: **s. decimale,** decimal scale; **s. logaritmica,** logarithmic scale **7** (*fis., geol., meteor.*) scale: **s. Celsius** (*o centigrada*), Celsius (o centigrade) scale; **s. dei ci-**

cloni, cyclonic scale; **s. dei venti** (*o Beaufort*), wind (*o* Beaufort) scale; **s. Fahrenheit** [**Réaumur**], Fahrenheit [Réaumur] scale; **s. Kelvin**, Kelvin scale; **s. Mercalli**, Mercalli scale; **s. Richter**, Richter scale; **un terremoto di sesto grado sulla s. Richter**, an earthquake measuring 6 on the Richter scale; ❶ **CULTURA • scala**: *fino agli anni '70 la temperatura nei paesi anglofoni era misurata in gradi Fahrenheit e la scala Celsius veniva usata solo in ambiente scientifico; oggi la scala Celsius è stata adottata ufficialmente nel Regno Uniti, mentre negli USA si continua ad usare i gradi Fahrenheit. Per quanto riguarda i terremoti, nel Regno Unito l'intensità dell'attività sismica è valutata secondo la scala Richter, mentre negli USA si usa anche la scala Mercalli modificata (Modified Mercalli Scale) che aggiunge due gradi a quella elaborata da Giuseppe Mercalli*; **s. termometrica** (*o della temperatura*), temperature (*o* thermometric) scale; **s. sismica**, seismic scale **8** (*cartografia, disegno*) scale: **s. cartografica**, map scale; **s. naturale**, full scale; **s. ridotta**, small (*o* reduced) scale; **in s.**, on a scale; (*drawn*) to scale; scale (*agg.*): **disegno in s.**, scale drawing; **modello in s.**, scale model; **una carta geografica in s. di 1 a 50 000**, a map on a scale of 1 to 50,000; **un modello in s. 1:100**, a model on a 1:100 scale; **in s. 2:1**, twice full-size scale; **in s. 1:1**, full-scale; full-size; **in s. 1:2**, half-scale; **in s. 1:4**, quarter-scale; **in s. naturale**, full-scale (attr.); **in s. ridotta**, small-scale; on a small scale; **disegnare in s.**, to draw to scale; **ingrandire [ridurre] in s.**, to scale up [down] **9** (*gradazione, proporzione*) scale; (*livello*) scale, level: **su scala mondiale**, on a world scale; worldwide (agg. e avv.) **su scala nazionale**, on a national scale; nationwide (agg. e avv.); **su s. ridotta**, on a small scale; **su vasta s.**, on a large scale **10** (*nei giochi di carte*) straight: **s. reale**, straight flush; **s. reale all'asso**, royal flush **11** (*mus.*) scale: **s. cromatica**, chromatic scale; **s. diatonica**, diatonic (*o* whole-note) scale; **s. di do**, scale of C; **s. maggiore [minore]**, major [minor] scale; **s. temperata**, tempered scale; **fare le scale al pianoforte**, to practise scales on the piano ❶ **FALSI AMICI** • scala *in senso architettonico e come oggetto non si traduce con* scale.

scalàndo m. inv. (*Borsa*) scale order; split order.

scalandróne m. (*naut.*) gangway ladder; gangplank.

scalàre ① **A a. 1** (*disposto a scala*) stepped **2** (*graduato*) graduated; graded; scaled: **interesse s.**, scaled interest **3** (*mat.*) scalar: **grandezza s.**, scalar (quantity); **prodotto s.**, scalar product; dot product **4** (*banca*) – **metodo s.**, daily-balance interest calculation **B m. 1** (*mat.*) scalar **2** (*banca*) interest table.

♦**scalàre** ② **v. t. 1** (*arrampicarsi su*) to climb (*anche sport*); to scale: **s. un monte**, to climb a mountain; **s. un muro**, to climb (*o* to scale) a wall **2** (*fig., Borsa*) to make* a takeover bid **3** (*detrarre*) to deduct; to subtract; to take* off; (*diminuire*) to reduce, to scale down: **s. il costo della benzina**, to deduct (*o* to subtract) the cost of petrol; **s. un debito**, to pay off a debt gradually (*o* in instalments); (*autom.*) **s. le marce**, to change down; to shift down (*USA*) **4** (*disporre in ordine decrescente*) to grade down **5** (*disporre a gradini*) to step; to layer: **s. i capelli**, to layer sb.'s hair **6** (*lavoro a maglia*) to decrease.

scalariforme a. (*biol.*) scalariform.

scalàta f. **1** climb; climbing: **dare la s. alle mura**, to climb (*o* to scale) the walls **2** (*alpinismo*) climb; climbing; ascent: **una s. difficile**, a difficult climb; **la s. dell'Everest**, the ascent of Everest; **fare scalate**, to go (*rock*) climbing; to be a rock climber **3**

(*fig.*) bid; (*Borsa*) takever bid, raid: **dare la s. al potere**, to make a bid for power; (*Borsa*) **dare la s. a una società**, to make a takeover bid.

scalatóre m. (f. **-trice**) **1** climber **2** (*alpinismo*: *rocciatore*) rock-climber; (*alpinista*) mountaineer **3** (*Borsa*) raider.

scalcagnàre v. t. to wear* down at the heel.

scalcagnàto a. **1** (*di scarpa*) down-at-heel; worn-out **2** (*di persona*) down-at-heel; shabby; seedy.

scalcàre v. t. to carve: **s. un pollo**, to carve a chicken.

scalcheria f. (*stor.*) stewardship.

scalciàre v. i. to kick.

scalciàta f. kicking.

scalcinàre v. t. to remove plaster from.

scalcinàto a. **1** (*privato di intonaco*) unplastered **2** (*fig., di persona*) down-at-heel, shabby, seedy; (*di cosa*) shabby, run-down, dilapidated.

scalcinatùra f. **1** (*operazione*) removal of plaster **2** (*parte scalcinata*) unplastered area.

scàlco m. **1** carver **2** (*stor.*) steward **3** (*operazione*) carving: **coltello da s.**, carving knife; carver.

scaldaàcqua m. inv. water heater; boiler; **s. a immersione**, immersion heater.

scaldabàgno m. water heater; boiler.

scaldabànchi → **scaldapanche**.

scaldalètto m. bedwarmer; warming pan.

scaldamàni, **scaldamano** m. hand warmer.

scaldamùscoli m. inv. leg warmer.

scaldapànche m. e f. inv. lazy student; lazybones (*fam.*).

scaldapiàtti m. inv. plate warmer; plate heater.

scaldapièdi m. inv. footwarmer.

♦**scaldàre** **A v. t. 1** to heat; to warm; to warm up; (*cibo già cotto*) to heat up, to heat over (*USA*): **s. dell'acqua**, to warm up (*o* to heat) some water; **s. il letto**, to warm up the bed; **s. il motore**, to warm up the engine; (*sport*) **s. i muscoli**, to warm up; **s. una stanza**, to heat a room; **scaldarsi le mani**, to warm one's hands; *A poco a poco il sole ci scaldò*, gradually the sun warmed us up; *Ti scaldo lo stufato?*, shall I heat up the stew for you? **2** (*fig.*) to warm, to warm up; (*eccitare*) to stir up, to work up, to get* (sb.) worked up, to rouse: **s. l'ambiente**, to warm things up; **s. gli animi**, to get people worked up; **s. il cuore**, to warm sb.'s heart; to warm the cockles of sb.'s heart (*fam.*); **s. la folla**, to stir up the crowd; **s. il pubblico con qualche barzelletta**, to warm up the audience with a few jokes; **s. la testa a q.**, to put ideas into sb.'s head; **scaldarsi la testa**, to get all excited; to get worked up • (*fig.*) **s. la sedia**, to be a chair warmer ○ (*fig.*) **s. le panche** (*o* **i banchi**), to be lazy; to be a lazybones (*fam.*) **B v. i. 1** (*surriscaldarsi*) to overheat: *Questo motore scalda troppo*, this engine overheats **2** (*emanare calore*) to give* out heat, to warm **C scaldàrsi v. rifl.** to warm oneself; to get* warm: **scaldarsi al fuoco**, to warm oneself (*o* to get warm) in front of the fire; **scaldarsi al sole**, to warm oneself (*o* to bask) in the sun **D scaldàrsi v. i. pron. 1** (*diventare caldo*) to warm up; to get* warm: *La sala ci mette molto a scaldarsi*, the lounge takes a long time to warm up; *Non riesco a scaldarmi*, I cannot get warm **2** (*fig.: appassionarsi*) to get* excited, to be enthusiastic (about); to warm up; (*infervorarsi, accalorarsi*) to get* heated, to get* worked up; (*agitarsi*) to become* (*o* to get*) restive; (*arrabbiarsi, indignarsi*) to get* worked up, to get* hot under the collar (*fam.*): *Il pubblico*

si scaldò subito, the audience warmed up immediately; *Tocca l'argomento calcio, e lui si scalda subito*, just mention soccer and he gets all worked up; *Si scalda per cose da nulla*, she gets worked up over the slightest thing; *Non è il caso di scaldarsi tanto*, there's no need to get so hot under the collar ❶ **FALSI AMICI** • scaldare *non si traduce con* to scald.

scaldasèggiole → **scaldapanche**.

scaldàta f. warming up; **dare una s. al letto [alla minestra]**, to warm up the bed [the soup]; **darsi una s. alle mani**, to warm one's hands.

scaldavivànde m. inv. chafing dish; hotplate.

scàldico a. (*stor.*) skaldic, scaldic.

scaldìno m. (*braciere*) brazier, portable heater; (*per il letto*) bedwarmer, warming pan; (*per le mani*) handwarmer.

scàldo m. (*stor.*) skald, scald.

scalèa f. monumental staircase.

scalèno a. **1** (*geom.*) scalene: **triangolo s.**, scalene triangle **2** (*anat.*) – **muscolo s.**, scalenus*.

scalenoèdro m. (*geom.*) scalenohedron*.

scalèo m. **1** (*scala a libro*) stepladder; steps (pl.) **2** (*panchetto a scalini*) step-stool; library steps (pl.).

scalèra f. (*arch.*) two-winged staircase.

scalètta f. **1** small stair; small ladder **2** (*cinema, TV*) first draft; outline **3** (*estens.*) list (of points, of things to do); agenda; schedule (*USA*); (*di un concerto, ecc.*) running order; line-up: **s. delle cose di cui parlare**, list of points to talk about; **s. delle cose da fare**, list of things to do; agenda; schedule.

scalettàre v. t. **1** (*un terreno, ecc.*) to terrace; to cut* steps in; (*disporre a scaletta*) to layer **2** (*un registro, ecc.*) to provide with a thumb index.

scalettàto a. **1** terraced; layered **2** (*di registro, ecc.*) thumb-indexed.

scalfàre v. t. (*sartoria*) to widen the armhole of.

scalfìre v. t. **1** (*graffiare*) to scratch; to scrape; to nick **2** (*ferire leggermente*) to graze: *Il proiettile gli scalfì la spalla*, the bullet grazed his shoulder **3** (*fig.*) to touch; to affect; (*una reputazione*) to tarnish: *Le mie critiche non lo scalfiscono*, my criticism doesn't affect (*o* touch) him.

scalfittùra f. scratch; graze.

scàlfo m. (*sartoria*) armhole.

scalificio m. ladder factory.

scaligero **A a. 1** (*dei Della Scala*) of (*o* relating to) the Della Scala family **2** (*veronese*) of Verona; Veronese **3** (*del Teatro alla Scala di Milano*) of La Scala; at La Scala; La Scala (attr.): **serata scaligera**, performance at La Scala **B m.** (f. **-a**) Veronese.

scalinàre v. t. (*alpinismo*) to cut* steps into.

scalinàta f. flight of steps; steps (pl.); staircase; stairs (pl.): **la s. di Trinità dei Monti**, the Spanish Steps; **s. monumentale**, monumental staircase.

♦**scalino** m. **1** step; stair; (*di scala a pioli*) rung; (*edil., rettangolare*) flier; (*di scala a chiocciola*) winder: **il primo [l'ultimo] s.**, the bottom [the top] stair; *Attento allo s.!*, mind the step!; **una rampa di dieci scalini**, a flight of ten steps **2** (*alpinismo*) step; foothold **3** (*fig.*) step; rung: **il primo s. di una carriera**, the first step on the career ladder; **cominciare dal primo s.**, to start on the lowest rung; **salire di uno s. nella scala sociale**, to move up one step on the social ladder.

scalmàna f. **1** (*pop.: raffreddore*) cold; chill **2** (*pop.: vampata di calore*) hot flush; hot flash (*USA*) **3** (*fig.: infatuazione, entusiasmo*) ex-

citement; bug (*fam.*); (*cotta*) infatuation, crush, (the) hots (pl.) (*slang*): **prendersi una s. per**, to get all excited about; (*innamorarsi*) to get a crush for, to get the hots for **4** (al pl.) (*fam. fig.*) fit of temper: **farsi venire le scalmane**, to fly into a temper.

scalmanàrsi v. i. pron. **1** (*affaticarsi e sudare*) to work up a sweat **2** (*fig.: darsi da fare*) to... excitedly (*o* frantically); to rush about: **s. a cercare qc.**, to search frantically for st.; to rush about searching for st.; *Si scalmanava a spiegarci l'accaduto*, he was excitedly trying to explain to us what had happened **3** (*fig.: agitarsi, scaldarsi*) to get* worked up; to work oneself up; to fuss; to make* a great fuss; to get* into a state (*o* a lather) (*fam.*): *Non scalmanarti, abbiamo un sacco di tempo!*, don't work yourself up (*o* don't get into a state), we've got plenty of time!; **fare qc. senza s.**, to do st. without fussing.

scalmanàto **A** a. **1** (*sudato*) in a sweat; (*trafelato*) out of breath **2** (*fig.: agitato*) heated; worked up; in a fuss **3** (*fig.: turbolento*) hotheaded; rowdy **B** m. (f. **-a**) hothead; rowdy; tearaway (*GB*).

scalmièra f. (*naut.*) rowlock; oarlock (*USA*): **s. a forcella**, swivel rowlock; crutch.

scàlmo m. (*naut.*) **1** (*per il remo*) thole; thole pin; (*a forcella*) swivel rowlock, crutch **2** (*nel fasciame*) futtock; frame timber: **s. di cubia**, hawse timber.

scàlo m. **1** (*naut.: struttura di cantiere*) slip; slipway: **s. di alaggio**, slipway; slip dock; **s. di costruzione**, building slip; stocks (pl.) **2** (*luogo di sosta: naut.*) dock, berth, landing place; (*porto*) port of call; (*aeron.*) airport, terminal; (*ferr.*) railway station, railway yard, marshalling yard: **s. container**, container berth; **s. merci**, (*naut.*) wharf, dock; (*ferr.*) goods yard, freight yard (*USA*), depot (*USA*); **s. passeggeri**, passenger terminal; **s. petrolifero**, oil port; **s. traghetti**, ferry port **3** (*fermata intermedia: naut.*) call; (*aeron.*) stop, stopover: **s. tecnico**, technical stop; technical landing; **fare s. a**, (*naut.*) to call at, to put into; (*aeron.*) to stop over at, to land at; **porto di s.**, port of call; **volo senza s.**, non-stop flight.

scalógna ① f. (*fam.*) bad luck; (*iettatura*) jinx: **avere s.** (*o* **avere la s. addosso**), to be unlucky; to be jinxed; **portare s.**, to bring bad luck; to be unlucky; to be a jinx; *Che s.!*, how unlucky!; what bad luck!; **persona [cosa] che porta s.**, jinx; Jonah.

scalógna ② f. → **scalogno**.

scalognàto a. (*fam.*) unlucky; jinxed; hoodooed.

scalógno m. (*bot.*, *Allium ascalonicum*) scallion; shallot.

scalóne m. grand staircase; main stair (*o* stairs).

scàlopo m. (*zool.*, *Scalopus aquaticus*) Eastern American mole.

scalóppa, **scaloppina** f. (*cucina*) escalope; (*taglio di carne*) cutlet.

scalpàre v. t. (*anche med.*) to scalp.

scalpellàre v. t. **1** to chisel; to chip; (*scolpire*) to carve: **s. un'iscrizione** (*per cancellarla*), to chisel off (*o* to chip away) an inscription; **s. il marmo**, to carve marble **2** (*chir.*) to scalpel.

scalpellatóre m. (f. **-trice**) **1** chiseller **2** → **scalpellino** **3** (*metall.*) cleaner; trimmer.

scalpellatùra f. **1** chiselling; (*di pietra*) stone-cutting, stone-dressing **2** (*chir.*) scalpelling.

scalpellinàre (*region.*) → **scalpellare**.

scalpellìno m. **1** (*operaio*) stonecutter; stone mason; stone dresser **2** (*spreg.*) second-rate sculptor.

scalpèllo m. **1** chisel: **s. a caldo** [a fred-

do], hot [cold] chisel; **s. da falegname**, woodworking chisel; **s. da intagliatore**, scooper; **s. da marmista**, double-faced cape chisel; **s. da muratore**, stone chisel; **s. tondo**, gouge; **l'arte dello s.**, the sculptor's art; sculpture; **un lavoro di s.**, a (piece of) sculpture **2** (*fig.: scultore*) sculptor **3** (*chir.*) scalpel **4** (*punta per perforazione*) bit; drill; **s. pneumatico**, pneumatic rock drill.

scalpicciaménto m. shuffling; shuffle; patter.

scalpicciàre v. i. (*camminare strascicando i piedi*) to shuffle, to scuff along; (*camminare a passetti leggeri*) to patter, to scurry.

scalpiccìo m. shuffling; shuffle; (*veloce e leggero*) patter, scurrying.

scalpitànte a. **1** (*di cavallo*) pawing (the ground) **2** (*fig.: ansioso, impaziente*) eager; keen; restless; raring; raring to go; (*che morde il freno*) chafing (*o* champing) at the bit.

scalpitàre v. i. **1** (*di cavallo*) to paw (the ground) **2** (*fig.*) to be eager; to be itching; to be raring; (*mordere il freno*) to chafe (*o* to champ) at the bit: **s. dalla voglia di cominciare**, to be raring to start; to be raring to go; **s. per uscire**, to be raring to get out.

scalpitìo m. pawing; stamping; trampling.

scàlpo m. (*anche med.*) scalp • (*fig.*) **volere lo s. di q.**, to be out for sb.'s head.

scalpóre m. (*risonanza*) sensation, stir; (*scandalo*) fuss, noise, kerfuffle (*fam.*); (*protesta*) uproar, outcry: **destare** (*o* **fare**) **s.**, to cause a sensation; to make (*o* to create) a stir; **una scoperta che ha fatto s.**, a discovery that caused a sensation; *Il film ha fatto s. per le sue scene esplicite*, the film caused quite a stir for its explicit scenes.

scaltrézza f. (*accortezza*) shrewdness, sharpness, knowingness, smartness; (*sagacia*) sagaciousness; (*furbizia*) artfulness, craftiness, wiliness, slyness; (*astuzia*) astuteness, cunning, guile.

scaltrìre **A** v. t. to sharpen (sb.'s) wits; to wake* up; to teach* (sb.) a thing or two **B** **scaltrìrsi** v. i. pron. **1** (*diventare scaltro*) to get* wiser; to learn* a thing or two; to wise up (*fam.*) **2** (*diventare esperto*) to become* experienced; to become* more skilled; (*acquistare sicurezza di sé*) to become* self-assured, to gain self-assurance.

scaltrìto a. (*sagace*) shrewd, adroit, quick-witted, knowing; (*esperto*) skilled, skilful; (*sicuro di sé*) self-assured.

scàltro a. (*accorto*) shrewd, sharp, knowing, clever, smart; (*sagace*) sagacious, subtle, canny; (*furbo*) artful, wily, sly, crafty; (*astuto*) astute, cunning: **mossa scaltra**, clever (*o* shrewd) move; **politico s.**, sly politician; **s. uomo d'affari**, shrewd businessman; **s. come una volpe**, as cunning as a fox.

scalzacàne m. e f. (*spreg.*) **1** (*poveraccio*) down-and-out **2** (*incompetente*) incompetent; bungler; (*di medico, anche*) quack.

scalzaménto m. **1** (*agric.*) hoeing up **2** (*lo smuovere alla base, anche fig.*) undermining.

scalzapèlli m. cuticle pusher; orange stick.

scalzàre **A** v. t. **1** (*togliere calze e scarpe a*) to take* (sb.'s) shoes and socks off; to bare (sb.'s feet) **2** (*agric.*) to bare the roots of; to hoe up **3** (*smuovere alla base*) to undermine: **s. qc. dalle fondamenta**, to undermine the foundations of st. **4** (*fig.: indebolire*) to undermine; to sap; to erode: **s. l'autorità di q.**, to undermine (*o* to sap) sb.'s authority **5** (*fig.: rimuovere*) to oust; (*soppiantare*) to edge out; (*sostituirsi a*) to replace, to supersede **B** **scalzàrsi** v. rifl. to take* off one's shoes and socks; to bare one's feet.

scalzatùra f. undermining; sapping; erosion.

scàlzo a. (*a piedi nudi*) barefoot, barefooted; (*senza scarpe*) shoeless, with no shoes on, in stockinged feet; (*eccles.*) discalced: **andare s.**, to go barefoot; **a piedi scalzi**, barefoot; with bare feet; *Mi piace stare s. in casa*, I like to take off my shoes when I'm at home.

Scamàndro m. (*geogr.*, *stor.*) (the) Scamander.

scambiàbile a. **1** exchangeable **2** (*intercambiabile*) interchangeable **3** (*confondibile*) mistakeable.

♦**scambiàre** **A** v. t. **1** (*confondere*) to mistake* (sb., st. for); to take* (sb., st. for): *Lo scambiai per suo fratello*, I mistook him for his brother; *Per chi mi hai scambiato?*, who do you take me for? **2** (*prendere una cosa al posto di un'altra*) to take* (st.) instead of; to take* by mistake; to mix up; to take* the wrong...: **s. un libro per un altro**, to take the wrong book; **s. il sale per lo zucchero**, to take salt instead of sugar **3** (*fare uno scambio*) to exchange; to trade; to swap (*fam.*): **s. un compact con due video**, to exchange (*o* to trade) a CD for two videos; **s. qualche parola**, to exchange a few words; **s. il posto con q.**, to change (*o* to swap) seats with sb.; to swap over (*o* round) (*fam.*); **s. i prigionieri**, to exchange prisoners; **s. quattro chiacchiere**, to have a chat; to pass the time of day **4** (*comm.*, *econ.*) to exchange; to trade; (*barattare*) to barter, to swap (*fam.*): *Gli indigeni accettarono di s. pelli con polvere da sparo*, the natives agreed to trade furs for gunpowder **B** **scambiàrsi** v. rifl. recipr. **1** to exchange: **scambiarsi gli auguri di Natale**, to exchange Christmas greetings (*form.*); to wish each other Happy Christmas; **scambiarsi l'anello**, to exchange rings; **scambiarsi un bacio**, to kiss; **scambiarsi favori**, to exchange favours; (*in politica*) to log-roll (*USA*); **scambiarsi le impressioni**, to exchange impressions; to compare notes (*fam.*); **scambiarsi un'occhiata**, to exchange glances; **scambiarsi i regali**, to exchange presents; **scambiarsi i saluti**, to exchange greetings (*form.*); to say hello (to each other); **scambiarsi tenerezze**, to bill and coo **2** (*fare cambio*) to exchange; to swap (*fam.*); to swop (*fam.*): **scambiarsi il lavoro**, to exchange (*o* to swap) jobs **3** (*fare a turni*) to take turns (*o* spells): **scambiarsi al volante**, to take turns driving **4** (*prendere il posto l'uno dell'altro*) to change places; to swap places (*fam.*): *I gemelli si scambiavano spesso tra di loro*, the twins often swapped places.

scambiatóre m. (*fis.*) exchanger: **s. di calore**, heat exchanger; **s. di ioni**, ion exchanger.

scambiétto m. **1** (*saltello*) caper **2** (*fig.*) play on words; pun.

scambiévole a. mutual; reciprocal: **affetto [odio] s.**, reciprocal (*o* mutual) love [hatred]; **timore s.**, mutual fear.

scambievolézza f. mutuality; reciprocity.

scambievolménte avv. mutually; reciprocally • **farsi s. gli auguri di buon anno**, to wish each other Happy New Year; to exchange New Year greetings (*form*).

♦**scàmbio** m. **1** (*confusione, equivoco, errore*) mistake; mix-up: **s. di persona** (*o di identità*), case of mistaken identity; *C'è stato uno s. di ombrelli*, the two umbrellas got mixed up **2** (*lo scambiare, lo scambiarsi*) exchange; swap (*fam.*); swop (*fam.*): **s. delle consegne**, mutual handover; **s. di favori**, exchange of favours; backscratching ☺ (*fam.*); (*polit.*) logrolling ☺ (*USA*); **s. di informazioni**, exchange of information; **s. di insulti**, exchange of insults; **s. di mogli**, wife swapping; **s. di opinioni**, exchange of views; **s. di prigionieri**, exchange of prisoners; **s. di re-**

gali, exchange of presents; **scambi cultura-li**, cultural exchange (sing.); **fare uno s.**, to make an exchange; to exchange; to swap (*fam.*); to do a swap (*fam.*) **3** (*econ.*) exchange; trade ⊍; trading ⊍; dealings (pl.); (*baratto*) barter; (*permuta*) trade-off, swap: **s. di merci**, exchange of goods; **s. di merci contro merci**, countertrade; barter; **s. di valuta**, currency swap; **s. di titoli**, switch of stocks; **s. in compensazione**, countertrade; **scambi commerciali**, trade; **scambi commerciali con l'estero**, foreign (o external) trade; **favorire gli scambi**, to encourage trade; **economia di s.**, exchange economy; **libero s.**, free trade; **fautore del libero s.**, free-trader; **valore di s.**, exchange (o exchangeable) value; **area di libero s.**, free--trade area **4** (al pl.) (*Borsa*) trading ⊍; dealings; bargains: **scambi di apertura**, early dealings; **scambi sostenuti**, lively dealings **5** (*chim., fis.*) exchange; transfer: **s. di base**, exchange of base; **s. di calore**, heat exchange; heat transfer; **s. ionico**, ion exchange; **reazione di s.**, exchange reaction **6** (*ferr., ecc.*) points (pl., *GB*); switch (*USA*): **s. a mano**, manually operated points; **s. centralizzato** [**non centralizzato**], interlocked [non-interlocked] points; **s. comandato a distanza**, remote-controlled points; **azionare uno s.**, to switch points; to operate a switch; **ago dello s.**, points blade; switch blade; **segnale di s.**, points signal **7** (*tennis, boxe, ecc.*) rally **8** (*calcio: passaggio*) one--two; wall pass.

scambista m. **1** (*ferr.*) pointsman* (*GB*); switchman* (*USA*) **2** (*econ.*) trader **3** (*Borsa*) stockbroker **4** (*fam.*) wife-swapper; swinger.

scamiciàrsi v. rifl. (*fam.*) to take* one's jacket off.

scamiciàto △ a. (*in maniche di camicia*) in one's shirt-sleeves; (*trasandato*) dishevelled, unkempt, in disarray B m. (*abito*) pinafore dress (*GB*); jumper (*USA*).

scamóne m. (*cucina*) rump.

scamonèa f. (*bot., Convolvulus scammonia*) scammony.

scamòrza f. **1** unfermented soft cheese made from cow's milk; scamorza **2** (*fig. scherz.: incapace*) duffer, bungler, klutz (*fam. USA*); (*debole*) weakling, wimp.

scamoscerìa f. chamoising.

scamosciàre v. t. to chamois; to buff.

scamosciàto △ a. suede (attr.): **guanti scamosciati**, suede gloves; **pelle scamosciata**, chamois leather; **scarpe scamosciate**, suede shoes B m. chamois leather; buff.

scamosciatóre m. (f. **-trice**) chamois--leather worker.

scamosciatùra f. chamoising; buffing.

scamozzàre v. t. (*agric.*) to pollard; to lop.

scamozzatùra f. **1** (*agric.*) pollarding; lopping **2** (*ramoscelli scamozzati*) loppings (pl.).

scampagnàta f. trip to the country; outing; (*a piedi*) hike: **fare una s.**, to go on a trip to the country; to go on a hike.

scampanacciàta f. charivari (*franc.*); shivaree (*USA*).

scampanaménto m. (*mecc.*) piston slap (o slapping).

scampanàre △ v. i. (*di campane*) to peal; to chime **2** (*mecc.*) to slap **3** (*sartoria*) to flare B v. t. (*sartoria*) to flare: **s. una gonna**, to flare a skirt.

scampanàta f. **1** chime; chiming; peal; pealing; ringing **2** → **scampanacciàta**

scampanàto a. (*moda*) flared; (*di pantaloni, anche*) bell-bottom (attr.): **gonna scampanata**, flared skirt; **pantaloni scampana-**

---

ti, bell-bottom trousers; bell-bottoms (*fam.*); flares (*fam.*).

scampanatùra f. (*moda*) flare.

scampanellàre v. i. to ring* loudly.

scampanellàta f. loud ringing: *Si sentì una s. alla porta*, there was a loud ringing at the door.

scampanellìo m. (prolonged) ringing.

scampanìo m. pealing of bells: **s. a festa**, joyous pealing of bells.

scampàre △ v. t. **1** (*liberare, salvare*) to save; to rescue; to deliver: *Dio mi scampi dagli amici!*, God save me from my friends!; *Dio ce ne scampi e liberi!*, God forbid! **2** (*sfuggire*) to escape; (*evitare*) to avoid: **s. un pericolo**, to escape (from) danger; **s. la prigione**, to avoid prison; **scamparla**, to survive; to escape; to come out alive; to live to tell the tale (*fam.*); **scamparla per un pelo**, to have a narrow escape; to escape by the skin of one's teeth; *L'abbiamo scampata bella*, we had a narrow escape; it was a close call (*fam.*); (*di cosa appena successa*) that was a narrow escape, that was close (*fam.*) B v. i. **1** (*uscire illeso*) to escape; to survive; to come* out alive: **s. alla morte** [**a una punizione**], to escape death [a punishment]; **s. a un incendio** [**a un naufragio, a un attentato**], to survive a fire [a ship--wreck, an assassination attempt] **2** (*rifugiarsi*) to flee; to escape; to take* refuge: **s. in Francia**, to take refuge in (o to flee to) France.

scampàto △ a. **1** (*salvo*) rescued; saved; surviving: **i marinai scampati al naufragio**, the sailors rescued from the sinking ship (o who survived the shipwreck); *I passeggeri scampati all'incidente*, the survivors of the accident **2** (*evitato*) avoided; escaped: **pericolo s.**, danger which has been avoided; lucky escape B m. (f. **-a**) survivor: **gli scampati al naufragio**, the survivors of the shipwreck.

scàmpo① m. (*salvezza*) safety; (*fuga*) escape; (*via di s.*) (means of) escape, way out: **cercare s. nella fuga**, to seek safety in flight; **trovare s. all'estero**, to escape abroad; *Non c'è s. (è inutile)*, it can't be helped; there's nothing we can do; *Non hanno (via di) s.!*, there is no way out for them!; **senza s.**, with no way out; (*fig.*) hopeless (agg.).

scàmpo② m. (*zool., Nephrops norvegicus*) Norway lobster; (*cucina*) scampi (sing. o pl.): **fritto di scampi**, fried scampi.

scàmpolo m. **1** remnant; oddment: **vendita di scampoli**, remnant sale **2** (*fig.*) scrap; little bit: **s. di carta**, scrap of paper; **s. di terreno**, a small plot of land; **negli scampoli di tempo**, in one's (limited) spare time.

scanalàre v. t. to groove; to channel; (*archit.*) to flute; (*mecc.*) to groove, to spline, to slot.

scanalàto a. grooved; (*archit.*) fluted; (*mecc.*) grooved, splined, slotted: **albero s.**, splined shaft; **colonna scanalata**, fluted column.

scanalatrìce f. (*mecc.*) groover; slot cutter.

scanalatùra f. groove; furrow; (*di scorrimento*) groove, slot, runner; (*archit.*) flute, fluting ⊍; (*mecc.*) groove, spline, slot: **s. d'accoppiamento**, spline; **le scanalature di una colonna**, the fluting in a column.

scancellàre e deriv. → **cancellare**, e deriv.

scandagliaménto m. (*naut.*) sounding: **s. acustico** (o **sonoro**), sonic sounding.

scandagliàre v. t. **1** (*naut.*) to sound; to fathom: **s. il fondo marino**, to sound the sea bottom; to take soundings; **s. gli oceani**, to fathom the oceans **2** (*fig.*) to probe; to

---

plumb; to sound out: **s. i sentimenti di q.**, to probe sb.'s feelings; **s. il proprio cuore**, to plumb one's own heart.

scandagliatóre △ a. sounding; probing B m. (*naut.*) sounder; leadsman*.

scandàglio m. **1** (*naut.: strumento*) sounding lead; sounding line; lead line; lead; sounder: **s. a mano** (o **a sagola, comune**), lead line; sounding line; **s. a ultrasuoni** (o **acustico**), echo sounder; sonic depth finder; Fathometer® (*USA*); **s. elettroacustico**, electroacoustic sounder; **gettare lo s.**, to cast (o to heave) the lead; to take a cast **2** (*naut.: operazione*) cast (of the line); sounding: **fare lo s.**, to take a cast **3** (*fig.*) probe; test; soundings (pl.): **s. preliminare**, preliminary probe; preliminary soundings: **fare uno s. dei pareri**, to take soundings about people's opinions.

scandalìsmo m. scandalmongery; sensationalism; muckraking.

scandalìsta m. e f. scandalmonger; muckraker.

scandalìstico a. scandal-mongering; sensational; muckraking: **campagna scandalistica**, muckraking campaign; **giornale s.**, scandalmongering paper; **giornalismo s.**, sensational journalism; **stampa scandalistica**, gutter press.

scandalizzàre △ v. t. to scandalize, to shock; (*turbare*) to upset; (*indignare*) to outrage: **s. i benpensanti**, to shock conservative minds B **scandalizzàrsi** v. i. pron. to be scandalized (at); to be shocked (by); to be upset (by); (*indignarsi*) to be outraged (by): *È uno che non si scandalizza facilmente*, he is not easily shocked; he doesn't shock easily.

scandalizzàto a. scandalized; shocked: *Non fare quella faccia scandalizzata*, don't look so shocked (o outraged).

scàndalo m. **1** (*turbamento*) scandal; shock: **dare s.**, to give scandal; (*dare il cattivo esempio*) to set a bad example; **essere (causa) di s.**, to cause scandal; **gridare allo s.**, to be outraged; to cry shame; **con grande s. dei presenti**, much to the shock of all those present; **motivo di s.**, cause for scandal; **seminatore di scandali**, scandalmonger; **vita di s.**, scandalous life **2** (*fatto scandaloso*) scandal; disgrace; shame: **lo s. della fame nel mondo**, the scandal of world hunger; **uno s. di tangenti**, a bribery scandal; *Lo s. non tardò a venire alla luce*, the scandal didn't take long to come to light; *È un vero s.!*, it's absolutely scandalous!; it's outrageous!; *È uno s. come tengono questo locale*, it's a scandal (o a disgrace) the way they keep this place; **mettere a tacere** (o **soffocare**) **uno s.**, to hush up (o to cover up) a scandal **3** (*clamore*) scandal (spesso ⊍); sensation; stir; (*reazione indignata*) outrage: **evitare uno s.** (o **scandali**), to avoid public scandal; **fare s.**, to be highly controversial; **fare uno s.**, to create a scandal; to raise Cain (*fam.*); **suscitare** (o **sollevare**) **uno s.**, to be cause for scandal; to create a scandal; **suscitare lo s. generale**, to cause general scandal; to cause an outrage; **paura dello s.**, fear of scandal.

scandalóso a. **1** scandalous; shocking; (*che indigna*) outrageous, disgraceful: **condotta scandalosa**, scandalous behaviour; **sprechi scandalosi**, outrageous waste; **scandalosa incompetenza**, disgraceful incompetence **2** (*fig.: eccessivo*) outrageous; monstrous: **fortuna scandalosa**, outrageous good luck; **prezzo s.**, outrageous price.

scandinàvo a. e m. (f. **-a**) Scandinavian.

scàndio m. (*chim.*) scandium.

scandìre v. t. **1** (*metrica*) to scan: **s. un esametro**, to scan an hexameter **2** (*segnare*

a intervalli, suddividere) to mark; to punctuate: **s. le ore**, to punctuate the hours; **un anno scandito da ricorrenze importanti**, a year marked by a series of important anniversaries; _L'orizzonte era scandito da numerosi cipressi_, several cypresses lined the horizon at regular intervals **3** (_pronunciare con chiarezza_) to articulate; to enunciate; to pronounce clearly; (_pronunciare ritmicamente_) to chant: **s. le sillabe** [**le parole**], to articulate each syllable [each word]; **s. uno slogan**, to chant a slogan; _La folla continuò a s. il suo nome_, the crowd kept chanting his name **4** (_mus._) – **s. il tempo**, to beat* time **5** (_TV, comput._) to scan.

scandito a. scanned; stressed; (_pronunciato con chiarezza_) clear, clearly pronounced; (_ritmico_) chanted; (_suddiviso_) regularly marked (_o stressed_); (_disposto a intervalli_) evenly ranged.

scàndola f. shingle.

scannafòsso m. (_agric._) drain.

scannaménto m. **1** (_taglio della gola_) throat-cutting **2** (_massacro_) slaughter; butchery; massacre.

scannàre① Ⓐ v. t. **1** (_sgozzare_) to cut* (sb.'s) throat; to slit* (sb.'s) throat **2** (_massacrare_) to slaughter; to butcher **3** (_fig.: far pagare esageratamente_) to fleece, to rip off; (_del fisco_) to bleed (sb.) white ● **s. il maiale**, to kill the pig □ **Non ti farebbe un favore neppure a scannarlo**, he wouldn't do you a favour to save his life □ **Urlava come se lo scannassero**, he was screaming like a stuck pig ❶ FALSI AMICI ● scannare _non si traduce con_ to scan Ⓑ **scannàrsi** v. rifl. recipr. (_fig.: accapigliarsi_) to be at each other's throat; to lay* into each other.

scannàre② v. t. (_ind. tess._) to unwind*; to unreel.

scannàto a. with one's throat slit ● **tasso s.**, rock-bottom rate of interest □ **urlare come un maiale s.**, to scream like a stuck pig.

scannatóio m. **1** slaughterhouse **2** (_fig._) rip-off place; gyp joint (_slang USA_).

scannatóre m. **1** (_chi scanna animali_) slaughterer; throat-cutter **2** (_uccisore, assassino_) cut-throat; butcher.

scannatùra f. slaughtering; throat-cutting.

scannellàre① v. t. (_scanalare_) to groove; to channel; (_archit._) to flute.

scannellàre② v. t. (_ind. tess._) to unwind*; to unreel.

scannellàto① a. (_scanalato_) grooved; channelled; (_archit._) fluted.

scannellàto② a. (_ind. tess._) unwound; unreeled.

scannellatùra① f. (_scanalatura_) groove; channel; channelling Ⓤ; (_arch._) flute, fluting Ⓤ.

scannellatùra② f. (_ind. tess._) unwinding; unreeling.

scannèllo m. (_macelleria_) topside.

scànner (_ingl._) m. inv. (_comput._) scanner: **passare allo s.**, to scan.

scanneràre, scannerizzàre → **scandìre**, def. 5.

scannerizzazióne → **scansione**, def. 5.

scanning (_ingl._) m. inv. (_comput._) scanning; scan.

scànno m. bench; seat; (_di chiesa, coro_) stall.

scansabrighe m. e f. inv. easy-going person; laid-back type (_fam._).

scansafatiche m. e f. inv. (_chi evita di lavorare_) shirker, slacker, skiver (_fam. GB_), goldbrick (_fam. USA_); (_pelandrone_) loafer, layabout.

scansàre Ⓐ v. t. **1** (_spostare_) to move aside; to push: _Scansa un po' quei libri_, please move aside those books; _Con un cal-_cio scansò la sedia_, he kicked the chair out of his way **2** (_evitare_) to avoid, to shun; (_schivare_) to dodge, to ward off; (_sottrarsi a_) to shirk, to shun: **s. un colpo**, to ward off a blow; (_chinandosi_) to duck; **s. una difficoltà**, to sidestep a difficulty; **s. un pericolo**, to avoid a danger; **s. una responsabilità**, to shirk a responsibility; _È un po' che mi scansa_, she has been avoiding me for some time; _Tutti lo scansano_, everybody shuns him Ⓑ **scansàrsi** v. rifl. (_tirarsi da parte_) to stand* aside (_o off_); to step aside; to get* out of the way; (_per far posto a sedere_) to move over; (_chinarsi per schivare qc._) to duck.

scansìa f. (_scaffale_) shelf*; (_mobile_) set of shelves, shelves (pl.), (_per libri_) bookcase.

scansionàre → **scandire**, def. 5.

scansióne f. **1** (_metrica_) scansion; scanning **2** (_di parole, sillabe_) articulation; clear enunciation **3** (_elettron., med., comput._) scanning; scan: **microscopio elettronico a s.**, scanning electron microscope.

scansioscintigrafìa f. (_med._) scanning.

scànso m. – **a s. di**, (in order) to avoid; to prevent: **a s. di equivoci**, to avoid (all) misunderstandings.

scansòrio a. (_zool._) scansorial.

scantinàto m. cellar; (_seminterrato_) basement.

scantonaménto m. avoiding; dodging.

scantonàre v. i. **1** (_voltare l'angolo_) to turn the corner; to disappear round the corner; (_estens.: svignarsela_) to slip away, to slink* away, to make* oneself scarce (_fam._) **2** (_fig._) to change the subject: _Come si tocca quell'argomento, lei scantona_, as soon as you mention that, she changes the subject.

scanzonàto a. carefree; breezy; free and easy; (_fatto con allegria_) light-hearted.

scapaccionàre v. t. to slap; to smack; to box sb.'s ears.

scapaccióne m. box on the ear; smack; slap: **dare uno s. a q.**, to give sb. a box on the ear; to smack sb.'s head; **prendere q. a scapaccioni**, to box sb.'s ears ● (_fig._) **passare un esame a scapaccioni**, to scrape through an examination.

scapataggine f. **1** (_l'essere sventato_) foolishness; thoughtlessness; rashness **2** (_azione sventata_) foolish action; rash action: _È stata una vera s. la sua_, it was really foolish of him.

scapàto Ⓐ a. foolish; thoughtless; scatter-brained; rash Ⓑ m. (f. **-a**) fool; scatter-brain.

scapecchiàre v. t. (_ind. tess._) to hackle.

scapestrataggine f. **1** (_avventatezza_) recklessness, rashness; (_sfrenatezza_) wildness, waywardness, profligacy **2** (_azione da scapestrato_) reckless act; wild act.

scapestràto Ⓐ a. (_avventato_) reckless, rash; (_sfrenato_) wild, wayward Ⓑ m. (f. **-a**) (_scavezzacollo_) wild one, tearaway (_fam. GB_); (_dissoluto_) profligate, reprobate.

scapezzàre v. t. **1** (_agric._) to pollard; to lop **2** (_estens._) to cut* the top off; to lop.

scapicollàrsi v. i. pron. **1** (_correre a rotta di collo, precipitarsi_) to run* like mad; to rush; to tear* (up, down, etc.) **2** (_affannarsi_) to rush; (_prendersi la briga di andare_) to go* all the way (to): _Ho dovuto scapicollarmi fino a casa sua_, I had to go all the way to his place.

scapicòllo m. – **a s.**, at breakneck speed; helter-skelter.

scapigliàre Ⓐ v. t. to ruffle (_o to dishevel_) the hair of Ⓑ **scapigliàrsi** v. rifl. to ruffle (_o to dishevel_) one's hair.

scapigliàto Ⓐ a. **1** (_spettinato_) ruffled; dishevelled **2** (_fig._) disorderly; loose-living; bohemian **3** (_letter., arte_) of the Scapigliatura Ⓑ m. **1** disorderly person; bohemian **2** (_letter., arte_) member of the Scapigliatura.

scapigliatùra f. **1** disorderly living; loose living; bohemianism **2** (_letter., arte_) Scapigliatura.

scapitàre v. i. to lose*; to lose* out; to have (st.) to lose: _Il film ci scapita nel doppiaggio_, the film loses something in the dubbed version; _Se non vieni sei tu che ci scapiti_, it is you who will lose out if you don't come; _Lo faccio io, visto che non ci scapito nulla_, I'll do it, since I have nothing to lose.

scàpito m. (_perdita_) loss; (_danno_) damage, detriment, prejudice: **a** (_o con_) **s. di**, to the detriment of; at the expense of: **a s. della propria salute**, to the detriment of one's health; **a s. della chiarezza**, at the expense of clarity; **con nostro grave s.**, at a great loss (for us); **senza s.**, without any loss; **andare a s. di**, to be detrimental to; to be damaging (_o harmful_) to.

scapitozzàre v. t. (_agric._) to pollard; to lop.

scàpo m. **1** (_archit._) scape; shaft **2** (_bot., zool._) scape.

scapocchiàre v. t. to break* (_o to knock_) the head off: **s. un fiammifero**, to break the head off a match.

scàpola f. (_anat._) shoulder blade; scapula* (_scient._).

scapolàggine f. (_scherz._) confirmed bachelorhood.

scapolàre① a. (_anat._) scapular.

scapolàre② m. (_eccles._) scapular; scapulary.

scapolàre③ Ⓐ v. t. **1** (_naut.: doppiare_) to double; (_evitare_) to bear* off, to round: **s. una boa**, to round a buoy; **s. passando a sopravvento**, to weather **2** (_naut.: liberare_) to let* run free **3** (_fam._) – **scapolarla** (_o scapolarsela_), to have a close shave; (_cavarsela a buon mercato_) to get* off lightly; to get* away with it Ⓑ v. i. (_fam._) to avoid (st.); to get* out (of); (_un dovere, ecc._) to shirk (st.).

scapolìte f. (_miner._) scapolite; wernerite.

scàpolo Ⓐ m. bachelor; single (_o unmarried_) man*: **s. impenitente**, confirmed bachelor; **appartamento da s.**, bachelor pad; **vita da s.**, bachelor life Ⓑ a. single; unmarried; bachelor (attr.).

scapolóne m. (_fam._) confirmed bachelor; old bachelor.

scàpolo-omeràle a. (_anat._) scapulo-humeral.

scapotàre → **scappottare**.

scappaménto m. **1** (_di motore_) exhaust: **tubo** [**valvola**] **di s.**, exhaust pipe [valve] **2** (_di orologio_) escapement: **s. ad ancora** [**a cilindro, a cronometro, a leva**], anchor [cylinder, chronometer, lever] escapement **3** (_di pianoforte_) escapement **4** (_di gas, vapore_) escape **5** (_ferr._) blast pipe.

◆**scappàre** v. i. **1** (_fuggire_) to run* away; to make* off; (_evadere_) to flee*; to get* away, to run*, to bolt; (_di innamorati_) to elope, to run* away; (_volar via_) to fly* (away): **s. a gambe levate** (_o a rotta di collo_), to run for it; to run for one's life; to take to one's heels; **s. coi soldi**, to make off with the money; **s. di casa**, to run away from home; **s. di prigione**, to escape from prison; **s. in America**, to flee to America; _I ladri sono scappati dal giardino_, the burglars got away through the garden; _È scappata una delle tigri_, one of the tigers escaped (from its cage); _È riuscito a scappare_, he managed to escape (_o to run away, to get away_); _Vieni qui, non s.!_, come here, don't run away!; _Mi è scappato il canarino_, my canary has flown away; **far s. q.**, to help sb. escape; (_liberare_) to let sb. off **2** (_andare via in_

fretta) to be off; to dash off; to get* away; to hurry (away): *Devo proprio s.*, I really must be off (o dash off, fly, hurry); *Scappo in ufficio*, I'm off to the office; *Scappo di sopra a prendere i guanti*, I'll just pop upstairs to get my gloves; *Scappo un attimo a comprare le sigarette*, I'm just nipping out for some cigarettes; *Non vedevo l'ora di s.*, I was dying to get away **3** (*sfuggire, anche fig.*) to slip; (*dalle labbra*) to slip out, to escape (one's lips) (*form.*); (*passare inosservato*) to escape, to escape notice: **s. di mano**, to slip from sb.'s fingers; **s. di mente**, to slip sb.'s mind; *Mi è scappato di mente il suo nome*, his name has slipped my mind; *Se non me l'appunto, mi scappa di mente*, if I don't write it down, I'll forget it; **lasciarsi s. un lavoro**, to let a job slip through one's fingers; to lose out on a job; **lasciarsi s. un'occasione**, to miss (o to let slip) an opportunity; **lasciarsi s. un segreto**, to let slip a secret; to blurt out a secret; *Mi scappò detto* (o *Mi lasciai s.*) *che...*, I let slip that...; *Mi è scappato un colpo di fucile*, I inadvertently let off my gun; *Non gli scappa nulla*, nothing escapes him; *Ti sono scappati due errori*, (*li hai fatti*) you've made two mistakes; (*non li hai notati*) you've missed two mistakes; **far s. la pazienza**, to make sb. lose his patience; to try sb.'s patience **4** (*di stimolo, bisogno fisico, ecc.*) cannot* help (to do st.), to have (to do st.) (entrambi pers.): *Gli scappò una risata* (o *da ridere*), he couldn't help laughing; *Scusa, ma mi scappa da ridere*, I'm sorry, I just have to laugh; *Mi scappa* (*la pipì*), I have to go; I have to do a wee (*infant.*); *Gli scappò una scoreggia*, he let out a fart **5** (*uscire*) to come* out; to slip out; to fall* out: *Gli scapparono i libri dalla borsa*, his books slipped (o fell) out of his bag; *Ti scappa fuori la camicetta*, your blouse is coming out ● **s. fuori a dire qc.**, to come out with st.; to blurt out st. ● **s. fuori con qualche nuova idea**, to come out with some new idea □ **C'è scappato il morto**, somebody got killed □ **Forse ci scappa anche un regalino per te**, there might be enough left for a little something for you □ (*fig.*) **Non si scappa, la più brava è lei**, there's no getting away from it: she's the best.

scappàta f. **1** (*breve visita*) flying visit, quick call; (*breve viaggio*) short trip: **fare una scappata da q.**, to drop (o to pop) in to see sb.; to look in on sb.; to pay a flying visit to sb.; **fare una s. in banca [in centro]**, to pop into the bank [into town] (*fam.*); **fare una s. al mare**, to go on a short trip to the seaside **2** (*battuta, uscita*) witty remark; crack; quip **3** (*leggerezza*) escapade; caper; prank; (*avventura amorosa*) casual affair, fling (*fam.*): **scappate di gioventù**, youthful escapades; *Ha fatto le sue scappate da giovane*, he sowed his wild oats in his youth **4** (*ipp.*) flying start.

scappatèlla f. **1** (*avventura amorosa*) casual affair; peccadillo*; fling (*fam.*) **2** (*monelleria*) escapade; prank, caper.

scappatóia f. way out; (*in una legge, ecc.*) loophole; (*espediente*) contrivance, dodge (*fam.*); (*pretesto*) pretext, excuse, cop-out (*fam.*): **s. fiscale**, tax loophole; **cercare scappatoie**, to look for a way out; to fish for an excuse.

scappavìa m. inv. (*naut.*) gig; wherry.

scappellàre Ⓐ v. t. **1** (*un fungo*) to take* the top off (*a mushroom*) **2** (*naut.: un cavo*) to unbit; (*un albero, un pennone*) to unrig, to strip Ⓑ **scappellàrsi** v. rifl. to take* off (o to raise) one's hat (to sb.); to doff one's hat (to sb.).

scappellàta f. raising of one's hat: *Si salutarono con una s.*, they raised their hats to each other; **fare una s. a q.**, to raise one's hat to sb.; to doff one's hat to sb.

scappellottàre v. t. to box (sb.'s) ears; to clip (sb.'s) ears.

scappellòtto m. box on the ear; cuff on the head: **dare uno s. a q.**, to give sb. a box on the ear (o a cuff on the head); to clip sb.'s ear; **prendere q. a scappellotti**, to box sb.'s ears; to cuff sb.

scappottàre① v. i. (*nel gioco*) to avoid a capot.

scappottàre② v. t. (*autom.*) to fold back the hood of (*a car*); to let* down the top of (*a car*).

scappucciàre Ⓐ v. t. to take* off the hood of; to unhood; to uncowl Ⓑ **scappucciàrsi** v. rifl. to take* one's hood off; to unhood oneself.

scapricciàre Ⓐ v. t. to gratify (sb.'s) whims Ⓑ **scapricciàrsi** v. rifl. to gratify (o to indulge) one's whims; (*sbizzarrirsi*) to indulge (in st.), to run riot (with st.).

scapsulàre v. t. **1** to remove the capsule from **2** (*chir.*) to decapsulate.

scarabàttola① f. → **scarabattolo**.

scarabàttola② → **carabattola**.

scarabàttolo m. glass cabinet.

scarabèide m. (*zool.*) scarabaeid.

scarabèo m. **1** (*zool.*) beetle; scarab: **s. ercole** (*Dynastes hercules*), goliath beetle; **s. rinoceronte** (*Oryctes nasicornis*), rhinoceros beetle; **s. sacro** (*Ateuchus sacer*), scarab (beetle); scarabaeus; **s. stercorario** (*Geotrupes stercorarius*), dung beetle **2** (*pietra dura egiziana*) scarab **3** – (*gioco*) Scarabeo®, Scrabble®.

scarabocchiàre v. t. **1** (*anche assol.: riempire di scarabocchi*) to scribble; to scrawl; (*di disegnini*) to doodle: **s. il quaderno**, to scribble all over the exercise-book; *Ascoltandomi, scarabocchiava su un foglio*, she was doodling on a piece of paper as she listened to me **2** (*scribacchiare*) to scribble; to scrawl: **s. una firma**, to scribble (o to scrawl) a signature; **s. una risposta**, to scribble an answer.

scarabòcchio m. **1** scribble; scrawl; (*disegnino*) doodle: **fare scarabocchi**, to scribble; **riempire un foglio di scarabocchi**, to fill a page with scrawls; to scribble all over a page (*cosa scritta male, in fretta*) scribble: **scarabocchi illeggibili**, illegible scribbles; **quattro scarabocchi**, a hasty scribble; **una firma che è uno s.**, a scrawl of a signature; *Non riesco a decifrare i suoi scarabocchi*, I cannot decipher his scribble **3** (*disegno malfatto*) daub **4** (*fig. spreg., di persona*) shrimp; runt.

scaracchiàre v. i. (*pop.*) to hawk and spit*.

scaràcchio m. (*pop.*) (gob of) spit.

scarafàggio m. (*zool., Blatta orientalis*) cockroach; roach (*fam. USA*).

scaraffàre v. t. to decant.

scarafóne (*region.*) → **scarafaggio**.

scaramàntico a. warding off ill-luck (pred.); propitiatory: **fare un gesto s.**, to make a gesture to ward off ill-luck.

scaramanzìa f. thing done to ward off ill-luck: **fare s.**, to make a gesture [to say a word, etc.] to ward off ill-luck; to touch wood; to cross one's fingers; **per s.**, for luck; *Meglio non parlarne, per s.*, better not mention it just in case; **un gesto di s.**, a gesture to ward off ill-luck.

scaramàzza Ⓐ a. baroque Ⓑ f. baroque pearl.

scaramùccia f. **1** (*mil. ed estens.*) skirmish; (al pl., anche) skirmishing Ⓤ: **scaramucce di confine**, skirmishing along the border **2** (*fig.: polemica*) skirmish; exchange; **s. letteraria**, literary skirmish; **s. verbale**, exchange; cut and thrust.

Scaramùccia m. (*teatr.*) Scaramouche.

scaraventàre Ⓐ v. t. **1** (*scagliare con impeto*) to fling*; to hurl; to dash; to send* flying: **s. q. contro un muro**, to hurl sb. against a wall; **s. un libro dalla finestra**, to fling a book (o to send a book flying) out of the window; **s. oggetti dappertutto**, to send things flying right and left; **essere scaraventato in prigione**, to be flung into prison; *Lo spostamento d'aria lo scaraventò a terra*, the blast flung him to the ground; *Con un pugno lo scaraventai dall'altra parte della stanza*, with a blow I sent him flying to the other end of the room **2** (*fig.*) to send* off; to catapult: **s. q. da Venezia a Roma**, to catapult sb. from Venice to Rome Ⓑ **scaraventàrsi** v. rifl. to fling* oneself; to hurl oneself; (*affrettarsi*) to tear*: **scaraventarsi contro q.**, to hurl oneself at (o upon) sb.; **scaraventarsi giù per le scale**, to tear down the stairs.

scarcassàto a. (*fam.*) ramshackle; battered; dilapidated: **auto scarcassata**, battered old car.

scarceraménto m. → **scarcerazione**.

scarceràre v. t. to release from prison; to set* free; **s. su cauzione**, to release on bail.

scarcerazióne f. release (from prison): **s. su cauzione**, release on bail.

scardaccióne m. (*bot.*) **1** (*Cirsium arvense*) Canada thistle **2** (*Dipsacus fullonum*) wild teasel.

scardàre v. t. to husk (*chestnuts*); to shuck (*USA*).

scardassàre v. t. (*ind. tess.*) to card; to tease.

scardassatóre m. (*ind. tess.*) carder.

scardassatùra f. (*ind. tess.*) carding; teasing.

scardàsso m. (*ind. tess.*) combing card; teasel.

scardinaménto m. **1** unhinging **2** (*fig.: demolizione*) demolition **3** (*fig.: disgregazione*) disruption; breaking up; undermining; wrecking.

scardinàre Ⓐ v. t. **1** (*togliere dai cardini*) to unhinge; to take* (st.) off its hinges **2** (*fig.: demolire*) to demolish; to destroy: **s. un impianto accusatorio**, to demolish the prosecution's case; **s. tutte le regole**, to destroy all rules **3** (*fig.: disgregare*) to disrupt; to break* up; to undermine; to wreck: **s. una famiglia**, to break up a family; **s. le istituzioni**, to undermine the structure of society Ⓑ **scardinàrsi** v. i. pron. **1** (*uscire dai cardini*) to come* off its hinges **2** (*fig.*) to be disrupted; to break* up.

scàrdola, scàrdova f. (*zool., Scardinius erythrophtalmus*) rudd.

scàrica f. **1** (*di arma da fuoco*) round; burst; (*di più armi*) volley; (*di proiettili*) volley, shower; hail: **s. di artiglieria**, burst of artillery fire; **s. di frecce**, shower of arrows; **s. di fucileria**, round (o burst) of fire-arms (o rifle fire); fusillade; firing; **s. di mitra**, round of machine-gun fire; **s. di pallottole**, hail of bullets **2** (*grande quantità*) shower; storm; hail; volley: **s. di grandine**, shower of hail; **s. di insulti**, storm of abuse; **s. di pugni** (o **di botte**), shower of blows; **s. di sassi**, hail of stones **3** (*evacuazione*) discharge: **s. intestinale**, discharge (from the bowels); bowel movement **4** (*fis.*) discharge: **s. a bagliore**, glow discharge; **s. di un accumulatore**, discharge of a battery; **s. elettrica**, electric discharge; flashover; **essere colpito da una s. elettrica**, to get an electric shock; **essere ucciso da una s. elettrica**, to be electrocuted; **s. oscillante**, oscillatory discharge; **lampada a s.**, discharge lamp; **tubo a s.**, discharge tube **5** (*radio, TV*) atmospheric disturbance; (al pl.) atmospherics **6** (*psic.*) – **s. affettiva**, emotional release.

scaricabarile m. – **fare a s.**, (*rif. a respon-*

sabilità) to shift responsibility to sb. else, to shuffle off responsibility on somebody else, to pass the buck (*fam.*); (*rif. a colpa*) to put (*o* to shift) the blame on somebody else.

scaricalàsino m. (*gioco infant.*) piggy-back: **giocare a s.**, to play piggyback.

scaricaménto m. **1** (*di un carico*) unloading: **piano di s.**, unloading platform **2** (*di arma, togliendo la carica*) unloading; (*sparando*) discharging, firing **3** (*fig., di un peso*) unburdening; relieving; release; (*di una responsabilità*) shuffling off **4** (*comput.*) downloading.

♦**scaricàre** **A** v. t. **1** (*svuotare del carico*) to unload: **s. un camion**, to unload a lorry; (*ribaltando il pianale*) to tip a lorry; **s. una nave**, to unload a ship; **s. un mulo**, to unburden a mule **2** (*un carico*) to unload, to offload, to discharge, to put* down; (*da un camion ribaltabile*) to tip; (*una persona*) to set* down, to let* off, to disembark; (*mettere a terra*) to put* down, to drop, to dump (*fam.*): **s. carbone**, to unload coal; **s. ghiaia da un camion**, to tip gravel out of a lorry; **s. merci**, to unload goods; **s. passeggeri**, to disembark passengers; **s. le valigie dall'auto**, to take the suitcases out of the car; *Ha scaricato le sue valigie in salotto*, she dumped her suitcases in the drawing-room; *La libreria scarica il peso su un muro maestro*, the bookcase discharges its weight on to a retaining wall; *L'autobus ci scaricò in una strada deserta*, the bus set us down in an empty street; *Il cargo stava scaricando*, the cargo ship was unloading **3** (*gettare*) to drop; to dump; to tip; (*in mare*) to jettison, to throw* overboard; (*da un aereo*) to drop, to jettison: **s. bombe**, to drop bombs; (*aeron.*) **s. carburante**, to jettison fuel; **s. spazzatura**, to dump (*o* to tip) rubbish (*GB*); to dump garbage (*USA*); **s. zavorra**, to unballast; to jettison ballast **4** (*svuotare*) to empty (*anche fisiol.*); to drain: **s. una cisterna [una caldaia]**, to empty (*o* to drain) a tank [a boiler]; **s. la vescica**, to urinate **5** (*un'arma: togliere il caricatore, ecc.*) to unload; (*sparando*) to empty, to discharge; (*proiettili*) to fire, to pump: **s. la rivoltella addosso a q.**, to empty one's gun into sb.; to pump bullets into sb. **6** (*versare*) to discharge; to empty; to pour: (*di fiume*) **s. le proprie acque in**, to flow into; **s. l'acqua** (*in un gabinetto*), to flush the toilet; **s. petrolio in mare**, to discharge oil at sea **7** (*emettere vapore, gas, ecc.*) to discharge; to emit; to let* out **8** (*fig.: liberare da un peso*) to relieve; to unburden; to clear: **s. la coscienza**, to unburden (*o* to relieve) one's mind; **s. q. da qualsiasi responsabilità**, to relieve sb. of all responsibilities **9** (*fig.: gettare, scagliare*) to pour; to shower; to heap; to hurl: **insulti addosso a q.**, to heap abuse on sb.; **s. pugni su q.**, to shower blows on sb. **10** (*fig.: riversare, addossare*) to lay*; to put*; to offload; to shift: **s. la colpa su q.**, to put (*o* to lay) the blame on sb.: **s. una responsabilità su q.**, to shift (*o* to offload) a responsibility on to sb.; *Le scarica addosso tutti i suoi problemi*, he unloads all his worries on to her **11** (*fig.: sfogare*) to vent; to relieve: **s. la propria rabbia su q.**, to vent one's anger on sb.; **s. la tensione**, to relieve one's tension; (*fam.*) to unwind; *Il lavoro a maglia mi scarica*, knitting helps me unwind **12** (*fig. fam.: sbarazzarsi di*) to get* rid of; (*lasciare*) to dump, to ditch: *È un tipo infido, meglio scaricarlo*, he's a shifty character, we'd better get rid of him; *Ha scaricato la sua ragazza*, he ditched his girlfriend **13** (*elettr.*) to discharge; to run* down: **s. una batteria**, to run down a battery **14** (*mecc.*) to let* (st.) run down; (*una molla*) to release **15** (*amm., comm.*) to write* down; to cancel; (*dedurre*) to deduct: **s. una partita di merce**, to write down a

consignment of goods; **s. le spese [l'IVA]**, to deduct expenses [VAT] **16** (*comput.*) to download **B** v. i. (*perdere colore*) to run*; to bleed* **C** scaricàrsi v. rifl. **1** (*di un peso*) to put* down (st.); to relieve oneself (of); to unburden oneself (of): **scaricarsi dello zaino**, to put down (*o* to relieve oneself of) one's backpack **2** (*fig.*) to relieve oneself (of); to free oneself (of); to unburden oneself (of): **scaricarsi di una responsabilità**, to free oneself of a responsibility **3** (*assol.: rilassarsi*) to unwind*, to relax; (*sfogarsi*) to give* vent to one's feelings, to unburden one's mind, to pour everything out (*fam.*), to let* off steam (*fam.*) **4** (*fisiol.*) to relieve oneself; to empty one's bowels **D** scaricàrsi v. i. pron. **1** (*di acque, fiume, ecc.*) to discharge; to flow **2** (*di fulmine*) to strike* (st.); (*di temporale*) to hit* (st.) **3** (*di orologio*) to run* down **4** (*di batteria, ecc.*) to run* down; to go* flat (*o* dead).

scaricatóio m. **1** unloading area; unloading bay **2** (*per rifiuti*) dump; (*rubbish*) tip (*GB*) **3** (*canale di scarico*) drain; sewer.

scaricatóre **A** m. (*f. -trice*) unloader: **s. di porto**, docker; dockhand; stevedore; longshoreman* (*USA*) **2** (*dispositivo per scaricare*) unloader **3** (*tubo di scarico*) drainpipe; waste pipe **4** (*elettr.*) discharger; arrester ● **linguaggio da s.**, foul language **B** a. draining; drainage (*attr.*).

♦**scàrico** ① a. **1** (*non carico*) unladen; (*vuoto*) empty: **nave scarica**, unladen ship; **ritornare col camion s.**, to drive back with an empty lorry; **peso a veicolo s.**, weight of the unladen vehicle **2** (*fig.: privo, libero*) clear; free; unburdened: **coscienza scarica**, clear conscience **3** (*di arma*) unloaded **4** (*di orologio*) run-down (attr.): *Il mio orologio è s.*, my watch has run down **5** (*elettr.*) uncharged; (*di batteria*) flat, dead, run-down (attr.) **6** (*di molla*) released.

♦**scàrico** ② m. **1** (*rimozione di un carico*) unloading; discharging; discharge: **s. di merci**, unloading (*o* discharging) of goods; **lo s. d'una nave**, the unloading of a ship; **porto di s.**, port of discharge **2** (*di rifiuti*) dumping; tipping (*GB*); (*naut.*) jettisoning; (*discarica*) dump, tip (*GB*), landfill; (*al pl.: rifiuti*) waste ● **s. di rifiuti industriali**, dumping of industrial waste; (*naut.*) **s. in mare**, jettisoning; dumping overboard; (*aeron.*) **s. in volo**, jettisoning; **scarichi radioattivi**, radioactive waste; *Divieto di s.* (*cartello*), no dumping **3** (*fig.: discarico*) defence; justification; extenuation: **a proprio s.**, in one's defence; to justify oneself; **a s. di coscienza**, to clear one's conscience; **a s. di responsabilità**, to avoid all responsibility **4** (*tecn.: di gas, ecc.*) discharge, exhaust; (*deflusso*) draining, drainage; (*svuotamento*) emptying: **acque di s.**, drain water; waste water; **canale di s.**, drainpipe; drainage conduit; spillway; **rubinetto di s.**, drain cock; **tubo di s.**, escape pipe; exhaust pipe; (*di liquido*) drainpipe, sewage pipe; **valvola di s.**, escape valve; exhaust valve; (*fig.*) safety valve; **vapore di s.**, exhaust steam **5** (*dispositivo di eliminazione: di gas, ecc.*) exhaust, outlet; (*mecc.*) escape; (*di liquido*) drain, outlet; (*canale di scolo*) drain, spillway; (*edil.*) drainage; (*fognatura*) sewer: **s. d'acqua (piovana)**, drain, water-drain; **s. intasato**, blocked drain **6** (*di motore a scoppio*) exhaust (stroke): **collettore di s.**, exhaust manifold; **gas di s.**, exhaust fumes; **tubo di s.**, exhaust pipe **7** (*elettr.*) discharge: **tensione di s.**, discharge pressure **8** (*comm.*) discharge; (*pagamento*) outpayment; **bolletta di s.**, discharge receipt; **registro di carico e s.**, stock book; **numero di s.**, (*di una somma*) paying-out number; (*di materiale*) going-out number **9** (*comput.*) unloading.

scarificàre v. t. (*med., agric.*) to scarify.

scarificatóre m. (*agric.*) scarifier.

scarificazióne f. (*med., agric.*) scarification.

scariòla → **scarola**.

scariolàre → **scarriolare**.

scarióso a. (*bot.*) scarious.

scarlattìna f. (*med.*) scarlet fever; scarlatina.

scarlattinóso (*med.*) **A** a. scarlatinal; scarlet **B** m. (f. -a) person affected with scarlet fever; scarlet fever patient.

scarlàtto a. e m. scarlet: **farsi s. in viso**, to turn scarlet.

scarmigliàre **A** v. t. to tousle (*sb.'s hair*); to ruffle; to dishevel **B** scarmigliàrsi v. rifl. to ruffle (*o* to tousle) one's hair **C** scarmigliàrsi v. i. pron. to get* tousled (*o* ruffled); to get* dishevelled.

scarmigliàto a. (*di capelli*) tousled, ruffled, dishevelled; (*di persona*) dishevelled.

scarnàre v. t. (*conceria*) to flesh.

scarnatrìce f. (*conceria*) fleshing machine.

scarnatùra f. (*conceria*) fleshing.

scarnificàre v. t. to strip the flesh off.

scarnificazióne f. stripping of the flesh.

scarnìre v. t. **1** to strip the flesh off **2** (*fig.*) to strip bare; to pare down.

scarnìto a. **1** stripped of the flesh **2** (*magro*) thin; gaunt; scraggy **3** (*fig.: spoglio*) bare.

scàrno a. **1** lean; thin; bony; gaunt; scraggy: **mani scarne**, bony hands; **viso s.**, gaunt face **2** (*fig.: scarso, insufficiente*) meagre; poor; scanty; insufficient: **guadagni scarni**, meagre earnings; **informazioni scarne**, scanty information **3** (*fig.: spoglio, essenziale*) spare: **prosa scarna**, spare prose.

scàro m. (*zool.*, *Scarus cretensis*) parrotfish.

scarógna e deriv. → **scalogna** ①, e deriv.

scaròla f. (*bot.*) endive; escarole.

♦**scàrpa** ① f. **1** shoe; (*alta, stivaletto*) boot; (*bassa e robusta*) brogue: **scarpe a punta**, pointed shoes; **scarpe a punta quadra**, square-toed shoes; **scarpe allacciate**, lace-up shoes; lace-ups; **scarpe aperte dietro**, sling-back shoes; **scarpe basse**, flat shoes; flats; flatties (*fam.*); **scarpe che calzano bene [male]**, well-fitting [ill-fitting] shoes; **scarpe chiodate**, hobnailed boots; (*per l'atletica*) track shoes, spiked running shoes, spikes (*fam.*); **scarpe chiuse**, lace-up shoes; **scarpe col tacco alto [basso]**, high-heeled [low-heeled] shoes; **scarpe con tacco a spillo**, stiletto-heeled shoes; stilettos; **scarpe con la zeppa**, platform shoes; **scarpe da calcio**, football boots; **scarpe da ginnastica**, gym shoes (*GB*); trainers (*GB*); plimsolls (*GB*); sneakers (*USA*); **scarpe da tennis**, tennis shoes; trainers; **scarpe da uomo [da donna]**, men's [women's] shoes; **scarpe décolleté**, court shoes (*GB*); pumps (*USA*); **scarpe di camoscio**, suede shoes; **scarpe di corda**, rope-soled shoes; espadrilles; **scarpe di cuoio**, leather shoes; **scarpe di vernice**, patent-leather shoes; **scarpe di tela**, canvas shoes; **scarpe ortopediche**, (*med.*) surgical boots, orthopaedic shoes; (*da donna*) platform shoes; **scarpe scollate**, court shoes (*GB*); pumps (*USA*); **scarpe sfondate**, worn-out shoes; **scarpe strette**, tight shoes; shoes that pinch; **senza scarpe**, shoeless; barefoot; **girare per casa senza scarpe**, to go round the house barefoot (*o* with no shoes on); **infilarsi [mettersi, togliersi, sfilarsi] le scarpe**, to slip on [to put on, to take off, to slip off] one's shoes; **numero di s.**, shoe size; *Che numero di s. porti?*, what size of shoes do you take? **2** (*fig. fam.: incapace*) bungler; dead loss; disaster; washout **3** (*cuneo di puntello*) shoe;

skid **4** (*naut.*) – **s. dell'ancora**, anchor fluke chock • (*fig. spreg.*) **s. vecchia**, dead loss; (*di donna*) old bag □ (*fig.*) **avere il cervello nelle scarpe** (*o* **il giudizio sotto la suola delle scarpe**), to have no brains at all; to be a scatterbrain □ (*fig. fam.*) **fare le scarpe a q.**, to oust sb. (from his post); to stab sb. in the back □ **non essere degno di legare** (*o* **lustrare**) **le scarpe a q.**, not to be fit to tie sb.'s shoe-laces.

scàrpa ② f. (*pendio*) slope; (*edil.*: *terrapieno*) scarp: **a s.**, sloping (agg.); inclined (agg.); **muro a s.**, scarp wall.

scarpàio m. shoe pedlar; itinerant shoe vendor.

scarpàta ① f. (*colpo con una scarpa*) blow with a shoe: **dare una s. in testa a q.**, to hit sb. on the head with a shoe.

scarpàta ② f. (*pendio*) slope; (*di terrapieno*) escarp, scarp, escarpment: (*geol.*) **s. continentale**, continental slope.

scarpétta f. **1** (*scarpa da bambino*) child's shoe; (*da neonato*) bootee **2** (*scarpa bassa e leggera*) (light) shoe: **scarpette chiodate**, track shoes; spiked running shoes; spikes (*fam.*); **scarpette da ballo**, dancing shoes; pumps; **scarpette da ginnastica**, gym shoes (*GB*); trainers (*GB*); plimsolls (*GB*); sneakers (*USA*); **scarpette da tennis**, tennis shoes **3** (*bot.*) – **s. di Venere** (*Cypripedium calceolus*), lady's-slipper; cypripedium • (*fam.*) **fare la s.**, to clean one's plate with a piece of bread.

scarpièra f. **1** (*armadietto*) shoe cupboard; (*aperto*) shoe rack **2** (*borsa per scarpe*) shoe bag.

scarpìna f. **1** (*per neonato*) bootee **2** light shoe; (*da sera, da ballo*) pump.

scarpinàre v. i. (*fam.*) to tramp; to traipse; to schlep (*fam.*); (*su terreno disagevole*) to trek, to footslog (*GB*): **s. per tutta la città**, to tramp all around the town; **s. su per una salita**, to trek (*o* to footslog) up a slope; *È da stamattina che scarpino*, I've been traipsing around since this morning.

scarpinàta f. (*fam.*) long walk; tramp; trek; schlep (*fam.*).

scarpìno m. (*da sera, da ballo*) pump.

scarpóne m. **1** (*heavy*) boot: **scarponi chiodati** (*o ferrati*), hobnailed boots; **scarponi da montagna**, mountaineering (*o* climbing) boots; **scarponi da sci**, ski boots; **scarponi military**, army boots **2** (*fig. scherz.*) member of the Italian Alpine Troops **3** (*fig. spreg.*) incompetent footballer.

scarriolàre v. t. to wheelbarrow.

scarrocciàre v. i. (*naut.*) to make* leeway; to sag: **s. sottovento**, to sag to leeward.

scarròccio m. (*naut.*) leeway; sag; drift.

scarrozzàre A v. t. to drive* (sb.) around; to take* for a drive; to chauffeur around: *Mi hanno scarrozzato per tutta la città*, they drove me around the whole town; *Sono stufo di s. gli ospiti*, I'm fed up of chauffeuring guests around; *Si fa sempre s.*, she always manages to get somebody to drive her around **B** v. i. to drive* around; to go* for a drive.

scarrozzàta f. drive: **fare una s. in campagna**, to go for a drive in the country.

scarrucolaménto m. **1** (*scorrimento in una carrucola*) running over a pulley **2** (*uscita dalla carrucola*) slipping off a pulley.

scarrucolàre A v. i. **1** (*scorrere nella carrucola*) to run* over a pulley **2** (*uscire dalla carrucola*) to slip off a pulley **B** v. t. (*far uscire dalla carrucola*) to slip off a pulley; to take* off a pulley.

scarrucolìo m. **1** running over a pulley **2** (*rumore*) sound of a running pulley.

scarruffàre A v. t. to ruffle; to dishevel;

to mess up (*fam.*); to muss up (*USA*) **B** **scarruffàrsi** v. rifl. to ruffle one's hair; to dishevel one's hair.

scarsaménte avv. (*poco*) little; not much; under- (pref.); (*male*, *insufficientemente*) poorly, unadequately, insufficiently, ill- (pref.): **s. conosciuto**, little-known; not much known; **s. fornito**, ill-equipped; **s. illuminato**, poorly lit; **s. richiesto**, not much in demand; not in great demand; **s. popolato**, underpopulated ❶ **FALSI AMICI** • scarsamente *non si traduce con* scarcely.

scarseggiàre v. i. **1** (*essere scarso*) to be in short supply; to be scarce; to be thin on the ground (*fam.*); (*diminuire*) to become* scarce, to be running out: *La benzina scarseggia*, petrol is in short supply; *Scarseggia lo zucchero*, sugar is scarce; *I viveri cominciavano a s.*, provisions were beginning to run out; *Scarseggia l'iniziativa*, there is little initiative; *I bravi maestri scarseggiano*, good teachers are in short supply (*o* are thin on the ground) **2** (*avere in poca quantità*) to be short (of), to be running short (of); (*difettare*, *mancare*) to lack (st.): **s. di caffè**, to be (running) short of coffee; **s. di denaro**, to lack money; **s. di buon senso**, to lack common sense **3** (*naut.*, *del vento*) to scant.

scarsèlla f. **1** (*borsa*) money-bag; purse **2** (*fam.*: *tasca*) pocket: (*fig.*) **metter mano alla s.**, to dip into one's pocket.

scarsézza, **scarsità** f. scarcity; shortage; (*mancanza*) lack, want, dearth: **s. di cibo** [**d'acqua, di benzina**], scarcity (*o* shortage) of food [of water, of petrol]; **s. di denaro**, shortage of money; **s. di fondi**, lack of funds; **s. di idee**, dearth of ideas; **s. di mezzi**, lack (*o* slenderness) of means; **s. di manodopera**, labour shortage; **s. di personale**, lack of staff.

♦**scàrso** a. **1** (*insufficiente*) scarce, insufficient, scanty, scant, meagre, poor, inadequate; (*poco numeroso*) scarce, small, little (pl. few); (*limitato*) little, small, limited: **annata scarsa**, poor (*o* lean) year; **scarsa attenzione**, scant (*o* little) attention; **scarse capacità**, limited abilities; **s. entusiasmo**, lack of enthusiasm; **scarsa importanza**, little (*o* scant) importance; insignificance; **informazioni scarse**, scanty (*o* limited) information; **s. interesse**, little (*o* scant) interest; lack of interest; **luce scarsa**, faint (*o* poor) light; **scarsi mezzi**, scant means; **scarsa praticità**, impracticality; unpracticality; **scarse probabilità**, little chance (sing.); long odds; **s. pubblico**, small audience; **raccolto s.**, lean harvest; poor (*o* meagre) crop; **reddito s.**, poor (*o* inadequate) income; **s. riguardo**, little regard; **risorse scarse**, meagre (*o* slender, poor) resources; **scarsa visibilità**, poor visibility; *L'acqua è scarsa in città*, water is scarce in town; **di s. aiuto**, of little help; ineffective; **di s. interesse**, of little interest; uninteresting; (*fig.*) **di s. peso**, lightweight; **di s. valore**, of little value **2** (*manchevole*, *a corto di*) short (of), lacking (in); (*insufficiente*, *debole*) weak: **s. a quattrini**, short of money; **s. di fantasia**, lacking in imagination; **essere s. in latino**, to be weak in Latin **3** (*rif. a peso, misura, ecc.*) scant (avv.): **un kilo s.**, barely one kilo; **tre metri scarsi**, barely three metres; a bare three metres **4** (*di indumento*: *stretto*) tight; (*corto*) short, skimpy.

scart f. inv. (*elettr.*, *TV*) Scart, SCART.

scartabellàre v. t. to flip the pages of; to leaf through; to thumb through.

scartafàccio m. **1** notebook; jotter **2** (*spreg.*) tattered book **3** (*comm.*) waste book.

scartaménto m. (*ferr.*) gauge: **s. normale** [**ridotto**], standard [narrow] gauge; **ferrovia a s. ridotto**, narrow-gauge railway.

♦**scartàre** ① v. t. (*svolgere dalla carta*) to un-

wrap.

♦**scartàre** ② v. t. **1** (*giochi di carte*) to discard: **s. alto** [**basso**], to discard a high [a low] card **2** (*respingere*) to reject, to exclude, to rule out, to scrap (*fam.*); (*eliminare*) to discard; (*buttar via*) to throw* away: **s. un'ipotesi**, to discard a hypothesis; **s. pezzi difettosi**, to reject defective pieces; **s. un piano**, to reject a plan; to scrap a plan; **s. una possibilità**, to rule out a possibility; **s. una proposta**, to reject a proposal; **s. alla visita medica**, to turn down at the medical examination; (*mil.*) to declare unfit (for military service); *In questa casa non si scarta niente*, nothing is thrown away in this house.

♦**scartàre** ③ **A** v. i. (*deviare bruscamente, di veicolo*) to swerve; (*di cavallo*) to shy off **B** v. t. (*sport*) to sidestep; to dodge; to swerve past.

scartàta f. → **scarto** ②, def. 1.

scartàto a. rejected; discarded; cast-off: **carta scartata**, discard; **cosa scartata**, reject; **ipotesi scartata**, discarded hypothesis; **vestiti scartati**, cast-off clothes; (*e passati ad altri*) hand-me-downs.

scartavetràre v. t. (*fam.*) to sandpaper; to sand.

scartavetràta f. (*fam.*) (quick) sanding.

scartellaménto m. (*banca*) deviation from the norms of a banking cartel.

scartellàre v. i. (*banca*) to disregard the norms of a banking cartel.

scartìna f. **1** (*giochi di carte*) low card **2** (*fig. fam.*: *persona che non vale*) bungler; dead loss.

scartinàre v. t. (*tipogr.*) to slip-sheet.

scartìno m. **1** → **scartina 2** (*tipogr.*) slip sheet.

scàrto ① m. **1** (*giochi di carte*) discarding; (*insieme di carte scartate*) discards (pl.): **fare uno s.**, to discard; **sbagliare lo s.**, to discard the wrong card **2** (*eliminazione*) discarding: **fare uno s. dei vestiti vecchi**, to discard old clothes; **merce di s.**, inferior goods; **prodotto di s.**, rejected item; **roba di s.**, rejects (pl.); junk **3** (*parte scartata*) discarded part, waste; (*cosa scartata*) discard, reject; (al pl., collett.) waste Ⓤ, rubbish Ⓤ, junk Ⓤ; (*mecc.*) scrap (metal): **s. di produzione**, (production) reject; rejected item; **scarti di magazzino**, rejects • (*mil.*) **s. di leva**, rejected conscript; reject □ **scarti della società**, social misfits; dropouts □ (*fig.*) **mettere fra gli scarti**, to put on the scrap heap.

scàrto ② m. **1** (*spostamento brusco, di veicolo*) swerve; (*di cavallo*) shy: **fare** (*o* **avere**) **uno s.**, to swerve; to shy **2** (*deviazione*) deviation **3** (*mat.*, *stat.*) deviation: **s. medio**, mean deviation; **s. quadratico medio**, standard deviation **4** (*differenza*) difference; margin; gap: **uno s. di due punti**, a difference of two points; (*Borsa, fin.*) **s. di garanzia**, safety margin; **s. temporale**, time gap; **pochi centimetri di s.**, a few centimetres' margin; **con un notevole s.**, by a wide margin; **ridurre uno s.**, to close a gap; **vincere con uno s. di pochi punti**, to win by a few points.

scartocciàre v. t. **1** to unwrap **2** (*agric.*) to strip; to shuck (*USA*).

scartocciatùra f. **1** unwrapping **2** (*agric.*) stripping; shucking (*USA*).

scartòffia f. (spec. al pl.) papers; (*pratiche di lavoro*) paperwork Ⓤ: **una scrivania ingombra di scartoffie**, a desk cluttered with papers; *Devo compilare un sacco di scartoffie*, I have to fill in heaps of papers; **passare la giornata in mezzo alle scartoffie**, to spend one's day on paperwork; *Prendi le tue scartoffie e fila!*, take up your stupid papers and get out!

scartòmetro m. (*miss.*) deviation metre.

scàssa f. (*naut.*) step: **s. d'albero**, mast step.

scassacàzzi → **rompicazzo**.

scassapàlle → **rompipalle**.

scassaquindici m. (*gioco*) top fifteen.

scassàre ① v. t. (*estrarre da una cassa*) to uncrate; to uncase.

scassàre ② Ⓐ v. t. **1** (*agric.*) to break* up; to plough **2** (*fam.: rompere*) to wreck; to destroy; to bust: **s. la macchina**, to wreck the car; **s. la radio**, to bust the radio Ⓑ **scassàrsi** v. i. pron. (*fam.: rompersi*) to break*; to go* phut (*fam.*); (*di macchina, meccanismo, anche*) to conk out, to pack up (*GB*): *Guarda che così si scassa!*, you'll break it if you are not careful!; *Si è scassata la lavapiatti*, the dishwasher's conked out (*o* packed up); the dishwasher is bust.

scassàto a. **1** (*agric.*) broken up; ploughed up **2** (*fam.: rotto*) broken; wrecked; bust; conked out; on the blink **3** (*fam.: malandato*) battered; clapped out; beat-up (*USA*).

scassinaménto m. forcing; breaking open.

scassinàre v. t. to force; to break* open: **s. una cassaforte**, to break open a safe; **s. una porta**, to force a door; **s. una serratura**, to force a lock.

scassinatóre m. (f. **-trìce**) (*di abitazione*) burglar; housebreaker; (*di negozio*) shop-breaker; (*di cassaforte*) safebreaker.

scassinatùra f. → **scassinamento**.

scàsso m. **1** (*leg.*) breaking and entering; (*in un'abitazione*) housebreaking: (*leg.*) **furto con s.**, burglary **2** (*agric.*) breaking up; ploughing.

scatafàscio → **catafascio**.

scatarràre v. i. to hawk and spit*.

scatarràta f. hawking and spitting.

scatenacciàre v. t. to unbolt.

scatenaménto m. **1** unchaining **2** (*fig.*) unleashing; outbreak.

♦**scatenàre** Ⓐ v. t. **1** (*sciogliere dalla catena*) to unchain **2** (*aizzare*) to incite; to stir up: **s. la folla contro q.**, to incite the mob against sb. **3** (*suscitare, provocare*) to rouse; to provoke; to unleash; (*dare inizio a*) to trigger, to spark off: **s. una crisi internazionale**, to spark off an international crisis; **s. una guerra**, to spark off a war; **s. l'ira di q.**, to unleash sb.'s anger; **s. un pandemonio**, to create an uproar; (*di chiasso, entusiasmo*) to raise the roof (*fam.*); **s. risate generali**, to provoke general laughter; **s. una rivolta**, to spark off a rebellion Ⓑ **scatenàrsi** v. i. pron. **1** (*sollevarsi con furia*) to rampage, to go* on the rampage, to run* riot, to run* amok; (*sfrenarsi*) to run* wild, to run* riot: *La folla si scatenò*, the mob went on the rampage; *Si sono scatenati tutti contro di me*, they all went for me; *Quando sono soli i nostri bambini si scatenano*, our children run wild when they are left alone **2** (*scoppiare, prorompere*) to break* out; to burst* out; (*cominciare a infuriare*) to flare up, to break*, to start to rage: *Si scatenò la guerra*, war broke out; *Si scatenò una tempesta*, a storm broke; *La sua ira si scatenò contro di me*, he unleashed his anger against me.

scatenàto a. (*privo di freno*) unbridled; unrestrained; wild; raging; rampant: **furia scatenata**, unrestrained fury; **venti scatenati**, raging winds; *È un pazzo s.*, he's raving mad; he's a complete madman; *Quel ragazzino è un diavolo s.*, that little boy is a holy terror.

scatenìo m. rattling of chains.

♦**scàtola** f. **1** box; (*grossa, di cartone*) carton; (*di latta*) tin; (*lattina*) can, tin; (*astuccio*) case: **s. da biscotti**, biscuit tin; **s. da scarpe**, shoebox; **s. di biscotti**, tin of biscuits; **s. di** cioccolatini, box of chocolates; **s. di colori**, paintbox; **s. di compassi**, compass case; **s. di fiammiferi**, matchbox; (*con i fiammiferi*) box of matches; **s. per cappelli**, hatbox; bandbox; **cibo in s.**, canned food; tinned food; **piselli in s.**, canned peas; **mettere** (*cibi*) **in s.**, to can; to tin **2** (*tecn.: contenitore, custodia*) box; case; casing; housing: (*autom.*) **s. del cambio**, gearbox; (*autom.*) **s. del differenziale**, differential (gear) carrier; (*autom.*) **s. della frizione**, clutch housing; (*autom.*) **s. dello sterzo**, steering box; (*elettr.*) **s. di derivazione**, connector block; **s. igrometrica**, weather box ● **s. a sorpresa** (*o* **s. magica**), jack-in-the-box □ **scatole cinesi**, Chinese boxes; nested boxes □ (*anat.*) **s. cranica**, skull; cranium □ **s. di montaggio**, kit □ (*mus.*) **s. musicale**, music (*o* musical) box □ (*aeron.*) **s. nera**, black box; flight recorder □ (*fin.*) **s. vuota**, shell company □ **a s. chiusa**, sight unseen: **comprare a s. chiusa**, to buy sight unseen; to buy a pig in a poke (*fam.*) □ (*fig. pop.*) **averne piene le scatole** (**di**), to have had more than enough (of); to be sick and tired (of); to be fed up to one's back teeth (with) □ (*pop.*) **far girare le scatole a q.**, to get sb.'s goat; to rile sb.; to get on sb.'s wick □ **lettere di s.**, block capitals: **a lettere di s.**, in block capitals □ (*fig. pop.*) **rompere le scatole a q.**, to pester sb.; to peeve sb.; to get* in sb.'s hair; to be a pain in the neck □ (*pop.*) **togliersi dalle scatole**, (*andarsene*) to eff off, to piss off (*volg.*); (*lasciare in pace*) to get off sb.'s back, to get out of sb.'s hair.

scatolàio m. **1** (*fabbricante*) box manufacturer **2** (*venditore*) box seller.

scatolàme m. **1** boxes (pl.); (*lattine*) cans (pl.), tins (pl.) **2** (*cibo in scatola*) canned food; tinned food.

scatolàre a. box-shaped; box (attr.).

scatolàta f. boxful; box.

scatolàto Ⓐ a. canned, tinned Ⓑ m. canned food; tinned food.

scatolétta f. **1** small box **2** (*lattina*) can, tin.

scatolifìcio m. box factory.

scatolìno m. small box; pillbox ● (*fig.*) **sembrare uscito da uno s.**, not to have a hair out of place □ (*fig.*) **tenere q. nello s.**, to cosset sb.; to coddle sb.

scatologìa f. scatology.

scatològico a. scatological.

scatòrcio → **catorcio**.

scattànte a. **1** (*compiuto di scatto, immediato*) quick, snappy; flying: **partenza s.**, flying start **2** (*agile, vivace*) nimble, agile, spry, sprightly, trippy; (*del fisico*) fit, trim, supple, svelte; (*di auto, motore*) responsive, zippy, peppy: **figura s.**, trim figure; **camminare con passo s.**, to walk with a spring in one's step **3** (*fig.: sveglio*) wide-awake; quick off the mark (pred.); (*efficiente*) business-like.

♦**scattàre** Ⓐ v. i. **1** (*di congegno, molla, ecc.*) to go* off, to be released; (*di serratura, ecc.*) to click, to snap; (*di otturatore*) to snap, to click; (*di contatore, lancetta*) to tick; (*chiudersi di scatto*) to spring* shut, to snap shut, to click shut; (*aprirsi di scatto*) to spring* open, to snap open, to click open: **s. a vuoto** (*di arma da fuoco*), to misfire; *Le manette scattarono sui suoi polsi*, the handcuffs clicked shut around his wrists; *La trappola scattò* [*non scattò*], the trap snapped shut [didn't go off]; **far s. il grilletto**, to pull the trigger; **far s. un interruttore**, to trip a switch; **far s. una molla**, to release a spring; **far s. una serratura** [**una trappola**], to spring a lock [a trap] **2** (*muoversi rapidamente, balzare*) to spring*, to dart, to bolt; (*sbrigarsi*) to jump to it, to make it snappy: **s. a sedere**, to sit bolt upright; **s. in piedi**, to spring to one's feet; **sull'attenti**, to spring to attention; **s. su co-** me una molla, to spring up; **s. verso la porta**, to spring to the door; (*per scappare*) to make a bolt (*o* to bolt) for the door; *Quando ti chiamo devi s.!*, you must jump to it, when I call you! **3** (*accelerare, anche sport*) to sprint; to spurt **4** (*fig.: avere inizio*) to start; to kick off (*fam.*); (*entrare in vigore*) to come into effect, to become effective; (*entrare in azione*) to be triggered: **s. anzitempo**, to jump the gun; to go off at half-cock; *L'operazione «Spiagge pulite» è scattata all'alba*, Operation «Clean Beaches» started (*o* kicked off) at dawn; *In questi casi scatta un meccanismo di difesa*, in such cases a defence mechanism is triggered; *Domani scattano le prime misure economiche*, the first economic measures will become effective tomorrow; **far s.**, to set off **5** (*fig.: aumentare*) to go* up (automatically); to jump: **s. di grado**, to go up a level; **s. di stipendio**, to get a pay rise; *La contingenza è scattata di tre punti*, the cost-of-living index went up by three points **6** (*fig.: rispondere seccamente*) to snap (at sb.); (*arrabbiarsi*) to explode, to fly* off the handle (*fam.*) Ⓑ v. t. (*fotogr.*) to take*; to snap; (*assol.*) to click: **s. un'istantanea**, to take a snap; to snap a photo.

scattista m. e f. (*sport*) sprinter.

♦**scàtto** m. **1** (*lo scattare di un congegno*) release; tripping; snap; (*il rumore*) click, snap: **lo s. del grilletto**, the click of the trigger; **lo s. di una molla**, the release of a spring; **lo s. d'una serratura**, the click of a lock; **s. a vuoto** (*di arma da fuoco*), misfire; **aprirsi** [**chiudersi**] **a scatto**, to snap open [shut]; to click open [shut]; **chiusura a s.**, snap; (*di porta*) snap-lock; **coltello a s.**, flick knife; **disinnesto a s.**, trip; tripper; **dispositivo di s.**, release; trip gear; **interruttore a s.**, snap switch; **leva di s.**, release trigger; **matita a s.**, propelling pencil; **serratura a s.**, spring-lock **2** (*dispositivo mecc.*) release; trigger; catch; (*molla*) spring; (*fotogr.*) **s. dell'otturatore**, shutter release; (*fotogr.*) **s. automatico**, self-timer **3** (*fotogr.: fotogramma*) photo **4** (*balzo*) spring, jump, bolt, dart; (*sobbalzo*) start, jump; (*movimento brusco*) jerk: **fare uno s. in avanti**, to dart forward; **a scatti**, jerkily; haltingly; by fits and starts; **avanzare a scatti**, to jerk forward; to jerk along; to jolt along; **camminare** [**muoversi**] **a scatti**, to walk [to move] jerkily; **parlare a scatti**, to talk haltingly; **progredire a scatti**, to progress by fits and starts; **di s.**, (*con un sobbalzo*) with a start; (*all'improvviso*) suddenly, abruptly; **alzarsi di s.**, to spring up; to jump up; to jump to one's feet; **aprirsi** [**chiudersi**] **di s.**, to open [to close] suddenly; to snap open [shut]; **girarsi di s.**, to spin round **5** (*accelerazione*) acceleration; (*sport*) sprint, spurt, burst of speed: *Con un ultimo s. tagliò il traguardo*, with a final sprint she crossed the finishing line; **essere dotato di un ottimo s.**, to have excellent acceleration; (*sport*) to be an excellent sprinter; (*sport*) **fare uno s.**, to sprint; to spurt **6** (*telef.*) unit **7** (*di contatore*) tick **8** (*fig.: scoppio emotivo*) outburst, fit; (*impulso*) impulse: **s. d'ira**, outburst (*o* fit) of anger; **avere uno s. d'ira**, to fly out in anger; to flare up; to burst out; **s. di gelosia**, fit of jealousy; **s. di generosità**, generous impulse **9** (*aumento*) (automatic) increment; (*promozione*) advancement: **s. di anzianità**, increase (of salary) according to age; **s. di carriera**, advancement; **s. di stipendio** (*o di* **retribuzione**), pay increment.

scaturìgine f. **1** (*lett.*) source; spring **2** (*fig.*) origin; source.

♦**scaturìre** v. i. **1** to gush; to spurt; to burst*; to pour; (*scorrere*) to flow, to stream: *L'acqua scaturiva da sotto la roccia*, the water gushed out from under the rock **2** (*fig.: avere origine*) to originate; to issue; to spring*; (*emergere*) to emerge, to come* out;

(*derivare*) to result, to flow, to follow: *Da quella decisione scaturirono tutti i suoi guai*, all his troubles originated with that decision; *Nulla è scaturito dalle ricerche*, our search came to nothing.

scautìsmo → **scoutismo**.

scavabùche m. inv. (*agric.*) digger.

scavafòssi f. (*agric.*) ditch digger; trench excavator; trencher.

♦**scavalcàre** v. t. **1** (*disarcionare*) to un-horse; to unsaddle **2** (*passare sopra*) to step over; (*arrampicandosi*) to climb* over; (*saltando*) to jump over, to clear; (*di ponte, ecc.*) to pass over, to span across, to straddle: **s. un fosso**, to step over a ditch; to jump over a ditch; **s. un muro**, to climb over a wall **3** (*fig.: sormontare*) to overcome*: **s. un ostacolo**, to overcome an obstacle **4** (*fig.: passare avanti a, superare*) to get* ahead of; (*sport*) to overtake*; (*nel lavoro, ecc.*) to pass over; (*soppiantare*) to supplant, to oust; (*non rispettare la gerarchia*) to go* over sb.'s head: *Mi hanno scavalcato e hanno dato il posto a un altro*, I've been passed over for that job; **essere scavalcato dal proprio rivale**, to be supplanted (o ousted) by one's rival.

scavallàre v. i. to gambol about; to frolic about; to frisk about; to romp.

♦**scavàre** v. t. **1** (*rendere cavo, incavare*) to hollow out; (*erodere*) to erode: **s. un tronco**, to hollow out a trunk; *Le rive del fiume erano state scavate dalle acque*, the river banks had been hollowed out by the water; *La malattia gli ha scavato le guance*, the illness has hollowed out his cheeks **2** (*formare una cavità*) to dig*; to bore; (*in miniera*) to mine; (*con la draga*) to dredge; (*con un cucchiaio, una paletta*) to scoop; (*con la sgorbia*) to gouge out; (*assol., di animale*) to burrow, (*grufolando*) to grub: **s. una buca nel terreno**, to dig a hole in the ground; **s. fossi**, to dig ditches; **s. una galleria sotto un monte**, to bore a tunnel through a mountain; **s. un pozzo**, to sink a well; **s. una trincea**, to dig a trench; (*fig.*) **scavarsi la fossa con le proprie mani**, to dig one's own grave; (*con strapazzi, stravizi, ecc.*) to drive a nail into one's own coffin **3** (*sartoria*) to widen: **s. lo scollo di un vestito**, to widen the neckline of a dress **4** (*fig. assol.: indagare, andare a fondo*) to dig*; to delve: **s. nel passato di q.**, to delve (o to dig) into sb.'s past **5** (*estrarre scavando, anche fig.*) to excavate; to dig* up; to unearth; (*con un cucchiaio, ecc.*) to scoop out; (*ind. min.*) to mine, to quarry: **s. carbone**, to mine coal; **s. una città sepolta**, to excavate a buried city; **s. patate**, to dig up (o to lift) potatoes **6** (*fig.: trovare*) to dig* out; to dig* up; (*escogitare*) to think* up, to concoct: **s. la verità**, to dig out the truth.

scavàto a. (*incavato*) hollow; sunken: **guance scavate**, hollow cheeks; **occhi scavati**, sunken (o deep-set) eyes.

scavatóre **A** a. excavating; digging; (*zool.*) fossorial **B** m. (f. **-trice**) digger.

scavatrice f. (*mecc.*) excavator; digger: **s. a cucchiaia**, shovel excavator; power-shovel.

scavatùra f. **1** digging; excavation **2** (*terra scavata*) earth dug up **3** → **scavo**, def. 5.

scavezzacòllo **A** m. **1** (*precipizio*) precipice; steep incline **2** (*caduta*) headlong fall • **a s.**, at breakneck speed **B** m. e f. reckless fellow; daredevil; hothead; tearaway (*GB*); scapegrace.

scavezzàre① v. t. **1** (*agric.*) to pollard **2** (*rompere, spezzare*) to break*.

scavezzàre② v. t. (*togliere la cavezza a*) to free from the halter.

scavezzatrice f. (*mecc.*) breaker.

scavezzatùra f. (*mecc.*) breaking.

scavìno m. corer.

scàvo m. **1** (*lo scavare*) digging; excavation;

digging out; (*di galleria*) boring; (*di pozzo*) sinking: **fare scavi** (*o lavori di s.*), to dig; to make excavations; **lavori di s.**, digging Ⓤ; **materiale di s.**, diggings (pl.) **2** (*ind. min.*) mining: **s. a cielo aperto**, open-cut mining; **sezione di s.**, working face **3** (*luogo scavato*) excavated area; dug-out area; excavation **4** (*archeol.*) excavation, dig: **gli scavi di Pompei**, the excavations of Pompeii **5** (*sartoria, del collo*) neck-hole; (*della manica*) armhole.

scazónte (*metrica*) **A** a. scazontic **B** m. scazon*.

scazòntico a. (*metrica*) scazontic.

scazzàrsi v. i. pron. (*volg.*) **1** (*arrabbiarsi*) to get* pissed off (*volg.*) **2** (*perdere entusiasmo, annoiarsi*) to get cheesed off (*fam. GB*); to get* pissed off (*o browned off*) (*volg.*).

scàzzo m. (*volg.*) **1** (*diverbio*) squabble, bitching session; (*lite*) fight **2** (*problema, seccatura*) hassle; drag; pain in the ass (*volg.*).

scazzóne m. (*zool.*, *Cottus gobio*) miller's thumb; bullhead.

scazzottàre **A** v. t. (*pop.*) to punch; to beat* up **B** **scazzottàrsi** v. rifl. recipr. (*pop.*) to have a punch-up.

scazzottàta, scazzottatùra f. (*pop.*) **1** (*rissa*) dust-up; punch-up **2** (*pioggia di pugni*) hail of blows.

♦**scégliere** v. t. **1** to choose*; to pick; (*entro un gruppo*) to take* one's pick; (*selezionare, isolare*) to pick out, to hand-pick, to select, to single out: **s. a uno a uno**, to select (*o to pick*) one by one (*o individually*); to hand-pick; **s. gli amici**, to chose one's friends; **s. bene [male]**, to choose well [badly]; (*sport*) **s. il campo**, to choose ends; (*tirando a sorte*) to toss for ends; **s. un candidato**, to select a candidate; **s. q. come capro espiatorio**, to single sb. out as a scapegoat; **s. con cura**, to choose carefully; to pick; to hand-pick; **s. con cura le parole**, to choose one's words carefully; to pick out one's words; **s. fra dieci**, to choose (*o to pick*) out of ten; **s. il fior fiore** (*o il meglio*), to pick the very best; to handpick; to pick and choose (*fam.*); **s. la frutta migliore**, to select the best fruit; **s. il momento giusto**, to choose the right moment; to choose one's time; **s. il momento giusto per entrare [per parlare]**, to time one's entrance [one's words]; **s. per amico**, to choose as a friend; *È stato scelto a rappresentare la scuola*, he has been picked out to represent the whole school; *Non so quale s.*, I don't know which one to choose; *Scegli pure*, take your pick (*o your choice*); *C'è poco da s.*, there is little to choose from; there is little choice; *Non c'è molto da s. tra i due*, there isn't much to choose between them **2** (*fare una cernita*) to sort out; to separate: **s. i vestiti da dar via**, to sort out the clothes to give away **3** (*in un'alternativa: preferire*) to choose*; to opt; to elect (*form.*); to plump for (*fam.*); (*come ripiego*) to settle for: **s. di restare**, to choose to stay; **s. il pagamento rateale**, to opt for payment (*o to pay*) in instalments; **s. di non partecipare a qc.**, to opt out of st.

sceglitóre m. (f. **-trice**) chooser; selector; (*cernitore*) sorter.

sceiccàto m. sheikhdom.

sceicco m. sheikh.

scekeràre v. t. to mix in a shaker; to shake up.

scelleratàggine, scelleratézza f. **1** (*malvagità, iniquità*) wickedness, villainy, iniquity; (*mostruosità*) enormity, atrocity; (*indegnità*) infamy **2** (*azione scellerata*) villainous deed; wicked action; crime; atrocity; enormity.

scelleràto **A** a. (*di persona*) villainous, wicked, evil; (*di azione, cosa*) villainous, wicked, iniquitous, atrocious: **pensieri scellerati**, iniquitous thoughts; **uomini**

scellerati, villainous men; villains **B** m. (f. **-a**) villain; wicked person.

scellìno m. **1** (*ingl., stor.*) shilling **2** (*austriaco*) schilling.

♦**scélta** f. **1** (*atto dello scegliere*) choice; selection; (*cernita*) sorting (out); (*opzione*) option, alternative: **s. a caso**, random selection; (*sport*) **s. del campo**, choice of ends; **buona [cattiva] s.**, good [bad] choice; **s. forzata**, unavoidable choice; **libera s.**, free choice; **nessuna s.**, no choice; Hobsons' choice; *La s. fu facile*, it was an easy choice; *La s. cadde su di lei*, she was chosen (*o picked out*); *A te la s.*, the choice is yours; you choose; **fare una s.**, to make a choice; **fare la propria s.**, to make one's choice; to take one's pick; **non lasciare s.**, to leave no choice; **a s.**, by choice; optional (agg.); **frutta o dolce, a s.**, choice of fruit or dessert; **prendere una cosa a s.**, to take one's pick; *Regaliamo un disco a s.*, you can choose a free record; (*comm.*) **di prima s.**, choice; first-quality; prime: **carne di prima s.**, prime (*o top*) meat; **di seconda s.**, second-rate; **per s.**, by choice; out of choice; **per propria s.**, of one's own volition; **possibilità di s.**, choice **2** (*selezione*) selection; choice; (*gamma*) range: **una s. di poesie**, a selection of poems; **una vasta s. di marche**, a wide choice (*o range, selection*) of brands.

sceltézza f. (*lett.*) choiceness; elegance.

scélto a. **1** chosen; (*selezionato*) hand-picked, selected: **brani scelti**, selected passages; **giocatori scelti**, hand-picked players **2** (*di prima qualità*) choice (attr.); first-rate (attr.); prime; top-quality (attr.); fine: **carne [frutta] scelta**, choice meat [fruit]; **vini scelti**, fine wines **3** (*squisito*) dainty; (*elegante*) elegant; (*raffinato*) refined, select: **boccone s.**, dainty bit; titbit, tidbit (*USA*); **pubblico s.**, select audience **4** (*abile, ben addestrato*) well-trained; crack: **truppe scelte**, crack troops; **tiratore s.**, crack shot; marksman.

scemàre **A** v. t. (*ridurre*) to reduce; to diminish; to lower: **s. i prezzi**, to reduce prices; *L'età scema le forze*, age reduces vitality **B** v. i. **1** (*diminuire*) to diminish, to lessen, to decrease, to drop, to abate, (*gradatamente*) to wane, to dwindle, to ebb, to taper off; (*indebolirsi*) to weaken, to slacken; (*accorciarsi*) to shorten, to grow* shorter; (*declinare*) to decline, to wane; (*abbassarsi di livello*) to drop*: *Il dolore è scemato*, the pain has diminished (*o has abated*); *La febbre cominciò a s.*, the temperature began to drop; *Si sentiva s. le forze*, he felt his strength (begin to) ebb; *La sua popolarità è scemata*, his popularity has dwindled (*o has declined*); *L'interesse del pubblico comincia a s.*, the public's interest is beginning to wane **2** (*astron.*) to wane; to be on the wane **3** (*della marea*) to ebb.

scemàta f. **1** (*sciocchezza, banalità*) nonsense Ⓤ; rubbish Ⓤ; drivel Ⓤ (*fam.*); claptrap Ⓤ (*fam.*): **dire scemate**, to talk nonsense (*o rubbish*); *Quante scemate!*, what a load of drivel! **2** (*comportamento sciocco*) foolish behaviour Ⓤ.

scemènza f. **1** (*l'essere scemo*) stupidity; foolishness; idiocy **2** (*parole sceme*) stupid (*o foolish, dumb*) thing, nonsense Ⓤ, rubbish Ⓤ, drivel Ⓤ (*fam.*), claptrap Ⓤ (*fam.*), trash Ⓤ (*fam.*); (*azione scema*) stupid (*o foolish*) behaviour Ⓤ; stupid (*o foolish, dumb*) thing: **dire una s.**, to say something stupid; to say a dumb thing; **dire una bella s.**, to do a dumb thing; **dire scemenze**, to talk nonsense (*o rubbish*); **fare una s.**, to do something stupid; to do a dumb thing; *Hai fatto una bella s.!*, that was a really dumb thing to do!; that was dumb of you!; *Danno tante di quelle scemenze alla tivù*, there is so much rubbish on TV; *Ho letto il suo libro: una s.*, I've read his book, it's rubbish.

scemenzàio m. series of inanities; load of

nonsense; load of drivel (*fam.*).

♦**scémo A** a. **1** (*lett.* o *region.*) half-full; incomplete **2** (*stupido*) stupid; foolish; daft; dumb; idiotic: *Non essere s.!*, don't be daft!; don't be such a dope!; *Che s. che sono!*, how stupid of me!; *Non sono s., sai!*, you can't fool me, you know!; *Ma siete scemi?*, are you crazy? **B** m. (f. **-a**) stupid; idiot; fool; dope; blockhead; twit: **lo s. del villaggio**, the village idiot; **fare lo s.**, to be a fool; (*fare il buffone*) to play the fool, to fool around; *Non fare lo s.!*, don't be a fool!; stop playing the fool!; **fare lo s. con q.**, to fool around with sb.; **fare la figura dello s.**, to make a fool of oneself; *Bravo s.!*, you big fool!; (*peggio per te*) more fool you!

scempiàggine → **scemenza**.

scempiaménto m. **1** halving **2** (*ling.*) simplification.

scempiàre① v. t. e i. to halve; to separate.

scempiàre② v. t. **1** (*straziare*) to mangle; to tear* apart **2** (*deturpare*) to deface; to disfigure: *La costa è scempiata da casermoni*, the coast is defaced by unsightly blocks of flats.

scémpio① **A** a. **1** (*semplice.*) single: (*bot.*) **fiore s.**, single flower **2** (*ling.*) single; short: **consonanti scempie**, single consonants **3** (*sciocco*) foolish; silly; stupid **B** m. (f. **-a**) fool; idiot; twit.

scémpio② m. **1** (*sterminio, distruzione*) havoc, destruction; (*massacro*) massacre, slaughter; (*rovina*) ruin; (*smembramento*) mangling: **fare s. di**, (*distruggere*) to play havoc with; (*massacrare*) to massacre, to slaughter; (*fare a pezzi*) to tear to pieces, to mangle; (*rovinare*) to ruin, to murder (*fam.*). **2** (*deturpazione*) defacement; disfigurement; (*cosa che deturpa*) eyesore; **fare s. di una costa**, to disfigure a coastline.

♦**scèna** f. **1** (*teatr.*: *suddivisione dell'atto*) scene: **atto primo, s. terza**, act one, scene three (*si scrive* Act I, Scene iii) **2** (*palcoscenico*) stage; (*stor.*, *nel teatro greco e romano*) scene: **s. vuota**, empty stage; **a s. aperta**, in the middle of a scene; with the curtain up; **al centro della s.**, in the middle of the stage; **fuori s.**, off stage; off; **rumori fuori s.**, noises off; **in s.**, on stage; (*di un lavoro*) **andare in s.**, to be staged; to be performed; **entrare in s.**, to enter; to come on stage; (*fig.*) to come on the scene; **essere in s.**, (*di attore*) to be on stage; (*di lavoro*) to be playing; **mettere in s.**, to stage; to put on; **uscire di s.**, to go off, to exit; (*fig.*) to leave the scene, to disappear; (*teatr.*) **direttore di s.**, stage manager **3** (*generalm.* al pl.: *il teatro*) theatre, theater (*USA*); stage; (the) boards (pl.): **le scene londinesi**, the London stage (o theatres); **abbandonare le scene**, to leave the stage; **calcare le scene**, to be an actor [an actress]; to tread the boards (*fam.* o *scherz.*); **ricomparire sulle scene**, to make a comeback; **ritirarsi dalle scene**, to retire from the stage; **ritorno sulle scene**, comeback **4** (*teatr.*: *scenario*) set; scenery; scene: **s. spoglia**, bare set; **scene e costumi di...**, sets and costumes by...; **s. senza arredamento**, basic set; **cambiare s.**, to change (o to shift) scenes; **montare una s.**, to set a scene; *La s. rappresenta un mercato*, the scene shows a market-place; **cambiamento di s.**, scene change; scene shift; (*fig.*) change of scene (o scenery); **macchinista di s.**, scene shifter; **pittore di scene**, scene painter **5** (*teatr.*: *luogo della vicenda*) setting; scenario: *La s. del primo atto è a Londra*, the first act is set in London **6** (*fig.*: *ambiente, mondo*) world: **la s. politica [letteraria]**, the political [literary] scene **7** (*fig.*: *luogo di un evento*) scene; (*ambientazione*) setting: **la s. dell'incidente [del delitto]**, the scene of the accident [of the crime]; **la s.**

ideale per un western, the ideal setting for a western; **arrivare sulla s.**, to arrive on the scene **8** (*teatr.*, *cinem.*: *azione scenica*) scene; (*cinem.*, *anche*) shot: **s. d'amore**, love scene; **s. d'azione**, action shot; **la s. del duello**, the duel scene; **s. di massa**, crowd scene; **s. muta**, dumb show; mime; **girare** [**provare**] **una s.**, to shoot [to rehearse] a scene **9** (*estens.*: *spettacolo, vista*) scene, sight, view; (*fatto, episodio reale o raffigurato*) scene: **s. di sangue**, bloody scene; **una s. ridicola** [**commovente**], a ridiculous [moving] scene; *Ci si offrì una s. straordinaria*, we were confronted by an extraordinary sight; *La gente assisteva alla s. senza intervenire*, people were watching the scene without intervening **10** (*scenata*) scene, row; (*reazione esagerata*) fuss, carry-on (*fam. GB*), dramatics (pl.): **fare una s.**, to make a scene; to kick up a row (o a fuss) (*fam.*); to carry on (*fam. GB*); *Quante scene per una macchiolina!*, all that fuss (o what a carry-on) for a tiny spot! **11** (*finzione*) act; pretence; sham 🔘; put-up affair; put-on (*USA*); (*posa*) showing off; (*impressione, colpo*) impression: *La sua è solo una s.*, she's just putting it on; she's shamming; *è tutta una s.* (o acting); *Fa sempre la s. dell'indaffaratissimo*, he is always pretending to be terribly busy; **fare s.**, to make an impression; to look impressive; *Non sono perle vere, però fanno s.*, they are not real pearls, but they do look impressive ● **s. madre**, (*teatr.*) main scene; (*scenata*) violent scene, song and dance □ (*di attore*) **avere s.**, to have (stage) presence □ **colpo di s.**, (*teatr.*) coup de théâtre (*franc.*); (*fig.*) unforeseen turn of events □ **dietro le scene**, (*teatr.*) backstage; (*fig.*) behind the scenes: **agire dietro le scene**, to act behind the scenes □ **essere di s.**, (*teatr.*) to be due on stage; (*fig.*) to be the turn of (impers.), to be in the foreground; to get attention □ (*fig.*) **essere al centro della s.**, to be in the limelight □ (*fig.*) **fare s. muta**, not to utter a single word; not to answer a single question; to be tongue-tied □ **messa in s.** → **messinscena** □ (*teatr.*) **musiche di s.**, incidental music.

scenàrio m. **1** (*teatr.*: *apparato scenico*) scene; scenery; set **2** (*ambiente*) scene; scenery; (*paesaggio*) landscape; (*sfondo*) background, backdrop: **lo s. della costa ligure**, the scenery of the Ligurian coast **3** (*teatr.*) scenario **4** (*cinem.*, *TV*) scenario **5** (*fig. giorn.*) scenario: *Ci sono tre scenari possibili per la situazione*, there are three possible scenarios for the situation.

scenarista m. e f. (*cinem.*) scenarist; scenario writer.

scenàta f. scene; row: **fare una s.**, to make a scene; to kick up a row.

♦**scéndere A** v. i. **1** (*andare giù*) to go* down; (*venire giù*) to come* down; to get* down; to walk down; to climb down; to descend (*form.*); (*di fiume*) to run* down, to flow down, (*avere origine*) to rise*: **s. a piedi**, to walk down; **s. a terra**, to get down; (*naut.*) to go ashore, to disembark; **s. a valle**, to go down; to make one's way down; (*su un fiume*) to go downstream; (*di fiume*) to flow down; **s. al primo piano**, to go down (o downstairs) to the first floor; **s. da un albero**, to get down from (o to climb down) a tree; **s. dal letto**, to get out of bed; to get up; **s. da una scala a pioli**, to get off (o to step off) a ladder; **s. di corsa**, to run down; to rush down; **s. in cantina**, to go down into the cellar; **s. in paese**, to go down to the village; **salire e s.**, to go up and down; *Aspettatemi, scendo subito!*, wait for me, I'll be right down!; *Paolo non è ancora sceso*, Paolo hasn't come down yet; *Scendo un attimo a prendere il giornale*, I'm just going down (o out) to get the paper; *L'Arno scende dagli*

Appennini, the Arno rises in the Appennines; **far s. q.**, (*mandarlo giù*) to send sb. down; (*chiamare giù*) to call sb. down **2** (*da un veicolo, ecc.*) to get* off (st.); to get* out (of); to step down (from); to alight (from); to dismount (from): **s. da un aereo**, to get off a plane; **s. da un'auto**, to get out of a car; **s. da un autobus**, to get off a bus; **s. dalla bicicletta**, to get off one's bicycle; **s. da una carrozza**, to get down from a coach; **s. da cavallo**, to get off a horse; to dismount from a horse; **s. dal treno**, to get off the train; **far s.**, to let off; to drop **3** (*aeron.*: *atterrare*) to land; to come down: *L'aereo scese in un campo*, the plane landed in a field **4** (*andare verso il sud*) to go* down; to come* down; to descend: **s. a Roma**, to go down to Rome; *I Galli scesero in Italia*, the Gauls descended on Italy **5** (*prendere alloggio*) to put* up; to stop: **s. a un albergo**, to put up at a hotel **6** (*essere in pendenza*) to slope down; to descend; to fall*; to drop: *La strada scendeva ripidamente*, the road descended steeply; *Il pendio scendeva dolcemente al mare*, the land sloped down to the sea **7** (*indursi, abbassarsi*) to stoop; to lower oneself; to sink*: **s. a compromessi**, to stoop to compromises; **s. a patti**, to come to terms; **s. a più miti consigli**, to listen to reason; to take a milder attitude; **s. in basso**, to sink low; to degrade oneself; *Io non scenderei a tanto*, I wouldn't stoop so low; *Non scendo a trattare con certa gente*, I won't stoop to dealing with such people **8** (*passare a una condizione inferiore*) to move down; to go* down; (*in una classifica, ecc.*) to drop; **s. di grado**, to move down (to a lower rank); **s. di sei punti**, to drop by six points; **s. in fondo alla classifica**, to drop to the bottom (of the list) **9** (*diminuire di intensità, valore, ecc.*) to come* down; to fall*; to drop; to decline; to sink*; (*allentarsi*) to ease off: **s. rapidamente**, to plunge; to plummet; *I prezzi aumentano invece di s.*, prices are rising instead of falling (o going up instead of coming down); *La febbre è scesa*, the temperature has dropped; *La tensione scese sensibilmente*, the tension eased off noticeably **10** (*cadere dall'alto, discendere, calare*) to fall*; to come* down; to rain; (*di astro*) to go* down, to sink*: **s. a spirale**, to spiral downwards; **s. dall'alto**, to come down from above; *Scende la neve*, the snow is falling; *Scese la notte*, night fell; *La pioggia scendeva fitta*, it was raining heavily; *Il sole scendeva a occidente*, the sun was sinking in the west **11** (*ricadere*) to come* down, to fall*, to cascade; (*essere appeso*) to hang*: *Il cappotto le scendeva fin quasi alle caviglie*, her coat came down almost to her ankles; *I capelli le scendevano sulle spalle*, her hair fell on her shoulders; *Dal soffitto scendeva un lampadario di cristallo*, a crystal chandelier hung from the ceiling ● (*sport*) **s. a rete**, (*calcio*) to come into the goal area; (*tennis*) to come up to the net □ (*fig.*) **s. di cattedra** (o dal pulpito), to get off one's high horse □ (*mus.*) **s. di un'ottava**, to go down an octave □ **s. in campo**, (*sport*) to go in, to take the field; (*fig.*) to enter the lists; (*polit.*) to enter the political arena □ (*fig.*) **s. in lizza**, to enter the lists □ (*naut.*, *di nave*) **s. in mare**, to take the sea □ **s. in piazza**, to come out into the streets; (*dimostrare*) to demonstrate, to go out into the streets; (*scioperare*) to go on strike, to come out (*GB*) □ (*aeron.*) **s. in picchiata**, to nose-dive □ **s. in pista**, (*per ballare*) to take the floor; (*fig.*) to enter the field □ **s. in sciopero** → **sciopero** (*aeron.*) □ **s. in vite**, to spin □ **s. nei particolari**, to go into details □ **far s. l'acqua per il bagno**, to run a bath **B** v. t. to go* down; to come* down; to descend: **s. una collina**, to go down a hill; **s. le scale**, to go [to come] downstairs; **s. le scale di corsa**, to run down the stairs (o downstairs).

scendibàgno m. inv. bath mat.

scendilètto m. inv. **1** (*tappetino*) bedside rug **2** (*veste da camera*) dressing-gown.

sceneggiàre v. t. **1** (*teatr.*, *TV*) to adapt (for the stage, for TV), to dramatize; (*scrivere la sceneggiatura di*) to write the scenario of **2** (*cinem.*) to script; to write the script of.

sceneggiàta f. **1** (*teatr.*) sceneggiata; Neapolitan melodrama **2** (*fig. spreg.*) tear-jerking act; sob story (*fam.*).

sceneggiàto A a. dramatized; adapted B m. (*TV*) TV adaptation; (*a puntate*) serialized version (of st.); serial: **lo s. di «Guerra e pace»**, the TV adaptation (*o* serialized version) of «War and Peace»; **uno s. in cinque puntate**, a five-part TV serial; *Ne faranno uno s. a puntate per la televisione*, it's going to be serialized on TV.

sceneggiatóre m. (f. *-trìce*) (*cinem.*, *TV*) scriptwriter; screenwriter; scenario writer; scenarist.

sceneggiatùra f. **1** (*cinem.*) (film) script, screenplay; (*TV*) screenplay, scenario; (*radio*) script (for radio): (*cinem.*) **s. di ferro**, final shooting script; **revisione della s.**, script revision; rewrite **2** (*adattamento*) adaptation; serialization.

scenètta f. **1** (*breve scena comica*) sketch; skit **2** (*fatto buffo*) funny incident.

scenicaménte avv. scenically; dramatically; theatrically.

scènico a. (*teatr.*) scenic; stage (attr.); set (attr.); theatrical: **allestimento s.**, staging; **apparato s.**, stage-setting; stage set; scenery; décor (*franc.*); **azione scenica**, (stage) business; **effetti scenici**, stage effects.

scenografìa f. **1** (*arte e tecnica: teatr.*) stage design, (*stor.*) scenography; (*cinem.*) set designing, art direction: **premio per la miglior s.**, best art direction award **2** (*elementi scenici: teatr.*) scenery; set; (*cinem.*) sets (pl.).

scenogràfico a. **1** (*teatr.*) stage (attr.); set (attr.) **2** (*fig.*) spectacular; (*spreg.*) showy, stagy: **gusto s.**, taste for the spectacular; **matrimonio s.**, stagy wedding.

scenògrafo m. (f. *-a*) **1** (*teatr.*) stage designer; set designer **2** (*cinem.*) art director; set designer.

scenotècnica f. (*teatr.*) stagecraft; staging.

scenotècnico a. stagecraft (attr.); staging (attr.).

scentràre A v. t. **1** (*tecn.*) to put* out of (*o* to put* off) centre **2** (*region.*: *danneggiare*) to smash up; to wreck: *Ha scentrato la macchina*, he wrecked his car B **scentràrsi** v. i. pron. **1** to go* out of (*o* to go* off) centre **2** (*region.*: *scontrarsi*) to crash (into); to smash (into).

scentràto a. **1** (*tecn.*) out of centre; off centre **2** (*fig.*) nutty; barmy (*GB*); wacky (*USA*); wacko (*USA*).

scentratùra f. (*tecn.*) eccentricity.

scèpsi f. (*filos.*) scepsis.

sceratrìce f. (*apicoltura*) wax extractor.

scerbàre v. t. (*agric.*) to weed.

scerbatùra f. (*agric.*) weeding.

♦**scerìffo** ① m. **1** (*in USA*) sheriff **2** (*guardia giurata*) security guard.

scerìffo ② m. (*discendente di Maometto*) shereef; sherif.

scervellàrsi v. i. pron. to rack one's brains; to puzzle over (st.): **s. su qc. [per ricordare qc.]**, to rack one's brains over st. [trying to remember st.].

scervellàto A a. brainless; crack-brained; harebrained B m. (f. *-a*) crack-brain; madcap.

scésa f. **1** (*lo scendere*) descent; going (*o* coming) down **2** (*discesa*) descent; (*china*)

slope, declivity **3** (*region.*) – **s. di testa**, whim; fancy.

scespiriàno a. (*letter.*) Shakespearean, Shakespearian.

scetticìsmo m. (*filos. ed estens.*) scepticism, skepticism (*USA*).

scèttico (*filos. ed estens.*) A a. sceptical, skeptical (*USA*): **atteggiamento s.**, sceptical attitude; **essere s. su qc.**, to be sceptical about st. B m. (f. *-a*) sceptic, skeptic (*USA*).

scettràto a. (*poet.*) sceptred.

scèttro m. **1** sceptre, scepter (*USA*); (*estens.*: *potere monarchico*) sceptre, crown, throne: **s. regale [imperiale]**, royal [imperial] sceptre; **assumere lo s.**, to mount the throne; **deporre lo s.**, to lay down the crown **2** (*fig.*: *supremazia*) supremacy, sway; (*titolo*) title: **lo s. di Miss Mondo**, the Miss World title; **detenere lo s.**, to reign supreme; to hold sway.

scevà m. inv. (*ling.*) schwa.

sceveràre v. t. **1** (*lett.*: *separare*) to sever; to separate **2** (*distinguere*) to distinguish, to separate; (*vagliare*) to sift: **s. il bene dal male**, to distinguish good from evil.

scévro a. devoid (of); free (from); without (prep.): **s. di illusioni**, devoid (*o* without) illusions; **non s. di colpe**, not without blame.

♦**schèda** f. **1** (*di cartoncino, plastica*) card; (*di schedario*) file card: **s. bibliografica**, index card; (*TV*) **s. di accesso**, viewing card; **s. magnetica**, magnetic card; (*comput.*) **s. perforata**, punch (*o* punched) card; **s. segnapunti**, (score) card; **s. telefonica**, phonecard **2** (*modulo*) form **3** (*anche* **s. elettorale**) ballot paper; voting paper; (*estens.*: *voto*) ballot, vote: **s. bianca**, blank (*o* void) ballot paper; **votare s. bianca**, to leave one's ballot paper blank; **s. nulla**, spoiled ballot (*o* vote); **deporre la s. nell'urna**, to place one's vote in the ballot box; **spoglio delle schede**, vote count **4** (*comput.*) card; board: **s. acceleratrice**, accelerator card; accelerator board; **s. di espansione**, expansion card; **s. grafica**, graphics card; **s. madre**, motherboard; **s. video**, video card **5** (*dossier*) file; record: **s. anagrafica**, personal data file; **s. personale**, personal file; **s. segnaletica**, police record **6** (*relazione*) report: **s. di valutazione**, assessment report **7** (*econ.*) schedule: **s. di domanda [di offerta]**, demand [supply] schedule **8** (*giorn.*) panel; sidebar (*USA*); (*profilo*) profile; (*recensione*) brief review: **s. biografica**, biographical profile **9** (*in un testo didattico*) unit **10** (*in un catalogo artistico, ecc.*) entry **11** (*tecn.*) – **s. tecnica**, specifications (pl.).

schedàre v. t. to file; to register; to record; (*libri*) to card-index; (*persone*) to keep* a file on; (*persone indesiderabili*) to blacklist; (*polizia*) to enter in the police records: **s. dati**, to record data; **s. un documento**, to file a document; **s. per argomenti**, to file under the subject; **s. i nomi dei presenti**, to record the names of the people present.

schedàrio m. **1** (*raccolta di schede*) card index; card file; (*catalogo*) (card) catalogue, catalog (*USA*); (*raccolta di dati*) records (pl.), files (pl.): **s. alfabetico**, index file; **s. della polizia**, police records (*o* files); **s. per autori [per argomenti]**, author [subject] catalogue; **archiviare nello s.**, to put on file; **consultare uno s.**, to look up a file (*o* a catalogue) **2** (*mobile*) filing cabinet; (*contenitore*) card holder **3** (*ufficio*) registry office; register: **s. tributario**, tax register.

schedarìsta m. e f. filing clerk.

schedàto A a. filed; indexed; catalogued; on file (pred.); (*su una lista nera*) on the blacklist (pred.); (*dalla polizia*) on police files, with a police record B m. (f. *-a*) person with a police record.

schedatóre m. (f. *-trìce*) card-compiler; filing clerk.

schedatùra f. filing; card-indexing; cataloguing, cataloging (*USA*): **fare la s.**, to card-index; to catalogue, to catalog (*USA*).

schedìna f. (*del totocalcio, ecc.*) coupon: **s. del totocalcio**, football coupon; **fare la s.**, to fill in a coupon; (*giocare al totocalcio*) to bet on the pools, to do the pools.

schedogràfico a. card, index-card (attr.); file (attr.); filing (attr.).

schèggia f. splinter; sliver; chip; fragment: **s. di granata**, hand-grenade fragment; **s. di legno [di vetro, d'osso]**, splinter of wood [of glass, of bone]; **s. di sapone [di formaggio]**, sliver of soap [of cheese]; **rompersi in schegge**, to break into splinters; to splinter ● (*fig.*) **s. impazzita**, dangerous element; loose cannon □ (*fig.*) **a s.**, like a shot □ **correre come una s.**, to run like a shot □ (*fig.*) **essere una s.**, (*di cosa*) to go like a shot; (*di persona*) to be quick: *Sei una s.!* (= *hai fatto presto*), you were quick!; that was quick!

scheggiàre v. t., **scheggiàrsi** v. i. pron. to splinter; to chip: **scheggiare un piatto**, to chip a plate; *Questo è un legno che si scheggia facilmente*, this kind of wood splinters easily.

scheggiàto a. chipped; splintered: **piatto s.**, chipped plate; **vetro s.**, splintered glass; **dente s.**, broken tooth.

scheggiatùra f. **1** (*lo scheggiare, lo scheggiarsi*) splintering; chipping **2** (*punto scheggiato*) split **3** (*schegge*) splinters (pl.); chips (pl.).

Schèlda f. (*geogr.*) Scheldt.

schèletògeno a. (*biol.*) skeletogenous.

scheletràto m. (*med.*) (dental) plate.

schelètrico a. **1** (*anat.*) skeleton (attr.), skeletal: **apparato s.**, skeletal structure **2** (*scarno*) skeletal; gaunt; scrawny: **aspetto s.**, skeletal (*o* gaunt) look; **braccia scheletriche**, skeletal arms **3** (*fig.*: *ridotto al minimo*) skeleton (attr.); skeletal; (*essenziale, spoglio*) bare: **progetto s.**, skeleton plan; **prosa scheletrica**, bare prose.

scheletrìre A v. t. to reduce to a skeleton B **scheletrìrsi** v. i. pron. to be reduced to a skeleton.

scheletrìto a. **1** (*magrissimo*) reduced to a skeleton; skeletal; haggard, gaunt **2** (*secco, nudo*) bare: **albero s.**, bare tree **3** (*fig.*: *ridotto all'essenziale*) skeleton (attr.); skeletal; bare.

♦**schèletro** m. **1** (*anat.*) skeleton **2** (*ossatura*) skeleton; framework: **lo s. d'una nave**, the skeleton of a ship **3** (*fig.*: *persona magrissima*) skeleton **4** (*fig.*: *schema*) outline; plan; scheme: **lo s. d'un romanzo**, the outline of a novel ● (*fig.*) **uno s. nell'armadio**, a skeleton in the cupboard (*USA* in the closet) □ **essere ridotto uno s.**, to be reduced to a skeleton; to be only skin and bone □ **magro come uno s.**, just skin and bone.

scheletrògeno → **scheletogeno**.

♦**schèma** m. **1** (*tecn.*: *tracciato*) diagram; layout: (*comput.*) **s. a blocchi**, block diagram; (*elettr.*) **s. di connessione**, wiring diagram; (*comput.*) **s. di flusso**, flow diagram; (*elettr.*) **s. di montaggio**, circuit diagram; (*radio*) hook-up; **s. grafico**, diagram; blueprint; **s. elettrico**, wiring diagram **2** (*abbozzo*) outline, sketch, draft; (*progetto*) plan, project, scheme; (*disposizione*) arrangement, scheme: **lo s. di un libro**, the outline of a book; **s. di bilancio [di contratto]**, draft budget [contract]; **s. di interventi**, intervention plan; **s. di lavoro**, layout; **s. di legge**, (law) bill; **s. pensionistico**, retirement plan **3** (*struttura*) scheme; pattern: **s. metrico**, rhyme scheme **4** (*modello astratto, struttura normativa*) pattern; frame; mould; norm:

s. di comportamento, behaviour pattern; **s. mentale**, frame of thought; **gli schemi del classicismo**, the classical mould; **non seguire gli schemi convenzionali**, not to fit into the conventional mould; **ribellarsi agli schemi**, to rebel against conventions; **uscire dagli schemi**, to depart from the norm; to break out of the mould **5** (*sport*) pattern **6** (*filos.*) schema*.

schematicaménte avv. schematically; in outline.

schematicità f. schematism.

schemàtico a. **1** schematic; sketchy: **in forma schematica**, schematically; in outline; **esporre in modo s.**, to schematize **2** (*spreg.*: *rigido*, *angusto*) stereotyped; narrow; blinklered.

schematìsmo m. schematism.

schematizzàre v. t. to schematize.

schematizzazióne f. schematization.

schèpsi → **scepsi**.

scheràno m. (*masnadiero*) brigand, cut--throat; (*sgherro*) myrmidon, bravo*; thug.

schèrma f. **1** fencing: **gara di s.**, fencing match; **maestro di s.**, fencing master; **sala di s.**, fencing room; **scuola di s.**, fencing school; **tirare di s.**, to fence **2** (*boxe*) weaving.

schermàggio m. (*fis.*, *radio*) screening; shielding.

schermàglia f. **1** skirmish **2** (*fig.*) skirmish; (*botta e risposta*) exchange of words, (al pl.) cut and thrust (sing.) **3** (*fig.*) — **schermaglie amorose**, flirtation (sing.); dalliance (sing.).

schermàre v. t. **1** (*riparare*) to screen; to shade: **s. una luce**, to screen a light; **schermarsi gli occhi**, to shade (*o* to screen) one's eyes **2** (*elettr.*) to screen; to shield: **s. una valvola**, to screen a valve.

schermàta f. (*comput.*) (visual) display; screen: **stampa della s.**, screen dump.

schermàto a. shaded; (*anche elettr.*) screened, shielded: **filo s.**, shielded wire; **valvola schermata**, screened valve.

schermatùra f. **1** (*lo schermare*) screening; shielding **2** (*schermo*) screen; shield.

schermidóre m. (f. **-a**) **1** fencer **2** (*boxe*) weaver.

schermìre **A** v. t. to protect; to shield: **schermirsi gli occhi dalla luce**, to shield one's eyes from the light **B** **schermirsi** v. rifl. (*sottrarsi a*) to shy away (from); (*eludere*) to evade (st.): **schermirsi da un dovere**, to shy away from a duty; *All'inizio si schermì, ma poi si arrese*, he tried to get out of doing it, but then relented.

schermìstico a. (*sport*) fencing (attr.): **incontro s.**, fencing match.

schermitóre m. (f. **-trìce**) → **schermidore**.

♦**schérmo** m. **1** (*riparo*, *difesa*) screen; shield; protection; defence: **farsi s. di qc.**, to shield oneself (*o* to hide) behind st.; **farsi agli occhi**, to shield one's eyes **2** (*oggetto che ripara*) screen; shield; (*di lume*) shade; (*mecc.*) baffle; (*fotogr.*) filter: **s. termico**, thermal shield; **s. magnetico**, magnetic screen **3** (*cinem.*, *TV*) screen: **s. argentato**, silver screen; **s. di tela**, cloth screen; **s. panoramico**, wide screen; **il grande schermo**, the cinema; **il piccolo s.**, the small screen; television; **adattare per lo s.**, to adapt (*o* to dramatize) for the screen; **apparire sugli schermi**, to be screened; **l'arte dello s.**, cinema; filmcraft; **divo [diva] dello s.**, film (*o* movie) star; **prossimamente su tutti gli schermi**, soon (to be shown) in cinemas everywhere **4** (*comput.*) screen; display: **s. tattile** (*o* a **sfioramento**), touch screen.

schermografàre v. t. to fluorograph.

schermografìa f. fluorography; fluoro-

graph.

schermogràfico a. fluorography (attr.).

schernévole a. mocking; scoffing; jeering; sneering.

schernìre v. t. to mock; to scoff; to jeer at; to sneer at; to ridicule; to taunt: **s. gli sforzi di q.**, to mock sb.'s efforts.

schernitóre **A** a. mocking; scoffing; jeering; sneering **B** m. (f. **-trìce**) mocker; scoffer; jeerer; sneerer.

schérno m. **1** (*derisione*) mockery Ⓤ; derision Ⓤ; sneering Ⓤ: **con aria di s.**, with a sneer; mockingly; **essere oggetto di s.**, to be mocked; to be sneered at; to be a laughing stock; **farsi s. di**, to mock; to scoff; to sneer at; to jeer at; **parole di s.**, mocking (*o* sneering) words; gibes; sneers; taunts; **risata di s.**, derisive laughter; **sorriso di s.**, sneer **2** (*parole*, *gesto di s.*) gibe; sneer; jeer; taunt **3** (*oggetto di s.*) laughing-stock; figure of fun: **essere lo s. di tutti**, to be the laughing-stock of the company.

scherzàndo m. (*mus.*) scherzando*.

♦**scherzàre** v. i. **1** (*giocare*) to play; to toy: *Il micino scherzava con un gomitolo*, the kitten was playing (*o* toying) with a ball of wool **2** (*fig.*: *muoversi leggermente*) to play: *Una brezza scherzava tra le foglie*, a gentle wind was playing through the leaves **3** (*dire o fare cose scherzose*) to joke; to be funny; to jest: *Gli piace s.*, he likes joking (*o* to be funny): *Scherza su tutto*, she jokes about everything; she turns everything into a joke; *Non scherzo mai su queste cose*, I never joke about these things; *Guarda che non scherzo!*, I'm not joking, you know; *Volevo solo s.*, I was only joking; I only meant it as a joke; *Vuoi s.?*, are you joking?; are you kidding? (*fam.*); *Un milione? Lei vuole s.!*, a million? you must (*o* you've got to) be joking!; *Con te non si può mai s.*, you can't take a joke; *Non ho nessuna voglia di s.*, I'm not in the mood for jokes ● **s. col fuoco**, to play with fire □ **s. con la morte**, to gamble (*o* to dice) with death □ **s. coi sentimenti di q.**, to play with sb.'s feelings □ **Con lui non si scherza**, he's not one to be trifled with □ **Con la febbre c'è poco da s.**, running a temperature is no joke (*o* no laughing matter).

scherzévole (*lett.*) → **scherzoso**.

♦**schérzo** m. **1** joke; jest; (*tiro*, *burla*) practical joke, trick; (*beffa*) hoax: (*fam.*) **s. da prete**, stupid practical joke; nasty trick; **s. di cattivo genere**, unpleasant practical joke; joke in bad taste; **s. innocente**, harmless joke; **brutto s.**, dirty (*o* nasty) trick; (*brutta sorpresa*) nasty surprise; *Non ci credere, è uno s.!*, don't believe it, it's a joke! (*è una presa in giro* it's a leg-pull; they are pulling your leg); *La notizia della bomba era uno s.*, the news of the bomb was a hoax; *Lo s. è andato un po' troppo in là*, the joke has gone a bit too far; the whole thing has really gone beyond a joke; **fare uno s. a q.**, to play a trick on sb.; (*prenderlo in giro*) to pull sb.'s leg; **fare un brutto s. a q.**, to play a nasty trick on sb.; (*fig.*, *di cosa*) to let sb. down; **fare scherzi**, to play tricks; *Il caldo può fare strani scherzi*, the heat can play funny tricks on you (*o* can do funny things to you); *Il motore non mi ha mai fatto scherzi*, the engine has never let me down; **spingere lo s. troppo in là**, to carry a joke too far; **stare allo s.**, (*assecondarlo*) to fall in with the joke; (*accettarlo*) to take a joke; *Non sai proprio stare allo s.*, you really cannot take a joke; **volgere qc. in s.**, to laugh st. off **2** (*fig.*: *cosa facile*) child's play Ⓤ; joke; cinch (*fam.*); doddle (*fam.*); breeze (*fam.*): *Ormai andare da Roma a Bangkok è uno s.*, going from Rome to Bangkok is a joke nowadays; *L'esame è stato uno s. per lui*, the exam was a cinch for him; *Non è uno s.!*, it's no joke! **3**

(*mus.*) scherzo* (*ital.*) ● (*teatr.*) **s. comico**, farce □ **scherzi d'acqua**, water effects; waterworks □ **s. di natura**, freak (of nature) □ **scherzi a parte**, joking apart (*o* aside): *Scherzi a parte, dovresti...*, seriously though, you should... □ **gli scherzi della fortuna**, the tricks (*o* freaks) of fortune □ **uno s. della luce**, a trick of the light □ (*teatr.*) **scherzi di luce**, lighting effects □ **Niente scherzi!**, no joking!; no funny tricks, please! □ **per s.**, as a joke; for fun; in jest; playfully: *Dicevo solo per s.*, I was only joking; I was just being funny; *Certe cose non si dicono nemmeno per s.*, you should not joke about certain things □ **prenderla in s.**, to laugh it off □ **senza scherzi**, joking aside; seriously; really: *Ti assicuro, senza scherzi!*, really, I'm not joking!; honestly, no joke (*fam.*) □ (*prov.*) **A Carnevale ogni s. vale**, anything goes at Carnival □ (*prov.*) **S. di mano, s. di villano**, hand play, churls' play.

scherzosaménte avv. (*scherzando*) jokingly, as a joke, in jest; (*in modo scherzoso*) laughingly, playfully, humorously.

scherzosità f. jocosity; jocularity.

♦**scherzóso** a. **1** (*giocoso*) playful, light--hearted, laughing; (*faceto*) jocular, humorous: **battuta scherzosa**, humorous remark; joke; **risposta scherzosa**, jocular reply; **tono s.**, light-hearted (*o* laughing) tone **2** (*mus.*) scherzando.

schettinàggio m. roller-skating.

schettinàre v. i. to roller-skate.

schettinatóre m. (f. **-trìce**) roller--skater.

schèttino m. roller-skate.

schiacciaforàggi m. inv. (*agric.*) forage baler; hay conditioner.

schiacciaménto m. crushing; squeezing; (*lo spiaccicare*) squashing; (*il ridurre in poltiglia*) mashing; (*il rompere, premendo fortemente*) cracking; (*appiattimento*) flattening; (*compressione*) compression: (*med.*) **s. delle vertebre**, compression of the vertebrae; (*geom.*, *astron.*) **s. polare**, polar flattening; oblateness.

schiacciamósche m. inv. fly-swatter; swat.

schiaccianóci m. inv. nutcracker; nutcrackers (pl.); pair of nutcrackers.

schiacciànte a. **1** (*inoppugnabile*) incontestable; unquestionable; incontrovertible; **prove schiaccianti**, incontrovertible evidence; (*di colpevolezza*) damning evidence **2** (*travolgente*) sweeping; crushing; overwhelming: **vittoria s.**, overwhelming (*o* sweeping) victory; **s. vittoria elettorale**, landslide (victory).

schiacciapatàte m. inv. potato masher; ricer (*USA*).

♦**schiacciàre** **A** v. t. **1** (*pestare, pigiare*) to crush, to squash; (*premere*) to press, to push; (*calpestare*) to stamp on, to tread* on; (*schiacciare qc. con i piedi*) to crush underfoot; (*appiattire*) to flatten; (*spiaccicare*) to squash; (*ridurre in poltiglia*) to mash; (*frantumare*) to crack; (*stritolare*) to crush, (*uccidendo*) to crush to death; (*investire*) to run* over: **s. q. contro un muro**, to crush sb. against a wall; **s. un cappello [i fiori]**, to crush a hat [the flowers]; (*autom.*) **s. il freno**, to tread on the brake; **s. un insetto**, to crush an insect; (*calpestandolo*) to crush an insect underfoot, to stamp on an insect; **s. una mosca**, to swat a fly; **s. una noce**, to crack a nut; **s. le olive**, to crush olives; **s. patate**, to mash potatoes; **s. un piede a q.**, to tread on sb.'s foot; **s. un pulsante**, to press a button; **s. una sigaretta**, (*col piede*) to stamp out a cigarette; (*con la mano*) to stub out a cigarette; **schiacciarsi una costola**, to crack a rib; **schiacciarsi un dito col martello**, to crush a finger with the hammer; **schiacciarsi un dito in una por-**

ta, to catch a finger in a door; *Il cane fu schiacciato da un camion*, the dog was run over by a truck **2** (*fig.*: *sopraffare*) to crush; to overwhelm: **s. il nemico**, to crush the enemy; **s. una ribellione**, to crush (*o* to stamp out) a rebellion; *Fu schiacciato sotto il peso delle prove*, he was overwhelmed by the incontrovertible evidence **3** (*sport*: *tennis*) to smash, to kill; (*basket*) to dunk, to slam-dunk; (*pallavolo*) to smash, to spike ● **s. un sonnellino** → **sonnellino** **B** **schiacciàrsi** v. i. pron. (*spiaccicarsi*) to squash, to get* squashed; (*ammaccarsi*) to crush, to get* crushed: *La frutta tenera si schiaccia facilmente*, soft fruits squash easily; *Il pacchetto si è un po' schiacciato*, the parcel is a bit crushed.

schiacciasàssi m. inv. **1** road roller; steamroller **2** (*fig.*) relentless person.

schiacciàta f. **1** (*lo schiacciare*) squeeze; squeezing: **dare una s. a qc.**, to give st. a squeeze; to squeeze st. **2** (*focaccia*) flat bread; flat cake **3** (*sport*: *tennis*) smash; (*basket*) dunk, slam-dunk; (*pallavolo*) spike.

♦**schiacciàto** a. **1** crushed; squashed; (*appiattito*) flattened; (*piatto*) flat: **naso s.**, flat nose; (*archit.*) **volta schiacciata**, flattened vault; (*geom.*, *astron.*) **s. ai poli**, oblate; flattened at the poles; **morire s.**, to be crushed to death **2** (*fon.*) palato-alveolar.

schiacciatóre m. (f. **-trìce**) (*sport*: *tennis*) smasher; (*basket*) dunker; (*pallavolo*) spiker.

schiacciatùra f. **1** crushing; squashing; (*appiattimento*) flattening **2** (*parte schiacciata*) crushed part; (*ammaccatura*) dent.

schiaffàre **A** v. t. **1** to fling*; to slam; to chuck; to slap; to bung (*fam. GB*): **s. i giornali sul tavolo**, to slam down the papers on the table; **s. i libri in un angolo**, to chuck the books in a corner; **s. la roba in valigia**, to fling (*o* to bung) one's things into the suitcase; **s. fuori q.**, to chuck sb. out; **s. q. in prigione** (*o* **dentro**), to clap sb. into jail; *Schiaffaci su un po' di vernice*, slap some paint on it **B** **schiaffàrsi** v. rifl. to fling* oneself; to throw* oneself: **schiaffarsi sul letto**, to fling (*o* to throw) oneself onto the bed; **schiaffarsi in poltrona**, to throw oneself into an armchair.

schiaffeggiàre v. t. **1** to slap; to smack **2** (*fig.*) to buffet; to slap against.

schiaffeggiatóre m. (f. **-trìce**) slapper.

schiàffo m. **1** slap; smack: **s. in piena faccia**, slap in the face; **dare uno s. a q.**, to give sb. a slap; to slap sb.; **prendere q. a schiaffi**, to slap sb.'s face; **prendersi uno s.**, to be slapped **2** (*fig.*: *colpo*) buffet; slap **3** (*fig.*, *anche* **s. morale**) humiliation; slap in the face ● **faccia da schiaffi**, brazen face □ (*biliardo*) **tiro di s.**, rebound (*o* cushion) shot □ **un modo di fare che tira gli schiaffi**, irritating ways (pl.); ways (pl.) that get one's goat up (*fam.*).

schiamazzàre v. i. **1** (*di oche, ecc.*) to cackle, to gaggle, to squawk; (*di scimmie, uccelli*) to chatter **2** (*di persone*) to make* a din (*o* a racket); (*protestare a gran voce*) to clamour.

schiamazzatóre m. (f. **-trìce**) noisy person; rowdy.

schiamàzzo m. **1** (*di oche, ecc.*) cackle, cackling, gaggle, gaggling, squawk, squawking; (*di scimmie, uccelli*) chattering, chatter **2** (*di persone*) noise; din; racket; clamour: **lo s. d'una folla furiosa**, the clamour of an angry crowd; **schiamazzi notturni**, night-time disturbances; (*leg.*) breach of peace; **fare s.**, to make a din (*o* a racket).

schiantàre **A** v. t. to break* (*anche fig.*); (*sfondare*) to break* through; (*staccare*) to break* off; (*spaccare*) to split*; to burst*; (*svellere*) to uproot: **s. un albero**, to split a

tree; to uproot a tree; **s. il guardrail**, to break through the barrier; **s. un ramo**, to break off a branch **B** v. i. **1** (*fam.*: *scoppiare*) to burst*, to split*; (*crollare*) to collapse: **s. dalla fatica**, to collapse under the strain; **s. dalle risa**, to split (*o* to burst) one's sides (with laughter) **2** (*fam.*: *morire*) to die; to croak (*fam.*) **C** **schiantàrsi** v. i. pron. **1** (*spezzarsi*) to break* (*anche fig.*); (*spaccarsi*) to split*; (*scoppiare*) to burst*: *Il ramo si schiantò sotto il peso della neve*, the branch broke under the weight of the snow; *Mi si schianta il cuore a pensarci*, it breaks my heart to think of it **2** (*abbattersi, andare a urtare*) to crash: **schiantarsi al suolo**, to crash to the ground; *È andato a schiantarsi con la macchina contro un muro*, his car crashed into a wall.

schiànto m. **1** (*rottura*) breaking; (*urto, crollo*) crashing, crash **2** (*rumore*) crack; crash: **uno s. di tuono**, a crack of thunder; **cadere con uno s.**, to fall with a crash; to crash to the ground **3** (*fig.*: *gran dolore*) great blow; (*lacerazione*) wrench: **s. al cuore**, blow to the heart; *La morte della madre fu uno s. per lui*, his mother's death was a terrible blow to him **4** (*fig. fam.*: *cosa o persona bellissima*) st. fantastic (*o* fabulous, gorgeous); stunner; knockout; smasher: **uno s. di moto**, a fantastic motorbike; **uno s. di ragazza**, a smashing girl; a knockout; *Oggi sei proprio uno s.*, you look gorgeous today; **un vestito che è uno s.**, a fabulous dress ● **di s.**, suddenly; all of a sudden; abruptly □ **cadere di s.**, to fall down in a heap; to collapse.

schiàppa f. (*fig.*: *persona incapace*) duffer; bungler; washout; dead loss; also-ran; (*sport*) rabbit (*fam. GB*).

schiariménto m. **1** (*lo schiarire*) brightening; clearing up **2** (*fig.*: *spiegazione*) explanation; elucidation, clarification; (*informazione*) information □: **ampi schiarimenti**, full explanation.

schiarire **A** v. t. **1** (*rendere più chiaro*) to brighten; (*un colore*) to lighten; (*tingere di colore più chiaro*) to dye (st.) a lighter shade; (*sbiadire*) to fade, to bleach: *Il sole mi ha schiarito i capelli*, the sun has lightened (*o* bleached) my hair; **farsi s. i capelli**, to have one's hair dyed a lighter shade **2** (*rendere più limpido*) to clarify; to refine; (*fig.*) to clear: **s. l'olio**, to refine oil; **schiarirsi la voce**, to clear one's throat; to harrumph (*USA*); **schiarirsi la testa** (*o* **le idee**), to clear one's head **3** (*diradare*) to thin out; to clear **B** v. i. e **schiarirsi** v. i. pron. **1** (*diventare più chiaro*) to grow* lighter; (*sbiadire*) to fade **2** (*rischiararsi*) to clear up; to brighten up; (*illuminarsi*) to brighten (up), to light* up: *Il cielo (si) schiariva*, the sky was clearing up (*o* brightening up); *Le si schiarì il volto*, her face brightened (up) **C** v. i. impers. **1** (*tornare sereno*) to clear up; to brighten up **2** (*farsi giorno*) to get* light: *Cominciava a schiarire*, it was getting light; the day (*o* dawn) was breaking **D** m. – **sullo schiarire del giorno**, at daybreak.

schiarìta f. **1** (*meteor.*) clearing up; brightening up; sunny spell: *Ci fu una breve s.*, the sky cleared up for a while; *Qualche s. nel pomeriggio*, sunny spells in the afternoon **2** (*fig.*: *miglioramento*) improvement; turn for the better; (*in una discussione*) opening: **una s. nei rapporti tra i due Paesi**, some improvement in the relations between the two countries; **una s. nella vertenza sindacale**, an opening in trade union negotiations.

schiàtta f. **1** (*lignaggio*) lineage; descent; blood; stock: **di nobile s.**, of noble lineage; **di s. reale**, of royal blood; **discendere da antica s.**, to descend from ancient lineage **2** (*progenie*) issue; offspring; descendants

(pl.).

schiattàre v. i. **1** (*fig.*: *scoppiare*) to burst; to be dying (of): **s. d'invidia**, to be dying of envy; to be eating one's heart out; **s. di rabbia**, to be livid; *C'è da s.!*, it's enough to make you mad! **2** (*crollare*) to collapse: *È schiattato all'ultimo giro*, he collapsed in the final lap **3** (*morire*) to drop (dead); to croak (*fam.*); to snuff it (*fam.*).

schiàva f. → **schiavo**, m.

schiavardàre v. t. to unbolt.

schiavétta f. (*iron.* o *spreg.*) slavey; drudge.

schiavétto m. (*iron.* o *spreg.*) errand boy.

schiavettóni m. pl. (*gergale*) handcuffs.

schiavìna f. (*stor.*) pilgrim's cloak **2** (*coperta*) coarse blanket.

schiavìsmo m. **1** slave system; slavery **2** (*fig.*) slave driving.

schiavìsta **A** m. e f. **1** (*sostenitore dello schiavismo*) advocate (*o* supporter) of slavery **2** (*mercante di schiavi*) slave trader; slaver **3** (*fig.*) slave driver: **comportarsi da s. con i sottoposti**, to slave-drive one's subordinates **B** a. slave (attr.): **società s.**, slave society; **gli Stati schiavisti degli USA**, the US slave states.

schiavìstico a. **1** pertaining to slavery; slave (attr.): **economia schiavistica**, slave economy **2** (*fig.*) slave-driving; tyrannical: **metodi schiavistici**, tyrannical methods.

schiavitù f. **1** slavery; (*condizione di schiavo*) slavery, bondage, servitude, enslavement; (*cattività*) captivity: **la s. nell'antica Grecia**, slavery in Ancient Greece; (*Bibbia*) **la s. babilonese**, the Babylonian Captivity; **l'abolizione della s.**, the abolition of slavery; **nato in s.**, born into slavery; slave-born; **liberare dalla s.**, to release from slavery (*o* from bondage); **ridurre in s.**, to reduce to slavery; to enslave **2** (*soggiogamento politico*) slavery; subjugation; subjection: **ridurre un popolo in s.**, to subjugate a people **3** (*fig.*) slavery; bondage; thrall; (*dipendenza*) addiction: **la s. del fumo [della droga]**, tobacco [drug] addiction; **la s. dell'orario a tempo pieno**, the slavery of a 9 to 5 job; **la s. del peccato**, the bondage of sin; *I figli a volte sono una s.*, children can really tie you down.

schiavizzàre v. t. **1** (*rendere schiavo*) to enslave; to reduce to slavery **2** (*trattare come schiavo*) to treat like a slave; to boss around; to subjugate.

schiavizzazióne f. **1** enslavement **2** (*fig.*) subjugation.

♦**schiàvo** **A** a. slave (attr.); enslaved; (*asservito*) subjugated, subject: **manodopera schiava**, slave labour; **popolo s.**, subject (*o* subjugated, enslaved) people ● **braccialetto alla schiava**, slave bracelet □ **sandali alla schiava**, lace-up sandals **B** m. (f. **-a**) **1** slave; bondservant: **commercio (o traffico, tratta) degli schiavi**, slave trade; **mercante di schiavi**, slave trader; slaver; **sorvegliante di schiavi**, slave driver; **lavorare come uno s.**, to work like a slave; to slave away; **vendere q. come s.**, to sell sb. into slavery **2** (*fig.*) slave; subject; (*dipendente da*) addict: **s. del dovere**, slave to duty; **s. della droga**, slave to drugs; drug addict; **s. della moda**, fashion slave (*o* victim); **s. della moglie**, slave to one's wife; **s. del peccato**, slave of sin; **s. dei pregiudizi**, prejudice-ridden (pred.); **s. del tabacco**, slave to tobacco; smoke addict; **essere [diventare] s. di**, to be [to become] a slave to; *Non voglio essere s. di nessuno*, I don't want to be subject to anybody; **rendere s.**, to make a slave (of sb.); to reduce to slavery; to enslave.

schiavóne a. e m. (*stor.*) Slavonian.

schiccheràre v. t. (*fam.*) to scribble; to scrawl.

schiccheratùra f. (*fam.*) scribble; scrawl.

schidionàre v. t. to put* on a spit; to skewer.

schidionàta f. spitful; skewerful.

schidióne m. spit; skewer.

♦**schièna** f. **1** back: **dare la s. a q.**, to have one's back turned on sb.; **sdraiarsi sulla s.**, to lie down on one's back; **voltare la s. a q.**, (*girarsi*) to turn one's back on sb.; (*essere girato*) to have one's back turned on sb.; **dolore alla s.**, pain in the back; **filo della s.**, backbone; spine; **il fondo (della) s.**, the small of the back; (*eufem.*) posterior, rear; **mal di s.**, backache **2** (*geogr.*) hog's back; ridge ● (*fig.*) **s. dritta**, shirker; skiver (*fam. GB*); goldbrick (*fam. USA*) □ **a s. d'asino**, (*di strada*) cambered; (*di ponte*) humpbacked; (*di tetto*) saddlebacked □ **avere buona s.**, to be a hard worker □ **curvare la s.**, to bend one's back; (*fig.*) to stoop, to submit oneself □ (*anche fig.*) **dietro la s. di q.**, behind sb.'s back □ **di s.**, from behind; from the back □ **mettersi di s.**, to turn one's back □ **piegare la s.**, to bend one's back; (*fig.*) to bend the knee, to stoop □ (*anche fig.*) **pugnalare q. alla s.**, to stab sb. in the back □ (*anche fig.*) **rompersi la s.**, to break one's back □ **sentirsi gli anni sulla s.**, to feel the weight of the years.

schienàle m. **1** back; backrest: **lo s. d'una poltrona**, the back of an armchair; **s. ribaltabile**, tip-up back; **sedia dallo s. alto**, high-backed chair **2** (*schiena di animale da macello*) saddle; (*midollo spinale di bestia macellata*) spinal marrow **3** (*stor., di armatura*) back-piece; back-plate **4** (*naut.*) backboard.

schienàta f. **1** blow on the back: **battere una s. contro qc.**, to hit one's back hard against st. **2** (*lotta*) fall.

schièra f. **1** (*mil.*) formation; array; (*fila*) rank; (*estens.: esercito, forze*) ranks (pl.), host (*lett.*): **le schiere nemiche**, the enemy's ranks; **a s.**, in formation; **a schiere serrate**, in serried ranks; **disporre in s.**, to array; to arrange in formation; **riordinare le proprie schiere**, to rearrange one's ranks (*o* forces) **2** host; array; arrangement; (*gruppo, compagnia*) group, party, band; (*folla*) crowd, multitude, swarm: **una s. di dimostranti**, a band of demonstrators; **una s. di fotografi**, a crowd of photographers; **una s. di invitati**, a party of guests; **una s. di sedie**, a row of chairs; **le schiere angeliche** (*o* celesti), the heavenly hosts; **schiere di creditori**, swarms of creditors; *Schiere di critici lo attaccarono*, a host of critics attacked him; *Si fecero avanti schiere di sostenitori*, swarms of supporters came forward; **a schiere**, in swarms; in crowds; in flocks; **disposto a s.**, (arranged) in a row; **villetta a s.**, terraced house (*GB*); row house (*USA*).

schieraménto m. **1** (*mil.: lo schierare*) marshalling, drawing up, arraying, deployment; (*mil.: formazione*) formation, lines (pl.): **s. di battaglia**, battle formation; **sfondare lo s. nemico**, to break through the enemy lines **2** (*sport*) formation; line-up **3** (*fig.*) front; alignment: **lo s. laico**, the lay parties (pl.); **il nuovo s. politico**, the new political alignment; **critiche da entrambi gli schieramenti**, criticism from both fronts.

schieràre A v. t. **1** (*mil.*) to draw* up; to line up; to deploy; to marshal; to array: **s. in ordine di battaglia**, to draw up in battle order; **s. truppe**, to deploy troops **2** (*sport*) to line up; to field: **s. la solita formazione**, to field the usual line-up **3** (*disporre in ordine*) to line up; to range; to arrange; to marshal: **s. i libri sullo scaffale**, to arrange the books on the shelf; **s. i propri argomenti**, to line up one's arguments B **schieràrsi** v. rifl. **1**

(*mil.*) to draw* up; to deploy **2** (*disporsi in fila*) to line up **3** (*fig.: parteggiare*) to take* sides; to side: **schierarsi a favore di q.**, to side with sb.; to take sb.'s side; to plump for sb. (*fam.*); **schierarsi con l'opposizione**, to side with the opposition; **schierarsi contro q.**, to take sides against sb.; to side against sb.; **schierarsi dalla parte di q.**, to side with sb.; *Preferisco non schierarmi*, I prefer not to take sides.

schiettaménte avv. (*apertamente*) openly, plainly, outright, straightly; (*sinceramente*) sincerely, frankly, candidly: **parlare s.**, to speak frankly (*o* openly, plainly); *Ti voglio dire s. quello che penso*, I'm going to tell you quite frankly (*o* candidly) what I think; **per dirla s.**, to be frank (*o* candid); to put it plain; to be quite candid about it.

schiettézza f. **1** (*purezza*) purity; genuineness **2** (*semplicità*) simplicity **3** (*sincerità, lealtà*) sincerity; candour; frankness; straightforwardness; openness; directness: **s. disarmante**, disarming frankness (*o* candour); **parlare con s.**, to speak with frankness (*o* with candour); to speak openly.

schiètto A a. **1** (*puro, genuino*) pure; genuine; true; **acqua schietta**, pure water; **vino s.**, genuine wine; **oro s.**, pure gold; **È la schietta verità**, it's the pure (*o* plain) truth **2** (*semplice, senza fronzoli*) plain; neat: **linee schiette**, neat lines **3** (*sincero*) true, sincere; (*franco, diretto*) frank, candid, straightforward, straight, direct, open, outright; (*senza peli sulla lingua*) plain-spoken, outspoken, blunt: **modi schietti**, direct ways; **risposta schietta**, straightforward (*o* straight, direct) answer; *Sarò s. con te*, I'll be quite frank with you B avv. → **schiettamente**

schifàre A v. t. **1** (*avere a schifo*) to loathe, to detest; (*disprezzare, rifiutare*) to look down on, to snub, to turn one's nose up at (*fam.*): **s. la carne**, to loathe meat; **s. i colleghi**, to look down on one's colleagues; *Ha schifato il mio invito*, she snubbed my invitation; *Schifa tutto quello che gli metto davanti*, he turns up his nose at everything I put before him **2** (*disgustare*) to disgust; to sicken; to make* sick: *I suoi modi mi hanno schifato*, I am disgusted by his manners; I found his manners nauseating; *La politica mi ha schifato*, politics make me sick; I've come to loathe politics B **schifàrsi** v. i. pron. to feel* disgust (for); to find* (st.) revolting.

schifàto a. disgusted: **essere s. di qc.**, to be disgusted with st.; **fare la faccia schifata**, to look disgusted; «*Sai che roba!*» *disse con aria schifata*, «Big deal!» she sneered (*o* snorted).

schifézza f. **1** (*l'essere schifoso*) filthiness; foulness; loathsomeness **2** (*cosa schifosa*) disgusting (*o* revolting, foul) thing; (*cosa sporca*) filth Ⓤ, muck Ⓤ, (*cosa sconcia*) filth Ⓤ; (*cosa malfatta, senza valore*) lousy thing, rubbish Ⓤ, trash Ⓤ: *Questo caffè è una s.*, this coffee is disgusting; *Il suo ultimo romanzo è una s.*, his latest novel is pure rubbish; **una s. di film**, a lousy film; *Non voglio che i bambini guardino schifezze alla televisione*, I don't want the children to watch filth on TV; *Che s.!*, how disgusting!; how revolting!

schifiltosità f. fastidiousness; fussiness; squeamishness.

schifiltóso A a. fastidious; fussy; squeamish: **s. nel mangiare**, fussy about one's food B m. (f. **-a**) fastidious person; fussy person: **fare lo s.**, to be too fussy.

schifìo m. – (*fam.*) **finire a s.**, to go to the dogs; to go to pot; to go down the drain.

♦**schifo** ① m. **1** (*ripugnanza*) repugnance; disgust; nausea: **avere s. di**, to loath; to be revolted (*o* nauseated) by; **fare s.**, (*disgustare*) to be revolting (*o* nauseating); (*nauseare*) to turn sb.'s stomach, to make sb. sick, to

nauseate; (*essere pessimo*) to be awful (*o* ghastly), to be yucky (*fam.*), to stink (*fam.*), to gross out (*fam. USA*); *La trippa mi fa s.*, I loathe tripe; tripe turns my stomach; *Mi fa s. solo il vederlo*, the very sight of him revolts me (*o* makes me sick); *Lavati, che fai s.!*, go and wash yourself, you're filthy!; *Ha su un vestito che fa s.*, (*è sporco*) her dress is filthy; (*è brutto*) her dress is ghastly; «*L'idea non è male*» «*Per me fa s.*», «It's not a bad idea» «I think it stinks»; *La nostra squadra ha fatto s.*, our side was pathetic; *Se non ti fa s.*, if it doesn't disgust you; (*iron.*) if it's not too much to ask; **ricco da fare s.**, stinking rich; *Che s.!*, how revolting!; yuck! (*fam.*); (that's) gross! (*fam. USA*) **2** (*schifezza*) revolting (*o* loathsome, nauseating) thing; (*cosa sporca*) filth Ⓤ, muck Ⓤ; (*cosa malfatta*) lousy thing: *La partita è stata uno s.*, it was a lousy match; **quello s. di film**, that lousy film; *È tutto uno s.!*, the whole thing makes me sick!

schifo ② m. (*naut.*) skiff.

schifo ③ → **scifo**.

schifosàggine f. **1** (*l'essere schifoso*) loathsomeness; repulsiveness; foulness; filthiness **2** (*cosa schifosa*) loathsome (*o* revolting) thing; filth Ⓤ.

schifosità → **schifosaggine**.

schifóso A a. **1** (*disgustoso*) disgusting; sickening; revolting; nauseating; (*di cibo*) yucky (*fam.*), gross (*fam. USA*); (*sporco*) filthy: **insetto s.**, revolting insect; **intruglio s.**, revolting concoction; yucky mess; **odore s.**, revolting smell **2** (*indecente*) filthy; obscene **3** (*pessimo*) lousy (*fam.*); trashy (*fam.*); stinking (*fam.*); gross (*fam. USA*): **raffreddore s.**, stinking cold; **tempo s.**, lousy weather **4** (*fam.: esagerato*) outrageous; shameless: **fortuna schifosa**, outrageous luck B m. (f. **-a**) **1** (*persona disgustosa*) disgusting person **2** (*persona odiosa*) bastard (m.); bitch (f.).

schinière m. (*stor.*) greave; jambeau* (*franc.*).

schino m. (*bot., Schinus molle*) pepper tree.

schioccàre v. t. e i. to crack; to snap; to click; to smack: (**far**) **s. le dita**, to snap (*o* to click) one's fingers; (**far**) **s. una frusta**, to crack a whip; (**far**) **s. le labbra**, to smack one's lips; (**far**) **s. la lingua**, to click one's tongue; *Gli schioccò un bacio*, she gave him a smacking kiss.

schioccàta f. (*di dita*) snapping; (*di frusta*) cracking; (*di labbra*) smacking.

schiòcco m. crack; snap; click; smack; pop: **uno s. delle dita**, a snap (*o* a click) of one's fingers; **lo s. d'una frusta**, the crack of a whip; **uno s. di lingua**, a click of the tongue; **lo s. di un ramo**, the snap (*o* the crack) of a branch; *Il tappo fece uno s.*, the cork popped; **bacio con lo s.**, smacking kiss.

schiodàre A v. t. to take* the nails out of; to unnail; (*mecc.*) to unrivet: **s. un coperchio**, to take the nails out of a lid B **schiodàrsi** v. i. pron. **1** to become* unnailed **2** (*fig. fam.: alzarsi*) to get* up, to get off one's backside (*USA* butt) (*fam.*), to get* one's backside (*USA* butt) off (st.) (*fam.*); (*allontanarsi*) to stir.

schiodatùra f. unnailing; (*mecc.*) unriveting.

schioppettàta f. shot; gunshot: **s. alla schiena**, shot in the back; *Si sentì una s.*, a gunshot was heard; *Fu colpito da una s.*, he was hit by a shot; **tirare una s. a**, to shoot; **prendere a schioppettate**, to shoot at.

schiòppo m. **1** (*stor.*) musket; flintlock **2** (*fucile*) gun; (*da caccia*) shotgun ● **essere a un tiro di s. da**, to be a stone's throw from.

schiribilla f. (*zool., Porzana parva*) crake.

schisi f. (*med.*) fissure: **s. del palato**, cleft palate.

schìsto e *deriv.* → **scisto**, e *deriv.*

schistosòma m. (*zool.*) schistosome; blood fluke.

schistosomiàṣi f. (*med.*) schistosomiasis*.

schitarraménto m., **schitarràta** f. prolonged strumming (*o* strum) (of a guitar).

schitarràre v. i. to strum a guitar.

schiùdere Ⓐ v. t. to open; to half-open; (*labbra*) to part: **s. le labbra in un sorriso**, to part one's lips in a smile; **s. gli occhi**, to open one's eyes Ⓑ **schiùdersi** v. i. pron. **1** to open; to half-open; (*di uova*) to hatch; (*di labbra*) to part: *I fiori si schiudono*, the flowers are opening **2** (*fig.*: *prospettarsi*) to open up; to dawn: *Gli si schiude un nuovo avvenire*, a new future is opening up for him.

♦**schiùma** f. **1** foam; froth; (*di sapone*) lather; (*scarto sulla superficie di un liquido*) scum: **s. da barba**, shaving lather; **s. della birra**, beer froth; beer head; **s. del mare**, sea foam; (*anche fig.*) **avere la s. alla bocca**, to foam (*o* to froth) at the mouth; **far s.**, to produce foam; to foam; (*di sapone*) to give a good lather, to lather; **levare la s. da un liquido**, to skim off the froth (*o* the scum) from a liquid; **bagno di s.**, bubble bath; **cappuccino con la s.**, frothy cappuccino; **estintore a s.**, foam extinguisher; **guance coperte di s.**, lathered cheeks **2** (*fig.*: *feccia, rifiuto*) scum: **la s. della società**, the scum of society ● **s. da lattice**, latex foam □ (*miner.*) **s. di mare**, sepiolite; meerschaum □ **pipa di s.**, meerschaum (pipe).

schiumaiòla f. skimmer.

schiumànte a. foaming; foamy; frothing; frothy; (*di cavallo*) lathery: **s. di rabbia**, foaming (*o* frothing) at the mouth; **birra s.**, frothy beer; **con la bocca s.**, with foaming mouth; foaming (*o* frothing) at the mouth.

schiumàre Ⓐ v. t. to skim: **s. il brodo**, to skim the broth Ⓑ v. i. to foam; to froth; (*di sapone*) to lather; (*di cavallo*) to lather: *L'acqua schiumava nella gola*, the water foamed in the gorge; **s. di rabbia**, to be foaming with rage; to be foaming (*o* frothing) at the mouth.

schiumaròla → **schiumaiola**.

schiumatóre m. – (*lett. o scherz.*) **s. dei mari**, sea-rover; pirate; buccaneer.

schiumògeno Ⓐ a. foaming; frothing Ⓑ m. **1** (*chim.*) foam generator; foaming agent **2** (*estintore*) foam extinguisher.

schiumosità f. foaminess; frothiness.

schiumóso a. foamy; frothy; (*di sapone*) lathery.

schiùsa f. **1** opening up **2** (*di uovo*) hatching.

schiùso a. open.

schivàbile a. avoidable.

schivàre v. t. (*evitare*) to avoid, to escape, to sidestep, to duck out of; (*rifuggire*) to shun, to steer clear of; (*scansare*) to dodge: **s. un colpo**, to dodge a blow; (*chinandosi*) to duck; **s. ogni compagnia**, to shun company; **s. un incidente**, to avoid an accident; **s. una difficoltà**, to sidestep a difficulty; **s. un lavoro**, to duck out of a job; **s. ogni lavoro**, to shirk work; to be work-shy; **s. un pedone**, to avoid a pedestrian; **s. un pericolo**, to avoid a danger; **s. una responsabilità**, to avoid (*o* to escape) a responsibility; *Cercai di s. i giornalisti*, I tried to avoid the journalists; *Tutti lo schivano*, everybody shuns (*o* avoids) him.

schivàta f. dodge; sidestep.

schìvo a. **1** (*riluttante*) shy (of); shunning (st.); shrinking (from): **s. di ricompense**, shy of rewards; **essere s. di elogi**, to shun praise **2** (*timido, ritroso*) shy; self-effacing; retiring.

schiẓofaṣìa f. (*psic.*) schizophasia.

schiẓòfita f. (*bot.*) schizophyte.

schiẓofrenìa f. (*psic.*) schizophrenia: **s. paranoide**, paranoid schizophrenia.

schiẓofrènico a. e m. (f. **-a**) (*psic.*) schizophrenic.

schiẓofrenògeno a. (*psic.*) schizophrenogenic; schizogenous.

schiẓogèneṣi f. (*biol.*) schizogenesis.

schiẓògeno a. (*biol.*) schizogenous.

schiẓogonìa f. (*biol.*) schizogony.

schiẓòide a., m. e f. (*psic.*) schizoid.

schiẓoidìa f. (*psic.*) schizoid personality.

schiẓolalìa f. (*psic.*) schizophasia.

schiẓomanìa f. (*psic.*) schizomania.

schiẓomicète m. (*biol.*) schizomycete.

schiẓónte m. (*biol.*) schizont.

schiẓotimìa f. (*psic.*) schizothymia.

schiẓotìpico a. (*psic.*) schizotypal: **disturbo s.**, schizotypal disorder.

♦**schiẓẓàre** Ⓐ v. t. **1** (*un liquido*) to squirt, to spurt; (*lanciare fuori*) to shoot* out; (*assol.*: *fare schizzi*) to splash about: **s. acqua dappertutto**, to splash water about; **s. sangue**, to spurt blood; (*anche fig.*) **s. veleno**, to spit out poison **2** (*spruzzare, sporcare*) to splash; to spatter; to splatter: **s. di fango [di sugo]**, to spatter with mud [with sauce]; **s. d'inchiostro**, to spatter [con una pompetta, ecc. to squirt] ink on **3** (*disegnare, abbozzare*) to sketch; to outline: **s. un paesaggio**, to sketch a landscape; **s. un quadro della situazione**, to outline a situation ● (*fig.*) **s. bile**, to be livid □ (*di occhi*) **s. fuoco**, to flash fire; to glare fiercely Ⓑ v. i. **1** (*di liquido*) to squirt; to spurt; (*zampillare*) to gush, to jet; (*di olio bollente*) to spit*; (*cadere a gocce*) to spatter, to splash: *La birra schizzò dalla lattina*, the beer spurted from the tin; *Un getto di sangue schizzò dalla ferita*, a jet of blood spurted (*o* gushed) from the wound; *L'olio schizzava dalla padella*, the oil was spitting from the pan; *Un po' di sugo schizzò sulla tovaglia*, a few drops of sauce spattered on the tablecloth **2** (*estens.*: *saltare via, fuori*) to shoot*; to dart; to spring*; to jump; to leap*: **s. dal letto**, to jump (*o* to leap) out of bed; **s. fuori**, to shoot out; to dart out; **s. in aria**, to shoot up; **s. in piedi**, to jump to one's feet; **s. via**, to shoot off; to dart off; *I prezzi sono schizzati alle stelle*, prices have shot up; *Aveva gli occhi che gli schizzavano dalle orbite*, his eyes were popping out of his head Ⓒ **schiẓẓàrsi** v. rifl. e intr. pron. **1** to splash oneself (with); to splash (st.) on oneself: *Ti sei schizzato di salsa*, you've splashed sauce on you **2** to get* splashed; to get* spotted: *Mi si è schizzata d'olio la cravatta*, my tie got splashed with oil.

schiẓẓàta f. (*spruzzo*) squirt, spurt; (*macchia*) spatter, splatter, splash: **una s. di vernice sulla tappezzeria**, a splash of paint on the wallpaper; *Una s. di fango le sporcò l'impermeabile*, mud splashed her macintosh.

schiẓẓàto ① a. splashed; splattered; spattered: **una camicetta tutta schizzata di sangue**, a blouse splattered with blood; **scarpe schizzate di fango**, mud-spattered shoes.

schiẓẓàto ② a. (*gergale*) **1** (*fuori di testa*) crazy; schizo (*fam.*); wigged (out) (*fam. USA*) **2** (*agitato*) jittery; wired (*fam. USA*).

schiẓẓatóio m. spray; syringe.

schiẓẓettàre v. t. (*med.*) to spray; to syringe.

schiẓẓétto m. **1** (*med.*) spray; syringe **2** (*giocattolo*) water pistol; squirt gun (*USA*) **3** (*scherz.*) dud rifle.

schiẓẓinosità f. fussiness; fastidiousness.

schiẓẓinóso Ⓐ a. fussy; finicky; fastidious; picky Ⓑ m. (f. **-a**) fussy (*o* finicky) person ● **fare lo s.**, to be fussy.

schìẓẓo m. **1** squirt; spurt; spatter; spattering ▣; (*zampillo*) gush, jet; (*macchia*) spot, splash, spatter, spattering ▣: **s. d'acqua**, squirt of water; **s. di sangue**, spurt (*o* jet) of blood; (*macchia*) spatter of blood; **uno s. di vernice sulla guancia**, a spot of paint on the cheek; **schizzi di fango**, splashes of mud; **gli schizzi della pioggia**, the spattering of the rain; **una camicia piena di schizzi d'unto**, a shirt spattered all over with grease **2** (*piccola quantità di liquido*) dash; drop; spot: **uno s. di cognac**, a dash of cognac; **uno s. di latte**, a drop of milk **3** (*disegno, abbozzo*) sketch; outline; (*schema*) draft: **s. a carboncino**, sketch in charcoal; charcoal sketch; **s. a mano libera**, free-hand sketch; **un breve s. della situazione**, a brief outline of the situation; **fare uno s.**, to sketch; to outline **4** (*guizzo*) dart; sort: *Con uno s. fu sull'albero*, he darted up the tree.

Schnauzer (*ted.*) m. inv. (*zool.*) schnauzer.

Schnorchel (*ted.*) m. inv. (*naut.*) snorkel.

schòla cantòrum (*lat.*) loc. f. inv. **1** (*spazio*) choir stalls (pl.) **2** (*cantori*) church choir.

schooner (*ingl.*) m. inv. (*naut.*) schooner.

♦**sci** m. **1** (*attrezzo*) ski*: **sci acquatici** (*o* **d'acqua**), water skis; **sci da fondo**, cross-country skis; **un paio di sci**, a pair of skis **2** (*sport*) skiing: **sci acrobatico**, freestyle skiing; **sci d'acqua** (*o* **nautico**), water-skiing; **sci di fondo**, cross-country skiing; **fare dello sci**, to ski; **gara di sci**, skiing competition; **indumenti da sci**, skiwear ▣; **maestro di sci**, ski instructor; **pista da sci**, ski-run; piste; **scarponi da sci**, ski boots; **tuta da sci**, ski suit.

scìa f. **1** (*naut.*) wake; wash; (*anche aeron.*) backwash: **s. dell'elica**, propeller wash; (*anche aeron.*) slipstream; **navigare nella s. di una nave**, to sail in the wake of a ship **2** (*autom.*) – (*sport*) **stare nella s.**, to slipstream **3** (*traccia*) trail: (*aeron.*) **s. di condensazione**, condensation trail; vapour trail; **s. di profumo**, trail of scent; **s. di sangue**, trail of blood; **s. luminosa**, trail of light; luminous trail **4** (*astron.*) trail; train: **s. meteorica**, trail of a meteor; **s. di una cometa**, comet train **5** (*fig.*) wake; footsteps (pl.): **mettersi sulla s. di q.**, to follow sb.'s wake; to tread in sb.'s footsteps; **sulla s. degli ultimi avvenimenti**, in the wake of the latest events; *Sulla s. di quanto è già stato detto...*, following what has already been said...

scià m. shah.

sciabécco m. (*naut.*) xebec, zebec.

sciàbica f. **1** (*rete da pesca*) trawl net: **pescare con la s.**, to trawl; **pesca con la s.**, trawling **2** (*imbarcazione*) trawler (boat) **3** (*zool., Gallinula chloropus*) moorhen; gallinule (*USA*).

sciabicàre v. i. to trawl.

sciàbile a. skiable; fit (*o* suitable) for skiing.

sciabilità f. suitability for skiing.

sciàbola f. (*anche scherma*) sabre, saber (*USA*): **tirare di s.**, to fence with a sabre.

sciabolàre Ⓐ v. t. to sabre, to saber (*USA*); to slash (with a sabre) ● **s. l'aria con le braccia**, to saw the air Ⓑ v. i. to strike* (*o* to slash) with a sabre.

sciabolàta f. **1** sabre cut; slash: **tirare una s.**, to strike (*o* to slash) with a sabre **2** (*fig.*: *shock*) fierce blow; shock **3** (*sport*) powerful kick; scorcher **4** (*fig.*: *giudizio avventato*) rash judgment.

sciabolatóre m. (f. **-trice**) (*scherma*) sabreur (*franc.*).

sciabordàre Ⓐ v. t. to slosh about Ⓑ v. i.

to wash; to lap.

sciabordìo m. washing; lapping.

sciacallàggio m. **1** (*furto*) looting **2** (*sfruttamento di una disgrazia altrui*) exploitation.

sciacallésco a. exploiting.

sciacàllo m. **1** (*zool.*, *Canis aureus*) jackal **2** (*fig.*: *saccheggiatore*) looter **3** (*fig.*: *chi sfrutta le disgrazie altrui*) exploiter; (*persona avida*) vulture.

sciaccò m. (*mil. stor.*) shako.

sciacquabudèlla m. inv. **1** (*vinello*) weak wine **2** (*brodaglia*) wish-wash.

sciacquadìta m. inv. finger bowl.

sciacquàre A v. t. to rinse (out): **s. una bottiglia**, to rinse a bottle; **s. i panni**, to rinse clothes; **sciacquarsi la bocca**, to rinse (out) one's mouth B **sciacquàrsi** v. rifl. **1** (*lavarsi velocemente*) to have a quick wash **2** (*togliersi di dosso il sapone*) to rinse off the soap.

sciacquàta f. **1** rinse; rinsing: **dare una s. a qc.**, to give st. a rinse **2** (*veloce lavata*) quick wash: **darsi una s.**, to have a quick wash.

sciacquatùra f. **1** (*lo sciacquare*) rinsing **2** (*acqua usata per sciacquare*) rinse-water; rinsings (pl.); (*di piatti*) dishwater **3** (*fig. spreg.*) dishwater.

sciacquétta f. (*region.*, *spreg.*) flighty girl; bimbo* (*fam.*).

sciacquìo m. (*sciabordio*) washing; lapping.

sciàcquo m. **1** rinsing, mouth-rinsing; gargle: **fare uno s.**, to gargle; **ordinare degli sciacqui**, to prescribe mouth-rinsing **2** (*collutorio*) mouthwash; gargle **3** (*di lavatrice*) rinse.

sciacquóne m. (toilet) flush: **tirare lo s.**, to flush the toilet.

sciàfilo a. sciophilous.

sciàfita f. (*bot.*) sciophyte.

sciaguattàre v. i. to splash about; to slosh about.

sciagùra f. **1** (*evento disastroso*) disaster; calamity; (*incidente*) accident, disaster, (*scontro, incidente aereo*) crash: **s. della strada**, road accident; **s. ferroviaria**, train crash; *Nella s. aerea sono morte cinquanta persone*, fifty people died in the crash; **recarsi sul luogo della s.**, to go to the scene of the disaster [of the crash] **2** (*disgrazia, rovina*) calamity, ruin; (*maledizione*) curse, bane; (*sfortuna*) misfortune, adversity: *Sei la s. della famiglia!*, you are the curse of the family!

sciaguratàggine f. **1** (*malvagità*) wickedness; iniquity **2** (*azione malvagia*) wicked action; iniquity.

sciaguratamènte avv. **1** (*disgraziatamente*) unfortunately; unluckily **2** (*in maniera empia*) wickedly; iniquitously.

sciagurato A a. **1** (*sventurato*) wretched; unlucky; unfortunate **2** (*disastroso, funesto*) disastrous; calamitous; dire; woeful: **idea sciagurata**, disastrous idea; **tempi sciagurati**, calamitous times **3** (*malvagio*) wicked; (*criminale*) iniquitous: **genitori sciagurati**, wicked parents; **lo s. sistema delle tangenti**, the iniquitous bribes system • **S. me!**, poor me!; woe to me! (*lett.*) B m. (f. *-a*) **1** (*persona sventurata*) wretch: *Bisogna fare qualcosa per quegli sciagurati*, something must be done for those wretches **2** (*persona malvagia*) criminal; scoundrel: *Chi è quello s. che ha rotto il vaso?*, who's the criminal that broke the vase?

scialacquaménto m. squandering; dissipation.

scialacquàre v. t. to squander; to dissipate; (*al gioco*) to gamble away; (*sprecare*) to waste; (*assol.*: *spendere senza ritegno*) to spend money like water, to play ducks and drakes with one's money (*fam.*): **s. un patrimonio**, to squander a fortune; **s. risorse**, to waste resources.

scialacquatóre m. (f. *-trìce*) squanderer; spendthrift.

scialàcquo m. squandering; (*spreco*) waste: **s. di soldi**, squandering of money; **s. di parole**, waste of words.

scialacquóne m. (f. *-a*) (*pop.*) squanderer; spendthrift; waster.

scialagògo (*farm.*) A a. sialagogic B m. sialagogue.

scialàre v. i. **1** (*spendere*) to squander money; to throw* (o to splash) money about: **s. in abiti e pellicce**, to squander money on clothes and furs; *È gente abituata a s.*, they are used to throwing money about; *Da noi non si sciala*, we haven't got money to throw about (o to burn) **2** (*godersela*) to have the time of one's life.

scialatóre m. (f. *-trìce*) squanderer; big spender; spendthrift.

scialbàre v. t. **1** (*intonacare*) to plaster **2** (*imbiancare*) to whitewash.

scialbatùra f. **1** (*intonacatura*) plastering **2** (*imbiancatura*) whitewashing.

scialbo a. **1** (*pallido*) pale, wan, colourless; (*sbiadito*) faded: **colorito s.**, pale complexion **2** (*debole*) pale; wan; weak; watery; feeble: **luce scialba**, pale (o weak, wan) light; **sole s.**, pale sun; **sorriso s.**, pale (o wan, watery) smile **3** (*fig.*) colourless; lacklustre; drab; dull; grey; flat; insipid; lifeless: **individuo s.**, colourless (o dull) person; **interpretazione scialba**, flat (o lifeless) rendering; **stile s.**, colourless (o dull, flat) style; **vita scialba**, dull life.

scialbóre m. (*fig.*) drabness; dullness; greyness; flatness; lifelessness.

sciallàto a. shawl (attr.): **collo s.**, shawl collar.

sciàlle m. shawl; wrap: **collo a s.**, shawl collar.

scialo m. **1** (*spreco*) waste; wastage; squandering; dissipation: **fare s. di denaro**, to squander money; to throw money about **2** (*uso abbondante*) lavish use, lavishness; (*sfoggio*) display, parade, ostentation: **fare s. di citazioni**, to be lavish with quotations; to quote lavishly; **fare s. di cortesie**, to abound in ceremonies; **a s.**, lavishly; galore.

scialoadenìte f. (*med.*) sialoadenitis.

scialografìa f. (*med.*) sialography.

scialorrèa f. (*med.*) sialorrhoea.

sci-alpinìsmo m. (*sport*) ski tourism.

sci-alpinìsta m. e f. (*sport*) ski tourist.

scialùppa f. launch; ship's boat: **s. di salvataggio**, lifeboat; boat: **calare in mare le scialuppe**, to lower the boats.

sciamanésimo → **sciamanismo**.

sciamànico a. shamanic.

sciamanìsmo m. shamanism.

sciamanìstico a. shamanistic.

sciamannàto a. unkempt; frowzy; slovenly.

sciamannóne m. (f. *-a*) frowzy person; slovenly person; slob (m.); frump (f.); slattern (f.).

sciamàno m. shaman.

sciamàre v. i. (*anche fig.*) to swarm.

sciamatùra f. swarming.

sciàme m. **1** (*anche fig.*) swarm: **s. di api**, swarm of bees; **s. di ragazzini**, swarm of children; **a sciami**, in swarms **2** (*fis.*) shower: **s. a cascata**, cascade shower **3** (*geol.*) – **s. sismico**, seismic swarm **4** (*astron.*) shower; swarm.

sciàmito m. (*ind. tess.*) samite.

sciampàgna m. inv. champagne.

sciampagnìno m. **1** fizzy soft drink **2** (*spumante*) sparkling white wine.

sciampagnòtta f. bottle for sparkling wines.

sciampìsta m. e f. shampooer.

sciàmpo m. shampoo: **fare uno s. a q.**, to shampoo sb.'s hair; *Vorrei fare lo s.*, I'd like to have my hair shampooed.

sciancàre A v. t. (*azzoppare*) to lame; (*storpiare*) to cripple B **sciancàrsi** v. i. pron. to dislocate one's hip; to become* lame; to become* a cripple.

sciancàto A a. **1** (*zoppo*) lame; (*storpio*) cripple **2** (*fig.*: *traballante*) wobbly; (*malandato*) rickety, dilapidated B m. (f. *-a*) cripple.

sciancràre v. t. (*sartoria*) to fit at the waist.

sciancràto a. (*sartoria*) fitting at the waist; waist-tight.

sciancratùra f. (*sartoria*) fitting at the waist.

sciangài m. (*gioco*) spillikins (pl. col verbo al sing.); jackstraws (pl. col verbo al sing.).

Sciangài f. (*geogr.*) Shanghai.

sciantósa f. cabaret singer; chanteuse (*franc.*).

sciàntung m. (*ind. tess.*) shantung.

sciàpo a. (*region.*) → **scipito**.

sciàra f. (*geol.*) volcanic scoria.

sciaràda f. **1** (*enigmistica*) charade **2** (*fig.*) puzzle; teaser.

sciaradìsta m. e f. charade expert; (*solutore*) charade solver.

♦**sciàre**① v. i. (*sport*) to ski: **s. sull'acqua**, to water-ski; **andare a s.**, to go skiing.

sciàre② v. i. (*naut.*) to back water; to back the oars.

♦**sciàrpa** f. **1** (*da collo*) scarf*; (*da spalle*) shawl **2** (*fascia di grado o di dignità*) sash **3** (*fasciatura*) sling.

sciarràno m. (*zool.*, *Serranus cabrilla*) comber; gaper.

sciàta f. run on skis; (al pl., anche) skiing 🄤: *Ho voglia di una bella s.*, I feel like skiing.

sciatalgìa, **sciàtica** f. (*med.*) sciatica.

sciàtico a. (*anat.*) sciatic: **dolori sciatici**, sciatic pains; **nervo s.**, sciatic nerve.

sciatóre m. (f. *-trìce*) skier.

sciatòrio a. ski (attr.); skiing (attr.).

sciattaménte avv. in a slovenly (o slipshod) way; slovenly; untidily; sloppily (*fam.*).

sciatterìa, **sciattézza** f. slovenliness; untidiness; sloppiness; (*nei vestiti, ecc.*, *anche*) frowziness, frumpiness (*generalm. rif. a donna*).

sciàtto a. (*trascurato nella persona*) untidy, slovenly, frowzy; (*negligente*) careless, sloppy; (*malfatto*) slipshod, sloppy, shoddy: **aspetto s.**, slovenly appearance; **lavoro s.**, slipshod (o shoddy, sloppy) piece of work work; **stile s.**, slipshod style.

sciattóna f. slatternly woman*; frump; slattern; slut.

sciattóne m. slovenly fellow; sloven; slob.

sciàvero m. **1** (*asse*) slab of wood **2** (*ritaglio*) piece of leather [of cloth].

scìbile m. knowledge: **lo s. umano**, human knowledge; **i rami dello s.**, the branches of knowledge.

sciccherìa f. (*fam.*) **1** (*l'essere chic*) chic; smartness; snazziness **2** (*cosa chic*) very chic thing; snazzy thing: **avere indosso una s.**, to wear a snazzy dress; to be snazzily dressed.

sciccóso a. (*fam.*) chic; smart; snazzy.

scichìmico a. (*chim.*) shikimic.

SCICO sigla (*Guardia di Finanza*, **Servizio centrale d'investigazione sulla criminalità organizzata**) organised crime investigation department.

scièntе a. (*lett.*) conscious; knowing; aware (pred.).

scienteménte avv. consciously; knowingly; scienter (*leg.*); (*di proposito*) intentionally.

scientífica f. (*polizia*) **1** (*reparto*) forensic department; crime lab (*USA*); forensics (*fam.*) **2** (*squadra, tecnici*) forensic team; forensic detectives (pl.).

scientificaménte avv. scientifically.

scientificità f. scientificity; scientific nature.

♦**scientífico** a. **1** scientific; science (attr.): **discipline scientifiche**, science subjects; **esperimento s.**, scientific experiment; **metodo s.**, scientific method; **polizia scientifica → scientifica**; **ricerca scientifica**, scientific research; **studi scientifici**, scientific studies; science studies **2** (*preciso, rigoroso*) scientific; orderly; methodical.

scientifizzazióne f. scientization.

scientìsmo ① m. (*filos.*) scientism.

scientìsmo ② m. (*relig.*) Christian Science.

scientìsta ① m. e f. (*filos.*) scientist.

scientìsta ② m. e f. (*relig.*) Christian Scientist.

scientìstico a. (*filos.*) scientistic.

♦**sciènza** f. **1** (*lett.: conoscenza*) knowledge; (*sapere*) learning, scholarship **2** science: **s. agraria**, agronomy; **s. degli ultrasuoni**, ultrasonics (pl. col verbo al sing.); **s. dell'alimentazione**, dietetics (pl. col verbo al sing.); **s. della Terra**, Earth sciences (pl.); **s. delle costruzioni**, tectonics (pl. col verbo al sing.); **s. delle finanze**, public finance; **s. dell'informazione**, information science; **s. elettronica**, electronics (pl. col verbo al sing.); **s. pura**, pure science; **scienze applicate**, applied sciences; **scienze della comunicazione**, media studies; **scienze economiche**, economics (pl. col verbo al sing.); **scienze esatte**, exact sciences; **scienze naturali**, life sciences; natural science (sing.); **scienze occulte**, occult sciences; **scienze politiche**, political science (sing.); **scienze sociali**, social science (sing.); **scienze umane**, life sciences; **scienze umanistiche**, humanities; **il progresso della s.**, scientific progress; **uomo di s.**, man of science; scientist **3** (al pl.) (*disciplina scolastica*) science (sing.): **studiare scienze**, to study science; **lezione di scienze**, science lesson; (*l'ora scolastica*) science class; **professore di scienze**, science teacher **4** (*relig.*) – S. **cristiana**, Christian Science ● **s. del poi**, hindsight □ **l'albero della s.**, the tree of knowledge □ **arca** (*o* **pozzo**) **di s.**, a walking encyclopaedia □ (*fam.*) **Crede di avere la s. infusa**, he thinks he knows everything □ (*stor.*) **l'albero della s.**, the gay science □ **spezzare il pane della s.**, to teach □ (*prov.*) **Esperienza, madre di s.**, experience is the best teacher.

♦**scienziàto** m. (f. **-a**) scientist.

sciffonièra f. chest of drawers; chiffonier (*franc.*).

scífo m. (*archeol.*) scyphus*.

scifozòo m. (*zool.*) scyphozoan; (al pl., *scient.*) Scyphozoa.

sciìstico a. ski (attr.); skiing (attr.): **gare sciìstiche**, skiing competitions; **località sciìstica**, ski resort; **stagione sciìstica**, ski season.

sciìta m. e f. (*relig.*) Shiite; Shia.

scilinguàgnolo m. loquacity; talkativeness; glibness; glib tongue: **avere lo s. sciolto**, to have a glib tongue; to have the gift of the gab (*fam.*); **perdere lo s.**, to lose one's tongue; **Gli s'è sciolto lo s.**, he has found his tongue again.

scílla f. (*bot.*, *Scilla maritima*) sea squill; sea onion.

Scìlla f. (*geogr., mitol.*) Scylla ● (*fig.*) **essere fra S. e Cariddi**, to be between the devil and the deep blue sea; to be caught between a rock and a hard place (*USA*); to be between Scylla and Charybdis (*lett.*).

scillàro m. (*zool.*, *Scyllarus arctus*) little Cape Town lobster; slipper lobster.

scimitàrra f. scimitar.

♦**scìmmia** f. **1** (*zool.*) monkey; ape: **s. antropomorfa**, ape; great ape; **s. cappuccina** (*Cebus*), Capuchin; **s. leonina** (*Leontocebus rosalia*), golden lion tamarin; **s. ragno** (*Ateles*), spider monkey; **s. Reso** (*Macaca mulatta*), rhesus monkey; **s. urlatrice** (*Alouatta*), howler (monkey) **2** (*fig.: persona maligna*) spiteful person; bitch (f.) (*fam.*) **3** (*gergo della droga*) monkey on one's back ● **arrampicarsi come una s.**, to climb like a monkey □ **brutto come una s.**, as ugly as sin □ **fare la s. a q.**, to mimic sb. □ **uomo-s.**, ape-man.

scimmiésco a. monkey (attr.); monkey-like; ape-like; monkeyish; apeish; simian: **agilità scimmiesca**, monkey-like agility; **muso s.**, monkey-face.

scimmiétta f. young monkey; (*anche fig.*) little monkey.

scimmióne m. (*anche fig.*) (big) ape.

scimmiottaménto m. aping ⓤ; copycatting (*fam.*).

scimmiottàre v. t. **1** (*parodiare*) to mimic **2** (*imitare pedissequamente*) to ape; to copy; to copycat (*fam.*).

scimmiottàta, **scimmiottatùra** f. aping ⓤ; copycatting (*fam.*) (*fam.*).

scimmiòtto m. **1** (*zool.*) young monkey **2** (*fig. scherz.*) little monkey.

scimpanzé m. (*zool.*, *Pan troglodytes*) chimpanzee.

scimunitàggine f. **1** foolishness; stupidity **2** (*azione da scimunito*) foolish (*o* stupid) act; silly thing; foolish behaviour ⓤ.

scimunito Ⓐ a. foolish; stupid Ⓑ m. (f. **-a**) fool; idiot.

scinàuta m. e f. (*sport*) water-skier.

scìnco m. (*zool.*, *Scincus scincus*) skink.

scìndere Ⓐ v. t. **1** (*dividere*) to split*; to divide; to break* up: **s. un partito politico**, to split a political party **2** (*separare*) to separate: **s. una questione dall'altra**, to separate one matter from the other; to consider each matter separately **3** (*chim.*) to resolve; to crack **4** (*fis. nucl.*) to split: **s. l'atomo**, to split the atom Ⓑ **scindersi** v. i. pron. (*dividersi*) to split*; to break* up.

scindìbile a. **1** divisible; separable **2** (*chim.*) resolvable **3** (*fis. nucl.*) fissionable; fissile.

scintigrafìa f. (*med.*) scintigraphy.

scintigràmma m. (*med.*) scintigram.

scintilla f. **1** spark: **s. d'accensione**, ignition spark; **emettere** (*o* **produrre, fare**) **scintille**, to give off sparks; to spark **2** (*fig.: illuminazione, sprazzo*) spark; sparkle: **la s. del genio**, the spark of genius; **mandare scintille** (*brillare*), to sparkle; to shine **3** (*fig.: accenno, traccia*) spark; sparkle; scintilla; glimmer: **s. d'interesse**, spark (*o* sparkle) of interest **4** (*fig.: causa*) spark: **la s. che fece scoppiare la guerra**, the spark that set off the war ● (*fig.*) **fare scintille**, to be a great success; to shine □ **Quando sono insieme fanno scintille** (*litigano*), sparks fly when they are together.

scintillaménto m. scintillation; sparkling ● (*cinem.*) **s. delle immagini**, flicker.

scintillànte a. **1** sparkling (*lampeggiante*) flashing; (*luccicante*) glittering, twinkling: **occhi scintillanti**, sparkling eyes; **vetrine scintillanti di gioielli**, shop-windows glittering with jewels **2** (*fig.*) sparkling; scintillating: **conversazione s.**, sparkling (*o* scintillating) conversation.

scintillàre v. i. **1** (*emettere scintille*) to spark; to give* out sparks **2** (*brillare*) to sparkle; (*lampeggiare*) to flash; (*luccicare*) to glitter, to twinkle: **Le acque scintillavano sotto la luna**, the water sparkled under the moon; **I suoi occhi scintillavano di gioia**, her eyes sparkled with joy; **Le stelle scintillavano nel cielo**, the stars were twinkling in the sky **3** (*astron., fis.*) to scintillate.

scintillatóre m. (*fis.*) scintillator.

scintillazióne f. (*astron., fis.*) scintillation.

scintillìo m. sparkling; sparkle; glittering; glitter; twinkle; twinkling.

scintillografìa → scintigrafia.

scintillògrafo m. (*med.*) scintillation counter.

scintillogràmma → scintigramma.

scintillòmetro m. (*astron.*) scintillometer.

scintoìsmo m. (*relig.*) Shinto; Shintoism.

scintoìsta (*relig.*) Ⓐ m. e f. Shintoist Ⓑ a. Shinto (attr.); Shintoistic.

scintoìstico a. (*relig.*) Shintoistic; Shinto (attr.).

sciò inter. shoo!

scioccaménte avv. foolishly; like a fool; stupidly.

scioccànte a. shocking; upsetting.

scioccàre v. t. to shock; to upset*.

♦**sciocchézza** f. **1** (*l'essere sciocco*) silliness; foolishness; stupidity **2** (*azione, parola sciocca*) foolish (*o* silly, stupid) thing, piece of nonsense; nonsense ⓤ; rubbish ⓤ (*fam.*): **Questa è una s.**, this is nonsense; **Hai fatto una s.**, you did a foolish thing; it was stupid of you to do that; that was a foolish thing to do; **Sarebbe una s. dargli carta bianca**, it would be foolish to give him a free hand; **fare** [**dire**] **una s.**, to do [to say] something silly (*o* foolish); **dire scioccezze**, to talk nonsense; **Non dire scioccezze!**, don't talk nonsense (*o* rubbish)!; don't be silly (*o* absurd, ridiculous)!; **Quello che ha scritto era solo una s.**, what she wrote was just (a piece of) nonsense; **Sono scioccezze belle e buone**, it's unadulterated nonsense; **Scioccezze!**, nonsense!; rubbish! **3** (*cosa da nulla*) trifle; (*cosa facile*) child's play ⓤ, cinch (*fam.*), doddle (*fam. GB*), breeze (*fam. USA*): (*di regalo*) **È una s., ma spero che ti piaccia**, it's only a trifle, but I hope you'll like it **4** (*prezzo basso*) next to nothing: **L'ho pagato una s.**, I got it for next to nothing (*o* for a song).

scioccezzàio → scemenzaio.

scioccezzuòla f. (*fam.: cosa senza importanza*) trivial detail; (al pl.) trivia; (*cosa da nulla*) mere trifle; (*regalino*) little something.

sciocchino m. (f. **-a**) foolish (*o* silly) boy (f. girl); ninny; chump.

♦**sciòcco** Ⓐ a. **1** silly; foolish; idiotic; daft (*fam. GB*); (*insulso*) inane, fatuous: **domanda sciocca**, silly question; **idea sciocca**, silly idea; daft notion; **s. orgoglio**, foolish pride; **osservazioni sciocche**, foolish (*o* inane, fatuous) remarks; **ragazza sciocca**, silly girl; **sorriso s.**, silly (*o* fatuous) smile **2** (*region.: insipido*) tasteless; insipid Ⓑ m. (f. **-a**) fool; simpleton: **fare lo s.**, to be silly; to play the fool; **Non è certo uno s.**, he's no fool; **È da sciocchi comportarsi così**, it's silly to behave like that.

scioccóne m. (f. **-a**) ninny; chump; dummy (*USA*); schmuck (*USA*).

♦**sciògliere** Ⓐ v. t. **1** (*disfare, slegare*) to untie, to unfasten, to undo*; (*allentare*) to loosen; (*sbrogliare*) to disentangle; (*naut.*) to unbend*, to unlash, to cast* loose: **s. una cintura**, to unfasten a belt; **s. la cravatta**, to loosen one's tie; **s. i capelli**, to let down one's hair; (*da un nastro*) to untie one's hair;

(*da forcine*) to unpin one's hair; **s. le catene**, to unfasten the chains; **s. un nodo**, to untie (*o* to undo) a knot; (*naut.*) **s. gli ormeggi**, to cast off (one's moorings); **s. le trecce**, to undo one's plaits; to unbraid (*o* to unplait) one's hair; (*naut.*) **s. una vela**, to unfurl (*o* to unbend) a sail **2** (*liberare*) to free; (*da catene, ceppi*) to unchain, unfetter; (*da un guinzaglio*) to let off the leash, to unleash: **s. i prigionieri**, to untie the prisoners; **s. i prigionieri dalle catene**, to unchain the prisoners; to free the prisoners from their chains; **s. un cane**, to unleash (*o* to unchain) a dog; to let (*o* to turn) a dog loose **3** (*fare soluzione*) to dissolve: **s. lo zucchero nell'acqua**, to dissolve sugar in water **4** (*liquefare*) to melt; to thaw: **s. del cioccolato**, to melt some chocolate; **s. il ghiaccio**, to melt (*o* to thaw) ice **5** (*porre fine a*) to dissolve; to annul; (*un gruppo, ecc.*) to dissolve, to disband; (*una riunione, ecc.*) to break* up; (*una società, ecc.*) to wind* up: **s. un club**, to disband a club; **un contratto**, to dissolve (*o* to annul) a contract; **s. un legame**, to dissolve a bond; **s. un matrimonio**, to dissolve a marriage; **s. un'organizzazione**, to dissolve (*o* to disband) an organization; **s. il Parlamento**, to dissolve Parliament; **s. un reggimento**, to disband a regiment; **s. una riunione**, to break up (*o* to close) a meeting; *La riunione è sciolta*, the meeting is closed; **s. una società**, (*di persone*) to break up a partnership; (*di capitali*) to wind up a company **6** (*adempiere*) to fulfil: **s. un obbligo [una promessa]**, to fulfil an obligation [a promise] **7** (*liberare da un obbligo*) to release; to free: **s. q. da un obbligo [da una promessa]**, to release sb. from an obligation [from a promise] **8** (*risolvere*) to resolve; to solve; (*dissipare*) to dispel: **s. un dubbio**, to resolve (*o* to dispel) a doubt; **s. un problema**, to solve a problem; **s. un mistero**, to solve (*o* to unravel) a mystery **9** (*rendere agile*) to loosen up; to limber up: **s. le gambe**, to loosen one's legs; **s. i muscoli**, to loosen up; to limber up **10** (*rilassare*) to loosen up • **s. la lingua a q.**, (*rendere loquace*) to loosen sb.'s tongue; (*constringere parlare*) to make sb. talk: *Il vino gli scioglie la lingua*, wine loosened his tongue; *Ti si è sciolta la lingua finalmente!*, you've found your tongue at last! □ **s. la riserva**, to make known one's intentions; (*polit.*) to agree to form a new government **B** **sciogliersi** v. rifl. (*liberarsi*) to free oneself; (*slegarsi*) to break* loose: **sciogliersi dalle catene**, to free oneself from the chains; *Il cane si era sciolto dalla catena*, the dog had slipped its chain; **sciogliersi da un impegno**, to free oneself from (*o* to get out of) an engagement; *Si sciolse dal suo abbraccio*, he freed himself from her embrace **C** **sciogliersi** v. i. pron. **1** (*di legatura, nodo, ecc.*) to come* undone; (*allentarsi*) to come* loose: *Ti si è sciolto il cravattino*, your bow tie has come undone; *La corda non si scioglie*, the rope won't come loose **2** (*disciogliersi*) to dissolve; (*fondere*) to melt; (*di neve, ghiaccio*) to melt, to thaw: **sciogliersi in acqua**, to melt in water; **sciogliersi in bocca**, to melt (*o* to dissolve) in one's mouth; (*fig.*) **sciogliersi in lacrime**, to dissolve into tears; to burst into tears; *La neve si sciolse presto*, the snow soon melted away (*o* thawed) **3** (*terminare*) to break* up; to end; (*di organizzazione*) to break* up, to be dissolved, to be disbanded; to close; (*di società*) to be wound up; (*disperdersi*) to scatter: *La seduta si sciolse alle diciotto*, the meeting broke up at six p.m.; *La società si è sciolta due anni fa*, the company was wound up two years ago; *Il corteo si scioglie*, the procession broke up **4** (*di vicenda, trama: concludersi*) to end; to come* to an end; to resolve: **sciogliersi felicemente**, to come to a happy end **5** (*fig.: rilassarsi*) to relax; (*comin-*

ciare a parlare) to open up.

scioglilingua m. inv. tongue-twister.

scioglimento m. **1** (*il disfare un legame*) undoing; unfastening; loosening **2** (*liquefazione, fusione*) melting; (*di neve, ghiaccio*) thawing, thaw; (*fis. nucl.*) meltdown: **lo s. dei ghiacciai**, the melting of glaciers **3** (*il porre fine*) dissolution; winding up; (*di riunione, gruppo*) breaking up, disbandment: **s. di un'assemblea**, breaking up of a meeting; **s. di un contratto**, cancellation of a contract; **s. di un matrimonio**, dissolution of a marriage; **s. di un ordine religioso**, dissolution of a religious order; **s. del Parlamento**, dissolution of Parliament; **s. d'una società**, (*di persone*) dissolution of a partnership; (*di capitali*) winding-up of a company **4** (*adempimento*) fulfilment: **s. di un voto**, fulfilment of a vow **5** (*soluzione*) solution: **s. d'un problema [d'un enigma]**, solution of a problem [of a puzzle] **6** (*fig.: epilogo*) ending; conclusion; (*letter.*) dénouement (*franc.*).

sciografia f. (*astron.*) sciagraphy, skiagraphy.

sciolina f. ski wax.

sciolinàre v. t. to wax; to apply ski wax to.

sciolinatùra f. ski-waxing; application of ski wax.

sciòlta f. (*fam.*) diarrhoea; (the) runs (pl.) (*fam.*); (the) trots (pl.) (*fam.*).

scioltamènte avv. **1** (*agilmente*) nimbly; easily **2** (*disinvoltamente*) freely; easily; smoothly **3** (*fluentemente*) fluently.

scioltézza f. **1** (*agilità*) nimbleness; suppleness: **s. di membra**, nimbleness (*o* suppleness) of limbs; **camminare con s.**, to walk freely **2** (*disinvoltura*) ease; smoothness; (*nel parlare*) fluency: **s. di lingua**, fluency of speech; **s. di modi**, easy manners; **s. di stile**, smoothness of style; smooth style; **parlare con s.**, to speak fluently; **vincere con s.**, to win easily; to win hands down.

♦**sciòlto** a. **1** (*slegato, slacciato*) loose; untied: **capelli sciolti**, loose hair; **portare i capelli sciolti**, to wear one's hair loose (*o* down); *Un capo della corda era s.*, one end of the rope was loose; **lasciare un cane s.**, to leave a dog untied **2** (*agile*) nimble; supple; limber: **dita sciolte**, nimble fingers; **membra sciolte**, supple limbs; **passo s.**, nimble gait **3** (*fig.: disinvolto*) easy; smooth; free; ready; effortless; fluent: **modi sciolti**, easy manners; **lingua sciolta**, ready tongue; (*parlantina*) glib tongue; **stile s.**, smooth (*o* easy) style **4** (*libero*) free; released: **s. da impegni**, free from engagements **5** (*fuso*) melted; thawed: **burro s.**, melted butter **6** (*sfuso*) loose; by the litre [the kilo, etc.] (pred.): *Queste caramelle si vendono sciolte*, these sweets are sold loose; **comperare olio d'oliva s.**, to buy olive oil by the litre **7** (*geol.*) incoherent; loose • (*fig.*) **a briglia sciolta**, at full tilt; headlong □ **abito s.** (*o* **dalla linea sciolta**), loose-fitting dress □ (*fig.*) **cane s.**, maverick □ **fogli sciolti**, loose sheets □ **linee sciolte**, flowing lines □ (*comm.*) **società sciolta**, defunct company □ (*letter.*) **versi sciolti**, unrhymed verse (sing.); blank verse (sing.).

scioperànte **A** a. on strike; striking **B** m. e f. striker.

scioperàre v. i. to strike*; to go* on strike; to come* out (*GB*); to walk out; to down tools (*fam.*); (*essere in sciopero*) to be on strike: **s. contro la minaccia di licenziamento**, to strike over threatened redundancies; **s. per ottenere un aumento salariale**, to strike for higher wages; **s. per il rinnovo del contratto**, to strike for a renewal of the contract; **s. per solidarietà [per protesta]**, to strike in sympathy (with sb.) [in protest for st.].

scioperatàggine, scioperatézza f. la-

ziness; sloth; idleness.

scioperàto **A** a. lazy; slothful; indolent; work-shy; idle **B** m. (f. **-a**) idler; loafer; layabout; good-for-nothing; wastrel.

♦**sciòpero** m. strike; walk-out (*fam.*); stoppage: **s. a oltranza**, all-out strike; **s. a scacchiera**, rolling strike; selective strike; **s. a singhiozzo**, on-off strike; **s. a sorpresa**, lightning strike; **s. articolato**, staggered strike; **s. bianco**, work-to-rule strike; **fare uno s. bianco**, to work to rule; **s. con occupazione**, sit-down strike; stay-in strike; **s. della fame**, hunger strike; **fare lo s. della fame**, to go on a hunger strike; **s. delle ferrovie**, rail strike; **s. dei mezzi pubblici**, public transport strike; **s. dei minatori**, miners' strike; **s. dei portuali**, dockers' strike; **s. di protesta**, protest strike; **s. di solidarietà**, sympathy strike; **s. di solidarietà coi portuali**, strike in sympathy with the dockers; **s. generale**, general strike; **s. nazionale**, nationwide strike; **s. per l'aumento dei salari**, strike for higher wages; **s. selvaggio**, wildcat strike; **s. televisivo**, TV blackout; **entrare in s.**, to go on strike; to come out (on strike); to walk out; **essere in s.**, to be on strike; to be out; **fare s.**, to go on strike; **proclamare (*o* indire) uno s.**, to call a strike; **far rientrare (*o* revocare) uno s.**, to call off a strike; **ricorrere allo s.**, to take strike action; **scendere in s.**, to go on strike; to come out (*GB*); **diritto di s.**, right to strike.

sciorinamènto m. **1** (*di panni*) hanging out **2** (*esposizione*) display; spreading out **3** (*ostentazione*) display; showing off.

sciorinàre v. t. **1** to hang* out: **s. il bucato**, to hang out the washing **2** (*esporre*) to display; to spread* out: **s. la propria merce**, to spread out one's goods **3** (*fig.: dire in abbondanza*) to pour out; to rattle off: **s. consigli [citazioni]**, to pour out advice [quotations]; **s. nomi [date]**, to rattle off names [dates] **4** (*fig.: ostentare*) to show* off; to parade: **s. la propria cultura**, to show off one's knowledge.

sciott m. (*geogr.*) shott; chott.

sciovia f. (*sport*) ski tow; ski lift; (*ad ancora*) T-bar lift.

scioviàrio a. ski-lift (attr.).

sciovinìsmo m. chauvinism; jingoism; flag-waving.

sciovinìsta m. e f. chauvinist; jingoist; flag-waver.

sciovinìstico a. chauvinistic; jingoistic; flag-waving (attr.).

Scipióne m. (*stor.*) Scipio.

scipitàggine, scipitézza f. **1** (*mancanza di sapore*) tastelessness; insipidness **2** (*fig.: insulsaggine*) vapidity; inanity; silliness **3** (*osservazione scipita*) inanity; (al pl., anche) vapid talk Ⓤ.

scipito a. **1** (*senza sapore*) tasteless; insipid: **cibo s.**, tasteless food **2** (*fig.: insulso*) vapid; inane; silly.

scippàre v. t. **1** to snatch (sb.'s bag): *Mi hanno scippato*, my bag was snatched; I had my bag snatched **2** (*fig.: privare*) to rob: *L'Inter ha scippato la vittoria alla Roma*, Inter robbed Roma of victory.

scippatóre m. (f. **-trice**) bag-snatcher.

scìppo m. bag-snatching: **subire uno s.**, to have one's bag snatched.

sciroccàle a. sirocco (attr.); south-easterly (attr.); south-east (attr.).

sciroccàta f. sirocco gale; south-easterly gale.

sciroccàto (*gergale.*) **A** a. nutty (*fam.*); screwy (*fam.*); weirdo (*fam.*) **B** m. (f. **-a**) nutcase (*fam.*); weirdo (*fam.*).

sciròcco m. **1** (*vento*) sirocco; south-east wind; south-easter **2** (*punto cardinale*)

sciroppàre v. t. **1** to syrup; to preserve in syrup **2** (**sciropparsi**, *fig.*) to (have to) put* up with; (*dover ascoltare, ecc.*) to have to sit through; (*badare a*) to have to look after: **s. una conferenza di due ore**, to have to sit through a two-hour lecture; *Mi sono sciroppàto una vecchia zia per una settimana*, I had to look after an old aunt for a week.

sciroppàto a. in syrup (pred.).

sciròppo m. syrup: **s. d'acero**, maple syrup; **s. di lamponi**, raspberry wine; **s. per la tosse**, cough syrup (*o mixture*).

sciroppóso a. (*anche fig.*) syrupy.

scirpéto m. reed bed.

scirro m. (*med.*) scirrhus*.

scìsma m. **1** (*relig.*) schism: **lo s. d'Oriente** (*o il Grande s.*), the Byzantine Schism; the Great Schism **2** (*polit.*) split; schism.

scismàtico a. e m. schismatic.

scissile a. scissile.

scissióne f. **1** (*spaccatura, anche fig.*) split, splitting, cleavage; (*divisione*) division, separation: **s. di un partito**, party split; **gruppo nato dalla scissione del partito**, breakaway (*o splinter*) group; **operare una s.**, to split; to bring about a split **2** (*fis.*) fission: **s. indotta**, induced fission; **s. nucleare**, nuclear fission; **energia di s.**, fission energy; **prodotti della s.**, fission products; **soglia di s.**, fission threshold **3** (*biol.*) fission: **riproduzione per s.**, reproduction by fission **4** (*psic.*) – **s. dell'Io**, splitting of the ego.

scissionismo m. (*polit.*) secessionism; breakaway tendency.

scissionista m. e f. (*polit.*) secessionist.

scissionìstico a. (*polit.*) breakaway (attr.); secessional: **gruppo s.**, breakaway group; splinter (group).

scissiparità f. (*biol.*) schizogenesis; fissiparity.

scissìparo a. (*biol.*) fissiparous.

scìsso a. split; divided; fissured.

scissùra f. **1** (*fig.*) split; rift; dissension **2** (*anat.*) fissure; sulcus*: **s. di Rolando**, fissure of Rolando; central sulcus.

scìsto m. (*geol.*) schist; shale: **s. argilloso**, shale; **s. bituminoso**, oil shale; **olio di s.**, shale oil.

scistosità f. (*geol.*) schistosity.

scistóso a. (*geol.*) schistose: **argilla scistosa**, shale clay; **roccia schistosa**, schist.

scìtico a. (*stor.*) Scythian.

sciupacchiàre v. t. (*fam.*) to spoil; to mess up.

sciupafémmine m. inv. (*scherz.*) womanizer; seducer; wolf (*fam.*).

sciupàre A v. t. **1** (*guastare, rovinare*) to spoil*; to ruin; to mar; to mess up (*fam.*): **s. l'appetito**, to spoil sb.'s appetite; **s. l'effetto**, to spoil (*o to mar*) the effect; **s. la festa**, to spoil the fun; to take all the fun out of st.; **s. un paio di scarpe**, to ruin a pair of shoes; **s. la serata a q.**, to spoil sb.'s evening; *Non sciuparmi la messimpiega*, don't mess up (*o spoil, USA* muss up) my hairdo **2** (*sprecare, sperperare*) to waste; to squander: **s. l'acqua**, to waste water; **s. il fiato**, to waste one's breath; **s. un'occasione**, to waste (*o to throw away*) an opportunity; **s. il proprio tempo**, to waste one's time; **venir sciupato**, to be wasted; to go to waste B **sciupàrsi** v. i. pron. **1** (*guastarsi, rovinarsi*) to spoil*, to be spoiled, to be * ruined; (*sgualcirsi*) to crease, to get* creased: *La camicetta si è sciupata nel lavaggio*, the blouse was ruined in the washing; *Metti i vestiti in valigia in modo che non si sciupino*, pack the clothes so that they won't crease **2** (*deperire*) to wear* oneself out; to waste away; (*fam. iron.*) to strain

oneself, to overwork oneself: *Si è molto sciupata in questi anni*, she has worn herself out these last few years; *Non ti sei sciupato!*, you certainly haven't overworked yourself!

sciupàto a. **1** (*guastato, rovinato*) spoiled, ruined; (*sgualcito*) creased, wrinkled; (*consunto*) worn, tatty, shabby; (*di merce in negozio*) shop-soiled: **scarpe sciupate**, worn shoes; **mani sciupate**, worn-out hands **2** (*sprecato*) wasted: **occasione sciupata**, wasted opportunity; *È denaro s.*, it's a waste of money; it's money down the drain (*fam.*); *È tempo s.*, it's a waste of time! **3** (*affaticato*) run down; (*deperito*) worn out: **viso s.**, worn-out face; *Hai l'aria un po' sciupata*, you look a bit run down.

sciupìo, **sciùpo** m. waste; (*uso smodato, anche*) squandering, wasteful use: **s. d'energia**, waste of energy; **s. di tempo**, waste of time; **s. di risorse**, waste (*o squandering*) of resources.

sciupóne m. (f. **-a**) waster; wasteful person; (*scialacquatore*) squanderer, spendthrift.

sciùride m. (*zool.*) sciurine; (al pl., *scient.*) Sciuridae.

sciuscià m. shoeshine boy.

scivolaménto m. **1** sliding; slipping; gliding **2** (*di prezzi, ecc.*) slippage; drop **3** (*geol., mecc.*) slip.

♦**scivolàre** v. i. **1** (*scorrere*) to slide*; (*leggermente, dolcemente*) to glide; (*sulla corrente o fig.*) to drift: **s. giù per la ringhiera delle scale**, to slide down the banister; **s. verso la guerra**, to drift towards war; *La barca scivolava sul lago tranquillo*, the boat glided on the calm lake; *La spada scivolò fuori dal fodero*, the sword slid out of its scabbard **2** (*sguisciare*) to slip: **s. in una stanza**, to slip into the room; *Il vaso mi scivolò di mano*, the vase slipped from my hand; *Il libro mi scivolò dalle ginocchia*, the book slipped off my knees; **far s. una mano in tasca**, to slip one's hand into one's pocket; *Feci s. una moneta nella mano dell'uomo*, I slipped a coin into the man's hand **3** (*sdrucciolare, anche fig.*) to slip; (*di veicolo*) to skid: (*anche fig.*) **s. su una buccia di banana**, to slip on a banana skin; **s. su una domanda facile**, to slip on an easy question; *Scivolai sul ghiaccio e mi ruppi una gamba*, I slipped on the ice and broke my leg; *Qui si scivola!*, it's slippery here! **4** (*fig.: passare sopra*) to pass (over); to slide* (over); to gloss (over): **s. su un argomento scabroso**, to gloss over an awkward topic **5** (*fig.: passare*) to turn (to): *La conversazione scivolò sull'ultimo film*, the conversation turned to the latest film **6** (*aeron.*) to slip; to slide*: **s. d'ala**, to sideslip; to slip; **s. di coda**, to tail-slide; to slide **7** (*mus.*) to glide ● **s. nelle cattive abitudini**, to slip into bad habits □ **s. nell'oblio**, to lapse into oblivion □ **s. nel peccato**, to lapse into sin □ **s. nel ridicolo**, to become ridiculous □ **s. nel sonno**, to drift off to sleep; to drop off.

scivolàta f. **1** (*lo scivolare*) slide; sliding; (*scivolone*) slip, slipping: **fare una s.**, (*per gioco*) to have a slide, to slide; (*involontariamente*) to slip **2** (*aeron.*) slip; slide: **s. d'ala**, sideslip; slip; **s. di coda**, tail-slide; slide.

scivolàto a. **1** (*moda*) loose-fitting; flowing **2** (*mus.*) glided: **note scivolate**, glided notes.

♦**scìvolo** m. **1** (*piano inclinato*) slide; chute; ramp; (*naut.*) slipway: **s. di carico**, loading chute **2** (*di marciapiede*) dropped kerb **3** (*gioco*) slide: **s. d'acqua**, water chute; **s. a spirale** (*di luna park*), spiral slide; helter-skelter (*GB*).

scivolóne m. **1** slide; (*caduta*) bad (*o nasty*) fall: **fare uno s.**, to have a bad fall; to slip badly **2** (*fig.: errore*) bad slip; blunder **3**

(*fig.: sconfitta*) defeat, tumble; (*peggioramento, caduta*) plunge, nosedive: **lo s. del partito alle recenti elezioni**, the party's defeat in the recent election; **lo s. del dollaro**, the plunge of the dollar; **fare uno s.**, (*essere sconfitto*) to take a tumble; (*crollare*) to plummet.

scivolosità f. slipperiness.

scivolóso a. **1** slippery **2** (*fig.*) slippery; shifty.

Scizia f. (*geogr., stor.*) Scythia.

sclarèa f. (*bot., Salvia sclarea*) clary.

sclèra → **sclerotica**.

scleràle a. (*anat.*) scleral.

scleràre v. i. (*fam.*) to flip; to freak out; to come* unglued (*slang*).

sclerènchima m. (*bot.*) sclerenchyma*.

sclerenchimàtico a. sclerenchymatous.

sclerite① f. (*med.*) scleritis.

sclerite② f. (*zool.*) sclerite.

sclerodermìa f. (*med.*) scleroderma.

scleròma m. (*med.*) sclerosis.

sclerometrìa f. (*tecn.*) sclerometry.

scleròmetro m. (*tecn.*) sclerometer.

scleroproteìna f. (*biochim.*) scleroprotein.

scleroṣànte a. (*med.*) sclerosing.

scleroṣàre v. t. (*med.*) to sclerose.

scleroscòpio m. (*fis.*) Scleroscope®.

scleroṣi f. (*med. e fig.*) sclerosis: **s. multipla** (*o a placche*), multiple sclerosis; **la s. della vita politica**, political sclerosis.

scleróso a. (*bot.*) sclerous.

scleròtica f. (*anat.*) sclera; sclerotic.

scleròtico a. **1** (*med.*) sclerotic; sclerosed; hardened **2** (*fig.*) sclerotic.

sclerotizzàre A v. t. **1** (*med.*) to sclerose; to harden **2** (*fig.*) to harden; to make* sclerotic B **sclerotizzàrsi** v. i. pron. **1** (*med.*) to become* sclerotic; to harden **2** (*fig.*) to harden; to become* sclerotic.

sclerotizzàto a. **1** (*med.*) sclerosed **2** (*fig.*) sclerotic; rigid.

sclerotizzazióne f. sclerotic process.

sclerotomìa f. (*med.*) sclerotomy.

scleròtomo m. (*anat., chir.*) sclerotome.

scleròzio m. (*bot.*) sclerotium*.

SCO sigla (*polizia*, **Servizio centrale operativo**) central operations service.

scòcca f. **1** (*autom.*) body: **s. portante**, monocoque **2** (*di divano, ecc.*) frame; supporting structure.

scoccàre A v. t. **1** (*scagliare, lanciare*) to shoot*: **s. una freccia**, to shoot an arrow **2** (*di orologio*) to strike*: *L'orologio scoccava le sette*, the clock was striking seven **3** (*fig.: mandare*) to shoot*; to cast*: **s. un'occhiata**, to shoot (*o to cast*) a glance; **s. un bacio**, to plant a kiss (on sb.'s cheek, forehead, etc.); (*sulle dita*) to blow a kiss B v. i. **1** (*scattare*) to be released; to spring* up **2** (*delle ore*) to strike*: *Scoccano le dieci*, it is striking ten; *Sono appena scoccate le quattro*, it has just struck four; *La sua ora è scoccata*, his hour has come **3** (*balenare*) to flash; to go* off: *Scoccò una scintilla*, a spark went off C m. striking; stroke: **allo s. delle dodici**, on the stroke of twelve.

scocciànte a. (*fam.*) irritating; tiresome; provoking; aggravating (*fam.*); pesky (*fam. USA*): **cosa [persona] s.**, nuisance; bother; pain in the neck (*fam.*); **faccenda s.**, nuisance; bother; hassle (*fam.*); drag (*fam.*); *La cosa s. è che…*, what infuriates me (*fam.* what gets on my nerves, what bugs) me is…; *È s. dover dipendere sempre dagli altri*, it's irritating always having to depend on others; *Non vorrei essere s., ma…*, I don't want to be a bother, but…; *Come sei s.!*, you really are a nuisance!; you really are a pain in

the neck!

scocciàre ① (*fam.*) **A** v. t. (*irritare*) to irritate, to annoy, to irk, to bug (*fam.*), to peeve (*fam.*), to rile (*fam.*); (*dare fastidio*) to bother, to pester; (*annoiare*) to bore: *Mi spiace scocciarti, ma ho bisogno di aiuto*, sorry to bother you, but I need help; *Quello che mi scoccia è dover tornare indietro*, what irritates (*fam.* bugs) me is having to go back; *Ti scoccia se gli parlo io?*, do you mind if I talk to him?; *Piantala di s.!*, stop bothering me!; *Mi avete proprio scocciato*, I'm really fed up with you; I've really had enough of you; *Non ti scoccerò coi particolari*, I won't bore you with the details **B** **scocciàrsi** v. i. pron. (*irritarsi*) to be put out, to get* peeved (*fam.*); (*stufarsi*) to get* fed up (with), to have had enough (of): *Mi sono un po' scocciato quando li ho sentiti ridere*, I was a bit put out when I heard them laugh; *Si è scocciata perché non gliel'abbiamo detto*, she was peeved we didn't tell her; *Si è scocciato di aspettare e se n'è andato*, he got fed up with waiting, and left; *Basta, mi sono scocciato!*, OK, now I've had enough!

scocciàre ② **A** v. t. (*naut.*) to unhook **B** **scocciàrsi** v. i. pron. to get* off the hook.

scocciàto a. (*fam.*: *irritato*) irritated, put out, browned off (*fam.*); (*stufo*) bored, fed up, cheesed off (*fam. GB*): *Mi pareva s.*, he looked put out; he looked bored; he sounded cheesed off.

scocciatóre m. (f. **-trice**) (*fam.*: *seccatore*) nuisance, pest, pain in the neck (*fam.*), public nuisance (*fam.*); (*persona noiosa*) bore.

scocciatùra f. (*fam.*; *seccatura*) bother; nuisance; bind (*fam.*); hassle (*fam.*); pain (*fam.*); (*cosa noiosa*) bore, drag (*fam.*): *È stata una bella s. dover...*, it's been a real hassle to...; *Mi spiace darti questa s.*, I'm sorry to bother you.

scòcco m. **1** (*di freccia e sim.*) shooting off **2** (*di orologio*) striking; stroke **3** (*naut.*) – **gancio a s.**, pelican hook; slip hook.

scodàre v. t. to cut* the tail off; to dock.

scodàto a. **1** (*con la coda mozza*) docked **2** (*senza coda*) tailless.

♦**scodèlla** f. **1** (*per minestra*) soup plate; soup bowl **2** (*ciotola*) bowl **3** (*contenuto di una s.*) plate, plateful; bowl, bowlful **4** (*geol.*) bowl; natural basin.

scodellàre v. t. **1** (*versare nel piatto*) to ladle out; to dish up; to serve up: **s. la minestra**, to dish up the soup **2** (*fig.*: *dare, tirar fuori*) to produce; (*dire*) to pour out: **s. una serie di informazioni**, to produce a whole lot of information; **s. bugie**, to pour out lies; (*fam.*) **s. un figlio ogni due anni**, to produce a child (*o* to have a baby) every second year.

scodellàta f. plateful; plate; bowlful; bowl.

scodellàto a. dished out; served up ● (*fig. fam.*) **volere la pappa bell'e scodellata**, to expect everything served up on a plate.

scodellìna f. **1** small bowl **2** (*bot.*, *Cotyledon umbilicus*), pennywort.

scodellìno m. **1** (*mecc.*) cup; cap **2** (*di arma da fuoco antica*) pan.

scodinzolaménto m. **1** tail-wagging **2** (*fig.*: *ancheggiamento*) swaying of the hips; wiggling of the hips **3** (*fig.*: *adulazione*) fawning, toadying **4** (*autom.*) fishtailing.

♦**scodinzolàre** v. i. **1** to wag the tail **2** (*fig.*: *ancheggiare*) to sway one's hips; to wiggle one's hips **3** (*fig.*: *adulare*) to suck up (to); to toady (to); to fawn (on): *Guarda come scodinzola intorno al direttore!*, look at him sucking up to the boss!

scodinzolìo m. tail-wagging.

scodinzolo m. (*sci*) zigzagging.

scoglièra f. (*a picco*) cliff, rocks (pl.); (*a fior d'acqua*) reef: **s. corallina**, coral reef; **le bianche scogliere di Dover**, the white cliffs of Dover.

♦**scòglio** m. **1** rock; (al pl., collett., anche) reef (sing.): **scogli a fior d'acqua**, rocks awash; reef; **s. sommerso**, sunken (*o* submerged) rock; (*geol.*) **s. tettonico**, outlier; **naufragare sugli scogli**, to be shipwrecked on a reef; **urtare contro uno s.**, to hit against a rock; **banco di scogli**, reef; ledge **2** (*fig.*) stumbling-block; obstacle; hurdle.

scoglionaménto m. (*volg.*) **1** pissed-off mood **2** → **scoglionatura**.

scoglionàre (*volg.*) **A** v. t. to piss off **B** **scoglionàrsi** v. i. pron. (*irritarsi*) to get* pissed off, to be pissed off; (*stufarsi*) to have had it up to here.

scoglionàto a. (*volg.*) **1** (*scocciato*) pissed (off); bummed (*slang USA*) **2** (*scalognato*) jinxed; fucked up.

scoglionatùra f. (*volg.*) pain in the arse (*USA* ass).

scoglióso a. rocky.

scoiàre e *deriv.* → **scuoiare**, e *deriv.*

♦**scoiàttolo** m. (*zool.*, *Sciurus vulgaris*) squirrel: **s. grigio**, grey squirrel; **s. rosso**, red squirrel; **s. volante**, flying squirrel ● **agile come uno s.**, as nimble as a monkey □ **arrampicarsi come uno s.**, to climb like a monkey.

scolabottiglie m. inv. **1** bottle drainer; bottle rack **2** (*fig. pop.*) drunkard; sot; boozer.

scolabròdo m. inv. colander; strainer.

scolafritto m. inv. oil dripper; drainer.

scolapàsta m. inv. colander.

scolapiàtti m. inv. dish drainer; (*accanto al lavabo*) draining board; (*a rastrelliera*) draining rack.

scolaposàte m. inv. cutlery drainer.

scolàra f. → **scolaro**.

scolàre ① **A** v. t. **1** (*un recipiente*) to drain; to empty: **s. una botte**, to drain a barrel **2** (*verdura, ecc.*) to drain dry; (*con un colino*) to strain: **s. gli spinaci**, to strain the spinach; **s. la pasta**, to strain the pasta **3** (*fig.*: *bere fino in fondo*) to drain; (*tracannare*) to down: **scolarsi una bottiglia di vino**, to drain a bottle of wine; **scolarsi un bicchiere**, to down a glass **B** v. i. to drain; (*gocciolare*) to drip: **mettere i piatti a s.**, to put the plates on the rack to drain; **lasciar s. qc.**, to let st. drip.

scolàre ② a. school (attr.): **età s.**, school age; **ragazzi di età s.**, school-age kids.

scolarésca f. (*d'una scuola*) pupils (pl.), students (pl.); (*d'una classe*) class.

scolarésco a. schoolboyish; schoolboy (attr.).

scolarétto m. (f. **-a**) schoolboy (f. schoolgirl): **comportarsi come uno s.**, to behave like a schoolboy.

scolarità f. (*frequenza scolastica*) school attendance; (*istruzione, formazione scolastica*) school education: **indice di s.**, school-attendance rate.

scolarizzàre v. t. **1** (istruire) to educate **2** (*imporre l'obbligo scolastico*) to impose school attendance on.

scolarizzazióne f. **1** schooling; education: **livello di s.**, educational level **2** (*frequenza scolastica*) school attendance.

♦**scolàro** m. (f. **-a**) **1** schoolboy (f. schoolgirl); (*alunno*) pupil; (*nei composti*) grader (*USA*): **uno s. di quinta**, a fifth-form pupil (*GB*); a fifth-grader (*USA*); **s. modello**, model schoolboy **2** (*discepolo*) disciple ❶ **FALSI AMICI** ● scolaro, scolara *non si traducono con* scholar.

scolàstica f. (*filos.*) scholasticism.

scolasticàto m. (*relig.*) scholasticate.

scolasticìsmo m. (*filos.*, *teol.*) scholasticism.

scolasticità f. academicism; conventionalism.

♦**scolàstico** **A** a. **1** school (attr.); scholastic; educational; education (attr.): **anno s.**, school year; **aula scolastica**, classroom; **calendario s.**, school calendar; **consiglio s.**, school board; **ispettore s.**, school inspector; **obbligo s.**, compulsory education; **riforma scolastica**, school reform; educational reform; **sistema s.**, school system; education system; **tasse scolastiche**, school fees **2** (*fig. spreg.*) formal; academic; conventional **3** (*filos.*, *teol.*) scholastic **B** m. (*filos.*, *teol.*) scholastic; schoolman*.

scolasticùme m. (*spreg.*) **1** (*dogmatismo*) dogmaticism **2** (*pedanteria*) pedantry; narrow-mindedness.

scolatìccio m. drippings (pl.).

scolatóio m. drainer; draining board.

scolatùra f. **1** (*lo scolare*) draining; dripping **2** (*materia scolata*) drippings (pl.); drainings (pl.).

scolecite f. (*min.*) scolecite.

scoliàste m. scholiast.

scòlice m. (*zool.*) scolex*.

scolìna f. drain; sluice.

scòlio ① m. (*letter.*) scholium*; marginal note; comment.

scolio ② m. (*deflusso*) dripping; draining away.

scoliòsi f. (*med.*) scoliosis.

scoliòtico (*med.*) **A** a. scoliotic **B** m. (f. **-a**) scoliosis sufferer.

scollacciàrsi v. rifl. (*indossare abiti scollacciati*) to put* on low-necked clothes, to wear* low-necked clothes; (*scoprirsi collo e spalle*) to bare one's neck and shoulders.

scollacciàto a. **1** (*di abito*) very low-cut; décolleté (*franc.*) **2** (*di persona*) wearing a low-necked (*o* low-cut) dress [blouse, etc.] **3** (*fig.*) bawdy; risqué (*franc.*).

scollacciatùra f. low-cut neckline; décolletage (*franc.*).

scollaménto m. **1** ungluing; coming unstuck; coming apart **2** (*geol.*, *chir.*) décollement (*franc.*) **3** (*fig.*: *perdita di coesione*) separation; divarication; split; coming apart.

scollàre ① **A** v. t. (*sartoria*: *tagliare lo scollo*) to cut* out the neck of; (*allargare lo scollo*) to widen the neckline of: **s. a punta**, to cut a V-neck in **B** **scollàrsi** v. rifl. (*indossare abiti scollati*) to put* on low-necked dresses, to wear* low-necked dresses.

scollàre ② **A** v. t. **1** (*staccare due pezzi incollati*) to unglue; to unstick*; (*un'etichetta, ecc.*) to peel off **2** (*chir.*) to separate; to detach **3** (*fig. fam.*: *allontanare*) to drag away **B** **scollàrsi** v. rifl. **1** (*o come* unstuck; to come* off (*di etichetta, ecc.*) to peel off **2** (*fig.*: *perdere coesione*) to detach; to separate; to come* apart **3** (*fig. fam.*: *allontanarsi*) to drag oneself away; to get* away.

scollàto ① a. **1** (*di abito*) low-necked; low-cut; décolleté (*franc.*): **corpino s.**, low-necked top; **s. a punta** (*o a V*), V-necked; **s. in tondo**, round-necked; scoop-necked; **s. sulla schiena**, cut low at the back **2** (*di persona*) wearing a low-necked dress ● **scarpa scollata**, court shoe (*GB*); pump (*USA*).

scollàto ② a. (*staccato*) unglued; unstuck.

scollatùra ① f. **1** (*scollo*) neckline; neck: **s. a barchetta**, boat neck; **s. a punta** (*o a V*), V-neck; **s. profonda**, low neckline; décolletage (*franc.*); (*a V*) plunging neckline; **s. quadrata**, square neck (*o neckline*); **s. tonda**, round neck; rounded neckline; (*profonda*) scoop neck; **con s. a punta**, V-necked; **con s. profonda**, low-cut **2** (*estens.*: *parte lasciata scoperta*) neck and

shoulders; (*tra i seni*) cleavage.

scollatùra ② f. (*di cose incollate*) ungluing; unsticking; peeling off.

scollaménto m. **1** disconnection; loss of connection **2** (*ling.*) asyndeton* **3** (*Internet*) logging off; (*caduta di collegamento*) disconnection.

scollegàre Ⓐ v. t. to disconnect Ⓑ **scollegàrsi** v. i. pron. **1** to disconnect **2** (*Internet*) to log off.

scollegàto a. disconnected.

scollettatrìce f. (*agric.*) topper.

scollettatùra f. (*agric.*) topping.

scòllo m. → **scollatura** ①.

scolmàre v. t. to drain.

scolmatóre Ⓐ m. drainage channel; drain; overflow channel Ⓑ a. drainage (attr.); overflow (attr.).

scólo m. **1** (*lo scolare*) draining; drainage: **lo s. delle acque**, water drainage; **canale di s.**, drain **2** (*il liquido*) waste water **3** (*condotto*) drain; (*tubo*) drainpipe **4** (*med.*) discharge **5** (*pop.; blenorragia*) clap.

scolopèndra f. (*zool., Scolopendra cingulata*) scolopendra.

scolopèndrio m. (*bot., Phyllitis scolopendrium*), hart's tongue; scolopendrium*.

scolòpio a. e m. (*eccles.*) Piarist.

scoloraménto → **scolorimento**.

scoloràre Ⓐ v. t. **1** → **scolorire 2** (*far impallidire*) to make* pale; to blanch Ⓑ v. i. e **scoloràrsi** v. i. pron. **1** → **scolorirsi 2** (*impallidire*) to turn (*o* to go*) pale; to grow* pale; to pale; to blanch.

scolorimènto m. discolouring; discoloration; (*di tessuto*) fading; (*di pianta*) etiolation.

scolorìna f. ink remover.

scolorìre Ⓐ v. t. to discolour; (*sbiadire, anche fig.*) to fade; (*bot.*) to etiolate: *Il calore può s. la tappezzeria*, heat may discolour the wallpaper; *Il sole ha scolorito il tappeto*, the sun has faded the carpet Ⓑ v. i. e **scolorìrsi** v. i. pron. **1** to discolour; to lose* colour; (*sbiadire, anche fig.*) to fade; (*bot.*) to become* etiolated: *Il mio vestito si è scolorito*, my dress has lost its colour; *Questa stoffa non scolorirà mai*, this material will never fade; **un ricordo che non si scolorisce**, a memory that won't fade **2** (*anche scolorirsi in viso*) to turn (*o* to go*) pale; to grow* pale; to pale.

scolorìto a. **1** discoloured; (*sbiadito*) faded (*anche fig.*), washed-out; (*di pianta*) etiolated: **arancione s.**, faded orange; **jeans scoloriti**, washed-out jeans; **ricordi scoloriti**, faded memories **2** (*pallido, smorto*) pale; wan: **guance scolorite**, pale cheeks.

scolpàre Ⓐ v. t. (*difendere*) to defend; (*giustificare*) to justify; (*liberare da accusa*) to clear, to exonerate Ⓑ **scolpàrsi** v. rifl. (*difendersi*) to defend oneself; (*giustificarsi*) to justify oneself; (*liberarsi da accusa*) to clear oneself, to prove one's innocence.

scolpìre v. t. **1** to carve; (*modellare*) to sculpt, to sculpture: **s. il legno [il marmo]**, to carve wood [marble]; **s. una statua**, to sculpt a statue; **s. una testa in legno**, to carve a head out of wood; *Il vento aveva scolpito le rocce in forme bizzarre*, the wind had sculpted the rock into weird shapes **2** (*intagliare*) to carve; to engrave; to cut*: **s. il proprio nome su un tronco**, to carve one's name on a tree trunk **3** (*fig.: imprimere*) to engrave; to impress; to stamp; to fix: *Le sue parole sono scolpite nella mia memoria*, his words are engraved on my memory **4** (*fig.: scandire*) to articulate; to stress.

scolpìto a. **1** carved; (*modellato*) sculpted, sculptured: **busto s. nel marmo**, bust carved (*o* sculpted) in marble; **idolo s.**, carved idol **2** (*inciso*) carved; en-

graved: **colonna scolpita**, carved column **3** (*fig.: impresso*) engraved; impressed; imprinted; stamped; fixed: **princìpi scolpiti nella memoria**, principles imprinted on one's memory **4** (*fig.: modellato*) sculptured; drawn: **personaggio ben s.**, a well-drawn character; **viso s.**, sculptured face **5** (*fig.: scandito*) articulated, stressed: **parole scolpite**, stressed words **6** (*autom., di battistrada*) moulded; grooved.

scolpitùra f. (*di battistrada*) tread pattern; tread design.

scólta f. (*mil.*) sentry; watch; guard: **essere di s.** (*o* **fare la s.**), to be on sentry duty.

scombaciàre v. t. to separate; to disunite; to disjoin.

scombiccheràre v. t. (*fam.*) to scrawl; to scribble.

scombinàre v. t. **1** (*mettere in disordine*) to mix up; to mess up; to muddle up (*fam.*): *Mi hai scombinato gli appunti*, you've mixed up (*o* muddled up) my notes; you've been messing with my notes; *Il vento mi ha scombinato i capelli*, the wind has messed up my hair **2** (*mandare a monte*) to upset*; to disrupt: **s. i piani**, to upset sb's plans **3** (*fam.: causare malessere*) to upset (sb.'s stomach).

scombinàto a. **1** (*in disordine, disorganizzato*) disorganized; messy; jumbled; muddled (up) **2** (*rif. a persona: confuso*) confused, muddled, muddle-headed; (*sregolato*) disorderly, mixed-up, crazy: **ragazzo s.**, muddle-headed boy; mixed-up kid; **testa scombinata**, muddled head; **vita scombinata**, disorderly life; messy life Ⓑ m. (f. *-a*) muddle-head.

scómbride m. (*zool.*) scombroid; (al pl., *scient.*) Scombridae.

scómbro m. (*zool., Scomber scombrus*) mackerel • **s. bastardo** (*Trachurus tracurus*), horse mackerel; scad.

scombussolaménto m. **1** (*lo scombussolare*) upsetting; disrupting; muddling **2** (*l'effetto*) upsetting (*o* unsettling) effect; upset; upheaval; disruption: **lo s. del viaggio**, the upsetting effect of the journey; **s. di stomaco**, stomach upset.

scombussolàre v. t. **1** (*causare scompiglio, disordine*) to upset*; to disrupt; to mess up, to muddle up: **s. i piani di q.**, to upset (*o* to disrupt) sb.'s plans **2** (*fig.: frastornare*) to upset*; to unsettle; to unnerve; (*turbare*) to upset*, to shake* (up): **s. lo stomaco**, to upset one's stomach; *Il viaggio mi ha scombussolato*, the journey has unsettled me; *La notizia lo scombussolò tutto*, the news shook him.

scombussolàto a. **1** (*in disordine*) disrupted; confused; (*nel caos*) topsy-turvy, haywire (*fam.*) **2** (*frastornato*) upset; unsettled; unnerved; (*turbato, scosso*) upset, shaken (up): **rimanere s.**, to be upset.

scombussolìo m. great confusion; disruption.

scommèssa f. **1** bet; wager; (al pl., collett.) betting ⓤ: **scommesse clandestine**, illegal betting; **scommesse sui cavalli**, betting on horses; **fare una s.**, to make (*o* to have) a bet; to bet; to lay a wager (*form.*); (*con un allibratore*) to place a bet; **perdere [vincere] la s.**, to lose (to win) one's bet; **l'ambiente delle scommesse**, the world of betting; **fare qc. per s.**, to do st. for a bet; (*come sfida*) to do st. as a dare **2** (*posta*) bet; stake: *La s. era di dieci euro*, the stake was ten euros; **accettare scommesse**, to take bets; *S. accettata!*, you're on! **3** (*cosa rischiosa*) gamble; risk; risky business.

scommèttere ① v. t. (*disunire*) to disjoin; to disconnect.

♦**scommèttere** ② v. t. to bet*; to wager (st.) (*form.*); to have a bet (on); to put* (st.)

(on); to put* money (on); (*giocarsi*) to stake (st.): **s. a colpo sicuro**, to make a sure bet; to bet on a certainty; **s. alle corse** (*di cavalli*), to bet on horses; **s. la camicia su qc.**, to put one's shirt on st.; **s. una cena**, to bet a dinner; **s. due contro dieci**, to bet two to ten; **s. su un cavallo**, to bet (*o* to put one's money) on a horse; *Scommetto cento euro [quello che vuoi] che non ci riesci*, I bet you a hundred euros [anything] that you can't do it; *Ci scommetti che...?*, what's the betting that...?; *Ci scommetto che non si farà vedere*, I bet you (*o* my bet is) he won't show up; (the) odds are he won't show up; *Scommettiamo!*, let's bet on it!; «*Guarda che non ce la fai*» «*Scommettiamo?*», «I say you won't make it» «do you want a bet?» (*o* «you're on!»); «*Glielo dirai?*» «*Puoi scommetterci*», «will you tell him?» «you bet (I will)»; *Ci scommetterei la testa!*, I'd bet anything (*o* my bottom dollar) on it!

scommettitóre m. (f. **-trìce**) better, bettor; (*sui cavalli*) punter.

scommettitùra f. **1** (*il disunire*) disjunction; detachment **2** (*parte scommessa*) detached part.

scomodàre Ⓐ v. t. to disturb; to trouble; to inconvenience: *Mi dispiace di scomodarti, ma devo spostare il tavolo*, I am sorry to disturb you, but I have to move the table; *Mi hanno scomodato per nulla*, they troubled me for nothing; *Non c'è bisogno di s. Freud per spiegare il tuo sogno*, you don't need Freud to explain your dream Ⓑ v. i. to inconvenience (sb.); to be inconvenient (for); (*in frase interr. o neg.*) to be any [no] trouble (to): *Mi scomoda un po' dover pagare ora*, it is rather inconvenient for me to have to pay right now; *Vi scomoda se resto fino a martedì?*, is it inconvenient for (*o* is it any trouble to) you if I stay until Tuesday?; *Non mi scomoda affatto*, it's no trouble at all; it doesn't inconvenience me in the least Ⓒ **scomodàrsi** v. rifl. to bother; to trouble (oneself); to take* the trouble (to do st.); to put* oneself out; (*muoversi*) to move; (*alzarsi*) to get* up: *Non si scomodi ad accompagnarci*, please don't bother to accompany us; *Non si è scomodato ad avvertirci*, he didn't bother (*o* take the trouble) to inform us; *Non si scomodi, ci passo*, don't get up, I can get through; *Grazie, ma non dovevate scomodarvi!*, thank you, but you shouldn't have troubled yourselves; *Non voglio che vi scomodiate per me*, I don't want to give you any trouble.

scomodità f. uncomfortableness; discomfort; (*situazione scomoda*) inconvenience, bother, nuisance, hassle (*fam.*): **la s. di un divano**, the uncomfortableness of a sofa; **la s. di dover stare in piedi**, the discomfort of having to stand; **la s. di non avere una macchina**, the inconvenience (*o* nuisance) of not having a car; *È una s. doverlo sempre accompagnare in macchina*, it's a bother (*o* a hassle) having to drive him every time; *Abitare in centro ha le sue s.*, living in the town centre can be inconvenient.

scòmodo Ⓐ a. **1** (*che crea fastidio, disagio*) uncomfortable; (*disagevole*) inconvenient, awkward: **posizione scomoda**, uncomfortable position; **posto s.**, inconvenient place; **sedia scomoda**, uncomfortable chair; **s. da trasportare**, awkward to carry; **a un'ora scomoda**, awkward to carry; *È un po' s. non avere l'ascensore*, it's rather awkward (*o* inconvenient) not having a lift; **riuscire s.**, to be inconvenient **2** (*che si sente a disagio*) uncomfortable: **stare s.**, to feel uncomfortable; not to be sitting [lying, etc.] comfortably **3** (*fig.: difficile, che crea problemi*) difficult; awkward; troublesome; tough: **avversario s.**, tough opponent; **persona scomoda**, difficult (*o* awkward) person; **vi-**

cini scomodi, troublesome neighbours B m. inconvenience; trouble; bother: **recare s. a**, to give trouble to; to inconvenience; to bother.

scompaginaménto m. 1 (*lo scompaginare*) disarranging; upsetting; disruption 2 (*disordine*) disorder; confusion; disarray.

scompaginàre A v. t. (*mettere in disordine*) to disarrange; (*turbare*) to upset*; (*disgregare*) to disrupt, to throw* into disarray B **scompaginàrsi** v. i. pron. to be disrupted; to break* up; to fall* apart; to disintegrate.

scompaginàto a. 1 (*di libro*) with loose pages 2 (*fig.*) upset; disordered; in confusion; in disarray.

scompaginatùra, **scompaginazióne** f. (*tipogr.*) breaking up; distribution.

scompagnàre v. t. to break* up; to split.

scompagnàto a. unmatching; odd: **piatti scompagnati**, odd plates; **un mucchio di calze scompagnate**, a heap of odd socks; **portare calze scompagnate**, to wear unmatching socks.

♦**scomparire** v. i. 1 (*sparire*) to disappear; to vanish; to go* missing: **s. alla vista**, to disappear (*o* to vanish) from sight; **s. dalla circolazione**, to disappear; **s. nel nulla**, to vanish into thin air; *Scomparve dietro l'angolo*, she disappeared behind a corner; *Tutt'a un tratto la luce scomparve*, the light suddenly vanished; *Il dolore è scomparso*, the pain has disappeared; *L'uomo è scomparso sei giorni fa*, the man went missing six days ago; the man has been missing for six days; *Avrei voluto s.* (*dall'imbarazzo*), I could have curled up and died 2 (*cessare di esistere*) to disappear; to die out: **tradizioni che vanno scomparendo**, traditions that are dying out 3 (*eufem.: morire*) to die; to pass away 4 (*fig.: non risaltare, fare poca figura*) not to show* up; to be lost; to pale (*to insignificance*); to look insignificant: *Questo quadro vicino agli altri scompare*, this painting does not show up beside the others; *Le mie perle scompaiono accanto alle sue*, my pearls quite disappear next to hers 5 (*fig.: fare cattiva figura*) to be shown up: *Non farmi s. davanti a tutti!*, don't show me up in front of everybody!

scompàrsa f. 1 (*sparizione*) disappearance 2 (*cessazione, fine*) passing: **la s. delle antiche tradizioni**, the passing of ancient customs 3 (*estinzione*) extinction 4 (*morte*) death; demise (*form.*) ● **a s.**, (*pieghevole*) foldaway; (*rientrabile*) retractable; (*di infisso*) slide-away: **letto a s.**, foldaway bed; **manico a s.**, retractable handle; **porta a s.**, slide-away door; **scrittoio a s.**, foldaway desk; **scrittoio con alzata a s.**, roll-top desk.

scompàrso A a. vanished; (*introvabile*) missing; (*estinto*) extinct: **un mondo s.**, a vanished world; **persona scomparsa**, missing person B m. (f. **-a**) 1 missing person 2 (*defunto*) dead person; departed (*form.*).

scompartiménto m. 1 compartment; division; partition 2 (*ferr.*) compartment: **s. di prima classe**, first-class compartment; **s. per non fumatori**, non-smoking compartment; non-smoker.

scompartìre v. t. to share out; to distribute.

scompàrto m. 1 compartment; section: **gli scomparti di un armadio**, the sections of a wardrobe; **a scomparti**, in compartments; in sections 2 (*arch.*) bay.

scompattàre v. t. (*comput.*) to unzip; to decompress; to uncompress: **s. un file**, to unzip a file.

scompensàre v. t. 1 to unbalance; to upset* the balance of 2 (*med.*) to cause decompensation in.

scompènso m. 1 lack of balance; imbalance 2 (*med.*) decompensation: **s. cardia-**

co, cardiac decompensation.

scompiacènte a. disobliging; unhelpful; unkind.

scompiacènza f. disobligingness; unhelpfulness; unkindness.

scompiacére v. i. to disoblige (sb.); to be disobliging; to be unhelpful; to be unkind.

scompigliaménto m. 1 (*lo scompigliare*) disarrangement, upsetting, 1 (*l'arruffare*) ruffling 2 → **scompiglio**.

scompigliàre A v. t. (*mettere in disordine*) to disarrange; to throw* into confusion; to throw* into disarray; to mess up (*fam.*): (*scarmigliare*) to ruffle, to muss (*USA*); (*confondere*) to confuse; (*sconvolgere*) to upset*: **s. tutta la casa**, to throw the whole house into confusion; **s. i capelli a q.**, to ruffle (*USA* to muss) sb.'s hair; **s. i piani di q.**, to upset sb.'s plans B **scompigliàrsi** v. i. pron. to become* confused; (*di capelli*) to get* ruffled, to get mussed (*USA*).

scompigliàto a. (*in disordine*) disorderly, jumbled, in a mess (*fam.*); (*scarmigliato*) ruffled, tousled, dishevelled, mussed (*USA*).

scompìglio m. (*disordine*) confusion, disarray, mess; (*trambusto*) commotion, stir, bustle, hubbub; (*caos*) bedlam ⨃: **creare s.**, to create confusion; **gettare nello s.**, to throw into disarray (*o* into confusion); **portare lo s.**, to cause confusion (st.).

scompisciàrsi v. rifl. (*pop.*, *anche* **s. dalle risa**) to split* one's sides with laughter; to be in stitches.

scomponìbile a. 1 (*che si può scomporre*) decomposable 2 (*smontabile*) that can be dismantled; knock-down; (*modulare*) modular.

scomponibilità f. decomposability.

scompórre A v. t. 1 (*disfare, smontare*) to take* apart (*o* to pieces); to dismantle; to disassemble: **s. una libreria**, to dismantle a set of shelves; **s. una macchina**, to take a machine to pieces; (*ferr.*) **s. un treno**, to split up a train 2 (*tipogr.*) to distribute 3 (*chim.*) to decompose; to resolve; to break* down 4 (*mat.*) to decompose; (*in fattori*) to factorize 5 (*fis.*) to separate: **s. la luce**, to separate light 6 (*dividere, separare*) to divide; to break* up; to split: **s. una parola in sillabe**, to divide a word into syllables 7 (*scompigliare*) to disarrange; to throw* into disorder; to ruffle: **s. i capelli**, to ruffle sb.'s hair 8 (*fig.: turbare*) to upset*; to ruffle; (*alterare*) to upset*, to distort: **s. i lineamenti**, to distort sb.'s features: *Niente lo scompone*, nothing ruffles him B **scompórsi** v. i. pron. 1 (*scindersi*) to break* up 2 (*fig.: agitarsi*) to lose* one's composure; to get* upset; to get* ruffled: **non scomporsi minimamente**, not to lose one's composure; to be quite unruffled (*o* unperturbed, unfazed); *Non si scompose a quella prospettiva*, she was quite unfazed by that prospect; *È uno che non si scompone mai*, he never gets ruffled; he's quite unflappable (*fam.*); **senza scomporsi**, without losing one's composure; without turning a hair (*fam.*); unperturbed (*pred.*); unruffled (*pred.*); unfazed (*pred.*, *fam.*).

scompositóre m. (*tipogr.*) distributor.

scomposizióne f. 1 breaking up; (*divisione*) division, splitting up, separation into parts: **s. in sillabe**, division into syllables; (*ferr.*) **la s. dei treni**, the splitting up of trains 2 (*chim.*) resolution, decomposition; breakdown 3 (*fis.*) separation 4 (*mat.*) decomposition; (*in fattori*) factorization 5 (*tipogr.*) distribution (of type).

scompostaménte avv. (*in modo indecoroso*) in an unseemly manner, indecorously; (*in modo sconnesso*) incoherently, distractedly.

scompostézza f. 1 lack of composure 2

(*indecorosità*) unbecomingness; unseemliness.

scompósto a. 1 (*separato nelle parti componenti*) taken to pieces; dismantled 2 (*sconveniente*) unbecoming; unseemly: **grida scomposte**, unseemly yells; **sedere s.**, to sit in an unbecoming position; to slouch 3 (*disordinato*) untidy; (*scarmigliato*) dishevelled 4 (*sconnesso*) disconnected; disjointed; incoherent 5 (*agitato, frenetico*) wild; frenzied.

scomputàbile a. deductible.

scomputàre v. t. to deduct.

scòmputo m. deduction.

scomùnica f. 1 (*relig.*) excommunication 2 (*fig.: condanna*) anathema, (*sconfessione*) repudiation; (*polit.: espulsione*) expulsion ● **lanciare la s. contro q.**, (*relig.*) to excommunicate sb.; (*fig.*) to anathemize, to repudiate.

scomunicàre v. t. 1 (*relig.*) to excommunicate 2 (*fig.: condannare*) to anathemize; (*sconfessare*) to repudiate, to disown; (*polit.: espellere*) to expel.

scomunicàto A a. 1 (*relig.*) excommunicated 2 (*fig.*) sinister; wicked B m. (f. **-a**) excommunicate.

sconcatenàre v. t. 1 to unlink 2 (*fig.*) to disjoin; to disconnect.

sconcatenàto a. 1 unlinked 2 (*fig.*) disjoined; disconnected.

sconcertànte a. disconcerting; puzzling; perplexing; baffling; bewildering.

sconcertàre A v. t. 1 (*lasciare perplesso*) to disconcert; to puzzle; to perplex; to bewilder; to take* aback; to baffle; to mystify 2 (*disturbare*) to upset*; to unsettle B **sconcertàrsi** v. i. pron. to be disconcerted; to be puzzled; to be nonplussed; to be mystified.

sconcertàto a. disconcerted; puzzled; perplexed; taken aback; nonplussed; bewildered; mystified.

sconcèrto m. disconcertment; perplexity; bafflement; bewilderment.

sconcézza f. 1 (*l'essere sconcio*) indecency; coarseness; lewdness; smuttiness; (*oscenità*) obscenity 2 (*cosa sconcia*) indecency; obscenity; filth ⨃; smut ⨃: *Quel libro è una s.*, that book is obscene; that book is disgusting (*o* filthy); **dire sconcezze**, to use foul (*o* smutty) language 3 (*cosa vergognosa*) disgrace; abomination; outrageous thing.

sconciàre v. t. to spoil; to ruin; to deface.

sconciatùra f. → **sconcio, B**, def. 2.

scóncio A a. (*indecente*) indecent; coarse; (*lascivo*) lewd; (*osceno*) obscene, dirty, smutty: **canzone sconcia**, bawdy song; **libro s.**, dirty book; **gesti sconci**, obscene gestures; **parole sconce**, obscene language; obscenities; **pensieri sconci**, lewd thoughts B m. 1 (*cosa vergognosa*) disgrace; **Le strade di questo quartiere sono uno s.**, the streets in this area are a disgrace 2 (*cosa fatta male*) botch-up: *Volevo un armadietto pensile, non questo s.!*, I wanted a hanging cupboard, not this botch-up!

sconclusionatézza f. 1 ineffectuality; ineffectualness; fecklessness 2 (*mancanza di senso logico*) disjointedness; incoherence.

sconclusionàto A a. 1 (*che conclude poco*) ineffectual; feckless 2 (*sconnesso*) disjointed; incoherent; (*divagante*) rambling: **discorso s.**, rambling speech; **frasi sconclusionate**, incoherent sentences B m. (f. **-a**) ineffectual person; feckless person.

sconcordànte a. discordant; conflicting; clashing; dissonant; jarring: **interessi sconcordanti**, jarring (*o* conflicting) interests; **suoni sconcordanti**, discordant (*o* jarring) sounds.

sconcordànza f. discordance; discordancy; discord.

sconcòrde a. (*lett.*) discordant.

scondìto a. plain; unseasoned; (*di insalata*) undressed.

sconfacènte a. (*lett.*) unsuitable; inappropriate; (*disdicevole*) improper, unbecoming; unseemly.

sconfessàre v. t. **1** (*ritrattare*) to recant; to retract; to renounce: **s. i propri ideali politici**, to recant one's political ideals **2** (*smentire, disapprovare*) to repudiate; to disown; to disavow; **Il ministro ha sconfessato le dichiarazioni del sottosegretario**, the minister has repudiated his under-secretary's statement.

sconfessióne f. **1** (*ritrattazione*) recantation; retraction; renouncing **2** (*smentita*) repudiation; disownment; disowning; disavowal.

sconficcàre v. t. to extract; to pull* out; to remove.

♦**sconfìggere** ① v. t. **1** (*vincere in battaglia*) to defeat; to beat*; to overthrow*; to vanquish **2** (*estens.: superare*) to defeat; to beat*; to best: **s. un avversario**, to defeat (*o* to beat) an opponent; *Il candidato repubblicano è stato sconfitto*, the Republican candidate was defeated; *La Juventus ha sconfitto il Cagliari*, Juventus beat Cagliari; **s. sonoramente**, to trounce **3** (*debellare*) to conquer; to defeat; to vanquish; to eliminate; to root out; to stamp out: **s. il cancro**, to conquer cancer; **s. la corruzione**, to root out corruption; **s. la disoccupazione**, to eliminate unemployment; **s. l'inflazione**, to defeat inflation; **s. il male**, to vanquish evil; **s. la paura**, to conquer fear; **s. la malaria**, to stamp out malaria.

sconfìggere ② → **sconficcare**.

sconfinaménto m. **1** (*oltre frontiera*) crossing the border, border violation; (*nella proprietà altrui*) trespassing, trespass **2** (*fig.: varcare i limiti di qc.*) exceeding the limits; encroachment **3** (*fig.: divagazione*) straying; digression.

sconfinàre v. i. **1** (*oltrepassare la frontiera*) to cross the border; (*nella proprietà altrui*) to trespass (on), to encroach (on) **2** (*fig.: varcare i limiti di qc.*) to exceed (o to go* beyond) the limits (of); to spill over (into); (*invadere*) to encroach (on); (*interessare un altro ambito*) to overlap; (*spec. mus. o letter.*) to cross over (into) **3** (*fig.: divagare*) to digress (from); to stray (from).

sconfinatézza f. boundlessness; unboundedness; unlimitedness.

sconfinàto a. boundless; unbounded; unlimited; limitless; infinite: **ambizione sconfinata**, unlimited ambition; **gioia sconfinata**, unbounded joy; **l'oceano s.**, the boundless ocean; **orgoglio s.**, unbounded pride; **poteri sconfinati**, unlimited powers.

sconfinferàre v. i. (*fam.*) to like (pers.); to be keen on (pers.): *È un'idea che non mi sconfinfera troppo*, I'm not really very keen on the idea.

sconfìtta f. **1** defeat: **s. elettorale**, electoral defeat; **pesante s.**, serious defeat; crushing defeat; (*in una gara, ecc., anche*) trouncing (*fam.*); **riconoscere la s.**, to admit defeat; to acknowledge one's defeat; **infliggere una s.**, to defeat; **subire** (*o patire*) **una s.**, to suffer a defeat; to be defeated **2** (*fig.: eliminazione*) defeat; elimination: **la s. del vaiolo**, the elimination of small-pox.

sconfittìsmo m. defeatism.

sconfìtto A a. defeated; beaten; vanquished; (*non vincitore*) unsuccessful; (*sopraffatto*) overcome: **dichiararsi** (*o riconoscersi*) **s.**, to admit defeat; to acknowledge one's defeat; to own oneself beaten; **candidato s.**, defeated (*o* unsuccessful) candidate B m. (f. **-a**) defeated person; (*perdente*) loser.

sconfortànte a. discouraging; disheartening; demoralizing; depressing; dispirit-ing; (*cupo*) gloomy, bleak; (*penoso*) pitiful: **notizie sconfortanti**, discouraging (o depressing) news; **prospettiva s.**, bleak outlook; *Il quadro generale è s.*, the general situation is gloomy (o looks bleak).

sconfortàre A v. t. to discourage; to dishearten; to demoralize; to depress; to dispirit B **sconfortàrsi** v. i. pron. to get* discouraged; to get* disheartened; to lose* heart: *Non ti sconfortare!*, don't get discouraged! cheer up!

sconfortàto a. discouraged; disheartened; downhearted; dispirited; dejected; downcast; despondent.

sconfòrto m. discouragement; despair; (*depressione*) dejection, depression, despondency, misery: **abbandonarsi allo s.**, to give way to despair; **farsi prendere dallo s.**, to lose heart; to give in to despair; to despair; **essere in preda allo s.**, to feel dejected; to be disheartened; *In un momento di s., cercò di uccidersi*, in a fit of dejection, he tried to kill himself (o attempted suicide).

scongelaménto m. **1** thawing (out); defrosting **2** (*fig. econ.*) unfreezing.

scongelàre v. t. **1** to thaw (out); to defrost: **s. la carne prima di cuocerla**, to thaw out (o to defrost) meat before cooking **2** (*fig. econ.*) to unfreeze*.

scongiuràre v. t. **1** (*lett.: esorcizzare*) to exorcize **2** (*supplicare*) to implore; to beg; to beseech*; to entreat: **s. q. di avere pietà**, to entreat sb. to show mercy; *Lo scongiurai di non lasciarmi*, I implored him not to leave me; *Te ne scongiuro!*, I beg you! **3** (*evitare*) to avoid; to avert; to prevent; to ward off: **s. una disgrazia**, to avoid an accident; **s. il pericolo di una guerra**, to avert the risk of a war.

scongiùro m. **1** (*esorcismo*) exorcism **2** (*formula contro il malocchio*) spell; incantation • **fare gli scongiuri**, to touch wood □ **Facciamo gli scongiuri!**, touch wood!; perish the thought!

sconnessióne f. **1** disjointedness; disconnectedness **2** (*fig.: incoerenza*) incongruity; incoherence **3** (*elettr.*) disconnection **4** (*Internet*) logging off.

sconnèsso a. **1** disjointed; loose; disconnected; (*irregolare*) uneven, bumpy: **assi sconnesse**, loose planks; **pavimento s.**, uneven floor; **strada sconnessa**, bumpy road **2** (*fig.: privo di coerenza*) incoherent; disjointed; (*divagante*) rambling: **idee sconnesse**, incoherent ideas; **parole sconnesse**, disjointed words; incoherent words; **stile s.**, rambling style.

sconnessùra f. **1** disjuncture; disjunction; disconnection **2** (*punto di s.*) opening; gap; break.

sconnèttere A v. t. to disjoint; to loosen; to separate; (*scollegare, anche elettr.*) to disconnect B v. i. (*fig.: non connettere*) to be incoherent; to ramble C **sconnèttersi** v. i. pron. **1** to come* apart; to become* disconnected; to become detached; to separate **2** (*Internet*) to log off.

sconoscènte a. ungrateful; thankless.

sconoscènza f. ungratefulness; ingratitude; thanklessness.

♦**sconosciùto** A a. (*non noto*) unknown, unfamiliar, strange; (*non identificato*) unidentified; (*senza nome*) nameless; (*oscuro*) obscure; (*inesplorato*) unexplored; (*non registrato sulle carte*) uncharted: **facce sconosciute**, unfamiliar faces; **luoghi sconosciuti**, unknown (o strange) places; **ragioni sconosciute**, unknown reasons; **scrittore s.**, obscure writer; **sensazioni sconosciute**, unfamiliar sensations; **terre sconosciute**, unknown (o uncharted) lands; **virus s.**, unidentified virus; **una persona che resterà sconosciuta**, a person who will remain nameless; *La regione mi è sconosciuta*, the region is unknown to me B m. (f. **-a**) **1** stranger; (*ignoto*) unknown person, unknown: **un illustre s.**, a complete unknown; **un perfetto s.**, a complete stranger; **non fidarsi degli sconosciuti**, not to trust strangers **2** (*leg.*) person unknown.

sconquassaménto → **sconquasso**.

sconquassàre v. t. **1** (*scuotere*) to shake*, to knock about; (*sfasciare*) to shake* to pieces, to batter; (*rovinare, distruggere*) to destroy, to wreck, to wreak havoc in: *La regione è stata sconquassata dal terremoto*, the earthquake wreaked havoc through (o across) the region **2** (*scombussolare*) to upset*; to shake* (up): *Il viaggio mi sconquassò*, the journey shook me (o left me shaken).

sconquassàto a. **1** (*rovinato*) ruined, wrecked, in shambles; (*sgangherato*) battered, ramshackle, tumbledown **2** (*scombussolato*) upset; shaken.

sconquàsso m. **1** (*rovina*) destruction; ruin; wreck; havoc: **provocare uno s.**, to destroy (st.); to wreck (st.); to wreak havoc **2** (*caos, scompiglio*) total confusion; disruption; havoc; shambles (pl. col verbo al sing.): **portare lo s. in famiglia**, to cause disruption in the family; *Che s.!*, what a shambles!

sconsacràre v. t. to deconsecrate; (*un edificio, anche*) to unchurch.

sconsacràto a. deconsecrated; unhallowed: **terreno s.**, unhallowed ground.

sconsacrazióne f. deconsecration.

sconsideratamente avv. (*senza riflettere*) thoughtlessly, carelessly; (*poco saggiamente*) improvidently, ill-advisedly; (*avventatamente*) rashly, incautiously.

sconsideratézza f. (*mancanza di riflessione*) thoughtlessness, carelessness; (*imprevidenza*) improvidence; (*imprudenza*) imprudence; (*avventatezza*) rashness.

sconsideràto A a. (*privo di riflessione*) thoughtless, careless; (*poco saggio*) ill-considered, ill-judged, ill-advised, improvident; (*imprudente*) imprudent, irresponsible; (*avventato*) rash, incautious, irresponsible: **decisione sconsiderata**, ill-advised decision; **guidatore s.**, irresponsible (o reckless) driver; **parole sconsiderate**, ill-considered words; rash words; **sfruttamento s. del suolo**, reckless exploitation of the soil B m. (f. **-a**) thoughtless (o careless) person.

sconsigliàbile a. inadvisable; unadvisable; unwise.

sconsigliàre v. t. to advise against (st., doing st.); to advise (sb. not to do st.); not to recommend: *Mi ha sconsigliato di vendere le azioni*, he advised me against selling my shares; *Le ho sconsigliato quell'albergo*, I advised her not to choose that hotel; *Ti sconsiglio questo colore per le tende*, I wouldn't recommend this colour for your curtains.

sconsigliàto a. **1** (*non sconsigliato*) not recommended; (*non adatto*) unsuitable: **un libro s. per un bambino**, a book that is unsuitable for children **2** (*sconsiderato*) thoughtless; irresponsible; (*avventato*) rash.

sconsolànte a. discouraging; depressing; sad; (*penoso*) pitiful: **situazione s.**, depressing situation; *È di un'ignoranza s.*, she is pitifully ignorant.

sconsolàre A v. t. to dishearten; to depress; to sadden B **sconsolàrsi** v. i. pron. to become* disheartened; to lose* heart.

sconsolatézza f. disconsolateness; dejection; desolation; sadness.

sconsolàto a. disconsolate; dejected; depressed; (*desolato*) desolate; (*triste*) sad.

scontàbile a. **1** (*detraibile*) deductible **2** (*banca*) discountable.

scontànte (*banca*) A a. discounting; dis-

count (attr.) **B** m. e f. discounter.

scontàre v. t. **1** (*detrarre*) to deduct **2** (*banca*) to discount: **s. una cambiale**, to discount a bill **3** (*estinguere*) to pay* off: **s. un debito**, to pay off a debt **4** (*praticare un ribasso*) to reduce; to knock off **5** (*fare ammenda*) to pay* for; to expiate; to atone for; to do* penance for: **s. una colpa**, to atone for a fault; **s. le colpe degli altri**, to pay for other people's faults; **s. un delitto**, to expiate a crime; **s. i propri peccati**, to do penance for one's sins; to expiate one's sins; **s. gli eccessi di gioventù**, to pay for the excesses of one's youth; **fare s. qc. a q.**, to make sb. pay (o suffer) for st. **6** (*espiare in carcere*) to serve: **s. cinque anni di carcere**, to serve (o to do) five years in prison; **s. una condanna**, to serve a sentence; to serve a term in prison; to serve time; **s. l'ergastolo**, to serve a life sentence.

scontatàrio m. (*banca*) discount broker; discounter.

scontàto a. **1** (*dedotto*) deducted **2** (*banca*) discounted **3** (*pagato*) paid off; settled **4** (*ribassato*) discounted; reduced: **articoli scontati**, discounted articles; **prezzo s.**, discounted (o reduced) price; **a prezzo s.**, at a discount **5** (*espiato*) paid for; expiated; atoned for **6** (*di pena detentiva*) served **7** (*previsto, inevitabile*) expected, foregone; (*prevedibile, ovvio*) predictable, obvious, stock (attr.): **esito s.**, foregone conclusion; **frasi scontate**, stock phrases; *La sua reazione era scontata*, his reaction was predictable; **dare per s.**, to take for granted.

scontentàre v. t. to displease; to dissatisfy; (*deludere*) to disappoint.

scontentézza f. discontent; dissatisfaction.

scontènto ① **A** a. discontented; dissatisfied; unhappy; displeased; disgruntled; (*deluso*) disappointed: **cliente s.**, dissatisfied customer; **essere s. di qc.**, to be dissatisfied with st.; to be unhappy with st.; to be disappointed by st.; **rimanere s.**, to be (o to feel) disappointed **B** m. (f. **-a**) discontented (o dissatisfied) person; malcontent: *È un eterno s.*, he is chronically dissatisfied; nothing ever pleases him.

scontènto ② m. (*scontentezza*) discontent; dissatisfaction: **causare s.**, to cause discontent; **esprimere il proprio s.**, to express one's dissatisfaction; **provare s.**, to be dissatisfied; to feel dissatisfaction.

scontìsta m. e f. (*fin., banca*) discount broker; discounter.

scónto m. **1** (*banca*) discount; (*l'operazione*) discounting: **s. bancario**, (*banker's*) discount; **s. effettivo**, true discount; **presentare effetti allo s.**, to offer bills for discount; **banca di s.**, discount bank; discounting house; **tasso di s.**, discount rate **2** (*comm.: abbuono*) allowance **3** (*ribasso*) discount; reduction; abatement; rebate: **s. commerciale**, trade discount (o allowance); **uno s. del 20%**, a 20% discount (o reduction): **s. per contanti** (o su pronta cassa), cash discount; **s. sul prezzo di qc.**, discount on the price of st.; **comprare con uno s.**, to buy at a discount; **fare** (o concedere) **uno s.**, to give a discount; *Le faccio uno s. del 10%*, I'll give you a 10% discount; I'll knock off 10% for you (*fam.*); **farsi fare uno s.**, to get a discount; to obtain a reduction (*form.*); **praticare uno s.**, to apply a discount **4** (*pagamento*) payment: **a s. di un debito**, in payment of a debt.

scontornàre v. t. to block out.

scontràre **A** v. t. (*naut.*) to meet* **B** **scontràrsi** v. i. pron. (*cozzare*) to collide (with); to crash (into); to cannon (into): *Il nostro treno si scontrò con un treno merci*, our train collided with a goods train; *Girato*

l'angolo, mi scontrai in pieno con una vecchietta, I turned the corner and cannoned into an old lady **C** **scontràrsi** v. rifl. recipr. **1** (*urtarsi con violenza*) to collide; to crash into each other; to cannon into each other; to bump into each other: *Le due automobili si scontrarono*, the two cars collided; *Ci scontrammo nel buio*, we bumped into each other in the dark **2** (*venire a battaglia*) to clash: *I due eserciti si scontrarono a Marengo*, the two armies clashed at Marengo **3** (*fig.: litigare*) to quarrel; to have a clash: *Ci siamo scontrati su una faccenda di interesse*, we quarrelled over money matters **4** (*fig.: divergere*) to be in conflict; to clash; to collide: *Le loro opinioni si scontrano*, their opinions clash.

♦**scontrìno** m. ticket; slip; check (*USA*): **s. del bagaglio**, luggage ticket (*GB*); baggage check (*USA*); **s. di cassa**, (sale) receipt; sale check; sale slip; **s. di consegna**, delivery note; docket (*GB*); **s. di controllo**, tally; **s. di pagamento**, payment slip; **s. di ricevuta**, receipt; **s. di vendita**, sale slip; **s. fiscale**, receipt.

♦**scóntro** m. **1** (*collisione*) collision; crash: **s. automobilistico** [**ferroviario**], car [railway] crash; **s. frontale**, head-on collision; (*calcio*) clash of heads **2** (*combattimento*) encounter; fight; action: **s. a fuoco**, gunfight; shooting; shoot-out (*fam.*); **s. di piazza**, street fight; (al pl., collett.) street fighting Ⓤ; **s. sanguinoso**, bloody clash (o fight) **3** (*tecn., di chiave*) ward **4** (*naut.*) pawl: **mettere gli scontri**, to pawl **5** (*fig.: contrasto d'opinioni*) clash; (*disputa*) confrontation, dispute; (*lite*) quarrel: **s. frontale**, head-on clash; **s. fisico**, fight; **s. verbale**, verbal confrontation; encounter; **avere uno s. con q.**, to clash with sb.; to quarrel with sb.; **cercare lo s.**, to seek confrontation; to be looking (o to be spoiling) for a fight (*fam.*).

scontrosàggine, scontrosità f. **1** (*poca socievolezza*) sullenness, unsociability, moroseness; (*brutto carattere*) surliness, intractability, grumpiness; (*permalosità*) touchiness, testiness, tetchiness **2** (*comportamento scontroso*) surly behaviour Ⓤ; (a) fit of the sulks (*fam.*).

scontróso a. (*poco socievole*) sullen, unsociable, morose; (*bisbetico*) surly, intractable, grumpy; (*permaloso*) touchy, testy, tetchy.

sconvenévole a. (*lett.*) unbecoming; unseemly; (*indecoroso*) improper, indecorous.

sconvenevolézza f. (*lett.*) unbecomingness; unseemliness; (*mancanza di decoro*) impropriety, indecorousness.

sconveniènte a. **1** (*disdicevole*) unbecoming; unseemly; indecorous; improper; indelicate; **condotta s.**, unseemly behaviour; **parole sconvenienti**, indelicate words; **proposta s.**, improper suggestion **2** (*inopportuno*) inconvenient; inopportune; (*non adatto*) unsuitable, unfitting **3** (*svantaggioso*) unprofitable, disadvantageous; unfavourable.

sconveniènza f. **1** (*disdicevolezza*) unbecomingness; unseemliness; indecorousness; impropriety; indelicacy **2** (*atto sconveniente*) breach of manners; breach of etiquette; discourtesy **3** (*inopportunità*) inconvenience; inopportuneness **4** (*svantaggio*) unprofitability; unprofitableness; disadvantage.

sconvenire v. i. **1** (*essere disdicevole*) not to become*; to be unbecoming; not to befit: **una condotta che sconviene a uomo politico**, a behaviour that does not befit a politician **2** (*essere inopportuno*) to be inconvenient.

sconvolgènte a. upsetting; disturbing; shocking; devastating; shattering: **notizia s.**, upsetting (o shattering, devastating) news; **parole sconvolgenti**, shocking

words.

♦**sconvòlgere** v. t. **1** (*devastare*) to devastate; to wreak havoc in: *L'uragano ha sconvolto la regione*, the hurricane has wreaked havoc in (o has devastated) the region **2** (*turbare profondamente*) to upset* badly; to shake*; to shatter; to devastate; (*squilibrare*) to derange: *Furono sconvolti dalla sua morte*, they were devastated (o shattered, deeply shaken) by his death; *Quella vista la sconvolse*, the sight upset (o shook) her badly; *La sua mente ne fu sconvolta*, his mind was deranged **3** (*gettare nel caos*) to upset*; to disrupt; to throw* into caos; to play havoc with: **s. i piani di q.**, to upset sb.'s plans; **s. l'ordine delle cose**, to upset (o to disrupt) the order of things; *Il crollo della Borsa sconvolse l'economia*, the economy was thrown into chaos by the stock-market crash **4** (*rimescolare*) to upset*: **s. lo stomaco**, to upset sb.'s stomach.

sconvolgiménto m. **1** (*devastazione*) devastation; ravaging Ⓤ; ravages (pl.); havoc: **gli sconvolgimenti causati dalla guerra**, the devastation caused by war **2** (*turbamento*) upsetting; upset; shock; devastation **3** (*scompiglio, caos*) upsetting; disruption; upheaval; subversion; havoc; caos: **lo s. di tutti i miei progetti**, the upsetting of all my plans; **lo s. di vecchi principi**, the subversion of old principles; **s. politico**, political upheaval ♦ **s. di stomaco**, stomach upset □ **s. tellurico**, earthquake.

sconvòlto a. **1** (*sottosopra*) upset; disrupted; subverted **2** (*devastato*) devastated; ravaged **3** (*turbato*) badly upset; shocked; shattered; devastated; (*stravolto*) distraught, beside oneself; (*squilibrato*) deranged: **s. dal dolore**, beside oneself (o distraught) with grief; **s. dall'ira**, beside oneself with anger; (*di viso, lineamenti*) distorted with rage; **s. dalla paura**, beside oneself with fear; *Aveva la faccia sconvolta*, he looked badly upset; *La notizia mi lasciò s.*, the news shattered me; I was devastated at the news; **mente sconvolta**, deranged mind.

scoop (*ingl.*) m. inv. scoop: **fare uno s.**, to get a scoop.

scoordinaménto m. lack of coordination.

scoordinàto a. uncoordinated; disjointed.

scoordinazióne f. lack of coordination.

scooter (*ingl.*) m. inv. **1** (motor) scooter **2** (*naut.*) scooter.

scooterìsta → **scuterìsta**.

scópa ① f. (*bot., Erica arborea*) briar; tree heath.

♦**scópa** ② f. broom; (*granata*) besom: **s. di saggina**, besom; **manico di s.**, broomstick ● (*fig.*) **avere ingoiato il manico della s.**, to have swallowed the poker (*fam.*) □ **magro come una s.**, as thin as a rake □ (*prov.*) **S. nuova spazza bene**, a new broom sweeps clean.

scópa ③ f. (*gioco di carte*) scopa (Italian card game).

scopamàre m. (*naut.*) lower studding-sail.

♦**scopàre** v. t. **1** to sweep*: **s. una stanza**, to sweep (out) a room **2** (*volg., anche assol.*) to fuck; to screw; to bang; to bonk (*GB*); to shag (*GB*).

scopàta f. **1** sweep; sweep-out: **dare una bella s. a una stanza**, to give a room a thorough sweep **2** (*colpo di scopa*) blow with a broom **3** (*volg.*) fuck; screw; bang; bonk (*GB*).

scopatóre m. (f. **-trice**) **1** sweeper **2** (*volg.*) stud (m.); lay (f.).

scopatùra f. **1** sweeping **2** (*spazzatura*) sweepings (pl.); rubbish.

scopàzzo m. (*bot.*) witches' broom.

scoperchiàre **A** v. t. to take* the lid off; to uncover; (*un edificio*) to unroof, to lift the roof off: **s. una pentola**, to uncover a pot; *Il vento ha scoperchiato la casa*, the wind blew the roof off (*o* unroofed) the house **B** **scoperchiàrsi** v. i. pron. to be uncovered; (*di edificio*) to lose* the roof, to be unroofed.

scoperchiàto a. uncovered; lidless; (*di edificio*) unroofed.

scoperchiatùra f. uncovering; (*di edificio*) unroofing.

scoperéccio a. (*scherz.*) sex (attr.); promiscuous: **attività scopereccia**, sex; banging; bonking (*GB*); **tipo s.**, promiscuous type.

♦**scopèrta** f. 1 (*lo scoprire*) discovery; (*rinvenimento, ritrovamento*) finding; (*individuazione*) detection, identification; (*ind. min.*) strike: **la s. dell'America**, the discovery of America; **la s. del colpevole**, the detection (*o* the identification) of the culprit; **s. di un giacimento di petrolio**, oil strike; **s. archeologica**, archaeologic discovery (*o* finding); **scoperte scientifiche**, scientific discoveries; **andare alla s. di qc.**, to go in search of st.; to set out to find st.; **fare una s.**, to make a discovery; (*archeol.*) to make a find; **pubblicare le proprie scoperte**, to publish one's findings; **viaggio di s.**, voyage of discovery 2 (*cosa scoperta*) discovery, find; (*di persona: nuovo talento*) new talent: **scoperte archeologiche**, archaeologic finds; **le nuove scoperte della lirica**, new opera talents; *Questa pensioncina è una bella s.*, this little pension is a real find ● (*iron.*) **la s. dell'acqua calda**, the re-invention of the wheel □ (*iron.*) **Bella s.!** (*o* **Che s.!**), aren't you clever!; so what's (*o* what else is) new?

scopertaménte avv. openly; overtly; frankly.

scopèrto **A** a. 1 (*senza copertura*) uncovered, open; (*senza tetto*) unroofed, without a roof: **auto scoperta**, open car; **fogna scoperta**, open sewer; **terrazza scoperta**, open terrace 2 (*di parte del corpo*) bare, uncovered; (*di persona: senza cappello*) with no hat on, hatless; (*con abiti leggeri*) lightly dressed; (*senza coperte*) without bedcothes, uncovered: **capo s.**, bare head; **a capo s.**, bare-headed; **spalle scoperte**, bare shoulders; **dormire s.**, to sleep without bedclothes 3 (*non riparato, non difeso*) exposed; unprotected; (*non occupato*) vacant; unassigned: **fianco s.**, exposed (*o* unprotected) flank; **posizione scoperta**, exposed position 4 (*non occupato*) vacant; unassigned: **posto (di lavoro) s.**, vacancy; vacant position 5 (*banca*) uncovered, overdrawn; (*comm.: non pagato*) unpaid, overdue, outstanding, owing: **assegno s.**, uncovered cheque; bad cheque; **conto s.**, overdrawn account; **fattura scoperta**, overdue invoice 6 (*visibile*) uncovered; open: **carta scoperta**, uncovered card; card on the table; **giocare a carte scoperte**, to play with one's cards on the table; (*fig.*) to play fair, to act openly; **a viso s.**, (*senza maschera*) unmasked; (*fig.*) openly 7 (*fig.: aperto, sincero*) open; overt; frank **B** m. 1 (*luogo all'aperto*) outdoor place; open air; open space: **allo s.**, (*all'aperto*) in the open (air); outdoor (agg.); outdoors (avv.); (*in luogo indifeso*) in the open; (*fig.*) in the open, openly; **dormire allo s.**, to sleep in the open air; **agire allo s.**, to act openly; **avanzare allo s.**, to advance unprotected; (*fig.*) **portare qc. allo s.**, to bring st. into the open; **uscire allo s.**, to come out into the open; (*mil., ecc.*) to break cover; (*fig.: rivelarsi*) to come out; (*fig.*) **far uscire allo s.**, to bring into the open; to flush out 2 (*banca, anche* **s. di conto**) (bank) overdraft: **andare allo s.**, to overdraw one's account; **essere allo s.**, to be

overdrawn; to be in the red; **credito allo s.**, unsecured credit; **emissione allo s.**, uncovered issue 3 (*Borsa*) – **comprare allo s.**, to buy short; **vendere allo s.**, to sell short; **vendita allo s.**, short sale.

scopéto m. heath.

scopétta f., **scopétto** m. 1 small broom; short broom; (*per angoli, mobili, ecc.*) whisk (broom) 2 (*region.: spazzola*) brush.

scopettóne m. 1 broom; (*spazzolone per pavimenti*) scrubbing brush 2 (al pl.) (*basettoni*) mutton-chop whiskers; mutton-chops.

scopiazzàre v. t. to copy; to crib (*fam.*); to plagiarize; (*imitare*) to copycat (*fam.*): **s. da un libro**, to crib from a book; *Hai scopiazzato il tema da un libro*, you have plagiarized your essay from a book.

scopiazzatóre m. (f. **-trìce**) plagiarist; cribber (*fam.*); (*imitatore*) copycat (*fam.*).

scopiazzatùra f. plagiarizing □; (*cosa scopiazzata*) piece of plagiarism, crib (*fam.*): *È una s.*, it's (a piece of) plagiarism; it's been plagiarized; *La musica è una s. di un'aria di Verdi*, the tune is a crib (*o* is cribbed) from Verdi.

scopièra f. broom cupboard.

scopinàre v. t. (*ind. tess.*) to brush.

scopinatùra f. (*ind. tess.*) brushing.

scopino① m. (*region.: spazzino*) street-sweeper; street-cleaner.

scopino② m. 1 (*piccola scopa*) small broom; whisk (broom) 2 (*per gabinetto*) lavatory brush.

scopìsta m. e f. scopa player.

♦**scòpo** m. 1 (*fine*) aim, end, goal; (*obiettivo*) object, purpose, design, intent; (*motivo*) reason, point: **uno s. nella vita**, an aim in life; **lo s. della nostra ricerca**, the object of our research; (*segreto*) secret purpose (*o* intent); ulterior motive; *S. dell'iniziativa è di...*, it is the aim of this initiative to...; *Non era quello il mio s.*, that was not my purpose (*o* my intent); **mirare a uno s.**, to have an aim in view; **prefiggersi uno s.**, to set oneself an aim (*o* a goal); **raggiungere** (*o* **conseguire, ottenere**) **il proprio s.**, to achieve (*o* to reach) one's aim (*o* aims); **non raggiungere il proprio s.**, to fail in one's purpose; **rispondere** (*o* **servire**) **allo s.**, to answer sb.'s purpose; to be what is needed; *Non vedo lo s. di andarci*, I don't see the point of going; I don't see why I should go; *A che s.?*, what for?; what's the point?; *A che s. andarci?*, what's the point of going there?; why go there?; **a s. di lucro**, with a view to profit; **a s. pubblicitario**, for publicity; **a tale s.**, to that end; **allo** (*o* **con lo**) **s. di**, in order to; with a view to; *Lo feci allo s. di aiutarlo*, I did it in order to help him; **a questo s.**, for this purpose; **senza s.**, aimless (agg.); purposeless (agg.); aimlessly (avv.); purposelessly (avv.); **vita senza s.**, aimless existence; life without purpose; **senza s. di lucro**, non-profit (agg.); **senza uno s. preciso**, without a definite end in view (*o* in mind) 2 (*topogr.*) target **❶ FALSI AMICI** • *scopo non si traduce con* scope.

scopofilìa f. (*psic.*) scopophilia; voyeurism.

scopòfilo m. (*psic.*) scopophiliac; voyeur.

scopofobìa f. (*psic.*) scopophobia.

scopolamìna f. (*chim.*) scopolamine.

scopóne m. scopone (Italian card game).

scoppiaménto m. uncoupling.

♦**scoppiàre①** v. i. 1 (*spaccarsi*) to burst*; to break* open; to split* open; (*di pneumatico*) to blow*: *Il palloncino gli scoppiò tra le mani*, the balloon burst in his hands; *Mi è scoppiato uno pneumatico*, one of my tyres blew; I had a blow-out; *L'ascesso è scoppiato*, the abscess burst; **far s. un palloncino** [**una tubatura**], to burst a balloon [a pipe];

far s. uno pneumatico, to blow out a tyre 2 (*esplodere*) to explode, to blow* up, to go* off; (*erompere*) to erupt: *Scoppiò una mina* [*una bomba*], a mine [a bomb] exploded (*o* blew up); *La caldaia può s. da un momento all'altro*, the boiler may explode any time; *Il petardo gli scoppiò in faccia* [*tra le mani*], the firecracker blew up in his face [in his hands]; **far s. una bomba**, to explode (*o* to detonate, to set off) a bomb 3 (*fig.: prorompere*) to burst* out; to burst* (into): **s. a ridere**, to burst out laughing; to burst (*o* to break) into laughter; **s. in lacrime** (*o* **a piangere**), to burst into tears; to burst out crying 4 (*fig.: non contenersi*) to blow* up; to explode: *A quella frase, sono scoppiato*, when I heard that, I just blew up (*o* exploded) 5 (*fig.: esplodere, morire*) to burst*; (*rif. a sentimenti*) to be bursting (with): **s. dal caldo**, to be boiling; **s. dalla voglia di fare qc.**, to be bursting to do st.; **s. di energia**, to be bursting with energy; **s. d'invidia** [**d'orgoglio, di salute**], to be bursting with envy [pride, health]; **sentirsi s.**, (*per il caldo, ecc.*) to be suffocating, to be close to collapse; (*per il troppo cibo*) to feel bloated; *Mi sentii s. il cuore a quella vista*, my heart nearly burst at that sight; *Se mangio un'altra fetta, scoppio!*, I'll burst if I have another slice!; *Se non parlo, scoppio!*, I'll burst if I don't say something!; **fino a s.**, to bursting point; **mangiare fino a s.**, to eat fit to burst; **pieno da s.**, stuffed (*o* packed) to bursting point; bulging at the seams; (*di cibo*) bloated 6 (*fig.: essere troppo pieno*) to be bursting (at the seams); to be on the verge of collapse: *Ho l'armadio che scoppia di vestiti*, my wardrobe is bursting with clothes; *Le città scoppiano per il traffico*, cities are bursting at the seams with traffic 7 (*accadere, manifestarsi all'improvviso*) to break* out; to explode; to erupt; to flare up; (*di temporale*) to break*: *Scoppiarono applausi scroscianti*, thundering applause broke out; *Scoppiò un incendio* [*la guerra, la peste*], a fire [war, the plague] broke out; *In un attimo scoppiò il panico*, panic broke out in a second; *Scoppiò uno scandalo*, a scandal broke out; *Scoppiò un temporale*, a storm broke out; *Sta per s. un temporale*, there is a storm brewing; *A quelle parole scoppiò un putiferio*, at those words, all hell broke loose **far s.** (*provocare*), to cause; to spark off; to trigger off; **far s. una lite**, to spark off a quarrel; **far s. uno scandalo**, to cause a scandal 8 (*sport*) to collapse.

scoppiàre② v. t. (*dividere una coppia*) to uncouple; to separate.

scoppiàto a. 1 burst; exploded 2 (*sport*) collapsed 3 (*gergo della droga*) brain-fried 4 (*fam. fig.: esausto*) dead beat; knackered (*GB*); pooped (*USA*); wiped out (*USA*).

scoppiettaménto m. crackling; (*di motore*) sputtering, puttering.

scoppiettànte a. crackling; sputtering: **fuoco s.**, crackling fire; **motore s.**, sputtering engine; **risata s.**, rippling laughter.

scoppiettàre v. i. 1 to crackle; (*di fuoco*) to crackle (and spit); (*di motore*) to sputter, to putter, to put-put, to cough: *La legna scoppiettava nel camino*, the wood was crackling and spitting in the fireplace; *Il motore prese a s.*, the engine started to sputter 2 (*fig.: risuonare*) to ring*; (*di risata*) to ripple: *La sala scoppiettava di risatine*, laughter rippled down the room.

scoppiettìo m. 1 crackling; (*di motore*) sputtering, sputter, puttering, putter: **lo s. del fuoco**, the crackling of fire; **lo s. di un motorino**, the sputtering of a moped 2 (*fig.: di risata*) ripple; rippling: *Ci fu uno s. di risate*, there was a ripple of laughter.

scòppio m. 1 (*rottura improvvisa*) burst; bursting; (*di pneumatico*) blow-out: *Lo s. di*

uno pneumatico gli fece perdere il controllo dell'auto, a blow-out sent his car out of control; Siamo senza acqua a causa dello s. delle tubature, we have no water because our pipes burst **2** (esplosione) burst; explosion; detonation; blast: **lo s. d'una bomba**, a bomb explosion; Lo s. fece tremare la casa, the explosion (o the blast) shook the house; **bomba a s. ritardato**, delayed-action bomb **3** (rumore di esplosione) blast; bang; crash; crack: Lo s. fu udito in tutta la città, the blast was heard throughout the town **4** (manifestazione improvvisa) outbreak; eruption; breaking-out: **lo s. di un'epidemia**, the outbreak of an epidemic; **lo s. della guerra**, the outbreak of war; **lo s. di un incendio**, the breaking-out of a fire **5** (fig., di emozione, ecc.) burst; outburst; explosion; fit: **uno s. d'applausi**, a burst of applause; **uno s. d'ira**, an outburst (o a fit) of anger; a flare-up; **uno s. di pianto**, a burst (o an outburst) of tears; **uno s. di risa**, a burst (o an explosion, a peal) of laughter ● (mecc.) **motore a s.**, internal-combustion engine □ (aeron.) **s. sonico**, sonic boom □ **reagire a s. ritardato**, to have a delayed reaction; to do a double-take (fam.) □ **reazione a s. ritardato**, delayed reaction; double-take (fam.).

scòppola f. (region.) **1** (scappellotto) box on the ear; cuff **2** (fig.: perdita) heavy blow, heavy loss; (sconfitta) trouncing, hammering.

scoprimento m. **1** (inaugurazione) uncovering; unveiling: **lo s. d'una statua**, the unveiling (o the uncovering) of a statue **2** (scoperta) discovery.

♦**scoprire** [A] v. t. **1** (togliere la copertura a) to uncover; to take* (st.) off (st.); (per inaugurare) to unveil: **s. una pentola**, to uncover a pot; to take the lid off a pot; **s. una statua [una targa]**, to unveil a statue [a plaque]; **scoprirsi la faccia**, to uncover one's face **2** (denudare) to bare; to expose: **s. le braccia**, to bare one's arms; **scoprirsi il capo**, to bare one's head; **un vestito che scopre quasi tutta la schiena**, a dress that exposes most of the back **3** (lasciare indifeso) to expose: **s. il fianco**, to expose one's flank **4** (mostrare, far vedere) to show; to bare; to reveal: **s. le proprie carte**, to show one's cards; (anche fig.) to lay one's cards on the table; (fig.) to show one's hand; **s. i denti**, to show (o to bare) one's teeth **5** (fig.: palesare, rivelare) to reveal; to disclose: **s. le proprie intenzioni**, to reveal one's intentions; **s. i propri piani**, to disclose one's plans **6** (arrivare a conoscere, trovare) to discover; to find*; (in seguito a indagine, ricerca) to find* out, to trace; (individuare) to detect, to identify; (di apparecchio di rilevazione) to sense; (sorprendere) to find* out, to catch*; (ind. min.) to strike*; (disseppellire) to unearth: **s. la causa di qc.**, to discover the cause of st.; **s. il colpevole**, to find out (o to trace, to detect, to identify) the culprit; **s. un complotto**, to discover a plot; **s. una nuova cura**, to discover a new cure; **s. un errore nel progetto**, to find a mistake in the project; **s. le origini di qc.**, to trace the origins of st.; **s. un nuovo pianeta**, to discover a new planet; **s. i resti di una città antica**, to unearth the remains of an ancient city; **s. un buon ristorante**, to find (o to discover) a good restaurant; **s. un giovane scrittore di talento**, to discover a young talented writer; **s. nuove terre**, to discover new lands; **s. un tesoro**, to discover (o to find) a treasure; **s. una vena di carbone**, to strike a coal seam; **s. la verità**, to find out the truth; Hai scoperto come si chiama?, have you found out his name?; È difficile s. quello che è realmente accaduto, it is difficult to find out (o to ascertain) what really happened; La scoprii che leggeva sotto le coperte, I caught

her reading under the blankets; Ah! ti ho scoperto!, aha! caught you!; **s. per caso qc.**, to chance upon st.; to stumble upon st.; **vedersi scoperto**, to realize one has been discovered (o found out) **7** (lett.: distinguere) to see*; to descry ● (iron.) **s. l'acqua calda**, to re-invent the wheel □ (fig.) **s. gli altarini**, to reveal the skeleton in the cupboard (USA in the closet); to blow the whistle (on sb.) (slang) □ (fig.) **s. il gioco di q.**, to call sb.'s bluff; to see through sb. □ (fig.) **s. il proprio gioco**, to show one's hand; (involontariamente) to give the game away □ (fig.) **s. il trucco**, to see through a trick □ (iron.) Hai scoperto l'America!, aren't you clever!; so what's (o what else is) new? (fam.) [B] **scoprirsi** v. rifl. **1** (spogliarsi) to take* off one's clothes; (gettar via le coperte) to throw* off the bedclothes **2** (alleggerirsi di qualche indumento) to put* on lighter clothes **3** (togliersi il cappello) to take* off one's hat; to bare one's head **4** (fig.: far capire le proprie intenzioni) to reveal one's mind; (involontariamente) to give* oneself away, to give one's game away (esporsi) to expose oneself (anche mil.); to leave* oneself open (to st.); (boxe e fig.) to lower one's guard: **scoprirsi alle critiche**, to expose oneself (o to leave oneself open) to criticism **6** (accorgersi di essere) to discover one is: Mi sono scoperta un'ottima cuoca, I have discovered I am an excellent cook.

scopritóre m. (f. **-trice**) discoverer; finder; detector; (inventore) inventor ● **s. di talenti**, talent-scout.

scoraggiaménto m. **1** (lo scoraggiare) discouragement **2** (l'essere scoraggiato) discouragement; despondency; dejection; demoralization: **lasciarsi prendere dallo s.**, to give way to discouragement; to become discouraged.

scoraggiante a. discouraging; disheartening; depressing; demoralizing.

scoraggiàre [A] v. t. **1** (deprimere) to discourage; to dishearten; to depress; to demoralize; (intimorire) to daunt: Le sue parole mi scoraggiarono, his words discouraged me **2** (frenare) to discourage; (dissuadere) to discourage, to dissuade; (allontanare) to put* off, to deter: **s. gli investimenti**, to discourage investment; **s. l'uso della macchina in città**, to discourage the use of cars in the city centre; **s. q. dal fare qc.**, to discourage (o to dissuade) sb. from doing st. [B] **scoraggiàrsi** v. i. pron. to lose* heart; to get* discouraged: Non lasciarti scoraggiare!, don't get (o let yourself be) discouraged!

scoraggiàto a. discouraged; disheartened; demoralized; despondent; crestfallen; (intimorito) daunted; (dissuaso) put off, deterred.

scoraménto m. (lett.) disheartenment; despondency; dejection.

scoràre, **scoràto** (lett.) → **scoraggiare**, **scoraggiàto**.

scorazzàre e deriv. → **scorrazzare**, e deriv.

scorbellàto a. (pop.: scocciato) fed up; (scontento) pissed off.

scorbutamìna f. (chim.) ascorbic acid; vitamin C.

scorbùtico [A] a. **1** (med.) scorbutic **2** (fig.: bisbetico) crabby; irritable; cantankerous; cranky [B] m. (f. **-a**) **1** sufferer from scurvy **2** (fig.) cantankerous person; grouch (fam.).

scorbùto m. (med.) scurvy.

scorciaménto m. shortening.

scorciàre [A] v. t. **1** to shorten; (tagliare) to cut*: **s. un abito**, to shorten a dress; **s. la vita**, to shorten one's life **2** (pitt.) to foreshorten [B] **scorciàrsi** v. i. pron. **1** to shorten; to become* (o to get*) shorter; (delle gior-

nate) to draw* in: Le giornate cominciano a scorciarsi, the days are drawing in **2** (apparire di scorcio) to appear foreshortened.

scorciatòia f. (anche fig.) shortcut: **prendere una s.**, to take a shortcut (across. st.); to go the shortest way; (fig.) **usare scorciatoie**, to take shortcuts.

scorciatùra f. shortening.

scórcio m. **1** (pitt.) foreshortening; foreshortened view: **rappresentare in s.**, to foreshorten; **rappresentazione di s.**, foreshortened view **2** (vista parziale) view; perspective: Dalla finestra si vedeva uno s. di mare, from the window we had a view of the sea **3** (di tempo) short period (o space); (parte finale) close, end: **in questo s. di tempo**, in this short lapse of time; **sullo s. del secolo**, towards the end (o the close) of the century.

♦**scordàre** ① v. t., **scordàrsi** v. i. pron. to forget*: **scordarsi il nome di q.**, to forget sb.'s name; **scordarsi di qc. [di fare qc.]**, to forget st. [to do st.]; Me ne scordai completamente, I forgot all about it; Altri soldi? Scordatene!, more money? forget it!

scordàre ② (mus.) [A] v. t. to untune; to put* out of tune [B] **scordàrsi** v. i. pron. to get* out of tune.

scordàto a. (mus.) out of tune; untuned: Il pianoforte è s., the piano is out of tune.

scordatùra f. (mus.) being out of tune; going out of tune; (per ottenere effetti) scordatura.

scòrdeo, **scòrdio** m. (bot., Teucrium scordium) water germander.

scoréggia f. (volg.) fart.

scoreggiàre v. i. (volg.) to fart.

scòrfano m. **1** (zool., Scorpaena) scorpion fish **2** (fig. pop.) person as ugly as sin; (donna) dog (slang USA).

♦**scòrgere** v. t. **1** (riuscire a vedere) to catch* sight of; to catch* a glimpse of; to see*; to spy; (distinguere) to make* out, to discern; (individuare) to spot: Lo scorsi tra la folla, I caught sight of him in the crowd; Si scorgevano figure nella nebbia, figures could be made out in the fog; Scorgemmo alcune luci in lontananza, we saw a few lights in the distance; Guardai, ma non scorsi nulla, I looked but saw nothing; **farsi s.**, to let somebody catch sight of one; to attract people's notice; to let oneself be seen; Non voglio farmi s., I don't want anyone to see me; I don't want to be noticed; **senza farsi s.**, without being seen; unnoticed **2** (fig.: accorgersi di) to notice; to see*; to realize; to be aware of: **s. i propri difetti**, to see (o to be aware of) one's faults; **s. il pericolo**, to realize (o to be aware of) the danger.

scòria f. **1** (metall.) slag; dross; scoria*: **s. basica**, basic slag; **s. d'alto forno**, blast furnace slag; **s. di colata**, tapping slag; **s. di fucinatura**, clinker; **s. galleggiante**, floating slag; **s. fusa galleggiante**, floss **2** (al pl.) (geol.) scoriae; slag Ⓤ: **scorie vulcaniche**, volcanic scoriae (o slag) **3** (al pl.) (rifiuti) waste Ⓤ: **scorie radioattive**, radioactive waste; **smaltimento delle scorie radioattive**, radioactive waste disposal **4** (al pl.) (fig.) dross Ⓤ; scum Ⓤ.

scorificànte (metall.) [A] a. scorifying [B] m. scorifier.

scorificàre v. t. (metall.) to scorify.

scorificazióne f. (metall.) scorification.

scornàre [A] v. t. **1** (rompere le corna a) to dishorn **2** (fig.: svergognare) to put* to shame; (beffare) to mock, to ridicule [B] **scornàrsi** v. i. pron. **1** (rompersi le corna) to break* one's horns **2** (fig.: fare fiasco) to fail miserably; to come* a cropper (fam.); to make* a fool of oneself.

scornàto a. **1** dishorned; unhorned **2**

(fig.: *umiliato)* humiliated, put to shame (pred.), crestfallen; *(beffato)* ridiculed.

scorniciàre ① v. t. *(lavorare a forma di cornice)* to make* into a frame; to mould into a frame.

scorniciàre ② v. t. *(togliere la cornice)* to unframe; to take* out of its frame.

scorniciàto ① m. *(archit.)* moulding.

scorniciàto ② a. unframed; without a frame.

scorniciatrìce f. *(mecc.)* moulding machine.

scorniciatùra ① f. *(archit.)* moulding.

scorniciatùra ② f. *(rimozione dalla cornice)* unframing.

scòrno m. humiliation; shame; disgrace: **subire uno s.**, to suffer humiliation; to be disgraced; **con suo s.**, to his great shame.

scoronàre v. t. *(agric.)* to trim in the shape of a crown 2 *(odontoiatria)* to remove the crown from *(a tooth)*.

scorpacciàta f. 1 gorging (of st.); big feed: **fare una s. di qc.**, to gorge oneself on st.; to stuff oneself with st.; to pig (out) on st. *(fam.)* 2 *(fig.)* binge: *Mi sono fatto una s. di gialli*, I went on a detective novel binge; I read a string of detective novels.

scorpèna f. *(zool., Scorpaena)* scorpion fish.

scorpiòide a. *(bot.)* scorpioid.

scorpióne m. 1 *(zool.)* scorpion: **s. acquatico**, water-scorpion 2 *(fig.)* nasty character.

Scorpióne m. 1 *(astron., astrol.)* Scorpio; (the) Scorpion 2 *(astrol., di persona)* Scorpio.

scorporàre v. t. 1 *(smembrare)* to break* up; *(frazionare)* to unbundle; *(trasferendo le parti altrove)* to hive off; *(suddividere)* to parcel out; *(separare)* to separate: **s. una proprietà**, to parcel out an estate; **s. un settore di una società**, to hive off a sector of a company 2 *(rag.)* to strip.

scòrporo m. 1 *(smembramento)* break-up; *(frazionamento)* unbundling, hiving off; *(suddivisione)* parcelling out; *(separazione)* separation 2 *(rag.)* stripping.

scorrazzàre Ⓐ v. i. 1 *(correre qua e là)* to run* about *(o* around); *(in macchina)* to drive* around: **s. in giardino**, to run about in the garden 2 *(spreg.)* to rove (st.); to terrorize; **s. per le campagne**, to rove the countryside: *Una banda di teppisti scorrazza per il quartiere*, a band of thug is terrorizing the neighbourhood Ⓑ v. t. 1 *(girare città, paesi)* to travel all over: *Ha scorrazzato tutta l'America*, he has travelled all over America 2 *(portare in giro)* to take* around; to drive* around: *Mi ha scorrazzato per la città*, she drove me all around the town.

scorrazzàta f. run; drive.

scorréggia, **scorreggiàre** → **scoreggia, scoreggiare**

♦**scórrere** Ⓐ v. i. 1 *(muoversi, anche su guida)* to run*; *(scivolare)* to slide*; *(passare)* to pass; *(correre)* to run*; *(di scritta su uno schermo, dal basso)* to roll: *Questo cassetto non scorre*, this drawer doesn't slide easily; *Le immagini scorrevano sullo schermo*, pictures passed on the screen; *La penna scorreva veloce sul foglio*, the pen ran over the paper; **un pennino che scorre bene**, a nib that writes smoothly; **prosa che scorre**, fluent *(o* smooth) prose; **far s.**, to run; to slide; *(comput., di testo, ecc., sullo schermo)* to scroll down [up, etc.]; *Fece s. il dito lungo l'elenco*, she ran her finger down the list; *Fece s. il catenaccio entro il foro*, he slid the bolt through the hole; *Fece s. l'occhio lungo la colonna*, he ran his eye down the column 2 *(fluire, anche fig.)* to run*; to flow*; to

course; to pour; to stream; *(sgorgare)* to gush: *Il fiume scorre verso sud*, the river flows *(o* runs) southwards; *Il sangue scorre nelle vene*, blood flows in the veins; *Le lacrime le scorrevano sulle guance*, tears streamed down her cheeks; *Il traffico scorreva regolarmente*, the traffic flowed smoothly; *Questa frase non scorre bene*, this sentence does not flow smoothly; **far s. l'acqua**, to run the water; *(nel water)* to flush the toilet; **lasciare s. l'acqua**, to let the water run 3 *(essere coerente)* to make* sense; to be consistent: *Il tuo ragionamento non scorre*, your reasoning doesn't make sense 4 *(del tempo)* to pass; to go* by; to roll by: *Le ore scorrevano lente*, the hours passed quickly *(o* slipped by); *Gli anni scorrono via*, the years roll by *(o* on) Ⓑ v. t. 1 *(fare scorrerie)* to raid: **s. le campagne**, to raid the countryside 2 *(percorrere con lo sguardo)* to run* one's eyes over; to look through; to skim (through); to glance through; to browse: **s. il giornale**, to glance through the newspaper; *Ho appena scorso il libro*, I have just run through *(o* skimmed through) the book.

scorrerìa f. raid; foray: **fare una s.**, to make a raid (on, into); to raid (st.); to make a foray (against, into); to foray (st.).

scorrettaménte avv. 1 *(erroneamente)* incorrectly; wrongly 2 *(con disonestà)* dishonestly; *(con slealtà)* unfairly 3 *(senza decoro)* improperly; indecorously.

scorrettézza f. 1 *(l'essere errato)* incorrectness 2 *(errore)* mistake; error; inaccuracy 3 *(comportamento scorretto)* misconduct; *(professionale)* unprofessional conduct 4 *(atto scorretto)* breach of manners; impropriety 5 *(disonestà)* dishonesty, dishonest dealings (pl.); *(slealtà)* unfairness 6 *(sport: gioco scorretto)* dirty *(o* foul) play Ⓤ; *(fallo)* foul.

scorrètto a. 1 *(errato)* incorrect; wrong; bad; *(grammaticalmente)* ungrammatical, bad, poor; *(difettoso)* faulty, bad; *(pieno di errori)* full of mistakes, inaccurate: **calcolo s.**, incorrect calculation; **frase scorretta**, ungrammatical sentence; **posizione scorretta**, bad posture; **pronuncia scorretta**, wrong pronunciation; **risposta scorretta**, wrong answer; **traduzione scorretta**, translation full of mistakes; *Parla un francese s.*, he speaks bad French; his French is poor 2 *(maleducato)* uncivil, impolite, bad; *(privo di decoro)* indecorous, improper: **maniere scorrette**, bad manners 3 *(rif. all'etica professionale)* unprofessional, unethical; *(contro le regole)* irregular; *(sleale)* unfair, underhand (attr.); *(disonesto)* dishonest; *(sport: falloso)* dirty, foul: **comportamento s.**, unprofessional conduct; unethical dealings (pl.); **gioco s.**, foul play; **manovre scorrette**, unfair *(o* underhand) dealings; **procedura scorretta**, irregular procedure.

scorrévole Ⓐ a. 1 *(mecc.)* sliding: **porta s.**, sliding door 2 *(che scorre facilmente)* flowing; smooth; smooth-flowing; fluent; easy: **periodo s.**, a flowing period; **stile s.**, flowing *(o* smooth) style; **traffico s.**, smooth-flowing traffic; **essere s.**, to flow smoothly; *(di frase, ecc.)* to be fluent; *Il suo tedesco è molto s.*, his German is very fluent Ⓑ m. slide.

scorrevolézza f. 1 fluidity; fluency; smoothness; smooth flow: **s. di stile**, fluency of style; **la s. del traffico**, the smooth flow of traffic 2 *(tecn.)* flowability.

scorribànda f. 1 *(scorreria)* raid; foray; incursion; inroad 2 *(rapida escursione)* (quick) trip: **fare una s. in città**, to make a quick trip into town 3 *(fig.: digressione)* digression; excursion: **una s. nella storia**, an excursion into history.

scorriménto m. 1 *(lo scorrere)* running; sliding; *(di liquido, traffico)* flowing, flow: **lo s. delle acque**, the flowing of water; **lo s.**

del traffico, the flow of traffic; **strada di s.**, freeway; throughway; **traffico a s. veloce**, fast-flowing traffic 2 *(mecc.)* slide; sliding; *(slittamento)* slip, slipping, slippage: **guida di s.**, guideway; **piano di s.**, sliding surface; slide-track; runway 3 *(elettr.)* slip 4 *(fis.)* creep 5 *(geol.)* slip; thrust: **s. di strato**, bedding thrust 6 *(comput., di testo, ecc.)* scrolling: **s. verso il basso**, downscrolling.

scórsa f. glance; quick look; browse: **dare una s. a qc.**, to browse through st.; to glance through st.; to skim through st.; **dare una s. al giornale**, to skim through the paper; *Diede una s. ai libri sullo scaffale*, she browsed through the books on the shelf; *Da' una s. a questo articolo*, have a quick look at this article.

♦**scórso** Ⓐ a. last; past: **l'anno s.**, last year; the past year; **la settimana scorsa**, last week; **lunedì s.**, last Monday; on Monday last; **lo s. marzo**, last March; **nei mesi scorsi**, in the last few months; **negli anni scorsi**, in the past years; over the last (few) years Ⓑ m. slip; *(svista)* oversight: **s. di penna**, slip of the pen.

scorsóio a. running: **nodo s.**, running knot; slip-knot.

♦**scòrta** Ⓐ f. 1 *(accompagnamento)* escort; *(guardia)* guard; *(guida)* guidance: **fare la s. a**, to escort; to guide; to act as a guide to; **sotto s.**, under escort; **sotto buona s.**, under good guard; **sotto s. della polizia**, under police escort; **sotto la s. di**, under the guidance of: **quattro uomini di s.**, an escort of four men 2 *(persona o persone che scortano)* escort; *(a cavallo, in motocicletta)* outrider; *(guardia)* guard; *(seguito)* retinue: **s. armata**, armed escort; **s. d'onore**, guard of honour; **fare da s. a**, to escort; to act as an escort to; to act as a guard; **senza s.**, unescorted 3 *(provvista)* supply, provision, provisions, store, stockpile; *(riserva)* reserve, fund; (al pl.) stock (sing.): **scorte di magazzino**, supply on hand; stock-in-trade; **scorte di materie prime**, stock of raw materials; **scorte di valuta estera**, foreign currency reserves; **scorte di viveri**, store of food; provisions; *(econ.)* **scorte cuscinetto** *(o* **tampone)**, buffer stock; *(agric.)* **scorte morte**, dead stock; *(agric.)* **scorte vive**, livestock; **accumulare** *(o* **costituire)** **le scorte**, to stockpile; **esaurire le scorte**, to run out of stock; **esaurire le scorte di qc.**, to run out of st.; **fare s. di qc.**, to stock up on st.; to build up a supply of st.; to get in a stock of st.; *Devo fare s. di zucchero*, I must stock up on sugar; **reintegrare le scorte**, to replenish the stocks; to restock; **di s.**, in reserve; *(di ricambio)* spare (agg.); **chiave di s.**, spare key; **ruota di s.**, spare wheel Ⓑ a. inv. escort (attr.): **nave s.**, escort ship.

scortàre v. t. 1 to escort 2 *(mil.)* to escort; to convoy.

scorticaménto m. 1 *(di albero)* barking; peeling; *(bark)* stripping 2 *(togliere l'intonaco)* scraping, unplastering; *(la tappezzeria)* peeling; *(la vernice)* stripping (of paint).

scorticàre Ⓐ v. t. 1 *(un albero)* to bark; to peel; to strip the bark off; to strip *(a tree)* of its bark 2 *(togliere l'intonaco)* to scrape, to unplaster; *(la tappezzeria)* to peel off; *(la vernice)* to strip Ⓑ **scorticàrsi** v. i. pron. to lose* *(o* to shed*) its bark; to peel off.

scorticatóio m. *(agric.)* bark spud.

scorticatrìce f. 1 *(ind. cartaria)* bark-stripping machine; barker 2 *(agric.)* scourer.

scorticatùra f. → **scorticamento**.

scortése a. *(maleducato)* impolite, uncivil, ill-mannered, rude, discourteous; *(non gentile)* unkind: **commesso s.**, rude shop-assistant; **comportamento s.**, uncivil behaviour;

a b c d e f g h i j k l m n o p q r **s** t u v w x y z

maniere scortesi, rude manners; **risposta s.**, uncivil (o rude) answer; *Sarebbe s. rifiutare*, it would be impolite to refuse; *Non essere s. con la mamma*, don't be rude to mother.

scorteṣia f. **1** incivility; impoliteness; rudeness **2** (*atto scortese*) unkindness; discourtesy: **fare una s. a q.**, to be unkind to sb.

scorticaménto m. **1** (*scuoiatura*) skinning; flaying **2** (*abrasione*) grazing; barking **3** (*fig.*) fleecing; flaying.

scorticàre v. t. **1** (*spellare, scuoiare*) to skin; to flay: **s. un bue**, to flay an ox; (*anche fig.*) **s. q. vivo**, to flay sb. alive **2** (*produrre un'abrasione in*) to graze; to scrape; to bark: **scorticarsi un dito**, to scrape a finger; **scorticarsi un ginocchio**, to bark one's knee **3** (*fig.: richiedere prezzi esagerati*) to fleece; to rip off (*fam.*): **essere scorticato da un usuraio**, to be fleeced by a usurer **4** (*fig.: esaminare con severità*) to grill.

scorticatóio m. **1** (*luogo*) flaying place **2** (*coltello*) flaying knife*.

scorticatóre m. (f. **-trice**) **1** flayer; skinner **2** (*fig.: usuraio*) usurer; (loan) shark (*fam.*).

scorticatùra f. **1** (*lo scorticare*) flaying; skinning **2** (*abrasione*) scrape; bark; scratch.

scortichino m. **1** (*persona che scortica*) flayer; skinner **2** (*coltello*) flaying knife* **3** (*fig.: usuraio*) usurer; (loan) shark (*fam.*).

scòrza f. **1** (*corteccia*) bark **2** (*buccia*) rind; peel; skin: **s. d'arancia [di limone]**, orange [lemon] peel (o rind); **togliere la s.**, to take off the skin; to skin; to peel **3** (*pelle d'animale*) skin; (*spoglia*) slough: **liberarsi della s.**, to slough off **4** (*estens. e fig.: pelle umana*) skin; hide (*fam.*): **essere di (o avere la) s. dura**, to be tough **5** (*fig.: aspetto esteriore*) surface; appearance; exterior; outside: **penetrare oltre la s.**, to get beneath the surface; to go beyond appearances; *Sotto la sua ruvida s. è un sentimentalone*, under his rough exterior, he's a softie.

scorzàre v. t. **1** (*stortecciare*) to bark; to strip the bark off; to peel **2** (*sbucciare*) to peel; to skin.

scorzatrice f. (*mecc.*) barker.

scorzatùra f. **1** (*lo scortecciare*) barking; (*lo sbucciare*) peeling **2** (*corteccia tolta*) bark; (*bucce tolte*) peel, peelings (pl.).

scorzétta f. zest ⓤ; peel ⓤ: **una s. di limone**, a piece of lemon peel; **scorzette candite**, candied peel.

scorzonéra f. (*bot., Scorzonera hispanica*) scorzonera; black salsify.

scoscéndere Ⓐ v. t. (*lett.: spaccare*) to split*; to cleave* Ⓑ v. i. e **scoscéndersi** v. i. pron. **1** (*rovinare, franare*) to crash; to fall* down **2** (*scendere a picco*) to fall* steeply; to drop sheer.

scoscendiménto m. **1** (*luogo scosceso*) steep slope; steep fall; sheer drop; cliff; bluff **2** (*frana*) landslide; (*geol.*) slump.

scoscéso a. (*ripido*) steep; precipitous; (*a picco*) sheer: **costa scoscesa**, steep coastline; **monte s.**, steep (o precipitous) mountain; **pendio s.**, steep slope.

scosciàre Ⓐ v. t. to cut* off the leg (o legs) of: **s. un pollo**, to cut off the legs of a chicken Ⓑ **scosciàrsi** v. i. pron. **1** (*danza*) to spread* one's legs wide apart; (*fare la spaccata*) to do* the splits **2** (*fam.: mostrare le cosce*) to bare (o to expose) one's thighs.

scosciàta f. (*spaccata*) (the) splits (pl.).

scosciàto a. **1** (*fam., di donna*) exposing one's thighs; wearing a high-cut garment (*di indumento*) high-cut.

scòscio m. **1** (*spaccata*) (the) splits (pl.) **2** (*sartoria*) crotch.

scòssa f. **1** shake; jar; (*sobbalzo*) jerk, jolt; (*soprassalto*) start: **le scosse di un autobus**, the jolts of a bus; **avere una s.** (*sobbalzare*), to give a start; to start; **dare una s. a q.** [**qc.**], to give sb. [st.] a shake; to shake sb. [st.]; **proteggere qc. dalle scosse**, to protect st. against jars **2** (*anche* **s. sismica**) (earth) tremor; (earthquake) shock: **una s. del quarto grado della scala Richter**, a shock which measured four on the Richter scale; **s. di assestamento**, aftershock **3** (*elettr.*) (electric) shock: **ricevere (o prendere) la s.**, to get a shock **4** (*fig.: trauma*) shock; blow: *È stata una brutta s. per lui*, it was a nasty blow for him.

scossalina f. (*edil.*) flashing; rake ● **s. di colmo**, ridge cap.

scòsso a. **1** (*mosso con violenza*) shaken **2** (*turbato*) shaken, upset, shattered; (*commosso, colpito*) affected: **nervi scossi**, shattered nerves; **profondamente s.**, badly shaken, deeply affected **3** (*region., di cavallo*) riderless.

scossóne m. shake-up; jolt; jerk: **dare uno s. a q.** [**qc.**], to give sb. [st.] a shake-up; to shake sb. [st.]; *La notizia diede uno s. alla Borsa*, the news shook up the share market; *La corriera dava degli scossoni*, the coach was jolting us up and down; **procedere a scossoni**, to jolt along.

scostaménto m. **1** (*lo scostare, lo scostarsi*) shifting; moving aside **2** (*allontanamento*) deviation; (*rag.*) variance: **s. dai programmi**, deviation from plans; **s. dalle previsioni del bilancio**, budget variance **3** (*stat.*) deviation.

scostànte a. (*antipatico*) off-putting, disagreeable; (*poco socievole*) unfriendly, standoffish.

scostàre Ⓐ v. t. **1** to move away (o aside); (*spingendo*) to push away (o aside); (*tirando*) to pull back: **s. una tenda**, to move a curtain aside; **s. una sedia da un tavolino**, to move a chair away from a table; **s. un divano dal muro**, to push a sofa away from a wall; to pull back a sofa from the wall; *Scosta quello sgabello*, push that stool aside **2** (*fig. fam.: evitare*) to avoid; to shun **3** (*naut., assol.*) to sheer off; to push off; to fend off Ⓑ **scostàrsi** v. rifl. e i. pron. **1** to move aside (o away); to stand* aside; to draw* aside (o away); (*arretrando*) to stand* back: **scostarsi dalla finestra**, to move (o to draw) away from the window; *Si scostò per lasciarmi il passo*, he stood aside to let me pass; *Scostatevi! Fate largo!*, stand aside! (o stand back!); make room!; *Non si scostò mai dal mio fianco*, she didn't leave my side for one moment **2** (*fig.*) to diverge; to stray; to wander: **scostarsi dalle proprie abitudini**, to stray from one's habits; **scostarsi da un argomento**, to stray (o to wander) from a subject; **scostarsi dalla media**, to vary from the mean; **scostarsi dall'originale**, to diverge from the original.

scostolàre v. t. to remove the rib from (*a vegetable*).

scostumatézza f. **1** (*licenziosità*) immorality; licentiousness **2** (*region.: maleducazione*) bad manners (pl.); rudeness **3** (*atto da scostumato*) licentious act, licentious behaviour ⓤ; (*parole, discorso*) licentious words (pl.).

scostumàto Ⓐ a. **1** (*licenzioso*) immoral; licentious; dissolute **2** (*region.: maleducato*) ill-mannered; ill-bred; rude Ⓑ m. (f. **-a**) (*region.*) rude person.

scòtano m. (*bot., Rhus cotinus*) smoke-tree.

scotch (*ingl.*) m. inv. **1** (*whisky scozzese*) Scotch whisky; Scotch (*fam.*) **2** ® (*nastro adesivo*) Sellotape® (*GB*); Scotch tape® (*USA*): **attaccare con lo s.**, to sellotape (*GB*); to scotch-tape (*USA*).

scotennaménto m. scalping.

scotennàre v. t. **1** to flay; to skin **2** (*etnol.*) to scalp.

scotennatóio m. flaying knife*.

scotennatóre m. (f. **-trice**) **1** skinner **2** (*etnol.*) scalper.

scotennatùra f. **1** flaying; skinning **2** (*etnol.*) scalping.

scotiménto → **scuotimento**.

scotiṣmo m. (*filos.*) Scotism.

scotitóio m. (*mecc.*) shaker.

scòto (*stor.*) Ⓐ a. Scotic Ⓑ m. Scot.

scotòfilo a. (*biol.*) scotophilic.

scotofobia f. (*psic.*) scotophobia.

scotòfobo a. (*psic.*) scotophobic.

scòtola f. (*ind. tess.*) scutcher; scutch.

scotolàre v. t. (*ind. tess.*) to scutch.

scotolatrice f. (*ind. tess.*) scutch; scutcher.

scotolatùra f. (*ind. tess.*) scutching.

scotòma m. (*med.*) scotoma*.

scotomàtico a. (*med.*) scotomatous.

scotomizzàre v. t. (*psic.*) to scotomize.

scotomizzazióne f. (*psic.*) scotomization.

scòtta ① f. (*naut.*) sheet: **s. di coltellaccio**, deck sheet; **s. del fiocco**, jib sheet; **s. di randa**, boom sheet; **cazzare le scotte**, to haul aft the sheets; **mollare le scotte**, to let go the sheets; **tesare la s. del fiocco**, to sheet the jib.

scòtta ② f. (*residuo sieroso*) whey.

scottadito vc. – (*cucina*) **a s.**, served hot from the grill.

scottànte a. **1** burning; hot; scorching; (*di liquido*) scalding: **sabbia s.**, burning sand; **sole s.**, scorching sun **2** (*urgente*) burning; (*controverso*) hot: **questione s.**, burning issue; **tema s.**, hot subject; **di s. attualità**, extremely topical.

scottàre Ⓐ v. t. **1** (*ustionare*) to burn*; (*con liquido*) to scald; (*superficialmente*) to scorch: **scottarsi una mano col ferro da stiro**, to burn one's hand with the iron; *Il caffè mi scottò le labbra*, the coffee scalded my lips; *Il sole le aveva scottato il viso*, the sun had burnt (o scorched) her face **2** (*cuocere brevemente in padella*) to flash-fry; (*rosolare*) to brown; (*sbollentare*) to scald **3** (*fig.: irritare*) to sting*; to nettle; to hurt: *Le mie parole lo hanno scottato*, my words stung him to the quick; he was stung by my words Ⓑ **scottàrsi** v. rifl. **1** to burn* oneself; (*con liquido*) to scald oneself; (*al sole*) to get* (badly) sunburnt **2** (*fig.*) to get* one's fingers burnt Ⓒ v. i. **1** to be hot; to be burning: *Oggi il sole scotta*, the sun is burning hot today; *Ha la fronte che scotta*, his forehead is burning; *Questo caffè scotta*, this coffee is too hot **2** (*fig.: essere delicato o avere provenienza illecita*) to be hot: **un problema che scotta**, a hot issue; **denaro che scotta**, hot money ● (*fig.*) **sentirsi scottare la terra sotto i piedi**, to be itching to be off; to have itchy feet.

scottàta f. (*cucina*) flash-frying; browning; (*sbollentata*) scalding: **dare una s. a qc.** → **scottare, A, def. 2**.

scottàto a. **1** (*bruciato*) burnt; (*da un liquido*) scalded; (*superficialmente*) scorched: **s. dal sole**, burnt by the sun; sunburnt **2** (*fig.*) disappointed; hurt; stung (*fam.*): *Ci sono rimasto s.*, I got my fingers burnt; I got stung.

scottatùra f. **1** (*lo scottare*) burning; (*con liquido*) scalding; (*superficialmente*) burning **2** (*ustione*) burn; (*da liquidi*) scald; (*da sole*) sunburn: **pomata per le scottature**, ointment for burns and scalds **3** (*fig.*) unpleasant experience; (*delusione*) disappointment, let-down (*fam.*).

scottex® m. inv. **1** (*il rotolo*) kitchen paper; kitchen roll **2** (*il foglio*) kitchen paper towel; (*piece of*) kitchen paper.

scòtto ① m. price; penalty: **pagare lo s.**, to pay the price (for st.); to pay the penalty (for st.); to pay for st.

scòtto ② a. (*troppo cotto*) overcooked; overdone.

scout (*ingl.*) A agg. inv. Scout (attr.) B m. (Boy) Scout: **entrare negli s.**, to join the Scouts C f. inv. Girl Guide (*GB*); Girl Scout (*USA*).

scoutismo m. Scout Movement; Scouting: **s. femminile**, Girl Scouting (*o* Guiding); **s. maschile**, Boy Scouting.

scoutista m. e f. Scout.

scoutistico a. Scout (attr.); Scouting: *Associazione scoutistica*, (*in GB*) Scout Association; (*in USA*) National Council of the Boy Scouts of America.

scovàre v. t. **1** (*stanare*) to drive* out; to draw* out; to rouse; to unearth: **s. una lepre**, to drive a hare out of its hole; **s. la volpe**, to draw out (*o* to unearth) a fox **2** (*fig.: trovare*) to find*; to find* out; to unearth; to dig* up; (*rintracciare*) to track down, to run* to earth (*o* to ground), to hunt down (*o* out): **s. un ristorante buono e non caro**, to find a good, inexpensive restaurant; **s. una notizia interessante**, to dig up (*o* to unearth) an interesting piece of news; *La polizia lo scovò in un paesino del Piemonte*, the police tracked him down (*o* ran him to earth) in a small Piedmont village.

scovolino m. **1** (*per pipe*) pipe cleaner **2** (*per bottiglie*) bottlebrush.

scóvolo m. swab.

scòzia f. (*archit.*) scotia.

Scòzia f. (*geogr.*) Scotland.

scozzàre v. t. to shuffle: **s. le carte**, to shuffle the cards.

scozzàta f. (*alle carte*) shuffle.

scozzése A a. Scottish; (*per le persone e la lingua, anche*) Scots; (*solo rif. a un prodotto*) Scotch: **accento s.**, Scottish (*o* Scots) accent; **un calciatore s.**, a Scots (*o* Scottish) footballer; **danza s.**, Scottish dance; écossaise (*franc.*); **il dialetto s.**, Scots; **disegno s.**, tartan; **tessuto s.**, tartan; **whisky s.**, Scotch whisky; Scotch; **alla s.**, after the Scottish fashion; Scottish-style (attr.) B m. e f. Scotsman* (m.); Scot (m.); Scotswoman* (f.): **gli Scozzesi**, the Scots C m. (*ling.*) **1** (*dialetto inglese parlato in Scozia*) Scots **2** (*gaelico*) Scottish Gaelic D f. écossaise (*franc.*).

scozzonàre v. t. **1** (*rif. a cavallo*) to break* in **2** (*fig.: dare i primi rudimenti*) to teach* the rudiments to; to break* in **3** (*fig.: dirozzare*) to refine; to polish.

scozzonatóre m. breaker, horse-breaker.

scozzonatùra f. (*anche fig.*) breaking-in: **dare una s. a q.**, to break in sb.

scozzóne m. breaker, horse-breaker.

scrambler (*ingl.*) m. inv. (*moto*) scrambler.

scramblerista m. e f. scrambler driver.

scrànna f. high-backed chair; (*seggio di giudice*) bench.

scrànno m. → **scranna**.

scratch (*ingl.*) m. inv. (*tennis*) – **vincere per s.**, to win by default.

screanzàto A a. ill-mannered; ill-bred; rude B m. (f. **-a**) ill-mannered (*o* ill-bred, rude) person.

screditaménto m. discrediting.

screditàre A v. t. to discredit; to throw* discredit on; to bring* into disrepute; (*un teste*) to undermine the credibility of; (*una teoria, una notizia, ecc.*) to discredit, to explode B **screditàrsi** v. i. pron. to bring* discred-

it upon oneself; to lose* credibility.

screditàto a. discredited; in disrepute; in disgrace; (*di teoria, notizia. ecc.*) discredited, exploded.

scrédito m. discredit; disrepute.

screening (*ingl.*) m. inv. screening.

scremàre v. t. **1** to skim: **s. il latte**, to skim the milk **2** (*fig.: selezionare*) to screen.

scremàto a. skimmed: **latte s.**, skimmed milk; skim-milk.

scrematrice f. cream-separator; skimmer.

scrematùra f. **1** skimming **2** (*fig.*) screening; selection.

screpolàre A v. t. (*la pelle*) to chap; (*intonaco, vernice*) to crack B v. i. e **screpolàrsi** v. i. pron. (*di pelle*) to chap, to get* chapped; (*di intonaco, vernice*) to crack.

screpolàto a. (*di pelle*) chapped; (*di intonaco, vernice*) cracked.

screpolatùra f. **1** (*lo screpolare, di pelle*) chapping; (*di intonaco, vernice*) cracking **2** (*parte screpolata, di pelle*) chap; (*di intonaco, vernice*) crack: **le screpolature di un muro**, the cracks on a wall; **mani piene di screpolature**, chapped hands.

screpolo m. → **screpolatura**, def. 2.

screziàre v. t. to streak; to vein; (*punteggiare*) to speckle, to fleck, to dot.

screziàto a. variegated; streaked; veined; (*punteggiato*) speckled, flecked: **fiori screziati**, variegated flowers; **marmo s.**, veined marble; **s. di rosso**, streaked (*o* shot) with red.

screziatùra f. variegation; streaks (pl.): **essere pieno di screziature**, to be full of coloured streaks; to be shot through with different colours.

scrèzio m. difference; disagreement; friction; tiff (*fam.*): *Abbiamo avuto i nostri screzi*, we've had our differences; *È solo uno s. tra innamorati*, it's only a lovers' tiff.

scrìba m. **1** (*copista*) scribe; copyist **2** (*stor.*) Scribe: **gli Scribi e i Farisei**, the Scribes and Pharisees.

scribacchiàre v. i. **1** (*scrivere in modo affrettato*) to scribble; to scrawl; (*prendere nota*) to jot down: **s. un appunto**, to scribble (*o* to jot down) a note **2** (*scrivere cose da poco*) to scribble: **s. per un giornale**, to scribble for a newspaper.

scribacchino m. (f. **-a**) (*spreg.: scrittore da poco*) scribbler; (*anche di giornalista*) hack; (*impiegatuccio*) penpusher.

scricchiolaménto m. creaking; squeaking.

scricchiolànte a. creaking; creaky; squeaking; squeaky.

scricchiolàre v. i. **1** to creak; (*cigolare*) to squeak; (*di cosa calpestata o franta*) to crunch: *Il ghiaccio scricchiolava paurosamente*, the ice creaked frightfully; *La porta si aprì scricchiolando*, the door creaked open; *La neve gelata scricchiolava sotto i miei passi*, the frozen snow crunched under my feet; **penna che scricchiola**, scratchy pen; **scarpe [scale] che scricchiolano**, creaky shoes [stairs] **2** (*fig.: mostrare segni di cedimento*) to deteriorate; (*di matrimonio*) to show cracks; (*di governo*) to be tottering.

scricchiolìo m. **1** creak; creaking sound; creaking; (*cigolio*) squeak, squeaking; (*di cosa calpestata o franta*) crunch, crunching: **lo s. di un'asse del piancito**, the creak of a floorboard; **s. d'ossa**, crunch of bones; **s. di passi**, crunch of steps; *Scricchiolii minacciosi venivano dal lago ghiacciato*, sinister creaking sounds (*o* a sinister creaking) came from the frozen lake; **chiudersi con uno s.**, to creak shut; to squeak shut **2** (*fig.*) sign of deterioration; first crack.

scricciolo m. **1** (*zool.*, *Troglodytes tro-*

glodytes) wren; (*la femmina*) jenny wren **2** (*fig.*) mite; shrimp: **uno s. di bambino**, a mite (*o* a shrimp) of a child; **uno s. d'uomo**, a shrimp of a man ● **mangiare come uno s.**, to eat like a bird.

scrigno m. casket; box.

scriminànte (*leg.*) A a. justifying B f. justification.

scriminatùra f. parting (of the hair): **farsi la s.**, to part one's hair; **portare la s. a destra**, to part one's hair on the right; to wear one's hair parted on the right.

scrimolo m. **1** edge; verge; brink; border: **lo s. di un tetto**, the edge of a roof **2** (*geogr.*) mountain ridge that is steep on one side and sloping gently on the other.

scripofilia f. scripophily.

scripòfilo m. (f. **-a**) scripophile.

scriptòrium (*lat.*) m. (*stor.*) scriptorium*.

cristianàre, **cristianizzàre** A v. t. to de-Christianize B **cristianàrsi**, **cristianizzàrsi** v. i. pron. to turn away from Christianity; to abandon the Christian faith.

cristianizzazióne f. de-Christianization.

scriteriàto A a. foolish; imprudent; unwise; irresponsible; brainless B m. (f. **-a**) irresponsible person.

♦**scritta** f. writing ⓤ; piece of writing; (*indicazione*) notice, sign; (*iscrizione*) inscription; (*su un muro*) graffiti (sing. e pl.).

♦**scritto** A a. **1** written (*anche fig.*); in writing (pred.): **esame s.**, written examination; **lingua scritta**, written language; **legge scritta [non scritta]**, written [unwritten] law; **ordine s.**, written order; order in writing; **s. a macchina**, typewritten; typed; **s. a mano**, handwritten; *Non abbiamo nulla di s.*, we have nothing in writing **2** (*fig.: destinato*) destined; fated; bound: *Era s. che scegliessero lui*, he was destined (*o* bound) to be chosen; *Era s. che fosse così*, it was bound to happen ● (*fig.*) **s. in fronte** (*o* in faccia, in viso), written on (*o* all over) one's face □ **È s. sul giornale**, it's (written) in the paper □ *Cosa c'è scritto su questo biglietto?*, what does this note say? B m. **1** (*cosa scritta*) writing ⓤ; piece of writing; written text; (*documento*) paper; (*lettera*) letter; (*biglietto*) note; (*esame*) written examination: *Sul foglio c'era dello s.*, there was writing on the paper; *Mi hanno fatto firmare uno s.*, they made me sign a paper; *Ricevo proprio ora il tuo s.*, I have just received your letter (*o* note); **superare gli scritti**, to pass the written exams **2** (*opera*) piece of writing; work; (al pl., anche) writings: **uno s. interessante**, an interesting piece of writing; **uno s. minore di Manzoni**, a minor work by Manzoni; **scritti critici**, works of criticism; critical works; **scritti postumi**, posthumous writings; **scritti scelti**, selected writings **3** (*scrittura*) handwriting; hand ● **per s.**, in writing: **mettere per s.**, to write down; to put down on paper; (*rif. ad accordo, ecc.*) to put down in writing; **rispondere per s.**, to send a written reply.

scrittóio m. writing desk; writing table; (*con cassetti e ribalta*) bureau* (*GB*); (*con alzata a scomparsa*) roll-top desk.

♦**scrittóre** m. (f. **-trìce**) writer; author: **gli antichi scrittori**, the ancient writers; **un celebre s.**, a famous writer (*o* author).

scrittòrio A a. writing (attr.): **materiale s.**, writing materials (pl.) B m. (*stor.*) scriptorium*.

scrittrìce f. → **scrittore**.

♦**scrittùra** f. **1** (*lo scrivere, il modo di scrivere, anche comput.*) writing: **s. a mano**, handwriting; longhand; **s. a macchina**, typewriting; **s. al computer**, word processing; **s. creativa**, creative writing; **sala di s.**, writing room; (*comput.*) **programma di s.**, word

processor; (*comput.*) **testina di s.**, write-head **2** (*sistema di scrittura, caratteri, alfabeto*) writing; script: **s. cuneiforme**, cuneiform writing (*o* script); **s. carolina** [**gotica**], Carolingian [Gothic] script; **l'invenzione della s.**, the invention of writing **3** (*grafia*) handwriting; hand: **s. leggibile** [**illeggibile, incerta**], legible [illegible, shaky] handwriting; **in bella s.**, in a fair hand; **mettere in bella s.**, to write out in a fair hand; **avere una bella s.**, to have neat handwriting **4** (*relig.*) – **la** (**Sacra**) **S.** (*o* **le Sacre Scritture**), the (Holy) Scripture (*o* Scriptures); the Holy Writ; **interpretare le Scritture**, to interpret the Scriptures **5** (*leg.*) legal paper; document; (*atto notarile*) deed; (*contratto*) contract: **s. privata**, private contract; **firmare una s.**, to sign a contract **6** (*teatr., cinem.*) contract; engagement **7** (*rag.*) entry; (*registrazione*) record: **s. contabile**, book-keeping entry; (al. pl.: *libri contabili*) (account) books; **s. di rettifica**, correcting entry.

scritturàbile a. **1** (*teatr., cinem.*) that can be engaged **2** (*rag.*) enterable; recordable.

scritturàle① **A** a. (*rag.*) bookkeeping (attr.); account (attr.) ● **moneta s.**, bank money **B** m. (*scrivano*) clerk; (*copista*) copyist, scribe.

scritturàle② (*relig.*) **A** a. scriptural **B** m. scripturalist.

scritturalìsmo m. (*relig.*) scripturalism.

scritturàre v. t. **1** (*teatr., cinem.*) to engage; to sign on **2** (*rag.*) to enter; to record.

scritturazióne f. **1** (*teatr., cinem.*) engagement **2** (*rag.*) entering; entry; record.

scritturista m. e f. (*relig.*) scripturist; scripturalist.

scritturistico a. (*relig.*) scriptural.

◆**scrivanìa** f. **1** (writing) desk **2** (*comput.*) desktop.

scrivàno m. **1** (*impiegato*) clerk; (*copista*) copyist, scribe **2** (*naut.*) only mate; (*allievo ufficiale*) apprentice officer; (*stor., anche* **s. di bordo**) purser **3** (*zool.*) – **s. della vite** (*Bromius obscurus*), leaf beetle.

scrivènte **A** a. writing **B** m. e f. writer; (*sottoscritto*) (the) undersigned.

◆**scrivere** **A** v. t. **1** to write*: **s. a un amico**, to write to a friend; **s. a casa**, to write home; **s. a macchina**, to type; to typewrite; **s. a mano**, to write by hand; **s. a matita**, to write in pencil; to pencil (st.); **s. a penna**, to write in ink; **s. bene** (*con bella scrittura*), to have neat handwriting; **s. in corsivo**, to write in italics; **s. un numero in cifre** [**in lettere**], to write a number in figures [as a word *o* in full]; **s. in stampatello**, to write in block capitals; to print; **s. sotto dettatura**, to write from dictation; to take dictation; to write at sb.'s dictation; *È tutto il giorno che scrive*, she's been writing away all day; **insegnare** [**imparare**] **a s.**, to teach [to learn] how to write; **carta da s.**, writing paper; **chi scrive**, the present writer; (*il sottoscritto*) the undersigned; **macchina per s.**, typewriter; **occorrente per s.**, writing materials (pl.) **2** (*con rif. all'ortografia*) to spell*: *Come si scrive il tuo nome?*, how do you spell your name?; **una parola scritta male**, a word spelt incorrectly; a mis-spelt word **3** (*annotare*) to write* down; to take* down; (*stilare*) to draw* up, to write* out; (*compilare*) to write* out: **s. un appunto**, to write down a note; **s. un assegno**, to write (out) a cheque; **s. un contratto**, to draw up a contract; **s. il proprio nome in un modulo**, to fill in one's name; **s. per esteso**, to write in full; *Scrivitelo o te lo dimenticherai*, write it down, otherwise you'll forget it; *L'impiegato scrisse il mio nome*, the clerk wrote (*o* took) down my name; *Scrivo 4 e riporto 3*, I write down four and carry three **4** (*compor-*

re; *assol.*: *essere scrittore*) to write*: **s. di mestiere**, to write professionally; **s. musica**, to write music; **s. poesie**, to write poetry; **s. un romanzo**, to write a novel; **s. per il teatro**, to write for the stage; **s. sui giornali**, to write for the papers; **guadagnarsi la vita scrivendo**, to make a living by writing **5** (*dire, affermare, anche di avviso, cartello, ecc.*) to say*: *Come scrive Calvino in...*, as Calvino says in...; *Scrive il giornale* (*o Sul giornale c'è scritto*) *che domani ci sarà sciopero*, the paper says (*o* it says in the paper) that there is going to be a strike; *Che cosa c'è scritto sul cartello?*, what does the notice say? **6** (*fig.: imprimere, fissare*) to write*; to print; to engrave **7** (*rag.: registrare*) to enter: **s. una somma a credito** [**a debito**], to enter a sum on the credit-side [on the debit-side]; to credit [to debit] a sum ● **s. qc. di getto**, to write off st.; to run off st.; to dash off □ **s. qc. di proprio pugno**, to write st. oneself (*o* in one's own hand) □ **s. due righe**, to drop a line □ **s. in cifra**, to write in cipher; to cipher □ **s. in lingua**, to write in Italian; not to write in dialect □ (*fig.*) **s. una pagina di storia**, to do something that will go down in history □ (*fig.*) **Questa me la scrivo!**, I must remember that! **B scriversi** v. rifl. recipr. to write* to each other.

scrivìbile a. that can be written; fit to be written.

scriviritto m. inv. (*mobile*) sloping desk for writing while standing.

Scrl, **Scarl** abbr. (**società cooperativa a responsabilità limitata**) limited co-operative society.

scroccàre v. t. to sponge (st. off sb.); to scrounge (st. off sb.); to cadge (st. from sb.); to bum (st. off sb.): **s. un pranzo**, to sponge (*o* to scrounge) a dinner; **s. una sigaretta**, to scrounge (*o* to cadge) a cigarette; *Cerca sempre di s.*, she's always trying to sponge off people; *È uno che scrocca*, he is a sponger; he is a freeloader (*USA*).

scroccatóre → **scroccone**.

scrocchiàre v. i. to crack; (*di cosa calpestata o franta*) to crunch: **far s. le dita**, to crack one's fingers.

scròcchio m. crack; (*di cosa calpestata o franta*) crunch.

scròcco① m. sponging; scrounging; free-loading (*USA*); cadging: **a s.**, by sponging; **mangiare a s.**, to sponge meals; **vivere a s.**, to sponge a living; to sponge (*o* to scrounge) off people; to freeload (*USA*).

scròcco② m. (*scatto*) click ● **coltello a s.**, clasp knife; jackknife □ **serratura a s.**, spring lock; latch.

scroccóne m. (f. **-a**) sponger; scrounger; cadger; freeloader (*USA*): **fare lo s.**, to be a sponger (*o* a cadger, a freeloader); to sponge (*o* to cadge) off people.

scròfa f. **1** sow **2** (*fig. spreg.*) tart; slut.

scròfola f. (*med.*) scrofula.

scrofolóso (*med.*) **A** a. scrofulous **B** m. (f. **-a**) sufferer from scrofula.

scrofulària f. (*bot., Scrophularia*) figwort.

scroll (*ingl.*) m. inv. (*comput.*) scrolling ▣.

scrollaménto m. shaking; (*di spalle*) shrugging.

scrollàre① **A** v. t. to shake*: **s. il capo**, to shake one's head; **s. le spalle**, to shrug (one's shoulders); **scrollarsi qc. di dosso**, to shake st. off **B scrollàrsi** v. i. pron. **1** to shake* oneself **2** (*fig.*) to stir (oneself); to rouse oneself.

scrollàre② v. t. (*comput., verso il basso*) to scroll down; (*verso l'alto*) to scroll up.

scrollàta f. shake; shaking: **s. di capo**, shake of the head; **s. di spalle**, shrug; **dare una s. a qc.**, to give st. a shake; to shake st.

scròllo m. shake; shaking.

scrollóne m. strong shake; good shake; rude shake: **dare uno s. a qc.**, to give st. a good shake; (*sbatacchiare*) to rattle st.; *L'autobus si fermò* [*ripartì*] *con uno s.*, the bus rattled to a halt [into motion].

scrosciànte a. (*di pioggia*) pouring, pelting; (*di cascata, torrente*) roaring, thunderous; (*di risa*) roaring; (*di applauso*) thunderous.

scrosciàre v. i. (*di pioggia*) to pour, to pelt; (*di cascata, torrente*) to roar, to thunder; (*di risa*) to roar; (*di applauso*) to thunder: *La pioggia scrosciava*, the rain was pelting down; *A ogni battuta scrosciavano le risate*, each line was welcomed by roars of laughter; *Scrosciarono applausi*, there was thunderous applause.

scròscio m. **1** (*di pioggia*) pouring, pelting; (*rovescio*) shower, downpour; (*di cascata, torrente*) roar, thunder; (*di risa*) roar, gale; (*di applausi*) thunder: **lo s. della pioggia**, the pelting of the rain; **uno s. di pioggia**, a shower; a downpour; **lo s. di una cascata lontana**, the roar of a distant waterfall; **scrosci di risa**, roars (*o* gales) of laughter; **uno s. di applausi**, thunderous applause **2** (*med.*) crepitation.

scrostaménto m. scraping; stripping; peeling.

scrostàre **A** v. t. **1** (*una ferita*) to remove the scab from **2** (*una superficie*) to scrape, to strip; (*intonaco, vernice, ecc.*) to scrape off, to peel off; (*di agente atmosferico*) to cause to peel off: **s. un muro**, to scrape a wall; (*ripulirlo dall'intonaco*) to scrape (*o* to strip) down a wall; **s. l'intonaco da un muro**, to scrape the plaster off a wall; *L'umidità ha scrostato l'affresco*, the damp caused the fresco to peel off the wall **B scrostàrsi** v. i. pron. (*di superficie*) to peel, to flake; (*di vernice, ecc.*) to peel (*o* away), to flake off.

scrostàto a. (*messo a nudo*) scraped, stripped; (*che ha scrostature*) peeling; flaking.

scrostatùra f. **1** scraping; stripping; peeling **2** (*parte scrostata*) peeling patch: *La parete è piena di scrostature*, the wall is peeling badly.

scrotàle a. scrotum (attr.).

scròto m. (*anat.*) scrotum*.

scrùpolo m. **1** scruple; (*esitazione*) qualm, compunction ▣: **s. di coscienza**, scruple; qualm; **scrupoli morali**, moral scruples; **avere s.** (*o farsi s.*) **di**, to have scruples (*o* qualms) about; to scruple (generalm. al neg.); *Non avrebbe* (*o si farebbe*) *s. di uccidere*, he would have no qualms about killing; *Non si fa nessuno s. di telefonarci di notte*, she doesn't scruple to phone us late at night; *Non occorre avere tanti scrupoli con gente simile*, you needn't have too many qualms when dealing with such people; **mettere da parte gli scrupoli**, to lay all scruples aside; **essere senza** (*o privo di*) **scrupoli**, to have no scruples; to be unscrupulous (*o* unprincipled); to stick at nothing (*fam.*); **senza il minimo s.**, without scruple; **mancanza di s.**, lack of scruples **2** (*cura, diligenza*) great care; great accuracy; meticulousness: **fatto con s.**, accurately (*o* scrupulously) done; **con ogni s.**, with the utmost care; with great accuracy; **esatto** [**onesto**] **sino allo s.**, scrupulously precise [honest] **3** (*ventiquattresima parte dell'oncia*) scruple.

scrupolosaménte avv. scrupulously; (*meticolosamente*) meticulously; (*rigorosamente*) strictly.

scrupolosità f. scrupulosity; scrupulousness; (*meticolosità*) thoroughness, meticulousness.

scrupolóso a. **1** (*che si fa scupoli*) scrupulous; full of scruples **2** (*coscienzioso*) scrupulous, conscientious, painstaking; (*meticoloso*) meticulous, exact: **scrupolosa attenzio-**

ne, the most scrupulous attention; **controlli scrupolosi**, meticulous checks; **ricerca scrupolosa**, painstaking search; **scrupolosissimo**, extremely scrupulous; scrupulous to a fault.

scrutàbile a. (*lett.*) scrutable.

scrutàre v. t. to scan; to search; to study; to scrutinize; to peer at; to eye: **s. l'orizzonte**, to scan the horizon; **s. con sospetto**, to eye with suspicion.

scrutàta f. scrutinizing look; searching gaze.

scrutatóre **A** a. searching; scrutinizing; inquisitive: **sguardo s.**, searching look **B** m. (f. **-trice**) (*lett.*) searcher; scrutinizer; inquirer; observer **2**→**scrutinatore**.

scrutinàre v. t. **1** (*nelle elezioni*) to count (votes) **2** (*nella scuola*) to assign the term's marks to **3** (*indagare*) to search; to scrutinize.

scrutinatóre m. (f. **-trice**) counter of votes; vote counter; scrutineer.

scrutìnio m. **1** (*spoglio dei voti*) (vote) count; (*votazione*) voting, ballot: **s. di lista**, list voting; **s. segreto**, (secret) ballot; **s. uninominale**, uninominal ballot; first-past-the-post electoral system; **nuovo s.**, recount; **essere eletto al primo s.**, to be elected at the first ballot; **fare lo s. dei voti**, to count the votes (*o* the ballots) **2** (*nella scuola*) assignation of the term's marks **3** (*lett.: esame accurato*) scrutiny; investigation; search.

scucchiaiàre v. i. to clatter one's cutlery (while eating).

scucìre **A** v. t. **1** to unstitch; to unpick: **s. un orlo**, to unpick a hem **2** (*pop.: tirar fuori*) to come* up with; (*denaro, anche*) to pay* up, to fork out (*fam.*), to cough up (*fam.*), to shell out (*fam.*) **B** **scucìrsi** v. i. pron. to come* unstitched.

scucìto a. **1** unstitched; (*con le cuciture strappate*) ripped at the seams **2** (*fig.: sconnesso*) disconnected; incoherent; rambling.

scucitùra f. **1** (*lo scucire*) unstitching; unpicking **2** (*parte scucita*) split seam **3** (*fig.: dissenso*) rift.

scudàto a. (*lett.: armato di scudo*) carrying (*o* bearing) a shield; (*protetto da scudo*) protected by a shield.

♦**scuderìa** f. **1** (*stalla*) stable; (*di allevamento*) stud (farm); (*estens.: complesso di cavalli*) stable **2** (*autom.*) (car *o* motor) racing stable; (*l'organizzazione*) racing team ● (*fig.*) **ordini di s.**, party orders.

♦**scudétto** m. **1** (*sport*) (championship) shield; (*estens.: campionato*) championship: **perdere** (*vincere*) **lo s.**, to lose (*to win*) the shield (*o* the championship); **squadra da s.**, team likely to win the championship **2** (*mil.*) (shield-shaped) badge.

scudièro **A** m. **1** (*stor.*) squire **2** (*titolo*) equerry **B** a. **- calzoni alla scudiera**, riding breeches; **guanti alla scudiera**, gauntlets; hunting gloves; **stivali alla scudiera**, jackboots.

scudisciàre v. t. to lash; to whip.

scudisciàta f. lash; (al pl., anche) lashing ▣, whipping ▣: **prendere a scudisciate**, to lash; to whip.

scudìscio m. (*frustino*) riding crop; (*sferza*) lash, scourge.

♦**scùdo** ① m. **1** (*arma*) shield; (*brocchiere*) buckler; **s. antisommossa**, riot shield **2** (*di pezzo d'artiglieria*) shield **3** (*schermo protettivo*) shield; screen; plate: (*miss.*) **s. termico**, heat shield **4** (*fig.: difesa*) shield; defence: (*mil.*) **s. missilistico**, missile defence; (*mil.*) **s. spaziale**, strategic defence system **5** (*zool.*) shield; scute; scutum*; (*di crostaceo*) shell, carapace **6** (*arald.*) escutcheon, scutcheon; shield **7** (*geol.*) shield ● **fare s. a q. con la propria persona**, to shield sb.

with one's body □ **farsi s. di q.** [*qc.*], to use sb. [st.] as a shield; (*fig.*) to shelter behind sb. [st.] □ (*fig.*) **levata di scudi**, general outcry □ (*fig.*) **portare sugli scudi**, to acclaim.

scùdo ② m. **1** (*moneta ital.*) scudo*; (*spagn., portoghese*) escudo*; (*franc.*) écu* **2** (*econ.*) **- s. europeo**, ecu, ECU.

scùffia f. **1** (*cuffia*) cap; bonnet **2** (*pop.: infatuazione*) infatuation; (*giovanile*) crush: **avere una s. per q.**, to have a crush on sb. **3** (*pop.: ubriacatura*) drunken state; drunk: **prendersi una s.**, to get roaring drunk **4** (*naut.*) capsizing: **fare s.**, to capsize; to turn turtle.

scuffiàre v. i. (*naut.*) to capsize; to turn turtle.

scuffìna f. (*falegn.*) rasp.

scuffinàre v. t. (*falegn.*) to rasp.

scugnìzzo m. Neapolitan street urchin; (*estens.*) street urchin, street arab, guttersnipe.

sculacciàre v. t. to spank.

sculacciàta f. (*colpo*) spank; smack on the bottom; (*serie di colpi*) spanking (sing.): **dare una s. a q.**, to spank sb.; to smack sb.'s bottom; **prendere a sculacciate q.**, to give sb. a spanking.

sculacciòne m. spank; (al pl., anche) spanking (sing.).

sculettaménto m. hip-wiggling ▣.

sculettànte a. hip-wiggling; hip-swaying.

sculettàre v. i. to wiggle one's hips; to sway one's hips.

scultóre m. (f. **-trice**) sculptor; (*intagliatore*) carver: **s. in legno**, wood-carver; **s. in marmo**, sculptor in marble.

scultòreo, **scultòrio** a. **1** sculptural; sculpture (attr.) **2** (*statuario*) statuesque: **bellezza scultorea**, statuesque beauty **3** (*fig.: incisivo*) incisive; lapidary: **stile s.**, lapidary style.

scultrìce f. → **scultore**.

scultùra f. **1** (*arte e tecnica*) sculpture; carving: **la s. greca**, Greek sculpture **2** (*opera scolpita*) (work of) sculpture, (al pl., collett., anche) statuary ▣; (*opera intagliata*) carving: **s. in marmo [in bronzo]**, sculpture in marble [bronze]; **s. lignea**, wood carving **3** (*bot., zool.*) sculpture.

sculturàle a. sculptural; sculpture (attr.).

scùna, **scùner**→**schooner**.

scuòcere v. i. e **scuòcersi** v. i. pron. to cook too long; to overcook: **lasciar scuocere**, to overcook.

scuoiàre v. t. to skin; to flay.

scuoiatóre m. skinner; flayer.

scuoiatùra f. skinning; flaying.

♦**scuòla** **A** f. **1** (*l'istituzione, l'attività*) school, education; (*insegnamento*) teaching; (*lezioni*) classes (pl.); (*corsi*) courses (pl.): **s. dell'obbligo**, compulsory education; **s. di perfezionamento** (*all'università*), postgraduate school (*GB*); graduate school (*USA*); **s. elementare**, elementary (*o* primary) school; (*in GB*) junior (*o* primary) school; (*in USA*) elementary school, grade school; **s. estiva**, summer school; summer courses; **s. magistrale**, (teachers') training school; **s. materna**, kindergarten; nursery school; **s. media (inferiore)** = **s. secondaria di di primo livello** → *sotto*; **s. (media) superiore** = **s. secondaria di secondo livello** → *sotto*; **s. mista**, co-educational school; **s. parificata**, state-recognized private school; **s. per corrispondenza**, correspondence courses (pl.); **s. professionale**, vocational school; **s. privata**, private (*o* privately run) school; (*in GB, anche*) public school; **s. pubblica**, state school (*GB*); public school (*USA*); **s. secondaria di primo livello**, junior secondary school; (*in GB*) secondary school; (*in USA*)

junior high school; **s. secondaria di secondo livello**, secondary school; (*in GB*) secondary school; (*in USA*) high school; **s. serale**, evening classes (pl.); *La s. comincia alle nove*, school begins at nine; classes begin at nine; *Oggi non c'è s.*, there are no classes today; **andare a s.**, to go to school; *È ora di andare a s.*, it's time to go to school; it's school-time; **dedicare la vita alla s.**, to dedicate one's life to teaching; **essere a s.**, to be at school; **essere (o trovarsi) nella s.**, to be in the school; **espellere dalla s.**, to expel from school; **fare s.** (*insegnare*), to teach; to hold classes; **finire la s.**, to leave school; **frequentare la s.**, to go to school; **lasciare la s.**, (*smettere di studiare*) to leave school; (*smettere di insegnare*) to leave teaching; **mandare a s.**, to send to school; **la chiusura delle scuole**, the end of the school year; **compagno [compagna] di s.**, schoolfriend; schoolmate; **giorni di s.**, schooldays; **il mondo della s.**, the world of teaching; education; **ora di s.**, class; hour of teaching; **riforma della s.**, school reform; educational reform **2** (*istituto di istruzione*) school: **s. alberghiera**, hotel-management school; **s. aziendale**, business school; **s. di ballo**, dancing school; **s. di danza**, ballet school; **s. di equitazione**, riding school; **s. di recitazione**, drama school; acting school; **s. di scherma**, fencing school; **s. di taglio**, dressmaking school; **s. di volo**, flying school; **s. guida** → **scuolaguida**; **s. interpreti**, interpreters' school; **s. legalmente riconosciuta**, accredited school; **s. femminile [maschile]**, girls' [boys'] school **3** (*scolaresca e docenti*) school: *C'era tutta la s.*, the whole school was there **4** (*fig.*) school; (*lezione*) lesson; (*esempio*) example: **la dura s. della vita**, the school of hard knocks; **appartenere alla vecchia s.**, to be one of the old school; **fare s.**, (*avere seguaci*) to have followers; to have a great influence; (*creare una moda*) to set a fashion; *Si formò alla s. del padre*, he followed in his father's footsteps **5** (*arte, filos., letter., econ.*) school: **s. di pensiero**, school of thought; **la S. di Francoforte**, the Frankfurt School; **la s. fiamminga**, the Flemish school; **la s. platonica**, the Platonic school; **di s. giottesca**, of the Giotto school; **una madonna di s. senese**, a Madonna of the Sienese school **6** (*equit.*) – **alta s.**, haute école (*franc.*); high school **B** a. inv. (*posposto*) school (attr.); training (attr.): **nave s.**, school ship; training ship.

scuòlabus m. inv. school bus.

scuolaguìda f. driving school; school of motoring: **fare (o frequentare) s.**, to take driving lessons.

♦**scuòtere** **A** v. t. **1** (*agitare, dare una scossa a*) to shake*; to rock; (*smuovere*) to stir; (*sbatacchiare, dare scrolloni*) to rattle; to jerk; (*dimenare*) to wag; to waggle; to wiggle: **s. il braccio a q.**, to shake sb.'s arm; **s. il capo**, to shake one's head; **s. un flacone**, to shake a bottle; **s. le spalle**, to shrug one's shoulders; **s. un tappeto**, to shake a carpet; **s. una tovaglia**, to shake (out) a tablecloth; *Il vento scuoteva le foglie*, the wind stirred the leaves; *Il cane scuoteva la coda*, the dog wagged its tail **2** (*per togliere, per far cadere, per scacciare, anche fig.*) to shake* off; (*con un breve gesto*) to flick off: **s. le mele dall'albero**, to shake the apples off the tree; to shake down the apples; **s. la cenere dalla giacca**, to shake the ash off one's jacket; **s. la cenere da una sigaretta**, to flick the ash off a cigarette; (*fig.*) **s. il giogo**, to shake off (*o* to throw off) the yoke; **s. la sabbia dalle scarpe**, to shake sand out of one's shoes; **scuotersi di dosso le mosche**, to shake off the flies; **scuotersi di dosso la tristezza**, to shake off melancholy **3** (*fig.: rianimare, stimolare*) to rouse; to stir; to wake* up: **s. q.**

dall'indolenza, to rouse sb. from indolence; **s. q. dal torpore**, to shake sb. out of his torpor; **s. l'indifferenza della gente**, to rouse people from their indifference; *Occorre che qualcuno lo scuota*, he needs stirring up; **una musica che scuote gli animi**, soul-stirring music **4** (*turbare*) to shake*, to upset*; (*commuovere*) to move, to affect: **s. i nervi a q.**, to jangle (*o* to jar on) sb.'s nerves; to upset sb.; *Fu molto scosso dalla notizia*, he was badly shaken by the news; *Le sue parole mi scossero*, his words upset me; (*mi commossero*) his words moved me; *La sua fede ne fu scossa*, his faith was shaken **5** (*lett.: disarcionare*) to unseat; to unsaddle **B** **scuòtersi** v. i. pron. **1** (*scrollarsi, dimenarsi*) to shake*; (*di coda e sim.*) to wag: *La terra si scosse*, the earth shook **2** (*sobbalzare*) to start: **scuotersi dal sonno**, to wake with a start **3** (*fig.: rianimarsi*) to rouse oneself; (*darsi da fare*) to stir oneself: **scuotersi dal torpore**, to rouse oneself from one's torpor; *Faresti meglio a scuoterti e cercare lavoro*, you had better stir yourself and look for a job **4** (*fig.: agitarsi, turbarsi*) to be moved; to be upset; to be shaken.

scuotiménto m. shaking; (*il dimenare*) wagging; (*lo sbatacchiare*) rattling, jerking; (*il sobbalzare*) jolting; (*scossone, sobbalzo*) shake, jerk, jolt.

scuotipàglia m. inv. (*agric.*) strawwalker.

scuotitóio m. (*mecc.*) shaker.

scùre f. **1** axe, ax (*USA*); (*accetta*) hatchet: **s. a doppio taglio**, double axe; double-bitted ax (*USA*); **s. da guerra**, battle-axe; **abbattere con la s.**, to chop down **2** (*fig.: tagli economici*) cuts (pl.): **la s. del Governo sulla previdenza**, the Government's cuts in social security ● (*stor.*) **essere condannato alla s.**, to be sent to the block □ (*fig.*) **tagliato con la s.**, rough-hewn.

scurétto m. window shutter.

scurézza f. darkness.

scurire **A** v. t. to darken; (*tingere di colore scuro*) to dye a darker shade; (*abbronzare*) to brown: *Il sole ha scurito il legno*, the sun has darkened the wood; *Si è scurita i capelli*, she has dyed her hair a darker shade; **una faccia scurita dal sole**, a face browned by the sun **B** v. i. **scurirsi** v. i. pron. to darken; to grow* (*o* to become*) dark; (*di cielo*) to cloud over, to darken; (*abbronzarsi*) to go* brown: *I capelli biondi crescendo si scuriscono*, fair hair tends to darken with the years; *Si scurì in viso*, his face darkened (*o* clouded over) **C** v. i. impers. to get* dark: *Comincia a scurire*, it's getting dark.

♦**scùro** ① **A** a. **1** dark; murky; (*di colore, anche*) deep; (*di carnagione, anche*) swarthy; (*di cielo, anche*) overcast, cloudy: **marrone s.**, dark (*o* deep) brown; **nuvole scure**, dark clouds; **occhi scuri**, dark eyes; **pelle scura**, dark skin; **stanza scura**, dark room; *Il cielo era s.*, the sky was dark; to darken; (impers.) to get dark **2** (*fig.: fosco, cupo*) dark, sombre, gloomy; (*torvo*) grim: **faccia scura**, gloomy face; grim face; *Perché quella faccia così scura?*, why are you looking so gloomy (*o* so grim)?; *Si fece s. in volto*, his face darkened (*o* clouded over) **3** (*fig.: oscuro*) obscure **4** (*fig.: penoso, triste*) black; gloomy; hard **5** (*fon.*) back (attr.) **B** m. **1** (*oscurità*) dark; darkness: **allo s.**, in the dark; in darkness **2** (*colori scuri*) dark colours (pl.): **vestire di s.**, to wear dark colours; *Lo s. ti dona*, dark colours suit you **3** (*pitt.*) shade; shadows (pl.): **il chiaro e lo s. di un quadro**, the light and shade in a painting.

scùro ② m. (*imposta*) window shutter.

scurrìle a. coarse; bawdy; dirty; vulgar; (*di persona, anche*) foul-mouthed: **battuta s.**, dirty joke; **gesto s.**, coarse gesture; **linguaggio s.**, coarse language; **persona s.**,

foul-mouthed (*o* coarse) person.

scurrilità f. **1** (*l'essere scurrile*) coarseness; bawdiness; vulgarity **2** (*parole scurrili*) coarse language; bawdy ⓤ; filth ⓤ: **dire s.**, to use coarse language.

♦**scùsa** f. **1** (*atto e parole dello scusare e dello scusarsi*) apology: **mille scuse**, a thousand apologies; **chiedere s. a q.**, to apologize to sb.; to tell sb. one is sorry; *Chiedo s. del ritardo!*, I'm sorry I'm late; I do apologize (*o* my apologies) for being late; *Chiedo s.!*, (*per qc. che si sta per fare*) excuse me!, I beg your pardon!; (*per una mancanza già avvenuta*) I am sorry!, I do apologize!; *Chiedo s., non volevo!*, I do apologize (*o* I'm really sorry), I didn't mean to!; *Chiedo s.?* (*non ho capito*) I beg your pardon?; pardon me? (*USA*); *Chiedo s., ma qui ti sbagli*, pardon me, but I think you are wrong here; **dovere delle scuse a q.**, to owe sb. an apology; **esigere delle scuse**, to demand an apology; **fare (o presentare) le proprie scuse a q.**, to apologize to sb.; *Ti prego di fargli le mie scuse*, please give him my apologies; **due righe di scuse**, a note of apology; a note to apologize (*o* to say one is sorry); **lettera di scuse**, letter of apology **2** (*motivo a giustificazione*) excuse, justification; (*pretesto*) excuse, pretext: **s. meschina** (*o* **magra s.**), lame (*o* poor, sorry) excuse; **accampare scuse**, to make excuses; **addurre qc. come s.**, to plead st. (as a reason for st.); **avere la s. pronta**, to have a ready excuse; to be ready with an excuse; **cercare una s.**, to try to find (*o* to grope for) an excuse; **tirare fuori una s.**, to come up with an excuse; **con la s. di**, on the pretext of; *Non ammetto scuse!*, I admit no excuses (*form.*); I won't have any excuses; *Non ci sono scuse per quel che ha fatto!*, there is no excuse for what he did!; *Non c'è s. che tenga!*, there is no excuse!; *Era tutta una s.*, it was all a pretext; *Bella s.!*, that's no excuse!

scusàbile a. **1** (*perdonabile*) excusable; pardonable **2** (*giustificabile*) justifiable.

scusànte f. excuse; justification: *A sua s. posso dire che…*, to justify him, I can say that…; **non avere scusanti**, to have no excuse.

♦**scusàre** **A** v. t. **1** to excuse; (*perdonare*) to forgive*, to pardon: *Vi prego di scusarmi*, please excuse me; *Vogliate scusarlo*, please excuse him; *Mi potranno mai s.?*, will they ever forgive me?; *Scusami* (*o mi scusi!*), (*per qc. che si sta per fare*) excuse me; (*per una mancanza commessa*) (I am) sorry!; *Scusami tanto, non intendevo*, I'm so sorry, I didn't mean to; *Scusami con tua moglie*, please give your wife my apologies; *Scusa il ritardo*, excuse me for being late (*o* if I am late); *Scusi l'incomodo*, I'm sorry to trouble you; *Scusi l'ora!*, I apologize for the time!; *Scusi tanto!*, sorry!, excuse me!; I beg your pardon!; pardon me! (*fam.*); *Scusi, dov'è Corso Italia?*, excuse me, do you know where Corso Italia is?; *Scusi, come ha detto?*, (I beg your) pardon?; pardon me? (*USA*); I'm sorry, what did you say?; *Vuole scusarmi un momento?*, will you excuse me for a moment?; *Scusa, ma devo proprio andare*, I'm sorry, I really must go **2** (*giustificare*) to excuse; to justify: *Niente può s. una tale sgarbataggine*, nothing can excuse such rudeness; **s. la propria condotta con l'ignoranza della legge**, to plead ignorance of the law as a reason for one's conduct **B** **scusàrsi** v. rifl. **1** (*formulare una scusa*) to apologize; to be sorry: **scusarsi con q.**, to apologize to sb.; *Mi scuso di essere arrivato tardi*, I apologize (*o* I'm sorry) for being late; *Mio fratello si scusa di non poter venire*, my brother is sorry he can't come; my brother apologizes for not being able to come (*form.*); *Voglio scusarmi per ieri sera*, I

want to apologize (*o* I'm sorry) for last night **2** (*fornire una scusa*) to excuse oneself; (*giustificarsi*) to justify oneself; (*trovare scuse*) to find* excuses ● (*prov.*) *Chi si scusa s'accusa*, he who excuses himself, accuses himself.

scutellària f. (*bot.*) skullcap.

scùter → **scooter**.

scuterista m. e f. motor-scooter rider.

SCV sigla (**Stato della Città del Vaticano**) Vatican City.

sdàto a. (*fam., gergale*) hackneyed; trite; stale.

sdaziàbile a. (*comm.*) that can be cleared through customs; clearable.

sdaziaménto m. (*comm.*) clearance through customs; customs clearance.

sdaziàre v. t. (*comm.*) to clear through customs.

sdebitàre **A** v. t. to free from debt **B** **sdebitàrsi** v. rifl. **1** (*pagare i propri debiti*) to pay* off one's debts **2** (*fig.: disobbligarsi*) to repay* a kindness; to return a favour: **sdebitarsi con q.**, to repay sb.'s kindness.

sdegnàre **A** v. t. **1** to scorn; to disdain; to look down upon; to spurn: **s. l'aiuto di q.**, to scorn sb.'s help; **s. la compagnia di q.**, to spurn sb.'s company; **s. le lodi**, to disdain praises; *Lui sdegna questi divertimenti*, he looks down upon such forms of entertainment; **non s. qc. [di fare qc.]** (*non essere maldisposto*), not to be averse to st. [to doing st.]; not to object to st. [to doing st.] **2** (*lett.: provocare a sdegno*) to arouse (sb.'s) indignation; to anger; to incense **B** **sdegnàrsi** v. i. pron. to be indignant; to be outraged; (*offendersi*) to be offended.

sdegnàto a. indignant; outraged; (*offeso*) offended.

sdégno m. **1** (*indignazione*) indignation: **muovere q. a s.**, to arouse sb.'s indignation; **una voce che vibra di s.**, a voice quivering with indignation **2** (*lett.: disprezzo*) disdain; scorn; **avere a s.**, to feel disdain (*o* scorn) for; to disdain st.

sdegnosità f. **1** (*disprezzo*) contempt; disdainfulness; scornfulness **2** (*alterigia*) haughtiness; superciliousness.

sdegnóso a. **1** (*sprezzante*) disdainful; scornful; contemptuous **2** (*altero*) proud; (*altezzoso*) haughty, supercilious, snooty (*fam.*).

sdemanializzàre v. t. to remove from state ownership.

sdemanializzazióne f. removal from state ownership.

sdentàre **A** v. t. to break* the teeth of **B** **sdentàrsi** v. i. pron. to lose* one's teeth; (*di ruota dentata*) to lose* one's cogs.

sdentàto a. **1** (*senza i denti*) toothless; (*senza qualche dente*) with a few teeth missing; (*di ruota dentata*) with a few cogs missing **B** m. (*zool.*) edentate; (al pl., *scient.*) Edentata.

sderenàre → **sdirenare**.

S.d.f. sigla (**società di fatto**) unregistered company.

SDI sigla (*polit.*, **Socialisti democratici italiani**) Italian Democratic Socialists.

sdifferenziaménto m. (*biol.*) dedifferentiation.

sdilinquiménto m. mawkishness; mush.

sdilinquìrsi v. i. pron. **1** (*andare in deliquio*) to faint; to swoon **2** (*essere svenevole*) to get* mawkish (over st.); to get* mushy (*o* soppy) (over st.).

sdipanàre **A** v. t. **1** to unwind*: **s. un gomitolo di lana**, to unwind a ball of wool **2** (*fig.*) to unravel: **s. un mistero**, to unravel a mystery **B** **sdipanàrsi** v. i. pron. **1** to unwind* **2** (*fig.*) to unwind*; (*risolversi*) to un-

ravel: *Il sentiero si sdipanava davanti a noi*, the path unwound before us.

sdirenàre **A** v. t. to break* the back of **B** **sdirenàrsi** v. i. pron. to break* one's back.

SDN sigla (*stor.*, **Società delle nazioni**) League of Nations (L of N).

sdoganaménto m. **1** (*comm.*) clearance (through customs); customs clearance: **effetturre lo s. di qc.**, to clear st. through customs; **pratica di s.**, clearance **2** (*fig.*) legitimation.

sdoganàre v. t. **1** (*comm.*) to clear (through customs) **2** (*fig.*) to legitimize.

sdoganàto a. **1** (*comm.*) cleared (through customs); duty-paid; ex bond: **non s.**, uncleared; in bond **2** (*fig.*) legitimized.

sdogàre **A** v. t. to remove staves from (*a cask*) **B** **sdogàrsi** v. i. pron. to come* loose.

sdolcinatézza f. **1** mawkishness; sloppiness (*fam.*); soppiness (*fam. GB*); schmaltz (*fam.*) **2** → **sdolcinatura**.

sdolcinàto a. (*zuccheroso*) sugary; (*svenevole, sentimentale*) mawkish, mushy (*fam.*), sloppy (*fam.*), soppy (*fam. GB*), schmaltzy (*fam.*); (*lezioso*) namby-pamby: **canzoni sdolcinate**, schmaltzy songs; **versi sdolcinati**, mawkish verse.

sdolcinatùra f. (*spesso al pl.*: *parole o modi sdolcinati*) mawkishness □; mush □ (*fam.*); sloppiness □ (*fam.*): **un film pieno di sdolcinature**, a film full of mush.

sdoppiaménto m. **1** (*scissione*) splitting; halving; (*separazione*) separation **2** (*psic.*) - **s. della personalità**, split personality **3** (*raddoppio*) doubling: **s. di un'immagine**, doubling of an image.

sdoppiàre ① **A** v. t. **1** (*dividere in due*) to split* (into two parts); to divide into two; to halve: **s. una classe**, to split a class **2** (*separare*) to separate **3** (*raddoppiare*) to double **B** **sdoppiàrsi** v. i. pron. **1** (*dividersi in due*) to divide (*o* to be divided) into two; to split*; to halve **2** (*psic.*) to suffer from a split personality **3** (*diventare doppio*) to double.

sdoppiàre ② v. t. (*rendere semplice*) to uncouple.

sdoppiàto a. **1** (*diviso in due*) split; halved; (*separato*) separated **2** (*raddoppiato*) double: **immagine sdoppiata**, double image.

sdottoreggiàre v. i. to put* on learned airs; to parade one's learning.

sdràia f. → **sdraio**.

♦**sdraiàre** **A** v. t. to lay* down **B** **sdraiàrsi** v. rifl. to lie* down; to stretch oneself out: **sdraiarsi sull'erba**, to lie down on the grass; **sdraiarsi su un letto**, to lie down (on a bed); *Vado a sdraiarmi per un'oretta*, I'm going to lie down for an hour or so.

♦**sdraiàto** a. lying; stretched out: *Era s. sul sofà*, he was lying on the couch; **stare s. nell'erba**, to lie in the grass.

sdràio f. inv. deckchair; chaise-longue (*franc.*).

sdrammatizzàre v. t. to play down; to defuse: **s. una crisi**, to play down a crisis; **s. la situazione**, to defuse the situation; *Vediamo di s.*, let's not be dramatic about it.

sdrammatizzazióne f. playing down; defusing.

sdrucciolàre v. i. to slip; to slide*; to slither: **s. sul ghiaccio**, to slip on the ice; **s. su una buccia di banana**, to slip on a banana peel; **s. lungo un pendio**, to slither (*o* to slide) down a slope.

sdrucciolévole a. slippery; slippy; slithery: **pavimento [strada] s.**, slippery floor [road].

sdrucciolevolézza f. slipperiness; slippiness.

sdrùcciolo ① **A** a. (*fon.*) proparoxytone: **parola sdrucciola**, proparoxytone **B** m. (*verso s.*) line ending with a proparoxytone.

sdrùcciolo ② m. **1** (*pendio*) steep slope **2** (*sentiero o vicolo in pendenza*) sloping lane; steep lane **3** (*scivolo*) slide; (*piano inclinato*) chute.

sdrucciolóne m. slip; slide: **fare uno s.**, to slip; **fare gli sdruccioloni sul ghiaccio**, to slide on the ice.

sdruccolóni avv. sliding; slipping: **venire giù s.**, to slide down.

sdruccolóso a. slippery; slippy.

sdrucìre **A** v. t. **1** (*scucire*) to rip the seams of **2** (*strappare*) to rip; to tear*; to rend* **B** **sdrucìrsi** v. i. pron. **1** (*scucirsi*) to split* (*o* to come* apart) at the seams **2** (*strapparsi*) to tear*; to get* torn.

sdrucìto a. **1** (*scucito*) split at the seams **2** (*strappato*) ripped; torn; rent; (*sbrindellato*) tattered.

sdrucitùra f. **1** (*scucitura*) split seam **2** (*strappo*) tear; rent.

♦**se** ① **A** cong. **1** (*nel caso che, qualora*) if; (*a meno che non*) unless: *Se verrà, glielo dirò*, if he comes, I will tell him; *Se studierai molto, sarai promosso*, if you study hard, you will pass your exams; *Se la pensi così, sbagli*, if that's what you think, you are wrong; *Se non ci saranno imprevisti, arrivò martedì*, I'll be there on Tuesday, unless something unforeseen happens; *Se lo sciopero non rientrerà, domani non ci saranno autobus*, unless the strike is called off, there won't be any buses tomorrow; *Se fossi in te, non lo farei*, I wouldn't do it, if I were you; *Sarebbe comico, se non fosse così triste*, it would be funny, if it weren't (wasn't) so sad; *Non ci andrei nemmeno se mi pagassero*, I wouldn't go if they paid me; *Se me l'avessero detto, avrei accettato*, if they had told me, I would have accepted; *Disse che se fosse passato da Verona, sarebbe venuto a salutarci*, he said that if he passed through Verona, he would come and see us; *Sarebbe stato molto meglio se avesse pagato tutto subito*, it would have been far better if she had paid the whole sum at once; *La storia d'Europa sarebbe stata diversa, se Napoleone avesse vinto a Waterloo*, had Napoleon won at Waterloo, the history of Europe would have been quite different **2** (*dal momento che, quando*) if; when; since: *Come posso aiutarti, se non ho denaro?*, how can I help you, if I have no money?; *Se l'ha detto lui, sarà vero*, it must be true, if (*o* since) he said so himself; *Perché cambiare macchina, se questa va bene?*, why change the car, when it's going all right?: *D'accordo, se non vuoi, non vuoi*, all right, if you won't you won't **3** (*concessivo*) if: *Se ho torto io, ha torto anche lei*, if I am wrong, she is wrong too; *Se tu hai dei problemi, anch'io ho le mie difficoltà*, if you have problems, I have my worries too; *Se arrivò in ritardo, fu solo di qualche minuto*, he was only a few minutes late, if that; *Se anche papà aveva torto, tu non dovevi rispondergli a quel modo*, even if Dad was wrong, you shouldn't have answered back; *Se mai ho conosciuto un farabutto, quello è tuo fratello*, if ever I met a scoundrel, it's your brother **4** (*dubitativo*) whether; if: *Sono incerto se accettare o no*, I am uncertain whether to accept or not; *Siamo in dubbio se andare o restare*, we are in doubt whether to go or stay; *Non so se verranno*, I don't know whether they will come (or not); *Chiedigli se può venire*, ask him whether (*o* if) he can come; *Chissà se l'aereo è già atterrato*, I wonder whether the plane has already landed; *Chissà se lei lo sa che è sposato*, does she know he's married, I wonder; *Vedete voi se sia il caso di avvertirli*, you decide whether they should be told; *Guarda se è arrivato il pacco*, see if the parcel has arrived **5** (*desiderativo e nelle escl.*) if (only): *Se solo sapessi!*, if

only I knew!; *Se solo l'avessi saputo!*, if only I had known!; *Oh, se potessi andare!*, oh, if only I could go!; *Se sapeste! Ci hanno invitato alla prima della Scala!*, do you want to know something? we've been invited for the opening night at La Scala!; *Se vedessi che bei bambini i suoi!*, you should see her children, they're lovely!; *E se gli regalassimo un cane?*, what about giving him a dog?; what if we gave him a dog?; *E se venissi anch'io?*, what if I came too?; *E se ci provassimo anche noi?*, suppose we try too?; *Ma se ci siamo già stati!*, but we've already been there!; *Ma se l'ho visto con i miei occhi!*, I saw him with my own eyes, I tell you!; *Lo so io se è duro far quadrare il bilancio*, I know how hard it is to make ends meet ● **se almeno**, if only: *Se almeno smettesse di piovere!*, if only it would stop raining; how I wish the rain would stop! □ **se così non fosse**, if it were not so; (*altrimenti*) otherwise □ **Se Dio vuole**, thank God □ **se è così** (*o* **se le cose stanno così**), if that is the case; in that case □ **Se ho ben capito**, if I've got it right □ **se mai** → **se mai** □ **se no**, if not; or else; (*altrimenti*) otherwise, or: *Se scopro qualcosa ti telefono, se no ci vediamo venerdì*, if I find out something, I'll phone you, if not (*o* otherwise) we'll meet on Friday; *Se mi invitano ci vado, se no, no*, if they invite me I'll go, if they don't I won't; *Scappo, se no faccio tardi*, I must hurry or I'll be late; *Sta' zitto, se no le prendi*, shut up, or else I'll smack you □ **se non**, if not; (*eccetto*) but, except: **duecento, se non di più**, two hundred, if not more; *È un film, se non del tutto riuscito, quanto meno interessante*, the film is interesting, if not a complete success; *Non c'era nessuno se non un paio d'impiegati*, there was no one but a couple of clerks; *Che cosa potevo fare, se non accettare le sue condizioni?*, what could I do but accept his terms?; *Chi se non un mascalzone si sarebbe comportato così?*, who but a scoundrel would behave like that? □ **se non altro**, if nothing else; at least; if only: *Se non altro, mi ha chiesto scusa*, she apologized, if nothing else; at least she apologized; *Potresti ascoltare, se non altro*, you could at least listen to me; *Be', se non altro il vaso non si è rotto*, well, at least the vase didn't break; *Bisogna andarci, se non altro per cortesia*, we must go, if only out of politeness □ **Se non fosse stato per quel pompiere coraggioso, ora non sarei qui**, I wouldn't be here now, but for that brave fireman □ **Se non fosse che ho premura, te ne racconterei delle altre**, if I wasn't in such a hurry, I would tell you much more □ **se pure**, if; if indeed; (*ammesso che*) (even) assuming: *Arriverà presto, se pure non è già qui*, she will arrive soon, if indeed she isn't already here; *Ho con me cento euro, se pure mi basteranno*, I have a hundred euros with me, assuming that's enough □ **se si vuole** (*o* **se vogliamo**), in a (certain) sense; in a way; if you wish: *Anche lui ha torto, se vogliamo*, in a certain sense, he, too, is wrong □ **come se**, as if; as though: *Lo amo come se fosse mio figlio*, I love him as if he were my son; *Come se m'importasse di loro!*, as if I cared about them!; *Come se non lo sapessi!*, as if I didn't know □ **Vedi se (non) avevo ragione io?**, see if I wasn't right? **B** m. inv. – *Con tutti i suoi se e i suoi ma*, with all his ifs and buts; *C'è un solo se*, there is just one thing; there is one condition.

♦**se** ② pron. pers. atono m. e f. (*invece di «si»*, *davanti a «lo», «li», «la», «le», «ne»*) – *Se lo mise in tasca*, he put it in his pocket; *Se l'è preso lui*, he took it; *Se ne parla ancora*, they are still talking about it; *Se la prese con me*, she got angry at me; *Se ne sono andati*, they have left.

se ③ pron. rifl. (nelle loc. pron.): *sé stesso, sé*

stessa, ecc.) → **sé**.

SE sigla **1** (**Sua Eccellenza**) His Excellency (HE); (*di un vescovo*) His Lordship **2** (*geogr.*, **sud-est**) south-east (SE).

♦**sé** **A** pron. rifl. 3ª pers. m. e f. sing. e pl. (*a volte rafforzato con* **stesso** *o* **medesimo**) **1** oneself; himself, herself, itself; themselves; one; him, her, it; them: **parlare di sé**, to talk about oneself: *Gli* [*le*] *piace parlare di sé*, he [she] likes to talk about himself [herself]; *Amano parlare di sé*, they like to talk about themselves; *È sospettoso e tiene tutto per sé*, he's suspicious and keeps everything to himself; *Pensa per sé* (*o sé stesso*) *e basta*, he [she] cares for nobody but himself [herself]; *Gente simile non sa pensare altro che a sé* (*o a sé stessa*), people like that only think about themselves; *Può esser soddisfatta di sé*, she has a right to be pleased with herself; *Non vuole far parlare di sé*, she doesn't want to have people talk about her; *Tua figlia ha tutta la vita davanti a sé*, your daughter has all her life before her; *Ha venti persone sotto di sé*, he has twenty people under him; *Presero con sé le loro cose*, they took their things away with them; *Piero porta sempre pochi soldi con sé*, Piero always carries little money on him; *Ha portato con sé sua moglie*, he brought his wife along (with him); *Il tornado lasciò dietro di sé lutti e distruzione*, the tornado left behind death and destruction **2** – **di sé** (*auto-*), self-: **amore di sé**, self-love; **compassione di sé**, self-pity; **dimentico di sé**, self-forgetful; **padronanza di sé**, self-control; composure; **padrone di sé**, self-possessed (agg.); composed (agg.); collected (agg.); **pieno di sé**, self-important; **rispetto di sé**, self-respect; **sicuro di sé**, self-confident; **soddisfatto di sé**, self-satisfied; **stima di sé**, self-esteem ● **a sé**, separate (agg.); distinct (agg.); apart (pred.): **un caso a sé** (**stante**), a separate case; a special case; *Questa faccenda va considerata a sé*, this thing must be dealt with separately ◻ **da sé**, (by) oneself: *Ha fatto tutto da sé*, he [she] did it all by himself [herself]; he [she] did it all single-handed; *Dovrà farlo da sé*, he'll have to do it himself; *Si mette in funzione da sé*, it starts by itself; it is self-activating; *La porta si chiude da sé*, the door shuts by itself; *Si chiude da sé* (*cartello*), self-closing (*o* self-locking) door; **un uomo che si è fatto da sé**, a self-made man ◻ **dare il meglio** [**il peggio**] **di sé**, to show oneself at one's best [one's worst] ◻ **dentro di sé** (*nel proprio animo*), within oneself; deep down; to oneself: *Dentro di sé non era troppo convinto*, deep down he wasn't fully convinced; «*Staremo a vedere*» *disse dentro di sé*, «we'll wait and see» she said to herself ◻ **di per sé** (*o* **di per sé stesso**), itself; in itself: *La cosa di per sé ha poca importanza*, the thing itself is not very important; *È un'esperienza di per sé* (*o di per sé stessa*) *interessante*, it's an interesting experience in itself ◻ **essere fuori di sé**, (*essere furioso*) to be beside oneself; (*essere impazzito*) to be out of one's mind ◻ **essere in sé**, to be oneself ◻ **fra sé**, to oneself: **parlare** [**pensare**] **fra sé**, to talk [to think] to oneself; «*Meno male*» *disse fra sé e sé*, «thank goodness» she said to herself ◻ **in sé** (**e per sé**), itself; in itself; taken by itself: *La cosa in sé e per sé mi lascia abbastanza indifferente*, in itself, the thing leaves me rather cold; *Crescere in un ambiente simile è in sé un privilegio*, to grow up in such an environment is itself a privilege ◻ **non essere in sé**, to be out of one's mind ◻ **la parte migliore** [**peggiore**] **di sé**, one's better [worse] self ◻ **tornare in sé**, (*rinvenire*) to come round; (*rinsavire*) to come to one's senses ◻ **Va da sé** (**che**), it goes without saying (that) ◻ (*prov.*) **Chi fa da sé, fa per tre**, if you want a thing (well) done, do it your-self ◻ (*prov.*) **Ognun per sé e Dio per tutti**, every man for himself, and God for us all **B** m. (*psic.*) self.

sebàceo a. (*anat.*) sebaceous: **cisti sebacea**, sebaceous cyst; **ghiandole sebacee**, sebaceous glands.

Sebastiàno m. Sebastian.

Sebastòpoli f. (*geogr.*) Sebastopol.

♦**sebbène** cong. although; (even) though: *S. fosse freddo, non accese il fuoco*, although it was cold, he did not light a fire; *Continuò a lavorare, s. fosse molto tardi*, she went on working, although it was very late; *Venne, s. fosse ammalato*, he came, even though he was ill.

sèbo m. (*fisiol.*) sebum.

seborrèa f. (*med.*) seborrhoea.

seborròico a. (*med.*) seborrhoeic.

sec. abbr. **1** (**secolo**) century (cent.) **2** (**secondario**) secondary **3** (**secondo**) second.

secànte a. e f. (*geom.*) secant.

sécca f. **1** (*basso fondale*) shoal; shallows (pl.); (*all'entrata di un porto o alla foce di un fiume*) sand bar: **andare** (*o* **dare**) **in s.**, to run aground; **acque piene di secche**, shoaly waters **2** (*aridità*) dryness; (*siccità*) drought: **fiume in s.**, dry river ● (*fig.*) **essere in s.**, to be hard-up; to be broke.

seccaménte avv. **1** (*bruscamente*) brusquely; sharply; curtly: **rispondere s.**, to answer brusquely (*o* curtly); to give a curt (*o* sharp) answer **2** (*recisamente*) flatly; point-blank: **rifiutarsi s.**, to refuse flatly; **negare qc. s.**, to deny st. point-blank.

seccànte a. **1** (*fastidioso, irritante*) irritating, annoying, bothersome, irksome, vexing; (*scomodo*) inconvenient: **disguido s.**, irritating misunderstanding; *È molto s. perdere un treno*, it's very annoying to miss a train; *È s. abitare così lontano*, it's inconvenient to live so far away; *Che faccenda s.!*, what a nuisance!; how annoying!; *Non essere s.!*, don't be such a pain in the neck! (*fam.*) **2** (*noioso*) boring; tedious, tiresome.

♦**seccàre** **A** v. t. **1** (*rendere secco*) to dry; (*inaridire*) to parch; (*prosciugare*) to dry up; (*far appassire*) to wither up: **s. i fichi**, to dry figs; **s. il terreno**, to dry up the ground **2** (*fig.: esaurire*) to dry up; to drain: **s. la vena poetica di q.**, to dry up sb.'s poetic vein **3** (*fig.: annoiare*) to bore; (*infastidire*) to bother, to trouble; (*irritare*) to irritate, to annoy, to irk, to vex, to put* out: **s. q. con domande sciocche**, to bother sb. with foolish questions; *Non mi s.!*, don't bother me!; leave me alone!; *Mi spiace seccarti con questa faccenda*, I'm sorry to bother (*o* to trouble) you with this matter; *Fu chiaramente seccata dalla mia risposta*, my answer clearly annoyed her; *Ti secca se ti lascio solo un istante?*, do you mind if I leave you alone for a second?; *Mi seccava dover ammettere che aveva ragione*, it vexed me to have to admit he was right **B** v. i. (*diventare secco*) to dry (up); (*appassire*) to wither: **far s. qc.**, to dry up; **mettere i funghi a s.**, to put the mushrooms out to dry (in the sun) **C** **seccàrsi** v. i. pron. **1** (*prosciugarsi*) to dry up; (*appassire*) to wither: *Il torrente si secca in estate*, the river dries up in summer; *Mi si è seccata l'azalea*, my azalea has withered; *A furia di parlare mi si è seccata la lingua*, my tongue feels dry after so much talking; (*scherz.*) *E allora? Ti si è seccata la lingua?*, well? has the cat got your tongue? **2** (*fig.: annoiarsi*) to get* bored; (*stancarsi*) to get* tired, to get* fed up (*fam.*); (*irritarsi*) to get* annoyed: *Ci siamo seccati di aspettarli e ce ne siamo andati*, we got fed up waiting for them, so we left; *Basta, mi sono proprio seccato!*, that's it! I've really had enough!

seccàto a. **1** dried; dried up; parched; (*prosciugato*) drained; (*appassito*) withered **2** (*fig.: irritato*) irritated, annoyed, vexed, put out (pred.); (*annoiato*) bored; (*stanco*) tired, fed up (*fam.*): **sguardo s.**, irritated look; look of annoyance; **essere s. con q.** [*da qc.*], to be annoyed with sb. [at st.]; **avere l'aria seccata**, to look annoyed.

seccatóio m. **1** drying room **2** (*naut.*) squeegee.

seccatóre m. (f. **-trìce**) bore; tiresome person; (public) nuisance; pain in the neck (*fam.*).

seccatùra f. (*fastidio*) bother (solo sing. *o* Ⓤ); nuisance; trouble Ⓤ; inconvenience; hassle (*fam.*); (*cosa noiosa*) bore: **dare seccature a**, to cause inconvenience to; to inconvenience; *Mi spiace darti questa s.*, I'm sorry to trouble you with this; *Non voglio seccature!*, I don't want any trouble! (*fam.* any hassle); *Che s.!*, what a nuisance!; how inconvenient!; it's a real bother!

seccherìa f. (*ind. cartaria*) dry end.

secchézza f. **1** (*aridità*) dryness; aridity: **la s. del terreno**, the dryness of the soil **2** (*fig.: concisione*) brevity; laconicity **3** (*fig.: bruschezza*) bluntness, curtness, sharpness **4** (*magrezza*) thinness; leanness.

sécchia f. **1** bucket; pail **2** (*contenuto*) bucketful; pailful **3** (*fam. spreg.*) swot (GB); grind (USA).

secchiàta f. **1** bucketful **2** (*fam.: studio faticoso*) (stint of) cramming; (stint of) swotting (GB).

♦**secchièllo** m. **1** (small) bucket: **s. per il ghiaccio**, ice-bucket **2** (*borsa*) bucket bag.

♦**sécchio** m. **1** pail; bucket: **s. del latte**, milk pail; **s. del carbone**, coal scuttle; **s. della spazzatura**, dustbin (GB); garbage can (USA) **2** (*contenuto*) pailful; bucketful.

secchióne m. **1** (*edil.*) concrete bucket **2** (*metall.*) – **s. di colata**, ladle **3** (f. **-a**) (*fam. spreg.*) swot (GB); grind (USA).

♦**sécco** **A** a. **1** (*arido, asciutto*) dry; arid; (*prosciugato*) dry, dried up: **clima s.**, dry climate; **gola secca**, dry (*o* parched) throat; **pelle secca**, dry skin; **pozzo s.**, dry (*o* dried up) well; **terreno s.**, dry (*o* arid, parched) land; **torrente s.**, dry river; **tosse secca**, dry (*o* hacking) cough; **vapore s.**, dry steam **2** (*essiccato*) dry; (*appassito*) withered, dead; (*essiccato*) dried: **albero s.**, dead tree; **fichi secchi**, dried figs; **fiori secchi**, (*appassiti*) withered (*o* dead) flowers; (*fatti seccare*) dried flowers; **legumi secchi**, dried pulses; **legno s.**, dry wood; **paglia secca**, dry straw; **pane s.**, dry (*o* stale) bread **3** (*magro*) thin; lean; gaunt; skinny: **braccia secche**, thin arms; **gambe secche**, skinny legs **4** (*fig.: brusco*) sharp, curt, blunt; (*netto*) sharp, clean; (*reciso*) flat, point-blank: **colpo s.**, sharp blow; clean stroke; *Lo spaccò con un colpo s.*, he split it with a single blow; **maniere secche**, brusque manners; **no s.**, curt no; flat no; **rispondere con un no s.**, to refuse point-blank; **ordine s.**, sharp order; curt order; **perdita secca**, net loss; clean loss; **rifiuto s.**, point-blank refusal; rebuff; **risposta secca**, curt answer; flat reply; **stile secco**, sharp (*o* terse) style; **secca smentita**, curt denial **5** (*fig., di rumore*) sharp **6** (*di vino, ecc.*) dry **7** (*Borsa, fin.*) – **corso s.**, ex dividend price ● **fare s. q.**, to kill sb. on the spot; to kill sb. stone dead (*fig. fam.*) **lasciare s.**, to stun; to stagger ◻ **restarci** (*o* **rimanerci**) **s.**, to die; to drop dead; to buy it (*fam.*); (*fig.*) to be dumbfounded; to be floored: *A momenti ci restavo s.*, I nearly died; *Ci sono rimasto* (*o Mi ha lasciato*) *s.*, I was completely floored; you could have knocked me over with a feather; that was a bombshell ◻ (*fam.*) **Gli è venuto un colpo s.**, (*è morto*) he dropped dead; (*è rimasto sconvolto*) he nearly died **B** m. **1** (*luogo asciutto*)

dry place; (*parte asciutta*) dry part **2** (*aridità*) dryness; (*siccità*) drought, dry weather ● **a s.**, dry; (*elettr.: scarico*) flat: **batteria a s.**, flat battery; **lavare a s.**, to dry-clean; **lavatura a s.**, dry-cleaning; **muro a s.**, dry (*o* dry-stone) wall; **pila a s.**, dry cell □ **essere a s. di qc.**, to have run out of st.: **essere a s. di quattrini**, to have run out of money; to be broke □ (*naut.*) **in s.**, aground: **nave in s.**, ship aground; **finire in s.**, to run aground; **tirare una barca in s.**, to beach a boat □ (*fig.*) **rimanere a s.** (*senza soldi*), to have no money left; to be left without a penny; to be left penniless.

seccùme m. (*rami secchi*) dead branches (pl.); (*foglie secche*) dead leaves (pl.).

secèdere v. i. (*lett.*) **1** (*staccarsi*) to secede **2** (*ritirarsi*) to withdraw*; to retire.

secentésco → **seicentesco**.

secentèsimo → **seicentesimo**.

secentìsmo e *deriv.* → **seicentismo**, e *deriv.*

secèrnere v. t. **1** (*biol.*, *fisiol.*) to secrete **2** (*med.*) to exude.

secessióne f. **1** secession (*anche dir.*); breakaway: **guerra di s.**, war of secession; *C'è stata una s. nel partito*, a faction has broken away from the party **2** (*stor. arte*) Secession.

secessionista A a. secessionist; breakaway (attr.); splinter (attr.): **gruppo s.**, breakaway group; splinter group B m. e f. secessionist.

secessionìstico a. secessionist (attr.); breakaway (attr.); splinter (attr.).

SECIT abbr. (**Servizio consultivo ed ispettivo tributario**) Internal Revenue Consulting and Inspections Department.

séco forma pron. (*lett.*) **1** (*con sé*) (along) with one; (*con lui*) (along) with him; (*con lei*) (along) with her; (*con loro*) (along) with them: **avere s. del denaro**, to have some money on one; *Lo presero s.*, they took him (along) with them; they took him along **2** (*tra sé*) to oneself; to himself; to herself; to themselves: *Parlava s.*, he was talking to himself.

secolàre A a. **1** (*che ha uno o più secoli*) centuries old (pred.), century-old (attr.); (*che esiste da secoli*) age-old (attr.), long-standing, ancient: **istituzioni secolari**, age-old institutions; **quercia s.**, ancient oak; **tradizione s.**, age-long (*o* time-honoured) tradition **2** (*che si verifica ogni secolo*) centennial; secular: **celebrazioni secolari**, centennial celebrations; (*stor.*) **giochi secolari**, secular games; **carme s.**, secular hymn (*o* poem) **3** (*laico*) secular; (*eccles.: che vive nel secolo*) secular: **braccio s.**, secular arm; **clero s.**, secular clergy; **foro s.**, secular court (of justice) **4** (*mondano*) worldly; mundane; earthly: **beni secolari**, worldly goods B m. (*laico*) layman*: **i secolari**, the laity.

secolarésco a. (*lett.*) worldly; mundane.

secolarità f. (*lett.*) secularity.

secolarizzàre v. t. to secularize; (*laicizzare*) to laicize.

secolarizzazióne f. secularization; (*laicizzazione*) laicization.

♦**sècolo** m. **1** century; a (*o* one) hundred years (pl.): **il s. scorso**, the last century; **il terzo s. avanti C.** [**dopo C.**], the third century B.C. [A.D.]; **le guerre del diciottesimo s.**, the eighteenth-century wars; *Questa casa ha un s.*, this house is a hundred years old; *È morto da più d'un s.*, he has been dead for more than a century; **a cavallo del s.**, at the turn of the century; **a fine** [**inizio**] **s.**, at the end [at the beginning] of the century; **il volgere del s.**, the turn of the century **2** (*era, epoca*) era; epoch; age; time (*o* times); days (pl.): **il s. di Augusto**, the Augustan Age; **il s. dei lumi**, the Age of Enlight-

enment; **il s. d'oro della letteratura inglese**, the golden age of English literature; **i secoli bui**, the dark ages; **nei secoli a venire**, in times to come; **essere figlio del proprio s.**, to be a child of one's time; **le meraviglie del nostro s.**, the wonders of our time **3** (*l'epoca presente*) our age; our time: **l'avvenimento del s.**, the greatest event of our time; **il male del s.**, the disease of our time **4** (al pl.) (*tempo*) time (sing.): **con l'andare dei secoli**, in the course of time; **dal principio dei secoli**, from the dawn (*o* the beginning) of time; from time immemorial; **la fine dei secoli**, the end of time; **nei secoli dei secoli** (*o* per tutti i secoli dei secoli), for ever and ever; **perdersi nella notte dei secoli**, to go back to the beginning of time; to be lost in antiquity **5** (*fig.: lungo periodi di tempo*) ages (pl.); years (pl.): **secoli fa**, ages ago; *Ti ho aspettato un s.*, I have been waiting for you for ages; *Non lo vedo da un s.*, I haven't seen him for ages; it's ages since I saw him last; I haven't seen him for donkey's years (*o* for yonks) (*fam.*); *Ci conosciamo da secoli* (*o* da un s.), we've known each other for ages (*o* for years); *Non metterci un s., per favore*, don't take forever!; don't take all day! **6** (*fig.*) (*il mondo*) the world; (*la vita terrena*) this life: **rinunciare al s.**, to renounce the world; **al s.**, (*rif. a religioso*) in the world; (*estens., rif. ad artista, ecc.*) whose real name is: *Fra Biagio, al s. Giovanni Bernuzzi*, Fra Biagio, in the world Giovanni Bernuzzi; *Totò, al s. Antonio de Curtis*, Totò, whose real name was Antonio de Curtis.

secónda A f. **1** (*classe scolastica*) second year; second form (*GB*); second grade (*USA*): **frequentare la s. elementare**, to be in the second year of elementary school **2** (*autom.*) second gear; second (*fam.*): **inserire** (*o* mettere) **la s.**, to engage second gear; to change (*o* to shift) into second **3** (*ferr.*) second class: **viaggiare in s.**, to travel second class; **carrozza di s.**, second-class coach **4** (*mus.*) second: **s. maggiore** [**minore**], major [minor] second **5** (*scherma*) seconde **6** (*danza*) second position **7** (*mat.*) second power: **elevare alla s.**, to raise to the second power; to square **8** (*mil.*) - **in s.**, second: (*mil.*) **comandante in s.**, (*mil.*) second-in-command (*anche fig.*); (*naut., marina militare*) commander (*GB*), executive officer (*USA*); **pilota in s.**, second pilot B **a secónda che** loc. cong. according to whether; depending on whether: **a s. che tu venga o no**, according to (*o* depending on) whether you come or not C **a secónda di** loc. prep. according to; depending on: **a s. delle circostanze**, according to (*o* depending on) the circumstances.

secondaménto① m. (*il secondare*) indulging; indulgence; humouring.

secondaménto② m. (*fisiol.*) expulsion of the afterbirth; removal of the afterbirth.

secondàre① v. t. **1** (*assecondare, compiacere*) to indulge; to humour: **s. i desideri di q.**, to indulge sb.'s wishes; **s. l'umore di q.**, to humour sb. **2** (*appoggiare*) to support; to back; to favour.

secondàre② v. i. (*fisiol.*) to be expelled.

secondariaménte avv. **1** (*in grado minore*) secondarily **2** (*in secondo luogo*) secondly; in the second place; second **3** (*in un secondo tempo*) later; subsequently.

secondarietà f. secondariness.

secondàrio A a. **1** (*che viene dopo il primo*) secondary: **scuola secondaria**, secondary school **2** (*in sottordine, subordinato*) secondary; side (attr.); by (attr.); (*minore, marginale*) minor, marginal, incidental: **accento s.**, secondary stress; **attività secondaria**, sideline; second job; (*econ.*) secondary industry; **effetto s.**, side effect; **ingresso s.**, side entrance; (*ferr.*) **linea se-**

condaria, branch line; **posizione secondaria**, subordinate position; (*gramm.*) **proposizione secondaria**, subordinate (*o* dependent) clause; **questione secondaria**, side issue; **ruolo s.**, subordinate role; minor role; **strada secondaria**, secondary road; by-road; **ufficio s.**, branch office; **di secondaria importanza**, of minor importance **3** (*chim., fis., med., biol.*) secondary **4** (*geol.*) secondary; (*mesozoico*) Mesozoic B m. **1** (*geol.*) Mesozoic (era) **2** (*econ.*) secondary industry.

secondino m. prison guard; jailer; warder (*GB*).

♦**secóndo**① A a. num. ord. **1** (*successivo al primo*) second; (*di due, anche*) latter: **il s. anno**, the second year; **il s. atto**, the second act; act two; **atto s., scena seconda**, act two, scene two (*scritto* Act II, Scene II); **il s. capitolo**, the second chapter; chapter two; **il s. Ottocento**, the second (*o* latter) half of the nineteenth century; the later 19th century; **il s. piano**, the second floor; **la seconda volta**, the second time; *Giacomo S.*, James the Second (*scritto* James II); **arrivare s.**, to come in second; to finish second; **entrare per s.**, to go in second (*o* next) **2** (*inferiore*) second; (*per qualità*) second best; (*per grandezza*) second largest; (*per lunghezza*) second longest; (*per importanza*) second most important: **il s. premio**, the second prize; **la seconda città d'Italia**, the second largest city in Italy; **il s. centro ferroviario del paese**, the second most important railroad centre in the country; **il s. fiume di Francia**, France's second longest river; **biglietto di seconda classe**, second-class ticket; **un posto di seconda fila**, seat in the second row; second-row seat; **non essere s. a nessuno**, to be second to none **3** (*altro, nuovo*) second; new: **un s. Raffaello**, a second Raphael; *Per noi è un s. padre*, he is a second father to us **4** (*lett.: favorevole*) favourable: **venti secondi**, favourable (*o* fair) winds ● **seconda casa**, holiday home □ **seconda colazione**, lunch □ **s. fine**, ulterior motive □ **s. impiego** (*o* lavoro), second job; sideline: **avere un s. lavoro** (*illegale*), to have an off-the-book job; to moonlight (*slang*) □ **s. nome** (*di mezzo*), middle name □ **seconde nozze**, second marriage □ **s. ufficiale**, (second) mate □ (*mus.*) **s. violino**, second violin □ **di seconda categoria**, second-class; second-rate □ **di seconda mano**, second-hand □ **di s. piano**, minor; lesser □ **in s. luogo**, in the second place; secondly □ **in s. piano**, in the background □ **in un s. tempo**, later; subsequently; at a later date □ (*comm.*) **di seconda qualità** (*o* scelta), second-rate □ **minuto s.**, second □ **passare in seconda linea**, to take second place B avv. second: **in seconda**, in the second place; second C m. (f. -a) **1** second; (*tra due*) latter: *Il s. da destra è mio fratello*, the second from the right is my brother; **s. arrivato**, runner-up; *Conosco sia Enrico sia suo fratello e mi è più simpatico il s.*, I know both Enrico and his brother and I like the latter better **2** (*seconda portata*) main (*o* second) course **3** (*minuto s., anche fig.*) second: **fra un s.**, in a second; *Aspetta un s.!*, wait a second!; wait a sec!; **lancetta dei secondi**, second hand **4** (*di angolo*) second (of arc); **arc second 5** (*in un duello, nella boxe*) second **6** (*mil.*) second-in-command; (*naut., marina militare*) commander (*GB*), executive officer; (*marina mercantile*) (second) mate.

♦**secóndo**② A prep. **1** (*nella direzione di*) with; (*lungo*) along: **s. la corrente**, with the current; (*di fiume*) downstream; **s. la linea tratteggiata**, along the dotted line; **s. il vento**, with the wind **2** (*conformemente a*) in accordance with; in conformity with; according to; as; as per; (*in base a*) under; (*seguendo*) following; after: **s. le clausole del**

trattato, under the terms of the treaty; **s. la moda francese**, after the French fashion; **s. gli accordi**, as agreed upon; as per agreement (*bur.*); **s. i piani**, according to plan; **s. le regole**, following the rules; **s. l'uso**, in accordance with custom; **agire s. coscienza**, to act according to conscience; to follow one's conscience; **agire s. la legge**, to act in accordance with the law; *Agiremo s. quanto voi avete proposto*, we will do as you suggest; **vivere s. natura**, to follow nature **3** (*stando a, a parere di*) according to; in the opinion of: **s. il bollettino meteorologico**, according to the weather forecast; **s. il giudizio dei più**, in the opinion of the majority; reputedly; **s. il mio orologio**, by my watch; **s. me**, in my opinion; **s. lui**, according to him; in his opinion; **s. il mio modo di vedere**, to my way of thinking; **s. l'opinione corrente**, in the current view; **s. quel che mi disse**, according to what he told me; **s. le parole di Dante**, in Dante's words; **il Vangelo s. Matteo**, the Gospel according to Matthew **4** (*in rapporto con*) according to; (*in dipendenza di*) depending on: **s. il bisogno**, according to one's needs; as needed; as required; **s. il caso**, according to the circumstances; **s. le circostanze**, according to the circumstances; depending on the circumstances; **s. le condizioni del tempo**, depending on the weather; **s. le esigenze del caso**, as the occasion may require; as needed; **ricompensare s. il merito**, to reward according to merit; *Arriverò alle dieci o alle due, s. il treno che prendo*, I'll arrive at either ten or two, depending on which train I take; *«Glielo dirai?» «S.»*, «are you going to tell him?» «it depends (o it all depends)» **secondo che**, **secondo come** loc. cong. according to whether; depending on whether: **s. che gli piaccia o no**, according to whether he likes it or not; **s. come si mettono le cose**, depending on how things turn out.

secondoché → **secondo che**, *alla voce* **secondo** ②, **B**.

secondogènito **A** a. second-born **B** m. (f. **-a**) second born; second son (m.); second daughter (f.).

secrétaire (*franc.*) m. secretaire; escritoire (*franc.*); bureau* (*GB*).

secretàre → **segretare**.

secretina f. (*biol.*) secretin.

secretivo a. (*biol.*) secretory; secreting.

secréto (*biol.*) **A** a. secreted **B** m. secretion.

secretóre (*biol.*) **A** a. secretory **B** m. secretory organ.

secretòrio a. (*biol.*) secretory: **dotto s.**, secretory duct.

secrezióne f. (*biol.*) secretion: **s. esterna [interna]**, external [internal] secretion; **ghiandola a s. interna**, endocrine gland.

securitizzazióne f. (*econ.*) securitization.

sèdano m. **1** (*bot.*, *Apium graveolens*) celery: **s. d'acqua** (*Apium nodiflorum*) marshwort; **s. rapa** (*Apium graveolens rapaceum*), celeriac **2** (*bot.*) - **s. di montagna** (*Levisticum officinale*), lovage; **s. dei prati** (*Heracleum sphondylium*), cow parsnip.

sedàre v. t. **1** (*placare, calmare*) to calm, to soothe, to assuage, to placate, to allay; (*pacificare*) to pacify, to compose: **s. il dolore**, to calm (o to soothe) pain; **s. la fame**, to placate hunger; **s. una lite**, to intervene to bring an end to a quarrel **2** (*reprimere*) to quell; to put* down; to repress: **s. una rivolta**, to put down a rebellion.

sedataménte avv. quietly; calmly.

sedativo a. e m. (*farm.*) sedative; (*analgesico*) analgesic: **essere sotto sedativi**, to be under sedation; **mettere sotto sedativi**, to sedate.

sedazióne f. (*med.*) sedation.

♦**sède** f. **1** (*luogo di residenza*) residence: **fissare la propria s. in un luogo**, to take up residence in a place **2** (*di ufficio, ente, ecc.*) seat; (*ufficio*) office, premises (pl.); (*agenzia*) branch: **s. centrale**, head office; headquarters (pl.); **s. distaccata**, branch office **s. legale**, registered office; **la s. torinese di una ditta**, the Turin branch (o office) of a firm; *La s. del governo italiano è a Roma*, Rome is the seat of the Italian Government; *La fondazione ha s. a Venezia*, the foundation has its offices in Venezia; *La nostra banca ha sedi in tutto il mondo*, our bank has branches all over the world; *L'ufficio ha cambiato s.*, the office has changed premises; **fuori s.**, out; away; in s., in the office; on the premises **3** (*eccles.*) see: **la Santa S.**, the Holy See; **S. Apostolica**, Apostolic See; **s. vacante**, vacant Papal See; **s. vescovile**, see; diocese **4** (*di un'attività*) seat, centre; (*di un evento*) venue: **la s. di un convegno [di un festival]**, the venue of a conference [of a festival]; **s. d'esami**, examination centre; *Il cuore era un tempo considerato la s. delle passioni*, the heart was once considered the seat of the passions; **città s. di università**, university town **5** (*tecn.*) seat; seating: **s. di valvola**, valve seat; **s. stradale**, roadway; carriageway; **s. tranviaria**, tram lane; tram lines (pl.) **6** (*luogo*) place; (*momento*) time: *Questa non è la s. adatta per discutere di cose simili*, this is not the right place to discuss such matters; *Ne riparleremo in altra s.*, we'll talk about it at another time; **in separata s.**, in a special session; (*leg.*) out of court; (*privatamente*) in private; (*in altro momento*) at another time **in s. di**, during: (*polit.*) **in s. di commissione parlamentare**, at committee stage; **in s. di esami**, during the examinations; **in s. di giudizio**, during judgment.

sedentarietà f. sedentariness.

sedentàrio **A** a. sedentary: **attività sedentaria**, sedentary activity; **vita sedentaria**, sedentary life **B** m. (f. **-a**) sedentary person.

sedentarizzàre **A** v. t. (*antrop.*) to make* sedentary **B** **sedentarizzàrsi** v. i. pron. to become* sedentary; to settle.

sedentarizzazióne f. (*antrop.*) sedentarization.

sedènte a. **1** sitting; seated **2** (*arald.*) sejant.

♦**sedére** ① **A** v. i. **1** (*essere seduto*) to sit*, to be sitting, to be seated; (*mettersi a sedere*) to sit* down, to take a seat, (*da una posizione supina*) to sit* up: **s. ai piedi di q.**, to sit at sb.'s feet; **s. al volante di una macchina**, to be at the wheel of a car; **s. con le gambe incrociate** (*o alla turca*), to sit cross-legged; (*autom.*) **s. davanti [dietro]**, to sit in the front [back] seat; **s. diritto**, to sit up; to sit erect; **s. per terra**, to sit on the ground: **s. scompostamente**, to be sprawled; to loll; *Sedeva alla scrivania*, he was sitting (o he sat) at the desk; *Sedette accanto al fuoco*, she sat down by the fire; **l'uomo che mi sedeva vicino**, the man seated (o sitting) next to me; *Sedete, prego!*, please sit down!; please take a seat!; **alzarsi da s.**, to stand up; **fare s. q.**, (*mettere a sedere*) to sit sb.; (*preparare un posto a s.*) to seat sb.; (*permettere di s.*) to let sb. sit down; (*cedere il posto*) to give up one's seat to sb.; **levarsi a s.**, to sit up; **mettere a s.**, to sit; **mettersi a s.**, to sit down; (*da una posizione supina*) to sit up; **offrire** (*o dare*) **da s. a q.**, to offer sb. a seat; **rimettersi a s.**, to sit down again; to resume one's seat (*form.*); **trovare da s.**, to find a seat; **posto a s.**, seat; *L'autobus ha 38 posti a s.*, the bus can seat 38 people **2** (*esercitare un ufficio*) to sit*; (*avere un seggio*) to sit*, to

sedate.

have a seat: **s. giudice**, to sit in judgment; **s. in Parlamento**, to sit in Parliament; **s. nel consiglio di amministrazione**, to sit on the board of directors; **s. sul trono**, to sit on the throne **3** (*fig.*: *essere situato*) to sit*; to be situated; to lie*: *Il villaggio siede tra vigne e prati*, the village lies among vineyards and meadows (*fig.*) **s. a scranna**, (*dettar legge*) to lay down the law; (*giudicare*) to sit in judgment (on sb.) □ (*fig.*) **s. in cattedra**, to pontificate **B** **sedérsi** v. i. pron. to sit* (down); to seat oneself; to be seated; to take* a seat: **sedersi a tavola**, to sit down at (the) table; **sedersi per terra**, to sit (down) on the ground; *Si sedette nella sua poltrona preferita*, he sat in his favourite armchair; (*autom.*) *Io mi siedo dietro*, I'll sit in the back; *Sediamoci!*, let's sit down! *Sediamoci qui*, let's sit here; *Si sieda, prego*, please sit down; please be seated; *Siediti*, take a seat.

♦**sedére** ② m. **1** (*l'essere seduto*) sitting **2** (*deretano*) bottom; rear; backside; behind; buttocks (pl.); bum (*fam. GB*); fanny (*fam. USA*): **dare un calcio nel s. a q.**, to kick sb.'s behind; to kick sb. in the rear; **picchiare il s. per terra**, to fall (o to land) on one's backside **3** (*di indumento*) seat (*pop.*) **prendere q. per il s.**, to take the mickey (*volg. GB* piss) out of sb.; to take sb. for a ride; to bull shit sb. (*volg. USA*).

♦**sèdia** f. chair: **s. a braccioli**, easy chair; armchair; elbow chair; **s. a dondolo**, rocking chair; rocker (*USA*); **s. a rotelle**, wheelchair; **s. a sdraio**, deckchair; chaise-longue (*franc.*); **s. da giardino**, garden chair; **s. di vimini**, basket chair; **s. elettrica**, electric chair; **s. gestatoria**, gestatorial chair; **s. girevole**, swivel chair; **s. impagliata**, straw-bottomed chair; **s. pieghevole**, folding chair **giustiziare sulla s. elettrica**, to electrocute □ **mandare alla s. elettrica**, to send to the electric chair □ **morire sulla s. elettrica**, to be electrocuted.

sediàrio m. gestatorial chair carrier.

sedicènne **A** a. sixteen-year-old (attr.); sixteen years old (pred.); aged sixteen (pred.): **una ragazza s.**, a sixteen-year-old girl; a girl aged sixteen **B** m. e f. sixteen-year-old (boy, m.; girl, f.).

sedicènte a. (*che dice di essere e non è*) self-styled, self-proclaimed: (*che vorrebbe essere ma non è*) would-be.

sedicèsimo **A** a. num. ord. sixteenth: **la sedicesima parte**, the sixteenth part **B** m. **1** sixteenth **2** (*tipogr.*) sextodecimo; sixteenmo; 16mo: **in s.**, in 16mo; (*fig.*: *piccolo*) small, mini, baby (attr.); (*minore*) minor, third-rate; **libro in s.**, sextodecimo; sixteenmo.

♦**sédici** **A** a. num. card. e m. inv. sixteen; (*nelle date*) (the) sixteenth; (*il numero*) number sixteen: **la camera numero s.**, room (number) sixteen; **avere s. anni**, to be sixteen (years old); **il s. di questo mese**, on the sixteenth of this month; *Sono le s.*, it is four p.m. **B** m. (*pop. scherz.*) rear; bottom (*fam.*); behind (*fam.*).

sedicina f. about sixteen: **una s. di pagine**, about sixteen pages.

♦**sedile** m. **1** seat; (*sedia*) chair; (*panca*) bench: (*autom.*) **s. anteriore**, front seat; (*aeron.*) **s. eiettabile**, ejection seat; **s. girevole**, swivel chair; **s. pieghevole**, folding seat; **s. posteriore**, (*autom.*) rear seat, back seat; (*di motociclo*) pillion; **s. (posteriore) sdoppiabile**, split (rear) seat; **s. reclinabile**, reclining (o drop) seat **2** (*piano di sedia, ecc.*) seat: **s. regolabile**, adjustable seat; **s. ribaltabile**, tip-up seat.

sedimentàre v. i. to sediment; (*anche fig.*) to settle.

sedimentàrio a. (*geol.*) sedimentary:

rocce sedimentarie, sedimentary rocks.

sedimentatóre m. (*tecn.*) sedimentation tank; decanter.

sedimentazióne f. **1** (*chim.*) sedimentation; settling: **vasca di s.**, sedimentation tank; **velocità di s.**, sedimentation rate **2** (*geol.*) sedimentation; (*deposito*) sediment.

sediménto m. **1** (*chim., geol.*) sediment; deposit **2** (*fondi, feccia*) grounds (pl.); lees (pl.); dregs (pl.); foots (pl.) ● **s. alluvionale**, warp.

sedimentologìa f. (*geol.*) sedimentology.

sedimentològico a. (*geol.*) sedimentological.

sediolìno → **seggiolino**.

sedìolo m. (*ipp.*) sulky.

sedizióne f. sedition; rebellion; mutiny; (*sommossa*) uprising, riot: **domare una s.**, to put down (*o* to quash) a rebellion.

sediziòso Ⓐ a. **1** (*che incita alla ribellione*) seditious; subversive: **adunata sediziosa**, seditious gathering **2** (*rivoltoso*) insurrectionary; riotous; mutinous Ⓑ m. (f. *-a*) insurgent; rioter; rebel.

sèdo m. (*bot., Sedum*) sedum; stonecrop.

seducènte a. **1** seductive; (*affascinante*) fascinating, captivating: **voce s.**, seductive voice **2** (*allettante*) seductive; tempting; alluring; enticing: **proposta s.**, tempting proposition.

sedùrre v. t. **1** (*lett.: traviare*) to seduce; to lead* astray; to beguile; to mislead*: **s. una ragazza**, to seduce a girl **2** (*allettare*) to tempt, to allure, to entice; (*affascinare*) to captivate, to fascinate: *La proposta mi seduce*, the proposal tempts me; **lasciarsi s.**, to be enticed; *Il pubblico fu sedotto dalla sua grazia*, the audience was captivated by her grace.

sedùta f. **1** (*riunione, sessione*) sitting; session; (*assemblea*) meeting: **s. di tribunale**, court session; **s. d'emergenza del Consiglio di Sicurezza**, emergency meeting of the Security Council; **s. di registrazione**, recording session; **s. parlamentare**, parliamentary session; **s. plenaria**, plenary session (*o* meeting); **s. spiritica**, séance (*franc.*); **s. stante**, during the meeting; (*fig.*) immediately, on the spot, there and then, straightaway; **prendere una decisione s. stante**, to make a decision on the spot; to make a snap decision; **s. straordinaria**, extraordinary meeting; **aprire [chiudere] una s.**, to open [to close] a meeting; *La s. è aperta [tolta]*, I declare the meeting open [closed]; **convocare una s.**, to convene a meeting; **essere in s.**, to be in session; (*di persona*) to be at a meeting; **rimandare una s.**, to adjourn a meeting; **riprendere una s.**, to resume a meeting; **riunirsi in s.**, to hold a meeting (*o* a session); **sciogliere una s.**, to dissolve a meeting; **sospendere (*o* rinviare) una s.**, to adjourn a meeting; **tenere una s.**, to hold a meeting **2** (*visita di cura, ecc.*) session; sitting; visit: **s. dal dentista**, session at the dentist's; **s. dal parrucchiere, regolari sedute dal parrucchiere**, session at the hairdresser's; **s. dallo psicoanalista**, psychoanalytic session **3** (*pitt., scult.*) sitting: **un ritratto fatto in tre sedute**, a portrait made in three sittings; **fare una s. per un pittore**, to have a sitting (*o* to sit) for a painter **4** (*parte di una sedia*) seat.

sedùto a. seated; sitting: **l'uomo s. dietro di noi**, the man seated (*o* sitting) behind us; **sei persone sedute e venti in piedi**, six people seated and twenty standing; **da s.**, sitting; **restare s.**, to keep one's seat; *Resti s.!*, please remain seated!; *Seduto!*, sit down!; *Non sta mai s.*, he is always on the go.

seduttóre Ⓐ a. seductive; alluring;

tempting: **promesse seduttrici**, seductive promises Ⓑ m. seducer; (*dongiovanni*) Don Juan, Casanova, Lothario.

seduttrìce f. seductress; charmer; enchantress.

seduzióne f. **1** (*il sedurre*) seduction **2** (*fascino*) seductiveness; fascination **3** (*allettamento*) seduction; allurement; enticement; temptation: **le seduzioni della ricchezza**, the seductions of wealth.

S. E. e O., **SE&O** sigla (*comm., salvo errori e omissioni*) errors and omissions excepted (E&OE).

sefardìta Ⓐ m. e f. Sephardi* Ⓑ a. Sephardic.

seg. abbr. (**seguente**) following (fol.).

♦**séga** f. **1** saw: **s. a caldo**, hot saw; **s. a catena**, chain saw; **s. a freddo**, cold saw; **s. a mano**, handsaw; (*per tronchi*) pit saw, whipsaw, two-man saw; **s. a nastro**, band saw; **s. a telaio**, frame saw; **s. chirurgica**, amputation saw; **s. cilindrica**, cylinder saw; **s. circolare**, circular (*o* disk) saw; buzz saw (*USA*); **s. da ferro**, cold saw; **s. da macellaio**, butcher's saw; **s. da traforo**, fret saw; jigsaw; **s. meccanica**, sawing machine; **s. meccanica per tronchi**, sawmill; **s. per metalli**, hacksaw **2** (*mus.*) musical saw **3** (*pop. volg.*) wank; hand-job: **farsi una s.**, to wank (*GB*); to jerk off (*USA*) **4** (*pop. volg.: niente*) shit; fuck-all: **non capire una s.**, to understand fuck-all; **to not know one's arse from one's elbow**; **non fare una s. tutto il giorno**, to jerk around the whole day; **non sapere una s.**, not to know shit ● (*elettron.*) **a dente di s.**, sawtooth (attr.) □ **a s.**, saw-toothed; serrated: **coltello a s.**, serrated knife □ (*region.*) **fare s.** (*marinare la scuola*), to play truant; to play hooky (*USA*); to cut classes □ (*spreg. volg.*) **mezza s.**, wanker (*GB*); jerk-off (*USA*).

segàccio m. (*falegn.*) rip-saw; ripper.

segaìolo m. (*pop. volg.*) wanker (*GB*); jerker (*USA*).

ségale, ségala f. (*bot., Secale cereale*) rye: **farina di s.**, rye flour; **pane di s.**, rye bread ● **s. cornuta**, ergot.

segalìgno a. (*magro*) lean; wiry.

segalìno m. rye (attr.).

segantìno m. sawyer.

segaòssa m. **1** butcher's saw **2** (*pop. spreg.*) incompetent surgeon; (*scherz.*) sawbones.

segàre v. t. **1** to saw*: **s. legna**, to saw wood; **s. un blocco di marmo**, to saw a block of marble **2** (*region.: mietere, falciare*) to cut*; to reap; to mow: **s. il fieno**, to cut hay **3** (*stringere fortemente*) to cut* into; to bite* into: *Questo elastico mi sega la gamba*, this elastic is cutting into my leg. **4** (*fig. gergale*) to flunk.

segatóre m. **1** sawyer **2** (*region.: mietitore, falciatore*) reaper; mower.

segatrìce f. (*falegn., mecc.*) sawing machine; saw.

segatùra f. **1** (*il segare*) sawing **2** (*polvere di legno*) sawdust **3** (*region.: mietitura, falciatura*) cutting; reaping; mowing.

seggétta f. commode; close-stool.

sèggio m. **1** seat; chair; (*scanno*) bench; (*stallo*) stall: **il s. di San Pietro**, St Peter's seat; the Holy Seat; **s. presidenziale**, president's chair **2** (*in un'assemblea*) seat: **s. in Parlamento**, seat in Parliament; **conquistare [perdere] un s.**, to win [to lose] a seat; **una maggioranza di 10 seggi**, a ten-seat majority **3** – **s. elettorale**, polling (*o* voting) station; (*i componenti*) election committee; **presidente di s.**, returning officer; chief electoral officer.

sèggiola → **sedia**.

seggiolàio m. **1** (*fabbricante*) chair maker

2 (*riparatore*) chair mender **3** (*venditore*) chair seller.

seggiolàta f. blow with a chair.

seggiolìno m. **1** seat: (*aeron.*) **s. eiettabile** (*o* **ad espulsione**), ejection (*o* ejector) seat **2** (*per bambino*) baby's chair **3** (*pieghevole*) folding chair.

seggiolóne m. **1** big chair **2** (*per bambino*) high chair.

seggiovìa f. chair lift.

sèggo 1ª pers. sing. indic. pres. di **sedere**.

seyherìa f. sawmill.

seghétta f. small saw; (*per aprire fiale*) small file.

seghettàre v. t. to serrate.

seghettàto a. serrated; serrate (*bot.*); jagged; saw-toothed: **foglia a margine s.**, serrate leaf; **lama seghettata**, serrated edge.

seghettatùra f. serration; serrated edge.

seghétto m. (*per metalli*) hacksaw; (*da traforo*) fretsaw, coping saw, jigsaw.

segmentàle a. segmental.

segmentàre Ⓐ v. t. **1** to segment; to divide into segments **2** (*fig.: frazionare*) to subdivide; to split* up **3** (*comput.*) to segment Ⓑ **segmentàrsi** v. i. pron. **1** to segment; to divide into segments **2** (*fig.*) to subdivide; to split*.

segmentàrio a. segmentary.

segmentazióne f. **1** segmentation; division into segments **2** (*biol.*) segmentation; cleavage.

segménto m. **1** (*geom., biol., ling.*) segment: **s. circolare**, circular segment; **s. di linea**, line segment; **s. ellittico**, segment of an ellipse; **s. sferico**, segment of a sphere **2** (*parte, sezione*) segment; section; piece **3** (*di motore*) piston ring, ring; (*per freni*) brake lining.

sègna-accènto → **segnaccento**.

segnacàrte m. inv. bookmark; bookmarker.

segnacàso m. (*gramm.*) preposition.

segnaccènto m. stress mark.

segnàcolo m. (*lett.*) sign; mark; (*simbolo*) symbol, emblem.

segnalaménto m. signalling.

♦**segnalàre** Ⓐ v. t. **1** (*indicare*) to signal; to mark; (*anche autom.*) to indicate; (*con un simbolo tipografico*) to flag: **s. un incrocio**, to signal a crossroads; **s. un pericolo**, to signal a danger; **s. una secca**, to mark a shoal; **s. un sorpasso**, to indicate that one is about to overtake; *L'uscita era segnalata da una freccia*, the exit was marked (*o* indicated) by an arrow **2** (*assol.: fare segnalazioni*) to signal; to make* a signal (*o* signals): **s. con bandierine**, to flag-signal; to wigwag; **s. con razzi**, to flare; **s. per mezzo di semaforo**, to semaphore **3** (*dare notizia di, informare di*) to report; to notify; to announce; to communicate; (*far notare*) to point out, to call sb.'s attention to: **s. un guasto**, to report a breakdown; **s. q. alla polizia**, to report sb. to the police; **s. una difficoltà**, to point out a difficulty; to call sb.'s attention to a difficulty; *Si segnalano rallentamenti sull'autostrada*, slow traffic is reported on the motorway **4** (*far conoscere*) to bring* to (sb.'s) notice (*o* attention); (*menzionare*) to mention; (*raccomandare*) to recommend: *Mi segnalò alcuni titoli*, she mentioned a few titles to me; *Ci hanno segnalato un caso interessante*, an interesting case was brought to our attention (*form.*); we were told of an interesting case; *Fu segnalato per la promozione*, he was recommended for promotion Ⓑ **segnalàrsi** v. rifl. to distinguish oneself: **segnalarsi in una battaglia**, to distinguish oneself in a battle.

segnalàto a. **1** (*indicato*) signalled;

marked; indicated; shown: **una curva ben [mal] segnalata**, a well-indicated [poorly-indicated] bend **2** (*insigne*) outstanding, renowned, noteworthy, signal (attr.); (*grande*) great; (*famoso*) celebrated: **segnalate imprese**, signal achievements.

segnalatóre **A** a. signalling **B** m. **1** (*chi segnala*) signaller; (*naut., ferr.*) signalman*; (*con bandiera*) flagman*; (*aeron., con palette*) batsman* **2** (*apparecchio*) signaller; (*luminoso*) beacon, light; (*indicatore*) indicator: **s. acustico**, horn; hooter; buzzer; **s. di pressione dell'olio**, oil pressure indicator.

segnalazióne f. **1** (*il segnalare*) signalling: **s. acustica**, sound signalling; **s. con bandiera**, flag signalling; wigwagging; (*mil.*) **s. in codice**, coding; **s. ottica**, visual signalling; **apparecchio di s.**, signal apparatus; **cabina di s.**, signal cabin (*o* box); **razzo di s.**, signal rocket **2** (*segnale*) signal; sign; indication: **segnalazioni stradali**, road signs; **fare segnalazioni**, to make signals; to signal **3** (*informazione*) notification, notice, report; (*avviso*) warning; (*menzione*) mention; (*raccomandazione*) recommendation; (*suggerimento*) suggestion: **s. di un guasto**, notification of a breakdown; *Ho comprato questo libro su s. di un amico*, I bought this book on a friend's recommendation.

♦**segnàle** m. **1** (*indicazione, segnalazione*) signal: **s. di allarme**, warning signal; **s. di partenza**, starting signal; **segnali di fumo**, smoke signals; *Al s. convenuto ci fermammo*, at the agreed signal we stopped; **dare il s. dell'avanzata**, to give the signal for advance; **fare segnali con una bandiera**, to make signals with a flag; to wigwag; **fare segnali con fuochi**, to make fire-signals; **cifrario** (*o* codice) **dei segnali**, code of signals; signal-book **2** (*dispositivo ottico*) signal, sign, marker, mark; (*acustico*) beep, (*telef.*) tone; (*ferr.*) **s. a disco**, disk signal; **s. acustico**, sound signal; tone; beep; (*TV*) **s. audio**, sound (*o* audio) signal; **s. a luce intermittente**, flashing beacon; **s. d'allarme**, alarm; (*ferr.*) communication cord (*GB*), emergency brake; (*antiaereo*) air-raid warning; (*autom.*) **s. d'arresto**, stop sign; (*ferr.*) **s. di blocco**, block signal; **s. di cessato allarme**, all-clear signal; (*TV*) **s. d'immagine** (*o* video), picture (*o* video) signal; (*telef.*) **s. di linea** (*prima di comporre il numero*), dialling (*USA* dial) tone; (*telef.*) **s. di linea libera** (*dopo aver composto il numero*), ringing tone; (*telef.*) **s. di occupato**, engaged (*USA* busy) tone; **s. di partenza**, (*sport*) start; (*naut.*) Blue Peter; **s. di pericolo**, danger signal; (*autom.*) warning sign; (*radio*) distress signal; (*ferr.*) **s. di passaggio a livello**, road-crossing signal; (*naut.*) **s. di secca**, shoal mark; (*autom.*) **s. di stop**, stop sign; **s. fumogeno**, smoke signal; **s. luminoso**, light signal; beacon; (*razzo*) flare; **s. orario**, time signal; (the) pips (*fam.*); **s. stradale**, road sign; traffic sign; (*radio*) **s. unidirezionale costante**, beam; (*autom.*) **segnali di prescrizione** (*o* di divieto), signs giving orders; (*autom.*) **segnali direzionali**, directionals; (*autom.*) **segnali orizzontali** (*sulla carreggiata*), road markings **3** (*segnalibro*) bookmark.

segnalètica f. sign system; (*segnali*) signs (pl.), signals (pl.); (*cartelli*) signposts (pl.): **s. stradale**, road signs; **s. verticale**, road signs; traffic signs; **s. orizzontale**, road markings (pl.); *S. in rifacimento* (*cartello*), no road markings.

segnalètico a. identifying; identification (attr.): **cartellino s.**, fingerprint card; **dati segnaletici**, identification marks; **foto segnaletica**, identification photo.

segnalibro m. bookmark; bookmarker.

segnalimite m. road marker.

segnalinee m. inv. (*sport*) linesman*.

segnapósto m. place card.

segnaprèzzo m. inv. price tag; price label.

segnapùnti **A** m. e f. inv. scorekeeper; marker **B** m. (*tabellone*) scoreboard; (*libretto*) scorebook; (*cartoncino*) scorecard.

♦**segnàre** **A** v. t. **1** (*mettere un segno a, contrassegnare*) to mark; (*spuntare*) to tick; (*marchiare, anche fig.*) to brand: **s. a fuoco**, to brand; **s. con asterisco**, to mark with an asterisk; to asterisk; to star; **s. con una croce**, to mark with a cross; to put a cross against; to cross; **s. le carte da gioco**, to mark the cards; **s. gli errori a matita rossa**, to mark the mistakes in red pencil; **s. il bestiame con un marchio**, to brand the cattle; **s. un passo in un libro**, to mark a passage in a book **2** (*tracciare*) to mark; to draw*; to trace: **s. un accento**, to mark an accent; **s. i confini di qc.**, to mark (off) the boundaries of st.; to mark off st.; **s. una linea di confine**, to draw a boundary line **3** (*prendere nota di*) to write* down; to make* a note of; to jot down; to take* down; (*registrare*) to enter, to record; (*mettere in conto*) to charge to sb.'s account: **s. a credito**, to credit; **s. a debito**, to debit; **segnarsi un appunto**, to jot down a note; **s. la data**, to write down the date; **s. le entrate e le uscite**, to enter income and expenditure; **segnarsi un nome**, to write down (*o* to make a note of) a name; **s. i punti**, to keep the score; *Questa me la segno*, I'll make a note of that; (*fig.*) I'll remember that; *Non ho soldi con me, me lo segna?*, I haven't got money on me, can you put it on my account **4** (*fig.: indicare*) to indicate; to show*; (*di strumento*) to read*, to show*, to record, to register, to say*, to tell*: *La linea bianca segna il livello massimo*, the white line indicates the maximum level; *Il sentiero è chiaramente segnato sulla carta*, the path is clearly shown (*o* marked) on the map; *Il barometro segna una bassa pressione*, the barometer shows low pressure; *Il termometro segnava 10 gradi*, the thermometer showed 10°; *Il contatore segna...*, the meter reads...; *L'orologio segna le ore*, clocks tell the time; *L'orologio segna le quattro*, the clock says (*o* makes it) four **5** (*fig.: essere il segno di*) to mark, to signal, to indicate; (*annunciare*) to announce; (*decidere*) to fix, to seal: **s. il destino di q.**, to seal sb.'s fate; **s. l'inizio [la fine] di qc.**, to mark (*o* to signal) the beginning [the end] of st.; *Quell'episodio segnò la fine della loro amicizia*, that event marked the end of their friendship **6** (*scalfire*) to mark; (*graffiare*) to scratch; (*ammaccare*) to dent; (*incidere, solcare, anche fig.*) to mark, to line, to score; (*lasciare un segno su, anche fig.*) to leave* one's mark, to scar: *I chiodi dei suoi scarponi hanno segnato il pavimento*, the nails of his boots have marked the floor; *Il portacenere ha segnato il tavolino*, the ashtray has scratched the table; *I dolori gli hanno segnato il volto*, sorrow has lined his face; **esperienze che ti segnano**, experiences that leave their mark on you **7** (*sport, anche assol.*) to score: **s. un goal**, to score a goal; (*calcio*) **s. di testa**, to score with a header; to head the ball in ● (*mil. e fig.*) **s. il passo**, to mark time □ (*fig.*) **s. q. a dito**, to point the finger of scorn at sb.; **s. il tempo**, to beat time **B segnàrsi** v. rifl. (*farsi il segno della croce*) to cross oneself; to make* the sign of the cross.

segnataménte avv. especially; chiefly; particularly.

segnatàsse m. inv. postage-due stamp.

segnatèmpo m. inv. **1** (*persona*) time-keeper **2** (*strumento*) time-recorder.

segnàto a. **1** marked; (*con un marchio*) branded; (*inciso*) scored, scarred; (*graffiato*) scratched; (*di viso*) lined, worn: **carte se-**gnate, marked cards; **s. dagli anni**, bearing the marks of the years; **s. da cicatrici**, scarred; **s dal tempo**, time-worn; showing signs of age **2** (*fig.: deciso, stabilito*) decided; settled; fixed; sealed: *Il loro destino era ormai s.*, their fate was sealed **2** (*condannato*) doomed ● (*fig. pop.*) **s. da Dio**, ill-favoured; deformed.

segnatùra f. **1** (*il segnare*) marking; (*a fuoco*) branding **2** (*sport: numero dei punti*) score; (*singolo punto*) point, goal, score (*fam.*) **3** (*numero di collocazione*) call number; pressmark **4** (*editoria*) signature **5** (*sport*) score; weathervane **6** (*eccles.*) – S. **Apostolica**, Apostolic Signatura.

segnavènto m. inv. (*a forma di gallo*) weathercock; (*banderuola*) wheathervane.

segnavìa m. inv. (*alpinismo*) trail mark; (*inciso su albero*) blaze.

ségnico a. sign (attr.).

♦**ségno** m. **1** (*indizio*) sign, indication, evidence ⓤ; (*prova*) mark, token, proof; (*sintomo*) symptom; (*presagio*) omen: **un s. dell'età**, a sign of age; **un s. di rispetto**, a mark of respect; **un s. dei tempi**, a sign of the times; **s. di vita**, sign of life; **buon s.**, good sign; *Buon s.!*, that's a good sign!; **cattivo s.**, bad sign; bad omen; *È s. che vuol piovere*, it's a sign (*o* it means) that it is going to rain; *Se sbadigli, è s. che hai fame*, if you yawn, it means (*o* it's because) you are hungry; **dare segni di miglioramento [di stanchezza]**, to show signs of improvement [of weariness]; **in s. di amicizia**, as a token of friendship; **in s. di stima**, as a mark of one's esteem **2** (*segnale*) signal; (*gesto*) gesture, sign; (*del capo*) nod; (*della mano*) wave, motion: **s. convenuto**, agreed sign (*o* signal); **il s. della croce**, the sign of the cross; **farsi il s. della croce**, to cross oneself; to make the sign of the cross; **s. d'intesa**, signal; (*con l'occhio*) wink; (*col capo*) nod; **far s.** (**con la mano**), (*per indicare*) to point one's hand; (*per chiamare*) to beckon (with the hand); (*per far muovere*) to motion; *Mi fece s. di seguirlo*, he beckoned me to follow; *Mi fece s. d'uscire*, she motioned me to go out; **fare s. a un taxi**, to hail a taxi; **far s. col capo**, to nod; **far s. di no** (*col capo*), to shake one's head; **far s. di sì** (*col capo*), to nod one's assent (*o* agreement) **3** (*elemento distintivo*) sign; mark; (*marchio*) brand; (*impronta*) print, imprint, impression, stamp; (*traccia*) mark, trace, evidence ⓤ; (*graffio*) scratch; (*tacca*) dent, notch; (*cicatrice*) scar; (*voglia*) birthmark: **s. di frenata**, tyre marks (pl.); **s. distintivo**, mark; hallmark; **segni di lima**, file marks; **segni di passi**, footprints; **segni caratteristici** (*o* particolari), distinguishing marks; **un tavolo pieno di segni**, a table full of dents and scratches; *Si vede ancora il s. della ferita?*, does the scar still show?; *La porta recava segni di scasso*, the door showed evidence of having been forced; **lasciare il s. della mano su qc.**, to leave the imprint of one's hand (*o* one's handprint) on st.; **lasciare un s. su qc.**, to leave a mark on st.; *La guerra ha lasciato i segni*, the war has left its scars; (*fig.*) **lasciare il s.**, to leave one's mark; to tell (on sb., st.); *Sono cose che lasciano il s.*, things like these leave their mark on you **4** (*espressione grafica*) mark; (*anche mat.*) sign; (*carattere*) character: **s. di croce** (*di analfabeta*), cross; **fare un s. di croce su**, to put one's cross on; **s. d'interpunzione**, punctuation mark; **s. di radice**, root (*o* radical) sign; **s. di spunta**, check; tick; **s. più [meno]**, plus [minus] sign; **s. positivo [negativo]**, positive [negative] sign; (*tipogr.*) **segni speciali**, special characters **5** (*contrassegno*) mark: **arrivare fino al s.**, to get as far as the mark; **mettere un s. a una pagina**, to mark a page; **perdere il s.** (*in un libro*), to lose one's place (in a book)

6 (*simbolo*) sign, mark, symbol; (*emblema*) emblem, badge: **alzare le mani in s. di resa**, to raise one's hand in sign of surrender; *La colomba è s. di pace*, the dove is a symbol of peace **7** (*astrol.*) (star) sign: **il s. dei Pesci**, the sign of Pisces; **i segni dello zodiaco**, the signs of the Zodiac; **segni di aria [terra, acqua, fuoco]**, air [earth, water, fire] signs; *Di che s. sei?*, what's your star sign?; **nascere sotto il s. del Leone**, to be born under the sign of Leo **8** (*bersaglio*) mark; target: **tiro a s.**, target shooting; target practice **9** (*limite*) limit, extent; (*grado*) degree; (*punto*) point: **a tal s. che**, to such a degree (*o* an extent) that **10** (*vestigio*) trace; vestige: **i segni dell'antica Roma**, the vestiges of ancient Rome • (*fig.*) **andare a s.**, to hit home □ **avere la testa a s.**, to have a level head □ (*fig.*) **colpire nel s.**, to hit the mark; to hit home; to be right on the mark; to guess right □ (*fig.*) **di s. opposto**, opposite (agg.) □ **essere fatto a s. di critiche**, to become the target of criticism; to be criticized □ **essere fatto s. del disprezzo generale**, to be the object of general contempt □ **mettere a s. un colpo**, to hit the target (*o* the mark); (*fig.*) to score □ (*fig.*) **passare il s.**, to overstep the mark (*o* the limit); to go too far.

ségo m. tallow: **candela di s.**, tallow candle.

ségolo m. pruning knife*.

segóne m. cross-cut saw; pit saw.

segóso a. tallowy; tallowish.

segregaménto m. → **segregazione**.

segregàre Ⓐ v. t. (*isolare*) to isolate; (*allontanare*) to seclude, to sequester; (*rinchiudere*) to shut* up; (*un prigioniero*) to place in confinement, to keep* incommunicado; (*separare, emarginare*) to segregate: **s. un malato**, to isolate a patient Ⓑ **segregàrsi** v. rifl. to seclude (*o* to shut*) oneself up; to sequester oneself; to withdraw*: **segregarsi dal mondo**, to withdraw from the world; **segregarsi in campagna**, to sequester oneself in the country; **segregarsi in casa**, to shut oneself up at home; to shut oneself in.

segregàto a. (*isolato*) isolated; cut off; (*di prigioniero*) in solitary confinement, incommunicado (pred.); (*appartato*) secluded, sequestered; (*solitario*) solitary; (*separato, emarginato*) segregated: **s. dal mondo**, isolated (*o* cut off) from the rest of the world; **prigionieri tenuti segregati**, prisoners held incommunicado; **far vita segregata**, to lead a secluded life.

segregazióne f. **1** (*isolamento*) isolation; (*allontanamento*) seclusion; (*leg.*, *anche* **s. cellulare**) solitary confinement: **essere tenuto in s.**, to be held in isolation; to be held (*o* kept) incommunicado; to be in solitary confinement **2** – **s. razziale**, (racial) segregation.

segregazionìsmo m. segregation.

segregazionìsta Ⓐ a. segregationist; segregated: **scuola s.**, segregated school Ⓑ m. e f. segregationist.

segregazionìstico a. segregationist.

segréta① f. **1** (*in un'armatura*) secret **2** (*cella*) dungeon **3** (*in un mobile*) secret compartment.

segréta② f. (*relig.*) secreta*; secret.

segretaménte avv. secretly; in secret; in private; (*confidenzialmente*) in confidence; (*furtivamente*) stealthily, on the sly; (*nell'intimo*) secretly, inside, deep down: **accordarsi s.**, to agree in secret; **s. innamorato**, secretly in love.

segretàre v. t. (*leg.*) to classify.

segretària f. → **segretario**.

segretariàle a. secretarial.

segretariàto m. **1** (*carica, mansioni di se-*gretario) secretaryship; secretariat **2** (*ufficio, personale*) secretariat.

♦**segretàrio** m. (f. *-a*) **1** secretary; (*assistente*) assistant: **s. comunale**, town clerk; **s. di ambasciata**, embassy secretary; **segretaria d'azienda**, secretary; **s. di direzione**, executive secretary; (*cinem.*) **s.** [**segretaria**] **di edizione**, continuity person; **s. di legazione**, secretary of legation; **s. di partito**, party secretary; party leader; (*cinem.*, *TV*) **s. di produzione**, production manager's assistant; **s. di redazione**, editorial secretary; (*cinem.*) **s. di scena**, floor assistant; (*in USA, in Vaticano*) **S. di Stato**, Secretary of State; **s. generale**, secretary-general; **s. privato** (*o* **particolare**), private secretary; *Primo S.*, Chief Secretary; **fare da s. a q.**, to act as a secretary to sb. **2** (*zool.*, *Sagittarius serpentarius*) secretary-bird; serpent eater • (*letter.*) **s. galante**, book of love letters.

segretazióne f. (*leg.*) classification.

segreterìa f. **1** (*carica*) secretaryship, (*di partito, anche*) leadership; (*ufficio*) secretary's office, secretariat; (*personale*) secretarial staff, secretariat (pl.): **S. di Stato**, Secretariat of State; **lavoro di s.**, secretarial work **2** (*telef.*, *anche* **s. telefonica**) (*servizio*) answering service; (*apparecchio*) answering machine, answerphone (*GB*) **3** (*banca*) loan management office **4** (*mobile*) secretaire.

segretézza f. **1** secrecy; (*confidenzialità*) confidence; (*furtività*) covertness, furtiveness, stealth: **agire con s.**, to act in secret; **in gran s.**, in all (*o* total) secrecy; **dire qc. a q. in tutta s.**, to tell sb. st. in strict confidence **2** (*discrezione*) ability to keep a secret; discretion: **confidare nella s. di q.**, to rely on sb.'s discretion.

segretìssimo a. top secret; (*molto confidenziale*) highly confidential, hush-hush (*fam.*).

♦**segréto**① a. **1** (*riservato*) secret; confidential; hush-hush (*fam.*); (*di documento, ecc.*) classified; (*non per estranei*) inside (attr.): **documenti segreti**, classified papers; **informazioni segrete**, confidential (*o* inside) information; **tenere s. qc.**, to keep st. secret (*o* private, hidden); **tenere qc. s. a q.**, to keep st. a secret from sb. **2** (*non palese, occulto*) secret; (*nascosto*) hidden; (*clandestino*) clandestine: **agente s.**, secret agent; **ammiratore s.**, secret admirer; **matrimonio s.**, secret marriage; **porta segreta**, secret door; **società segreta**, secret society; **servizio s.**, (*mil.*) secret service, intelligence; (*polizia*) secret police; **voto s.**, ballot **3** (*lett.*: *appartato*) secluded **4** (*intimo*) secret; intimate; inmost; (*nascosto*) hidden: **aspirazione segreta**, secret aspiration; **dolore s.**, hidden pain; **gioia segreta**, secret (*o* intimate) joy; **pensieri segreti**, inmost (*o* hidden) thoughts **5** (*privato*) private; privy (*stor.*): (*eccles.*) **cameriere s.**, privy chamberlain • **accordarsi in s.**, to agree in secret; **dire qc. a q. in s.**, to tell sb. st. in confidence.

♦**segréto**② m. **1** secret: **s. di famiglia**, family secret; (*sgradevole, anche*) skeleton in the cupboard (*fam.*); **s. di Pulcinella**, open secret; **s. di Stato**, official secret; state secret; **s. industriale**, industrial secret; **confidare un s. a q.**, to confide a secret to sb.; to entrust sb. with a secret; *Non è un s. per nessuno*, that's no secret for anybody; **non aver segreti per q.**, to have no secrets for sb.; to keep nothing from sb.; **essere a parte di un s.**, to be in on a secret; **lasciarsi sfuggire un s.**, to let out a secret; to let the cat out of the bag (*fam.*); to blab (*fam.*); **mantenere un s.**, to keep a secret; **mettere q. a parte d'un s.**, to let sb. into a secret; **svelare un s.**, to reveal (*o* to disclose) a secret; **tradire un s.**, to betray a secret **2** (*segretezza*) secrecy; privacy: **s. bancario**, banking secrecy; **s. epistolare**, secrecy of

correspondence; **s. istruttorio**, judicial secrecy; **s. professionale** (*o* **d'ufficio**), professional secrecy; **in s.**, in secret; secretly; (*in confidenza*) confidentially, privately; (*furtivamente*) furtively, stealthily, on the quiet; **in gran s.**, in all secrecy; (*in confidenza*) in great confidence; **sotto il s. della confessione**, under the seal of confession; **non fare s. di qc.**, to make no secret of st.; **vincolare q. al s.**, to swear sb. to secrecy; **essere vincolato dal s.**, to be under pledge of secrecy **3** (*mezzo, accorgimento*) secret; trick: **il s. del successo**, the secret of success; **i segreti del mestiere**, the tricks of the trade; **conoscere il s. per ottenere qc.**, to know the way to get st. **4** (*congegno segreto*) combination: **lucchetto col s.**, combination padlock **5** (*intimo*) depths (pl.); (*luogo nascosto*) depth, thick, heart, recesses (pl.): **nel s. del proprio cuore**, in the depths of one's heart.

seguàce m. e f. follower; adherent: **s. del platonismo**, follower of Platonism; **i seguaci di un partito**, the supporters of a party.

♦**seguènte** Ⓐ a. **1** (*successivo*) following; next; subsequent: **il giorno s.**, the following (*o* the next) day; the day after; **la pagina s.**, the next page; **negli anni seguenti**, in the following years; **gli avvenimenti seguenti**, the subsequent events (*esposto di seguito*) following: *Mi occorrono i seguenti oggetti*, I need the following things; **nel s. ordine**, in the following order; **nel s. modo**, as follows Ⓑ m. e f. next one; next person: *Mostrami il s.*, show me the next one; *Avanti il s.!*, next (one), please!

segùgio m. **1** (*zool.*) bloodhound **2** (*fig.*: *investigatore, poliziotto*) detective; sleuth; (al pl.: *la polizia*) police: **avere i segugi alle calcagna**, to have the police hot on one's heels.

♦**seguìre** Ⓐ v. t. **1** (*andare dietro*) to follow; to go* after; (*venire dietro*) to come* after; (*pedinare*) to follow, to tail; (*accompagnare*) to follow, to accompany, to escort: **s. un corteo**, to follow a procession; **s. a ruota**, to follow hot on the heels of; **s. dappresso**, to follow closely; to be close behind; to follow hard after; **s. q. passo passo**, to tag behind sb.; (*fig.*) **s. il proprio naso**, to follow one's nose; *Segua quella macchina!*, follow that car!; *Vai avanti, ti seguo tra un momento*, you go on ahead and I'll follow you shortly; *Mi seguì con lo sguardo*, she watched me; her eyes followed me **2** (*venire dopo*) to follow; to come* after: *Il tuono segue il lampo*, thunder follows lightning; *La G segue la F*, G comes after F **3** (*procedere, avanzare lungo*) to follow; (*continuare lungo*) to keep* on; (*prendere*) to take*, to go* by: **s. la corrente**, to go downstream; (*fig.*) to swim with the tide; (*fig.*) **s. le orme di q.**, to follow in sb.'s footsteps; to follow in sb.'s wake; **s. percorsi diversi**, to go by different routes; **s. una pista**, to follow a trail; (*fig.*) to follow up a clue; (*fig.*) **s. il proprio corso**, to run its course; **s. la propria strada**, to go one's own way; (*naut.*) **s. una rotta**, to follow a course; (*anche fig.*) **s. un sentiero**, to follow (*o* to take) a path; **s. la strada principale**, to follow (*o* to keep to) the main road; **s. le tracce di qc.**, to trail st.; to track st.; **s. la via gerarchica**, to go through the official channels; **s. la via giusta**, to take the right path **4** (*professare, essere seguace di*) to follow; (*esercitare, praticare*) to practise; (*cercare*) to take*; (*mettere in atto*) to follow, to take*; (*obbedire, attenersi a*) to follow: **s. i consigli di q.**, to follow sb.'s advice; **s. i dettami della coscienza**, to follow the dictates of one's conscience; **s. una dottrina**, to follow a doctrine; **s. l'esempio di q.**, to follow the example of sb.; to take a leaf out of sb.'s book (*fam.*); **s. la propria inclinazione**, to follow one's personal bent; **s. una linea dura**, to

take a strong line; to take the hard line; **s. Marx**, to follow Marx; **s. la moda**, to follow the fashion; **s. i propri studi**, to pursue one's studies; **s. una professione**, to follow (o to practise) a calling (o a profession); **s. una regola**, to follow a rule **5** (sorvegliare) to watch, to keep* an eye on; (con uno strumento) to monitor, to track; (sovrintendere a) to oversee*, to supervise; (addestrare) to coach, to train: **s. i lavori**, to oversee (o to supervise) the works; **s. una squadra di operai**, to supervise a team of workers; **s. uno studente che prepara un esame**, to coach a student for an exam **6** (tener dietro con la mente, capire) to follow; (fare attenzione a) to pay* attention to: **s. una discussione** [un ragionamento], to follow a debate [an argument]; Non ti seguo, I don't follow you **7** (uno spettacolo, ecc.) to watch; (una serie di spettacoli) to attend: **s. la partita alla TV**, to watch the match on TV; **s. la stagione dell'opera**, to attend the opera season **8** (interessarsi di, tenersi informato su) to follow; to keep* abreast of: **s. la politica**, to follow politics; Non ho seguito gli ultimi sviluppi, I didn't follow (o keep abreast of) the latest developments **9** (frequentare) to attend: **s. un corso di tedesco**, to attend a course of German ◩ v. i. **1** (venire dopo) to follow (st.); (accadere dopo) to happen (next); (come conseguenza) to ensue: Alla guerra segue spesso la carestia, famine often follows war; famine is often the sequel of war; Seguì un silenzio sconcertato, a bewildered silence followed (o ensued); Segue lettera, letter following (o follows); Non puoi immaginare quel che seguì, you can't imagine what followed; Mi chiedo che cosa seguirà ora, I wonder what will happen now; La situazione è come segue, the situation is as follows; con quel che segue, and all the rest; Mi riferì quanto segue, he told me the following **2** (derivare, conseguire) to follow; to ensue; to come* out (of): Ne segue che..., it follows that...; Non ne seguirà nulla, nothing will come of it **3** (continuare) to continue: Segue a p. 46, to be continued on p. 46; Segue a tergo, please turn over (abbr. P.T.O.).

seguitare v. t. e i. to continue; to go* on (with); to carry on: **s. il proprio lavoro**, to carry on one's work; to go on with one's work; **s. a fare qc.**, to go on doing st.; to carry on: Seguitò a parlare come se niente fosse, she continued speaking (o she carried on) as if nothing had happened; **s. a lavorare**, to go on working.

♦**séguito** m. **1** (scorta) retinue; suite; entourage (franc.); train; attendants (pl.): **l'imperatore e il suo s.**, the Emperor and his retinue; **il ministro e il suo s.**, the minister and his entourage; **essere al s. dell'ambasciatore**, to be among the ambassador's suite; **girare il mondo al s. di un gruppo rock**, to travel round the world following a rock band; **viaggiare senza s.**, to travel unattended **2** (seguaci, imitatori, fautori) followers (pl.); adherents (pl.); supporters (pl.); following; audience: Le sue teorie hanno un grosso s., his theories have a large following; La sua scuola non ebbe un s., his school had no followers **3** (serie, sequela) series; sequence; train; suite; run; streak (fam.): **un s. di pensieri**, a train of thought; **un s. di vittorie**, a series (o a succession of) victories; a winning streak **4** (continuazione) continuation, rest; (di romanzo, film, ecc.) sequel, (per sfruttarne il successo) follow-up; (nuova puntata) new instalment; (sviluppo) sequel, follow-up; (conseguenza, risultato) outcome, result: **il s. d'un racconto**, the continuation of a story; Ti racconterò il s. un'altra volta, I'll tell you the rest some other time; La nostra avventura ha avuto un s., there was a follow-up (o a sequel) to our adventure; Il s. al prossimo numero, to be con-

tinued (in our next issue); L'incontro non ebbe s., the meeting led to nothing; Le sue minacce non ebbero s., his threats came to nothing ● **a s. di** → **in s. a** □ **dare s. a qc.**, to carry out st.; to execute st.: (comm.) Ci duole di non poter dare s. alla Vostra ordinazione, we regret that we cannot carry out your order □ **di s.**, uninterruptedly; (uno dietro l'altro) in a row, in succession: Si mangiò sei uova di seguito, he ate six eggs in a row; **per quattro ore di s.**, for four hours in succession □ **e così di s.**, and so on; and so forth □ **fare s. a**, to follow: (comm.) Facciamo s. alla nostra lettera del 15 marzo per informarvi che..., following our letter of March 15th, we inform you that...; **facendo s. alle vostre disposizioni...**, further to your instructions... □ **in s.**, afterwards; later on □ **in s. a**, following; subsequent to; further to (form.); (a causa di) owing to, as a result of, because of.

sèi ① 2ª pers. sing. indic. pres. di **essere**.

♦**sèi** ② a. num. card. e m. inv. six; (nelle date) (the) sixth; (il numero) number six: **sei ragazzi**, six children; Datemene sei, per favore, give me six, please; **un ragazzo di sei anni**, a six-year-old (boy); **in gruppi di sei**, in sixes; **il sei giugno**, the sixth of June; June, 6th; Sono le (ore) sei, it is six (o' clock); **sei o settecento persone**, six or seven hundred people; **(nave) a sei alberi**, six-master; **rivoltella a sei colpi**, six-shooter; **tiro a sei**, coach and six; six-in-hand.

Seiàno m. (stor.) Sejanus.

seicentésco a. **1** seventeenth-century (attr.); (arte e letter. ital., anche) of the Seicento, Seicento (attr.) **2** (estens.: ampolloso, barocco) baroque; (di linguaggio) euphuistic.

seicentèsimo a. num. ord. e m. inv. six-hundredth.

seicentìsmo m. **1** (arte, letter.) seventeeth-century style **2** (estens.: concettosità, preziosismo) preciosity; euphuism.

seicentìsta m. e f. **1** (arte, letter.) seventeenth-century writer [artist, etc.]; (rif. all'Italia, anche) Seicento writer [artist, etc.], seicentist **2** (specialista del Seicento) seventeenth-century specialist.

seicentìstico → **seicentesco**.

seicènto ◩ a. num. card. inv. six hundred ◪ m. inv. **1** (il numero) six hundred **2** (il secolo) (the) seventeenth century; (arte e letter. ital., anche) (the) Seicento.

seiènne a. **1** six-year-old (attr.); six years old (pred.); aged six (pred.) **2** (lett.: che dura da sei anni) six-year (attr.).

seigiórni f. (sport) six-day bicycle race.

seigiornìsta m. (sport) competitor in a six-day bicycle race.

seimìla a. num. card. e m. six thousand.

selaginèlla f. (bot., Selaginella helvetica) selaginella.

sélce f. **1** (miner.) flint; flintstone; chert **2** (per pavimentazione stradale) paving stone.

selciàio → **selciatore**.

selciàre v. t. to pave.

selciàto ◩ a. paved ◪ m. pavement; paving.

selciatóre m. paver; paviour.

selciatùra f. **1** (il selciare) paving **2** (selciato) paving; pavement.

selcióso a. flinty; flint (attr.); cherty; flint-like.

Selène f. (mitol.) Selene.

selènico ① a. (lett.) lunar.

selènico ② a. (chim.) selenic: **acido s.**, selenic acid.

selènio m. (chim.) selenium.

selenìta m. e f. (lett.) Lunarian.

selenìte ① f. (miner.) selenite.

selenìte ② → **selenita**.

selenìtico ① a. (miner.) selenitic.

selenìtico ② a. (lunare) lunar.

selenodèsia f. (astron.) selenodesy.

selenodónte a. e m. (zool.) selenodont.

selenografìa f. (astron.) selenography; lunar geography.

selenogràfico a. (astron.) selenographic.

selenògrafo m. (f. **-a**) selenographer.

selenologìa f. (astron.) selenology.

selenotopografìa f. selenotopography.

selettività f. (anche elettron.) selectivity.

selettìvo a. (anche elettron.) selective.

selettocoltùra f. selective breeding.

selettóre ◩ a. selecting; selective ◪ m. selector: (radio) **s. di banda**, band selector; (TV) **s. di canale**, channel selector; (aeron.) **s. di rotta**, course-line selector; (radio) **s. d'onda**, wave selector.

seléucidi m. pl. (stor.) Seleucids.

selezionaménto m. selection.

selezionàre v. t. to select; to choose*; to pick out; (fare una cernita) to sort out, to grade; (vagliare) to screen; (agric., zootecnia) to breed*: **s. accuratamente**, to hand-pick; **s. i componenti di una squadra**, to select (o to choose) the members of a team; **s. candidati**, to screen applicants; **s. una razza a pelo corto**, to breed a short-haired race; **s. i vestiti secondo le taglie**, to sort out clothes by size; La squadra era stata selezionata con cura, the team were all hand-picked; (sport) **essere selezionato per la nazionale italiana**, to be selected for the Italian team; to be capped for Italy (GB).

selezionàto a. **1** selected; chosen; picked **2** (di prima scelta, scelto) select; choice; hand-picked.

selezionatóre ◩ a. selecting; selection (attr.) ◪ m. (f. **-trìce**) selector (anche sport); (cernitore) sorter, grader.

selezionatrìce f. (tecn.) sorter.

selezióne f. **1** selection; choice; (vaglio) screening; (cernita) sorting, grading: **s. del personale**, personnel selection; **s. preliminare**, screening; **operare una s.**, to make a selection; to select; (econ.) **s. avversa**, adverse selection **2** (biol.) selection: (agric., zootecnia) breeding: **s. artificiale** [naturale], artificial [natural] selection **3** (telef.) dialling: **s. a pulsanti**, push-button dialling; **s. automatica**, automatic dialling; **s. passante**, direct dialling **4** (insieme di cose scelte) selection.

self-service (ingl.) ◩ m. inv. **1** (tecnica di vendita) self-service **2** (ristorante) self-service restaurant, cafeteria; (negozio) self-service store; (distributore di benzina) self-service filling station ◪ a. inv. self-service.

♦**sèlla** f. **1** saddle: **s. da donna** (o all'amazzone), side-saddle; lady's saddle; **balzare in s.**, to leap into the saddle; **cavalcare senza s.**, to ride bareback; **essere in s.**, to be in the saddle; **levare** [mettere] **la s. a un cavallo**, to saddle [to unsaddle] a horse; **montare in s.**, to get into the saddle; to mount; **saper** [non saper] **stare in s.**, to be a good [a poor] horseman; to ride well [badly]; **sbalzare q. di sella**, to unsaddle sb.; to unhorse sb.; (fig.) to knock sb. off his perch; **stare in s.**, to be in the saddle; **cavallo da s.**, saddle horse **2** (sellino) saddle **3** (geogr.) col; saddle **4** (anat.) – **s. turcica**, sella* turcica **5** (cucina) saddle: **una s. di montone**, a saddle of mutton ● (fig.) **in s.**, in the saddle; in command; in power □ (fig.) **rimettersi in s.**, to get into the saddle (o into the driving-seat) again.

sellàio m. saddler.

sellàre v. t. to saddle.

sellatùra f. saddling.

sellerìa f. **1** (bottega) saddlery; saddler's shop **2** (attività) saddlery **3** (ripostiglio dei fi-

nimenti) saddle room; harness room **4** (*autom.*, *ferr.*) upholstering: **reparto s.**, upholstering shop.

sellìno m. **1** (*di bicicletta, ecc.*) saddle: **s. posteriore**, pillion: **sedere sul s. posteriore**, to ride pillion **2** (*parte di finimento*) back (*o harness*) pad **3** (*moda, stor.*) bustle.

sèltz m. (*anche* **acqua di s.**, f.) soda (water): **uno spruzzo di acqua di s.**, a dash of soda; **vermut al s.**, vermouth and soda.

sélva f. **1** wood; forest: **una s. di abeti**, a wood of fir-trees **2** (*fig.*) mass; multitude; host: **una s. di capelli**, a mass of hair; **una s. di difficoltà**, a host of difficulties.

selvaggìna f. game: **s. da pelo**, furred game; **s. da penna**, feathered game; **s. di pelo e di penna**, fur and feather; **s. minuta** (*non volatili*), ground game; **s. stanziale**, sedentary game.

♦**selvàggio** A a. **1** (*selvatico*) wild: **animali selvaggi**, wild animals **2** (*di luogo*) wild; stark; desolate: **regione selvaggia**, wild regions; **wilderness 3** (*non civilizzato*) wild; savage; uncivilized; primitive: **paese s.**, uncivilized (*o primitive*) country; **tribù selvagge**, wild (*o savage*) tribes; **vivere allo stato s.**, to live like a savage **4** (*crudele, feroce*) savage, barbarous, heinous; (*violento*) violent, wild: **delitto s.**, savage (*o heinous*) crime; **furia selvaggia**, violent (*o wild*) fury; **urla selvagge**, wild screams **5** (*ribelle*) wild, unruly (*scontroso*) surly, unsociable; (*rozzo*) rude, rough, uncouth: **ragazzo s.**, wild (*o unruly*) boy **6** (*incontrollato*) wild; uncontrolled; indiscriminate; (*illegale*) illegal: **edilizia selvaggia**, indiscriminate building; **parcheggi selvaggi**, illegal parking; **sciopero s.**, wild-cat strike B m. (f. *-a*) (*anche fig.*) savage: **vivere come un s.**, to live like a savage; **vivere primitivamente**.

selvatichézza f. **1** wildness; savageness **2** (*rozzezza*) roughness; uncouthness; rudeness **3** (*scontrosità*) surliness; unsociableness; unsociability.

♦**selvàtico** A a. **1** wild; (*non domestico*) undomesticated: **asino s.**, wild ass; **pero s.**, wild pear-tree **2** (*rozzo*) rough, uncouth; (*non socievole*) unsociable B m. **1** (*odore*) gamy smell; (*sapore*) gamy flavour: **puzzare di s.**, to smell wild (*o gamy*); **sapere di s.**, to taste gamy **2** (*selvaggina*) game **3** (*luogo*) wild place.

selvaticùme m. **1** (*cose selvatiche*) wild things (pl.) **2** (*carattere selvatico*) surliness; unsociability.

selvicoltóre m. (f. *-trìce*) silviculturist.

selvicoltùra f. silviculture.

selvóso a. woody; wooded.

sèlz → **seltz**.

Sèm m. (*Bibbia*) Shem.

S.Em. abbr. (**Sua Eminenza**) His Eminence (HE).

séma m. (*ling.*) seme.

semafòrico a. **1** of (*o relative to*) traffic lights **2** (*ferr.*) semaphore (attr.).

semaforìsta m. (*ferr.*) signaller; signalman*.

semaforizzàre v. t. to put* traffic lights in: **s. una strada**, to put traffic lights in a street.

♦**semàforo** m. **1** (*per il traffico*) (traffic) lights (pl.); set of (traffic) lights; stop light (*USA*): **s. verde** [**rosso, giallo**], green [red, amber] light; **s. con lampeggio** (*o* **a intermittenza**), flashing amber lights (pl.); **Al s. gira a destra**, turn right at the traffic lights; **Scendi dopo il prossimo s.**, get off after the next set of lights; **Ho trovato tutti i semafori rossi**, the lights were against me all the way; (*fam.*) **bruciare un s.**, to run the lights; **passare col s. rosso**, to drive through a red light; **rispettare il s.**, to obey the lights **2**

(*ferr.*) semaphore: **braccio del s.**, semaphore arm; semaphore blade (*USA*) **3** (*naut.*) signal station.

se màì, semmài A cong. (*nel caso che*) if, in case; (*ammesso che*) if ever: *Se mai dovesse rispondere, fammelo sapere*, if she should answer, let me know; *Ricordamelo tu, se mai dovessi dimenticarlo*, please remind me, if I should forget; *Se mai ti trovassi in difficoltà, puoi sempre telefonarmi*, if you do have any problems (*o should you have any problems*), you can always ring me; *Se mai morissi, qui c'è il mio testamento*, in case I die (*o, form.*, in the event of my death*), here is my will B avv. (*caso mai*) if necessary; (*anzi*) if anything; (*tutt'al più*) at most; (*nella peggiore delle ipotesi*) at worst: *Ne parliamo più tardi, se mai*, if necessary, we can talk about it later; *Se mai, ora è più difficile*, if anything, it's more difficult now; *Non gli devo niente; se mai, chi è in debito è lui*, I owe him nothing; if anything, he is the one who is in debt; *Tenterò l'esame comunque, se mai, mi bocceranno*, I'll sit for the exam in any case - at worst they'll flunk me.

semantèma m. (*ling.*) semanteme.

semàntica f. (*ling.*) semantics (pl. col verbo al sing.).

semanticità f. (*ling.*) semanticity.

semàntico a. semantic.

semantìsta m. e f. semanticist; semantician.

semasiologìa f. (*ling.*) semasiology; semantics (pl. col verbo al sing.).

semasiològico a. (*ling.*) semasiological; semantic.

semasiòlogo m. (f. *-a*) semanticist.

sembiènte m. (*lett.*) **1** (*aspetto, apparenza*) appearance; aspect; semblance **2** (*fattezze*) countenance; features (pl.); face: **s. grazioso**, delicate features; **s. aperto**, open face.

sembiànza f. **1** (*poet.: somiglianza*) resemblance; likeness: **fatto a s. di Dio**, made in the likeness of God **2** (*aspetto*) aspect; look; appearance; (*guisa*) guise: **avere s. di galantuomo**, to look honest; *Apparve in s. di angelo*, he appeared in the guise of an angel **3** (*al pl.*) (*fattezze*) features; (*lineamenti*) features: **avere belle sembianze**, to be good-looking **4** (*parvenza*) semblance: **una s. di libertà**, a semblance of freedom; token freedom.

♦**sembràre** A v. i. (*parere*) to seem; to feel*; (*alla vista*) to look; (*all'udito*) to sound, to ring*; (*assomigliare: alla vista*) to look like, (*all'udito*) to sound like, (*al gusto*) to taste like, (*al tatto*) to feel* like, (*all'olfatto*) to smell* like: *Sembrava irremovibile, ma alla fine cedette*, she seemed adamant, but in the end she relented; *Sembri stanco* [*sollevato*], you look tired [relieved]; *La stanza sembra spoglia senza i quadri*, the room looks bare without the pictures; *La casa sembrava vuota dopo la loro partenza*, the house felt empty after they left; *La sua mi spiegazione sembra convincente*, his explanation sounds convincing; *Sembra vero*, (*non finto*) it looks real; (*la verità*) it rings true; *Sembra un vecchio*, he looks like an old man; *Sembra sua sorella*, she looks like her sister; *Il lago sembra uno specchio*, the lake is like a mirror; *Sembra miele*, it tastes like honey; *Parli come se tu fossi il padron di casa*, you sound as if you owned the place; *La notte sembrava non finire mai*, it felt as if the night would never end; *Sembra di vetro*, it looks like glass; it feels like glass; *Sembra la persona giusta per questo posto*, he seems to be the right man for this job; *Mi sembra un sogno*, it seems (*o it looks, sounds, feels*) like a dream; *Gli sembrò una buona idea*, it looked like a good idea to

him; *Come ti sembra?*, what do you make of it [him, her]?; (*generico*) what do you reckon?; *Come ti sembra questo caffè?*, how do you find (*o like*) this coffee? B v. i. impers. **1** (*rif. a sensazione, impressione*) to seem, to feel*; (*alla vista*) to look; (*all'udito*) to sound; (*assomigliare: alla vista*) to look like, (*all'udito*) to sound like, (*al gusto*) to taste like, (*al tatto*) to feel* like, (*all'olfatto*) to smell* like: *Sembra che voglia piovere*, it looks like rain; *Sembra di essere in estate*, it feels like summer; *Mi sembra che tu stia bene*, you look well; *Mi sembra d'essere in paradiso!*, it's just like paradise! **2** (*rif. a opinione, giudizio, supposizione*) to seem (anche pers.); (*rif. a impressione, voce, informazioni*) to appear (anche pers.); to think*, to feel* (entrambi pers.): *Sembra che tu sia nei guai*, it seems you are in trouble; you seem (*o appear*) to be in trouble; *Sembra che sia molto bravo*, he seems to be very good; *Sembra che ci sia un problema*, there seems to be a problem; *Sembra che stia molto meglio*, she appears to be much better; *Sembra proprio che vogliano chiudere la fabbrica*, it appears they want to shut down the factory; *Mi sembra che si sia ambientata bene*, she seems (*o appears*) to have settled down nicely; *Mi sembra che questo sia il momento di agire*, it seems to me that this is the time to act; *Mi sembra strano che non abbia telefonato*, it seems odd that he hasn't phoned; *Mi sembrò strano che non ci avesse informato*, it struck me as odd that he didn't let us know; *Mi sembra che tu abbia torto*, I think you are wrong; it seems to me that you are wrong; *Mi sembra di averlo già conosciuto da qualche parte*, I think (*o I have the impression*) I've already met him somewhere; *Mi è sembrato fosse mio dovere rispondere*, I felt it was my duty to answer; *Gli sembrò di udire un fruscio*, he thought (*o seemed, fancied*) he heard a rustle; *Non mi sembra giusto*, I don't think (*o feel*) it's right; *Che te ne sembra?*, what do you think of it?; *Non mi sembra vero!*, I can't believe it!; *Fa' come ti sembra meglio*, do as you think best; «*Vuole restare?*» «*Così sembra*», «does he want to stay?» «so it seems (*o so it appears*)»; *Sembra di sì*, it seems so; it appears so; *Sembra di no*, it appears not; it doesn't seem so; *Mi sembra di sì*, I think (*o guess*) so; *Mi sembra di no*, I don't think so; *Non mi sembra*, I don't think so; *Non ti sembra?*, don't you think so?; *È un po' tardi, non ti sembra?*, it's rather late, don't you think?; **a quanto sembra**, by the look of it; apparently; *Non verrà nessuno, a quanto sembra*, no one is going to come, by the look of it; it appears no one will come; *A quanto sembra, lui non ne sapeva nulla*, he didn't know anything about it, apparently; *Voleva sapere la mia età. Ma ti sembra?*, she wanted to know how old I was! what a cheek! **3** (*piacere, volere*) to like; to please; to wish (tutti pers.): *Fa' come ti sembra*, do as you like (*o please, wish*); please (*o suit*) yourself.

♦**sème** m. **1** seed; (*di arancia, pera, mela, ecc.*) pip: **s. di papavero**, poppy seed; **s. di zucca**, pumpkin seed; **semi commestibili**, edible seeds; **semi di lino**, linseed Ⓤ; **semi di soia**, soya beans; **semi oleosi**, oil-seeds; **far crescere dal s.**, to grow from seed; **grano da s.**, seed-corn; **olio di semi**, seed oil; **mandarino senza semi**, pipless tangerine **2** (*sperma*) seed; semen; sperm: **banca del s.**, sperm bank **3** (*fig.: origine, causa*) seed; germ: **il s. della discordia** [**dell'odio**], the seeds (pl.) of discord [of hatred]; **gettare il s. d'una dottrina**, to sow the seeds (pl.) of a doctrine; **gettare il s. del dubbio**, to plant the seed of doubt **4** (*discendenza*) seed; progeny: **il s. d'Adamo**, the seed of Adam **5** (*nelle carte da gioco*) suit: **s. di quadri**, diamonds (pl.); **s. di picche**, spades (pl.); **due**

carte dello stesso s., two cards of the same suit.

semeiografìa f. → **semiografia**.

semeiologìa → **semiologia**.

semeiològico a. (*med.*) semiological.

semeiòlogo m. (f. *-a*) (*med.*) semiologist.

semeiòtica f. (*med.*) semiotics (pl. col verbo al sing.); semiology.

semeiòtico a. (*med.*) semiotic; semiological.

semèma m. (*ling.*) sememe.

semènta ① f. (*il seminare*) sowing; seeding.

semènta ② f. → **semente**.

semènte f. (sowing) seed.

sementìre v. i. to seed; to run* to seed.

semènza f. **1** (*bot.*) seed: **andare in s.**, to run to seed **2** (*region.*: *semi di zucca abbrustoliti*) roasted pumpkin seeds **3** (*fig. lett.*: *origine*) seed; origin; (*discendenza*) seed, progeny **4** (*bullettame*) boot nails (pl.) **5** (*perline*) seed-pearls (pl.).

semenzàio m. (*anche fig.*) seedbed; nursery.

semenzàle m. (*agric.*) seedling.

semestràle A a. **1** (*che dura un semestre*) six-month (attr.): **contratto [corso] s.**, six-month contract [course] **2** (*che si ripete ogni sei mesi*) six-monthly; half-yearly; biannual: **dividendi semestrali**, half-yearly dividends; **incontri semestrali**, biannual meetings; **pagamenti semestrali**, six-monthly (*o* half-yearly) payments; **rivista s.**, six-monthly review (*o* journal); **a scadenza s.**, half-yearly B f. (*econ.*, *fin.*) half-yearly report C m. (*periodico*) six-monthly review (*o* journal).

semestralità f. (*rata semestrale*) six-montly (*o* biannual) instalment; (*pagamento semestrale*) six-monthly (*o* biannual) payment.

semestralizzàre v. t. to give* a half-yearly frequency to: **s. un pagamento**, to fix payment in six-monthly instalments.

semestralmènte avv. every six months; twice a year; half-yearly; six-monthly.

semèstre m. **1** (*period*) six-month period; half-year; (*scolastico*) semester: **s. di scuola**, school semester; **il primo s. del 1999**, the first half of 1999; **i profitti del secondo s.**, profits in the second half of the year; second-half profits **2** (*pagamento*) six-monthly payment; (*rata*) six-monthly instalment: **pagare un s. d'affitto**, to pay six months' rent; **pagare a semestri**, to pay every six months.

semiacèrbo a. half-ripe.

semiàla f. (*aeron.*) wing.

semiàlbero m. (*mecc.*) axle shaft.

semianalfabèta a., m. e f. semiliterate.

semianalfabetìsmo m. semiliteracy.

semiapèrto a. half-open; (*di porta*, *anche*) ajar (pred.): **occhi semiaperti**, half-open eyes; **lasciare la porta semiaperta**, to leave the door ajar.

semiàsse m. **1** (*geom.*) semiaxis* **2** (*autom.*) axle shaft.

semiautomàtico a. semiautomatic.

semibàrbaro a. semi-barbarian; semi-savage.

semibarrièra f. half-barrier.

semibiscròma f. (*mus.*) hemidemisemiquaver; sixty-fourth note (*USA*).

semibrève f. (*mus.*) semibreve; whole note (*USA*).

semibùio a. half-lit; dimly lit: **corridoio s.**, dimly lit corridor.

semicatino m. (*arch.*) semidome.

semicèrchio m. (*anche geom.*) semicircle; half-circle: **disposto a s.**, arranged in a semicircle.

semichiùso a. half-closed; half-shut.

semicingolàto (*autom.*) A a. half-tracked B m. half-track.

semicircolàre a. semicircular.

semicìrcolo m. (*geom.*) semicircle; half-circle.

semiconferènza f. (*geom.*) semicircle.

semiconduttóre m. (*fis.*, *elettr.*) semiconductor.

semiconsonànte f. (*fon.*) semivowel (preceding a vowel).

semiconsonàntico a. (*fon.*) semivowel (attr.).

semiconvìtto m. day-school.

semiconvittóre m. (f. *-trìce*) day-pupil; day-boy (m.); day-girl (f.).

semicopèrto a. half-covered.

semicòro m. (*mus.*) semichorus.

semicòtto a. half-cooked; half-done.

semicristallìno a. (*miner.*) semicrystalline; hemicrystalline.

semicròma f. (*mus.*) semiquaver; sixteenth note (*USA*).

semicrùdo a. not sufficiently cooked; almost raw.

semicuòio m. imitation leather.

semicùpio m. hip bath.

semideponènte a. e m. (*gramm.*) semideponent.

semideşèrto a. half-empty.

semidetenùto (*leg.*) A a. on part-time detention B m. (f. *-a*) prisoner on part-time detention.

semidetenzióne f. (*leg.*) part-time detention.

semidiàmetro m. (*geom.*) semidiameter.

semidifferènza f. (*mat.*) semidifference.

semidìo m. (*mitol.*) demigod.

semidistéso a. reclining; half-lying.

semidistrùtto a. half-destroyed.

semidiùrno a. semidiurnal; half-day (attr.).

semidóppio a. (*bot.*) semi-double.

semidùro a. (*metall.*) medium hard.

semiellìttico a. (*mat.*) semi-elliptical.

semierètto a. partially erect.

semieşònero m. partial exemption.

semifinàle f. (*sport*) semifinal: **entrare in s.**, to go through to the semifinals.

semifinalìsta m. e f. (*sport*) semifinalist.

semifinìto a. semi-finished: **prodotti semifiniti**, semi-finished products.

semiflùido a. (*fis.*) semifluid.

semifréddo m. semifreddo (Italian soft ice-cream).

semigràsso a. medium fat.

semigratùito a. half-price.

semigrùppo m. (*mat.*) semigroup.

semilavoràto (*ind.*) A a. semi-finished B m. semi-finished product.

semilìbero A a. partially free; half-free B m. (f. *-a*) **1** (*stor.*) half-free man* **2** (*leg.*) prisoner on part-time detention.

semilibertà f. **1** partial freedom; half-freedom **2** (*leg.*) part-time detention.

semilìquido a. (*fis.*) semiliquid.

semilùcido (*tecn.*) a. semigloss.

semilunàre a. semilunar; crescent-shaped: (*anat.*) **valvola s.**, semilunar (valve).

semilùnio m. (*astron.*) half moon.

semimetàllo m. (*chim.*) semi-metal.

semimìnima f. (*mus.*) crotchet; quarter note (*USA*).

semimpermeàbile a. partially impermeable.

sémina ① f. **1** sowing; seeding: **s. a spaglio**, broadcasting; **patate da s.**, seed potatoes; **stagione della s.**, sowing season; seed time **2** (*epoca*) sowing season; seed time.

sémina ② f. salted pumpkin seeds (pl.).

seminàbile a. sowable.

seminagióne f. **1** sowing; seeding **2** (*tempo della semina*) sowing season; seed time.

seminàle a. (*agric.*, *fisiol.*) seminal: **liquido s.**, seminal fluid; **vasi seminali**, seminal vessels.

♦**seminàre** v. t. **1** (*agric.*) to sow*; to seed: **s. a righe**, to drill; **s. a spaglio**, to broadcast; **s. un campo a grano**, to sow a field with wheat; **s. il grano [le patate]**, to sow wheat [potatoes] **2** (*fig.*: *spargere qua e là*) to scatter; to spread*; (*lasciar cadere*) to drop, to spill*: **s. indizi**, to scatter clues; **s. i vestiti per tutta la casa**, to scatter (*o* to drop) one's clothes all over the house **3** (*fig.*: *diffondere*) to sow*; to spread*: **s. discordia**, to sow dissension; **s. il panico**, to spread panic; **s. odio**, to sow the seeds of hatred; **s. scandalo**, to spread scandal **4** (*fig. fam.*: *distaccare*) to outdistance; to leave* standing; (*sfuggire a*) to shake* off, to give* the slip to: **s. gli avversari**, to leave one's opponents standing; **s. gli inseguitori**, to shake off one's pursuers; to give one's pursuers the slip ● (*fig.*) **s. zizzania**, to make mischief; to create bad blood □ (*fig.*) **Ha raccolto quel che ha seminato**, he's got what he asked for □ (*prov.*) **Chi semina vento raccoglie tempesta**, sow the wind and reap the whirlwind □ (*prov.*) **Chi non semina non raccoglie**, he that does not sow, does not mow.

seminariàle a. (*di seminario universitario*) seminar (attr.).

seminarìle a. (*eccles.*) seminary (attr.); of a seminar (pred.).

seminàrio m. **1** (*eccles.*) seminary **2** (*università*) seminar **3** (*gruppo di lavoro*) workshop **4** (*convegno*) conference; seminar.

seminarìsta m. (*eccles.*) seminarist; seminarian.

seminarìstico a. **1** (*di seminario*) of a seminary; seminary (attr.) **2** (*di seminarista*) of a seminarist; seminarist (attr.).

seminatìvo a. (*agric.*) fit for sowing; fit for seed.

seminàto A a. **1** sown: **terreno s.**, sown ground **2** (*sparso*) scattered; strewn: **un cielo s. di stelle**, a sky scattered with stars; **una vita seminata di incidenti**, a life strewn with accidents B m. sown field ● (*fig.*) **fuori del s.**, off the track □ (*fig.*) **uscire dal s.**, to wander from the subject (*o* the point); to digress.

seminatóio m. sower; seeder.

seminatóre m. (f. *-trìce*) **1** (*agric.*) sower **2** (*fig.*) sower: **s. di discordia**, sower of discord; **s. di scandali**, scandalmonger; **s. di zizzania**, mischief-maker; sower of dissension.

seminatrìce f. (*mecc.*) sowing machine; seeder: **s. a righe**, drill; **s. a spaglio**, wheelbarrow seeder.

seminfermità f. (*med.*) partial infirmity ● (*leg.*) **s. mentale**, diminished responsibility.

seminférmo a. e m. (f. *-a*) semi-invalid.

seminìfero a. (*bot.*, *anat.*) seminiferous.

seminòma m. (*med.*) seminoma*.

seminòmade (*etnol.*) A a. semi-nomadic B m. e f. semi-nomad.

seminomadìsmo m. (*etnol.*) semi-nomadism.

seminterràto m. (*edil.*) basement; (*appartamento*) basement flat.

seminùdo a. half-naked; seminude.

semiografia f. symbolic notation.

semiologìa f. (*ling.*) semiology; semiotics (pl. col verbo al sing.).

semiològico a. (*ling.*) semiological.

semiòlogo m. (f. *-a*) semiologist.

semionciàle a. semi-uncial.

semiónda f. (*fis.*, *radio*, *ecc.*) half-wave.

semiopàco a. semi-opaque.

semioscurità f. semidarkness; dimness; twilight.

semioscùro a. dim; half-dark; penumbral.

semiòsi f. semiosis.

semiòtica f. semiotics (pl. col verbo sing.).

semiòtico a. semiotic.

semipagàno a. half-pagan; semipagan.

semiparassìta (*bot.*) **A** a. hemiparasitic **B** m. hemiparasite.

semiperiferìa f. inner suburbs (pl.).

semiperifèrico a. inner suburb (attr.).

semiperìodo m. (*scient.*) half-cycle.

semipermeàbile a. semipermeable.

semipermeabilità f. semipermeability.

semipiàno m. (*geom.*) half-plane.

semipièno a. (*mezzo pieno*) half-full; (*quasi pieno*) almost full.

semiprezióso a. semiprecious.

semiprò m. e f. semi-pro.

semiprodótto m. (*mat.*) half-product.

semiprofessionìsmo m. (*sport*) semi-professionalism.

semiprofessionìsta m. e f. (*sport*) semi-professional; semi-pro (*fam.*).

semiprofessionìstico a. (*sport*) semi-professional: **il basket s.**, semi-professional basketball.

semiquinària a. femm. pentemimeral.

semiraffinàto a. semi-refined; partly refined.

Semiràmide f. Semiramis.

semirètta f. (*geom.*) half-line.

semirìgido a. (*anche aeron.*) semi-rigid.

semirimòrchio m. (*autom.*) semi-trailer.

semisconosciùto a. virtually unknown; little known.

semiscopèrto a. half-uncovered.

semisécco a. (*enologia*) medium dry; demi-sec (*franc.*).

semisecolàre a. **1** (*che è vecchio di mezzo secolo*) half a century old (pred.); fifty-year-old (attr.) **2** (*che ricorre ogni mezzo secolo*) semicentennial.

semiselvàggio a. half-savage; semi-savage; half-wild; (*rozzo, incivile*) uncivilized.

semisèrio a. half-serious; (*teatr.*) serio-comic.

semisfèra f. (*geom.*) hemisphere; half-sphere.

semisfèrico a. (*geom.*) hemispheric.

semisintètico a. (*chim.*) semi-synthetic.

semisòlido a. (*fis.*) semi-solid.

semisómma f. (*mat.*) half-sum.

semispàzio m. (*geom.*) half-space.

semispènto a. **1** (*di fuoco*) almost (*o* nearly) out; half-extinguished **2** (*fioco*) faint; weak; lifeless: **sguardo s.**, lifeless glance; **voce semispenta**, faint voice.

semisvòlto a. half-unwrapped.

semìta **A** m. e f. Semite **B** a. Semitic.

semitàppa f. (*sport*) half-stage; half-leg.

semìtico a. Semitic: **lingue semitiche**, Semitic languages; **popoli semitici**, Semitic peoples.

semitìsta m. e f. Semitist.

semitìstica f. Semitics (pl. col verbo al sing.).

semitóndo a. half-round.

semitònico a. (*mus.*, *fon.*) semitonic.

semitòno m. (*mus.*) semitone; half-step

(*USA*): **abbassare di un s.**, to lower by a semitone; to flatten; to flat (*USA*); **alzare di un s.**, to raise by a semitone; to sharpen; to sharp (*USA*).

semitrasparènte a. semitransparent.

semitrasparènza f. semitransparent quality.

semiufficiàle a. semi-official; quasi-official.

semivestìto a. half-dressed.

semivìvo a. (*lett.*) half-dead; only half-alive.

semivocàle f. (*fon.*) semivowel.

semivuòto a. half-empty.

semnopitèco m. (*zool.*) Semnopithecus.

sémola f. **1** (*farina*) semolina **2** (*crusca*) bran **3** (*pop.*: *lentiggini*) freckles (pl.).

semolàta f. bran mash.

semolàto a. refined: **zucchero s.**, refined sugar; caster sugar (*GB*).

semolino m. **1** (*farina*) semolina **2** (*minestra*) semolina soup.

semolóso a. **1** (*ricco di semola*) branny **2** (*pop.*: *lentigginoso*) freckled.

semovènte **A** a. **1** self-propelled; self-moving **2** (*automatico*) automatic **B** m. (*pezzo d'artiglieria*) self-propelled gun.

semovènza f. self-propulsion; self-motion.

Sempióne m. (*geogr.*) Simplon.

sempitèrno a. (*lett.*) sempiternal; eternal; everlasting ● **in s.**, eternally; for ever (and ever).

♦**sémplice**① **A** a. **1** (*costituito d'un solo elemento*) simple; single: **filo s.**, single thread; **fiore s.**, single flower; **macchina s.**, simple machine; **nodo s.**, simple knot **2** (*non mescolato o combinato*) simple; unmixed: **colore s.**, simple colour; **corpo s.**, simple body **3** (*non complesso o complicato*) simple; plain; unsophisticated; (*facile*) easy; (*elementare*) elementary; (*schietto*) direct, open, straightforward; (*naturale*) natural, artless, unsophisticated, unassuming; (*alla buona*) unpretentious, plain, homely (*GB*); (*ingenuo*) simple-minded, naive: **compito s.**, simple (*o easy*) task; **cuore s.**, simple heart; **gente s.**, plain folk; **maggioranza s.**, simple majority; **pasto s.**, plain (*o homely*) meal; **stile s.**, simple (*o unadorned*) style; **vestito s.**, plain dress; *È la cosa più s. del mondo*, it's the easiest thing; *È una faccenda molto s.*, it's a very straightforward matter; *Non sarà s. trovarlo*, it won't be easy to find it; **essere d'animo s.**, to be simple-hearted **4** (*null'altro che*) simple, mere, pure, plain; (*soltanto*) very, only (avv.), just (avv.): **una s. coincidenza**, a mere coincidence; *È una s. ipotesi*, it's just a theory; *Sono un s. impiegato*, I'm just a clerk; **un s. sì o no**, a plain yes or no; **puro e s.**, pure and simple; sheer; stark: **pura e s. ignoranza**, sheer ignorance; **la (pura e) s. verità**, the simple (*o* plain) truth; **una (pura e) s. perdita di tempo**, a sheer waste of time; *Il s. fatto della sua presenza mi irrita*, his very presence irritates me **5** (*chim.*, *mat.*) simple: **frazione s.**, simple fraction ● (*bur.*) **carta s.**, unstamped paper □ (*rag.*) **partita s.**, single-entry bookkeeping □ (*mat.*) **la regola del tre s.**, the rule of three □ (*mil.*) **soldato s.**, private **B** m. e f. **1** simple (*o unsophisticated*) person **2** (*semplicione*) simpleton.

sémplice② m. (spec. al pl.) (medicinal) herb; simple (*stor.*): **giardino dei semplici**, herb garden.

semplicemènte avv. **1** (*in modo semplice, sobriamente*) simply; plainly: **vestire s.**, to dress simply; *Te lo dico molto s.*, I'll tell you very plainly **2** (*solamente*) simply; only; merely; just: *È s. un operaio*, he is just (*o* simply) a workman; *Gli chiesi s. il nome*, I

merely asked his name; *Volevo s. vederli*, I just wanted to see them **3** (*con animo semplice*) simply; artlessly; candidly.

sempliciàrio m. herbal.

semplicióne **A** a. simple; simple-minded; (*ingenuo*) naive; (*credulone*) gullible **B** m. (f. *-a*) simpleton; ninny; dupe.

semplicionerìa f. simplicity; simple-mindedness; ingenuousness; gullibility.

sempliciòtto → **semplicione**.

semplicìsmo m. superficiality; oversimplification.

semplicìsta① **A** a. simplistic; superficial **B** m. e f. superficial person; person given to oversimplification.

semplicìsta② m. (*erborista*) herbalist.

semplicìstico a. simplistic; superficial; facile; oversimplified; oversimplifying: **risposta semplicistica**, facile answer; **visione semplicistica**, simplistic view; oversimplified view.

semplicità f. **1** simplicity; plainness: **la s. d'una teoria**, the simplicity of a theory; **s. di maniere**, simple ways; **vestire con s.**, to dress simply **2** (*naturalezza*) artlessness; (*schiettezza*) straightforwardness, plainness, candour: *Ti parlo con grande s.*, I'm telling you this quite straightforwardly **3** (*innocenza*) simplicity, guilessness; (*ingenuità*) simplicity, naivety, credulity; (*semplicioneria*) credulity, gullibility.

semplificàre **A** v. t. **1** to simplify; to make* simpler; (*agevolare*) to make* easier, to facilitate; (*sveltire, snellire*) to streamline: **s. un compito**, to facilitate a task; to make a task easier; **s. una procedura**, to simplify (*o* to streamline) a procedure; *Gli elettrodomestici ci hanno semplificato la vita*, household appliances have made our life easier; **per s.**, to simplify things; to make it easier **2** (*mat.*) to reduce: **s. una frazione**, to reduce a fraction **B** **semplificàrsi** v. i. pron. to become* (*o* to get*) simpler (*o* easier): *In questo modo le cose si semplificano*, things become simpler this way.

semplificativo a. simplifying.

semplificatóre **A** a. simplifying **B** m. (f. *-trice*) simplifier.

semplificazióne f. **1** simplification **2** (*mat.*) reduction.

♦**sèmpre** avv. **1** (*in ogni tempo*) always, ever; (*in ogni momento*) at all times; (*in ogni circostanza*) on all occasions: *È s. gentile con tutti*, she is always kind to everyone; *Mi è s. piaciuto*, I have always liked it; *Ti amerò s.*, I shall always love you; *Non andrà s. così!*, it will not always be like that!; *L'ufficio informazioni è s. aperto*, the information bureau is open at all times; *Ho sempre voluto fare questo mestiere*, I've always wanted to do this job; *S. guai!*, always trouble!; *Non è s. possibile*, it isn't always possible **2** (*per tutto il tempo, dall'inizio alla fine*) all the time; throughout (prep.): *Piovve s.*, it rained all the time; *Devi averlo s. saputo*, you must have known all the time; *Durante il viaggio ha letto s.*, he read throughout the journey **3** (*ogni volta, ripetutamente*) always; regularly; constantly: *Quando telefono è s. occupato*, when I phone the telephone is regularly engaged; *Quando ci incontriamo mi sorride s.*, every time we meet he smiles at me; *Trova s. da ridire su quello che faccio*, she is always criticizing what I do **4** (*davanti a un agg.*: *costantemente*) ever-: **importanza s. crescente**, ever-growing importance; **numero s. crescente**, ever-increasing number; **rischio s. presente**, ever-present risk **5** (*davanti a un compar. o con un verbo, con valore intensivo*) – **s. maggiore**, ever-increasing; ever-growing; **s. meglio**, better and better; **s. meno**, less and less; **s. peggio**, worse and worse; **s. (di) più**, more and

more; increasingly; **s. più facile**, easier and easier; progressively easier; **s. più freddo**, colder and colder; **s. più interessante**, more and more interesting; **una stampa s. più invadente**, an ever more (o an increasingly) intrusive press; *Mi piace s. più*, I like it more and more; *Pioveva s. più forte*, it was raining harder and harder; *I prezzi salgono s. (di più)*, prices are going up and up; **salire s. più in alto**, to go up and up; to mount higher and higher, to rise higher and higher; **scendere s. più in basso**, to go further and further down; (*fig.*) to sink lower and lower **6** (*ancora, tuttora*) still: *C'è s. tempo*, there is still (plenty of) time; *Abitate s. a Verona?*, are you still living in Verona?; *Dorme s.*, he is still asleep (o sleeping); *Sei s. contento di lui?*, are you still satisfied with him? **7** (*naturalmente*) always; of course: *Vorrei andare, s. col vostro permesso*, I'd like to go, with your permission of course **8** (*comunque, tuttavia; anche* **pur s.**) always; still; nevertheless: *Puoi s. riprovarci*, you can always try again; still, you can try again; *Avrà sbagliato, ma è s. mio fratello*, he may have been wrong, but he's still my brother; *Resta (pur) s. il fatto che...*, the fact still remains that... ● **s. attuale**, evergreen □ **s. dritto**, straight on □ **s. nuovo**, ever new □ **da s.**, all the time; always; from time immemorial: *Le cose stanno così da s.*, things have always been like that; *Credo che lo sapesse da s.*, I think he knew it all the time; *Lo conosco da s.*, I've known him all my life; *Questa usanza esiste da s.*, this custom has existed from time immemorial □ **di s.**, usual; habitual; as ever: **la sua allegria di s.**, his usual cheerfulness; *È rimasto quello di s.*, he is the same as ever; he hasn't changed at all □ **durare (per) s.**, to last forever; to be everlasting □ **ora e (per) s.**, now and for ever □ **per s.**, for ever; for evermore (enfat.); (*definitivamente*) for good: **andarsene per s.**, to leave for good; **Addio per s.!**, farewell for ever!; *Tuo per s.* (o *S. tuo*), yours ever □ **una volta per s.**, once and for all: *Te lo dico una volta per s.!*, I am telling you once and for all!

sèmpre che loc. cong. (*purché*) provided (that); as long as; if: *Verremo, sempre che non piova*, we shall come, provided that it does not rain; *Lo farò, sempre che tu lo voglia*, I'll do it, that is, if you want me to.

semprevérde a., m. e f. (*bot.*) evergreen.

semprevivo m. (*bot.*, *Sempervivum tectorum*) houseleek.

Semprònio m. Sempronius ● **Tizio, Caio e S.**, Tom, Dick and Harry.

sèmtex m. Semtex.

sèna f. (*bot.*, *Cassia angustifolia*) cassia.

senàle m. (*naut.*) snow mast; trysail mast.

senapàto a. mustard (attr.): **carta senapata**, mustard paper; **impiastro s.**, mustard plaster (o poultice).

sènape **A** f. **1** (*bot.*) mustard: **s. bianca** (*Brassica alba*) white mustard; **s. nera** (*Brassica nigra*), black mustard; **impiastro di s.**, mustard plaster (o poultice) **2** (*salsa*) mustard **B** a. inv. (*posposto*) mustard (attr.): **giallo s.**, mustard yellow.

senapièra f. mustard pot.

senapìsmo m. (*med.*) mustard plaster (o poultice).

senàrio (*metrica*) **A** a. (*di sei sillabe*) of six syllables, six-syllable (attr.); (*di sei piedi*) of six feet, six-foot (attr.) **B** m. (*verso di sei sillabe*) six-syllable line; (*verso di sei piedi*) senarius*.

senàto ① m. **1** (*stor., polit.*) senate: **il s. romano**, the Roman Senate; **la presidenza del S.**, the presidency of the Senate **2** - **s. accademico**, (university) senate **3** (*sede del s.*) senate house.

senàto ② m. (*pop. scherz.*) big bust.

senatoconsùlto m. (*stor. romana*) senatus consultum*.

senatoràto m. senatorship.

senatóre m. (f. **-trice**) senator; member of the Senate: **s. a vita**, life senator; **essere eletto s.**, to be elected senator; to be elected to the senate.

senatoriàle, **senatòrio** a. senatorial: **dignità s.**, senatorial rank.

senècio, senecióne m. (*bot.*, *Senecio vulgaris*) groundsel.

senegalése a., m. e f. Senegalese: **i senegalesi**, the Senegalese.

senescènte a. (*lett.*) senescent; ageing.

senescènza f. senescence; ageing.

senése a., m. e f. Sienese: **i senesi**, the Sienese.

senìle a. old; old-age (attr.); (*med.*) geriatric, senile: **decadimento s.**, senile decay; **demenza s.**, senile dementia; **disturbi senili**, geriatric complaints; **età s.**, old age; **avere un aspetto s.**, to look old.

senilìsmo m. (*med.*) premature senility.

senilità f. (*vecchiaia*) old age; (*med.*) senility.

sènior (*lat.*) **A** a. inv. **1** (*posposto a un nome*) senior (abbr. sr): *Paolo Zecchi S.*, Paolo Zecchi senior **2** (*org. az.*) senior: **consulente s.**, senior consultant **B** m. e f. (pl. **seniores**) (*sport*) senior.

senióre m. (*lett.*) senior.

sénna → **sena**.

Sènna f. (*geogr.*) (the) Seine.

sénno m. **1** (*capacità di giudicare, assennatezza*) judgment; (practical) wisdom; (*buon senso*) (common) sense: **non aver s.**, to have no common sense; **adoperare il proprio s.**, to use one's common sense; **chiunque abbia un po' di senno**, anyone with a bit of common sense; anyone worth his salt; **persona dotata di s.**, person of sense; **fatto con s.**, sensible; wise; **senza s.**, senseless; unwise **2** (*raziocinio, ragione*) mind; wits (pl.); senses (pl.): **essere fuori di s.**, to be out of one's mind; to be off one's head (*fam.*); **perdere il s.** (o **uscire di s.**), to take leave of one's senses; to go out of one's mind ● **il s. di poi**, hindsight □ **giudicare col s. di poi**, to be wise after the event □ (*prov.*) *Del s. di poi sono piene le fosse*, it's easy to be wise after the event.

sennò avv. (*fam.*) otherwise; or else.

sennonché → **se non che**.

séno ① m. **1** (*petto*) breast; (*estens.: petto femm.*) bosom, bust; (*mammella*) breast: **il s. sinistro**, the left breast; **un bel s.**, a beautiful bosom; **allattare al s.**, to breast-feed; **stringere q. al s.**, to press (o to hug) sb. to one's breast; **misura del s.**, chest measurement; bust; **tumore al s.**, breast tumour **2** (*eufem.: grembo, anche fig.*) womb: **portare un figlio in s.**, to carry a child in one's womb; **nel s. della terra**, in the womb (o in the bowels) of the earth **3** (*fig.: sede di emozioni*) breast; heart: **nutrire in s. un rancore**, to harbour a grudge in one's heart; **nutrire in s. una speranza**, to cherish a hope in one's heart **4** (*fig.: ambito, intimo*) bosom: **in s. a**, in the bosom of; within; **in s. alla famiglia**, in the bosom of one's family; **in s. al partito**, within the party; **in s. all'assemblea**, among the members of the assembly **5** (*fig. lett.: piega, sinuosità*) fold; sinus **6** (*cavità*) cavity **7** (*anat.*) sinus*; cavity: **s. frontale**, frontal sinus **8** (*geogr.: insenatura*) inlet; creek; bight.

séno ② m. (*mat.*) sine (abbr. sin): **s. iperbolico**, hyperbolic sine (abbr. sinh; Sh).

senoatriàle a. (*anat.*) sino-atrial: **nodo s.**, sino-atrial node.

Senòcrate m. (*stor.*) Xenocrates.

senofobìa, senòfobo → **xenofobia, xenofobo**.

Senofónte m. (*stor. lett.*) Xenophon.

senologìa f. (*med.*) anatomopathological study of the breasts.

senòlogo m. (f. **-a**) (*med.*) breast specialist.

se non che, senonché loc. cong. **1** (*eccetto che*) except that **2** (*ma, però*) but.

sensàle m. (*comm.*) broker; middleman*: **s. marittimo**, shipbroker; **s. di matrimonio**, matchmaker.

sensataménte avv. sensibly; judiciously.

sensatézza f. sensibleness; good sense; judiciousness.

sensàto a. sensible; reasonable; common-sense (attr.); sane; judicious; wise: **decisione sensata**, sensible (o sane) decision; **scelta sensata**, sensible (o judicious) choice; *Fu s. da parte tua*, that was sensible of you; **dire cose sensate**, to talk sense.

sensazionàle a. sensational; exciting; amazing; incredible; spectacular: **notizie sensazionali**, sensational news; **successo s.**, amazing success; **vittoria s.**, sensational victory; *S.!*, that's amazing!; that's fantastic!

sensazionalìsmo m. sensationalism.

sensazionalìstico a. sensationalist.

♦**sensazióne** f. **1** sensation; feeling: **s. auditiva**, auditory sensation; **s. tattile**, tactile sensation; **una s. di freddo**, a sensation (o feeling) of cold; a chill; **provare una s. di freddo alla schiena**, to feel a chill in one's back; **una s. di prurito**, an itching sensation **2** (*impressione, presentimento*) feeling; sensation: **una s. di paura**, a feeling of fear; **avere la s. di un pericolo**, to sense a danger; *Ho la s. che...*, I have a (o the) feeling that... **3** (*impressione viva*) sensation; stir: **fare s.**, to cause (o to create) a sensation; **romanzo a s.**, sensational novel.

senserìa f. **1** (*attività*) brokerage **2** (*compenso*) broker's commission (o fee); brokerage.

♦**sensìbile** **A** a. **1** (*percepibile dai sensi*) sensible; perceptible: **fenomeni sensibili**, sensible phenomena; **il mondo s.**, the sensible world **2** (*notevole, rilevante*) sensible; perceptible; appreciable; considerable: **un s. abbassamento della temperatura**, a sensible fall in temperature; **differenza s.**, sensible (o appreciable) difference **3** (*che sente attraverso i sensi*) sentient; (*che risponde a uno stimolo*) sensitive: **gli esseri sensibili**, sentient beings; **pelle s.**, sensitive skin; **essere molto s. alla luce**, to be very sensitive to light **4** (*fig.: ricettivo, suscettibile*) sensitive, responsive, receptive, susceptible; (*che dimostra comprensione*) sensitive, appreciative, sympathetic; (*consapevole*) aware: **s. alla bellezza**, sensitive to beauty; **s. alle critiche**, sensitive to criticism; **s. al fascino femminile**, susceptible to feminine charm; **s. ai problemi delle minoranze**, sympathetic to the problems of minorities; **essere s. alla gentilezza**, to respond to kindness **5** (*sensitivo*) sensitive; delicate: **un bambino s.**, a sensitive child; **avere un animo s.**, to be very sensitive **6** (*tecn.*) sensitive: **bilancia s.**, sensitive balance; (*fotogr.*) **materiale s.**, sensitive material; **termometro s.**, sensitive thermometer **B** m. (*il mondo s.*) tangible (o concrete) world; what can be perceived by the senses **C** f. (*mus.*) leading note; subtonic.

sensibilità f. **1** (*fisiol.*) sensitivity (to sensory stimuli); feeling; sensation: **la s. della pelle**, the sensitivity of the skin; skin sensitivity; **la s. tattile**, tactile sensitivity; **s. al dolore**, sensitivity to pain; *Ho perso la s. di due dita*, I've lost all feeling (o sensation) in two fingers; **avere molta s. ai rumori**, to be very sensitive to noise; **privo di s.**, insen-

sitive; numb **2** (*disposizione a sentire vivamente emozioni, ecc.*) sensitivity, sensibility, feeling; (*predisposizione estetica*) sensitivity; (*finezza, delicatezza*) delicacy, refinement: **s. artistica**, artistic feeling; **s. d'animo**, delicacy of feeling; **s. estetica**, aesthetic sense; **s. morbosa**, morbid sensitivity; **una persona di grande s.**, a person of great sensibility (*o* delicacy of feeling); **non avere la minima s. per qc.**, to be totally insensitive to st.; **privo di s.**, insensitive; unresponsive **3** (*comprensione, interesse*) sensibility; sensitivity; appreciation; sympathy; (*consapevolezza*) awareness: **s. verso un problema**, sensibility to (*o* appreciation of) a problem **4** (*di strumento*) sensitivity **5** (*fotogr., di pellicola*) speed.

sensibilizzàre Ⓐ v. t. **1** (*biol., med.*) to sensitize; to make* sensitive **2** (*rendere consapevole*) to make* aware (of st.); to awaken (to st.); to sensitize (to st.): **s. i giovani alla conservazione dei monumenti**, to make young people aware of the problems of heritage preservation; **s. l'opinione pubblica a qc.**, to awaken public opinion to st. **3** (*fotogr.*) to sensitize Ⓑ **sensibilizzàrsi** v. i. pron. **1** to become* aware (of) **2** (*biol., med.*) to become* sensitive (to).

sensibilizzatóre Ⓐ a. (*med.*) sensitizing Ⓑ m. (*fotogr.*) sensitizer.

sensibilizzazióne f. **1** (*biol., med., fotogr.*) sensitization **2** (*il rendere consapevole*) awakening (to st.); (*il diventare consapevole*) becoming aware (of), awareness (of): **campagna di s.**, campaign to raise public awareness; awareness campaign.

sensibilménte avv. **1** (*mediante i sensi*) sensibly; sensitively; through the senses **2** (*in modo rilevante*) sensibly; considerably; noticeably; markedly.

sensile a. (*naut.*) – **remo s.**, sweep.

sensismo m. (*filos.*) sensationalism.

sensista (*filos.*) m. e f. sensationalist.

sensistico a. (*filos.*) sensationalistic.

sensitiva f. (*bot., Mimosa pudica*) sensitive plant.

sensitività f. sensibility; sensitivity; sensitiveness.

sensitivo Ⓐ a. **1** (*relativo all'attività dei sensi*) sensory; sensitive: **facoltà sensitiva**, sensory faculty; **vita sensitiva**, sensitive life **2** (*relativo ai sensi*) sensory: **organo s.**, sensory organ **3** (*sensibile*) sensitive; delicate; impressionable: **natura sensitiva**, sensitive nature; impressionable disposition Ⓑ m. (f. **-a**) **1** sensitive person; sensitive plant **2** (*parapsicologia*) sensitive; psychic.

sensitometria f. (*fotogr.*) sensitometry.

sensitomètrico a. (*fotogr.*) sensitometric.

sensitometrista m. e f. (*fotogr.*) sensitometer technician.

sensitòmetro m. (*fotogr.*) sensitometer.

♦**sènso** m. **1** (*facoltà di ricevere le sensazioni*) sense; sensibility; faculty of sensation: *Gli animali sono dotati di s.*, animals are endowed with sensibility; **s. dell'udito [dell'odorato]**, sense of hearing [of smell]; **i cinque sensi**, the five senses; **sesto s.**, sixth sense; **organi del s.**, organs of sense; sense (*o* sensory) organs **2** (al pl.: *coscienza, conoscenza*) consciousness (sing.): **perdere i sensi**, to lose consciousness; to faint; to pass out; **riprendere i sensi**, to recover (*o* to regain) consciousness; to come round (*fam.*); **far riprendere i sensi a q.**, to revive sb.; to bring sb. round; **privo di sensi**, unconscious; senseless; out **3** (al pl.: *sensualità*) sensuality (sing.); (the) flesh (sing.): **il piacere dei sensi**, the pleasure of the flesh; **mortificare i sensi**, to mortify the flesh **4** (*sensazione fisica*) sense; sensation; feeling: **s. di benessere**, sense of well-being; **s. di freddo**, cold sensation; feeling of cold; (*anche fig.*) **s. di gelo**, chill; **s. di malessere**, malaise; **s. di nausea**, queasiness; nausea; **s. di stanchezza**, feeling of tiredness; **avvertire un s. di disagio**, to feel a sense of discomfort **5** (*emozione, impressione, sentimento*) sensation; feeling: **s. di colpa**, guilty feeling; guilt (*psic.*); **provare un s. di colpa**, to feel guilty; **farsi venire i sensi di colpa**, to feel guilty; to blame oneself; **s. d'impotenza**, sense of helplessness; **s. di soddisfazione**, feeling (*o* sense) of satisfaction; **s. di sollievo**, feeling of relief; **s. di superiorità**, sense of superiority; **s. di vergogna**, sense of shame; **s. di tristezza**, sense of sadness; sad feeling; **provare un s. di tristezza [di orgoglio, di gratitudine, di vergogna]**, to feel sad [proud, grateful, ashamed] **6** (*capacità di discernere, coscienza*) feeling; sense; awareness: **s. civico**, public spirit; **s. degli affari**, business sense; **il s. del bello**, a keen aesthetic sense; **il s. del dovere**, a sense of duty; **s. della misura**, (*delle dimensioni*) an eye for sizes; (*fig.*) sense of proportion; (*fig.*) **non avere il s. della misura**, not to know when to stop; **s. dell'orientamento**, sense of direction; **avere il s. dell'orientamento**, to have a good sense of direction; **s. della realtà**, grip on reality; **perdere il senso della realtà**, to lose one's grip on reality; **s. morale**, morals (pl.); **s. pratico**, practicalness; practicality; **buon s.**, (commom *o* good) sense; sound judgment; **persona di buon s.**, person of sense; sensible person; *Nessuna persona di buon s. accetterebbe condizioni simili*, no one in his right mind would accept such terms; **non avere il s. del pericolo**, to have no sense of danger; **avere il s. dell'umorismo**, to have a sense of humour; **mancare di s. dell'umorismo**, to have no sense of humour **7** (*significato*) sense; meaning; (*di discorso, scritto, ecc.*) sense, (general) drift, gist, hang (*fam.*): **il s. d'una parola [d'una frase]**, the sense (*o* the meaning) of a word [of a sentence]; **il s. della vita**, the meaning of life; what life is about (*fam.*); **s. letterale [figurato]**, literal [figurative] sense; **s. riposto**, hidden meaning; **doppio s.**, double meaning; double entendre (*franc.*); (*gioco di parole*) pun; **afferrare il s. di qc.**, to grasp the meaning of st.; **avere s.**, to make sense; *Che s. ha discuterne?*, what's the point of discussing it?; **di s. compiuto**, with a meaning; meaningful; **in un certo s.**, in a sense; **in s. lato**, in a broad sense; broadly speaking; **in s. restrittivo**, in a narrow sense; **s. stretto**, strictly speaking; in the strict sense of the word; **nel s. più ampio del termine**, in the broadest sense of the term; **privo di (*o* senza) s.**, without sense (*o* meaning); meaningless; **cose senza s.**, nonsense Ⓤ; **cose senza s.**, to talk nonsense **8** (*modo*) way; manner; (al pl.: *termini*) terms: *Si può fare nell'un s. o nell'altro*, you can do it either way; *Gli ho scritto in questo s.*, I wrote to him in those terms; **rispondere in s. affermativo [negativo]**, to answer in the affirmative [in the negative]; to give a positive [negative] answer **9** (*direzione*) direction; way: (*autom.*) **s. di marcia**, direction; (*del traffico*) direction of traffic; (*lato di strada*) side of the road; **doppio s. di marcia**, two-way traffic; **s. di rotazione**, direction of rotation; (*autom.*) **s. unico**, one way; (*traffico*) one-way traffic; **a s. unico**, one-way (attr.); (*fig.*) unilateral, tendentious; **s. vietato** (*cartello*), no thoroughfare; no entry; **strada a doppio s.**, two-way street; **in s. antiorario**, in an anti-clockwise direction; anti-clockwise; **in s. contrario** (*o* **opposto**), in the opposite direction; **in s. contrario alla corrente**, against the current; **in s. inverso**, the other way; **in s. orario**, in a clockwise direction; clockwise; **in tutti i sensi**, in every direction; in all directions; **nel s. della larghezza**, breadthwise; in breadth; **nel s. della lunghezza**, lengthwise; in length ● **a s.**, in one's own words; loosely: **tradurre a s.**, to translate loosely; to give a rough translation; to translate the gist (of st.) □ **ai sensi di**, in conformity with; according to; under: **ai sensi di legge**, according to the law; under the law □ **fare s.**, (*disgustare*) to disgust, to give the creeps (*fam.*); (*nauseare*) to make (one) queasy (*o* sick), to turn sb.'s stomach: *Gli scarafaggi mi fanno s.*, beetles give me the creeps; *La vista del sangue mi fa s.*, the sight of blood makes me sick □ (*nelle lettere, form.*) **Gradisca i sensi della mia stima**, Yours faithfully.

sensóre m. (*tecn.*) sensor; detector: **s. solare**, solar sensor; (*elettron.*) **s. di luce**, photodetector; photosensor; (*autom.*) **s. di parcheggio**, parking sensor.

sensoriàle a. sensory; sense (attr.): **dato s.**, sense datum; **facoltà s.**, sensory faculty.

sensòrio Ⓐ a. sensory: **attività sensoria**, sensory activity; **nervi sensori**, sensory nerves Ⓑ m. sensorium*.

sensorizzàre v. t. to provide with sensors; to instal a sensor (*o* sensors) in.

sensuàle a. **1** (*relativo o incline ai piaceri dei sensi e del sesso*) sensual; carnal; fleshy; sexual: **appetito s.**, sexual appetite; **piaceri sensuali**, carnal pleasures **2** (*che rivela sensualità, che stimola i desideri sessuali*) sensual; sensuous; sexy: **labbra sensuali**, sensual (*o* sensuous) lips; **voce s.**, sexy voice.

sensualismo m. sensualism.

sensualista m. e f. sensualist.

sensualistico a. sensualistic.

sensualità f. sensuality; sensuousness; voluptuousness.

sensuóso a. (*lett.*) sensuous.

sentènza f. **1** (*leg.*) decision; judgment; ruling; findings (pl.); adjudication; order; (*verdetto di condanna*) sentence; (*di divorzio*) decree: **la s. della corte**, the ruling of the court; **s. definitiva** (*o* **passata in giudicato**), final judgment; **s. di assoluzione**, acquittal; verdict of not guilty; **s. di condanna**, conviction; verdict of guilty; **s. di morte**, death sentence; **s. di rinvio a giudizio**, order of committal for trial; **s. dichiaratoria di fallimento**, adjudication in bankruptcy; *La s. fu favorevole all'imputato*, the court ruled in favour of the defendant; **emettere una s.**, to pass judgment; **ricorrere in appello contro una s.**, to appeal against a decision **2** (*massima, aforisma*) maxim, aphorism, dictum; (*detto*) saying ● **sputare sentenze**, to pontificate; to moralize; to be sententious.

sentenziàre v. i. **1** to pass judgment; to judge; to rule; to decree; to adjudicate **2** (*fig.*) to moralize; to pontificate; to be sententious.

sentenziosità f. sententiousness.

sentenzióso a. **1** (*ricco di massime*) sententious; aphoristic; gnomic **2** (*spreg.*) sententious; (*moralistico*) moralistic, moralizing.

sentierismo m. activity of following old paths; rambling.

sentieristica f. **1** path system; paths (pl.) **2** activity of laying out and maintaining paths.

sentieristico a. related to paths, rambling, ecc.

♦**sentièro** m. **1** (*viottolo*) lane; path; footpath; pathway; track; (*vialetto*) walk: **un s. attraverso il bosco**, a path through the woods; **s. di campagna**, country lane; **s. di montagna**, mountain path (*o* track); **prendere un s.**, to take a path **2** (*fig.*) path: **i sentieri della gloria**, the paths of glory; (*anche scherz.*) **sul s. di guerra**, on the war-

path.

sentimentàle **A** a. **1** (*relativo al sentimento o ai sentimenti*) sentimental; (*emotivo*) emotional: **motivi sentimentali**, sentimental reasons; **valore s.**, sentimental value **2** (*estens.*: *d'amore*) love (attr.); romantic: **avventura s.**, love affair; romance; **relazione s.**, romantic attachment; liaison; **vita s.**, love life **3** (*pieno di sentimento*) sentimental; (*romantico*) romantic: **canzoni sentimentali**, sentimental songs; **ragazza s.**, romantic girl **4** (*incline al sentimentalismo*) sentimental; (*sdolcinato*) soppy, mawkish **B** m. e f. sentimental person; sentimentalist; romantic: **fare il s.**, to be sentimental; to sentimentalize.

sentimentalişmo m. sentimentalism: **fare del s.**, to sentimentalize; to be sentimental.

sentimentalista m. e f. sentimentalist.

sentimentalistico a. sentimental.

sentimentalità f. sentimentality.

sentimentalménte avv. sentimentally ● **essere s. legato a q.**, to have a liaison with sb.

♦**sentiménto** m. **1** (spec. al pl.: *conoscenza*) consciousness (sing.); senses: **perdere i sentimenti**, to lose consciousness; **uscire di s.**, to lose one's mind; (*fig.*) to fly into a rage, to fly off the handle (*fam.*) **2** (*moto affettivo, emotivo*) feeling; sentiment; emotion: **s. di gioia [di pietà, di odio]**, feeling (*o* sentiment) of joy [of pity, of hatred]; **sentimenti intensi**, strong feelings (*o* emotions); **ferire i sentimenti di q.**, to hurt sb.'s feelings; **provare un s. di amicizia per q.**, to have a feeling of friendship (*o* to feel friendship) for sb.; **parole piene di s.**, words full of feeling; deeply felt words **3** (*coscienza, senso*) sense: **s. dell'onore**, sense of honour; **s. morale**, moral sense **4** (*modo di pensare, di sentire*) mind; opinion; feeling, sentiment; (*principi*) principles (pl.): **rimanere del medesimo s.**, to be of the same mind; **essere di buoni sentimenti**, to be good-natured; **persona di nobili sentimenti**, high-minded person **5** (al sing.: *sfera affettiva*) feelings (pl.); emotions (pl.); (*sensibilità*) feeling, sensitivity: **fare appello al s.**, to appeal to the feelings; **lasciarsi guidare dal s.**, to let oneself be guided (*o* to be led) by one's emotions (*o* by one's feelings); **non avere un briciolo di s.**, not to have a grain of feeling; **suonare con s.**, to play with feeling ● (*fam.*) **con tutti i sentimenti**, perfectly; as it should be done.

sentìna f. **1** (*naut.*) bilge: **acqua di s.**, bilge water; **pompa di s.**, bilge pump **2** (*fig.*) den; sink: **s. di vizi**, den (*o* sink) of vice.

S

sentinèlla f. **1** sentry; sentinel; (*vedetta*) lookout: **dare il cambio alla s.**, to relieve the sentry; **essere di (*o* montare di) s.**, to be on sentry-duty; to be on sentry-go; to stand sentry (*o* sentinel); *Resta tu di s. alla bici, mentre io sono dentro*, you keep an eye on the bike while I'm inside **2** (*naut.*) – **s. sottomarina**, submarine sentry; telltale.

♦**sentire** **A** v. t. **1** (*udire*) to hear*; (*ascoltare*) to listen to: **s. il campanello [un rumore]**, to hear the bell [a noise]; **s. un concerto**, to listen to a concert; **s. una conferenza**, to hear a lecture; **s. il cuore a q.**, to listen to sb.'s heart; **s. Messa**, to hear Mass; **s. la radio**, to listen to the radio; **s. q. gridare**, to hear sb. shouting; *Sentimi bene!*, now listen to me!; *Mi avete sentito?*, did you hear me?; *Gliel'ho sentito dire io stesso*, I heard him say so myself; *Non l'ho mai sentito dire una parola*, I have never heard him say a word; *Fu sentito piangere*, he was heard crying; *Sentite quel che accadde poi*, listen to what happened next; *Lo senti che rumore strano fa la macchina?*, can you hear the funny noise the car is making?; *Hai sentito?*, did you hear (that)?; *Senti che cosa vuole*, see what he wants; find out what he wants; *Si sente che è di Brescia*, you can tell from his accent he is from Brescia; *Da qui non si sente niente*, we can't hear a thing from here; *Non ci sento bene*, I can't hear very well; *Non ci sente dall'orecchio destro*, she is deaf in the right ear; **s. parlare di**, to hear of (*o* about); *Ho sentito parlare molto bene di lui*, I have heard very good things about him; **farsi s.**, (*essere sentito*) to be heard, to be overheard; (*essere udibile*) to be heard; (*parlare forte*) to make oneself heard; (*fig.*: *dare proprie notizie*) to get in touch; (*fig.*: *parlare apertamente, protestare*) to speak out (*o* up), to speak one's mind; *Non farti s. a dire cose simili*, don't let people hear you say such things; *Ha una voce che si fa s. da un capo all'altro della strada*, you can hear his voice from one end of the street to the other; *Alla prossima riunione mi farò s.!*, at the next meeting I'll speak out!; *Sono mesi che non si fa s.*, we haven't heard from him for months; **stare a s. qc.**, to listen to st.; *Stammi a s.*, now listen to me; *Stavano a s. ciò che dicevamo*, they were listening to what we were saying; **stare a s. dietro la porta**, to eavesdrop; **a quel che sento**, from what I hear; **a sentir lui**, according to him; the way he talks (*fam.*); *Che (cosa) sento!*, listen to him [her, etc.]!; *(Ma) sentitelo!*, (just) listen to him! ❶ **NOTA:** ***to hear → to hear*** **2** (*assol.*, all'imper.) – *Senti, ora è meglio che io vada*, listen, I'd better go now; *Senta, per favore, dove sono i taxi?*, excuse me please, where is the taxi rank?; *Senta, non ho tempo da perdere!*, look, I have no time to waste!; *Ehi, senta, è il mio cappotto quello!*, hey, you, that's my coat!; *Senti che roba!*, listen to that!; *Senti senti!*, well, I never! **3** (*consultare*) to consult; to talk to; to see*; (*chiedere a*) to ask: **s. (il parere di) un esperto**, to consult an expert; to get an expert opinion; *Sentirò il mio avvocato*, I'll talk to my lawyer; I'll hear what my lawyer has to say; *Faresti bene a s. un dottore*, you should see a doctor; *Prima senti tua moglie*, ask (*o* talk to) your wife first; see what your wife has to say first **4** (*venire a sapere*) to hear*: *Ho sentito (dire) che vai in Canada*, I hear you are going to Canada; *Hai sentito l'ultima?*, have you heard the latest? **5** (*percepire con l'olfatto*) to smell*; (*annusare*) to scent: **s. l'odore di qc.**, to smell st.; **s. puzza di bruciato**, to smell (something) burning; (*fig.*) to smell a rat; *Non sento nessun odore*, I can't smell anything; *Il cane ha sentito l'odore del fagiano*, the dog has scented the pheasant; *È qui, lo sento dall'odore*, it's here, I can smell it; *Lo si sente dall'odore che è andato a male*, you can tell by its smell that it's gone off **6** (*percepire col gusto*) to taste; to try: **s. (il sapore di) qc.**, to taste st.; *Senti un po' questo vino*, taste (*o* try) this wine; *Senti se il sugo va bene*, try the sauce and see if it tastes all right **7** (*avvertire al tatto*) to feel*: *Senti com'è morbido* (*o Senti che morbidezza*), feel how soft it is; *Gli sentii il polso*, I felt his pulse **8** (*provare una sensazione fisica*) to feel*: **s. caldo**, to feel (*o* to be) warm; (*eccessivamente*) to feel (*o* to be) hot; **s. dolore**, to feel pain; to be in pain; **s. un dolore al ginocchio**, to have a pain in the knee; **s. fame**, to feel (*o* to be) hungry; **s. un formicolio alla gamba**, to feel tickling (*o* to have a ticklish sensation) in one's leg; **s. freddo**, to feel (*o* to be) cold; **s. sete**, to feel (*o* to be) thirsty; **s. sonno**, to feel (*o* to be) sleepy; **s. una gran stanchezza**, to feel (*o* to be) very tired; **s. tremare la terra**, to feel the earth shake; *Senti come pesa!*, feel the weight of it!; **sentirsi l'acquolina in bocca**, to feel one's mouth water; **sentirsi addosso la febbre**, to feel feverish; **sentirsi un nodo alla gola**, to feel a tightness in one's throat; *Che cosa ti senti?*, what do you feel?; *Mi sento un'oppressione qui*, I feel a tightness right here; *Non (mi) sento più le gambe*, I have lost all feeling in my legs; my legs have gone numb; (*fig.*: *essere stanco morto*) I can hardly stand up; *Il freddo comincia a farsi s.*, the cold is setting in **9** (*provare un'emozione, un sentimento*) to feel*; to be (+ agg. o p. p.); to experience: **s. affetto**, to feel affection; **s. ammirazione**, to feel admiration; **s. l'obbligo di**, to feel obliged to; **s. orrore**, to feel horror; to be horrified; **non s. nulla**, to feel nothing; (*essere insensibile*) to be insensitive; *Non sento più niente per lui*, I no longer feel anything for him **10** (*risentire di, soffrire per*) to feel*; to suffer from: **s. gli anni**, to feel one's age; **s. le conseguenze di**, to feel the consequences of; **s. la fatica**, to feel the strain; **s. la mancanza di**, to miss; **s. il tempo**, to feel the weather; **farsi s.**, to be felt; (*rif. a conseguenza*) to tell; *Le conseguenze della stretta creditizia cominciano a farsi s.*, the credit squeeze is beginning to tell **11** (*accorgersi, avere sentore di*) to sense; (*essere intimamente certo*) to feel*, to know*; (*capire*) to understand*, to realize: **s. la presenza di q.**, to sense sb.'s presence; *Sento che il ragazzo ha detto la verità*, I feel that the boy told the truth; *Sentii che mi nascondeva qualcosa*, I sensed she was keeping something back; *Quando mi guardò, sentii che dovevo dirgli tutto*, when he looked at me, I knew I had to tell him everything; *Lo sentivo che sarebbe successo*, I knew it would happen **12** (*apprezzare*) to appreciate; (*amare*) to love: **s. la musica**, to love music; to be musical; **s. la poesia**, to appreciate poetry **13** (*essere di un certo parere*) to feel*; to see*: *Io la sento così*, this is what I feel; this is the way I see it ● (*fig.*) **s. le due campane**, to listen to both sides □ (*fig.*) **Da quell'orecchio non ci sente**, he won't hear of it □ (*fig.*) **Mi sentiranno!** (*protesterò*), things will not stop here! □ **Non vuol s. ragione**, he won't listen to reason **B** v. i. **1** (*avere odore*) to smell*; (*avere sapore*) to taste: **s. d'acido**, to taste sour; **s. di muffa**, to smell mouldy (*o* musty) **2** (*venire a sapere*) to hear*; to learn* (of): *Avete sentito del licenziamento di Pedretti?*, have you heard that Pedretti has been sacked?; *Ho sentito del suo incidente per puro caso*, I learnt of her accident by sheer chance **C** **sentirsi** v. rifl. **1** (*provare una sensazione fisica o psichica*) to feel*; to be: **sentirsi a proprio agio**, to feel at one's ease; to feel at home; **sentirsi bene**, to feel (*o* to be) well; **sentirsi in colpa**, to feel guilty; **sentirsi in debito verso q.**, to feel indebted to sb.; **sentirsi in dovere di**, to feel one has a duty to; to feel duty-bound to; to feel it one's duty to; **sentirsi incompreso**, to feel misunderstood; to feel unappreciated; **sentirsi male**, (*stare poco bene*) not to feel well; (*avere un mancamento*) to collapse, to faint; (*eufem.*: *vomitare*) to be sick; **sentirsi obbligato a q.**, to feel obliged to sb.; **sentirsi poco bene**, not to feel well; to feel out of sorts; to feel off-colour (*GB*); **sentirsi stanco**, to feel tired; **sentirsi svenire**, to feel faint; *Come ti senti oggi?*, how are you feeling today? **2** (*sentirsi in grado, all'altezza*) to feel* up (to); (*aver voglia*) to feel* like: *Non mi (o me la) sento ancora di uscire*, I don't feel up to going out yet; *Non mi sento di mangiare adesso*, I don't feel like eating just now; *Non mi sento di criticare il suo operato*, I don't feel I should criticize his actions; *Non me la sento di dirglielo con tutti i guai che ha*, I haven't got the heart to tell her with all the worries she's got ● **Mi sentii morire**, my heart sank □ **Me la sentivo!**, I knew it!; I felt it coming! □ **Sarò bocciato, me lo sento**, I have a feeling I'm going to fail □ **Me lo sento nelle ossa**, I can feel it in my bones □ **Non se l'è sentita** (*per paura*), he got cold feet

(*fam.*) **D** m. sing. (*lett.*: *sentimento*) feelings (pl.): **un uomo di alto s.**, a man of noble feelings; a high-minded man.

sentitaménte avv. sincerely; (*con tutto il cuore*) with all one's heart.

sentìto a. **1** (*avvertito vivamente*) strongly felt about; very real: **un problema molto s.**, a very real problem **2** (*udito*) – **per s. dire**, by hearsay **3** (*sincero*) heartfelt; sincere; fervent; deep: **sentite condoglianze**, heartfelt condolences; **sentite congratulazioni**, heartfelt congratulations; *Sentiti auguri!*, my very best wishes; *Sentiti ringraziamenti!*, my sincere thanks.

sentóre m. **1** (*sensazione*) sensation; feeling; (*accenno, sospetto*) inkling, suspicion; (*segno*) sign: *Ho avuto s. che qualcosa non andava*, I had a sensation (*o* a feeling) that something was wrong; *C'è s. di uno sciopero imminente*, there are signs of an impending strike **2** (*lett.*: *odore*) scent; smell; (*sgradevole*) bad smell.

senussìsmo m. (*stor. relig.*) Senussism.

senussìta **A** a. (*stor. relig.*) Senussian **B** m. Senussi*.

senùsso m. (*stor. relig.*) Senussi*.

♦**sènza** **A** prep. without; -less (suff. agg.); -lessly (suff. avv.); -free (suff. agg.); minus (*fam.*): **s. aiuto**, without anybody's help; unhelped (pred.); unassisted (pred.); **s. cappello**, without a hat; with no hat on; hatless; **s. casa**, homeless; **s. coperchio**, without the lid; **s. di me** [**di te, di lui**], without me [you, him]; **s. grassi**, fat-free; **s. sale**, without salt; saltless; **s. successo**, without success; unsuccessful (agg.); unsuccessfully (avv.); **viaggiare s. biglietto** [**senza bagaglio**], to travel without a ticket [without any luggage]; *Il passeggero è s. biglietto* [*senza bagaglio*], the passenger hasn't got a ticket [has no luggage]; **una persona s. ambizioni**, a person without ambitions; *Siamo s. caffè*, we have run out of coffee; we haven't got any coffee left; we are out of coffee; **rimanere s. amici**, to be left with no friends (*o* without any friends, friendless); *Sono rimasta senza soldi*, I haven't any money left; I have run out of money; *Prendi il tè col latte o senza?*, do you take tea with or without milk? ● **senz'altro**, certainly; definitely; of course: *Verremo senz'altro*, we'll certainly (*o* definitely) come □ (*Borsa, fin.*) **s. dividendi**, ex dividend □ **s. dubbio**, without any doubt; doubtless (agg.); undoubtedly (avv.) □ **s. fine**, endless (agg.); endlessly (avv.); without end □ **s. incidenti**, without incident □ **s. indugio**, without delay □ (*fin.*) **s. interessi**, ex interest □ **s. mezzi termini**, without mincing (one's) words □ **s. paragone**, without equal; matchless (agg.); incomparable (agg.); unequalled (agg.) □ **s. parole** (*muto, silenzioso*) mute, dumb, silent; (*incapace di parlare*) speechless: *Sono rimasto s. parole*, I was left speechless □ **fare s. qc.**, to do without st.; to manage without st. □ **non senza una certa esitazione**, not without some hesitation; somewhat hesitantly □ (*sport*) **otto s.**, coxless eight □ (*sport*) **quattro s.**, coxless four **B** cong. without (+ gerundio): **s. dire nulla**, without saying a word; **s. mangiare niente**, without eating anything; **s. saperlo**, without knowing; unawares (avv.); **s. alzare gli occhi**, without looking up; **s. che glielo dicessi**, without my telling him; *Voglio venire senza che nessuno lo sappia*, I want to come without anyone knowing ● **s. badare a**, regardless of: **s. badare a spese**, regardless of expense □ **s. contare**, (*escludendo*) not counting, excluding, leaving out (*o* aside); without; (*per non dire di, in aggiunta a*) not to mention, over and above: *C'erano cinquanta persone, s. contare i bambini*, there were fifty people there, not counting the children; *È un pro-*

getto che ci farà onore, s. contare il lato economico, it's a project that will do us credit, not to mention the economic side **C** m. (*bridge*) no trumps.

senzacàsa **A** m. e f. inv. homeless person: **i s.**, the homeless **B** a. inv. homeless.

senzadìo m. e f. inv. godless person.

senzalavóro **A** m. e f. inv. unemployed (*o* jobless) person: **i s.**, the unemployed **B** a. inv. unemployed; jobless.

senzapàtria m. e f. inv. **1** stateless (*o* displaced) person **2** (*spreg.*) unpatriotic person.

senzatétto m. e f. inv. homeless person: **i s.**, the homeless.

senzièntе a. (*lett.*) sentient.

sèpalo m. (*bot.*) sepal.

separàbile a. **1** (*divisibile*) separable; divisible **2** (*staccabile*) detachable; removable.

separabilità f. separability; separableness; divisibility.

separàre **A** v. t. **1** (*dividere, disgiungere*) to part; to separate; to split*; to divorce: **s. due contendenti**, to part (*o* to separate) two fighters; **s. i letti**, to separate the beds; *Nella ressa furono separati*, they were parted by the crowd; *I nostri interessi ci hanno separato*, our careers took us up different paths (*o* in different directions); *Nulla ci separerà più*, nothing can part us now; we shall never be parted **2** (*tenere distinto, separato*) to separate; to divide; to keep* apart; (*segregare*) to segregate: *I Pirenei separano la Spagna dalla Francia*, the Pyrenees separate Spain from France; *Eravamo separati da uno stretto sentiero*, we were separated by a narrow path; *Non si può s. la salute pubblica dalla politica*, you cannot divorce public health from politics **3** (*distinguere*) to separate, to keep* separate, to distinguish, to tell*, to set* apart; (*fare una cernita*) to sort out: **s. il buono dal cattivo**, to separate the good from the bad; **s. il giusto dall'ingiusto**, to distinguish (*o* to tell) right from wrong; **s. i fatti dalle dicerie**, to separate facts from hearsay; to keep facts separate from hearsay; **s. le mele buone da quelle marce**, to sort out the good apples from the bad ones; **s. i coltelli dalle forchette**, to sort out knives and forks **B** **separàrsi** v. rifl. e rifl. recipr. to part; to separate; to split* up; to part company (with); (*di una coppia*) to separate, to break* up, to split* up: **separarsi da q.**, to part from (*o* with) sb.; **separarsi da amici**, to part as friends; *Scambiarono due parole e poi si separarono*, they exchanged a few words and then parted (*o* separated); *Siamo stati soci per tre anni, ma poi abbiamo deciso di separarci*, we were partners for three years, but then decided to part company; *Mi sono separata da lui due mesi fa*, I separated from him two months ago; we split up two months ago; *Ci siamo separati senza acrimonia*, we separated without any bitterness.

separataménte avv. **1** separately **2** (*singolarmente*) individually; singly; severally.

separatézza f. separateness; apartness.

separatìsmo m. (*polit.*) separatism.

separatìsta (*polit.*) a., m. e f. separatist.

separatìstico a. (*polit.*) separatist.

separàto **A** a. **1** separate; (*di coniuge*) separated; (*segregato*) segregated: **camere separate**, separate rooms; **conti separati**, separate accounts; **separati legalmente**, legally separated; **separati in casa**, legally separated but living under the same roof; *Sono s. da mia moglie*, I have separated from my wife; **vivere separati**, to live apart **2** (*distinto*) separate; distinct; discrete: *I due concetti devono rimanere sepa-*

rati, the two ideas must be kept separate (*o* distinct) ● **in separata sede**, in private; in confidence **B** m. (f. *-a*) separated man* (f. woman*); **i separati**, the separated.

separatóre **A** a. separating **B** m. (*tecn.*) separator; (*selezionatore*) sorter: **s. centrifugo**, centrifugal separator; **s. magnetico**, magnetic separator.

separazióne f. **1** (*atto e condizione del separare*) separation; divorce; (*il separarsi*) parting; (*divisione*) division; (*segregazione*) segregation: **s. dolorosa**, sad separation; sad parting; (*polit.*) **s. dei poteri**, separation of powers; **s. tra Chiesa e Stato**, separation between church and state; **s. tra arte e società**, divorce between art and society; **incontrarsi dopo una lunga s.**, to meet after a long separation **2** (*leg.*) separation: **s. consensuale**, separation by mutual consent; **s. dei beni**, separation of property; **s. di fatto**, de facto separation; **s. legale**, legal (*o* judicial) separation.

séparé (*franc.*) m. inv. (*scompartimento*) alcove, booth; (*saletta*) private room.

sepiolite f. (*miner.*) sepiolite; meerschaum.

sepolcràle a. **1** sepulchral: **monumento s.**, sepulchral monument; **pietra s.**, tombstone; gravestone **2** (*letter.*) graveyard (attr.): **poesia s.**, graveyard poetry **3** (*fig.*) sepulchral: **silenzio** [**voce**] **s.**, sepulchral silence [voice].

sepolcréto m. cemetery; graveyard; burial ground.

sepólcro m. **1** sepulchre; (*tomba*) tomb, grave: **i sepolcri di Santa Croce**, the tombs in Santa Croce; **il Santo S.**, the Holy Sepulchre **2** (*al pl., eccles.*) Holy Week hangings (pl.) ● (*fig.*) **s. imbiancato**, whited sepulchre □ (*fig.*) **condurre q. al s.**, to be the death of sb. □ (*fig.*) **scendere nel s.**, to die; to go to one's last resting place.

sepólto **A** a. **1** (*seppellito*) buried: **s. vivo**, buried alive; **città sepolta**, buried city; **morto s.**, long since dead; (*fig.*) dead and buried **2** (*fig.: immerso*) buried; steeped; immersed; sunk; deep: **s. nei libri**, buried in books; deep in books **3** (*fig.: nascosto*) hidden; buried, concealed; (*perso*) lost: **s. in fondo a un baule**, hidden at the bottom of a trunk; **s. nel cuore**, buried in the heart; **s. nell'oblio**, lost in oblivion **B** m. (f. *-a*) **1** dead person: **i sepolti**, the dead **2** (*eccles.*) – **sepolte vive**, enclosed nuns.

sepoltùra f. **1** burial; interment: **s. in mare**, burial at sea; **dare s. a q.**, to bury sb. **2** (*luogo*) burial place; (*tomba*) grave, tomb.

seppelliménto m. burial; interment.

♦**seppellìre** **A** v. t. **1** (*deporre nella tomba*) to bury; to inter: **s. i morti**, to bury the dead; **essere sepolto in mare**, to be buried at sea **2** (*nascondere sottoterra*) to bury; to hide*: **s. un osso** [**un tesoro**], to bury a bone [a treasure]; *La valanga seppellì un villaggio*, the avalanche buried a village **3** (*fig.: dimenticare*) to bury; to forget*: **s. il passato**, to forget the past; to let bygones be bygones; **s. i rancori**, to bury one's grudges; **s. il ricordo di qc.**, to bury the memory of st. ● (*fig.*) **s. l'ascia di guerra**, to bury the hatchet □ (*scherz.*) **Ci seppellirai tutti**, you'll outlive us all □ (*scherz.*) **Ha già sepolto due mariti**, she has already buried two husbands **B** **seppellìrsi** v. rifl. **1** (*fig.: immergersi*) to bury oneself; to immerse oneself: **seppellirsi fra i libri**, to bury oneself in one's books **2** (*fig.: isolarsi*) to bury oneself; (*rinchiudersi*) to shut* oneself up: **seppellirsi in casa**, to shut oneself up in one's house; **seppellirsi nei ricordi del passato**, to be buried in one's memories.

seppellitóre m. (f. *-trice*) burier; (*becchino*) gravedigger.

a b c d e f g h i j k l m n o p q r **s** t u v w x y z

sèppi 1ª pers. sing. pass. rem. di **sapere**.

séppia Ⓐ f. **1** (*zool.*) cuttlefish* **2** (*colore*) sepia ● **nero di s.**, sepia ○ **osso di s.**, cuttlebone Ⓑ a. inv. sepia (attr.): **color s.**, sepia.

seppiàre v. t. to polish with a cuttlebone.

seppiàto a. sepia (attr.).

seppùre cong. **1** (*quandanche*) even if; even though: *S. mi chiedesse scusa, non lo riammetterei*, even if he apologized, I wouldn't take him back **2** (*ammesso che, sempre che*) if; assuming that: *Vedremo il da farsi quando arriverà, s. arriverà*, we'll see what can be done when he arrives, if he does arrive; *Ne avrà letto venti pagine, s. l'ha fatto*, she must have read twenty pages, if that.

sèpsi f. (*med.*) sepsis.

sequèla f. **1** series*; sequence; succession; chain; string: **s. di disgrazie**, series (*o* succession) of misfortunes; chapter of accidents (*GB*); **s. di rimostranze**, series of complaints; **s. di imprecazioni**, string of curses **2** (*med.*) sequela*.

◆**sequènza** f. **1** (*serie ordinata*) sequence; series*; succession; order; run; string: **s. alfabetica**, alphabetical order; **s. logica**, logical sequence; **disporre in s.**, to arrange in sequence; **fuori s.**, out of order; in the wrong order **2** (*tecn.*) sequence; string: (*comput.*) **s. di caratteri**, string (of characters) **3** (*cinem.*) sequence: **s. di collegamento**, montage sequence; **s. di passaggio**, transitional sequence **4** (*giochi di carte*) sequence; run; (*bridge*) suit: **s. di picche**, sequence (*o* run) of spades; **s. corta [lunga]**, short [long] suit; (*poker*) **s. reale**, straight flush **5** (*mat.*) series: **s. armonica**, harmonic series **6** (*eccles.*) sequence; prose **7** (*mus.*) sequence **8** (*biochim.*) sequence.

sequenziàle① m. (*eccles.*) book of sequences.

sequenziàle② a. (*tecn.*) sequential: **analisi s.**, sequential analysis; (*autom.*) **cambio s.**, sequential gearshift; (*comput.*) **accesso s.**, sequential access; **elaboratore s.**, sequential computer.

sequenzialità f. (*tecn.*) sequentiality.

sequenziàre v. t. (*tecn., biochim.*) to sequence.

sequenziatóre m. (*biol., mus.*) sequencer.

sequenziazióne f. (*biol.*) sequencing.

sequestràbile a. (*leg.*) distrainable; attachable; seizable.

sequestrabilità f. (*leg.*) liability to distraint (*o* seizure; sequester).

sequestrànte m. **1** (*leg.*) distrainer, distrainor; sequestrator **2** (*chim.*) sequestrant.

sequestràre v. t. **1** (*leg.*) to sequestrate; to attach; to impound; to distrain upon; to seize: **s. i beni di q.**, to sequestrate sb.'s property; to distrain upon sb.'s belongings; **s. merci**, to impound goods; **s. una partita di droga**, to seize a consignment of drugs **2** (*confiscare*) to confiscate; to take* away: **s. le carte a q.**, to confiscate sb.'s papers; **s. materiale pornografico**, to confiscate pornographic material; *Il professore gli ha sequestrato la rivista*, the teacher took away (*o* confiscated) the magazine from him **3** (*rapire*) to kidnap **4** (*segregare, bloccare*) to confine: **essere sequestrato in casa**, to be confined (*o* kept) indoors.

sequestratàrio m. (*leg.*) sequestrator.

sequestràto Ⓐ a. **1** (*leg.*) sequestrated; impounded; distrained; seized **2** (*confiscato*) confiscated **3** (*rapito*) kidnapped **4** (*segregato, confinato*) confined; segregated Ⓑ m. (f. **-a**) **1** (*leg.*) distrainee **2** (*rapito*) kidnapped person; kidnap victim.

sequestratóre m. (f. **-trìce**) **1** (*leg.*) sequestrator; distrainer, distrainor **2** (*rapito-*) kidnapper.

sequèstro① m. **1** (*leg.*) sequestration; attachment; seizure; distraint: **s. conservativo**, attachment; **s. di azioni**, sequestration of shares; **s. di beni**, distraint of possessions; seizure of property; **s. di droga**, seizure of drugs; **s. di merci di contrabbando**, seizure of smuggled goods; **s. giudiziario**, judicial attachment; **sotto s.**, under sequestration; attached; **beni sotto s.**, attached goods; **mettere sotto s.**, to place under distraint; to distrain upon; to sequestrate; to seize; **disporre un s.**, to levy a distress; **ordine di s.**, order of attachment **2** (*confisca*) confiscation: **il s. di un'arma**, the confiscation of a weapon **3** (*anche* **s. di persona**) unlawful restraint, illegal confinement; (*per estorsione*) kidnapping.

sequèstro② m. (*med.*) sequestrum*.

sequòia f. (*bot.*) **1** (*Sequoia gigantea*) giant sequoia; giant redwood; wellingtonia **2** (*Sequoia sempervirens*) sequoia; redwood.

◆**séra** f. evening; (*tarda*) night: **domani s.**, tomorrow evening (*o* night); **ieri s.**, yesterday evening; last night; *È tornato ieri s.*, he came back last night; **questa s.**, this evening; tonight; **martedì sera**, on Tuesday evening; *Buona s.!*, good evening! **dare la buona s. a q.**, (*incontrandosi*) to say good evening to sb.; to wish sb. good evening; (*accomiatandosi*) to say goodbye to sb.; **a s. inoltrata**, well into the evening; **a tarda s.**, late into the evening; **dalla mattina alla s.**, from morning till night; (*anche fig.*) **dalla s. alla mattina**, overnight; **di s.** (*o* **la s.**), in the evening; **di prima s.**, early in the evening; (*sull'imbrunire*) at nightfall, at dusk; **di s. tardi**, late in the evening; **fino a s.**, until the evening; **fino a tarda s.**, late into the evening; **sul far della s.**, at nightfall; **una di queste sere**, one of these evenings; **verso s.**, at nightfall; at dusk; *La s. le piaceva far tardi*, she liked to stay up late in the evening; *È successo la s. del sette*, it happened on the evening of the 7th; *Si fa s.*, it's growing dark; **uscire di s.**, to go out at night; **abito da mezza sera**, party dress; **abito da s.**, evening dress; **giornale della s.**, evening paper; **la stella della s.**, the evening star.

seraccàta f. (*geol.*) seracs (pl.).

seràcco m. (*geol.*) serac.

seraficità f. seraphic attitude.

seràfico a. (*anche fig.*) seraphic: **cori serafici**, seraphic choirs; **con aria serafica**, with a seraphic expression.

serafino m. (*relig.*) seraph*.

seràle a. evening (attr.); night (attr.): **corso s.**, evening classes (pl.); **ore serali**, evening hours; **scuola s.**, night school; **spettacolo s.**, evening performance.

seralménte avv. **1** (*di sera*) in the evening **2** (*ogni sera*) every evening; evenings (*fam.*).

Seràpide m. (*mitol.*) Serapis.

◆**seràta** f. **1** evening; night: **passare la s. con q.**, to spend the evening with sb.; **passare la s. fuori**, to spend the night out; **prendersi una s. di libertà**, to take a night off; *È stata una bella s.*, it's been a pleasant evening; **in s.**, in the evening; (*stasera*) this evening, tonight; (*TV*) **programmi di prima [seconda] s.**, evening [late night] programmes **2** (*ricevimento serale*) (evening) party; soirée (*franc.*): **s. danzante**, dance; ball **3** (*teatr.*) performance; night: **s. d'addio**, farewell performance; **s. di beneficenza**, charity performance; **s. di inaugurazione**, opening night; **s. di gala**, gala night.

seratànte m. e f. (*teatr.*) artist in whose honour a benefit (*o* gala) performance is held.

serbàre Ⓐ v. t. **1** (*mettere da parte*) to lay* aside; to put* away; to put* by; (*risparmiare*) to save: **s. qc. per l'inverno**, to put st. by for

the winter; **s. le proprie forze**, to save one's strength; to spare oneself **2** (*conservare*) to keep*; to save; (*mantenere*) to keep*, to retain: **s. il posto a q.**, to keep (*o* to save) a seat for sb.; **s. una promessa**, to keep a promise; **s. intatte le proprie facoltà**, to retain one's faculties intact; **s. un bel ricordo di q.**, to have fond memories of sb.; to remember sb. dearly; **s. un segreto**, to keep a secret **3** (*nutrire*) to nourish; to cherish; to harbour; to bear*: **s. gratitudine verso q.**, to be grateful to sb.; **s. odio**, to hate; **s. rancore**, to bear (*o* to harbour) a grudge Ⓑ **serbàrsi** v. rifl. to keep*; to remain; to be: **serbarsi fedele a q.**, to remain (*o* to be) faithful to sb.; **serbarsi in buona salute**, to keep well.

serbatóio m. **1** tank; cistern; reservoir; chamber: **s. a caduta**, gravity tank; **s. di alimentazione**, feed tank; **s. della benzina**, petrol tank; gasoline (*o* gas) tank (*USA*); **s. d'acqua**, water tank; cistern; water reservoir; (*a torre*) water tower; **s. per l'olio**, oil tank; **s. di stoccaggio**, storage tank; (*aeron.*) **s. sganciabile**, drop tank **2** (*di penna stilografica*) ink reservoir; barrel **3** (*di arma da fuoco*) magazine **4** (*fig.*) repository; receptacle: **s. di informazioni**, repository of information **5** (*geol.*) – **s. magmatico**, magma chamber.

serbèvole a. preservable.

serbevolézza f. preservability.

sèrbo① m. – **avere in s.**, to have in store; *Ho una sorpresa in s. per voi*, I have a surprise in store for you; **mettere in s.**, to put* (*o* to lay*) aside (*o* by); to save; **tenere in s.**, to keep (in store); to save.

sèrbo② a. e m. (f. **-a**) Serb; (*anche ling.*) Serbian.

serbocroàto a. e m. Serbo-Croat; Serbo-Croatian.

serenaménte avv. **1** serenely; peacefully; calmly **2** (*con imparzialità*) impartially; fairly: **giudicare s.**, to judge fairly; to be impartial.

serenàta f. **1** serenade: **fare la s. a q.**, to serenade sb. **2** (*mus.*) serenade; serenata*.

serendipità f. serendipity.

serenèlla f. (*bot.*, *Syringa vulgaris*) lilac.

serenissimo a. (*titolo*) Serene: **Sua Altezza Serenissima**, His Serene Highness.

◆**serenità** f. **1** (*del cielo*) clearness **2** (*fig.*: *tranquillità*) serenity; peace; tranquillity: **s. d'animo**, peace of mind; contentedness; equanimity; **sopportare le sventure con s.**, to bear misfortunes with equanimity; **affrontare la vita con s.**, to face life with serenity **3** (*fig.*: *obiettività*) objectiveness; (*imparzialità*) fairness, impartiality: **giudicare con s.**, to judge fairly; to be impartial **4** (*titolo*) Serene Highness.

◆**seréno** Ⓐ a. **1** (*chiaro, limpido*) clear, limpid; (*senza nuvole*) cloudless, unclouded: **cielo s.**, clear (*o* cloudless) sky; **notte serena**, limpid (*o* cloudless) night **2** (*fig.*: *tranquillo*) serene; peaceful; calm; placid; equable; even-tempered; unperturbed; untroubled: **carattere s.**, calm nature; even-tempered disposition; **espressione serena**, serene expression; **sonno s.**, peaceful (*o* untroubled) sleep; **vita serena**, peaceful (*o* quiet) life; **con animo s.**, with equanimity; **rimanere s. in circostanze avverse**, to remain unperturbed (*o* to keep an equal mind) in a time of trouble; **sentirsi s.**, to feel serene **3** (*fig.*: *imparziale*) unbiased; impartial; unprejudiced: **giudizio s.**, unbiased opinion ● **a ciel s.**, in the open □ (*fig.*) **un fulmine a ciel s.**, a bolt from the blue Ⓑ m. **1** (*cielo s.*) clear sky; (*bel tempo*) fine weather: *È tornato il s.*, it has cleared up; **rimettersi al s.**, to clear up. **2** (*aria aperta*) (the) open: **al s.**, in the open ● (*fig.*) **il s. dopo la tempesta**, the

calm after the storm.

serge f. inv. (*ind. tess.*) serge.

sergènte m. **1** (*mil.*) sergeant: **s. di giornata**, duty sergeant; **s. istruttore**, drill sergeant; **s. maggiore**, (*in GB*) staff sergeant; (*in USA*) sergeant major; **s. pilota**, (*in GB*) flight sergeant; (*in USA*) chief master sergeant **2** (*fig.*) sergeant major; martinet; drillmaster **3** (*falegn.*) (carpenter's) clamp.

Sèrgio m. Sergius; Serge.

serial (*ingl.*) m. inv. (*radio, TV*) serial.

seriàle a. (*anche mus., comput.*) serial: (*comput.*) **porta s.**, serial port.

serialismo m. (*mus.*) serialism.

serialità f. serial nature; seriality.

serializzàre v. t. to serialize.

serializzazióne f. serialization.

seriaménte avv. **1** (*con serietà*) seriously; earnestly; in earnest: **parlare s.**, to speak seriously (*o* in earnest); *Parlo s.*, I'm (being) serious; **riflettere s. su qc.**, to think seriously about st. **2** (*gravemente*) seriously; badly; severely; critically: **s. ammalato**, seriously (*o* critically) ill; **s. ferito**, seriously (*o* badly) injured.

seriàre v. t. (*stat.*) to seriate.

seriàto a. (*biol.*) serial; seriate; **sezione seriata**, serial section.

seriazióne f. (*stat.*) seriation.

sericeo a. (*lett.*) silky; silken.

sericigeno a. silk-producing; silk-secreting.

sericina f. (*ind. tess.*) sericin.

sericite f. (*miner.*) sericite.

sèrico a. **1** silk (*attr.*); silken: **industria serica**, silk industry; **vesti seriche**, silken garments **2** (*fig.*) silky: **capelli serici**, silky hair.

sericolo a. sericultural.

sericoltóre m. (f. *-trice*) sericulturist; silkworm breeder.

sericoltùra f. sericulture; silkworm breeding.

♦**sèrie** f. **1** (*successione*) series*; sequence; succession; line; run; chain; (*fila*) row; (*gamma*) range, gamut; (*giro*) round; (*ciclo*) set, course: **una s. di avvenimenti**, a series (*o* a chain) of events; **una s. di case**, a row of houses; **una s. di colloqui**, a series of interviews; **una s. di conferenze**, a series of lectures; (*un gruppo*) a set of lectures; **una s. di disavventure**, a series of accidents; a chapter of accidents (*fam.*); **una s. di sovrani**, a line of kings; (*teatr.*) **una s. di spettacoli**, a run; (*una tournée*) a tour; **una s. di successi**, a run of successes; **una s. di vittorie**, a series (*o* a run) of victories; **disporre in s.**, to arrange a sequence; to order **2** (*insieme*) set: **una s. di francobolli**, a set of stamps; **una s. di cacciaviti [di pesi]**, a set of screwdrivers [of weights] **3** (*assortimento*) miscellany; (*varietà*) variety: **per una s. di ragioni**, for a variety of reasons **4** (*sport*) league; division: (*calcio*) **s. A**, Serie A; (*in GB*) Premier League; (*calcio*) **s. B**, Serie B; (*in GB*) First Division; **entrare in s. A**, to get into the Serie A; **guidare la s. A**, to be top of the Serie A; **testa di s.**, seed (player) **5** (*scient.*) series*; (*mat.*) **s. armonica**, harmonic series; (*chim.*) **s. del metano**, methane series **6** (*mus.*) series* **7** (*comput.*) set **8** (*ind., comm.*) range; series: **s. di prodotti**, range of products; **modello di s.**, current (*o* production) model; **automobile fuori s.**, custom-built car; **modello fuori s.**, special model; **prodotto in s.**, mass-produced; (*di abiti*) ready-to-wear (*attr.*); **produrre in s.**, to mass-produce; **produzione (*o* fabbricazione) in s.**, mass production ● **s. televisiva**, TV series; serial □ (*fig.*) **di s. B**, second-class (*attr.*); second-rate (*attr.*): **cittadino di s. B**, second-class citizen; **cinema di s. B**,

second-rate cinema □ **in s.**, in series (*anche fis., chim.*); (*secondo un ordine*) in a series, in a sequence, seriatim (*avv.*), seriate (*agg.*) □ **numero di s.**, serial number.

serietà f. **1** seriousness; earnestness: **in tutta s.**, in all seriousness **2** (*affidabilità*) reliability; (*solidità*) soundness, solidity; (*competenza*) competence: **la s. di una ditta**, the solidity of a firm **3** (*gravità*) seriousness; gravity: **la s. della situazione politica**, the seriousness of the political situation.

serigrafàre v. t. to screen-print.

serigrafia f. **1** (*tecnica*) silk-screen printing; serigraphy **2** (*esemplare*) serigraph.

serigràfico a. silk-screen (*attr.*).

serìmetro m. (*ind. tess.*) serimeter.

serina f. (*chim.*) serine.

♦**sèrio** Ⓐ a. **1** serious; earnest; (*posato, assennato*) sober, steady; (*affidabile, onesto*) reliable, responsible, sound; (*competente*) competent: **giovane s.**, sober young man; **ditta seria**, reliable (*o* solid) firm; **s. di carattere**, serious-minded **2** (*severo*) serious; thoughtful; grave: **faccia seria**, serious face; **con la faccia seria**, with a serious (*o* thoughtful, grave) expression; *Perché così s.?*, why so serious (*o* thoughtful)?; **fare la faccia seria**, to look grave (*o* thoughtful) **3** (*grave*) serious; grave; critical: **seria difficoltà**, serious (*o* grave) difficulty; **malattia seria**, serious illness; **situazione seria**, serious situation **4** (*di musica, opera lett.*) serious: **musica seria**, serious music Ⓑ m. (*serietà*) seriousness; gravity ● **il s. e il faceto**, the serious and the humorous □ **sul s.**, seriously; in earnest; (*davvero*) really, indeed: *Dico sul s.*, I'm (being) serious; I mean it; *Dici sul s.?*, really?; are you serious?; do you mean it?; *Faccio sul s.*, I mean it; *Questa volta fa sul s.*, this time she really means it; this time it's for real (*fam.*); this time she means business (*fam.*); *Mi piace sul s.*, I really like it; *Questa volta se n'è andato sul s.*, this time he's left for good; **prendere qc. sul s.**, to take st. seriously.

seriografia f. (*med.*) serial radiography.

seriògrafo m. (*med.*) serialograph; seriograph.

seriola f. (*zool., Seriola dumerili*) amberjack.

serióre a. (*lett.*) later; subsequent.

seriosità f. earnestness; solemnity; staidness.

serióso a. earnest; solemn; staid; po-faced (*fam. GB*).

serittèrio m. (*zool.*) serictery; silk gland.

sermóne m. **1** sermon; homily: **il s. della montagna**, the Sermon on the Mount; **fare un s.**, to deliver (*o* to preach) a sermon **2** (*fig.*) sermon; lecture: **fare un s. a q.**, to give sb. a lecture; to lecture sb.

sermoneggiàre v. i. (*lett.*) to sermonize; to preach.

seròtino, serotino a. **1** (*lett.*) evening (*attr.*); vespertine **2** (*tardivo*) late: **frutto s.**, late fruit; **pianta serotina**, late-flowering plant.

serotonìna f. (*biochim.*) serotonin.

sèrpa f. **1** (*cassetta del cocchiere*) coach box **2** (*sedile di diligenza*) (stage-coach) seat **3** (*naut.*) beak head.

serpàio m. snake-infested place; snake-pit.

sèrpe① f. **1** (*zool.*) serpent; snake: **s. d'acqua**, water snake **2** (*fig.*) snake (in the grass) **3** a. s., serpentine; winding; snaky; (*a spirale*) coiled □ (*fig.*) **scaldare una s. in seno**, to nurse a viper in one's bosom.

sèrpe② → **serpa**.

serpeggiaménto m. winding; twisting; meandering; (*tortuosità*) tortuousness, sinuosity.

serpeggiànte a. **1** (*sinuoso, tortuoso*) winding; twisting; meandering; serpentine; tortuous; sinuous: **fiume s.**, meandering river; **strada s.**, twisting (*o* winding) road **2** (*che si diffonde*) spreading: **malcontento s.**, spreading discontent.

serpeggiàre v. i. **1** to wind*; to twist and turn; (*di corso d'acqua*) to meander: *Il sentiero sale serpeggiando*, the path winds its way up; *Il fiume serpeggia nella piana*, the river meanders across the plain **2** (*fig.: diffondersi*) to spread*: *Il malumore serpeggiava tra il popolo*, discontent was spreading among the people.

serpentària f. (*bot., Aristolochia serpentaria*) serpentary; snakeroot.

serpentàrio① m. (*zool., Sagittarius serpentarius*) secretary-bird.

serpentàrio② m. snake-house; serpentarium*.

♦**serpènte** m. **1** (*zool.*) snake; serpent: **s. a sonagli** (*Crotalus*), rattlesnake; rattler; **s. boa**, boa constrictor; **s. corallo** (*micrurus*), coral snake; **s. corridore** (*Coluber constrictor*), black racer; **s. d'acqua**, water snake; **s. dagli occhiali**, spectacled snake; **s. frusta** (*Coluber flagellum*), whip snake; **s. innocuo**, harmless snake; **s. marino**, sea serpent; **s. velenoso**, venomous snake; **incantatore di serpenti**, snake-charmer; **pelle di s.**, snakeskin **2** (*pelle conciata di s.*) snakeskin: **borsa di s.**, snakeskin bag **3** (*fig.*) snake (in the grass) ● (*econ.*) **s. monetario**, snake □ (*fig.*) **fossa dei serpenti**, lunatic asylum □ **È come un s. che si morde la coda**, it's a vicious circle.

serpentésco a. snaky; snake-like; (*anche fig.*) serpentine.

serpentifórme a. serpentine; snake-like.

serpentina① f. (*mil. stor.*) serpentine.

serpentina② f. **1** (*geol.*) serpentine **2** (*tecn.*) coil.

serpentina③ f. **1** (*linea serpeggiante*) winding line; serpentine: **strada a s.**, winding road **2** (*sci*) zigzagging **3** (*aeron.*) snaking.

serpentino① a. (*di serpente*) serpent's; (*simile al serpente*) serpentine, serpent-like, snake-like: **denti serpentini**, serpent's teeth; (*fig.*) **lingua serpentina**, venomous tongue; **movimento s.**, snake-like motion.

serpentino② m. **1** (*miner.*) serpentine **2** (*mecc.*) coil: **s. di condensazione [di raffreddamento]**, condenser [refrigerating] coil **3** (*mil. stor.*) serpentine.

serpentóne m. **1** huge snake **2** (*mus. stor.*) serpent **3** (*corteo*) long winding procession **4** (*cordolo*) curb alongside a bus lane.

serpiginóso a. (*med.*) serpiginous.

serpillo, serpollino m. (*bot., Thymus serpyllum*) wild thyme.

sèrpula f. (*zool., Serpula*) serpulid.

sérqua f. (*sfilza*) series; string; torrent: **una s. di bestemmie**, a string of oaths; **una s. di figli**, a tribe of children.

♦**sèrra**① f. greenhouse; glasshouse; (*riscaldata*) hothouse; (*abitabile*) conservatory; (*vivaio*) nursery: **effetto s.**, greenhouse effect; **fiore di s.**, hothouse flower; (*fig.*) hothouse plant.

sèrra② f. (*geogr.*) sierra.

serrabòzze m. inv. (*naut.*) cathead stopper; ring stopper.

serradàdi m. inv. (*mecc.*) nut wrench; nut runner.

serradèlla f. (*bot., Ornithopus sativus*) serradella.

serrafila Ⓐ m. e f. (*antiq.*) last in file; (*mil.*) file closer Ⓑ f. (*naut.*) rearmost ship.

serrafilo m. (*elettr.*) terminal.

serrafórme m. inv. (*tipogr.*) quoin.

serràggio m. (*mecc.*) clamping; (*di dado*) tightening.

serràglio ① m. (*di animali*) menagerie.

serràglio ② m. **1** (*residenza del sultano*) seraglio **2** (*harem*) seraglio; harem.

serramànico m. – **coltello a s.**, jack-knife.

serràme m. fastener; lock.

serraménti m. pl., **serraménta** f. pl. (*porte*) doors; (*finestre*) windows; (*persiane*) shutters.

serrànda f. **1** (*chiusura a saracinesca*) roll--up (*o* rolling) shutter **2** (*di forno*) (oven) door.

serrapennóne m. (*naut.*) leech line.

serrapiède m. (*ciclismo*) toe clip.

serràre Ⓐ v. t. **1** (*chiudere*) to shut*; to close; (*con sicura*) to fasten, to secure; (*a chiave*) to lock up; (*con chiavistello*) to bolt: **s. bottega**, to close down; to shut up shop; **s. con doppia mandata**, to double lock; **s. una finestra**, to shut a window; *La casa è serrata da parecchi anni*, the house has been closed up for several years **2** (*stringere*) to clasp, to tighten, to grip, to clamp; (*premere*) to press; (*tra due cose o persone*) to sandwich; (*chiudere stringendo*) to shut*, to close, to clench: **s. un dado**, to tighten a bolt; **s. i denti**, to clench (*o* to set) one's teeth; **s. le file**, to close ranks; to close up; **s. le labbra**, to compress one's lips; **s. gli occhi**, to shut one's eyes; **s. i ranghi**, to close ranks; to close up; **s. i pugni**, to clench one's fists; (*naut.*) **s. le vele**, to furl (*o* to take in) the sails; **s. in un morsetto**, to grip in a clamp **3** (*intensificare, accelerare*) to quicken; to speed up: **s. l'andatura**, to quicken one's pace; **s. il ritmo**, to quicken the pace **4** (*incalzare*) to press hard upon; to close in on: **s. il nemico**, to press hard upon the enemy ● (*naut.*) **s. il vento**, to haul the wind □ **Il pianto gli serrava la gola**, tears choked him □ (*prov.*) **s. la stalla quando i buoi sono scappati**, to lock the stable door when the horse has bolted Ⓑ v. i. (*chiudere*) to shut*, to close; (*a chiave*) to lock Ⓒ **serràrsi** v. rifl. **1** (*rinchiudersi*) to shut* oneself up; to lock oneself up: *Andò a serrarsi in camera sua*, she locked herself up in her room **2** (*addossarsi, pigiarsi*) to crowd; to press: **serrarsi intorno a q.**, to crowd (*o* to press) around sb.; *Serratevi e fate un po' di posto*, move up and make room **3** (*stringersi*) to close up: **serrarsi in difesa**, to close up in defence; to close ranks Ⓓ **serràrsi** v. i. pron. **1** (*chiudersi*) to lock; to shut* **2** (*stringersi*) to tighten; to close: *Le sue labbra si serrarono*, his lips tightened; *La sua mano si serrò sul coltello*, his hand tightened round the knife.

serraschière m. (*stor.*) seraskier.

sèrra sèrra m. inv. crush; press; pushing and shoving.

serràta f. lockout: **fare una s.**, to lock out workers.

serrataménte avv. **1** (*in modo incalzante*) closely (*in modo conciso*) concisely.

serràte m. inv. (*sport*) all-out effort; push: **s. finale**, final push; final assault.

serràto a. **1** (*chiuso*) shut; shut up; closed; tightly shut; (*denti*) **denti serrati**, clenched teeth; **finestra serrata**, closed window; **negozi serrati**, shut-up shops; **occhi serrati**, tightly shut eyes; **pugni serrati**, clenched fists **2** (*fitto*) close; serried; closely knit; (*di tessuto, ecc.*) tightly woven: **punti serrati**, close stitches; **ranghi serrati**, serried ranks; **trama serrata**, close weave **3** (*fig.: conciso*) close; concise; brief and to the point: **ragionamento s.**, close argument; **stile s.**, concise style **4** (*rapido*) fast: **trotto s.**, fast trot; **a ritmo s.**, at a fast pace **5** (*incalzante*) pressing: **domande serrate**, press-

ing questions; **interrogatorio s.**, close questioning; grilling (*fam.*) ❶ **FALSI AMICI** • *serrato non si traduce con* serrated.

serràtula f. (*bot.*, *Serratula tinctoria*) saw wort.

serratùra f. lock: **s. a cilindri**, cylinder lock; **s. a combinazione**, combination lock; permutation lock; **s. a doppia mandata**, double lock; **s. a scatto**, latch; **far scattare una s.** (*senza usare la chiave*), to pick a lock; **forzare una s.**, to force a lock; **buco della s.**, key-hole.

serrétta f. (*naut.*) **1** (*del pagliolo*) bottom board; (*carabottino*) grating **2** (*di fasciame*) plank; batten: **s. di boccaporto**, hatch batten.

Sèrse m. (*stor.*) Xerxes.

SERT abbr. (**Servizio tossicodipendenze**) drug rehabilitation centre.

sèrto m. (*lett.*) wreath; garland; coronet; chaplet: **s. di alloro**, laurel wreath; **s. di fiori**, garland of flowers; **s. regale**, crown.

Sertòrio m. (*stor.*) Sertorius.

sèrva f. **1** servant; servant girl; maidservant; (*cameriera*) maid **2** (*schiava, anche fig.*) slave **3** (*fig.: persona pettegola*) gossip; (*ficcanaso*) prying person, nosyparker ● **s. padrona**, bossy maid □ **da s.**, low; vulgar: **ciarle da s.**, low gossip; backstair gossip.

servàggio m. (*lett.*) servitude; serfdom; bondage; thraldom.

servàlo m. (*zool.*, *Felis serval*) serval; bush--cat.

servènte Ⓐ a. **1** – **cavalier s.** → **cavaliere 2** (*leg.*) – **fondo s.**, servient tenement Ⓑ m. e f. (*lett.: persona che serve*) servant Ⓒ m. (*mil.*) member of a gun crew; gunner: **i serventi di un pezzo**, the gun's crew.

serventése → **sirventese**.

server (*ingl.*) m. inv. (*comput.*) server.

servétta f. **1** young maid; servant girl; slavey (*fam. GB*) **2** (*teatr.*) soubrette (*franc.*).

serviàno a. (*stor.*) Servian; of Servius Tullius: **mura serviane**, Servian walls.

servìbile a. **1** (*che si può servire a tavola*) that can be served up; fit to be served up **2** (*utilizzabile*) usable; serviceable.

serviènte m. (*eccles.*) server.

servìgio m. service; favour: **servigi resi alla patria**, services rendered to one's country; **rendere un s. a q.**, to do sb. a favour.

servìle a. **1** (*di servo*) servile; slave (attr.): **condizione s.**, slave condition; slavery; (*stor. romana*) **guerre servili**, slave (*o* servile) wars; **manodopera s.**, slave labour; **nascita s.**, slave birth **2** (*umile*) menial; low: **lavoro s.**, menial task **3** (*fig.: ossequioso*) servile, subservient, obsequious; (*untuoso*) unctuous, oily; (*adulatore*) fawning; (*abietto*) base, vile: **adulazione s.**, fawning flattery; toadying; **individuo s.**, fawner; toady; **modi servili**, obsequious (*o* subservient) manners **4** (*fig.: pedissequo*) slavish: **imitazione s.**, slavish imitation **5** (*gramm.*) – **verbo s.**, auxiliary verb.

servilìsmo m., **servilità** f. servility; subservience; obsequiousness; (*adulazione*) fawning, sycophancy.

♦**servìre** Ⓐ v. t. **1** to serve; (*essere a servizio*) to be in (sb.'s) service, (*lavorare per*) to work for; (*assol.*) to work; (*di persona di servizio*) to wait on (*o* upon): **s. Dio**, to serve God; **s. una famiglia**, to work for a family; to be in a family's service; **s. la patria**, to serve one's country; **s. in un ristorante**, to work as (*o* to be) a waiter in a restaurant; *Fui servito da due domestici*, I was waited upon by two servants; **andare a s.**, to go into service; **farsi s.**, to be waited upon **2** (*mil.*, *anche assol.*) to serve: **s. nell'esercito** [**in mari-**

na], to serve in the army [in the navy]; *Servì sotto Napoleone*, he served under Napoleon **3** (*in un negozio*) to serve (*anche assol.*); to attend to: **s. un cliente**, to serve (*o* to attend to) a customer; **s. al banco**, to serve at the counter; *La stanno servendo?*, are you being served (*o* attended to)?; *In che posso servirla?*, can I help you?; *Servo quel cliente da dieci anni*, I have served that customer for ten years **4** (*cibo, bevande*) to serve; (*un commensale*) to serve*, to help (sb. to st.); (*assol., di cameriere*) to wait at table: **s. a tavola**, to wait at table; **s. il caffè**, to serve coffee; **s. da bere a q.** (*versare*), to pour sb. a drink; **s. pasti caldi**, to serve hot meals; **s. il pranzo**, to serve dinner; *Servite prima la signora*, serve the lady first **5** (*fornire un servizio a*) to serve; to cater for: *La metropolitana serve solo alcune zone della città*, the underground serves only some areas of the city; *Un solo ospedale serve quattro comuni*, one hospital caters for four municipalities; *Il nostro quartiere è ben servito*, our suburb is well served **6** (*aiutare, essere utile*) to help; to do* something for; to be of service to; (*iron.*) to fix: *Posso servirvi?*, can I help you in any way?; can I do anything for you?; can I be of service to you?; *In che posso servirla?*, what can I do for you?; *Ora servo io!*, I'm going to fix you! **7** (*sport, anche assol.*) to serve: **s. una palla**, to serve a ball; **s. bene** [**male**], to serve well [badly]; *A chi tocca s.?*, whose serve (*o* service) is it? **8** (*giochi di carte, anche assol.*) to deal*: *Si servono cinque carte a ciascun giocatore*, you deal five cards to each player ● (*fig.*) **s. q. a dovere**, to fix sb.; to sort sb. out; to give sb. what for □ (*fig.*) **s. due padroni**, to serve two masters □ (*fig.*) **s. q. in ginocchio**, to wait on sb. hand and foot □ **s. Messa**, to serve (*o*) at Mass □ **Per servirla!**, at your service! Ⓑ v. i. **1** (*fare funzioni di*) to serve (as, for); to act (as); to do* duty (for): **s. da guida a q.**, to act as sb.'s guide; **s. da interprete**, to act as an interpreter; **s. di norma** [**di pretesto**], to serve as a rule [as a pretext]; *Questa stanza serve da ripostiglio*, this room serves as a storeroom; *Una cassetta serviva da sedile*, a crate did duty for a seat **2** (*essere usato*) to be used (for), to be (for); (*essere utile*) to be useful (*o* of use), to come* in handy, to serve; (*giovare*) to be of use, to do* some good, to work, to be of avail, to avail (sb.), to profit (sb.): **s. allo scopo**, to answer sb.'s purpose; to do the trick (*fam.*); **s. a uno scopo**, to serve (*o* to answer) a purpose; **s. di esempio**, to be an example; *Che questo ti serva di esempio*, let this be an example to you; **s. di lezione**, to serve as a lesson; *Gli occhi servono a guardare*, the eyes are there for looking; *A che serve questo?*, what is this for?; *Serve a tener chiusa la porta*, it's for keeping (*o* it is used to keep) the door shut; *Tienilo, può sempre s.*, keep it, it may come in handy; *Non mi serve*, it's of no use to me; I don't have a use for it; I don't need it; *Prendilo se ti può s.*, take it if you have a use for it (*o* if you think you can use it); *Un esempio servirà per spiegare quello che intendo*, an example will serve to make my point; *Parlargli è servito a qualcosa*, speaking to him did some good; *Serve a poco*, it is of little use; *Serve solo a farlo arrabbiare*, it only makes him angry; *A che serve dirglielo?*, what's the use (*o* the good) of telling him?; *Tanto, a che serve?*, what's the use (*o* the good) of it, anyway?; *Non serve a niente*, it has no use; it serves no purpose; (*è inutile*) it's no use, it's pointless, it's no good (*fam.*); *Non serve ripeterglielo*, it's no use (*o* no good) telling him again; *Piangere non serve a nulla*, crying is no use; crying won't help; *L'incontro non servì a nulla*, the meeting proved useless; *Qui il coraggio non serve*, courage is of

no avail here **3** (*bisognare, occorrere*) to need (pers.): *Mi serve un cacciavite*, I need a screwdriver; *Ti serve nulla?*, is there anything you need?; *Mi servirebbe un cappotto nuovo*, I could do with a new coat **C servirsi v. i. pron. 1** (*usare*) to use (st.): **servirsi di un dizionario**, to use a dictionary; **servirsi di un esempio**, to use an example; *Si sono serviti di te*, they used you **2** (*prendere*) to help oneself (to): *Prego, si serva*, please help yourself; *Serviti pure*, do help yourself; *Mi servo da me*, I'll help myself; **un negozio dove ci si serve da soli**, a self-service shop **3** (*fornirsi, essere cliente*) to buy* (st.); to get* (st.); to be a regular customer (of, at); (*di banca*) to bank (with): *Mi servo da quel libraio*, I buy (o I get) my books at that bookseller's; *Non mi servo da quella sarta*, I don't get my clothes made by that dressmaker; *Non mi servo spesso in quel negozio*, I am not a regular customer at that shop.

servita m. (*eccl.*) Servite.

servito a. **1** served (pred.): *Il pranzo è s.*, dinner is served; *La signora è servita?*, are you being served (o attended to), madam?; *Il signore è s.*, there you are, sir; (*scherz.*) there you are **2** (*poker*) – **essere s.**, to stand pat.

servitóra f. **1** servant; maid **2** (*fig.*) servant.

servitoràme m. **1** (*spreg.*) servants (pl.) **2** (*fig.*) (bunch of) lackeys (pl.).

servitóre m. **1** (*domestico*) manservant; man*; servant: **s. in livrea**, liveried servant; **fare il s.**, to be a servant **2** (*chi serve un ideale*) servant: **s. della patria**, servant to one's country **3** (*nelle formule di cortesia*) servant: *S. suo!*, your servant!; *Vostro s. umilissimo*, your most obedient servant **4** (*carrello*) serving trolley; (*attaccapanni*) clothes stand.

servitorésco a. (*spreg.*) servile; obsequious; oily.

servitù f. **1** (*stato, condizione*) servitude; (*schiavitù*) slavery, slavedom; (*cattività*) captivity, bondage: **s. della gleba**, serfdom; **la s. del peccato**, the slavery to sin; **ridurre in s.**, to reduce to slavery **2** (*fig.: legame, impedimento*) tie; constraints (pl.); chains (pl.) **3** (*insieme dei servitori*) servants (pl.); domestic staff: **quartieri della s.**, servants' quarters; **assumere altra s.**, to take on extra domestic staff **4** (*leg.*) servitude; easement: **s. apparente**, apparent easement; **s. di passaggio**, right of way; **s. passiva**, negative easement; **s. personale**, personal servitude; **s. prediale**, praedial (o real) servitude.

serviziévole a. helpful; obliging.

♦**servizio** m. **1** (*rapporto di subordinazione*) service; (*impiego*) employ: *Al suo s.!*, at your service!; **andare a s.**, to go out to (o to go into) service; **assumere al proprio s.**, to take into one's service; **avere venti anni di s.**, to have been twenty years with (a firm, etc.); to have worked twenty years for (a firm, etc.); **essere a s.**, to be in service; **essere al s. di q.**, to be in sb.'s employment; to work for sb.; **mettere q. a s.**, to put sb. out to (o into) service; **mettersi al s. di q.** (*a sua disposizione*), to place oneself at sb.'s service **2** (*attività di lavoro*) duty; work; (*prestazione, anche di macchina*) service; (*al pl.: faccende domestiche*) cleaning Ⓤ, chores (*fam.*): **s. assistenza**, servicing; (*soccorso stradale*) breakdown service; **s. a domicilio**, home delivery; **s. consegne**, delivery service; **s. di assistenza sociale**, welfare work; **s. di ristorazione**, catering; **s. informazioni**, information service; (*telef.*) directory enquiry; **s. notturno**, night duty; **piccoli servizi**, odd jobs; **entrare in s.**, to come into service; (*di macchina, impianto, nave*) to be commissioned; **essere di s.**, to be on duty; **fare s.**, (*di ufficio, ecc.*) to be open; (*di mezzo di tra-*sporto*) to run; (*di persona*) to be on duty; **essere in s.** (*di macchina, impianto, ecc.*), to be in use (o in service, in commission); to be working; **fornire un s.**, to provide a service; **non essere di s.**, to be off duty; **lasciare il s.**, (*dimettersi*) to resign (from one's post); (*andare in pensione*) to retire; (*di domestico*) to leave service; **prendere s.**, (*di impiegato*) to take up a job, to join a firm; (*di domestico*) to take service with sb.; (*cominciare il turno di lavoro*) to start work, to come (o to go on) duty; **prestare s.**, to work; (*di mezzo di trasporto*) to run; **fuori s.**, (*di persona*) not on duty, off duty; (*di macchina*) out of order; **donna di s.**, maid; **donna a mezzo s.**, part-time help; **personale di s.**, domestic staff; servants (pl.); **persona di s.**, servant; domestic; **ore di s.**, work time; **turno di s.**, shift; spell of duty; (*di poliziotto, ospedaliere, ecc.*) duty **3** (*al ristorante, ecc.*) service; (*come voce di conto, anche*) service charge: *S. incluso*, no service charge; *S. escluso*, service not included; *Il s. lascia molto a desiderare*, the service leaves much to be desired; *Il s. è compreso nel prezzo*, the service is included in the price **4** (*mil.*) service; (*singola prestazione*) duty: **s. civile**, community service; **s. di guardia**, guard duty; watch duty; **s. di pattuglia [di sentinella]**, patrol [sentry] duty; **s. di sicurezza**, security service; **s. militare obbligatorio** (*o di leva*), national (o military) service; **fare il s. militare**, to do one's national service; **servizi logistici**, supplies and communications; **essere in s. permanente effettivo**, to be a commissioned officer; **prestare s. in**, to serve in; **richiamare in s.**, to call up again; **di s.**, on duty; **ufficiale di s.**, duty officer; **in s. attivo**, on the active list **5** (*giorn.*) report; feature; story; (*radio, TV*) report, coverage: **s. in voce [in video]**, correspondent's report; **s. speciale**, special feature **6** (*favore, cortesia*) service; favour, favor (*USA*) good turn: **cattivo s.**, disservice; bad turn; **rendere un s. a q.**, to do sb. a service (o a favour); *Quello fu l'ultimo s. che gli resi*, that was the last favour I did him **7** (*spec. al pl.*) (*econ.*) service: **servizi bancari**, bank services; banking; **beni e servizi**, goods and services; **settore dei servizi**, service sector **8** (*fam.: faccenda, affare*) errand; task; job **9** (*prestazioni offerte da ente pubblico*) service; (*al pl.: attrezzature*) facilities: **s. aereo**, air service; **s. di autobus**, bus service; **s. ferroviario**, train service; **s. postale**, postal (o mail) service; **s. sanitario nazionale**, national health service; **s. telefonico**, telephone service; **servizi assistenziali**, welfare services; **servizi di pubblica utilità**, community service; **servizi di trasporto**, public transport; **servizi sociali**, social services; **servizi sportivi**, sports facilities; **pubblici servizi**, public services; utilities; **azienda di s. pubblico**, utility **10** (*org. az.: reparto, sezione*) department; division; service: **s. assistenza clienti**, customer service **11** (*giorn.: reparto di redazione*) desk: **s. cronaca**, city desk; **s. esteri**, foreign desk **12** (*eccles.*) service: **s. divino**, divine service; **s. funebre**, burial service **13** (*serie di oggetti*) service; set: **s. all'americana** (*da tavola*), place mats (pl.); **s. da tavola** (*o di piatti*), dinner service (o set); **s. da tè**, tea service (o set); **s. di porcellana**, china set; **s. di posate**, set of cutlery **14** (*al pl.: servizi igienici*) bathroom (sing.); bathroom and lavatory; (*cucina e bagno*) bathroom and kitchen: **appartamento con doppi servizi**, flat with two bathrooms **15** (*sport*) serve; service: *Ha un s. fortissimo*, she has a powerful serve; **battere il s.**, to serve; **perdere il s.**, to lose the service; **strappare il s.**, to break serve ● **s. segreto**, secret service; (*mil.*) intelligence service □ (*autom.*) **area di s.**, service area □ **ascensore di s.**, service lift □ **ingresso di s.**, back entrance □ **per s.** (*per lavoro*), on business: **viaggiare per s.**, to travel on business; **viaggio per s.**, business trip □ **porta di s.**, back door □ **scala di s.**, back stairs □ (*autom.*) **stazione di s.**, service (o filling) station □ (*prov.*) **fare un viaggio e due servizi**, to kill two birds with one stone.

♦**sèrvo** m. servant (*anche fig.*); (*schiavo*) slave: (*stor.*) **s. della gleba**, serf; **s. di Dio**, God's servant; *S. vostro!*, your servant! ● (*teatr.*) **s. di scena**, stage hand □ **s. muto**, (*tavolino*) dumbwaiter; (*attaccapanni*) clothes-stand □ **s. scala**, chair lift.

servoassìstere v. t. (*tecn.*) to servo-control.

servoassistìto a. (*tecn.*) servo-controlled; servo-assisted.

servocomàndo, **servocontròllo** m. (*tecn.*) servo control.

servofréno m. (*autom.*) power brake.

servomeccànica f. servoengineering.

servomeccànico a. (*tecn.*) servomechanical.

servomeccanìsmo m. (*tecn.*) servomechanism.

servomotóre m. (*tecn.*) servomotor.

servosistèma m. (*tecn.*) servo system.

servostèrzo m. (*autom.*) power steering.

sèsamo m. (*bot., Sesamum indicum*) sesame; til: **olio di s.**, sesame oil ● **Apriti, s.!**, open sesame!

sesamòide (*anat.*) a. e m. sesamoid.

sesduzióne f. (*biol.*) sexduction.

sèsia f. (*zool., Sesia*) clearwing (moth).

sesquiàltera f. (*mus.*) sesquialtera.

sesquiòssido m. (*chim.*) sesquioxide.

sesquipedàle a. (*lett.*) sesquipedalian.

sèssa f. (*geogr.*) seiche (*franc.*).

sessagenàrio a. e m. (f. **-a**) (*lett.*) sexagenarian.

sessagèsima f. (*eccl.*) Sexagesima (Sunday).

sessageṣimàle a. (*fis.*) sexagesimal.

sessagèṣimo a. (*lett.*) sixtieth.

sessàggio m. (*pollicoltura*) sexing.

♦**sessànta** a. num. card. e m. inv. sixty. (*Per gli esempi d'uso* → **cinquanta**).

sessantamila a. num. card. e m. inv. sixty-thousand.

sessantanòve m. (*volg.*) sixty-nine.

sessantaquattrèṣimo Ⓐ a. num. ord. e m. sixty-fourth **Ⓑ** m. (*tipogr.*) sixty-fourmo; 64mo.

sessantenàrio m. sixtieth anniversary.

sessantènne Ⓐ a. sixty-year-old (attr.); sixty years old (pred.); aged sixty **Ⓑ** m. e f. sixty-year-old person.

sessantènnio m. sixty-year period; period of sixty years; sixty years (pl.).

sessantèṣimo a. num. ord. e m. sixtieth.

sessantina f. **1** about sixty; sixty or so **2** (*60 anni di età*) sixty. (*Per gli esempi d'uso* → **cinquantina**).

sessantottésco a. relating to the 1968 protest movement; 1968 (attr.).

sessantottino m. (f. **-a**) activist in the 1968 protest movement.

sessantottìsmo m. ideology of the 1968 protest movement.

sessantòtto Ⓐ a. num. card. e m. inv. sixty-eight **Ⓑ** m. the 1968 protest movement.

sessàre v. t. (*pollicoltura*) to sex.

sessatóre m. (f. **-trice**) (*pollicoltura*) sexer.

sessennàle a. **1** (*che dura sei anni*) lasting six year; six-year (attr.); sexennial: **periodo s.**, six-year period **2** (*che ricorre ogni sei anni*) recurring every six years; sexennial.

sessènnio m. six-year period; (period of) six years.

sèssile a. (bot., zool., med.) sessile.

sessióne f. session: **s. autunnale**, autumn session; **s. di esami**, exam session; **s. plenaria**, plenary session; **riunito in s. straordinaria**, meeting in a special session.

sessìsmo m. sexism.

sessista a. m. e f. sexist.

♦**sèsso** m. **1** sex; (in un contesto sociale, anche) gender: **il s. femminile**, the female sex; (le donne) womankind, women (pl.); **il s. maschile**, the male sex; (gli uomini) men (pl.); **l'altro s.**, the opposite sex; **il s. debole**, the weaker sex; **il s. forte**, the sterner sex; **il gentil** (o **bel**) **s.**, the fair sex; **di s. femminile**, female (agg.); **di s. maschile**, male (agg.); **d'ambo i sessi**, of both sexes; **cambiare s.**, to change sex; **senza s.**, sexless; **antagonismo fra i sessi**, sex antagonism; **divario salariale tra i sessi**, gender pay gap; **uguaglianza tra i sessi**, gender equality; **cambiamento di s.**, sex change; **discriminazione in base al s.**, sex (o sexual, gender) discrimination **2** (attività sessuale) sex: **s. sicuro**, safe sex; **fare s.**, to have sex; **un film pieno di scene di s.**, a film full of explicit sex **3** (organi genitali) sex; genitals (pl.) ● (fig.) **discutere del s. degli angeli**, to waste time on an imaginary problem.

sèssola f. (naut.) bailer.

sessuàle a. sexual; sex (attr.); (in un contesto sociale, anche) gender (attr.): **attività s.**, sexual activity; sex; **atto s.**, sex act; **caratteri sessuali**, sexual traits; (zool.) **dimorfismo s.**, sexual dimorphism; **discriminazione s.**, sex (o gender) discrimination; sexism; **educazione s.**, sex education; **identità s.**, gender identity; **malattie sessuali**, sexually transmitted (o venereal) diseases; **maniaco s.**, sex maniac; **molestie sessuali**, sexual harassment; **organi sessuali**, sex (o sexual organs); **ormone s.**, sex hormone; **rapporti sessuali**, sexual intercourse Ⓤ; sex Ⓤ; **reato s.**, sex crime; **rivoluzione s.**, sexual revolution; **riproduzione s.**, sexual reproduction; **vita s.**, sex life.

sessualità f. sexuality.

sessualizzazióne f. (biol.) sexualization.

sessuàto a. (biol.) sexed.

sessuofobìa f. (psic.) sex phobia.

sessuofòbico a. relating to sex phobia.

sessuòfobo m. (f. **-a**) sufferer from sex phobia.

sessuologìa f. sexology.

sessuològico a. sexological.

sessuòlogo m. (f. **-a**) sexologist.

sessuòmane Ⓐ m. e f. sex maniac Ⓑ a. oversexed.

sessuomanìa f. (psic.) sex mania.

sèsta f. **1** (eccl.) sext **2** (mus.) sixth: **s. maggiore** [**minore**], major [minor] sixth **3** (danza classica) sixth position **4** (scherma) sixte.

sestànte m. **1** (astron., naut.) sextant **2** (moneta romana) sextans*.

sestàrio m. (stor.) sextary.

sestèrzio m. (moneta romana) sesterce.

sestétto m. (anche mus.) sextet.

sestière m. (quartiere) district; ward.

sestile m. (astrol.) sextile.

sestìna f. **1** (poesia: composizione) sestina; (stanza) six-line stanza, (di sonetto) sestet **2** (mus.) sextuplet **3** (roulette) sixain (franc.); six-line.

♦**sèsto** ① Ⓐ a. num. ord. sixth: **s. grado**, sixth degree; **s. senso**, sixth sense; **sesta rima**, six-line stanza Ⓑ m. sixth.

sèsto ② m. (archit.) curve (of an arch): **arco a s. rialzato**, raised arch; **arco a tutto s.**, round arch.

sèsto ③ m. (disposizione normale, ordine) order: **mettere qc. in** (o **a**) **s.**, to put (o to set) st. in order; to put (o to set) st. straight (o right); to settle st.; **rimettere in s.**, to put (o to set) in order; to put straight; (una ditta, ecc.) to put back on its feet; (guarire) to set up, to get (sb.) back on his feet; **rimettersi in s.**, (finanziariamente) to recover financially; (ristabilirsi) to get well, to recover, to get back into shape; (riaggiustarsi) to tidy oneself up; **fuori s.**, (non allineato) out of true, (storto) crooked, awry; (che sta poco bene) out of sorts.

Sèsto m. Sextus.

sestogradista m. e f. (alpinismo) sixth-degree climber.

sestùltimo a. last but five; sixth from last.

sestuplicàre v. t. to multiply by six; to increase sixfold; to sextuple.

sestùplice a. (lett.) sextuple; sixfold.

sèstuplo Ⓐ a. sextuple; sixfold; six times as great (pred.) Ⓑ m. sextuple; sixfold amount; six times (pl.) as (+ agg. o avv.): **24 è il s. di 4**, 24 is six times (o the sextuple of) 4; **guadagnare il s.**, to earn six times as much; **alto il s.**, six times as high.

set (ingl.) m. inv. **1** (tennis) set **2** (cinem.) set: **sul set**, on set **3** (serie di oggetti) set: **set di valigie**, set of suitcases; **set di chiavi**, set of keys **4** (nécessaire) set; kit: **set da cucito**, sewing kit; **set da scrivania**, writing set.

♦**séta** f. silk: **s. artificiale**, artificial silk; **s. cangiante**, shot silk; **s. cruda**, raw silk; shantung; **s. da ricamo**, embroidery silk; **s. greggia**, raw silk; **s. lavata**, stone-washed silk; **s. pura**, real silk; **di s.**, (fatto di s.) silk (attr.), silken; (simile a s.) silken, silky; **abito di s.**, silk dress; **filato di s.**, silk yarn; **nastro di s.**, silken ribbon; **capelli di s.**, silken hair; **pelle di s.**, silky skin; **vestirsi di s.**, to dress in silk; **industria della s.**, silk industry; **la via della s.**, the silk route.

setacciàre v. t. **1** to sieve; to sift **2** (fig.) to sift (through); to go* through (st.) with a fine-tooth comb; (perquisire) to comb, to search: **s. un archivio**, to sift through an archive; *La polizia ha setacciato tutta la regione alla ricerca dei sequestratori*, the police have combed the whole district for the kidnappers.

setacciàta f. sieving; sifting.

setacciatùra f. **1** sieving; sifting **2** (fig.) sifting; screening; combing.

setàccio m. sieve; sifter: **passare al s.**, to put through a sieve; to sieve; to sift; (fig.) → **setacciare**, def. 2.

setàceo a. silklike; silky; silken.

setaiòlo m. (f. **-a**) **1** (commerciante) silk merchant; dealer in silks **2** (tessitore) silk weaver.

setàle m. (pesca) snood; snell (USA).

♦**séte** f. **1** thirst: **avere s.**, to be thirsty; (di pianta) to be dry, to need water; (di terreno) to be parched; **levarsi la s.**, to quench one's thirst; **morire di s.**, to die of thirst; (fig.) to be dying of thirst; *Le noccioline fanno venir s.*, peanuts make you thirsty **2** (fig.: desiderio ardente) thirst; longing; yearning; craving: **s. di ricchezza** [**d'onori, di vendetta**], thirst for wealth [for honours, for revenge]; **avere s. di qc.**, to thirst for (o after) st.; to lust after (o for) st.; to yearn for (o after) st.; to crave (for) st.; **avere s. di potere**, to crave power; **avere s. di sangue**, to lust for blood; to be bloodthirsty; **avere s. di vendetta**, to thirst for revenge.

seterìa f. **1** → **setificio 2** (al pl.: filati, tessuti di seta) silk goods (pl.); silks (pl.).

setificàto a. silky; with a silky finish.

setifìcio m. silk mill; silk factory.

sétola f. bristle: **pura s.**, natural bristle;

pennello di setole, bristle brush.

setolino m. bristle brush.

setolóso, setolùto a. bristly; bristled; setose; setaceous.

setóne m. (vet.) seton.

setosità f. silkiness.

setóso a. silklike; silky; silken.

Sett. abbr. (**settembre**) September (Sept.).

sètta f. **1** sect: **spirito di s.**, sectarian spirit **2** (società segreta) secret society.

♦**settànta** a. num. card. e m. inv. seventy. (Per gli esempi d'uso → **cinquanta**) ● (Bibbia) **i S.** (o **la versione dei S.**), the Septuagint □ (fig.) **s. volte sette**, seventy times seven.

settantamila a. num. card. e m. inv. seventy thousand.

settantenàrio Ⓐ a. recurring every seventy years Ⓑ m. seventieth anniversary.

settantènne Ⓐ a. seventy-year-old; seventy years old (pred.); aged seventy (pred.) Ⓑ m. e f. seventy-year-old person.

settantènnio m. seventy-year period; (period of) seventy years.

settantèsimo a. num. ord. e m. seventieth.

settantìna f. **1** about seventy; seventy or so **2** (70 anni di età) seventy. (Per gli esempi d'uso → **cinquantina**)

settàre v. t. (tecn.) to set*.

settàrio Ⓐ a. **1** (di setta) sectarian **2** (fazioso) sectarian; factious; partisan: **spirito s.**, sectarian (o partisan) spirit Ⓑ m. (f. **-a**) **1** (appartenente a una setta) sectary; sectarian **2** (persona faziosa) sectarian; factious person.

settarìsmo m. sectarianism; partisanship.

settàto a. (biol.) septate.

♦**sètte** Ⓐ a. num. card. e m. inv. seven; (nelle date) the seventh; (il numero) number seven: **i s. peccati mortali**, the seven deadly sins; **le s. virtù**, the seven virtues; **il 7 di maggio**, the seventh of May; May, 7th; **la città dei s. colli**, the Seven-Hilled City; **la guerra dei s. anni**, the Seven Years' War; **un ragazzo di s. anni**, a boy of seven; a seven-year-old (boy); *Sono le* (ore) *s.*, it's seven (o'clock); **prendere** (un) **s. in un tema**, to get seven (out of ten) in an essay ● (fig.) **chiudere qc. con s. sigilli**, to close st. hermetically (o tightly) Ⓑ m. inv. **1** (strappo) tear: **farsi un s. nei pantaloni**, to tear in one's trousers **2** (sport) water polo team.

settebèllo m. (carte da gioco) seven of diamonds.

settecentésco a. eighteenth-century (attr.): **l'arte** [**la letteratura**] **settecentesca**, eighteenth-century art [literature].

settecentèsimo a. num. ord. e m. seven-hundredth.

settecentista m. e f. **1** (arte, letter.) eighteenth-century writer [artist, etc.] **2** (specialista del Settecento) eighteenth-century specialist.

settecentìstico a. eighteenth-century (attr.).

settecènto Ⓐ a. num. card. seven hundred Ⓑ m. **1** (il numero) seven hundred **2** (il secolo) (the) eighteenth century: **gli scrittori del S.**, eighteenth-century writers.

♦**settèmbre** m. September. (Per gli esempi d'uso → **aprile**).

settembrino a. September (attr.); in September: **giornata settembrina**, September day.

settemila a. num. card. e m. seven thousand.

settèmplice a. (lett.) sevenfold.

settenàrio Ⓐ a. **1** (metrica: di sei sillabe) of seven syllables, seven-syllable (attr.); (di

sei piedi) of seven and a half feet **2** (*mus.*) septuple: **misura settenaria**, septuple time **B** m. (*metrica*) seven-syllable line; (*metrica classica*) septenarius*.

settennàle a. **1** (*che dura sette anni*) seven-year (attr.): **piano s.**, seven-year plan **2** (*che avviene ogni sette anni*) occurring every seven years; septennial.

settennàto m. seven-year period; (*di carica pubblica*) seven-year term (of office).

settènne a. **1** (*di età*) seven-year-old (attr.); seven years old (pred.); aged seven (pred.); of seven **2** (*che dura sette anni*) seven-year.

settènnio m. seven-year period; (period of) seven years; septennium*.

◆**settentrionàle** **A** a. northern; north (attr.); northerly: **emisfero s.**, northern hemisphere; *Europa s.*, Northern Europe; *Italia s.*, Northern (o North) Italy; **lato s.**, north side; **paesi settentrionali**, northern countries **B** m. e f. northerner.

settentrionalìsmo m. **1** (*polit.*) tendency to support the political and economical predominance of Northern Italy over Southern Italy **2** (*ling.*) Northern Italian idiom.

settentrionalìsta m. e f. supporter of «settentrionalismo».

settentrionalìstico a. of or relative to «settentrionalismo».

settentrióne m. **1** north: **dirigersi a s.**, to head north; **esposto a s.**, facing north; **verso s.**, north; northward **2** (*regione settentrionale*) North: **il s. d'Italia**, the North of Italy; North Italy.

settenviràto, **settènviro** → **settemvirato**, **settemviro**.

sètter m. inv. (*zool.*) setter.

setticemìa f. (*med.*) septicaemia; blood poisoning.

setticèmico a. (*med.*) septicaemic.

setticlàvio m. (*mus.*) (system of) seven clefs.

sèttico a. (*med.*) septic: **ferita settica**, septic wound.

sèttima f. **1** (*mus.*) seventh **2** (*scherma*) septime.

◆**settimàna** f. **1** week: **s. bianca**, winter holiday week; (a) week's skiing; **s. corta**, five-day week; **s. lavorativa**, working week; **la s. prossima**, next week; **S. Santa**, Holy Week; **la s. scorsa**, last week; **due settimane**, two weeks; a fortnight (sing.); **una s. dopo l'altra**, week after week; week in, week out; **tre lezioni alla s.**, three lessons a week; **soggiorno di una s.**, week-long stay; **vacanza di sei settimane**, six weeks' holiday; **a metà s.**, halfway through the week; midweek (avv. e agg.); **entro questa s.**, by the end of this week; **fra una s.**, in a week's time; in a week; **fra due settimane**, in two weeks' time; in a fortnight; **in s.**, before the end of the week; within the week; **ogni due** [**tre**] **settimane**, every two [three] weeks; every other [third] week; **pagare a s.**, to pay by the week; **fine s.**, weekend **2** (*salario di una s.*) week's pay; week's wages (pl.) **3** (*gioco di ragazzi*) hopscotch.

◆**settimanàle** **A** a. weekly; week's (attr.): **incontri settimanali**, weekly meetings; **paga s.**, weekly (o week's) pay; **pubblicazione s.**, weekly publication **B** m. (*periodico*) weekly (magazine): **s. di moda**, fashion weekly.

settimanalménte avv. weekly; every week; once a week; (*a settimana*) by the week: **incontrarsi s.**, to meet once a week; **pagare s.**, to pay by the week.

settimìno **A** a. seven-month-premature **B** m. **1** seven-month-premature baby; baby born at seven months: **nascere s.**, to be

---

born at seven months **2** (*mus.*) septet.

Settìmio Sevèro m. (*stor.*) Septimius Severus.

◆**sèttimo** a. num. ord. e m. seventh: **il s. giorno**, the seventh day; **il s. sigillo**, the seventh seal; *Enrico S.*, Henry the Seventh; **due alla settima**, three to the power of seven; **tre settimi**, three sevenths; **classificarsi s.**, to rank (o to come) seventh ● (*fig.*) **essere al s. cielo**, to be in the seventh heaven; to be on cloud nine (*fam.*).

sètto m. **1** (*anat.*) septum*: **s. nasale**, nasal septum **2** (*bot.*) dissepiment **3** (*edil.*) diaphragm; separator; partition.

settóre① **A** m. (f. **-trice**) (*med.*) dissector; prosector **B** a. – **perito s.**, forensic surgeon.

◆**settóre**② m. **1** (*mat.*) sector: **s. circolare**, sector of a circle; **s. sferico**, sector of a sphere **2** (*sezione, parte, anche comput.*) sector; (*in un'aula*) seats (pl.): **s. dentato**, sector gear; **s. rotante**, sector dish; **proteste dal s. radicale**, protest from the Radical seats; **dividere in settori**, to section **3** (*porzione, parte*) section: **s. rappresentativo**, cross-section **4** (*area, zona, anche mil.*) sector; area; zone: **s. di tiro**, fire sector; firing area **5** (*fig.: ramo, campo di attività*) sector; area; field; sphere; (*econ., anche*) trade, industry: **il s. alimentare**, the food industry; **s. commerciale**, business sector; trade; **il s. della moda**, the fashion industry; **il s. della pesca**, the fishing industry; **il s. della ricerca scientifica**, the field of scientific reasearch; **s. dei servizi**, service sector; **s. monetario**, monetary field; **s. primario**, primary sector; **s. privato**, private sector; **s. telefonico**, telephone area; **s. terziario**, tertiary sector; **s. tessile**, textile industry **6** (*reparto*) department; division: **s. vendite**, sales division.

settoriàle a. **1** (*mat.*) sectoral **2** (*fig.: particolare, circoscritto*) sectional; circumscribed; restricted: **interessi settoriali**, sectional interests ● **linguaggio s.**, jargon.

settorialìsmo m. sectionalism; narrow outlook; parochialism.

settorialìstico a. narrow; parochial; limited.

settorializzazióne f. **1** (*divisione in settori*) rigid sectionalization **2** (*visione settoriale*) narrow outlook; parochialism.

settrìce f. (*mat.*) bisecting curve.

settuagenàrio a., m. (f. **-a**) septuagenarian.

settuagèsima f. (*eccles.*) Septuagesima (Sunday).

settuagèsimo a. (*lett.*) seventieth.

settuplicàre v. t. to multiply by seven; to increase sevenfold; to septuple.

sèttuplo **A** a. sevenfold; septuple; seven times as great **B** m. sevenfold amount; seven times (pl.) as much: **42 è il s. di 6**, 42 is seven times 6; **rendere il s.**, to yield seven times as much.

severaménte avv. severely; strictly; sternly: **s. proibito**, strictly forbidden; **punire s.**, to punish severely (o with severity); **trattare q. s.**, to be strict with sb.; to be hard on sb. (*fam.*).

severità f. **1** (*rigore*) strictness; sternness; severity; rigour: **la s. di un insegnante**, the strictness of a teacher; **punire con s.**, to punish with severity (o severely); **usare s. con q.**, to be strict with sb. **2** (*serietà, austerità*) severity, austerity, sternness; (*sobrietà*) severity, starkness: **s. di vita**, austerity of life; **s. di linee**, severity (o starkness) of lines **3** (*gravità*) severity; seriousness.

◆**sevèro** a. **1** (*rigoroso*) strict; stern; severe; harsh; rigid; rigorous: **costumi severi**, strict morals; **genitore s.**, strict parent; **giudice s.**, severe judge; **punizione severa**, severe

---

(*o harsh*) punishment; **sguardo s.**, stern look; scowl; **severa sorveglianza**, strict surveillance; **essere s. con i propri alunni**, to be strict with one's pupils **2** (*serio, austero*) stern, austere, severe, serious; (*sobrio*) severe, stark: **espressione severa**, stern expression; **le linee severe di un palazzo**, the severe (o stark) lines of a building **3** (*grave, rilevante*) severe; serious: **severa sconfitta**, severe defeat.

sevìzia f. (spec. al pl.) **1** (*tortura*) torture: **sottoporre a sevizie**, to torture; **subire sevizie**, to undergo torture **2** (*fig.: angheria*) maltreatment ⓤ; (*persecuzione*) persecution, harassment ⓤ, bullying ⓤ.

seviziàre v. t. **1** (*torturare*) to torture **2** (*fig.: maltrattare*) to maltreat; to ill-treat; (*tormentare*) to persecute, to harass, to bully.

seviziatóre m. (f. **-trice**) **1** torturer **2** (*fig.*) tormentor; harasser; bully.

sévo m. tallow.

sex appeal (*ingl.*) loc. m. inv. sex appeal: **essere dotato di sex appeal**, to have sex appeal; to be sexy.

sexy (*ingl.*) a. sexy.

Sez. abbr. (**sezione**) section (sec.).

sezionàle a. sectional.

sezionaménto m. **1** sectioning **2** (*med.*) dissection.

sezionàre v. t. **1** to section **2** (*med.*) to dissect **3** (*elettr.*) to disconnect.

sezionatóre m. (*elettr.*) isolator; disconnecting switch.

sezionatùra f. → **sezionamento**.

◆**sezióne** f. **1** (*chir.*) section; (*anat.*) dissection **2** (*mat.*) section: **s. aurea**, golden section; **s. conica**, conic section; (*fis.*) **s. d'urto**, cross-section; **piano di s.**, section plane **3** (*tecn., archit.*) section; (*spaccato*) cutaway view: (*aeron.*) **s. alare**, wing section; (*naut.*) **s. maestra**, midship section; **s. orizzontale** [**longitudinale, verticale**], plane (o horizontal) [longitudinal, vertical] section; **s. ribaltata**, revolved section; **s. trasversale**, cross-section; **in s.**, in section; cutaway (agg.) **4** (*parte*) part; section; segment; subdivision; compartment: **le sezioni d'un libro**, the sections (o the subdivisions) of a book; **una s. della popolazione**, a segment of the population; (*mus.*) **la s. degli ottoni**, the brass section; (*mus.*) **s. ritmica**, rhythm section **5** (*ripartizione di organizzazione, ufficio, ecc.*) division; department; bureau; branch; (*a scuola*) course; (*leg.*) **s. civile** [**penale**], civil [criminal] division; **s. di lingue straniere**, foreign languages department; **s. di partito**, local branch of a party; **s. di polizia**, local police station; **s. elettorale**, electoral division; polling station; **s. vendite**, sales division; **capo di s.**, head of division **6** (*mil.*) section; unit: **s. di mitragliatrici**, machine-gun section.

sfaccendàre v. i. (*fam.*) to be busy; to bustle about: **s. per casa**, to be busy about the house; to do the housework.

sfaccendàto **A** a. idle **B** m. (f. **-a**) idler; loafer; layabout: *Il bar era pieno di sfaccendati*, the bar was full of loafers; *Quello s. di tuo figlio!*, that layabout son of yours!

sfaccettàre v. t. **1** to facet **2** (*fig.*) to analyze; to examine in detail; to look into all the aspects of: **s. una questione**, to look into all the aspects of a question.

sfaccettàto a. **1** faceted **2** (*fig.*) many-sided; multifaceted.

sfaccettatùra f. **1** (*operazione*) faceting **2** (*faccette*) facets (pl.) **3** (*fig.*) aspect; facet.

sfacchinàre v. i. (*fam.*) to slave away; to slog; to drudge.

sfacchinàta f. (*fam.*) hard work ⓤ; sweat (*fam.*); grind (*fam.*); (*anche di viaggio, ecc.*) slog (*fam.*): *Il trasloco è stato una vera s.*,

moving has been really hard work; *Arrivammo dopo una s. di sei ore*, we got there after a six-hour slog.

sfacciatàggine f. impudence; effrontery; impertinence; gall; cheek (*fam.*); nerve (*fam.*); sass (*fam. USA*): **avere la s. di fare qc.**, to have the impudence (*o* the gall) to do st.; *Ci vuole una bella s.!*, that takes some cheek!; *Che s.!*, what cheek!; the cheek of it!

sfacciataménte avv. impudently; shamelessly; brazenly; cheekily.

sfacciatèllo ▲ a. cheeky; saucy; sassy (*USA*) ▣ m. (f. **-a**) cheeky boy (f. girl); minx (f.); hussy (f.).

sfacciàto ▲ a. **1** impudent; cheeky (*fam.*); fresh (*fam.*); sassy (*fam. USA*) (*svergognato*) shameless, brazen: **menzogna sfacciata**, impudent (*o* brazen) lie; **risposta sfacciata**, impudent (*o* cheeky) answer; **ragazza sfacciata**, cheeky girl; shameless girl **2** (*eccessivo*, *spudorato*) shameless: **sfacciata adulazione**, shameless flattery; **fortuna sfacciata**, shameless good luck **3** (*vistoso*) loud; gaudy; garish; saucy; showy: **rosso s.**, loud red; **tinte sfacciate**, gaudy colours ▣ m. (f. **-a**) impudent person; cheeky person: **fare lo s.**, to be cheeky; *È un bello s.!*, he's got some cheek (*o* nerve)!

sfacèlo m. **1** (*med.*) necrosis; decomposition **2** (*fig.: disfacimento*) decay, dissolution, rot, breakdown, break-up, collapse; (*rovina*) ruin, wreck, disaster, shambles: **lo s. di una famiglia**, the break-up of a family; **lo s. di un impero**, the dissolution (*o* collapse) of an empire; **s. morale**, moral decay; **in s.**, decaying; collapsing; in ruins; going to pieces; in shambles; broken-up (agg.); dilapidated (agg.); **azienda in s.**, collapsing firm; **edificio in s.**, dilapidated (*o* crumbling, tumbledown) building; **partito in s.**, party in shambles; **andare in s.**, to fall apart; to go to pieces; to go to the dogs (*fam.*); **frenare lo s.**, to stop the rot; *Che s.!*, what a disaster! what a shambles!

sfagiolàre v. i. (*fam.: andare a genio*) to intrigue; to grab (*fam.*); to like (pers.); to be keen on (pers.): *La tua idea mi sfagiola*, your plan intrigues me; *Quel tizio non mi sfagiola*, I'm not keen on that guy.

sfagliàre ① v. t. e i. (*alle carte*) to discard; to throw* away.

sfagliàre ② v. i. (*di animale*) to shy.

sfàglio ① m. (*alle carte*) discarding; (*carta scartata*) discard.

sfàglio ② m. (*di animale*) shy.

sfagnéto m. sphagnum bog.

sfàgno m. (*bot.*, *Sphagnum*) sphagnum*; peat moss.

sfàlcio m. (*agric.*) mowing.

sfaldàbile a. **1** flaky; scaly **2** (*miner.*) spathic.

sfaldaménto m. **1** flaking; scaling; exfoliation **2** (*fig.*) decay; crumbling; breakdown; collapse.

sfaldàre ▲ v. t. to flake; to scale; to exfoliate ▣ **sfaldàrsi** v. i. pron. **1** to flake (off); to scale; to exfoliate **2** (*fig.*) to crumble; to break* up; to collapse.

sfaldatùra f. **1** flaking; scaling; exfoliation **2** (*miner.*) cleavage: **piano di s.**, cleavage plane.

sfalerite f. (*miner.*) sphalerite.

sfalsaménto m. stagger; staggering.

sfalsàre v. t. **1** to stagger **2** (*deviare, scansare*) to parry; to deflect **3** (*mettere fuori sincronia*) to throw* out of step; to throw* out of sync (*o* of phase).

sfalsàto a. **1** staggered: **piani sfalsati**, staggered planes **2** (*non sincronizzato*) out of step; out of phase.

sfamàre ▲ v. t. to appease (sb.'s) hunger; (*dare da mangiare*) to feed*: **abbastanza da s.**

un esercito, enough to feed an army ▣ **sfamàrsi** v. rifl. to appease one's hunger; to eat one's fill; to have enough to eat; (*mangiare*) to eat*: **avere [non avere] di che sfamarsi**, to have enough [nothing] to eat.

sfangaménto m. (*ind. min.*) de-sliming.

sfangàre ▲ v. t. **1** (*pulire dal fango*) to clean the mud off (st.) **2** (*ind. min.*) to de-slime **3** – (*fam.*) **sfangarla** (*o* **sfangarsela**), (*cavarsela*) to get off, to get away with it; (*evitare qc.*) to get out of st., to shirk st., to cop out ▣ v. i. (*fam.*) to wade through mud.

sfangatóre m. (*ind. min.*) de-slimer.

sfàre ▲ v. t. to undo* (→ **disfare**) ▣ **sfàrsi** v. i. pron. **1** → **disfarsi 2** (*sciogliersi*) to melt **3** (*di cibo: perdere consistenza*) to go* watery; to go* soggy (*o* mushy): *La mousse si è sfatta*, the mousse has gone all watery; *I fagioli si sono sfatti*, the beans have gone mushy **4** (*sbriciolarsi*) to crumble **5** (*di persona*) to get* flabby; (*di faccia*) to sag.

sfarfallaménto ① m. (*zool.*) emerging from the cocoon (*o* from the pupal case).

sfarfallaménto ② m. **1** (*di immagine, luce*) flicker; flickering **2** (*mecc.*) flutter (*autom.*) wobble, shimmy: **s. delle ruote anteriori**, front-wheel wobble **3** (*fig.*) volatility; fickleness.

sfarfallàre ① v. i. (*zool.*) to emerge from the cocoon (*o* the pupal case).

sfarfallàre ② v. i. **1** (*svolazzare*) to flutter; to flit about **2** (*fig.: essere incostante*) to be fickle; to flutter about **3** (*fig.: fare un errore*) to make* a howler (*o* howlers) **4** (*di luce, immagine*) to flicker **5** (*mecc.*) to flutter; (*autom.*) to wobble, to shimmy.

sfarfallatùra f. → **sfarfallamento** ①.

sfarfalleggiàre → **sfarfallare** ②, *def. 1 e 2*.

sfarfallìo m. **1** (*lo svolazzare*) fluttering; flitting about **2** → **sfarfallamento** ②.

sfarfallóne m. (*fam.*) howler: **fare uno s.**, to make a howler.

sfarinaménto m. pulverization; crumbling.

sfarinàre ▲ v. t. **1** (*ridurre a farina*) to grind* to flour **2** (*ridurre in polvere*) to reduce to powder; to pulverize; (*sbriciolare*) to crumble ▣ v. i. e **sfarinàrsi** v. i. pron. **1** to be reduced to powder; to pulverize; (*sbriciolarsi*) to crumble: **terriccio che (si) sfarina**, crumbly soil **2** (*disfarsi, sciogliersi*) to dissolve; to melt: **sfarinarsi in bocca**, to melt in the mouth **3** (*fig.: disgregarsi*) to crumble; to disintegrate.

sfarinàto ▲ a. **1** pulverized; powdery **2** (*di mela, patata, ecc.*) floury; mealy ▣ m. (*ind.*) flour; meal.

sfàrzo m. dazzling display; magnificence; pomp; (*ostentazione*) ostentation: **arredato con s.**, sumptuously furnished.

sfarzosità f. **1** (*sontuosità, lusso*) sumptuousness; splendour; magnificence **2** (*vistosità*) gaudiness; showiness.

sfarzóso a. **1** (*sontuoso, lussuoso*) sumptuous; magnificent; lavish; splendid; grand; luxurious; opulent: **appartamento s.**, sumptuous flat; **arredamento s.**, opulent furnishings; **vesti sfarzose**, splendid clothes **2** (*vistoso*) ostentatious; gaudy; flamboyant; showy: **lusso s.**, ostentatious luxury.

sfasaménto m. **1** (*elettr.*) phase shift **2** (*fig.: non coincidenza*) (time) lag; lack of sync (*fam.*); (*banca, rag.*) mismatch **3** (*fig.: disorientamento*) bewilderment; confusion.

sfasàre v. t. **1** (*elettr.*) to put* out of phase **2** (*banca, rag.*) to mismatch **3** (*fig. fam.: disorientare*) to bewilder, to confuse; (*scombussolare*) to unsettle.

sfasàto a. **1** (*elettr.*) out of phase **2** (*di motore*) with faulty timing **3** (*fig.: in contrasto*)

out of step; out of sync (*fam.*) **4** (*fig. fam.: disorientato*) bewildered, confused, fazed (*USA*); (*scombussolato*) unsettled, out of sorts.

sfasatóre m. (*elettr.*) phase shifter.

sfasatùra f. → **sfasamento**.

sfasciacarròzze m. e f. inv. (*autom.*) car wrecker; car breaker.

sfasciaménto m. **1** (*lo sfasciare*) smashing; wrecking; breaking up **2** (*lo sfasciarsi*) crumbling; collapse; breakdown.

sfasciàre ① v. t. **1** (*liberare dalla fasciatura*) to unbandage; to remove the bandage from; to unswathe **2** (*un neonato*) to unswaddle; (*togliere il pannolino*) to take the nappy off (*a baby*).

sfasciàre ② ▲ v. t. **1** (*fracassare*) to smash; to wreck: **s. una sedia**, to smash a chair; **s. una macchina**, to wreck a car; *Ha sfasciato la moto contro un palo*, he crashed his motorbike into a post **2** (*demolire, smantellare*) to demolish; to dismantle; (*autom.*) to wreck ▣ **sfasciàrsi** v. i. pron. **1** (*rompersi*) to break* up; to come* apart; to fall* to pieces; to disintegrate; (*fracassarsi*) to smash, to crash, to get* smashed, to be wrecked: *Come l'ho presa in mano la scatola si è sfasciata*, the box came apart (*o* disintegrated) the moment I picked it up; *L'auto si sfasciò contro un muro*, the car crashed into a wall; *La sedia gli si è sfasciata sotto*, the chair collapsed under him **2** (*fig.; andare in rovina, crollare*) to crumble; to fall* apart; to break* up; to disintegrate: *L'impero si sfasciò nel giro di mezzo secolo*, within the next fifty years the empire had crumbled (*o* was in ruin); *Morta la madre, la famiglia si sfasciò*, after the mother died the family broke up **3** (*fig.: perdere la snellezza*) to get* flabby; to become* shapeless.

sfasciàto ① a. **1** (*senza bende*) unbandaged; unswathed **2** (*di neonato*) unswaddled.

sfasciàto ② a. **1** (*a pezzi*) smashed; wrecked; in pieces **2** (*fig.: distrutto, in rovina*) broken; in ruin; wrecked: **una famiglia sfasciata**, a broken home; **un impero s.**, an empire in ruin **3** (*fig., di persona o del corpo*) flabby; shapeless.

sfasciatùra f. unbandaging; (*di neonato*) unswaddling.

sfascicolàre v. t. to break* up (*a book*) into (*its*) sections (*o* signatures).

sfàscio m. (*rovina, sfacelo*) collapse, breakdown, ruin; (*caos*) chaos, shambles, havoc: **lo s. del servizio postale**, the chaos (*o* the shambles) in the mail service; **essere allo s.**, to be about to collapse; to be in total chaos; to be a shambles; to be going to the dogs (*fam.*); **mandare allo s.**, to ruin; to destroy; to wreak havoc in.

sfascìsmo m. (*polit.*) defeatism.

sfascìsta a., m. e f. (*polit.*) defeatist.

sfasciùme m. **1** debris; rubble; ruins (pl.); (*rottami*) wreckage **2** (*fig.: sfacelo*) ruin; chaos; shambles **3** (*geol.*) scree; debris: **s. morenico**, morainic scree.

sfataménto m. exploding; discrediting; debunking (*fam.*).

sfatàre v. t. to discredit; to explode; to destroy; to debunk (*fam.*): **s. una diceria**, to discredit a rumour; **s. una leggenda**, to explode (*o* to debunk) a myth.

sfaticàre v. i. (*region.*) to slave away; to slog; to drudge.

sfaticàto ▲ a. (*region.*) idle; lazy ▣ m. (f. **-a**) idler; layabout; (*scansafatiche*) shirker.

sfàtto a. **1** (*disfatto*) undone; unmade: **letto s.**, unmade bed **2** (*liquefatto*) melted: **cera sfatta**, melted wax **3** (*troppo cotto*) overcooked; (*fradicio*) soggy, mushy: **patate sfatte**, soggy potatoes **4** (*troppo maturo*) overripe **5** (*appesantito, sformato*) flabby: **corpo**

s., flabby figure.

sfavillaménto m. sparkle; glitter; flashes (pl.).

sfavillànte a. sparkling; glittering; flashing; (*raggiante*) radiant: **occhi sfavillanti**, sparkling eyes; **rubino s.**, flashing ruby; **sole s.**, radiant sun.

sfavillàre v. i. 1 (*emettere faville*) to send* out sparks 2 (*scintillare*) to sparkle; to glitter 3 (*fig.*) to sparkle; (*essere raggiante*) to be radiant, to glow: **occhi che sfavillano di gioia**, eyes sparkling with joy; *Il suo viso sfavillava di felicità*, his face was radiant (*o* was glowing) with happiness.

sfavillìo m. sparkling; glittering.

sfavóre m. disfavour, disfavor (*USA*); disapproval; (*discredito*) discredit: **guardare con s. a qc.**, to look on st. with disapproval (*o* disfavour); to frown upon st., to disapprove of st.; **a s. di**, against; to the disadvantage of; **decidere a s. di qc.**, to decide against st.; **giocare a s. di**, to work against; to weigh against; **votare a s.**, to vote against; **vento a s.**, contrary wind.

sfavorévole a. (*non propizio*) unfavourable, unfavorable (*USA*), ill, bad, (*contrario*) adverse, contrary, hostile; (*negativo*) negative: **circostanza s.**, unfavourable circumstance; **condizioni sfavorevoli**, unfavourable (*o* adverse) conditions; **giuria s.**, hostile jury; **momento s.**, bad time; unfavourable moment (*form.*); **opinione s.**, poor opinion; negative opinion; **risposta s.**, negative answer; **vento s.**, contrary wind; *La sua reazione fu s.*, she reacted unfavourably (*o* against it); **essere s. a qc.**, to be against st.; to take a dim view of st.; **dare voto s.**, to vote against; **ricevere un'impressione s. di**, to be unfavourably impressed by.

sfavorevolménte avv. unfavourably; negatively.

sfavorìre v. t. to be unfavourable to; to be against; to work against; (*ostacolare*) to hamper: *L'andamento del mercato sfavorisce gli investimenti*, the market trend is unfavourable to investments; *Questo sistema elettorale sfavorisce i partiti piccoli*, this electoral system works against small parties; *L'atleta fu sfavorito dal suolo bagnato*, the athlete was hampered by the wet ground.

sfavorìto **A** a. having the odds against one: *Sono partito s.*, I started with the odds against me **B** m. (f. **-a**) (*sport e fig.*) underdog.

sfebbràre v. i. to be no longer feverish: *Il paziente è sfebbrato*, the patient is no longer feverish; the patient's temperature has come down; *Questa medicina ti farà s.*, this medicine will bring your temperature down.

sfebbràto a. no longer feverish.

sfècide m. (*zool.*) digger wasp; (al pl., *scient.*) Sphecidae.

sfegatàrsi v. i. pron. (*fam.*) to strain oneself; to wear* oneself out: *Non sfegatarti a difenderlo*, don't strain yourself to defend him.

sfegatàto a. (*fam.*) enthusiastic; ardent; avid; (*fanatico*) fanatic, rabid; (*incallito*) inveterate: **ammiratore s.**, ardent fan; **giocatore s.**, inveterate gambler; **melomane s.**, ardent opera lover; opera buff; **repubblicano s.**, ardent republican; **tifoso s.**, enthusiastic supporter.

sfeltràre v. t. (*ind. tess.*) to pluck.

sfeltratùra f. (*ind. tess.*) plucking.

sfenodónte m. (*zool., Sphenodon punctatum*) tuatara.

sfenoidàle a. (*anat.*) sphenoid, sphenoidal.

sfenòide m. 1 (*anat.*) sphenoid (bone) 2

(*miner.*) sphenoid; dome.

♦**sfèra** f. 1 (*geom.*) sphere: **la superficie [il volume] della s.**, the area [the volume] of the sphere 2 (*corpo, oggetto sferico*) sphere; ball; globe; orb: **s. armillare**, armillary sphere; **s. celeste**, celestial sphere; **s. di cristallo** (*di indovino*), crystal ball; (*sport*) **s. di cuoio**, football; **la s. terrestre**, the globe; **a s.**, spherical; **cuscinetto a sfere**, ball bearing; **la musica delle sfere**, the music of the spheres; **penna a s.**, ballpoint pen 3 (*region.: lancetta di orologio*) hand 4 (*parte dell'ostensorio*) orb (of a monstrance) 5 (*fig.: condizione sociale*) rank; circle; place: **le alte sfere**, high circles; high places 6 (*fig.: ambiente*) sphere, circle, set; (*campo, ambito*) sphere, field, range, province: **s. d'azione**, sphere of action; **s. di competenza**, (one's) province (*o* department); **la s. delle idee astratte**, the field of abstract ideas; **s. d'influenza**, sphere of influence; **s. economica**, economic sphere; **s. privata**, private life; privacy; **s. sociale**, social sphere; **sfere accademiche**, academic spheres.

sferétta f. small sphere; spherule.

sfericità f. sphericity; roundness.

sfèrico a. 1 (*di sfera*) spherical: **astronomia sferica**, spherical astronomy; **superficie sferica**, spherical surface 2 (*a forma di sfera*) spherical; round; globe-shaped: **corpo s.**, spherical body.

sferilite → **sferolite**.

sferìre v. t. (*naut.: una vela*) to unbend*; (*un bozzello*) to unreeve*.

sferistèrio m. (*sport*) fronton.

sferoidàle a. spheroidal.

sferòide m. (*geom.*) spheroid.

sferolìte f. (*miner.*) spherulite.

sferòmetro m. spherometer.

sferracavàllo m. (*bot., Hippocrepis comosa*) horseshoe vetch.

sferragliaménto m. rattle; clatter; clank.

sferragliàre v. i. to rattle; to clatter; to clank.

sferràre **A** v. t. 1 (*un cavallo*) to unshoe* 2 (*liberare dalle catene*) to unchain; to unshackle; to unfetter 3 (*assestare*) to land; to deal*: **s. un colpo**, to deal a blow; to hit; **s. un calcio**, to plant a kick; to kick; **un cavallo che sferra calci**, a horse that kicks; **s. un pugno**, to land a punch; to punch 4 (*lanciare*) to launch; to deliver: **s. un assalto**, to launch an attack 5 (*naut., assol.*) to drag anchor **B** **sferràrsi** v. i. pron. 1 (*di cavallo*) to cast* (*o* to lose*) a shoe 2 (*avventarsi*) to throw* oneself (upon); to rush (upon).

sferratùra f. (*di cavallo*) unshoeing.

sferruzzàre v. i. to knit* (away).

sfèrula f. spherule.

sfèrza f. 1 whip; lash; scourge 2 (*fig.*) lash; lashing; scourge: **la s. della critica**, the lash of criticism; **la s. del vento**, the lashing of the wind; **la s. del sole**, the merciless rays of the sun.

sferzànte a. 1 lashing; whipping: **pioggia s.**, lashing rain 2 (*fig.: mordente*) scathing; cutting; biting: **parole sferzanti**, scathing (*o* biting) words; **risposta s.**, cutting reply.

sferzàre v. t. 1 to whip; to lash; to flog; to scourge: **s. un cavallo**, to whip a horse; *Fu sferzato sangue*, he was flogged until he bled; **s. l'aria con un bastone**, to swish a stick 2 (*battere*) to lash (against): *La pioggia sferzava i vetri*, the rain lashed against the panes; *Le onde sferzavano la spiaggia*, the waves lashed the beach 3 (*fig.: criticare*) to lash out at; to scourge; to chastise 4 (*fig.: incitare*) to goad; to incite.

sferzàta f. 1 lash (of the whip); slash: **prendere q. a sferzate**, to give sb. a lashing

2 (*fig.: critica pungente*) sharp rebuke; sharp criticism ▣ 3 (*fig.: incitamento*) goad.

sferzìno m. lash.

sfèrzo m. (*naut.*) 1 (*ferzo*) (sail) cloth 2 (*copertura*) tarpaulin.

sfiammàre **A** v. t. to reduce the inflammation of **B** v. i. to flare up; to blaze up **C** **sfiammàrsi** v. i. pron. to become* less inflamed.

sfiancaménto m. exhaustion; wearing out.

sfiancàre **A** v. t. 1 (*sfondare*) to break* through 2 (*spossare*) to exhaust; to tire* out; to wear* out; to do in (*fam.*); to fag out (*fam. GB*); (*un cavallo, ecc.*) to override*: *La salita mi sfiancò*, the climb exhausted me **B** **sfiancàrsi** v. i. pron. 1 (*sfondarsi*) to break* open; to burst*; to crack 2 (*spossarsi*) to exhaust oneself; to tire oneself out; to wear* oneself out.

sfiancàto a. 1 (*esausto*) exhausted; tired; out; worn out; done in (*fam.*); fagged (out) (*fam.*); knackered (*fam. GB*); pooped (*fam. USA*) 2 (*di animale*) hollow-flanked.

sfiataménto m. leakage; escape; exhaust.

sfiatàre **A** v. i. 1 (*fuoriuscire*) to leak; to escape; to vent 2 (*emettere vapori*) to give* off (st.); to let* out (st.): **un tubo che sfiata**, a pipe giving off steam [gas] **B** **sfiatàrsi** v. i. pron. 1 (*di strumento mus.*) to lose* tone; to crack 2 (*fam.: sgolarsi*) to talk oneself hoarse; to shout oneself hoarse: **sfiatarsi a chiamare q.**, to call sb. until one is hoarse; **sfiatarsi per spiegare qc.**, to talk oneself hoarse trying to explain st.; **sfiatarsi inutilmente**, to waste one's breath.

sfiatàto a. 1 (*di strumento mus.*) cracked 2 (*senza voce*) wheezy; (*rauco*) hoarse: **tenore s.**, wheezy tenor.

sfiatatóio m. 1 vent; airhole; blowhole; (*mecc.*) breather; (*edil.*) ventiduct, ventilator; (*min.*) blower 2 (*zool.*) blowhole; spiracle; blower (*fam.*).

sfiatatùra f. 1 → **sfiatamento** 2 (*apertura*) vent; blowhole.

sfiàto → **sfiatatoio**.

sfibbiàre v. t. to unbuckle; to unfasten; to unclasp.

sfibraménto m. enervation; enfeeblement; debilitation.

sfibrànte a. enervating; exhausting; draining; gruelling; nerve-racking: **attesa s.**, nerve-racking wait; **caldo s.**, exhausting (*o* enervating) heat; **lavoro s.**, exhausting (*o* gruelling) job.

sfibràre **A** v. t. 1 (*togliere le fibre a*) to remove the fibres from; to defibre; to decorticate 2 (*fig.*) to enervate; to drain; to exhaust, to wear* out; to sap (sb.'s) strength: *Il troppo lavoro lo ha sfibrato*, too much work has worn him out; he has overworked himself **B** **sfibràrsi** v. i. pron. to exhaust oneself; to wear* oneself out.

sfibràto a. 1 (*privo di fibre*) defibrated; decorticated 2 (*fig.*) enervated; drained; exhausted; worn out.

sfibratrìce f. (*ind. cartaria*) grinder.

sfibratùra f. fibre extraction; decortication; (*ind. cartaria*) grinding.

♦**sfida** f. 1 (*invito a battersi, a gareggiare*) challenge; (*incitamento a fare qc. di difficile*) dare: **s. a duello**, challenge to a duel; **s. da ragazzi**, dare; **s. elettorale**, electoral challenge; **lanciare una s.**, to challenge; to throw down the gauntlet; **raccogliere** (*o* **accettare**) **la s.**, to take up the challenge; to pick up the gauntlet; **cartello di s.**, cartel of defiance 2 (*disobbedienza, provocazione*) defiance: **un'aperta s. alle convenzioni**, an open defiance of conventions; **gesto di s.**, gesture of defiance; **parole di s.**, defiant

words; **tono di s.**, defiant tone; **con aria [tono] di s.**, defiantly **3** (*sport*) challenge; (*incontro*) challenge match.

sfidànte (*anche* sport) **A a.** challenging **B m. e f.** challenger.

sfidanzàrsi v. rifl. e rifl. recipr. (*fam.*) to break* one's engagement (with).

♦**sfidàre A v. t. 1** (*invitare a battersi, a gareggiare*) to challenge; (*a fare qc. di difficile*) to dare: **s. un avversario**, to challenge an opponent; **s. q. a duello**, to challenge sb. to a duel; to call sb. out; **s. q. a una gara**, to challenge sb. to a contest; **s. q. a scacchi [a tennis]**, to challenge sb. to a game of chess [of tennis]; *Ti sfido a chi arriva prima fino al fiume*, I challenge you to race me to the river; *Se sei così bravo ti sfido a fare lo stesso*, if you are so good, I dare you to do the same; *Ti sfido a ripeterlo!*, I dare you repeat it! **2** (*incitare a fare qc. di impossibile*) to defy: *Sfido chiunque a fare meglio di così*, I defy anyone to do better than that; *Lo sfido a provare che non è vero*, I defy him to disprove it **3** (*fam., assol.*) – *Sfido (io)!*, no wonder!; I should think so, too!; of course!; *Sfido che non l'hai trovato, era qui*, no wonder (*o* of course) you didn't find it, it was here **4** (*affrontare*) to brave, to dare, to face; (*disobbedire, provocare*) to defy, to tempt; (*andare contro*) to fly* in the face of: **s. gli elementi**, to brave the elements; **s. l'ira di q.**, to dare sb.'s anger; **s. la legge**, to defy the law; **s. ogni logica**, to fly in the face of logic; **s. la morte**, to face death; **s. l'opinione pubblica**, to brave public opinion; **s. la Provvidenza**, to tempt providence; **s. la sorte**, to tempt fate; to push one's luck **B sfidàrsi** v. rifl. recipr. to challenge each other.

sfidàto A a. challenged; defied **B m. (f. -a)** challenged party; (*sport*) defender.

sfidatóre m. (f. **-trice**) → **sfidante**.

sfidùcia f. mistrust; distrust; want (*o* lack) of confidence: **s. nei confronti di q.**, mistrust of sb.; **s. in sé stesso**, lack of self-confidence; **avere s. in q.**, to mistrust sb.; to have no trust in sb.; **guardare q. con s.**, to view st. with mistrust; to be pessimistic about st.; *Non è per s., ma...*, it's not that I'm distrustful, but...; (*polit.*) **votare la s.**, to pass a vote of no confidence; (*polit.*) **voto di s.**, vote of no confidence.

sfiduciàre A v. t. 1 (*scoraggiare*) to demoralize; to dampen (sb.'s) spirits; to discourage; to dishearten; (*togliere la fiducia in sé stessi*) to destroy (sb.'s) self-confidence **2** (*polit.*) to pass a vote of no confidence in **B sfiduciàrsi** v. i. pron. to get* demoralized; to get* discouraged; (*perdere fiducia in sé stessi*) to lose* self-confidence: *Non sfiduciarti per un insuccesso*, don't let one failure discourage you.

sfiduciàto a. demoralized; discouraged; disheartened; dispirited.

sfiga f. (*volg.*) lousy luck; bad shit (*USA*): **la solita s.**, sod's law.

sfigàto (*volg.*) **A a. 1** (*sfortunato*) unlucky; jinxed **2** (*che vale poco*) hopeless; sad-ass (*volg. USA*) **B m. (f. -a)** (*persona sfortunata*) jinxed person; poor bastard (m., *fam.*); poor sod (m., *fam. GB*) **2** (*persona che vale poco*) inept person; born loser; nerd (*fam. USA*); also-ran (*fam.*); sad sack (*fam., USA*).

sfigmico a. (*med.*) sphygmic.

sfigmografia f. (*med.*) sphygmography.

sfigmògrafo m. (*med.*) sphygmograph.

sfigmomanòmetro m. (*med.*) sphygmomanometer.

sfigmòmetro m. (*med.*) sphygmometer.

sfiguràre A v. t. (*deturpare*) to disfigure; to mar; to scar; to deface; (*stravolgere*) to distort, to twist: *Il colpo gli ha sfigurato il naso*, his nose has been disfigured by the

blow; *La rabbia le sfigurava il viso*, anger distorted her features; her face was twisted with rage; *Le nuove costruzioni hanno sfigurato il paesaggio*, the new buildings have defaced (*o* disfigured, marred) the landscape **B v. i.** (*fare poca figura*) to pale, to appear, to look cheap (*o* shabby, poor, etc.), (*essere da meno*) to be outdone; (*fare cattiva figura*) to make* a bad impression, to show up badly: **s. al confronto**, to pale in comparison; **s. davanti a qc.**, to make a bad impression on sb.; *È gente che non vuole s. coi vicini*, they don't want to be outdone by their neighbours; *Questi bicchieri sfigurano un po' vicino al servizio di porcellana*, these glasses look rather cheap next to the china service; *Questa camicetta non ci sfigura sulla mia gonna nera*, this blouse doesn't look too bad with my black skirt; *Non fatemi s.*, don't show me up.

sfiguràto a. (*deturpato*) disfigured, badly scarred, defaced; (*stravolto*) distorted, twisted: *L'incidente lo lasciò s.*, the accident left him disfigured (*o* badly scarred); **volto s. dall'ira**, face distorted by rage.

sfilàccia f. (*ind. tess.*) bast.

sfilacciaménto m. **1** → **sfilacciatura 2** (*fig.*) progressive disintegration; gradual coming apart.

sfilacciàre A v. t. to fray; to unravel; (*naut.: discommettere*) to unlay, to untwist **B v. i. e sfilacciàrsi v. i. pron. 1** to fray; to unravel: **una stoffa che si sfilaccia facilmente**, a material that frays easily **2** (*fig.*) to disintegrate; to come* apart.

sfilacciàto a. **1** frayed; (*naut., di cavo: discommesso*) unlaid, untwisted: **corda sfilacciata**, frayed rope; **polsini sfilacciati**, frayed cuffs **2** (*fig.*) loose; disjointed; patchy.

sfilacciatrìce f. (*mecc.*) rag grinder.

sfilacciatùra f. **1** (*lo sfilacciare, lo sfilacciarsi*) fraying; unravelling **2** (*parte sfilacciata*) frayed part; frayed edge **3** (*ind. tess.*) rag grinding.

sfilaménto m. **1** unthreading; unstringing **2** (*di paracadute*) opening; deployment.

♦**sfilàre ① A v. t. 1** (*da un filo*) to unthread; (*perla, ecc.*) to unstring*; (*da un foro, un anello, ecc.*) to slip off; (*da una bacchetta, ecc.*) to slip off; (*da uno spiedo*) to take* off the spit: **s. un ago**, to unthread a needle; **sfilarsi un anello**, to slip off a ring; to slip a ring off one's finger; **s. una corda dal moschettone**, to slip a rope off the snaplink; **s. perle**, to unstring pearls **2** (*togliere di dosso*) to slip off; to slip out of; to take* off; to peel off; (*estens.: sottrarre, rubare*) to steal*: **sfilarsi le scarpe**, to slip off one's shoes; *Si sfilò i jeans [il maglione]*, she peeled off her jeans [her sweater]; *L'infermiera sfilò le pantofole al malato*, the nurse took off the patient's slippers; *Qualcuno mi ha sfilato il portafoglio*, someone stole my wallet **3** (*smagliare*) to ladder (*GB*); to get* a run in (*USA*): *Ho sfilato le calze nuove*, I've laddered my new tights; I have a run in my new pantyhose **4** (*un tessuto*) to draw* out a thread (*o* threads) from; to pull threads out of: **s. una tela**, to draw out the threads from a piece of cloth **B sfilàrsi v. i. pron. 1** (*da un filo*) to get* unthreaded; (*di perle, ecc.*) to become* unstrung; (*da un foro, un anello*) to slip off: *L'ago si è sfilato*, the needle has got unthreaded; *La collana si è sfilata*, the beads have come unstrung **2** (*smagliarsi*) to ladder (*GB*); to run* (*USA*).

♦**sfilàre ② v. i. 1** (*passare in fila*) to file; to file past; to parade; (*marciando*) to march, to march past: **s. in parata**, to march on parade; to troop the colour (*GB*) **s. per le strade**, to parade through the streets; **s. tra due ali di folla**, to file between two lines of people; *I soldati sfilarono davanti al colonnel-*

lo, the soldiers marched past the colonel **2** (*di indossatrice*) to walk down the catwalk; to model; (*di modelli di alta moda*) to be shown (on the catwalk): *Ha sfilato per tutti i grandi stilisti*, he has modelled for all the great fashion designers; *Oggi sfileranno i nuovi modelli di Armani*, Armani's new creations will be shown today **3** (*susseguirsi*) to follow one after the other; to go*; to run*: *Mille ipotesi mi sfilarono in testa*, a thousand conjectures went (*o* ran) through my head.

♦**sfilàta** f. **1** (*passaggio in fila*) passing; procession; parade; (*in costume*) pageant; (*di persone a cavallo*) cavalcade; (*di veicoli*) cavalcade, motorcade (*USA*); (*mil.*) march-past: **s. di moda**, fashion parade (*o* show); **assistere alla s. di un reggimento**, to watch a regiment march past **2** (*lunga fila*) long line, long row; (*sfilza*) string, series*: **s. d'alberi**, long line (*o* row) of trees; **s. di citazioni**, string of quotations.

sfilatino m. French loaf*.

sfilàto A a. 1 (*di collana, ecc.*) unstrung **2** (*smagliato*) laddered (*GB*); having a run in it (*USA*): *Hai una calza sfilata*, your tights are laddered; there's a run in your pantyhose **B m.** (*ricamo*) drawn-thread work; drawn work.

sfilatùra f. **1** (*lo sfilare, lo sfilarsi*) unthreading; (*di collana, ecc.*) unstringing **2** (*smagliatura*) ladder (*GB*); run (*USA*).

sfilettàre v. t. (*cucina*) to fillet.

sfilza f. (*lunga fila*) long row, long line; (*lunga serie*) string, stream, series*, list: **s. di errori**, string of mistakes; **s. di imprecazioni**, stream of oaths; **s. di nomi**, list of names.

sfilzàre → **sfilare ①, def. 1**.

sfinàre (*fam.*) **A v. t.** to make* (sb.) look slimmer **B v. i.** to slim.

♦**sfinge f. 1** (*mitol. e fig.*) sphinx: **l'enigma della s.**, the riddle of the Sphinx; **fare la s.**, to play the sphinx; **espressione da s.**, sphinx-like expression **2** (*zool.*, *Sphinx*) hawkmoth; sphinx (moth) (*USA*): **s. testa di morto** (*Acherontia atropos*), death's head hawkmoth.

sfingenìna → **sfingosina**.

sfingeo a. (*lett.*, *anche fig.*) sphinx-like.

sfingide m. (*zool.*) sphingid; (al pl., *scient.*) Sphingidae.

sfingomielìna f. (*biochim.*) sphingomyelin.

sfingoṣìna f. (*biochim.*) sphingosine.

sfiniménto m. (*spossatezza*) exhaustion; weariness; prostration: **essere preso dallo s.**, to be overcome by exhaustion; *Che s.!*, how exhausting!; I'm exhausted!

sfinìre A v. t. to exhaust; to wear* out; to drain (sb.) of all energy; to drain: *La febbre l'ha sfinito*, the fever has exhausted him **B sfinìrsi** v. i. pron. to exhaust oneself; to wear* oneself out.

sfinitézza f. faintness; weariness; extreme weakness; prostration.

♦**sfinito** a. exhausted; worn out; dead-beat (*fam.*); washed out (*fam.*); fagged out (*fam. GB*); done in (*fam. GB*); pooped (*pop. USA*).

sfintère m. (*anat.*) sphincter.

sfintèrico a. (*anat.*) sphincteral; sphincteric.

sfioccàre v. t. to fray; (*ind. tess.*) to open.

sfioccàrsi v. i. pron. to fray; (*di nuvola*) to break*up.

sfiocinàre v. t. to harpoon; to spear.

sfioraménto m. brushing; brush; skimming; grazing.

♦**sfioràre ① v. t. 1** to brush (against); to skim; to graze: *Le sfiorò i capelli con le labbra*, he brushed her hair with his lips; *Qualcosa mi sfiorò la gamba*, something brushed against my leg; *I gabbiani sfioravano le onde*, the gulls were skimming the

waves; *La palla gli sfiorò il viso*, the ball grazed his face **2** (*fig.*: *trattare superficialmente*) to skim over; to touch on; to scratch the surface of: *Nell'intervista il problema dell'immigrazione fu solo sfiorato*, the immigration problem was only touched on in the interview; *Abbiamo appena sfiorato questo tema, ne parleremo ancora*, we have just scratched the surface of this subject, we'll have to come back to it **3** (*fig.*: *raggiungere quasi*) to come* close to, to be on the verge of; (*rasentare*) to be close to, to verge on, to border on; (*rif. all'età*) to be close to, to be pushing (*fam.*): **s. la morte**, to come close to death; **s. il successo**, to be on the verge of success; **s. la vittoria**, to come close to winning; **s. il ridicolo**, to verge (*o* to border) on the ludicrous; **s. la follia**, to verge on insanity ● *Un sorriso le sfiorava le labbra*, a smile hovered about her lips □ **Non mi sfiorò il minimo dubbio**, no doubt crossed my mind □ **Non mi sfiorò il sospetto che...**, it never crossed my mind that...

sfiorare ② *v. t.* (*scremare*) to skim: **s. il latte**, to skim milk.

sfioratóre m. (*troppopieno*) overflow (pipe); (*di diga, ecc.*) spillway.

sfioratùra f. (*del latte*) skimming.

sfiorettatùra f. embellishment; embroidery.

sfiorire *v. i.* (*anche fig.*) to fade; to wither: *Le rose sono sfiorite*, the roses have faded; (*di fiore*) cominciare a s., to be overblown; *La giovinezza sfiorisce presto*, youth soon fades; *Le preoccupazioni la fecero s.*, worries withered her (*o* made her lose her looks).

sfiorito a. (*anche fig.*) faded; withered: **rose sfiorite**, faded roses; **bellezza sfiorita**, faded beauty; **speranze sfiorite**, faded hopes; **viso s.**, withered face.

sfioritùra f. (*anche fig.*) fading; withering.

sfióro m. (*idraul.*) – **canale di s.**, spillway.

sfirèna f. (*zool., Sphyraena sphyraena*) European barracuda.

sfittàre A *v. t.* to vacate: **s. un appartamento**, to vacate a flat **B** **sfittàrsi** *v. i. pron.* to become* vacant.

sfittire *v. t.* e **sfittirsi** *v. i. pron.* to thin out.

sfitto a. vacant: **appartamento s.**, vacant flat.

sfizio m. (*region.*) whim; fancy; fun: **fare qc. per s.**, to do st. on a whim (*o* just for fun); **levarsi lo s. di**, to satisfy one's whim of.

sfiziosità f. (*region.*) amusing (*o* fun) thing; (*rif. al cibo*) titbit, tidbit (*USA*).

sfizióso a. (*region.*) amusing; fun (attr.); with a difference; funky (*fam.*).

sfocàre *v. t.* (*fotogr.*) to put* out of focus; to blur.

sfocàto a. **1** (*fotogr.*) out of focus (pred.); blurred; fuzzy **2** (*fig.*) blurred; (*vago*) hazy, vague: **ricordi sfocati**, blurred (*o* hazy) memories; *I personaggi di contorno sono sfocati*, the secondary characters are rather blurred.

sfocatùra f. (*fotogr.*) fuzziness; blurring.

sfociàre *v. i.* **1** to flow (into); to empty (into); (*di strada, ecc.*) to lead* (to): *Il Po sfocia nell'Adriatico*, the Po flows (*o* empties) into the Adriatic **2** (*fig.*: *avere come conseguenza*) to result (in); to lead* (to): *La discussione sfociò in una lite*, the discussion resulted in an argument.

sfociatùra f. widening (of a river) at the mouth.

sfócio m. **1** (*sbocco di acque*) mouth; outlet **2** (*fig.*: *esito*) result; outcome; (*soluzione*) solution; (*via d'uscita*) way out.

sfoderàbile a. having a removable cover.

sfoderaménto m. **1** (*lo sguainare*) unsheathing **2** (*fig.*: *esibizione*) display; showing off.

sfoderàre ① *v. t.* **1** (*sguainare*) to unsheathe; to draw*: **s. la spada**, to unsheathe (*o* to draw) one's sword **2** (*fig.*: *mostrare inaspettatamente*) to produce; to come* out with; to reveal: *Sfoderò un sacco di ragioni*, she came out with all sorts of reasons; *Ha sfoderato una notevole conoscenza della questione*, he revealed a remarkable knowledge of the matter **3** (*fig.*: *esibire*) to display; to parade; to show* off: **s. la propria cultura**, to parade one's learning.

sfoderàre ② *v. t.* (*levare la fodera interna*) to take* the lining out of; (*levare la fodera esterna*) to take* the cover off: **s. un cappotto**, to take the lining out of a coat; **s. un divano**, to take the cover off a sofa.

sfoderàto a. (*senza fodera interna*) unlined; (*senza fodera esterna*) with the cover off.

♦**sfogàre A** *v. t.* (*dare espressione a*) to give* vent to, to vent, to pour out, to release, to give* free rein (*o* free play) to; (*alleviare, esaurire*) to work off: **s. il proprio dolore**, to pour out one's grief; to give full vent to one's grief; **s. il proprio entusiasmo**, to give vent to one's enthusiasm; **s. la rabbia**, to vent (*o* to give vent to) one's anger; **s. la propria ira su q. [qc.]**, to vent one's anger on sb. [st.]: *Per s. la stizza decisi di...*, to work off my irritation, I decided to...; *Il regista ha sfogato tutta la sua fantasia barocca*, the director has given free rein (*o* free play) to his baroque imagination **B** *v. i.* **1** (*fuoriuscire*) to escape; to go* out; to come* out; to find* a vent (through); to find* an outlet; to pour out; (*riversarsi*) to flow (into): *I gas di combustione sfogano da quello scarico*, exhaust gases escape through that vent **2** (*sfociare*) to lead* (to); to find* vent (*o* relief): *Il malcontento sfogò in tumulti*, discontent led to rioting; *Il suo dolore sfogò in pianto*, his grief found relief in tears **3** (*di malattia*) to run* its course; (*di temporale e sim.*) to die down: **lasciar s. un raffreddore**, to let a cold run its course; *Aspettiamo che il temporale sfoghi*, let's wait until the storm has died down **C** **sfogàrsi** *v. i. pron.* **1** (*liberarsi di sentimenti accumulati*) to relieve (*o* to give* vent to) one's feelings; to let* off steam (*fam.*); (*rif. a un segreto, un peso, ecc.*) to unburden oneself, to get* a load off one's chest (*fam.*); (*rif. a irritazione, ecc.*) to get* it out of one's system (*fam.*): **sfogarsi con un amico**, to unburden oneself to a friend; *Finisce che si sfoga sempre su di me*, she regularly ends up taking it out on me **2** (*dare fondo alle proprie energie*) to run* wild; (*avere avventure*) to sow one's wild oats (*fam.*): *I bambini devono sfogarsi un po'*, children need to run wild for a while; *Lascia che tuo figlio si sfoghi: a sposarsi c'è tempo*, let your son sow his wild oats, he's got plenty of time to get married (*lavarsi la voglia di fare qc.*) to... as much as one likes.

sfogatóio m. vent; outlet.

sfoggiàre A *v. t.* to show* off; to display; (*ostentare*) to parade, to flaunt: **s. un anello di diamanti**, to show off (*o* to flaunt) a diamond ring; **s. la propria bravura**, to parade one's skill; **s. la propria erudizione**, to show* off one's learning; **s. una pelliccia di visone**, to parade a mink coat; **s. la propria ricchezza**, to flaunt one's wealth; *Sfoggerai la tua argenteria per il pranzo?*, are you going to display your silver cutlery at your dinner? **B** *v. i.* to show* off; to flaunt one's wealth.

sfòggio m. display; show; showing off; parade; (*ostentazione*) flaunting, ostentation; (*lusso, sfarzo*) luxury: **s. di bravura**, display of skill; **s. d'erudizione**, display of learning; **s. di belle maniere**, display of good man-

ners; *Sulla tavola c'era un grande s. di cristalleria*, there was a rich display of crystal on the table; **fare s. di**, to show off; to parade; to flaunt: **fare s. di abiti alla moda**, to parade fashionable clothes; **fare grande s. di gioielli**, to flash one's jewellery; **fare s. di grossi nomi** (*nella conversazione*), to drop names.

sfòglia f. **1** (*lamina*) lamina*; foil; leaf* **2** (*cucina*) sheet of pastry: **tirare la s.**, to roll out the pastry; **pasta s.**, puff pastry; flaky pastry.

sfogliàre ① **A** *v. t.* (*levare le foglie*) to strip the leaves off; to strip; (*levare i petali*) to pluck the petals off: **s. un ramo**, to strip the leaves off a branch; to strip a branch (of its leaves); **s. il granturco**, to strip maize; to husk corncobs; **s. una rosa**, to pluck the petals off a rose **B** **sfogliàrsi** *v. i. pron.* (*perdere foglie*) to shed* leaves; (*perdere petali*) to drop petals.

♦**sfogliàre** ② **A** *v. t.* (*girare le pagine*) to turn* over the pages of, to leaf through, to thumb through; (*scorrere frettolosamente*) to skim (*o* to flick) through, to browse through: **s. un volume**, to leaf through a book; **s. le novità in libreria**, to browse through the new books in a bookshop; *L'ho solo sfogliato*, I only flicked through it **B** **sfogliàrsi** *v. i. pron.* (*sfaldarsi*) to flake (off).

sfogliàta ① f. browse: **dare una s. a un libro**, to skim through a book; to browse through a book.

sfogliàta ② f. (*cucina*) puff-pastry cake; puff.

sfogliatèlla f. (*cucina*) puff filled with ricotta and candied fruit.

sfogliatrìce f. **1** (*agric.*) leaf stripper **2** (*tecn.*) veneer lathe.

sfogliatùra f. (*agric.*) leaf-stripping.

sfógo m. **1** (*fuoriuscita*) way out; outlet: **s. d'aria**, air vent; **uno s. per il fumo**, an outlet for the smoke; **apertura di s.**, vent; outlet **2** (*sbocco*) outlet: **s. sul mare**, outlet to the sea **3** (*fig., rif. a emozione*) release; vent; (*sollievo*) relief, outburst, outpourings (pl.); (*libero gioco*) free play: **uno s. alle proprie emozioni**, an outlet for one's emotions; *Il suo s. mi sorprese*, his outburst took me by surprise; **dare s. alle emozioni**, to release one's emotions; **dare s. alla propria ira**, to give vent to (*o* to vent) one's anger; **dare (libero) s. alla fantasia**, to give free play to one's imagination; **trovare s. nel lavoro**, to find relief in work **4** (*fam.*: *eruzione cutanea*) rash.

sfolgoraménto m. blaze; dazzle.

sfolgorànte a. blazing; shining; glaring; dazzling; sparkling: **bellezza s.**, dazzling beauty; **gioielli sfolgoranti**, sparkling jewels; **occhi sfolgoranti**, sparkling eyes; **sole s.**, blazing sun; **s. di bellezza**, radiant with beauty.

sfolgoràre *v. i.* to blaze; to glare; to shine*; to sparkle: *La distesa di neve sfolgorava al sole*, the snow glared in the sunlight; *I suoi occhi sfolgoravano di felicità*, her eyes sparkled (*o* shone) with happiness.

sfolgoreggiàre (*lett.*) → **sfolgorare**.

sfolgorio m. blaze; brilliance: *La città era uno s. di luci*, the city was a blaze of lights; the city was ablaze with lights.

sfollagènte m. truncheon (*GB*); nightstick (*USA*); blackjack (*USA*).

sfollaménto m. **1** (*dispersione*) dispersion; clearing **2** (*evacuazione*) evacuation.

sfollàre A *v. t.* **1** (*sgombrare*) to empty; to clear; (*evacuare*) to evacuate: *La pioggia sfollò le strade*, the rain emptied the streets; **s. una piazza**, to disperse the people in a square **2** (*uscire da*) to leave*; to empty **3** (*far allontanare*) to disperse; to scatter **4** (*ridurre il personale di*) to reduce the staff of **B**

v. i. **1** (*uscire*) to empty (st.); to flow out (of); to file out (of); to clear (st.): *Il pubblico sfollava dallo stadio*, the public was flowing out of (*o* emptying) the stadium **2** (*allontanarsi, disperdersi*) to disperse; to scatter: *La gente cominciò a s.*, the crowd began to disperse **3** (*trasferirsi per sicurezza*) to evacuate; to move: *Durante la guerra sfollammo in un paesino sul lago*, during the war we moved to a small village on the lake; *I bambini furono fatti s. in campagna*, the children were evacuated to the country.

sfollàto Ⓐ a. evacuated Ⓑ m. (f. -*a*) evacuee; (*profugo*) refugee.

sfoltiménto m. thinning; thinning out; (*di personale*) reduction; (*di popolazione di animali*) culling; (*tagli*) cuts (pl.).

sfoltìre Ⓐ v. t. to thin (out); (*personale*) to reduce, (*popolazione di animali*) to cull; (*tagliare*) to cut* down (on), to prune: **s. un bosco**, to thin out a wood; **farsi s. i capelli**, to have one's hair thinned out; **s. il personale**, to reduce the staff; **s. le note di un libro**, to cut down the notes in a book Ⓑ **sfoltìrsi v. i. pron.** to thin (out); (*ridursi*) to be reduced: *I suoi capelli si sono sfoltiti*, his hair has thinned.

sfoltìta f. thinning (out): **dare una s. alla siepe**, to thin the hedge; **farsi dare una s. ai capelli**, to have one's hair thinned out.

sfoltitrice f. thinning razor.

sfoltitùra f. thinning (out).

sfondaménto m. **1** breaking down; staving in; smashing in: **s. del torace**, staving in of the chest **2** (*mil.*) breakthrough.

♦**sfondàre** Ⓐ v. t. **1** (*rompere il fondo di*) to knock the bottom out of; (*far crollare*) to make* (st.) cave in: **s. una scatola**, to knock the bottom out of a box; **s. una poltrona**, to break the seat of an armchair; *La neve ha sfondato il tetto*, the snow made the roof cave in **2** (*fracassare*) to smash, to crack, to crash through, to stave in, to bash in (*fam.*); (*abbattere*) to break* down, to knock down; (*aprendosi un passaggio*) to crash into, to break* through, to break* into: **s. il cranio a q.**, to crack sb.'s skull; **s. una finestra**, to smash a window; **s. il fronte nemico [i cordoni della polizia]**, to break through the enemy's line [the police cordons]; **s. una parete**, to knock down a wall; **s. una porta**, to break down a door; (*fig.*) **s. una porta aperta → porta**; *L'auto sfondò il parapetto*, the car crashed through a parapet; *Il colpo le sfondò due costole*, the blow stove in two of her ribs; *Il pallone sfondò la vetrina*, the ball crashed through the shop-window **3** (*logorare consumando*) to wear* through; to wear* holes in: **s. le scarpe**, to wear holes in one's shoes Ⓑ v. i. (*affermarsi*) to achieve success; to make* a name for oneself; to make* it; to hit* the big time (*fam.*) Ⓒ **sfondàrsi v. i. pron.** **1** (*perdere il fondo*) to break* at the bottom: *Questa valigia sta per sfondarsi*, the bottom is about to fall off this suitcase **2** (*sfasciarsi*) to split* open; to burst* open **3** (*consumarsi*) to wear* out; to wear* through.

sfondàto Ⓐ a. **1** without a bottom; (*di sedia, ecc., anche*) with a broken seat; (*di tetto, pavimento*) caved in; (*fracassato*) staved in, smashed up; (*abbattuto*) broken down: **botte sfondata**, staved-in barrel; **poltrona sfondata**, armchair with a broken seat; **porta sfondata**, broken-down door; **scarpe sfondate**, worn-out shoes **2** (*fig.*) – **essere ricco s.**, to be rolling in money; stinking rich (*fam.*) Ⓑ m. (*pitt.*) trompe-l'œil.

sfóndo m. **1** (*pitt.*) background; ground: **lo s. di un quadro**, the background of a picture; **fiori gialli su uno s. verde**, yellow flowers on a green background (*o* against a green ground); **figura di s.**, background figure **2** (*teatr.*) backdrop; backcloth **3** (*di*

campo visivo) background: *La scena aveva come s. una pineta*, the scene had a pine forest in the background; **gli alberi sullo s.**, the trees in the background; *La torre si stagliava sullo s. del cielo*, the tower was silhouetted against the sky; **su uno s. di alti palazzi**, against a background of tall buildings **4** (*fig.: ambiente, ambientazione*) backdrop; setting: *Il film ha per s. le prime lotte sindacali*, the setting of the film is (*o* the story of film is set in) the years of the first trade-union struggles; **romanzo a s. sociale**, social novel; **delitto a s. politico**, politically motivated crime; **fare da s. a qc.**, to provide a backdrop for st.

sfondóne m. (*fam.*) howler.

sfondopièga m. (*sartoria*) kick-pleat.

sforacchiàre v. t. to riddle with holes.

sforacchiatùra f. **1** (*lo sforacchiare*) riddling with holes **2** (*serie di fori*) series of holes.

sforaménto m. (*di obiettivo*) overshooting, overrunning; (*di tempo*) overrunning.

sforàre (*fam.*) Ⓐ v. t. (*superare un tetto di spesa*) to overshoot*, to overrun*; (*andare oltre il tempo stabilito*) to overrun*: **s. il bilancio**, to overshoot (*o* to overrun) the budget Ⓑ v. i. **1** (*superare un tetto di spesa*) to overshoot* (*o* to overrun*) the budget: *Abbiamo sforato di tremila euro*, we have overshot the budget by three thousand euros **2** (*andare oltre il tempo stabilito*) to overrun*: *Il telegiornale ha sforato di mezz'ora*, the news overran by half an hour.

sforbiciàre Ⓐ v. t. **1** to cut* up; to snip; to trim **2** (*fig.*) to trim Ⓑ v. i. (*calcio, nuoto*) to do* a scissors (*o* scissor) kick.

sforbiciàta f. cut; snip; trimming; trim: **dare una s. ai capelli**, to give sb.'s hair a trimming (*o* trim); to trim sb.'s hair **2** (*sport: atletica*) scissors; (*calcio, nuoto*) scissors (*o* scissor) kick.

sforbiciatùra f. cutting; snipping; trimming.

sformàre Ⓐ v. t. **1** (*deformare tirando*) to pull out of shape; (*torcendo*) to twist out of shape; to spoil* (the shape of): **s. un cappello**, to pull a hat out of shape; to spoil a hat; *La gravidanza l'ha sformata*, the pregnancy has spoilt her figure **2** (*togliere dalla forma*) to take* out of a mould; to turn out: **s. un budino**, to turn out a pudding Ⓑ **sformàrsi v. i. pron.** to lose* one's shape; to get* out of shape; (*di persona*) to lose* one's figure: *Il golf si è tutto sformato*, the jumper has completely lost its shape.

sformàto Ⓐ a. (*che non ha più forma*) shapeless, out of shape; (*deformato*) misshapen, crooked: **cappello [maglione] sformato**, shapeless hat [sweater] Ⓑ m. (*cucina*) flan.

sformatùra f. (*metall.*) shake-out; stripping.

sfornaciàre v. t. to take* out of the furnace.

sfornàre v. t. **1** (*estrarre dal forno*) to take* out of the oven: **s. il pane**, to take the bread out of the oven **2** (*fig.: produrre*) to turn out; to bring* out; (*in grande quantità*) to churn out, to grind* out: **s. un nuovo romanzo**, to bring out a new novel; **s. un libro ogni sei mesi**, to churn (*o* to grind) out a book every three months; **s. laureati**, to churn out graduates.

sfornellàre v. i. (*fam.*) to be busy cooking; to be busy at the stove.

sfornìre v. t. to deprive; to strip.

sfornìto a. (*mancante, privo di*) lacking (in); without (prep.); (*rif. a merci*) unstocked, poorly stocked: **s. di denaro**, without money; **s. del necessario**, without resources; *Furono lasciati sforniti di tutto*, they were left unprovided for; **un negozio piuttosto**

s., a poorly stocked shop; *Siamo sforniti di caffè*, we have run out of coffee; *Al momento ne siamo sforniti*, we are out of stock at the moment.

sfóro m. (*teatr.*) gap (in the wings); slit.

♦**sfortùna** f. bad (*o* ill) luck 🔲; hard luck; (*disgrazia*) misfortune: *S. volle che...*, as (ill) luck would have it...; unfortunately...; **avere s.**, to be unlucky; to be out of luck; **avere s. al gioco [con le donne, nell'amore]**, to be unlucky at gambling [with women, in love]; *Ebbi la s. di non trovarlo in casa*, I was unlucky not to find him at home; *Ho avuto la s. di conoscerlo*, I have had the misfortune of meeting him; *È una s. per lei essere...*, it's bad (*o* hard) luck on her to be...; *È la mia solita s.*, it's just my luck; *Fu una vera s.*, it was really unfortunate; **essere perseguitato dalla s.**, to be dogged by misfortune; **portare s.**, to bring bad luck; to be unlucky; **numero che porta s.**, unlucky number; **persona [cosa] che porta s.**, hoodoo; jinx; *Che s.!*, how unlucky!; that's too bad!; what a shame!

sfortunataménte avv. unluckily; unfortunately; worse luck (*posposto*): **s. per lui**, unluckily (*o* unfortunately) for him; *S. non abbiamo vinto*, we didn't win, worse luck.

♦**sfortunàto** a. **1** (*perseguitato dalla sfortuna*) unlucky, out of luck (pred.); (*avverso, infausto*) unlucky, unfortunate, luckless, ill-fated, ill-starred: **anno s.**, unlucky year; **coincidenza sfortunata**, unfortunate coincidence; **impresa sfortunata**, luckless (*o* ill-fated) enterprise; **essere s.**, to be unlucky; to be out of luck; *È stato s. con quel lavoro*, he's been unlucky with that job; *Oggi sono s.*, I'm out of luck today; (*prov.*) **s. al gioco, fortunato in amore**, unlucky at cards, lucky in love **2** (*non riuscito*) unsuccessful; unhappy: **matrimonio s.**, unsuccessful (*o* unhappy) marriage.

sforzàndo avv. e m. (*mus.*) sforzando.

sforzàre Ⓐ v. t. **1** (*sottoporre a sforzo*) to force; to strain; to overwork: **s. una manopola**, to force a knob; **s. un motore**, to overwork an engine; to push an engine to its limits; (*naut.*) **s. le vele**, to crowd sail; to carry a press of sail; **s. la vista**, to strain one's eyes; **s. la voce**, to strain one's voice **2** (*aprire con la forza*) to force (open); to break* open: **s. un cassetto**, to break open a drawer; **s. una porta**, to force a door (open) **3** (*costringere*) to force: *Sforzalo a mangiare qualcosa*, force him to eat something Ⓑ **sforzàrsi v. i. pron.** **1** (*fare sforzi, affaticarsi*) to strain oneself; to exert oneself; to push oneself too hard: *Non devi sforzarti, sei ancora debole*, you are still weak, you shouldn't exert yourself; **sforzarsi troppo**, to push oneself too hard; to overstrain oneself **2** (*fare di tutto, adoperarsi*) to strive*; to try hard; to make* an effort; to struggle; to endeavour (*form.*); (*costringersi*) to force oneself: **sforzarsi di capire**, to strive (*o* to try hard, to struggle) to understand; **sforzarsi di mangiare**, to force oneself to eat; **sforzarsi di non ridere [piangere]**, to try hard not to laugh [to cry]; **sforzarsi di raggiungere la perfezione**, to strive after perfection; **sforzarsi di spiegare qc.**, to struggle to explain st.; **sforzarsi di vedere**, to strive to see; **sforzarsi in ogni modo**, to make every effort; **sforzarsi per nulla**, to waste one's efforts; *Mi sforzai di scrivere in modo leggibile*, I made an effort to write legibly; *Si è sempre sforzato di essere gentile con lei*, he has made every effort to be nice to her; *Coraggio, sforzati!*, come on, make an effort; (*iron.*) *Non sforzarti, mi raccomando!*, don't kill yourself!; don't overdo it, mate! (*fam.*); (*iron.*) *Non sforzarti ad aprirmi la porta, sai!*, don't strain yourself to open the door for me!

sforzataménte *avv.* (*controvoglia*) against one's will; (*in modo forzato*) forcedly: **ridere s.**, to give a forced laugh.

sforzàto *a.* **1** (*stentato*) forced; strained **2** (*artificioso*) unnatural; artificial; contrived: **sorriso s.**, forced (*o* strained) smile **3** (*arbitrario*) forced; strained; arbitrary; far-fetched: **interpretazione sforzata**, strained (*o* arbitrary) interpretation **4** (*mus.*) sforzato.

sforzatùra *f.* **1** (*il sottoporre a tensione*) forcing; straining **2** (*lo scassinare*) forcing; forcing open **3** (*fig.*) far-fetched idea; strained effect; distortion; (*esagerazione*) exaggeration: *Nel romanzo ci sono molte sforzature*, the novel is full of far-fetched episodes (*o* of strained effects).

sforzésco *a.* of the Sforzas; Sforza (attr.): **la dinastia sforzesca**, the dynasty of the Sforzas; **castello s.**, Sforza castle.

♦**sfòrzo** *m.* **1** (*impiego di forza*) effort; exertion; (*fatica*) struggle; (*tensione*) strain, stress: **s. collettivo**, joint (*o* team) effort; **s. di guerra**, war effort; **s. di memoria**, effort of memory; **s. di nervi**, strain on the nerves; **s. di volontà**, effort of will; **s. fisico**, physical effort (*o* exertion); **s. mentale**, mental effort; **s. vano**, vain effort; **sforzi congiunti**, combined efforts; *I loro sforzi furono premiati col successo*, their efforts were rewarded with success; **costare un grosso s.**, to require a great effort; **fare uno s.**, to make an effort; **fare sforzi**, to strain oneself; *Non fare sforzi!*, don't strain yourself!; **fare ogni s. per**, to make every effort (*o* an all-out effort) to; to do one's utmost to; to spare no pains to; to strain after (st.); **evitare gli sforzi**, to avoid exertion; **con grande s.**, with great effort; **dopo molti sforzi**, after much effort; **nonostante gli sforzi**, in spite of all (one's) efforts (*o* exertions); **senza s.**, without effort; effortless (agg.); effortlessly (avv.); (*med.*) **test sotto s.**, stress test **2** (*mecc.*) stress: **s. di flessione**, bending stress; **s. di taglio**, shearing stress; **s. di torsione**, torsional stress; **sottoporre a s.**, to stress; to put under stress ● **Bello s.!**, not much merit in that! □ (*iron.*) **Sai che s.!**, you [he, etc.] didn't strain yourself [himself, etc.]!

sfòttere (*pop.*) **A** *v. t.* to make* fun of; to poke fun at; to tease; to take* the mickey out of (*fam. GB*); to goof (on) (*fam., USA*); to razz (*slang USA*) **B** **sfóttersi** *v. rifl. recipr.* to tease each other.

sfotticchiàre **A** *v. t.* to tease; to rib (*fam.*); to razz (*fam. USA*) **B** **sfotticchiàrsi** *v. rifl. recipr.* to tease each other; to rib each other (*fam.*).

sfottiménto *m.* → **sfottitura**.

sfottitóre *m.* (f. **-trìce**) tease; tormentor.

sfottitùra *f.*, **sfottò** *m. inv.* (*polit.*) teasing; mickey-taking (*fam. GB*); razz (*fam. USA*).

sfracellàre **A** *v. t.* to smash; to shatter; to crush: **s. il cranio a q.**, to smash (*o* to stove) sb.'s head in; *Il macigno gli ha sfracellato le gambe*, the boulder shattered (*o* crushed) his legs **B** **sfracellàrsi** *v. i. pron.* to smash; to shatter; to crash: *La barca si sfracellò sugli scogli*, the boat smashed against the rocks; *È andato a sfracellarsi contro un camion*, he crashed into a lorry.

sfracèllo *m.* **1** (*macello, sconquasso*) destruction; ruin; wreck; shambles **2** (*fam.: grande quantità*) loads (pl.); heaps (pl.); tons (pl.).

sfragìstica *f.* sphragistics (pl. col verbo al sing.).

sfragìstico *a.* sphragistic.

sfrangiàre *v. t.* e **sfrangiàrsi** *v. i. pron.* (*sfilacciare*) to fray; (*formare una frangia*) to fray into a fringe.

sfrangiàto *a.* **1** (*sfilacciato*) frayed **2** (*con frangia*) fringed **3** (*bot.*) fimbriate.

sfrangiatùra *f.* **1** (*lo sfrangiare*) fraying; (*parte sfilacciata*) fray **2** (*frangia*) fringe.

sfratàrsi *v. i. pron.* to leave a monastic order.

sfrattàre **A** *v. t.* **1** (*eseguire uno sfratto*) to evict; to turn out **2** (*dare lo sfratto*) to give* (sb.) notice to quit **B** *v. i.* (*fam.: andarsene*) to quit*; to leave* (st.); to get* out.

sfrattàto **A** *a.* evicted **B** *m.* (f. **-a**) evicted tenant; evictee.

sfràtto *m.* eviction: **notifica di s.**, eviction notice; notice to quit (*fam.*); **ordinanza di s.**, eviction order; **dare [ricevere] lo s.**, to give [to receive] notice to quit.

sfrecciàre *v. i.* to dart; to shoot* past; to whizz; to zoom; (*in volo*) to streak; to swoop: *Mi sfrecciarono davanti due ragazzini*, two boys darted (*o* whizzed) past me; *Le auto sfrecciavano sull'autostrada*, cars shot (*o* whizzed) along (*o* down) the motorway; *Un'allodola sfrecciò nel cielo*, a lark streaked through the air.

sfregaménto *m.* **1** rubbing; chafing; friction **2** (*med.*) friction rub: **s. pleurico**, pleural friction rub.

sfregàre *v. t.* **1** (*strofinare*) to rub; (*per pulire*) to scour, to scrub; (*per lucidare*) to polish: **s. con carta vetrata**, to rub down with sandpaper; **s. un fiammifero**, to strike a match; **s. il pavimento**, to scrub the floor; **s. una pentola**, to scour a saucepan; **sfregarsi gli occhi**, to rub one's eyes **2** (*strisciare graffiando*) to scratch; (*assol.*) to scrape; (*irritare*) to chafe; (*far strisciare*) to scrape: **s. il muro col dorso di una sedia**, to scratch the wall with the back of a chair; **s. una sedia sul pavimento**, to scrape a chair on the floor; *Il maglione mi sfrega la pelle*, this sweater is chafing my skin; *La macchina sfregò contro il paracarro*, the car scraped against the kerbstone.

sfregatùra *f.* **1** rubbing; friction **2** (*graffio*) scratch; mark.

sfregiàre **A** *v. t.* (*con una lama, ecc.*) to slash, to gash; (*deturpare*) to deface, to disfigure: **s. l'avversario**, to slash one's opponent's face; **s. un dipinto**, to deface a painting: *Una cicatrice gli sfregiava la guancia*, his cheek was disfigured by a scar **B** **sfregiàrsi** *v. rifl. e i. pron.* to slash one's face; (*essere sfregiato*) to be disfigured: **sfregiarsi col rasoio**, to slash one's face with a razorblade; *Si è sfregiato in un incidente*, he was disfigured in an accident.

sfregiàto **A** *a.* disfigured; scarred; defaced: **faccia sfregiata**, disfigured (*o* scarred) face; **monumento s.**, defaced monument; **rimanere s.**, to be disfigured **B** *m.* (f. **-a**) person with a scarred face; (*come soprannome*) Scarface.

sfregiatóre *m.* (f. **-trìce**) (*chi sfregia con una lama, ecc.*) slasher; (*chi deturpa*) defacer, disfigurer.

sfrégio *m.* **1** (*taglio*) slash, gash, cut; (*deturpazione*) defacement, disfigurement; (*cicatrice*) scar; (*graffio*) scratch: **uno s. sulla fronte**, a gash in one's forehead; a scar on one's forehead; **fare uno s. a un quadro**, to deface a picture; **farsi uno s.**, to gash one's face; **lasciare uno s.**, to leave a scar **2** (*fig.*) affront; insult: **fare uno s. a q.**, to insult sb.

sfrenàre **A** *v. t.* (*fig.: lasciare libero*) to let* loose; to give* free rein to; to let* (st.) run wild (*o* run riot): **s. la fantasia**, to give free rein to one's imagination; to let one's imagination run wild; **s. la lingua**, to let one's tongue run wild **B** **sfrenàrsi** *v. i. pron.* (*scatenarsi*) to lose* all restraint; to go* on a rampage; to run* riot; to run* wild: **sfrenarsi nel bere**, to drink immoderately; **sfrenarsi nella danza**, to dance with wild abandon.

sfrenataménte *avv.* without restraint; wildly.

sfrenatézza *f.* **1** lack of restraint; wildness; unrestraint; wild abandon; disorderliness **2** (*di costumi*) licentiousness; dissoluteness **3** (*comportamento sfrenato*) wild behaviour; excess; disorderly behaviour.

sfrenàto *a.* (*senza freni*) unchecked, unrestrained; (*precipitoso*) headlong; (*incalzante, frenetico*) frenetic, frenzied, wild; (*scatenato, incontrollato*) unbridled, uncontrolled, unruly, disorderly; (*smodato*) immoderate, extravagant: **ambizione sfrenata**, unbridled ambition; **corsa sfrenata**, headlong run; **fantasia sfrenata**, unbridled imagination; **lusso s.**, extravagant luxury; **pianto s.**, uncontrolled weeping; **ritmo s.**, frenetic rhythm; **riso s.**, unrestrained laughter; wild laughter; **passione sfrenata**, wild passion; **ragazzo s.**, wild boy.

sfrido *m.* **1** (*comm.: calo*) shrinkage; wastage; loss; (*di liquido*) ullage **2** (*ind.: scarto*) waste Ⓔ; scrap Ⓔ; swarf Ⓔ.

sfrìggere, **sfrigolàre** *v. i.* to sizzle; to frizzle; (*mandando schizzi*) to spit*, to sputter; (*per contatto con acqua*) to hiss; (*scoppiettare*) to sputter, to splutter: *Quando l'olio sfrigola aggiungere la cipolla*, when the oil is sizzling add the onion; *La candela sfrigolava*, the candle was sputtering.

sfrigolìo *m.* sizzling; frizzling; hissing; spitting; sputtering; spluttering.

sfrisàre *v. t.* (*region.*) to scratch; to scrape.

sfrisatùra *f.* (*region.*) scratch; mark.

sfrittellàre *v. t.* (*fam.*) to spatter (with grease, sauce, etc.): *Ti sei sfrittellato la cravatta*, you've spattered your tie.

sfrondaménto *m.* **1** leaf-stripping; pruning **2** (*fig.*) pruning; cutting.

sfrondàre **A** *v. t.* **1** to strip (st.) of leaves; to prune: **s. un albero**, to strip a tree of its leaves; (*diradarne le fronde*) to prune a tree **2** (*fig.*) to prune; to cut*: **s. un articolo**, to cut an article **B** **sfrondàrsi** *v. i. pron.* (*perdere le fronde*) to shed* (*o* to lose*) one's leaves.

sfrondatùra *f.* → **sfrondamento**.

sfrontataménte *avv.* impudently; with effrontery; shamelessly; cheekily (*fam.*).

sfrontatézza *f.* impudence; effrontery; shamelessness; brazenness; gall (*fam.*); cheek (*fam.*); nerve (*fam.*); sass (*fam. USA*): *Ha avuto la s. di rispondere*, she had the impudence to answer back; *Che s. quel ragazzo!*, the cheek of that boy!

sfrontàto **A** *a.* impudent; shameless; brazen-faced; cheeky (*fam.*); nervy (*fam. USA*); fresh (*fam.*); sassy (*fam. USA*): **atteggiamento s.**, impudent attitude; **menzogna sfrontata**, shameless (*o* barefaced) lie; **ragazza sfrontata**, cheeky girl **B** *m.* (f. **-a**) impudent person; cheeky person (*fam.*); brazenface: **fare lo s.**, to be insolent; *Che s.!*, he's got a nerve!

sfruculiàre *v. t.* (*region.*) to tease; to needle.

sfrusciàre *v. i.* to rustle.

sfruscìo *m.* rustling.

sfruttàbile *a.* exploitable; (*min.*) workable.

sfruttaménto *m.* **1** (*utilizzazione*) exploitation; utilization: **s. d'una miniera**, exploitation of a mine; **s. delle risorse naturali**, exploitation of natural resources; **s. eccessivo**, overexploitation; depletion **2** (*di persona*) exploitation: **s. della manodopera**, exploitation (*o* sweating) of labour; (*leg.*) **s. della prostituzione**, exploitation of prostitution; **basato sullo s.**, exploitative.

♦**sfruttàre** *v. t.* **1** (*far rendere*) to exploit; (*fonte di energia, anche*) to harness, to tap; (*fare buon uso di*) to make* good use of: **s. le**

acque di un fiume, to harness a river; **s. fonti di energia alternative**, to tap alternative energy sources; **s. una miniera**, to work a mine; **s. le risorse d'un paese**, to exploit a country's resources; **s. il vento come fonte di energia**, to harness the power of the wind; *Non sfruttiamo abbastanza gli impianti*, we are not making maximum use of our plants; **s. al massimo**, to exploit to the utmost; to make maximum (*o* optimum) use of; **s. al massimo lo spazio**, to make maximum use of space; **s. razionalmente qc.**, to make rational (*o* optimum) use of st.; **s. eccessivamente**, to overexploit; to deplete **2** (*far lavorare per il proprio vantaggio*) to exploit, to overwork, to sweat; (*spremere, mungere*) to milk; (*vivere alle spalle di*) to live off: **s. la classe operaia**, to exploit the working classes; **s. i propri operai**, to sweat one's workers; **s. una donna**, to live off a woman **3** (*mettere a profitto, approfittare di*) to exploit; to use; to put* (*o* to turn) to good account: **s. le proprie amicizie** (*per far carriera*), to exploit one's connections; **s. le proprie conoscenze [le proprie doti]**, to use one's knowledge [one's talents]; **s. un'occasione**, to take advantage of (*o* to seize) an opportunity; *È un'occasione da s.*, we must seize this opportunity; **s. un vantaggio**, to make the most of an advantage; **s. qc. fino in fondo**, to make the most of st. **4** (*abusare di*) to take* advantage of: **s. la dabbenaggine altrui**, to take advantage of sb.'s credulity; *Si lascia s. da tutti*, he allows people to take advantage of him; he lets himself be exploited by everyone.

sfruttàto A a. exploited; (*di lavoratore, anche*) sweated B m. (f. **-a**) exploited person.

sfruttatóre A a. exploiting B m. (f. **-trice**) exploiter; (*di prostituta*) pimp; (*parassita*) parasite, scrounger.

sfuggènte a. **1** (*di mento, fronte*) receding **2** (*evasivo*) evasive; (*ambiguo*) shifty, slippery, equivocal: **individuo s.**, shifty character; **sguardo s.**, evasive look; **s. come un'anguilla**, as slippery as an eel.

sfuggévole a. (*fugace*) fleeting; transient; brief: **ricordo s.**, fleeting memory.

sfuggevolézza f. fleetingness; transitoriness.

♦**sfuggìre** A v. t. (*schivare, evitare*) to avoid; to shun; to elude; to eschew; to shirk: **s. i pericoli**, to avoid dangers; **s. le responsabilità**, to avoid (*o* to shirk) responsibilities; *Tutti lo sfuggono*, everybody shuns (*o* avoids) him B v. i. **1** (*sottrarsi*) to avoid (st.); to evade (st.); to escape (st.); to slip (st.) (*fam.*); to get* away from: **s. alla cattura**, to avoid capture; **s. alla giustizia**, to evade justice; **s. agli inseguitori**, to evade one's pursuers; to give one's pursuers the slip (*fam.*); **s. alla morte [a un incidente]**, to escape death [an accident]; **s. ai nemici**, to elude one's enemies; *Idioti! Ve lo siete lasciato s.*, idiots! you let him slip; *Non possiamo s. alla realtà dei fatti*, we cannot get away from the facts; *La situazione è ormai sfuggita al nostro controllo*, the situation is beyond our control; *Il loro comportamento sfugge a ogni definizione*, their behaviour defies definition **2** (*di cosa: cadere, scivolare via*) to slip; to escape: **s. di mano**, to slip out of one's hand (*o* hands); (*fig.*) to get out of control; **lasciarsi s. qc. di mano**, to let st. slip from one's hand (*o* through one's fingers) (*anche fig.*); (*lasciar cadere*) to drop st.; *Una ciocca di capelli le sfuggiva dal berretto*, a strand of hair escaped from under her cap; *Il portiere si è lasciato s. la palla*, the goalkeeper failed to catch the ball **3** (*anche fig.: fuggire, scappare*) to escape; to slip: **lasciarsi s. un'occasione**, to let an opportunity slip through one's fingers; to miss an opportunity; *Non lasciartelo s.*, è un affare,

snap it up, it's a bargain; *Sentiva che la vita gli sfuggiva*, he felt his life slowly slipping away **4** (*di parola, suono*) to escape one's lips; to slip: *Gli sfuggì un gemito*, a moan escaped his lips; *Le sfuggì detto che si erano visti*, she let slip they had met; **lasciarsi s. un commento ironico**, to let slip an ironic remark; **lasciarsi s. un segreto**, to let out a secret; to let the cat out of the bag (*fam.*); to blab; *Non lasciarti s. una parola su tutto ciò*, don't let out a single word on this; don't breathe a word about this **5** (*uscire dalla memoria*) to slip (from) one's mind (*o* memory); to escape: *Mi era sfuggito di mente l'appuntamento*, the appointment had slipped from my mind; *Mi sfugge il suo nome*, his (*o* her) name escapes me **6** (*passare inosservato*) to escape: **s. all'attenzione**, to escape sb.'s notice; to pass (*o* to go) unnoticed (*o* unobserved); *Nulla gli sfugge*, nothing escapes him; *Ti è sfuggito questo errore*, you have overlooked this mistake; *Quel particolare mi era sfuggito*, I missed that detail.

sfuggìta f. — **di s.**, (*in fretta*) in a hurry, hurriedly; (*brevemente*) briefly: *L'ho visto di s.*, I saw him briefly; (*lo intravidi*) I just caught a glimpse of him.

sfumàre A v. t. **1** (*pitt.*) to soften; to tone down; to shade off; (*con lo sfumino*) to stump: **s. un colore**, to tone down (*o* to shade off) a colour; **s. un disegno**, to stump a drawing; **s. un'ombra**, to soften a shade **2** (*mus.*) to lighten; to soften **3** (*fig.: attenuare, ammorbidire*) to soften; to tone down **4** (*capelli*) to taper **5** (*stirare al vapore*) to steam B v. i. **1** (*svanire*) to vanish; to fade away; to disappear; (*andare in fumo*) to come* to nothing, to fall* through: *Le nostre speranze sfumarono presto*, our hopes soon vanished; *Tutti i loro progetti sono sfumati*, all their plans came to nothing; *Il mio viaggio è sfumato*, my trip has fallen through; *Hai lasciato s. un'occasione unica*, you let a unique opportunity slip through your fingers; you missed a unique opportunity **2** (*di colori*) to shade off (*o* away); to gradate; to fade: **un rosso che sfuma nel viola**, a red shading off (*o* gradating) into purple; *Le due tinte sfumano l'una nell'altra*, the two colours fade into one another.

sfumàto A a. **1** (*dileguato*) vanished, faded; (*andato in fumo*) come to nothing (pred.), fallen through (pred.); (*perduto*) lost: **accordo s.**, deal that has fallen through; **occasione sfumata**, lost opportunity; **sogni sfumati**, dreams that came to nothing; **speranze sfumate**, vanished hopes **2** (*di colore*) shaded; (*morbido*) soft, mellow **3** (*di luce*) soft; mellow; faint **4** (*fig.: vago, indistinto*) vague; blurred: **contorni sfumati**, blurred outlines; **sentimento s.**, vague emotion **5** (*di capelli*) tapered B m. (*pitt.*) sfumato.

♦**sfumatùra** f. **1** (*lo sfumare*) shading off; gradation; toning down **2** (*gradazione di colore*) gradation; shade; tone; nuance: **sfumature di rosso**, shades of red; **una s. più chiara**, a lighter shade **3** (*fig.: effetto di stile*) shade; nuance; tone; subtlety; undertone: **s. di significato**, shade of meaning; nuance; **una prosa ricca di sfumature**, a highly nuanced prose **4** (*fig.: traccia, accenno*) shade; hint; touch; suggestion: **una s. d'ironia**, a shade (*o* hint) of irony; *Sa cogliere la più piccola s.*, she can pick up the slightest nuance **5** (*di capelli*) tapering.

sfumìno m. (*disegno*) stump.

sfùmo m. (*disegno*) stumping.

sfuriàta f. **1** (*sfogo d'ira*) outburst (of anger): **fare sfuriate**, to flare up; to fly off the handle (*fam.*) **2** (*rabbuffo*) scolding; telling-off (*fam.*); talking-to (*fam.*); (*da un superiore, anche*) carpeting: **fare una s. a q.**, to give sb. a scolding (*fam.* a talking-to); to jump down sb.'s throat (*fam.*); to chew out sb. (*fam.*

USA); **prendersi una s.**, to be told off (*fam.*); to be carpeted (*fam.*) **3** (*tempesta breve e violenta*) (short) storm; downpour: **s. di pioggia**, rainstorm; downpour; **s. di vento**, windstorm.

sfùso a. **1** (*sciolto*) melted (down) **2** (*venduto sciolto*) loose; sold by measure (pred.): **cioccolatini sfusi**, loose chocolates; **vino s.**, wine sold by measure.

SG sigla (**Sua Grazia**) His (*o* Her) Grace (HG).

sgabèllo m. (*panchetto*) stool; (*poggiapiedi*) footstool.

sgabuzzìno m. **1** (*ripostiglio*) walk-in cupboard (*GB*); boxroom (*GB*); closet (*USA*); cubby-hole **2** (*fig.: stanza angusta*) poky little room; hole.

sgallettàre v. i. to be a ladies' man.

sgallettàto a. (*region.*) frisky; perky; free and easy.

sgamàre v. i. (*gergale*) **1** (*identificare, scoprire*) to rumble **2** (*capire*) to rumble; to figure out; to suss (out) (*fam. GB*).

sgamàto a. (*gergale*) streetwise.

sgambàre v. i. e **sgambàrsi** v. i. pron. **1** (*camminare a lunghi passi*) to stride* (along) **2** (*camminare in fretta*) to walk fast; (*camminare a lungo*) to trudge, to tramp, to footslog; to schlep (*fam.*).

sgambàta f. **1** (*fam.*) long walk; trudge; slog; schlep (*fam.*); (*corsa*) run **2** (*sport*) warm-up.

sgambàto a. **1** (*bot.*) stalkless; stemless **2** (*di indumento*) with high-cut legs; high-cut (attr.).

sgambatùra f. **1** (*sport*) warm-up **2** (*di indumento*) leg opening.

sgambettàre A v. i. **1** (*dimenare le gambe*) to kick one's legs **2** (*camminare a passi corti e rapidi*) to scurry; to scuttle; to trot; to patter; (*di bambino piccolo*) to toddle B v. t. (*far cadere con uno sgambetto*) to trip up.

sgambétto m. trip: **fare lo s. a q.**, to trip sb. up; (*fig.*) to oust sb.

sgamollatùra f. (*agric.*) pruning (of the side branches).

sganasciàre A v. t. to dislocate the jaw of B **sganasciàrsi** v. i. pron. (*slogarsi le ganasce*) to dislocate one's jaws ● **sganasciarsi dalle risa**, to laugh one's head off; to roar with laughter; to guffaw.

sganasciàta f. **1** dislocation of the jaw **2** (*fig.*) loud laugh; roar of laughter.

sganascióne m. (*region.*) slap in the face; box on the ear; swipe.

sganciàbile a. that can be unhooked (*o* unfastened, disengaged, detached); releasable.

sganciabómbe m. (*aeron. mil.*) bomb release gear.

sganciaménto m. **1** unhooking; unfastening; (*mecc.*) release; (*ferr.*) uncoupling **2** (*aeron.*) release; (*di bomba*) dropping **3** (*mil.*) disengagement.

sganciàre A v. t. **1** (*liberare da un gancio o da ganci*) to unhook, to detach; (*un indumento*) to unfasten, to unhook; (*mecc.*) to release; (*un veicolo, ecc.*) to unhitch; (*ferr.*) to uncouple: **s. un vestito**, to unfasten a dress; **s. una vettura**, to uncouple a carriage **2** (*aeron.: lanciare*) to drop: **s. bombe su una città**, to drop bombs on a town **3** (*fig. fam.: sborsare*) to fork out (*fam.*); to cough up (*slang*) B **sganciàrsi** v. i. pron. **1** to get* unhooked; to unhook; to break* loose; (*di indumento*) to unfasten; (*ferr.*) to come* uncoupled **2** (*mil.*) to disengage **3** (*fig.: liberarsi*) to break* (*o* to get*) away; to cut* loose: *Devi sganciarti da lui*, you must get away from him.

sgàncio m. (*aeron.*) release; (*di bomba*) dropping.

sgangheràre A v. t. 1 (*levare dai ganghe-ri*) to unhinge; to knock off the hinges 2 (*sconquassare*) to break* up; to smash; to wreck; to knock to pieces; to bust (*fam.*) B **sgangheràrsi** v. i. pron. – **sgangherarsi dalle risa**, to laugh one's head off; to roar (*o* to howl) with laughter.

sgangheratàggine f. (*sguaiataggine*) rowdiness; disorderliness; loutishness.

sgangheràto a. 1 (*scardinato*) off its hinges 2 (*sconquassato*) wrecked; broken up 3 (*malconcio*) rickety; ramshackle; ratty (*fam.*); (*di edificio*) tumbledown; (*di attrezzo, macchina*) clapped-out (*fam. GB*): **vecchia auto sgangherata**, ramshackle (*o* clapped--out) old car; rattletrap (*fam.*); junk heap (*fam.*); crate (*fam.*); **mobili sgangherati**, rickety furniture; **orchestra sgangherata**, ramshackle orchestra 4 (*sconnesso*) disjoint-ed; incoherent: **discorso s.**, disjointed (*o* incoherent) speech 5 (*sguaiato*) wild; rowdy; disorderly; (*rumoroso*) loud, roaring: **risa sgangherate**, raucous laughter; guffawing.

sgarbatàggine f. 1 incivility; discourte-sy; rudeness; bad manners (pl.) 2 (*azione sgarbata*) incivility; discourtesy.

sgarbataménte avv. impolitely; rudely.

sgarbatézza → **sgarbataggine**.

sgarbàto A a. 1 (*senza garbo*) graceless; clumsy; uncouth 2 (*scortese*) impolite; dis-courteous; unkind; ill-mannered; uncivil; surly; rude; (*brusco*) brusque, curt, gruff: **modi sgarbati**, bad manners; **risposta sgarbata**, rude reply; curt answer; **essere s. con q.**, to be unkind (*o* rude) to sb. B m. (f. -a) rude person; boor (m.).

sgarberìa f. 1 (*comportamento sgarbato*) bad manners (pl.); impoliteness; incivility; rudeness 2 → **sgarbo**.

sgàrbo m. (*atto sgarbato*) incivility; unkind-ness; slight; (*che mortifica*) snub: **fare uno s. a q.**, to treat sb. with disrespect; to be rude to sb.; to snub sb.; *È stato uno s. non invi-tarlo*, it was unkind not to invite him; *Ho paura che lei lo prenderà come uno s.*, I fear she'll feel slighted (*o* she'll take it as a snub).

sgarbugliàre v. t. 1 to disentangle; to unravel (*fig.*) to disentangle; to sort out.

sgargiànte a. (*vivace*) bright, brightly col-oured; (*vistoso*) gaudy, garish, loud: **colori sgargianti**, gaudy colours; **fiori sgargianti**, brightly coloured flowers; **cravatta a tinte sgargianti**, loud tie.

sgarràre ① v. i. 1 (*mancare di precisione*) to be inaccurate; (*di orologio: essere avanti*) to gain; (*essere indietro*) to lose*: *Il mio orologio sgarra di tre minuti al giorno*, my watch gains [loses] three minutes a day; *Questa sveglia non sgarra un minuto*, this alarm clock keeps perfect time 2 (*sbagliare*) to be wrong; to make* a mistake; to slip up; (*venir meno a un dovere*) to be at fault.

sgarràre ② v. t., **sgarràrsi** v. i. pron. (*re-gion.*) to tear*; to rip.

sgarrettàre v. t. 1 (*tagliare i garretti a*) to hock; to hamstring* 2 (*agric.*) to cut* back.

sgarrettatùra f. 1 (*di animale*) hocking; hamstringing 2 (*agric.*) cutting back.

sgàrro ① m. 1 (*errore*) failure; slip-up; lapse; blunder 2 (*gergo criminale*) slight; af-front.

sgàrro ② m. (*region.*) tear.

sgàrza f. (*zool., Ardea cinerea*) grey (*o* com-mon) heron.

sgarzàre v. t. to scrape off (with a scratch knife).

sgarzìno m. erasing knife.

sgasàre ① A v. t. (*una bibita*) to make* (*o* to let*) (*a drink*) go flat B **sgasàrsi** v. i. pron. 1 (*di bibita*) to go* flat 2 (*fig., gerga-le*) to get* depressed.

sgasàre ② v. i. (*autom., fam.*) to rev up

(the engine).

sgasàta f. (*autom., fam.*) revving up: **dare una s.**, to rev up.

sgasàto a. 1 (*di bibita*) flat 2 (*fig., gerga-le*) depressed; down.

sgattaiolàre v. i. to sneak*; to slip; to steal*; to skulk; to slink*; (*allontanarsi*) to slink* away (*o* off): **s. in una stanza**, to sneak into a room; **s. via**, to sneak away; to skulk off; *Sgattaiolò non visto in giardino*, he slipped off unseen into the garden; *Sgat-taiolai in camera mia*, I stole (*o* slunk) away to my bedroom.

sgavazzàre v. i. to carouse; to booze (*fam.*).

SGC sigla (**strada di grande comunica-zione**) major trunk road.

sgelàre v. t. e v. i. e **sgelàrsi** v. i. pron. to thaw (out); to melt: **sgelare le tubazioni dell'acqua**, to thaw out the water-pipes; *Sta sgelando*, it's thawing.

sgèlo m. thaw.

sghèmbo A a. 1 (*obliquo*) slanting; slant-wise; oblique; skewed 2 (*storto*) crooked; lopsided; awry (pred.); askew (pred.): **cam-minata sghemba**, lopsided gait 3 (*geom.*) skew: **rette shembe**, skew lines ● a (*o* di) s., slantingly; obliquely; askew; crookedly B avv. slantingly; on the slant; obliquely; as-kew; crabwise; crookedly: **camminare s.**, to walk crookedly.

sgheronàto a. gusseted; gored.

sghèrro m. 1 (*stor.*) mercenary; hireling 2 (*bravaccio*) thug; bully 3 (*spreg.: poliziotto*) cop; pig.

sghiacciàre v. t., v. i. e **sghiacciàrsi** v. rifl. to thaw; to melt; to defrost.

sghiaiàre v. t. to remove gravel from.

sghiaiatóre m. (*tecn.*) desilting basin.

sghignazzàre v. i. (*ridere con scherno*) to laugh scornfully; (*ridere scompostamente*) to laugh boisterously; to haw-haw; to guffaw; (*fig., anche*) to sneer (at).

sghignazzàta f., **sghignàzzo** m. (*risata di scherno*) scornful laughter ⓤ; (*risata scom-posta*) boisterous laugh, howl of laughter, guffaw, horse-laugh: **fare una s.**, to guffaw.

sghimbèscio → **sghembo**.

sghignazzaménto m. → **sghignazzata**.

sghindàre v. t. (*naut.*) to rig down; to un-rig.

sghiribìzzo m. whim; notion; vagary; caprice.

sgnaccàre v. t. to fling*; to chuck: (*gergo mil.*) **s. dentro**, to clap into jail; to nick.

sgobbàre v. i. (*fam.*) 1 (*lavorare sodo*) to work hard; to grind* away (*fam.*); to keep one's nose to the grindstone (*fam.*); (*sfacchi-nare*) to slave; to slog; to drudge: **s. come un mulo**, to work like a horse; to work one's fingers to the bone; *Ha dovuto s. per arriva-re dov'è ora*, she had to work very hard to get where she is now 2 (*studiare sodo*) to study hard; to grind* away; (*per un esame*) to cram, to swot (*GB*): **s. sui libri**, to grind away at one's books; *Devo s. se voglio pas-sare in matematica*, I must swot up on maths, if I want to pass.

sgobbàta f. (*fam.*) hard work ⓤ; slog; sweat; graft (*GB*); (*per un esame*) (stint of) cramming, (stint of) swotting (*GB*).

sgobbóne m. (f. -a) (*fam.*) hard worker; slogger; drudge; (*a scuola*) swot, swotter (*GB*), grind (*USA*).

sgocciolaménto m. dripping; (*rumore*) drip-drop.

sgocciolàre A v. t. 1 (*far cadere a gocce*) to drip (st.); (*versare a gocce*) to pour a few drops of: *Stai sgocciolando dappertutto!*, you are dripping water [oil, etc.] every-where!; **s. un po' d'olio nella padella**, to pour a few drops of oil into the frying pan 2

(*scolare*) to drain: **s. l'insalata**, to drain the salad 3 (*vuotare delle ultime gocce*) to empty (*o* to drain) (to the last drop): **s. un fiasco**, to empty a flask (to the last drop) B v. i. 1 (*cadere a gocce*) to drip; to trickle: *La pioggia sgocciolava dagli alberi*, the rain was drip-ping from the trees 2 (*colare, di bucato, om-brello*) to drip; (*di piatti, insalata*) to drain; (*di candela*) to gutter, to run*: *Il rubinetto sgoc-ciolava*, the tap was dripping; **mettere qc. a s.**, to hung up st. to drip; to put st. to drain.

sgocciolatóio m. 1 drip pan 2 (*scola-piatti*) draining board, drainer; (*a rastrellie-ra*) plate rack.

sgocciolatùra f. 1 (*lo sgocciolare*) drip-ping; drip 2 (*gocce cadute*) drips (pl.), drops (pl.); (*ultime gocce*) last drops (pl.) 3 (*il se-gno*) runs (pl.).

sgocciolìo m. dripping; (*il rumore*) steady drip, drip-drop, drip drip drip: *Udivamo lo s. della pioggia*, we heard the steady drip (*o* the pattering) of the rain.

sgócciolo m. 1 dripping; drip 2 (*ultime gocce*) last drops (pl.) ● **essere agli sgoccio-li**, (*stare per esaurirsi*) to be running out; (*sta-re per terminare*) to be close to the end, to be almost over; (*stare per morire*) to be at one's last gasp: *Le nostre scorte sono agli sgoccio-li*, our supplies are running out; *La mia pa-zienza è ormai agli sgoccioli*, my patience is running out fast; I'm running out of pa-tience; *Il caffè è agli sgoccioli*, there is hard-ly any coffee left; *Le mie finanze sono agli sgoccioli*, I'm running out of money.

sgolàrsi v. i. pron. to talk (*o* to shout) one-self hoarse: **s. a spiegare qc.**, to talk oneself hoarse explaining st.; **s. inutilmente**, to waste one's breath.

sgomberàre → **sgombrare**.

sgomberatóre m. (f. -**trice**) removalist (*Austral.*); removal man (*o* woman) (*GB*).

sgómbero ① m. 1 clearing out; empty-ing; (*riordinata*) tidying up; (*rimozione*) remo-val, clearance; (*evacuazione*) evacuation: **lo s. di una cantina**, the clearing out of a cellar; **lo s. dei feriti**, the evacuation of the wounded; **lo s. delle macerie**, the clearance of debris; *Hai finito lo s. del garage?*, have you finished clearing out your garage?; *La polizia ha ordinato lo s. della zona*, the po-lice have ordered the evacuation of the area; **stanza di s.**, boxroom; storeroom; lumber room (*GB*) 2 (*trasloco*) move; remov-al: **fare lo s.**, to move (house); to move out.

sgómbero ② a. → **sgombro** ①.

sgombranéve m. snowplough, snow-plow (*USA*).

sgombràre v. t. 1 (*liberare, svuotare*) to clear; to free; to clear out; to empty out: **s. un armadio**, to clear out (*o* to empty out) a drawer; (*naut.*) **s. il ponte**, to clear the deck; **s. la tavola**, to clear the table; (*anche fig.*) **s. il terreno**, to clear the ground; **s. il garage dalle cianfrusaglie**, to clear the junk out of the garage; **s. la mente dai pregiudizi**, to free one's mind from prejudices; **s. le stra-de dalla neve**, to clear the streets of snow; *Il vento sgombrò il cielo dalle nuvole*, the wind swept the sky clear of clouds; *Il giudi-ce fece s. l'aula*, the judge gave order to clear the court 2 (*evacuare*) to evacuate; (*la-sciare libero*) to vacate, to move out of: **s. una città**, to evacuate a town; **s. un edificio pe-ricolante**, to evacuate an unsafe building; *Sgombriamo l'appartamento oggi*, we are vacating the flat today; we are moving out today 3 (*assol.: traslocare*) to move out, to leave*; (*andarsene*) to clear out (*o* off), to buzz off (*fam.*), to scram (*fam.*): *Sgombria-mo questa settimana*, we are moving out this week; *Sgombrate!*, clear off; scram! 4 (*portare via, togliere*) to clear away; to re-move: **s. la proprie cose**, to clear away

a
b
c
d
e
f
g
h
i
j
k
l
m
n
o
p
q
r
s
t
u
v
w
x
y
z

one's things.

şgómbro ① a. clear (of); free (from); uncluttered (with); unobstructed (by); unencumbered (with); (*vuoto*) empty: **appartamento s.**, empty flat; **cielo s. di nuvole**, cloudless (*o* unclouded) sky; **mente sgombra di dubbi** [**di pregiudizi**], mind free from doubt [from prejudice]; **tavolo s.**, uncluttered table; *Le strade sono sgombre dal traffico*, the roads are clear of traffic; **lasciare s. un appartamento**, to vacate a flat.

şgómbro ② m. → **sgombero** ①.

şgómbro ③ m. (*zool.*, *Scomber scombrus*) mackerel.

şgomentàre Ⓐ v. t. to dismay; to daunt; to unnerve; to fill with fear: *La notizia lo sgomentò*, he was dismayed at the news; **una responsabilità che sgomenta**, a daunting responsibility; *Ogni cosa insolita la sgomenta*, anything out of the ordinary fills her with fear; **non lasciarsi s.**, to be not easily daunted Ⓑ **şgomentàrsi** v. i. pron. to be dismayed; to be daunted; to lose* heart; to be frightened: **sgomentarsi per un insuccesso**, to be dismayed by a failure; **sgomentarsi davanti a un problema**, to be daunted by a problem; **sgomentarsi alle prime difficoltà**, to lose heart at the first obstacles.

şgoménto ① m. dismay; consternation; shock: **essere in preda allo s.**, to be dismayed; **mostrare s.**, to show consternation; **riempire di s.**, to fill with dismay; to dismay; **lasciarsi vincere dallo s.**, to be dismayed.

şgoménto ② a. dismayed; consternated; appalled: **restare s. davanti a qc.**, to be dismayed at the sight of st.

şgominàre v. t. to rout; to wipe out; (*fig.*, *in una gara, ecc.*) to defeat, to trounce, to thrash: **s. il nemico**, to rout the enemy; **s. gli avversari**, to trounce one's opponents; **s. una banda di criminali**, to wipe out a criminal gang.

şgomitàre v. i. (*anche fig.*) to elbow one's way; to jostle (for st.): **s. per farsi strada**, to elbow one's way through; **s. per arrivare in prima fila**, to elbow one's way to the front row; (*fig.*) **s. per arrivare in cima**, to jostle for position; **s. per raggiungere il successo**, to elbow one's way to success.

şgomitolàre v. t. e **şgomitolàrsi** v. i. pron. to unwind*.

şgommàre Ⓐ v. t. to remove the gum from; (*ind. tess.*) to degum Ⓑ v. i. (*autom.*) to make* the tyres squeal; to burn rubber (*fam.*); to lay* rubber (*fam. USA*): *Partì sgommando*, he drove off with a squeal of tyres; he burnt rubber Ⓒ **şgommàrsi** v. i. pron. to lose* the gum.

şgommàta f. squeal (*o* squealing) of tyres.

şgommàto a. **1** (*senza gomma*) not gummed; ungummed; (*ind. tess.*) degummed **2** (*autom.*) tyreless; (*con le gomme consumate*) with worn-out tyres.

şgommatùra f. (*ind. tess.*) degumming.

şgonfiàbile a. deflatable.

şgonfiaménto m. **1** (*di oggetto gonfiato*) deflating; deflation; collapse; (*di pneumatico*) going flat **2** (*di gonfiore*) reduction of the swelling; (*di ascesso, ecc.*) reabsorption **3** (*fig.: ridimensionamento*) deflation; puncturing.

şgonfiàre Ⓐ v. t. **1** to deflate; to let* out the air [the gas] from: **s. un palloncino**, to deflate a balloon **2** (*togliere il gonfiore*) to bring* down (*o* to reduce) the swelling of; (*un ascesso, ecc.*) to reabsorb **3** (*fig.: ridimensionare*) to puncture; to prick the bubble of; (*riportare alle giuste proporzioni*) to bring* back into proportion: **s. una notizia**, to bring a reported event back into proportion;

(*gergo giorn.*: *minimizzarla*) to play down a piece of news; **s. l'orgoglio di q.**, to puncture (*o* to prick the bubble of) sb.'s pride; **la presunzione di q.**, to cut sb. down to size; to bring sb. down a peg or two **4** (*pop.*: *annoiare*) to bore stiff; to bore to tears; to be a bore: *Ci ha sgonfiato con le sue chiacchiere*, she bored us stiff with her prattle Ⓑ v. i. e **şgonfiàrsi** v. i. pron. **1** to become* deflated; to go* flat; (*parzialmente*) to lose* air: *Il pallone (si) è sgonfiato*, the balloon has gone flat; *Il pneumatico di destra continua a sgonfiarsi*, the right tyre keeps going flat **2** (*perdere il gonfiore*) to be no longer swollen; to go* down: *La caviglia si è sgonfiata*, the ankle is no longer swollen **3** (*fig.*: *perdere entusiasmo*) to be deflated; (*perdere baldanza*) to come* down a peg or two **4** (*fig.*, *di questione, notizia: ridimensionarsi*) to get* back into proportion; to die down: *Il problema si è sgonfiato*, the problem has got back into proportion **5** (*pop.*: *annoiarsi*) to be bored stiff; (*seccarsi*) to be fed up.

şgonfiàto a. deflated; gone flat; (*forato*) punctured, pricked: (*anche fig.*) **pallone s.**, pricked balloon → **sgonfio** ①.

şgonfiatùra f. deflation.

şgónfio ① a. deflated; (*di pneumatico*) flat; (*che ha perso il gonfiore*) no longer swollen: **gomme sgonfie**, flat tyres; *La mano è sgonfia*, the hand is no longer swollen; the swelling in the hand has gone down.

şgónfio ② m. (*moda*) – con lo s., puffed.

şgonfiòtto m. **1** (*cucina*) fritter; doughnut; puff **2** → **sgonfio** ②.

şgonnellàre v. i. (*fam.*) to swish one's skirt; (*dimenare i fianchi*) to sway one's hips; (*camminare in modo ostentato*) to strut, to sashay (*fam. USA*).

şgórbia f. (*falegn.*, *chir.*, *scult.*) gouge: **scavare con la s.**, to gouge out.

şgorbiàre v. t. **1** (*imbrattare*) to blot; to smudge **2** (*scarabocchiare*) to scrawl; to scribble.

şgorbiatùra f. scrawl; scribble.

şgòrbio m. **1** (*macchia*) blot; smudge **2** (*scarabocchio*) scrawl; scribble; (al pl.: *scrittura illeggibile*) scrawl (sing.); scribble (sing.): **sgorbi indecifrabili**, indecipherable scribble **3** (*quadro malfatto*) daub; (*disegno malfatto*) scrawl **4** (*fig.*: *persona sgraziata*) freak; runt.

şgorgàre Ⓐ v. i. **1** (*di liquido*) to gush; to pour; to spurt; to spout; to well; (*scorrere*) to flow: *L'acqua sgorgava da sotto il masso*, the water was flowing out from under the rock; *Il sangue sgorgò dalla ferita*, blood gushed (*o* spurted) from the wound; *Le sgorgarono le lacrime*, tears welled up in her eyes; tears flowed from her eyes **2** (*fig.*) to pour; to spring*; to flow: **parole che sgorgano dal cuore**, words pouring from the heart Ⓑ v. t. (*sturare*) to clear; to unblock; to unclog: **s. il lavandino**, to unblock the sink; **s. uno scarico**, to clear a drain.

şgórgo m. outrush; gush; jet; spout.

şgottàre v. t. (*naut.*) to bail.

şgozzaménto m. throat-cutting; throat-slitting.

şgozzàre v. t. to cut* (*o* to slit*) the throat (of); (*estens.*: *ammazzare*) to kill, to slaughter: **s. un maiale**, to kill a pig.

♦**şgradévole** a. disagreeable; unpleasant; distasteful; displeasing; unappealing; unsavoury; off-putting; obnoxious; bad; (*di suono, anche*) grating: **abitudini sgradevoli**, distasteful habits; **aspetto s.**, unappealing (*o* off-putting) appearance; **esperienza s.**, disagreeable experience; **odore s.**, disagreeable (*o* unpleasant) smell; **persona s.**, disagreeable (*o* obnoxious) person; **voce s.**, grating voice; **s. all'orecchio**, displeasing to the ear; grating on the ear.

şgradevolézza f. disagreeableness; unpleasantness; distastefulness; obnoxiousness.

şgradiménto m. displeasure; disapprobation; disfavour.

şgradìto a. unpleasant; disagreeable; unwelcome: **notizie sgradite**, unwelcome news; **ospite s.**, unwelcome guest; **sgradita sorpresa**, unpleasant (*o* disagreeable) surprise; **riuscire s.**, to be unwelcome.

şgraffiàre v. t. to scratch.

şgraffignàre v. t. (*fam.*) to pinch; to nick; to swipe: *Mi hanno sgraffignato l'orologio*, someone has pinched (*o* nicked) my watch; *Chi mi ha sgraffignato i cioccolatini?*, who's swiped my chocolates?

şgràffio m. (*pop.*) scratch: **farsi uno s.**, to scratch oneself.

şgrammaticàre v. i. to make* grammatical mistakes.

şgrammaticàto a. ungrammatical; grammatically wrong; (*pieno di errori*) full of grammatical mistakes: **frase sgrammaticata**, ungrammatical sentence; **lettera sgrammaticata**, letter full of grammatical mistakes; **parlare** [**scrivere**] **in modo s.**, to make grammatical mistakes in speaking [in writing].

şgrammaticatùra f. grammatical mistake.

şgranaménto m. (*di legumi, mais*) shelling, shucking (*USA*); (*del cotone*) ginning.

şgranàre ① v. t. **1** (*legumi, mais*) to shell, to shuck (*USA*); (*cotone*) to gin **2** (*fig.*) – s. imprecazioni, to pour out a string of curses; **s. gli occhi**, to open one's eyes wide; **s. il rosario**, to tell one's beads.

şgranàre ② v. t. (*mecc.*) **1** (*disingranare*) to throw* out of gear; to disengage **2** (*disfare un ingranaggio*) to remove the gearing of.

şgranàre ③ Ⓐ v. t. **1** (*sfare, sbriciolare*) to crumble **2** (*fam.*: *mangiare*) to eat*; (*sgranocchiare*) to crunch Ⓑ **şgranàrsi** v. i. pron. **1** (*sbriciolarsi*) to crumble **2** (*essere disposto in fila*) to be stretched; to stretch.

şgranàto ① a. **1** (*di legumi, mais*) shelled, shucked (*USA*); (*di cotone*) ginned **2** (*fig.*, *di occhi*) wide open: **occhi sgranati**, wide-open eyes; **con gli occhi sgranati**, with wide-open eyes; wide-eyed.

şgranàto ② a. (*mecc.*) ungeared.

şgranatóio m. (*agric.*) (hand-operated) sheller.

şgranatóre Ⓐ a. shelling; shucking (*USA*) Ⓑ m. (f. -**trice**) sheller; shucker (*USA*).

şgranatrice f. (*di mais*) sheller; (*di cotone*) cotton gin.

şgranatùra f. (*di legumi, del mais*) shelling, shucking (*USA*); (*del cotone*) ginning.

şgranchire Ⓐ v. t. to stretch: **sgranchirsi le gambe**, to stretch one's legs Ⓑ **şgranchirsi** v. i. to stretch, to loosen up; (*s. le gambe*) to stretch one's legs.

şgranellàre v. t. (*l'uva*) to pick (*grapes*) off a bunch.

şgranocchiàre v. t. to crunch; to munch; (*mangiucchiare*) to nibble: **s. un biscotto**, to crunch a biscuit; **s. un pezzo di pane**, to munch a piece of bread; **s. qualcosa prima dei pasti**, to nibble something before a meal.

şgrappolàre v. t. to separate (*grapes*) from grape-stalks.

şgrassàre v. t. **1** (*togliere il grasso da*) to remove grease from; (*un liquido*) to skim the fat from **2** (*ind.*) to degrease; (*ind. tess.*) to scour.

şgrassatùra f. (*ind.*) degreasing; (*ind. tess.*) scouring.

şgravàre Ⓐ v. t. (*liberare da un peso, anche fig.*) to relieve; to ease; to unload; to unburden; to free: **s. q. da un debito**, to free sb.

from a debt; **s. i contribuenti da un'imposta**, to relieve the taxpayers of a tax; **s. q. da un obbligo**, to free sb. from an obligation; **s. q. da un peso**, to relieve (o to ease) sb. of a load; (*fig.*) to take a load off sb.'s mind; **s. q. da una preoccupazione**, to relieve sb. of a worry; to take a load off sb.'s mind; **s. q. da una responsabilità**, to relieve sb. of a responsibility; **sgravarsi la coscienza**, to ease one's conscience; to get st. off one's mind **B** **sgravàrsi** v. i. pron. (*alleggerirsi*) to relieve oneself (of); to ease oneself (of); to unburden oneself: **sgravarsi da una responsabilità**, to free oneself of a responsibility; (*fig.*) **sgravarsi da un peso**, to unburden oneself **C** v. i. e **sgravàrsi** v. i. pron. (*pop.*: *partorire*) to be delivered of a child; to give* birth; (*di animale*) to have young: **sgravarsi di un maschio**, to give birth to a baby boy.

sgràvio m. 1 (*alleggerimento*) relieving; relief; easing; unburdening: **s. di responsabilità**, easing of responsibility; *Per me è un grosso s. se te ne occupi tu*, it's a great relief for me (o it eases my work a lot) if you take care of it 2 (*fisc.*) relief; allowance; abatement: **s. fiscale**, tax relief; tax cut; tax allowance ● **a proprio s.**, to justify oneself; in justification; in one's defence □ **per s. di coscienza**, to relieve one's conscience; for conscience' sake.

sgraziatàggine f. gracelessness; ungainliness; (*goffaggine*) clumsiness, awkwardness, gawkiness.

sgraziàto a. graceless; ungainly; (*goffo*) clumsy, awkward, gawky; (*sgradevole*) unpleasant, disagreeable, (*all'udito, anche*) grating: **adolescente s.**, awkward (o gawky) teenager; **figura sgraziata**, ungainly figure; **movimenti sgraziati**, graceless (o clumsy) movements; **voce sgraziata**, disagreeable (o grating) voice.

sgretolaménto m. crumbling; falling to pieces; mouldering.

sgretolàre A v. t. 1 to crumble; to erode; to moulder 2 (*fig.*) to demolish; to shatter: **s. una speranza**, to shatter a hope **B** **sgretolàrsi** v. i. 1 to crumble; to erode; to moulder: **rocce che si sgretolano**, crumbling rocks 2 (*fig.*) to crumble; to fall* apart; to disintegrate: *Il suo impero commerciale si sgretolò in pochi anni*, his commercial empire crumbled (o fell apart, disintegrated) within a few years.

sgretolìo m. 1 crumbling away 2 (*rumore*) crumbling noise; (*di cosa schiacciata o calpestata*) crunching (sound).

sgrezzàre A v. t. 1 to rough-hew; to rough out 2 (*fig.*) to refine; to polish (up) **B** **sgrezzàrsi** v. i. pron. to refine one's manners; to become* refined.

♦**sgridàre** v. t. to scold; to tell* off; to pull* up; to give a dressing-down to (*fam.*); to tick off (*fam.*): **s. un bambino**, to scold a child; *Fu sgridato dal capo*, he was ticked off by his boss.

sgridàta f. scolding; telling-off; talking-to (*fam.*); dressing-down (*fam.*); ticking-off (*fam.*): **fare una s. coi fiocchi a q.**, to give sb. a good dressing-down; to give sb. the sharp edge of one's tongue; to haul sb. over the coals; (*di superiore, anche*) to have sb. on the carpet.

sgrigliatóre m. (*tecn.*) grate cleaner.

sgrìnfia → **grinfia**.

sgrommàre v. t. to remove tartar from; to scrape tartar off.

sgrommatùra f. removal of tartar; scraping off of tartar.

sgrondàre A v. t. to drain: **s. l'insalata**, to drain the salad **B** v. i. 1 (*gocciolare*) to drip 2 (*sgocciolare, di bucato, ombrello*) to drip; (*di piatti, ecc., insalata*) to drain: **far s. il bucato**, to let the washing drip.

sgrondatùra f. draining.

sgróndo m. 1 (*lo sgrondare*) draining; dripping 2 (*liquido che sgronda*) dripping ● **tetto a s.**, sloping roof.

sgroppàre A v. t. (*rovinare la groppa a*) to break* the back of (*an animal*) **B** v. i. (*di cavallo*) to buck **C** **sgroppàrsi** v. i. pron. (*lett.*) to break* one's back; to exhaust oneself.

sgroppàta f. 1 (*di cavallo*) buck; buck-jump 2 (*breve cavalcata*) short ride; short gallop 3 (*sport*) warming-up run.

sgroppàto a. (*di cavallo*) hollow-flanked.

sgroppino m. (*enol.*) lemon sherbet with vodka or sparkling wine.

sgropponàre v. i., **sgropponàrsi** v. i. pron. (*fam.*: *sgobbare*) to break* one's back; to slave away; to drudge.

sgropponàta f. (*fam.*: *sgobbata*) back-breaking job; sweat; drudgery; grind.

sgrossaménto m. 1 (*il digrossare*) roughing-out; rough-hewing 2 (*fig.*) licking into shape; polishing.

sgrossàre A v. t. 1 (*digrossare*) to rough out; to rough-hew* 2 (*fig.*: *dirozzare*) to lick into shape; to polish; (*addestrare*) to teach* (*sb.*) the rudiments (of st.) **B** **sgrossàrsi** v. i. pron. to refine one's manners; to become* refined.

sgrossàta f. quick roughing-out.

sgrossatùra f. → **sgrossamento**.

sgrottàre v. t. (*agric.*) to enlarge (*a hole*).

sgrovigliàre A v. t. 1 to unravel; to untangle 2 (*fig.*) to untangle; to sort out.

sgrugnàre (*pop.*) **A** v. t. to smash (o to bash) (sb.'s) face in **B** **sgrugnàrsi** v. i. pron. to smash one's face.

sgrugnàta f., **sgrùgno** m. (*fam.*) punch in the face.

sgrumàre → **sgrommare**.

sguaiatàggine f. coarseness; boorishness; vulgarity.

sguaiàto A a. coarse; boorish; vulgar: **modi sguaiati**, coarse manners; **risata sguaiata**, vulgar laughter **B** m. (f. **-a**) coarse person.

sguainàre v. t. to unsheathe; to draw*: **s. la spada**, to draw one's sword.

sgualcìre A v. t. to crease; to ruck up; to crumple; (*ammaccare*) to crush: **s. una camicetta**, to crease a blouse; **s. un cappello**, to crush a hat; **s. un foglio**, to crumple a piece of paper; **s. una gonna**, to ruck up a skirt **B** **sgualcìrsi** v. i. pron. to crease; to crumple; to get* creased (o crumpled): *Questo tipo di stoffa si sgualcisce subito*, this kind of cloth creases easily; *Ti si è sgualcito il cappotto*, your coat got creased.

sgualcìto a. crumpled; creased; rucked up; (*ammaccato*) crushed.

sgualcitùra f. crease.

sgualdrina f. slut; tart; whore.

sguància f. (*equit.*) cheek strap.

sguàncio m. (*archit.*) splay.

♦**sguàrdo** m. 1 (*occhiata*) look; glance; (*fisso*) stare, gaze: **s. di traverso**, side glance; **s. fisso**, gaze, stare; **s. furtivo**, surreptitious glance; **s. perplesso**, puzzled look; **s. rapito**, rapt (o enraptured) gaze; **s. veloce**, quick look; glance; **s. vitreo**, glassy stare; **al primo s.**, at first glance; **dare uno s. a**, to have (o to take) a look at; **lanciare uno s. a**, to cast a glance at; to glance at; *Non ci degnò di uno s.*, he didn't so much as look at us 2 (*occhi*) eye, eyes: **abbassare lo s.**, to lower one's eyes; to look down; **attirare gli sguardi di tutti**, to attract all eyes; **cercare con lo s.**, to look round (o around) for; **distogliere lo s. da**, to look away from; **evitare lo s. di q.**, to avoid meeting sb.'s eyes; **sfuggire agli sguardi di q.**, to escape sb.'s

notice; **sollevare lo s.**, to raise one's eyes; to look up; **tenere lo s. fisso su qc.**, to stare at st.; not to take one's eyes off st.; **fin dove arriva lo s.**, as far as the eye can see 3 (*veduta*) view: **s. d'insieme**, overall view.

sguarnìre v. t. 1 to strip (st.) of its trimming (o ornament) 2 (*naut.*) to unrig 3 (*mil., sport*) to dismantle; to leave* undefended; to leave* unprotected: **s. una fortezza**, to dismantle a fortress 4 (*privare*) to leave* bare; to strip.

sguarnito a. 1 (*disadorno*) untrimmed; unadorned; plain; bare 2 (*mil., sport*) undefended; defenceless; unprotected 3 (*sfornito*) poorly stocked.

sguàttera f. scullery maid; kitchen maid; skivvy (*fam.* GB); (*lavapiatti*) dish-washer, washer-up (*GB*).

sguàttero m. scullery boy; (*lavapiatti*) dish-washer, washer-up (*GB*).

sguazzàre v. i. 1 to splash about; to slosh about; to paddle: **s. nell'acqua**, to splash about in the water; *Le anitre sguazzavano nello stagno*, the ducks were paddling in the pond 2 (*avvoltolarsi, anche fig.*) to wallow; to roll: (*anche fig.*) **s. nel fango**, to wallow in mud; **s. nell'oro**, to be rolling in money 3 (*fig.*: *essere a proprio agio*) to be in one's element; to thrive (on st.); to revel (in st.); to go* to town (on st.) (*fam.*): *Nei pettegolezzi lui ci sguazza*, he revels in gossip; *Paura lui? Ci sguazza!*, him afraid? he thrives on it; *I giornali ci stanno sguazzando in questa storia*, the papers have gone to town on this story 4 (*fig.*: *starci largo*) to be lost: **s. in un cappotto**, to be lost in an overcoat; *In queste scarpe ci sguazzo*, these shoes are too big for me 5 (*di liquido in un recipiente*) to slosh about; to slop about.

sguinciàre v. t. to cut* slantwise (o on the slant).

sguincio m. 1 – **a** (o **di**) **s.**, obliquely; slantwise; on the slant; askew; sideways: **occhiata di s.**, sideways glance; **guardare qc. di s.**, to look at st. sideways; to cast st. a sideways glance 2 (*archit.*) splay.

sguinzagliàre v. t. 1 (*sciogliere dal guinzaglio*) to unleash; to slip (from a leash); to let* loose; (*aizzare*) to set* (st.) on: **s. un cane**, to unleash a dog; *Gli sguinzagliò dietro i cani*, he unleashed (o set) his dogs on him 2 (*fig.*) to set* (sb.) on: **s. i poliziotti dietro a q.**, to set the police on sb.

sgusciàre① **A** v. t. (*levare dal guscio*) to shell; to shuck (*USA*); to peel; to hull: **s. i piselli [noci]**, to shell (o to shuck) peas [nuts]; **s. uova**, to shell eggs; **s. gamberetti**, to peel prawns **B** v. i. to hatch **C** **sgusciàrsi** v. i. pron. 1 (*di legumi, ecc.*) to shell; to shuck (*USA*) 2 (*di serpente, ecc.*) to slough off (o to shed*) the skin.

sgusciàre② v. i. 1 (*sfuggire*) to slip; (*contorcendosi*) to wriggle: **s. di mano**, to slip out of one's hands; **s. fra le dita**, to slip through one's fingers; *Il gatto mi sgusciò dalle braccia*, the cat wriggled out of my arms; *Riuscii a s. dal finestrino laterale*, I managed to wriggle out of the side window 2 (*fig.*: *muoversi furtivamente*) to slip; to sneak; to slink*; to steal*: **s. dal proprio nascondiglio**, to slip (o to slink) out of one's hiding-place; **s. in una stanza**, to slip (o to sneak) into a room; *Ogni volta che c'è da lavorare lui sguscia via*, every time there's a job to do, he slinks away (o he makes himself scarce).

sgusciatrice f. (*agric.*) shelling machine; hulling machine.

sgusciatùra f. (*agric.*) shelling; hulling.

sgùscio m. (*sgorbia*) chaser's gouge.

shaker (*ingl.*) m. inv. cocktail shaker.

shakeràre v. t. to mix in a shaker; to shake* up.

shakespeariàno a. (*letter.*) Shake-

spearean, Shakespearian.

shampista m. (f. **-a**) shampooer.

shampoo (*ingl.*) m. inv. shampoo: **s. anti-forfora**, anti-dandruff shampoo; **s. secco**, dry shampoo; **fare uno s. a q.**, to shampoo sb.'s hair.

shangài → **sciangai**.

shantung m. inv. (*ind. tess.*) shantung.

share (*ingl.*) m. inv. (*TV*) TV ratings (pl.).

sharia f. inv. (*relig. islamica*) sharia, shariah; shariat.

shatzu → **shiatsu**.

shearling (*ingl.*) m. inv. shearling.

shed (*ingl.*) m. inv. (*edil.*) – **tetto a s.**, sawtooth (roof).

sheqel m. inv. (*unità monetaria israeliana*) shekel.

shèrpa m. inv. (*anche fig.*) sherpa.

sherry (*ingl.*) m. (*enologia*) sherry.

shetland (*ingl.*) m. Shetland wool.

shiatsu m. shiatsu; acupressure.

shift (*ingl.*) m. inv. (*comput.*) shift (key).

shiftàre v. t. (*comput.*) to shift.

shimmy (*ingl.*) m. **1** (*ballo*) shimmy **2** (*autom.*) shimmy.

shintoìsmo e deriv. → **scintoismo**, e deriv.

Shoah f. Shoah.

shoccàre e deriv. → **scioccare**, e deriv.

shock (*ingl.*) m. inv. (*anche med.*) shock: **s. anafilattico**, anaphylactic reaction (*o* shock); **s. da siero**, serum sickness; **s. emorragico**, haemorrhagic shock; **s. insulinico**, insulin shock; **avere uno s.**, to have a shock; **sotto s.**, suffering from shock; **in stato di s.**, in a state of shock; **È stato un grave s. per loro**, it has been a serious shock for them.

shockàre e deriv. → **scioccare**, e deriv.

shocking (*ingl.*) a. inv. – **rosa s.**, shocking pink.

shockterapìa f. (*med.*) shock therapy; shock treatment.

shogunàto m. (*storia giapponese*) shogunate.

shopper (*ingl.*) m. inv. plastic bag; paper bag ● **FALSI AMICI** • shopper *non si traduce con* shopper.

shopping (*ingl.*) m. inv. shopping: **fare lo s.**, to go shopping ● **s. terapeutico**, therapeutic shopping; retail therapy.

short (*ingl.*) m. inv. (*cinem.*) short.

shrapnel (*ingl.*) m. inv. shrapnel.

shuntàre v. t. (*elettr.*) to shunt.

shuttle (*ingl.*) m. inv. space shuttle.

♦si ① pron. rifl. 3ª pers. **1** (nei verbi rifl., ma spesso l'inglese usa un verbo intransitivo) oneself; himself; herself; itself; themselves: *Non si è spiegato*, he didn't explain himself; *La ragazza si guardò nello specchio*, the girl looked at herself in the mirror; *Si è ferita con un coltello*, she cut herself with a knife; *Mio marito si alza sempre alle sei*, my husband always gets up at six; *Come mi vide il cane si fermò*, the dog stopped as soon as it saw me; *Si sono divertiti*, they enjoyed themselves; *Si sono nascosti in cantina*, they hid in the cellar **2** (nei verbi recipr., *fra due*) each other; (*fra più di due*) one another (*tuttavia a volte omesso*): *Si sono sempre piaciuti*, they have always liked each other; *Si scrivono da parecchi mesi*, they have been writing to each other for several months; *Si vogliono tutti bene*, they are all fond of one another; *Si rispettano* (*l'un l'altro*), they respect each other; *Si baciarono*, they kissed; *Si incontrarono a Londra*, they met in London **3** (compl. di termine: in ingl. vi corrisponde l'agg. poss.) – *Si è lavato le mani*, he washed his hands; *Si levarono il cappello*, they took off their hats **4** (nei verbi intransitivi pronominali non ha corrispondente: l'ingl. usa un intransitivo o una costruzione passiva) – *Si è pentito*, he repented; *Si è dimenticato di dirmelo*, he forgot to tell me; *Ci si stanca ad aspettare*, one gets tired of waiting; *La porta si chiuse di scatto*, the door clicked shut; *Non si sono rotti*, they didn't break **5** (dativo etico) – *Si è comprato una moto nuova*, he bought a new motorbike; *Si è bevuto tutta la bottiglia*, he drank off the whole bottle; *Si sono mangiati tutto il gelato*, they scoffed all the ice cream; *Si è giocato una fortuna al casinò*, he gambled away a whole fortune at the casino; *Si è fatta una bella dormita*, she had a good sleep **6** (nelle costruzioni impers.) one; you; we; they; people; everybody (ma a volte vi corrisponde una costruzione passiva) – *Si vede che sei felice*, one can see you are happy; *Non si è mai troppo vecchi per imparare*, one is (*o* you are) never too old to learn; *In Italia si beve molto caffè*, in Italy we (*o* they, people) drink a lot of coffee; coffee is drunk a lot in Italy; *Come si apre questa scatola?*, how do you open this box?; *Si parte!*, we're off!; *Si fa così*, this is how you do it; this is how it is done; *Si dice che voglia vendere tutto*, they say she wants to sell everything; *Si dice che siano una coppia felice*, they are said (*o* believed) to be a happy couple; *Mi si dice che...*, I am told that...; *Si direbbe che...*, one would say that...; *Si sa che...*, everybody knows that...; *Di lui non si sa molto*, very little is known about him; *A suo tempo ti si dirà che cosa fare*, you will be told what to do in time **7** (con valore passivo) – *Si vide un bagliore nel cielo*, a flash was seen in the sky; *Qui si parla inglese*, English (is) spoken here; *Si confezionano scarpe su misura*, shoes are made to measure; (*avviso*) shoes made to measure; (*cartello*) *Si affittano appartamenti*, flats to let.

si ② m. (*mus.*) B; (*nel solfeggio*) te: **si bemolle**, B flat; **si maggiore [minore]**, B major [minor]; **chiave di si**, B clef.

SI abbr. **1** (Siena) **2** (**Sistema internazionale (di unità di misura)**) International System (of Units) (SI) **3** (*polit.*, **Socialisti italiani**) Italian Socialists.

♦sì ① **A** avv. **1** (affermazione) yes; (*in una votazione*) aye; (*nel rito del matrimonio*) I do: «*È vero?*» «*Sì*», «is it true?» «yes(, it is)»; «*Hai letto la lettera?*» «*Sì*», «have you read the letter?» «yes(, I have)»; «*Studi l'inglese?*» «*Sì*», «do you study English?» «yes(, I do)»; «*Hai studiato la poesia a memoria?*» «*Sì*», «did you study the poem by heart?» «yes(, I did)»; «*Andranno a Roma?*» «*Sì*», «will they go to Rome?» «yes(, they will)»; «*Vuoi un po' di tè?*» «*Sì, grazie*» «would you like some tea?» «yes, please»; «*Ti piace il posto?*» «*Sì e no*», «do you like the place?» «yes and no» (*o* «well, I do and I don't»); «*Siete tutti favorevoli alla proposta?*» «*Sì!*», «is everybody in favour of the proposal?» «aye»; **dire di sì**, to say yes; *Dimmi solo sì o no*, just tell me yes or no; **far cenno di sì**, to nod; *Gli ho chiesto se era soddisfatto e mi ha risposto di sì*, I asked him whether he was satisfied and he said he was **2** (uso enfatico) – *E sì che te l'avevo detto più volte*, and yet I had told you more than once; *E sì che era un così bravo ragazzo!*, and to think he used to be such a good boy!; *Questa sì che è bella*, that's a good one!; *Tu sì che mi capisci*, you really understand me **3** (con valore concessivo) yes, of course; all right; granted; admittedly: *È nuovo, sì, ma non mi piace*, all right, it's new, but I don't like it; *È sì gentile, ma non mi fido di lui*, he may be nice, but I don't trust him ● (*iron.*) **Sì, domani!**, some hope! □ **sì e no** (*circa*), about; around; (*a malapena*) barely, hardly more than: *Sono sì e no due etti*, it's about two hundred grams; *Ci saranno state sì e no dieci persone*, there can't have been more than ten people □ **Li vuoi, sì o no?**, do you want them, or not?; do you want them, or don't you?; **Hai capito, sì o no?**, have you understood or not?; did you understand or didn't you?; **Ti decidi sì o no?**, are you going to make up your mind or not? □ «*Ho cambiato la macchina*» «*Ah sì?*», «I've changed my car» «have you?» (*o* «really?») □ **Certo che sì!**, yes, of course!; certainly! □ **Credo di sì**, I think so □ **forse (che) sì e forse (che) no**, maybe or maybe not □ «*Tu non conosci Giulio, vero?*» «*Ma sì che lo conosco*», «you don't know Giulio, do you?» «of course I do!» □ «*Non me l'hai dato!*» «*Ma sì che te l'ho dato!*», «you didn't give it to me!» «yes I did!» □ **Pare di sì**, it seems so; it looks like it; so it appears □ **più sì che no**, fairly probable; quite likely □ **più no che sì**, unlikely □ **Se c'è lui, non vengo: altrimenti sì**, if he is there I'm not coming, otherwise I will □ **Spero di sì**, I hope so □ **un giorno sì e l'altro no**, every other day □ **Una macchina sì e una no aveva la multa**, every other (*o* second) car had a parking ticket □ **La sua giacca aveva un bottone sì e uno no**, every second button on his jacket was missing □ **Aveva una scarpa sì e una no**, he had only one shoe on **B** m. pers. (*di sposi*) I do; (*voto favorevole*) aye: *Rispondi con un semplice sì o no*, answer with a plain yes or no (*o* yea or nay); *Il «sì» dello sposo non si sentì quasi*, the bridegroom's «I do» was almost inaudible; *I sì prevalgono* (*o sono in maggioranza*), the ayes have it; *Ha vinto il sì*, the ayes carried the day; **decidere per il sì**, to decide in favour of st.; to agree to st.; **essere tra il sì e il no**, to hesitate; to be undecided; **pronunciare il sì**, to say «I do» **C** a. inv. (*posposto*) good; positive: **giornata sì**, good day; red-letter day; **momento sì**, good moment.

sì ② **A** avv. (*lett.*: *così*) so; such: **un giorno sì bello**, such a beautiful day **B** cong. so: **sì da**, so as to; so that; **sì che**, so much that ● **fare sì che**, to see to it that; to make sure that: *Fate sì che vengano*, see to it that they come; get them to come □ **fare sì da**, to manage to: *Feci sì da accontentarlo*, I managed to satisfy him.

sia ① 1ª, 2ª e 3ª pers. sing. congiunt. pres. di **essere**.

♦sia ② cong. **1** – sia... sia (*o che*) (*tanto... quanto*) both... and: *Sia Bruno sia suo fratello sono medici*, both Bruno and his brother are doctors **2** – sia... sia (*o... o: con verbi*) whether... or; (con sost.) either... or: *Sia che voglia, sia che non voglia*, whether she likes it or not; *Sia Tizio sia Caio, per me fa tutt'uno*, either Tom or Dick, it's all the same to me.

SIAE sigla (**Società italiana autori ed editori**) Italian Authors and Publishers Association.

sial m. (*geol.*) sial.

siàlico a. (*geol.*) sialic.

siamése **A** a. Siamese: **gatto s.**, Siamese cat; **fratelli siamesi**, Siamese twins **B** m. e f. **1** Siamese* **2** (*gatto*) Siamese (cat) **C** m. (*ling.*) Siamese.

siàmo 1ª pers. pl. indic. pres. e congiunt. pres. di **essere**.

Sìbari f. (*geogr., stor.*) Sybaris.

sibarìta m. e f. **1** (*stor.*) Sybarite **2** (*fig.*) sybarite.

sibarìtico a. sybaritic: **pranzi sibaritici**, sybaritic dinners.

sibbène (*lett.*) → **sebbene**.

Sibèria f. **1** (*geogr.*) Siberia **2** (*fig.*) extremely cold place: *Questa stanza è una S.!*, it's freezing; it's like Siberia in here!

siberiàno **A** a. **1** Siberian **2** (*fig.*) freez-

ing **B** m. (f. **-a**) Siberian.

siberìte f. (*miner.*) siberite.

sibilànte **A** a. **1** hissing; sibilant; whizzing; (*del vento*) whistling **2** (*fon.*) sibilant **B** f. (*fon.*) sibilant.

sibilàre v. i. to hiss; to whizz; (*del vento*) to whistle: **il serpente sibilò**, the snake hissed; *Una freccia passò sibilando*, an arrow whizzed past; *Il vento sibilava tra i rami*, the wind whistled through the branches.

sibilla f. **1** (*mitol.*) sibyl: **la S. Cumana**, the Cumaean Sibyl **2** (*fig., scherz.*) sibyl; fortune-teller.

Sibilla f. Sibyl, Sybil.

sibillìno a. **1** sibylline: **i Libri sibillini**, the Sibylline books **2** (*fig.*) sibylline; enigmatic; cryptic; mysterious: **parole sibilline**, cryptic (*o* enigmatic) words; **sorriso s.**, enigmatic smile.

sìbilo m. **1** hiss; hissing sound; whizz; (*del vento*) whistling, whistle: **il s. del vapore**, the hiss of steam; **il s. del vento**, the whistling of the wind; *Il palloncino si afflosciò con un s.*, the balloon collapsed with a hissing sound **2** (*med.*) wheeze: **respirare con un s.**, to wheeze.

sic (*lat.*) avv. sic.

sicàrio m. hired killer; hitman*; assassin.

SICAV abbr. (**Società d'investimento a capitale variabile**) open-end investment company.

siccatìvo a. (*chim.*) drying: **composto s.**, drying agent; siccative.

♦**sicché** cong. **1** (*cosicché*) so **2** (*perciò*) so; therefore; thus: *Tu sei qui, s. rimarrò anch'io*, you are here, so I am staying too **3** (*dunque, ebbene*) well: *S. vieni o rimani?*, well, are you coming or not?

♦**siccità** f. drought; (*aridità*) dryness, aridity: *La s. ha rovinato i raccolti*, the crops have been spoiled by the drought; **la s. dell'aria**, the dryness of the air; **periodo di s.**, dry spell.

siccitóso a. droughty; dry; arid.

♦**siccóme** cong. **1** (*poiché*) as; since: *S. non c'eri, me ne sono tornato a casa*, as you were not in, I went back home **2** (*lett.: così come*) as.

Sicìlia f. (*geogr.*) Sicily.

siciliàna f. (*mus.*) siciliano; siciliana.

sicilianìsmo m. (*ling.*) Sicilian idiom; Sicilian word.

sicilianità f. Sicilian character.

siciliàno a. e m. (f. **-a**) Sicilian: **i Siciliani**, the Sicilians; (*stor.*) **i Vespri Siciliani**, the Sicilian Vespers.

sìclo m. (*stor.*) shekel.

sicofànte m. **1** (*stor.*) sycophant **2** (*lett.: delatore*) informer; tale-bearer **❶ FALSI AMICI** • *nell'uso moderno* sicofante *non si traduce con* sycophant.

sicomòro m. (*bot., Ficus sycomorus*) sycamore; (*nella Bibbia*) sycomore (tree).

sicònio, **sicòno** m. (*bot.*) syconium*.

sicòsi f. (*med.*) sycosis.

sìculo a. e m. **1** (*stor.*) Siculian; (al pl., anche) Siculi **2** (*lett. o scherz.: siciliano*) Sicilian.

siculo-normànno a. Siculo-Norman.

sicumèra f. presumption; arrogance.

sicùra f. **1** (*di arma*) safety catch; (*di gioiello*) safety latch: **mettere la s.**, to slip on the safety catch; **togliere la s.**, to release the safety catch; **in s.**, with the safety catch on **2** (*arresto, fermo*) catch; lock: *La portiera è chiusa con la s.*, the car door is locked.

sicuraménte avv. **1** (*certamente*) certainly; of course; assuredly; for sure **2** (*senza pericolo*) safely.

♦**sicurézza** f. **1** (*assenza di pericolo, protezio-*

---

ne dal pericolo) security; safety: **s. del posto di lavoro**, job security; **s.** nazionale, national security: **s. sociale**, social security; **s. sul lavoro**, industrial safety; safety at work; **s. stradale**, road safety; *La s. anzitutto!*, safety first!; **un'automobile che offre la massima s.**, a car offering maximum safety; **preoccuparsi della s. di q.**, to worry about sb.'s safety; **per maggior s.**, for greater safety; to be on the safe side (*fam.*); **addetto alla s.**, security officer; (*mecc.*) **arresto di s.**, safety catch; **carcere di massima s.**, top security prison; **cassetta di s.**, strongbox; **cintura di s.**, safety belt; **il Consiglio di S. delle Nazioni Unite**, the United Nations Security Council; (*autom.*) **distanza di s.**, safe distance; **lampada di s.**, safety lamp; **limite di s.**, safety limit; **misure di s.**, safety measures (*o* precautions); (*di protezione*) security measures, security (sing.); **norme di s.**, safety regulation; **pericolo per la s.**, security risk; **la Pubblica S.**, the police force; the police; **agente di Pubblica S.**, police officer; policeman; **senso di s.**, feeling of security; **serratura di s.**, safety lock; (*autom.*) child-proof lock; **servizio di s.**, security; **spilla di s.**, safety pin; **uscita di s.**, emergency door (*o* exit); (*mecc. e fig.*) **valvola di s.**, safety valve; **vetro di s.**, safety glass **2** (*certezza*) certainty; (*attendibilità*) reliability: **la s. di una notizia**, the reliability of a piece of news; **dire qc. con s.**, to say st. with certainty; *Non lo so con s.*, I can't say with certainty; I don't know for certain **3** (*fiducia*) confidence; trust; assurance: **s. di sé**, self-confidence; self-assurance; **s. nella mira**, sureness of aim; **ispirare s.**, to inspire confidence; **rispondere con s.**, to answer with assurance; **guidare con s.**, to drive with confidence; **mancanza di s.**, lack of confidence.

♦**sicùro** **A** a. **1** (*che non presenta o non corre pericoli*) safe, secure; (*protetto*) sheltered, protected; (*senza rischi*) safe, sound: **arma sicura**, safe weapon; **guida sicura**, safe driving; **investimento s.**, safe (*o* copper-bottomed) investment; **lavoro s.**, secure job; **luogo s.**, safe place; **strade sicure**, safe roads; *Mi sentivo s. del mio avvenire*, I felt secure about my future; *È sicura quella scala?*, is that ladder secure (*o* safe)? **2** (*certo*) sure, certain, confident, positive; (*garantito*) safe, certain, assured, guaranteed, secure, settled, surefire (*fam.*); (*accurato*) unfailing, unerring, accurate, foolproof (*fam.*); (*saldo*) secure, steady, firm; (*fiducioso, tranquillo*) confident, collected, resolute: **s. di sé**, sure of oneself; self-confident; **prova sicura**, sure proof; **rendita sicura**, assured income; **vittoria sicura**, assured victory; **un sistema s. per vincere al totocalcio**, a surefire method to win at the pools; *Il profitto è s.*, a profit is assured (*o* guaranteed); **con mano sicura**, with a steady (*o* sure) hand; **andare incontro a morte sicura**, to face certain death; *Sono s. di quel che dico*, I am sure (*o* certain) of what I am saying; *Ero s. che sarebbe venuto*, I was (*o* felt) sure (*o* certain, confident) he would come; *Ne sei s.?*, are you sure?; *Sono s. di non averlo visto*, I am positive I didn't see him **❶ NOTA: sure to / sure that → sure 3** (*attendibilità*) reliable; (*fidato*) safe, trustworthy, trusty, tried, steady, reliable, dependable: **amici sicuri**, trusty friends; **fonte sicura**, reliable source; **informazione sicura**, reliable information; **in mani sicure**, in safe hands **4** (*esperto*) skilled; skilful; clever; expert; confident; good: **s. nel maneggio delle armi**, skilled in handling weapons; *È s. nella guida*, he is an expert driver; *Non mi sento abbastanza s. per l'esame*, I don't feel confident enough for the exam; *Non è s. in matematica*, he is rather shaky in maths ● **È s. del fatto suo**, he is self-assured; he seems to know what

---

he is doing □ **a colpo s.**, without fail □ **andare a colpo s.**, to be dead certain about st. □ **cavallo s.**, (*tranquillo*) quiet horse; (*vincente*) dead cert (*anche fig.*) □ **con animo s.**, confidently; steadily; calmly □ **dare qc. per s.**, (*esserne certo*) to be sure (*o* certain) about st.; (*garantirlo*) to guarantee st.; (*assicurarlo per vero*) to state st. as a fact □ **poco s.**, (*pericoloso*) unsafe; (*incerto*) uncertain; (*debole*) shaky. weak; (*infido*) unreliable □ **Il tempo non è s.**, the weather is still unsettled (*o* undecide, unstable) yet **B** avv. certainly; definitely; positively; sure (*fam.*); (*naturalmente*) naturally, of course; (*proprio così*) quite so: «*Vuoi proprio partire?*» «*S.*», «do you really want to leave?» «of course I do»; *S. che c'ero*, of course I was there; *S. che gliele ho cantate chiare!*, you bet I gave him a piece of my mind! **C** m. **1** (*luogo s.*) safe place; safe custody: **essere al s.**, to be safe; to be in safety; to be out of harm's way; **essere s. da qc.**, to be safe from st.; **mettere al s.**, to put in a safe place; to put in safe custody; **mettersi al s. da** (*garantirsi contro*), to insure against; *Qui staremo al s.*, we'll be safe here **2** (*certezza*) certainty ● **andare sul s.**, to play it safe; to be on the safe side; to take no risks □ **di s.**, certainly; undoubtedly; for sure; for certain (*fam.*): *Verrà di s.*, she will certainly come; she is sure to come; *Pioverà di s.*, it will certainly rain; it's surely going to rain.

sicurtà f. **1** (*let.: sicurezza*) safety **2** (*leg.: malleadoria*) security, guarantee; (*garanzia*) guaranty **3** (*assicurazione*) insurance.

sidecar (*ingl.*) m. inv. (*autom.*) **1** (*carrozzino*) sidecar **2** (*motocarrozzetta*) motorcycle with a sidecar attached; combination (*GB*).

sideràle a. **1** (*astron.*) sidereal; star (attr.): **giorno s.**, sidereal day; **viaggi siderali**, star voyages **2** (*fig.*) enormous; huge: **divario s.**, huge gap.

sideralménte avv. incommensurably.

sideremìa f. (*med.*) iron in the blood.

sidèreo a. (*astron.*) sidereal; star (attr.): **giorno s.**, sidereal day; **luce siderea**, star light; (*miner.*) **pietre sideree**, siderolites; **rivoluzione siderea**, sidereal period; **tempo s.**, sidereal time.

siderìte f. **1** (*miner.*) siderite; chalybite **2** (*meteorite*) siderite.

sideròstato m. (*astron.*) siderostat.

siderurgìa f. iron metallurgy; iron and steel industry.

siderùrgico **A** a. iron and steel (attr.); steel (attr.): **industria siderurgica**, iron and steel industry; **operaio s.**, steelworker; **stabilimento s.**, steelworks **B** m. **1** (*operaio*) steelworker **2** (*industriale*) steel manufacturer.

si dìce loc. m. inv. rumour, rumor (*USA*); gossip ▣: *Stando ai si dice, vogliono divorziare*, rumour has it that they intend to divorce.

Sidóne f. (*geogr., stor.*) Sidon.

sidro m. (*di mele*) cider; (*di pere*) perry.

sièdo 1ª pers. sing. indic. pres. di **sedere**.

siemens (*ted.*) m. (*elettr.*) siemens.

sienìte m. (*miner.*) syenite.

siepàglia, **siepàia** f. overgrown hedge.

♦**sièpe** f. **1** hedge; hedging: **s. di arbusti**, hedgerow; **s. di cinta**, boundary hedge; **s. di mortella**, myrtle hedge; **s. morta**, dead hedge; **s. ornamentale**, ornamental hedge; **s. viva**, quickset **2** (*ipp., atletica*) hurdle: **s. con barriera**, brush and rails; **corsa siepi**, hurdle; steeplechase **3** (*fig.: barriera*) hedge; fence; wall; barrier: **una s. di lance**, a wall of spears.

sièrico a. serous; serum (attr.).

sièro m. **1** (*del latte*) whey **2** (*biol., med.*) serum: **s. antivipera**, viper serum; antive-

a b c d e f g h i j k l m n o p q r **s** t u v w x y z

nin; **s. della verità**, truth serum (*o* drug).

sieroalbumìna f. (*med.*) serum albumin.

sierodiàgnoṣi f. (*med.*) serodiagnosis*.

sierodiagnòstica f. (*med.*) serodoagnostics (pl. col verbo al sing.).

sierodiagnòstico a. (*med.*) serodiagnostic.

sieroglobulìna f. (*chim.*) serum globulin.

sierologìa f. serology.

sierològico a. serologic.

sieromucóso a. (*med.*) seromucous.

sieronegatività f. (*med.*) seronegativity.

sieronegatìvo a. (*med.*) seronegative; (*al test dell'AIDS, anche*) HIV negative: **risultare s. (al test dell'AIDS)**, to test negative for HIV; to test HIV negative.

sieropoṣitività f. (*med.*) seropositive.

sieropoṣitìvo A a. (*med.*) seropositive; (*al test dell'AIDS, anche*) HIV positive: **risultare s. (al test dell'AIDS)**, to test positive for HIV; to test HIV positive B m. (f. **-a**) person that has tested HIV positive.

sieroprofilàssi f. (*med.*) seroprophylaxis.

sieroproteìna f. (*chim.*) serum protein.

sieróṣa f. (*anat.*) serosa*; **s. pericardica**, pericardiac serosa.

sierosità f. serosity.

sieróṣo a. serous: **membrana sieroṣa**, serous membrane.

sieroterapìa f. (*med.*) serotherapy.

sieroteràpico a. serotherapeutic.

sierotìpo m. (*med.*) serotype.

sièrra f. (*geogr.*) sierra.

sièsta f. siesta; afternoon rest (*o* nap): **fare la s.**, to have a nap.

sìete 2ª pers. pl. indic pres. di **essere**.

sievert m. inv. (*fis.*) sievert.

siffàtto a. such: **una persona siffatta**, such a person; **siffatte domande**, such questions.

sifìlide f. (*med.*) syphilis; pox (*fam.*).

sifilìtico a. e m. (f. **-a**) (*med.*) syphilitic.

sifilodèrma m. (*med.*) syphilide; syphiloderma*.

sifilòma m. (*med.*) syphiloma*.

sifonàggio m. (*edil.*) siphonage.

sifonaménto m. (*edil.*) siphoning.

sifóne m. **1** (*idraul.*) siphon; (*di fogna, ecc.*) trap: **s. a tenuta idraulica**, running trap; **s. intercettatore**, stench trap; stink trap; **travasare con un s.**, to siphon off [out of, into]; **barometro a s.**, siphon barometer **2** (*bottiglia*) siphon: **s. da seltz**, soda siphon **3** (*zool.*) siphon; (*di afide*) siphuncle.

sifonòforo m. (*zool.*) siphonophore; (al pl., *scient.*) Siphonophora.

Sig. abbr. (**signor**) Mister (Mr).

sigaràia f. **1** (*operaia*) cigar maker; cigarette maker **2** (*venditrice*) cigar girl; cigarette girl.

sigaràio m. (*operaio*) cigar maker; cigarette maker.

◆**sigarétta** f. **1** cigarette: **s. arrotolata a mano**, hand-rolled cigarette; roll-up (*fam.*); roll-your-own (*fam.*); **s. con filtro**, filter (*o* filter-tipped) cigarette; filter tip; **s. senza filtro**, non-filter cigarette: **accendersi una s.**, to light a cigarette; **arrotolarsi una s.**, to roll a cigarette; *Mi faccio le sigarette da me*, I roll my own; **spegnere una s.**, to put out (*form.* to extinguish) a cigarette; **pacchetto [stecca] di sigarette**, packet [carton] of cigarettes **2** (*spagnoletta di filo*) thread spool (*o* reel).

sigarétto m. cigarillo*.

sìgaro m. cigar: **s. avana**, Havana; **a forma di s.**, cigar-shaped; **scatola da sigari**, cigar box.

Sigfrìdo m. (*letter.*) Siegfried.

sigillànte A a. sealing B m. sealant; sealer.

sigillàre v. t. (*anche leg.*) to seal (up): **s. una busta**, to seal an envelope; **s. una porta**, to seal a door; **s. con la ceralacca**, to seal with sealing wax.

sigillària f. (*paleont.*) sigillaria.

sigillàrio m. (f. **-a**) seal maker.

sigillàto a. sealed: **ordini sigillati**, sealed orders; *Ho la bocca sigillata*, my lips are sealed; **tenere la bocca sigillata**, to keep silent; to keep mum (*fam.*).

sigillatùra f. sealing.

sigìllo m. **1** (*strumento*) seal, signet; (*impronta*) seal: **s. di garanzia**, warranty seal; **s. di Stato**, Great Seal; **gran s.**, great seal; **sigilli intatti**, unbroken seals; (*fig.*) **chiuso con sette sigilli**, hermetically sealed; **sotto s.**, under seal; (*anche fig.*); **sotto il s. della confessione**, under the seal of confession; (*fig.*) *Ho il s. alle labbra*, my lips are sealed; **mettere il proprio s. a qc.**, to set one's seal to st.; (*leg.*) **mettere (o apporre) i sigilli a qc.**, to seal st. up; to affix official seals to st.; **rimuovere i sigilli**, to remove the seals; **rompere i sigilli**, to break the seals; **anello con s.**, signet ring; (*leg.*) **violazione dei sigilli**, breaking of seals **2** (*bot.*) **– s. di Salomone** (*Polygonatum multiflorum*), Solomon's seal.

sigillografìa f. sphragistics (pl. col verbo al sing.).

Sigismóndo m. Sigismund.

sìgla f. **1** (*acronimo*) acronym; abbreviation **2** (*iniziali*) initials (pl.); (*monogramma*) monogram: **mettere la propria s. a**, to sign with one's initials; to initial **3** (*radio, TV*) **– s. musicale**, signature tune.

siglàre v. t. **1** (*mettere le proprie iniziali a*) to initial: **s. una correzione**, to initial an alteration **2** (*fig.: firmare*) to sign: **s. un accordo**, to sign an agreement.

siglàrio m. abbreviation key.

siglatùra f. initialling; signing.

sìgma A m. e f. (*diciottesima lettera dell'alfabeto greco*) sigma B m. (*anat.*) sigmoid flexure.

sigmatìṣmo m. (*med.*) sigmatism.

sigmoidèo a. sigmoid; sigmoidal: (*anat.*) **valvole sigmoidee**, sigmoid valves.

sigmoidìte f. (*med.*) sigmoiditis.

Sig.na abbr. (**signorina**) Miss.

significànte A a. **1** (*dotato di significato*) significative **2** (*lett.: espressivo*) eloquent; meaningful **3** (*importante*) significant; important B m. (*ling.*) signifier; signifiant.

◆**significàre** v. t. **1** (*lett.: manifestare, esprimere*) to signify; to make* known; to show*: **s. il proprio consenso con un cenno del capo**, to signify one's agreement with a nod **2** (*voler dire*) to mean*; (*in modo indiretto*) to imply; (*avere come conseguenza*) to spell*: «*Pater*» *significa* «*padre*», «pater» means «father»; *Che cosa significa questa parola?*, what does this word mean?; what is the meaning of this word?; *Un'incidente nucleare significherebbe la fine di questa regione*, a nuclear accident would mean (*o* spell) the end of this region **3** (*indicare, rappresentare*) to mean*, to stand* for, to represent, to signify; (*simboleggiare*) to symbolize, to be a symbol of: *Quel gesto significava chiaramente che tutto era finito tra noi*, that gesture clearly meant (*o* signified) that it was all over between us; *La M. nel suo nome significa Maria*, the M. in his name stands for Maria; *Il nero significa lutto*, black stands for mourning; *I gigli significano purezza*, lilies are a symbol of purity **4** (*valere*) to mean*; to matter; to be of consequence: *La tua amicizia significa molto per*

---

me, your friendship means a great deal to me; *il denaro non significa nulla per me*, money means nothing to me; money is of no consequence to me.

significatività f. significance; meaningfulness.

significatìvo a. **1** (*ricco di significato*) significant, meaningful; (*espressivo*) expressive, eloquent; (*rivelatore, indicativo*) revealing: **sguardo s.**, significant (*o* meaningful) look; **silenzio s.**, eloquent silence **2** (*importante*) significant, important; (*notevole*) marked, considerable: **risultato s.**, important (*o* significant) result; **un s. abbassamento della pressione**, a considerable fall in pressure **3** (*mat.*) **– cifre significative**, significant figures.

◆**significàto** m. **1** meaning; (*senso*) sense: **il s. di una parola**, the meaning of a word; **s. proprio [figurato]**, proper [figurative] meaning; **s. recondito**, hidden meaning; **dare s. a qc.**, to attach meaning to st.; **denso di s.**, full of meaning; meaningful; eloquent; significant; knowing; **senza s.**, meaningless; senseless **2** (*ling.*) signified; signifié **3** (*fig.: importanza, valore*) importance; significance: **assumere un notevole s.**, to take on a considerable significance; **attribuire un grande s. a qc.**, to attach great importance to st.; **non avere nessun s.**, to be unimportant; to be of no importance.

◆**signóra** f. **1** (*lett.: padrona, dominatrice*) lady; mistress; ruler: **la s. del castello**, the lady of the castle; (*relig.*) *Nostra S.*, Our Lady; *Venezia era la s. dell'Adriatico*, Venice was the ruler of the Adriatic **2** (*padrona di casa, per un domestico*) mistress; (*usato da un domestico*) Madam: *È in casa la s.?*, is your mistress at home?; *La s. tornerà alle cinque*, Madam will be home at five **3** (*titolo, appellativo: senza il nome*) madam, lady; (*davanti al nome*) Mrs; (*davanti ad alcuni titoli di cariche, solo al vocat.*) Madam; (*davanti a titolo professionale o nobiliare non ha corrispondente*): *Buon giorno, s.*, good morning, madam; *Mia cara s., lei è sempre la benvenuta*, my dear lady, you are always welcome; *Desidera, s.* (*o La s. desidera*)?, can I help you, madam?; *Signore e signori!*, ladies and gentlemen!; (*in una lettera*) *Gentile S.*, Dear Madam; **la s.** (*Joan*) *Brown*, Mrs (Joan) Brown; *S. Presidentessa...*, Madam President...; **la s. professoressa**, the teacher, Mrs...; *S. maestra, posso uscire?*, miss, can I go out?; *La s. contessa è uscita*, the Countess is out; **la s. duchessa**, her Ladyship **4** (*moglie*) wife*: *Mi saluti la sua s.*, please give my regards to your wife (*o* to Mrs...); **il signor** (*Walter*) *Bianchi e s.*, Mr and Mrs (Walter) Bianchi **5** (*donna*) lady: woman*: **una s. di mezza età**, a middle-aged lady (*o* woman); **una vecchia s. simpatica**, an nice old lady; *Mi presenta quella s.?*, will you introduce me to that lady?; *Ti ha cercato una s.*, a lady (*o*, meno form., a woman) was looking for you; *Servite prima la s.*, serve the lady first; **parrucchiere per s.**, ladies' hairdresser **6** (*donna sposata*) married woman* **7** (*donna di classe, di rango*) lady: **una vera s.**, a real lady; **modi da s.**, ladylike manners; *Non è certo una s.!*, she's no lady! **8** (*donna ricca*) rich woman*; lady: *Vive da gran s.*, she leads the life of a great lady.

signoràggio m. (*stor., econ.*) seigniorage.

◆**signóre** A m. **1** (*stor.: principe*) lord, prince; (*sovrano*) liege: **i signori rinascimentali**, Renaissance princes; *Cangrande s. di Verona*, Cangrande, Prince of Verona **2** (*governatore, dominatore*) lord, ruler; (*padrone*) master: **il s. del castello**, the lord of the manor; **signori della guerra**, war lords; **s. di sé stesso**, one's own master; (*detto da un domestico*) *Il s. non è in casa*, my master is

not at home **3** (*relig.*) Lord; God: *Il S. ti benedica*, God bless you; *Nostro S.*, Our Lord; *Pietà di noi, S.*, Lord, have mercy on us; *Sia fatta la volontà del S.*, God's will be done; **il giorno del S.**, the Lord's Day **4** (*titolo, appellativo: senza il nome*) sir (al pl. gentlemen); (*davanti al nome e, solo al vocat., davanti ad alcuni titoli di cariche*) Mr; (*davanti a titolo professionale o nobiliare non ha corrispondente*): *Buon giorno, s.*, good morning; (*al pl. superiore*) good morning, sir; *Mio caro s.*, my dear sir; *Desidera, s.* (*o Il s. desidera?*)*?*, can I help you, sir?; *Signori, vi prego!*, gentlemen, please!; *Signori e Signore!*, Ladies and Gentlemen!; (*in una lettera*) *Egregio S.*, Dear Sir; (*in una lettera*) *Egregi Signori*, Dear Sirs (*GB*); Gentlemen (*USA*); **il signor Smith**, Mr Smith; **i signori Smith** (*coppia di coniugi*), Mr and Mrs Smith; **i signori Smith, Brown e Robinson**, Messrs Smith, Brown and Robinson; *Signor Presidente...*, Mr President...; (*di assemblea*) Mr Chairman...; *Signor Ministro, devo protestare!*, Minister, I must protest!; *Scusi, signor ingegnere*, excuse me, sir (*o Mr...*); *Vorrei parlare col signor avvocato*, I'd like to speak to Mr...; **il signor conte**, the Count; **il signor duca**, his Lordship **5** (*uomo*) gentleman*; man*: *Chi è quel s.?*, who is that gentleman (*o man*)?; **un s. molto cortese**, a very polite gentleman; *C'è un s. per te*, there's a gentleman (*o, meno form.*, a man) to see you; *Nello scompartimento c'erano due signori e una signora*, there were two men and a woman in the compartment **6** (*gentiluomo, uomo di rango*) gentleman*: **s. di campagna**, country gentleman; **comportarsi da s.**, to act like a gentleman; **modi da s.**, gentlemanlike manners; **darsi arie da gran s.**, to act the lord **7** (*uomo ricco*) rich man*, lord: **fare il (gran) s.**, to live like a lord; **i signori e i poveracci**, the rich and the poor **B** *a.* (*eccellente*) very fine; beautiful; excellent; superb: **un signor appartamento**, a beautiful flat; **una signora cena**, an excellent dinner.

signoreggiàre **A** *v. t.* **1** (*dominare*) to rule; to dominate; to hold* sway over **2** (*fig.: tenere a freno*) to master; to dominate: **s. le passioni**, to master one's passions **3** (*fig.: sovrastare*) to tower above (*o* over) **B** *v. i.* to rule; to dominate; to hold* sway.

signoria *f.* **1** (*dominio*) dominion; rule; sway: **la s. degli spagnoli in Italia**, the Spanish domination in Italy; **sotto la s. di**, under the rule of **2** (*stor.*) seigniory, seigneury; (*in Italia*) signory, signoria* **3** (*titolo*) Lordship (m.); Ladyship (f.): **Sua S.**, His Lordship; Her Ladyship; *Vostra S.*, Your Lordship [Ladyship]; (*bur.*) *La S. Vostra è invitata a...*, you are invited to...

signorìle *a.* **1** (*da signore*) gentlemanly, gentlemanlike; (*da signora*) ladylike: **aspetto s.**, gentlemanly [ladylike] appearance; **modi signorili**, gentlemanlike [ladylike] manners **2** (*distinto*) distinguished; (*raffinato*) refined, cultivated, exclusive; (*elegante*) elegant: **appartamento s.**, elegant flat; **quartiere s.**, exclusive neighbourhood **3** (*stor.*) seigneurial.

signorilità *f.* distinction; refinement; breeding; style.

signorilménte *avv.* (*da signore*) in a gentlemanly way, as befits a gentleman; (*da signora*) in a ladylike way, as befits a lady.

◆**signorìna** *f.* **1** (*titolo*) lady; (al vocat.) madam, miss (*fam.*), (*iron.*) young lady; (*davanti al nome*) Miss: **la s. Maria**, Miss Mary; **la s. Smith**, Miss Smith; **le signorine Smith**, the Miss Smiths; (*meno com.*) the Misses Smith; *Buon giorno, s.*, good morning, madam (*o* miss); *Sentimi bene, s.!*, listen here, young lady! **2** (*donna giovane*) young lady; girl; (*iron.*) her ladyship: *Conosci quella s.?*, do you know that young lady?; *Chi è quella*

bella s.?, who is that beautiful girl?; *Si è fatta proprio s.!*, she's quite a young lady now!; (*iron.*) *Oggi la s. non ha fame*, her ladyship is not hungry today; **collegio per signorine**, college for young ladies **3** (*donna nubile*) unmarried (*o* single) woman*: *È signora o s.?*, is she married or single?; **rimanere s.**, to remain single; **nome da s.**, maiden name **4** (*giovane padrona*) young mistress.

signorinèlla *f.* young lady; (al vocat., *iron.*) missy.

signorìno *m.* **1** (*figlio del padrone*, anche al vocat.) young master; (*davanti al nome*) master: **il s. Charles**, Master Charles **2** (*giovanotto delicato*) delicate young gentleman **3** (*iron.*) his lordship; (al vocat.) young man*: *Il s. è troppo stanco per rifarsi il letto*, his lordship is too tired to make his bed.

signornò *avv.* (*mil.* o *scherz.*) no, sir.

signoróne *m.* (*fam.*) very rich man*.

signoròtto *m.* lordling; squire: **s. di campagna**, squire; country gentleman.

signorsì *avv.* **1** (*mil.*) yes, sir; (*naut.*) aye aye, sir **2** (*scherz.*) yes, sir.

Sig.ra abbr. (**signora**) Mistress (Mrs)

sikh m. f. e a. inv. Sikh.

sikhìsmo *m.* Sikhism.

silàggio *m.* (*agric.*) ensilage; silaging.

silène *m.* (*bot.*, *Silene inflata*) bladder-campion; catchfly.

silèno *m.* (*zool.*, *Macaca albibarbata*) lion-tailed macaque; wanderoo.

Silèno *m.* (*mitol.*) Silenus.

silènte *a.* (*lett.*) silent; quiet; still.

silenziàre *v. t.* **1** (*mil.*) to silence **2** (*tecn.*) to silence; to muffle: **s. un motore**, to muffle a motor; **s. una pistola**, to fit a gun with a silencer.

silenziariaménte *m.* (*stor.*) silentiary.

silenziatóre *m.* **1** (*autom.*) silencer; muffler (*USA*) **2** (*di arma da fuoco*) silencer: **munito di s.**, fitted with a silencer; silenced **3** (*fig.: impedimento a parlare*) gag: **mettere il s. alla stampa**, to gag the press.

◆**silènzio** *m.* **1** (*assenza di suoni*) silence; (*calma, quiete*) silence, stillness, quiet: **s. assoluto**, complete (*o* perfect) silence; **s. di tomba**, dead silence; **s. di morte**, deathlike silence; *Nella casa regnava il s.*, silence reigned in the house; all was quiet in the house; **nel s. della notte**, in the silence (*o* still) of the night; **rompere il s.**, to break the silence **2** (*cessazione dal rumore o dal parlare*) silence; hush: **s. glaciale**, frosty silence; **lunghi silenzi tra una parola e l'altra**, long silences between words; *Tra la folla cadde il s.*, silence (*o* a hush) fell on the crowd; *S.!*, silence!; be quiet!; hush!; **ascoltare in s.**, to listen in silence; **chiudersi nel s.**, to shut up; to refuse to speak; **comprare il s. di q.**, to buy sb.'s silence; **fare s.**, to be silent; to keep quiet; to shut up; **imporre il s.**, to impose silence; **mantenere il s.**, to keep silent; **osservare un minuto di s.**, to observe a minute's silence; **restare in s.**, to be (*o* to remain) silent; to keep quiet; **ridurre** (*o* costringere) **q. al s.**, to reduce sb. to silence; **rompere il s.** (*dopo aver taciuto*), to break one's silence; **soffrire in s.**, to suffer in silence (*o* silently); (*eccl.*) **regola del s.**, vow of silence **3** (*oblio*) oblivion; (*oscurità*) obscurity: **cadere nel s.**, to fall into oblivion; **passare qc. sotto s.**, to pass over st. in silence; **vivere nel s.**, to live in obscurity **4** (*mil.*) last post (*GB*); taps (pl. con verbo al sing., *USA*): **suonare il s.**, to sound the last post; to play taps (*USA*) **5** (*relig.*) silence: **dispensare dal s.**, to dispense from silence ● (*leg.*) **s. assenso** (*o* **accoglimento**), implied assent □ **s. radio**, radio silence □ **s. stampa**, news blackout □ **la Chiesa del s.**, the clandestine (*o* un-

derground) church □ (*prov.*) **Il s. è d'oro**, silence is golden; least said, soonest mended.

silenziosaménte *avv.* silently; in silence; quietly; noiselessly; soundlessly; mutely.

silenziosità *f.* silence; quietness; stillness; (*taciturnità*) silence, taciturnity, reserve; (*di macchina, ecc.*) noiselessness.

◆**silenzióso** *a.* **1** (*privo di rumori*) silent; still; quiet; hushed; soundless: **casa silenziosa**, quiet (*o* silent) house; **notte silenziosa**, silent (*o* still) night **2** (*che non parla*) quiet, silent; (*taciturno*) taciturn, reserved: (*polit.*) **maggioranza silenziosa**, silent majority; **starsene s.**, to keep silent (*o* quiet) **3** (*che non fa rumore*) noiseless; soundless; silent: **motore s.**, noiseless engine; **passi silenziosi**, soundless steps **4** (*fatto senza parlare*) silent; wordless; unspoken; mute: **interrogativo s.**, mute question; **lettura silenziosa**, silent reading; **preghiera silenziosa**, silent prayer.

silèsia *f.* (*ind. tess.*) silesia; twill.

sìlfide *f.* (*mitol.* e *fig.*) sylph: **leggera come una s.**, sylph-like.

silfo *m.* (*mitol.*) sylph.

silhouette (*franc.*) *f. inv.* **1** (*arte*) silhouette **2** (*sagoma*) silhouette; outline; profile; contour **3** (*linea del corpo*) figure: **avere una bella s.**, to have a fine figure.

silicàtico *a.* **1** (*miner.*) silica (attr.) **2** (*chim.*) silicate (attr.).

silicàto *m.* (*miner., chim.*) silicate: **s. di potassio**, potassium silicate; **s. di soda**, soda silicate.

sìlice *f.* (*miner.*) silica: (*chim.*) **gel di s.**, silica gel.

silìceo *a.* (*miner.*) siliceous, silicious: **rocce silicee**, siliceous rocks.

silìcico *a.* (*chim.*) silicic.

silìcio *m.* (*chim.*) silicon.

silicizzàre **A** *v. t.* **1** (*geol.*) to silicify **2** (*metall.*) to siliconize **B** **silicizzàrsi** *v. i. pron.* (*geol.*) to silicify.

silicizzazióne *f.* **1** (*geol.*) silicification **2** (*metall.*) siliconization.

siliconàre *v. t.* to siliconize; to seal with silicone glue.

siliconàto *a.* siliconed: **seno s.**, siliconed breast.

silicóne *m.* (*chim.*) silicone: **gomma al s.**, silicone rubber; (*chir.*) **protesi al s.**, silicone implant.

silicònico *a.* (*chim.*) silicone (attr.).

silicòsi *f.* (*med.*) silicosis.

silìqua *f.* (*bot.*) siliqua*; silique.

siliquàstro *m.* (*bot., Cercis siliquastrum*) Judas tree; redbud.

sìllaba *f.* **1** (*ling.*) syllable: **s. aperta**, open syllable; **s. atona**, unaccented syllable; **s. breve**, short syllable; **s. chiusa**, closed syllable; **s. lunga**, long syllable; **s. tonica**, accented syllable; **dividere in sillabe**, to divide into syllables; to syllabize; to syllabify; **divisione in sillabe**, division into syllables; syllabification; **parola di tre sillabe**, three-syllabled word; **s. per s.**, syllabically **2** (*fig.: parola*) syllable; word: **non dire** (*o* **proferire**) **s.**, not to utter a word; not to breathe a syllable; **non cambiare una s.**, not to change a syllable (*o* a word); *Non una s.!*, not a syllable!

sillabàre *v. t.* **1** (*dividere in sillabe*) to divide into syllables; to syllabize; to syllabify **2** (*pronunciare staccando le sillabe*) to syllable; to syllabize **3** (*dire lettera per lettera*) to spell*.

sillabàrio *m.* spelling book; primer.

sillabazióne *f.* syllabification.

sillàbico *a.* syllabic: **accento s.**, syllabic accent; **canto s.**, syllabic singing; **divisione**

sillabica, division into syllables; syllabification.

sillabo m. 1 (*eccles.*) syllabus* 2 (*programma di insegnamento*) syllabus*.

sillèpsi, sillèssi f. (*gramm.*) syllepsis*.

silloge f. (*lett.*) collection; compilation; anthology.

sillogìşmo m. (*filos.*) syllogism: **premesse [consequenza] d'un s.**, premises [conclusion] of a syllogism.

sillogìstica f. (*filos.*) syllogistics (pl. col verbo al sing.).

sillogisticaménte avv. syllogistically.

sillogìstico a. (*filos.*) syllogistic: **argomentazione sillogistica**, syllogistic argument; **in forma sillogistica**, in the form of a syllogism; syllogistically; **ragionamento s.**, reasoning by syllogisms.

sillogizzàre v. i. e t. (*filos.*) to syllogize.

silo m. 1 (*agric., tecn., mil.*) silo: **s. orizzontale [verticale]**, bunker [tower] silo; **s. per cereali**, grain silo; elevator (*USA*); **immagazzinamento in s.**, ensilage; **immagazzinare in s.**, to ensile 2 (*autom.*) multistorey car park.

silòfago → xilofago.

silòfono e deriv. → xilofono.

silografìa e deriv. → xilografia, e deriv.

silologìa f. xylology.

silòlogo m. (f. **-a**) xylology expert (*o* specialist).

silotèca f. collection of wood specimens.

siltite f. (*geol.*) siltstone.

siluétta → silhouette.

silumìn® m. (*metall.*) silumin.

siluraménto m. 1 (*naut.*) torpedoing 2 (*fig.: destituzione*) ousting; (*licenziamento*) sacking, firing 3 (*fig., di un progetto, ecc.*) torpedoing; scuppering.

siluránte f. (*naut.*) torpedo boat.

siluràre v. t. 1 (*naut.*) to torpedo 2 (*fig.: destituire*) to oust; (*licenziare*) to sack, to fire 3 (*fig.: affossare*) to torpedo; to scupper: **un tentativo di s. il nuovo progetto di legge**, an attempt to scupper the new bill.

siluratóre A a. torpedo (attr.) B m. (f. **-trìce**) (*naut.* e *fig.*) torpedoer.

siluriàno, silùrico a. e m. (*geol.*) Silurian.

silùride m. (*zool.*) siluroid; (al pl., *scient.*) Siluridae.

silurifìcio m. torpedo factory.

silurifórme a. torpedo-shaped; torpedo--like.

siluripèdio m. (*naut.*) torpedo-firing range.

silurìsta m. (*naut.*) torpedoman*.

silùro① m. (*zool., Silurus glanis*) wels; sheatfish*.

silùro② m. 1 (*mil.*) torpedo*: **s. aereo**, aerial torpedo; **s. elettrico [magnetico]**, electric [magnetic] torpedo; **s. umano**, human torpedo; **lanciare un s.**, to fire a torpedo; **camera siluri**, torpedo compartment 2 (*fig.*) attempt to scupper (st.); attack: **un s. al governo**, an attempt to scupper the government.

silvàno a. (*lett.*) sylvan; woodland (attr.): **divinità silvane**, sylvan deities; **flora silvana**, sylvan flora; **scena silvana**, sylvan (*o* woodland) scene.

Silvàno m. (*mitol.*) Silvanus, Sylvanus.

silverplate (*ingl.*) m. silver plate: **oggetto in s.**, silver-plated object; (al pl., collett.) silver plate Ⓤ.

silvèstre a. 1 (*dei boschi*) sylvan; woodland (attr.); wood (attr.); (*selvatico*) wild: **fauna s.**, sylvan fauna; **animali [fiori] silvestri**, wild animals [flowers] 2 (*boscoso, selvoso*) woody; wooded: **luogo s.**, wooded place; woodland.

Silvèstro m. Sylvester ● (il giorno di) **San S.**, 31 December; New Year's Eve □ **la notte di San S.**, New Year's Eve.

silvia① f. (*zool., Sylvia*) warbler.

silvia② f. (*bot., Anemone nemorosa*) wood anemone.

Silvia f. Sylvia.

silvìcolo a. 1 (*boscoso, dei boschi*) forest (attr.); wood (attr.): **animale s.**, forest animal 2 (*forestale*) forestry (attr.): **patrimonio s.**, forestry resources (pl.).

silvicoltóre → selvicoltore.

silvicoltùra, silvicultura → selvicoltura.

Silvio m. Silvius, Sylvius.

silvìte f. (*miner.*) sylvite; sylvine.

SIM sigla 1 (*med.*, **Servizio d'igiene mentale**) Mental Health Service 2 (*banca*, **società di intermediazione mobiliare**) brokerage firm; securities dealer; securities firm; stockbrokers.

sìma① f. (*archeol.*) sima.

sìma② m. (*geol.*) sima.

simbiónte m. (*biol.*) symbiont.

simbìoşi f. (*biol.* e *fig.*) symbiosis*: **s. mutualistica**, mutual symbiosis; mutualism.

simbiòtico a. (*biol.* e *fig.*) symbiotic.

simboleggiaménto m. symbolization; symbolizing.

simboleggiàre v. t. to symbolize; to be a symbol of; to stand* for; to emblematize: *Il bianco simboleggia la purezza*, white symbolizes (o is a symbol of, stands for) purity.

simboleggiatùra f. set of symbols; symbols (pl.).

simbòlica f. symbology.

simbolicaménte avv. symbolically; by means of symbols; in symbols.

simbolicità f. symbolic nature; symbolic character.

simbòlico a. 1 (*che ha natura di simbolo*) symbolic; emblematic: **gesto s.**, symbolic gesture 2 (*rappresentativo*) token (attr.); (*nominale*) nominal: **affitto s.**, nominal rent; **protesta simbolica**, token protest; **pagamento s.**, token payment; **somma simbolica**, nominal sum 3 (*espresso mediante simboli*) symbolic: **linguaggio s.**, symbolic language; **logica simbolica**, symbolic logic.

simbolìşmo m. symbolism.

simbolìsta a., m. e f. symbolist.

simbolìstico a. (*letter., arte*) symbolist; symbolistic.

simbolizzàre v. t. to symbolize.

simbolizzazióne f. symbolization.

♦**sìmbolo** m. 1 symbol; (*emblema*) emblem: *Il leone è il s. del coraggio*, the lion is the symbol of courage; *Il vestito bianco di una sposa è s. di purezza*, a bride's white dress is symbolic of purity 2 (*segno grafico, abbreviazione*) sign; symbol: **il s. del dollaro**, the dollar sign; **simboli fonetici**, phonetic signs; **simboli chimici**, chemical symbols; *«Au» è il s. dell'oro*, «Au» is the symbol for gold 3 (*relig.*) creed: **il s. Niceno**, the Nicene Creed.

simbologìa f. 1 (*scienza*) symbology 2 (*sistema di simboli*) symbology; symbols (pl.).

Simeóne m. Simeon.

sìmico a. (*geol.*) simatic.

similàre a. similar; like; alike (pred.); (*omogeneo*) homogeneous: **la vendita di creme, cosmetici e prodotti similari**, the sale of creams, cosmetics and like products (o and the like); **particelle similari**, homogeneous particles.

similarità f. similarity; (*omogeneità*) homogeneity.

♦**sìmile** A a. 1 (*che ha parziale identità*) similar, like, -like (suff.), alike (pred.); (*affine*) akin (pred.), kindred: **avere gusti simili**, to have similar tastes; *Mi ricordo di un episodio s.*, I remember something similar (o a similar occurrence); **s. a un'ala**, wing-like; **s. a seta**, silk-like; silky; silken; **un caso s. al mio**, a case similar to mine (o like mine); **una sostanza s. alla gelatina**, (*nell'aspetto*) a substance that looks like gelatine; (*nel gusto*) a substance that tastes like gelatine; **essere simili d'aspetto**, to look like each other (o one another); to be alike; **simili nella forma [per il colore]**, similar in shape [in colour]; *Le due sorelle sono molto simili fra loro*, the two sisters are (o look) very much alike; **in modo s.**, in a similar way; similarly 2 (*tale, di tal fatta*) such; like this [that]: **un uomo s.**, such a man; **gente s.**, such people; **in un momento s.**, at a time like that [this]; *Cose simili non dovrebbero accadere*, such things should not happen; *Non mi aspettavo una s. risposta [una s. generosità]*, I wasn't expecting such an answer [such generosity]; *Non avevo mai visto una cosa s.*, I had never seen anything like it (o such a thing); *Non farò una cosa s.*, I will do no such thing (o nothing of the kind); **nulla di s.**, nothing like that; nothing of the kind; no such thing; **qualcosa di s.**, something like that; something of the kind; some such thing 3 (*geom.*) similar: **triangoli simili**, similar triangles B m. (*cosa s.*) the like: **...e simili**, ...and the like; ...and such C m. e f. 1 (*persona s.*) like; (*compagno*) fellow: **lui e i suoi simili**, he and the likes of him (o and his fellows) 2 (*al pl.*) (*il prossimo*) fellow creatures (pl.): *Dobbiamo amare i nostri simili*, we must love our fellow creatures ● (*prov.*) **Ogni s. ama il suo s.**, birds of a feather flock together.

similitùdine f. 1 (*lett.: somiglianza*) likeness; similarity; similitude 2 (*retor.*) simile 3 (*geom.*) similarity: **s. geometrica**, geometrical similarity; **la legge della s.**, the law of similarity.

similménte avv. similarly; likewise; in like manner.

similòro m. pinchbeck; tombac, tombak; ormolu; Dutch metal.

similpèlle f. imitation leather; leatherette.

simmetallìşmo m. (*econ., fin.*) symmetallism, symmetalism (*USA*).

simmetrìa f. (*anche scient.*) symmetry: **s. bilaterale [raggiata]**, bilateral [radial] symmetry; **mancanza di s.**, lack of symmetry; **senza s.**, without symmetry; unsymmetrical (agg.).

simmetricità f. symmetricalness; symmetric quality; symmetry.

simmètrico a. symmetric: (*stat.*) **distribuzione simmetrica**, symmetric distribution; (*mat., logica*) **relazione simmetrica**, symmetric relation; **struttura simmetrica**, symmetric structure.

simmetrizzàre v. t. to symmetrize.

Simóne m. Simon.

simonìa f. simony.

simonìaco A a. simoniacal B m. (f. **-a**) simoniac.

simpatètico a. (*lett.*) sympathetic.

♦**simpatìa** f. 1 (*attrazione, inclinazione*) liking, attraction; (*predilezione*) preference, fondness, partiality; (*favore*) favour, approval: **simpatie e antipatie**, likes and dislikes; **andare a s.** (o a simpatie), to judge (o to act) on the basis of personal liking; to be partial; **avere** (o provare) **s. per**, to have a liking for; to like; to be fond of; *Ha una s. particolare per te*, she has a partiality for you; she is particularly fond of you; *Ha le sue simpatie*, he has his preferences; **conquistarsi la s. di q.**, to win sb.'s favour; **conquistarsi la s. generale**, to make one-

self popular with everybody; **entrare nelle simpatie di q.**, to become sb.'s favourite; *C'è s. tra di loro*, they like one another; *Tra di noi c'è solo s.*, we are just good friends; *Quella ragazza mi fa molta s.*, I like that girl; **guardare a qc. con s.**, to look upon st. with favour; **ispirare s.**, to be likeable; **prendere in s.**, to take a liking to; to take to; *Lo presi subito in s.*, I took to him at once; I took a shine to him at once (*fam.*) **2** (*caratteristica di chi è simpatico*) likableness; charm: **un uomo di grande s.**, a very likeable man; a man of great charm; *Laura è di una s.!*, Laura is such a nice girl; Laura is such fun; **carica di s.**, attractive personality **3** (*med.*, *scient.*) sympathy: **per s.**, by sympathy; in sympathy; sympathetic (agg.); (*mus.*) **corda che vibra per s.**, sympathetic string ❶ **FALSI AMICI** • *tranne che in senso medico o scientifico, simpatia non si traduce con* sympathy.

simpaticaménte avv. nicely; (*piacevolmente*) pleasantly, agreeably.

♦**simpàtico**① **A** a. **1** (*che desta simpatia*) nice; likeable; pleasant; sympathique (*franc.*): **una ragazza simpatica**, a nice (*o* likeable) girl; **di aspetto s.**, nice-looking; pleasant-looking; *È molto s.*, he is very nice (*o* pleasant, agreeable); (*è divertente*) he's great fun (*fam.*); *Mi è piuttosto simpatica*, I rather like her; *Non mi è affatto s.*, I don't like him at all; *È riuscito s. a tutti*, they all took to him; everybody liked him; **trovare q. s.**, to like sb.; to take a liking to sb. **2** (*gradevole*) pleasant; enjoyable; congenial; sympathetic; (*divertente*) amusing, fun (*fam.*): **ambiente s.**, pleasant environment; congenial surroundings (pl.); **modi simpatici**, pleasant ways; **una serata simpatica**, a pleasant (*o* enjoyable) evening; **idea simpatica**, pleasant idea; amusing idea; **una situazione poco simpatica**, a rather unpleasant (*o* disagreeable) situation **3** – **inchiostro s.**, invisible ink ❶ **FALSI AMICI** • simpatico nel senso di 'che desta simpatia' non si traduce con sympathetic **B** m. (f. **-a**) nice person; pleasant person.

simpàtico② (*anat.*) **A** a. sympathetic **B** m. sympathetic nervous system: **gran s.**, autonomic nervous system.

simpaticolitico a. e m. (*farm.*) sympatholitic.

simpaticomimètico a. e m. (*farm.*) sympathomimetic.

simpaticóne m. (f. **-a**) (*fam.*) very amusing person; fun person; (a) scream: *Tuo fratello è un s.*, your brother is a fun person (*o* a scream).

simpaticotònico a. e m. (*farm.*) sympathicotonic.

simpatizzànte A a. sympathizing **B** m. e f. sympathizer; (*sostenitore*) supporter: **s. di destra**, right-wing sympathizer; rightist; **s. del movimento anti-nucleare**, supporter of the anti-nuclear movement.

simpatizzàre v. i. **1** (*entrare in simpatia*) to take* a liking (to); to take* (to); to hit* it off (*fam.*): *Simpatizzarono subito*, they took an instant liking to each other; they took to each other immediately; they hit it off at once **2** (*avere affinità di opinioni, idee, ecc.*) to favour (at.); (*parteggiare*) to side (with): *Simpatizza per la sinistra*, she rather favours the Left; her sympathies are with the Left ❶ **FALSI AMICI** • simpatizzare non si traduce con to sympathize.

simpatrìa f. (*biol.*) sympatry.

simpàtrico a. (*biol.*) sympatric.

simpètalo a. (*bot.*) sympetalous.

simplèsso m. (*mat.*) simplex: **metodo del s.**, simplex method.

simplex A m. inv. (*telef.*) single line **B** a. (*tel.*) simplex.

sìmploche f. (*retor.*) symploce.

simpodiàle, **simpòdica** a. (*bot.*) sympodial.

simpòdio m. (*bot.*) sympodium*.

simpòsio m. **1** (*stor.*) symposium*; drinking-party **2** (*convegno*) symposium*.

simpsonìte f. (*miner.*) simpsonite.

simulàcro m. **1** (*immagine*) simulacrum* **2** (*parvenza*) shadow; (*finzione*) pretence **3** (*mecc.*) mock-up.

simulàre v. t. **1** (*fingere*) to simulate; to pretend; to feign; to fake; (*assol.*) to pretend, to fake it: **s. dolore**, to feign grief; **s. indifferenza [sorpresa, la pazzia]**, to feign indifference [surprise, madness]; **s. una malattia**, to fake illness; to pretend to be ill; (*per non lavorare*) to malinger; **s. una rapina**, to fake a robbery; **s. la sordità**, to feign deafness; to pretend one is deaf; *Sta solo simulando*, he's just pretending (*o* faking it) **2** (*imitare*) to imitate; to counterfeit: **s. la voce di q.**, to imitate sb.'s voice **3** (*per esercitazione, tecn.*) to simulate; **s. le condizioni di volo**, to simulate flight conditions.

simulàto a. **1** (*finto, falso*) simulated; pretended; feigned; sham; fake (attr.); (*senza fini ingannevoli*) mock: **interesse s.**, feigned interest; **malattia simulata**, fake illness; **stupore s.**, mock surprise **2** (*fatto per esercitazione, tecn.*) simulated; mock (attr.): (*anche mil.*) **battaglia simulata**, mock battle; war game; **volo s.**, simulated flight **3** (*econ., leg.*) simulated; fictitious; sham: **contratto s.**, sham contract; **vendita simulata**, simulated (*o* fictitious) sale.

simulatóre m. (f. **-trice**) **1** (*impostore*) simulator; pretender; impostor; fraud; (*finto malato*) malingerer **2** (*tecn.*) simulator: **s. di volo**, flight simulator; **s. spaziale**, space simulator.

simulatòrio a. simulated; faked.

simulazióne f. **1** (*il simulare*) simulation; simulating; pretence; feigning; shamming **2** (*per esercitazione*) simulation: **s. d'esame**, mock examination; mock; (*econ.*) **s. di gestione**, management game **3** (*leg.*) simulation; **s. di contratto**, sham transaction; (*leg.*) **s. di reato**, simulation of offence **4** (*tecn.*) simulation **5** (*sport: calcio*) – **fallo di s.**, dive.

simultànea f. **1** simultaneous translation: **tradurre in s.**, to translate (*o* to interpret) simultaneously **2** (*TV*) simulcast: **trasmettere in s.**, to simulcast.

simultaneaménte avv. simultaneously; at the same time; concurrently.

simultaneìsmo m. (*pitt.*) simultaneity.

simultaneìsta m. e f. **1** (*interprete simultaneo*) simultaneous translator **2** (*scacchi*) player of simultaneous games; simul player **3** (*pitt.*) follower of simultaneity.

simultaneità f. simultaneity; simultaneousness; concurrence.

simultàneo a. simultaneous; concurrent: **avvenimenti simultanei**, simultaneous events; (*scacchi*) **partite simultanee**, simultaneous games; (*l'evento*) simultaneous (sing.), simul (sing.); **traduzione simultanea**, simultaneous translation (*o* interpreting).

simùn m. (*vento*) simoom; simoon.

sin. abbr. (**sinistra**) left.

sinafìa f. (*metrica*) synaphea.

sinagòga f. synagogue.

sinagogàle a. synagogal, synagogical.

sinaìtico a. Sinaitic; Sinai (attr.).

sinalèfe f. (*ling.*) synaloepha.

sinallàgma m. (*leg.*) reciprocity; bilaterality of contract.

sinallagmàtico a. (*leg.*) synallagmatic; reciprocal; bilateral: **contratto s.**, synallagmatic (*o* reciprocal, bilateral) contract.

sinàntropo m. (*antrop.*) Sinanthropus; Peking man.

sinàpsi f. **1** (*anat.*) synapse **2** (*biol.*) synapsis*.

sinàptico a. (*anat., biol.*) synaptic.

sinartròsi f. (*med.*) synarthrosis.

sinàssi f. (*stor.*) synaxis.

sincàrpico → **sincarpo**.

sincàrpio m. (*bot.*) syncarp.

sincàrpo a. (*bot.*) syncarpous.

sincategoremàtico a. (*filos.*) syncategorematic.

sinceraménte avv. sincerely; with sincerity; truly; (*francamente*) frankly; (*apertamente*) openly; (*genuinamente*) genuinely; (*in verità*) honestly: **s. dispiaciuto**, truly sorry; **s. sorpreso**, genuinely surprised; *Te lo dico s.*, I'm speaking sincerely; *S. non so che consigliare*, I honestly don't know what to advise; (*in una lettera*) *S. suo*, yours sincerely.

sinceràre A v. t. (*lett.*) to assure; to reassure **B** sinceràrsi v. i. pron. to make* sure; (*controllare*) to check.

sincerità f. sincerity; (*franchezza*) frankness, candour, honesty, openness: **in tutta s.**, in all sincerity.

♦**sincèro** a. **1** sincere; heartfelt; (*veritiero*) true, honest; (*fedele*) faithful, loyal; (*franco*) frank, candid, direct, straightforward; (*genuino, autentico*) real, genuine: **amico s.**, sincere (*o* faithful, real) friend; **dolore s.**, sincere (*o* genuine) grief; **parole sincere**, true words; heartfelt words; **sincere congratulazioni**, heartfelt congratulations; *Sii s., non ti piace*, be honest, you don't like it; *Se devo essere s.*, to be quite honest; *Non sei stato s. con me*, you didn't tell me the truth **2** (*di liquido*) unadulterated; pure; unmixed: **acqua sincera**, pure water; **vino s.**, unadulterated wine.

sinché → **finché**.

sìnchisi f. (*ling.*) synchysis.

sincinèsia f. (*med.*) synkinesis.

sincìpite m. (*anat.*) sinciput*.

sinciziàle a. (*biol.*) syncytial.

sincìzio m. (*biol.*) syncytium*.

sinclàsi f. (*geol.*) fracture.

sinclinàle A f. (*geol.*) syncline **B** a. synclinal.

sincopàle a. (*med.*) syncopal.

sincopàre v. t. (*ling., mus.*) to syncopate.

sincopàto a. (*ling., mus.*) syncopated.

sìncope f. **1** (*ling.*) syncope; syncopation **2** (*med.*) syncope **3** (*mus.*) syncopation.

sincrètico a. (*filos., ling., relig.*) syncretic; syncretistic.

sincretìsmo m. (*filos., ling., relig.*) syncretism.

sincretìsta m. e f. (*filos., ling., relig.*) syncretist.

sincretìstico a. (*filos., ling., relig.*) syncretistic.

sincrociclotróne m. (*fis. nucl.*) synchro-cyclotron.

sincronìa f. synchrony; synchronism: **in s. con**, in synchrony with; in sync with (*fam.*).

sincrònico a. **1** synchronous **2** (*ling.*) synchronic: **linguistica sincronica**, synchronic linguistics.

sincronìsmo m. **1** (*fis., elettr.*) synchronism; synchrony: **velocità di s.**, synchronous speed **2** (*contemporaneità di fatti, ecc.*) synchronicity.

sincronìstico a. synchronistic; (*che avviene in sincronia*) synchronous.

sincronizzàre A v. t. (*anche cinem.*) to synchronize; to sync: **s. gli orologi**, to synchronize watches; **s. il sonoro con le imma-**

gini, to sync the soundtrack to the pictures **B sincronizzàrsi** v. i. pron. to synchronize; to become* synchronous.

sincronizzàto a. synchronized; in sync; (*tecn.*, *anche*) synchro: (*autom.*) **cambio s.**, synchromesh; synchro (*fam.*): **nuoto s.**, synchronized swimming; **essere s. con**, to be synchronized with; to be in sync with; **non s.**, not synchronized; out of sync.

sincronizzatóre m. (*tecn.*) synchronizer.

sincronizzazióne f. synchronization; sync (*fam.*): (*TV*) **s. del quadro**, frame synchronization.

sincrono a. synchronous: (*elettr.*) **generatore s.**, synchronous generator; (*aeron.*) **satellite s.**, synchronous satellite.

sincronoscòpio, **sincroscòpio** m. (*fis.*) synchronoscope; synchroscope.

sincrotróne m. (*fis. nucl.*) synchrotron.

sindacàbile a. **1** (*verificabile*) verifiable; checkable; (*rag.*) liable to audit **2** (*censurabile*) censurable; questionable.

sindacàle ① a. **1** (*di sindaco di città*) mayoral; mayor's; of a mayor: **carica s.**, office of a mayor; mayoralty; **ordinanza s.**, mayor's ordinance **2** (*di sindaco di società*) auditorial; of auditors: **collegio s.**, board of auditors.

sindacàle ② a. (*di sindacato*) trade-union (attr.); union (attr.); labour (attr.); labor (union) (attr., *USA*): **accordo s.**, trade-union agreement; **agitazioni sindacali**, labour unrest; **azione s.**, trade-union action; **libertà sindacali**, freedom to form [to join] a union; **lotte sindacali**, trade-union struggles; **movimento s.**, trade-union movement; trade unionism; **organizzazione s.**, trade-union organization; **rivendicazioni sindacali**, union (*o* trade-union) demands; **vertenza s.**, union (*o* trade, labour) dispute.

sindacalése m. trade-union jargon.

sindacalìsmo m. trade unionism; unionism; labor movement (*USA*): **s. aziendale**, business unionism; **s. rivoluzionario**, syndicalism.

sindacalìsta m. e f. **1** trade unionist; (*funzionario*) trade union representative; (*dirigente*) labour leader **2** (*stor.: fautore del sindacalismo rivoluzionario*) syndicalist.

sindacalìstico a. **1** union, trade-union (attr.); unionist **2** (*stor., rif. al sindacalismo rivoluzionario*) syndicalist (attr.).

sindacalizzàre **A** v. t. to unionize; to organize into a trade union **B sindacalizzàrsi** v. i. pron. to unionize; to become* organized into a trade union.

sindacalizzazióne f. unionization.

sindacàre ① v. t. **1** (*controllare*) to inspect, to examine; (*revisionare*) to audit **2** (*fig.: criticare, censurare*) to criticize; to censure.

sindacàre ② v. t. (*econ.*) to syndicate.

sindacàto ① a. (*econ.*) syndicated.

sindacàto ② m. **1** (*organizzazione dei lavoratori*) trade union; union; labor union (*USA*): **s. aziendale** (*o* **d'impresa**), company union; **s. di categoria**, (*di operai e artigiani*) craft union; (*di impiegati, professionisti, ecc.*) professional union; **s. dei metalmeccanici**, metalworkers' union; **s. ferrovieri**, rail union; **iscriversi a un s.**, to join a union; **appartenenza a un s.**, trade-union membership **2** (*econ.*) syndicate; pool; cartel; trust: **s. azionario**, voting trust; **s. commerciale**, cartel; **s. di collocamento titoli**, selling syndicate; **s. di controllo** (*o* **di voto**), voting trust; **costituirsi in s.**, to syndicate **3** (*gergale*) ring; racket.

sindacatóre **A** a. auditing **B** m. (f. **-trìce**) **1** auditor; controller **2** (*fig.*) criticizer; censor.

sindachéssa f. (*scherz.*) lady mayor;

mayoress.

♦**sìndaco** m. **1** (*di città*) mayor **2** (*leg.*, *di società*) auditor: **collegio dei sindaci**, board of auditors.

sindattilìa f. (*med.*, *zool.*) syndactyly; syndactylism.

sindàttilo a. (*med.*, *zool.*) syndactyl.

sindèreṣi f. **1** (*filos.*) synderesis* **2** (*fam.*) mental faculties (pl.); senses (pl.): **perdere la s.**, to take leave of one's senses.

sìndeṣi f. (*ling.*) syndesis.

sindètico a. (*ling.*) syndetic.

sìndone f. (*stor.*) shroud: **la Sacra S.**, the Turin Shroud.

sìndrome f. (*med. e fig.*) syndrome: **s. da astinenza**, withdrawal symptoms (pl.); **s. di Down**, Down's syndrome; **s. di Stendhal**, Stendhal's syndrome; **s. di Stoccolma**, Stockholm syndrome.

sinechìa f. (*med.*) synechia*.

sinecùra f. (*eccl. e fig.*) sinecure.

sinèddoche f. (*retor.*) synecdoche.

sìne dìe (*lat.*) loc. avv. sine die; indefinitely.

sinèdrio m. **1** (*stor. greca*) synedrion*; synedrium* **2** (*stor. ebraica*) Sanhedrin **3** (*estens.: consesso*) assembly.

sìne qua non (*lat.*) loc. agg. inv. essential; necessary.

sinèreṣi f. (*ling.*, *chim.*) synaeresis*.

sinergìa f. **1** (*fisiol. e fig.*) synergy **2** (*farm.*) synergism.

sinèrgico a. (*fisiol.*, *farm.*) synergetic; synergistic.

sinergìsmo m. (*farm.*, *teol.*) synergism.

sìneṣi f. (*gramm.*) synesis.

sinesteṣìa f. (*psic.*) synaesthesia.

sinesteṣìa f. (*psic.*, *ling.*) synaesthesia.

sinestètico, **sinestèsico** a. synaesthetic.

sìnfiṣi f. (*anat.*) symphysis*.

sinfonìa f. **1** (*mus.*) symphony; (*stor.*) sinfonia; (*di opera*) overture: **la nona s. di Beethoven**, Beethoven's ninth symphony; **s. concertante**, sinfonia concertante **2** (*fig.: complesso armonico*) symphony: **una s. di colori**, a symphony of colours **3** (*fig. iron: cacofonia*) cacophony; (*miagolio, anche fig.*) caterwauling **4** (*fam.: cosa detta e ridetta*) same old story; (*predica*) sermon, lecture.

sinfònico a. (*mus.*) symphonic; symphony (attr.); orchestral: **concerto s.**, orchestral concert; **musica sinfonica**, orchestral (*o* symphonic) music; **orchestra sinfonica**, symphony orchestra; **poema s.**, symphonic poem; tone poem.

sinfoniètta f. (*mus.*) sinfonietta.

sinfonìṣmo m. (*mus.*) symphonism.

sinfonìsta m. e f. (*mus.*) symphonist.

sinforòṣa f. **1** (*di donna matura*) mutton dressed as a lamb; (*di ragazza*) simpering girl **2** (*cappello*) Dolly Varden.

singaléṣe a., m. e f. Sri Lankan; Sinhalese (pl. inv.).

singamìa f. (*biol.*) syngamy.

singèneṣi f. (*biol.*, *geol.*) syngenesis.

singenètico a. (*biol.*, *geol.*) syngenetic.

singhiozzàre v. i. **1** (*avere il singhiozzo*) to hiccup, to hiccough **2** (*piangere*) to sob **3** (*fig.: avanzare a scatti*) to proceed in fits and starts; to jerk along.

singhiòzzo m. **1** (*movimento respiratorio spastico*) hiccup, hiccough: **avere il s.**, to have the hiccups; *Gli venne il s.*, he started to hiccup **2** (*spec. al pl.*) (*nel pianto*) sob: **dire fra i singhiozzi**, to sob (out); **scoppiare in singhiozzi**, to burst out sobbing **3** (*fig.*) fit; jerk: **a s.** (*o* **a singhiozzo**), fitfully; in fits and starts; **avanzare a singhiozzi**, to proceed in fits and starts; to jerk along;

sciopero a s., on-off strike.

single (*ingl.*) m. e f. inv. single: **un bar per s.**, a singles bar.

singleton m. (*bridge*, *mat.*) singleton.

♦**singolàre** **A** a. **1** (*lett.: singolo*) single: **singolar tenzone**, single combat **2** (*gramm.*) singular **3** (*unico, peculiare*) singular, peculiar, striking, original; (*raro*) singular, unique; (*insolito*) unusual, uncommon; (*strano*) strange, peculiar, curious; (*eccentrico*) odd, bizarre; (*eccellente*) singular, extraordinary, exceptional: **gusti singolari**, odd (*o* peculiar) tastes; **individuo s.**, odd individual; **opera s.**, original work; unusual work; **talento s.**, singular (*o* unique) gift; **di s. coraggio**, of singular (*o* extraordinary) courage; **di s. importanza**, of exceptional importance **4** (*mat.*) – **punto s.**, singularity **B** m. **1** (*gramm.*) singular: **al s.**, in the singular **2** (*tennis*) singles: **s. maschile [femminile]**, men's [women's] singles.

singolarìsta m. e f. (*tennis*) singles player.

singolarità f. **1** (*unicità*) singleness; oneness **2** (*peculiarità*) peculiarity, distinctiveness; (*originalità*) originality; (*rarità*) rarity, uniqueness; (*stranezza*) singularity, strangeness, oddness; (*eccezionalità*) exceptionality, excellence **3** (*mat.*) singularity.

singolarizzàre v. t. **1** (*gramm.*) to make* singular **2** to specify; to detail.

singolarménte avv. **1** (*particolarmente*) singularly; particularly; peculiarly **2** (*stranamente*) strangely, oddly; curiously **3** (*a uno a uno*) individually; one by one; singly; severally.

singolétto m. (*mat.*, *fis.*) singlet.

singolìsta m. (*sport*) singles player.

♦**singolo** **A** a. **1** (*separato*) single; individual; separate: **casi singoli**, individual cases; **firma singola**, separate signature; **molecole singole**, single molecules; (*leg.*) **responsabilità singola**, single liability; **ogni singola cosa**, every single thing **2** (*di un solo elemento*) single; (*unico*) single, sole: **camera singola**, single room; **un caso s.**, a single case; a one-off; **copia singola**, single copy; **letto s.**, single bed **3** (*semplice, non doppio*) simple; onefold **B** m. **1** (*individuo*) individual: **l'interesse del s.**, individual interest **2** (*telef.*) single line **3** (*sport: tennis*) singles; (*canottaggio*) single sculler: **s. maschile**, men's singles; **fare un s.**, to play singles.

singùlto → **singhiozzo**.

siniscalcàto m. (*stor.*) **1** (*carica*) seneschalship **2** (*provincia*) seneschalsy.

siniscàlco m. (*stor.*) **1** (*in un palazzo*) seneschal; steward **2** (*grado mil. e amm.*) seneschal.

sinìstr inter. e f. left: *Attenti a s.!*, eyes left!; *Fianco s.!*, left turn!; *Fronte a s.!*, left face!; *Per fila s.!*, left wheel!

♦**sinìstra** f. **1** (*mano*) left hand; left: **scrivere con la s.**, to write with the left hand **2** (*lato*) left; left side; left-hand side; (*naut.*, *aeron.*) port (side): **a s.**, on the left; to the left; (*naut.*) on the port side; **il negozio a s. della banca**, the shop to the left of the bank; **alla mia s.**, on my left; **alla s. di Mario**, on Mario's left; **svoltare a s.**, to turn (to the) left; **tenere la s.**, to keep left; **voltarsi a s.**, to turn to the left; (*autom.*) **guida a s.**, left-hand drive; **svolta a s.**, left turn; **da s.**, from the left; **sulla s.**, on the left; (*naut.*) on the port side; (*naut.*) **virare a s.**, to put the helm to port; to port the helm; (*naut.*) *Tutto a s.!*, hard aport! **3** (*polit.*) Left; left wing: **la s. del partito**, the left wing of the party; **estrema s.**, extreme left; **votare per la s.**, to vote left; **governo di s.**, leftist government; **idee di s.**, left-wing views; **partito di s.**, left-wing party; **uomo di s.**, leftist; left-winger.

sinistramènte avv. in a sinister way;

(*minacciosamente*) threateningly, menacingly.

sinistràre v. t. to damage; to cause damage to.

sinistràto A a. damaged; disaster (attr.): **edificio s.**, damaged building; **famiglie sinistrate**, families affected by a disaster; **zona sinistrata**, disaster area B m. (f. **-a**) victim (of a disaster): **i sinistrati dal terremoto**, the earthquake victims.

sinistrése m. (*iron.*, *spreg.*) leftist jargon.

sinistrìsmo m. (*polit.*) leftism.

♦**sinìstro** A a. **1** left; left-hand; (*arald.*) sinister: **gamba sinistra**, left leg; **guanto s.**, left-hand glove; **lato s.**, left (*o* left-hand) side **2** (*minaccioso*) sinister, grim, threatening; (*spettrale*) eerie, ghostly, spooky (*fam.*); (*di cattivo augurio*) ominous, inauspicious: **faccia sinistra**, sinister face; **dall'aria sinistra**, sinister-looking; **luce sinistra**, eerie (*o* spooky) light; **risata sinistra**, sinister laugh; **sinistri presagi**, ominous signs; bad omens B m. **1** (*incidente*) accident; (*scontro*) crash; (*danno*) damage: **il luogo del s.**, the scene of the accident; **assicurazione contro i sinistri**, insurance against accidents; accident insurance; **liquidare un s.**, to pay off damages **2** (*boxe*) left; left-hander **3** (*calcio*) left-foot shot.

sinistrogìro a. **1** → **sinistrorso 2** (*fis.*, *chim.*) levorotatory.

sinistròide (*polit.*) A a. leftist; left-of-centre B m. e f. leftist; left-winger.

sinistròrso A a. **1** left-handed; (*antiorario*) anticlockwise, counter-clockwise (*USA*); (*bot.*) sinistrorse: **spirale sinistrorsa**, left-handed spiral; **vite sinistrorsa**, left-handed screw **2** (*polit.*, *scherz.*) leftist; left-of-centre B m. (f. **-a**) (*polit.*) leftist; left-winger; lefty (*fam.*).

sinistrosità f. (*ass.*) (*di area o periodo*) record of accidents; (*di assicurato*) claims (pl.) made.

sinizèsi f. (*gramm.*) synizesis*.

♦**sìno** prep. → **fino**①.

sinodàle a. (*eccl.*) synodal.

sinòdico a. (*astron.*) synodic: **mese s.**, synodic month.

sìnodo① m. (*eccl.*) synod: **s. episcopale**, episcopal synod; **Il Santo S.**, the Holy Synod.

sìnodo② m. (*astron.*) conjunction.

sinologìa f. sinology.

sinològico a. sinological.

sinòlogo m. (f. **-a**) sinologist.

sinonimìa f. **1** synonymity **2** (*sinonimo*) synonym.

sinonìmica a. synonymic.

sinònimo A a. synonymous: (*anche fig.*) **essere s. di**, to be synonymous with B m. synonym: **dizionario dei sinonimi**, dictionary of synonyms.

sinòpia f. **1** (*miner.*) sinopite **2** (*pitt.*) sinopia*.

sinòpsi → **sinossi**.

sinòra → **finora**.

sinòssi f. synopsis*.

sinostòsi f. (*med.*) synostosis.

sinotibetàno a. e m. (*ling.*) Sino-Tibetan.

sinòttico a. synoptic: **tavola sinottica**, synoptic table; **i Vangeli sinottici**, the Synoptic Gospels.

sinòvia f. (*anat.*) synovia; synovial fluid.

sinoviàle a. (*anat.*) synovial: **membrana s.**, synovial membrane.

sinovìte f. (*med.*) synovitis.

sinsemàntico a. (*ling.*) synsemantic.

sinsèpalo a. (*bot.*) synsepalous.

sintàgma m. (*ling.*) syntagm; syntagma*: **s. nominale [verbale]**, noun [verb] syn-

tagm.

sintagmàtico a. (*ling.*) syntagmatic.

sintantoché → **fintantoché**.

sintàssi f. syntax: **s. generativa**, generative syntax; **errore di s.**, syntactic error; **periodo senza s.**, badly constructed sentence.

sintàttica f. (*filos.*) syntactics (pl. col verbo al sing.).

sintàttico a. (*gramm.*) syntactic; of syntax: **regole sintattiche**, rules of syntax; **struttura sintattica**, syntactic structure.

sinterizzàre v. t. (*metall.*) to sinter.

sinterizzazióne f. (*metall.*) sintering.

sìntesi f. **1** (*filos.*, *scient.*) synthesis*: **s. clorofilliana**, photosynthesis; **la s. dell'acqua**, the synthesis of water; **gas di s.**, synthesis gas; **prodotti di s.**, synthetic (*o* synthesis) products; **ottenuto per s.**, obtained by synthesis **2** (*estens.*) synthesis*; (*riepilogo*) summary, résumé (*franc.*); (*succo*) gist, essentials (pl.): (*TV*) **la s. di una partita**, the highlights (pl.) of a match; **fare una s.** (**di**), to make a synthesis (of); to synthesize, to synthetize; to make a summary (of); to summarize; *Fammene solo una s.*, just give me the essentials (*o* the gist of it); **in s.**, in short; briefly (put); to put it briefly; in a word; in a nutshell; **capacità di s.**, ability to synthesize.

sinteticaménte avv. **1** synthetically; succinctly; concisely **2** (*chim.*) by synthesis.

sinteticità f. succinctness; conciseness; brevity; terseness.

sintètico a. **1** (*filos.*, *ling.*) synthetic: (*filos.*) **metodo s.**, synthetic method; **lingua sintetica**, synthetic language **2** (*essenziale*, *conciso*) concise; succinct; brief; terse: **giudizio s.**, concise judgment; **stile s.**, terse style **3** (*chim.*) synthetic; artificial; man-made: **fibre sintetiche**, man-made (*o* synthetic) fibres; synthetics; **gomma [resina] sintetica**, synthetic rubber [resin] ❶ **FALSI   AMICI** • sintetico *nel senso di conciso non si traduce con* synthetic.

sintetìsmo m. (*filos.*) syntheticism.

sintetizzàre v. t. **1** to synthesize, to synthetize; (*compendiare*) to condense, to encapsulate, to epitomize; (*riassumere*) to summarize, to sum up **2** (*chim.*) to synthesize.

sintetizzatóre A a. synthesizing B m. (*mus.*) synthesizer.

sìnti m. pl. (*antrop.*) Sinti; Sinta.

sintoamplificatóre m. (*elettron.*) synthesizer-amplifier.

sintogràmma m. (*radio*) tuning dial.

sintomaticità f. symptomatic nature; revealing nature.

sintomàtico a. **1** (*med.*) symptomatic **2** (*indicativo*) symptomatic; indicative; revealing; suggestive (of st.).

sintomatologìa f. (*med.*) symptomatology.

sìntomo m. **1** (*med.*) symptom: **i sintomi d'una malattia**, the symptoms of a disease; **ai primi sintomi di influenza**, at the first symptoms (*o* signs) of a flu **2** (*segno*, *indizio*) sign; symptom; indication: **s. di debolezza**, symptom (*o* sign) of weakness; **deboli sintomi di ripresa economica**, slight signs (*o* indications) of an economic recovery; **buon [cattivo] s.**, good [bad] sign.

sintonìa f. **1** (*radio*) tuning; syntony: **fuori s.**, out of tune (*anche fig.*); **in s.**, tuned; **guastare la s. di**, to detune; **mettere in s.**, to tune in; **banda di s.**, tuning band; **comando di s.**, tuning control; tuning knob; **indicatore di s.**, tuning indicator **2** (*fig.*) agreement; syntony: **essere in s. con q.**, to agree with q.; to be on the same wavelength as sb.; **essere in s. con qc.**, to be attuned to st.; to be in step with st.

sintònico a. (*radio*) syntonic.

sintonizzàbile a. (*radio*) tunable: **non s.**, non-tunable.

sintonizzàre A v. t. (*radio*) to tune: **s. la radio su una stazione**, to tune the radio to a station B **sintonizzàrsi** v. i. pron. **1** (*radio*) to tune in (to) **2** (*fig.*) to agree (with); to be attuned (to).

sintonizzàto a. **1** (*radio*) tuned: *Restate sintonizzati sul nostro programma*, stay tuned to our programme **2** (*fig.*) attuned (to); tuned (into).

sintonizzatóre m. (*radio*) tuner: **s. a pulsante**, push-button tuner; **s. multiplo**, multiple tuner.

sintonizzazióne f. (*radio*) tuning: **s. accurata**, fine-tuning; **s. di antenna in parallelo**, parallel antenna tuning; **s. doppia**, double-spot tuning.

sintropìa f. (*fis.*) syntropy.

sintròpico a. (*fis.*) syntropic.

sinuàto a. (*bot.*) sinuate.

sinuosità f. **1** (*andamento sinuoso*) sinuosity; (*di strada*) winding course, twists and turns (pl.); (*di fiume*) winding course, meandering **2** (*fig.*) tortuosity; (deviousness).

sinuóso a. **1** (*serpeggiante*) sinuous; winding; meandering; twisting; serpentine: **andamento s.**, winding course; sinuosity; meandering; **il corso s. d'un fiume**, the winding course (*o* the meanderings, pl.) of a river; **sentiero s.**, winding (*o* sinuous) path **2** (*fig.*) tortuous; (*subdolo*) devious **3** (*bot.*) sinuate.

sinusàle a. (*anat.*) sinus (attr.): **ritmo s.**, sunus rhythm.

sinusìte f. (*med.*) sinusitis.

sinusoidàle a. (*mat.*) sinusoidal.

sinusòide① f. (*mat.*) sinusoid.

sinusòide② f. (*mat.*) sinusoid.

sionìsmo m. Zionism.

sionìsta a., m. e f. Zionist.

sionìstico a. Zionist; Zionistic.

siparietto m. (*teatr.*) **1** (*sipario*) drop-curtain **2** (*breve numero*) entr'acte (*franc.*).

sipàrio m. (*teatr.*) curtain: **s. di ferro** (*o* **tagliafuoco**), safety curtain; **alzare il s.**, to raise the curtain; *Si alza il s.*, the curtain rises; **calare il s.**, to drop (*o* to lower) the curtain; *Cala il s.*, the curtain drops (*o* falls, is lowered); **dare il segnale di calare il s.**, to ring down the curtain; **dietro il s.**, behind the curtain; *Giù il s.!*, curtain!; *Su il s.!*, curtain up! ● (*fig.*) **calare il s. su qc.**, (*porre fine a*) to bring down the curtain on st.; (*non nominare*) to draw a veil over st.

siparìsta m. e f. curtain operator.

SIR sigla (**Servizio informazione religiosa**) (*già* **Società idroelettrica Piemonte**) religious information service.

Siracùsa f. (*geogr.*) Syracuse.

siracusàno a. e m. (f. **-a**) Syracusan.

sire m. **1** (*lett.*) lord; (*davanti al nome*) Sir **2** (al vocat., *per re*) Sire.

sirèna① f. **1** (*mitol.*) mermaid; siren: **canto delle sirene**, siren song (*o* call) **2** (*estens.*: *donna seducente*) siren; temptress; femme fatale (*franc.*) **3** (*zool.*, *Siren*) siren.

♦**sirèna**② f. siren; horn; (*di fabbrica*, *anche*) hooter (*GB*): **s. da nebbia**, foghorn; **s. dell'ambulanza**, ambulance siren; **s. di nave**, ship's siren; **a sirene spiegate**, with sirens blaring.

sirenétta f. **1** little mermaid **2** (*mus.*) birdcall.

sirènide m. (*zool.*) sirenian; (al pl., *scient.*) Sirenia.

Sìria f. (*geogr.*) Syria.

sirìaco a. e m. Syriac.

sirìano a. e m. (f. **-a**) Syrian.

sìrice m. (*zool.*, *Sirex*) wood wasp; horntail.

sìrima f. (*metrica italiana*) sirima.

♦sirìnga ① f. **1** (*mus.*) syrinx*; pan pipes (pl.) **2** (*med.*) syringe: **s. ipodermica**, hypodermic syringe; **s. monouso**, disposable syringe **3** (*cucina*) icing syringe **4** (*mecc.*) gun: **s. per lubrificazione**, oil gun.

sirìnga ② f. (*bot., Syringa*) syringa; lilac.

siringàre Ⓐ v. t. to syringe; (*iniettare*) to inject Ⓑ **siringàrsi** v. i. pron. (*gergo della droga*) to do* drugs; to be on the needle.

siringatùra f. syringing; injection.

sirìnge f. (*zool.*) syrinx*.

Sìrio m. (*astron.*) Sirius; Dog Star.

sìro a. e m. (*stor.*) Syrian.

sirte f. (*lett., anche fig.*) quicksand.

Sìrte f. (*geogr.*) – Golfo della S., Gulf of Sidra (o Sirte).

sirventése m. (*letter.*) sirvente.

sìsal f. (*bot., Agave sisalana; la fibra*) sisal.

sìsaro m. (*bot., Pastinaca sativa*) parsnip.

SISDE abbr. (**Servizio per le informazioni e la sicurezza democratica**) civilian security and intelligence service.

Sìsifo m. (*mitol.*) Sisyphus: (*fig.*) **fatica di S.**, Sisyphean task.

sìsma m. earthquake; seism.

SISMI abbr. (**Servizio per le informazioni e la sicurezza militare**) military security and intelligence service.

sismicità f. (*geol.*) seismicity: **regione ad alta s.**, highly seismic region.

sìsmico a. seismic; earthquake (attr.): **attività sismica**, seismic activity; **onda sismica**, seismic wave; **zona sismica**, seismic zone; earthquake zone.

sìsmo → **sisma**.

sismografìa f. seismography.

sismogràfico a. seismographic.

sismògrafo m. seismograph.

sismogràmma m. seismogram.

sismologìa f. seismology.

sismològico a. seismological.

sismòlogo m. (f. **-a**) seismologist.

sismòmetro m. seismometer.

SISSA sigla (**Scuola internazionale superiore di studi avanzati**) International School for Advanced Studies.

sissignóra inter. yes, madam.

sissignóre inter. yes, sir.

♦sistèma m. **1** (*anche scient.*) system; (*rete*) network: **s. di canali**, system (o network) of canals; **s. di carrucole**, system of pulleys; pulley block; **s. di misure**, measuring system; **s. idrografico**, hydrographic system; **s. filosofico**, philosophical system; system of philosophy; **s. metrico decimale**, metric system; **s. muscolare [nervoso]**, muscular [nervous] system; **s. politico**, political system; **s. solare**, solar system; **s. tributario**, taxation system **2** (*metodo*) system, method; (*modo*) way; (*modo di agire*) ways (pl.); (*abitudine*) custom, habit: **s. infallibile**, infallible method; fool-proof method; **Ci sono diversi sistemi per farlo**, there are different ways of doing it; **Questo non è il s. di studiare**, this is not the way to study; **Ci vuole un certo s.**, you need to be systematic; **adottare un s.**, to adopt (o to follow) a system (o a method); **lavorare con [senza] s.**, to work with [without] method; **trovare il s. di fare qc.**, to find the way to do st.; **Vedi di cambiare s., sai!**, you'd better change your ways!; **Che sistemi!**, what a way to do things [to behave, etc.]!; **per s.**, (*per abitudine*) habitually, as a practice; (*per partito preso*) intentionally, deliberately; (*regolarmente*) invariably **3** (*polit.*) (the) system **4** (*nei giochi basati su pronostici*) system; (*al totocalcio*) permutation, perm **5** (*calcio*) MW formation: **giocare con il s.**, to play the MW formation ● (*fotogr.*) **s. a tre colori**, three-colour process □

s. aureo, gold standard □ (*fin.*) **s. bancario [monetario]**, banking [monetary] system □ **s. d'allarme**, burglar alarm □ (*fin.*) **s. dei cambi**, exchange system □ **s. di fognature**, sewerage □ **s. di leve**, leverage □ (*comput.*) **s. operativo**, operating system □ (*ind.*) **s. d'impianto centrale [locale]**, central [local] installation □ (*tecn.*) **s. d'ingranaggi**, gearing □ **s. di riferimento**, frame of reference □ (*comput.*) **s. esperto**, expert system □ (*comput.*) **s. interattivo**, interactive system □ (*chim.*) **s. periodico degli elementi**, periodic system □ (*comput.*) **analisi dei sistemi**, systems analysis □ **ingegneria dei sistemi**, systems engineering □ **ridurre a s.**, to systematize □ **scienza (o teoria) dei sistemi**, systems theory.

♦sistemàre Ⓐ v. t. **1** (*disporre, ordinare*) to arrange, to lay* out; (*collocare*) to put*, to place, to find* a place for, to set*; (*inserire, infilare*) to lodge: **s. dei fiori**, to arrange flowers; **s. i piatti sul tavolo**, to lay out the plates on the table; **s. i golf nel cassetto**, to put the jumpers in the drawer; **s. i libri sullo scaffale**, to arrange the books on the shelf; **Devo s. il carrello da qualche parte**, I must find a place for the trolley; **Riuscii a s. tutti i vestiti nell'armadio**, I managed to fit all my clothes into the wardrobe **2** (*mettere in ordine*) to put* in order, to tidy up; (*raddrizzare*) to straighten; (*ristrutturare*) to do* up: **s. la casa**, to tidy up the house; **s. una villa**, to do up a villa; **sistemarsi i capelli**, to tidy up one's hair; **sistemarsi la cravatta**, to straighten one's tie **3** (*risolvere, definire*) to settle, to fix, to solve; (*sbrogliare*) to sort out, to fix: **s. i propri affari**, to settle one's affairs; to set one's house in order (*fam.*); **s. un conto**, to settle an account (*o a bill*); **s. i conti con q.**, to settle up with sb.; (*anche fig.*) to square accounts with sb.; **s. una faccenda**, to settle a matter; to sort out a matter; to put a matter right; **s. una lite**, to settle a quarrel; **s. i particolari di un contratto**, to fix (up) the details of a contract; **avere una questione da s. con q.**, to have an account to settle with sb.; to have a bone to pick with sb. (*fam.*); **Ho sistemato tutto io col direttore**, I've fixed everything (up) (o sorted everything out) with the manager **4** (*riparare*) to fix; (*regolare*) to adjust: **s. un rubinetto**, to fix a tap; **s. l'antenna**, to adjust the aerial **5** (*alloggiare*) to accommodate; to lodge; to house; (*ospitare*) to put* up, to fix up (*fam.*): **I profughi furono sistemati in alberghi**, the refugees were lodged in hotels; **s. q. per la notte**, to put (o to fix) sb. up for the night (*fam.*) **6** (*fam.: trovare lavoro a*) to find* (sb.) a job; to fix (sb.) up with a job: **s. q. presso una ditta**, to find sb. a job in a firm **7** (*far sposare*) to marry off **8** (*fam.: dare una lezione a*) to fix; to sort out: **Ti sistemo io!**, I'll fix you! Ⓑ **sistemàrsi** v. rifl. **1** (*trovare alloggio*) to find* accommodation; (*in albergo*) to put* up; (*stabilirsi*) to settle, to be located (*USA*): **sistemarsi presso q.**, to find accommodation with sb.; **sistemarsi in una pensione**, to put up at a pension; **Ti sei già sistemato?**, have you found somewhere to live yet?; are you located yet? (*USA*) **2** (*accomodarsi*) to settle (oneself) down; (*ambientarsi*) to settle in: **sistemarsi in poltrona**, to settle into an armchair; **Quando ci saremo sistemati, verrete a cena da noi**, you must come for dinner, when we've settled in **3** (*trovare un'occupazione*) to find* a job: **S'è sistemato bene all'Alitalia**, he has found a good job at Alitalia **4** (*sposarsi*) to get* married (to); to marry (sb.) Ⓒ **sistemàrsi** v. i. pron. (*andare a posto, aggiustarsi*) to right itself; to sort itself out: **La situazione dovrebbe sistemarsi presto**, the situation should right itself soon.

sistemàta f. tidy-up: **darsi una s.**, to tidy oneself up; **darsi una s. al cappello [alla**

cravatta], to straighten one's hat [tie]; **Dai una s. alle tue cose sul tavolo**, tidy up your things on the table.

sistemàtica f. systematics (pl., col verbo al sing.).

sistematicaménte avv. **1** (*con metodicità*) systematically; methodically **2** (*invariabilmente*) invariably; regularly.

sistematicità f. systematic nature; (*metodicità*) methodicalness; (*metodo*) method ● **con s.**, methodically; systematically.

sistemàtico a. **1** systematic; methodical: **classificazione sistematica**, systematic classification; **controlli sistematici**, systematic checks; **lavoro s.**, systematic (o methodical) work; **persona sistematica**, methodical person **2** (*deliberato*) deliberate; (*abituale*) regular, habitual.

sistematizzàre v. t. to systematize.

sistematizzazióne f. systematization.

sistemazióne f. **1** (*ordinamento*) arrangement; (*disposizione*) layout; (*collocazione*) placing; placement: **la s. dei mobili**, the arrangement (o the placement) of the furniture; **s. provvisoria**, temporary arrangement **2** (*regolamento, risoluzione*) settlement: **la s. dei propri interessi**, the settlement of one's affairs; **la s. d'un contratto**, the settlement of a contract; **la s. di una controversia sindacale**, the settlement of a labour dispute; **provvedere alla s. d'un conto**, to settle (o to pay) an account (o a bill) **3** (*impiego*) job: **trovare una buona s.**, to find a good job **4** (*alloggio*) accommodation; lodgings (pl.): **s. temporanea**, temporary accommodation; **trovare s. per la notte**, to find accommodation for the night; to be fixed up for the night (*fam.*).

sistèmico a. systemic: (*fisiol.*) **circolazione sistemica**, systemic circulation; **malattia sistemica**, systemic disease; **linguistica sistemica**, systemic linguistics.

sistemìsta m. e f. **1** (*al gioco*) systems player **2** (*esperto in ingegneria dei sistemi*) systems engineer **3** (*comput.*) systems analyst.

sistemìstica f. systems theory.

sistemìstico a. relative to systems theory; systems theory (attr.).

sistino a. Sistine: **la Cappella sistina**, the Sistine Chapel.

Sisto m. (*stor.*) Sixtus.

sìstola f. hose.

sìstole f. (*fisiol., metrica*) systole.

sistòlico a. (*fisiol.*) systolic.

sìstro m. (*stor.*) sistrum*.

sìtar m. (*mus.*) sitar.

sitarìsta m. e f. (*mus.*) sitarist.

sitibóndo a. **1** (*lett.*) thirsty; parched **2** (*fig.: bramoso*) thirsting (for, after): **s. di onori**, thirsting after honours; **s. di potere**, thirsting for power; power-hungry; **s. di sangue**, bloodthirsty.

sit-in (*ingl.*) m. inv. sit-in.

sìto ① m. **1** (*luogo*) place; site; spot: **un bel s.**, a fine place (o spot); **il s. della nuova biblioteca**, the site of the new library; **s. archeologico**, archaeologic site **2** (*scient.*) site **3** (*Internet*) (web) site.

sìto ② a. (*lett., bur.*) situated; placed; located: **un fabbricato s. in via Marconi**, a building situated in via Marconi.

sitofobìa f. (*med.*) sitophobia.

sitografìa f. (*Internet*) webliography.

sitologìa f. dietetics (pl., col verbo al sing.).

sitòlogo m. (f. **-a**) dietician, dietitian.

sitomanìa f. (*med.*) sitomania.

situ → **in situ**.

♦situàre Ⓐ v. t. to place; to put*; to set*; to locate: **s. le difese**, to place the defences; **Questo lo situa al primo posto**, this puts him

in the front **B** **situàrsi** v. i. pron. **1** (*porsi*) to place oneself; to position oneself **2** (*fig.*: *appartenere*) to belong*: **situarsi nella corrente impressionistica**, to belong to Impressionism; to be regarded as an Impressionist.

situàto a. situated; placed; located: *La casa è situata su un'altura*, the house is situated on a rise.

situazionàle a. situational.

♦**situazióne** f. situation; (*personale*) position; (*circostanza*) state (of affairs), circumstances (pl.): **s. congiunturale**, business (*o* economic) situation; **s. di fatto**, existing situation; state of affairs; **la s. del tempo**, weather conditions (pl.); **la s. del mercato**, the market situation; **s. finanziaria**, financial position; **s. difficile**, difficult position; predicament; plight; fix (*fam.*); jam (*fam.*); **s. imbarazzante**, embarrassing (*o* awkward) situation (*o* position); **s. pericolosa**, dangerous position; hot spot (*fam.*); **l'attuale s. politica**, the present political situation; *La s. è bruttissima*, things are looking very bad; *La s. sta evolvendo rapidamente*, the situation is evolving rapidly; things are moving fast; *Nella tua s., agirei diversamente*, in your position (*o* if I were you), I would act differently; *Mi trovo in una s. difficile*, I am in an awkward situation (*o* position); *Questa è la s. del momento*, this is the situation; that is how things stand at present; **affrontare la s.**, to face the situation; **essere in grado di affrontare una s.**, to be able to cope with (*o* to handle) a situation; **essere padrone della s.**, to be master of the situation ● (*rag.*) **s. contabile**, statement of account □ **s. debitoria**, indebtedness □ (*rag.*, *fin.*) **s. di cassa**, cash position □ **s. senza via d'uscita**, impasse; deadlock □ **data la s.**, in the circumstances □ **mostrarsi all'altezza della s.**, to rise to the occasion; to be equal to the occasion (*o* situation) □ **rovesciare la s.**, to turn the tables.

situazionìsmo m. situationism.

sìtula f. (*archeol.*) situla*.

sivièra f. (*metall.*) ladle.

Sivìglia f. (*geogr.*) Seville.

sivigliàno a. e m. (f. *-a*) Sevillian.

sizìgia f. (*astron.*) syzygy.

SJ sigla (*lat.*: *Societas Jesus*) (**Compagnia di Gesù**) Society of Jesus (SJ).

skai® m. inv. imitation leather; leatherette.

skate-board (*ingl.*) m. inv. skateboard: **correre sullo skate-board**, to skateboard.

skating (*ingl.*) m. inv. (*sport*: *su ghiaccio*) ice-skating; (*su rotelle*) roller-skating.

skeet (*ingl.*) m. (*sport*) skeet (shooting).

skeg (*ingl.*) m. inv. (*naut.*) skeg.

skeleton (*ingl.*) m. inv. (*sport*) skeleton.

sketch (*ingl.*) m. inv. sketch; variety act (*o* number).

skibob (*ingl.*) m. inv. (*sport*) ski-bob.

skiff (*ingl.*) m. inv. (*sport*) skiff.

ski-lift (*ingl.*) m. inv. ski lift.

ski-pass (*ingl.*) m. inv. ski pass.

skipper (*ingl.*) m. inv. (*naut.*) skipper.

skylight (*ingl.*) m. inv. (*fotogr.*) skylight filter.

slabbràre **A** v. t. **1** (*un vaso*, *ecc.*) to chip **2** (*lacerare*) to tear* the margins of: **s. una ferita**, to tear the margins of a wound **3** (*slargare*) to stretch the edges of; to make* shapeless **B** **slabbràrsi** v. i. pron. **1** (*di vaso*, *ecc.*) to chip **2** (*di ferita*) to open **3** (*di indumento*) to go* loose around the edges; to become* shapeless.

slabbràto a. **1** (*di vaso*, *ecc.*) chipped **2** (*di ferita*, *ecc.*) torn; jagged **3** (*di indumento*) loose around the edges; stretched out of shape.

slabbratùra f. **1** (*di vaso*, *ecc.*) chipping; (*punto slabbrato*) chipped edge; chip **2** (*di ferita*) tearing; (*margini slabbrati*) torn edges (pl.) **3** (*di indumento*) stretching (at the edges).

slacciàre **A** v. t. to undo*; to unfasten; (*slegare*) to unlace, to untie; (*sbottonare*) to unbutton, to undo*; (*fibbia*) to unbuckle, to unclasp; (*cintura*) to unstrap, to unfasten: **s. un bottone**, to undo a button; **s. una camicetta**, to unbutton a blouse; **s. la cintura di sicurezza**, to unfasten one's seatbelt; **s. un nodo**, to untie a knot; **s.** (*o* **slacciarsi**) **le scarpe**, to untie one's shoelaces **B** **slacciàrsi** v. i. pron. to come* undone; to come* untied; (*sbottonarsi*) to come* unbuttoned (*o* undone).

slacciàto a. undone; unfastened; (*slegato*) unlaced, untied; (*sbottonato*) unbuttoned: **con le scarpe slacciate**, with one's shoelaces untied.

slàlom m. **1** (*sport*) slalom.: **s. gigante** [**speciale**], giant [special] slalom **2** (*fig.*) zigzagging; weaving: **fare lo s. tra la folla**, to zigzag (*o* to weave) through the crowd; **fare lo s. tra il traffico**, to weave among the traffic.

slalomìsta m. e f. (*sport*) slalom racer; slalomer.

slam m. inv. (*bridge*, *tennis*) slam: **grande** [**piccolo**] **s.**, grand [little] slam.

slamàre① v. i. to slip down; to slide down.

slamàre② (*pesca*) **A** v. t. to unhook; to disgorge **B** **slamàrsi** v. i. pron. to get* off the hook; to work free from the hook.

slamatóre m. (*pesca*) disgorger.

slanatùra f. (*ind. tess.*) wool-pulling.

slanciàre **A** v. t. **1** (*gettare*) to throw*; to fling*: **s. in alto un braccio**, to throw (*o* to fling) up an arm; **s. indietro la testa**, to fling back one's head **2** (*rendere più slanciato*) to make* (sb.) look slimmer **B** **slanciàrsi** v. rifl. (*gettarsi*) to throw* oneself; to fling* oneself; to rush: **slanciarsi contro q.**, to rush at sb.; **slanciarsi fuori da una stanza**, to rush out of the room; **slanciarsi nella mischia**, to rush into the fray **C** **slanciàrsi** v. i. pron. (*protendersi*) to reach up; to soar: *Due grattacieli si slanciavano verso le nuvole*, two skyscrapers reached up to the clouds; **colonne che si slanciano verso l'alto**, soaring columns.

slanciàto a. **1** (*snello*) slender; svelte; slim: **colonna slanciata**, slender column; **figura slanciata**, slender (*o* svelte) figure; **ragazza slanciata**, tall, slim girl **2** (*alto*) high; soaring.

slàncio m. **1** (*scatto*) rush, dash, dart; (*balzo*) leap; (*rincorsa*) run, run-up: *Con uno s. raggiunse l'uscita*, with a dash (*o* a leap) she reached the exit; she rushed (*o* dashed, leapt) to the exit; **gettarsi con uno s. su q.**, to make a dash at sb.; to rush upon sb.; *Salì le scale di s.*, he leapt up the stairs; **prendere lo s.**, take a run-up **2** (*fig.*: *impulso*) impulse, rush, surge, transport; (*impeto*, *foga*) dash, impetus, momentum, élan (*franc.*), panache (*franc.*), go (*fam.*): **s. di affetto**, surge of affection; **s. d'entusiasmo** [**di generosità**], rush (*o* fit) of enthusiasm [of generosity]; **di s.**, on (an) impulse; **acquistare s.**, to gain momentum; **agire di s.**, to act on an impulse; **dare s. a qc.**, to give impetus to st.; **essere pieno di slanci**, to be impulsively generous; **gettarsi di s. in un progetto**, to throw oneself enthusiastically into a plan; **mancare di s.**, (*di cosa*) to lack momentum; (*di persona*) to be half-hearted; to lack go; **perdere s.**, to lose momentum; **ridare s.**, to revivify; to revitalize; **suonare qc. con s.**, to play st. with élan (*o* panache) **3** (*filos.*) – **s. vitale**, élan vital (*franc.*) **4**

(*aspetto slanciato*) slenderness; (*di edificio*, *arco*, *ecc.*) soaring lines (pl.) **5** (*naut.*) rake: **s. di prua**, rake of the stem.

slang (*ingl.*) m. inv. (*ling.*) slang; (*gergo specializzato*) jargon.

slargaménto m. widening; broadening out; opening out.

slargàre **A** v. t. **1** to widen; to make* wider; to broaden; to open out; (*un indumento*) to stretch, (*deformandolo*) to pull out of shape: **s. un'apertura**, to widen an opening; **s. un maglione**, to stretch a jumper; to pull a jumper out of shape **2** (*mus.*) to slow down **B** **slargàrsi** v. i. pron. to widen; to open out; to broaden; (*di indumento*) to stretch, (*deformandosi*) to lose* the shape: *Il sentiero più avanti si slarga*, the path widens further on; *La strada si slarga in un piazzale*, the road opens out into a square; *Il maglione si è slargato*, the sweater has stretched (*o* has lost its shape).

slargatùra f. **1** widening; broadening out; opening out **2** (*punto slargato*) widening.

slàrgo m. widening (of a road): *Più avanti c'è uno s.*, the road widens further on.

slat (*ingl.*) m. inv. (*aeron.*) slat.

slattaménto m. weaning.

slattàre v. t. to wean.

slavàto a. **1** (*sbiadito*) washed out, faded; (*pallido*) pale: **azzurro s.**, faded blue; **capelli di un biondo s.**, pale blond hair; **viso s.**, pale face **2** (*fig.*: *insipido*) colourless; lifeless, insipid; dull; flat: **descrizione slavata**, flat (*o* dull) description.

slavatùra f. (*chiazza scolorita*) faded patch.

slavìna f. snowslide; avalanche.

slavìsmo m. **1** (*ling.*) Slavic word; Slavism **2** Slavism.

slavìsta m. e f. Slavist.

slavìstica f. Slavic studies (pl.).

slàvo **A** a. Slavic; Slav; (*ling.*, *anche*) Slavonic: **lingue slave**, Slavic languages; **popoli di lingua slava**, Slavic-speaking peoples **B** m. **1** (f. *-a*) Slav **2** (*ling.*) Slavic; Slavonic: **s. ecclesiastico**, Church Slavonic.

slavofilìa f., **slavofilìsmo** m. Slavophilism.

slavòfobo **A** a. Slavophobic **B** m. (f. *-a*) Slavophobe.

slavòfono **A** a. Slavic-speaking; Slavonic-speaking **B** m. (f. *-a*) Slavic (*o* Slavic-language) speaker; Slavonic (*o* Slavonic-language) speaker.

sleàle a. disloyal; unfaithful; false; (*disonesto*) dishonest, deceitful; (*scorretto*) unfair, underhand, foul; (*non sportivo*) unsportsmanlike: **amico s.**, false (*o* disloyal) friend; **avversario s.**, dishonest opponent; **colpo s.**, unfair blow; **concorrenza s.**, unfair competition (*o* practice); **gioco s.**, unfair (*o* foul) play; **metodi sleali**, unfair (*o* underhand) methods.

slealtà f. **1** disloyalty; unfaithfulness; falseness; (*scorrettezza*, *disonestà*) unfairness, unfair play, foul play, dishonesty **2** (*atto sleale*) disloyalty; treachery; deceit.

slèbo m. (*metall.*) slab.

slegaménto m. **1** (*lo slegare*) untying; unfastening; unbinding; undoing **2** (*fig.*: *incoerenza*) looseness; disconnectedness; disjointedness.

slegàre **A** v. t. to untie; to unfasten; to unbind*; to undo*; (*liberare*) to set* free, to let* loose: **s. un cane**, to let a dog loose; **s. un nodo**, to undo a knot; **s. un pacco**, to untie a parcel; **s. i polsi a q.**, to untie sb.'s wrists; **s. i prigionieri**, to set the prisoners free **B** **slegàrsi** v. i. pron. **1** (*sciogliersi*) to come* untied; to come* unfastened; to come* undone **2** (*liberarsi*) to get* loose; to free oneself.

slegàto a. **1** (*non legato*) untied; unbound; undone; loose **2** (*di libro*) unbound **3** (*fig.*) unconnected; disconnected; disjointed; loose: **frasi slegate**, unconnected (o disjointed) sentences; **idee slegate**, disconnected ideas.

slegatùra f. → **slegamento**.

slèppa f. (*region.*) **1** (*sberla*) slap (in the face) **2** (*gran quantità*) heap; load.

Slèsia f. (*geogr.*) Silesia.

slinguàre v. t. (*fam.*) **1** (*leccare*) to lick **2** (*baciare*) to give* a French kiss to; to snog (*GB, fam.*).

slip m. inv. **1** (*mutande da uomo*) briefs (pl.); (*da donna*) briefs (pl.), panties (pl.) **2** (*costume da bagno maschile*) swimming (o swim) trunks (pl.); (*parte di bikini*) bikini bottom ❶**FALSI AMICI** • slip *non si traduce con* slip.

slìtta f. **1** sledge; sleigh; sled (*USA*): **s. tirata da cavalli [da cani]**, horse-drawn [dog-drawn] sledge; **andare in s.**, to sledge; to sleigh; to sled (*USA*); **fare una gita in s.**, to go sleighing; **cane da s.**, sledge dog **2** (*mecc.*) slide; (*di pressa*) ram; (*di tornio*) saddle: **s. portafresa**, cutter slide; **s. portautensile**, tool slide **3** (*artiglieria*) chassis*.

slittaménto m. **1** (*di veicolo*) skid, skidding; (*di ruota*) slipping **2** (*mecc.*) slipping; slippage: (*autom.*) **s. della frizione**, clutch slippage **3** (*fig.: calo, diminuzione*) slide: **s. dei prezzi**, slide in prices **4** (*rinvio*) postponement; deferment; slippage: **s. di un incontro**, postponement of a meeting; **s. del termine di consegna**, deferment of the deadline; **s. di un progetto**, sliding of a plan; **subire uno s.**, to be postponed; to be deferred; to be put off.

slittàre v. i. **1** (*andare in slitta*) to sledge; to sleigh; to sled (*USA*) **2** (*scivolare, anche mecc.*) to slip; (*sbandare*) to skid: *La frizione [la cinghia del ventilatore] slitta*, the clutch [the fan belt] slips (o is slipping); *Il furgone slittò sul bagnato*, the van skidded on the wet patch of road **3** (*spostarsi*) to shift; to drift: *Il partito sta slittando verso sinistra*, the party is drifting to the left **4** (*fin.*) to slide* **5** (*essere rinviato*) to be postponed; to be put off: *Il termine di consegna è slittato di un mese*, the deadline has been postponed (o put off) for a month.

slittìno m. sledge; sled (*USA*); (*sport*) luge.

slittovìa f. (*un tempo*) sledge-lift.

slìvovitz m. slivovitz; plum brandy.

s.l.m. sigla (*geogr.*, **sul livello del mare**) above sea level (ASL).

slògan m. inv. (*propagandistico*) slogan; (*motto*) motto, slogan; (*grido di battaglia*) war cry; (*frase di moda*) catchphrase: **s. elettorale**, electoral slogan; **s. pubblicitario**, advertising slogan; catchline (*GB*); **scandire s.**, to chant slogans.

slogàre Ⓐ v. t. to dislocate; to sprain; to twist; (*vet.*) to splay: **slogarsi la caviglia**, to dislocate (o to sprain) one's ankle Ⓑ **slogàrsi** v. i. pron. to get* dislocated (o sprained).

slogàto a. dislocated; sprained; twisted: **polso s.**, dislocated (o sprained) wrist.

slogatùra f. dislocation; sprain.

sloggiàre Ⓐ v. t. to drive* out (*anche mil.*) to dislodge; (*da un alloggio, ecc.*) to turn out; (*sfrattare*) to evict Ⓑ v. i. **1** (*da un alloggio*) to move out **2** (*mil.*) to move out **3** (*fam.: andarsene*) to move out; to clear out; to buzz off (*fam.*); to scram (*slang*); (*spostarsi*) to budge; (*alzarsi*) to get* off (*fam.*): *Ragazzi, qui è meglio s.*, better clear out, folks; *Sloggia, ho da fare*, buzz off, I'm busy; *Sloggia dal divano*, get off the sofa.

slombàrsi v. i. pron. (*fig.*) to break* one's back; to wear* oneself out.

slombàto a. **1** (*esausto*) worn out; ex-

hausted **2** (*fiacco*) feeble; enervated; weak.

sloop m. inv. (*naut.*) sloop: **attrezzato a s.**, sloop-rigged.

slot m. (*ingl.*) **1** (*aeron.*) (take off) slot (*spazio di tempo per decollo o atterraggio*) **2** (*elettron.*) slot (*connettore per schede*).

Slovàcchia f. (*geogr.*) Slovakia.

slovàcco a. e m. (f. **-a**) Slovak.

slovèno a. e m. (f. **-a**) Slovenian.

slow (*ingl.*) m. inv. (*mus.*) slow foxtrot.

slow food loc. m. inv. (*ingl.*) slow food.

SM sigla **1** (*mil.*, **Stato maggiore**) General Staff (GS) **2** (**Sua Maestà**) His (o Her) Majesty (HM).

SMA sigla (*mil.*, **Stato maggiore aeronautica**) Air Force Staff.

smaccàto a. fulsome; (*spudorato*) shameless, outrageous: **lodi smaccate**, fulsome praises; **imitazione smaccata**, shameless imitation.

smacchiàre v. t. to remove stains from; to clean: **mandare qc. a s.**, to send st. to the cleaners'; **prodotto per s.**, stain remover.

smacchiatóre m. **1** (f. **-trice**) cleaner **2** (*prodotto*) stain remover.

smacchiatùra f. stain-removal; cleaning: **s. a secco**, dry-cleaning.

smàcco m. humiliating defeat; humiliation; blow; slap in the face (*fam.*): **subire uno s.**, to suffer a blow; to be humiliated: *La non rielezione è stata un vero s. per lui*, not being returned was a real slap in the face for him; *Che s.!*, what a blow!; how humiliating!

smadonnàre v. i. (*gergale*) to curse; to swear*.

smagàrsi v. i. pron. (*lett.*) to be disenchanted; to become*disillusioned.

smagàto a. (*lett.*) disenchanted; disillusioned.

smagliànte a. dazzling; brilliant; radiant: **colori smaglianti**, dazzling colours; **sorriso s.**, radiant (o flashing, beaming) smile.

smagliàre Ⓐ v. t. **1** (*una rete*) to break* the meshes of **2** (*calze, ecc.*) to ladder (*GB*); to get* a run in (*USA*); (*impigliandosi in qc.*) to snag (*USA*) **3** (*la cute*) to leave* stretch marks on Ⓑ **smagliàrsi** v. i. pron. **1** (*di rete, ecc.*) to break* **2** (*di calze, ecc.*) to ladder (*GB*); to run* (*USA*): *Le calze di seta si smagliano facilmente*, silk stockings ladder easily; *Mi si è smagliata una calza*, I've got a ladder in my tights (*USA* a run in my pantyhose) **3** (*della cute*) to develop stretch marks.

smagliàto a. laddered (*GB*); snagged (*USA*).

smagliatùra f. **1** (*di calza, ecc.*) ladder (*GB*); run (*USA*) **2** (*della cute*) stretch mark **3** (*fig.: mancanza di continuità*) discontinuity; gap; break in continuity; (*difetto*) flaw.

smagnetizzàre v. t., **smagnetizzàrsi** v. i. pron. (*fis.*, *comput.*) to demagnetize; (*elettron.*) to degauss.

smagnetizzatóre m. (*fis.*) demagnetizer.

smagnetizzazióne f. (*fis.*, *comput.*) demagnetization; demagnetizing; (*elettron.*) degaussing.

smagriménto m. loss of weight; (*in seguito a dieta*) slimming.

smagrìre Ⓐ v. t. **1** (*far dimagrire*) to make* (sb.) lose weight **2** (*far sembrare più magro*) to make* (sb.) look thinner Ⓑ v. i. to lose* weight; to grow* thin; (*con una dieta, anche*) to slim.

smagrìto a. (*che ha perso peso*) thinner; (*magro, smunto*) thin.

smaliziàre Ⓐ v. t. to teach* a thing or two (*fam.*) Ⓑ **smaliziàrsi** v. i. pron. to learn the tricks*; to learn* a thing or two (*fam.*); (*in un*

lavoro) to get* the hang of st.

smaliziàto a. (*scaltro, navigato*) knowing; wordly wise; savvy (*fam.*); that knows a thing or two (*fam.*); that has been around (*fam.*); (*competente*) experienced.

smallàre v. t. to husk (*a nut*); to remove the husk from.

smaltàre v. t. **1** to enamel; (*ceramica*) to glaze; (*le unghie*) to varnish, to paint: **s. il ferro**, to enamel iron; **s. un vaso**, to glaze a vase **2** (*fotogr.*) to glaze **3** (*fig.*) to adorn.

smaltàto a. **1** enamelled; enamel (attr.); (*di ceramica*) glazed; (*di unghie*) varnished, painted: **stoviglie smaltate**, enamel ware **2** (*fig.*) adorned.

smaltatóre m. (f. **-trice**) enameller; enamellist; (*di ceramica*) glazer.

smaltatrìce f. (*fotogr.*) glazer; glazing machine: **s. rotativa**, rotary glazer; **s. piana**, flat-bed glazer.

smaltatùra f. **1** (*operazione*) enamelling; (*di ceramica*) glazing; (*fotogr.*) glazing **2** (*smalto*) enamel; glaze.

smalterìa f. enamel factory.

smaltiménto m. **1** (*il digerire*) digestion **2** (*comm.*) selling off; clearance; **s. delle scorte**, selling off of stock; stock clearance **3** (*eliminazione*) disposal; (*di liquido*) draining, discharge: **s. dei rifiuti**, waste disposal; **s. delle acque luride**, draining of sewage **4** (*disbrigo*) clearing: **s. dell'arretrato**, clearing of a backlog; **s. della corrispondenza**, getting through the mail.

smaltìre v. t. **1** (*digerire*) to digest: **s. un pranzo**, to digest a meal **2** (*fig.: far passare*) to get* rid of; to work off: **s. l'irritazione**, to work off one's irritation; **s. la sbornia**, to sober up; (*dormendo*) to sleep it off **3** (*comm.*) to sell* off; to clear: **s. le rimanenze**, to clear one's surplus stock **4** (*eliminare*) to get* rid of; to dispose of, (*far defluire*) to drain, to discharge: **s. il grasso superfluo**, to get rid of excess fat; (*con l'esercizio*) to work off excess fat; **s. i rifiuti**, to dispose of the waste; **s. il traffico**, to get the traffic moving **5** (*sbrigare*) to get* through; to clear: **s. le pratiche arretrate**, to get through a backlog of paperwork; **s. la posta**, to get through the mail.

smaltìsta m. e f. enameller; enamellist; enamel worker.

smaltìte f. (*miner.*) smaltite.

smaltitóio m. drain.

smaltitóre Ⓐ a. (*rif. a rifiuti*) waste (attr.); (*rif. a liquidi*) draining, drainage (attr.), discharge (attr.): **canale s.**, draining channel; **fosso s.**, drainage ditch Ⓑ m. **1** (*canale*) draining channel; drainage ditch **2** (*impianto*) disposal plant: **s. di rifiuti tossici**, toxic waste disposal plant.

smàlto m. **1** enamel; (*ceramica, fotogr.*) glaze: **s. a fuoco**, stove enamel; **a s.**, enamelled; enamel (attr.): **decorare a s.**, to enamel; **rivestito di s.**, enamel-coated; enamel (attr.); **verniciatura a s.**, enamel painting **2** (*oggetto*) enamel: **collezione di smalti**, collection of enamels **3** (*per unghie*) nail varnish: **darsi lo s.**, to varnish (o to put nail varnish on) one's nails **4** (*anat., dei denti*) enamel **5** (*al pl.*) (*arald.*) tinctures **6** (*fig.: brillantezza*) shine; lustre; brilliance; (*incisività*) edge: **perdere s.**, to lose one's shine; to lose one's edge.

smammàre v. i. (*pop.*) to beat* it; to scram; to buzz off.

smanacciàre Ⓐ v. i. (*fam.: gesticolare*) to wave one's hands about; to gesticulate Ⓑ v. t. **1** (*calcio*) to hit* (*a ball*) with the flat of the hand **2** (*pop., anche assol.: palpeggiare*) to paw; to grope.

smanacciàta f. **1** (*fam.*) blow with the hand; cuff; slap **2** (*pop.: palpata*) pawing;

groping.

ṣmanacció ne m. 1 (*fam.*: *chi gesticola*) person who gesticulates a lot 2 (*pop.*: *chi palpeggia*) groper.

ṣmancerìa f. (spec. al pl.) affectation Ⓤ; mawkishness Ⓤ; affected manners (pl.); (*moine*) mincing ways (pl.), simpering ways (pl.): **fare smancerie**, to be affected (*o* mawkish).

ṣmanceróso a. affected; mawkish; (*pieno di moine*) mincing, simpering.

ṣmandrappàto a. (*gergale*) 1 (*malvestito*) shabbily dressed, down at heel; (*sciatto*) scruffy, frowzy, shabby; (*scalcinato*) run-down 2 (*senza forze*) weak; shaky; washed out.

ṣmanettàre v. i. (*gergale*) 1 (*rif. a moto*) to rev up 2 (*comput.*) to hack; to be a hacker.

ṣmanettóne m. (f. *-a*) (gergo comput.) hacker.

ṣmangiàre v. t. (*erodere*) to eat* away, to wear* away; (*corrodere*) to corrode, to eat* into.

ṣmangiucchiàre v. t. to nibble; (*assol.*) to nibble things.

ṣmània f. 1 (*irrequietezza*) agitation; restlessness; (the) fidgets (pl.); (the) jitters (pl.) (*fam.*); (*frenesia*) frenzy: **avere la s.**, to have the fidgets; to fidget; to have ants in one's pants (*fam.*, USA); to be antsy (*fam. USA*); **dare s.** (*o* **mettere la s. addosso**), to give the fidgets (*o* the jitters); **dare in smanie**, to get worked up; to be in a state of agitation 2 (*voglia ardente*) craving; hankering; itch; yen: **s. di successo**, craving for success; **s. di viaggiare**, yen to travel; *Ha la s. di finire tutto subito*, he's always itching to get things done quickly; *Gli è venuta la s. di andare a Parigi*, he's got a yen to go to Paris 3 (*mania*) mania; (*moda frenetica*) craze, fad: **s. del gioco**, gambling mania.

ṣmaniàre v. i. 1 (*essere irrequieto*) to be agitated; to fidget; to have the fidgets (*o* the jitters); to have ants in one's pants (*fam.* USA); to be antsy (*fam. USA*); (*a letto*) to toss and turn; (*essere impaziente*) to chafe at the bit: **s. per la febbre**, to toss and turn in bed with a temperature 2 (*fig.: desiderare ardentemente*) to yearn (for st., to do st.); to long (for st., to do st.); to hanker (after st.); to itch (to do st.): *Smania di andare a vivere a solo*, he yearns to move into a place of his own; *Smania di comprarsi la bici*, he's yearning for a bike; *Smania di partire*, she's itching to leave.

ṣmanigliàre v. t. (*naut.*) to unshackle.

ṣmanióso a. (*irrequieto*) restless; fidgety; jittery; antsy (*fam. USA*); (*agitato*) agitated, frantic, frenzied: **una voglia smaniosa di uscire**, a restless longing to go out 2 (*bramoso*) eager; longing; yearning; itching; dying (*fam.*): **s. di cominciare qc.**, eager to begin st.; raring to go (*fam.*); **s. di indipendenza**, yearning for independence; **s. di andarsene**, itching to leave; **s. di vendetta**, thirsting for revenge; **s. di sciare**, dying to go skiing.

ṣmantellaménto m. 1 (*abbattimento*) demolition; pulling down 2 (*naut.*) dismantling; stripping 3 (*fig.: chiusura*) dismantling: **lo s. di una base militare**, the dismantling of a military base; **lo s. del servizio mutualistico**, the dismantlement of the health service 4 (*fig.: confutazione*) demolition: **lo s. di un'accusa**, the demolition of a charge.

ṣmantellàre v. t. 1 (*abbattere*) to demolish; to pull down: **s. un edificio**, to pull down a building 2 (*naut.*) to dismantle; to strip 3 (*estens.: mettere fine a, chiudere*) to dismantle; to break* up: **s. una centrale nucleare**, to dismantle a nuclear power

plant; **s. un monopolio**, to break up a monopoly; **s. un'organizzazione**, to dismantle an organization 4 (*fig.: confutare*) to demolish: **s. un'argomentazione [un'accusa]**, to demolish an argument [an accusation].

ṣmarcàre (*sport*) Ⓐ v. t. to free Ⓑ **ṣmarcàrsi** v. i. pron. to shake* off one's marker; to break* loose (*o* free).

ṣmarcàto a. (*sport*) clear; unmarked.

ṣmargiassàta f. brag; bragging Ⓤ; swagger Ⓤ; bluster Ⓤ: **dire smargiassate**, to brag; to talk big; to bluster.

ṣmargiàsso m. braggart; boaster; big-mouth (*fam.*); **fare lo s.**, to brag; to talk big; to bluster.

ṣmarginàre Ⓐ v. t. (*legatoria*) to trim the edges of Ⓑ v. i. to get* beyond the margin.

ṣmarginatùra f. (*legatoria*) trimming the edges.

ṣmargottàre v. t. (*agric.*) to remove marcottes from.

ṣmarriménto m. 1 (*perdita*) loss; mislaying; (*di corrispondenza, ecc.*) miscarriage: **lo s. del portafoglio**, the loss of one's wallet; **lo s. d'una lettera**, the miscarriage of a letter; **denunciare lo s. di qc.**, to report the loss of st. 2 (*perdita di coscienza*) fainting fit 3 (*turbamento*) confusion, disorientation, bewilderment; (*sbigottimento*) dismay, consternation: **essere colto da s.**, to be confused (*o* disorientated); to be filled with dismay; **avere un attimo di s.**, to be at a loss for moment; to be momentarily thrown out (*o* bewildered); **in stato di s.**, confused.

ṣmarrìre Ⓐ v. t. to lose*; (*temporaneamente*) to mislay*: **s. una chiave**, to lose (*o* to mislay) a key; **s. il filo (del discorso)**, to lose the thread (of what one was saying); **s. la ragione**, to lose one's reason (*o* one's wits); **s. la strada**, to lose one's way; to get lost; *Il pacco è stato smarrito*, the parcel has been mislaid Ⓑ **ṣmarrìrsi** v. i. pron. 1 (*perdere la strada*) to lose* one's way; to get* lost 2 (*fig.: confondersi, essere perplesso*) to be lost; to be confused; to be disorientated; to be bewildered; (*turbarsi*) to be upset; to be dismayed: *Alle sue domande mi smarrii*, I was confused by his questions 3 (*di corrispondenza, ecc.*) to get* lost in the mail.

ṣmarrìto a. 1 (*perduto*) lost; missing; (*temporaneamente*) mislaid: **cane s.**, lost dog; **oggetti smarriti**, lost property; **passaporto s.**, lost (*o* mislaid) passport; **pecorella smarrita**, lost sheep; **persone smarrite**, missing persons; **andare s.**, to get lost; to go missing; (*di lettera, ecc.*) to get lost in the mail 2 (*confuso*) lost; confused; disorientated; bewildered; helpless; (*turbato*) dismayed: **sguardo s.**, disorientated look; **avere un'aria smarrita**, to look lost; to look helpless.

ṣmarronàre v. i. (*fam.: fare uno svarione*) to make* a howler; (*sbagliare*) to make* a boo-boo (*fam.*), to screw up (*fam.*), to balls up (*volg. GB*).

ṣmarronàta f. (*fam.: svarione*) howler; (*azione sbagliata*) boo-boo (*fam.*), screw-up (*fam.*), balls-up (*volg. GB*).

ṣmartellàre v. t. to hammer (away) at.

ṣmascellàrsi v. i. pron. - **s. dalle risa**, to roar with laughter; to be in stitches.

ṣmascheraménto m. 1 unmasking 2 (*fig.*) unmasking; exposure.

ṣmascheràre Ⓐ v. t. 1 (*levare la maschera*) to unmask 2 (*fig.: rivelare*) to unmask; to expose; to uncover; to bring* into the open (*o* to light); to reveal; (*scoprire*) to find* out: **s. un complotto**, to uncover a conspiracy; **s. il gioco di q.**, to reveal what sb. is up to (*o* to); **s. un impostore**, to expose an impostor; **s. una spia**, to unmask a spy; *Il ladro è stato smascherato*, the thief was found out Ⓑ **ṣmascheràrsi** v. rifl. 1 (*togliersi la maschera*) to unmask; to take* off one's mask 2

(*fig.: gettare la maschera*) to tear* off one's mask; to show oneself in one's true light; (*tradirsi*) to give* oneself away.

ṣmascheratóre m. (f. *-trice*) unmasker; exposer; discloser.

ṣmascolinizzàre v. t. to emasculate.

ṣmascolinizzazióne f. emasculation.

ṣmatassàre v. t. to unwind* (*a skein*).

ṣmaterializzàre Ⓐ v. t. to dematerialize Ⓑ **ṣmaterializzàrsi** v. i. pron. 1 to dematerialize 2 (*scomparire*) to vanish; to disappear.

ṣmaterializzazióne f. 1 dematerialization 2 (*scomparsa*) vanishing; disappearance.

ṣmattonàre v. t. to remove bricks from.

ṣmazzàre v. t. (*giochi di carte*) to deal* (*the cards*); to distribute.

ṣmazzàta f. (*giochi di carte: distribuzione*) deal; (*mano*) hand.

SME sigla 1 (**Sistema monetario europeo**) European Monetary System (EMS) 2 (*mil.*, **Stato maggiore esercito**) Army General Staff.

ṣmèctico a. (*chim.*) smectic ● **argilla smectica**, fuller's earth.

ṣmègma m. (*fisiol.*) smegma.

ṣmelàre e *deriv.* → **smielare**, e *deriv.*

ṣmembraménto m. 1 dismemberment; (*squartamento*) quartering 2 (*fig.*) dismantling; dispersion; breaking up; break-up: **lo s. di una nazione**, the dismemberment of a country; **lo s. di una raccolta di quadri**, the dispersion of a collection of paintings; **lo s. di una famiglia**, the break-up of a family.

ṣmembràre v. t. 1 to dismember; (*squartare*) to quarter; to tear* limb from limb 2 (*fig.*) to dismantle; to disperse; to break* up: **s. una biblioteca**, to disperse a library; **s. una società**, to dismantle a company; **s. una nazione**, to dismember (*o* to break up) a country.

ṣmemoratàggine, **ṣmemoratézza** f. 1 forgetfulness; (*distrazione*) absent-mindedness: **soffrire di s.**, to suffer from forgetfulness; to be absent-minded 2 (*dimenticanza*) lapse of memory.

ṣmemoràto Ⓐ a. 1 (*dimentico*) forgetful; (*distratto*) absent-minded 2 (*stordito*) stupid Ⓑ m. (f. *-a*) 1 person who has lost his [her] memory 2 (*persona distratta*) absent-minded person; (*sbadato*) scatterbrain.

ṣmentìre Ⓐ v. t. 1 (*negare*) to deny; to disclaim: **s. le voci d'una crisi**, to deny rumours of a crisis; *Il ministro ha smentito di aver parlato di dimissioni*, the minister denied having said he might resign 2 (*sbugiardare*) to belie; to give* the lie to: *I fatti smentiscono*, the facts give you the lie; *Il regalo che mi ha fatto smentisce la sua fama di avaro*, the present he gave me belies his reputation as a miser 3 (*sconfessare*) to disavow; (*ritrattare*) to take* back, to withdraw*, to recant, to retract: *Il testimone smentì la sua deposizione*, the witness retracted his statement 4 (*deludere*) not to live up to: **non s. la propria fama di**, to live up to one's reputation as Ⓑ **ṣmentìrsi** v. rifl. 1 (*contraddirsi*) to contradict oneself: *Ecco, ti sei smentito*, there, you have contradicted yourself 2 (*generalm. al neg.: venir meno a sé stesso*) not to behave true to form: *Tanto per non smentirsi, ci ha fatto aspettare un'ora*, true to form, he kept us waiting for an hour; *Non si smentisce mai*, she never changes; she's always the same; *La sua avidità non si smentisce mai*, trust him to be greedy; you can always count on his greed.

ṣmentìta f. 1 denial; disclaimer; refutation: **s. ufficiale**, formal denial; **una recisa s. del governo**, a flat denial on the part of the government; **dare una s. a q.**, to prove

a b c d e f g h i j k l m n o p q r **s** t u v w x y z

sb. wrong; to give sb. the lie; **dare una s. a qc.**, (negare) to deny st.; (dimostrare falso) to prove st. wrong, to disprove st.; **non temere le smentite**, not to be afraid of being contradicted **2** (sconfessione) disavowal; (ritrattazione) recantation.

şmeraldino a. emerald-green; emerald (attr.): **occhi smeraldini**, emerald-green eyes.

şmeràldo Ⓐ m. (pietra, colore) emerald: **anello con s.**, emerald ring; **taglio a s.**, emerald cut Ⓑ a. inv. emerald (attr.): **verde s.**, emerald green; **vestito color verde s.**, emerald-green dress.

şmerciàbile a. (comm.) salable, saleable; marketable.

şmerciabilità f. salability, saleability; marketability.

şmerciàre v. t. (comm.) to sell*; to sell* off; to market: **s. le rimanenze**, to sell off one's left-over stock; **merce che non si smercia facilmente**, goods that do not sell easily; goods that aren't easily marketed.

şmèrcio m. (comm.: vendita) sale; marketing; (giro di vendite) turnover: **avere molto s.**, to sell easily; to have a good turnover; **avere poco s.**, not to sell easily; to have a low turnover; **C'è un grande s. di questo prodotto**, this product sells fast; there is an excellent turnover on this line; **Abbiamo avuto poco s. di questo modello**, sales of this model have been poor; **trovare s.**, to find a market; to sell.

şmerdàre (volg.) Ⓐ v. t. **1** to smear with shit; (estens.: insozzare) to dirty, to foul **2** (fig.: svergognare) to show up; to drag through mud Ⓑ şmerdàrsi v. i. pron. **1** to smear oneself with shit; (estens.: sporcarsi) to dirty oneself **2** (fig.) to disgrace oneself.

şmèrgo m. (zool., Mergus) merganser: **s. maggiore** (Mergus merganser), goosander; **s. minore** (Mergus serrator), red-breasted merganser.

şmerigliàre v. t. to polish with emery; (mecc.) to grind*: **s. le valvole**, to grind the valves; **s. il vetro**, to grind glass.

şmerigliàto a. **1** emery (attr.): **carta smerigliata**, emery paper **2** (mecc.) ground: **vetro s.**, ground glass; (con effetto decorativo) frosted glass.

şmerigliatrìce f. **1** (mecc.) grinder **2** (falegn.) sander; sandpapering machine.

şmerigliatùra f. emery-polishing; (mecc.) grinding; (di vetro, con funzione decorativa) frosting; (falegn.) sandpapering, sanding.

şmerìglio ① m. (miner.) emery: **mola a s.**, emery wheel; **polvere di s.**, emery powder; **tela s.**, emery cloth.

şmerìglio ② m. (zool., Falco columbarius) merlin; pigeon hawk (USA).

şmerìglio ③ m. (zool., Lamna nasus) porbeagle.

şmerlàre v. t. to scallop.

şmerlatùra f. **1** (lo smerlare) scalloping **2** (bordo) scallop border.

şmèrlo m. scallop; scallop border • **punto (a) s.**, buttonhole stitch.

şmésso a. cast-off: **abiti smessi**, cast-off clothes; cast-offs; (da fratelli maggiori) hand-me-down clothes, hand-me-downs; **Mi regalò un abito s.**, she gave me an old dress of hers; **portare le cose smesse della sorella**, to wear one's sister's hand-me-downs.

♦**şméttere** Ⓐ v. t. e i. (cessare) to stop, to cease (form.); to discontinue (form.), to quit*; (abbandonare) to give* up; (interrompere) to stop, to break* off, to leave* off: **s. un'attività**, to cease (o to discontinue) an activity; **s. di piangere**, to stop crying; **s. di fumare**, to give up smoking; to cut out smoking (fam.); **s. di lavorare**, (interromper-

si) to stop working; (alla fine della giornata) to stop work, to knock off (fam.); (lasciare un lavoro) to leave (o to quit) a job; **s. di studiare**, to give up one's studies; **s. le ostilità**, to cease hostilities; **Ho smesso di sperare che ritorni**, I have given up hoping she'll come back; **Ho smesso di vederlo un anno fa**, I stopped seeing him a year ago; **Ricominciamo da dove abbiamo smesso**, let's take up from where we left off; **Aspettiamo che smetta la pioggia**, let's wait until the rain stops (o until it stops raining, for the rain to stop); **Ha smesso di nevicare?**, has it stopped snowing?; **Smettila!**, stop it!; quit it!; drop it! (fam.); cut it out (fam.); **Smettetela di bisticciare**, stop quarrelling; **Smettila con le lamentele**, stop complaining; **Ma smettila!** (non dire sciocchezze), come off it!; give us a break! (fam. USA); **Non la smetteva più!**, he just went on and on! Ⓑ v. t. (non mettere più, scartare) to cast* off; to discard.

şmèttico → **smectico**.

şmezzàre → **dimezzare**.

şmidollàre Ⓐ v. t. **1** (levare il midollo) to extract (o to remove) the marrow from **2** (fig.: svigorire) to enfeeble; to weaken; to make* listless Ⓑ şmidollàrsi v. i. pron. to lose* one's vigour (o energy); to become* weak; to go* soft.

şmidollàto Ⓐ a. spineless; gutless (fam.); wimpish (fam.); wet (fam. GB) Ⓑ m. (f. -a) spineless person; weakling; wimp (fam.); drip (slang).

şmielàre v. t. to extract honey from.

şmielatóre m. honey extractor; honey separator.

şmielatùra f. honey extraction.

smiley m. inv. (ingl., Internet) smiley; emoticon.

şmilitarizzàre v. t. to demilitarize.

şmilitarizzàto a. demilitarized: **zona smilitarizzata**, demilitarized zone.

şmilitarizzazióne f. demilitarization.

şmilzo a. **1** slim; thin; lean: **lungo lungo e s.**, lanky; gangling **2** (fig.) meagre; thin; insubstantial: **busta paga smilza**, meagre pay-packet; **romanzetto s.**, insubstantial novel.

şminaménto m. mine clearing; (naut.) minesweeping.

şminàre v. t. to clear of mines.

şminatùra f. → **sminamento**.

şminchionàre v. t. (volg.) to make* a fool of; to make* (sb.) look like a fool.

şminchionàto a. (volg.) pissed off; bummed (USA).

şminuiménto m. **1** diminution; lessening **2** (fig.) belittlement; disparagement.

şminuìre Ⓐ v. t. **1** (diminuire) to diminish; to lessen **2** (fig.: svalutare) to belittle, to disparage, to run* down; (minimizzare) to play down, to minimize Ⓑ şminuìrsi v. rifl. (fig.) to belittle oneself; to run* oneself down.

şminuzzaménto m. breaking into bits; cutting up; (lo sbriciolare) crumbling.

şminuzzàre Ⓐ v. t. **1** (ridurre in pezzettini) to break* into bits; to cut* up; (sbriciolare) to crumble: **s. il pane**, to crumble bread **2** (estens.: frammentare) to fragment; to cut* up **3** (fig.: esporre con minuzia) to enter into all the details of Ⓑ şminuzzàrsi v. i. pron. to break* up; (sbriciolarsi) to crumble.

şminuzzatrìce f. (tecn.) shredding machine; shredder.

şminuzzatùra f. **1** → **sminuzzamento** **2** (insieme di pezzetti) bits (pl.); fragments (pl.); (briciole) crumbs (pl.).

şminuzzolàre e deriv. → **sminuzzare**, e deriv.

Şmìrne f. (geogr.) Smyrna.

şmirnìòta Ⓐ a. Smyrnaean Ⓑ m. e f. Smyrnaean; Smyrniote.

şmistaménto m. **1** sorting; clearing: **s. della posta**, sorting of the mail; **s. delle telefonate**, handling of phonecalls; **ufficio s.** (delle Poste), sorting office **2** (ferr.) shunting; marshalling; switching (USA): **binari di s.**, shunting lines; **scalo di s.**, marshalling yard; switchyard (USA) **3** (calcio) distribution; pass.

şmistàre v. t. **1** to sort (out); to clear: **s. la posta**, to sort the mail; **s. le telefonate**, to handle telephone calls; (di centralinista) to man the switchboard **2** (ferr.) to shunt; to marshal; to switch (USA) **3** (calcio) to distribute; to pass.

şmistatóre Ⓐ a. sorting; clearing; (ferr.) shunting, switching (USA) Ⓑ m. (f. -trice) **1** (di posta, ecc.) sorter **2** (ferr.) shunter; switchman* (USA).

şmişuratamènte avv. exceedingly; excessively; exorbitantly.

şmişuratézza f. **1** (immensità) immensity, immeasurability; (sconfinatezza) boundlessness, measurelessness **2** (dismisura) excessiveness.

şmişuràto a. **1** (immenso) immense; (sconfinato) boundless, unbounded, measureless, immeasurable: **l'oceano s.**, the boundless Ocean; **lo spazio s.**, immeasurable (o boundless) space; **ricchezza smisurata**, enormous wealth **2** (grandissimo, straordinario) immense; enormous; huge; boundless; unbounded; (esorbitante, smodato) immoderate, inordinate, exorbitant, extravagant: **ambizione smisurata**, boundless ambition; **costi smisurati**, huge costs; **prezzi smisurati**, exorbitant prices; **richieste smisurate**, extravagant demands.

şmithsonite f. (miner.) smithsonite.

şmitizzàre v. t. to debunk; to deglamourize; to remove the aura of myth surrounding (sb., st.); (ridimensionare) to reassess, to reappraise: **s. un eroe**, to debunk a hero; **s. Hollywood**, to deglamourize Hollywood.

şmitizzazióne f. debunking; deglamourizing; (ridimensionamento) realistic reassessment (o reappraisal).

şmobiliàre v. t. to remove the furniture from; to unfurnish: **s. una stanza**, to unfurnish a room.

şmobilitàre Ⓐ v. t. **1** (mil.) to demobilize; to demob (fam. GB) **2** (fig.) to disband; to dismiss; to break* up **3** (disinstallare) to dismantle Ⓑ v. i. **1** (mil.) to demobilize **2** (fig.: tornare alla normalità) to disband **3** (fig.: tirarsi da parte) to stand* down.

şmobilitazióne f. **1** (mil.) demobilization; demob (fam. GB) **2** (fig.) disbandment; dispersal **3** (disinstallare) dismantling.

şmobilizzàre v. t. (econ.) to disinvest; to liquidate.

şmobilizzo m. (econ.) disinvestment; liquidation.

şmocciàre v. t. (fam.) to clean the snot off.

şmoccicàre Ⓐ v. t. (fam.) to dirty with snot Ⓑ v. i. (di naso) to be full of snot; to be snotty.

şmoccolàre Ⓐ v. t. to trim the wick of (a candle); to snuff Ⓑ v. i. **1** (di candela) to drip **2** (pop.: bestemmiare) to curse; to swear*.

şmoccolatóio m. snuffers (pl.).

şmoccolatùra f. **1** (lo smoccolare) trimming the wick (of a candle); snuffing **2** (parte del lucignolo) snuff.

şmodataménte avv. immoderately; inordinately; without restraint.

şmodatézza f. immoderation; excess; lack of restraint; incontinence.

şmodàto a. immoderate; excessive; inor-

dinate; unrestrained: **ambizione smodata**, unrestrained (*o* overweening) ambition; **risa smodate**, unrestrained laughter; **uso s. di qc.**, immoderate use of st.

smoderataménte *avv.* immoderately; without moderation; (*eccessivamente*) excessively, to excess; (*esageratamente*) extravagantly.

smoderatézza f. immoderation; excess; overindulgence.

smoderàto a. (*esagerato*) excessive, inordinate, (*senza moderazione*) intemperant, overindulgent: **richieste smoderate**, inordinate requests; **essere s. nel mangiare**, to eat inordinately.

smog (*ingl.*) m. inv. smog: **senza s.**, smogless.

smòking m. inv. dinner-jacket; tuxedo (USA) ❶ **FALSI AMICI** • smoking *non si traduce con* smoking.

smollàre (*fam.*) Ⓐ v. t. (*allentare*) to loosen Ⓑ **smollàrsi** v. i. pron. (*allentarsi*) to get* loose; to loosen (up).

SMOM sigla (**Sovrano militare ordine di Malta**) Sovereign Military Order of Malta.

smonacàre Ⓐ v. t. to dismiss from a monastic order Ⓑ **smonacàrsi** v. i. pron. to leave* a monastic order.

smonetàre, **smonetarizzàre** v. t. (*econ.*) to demonetize.

smonetazióne, **smonetizzazióne** f. (*econ.*) demonetization.

smontàbile a. that can be dismantled (*o* disassembled, taken apart); (*di mobile*) knockdown (attr.).

smontàggio m. (*mecc.*) disassembly; taking apart; (*generale*) stripping: **lo s. di un motore**, the disassembly of an engine.

smontagómme m. inv. (*autom.*) tyre lever (GB); tire iron (USA).

♦**smontàre** Ⓐ v. t. **1** (*far scendere da un veicolo*) to drop (off), to let* off, to set* down; (*scaricare*) to unload, to take* off: *Il tram mi smonta davanti casa*, the tram drops me (*o* lets me off) right outside my house **2** (*scomporre in pezzi*) to disassemble; to dismantle; to take* to pieces; to take* apart, (*completamente*) to strip: **s. un armadio**, to dismantle (*o* to knock down) a wardrobe; **s. un giocattolo**, to take a toy apart; **s. un motore**; to dismantle (*o* to strip) an engine; **s. un orologio [una radio]**, to dismantle (*o* to take apart) a watch [a radio] **3** (*rimuovere*) to take* down; to take* off; to remove; (*da una montatura*) to unset*: **s. una porta**, to take down a door; **s. una ruota [uno pneumatico]**, to remove a wheel [a tyre]; **s. una pietra preziosa**, to unset a gem **4** (*fig.: demolire, dimostrare l'infondatezza di*) to demolish: **s. un'accusa**, to demolish a charge **5** (*far afflosciare*) to make* (st.) go flat; (*far ritornare liquido*) to make* (st.) go runny: *Il caldo ha smontato la panna*, the heat has made the whipped cream go runny **6** (*fig.: togliere entusiasmo a*) to dampen; (*scoraggiare*) to dishearten; (*rendere meno sicuro di sé*) to deflate, to take* the wind out of (sb.'s) sails; (*fare abbassare le arie*) to take* down a peg or two (*o* a notch): *Niente lo smontava*, nothing could dampen his spirits; **non lasciarsi s. facilmente**, not to be easily discouraged **7** (*fig.: ridimensionare*) to defuse; to deflate: **s. uno scandalo [una notizia]**, to deflate a scandal [a report] Ⓑ v. i. **1** (*scendere*) to get* off (*o* down); (*da un'auto*) to get* out of: **s. dalla bicicletta**, to get off one's bicycle; to dismount (from the bicycle); **s. da cavallo**, to get off a horse; to get down (*o* to dismount) from a horse; to dismount; **s. dal treno**, to get off the train; **s. da una scala a pioli**, to get* down a ladder **2** (*finire il proprio turno*) to go* off duty; (*finire di lavorare*) to stop work, to knock off (*fam.*): **s. di servizio**, to

go off duty; *Smonto alle cinque*, I knock off at five **3** (*cucina, di soufflé, ecc.*) to sink*, to go* flat; (*di panna, ecc.*) to go* runny Ⓒ **smontàrsi** v. i. pron. (*perdere l'entusiasmo*) to cool down (*o* off); (*scoraggiarsi*) to get* demoralized, to lose* heart.

smontatóre m. (f. *-trice*) dismantler; disassembler.

smontatùra f. (*fig.: cosa scoraggiante*) dampener; anticlimax.

smòrfia f. **1** grimace; face: **s. insoddisfatta [disgustata]**, wry [disgusted] face; **fare una s.**, to make (*o* to pull) a face; to grimace; **fare una s. di dolore**, to grimace with pain; *Quando ha visto i cavolfiori, ha fatto una s.*, when he saw the cauliflower, he made a face; *Mio fratello sa fare delle smorfie buffissime*, my brother can pull the most hilarious faces; my brother can twist his face into hilarious expressions; **fare le smorfie a q.**, to make faces at sb.; *Bevi lo sciroppo senza fare smorfie*, drink up your syrup without making a fuss **2** (*espressione affettata*) affectation, simper; (*moina*) blandishment, cajolery; (*broncio*) pout: **una ragazzina piena di smorfie**, a simpering little girl; **fare smorfie**, to simper; to pout.

smorfióso Ⓐ a. **1** (*affettato*) affected, simpering; (*che si dà arie*) snooty, stuck-up (*fam.*), la-di-da **2** (*schizzinoso*) fussy Ⓑ m. (f. *-a*) affected person; snooty (*o* stuck-up) person ● **fare la smorfiosa con q.**, to flirt with sb.

smorìre v. i. (*non risaltare*) to look pale; to disappear: *La fodera del divano smuore contro questa tappezzeria*, the cover of the sofa disappears against this wallpaper.

smòrto a. **1** (*pallido*) pale; wan: **viso s.**, pale (*o* wan) face **2** (*di colore, ecc.*) faded; washed-out; dull: **rosso s.**, dull red **3** (*fig.: scialbo*) colourless; lacklustre; dull; lifeless: **sguardo s.**, dull look; **voce smorta**, colourless voice.

smorzaménto m. **1** (*spegnimento*) extinguishing; putting out **2** (*di suono*) muffling, deadening, softening; (*di luce*) dimming, softening, shading; (*di colore*) toning down, shading **3** (*fis.*) damping **4** (*mus.*) diminuendo.

smorzàndo avv. e m. (*mus.*) smorzando.

smorzàre Ⓐ v. t. **1** (*spegnere*) to extinguish; to put* out: **s. una candela**, to put out (*o* to snuff out) a candle; **s. un fuoco**, to put out (*o* to douse, to extinguish) a fire; **s. un lume**, to put out (*o* to douse) a light **2** (*fig.: estinguere*) to quench; to slake: **s. la sete**, to quench (*o* to slake) thirst **3** (*diminuire l'intensità di*) to damp down; to dampen; to tone down; to soften; (*un suono*) to lower, to deaden, to muffle; (*una luce*) to dim, to soften; (*un colore*) to tone down, to flatten; (*placare*) to ease, to allay, to assuage, to appease; (*togliere mordente*) to take* the edge off; (*attutire*) to soften, to cushion, to break*: **s. l'allegria di una festa**, to put a damper on a party (*fam.*); **s. l'appetito**, to take the edge off one's appetite; to damp the appetite; **s. una caduta**, to cushion (*o* to break) a fall; **s. un colpo**, to soften a blow; **s. l'entusiasmo di q.**, to dampen sb.'s enthusiasm; to pour cold water on (*o* over) sb.'s enthusiasm (*fam.*); (*autom.*) **s. i fari**, to dip the headlights; **s. l'impatto**, to reduce (*o* to deaden) the impact; **s. l'ira di q.**, to appease sb.'s anger; **s. la palla**, (*calcio*) to kill a ball; (*tennis*) to make* a drop shot; **s. una tinta**, to tone down a colour; **s. la voce**, to lower one's voice; *Le tende smorzano la luce*, curtains soften the light; *Il tappeto smorzava il suono dei passi*, the carpet deadened the sound of footsteps; *Il suo sorriso voleva s. le critiche*, her smile was meant to soften her criticism **4** (*fis.*) to damp; to dampen Ⓑ **smorzàrsi** v. i. pron. **1** (*spegnersi*) to go*

out: *Il fuoco si è smorzato*, the fire has gone out **2** (*attenuarsi*) to soften; to lessen; (*di emozione*) to dim; (*di suono*) to grow* faint (*o* fainter), to trail off, to die down; (*di luce*) to grow* faint (*o* fainter), to fade; (*di colore*) to fade; (*perdere mordente*) to lose* the edge; (*svanire*) to fade, to die away (*o* down); (*quietarsi*) to be assuaged, to be appeased.

smorzàta f. (*tennis*) drop shot.

smorzàto a. **1** damped; (*di suono*) muffled, deadened, faint; (*di luce*) dim, soft, shaded; (*di colore*) subdued, muted: **rumori smorzati**, muffled noises; **verde s.**, muted green **2** (*fis.*) damped **3** (*tennis*) – **palla smorzata**, drop shot.

smorzatóre m. (*mecc.*, *mus.*) damper: **s. di vibrazioni**, vibration damper.

smorzatùra f. → **smorzamento**.

smòsso a. **1** (*spostato*) shifted; displaced; dislodged **2** (*di terreno*) loose; (*arato*) turned, tilled **3** (*malfermo*) loose: **dente s.**, loose tooth.

smottaménto m. landslip; landslide.

smottàre v. i. to slip down; to slide* down.

smottatùra f. **1** (*punto di smottamento*) landslide site **2** (*terra smottata*) landslip; landslide.

smozzàre v. t. to cut* off; to lop off.

smozzatùra f. cutting off; lopping off.

smozzicaménto m. **1** crumbling **2** (*di parole*) mumbling; mumble.

smozzicàre v. t. **1** to break* into small pieces; to crumble (up) **2** (*pronunciare male*) to mumble: **s. un discorso**, to mumble a speech; **s. le parole**, to mumble.

smozzicàto a. **1** crumbly **2** (*fig.*) bitty; (*di parola, ecc.*) mumbled.

smozzicatùra f. → **smozzicamento**.

SMS m. inv. (*telef.*) text message; SMS message.

smùngere v. t. **1** (*rendere smunto*) to emaciate; to make* pale **2** (*fig.*) to milk; to drain; to sponge.

smùnto a. (*emaciato*) haggard, gaunt, emaciated; (*pallido*) pale, wan.

smuòvere Ⓐ v. t. **1** (*spostare*) to shift; to move; to budge; to dislodge: **s. un armadio**, to shift a wardrobe; **s. un masso**, to dislodge a rock; *Non riuscii a s. la macchina*, I couldn't move the car **2** (*il terreno*) to turn (over); (*arare*) to plough **3** (*fig.: dissuadere*) to dissuade; to move: **s. q. da un proposito**, to dissuade sb. from doing st.; *Nessuna supplica riuscì a smuoverlo*, no entreaty could move him **4** (*fig.: scuotere*) to stir (up); to arouse: **s. l'opinione pubblica**, to stir up public opinion; *Non riesco a s. il suo interesse*, I cannot arouse his interest ● (*fig.*) **s. le acque**, to stir things up ◻ **s. l'intestino**, to move the bowels ◻ (*fig.*) **s. mari e monti**, to move heaven and earth Ⓑ **smuòversi** v. i. pron. **1** (*spostarsi*) to move; to shift; to budge **2** (*fig.: cambiare idea*) to change one's mind; to be moved.

smuràre v. t. **1** (*abbattere un muro*) to knock down (*o* to tear* down) the wall (*o* walls) of **2** (*togliere dal muro*) to take* (*o* to pull) out of a wall.

smussaménto m. **1** rounding off; (*mecc. edil.*) bevelling, chamfering **2** (*fig.*) smoothing down; softening.

smussàre Ⓐ v. t. **1** (*uno spigolo*) to round off; to smooth; (*mecc., edil.*) to bevel, to chamfer **2** (*una lama, una punta*) to blunt **3** (*fig.*) to smooth down (*o* out); to soften; to tone down Ⓑ **smussàrsi** v. i. pron. (*di lama*) to become* blunt.

smussàto a. **1** (*mecc.*) bevelled; chamfered **2** (*di lama*) blunt **3** (*fig.*) smoothed; softened; toned-down.

smussatùra f. **1** → **smussamento 2**

(*mecc.*) bevel; chamfer **3** (*di lama*) blunted part.

smùsso Ⓐ m. **1** bevel; chamfer **2** (*scalpello*) bevel Ⓑ a. → **smussato**.

snack (*ingl.*) m. inv. **1** snack **2** (*bar*) snack bar.

snack-bar (*ingl.*) m. inv. snack bar.

snaturaménto m. radical change; (*stravolgimento*) perversion, violation; (*distorsione*) distortion; (*travisamento*) misrepresentation ● **lo s. del paesaggio**, the devastation of the landscape.

snaturàre Ⓐ v. t. (*alterare*) to change radically; (*stravolgere*) to pervert (the nature of), to violate; (*distorcere*) to distort; (*travisare*) to misrepresent: *Il film ha snaturato il tema del romanzo*, the film distorted the theme of the novel; **s. il pensiero di q.**, to misrepresent sb.'s ideas; **un'edilizia che snatura il paesaggio**, buildings that devastate the landscape Ⓑ **snaturàrsi** v. i. pron. to degenerate; to be perverted.

snaturàto a. **1** (*alterato*) radically changed; (*stravolto*) perverted, violated; (*distorto*) distorted, depraved; (*travisato*) misrepresented **2** (*crudele*) degenerate; inhuman; unnatural; wicked: **figlio s.**, unnatural (o degenerate) son; **padre s.**, unnatural father.

snazionalizzàre v. t. **1** to denationalize **2** (*econ.*) to denationalize; to privatize.

snazionalizzazióne f. **1** denationalization **2** (*econ.*) denationalization; privatization.

S.n.c. sigla **1** (*negli indirizzi*, **senza numero civico**) unnumbered; without street number **2** (*comm.*, **società in nome collettivo**) general partnership.

snebbiàre v. t. **1** (*dissipare la nebbia*) to dispel (o to drive* away) the fog from; to clear (of fog) **2** (*fig.*) to clear: **s. il cervello**, to clear the mind.

snellènte a. slimming.

snellézza f. **1** slenderness; slimness **2** (*fig.*: *rapidità*, *efficienza*) smoothness; effectiveness.

snelliménto m. **1** slimming **2** (*fig.*: *accelerazione*) speeding up, expediting; (*semplificazione*) simplification, streamlining; (*razionalizzazione*) rationalization: **s. della burocrazia**, streamlining of bureaucracy; **s. del traffico**, speeding up of the traffic.

snellìre Ⓐ v. t. **1** (*rendere più snello*) to slim; (*far apparire più snello*) to make* slimmer: **s. le cosce**, to slim the thighs; *Questo vestito ti snellisce*, this dress makes you slimmer **2** (*fig.*: *rendere più rapido, più efficiente*) to speed* up, to accelerate, to expedite; (*semplificare*) to simplify, to streamline, to facilitate; (*razionalizzare*) to rationalize: **s. l'iter burocratico**, to streamline the bureaucracy; **s. lo stile**, to simplify one's style; **s. il traffico**, to speed up the traffic Ⓑ **snellìrsi** v. i. pron. **1** (*dimagrire*) to slim; to grow* slim: *Ti sei snellita in vacanza*, you have slimmed over the holidays **2** (*accelerare*) to speed* up, to flow more smoothly; (*semplificarsi*) to simplify, to be streamlined.

♦**snèllo** a. **1** slender; slim: **colonna snella**, slender column; **una ragazza alta e snella**, a tall, slender girl; **vita snella**, slim waist **2** (*agile*) nimble, supple **3** (*fig.*: *scorrevole*) smooth-flowing; (*efficiente*) streamlined; (*agevole, semplice*) simple, straightforward, easy.

snervaménto m. **1** (*lo snervarsi*) enervation; debilitation **2** (*mecc.*) yield: **carico di s.**, yield point.

snervànte a. enervating; stressful; exhausting; gruelling; trying; nerve-racking: **attesa s.**, nerve-racking wait; **clima s.**, enervating climate; **lavoro s.**, gruelling work.

snervàre Ⓐ v. t. to enervate; to stress; to exhaust; to try; to wear* out: **caldo che snerva**, enervating heat; *Questa attesa mi snerva*, all this waiting is wearing me out Ⓑ **snervàrsi** v. i. pron. to get* exhausted.

snervatézza f. enervation; (*fiacchezza*) weakness, feebleness, weariness, exhaustion.

snervàto a. enervate; debilitated; (*esausto*) exhausted, weary; (*fiacco*) feeble, spiritless, limp, nerveless.

snidàre v. t. **1** (*selvaggina*) to flush; to put* up; to start up; to rouse: **s. un fagiano**, to flush a pheasant; **s. una volpe**, to rouse a fox **2** (*fig.*: *far uscire allo scoperto*) to flush out; to drive* out; to drag out; (*col fumo*) to smoke out: **s. un cecchino**, to flush out a sniper; **s. il nemico da una posizione**, to drive out the enemy from a position **3** (*fig.*: *scoprire*) to track down; to hunt down: *La polizia è riuscita a s. i rapinatori*, the police have finally tracked down the robbers.

sniffàre v. i. e t. (*gergo della droga*) to sniff; to snort; to blow*.

sniffàta f. (*gergo della droga*) sniff; snort; toot.

sniffatóre m. (f. **-trìce**) (*gergo della droga*) sniffer; snorter; blow-head.

snìffo m. → **sniffata**.

snòb Ⓐ a. snobbish; snooty (*fam.*); high-toned (*USA*) Ⓑ m. e f. snob.

snobbàre v. t. **1** (*disdegnare*) to look down on; to be snooty about **2** (*non curarsi di, ignorare*) to snub, to ignore, to spurn; (*non salutare*) to give* (sb.) the cold shoulder, to give* (sb.) the brush-off; to cut*: **s. un invito**, to snub an invitation; *Al ricevimento ci hanno snobbato*, they gave us the cold shower at the party.

snobìsmo m. snobbery; snobbishness.

snobìstico a. → **snob**.

snocciolàre v. t. **1** (*togliere il nocciolo*) to stone; to pit (*USA*): **s. ciliegie [susine]**, to stone cherries [plums] **2** (*fig. fam.*: *dire tutto d'un fiato*) to reel off, to rattle off; (*spiattellare*) to blab: **s. una lista di nomi**, to reel off a list of names; **s. una poesia**, to rattle off a poem; **s. la verità**, to tell the whole truth **3** (*fig. fam.*: *pagare*) to shell out; to fork out; to cough up.

snocciolatóio m. stone remover; stoner; pitter (*USA*).

snocciolatùra f. stone-removing; stoning; pitting (*USA*).

snodàbile a. jointed; articulated.

snodàre Ⓐ v. t. **1** to unknot; to untie; to undo*: **s. una fune**, to untie a knot in a rope; (*sciogliere un nodo*) (*fig.*: *sciogliere*) to loosen: **s. le gambe**, to exercise one's legs; to warm up; to limber up; **s. la lingua**, to loosen the tongue; **s. un manichino**, to loosen the joints of a dummy **3** (*mecc.*: *rendere snodato*) to make* jointed (o articulated) Ⓑ **snodàrsi** v. i. pron. **1** (*sciogliersi*) to come* loose (o untied) **2** (*essere snodato*) to be jointed (o articulated); (*piegarsi*) to twist **3** (*serpeggiare*) to wind*, to meander; (*di serpe*) to uncoil, (*sgusciare*) to slither; (*sfilare*) to file, to unwind*: *Il sentiero si snodava su per il colle*, the path wound up the hill; *Il corteo si snodò lungo il viale*, the procession filed down the avenue; *Il cobra si snodò lentamente*, the cobra uncoiled slowly **4** (*fig.*: *trascorrere*) to pass; to go* by.

snodàto a. **1** (*slegato*) loose **2** (*sciolto, agile*) supple; (*flessibile*) double-jointed: **giunture snodate**, supple joints; **membra snodate**, double-jointed limbs **3** (*articolato*) jointed; articulated; (*che si può piegare*) folding: **gamba snodata**, articulated leg; **giunto s.**, articulated joint; **manichino s.**, jointed dummy; **metro s.**, folding rule.

snodatùra f. **1** (*articolazione*) joint **2** → **snodo**.

snòdo m. **1** (*mecc.*) articulation; articulated joint: **s. a sfera**, ball joint; **a s.**, jointed (agg.): **provvedere di s.**, to joint **2** (*svincolo*) junction; **s. autostradale** [**ferroviario**], motorway [railway] junction.

snowboard (*ingl.*) m. inv. **1** (*la tavola*) snowboard **2** (*lo sport*) snowboarding.

snudàre v. t. to unsheathe; to draw*: **s. la spada**, to draw one's sword.

so **1ª** pers. sing. indic. pres. di **sapere**.

SO abbr. **1** (**Sondrio**) **2** (*geogr.*, **sud-ovest**) south-west (SW).

soàve a. sweet; gentle; melodious: **s. melodia**, sweet melody; **profumo s.**, sweet odour; **voce s.**, sweet voice; melodious voice.

soavità f. sweetness; gentleness; melodiousness.

sobbalzàre v. i. **1** (*fare balzi continui*) to jolt; to bump; to joggle: *La vecchia automobile procedeva sobbalzando*, the old car was jolting (o bumping) along **2** (*trasalire*) to start; to jump: **s. a ogni rumore**, to start at every noise; **s. di paura**, to start in fear; **far s. q.**, to startle sb.; to give sb. a start; *Il cuore mi sobbalzò dalla felicità*, my heart leapt with joy.

sobbàlzo m. **1** (*scossone*) jolt; jerk: **procedere a sobbalzi**, to jolt along; to bump along **2** (*sussulto*) start: **avere un s.**, to start; to jump; **svegliarsi con un s.**, to wake with a start.

sobbarcàre Ⓐ v. t. to burden; to load down: **s. a q. una spesa**, to burden sb. with an expense Ⓑ **sobbarcàrsi** v. rifl. to take* (st.) upon oneself; to undertake*: **sobbarcarsi un lavoro difficile**, to take a difficult task upon oneself; **sobbarcarsi un forte esborso**, to undertake a large outlay.

sobbolliménto m. (*anche fig.*) simmering.

sobbollìre v. i. (*anche fig.*) to simmer.

sobbórgo m. (*piccolo centro vicino a una città*) small centre (on the outskirts of a city); (*al pl.*: *dintorni*) outskirts; (*quartiere periferico*) suburb; (*al pl.*: *periferia*) suburbia: *Abitano nei sobborghi di Firenze*, they live in the outskirts of Florence.

sobillàre v. t. to foment; to instigate; to incite; to stir up.

sobillatóre Ⓐ a. inciting to rebellion; troublemaking Ⓑ m. (f. **-trìce**) fomenter; instigator; agitator; troublemaker; (*agitapopolo*) rabble-rouser.

sobillazióne f. fomentation; instigation; incitement; stirring up.

sobrietà f. (*moderazione*) moderation, restraint; (*austerità, semplicità*) sobriety; simplicity: **s. di abitudini**, sobriety of habits; **s. nel mangiare**, moderation in eating; **vestire con s.**, to dress simply.

sòbrio a. **1** (*parco, moderato*) moderate; restrained; temperate: **essere s. nel bere**, to drink in moderation **2** (*semplice, austero*) sober; simple; plain; austere; frugal; (*non vistoso*) subdued, quiet, unobstentatious; (*essenziale, conciso*) sober, spare: **abiti sobri**, simple clothes; austere clothes; **gusti sobri**, simple (o quiet) tastes; **pasto s.**, frugal meal; **prosa sobria**, spare prose; **stile s.**, plain (o simple) style; **tinte sobrie**, subdued colours; **vita sobria**, sober life-style **3** (*non ubriaco*) sober: **rimanere s.**, to stay sober.

Soc. abbr. (*comm.*, **società**) partnership; company.

♦**socchiùdere** v. t. **1** (*chiudere non del tutto*) to half-close; (*lasciare socchiuso*) to leave* ajar: **s. gli occhi**, to half-close one's eyes; (*per vedere meglio*) to screw up one's eyes; to squint; **s. una porta**, to half-close a door; to

leave a door ajar **2** (*aprire appena: porta, finestra*) to half-open, to open a little (*o a crack*); (*occhi*) to half-open: *Fa caldo, socchiudi un po' la finestra*, it's hot, open the window a little; *Socchiuse gli occhi e mi sorrise*, she half-opened her eyes and smiled at me; *Socchiuse la porta per vedere chi c'era*, he opened the door a crack to see who was there.

socchiùso a. (*semichiuso*) half-closed, half-shut; (*semiaperto*) slightly open, half--open; (*di porta, finestra, anche*) ajar (pred.): **con gli occhi socchiusi**, with half-opened eyes; with one's eyes half open; *La porta era socchiusa*, the door was ajar; **dormire con la finestra socchiusa**, to sleep with the window slightly open.

sòccida f. (*leg.*) agistment.

soccidànte m. e f. (*leg.*) bailor of cattle in agistment.

soccidàrio, **sòccido** m. (*leg.*) agistor.

sòcco m. (*teatr. stor.*) sock.

soccombènte (*leg.*) **A** a. losing **B** m. e f. losing party.

soccombènza f. (*leg.*) condition of losing party.

soccómbere v. i. **1** (*essere costretto a cedere*) to succumb; to yield; to surrender; to give* way: **s. al dolore**, to surrender (*o to give way*) to grief; **s. alla tentazione**, to succumb to temptation; **s. alla violenza**, to surrender to violence **2** (*essere vinto*) to be overcome; to lose*: (*leg.*) **s. in giudizio**, to lose one's case **3** (*morire*) to succumb; to die.

soccórrere **A** v. t. to help; to aid; to bring* help to; to assist; (*mil.*) to relieve; (*salvare*) to rescue: **s. chi è in pericolo**, to help people in distress; **s. un ferito**, to help (*o to assist*) an injured person; **s. gli alluvionati**, to bring aid to the victims of a flood **B** v. i. (*lett.: sovvenire*) to come* to mind; to occur.

soccorrévole a. (*lett.*) helping; assisting; helpful; (*caritatevole*) charitable: **mano s.**, helping hand.

soccorritóre **A** a. helping; assisting; (*di soccorso*) rescuing, rescue (attr.): **squadra soccorritrice**, rescue squad **B** m. (f. **-trìce**) helper; (*salvatore*) rescuer.

♦**soccórso** m. **1** (*aiuto*) help; assistance; aid (anche med.); (*salvataggio*) rescue; (al pl.: *rifornimenti, ecc.*) aid, relief ⓤ; (*squadra di s.*) rescue squad: **s. aereo [navale]**, air [sea] rescue; **s. alpino**, mountain rescue; **s. stradale**, road service; breakdown service; (*med.*) **pronto s.**, first aid; (*reparto*) casualty (department) (*GB*), emergency (room) (*USA*); **chiamare (a) s.**, to call (out) for help; **chiedere s.**, to ask for help; **dare (o prestare) s.**, to give (*o to bring*) help; to offer assistance; **mandare soccorsi ai terremotati**, to send relief to the victims of the earthquake; (*med.*) **prestare i primi soccorsi**, to give first aid; **venire in s. di q.**, to come to sb.'s aid; to come to sb.'s rescue; **in nostro s.**, to our aid; **chiamata di s.**, call for help; **nave di s.**, rescue ship; (*leg.*) **omissione di s.**, failure to give assistance; **organizzazione di s.**, aid (*o relief*) agency; (*med.*) **posto di s.**, first--aid station; **segnale di s.**, distress signal; **società di mutuo s.**, benefit society; friendly society; **squadra di s.**, rescue team **2** (*mil.*) reinforcements (pl.); (*provvigioni*) provisions (pl.) **3** (*sussidio*) aid; (*financial*) assistance **4** (*lett.: soccorritore*) helper; rescuer.

soccòscio m. (*macelleria*) rump.

socialcomunista (*polit., stor.*) **A** a. relating to the coalition of Italian Communist and Socialist parties **B** m. e f. member or supporter of the coalition of Italian Communist and Socialist parties.

socialdemocràtico (*polit.*) **A** a. Social Democratic **B** m. (f. **-a**) Social Democrat.

socialdemocrazia f. (*polit.*) Social Democracy; (*il partito*) Social Democratic Party.

♦**sociàle** **A** a. **1** (*che fa vita associata*) social: *L'uomo è un animale s.*, man is a social animal **2** (*rif. alla società umana*) social: **contratto s.**, social contract; **giustizia s.**, social justice; **ordine s.**, social order; **relazioni sociali**, social relations; social intercourse; **scienze sociali**, social sciences **3** (*rif. al benessere della società, assistenziale*) social; welfare (attr.): **assistente s.**, social (*o welfare*) worker; **assistenza s.**, social (*o welfare*) work; **pensione s.**, old-age pension; state pension; **previdenza s.**, social security; *Stato s.*, welfare state **4** (*fin., rif. a società di persone*) of a partnership, partnership (attr.); (*rif. a società di capitali*) company's (attr.), company (attr.), corporate (*USA*): **capitale s.**, company's (*o corporate*) capital; **libri sociali**, company's books; **patrimonio s.**, partnership property; corporate property (*o assets*); **ragione s.**, company title (*o style*); corporate name; business (*o firm*) name; **sede s.**, head office; **statuto s.**, articles of association **5** (*rif. a un'associazione, a un club*) social; club (attr.): **attività sociali**, club activities; **cena s.**, social dinner **6** (*di alleato*) social: **guerra s.**, social war **B** m. (*i problemi sociali*) society, social issues (pl.); (*attività s.*) social (*o welfare*) work: **avere un forte senso del s.**, to have a keen social awareness; **essere impegnato nel s.**, to be involved in social work.

socialismo m. (*polit.*) socialism: **s. reale**, real socialism; **s. rivoluzionario**, revolutionary socialism; **s. utopistico**, utopian socialism.

♦**socialista** a., m. e f. (*polit.*) Socialist.

socialistico a. (*polit.*) socialistic; socialist.

socialistòide (*polit., spreg.*) **A** a. leaning towards socialism **B** m. e f. socialist sympathizer; moderate socialist.

socialità f. sociality; (*rapporti sociali*) social relations (pl.); sociability.

socializzàre **A** v. t. (*econ., psic.*) to socialize **B** v. i. (*psic.*) to socialize; to mix: *Il bambino socializza bene con i compagni*, the child socializes well with his schoolfriends; *Non sono un tipo che socializza facilmente*, I don't mix easily.

socializzazióne f. (*econ., psic.*) socialization.

♦**società** f. **1** (*unione di esseri viventi*) society; community: **la s. umana**, human society; **la s. delle api**, the society of bees **2** (*consorzio umano*) society; community: **la s. civile**, society; **la s. del benessere**, the affluent society; **s. dei consumi**, consumer society; **s. di massa**, mass society; **la s. feudale**, feudal society; **ai margini della s.**, on the fringe of society; **dentro la [fuori della] s.**, within [outside] society; **un pericolo per la s.**, a danger to society (*o to the community*); **i rifiuti della s.**, the dregs of society; the outcasts of society **3** (*associazione*) society; association; (*circolo*) circle, club: **s. bocciofila**, bowling club; **s. calcistica**, football club (*o association*); **s. di mutuo soccorso**, benefit society; friendly society; (*stor.*) **la S. delle Nazioni**, the League of Nations; **s. letteraria**, literary circle (*o club, association*); **s. riconosciuta**, approved society; **s. segreta**, secret society; **s. sportiva**, sports club (*o association*); **l'onorata s.**, the Mafia **4** (*dir., di capitali*) company; (*di persone*) partnership, firm: **s. a conduzione familiare**, family-run company; **s. a partecipazione statale**, government-controlled company; **s. a responsabilità limitata [illimitata]**, limited [unlimited] company; **s. anonima**, joint-stock company; corporation (*USA*); **s. armatrice**, shipowners' company; **s. azionaria**, stock company; stock corporation; **s. consociata**, sister company; **s. controllata (o figlia)**, subsidiary company; **s. d'assicurazione**, insurance company; **s. di comodo**, dummy company; **s. di controllo**, holding company; **s. di credito edilizio**, building society; **s. di fatto**, de facto (*o unregistered*) company; *S. del Gas*, Gas Company; **s. di intermediazione mobiliare**, brokerage firm; securities dealer; securities firm; stockbrokers; **s. di navigazione**, shipping company; **s. edilizia**, building firm; firm of builders; **s. ferroviaria**, railway company; **s. finanziaria**, finance company; holding company; **s. fittizia**, dummy (*o bogus, sham*) company; **s. immobiliare**, (*di credito*) building society; (*di compravendita*) property company, real estate company; (*impresa di costruzioni*) building firm; **s. in accomandita semplice**, limited (*o special*) partnership; **s. in compartecipazione**, joint venture; **s. in nome collettivo**, general (*o unlimited*) partnership; **s. madre**, parent company; **s. per azioni**, joint-stock company; corporation (*USA*); **s. quotata in borsa**, listed company (*GB*); **s. unipersonale**, one-man company; **acquisire una s.**, to take over a company; **entrare in s. con q.**, to enter into partnership with sb.; **liquidare una s.**, to wind up a partnership [a company]; **mettersi in s. con q.**, to go into partnership (*o into business*) with sb.; **registrare una s.**, to incorporate a company; **scioglimento d'una s.**, dissolution of a partnership **5** (*estens.*) partnership; sharing: **avere qc. in s. con q.**, to share st. with sb.; **comprare qc. in s.**, to go shares with sb. in buying st.; to split the cost of st.; **fare s. con q.**, to associate oneself with sb. **6** (*ambiente sociale*) society; set: **alta s.**, high society; smart set; **la buona s.**, polite society; **andare in s.**, to go into society; **frequentare la s.**, to move in society; **presentare una ragazza in s.**, to bring out a girl; *Era presente la miglior s. del posto*, the cream of the local community were there; **abito da s.**, evening dress; **giochi di s.**, parlour (*o party*) games; **vita di s.**, social living. **7** (*lett.: compagnia*) society; company.

societàrio a. (*fin., di società di capitali*) company's (attr.), company (attr.), corporate (*USA*); (*di società di persone*) partnership (attr.): **assetto s.**, company (*o corporate*) structure; **capitale s.**, company's (*o corporate*) capital; **diritto s.**, corporate law; **organi societari**, corporate bodies.

sociévole a. sociable; friendly; outgoing; gregarious; companionable: **persona s.**, sociable person; good mixer (*fam.*); **poco s.**, rather unsociable; aloof.

sociévolézza f. sociability; friendliness; gregariousness.

socinianésimo, **socinianismo** m. (*stor. relig.*) Socinianism.

sociniàno a. e m. (*stor. relig.*) Socinian.

♦**sòcio** m. (f. **-a**) **1** (*comm.*) associate, partner; (*dir., di società di capitali*) shareholder; (*di società di persone*) partner; (*di studio professionale*) partner, associate: **s. accomandante**, limited partner; sleeping partner; silent partner (*USA*); **s. accomandatario**, unlimited (*o general*) partner; **s. anziano**, senior partner; **s. effettivo (o gerente)**, active (*o managing*) partner; **s. giovane**, junior partner; **s. in affari**, business associate; business partner; **s. nominale**, nominal partner; **s. occulto**, secret partner; **prendere q. come s.**, to take sb. into partnership; *È stato mio s. in parecchie imprese commerciali*, he has been my associate in several business enterprises; **assemblea dei soci**, company meeting **2** (*estens.: collega, compare*) partner **3** (*membro di associazione*) mem-

a b c d e f g h i j k l m n o p q r s t u v w x y z

ber: **s. fondatore**, founding member; charter member; **s. onorario**, honorary member; **s. ordinario** [**sostenitore**, **vitalizio**], ordinary [supporting, life] member; **farsi s. d'un circolo**, to join a club; to become a member of a club; **riunione dei soci**, members' meeting **4** (*membro di accademia o società scientifica*) fellow: **i Soci della Royal Geographical Society**, the Fellows of the Royal Geographical Society.

socioanàlisi f. socioanalysis.

sociobiologìa f. sociobiology.

sociobiològico a. sociobiological.

sociobiòlogo m. (f. **-a**) sociobiologist.

socioculturàle a. socio-cultural.

sociodràmma m. (*psic.*) sociodrama.

socioeconòmico a. socio-economic.

sociogènesi f. social roots (pl.).

sociogràmma m. sociogram.

sociolètto m. (*ling.*) sociolect.

sociolinguìsta m. e f. sociolinguist.

sociolinguìstica f. sociolinguistics (pl. col verbo al sing.).

sociolinguìstico a. sociolinguistic.

sociologìa f. sociology: **s. del lavoro**, sociology of labour; **s. industriale**, industrial sociology.

sociològico a. sociological.

sociologìsmo m. sociologism.

sociòlogo m. (f. **-a**) sociologist.

sociometrìa f. sociometry.

sociomètrico a. sociometric.

sociopatìa f. sociopathy.

sociopàtico A a. sociopathic **B** m. e f. sociopath.

sociopolìtico a. socio-political.

sociosanitàrio a. socio-medical; national health (attr.).

Sòcrate m. Socrates.

socràtico a. e m. (*filos.*) Socratic: **il metodo s.**, the Socratic method.

sòda f. **1** (*chim.*) sodium carbonate; soda: **s. caustica**, caustic soda; sodium hydroxide **2** (*anche* **acqua di s.**) soda (water): **whisky con s.**, whisky and soda.

sodàglia f. (*agric.*) untilled soil.

sodàle m. (*letter.*) companion; fellow; associate.

sodalite f. (*miner.*) sodalite.

sodalìzio m. **1** (*società*) association; society; brotherhood: **s. sportivo**, sports association **2** (*comunanza di vita di amici, ecc.*) fellowship; companionship; association; intimacy **3** (*stor.*) sodality.

sodanìtro m. (*miner.*) sodium nitrate; Chile saltpeter.

sodàre v. t. (*ind. tess.*) to full.

sodàto a. soda (attr.).

sodatóre m. (*ind. tess.*) fuller.

sodatrìce f. (*ind. tess.*) **1** (*operaia*) fuller **2** (*macchina*) fulling-mill; fuller.

sodatùra f. (*ind. tess.*) fulling.

soddisfacènte a. satisfactory; acceptable; good enough; (*discreto, ragionevole*) fair, reasonable, tolerable, comfortable: **progressi soddisfacenti**, satisfactory progress; **risposta s.**, a satisfactory answer; **reddito s.**, fair (*o* comfortable) income; **molto s.**, very satisfactory; (*gratificante*) rewarding, gratifying.

soddisfaciménto m. **1** (*appagamento*) satisfaction **2** (*adempimento*) fulfilment; discharge **3** (*pagamento*) payment.

◆**soddisfàre** v. t. e i. **1** (*adempiere*) to satisfy; to fulfil; to meet*; to carry out; to perform; to discharge; (*rispondere a*) to satisfy, to meet*, to answer: **s. una condizione**, to satisfy (*o* to meet) a condition; **s. (a) un dovere**, to perform (*o* to discharge, to fulfil) a duty; **s. la domanda**, to meet the demand; **s.**

le esigenze di q., to meet (*o* to answer) sb.'s requirements; **s. i** (*o* **ai**) **propri impegni**, to honour (*o* to meet) one's commitments; **s. gli obblighi militari**, to do one's national service; **s. una promessa**, to fulfil a promise; **s. (a) una richiesta**, to meet a request; **s. un requisito**, to meet a requirement **2** (*appagare*) to satisfy; to fulfil; (*essere all'altezza di*) to meet*; (*indulgere a*) to gratify; (*placare*) to appease: **s. le aspettative di q.**, to meet (*o* to fulfil) sb.'s expectations; **s. la proprie ambizioni**, to fulfil one's ambitions; **s. un bisogno**, to satisfy a need; **s. un capriccio**, to gratify a whim; **s. la propria curiosità**, to satisfy one's curiosity; **s. i desideri di q.**, to satisfy (*o* to gratify) sb.'s wishes; **s. l'occhio**, to please (*o* to be pleasing to) the eye; **s. la fame** [**la sete**], to satisfy (*o* to appease) one's hunger [thirst] **3** (*contentare*) to satisfy; (*piacere*) to please, to be satisfying: **s. i clienti**, to satisfy (*o* to please) one's customers; *Non posso s. tutti quanti*, I cannot please everybody; *Il mio lavoro non mi soddisfa*, I get no satisfaction from my job; *Niente lo soddisfa*, nothing satisfies (*o* pleases) him; *Le tue spiegazioni non mi soddisfano*, your explanations do not satisfy (*o* convince) me; **un lavoro che non soddisfa**, an unsatisfactory piece of work **4** (*pagare*) to discharge; to pay* (off): **s. i propri creditori**, to pay off one's creditors **5** (*fare ammenda, dare soddisfazione*) to make* amends for; to make* reparation for; to atone for: **s. un'offesa**, to atone for an offence **6** (*essere in accordo con*) to satisfy: *La mia teoria soddisfa tutte le premesse*, my theory satisfies all the premises **7** (*mat.*) to fulfil.

◆**soddisfàtto** a. **1** (*adempiuto*) discharged; performed; fulfilled; satisfied: **impegno s.**, commitment honoured; *Le condizioni sono tutte soddisfatte*, all the conditions have been met **2** (*pagato*) paid-off; settled; (*risarcito*) paid-up: **debito s.**, settled debt **3** (*contento*) satisfied; pleased; happy; chuffed (*fam. GB*); (*compiaciuto*) self-satisfied, smug; (*che prova soddisfazione maligna*) gleeful: **s. dei risultati**, satisfied (*o* happy) with the results; **s. di sé**, pleased with oneself; self-satisfied; *Sono molto s. di quello che ho saputo*, I'm very pleased with what I've been told; **avere l'aria soddisfatta**, to look pleased; *Perché fai quella faccia soddisfatta?*, why are you looking so pleased (*o* so smug)?; (*iron.*) *Sarai s.!*, I hope you're satisfied!; *«Te l'avevo detto io!» esclamò tutto s.*, «I told you so» he said gleefully; **non s.**, dissatisfied; unhappy.

◆**soddisfazióne** f. **1** (*adempimento*) satisfaction; fulfilment; gratification: **la s. dei propri desideri**, the satisfaction (*o* the gratification) of one's wishes; **la s. di una richiesta**, the satisfaction of a demand **2** (*riparazione*) satisfaction; reparation; redress: **chiedere** [**dare**, **ottenere**] **s.**, to demand [to give, to obtain] satisfaction **3** (*compiacimento, piacere*) satisfaction, pleasure; (*autocompiacimento*) self-satisfaction, smugness; (*gusto compiaciuto, spec. maligno*) glee: **con mia grande s.**, much to my satisfaction; **un lavoro che dà molte soddisfazioni**, a rewarding (*o* fulfilling) job; *I lavori di casa danno poche soddisfazioni*, you get very little satisfaction out of household chores; *Suo figlio gli dà molte soddisfazioni*, he is very proud of his son; *Non voglio dargli la s. di poter dire che...*, I don't want to give him the satisfaction of being able to say that...; *Mi sono levato (o tolto) la s. di...*, it gave me enormous pleasure to...; I got enormous pleasure out of...; **provare una grande s.**, to be very pleased; to be delighted; *Che s. ci provi a stuzzicarlo?*, what's the fun of teasing him?; **di piena s.**, entirely satisfactory; (*iron.*) *Bella s.!*, I

hope you are satisfied!; that must be a big satisfaction!

sodézza f. firmness; compactness; consistency; (*durezza*) hardness; (*solidità*) solidity.

sòdico a. (*chim.*) sodic; sodium (attr.).

sòdio m. (*chim.*) sodium: **bicarbonato di s.**, sodium bicarbonate; baking soda; **carbonato di s.**, sodium carbonate; washing soda; **cianuro di s.**, sodium cyanide; **cloruro di s.**, sodium chloride; **idrossido di s.**, sodium hydroxide; caustic soda; **nitrato di s.**, sodium nitrate.

sòdo A a. **1** (*solido, compatto*) firm; compact; (*duro*) hard: **carne soda**, firm flesh; **colpo s.**, hard blow; **impasto sodo**, firm mixture; **muscoli sodi**, hard muscles; **terreno s.**, (*compatto*) firm (*o* hard) ground, hard (*o* compact) soil; (*non lavorato*) untilled soil; **uovo s.**, hard-boiled egg; *Aspetta che il budino sia s.*, wait until the pudding is firm (*o* has set) **2** (*fig.: saldo, solido*) firm; solid; sound: **argomenti sodi**, solid reasons ● (*anche fig.*) **darle** (*o* **suonarle**) **sode a q.**, to give sb. a sound beating (*o* thrashing) □ (*anche fig.*) **prenderle sode**, to get a sound beating (*o* thrashing) **B** avv. **1** (*con intensità*) hard: **lavorare s.**, to work hard; **picchiare s.**, to hit hard; **studiare s.**, to study hard **2** (*profondamente*) soundly: **dormire s.**, to sleep soundly; to sleep like a log (*fam.*) **C** m. **1** (*terreno duro*) firm (*o* hard) ground: (*anche fig.*) **poggiare sul s.**, to stand on firm ground **2** (*reale valore*) real worth: *C'è del s. in quell'affare*, that deal is worth looking into **3** (*fatti concreti, nocciolo*) hard facts (pl.); point: **andare subito al s.**, to get straight to the point; not to beat about the bush; **guardare al s.**, to focus on the facts; **venire al s.**, to get to the point; to get down to brass tacks (*fam.*); to come to the nitty-gritty (*fam. USA*).

Sòdoma f. (*Bibbia*) Sodom.

sodomìa f. **1** sodomy; buggery (*anche leg.*) **2** (*omosessualità maschile*) male homosexuality.

sodomìta m. sodomite.

sodomìtico a. sodomitic.

sodomizzàre v. t. to sodomize.

sodomizzazióne f. sodomization.

sofà m. sofa; couch; chesterfield (*GB*); davenport (*USA*).

sofferènte A a. **1** suffering; (*malato*) ill, unwell: **essere s. di cuore** [**di fegato**], to suffer from heart-trouble [liver trouble]; *È a letto s.*, he is ill in bed **2** (*dolente, afflitto*) pained: **espressione s.**, pained look **B** m. e f. sufferer: **s. d'asma**, asthmatic; **s. d'insonnia**, insomniac; **i sofferenti di emicrania**, migraine sufferers; **pregare per i sofferenti**, to pray for those who suffer.

◆**sofferènza** f. **1** (*dolore*) suffering, pain; (*morale, anche*) grief, affliction, distress; (*patimento*) misery, hardship, trouble, trial: **sofferenze inaudite**, untold suffering; **una vita piena di sofferenze**, (*di dolori*) a life full of suffering (*o* pains, misery); (*di stenti*) a life full of hardship (*o* trials, trouble); *È una s. vederlo così ridotto*, it's painful to see him in that state; *È una s. sentirlo cantare*, it's a torture to hear him sing; **essere insensibile alle sofferenze di q.**, to be indifferent to sb.'s sufferings; **mitigare le sofferenze di q.**, to alleviate (*o* to relieve) sb.'s sufferings; **morire fra atroci sofferenze**, to die in terrible pain; **compagno di s.**, fellow-sufferer **2** (*comm., banca*) delay in settling: **in s.**, unpaid; outstanding; overdue.

soffermàre A v. t. to stop (briefly): **s. lo sguardo su qc.**, to stop briefly to look at st. **B soffermàrsi** v. i. pron. **1** to stop (briefly *o* for a while); to pause: **soffermarsi a riflettere**, to pause to reflect; **soffermarsi a guardare una scena**, to stop for a moment

to look at the scene; **soffermarsi davanti alle vetrine**, to stop to look in the shop-windows **2** (*fig.*: *indugiare*) to dwell* (on, upon); to linger (over): **soffermarsi su una parola**, to linger over a word; **soffermarsi su un particolare**, to dwell upon a detail; **senza soffermarsi sui particolari**, without dwelling on the details; without going into details.

sofferto a. **1** (*patito*) suffered, felt, known, experienced; (*sopportato*) endured, borne: **i dolori sofferti**, the pain experienced; **i patimenti sofferti**, the hardships we [they, etc.] went through; *Non poteva dimenticare la fame sofferta da bambino*, he could not forget the hunger he had known as a child; *Ricordo il freddo s.*, I can remember how cold it was **2** (*difficile*) difficult, hard; (*doloroso*) painful; (*ottenuto con fatica*) hard--fought; (*ottenuto di stretta misura*) narrow: **decisione sofferta**, difficult (o hard, painful) decision; **vittoria elettorale sofferta**, hard-fought electoral victory **3** (*frutto di sofferenza interiore*) passionate; intense; deeply--felt.

soffiante A a. **1** blowing **2** – **macchina s.**, blower B f. (*mecc.*) blower.

♦**soffiare** A v. t. **1** to blow*; to puff: **s. fumo di sigaretta**, to blow out cigarette smoke; **soffiarsi il naso**, to blow one's nose; **s. il vetro**, to blow glass; **s. via la polvere da un libro**, to blow the dust off a book **2** (*pop.*: *riferire*) to whisper; to tell*; (*rivelare*) to blab: **s. qc. nell'orecchio a q.**, to whisper st. in sb.'s ear; **s. tutto**, to blab; to spill the beans **3** (*assol.*, *gergale*: *spifferare*) to blab; to blow* the gaff, to spill* the beans; (*fare la spia*) to sing*, to squeal on sb., to rat on sb., to grass on sb. (*GB*): *Chi ha soffiato alla polizia la pagherà cara*, whoever ratted (o grassed) on us to the police will pay for it **4** (*a dama*) to huff: **s. una pedina**, to huff a man **5** (*fam.*: *rubare, sottrarre*) to steal*; to pinch (*fam.*); to swipe (*fam.*); to nick (*fam.*): **s. il ragazzo a un'amica**, to steal a boyfriend from sb.; (*sport*) **s. la palla a q.**, to steal the ball from sb.; **s. a q. il posto** (*di lavoro*), to steal sb.'s job; *Chi mi ha soffiato la penna?*, who swiped (o nicked) my pen?; *Mi hanno soffiato il posto* (*a sedere*), someone pinched (o stole) my seat B v. i. **1** (*emettere aria*) to blow*: **s. in un palloncino**, to blow into a balloon; **s. sul caffè perché si raffreddi**, to blow on one's coffee to cool it; **s. in un fischietto**, to blow a whistle; **s. su una candela** (*e spegnerla*), to blow out a candle; **soffiarsi sulle dita**, to blow on one's fingers **2** (*del gatto*) to spit*; (*della balena*) to blow* **3** (*ansare*) to breath* hard; to puff; to pant; to wheeze: *Lo sentivo s. dietro di me sul sentiero*, I could hear him panting behind me on the path; **s. come un mantice**, to puff and pant; to puff like a grampus **4** (*sbuffare*) to fume; to snort: **s. d'impazienza**, to snort with impatience; **s. di rabbia**, to fume with rage **5** (*del vento*) to blow*: *Il vento soffia da nord*, the wind is blowing from the north; *Soffiava un forte vento*, a strong wind was blowing ● (*fig.*) **s. sul collo a q.**, to breath down sb.'s neck □ (*fig.*) **s. sul fuoco**, to fan the flames; to stir up trouble.

soffiata f. **1** blow; puff: **una s. di vento**, a puff of wind; **dare una s. sul fuoco**, to blow on the fire; **darsi una buona s. di naso**, to give one's nose a good blow **2** (*pop.*: *dritta*) tip, (the) dope; (*spiata*) tip-off: *Fu arrestato grazie a una s.*, he was arrested thanks to a tip-off; **fare una s. alla polizia**, to tip off the police; to rat (o, *GB*, to grass) to the police.

soffiato a. (*cucina*) puffed: **riso s.**, puffed rice **2** – **vetro s.**, blown glass.

soffiatore m. (*operaio*) glass-blower **2** (*gergo*: *delatore*) squealer; rat; grass (*GB*).

soffiatura f. **1** blowing **2** (*ind. vetraria*) glass-blowing **3** (*metall.*) blow-hole.

♦**soffice** A a. **1** (*morbido*) soft; (*cedevole*) yielding; (*di terreno*) loose, light, spongy; (*lieve*) soft, light, fluffy, spongy: **capelli soffici**, soft hair; **coperta s.**, soft blanket; **erba s.**, soft grass; **guanciale s.**, soft pillow; **impasto s.**, spongy (o light) mixture; **lana s.**, soft wool; fluffy wool; **letto s.**, soft bed; **neve s.**, soft snow; **nuvole soffici**, fluffy clouds; **rendere s.**, to soften **2** (*ecol.*) soft B m. something soft: **dormire sul s.**, to sleep on a soft mattress.

sofficità f. (*morbidezza*) softness; (*cedevolezza*) yield; (*di terreno*) looseness, lightness, sponginess; (*leggerezza*) softness, fluffiness, lightness, sponginess.

soffieria f. (*tecn.*) air-blowing plant.

soffietto m. **1** (*mantice a mano*) (pair of) bellows **2** (*di carrozza*) hood **3** (*ferr.*) bellows (pl. o sing.) **4** (*fotogr.*) bellows (pl. o sing.) **5** (*gergo giorn.*) puff; plug; write-up **6** (*pop.*: *delatore*) squealer; rat; grass (*GB*) ● **piegare a s.**, to fold like a concertina; to concertina □ **porta a s.**, folding door □ **valigia a s.**, expanding suitcase.

soffio m. **1** (*atto del soffiare*) breathing; puffing **2** (*alito*) breath (*anche fig.*); puff: **spegnere una candela con un s.**, to blow out a candle **3** (*d'aria, fumo, ecc.*) puff; whiff; breath; (*violento*) gust, blast: **s. d'aria**, puff of air; **s. d'aria fresca**, breath of fresh air; **s. di vento**, puff of wind; whiff of air; *Non c'era un s. di vento*, there wasn't a breath of air **4** (*fig.*: *ispirazione*) inspiration **5** (*med.*) murmur: **s. cardiaco**, cardiac murmur **6** (*radio*) hiss: **s. microfonico**, microphone hiss ● **a un s. da**, within an ace of; on the verge of □ **di** (*o per*) **un s.**, by a hair's breadth; by a whisker: **cavarsela per un s.**, (*sopravvivere*) to survive (o to make it) by the skin of one's teeth, to have a narrow escape; (*riuscire*) to just make it, to scrape through; **vincere per un s.**, to win by a hair's breadth; *Per un s. il vaso non mi cadde in testa*, the vase missed me by a hair's breadth □ **in un s.**, (*sottovoce*) in a whisper; (*in un attimo*) in an instant, in a flash: **dire qc. in un s.**, to say st. in a whisper; to whisper st.

soffione① m. **1** (*per ravvivare il fuoco*) blowpipe **2** (*geol.*) (hot sulphurous gas issuing from a) fumarole: **s. boracifero**, boric-acid fumarole **3** (*pop.*: *delatore*) squealer; rat; grass (*GB*).

soffione② m. (*bot.*, *Taraxacum officinale*) dandelion.

♦**soffitta** f. attic; loft; (*abbaino*) garret: (*anche fig.*) **relegare in s.**, to relegate (o to consign) to the attic; **vivere in una s.**, to live in a garret.

soffittare v. t. (*edil.*) to provide with a ceiling.

soffittatura f. ceiling.

♦**soffitto** m. **1** ceiling: **s. a cassettoni**, coffered ceiling; lacunar (ceiling); **s. a travi di legno**, wooden-beam ceiling; **s. a volta**, arched ceiling **2** (*aeron.*) ceiling.

soffocamento m. **1** (*il soffocare*) suffocation, choking, smothering, stifling; (*il venire soffocato*) suffocation, choking: **morire per s.**, to die of suffocation; to be choked to death; **senso di s.**, suffocating sensation; choking feeling **2** (*fig.*: *repressione*) suppression; repression; (*di rivolta, ecc.*) crushing.

soffocante a. suffocating; choking; smothering; stifling; (*oppressivo*) oppressive: **affetto s.**, oppressive love; (*anche fig.*) **atmosfera s.**, stifling atmosphere; **caldo s.**, stifling (o suffocating) heat; sultriness; **polvere s.**, choking dust.

♦**soffocare** A v. t. **1** (*uccidere per soffocamento*) to suffocate; to choke to death; to smother: **s. q. con un cuscino**, to smother sb. with a pillow; *È stato soffocato da una nocciolina*, he choked to death on a peanut **2** (*rendere difficoltoso il respiro*) to suffocate; to stifle; to choke; (*strangolare*) to strangle: **s. il respiro**, to stifle the breath; *Il fumo mi soffocava*, the smoke was choking; *Il caldo ci soffocava*, we were stifled by the heat; the heat was stifling; *Questo colletto mi soffoca*, this collar is choking (o strangling) me **3** (*spegnere*) to smother: **s. le fiamme**, to smother the flames **4** (*fig.*: *sopprimere*) to suppress, to repress, to choke off; (*una rivolta*) to put* down, to stamp out; (*impedire*) to stifle; (*reprimere*) to suppress, to choke back (o down); (*zittire*) to silence; (*mettere a tacere*) to hush up, to cover up, to scotch: **s. il proprio dolore**, to choke back one's grief; **s. la fantasia**, to stifle the imagination; **s. un grido**, to stifle a cry; **s. l'ira**, to choke back one's anger; **s. la libertà**, to suppress freedom; **s. ogni opposizione**, to choke off all opposition; **s. qc. sul nascere**, to nip st. in the bud; **s. un pettegolezzo**, to scotch a rumour; **s. un sentimento**, to suppress a feeling; **s. una ribellione**, to suppress (o to put down) a rebellion; **s. una risata**, to repress a laugh; **s. uno sbadiglio**, to stifle (o to suppress) a yawn; **s. uno scandalo**, to hush up (o to cover up) a scandal; **s. un singhiozzo**, to choke back a sob; **s. la voce della coscienza**, to silence one's conscience **5** (*fig.*: *opprimere*) to smother; (*privando d'aria e luce*) to choke: **s. q. con le proprie attenzioni**, to smother sb. with kindness; to fuss over sb.; **s. q. di baci**, to smother sb. with kisses; *Questo cespuglio soffoca i miei fiori*, this bush is choking my flowers; *Il giardino era soffocato dalle erbacce*, the garden was choked up with weeds B v. i. to choke; to suffocate; to be stifled: **s. dal caldo**, to be stifled by the heat; **s. di rabbia**, to be choked with fury; *Mi sento s.*, I feel stifled; I'm suffocating; *Ho riso tanto che quasi soffocavo*, I nearly choked I laughed so much; *Qui si soffoca*, it is stifling in here.

soffocato a. **1** suffocated; choked: **morire s.**, to choke to death; to suffocate; to be choked to death **2** (*di suono*: *represso*) choked, stifled, suppressed, strangled; (*attutito*) feeble, faint: **gemito s.**, stifled moan; **pianto s.**, choked-back tears; **risata soffocata**, suppressed laugh; **voce soffocata**, choked (o strangled) voice **3** (*privato d'aria e luce*) choked: **un campo s. dai rovi**, a field choked with brambles.

soffocazione f. → **soffocamento**.

soffoco m. (*region.*) stifling heat; muggy weather.

soffondere (*lett.*) A v. t. to suffuse; to tinge B **soffondersi** v. i. pron. to become* suffused; to be tinged.

soffregamento m. (gentle) rubbing.

soffregare v. t. to rub (gently): **soffregarsi gli occhi**, to rub one's eyes.

soffribile a. sufferable; endurable; bearable; tolerable.

soffriggere v. t. e i. to fry lightly; to sauté; to brown.

♦**soffrire** A v. t. **1** (*patire*) to suffer, to feel*, to go* through; (*subire*) to undergo*, to sustain; (*risentire*) to suffer from, to be affected by: **s. atroci dolori**, to suffer terrible pain; **s. il caldo**, to suffer from the heat; to feel the heat; **s. il carcere**, to experience prison; to suffer imprisonment; **s. il mal di mare**, to suffer from sea--sickness; to be sea-sick; **s. la fame**, to suffer (o to experience) hunger; to starve; **s. le pene dell'inferno**, to endure the pains of hell; (*fig.*) to go through hell; **s. una perdita**, to suffer (o to sustain) a loss; **s. privazioni**, to suffer (o to undergo) hardships; **s. la sete**, to suffer thirst; **s. la solitudine**, to suffer from loneliness; **s. il solletico**, to be ticklish; **un prodotto che soffre l'umidità**, a

product that is affected by humidity; *Me l'hanno fatta s. la promozione*, I had to sweat to get promoted 2 (*tollerare*) to bear*, to stand*, to tolerate, to put* up with; (*permettere*) to allow, to permit: *Non posso s. di vederlo così abbattuto*, I cannot bear to see him so dejected; *Non può s. che lo si lasci in disparte*, he cannot stand being left out of things; *Non posso s. quell'uomo*, I cannot stand that man; *Non posso s. che tu maltratti quella povera bestia*, I cannot allow you to ill-treat that poor animal **B** v. i. 1 (*patire, sentire dolore*) to suffer; to be in pain: **s. in silenzio**, to suffer in silence; **s. molto**, (*fisicamente*) to be in great pain; (*moralmente*) to suffer a great deal; (*per un lutto*) to grieve; *Ha sofferto per la morte del padre*, she grieved over her father's death; her father's death was a great blow to her; *Soffro per te*, my heart aches for you; *Mi fa s. di vederlo così*, it pains (o grieves) me to see him like that; *I reumatismi la fanno s. oggi*, her rheumatism is playing up today; **morire senza s.**, to die without suffering (o without pain, painlessly) 2 (*di malattia, ecc.*) to suffer (from): **s. di allucinazioni**, to suffer from hallucinations; to see things (*fam.*); **s. di cuore**, to have a heart condition; **s. di emicranie**, to suffer from migraine; **s. di fegato**, to suffer from liver troubles; to be liverish 3 (*essere danneggiato*) to suffer; to be damaged: *Ne soffrirà la tua reputazione*, your reputation will suffer; *Gli olivi hanno sofferto per il gelo*, the olive trees were damaged by the frost (o suffered as a result of the frost, felt the frost badly).

soffritto m. (*cucina*) sautéed mixture of finely chopped vegetables and bacon or ham.

soffuso a. (*lett.*) 1 (*cosparso, pervaso*) suffused (with); tinged (with): **s. di luce**, suffused with light; **guance soffuse di rossore**, blushing cheeks; **occhi soffusi di lacrime**, eyes dim with tears; **parole soffuse di tristezza**, words tinged with sadness 2 (*attenuato*) soft; mellow: **luce soffusa**, soft light.

Sofia f. Sophia.

sofia f. (*lett.*) knowledge; learning.

sofianismo m., **sofiologia** f. (*relig.*) sophianism.

sofisma m. 1 (*filos.*) sophism 2 (*estens.*) sophistry; (*pedanteria*) quibble, quibbling ⓤ, cavil: **usare sofismi**, to have recourse to sophistry.

sofista m. e f. (*filos.*) sophist 2 (*estens.*) sophist; quibbler.

sofistica f. (*filos.*) sophistry.

sofisticare **A** v. i. (*usare argomenti fallaci*) to have recourse to sophistry; (*cavillare*) to quibble, to cavil, to be captious, to chop logic **B** v. t. (*adulterare*) to adulterate: **s. il latte**, to adulterate milk.

sofisticatézza f. sophistication; refinement.

sofisticàto a. 1 (*adulterato*) adulterated 2 (*elaborato, raffinato*) sophisticated: **apparecchiature sofisticate**, sophisticated equipment; **le tecnologie più sofisticate**, state-of-the-art technology 3 (*ricercato, raffinato*) sophisticated; refined: **gusti sofisticati**, sophisticated tastes.

sofisticatóre m. (f. **-trice**) adulterator.

sofisticazióne f. adulteration: **s. alimentare**, food adulteration.

sofisticheria f. 1 sophistry 2 (*ragionamento sofistico*) sophistry; (*pedanteria*) quibble, quibbling ⓤ, cavil: *Le sue obiezioni non sono che sofisticherie*, his objections are mere quibbles.

sofistico **A** a. 1 (*filos.*) sophistic: **ragionamento s.**, sophistic reasoning; sophistry 2 (*cavilloso*) pedantic, quibbling, captious; (*pignolo, ipercritico*) hairsplitting, nitpicking,

niggling 3 (*schizzinoso*) fussy **B** m. (f. **-a**) 1 (*pedante*) quibbler; caviller 2 (*schizzinoso*) fussy person.

sòfo m. (*lett. scherz.*) savant.

Sòfocle m. Sophocles.

Sofonisba f. Sophonisba.

soft (*ingl.*) a. inv. 1 (*morbido, sfumato*) soft; subdued; muted; (*gradevole*) pleasant; (*rilassante*) relaxing: **atmosfera s.**, pleasant atmosphere; **luci s.**, subdued lights; **musica s.**, soft music; **tinte s.**, subdued (o muted) colours 2 (*moderato*) moderate: *È su posizioni piuttosto s.*, he has fairly moderate views.

softball (*ingl.*) m. inv. (*sport*) softball.

software (*ingl.*) m. inv. (*comput.*) software: **s. applicativo**, application software; **s. di base**, system software; **s. gratuito**, freeware; **ditta di s.**, software house.

softwarista m. e f. software engineer; software developer.

soggettazióne f. (*biblioteconomia*) entering in a subject catalogue.

soggettista m. e f. (*cinem., TV*) scenario writer; scenarist; screenscripter.

soggettiva f. (*cinem.*) point-of-view shot (abbr. POV).

soggettivàre v. t. 1 (*rendere soggettivo*) to subjectify; to make* subjective 2 (*interpretare soggettivamente*) to subjectify; to interpret subjectively.

soggettivazióne f. subjectification.

soggettivìsmo m. 1 (*filos.*) subjectivism 2 (*estens.*) subjective interpretation; subjectification.

soggettivìsta m. e f. (*filos.*) subjectivist.

soggettivìstico a. (*filos.*) subjectivist.

soggettività f. 1 (*caratteristica*) subjectivity; subjectiveness: **la s. di un giudizio**, the subjectivity of a value judgment 2 (*condizione*) subjective condition.

soggettìvo a. 1 subjective; personal: **impressione soggettiva**, subjective (o personal) impression 2 (*gramm., filos., psic.*) subjective: **il metodo s.**, the subjective method; **proposizione soggettiva**, subjective clause.

soggètto ① a. (*assoggettato*) subject: **popolo s.**, subject people 2 (*sottoposto*) subject; under (prep.); liable: **s. a dazio**, chargeable with duty; dutiable; customable; **s. a imposta**, liable to tax; taxable; leviable; **s. a una legge**, subject to a law; **s. a vigilanza speciale**, under special surveillance; **non s. a dazio**, non-dutiable; **non s. a imposta**, tax free 3 (*dipendente*) subject (to); dependent (on); conditional (upon): **s. all'approvazione di q.**, dependent on sb.'s approval 4 (*esposto, incline*) subject; liable; prone: **s. ad aumento**, subject to increase; **s. al mal di mare**, prone to seasickness; **s. a modifiche**, subject to alterations; **una regione soggetta a inondazioni**, a region subject (o prone) to flooding; **andare s. a incidenti**, to be accident-prone.

soggètto ② m. 1 (*argomento, tema*) topic; subject; subject matter; theme; (*di quadro, ecc.*) subject; (*trama*) story, story line; (*cinem.*) story, scenario: **s. di conversazione**, conversation topic; topic of conversation; **catalogo per soggetti**, subject catalogue 2 (*gramm.*) subject: **s. grammaticale**, grammatical (o formal) subject; **s. logico**, logical subject; *Il verbo deve concordare col s.*, the verb must agree with the subject 3 (*filos.*) subject: **s. morale**, moral subject 4 (*med.*) subject: **s. anemico [isterico]**, anaemic [hysterical] subject 5 (*leg.*) subject; person; party: **s. di diritto**, subject of law; **s. d'imposta**, taxable person; **s. giuridico**, legal person; **i soggetti di un processo**, the parties to an action 6 (*spreg.*) individual; character; lot (*fam.*); customer (*slang*): **s.**

pericoloso, dangerous individual; **s. poco raccomandabile**, shady customer; **s. difficile**, difficult case; **cattivo s.**, bad lot; *È un bel s.*, he's a funny character 7 (*mus.*) subject 8 (*agric.*) root stock ● (*teatr.*) **recitare a s.**, to improvise.

soggezióne f. 1 (*subordinazione, suddittanza*) subjection; (*servaggio*) bondage, servitude; (*sottomissione*) submission, acquiescence: **s. alle leggi**, subjection to the laws; **in stato di s.**, in a state of subjection; subjected; **fare atto di s.**, to submit 2 (*riguardo timoroso*) awe; (*imbarazzo*) uneasiness: **avere s. di q.**, to be (o to stand) in awe of sb.; to feel uneasy in the presence of sb.; **dare (o incutere, mettere) s.**, to inspire awe; to make (sb.) feel uneasy; to be awesome; **che incute s.**, awesome; awe-inspiring; formidable; **non avere s. di nessuno**, to be afraid of no one.

sogghignàre v. i. to sneer; to smile sarcastically (o contemptuously).

sogghìgno m. sneer; sarcastic (o contemptuous) smile.

soggiacénte a. 1 underlying 2 (*geol.*) subjacent.

soggiacére v. i. 1 (*essere sottoposto, soggetto*) to be subject, to be liable; to be subject to the law; **s. ai capricci di q.**, to be subject to sb.'s caprices; **s. alla volontà altrui**, to be subject (o to bow) to the will of others 2 (*sottomettersi, soccombere*) to submit; to give* in; to succumb; to yield: **s. a un sopruso**, to submit (o to yield) to an imposition 3 (*trovarsi più in basso*) to be placed lower (than); (*fig.*) to underlie*.

soggiogaménto m. subjugation; subjection.

soggiogàre v. t. 1 (*sottomettere*) to subjugate; to conquer; to subdue; to enslave: **s. un Paese**, to subjugate (o to conquer) a country 2 (*fig.: reprimere*) to conquer; to master 3 (*fig.: dominare*) to dominate; to captivate: **s. q. con lo sguardo**, to dominate sb. with a look; to mesmerize; *Ha soggiogato i suoi seguaci*, he has mesmerized his followers; *La sua bellezza lo soggiogava*, he was captivated by her beauty.

soggiogatóre m. (f. **-trice**) (*lett.*) subjugator; conqueror; subduer.

soggiornàre v. i. to stay (for a time); to spend* (some time): **s. in Riviera**, to stay on the Riviera; **s. per alcuni giorni in un luogo**, to spend a few days in a place.

soggiórno m. 1 (*permanenza*) stay; (*residenza*) residence: **un s. di un mese a Londra**, a month's stay in London; (*leg.*) **s. obbligato**, obligatory residence; **imposta di s.**, visitors' tax; **località di s. estivo**, summer resort; **obbligo [divieto] di s.**, duty [prohibition] to reside; **permesso di s.**, residence permit 2 (*stanza di s.*) living-room; lounge.

soggiùngere v. t. e i. to add: «*L'ho visto anch'io*», *soggiunsi*, «I saw him, too», I added.

soggiuntìvo m. (*gramm.*) subjunctive (mood).

soggòlo m. 1 (*stor., di abito monacale*) throat-band; wimple 2 (*di copricapo*) chin strap 3 (*finimento*) throatlatch; throatlash.

sogguardàre v. t. to steal* a glance at; to look furtively at; to peep at.

sòglia f. 1 threshold; (*estens.: porta*) door, (*ingresso*) entrance: **fermarsi sulla s.**, to stop on the threshold (o at the door); **varcare la s.**, to cross the threshold (*anche fig.*); (*entrare*) to step in, to go in, to come in; (*uscire*) to step out, to go out, to come out; **sulla s. di casa**, on the threshold; on sb.'s doorstep 2 (*geol.*) rock step 3 (*fig.: prossimità*) threshold, verge, brink; (*inizio*) threshold: **la s. della civiltà**, the threshold of civilization; **la s. della vecchiaia**, the

threshold of old age; **essere alla s. dei settant'anni**, to be nearing seventy; *Siamo alle soglie di una grande scoperta*, we are on the verge of a great discovery; *L'estate è alle soglie*, summer is at the door (*o* is just round the corner) **4** (*scient.*: *limite inferiore, valore minimo*) threshold: **s. del dolore**, pain threshold; (*fis.*) **s. di scissione**, fission threshold; (*fisiol.*) **s. di sensibilità**, threshold of sensitivity; **s. di udibilità**, audibility threshold.

sòglio m. throne; seat: **s. pontificio [reale]**, papal [royal] throne: **salire al s. pontificio**, to ascend the papal throne.

sògliola f. (*zool.*, *Solea*) sole.

sognàbile a. imaginable; conceivable.

sognànte a. dreamy; lost in reverie (pred.): **occhi sognanti**, dreamy eyes.

♦**sognàre** Ⓐ v. t. **1** to dream* about: *Ti ho sognato*, I dreamt about you; *Che cosa hai sognato?*, what did you dream about?; *Sognavo di trovarmi in un'isola deserta*, I dreamt I was on a desert island; *Ho sognato di morire*, I dreamt I was dying; *L'hai detto o me lo sono sognato?*, did you say so, or did I dreamt it?; *Devo averlo sognato (o Me lo sarò sognato)*, I must have dreamt it **2** (*fig.*: *desiderare ardentemente*) to dream* of; to have dreams of; to long: *Sogna di diventare una scienziata*, she dreams of becoming a scientist; *Sognavo di vivere in campagna*, I had dreams of living in the country; *Sognavamo una vacanza ai tropici*, we were dreaming of (*o* longing for) a holiday in the Tropics **3** (*fig.*: *illudersi*) to be kidding oneself: *Tu sogni se credi che lui accetterà*, you are kidding yourself if you think he'll accept; *Puoi sognartelo!*, you can forget about it! **4** (*fig.*: *pensare, immaginare*) to dream*; to imagine; to fancy; to suppose: *Non mi sognavo certo che si sarebbe fatto vivo*, I little dreamt (*o* I never imagined) that he would turn up; *Non avrei mai sognato di ottenere quel posto*, I would never have dreamt I could get that job; *Non me lo sarei mai sognato!*, I could never have imagined such a thing!; *Chi se lo sarebbe sognato che un film simile avrebbe avuto tanto successo?*, who could have imagined (*o* thought) that a film like that would be such a hit?; *Una casa così io non me la sognavo nemmeno*, a house like this was beyond my wildest dreams; *Non mi sognerei mai di fare una cosa simile!*, I'd never dream of doing such a thing!; *Telefonargli? Non me lo sogno neanche!*, phone him? I wouldn't dream of it (*o* I haven't the slightest intention)! Ⓑ v. i. **1** (*fare sogni*) to dream*: *Sogno spesso*, I often dream; *Sogno o son desto?*, is it true or am I dreaming?; *Credevo di s.*, I thought I was dreaming; *Mi sembra di s.!*, it's like a dream! **2** (*fantasticare*) to dream*; to daydream*: *Muoviti, non star lì a s.*, hurry up, don't stand there dreaming!; **s. a occhi aperti**, to daydream; to stargaze Ⓒ v. i. e **sognàrsi** v. i. pron. (*vedere in sogno*) to dream* (of): (*Mi sognai di mio padre*, I dreamt about my father.

sognàto a. (*agognato*) dreamed-of; longed-for.

sognatóre Ⓐ a. (*fig.*: *che sogna a occhi aperti*) dreamy; (*idealista*) starry-eyed Ⓑ m. (f. **-trice**) **1** dreamer **2** (*fig.*: *chi fantastica*) daydreamer, stargazer **3** (*fig.*: *idealista*) dreamer; (*visionario*) visionary, utopian.

♦**sógno** m. **1** (*psic.*) dream: **s. rivelatore**, truthful dream; **fare un s.**, to have a dream; **credere nei sogni**, to believe in dreams; **fare brutti sogni**, to have bad dreams; **svegliarsi da un brutto s.**, to awake from a bad dream; **vedere q. in s.**, to see sb. in a dream; **apparire in s.**, to appear in dream; *Sembra un s.*, it's like a dream; I can't believe it!; *Sogni d'oro!*, sweet dreams! **2**

(*fig.*: *fantasticheria*) dream; daydream; reverie: **s. a occhi aperti**, waking dream; daydream; reverie; **fare sogni a occhi aperti**, to daydream; to fantasize; **s. di gioventù**, youthful dream; **un s. diventato realtà**, a dream come true; **s. irrealizzabile**, pipe dream; **s. proibito**, forbidden dream; wet dream (*fam.*); **sogni di gloria**, dreams of glory; *È un bel s. che non si attuerà mai*, it's a beautiful dream that will never come true; *Il suo s. è di fare il pilota*, he dreams of becoming a pilot; **passare dal s. alla realtà**, to pass from dreams to reality; **l'uomo dei miei sogni**, the man of my dreams **3** (*persona o cosa bellissima*) dream: **un vestito ch'era un s.**, a dream of a dress; *È stato un s.!*, it was like a dream! ● **un s. nel cassetto**, a long-held dream; a secret dream □ **coronare un s.**, to realize a dream □ **di s.**, marvellous; fabulous; dream (attr.): **una casa di s.**, a dream of a house; a dream house; **ragazza di s.**, dream girl; **spiagge di s.**, fabulous beaches; **vacanza di s.**, dream holiday □ **interprete di sogni**, dream-reader □ **libro dei sogni**, book of dreams □ **mondo dei sogni**, dreamworld; (*iron.*) cloud-cuckoo-land: **vivere nel mondo dei sogni**, to live in a dreamworld (*o* in cloud-cuckoo-land) □ **Neanche (o Neppure, Nemmeno) per s.!**, certainly not!; I wouldn't dream of it!; nothing doing! (*fam.*); not a chance! (*fam.*); no way! (*fam.*): «*Faresti una cosa simile?*» «*Neanche per s.*», «would you do such a thing?» «I wouldn't dream of it!»; «*E tu ci sei andata?*» «*Ma nemmeno per s.!*», «did you go?» «certainly not!»; «*Mi presti un po' di soldi?*» «*Nemmeno per s.*», «can you lend me some money?» «no way».

sòia f. (*bot.*, *Glycine max*) soya bean; soybean (*USA*): **farina di s.**, soya meal; **latte di s.**, soya milk; **salsa di s.**, soy (*o* soya) sauce.

soirée (*franc.*) f. inv. soirée.

sol m. (*mus.*) G; (*nel solfeggio*) soh: **sol maggiore [minore]**, G major [minor]; **chiave di sol**, G clef.

sol② m. (*chim.*) sol.

♦**solàio** m. **1** (*edil.*) floor: **s. a travi di legno**, wooden-beam floor; **s. a travicelli**, joisted floor; **s. in cemento armato**, reinforced-concrete floor **2** (*soffitta*) attic; loft.

solaménte avv. → **solo, B, C**.

solanàcea f. (*bot.*) solanaceous plant; (al pl., *scient.*) Solanaceae.

solanìna f. (*chim.*) solanine.

♦**solàre**① Ⓐ a. **1** solar; sun (attr.): **anno s.**, solar year; **batteria s.**, solar panel; **bussola s.**, sun compass; **cella (o cellula) s.**, solar cell; **eclissi s.**, solar eclipse; **energia s.**, solar energy; **giorno s.**, solar day; **lampada s.**, sun lamp; **luce s.**, sunlight; **macchia s.**, sun spot; **ora s.**, solar hour; **orologio s.**, solar clock; sundial; **pannello s.**, solar panel; **raggio s.**, sunbeam; sunray; ray of sunlight; **sistema s.**, solar system; **spettro s.**, solar spectrum; **vento s.**, solar wind **2** (*fig.*: *radioso*) radiant; bright; (*gioioso*) cheerful; sunny: **bellezza s.**, radiant beauty; **carattere s.**, sunny nature **3** (*fig.*: *evidente, lampante*) patent; manifest; crystal-clear **4** (*anat.*) solar: **plesso s.**, solar plexus Ⓑ m. solar energy.

solàre② v. t. → **suolare**.

solàre③ a. – (*edil.*) **lastrico s.**, terraced roof.

solarìgrafo m. (*geofisica*) recording solarimeter.

solarìmetro m. (*geofisica*) solarimeter; pyranometer.

solàrio → **solarium**.

solarità f. (*lett.*) brightness; radiance.

solàrium m. inv. **1** sun lounge; sunroom (*USA*); solarium* **2** (*lettino*) sunbed **3** (*centro per abbronzatura*) solarium.

solarizzàre v. t. **1** (*edil.*) to fit with solar panels **2** (*fotogr., bot.*) to solarize.

solarizzazióne f. **1** (*edil.*) installation of solar panels **2** (*fotogr., bot.*) solarization.

solàtio Ⓐ a. sunny Ⓑ m. side facing south: **a s.**, facing south; on the south side.

solatùra → **suolatura**.

solazióne f. (*chim.*) solation.

solcàre v. t. **1** (*arare*) to plough, to plow (*USA*); (*segnare con un solco*) to rut: **s. un campo**, to plough a field; *Il sentiero era solcato da segni di ruote*, the path was rutted with wheel marks **2** (*fig., rif. all'acqua*) to sail; to ply; to plough: **s. gli oceani**, to sail (*o* to ply) the oceans; **s. le onde**, to plough the waves **3** (*fig.*: *segnare*) to furrow, to score; (*rigare*) to streak; (*percorrere, attraversare*) to run* through, to cut* across: *Rughe profonde gli solcavano la fronte*, deep wrinkles furrowed his forehead; *Un lampo solcò il cielo*, lightning streaked across the sky; *Le lacrime le solcavano le guance*, tears were running down her face **4** (*mecc.*) to groove.

solcàto a. furrowed, grooved; rutted; scored: **una fronte solcata di rughe**, a forehead furrowed with wrinkles; **guance solcate dalle lacrime**, cheeks streaked with tears.

solcatùra f. **1** (*agric.*) ploughing, plowing (*USA*) **2** (*mecc.*) grooving **3** → **solco**.

sólco m. **1** (*agric.*) furrow; drill: **aprire i solchi**, to cut furrows; to furrow; to plough, to plow (*USA*); **seminare nei solchi**, to sow in drills (*o* in furrows) **2** (*incisione, scavo*) track; furrow; (*di ruota*) (*fenditura*) cleavage: **s. fra i seni**, cleavage; **solchi di sci**, ski-tracks; **solchi di ruote**, ruts of wheels **3** (*scanalatura*) groove **4** (*ruga*) furrow; wrinkle: **i solchi della vecchiaia**, the furrows of old age **5** (*traccia*) streak: **il s. di un lampo**, a streak of lightning **6** (*scia*) wake **7** (*fig.*: *frattura*) split; rift; gulf: *Tra di loro si è aperto un s. profondo*, there is a deep rift between them **8** (*geol.*) crack; crevice **9** (*anat.*) sulcus* ● (*fig.*) **nel s. della tradizione**, following tradition □ (*fig.*) **seguire il s. di q.**, to follow in sb.'s wake (*o* footsteps) □ (*fig.*) **uscire dal s.**, to go astray; (*divagare*) to get off the point.

solcòmetro m. (*naut.*) log: **s. a elica**, patent log; **s. di fondo**, ground log; **tamburo del s.**, log reel.

soldanèlla f. (*bot.*) **1** (*Soldanella alpina*) soldanella **2** (*Convolvulus soldanella*) sea bindweed; sea bells (pl.).

soldàtaglia f. (*spreg.*) disorderly troops (pl.).

soldatésca f. troops (pl.); soldiery.

soldatésco a. soldierly; military: **maniere soldatesche**, military ways.

soldatéssa f. **1** woman* soldier; service-woman* **2** (*scherz.*: *donna autoritaria*) battleaxe; sergeant-major.

soldatino m. **1** young soldier; recruit **2** (*giocattolo*) toy soldier: **s. di piombo**, tin soldier.

♦**soldàto** m. **1** (*mil.*) soldier; (nei composti) -man*; (al pl., collett.) troops: **s. a cavallo (o di cavalleria)**, cavalryman; mounted soldier; horse-soldier; trooper; **s. di artiglieria**, artilleryman; **s. di fanteria**, infantryman; foot-soldier; **s. del genio**, engineer; sapper; **s. di leva**, conscript; **s. della milizia**, militiaman; **s. di ventura**, soldier of fortune; **s. mercenario**, mercenary soldier; **s. scelto**, lance corporal (*GB*); private first class (*USA*); **s. semplice**, private (soldier); **ufficiali e soldati**, officers and men; **fare il s.**, to be in the army; to be a soldier; (*fare il servizio militare*) to do national service; **giocare ai soldati**, to play at being soldiers; **partire s.**, to join the army; to enlist **2** (*fig.*: *difensore, campione*) soldier; champion; defender: **s. di Cristo**, soldier of Christ; **s. del-**

la **libertà**, champion (*o* defender) of freedom 3 (*zool*.: *formica*) soldier ant; (*termine*) soldier termite.

♦**sòldo** m. 1 (*moneta*) coin: **un s. di rame**, a copper coin; **una manciata di soldi**, a handful of coins 2 (*quantità minima di denaro*) penny*; (*USA*): *Non ha un s.*, she is penniless; she hasn't got a penny (*o* a cent); **non spendere un s.**, not to spend a (single) penny; *Non vale un s.*, it isn't worth a brass farthing; it isn't worth a (red) cent (*USA*) 3 (*al pl*.: *denaro*) money (sing.): **soldi a palate**, bags of money; **fare soldi a palate**, to make money hand over fist; **soldi facili**, easy money; **soldi per le piccole spese**, pocket-money; **un bel po' di soldi**, quite a bit (of money); a pretty penny (*fam*.); **un sacco di soldi**, lots (*o* bags, stacks) of money; a mint of money; **fare un sacco di soldi**, to make money like a mint; to make money hand over fist; **costare un sacco di soldi**, to cost a fortune (*o* the earth); **a corto di soldi**, short of money; **pieno di soldi**, rolling in money (*fam*.); *Hai soldi con te?*, have you got any money on you?; **non avere soldi**, to have no money; **fare soldi**, to make money; *Ci sono rimasti pochi soldi sul conto*, we have very little money left in the bank; *Mi servono dei soldi*, I need some money; *L'ha sposato per i soldi*, she married him for his money 4 (*mil*. e *fig*.: *paga*) pay: **essere al s. di q.**, to be in sb.'s pay 5 (*stor*.: *moneta ital*.) soldo*; (*moneta franc*.) sou ● **alto come) un s. di cacio**, knee-high to a grasshopper □ **da pochi** (*o* **da due**, **quattro**) **soldi**, cheap □ **due** (*o* **quattro**) **soldi**, (*pochissimo*) very little; next to nothing; a pittance; peanuts (*fam*.): *L'ho comprato per quattro soldi*, I bought it for a song; *Lo pagano due soldi*, they pay him a pittance (*o*, *fam*., peanuts).

soldóne m. 1 (al pl.) lots of money 2 (*fig*.) – **in soldoni**, in actual fact.

♦**sóle** m. 1 (*astron*.) sun: **s. di mezzanotte**, midnight sun; **s. morente**, dying sun; **s. nascente**, rising sun; **milioni di soli**, millions of suns; *Il s. era alto* [*basso*] *sull'orizzonte*, the sun was high [low] above the horizon; **il calar del s.**, sunset; sundown; **culto del s.**, sun-worship; **il sorgere** (*o* **la levata**) **del s.**, sunrise; sunup (*USA*); **luce del s.**, sunlight; sunshine; **raggio di s.**, ray of sunlight; sunbeam; sunray 2 (*calore del s.*) sun; (*luce*) sunlight, sunshine: **s. che spacca le pietre**, blazing sun; **s. implacabile** [**feroce**], merciless [cruel] sun; **s. offuscato**, clouded sun; **s. e ombra**, sunlight and shade; *Oggi il s. picchia*, the sun is beating down; **in pieno s.**, in bright sunshine; *Oggi c'è s.*, it's a sunny day; the sun is out today; *Non c'è s.*, the sun is not out; it's overcast; **qualche ora di s.**, a few hours of sunshine; *Hai bisogno di s. e aria pura*, you need plenty of sun and fresh air; **avere il s. negli occhi**, to have the sun in one's eyes; **crogiolarsi al s.**, to bask in the sun; **passeggiare al s.**, to walk in the sunshine; **prendere il s.**, to lie in the sun; to sunbathe; **sedere al s.**, to sit in the sun; **abbronzato dal s.**, suntanned; **bruciato dal s.**, sunburnt; **cotto al s.**, sunbaked; **esposto al s.**, exposed to the sun; **illuminato dal s.**, sunlit; **giornata di s.** [**senza s.**], sunny [overcast *o* dull] day; **stanza piena di s.** [**senza s.**], sunny [sunless] room; **bagno di s.**, sunbathing; (*med*.) sunbath; **cappello da s.**, sun-hat; (*med*.) **colpo di s.**, sunstroke; **cura del s.**, sunbathing; **fare la cura del s.**, to sunbathe; **ombrellino da s.**, parasol; sunshade; **occhiali da s.**, sunglasses ● (*fig*.) **alla luce del s.**, openly (*o* plainly) □ **alzarsi col s.**, to rise with the sun □ (*fig*.) **avere qc. al s.**, to own a bit of land □ **bello come il s.**, gorgeous □ **chiaro come il s.**, as clear as day □ **contro s.**, with the sun in one's eyes; against the sunlight □ (*fig*.) **portare alla luce del s.**, to

bring into the open □ (*anche fig*.) **posto al s.**, place in the sun □ (*scherz*.) **il posto dove non batte il s.**, the backside □ (*fig*.) **vedere il s. a scacchi**, to be behind bars □ (*prov*.) **Nulla di nuovo sotto il s.**, nothing new under the sun.

solécchio m. – **fare** (*o farsi*) **s.**, to shield one's eyes with one's hand.

solecismo m. (*ling*.) solecism.

soleggiaménto m. exposure to the sun; insolation.

soleggiàre v. t. to sun; to place in the sun; to expose to the sun; (*per asciugare*) to dry in the sun.

soleggiàto a. exposed to the sun; sunny.

solènne a. 1 solemn; formal; ritual: **festa s.**, solemn feast; **giorno s.**, solemn day; **giuramento s.**, solemn oath; *Messa s.*, solemn Mass; high Mass; **promessa s.**, solemn promise; **rito s.**, solemn ritual 2 (*leg*., *di atto*) under seal (pred.) 3 (*serio*) solemn; grave; dignified: **s. ammonimento**, solemn warning; **parole solenni**, solemn (*o* grave) words; **portamento s.**, grave (*o* dignified) bearing; **dall'aspetto s.**, solemn-looking 4 (*imponente*) imposing; majestic; grand; awesome: **edificio s.**, imposing building 5 (*fig*.: *tremendo*, *enorme*) terrific; almighty: **s. sgridata**, thorough scolding; **solenni litigate**, terrific rows; **prendersi una sbornia s.**, to get thoroughly drunk 6 (*fig*.: *assoluto*) thorough; downright; outright; perfect; out-and-out: **s. bugiardo**, downright liar; **s. imbecille**, perfect idiot; **s. menzogna**, downright lie.

solenneménte avv. (*in forma solenne*) solemnly; with solemnity; with full ceremony.

solennità f. 1 (*carattere solenne*) solemnity; (*cerimonia*) solemnity, ceremony, rite, pomp: **la s. dell'inaugurazione**, the solemnity of the inauguration; **con tutte le s.**, with all due ceremony; with all the pomp 2 (*gravità*) gravity; seriousness: **parlare con s.**, to speak solemnly (*o* gravely) 3 (*maestosità*) majesty; grandiosity; impressiveness; awesomeness 4 (*ricorrenza solenne*, *festa*) feast; holiday; solemn occasion: **le s. religiose e civili**, religious and civil holidays; **la s. del Natale**, Christmas; the Christmas celebrations (pl.); **in questa s.**, in this solemn day (*o* occasion).

solennizzàre v. t. to celebrate: **s. la Pasqua**, to celebrate Easter; **s. una vittoria**, to celebrate a victory.

solennizzazióne f. celebration.

solenoidàle a. (*fis*.) solenoidal.

solenòide m. (*elettr*.) solenoid: **s. del motorino d'avviamento**, starter solenoid.

sòleo m. (*anat*.) soleus.

solére v. i. (*lett*.) to be in the habit of; usually to...; (al pass.) used to, would: *Suole cenare da solo*, he is in the habit of dining alone; he usually dines alone; *Solevo andare a letto tardi*, I used to go to bed late; *Soleva parlare per ore di seguito*, she would talk for hours on end; **come soleva dire mio padre**, as my father used to say; **come si suol dire**, as they say; as the saying goes; **come suole** (**accadere**), as usually happens; as is wont to happen.

solèrte a. painstaking; industrious; diligent; willing; zealous.

solèrzia f. industriousness; diligence; willingness; zeal.

solétta f. 1 (*di calza*) (stocking) sole 2 (*per scarpa*) insole 3 (*edil*.) slab 4 (*di sci*) bottom lining.

solettàre v. t. 1 (*una scarpa*) to fit (*a* shoe) with an insole 2 (*edil*.) to slab.

solettatùra f. 1 (*di scarpa*) fitting (*a* shoe) with an insole 2 (*edil*.) slabbing.

solétto a. – **solo s.**, all alone; all by oneself.

sòlfa f. 1 (*mus*.) (tonic) sol-fa; solmization: **battere la s.**, to beat time; to sol-fa 2 (*fig*.: *ripetizione monotona*) old story: **la solita s.**, the same old story; **cambiare s.**, to change one's tune; *Basta con questa s.!* (*o Cambia s.!*), stop going on about it!

solfanèllo → zolfanello.

solfàra f. sulphur deposit; sulphur mine.

solfàre → solforare.

solfatàra f. (*geol*.) solfatara; sulphurous volcano.

solfatàro m. sulphur miner.

solfatazióne f. (*chim*.) sulphation.

solfàtico a. sulphate (attr.).

solfàto m. (*chim*.) sulphate, sulfate (*USA*): **s. di magnesio**, magnesium sulphate; (*farm*.) Epsom salts (pl. *o* sing.); **s. di rame**, copper sulphate; blue vitriol; **s. di sodio**, sodium sulphate; **s. di zinco**, zinc sulphate; white vitriol; **s. ferroso**, ferrous sulphate.

solfatùra → solforatura.

solfeggiàre v. t. (*mus*.) to sol-fa; to solmizate.

solféggio m. (*mus*.) 1 (*metodo*) tonic sol-fa; solmization 2 (*esercizio*) solfeggio*; sol-fa exercise: **fare i solfeggi**, to do sol-fa exercises; to sol-fa.

solferino a. e m. solferino.

solfidràto m. (*chim*.) sulphydrate.

solfidrico a. (*chim*.) sulphuretted: **acido s.**, hydrogen sulphide; sulphuretted hydrogen.

solfidrile m. (*chim*.) sulphydryl.

solfifero a. sulphur-bearing; sulphur-yielding; sulphur (attr.).

solfitàre v. t. (*enologia*) to treat with sulphur dioxide.

solfitazióne f. (*enologia*) sulphur dioxide treatment.

solfito m. (*chim*.) sulphite: **s. di sodio**, sodium sulphite.

solfobattèrio m. (*biol*.) sulphur bacterium*; thiobacteroum*.

solfonàre v. t. (*chim*.) to sulphonate.

solfonazióne f. (*chim*.) sulphonation.

solfóne m. (*chim*.) sulphone.

solfònico a. (*chim*.) sulphonic.

solforàre v. t. 1 (*agric*.) to sulphur 2 (*ind*.) to sulphurize.

solforàto a. (*chim*.) 1 (*che contiene zolfo*) sulphur; sulphureous, sulphurous 2 (*trattato con zolfo*) sulphured; sulphurized ● **idrogeno s.**, hydrogen sulphide; sulphuretted hydrogen.

solforatrìce f. (*agric*.) sulphurator.

solforatùra f. (*agric*.) sulphuring.

solforazióne f. (*ind*.) sulphurization.

solfòrico a. (*chim*.) sulphuric: **acido s.**, sulphuric acid; **etere s.**, sulphuric ether.

solforóso a. (*chim*.) sulphurous: **acido s.**, sulphurous acid; **anidride solforosa**, sulphur dioxide.

solfùro m. (*chim*.) sulphide: **s. di ferro**, ferrous (*o* iron) sulphide; **s. di mercurio**, mercuric sulphide; black mercury; **s. di piombo**, lead sulphide; **s. di zinco**, zinc sulphide.

solicchio → solecchio.

solicèllo m. pale sun.

solidàle a. 1 (*leg*.) joint and several; joint: **creditore s.**, joint and several creditor; **obbligazione s.**, joint and several obligation; joint obligation; **responsabilità s.**, joint and several liability; joint liability 2 (*concorde*) in agreement (with); (*dalla parte di*) on (sb.'s) side, (solidly) behind (sb.); (*unito*, *unanime*) united; (*partecipe*) sympathetic: **essere s. con i lavoratori**, to be on the wage-earners' side; *Sono tutti solidali con me*, they all agree with me; they all sympathize with me;

they are all behind me; *I lavoratori sono solidali su questo punto*, the workers are united on this issue; **dichiararsi s. con q.**, to declare oneself on sb.'s side **3** (*mecc.*) integral (with).

solidalménte avv. **1** (*leg.*) jointly and severally **2** (*con solidarietà*) with solidarity.

solidaménte avv. solidly; firmly.

solidarietà f. **1** solidarity; support; sympathy: *Mi espresse la sua s.*, she declared his solidarity; she sympathized with me; **gara di s.** (*raccolta di fondi*), fund-raising effort; **manifestazione di s.**, show of solidarity; **sciopero di s.**, sympathy strike; **scioperare per s. con i portuali**, to come out in sympathy with the dockers **2** (*leg.*) solidarity; joint liability.

solidarismo m. solidarism.

solidaristico a. solidarity (attr.).

solidarizzàre v. i. to sympathize; to show solidarity; (*schierarsi*) to side.

solidézza → **solidità**.

solidicàbile a. solidifiable.

solidificàre v. t., **solidificàrsi** v. i. pron. to solidify; to harden; to set*.

solidificazióne f. solidification; hardening; setting: **intervallo di s.**, solidification range; **punto di s.**, solidifying point.

solidità f. **1** solidity; solidness; (*compattezza*) compactness **2** (*robustezza*) solidity: **la s. d'un edificio**, the solidity of a building **3** (*fig.*: *saldezza*) solidity; stability; firmness; (*fondatezza, validità*) soundness, validity; (*affidabilità*) soundness, solidity: **la s. di una ditta**, the soundness of a firm; **la s. d'una dottrina**, the solidity (*o* the soundness of) a doctrine; **la s. di un governo**, the solidity of a government; **la s. di un'obiezione**, the validity of an objection **4** (*di colore*) fastness.

♦**sòlido**① **A** a. **1** solid; (*compatto*) compact: **cibi solidi**, solid food (sing.); solids; **combustibile s.**, solid fuel; (*corpo s.*), solid (body); **stato s.**, solid state; **allo stato s.**, in the solid state **2** (*geom.*) solid: **geometria solida**, solid geometry; **figura solida**, solid figure **3** (*saldo, resistente*) solid, solidly built, firm, stable, (*di macchina, ecc.*) sturdy, heavy-duty; (*robusto*) firm, strong, sturdy: **solida corporatura**, sturdy build; **solida difesa**, sturdy defence; **edificio s.**, solidly constructed building; **solide fondamenta**, firm foundations; (*fig.*) solid basis (sing.); **gambe solide**, sturdy legs; *È solida questa scala?*, is this ladder stable (*o* firm)?; **avere una presa solida**, to have a firm grip **4** (*fig.*: *ben fondato*) solid; (*valido*) sound, valid; (*affidabile*) sound, reliable, secure: **solida amicizia**, staunch friendship; **cultura solida**, solid learning; **ditta solida**, sound (*o* reliable) firm; **motivi solidi**, solid (*o* sound) reasons; **reputazione solida**, sound reputation **5** (*di colore*) fast **6** (*leg.*) – **in s.**, joint; joint and several (agg.); jointly and severally (avv.): **obbligazione in s.**, joint obligation; **obbligarsi in s.**, to bind oneself jointly and severally; **responsabilità in s.**, joint and several liability; **responsabile in s.**, jointly liable **B** m. **1** (*corpo s.*) solid: **i solidi e i liquidi**, solids and liquids **2** (*geom.*) solid.

sòlido② m. (*numism.*) solidus*.

soliflussióne f., **soliflùsso** m. (*geogr.*) solifluction.

solilòquio m. soliloquy: **fare soliloqui**, to soliloquize.

Solimàno m. (*stor.*) Suleiman; Solyman.

solìngo a. (*lett.*: *di luogo*) solitary, lonely, secluded, deserted; (*di persona*) solitary, lonely; lonesome, alone (pred.).

solìno m. **1** (*colletto*) detachable collar: **s. inamidato** (*o duro*), starched collar **2** (*maut.*: *bavero*) sailor's collar.

solìpede a. (*zool.*) imparidigitate.

solipsìsmo m. (*filos.*) solipsism.

solipsìsta m. e f. (*filos.*) solipsist.

solipsìstico a. (*filos.*) solipsistic.

solìsta (*mus.*) **A** m. e f. soloist: **s. di pianoforte**, solo pianist **B** a. solo: **violino** [**voce**] **s.**, solo violin [voice].

solìstico a. (*mus.*) solo; soloistic: **esecuzione solistica**, solo performance.

solitaménte avv. usually; generally; as a rule.

solitària f. **1** (*alpinismo*) solo climb **2** (*naut.*) solo voyage; solo crossing.

♦**solitàrio** **A** a. **1** (*che fugge la compagnia*) solitary: **tipo s.**, solitary type; loner; **fare vita solitaria**, to lead a solitary life **2** (*solo*) lone; solitary; lonely; (*appartato*) secluded: **albero s.**, lone tree; **casa solitaria**, lonely house; **cuori solitari**, lonely hearts; **navigatore s.**, lone sailor; **strada solitaria**, solitary road **3** (*fatto da solo*) solo: **navigazione solitaria**, solo voyage; **volo s.**, solo flight **4** (*zool.*) solitary **B** m. **1** (*gioco di carte*) patience; solitaire: **fare un s.**, to play a game of patience **2** (*brillante*) solitaire; (*anello*) solitaire (ring) **C** in **solitàrio** loc. avv. solo: **traversata s.**, solo crossing.

♦**sòlito** **A** a. **1** (*abituale*) usual; customary; same old (*fam.*): **il s. bar**, sb.'s usual bar; sb.'s usual (*fam.*); **la solita gente**, the usual people; **la mia solita passeggiata**, my usual (*o customary*) walk; **il s. problema**, the usual (*o* same old) problem; **la solita storia**, the same old story; **la solita vita**, the usual (*o* same old) life; **una delle sue solite gaffe**, one of his usual blunders; **all'ora solita**, at the usual time; *Sei il s. pessimista*, you're the same old pessimist **2** (*normale*) ordinary; run-of-the-mill: *È il s. romanzo giallo*, it's a run-of-the-mill whodunit **3** (*abituato*) – *Sono s. alzarmi presto*, I usually get up early; I get up early as a rule; *Ero s. riposare dopo pranzo*, I used to (*o* I would) have a nap after lunch ● **Sei sempre il s.!**, you haven't changed a bit! □ **Siamo alle solite!**, it's the same old story!; here we go again! (*fam.*) □ **Ne ha fatta una delle sue solite!**, he's been up to his tricks again **B** m. usual: (*al bar, ecc.*) *Il s., per favore!*, the usual, please!; **come al s.**, as usual; **di s.**, usually; generally; as a rule; *Di s. ci vediamo il martedì*, we usually meet on Tuesday; **come di s. accade**, as usually happens; **diverso dal s.**, different; unusual; out of the ordinary; **più** [**meno**] **del s.**, more [less] than usual; **prima** [**più tardi**] **del s.**, later [earlier] than usual; **secondo il suo s.**, as is his habit; as usual.

solitóne m. (*fis.*) soliton; solitary wave.

♦**solitùdine** f. **1** (*l'essere solo*) solitude; loneliness; (*isolamento*) seclusion: **preferire la s.**, to prefer solitude; **soffrire di s.**, to suffer from loneliness; to feel lonely; **vivere in s.**, to live a solitary life; **il peso della s.**, the burden of solitude **2** (*rif. a luogo*) solitude; (*luogo solitario*) solitary place, wilderness.

solìvago a. (*lett.*) wandering in solitude.

sollazzaménto m. amusement; entertainment.

sollazzàre **A** v. t. to amuse; to keep* amused; to entertain: **s. i bambini**, to keep the children amused **B** **sollazzàrsi** v. i. pron. to amuse oneself; to enjoy oneself; to have a good time.

sollazzévole a. (*lett.*) **1** (*allegro*) merry; jolly: **compagnia s.**, merry company **2** (*divertente*) amusing; entertaining: **gioco s.**, amusing game.

sollazzo m. (*divertimento*) amusement; entertainment; good time 🔒: (*scherz.*) **darsi ai sollazzi**, to have a good time.

sollecitaménte avv. **1** (*con prontezza*) promptly; readily; expeditiously; quickly **2** (*con cura premurosa*) with solicitude; solici-

tously.

sollecitaménto m. **1** (*il fare premura*) pressing; urging **2** (*l'affrettare*) speeding up; hurrying up **3** (*il chiedere con insistenza*) solicitation; entreating; pleading.

sollecitàre v. t. **1** (*far premura, esigere*) to press; (*comm.*) to request: **s. il governo a varare una nuova politica dell'occupazione**, to press the government for a new employment policy; **s. q. perché finisca un lavoro**, to insist that sb. finish a job quickly; **s. la consegna della merce**, to request the delivery of the goods; **s. un pagamento**, to request immediate payment; (*con lettera di sollecito*) to dun for payment **2** (*affrettare*) to hasten; to quicken; to hurry: **s. il passo**, to hasten (*o* to quicken) one's pace **3** (*chiedere*) to ask for, to beg for, to solicit, to plead for, to seek*; (*con urgenza*) to press for, to petition for; (*cercare*) to solicit, to tout for: **s. l'aiuto di q.**, to beg for (*o* to solicit) sb.'s help; **s. complimenti**, to fish for compliments; **s. riforme**, to press for reforms; **s. una risposta**, to press for an answer; **s. voti**, to canvass for votes; *Sollecitò un mio intervento a favore della mozione*, he urged me to speak in favour of the motion **4** (*spronare*) to urge; to incite; to spur; (*stimolare*) to stir: **s. q. ad agire**, to urge sb. into action; **s. la fantasia**, to stir the imagination; *Lo sollecitai ad andare all'incontro*, I urged him to go to the meeting **5** (*mecc.*) to stress **6** (*sottoporre a sforzo*) to strain.

sollecitatóre m. (f. **-trice**) **1** solicitor; petitioner; pleader **2** (*stimolatore*) urger; inciter; instigator.

sollecitatòria f. (*comm., bur.*) reminder; dunning letter.

sollecitatòrio a. (*comm., bur.*) reminding; soliciting: **lettera sollecitatoria**, reminder; dunning letter.

sollecitazióne f. **1** (*richiesta insistente*) solicitation; plea; appeal; (*anche comm.*) request: **cedere alle sollecitazioni di q.**, to yield to sb.'s pleas (*o* appeals); **s. di pagamento**, request for payment **2** (*stimolo, incitamento*) spur; stimulus: **una s. a migliorare**, a spur to improve **3** (*fis.*) stress: **s. di compressione**, compressive stress; **s. di flessione**, bending stress; **s. di torsione**, torque stress; **s. d'urto**, impact stress; **s. statica**, static stress **4** (*sforzo*) strain.

sollécito① a. **1** (*solerte, zelante*) diligent; zealous; eager; willing: **impiegato s.**, diligent employee; **domestico s.**, zealous servant **2** (*premuroso*) attentive; concerned; helpful; solicitous; thoughtful; (*memore*) mindful, careful: **s. verso gli anziani**, helpful to (*o* attentive to) elderly people; **una madre sollecita del benessere dei figli**, a mother concerned about her children's well-being; **s. della salute di q.**, solicitous about sb.'s health **3** (*pronto, veloce*) prompt; ready; quick; fast; speedy: **consegne sollecite**, prompt deliveries; **pagamento s.**, ready payment; **risposta sollecita**, prompt answer; **ritorno s.**, prompt return; **servizio s.**, fast service.

sollécito② m. (*comm., bur.*) reminder: **s. di pagamento**, reminder for payment; dunning letter; **un s. dalla banca**, a reminder from the bank; **mandare** (*o inoltrare*) **un s.**, to send a reminder; **lettera di s.**, reminder; dunning letter.

sollecitùdine f. **1** (*prontezza*) promptness; readiness; dispatch; expeditiousness: **rispondere con s.**, to answer promptly; (*comm.*) **con cortese s.**, at your earliest convenience **2** (*solerzia*) diligence; zealousness; eagerness; willingness **3** (*premura, cura*) care; concern; thoughtfulness; solicitude; (al pl.: *attenzioni*) attentions: **dare prova di s. per q.**, to show one's concern for sb.

solleóne m. **1** dog-days (pl.) **2** (*estate tor-*

rida) hot summer; (*grande calura*) (summer) heat.

solleticaménto m. **1** tickling **2** (*fig.*) tickling; titillation; stimulation.

solleticànte a. **1** tickling **2** (*fig.*) attractive; inviting; tempting: **offerta s.**, tempting offer; **vivanda s.**, inviting (*o* mouth-watering) dish.

solleticàre v. t. **1** to tickle: **s. i piedi a q.**, to tickle sb.'s feet **2** (*fig.*) to tickle; to titillate; to tempt; to whet: **s. l'appetito**, to give (sb.) an appetite; (*fig.*) to whet the appetite; **s. la curiosità di q.**, to arouse sb.'s curiosity; to intrigue sb.; **s. la fantasia**, to tickle sb.'s fancy; **s. la vanità di q.**, to tickle sb.'s vanity; **cibo che solletica il palato**, food that tickles the palate; *La proposta mi solletica*, I'm tempted by the proposal.

♦**sollético** m. **1** tickle; tickling: **fare il s. a q.**, to tickle sb.; **soffrire il s.**, to be ticklish **2** (*fig.*: *voglia*) itch; prick ● (*fig.*) **Le tue minacce mi fanno il s.**, your threats leave me cold □ (*fig.*) **non fare neanche il s. a q.**, not to make the slightest impression on sb.; not to affect sb. in the least.

sollevàbile a. liftable; raisable: **ponte s.**, lift-bridge.

sollevaménto m. **1** (*il sollevare*) raising, lifting; (*con un cricco*) jacking up; (*l'issare*) hoisting, heaving: **impianto di s.**, lifting apparatus; hoisting apparatus; **meccanismo di s.**, lifting gear; hoisting gear **2** (*sport*) – **s. pesi**, weightlifting; (*alla sbarra*) **s. sulle braccia**, pull-up **3** (*geol.*) upthrust; uplift; upheaval.

♦**sollevàre** Ⓐ v. t. **1** (*levare, alzare*) to raise, to lift, to put* up; to hold* up; (*con un calcio*) to kick up; (*drizzare*) to rear; (*issare*) to hoist, to heave*; (*con un cricco*) to jack up: **s. il bicchiere**, to raise one's glass; **s. il coperchio**, to raise (*o* to lift) the lid; **s. la mano**, to put up (*o* to hold up) one's hand; **s. un nugolo di polvere**, to raise a cloud of dust; **s. gli occhi**, to raise one's eyes; to look up; **s. un peso**, to lift a weight; **s. la testa**, to lift (*o* to raise) one's head; **s. qc. da terra**, to lift st. (from the ground); *Sollevò il vaso con cura*, he lifted the vase carefully; *Sollevai il bambino e me lo misi in spalla*, I hoisted the child onto my shoulder; *La gru sollevò la macchina*, the crane hoisted the car into the air **2** (*fig.*: *rialzare*) to raise: **s. il morale a q.**, to raise sb.'s spirits; to boost sb.'s morale; to cheer sb. (up); **s. le speranze di q.**, to raise sb.'s hopes **3** (*fig.*: *dare sollievo*) to relieve, to ease; (*rianimare*) to revive: *L'aria fresca mi sollevò un poco*, the fresh air revived me a bit **4** (*fig.*: *dare conforto*) to relieve; to comfort; to cheer; to ease sb.'s mind: *Il solo pensiero mi solleva*, the mere thought of it is a great comfort to me (*o* eases my mind) **5** (*fig.*: *liberare, esonerare*) to relieve; to release: **s. q. da un grave compito**, to relieve sb. of a serious task; **s. q. da un incarico**, to relieve sb. of his duties; to relieve sb. of his post; to dismiss sb.; **s. q. da un gran peso**, to relieve sb. of a great burden; to take a weight off sb.'s shoulders; **s. q. da una promessa**, to release sb. from a promise; **s. q. da una responsabilità**, to relieve sb. of a responsibility **6** (*fig.*: *far insorgere*) to raise; to stir up; to stir (*o* to incite) to mutiny (*o* to revolt): **s. i contadini**, to stir the peasants to revolt; **s. l'equipaggio**, to incite the crew to mutiny; **s. il popolo contro il tiranno**, to raise the country against the tyrant **7** (*fig.*: *suscitare*) to raise; to start; to set* off; to give* rise to: **s. una discussione**, to start a discussion; **s. un putiferio**, to raise hell; to raise Cain **8** (*fig.*: *presentare, dare voce a*) to raise; to bring* up; (*dare voce a*) to voice: **s. un dubbio**, to raise (*o* to voice) a doubt; **s. un'obiezione**, to raise an objection; **s. un'obiezione di principio**, to object

on principle; **s. una questione**, to bring up a matter; to raise an issue Ⓑ **sollevàrsi** v. i. pron. **1** (*levarsi verso l'alto*) to rise*; to go* up; to lift; (*in volo*) to take* off, to lift off, to get* off the ground: *Si sollevò il vento*, the wind rose; *Si sollevò la nebbia*, a fog rose; *Il mare si sollevava ritmicamente*, the sea rose rhythmically; *Questa botola non si solleva*, this trapdoor won't lift; *L'aereo si sollevò dalla pista*, the plane took off from the runway **2** (*rizzarsi*) to rise*; to get* up: **sollevarsi da terra**, to get up; to pick oneself up; **sollevarsi con fatica**, to rise with an effort; to heave oneself up; **sollevarsi sulla punta dei piedi**, to stand on tiptoe **3** (*fig.*: *riprendersi*) to recover; to get* over (st.); (*rasserenarsi*) to cheer up: **sollevarsi da un grave colpo**, to recover from a hard blow; *Non si è più sollevata dalla morte del marito*, she never recovered from (*o* got over) her husband's death **4** (*insorgere*) to rise*; to revolt: **sollevarsi in armi**, to rise in arms.

sollevàto a. **1** raised; uplifted **2** (*fig.*: *rasserenato*) relieved; cheered up; (*rif. alla salute*) better: **avere l'aria sollevata**, to look relieved; *Oggi mi sento più s.*, I'm feeling better today.

sollevatóre Ⓐ a. lifting; hoisting ● (*anat.*) **muscolo s.**, elevator Ⓑ m. (f. *-trice*) **1** (*chi solleva*) lifter; hoister: (*sport*) **s. di pesi**, weightlifter **2** (*agitatore*) agitator; trouble-maker; rabble-rouser **3** (*mecc.*) lift; hoist: (*autom.*) **s. idraulico**, hydraulic hoist; **s. meccanico**, mechanical power-lift.

sollevazióne f. (*insurrezione*) rising; insurrection; revolt.

sollièvo m. relief; comfort: **dare s.**, to give relief; to relieve; (*di medicina*) to bring relief; *Mi sei stato di grande s.*, you've been a great comfort to me; **trovare s. in qc.**, to find relief in st.; **con mio grande s.**, to my great relief; *Che s.!*, what a relief!; **sospiro di s.**, sigh of relief.

sollùchero m. rapture; ecstasy (of delight): **andare in s.**, to go into raptures; **mandare in s.**, to send into raptures.

solmisazióne f. (*mus.*) solmization.

♦**sólo** Ⓐ a. **1** (*senza compagnia*) alone (pred.), by oneself; on one's own; (*non accompagnato*) unaccompanied, unescorted; (*solitario*) lonely, lonesome: **s. al mondo**, alone in the world; **s. come un cane**, all alone; utterly alone; **s. soletto**, all on one's own; all by oneself; **tutto s.**, all alone; quite by oneself; *Fui lasciato s.*, I was left alone; **sentirsi s.**, to feel lonely; **vivere s.**, to live alone (*o* on one's own, by oneself); *Passammo la serata da soli*, we spent the evening by ourselves; *Finalmente soli!*, on our own (*o* alone) at last!; *Che ci facevano due ragazze sole in quel locale?*, what were two unaccompanied (*o* unescorted) girls doing in that place? **2** – **da s.**, (*senza aiuto*) by oneself; single-handed, unassisted; (*di macchina e sim.*) unattended, automatically (avv.): *L'ho fatto da s.*, I did it by myself; *Ha cresciuto i figli da sola*, she's brought up her children single-handed; *Si è fatto da s.*, he is a self-made man; **funzionare da s.**, to work unattended; **parlare da s.**, to talk to oneself; *La luce si è spenta da sola*, the light went out by itself **3** (*unico*) only; (only *o* just) one; single; unique; (*esclusivo*) sole: **il s. amico che ho**, the only friend I have; my only friend; **un s. esempio**, only one example; **un s. Dio**, one God; **la sola eccezione**, the one exception; **genitore s.**, single parent; **il s. proprietario**, the sole owner; **la mia sola speranza**, my one (*o* only) hope; **un solo superstite**, only one survivor; **una sola volta**, only (*o* just) once; *Hanno un figlio s.*, they have only (*o* just) one child; *Sullo scaffale c'era un s. libro*, there was just one book on the shelf; *Ho sentito un s. sparo*, I heard a sin-

gle shot; *Io sono il s. responsabile*, I am the only one responsible; I alone am responsible; *Non c'è stato un s. momento in cui non l'avessi sotto gli occhi*, I didn't take my eyes off him for a single moment; **un uomo con un occhio** [**un braccio**] **s.**, a one-eyed [one-armed] man; *Di donne come lei ce n'è una sola*, there is no other woman like her **4** (*solamente, unicamente*) alone (pred.); only (avv.); mere; very: **per soli uomini**, for men only; **ingresso ai soli soci**, (admittance to) members only; **non vivere di s. pane**, not to live on bread alone; *Andiamoci noi due soli*, let's go there just the two of us; *Lui s. può dirlo*, only he can tell; *Basta un s. cenno*, a mere hint is sufficient; *Ci basta la tua sola parola*, your word alone (*o* just your word) is enough for us; *Il s. pensiero mi rattrista*, the mere thought (*o* just the thought) of it makes me sad **5** (*mus.*) solo; unaccompanied: **suite per violino s.**, suite for solo violin ● **s. e unico**, one and only □ (*fig.*) **avere due braccia sole**, to have one pair of hands □ **da s. a s.**, in private; tête-à-tête (*franc.*): **avere un colloquio da s. a s. con q.**, to see sb. in private; to see sb. tête-à-tête; to have a tête-à-tête with sb. □ *Dio s. lo sa!*, God only knows □ (*prov.*) **Meglio soli che male accompagnati**, better alone than in bad company Ⓑ avv. only; just; alone (pred.); (*semplicemente*) just, merely: **s. una volta**, only (*o* just) once; **s. per farti piacere**, just to please you; **s. tre**, only (*o* just) three; *Volevo s. vederti*, I only (*o* just) wanted to see you; *Ho visto s. lui*, I saw only him; *Ha s. tre anni*, she is just (*o* only) three; *Non può capire, è s. un bambino*, he's just (*o* only) a child, he cannot understand; *Sei s. uno stupido!*, you're nothing but a fool!; *Ho fatto s. una capatina per un saluto*, I just dropped in to say hullo; *S. lui può farlo*, he alone can do it; *S. Giorgio sapeva la verità*, Giorgio alone knew the truth; *S. l'orgoglio la trattenne*, pride alone stopped her; *S. di frutta ho speso quindici euro*, I paid fifteen euros just for the fruit (*o* for the fruit alone); *S. a pensarci mi viene rabbia*, it makes me mad just to think of it; *Posso dirti s. quello che so*, I can only tell you what I know; *Se s. sapeste!*, if only you knew!; *Se s. cessasse di piovere!*, if only it would stop raining!; *Se s. l'avessi saputo!*, if only I had known!; **non s...., ma anche**, not only..., but also; *Non s. mi ha consigliato, ma mi ha anche prestato dei soldi*, not only did she give me her advice, but she also lent me some money; *Non s. non è venuto, ma non ha neanche telefonato*, not only did he not come, but he didn't phone either Ⓒ cong. (*anche* **s. che**) **1** (*però*) but; only: *D'accordo, s. voglio che venga anche tu*, all right, but I want you to come too; *Ti aiuterei volentieri, s. che ho troppo da fare*, I'd help you gladly, only I'm too busy **2** (*se solo*) if only: *Ti aiuterei volentieri, s. che potessi*, I'd help you with pleasure, if only I could Ⓓ m. (f. *-a*) **1** (*l'unico*) (the) only one; (the) only man* (f. woman*); alone (pred.): *Paolo è il s. a sapere di noi*, Paolo is the only one who knows about us; only Paolo knows about us; *Non siete i soli a pensarlo*, you are not the only ones who think so; you are not alone in thinking so **2** (*al pl.*) (*mus.*: *solisti*) soloists: **fantasia per soli, coro e orchestra**, fantasia for soloists, chorus and orchestra **3** (*mus.*) – **a s.**, solo; solo piece.

solóne m. **1** (*legislatore*) lawmaker; legislator; law-reformer **2** (*iron. o spreg.*) know-all; know-it-all.

Solóne m. (*stor.*) Solon.

solstiziàle a. (*astron.*) solstitial: **punti solstiziali**, solstitial points.

solstizio m. (*astron.*) solstice: **s. d'estate** [**d'inverno**], summer [winter] solstice.

♦soltànto avv. → **solo, B, C**.

solùbile a. **1** (*che si può sciogliere*) soluble: **caffè s.**, instant coffee; **s. in acqua**, soluble in water; water-soluble; **rendere s.**, to make soluble **2** (*risolvibile*) solvable; soluble: **problema s.**, solvable problem.

solubilità f. **1** (*chim.*) solubility **2** (*risolvibilità*) solvability.

solubilizzàre v. t. to solubilize.

solubilizzazióne f. (*tecn.*) solubilization.; (*metall.*) solution heat treatment.

solùto m. (*chim.*) solute.

solutóre m. (f. **-trìce**) solver; solution finder.

♦soluzióne f. **1** (*chim.*: *l'operazione*) solution: **la s. di un sale in acqua**, the solution of a salt in water **2** (*chim.*: *la miscela*) solution; (*farm.*) liquor: **s. alcalina**, alkaline solution; (*autom.*) **s. anticongelante**, antifreeze; **s. di ammoniaca**, liquor ammoniae; **s. di sale e acqua**, solution of salt and water; **s. satura**, saturated solution; **s. tampone**, buffer solution; **s. titolata**, standard solution; **aumentare [diluire] la concentrazione della s.**, to strengthen [to dilute] the solution **3** (*mat.*) solution: **la s. delle equazioni di secondo grado**, the solution of second-degree equations; **la s. di un'equazione [di un problema]** (*il risultato*), the solution to an equation [to a problem] **4** (*spiegazione, risposta, rimedio*) solution; answer: **la s. di un mistero**, the solution to a mystery; **la s. al nostro problema**, the solution (o the answer) to our problem; **s. di compromesso**, compromise solution; **s. di ripiego**, makeshift solution; **s. provvisoria**, temporary solution; stopgap; *È la s. migliore per tutti i suoi guai*, it's the best answer to all his troubles; *L'unica s. è vendere*, the only solution (o answer) is to sell; **di difficile [facile] s.**, difficult [easy] to solve **5** (*accordo*) settlement; arrangement; agreement: **s. pacifica di una controversia**, peaceful settlement of a dispute; **venire a una s.**, to come to an agreement (o arrangement); to make a decision **6** (*pagamento*) payment; settlement: **pagamento in un'unica s.**, single payment; lump-sum settlement; **pagare in un'unica s.**, to make a single payment **7** (*interruzione*) – **s. di continuità**, break; gap; hiatus; interruption; **senza s. di continuità**, uninterruptedly; without a break; seamlessly; (*med.*) **s. di continuo**, solution of continuity.

solvatàre v. t. (*chim.*) to solvate.

solvatazióne f. (*chim.*) solvation.

solvàto m. (*chim.*) solvate.

solvènte A a. **1** (*chim.*) solvent **2** (*comm.*) solvent; paying; reliable: *Mi occorre un prestito per restare s.*, I need a loan to stay solvent; **clienti solventi**, paying customers; **impresa s.**, reliable (o solvent) firm B m. **1** (*chim.*) solvent; dispersant; (*tecn.*) vehicle; (*pitt.*) medium; (*per smalto per unghie*) nail-polish remover; (*diluente*) thinner **2** (*comm.*) payer; paying person.

solvènza f. (*comm.*) solvency.

solvìbile a. (*comm.*) **1** (*di ditta, ecc.*) solvent; reliable **2** (*pagabile*) payable.

solvibilità f. (*comm.*) **1** solvency; reliability **2** payability.

sòma ① f. **1** load; burden; pack: **bestia da s.**, beast of burden; pack animal; (*fig.*) drudge; slave; **mettere la s. a un mulo**, to load a mule; **scaricare la s.**, to unload **2** (*fig.*) burden.

sòma ② m. (*biol., psic.*) soma*.

sòma ③ m. (*relig. indù*) soma.

Somàlia f. (*geogr.*) Somalia; (*stor.*) Somaliland.

sòmalo A a. Somali; Somalian B m. (f. **-a**) Somali C m. (*ling.*) Somali.

somàra f. **1** (*zool.*) she-ass; jenny **2** (*fig.*) → **somaro**, def. 2.

somaràggine f. **1** (*ignoranza*) ignorance; (*stupidità*) stupidity, blockheadedness **2** (*atto o discorso da somaro*) stupidity; idiocy; foolish thing.

somàro A m. (f. **-a**) **1** ass; donkey; (*maschio*) jackass **2** (*fig.*: *ignorante*) dunce, blockhead, ignoramus; (*stupido*) jackass (m.), fool: **s. bardato**, pompous fool (o ass) B a. ignorant; stupid.

somàtico a. (*biol.*) somatic: **cellule somatiche**, somatic cells; **tratti somatici**, features.

somatizzàre A v. t. (*psic.*) to somatize B **somatizzàrsi** v. i. pron. to become* somatized.

somatizzazióne f. (*psic.*) somatization.

somatologìa f. (*antrop.*) physical anthropology.

somatomedìna f. (*biochim.*) somatomedin.

somatopsìchico a. psychosomatic.

somatostatìna f. (*biochim.*) somatostatin.

somatotropìna f. (*biol.*, *chim.*) somatotrophin.

somatòtropo a. (*biochim.*) – **ormone s.**, growth hormone.

sombrèro m. sombrero*.

someggiàbile a. (*mil.*) transportable by pack animal.

someggiàre v. t. (*mil.*) to transport by pack animal.

somière m. **1** (*lett.*: *bestia da soma*) pack animal **2** (*mus.*, *dell'organo*) wind chest; (*di clavicembalo, pianoforte*) wrest plank, pin block.

somigliànte A a. resembling; like (sb., st.); alike (pred.); (*simile*) similar, like: **essere s. a**, to be like; to resemble; *Siamo molto somiglianti*, we are very much alike; **ritratto s.**, good likeness; **in modo s.**, in a similar way; in like manner; (*allo stesso modo*) in the same way, likewise B m. (solo sing.) something similar; similar thing.

somiglìanza f. resemblance; likeness; similarity: **s. di gusti**, similarity of tastes; **una certa [una stretta] s. fra i due**, a certain [a close] resemblance between the two; *Iddio creò l'uomo a sua immagine e s.*, God created man in His own image.

♦somigliàre A v. i. (*essere simile*) to be like (sb., st.); to be similar (to); to resemble (sb., st.); (*form.*) (*nell'aspetto*) to look like (sb., st.); (*nel suono*) to sound like: **s. al padre**, to look like one's father; **s. a q. nella voce**, to sound like sb.; *Somiglia tutta a sua nonna*, she is the very (o, *fam.*, the spitting) image of her grandmother; **un gioco che somiglia al calcio**, a game that is like (o is similar to) football; *Il tuo caso somiglia moltissimo al mio*, your case is very much like mine B v. t. (*lett.*: *paragonare*) to compare; to liken C **somigliàrsi** v. rifl. recipr. to be alike; to look like each other; to resemble each other (*form.*); to be similar: *Le due sorelle si somigliano*, the two sisters look like each other; *Si somigliano molto*, they are very much alike; *Madre e figlia si somigliavano straordinariamente*, mother and daughter were extraordinarily alike; there was a striking resemblance between mother and daughter; **somigliarsi come due gocce d'acqua**, to be as like as two peas (in a pod).

somìte m. (*anat.*) somite.

♦sómma f. **1** (*risultato di un'addizione*) sum; total; result: **s. complessiva**, grand total; *Una squadra è più della s. delle sue parti*, a team is more than the sum of its parts; *Confrontiamo le nostre somme*, let's compare our sums (o totals, results) **2** (*addizione*) addition; sum: (*fis.*) **la s. delle velocità**, the addition of velocities; **fare una s.**, to do an addition; to add up; **fare la s. di due numeri**, to add up two numbers; *Fai la s.*, add it up **3** (*quantità di denaro*) sum (of money); amount; (*cifra*) figure: **s. a credito [a debito]**, credited [debited] amount; **s. accantonata**, earmarked sum; **s. forfettaria**, lump sum; **s. assicurata**, sum insured; **una bella [grossa] s.**, a tidy [large] sum; **la s. dovuta**, the amount due; **una s. non indifferente**, a considerable figure (o amount); *La s. prevista era di quattromila euro*, the estimated amount was four thousand euros; **depositare una s. in banca**, to deposit an amount of money in the bank; **fino a una certa s.**, up to a certain amount **4** (*complesso, insieme*) sum; whole amount; totality; sum total; aggregate: **la s. delle esperienze umane**, the sum (total) of human experience; **la s. degli individui che costituiscono una società**, the aggregate of the individuals who constitute a society; **la s. dei nostri sforzi**, our combined efforts **5** (*sostanza, succo*) gist; (*conclusione*) conclusion **6** (*stor.*) summa: **la S. Teologica di San Tommaso**, the Summa Theologica of St Thomas ● (*fam.*) **fare le somme** (*contare*), to do sums: **bravo a fare le somme**, good at sums ◻ **in s.**, to sum up; in short ◻ (*fig.*) **tirare le somme**, to sum up; to draw conclusions ◻ (*fig.*) **tirate le somme**, all in all; all things considered.

sommàbile a. summable.

sommàcco m. (*bot.*, *Rhus coriaria*) sumac.

sommaménte avv. (*grandemente*) extremely, most; highly; highly; to a high degree; (*profondamente*) deeply; (*sopra ogni cosa*) above everything, above all: **s. grato**, extremely (o deeply) grateful; very much obliged; **s. importante**, extremely important; of the greatest (o utmost) importance; **amare s. la giustizia**, to love justice above everything.

sommàre A v. t. **1** (*addizionare*) to add; (*fare la somma di*) to add up: **s. 3 a 9**, to add 3 to 9; to add up 3 and 9; **s. gli interessi al capitale**, to add interest to capital; **s. tre cifre**, to add up three figures **2** (*aggiungere, calcolare*) to add (up): *Sommati insieme, i fatti formano un quadro chiaro*, the facts add up to a clear picture; *Quando sommi tutte queste cose, ti accorgi di quanto c'è da fare*, when you add everything up, you realize how much there is to do B v. i. (*ammontare*) to amount (to); to add up (to); to come* (to); to total: *I feriti sommano a venti*, the wounded amount to twenty C **sommàrsi** v. i. pron. **1** (*aggiungersi*) to add (to): *Lo sciopero si sommò a tutte le altre difficoltà*, the strike added to all the other difficulties **2** (*aumentare*) to build* up.

sommariaménte avv. summarily; (*in breve*) briefly; (*superficialmente*) cursorily, perfunctorily.

sommarietà f. summariness; cursoriness; sketchiness.

sommàrio ① a. **1** (*per sommi capi*) brief; simplified; (*conciso*) concise: **esposizione sommaria**, brief presentation **2** (*affrettato*) cursory, sketchy; (*superficiale*) perfunctory **3** (*leg.*) summary: **giustizia sommaria**, summary justice; **procedimento s.**, summary proceedings (pl.).

sommàrio ② m. **1** (*compendio*) compendium*; résumé; (*trattazione sintetica*) outline **2** (*riassunto*) summary; precis; (*riepilogo*) round-up **3** (*indice*) (table of) contents **4** (*giorn.*, *di articolo*) subheading ● (*radio, TV*) **s. delle notizie**, news headlines (pl.).

sommàto a. added ● **tutto s.**, all things considered; all in all; (*dopo tutto*) after all.

sommatóre m. (*comput.*) adder.

sommatòria f. (*mat.*) summation.

sommatòrio a. (*mat.*) summation (attr.).

sommazióne f. (*fisiol.*, *mat.*) summation.

sommelier (*franc.*) m. inv. wine waiter; sommelier.

sommèrgere v. t. 1 to submerge; (*inondare*) to flood, to engulf; (*affondare*) to sink* 2 (*fig.*) to flood; to submerge; to inundate; to swamp; to deluge; (*colmare*) to overwhelm: **s. di domande**, to submerge with questions; **s. di premure**, to overwhelm with attentions; **s. di richieste**, to flood (o to deluge) with requests; **venire sommerso di lettere**, to be inundated (o flooded, swamped) with letters 3 (*fig. lett.*: *estinguere*) to extinguish; to erase.

sommergibile Ⓐ a. submergible; submersible Ⓑ m. (*naut.*) submarine; sub (*fam.*): **s. di lunga crociera**, fleet submarine; **s. di media crociera**, seagoing submarine; **s. oceanico**, ocean-going submarine; **s. posamine**, minelaying submarine; **s. nucleare**, nuclear submarine; **s. tascabile**, midget submarine.

sommergibilista m. (*naut.*) submariner.

sommèrso Ⓐ a. 1 (*sott'acqua*) submerged; (*inondato*) flooded; under water; (*affondato*) sunken: **rocce sommerse**, submerged rocks; **regione sommersa**, submerged area; area under water; **tesoro s.**, sunken treasure 2 (*fig.*, *econ.*) off-the--book; black; underground: **economia sommersa**, underground economy; **lavoro s.**, off-the-book employment 3 (*fig.*: *sopraffatto*) up to one's neck (in): **s. dai debiti**, up to one's neck in debts; **s. dal lavoro**, up to one's neck in work Ⓑ m. (*econ.*) underground economy; underground sector.

sommessaménte avv. (*a bassa voce*) in a low voice; quietly.

sommésso a. 1 (*sottomesso*) submissive 2 (*di suono*) low; quiet; soft: **parlare con voce sommessa**, to speak in a low voice; to speak quietly.

sommier (*franc.*) m. inv. sofa-bed; davenport (*USA*).

somministrànte m. e f. (*leg.*) purveyor.

somministràre v. t. 1 to administer; to give*: **s. una medicina**, to give a medicine; **s. i Sacramenti**, to administer the Sacraments 2 (*leg.*) to purvey 3 (*scherz.*: *assestare*) to deal*; to deliver; to land: **s. un pugno**, to deal a blow.

somministratóre m. (f. **-trìce**) 1 administrator; giver 2 (*leg.*) purveyor.

somministrazióne f. 1 administration: **la s. dei Sacramenti**, the administration of the Sacraments; **s. di farmaci**, medication; *La s. del farmaco va fatta a stomaco pieno*, the medicine should be taken after meals 2 (*fornitura*) supply; provision; purveyance.

sommissióne f. submissiveness.

sommità f. 1 (*cima*) top; summit; (*di montagna*, *anche*) peak, crown: **la s. d'una collina**, the top (o the crown) of a hill; **la s. del capo**, the top of the head 2 (*apice*) height; peak; acme; apex*; pinnacle: **la s. della perfezione**, the height (o the acme) of perfection.

sómmo Ⓐ a. (*il più alto*) (the) highest; (*supremo*) supreme; (*il massimo*) (the) greatest, (the) utmost, paramount; (*eccellente*) excellent, outstanding; (*sublime*) sublime; (*divino*) divine: **artista s.**, outstanding artist; **il s. bene**, the supreme good; **somma bontà**, supreme goodness; **somma felicità**, crowning happiness; **il S. Poeta**, the supreme Poet; Dante; **il S. Pontefice**, the Supreme Pontiff; **il s. potere**, the supreme power; **s. sacerdote**, high priest; **con somma attenzione**, with the greatest attention; **con somma cura**, with the utmost (o with maximum) care; **con s. disprezzo**, with the utmost contempt; **con s. riguardo**, with the greatest consideration for sb.; **di somma importanza**, of the greatest (o of paramount) importance; **in s. grado**, to the highest degree; to the utmost ● **per sommi capi**, summarily □ **riassumere per sommi capi**, to summarize; to sum up Ⓑ m. 1 top; summit; peak: **il s. del monte**, the top of the mountain 2 (*fig.*) height; peak; acme; pinnacle: **il s. della perfezione**, the height (o the acme) of perfection.

sommoscàpo m. (*archit.*) upper shaft (o scape).

sommòssa f. (*insurrezione*) rising; uprising; insurrection; revolt; (*tumulto*) riot: **fare una s.**, to rise (in rebellion); **reprimere una s.**, to put down an insurrection; *Scoppiò una s.*, an insurrection broke out.

sommoviménto m. 1 (*agitazione*) agitation; commotion 2 (*tumulto*) tumult; rising.

sommovitóre Ⓐ a. inciting; stirring Ⓑ m. (f. **-trìce**) inciter; agitator.

sommozzatóre m. 1 (f. **-trìce**) (*in apnea*) skin-diver; (*con autorespiratore*) scuba diver 2 (*uomo rana*.) frogman* ● **attrezzatura per sommozzatori**, diving apparatus.

sommuòvere v. t. 1 (*amuovere*) to stir; to agitate 2 (*fig.*: *eccitare*, *istigare*) to incite; to stir up: **s. alla rivolta**, to incite to rebellion; **s. gli animi**, to stir up feelings.

son m. inv. (*fis.*) sone (*unità di misura sonora*).

sonaglièra f. harness bells (pl.).

sonàglio m. 1 harness bell; (*di slitta*) sleigh bell 2 (*giocattolo*) rattle ● (*zool.*) **serpente a sonagli**, rattlesnake.

sonànte ① a. 1 sounding; sonorous; resonant: **frasi sonanti**, sonorous sentences 2 – **denaro** (o **moneta**) s., ready money; ready cash; **pagare in moneta s.**, to pay cash down (o ready money) 3 (*fig.*: *clamoroso*) resounding.

sonànte ② (*fon.*) Ⓐ a. sonant; sonantal Ⓑ f. sonant.

sònar (*ingl.*) m. inv. (*naut.*) sonar.

sonàre → **suonare**.

sonàta f. 1 (*mus.*) sonata: **s. da camera**, sonata da camera; **s. da chiesa**, sonata da chiesa; **s. per pianoforte**, sonata for piano; piano sonata; **s. per violino e pianoforte**, sonata for piano and violin; **forma s.**, sonata form 2 → **suonata**.

sonatina f. (*mus.*) sonatina.

sonatista m. e f. (*mus.*) composer of sonatas.

sonatìstico a. (*mus.*) sonata (attr.).

sonàto, **sonatóre** → **suonato**, **suonatore**.

sónda Ⓐ f. 1 (*ind. min.*) drill: **s. campionatrice** (o **da carotaggio**), core drill; sampler; **s. a percussione**, percussion (o churn) drill; **s. a rotazione**, rotary drill 2 (*fis.*, *tecn.*) probe 3 (*miss.*) probe: **s. lunare**, moon (o lunar) probe; **s. spaziale**, space probe 4 (*meteor.*) sonde 5 (*med.*) probe; sound; explorer; tube: **s. gastrica**, stomach pump; **s. uretrale**, urethral sound (o probe) Ⓑ a. inv. sounding: (*meteor.*) **pallone s.**, sounding balloon.

Sónda f. (*geogr.*) Sunda.

sondàbile a. soundable.

sondàggio m. 1 (*ind. min.*) drilling; exploration: **s. a percussione**, percussive drilling; **s. sottomarino**, offshore (o submarine) drilling; **fare sondaggi (alla ricerca di)**, to drill (for) 2 (*med.*) sounding; probing; exploration 3 (*naut.*) sounding: **s. acustico**, echo sounding 4 (*fig.*: *indagine*) survey; (*opinion*) poll; inquiry: **s. demoscopico**, public-opinion poll; **s. di mercato**, market survey; **s. d'opinione**, (opinion) poll; **s. statistico**, statistical survey; **s. ufficioso**, straw poll; *Gli ultimi sondaggi mostrano...*, the latest polls show...; **fare un s.**, to carry out a survey; to conduct (o to do) a poll; to poll (sb.); **fare un s. tra i colleghi**, to make inquiries among (o to sound out) one's colleagues.

sondaggista m. e f. surveyor; poll-taker; pollster.

sondàre v. t. 1 (*ind. min.*) to drill; to explore 2 (*naut.*) to sound; to plumb 3 (*med.*) to sound; to probe 4 (*fig.*: *scandagliare*) to plumb, to fathom; (*saggiare*) to sound out, to probe, to test: **s. l'animo umano**, to plumb the soul of man; **s. le intenzioni di q.**, to sound sb. out about his intentions; **s. il terreno**, to see how the land lies; to test the water; to put out some feelers (*fam.*) 5 (*fig.*: *fare un sondaggio*) to survey; to poll; to canvass: **s. il mercato**, to survey the market; **s. l'opinione pubblica**, to poll (o to canvass) public opinion; to carry out a public-opinion poll.

sondatóre m. (*tecn.*) driller.

soneria → **suoneria**.

sonettéssa f. tailed sonnet.

sonettista m. e f. sonneteer.

sonétto m. sonnet: **s. caudato**, tailed sonnet; **s. elisabettiano**, Elizabethan sonnet; **s. petrarchesco**, Petrarchan sonnet; **corona** (o **ghirlanda**) **di sonetti**, sonnet sequence.

sonicchiàre v. i. e t. to play a little; (*uno strumento a plettro*) to strum on; (*uno strumento ad arco*) to scrape at; (*un motivo*) to pick out: *Sonicchio il violino*, I scrape at the violin; *Stava sonicchiando la «Marcia turca»*, he was picking out the «Turkish March» on the piano.

sònico a. sonic; sound (attr.): **barriera sonica**, sound (o sonic) barrier; **boato s.**, sonic boom.

sonnacchióso a. 1 drowsy; dozy; sleepy 2 (*fig. lett.*: *torpido*) torpid; sluggish; dull.

sonnambòlico a. sleepwalking (attr.); somnambulistic.

sonnambulìsmo m. (*med.*) sleepwalking; somnambulism.

sonnàmbulo m. (f. **-a**) sleepwalker; somnambulist.

sonnecchiàre v. i. 1 to doze; to nod: **s. davanti al fuoco**, to sit nodding by the fire; **s. su un libro**, to doze over a book 2 (*fig.*: *essere poco attivo*) to take* it easy.

sonnellìno m. nap; doze; snooze; lie--down; catnap (*fam.*); shut-eye (*fam.*); forty winks (pl.) (*fam.*): **fare** (o **schiacciare**) **un s.**, to have (o to take) a nap; to doze; to snooze (*fam.*); to have forty winks (*fam.*).

sonnìfero Ⓐ a. (*lett.*) soporific; somniferous; sleep-inducing Ⓑ m. (*farm.*) sleeping tablet (o pill); soporific: **abusare di sonniferi**, to take too many sleeping tablets.

sonnilòquio m. talking in sleep.

◆**sónno** m. sleep: **s. agitato**, broken (o fitful, troubled) sleep; **s. ininterrotto**, unbroken sleep; **s. leggero**, light sleep; **avere il s. leggero**, to be a light sleeper; **s. pesante** (o **duro**), heavy sleep; **avere il s. pesante**, to be a heavy sleeper; **s. pomeridiano**, afternoon nap; **s. ristoratore**, refreshing sleep; **s. profondo**, deep sleep; sound sleep; **dormire di un s. profondo**, to be fast asleep; to sleep soundly; **addormentarsi d'un s. profondo**, to fall into a deep sleep; to fall fast asleep; **s. REM**, REM sleep; **il primo s.**, one's first sleep; **fra il s. e la veglia**, between sleep and waking; **immerso nel s.**, sleeping; asleep; **avere s.**, to be (o to feel) sleepy; **conciliare il s.**, to make sleepy; to have a soporific effect; (*aiutare a dormire*) to help one to sleep; **crollare dal s.**, to be asleep on one's

feet; **lottare col s.**, to fight sleep; **mettere** (*o* **far venire**) **s.**, to make (sb.) sleepy (*o* drowsy); to send (sb.) to sleep; to have a soporific effect (on sb.); **morire di s.**, to be asleep on one's feet; **parlare nel s.**, to talk in one's sleep; **prendere s.**, to get to sleep; to go to sleep; to fall asleep; *Non riuscivo a prendere s.*, I couldn't get to sleep; *Finalmente ha preso s.*, he's gone to sleep at last; **vincere il s.**, to overcome one's sleepiness; **colpo di s.**, fit of drowsiness; **disturbi del s.**, sleep disorders; **malattia del s.**, sleeping sickness; **terapia** (*o* **cura**) **del s.**, rest-cure ● **il s. del giusto**, the sleep of the just □ (*fig.*) **il s. della ragione**, the sleep of reason □ **il s. eterno**, the eternal rest □ (*fig.*) **dormire sonni tranquilli**, to sleep easy □ **essere vinto dal s.**, to be overcome with sleep □ **fare tutto un s.**, to sleep through the night □ (*fam.*) **impastato di s.**, full of sleep; drowsy; (*di occhi*) bleary (with sleep) □ (*fam.*) **l'omino del s.**, the sandman □ **perdere il s. su qc.**, to lose sleep over st. □ (*fam.*) **rubare le ore al s.**, to stay up into the night; (*per studiare*) to burn the midnight oil □ **togliere il s. a q.**, to keep sb. awake.

sonnolènto a. **1** (*assonnato*) sleepy; drowsy; dozy; half-asleep: **occhi sonnolenti**, sleepy eyes **2** (*che concilia il sonno*) drowsy; soporific; somnolent: **giornata sonnolenta**, drowsy day **3** (*fig.*) lazy; slow; sluggish; (*silenzioso*) sleepy, drowsy: **fiume s.**, lazy river; **villaggio s.**, sleepy village.

sonnolènza f. **1** sleepiness; drowsiness; somnolence: **essere preso da s.**, suddenly to feel sleepy; to have a fit of drowsiness; **avere addosso una gran s.**, to feel terribly sleepy; **indurre** (*o* **mettere**) **s.**, to cause (*o* induce) drowsiness; to make (sb.) feel sleepy (*fam.*) **2** (*fig.*) laziness; sluggishness; torpor: **scuotersi dalla s.**, to shake off one's torpor.

sóno 1ª pers. sing. e 3ª pers. plur. indic. pres. di **essere**.

sonografìa f. (*med.*) ultrasonography; sonography.

sonògrafo m. sonograph.

sonogràmma m. (*fis.*) sonogram.

sonòmetro m. (*fis.*) sonometer.

sonoraménte avv. loudly; (*fig.*) roundly, soundly: **essere s. fischiato**, to be roundly booed; **essere s. sconfitto**, to be roundly defeated; to be soundly beaten; to take a beating (*o* a trouncing).

sonorànte f. (*fon.*) sonorant.

sonorista m. e f. (*cinem.*) sound engineer; sound technician.

sonorità f. **1** sonority; sonorousness **2** (*fis.*) acoustics (pl.) **3** (*fon.*) sonority.

sonorizzàre A v. t. **1** (*fon.*) to voice **2** (*cinem.*) to add the soundtrack to; to post--sync; to post-sync (*fam.*) B **sonorizzàrsi** v. i. pron. (*fon.*) to become* voiced.

sonorizzatóre m. (f. **-trice**) (*cinem.*) post-synchronizer.

sonorizzazióne f. **1** (*fon.*) voicing **2** (*cinem.*) post-synchronization; post-sync (*fam.*).

sonòro A a. **1** (*che dà suono, che risuona*) resonant; sonorous; resounding: **metallo s.**, sonorous metal; **schiaffo s.**, resounding slap; **volta sonora**, resounding vault **2** (*che ha suono forte*) full; ringing; sonorous; (*rumoroso*) loud: **voce sonora**, full voice; **risa sonore**, loud laughter **3** (*fig.: altisonante*) sonorous; rolling; rotund: **un periodare s.**, sonorous (*o* rolling) periods (pl.) **4** (*fig.: clamoroso*) resounding: **sonora sconfitta**, resounding defeat; beating; thrashing; trouncing **5** (*cinem.*) sound (attr.): **cinema s. → B**, *def.* 1; **colonna sonora**, sound track; **effetti sonori**, sound effects; **film s.**, talking film (*o* picture); talkie (*fam.*) **6** (*fon.*) voiced

B m. (*cinem.*) **1** (*cinema s.*) talking films (*o* pictures) (pl.); talkies (pl.) (*fam.*); **l'avvento del s.**, the early days of the talkies **2** (*audio*) sound; (*colonna sonora*) soundtrack.

sontuosità f. sumptuousness; magnificence; luxuriousness.

sontuóso a. sumptuous; magnificent; luxurious: **abito s.**, magnificent dress; **casa sontuosa**, sumptuous (*o* magnificent) house; **pranzo s.**, sumptuous (*o* luxurious) dinner.

soperchiàre → soverchiare.

soperchiatóre m. (f. **-trice**) oppressor.

soperchierìa f. abuse (of power); imposition; oppression; (al pl. anche) browbeating ⓤ, bullying ⓤ.

sopire v. t. **1** (*acquietare, lenire*) to soothe; to sedate; to placate; to assuage; to appease: **s. il dolore**, to soothe (*o* to sedate) pain; to assuage sorrow; **s. l'odio**, to placate hatred; **s. le passioni**, to assuage passions **2** (*mettere a tacere*) to hush; to cover up.

sopóre m. **1** drowsiness; (*sonno leggero*) light sleep **2** (*fig.*) quiet.

soporìfero a. (*anche fig.*) soporific.

soppalcàre v. t. to build* a false ceiling in; to build an intermediate floor in.

soppàlco m. (*edil.*) **1** (*soffittatura*) false (*o* suspended) ceiling **2** (*locale sopraelevato*) suspended platform; loft; gallery: **s. con letto**, sleeping loft **3** (*ripostiglio*) built-in overhead cupboard (*USA* closet).

sopperire v. i. **1** (*provvedere*) to meet* (st.): to satisfy (st.): **s. a un bisogno**, to meet (*o* to satisfy) a need **2** (*supplire*) to make* up (for): *Sopperisce alla semplicità dei suoi vestiti con una grande cura dei particolari*, he compensates for the simplicity of his clothes with great attention to detail.

soppesàre v. t. **1** to weigh in one's hands: *Soppesai la pietra*, I weighed the stone in my hands **2** (*fig.: ponderare*) to weigh up: **s. i pro e i contro**, to weigh up the pros and cons.

soppiantàre v. t. to supersede, to supplant; to displace; to oust: *La televisione a colori ha completamente soppiantato quella in bianco e nero*, colour television has completely superseded black and white television; *È stato soppiantato da un collega*, he was ousted by a colleague; *Fu soppiantato nel cuore di lei da un rivale più giovane*, he was displaced in her heart by a younger rival.

soppiàtto a. – **di s.**, stealthily; furtively; covertly; surreptitiously; on the sly (*fam.*): **andarsene di s.**, to steal away; to slink off; **avanzare di s.**, to creep stealthily forward; **avvicinarsi di s. a q.**, to sneak upon sb.; **entrare di s.**, to steal in; to creep in; **guardare di s.**, to look covertly (*o* surreptitiously) at; to cast a furtive (*o* covert) glance at; to sneak a look at.

sopportàbile a. endurable; bearable; tolerable: **caldo s.**, bearable heat; **dolore s.**, endurable pain: *Non è più s. che...*, it is no longer tolerable that...

sopportabilità f. endurableness; bearableness; tolerability.

♦ **sopportàre** v. t. **1** (*reggere, sostenere*) to bear*; to carry; to sustain; to take*: **il peso di qc.**, to bear (*o* to carry) the weight of st.; **s. uno sforzo**, to take a stress **2** (*fig.: subire*) to bear*; to sustain; to undergo*; (*soffrire*) to suffer; to endure: **s. le conseguenze di qc.**, to bear the consequences of st.; **s. una spesa**, to bear an expense; **s. umiliazioni**, to suffer (*o* to endure) humiliations **3** (*resistere a*) to bear*; to endure, to withstand* (*tecn.*); (*subire senza protestare*) to put* up with; (*tollerare*) to stand*; to tolerate: **s. il caldo**, to stand the heat; **s. disagi**, to bear (*o* to put up with) discomfort; **s. il dolore**, to

bear pain; **s. una perdita con coraggio**, to bear a loss bravely; *Ne ho sopportate tante*, I had to put up with so much; **un materiale in grado di s. le alte temperature**, a material that can withstand (*o* bear) high temperatures; **non s. gli sbalzi di temperatura**, not to tolerate changes in temperature; **non s. la vista del sangue**, not to stand the sight of blood; *Non lo sopporto quell'uomo*, I cannot stand that man; *Non sopporto le tue insolenze*, I can't tolerate your insolent ways; *Non ti sopporto quando parli così*, I can't stand it when you talk like that.

sopportazióne f. **1** (*resistenza*) endurance: **al di là d'ogni s.**, past (*o* beyond) endurance; **capacità di s.**, powers of endurance **2** (*tolleranza*) forbearance; tolerance; (*pazienza*) patience: **raggiungere i limiti della s.**, to come to the end of one's patience; *La mia s. ha un limite*, there is a limit to my patience **3** (*condiscendenza*) condescension: **ascoltare q. con s.**, to listen descendingly to sb.

soppressióne f. **1** suppression; abolition; (*cancellazione*) deletion; (*scioglimento*) dissolution, breaking-up: **s. di un diritto**, suppression of a right; **s. di una frase**, deletion of a sentence; **s. di una legge**, abolition of a law; **s. d'un libro**, suppression of a book; **s. di un ordine religioso**, dissolution of a religious order; **s. di un servizio**, cancellation of a service **2** (*leg.: occultamento*) concealment; (*distruzione*) destruction: **s. di atti d'ufficio**, concealment of documents; **s. di corrispondenza**, destruction of correspondence; **s. di stato**, concealment of birth **3** (*repressione*) suppression; crushing: **la s. d'una rivolta**, the suppression of an insurrection **4** (*uccisione*) killing; elimination.

soppressivo a. suppressive.

soppressóre m. (*elettr.*) suppressor: **s. di disturbi radio**, radio interference suppressor; (*telef.*) **s. d'eco**, echo suppressor; **s. di scintilla**, spark suppressor.

sopprimere v. t. **1** (*far cessare*) to suppress; to cancel; (*abolire*) to abolish, to eliminate, to do* away with; (*cancellare*) to delete; (*tagliare*) to cut*: **s. un giornale**, to suppress a newspaper; **s. un'istituzione**, to abolish an institution; **s. una linea ferroviaria**, to cut a railway line; **s. un servizio**, to cancel a service **2** (*reprimere*) to suppress; to crush; to put* down: **s. una rivolta**, to suppress (*o* to put down) an insurrection **3** (*uccidere*) to kill; to eliminate; to dispose of; (*un animale*) to put* down: **s. un prigioniero**, to kill a prisoner; *Ho dovuto far s. il mio gatto*, I had to have my cat put down.

soppùnto m. (*cucito*) blind stitch.

♦ **sópra** A prep. **1** (*sovrapposizione con contatto, anche fig.*) on; upon; on top of; (*moto*) on, onto (*o* on to): **la neve s. i campi**, the snow on the fields; **il libro s. il tavolo**, the book on the table; **mettere un coperchio s. la pentola**, to put a lid on the saucepan; **dieci monete, una s. l'altra**, ten coins, one on top of the other; *Il gatto saltò s. la cassapanca*, the cat jumped onto the chest; *S. il primo maglione se ne è messo un secondo*, he put a second sweater on top of the first; *Scrivici s. l'indirizzo*, write the address on it **2** (*sovrapposizione senza contatto: contatto con l'idea di protezione, rivestimento, ecc.; movimento al di sopra, anche fig.*) over: *Una spada pende s. il mio capo*, a sword is hanging over my head; **la tovaglia stesa s. il tavolo**, the tablecloth spread over the table; *Portava il camice s. il vestito*, he wore a white coat over his suit; *Laura si chinò s. la tastiera*, Laura bent over the keyboard; *L'aereo volava s. la città*, the plane was flying over the town; *Si passò una mano s. gli occhi*, she passed a hand over her eyes **3** (*al di sopra di, più in alto di*) above; (*a nord di*) above, north of:

s. il livello del mare, above sea level; *s. il livello stradale*, above street level; *s. la media*, above average; *s. zero*, above zero; *Chi hai s. di te sul lavoro?*, who's above you at work?; **l'appartamento s. di noi**, the flat above us; *Abito s. un ristorante*, I live above a restaurant; *L'aereo salì s. le nubi*, the plane climbed above the clouds; *Ha un neo s. l'occhio destro*, he has a mole above his right eye; *Lo guardò da s. gli occhiali*, she looked at him over the rim of her glasses; *Le gonne vanno s. il ginocchio quest'anno*, skirts are worn above the knee this year; *Voghera è s. Tortona*, Voghera is north of Tortona **4** (*fig.*, *rif. a governo, dominio, ecc.*) over: **regnare s. molti popoli**, to reign over many peoples **5** (*rif. a successione temporale*) after; on top of: **fare errori s. errori**, to make mistake after mistake; *Non bere il vino s. il latte!*, don't drink wine on top of milk! **6** (*rif. a età, prezzo, ecc.*: *oltre*) over: **i bambini s. i dieci anni**, children over ten; *È s. il metro e ottanta*, she is over six foot tall; *Questo quadro è valutato s. i diecimila euro*, this painting is worth over ten thousand euros **7** (*più di, a preferenza di*) over; above; more than: **s. ogni cosa**, above all; more than anything else; most of all; *Mi piace s. ogni altra cosa*, I like it more than anything else; *Questo gli importa s. ogni cosa*, this is what matters most to him; **amare q. s. tutti**, to love sb. more than anyone else **8** (*intorno a*) on; about: **un commento s. le ultime vicende**, a comment about the latest events; **un saggio s. la scultura romana**, a critical essay on Roman sculpture ● (*econ.*) **s. la pari**, above par □ **s. pensiero** → **soprappensiero** □ **averne fin s. i capelli di**, (*essere stufo*) to be sick to death of; to be totally (*o absolutely*) fed up with; (*essere occupatissimo*) to be up to one's eyes in □ (*fig.*) **dormirci s.**, to sleep on it □ (*fig.*) **metterci una pietra s.**, to forget all about it; to let bygones be bygones □ (*fig.*) **passare s. qc.**, to pass over st.; to overlook st. □ **piangere s. qc.**, to cry over st. □ **riderci s.**, to laugh about it □ **tornare s. un argomento**, to go back to a topic □ **tornare s. una decisione**, to go back on a decision **B** **al di sópra di** *loc. prep.* above; beyond; over: **al di s. d'ogni sospetto**, beyond (*o above*) suspicion; **i bambini al di s. dei sei anni**, children over six; **al di s. dei propri mezzi**, beyond one's means; *Gli lanciò un'occhiata al di s. del bicchiere*, she cast him a glance over the rim of her glass; **porre l'onore al di s. di tutto il resto**, to place honour above everything else **C** *avv.* **1** (*in luogo o posizione più elevata*) above; up; (*in cima*) on top: *Guardai s. e sotto*, I looked above and underneath; *È là s.*, it's up there; *Si sta bene qui s.*, it's nice up here; *Metti s. le cose più fragili*, put the more delicate things on top; *È un po' rovinato s.*, it's slightly damaged on top; *S. c'è cioccolato e dentro marmellata di albicocche*, there is chocolate on top and apricot jam inside; **un lenzuolo con s. un monogramma**, a sheet with initials on it; **una torta con s. le ciliegine**, a cake with candied cherries on top; **un divano con s. una coperta**, a sofa with a rug over it; **da s.**, from above, from higher up; **visto da s.**, seen from above **2** (*a un piano superiore, anche* **di s.**) on the floor above; upstairs; upper (*agg.*): *Qui s. ci abita un pianista*, a pianist lives on the floor above us; *Il rumore viene da s.*, the noise is coming from upstairs; *È andato (di) s.*, he has gone upstairs; *Dev'essere (di) s.*, he must be upstairs; **l'appartamento di s.**, the upstairs flat; the flat above; **la famiglia di s.**, the family on the floor above; the family upstairs; **una delle stanze di s.**, one of the upper (*o upstairs*) rooms **3** (*precedentemente*) above: **s. indicato**, above-mentioned; **come s.**, as above; come

abbiamo detto s., as we said above; **il passo s. citato**, the passage quoted above; **la persona di cui s.**, the above-mentioned (*o aforesaid*) person; (*bur.*) **quanto s.**, the above; *Vedi la nota s.*, see the note above **D** **a. inv.** (*anche* **di s.**) on top; top (*attr.*); (*rif. a due*) **il cassetto (di) s.**, (*s. un altro*) the drawer above; (*il più in alto*) the top drawer; (*di due*) the upper drawer; **il labbro di s.**, the upper lip; **la parte (di) s.**, the upper part; **il piano di s.**, the floor above **E** **m.** (*anche* **di s.**) top; upper part; top side: *Il s. è rovinato*, the top is damaged; **il di s. della cassa**, the top side of the chest; **dal di s.**, from above; from the top; (*sport*) overhand (agg.)

soprabbondàre e *deriv.* → **sovrabbondare**, e *deriv.*

♦**sopràbito** m. overcoat; topcoat.

sopraccaricàre, **sopraccàrico** → **sovraccaricare**, **sovraccarico**.

sopraccàssa f. (*di orologio*) outer casing.

sopraccennàto a. above-mentioned; aforementioned.

sopraccigliàre → **sopracciliare**.

♦**sopraccìglio** m. (pl. **sopraccigli**, m. o **sopracciglia**, f.) eyebrow: **sopracciglia folte**, thick (*o bushy*) eyebrows; **aggrottare i sopraccigli**, to frown; to knit one's eyebrows; **alzare** (*o inarcare*) **un s.**, to raise an eyebrow.

sopracciliàre a. (*anat.*) superciliary; eyebrow (*attr.*): **arcata s.**, superciliary arch.

sopracciò m. overbearing person; domineering person.

sopraccitàto a. quoted above (pred.); above-stated; (*sopraddetto*) above-mentioned; aforementioned, aforesaid.

sopraccóda f. o m. (*zool.*) upper tail coverts (pl.).

sopraccopèrta **A** f. **1** coverlet; bedspread; counterpane **2** (*di libro*) dust jacket; cover **B** *avv.* (*naut.*) on deck.

sopraconduttóre m. (*fis.*) superconductor.

sopraconduzióne f. (*fis.*) superconduction.

sopràcqueo a. above water; surface (attr.).

sopracùto a. (*mus.*) above top C.

sopraddàzio m. surcharge; **s. d'importazione**, import surcharge.

sopraddétto a. aforesaid; above-mentioned; aforementioned.

sopraddominànte f. (*mus.*) submediant.

sopraddòte f. (*stor.*) paraphernalia (pl.); dower.

sopraebollizióne f. (*fis.*) overboiling.

sopraeccèdere e *deriv.* → **sopreccedere**, e *deriv.*

sopraeccitàre e *deriv.* → **sovreccitare**, e *deriv.*

sopraedificàre v. t. to build* on top of; to erect as a superstructure of.

sopraedificazióne f. **1** (*il sopredificare*) building on top **2** (*parte sopredificata*) superstructure.

sopraelencàto a. above-listed (attr.); listed above (pred.).

sopraelevàre v. t. **1** (*edil.*) to add storeys to: **s. un edificio di un piano**, to add a storey to a building; to raise a building by a storey **2** (*una strada, rotaie ferroviarie*) to superelevate; to bank.

sopraelevàta f. **1** (*ferrovia*) elevated railway (*GB*); elevated (railroad) (*USA*) **2** (*strada*) elevated road.

sopraelevàto a. **1** (*rialzato*) raised; (*di curva, ecc.*) banked: **curva sopraelevata**, banked curve; **edificio s.**, raised building;

piano s., extra storey **2** (*sospeso*) overhead; (*di strada, ecc.*) elevated: **ferrovia sopraelevata**, elevated railway (*GB*); elevated (railroad) (*USA*); **passaggio pedonale s.**, overhead walkway; **strada soprelevata**, elevated road.

sopraelevazióne f. **1** (*edil.*) addition of extra storeys; raising **2** (*edil.: piano sopraelevato*) added storey **3** (*ferr.*) superelevation.

sopraespósto a. above-stated; above--mentioned; aforementioned.

sopraffàre v. t. **1** (*dominare, soverchiare*) to oppress; to domineer; (*vincere*) to overwhelm, to overcome*, to overpower, to get* the better of: **s. i nemici**, to overwhelm one's enemies; *La gioia mi sopraffece*, I was overwhelmed with joy; *La curiosità mi sopraffece e aprii la porta*, curiosity got the better of me and I opened the door; **essere sopraffatto dal dolore**, to be overwhelmed (*o bowed down*) with grief **2** (*soffocare*) to drown; to cover: *Le sue proteste furono sopraffatte dagli applausi*, her protests were drowned out by cheering.

sopraffàtto a. overcome; overwhelmed; bowed down; crushed: *Eravamo sopraffatti dalla sorpresa*, we were overcome with astonishment; *Sedeva a testa bassa, s. dalla vergogna*, he sat with bent head, overcome by shame.

sopraffattóre **A** a. overbearing; domineering **B** m. (f. **-trice**) oppressor; despot; overbearing (*o domineering*) person; bully.

sopraffattòrio a. overbearing; domineering; bullying.

sopraffazióne f. **1** (*il sopraffare*) overwhelming; overcoming; bullying **2** (*sopruso*) abuse (of power); imposition; injustice.

sopraffìlo m. (*cucito*) overcast stitch; whipstitch: **fare il s. a** (*o cucire a s.*), to overcast; to whipstitch.

sopraffinèstra f. (*archit.*) fanlight; transom window.

sopraffìno a. **1** (*eccellente*) extra fine; excellent; first-rate; first-class: **merce sopraffina**, first-rate goods; **udito s.**, excellent hearing **2** (*fig.*) consummate; supreme; masterly; extreme: **arte sopraffina**, consummate artistry; **ladro s.**, master thief.

sopraffóndo m. (*di cornice*) passe-partout.

sopraffusióne f. (*fis.*) supercooling.

sopraffùso a. (*fis.*) supercooled.

sopraggittàre v. t. to overcast*; to whipstitch.

sopraggitto m. overcasting; overcast; whipstitch: **cucire con il s.**, to overcast; to whipstitch; **punto a s.**, whipstitch.

sopraggiùngere **A** v. i. **1** (*arrivare all'improvviso*) to arrive unexpectedly; to appear, to turn up; (*di fenomeno atmosferico*) to fall*, to set* in: *Proprio in quel momento sopraggiunse un vigile*, at that very moment a traffic warden appeared; *Sopraggiunse la notizia dell'incidente*, the news of the accident arrived unexpectedly; *Sopraggiunse la notte*, night fell; *Sopraggiunse un furioso temporale*, a thunderstorm set in; *Se dovesse s. la morte...*, should death supervene... **2** (*accadere all'improvviso*) to arise*; to occur; to supervene (*form.*); to set* in: *È sopraggiunta una difficoltà*, a difficulty has arisen; *Sopraggiunse la febbre*, a fever set in; *Sopraggiunsero complicazioni cardiache*, heart complications supervened **B** v. t. **1** (*cogliere all'improvviso*) to come* upon; to catch*; to take*: *Lo sopraggiunse un malore*, he was suddenly taken ill; *Il temporale ci sopraggiunse*, we were caught by the storm **2** (*raggiungere*) to reach.

sopraggiùnta f. addition: **per s.**, in addition; besides; on top of it; into the bargain; to boot.

sopraindicàto a. above-stated; above-mentioned; aforesaid.

soprainnestàre → **sovrainnestare**.

soprainnèsto → **sovrainnesto**.

soprainsième m. (*mat.*) superset.

sopraintèndere e *deriv.* → **soprintendere**, e *deriv.*

sopraliminàle a. (*psic.*) supraliminal.

soprallùogo m. inspection; examination; on-the-spot investigation (*leg.*): **disporre un s.**, to order an on-the-spot investigation; **fare un s.**, to make an inspection; to inspect (st.).

sopralùce m. inv. (*edil.*) fanlight; transom window.

sopràlzo m. (*edil.*) added storey; added storeys (pl.).

soprammànica f. oversleeve.

soprammàno → **sopraggitto**.

soprammenzionàto → **sopraindicato**.

soprammercàto m. – **per s.**, in addition; into the bargain; on the top of it; to boot.

soprammòbile m. knick-knack; ornament.

soprammóndo → **sopramondo**.

sopramondàno a. supermundane; ultramundane; otherwordly.

sopramóndo m. (*filos.*) supermundane sphere; world above.

sopranazionàle a. supranational.

sopranazionalità f. supranationality.

sopranìsta m. (*mus.*) treble singer.

soprannaturàle 🅰 a. **1** supernatural: **essere s.**, supernatural being; **fenomeni soprannaturali**, supernatural phenomena **2** (*fig.*) supernatural; superhuman; extraordinary: **forza s.**, supernatural (*o* superhuman) strength 🅱 m. supernatural: **credere nel s.**, to believe in the supernatural.

soprannaturalìsmo m. (*filos.*) supernaturalism.

soprannaturalità f. supernatural quality.

soprannazionàle → **sopranazionale**.

soprannazionalità → **sopranazionalità**.

soprànno a. (*zool.*) yearling.

soprannòlo m. (*naut.*) extra freight; back freight.

♦**soprannóme** m. sobriquet; name; (*nomignolo*) nickname, moniker (*fam.*).

soprannominàre v. t. to call; (*dare un nomignolo a*) to nickname.

soprannominàto ① a. (*chiamato con soprannome*) called, known as; (*con un nomignolo*) nicknamed: *Re Giovanni s. Senzaterra*, King John called Lackland; *Michele s. Trippa*, Michele, nicknamed Fatty.

soprannominàto ② → **sopranominato**.

soprannotàto → **sopraindicato**.

soprannumeràrio a. supernumerary; extra: **impiegato s.**, supernumerary (*o* extra) employee; **osso s.**, supernumerary bone.

soprannùmero 🅰 avv. (*anche* **in s.**) more than enough; in excess; extra (agg.); supernumerary (agg.); (*in esubero*) redundant (agg.): **personale in s.**, extra staff; redundant staff 🅱 a. inv. extra: **ore s.**, extra hours.

sopràno (*mus.*) 🅰 m. (*registro*) treble; soprano: **chiave di s.**, treble (*o* soprano) clef; **voce di s.**, soprano voice; (*di ragazzo*) treble voice; **cantare da s.**, to sing soprano; to be a soprano 🅱 m. o f. (*cantante*) soprano*: **s. leggero** [**drammatico**], coloratura [dramatic] soprano 🅲 a. treble; soprano: **sax s.**,

soprano sax; **viola s.**, treble viol.

sopranominàto a. above-mentioned (attr.); aforementioned; named above (pred.).

sopranormàle a. e m. paranormal.

sopranotàto → **soprannotato**.

soprapassàggio → **sovrappassaggio**.

soprappàrto 🅰 m. second birth 🅱 avv. in labour.

soprappensièro avv. **1** lost in thought (pred.); preoccupied (pred.) **2** (*distrattamente*) absent-mindedly; unthinkingly.

soprappéso m. **1** – **per s.**, in addition; into the bargain; for good measure **2** → **sovrappeso**.

soprappiù m. surplus; extra; (*estens.*: *cosa non necessaria*) unnecessary thing: **essere di s. rispetto a**, to be surplus to; **in** (*o* **per**) **s.**, as an extra; in addition; on top of it.

soprappòrta f. **1** (*archit.*) ornamental panel (over a door) **2** (*edil.*) fanlight; transom window.

soprapprèzzo → **sovrapprezzo**.

soprapproduzióne → **sovrapproduzione**.

soprapprofitto m. (*econ.*) excess profit; extra profit.

soprapùbico a. (*anat.*) suprapubic.

soprarazionàle a. superrational.

soprarrivàre → **sopraggiungere**.

soprascàrpa f. overshoe; galosh.

soprasegmentàle a. (*ling.*) suprasegmental.

soprasensìbile 🅰 a. supersensible; supersensual 🅱 m. suprasensible.

soprasènso m. **1** (*sesto senso*) sixth sense **2** (*letter.*) hidden sense; metaphorical sense.

soprassàlto m. start; jump: **avere un s.**, to give a start; to start; to jump; **di s.**, with a start; (*ad un tratto*) all of a sudden; **svegliarsi di s.**, to wake up with a start.

soprassaturazióne f. (*chim.*) supersaturation.

soprassàturo a. (*chim.*) supersaturated.

soprassedére v. i. to postpone; to delay; to defer; to put* off: **s. a una decisione**, to postpone (*o* to put off) a decision; *Per la vendita ho deciso di s. per il momento*, I've decided not to sell for the time being.

soprassegnàre v. t. to mark; to stamp.

soprasségno m. mark; stamp.

soprassicurazióne f. overinsurance.

soprassòglio m. **1** (*archit.*) lintel; architrave; transom **2** (*rialzo di argine*) temporary bank of sandbags.

soprassòldo m. extra pay; special allowance.

soprassuòla f. **1** (*di scarpa*) half-sole **2** (*di cingolato*) track protection plate.

soprassuòlo m. **1** topsoil **2** (*piante arboree*) vegetation; growth.

soprastallìa f. (*naut.*) demurrage; (al pl.) demurrage days.

soprastampàre e *deriv.* → **sovrastampare**, e *deriv.*

soprastànte 🅰 a. above 🅱 m. e f. supervisor; overseer.

soprastàre v. i. **1** (*soprintendere*) to supervise; to oversee* **2** → **sovrastare**.

soprastruttùra → **sovrastruttura**.

sopratònica f. (*mus.*) supertonic.

soprattàcco m. heel-tap; lift.

soprattàssa f. surtax; additional (*o* extra) tax; surcharge: **s. comunale**, local additional tax; **s. postale**, additional postage; (*per affrancatura insufficiente*) postage due.

soprattassàre v. t. to surcharge.

soprattènda f. over-curtain.

soprattétto m. upper sheet (of a tent).

soprattìtolo m. (*tipogr.*) half-title; bastard title.

♦**soprattùtto** avv. (*più di tutto*) above all, most of all, more than anything else; (*specialmente*) especially, particularly; (*principalmente*) chiefly, mostly, largely, primarily: *Ciò che voglio s. è un po' di pace*, what I want above all is a little peace and quiet; *Dei suoi quadri mi piacciono s. le nature morte*, of all his paintings I particularly like the still lifes; *La Germania è s. un paese industriale*, Germany is primarily an industrial country.

sopravalutàre e *deriv.* → **sopravvalutare**, e *deriv.*

sopravanzàre 🅰 v. t. (*superare*) to surpass; to exceed; to outdo* 🅱 v. i. **1** (*restare d'avanzo*) to be left: **il tempo che ci sopravanza**, the time that is left to us **2** (*sporgere*) to jut out; to overhang*.

sopravànzo m. **1** excess; surplus: **di s.**, in excess; surplus **2** (*residuo*) residue; remainder ● **Ce n'è di s.**, there's enough and to spare; there is more than enough.

sopravènto → **sopravvento**.

sopravvalutàre 🅰 v. t. to overestimate; to overrate; (*econ.*) to overvalue: **s. un avversario**, to overrate an opponent; **s. una difficoltà**, to overestimate a difficulty; **s. le proprie forze**, to overrate one's strength 🅱 **sopravvalutàrsi** to overrate oneself.

sopravvalutazióne f. overestimation; overrating; (*econ.*) overvaluation.

sopravveniènza f. **1** sudden (*o* unexpected) occurrence; unforeseen event; supervention (*form.*); (*eventualità*) contingency, juncture **2** (*econ.*) contingency; (*rag.*) contingent item: **sopravvenienze attive**, contingent assets; **sopravvenienze passive**, contingent liabilities.

sopravvenìre → **sopraggiungere**.

sopravventàre v. t. (*naut.*) to weather; to sail to windward of.

sopravvènto 🅰 avv. (*anche naut.*) windward: **navigare s.**, to have the weather gage; **passare s. a**, to weather; **tenersi s.**, to keep to windward; to keep the weather gage; *Barra s.!*, up with the helm! 🅱 a. inv. (*anche naut.*) windward; weather: **costa s.**, weather shore; **lato s.**, windward (*o* weather) side; (*geogr.*) **le Isole S.**, the Windward Islands 🅲 m. **1** (*naut.*) windward (side); weather side; (*anche* **vantaggio del s.**) weather gage: **avere** [**conservare**] **il s.**, to have [to keep] the weather gage; **guadagnare il s.**, to sail to windward of **2** (*fig.*) advantage; edge; upper hand: **avere il s.**, to prevail; **prendere il s. su**, to get the upper hand over; to get the better of; to prevail over; to overwhelm.

sopravvèste f. overall; (*stor.*) surcoat.

sopravvìa f. flyover (*GB*); overpass (*USA*).

sopravvissùto 🅰 a. **1** surviving: **i passeggeri sopravvissuti**, the surviving passengers: **i marinai sopravvissuti al naufragio**, the sailors who survived the shipwreck **2** (*fig.*) outdated; outmoded 🅱 m. (*f.* **-a**) **1** survivor: *Non ci sono sopravvissuti*, there are no survivors; **i sopravvissuti all'incendio**, those who survived the fire **2** (*fig.*) fossil; relic of the past; old fogey (*fam.*).

sopravvitto m. extra food.

sopravvivènte 🅰 a. surviving 🅱 m. e f. survivor.

sopravvivènza f. survival; survivorship (*leg.*): *La nostra s. dipendeva dal tempo*, our survival depended on the weather; **in caso di s. della moglie**, if the wife outlives her husband; **corso di s.**, survival course; **lotta per la s.**, struggle for survival; **la lotta**

quotidiana per la s., the daily struggle to survive; **probabilità di** s., (*stat.*) life expectancy; (*zool.*) livability; **rendita di** s., survivorship annuity; (*med.*) **sistema di** s., life--support system; (*stat.*) **tavola di** s., life table.

♦**sopravvivere** v. i. **1** (*restare in vita dopo q.*) to survive (sb.); (*continuare a vivere*) to outlive (sb.); (*durare più a lungo*) to outlast (st.): s. **ai propri figli**, to survive one's children; *Le sopravvisse di pochi mesi*, she outlived her by a few months; *Gli alberi che ho piantato sopravviveranno ai miei nipoti*, the trees I planted will outlive my grand--children **2** (*scampare*) to survive (st.); to live through: s. **a un naufragio**, to survive a shipwreck; s. **a tre guerre**, to survive (o to live through) three wars **3** (*essere ancora vivo*) to survive; (*non morire*) to live, (*fig.*) to live on: *Il bambino è sopravvissuto*, the child survived; *Non credo che il paziente sopravviverà*, I don't think the patient will live **4** (*fig.: perdurare*) to endure; to survive.

sopreccedènte a. surplus (attr.); excess (attr.).

sopreccedènza f. surplus; excess: **in** s., in surplus; surplus (attr.); in excess; excess (attr.).

sopreccèdere A v. t. to exceed; to surpass; to go* far beyond B v. i. to be in excess; to be excessive.

sopredificàre e *deriv.* → **sopraedificare**, e *deriv.*

soprelencàto → **sopraelencato**.

soprelevàre e *deriv.* → **sopraelevare**, e *deriv.*

soprintendènte A a. supervising; superintending B m. e f. superintendent; supervisor; (*sorvegliante*) overseer; (*amm.*) superintendent, head; (*di museo, biblioteca*) curator; (*di azienda agricola*) estate agent, steward: s. **alle Belle Arti**, head of the Monuments and Fine Arts Office, s. **alle dogane**, commissioner of customs; s. **alle ferrovie**, railway superintendent; s. **ai lavori pubblici**, superintendent of public works; s. **ai lavori** (*edilizi, ecc.*), supervisor of the works.

soprintendènza f. **1** (*incarico*) superintendence, supervision; (*carica*) superintendency: **avere la** s. **di qc.**, to superintend (o to supervise) st.; *Gli è stata affidata la* s. *dei lavori*, he has been made supervisor of the works **2** (*ufficio*) office, bureau (USA): S. **alle Belle Arti**, Monuments and Fine Arts Office; s. **scolastica**, school superintendency.

soprintèndere v. i. to superintend; to supervise; to direct; to preside over: s. **ai lavori**, to superintend (o to supervise, to direct) the works; s. **all'andamento della casa**, to preside over the household.

soprùsso m. bony outgrowth.

soprùso m. abuse of power; abuse; imposition; injustice: **commettere un** s., to commit an abuse (of power); **essere vittima di un** s., to suffer an imposition; *È un vero s.!*, this is an imposition!

soqquàdro m. utter confusion; total chaos; shambles: **mettere la casa a** s., to turn the house upside-down; *I licenziamenti hanno messo a s. l'ufficio*, the sackings have caused total chaos in the office; *L'appartamento era a s. dopo la visita dei ladri*, the flat was (in) a shambles after the burglars' raid.

sòrba f. **1** sorb apple; service berry **2** – s. **selvatica**, rowan berry **3** (*fig. region.: botta, percossa*) blow.

sorbettàre v. t. **1** (*congelare*) to freeze* **2** (*fig. fam.*) → **sorbire**, def. 2.

sorbettièra f. ice-cream box; ice-cream maker.

sorbettière m. (f. **-a**) worker in an ice--cream factory; ice-cream maker.

sorbétto m. sorbet; water ice; sherbet (USA).

sòrbico a. (*chim.*) sorbic: **acido** s., sorbic acid.

sorbìre v. t. **1** (*sorseggiare*) to sip; (*bere*) to drink* **2** (*fig.*) (to have) to put* up with; (*discorso, conferenza, ecc.*) (to have) to sit* through (st.): *Mi sono dovuto s. quel noioso tutta la serata*, I had to put up with that bore for the whole evening; *Mi sono sorbettata una conferenza noiosa*, I sat (o I had to sit) through a boring lecture.

sorbitòlo m. (*chim.*) sorbitol.

sòrbo m. (*bot.*) **1** (*Sorbus domestica*) sorb; service tree **2** – s. **selvatico** (*Sorbus aucuparia*), mountain ash; rowan.

sòrbola → **sorba**.

sorcino a. mouse-coloured; mouse-grey; mousy.

sórcio m. (*zool., Mus*) mouse* ● (*fig.*) **far vedere i sorci verdi a q.**, (*mettere in difficoltà*) to give sb. a hard time; (*spaventare*) to scare the wits out of sb.

sordàggine f. hardness of hearing.

sordàstro a. hard of hearing; slightly deaf.

sordidézza f. **1** (*sporcizia*) filthiness; dirtiness; sordidness **2** (*fig.: turpitudine*) sordidness; vileness **3** (*fig.: grettezza*) miserliness; meanness.

sòrdido a. **1** (*sporco*) filthy; dirty; sordid **2** (*fig.: turpe*) sordid; vile **3** (*fig.: gretto*) miserly; mean.

sordìna f. (*mus.*) **1** mute; sordino*; damper; (*di pianoforte*) dampers (pl.), soft pedal: **mettere la s. a un violino**, to mute a violin; **suonare con la s.**, to play with the mute on; (*di pianoforte*) to soft-pedal; **con** s., con sordino **2** (*strumento a tasti*) spinet ● **in** s., softly; (*fig.: senza clamore*) quietly, discreetly; (*nascostamente*) on the quiet, on the sly: **cantare in** s., to sing softly; to hum; *Il suo quarto matrimonio fu celebrato in s.*, his fourth wedding was a quiet affair.

sordità f. **1** (*anche fig.*) deafness: s. **preverbale**, preverbal deafness **2** (*fon.*) voicelessness.

sórdo A a. **1** deaf: s. **da un orecchio**, deaf in one ear; s. **dalla nascita**, deaf from birth; born deaf; s. **come una campana**, as deaf as a post **2** (*fig.*) deaf; indifferent; insensitive; impervious: s. **alle rimostranze di** q., deaf to sb.'s complaints; s. **alla ragione**, deaf (o impervious) to reason; s. **ai problemi sociali**, indifferent to social problems **3** (*di ambiente*) echoless; with poor acoustics: **stanza sorda**, echoless room; **teatro** s., theatre with poor acoustics **4** (*cupo, smorzato*) dull; hollow; (*attutito*) muffled, muted: **rumore** s., dull sound; **tonfo** s., thud; **voce sorda**, hollow voice **5** (*di sensazione*) dull: **dolore** s., dull ache **6** (*fig.: tacito, celato*) covert; secret; hidden; veiled: **odio** s., covert hatred; **sorda rivalità**, veiled rivalry; **fare una guerra sorda a** q., to oppose sb. secretly **7** (*fon.*) unvoiced; voiceless B m. (f. **-a**) deaf person: **scuola per sordi**, school for the deaf ● (*fig.*) **fare il** s., to turn a deaf ear to st. □ (*fig.*) **parlare ai sordi**, to talk to the wall; to waste one's breath □ (*prov.*) **Non c'è peggior s. di chi non vuol sentire**, none so deaf as those that will not hear.

sordomutìsmo m. (*med.*) deaf-mutism.

sordomùto a. e m. (f. **-a**) deaf-mute: **il linguaggio dei sordomuti**, sign language.

sordóne① m. (*mus.*) sordone.

sordóne② m. (*zool., Prunella collaris*) alpine accentor.

♦**sorèlla** A f. **1** sister: s. **adottiva**, adoptive sister; s. **consanguinea**, half-sister on the father's side; s. **da parte di madre [padre]**, half-sister on the father's [mother's] side; s.

di latte, foster sister; s. **gemella**, twin sister; s. **germana**, full sister; sister-german; s. **maggiore**, elder sister; eldest sister; big sister (*fam.*); s. **minore**, younger sister; youngest sister; little (o kid) sister (*fam.*); s. **uterina**, uterine sister; **fratelli e sorelle**, brothers and sisters; siblings (*form.*); **amarsi come sorelle**, to love one another like sisters; to be like sisters; **amore da (o di) s.**, sisterly love **2** (*amica, compagna*) sister **3** (*cosa identica o accoppiata*) match: **la s. di questa scarpa**, the match of this shoe; *Queste sedie sono sorelle*, these chairs match **4** (*suora*) sister: s. **laica**, lay sister; **sorelle della Carità**, Sisters of Charity ● (*mitol.*) **le tre sorelle**, the three (o fatal) sisters; the Fates □ (*econ.*) **le sette sorelle**, the Seven Sisters B a. sister (attr.); closely related: **arti sorelle**, sister arts; **città sorelle**, sister cities; **lingue sorelle**, closely related languages; **nave** s., sister ship.

sorellànza f. **1** sisterhood **2** (*fra cose*) relationship; affinity.

sorellàstra f. (*figlia di uno dei due genitori*) half-sister; (*figlia del patrigno o della matrigna*) stepsister.

sorgènte① A a. **1** (*astron.*) rising **2** (*emergente, anche fig.*) arising; emerging **3** (*comput.*) source (attr.): **linguaggio** s., source language B m. (*comput.*) source code.

sorgènte② f. **1** spring; well; (*di fiume*) source, (river) head: s. **sulfurea**, sulphur spring; s. **sotterranea**, subterranean spring; s. **termale**, hot (o thermal) spring; (*terme*) spa; **acqua di** s., spring water; *Il Po ha le sue sorgenti sul Monviso*, the sources of the Po are on Monviso; the Po rises from Monviso **2** (*fis.*) source: s. **di energia** [**di luce**], energy [light] source **3** (*fig.: origine*) source; origin: s. **di felicità**, source of happiness; s. **di guadagni** [**di ricchezza**], source of profits [of wealth]; **la s. di tutti i nostri mali**, the origin of all our woes; (*fig.*) **risalire alla s. di qc.**, to go back to the source of st.; to go to the roots of st.

sorgentìfero, sorgentìzio a. spring (attr.): **bacino** s., spring catchment basin (o area).

♦**sórgere①** A v. i. **1** (*lett.: alzarsi, di persona*) to rise*: s. **a parlare**, to rise to speak; s. **in piedi**, to rise (from one's seat); to stand up **2** (*ergersi*) to stand*, to rise*; (*apparire alla vista*) to rise*: *Il castello sorge su uno sperone di roccia*, the castle stands on a rocky spur; *In lontananza sorgevano montagne boscose*, wooded mountains rose in the distance **3** (*di astro*) to rise*; (*di giorno*) to rise*, to dawn: *A che ora sorge il sole?*, what time does the sun rise? **4** (*manifestarsi, levarsi*) to arise*; to rise*: *Sorse un vento che fece tremare la casa*, a strong wind arose and shook the house; *Dalla folla sorse un grido*, a shout rose from the crowd **5** (*scaturire, di fiume*) to rise*; (*di sorgente*) to spring* **6** (*fig.: nascere, emergere*) to arise*; to emerge; to spring* up; to crop up (*fam.*): *Sorse una discussione*, a discussion arose; *Mi sorse un dubbio improvviso*, a sudden doubt arose in my mind; I was struck by a sudden doubt; *La sua domanda mi fece s. un sospetto*, his question aroused my suspicions (o made me suspicious); *Sono sorte nuove difficoltà*, new difficulties have arisen (o have cropped up); *Sorsero nuovi villaggi*, new villages sprang up; **far** s., (*causare, provocare*) to give rise to; to cause; to arouse **7** (*fig. lett.: assurgere*) to rise*; to attain (st.): s. **a grande fama**, to rise to great fame; to attain great fame; *I Medici sorsero a grande potenza*, the Medicis rose to great power B m. (*di astro*) rising: **il s. del sole**, the rising of the sun; sunrise; sunup (USA).

sórgere② v. i. (*naut.*) – s. **sull'àncora**, to

ride at anchor.

sorgitóre m. (*naut.*) anchoring ground; anchorage.

sorgiva f. (*lett.*) spring; well-head.

sorgivo a. **1** spring (attr.): **acqua sorgiva**, spring water **2** (*fig.*) fresh; pure.

sórgo m. (*bot.*, *Sorghum vulgare*) sorghum.

soriàno m. (anche agg.: **gatto s.**) tabby (cat).

sorite m. (*filos.*) sorites.

sormontàbile a. surmountable.

sormontàre A v. t. **1** (*salire al di sopra di*) to rise* above; (*di acque*) to overflow: **s. le sponde**, to overflow the banks **2** (*fig.*) to surmount; to overcome*: **s. una difficoltà**, to surmount a difficulty **B** v. i. (*sovrapporsi*) to overlap.

sornióne A a. sly; crafty; deep; knowing: **È un tipo s.**, he's a deep one; **dare un'occhiata sorniona a q.**, to glance slyly at sb.: **sorriso s.**, knowing smile **B** m. (f. **-a**) sly one; deep one; sly dog (m., *fam.*); slyboots (*fam.*).

sornionerìa f. slyness; craftiness; knowingness.

sòro m. (*bot.*) sorus*.

sororàle a. (*lett.*) sisterly; sororal: **affetto s.**, sisterly love.

sororàto m. (*antrop.*) sororate.

soròsio m. (*bot.*) sorosis*.

♦**sorpassàre** v. t. **1** (*superare*) to surpass; to exceed: **s. q. in altezza**, to be taller than sb.; to surpass sb. in height; **s. il limite di velocità**, to exceed the speed-limit **2** (*oltrepassare*) to pass, to go* [to walk, to run*, etc.] past; (*di veicolo, anche assol.*) to overtake*; (*salire più in alto*) to rise* above (o beyond), to top: **s. q. senza notarlo**, to pass (o to go past) sb. without noticing him; *In Italia è vietato s. a destra*, overtaking on the right is forbidden in Italy **3** (*sopravanzare*) to surpass; to excel; to outdo*; to outstrip; to outdistance; to outrun*; (*lasciarsi dietro*) to leave* behind; (*eccedere*) to overstep: **s. il maestro**, to excel one's teacher; **s. q. in coraggio**, to surpass sb. in courage; **s. q. in astuzia**, to outwit sb.; **s. un concorrente**, to outrun a competitor; **s. ogni limite**, to pass all limits; *Li abbiamo sorpassati nel fatturato*, we have topped their sales.

sorpassàto A a. (*superato, non più attuale*) old-fashioned; outmoded; outdated; out (pred.) **B** m. (f. **-a**) fossil (*fam.*); old fogey (*fam.*).

sorpàsso m. **1** (*autom.*) overtaking: **s. pericoloso**, overtaking in dangerous circumstances; **effettuare un s.**, to overtake; **corsia di s.**, fast lane; overtaking lane; **divieto di s.**, no overtaking **2** (*fig.: superamento*) getting ahead.

sorprendènte a. surprising; astonishing; amazing; startling: *Ho delle notizie sorprendenti*, I have some astonishing news; *Ha un coraggio s.*, his courage is amazing.

♦**sorprèndere A** v. t. **1** (*cogliere di sorpresa*) to surprise; to catch*: **s. il nemico**, to surprise the enemy; **s. q. in flagrante**, to catch sb. in the act (o red-handed); **s. q. mentre sta rubando**, to catch sb. stealing; **essere sorpreso dalla polizia**, to be caught by the police; **essere sorpreso da un temporale**, to be caught in a storm **2** (*fig.: meravigliare*) to surprise; to come* as a surprise: *Tu mi sorprendi*, you surprise me; *Forse ti sorprenderà che...*, it may come as a surprise to you that...; *Non mi sorprenderebbe se...*, I shouldn't be surprised (o it wouldn't surprise me) if...; *Mi sorprende che tu ti fidi ancora di lui*, I'm surprised that you (should) still trust him; *Niente più mi sorprende*, nothing surprises me any longer; *Quello che più sorprende è il suo si-*

lenzio, what is most surprising is his silence **B** **sorprèndersi** v. i. pron. (*meravigliarsi*) to be surprised: *Ti sorprendi di vedermi qui?*, are you surprised to see me here? *Non mi sorprendo più di nulla*, nothing surprises me any longer; *Non c'è da sorprendersi se loro...*, it's no wonder they...; it is no surprise that they... **C** **sorprèndersi** v. rifl. (*scoprirsi*) to catch* oneself; to find* oneself: *Mi sorpresi a parlare da solo*, I caught myself talking to myself; *Si sorprese a sperare che...*, she found herself hoping that...

♦**sorprésa** f. **1** (*il sorprendere*) surprise: *La s. è un elemento essenziale in questi casi*, surprise is an essential element in such cases; **a s.**, surprise (attr.); unexpected (agg.): **esito a s.**, unexpected outcome; **visita a s.**, surprise visit; **di s.**, by surprise; surprise (attr.); **attaccare di s.**, to attack by surprise; **cogliere q. di s.**, to take sb. by surprise; to catch sb. off his guard (o on the hop); (*giungere inatteso*) to come as a surprise; **attacco di s.**, surprise attack; **elemento di s.**, element of surprise **2** (*cosa che provoca s.*) surprise: **s. gradita [sgradita]**, pleasant [unpleasant] surprise; **brutta s.**, nasty surprise; *La sua elezione fu una s. per tutti*, his election came as a surprise for everyone; *Trovarlo là fu una s.*, it came as a surprise to find him there; *Non è una s.*, it comes as no surprise; *Le sorprese non finiscono mai*, wonders will never cease; **fare una s. a q.**, to surprise sb.; **uovo di Pasqua con la s.**, Easter egg with a surprise inside **3** (*meraviglia*) surprise; astonishment; amazement; wonder: **con mia (grande) s.**, (much) to my surprise; **con s. di tutti**, to the surprise of everyone; *Puoi immaginare la nostra s.*, you can imagine our amazement; **destare s.**, to cause surprise; **riaversi dalla s.**, to recover from one's surprise; **espressione di s.**, astonished look; **motivo di s.**, cause for surprise.

sorpréso a. (*stupito*) surprised; (*meravigliato*) amazed, astonished; (*sconcertato*) puzzled, nonplussed: **uno sguardo s.**, a look of surprise; *Mi guardò s.*, he looked at me in surprise; *Fui s. dalla sua reazione*, his reaction surprised (o puzzled) me; **fare la faccia sorpresa**, to look amazed; (*fingere sorpresa*) to pretend to be amazed; **restare s.**, to be surprised; to be taken aback; to be nonplussed.

sorrèggere A v. t. **1** (*sostenere*) to support; to hold* up; to prop up; to carry the weight of: **s. il tetto**, to support (o to hold up) the roof; *Sorreggilo, sta svenendo*, hold him up, he's about to faint **2** (*fig.: confortare*) to sustain; to comfort; (*incoraggiare*) to encourage; (*aiutare*) to assist; to help: *Lo sorregge la speranza*, he is sustained by hope **B** **sorrèggersi** v. rifl. (*tenersi ritto*) to stand* (upright); to hold* oneself up: *Non mi sorreggevo*, I was unable to stand.

♦**sorridènte** a. **1** smiling; (*allegro*) cheerful: **viso s.**, smiling face; *Tua madre è sempre s.*, your mother is always cheerful **2** (*fig., di luogo*) pleasant.

♦**sorrìdere A** v. i. **1** to smile; (*scoprendo i denti*) to grin: **s. a q.**, to smile at sb.; **s. di qc.**, to smile at st.; **s. a fior di labbra**, to smile faintly; **s. con aria di superiorità**, to smirk; **s. radiosamente**, to beam **2** (*fig.: arridere*) to smile: *Gli sorrideva la vita*, life smiled on him **3** (*fig.: attrarre, piacere*) to appeal; to like (pers.): *È un'idea che mi sorride*, the idea appeals to me; I like the idea **B** **sorridersi** v. rifl. recipr. to smile at each other.

♦**sorrìso** m. **1** smile; (*che scopre i denti*) grin: **s. a denti stretti**, tight-lipped smile; **s. a fior di labbra**, faint smile; **s. a trentadue denti**, broad grin; **s. affettato**, simper; **s. compiaciuto**, smug smile; **s. di derisione**, scornful smile; **s. d'intesa**, knowing smile;

s. di superiorità, superior smile; smirk; **s. forzato**, forced (o strained) smile; **s. raggiante**, beaming smile; **largo s.**, broad (o big) smile; grin; *Un s. gli illuminò il volto*, a smile (o a grin) lit up his face; **con il s. sulle labbra**, smiling; with a smile on one's lips; **senza s.**, unsmiling; **abbozzare un s.**, to smile faintly; to half smile; **acconsentire con un s.**, to smile consent; **atteggiare la bocca al s.**, to assume a smiling expression; **avere sempre il s. sulle labbra**, to be always smiling; **avere un s. per tutti**, to have a smile for everyone; **essere tutto sorrisi**, to be all smiles; **fare un s.**, to smile; **trattenere un s.**, to suppress a smile **2** (*fig. lett.: favore*) smile: *il s. della fortuna*, Fortune's smile **3** (*fig.: bellezza, fascino*) beauty; charm.

sorsàta f. draught; gulp; swig: **una s. di birra fresca**, a draught of cool beer; **bere a lunghe sorsate**, to take long draughts; to swig (st.); **mandare giù una s. d'acqua**, to swallow a mouthful of water; **vuotare il bicchiere in una s.**, to empty the glass in one gulp.

sorseggiàre v. t. to sip: **s. il tè**, to sip (one's) tea.

sórso m. **1** draught; mouthful; swallow; gulp; (*piccolo*) sip: **un s. di birra**, a draught of beer; **un s. d'acqua**, a mouthful of water; (*un po' d'acqua*) a drink of water, some water; *Dammi un s. d'acqua*, give me some water; **bere a lunghi sorsi**, to take long draughts; to drink deep; **bere a piccoli sorsi**, to take small sips (of); to sip; **bere un s. di vino**, to drink (o to swallow) some wine; **bere un s.**, to down st. in one gulp; to drink st. in one swallow; (*spec. di alcolico*) to knock back st. in one gulp; (*fig.*) **un s. di troppo**, a drink too many **2** (*piccola quantità*) drop; spot: **prendere un s. di vino**, to have a drop of wine; *Vuoi un s. di brandy?*, would you like a drop of brandy?; *Solo un s.!*, just a drop!

sòrta f. sort; kind; type; manner; description: **una s. di frittella**, a sort (o a kind) of fritter; **una strana s. di cappello**, a strange kind of hat; **ogni s. di libri**, all kinds (o sorts) of books; books of all kinds; **d'ogni s.** (o **di tutte le sorte**), of every kind; of all sorts; of every description; of every size and shape; **gente d'ogni s.**, people of all kinds; all kinds of people; **pericoli d'ogni s.**, all kinds of risks; **della peggior s.**, of the worst kind; *Che s. di persona è sua moglie?*, what sort (o kind) of person is his wife? ● **senza spesa di s.**, without any expense whatever; with no expense at all; at no expense □ **Non c'è problema di s.**, it is no trouble at all (o whatsoever) □ **Gliene fanno d'ogni s.**, they play all sorts of tricks on him □ **Quel ragazzo ne fa d'ogni s.**, that boy is always up to mischief.

♦**sòrte** f. **1** (*destino*) fate, destiny, lot, (*negativa, anche*) doom: (*fortuna*) fortune, luck: **la buona [la cattiva] s.**, good [bad o hard] luck; **s. avversa**, ill luck; **le sorti d'un paese**, the destiny (o the future) of a country; *La s. ha deciso altrimenti*, fate (o luck) decided otherwise; *La sua s. è segnata*, his doom is sealed; his hour has come; **accettare la propria s.**, to accept one's lot; **condividere la s. di q.**, to share sb.'s lot; **decidere della s. di q.**, to decide sb.'s fate; **imprecare contro la s.**, to curse (one's) luck (o fate); **essere schiavo della propria s.**, to be a slave to one's own destiny; **meritare una s. migliore**, to deserve a better fate; **i tiri della s.**, the tricks of fate (o of fortune) **2** (*condizione*) lot (in life): **essere contento della propria s.**, to be content with one's lot (in life); **lamentarsi della propria s.**, to complain of one's lot **3** (*caso*) chance; (*fortuna*) fortune, luck: **affidarsi alla s.**, to trust to chance; **far decidere qc. alla s.**, to leave st. to chance; *Co-*

me volle la s., as luck (*o* chance) would have it 4 (al pl.) (*strumenti per trarre un pronostico*) lots: **gettare le sorti**, to cast lots ● **avere in s. qc.**, (*di bello*) to be blessed with st., to have the fortune to have st., to be lucky enough to have st., (*di spiacevole*) to be cursed with st., to have the ill fortune to have st., to be unfortunate enough to have st.: *Ho avuto in s. una bella famiglia*, I have the fortune to have a wonderful family; *Ho avuto in s. amici generosi*, I am lucky enough to have generous friends; **aver avuto in s. il dono dell'eloquenza**, to be blessed with the gift of eloquence □ **estrarre a s. qc.**, to draw st. □ **fare buon viso a cattiva s.**, to make the best of a bad bargain; to put a brave face on it □ **in balia della s.**, at the mercy of fate (*o* of chance) □ **nella buona e nella cattiva s.**, for better or for worse; through thick and thin □ **per buona s.**, luckily; fortunately □ **per ironia della s.**, ironically; as luck would have it □ **per mala s.**, unluckily; unfortunately □ **predire la s. a q.**, to tell (*o* to read) sb. his fortune □ **sfidare la s.**, to defy chance; to push one's luck: *È meglio non sfidare la s.*, we'd [you'd, etc.] better not push our [your, etc.] luck too far □ **Le sorti si capovolsero**, the tide turned □ **La s. volle che...**, it happened that...; as luck would have it... □ **tentare la s.**, to try one's luck; to take a chance (*o* a gamble) □ **tirare a s.**, to draw (*o* to cast) lots; to draw; (*tirando una moneta*) to toss a coin, to toss up; (*tirando una paglia*) to draw straws: *Tiriamo a s. per vedere chi deve andare per primo*, let's draw lots to decide (*o* let's draw for) who will go first; **decidere [scegliere] tirando a s.**, to decide [to choose] by lot; to draw lots; *Si dovette tirare a s.*, lots had to be drawn □ **toccare in s.**, (*rif. a compito, ecc.*) to fall to sb.'s lot; (*rif. a cosa*) → **avere in s**

sorteggiàbile a. that can be decided by lot.

sorteggiàre v. t. to decide (*o* to choose*) by lots; to draw*; to draw* for; to draw* lots for: **s. un nome**, to draw a name; **s. un premio**, to draw lots for a prize; *Il vincitore è stato sorteggiato*, the winner was chosen by lot.

sorteggiàto Ⓐ a. drawn (pred.); chosen by lots; (*che ha vinto qc.*) winning: **i numeri sorteggiati**, the numbers drawn; the winning numbers Ⓑ m. (f. **-a**) name [person] drawn; (*vincitore*) winner.

sortéggio m. drawing (*o* casting) of lots; draw; (*con lancio di una moneta*) toss-up, (*sport*) toss: (*calcio*) **il s. del campo**, the toss; **decidere per (*o* a) s.**, to decide by lot; **fare il s.**, to draw; *Fu fatto il s.*, lots were drawn; they drew lots.

sortilègio m. 1 (*incantesimo*) (magic) spell, charm; (*magia*) sorcery Ⓤ, witchcraft Ⓤ: **fare sortilegi**, to practise sorcery (*o* witchcraft); **gettare un s.**, to cast a spell; **essere vittima di un s.**, to be a victim of sorcery; to be under a spell 2 (*stor.: pratica divinatoria*) sortilege.

sortire① v. t. 1 (*lett.: assegnare in sorte*) to give* by lot 2 (*lett.: avere in sorte*) to be given by lot; (*essere dotato di*) to be endowed with: **s. un grande talento**, to be endowed with great talent 3 (*ottenere*) to have; to get*; to achieve; to meet* with: **s. buon effetto**, to be successful; to meet with success; **s. l'effetto contrario**, to have the opposite effect; **non s. buon effetto**, to be unsuccessful; **s. il risultato voluto**, to have (*o* to achieve) the desired effect.

sortire② v. i. 1 (*lett.: uscire a sorte*) to be drawn (by lot); to come* up 2 (*mil.*) to make* a sortie 3 (*region.: uscire*) to go* out.

sortita f. 1 (*mil.*) sortie; sally: **s. cieca**, night sortie; **fare una s.**, to make a sortie; to

sally forth 2 (*teatr.*) entrance 3 (*battuta*) quip; witty remark; witticism 4 (*region.: uscita*) going out.

sorvegliànte m. e f. 1 (*supervisore*) supervisor; (*caposquadra*) overseer 2 (*guardiano*) guard; watchman* (m.); (*custode*) caretaker: **s. notturno**, night watchman.

sorveglianza f. 1 (*osservazione*) surveillance, watch; (*custodia*) keeping, care, caretaking; (*guardia*) guard; (*a esami scritti*) invigilation: **stretta s.**, close watch; **s. speciale**, police surveillance; *I bambini sono affidati alla sua s.*, the children are entrusted to her care; **esercitare la massima s.**, to keep careful watch; **essere sotto s.**, (*essere tenuto d'occhio*) to be under surveillance; (*essere sotto custodia*) to be under guard; **sfuggire alla s. di q.**, to evade sb.'s surveillance; to give sb. the slip (*fam.*); **tenere sotto s.**, (*tenere d'occhio*) to keep (a close) watch on; (*custodire*) to keep under guard 2 (*soprintendenza*) superintendence; supervision; overseeing.

◆**sorvegliàre** v. t. e i. 1 (*tener d'occhio, badare a*) to keep* an eye on, to look after, to mind; (*fare la guardia a*) to guard, to watch over; (*a esami scritti*) to invigilate: **s. i bambini**, to look after (*o* to mind) the children; to keep an eye on the children; **s. un prigioniero**, to guard a prisoner; **s. le uscite**, to guard (*o* to stand guard at) the exits; *Le strade erano tutte sorvegliate dalla polizia*, the roads were all policed; *Mi puoi s. il negozio mentre sono fuori?*, can you look after the shop while I'm away? 2 (*seguire, controllare*) to watch; to keep* watch on; to monitor; to follow: **s. l'andamento delle vendite**, to follow (*o* to monitor) sales; **s. i movimenti di q.**, to keep watch on sb.'s movements; to keep tabs on sb. (*fam.*); **s. il traffico**, to monitor the traffic; *Siamo sorvegliati*, we are being watched 3 (*soprintendere*) to superintend; to supervise; to oversee*.

sorvegliàto Ⓐ a. 1 watched; guarded; kept under watch; kept under surveillance; (*a cui si bada*) looked-after; (*di luogo*) patrolled, policed: **bambino ben s.**, well looked-after child; **quartiere s.**, patrolled neighbourhood 2 (*seguito, controllato*) monitored Ⓑ m. (f. **-a**) person under surveillance: **s. speciale**, person kept under police surveillance.

sorvolàre v. t. e i. 1 (*aeron.*) to fly* over; to overfly*: **s. una città**, to fly over a city; **s. a bassa quota**, to fly low over; to buzz (*fam.*) 2 (*fig.*) to pass over; to gloss over; to ignore; (*omettere*) to leave* out, to omit, (*saltare*) to skip: **s. sui dettagli**, to pass over (*o* to skip) the details; **s. su una domanda**, to ignore a question; *Meglio s. (o Sorvoliamo)!*, the less said, the better.

sorvólo m. (*aeron.*) flight over; overflight: **il s. della regione**, the flight over the region; **durante il s. dell'obiettivo**, during the flight over the target; while flying over the target.

S.O.S. m. SOS; mayday; distress call: **lanciare un S.O.S.**, to send out an SOS (*o* a distress call); (*fig.*) to send out a call for help; **ricevere un S.O.S.**, to pick up an SOS.

soscrizióne f. colophon.

sòsia m. (sb.'s) double; (dead) ringer (*fam.*): *È il perfetto s. di tuo fratello*, he's your brother's perfect double; he's a dead ringer for your brother; **incontrare il proprio s.**, to meet one's double.

◆**sospèndere** v. t. 1 (*appendere*) to hang* (up); to suspend: **s. un lampadario al soffitto**, to hang a chandelier from the ceiling; **s. un'amaca tra due alberi**, to sling a hammock between two trees 2 (*chim.*) to suspend 3 (*fig.: interrompere*) to suspend; to interrupt; to cease (temporarily); to discontinue; to cancel; to call off; (*una fornitura*) to cut* off; (*anche leg.*) to stay: **s. le attività**, to

suspend all activities; **s. un'azione legale**, to stay proceedings; **s. una cura**, to discontinue a treatment; **s. la fornitura del gas**, to cut off the gas; (*fig.*) **s. il giudizio**, to suspend judgment; **s. il lavoro**, to stop work; (*fare un intervallo*) to break off; **s. le ostilità**, to suspend hostilities; **s. i pagamenti**, to stop (*o* to cease) payments; **s. una partita per la pioggia**, to rain off (*USA* out) a match; **s. le pubblicazioni**, to suspend publication; **s. una rappresentazione**, to cancel a performance; **s. le ricerche dei sopravvisuti**, to call off the search for survivors; **s. una sentenza**, to suspend (*o* to stay) judgment; **s. un servizio d'autobus**, to discontinue a bus service; **s. le trattative**, to interrupt negotiations; **s. i voli**, to cancel all flights 4 (*rinviare*) to put* off; to adjourn; to defer; to delay: **s. i lavori**, (*rif. a una seduta, ecc.*) to adjourn; (*di parlamento*) to rise; *La commissione sospese i lavori*, the committee was adjourned; **s. la partenza**, to put off one's departure; **s. una seduta**, to adjourn a meeting; (*di parlamento*) to rise 5 (*fig.: persona*) to suspend: **s. q. da un impiego**, to suspend sb. from his duties; **s. un giocatore**, to suspend a player; **s. uno studente (da scuola)**, to suspend a student (from school); (*eccles.*) **s. a divinis**, to suspend a divinis.

sospensióne f. 1 (*l'appendere*) suspension; hanging up: **lampada a s.**, suspension (*o* hanging) lamp; **ponte a s.**, suspension bridge 2 (*chim.*) suspension: **s. colloidale**, colloidal suspension; **restare in s.**, to remain in suspension; **particelle in s.**, suspended particles 3 (*mecc.*) suspension Ⓤ: (*autom.*) **s. anteriore**, front-wheel suspension; **s. cardanica**, gimbals (pl.); **s. elastica**, elastic suspension; **s. pneumatica**, pneumatic suspension; (*autom.*) **controllare le sospensioni**, to check suspension; **bracci della s.**, suspension arms 4 (*interruzione*) suspension; interruption; halt; stoppage; discontinuation; cessation; (*di fornitura*) cut: **s. delle attività**, cessation of (*o* halt to) activities; **s. dell'energia elettrica**, power cut; **s. del lavoro**, cessation of work; work stoppage; **s. delle ostilità**, suspension of hostilities; **s. della paga**, stoppage of pay; **s. dei pagamenti**, suspension of payment; (*leg.*) **s. condizionale** (*della pena*), suspended sentence; probation; **s. di un servizio pubblico**, discontinuation of a public service 5 (*rinvio*) postponement; stay; delay; deferment; adjournment: **s. di un'esecuzione**, stay of an execution; **s. della partenza**, postponement of one's departure; **s. di una riunione**, adjournment of a meeting 6 (*sanzione disciplinare*) suspension; (*dal lavoro, anche*) lay-off: (*eccles.*) **s. a divinis**, suspension a divinis; **s. dall'impiego**, suspension from work; **s. della patente**, confiscation of the driving licence; **s. disciplinare**, disciplinary lay-off 7 (*ling.*) suspension: **puntini di s.**, dots 8 (*fig.: ansia*) suspense; uncertainty.

sospensiva f. (*bur.: rinvio*) postponement; delay; deferment; adjournment; (*leg.*) abeyance, stay.

sospensìvo a. (*anche fig.*) suspensive: **veto s.**, suspensive veto.

sospensóre Ⓐ a. (*anat.*) suspensory: **muscolo s.**, a suspensory muscle Ⓑ m. suspender; hanger.

sospensòrio Ⓐ a. → **sospensore** Ⓑ m. supporter; (*sport*) jockstrap.

◆**sospéso** Ⓐ a. 1 (*appeso*) suspended; hanging; dangling: **una lampada sospesa al soffitto**, a lamp hanging (*o* hanging) from the ceiling; **una minaccia sospesa sul capo**, a threat hanging over one's head; **pulviscolo s. nell'aria**, particles suspended in the atmosphere; **essere s. a una corda**, to hang (*o* to dangle) from a rope; **essere s. nel vuoto**, to hang in mid-air; to be suspen-

ded in space; **penzolare s. a una catena**, to dangle from a chain; *Per un attimo il falco parve s. nel cielo*, the hawk seemed to be poised in the air for a second **2** (*aereo*) overhead (attr.); suspension (attr.): **cavo s.**, overhead wire; **passerella sospesa**, overhead walkway; **ponte s.**, suspension bridge **3** (*interrotto*) suspended; interrupted; cancelled; off (pred.): **lavori sospesi**, suspended work; **voli sospesi**, cancelled flights; *La partita è sospesa*, the match had been cancelled (*o* has been called off, is off) **4** (*rinviato*) postponed; deferred; delayed; adjourned **5** (*come sanzione disciplinare*) suspended **6** (*fig.*: *incerto*) doubtful, uncertain, (*esitante*) hesitating; (*trepidante*) in suspense, anxious: **s. tra il sì e il no**, uncertain; hesitant; see-sawing; vacillating; unable to make up one's mind; **con l'animo s.**, anxious; on tenterhooks; expectant ● **col fiato s.**, with bated breath; on edge: **lasciare col fiato s.**, to leave on edge □ (*fig.*) **essere s. a un filo**, to hang by a thread ● **in s.**, (*non deciso, non definito*) undecided, unsettled, pending (pred.); (*non pagato*) unpaid, outstanding; (*bur., leg.*) in abeyance; (*trepidante*) in suspense, anxious: **conto in s.**, outstanding (*o* unpaid) bill; (*fig.*) **avere un conto in s. con q.**, to have a score to settle with sb.; **questione in s.**, undecided matter; outstanding matter; matter pending; **lasciare qc. in s.** (*non decidere*), to leave st. undecided (*o* unsettled, pending); to leave st. up in the air; **restare in s.**, (*indeciso*) to be still undecided, to be left hanging; (*in attesa*) to be held over; **tenere q. in s.**, to keep sb. in suspense; to keep sb. dangling; to keep sb. guessing; **tenere qc. in s.**, to hold st. over; **tenere in s. un pagamento**, to hold over a payment B m. (*pratica non evasa*) outstanding matter, matter pending; (*conto da pagare*) outstanding payment, unpaid bill.

sospettàbile a. open to suspicion; suspect; questionable.

sospettabilità f. liability to suspicion.

◆**sospettàre** A v. t. **1** (*credere colpevole, intuire, avere un sospetto*) to suspect: *Sospettai che fosse una perdita di gas*, I suspected a gas leak; **s. una trappola**, to suspect a trap; **essere sospettato di qc.**, to be under suspicion; **essere sospettato di omicidio**, to be suspected of murder; *Lui non sospetta niente*, he doesn't have any suspicion; *Sospettavo che mi stesse derubando di nascosto*, I had a suspicion she was robbing me behind my back **2** (*credere, immaginare*) to think*; to imagine; to suspect: *Non avrei mai sospettato in lei tanto coraggio*, I would never have thought she had so much courage; *Lo sospettavo*, I thought as much B v. i. **1** (*nutrire sospetti*) to suspect (sb., st.); to be suspicious; to have one's suspicions: **non s. di niente**, not to suspect anything; not to have the least suspicion; *La polizia ha sospettato subito di lui*, the police suspected him immediately; **cominciare a s.**, to get suspicious **2** (*avere dei dubbi*) to suspect (st.), to be suspicious (of); to doubt (st.); (*diffidare*) to mistrust (sb., st.), not to trust (sb., st.), to be suspicious (of): **s. della buona fede di q.**, to suspect (*o* to doubt) sb.'s good faith; **s. di tutti**, to be suspicious of everyone; not to trust anyone.

sospettàto A a. suspected: **un giudice s. di parzialità**, a judge suspected of partiality B m. (f. **-a**) suspect.

◆**sospètto**① A a. **1** (*di cui si sospetta*) suspect, suspicious; (*dubbio*) doubtful, dubious, fishy (*fam.*): **attività sospette**, suspicious activities; **circostanze sospette**, suspicious circumstances; **contegno s.**, suspicious behaviour; **merce sospetta**, suspect goods; **rumori sospetti**, suspicious noises; **tipo s.**, suspicious character; *Tutta la faccenda mi*

pare sospetta, the entire affair looks suspicious (*o, fam.*, fishy) to me; *L'affermazione del ladro è sospetta*, the thief's statement is suspect; **di provenienza sospetta**, of doubtful origin; *Avete visto niente di s.?*, did you see anything suspicious? **2** (*presunto, probabile*) suspected: **sospetta commozione cerebrale**, suspected concussion B m. (f. **-a**) (*persona sospetta*) suspect: *La polizia ha fermato tutti i sospetti*, the police are detaining all the suspects.

◆**sospètto**② m. **1** suspicion; (*dubbio*) doubt, misgiving, qualm: **s. fondato [infondato]**, well-founded [unfounded] suspicion; **avere** (*o* **nutrire**) **un s.**, to have a suspicion; **avere dei sospetti su q.**, to have doubts about sb.; **destare sospetti**, to arouse suspicion; **essere al di sopra d'ogni s.**, to be above suspicion; **guardare q. con s.**, to look at sb. with suspicion (*o* suspiciously, with misgiving); to cast a suspicious glance at sb.; **mettere q. in s.**, to make sb. suspicious; to arouse sb.'s suspicions; *Su di lui pesa un s. terribile*, he is suspected of something dreadful; **scacciare ogni s.**, to dispel all doubt **2** (*sensazione, sentore*) sneaking suspicion; feeling; hunch; inkling: *Ho il s. che non sia del tutto onesta*, I have a suspicion she is not entirely honest; *Ho il vago s. che mi stiamo prendendo in giro*, I have a sneaking suspicion (*o* a notion) they are pulling my leg; *Ho l'orribile s. che stiano per darmi lo sfratto*, I have a horrible feeling I'm about to receive an eviction order.

sospètto③ m. (*fam.: piccola quantità*) hint; touch; suspicion.

sospettosaménte avv. suspiciously.

sospettosità f. suspiciousness; mistrustfulness.

sospettóso a. suspicious; (*diffidente*) mistrustful, distrustful: **carattere s.**, distrustful nature; **sguardo s.**, suspicious look; **essere s. di tutto e di tutti**, to be suspicious of everything and everyone; to suspect everything and everyone.

sospíngere v. t. **1** (*spingere*) to drive*; to push; to propel: **s. una carrozzina per bambini**, to push a pram; **essere sospinto dal vento**, to be driven by the wind **2** (*fig.: incitare*) to drive*; to urge; to incite; to push: **s. q. a fare qc.**, to urge sb. to do st.

◆**sospiràre** A v. i. **1** to sigh: **s. di sollievo [per il dolore]**, to sigh with relief [with grief] **2** to sigh (for); to hanker (after): **s. per i giorni perduti**, to hanker after bygone days ● **s. come un mantice**, to sigh like a furnace □ **far s. q.**, to make sb. suffer B v. t. (*desiderare*) to long for, to yearn for; (*con nostalgia*) to hanker after, to think* with nostalgia of; (*essere innamorato di*) to pine for: **s. una vacanza**, to long for a holiday; *Sospira per lui e lui nemmeno si accorge di lei*, she is pining for him and he doesn't even notice her ● **far s. qc. a q.**, to keep sb. waiting a long time for st. □ **farsi s.**, to keep sb. waiting for ages; (*farsi desiderare*) to play hard to get.

sospiràto a. longed-for; yearned-for; long-awaited; eagerly awaited: **la sospirata promozione**, the longed-for promotion; **la sospirata tregua**, the yearned-for truce; **il s. giorno dell'incontro**, the eagerly awaited day of the meeting.

◆**sospíro** m. sigh; (al pl., collett.) sighing Ⓤ: **s. di sollievo [di rammarico]**, sigh of relief [of regret]; **profondo s.**, deep sigh; **con molti sospiri**, with much sighing; **mandare un s.**, to heave (*o* to give) a sigh; **tirare un s. di sollievo**, to heave (*o* to let out) a sigh of relief; to sigh with relief ● (*lett.*) **mandare** (*o* **rendere**) **l'ultimo s.**, to breathe one's last □ **il Ponte dei Sospiri**, the Bridge of Sighs.

sospiróso a. **1** sighing **2** (*malinconico*)

sad; melancholy; mournful **3** (*sentimentale*) sentimental.

sossópra → **sottosopra**.

◆**sòsta** f. **1** (*fermata, arresto*) halt; stop; (*durante un viaggio*) stopover; (*breve soggiorno*) stay: **fare una s.**, to halt; to stop; **fare s.**, to stop; (*durante un viaggio*) to stop off, to stop over; *Il treno fa una s. di cinque minuti*, the train stops for five minutes; **fare s. per una notte in un posto**, to spend the night (*o* to stay for the night, to stop over) in a place; *La nave farà s. a Malta*, the ship will call at Malta; **ordinare una s.**, to call a halt; **durante la mia s. a Roma**, during my stay in Rome; (*comm.*) **merci in s.**, goods on demurrage; **viaggio senza soste intermedie**, non-stop journey **2** (*pausa*) pause, rest; (*interruzione*) break: **la s. per il pranzo**, the lunch break; **fare una s.**, to have a rest (*o* a break); *Facciamo una s. di dieci minuti*, let's have a ten-minute break; **senza s.**, without a break; incessantly (avv.); incessant (agg.); non-stop (avv. e agg.); **lavorare senza s.**, to work non stop (*o* round the clock) **3** (*di veicolo*) parking: **s. a giorni alterni**, parking on alternate days; **s. limitata**, limited parking; **lasciare l'auto in s.**, to leave the car parked; **parcheggiare in s. vietata**, to leave the car in a no-parking area; **divieto di s.** (*o* **s. vietata**) (*cartello*), no parking; **veicolo in s.**, parked vehicle **4** (*tregua*) rest; respite: **non dare s.**, to give no rest (*o* peace, respite); **non trovare s.**, to find no rest.

sostantivàle a. (*gramm.*) substantival.

sostantivàre v. t. (*gramm.*) to nominalize; to use as a noun.

sostantivàto a. nominalized; used as a noun: **aggettivo s.**, adnoun; adjective used as a noun; absolute adjective.

sostantivazióne f. (*gramm.*) nominalization.

sostantìvo (*gramm.*) A a. **1** substantive: **verbo s.**, substantive verb **2** (*chim.*) substantive: **colorante s.**, substantive dye B m. noun; substantive.

◆**sostànza** f. **1** (*filos.*) substance **2** (*materia*) substance; material; stuff; matter: **la s. di cui è fatta una cosa**, the material (*o* the stuff) of which a thing is made; (*anat.*) **s. bianca**, white matter; **s. colorante**, dye, dyestuff; **s. grassa**, fatty matter; (*anat.*) **s. grigia**, grey matter; **s. inquinante**, polluting substance; pollutant; **s. liquida [gassosa, solida]**, liquid [gaseous, solid] substance; **s. radioattiva**, radioactive substance; **s. tossica**, poisonous substance; toxicant; **sostanze alimentari**, foodstuffs; **sostanze chimiche**, chemicals; **sostanze medicinali**, medicinal substances; drugs **3** (*parte essenziale*) essence; substance; (*succo*) gist: **la s. d'un libro**, the essence (*o* the essential points, pl.) of a book; **la s. di quanto è stato detto**, the gist of what was said; **badare alla s. delle cose**, to look to the essence of things; **badare alla s. e non alla forma**, to mind the substance, not the form **4** (*nutrimento*) nourishment; sustenance: **dare s.**, to nourish; to be nourishing; to give sustenance; **cibo che dà s.**, nourishing (*o* substantial) food; food full of sustenance **5** (al pl.) (*patrimonio*) property Ⓤ; possessions; wealth Ⓤ; riches: **accumulare sostanze**, to accumulate wealth (*o* riches); **dissipare le proprie sostanze**, to squander one's wealth ● **di poca s.**, lightweight; insubstantial; flimsy; thin □ **di s.**, substantial; consistent □ **in buona s.**, ultimately □ **in s.**, (*essenzialmente*) essentially, ultimately; (*in pratica*) all in all, for all intents and purposes; (*in conclusione*) in conclusion; (*in breve*) in short.

sostanziàle A a. **1** (*filos.*) substantial **2** (*essenziale, fondamentale*) substantial; substantive; essential; fundamental; material:

differenza s., substantial (o material) difference; **la parte s. d'un discorso**, the essential part (o the core) of a speech; **prova s.**, substantive evidence **3** (*leg.*) substantive **B m.** what is substantial; substance.

sostanzialismo m. (*filos.*) substantialism.

sostanzialistico a. (*filos.*) substantialist.

sostanzialità f. substantiality.

sostanzialménte avv. substantially; fundamentally; essentially; basically; (*praticamente, di fatto*) effectively, in effect.

sostanziàre A v. t. (*lett.*) to substantialize; to make* concrete **B sostanziàrsi** v. i. pron. to be realized; to be made concrete; to become* a concrete reality.

sostanziosità f. **1** (*di cibo*) nutritiousness; nourishing properties (pl.) **2** (*ricchezza di contenuto*) richness; substantiality.

sostanzióso a. **1** (*che dà sostanza*) nourishing; substantial; filling: **cibo s.**, nourishing food; **colazione sostanziosa**, substantial (o filling) breakfast **2** (*fig.: abbondante*) substantial; handsome: **compenso s.**, handsome (o generous) reward **3** (*fig.: ricco*) rich; pithy; meaty: **un discorso breve ma s.**, a brief but pithy speech; **libro s.**, meaty book.

sostàre v. i. **1** (*fermarsi*) to stop; to halt; (*durante un viaggio*) to stop off, to stop over; (*trattenersi*) to stay; (*di veicolo*) to park: **s. per riprendere fiato**, to stop to get one's breath back; **s. tre giorni a Parigi**, to stop off (o to stay) in Paris for three days; **s. in seconda fila**, to double-park **2** (*fare una pausa*) to pause; to halt; to have a break **3** (*soffermarsi*) to pause; to dwell (upon st.).

sostégno m. **1** (*supporto*) support; prop; (*base*) stand; (*mecc., edil.*) prop, brace, bearing; (*di muro*) prop, buttress, shore; (*verticale*) standard, stanchion; (*montante*) post, upright; (*a L*) bracket: **i sostegni del tetto**, the roof supports; **i sostegni di una libreria**, the uprights of a bookcase; *Questa parete ha bisogno di un s.*, this wall needs a prop (o needs propping up); **servire di s. a qc.**, to serve as a support (o as a prop) to st.; to prop st.; to support st.; **di s.**, supporting; load-bearing; retaining; **muro di s.**, retaining (o breast) wall; **struttura di s.**, supporting structure (o framework) **2** (*fig.*) support; backing; prop; buttress; (*aiuto*) help, aid; (*conferma*) support, backing, corroboration: **il s. della maggioranza**, the support of the majority; **s. finanziario**, financial support (o backing); **s. morale**, moral support; **il s. della famiglia**, the chief support of one's family; the breadwinner; **dare il proprio s. a un'iniziativa**, to back an initiative; *Ci occorre il s. di tutto il partito*, we need the support (o the backing) of the whole party; **a s. di**, in support of; **portare prove a s. della propria tesi**, to produce evidence in support of (o in corroboration of, corroborating) one's theory; *La banca centrale è intervenuta a s. dello yen*, the central bank stepped in in support of the yen; **di s.**, auxiliary; back-up (attr.); **insegnante di s.**, back-up teacher (for handicapped children); **misure di s.**, back-up measures **3** (*maniglia su autobus e sim.*) handle; strap.

♦**sostenére A** v. t. **1** (*reggere*) to support, to prop, to hold* up; (*reggere il peso di*) to carry the weight of, to take* (o to bear*) the weight of, to bear* the strain of: *Queste colonne sostengono il tetto*, these columns prop up (o hold up, bear the strain of) the roof; *Questo scaffale non può s. il peso di tutti i libri*, this shelf cannot carry (the weight of) all the books; *È sostenuto solo da un filo*, it is held up by one thread; *Barcollò e io lo sostenni*, he staggered and I held him up **2** (*subire, essere sottoposto a*) to sustain; to

bear*; to stand*; to suffer: **s. una perdita**, to sustain (o to bear) a loss; **s. privazioni**, to suffer (o to bear) hardships; (*anche fig.*) **s. l'urto di qc.**, to bear the brunt of st. **3** (*sopportare*) to stand*, to bear*; (*far fronte a*) to meet*, to stand* up to; (*resistere, contrastare*) to withstand*, to meet*, to resist: **s. un assalto**, to resist an attack; **s. il confronto con**, to stand comparison with; **s. lo sguardo di q.**, to stare sb. out; **s. le spese**, to meet the expenses; **s. forti costi**, to incur heavy costs; **s. la vista di qc.**, to bear the sight of st. **4** (*appoggiare q.*) to support, to back, to stand* by, to stick* by, to be with; (*appoggiare qc.*) to support, to back, to uphold*, to stand* up for; (*aiutare, confortare*) to help, to assist; (*difendere, tenere alto*) to defend, to keep* up: **s. un amico nel bisogno**, to help a friend in need; **s. un candidato**, to back a candidate; **s. una causa**, to stand up for (o to uphold) a cause; **s. un diritto**, to defend a right; **s. i diritti delle minoranze**, to uphold the rights of minorities; **s. i propri diritti**, to stick up for one's rights; **s. un partito**, to support a political party; **s. un punto di vista**, to uphold a point of view; **s. finanziariamente**, to back; to give financial support to; *Ti sosterremo fino in fondo*, we'll back (o be with, be behind, stand by) you all the way; *Temo che non potremo s. a lungo un tenore di vita così alto*, I am afraid we cannot keep up such a high standard of living for long **5** (*comm.*) to keep* up; to support: **s. i prezzi**, to keep up prices; **s. la piazza**, to keep up the market price; to support the market **6** (*leg.*) – **s. l'accusa**, to prosecute a case; to act as prosecuting counsel; *L'accusa era sostenuta da...* the prosecuting lawyer was...; **s. la difesa di q.**, to defend sb.; to be counsel for sb.; *La difesa era sostenuta da M.*, M. was counsel for the defence **7** (*affermare, dichiarare*) to maintain, to assert; (*asserire*) to claim; (*argomentare*) to argue, to advocate: **s. la propria innocenza**, to assert one's innocence; **s. la verità di qc.**, to maintain that st. is true; *Sostiene che gliel'avete detto voi*, she claims (o she says) you told her; *Si sostiene che sia l'uomo più ricco del paese*, he is said to be (o he is allegedly) the richest man in the country; *Non concordo con la tesi sostenuta dal collega*, I don't agree with the theory held by my colleague; *Sostenne con forza che si doveva* [*non si doveva*] *firmare l'accordo*, he argued strongly in favour of [against] the ratification of the treaty; *Sostenne la necessità di nominare una commissione di vigilanza*, she advocated the appointment of an invigilating committee **8** (*provvedere al mantenimento di*) to support; to provide for; to keep*: **s. una famiglia numerosa**, to support (o to provide for) a big family **9** (*dare forza*) to sustain, to give* strength; (*nutrire*) to nourish, to be nourishing for, to give* sustenance to: *Bevi questo, vedrai che ti sosterrà*, drink this, it'll give you strength **10** (*ricoprire, esercitare*) to hold*; to occupy: **s. una carica**, to hold an office; to occupy a position **11** (*teatr. e fig.*) to play; to act; to be: **s. il ruolo di Otello**, to play Othello; to be Othello; **s. il ruolo principale**, to play the lead • **s. una conversazione**, (*fare conversazione*) to carry on a conversation; (*mantenerla viva*) to keep the conversation going □ **s. un esame**, to take (o to sit) an examination □ (*mus.*) **s. una nota**, to sustain (o to hold) a note □ **s. una prova**, to stand a test **B sostenérsi** v. rifl. **1** (*reggersi in piedi*) to support oneself; to stand*; to stand* up; to keep* upright; (*appoggiandosi a qc.*) to lean* (on, against): **sostenersi a fatica**, to have difficulty in standing up (o in keeping upright); **sostenersi a un muro**, to lean against a wall; **sostenersi con un bastone**, to lean on a stick; **sostenersi su di un pie-**

de, to stand on one leg **2** (*mantenersi in forze*) to sustain oneself; to keep* up one's strength: **sostenersi con cibi sostanziosi**, to sustain oneself on nourishing food; **bere caffè per sostenersi**, to drink coffee to keep up one's strength **C sostenérsi** v. i. pron. **1** (*di cosa: essere sostenuto*) to be sustained (o supported); (*stare ritto*) to stand* **2** (*fig.: essere valido*) to stand*; to be convincing; to hold water: *È una teoria che non si sostiene*, it's a theory that won't stand (o that doesn't hold water) **3** (*reggersi, tirare avanti*) to support oneself; to survive: *L'associazione non può sostenersi solo con le quote sociali*, the society cannot survive on membership fees alone **D sostenérsi** v. rifl. recipr. **1** to support one another (*anche fig.*); to lean* on one another **2** (*fig.*) to sustain one another; to hang* together; to stick* together: *Dobbiamo sostenerci tra noi fratelli*, we brothers must stick together.

sostenibile a. **1** (*sopportabile*) bearable; endurable: **dolore s.**, bearable pain; **una situazione non più s.**, a situation that is no longer bearable **2** (*affrontabile*) bearable; that can be met: **costi sostenibili**, bearable costs; costs that can be met **3** (*di opinione, idea*) tenable; defensible; arguable: **affermazione s.**, tenable statement **4** (*ecol.*) sustainable.

sostenibilità f. **1** (*sopportabilità*) bearableness; endurableness **2** (*di opinione, idea*) tenability; defensibility; arguability.

sostenimento → **sostentamento**, def. 2.

sostenitóre A m. (f. **-trice**) supporter; backer; upholder; advocate; champion: **s. di un candidato**, supporter of a candidate; **s. d'una causa**, supporter (o champion, advocate) of a cause; **s. dei diritti della donna**, champion (o supporter, advocate) of women's rights; (*sport*) **s. di una squadra**, supporter (o follower) of a team; **s. d'una teoria**, upholder (o advocate) of a theory **B** a. supporting; contributing: **socio s.**, contributing member.

sostentaménto m. **1** (*mantenimento*) sustenance; support; maintenance; keep; (*mezzi di*) livelihood: **provvedere al s. di q.**, to provide for sb.; to support sb.; **procacciarsi il s.**, to earn one's livelihood; **trarre il proprio s. dalla pesca**, to earn one's livelihood from fishing; to live off the sea; **mezzi di s.**, means of support; livelihood (sing.) **2** (*nutrimento*) (means of) sustenance; nourishment.

sostentàre A v. t. **1** to support; to maintain; to provide for; to keep*: **s. la famiglia**, to provide for (o to support) one's family **2** (*fis., aeron.*) to support; to lift **B sostentàrsi** v. rifl. to keep* oneself; to support oneself; to subsist; to live (on); to feed* (on): **sostentarsi a base di frutta**, to live (o to feed) on fruit; **non avere di che sostentarsi**, to have nothing to live on **C sostentàrsi** v. i. pron. to be supported.

sostentatóre A a. supporting; lifting: **gas s.**, lifting gas **B** m. (f. **-trice**) supporter; maintainer.

sostentazióne f. **1** → **sostentamento 2** (*aeron.*) lift.

sostenutézza f. **1** (*riserbo*) reserve; (*freddezza*) stiffness, standoffishness (*fam.*) **2** (*solennità*) loftiness **3** (*robustezza*) firmness.

sostenùto A a. **1** (*riservato*) reserved, uncommunicative; (*freddo*) distant, stiff, standoffish (*fam.*): **mantenere un contegno s.**, to be reserved; **rispondere in tono s.**, to answer stiffly **2** (*solenne*) elevated; lofty: **stile s.**, elevated style **3** (*robusto*) firm; stiff: **stoffa sostenuta**, stiff material **4** (*mus.*) sostenuto **5** (*elevato, intenso*) high; (*veloce*) fast, rapid; (*che si mantiene elevato*) steady: **velocità** (o **andatura**) **sostenuta**, high speed;

ritmo s., fast pace **6** (*comm.*, *econ.*) continuing high (pred.); stable; steady: **cambi sostenuti**, steady rates of exchange; **mercato** s., steady market; **prezzi sostenuti**, prices continuing high **B** m. (f. **-a**) – **fare il s.**, to be standoffish (*fam.*); to get* on one's high horse (*fam.*).

sostituènte m. (*chim.*) substituent.

sostituìbile a. replaceable; substitutable; (*interscambiabile*) interchangeable.

sostituibilità f. replaceability; (*interscambiabilità*) interchangeability.

♦**sostituìre A** v. t. **1** (*mettere al posto di*) to replace: **s. una parola a un'altra**, to replace a word with another one; *L'hanno sostituito con uno più giovane*, they replaced him with a younger man; *Potete s. la panna con un po' di latte*, you can replace cream with milk; you can use milk instead of cream **2** (*prendere il posto di*) to replace; to substitute; to take* the place of; (*fare le veci di*) to deputize for; to stand* in for, to sub for (*fam.*); (*in un comitato e sim.*) to sit* in for: **s. un collega in malattia**, to stand in for a colleague away on sick leave; *I tubi di plastica hanno ormai sostituito quelli di rame*, plastic pipes have superseded (o replaced) copper ones; *Ti sostituisco io mentre sei via*, I'll stand in for you while you are away **3** (*dare il cambio a*) to relay; to spell (*USA*) **4** (*cambiare, rimpiazzare*) to replace; to change: **s. i pneumatici**, to replace the tyres; **s. il televisore**, to change the TV set; to buy a new TV set **3** (*teatr.*) to double; to understudy **6** (*sport*) to stand* in for **B sostituìrsi** v. rifl. e i. pron. (*rimpiazzare*) to take* the place (of): *Nessuno si accorse che si era sostituito a suo fratello*, no one noticed that he had taken his brother's place.

sostitutìvo a. substitutive; substitute (attr.): **imposta sostitutiva**, substitute tax.

sostitùto m. **1** (*chi fa le veci*) substitute; (*vice*) deputy; (*assistente*) assistant: **il s. del direttore**, the director's assistant; **un s. materno**, a mother substitute; **S. Procuratore della Repubblica**, Deputy Public Prosecutor; **fungere da s. di**, to act as a deputy for; to deputize for **2** (*fisc.*) – **s. d'imposta**, withholding agent **3** (*surrogato*) substitute; surrogate: **s. del latte**, milk substitute **4** (*rimpiazzo*) replacement; stand-in; sub (*fam.*); fill-in (*fam.*); (*di medico o prete*) locum (tenens); (*teatr.*) understudy, double.

sostituzióne f. **1** substitution (*anche sport*); replacement; (*cambiamento*) changing, change: (*autom.*) **s. di una ruota**, wheel change; (*autom.*) **s. delle pastiglie dei freni**, brake relining; **in s. di**, as a substitute (o replacement) for; in place of; instead of; **agire in s. di q.**, to take sb.'s place **2** (*ling.*, *chim.*, *mat.*) substitution • (*leg.*) **s. di persona**, impersonation □ (*leg.*) **s. testamentaria**, substitution.

sostràto m. **1** (*strato sottostante*) substratum*; lower layer: **un s. di roccia**, a substratum (o lower layer) of rock **2** (*ling.*) substratum* **3** (*fig.*) substratum*; foundation: **il s. filosofico di un'ideologia**, the philosophical foundation of an ideology; **un s. di superstizioni popolari**, underlying superstitions.

sostruzióne f. (*edil.*) substructure; substruction.

soteriologìa f. (*teol.*) soteriology.

soteriològico a. (*teol.*) soteriological.

sottàbito m. petticoat; slip.

sottacére v. t. to fail to mention; to omit; to leave* out; to keep* to oneself; to conceal.

sottacéto A avv. in pickle: **conservare** (o **mettere**) **s.**, to pickle; **lasciare s.**, to leave in pickle **B** a. pickled: **peperoni s.**, pickled peppers **C** m. pl. pickles.

sottaciùto a. (deliberately) unmentioned;

---

omitted; unstated; left out; concealed.

sott'àcqua avv. under water: **nuotare sott'acqua**, to swim under water • (*fig.*) **lavorare sott'acqua**, to scheme.

sottalimentàre e *deriv.* → **sottoalimentare**, e *deriv.*

sottàna f. **1** (*gonna*) skirt: **s. a pieghe**, pleated skirt **2** (*region.*: *sottoveste*) petticoat; slip **3** (*fam.*: *donna*) skirt: **correre dietro alle sottane**, to chase women; to be a skirt-chaser; to be a womanizer **4** (*eccles.*) cassock; soutane • (*fig.*) **essere attaccato alle sottane della mamma**, to be tied to one's mother's apron-strings.

sottanière m. (*fam.*) skirt-chaser; womanizer.

sottàrco m. (*archit.*) intrados; soffit.

sottascèlla → **sottoascella**.

sottécchi avv. (*anche di s.*) furtively; covertly; secretly; out of the corner of one's eye: **guardare q.** (**di**) **s.**, to look at sb. furtively (o covertly); to cast a furtive (o covert, sidelong) glance at sb.

sottèndere v. t. **1** (*geom.*) to subtend **2** (*fig.*: *implicare*) to imply **3** (*fig.*: *essere alla base di*) to underpin.

sottentràre → **subentrare**.

sotterfùgio m. subterfuge; ploy; trick; dodge: **un s. per non pagare le tasse**, a dodge to avoid paying taxes; **ottenere q.c con un s.**, to obtain st. by subterfuge (o with a trick); **ricorrere ai sotterfugi**, to resort to subterfuge; **vivere di sotterfugi**, to live by one's wits • **di s.**, (*in segreto*) secretly; (*di soppiatto*) stealthily; (*nascostamente*) on the sly.

sottèrra → **sottoterra**.

sotterraménto m. interment; burial.

sotterrànea f. (*ferr.*) underground (railway); subway (*USA*).

♦**sotterràneo A** a. **1** underground; subterranean: **boato s.**, underground rumble; **ferrovia sotterranea**, underground (railway); subway (*USA*); **il mondo s.**, the underworld; **passaggio s.**, underground passage; tunnel; **prigione sotterranea**, dungeon; **rifugio s.**, underground shelter; **sorgenti sotterranee**, subterranean springs **2** (*fig.*: *nascosto*) hidden; secret; covert; clandestine: **manovre sotterranee**, secret manoeuvres **B** m. (*scantinato*) cellar; (*di castello, ecc.*) vault; (*cripta*) crypt; (al pl.: *prigioni*) dungeons.

sotterràre v. t. **1** (*porre sotto terra*) to bury; to inter; to lay* underground; (*semi*) to sow*, to plant: **s. le radici di una pianta**, to inter the roots of a plant; **s. un tesoro**, to bury a treasure; **s. una tubazione**, to lay the pipes underground **2** (*seppellire*) to bury: **s. i morti**, to bury the dead • (*fig.*) **s. l'ascia di guerra**, to bury the hatchet (*scherz.*) **Ha sotterrato quattro mariti**, she has buried four husbands □ (*scherz.*) **Finirà per sotterrarci tutti**, she will outlive us all.

sotterràto a. buried; interred; (placed) underground.

sottéso a. **1** (*geom.*) subtended **2** (*fig. lett.*: *venato*) tinged: **s. di malinconia**, tinged with melancholy.

sottigliézza f. **1** thinness; fineness; (*spessore*) thickness; (*magrezza*) thinness: **la s. di una corda**, the thinness of a rope; *Il fil di ferro deve essere della s. giusta*, the wire must be of the right thickness **2** (*fig.*: *finezza*) fineness, subtlety; (*acutezza*, *acume*) acuteness, keenness, subtlety: **la s. di un'argomentazione**, the subtlety of sb.'s reasoning; **la s. di una distinzione**, the fineness of a distinction; **s. di giudizio**, keen judgment; **s. di mente**, acuteness of mind; subtlety **3** (*minuzia*) nicety; subtlety; (*cavillo*) cavil, quibble; (*pignoleria*) hairsplitting ▣

---

sottigliezze verbali, verbal niceties; *Le sue obiezioni mi sembrano solo sottigliezze*, his objections seem to me to be mere quibbles (o mere hairsplitting).

♦**sottìle A** a. **1** (*che ha poco spessore*) thin; fine; slim; (*stretto*) narrow: **capelli sottili**, fine hair; **carta s.**, thin paper; **filo metallico s.**, thin wire; **libro s.**, slim book; **orlo s.**, narrow border; **parete s.**, thin wall; **strato s.**, thin layer; **s. come un capello**, hair-thin; **s. come un foglio di carta**, paper-thin **2** (*snello, slanciato*) slim, slender; (*esile*) thin: **collo s.**, slender neck; **gambe sottili**, thin legs; **una ragazza esile s.**, a tall, slim girl; **ramoscelli sottili**, slender twigs **3** (*fig.*: *leggero*) fine, light; (*lieve, delicato*) subtle; (*tenue*) slight, tenuous, thin, slender: **aria s.**, thin air; **brezzolina s.**, light breeze; **polvere s.**, fine dust; **profumo s.**, subtle scent; **una s. speranza**, a slender (o slim) hope; **s. vantaggio**, slight advantage; **voce s.**, thin voice **4** (*fig.*: *fine*) fine, fine-drawn, nice, subtle; (*acuto*) subtle, acute, keen, discerning, sharp; (*astuto*) subtle, shrewd; (*insidioso*) subtle, insidious: **distinzione s.**, fine (o fine-drawn, subtle, nice) distinction; **fare una s. distinzione**, to draw a fine distinction; **ingegno s.**, keen (o sharp, subtle) mind; **s. ironia**, subtle irony; **mente s.**, subtle (o acute) mind; **orecchio s.**, sharp ear; keen hearing; **ragionamento s.**, subtle reasoning; **umorismo s.**, subtle sense of humour; subtle wit **5** (*fig.*: *cavilloso*) quibbling; hairsplitting • **mal s.**, consumption **B** avv. **1** – (*di penna ecc.*) **scrivere s.**, to be fine-tipped **2** – **parlare s.**, to speak subtly **C** m. thin part • **andare** (o **guardare**) **per il s.**, (*sottilizzare*) to split hairs; (*essere pignolo*) to be fussy (o fastidious, particular) • **non andare** (o **guardare**) **tanto per il s.**, not to be too fussy (o too fastidious, too particular, overnice); (*essere un tipo spiccio*) to be blunt, to be outspoken.

sottilétta f. slice of processed cheese.

sottilizzàre v. i. to split* hairs; to go* into nitpicking details; to cavil; to quibble; to niggle.

sottilménte avv. **1** (*finemente*) finely; minutely **2** (*fig.*: *con sottigliezza*) finely, nicely; (*con accuratezza*) finely, minutely, carefully, in detail; (*con acume*) subtly, sharply; (*con astuzia*) shrewdly.

sottinsù avv. – **di s.**, from below; up: *Mi guardò di s.*, he squinted up at me.

sottintèndere v. t. **1** (*alludere, lasciar capire*) to imply; to mean*; to drive* at; to suggest; to hint at; to intimate: *E con questo che cosa vuoi s.?*, what exactly do you mean by that?; what are you driving at?; *Le sue parole lasciano s. che non gl'importa nulla*, his words suggest that he doesn't care **2** (*lasciare non detto*) to leave* out; to leave* unsaid: (*gramm.*) **s. il verbo di una frase**, to leave out the verb in a sentence; *Si sottintende che le spese sono a carico vostro*, it is understood that the costs are to be met by you **3** (*implicare*) to involve; to imply: *Il lavoro sottintende dei sacrifici*, work involves sacrifices.

sottintéso A a. understood (*anche gramm.*); implied; implicit; (*tacito*) tacit, unspoken, unexpressed: **consenso s.**, implied consent; **condizioni espresse o sottintese**, conditions expressed or understood; *Il soggetto è s.*, the subject is understood; *Era s. che saresti venuto anche tu*, it was understood you were coming too; *È s.!*, of course!; that's understood!; *Resta s. che la prossima volta tocca a me*, it goes without saying that next time it'll be my turn **B** m. implicit meaning; underlying assumption; (*allusione*) allusion, innuendo, hint: **una risposta piena di sottintesi**, an answer full of hints; **parlare per sottintesi**, to speak allusively;

to drop hints; **parlare senza sottintesi**, to speak openly.

♦**sótto** **A** prep. **1** (anche **s. a**: in posizione sottostante) under; underneath; (al di sotto) beneath, below: **s. un albero**, under a tree; **s. il balcone**, under (o beneath) the balcony; **s. una coperta**, under (o beneath) a blanket; **s. il fuoco del nemico**, under enemy fire; **s. la lettera M**, under the letter M; **s. il mare**, beneath the sea; **s. i miei occhi**, under my (very) eyes; **s. la pioggia**, in the rain; **s. terra**, under the ground; below (the) ground; underground (avv. e agg.); **s. lo stesso tetto**, under the same roof; **la stanza s. la mia**, the room under (o underneath) mine; **un livido s. un occhio**, a bruise under one eye; **uno specchio appeso s. un'applique**, a mirror hanging beneath a wall lamp; S. la camicia non portava niente, he wore nothing under (o underneath) his shirt; S. di loro si apriva una valle deserta, an empty valley opened beneath them; Ce l'hai s. il naso!, it's under your very nose!; **finire s. un autobus**, to be run over by a bus; **infilare una lettera s.** (a) **un libro**, to slip a letter under a book; Mettilo s. (a) tutto quanto, put it right at the bottom; **passare s.** (a) **un ponte**, to pass under a bridge; I tubi passano sotto il pavimento, the pipes run under the floor; **uscire da s. il letto**, to crawl out from under the bed **2** (a un livello inferiore a, più in basso di) below; (a sud di) south of, below: **s. costo**, below cost; **s. il livello del mare**, below sea level; **s. l'equatore**, below the equator; **l'appartamento s. il nostro**, the flat below ours; the downstairs flat; **gonna s. il ginocchio**, skirt below the knee; **la vegetazione s. i duemila metri**, vegetation below two thousand metres; Il titolo va sotto il nome dell'autore, the title goes below (o under) the author's name; **a un miglio s. Roma**, one mile south of Rome **3** (rif. a valore, quantità, prezzo, ecc.: inferiore a) below; (meno di) under, less than: **s. il kilometro**, less than a kilometre; **s. i 100 km all'ora**, below 100 kmph; **s. il limite di velocità**, below the speed limit; **s. la media**, below average; (fin.) **s. la pari**, below par; **s. peso**, underweight (agg.); **s. zero**, below zero; **i bambini s. i sei anni**, children under six years of age; **un giovane s. i trent'anni**, a young man under thirty; **di poco s. il quintale**, just under one hundred kilos; Costa s. i cento euro, it costs less than a hundred euros **4** (per indicare dipendenza, subordinazione, condizione) under: **s. Augusto**, under Augustus; **s. gli auspici di**, under the auspices of; **s. contratto con una ditta**, under contract with a firm; **s. la direzione** [il comando, il governo] **di**, under; **s. il dominio francese**, under (the) French rule; **s. la giurisdizione di**, under the jurisdiction of; **s. la protezione di q.**, under the protection of sb.; under sb.'s wing; Ho tre persone che lavorano s. di me, I have three people working under me **5** (con valore modale o causale) under; on: **s. altro nome**, under another name; **s. chiave**, under lock and key; **s. controllo**, under control; **s. l'effetto dell'alcol**, under the influence of alcohol; **s. falso nome**, under an assumed name; **s. giuramento**, on (o under) oath; **s. l'impulso del momento**, under the heat of the moment; **s. pena di morte**, on (o under) pain of death; **s. processo**, on trial; **s. ogni punto di vista**, from every point of view; **s. lo pseudonimo di**, under the pseudonym of; **s. questo aspetto**, from this point of view; **s. scorta**, under guard; **s. sedativi**, under sedation **6** (in loc. di tempo: in prossimità di) near, around; (durante) at, during: **s. Natale**, near Christmas; at Christmastime; Siamo s. esami, it's exam time; we are having exams; Siamo s. le vacanze, it's amost holiday time **7** (cucina) in; under: **sott'aceto**, pickled (agg.); **sott'olio**, in oil; **s.**

sale, under salt; in brine ● **s. casa**, down in the street; (vicinissimo) close by, down the street, round the corner: Mi aspettava s. casa, she was waiting for me down in the street; Ho tutti i negozi s. casa, the shops are all close by; **il macellaio s. casa**, the corner butcher □ **essere s. le armi**, to be in the army; to be doing national service □ (fig.) **essere s. terra**, to be dead and buried □ (fig.) **mettere q. s. i piedi**, to treat sb. like dirt (o like a doormat) □ **mettere qc. s. i denti**, to have a bite (to eat) □ **passare qc. s. silenzio**, to pass over st. (in silence); to keep quiet about st. □ **prendere qc. s. gamba**, to make light of st.; to undervalue st. □ **ridere s. i baffi**, to laugh up one's sleeve □ **tenere q.** [qc.] **sott'occhio**, to keep an eye on sb. [st.] **B** **al di sótto di** loc. prep. **1** → **sotto**, **A**, def. 1-3 **2** (inferiore a) beneath; Il suo rendimento è al di s. delle sue capacità, his performance is beneath his abilities **C** avv. **1** (in luogo o posizione sottostante, anche **di s.**) under, below, beneath, underneath; (in fondo) at the bottom: **qui** [lì] **s.**, under here [there]; **sopra e s.**, (rif. a uno stato) above and below; (rif. a un movimento) over and under; S. non c'era niente, there was nothing underneath (o under it); Sotto circola l'aria, the air circulates beneath; Portava un maglione e s. una camicia di lana, he wore a sweater with a woollen shirt underneath; **andare s.**, (affondare) to go under; (immergersi) to go down; (tramontare) to go down, to sink below the horizon, to set; **finire s.** (essere investito) to be run over; Firmi qui s., sign at the bottom (o underneath, here below); Questo libro va (di) sopra o (di) sotto?, does this book go on top or at the bottom?; **una foto con s. una didascalia**, a photo with a caption underneath (o under it) **2** (a un livello inferiore, giù) down; (a un piano inferiore, anche **di s.**) downstairs: Scendete s., come down; Portatemelo qui s., bring it down here; Ehi, voi lì s.!, hey, you down there!; Abitano (di) s., they live downstairs; **andare s.**, to go down; **aspettare (di) s.**, to wait downstairs; **scendere di s.**, to go downstairs; **più s.**, (più in basso) further down, lower down; Più s. c'è l'acqua, there is water further down; **due piani più s.**, two floors down; Il quadro lo voglio più s., I want the painting hung lower down **3** (di seguito) below; further on: **vedi s.**, see below; **vedi s. la tavola 6**, see Table 6 below; **come verrà spiegato più s.**, as will be explained further on **4** (fig., rif. a punteggio) down: **s. di venti punti**, down by twenty points; twenty down **5** (fig.: in perdita) short (agg.); in the red: Siamo s. di duemila euro, we are two thousand euros short (o in the red) ● **S.!** (all'attacco), go for them!; lay into them! □ **S. a chi tocca!**, who's first?; who's next? □ **S., al lavoro!**, come on, let's get down to work!; let's get cracking! (fam.) □ **s. s.**, (nel fondo) deep down; (intimamente) inwardly; (di nascosto) in secret, secretly, on the quiet: È un brav'uomo s. s., he's a good man deep down; Non dissi niente ma s. s. ero felicissimo, I said nothing but I inwardly rejoiced; S. s. lavorava per soppiantarmi, she was secretly planning to oust me □ (fam.) **darci s.**, to keep at it; to keep one's nose to the grindstone □ **di s. in su**, from below: (pitt.) **prospettiva di s. in su**, sotto in su perspective; **guardare di s. in su**, to peer (o to squint) up at □ (pop., anche fig.) **farsela s.**, to piss in one's pants; to shit in one's pants □ **farsi s.**, (avvicinarsi) to draw near (o nearer), to come closer, to close in; (spingersi innanzi) to push oneself forward □ **Forza, ragazzi, fatevi s.!** (servitevi), tuck in, boys! □ (fam.) **mettere q. s.**, (tiranneggiare) to tyrannize over; (investirlo) to run sb. over; (metterlo al lavoro) to set sb. to it □ (fam.) **mettersi s.**, to get down to st. □ (fig.) Qui c'è s. qualcosa,

there is something behind this; there's something fishy about this □ (fam.) **rimettersi s.**, to get back to it □ (fam.) **tenere s. q.**, (farlo lavorare) to keep sb. to it; (tiranneggiarlo) to keep sb. under one's thumb **D** **a.** inv. (anche **di s.**) below (avv.); underneath (avv.); bottom (attr.); (rif. a due) lower; (al piano inferiore) downstairs: **il cassetto (di) s.**, (a un altro) the drawer below (o underneath); (al piano inferiore) the bottom drawer; (di due) the lower drawer; **la famiglia di s.**, the family downstairs; **il labbro di s.**, the lower lip; **la riga s.**, the line below; **le stanze di s.**, the downstairs rooms; **la terrazza (di) s.**, the terrace below **E** **m.** (anche **di s.**) bottom; bottom part; (lato inferiore) underside: **il s. d'un piatto**, the underside of a plate; **dal di s.**, from underneath; (sport) underhand (attr.).

sottoalimentàre v. t. (med., tecn.) to underfeed*.

sottoalimentàto a. **1** (med.) underfed; malnourished **2** (tecn.) underfed.

sottoalimentazióne f. **1** (med.) underfeeding; malnutrition **2** (tecn.) underfeeding.

sottoascèlla f. dress shield.

sottoassicurazióne f. underinsurance.

sottobànco avv. under the counter; under the table; underhand: **vendere** [**comprare**] **qc. s.**, to sell [to buy] st. under the counter; **offrire a q. denaro s.**, to offer sb. money under the table; **passare qc. s.**, to pass st. under the table; **accordo s.**, under-the-table agreement; **manovre s.**, underhand dealings; **merce** [**pagamento**] **di s.**, under-the-counter goods [payment].

sottobicchière m. coaster; mat.

sottobórdo avv. (naut.) alongside: **portarsi s.**, to come up alongside; (comm.) **franco s.**, free alongside ship.

sottobòsco m. **1** (vegetazione) underwood, brushwood; undergrowth, scrub; (boscaglia) underbrush, brush, ground cover **2** (frutti di bosco) soft fruit **3** (fig., spreg.) shadow world; shady margins (pl.); low life: **il s. della politica**, the shadow world of politics.

sottobottiglia m. coaster; mat, bottle-mat.

sottobràccio avv. arm-in-arm: **camminare s. con q.**, to walk arm-in-arm with sb.; **prendere s. q.**, to link arms with sb.; **tenere q. s.**, to be arm-in-arm with sb.

sottocapitalizzàto a. (econ.) undercapitalized.

sottocapitalizzazióne f. (econ.) undercapitalization.

sottocàpo m. **1** (aiutante del capo) assistant chief; deputy chief **2** (naut.) (in GB) leading seaman; (in USA) petty officer 3rd class.

sottocaudàle a. (zool.) subcaudal.

sottocchio avv. under (o before) one's eyes; in front of one: Ce l'ho proprio qui s., I have it here in front of me; I've got it right under my eyes; Mi è capitato s. un articolo interessante, I came across (o I happened to read) an interesting article; **tenere s. q.**, to keep an eye on sb.

sottoccupàto a. (econ.) underemployed.

sottoccupazióne f. (econ.) underemployment.

sottochiàve avv. under lock and key; locked away; locked up: **mettere qc. s.**, to lock st. up (o away); **tenere qc. s.**, to keep st. under lock and key (o locked up, locked away); **tenere q. s.**, to keep sb. locked up.

sottocipria m. o f. inv. foundation (cream).

sottoclàsse f. (scient.) subclass.

sottocóda m. inv. **1** (finimento) crupper;

dock **2** (*zool.*) undertail coverts (pl.).

sottocòdice m. (*ling.*) jargon.

sottocommissióne f. subcommittee.

sottoconsùmo m. (*econ.*) underconsumption.

sottocopèrta (*naut.*) **A** f. lower deck (*o* decks); underdeck **B** avv. below (deck): **scendere** s., to go below.

sottocòppa m. inv. **1** (*sottobicchiere*) coaster; mat **2** (*autom.*) underpan.

sottocorrènte f. **1** undercurrent **2** (*polit.*) subfaction.

sottocorticàle a. (*anat.*) subcortical.

sottocòscio → **soccoscio**.

sottocòsto **A** avv. below cost; at a loss: **comprare** qc. s.; to buy st. below cost; **vendere** s., to sell at a loss; to undersell; (*facendo del dumping*) to dump **B** a. inv. below cost: **merce** s., goods selling below cost; **vendita** s., sale below cost.

sottocrostàle a. (*geol.*) subcrustal.

sottocultùra f. **1** (*antrop.*) subculture **2** (*spreg.*) pseudoculture.

sottocuòco m. (f. **-a**) undercook; assistant chef.

sottocutàneo a. subcutaneous; hypodermic: **grasso** s., subcutaneous fat; **iniezione sottocutanea**, subcutaneous (*o* hypodermic) injection.

sottocùte **A** m. (*anat.*) subcutis **B** avv. subcutaneously.

sottodialètto m. (*ling.*) subdialect.

sottodimensionàto a. (*troppo piccolo*) too small; (*insufficiente*) insufficient; (*carente di personale*) understaffed, undermanned.

sottodividere e deriv. → **suddividere**, e deriv.

sottodominànte f. (*mus.*) subdominant.

sottoelencàto a. listed below (pred.).

sottoespórre v. t. (*fotogr.*) to underexpose.

sottoespoşizióne f. (*fotogr.*) underexposure.

sottoespósto a. (*fotogr.*) underexposed.

sottofàlda f. **1** (*di cappello*) underbrim **2** (*di abito*) tail (*o* skirt) lining.

sottofamìglia f. (*bot.*, *zool.*) subfamily.

sottofàscia **A** avv. under a wrapper; under cover **B** m. inv. printed matter (sent under a wrapper) **C** f. inv. wrapper.

sottofatturàre v. t. (*econ.*) to underinvoice.

sottofiliàle f. sub-branch.

sottofinàle m. (*teatr.*, *cinem.*) act [scene] preceding the final one.

sottofondazióne f. (*edil.*) underpinning.

sottofóndo m. **1** (*edil.*) foundation; bed **2** (*cinem.*, *TV*, *radio*) background: **s. musicale** (*o* **musica di s.**) background music **3** (*fig.*) undercurrent; undertone: **un s. di gelosia**, an undercurrent of jealousy; **un s. di malinconia**, an undertone of melancholy.

sottogàmba avv. – **prendere** s., to make light of; not to take (st.) seriously enough; to shrug off; (*sottovalutare*) to underestimate, to underrate: **prendere** s. **un esame**, not to take an examination seriously enough; **prendere** s. **una malattia**, to make light of an illness; to underestimate the seriousness of an illness; *Non è avversario da prendersi s.*, he should not be underrated as an opponent.

sottogènere m. **1** (*bot.*, *zool.*) subgenus **2** (*letter.*) subgenre.

sottogóla m. e f. inv. **1** (*di copricapo*) chin-strap **2** (*finimento*) throatlash; throatlatch.

sottogónna f. petticoat; underskirt; slip.

sottogovèrno m. **1** (*la pratica*) party patronage; party political wheeling and deal-ing **2** (*le persone*, *gli enti*) party political wheelers-dealers (pl.).

sottogrùppo m. (*anche chim.*, *mat.*) subgroup.

sottoindicàto a. mentioned below (pred.); listed below (pred.); undermentioned (attr.).

sottoinsième m. (*mat.*) subset: **s. proprio**, proper subset.

◆**sottolineàre** v. t. **1** to underline; to underscore: **s. a matita rossa**, to underline with a red pencil **2** (*fig.*: *mettere in rilievo*) to underline, to stress, to point up, to emphasize; (*dare risalto a*) to accentuate, to heighten: **s. l'importanza di una decisione**, to stress (*o* to emphasize) the importance of a decision; *Voglio s. i pericoli che si prospettano*, I want to underline the dangers involved; *Il direttore ha sottolineato il positivo andamento della gestione*, the general manager highlighted the positive trend of the management; **un vestito che sottolinea la vita**, a dress that accentuates the waist.

sottolineatùra f. **1** underlining Ⓤ; underline **2** (*fig.*) stressing Ⓤ; emphasizing Ⓤ; stress; emphasis; accent.

sottolinguàle a. (*anat.*) sublingual.

sott'òlio, **sottòlio** avv. e a. ínv. in oil: **mettere sott'olio**, to preserve in oil; **tonno sott'olio**, tuna in oil.

sottolivèllo m. (*ind. min.*) sublevel.

sottomànica m. undersleeve.

sottomàno **A** avv. **1** (*a portata di mano*) (close) at hand; within reach; handy: **avere s. qc.**, to have st. close at hand (*o* handy); **tenere** qc. **s.**, to keep st. within reach; *Mi venne s. il suo annuncio*, I came across his advertisement **2** (*sport*) underhand; underarm: **lanciare la palla** s., to bowl underhand **3** (*di nascosto*) underhand, under the counter; (*segretamente*) secretly, on the sly: **pagamento** s., underhand (*o* under-the-counter) payment; **passare un biglietto a** q. **s.**, to slip sb. a note **B** m. (*cartella*) desk pad.

sottomàrca f. affiliated brand.

sottomarìno **A** a. submarine; underwater; undersea: **cavo** s., submarine cable; **corrente sottomarina**, undercurrent; **fauna sottomarina**, underwater fauna; **navigazione sottomarina**, underwater navigation; **vulcano** s., undersea volcano **B** m. (*naut.*) submarine; sub (*fam.*).

sottomascellàre a. (*anat.*) submaxillary: **ghiandola** s., submaxillary gland.

sottomatrìce f. (*mat.*) submatrix.

sottoménto m. (*pop.*) double chin.

sottomenù m. inv. (*comput.*) submenu.

sottomésso a. (*assoggettato*) subject: **nazioni sottomesse**, subject nations **2** (*rispettoso*, *docile*) submissive; obedient.

sottométtere **A** v. t. **1** (*assoggettare*) to subjugate; to subdue; to subject: **s. un popolo**, to subdue a people **2** (*rendere ubbidiente*) to reduce to obedience; to bring* into submission; to bend*: **s. al proprio volere**, to bend sb. to one's will **3** (*subordinare*) to subordinate **4** (*sottoporre*) to submit: **s. un caso a un tribunale**, to submit a case to a court **B** **sottométtersi** v. i. pron. to submit; to yield; to surrender oneself; to bend*: **sottomettersi alla volontà di Dio**, to submit to God's will.

sottomissióne f. **1** (*il sottomettere*) subjugation; subjection **2** (*l'essere sottomesso*) submission; (*docilità*) submissiveness, obedience: **fare atto di s.**, to make an act of submission; to submit.

sottomişùra ① **A** avv. **1** below standard size **2** (*calcio*) in the goal area **B** a. inv. (*troppo piccolo*) too small, undersized; (*troppo corto*) too short.

sottomişùra ② f. (*bur.*) secondary measure.

sottomùltiplo a. e m. (*mat.*) submultiple.

sottonocchière m. (*naut.*) leading seaman*.

sottonotàto a. noted (*o* mentioned, named) below (pred.); undermentioned (attr.); undernoted (attr.).

sottooccupàto → **sottoccupato**.

sottooccupazióne → **sottoccupazione**.

sottopagàre v. t. to underpay.

sottopagàto a. underpaid.

sottopàlco m. (*teatr.*) understage.

sottopància m. inv. **1** (*finimento*) (saddle) girth; cinch (*USA*) **2** (*gergo mil.*) aide-de-camp **3** (*estens.*: *aiuto*) man* Friday; gofer (*USA*) **4** (*gergo TV*) caption.

sottopassàggio, **sottopàsso** m. underpass; (*per pedoni*, *anche*) subway (*GB*).

sottopèlle **A** avv. **1** subcutaneously; hypodermically; under the skin **2** (*fig.*) subtly; almost imperceptibly **B** a. inv. **1** subcutaneous; under the skin (pred.) **2** (*fig.*) subtle; almost imperceptible.

sottopèntola m. inv. (*saucepan*) mat.

sottopéso, **sótto peso** (*med.*) **A** m. less-than-average weight **B** a. inv. underweight.

sottopiàtto m. mat, tablemat; (*di ceramica*) plate.

sottopiède m. **1** (*di scarpa*) insole **2** (*di calzone*) foot-strap.

sottopopolàto a. underpopulated.

sottopopolazióne f. underpopulation.

◆**sottopórre** **A** v. t. **1** (*lett.*: *porre sotto*) to place underneath **2** (*lett.*: *soggiogare*) to subdue; to subjugate **3** (*indurre a subire*, *ad affrontare*) to subject; to expose; (*al passivo*, *anche*) to undergo*: **s. a censura**, to censor; **s. a controllo**, to test; to check; to vet; **s. a critiche**, to criticize; to subject (*o* to expose) to criticism; **s. a una cura**, to subject to treatment; to treat; **s. a una disciplina di ferro**, to subject to strict discipline; **s. a un esame**, to examine; **s. a giudizio**, to try; **essere sottoposto a giudizio**, to be tried; to stand trial; **s. a interrogatorio**, to interrogate; **s. a prova**, to test; (*a un cimento*) to subject to an ordeal; (*mettere alla prova*) to put to the test; **essere sottoposto a una prova severa**, to be put to (*o* to undergo) a severe test; to be rigorously tested; **s. q. a un rischio**, to expose sb. to danger; **s. a restrizioni**, to restrict; to impose restrictions on; **s. a uno stress**, to subject to stress; **s. a tortura**, to torture; to subject to torture; (*mecc.*) **s. a trazione**, to subject to tension **4** (*fig.*: *presentare*) to submit; to put*; to present; to pose; (*rag.*) to render: **s. un caso a un tribunale**, to submit a case to a court; **s. i conti alla fine del mese**, to render accounts at the end of the month; **s. una domanda a q.**, to pose a question to sb.; to ask sb. a question; **s. un preventivo**, to submit an estimate; **s. un progetto al giudizio di q.**, to submit a plan to sb.; **s. un problema a q.**, to present sb. with a problem; **s. qc. all'approvazione di q.**, to submit st. to sb. for approval; *Il progetto di legge sarà sottoposto al Senato domani*, the bill will be submitted to (*o* will go before) the Senate tomorrow **B** **sottopórsi** v. i. pron. **1** (*lett.*: *sottomettersi*) to submit: **sottoporsi alla volontà di Dio**, to submit to God's will **2** (*affrontare*, *subire*) to undergo* (st.); to be subjected (to): **sottoporsi a un intervento chirurgico**, to undergo surgery; **sottoporsi a una dieta dimagrante**, to go on a slimming diet; **sottoporsi a esami medici**, to undergo medical tests **3** (*sobbarcarsi*) to undertake*: **sottoporsi a un lavoro**, to undertake a task.

sottopòrtico m. interior of a portico; porch.

sottopósto ⒜ a. 1 (*sottomesso*) subjected; subject 2 (*esposto*) exposed; subject ⒝ m. (f. **-a**) subordinate; inferior; underling (*spreg.*).

sottopotére → **sottogoverno**.

sottoprefètto m. subprefect.

sottoprefettùra f. subprefecture.

sottoprèzzo avv. below market price; at a discount; at a reduced price.

sottoprodótto m. (*ind. e fig.*) by-product.

sottoproduttività f. (*econ.*) underproductivity.

sottoproduttìvo a. (*econ.*) underproductive.

sottoproduzióne f. (*econ.*) underproduction.

sottoprogràmma m. (*comput.*) subroutine.

sottoproletariàto m. lumpenproletariat.

sottoproletàrio m. (f. **-a**) lumpenproletarian.

sottopùnto → **soppunto**.

sottoraffreddaménto m. (*chim.*) undercooling.

sottórdine m. 1 (*bot., zool.*) suborder 2 **– in s.**, (*in grado subordinato*) in a subordinate position, subordinate (agg.), lower (agg.); (*d'importanza secondaria*) minor (agg.): **avere un ruolo in s.**, to have a subordinate (*o* minor) role; to play second fiddle (*fam.*); **passare in s.**, to become less urgent; to be put to one side; **porre in s. una faccenda**, to attach less importance to a matter.

sottorégno m. (*bot., zool.*) subkingdom.

sottoscàla m. inv. (*edil.*) space below a staircase; (*ripostiglio*) cupboard (*USA* closet) below a staircase.

sottoscapolàre a. (*anat.*) subscapular.

sottoscrìtto ⒜ a. 1 (*firmato*) signed; undersigned: **un accordo s. da ambo le parti**, an agreement signed by both parties 2 (*fin.*) underwritten; subscribed to ⒝ m. 1 (*bur.*) undersigned: **noi sottoscritti**, we, the undersigned 2 (*scherz.: io*) yours truly.

sottoscrittóre m. (f. **-trìce**) 1 (*firmatario*) signatory; signer 2 (*di donazione, ecc.*) contributor; subscriber 3 (*fin., di titoli*) underwriter; subscriber.

sottoscrìvere v. t. 1 (*firmare*) to undersign; to sign: **s. un contratto**, to sign a contract; **s. una petizione**, to sign a petition; **s. un testamento**, to undersign a will; (*come testimone*) to witness a will 2 (*aderire a*) to endorse; (*versando denaro*) to take* out; (*anche assol.*) to subscribe (st.), to contribute (st.): **s. un abbonamento**, to take out a subscription; **s. un accordo**, to endorse an agreement; **s. un programma**, to endorse a programme; **s. una polizza d'assicurazione**, to take out an insurance policy; **s. mille euro per una causa**, to subscribe (*o* to contribute) one thousand euros to a cause; **s. per una forte somma**, to subscribe (*o* to contribute) a large sum 3 (*fig.: essere d'accordo con*) to agree with; to subscribe to: **s. quanto ha detto q.**, to subscribe to (*o* to agree with) what sb. said; **s. una tesi**, to subscribe to a theory 4 (*fin.*) to underwrite*; to subscribe to: **s. un'emissione**, to subscribe to an issue; **s. un prestito**, to underwrite a loan.

sottoscrizióne f. 1 (*il firmare*) signing 2 (*raccolta di adesioni*) collection of signatures; (*raccolta di denaro*) collection, fund raising ⓤ: **aprire una s.**, to launch a fund raising campaign 3 (*fin.*) underwriting ⓤ; subscription.

sottosegretariàto m. 1 (*cartica*) undersecretaryship 2 (*ufficio*) undersecre-

tary's office 3 (*personale*) undersecretary's staff.

sottosegretàrio m. (f. **-a**) undersecretary.

sottosèlla m. inv. saddle pad.

sottosezióne f. subsection; subdivision.

sottosistèma m. subsystem.

sottosópra ⒜ avv. 1 (*capovolto*) upside down; wrong side (*o* wrong end) up; topsy-turvy: **rivoltare s. qc.**, to turn st. upside down 2 (*fig.: nello scompiglio*) upside down; topsy-turvy; in a mess; at sixes and sevens; in chaos; in a shambles: **mettere tutto s.**, to throw everything upside down; *La casa è tutta s. per il trasloco*, the house is in a terrible ness because of the move; *Mi hai messo s. tutte le mie cose*, you've jumbled up all my things; you've made a mess of all my things 3 (*in agitazione*) in confusion; in a flutter; upset (agg.): *La notizia ci mise tutti s.*, the news threw us all into confusion (*o* upset us all); *La zia era tutta s. all'idea del loro arrivo*, Auntie was in a flutter at the idea of their arrival; *Ho lo stomaco s.*, my stomach is upset ⒝ m. (*utter*) confusion; mess; chaos; shambles.

sottospàzio m. (*mat.*) subspace.

sottospècie f. inv. 1 (*bot., zool.*) subspecies* 2 (*sottogenere*) subgenre; (*spreg.*) lower species*.

sottospinàto (*anat.*) ⒜ a. infraspinous; infraspinal ⒝ m. infraspinatus*.

sottosquàdro m. (*edil., tecn.*) undercut.

sottòssido m. (*chim.*) suboxide.

sottostànte a. below (avv.); beneath (avv.); (*inferiore*) lower; (*che soggiace*) underlying: **i cassetti sottostanti**, the drawers beneath; the lower drawers; **il locale s. al terrazzo**, the room beneath the terrace; **i problemi sottostanti**, the underlying problems; **la valle s.**, the valley below.

sottostàre v. i. 1 (*stare sotto*) to be (*o* to lie*) beneath (st.) 2 (*fig.: essere soggetto*) to be subject (to); to be subordinate (to); to be under: **s. alla legge**, to be subject to the law; **s. a q. nel lavoro**, to be subordinate to (*o* to be under) sb. in one's job 3 (*affrontare*) to undergo* (st.); to submit (to): **s. a una prova**, to undergo a test 4 (*subire*) to be subject (to); (*piegarsi*) to submit (to); to yield (to), to bow (to): **s. a compromessi**, to submit (*o* to give in) to compromise; **s. alle fisime di q.**, to be subject to sb.'s whims; **s. a minacce**, to submit to threats; **s. alla volontà di q.**, to bow to sb.'s will.

sottostazióne f. (*elettr.*) substation.

sottosterzànte a. (*autom.*) understeering.

sottosterzàre v. i. (*autom.*) to understeer.

sottosterzàta f. (*autom.*) understeering.

sottostèrzo m. (*autom.*) understeer.

sottostìma f. underestimation; underrating; undervaluation.

sottostimàre v. t. to underestimate; to underrate; to undervaluate.

sottostimàto a. underestimated; understated.

sottostruttùra f. (*edil.*) substructure; understructure.

sottosuòlo m. 1 (*agric.*) subsoil; (*geol.*) subsurface: *Il s. della regione è pieno di grotte*, the region is rich in underground caves; **nel s.**, underground; **le ricchezze del s.**, mineral wealth 2 (*scantinato*) basement.

sottosviluppàto a. 1 (*econ.*) undeveloped; backward: **i paesi sottosviluppati**, the underdeveloped countries 2 (*di persona*) backward: **mentalmente s.**, backward; mentally retarded.

sottosvilùppo m. (*econ.*) underdevelopment; backwardness.

sottotangènte f. (*geom.*) subtangent.

sottotenènte m. (*mil.*) second lieutenant; (*aeron., in GB*) pilot officer; (*in USA*) second lieutenant; (*naut.*) **s. di vascello**, (*in GB*) sub-lieutenant; (*in USA*) lieutenant junior grade; **s. medico**, assistant medical officer.

sottotèrra ⒜ avv. underground: **nascondere qc. s.**, to hide st. underground ● (*fig.*) **essere s.**, to be dead and buried □ **Avrei voluto nascondermi s.**, I wished the ground would open and swallow me up ⒝ a. inv. underground: **nascondiglio s.**, underground hiding place ⒞ m. (*ambiente sotterraneo*) basement.

sottotétto m. (*edil.*) attic; garret; loft.

sottotìpo m. (*bot., zool.*) subtype.

sottotitolàre v. t. (*cinem.*) to subtitle.

sottotitolazióne f. (*cinem.*) 1 (*l'operazione*) subtitling 2 (*i sottotitoli*) subtitles (pl.).

sottotìtolo m. 1 (*di libro*) subtitle; (*di articolo*) subhead, subheading; (*all'interno dell'articolo*) crosshead 2 (*cinem.*) subtitle (generalm. al pl.).

sottotòno avv. 1 (*giù di forma*) not at one's best; below par 2 (*dimesso*) inconspicuous; unassuming; (*modesto*) low-key: **esibizione s.**, low-key performance.

sottotràccia a. 1 (*edil.*) in chase; chased: **mettere s.**, to chase 2 (*fig.: non appariscente*) subdued; (*segreto*) covert.

sotto-ufficiàle → **sottufficiale**.

sottounità f. (*tecn., biol.*) subunit.

sottoutilizzàre v. t. to underutilize; to underuse.

sottoutilizzazióne f., **sottoutilizzo** m. underutilization; underuse.

sottovalutàre ⒜ v. t. (*anche fig.*) to undervalue; to underestimate; to underrate: **s. un avversario**, to underestimate (*o* to underrate) an opponent; **s. una proprietà**, to undervalue a piece of land; **s. un rischio**, to underestimate a risk ⒝ **sottovalutàrsi** v. rifl. to undervalue oneself.

sottovalutazióne f. undervaluation; underestimation; underrating.

sottovarietà f. (*bot., zool.*) subvariety.

sottovàso m. dish (*o* saucer) for flower-pots.

sottovéla avv. (*naut.*) under sail.

sottovènto ⒜ avv. (*anche naut.*) downwind; on the lee: **essere a s. di**, to be in the lee of; **s. a noi**, under our lee; **portarsi s. a**, to sail to leeward of; **scadere s.**, to drop to leeward; *Barra s.!*, luff the helm! ⒝ a. inv. (*anche naut.*) leeward; lee; downwind: **costa s.**, lee shore; **il versante s. di una montagna**, the downwind side of a mountain; (*geogr.*) **le Isole S.**, the Leeward Islands ⒞ m. (*naut.*) lee (side); leeward (side): **marea di s.**, lee tide.

◆**sottovèste** f. slip; petticoat.

sottovìa f. (*autom.*) underpass.

◆**sottovóce** avv. under one's breath; in a low voice; quietly; softly; in a whisper; (*mus.*) sotto voce: **parlare s.**, to speak in a low voice (*o* to speak softly); **dire qc. s.**, to say st. under one's breath; to whisper st.; **canterellare s.**, to hum; **parole dette s.**, whispered words.

sottovuòto ⒜ avv. in a vacuum: **confezionare s.**, to vacuum-pack; to vacuumize ⒝ a. inv. (*ind.*) vacuum-packed (agg.); airtight: **caffè s.**, vacuum-packed coffee; **confezione s.**, (*l'operazione*) vacuum packaging; (*l'involucro*) vacuum pack, airtight container.

sottozèro ⒜ avv. below zero; below freezing (point): **dieci gradi s.**, ten degrees below zero ⒝ a. inv. subzero (attr.): **a temperature s.**, at subzero temperatures.

sottraèndo m. (*mat.*) subtrahend.

sottràrre A v. t. 1 (*portare via*, *togliere*) to remove; to take* away; (*rapire*) to abduct: **s. qc. alla vista altrui**, to remove (*o* to hide) st. from sight; *Gli sottrassero i figli*, they took his children away from him 2 (*liberare*, *salvare*) to deliver; to rescue: **s. q. alla morte**, to save sb. from certain death; **s. q. a un pericolo**, to rescue sb. from a danger 3 (*rubare*) to steal*, to purloin; (*appropriarsi indebitamente*) to embezzle, to misappropriate: **s. denaro da una cassaforte**, to steal money from a safe; **s. il portafogli a q.**, to steal sb.'s wallet; **s. una lettera**, to purloin a letter 4 (*mat.*) to subtract 5 (*detrarre*) to subtract; to deduct; to take* off: **s. le spese**, to deduct (*o* to take off) expenses B **sottràrsi** v. rifl. (*sfuggire*) to escape; to avoid; (*a un dovere*, *ecc.*) to evade; to shirk: **sottrarsi all'arresto**, to avoid arrest; **sottrarsi alla cattura**, to avoid capture; **sottrarsi al fisco**, to avoid taxation; **sottrarsi alla giustizia**, to evade justice; **sottrarsi alla morte**, to escape death; **sottrarsi a un pericolo**, to escape a danger; **sottrarsi alla prigione**, to avoid prison (*o* going to prison); **sottrarsi alla punizione**, to escape punishment (*o* being punished); **sottrarsi al servizio militare**, to evade (*o* to dodge) national service; **sottrarsi a una responsabilità**, to shirk a responsibility; **sottrarsi alla vista**, to hide from sight.

sottrattivo a. (*ling.*, *mat.*, *ottica*) subtractive.

sottrazióne f. 1 (*il sottrarre*) removal, taking away; (*rapimento*) abduction: (*leg.*) **s. alla leva**, unlawful removal from the conscription lists; (*leg.*) **s. di minore**, abduction of minor 2 (*il sottrarsi*) avoidance; evasion 3 (*il rubare*) stealing, purloining, theft; (*appropriazione indebita*) embezzlement, misappropriation: **s. di documenti**, theft of documents; **s. di fondi**, misappropriation of funds 4 (*mat.*) subtraction: **segno di s.**, subtraction sign 5 (*deduzione*) deduction; deducting.

sottufficiàle m. (*mil.*) non-commissioned officer (abbr. NCO); (*naut.*) petty officer.

soubrette (*franc.*) f. inv. (*teatr.*) soubrette; (*attrice di varietà*) variety artiste, showgirl.

soufflé (*franc.*) m. inv. (*cucina*) soufflé.

souplesse (*franc.*) f. 1 (*spec. sport*) suppleness; litheness; agility 2 (*fig.*) mental agility; flexibility ● **vincere in s.**, to win easily.

souvenir (*franc.*) m. inv. souvenir.

sovènte avv. (*lett.*) often; frequently.

soverchiànte a. overwhelming; overpowering.

soverchiàre v. t. 1 (*lett.*: *sormontare*) to overflow: *Il fiume soverchiò le sponde*, the river overflowed its banks 2 (*fig.*: *sopraffare*) to overwhelm; to overpower; (*di suono*) to rise* above, to drown (out), to cover: **s. i nemici**, to overpower one's enemies; *Le voci soverchiavano la musica*, the voices drowned (out) the music 3 (*fig.*: *superare*) to surpass; to excel; to outdo*.

soverchiatóre → **soperchiatore**.

soverchieria → **soperchieria**.

sovèrchio (*lett.*) A a. excessive; undue: **soverchi scrupoli**, excessive scruples; **soverchia indulgenza**, over-indulgence; **zelo s.**, excessive zeal B m. excess; surplus; superabundance; surfeit.

sovesciàre v. t. (*agric.*) to plough (*USA* to plow) back (*o* in).

sovèscio m. (*agric.*) green manure.

sovièt m. inv. soviet: *Il S. supremo*, the Supreme Soviet.

soviètico a. e m. (f. *-a*) Soviet: **l'Unione Sovietica**, the Soviet Union.

sovietizzàre v. t. to Sovietize.

sovietizzazióne f. Sovietization.

sovietologìa f. Sovietology.

sovietòlogo m. (f. *-a*) Sovietologist.

sóvra (*lett.*) → **sopra**.

sovrabbondànte a. 1 (*in eccesso*) over-abundant; superabundant; excess (attr.); surplus (attr.): **produzione s.**, surplus production; overproduction 2 (*fig.*: *turgido*, *esagerato*) overblown; bombastic.

sovrabbondànza f. (*quantità eccessiva*) excess; surplus; glut; (*profusione*) surfeit, overabundance, superabundance, profusion: **s. di cibo**, superabundance (*o* surfeit) of food; **s. di energie**, superabundance of energy; **una s. di latte sul mercato**, a glut of milk on the market; **s. di manodopera**, surplus of manpower; **s. di ornamenti**, excessive use of decoration; too many ornaments.

sovrabbondàre v. i. 1 (*essere in eccesso*) to be very abundant; to be in excess: *Le pesche sovrabbondano quest'estate*, peaches are very abundant this summer; there is a glut of peaches this summer 2 (*avere in eccesso*) to overflow (with); to have a glut (of); to have far too much [many]...; (*essere stracarico*) to be loaded (with): *Questo paese sovrabbonda di medici*, this country has far too many doctors; there is a glut of doctors in this country; **piante che sovrabbondano di frutti**, trees loaded with fruit 3 (*dare in eccesso*) to lavish; to overindulge (in); to be too generous (with): **s. di aggettivi**, to overindulge in the use of adjectives.

sovraccapitalizzàre v. t. (*econ.*) to overcapitalize.

sovraccaricàre v. t. 1 to overload; (*appesantire*) to overburden: **s. il bagagliaio di un'auto**, to overload the boot of a car; **s. una linea telefonica**, to overload (*o* to congest, to overwork) a telephone line; **s. q. di lavoro**, to overburden sb. with work; to overwork sb. 2 (*elettr.*) to overload; to overcharge.

sovraccàrico A a. 1 (*eccessivamente carico*) overladen; (*strapieno*) packed, crammed: (*telef.*) **linee sovraccariche**, overloaded (*o* congested, overworked) lines; **scrivania sovraccarica**, overladen desk; **un tram s. di passeggeri**, a tram crammed with passengers 2 (*elettr.*) overloaded; overcharged 3 (*oberato*) overloaded; overburdened: **s. di debiti**, overburdened with debts; **s. di lavoro**, overloaded with work; up to one's ears in work 4 (*fig.*: *eccessivo*) exaggerated; excessive B m. 1 overload; excess weight: **s. di lavoro**, overload (of work); **s. di tasse**, overtaxation; **togliere il s.**, to get rid of the excess weight 2 (*elettr.*) overload; overcharge: **determinare un s.**, to cause an overload; to overload.

sovraccopèrta → **sopraccoperta**.

sovracompressióne → **surcompressione**.

sovracomprèsso → **surcompresso**.

sovracomunàle a. (*bur.*) intermunicipal.

sovracorrènte f. (*elettr.*) overcurrent.

sovraddàzio → **sopraddazio**.

sovradimensionaménto m. inflation; overstatement; (*rif. a personale*) overstaffing; overmanning.

sovradimensionàre v. t. to inflate; to overstate; (*rif. a personale*) to overstaff, to overman.

sovradimensionàto a. oversize (*o* oversized); overblown; excessive.

sovraemissióne f. (*fin.*) overissue.

sovraespórre v. t. (*fotogr.*) to overexpose.

sovraesposizióne f. (*fotogr.*) overex-posure.

sovraespósto a. (*fotogr.*) overexposed.

sovrafatturàre v. t. to over-invoice.

sovraffaticàre A v. t. to tire out; to overstrain B **sovraffaticàrsi** v. i. pron. to tire oneself out; to overstrain oneself.

sovraffollaménto m. overcrowding; (*sovrappopolazione*) overpopulation.

sovraffollàto a. overcrowded; jam--packed (*fam.*); (*sovrappopolato*) overpopulated.

sovraimpórre e deriv. → **sovrimporre**, e deriv.

sovraimpressióne, **sovraimprèsso** → **sovrimpressione**, **sovrimpresso**.

sovrainnestàre v. t. (*agric.*) to double--graft.

sovrainnèsto m. (*agric.*) double-graft.

sovraintèndere e deriv. → **soprintendere**, e deriv.

sovralimentàre v. t. 1 to overfeed* 2 (*mecc.*) to supercharge; to boost: **s. con turbocompressore**, to turbocharge.

sovralimentàto a. 1 overfed 2 (*mecc.*) supercharged; boosted.

sovralimentatóre m. (*mecc.*) supercharger; booster; booster fan.

sovralimentazióne f. 1 overfeeding; overeating 2 (*mecc.*) supercharging; boosting.

sovràlzo → **sopralzo**.

sovramarèa f. (*geogr.*) overtide.

sovrametàllo m. (*mecc.*) machining allowance.

sovràna f. 1 → **sovrano**, B 2 (*numism.*) sovereign.

sovranaménte avv. 1 (*regalmente*) royally; regally 2 (*fig.*: *supremamente*) supremely; utterly; completely.

sovranità f. 1 (*potere sovrano*) sovereignty; sovereign power; (*su altro stato*) suzerainty: **la s. del parlamento**, the sovereignty of Parliament; **la s. popolare**, the sovereignty of the people; **diritto di s.**, sovereign rights (pl.); **esercitare la s.**, to exercise sovereignty (*o* sovereign power); **rinunciare alla s. su una regione**, to give up sovereignty over a region 2 (*supremazia*) sovereignty; supremacy: **la s. della legge**, the supremacy of the law 3 (*autorità di sovrano*) sovereignty.

sovrannaturàle e deriv. → **soprannaturale**, e deriv.

sovrannùmero → **soprannumero**.

◆**sovràno** A a. 1 sovereign: **il popolo s.**, the sovereign people; **potere s.**, sovereign power; **stato s.**, sovereign state 2 (*sommo*, *supremo*) supreme; sovereign; (*di primaria importanza*) paramount: **autorità sovrana**, supreme authority; **poeta s.**, supreme poet; *La pace regna sovrana*, peace reigns sovereign; *Il benessere dei cittadini deve essere s.*, the people's welfare must be paramount 3 (*totale*, *assoluto*) supreme; total; absolute: **s. disinteresse**, supreme (*o* total, absolute) lack of interest 4 (*di sovrano*) sovereign; (*di re*) king's (attr.); (*di regina*) queen's (attr.): **la grazia sovrana**, the king's [queen's] grace B m. (f. *-a*) sovereign; monarch; king (f. queen); ruler: **i sovrani**, the king and queen; **alla presenza del s.**, before the sovereign [the king].

sovraoccupazióne f. (*econ.*) overemployment.

sovraordinàto a. (*ling.*) superordinate.

sovrappassàggio, **sovrappàsso** m. (*cavalcavia*) flyover (*GB*); overpass (*USA*).

sovrappensièro → **soprappensiero**.

sovrappéso A m. (*med.*) excess weight: **essere in s.**, to be overweight; B a. inv. overweight.

sovrappiù → **soprappiù**.

sovrapponìbile a. superimposable.

sovrappopolàre v. t. to overpopulate.

sovrappopolàto a. overpopulate.

sovrappopolazióne f. overpopulation.

sovrappórre Ⓐ v. t. **1** (*mettere sopra*) to superimpose; to place (*o* to lay*) on (*o* over, on top of); (*coprire parzialmente*) to overlap: **s. due figure**, to superimpose two figures; **s. due fogli**, to lay two sheets one upon the other; **s. un lucido a un disegno**, to lay a piece of tracing paper over a drawing **2** (*fig.*: *anteporre*) to set* above; to give* first place to: **s. il proprio interesse al bene pubblico**, to set one's interest above the general good **3** (*mat.*, *geom.*, *fis.*) to superpose Ⓑ **sovrappórsi** v. i. pron. **1** (*porsi sopra ad altro*) to be superimposed (to); to be laid on top (of); (*coprire parzialmente*) to overlap: *I quattro strati si sovrappongono*, the four layers are superimposed one upon another; *Le due illustrazioni si erano sovrapposte*, the two pictures had been superimposed (*o* laid one on top of the other) *Le tegole devono sovrapporsi ordinatamente*, the roof-tiles must overlap neatly **2** (*anteporsi*, *sostituirsi*) to place oneself above; to usurp **3** (*fig.*: *aggiungersi*) to come* on top (of), to be added (to); (*accavallarsi*) to overlap; (*di suono*: *soffocare*) to drown out: *Ai vecchi problemi se ne sono sovrapposti dei nuovi*, new problems have been added to the old ones; **interessi che si sovrappongono**, overlapping interests; *Su tutte si sovrappose la voce di basso del nonno*, Grandfather's bass drowned out all the other voices.

sovrapposizióne f. **1** superimposition; (*parziale*) overlapping, overlap: **s. di immagini**, superimposing of pictures **2** (*fig.*: *accavallamento*) overlapping; overlap; clash: **s. di appuntamenti**, clash of appointments; **s. di interessi**, overlapping of interests **3** (*mat.*, *geom.*, *fis.*) superposition **4** (*mecc.*, *radio*) overlap.

sovrappósto Ⓐ a. **1** placed (*o* laid) on top; superimposed; (*parzialmente*) overlapping **2** (*mat.*, *geom.*, *fis.*) superposed Ⓑ m. (*fucile*) over-and-under.

sovrapprèmio m. (*ass.*) additional premium.

sovrappressióne f. (*idraul.*) overpressure; extra pressure; plenum: **s. di acqua**, extra water pressure; **sistema in s.**, plenum system.

sovrapprèzzo m. **1** surcharge; extra charge **2** (*fin.*) premium; surplus: **s. azioni**, share premium; **contributed surplus 3** (*fin.*: *carico*) load.

sovrapproduzióne f. (*econ.*) overproduction.

sovrapprofìtto → **soprapprofitto**.

sovrarazionàle → **soprarazionale**.

sovrascorriménto m. (*geol.*) overthrust.

sovrascrìtto a. (*spec. comput.*) overwritten.

sovrascrittùra f. (*comput.*) overwriting: **proteggere da s.**, to write-protect.

sovrascrìvere v. t. (*comput.*) to overwrite*.

sovrasegmentàle → **soprasegmentale**.

sovrasensìbile → **soprasensibile**.

sovrasènso → **soprasenso**.

sovrastàmpa f. overprint; enfacement; surprint.

sovrastampàre v. t. to overprint; to enface; to surprint.

sovrastampàto a. overprinted; enfaced; surprinted.

sovrastànte a. **1** (*che sta sopra*) overlooking; overhanging **2** (*che domina dall'alto*) rising above; towering above **3** (*fig.*: *incombente*) impending; imminent; looming.

sovrastàre v. t. e i. **1** (*stare sopra*) to overhang* **2** (*dominare dall'alto*) to rise* above; to tower above; to dominate; to dwarf; to overtop: *La cattedrale sovrastava tutti gli edifici vicini*, the cathedral rose above the surrounding buildings; **il colle che sovrasta alla valle**, the hill dominating the valley **3** (*fig.*: *incombere*) to hang* over; to loom over; to threaten: *Ci sovrasta la minaccia del licenziamento*, the threat of redundancy is hanging over us; *Erano ignari del pericolo che li sovrastava*, they were unaware of the impending danger **4** (*fig.*: *essere superiore*) to surpass.

sovrasterzànte a. (*autom.*) – **essere s.**, to oversteer.

sovrasterzàre v. i. (*autom.*) to oversteer.

sovrasterzàta f. (*autom.*) oversteering.

sovrastèrzo m. oversteer.

sovrastimàre v. t. to overvalue; to overestimate; to overrate.

sovrastruttùra f. **1** (*edil.*, *naut.*, *filos.*) superstructure **2** (*fig.*) addition; overtone; complication; (*al pl.*) trappings.

sovrastrutturàle a. superstructural.

sovratemporàle a. supratemporal.

sovratensióne f. (*elettr.*) overvoltage: **s. momentanea**, surge.

sovreccitàbile a. overexcitable; highly strung.

sovreccitabilità f. overexcitability.

sovreccitàre Ⓐ v. t. to overexcite Ⓑ **sovreccitàrsi** v. i. pron. to become* (*o* to get*) overexcited.

sovreccitàto a. overexcited; overstrung; overwrought; fevered.

sovreccitazióne f. overexcitement.

sovrespórre e *deriv.* → **sovraesporre**, e *deriv.*

sovrimpórre v. t. **1** to superimpose; to superpose; to overlay*; (*tipogr.*) to overprint **2** (*assol.*, *fisc.*) to impose an extra tax; to surtax.

sovrimpòsta f. (*fisc.*) additional (*o* extra) tax; surtax: **s. sul reddito**, income surtax; **applicare una s.**, to surtax.

sovrimpressióne f. **1** (*tipogr.*) overprinting; overprint **2** (*fotogr.*) double exposure **3** (*TV*) – **in s.**, superimposed; **titoli in s.**, superimposed credits; (*scorrevoli*) rolling credits.

sovrimprèsso a. **1** (*tipogr.*) overprinted **2** (*fotogr.*) superimposed.

sovrintèndere e *deriv.* → **soprintendere**, e *deriv.*

sovrumanità f. superhuman nature.

sovrumàno a. (*anche fig.*) superhuman: **poteri sovrumani**, superhuman powers; **sforzo s.**, superhuman effort.

sovvenìre Ⓐ v. t. (*lett.*: *soccorrere*) to assist; to help; to aid Ⓑ v. i. **1** (*venire in aiuto*) to help (st.); (*provvedere*) to meet* (st.): **s. ai bisogni di q.**, to meet sb.'s needs **2** (*tornare alla mente*) to come* to mind; to think* of (st.) (pers.); to remember (pers.): *Non mi sovviene il suo nome*, his name doesn't come to mind; I can't think of his name; *Proprio non mi sovviene*, I can't remember at all Ⓒ **sovvenìrsi** v. i. pron. (*ricordarsi*) to remember: *Non mi sovvenni delle tue parole*, I didn't remember your words.

sovvenzionaménto m. → **sovvenzione**.

sovvenzionàre v. t. to subsidize; to finance; to back financially; to fund; (*dotare di fondi*) to endow: **s. l'industria**, to subsidize industry; **s. un'iniziativa**, to finance a scheme; **s. una scuola**, to subsidize a school; to endow a school.

sovvenzionàto a. subsidized, financially backed; funded.

sovvenzionatóre m. (f. *-trice*) subsidizer; financial backer.

sovvenzióne f. subsidy; funding ▨; subvention; grant; aid ▨; financial backing ▨; (*dotazione*) endowment: **s. statale**, state grant; state funding; **sovvenzioni all'agricoltura**, aid to agriculture; farming subsidies; **sovvenzioni all'esportazione**, export subsidies; **chiedere una s.**, to ask (*o* to apply) for financial support; **concedere una s.**, to grant a subsidy; **godere di una s.**, to be subsidized; to benefit from a grant; **s. interna** (*a un'impresa*), cross-subsidy; **stanziare sovvenzioni**, to allocate grants.

sovversióne f. subversion; subversive activities (pl.).

sovversivìsmo m. subversiveness.

sovversìvo a. e m. (f. *-a*) subversive.

sovvertiménto m. **1** (*delle istituzioni*, *ecc.*) subversion: **s. dell'ordine costituito**, subversion of the established order; **s. di valori**, subversion of values; *Si propongono come scopo il s. delle istituzioni democratiche*, they aim at subverting democratic institutions **2** (*sconvolgimento*) disruption; upheaval; revolution.

sovvertìre v. t. **1** (*rif. alle istituzioni*, *ecc.*) to subvert: **s. il governo democratico**, to subvert democratic government; **s. un principio**, to subvert a principle **2** (*sconvolgere*) to disrupt; to upset*; to overturn; (*cambiare radicalmente*) to turn (*o* to stand*) on its head: **s. una tradizione consolidata**, to overturn an established tradition; **s. l'organizzazione di un ufficio**, to turn an office on its head.

sovvertitóre Ⓐ a. subversive Ⓑ m. (f. *-trice*) subverter; disruptor.

sozzerìa (*region.*) → **sozzura**.

sózzo a. **1** filthy; dirty; foul: **mani sozze**, filthy (*o* dirty, grubby) hands; *Hai la maglietta tutta sozza di grasso*, your T-shirt is filthy with grease **2** (*fig.*) sordid; filthy; dirty; foul: **una sozza faccenda**, a sordid business.

sozzùme m. **1** filth; dirt **2** (*fig.*) filth; (*di materiale*, *notizie*, *ecc.*) sleaze.

sozzùra f. **1** (*l'essere sozzo*) dirtiness; (*anche fig.*) filthiness, foulness **2** (*cosa sozza*) filthy (*o* dirty, foul) thing; filth ▨ **3** (*fig.*) filth ▨; (*di materiale*, *notizie*, *ecc.*, *anche*) sleaze ▨.

SP abbr. **1** (**La Spezia**) **2** (*relig.*, **Santo Padre**) His Holiness (HH) **3** (**strada provinciale**) provincial road.

S.p.A., **SpA** sigla (*comm.*, **società per azioni**) joint-stock company; public limited company (*GB*) (PLC)

spa f. (*ingl.*) spa (*sorgente o stazione termale*).

spaccalégna m. inv. woodcutter; lumberjack (*USA*).

spaccamontàgne, **spaccamónti** m. inv. braggart; bragger; blusterer.

spaccaòssa m. inv. (butcher's) cleaver; meat axe.

spaccapiètre m. inv. stonebreaker.

♦**spaccàre** Ⓐ v. t. **1** (*rompere*, *frantumare*) to break*, to smash, to crack; (*con ascia*, *ecc.*) to chop; (*dividere di netto*) to split*, to cleave*; (*fendere*) to crack; (*far scoppiare*) to burst*: **s. la legna**, to chop wood; **s. una noce**, to crack a nut; **s. le pietre**, to break stones; **s. la testa a q.**, to crack sb.'s skull; to split sb.'s head open; **s. una vetrina**, to smash a shop-window; **s. in due**, to break in two; to split; **s. in tre**, to break into three parts; *Il gelo ha spaccato i tubi*, the cold burst the pipes **2** (*fig.*) to split*; to sunder: **s. la maggioranza**, to split the majority; **s. un partito**, to split a party; to create a rift in

a party ● (*fig.*) s. **il capello** (**in quattro**), to split hairs □ (*pop.*) s. **la faccia a q.**, to bash sb's face in □ s. **il minuto**, (*di orologio*) to keep perfect time; (*di persona o evento*) (always) to be dead on time □ **sole che spacca le pietre**, blazing (*o scorching*) sun: *C'è un sole che spacca le pietre*, the sun is blazing down (*o scorching*); today is a scorcher □ **O la va o la spacca!**, here goes!; it's all or nothing! **B spaccàrsi v. i. pron. 1** (*rompersi*) to break*; to crack; to sunder; (*andare in frantumi*) to shatter; (*fendersi*) to crack, to split*; (*scoppiare*) to burst*: *Attenti, il ghiaccio si sta spaccando!*, watch out! the ice is breaking; *Mi si è spaccato il bicchiere in mano*, the glass shattered in my hands; *L'asse si è spaccata nel centro*, the board split down the middle; *Il legno d'abete pino si spacca facilmente*, deal cleaves easily **2** (*fig.*) to split*; to be divided: *Il paese si spaccò in due sulla questione dell'aborto*, the country split (*o was divided*) over the abortion issue.

spaccasàssi m. inv. (*bot.*, *Celtis australis*) hackberry; nettle-tree.

spaccàta f. **1** (*lo spaccare*) breaking; cracking; splitting; chopping: **dare una s. alla legna**, to chop some wood **2** (*ginnastica*) splits (pl.): **fare la s.**, to do the splits **3** (*gergale*) smash-and-grab raid.

spaccatimpani a. inv. ear-splitting; deafening.

spaccàto A a. 1 (*rotto*) broken; (*con spaccature*) cracked; (*con fessure*) split, cleft; (*fatto a pezzi*) chopped; (*scoppiato*) burst: **labbra spaccate**, cracked lips; **legna spaccata**, chopped wood; **tubo s.**, burst pipe; **trave spaccata**, split beam **2** (*fig.: diviso*) split; divided: **partito s.**, split (*o divided*) party **3** (*fig.: vero e proprio*) thorough; out-and-out; through and through (pred.): **un fiorentino s.**, a Florentine through and through **4** (*fig.: tale e quale*) the spitting image of: *Quel bambino è suo fratello s.*, that boy is the spitting image of his brother **B m. 1** (*archit.*) cutaway (view); (*vertical*) section **2** (*fig.*) cross-section: **uno s. della società**, a cross-section of society.

spaccatùra f. **1** (*lo spaccare*) breaking; splitting; cleaving; chopping **2** (*fenditura*) crack; split; cleft; fissure **3** (*fig.: disaccordo*) conflict, breach, rift; (*scissione*) split, break-up: **una s. nel partito**, a split in the party; **ricucire una s.**, to heal a rift.

spaccatùtto A a. inv. boisterous **B m. e f. inv.** boisterous child*

spacchettàre v. t. to unpack; to unwrap: **s. un regalo**, to unwrap a present.

spacchétto m. (*di giacca da uomo*) side vent.

spacciàre A v. t. 1 (*lett.: sbrigare*) to dispatch; to deal* with **2** (*smerciare*) to sell* off; to dispose of **3** (*mettere in circolazione*) to put* into circulation, to utter (*leg.*); (*vendere clandestinamente*) to peddle, to traffic in: **s. droga**, to peddle drugs (*fam.*); **s. moneta falsa**, to circulate counterfeit money **4** (*far passare per*) to pass off (as): *Cercava di s. quel quadro per un Van Gogh*, she tried to pass that painting off as a Van Gogh; *Me l'ha spacciata per sua sorella*, he passed her off to me as his sister **5** (*divulgare*) to spread*; to circulate: **s. notizie false**, to spread (*o to circulate*) false information **6** (*fam.: dichiarare inguaribile*) → **spacciato 7** (*uccidere*) to finish off: *La polmonite l'ha spacciato*, the pneumonia finished him off **B spacciàrsi v. rifl.** (*dare a credere di essere*) to give* oneself out (to be, as); to pass oneself off (as): **spacciarsi per avvocato**, to pass oneself off as a lawyer; *Si è spacciato per un mio lontano cugino*, he gave himself out as a distant cousin of mine.

spacciàto a. (*senza speranza di guarigione*)

given up as dead; (*fig.: rovinato, finito*) ruined, done for, dead, dished (*GB*), a goner (*sost.*): *I medici lo danno per s.*, the doctors have given him up; the doctors have written him off (*fam.*); *Se la banca non ci fa un prestito siamo spacciati*, if the bank doesn't agree to a loan, we're done for; *Se lo trovano è s.*, if they find him, he's a goner.

spacciatóre m. (f. **-trìce**) (*trafficante*) trafficker; peddler; (*contraffattore*) utterer: **s.** (**di droga**), drug peddler (*o dealer*), drug pusher (*fam.*); **s. di moneta falsa**, utterer of counterfeit money.

spàccio m. 1 (*vendita al pubblico*) sale; trading: **s. di alcolici**, sale of spirits; **s. illegale**, illicit trading **2** (*traffico clandestino*) illicit trade; trafficking; peddling; **lo s. della droga**, drug peddling (*o dealing*); drug pushing (*fam.*); (*su larga scala*) drug trafficking, the drug trade; **arrestato per s. di droga**, arrested for drug pushing; **s. di moneta falsa**, uttering of counterfeit money **3** (*luogo di vendita*) shop; store; outlet; (*mil.*) canteen, post-exchange (*USA*, abbr. P.X.): **s. di generi alimentari**, food shop (*o store*); **s. di tabacchi**, tobacconist's (shop); **s. aziendale**, factory shop; company store (*USA*).

spàcco m. 1 (*fenditura*) fissure, cleft, split, crack; (*taglio*) slit **2** (*strappo*) tear; rent; split: **farsi uno s. nei pantaloni**, to tear (*o to split*) one's trousers **3** (*moda*) slash, slit; (*di giacca, cappotto*) vent: **s. laterale**, side vent; **gonna con lo s.**, slit skirt.

spacconàta f. brag; bragging □; rodomontade □; big talk □; (*storia improbabile*) tall story: *Non credergli, è solo una s.*, don't believe him, it's a brag (*o it's all bragging*); **dire spacconate**, to talk big; to bluster.

spaccóne m. braggart; blusterer; blowhard (*USA*): **fare lo s.**, to brag; to bluster.

♦**spàda f. 1** sword: **s. alla mano**, sword in hand; **brandire la s.**, to brandish one's sword; **cingere la s.**, to gird the sword; (*anche fig.*) **incrociare la s. con q.**, to cross swords with sb.; (*anche fig.*) **rinfoderare la s.**, to sheathe one's sword; **sguainare la s.**, to draw (*o to unsheathe*) one's sword; **colpo di s.**, sword thrust; **danza delle spade**, sword dance; **duello alla s.**, duel with swords; **ferita di s.**, sword cut **2** (*scherma*) épée (*franc.*): **tirare di s.**, to fence **3** (*spadaccino*) swordsman*; blade; (*schermidore*) fencer: **essere una buona s.**, to be a good swordsman (*o blade*) **4** (*al pl.*) (*alle carte*) swords ● **la s. di Damocle**, the sword of Damocles □ **la s. della giustizia**, the sword of justice □ **a s. tratta**, with drawn sword; (*fig.*) with all one's might, passionately, to the hilt: **difendere q. [qc.] a s. tratta**, to defend sb. [st.] to the hilt □ (*fig.*) **morire con la s. in pugno**, to die fighting □ **passare a fil di s.**, to put to the sword □ (*prov.*) **Chi di s. ferisce di s. perisce**, he that lives by the sword, shall die by the sword □ (*prov.*) **Ne uccide più la lingua che la s.**, the pen is mightier that the sword.

spadaccìno m. swordsman*; blade; (*schermidore*) fencer.

spadacciòla f. (*bot.*, *Gladiolus*) sword lily; gladiolus*.

spadàio m. sword maker.

spadàra f. (*pesca*) swordfish net.

spadellàre v. t. 1 (*mancare il tiro*) to miss **2** (*spignattare*) to busy oneself with pots and pans.

spàdice m. (*bot.*) spadix*.

spadifórme a. (*lett.*) sword-shaped; ensiform.

spadìna f. (*moda*) sword-shaped hairpin.

spadìno m. (*da duello*) small-sword; (*da cerimonia*) dress-sword.

spadìsta m. e f. (*scherma*) épéeist.

spadóna f. (anche agg.: **pera s.**) (*bot.*)

Williams pear.

spadóne m. broadsword.

spadroneggiàre v. i. to throw* one's weight about; to lord it.

spaesaménto m. disorientation; feeling of being lost; lost feeling.

spaeṣàto a. out of one's element; lost; (*a disagio*) ill at ease, uncomfortable.

spaghettàta f. (*fam.*) spaghetti meal ● **Facciamoci una bella s.**, let's cook some spaghetti.

spaghetterìa f. spaghetti restaurant; spaghetti house.

spaghétti m. pl. (*cucina*) spaghetti □: **s. al pomodoro**, spaghetti with tomato sauce; *Ottimi, questi s.*, this spaghetti is excellent; **tre s.**, three strings of spaghetti; **un piatto di s.**, a plate of spaghetti.

spaghettièra f. 1 (*per servire*) spaghetti serving bowl **2** (*per cuocere*) deep pan (for spaghetti).

♦**spaghétto ① m. 1** (*spago sottile*) string; twine **2** (al pl.) → **spaghetti**.

spaghétto ② m. (*fam.*) → **spago ②**.

spaginàre v. t. (*tipogr.*) to alter the make-up of.

spaginatùra f. (*tipogr.*) altering of the make-up.

spagliàre ① A v. t. (*agric.*) to remove the straw from **B v. i.** (*di animale nella stalla*) to move the straw about **C spagliàrsi v. i. pron.** to lose* the straw covering.

spagliàre ② v. i. (*straripare*) to overflow*; to flood.

spagliatùra f. (*agric.*) removing of the straw; winnowing.

spàglio m. 1 (*straripamento*) overflowing; flooding **2** (*agric.*) – **semina a s.**, broadcasting; **seminare a s.**, to saw broadcast; to broadcast; **seminato a s.**, sown broadcast.

spàgna f. (anche agg.: **erba s.**) (*bot.*) lucerne; alfalfa (*USA*).

Spàgna f. (*geogr.*) Spain ● **cera di S.**, sealing wax □ **pan di S.**, sponge cake.

spagnàio m. field of lucerne (*USA* of alfalfa).

spagnòla f. 1 → **spagnolo 2** (*med.*) Spanish influenza; Spanish flu.

spagnoleggiàre v. i. 1 to follow Spanish fashions; to affect Spanish manners **2** (*spreg.*) to behave haughtily.

spagnolésco a. (*spreg.*) haughty; arrogant.

spagnolétta f. 1 (*di filo*) spool; reel **2** (*serrame per finestra*) espagnolette **3** (*moda*) mantilla **4** (*lat.: arachide*) peanut.

spagnolìṣmo m. 1 (*ling.*) Hispanicism **2** (*usanza spagnola*) Spanish habit; Spanish fashion.

spagnòlo A a. Spanish: (*med.*) **febbre spagnola**, Spanish influenza; Spanish flu **B m.** (f. **-a**) Spaniard **C m.** (*ling.*) Spanish.

♦**spàgo ① m.** string; twine; (*da calzolaio*) waxed thread: **s. grosso**, thick string; cord; **gomitolo di s.**, ball of string; **legare con lo s.**, to tie up with string ● (*fig.*) **dare s. a q.**, to let sb. talk; to humour sb.

spàgo ② m. (*fam.: paura*) scare; fright; (the) heebie-jeebies (pl.) (*fam.*): **prendersi un bello s.**, to be scared out of one's wits; to get the scare of one's life; to have the heebie-jeebies.

spaiaménto m. separation (of a pair); uncoupling.

spaiàre v. t. to separate (*a pair*); to uncouple.

spaiàto a. odd; unmatched: **calza spaiata**, odd sock; **guanti spaiati**, odd (*o unmatched*) gloves.

spalancaménto m. opening wide; throwing open.

◆spalancàre **A** v. t. to open wide; to throw* open; to fling* open: **s. la bocca**, to open one's mouth wide; to gape; **s. le braccia**, to throw (o to fling) open one's arms; **s. una finestra [una porta]**, to fling (o to throw) a window [a door] open; **s. gli occhi**, to open one's eyes wide; to goggle; **s. una porta con un calcio**, to kick a door wide open ● (fig.) **s. le orecchie**, to listen very carefully; to pin back one's ears (fam.) **B** **spalancàrsi** v. i. pron. to open wide; to burst* open; to be thrown (o flung) open; (di fossa, ecc.) to open up, (essere spalancato) to yawn, to gape; (di panorama, ecc.) to be revealed, to unfold: La porta si spalancò, the door was flung open; I suoi occhi si spalancarono dallo stupore, her eyes opened wide in amazement; Ai nostri piedi si spalancava un'enorme buca, a deep hole gaped before us.

spalancàto a. wide-open; gaping; open; (disteso) spread out: **bocca spalancata**, gaping mouth; **a bocca spalancata**, open-mouthed; **braccia spalancate**, open (o outstretched) arms; **occhi spalancati**, wide-open eyes; **avere gli occhi spalancati dalla sorpresa**, to be wide-eyed with surprise; **con occhi spalancati**, goggle-eyed; **fissare qc. con occhi spalancati**, to stare at st. wide-eyed; to goggle at st.; **porta spalancata**, wide-open door; Teneva il giornale s. davanti a sé, she had the paper spread out before her.

spalanéve m. inv. snowplough, snowplow (USA).

spalàre① v. t. (naut.) to feather (an oar).

spalàre② v. t. to shovel: **s. la neve dal sentiero**, to shovel the snow out of the path; **s. il grano**, to winnow corn.

spalàta f. **1** (attività, colpo di pala) shovelling: **dare una s. a qc.**, to shovel st. **2** (contenuto di una pala) shovelful.

spalatóre m. (f. -trice) shoveller.

spalatrìce f. (mecc.) shovelling machine; shoveller; (agric.) grain aerator.

spalatùra f. shovelling.

spalcàre v. t. (edil.) to pull down the scaffolding from **2** (agric.) to lop off the lower branches from.

◆spàlla f. **1** shoulder; (al pl.: schiena) back (sing.): **spalle larghe [quadrate, curve]**, broad [square, stooping] shoulders; **una s. su cui piangere**, a shoulder to cry on; **un par di spalle**, a fine pair of shoulders; broad shoulders; **s. a s.**, shoulder to shoulder; side by side; **alle spalle**, behind; (da dietro) from behind; **alle spalle di q.**, behind sb.; (anche fig.) behind sb.'s back; **attaccare alle spalle**, to attack from behind; **avere qc. alle spalle**, to have st. behind one; Ero proprio alle tue spalle, I was right behind you; **alzare le spalle**, to shrug (one's shoulders); **avere buone spalle (o le spalle larghe)**, to be broad-shouldered; to have a strong back; (anche fig.) to have broad shoulders; **battere una mano sulla s. di q.**, to pat sb. on the shoulder; to pat sb.'s shoulder; **dare le spalle a qc.**, to have one's back turned on st.; **guardarsi alle spalle**, to look over one's shoulder; **lasciarsi qc. alle spalle**, to leave st. behind one; **mettersi in s. il fucile [lo zaino]**, to shoulder one's gun [one's pack]; **portare un bambino in s.**, to carry a child on one shoulder; **portare un peso sulle spalle**, to carry a weight on one's back; **raddrizzare le spalle**, to throw back (o to straighten) one's shoulders; **stringersi nelle spalle (o scrollare le spalle)**, to shrug (one's shoulders); **trasportare a s.**, to carry on one's back; **vedere q. di spalle**, to see sb. from behind; **voltare le spalle a q.**, to have one's back turned to sb.; (fig.) to turn one's back on sb.; (non salutare) to cold-shoulder sb.; **alzata (o scrollata) di spalle**, shrug,

(anche fig.) **pugnalata alle spalle**, stab in the back **2** (in un indumento) shoulder: **spalle imbottite**, padded shoulders; **stretto di spalle**, narrow across the shoulders **3** (zool., cucina) shoulder: **prosciutto di s.**, shoulder ham **4** (di montagna, collina) shoulder **5** (edil.) abutment **6** (teatr.) stooge; straight man*; feed: **fare da s. a q.**, to stooge for sb. **7** (estens.: assistente) sidekick (fam.); (compare di imbroglione, ecc.) shill (fam. USA): **fare da s. a q.**, to be sb.'s sidekick; to play sb.'s second fiddle **8** (tipogr.) shoulder ● (naut.) **s. del timone**, rudder bow □ (mil.) **Spall'arm!** → **spallarm** ● **avere anni di esperienza sulle spalle**, to have years of experience behind one □ **avere parecchi anni sulle spalle**, to be getting on (in years) □ (fig.) **avere le spalle al muro**, to have one's back to the wall □ (fig.) **avere le spalle coperte**, to be well covered □ (fig.) **avere qc. sulle proprie spalle**, to carry the responsibility for st. □ **avere una famiglia numerosa sulle spalle**, to have a large family to support □ **avere la testa sulle spalle**, to have a (good) head on one's shoulders □ (fig.) **cogliere q. alle spalle**, to take sb. unawares □ **coprire le spalle a q.**, to cover sb.; to guard (o to protect) sb.'s back □ **dire qc. dietro le spalle di q.**, to say st. behind sb.'s back □ **fare (o tenere) s. a q.** (spalleggiarlo), to back sb. up □ **gettare la responsabilità [la colpa] sulle spalle di q. altro**, to shift the responsibility [the blame] on to sb. else (o on to other shoulders) □ (fig.) **guardare (o proteggere) le spalle a q.**, to guard (o to protect) sb.'s back; to cover sb. □ (fig.) **guardarsi le spalle**, to protect oneself; (stare in guardia) to watch out, to stay alert □ **lavorare di spalle** (per farsi strada), to shoulder one's way (through st.) □ **portare q. sulle spalle** (in trionfo), to carry sb. shoulder-high □ **prendersi una responsabilità sulle spalle**, to take a responsibility on oneself; to shoulder a responsibility □ **ridere alle spalle di q.**, to laugh at sb. behind sb.'s back □ (mus.) **violino di s.**, second violin; (fig. scherz.) second fiddle □ **vivere alle spalle di q.**, to live off sb. □ **volgere le spalle** (fuggire), to run away; to turn tail.

spallàccio m. **1** (di armatura) shoulder plate **2** (di zaino, borsa) shoulder strap; (di giberna) sling.

spallaménto m. (mecc.) shoulder.

spallàre① v. t. to shoulder (a gun).

spallàre② (biliardo) **A** v. t. to snooker **B** v. i. e **spallàrsi** v. i. pron. to snooker oneself; to be snookered.

spallàrm **A** inter. shoulder arms! **B** m. – **ordinare lo s.**, to order to shoulder arms.

spallàta f. **1** (urtone) push (o shove) with the shoulder; shoulder charge: **dare una s. a q.**, to give sb. a shove with one's shoulder; (per passare) to shoulder sb. out of the way; **abbattere una porta con una s.**, to knock down a door with one's shoulder (o with a shoulder charge); **farsi largo a spallate**, to shoulder one's way (through st.); **prendere a spallate una porta**, to shoulder-charge a door; **scostare q. con una s.**, to shoulder sb. out of the way **2** (alzata di spalle) shrug (of the shoulder).

spallazióne f. (fis. nucl.) spallation.

spalleggiaménto m. backing; support.

spalleggiàre **A** v. t. **1** to back (up); to support **2** (mil.) to carry on one's shoulders **B** **spalleggiàrsi** v. rifl. recipr. to back up (o to support) each other [one another].

spallétta f. **1** (di ponte) parapet **2** (argine) embankment; bank **3** (edil.) embrasure.

spallièra f. **1** (di sedile) back **2** (di letto: testata) head; (fondo) foot **3** (agric.) espalier **4** (attrezzo ginnico) wall bars.

spallìna f. **1** (mil.: dorata) epaulette; (stri-

scia con gradi) shoulder strap, shoulder loop, shoulder mark (USA, naut.): **guadagnarsi le spalline**, to win one's epaulettes **2** (di indumento) (shoulder) strap: **senza spalline**, strapless **3** (imbottitura) shoulder pad.

spallóne m. (gergale) smuggler; (di droga, anche) mule (slang).

spallùccia f. – **fare spallucce**, to shrug (one's shoulders).

spallucciàta f. shrug (of the shoulders).

spalmàre **A** v. t. to smear; to spread*; (soffregando) to rub: **s. il burro su una fetta di pane**, to spread butter on (o to butter) a slice of bread; **s. di burro una teglia**, to butter a baking-tin; **s. di pece**, to smear with pitch; to tar; **spalmarsi il corpo di crema antisole**, to smear oneself with sun block; **spalmarsi il viso di crema**, to smear one's face with cream; to apply cream to one's face **B** **spalmàrsi** v. rifl. to smear (st.) all over oneself: Si spalmò tutto di abbronzante, he smeared sun-tan cream all over himself **C** **spalmàrsi** v. i. pron. to spread*: La margarina si spalma meglio del burro, margarine spreads more easily than butter.

spalmàta f. smearing; spreading; (con olio) oiling: **darsi una s. di crema in faccia**, to smear one's face with cream; to apply cream to one's face.

spalmatóre **A** a. spreading; smearing **B** m. (f. -trice) **1** spreader **2** (ind. tess.) sizer.

spalmatrìce f. (ind. tess.) sizing machine.

spalmatùra f. **1** (l'operazione) smearing; spreading **2** (lo strato) layer; coat.

spàlto m. **1** (bastione) glacis* **2** (al pl.) (gradinate di stadio) terraces.

spam m. inv. (ingl., comput.) spam.

spamming m. inv. (ingl., comput.) spamming.

spampanàre **A** v. t. to strip (a vine) of foliage; to thin out **B** **spampanàrsi** v. i. pron. **1** (di vite) to shed* its foliage **2** (di fiore) to be overblown.

spampanàto a. **1** (di vite) stripped of foliage **2** (di fiore) overblown.

spampanatùra f. stripping (a vine) of foliage; thinning out.

spanàre v. t., **spanàrsi** v. i. pron. (mecc.) to strip.

spanàto a. (mecc.) stripped.

spanatùra f. (mecc.) stripping.

spanciàre **A** v. t. (aeron.) to stall **B** v. i. **1** (di tuffatore) to belly-flop **2** (aeron.) to stall **C** **spanciàrsi** v. i. pron. – **spanciarsi dal ridere (o dalle risa)**, to split one's sides (with laughter); to be in stitches.

spanciàta f. **1** (nel tuffarsi) belly flop: **prendere una s.**, to do a belly flop **2** (aeron.) stalling **3** (scorpacciata) big feed: **fare una s. di qc.**, to gorge (o to stuff) oneself with st.

spàndere **A** v. t. **1** (allargare, distendere) to spread* (out); to lay* out: **s. il bucato all'aria**, to lay out the washing to air; L'albero spande i rami, the tree spreads out its branches **2** (versare, spargere) to shed*; to pour out; (rovesciare) to spill*; (sgocciolare) to leak: **s. lacrime**, to shed tears; Questo vaso spande acqua, this vase leaks **3** (diffondere) to spread*; to give* out (o off); to shed*: **s. calore**, to give off heat; **s. una luce fioca**, to give out a dim light; **s. un buon profumo**, to give off a nice smell **4** (spargere, divulgare) to spread*; to circulate: **s. una notizia**, to spread a piece of news **5** (spalmare) to spread*; to smear: **s. la cera sul pavimento**, to spread wax over the floor **6** (sparpagliare) to scatter; to strew*; to spread* ● **spendere e s.**, to squander one's money; to throw one's money about **B** **spàndersi** v. i. pron. **1** (allargarsi, diffondersi) to spread*: Le macchie di umidità si spandono in fret-

ta, patches of damp spread quickly; *La notizia si sparse subito per il paese*, the news spread at once throughout the village; **spandersi a macchia d'olio**, to spread like wildfire **2** (*riversarsi, anche fig.*) to pour out: **spandersi per le vie**, to pour out into the streets.

spandicéra m. inv. floor polisher.

spandiconcime m. inv. (*agric.*) manure spreader.

spandifièno m. inv. (*agric.*) tedder.

spandighiàia f. inv. gravel spreader.

spandilétàme m. inv. (*agric.*) manure spreader; muck spreader.

spandiliquàme m. inv. (*agric.*) liquid manure spreader.

spandiménto m. **1** spreading: **s. di concime**, manure spreading **2** (*versamento*) spilling; pouring out.

spandisàbbia m. inv. (*tecn.*) sand spreader.

spandisàle f. inv. salt spreader.

spanditrice f. (*tecn.*) spreader; spreading machine.

spaniàre Ⓐ v. t. to free (*a bird*) from birdlime Ⓑ **spaniàrsi** v. i. pron. **1** (*di uccello*) to free itself from birdlime **2** (*fig.*) to get* out of a tight spot.

spàniel (*ingl.*) m. inv. (*zool.*) spaniel.

spànna f. **1** handbreadth **2** (*misura*) (about) twenty centimetres; (about) nine inches; span; (*estens.*: *piccola misura*) a few inches, a few centimetres: *Sarà largo due spanne al massimo*, it can't be more than forty centimetres (*o* eighteen inches) wide; **a una s. dal muro**, a few centimetres (*o* inches) from the wall ● (*fig.*) **a spanne**, approximately; at a rough guess □ (*scherz., di bambino*) **alto una s.**, knee-high to a grasshopper □ **andare a spanne**, to calculate approximatively; to give a rough guess.

spannàre ① v. t. (*il latte*) to skim (*milk*).

spannàre ② v. t. to demist.

spannaròla f. skimmer.

spannatóia f. skimmer.

spannatùra f. skimming.

spannòcchia f. → **spannocchio**.

spannocchiàre v. t. to husk (*corn*); to shuck.

spannocchiatùra f. corn-husking; corn-shucking.

spannòcchio m. (*zool., Penaeus carinatus*) edible prawn.

spantanàre Ⓐ v. t. (*fig.*) to get* (sb.) out of a fix Ⓑ **spantanàrsi** v. i. pron. to get* out of a fix.

spaparacchiàrsi, spaparanzàrsi v. rifl. (*fam.*) to sprawl: **s. sul divano**, to sprawl on the sofa; **s. al sole**, to bask in the sun.

spappagallàre v. i. to repeat parrot-fashion.

spappolaménto m. pulping: **s. chimico**, chemical pulping.

spappolàre Ⓐ v. t. to reduce to a pulp (*o* to mush); (*schiacciando*) to crush to a pulp: **s. le pesche a forza di cuocerle**, to cook peaches to a mush; *La pressa gli ha spappolato una mano*, the press crushed his hand to a pulp Ⓑ **spappolàrsi** v. i. pron. (*disfarsi*) to be reduced to a pulp; to get* mushy ● (*fig.*) **Ti si sta spappolando il cervello**, you're going soft in the head.

spappolàto a. reduced to a pulp; mushy; soggy; pappy: **patate spappolate**, mushy (*o* soggy) potatoes; **piede s.**, foot reduced to a pulp ● (*fig.*) **avere il cervello s.**, to be soft in the head.

spappolatóre m. (*ind. cartaria*) kneader; pulper.

sparacchiàre v. i. to fire intermittently.

sparachiòdi f. inv. rivet (*o* riveting) gun.

sparagèlla, sparaghèlla f. (*bot., Asparagus acutifolius*) wild asparagus.

sparagiàia → **asparageto**.

spàragio → **asparago**.

sparagnàre v. t. (*region.*) to save.

sparagnino (*region.*) Ⓐ a. closefisted; stingy Ⓑ m. (f. **-a**) stingy person; skinflint.

sparàgno m. (*region.*) **1** saving **2** (*spreg.*) stinginess; miserliness.

sparanéve a. inv. – **cannone s.**, snow cannon; snowmaker.

sparapùnti f. inv. staple gun.

spararàzzi m. inv. Very pistol.

sparàre ① v. t. (*region.*: *sventrare*) to slit* open; to gut.

◆**sparàre** ② Ⓐ v. t. **1** to fire; to shoot*: **s. un colpo di fucile**, to fire a shot; **s. un colpo in aria**, to shoot in the air; **s. una salva**, to fire a volley; **spararsi un colpo in testa**, to put a bullet through one's head; to blow one's head off **2** (*fig.*: *tirare*) to shoot*; to deal*: **s. calci**, to kick; **s. il pallone in rete**, to shoot at goal **3** (*fig.*: *dire, raccontare*) to shoot*; to fire; (*chiedere*) to ask: **s. una domanda**, to fire (*o* to shoot) a question; **s. fandonie**, to shoot a line; to talk big; to tell tall stories; **s. un numero** (*per indovinare*), to guess a figure; **s. un prezzo**, to name a figure **4** (*pop.*: *prendere, farsi*) to have: **spararsi una coca**, to have a Coke ● (*fig.*) **s. l'ultima cartuccia**, to play one's last card □ (*giorn.*) **s. una notizia in prima pagina**, to splash a story all over the front page □ **spararle grosse**, to talk big; to tell stories; to tell lies Ⓑ v. i. **1** to shoot*; (*fare fuoco*) to fire: **s. a un bersaglio**, to shoot at a target; **s. a una lepre**, to shoot at a hare; **s. a bruciapelo**, to fire point-blank; **s. a salve**, to fire a blank; to fire salvoes; **s. a vista**, to shoot on sight; **s. a zero**, to shoot point-blank; (*fig.*) to lash out (against); **s. bene**, to shoot well; to be a good shot; **s. su q.**, to shoot at sb.; to open fire on sb.; (*senza prendere la mira*) to take a pot-shot at sb.; **s. tre volte**, to fire three times; **spararsi**, to shoot oneself; **spararsi alla testa**, to shoot oneself in the head; *Gli sparò alle gambe*, he shot him in the legs; *Gli hanno sparato alla schiena*, he was shot in the back; *Ci stanno sparando*, we are being shot at; **dare l'ordine di s.**, to give order to fire; *Non sparate!*, don't shoot! **2** (*di colore*) to be dazzling ● (*fig.*) **s. nel mucchio**, to lash out indiscriminately □ **È come s. sulla Croce Rossa**, it's like taking money from blind beggars □ «**Posso farti una domanda?**» «**Spara**», «can I ask you a question?» «shoot away».

spàra-spàra m. inv. (*fam. comput.*) shoot-'em-up.

sparàta f. **1** discharge; volley **2** (*fig.*: *spacconata*) brag; boast; big talk Ⓤ: *Nessuno crede più alle sue sparate*, no one believes his boasts anymore **3** (*fig.*: *attacco verbale*) attack; verbal onslaught; (*scenata*) scene.

sparàto ① m. (*di camicia*) shirtfront; (*falso*) dicky.

sparàto ② a. (*fam.*: *veloce*) fast; like a shot; flat out; (*senza aspettare*) straight: **andare s.**, to go flat out; to belt along (*fam. GB*); to barrel along (*fam. USA*); **andare s. da q.**, to go straight to sb.; **partire s.**, to be off like a shot.

sparatóre m. (f. **-trice**) shooter.

sparatòria f. shooting; firing; gunfire; gunfight; (*con la polizia o fra malviventi*) shoot-out.

sparatùtto m. inv. (*fam. comput.*) shoot-'em-up.

sparecchiaménto m. clearing (of the table).

◆**sparecchiàre** v. t. **1** (*anche assol.*) to clear (*the table*): **s. la tavola**, to clear the table; to clear away the dishes **2** (*fam.*: *mangiare tutto*) to eat* up; to demolish; to polish off.

sparéggio m. **1** (*disavanzo*) deficit **2** (*sport*) play-off; run-off; tiebreak, tiebreaker: **incontro di s.**, play-off (game); decider (*GB*); (*tennis*) tiebreak, tiebreaker; **disputare lo s.**, to play off.

◆**spàrgere** Ⓐ v. t. **1** (*gettare qua e là, spargagliare*) to scatter; to strew*; (*a pioggia*) to sprinkle; (*costellare*) to intersperse; to pepper: **s. fiori**, to scatter flowers; **s. fogli dappertutto**, to scatter sheets of paper everywhere; **s. la ghiaia sul vialetto**, to scatter (*o* to strew) gravel on the path; to strew the path with gravel; **s. il letame**, to spread manure; **s. sale sul cibo**, to sprinkle salt on one's food; **s. sale su una strada**, to scatter salt on a road; **s. i semi**, to scatter seed; *I tifosi avevano sparso lattine e cartacce dappertutto*, the spectators had strewn tins and wrappers all over the place; *Aveva sparso allusioni ambigue per tutto l'articolo*, he had sprinkled (*o* peppered) his article with ambiguous allusions **2** (*versare*) to shed*; to pour out; to spill: **s. lacrime**, to shed tears; **s. sangue**, to shed blood; **s. vino sulla tovaglia**, to spill wine on the tablecloth **3** (*emanare*) to shed*; to give* out (*o* off): **s. calore**, to give off heat; **s. un debole chiarore**, to shed a glow **4** (*divulgare*) to spread*; to put* about; to broadcast*: **s. notizie false**, to spread (*o* to put about) false information; **s. ai quattro venti**, to spread far and wide; to broadcast* Ⓑ **spàrgersi** v. i. pron. **1** (*sparpagliarsi, disperdersi*) to scatter; to spread*; to disperse: *La folla si sparse dappertutto*, the crowd dispersed in all directions; *I poliziotti si sparsero all'inseguimento*, the policemen scattered in pursuit **2** (*diffondersi*) to spread*: *La voce si sparse in un baleno*, the news spread like wildfire; *La sua fama si è sparsa in tutto il mondo*, his fame has spread worldwide.

spargiménto m. **1** (*lo sparpagliare*) scattering; strewing **2** (*il versare*) shedding: **s. di sangue**, shedding of blood; bloodshed; **senza s. di sangue**, without bloodshed; bloodless (agg.).

spargipépe m. inv. pepper pot; (*a macinino*) pepper mill.

spargisàle m. inv. saltcellar (*GB*); salt shaker (*USA*).

spargitàlco m. inv. talcum sprinkler.

spargitóre m. (f. **-trice**) spreader; (*di sostanza in polvere*) shaker.

sparigliàre v. t. to uncouple; to separate (*a pair*).

◆**sparire** v. i. **1** (*sottrarsi alla vista*) to disappear; to vanish; (*svanire*) to fade; (*andare via*) to go* (away), to be gone: **s. alla vista**, to disappear (*o* to vanish) from sight; **s. in un baleno**, to be gone in a twinkle; **s. tra la folla**, to disappear (*o* to melt) into the crowd; **apparire e s.**, to appear and disappear; *Il sole sparì dietro una nuvola*, the sun disappeared behind a cloud; *La cicatrice è sparita*, the scar has gone away (*o* has faded); *La neve sparirà presto*, the snow will soon disappear; *Il mal di testa è sparito*, my headache has gone; *Dove eravate spariti?*, where had you gone off to?; *Sparisci!*, get lost!; clear out!; scram! **far s. qc.**, to make st. disappear (*o* vanish); (*come per magia*) to spirit st. away; (*cancellare, rimuovere*) to remove; **far s. una macchia**, to remove a stain **2** (*essere introvabile*) to disappear, to vanish; (*di persona, anche*) to go* missing; (*rendersi irreperibile*) to disappear, to abscond, to make* oneself scarce: **s. dalla faccia della terra**, to vanish from the face of the earth; **s. nel nulla**, to vanish into thin air; **s. senza lasciar traccia**, to vanish with-

out a trace; *Mi sono sparite gli occhiali*, my glasses have vanished; *È sparito coi soldi*, he vanished (o absconded, cleared off) with the money; *Decisi che era prudente s.*, I decided I'd better make myself scarce; **far s. qc.**, (*nasconderla*) to hide st.; (*rubarla*) to steal st., to make off with; **far s. q.** (*ucciderlo*), to dispose of sb.; to do away with sb. (*fam.*) 3 (*finire, esaurirsi*) to disappear; to be gone: **far s.** (*mangiare*), to polish off; to put* away; *I bambini hanno fatto s. il gelato in un baleno*, the children polished off the ice cream in a second; *Chi ha fatto s. tutti i cioccolatini?*, who made off with all the chocolates 4 (*cessare di esistere*) to disappear; to die out.

sparizióne f. 1 disappearance; vanishing: **denunciare la s. di q.**, to report sb. missing 2 (*smarrimento*) loss 3 (*estinzione*) disappearance; extinction.

sparlàre v. i. 1 to talk behind (sb.'s) back; to gossip (about); (*malignare*) to backbite* (sb.); (*criticare*) to run* down (sb., st.), to badmouth (sb.) (*USA*) 2 (*parlare a sproposito*) to talk nonsense (o rubbish).

sparlatóre m. (f. **-trìce**) backbiter; gossip.

spàro ① m. 1 (*lo sparare*) firing; shooting: **congegno di s.**, firing device; firing mechanism 2 (*colpo*) shot; (*rumore*) report, crack; (al pl.) shots, firing ▣: **s. di fucile**, rifle-shot; gunshot; crack (o report) of a gun; **sentire uno s.**, to hear a shot (o the crack of a gun).

spàro ② m. (*zool., region.*) white sea bream.

sparpagliaménto m. scattering; strewing; spreading.

sparpagliàre Ⓐ v. t. to scatter; to strew*; (*in disordine*) to throw* about, to litter: **s. le carte da gioco sul tavolo**, to scatter the cards on the table; **s. i vestiti per tutta la stanza**, to scatter one's clothes about the room; *Aveva sparpagliato i gusci sul pavimento*, she had littered the floor with bits of shell Ⓑ **sparpagliàrsi** v. i. pron. to scatter; to disperse: **sparpagliarsi nelle vie**, to scatter through the streets; *Diede ordine ai suoi di sparpagliarsi*, he ordered his men to scatter.

sparpagliataménte avv. in disorder; (*alla spicciolata*) by twos and threes, in dribs and drabs.

sparpagliàto a. scattered; dispersed: **libri sparpagliati**, scattered books; books strewn all over st.

sparsaménte avv. sparsely; here and there.

♦**spàrso** a. 1 (*sparpagliato*) scattered; strewn: **case sparse sul pendio**, houses scattered over the hillside; **cartacce sparse per terra**, dirty wrappers littering the ground; litter scattered all over the place; **fogli sparsi**, scattered sheets of paper; **piogge sparse**, scattered showers; **in ordine s.**, (*mil.*) in open order; (*alla spicciolata*) by twos and threes, in dribs and drabs 2 (*sciolto, non raccolto*) scattered; loose: **capelli sparsi sulle spalle**, hair hanging loose about one's shoulders; **fogli sparsi**, loose sheets; **scritti sparsi**, scattered (o uncollected) writings 3 (*cosparso*) scattered; spread; strewn: **s. di fiori**, strewn with flowers 4 (*rado*) occasional; stray; sparse: **qualche s. visitatore**, a few occasional visitors 5 (*versato*) spilt; shed: **latte s.**, spilt milk; **sangue s.**, blood shed (for st.) 6 (*arald.*) semé.

spartachista m. e f. (*stor.*) Spartacist.

Spàrtaco m. Spartacus.

spartanaménte avv. Spartanly; like a Spartan; (*fig.*) austerely.

spartàno Ⓐ a. Spartan: **educazione spartana**, Spartan upbringing Ⓑ m. (f. **-a**) Spartan.

spartiàcque m. inv. (*geogr. e fig.*) water-

shed; divide: **s. continentale**, continental (o great) divide; (*fig.*) **segnare lo s.**, to mark a watershed.

spartìbile a. dividable; shareable.

spartifiàmma m. inv. gas ring.

spartifuòco m. inv. (*teatr.*) safety curtain.

spartinéve m. inv. (*cuneo e veicolo*) snowplough, snowplow (*USA*).

spartìre v. t. 1 (*ripartire*) to share out; to divide up; to split*; (*spreg.*) to carve up: **s. in parti uguali**, to divide equally; **s. un'eredità**, to divide up an inheritance; **s. una vincita fra cinque persone**, to share out (o to split) a win among five people; **spartirsi il bottino**, to share out the loot; **spartirsi i profitti**, to share the profits; to carve up the profits (*fam.*); *I paesi che si spartirono l'Africa nell'Ottocento*, the powers that carved up Africa in the 19th century 2 (*allontanare, separare*) to part; to separate: **s. i capelli**, to part one's hair; **s. due litiganti**, to part two brawlers 3 (*mus.*) to score ● **non avere nulla da s. con q.**, to have nothing to do with sb.: *Non voglio aver nulla da s. con loro*, I don't want to have anything to do with them; I will have no truck with them.

spartisémi m. inv. (*agric.*) grapeseed separator.

spartìto ① a. divided; shared; split.

spartìto ② m. (*mus.*) 1 piano score 2 (*partitura*) score.

spartitòrio a. share-out (attr.); carve-up (attr.).

spartitràffico a. e m. inv. – **aiuola** (o **corsia**) **s.**, central reservation (*GB*); median strip (*USA*); **banchina s.**, traffic divider; **isola s.**, traffic island; **striscia** (o **linea**) **s.**, centre line.

spartitùra f. 1 → **spartizione** 2 (*scriminatura*) parting.

spartizióne f. sharing out; share-out; division; (*spreg.*) carve-up: **la s. del bottino**, the share-out of the loot; **la s. dell'eredità**, the division of the inheritance; **la s. dei profitti**, profit sharing; **la s. di un territorio**, the carve-up of a territory; **s. politica**, political carve-up.

spàrto m. 1 (*bot., Lygeum spartum*) esparto (grass); Spanish grass 2 (*fibra*) esparto.

sparutézza f. 1 (*grande magrezza*) thinness; gauntness; haggardness 2 (*esiguità*) scantiness; meagreness.

sparùto a. 1 (*molto magro*) thin; bony; gaunt; haggard 2 (*di numero esiguo*) scanty; meagre.

sparvièro, sparvière m. 1 (*zool., Accipiter nisus*) sparrowhawk 2 (*edil.*) mortarboard; hawk.

spasimànte m. e f. (*scherz.*) admirer; suitor (m.).

spasimàre v. i. 1 to be racked (with st.); to be in terrible pain: **s. per il dolore** [**per la gelosia**], to be racked with pain [with jealousy]; *Ho spasimato tutta la notte*, I was in terrible pain all night long 2 (*fig.: desiderare*) to long; to yearn: **s. di rivedere q.**, to long to see sb.; **s. per q.**, to be head over ears in love with sb. (*fam.*).

spàsimo m. 1 (*fitta*) pang; twinge; stab of pain 2 (*sofferenza, tormento*) pang; suffering; torment; throes (pl.): **gli spasimi della fame**, the pangs of hunger; **s. d'amore**, pangs of love; **s. dell'agonia**, death throes; **essere in preda agli spasimi**, to be racked by terrible suffering; **morire tra gli spasimi**, to die in terrible pain; (*fig.*) **fino allo s.**, to the utmost; desperately.

spàsmo m. (*med.*) spasm: **s. esofageo**, esophagospasm; **s. facciale**, facial spasm; **s. muscolare**, muscular spasm; cramp; twitch.

spasmòdico a. 1 (*med.*) spasmodic: **con-**

trazioni spasmodiche, spasmodic contractions; cramps; twitches 2 (*fig.: tormentoso*) agonizing, nerve-racking, harrowing; (*affannoso*) frantic: **attesa spasmodica**, agonizing (o nerve-racking) wait; **ricerca spasmodica**, frantic search.

spasmofilìa f. (*med.*) spasmophilia.

spasmòfilo a. (*med.*) spasmophilic.

spasmolìtico a. e m. (*farm.*) spasmolytic; antispasmodic.

spassàre Ⓐ v. t. to amuse; to entertain Ⓑ **spassàrsi** v. i. pron. (*divertirsi*) to enjoy oneself; to have a good time; to have fun: *Ci siamo spassati a guardare le foche*, we had fun looking at the seals; **spassàrsela**, to have fun; to have a great time; **spassàrsela un mondo**, to have the time of one's life; to have a ball (*fam.*).

spassionataménte avv. impartially; with an unbiased mind; objectively.

spassionatézza f. impartiality; neutrality; objectivity.

spassionàto a. impartial; unbiased; objective; neutral; disinterested: **giudizio s.**, impartial (o unbiased) opinion; **osservatore s.**, impartial observer.

♦**spàsso** m. 1 (*svago, passatempo*) pastime; (*divertimento*) amusement, entertainment; fun ▣; (*cosa spassosa*) laugh, scream (*fam.*), riot (*fam.*), hoot (*fam. GB*), gas (*fam. USA*): *È uno s. viaggiare con loro*, it's great fun travelling with them; *Tutta la scena è stata uno s.*, the whole scene was a laugh (o a riot) from beginning to end; *Che s. quel film!*, what a laugh that film was; *Lavorare con lui non è uno s.*, it's no fun working with him; **con grande s. di tutti**, much to everybody's amusement; **fare qc. per s.**, to do st. for fun; **prendersi s. di q.**, to poke fun at sb.; *Hai rovinato tutto lo s.*, you've ruined all the fun; **così tanto per s.**, just for the fun of it 2 (*persona spassosa*) fun person; laugh; scream (*fam.*); hoot (*fam. GB*); gas (*fam. USA*); (*chi fa il pagliaccio*) clown: **uno s. di ragazza**, a scream of a girl; a fun girl 3 (*passeggiata*) walk; stroll: **andare a s.**, to go for a walk; **portare q. a s.**, to take sb. for a walk; (*fig.*) to lead sb. up the (garden) path (*fam.*); **portare a s. il cane**, to walk the dog ● (*fig.*) **essere** (o **trovarsi**) **a s.** (*senza lavoro*), to be out of work □ (*fig.*) **mandare q. a s.**, (*sbarazzarsene*) to send sb. about his business, to send sb. packing; (*licenziarlo*) to sack sb., to give sb. his walking papers □ (*fig.*) **Va' a s.**, get lost!; go take a walk!

spassóso a. funny; fun; hilarious: **cosa [persona] spassosa**, fun thing [person]; laugh; scream (*fam.*); **tipo spassosissimo**, scream (*fam.*); riot (*fam.*); hoot (*fam. GB*); gas (*fam. USA*).

spasticità f. (*med.*) spasticity.

spàstico a. e m. (*med.*) spastic: **paralisi spastica**, spastic paralysis.

spastoiàre Ⓐ v. t. to unhobble; to unfetter Ⓑ **spastoiàrsi** v. i. pron. (*fig.*) to free oneself (from); to extricate oneself (from).

spàta f. (*bot.*) spathe.

spàtico a. (*miner.*) spathic; spathose.

spàto m. (*miner.*) spar: **s. d'Islanda**, Iceland spar; **s. pesante**, heavy spar; baryte; barytes.

spàtola f. 1 spatula; (*pitt., anche*) palette knife* 2 (*zool., Polydon spathula*) paddlefish 3 (*zool., Platalea leucorodia*) spoonbill.

spatolàto a. (*bot.*) spatulate.

spauràcchio m. 1 (*spaventapasseri*) scarecrow: *Sembri uno s. con quel cappello*, you look like a scarecrow with that hat on 2 (*fig.*) bugbear; bogey, bogeyman*; bugaboo* (*USA*): **uno s. per spaventare i bambini**, a bugbear to scare children; **lo s. degli esami**, the dreaded exams; *La matematica*

è il mio s., maths is my bugbear.

spauriménto m. frightening; scaring.

spaurire A v. t. to frighten; to scare B **spaurirsi** v. i. pron. to take* fright; to be (o to get*) frightened (o scared).

spaurito a. frightened; scared; fearful: Mi guardò s., he gave me a scared look; **con occhi spauriti**, with frightened eyes; with fear in one's eyes.

spavalderia f. **1** boldness; defiance; (sfrontatezza) impudence, forwardness; (baldanzosità) cockiness **2** (vanteria) boast; brag.

spavàldo A a. bold; defiant; (sfrontato) impudent, forward; (baldanzoso) cocksure, cocky (fam.): **aria spavalda**, bold manners; bravado; **sorriso s.**, bold smile B m. **1** bold fellow; forward fellow **2** (smargiasso) show-off; braggart: **fare lo s.**, to be a show-off.

◆**spaventapàsseri** m. (anche fig.) scarecrow.

◆**spaventàre** A v. t. to frighten; to give* (sb.) a fright; to scare; to spook (fam. USA): **s. a morte q.**, to scare sb. to death; to give sb. the fright of his life; to scare the living daylights out of sb. (fam.); Mi hai spaventato, come hai fatto a entrare?, you gave me a fright: how did you get in?; Le tue parole non mi spaventano, your words don't frighten me; Il temporale la spaventò, she was scared by the storm; Qualcosa spaventò il cavallo, something spooked the horse B **spaventàrsi** v. i. pron. to be frightened (o scared) (by); to get* frightened (o scared) (by); to take* fright (at); to panic; (temere) to be afraid (of); to be scared (of): **spaventarsi per un nonnulla**, to panic over nothing; **spaventarsi terribilmente**, to be frightened out of one's wits; to be scared stiff (fam.); Si spaventò e fuggì, he took fright and fled; Ha sentito dei passi e si è spaventata, she heard some steps and she got scared; Ti spaventi per poco, you are easily scared; Non c'è nulla di cui spaventarsi, there is nothing to be afraid of.

spaventàto a. frightened; scared.

spaventévole → spaventoso.

◆**spavénto** m. **1** fear; fright; scare: **essere preso dallo s.**, to be seized with fear; to be frightened; **fare s.**, (spaventare) to give a fright, to frighten, to scare; (essere spaventoso) to be (o to look) frightful; **incutere s.**, to inspire fear; to be fearful; **un pensiero che incute s.**, a fear-inspiring (o fearful) thought; **morire dallo s.**, to die of fright; Sono quasi morto dallo s., I nearly died of fright, I was scared stiff, I was scared out of my wits; (fig.) **far morire q. di s.**, to scare sb. out of his wits; to give sb. the scare of his life; to scare the living daylights out of sb. (fam.); **provare un grosso s.**, to take a great fright; **rimettersi da uno s.**, to get over a fright; **tremare dallo s.**, to tremble with fear **2** (vista spaventosa) frightful (o awful) sight; fright: Quella donna è un vero s.!, that woman is a real fright! ● **da far s.**, frightfully; terribly: **brutto da fare s.**, frightfully ugly; hideous; as ugly as sin; **magro da far s.**, terribly thin; La tua stanza è conciata da far s., your room is in a frightful mess; Si è conciata da far s., she looks a fright ○ **Che s.!**, (che paura) how frightful!, how scary!; (che orrore) how dreadful!, how horrible!

spaventosità f. frightfulness; dreadfulness; hideousness.

◆**spaventóso** a. **1** (che incute paura) frightful, frightening, scary, dreadful, fearful, terrible; (orribile) horrible, awful, ghastly, hideous: **avere un aspetto s.**, to look frightening; to look ghastly; **baratro s.**, frightful (o fearful) chasm; **delitto s.**, hideous crime; **minacce spaventose**, horrible threats; **sogni spaventosi**, frightening (o terrible, dreadful) dreams; **tempo s.**, awful (o ghast-

ly) weather **2** (fam.: straordinario) terrific, tremendous; (che lascia allibiti) appalling: **quantità spaventosa**, terrific quantity; **spaventosa ignoranza**, appalling ignorance.

◆**spaziàle** a. **1** spatial: **arte s.**, spatial art; **distribuzione s.**, spatial distribution **2** (relativo allo spazio aereo e cosmico) space (attr.): **base s.**, space base; **capsula s.**, space capsule; **era s.**, space age; **medicina s.**, space medicine; **nave s.**, spaceship; spacecraft; **ricerca s.**, space research; **sonda s.**, space probe; **volo s.**, space flight **3** (fam.: eccezionale) fabulous; mind-blowing; far out; cool.

spazialìsmo m. (arte) spatialism.

spazialìsta m. e f. (arte) spatialist.

spazialità f. (anche arte) spatiality.

spazializzàre v. t. to spatialize.

spazializzazióne f. spatialization.

spaziaménto m. (aeron.) spacing.

◆**spaziàre** A v. i. **1** (muoversi liberamente) to move freely; (anche fig.) to roam freely, to run* free, to sweep*: **s. (con lo sguardo) lungo l'orizzonte**, to sweep the horizon; **s. con l'immaginazione**, to let one's imagination roam freely; In campagna i ragazzi possono s. a piacere, children can run free in the country; Il falco spaziava nel cielo, the hawk swept through the sky **2** (fig.: estendersi) to cover (st.); (trattare, diffondersi) to range: **s. per tutti i campi del sapere**, to cover all the fields of knowledge; Nella sua lezione ha spaziato da Dante a Dario Fo, his lecture ranged from Dante to Dario Fo B v. t. (tipogr.) to space (out).

spaziàto a. (anche tipogr.) spaced (out).

spaziatóre a. spacing; space (attr.): **barra spaziatrice**, space-bar.

spaziatùra f. **1** (lo spaziare) spacing; (spazio) space **2** (tipogr.) spacing; (spazio) space, blank: **s. doppia**, double spacing; **scritto con s. doppia**, double-spaced; **s. minima**, hair-space; **s. tra le righe**, line spacing.

spazieggiàre v. t. **1** to space (out) **2** (tipogr.) to letterspace.

spazieggiatùra → spaziatura.

spazientire A v. t. (irritare) to try (sb.'s) patience; to make* (sb.) impatient; to exasperate: Non lo s., don't try his patience; don't provoke him; L'attesa mi spazientiva, the wait was trying my patience (o made me impatient) B v. i. e **spazientìrsi** v. i. pron. to lose* patience; to become* (o to grow*) impatient; to be exasperated; (irritarsi) to chafe (at st.), to have no patience (with st.): Mi spazientii e me ne andai, I lost patience and left; Il pubblico cominciò a spazientirsi, the audience grew impatient; Mi spazientii di fronte alla sua lentezza, I was exasperated by his slowness.

spazientito a. irritated; exasperated; out of patience.

◆**spàzio** m. **1** (scient., filos.) space: **s. a quattro dimensioni**, four-dimensional space; space-time (continuum); **s. aereo**, air space; **s. cosmico**, cosmic space; outer space; **s. non euclideo**, non-Euclidean space; **s. tridimensionale**, tridimensional space; **gli spazi interplanetari**, interplanetary space (sing.); outer space (sing.); **gravitare nello s.**, to gravitate in space; **la conquista dello s.**, the conquest of space; **l'uomo nello s.**, man in space **2** (estensione vuota) space; (posto occupabile o sufficiente) room; (che permette il passaggio) clearance; (distanza) distance; (area, zona) area, tract, stretch: → **s. abitabile**, living space; **s. di frenata**, braking distance; **lo s. fra due rotaie**, the space between two rails; **lo s. fra A da B**, the space (o the distance) between A and B; **s. libero**, empty room; (per passare) clearance; **s. per le gambe**, leg room; **s. per muoversi**, room to move about; elbow-

-room; **s. per rigirarsi**, elbow-room; **lo s. percorso**, the distance covered; **s. pubblicitario**, advertising space; (comput.) **s. su disco**, disk space; **s. verde**, green area; **s. vitale**, living space; lebensraum (ted.); **spazi aperti**, open spaces; **i grandi spazi aperti**, the great outdoors (pl. col verbo al sing.); **spazi pubblici**, public areas; C'è s. per tutti, there's room for everyone; (di giornale) **dare s. a un avvenimento**, to give space to an event; **fare s. a q.**, to make room for sb.; **occupare poco [troppo] s.**, to take up little [too much] room (o space); L'articolo non fu pubblicato per mancanza di s., the article was not published for lack of space **3** (fig.: possibilità, agio) room; (collocazione, ambito) place, niche, slot; (opportunità) scope: **s. di manovra**, room for manoeuvre; elbow-room; leeway; La sua risposta lascia s. a qualche dubbio, his answer leaves room for doubt; **essere alla ricerca del proprio s. professionale**, to try to find one's professional place (o slot); **ritagliarsi uno s.**, to make a niche for oneself **4** (tipogr.) space; (spaziatura) spacing: **s. doppio**, double spacing; **s. finissimo**, hair-space; **s. in bianco** (o vuoto), blank **5** (mus.) space **6** (periodo di tempo) period; space; span; (destinato a qc.) time, slot: **un breve s. di tempo**, a short space (o period) of time; **s. televisivo**, slot; air time; **nello s. di sei mesi**, in the space of six months; within six months; **nello s. di un'ora**, in the space of an hour; within an hour; before an hour was out **7** (mat.) – **s. vettoriale**, vector space.

spaziopòrto m. spaceport.

spaziosità f. spaciousness; roominess.

◆**spazióso** a. spacious; roomy; large; (ampio) wide, broad: **appartamento s.**, spacious (o roomy) flat; **armadio s.**, roomy wardrobe; **fronte spaziosa**, broad forehead; **stanza spaziosa**, spacious (o large) room; **strada spaziosa**, wide road.

spàzio-tèmpo, spaziotèmpo m. inv. (fis.) space-time.

spàzio-temporàle, spaziotemporàle a. (fis.) space-time (attr.).

spazzacamìno m. chimney sweep.

spazzafórno m. oven brush; oven broom.

spazzamine m. inv. (naut.) minesweeper.

spazzanéve m. inv. **1** (veicolo) snow-plough, snowplow (USA): **s. a turbina**, rotary snowplough; snowblower **2** (sci) snow-plough, snowplough (USA): **sciare a s.**, to snowplough.

◆**spazzàre** v. t. **1** (anche assol.) to sweep*: **s. il pavimento**, to sweep the floor; **s. una stanza**, to sweep out a room; **s. le strade**, to sweep the streets; Le onde spazzavano il ponte, the waves swept the deck **2** (portar via) to sweep* away; **s. la neve**, to sweep away the snow; Il vento spazzò via le nuvole, the wind swept away the clouds; La piena ha spazzato via tre villaggi, the flood swept away three villages **3** (fig.: mangiare tutto) to polish off; to demolish **4** (fig.: eliminare, cancellare) to wipe out; to sweep* away (o aside): **s. i pregiudizi**, to wipe out prejudice; **s. via ogni obiezione**, to sweep aside all objections; **s. via tutto**, to make a clean sweep of everything; (al gioco) to sweep the board.

spazzàta f. sweep; sweep-out: **dare una s. a una stanza**, to sweep out a room; to give a room a sweep.

spazzatóio → spazzaforno.

spazzatóre A a. sweeping: **macchina spazzatrice**, sweeping machine; sweeper B m. (f. -trìce) sweeper.

spazzatrice f. (veicolo) street sweeper.

◆**spazzatùra** A f. **1** (lo spazzare) sweeping **2** (rifiuti) rubbish; refuse; trash (USA); gar-

a b c d e f g h i j k l m n o p q r s t u v w x y z

bage (*USA*): **gettare qc. nella s.**, to throw st. into the dustbin; **trovare qc. nella s.**, to find st. in the rubbish; **bidone della s.**, dustbin (*GB*); rubbish bin (*GB*); garbage (*o* trash) can (*USA*), **camion della s.**, rubbish cart (*GB*); dustcart (*GB*); garbage truck (*USA*); **mucchio di s.**, rubbish (*USA* garbage) heap; (*fig.*) junk pile; **raccolta della s.**, rubbish (*USA* garbage) collection; **sacchetto per la s.**, dustbin liner (*GB*); garbage bag (*USA*) 3 (*fig.*) rubbish; trash: **vendere s.**, to sell rubbish ● **trattare q. come s.**, to treat sb. like dirt ᴮ a. inv. trashy; junk (attr.): **cibo s.**, junk food; **romanzo s.**, trashy novel; *TV s.*, trashy TV.

spazzaturàio → **spazzino**, *def. 2*.

spazzino ᴬ m. (f. **-a**) 1 (*chi spazza le srade*) street cleaner; street-sweeper 2 (*chi raccoglie i rifiuti*) dustman* (*GB*); garbage collector (*USA*) ᴮ a. (*zool.*) scavenger (attr.).

♦**spàzzola** f. 1 brush: **s. da capelli**, hairbrush; **s. da cappelli**, hat brush; **s. per abiti**, clothes brush; **s. metallica**, wire brush; **s. rotante**, rotating brush; **passare la s. su qc.**, to brush st.; to give st. a brush; **colpo di s.**, brush 2 (*elettr.*) brush 3 (*mus.*) wire brush 4 (*autom.*) – **s. del tergicristallo**, windscreen wiper blade 5 (*zool.*) scopula*; scopa* ● **baffi a s.**, toothbrush moustache (sing.) □ **capelli a s.**, crew cut: **portare i capelli a s.**, to wear a crew cut.

♦**spazzolàre** v. t. 1 to brush: **s. un cappotto**, to brush a coat; **spazzolarsi i capelli**, to brush one's hair 2 (*fig. fam.: ripulire*) to clean out: **s. le tasche a q.**, to clean out sb. 3 (*fig., fam.: mangiare tutto*) to polish off; to demolish ● (*fig.*) **s. la schiena a q.**, to beat sb. up; to dust sb. up.

spazzolàta f. 1 brush; brush-down: **darsi una s. ai capelli**, to give one's hair a brush; to brush one's hair; **dare una s. alla giacca**, to give the coat a brush-down; *Verrà via con una s.*, it'll brush off 2 (*fig.: rimprovero*) telling-off (*fam.*), lecture (*fam.*), dressing-down (*fam.*); (*botte*) (good) hiding.

spazzolatrice f. brushing machine.

spazzolatùra f. brushing.

spazzolifìcio m. brush factory.

♦**spazzolìno** m. brush: **s. da denti**, toothbrush; **s. per le unghie**, nailbrush.

spazzolóne m. (long-handled) scrubbing brush; scrubber.

SPE sigla (*mil.*, **servizio permanente effettivo**) regular army.

speaker (*ingl.*) m. inv. 1 (*radio, TV*) announcer; newsreader; newscaster; (*voce che commenta*) voice-over 2 (*sport*) announcer 3 (*polit.*) Speaker ❶ FALSI AMICI *speaker si traduce con* speaker *solo in ambito politico.*

speakeràggio m. 1 (*TV*) sound 2 (*sport*) loudspeaker announcements (pl.).

spec. abbr. (**specialmente**) especially (esp.).

specchiàio m. 1 (*fabbricante*) mirror maker 2 (*venditore*) seller of mirrors.

specchiàrsi ᴬ v. rifl. 1 (*guardarsi allo specchio*) to look at oneself in a mirror 2 (*guardare la propria immagine riflessa*) to look at one's reflection: **s. nelle vetrine**, to look at one's reflection in the shop windows 3 (*fig.: prendere esempio*) to model oneself (on) ᴮ v. i. pron. (*riflettersi*) to be reflected; to be mirrored: *I cipressi si specchiano nel lago*, the cypress trees are reflected (*o* mirrored) in the lake.

specchiàto a. (*esemplare*) exemplary; flawless: **un uomo di specchiata virtù**, a man of exemplary virtue.

specchièra f. 1 (*specchio grande*) (large) mirror; pier glass 2 (*toletta*) dressing table.

specchiétto m. 1 (*piccolo specchio*) mirror, hand-mirror: (*autom.*) **s. di cortesia**,

vanity mirror; (*autom.*) **s. laterale**, wing mirror; (*autom.*) **s. retrovisore**, driving mirror; rear-view mirror 2 (*prospetto*) table; schedule ● **s. per le allodole**, mirror decoy for larks; (*fig.*) decoy, window dressing ▯.

♦**spècchio** m. 1 mirror (*anche fig.*); looking glass; glass: **s. a mano**, hand-mirror; **s. convesso**, convex mirror; **s. da parete**, wall mirror; **s. parabolico**, parabolic mirror; (*autom.*) **s. retrovisore** → **specchietto**, *def. 1*; **s. ustorio**, burning-glass; **guardarsi allo s.**, to look at oneself in the mirror (*o* in the glass); *Gli occhi sono lo s. dell'anima*, the eyes are the mirror of the soul; *I suoi romanzi sono uno s. della nostra epoca*, his novels are a mirror of our time 2 (*fig.: esempio*) model; example; pattern: **uno s. di onestà**, a model (*o* an example) of honesty; *È uno s. di tutte le virtù*, she is a pattern of all virtues 3 (*superficie liscia*) stretch; expanse: **s. d'acqua**, stretch (*o* expanse) of water 4 (*prospetto*) table; schedule; (*orario*) timetable 5 (*basket*) backboard ● (*geol.*) **s. di faglia**, slickenslide □ (*naut.*) **s. di poppa**, transom □ (*calcio*) **s. della porta**, goal mouth □ (*bot.*) **s. di Venere** (*Specularia speculum Veneris*), Venus's looking-glass □ (*med.*) **s. frontale**, forehead mirror □ (*TV*) **s. segreto**, candid camera □ **a s. del lago** [**del mare**], overlooking the lake [the sea] □ **armadio a s.**, mirror wardrobe □ (*fig.*) **arrampicarsi sugli specchi**, to try to prove that black is white and white black; to clutch at straws □ **galleria degli specchi**, hall of mirrors □ **liscio come uno s.**, as smooth as glass □ **Il mare oggi è uno s.**, the sea is as smooth as glass today □ **lucidare qc. a s.**, to polish st. until it shines □ **pulito come uno s.**, spick-and-span □ **scrittura a s.**, mirror writing.

spècial (*ingl.*) m. inv. (*TV*) TV special.

♦**speciàle** a. 1 special; (*particolare*) particular: **dieta s.**, special diet; **effetti speciali**, special effects; **favore s.**, special favour; **inviato s.**, special correspondent; **offerta s.**, special offer; **precauzioni speciali**, special precautions; **tribunale s.**, special court; **treno s.**, special (*o* extra) train; **nessuna ragione s.**, no particular reason; **niente di s.**, nothing special; **in modo s.**, (*in modo diverso*) in a particular way, differently; (*specialmente*) especially, particularly; *Che cos'ha di tanto s. quel film?*, what's so special about that film? 2 (*specializzato*) specialized: **software s. per disegnatori e architetti**, specialized software for draughtsmen and architects 3 (*scelto, di prima qualità*) special; choice; quality, top-quality (attr.); select: **caffè s.**, top-quality coffee; **clienti speciali**, select customers; **vini speciali**, choice wines 4 (*curioso, originale*) peculiar; curious; different: *Ha delle idee un po' speciali sul matrimonio*, he has rather curious (*o* peculiar, singular) ideas on marriage; *È sempre stata un po' s.*, she's always been a bit different; *È un tipo tutto s.*, he's quite a character.

specialìsmo m. 1 specialism 2 over-specialization.

specialìsta ᴬ m. e f. 1 (*esperto*) expert; specialist: **s. in questioni economiche**, expert in economic matters; **s. del ramo**, expert in the field (*o* in the line); **consultare uno s.**, to consult an expert (*o* a specialist) 2 (*med.*) specialist; consultant (*GB*): **s. della gola**, throat specialist; **s. in malattie della pelle**, specialist in skin diseases 3 (*tecnico*) engineer; technician: **s. in radiotecnica**, radio engineer 4 (*sport*) athlete specializing in st.: **s. del salto in alto**, athlete specializing in the high jump ᴮ a. – **medico s.**, specialist.

specialìstico a. specialistic; specialist (attr.); specialist's; specialized: **conoscenze**

specialistiche, specialist knowledge; **linguaggio s.**, specialized language; (*med.*) **visita specialistica**, specialist examination.

♦**specialità** f. 1 (*particolarità*) peculiarity; uniqueness 2 (*ramo particolare di studio, di ricerca*) speciality; specialty (*USA*); specialization; special field: *La sua s. è l'entomologia*, his speciality is entomology; *La mia s. è la poesia del Trecento*, my special field (of research) is fourteenth-century poetry 3 (*sport*) event: **s. atletiche**, athletics events; **la s. dei duecento metri ostacoli**, the two-hundred-metre hurdles 4 (*prodotto speciale*) speciality; specialty (*USA*); special product (*o* article): **s. dello chef**, chef's speciality; *Il risotto allo zafferano è una s. lombarda*, saffron risotto is a Lombard speciality 5 (*farm.*) – **s. farmaceutica**, proprietary (*o* patent) medicine; (generalm. al pl.) branded pharmaceutical.

specializzàndo ᴬ a. postgraduate (attr. *GB*); graduate (attr. *USA*) ᴮ m. (f. **-a**) postgraduate (*USA* graduate) student.

specializzàre v. t., **specializzàrsi** v. rifl. to specialize: **specializzarsi in psichiatria**, to specialize in psychiatry.

specializzàto a. 1 specialized; specialist (attr.); qualified; skilled: **manodopera specializzata**, skilled (*o* qualified) labour; **medico s. in cardiologia**, (doctor who is a) specialist in cardiology; **negozio s.**, specialist shop; **operaio s.** [**non s.**], skilled [unskilled] worker; **tecnico s.**, qualified technician; **settore s.**, specialized (*o* specialist) field; *La nostra ditta è specializzata in prodotti di pulizia*, our firm specializes in cleaning products 2 (*biol.*) specialized 3 (*tecn.*) specialized; dedicated.

specializzazióne f. 1 (*acquisizione di competenza specialistica*) specialization; qualification; (*all'università*) specialization, postgraduate (*USA* graduate) studies (pl.) (*conoscenza specialistica*) specialized knowledge, special skills (pl.): **s. in medicina del lavoro**, specialization in occupational medicine; **conseguire una s.**, to specialize; to qualify; *Ha una s. in farmacia*, she is a qualified chemist; **corso di s.**, qualifying course; (*all'università*) postgraduate (*USA* graduate) course; **scuola di s.**, postgraduate (*USA* graduate) school 2 (*biol.*) specialization.

specialménte avv. especially; particularly; in particular.

speciazióne f. (*biol.*) speciation.

♦**spècie** ᴬ f. inv. 1 (*lett.: sembianza, aspetto*) guise; appearance; shape; species*; (*relig.*) **le S. Eucaristiche**, the Species; **sotto le s. di**, in the guise of; **sotto s. di**, under the appearance of; (*fig.: col pretesto di*) with the pretext (*o* excuse) of; **mutare s.**, to change appearance 2 (*scient.*) species*: **s. estinta** [**protetta**], extinct [protected] species 3 (*anche* **s. umana**) mankind; humankind 4 (*caso particolare*) particular case; particular instance: **nella s.**, in this [that] particular case; in the case in point 5 (*sorta, qualità*) kind; sort; type: *Che s. di uomo è?*, what kind of man is he?; *Che s. di favore vuoi?*, what sort (*o* kind) of favour do you want?; *È una s. di tecnico*, he's a sort of technician; he is a technician of sorts; *La tiorba è una s. di liuto*, a theorbo is a kind of lute; *«È un commercialista?» «Una s.»*, «is he a business consultant?» «sort of»; **gente di ogni s.**, people of every kind; people from all walks of life; **merci di ogni s.**, goods of all kinds; **un furfante della peggior s.**, a scoundrel of the worst sort ● **fare s. a**, to surprise; to strike (sb.) as odd: *Non mi farebbe s. se venissero stasera*, I shouldn't be surprised if they came tonight; *Non mi fa s. questo sfoggio di ricchezza*, this show of wealth doesn't strike me as odd □ **in s.**, especially; particularly; in particular ᴮ avv.

especially; particularly; in particular: *Mi piace la campagna, s. di primavera*, I like the countryside, particularly in spring.

spècie-specificità f. (*biol.*) species specificity.

spècie-specìfico a. (*biol.*) species-specific.

specìfica f. **1** (*comm.*) itemized list; detailed note; specification: **s. delle merci**, itemized list of goods; **s. delle spese**, detailed note of expenses; (*leg.*) **s. delle spese giudiziarie**, bill of costs **2** (al pl.: *dati tecnici*) specifications (pl.).

specificàbile a. specifiable.

specificaménte avv. specifically; particularly; in particular.

specificàre v. t. (*indicare con precisione*) to specify; (*precisare*) to be more specific (*o* more precise) about; (*dichiarare*) to state, to mention explicitly; (*elencare*) to itemize: **s. le circostanze [le accuse]**, to specify the circumstances [the charges]; **s. una data**, to specify a date; **s. nome e indirizzo**, to state (*o* to give) one's full name and address; **s. le proprie ragioni**, to state one's reasons; **s. le spese**, to itemize all expenses; *Specifica meglio quello che intendi*, be more precise about what you mean; *Preferisco non s.*, I'd rather not be more specific about it; *Non specificò il motivo della sua partenza*, she did not state the reason for her departure.

specificataménte avv. specifically; (*in dettaglio*) in detail.

specificativo a. specifying; (*elencato in dettaglio*) itemized: **elenco s.**, itemized list; breakdown ● (*gramm.*) **complemento s.**, genitive (case).

specificàto a. specified; detailed; (*elencato*) itemized: **nota specificata delle spese**, itemized note (*o* breakdown) of expenses; **prezzo non s.**, unspecified price; price not specified.

specificazióne f. specification (*anche leg.*); (*elenco dettagliato*) itemized list, detailed note: **s. delle funzioni**, job specification; **s. delle merci in magazzino**, detailed list of goods in stock; **s. dei prezzi**, price list ● (*gramm.*) **complemento di s.**, genitive (case).

specificità f. specificity.

specìfico Ⓐ a. **1** (*relativo alla specie*) specific: **caratteri specifici**, specific characters; **differenze specifiche**, specific differences **2** (*particolare*) specific, individual, particular; (*speciale*) special; (*concreto*) specific; (*preciso*) precise, express, explicit: **accuse specifiche**, specific charges; **causa specifica**, specific cause; **conoscenze specifiche**, special knowledge; **motivo s.**, specific (*o* special) reason; **richiesta specifica**, express request; **scopo s.**, precise (*o* express) aim; **nel caso s.**, in this [that] specific (*o* particular) case (*o* instance) **3** (*scient.*) specific: **carica specifica**, specific charge; **malattia specifica**, specific disease; (*fis.*) **peso s.**, specific gravity (*o* weight); **rimedio s.**, specific remedy Ⓑ m. **1** (*farm.*) specific (remedy) **2** (*peculiarità*) specificity; specificness; peculiarity; specific (*o* peculiar) nature: **lo s. del mezzo televisivo**, the peculiarity of the television medium; *Entriamo nello s. dell'accusa rivolta all'imputato*, let us examine in detail the charge against the accused; **nello s.**, in the specific instance.

specillàre v. t. (*med.*) to probe; to sound; to explore.

specìllo m. (*med.*) stylet; probe; sound; explorer (*USA*).

spècimen (*lat.*) m. inv. **1** (*saggio, campione*) specimen; sample **2** (*di libro*) specimen page **3** (*banca*) signature specimen.

speciosità f. speciosity; speciousness; ostensibility.

specióso a. specious; (*preteso*) ostensible; (*ingannevole*) misleading, deceptive: **argomento s.**, specious argument; **ragioni speciose**, specious (*o* ostensible) reasons.

speck (*ted.*) m. inv. (*alim.*) Tyrol smoked ham.

spèco m. **1** (*lett.*: *spelonca*) cave; cavern **2** (*anat.*) canal.

spècola f. (*astron.*) observatory.

spècolo m. (*med.*) speculum*.

speculàbile a. fit for speculation.

speculàre① Ⓐ v. t. to speculate on (*o* about); to inquire into: **s. i misteri della natura**, to speculate on the mysteries of nature Ⓑ v. i. **1** to speculate (on, about); to inquire (into) **2** (*Borsa, fin.*) to speculate; to gamble; to play (st.): **s. al rialzo [al ribasso]**, to speculate for a rise [for a fall]; **s. in Borsa**, to speculate (*o* to gamble) on the Stock Exchange; to play the market; **s. sui titoli**, to speculate in shares; *Perse tutto il suo patrimonio speculando in Borsa*, he lost his fortune gambling on the Stock Exchange **3** (*sfruttare una situazione*) to exploit (st.); to play (on); to take* advantage (of); to profit (from); to capitalize (on); to cash in (on) (*fam.*): **s. sulle disgrazie altrui**, to exploit other people's misfortunes; **s. sull'ingenuità di q.**, to take advantage of sb.'s naivety; **s. sulle paure di q.**, to play on sb.'s fears.

speculàre② a. **1** specular; mirror (attr.): **immagine s.**, mirror image; **riflessione s.**, specular reflection; **scrittura s.**, mirror writing; **simmetria s.**, mirror symmetry; **superficie s.**, mirror-like surface **2** (*fig.*) symmetrical; mirror-like.

specularità f. specularity; mirror-like character.

speculativa f. (*filos.*) speculative faculty.

speculativo a. (*filos., fin.*) speculative: **filosofia speculativa**, speculative philosophy; **mente speculativa**, speculative mind; (*fin.*) **operazioni speculative**, speculative transactions.

speculatóre Ⓐ a. speculating; speculative Ⓑ m. (f. **-trice**) **1** (*pensatore*) speculator; theorist; thinker **2** (*fin.*) speculator; (*Borsa, anche*) gambler, punter: **s. edilizio**, property speculator; **s. in Borsa**, stock gambler; **s. al rialzo**, bull; (*su titoli di nuova emissione*) stag; **s. al ribasso**, bear.

speculatòrio a. (*fin.*) speculative: **manovre speculative**, speculative manoeuvres.

speculazióne f. **1** (*riflessione*) speculation; thought; (*investigazione*) inquiry, investigation: **s. filosofica**, philosophical speculation; **immerso in profonde speculazioni**, deep in thought **2** (*fin.*) speculating; speculation; venture; (*Borsa, anche*) gambling, gamble, operation: **s. edilizia**, property speculation; **s. al rialzo [al ribasso]**, bull [bear] speculation; **s. in Borsa**, speculation (*o* gambling) on the Stock Exchange; **s. sbagliata**, bad speculation; **fare una s.**, to make a speculation; **fare speculazioni in Borsa**, to speculate (*o* to gamble) on the Stock Exchange; **partecipare a una s.**, to join in a speculation; *Si è arricchito con una s. riuscita*, he made his money with one lucky venture **3** (*sfruttamento di circostanze*) opportunism ● gamble: *È solo una s. politica*, it's just political opportunism.

spèculum (*lat.*) m. inv. (*med.*) speculum*.

spedalità f. (*bur.*) hospitalization.

spedalizzàre e deriv. → **ospedalizzare**, e deriv.

spedàre v. t. – (*naut.*) **s. l'ancora**, to trip the anchor.

◆**spedìre** v. t. **1** (*corrispondenza, merce*) to send*; to dispatch; (*per posta*) to mail, to post; (*comm.*) to consign, to freight; (*via mare*)

re) to ship; (*inoltrare*) to forward; (*rimettere*) to remit: **s. una lettera**, to send a letter; to post (*o* to mail) a letter; **s. merci**, to ship (*o* to freight, to consign) goods; **s. un pacco**, to send (*o* to post, to mail) a parcel; **s. a mezzo corriere**, to send through a forwarding agent; **s. a piccola [a grande] velocità**, to send by goods [by passenger] train; **s. come campione**, to send by sample-post; **s. come pacco postale**, to send (*o* to forward, to dispatch) by post; to post; to mail; **s. contro assegno**, to send cash on delivery (abbr.: C.O.D.); **s. in busta aperta**, to send as printed matter; **s. per ferrovia**, to send by rail; **s. per raccomandata**, to send by recorded delivery (*USA* by certified mail); **s. per posta**, to send by post; to post; to mail; **s. per via aerea**, to send by airmail; to airmail; **s. via mare**, to send by ship (*o* by sea); to ship; **s. sotto fascia**, to send under cover; *Spediscimi le mie lettere a questo indirizzo*, please forward my letters to this address **2** (*una persona*) to send*; (*mandare via*) to send* off, to pack off: **s. q. a comprare qc.**, to send sb. to buy st.; **s. a letto**, to send off to bed; to pack off to bed; **s. q. all'altro mondo**, to dispatch; to send sb. to kingdom come; **s. in collegio [in prigione]**, to send off to boarding-school [to prison]; *L'hanno spedito in Australia col primo aereo*, they packed him off to Australia by the first plane **3** (*sbrigare*) to dispatch; to finish off; to settle ● (*fam.*) **s. una ricetta**, to make up a prescription.

speditézza f. promptness; dispatch; expedition (*form.*); speed; quickness; (*nel parlare o nello scrivere*) fluency.

speditivo a. (*lett.*) expeditious; speedy; quick.

spedìto Ⓐ a. **1** (*sollecito, pronto*) prompt, ready, expeditious (*form.*); (*veloce*) speedy, fast, quick: **essere s. nel fare qc.**, to be prompt to do st.; **passo s.**, quick (*o* lively, brisk) step; **andare a passo s.**, to walk quickly; **procedere a passo s.**, to proceed at a brisk pace **2** (*sciolto*) fluent; free; effortless: **pronuncia spedita**, fluent pronunciation **3** (*fam.*: *spacciato*) done for Ⓑ avv. **1** promptly; quickly **2** (*con scioltezza*) fluently: **parlare s.**, to speak fluently.

speditóre Ⓐ a. forwarding Ⓑ m. (f. **-trice**) sender; forwarder; consignor.

◆**spedizióne** f. **1** (*di corrispondenza, ecc.*) posting, mailing; (*comm.*) consignment, forwarding; (*via mare*) shipping, shipment: **s. marittima**, shipping, shipment; **s. per ferrovia**, forwarding by rail; *La s. della merce fu ritardata dallo sciopero dei portuali*, the shipment of the goods was delayed by the dockers' strike; **fare una s.**, to ship a consignment; **agenzia di s.**, forwarding (*o* shipping) agency; **bolla di s.**, delivery note; **contratto di s.**, shipping contract; **spese di s.**, delivery (sing.); forwarding (*o* shipping) charges; (*postali*) postage and packing **2** (*collo spedito*) consignment; freight; shipment **3** (*scient., mil.*) expedition: **s. di soccorso**, relief expedition; **s. archeologica [geografica]**, archaeological [geographical] expedition; **s. militare [navale]**, military [naval] expedition; **s. polare**, polar expedition; (*mil.*) **s. punitiva**, punitive expedition; **partecipare a una s.**, to take part in (*o* to go on) an expedition; (*mil.*) **corpo di s.**, expeditionary force.

spedizionière m. (*comm.*) shipping agent; forwarding agent; carrier: **s. doganale**, clearance agent; customs broker; **s. marittimo**, shipping agent; freight agent.

spegnàre v. t. to redeem (from pawn); to take* out of pawn.

◆**spègnere** Ⓐ v. t. **1** (*una cosa che arde*) to extinguish; to put* out; (*candela e sim., anche*) to snuff out; (*versando liquido, ecc.*) to douse; (*soffiando*) to blow* out: **s. la calce**,

to slake lime; **s. una candela**, to put out (*o* to snuff out) a candle; to blow out a candle; **s. un incendio**, to put out a fire; **s. le fiamme**, to extinguish the flames; **s. un fuoco**, to put out a fire; to douse a fire; **s. una sigaretta**, to put out a cigarette; to extinguish a cigarette (*form.*); (*premendola*) to stub out a cigarette; *Il vento spense il fiammifero*, the wind blew out the match **2** (*con una manopola, un interruttore, ecc.*) to turn off; to switch off*; to cut* off; to shut* off: **s. il gas**, to turn off the gas; **s. la luce**, to switch off (*o* to put out) the light; **s. il motore**, to switch off (*o* to cut off, to kill) the engine; **s. la radio**, to switch off (*o* to turn off) the radio; **s. il riscaldamento**, to turn off the heating **3** (*fig.: chiudere, estinguere, cancellare*) to close; to extinguish; to cancel; to pay off: **s. un debito**, to pay off a debt; **s. un'ipoteca**, to extinguish (*o* to cancel) a mortgage **4** (*fig.: far svanire, distruggere*) to stifle; to extinguish; to destroy; to kill: **s. l'amore di q.**, to extinguish (*o* to kill) sb.'s love; **s. ogni entusiasmo**, to kill all enthusiasm **5** (*fig.: attenuare*) to muffle; to deaden; to dull: *La neve spegne i rumori*, snow muffles sounds **6** (*fig.: placare*) to quench; to slake: **s. la sete**, to quench (*o* to slake) one's thirst ● **s. spègnersi v. i. pron. 1** (*di cosa che arde*) to be extinguished; to go* out, to die out; to burn* itself out: *Mi si è spento il sigaro*, my cigar has gone out; *L'incendio si spense prima dell'arrivo dei vigili del fuoco*, the fire burnt (itself) out before the fire-brigade arrived; *Il fuoco nel camino si spegneva lentamente*, the fire in the hearth was dying out slowly **2** (*di luce*) to go* out; (*di macchina*) to cut* out; (*di motore*) to stall: *Tutti i lumi si spensero*, all the lights went out; *Il boiler si spegne da solo*, the boiler cuts out automatically; *Mi si spense il motore*, the engine stalled **3** (*fig.: venire meno*) to die down; to die away; to fade (away): **spegnersi in lontananza**, to die away; (*di voce*) to trail off; *Il loro entusiasmo si è spento*, their enthusiasm has died down; *Le mie speranze si sono spente*, my hopes have died away **4** (*eufem.: morire*) to die; to pass away: **spegnersi nel sonno**, to pass away in one's sleep; **spegnersi serenamente**, to die peacefully.

spegnifiamma m. inv. (*mil.*) flash eliminator.

spegniménto m. **1** (*di fuoco, ecc.*) extinguishing; putting out; (*versando liquido, ecc.*) dousing; (*soffiando*) blowing out: **lo s. di un incendio**, the putting out of a fire; **s. di incendi**, fire-fighting; **s. di altoforno**, blowing-out **2** (*con manopola, interruttore*) turning off; turn-off; switching off; switch-off; (*di una macchina*) cutting out; (*di motore: arresto*) stalling, stall **3** (*elettron.*) quenching.

spegnitóio m. snuffer; extinguisher.

spegnitóre ◭ a. extinguishing ◮ m. (f. **-trice**) extinguisher.

spegnitùra f. → **spegnimento**.

spelacchiaménto m. pulling out of (patches of) hair; tearing out (*o* off) (patches of) fur.

spelacchiàre ◭ v. t. to pull out the hair [fur] of; to tear* out patches of hair [of fur] from ◮ **spelacchiàrsi** v. i. pron. to lose* (patches of) hair [fur]; to become* worn: *La mia pelliccia si è spelacchiata sui gomiti*, my fur coat is worn on the elbows.

spelacchiàto a. **1** (*di pelliccia*) worn with bare patches; (*di stoffa*) worn, threadbare **2** (*di animale*) mangy **3** (*scherz.: con pochi capelli*) scanty-haired; bald in patches; thin on top **4** (*fig.: malconcio*) shabby.

spelafili m. inv. (*elettr.*) wire stripper.

spelàia f. (*ind. tess.*) floss-silk.

spelàre ◭ v. t. **1** to remove the hair [the fur] from **2** (*elettr.*) to strip (a wire) ◮ v. i. e **spelàrsi** v. i. pron. to lose* one's hair [one's fur].

spelàto a. **1** hairless; furless **2** (*di pelliccia*) worn **3** (*di stoffa*) threadbare; worn.

spelatùra f. **1** removal of hair [of fur] **2** (*parte spelata*) hairless [furless] patch; bare patch **3** (*ind. tess.*) cotton waste.

spèlda → **spelta**.

spelèo a. cave-dwelling; (attr.).

speleobiologìa f. speleobiology; cave biology; biospeleology.

speleobotànica f. speleobotany.

speleologìa f. (*scient.*) speleology; (*sport*) caving, potholing (**GB**), spelunking.

speleològico a. speleological.

speleòlogo m. (f. **-a**) (*scient.*) speleologist; (*sport*) caver, potholer (**GB**), spelunker.

speleonàuta m. e f. endurance speleologist.

speleopaleontologìa f. cave paleontology.

spellàre ◭ v. t. **1** (*scuoiare*) to skin; to flay: **s. un coniglio**, to skin a rabbit **2** (*fam.: scorticare*) to bark, to scrape, to graze; (*sbucciare*) to peel: **spellarsi un ginocchio**, to bark a knee; **spellarsi una mano**, to scrape a hand; *Il sole mi ha spellato il naso*, the sun has made my nose peel **3** (*fig. fam.: far pagare troppo*) to fleece, to rip off; (*sottrarre soldi a*) to fleece ● (*fig.*) **spellarsi le mani** (*applaudire*), to clap one's hands off ◮ **spellàrsi v. i. pron. 1** (*perdere la pelle*) to peel; (*di serpente*) to shed (*o* to slough off) its skin: *Mi si spella il naso*, my nose is peeling; *Mi sto spellando tutto*, I'm peeling all over **2** (*scorticarsi*) to graze one's hand [one's elbow, etc.]; to bark one's knee [one's shin, etc.].

spellàto a. **1** skinned; flayed **2** (*scorticato*) scraped; grazed; raw.

spellatùra f. **1** (*il levare la pelle*) skinning; flaying **2** (*escoriazione*) scrape; graze.

spelling (*ingl.*) m. inv. spelling: **fare lo s. di una parola**, to spell a word.

spelónca f. **1** cave; cavern; grotto **2** (*fig.*) den; hovel.

spèlta f. (*bot.*, *Triticum spelta*) spelt.

spème (*lett.*) → **speranza**.

spendaccióne m. (f. **-a**) spendthrift; big spender.

♦spèndere ◭ v. t. **1** to spend*: **s. denaro**, to spend money; **s. a piene mani**, to spend with a free hand; to be free with one's money; **s. al di sopra delle proprie possibilità**, to spend beyond one's means; to overspend; **s. con larghezza**, to spend lavishly; to be free with one's money; **s. con parsimonia**, to be careful with one's money; **s. molto in vestiti**, to spend a lot on clothes; **saper s.**, to know how to spend one's money **2** (*impiegare*) to spend*; to use: **s. tutte le proprie forze**, to spend (*o* to use up) all one's energy; **s. il nome di q.**, to use sb.'s name; **s. tempo e fatica per fare qc.**, to expend time and energy in doing st.; *Spesi due ore per convincerla*, it took me two hours to persuade her; *La giornata fu spesa in ricerche senza esito*, the day was taken up by (*o* was spent in, went in) unsuccessful inquiries **3** (*fig.: sprecare*) to waste; to throw* away: **s. il fiato**, to waste one's breath **4** (*assol.: far spese*) to spend*; to shop; to buy* ● **s. bene i propri soldi** (*in un acquisto*) to get value for money □ **s. un occhio della testa**, to pay through the nose; to pay an arm and a leg □ **s. un patrimonio**, to spend a fortune □ **s. una parola**, to spend a word □ **s. una parola per q.**, to put in a good word for sb. □ (*prov.*) *Chi più spende, meno spende*, cheapest is dearest ◮ **spèndersi** v. rifl.

(*lett.*) to commit oneself unstintingly; to get* passionately involved in st.

spenderéccio a. **1** (*che ama spendere*) spendthrift (attr.); extravagant; prodigal **2** (*costoso*) expensive; costly.

spendìbile a. **1** that can be spent; spendable **2** (*fig.*) usable.

spendibilità f. availability for spending.

spendicchiàre v. t. e i. **1** (*spendere poco*) to spend* carefully; to be careful with one's money **2** (*spendere molto*) to spend* freely; to throw* money around.

spenditóre m. (f. **-trice**) spender.

spèngere e deriv. → **spegnere**, e deriv.

spennacchiàre → **spennare**.

spennacchiàto a. **1** plucked; featherless **2** (*fig. scherz.: senza capelli*) bald; hairless; (*che perde i capelli*) balding, thinning on top.

spennàre ◭ v. t. **1** to pluck; to pull out the feathers of: **s. un pollo**, to pluck a chicken **2** (*fig.: far pagare troppo*) to overcharge, to rip off; (*sottrarre soldi a*) to fleece; (*ripulire al gioco*) to take* (sb.) to the cleaners: *Fu spennato di tutti i suoi risparmi*, he was fleeced of all his savings ◮ **spennàrsi** v. i. pron. to moult; to lose* one's feathers.

spennàta, **spennatùra** f. **1** plucking **2** (*fig.*) fleecing; rip-off.

spennellàre ◭ v. t. to paint (anche *med.*); to brush: **s. una ferita con tintura di iodio**, to paint a wound with iodine; **s. lo steccato**, to paint the fence; **s. una torta con tuorlo d'uovo**, to brush the top of a cake with egg yolk ◮ v. i. to paint.

spennellàta f. painting; brushing: **dare una s. a qc.**, to paint st.; to brush st.

spennellatùra f. (anche *med.*) painting.

spensieratàggine f. carelessness; thoughtlessness.

spensieratamente avv. **1** (*allegramente*) cheerfully; light-heartedly; blithely **2** (*senza darsi pensiero*) insouciantly, breezily, in a happy-go-lucky fashion; (*sventatamente*) carelessly, thoughtlessly.

spensieratézza f. **1** (*allegria*) light-heartedness; cheerfulness; blitheness **2** (*assenza di preoccupazioni*) carefree attitude; insouciance; breeziness; happy-go-lucky attitude.

spensieràto ◭ a. **1** (*allegro*) cheerful; light-hearted; blithe **2** (*senza pensieri*) carefree, insouciant, breezy, happy-go-lucky; (*sventato*) careless, thoughtless ◮ m. (f. **-a**) carefree person; happy-go-lucky person.

spènto a. **1** (*di cosa che arde*) extinguished; out (pred.); (*di sigaretta, ecc.*) burnt-out; (*non acceso*) unlit: *Il fuoco è s.*, the fire is out; **calce spenta**, slaked lime; **pipa spenta**, unlit pipe; **sigaro s.**, burnt-out cigar; *Quando arrivammo l'incendio era già s.*, when we got there the fire had already been put out **2** (*di luce*) out (pred.), off (pred.); (*apparecchio*) off (pred.); (*di motore*) switched off: (*autom.*) **a fari spenti**, with the lights off; **a motore s.**, with the engine switched off; *Le luci erano tutte spente*, all the lights were out (*o* off) **3** (*fig.: scialbo, smorto*) dull; lacklustre; dead; lifeless: **colori spenti**, dull (*o* dead) colours; **occhi spenti**, dull (*o* lifeless) eyes; **voce spenta**, dull voice **4** (*estinto*) extinct; dead: **vulcano s.**, extinct volcano.

spenzolàre ◭ v. t. to dangle; to hang* out; to hang* down ◮ v. i. to dangle; to hang* (down); to be suspended: *Le sue gambe spenzolavano nel vuoto*, his legs dangled over the edge ◲ **spenzolàrsi** v. rifl. (*sporgersi*) to lean* out; to hang* out: **spenzolarsi dal balcone**, to lean out over the railing of the balcony.

spenzolóni avv. dangling; hanging out (pred.); hanging down (pred.): **con le gambe**

s., with one's legs dangling; **con le braccia (a) s.**, with one's arms hanging down; **un cane con la lingua s.**, a dog with its tongue hanging out.

speòto m. (*zool.*, *Speothos venaticus*) bush dog.

spèra ① f. (*lett.*) sphere; globe.

spèra ② f. (*naut.*) drogue.

speràbile a. to be hoped (for).

♦**sperànza** f. **1** hope (*anche teol.*); (*aspettazione*) expectation; (*prospettiva*) prospect; (*fiducia*) trust: **ferma s.**, firm hope; **mezza s.**, faint hope; **vaga s.**, vague (*o* lingering) hope; **speranze vane [folli, caduche]**, vain [mad, short-lived] hopes; **nella s. di [che]**, in the hope of [that]; (*in una lettera*) **nella s. di rivedervi presto**, hoping to see you soon; **oltre ogni s.**, beyond (*o* past) all hope; **pieno di speranze**, full of hopes; very hopeful; **senza s.**, hopeless (agg.); hopelessly (avv.); **abbandonare ogni s.**, to give up (*o* to abandon) all hope; **avere s. di vincere**, to have hopes of winning; **avere buone [forti] speranze di successo [di essere eletto]**, to have high hopes of success [of being elected]; **avere poche speranze**, to have little hope (*o* few hopes); **non avere nessuna s. di essere promosso agli esami**, to have no hope of passing the exams; **coltivare una s.**, to nurse a hope; **cullarsi in vane speranze**, to cherish vain hopes; **dare adito a qualche s.**, to inspire some hope; to hold out some hope; **deludere le speranze di q.**, to disappoint sb.'s expectations; **distruggere le speranze di q.**, to dash (*o* to destroy) sb.'s hopes; *Non c'è più s. che sia sopravvissuto*, there is no longer any hope that he may have survived; *Non c'è più s. per lui*, he is beyond hope; it's all up with him; **nutrire la s. di**, to have set (*o* to have pinned) one's hopes on; to hold out hopes of; *Nutre la s. di vedere suo figlio dottore*, she has set her hopes on her son's becoming a doctor; *I dottori non nutrivano più speranze per lui*, the doctors held out no hope of his recovery; **rinunciare a ogni s.**, to give up (*o* to abandon) all hope; **riporre le proprie speranze in**, to set (*o* to pin) one's hopes on; **vivere di s.**, to live on hope; **un filo di s.**, a gleam (*o* a ray) of hope; **motivo di s.**, cause for hope; **un residuo di s.**, a lingering hope **2** (*persona in cui si spera*) hope; (*persona promettente*) promising musician [actor, athlete, etc.], rising star, young hopeful, white hope: *Quel figlio è la sua unica s.*, that son is her only hope; **una giovane s. del cinema italiano**, a promising Italian actor; a rising star in Italian cinema; **giovani speranze del nuoto**, young hopefuls in swimming ● (*stat.*) **s. di vita**, life expectancy □ (*geogr.*) **il Capo di Buona S.**, the Cape of Good Hope ● **di belle speranze**, of promise; promising; (*iron.*) of great expectations □ (*prov.*) **La s. è l'ultima a morire**, hope is the last to die □ (*prov.*) **Finché c'è vita c'è s.**, while there's life there's hope.

Sperànza f. Hope.

speranzóso a. hopeful; expectant; full of hope.

♦**speràre** ① **A** v. t. (*aspettare con desiderio*) to hope for; (*confidare, augurarsi*) to hope, to trust; (*aspettarsi*) to expect: *Speravano un aiuto dai genitori di lui*, they hoped for help from his parents; *Non è la risposta che speravo*, it's not the answer I was hoping for; *Che altro possiamo s. ora?*, what else can we expect now?; *Spero di tornare*, I hope to come back; *Speravo di vederti ieri*, I hoped (*o* I was hoping) to see you yesterday; *Non sperava di vederla così presto*, he did not expect to see her so soon; *Spero di non averti svegliato*, I hope I didn't wake you up; *Spero che possano venire*, I hope they will be able to come; *Spero che lui non mi veda*, I hope he won't see me; *Speravamo tutti che guarisse*, we all hoped he would recover; *Spera sempre che lei ritorni*, he keeps hoping she will come back; *Spero proprio che la notizia non sia vera*, I do hope the news is not true; *Spero di no*, I hope not; *Spero di sì*, I hope so; *Speriamo bene!*, let's hope for the best!; *Lo spero proprio!* I certainly hope so!; *Lo spero bene!* (*o Voglio s.!*), I should hope so! **B** v. i. (*riporre fiducia*) to hope (in), to trust (in); (*augurarsi*) to hope (for); (*fare affidamento*) to count (on): **s. in Dio**, to trust in God; **s. nel futuro**, to hope in the future; **s. nella guarigione di q.**, to hope for sb.'s recovery; to hope sb. will recover; **s. in giorni migliori**, to hope for better days; **s. nell'impossibile**, to hope against hope; **s. per il meglio**, to hope for the best; *Spero nel loro aiuto*, I hope they will help me; I'm counting on their help; *Spero nel tuo prossimo ritorno*, I'm hoping you'll come back soon.

speràre ② v. t. (*guardare controluce*) to look at (st.) against the light; (*uova*) to candle.

speràto a. hoped-for; wished-for; (*atteso*) expected.

speratùra f. candling.

spèrdere **A** v. t. (*lett.*: *disperdere*) to disperse; to scatter **B** **spèrdersi** v. i. pron. (*smarrirsi*) to lose* oneself; to get* lost (*anche fig.*); to lose* one's way: **sperdersi in un bosco**, to get lost (*o* to lose one's way) in a wood; *È un romanzo così complicato che ci si sperde*, it's such a complicated novel that you get lost.

sperdùto a. **1** (*perduto*) lost: **essere s. nel buio**, to be lost in the dark **2** (*isolato, solitario*) out-of-the-way; remote; isolated: **villaggi sperduti**, remote villages **3** (*fig.*: *smarrito*) lost, bewildered; (*a disagio*) ill at ease, awkward, uncomfortable, out-of-place.

sperèlla f. **1** (*Galium aparine*) goosegrass; cleavers **2** (*Equisetum arvense*) common horsetail.

sperequàre v. t. to distribute unequally; to make* unequal.

sperequàto a. unequally distributed; unequal.

sperequazióne f. (*econ.*) inequality; unequal distribution; (*squilibrio*) imbalance, disproportion: **s. dei redditi**, inequality of income; **s. della ricchezza**, unequal distribution of wealth; **s. tributaria**, inequality of taxation; disproportionate taxation.

spergiuràre v. t. e i. to perjure oneself; to forswear* oneself; to commit perjury; to swear* falsely: **s. il nome di Dio**, to swear falsely in God's name; **s. il vero**, to swear falsely; to lie ● **giurare e s.**, to swear again and again.

spergiuratóre m. (f. **-trìce**) (*lett.*) perjurer.

spergiùro ① **A** a. perjured; forsworn **B** m. (f. **-a**) (*chi spergiura*) perjurer.

spergiùro ② m. (*giuramento falso*) perjury.

spèrgola f. (*bot.*, *Spergula arvensis*) spurry.

spericolatézza f. (*audacia*) daring; (*incoscienza*) recklessness, foolhardiness.

spericolàto **A** a. (*audace*) daring; (*incosciente*) reckless, madcap, foolhardy: **impresa spericolata**, daring undertaking; **guidatore s.**, reckless driver; **piano s.**, madcap scheme **B** m. (f. **-a**) daredevil; reckless person.

sperimentàbile a. **1** testable **2** (*conoscibile per esperienza*) that can be experienced.

sperimentabilità f. testability.

sperimentàle a. **1** experimental: **psicologia s.**, experimental psychology; **risultati sperimentali**, experimental results; **teatro s.**, experimental theatre; *La tecnica è ancora allo stadio s.*, the technique is still at the experimental stage (*o* is still being tested) **2** (*basato su nuovi metodi*) pilot: **schema s.**, pilot scheme.

sperimentalìsmo m. (*filos.*) experimentalism.

sperimentalista **A** m. e f. experimentalist **B** a. experimental.

sperimentàre **A** v. t. **1** (*sottoporre a esperimento*) to experiment with; to test; to try out: **s. un nuovo metodo**, to experiment with a new method; **s. una teoria**, to test a theory; **s. il funzionamento di un apparecchio**, to test the working of a device; **s. l'efficacia di una medicina**, to test the efficacy of a drug **2** (*provare*) to try out: **s. una ricetta**, to try out a recipe **3** (*mettere alla prova*) to put* to the test; to test: **s. l'amicizia di q.**, to put sb.'s friendship to the test; **s. la propria resistenza**, to test one's endurance; to put one's endurance to the test **4** (*fare esperienza di, conoscere per esperienza*) to experience; to undergo*; to endure: **s. la sofferenza**, to experience suffering; *È una sensazione che ho sperimentato anch'io*, I too have experienced that sensation; *Ho sperimentato la sua affidabilità*, I have found him (*o* I have known him to be) reliable **5** (*fig.*: *tentare*) to try; to attempt: **s. ogni mezzo**, to try everything **B sperimentàrsi** v. rifl. (*cimentarsi*) to try one's hand (at); (*mettersi alla prova*) to put* oneself to the test.

sperimentàto a. **1** (*che ha esperienza*) experienced; expert; skilled; seasoned: **tecnico s.**, experienced engineer **2** (*provato*) proven (*o* proved), well-tried; (*noto*) known; (*collaudato*) tested: **amicizia sperimentata**, proven friendship; **metodo s.**, tested method; **rimedio s.**, proven remedy.

sperimentatóre m. (f. **-trìce**) experimenter; tester.

sperimentazióne f. (*lo sperimentare*) experimentation, testing; (*esperimento*) experiment, test, trial: **la s. di un nuovo farmaco**, the testing of a new drug; *Il prodotto è in fase di s.*, the product is being tested (*o* on trial, is undergoing tests); *Siamo ancora in fase di s.*, we are still at the experimental stage; **tecniche di s.**, testing techniques.

sperlàno m. (*zool.*, *Osmerus eperlanus*) European smelt; sparling.

spèrma m. (*biol.*) sperm; semen*.

spermacèti m. (*zool.*) spermaceti ● **olio di s.**, sperm oil.

spermatèca f. (*zool.*) spermatheca.

spermàtico a. spermatic: **cordone s.**, spermatic cord; **liquido s.**, spermatic fluid.

spermàtide m. (*biol.*) spermatid.

spermatocèle m. (*med.*) spermatocyst.

spermatocita, **spermatocito** m. (*biol.*) spermatocyte.

spermatòfita f. (*bot.*) spermatophyte; (al pl., collett.) Spermatophyta.

spermatòfora f. (*biol.*) spermatophore.

spermatogènesi f. (*biol.*) spermatogenesis.

spermatogònio m. (*biol.*) spermatogonium*.

spermatorrèa f. (*med.*) spermatorrhoea.

spermatozòide n. (*bot.*) spermatozoid; antherozoid.

spermatozòo m. (*biol.*) spermatozoon*; sperm cell; sperm: **conta degli spermatozoi**, sperm count.

spermicìda **A** a. spermicidal **B** m. spermicide.

spèrmico a. (*biol.*) spermatic; spermic.

spermidòtto m. (*anat.*) spermiduct; spermaduct.

spèrmio m. (*biol.*) spermatozoon*; sperm cell.

spermiogràmma m. (*biol.*) spermiogram.

spermòfilo m. (*zool., Citellus*) ground squirrel; gopher.

spernacchiàre A v. i. to blow* raspberries B v. t. to blow* a raspberry (*o* raspberries) at; (*fig.*) to jeer at.

speronaménto m. (*naut. ed estens.*) ramming.

speronàre v. t. (*naut. ed estens.*) to ram; to ram into.

speronàta f. 1 (*colpo di sperone*) kick with the spurs; (*fig.*) spurring 2 (*naut. ed estens.*) ramming.

speronàto a. 1 (*munito di speroni*) spurred 2 (*zool., bot.*) spurred; calcarate 3 (*edil.*) spurred; buttressed.

speróne m. 1 spur 2 (*naut.*) ram 3 (*zool., bot.*) spur; calcar* 4 (*sporgenza rocciosa*) spur 5 (*archit.*) spur; buttress.

speronèlla f. (*bot., Delphinium consolida*) larkspur.

sperperaménto m. squandering; dissipation; dissipating; frittering away; wasting.

sperperàre v. t. 1 (*scialacquare*) to squander; to run* through; to play ducks and drakes with (*fam.*): **s. un patrimonio**, to squander a fortune; **s. soldi**, to play ducks and drakes with one's money 2 (*sprecare, dissipare*) to squander; to dissipate; to fritter away; to waste: **s. le proprie energie**, to dissipate one's energy; **s. risorse**, to waste resources.

sperperatóre m. (f. *-trice*) squanderer; spendthrift.

sperperìo m. (continuous) squandering; (continuous) wasting: **un assurdo s. di risorse**, an absurd wasting of resources.

spèrpero m. squandering Ⓤ; (*spreco*) waste Ⓤ, dissipation Ⓤ: **s. di denaro**, waste (*o* frittering away) of money; **s. di energie**, waste of energy; **s. di tempo**, waste of time; **fare s. di qc.**, to waste st.; **ridurre gli sperperi**, to reduce waste.

spèrso a. 1 (*smarrito*) lost; (*di animale, anche*) stray 2 (*sperduto, a disagio*) lost; out-of-place; uncomfortable.

spersonalizzàre A v. t. 1 (*privare della personalità*) to depersonalize; to deprive of personality 2 (*rendere impersonale*) to make* impersonal B **spersonalizzàrsi** v. i. pron. (*diventare impersonale*) to become* impersonal.

spersonalizzazióne f. depersonalization.

sperticàrsi v. i. pron. to lavish (st.); to be profuse (in): **s. in elogi**, to be profuse in one's praise; to lavish praises.

sperticàto a. 1 exaggeratedly long 2 (*esagerato*) excessive; profuse; exaggerated: **lodi sperticate**, excessive praise.

♦**spésa** f. 1 (*lo spendere*) spending Ⓤ; (*denaro da pagare*) expenditure Ⓤ, expense, outlay; (*denaro speso*) expense; (*tariffa, costo*) charge, cost; (*tassa, imposta*) charge, fee, due: **s. preventivata**, estimated expenditure; **s. pubblica**, public expenditure; **s. sociale**, welfare spending; **s. per consumi**, consumer spending; **spese a carico del destinatario** (*o* spese assegnate), charges forward; **spese accessorie**, incidental expenses; **spese bancarie**, handling charges; **spese condominiali**, service expenses; (shared) running expenses (in an apartment block); communal expenses; **spese correnti**, standing expenses; **spese di bollo**, stamp charges (*o* dues); **spese di dogana**, customs expenses (*o* charges); **spese di esercizio**, running (*o* operating) expenses (*o* costs); **spese di fabbricazione**, manufacturing costs; **spese di facchinaggio**, porter-

age (sing.); **spese di gestione**, running (*o* operating) expenses (*o* costs); **spese di imballaggio**, packing charges (*o* expenses); **spese d'impianto**, start-up costs; **spese di magazzinaggio**, storage expenses (*o* charges); **spese di manodopera**, labour costs; **spese di manutenzione**, maintenance charges; upkeep expenses; cost (sing.) of upkeep; **spese di rappresentanza**, entertainment expenses; **spese di registro**, registration charges (*o* dues, fees); **spese di riparazione**, cost of repairs; repair charges; **spese di trasporto**, freightage (sing.); transport charges; **spese di viaggio**, travelling expenses; **spese escluse [incluse]**, exclusive [inclusive] of costs (*o* charges); charges excluded [included]; **spese funebri**, funeral expenses; **spese generali**, overhead expenditure; overheads; **spese impreviste**, unforeseen expenses; **spese in conto capitale**, capital expenditure (*o* spending); **spese legali**, legal costs; **spese minute**, petty expenses (*o* petties); **spese portuali**, port charges; **spese postali**, postal charges; postage (sing.); **spese scolastiche**, school fees; **spese straordinarie**, extra expenses; **spese varie**, sundry expenses; **spese vive**, actual expenses; out-of-pocket expenses; *La s. si aggira sul milione*, the cost is around one million; *La s. per i nuovi macchinari sarà alta*, the outlay (*o* the expenditure) for the new machinery will be high; *Le spese superano le entrate*, expenditure exceeds income; **con poca s.**, with little expense; **escluse le spese**, charges excluded; exclusive of charges; **esente da spese**, free of charge; charges paid; **più le spese** (*esclusi i costi*), not inclusive of charges; **uno stipendio di... più le spese**, a salary of... all expenses paid; **senza s.**, at no expense; at no cost; **avere molte spese**, to have a lot of expenses; **coprire le spese**, to cover the cost (*o* costs); **dividere le spese**, to share the expenses; to go halves; **essere** (*o* stare) **sulle spese**, to be paying for oneself; to be on expenses; **far fronte a una s.**, to meet an expense; **fare grandi spese**, to spend a lot of money; **incorrere in grandi spese**, to incur great expenditure; **non badare a spese**, to spare no expense; **ridurre le spese**, to cut down expenses; **sostenere le spese di qc.**, to bear the cost of st.; **superare le spese previste dal budget**, to exceed the budgetary expenditure; to overrun one's budget; **tagliare le spese**, to cut down on spending (*o* expenditure); **conto spese**, expense account; **mettere in conto spese**, to charge the expenses to the firm; **nota spese**, bill of costs; **tagli alle spese**, spending cuts 2 (*acquisto*) purchase, buy (*fam.*); (*compere*) shopping Ⓤ; **un'ottima s.**, an excellent buy; **spese di Natale**, Christmas shopping; **fare la s.**, to do the shopping; *Ti ho fatto un po' di s. per domani*, I've done you some shopping for tomorrow; **fare spese in centro**, to go shopping (*o* to shop) in town; **fare spese folli**, to go on a wild spending spree; **farsi mandare a casa la s.**, to have one's shopping delivered; **borsa della s.**, shopping bag ● **a proprie spese**, at one's own expense; (*fig.*) to one's cost, the hard way: **imparare qc. a proprie spese**, to learn st. to one's cost; to learn st. the hard way □ **a spese di q.**, at sb.'s expense (*anche fig.*); on sb.'s money: **a spese della ditta**, at one's firm's expense; **a spese altrui**, at other people's expense; **a spese della comunità** (*o* dei contribuenti), on taxpayers' money □ (*fig.*) **a spese di qc.**, at the expense of st. □ (*fig.*) **fare le spese di qc.**, to pay for st. □ **funerali a spese dello Stato**, state funeral □ (*fig.*) **È più la s. che l'impresa**, it's not worth (one's) while.

spesàre v. t. to pay* (sb.'s) expenses: *Sono spesato dalla ditta*, my company pays all my expenses.

spesàto a. with all expenses paid.

spéso a. spent: **ben s.**, well spent; **mal s.**, wasted; badly used; **non s.**, unspent.

spessìmetro m. (*mecc.*) thickness gauge; feeler gauge.

♦**spésso** A a. 1 (*denso*) thick; dense; heavy: **brodo s.**, thick soup; **nebbia spessa**, thick (*o* dense) fog; **spessi vapori**, dense (*o* heavy) vapours 2 (*fitto, folto*) thick; dense: **capelli spessi**, thick hair; **foresta spessa**, dense forest 3 (*che ha un certo spessore*) thick: **carta spessa**, thick paper; **un muro s. mezzo metro**, a wall half a metre thick; **stoffa spessa**, thick material 4 (*frequente*) frequent, repeated; (*numeroso*) numerous: **spesse volte**, often; frequently; many a time B avv. often; frequently: *Lo incontro s.*, I often meet him; *Veniva qui s.*, she used to come here often; *Lo vedi s.?*, do you see him often (*o* much)?; do you see much of him?; **s. e volentieri**, very often; more often than not; **abbastanza s.**, fairly often; **fin troppo s.**, all too often; **sempre più s.**, more and more frequently; increasingly.

spessóre m. 1 thickness: **lo s. del ghiaccio**, the thickness of the ice; **avere uno s. di quattro centimetri**, to be four centimetres thick 2 (*mecc.*) thickness; (*diametro*) gauge; (*zeppa*) shim; (*autom., di freni*) lining: **s. circolare**, circular thickness; (*aeron.*) **s. relativo**, thickness ratio; **sostituire gli spessori**, to reline 3 (*fig.: profondità*) depth; (*penetrazione*) penetration, insight; (*peso*) weight, moment; (*importanza*) prominence: **un romanzo del tutto privo di s.**, a novel without any depth; **notevole s. critico**, considerable critical penetration.

spetezzàre v. i. (*pop.*) to fart (*volg.*); to break* wind.

Spett., Spett.le abbr. (*comm., all'inizio di una lettera*, **Spettabile**) Messrs.

spettàbile a. estimable; esteemed ● (*in un indirizzo*) **S. Ditta X e Y**, Messrs. X & Y □ (*in apertura di lettera*) **S. Ditta**, Dear Sirs (*GB*); Gentlemen (*USA*).

spettacolàre a. spectacular; (*straordinario*) extraordinary, impressive.

spettacolarità f. spectacularity.

spettacolarizzàre A v. t. to turn into something spectacular; to turn into a show B **spettacolarizzàrsi** v. i. pron. to become* spectacular; to be turned into a show.

spettacolarizzazióne f. turning (st.) into a show: **la s. delle elezioni**, turning an election into a show.

♦**spettàcolo** A m. 1 (*teatr.*) performance, show; (*cinem.*) showing; (*lavoro teatrale*) play; (*film*) film, movie: **s. continuato**, continuous performance; continuity; **s. di varietà**, variety show; **s. di beneficenza**, benefit performance; **s. di gala**, gala performance; **s. pomeridiano**, afternoon performance; matinée; **s. televisivo**, television show; television programme (*USA* program); (*cinem.*) **primo [secondo] s.**, first [second] showing; (*cinem.*) **ultimo s.**, late showing; **spettacoli teatrali**, shows and plays; **uscire prima della fine dello s.**, to leave before the end of the play [film, show, etc.]; **arti dello s.**, performing arts; **industria [mondo] dello s.**, show business; showbiz (*fam.*); **uomo di s.**, artist; performer; man in showbusiness 2 (*vista*) spectacle; sight; view; (*scena*) scene: *La valle offriva uno s. grandioso*, the valley offered a grandiose view ● (*anche fig.*) **Lo s. deve continuare**, the show must go on □ **dare s.**, (*farsi notare*) to attract attention, to make people look (*o* stare) at one; (*rendersi ridicolo*) to make an exhibition of oneself □ **dare s. di qc.** (*mettere in mostra*), to show off st.; to display st.; to parade st. B a. inv. (*posposto*)

turned into a show: **politica s.**, politics turned into a show.

spettacolóso a. spectacular; (*fig.*: *straordinario*) extraordinary, spectacular: **successo s.**, extraordinary success.

spettànte a. due (pred.); owing (pred.).

spettànza f. 1 (*pertinenza*) concern; competence: **essere di s. di q.**, to be sb.'s concern; *Non è di mia s.*, it is no concern of mine 2 (*ciò che compete*) what is owing (*o* due); (*remunerazione*) remuneration; (*onorario*) fee: **liquidare a q. le sue spettanze**, to pay sb. his dues.

spettàre v. i. 1 (*riguardare*) to be (sb.'s) concern (*o* business); (*toccare*) to rest (*o* to lie*) (with); to be up (to); (*come responsabilità, dovere*) to be (sb.'s) responsibility [duty], to be incumbent (on) (*form.*); (*per turno*) to be (sb.'s) turn: *Spetta a lui avvertirli*, it's his business to warn them; *La decisione spetta a lei*, the decision lies with her; *Spetta a lei decidere*, it's up to her to decide; *Non spetta a me dirlo*, it is not up to me to say; *Spetta ai genitori mantenere i figli*, it is the parents' responsibility (*o* duty) to provide for their children; *Questa volta spetta a me pagare*, it's my turn to pay this time; *Non spetta a noi il diritto di giudicare*, we have no right to judge 2 (*competere di diritto*) to be due (to); to be owed (to); to be entitled (to) (pers.); (*in eredità*) to go* (to): *Voglio quello che mi spetta*, I want what is due to me (*o* what I am entitled to); *Mi spettano ancora cinquanta euro*, I am still owed fifty euros; *Alla figlia spetterà in eredità la casa*, the house will go to the daughter.

♦**spettatóre** m. (f. **-trìce**) 1 (*di spettacolo, evento sportivo*) spectator; (*teatr.*) member of the audience; (*cinem.*) film-goer; (*TV*) viewer; (*al pl.*: *pubblico*) audience (sing.): **gli spettatori alla partita**, the spectators at the match; *Gli spettatori sono pregati di non applaudire*, members of the audience are kindly requested not to applaude; *Il musical ha richiamato numerosi spettatori*, the musical attracted a large audience; *Due spettatori si alzarono e uscirono*, two people in the audience stood up and left; *Una spettatrice rise*, a woman in the audience laughed 2 (*astante*) onlooker, bystander; (*testimone*) witness: *Fummo spettatori dell'incidente*, we witnessed the accident.

spettegolàre v. i. to gossip; to tittle-tattle: **s. su q.**, to gossip about sb.

spettinàre A v. t. to ruffle (sb.'s) hair; to mess up (sb.'s) hair; to muss up (sb.'s) hair (*USA*): *Il vento lo spettinò*, the wind ruffled his hair; *Non mi s.*, don't mess up my hair B **spettinàrsi** v. rifl. e i. pron. to ruffle one's hair; to get* one's hair in a mess: *Si spettinò i capelli con un gesto nervoso*, he ruffled his hair with a nervous gesture; *Ti sei tutta spettinata!*, your hair is in a mess!; your hair is all mussed up! (*USA*).

spettinàto a. 1 (*di capelli: non pettinato*) untidy; (*scompigliato*) ruffled, messed, mussed (*USA*) 2 (*coi capelli in disordine*) with untidy (*o* ruffled) hair; with one's hair in a mess.

spettràle a. 1 ghostlike; ghostly; spectral; phantom (attr.): **figura s.**, ghostlike figure; **pallore s.**, ghastly pallor; **avere un aspetto s.**, to look like a ghost 2 (*irreale*) eerie, spooky (*fam.*); (*inquietante, pauroso*) ghastly (*sinistro*) sinister: **atmosfera s.**, spooky atmosphere; **luce s.**, eerie light 3 (*fis.*) spectral; spectrum (attr.): **analisi s.**, spectral (*o* spectrum) analysis.

spèttro m. 1 (*fantasma*) ghost; spectre, specter (*USA*); phantom; spook (*fam.*): **avere paura degli spettri**, to be afraid of ghosts; *Sembra uno s.*, she looks like a ghost 2 (*fig.*: *minaccia*) spectre: **lo s. della guerra**, the spectre of war 3 (*fis.*) spectrum*: **s. a**

bande, band spectrum; **s. di assorbimento [di emissione]**, absorption [emission] spectrum; **s. infrarosso**, infrared spectrum; **s. solare**, solar spectrum; **s. visibile** (*o* ocular) spectrum; **s. ultravioletto**, ultra-violet spectrum; **analisi dello s.**, spectrum analysis 4 (*raggio di azione*) spectrum: **ad ampio s.**, broad-spectrum; (*fig.*) wide-ranging, broad; **antibiotico ad ampio s.**, broad-spectrum antibiotic; **indagine ad ampio s.**, wide-ranging investigation; broad survey 5 (*zool.*: *Vampyrum spectrum*) spectre-lemur.

spettrochìmica f. spectrochemistry.

spettrocolorìmetro a. (*fis.*) spectrocolorimeter.

spettroeliogràfico a. (*astron.*) spectroheliographic.

spettroeliògrafo m. (*astron.*) spectroheliograph.

spettroeliogràmma m. (*astron.*) spectroheliogram.

spettroelioscòpico a. (*astron.*) spectrohelioscopic.

spettroelioscòpio m. (*astron.*) spectrohelioscope.

spettrofotometrìa f. (*fis.*) spectrophotometry.

spettrofotomètrico a. (*fis.*) spectrophotometric.

spettrofotòmetro m. (*fis.*) spectrophotometer.

spettrografìa f. (*fis.*) spectrography: **s. di massa**, mass spectrography.

spettrogràfico a. (*fis.*) spectrographic.

spettrògrafo m. (*fis.*) spectrograph: **s. a raggi X**, X-ray spectrograph; **s. di massa**, mass spectrograph.

spettrogràmma m. (*fis.*) spectrogram.

spettrometrìa f. (*fis.*) spectrometry.

spettromètrico a. (*fis.*) spectrometric.

spettròmetro m. (*fis.*) spectrometer.

spettroscopìa f. (*fis.*) spectroscopy.

spettroscòpico a. (*fis.*) spectroscopic.

spettroscòpio m. (*fis.*) spectroscope: **s. a raggi catodici**, cathode-ray spectroscope; **s. a reticolo**, grating spectroscope.

speziàle m. (*arc.*: *farmacista*) apothecary; druggist.

speziàre v. t. 1 to add spices to; to spice 2 (*fig.*) to spice up; to add piquancy to.

speziàto a. spiced; spicy.

spèzie f. inv. (spec. al pl.) spice: **insaporito con s.**, spiced; **il commercio delle s.**, the spice trade.

spezierìa f. 1 (*drogheria*) grocer's shop; grocery 2 (*arc.*: *farmacia*) apothecary's shop 3 (*al pl.*) (*assortimento di spezie*) spices (pl.).

spezzàbile a. breakable ● **non s.**, unbreakable.

♦**spezzàre** A v. t. 1 to break*; (*di schianto*) to snap; (*spaccare*) to split*; (*staccare*) to break* off, to snap off; (*frantumare*) to shatter, to smash; (*recidere*) to sever; (*fratturare*) to fracture: **s. qc. in due**, to break st. in two; **s. il cuore a q.**, to break sb.'s heart; (*anche fig.*) **s. il ghiaccio**, to break the ice; **s. ogni legame**, to sever every link; **s. un ramo** (*in due*) to break (*o* to snap) a branch; (*dall'albero*) to break off (*o* to snap off) a branch; **spezzarsi un braccio**, to break an arm; *La tensione spezzò la corda*, the tension snapped the rope; *Il calcio del mulo gli spezzò una gamba*, the mule's kick fractured his leg 2 (*interrompere*) to break*; to interrupt; (*suddividere*) to break* up: **s. la giornata**, to break up the day; (*mus.*) **s. una nota**, to split a note; **s. il viaggio**, to break one's journey; **s. il viaggio in tre tappe**, to break up the

journey in three stages; *Questo appuntamento mi spezza la mattina*, this appointment breaks up my morning ● (*fig.*) **s. una lancia in favore di q.**, to break a lance in sb.'s defence □ (*fig.*) **s. il pane con q.**, to break bread with sb. □ (*fig.*) **s. le reni a q.**, to break the back of sb. B **spezzàrsi** v. i. pron. to break*; (*di schianto*) to snap; (*staccarsi*) to break* off, to snap off; (*frantumarsi*) to shatter, to smash; (*dividersi, anche fig.*) to break* up, to split* up; (*fratturarsi*) to fracture: **spezzarsi di netto**, to snap off neatly; *Se lo lascerai cadere, si spezzerà*, if you drop it, it will break; *Il ramo si spezzò sotto il peso della neve*, the branch snapped under the weight of the snow; *Mi si spezza il cuore a vederlo in quello stato*, it breaks my heart to see him like that ● **Non posso mica spezzarmi in due!**, I can't be in two places at once! □ (*prov.*) **Mi spezzo ma non mi piego**, I break but I do not bend.

spezzàta f. (*mat.*) broken line.

spezzatino m. 1 (*il piatto*) stew: **s. di montone**, mutton stew 2 (*la carne*) stewing steak.

spezzàto A a. 1 broken; shattered; split: **ala spezzata**, broken wing; **linea spezzata**, broken line 2 (*fig.*: *interrotto*) broken, interrupted; (*frammentario*) broken, disconnected, disjointed, fragmentary: **frasi spezzate**, broken sentences; **ritmo s.**, broken rhythm; **voce spezzata**, broken voice B m. 1 (*completo maschile*) unmatched jacket and trousers 2 (*teatr.*) flat.

spezzatóre m. (*macelleria*) chopper.

spezzatrìce f. (*macchina di panificio*) divider.

spezzatùra f. 1 (*lo spezzare*) breaking; splitting 2 (*rottura, frattura*) break: **s. di parola**, word-break; **un periodo pieno di spezzature**, a broken-up sentence 3 (*frammento*) broken piece; fragment 4 (*volume scompagnato*) odd volume 5 (*Borsa*) odd lot.

spezzettaménto m. dividing (*o* cutting up) into small pieces; fragmentation; breaking up.

spezzettàre A v. t. to divide into small pieces; to break* up; (*tagliando*) to cut* up, to chop up; (*sbriciolare*) to crumble; (*frammentare*) to fragment, to divide up, to break* up: **s. una barretta di cioccolato**, to break up a chocolate bar; **s. un biscotto**, to crumble a biscuit; **s. una frase**, to break up a sentence; **s. una proprietà**, to divide up (*o* to break up) an estate B **spezzettàrsi** v. i. pron. to break* up; to fragment; (*sbriciolarsi*) to crumble.

spezzettatùra f. → **spezzettamento**.

spezzìno A a. of La Spezia; from La Spezia; La Spezia (attr.) B m. (f. **-a**) native [inhabitant] of La Spezia.

spezzonaménto m. (*mil.*) bombing with small bombs.

spezzonàre v. t. (*mil.*) to bomb with small bombs; to drop small bombs on.

spezzóne m. 1 (*mil.*) small bomb: **s. incendiario**, incendiary bomb 2 (*frammento, segmento*) piece; block: **uno s. di ore**, a block of hours 3 (*cinem.*) clip.

♦**spìa** A f. 1 (*delatore*) spy; informer; tale-bearer; grass (*slang GB*); fink (*slang USA*); (*di bambino*) telltale, sneak: **s. della polizia**, police informer; nark (*slang*); **fare la s.**, to inform; to tell (on sb.); to squeak (on sb.) (*fam.*); to rat (on sb.) (*slang*); to grass (on sb.) (*slang GB*); (*di bambino*) to tell tales, to sneak 2 (*agente segreto*) spy: **s. industriale**, industrial spy; **rete di spie**, spy ring 3 (*microspia*) bugging device; bug 4 (*tecn.*) indicator; (*a indice, a lancetta*) gauge; (*luminosa*) warning light, (*anche a fiammella*) pilot light: **s. (della temperatura) dell'acqua**, water temperature gauge (*o* indicator); (*autom.*) **s.**

della benzina, petrol warning light; (*autom.*) s. **dell'olio**, oil (pressure warning) light 5 (*fig.*: *indizio*) sign; indication; evidence 🔲; clue: *Il rialzo dei prezzi è una s. della recessione*, the rise in prices is a sign of recession 6 → **spioncino** 🅱 a. inv. (*posposto*) 1 spy (attr.): **aereo s.**, spy plane 2 warning (attr.); pilot (attr.): **lampadina s.**, pilot light; **luce s.**, warning light.

spiaccicàre 🅰 v. t. to squash; to crush: **s. un fico**, to squash a fig; s. **un insetto**, to squash an insect; **s. il cappello**, to crush one's hat 🅱 **spiaccicàrsi** v. i. pron. to squash; to get* squashed; to get* crushed.

spiaccichio m. 1 squashing 2 (*roba spiaccicata*) squash; pulp; mess.

♦**spiacènte** a. sorry; regretful (*form.*): *Siamo spiacenti dell'accaduto*, we are sorry about what happened; we regret what happened; *Sono s. di non poter partecipare alla riunione*, I regret that I will be unable to attend the meeting (*form.*); I am sorry, but I won't be able to attend the meeting; *S., ma non posso aiutarti*, sorry, I can't help you.

spiacére 🅰 v. i. 1 (*addolorare*) to be sorry (pers.); (*rendere triste*) to sadden; (*essere triste*) to be sad: *Mi spiace che non stai bene*, I'm sorry you're not feeling well; *Spiace saperli così soli*, it's sad to know they are so lonely 2 (*disturbare, dare fastidio*) to mind (pers.): *Se non ti spiace, preferisco venire un'altra volta*, if you don't mind, I'd rather come some other time; *Le spiace se apro il finestrino?*, do you mind if I open the window?; *Non mi spiacerebbe un viaggetto in America*, I would't mind a trip to America 3 (*riuscire sgradito*) to be displeasing (o unpleasant) 🅱 **spiacérsi** v. i. pron. to be sorry.

spiacévole a. unpleasant; disagreeable; displeasing; (*sgradevole*) obnoxious, objectionable, unwelcome; (*antipatico*) invidious; (*increscioso*) regrettable, unfortunate: **compito s.**, disagreeable duty; **confronti spiacevoli**, invidious comparisons; **esperienza s.**, disagreeable (o unpleasant) experience; **s. malinteso**, unfortunate (o regrettable) misunderstanding; **odore s.**, unpleasant (o obnoxious) smell; **posizione s.**, invidious position; **sapore s.**, unpleasant (o disagreeable) taste; **verità spiacevoli**, unpleasant truths.

spiacevolézza f. unpleasantness; disagreeableness; distastefulness; obnoxiousness.

♦**spiàggia** f. beach; (*riva*) shore: **s. di ciottoli**, pebbly beach; shingle (beach); **s. libera**, public beach; **s. sabbiosa**, sandy beach; **in** (o **sulla**) **s.**, on the beach; (*a riva*) ashore, on the shore; **andare in s.**, to go down to the beach; **abbigliamento da s.**, beachwear; **borsa** [**cappello**] **da s.**, beach bag [hat]; **letture da s.**, light reading; **vita di s.**, sunbathing and swimming; **fare vita di s.**, to spend most of one's time on the beach; to spend one's time sunbathing and swimming ● (*scherz.*) **tipo da s.**, beach bum (*slang*) ▫ (*fig.*) **ultima s.**, last chance; last resort.

spiaggiàto a. beached (attr.): **balena spiaggiata**, beached whale.

spianàbile a. that can be levelled (o flattened); that can be smoothed down.

spianaménto m. → **spianatura**.

spianàre 🅰 v. t. 1 (*rendere piano*) to level, to make* level, to flatten out; to straighten out; (*rendere liscio*) to smooth: **s. un campo da gioco**, to level a sports ground; **s. una lamiera**, to straighten out (o to flatten) a sheet; **s. il terreno**, to level the ground (*anche fig.*); to make the ground level; (*mecc.*) **s. a livello**, to flush; **s. col bulldozer**, to bulldoze; (*mecc.*) **s. con rulli**, to roll 2 (*fig.*) to smooth; to iron out: **s. le difficoltà**, to iron out difficulties; **s. la strada** (o **il cammino**) **a q.**, to smooth the way for sb.; to make things smooth for sb. 3 (*radere al suolo*) to raze to the ground 4 (*arma da fuoco*) to level: **s. il fucile contro q.**, to level one's gun at sb. ● (*cucina*) **s. la pasta**, to roll out the dough 🅱 v. i. to be level (o flat) 🅲 **spianàrsi** v. i. pron. (*distendersi*) to relax: *Il suo viso si spianò in un sorriso*, his features relaxed into a smile.

spianàta f. 1 (*lo spianare*) levelling, flattening out, straightening out; (*il lisciare*) smoothing: **dare una s. a qc.**, to level st.; to flatten st. out; to straighten out st. 2 (*luogo pianeggiante*) level ground; flat area; (*panoramico*) esplanade.

spianàto a. 1 (*appiattito*) flat; level; flush; (*liscio*) smooth 2 (*di arma*) levelled.

spianatóia f. pastry board.

spianatóio m. 1 (*edil.*) float 2 (*mattarello*) rolling pin.

spianatrice f. (*per terreno*) grader.

spianatùra f. levelling; flattening out; (*il lisciare*) smoothing.

spiàno m. - a tutto s., (*senza interruzione*) without a break, uninterruptedly, non-stop; (*con tutte le forze*) to the utmost, flat out: **lavorare a tutto s.**, to work flat out (o non--stop); **gridare a tutto s.**, to shout at the top of one's voice; to bawl; **spendere a tutto s.**, to spend money like water; **chiacchierare a tutto s.**, to talk nineteen to the dozen.

spiantàre 🅰 v. t. 1 (*sradicare*) to uproot; to root out (o up); to extirpate: **s. un albero**, to uproot a tree; to root up a tree 2 (*sconficcare*) to pull* out; (*scavando*) to dig* out: **s. un palo**, to pull (o to dig) out a pole 3 (*fig.*: *rovinare*) to ruin 🅱 **spiantàrsi** v. i. pron. to ruin oneself; to be ruined.

spiantàto 🅰 a. (*ridotto in miseria*) ruined; penniless; broke (pred., *fam.*) 🅱 m. (f. *-a*) penniless person; pauper.

♦**spiàre** v. t. 1 (*seguire di nascosto*) to spy on (o upon); to watch; (*sbirciare*) to peep; (*origliare*) to eavesdrop: **s. le mosse del nemico**, to spy on the enemy's moves; **s. i movimenti di q.**, to watch sb.'s movements; to spy on sb.; **s. attraverso le imposte**, to peep through the shutters; **s. dal buco della chiave**, to peep through the keyhole; **s. da dietro la porta**, to eavesdrop behind the door; *Mi hai spiato!*, you were spying on me! 2 (*cercare di conoscere*) to pry into: **s. i fatti dei vicini.**, to pry into one's neighbours' doings 3 (*cercare di decifrare*) to try to read: **s. q. in viso**, to try to read sb.'s face 4 (*aspettare con ansia*) to watch (out) for: **s. il momento migliore per fare qc.**, to watch (out) for the best moment to do st.

spiàta f. (*delazione*) tip-off: **fare una s. a q.**, to tip sb. off.

spiattellàre v. t. (*fam.*) 1 (*rivelare*) to blab; (*lasciarsi sfuggire*) to blurt out; (*dire apertamente*) to tell* openly (o in plain words, in no uncertain terms): **s. tutto ai giornalisti**, to blab to the press; **s. tutta la verità**, to blurt out the whole truth; (*confessare*) to spill the beans (*fam.*); *Gli ho spiattellato chiaro e tondo quello che pensavo di lui*, I told him in no uncertain terms what I thought of him 2 (*mostrare chiaramente*) to thrust* before (sb.): *Mi spiattellò l'assegno sotto il naso*, he thrust the cheque under my nose.

spiazzaménto m. 1 (*sport* e *fig.*) wrong--footing 2 (*econ.*) crowding out: **effetto di s.**, crowding-out effect.

spiazzàre v. t. 1 (*sport*) to wrong-foot: *Spiazzò il portiere con una finta e segnò*, he wrong-footed the goalkeeper with a dummy and scored 2 (*fig.*) to catch* off-guard (o on the hop); to wrong-foot; to throw* (sb.) a curve (*USA*): *Le dichiarazioni del ministro hanno spiazzato l'opposizione*, the minister wrong-footed the opposition with his declarations 3 (*econ.*) to crowd out.

spiazzàto a. 1 (*sport*) wrong-footed 2 (*fig.*) off one's guard; wrong-footed.

spiàzzo m. open space; (*erboso*) green; (*radura*) clearing.

spicanàrdi, **spicanàrdo** → **spigonardo**.

spiccàce, **spiccàgnolo** a. (*di frutto*) freestone (attr.).

♦**spiccàre** 🅰 v. t. 1 (*cogliere*) to pick, to pluck; (*staccare*) to cut* off, to sever: **s. un frutto** [**un fiore**], to pick (o to pluck) a fruit [a flower]; **s. la testa dal busto a q.**, to cut off (o to sever) sb.'s head from his shoulders 2 (*pronunciare distintamente*) to pronounce distinctly; to articulate: **s. le parole**, to pronounce one's words distinctly 3 (*leg.*: *emettere*) to issue: **s. un ordine** [**un mandato di cattura**], to issue an order [a warrant of arrest] 4 (*comm.*) to make* out; to draw*: **s. un assegno**, to make out a cheque; **s. una cambiale**, to draw a bill of exchange ● **s. il bollore**, to begin to boil ▫ **s. un salto**, to jump; to leap ▫ **s. il volo**, to fly off; (*fig.*) to take flight 🅱 v. i. (*risaltare*) to stand* out; to be conspicuous; (*eccellere*) to shine, to excel: *La ragazza spiccava fra le amiche per la sua eleganza*, the girl stood out among her friends for her elegance; **un colore che spicca sullo sfondo**, a colour that stands out against the background; *Quel ragazzo spicca per il suo silenzio*, that boy is conspicuous for his silence 🅲 **spiccàrsi** v. i. pron. (*di frutto*) to separate from the stone; to be a freestone.

spiccàto a. 1 (*colto*) picked, plucked; (*tagliato*) cut off, severed 2 (*marcato*) marked; strong; sharp: **uno s. accento tedesco**, a marked German accent; **uno s. senso dell'umorismo**, a sharp sense of humour 3 (*notevole*) marked; remarkable: **spiccata intelligenza**, remarkable intelligence; **avere una spiccata inclinazione per qc.**, to have a marked tendency to st. (o a flair for st.).

spicchio m. 1 (*di frutto*) quarter; slice; (*di agrume*) segment; (*di aglio*) clove: **a spicchi**, in slices (o segments); sliced; **mela a spicchi**, sliced apple; **limone a spicchi**, lemon in segments; **dividere in spicchi**, to divide into segments; to slice 2 (*di oggetto*) segment; wedge; (*fettina*) slice: **s. di torta** [**di formaggio**], slice of cake [of cheese]; **s. di luna**, crescent (of moon) 3 (*di stoffa*) gore; panel: **gli spicchi di un ombrello**, the gores of an umbrella; **gonna a spicchi**, gored skirt 4 (*geom.*) – **s. sferico**, lune; lunule 5 (*archit.*) gore 6 (*arald.*) wedge.

spicciàre 🅰 v. t. 1 (*sbrigare*) to get* (st.) done quickly; to dispatch; to rush through: *Spiccio questo lavoro e sono da te*, I'll just get through this and be with you in a moment 2 (*servire in fretta*) to serve; to attend to: **s. un avventore**, to serve a customer 3 → **spicciolare** ② 🅱 **spicciàrsi** v. i. pron. to hurry up; to be quick: *Spicciati!*, hurry up!; get a move on (*fam.*).

spicciativo a. 1 (*svelto*) quick; brisk; (*che usa metodi spicci*) businesslike, no-nonsense (attr.) 2 (*brusco*) curt; brusque; unceremonious.

spiccicàre 🅰 v. t. 1 (*staccare*) to separate; to detach; to unstick*; to peel off; (*fig.*) to separate, to prise apart, to tear* away: **s. un francobollo**, to peel a stamp off; *Non si riesce a spiccicarlo dalla sua ragazza*, you can't prise him apart from his girlfriend 2 (*fig.*: *pronunciare distintamente*) to articulate; to pronounce distinctly; (*estens.*: *dire*) to speak*, to utter: **s. le parole**, to articulate one's words; *Non riuscì a s. una parola*, she couldn't utter a word; *Non spiccica una parola di francese*, he can't speak a word of

French B **spiccicàrsi** v. i. pron. **1** (*staccarsi*) to come* off; to peel off; to come* unstuck; (*di persona*) to tear* oneself away: **spiccicarsi da q.** [**da un luogo, ecc.**], to tear oneself away from sb. [from a place, etc.] **2** (*liberarsi*) to get* rid (of): *Finalmente me lo sono spiccicato di torno*, I've managed to get rid of him at last.

spiccicàto a. (*region.*) the spitting image of: *È suo padre s.*, he's the spitting image of his father.

spìccio ① a. (*veloce*) quick, prompt; (*sbrigativo*) brisk, no-nonsense (attr.): **decisione spiccia**, quick decision; **mezzi spicci**, no-nonsense methods; **modi spicci**, brisk manners; **un tipo dai modi spicci**, a no-nonsense type; **qualcosa di s. da mangiare**, a quick bite ● **alla spiccia**, (*senza cerimonie*) simply, unceremoniously, without fuss; (*in fretta*) quickly, hurriedly; (*sbrigativamente*) briskly, curtly □ **andare per le spicce**, to waste no time; to make short work of st.

spiccio ② → **spicciolo**.

spicciolàme m. small change; loose money.

spicciolàre ① v. t. (*agric.*) **1** (*frutta*) to pick **2** (*fiore*) to strip of its petals; to pluck.

spicciolàre ② v. t. (*cambiare in moneta spicciola*) to change: **s. venti sterline**, to change a twenty-pound note.

spicciolàto a. **1** (*rif. a denaro*) in coins; in small change **2** (*uno alla volta*) isolated; separated ● **alla spicciolata**, (*pochi per volta*) a few at a time, by twos and threes; in dribs and drabs; (*uno per volta*) one by one, separately.

spìcciolo A a. **1** (*di denaro*) in coins (pred.); in small change: **dieci euro spiccioli**, ten euros in small change; **soldi spiccioli**, (small) change (sing.) **2** (*semplice*) simple; plain; ordinary: **in parole spicciole**, in plain words; plainly said B m. pl. small coins; (small) change (sing.); (*estens.: piccola somma*) small sum: **cambiare in spiccioli**, to change; *Non ho spiccioli*, I've got no change; **per pochi spiccioli**, for a small sum; for next to nothing; *Mille euro non sono spiccioli!*, one thousand euros is no small sum (o *fam.*, isn't chickenfeed).

spìcco m. relief; prominence: **dare s. a qc.**, to give prominence to st.; **fare s.**, to stand out; to catch the eye; **figura di s.**, prominent (o leading) personality; **notizia di s.**, headline (*USA* top-line) news.

spicconàre A v. t. to demolish with a pickaxe B v. i. to work with a pickaxe.

spicilègio m. (*lett.*) anthology.

spìcola, spìcula f. (*zool., astron.*) spicule.

spider (*ingl.*) m. o f. inv. (*autom.*) open sports car; open two-seater.

spidocchiàre A v. t. to delouse B **spidocchiàrsi** v. rifl. to delouse oneself.

spiedàta f. food on a skewer: **una s. di polli**, a row of chickens on a skewer.

spiedìno m. **1** (*l'oggetto*) skewer **2** (*il piatto*) (shish) kebab (o kabob): **spiedini di carne e verdure**, kebabs of meat and vegetables.

spièdo m. **1** (*cucina*) spit: **allo s.**, on the spit **2** (*stor.*) spear.

spièga f. (*fam.* o *region.*) explanation; directions (pl.); instructions (pl.).

spiegàbile a. explainable; explicable.

spiegaménto m. **1** (*mil.*) deployment: **un imponente s. di truppe e di mezzi**, an impressive deployment of troops and vehicles **2** (*sfoggio*) display; exhibition; parade.

◆**spiegàre** A v. t. **1** (*distendere*) to spread* out; to lay* out; to open out; to unfold; to unfurl: (*anche fig.*) **s. le ali**, to unfold (o to spread) one's wings; **s. una bandiera**, to unfurl a flag; **s. un giornale**, to open out a newspaper; **s. una mappa**, to unfold (o to open out) a map; **s. le vele**, to unfurl the sails; (*far vela*) to make sail; **s. a ventaglio**, to fan out **2** (*elucidare*) to explain; (*esporre*) to set* out, to expound; (*commentare*) to comment on; (*interpretare*) to interpret; (*chiarire*) to clarify; (*dare ragione di, motivare*) to account for; to put* down to: **s. un mistero**, to explain a mystery; **s. un piano d'azione**, to set out a plan; **s. una poesia**, to interpret (o to comment on) a poem; **s. le proprie ragioni**, to explain one's motives; **s. il significato di qc.**, to explain the meaning of st.; **s. una teoria**, to expound a theory; **s. il Vangelo**, to expound the Gospel; **s. per filo e per segno**, to explain in detail; to spell out: *Spiegami cosa devo fare*, explain to me (o tell me) what I should do; *Ora ti spiego come funziona*, now I'll show you how it works; *Questo spiega il suo ritorno*, this accounts for his return; this explains why he came back; *I tuoi mal di testa io li spiegherei con il troppo lavoro*, I would put your headaches down to overwork **3** (**spiegarsi**: *capire*) to understand*; to make* sense of: *Non so spiegarmi il suo ritardo*, I can't understand why she is late; *Non riesco a spiegarmi questa lettera*, I can't make sense of this letter **4** (*mil.*) to deploy: **s. le truppe**, to deploy the troops B **spiegàrsi** v. rifl. to explain oneself; to make* oneself clear (o understood): **spiegarsi meglio**, to explain oneself further; to be more explicit; to be more specific; *Lascia che mi spieghi*, let me explain; *Non lo voglio più vedere, mi sono spiegata?*, I don't want to see him again, have I made myself clear?; *Forse non mi sono spiegato bene*, perhaps I have not been clear enough (o did not make myself clear); *Mi spiego?*, do you see what I mean?; do you get my meaning (o point, drift)?; *Non so se mi spiego*, if you see what I mean; (*iron.*) if you take my meaning **C spiegàrsi** v. i. pron. **1** (*stendersi*) to unfold, to spread* out; (*aprirsi*) to open out; (*di vela, di bandiera*) to unfurl **2** (*diventare chiaro*) to be clear; to become* clear; to make* sense: *Adesso tutto si spiega*, now everything is clear; *Il suo comportamento non si spiega*, his behaviour doesn't make sense **3** (*mil.*) to deploy **D spiegàrsi** v. rifl. recipr. (*venire a una spiegazione*) to clear things up; to have a frank talk.

spiegàto a. open; spread out; laid out; unfolded; (*di vela*) unfurled: **ad ali spiegate**, with open wings; **a bandiere spiegate**, with flags flying; **a sirene spiegate**, with sirens wailing; **a vele spiegate**, with unfurled sails; in full sail; **cantare a voce spiegata**, to sing lustily.

spiegatùra f. spreading out; unfolding.

◆**spiegazióne** f. **1** explanation; (*commento*) comment; (*interpretazione*) interpretation: **la s. di un brano**, the comment on a passage; **poche parole di s.**, a few words of explanation; **dare una s. di qc.**, to give an explanation for st.; **senza dare spiegazioni**, without an explanation; **domandare una s. a q.**, to ask sb. for an explanation **2** (*soluzione, risposta*) explanation, solution, answer; (*motivo*) reason; (*istruzioni*) instructions (pl.): **la s. di un indovinello**, the solution of a riddle; **una s. poco convincente**, an unconvincing explanation; *Non c'è una s. plausibile per il suo comportamento*, there is no plausible reason for his behaviour; **trovare la s. di qc.**, to find an explanation for st. **3** (*chiarimento*) clarification; understanding: **arrivare a una s.**, to come to an understanding; **avere una s. con q.**, to clear things up with sb.; to have a frank talk with sb.; **domandare spiegazioni a q.**, to call sb. to account.

spiegazzàre A v. t. to crease; to crum-

ple; to ruck up: **s. un abito**, to crease a dress; **s. un foglio di carta**, to crumple a sheet of paper B **spiegazzàrsi** v. i. pron. to crease; to crumple; to get* creased (o crumpled): **una stoffa che si spiegazza facilmente**, a material that creases easily; *La tua giacca si è tutta spiegazzata*, your jacket has got all creased; *Il giornale si è spiegazzato*, the paper got crumpled.

spiegazzatùra f. **1** creasing; crumpling **2** (*piega*) crease; ruck.

spietatézza f. pitilessness; mercilessness; ruthlessness; cruelty.

spietàto a. **1** pitiless; merciless; ruthless; heartless; cruel; (*inesorabile*) inexorable: **parole spietate**, ruthless words; **sorte spietata**, inexorable fate; **tiranno s.**, pitiless tyrant **2** (*accanito*) relentless; ruthless; cut-throat (attr.); fierce; bitter: **concorrenza spietata**, ruthless (o cut-thoat) competition; **fare una corte spietata a una ragazza**, to court a girl relentlessly.

spietràre v. t. (*agric.*) to clear from stones; to remove stones from.

spietratùra f. (*agric.*) removal of stones.

spifferàre A v. t. (*fam.*) to blab; to tell*; (*fare la spia*) to tip off, to rat, (*spec. tra ragazzi*) to sneak (*fam.*): **s. un segreto**, to blab; to spill the beans (*fam.*); to blow the gaff (*fam. GB*); **s. ogni cosa alla polizia**, to tip off the police; *Sono andati a spifferargli tutto*, they told him everything; they spilled the beans with him; *Ha spifferato tutto su di noi*, he ratted on us; he sneaked on us B v. i. (*del vento*) to whistle.

spifferàta f. (*fam.*) blabbing ⓤ; telling ⓤ; (*spiata*) tip-off: *Questa è stata di certo una s.!*, somebody must have blabbed; *L'hanno preso grazie a una s.*, they caught him thanks to a tip-off.

spifferatóre m. (f. **-trice**) → **spifferone**.

spìffero m. (*fam.*) draught: **stanza piena di spifferi**, draughty room.

spifferóne m. (f. **-a**) (*fam.*) blabbermouth; talebearer; (*spia, spec. tra ragazzi*) sneak.

◆**spìga** A f. spike; ear: **s. di frumento**, ear of wheat; **s. secondaria**, spikelet; **fare la s.**, to spike; **mettere le spighe**, to spike up; (*di grano e sim.*) to ear, to come into ear; **infiorescenza a s.**, spike ● **a s.**, (*bot.*) spicate, spike-like, spike-shaped; (*di motivo*) herringbone (attr.): **disegno a s.**, herringbone pattern B a. inv. – **punto s.**, herringbone stitch.

spigàre v. t. **1** to spike up; (*di frumento, ecc.*) to ear, to come* into ear **2** (*di ortaggio*) to grow* a head.

spigàto A a. **1** (*bot.*) spiked; spicate **2** (*di tessuto*) herringbone (attr.) B m. (*tessuto*) herringbone cloth.

spigatùra f. **1** (*bot.*) spiking; (*di frumento*) earing **2** (*di tessuto*) herringbone pattern.

spighétta f. **1** (*bot.*) spikelet **2** (*sartoria*) braid.

spigionàrsi v. i. pron. to be vacated; to remain vacant.

spigionàto a. vacant; untenanted.

spigliatézza f. (*naturalezza disinvolta*) ease; naturalness; self-possession; self-assurance.

spigliàto a. **1** (*naturale, disinvolto*) easy; relaxed; self-possessed; self-assured: **un giovane s.**, a self-confident young man; **maniere spigliate**, easy (o relaxed) manners; **avere un fare s.**, to be self-possessed **2** (*energico, spedito*) brisk; quick: **passo s.**, brisk step.

spignattàre v. i. (*fam.*) to busy oneself with pots and pans.

spignoraménto m. **1** (*leg.*) release from distraint **2** (*riscatto*) redemption; (*da un pe-

gno) taking out of pawn.

spignoràre v. t. **1** (*leg.*) to release from distraint **2** (*riscattare*) to redeem; to take* out of pawn.

spìgo m. (*bot.*) **1** (*Lavandula officinalis*) lavender **2** (*Lavandula latifolia*) spike lavender; aspic.

spìgola f. (*zool.*, *Morone labrax*) bass*.

spigolàre v. t. (*anche fig.*) to glean: **s. un campo**, to glean a field; **s. notizie**, to glean news.

spigolatóre m. (f. *-trice*) (*anche fig.*) gleaner.

spigolatùra f. **1** (*lo spigolare, anche fig.*) gleaning **2** (*al pl.*) (*fig.*) gleanings; snippets (*fam.*); scraps (*fam.*).

spìgolo m. edge (*anche geom.*); corner; (*archit.*) edge, arris: **lo s. d'un tavolino**, the corner of a table; **s. smussato [vivo]**, rounded [sharp] edge; **di s.**, edgeways; edge on; **smussare gli spigoli**, to round off the corners ● (*fig.*) **smussare gli spigoli del proprio carattere**, to grow less intractable; to mellow □ **viso tutto spigoli**, angular face.

spigolosità f. **1** angularity **2** (*fig.*: *ossutezza*) angularity; sharpness **3** (*fig.*: *scontrosità*) intractability; tetchiness; prickliness.

spigolóso a. **1** angular; sharp-cornered; sharp-edged **2** (*fig.*: *ossuto*) angular; sharp **3** (*fig.*: *scontroso, irritabile*) intractable; tetchy; prickly; cantankerous **4** (*fig.*: *difficile*) thorny: knotty.

spigonàrdo m. (*bot.*, *Lavandula latifolia*) spike lavender; aspic.

spigrìre Ⓐ v. t. to shake* (sb.) out of (his) laziness; to rouse (sb.) to action Ⓑ **spigrìrsi** v. i. pron. to shake* off one's laziness; to rouse oneself out of one's laziness.

♦**spìlla** f. **1** (*gioiello*) brooch: **s. di brillanti**, diamond brooch **2** (*region.*: *spillo*) pin: **s. da balia** (*o di sicurezza*), safety pin; **s. da cravatta**, tiepin.

spillàre① v. t. **1** (*appuntare con uno spillo*) to pin **2** (*unire con punti metallici*) to staple.

spillàre② Ⓐ v. t. **1** (*forare*) to tap; to broach: **s. una botte**, to tap a cask **2** (*attingere da una botte*) to tap; to draw* (st. out of): **s. vino**, to tap wine **3** (*tecn.*) to bleed* **4** (*fig.*) to extract; to tap: **s. denari a q.**, to extract money out of sb.; to tap sb. for money **5** – **s. le carte** (da gioco), to fan the cards Ⓑ v. i. to drip; to leak.

spillàtico m. (*stor.*) pin money.

spillatùra① f. (*unione con spillo*) pinning; (*con punto metallico*) stapling.

spillatùra② f. (*di botte, ecc.*) tapping; broaching.

spìllo m. **1** pin: **s. da balia** (*o di sicurezza*), safety pin; **s. da cravatta**, tiepin; **aghi e spilli**, pins and needles; **appuntare qc. con uno s.**, to fasten st. with a pin; to pin st. (down, up); **capocchia di s.**, pin's head; (*anche fig.*) **colpo** (*o puntura*) **di s.**, pinprick; **cuscinetto per spilli**, pin-cushion; **foro di s.**, pinhole **2** (*spilla*) brooch (*stiletto per forare le botti*) broach; (*il foro*) tap-hole **4** (*mecc.*) needle; pin: **valvola a s.**, needle valve ● **In questo cassetto non ci sta più nemmeno uno s.**, this drawer is chock-full □ **tacchi a s.** → **tacco**.

spillóne m. (*per cappello*) hatpin; (*per sciarpa*) scarf pin.

spilluzzicàre v. t. **1** to peck at; to pick at; to nibble (at); (*assol.*) to have a nibble: **s. un grappolo d'uva**, to peck at a bunch of grapes; **s. tra un pasto a l'altro**, to have nibbles (*o snacks*) between meals **2** (*fig.*: *raggranellare*) to scrape up (*o together*); to rake up (*o together*) **3** (*fig.*: *rubacchiare*) to pinch; to pilfer.

spillùzzico m. – **a s.**, (*poco alla volta*) a lit-

tle at a time, bit by bit, in driblets; (*saltuariamente*) off and on; **mangiare qc. a s.**, to peck at st.; to nibble st.; **studiare a s.**, to study off and on.

spilorcerìa f. stinginess; niggardliness; miserliness; meanness (*GB*); cheese-paring.

spilórcio Ⓐ a. stingy; niggardly; miserly; close-fisted; mean (*GB*); tight; cheese-paring Ⓑ m. (f. *-a*) niggard; miser; skinflint.

spiluccàre → **spilluzzicare**.

spilungóne m. (f. *-a*) tall, lanky person; beanpole (*fam.*); spindleshanks (*fam.*).

spin (*ingl.*) m. inv. (*fis.*) spin: **s. isobarico**, isobaric spin; **s. isotopico**, isotopic spin; **numero quantico di s.**, spin quantum number.

♦**spìna** f. **1** (*bot.*) thorn; spine; prickle; (*al pl.*: *cespuglio spinoso*) thorn (sing.), thorn bush (sing.): **le spine di una rosa**, the thorns of a rose; **le spine di un cactus**, the spines of a cactus; **irto di spine**, full of thorns; thorny; prickly; **senza s.**, thornless; spineless; **cespuglio di spine**, thorn bush; **corona di spine**, crown of thorns **2** (*fig.*: *cruccio*) thorn in the flesh, cross; (*tormento*) worry, pain, torment, grief: **s. nel cuore**, worry; torment; **s. nel fianco**, thorn in the side (*o* in the flesh) **Ognuno ha le sue spine**, everyone has his worries **3** (*pop.*: *dolore acuto*) stabbing pain; stab; twinge **4** (*zool.*: *aculeo*) spine, quill, thorn; (*lisca*) fishbone, bone: **avere una s. in gola**, to have a bone stuck in one's throat; **pesce senza spine**, boneless fish **5** (*anat.*) spine: **s. dorsale**, backbone; spine; (*med.*) **s. bifida**, spina bifida **6** (*elettr.*) plug; (*a un cilindretto*) jack: **s. con interruttore**, switch plug; **s. di contatto**, connecting plug; **s. di prova**, test plug; **s. telefonica**, telephone jack; **s. tripolare**, three-pin plug; **inserire la s.**, to put in the plug; to plug in (st.); **staccare la s.**, to pull out the plug; to unplug (st.); (*fig.*: *fermarsi*) to stop; (*cessare un aiuto*) to pull the plug on (st.; (*med.*, *rif. ad autorespiratore*) to disconnect the life-support system **7** (*mecc.*) pin; peg: **s. conica**, taper pin; **s. cilindrica**, parallel pin; **s. di sicurezza**, break-pin **8** (*naut.*) eyebolt **9** (*foro di botte*) bunghole; (*cannella*) tap, spigot; (*foro*) **birra alla s.**, draught beer ● **a s. di pesce**, herringbone (*attr.*): **disegno [tessuto] a s. di pesce**, herringbone pattern [cloth] □ (*fig.*) **letto di spine**, bed of thorns □ (*fig.*) **senza s. dorsale**, spineless □ (*fig.*) **stare** (*o essere*) **sulle spine**, to be on tenterhooks □ (*prov.*) **Non c'è rosa senza spine**, no rose without a thorn.

spinàcio m. **1** (*bot.*, *Spinacia oleracea*) spinach **2** (*al pl.*) (*cucina*) spinach Ⓤ **3** (*bot.*) – **s. selvatico** (*Chenopodium bonus-henricus*), Good King Henry.

spinacristi f. (*bot.*, *Lycium europaeum*) Christ's-thorn; matrimony vine; bastard jasmine.

spinàle a. (*anat.*) spinal: **midollo s.**, spinal cord; spinal marrow.

spinàre v. t. to bone; to fillet.

spinarèllo m. (*zool.*, *Gasterosteus aculeatus*) three-spined stickleback.

spinaròlo m. (*zool.*, *Squalus acanthias*) spur-dog; spiny dogfish.

spinàto Ⓐ a. **1** (*irto di spine*) barbed: **filo s.**, barbed wire **2** (*a spina di pesce*) herringbone (*attr.*) **3** (*di pesce*) boned; boneless Ⓑ m. (*ind. tess.*) herringbone cloth.

spinatrice f. (*tecn.*) broaching machine.

spinellàre v. i. (*gergale*) to smoke a joint.

spinèllo① m. (*miner.*) spinel.

spinèllo② m. (*zool.*) → **spinarolo**.

spinèllo③ m. (*gergale*) joint; reefer; spliff: **farsi [fumare] uno s.**, to roll [to smoke] a joint.

spinéto m. thorn thicket; thorn bushes

(pl.).

spinétta f. (*mus.*) spinet.

spingàrda f. **1** (*mil. stor.*: catapulta) springal **2** (*mil stor.*: *mortaio*) mortar **3** (*fucile da caccia*) mounted gun.

♦**spìngere** Ⓐ v. t. **1** to push (*anche assol.*); (*con violenza*) to shove, to propel, to thrust*; (*infilare*) to poke, to thrust*; (*far rotolare*) to roll, to wheel, to trundle; (*sospingere, condurre*) to drive*; (*premere*) to press: **s. una macchina**, to push a car; **s. un palo nel terreno**, to drive a stake into the ground; **s. una porta**, to push a door; **s. un pulsante**, to press a button; **s. il tavolo contro la parete**, to push the table against the wall; **s. q. in acqua**, to push sb. into the water; **s. q. da parte**, to push (*o* to shove, to thrust) sb. aside; (*fig.*) **s. lontano lo sguardo**, to gaze into the distance; *Spinse il piatto verso di me*, he pushed the plate towards me; *La folla lo spinse in prima fila*, the crowd pushed him to the front; *La corrente lo spinse a riva*, the current carried him ashore; *Lo spinsero nella macchina e partirono di gran carriera*, they hustled (*o* bundled) him into the car and drove off at top speed; *L'esplosione mi spinse contro il muro*, the explosion dashed me against the wall; *Spinse il bastone nella tana*, he poked the stick into the hole; *Un ragazzo spingeva i maiali verso il porcile*, a boy was driving the pigs towards their sty; *Entrò spingendo un carrello col caffè*, he wheeled in a trolley with the coffee; *Spingeva innanzi a sé una carretta traballante*, he was trundling a wobbly cart before him **2** (*fig.*: *indurre*) to drive*; (*stimolare*) to urge, to incite, to spur; (*istigare*) to egg on, to incite; (*costringere*) to make*, to compel, to force: **s. q. all'azione**, to spur (*o* to sting, to incite, to stir) sb. to action; **s. q. alla disperazione [al suicidio, al delitto]**, to drive sb. to despair [to suicide, to crime]; *Il bisogno mi spinge a chiederti aiuto*, I am driven by necessity to ask you for help; *Che cosa ti ha spinto a fare questa sciocchezza?*, what made you do such a foolish thing?; *Spinse i compagni a ribellarsi*, he urged (*o* incited) his friends to rebel; *È stato il marito a spingerla alla pittura*, it was her husband who urged her to take up painting **3** (*fig.*: *portare fino a un certo limite*) to push; to carry; to take*; to press: **s. le proprie ambizioni troppo in alto**, to carry one's ambitions too far; **s. troppo oltre la propria curiosità**, to push one's curiosity too far; **s. le proprie richieste fino all'eccesso**, to take one's demands to extremes; **s. uno scherzo oltre i limiti**, to take a joke too far; **s. un motore al massimo**, to push an engine to its limit; to force an engine; (*sport*) **s. a fondo l'attacco**, to press home one's attack **4** (*fig.*: *mandare avanti, accelerare*) to speed* up: **s. una pratica**, to speed up a case **5** (*promuovere*) to plug: **s. un prodotto**, to plug a product **6** (*assol.*: *fare ressa*) to push; (*spintonarsi*) to push each other; *Non spingete!*, don't push! Ⓑ v. i. (*fare pressione*) to press (against): *La folla spingeva contro il cordone dei poliziotti*, the crowd pressed against the police cordon ● **Spingi e spingi, ce l'ha fatta**, by dint of insisting he got what he wanted Ⓒ **spingersi** v. rif. e pron. **1** (*avanzare*) to push ahead (*o* on, forward): **spingersi avanti**, to push forward; **spingersi tra la folla**, to push (one's way) through the crowd **2** (*inoltrarsi*) to go*; to come*; to get*; to venture: **spingersi fino in Mongolia**, to go (*o* to venture) as far as Mongolia; *Ci siamo spinti troppo lontano*, we have come too far **3** (*fig.*) to go*: **spingersi al punto di**, to go so far as to; **spingersi oltre ogni limite**, to go beyond the limit; *Non credevo che si sarebbe spinto fino a questi punti*, I didn't think he would go to such extremes.

spinificàre v. i. (*bot.*) to change into a thorn.

spinìte f. (*med.*) spinal meningitis.

spinnaker (*ingl.*) m. inv. (*naut.*) spinnaker.

spinning m. inv. **1** (*ginnastica*) spinning **2** (*tecnica di pesca sportiva*) spinning.

spìno ① m. **1** (*pianta spinosa*) thorn bush; thorn; bramble **2** → **spina**, def. 1 3 (*bot.*) – s. bianco (*Crataegus oxyacantha*), hawthorn; whitethorn; **s. cervino** (*Rhamnus cathartica*), common (*o purging*) buckthorn; **s. di Giuda** (*Gleditschia triacanthos*), honey locust; **s. nero** (*bot.*, *Prunus spinosa*) blackthorn; sloe; **s. santo** → **spinacristi**.

spìno ② a. – **pero s.**, prickly pear; **uva spina**, gooseberry.

spìno ③ → **spinello** ③.

spinóne m. (*zool.*) spinone*; griffon.

spinosità f. **1** thorniness; prickliness **2** (*fig.*) thorniness; ticklishness.

spinóso a. **1** (*pieno di spine*) thorny; prickly; spiny; spinous: **piante spinose**, thorny plants; **ramo s.**, thorny branch **2** (*fig.*: *difficile*) thorny; knotty: **materia spinosa**, thorny subject **3** (*fig.*: *delicato, imbarazzante*) ticklish; awkward; delicate; tricky: **argomento s.**, delicate subject; **faccenda spinosa**, delicate matter; tricky business (*fam.*) **4** (*anat.*) – **processo s.**, spinous process.

spinòtto m. **1** (*mecc.*) gudgeon pin; wrist (pin) **2** (*elettr.*) plug; (*a un cilindretto*) jack.

spinoziàno a. (*filos.*) Spinozist.

spinozìsmo m. (*filos.*) Spinozism.

spinozista m. e f. (*filos.*) Spinozist.

◆**spìnta** f. **1** push; (*forte*) shove, thrust, jostle; (*lieve, col gomito*) nudge: **allontanare con una s.**, to push away; to push aside; **aprire la porta con una s.**, to push the door open; **dare una s. a q.**, to push sb.; to shove sb.; to give sb. a push (*o a shove*); *Gli hanno dato una s.*, he was pushed; they gave him a push; **dare una s. a q. per aiutarlo a salire**, to push sb. up; (*autom.*) *Datemi una s. per farmi partire*, give me a push to help me start the engine; *Mi ha fatto cadere con una s.*, she pushed me and I fell; **farsi largo a spinte**, to push one's way; **ricevere una s.**, to be pushed; to get a push (*o a shove*) **2** (*impulso*) propelling force; propulsion; thrust: **la s. dei motori**, the propelling force of the engines; **s. verso l'alto**, upthrust; **s. verso l'esterno**, out-thrust; **darsi la s. per saltare qc.**, to propel oneself over st. **3** (*fig.*) boost; (*pressione*) pressure; (*stimolo*) spur, stimulus*, urge, motivation, incentive: **s. al rialzo**, upward pressure; (*econ.*) **s. inflazionistica**, inflationary tendency; *Questa sarà per lui una s. a decidere*, this will spur him to make up his mind; **dare una s. all'industria**, to boost industry **4** (*fig.*: *aiuto*) push; helping-hand; leg-up (*fam.*); string-pulling 🔲; (*buona parola*) good word: **dare una s. a q.**, to lend sb. a helping-hand; **finire la scuola a forza di spinte**, to be pushed through school; **far carriera grazie alle spinte**, to get ahead because of one's connections (*o thanks to string-pulling*); *Ci serve una s. da parte sua per far passare il nostro progetto*, we need a good word from him to have our plan approved **5** (*fis.*, *mecc.*) thrust: **s. assiale**, axial thrust; **s. idrostatica** (*o di Archimede*), buoyancy; **s. con torsione**, wrench; **cuscinetto di s.**, thrust bearing **6** (*edil.*) thrust; pressure; **s. della terra**, earth thrust (*o pressure*); **s. del vento**, wind pressure; **s. orizzontale** (*di un arco*), drift **7** (*aeron.*, *naut.*) thrust: **s. aerostatica**, aerostatic thrust; buoyancy; **s. al decollo**, take-off thrust; **s. dell'elica**, screw-propeller thrust; **s. di galleggiamento**, buoyancy ● (*scherz.*) (**di**) **spinte o** (**di**) **sponte**, willy-nilly; wheth-

er one likes it or not.

spintarèlla f. **1** light push; (*per attirare l'attenzione*) nudge, prod **2** (*sport*) push **3** (*fig.*: *aiuto, appoggio*) help; helping hand; leg-up (*fam.*); string-pulling 🔲; (*buona parola*) good word: *Per fargli avere quel posto c'è voluta una s.*, he got the job because someone gave him a leg-up.

spinterògeno m. (*autom.*) (battery) coil ignition; (*distributore*) distributor.

spinteròmetro m. (*fis.*) spark gap: **s. a gas**, gas gap; **s. a ponte**, needle gap; **s. a sfere**, sphere gap.

spìnto a. **1** (*indotto*) pushed, driven, urged, prompted; (*disposto*) inclined, ready, willing: **s. agli estremi**, pushed to the extreme; **sentirsi s. ad aiutare q.**, to feel an urge to help sb.; **sentirsi s. verso la musica**, to have a bent for music **2** (*esagerato, eccessivo*) excessive; (*estremistico*) extreme; (*rischioso*) daring, risky: **gioco s.**, risky game; **posizioni spinte**, extreme position; **velocità spinta**, excessive speed **3** (*scabroso*) risqué; dirty; close to (*o near*) the bone (pred.): **barzelletta spinta**, risqué joke **4** (*autom.*, *di motore*) souped-up (*fam.*).

spintonàre v. t. (*fam.*) to shove; to jostle.

spintóne m. **1** shove; jostle: **dare uno s.**, to give a shove; **farsi avanti a spintoni**, to elbow one's way **2** (*aiuto, appoggio*) help; helping hand; leg-up (*fam.*).

spintóre m. (*naut.*) pusher boat; pusher tug.

spiombàre ① v. t. (*togliere la piombatura*) to break* the (leaden) seals of; to unseal.

spiombàre ② Ⓐ v. t. **1** (*spostare dalla linea a piombo*) to put* out of plumb **2** (*far cadere*) to topple Ⓑ v. i. **1** (*spostarsi dalla linea a piombo*) to be out of plumb; to lean* to one side **2** (*essere molto pesante*) to be too heavy.

spionàggio m. espionage; spying: **s. industriale**, industrial espionage; **accusare di s.**, to charge with espionage; **caso di s.**, case of spying; **rete di s.**, spy network; **romanzo di s.**, spy story.

spioncèllo m. (*zool.*, *Anthus spinoletta*) water pipit.

spioncìno m. peephole; spyhole; judas hole; (*ind.*) peephole, inspection hole.

spióne m. (f. **-a**) spy; informer; (*di bambino*) telltale, sneak.

spionìstico a. spy (attr.); spying; espionage (attr.): **attività spionistica**, spying; espionage; **rete spionistica**, spy network.

spiovènte Ⓐ a. (*ricadente*) drooping; (*fluente*) flowing, streaming; (*inclinato*) sloping, (*archit.*, *anche*) weathered: **baffi spioventi**, drooping moustache; **ciocche spioventi**, streaming wisps of hair; **davanzale s.**, weathered sill; **spalle spioventi**, sloping (*o drooping*) shoulders; **tetto s.**, sloping roof; (*calcio*) **tiro s.**, high ball Ⓑ m. **1** (*archit.*) slope; weathering: **a s.**, sloping; weathered **2** (*geogr.*) slope **3** (*calcio*) high ball.

spiòvere ① v. i. impers. (*cessare di piovere*) to stop raining: *Aspetta che spiova*, wait till it stops raining.

spiòvere ② v. i. **1** (*scorrere in giù*) to flow down: *Le acque che spiovono dall'Appennino*, the water flowing down from the Apennines **2** (*ricadere*) to fall*; to flow; to hang* down; to droop: *I capelli le spiovevano sulle spalle*, her hair fell (*o flowed*) over her shoulders **3** (*essere inclinato*) to slope.

spira f. **1** (*giro di spirale*) coil; spire; (*voluta*) coil, curl, convolution, eddy, (*archit.*) scroll: **spire di fumo**, coils of smoke; **spire di nebbia**, eddies of mist; **a spire**, spiral; whorled; curled; **avvolgere in spire**, to coil up; to wind in coils **2** (al pl.) (*di serpente e fig.*) coils: **avvolgersi in spire**, to coil **3** (*elettr.*, *mecc.*) turn; coil: **la s. d'una molla**, the turn

(*o the coil*) of a spring; **spire inattive**, dead turns; **spire morte**, dead-end turns.

spiràcolo m. (*zool.*) spiracle.

spiràglio m. **1** (*fessura*) crack, chink, narrow opening; (*apertura*) break: **uno s. di sereno**, a break in the clouds; **guardare da uno s.**, to look through a crack (*o a chink*); **lasciare uno s. per l'aria**, to leave a narrow opening for air **2** (*naut.*) skylight **3** (*soffio*) breath: **s. d'aria**, breath of air **4** (*raggio*) gleam; glimmer: **s. di luce**, glimmer of light; **vedere uno s. di luce**, to see daylight **5** (*fig.*: *possibilità, speranza*) faint ray; glimmer; slight chance; hope; (*indizio*) sign, indication: **s. di speranza**, glimmer (*o ray*) of hope; *Si è aperto uno s. alle trattative*, there are signs that the stalemate in the talks may be broken.

spiràle Ⓐ a. spiral: **galassia s.**, spiral galaxy Ⓑ f. **1** (*geom.*, *mat.*) spiral; helix*: **s. destrorsa** [**sinistrorsa**], right-handed [left-handed] spiral; **s. di Archimede**, Archimedean spiral; **s. iperbolica**, hyperbolic spiral; **s. logaritmica**, logarithmic spiral **2** (*formazione a s.*) spiral; helix*; coil; curl; convolution; whorl: **s. di fumo** (*o coil, wreath*) of smoke; **le spirali di una conchiglia**, the convolutions of a shell; **a s.**, spiral; helical; coiled; winding; convoluted; twisted; **salire a s.**, to spiral up; **colonna a s.**, twisted column; **molla a s.** (*di orologio*), hairspring; **nebulosa a s.**, spiral nebula; **quaderno con la s.**, spiral-bound notepad; **scala a s.**, winding (*o spiral*) staircase **3** (*fig.*) spiral; escalation: **s. di violenza**, escalation of violence; **s. inflazionistica**, inflationary spiral; **s. prezzi-salari**, price-wage spiral; **s. salariale**, wages spiral **4** (*med.*, anche **s. intrauterina**) coil; IUD (*iniz. di intrauterine device*).

spiralifórme a. spiral; helical.

spiràte a. e f. (*fon.*) spirant.

spirantizzàre Ⓐ v. t. (*ling.*) to spirantize Ⓑ **spirantizzàrsi** v. i. pron. to become* spirantized.

spirantizzazióne f. (*ling.*) spirantization.

spiràre ① Ⓐ v. i. **1** (*soffiare*) to blow*: *Spirava un forte vento di tramontana*, a strong wind was blowing from the north; *Oggi non spira un alito di vento*, there isn't a breath of air today **2** (*emanare*) to emanate; to come*: *Un dolce profumo spirava dal giardino*, a sweet fragrance emanated from the garden; *Un orrendo fetore spirava dalla fogna*, a terrible smell came from the sewer ● (*fig.*) **Che aria spira?**, which way is the wind blowing? ◻ (*fig.*) **Spira aria di burrasca**, there is a storm (*o trouble*) in the air ◻ (*fig.*) **Non spira buon vento**, there is trouble blowing Ⓑ v. t. **1** (*emanare*) to exhale; to give* off: **s. fragranza**, to exhale fragrance **2** (*fig.*: *irradiare*) to radiate; to emanate: *I suoi occhi spirano dolcezza*, her eyes radiate tenderness.

spiràre ② Ⓐ v. i. **1** (*morire*) to die; to pass away; to breathe one's last **2** (*finire, scadere*) to expire; to fall* due: *La tregua spirerà domani*, the truce will expire tomorrow Ⓑ m. **1** (*fine*) end, close; (*scadenza*) expiry.

spirèa f. (*bot.*) **1** (*Spiraea*) spiraea **2** (*Spiraea ulmaria*) goat's-beard; meadow-sweet.

spirìfero m. (*paleont.*) spirifer.

spirifórme a. spiral; coiling.

spirìllo m. (*biol.*) spirillum*.

spiritàccio m. (*fam.*) quick-witted person.

spiritàto Ⓐ a. **1** (*invaso dal demonio*) possessed (pred.) **2** (*agitatissimo*) wild; haunted; (*febbrile*) hectic, feverish: **espressione spiritata**, haunted (*o wild*) expression; **occhi spiritati**, wild eyes **3** (*fam.*) excited; hyperactive Ⓑ m. (f. **-a**) **1** (*indemoniato*) one pos-

sessed: **urlare come uno s.**, to scream like one possessed **2** (*fig.*) hyperactive person; (*di bambino*) holy terror.

spiritello m. **1** sprite; elf; (*dispettoso*) pixie; (*maligno*) goblin **2** (*bambino vivace*) imp; little devil.

spiritico a. spiritualistic; spiritualist (attr.): **seduta spiritica**, (spiritualist) séance (*franc.*).

spiritismo m. spiritualism; spiritism.

spiritista m. e f. spiritualist; spiritist.

spiritistico a. spiritualistic; spiritualist (attr.).

♦**spirito** ① m. **1** (*principio immateriale attivo*) spirit: **lo S. di Dio**, the Spirit of God; **s. vitale**, spirit of life; **puro s.**, pure spirit; **le cose dello s.**, spiritual things; things of the spirit; **i valori dello s.**, spiritual values; **essere con q. in s.**, to be with sb. in spirit **2** (*anima, animo*) spirit, soul, ghost, mind; (*mente, intelligenza*) mind, spirit, soul: **lo s. e la carne**, the spirit and the flesh; **lo s. e la materia**, mind and matter; *Lo s. è pronto, ma la carne è debole*, the spirit is willing but the flesh is weak; **nutrire lo s.**, to nourish the mind; **rendere lo s.**, to give up the ghost; **grandezza [piccolezza] di s.**, greatness [smallness] of mind **3** (*essenza personificata*) spirit; ghost; soul: **lo s. di un antenato**, the spirit of an ancestor; **lo S. maligno**, the Evil One; **lo S. Santo**, the Holy Spirit; the Holy Ghost; **gli spiriti beati**, the souls of the blessed; **gli spiriti celesti** (*o angelici*), the celestial (*o* angelic) spirits; the angels; **gli spiriti dannati**, the souls of the damned; the damned; **gli spiriti del Purgatorio**, the souls in Purgatory; **gli spiriti maligni** (*o infernali*), the evil spirits; the demons; **il regno degli spiriti**, the realm of spirits **4** (*fantasma*) spirit; ghost: **credere negli spiriti**, to believe in ghosts; **evocare uno s.**, to raise a ghost; **una casa frequentata dagli spiriti**, a haunted house **5** (*potenza benevola o malevola*) spirit: **s. folletto**, sprite; pixie; goblin; **s. maligno**, evil spirit; **gli spiriti della foresta**, the spirits of the forest **6** (*disposizione d'animo, atteggiamento*) spirit, attitude, feeling, sense; (*stato d'animo*) mood, state of mind, spirits (pl.): **s. competitivo**, competitiveness; **s. di contraddizione**, spirit of contradiction; contrariness; **s. di corpo**, esprit de corps (*franc.*); team spirit; **s. d'imitazione**, imitativeness; **s. d'iniziativa**, initiative; drive; **s. di osservazione**, (spirit of) observation: **avere s. di osservazione**, to be observant; **s. di parte**, party (*o* partisan) spirit; factiousness; **s. di sacrificio**, (spirit of) self-sacrifice; **avere s. di sacrificio**, to be self-sacrificing; **s. di squadra**, team spirit; **s. di vendetta**, vindictiveness; revengefulness; **s. materno**, maternal feelings (pl.); **s. pratico**, practical turn of mind; practical sense; **s. pubblico**, public spirit; *Non sono nelle condizioni di s. per vedere gente*, I'm not in the (right) mood to see people; **sollevare lo s.**, to raise the spirits; (*tranquillizzare*) to relieve the mind **7** (*natura, carattere*) nature; character; temper: **s. ribelle**, rebellious nature; (*scherz.*) **bollenti spiriti**, excitable temper (sing.) **8** (*vivacità*) spirit, life; (*vigore*) energy, vigour: **avere molto s.**, to be full of life; **un'esecuzione piena di s.**, a spirited rendition **9** (*arguzia*) wit; (*umorismo*) humour, sense of humour: **s. caustico**, dry humour; pointed wit; **s. di patata** (*o di rapa*) (*fam.*), stale (*o* forced) humour; **fare dello s.**, to be witty; to be funny; to crack jokes; (*iron.*) to try to be funny; **mancare di s.**, to have no sense of humour; **battuta** (*o motto*) **di s.**, witticism; witty remark; wisecrack (*fam.*); **persona di s.**, (*arguta*) witty person; (*col senso dell'umorismo*) person with a sense of humour; (*che sta allo scherzo*) good sport **10** (*persona*) spirit; being; mind; soul: **s. eletto**,

great soul; **s. libero**, free spirit; **s. superiore**, superior being; lofty mind; **bello s.**, wit; wag; **i grandi spiriti del passato**, the great minds of the past **11** (*caratteristiche, essenza*) genius; essence: **lo s. di una nazione**, the genius of a nation; **lo s. dei tempi**, the spirit of the age (*o* of the times) **12** (*significato essenziale*) spirit; inner meaning; deep sense; substance: **lo s. della legge**, the spirit of the law; **lo s. di un'iniziativa**, the spirit of an initiative; **lo s. di una poesia**, the inner meaning of a poem ● (*Bibbia*) **i poveri di s.**, the poor in spirit □ **un povero di s.** (*uno sciocco*), a poor idiot; a fool; a simpleton □ **presenza di s.**, presence of mind.

♦**spirito** ② m. **1** (*alcol*) spirit; alcohol: **s. di vino**, spirit (*o* spirits) of wine; **sotto s.**, in alcohol **2** (*alcol etilico*) (methylated) spirit: **lampada a s.**, spirit lamp.

spirito ③ m. (*gramm. greca*) breathing: **s. aspro [dolce]**, rough [smooth] breathing.

spiritosàggine f. **1** facetiousness **2** (*battuta*) joke; quip; wisecrack; facetious remark; (*spreg.*) poor humour Ⓤ, feeble joke: **dire spiritosaggini**, to crack jokes; to make facetious remarks.

spiritosità → **spiritosaggine**.

♦**spiritoso** Ⓐ a. **1** (*pieno di umorismo*) humorous; funny; (*arguto*) witty; (*generalm. spreg.*) facetious; clever: **battuta spiritosa**, witticism; quip; crack; one-liner; **osservazione spiritosa**, witty remark; **parlatore s.**, witty speaker; **poco s.**, not funny; unfunny: *Non sei affatto s.*, you're not funny at all **2** (*divertente*) amusing; (*ben trovato*) clever: **idea spiritosa**, amusing idea; **regalo s.**, amusing present **3** (*alcolico*) alcoholic; spirituous: **bevanda spiritosa**, alcoholic drink Ⓑ m. (f. **-a**) (*spreg.*) facetious person; (*furbo*) clever dick (*fam.*), wise guy (*fam.*): *Non fare lo s.!*, don't try to be funny; don't be facetious!; don't be a fool!; (*non fare il furbo*) don't try to be clever!

spiritrómba f. (*zool.*) suctoria proboscis*.

spiritual (*ingl.*) m. inv. (negro) spiritual.

spirituàle Ⓐ a. spiritual: **esercizi spirituali**, spiritual exercises; **godimento s.**, spiritual delight; **guida s.**, spiritual leader; **natura s.**, spiritual nature; **padre s.**, spiritual father; (*confessore*) father confessor; **il potere s. della Chiesa**, the spiritual power of the Church Ⓑ m. spiritual: **lo s. e il temporale**, the spiritual and the temporal.

spiritualismo m. (*filos.*) spiritualism.

spiritualista m. e f. (*filos.*) spiritualist.

spiritualìstico a. (*filos.*) spiritualistic.

spiritualità f. spirituality.

spiritualizzàre Ⓐ v. t. **1** to spiritualize **2** (*idealizzare*) to idealize Ⓑ **spiritualizzàrsi** v. i. pron. to be spiritualized.

spiritualizzazióne f. **1** spiritualization **2** (*idealizzazione*) idealization.

spìro m. (*poet.*) **1** (*alito*) breath **2** (*anima*) soul.

spirochèta f. (*biol.*) spirochaete.

spirochetòsi f. (*med.*) spirochaetosis.

spirogìra f. (*bot.*) spirogyra.

spiroidàle, **spiròide** a. spiral.

spirometrìa f. (*med.*) spirometry.

spiromètrico a. (*med.*) spirometric.

spiròmetro m. (*med.*) spirometer.

spìrto (*poet.*) → **spirito** ①.

spìrula f. (*zool.*) spirula.

spiumàre Ⓐ v. t. **1** to pluck: **s. un pollo**, to pluck a hen **2** (*fig.*) to fleece Ⓑ **spiumàrsi** v. i. pron. to shed* one's feathers.

spizzicàre → **spilluzzicare**.

spizzico m. – **a s.** (*o a spizzichi*), in dribs and drabs; in driblets; bit by bit; little by little; a little at a time.

splafonaménto m. (*comm.*) overshooting; overrunning; overshoot; overrun.

splafonàre v. i. (*comm.*) to overshoot*; to overrun*.

splàncnico a. (*anat.*) splanchnic: **nervi splancnici**, splanchnic nerves.

splancnocrànio m. (*anat.*) splanchnocranium; viscerocranium.

splancnoptòsi f. (*med.*) splanchnoptosis.

splash (*ingl.*) Ⓐ inter. splash, Ⓑ m. inv. – **fare s.**, to fail; to flop.

spleen (*ingl.*) m. inv. melancholy; moroseness.

♦**splendènte** a. **1** (*luminoso*) bright; shining; brilliant: **sole s.**, bright sun; **occhi splendenti**, shining eyes **2** (*pulitissimo*) shining; gleaming.

♦**splèndere** v. i. **1** to shine*; to be bright; (*luccicare*) to sparkle, to glitter: *Il sole splendeva*, the sun was shining; *Il suo volto splendeva di gioia*, his face shone (*o* was bright) with joy; **s. come l'oro**, to glitter like gold **2** (*fig.*: *eccellere*) to shine*; to excel.

splendidaménte avv. **1** (*meravigliosamente*) splendidly; wonderfully **2** (*sfarzosamente*) splendidly; magnificently; sumptuously **3** (*con liberalità*) lavishly; grandly; on a grand scale.

splendidézza f. (*lett.*) **1** (*sfarzosità*) magnificence; splendour; sumptuousness; grandeur **2** (*liberalità*) lavishness; munificence.

♦**splèndido** a. **1** (*lett.*: *splendente*) shining; bright: **sole s.**, brilliant sun; bright sunshine **2** (*bellissimo, stupendo*) splendid; wonderful; magnificent; glorious; gorgeous: **uno s. appartamento**, a magnificent flat; **una splendida ragazza**, a gorgeous girl; **tempo s.**, glorious weather; **tramonto s.**, glorious (*o* gorgeous) sunset; **vestito s.**, gorgeous dress; **vittoria splendida**, splendid (*o* shining) victory **3** (*sfarzoso*) magnificent; sumptuous; lavish; grand: **una splendida cerimonia**, a magnificent ceremony; **uno s. ricevimento**, a lavish reception **4** (*ottimo*) splendid; wonderful; brilliant; excellent: **un'idea splendida**, a brilliant idea; **uno s. lavoro**, a brilliant piece of work; **una splendida occasione**, a splendid (*o* wonderful, magnificent, excellent, top) opportunity; *Sei stato s.!*, you were wonderful (*o* brilliant)! **5** (*liberale*) generous; munificent; lavish: **uno s. ospite**, a generous host **6** (*lett.*: *illustre*) illustrious.

♦**splendóre** m. **1** (*luce vivida*) splendour; brightness; brilliance: **lo s. di una fiamma**, the brightness of a flame; **s. abbagliante**, dazzle, blaze, glare **2** (*fig.*: *fulgore*) splendour; radiance, bloom; prime; glory: **lo s. della giovinezza**, the radiance of youth; **lo s. d'un tramonto**, the glory of a sunset; **pieno s.**, full splendour, full bloom; prime; **una donna nel pieno s. della sua bellezza**, a woman in the full splendour of her beauty **3** (*magnificenza*) splendour; magnificence; sumptuousness; (*imponenza*) grandeur: **lo s. degli addobbi**, the magnificence of the decorations; *La città era uno s. di luci*, the city was ablaze with lights; *La tavola era uno s. di argenti e porcellane*, the table looked magnificent with its array of china and silver **4** (anche al pl.: *fasto*) splendours (pl.); glories (pl.); (*lusso*) luxury: **lo s. delle corti rinascimentali**, the splendours of Renaissance courts; **l'antico s. di una dinastia**, the past glories of a dynasty; **vivere tra gli splendori**, to live in the lap of luxury **5** (*di persona, cosa*) beautiful person [thing]; beauty (*fam.*): **uno s. di ragazza**, a beautiful girl; a beauty; *Sei uno s., oggi!*, you are looking splendid today!; *Ha una casa che è uno s.*, her house is magnificent; *La tua cu-*

cina è sempre uno s., your kitchen is always spotless (*o* spick-and-span) **6** (*fis.*) brightness.

splène m. (*anat.*) spleen.

splenectomìa f. (*chir.*) splenectomy.

splenètico **A** a. **1** (*med.*) splenic **2** (*malinconico*) splenetic **B** m. (f. *-a*) (*persona malinconica*) splenetic.

splènico **A** a. (*anat.*) splenic: **arteria [vena] splenica**, splenic artery [vein] **B** m. (f. *-a*) (*med.*) person suffering from a disorder of the spleen.

splènio m. (*anat.*) splenius* (muscle).

splenìte f. (*med.*) splenitis.

splenocontrazióne f. (*med.*) splenic contraction.

splenomegalìa f. (*med.*) splenomegaly.

split (*ingl.*) agg. inv. (*tecn.*) – **in versione s.**, spit (attr.): **condizionatore d'aria in versione s.**, split air conditioner.

SPM sigla (*nelle lettere a mano*, **sue proprie mani**) to be delivered in his (*o* her) own hands.

spòcchia f. haughtiness; self-importance; airs and graces (pl.).

spocchióso a. haughty; self-important; snooty (*fam.*); stuck-up (*fam.*); high and mighty (*fam.*).

spodestaménto m. **1** (*il privare del potere*) deprivation of power; (*il privare del trono*) dethronement; (*rimozione da una carica*) removal from office, ousting **2** (*esproprio*) dispossession.

spodestàre v. t. **1** (*privare del potere*) to deprive of power; (*privare del trono*) to depose, to dethrone; (*destituire*) to remove from office, to oust **2** (*privare della proprietà*) to dispossess: **s. q. delle proprie terre**, to dispossess sb. of his land.

spoetizzànte a. disenchanting; disappointing.

spoetizzàre v. t. **1** (*deludere*) to disenchant; to disappoint; (*disgustare*) to disgust: *Non voglio spoetizzarti*, I don't want to disenchant you **2** (*privare della poesia*) to take* the poetry (*o* the magic) out of.

◆**spòglia** f. **1** (*zool.*) slough **2** (*cadavere*) body; remains (pl.): **s. mortale** (*o* **spoglie mortali**), mortal remains **3** (al pl.) (*lett.: vesti*) garments; clothes; (*estens.: aspetto*) guise (sing.): **sotto altre spoglie**, in a different guise; **sotto mentite spoglie**, (*travestito*) in disguise; (*sotto falso nome*) under a false name; (*sotto falsa apparenza*) under false colours **4** (al pl.) (*preda di guerra*) spoils (of war); booty (sing.): **spoglie opime**, honourable spoils; (*fig.*) rich booty.

◆**spogliàre** **A** v. t. **1** (*svestire*) to undress; to strip: **s. un bambino e metterlo a letto**, to undress a child and put it to bed; **spogliarsi completamente**, to strip (bare); **s. q. con gli occhi**, to undress sb. with one's eyes; *Lo spogliarono ma non gli trovarono addosso nulla*, they stripped him but found nothing on him **2** (*privare di rivestimento, ornamenti, ecc.*) to strip; to bare: **s. un albero di tutte le foglie**, to strip a tree of all its leaves; **s. una sala dalle decorazioni**, to strip a room of its decorations; **s. la propria prosa di ogni fronzolo**, to strip one's prose of all frills **3** (*fig.: privare*) to strip; to deprive; to divest; to dispossess: **s. q. d'ogni avere**, to strip sb. of all his possessions; **s. q. di ogni autorità**, to strip (*o* to deprive) sb. of all authority; *Lo spogliarono della sua carica e degli onori*, they divested him of his office and honours **4** (*fig.: depredare*) to strip; (*saccheggiare*) to plunder, to pillage, to despoil; (*ripulire dei soldi*) to clean out: **s. una città**, to plunder (*o* to pillage) a town; **s. un museo**, to despoil a museum; *L'hanno spogliato al poker*, they cleaned him out at pok-

er; he got cleaned out at poker **5** (*fare lo spoglio di*) to go* through; to sift through; (*fare il conteggio di*) to count: **s. la corrispondenza**, to go through the mail; **s. le schede elettorali**, to count the votes **B** **spogliàrsi** v. rifl. **1** (*svestirsi*) to undress; to strip (off); to take* off one's clothes; (*togliersi*) to take* off (st.): **spogliarsi completamente [fino alla vita]**, to strip naked [to the waist]; **spogliarsi prima di andare a letto**, to undress before going to bed; **spogliarsi del cappotto**, to take off one's coat; *Si spogliò e si tuffò in acqua*, she stripped off and dived into the water; *Devo spogliarmi tutto o basta che mi tolga la camicia?*, do I have to strip or is it enough if I just take off my shirt? **2** (*zool.*) to slough one's skin; to cast* one's slough **C** **spogliàrsi** v. i. pron. **1** (*privarsi*) to deprive oneself (of); to strip oneself (of); to divest oneself (of); to give* up (st.): **spogliarsi di ogni avere**, to strip oneself of all possessions; **spogliarsi di un diritto**, to give up a right **2** (*liberarsi*) to rid* oneself (of); to put* aside (st.): **spogliarsi di un pregiudizio**, to rid oneself of a prejudice **3** (*di albero, ecc.*) to shed* (st.); to lose* (st.): *In autunno gli alberi si spogliano* (*delle foglie*), trees lose their leaves in autumn; *Le rose si sono spogliate dei petali*, the roses have shed their petals.

spogliarellista **A** f. stripteaser; stripper **B** m. male stripper.

spogliarèllo m. stripteasing; striptease; strip: **fare uno s.**, to do a striptease (*o* a strip); to strip; **artista di s.**, striptease artist; **spettacolo di s.**, striptease (*o* strip) show.

spogliàto a. **1** (*svestito*) undressed; stripped; naked **2** (*privato*) deprived (of); stripped (of) robbed (of) **3** → **spoglio**.

spogliatóio m. changing room; dressing room; (*con armadietti*) locker room; (*locale attiguo a una camera da letto*) dressing room ● (*sport*) **mandare negli spogliatoi** (*espellere*), to send off.

spogliatóre m. (f. *-trice*) (*chi depreda*) plunderer; robber; despoiler.

spogliazióne → **spoliazione**.

◆**spòglio**[1] a. **1** (*nudo*) naked, bare; (*senza vegetazione*) barren; (*disadorno*) bare, stripped, stark: **alberi spogli**, bare trees; **parete spoglia**, bare wall; **campagna spoglia**, barren countryside **2** (*fig.: essenziale*) plain; bare; essential **3** (*esente, libero*) devoid (of); free (from): **s. di pregiudizi**, free from prejudice.

◆**spòglio**[2] m. (*computo*) counting, count; (*esame*) scrutiny, perusal, examination; (*selezione*) sorting: **s. dei voti**, counting of votes; (*vote*) count; **fare lo s. dei voti**, to count the votes; **s. di documenti**, scrutiny (*o* perusal) of papers; **fare la s. della corrispondenza** [**dei giornali**], to go through the mail [the newspapers].

spòiler m. inv. (*aeron., autom.*) spoiler.

spòla f. (*ind. tess.: bobina*) spool, pirn; (*navetta*) shuttle; (*di macchina per cucire*) bobbin ● **fare la s.**, to go back and forth; (*di mezzo di trasporto*) to shuttle, to ply; (*di viaggiatore*) to commute.

spolatrìce f. (*ind. tess.*) spool winder.

spolatùra f. (*ind. tess.*) spooling.

spolétta f. **1** (*ind. tess.*) spool; pirn; (*di macchina per cucire*) bobbin **2** (*di ordigno esplosivo*) fuse: **s. ad azione ritardata**, delayed-action fuse; **s. a doppio effetto**, combination fuse; **s. a percussione**, percussion fuse; **s. a tempo**, time fuse.

spolettàre v. t. (*ordigno esplosivo*) to fuse.

spolettièra f. (*ind. tess.*) spool winder.

spolettifìcio m. fuse factory.

spoliazióne f. **1** (*appropriazione di cose altrui*) dispossession; expropriation; stripping **2** (*saccheggio*) spoliation; despoliation; plun-

dering; pillage.

spolièra f. (*ind. tess.*) spool winder.

spoliticizzàre **A** v. t. to depoliticize **B** **spoliticizzàrsi** v. i. pron. **1** to become* depoliticized **2** (*perdere interesse nella politica*) to lose* interest in politics.

spoliticizzazióne f. depoliticization.

spollonàre v. t. (*agric.*) to sucker.

spollonatùra f. (*agric.*) suckering.

spolmonàrsi v. i. pron. to talk (*o* to shout) oneself hoarse; **Mi sono spolmonata a chiamarli**, I called them until I was hoarse.

spolpàre **A** v. t. **1** (*privare della polpa*) to strip the flesh off; to pick: **s. una gallina**, to pick the meat from a hen; **s. un osso**, to pick a bone **2** (*fig.*) to fleece (*fam.*); (*spec. del fisco*) to bleed* white (*o* dry) (*fam.*); (*al gioco o con l'inganno*) to clean out (*fam.*), to take* to the cleaners: *Le tasse mi hanno spolpato*, I've been bled white by taxes; *È stato spolpato al poker*, he was cleaned out at poker **B** **spolpàrsi** v. i. pron. **1** to be reduced to skin and bone **2** (*fig.*) to bleed* oneself white (*slang*).

spolpàto a. **1** stripped of flesh (pred.); picked clean (pred.): **un osso s.**, a bone picked clean **2** (*magro*) skinny; gaunt; scraggy.

spoltìglia f. emery powder.

spoltrìre → **spoltronire**.

spoltroneggiàre v. i. to be idle; to loaf about.

spoltronìre **A** v. t. to shake* (sb.) out of (his) laziness; to wake* up: *Il ragazzo ha bisogno di qualcuno che lo spoltronisca*, the boy needs someone to wake him up **B** **spoltronìrsi** v. i. pron. to shake* off one's laziness; to pull one's socks up (*fam.*): *Devi spoltronirti o finirai male*, you must pull your socks up or you'll be in trouble.

◆**spolveràre**[1] v. t. **1** (*togliere la polvere da*) to dust; (*spazzolare*) to brush; (*assol.*) to dust, to do* the dusting: **s. i mobili**, to dust the furniture; *Devo ancora s.*, I have still to dust (*o* to do the dusting) **2** (*fig.: mangiare tutto*) to eat* up; to polish off; to scoff (*fam.*): *Spolverò via la pizza in un baleno*, she polished off the pizza in a flash **3** (*fig.: rubare*) to clean out; to strip (st.) clean: *I ladri gli hanno spolverato la casa*, the burglars cleaned out his house (*o* stripped his house clean).

spolveràre[2] v. t. **1** (*cospargere*) to dredge; to sprinkle; to dust: **s. un dolce di zucchero**, to to dredge a cake with sugar **2** (*disegno*) to pounce.

spolveràta[1] f. dusting; dust; (*spazzolata*) brushing, brush: **dare una veloce s. a qc.**, to give st. a quick dust ● (*fig.*) **dare una s. a q.**, to beat sb. up; to dust sb.'s jacket.

spolveràta[2] f. **1** (*il cospargere*) dredging; sprinkling; dusting: **dare una s. di zucchero alle fragole**, to dredge the strawberries with sugar **2** (*strato cosparso*) sprinkle: **una s. di neve**, a sprinkling of snow.

spolveratóre m. (f. *-trice*) duster.

spolveratùra f. **1** (*lo spolverare*) dusting; (*con spazzola*) brushing **2** (*fig.: infarinatura*) smattering; superficial knowledge.

spolverìno[1] m. **1** (*piumino per spolverare*) duster; whisk: **s. di penne**, feather duster **2** (*spazzoletta di barbiere*) neckbrush.

spolverìno[2] m. (*per zucchero, ecc.*) dredger.

spolverìno[3] m. **1** (*soprabito per automobilisti*) dust coat (*GB*); duster (*USA*) **2** (*soprabito femm.*) duster coat.

spolverizzàre v. t. **1** (*polverizzare*) to pulverize; to powder **2** (*cospargere*) to dredge; to sprinkle; to dust: **s. un dolce di zucchero**, to dredge a cake with sugar **3** (*disegno*) to pounce.

spolverizzatóre m. (*med.*) vaporizer;

atomizer.

spólvero m. **1** (*sostanza polverosa*) dust; (fine) powder: **s. di carbone**, charcoal dust **2** (*disegno*) pouncing **3** (*fig.*: *infarinatura*) smattering; superficial knowledge ● (*sport*) **essere in gran s.**, to be in fine fettle; to be in top form.

spompàre (*fam.*) **A** v. t. to puff out; to do* in; to knacker (*GB*); to poop (*USA*) **B** **spompàrsi** v. rifl. to run out of wind; to get* puffed out.

spompàto a. (*fam.*) puffed out; done in; fagged out (*GB*); knackered (*GB*); pooped (*USA*).

♦**spónda** f. **1** (*riva, di mare*) shore; (*di lago*) shore, side; (*di fiume*) bank, side: **s. del mare**, seashore; **s. di fiume**, bank of a river; riverside; **s. di lago**, shore of a lake; lakeshore **2** (*bordo*) edge: **s. del letto**, edge of the bed **3** (*parapetto*) parapet **4** (*biliardo*) cushion: **tirare di s.**, to shoot from the cushion **5** (*di carro e sim.*) board; panel; side: **s. laterale**, sideboard; **s. posteriore**, tailboard (*GB*); tailgate (*USA*) ● **fare da s.**, (*calcio*) to pass back; (*fig.*) to back up.

spondàico a. (*metrica*) spondaic.

spondèo m. (*metrica*) spondee.

sponderuòla f. rebate plane; rabbet plane.

spondilìte f. (*med.*) spondylitis.

spòndilo m. (*anat.*) vertebra*.

spondiloartrìte f. (*med.*) spondylarthritis.

spondilòsi f. (*med.*) spondylosis.

spongifórme a. **1** sponge-like **2** spongiform ● (*med.*) **Encefalopatia S. Bovina**, Bovine Spongiform Encephalopathy (*o* BSE).

spongìna f. (*biol.*) spongin.

spongìte f. (*geol.*) spongite.

sponsàle a. (*lett.*) nuptial; matrimonial.

sponsàli m. pl. **1** (*promessa di matrimonio*) betrothal (sing.) **2** (*lett. o scherz.*: *matrimonio*) wedding (sing.); nuptials.

spònsor (*ingl.*) m. e f. inv. sponsor; (*financial*) backer; (*patrocinatore*) backer.

sponsorizzàre v. t. to sponsor; to back financially; to fund; (*patrocinare*) to back.

sponsorizzatóre **A** a. sponsoring **B** m. (f. **-trìce**) → **sponsor**.

sponsorizzazióne f. sponsoring; sponsorship; financial backing; funding; (*patrocinio*) backing.

spontaneaménte avv. spontaneously; of one's own accord; naturally: **fare qc. s.**, to do st. of one's own accord; **piante che nascono s.**, plants that grow spontaneously.

spontaneìsmo m. (*polit.*) attitude in favour of grass-roots initiative.

spontaneità f. **1** spontaneity; spontaneousness **2** (*assenza di artificio*) naturalness; directness; unaffectedness; artlessness.

spontàneo a. **1** (*libero*) spontaneous; free; unforced; (*volontario*) voluntary: **aiuto s.**, spontaneous help; **applausi spontanei**, spontaneous applause; **confessione spontanea**, voluntary confession; **offerta spontanea**, spontaneous (*o* free) offer; **rinuncia spontanea**, voluntary renounciation; **di propria spontanea volontà**, voluntarily **2** (*naturale, privo d'artificio*) natural; direct; unaffected; unstudied; artless; (*sincero*) genuine: **gesto s.**, natural gesture; **grazia spontanea**, natural (*o* unstudied) grace; **stile s.**, unaffected style; **persona spontanea**, direct person; **poco s.**, studied; affected **3** (*istintivo*) spontaneous; instinctive; (*involontario*) involuntary, reflex (attr.): **movimento s.**, spontaneous movement; **reazione spontanea**, spontaneous (*o* instinctive) reaction; **provare una spontanea simpatia per q.**, to feel an instinctive liking for sb.; to feel instinctively attracted to sb.; *Mi venne s. di di-*

re..., it came naturally to me to say... **4** (*senza intervento esterno*) spontaneous: **combustione spontanea**, spontaneous combustion **5** (*bot.*) self-sown; native: **vegetazione spontanea**, self-sown vegetation; **pianta spontanea**, volunteer.

spònte (*lat.*) avv. – (*scherz.*) **di mia s.**, voluntarily; (*scherz.*) (**di**) **spinte o** (**di**) **s.**, willy-nilly; whether one likes it or not.

spopolaménto m. depopulation.

spopolàre **A** v. t. **1** to depopulate: *L'industrializzazione spopolò le campagne*, industrialization depopulated the countryside **2** (*rendere meno affollato*) to empty: *Il ponte ha spopolato la città*, the long weekend emptied the town **B** v. i. (*fam.*: *avere successo*) to have (*o* to be) a big success; to draw* crowds; to be all the rage; to be (*o* to score) a hit: **una cantante che spopola**, a singer that draws crowds; *Laura spopola stasera, con quel vestito di lamé*, Laura is having a big success tonight, in that lamé gown; **una moda che spopola**, a fashion that is all the rage **C** **spopolàrsi** v. i. pron. **1** to be depopulated; to become* depopulated **2** (*diventare meno affollato*) to empty.

spopolàto a. **1** depopulated **2** (*vuoto, deserto*) empty; deserted.

spoppàre v. t. to wean.

spòra f. (*biol., bot.*) spore.

Spòradi f. pl. (*geogr.*) (the) Sporades.

sporadicaménte avv. sporadically; occasionally.

sporadicità f. infrequency; rarity ● **Nonostante la s. dei nostri incontri, c'era molta simpatia tra di noi**, even though we met so rarely, we liked each other very much.

sporàdico a. sporadic; occasional; infrequent; intermittent; scattered; isolated: **caso s.**, sporadic (*o* isolated) case; **casi sporadici**, scattered cases; **malattia sporadica**, sporadic disease; **visite sporadiche**, occasional visits.

sporàngio m. (*bot.*) sporangium*; spore-case.

sporcaccióna f. **1** (*sudiciona*) dirty woman* [girl]; slattern; slut **2** (*donna immorale*) slut; tart.

sporcaccióne **A** a. dirty; filthy **B** m. **1** (*sudicione*) dirty man* [boy]; slob **2** (*uomo immorale*) lewd man*; lecher: **vecchio s.**, dirty old man.

♦**sporcàre** **A** v. t. **1** to dirty; to soil; (*anche di animale*) to foul, to make* a mess in [on]; (*macchiare*) to stain; (*impiastricciare*) to smear: **s. un vestito**, to dirty a dress; **s. il pavimento**, to make a mess on the floor; **s. di rossetto**, to smear with lipstick; **s. di sangue** [di sugo], to stain with blood [with sauce]; **sporcarsi la cravatta** di unto, to get grease stains on one's tie; (*anche fig.*) **sporcarsi le mani**, to dirty (*o* to soil) one's hands; to get one's hands dirty; **sporcarsi le scarpe di fango**, to get mud on one's shoes; **sporcarsi la faccia di vernice**, to smear one's face with paint; (*eufem.*) *Il gatto ha sporcato per terra*, the cat has made a mess on the floor; (*eufem.*) **portare il cane a s.**, to take the dog out **2** (*fig.*) to sully; to foul; to soil; to stain: **s. il proprio buon nome**, to sully one's reputation **B** **sporcàrsi** v. rifl. e i. pron. **1** (*di persona*) to get* dirty; to dirty oneself: *Mi sono sporcata pulendo la cantina*, I got all dirty (*o* I dirtied myself) cleaning the cellar; *Non ti sporcare!*, don't get dirty! **2** (*di cosa*) to get* dirty; to dirty; to soil; (*macchiarsi*) to stain; to get* stained: *Si è sporcato il tappeto*, the carpet got dirty; *La macchina si è tutta sporcata di fango*, the car has got mud all over it; *È un divano che si sporca facilmente*, this sofa gets dirty easily **3** (*fig.*) to get* one's hands dirty; to

soil one's hands; (*abbassarsi*) to debase oneself, to degrade oneself: *Non mi sporco a trattare con lui*, I won't degrade myself by dealing with him.

sporchévole a. (*region.*) that gets dirty easily; delicate.

♦**sporcìzia** f. **1** (*l'essere sporco*) dirtiness; filthiness; foulness; (*rif. a condizioni di vita, anche*) squalor **2** (*cosa sporca*) dirt ⓤ; filth ⓤ; (*incrostazione*) grime ⓤ: **vivere nella s.**, to live in filth (*o* in squalor) **3** (*fig.*: *oscenità*) filth ⓤ; obscenity; smut ⓤ: **dire sporcizie**, to say obscenities (*o* filthy things); to talk filth; **un film pieno di sporcizie**, a film full of obscenities.

♦**spòrco** **A** a. **1** dirty; filthy; foul; (*insudiciato*) soiled; (*incrostato di sudiciume*) grimy, grubby; (*macchiato*) stained: **biancheria sporca**, dirty linen; **mani sporche**, dirty (*o* filthy, grubby) hands; **piatti sporchi**, dirty dishes; **viso s.**, dirty face; **scarpe sporche**, soiled shoes; *Hai il colletto s.*, your collar is dirty; **s. di fango**, muddy; **s. di fuliggine**, sooty; **s. d'inchiostro**, ink-stained; **s. di sangue**, blood-stained; **s. di unto**, greasy **2** (*fig.*: *disonesto, immorale*) dirty; underhand; nasty; foul: **denaro s.**, dirty money; **lavoro s.**, dirty work; **faccenda sporca**, dirty business; **agire in modo s.**, to play dirty; **giocare un tiro s. a q.**, to play a dirty trick on sb.; to do the dirty on sb. (*GB*); *S. bugiardo!*, you dirty liar! **3** (*fig.*: *osceno*) dirty; obscene; smutty: **barzelletta sporca**, dirty joke **4** (*di colore, suono*) dirty; muddy: **bianco s.**, off-white; **grigio s.**, dirty grey; **rosa s.**, muddy pink; **suoni sporchi**, muddy sounds **5** (*gergo sportivo*) imperfect: **tiro s.**, imperfect shot ● **avere la coscienza sporca**, to have a guilty conscience □ **avere la fedina (penale) sporca**, to have a police (*o* a criminal) record □ (*fam.*) **lingua sporca**, coated (*o* furred) tongue □ (*fam.*) **L'hai fatta sporca!**, that was a dirty trick to play! **B** m. dirt; filth; (*incrostazione*) grime.

♦**sporgènte** **A** a. projecting; jutting; protruding; protuberant; prominent: **cornicione s.**, projecting eaves; **denti sporgenti**, protruding (*o* buck) teeth; **mento s.**, prominent chin; **occhi sporgenti**, bulging eyes; **tetto s.**, projecting roof; **zigomi sporgenti**, prominent cheekbones **B** m. (*naut.*) pier; jetty.

sporgènza f. projection; jut; (*protuberanza*) protuberance, bulge; (*ripiano sporgente*) overhang, ledge, shelf: **una s. nella roccia**, a jut in the rock-face; an overhang of rock; **la s. d'un tetto**, the overhang of a roof.

spòrgere **A** v. t. to stick out; to hold* out; to thrust* out; to stretch out; to put* out: **s. la lingua**, to stick one's tongue out; **s. la mano**, to stretch out one's hand; **s. il mento**, to thrust one's chin forward; to stick out one's chin; **s. un braccio per segnalare**, to put out an arm to signal; **s. la testa dal finestrino**, to stick one's head out of the window ● (*leg.*) **s. denuncia contro q.**, to lodge a complaint against sb.; to inform the police □ (*leg.*) **s. querela contro q.**, to sue sb. **B** v. i. to project; to jut out; to stick* out; to protrude; (*sovrastare*) to overhang*: **un promontorio che sporge nel mare**, a promontory jutting out into the sea; *Una roccia sporgeva sul fiume*, a rock overhung the river; *Dal muro sporgeva solo la capocchia del chiodo*, only the head of the nail stuck out from the wall; *La mensola sporge di 20 cm*, the shelf juts out by 20 cm **C** **spòrgersi** v. rifl. to lean* out; to lean* over: **sporgersi dalla finestra**, to lean out of the window; **sporgersi dalla ringhiera**, to lean over the railings.

spòrico a. (*bot.*) sporal; spore (*stor.*).

sporìdio m. (*bot.*) sporidium*.

sporoblàsto m. (*zool.*) sporoblast.

sporòfito m. (*bot.*) sporophyte.

sporogèneṣi f. (*biol.*) sporogenesis.

sporògeno a. (*biol.*) sporogenous.

sporogonìa f. (*biol.*) sporogony.

sporologìa f. (*bot.*) palynology; study of spores.

sporoẓoite m. (*zool.*) sporozoite.

sporoẓòo m. (*zool.*) sporozoan; (al pl., *scient.*) Sporozoa.

♦**sport** **A** m. inv. **1** sport: **s. dilettantistico [professionistico]**, amateur [professional] sport; **s. a squadre**, team sports; **s. acquatici**, water sports; **s. estivi [invernali]**, summer [winter] sports; **s. individuali**, individual sports; **lo s. del calcio**, football; soccer; **lo s. della pallacanestro**, basketball; **fare (o praticare) dello s.**, to go in for sport; to be a keen sportsman (f. sportswoman); **fare molto s.**, to play a lot of sport; *Fai qualche s.?*, do you do (o play) any sports?; *Che s. fate a scuola?*, what sports do you do at school? **2** (*hobby*) hobby, pastime; (*divertimento*) fun: **fare qc. per s.**, to do st. for fun **B** a. inv. sports (attr.): **macchina s.**, sports car.

spòrta f. **1** shopping bag; tote (bag); (*di vimini*) basket, shopping basket **2** (*il contenuto*) bag, bagful; basket, basketful: **una s. di pane**, a basketful of bread **3** (*fig.*: *grande quantità*) loads (pl.); heaps (pl.); bags (pl.): **una s. di roba da mangiare**, loads of food; **una s. di soldi**, bags of money; **un sacco e una s.** → **sacco** ①.

sportellàto a. **1** (*munito di sportello o sportelli*) fitted with a door (o with doors) **2** (*a forma di sportello*) door-like; door-shaped.

sportellino m. small door; flap.

sportellìsta m. e f. (*di ufficio*) counter clerk; (*di banca*) (bank) teller.

♦**sportèllo** m. **1** door: **lo s. di una gabbia [di un armadio]**, the door of a cage [of a wardrobe]; **s. dell'automobile**, car door; **s. del treno**, train door; carriage door **2** (*di portone*) wicket **3** (*di ufficio, banca*) window; counter: (*banca*) **s. automatico**, cash dispenser (*GB*); automatic teller machine (*USA*, abbr. ATM); **s. bancario**, bank counter; **s. di biglietteria**, ticket counter; **s. di cassa**, cash desk; **s. informazioni**, information counter (o desk); (*banca*) **chiudere gli sportelli**, to stop (o to suspend) payments; **fare la coda davanti allo s.**, to queue up at the counter; *Gli sportelli aprono alle 9*, business starts at 9; **addetto allo s.**, counter clerk **4** (*filiale, agenzia*) branch: *La mia banca ha sportelli in tutto il mondo*, my bank has branches all over the world **5** (*di trittico*) (flanking) panel.

sportiva f. → **sportivo, B.**

sportivaménte avv. **1** (*dal punto di vista sportivo*) from the sporting (o sport) point of view **2** (*moda*) informally; casually: **vestirsi s.**, to dress informally **3** (*lealmente*) fair: **battersi s.**, to fight fair; to have a fair fight **4** (*di buon grado*) sportingly; in good part: **accettare s. una sconfitta**, to lose sportingly; to be a good loser; **prenderla s.**, (*non offendersi*) to take it in good part; (*non scoraggiarsi*) to make the best of a bad job.

sportività f. sportsmanship.

♦**sportivo** **A** a. **1** (*relativo allo sport*) sports (attr.); sporting: **auto sportiva**, sports car; **campo s.**, sports field (o ground); **circolo s.**, sports club; **evento s.**, sporting event; **giornale s.**, sports newspaper; **pagina sportiva**, sports page; **stampa sportiva**, sporting press **2** (*appassionato di sport*) sport-loving; athletic; sporty (*fam.*): **ragazzo s.**, sport-loving boy; **tipo s.**, sporty type; **essere molto s.**, to do a lot of sport; to be a sportsman; **fare vita sportiva**, to play a lot of sport **3** (*moda*) sports (attr.); casual; sporty (*fam.*): **abbigliamento s.**, sportswear; **giacca**

sportiva, sports jacket **4** (*leale*) sporting; sportsmanlike; fair: **comportamento s.**, sportsmanlike behaviour; **gesto s.**, sporting gesture; **spirito s.**, sporting spirit; **avere spirito s.**, to be a sportsman; (*fig.*) to be a sport; (*fig.*) **essere s.**, (*saper perdere*) to be a good loser; (*stare allo scherzo*) to be a (good) sport; (*fig.*) **non essere s.**, (*non saper perdere*) to be a poor loser; (*non saper stare allo scherzo*) not to be a good sport; **giocare in modo s.**, to play fair **B** m. (f. **-a**) **1** (*chi fa dello sport*) sportsman* (f. sportswoman*) **2** (*tifoso*) sports fan.

spòrto m. **1** (*archit.*) projection; overhang **2** (*imposta di legno*) (wooden) shutter.

spòrula f. (*zool., bot.*) sporule.

sporulazióne f. (*biol.*) sporulation; spore formation.

spòṣa f. **1** (*donna nel giorno delle nozze*) bride: **s. di guerra**, war bride; **la s. e lo spòṣo**, the bride and bridegroom; **baciare la s.**, to kiss the bride; **abito da s.**, wedding dress; bridal gown; **velo da s.**, bridal veil **2** (*moglie*) wife*; spouse: **s. legittima**, lawful (o wedded) wife; **futura s.**, bride-to-be; future wife; **promessa s.**, fiancée; **andare s.**, to get married; **dare in s.**, to give in marriage; to marry; **prendere in s.**, to marry; to take to wife **3** (*pop.*: *giovane sposata da poco*) newly married woman*; young bride ● (*relig.*) **la s. di Dio** (*la Chiesa*), the spouse of God; the Church; (*relig.*) **s. di Cristo**, bride of Christ; nun.

spoṣalìzio m. wedding; nuptials (pl.) (*lett.*).

♦**spoṣàre** **A** v. t. **1** (*prendere in matrimonio*) to marry; to get* married to: *Sposò un francese*, she married a Frenchman; *Sposò una vedova*, he married a widow; *Ha sposato un uomo di condizione inferiore*, she married beneath her **2** (*unire in matrimonio*) to marry; to join in marriage; to wed (*form.*): *Li sposò il vescovo*, they were married by the bishop **3** (*dare in matrimonio*) to marry (off); to give* in marriage: *Sposò la figlia a un giovane ricco*, he married his daughter to a rich young man; *Ha sposato la quinta figlia*, he married off his fifth daughter **4** (*fig.*: *unire*) to combine; to wed; **s. la semplicità alla bellezza**, to combine simplicity with beauty **5** (*fig.*: *aderire a*) to embrace; to espouse: **s. una causa**, to embrace a cause ● (*relig.*) **s. Gesù**, to take the veil **B** v. i. (*region.*) to get* married **C** spoṣàrsi v. rifl. e rifl. recipr. **1** to get* married; to marry (sb.): **sposarsi bene**, to marry into a good family; to marry money; **sposarsi civilmente**, to get married at the registry office; **sposarsi due volte**, to get married twice; **sposarsi fra consanguinei**, to intermarry; *Si sposò con un uomo molto più vecchio di lei*, she married a man much older than her; *Si sposano domani*, they are getting married tomorrow; *Si sposarono per amore*, it was a love match **2** (*fig.*: *accompagnarsi*) to go* well (with); to blend well (with); to look well (with): *Questo rosso si sposa bene con i brasati*, this red goes well with pot roasts; *Arancione e rosa sono due colori che non si sposano*, orange and pink do not look well together.

spoṣàto **A** a. married: **essere s.**, to be married, **non essere s.**, to be single; to be unmarried **B** m. (f. **-a**) married person.

spoṣìna f. **1** (*sposa giovane*) young bride; (*sposa recente*) newly married woman* **2** (*zool., Aix sponsa*) wood duck; Carolina duck.

spoṣino m. **1** (*sposo giovane*) young bridegroom; (*sposo recente*) newly wedded man* **2** (al pl.) newly-weds; young marrieds.

♦**spòṣo** m. **1** (*uomo nel giorno delle nozze*) bridegroom **2** (*marito*) husband; spouse: **futuro s.**, future husband; **promesso s.**, fiancé; **andare s. a q.**, to marry sb. **3** (al pl.:

(*coppia di sposi*) bride and bridegroom, newly-wed couple (sing.), newly-weds; (*marito e moglie*) married couple (sing.), husband and wife: **sposi novelli**, newly-wed couple (sing.); newly-weds; **sposi promessi**, engaged couple (sing.); **i futuri sposi**, the bride and bridegroom-to-be; *Gli sposi erano molto giovani*, the bride and bridegroom were both very young; **festeggiare gli sposi**, to celebrate the newly-wed couple (o the newly-weds); **brindare agli sposi**, to toast the bride and bridegroom; **coppia di sposi**, married couple; *Oggi sposi*, just married.

spossaménto m. → **spossatezza**

spossànte a. exhausting; fatiguing; prostrating; enervating: **clima s.** enervating climate; **giornata s.**, exhausting day; **lavoro s.**, exhausting job; *Come sei s.!*, how tiresome you are!

spossàre **A** v. t. to tire out; to wear* out; to exhaust; to fatigue; to prostrate; to drain; to enervate: **lavoro che spossa**, exhausting job **B** spossàrsi v. i. pron. to get* exhausted; to exhaust oneself; to wear* oneself out.

spossatézza f. tiredness; exhaustion; weariness; fatigue: **essere in uno stato di s.**, to be in a state of exhaustion; to be exhausted; *La malattia mi lasciò addosso una grande s.*, the illness left me thoroughly exhausted (o drained me of all my strength).

spossàto a. tired out; worn out; exhausted; fatigued; prostrate; drained.

spossessaménto m. dispossession; divestment; ouster.

spossessàre **A** v. t. to dispossess; to divest; to deprive; to oust: **s. q. dei suoi beni**, to deprive sb. of his possessions; **s. q. dei suoi diritti**, to divest sb. of his rights; **s. un re del regno**, to dispossess a king of his crown; to depose (o to dethrone) a king **B** spossessàrsi v. rifl. to deprive oneself (of); to divest oneself (of).

spostàbile a. moveable; shiftable; removable; transferable.

spostaménto m. **1** (*movimento*) movement; displacement; shifting: **s. d'aria**, blast; pressure wave; **s. del carico**, shifting of the cargo; **s. di truppe**, movement of troops **2** (*trasferimento*) movement; move; transfer; transferral: **s. di capitali**, transfer of capital; **lo s. dal terminal all'aeroporto**, the transfer from terminal to airport; **s. in un altra città**, move to a different town; *In questo lavoro devo fare continui spostamenti*, I have to travel a lot in this job **3** (*cambiamento*) change; (*di opinione, ecc.*) shift, swing: **s. degli elettori verso destra**, a swing to the right of the electorate; **s. dell'opinione pubblica**, shift in public opinion; **s. d'orario**, change in the timetable; **s. di una riunione**, change in the date of a meeting **4** (*fis., chim.*) displacement: **s. angolare**, angular displacement; **s. elettrico**, electric displacement; **s. magnetico**, magnetic displacement **5** (*naut.*) displacement.

♦**spostàre** **A** v. t. **1** (*muovere*) to move; to shift; (*oggetto pesante, anche*) to budge; (*attenzione, interesse, ecc.*) to shift, to switch: **s. un armadio**, to move (o to shift) a wardrobe; **s. la propria attenzione su qc.**, to shift one's attention to st.; **s. la macchina**, to move one's car; **s. il peso da un piede all'altro**, to shift one's weight from one foot to the other; **s. con cautela**, to ease; to edge; **s. con un calcio [con una gomitata]**, to kick [to elbow] out of the way; *Sposta la sedia un po' più a destra*, move the chair a bit to the right; *Ha spostato tutte le mie carte*, she has moved all my papers; *È troppo pesante, non riesco a spostarlo*, it's too heavy, I can't shift (o budge) it **2** (*trasferire*) to move; to transfer; to send*: **s. un impiegato da un ufficio a un altro**, to move (o to transfer) an employee from one office to another **3** (*cam-*

a b c d e f g h i j k l m n o p q r **s** t u v w x y z

biare nel tempo) to change; (*differire*) to put* off, to postpone; (*anticipare*) to put* forward: **s. la data degli esami**, to change (*o* to postpone) the date of the exams; **s. una riunione**, to change the date [the time] of a meeting; to put off a meeting **4** (*naut.*) to displace **5** (*mus.*) to transpose **B spostàrsi v. rifl. e i. pron. 1** (*muoversi*) to move; to shift; to budge; (*farsi in là*) to move over; (*scostarsi*) to get* out of the way, to step aside; (*cambiare posto*) to change one's place: **spostarsi con cautela** (*o furtivamente*), to edge; **spostarsi per far sedere q.**, to move over to let sb. sit down; **spostarsi per far passare q.**, to get out of sb.'s way; (*anche fig.*) **non spostarsi di un millimetro**, not to budge an inch; *La lancetta si è spostata di poco*, the indicator has barely moved; *I suoi occhi si spostarono sul nuovo venuto*, her eyes shifted to the newcomer; *L'elettorato si è spostato verso il centro*, the electorate has shifted (*o* veered) towards the centre **2** (*trasferirsi*) to move: **spostarsi in un'altra città**, to move to a different town; **spostarsi in sala da pranzo**, to move to the dining-room **3** (*viaggiare*) to travel; to get* about: **spostarsi a piedi**, to get about on foot; to walk; **spostarsi continuamente**, to be always in the move; **spostarsi in automobile**, to use the car; to get about by car; *Devo spostarmi spesso per lavoro*, my job involves travelling a lot.

spostàto A a. 1 shifted; transferred; (*fuori posto*) out of place **2** (*fig.*) wayward; wild; maladjusted (*psic.*); messed-up (*fam.*) **B m.** (f. **-a**) misfit; dropout.

spot① (*ingl.*) **m. inv. 1** (*anche* **s. pubblicitario**) (*radio, TV*) commercial; (al pl.; collett.) spot advertising ⓤ **2** (*elettron.*) spot.

spot② (*ingl.*) **m. inv. 1** (*cinem., teatr.*) spotlight (*faretto*) spotlight; spot **3** (*autom.*) – **s. di lettura**, courtesy light.

sprànga f. 1 (*di porta*) bar: **mettere la s. alla porta**, to bar the door **2** (*sbarra di metallo*) (metal) bar; rod: **s. di ferro**, iron bar.

sprangàre v. t. 1 (*chiudere con la spranga*) to bar: **s. porte e finestre**, to bar doors and windows; **sprangarsi in casa**, to bar oneself in **2** (*picchiare con una spranga*) to hit* with an iron bar.

sprangàta f. blow with an iron bar.

sprangàto a. 1 (*di porta, ecc.*) barred; bolted: **finestre sprangate**, barred windows **2** (*di persona*) barred in; locked in.

sprangatùra f. 1 barring; bolting **2** (*spranga*) bar; bolt.

spràtto m. (*zool., Clupea sprattus*) sprat.

♦**sprà:y** (*ingl.*) **A m. inv. 1** (*nebulizzatore*) atomizer; spray; sprayer; aerosol: **spruzzare con lo s.**, to spray **2** (*prodotto*) spray: **s. per capelli**, hairspray; **s. per insetti**, insect spray **B a. inv.** spray (attr.): **confezione s.**, spray can; aerosol; **lacca s.**, spray lacquer.

spràzzo m. 1 (*lett.: spruzzo*) spray; splash; spurt; jet **2** (*raggio luminoso*) flash, shaft; (*bagliore*) glitter, glint, gleam: **s. di luce**, flash of light; **s. di sole**, shaft of sunlight; glint of sunlight; **sole a sprazzi**, bright (*o* sunny) intervals (pl.) **3** (*fig.: lampo improvviso*) flash; spark; (*scoppio*) burst: **s. d'allegria**, burst of gaiety; **s. d'ingegno**, flash of genius; brainwave (*fam.*); **s. d'interesse**, spark of interest; **s. di lucidità**, lucid interval; **s. di memoria**, flash; **s. di speranza**, spark of hope; **s. di umorismo**, flash of wit; **a sprazzi**, in flashes; (*a intermittenza*) on and off, fitfully; fitful (agg.).

♦**sprecàre A v. t.** to waste; to squander; to throw* away; to fritter away: **s. acqua**, to waste water; **s. denaro**, to waste (*o* to throw away, to squander) one's money; **s. le proprie energie**, to waste one's efforts (*o* energy); **s. il fiato**, to waste one's breath; **s.**

una buona occasione, to waste (*o* to squander) a valuable opportunity; (*sport*) **s. una palla**, to miss a shot; **s. il tempo**, to waste (*o* to fritter away) one's time; (*sport*) **s. un tiro**, to waste a shot; **s. la propria vita**, to throw away one's life **B sprecàrsi v. i. pron. 1** to waste (*o* to fritter away) one's time [one's energy, one's talent etc.] **2** (*iron.*) to overstrain oneself; to put* oneself out: *Mi raccomando, non sprecarti ad aiutarmi!*, please don't put yourself out for my sake!; *Si è sprecato a regalarmi dei cioccolatini!*, the chocolates he gave me must have set him back a bit!; *Non si è neanche sprecato a telefonare*, he didn't so much as phone me; he didn't even take the trouble of phoning me.

sprecàto a. wasted; squandered; thrown away; frittered away: *Sono soldi sprecati*, it's a waste of money; it's money down the drain (*fam.*); *È fiato s.*, it's a waste of breath; *È tempo s.*, it's a waste of time; **occasione sprecata**, wasted opportunity; **talento s.**, wasted talent; *Sei s. in questo ufficio*, you're wasted in this office; *È un regalo s. per lei*, this present is wasted on her; **andare s.**, to be wasted; to go to waste.

sprèco m. waste ⓤ; wastage ⓤ; squandering ⓤ: **s. d'acqua**, waste (*o* wastage) of water; **s. di denaro**, waste of money; squandering of money; **s. di energie**, waste of energy; **s. di tempo**, waste of time; **sprechi nell'amministrazione**, squandering in the administration; **fare s. di qc.**, to waste st.; **ridurre gli sprechi**, to reduce waste ● (*fig.*) **a s.** (*in grande quantità*), in plenty; in abundance; galore.

sprecóne A a. wasteful; squandering; (*spendaccione*) spendthrift **B m.** (f. **-a**) waster; squanderer; (*spendaccione*) spendthrift.

spregévole a. despicable; contemptible; mean; vile; base.

spregevolézza f. despicability; contemptibleness, vileness; baseness.

spregiàre v. t. (*lett.*) to despise; to disdain; to scorn: **s. gli onori**, to despise honours; **s. le ricchezze**, to disdain wealth.

spregiativo A a. 1 disparaging; derogatory **2** (*gramm.*) pejorative **B m.** (*gramm.*) pejorative.

spregiatóre (*lett.*) **A a.** despising **B m.** (f. **-trice**) despiser.

sprègio m. 1 (*disprezzo*) contempt; disdain; (*sfida*) defiance: **in s. alla più elementare cortesia**, in contempt of the most elementary courtesy; **in s. a ogni regola**, in defiance of all rules; **avere in s.**, to despise; to hold in contempt **2** (*atto offensivo*) affront; open insult: **fare uno s. a q.**, to insult sb.; to offer an affront to sb.

spregiudicataménte avv. 1 (*senza pregiudizi*) in an unprejudiced way; without prejudice; open-mindedly **2** (*senza scrupoli*) unscrupulously **3** (*con anticonformismo*) unconventionally; uninhibitedly.

spregiudicatézza f. 1 freedom from prejudice; open-mindedness **2** (*mancanza di scrupoli*) unscrupulousness **3** (*anticonformismo*) unconventionality; audacity; uninhibitedness.

spregiudicàto A a. 1 (*che non ha pregiudizi*) unprejudiced; open-minded; unbiased **2** (*senza scrupoli*) unscrupulous; unprincipled **3** (*anticonformista*) unconventional; daring; (*disinibito*) uninhibited **B m.** (f. **-a**) **1** (*persona senza scrupoli*) unscrupulous (*o* unprincipled) person **2** (*anticonformista*) unconventional person; (*disinibito*) uninhibited person.

♦**sprèmere v. t. 1** to squeeze; to press: **s. un'arancia**, to squeeze (*o* to press) an orange; **s. le olive**, to press olives; **s. il succo**

di qc., to extract the juice from st.; to squeeze (*o* to press) the juice out of st. **2** (*fig.: ricavare, estorcere*) to squeeze, to extort, to milk; (*far sborsare soldi a*) to milk, to put* the squeeze on (*fam.*); (*del fisco*) to bleed*, to soak; (*torchiare*) to grill: **s. soldi a q.**, to squeeze money out of sb.; *Le tasse ci spremono tutti i soldi*, taxes are bleeding us white; **s. q. come un limone**, (*cavargli soldi*) to bleed sb. white, to squeeze sb. till the pips squeak (*fam.*); (*farlo parlare*) to give sb. the third degree ● (*fig.*) **spremersi il cervello** (*o* **le meningi**), to rack (*o* to cudgel) one's brains.

spremiàglio m. inv. garlic press.

spremiagrùmi m. inv. citrus-fruit squeezer.

spremifrùtta m. inv. fruit squeezer; juice extractor.

spremilimóni m. inv. lemon squeezer.

spremitóio m. squeezer; juice extractor.

spremitóre A a. squeezing **B m.** (f. **-trìce**) squeezer.

spremitùra f. 1 (*lo spremere*) squeezing; pressing: **la s. delle olive**, olive pressing; **olio di prima s.**, first-pressing oil **2** (*il succo*) juice.

spremùta f. 1 squeezing; pressing: **dare una s. a**, to squeeze; to press **2** (*bibita*) juice; (*di agrume, con acqua e zucchero*) squash (*GB*): **s. di arancio**, orange juice.

spremùto a. squeezed; pressed: **limone s.**, squeezed lemon; (*fig.*); **olive spremute**, pressed olives.

spretàrsi v. i. pron. to leave* the priesthood.

spretàto A a. defrocked; unfrocked **B m.** defrocked (*o* unfrocked) priest; priest who has abandoned the ministry.

sprezzànte a. disdainful; scornful; contemptuous; (*altezzoso*) arrogant, haughty; (*beffardo*) sneering: **con aria s.**, disdainfully; scornfully; **mostrarsi s. (verso)**, to show disdain (for); to turn up one's nose (at) (*fam.*).

sprezzàre v. t. (*lett.*) to despise; to scorn.

sprezzatóre m. (f. **-trìce**) (*lett.*) despiser.

sprezzatùra f. 1 (*incuria*) disregard; carelessness; indifference **2** (*maniera distaccata e disinvolta*) nonchalance; studied carelessness.

sprèzzo m. 1 (*disprezzo*) disdain; scorn; contempt **2** (*noncuranza*) indifference; disregard: **s. del pericolo**, indifference to danger; **dimostrare s. del pericolo**, to be heedless of danger.

sprigionaménto m. emission; release; exhalation: **s. di calore**, emission of heat; **s. di gas**, release of gas.

sprigionàre A v. t. (*emettere*) to emit; to give* off; (*esalare*) to exhale; to release; (*eruttare*) to erupt; to spurt: **s. calore** [**luce**], to give off heat [light]; **s. gas** [**energia**], to release gas [energy]; **s. scintille**, to emit sparks **B sprigionàrsi v. i. pron.** to emanate; to exhale; to issue; (*con forza*) to burst* out, to erupt; (*di liquido*) to gush out, to spurt.

sprimacciàre v. t. to shake* up; to fluff up; to plump: **s. un guanciale**, to shake up (*o* to plump up) a pillow.

sprimacciàta f. shake; fluffing up; plumping up.

sprinkler (*ingl.*) **m. inv.** (*tecn.*) sprinkler head: **impianto a s.**, sprinkler.

sprint (*ingl.*) (*sport*) **A m. inv. 1** sprint; spurt: **s. finale**, final sprint; final burst; **avere dello s.**, to be a good sprinter; (*fig.*) to be very dynamic, to have drive; **fare uno s.**, to break into a sprint; to put on a spurt; **mancare di s.**, not to be a sprinter **2** (*autom.: ripresa*) pick-up **B a. inv.** sports (attr.): **vettu-**

ra s., sports car **C** f. inv. sports car; sportster.

sprintàre v. i. to sprint; to break* into a sprint; to put* on a spurt.

sprizzàre **A** v. t. **1** to spurt; to squirt: **s. sangue**, to spurt blood **2** (*fig.*) to be bubbling (*o* brimming) over with; to be bursting with: **s. gioia [ottimismo]**, to be bubbling over with joy [with optimism]; **s. salute (da tutti i pori)**, to be bursting with health **B** v. i. to spurt; to squirt.

sprizzo m. **1** (*zampillo*) spurt; squirt; spray: **s. di sangue**, spurt of blood **2** (*fig.*) burst; flash; spark: **s. di allegria**, burst of high spirits; **s. di arguzia**, flash of wit; **s. d'ingegno**, spark of genius; brainwave (*fam.*).

sprofondaménto m. **1** sinking; sinkage; (*crollo*) collapse, caving in, cave-in; (*cedimento*) subsidence **2** (*parte sprofondata*) depression; hollow.

♦**sprofondàre** **A** v. t. **1** (*far precipitare*) to plunge; to throw*; to cast*; to precipitate: **s. un peccatore nell'inferno**, to cast (*o* to precipitate) a sinner into hell; *La notizia lo sprofondò nella disperazione*, the news plunged him into despair **2** (*affondare*) to thrust*; to bury: **s. le mani in tasca**, to thrust one's hands into (*o* to bury one's hands in) one's pockets **B** v. i. **1** (*affondare*) to sink*; to go* to the bottom: **s. in un materasso**, to sink into a mattress; **s. nella neve**, to sink into the snow **2** (*crollare*) to collapse, (*di tetto, pavimento*) to cave in; (*cedere*) to give* way, to subside; (*precipitare*) to fall* down: *Alcune case sprofondarono*, some houses collapsed; *Il pavimento sprofondò*, the floor gave way (*o* caved in); *Il tetto è sprofondato sotto il peso della neve*, the roof collapsed (*o* caved in) under the weight of the snow; *Il terreno sprofondò sotto i nostri piedi*, the ground gave way under our feet; *La strada era sprofondata per trenta metri*, the road had subsided for thirty metres; *Sprofondarono in un baratro*, they fell into an abyss **3** (*fig.*) to sink*; to be plunged; to be overcome (by): **s. nella disperazione**, to sink into despair; to be overcome by despair; **s. nel sonno**, to sink into sleep ● **Avrei voluto s.!**, I wished the ground would open and swallow me up!

sprofondàrsi v. rifl. **1** (*affondare*) to sink*: **sprofondarsi in una poltrona**, to sink (*o* to drop down) into an armchair **2** (*fig.: immergersi*) to immerse oneself; to bury oneself; to become* absorbed (*o* engrossed): **sprofondarsi in un libro**, to bury oneself in a book; to become absorbed in a book.

sprofondàto a. **1** (*affondato*) sunk, sunken; (*crollato*) collapsed; (*che ha ceduto*) caved in, subsided: **s. in una poltrona**, sunk in an armchair **2** (*fig.: immerso*) sunken; absorbed; engrossed; immersed: **s. in un libro**, absorbed (*o* buried) in a book; **s. nella meditazione**, lost in meditation.

sprofóndo m. **1** subsidence; cave-in **2** (*geol.*) sinkhole; cavity.

sproloquiàre v. i. (*blaterare*) to hold* forth, to speechify, to go* on (about st.); (*farneticare*) to rant.

sprolòquio m. (*lungo discorso inconcludente*) long rigmarole, rambling speech, empty words (pl.); (*farneticazione*) ranting ⓤ.

spronàre v. t. **1** to spur: **s. un cavallo**, to spur a horse **2** (*fig.*) to spur (on); to urge (on); to goad; to prod: **s. q. a fare qc.**, to spur sb. to do st. (*o* into doing st.); to goad sb. into doing st.; **s. la propria coscienza**, to prod one's conscience; **s. uno studente pigro**, to prod a lazy student; *Ha bisogno d'essere spronato*, he needs the spur (*o* some prodding); **s. q. con l'esempio**, to set sb. a good example.

spronàta f. **1** touch of the spur; spurring **2** (*fig.*) spurring (on); goad; prod: *Ha bisogno di una s.*, she needs a good prod.

spróne m. **1** spur: **un paio di sproni**, a pair of spurs; **con gli sproni ai piedi**, wearing spurs; spurred; **dar di s. al cavallo**, to spur (on) one's horse; to dig one's spurs in **2** (*fig.*) spur; (*pungolo*) prod; (*incentivo*) incentive, motivation: **lo s. della miseria**, the spur of poverty; *Le tue parole gli sono state di s.*, your words spurred him into action; **non aver bisogno di sproni**, to need no spurring (*o* prodding) **3** (*sartoria*) yoke **4** (*region., cucina*) pastry wheel **5** (*bot.*) – s. **di cavaliere** (*Delphinium consolida*) larkspur **6** (*zool., geol., archit.*) → **sperone** ● **a spron battuto**, at top (*o* full) speed; (*fig.: in gran fretta*) promptly, in no time: **andare a spron battuto**, to ride at full gallop; **tornare a spron battuto**, to race back.

spronèlla → **speronella**.

sproporzionàto a. **1** disproportionate (to); out of proportion (to); (*fuori scala*) out of scale: **spese sproporzionate alla propria rendita**, expenses out of proportion to one's income; **una testa sproporzionata al resto del corpo**, head out of all proportion to the rest of the body **2** (*esagerato, eccessivo*) disproportionate; excessive: **quantità sproporzionata**, disproportionate amount; **reazione sproporzionata**, excessive reaction.

sproporzióne f. disproportion; imbalance: **s. tra domanda e offerta**, disproportion between supply and demand; *C'è una s. tra le due parti del film*, there is an imbalance between the two parts of the film.

spropositàto a. (*fam.*: *enorme*) enormous; huge; out of all proportion; (*esagerato, eccessivo*) inordinate, excessive, outrageous; (*di costo, prezzo, ecc.*) exorbitant, extortionate; (*di spesa*) extravagant: **quantità spropositata**, inordinate amount; **richieste spropositate**, extortionate requests.

spropòsito m. **1** (*azione poco saggia*) big mistake; unwise action; (*azione avventata*) rash decision, desperate act, something one will regret; (*parole avventate*) rash words (pl.), words (pl.) one will regret: *È stato uno s. accettare*, it was a big mistake to accept; *Correteglio dietro, potrebbe fare uno s.!*, run after him, he might do something desperate! **2** (*svarione*) gross mistake; howler (*fam.*): **una traduzione piena di spropositi**, a translation full of gross mistakes **3** (*sciocchezza*) nonsense ⓤ; rubbish ⓤ: **dire spropositi**, to talk rubbish; to talk through one's hat (*fam.*); *Ho detto uno s.?*, did I say something wrong?; did I say something silly? **4** (*fam.*: *quantità straordinaria*) huge quantity; awful lot; heaps (pl.); (*sacco di soldi*) fortune, mint of money (*fam.*): *Il mese passato abbiamo fatto uno s. di telefonate*, we made an awful lot of phonecalls last month; *Ti costerà uno s.*, it will cost you a mint of money; **pagare qc. uno s.**, to pay a fortune for st. ● **a s.**, (*in modo non pertinente*) out of place, not to the point, irrelevantly; irrelevant (agg.); (*al momento sbagliato*) at the wrong moment; (*in modo inopportuno*) out of turn: **arrivare a s.**, to arrive at the wrong moment; **intervenire a s.**, to intervene out of turn; to barge in; **parlare a s.**, to speak out of turn; to speak irrelevantly; **rispondere a s.**, to answer irrelevantly.

sprotèggere v. t. (*comput.*) to remove the write-protection from; to remove security from.

sprotezióne f. (*comput.*) removal of the write-protection.

sprovincializzàre **A** v. t. to make* less provincial; to free from provincialism **B** **sprovincializzàrsi** v. i. pron. to become* less provincial.

sprovincializzazióne f. relinquish-

ment of provincialism.

sprovvedutézza f. **1** (*inesperienza*) inexperience; lack of experience; rawness **2** (*ingenuità*) naivety; ingenuousness; (*credulità*) gullibility.

sprovvedùto **A** a. **1** (*impreparato*) unprepared: **essere s. davanti alla vita**, to be unprepared to face life **2** (*ingenuo*) simple; naive; ingenuous; (*credulone*) gullible; (*poco colto*) unsophisticated: **gente sprovveduta che si lascia ingannare facilmente**, naive (*o* gullible) people that are easily taken in; **un libro accessibile anche ai lettori più sprovveduti**, a book that is accessible even to the most unsophisticated reader **B** m. (f. **-a**) **1** (*incompetente*) incompetent **2** (*semplice*) naive person; simple soul; (*credulone*) gullible person, sucker (*fam.*).

sprovvisto a. (*privo*) lacking (in), devoid (of), without (prep.); (*sfornito*) unprovided (with): **s. di buon senso**, devoid of common sense; **s. di fantasia**, lacking imagination; without imagination; **essere s. di buone maniere**, to have no manners; **essere s. di tutto**, to lack everything; (*essere sfornito*) to have run out of everything; *Siamo momentaneamente sprovvisti di questo articolo*, we are temporarily out of stock of this item ● **cogliere** (*o* **prendere**) **q. alla sprovvista**, to catch (*o* to take) sb. unawares; to catch sb. off balance (*o* off his guard, *fam.* on the hop); (*cogliere impreparato, distratto*) to catch sb. napping.

sprùe (*ingl.*) f. inv. (*med.*) sprue.

spruzzabiancheria m. inv. ironing sprinkler.

spruzzàglia f. (*breve pioggia*) light shower; spatter of rain.

♦**spruzzàre** **A** v. t. **1** to spray; to sprinkle; (*schizzare*) to spurt; (*inzaccherare*) to spatter, to splatter, to splash: **s. profumo**, to spray perfume; **s. acqua in viso a q.**, to sprinkle water on sb.'s face; to sprinkle sb.'s face with water; **s. di fango**, to spatter (*o* to splatter) with mud; **spruzzarsi d'olio la camicia**, to spatter one's shirt with oil; *Questo rubinetto spruzza acqua da tutte le parti*, this tap is spurting water everywhere **2** (*cospargere*) to sprinkle; to dredge; **s. zucchero su una torta**, to sprinkle sugar over a cake **B** **spruzzàrsi** v. rifl. o i. pron. to spray on: **spruzzarsi di profumo**, to spray on perfume.

spruzzàta f. **1** (*lo spruzzare*) spraying; spray; sprinkling; sprinkle: **s. di neve**, sprinkling of snow; snow flurry; **s. di profumo**, spray of perfume; **s. di zucchero a velo**, sprinkle of icing sugar; **darsi una s. di lacca ai capelli**, to spray some hairspray on one's hair **2** (*breve pioggia*) light shower; spatter of rain.

spruzzatóre m. **1** spray; atomizer: **s. antiparassitario**, spray unit; **s. di profumo**, perfume spray (*o* atomizer); **s. di vernice**, spray gun; **bomboletta con s.**, spray can **2** (*innaffiatoio*) sprinkler; (*per biancheria*) ironing sprinkler **3** (*autom.*) jet.

spruzzatùra f. **1** spraying; splashing **2** (*spruzzo*) spray; splash **3** (*segno lasciato*) spray mark; splash.

spruzzétta f. (*chim.*) wash bottle.

sprùzzo m. spray; sprinkle; sprinkling; (*getto*) jet, spurt; (*schizzo*) splash: **s. d'acqua**, sprinkling of water; **s. di fango**, splash of mud; **s. di pioggia**, spatter of rain; **s. di saliva**, jet of saliva; **s. di sangue**, spurt of blood; **gli spruzzi delle onde**, the sea spray; the spray from the waves; *Mettici uno s. di soda*, add a dash (*o* a splash) of soda-water; **pistola a s.**, spray gun; **vernice a s.**, spray paint; **verniciatura a s.**, spray painting.

spudoratézza f. impudence; shamelessness; effrontery; the cheek (*fam.*); gall

(*fam.*); nerve (*fam.*); (*di menzogna, ecc.*) blatancy: **avere la s. di fare qc.**, to have the impudence (*o* the effrontery, the cheek) to do st.; *Che s.!*, what impudence!; what cheek!; what (a) nerve!

spudorato Ⓐ a. impudent; shameless; brazen-faced; (*di menzogna*) barefaced, blatant: **ragazza spudorata**, shameless girl; **menzogna spudorata**, barefaced (*o* blatant) lie Ⓑ m. (f. **-a**) impudent (*o* shameless) person; brazenface.

◆**spugna** f. 1 (*zool. e oggetto*) sponge: **s. artificiale**, synthetic sponge; **s. vegetale**, loofah; **lavare con una s.**, to sponge st. down; **lavarsi con la s.**, to sponge oneself down; **passare la s. su qc.**, to sponge st. down; **pescare spugne**, to dive for sponges; **pulire qc. con una s.**, to wipe st. clean with a sponge; to sponge st. down; **raccogliere con una s.**, to sponge up; **pescatore di spugne**, sponge diver 2 (*tessuto*) (terry) towelling; sponge cloth: **accappatoio di s.**, (towelling) bathrobe; **asciugamano di s.**, towel; **manopola di s.**, face cloth 3 (*fig.: gran bevitore*) boozer; soak; lush (*slang USA*) 4 (*chim.*) – **s. di platino**, platinum sponge ● **bagnato come una s.**, drenched; soaked (to the skin); dripping wet □ **bere come una s.**, to drink like a fish; to be a boozer □ (*fig.*) **dare un colpo di s. a qc.**, to wipe the slate clean □ (*fig.*) **gettare la s.**, to throw (*o* to chuck) in the towel (*o* the sponge) □ (*fig.*) **passare la s. su qc.**, to forget all about st.; to let bygones be bygones; to wipe the slate clean: *E va bene, passiamoci sopra la s.*, all right, let's forget all about it.

spugnare v. t. to sponge (down); to wash (*o* to clean, to wipe) with a sponge.

spugnata f. 1 → **spugnatura** 2 (*colpo con una spugna*) blow with a sponge: *Si prese una s. in piena faccia*, a sponge hit him full in the face.

spugnatura f. 1 sponging; sponge-down 2 (*med.*) sponge bath: **fare spugnature fredde**, to take cold sponge baths.

spugnetta f. (*per francobolli*) damper.

spugnòla f., **spugnòlo** m. 1 (*bot., Morchella vulgaris*) morel 2 – **spugnola d'autunno** (*Helvella crispa*), white elfin saddle.

spugnosità f. sponginess.

spugnóso a. 1 spongy; sponge-like; sponge (attr.): **pietra spugnosa**, spongy rock; **stoffa spugnosa**, spongy material; (*per asciugamani*) sponge cloth, towelling 2 (*anat.*) cancellate; cancellous: **osso s.**, cancellate bone.

spulare v. t. (*agric.*) to winnow; to fan.

spulatura f. (*agric.*) winnowing; fanning.

spulciàre Ⓐ v. t. 1 to rid* of fleas; to pick fleas from 2 (*fig.*) to go* through (*o* over); to scrutinize; to sift through: **s. i conti**, to go through (*o* over) the accounts; **s. qc. in cerca di informazioni**, to sift through st. for information Ⓑ **spulciàrsi** v. rifl. to search for fleas; to rid oneself of fleas.

spulciatùra f. 1 seach for fleas; flea-picking 2 (*fig.*) close inspection; scrutiny; sifting.

spùma f. 1 foam; froth; (*di birra, anche*) head; (*di maroso*) spume, surf: **la s. del mare**, the foam of the sea; sea-foam; **fare s.**, to foam; to froth; **birra con la s.**, frothy beer; beer with a head; **onde crestate di s.**, waves crested with spume 2 (*miner.*) – **s. di mare**, meerschaum, sepiolite 3 (*bevanda*) aromatic fizzy soft drink 4 (*cucina*) mousse.

spumànte Ⓐ a. foamy; frothy; (*di vino*) sparkling Ⓑ m. sparkling white wine; fizz (*fam.*).

spumantìstica f. production and marketing. of sparkling wines.

spumantizzàre v. t. (*enologia*) to submit to the sparkling process.

spumantizzazióne f. (*enologia*) sparkling process.

spumàre v. i. to foam; to froth; (*di bevanda effervescente*) to fizz, to effervesce, to bubble: **birra che spuma**, frothy beer; beer with a head.

spumeggiànte a. 1 foamy; frothy; (*di onda, anche*) spuming, surfy; (*di bevanda effervescente*) fizzing, sparkling, effervescent 2 (*fig.: vivace*) bubbling; sparkling; scintillating; effervescent; fizzy 3 (*fig.: vaporoso*) fluffy; soft.

spumeggiàre v. i. to foam; to froth; (*di onda, anche*) to spume, to surf; (*di bevanda effervescente*) to fizz, to effervesce, to sparkle, to bubble.

spumìglia f. (*alim.*) meringue.

spumìno m. (*alim.*) meringue.

spumóne m. (*alim.*) spumoni Ⓤ.

spumosità f. foaminess; frothiness: **la s. della birra**, the frothiness of beer.

spumóso a. 1 foamy; frothy; spumy; (*di vino*) effervescent, sparkling 2 (*fig.: leggero*) light; frothy; (*vaporoso*) fluffy: **dolce s.**, light cake; sponge; **pizzi spumosi**, fluffy lace.

spùnta f. (*bur.: verifica*) ticking off, check (off) (*il segno*) tick, check (*USA*): **fare la s. di**, to tick off; to check; **mettere un segno di s. a**, to tick off; to check.

◆**spuntàre** ① Ⓐ v. t. 1 (*rompere la punta di*) to blunt; to break* the point (*o* the top) of; (*frutta, verdura*) to top: **s. un ago [un coltello]**, to blunt a needle [a knife]; **s. i fagiolini**, to top French beans; **s. una penna**, to break the point (*o* the nib) of a pen 2 (*accorciare*) to trim; to clip; to cut* the tip off: **s. i baffi**, to trim (*o* to clip) a moustache; **s. una siepe**, to trim (*o* to clip) a hedge; **s. un sigaro**, to cut the tip off a cigar; **farsi s. i capelli**, to have one's hair trimmed 3 (*levare spilli o aghi*) to unpin: **s. un orlo**, to unpin a hem 4 (*fig.: superare*) to overcome*; to get* round: **s. una difficoltà [un ostacolo]**, to overcome a difficulty [an obstacle] 5 (*un prezzo*) to fetch; to bring*; to get*: **s. un buon prezzo**, to fetch a good price ● **spuntarla**, to make it; to win through; to win the day; (*riuscire a fare a modo proprio*) to get one's own way: *Alla fine l'ha spuntata lui e siamo andati al cinema*, he got his way in the end and we went to the cinema □ **spuntarla su q.**, to get the better of sb. Ⓑ v. i. 1 (*nascere: di fiore, ecc.*) to sprout, to bud, (*di pianta, anche*) to come* up; (*di capelli*) to begin* to grow; (*di denti*) to be cut; (*di liquido*) to well up; (*di astro*) to rise*, to come* up; (*del giorno*) to break*, (*fig.*) to dawn; (*fig.: manifestarsi*) to rise*, to be born: *A febbraio cominciano a s. i primi crochi*, the first crocuses begin to sprout in February; *A mio figlio cominciano a s. i denti*, my son is cutting his teeth; *Gli spuntarono le lacrime agli occhi*, tears welled up in his eyes; *La luna spuntava nel cielo*, the moon was rising in the sky; *Spunta il giorno*, day is breaking 2 (*apparire*) to appear; to emerge; to come* out; to come* through; (*sporgere*) to stick* out, to poke (out); (*far capolino*) to peep; (*sbucare*) to pop up (*o* out), to spring* out: *Un debole sorriso gli spuntò sulle labbra*, a faint smile appeared on his lips; he smiled faintly; he gave a faint smile; *Spuntò da dietro la mia automobile*, he came out (*o* emerged) from behind my car; *Da dove spunti?*, where have you sprung from?; *Solo il naso spuntava da sotto le coperte*, only his nose was sticking out of the blankets (*o* was visible above the blankets); *Da dietro le nuvole spuntava il sole*, the sun was peeping out from behind the clouds Ⓒ **spuntàrsi** v. i. pron. 1 (*perdere la punta*) to get* blunt; to go* blunt; to become* blunted; to lose* one's point (*o* tip): *Si è spuntata la spada*, the sword has got blunt (*o* has become blun-

ted); *Mi si è spuntata la matita*, my pencil has gone blunt (*o* has lost its point) 2 (*staccarsi*) to become* unpinned 3 (*fig.: perdere forza*) to weaken; to lose* momentum; to die down: *La sua ira si spuntò dopo pochi minuti*, his anger died down after a few minutes Ⓓ m. (*di fiore, ecc.*) sprouting; (*di astro*) rise; (*di giorno*) break, (*fig.*) dawning: **allo spuntare dell'alba**, at break of dawn; at dawn; **allo spuntare del giorno**, at break of day; at daybreak; **allo spuntare del sole**, at sunrise; at sunup (*USA*).

◆**spuntàre** ② v. t. (*controllare, facendo un segno*) to tick off; to check off (*USA*): **s. le voci di un elenco**, to tick off the items in a list; *Ha spuntato la merce man mano che arrivava*, she ticked off the goods as they arrived.

spuntàre ③ v. i. 1 (*mecc.*) to get* going; to pick up 2 (*naut.*) to get* afloat again; to be refloated.

spuntàta ① f. (*taglio della punta*) trimming; trim; clipping; clip: **dare una s. a qc.**, to trim st.

spuntàta ② → **spunta**.

spuntàto ① a. (*senza punta*) blunt; pointless: **matita spuntata**, blunt pencil.

spuntàto ② a. (*di vino*) sour.

spuntatóre m. (f. **-trice**) (*verificatore*) checker; tally clerk.

spuntatrìce f. (*agric.*) scourer.

spuntatùra ① f. 1 trimming; trim; clipping; clip 2 (*anche al pl.: rimasugli*) clippings (pl.); ends (pl.); tips (pl.); **s. di sigari**, cigar tips 3 (*macelleria*) cut beneath sirloin and ribs: **s. di maiale**, spare rib 4 (*metall.*) crop, crop-end.

spuntatùra ② → **spunta**.

spuntellàre v. t. to unprop; to remove the props from.

spuntèrbo m. toe-cap.

spuntigliàre v. t. to smooth with fine emery powder.

spuntìglio m. fine emery powder.

spuntinàre v. t. (*fotogr.*) to spot (out).

spuntinatùra f. (*fotogr.*) spotting (out).

spuntìno m. snack; bite: **fare uno s.**, to have a snack; to have a bite to eat.

spùnto ① m. 1 (*teatr., mus.*) cue 2 (*fig.: suggerimento*) idea, cue, hint; (*occasione*) occasion, opportunity; (*punto di partenza*) starting point: **dare (*o* offrire) lo s. per**, to give the idea for; to be the starting point for; **prendere lo s. da**, to take one's cue from; to get one's idea from; to be inspired by; *Da dove ha preso lo s. per il suo film?*, where did you get the idea for your film?; *Il romanzo prende s. da un fatto veramente accaduto*, the novel was inspired by a real event; *L'affermazione di Giulia fu lo s. per una vivace discussione*, Giulia's statement was the starting point of a lively discussion 3 (*enologia*) sourness: **avere lo s.**, to have gone sour; to taste sour; **prendere lo s.**, to go sour.

spùnto ② m. 1 (*mecc.: avviamento*) starting; (*accelerazione*) acceleration, pick-up 2 (*sport*) sprint; spurt.

spuntóne m. 1 (*spina*) thorn; barb; spine 2 (*punta di legno o ferro*) spike; barb 3 (*mil.*) spontoon 4 (*alpinismo*) sharp projection; jag.

spunzecchiàre v. t. to prick; to prickle.

spunzóne m. 1 (*region.: gomitata*) elbow poke 2 (*punta*) spike; barb.

spupazzàre v. t. (*fam.*) 1 (*coccolare*) to cuddle; to pet 2 (*scherz. o iron.*) to act as nursemaid to; (*accompagnare in giro*) to shepherd about; (*sopportare*) to put* up with: **spupazzarsi i nipoti**, to act as nursemaid to one's grandchildren; *Mi sono spupazzata sua moglie per due giorni*, I spent two days

shepherding his wife about.

spurgàre Ⓐ v. t. **1** (*pulire, svuotare*) to clean; to drain; to flush; (*disostruire*) to unblock, to clear; (*mecc.*) to bleed*: **s. un fosso**, to clean a ditch; **s. le lumache**, to starve snails; **s. un radiatore**, to bleed a radiator **2** (*espellere*) to discharge: **s. catarro**, to discharge phlegm; to expectorate; **s. una ferita**, to allow a wound to discharge Ⓑ **spurgàrsi** v. i. pron. (*espettorare*) to expectorate; to discharge phlegm.

spurgatóre Ⓐ a. cleaning; draining Ⓑ m. cleaner.

spùrgo m. **1** (*pulizia, svuotamento*) cleaning; draining; flushing; (*disostruzione*) unblocking, clearing; (*mecc.*) bleeding **2** (*med.*: *espettorazione*) expectoration; discharge of phlegm [*in* (*materia spurgata*) discharge; (*catarro*) expectoration, phlegm.

spùrio a. **1** (*illegittimo*) illegitimate **2** (*non autentico*) spurious; fake; false: **opere spurie**, spurious works **3** (*anat.*) false: **coste spurie**, false ribs **4** (*zool.*) – **ala spuria**, spurious (*o bastard*) wing.

sputacchiàre Ⓐ v. i. to spit* (out); (*nel parlare*) to splutter Ⓑ v. t. to spit* out.

sputacchièra f. spittoon; cuspidor (*USA*).

sputacchìna f. (*zool.*, *Philaenus spumarius*) froghopper; spittlebug.

sputàcchio m. spittle; gob of spit.

♦**sputàre** v. t. e i. to spit*; to spit* out: **s. fiamme**, to spit out flames; **s. un nocciolo**, to spit out a stone; **s. sangue**, to spit blood; (*fig.*) to sweat blood; (*anche fig.*) **s. addosso a q.**, to spit on sb.; **s. in faccia a q.**, to spit in sb.'s face; **s. nel parlare**, to splutter when speaking; **s. per terra**, to spit on the ground; (*anche fig.*) *Sputa fuori!*, spit it out! ● (*fig.*) **s. nel piatto in cui si mangia**, to bite the hand that feeds one □ (*fig.*) **s. l'osso**, to spit it out; to confess □ (*fig.*) **s. il rospo**, to spit it out; to get st. off one's chest □ (*fig.*) **s. i polmoni**, (*tossire*) to spit up one's lungs (*fam.*); (*sfiatarsi*) to talk oneself hoarse □ (*fig.*) **s. sentenze**, to pontificate; to moralize; to be sententious □ (*fig.*) **s. veleno**, to spit venom; to have a venomous tongue.

sputasénno, **sputasentènze** m. e f. inv. (*spreg.*) sententious person; know-all; know-it-all; wiseacre.

sputàto a. (*fam.*) the spitting image of; the dead spit of: *È suo nonno s.*, he's the spitting image of his grandfather.

sputaveléno m. inv. **1** (*bot.*, *Ecballium elaterium*), squirting cucumber **2** (*anche f.*) gossipmonger; scandalmonger; backbiter.

sputnik m. inv. (*aeron.*) sputnik.

spùto m. spit Ⓤ; spittle Ⓤ; saliva Ⓤ; gob of spit; (*med.*) sputum*: **appiccicare qc. con lo s.**, to stick sb. with spit (*o with saliva*); (*anche fig.*) **ricoprire q. di sputi**, to spit in sb.'s face ● (*fig.*) **a uno s. (da)**, within spitting distance (of) □ (*fig.*) **fatto con lo s.**, precarious-looking; rickety; flimsy.

sputtanaménto m. (*volg.*) **1** (*di altri*: *diffamazione*) slandering, vilifying; (*denuncia*) exposing, disgracing **2** (*di sé stesso*) disgrace; loss of face.

sputtanàre (*volg.*) Ⓐ v. t. **1** (*diffamare*) to slander; to vilify; to smear (sb.'s) name **2** (*svergognare*) to expose; to shame Ⓑ **sputtanàrsi** v. i. pron. to disgrace oneself; to lose* face; to fuck up (*volg.*).

squadernàre v. t. **1** to spread* open; to open out: *Mi squadernò la lettera davanti agli occhi*, he spread the letter open before my eyes; he put the letter under my nose **2** (*fig.*: *dire apertamente*) to say [to tell*] frankly (*o openly*); to reveal: *Gli ho squadernato ogni cosa*, I told him everything.

squàdra ① f. (*da disegno*) square: **s. a 45 gradi** (*o zoppa*), mitre square; **s. a T** (*o dop-**pia*), T-square; **s. battente**, try square; **s. da falegname**, framing square; **s. falsa**, bevel square; **s. fissa**, try square; set square ● **a s.**, at right angles; square □ (*fig.*) **con s. e compasso**, very meticulously □ **fuori s.**, out of square; out of true; (*fig.*) out of sorts □ **mettere a s.**, to square □ (*fig.*) **uscire di s.**, (*uscire dall'ordine*) to go off the rails, to go astray; (*perdere la pazienza*) to blow one's top, to fly off the handle.

♦**squàdra** ② f. **1** (*gruppo di lavoro*) team; party; crew; outfit (*fam.*); (*di operai*) gang; (*di turno*) shift, relay: **s. di cameramen**, crew of cameramen; **s. di pompieri [di minatori]**, team of firemen [of miners]; **s. di tecnici**, team of technicians; **s. di soccorso**, rescue party; (*di ricerca*) search party; **s. di turno**, duty team; relay team; shift; (*ferr.*) **s. rialzo**, section gang (*USA*); **lavorare a squadre**, to work in teams; **capo s.**, foreman; ganger; **lavoro di s.**, teamwork; **spirito di s.**, team spirit **2** (*fam.*: *gruppo*) bunch; gang; crew: **una s. di ragazzini urlanti**, a bunch (*o a gang*) of screaming kids **3** (*polizia*) squad: **s. antidroga**, drug squad; **s. del buon costume**, vice squad; **s. di pronto intervento**, task force; **s. mobile**, flying squad; **s. speciale**, task force **4** (*mil.*) squad; party: **s. artificieri**, bomb-disposal (*o bomb*) squad **5** (*naut.*) squadron **6** (*sport*) team; side: **s. di calcio [di rugby, di pallacanestro]**, football [rugby, basketball] team; **s. che gioca in casa**, home side; **s. vincente [perdente]**, winning [losing] team (*o side*); **compagno di s.**, team mate; **gioco di s.**, team game; (*fig.*) teamwork **7** (*stor.*) – **s. d'azione fascista**, fascist action squad.

squadràccia f. (*spreg.*) **1** gang; bunch **2** (*stor.*) fascist action squad.

squadràre v. t. **1** (*mettere in squadra*) to square: **s. legname**, to square timber **2** (*tracciare un riquadro su*) to square (off); **s. un foglio**, to square off a sheet of paper **3** (*osservare*) to look (sb.) up and down; to study: **s. q. da capo a piedi**, to look sb. up and down; to give sb. the once-over (*fam.*).

squadràto a. square; (*di pietre, legno, ecc.*) squared.

squadratóre m. squarer.

squadratrìce f. (*falegn.*) squaring machine.

squadratùra f. squaring.

squadrìglia f. (*naut., aeron.*) squadron: **comandante di s.**, (*aeron.*) squadron leader; (*naut.*) commodore.

squadrìsmo m. **1** (*stor.*) fascist action squads (pl.) **2** (*estens.*) use of organized violence against political adversaries.

squadrìsta m. e f. (*stor.*) member of a fascist action squad.

squàdro ① m. **1** (*lo squadrare*) squaring **2** (*agrimensura*) surveyor's cross ● **a s.**, at right angles; square □ **fuori s.**, out of square; out of true; at an angle.

squàdro ② m. (*zool.*, *Squatina squatina*) angel shark; monkfish.

squadróne m. **1** (*mil.*) squadron **2** (*sport*) strong team.

squagliaménto m. melting; liquefying; (*di ghiaccio*) thawing, thaw.

squagliàre Ⓐ v. t. to melt; to liquefy Ⓑ **squagliàrsi** v. i. pron. **1** (*liquefarsi*) to melt; to liquefy; (*di ghiaccio, anche*) to thaw; (*di burro, per il calore*) to run*; (*di crema, ecc.*) to become* runny **2** (*fig., anche* **squagliarsela**: *svignarsela*) to slink* away, to sneak away (*o off*), to do* a bunk (*fam. GB*); (*scappare*) to decamp, to make* off, to clear off, to beat* it (*fam.*), to scram (*fam.*): *Squagliamocela, ragazzi!*, let's beat it, folks!; *L'ha messa incinta e poi se l'è squagliata*, he got her pregnant and then cleared off (*o, GB, did a* bunk).

squalène m. (*chim.*) squalene.

squalìfica f. **1** disqualification; (*sport, anche*) ban: **s. del campo**, home ban; **tre giornate di s.**, a three-day disqualification **2** (*fig.*: *discredito*) discredit.

squalificàbile a. disqualifiable.

squalificànte a. discreditable; shameful.

squalificàre Ⓐ v. t. **1** to disqualify; (*sport, anche*) to ban **2** (*fig.*: *screditare*) to bring* discredit on; to disgrace Ⓑ **squalificàrsi** v. i. pron. to discredit oneself; to bring* discredit on oneself; to disgrace oneself.

squalificàto a. **1** disqualified; (*sport, anche*) banned **2** (*fig.*: *screditato*) discredited; disgraced.

Squalifórmi m. pl. (*zool.*) Squaliformes.

squallidézza f. squalidity; squalidness.

squàllido a. **1** (*desolato*) bleak; dreary; dismal; desolate; cheerless: **spiaggia squallida**, dismal beach **2** (*misero*) drab; miserable; dingy; (*miserabile*) squalid: **periferia squallida**, dingy suburbs (pl.); **stanza squallida**, drab (*o dingy*) room; **squallida stamberga**, squalid hovel; **vivere nella più squallida miseria**, to live in utter squalor **3** (*sordido*) squalid; sordid; seamy: **una squallida storia di sfruttamento**, a squalid story of exploitation.

squallóre m. **1** (*desolazione*) bleakness; dreariness; cheerlessness **2** (*condizione misera*) shabbiness; drabness; (*miseria e abbandono*) squalor **3** (*sordidezza*) squalor; seaminess.

♦**squàlo** m. (*zool.*) shark: **s. azzurro** (*Prionace glauca*), blue shark; **s. balena** (*Rhincodon typus*), whale shark; **s. della Groenlandia** (*Somniosus microcephalus*), Greenland shark; nurse shark; **s. elefante** (*o pellegrino*) (*Cetorhinus maximus*), basking shark; **s. tigre** (*Galeocerdo arcticus*), tiger shark.

squàma f. **1** (*zool.*) scale; plate **2** (*bot.*) squama* **3** (*med.*) scale; scurf; squama* ● **a squame**, scaly; squamous.

squamàre Ⓐ v. t. to scale Ⓑ **squamàrsi** v. i. pron. to scale off; to flake off; to exfoliate.

squamàto a. scaled; scaly; squamous.

squamifórme a. (*biol.*) squamiform.

squamóso Ⓐ a. scaly; scaled; squamous; (*che si sfalda*) flaky: **pelle squamosa**, scaly skin Ⓑ m. (*anat.*) squamosal.

squarciagóla vc. – **a s.**, at the top of one's voice.

squarciaménto m. tearing; rending; ripping.

squarciàre Ⓐ v. t. **1** to tear*; to rend*; to rip; (*con una lama*) to slash: **s. un lenzuolo**, to rip a sheet; *Il folle squarciò la tela con un cacciavite*, the madman slashed the canvas with a screwdriver; *Il sole ha squarciato le nuvole*, the sun has broken through the clouds **2** (*fig., di suono, luce*) to rend*; to shatter: **s. il silenzio**, to rend (*o to shatter*) the silence; *Un lampo squarciò la notte*, a flash of lightning rent the darkness ● (*fig.*) **s. il velo di un mistero**, to unveil a mystery Ⓑ **squarciàrsi** v. i. pron. to be torn; to be rent; to rip: *La vela si squarciò*, the sail was rent; *Le nuvole si squarciarono*, the clouds parted; there was a break in the clouds.

squarciatùra f. **1** (*lo squarciare*) tearing; rending; ripping **2** (*squarcio*) tear; rent; rip.

squàrcio m. **1** (*strappo*) tear; rent; (*taglio*) slash, gash; (*apertura*) break, rift; **uno s. nel vestito**, a tear in the dress; **uno s. nelle nuvole**, a rift (*o a break*) in the clouds; a sunburst; **s. di sole**, ray of sunshine; **aprire uno s. in**, to tear; to open up a gash in; **fare uno s. in**, to tear; to rend; to rip **2** (*fig.*: *brano*) passage; excerpt.

squartaménto m. quartering (*anche il supplizio*); cutting up.

squartàre v. t. **1** to quarter (*anche come supplizio*); to cut* up **2** (*massacrare*) to butcher.

squartaròla → **squatarola**.

squartatóio m. butcher's cleaver; chopper.

squartatóre A a. quartering B m. (f. *-trìce*) quarterer ● Jack lo s., Jack the Ripper.

squartatùra f. quartering; cutting up.

squàrto m. quartering.

squash m. inv. (*sport*) squash.

squassàre v. t. to shake* violently; (*di vento, mare*) to toss; (*tormentare*) to rack: *La barchetta era squassata dalle onde*, the little boat was tossed by the waves; **essere squassato dalla tosse**, to be racked by cough.

squataròla f. (*zool., Squatarola squatarola*) black-bellied plover.

squattrinàto A a. penniless; hard up (*fam.*); broke (*fam.*); skint (*GB fam.*) B m. (f. *-a*) penniless person; pauper.

squèro m. (*region.*) boathouse; boat-shed.

squilibràre A v. t. **1** to unbalance; to put* (*o to throw*) out of balance; to upset **2** (*turbare l'equilibrio mentale*) to unbalance; to derange; to unhinge **3** (*dissestare*) to ruin; to wreck B **squilibràrsi** v. i. pron. to be thrown off balance; to lose* one's balance.

squilibràto A a. **1** (*sbilanciato*) unbalanced; off balance (pred.): **carico s.**, unbalanced load; **alimentazione squilibrata**, unbalanced diet **2** (*mentalmente disturbato*) (mentally) deranged; insane; unhinged: **comportamento s.**, insane behaviour; **mente squilibrata**, deranged mind B m. (f. *-a*) lunatic; madman* (f. madwoman*); nutcase (*fam.*); nutter (*fam. GB*); fruitcake (*fam. USA*).

squilibrio m. **1** (*mancanza di equilibrio*) lack of balance; (*perdita di equilibrio*) imbalance: **lo s. del carico**, the imbalance of the load **2** (*anche s. mentale*) (mental) derangement; lunacy; insanity: **dare segni di s.**, to show signs of insanity **3** (*econ.*) imbalance; disequilibrium; (*sbilancio*) deficit: **s. finanziario**, financial imbalance; **s. tra domanda e offerta**, imbalance between demand and supply; **s. della bilancia commerciale**, trade deficit.

squìlla① f. **1** (*campanella*) (small) bell **2** (*campanaccio dei bovini*) cowbell.

squìlla② f. (*region., zool., Squilla mantis*) squilla; mantis shrimp.

squillànte a. **1** (*di suono*) ringing; (*acuto*) shrill: **voce s.**, ringing voice; **tromba s.**, blaring trumpet; shrill bugle **2** (*di colore*) bright: **verde s.**, bright green.

♦squillàre v. i. to ring*; (*di campana, anche*) to peal; (*di tromba*) to blare: *Le campane squillavano*, the bells were ringing (*o pealing*); *Squillarono le trombe squillarono*, the trumpets blared; there was a flourish of trumpets; *Squillò il telefono*, the telephone rang; *La sua voce squillò nel silenzio*, her voice rang through the silence.

squìllo A m. ring; ringing Ⓤ; (*di campana, risata*) peal; (*di tromba*) blast; blare: **uno s. di campanello**, the ring of a bell; a bell ring; **s. di tromba**, trumpet blast; (*mil.*) bugle call; *Aprì al primo s. di campanello*, she opened the door after the first ring of the bell; *Il telefono fece due squilli*, the telephone rang twice ● (*fam.*) **dare uno s.** (*telefonare*) to give a ring; to ring (up); to give a tinkle (*GB*) □ (*fig.*) **senza squilli di tromba**, without fanfare B a. inv. – **casa s.**, brothel; call house (*USA*); **ragazza s.**, call girl.

squìncio → **sguincio**.

squinternàre v. t. **1** (*un libro, ecc.*) to take* apart **2** (*fig.: scombussolare*) to upset*; to distress.

squinternàto A a. **1** (*di libro, ecc.*) taken apart; (*malconcio*) falling to pieces **2** (*fig.: disordinato*) disorderly; (*strambo*) eccentric, odd; (*mattoide*) crazy, funny in the head (*fam.*), nutty (*fam.*), screwy (*fam.*) B m. (f. *-a*) (*persona stramba*) eccentric person; oddball (*fam.*); crackpot (*fam.*).

squisitaménte avv. **1** exquisitely; (*sommamente*) extremely **2** (*prettamente*) essentially; authentically; uniquely.

squisitézza f. **1** exquisiteness; (*delicatezza*) delicacy, daintiness; (*di sapore*) deliciousness: **s. di sentimenti**, delicacy of feeling; *Che è questo soufflé!*, this soufflé is absolutely delicious **2** (*cosa squisita*) delicacy; dainty.

♦squisìto a. **1** (*eccellente*) excellent; (*prelibato*) delicious, excellent; (*scelto*) choice: **cena squisita**, delicious dinner; **gusto s.**, delicious flavour; *Questa salsa ha un gusto s.*, this sauce tastes delicious; **vino s.**, excellent (*o choice*) wine **2** (*raffinato, perfetto*) exquisite; refined; consummate; (*delicato*) delicate, dainty: **gusto s.**, excellent (*o exquisite*) taste; **maniere squisite**, exquisite (*o perfect*) manners; **padrone di casa s.**, perfect host; **pensiero s.**, delicate thought; **di squisita fattura**, of delicate workmanship.

squittìo m. (*di topo, ecc.*) squeak, squeal; (*di uccello*) cheep, chirp.

squittìre v. i. (*di topo, ecc.*) to squeak, to squeal; (*di uccello*) to cheep, to chirp.

SR abbr. (*Siracusa*) Syracuse.

sradicaménto m. **1** (*lo sradicare*) uprooting; eradication; extirpation **2** (*l'essere sradicato*) uprootedness.

sradicàre A v. t. **1** (*una pianta*) to uproot; to root out; to pull up: **s. un albero**, to uproot a tree; **s. le erbacce**, to pull out weeds **2** (*fig.: eliminare*) to eradicate; to extirpate; to root out; to stamp out: **s. la corruzione**, to stamp out corruption; **s. la superstizione**, to root out superstition; **s. un vizio**, to eradicate a vice **3** (*fig.: togliere, allontanare*) to uproot: **s. q. dal suo ambiente**, to uproot sb. from his environment B **sradicàrsi** v. rifl. e i. pron. (*di pianta*) to become* uprooted **2** (*di persona*) to uproot oneself.

sradicàto A a. **1** (*di pianta*) uprooted **2** (*fig.*) eradicated; extirpated; (*di persona*) uprooted, rootless, déraciné (*franc.*) B m. (f. *-a*) déraciné; rootless person.

sradicatóre A a. uprooting B m. (f. *-trìce*) uprooter.

sragionaménto m. false reasoning Ⓤ; fallacy; error; (*ragionamento strampalato*) raving, nonsense Ⓤ.

sragionàre v. i. to talk nonsense; (*vaneggiare*) to rave, to be incoherent.

SRC sigla (**Santa romana chiesa**) Holy Roman Church.

sregolataménte avv. **1** immoderately; without moderation; intemperately: **bere s.**, to drink immoderately; to drink too much **2** (*in modo dissoluto*) in a disorderly way; wildly: **vivere s.**, to lead a disorderly life.

sregolatézza f. **1** (*l'essere senza regola*) lack of moderation; intemperance **2** (*dissolutezza*) wildness; disorderliness; profligacy; debauchery; licentiousness **3** (*atto sregolato*) excess (spec. al pl.); intemperance Ⓤ.

sregolàto a. **1** (*senza regola*) immoderate; intemperate; given to excess: **essere s. nel bere**, to be an immoderate drinker; to drink too much **2** (*disordinato*) irregular; haphazard **3** (*smodato*) wild; disorderly; undisciplined; profligate; (*dissoluto*) dissolute: **condotta sregolata**, disorderly behaviour; **giovane s.**, wild young man; **fare una vita sregolata**, to lead a disorderly life.

SRI sigla (*stor.*, **Sacro romano impero**) Holy Roman Empire (HRE).

S.r.l. sigla (*comm.*, **società a responsabilità limitata**) limited partnership (Ltd).

srotolaménto m. unrolling; unwinding.

srotolàre A v. t. (*un oggetto arrotolate a tubo*) to unroll, to roll out; (*spago, filo*) to unwind*; (*da un rocchetto, una bobina*) to unreel; (*una fune*) to uncoil; (*una bandiera*) to unfurl B **srotolàrsi** v. i. pron. to unroll; to unwind*; to uncoil; to unreel; to unfurl.

SS sigla **1** (**Santa Sede**) Holy See **2** (**Sassari**) **3** (**strada statale**) national highway **4** (**Sua Santità**) His Holiness (HH).

SS. sigla **1** (*relig.*, **santi**) saints (SS.) **2** (*relig.*, **Santissimo**) Most Holy (SS.).

SSE sigla (*geogr.*, **sud-sud-est**) south-south-east (SSE).

SSN sigla (**Servizio sanitario nazionale**) National Health Service (NHS).

SSO sigla (*geogr.*, **sud-sud-ovest**) south-south-west (SSW).

SSPA sigla (**Scuola superiore della pubblica amministrazione**) higher school of public administration.

SS.RR. sigla (*leg.*, **Sezioni riunite (della Corte di Cassazione)**) joint session (of the Court of Cassation, or the Supreme Court).

sss, **st**, **sst** inter. sh!; hush!; shush!

st. abbr. (**storico**) historical (hist.).

stabbiàre A v. t. **1** (*bestiame*) to fold **2** (*concimare*) to manure B v. i. to be kept (*o to stay*) in a fold.

stabbiatùra f. (*agric.*) manuring.

stàbbio m. **1** (*recinto*) fold; (*porcile*) pigsty **2** (*letame*) manure; dung.

stabbiòlo m. (*porcile*) pigsty; pigpen.

♦stàbile A a. **1** (*saldo, fisso*) stable; steady; firm; solid: **beni stabili**, real estate Ⓤ; **fondamenta stabili**, stable (*o firm, steady*) foundations; **governo s.**, stable government; **scala s.**, steady ladder; **s. nei propositi**, steadfast **2** (*permanente, durevole*) permanent; lasting, settled, fixed; (*regolare*) regular: **dimora s.**, fixed address; fixed abode; **non avere dimora s.**, to have no fixed address; (*mus.*) **direttore s.**, permanent conductor; **lavoro s.**, steady (*o permanent, regular*) job; **pace s.**, lasting (*o enduring*) peace; **popolazione s.**, settled population **3** (*costante*) stable; steady; constant: **carattere s.**, stable character; **mercato s.**, steady (*o stable*) market; **salute s.**, constant good health; **prezzi stabili**, stable prices; **tempo s.**, settled weather; **bel tempo s.**, steady good weather **4** (*di colore*) fast **5** (*fis., chim.*) stable **6** (*teatr.*) repertory (attr.): **compagnia s.**, repertory company; rep (*fam.*); **teatro s.**, repertory theatre B m. **1** (*edificio*) building **2** (*teatr.*) repertory theatre C f. (*teatr.*) repertory company; rep (*fam.*).

♦stabiliménto m. **1** (*lo stabilire*) establishment; institution **2** (*fabbrica*) factory; works (pl. col verbo al sing. o al pl.); (*impianto*) plant: **s. chimico**, chemical plant; **s. di lavorazione**, processing plant; **s. per la produzione della gomma sintetica**, synthetic rubber factory; **s. siderurgico**, iron and steel works; **s. tessile**, textile mill **3** (*fabbricato per servizio di pubblica utilità*) establishment; house: **s. balneare**, bathing establishment; lido; **s. carcerario**, prison; house of correction; **s. penale**, penal colony; **s. termale**, spa **4** (al pl.) (*colonia*) settlements; colonies.

♦stabilìre A v. t. **1** (*determinare, fissare*) to establish; to fix; to set*; to lay* down; (*concordare*) to agree on (*o upon*); (*definire, determinare*) to define; (*accertare*) to establish, to ascertain: **s. un contatto con q.**, to establish a contact with sb.; to contact sb.; **s. una data**, to fix (*o to set*) a date; to agree on a date;

s. la propria dimora in un luogo, to fix one's residence (*o* to take up residence) somewhere; **s. un precedente**, to establish a precedent; **s. il prezzo di qc.**, to fix the price of st.; to set a price on st.; (*concordarlo*) to agree on the price of st.; **s. un primato**, to set a record; **s. la procedura da seguire**, to fix (*o* to settle, to lay down) the procedure to be followed; **s. delle regole**, to establish rules; **s. di chi è la responsabilità**, to ascertain whose responsibility it is; **s. il significato di una parola**, to define the meaning of a word; **s. il valore di qc.**, to establish the value of st. **2** (*istituire*) to establish; (*fondare*) to found: *Riuscimmo a s. una filiale in quella città*, we managed to establish a branch in that city **3** (*decidere*) to decide upon; to resolve; to arrange: **s. il da farsi**, to decide upon what to do; *Stabilì di recarsi a Roma*, he decided to go to Rome; *Stabilimmo di incontrarci di nascosto*, we arranged to meet secretly; *L'incontro fu stabilito per l'indomani*, the meeting was arranged for the following day; *Abbiamo stabilito di fare a metà*, we have agreed to go halves **4** (*deliberare, decretare*) to decree; (*specificare, dichiarare*) to state: *La legge stabilisce che...*, the law decrees that...; *Il contratto stabilisce le date di consegna*, the contract states the delivery dates **B stabilìrsi** v. rifl. to settle; to establish oneself; to set* up house; to locate (*USA*): *Appena sposati si stabilirono a Genova*, after they got married they set up house in Genoa.

stabilità f. **1** (*saldezza*) stability; steadiness; firmness; solidity: **la s. d'un edificio**, the stability of a building; **la s. d'un governo**, the stability of a government **2** (*durevolezza*) permanence; constancy: **la s. di un impiego**, the permanence of a position **3** (*costanza*) stability; steadiness: **s. dei prezzi**, price stability; **s. del tempo**, steadiness of the weather; (*chim.*) **s. chimica**, chemical stability **4** (*aeron., naut.*) stability: **s. direzionale**, directional stability; **s. dinamica [statica]**, dynamic [static] stability **5** (*di colore*) fastness.

stabilìto a. **1** (*fissato*) established, fixed, appointed, set; (*convenuto*) settled, agreed, agreed upon (pred.); (*deciso*) arranged: **l'incontro s.**, the arranged meeting; **le norme stabilite**, the established rules; **l'ora stabilita**, the appointed hour; the set time; **il prezzo s.**, the set price; the agreed price; *Resta s. che...*, it is agreed that... **2** (*definito, sicuro*) definite; certain: *È ormai s. che la vittima...*, it is now definite that the victim... **3** (*dichiarato, specificato*) stated; specified • **l'ordine s.**, the law.

stabilitùra f. (*edil.*) set; white coat.

stabilizzànte A a. **1** stabilizing; steadying **2** (*chim.*) stabilizing **B** m. (*chim.*) stabilizer.

stabilizzàre A v. t. to stabilize; to steady; to give* stability to; (*econ., anche*) to peg, to level: **s. i cambi**, to stabilize (*o* to peg) exchange rates; **s. il mercato**, to peg the market; **s. i prezzi**, to stabilize (*o* to level) prices **B stabilizzàrsi** v. i. pron. to stabilize; to steady; to settle; to level off: *Le condizioni del paziente si sono stabilizzate*, the patient's conditions have stabilized (*o* are now steady); *Il tempo si è stabilizzato*, the weather has settled; *L'inflazione si è stabilizzata sul 2%*, inflation has levelled off at 2%.

stabilizzàto a. stabilized; steady; (*econ., anche*) pegged: **cambi stabilizzati**, steady exchange rates; **prezzi stabilizzati**, pegged prices.

stabilizzatóre A a. stabilizing: **apparecchio s.**, stabilizing apparatus (*o* device); **avere un effetto s.**, to have a stabilizing effect **B** m. **1** (*elettr.*) regulator: **s. di corren-**

te, current regulator; **s. di tensione**, voltage regulator **2** (*naut., aeron.*) stabilizer: **s. automatico**, automatic (*o* built-in) stabilizer; (*aeron.*) **s. orizzontale**, tailplane **3** (*chim.*) stabilizer.

stabilizzazióne f. stabilization; (*econ., anche*) pegging: **s. dei prezzi**, price stabilization (*o* pegging); pegging of prices; **s. dei salari**, wage stabilization.

stabilménte avv. **1** steadily; firmly **2** (*permanentemente*) permanently.

stabulàre ① (*zootecnia*) **A** v. t. **1** (*bestiame*) to stable; to stall **2** (*pesci*) to farm **B** v. i. to stable; to live in a stable.

stabulàre ② a. stable (attr.).

stabulàrio m. **1** (*stalla*) public stable; pound **2** (*canile*) dog pound.

stabulazióne f. (*zootecnia*) **1** (*di bestiame*) stabling; stalling **2** (*di pesci*) fish-farming.

stacanovìsmo m. **1** (*stor.*) Stakhanovism **2** (*iron., sul lavoro*) workaholism; (*estens.*) overzealousness, overeagerness.

stacanovìsta A m. e f. **1** (*stor.*) Stakhanovite **2** (*iron., sul lavoro*) workaholic; eager beaver; (*estens.*) tireless person: **uno s. della penna**, a tireless writer **B** a. → **stacanovìstico**.

stacanovìstico a. **1** (*stor.*) Stakhanovite; Stakhanovist **2** (*iron.*) overzealous; overeager; tireless.

staccàbile a. detachable; separable; removable; (*giorn.*) pull-out (attr.): **fodera s.**, detachable lining; **inserto s.**, pull-out supplement; **quaderno a fogli staccabili**, loose-leaf notepad.

♦**staccàre A** v. t. **1** (*togliere*) to take* off; to detach; to remove; (*tirare giù*) to take* down; (*cogliere*) to pick; (*scollare*) to peel off, to unstick* ; (*scucire*) to unstitch; (*sganciare*) to unhook, to uncouple, (*animali*) to unyoke, to unharness, to unhitch; (*slegare, sciogliere*) to unfasten, to untie; (*spezzare*) to break* off; (*strappar via*) to tear* off (*o* out), to pull off (*o* out); (*tagliar via*) to cut* off: **s. un bottone**, to take off a button; **s. i buoi**, to unyoke the oxen; **s. i cavalli**, to unharness the horses; **s. un'etichetta**, to remove (*o* to peel off) a label; **s. un foglio dal calendario**, to tear off a leaf from the calendar; **s. le maniche di un vestito**, to unstich the sleeves of a dress; **s. una maniglia**, to take off a handle; **s. gli occhi da qc.**, to take one's eyes off st.; **s. l'orologio dalla catena**, to unfasten the watch from the chain; **s. una pagina da un blocco**, to tear a page out of a notebook; **s. una pesca dal ramo**, to pick a peach from the branch; **s. i petali di una margherita**, to pull off the petals of a daisy; to pull the petals off a daisy; **s. un pezzo di qc. con un morso**, to bite* off a piece of st.; **s. un quadro dalla parete**, to take a picture off the wall; to take down a picture (from the wall); **s. un rimorchio**, to unhook a trailer; **s. le tende**, to take down the curtains; **s. un tagliando**, to detach a coupon; **s. la tappezzeria**, to remove (*o* to tear off) the wallpaper; **s. un vagone**, to uncouple a carriage **2** (*scostare*) to move away; to pull away: **s. una sedia dal muro**, to move a chair away from the wall **3** (*separare, allontanare*) to separate; (*portar via*) to take* away; (*isolare*) to isolate, to cut* off: *Fu staccato dai suoi in tenera età*, he was separated from his parents at an early age; *Lo staccarono a forza dal padre*, they tore him away from his father **4** (*distanziare*) to leave* far behind; to outdistance; to outstrip: **s. gli avversari**, to leave one's opponents far behind; to outdistance one's opponents; **s. tutti gli concorrenti**, to outstrip all one's competitors **5** (*scollegare, sconnettere*) to disconnect; (*togliendo la spina*) to unplug; to cut* off: **s. la batteria**, to dis-

connect the battery; **s. la corrente**, to disconnect the power; (*cessare la fornitura*) to cut off the power; (*cessare di stiro*) to unplug the iron; (*autom.*) **s. la frizione**, to disengage the clutch; (*sollevare il pedale*) to release the clutch; **s. la spina**, to pull the plug out; to unplug (st.); **s. il telefono**, to disconnect (*o* to unplug) the telephone **6** (*mus.*) to play staccato; to sing* staccato: **s. le note**, to play [to sing] staccato • **s. un assegno**, to draw a cheque □ **s. le parole**, to pronounce each word clearly **B** v. i. **1** (*risaltare*) to stand* out: *Questo colore stacca bene sul verde del fondo*, this colour stands out well against the green background **2** (*fam.: cessare il lavoro*) to stop work; to go* off duty; to knock off (work) (*fam.*); to clock off (*o* out) (*fam.*); (*fare una pausa*) to take* a break, to take* five (*fam.*): *Stacca sempre mezz'ora prima degli altri*, she always knocks off half an hour before the rest; *Stacchiamo un momento!*, let's take a break! **C staccàrsi** v. i. pron. **1** (*separarsi*) to part (from); to detach oneself (from); to leave* (sb., st.); (*di gruppo, paese*) to break* away (from), to secede (from); (*fig.: rinunciare a*) to forsake* (st.), to give* up (st.): **staccarsi dalla famiglia**, to part from one's family; to leave one's family; **staccarsi a fatica** (*o* **con dolore**) **da**, to tear oneself away from; **staccarsi dai piaceri del mondo**, to give up worldly pleasures; to turn one's back on the world **2** (*di cosa: venir via*) to come* off (*o* out, away); to come* unstuck; to come* loose; to get* (*o* to become*) detached; (*di cosa incollata*) to peel off; (*sciogliersi, slegarsi*) to break* loose, to break* away; (*sganciarsi*) to get* (*o* to come*) unhooked: *Mi si è staccato un bottone dalla giacca*, a button has come off my jacket; *Questa etichetta si sta staccando*, this label is coming off (*se incollata* peeling off); *La torta non si è staccata bene*, the cake didn't come away cleanly; *Il quadro è caduto perché si è staccato il chiodo*, the picture fell because the nail came out; *La spina si è staccata dalla presa*, the plug came out of the socket; *È un mistero come questa vettura si sia staccata*, it's a mystery how this carriage came (*o* got) unhooked **3** (*elettr.: sconnettersi*) to come* unplugged: *Si è staccato l'asciugacapelli*, the hairdrier has come unplugged **4** (*allontanarsi, scostarsi*) to move away; to pull away; (*sollevarsi*) to lift, (*di aereo*) to take* off, to become* airborne: *La nave si stava staccando dal molo*, the ship was pulling away from the pier; *La mongolfiera si staccò adagio da terra*, the balloon lifted slowly into the air; *Come ci staccammo da terra tutte le luci si spensero*, the moment we became airborne all the lights went out **5** (*spec. sport: distanziare*) to break* away; to pull ahead (of): *Il corridore tedesco si è staccato dal gruppo*, the German runner has broken away from the group **6** (*essere differente*) to differ; to be different: *Queste due lingue non si staccano molto l'una dall'altra*, these two languages are not very different from each other.

staccàto A a. **1** loose; unstuck; off (pred.); (*scollegato*) disconnected, unplugged; (*mecc.*) disengaged **2** (*isolato*) detached **3** (*mus.*) staccato: **note staccate**, staccato notes **B** m. (*mus.*) staccato.

stàccio e deriv. → **setaccio**, e deriv.

staccionàta f. **1** (wooden) fence; paling; palisade; stockade; (*di cantiere edile*) hoarding **2** (*equit.*) rails (pl.).

stàcco m. **1** (*distacco*) detachment; separation **2** (*intervallo*) break; gap; space; hiatus; interval; (*pausa*) pause: (*radio, TV*) **s. pubblicitario**, commercial break; **uno s. tra due capoversi**, a space between two paragraphs; *Facciamo uno s.*, let's have a break; let's take five (*fam.*) **3** (*divario*) difference,

gap; (*contrasto*) contrast; (*risalto*) relief, prominence: **fare s.**, to stand out; to contrast; to be conspicuous **4** (*mecc.*) disengagement **5** (*cinem.*) cut **6** (*sport*: *salto*) take-off.

stadèra f. steelyard ● **s. a ponte**, weighbridge.

stàdia f. (*topogr.*) levelling rod; levelling staff; stadia.

♦**stàdio** m. **1** (*antica misura greca*) stadium* **2** (*archeol.*) stadium* **3** (*sport*) stadium*; ground: **s. coperto**, in-door stadium **4** (*fig.*: *periodo, fase*) stage; period; phase: **s. di sperimentazione**, experimental phase; **a uno s. avanzato**, at an advanced stage; **allo s. iniziale**, at an early stage; in its early stages; **all'ultimo s.**, in its final stage **5** (*miss.*) stage: **razzo a tre stadi**, three-stage rocket **6** (*elettron.*) stage.

staff (*ingl.*) m. inv. **1** (*personale*) staff*; personnel **2** (*gruppo, équipe*) team; party: **uno s. di tecnici**, a team of technicians.

stàffa ① f. **1** (*equit.*) stirrup: **perdere le staffe**, to lose one's stirrups; (*fig.*) to lose one's temper; to fly off the handle (*fam.*); **reggere la s.** (*a chi monta*), to hold the stirrup (for); **cinghia della s.**, stirrup leather **2** (*predellino di carrozza*) footboard **3** (*sottopiede*) foot-strap **4** (*della vanga*) footrest (of a spade) **5** (*mecc., edil.*) clamp; stirrup; strap **6** (*metall.*) frame; moulding box **7** (*naut.*) clamp **8** (*alpinismo*) étrier (*franc.*); stirrup (*USA*) **9** (*banca*) – **s. scalare**, interest table ● **bicchiere della s.**, one for the road; **stirrup cup** □ (*fig.*) **essere con il piede nella s.**, to be ready to leave □ (*fig.*) **tenere il piede in due staffe**, to run with the hare and hunt with the hounds.

stàffa ② f. (*anat.*) stirrup (bone); stapes*.

staffàle m. footrest (*of a spade*).

staffàre v. t. (*edil.*) to clamp; to stirrup.

staffàto a. (with one's foot) caught in the stirrup.

staffatùra f. (*mecc., edil.*) clamping; stirruping.

staffétta Ⓐ f. **1** dispatch rider; courier; (*battistrada*) outrider **2** (*sport*: *la gara*) relay (race); (*la specialità*) relay racing; (*la squadra*) relay team; (*sci*) **s. alpina**, ski relay race; (*nuoto*) **s. mista**, medley relay; (*nuoto*) **s. stile libero**, freestyle relay; 4 × 200-metre relay; **corsa s.**, relay race; **gli 800 a s.**, the 4 × 800-metre relay **3** (*avvicendamento*) alternation Ⓑ a. inv. – (*ferr.*) **locomotiva s.**, pilot engine; (*sport*) **vettura s.**, pace car.

staffettista m. e f. (*sport*) relay runner (*o* racer).

staffière m. **1** (*palafreniere*) groom **2** (*servitore di casa signorile*) footman*; lackey.

staffilàre v. t. **1** to whip; to lash; to flog; to scourge **2** (*fig.*) to lash; to castigate.

staffilàta f. **1** (*colpo di staffile*) lash (of the whip): *Gli furono date dieci staffilate*, he was given ten lashes **2** (*calcio*) powerful shot; scorcher **3** (*fig.*: *dolore acuto*) shot of pain **4** (*fig.*: *critica bruciante*) harsh criticism Ⓤ; ruthless attack.

staffilatóre m. (f. **-trìce**) flogger.

staffile m. **1** (*sferza*) whip; lash **2** (*di staffa*) stirrup leather; stirrup strap.

stafilino ① m. (*zool., Ocypus olens*) devil's coach-horse.

stafilino ② a. (*anat.*) uvular.

stafilocòccico a. (*biol.*) staphylococcal.

stafilocòcco m. (*biol.*) staphylococcus*.

stafilòma m. (*med.*) staphyloma.

stafişàgria f. (*bot., Delphinium staphisagria*) stavesacre.

stage (*franc.*) m. inv. unpaid work experience; internship (*USA*) ❶**FALSI AMICI** ● **stage** *non si traduce con* stage.

stagflazióne f. (*econ.*) stagflation.

staggiàre v. t. (*agric.*) to prop up.

stàggio m. **1** post; upright; support **2** (*di scala a pioli*) stile **3** (*di sedia*) back upright **4** (*ginnastica*) wooden bar.

stagionàle Ⓐ a. seasonal: **andamento s.**, seasonal trend; **lavori stagionali**, seasonal jobs; **malattie stagionali**, seasonal diseases; activities; **migrazione s.**, seasonal migration; **occupazione s.**, seasonal employment; (*sport*) **primato s.**, best result of the season Ⓑ m. e f. seasonal worker.

stagionaménto m. → **stagionatura**.

stagionàre Ⓐ v. t. to season; (*all'aria aperta*) to weather; (*formaggio, ecc.*) to ripen, to mature; (*enologia*) to age: **s. il legname**, to season (*o* to weather) timber; **s. il vino**, to age wine Ⓑ v. i., **stagionàrsi** v. i. pron. to season; to weather; to ripe; to mature; to age.

stagionàto a. **1** seasoned; (*all'aria aperta*) weathered; (*di formaggio, ecc.*) ripe, mature; (*di vino, ecc.*) mature, aged: **legno ben s.**, well-seasoned wood; **vino s.**, mature (*o* aged) wine **2** (*scherz.*: *attempato*) getting on in years (pred.); rather long in the tooth (pred.).

stagionatóre m. (f. **-trìce**) seasoner.

stagionatùra f. seasoning; (*all'aria aperta*) weathering; (*di formaggio, ecc.*) ripening, maturing; (*enologia*) ageing: **s. del legname**, seasoning (*o* weathering) of timber.

♦**stagióne** f. **1** (*suddivisione dell'anno*) season: **la s. asciutta**, the dry season; **la s. delle piogge**, the rainy (*o* wet) season; the rains; **la s. estiva**, summertime; **la s. invernale**, wintertime; **la s. primaverile**, springtime; **a inizio s.**, early in the season; **a s. avanzata**, late in the season; **il ciclo (*o* l'avvicendarsi) delle stagioni**, the cycle of seasons **2** (*condizioni atmosferiche*) weather: **la bella s.**, fine weather; spring and summer; **la brutta s.**, bad weather; autumn and winter; **la s. calda**, hot weather; **la s. fredda**, cold weather; *Abbiamo avuto una bella s.*, we have had lovely weather **3** (*periodo*) season; time: **la s. balneare**, the bathing season; (*zool.*) **la s. degli amori**, the mating season; **la s. del raccolto**, harvest time; **s. morta**, dead (*o* dull, off) season; slack time; **la s. turistica**, the tourist season; **alta s.**, high season; peak season; **prezzi di alta s.**, peak (*o* peak-season) prices; **bassa s.**, low season; off season; **prezzi di bassa s.**, off-season prices; *Non è la s. per fare i bagni*, this is not the right season for bathing; *La s. della caccia è aperta*, it is open season **4** (*teatr.*) season: **la s. lirica** [**concertistica**], the opera [concert] season; *È scritturata per tutta la s.*, she has been engaged for the whole season ● (*fig.*) **aver fatto la propria s.**, (*essere superato*) to have had one's day; (*essere un po' malconcio*) to have seen better days □ **di s.**, in season; seasonal (agg.): **frutta di s.**, fruit in season; **lavori di s.**, seasonal jobs □ **fuori s.**, out of season □ **mezza s.**, spring and autumn □ **per tutte le stagioni**, for all seasons; all-weather □ **saldi di fine s.**, end-of-season sales □ **vestiti di mezza s.**, lightweight clothes.

stagirita m. e f. (*abitante di Stagira*) Stagirite ● **lo S.** (*Aristotele*), the Stagirite.

stagista m. e f. unpaid trainee; intern (*USA*).

stagliàre Ⓐ v. t. to hack; to hew Ⓑ **stagliàrsi** v. i. pron. to be silhouetted; to stand* out: **stagliarsi contro il cielo**, to be silhouetted against the sky.

stagliàto a. silhouetted; outlined: **s. contro il cielo**, silhouetted against the sky.

stàgna f. jerry can; jerrycan.

stagnàio m. tinsmith; tinman*; (*calderaio*) tinker.

stagnaménto m. (*il ristagnare*) stagna-

tion; stagnating.

stagnànte a. **1** stagnant; stagnating; (*di acqua anche*) brackish **2** (*fig.*) stagnating; slack; dull; sluggish: **commercio s.**, slack trade; **economia s.**, stagnating economy; **mercato s.**, dull (*o* sluggish) market.

stagnàre ① v. t. **1** (*rivestire di stagno*) to tin, to tin-plate; (*saldare*) to solder **2** (*chiudere ermeticamente*) to make* watertight.

stagnàre ② Ⓐ v. t. (*arrestare il flusso di*) to stop (the flow of); (*sangue*) to staunch, to stanch Ⓑ v. i. to stop flowing.

stagnàre ③ v. i. **1** (*di acqua*) to stagnate; (*di fumo, odore*) to hang* **2** (*fig.*) to stagnate; to be slack.

stagnàta f. (quick) soldering.

stagnàto a. **1** (*rivestito di stagno*) tinned, tin-plated; (*saldato*) soldered: **lamiera stagnata**, tin-plate **2** (*chiuso ermeticamente*) watertight.

stagnatùra f. tinning; tin-plating; (*saldatura*) soldering.

stagnazióne f. (*anche econ.*) stagnation.

stagnicoltóre m. (f. **-trìce**) fish farmer.

stagnicoltùra f. fish-farming.

stagnìna f. (*recipiente*) tin (can).

stagnìno → **stagnaio**.

stàgno ① m. (*chim.*) tin: **s. in fogli**, sheet tin; **s. in pani**, block tin; **rivestire di s.**, to tinplate; **saldare a s.**, to solder; **miniera di s.**, tin mine; **saldatura a s.**, soldering.

♦**stàgno** ② m. (*distesa d'acqua*) pond; pool.

♦**stàgno** ③ a. (*a tenuta d'acqua*) watertight; (*a tenuta d'aria*) airtight, hermetic: **s. al gas**, gastight; **chiusura stagna**, airtight closure (*o* seal); **compartimento s.**, watertight compartment; **paratia stagna**, watertight bulkhead.

stagnòla f. (*anche agg.*: **carta s.**) (*per confezioni*) foil, silver paper; (*cucina*) baking foil, tin foil, foil.

stàio m. (pl. **staia**, f., *nella def. 1*; **stai**, m., *nella def. 2*) **1** (*misura di capacità*) bushel **2** (*recipiente*) bushel.

stalagmìte f. (*geol.*) stalagmite.

stalagmìtico a. stalagmitic.

stalagmòmetro m. (*fis.*) stalagmometer.

stalammìte → **stalagmite**.

stalattìte f. (*geol.*) stalactite.

stalattìtico a. stalactitic.

Stalingràdo f. (*stor.*) Stalingrad.

staliniàno a. (*stor.*) Stalinist.

stalinìsmo m. (*stor.*) Stalinism.

stalinìsta m. e f. (*stor.*) Stalinist.

stalinizzàre v. t. (*stor.*) to Stalinize.

stalinizzazióne f. (*stor.*) Stalinization.

♦**stàlla** f. **1** (*per bovini*) cattleshed, cowshed, byre; (*per cavalli*) stable; (*per pecore*) sheepfold: **mozzo di s.**, stable boy **2** (*bestiame*) livestock; cattle ● **La tua stanza sembra una s.**, your room is like a pigsty □ (*prov.*) **chiudere la s. dopo che i buoi sono scappati**, to shut (*o* to bolt) the stable door after the horse has bolted.

stallàggio m. **1** stabling; livery **2** (*la spesa*) stabling (*o* livery) charge.

stallàre v. i. (*aeron.*) to stall.

stallàtico Ⓐ a. stable (attr.): **concime s.**, (stable) manure Ⓑ m. **1** (*concime*) (stable) manure **2** → **stallaggio**.

stallàzzo → **stallaggio**.

stalleréccio a. stable (attr.).

stallìa f. (*naut.*) lay-days (pl.): **stallìe** (*o* **giorni di s.**), lay-days.

stallière m. stableman*; stable boy; groom.

stallìno a. stalled; stall-reared: **cavallo s.**, stalled horse.

stàllo ① m. **1** (*seggio*) stall; seat: **s. di coro**,

choir stall **2** (*scacchi*) stalemate **3** (*fig.*) stalemate; deadlock: **fase** (*o situazione*) **di s.**, stalemate; deadlock; **essere in una situazione di s.**, to be in a stalemate; **mettere in una situazione di s.**, to stalemate; **superare uno s.**, to break a deadlock.

stàllo② m. (*aeron.*) stall: **andare in s.**, to stall; **uscire da uno s.**, to get out of a stall.

stallòggi m. inv. (*bot.*, *Aristolochia clematis*) birthwort.

stallóne m. **1** stallion; stud horse **2** (*scherz.*, *di uomo*) stud.

♦**stamàne**, **stamàni**, **stamattìna** avv. this morning: *L'ho visto s.*, I saw him this morning.

stambécco m. (*zool.*, *Capra ibex*) ibex; steinbock; rock-goat.

stambèrga f. hovel; shanty.

stambùgio m. cubbyhole; hole.

stamburaménto m. **1** drumming; drumbeats (pl.) **2** (*fig.*) trumpeting (about); ballyhoo; hype (*fam.*).

stamburàre A v. i. to drum away B v. t. (*fig.*) to trumpet (about); to hype (*fam.*).

stamburàta f. **1** drumming; (*rullo di tamburi*) roll of drums **2** (*fig.*) trumpeting; ballyhoo; hype (*fam.*).

stàme m. **1** (*di lana*) fine carded wool **2** (*estens.: filo*) thread; warp: (*fig.*) **lo s. della vita**, the thread of life **3** (*bot.*) stamen*.

stamìgna, **stamìna** f. (*ind. tess.*) **1** (*per fare stacci, colini, ecc.*) etamine **2** (*per bandiere, ecc.*) bunting.

staminàle① m. (*naut.*) futtock.

staminàle② a. **1** (*bot.*) staminal **2** (*biol.*) – **cellula s.**, stem cell.

stamìneo a. (*bot.*) **1** staminal **2** (*che ha stami*) staminate.

staminìfero a. (*bot.*) staminate.

♦**stàmpa** f. **1** (*arte, tecnica; operazioni, anche fotogr.*) printing: **s. a caratteri mobili**, movable-type printing; **s. a contatto**, contact printing; (*comput.*) **s. a getto d'inchiosto**, ink-jet printing; **s. a incavo**, intaglio printing; **s. a mano**, hand printing; **s. a rilievo**, relief printing; letterpress; **s. in offset**, offset process; **s. su tessuto**, textile printing; **fresco di s.**, off (*o* straight from) the press; newly printed; **andare in s.**, to go to press; **al momento di andare in s.**, at presstime; **dare alle stampe**, to print; to publish; **in (corso di) s.**, in the press; being printed; *Il libro è già in s.*, the book is already being printed; **mandare in s.**, to send to press; **mandare in s. in tutta fretta**, to rush to print; **carattere di s.**, type; **carta da s.**, printing paper; **errore di s.**, misprint; printing error; **l'invenzione della s.**, the invention of printing; **inchiostro da s.**, printing (*o* printer's) ink; **macchina da s.**, printing press; **prove di s.**, proofs **2** (*caratteri o figure stampati*) print: **s. chiara [grande, piccola]**, clear [large, small] print **3** (*al pl.: materiale stampato*) printed matter Ⓤ: **s. pubblicitaria**, advertising matter; (*spreg.*) junk mail; (*nelle spedizioni postali*) «**Stampe**», «Printed Matter» **4** (*pubblicazioni giornalistiche*) press; (*di contro alla televisione*) print media (pl.); (*quotidiani*) newspapers (pl.), papers (pl.); (*riviste*) magazines (pl.): **s. estera**, foreign press; **s. locale [nazionale]**, local [national] press; **s. periodica**, periodical press; periodicals (pl.); **s. rosa**, women's magazines; **s. scandalistica**, gutter press; yellow press; **avere** (*o godere*) **buona s.**, to have a good press; *Ne ha parlato tutta la s.*, all the papers were full of it; **comparire sulla s.**, to appear in the papers; **addetto s.**, (*di politico, ecc.*) press aid (*o* attaché, secretary); (*di attore e sim.*) press agent; **agenzia di s.**, press (*o* news) agency; **campagna di s.**, press campaign; **comunicato s.**, press release; **le leggi sulla s.**, press laws; **libertà di s.**, free-

dom (*o* liberty) of the press; **magnate della s.**, press baron **5** (*giornalisti*) press: **s. accreditata**, press corps; *La s. fu invitata al ricevimento*, the press was invited to the reception; **circolo della s.**, press club; **conferenza s.**, press conference; **sala s.**, pressroom; **tribuna della s.**, (*polit.*) press gallery; (*sport*) press box; **ufficio s.**, press office **6** (*riproduzione*) print; (*incisione*) engraving; (*litografia*) lithograph: **una s. del Settecento**, an 18-century print (*o* engraving) **7** (*fotografia*) print: **stampe a colori**, colour prints **8** (*fig.: genere*) kind; sort ❶ **FALSI AMICI** • **stampa** *non si traduce con* **stamp**.

stampàbile a. (*pronto per la stampa*) ready for printing; (*pubblicabile*) printable; (*meritevole di pubblicazione*) fit to be printed: **non s.**, unprintable; unfit to be printed.

stampàggio m. **1** (*metall.*) pressing; (*con maglio*) drop-forging: **s. a caldo**, hot-pressing; press-forging **2** (*della plastica*) moulding.

stampànte A a. printing B f. (*comput.*) printer: **s. ad aghi**, dot-matrix printer; **s. a getto d'inchiostro**, ink-jet printer; **s. a matrice**, matrix printer; **s. a punti**, dot printer; **s. elettrostatica**, electrostatic printer; **s. laser**, laser printer.

♦**stampàre** A v. t. **1** (*imprimere, anche fig.*) to imprint; to print; to impress: **s. qc. nella mente**, to impress st. on sb.'s mind; *Gli stampò un bacio sulla guancia*, she planted a kiss on his cheek; *Stampatelo bene in testa!*, get this into your head! **2** (*tipogr., fotogr., ind. tess.*) to print; (*comput.*) to print out: **s. banconote**, to print banknotes; **s. gli indirizzi sulle buste**, to print the addresses on the envelopes; **s. un giornale [un libro]**, to print a newspaper [a book]; **s. volantini**, to print (*o* to run off) leaflets; **s. un tessuto**, to print a fabric; **s. a mano**, to print by hand; **s. a colori**, to print in colour; *Si stampi* (*su una bozza*), passed for printing; **dare il si stampi**, to approve for printing **3** (*pubblicare*) to publish; to print: *Vuole s. le sue poesie*, he wants to publish his poems (*o* to have his poems published); *La loro casa editrice ha stampato molte opere teatrali*, their publishing house has published many theatrical works **4** (*mecc.*) to press; to forge; (*plastica*) to mould: **s. a caldo** (*con la pressa*), to hot-press; to press-forge; **s. a mano**, to swage; (*con la pressa*, *o* stampo) **5** (*coniare*) to coin; to strike*: **s. medaglie [monete]**, to coin (*o* to strike) medals [coins] B **stampàrsi** v. i. pron. (*fig.*) to print itself; to become* impressed (*o* imprinted): *Quelle parole gli si stamparono nella mente*, those words printed themselves on his memory ❶ **FALSI AMICI** • **stampare** *non si traduce con* **to stamp**.

stampàta f. (*comput.*) printout.

stampatèllo A m. block capitals (pl.); block letters (pl.): **scrivere in s.**, to write in block capitals; **to print** B a. block (attr.).

♦**stampàto** A a. **1** (*pubblicato a stampa*) printed; (*pubblicato*) published, out (pred.), in print (pred.): **materiale s.**, printed matter; **testo s.**, printed text **2** (*ind. tess.*) printed; print (attr.): **cotone s.**, print cotton; **stoffa stampata**, printed fabric; print **3** (*fig.: impresso*) printed; impressed; imprinted; stamped: **s. nella memoria**, printed in one's memory; **s. in mente**, imprinted (*o* impressed) on one's mind; **avere** (*o portare*) **qc. s. in viso**, to have st. printed all over one's face **4** (*mecc.*) pressed; forged; (*di plastica*) moulded **5** (*coniato*) coined; struck **6** (*elettron.*) printed: **circuito s.**, printed circuit B m. **1** (*testo*) printed text; (*foglio con testo*) handout; (*volantino*) leaflet, handbill, flyer (*USA*) (*opuscolo*) booklet, brochure; (al pl.: *stampe*) printed matter Ⓤ: **stampati pubblicitari**, advertising matter Ⓤ; (*nelle spedi-*

zioni postali) «**Stampati**», «Printed Matter» **2** (*modulo*) (printed) form **3** (*comput.*) printout; hard copy **4** (*ind. tess.*) print.

stampatóre m. (f. **-trice**) **1** (*tipografo*) printer; pressman* **2** (*ind. tess.*) printer **3** (*mecc.*) hammerman* (m.).

stampatrìce f. **1** (*fotogr., cinem.*) printer **2** (*tipogr.*) printing press; press.

stampatùra f. → **stampaggio**.

stampèlla f. **1** crutch: **camminare con le stampelle**, to walk on crutches **2** (*per abiti*) (coat) hanger.

stamperìa f. print shop; (*grossa tipografia*) printing works (pl., col verbo al sing. *o* al pl.); printery (*USA*).

stampìglia f. (*timbro*) stamp; rubber stamp.

stampigliàre v. t. to stamp; to rubber-stamp.

stampigliatrìce f. stamping machine.

stampigliatùra f. stamping; rubber-stamping.

stampinàre v. t. to stencil.

stampinatùra f. stencilling, stenciling (*USA*).

stampìno m. **1** (*cucina*) mould; (*per biscotti*) pastry cutter **2** (*stampiglia*) stamp; rubber stamp **3** (*disegno traforato*) stencil: **decorare con lo s.**, to stencil **4** (*punteruolo*) punch ● (*fig.*) **Sembrano fatti con lo s.**, they are identical; (*di persone*) they are as like as two peas in a pod.

stampista m. (*mecc.*) die-sinker.

stampìta f. (*letter., mus.*) estampie.

stàmpo m. **1** (*cucina*) mould: **s. per dolci**, cake mould **2** (*tecn.*) die; swage; (*forma*) mould, matrix*, cast **3** (*conio*) stamp; (*punzone*) punch **4** (*scult.*) mould; (*calco*) cast **5** (*fig.: indole*) stamp, mould; (*genere, tipo*) kind, sort: **gente di ogni s.**, people of all kinds (*o* sorts); **gente dello stesso s.**, the same sort of people; *Siete tutti dello stesso s. voialtri!*, you are all the same!; **di vecchio s.**, traditional; old-fashioned; **di s. mafioso**, mafia-style (attr.) **6** (*uccello da richiamo*) decoy **7** (*biol., chim.*) template ● (*fig.*) **fatto con lo s.**, mass-produced □ (*fig.*) **Di quelli come lui se n'è perso lo s.**, they don't make them like him any more.

stampóne m. (*tipogr.*) proof-sheet; paste-up.

stanàre v. t. **1** (*caccia*) to drive* out; to rouse; to flush out: *I cani stanarono la volpe*, the dogs roused the fox **2** (*fig.: scovare*) to track down, to run* to ground; (*far uscire allo scoperto*) to bring* into the open, to flush out; (*scherz.: convincere a uscire*) to dig* out: *La polizia li ha stanati finalmente*, the police tracked them down at last; *Non si riesce a stanarlo, è un vero orso*, he's a real bear, you can't dig him out of home.

stànca f. **1** (*di marea*) slack water; (*di fiume o piena*) maximum level: *Il Po è in s.*, the Po is at maximum level **2** (*fig.*) stagnation; slack period: **essere in una fase di s.**, to be going through a slack period.

stancaménte avv. tiredly; (*pigramente*) lazily.

stancànte a. **1** (*faticoso*) tiring; wearisome; exhausting **2** (*noioso*) tiresome; wearisome; tedious; boring: *È un lavoro lento e s.*, it's slow, tiresome work; *Come sei s.!*, how tiresome you are!

♦**stancàre** A v. t. **1** (*rendere stanco*) to tire (out); to weary; to fatigue; to exhaust; (*affaticare*) to strain: **s. i cavalli**, to tire the horses; **s. la mente**, to tire the mind; **stancarsi gli occhi**, to strain one's eyes; **un colore che stanca gli occhi**, a colour that is tiring on the eyes; *Lavorare stanca*, work is tiring; *La passeggiata mi aveva stancato*, the walk had tired me out; *È il troppo lavo-*

ro che ti ha stancato, you have overworked yourself; **un lavoro che stanca**, a wearisome (o tiresome) job 2 (*logorare, fiaccare*) to wear* out; to tire out: **s. l'avversario**, to wear out one's opponent 3 (*annoiare*) to bore; to be tiresome; to weary; to pall; (*stuccare*) to cloy: *Rischi di s. con le tue barzellette*, you can be tiresome with your jokes; **un piacere che non stanca mai**, a pleasure that never palls on you; **un colore che a lungo andare può stancare**, a colour you can grow tired of; *Mi hai stancato a morte*, I'm sick and tired of you B **stancàrsi** v. i. pron. 1 (*affaticarsi*) to get* tired; to tire; to exert oneself; (*essere stanco*) to tire, to be tired: **stancarsi facilmente**, to tire easily; to get easily tired; *Non voglio stancarmi*, I don't want to get tired; *Si stanca a camminare*, walking tires him; *Cerca di non stancarti troppo*, try not to exert yourself too much 2 (*annoiarsi*) to grow* (o to get*) tired (of); to get* bored (with); to get* fed up (with): *Mi sono stancata di questo arredamento*, I've grown tired (o I'm tired) of this furniture; *Si è stancato della moglie*, he grew tired of his wife; *Mi stancai di aspettare*, I got tired of waiting; I got fed up waiting; *Non si stanca mai di ripeterlo*, she never tires of repeating it.

stanchévole→ **stancante**.

stanchézza f. tiredness; weariness; fatigue; exhaustion: **s. fisica**, physical tiredness; bodily fatigue; **s. mentale**, mental fatigue; **morto di s.**, dead tired; exhausted; ready to drop; **sfinito dalla s.**, tired out; worn out; **vinto dalla s.**, overcome by tiredness; **avere una grande s. addosso**, to feel extremely tired; **dare segni di s.**, to show signs of tiredness (o fatigue); *Non mi reggo dalla s.*, I'm so tired I can barely stand; *Che s.!*, I am exhausted!

♦**stànco** a. 1 (*spossato, fiacco*) tired; weary; fatigued; exhausted: **fisicamente [psichicamente] s.**, physically [mentally] tired; **s. morto**, dead tired; exhausted; tired out; fagged out (*fam. GB*); flaked out (*fam.*); knackered (*slang GB*); dead beat (*fam. USA*); pooped (*fam. USA*); **s. per la lunga camminata**, tired for the long walk; **s. per il troppo lavoro**, overworked; **piedi stanchi**, sore (o aching) feet; **voce stanca**, tired voice; *Sono così s. che non riesco nemmeno a scrivere*, I am so tired I can't even write; *Sono troppo s. per proseguire*, I'm too tired to go any further; *Hai gli occhi stanchi*, your eyes look tired 2 (*stufo*) tired (of); fed up (with); bored (with): **s. di parlare**, tired of talking; **s. di vivere** (o **della vita**), tired of life; *Sono s. di lavorare tanto*, I'm tired of working so hard; *Sono s. delle tue lamentele*, I'm tired of (o fed up with) your complaining; *Siamo stanchi della pastasciutta*, we are sick of pasta 3 (*fig.: esaurito, spento*) tired; overworked; exhausted; (*poco attivo*) stagnant, slack, lethargic; (*scialbo*) pale, weak: **uno s. imitatore di Montale**, a pale imitator of Montale; (*comm.*) **mercato s.**, slack market; **terreno s.**, tired (o overworked) soil ● (*scherz.*) **essere nato s.**, to be born lazy.

stand (*ingl.*) m. inv. 1 (*di esposizione*) stand; (*banco di vendita*) stall 2 (*sport: tribuna*) grandstand; stand.

stàndard (*ingl.*) A m. inv. 1 (*modello, norma, tenore*) standard: **s. di vita**, standard of living; **s. comparativo**, comparative standard; **s. elevato**, high standard; (*sport*) **lo s. di un atleta**, an athlete's standard level of performance; **attenersi a uno s. comune**, to follow a common standard 2 (*comm., econ.*) standard: **s. argenteo**, silver standard 3 (*TV*) (TV) line standard B a. (*normale, unificato*) standard, normal; (*comune, tipico*) routine, regular, stock: **costo s.**, standard cost; (*naut.*) **dislocamento s.**, standard dis-

placement; **formato s.**, standard (o normal) size; **lavoro s.**, routine work; **misura s.**, standard size; **procedure s.**, standard procedures; **prodotto s.**, standard product; **risposta s.**, routine (o stock) answer.

standardizzàre v. t. to standardize.

standardizzàto a. standardized.

standardizzazióne f. standardization.

stand-by (*ingl.*) loc. m. inv. e a. inv. (*anche econ., comput.*) standby.

standìsta m. e f. 1 (*titolare*) exhibitor; standholder 2 (*addetto*) stand assistant.

standìstico a. stand (attr.); exhibition (attr.).

stànga f. 1 (*barra per sprangare*) bar: **mettere la s. alla porta**, to bar the door 2 (*di carro*) shaft 3 (*di aratro*) beam 4 (*fig. pop.*) beanpole.

stangàre v. t. 1 (*sprangare*) to bar; to bolt 2 (*percuotere*) to hit* with a bar; to beat* up 3 (*fig.: far pagare troppo*) to sting*; to fleece; (*del fisco*) to bleed*, to soak 4 (*gergo scolastico: bocciare*) to fail; to flunk (*fam.*): **s. un alunno**, to fail a pupil; *Mi hanno stangato in fisica*, I failed (o flunked) physics 5 (*assol.: calcio*) to shoot*.

stangàta f. 1 blow with a bar: **prendersi una s. in testa**, to be knocked (o hit) on the head with a bar 2 (*fig.: batosta*) blow, shock; (*forte spesa*) exorbitant charge, extortionate cost; (*sacrificio economico*) squeeze; (*grossa perdita*) heavy loss: **s. fiscale**, tax squeeze; tough budget; *Il conto fu una s.*, that bill came as a shock; **dare una s.**, to charge an exorbitant price 3 (*gergo scolastico: bocciatura*) failure; flunking Ⓤ: **prendere una s. agli esami**, to fail (o to flunk) the exams 4 (*sport: calcio*) powerful shot; scorcher.

stanghétta f. 1 (*piccola stanga*) small bar 2 (*mecc.*) bolt 3 (*di occhiali*) side, side-piece; arm (*GB*); temple (*USA*): **occhiali a s.**, spectacles 4 (*mus.*) bar line.

stangóne m. 1 (*grossa stanga*) heavy bar 2 (f. **-a**) (*fig. fam.*) beanpole.

Stanislào m. Stanislaus.

stànnico a. (*chim.*) stannic: **acido s.**, stannic acid.

stannìte f. (*chim., miner.*) stannite.

stannóso a. (*chim.*) stannous: **acido s.**, stannous acid.

♦**stanòtte** avv. 1 (*questa notte, la notte che viene*) tonight: *Partiamo s.*, we're leaving tonight; **s. alle tre**, at three in the morning 2 (*la notte passata*) last night: *S. non ho dormito*, I didn't sleep last night.

stànte A a. 1 – **a sé s.**, (*separato, distinto*) separate; distinct; apart (pred.): **un appartamento a sé s.**, a separate flat; **una questione a sé s.**, a separate issue 2 (*corrente*) current: **mese s.**, current month ● **seduta s.** → **seduta** B prep. owing to; because of; on account of; in consideration of; in view of: **s. la pioggia**, owing to the rain; **s. (il fatto) che**, as; since.

stantìo A a. 1 (*non fresco*) stale; old; rancid; (*di odore*) stuffy, musty, fusty: **aria stantia**, stale (o fusty, musty) air; **burro s.**, rancid butter; **pane s.**, stale bread 2 (*fig.: vecchio*) stale, fusty, musty; (*trito, vieto*) hackneyed, hoary, trite, worn-out: **idee stantie**, stale notions; **storiella stantia**, hackneyed (o worn-out) joke B m. (*odore*) stale (o musty) smell; (*sapore*) stale taste: **odore di s.**, stale (o musty) smell; **sapere di s.**, to taste stale.

stantùffo m. (*mecc.*) piston; (*di pressa idraulica, siringa*) plunger: **s. a disco**, flat piston; **s. a pattino**, slipper piston; **s. flottante**, floating piston; **corsa dello s.**, piston stroke; **fascia elastica dello s.**, piston ring; **perno dello s.**, piston pin; **stelo dello s.**,

piston rod.

♦**stànza** f. 1 (*luogo di dimora*) (place of) residence: **prendere s. in un luogo**, to take up one's residence in a place; (*mil.*) **essere di s.**, to be stationed 2 (*ambiente*) room: **s. a pian terreno**, room on the ground floor; downstair (o downstairs, groundfloor) room; **s. ammobiliata**, furnished room; **s. da bagno**, bathroom; **s. da letto**, bedroom; **s. da pranzo**, dining-room; **s. dei bambini**, nursery; **s. degli ospiti**, guest room; spare room; **s. di lavoro**, workroom; **s. di sgombro**, storeroom; **s. di sopra**, upstair (o upstairs) rooms; **s. in affitto**, rented room; lodgings (pl.); **s. sul retro**, back room; **stanze da affittare**, rooms to let; **appartamento di quattro stanze**, four-roomed flat 3 (*banca*) – **s. di compensazione**, clearing house; clearance house 4 (*poesia*) stanza: **s. spenseriana**, Spenserian stanza ● (*fig.*) **s. dei bottoni**, control room; nerve centre □ (*fig.*) **le stanze del potere**, the corridors of power.

stanziàbile a. appropriable; allocable.

stanziàle a. 1 permanent; resident 2 (*mil.*) standing; permanent 3 (*zool.*) resident; sedentary; non-migratory.

stanziaménto m. 1 (*lo stanziare*) appropriation; allocation; (*per fini speciali*) earmarking, setting aside 2 (*somma stanziata*) appropriation; allocation; budget; allocated (o earmarked) sum; (*fondo*) fund: **s. per l'edilizia scolastica**, allocation for school building; **s. pubblicitario**, advertising budget; *Il governo ha approvato uno s. di 10 milioni di euro per...*, the government has earmarked 10m euros for...; **ridurre gli stanziamenti**, to cut allocations (o appropriations) 3 (*lo stabilirsi*) settlement; establishment.

stanziàre A v. t. to appropriate; to allocate; to earmark; to set* apart B **stanziàrsi** v. i. pron. 1 to settle; to establish oneself 2 (*mil.*) to be quartered; to be stationed.

stanziatóre A a. appropriating; allocating B m. (f. **-trice**) appropriator; allocator.

stanzino m. 1 (*ripostiglio*) cubbyhole; (*ripostiglio*) boxroom (*GB*), closet (*USA*) 2 (*eufem.: gabinetto*) lavatory; toilet.

♦**stappàre** A v. t. 1 to uncork; to open; (*togliere il tappo metallico a*) to uncap: **s. una bottiglia di vino**, to uncork (o to open) a bottle of wine 2 (*disotturare*) to clear; to unplug; to unclog: **s. gli orecchi a q.**, to clear sb.'s ears of wax ● **Stappati bene le orecchie**, listen very carefully; pin back your ears (*fam.*) B **stappàrsi** v. i. pron. (*disotturarsi*) to clear; (*di orecchie*) to pop.

star (*ingl.*) f. inv. 1 (*cinem., TV*) star: **s. di Hollywood**, Hollywood star 2 (*naut.*) star.

staràre A v. t. to alter the setting of B **staràrsi** v. i. pron. to lose* its setting.

star del crédere loc. m. (*leg., comm.*) del credere.

♦**stàre** v. i. 1 (*anche starsene: trattenersi, restare*) to stay; to remain; (*in piedi*) to stand*: **s.** (o **starsene**) **a casa**, to stay at home; **s. a letto**, to stay (o to remain) in bed; **s. al sole [all'ombra]**, to stay in the sun [in the shade]; **s. alzato**, to stay up; **s. seduto**, to remain seated; **s. sveglio**, to stay awake; **s. in disparte**, (*stare da una parte*) to stand apart; (*non intervenire*) to stand aside (o by); *Sta' dove sei!*, stay where you are!; *Sta' quanto ti pare!*, stay as long as you like!; *Sta' vicino a me* (o *Stammi vicino*), stay (o keep) close to me; *Sono stato fuori tutta la notte*, I was out all night; *Non starò fuori molto*, I won't be gone for long; *Starò via due giorni*, I'll be away for two days; *Stette lì a capo chino*, he remained (o stood) there with bowed head; *Stette un po' a pensare*, he thought for a moment; *Stette a contem-*

plare il quadro per un pezzo, she stood gazing at the picture for a long time; *Sono dovuta s. a sentire tutta la sua conferenza*, I had to sit through his lecture **2** (*anche* **starsene**: *essere in una data postura*) to be; to keep*, (*in piedi*) to stand*; (*seduto*) to sit*: **s. diritto**, (*in piedi*) to stand up straight; (*seduto in posizione eretta*) to sit up straight; **s. fermo**, to keep still; **s. in ginocchio**, to be kneeling; **s. in piedi**, to stand; **s. in poltrona**, to sit in an armchair **3** (*essere in una data situazione fisica, psicologica, esistenziale, ecc.*) to be; (*sentirsi*) to feel*; (*rif. all'aspetto*) to look; (*anche* **starsene**: *mantenersi*) to be, to keep*: **s. attento**, to be careful; *Sta' attento!*, be careful!; mind what you're doing!; watch out!; **s. a dieta**, to be on a diet; **s. bene**, (*di salute*) to be well, to feel well, to feel all right; (*essere comodo*) to be comfortable; (*rif. all'aspetto*) to look well; (*finanziariamente*) to be well off; **s. comodo**, to be comfortable; **s. in guardia**, to be on one's guard; to be on the look-out (*o* on the alert); **s. in pena per q.**, to worry (*o* to be worried) about sb.; **s. male**, (*essere malato*) to be ill; (*sentirsi male*) to feel ill; (*avere nausea*) to feel sick; (*rif. all'aspetto*) not to look well; (*finanziariamente*) to be badly off; **s. meglio [peggio]**, (*di salute*) to feel better [worse]; (*rif. all'aspetto*) to look better [worse]; (*rif. alle condizioni di vita*) to be better [worse] off; **s. poco bene**, not to feel well; **s. tranquillo**, (*stare calmo*) to be (*o* to keep) calm; (*non preoccuparsi*) not to worry; (*essere sereno*) to be easy in one's mind; **s. zitto**, to keep quiet; to be silent; to hold one's tongue; *Sta' zitto!*, be (*o* keep) quiet!; shut up!; hold your tongue!; **starsene solo**, to be alone; *Come stai?*, how are you; (*come ti senti*) how do you feel?; *Come sto?*, how do I look?; *Stai benissimo!*, you look splendid!; *Come stai a soldi?*, how do are you off for money?; *Stai bene [male] con quel vestito*, that dress suits [doesn't suit] you; you look good [don't look good] in that dress; *Si sta bene qui*, it's nice (*o* pleasant) here; *Stammi bene!*, look after yourself!; take care! **4** (*adattarsi*) to fit; (*armonizzare*) to go* (with), to suit (sb. st.): **s. a pennello**, to fit (sb.) like a glove; to fit (sb.) to a T; *Sta bene qui il quadro?*, does the picture look right here?; *Questo vestito ti sta bene*, this dress suits you (*o* looks good on you); you look good in that dress; *Il giallo mi sta male*, yellow doesn't suit me; *Questa camicetta sta male con i jeans*, this blouse does not go well with jeans **5** (*anche* **starsene**: *essere in luogo, trovarsi*) to be; (*in piedi*) to stand*; (*seduto*) to sit*: **s. al balcone [alla finestra]**, to be on the balcony [at the window]; **s. a scuola**, to be at school; **s. sulla porta**, to stand in the doorway; *La banca sta a pochi metri da qui*, the bank is a few metres from here **6** (*vivere, abitare*) to live; (*essere ospite*) to stay: **s. da solo**, to live on one's own; **s. in campagna**, to live in the country; **s. porta a porta con q.**, to live next door to sb.; *Dove stai di casa?*, where do you live?; *Starò da mia sorella*, I'm going to stay with my sister **7** (*di situazione, cose, ecc.*: *essere*) to be; to stand*: *Così stanno le cose*, that is how things stand; that is the way it is; **stando così le cose**, that being so; that being the case; **dire le cose come stanno**, to be frank; to call a spade a spade; *Qui sta il problema*, that is the problem; *Qui sta il bello!*, (*la difficoltà*) that is the rub!; (*il divertente*) that is the beauty of it!; *Sta di fatto che lui non si è visto*, the fact is he didn't turn up **8** (*dipendere*) to depend (on): *Tutto sta se...*, it all depends on whether... **9** (*spettare, toccare*) to be up (to); to be (for); to lie* (with); (*essere il turno di*) to be (sb.'s) turn: *Sta a lui decidere*, it's up to him to decide; *Non sta a me giudicare*, it's not for me to judge; *Sé stesse a me, direi di no*, if it were up to me, I would say no; *La decisione finale sta al ministro*, the final decision lies with the minister; *Sta a lui dare le carte*, it's his turn to deal **10** (*consistere*) to consist (in); to lie* (in): *Il loro vantaggio sta nel fatto che...*, their advantage lies in the fact that... **11** (*anche* **starci**: *trovare posto*) to fit; to go*: *Ci starà questo in valigia?*, will this fit into the suitcase?; *Cerca di farcelo s.*, try and fit it in; *Ci sta di misura*, it just fits in; *In quanti si sta in ascensore?* how many people can the lift hold?; *Non ci si sta in tre su questo divano*, this sofa does not seat three people; *Vieni, ci stai anche tu*, come, there's room for you too; *In questa scatola non ci sta più niente*, there is no more room in this box; *Ti ci stanno i miei occhiali in borsa?*, can you fit my glasses into your bag?; **quanto ne può s. in un sacco**, as much as a bag can hold **12** (**mat.**, *nelle divisioni, anche* **starci**) to go*, to divide; (*nei rapporti*) to be: *Il 3 nel 15 (ci) sta cinque volte*, 3 goes into (*o* divides into) 15 five times; *Il 7 nel 3 non ci sta*, 7 into 3 won't go; **4 sta a 20 come 3 sta a 15**, 4 is to 20 as 3 is to 15 **13** (*costare*) to cost*: *A quanto sta ora il grano?*, what does wheat cost now?; what's the price of wheat now? **14** (*andare*) to be; to go*: *Sono stato in banca*, I've been to the bank; *In maggio siamo stati in Grecia*, we went to Greece in May; *Sei mai stato in Marocco?*, have you ever been to Morocco? **15** (seguito da un gerundio, per indicare lo svolgersi dell'azione) to be (+ gerundio): *Sto leggendo*, I'm reading; *Sta facendosi buio*, it's getting dark; *Mi sto annoiando*, I'm bored; *Ti stavano chiamando*, they were calling you; *Ti stiamo osservando da tre giorni*, we have been watching you for three days **16** (**s. a** + inf., con significati vari) – **s. ad aspettare**, to hang about waiting; **s. a pensare**, to think; to reflect; *Siamo stati a chiacchierare per mezz'ora*, we chatted for half an hour; *Stammi a sentire!*, listen to me!; *Stiamo a vedere come si comporta*, let's wait and see how she behaves; *Perché stai a discutere con loro?*, why are you wasting your time arguing with them?; *Sta sempre a seccarmi*, he is always bothering me; *Questo sta a dimostrare che non vuole vendere*, this goes to show (that) she does not want to sell; *Sta' a vedere che si rimangia tutto*, I bet he'll go back on his word **17** (**s. per** + inf.: *essere sul punto di*) to be about to; to be on the point of; to be going to; to be ready to: *Sto per uscire*, I'm about to go out; I'm going out; *Stava già per piangere*, he was ready to cry; he was on the verge of tears; *Stavo per rispondere, quando colsi una sua occhiata*, I was about to (*o* I was going to) answer, when I caught his eye; *Come stavo per dire*, as I was going to (*o* was about to) say **18** (*seguire, obbedire*) to follow (out) (st.), to observe (st.), to obey (st.), to stick* (to); (*mantenere*) to keep* (st.), to stand* (by); (*attenersi, credere*) to go* (by); (*fidarsi di*) to rely (on): **s. ai fatti**, to stick (*o* to keep) to the facts; **s. al gioco**, to play the game; **s. alle istruzioni**, to follow the instructions; **s. ai patti**, to stand by an agreement; to keep one's word; to keep a bargain; **s. alle regole**, to observe the rules; to stick to the rules; *Io sto a quello che mi dice lui*, I'm going by what he said to me; *Stando alle tue parole, non dovrei fidarmi di lui*, from what you say, I shouldn't trust him; *Stando alle apparenze, ha ragione lui*, on the face of it, he is right; *Stando a quel che si dice...*, it would seem (*o* it appears) that... **19** (*parteggiare, aderire*) to side (with); to be (on sb.'s side); to adhere (to st.): **s. con un partito**, to adhere to (*o* to side with) a party; *Con chi stai? con me o con lui?*, which side are you on, mine or his? **20** (**starci**: *accettare*) to agree; to go along (with); to be prepared (to); (*partecipare*) to be in (on): *A queste condizioni non ci sto*, on these conditions I can't agree (*o*, *fam.*, it's not on); *Io non ci sto a pagare più degli altri*, I am not prepared to pay more than the others; *Gli facciamo un regalo, ci stai anche tu?*, we're going to get him a present, shall (*o* can) we count you in?; (*eufem.*) *È una che ci sta*, she sleeps around; she's easy **21** (**s. per**: *significare*) to stand* for: *GB sta per Gran Bretagna*, GB stands for Great Britain **22** (*nel gioco*) to stick*: *Sto!*, I'm sticking!; stick! ● **s. a cuore**, to have (st.) at heart; to be keen on (entrambi pers.): *Mi sta a cuore la tua felicità*, I have your happiness at heart; **un progetto che mi sta a cuore**, a plan I'm very keen on □ **s. alla larga**, to keep off; to give (st., sb.) a wide berth □ **s. allo scherzo** → **scherzo** □ (*fig.*) **s. addosso a q.**, to keep on at sb.; to stand over sb.; to breath down sb.'s neck □ **s. bene**, (*andare bene*) to be all right, to be OK; (*essere opportuno, decente*) to be polite, to be good manners, to be done; (*essere di gradimento*) to like (*personale*): *Sta bene!*, all right; fine; very well; OK; *Non sta bene leccarsi le dita*, it is bad manners to lick your fingers; *Non mi sta bene che tu inviti a casa gente senza informarmi*, I don't like (*o* I'm not happy with) your inviting people home without telling me □ **s. bene con q.**, to get on (*o* along) well with sb □ **s. con q.**, (*avere una relazione*) to be seeing sb., to date sb. (*USA*), to go steady with sb.; (*convivere*) to live with sb. □ **s. dietro a q.**, (*seguire*) to follow sb.; (*pedinare*) to tail sb., to shadow sb.; (*sorvegliare*) to keep an eye on sb., to keep tabs on sb.; (*fare la corte a*) to hang around sb. □ **s. senza qc.**, to do without st. □ **s. senza far nulla**, to be doing nothing □ **s. simpatico [antipatico]**, to like [not to like] (pers.): *Mi sta simpatico [antipatico]*, I like [don't like] him □ **s. su**, (*stare in piedi*) to stand up; (*sedere eretto*) to sit straight; (*stare alzato la sera*) to stay up; (*farsi coraggio*) to bear up, to cheer up □ **s. sul chi vive**, to be on the alert (*o* on the look-out) □ **s. sulle generali**, to be vague (about st.); to keep (*o* to stick) to generalities; to be non-committal □ **Sta sulle sue**, he is a bit standoffish □ **Ben ti sta!**, (it) serves you right!; that'll teach you! □ (*fig.*) **far s. q. al suo posto**, to put sb. in his place □ **lasciar s.**, to leave; to leave (*o* to let) (sb., st.) alone: *Lascia s., faccio io*, leave it, I'll do it; *Lascia s. la mia roba!*, leave my stuff alone!; *Lasciami s.!*, leave me alone!; *Lasciamo s. le cose come sono!*, let's leave matters as they stand (*o* are); *Lasciamo s. il fatto che...*, apart from (*o* not to mention) the fact that...; (*iron.*) *Lasciamo s.!*, the least said... □ **saper s. al proprio posto**, to know one's place □ **saper s. a tavola**, to have good table manners: *Non sa s. a tavola*, she has no table manners □ **non s. in sé dalla gioia [dalla curiosità]**, to be beside oneself with joy [with curiosity] □ **non s. né in cielo né in terra**, to be totally ridiculous; to be utter nonsense.

stàrna f. (*zool.*, *Perdix perdix*) (grey) partridge.

starnàre v. t. to draw*.

starnazzàre v. i. **1** to flutter; to flap **2** (*fig. scherz.*: *fare chiasso*) to cackle; to squawk.

starnazzìo m. fluttering about; flapping about.

starnutaménto m. sneezing; (*med.*) sternutation.

starnutàre → **starnutire**.

starnutatòrio a. e m. sternutatory.

starnutìre v. i. to sneeze.

starnùto m. sneeze; (*med.*) sternutation: **fare uno s.**, to sneeze.

start (*ingl.*) m. inv. **1** (*cinem.*) opening shot; (*segno su un fotogramma*) start (*o* cue)

mark **2** (*sport*) starting signal; start.

stàrter (*ingl.*) m. inv. (*autom., sport*) starter.

stasàre **A** v. t. to unblock; to unclog: **s. un lavandino**, to unblock a sink; **s. un tubo**, to unclog a pipe **B** **stasàrsi** v. i. pron. to become* unblocked (*o* unclogged); to clear.

♦**staséra** avv. this evening; tonight: **s. alle nove**, at nine oclock tonight; **s. tardi**, late tonight; **lo spettacolo di s.**, tonight's show.

stàsi f. **1** (*med.*) stasis; stagnation: **s. sanguigna**, stagnation of the blood **2** (*fig.*: *ristagno*) stagnation; lull: **una s. nel commercio**, a lull in trade; *C'è una s. negli affari*, business is at a standstill; **periodo di s.**, period of stagnation; slack period.

stàsimo m. (*letter.*) stasimon*.

♦**statàle** **A** a. state (attr.); civil; public; state-owned; (*del governo*) government (attr.): **amministrazione s.**, civil service; **autorità s.**, public authority; **controllo s.**, state control; **impiegato s.**, state employee; civil (*o* public) servant; **funzionario s.**, state employee; civil servant; government official; **scuola s.**, state school; public school (*USA*); **servizi statali**, public services; **uffici statali**, government offices; **a partecipazione s.**, state-controlled **B** m. e f. state employee; civil servant **C** f. (*strada s.*) main road; highway (*USA*); (*in GB*) A-road; (*in USA*) state route.

statalìsmo m. (*polit.*) **1** statism **2** (*econ.*) government activism.

statalìsta m. e f. (*polit.*) statist.

statalìstico a. (*polit.*) statist (attr.).

statalizzàre v. t. (*polit., econ.*) to nationalize: **s. un'industria**, to nationalize an industry.

statalizzatóre **A** a. nationalizing **B** m. (f. **-trice**) nationalizer.

statalizzazióne f. (*polit., econ.*) nationalization.

statère m. (*numism.*) stater.

staterèllo m. statelet.

stàtica f. **1** (*fis., econ.*) statics (pl. col verbo al sing.) **2** (*condizioni di staticità*) static quality.

stàtice f. (*bot.*, *Statice armeria*) statice; sea lavender.

staticità f. **1** (*proprietà stastica*) static quality, static character; (*condizione*) static condition **2** (*immobilità*) immobility **3** (*ristagno*) stagnation; inertia.

stàtico a. **1** (*fis., mecc.*) static: **elettricità statica**, static electricity; **equilibrio s.**, static equilibrium **2** (*stabile*) solid; secure; stable: **ponte s.**, solid bridge **3** (*fig.*) static; fixed; frozen; (*inerte*) inert, lifeless: **mercato s.**, static market.

statìna f. (*farm.*) statin.

statìno m. **1** (*prospetto*) list; statement; record **2** (*modulo per esami*) examination form.

statìsta m. e f. statesman* (m.); stateswoman* (f.); (*personalità politica*) politician.

statìstica f. **1** (*scienza*) statistics (pl. col verbo al sing.) **2** (*fis.*) statistics (pl. col verbo al sing.) **3** (*raccolta di dati*) statistics (pl.); statistical data (pl.): **la s. delle nascite**, birth statistics; **statistiche demografiche**, vital (*o* population) statistics; *Tutte le statistiche mostrano uno spostamento*, all statistical data show a shift; **citare una s.**, to quote statistical data; **fare una s.**, to draw up (some) statistics; **esperto di s.**, statistician.

statìstico a. statistical: **analisi statistica**, statistical analysis; **dato s.**, statistic; (al pl.) stastistics; statistical data; **tavole statistiche**, statistical tables.

stativo ① a. (*ling.*) stative.

stativo ② m. (*supporto*) stand.

statizzàre e deriv. → **statalizzare**, e deriv.

♦**stàto** ① m. **1** (*lo stare, lo stare fermo*) stationary condition: (*gramm.*) **verbi di s.**, stative verbs **2** (*modo di essere, situazione, condizione*) state; condition; (*stadio*) stage: **lo s. delle cose**, the state of things (*o* of affairs); **lo s. del terreno**, the condition of the soil; **s. di avanzamento dei lavori**, progress of work; **s. di conservazione**, state of preservation; **s. di emergenza**, state of emergency; **s. d'incoscienza**, unconsciousness; **s. di manutenzione**, state of repair; **s. di salute**, health; condition; **s. fisico**, physical condition; **s. mentale**, state of mind; **allo s. attuale**, under present conditions; at present; **prodotti allo s. naturale**, products in their raw (*o* natural) state; **in s. di shock**, in a state of shock; **in buono s.**, in good condition (*o* shape, repair); in good trim; in good nick (*fam.*); **in cattivo s.**, in bad condition (*o* shape, repair); in a state of disrepair; in poor order; **in uno s. da far pietà**, in a sorry (*o* pitiful) state; in a bad way; *Nel suo s. non può lavorare*, he can't work in his condition; *Guarda in che s. sei!*, look at the state you're in!; **guidare in s. di ubriachezza**, to drive under the influence of drink; to drive with excess alcohol (*GB*) **3** (*condizione sociale*) (social) condition; (*posizione elevata*) position, standing, status; (*ceto*) class, rank: **di basso s.**, of low (*o* humble) condition (*o* station); **migliorare il proprio s.**, to better one's position; **una persona di un certo s.**, a person of some standing; **i doveri del proprio s.**, the duties of one's station (*o* position) **4** (*stor.*) estate: **i tre Stati**, the three Estates; **il Terzo S.**, the Third Estate; **il Quarto S.**, the proletariat; **gli Stati Generali**, the States (*o* Estates) General **5** (*leg.*) status: **s. civile**, marital status; **s. coniugale**, married status; wedlock; **s. giuridico**, juridical (*o* legal) status; **ufficiale di s. civile**, Registrar; **ufficio di s. civile**, registry (*o* register) office **6** (*scient.*) state: **s. fondamentale**, ground state; **s. solido** [**liquido**], solid [liquid] state; **allo s. liquido**, in a liquid state; **in s. di equilibrio**, in equilibrium; in a state of balance; **fisica dello s. solido**, solid-state physics **7** (*bur.*: *documento*) certificate; record: **s. di famiglia**, certificate of family status; **s. di servizio**, record of service **8** (*rag.*) statement: **s. patrimoniale**, statement of assets and liabilities; balance sheet **9** (*mil.*) – S. Maggiore, General Staff; (*fig.*) leading members (pl.); **capo di S. Maggiore**, Chief of Staff; **ufficiale di S. Maggiore**, Staff officer ● **s. d'animo**, mood; frame of mind: **essere nello s. d'animo giusto**, to be in the right mood (*o* frame of mind); *Se tu conoscessi il mio s. d'animo*, if you knew how I feel □ **s. di coma**, coma □ **s. d'allarme**, red alert: **essere in s. d'allarme**, to be on red alert □ **s. di arresto**, (*leg.*) detainer: **in s. di arresto**, under custody; under arrest □ **s. di assedio**, state of siege □ (*comm.*) **s. di cassa**, cash situation □ (*fin.*) **s. di fallimento**, bankruptcy □ (*relig.*) **s. di grazia**, state of grace □ **s. di guerra**, state of war: **un paese in s. di guerra**, a country at war □ (*econ.*) **s. di inattività** (*o* di stagnazione**), stagnation; doldrums (pl.) □ (*comm.*) **s. di insolvenza**, insolvency □ **s. di necessità**, necessity: **agire in s. di necessità**, to act out of necessity □ (*fin.*) **s. fallimentare**, near bankruptcy condition □ (*eufem.*) **s. interessante**, pregnancy: **donna in s. interessante**, pregnant woman; expectant mother □ **s. ipnotico**, trance □ (*comm.*) **s. passivo**, net deficiency □ **allo s. brado**, in the natural (*o* wild) state; (*anche fig.*) running wild (pred.) □ **allo s. grezzo**, in the rough; in the raw □ **allo s. latente**, dormant □ **in s. di accusa**, under accusation □ (*fig.*) **in s. di grazia**, at one's best; in top form.

♦**stàto** ②, Stato **A** m. **1** (*persona giuridica*

territoriale sovrana*) state: S. **assistenziale** (*o* **sociale** *o* **del benessere**), welfare state; S. **cuscinetto**, buffer State; S. **di diritto**, constitutional state; S. **di polizia**, police state; S. **indipendente**, independent state; S. **nazionale**, nation state; S. **satellite**, satellite state; S. **sovrano**, sovereign state; **lo S. italiano**, the Italian State; **gli Stati Uniti d'America**, the United States of America; **affari di S.**, affairs of state; *Capo dello S.*, Head of State; **colpo di S.**, coup (d'état) (*franc.*); **ferrovie dello S.**, state railways; **impiegato dello S.**, state employee; civil servant; **ragion di S.**, reason of state; raison d'état (*franc.*); **scuola** [**religione, prigione**] **di S.**, state school [religion, prison]; **titoli di S.**, government securities; **uomo di S.**, statesman; **visita di S.**, state visit; **di proprietà dello S.**, state-owned **2** (*territorio di uno S.*) country: **un piccolo s.**, a small country; **invadere uno s.**, to invade a country **B** a. inv. – **città-s.**, city state.

statocettóre → **statorecettore**.

statocìsti f. (*zool.*) statocyst.

statolàtra m. e f. statolater; worshipper of the state.

statolatrìa f. statolatry; state-worship.

statòlder m. inv. (*stor.*) stadtholder.

statolderàto m. (*stor.*) stadtholderate; stadtholdership.

statolìtico a. (*biol.*) statolithic.

statòlito, **statòlite** m. (*biol.*) statolith.

statóre m. (*mecc.*) stator.

statoreattóre m. (*aeron.*) ram-jet engine.

statorecettóre m. (*anat., fisiol.*) statoreceptor.

statoscòpio m. (*aeron.*) statoscope.

♦**stàtua** f. statue; (al pl., collett., anche) statuary Ⓤ: **s. di marmo** [**di bronzo**], marble [bronze] statue; **s. equestre**, equestrian statue; **la S. della Libertà**, the Statue of Liberty; **innalzare una s.**, to put up (*o* to erect) a statue; **scolpire una s.**, to sculpt a statue; **fermo come una s.**, as still as a statue.

statuàle a. state (attr.).

statuària f. (*arte*) statuary.

statuàrio a. **1** statuary: **l'arte statuaria**, statuary; the art of sculpture; **marmo s.**, statuary marble **2** (*fig.*) statuesque: **bellezza statuaria**, statuesque beauty; **posa statuaria**, statuesque posture.

statuìna f. statuette; figurine ● (*fig.*) **fare la bella s.**, to stand there doing nothing □ **gioco delle belle statuine**, grandmother's footsteps.

statuìre v. t. to decree; to ordain; to provide; to enact; to rule.

statuizióne f. (*leg.*) decree; ordaining; provision; enactment; ruling.

statunitènse **A** a. United States (attr.); US (attr.); American **B** m. e f. United States (*o* US) citizen; American.

stàtu quo (*lat.*) loc. m. inv. status quo: **ristabilire lo statu quo**, to restore the status quo.

♦**statùra** f. **1** height; stature: **s. media**, average height; **al di sotto della s. media**, below average height; **di alta s.** (*o* alto di s.), tall; **di bassa s.** (*o* basso di s.), short; **crescere di s.**, to grow (taller) **2** (*fig.*) stature: **s. morale**, moral stature.

staturàle a. (*med.*) height (attr.); growth (attr.).

stàtus (*lat.*) m. inv. status: **s. giuridico**, legal status.

stàtus quo → **statu quo**.

statutàrio a. statutory; statute (attr.): **dichiarazione statutaria**, statutory declaration; **legge statutaria**, statute.

statùto m. (*leg.*) **1** (*di persona giuridica*)

charter; (*di società di persone*) articles (pl.) of partnership; (*di società di capitali*) articles (pl.) of association (*GB*), articles (pl.) of incorporation (*USA*); (*legge*) statute; (*carta costituzionale*) constitution: **s. dei lavoratori**, workers' statute of rights; **lo s. dell'ONU**, the UN charter; **s. regionale**, regional statute; **regione a s. speciale**, region under special statutes (conferring local autonomy) **2** (*complesso di deliberazioni normative*) by--laws (pl.).

staurolìte f. (*miner.*) staurolite.

staurotèca f. reliquary.

♦**stavòlta** avv. (*fam.*) this time: *S. tocca a me*, it's my turn this time; *Per s. puoi restare*, you can stay for this once.

staziògrafo m. (*naut.*) station pointer.

stazionàle a. (*relig.*) stational.

stazionaménto m. standing; stopping; (*parcheggio*) parking ● **freno di s.**, handbrake; emergency brake.

stazionàre v. i. to stand*; to stop; (*parcheggiare*) to park; (*essere parcheggiato*) to be parked.

stazionarietà f. stationariness.

stazionàrio a. **1** stationary; standing: **nave stazionaria**, stationary ship; (*fis.*) **onda stazionaria**, stationary (*o* standing) wave; **orbita stazionaria**, stationary orbit; (*aeron.*) **volo s.**, hover **2** (*di animale*) non--migratory; sedentary **3** (*fig.: che non varia*) stable; static; stationary: **condizioni di salute stazionarie**, stable condition; **popolazione stazionaria**, stationary population; **situazione stazionaria**, stable (*o* static) situation; **temperatura stazionaria**, stable temperature.

♦**stazióne** f. **1** (*trasp.*) station; depot (*USA*); terminal; terminus: **s. centrale**, central station; **s. degli autobus**, bus station (*o* terminal, terminus); bus depot (*USA*); **s. della metropolitana**, underground station; tube station (*GB*); subway station (*USA*); **s. dei taxi**, taxi rank; **s. di arrivo**, arrival station; destination; **s. di destinazione** (*merci*), receiving station; **s. di manovra**, marshalling yard; sorting depot; **s. di partenza**, starting point; point of departure; (*merci*) forwarding station; **s. di smistamento**, shunting station; switchyard; **s. di testa**, terminal station; railhead; terminal; terminus; **s. di transito**, transit (*o* through) station; **s. di trasbordo**, interchange station; transfer; **s. ferroviaria**, railway station; (*nodo*) junction; **s. marittima**, harbour station; ocean terminal; **s. intermedia**, intermediate (*o* through) station; **s. principale**, main station; **accompagnare q. alla s.**, to take sb. to the station; **andare a prendere q. alla s.**, to meet sb. at the station; *Il treno ferma in tutte le stazioni*, the train calls at every station; *Il treno entrò in s.*, the train pulled into the station (*o* pulled in) **2** (*fermata, sosta*) stop; halt: **fare s.**, to make a stop (*o* a halt); to stop; to call **3** (*luogo di villeggiatura*) resort: **s. balneare**, seaside resort; **s. climatica**, health resort; (health) spa; **s. estiva [invernale]**, summer [winter] resort; **s. termale**, spa; watering place **4** (*sede di impianto, di distaccamento*) station; post: **s. commerciale**, trading station; trading post (*o* outpost); (*radio*) **s. di ascolto**, listening station; **s. di frontiera**, frontier post (*o* station); **s. di monta**, breeding farm; (*per equini*) stud farm; **s. di polizia**, police station; **s. di rifornimento**, petrol (*USA* gas) station; filling station; garage; **s. di servizio**, service area (*o* station); gas station (*USA*); **s. emittente**, broadcasting station; **s. radio**, radio station; **s. radiogoniometrica**, direction-finding station; **s. relé** (*o* **ripetitrice**), relay (*o* repeater) station; transceiver; **s. ricevente**, receiving station; **s. sanitaria**, sanitary post (*o* station); **s. trasmittente**, transmitting (*o*

sending) station **5** (*osservatorio scientifico*) observatory; station: **s. meteorologica**, weather (*o* meteorological) station; **s. sismica**, seismic observatory **6** (*naut., mil., miss.*) station: **s. navale**, naval station; **s. orbitale**, orbital platform; **s. spaziale**, space station **7** (*comput.*) station: **s. di comando**, control station; **s. di lavoro**, work station **8** (*posizione*) position: **s. eretta**, standing position; **s. supina**, lying position ● (*eccles.*) **le stazioni della Via Crucis**, the stations of the Cross □ (*stor.*) **s. di posta**, post house.

stàzza f. **1** (*naut.*) tonnage: **s. di regata**, rating; **s. netta [lorda]**, net [gross] tonnage; **diritti di s.**, tonnage dues; **ponte di s.**, tonnage deck; **una nave di trecento tonnellate di s.**, a ship with a tonnage of two hundred tons; a ship with a three hundred tons burden; **misurare la s.**, to gauge the tonnage **2** (*fig.: corporatura robusta*) build: *Ha una bella s.*, he is heavily built.

stazzaménto m. → **stazzatura**.

stazzàre (*naut.*) **A** v. t. to measure the tonnage of; (*imbarcazione da regata*) to rate **B** v. i. to have a tonnage (of): **una nave che stazza 20 000 tonnellate**, a ship with a tonnage of 20,000 tons; *Quanto stazza questa nave?*, what is the tonnage of this ship?

stazzatóre m. (*naut.*) (tonnage) gauger.

stazzatùra f. (*naut.*) **1** (*misurazione della stazza*) tonnage measurement; (*di imbarcazione da regata*) rating **2** → **stazza**, def. 1.

stàzzo m. pen; (*per pecore*) fold.

stazzonàre v. t. to rumple; to crumple; to crease.

stazzonàto a. rumpled; crumpled; creased.

steapsìna f. (*biol.*) steapsin.

stearàto m. (*chim.*) stearate.

steàrica f. tallow candle.

steàrico a. (*chim.*) stearic: **acido s.**, stearic acid; **candela stearica**, tallow candle.

stearìna f. (*chim.*) stearin.

steatìte f. **1** (*miner.*) steatite; soapstone **2** (*sartoria*) tailor's (*o* French) chalk.

steatopigìa f. steatopygy.

steatòpigo a. steatopygous.

steatorrèa f. (*med.*) steatorrhoea.

steatòsi f. (*med.*) steatosis.

stécca f. **1** (*asta, assicella*) stick; (*piatta*) slat; (*di ombrello*) rib; (*di persiana*) louvre (*USA* louver); (*di ventaglio*) stick; (*di busto, anche* **s. di balena**) whalebone; (*di colletto*) (collar) stiffener **2** (*med.*) splint; (*di metallo*) iron: **mettere le stecche a una gamba fratturata**, to splint a fractured leg **3** (*da biliardo*) (billiard) cue: **essere una buona s.**, to be a good billiard player **4** (*mus.*) false note; wrong note; clinker (*fam. USA*): **fare** (*o* **prendere**) **una s.**, to sing [to play, to hit] a false note; to miss a note; to crack on a high note **5** (*di sigarette*) carton; (*di cioccolato*) bar **6** (*gergale: tangente*) bribe; backhander (*fam. GB*); payola (*fam. USA*).

steccàia f. pilework.

steccàre **A** v. t. **1** (*cingere con uno steccato*) to fence; to fence in: **s. l'orto**, to fence the kitchen garden **2** (*med.*) to splint **3** (*un busto, un corpetto*) to insert whalebones in; (*un colletto*) to insert the stiffeners in **4** (*cucina: lardellare*) to larder **5** (*al biliardo*) – **s. il tiro**, to miscue **6** (*mus.*) – **s. una nota**, to sing [to play, to hit] a false note; to miss a note **7** (*fam., a un esame, ecc.*) to fail; to flunk (*fam.*) **B** v. i. **1** (*al biliardo*) to miscue **2** (*mus.*) to sing* [to play, to hit*] a false note; to miss a note; to crack on a high note.

steccàta f. **1** → **steccato 2** (*colpo di stecca*) blow with a stick.

steccàto m. **1** fence; fencing; paling; (*stecconata*) stockade; palisade: **circondare con uno s.**, to surround with a fence; to fence

(in); **s. di cinta**, ring fence; enclosure **2** (*equit.*) rails (pl.) **3** (*fig.: separazione, barriera*) barrier; bar.

steccatùra f. **1** (*recinzione*) fencing (in) **2** (*med.*) splinting **3** (*di busto, corpetto*) stiffening with whalebones; insertion of whalebones.

stecchétto m. **1** (small) stick; twig **2** – **essere** (*o* **stare**) **a s.**, (*mangiare poco*) to eat very little; (*essere a dieta*) to be on a strict diet; (*avere pochi soldi*) to be short of money; (*spendere poco*) to be careful with one's money; **mettere q. a s.**, to put sb. a strict diet; **tenere q. a s.**, (*dare poco da mangiare*) to keeps sb. on short rations; (*dare pochi soldi*) to keep sb. short of money.

stecchièra f. cue rack.

stecchìno m. **1** (*bastoncino*) small stick **2** (*stuzzicadenti*) toothpick ● **magro come uno s.**, as thin as a rake.

stecchìre **A** v. t. to kill on the spot; to dispatch; to bump off (*fam.*): *Stecchì il cinghiale al primo colpo*, he killed the boar with a single shot; *Ha stecchito la vecchia con un colpo di vanga*, he bumped off the old woman with a spade **B** v. i. e **stecchìrsi** v. i. pron. **1** (*diventare secco*) to dry up; to wither **2** (*diventare magro*) to grow* very thin; to shrivel **3** (*diventare rigido*) to stiffen.

stecchìto a. **1** (*di pianta*) dried up; withered **2** (*magrissimo*) very thin; skinny; scrawny; skin and bone (*o* bones) (pred.): **gambe stecchite**, scrawny legs; spindly legs **3** (*fam.: irrigidito*) stiff: **s. dal freddo**, stiff with cold **4** (*fam.: morto*) stone dead; as dead as a doornail (*fam.*); (*ucciso*) killed on the spot: **cadere morto s.**, to fall stone dead; **rimanere s.**, to be killed on the spot **5** (*fam.: stupefatto*) flabbergasted; numb: *La notizia mi lasciò s.*, I was flabbergasted by the news.

stécco m. **1** stick; (*ramoscello*) (dry) twig: **gambe sottili come stecchi**, legs as thin as two sticks; spindly legs **2** (*fig.: persona magra*) skinny person: *È ridotto uno s.*, he is all skin and bones **3** (*stuzzicadenti*) toothpick **4** (*zool., pop*) stick insect.

stecconàta f., **stecconàto** m. stockade; palisade; paling; fence; enclosure.

steccóne m. post; pale; stake.

stechiometrìa f. (*chim.*) stoichiometry.

stechiomètrico a. (*chim.*) stoichiometric.

Stefània f. Stephanie.

Stéfano m. Stephen ● (**il giorno di**) **Santo S.**, the 26th of December; Boxing Day (*GB*).

steganografìa f. steganography.

steganùra f. (*zool., Steganura paradisea*) paradise whydah.

stégola f. (*agric.*) plough-stilt.

stegosàuro m. (*paleont., Stegosaurus*) stegosaur; stegosaurus*.

stèle f. **1** stone; (*archeol., anche*) stele, stela*: **s. commemorativa**, memorial stone; **s. di confine**, boundary stone, landmark; **la s. di Rosetta**, the Rosetta stone; **s. sepolcrale**, funeral stele **2** (*bot.*) stele; vascular cylinder.

♦**stélla** f. **1** (*astron.*) star: **la s. del mattino [della sera]**, the morning [evening] star; **s. di neutroni**, neutron star; **s. doppia**, double star; **s. filante** (*o* **cadente**), falling star; shooting star; **s. nana [gigante, supergigante]**, dwarf [giant, supergiant] star; **la s. polare**, the North (*o* the Pole) star; **stelle fisse**, fixed stars; *Trovai la strada alla luce delle stelle*, I found my way by starlight; **un cielo pieno di stelle**, a sky full of stars; a starlit sky; **senza stelle**, starless; **il tremolio delle stelle**, the twinkling of the stars; **occhi che sembrano stelle**, starry eyes; **eyes shining like stars 2** (al pl., *poet.*) heav-

en; paradise: **salire alle stelle**, to ascend to heaven **3** (*fig.*: *destino*, *fortuna*) star; fate; destiny: **nascere sotto una buona [una cattiva]** s., to be born under a lucky [an unlucky] star; *È scritto nelle stelle*, it is (written) in the stars; *Puoi ringraziare la tua buona s.!*, you can thank your lucky stars!; *Segui la tua s.*, follow your star; *La sua s. sta salendo* (o *è in ascesa*), his star is rising (o is in the ascendant); *La sua stella sta tramontando* [*è tramontata*], his star is on the wane [has set] **4** (*persona che aiuta*) saviour **5** (*appellativo affettuoso*) darling: *Sei una s.!*, you are a darling!; *Sei la mia s.!*, you are my treasure; you are my honeybun! (*USA*): *Povera s.!*, poor darling!; poor thing! **6** (*fig.*: *divo* o *diva*) star: **s. del cinema [della televisione]**, film [television] star **7** (*oggetto*, *forma a s.*) star: **s. a cinque punte**, five-pointed star; pentagram; **s. dello sperone**, rowel; **a forma di s.** (*o* **fatto a s.**), starlike; star-shaped; stellate; (*elettr.*) **collegamento a s.**, Y-connection; star connection **8** (*emblema*, *simbolo*, *distintivo*) star: **la s. di David**, the star of David; **albergo a cinque stelle**, five-star hotel; **la bandiera a stelle e strisce**, the Stars and Stripes; **congelatore a tre stelle**, three-star freezer; **generale a quattro stelle**, four-star general **9** (*naut.*) star **10** (*di cavallo*) blaze; star **11** (*tipogr.*) asterisk; star **12** (*bot.*) – **s. alpina** (*Leontopodium alpinum*), edelweiss; **s. di Natale** (*Euphorbia pulcherrima*), poinsettia; **s. di sera** (*Oenothera biennis*), evening primrose **13** (*zool.*) – **s. di mare** (*Asterias*), starfish ● **la s. cometa** (*o* **dei Re Magi**), the star of the Magi (*o* of Bethlehem) □ **s. filante** (*di carnevale*), streamer □ (*fig.*) **andare** (*o* **salire**) **alle stelle** (*di prezzi*), to go sky-high; to rocket □ **dalle stelle alle stalle**, from the sublime to the ridiculous □ **dormire sotto le stelle**, to sleep out in the open □ (*fig.*) **essere alle stelle** (*di prezzi*), to be sky-high □ (*aeron.*) **motore a s.**, radial engine □ (*fig.*) **portare alle stelle**, to praise to the skies; to rave about □ (*fig.*) **vedere le stelle**, to see stars.

Stélla f. Stella; Estella.

stellage m. inv., **stellàggio** m. (*Borsa*) put and call (option); straddle; double option.

stellànte a. **1** (*poet.*: *cosparso di stelle*) starry; studded with stars **2** (*lucente come stella*) starry; star-like; star-bright: **occhi stellanti**, starry eyes.

stellàre a. **1** (*astron.*) star (attr.); stellar: **ammasso s.**, star cluster; **catalogo s.**, star catalogue; **corrente s.**, star drift **2** (*a forma di stella*) star-shaped; stellar; stellate; star-like: **figura s.**, stellar figure; (*mecc.*) **motore s.**, radial engine.

stellària f. (*bot.*, *Stellaria media*) stitchwort.

stellàto ① **A** a. **1** (*pieno di stelle*) starry; studded with stars; (*di oggetto*) star-spangled: **cielo s.**, starry sky; **la bandiera stellata** (*degli USA*), the star-spangled banner; the Stars and Stripes **2** (*cosparso*) strewn; studded; dotted; spangled **3** (*a forma di stella*) star-shaped; stellate; stellar **4** (*di cavallo*) blazed **B** m. (*cielo stellato*) starry sky.

stellàto ② (*naut.*) **A** a. lean; wedgelike **B** m. – **s. di poppa**, run; **s. di prora**, entrance.

stellétta f. **1** (*mil.*) star; (*sulla spalla*, *anche*) pip (*GB*): **guadagnarsi le stellette**, to get one's pips; **rimetterci le stellette**, to be demoted **2** (*tipogr.*) asterisk; star.

stellìna f. **1** (*giovane attrice*) starlet **2** (*bot.*) – **s. odorosa** (*Asperula odorata*), woodruff.

stelliòne m. (*zool.*, *Agama stellio*) starred lizard.

stelloncìno m. (*giorn.*) paragraph; short item (of news).

stèlo m. **1** (*bot.*) stem; stalk; (*di erba*) blade:

lo s. **d'un fiore**, the stem of a flower; **rose a s. lungo**, long-stemmed roses **2** (*sostegno*) stand; stem: **lo s. di un calice**, the stem of a goblet; **lampada a s.**, standard (*o* floor) lamp **3** (*mecc.*) stem; shaft; rod: **s. della valvola**, valve stem; **s. dello stantuffo**, piston rod **4** (*di calza*) clock.

stèmma m. **1** (*arald.*) coat of arms (*anche di città*, *paese*, *ecc.*); armorial bearings (pl.); blazon: **lo s. di famiglia**, the family coat of arms **2** (*filol.*) – **s. dei codici**, stemma*.

stemmàrio m. (*arald.*) armorial.

stemmàto a. blazoned; emblazoned; armorial.

stemperàre **A** v. t. **1** (*diluire*) to dilute; to dissolve; to melt: **s. i colori**, to dilute colours; **s. una pastiglia in acqua**, to dissolve a tablet in water **2** (*mescolare*) to blend; to mix: **s. la farina in un po' d'acqua**, to mix flour with a little water; to stir a little water into the flour **3** (*fig.*) to dilute; to water down; to tone down **4** (*metall.*) to soften: **s. l'acciaio**, to soften steel **B** **stemperàrsi** v. i. pron. **1** (*diluirsi*) to be diluted; to dissolve; to melt **2** (*mescolarsi*) to blend; to mix **3** (*fig.*: *attenuarsi*) to weaken; to soften; (*dissolversi*) to dissolve **4** (*metall.*) to become* soft; to soften **5** (*perdere la punta*) to become* blunt.

stempiàrsi v. i. pron. to go* bald (at the temples): *Si sta stempiando*, he's going bald: his hair is receding around his temples.

stempiàto a. bald at the temples; with a receding hairline.

stempiatùra f. receding hairline.

stempràre → **stemperare**.

stèn (*ingl.*) m. o f. inv. Sten (gun).

stèncil (*ingl.*) m. inv. stencil: **decorare a s.**, to stencil; **decorazione floreale a s.**, floral stencil.

stendardière m. standard bearer.

stendàrdo m. **1** (*mil.*) standard; ensign; banner: **alzare lo s.**, to raise the standard; **sotto lo s. di**, under the standard of **2** (*gonfalone*) banner **3** (*bot.*) vexillum*; banner; standard.

♦ **stèndere** **A** v. t. **1** (*distendere*, *allungare*) to stretch (out), to extend; (*per prendere*) to reach out; (*per porgere*) to hold* out: **s. le gambe**, to stretch (out) one's legs; **s. i muscoli**, to stretch the muscles; *Stese la mano per afferrare la corda*, she reached out her hand to grab the rope; *Stese la mano ma io finsi di non vederla*, he held out his hand but I pretended not to see it **2** (*spiegare*, *svolgere*) to spread* (out); to lay* (out): **s. le ali**, to spread one's wings; **s. un tappeto**, to lay a carpet **3** (*sciorinare*) to spread* (out); to lay* (out); (*appendere*) to hang* out: **s. il bucato**, to hang out the washing; (*sull'erba*, *ecc.*) to spread out the washing; **s. le reti**, to spread (o to lay, to set) the nets; *Stese le fotografie sul tavolo*, she spread out the photos on the table **4** (*spalmare*) to spread*: **s. la vernice su qc.**, to spread paint on st. **5** (*spianare*) to roll out; (*un metallo*) to hammer out: **s. la pasta**, to roll out the dough **6** (*mettere a giacere*) to lay*: *Lo stesero sul letto*, they laid him on the bed **7** (*abbattere*) to knock down, to fell, to floor; (*uccidere*) to knock dead: **s. a terra q. con un pugno**, to fell sb. with a punch; *Lo stese al primo colpo*, he knocked him dead at the first shot **8** (*fig. fam.*: *lasciare attonito*) to bowl over: *La notizia mi stese*, I was bowled over by the news **9** (*mettere per iscritto*) to draw* up; to write* (*in abbozzo*) to draft: **s. un contratto**, to draw up a contract; **s. un piano di battaglia**, to draw up a plan of battle; **s. una relazione**, to write a report; **s. il verbale**, (*durante la riunione*) to take the minutes; (*dopo la riunione*) to write up the minutes; *Ho già ste-*

so i primi due capitoli del mio libro, I've already drafted the first two chapters of my book ● (*fig.*) **s. la mano** (*chiedere l'elemosina*), to hold one's hand out □ (*fig.*) **s. un velo su qc.**, to draw a veil over st. **B** **stèndersi** v. rifl. (*allungarsi*) to stretch (oneself) out; (*sdraiarsi*) to lie* down: **stendersi per terra**, to stretch oneself out (o to lie down) on the ground; *Si stese sul letto*, she lay down on the bed **C** (*estendersi*) to stretch; to spread* out; to extend: *Il mio podere si stende fino al confine svizzero*, my plot of land stretches as far as the Swiss border; *La pianura padana si stende per più di 40 000 kilometri quadrati*, the Po Valley extends over more than 40,000 square kilometres; *Il deserto si stendeva a perdita d'occhio*, the desert stretched as far as the eye could see.

stendibiancheria m. inv. clothes-horse; (*esterno*) washing line, clothes line.

stendifili m. inv. (*mil.*) linesman*; lineman* (*USA*).

stendìno m. clothes-horse.

stenditóio m. **1** (*locale*) drying room **2** (*attrezzo*) clothes-horse; (*esterno*) washing line, clothes line **3** (*ind. tess.*) tenter.

stenditóre a. (*ind. tess.*) – **macchina stenditrice**, tenter.

stenditrìce f. (*ind. tess.*) tenter.

stenditùra f. **1** spreading; stretching (out); (*di bucato*) hanging out (to dry) **2** (*ind. tess.*) stretching (on a tenter).

stenèlla f. (*zool.*, *Stenella Coeruleoalba*) striped dolphin.

stenìa f. (*med.*) vital energy; strength.

stènico a. (*med.*) sthenic.

stenoalìno a. (*biol.*) stenohaline.

stenòbate a. (*biol.*) stenobathic.

stenoblòcco m. shorthand pad.

stenocardìa f. (*med.*) stenocardia; angina pectoris.

stenòcoro a. (*biol.*) stenotopic.

stenodàttilo **A** m. e f. inv. shorthand typist; stenographer (*USA*); steno (*fam. USA*) **B** f. → **stenodattilografia**.

stenodattilografìa f. shorthand and typing.

stenodattilogràfico a. shorthand-typing (attr.).

stenodattilògrafo m. (f. **-a**) shorthand typist; stenographer (*USA*).

stenografàre v. t. to write* (*o* to take* down) in shorthand; to stenograph (*USA*): **s. appunti**, to take notes in shorthand; to make shorthand notes; **s. una conferenza**, to take down a lecture in shorthand.

stenografàto a. (written) in shorthand; stenographed (*USA*).

stenografìa f. shorthand; stenography (*USA*).

stenograficaménte avv. in shorthand; stenographically (*USA*).

stenogràfico a. **1** shorthand (attr.); (written) in shorthand (pred.); stenographic (*USA*): **metodo s.**, shorthand (o stenographic) method; **resoconto s.**, report in shorthand; stenographic report; **scrittura stenografica**, shorthand; stenography **2** (*fig.*: *conciso*) brief; summary; concise.

stenògrafo m. (f. **-a**) shorthand writer; stenographer (*USA*).

stenogràmma m. **1** → **stenoscritto 2** (*segno*) stenograph.

stenoscrìtto m. shorthand text; stenographic text (*USA*).

stenòsi f. (*med.*) stenosis: **s. dell'aorta**, aortic stenosis; **s. pilorica**, pyloric stenosis.

stenotermìa f. (*biol.*) stenothermy.

stenotèrmo a. (*biol.*) stenothermal; stenothermic.

stenotipìa f. **1** (*tecnica*) stenotypy **2** (*attività*) stenotyping.

stenotipista m. e f. stenotypist.

stent m. inv. **1** (*chir.*) stent **2** (*odontoiatria*) stent, Stents®.

stentacchiàre v. i. (*fam.*) to find* it hard; to struggle; (*dover risparmiare*) to pinch and scrape.

stentàre A v. i. **1** (*durare fatica*) to find* it hard; to have difficulty; to have trouble: *Stento a crederlo*, I find it hard to believe it; *Stentavo a capirlo*, I had difficulty in understanding him; I could hardly understand him; *Ha stentato molto a trovare lavoro*, he had a lot of trouble finding a job **2** (*essere riluttante*) to be reluctant; to be unwilling; to be slow: *Stenta ad ammettere di aver avuto torto*, she is unwilling to admit she was wrong **3** (*assol.*) to feel* the pinch of poverty; to be hard up; to struggle to make both ends meet; barely to scrape a living; to pinch and scrape B v. t. – **s. la vita** (*o* **il pane**) → A, *def. 3.*

stentatamènte avv. **1** (*con difficoltà*) with difficulty **2** (*in povertà*) in poverty.

stentatézza f. **1** (*difficoltà*) difficulty **2** (*povertà, privazioni*) poverty; hardship; privation **3** (*pochezza*) poverty; exiguity; scantiness **4** (*crescita stentata*) stuntedness.

stentàto a. **1** (*fatto con fatica*) hard, laboured; (*ottenuto con fatica*) hard-earned, hard-won: **lavoro s.**, hard work; **pane s.**, hard-earned bread **2** (*risicato*) narrow; slender: **maggioranza stentata**, narrow majority **3** (*sforzato*) laboured; strained; constrained; forced: **prosa stentata**, laboured prose; **sorriso s.**, strained smile **4** (*incerto*) faltering; broken: **parlare un italiano s.**, to speak broken Italian **5** (*pieno di stenti*) hard: **vita stentata**, hard life **6** (*cresciuto a stento*) scrubby; stunted; undersized: **piante stentate**, scrubby plants.

stènto m. **1** (*patimento*) hardship; poverty ⏲; privation ⏲: **vivere negli stenti**, to live in poverty; to lead a hard life; **vita di stenti**, life full of hardships; hard life **2** (*difficoltà*) difficulty; (*sforzo*) effort, pains (pl.): **a s.**, with difficulty; barely: **avanzare a s.**, to proceed with difficulty; *Lo sentivo a s.*, I could barely hear him; I had difficulty hearing him; *Ha passato l'esame a s.*, she barely scraped through her exam; *Sa a s. come si chiama*, he barely knows his name; **senza s.**, without difficulty; without any effort; easily.

Stèntore m. (*mitol.*) Stentor.

stentòreo a. stentorian; powerful: **con voce stentorea**, in a stentorian voice.

stentucchiàre → **stentacchiare**.

step → **stepper**.

stéppa f. (*geogr.*) steppe.

stèpper m. inv. (*ingl.*) stepper.

stéppico a. steppe (attr.).

steppificazióne f. transformation into a steppe.

steppóso a. steppe-like.

steradiànte m. (*mat.*) steradian.

steràngolo m. (*mat.*) solid angle.

stèrco m. dung; excrement; droppings (pl.): **s. di uccelli**, bird droppings; **s. di vacca**, cowpat.

stercoràceo a. dung (attr.); stercoraceous.

stercoràrio A a. **1** dung (attr.) **2** (*zool.*) – **scarabeo s.** (*Geotrupes stercorarius*), dung beetle B m. (*zool.*, *Stercorarius pomarinus*) skua; jaeger (*USA*).

♦**stèreo** A a. (*fis.*, *radio*) stereo: **impianto s.**, stereo system B m. stereo system.

stereoagnosìa f. (*med.*) stereoagnosis.

stereoagnòstico a. (*med.*) stereoagnostic.

stereòbate m. (*archit.*) stereobate.

stereochìmica f. stereochemistry.

stereochìmico a. stereochemical.

stereocinematografìa f. stereoscopic cinematography.

stereocinèsi f. (*psic.*) stereokinesis.

stereocomparatóre m. (*fotogr.*) stereocomparator.

stereofonìa f. (*fis.*, *radio*) stereophony: **in s.**, stereophonically; stereo.

stereofònico a. (*fis.*, *radio*) stereophonic; stereo: **effetto s.**, stereophonic effect; **impianto s.**, stereo system; **riproduzione stereofonica**, stereo reproduction.

stereofotografìa f. stereoscopic photography; stereophotography.

stereofotogràmma m. stereogram; stereograph.

stereofotogrammetrìa f. stereophotogrammetry.

stereognòstico a. (*fisiol.*) stereognostic.

stereografìa f. (*med.*) stereography.

stereogràfico a. (*geom.*) stereographic.

stereogràmma m. **1** (*mat.*, *geol.*) stereogram **2** → **stereofotogramma**.

stereoisomerìa f. (*chim.*) stereoisomerism.

stereoisòmero (*chim.*) A a. stereoisomeric B m. stereoisomer.

stereolitografìa f. (*mecc.*) stereolithography.

stereolitògrafo m. (*mecc.*) fabricator; fabber (*fam.*); stereolithographer.

stereòma m. (*bot.*) stereome.

stereometrìa f. (*geom.*) stereometry.

stereomètrico a. (*geom.*) stereometric.

stereoscopìa f. **1** (*fis.*, *fisiol.*, *fotogr.*) stereoscopy **2** (*fotografia stereoscopica*) stereograph; stereoscopic photograph.

stereoscòpico a. (*fis.*, *fisiol.*, *fotogr.*) stereoscopic.

stereoscòpio m. (*fis.*) stereoscope.

stereospecìfico a. (*chim.*) stereospecific.

stereotipàre v. t. (*tipogr.*) to stereotype.

stereotipàto a. **1** (*tipogr.*) stereotyped; stereo: **lastra stereotipata**, stereo plate; stereotype **2** (*fig.*) stereotyped; cliché (attr.): **espressioni stereotipate**, stereotyped phrases; clichés; **formula stereotipata**, stereotyped formula.

stereotipìa f. **1** (*tipogr.*: *procedimento*) stereotypy; (*lastra*) stereotype; (*stampa*) stereotype print: **stampare in s.**, to stereotype **2** (*psic.*) stereotypy.

stereotìpico a. (*tipogr.*) stereotyped; stereotype (attr.): **lastra stereotipica**, stereotype; stereo plate; **procedimento s.**, stereotype process; stereotyping.

stereotipista m. e f. (*tipogr.*) stereotyper; stereotypist.

stereòtipo A a. (*tipogr.*) stereotype; stereotyped; stereo: **edizione stereotipa**, stereotype edition; **lastra stereotipa**, stereotype; stereo plate B m. **1** (*psic.*) stereotype **2** (*ling.*) cliché: **parlare per stereotipi**, to speak in clichés; **pieno di stereotipi**, cliché-ridden.

stereovisóre m. stereoscope.

stèrico a. (*chim.*) steric.

stèrile a. **1** (*infecondo*) sterile; barren: **donna [coppia] s.**, sterile (*o* barren) woman [couple]; **vacca s.**, sterile cow **2** (*agric.*) barren; sterile; unproductive: **terreno s.**, barren (*o* sterile) land; unproductive (*o* poor) soil; **pianta s.**, sterile (*o* barren) plant **3** (*fig.*: *improduttivo*) sterile; barren; empty; fruitless; (*inutile*) vain, pointless, futile: **dibattito s.**, sterile (*o* pointless) debate; **lavo-**

ro s. di soddisfazioni, unrewarding job; **mente s.**, barren mind; **rimpianti sterili**, futile regrets; **tentativo s.**, fruitless (*o* futile, sterile) attempt; **vita s.**, sterile (*o* empty, vain, barren) life **4** (*med.*: *asettico*) sterile; sterilized: **ambiente s.**, sterile environment; **siringa s.**, sterilized syringe; **soluzione s.**, sterile solution.

sterilìre v. t. to make* (*o* to render) barren.

sterilità f. **1** (*infecondità*) sterility; barrenness; childlessness **2** (*agric.*) barrenness; unproductiveness; (*di terreno, anche*) poorness **3** (*fig.*) barrenness; unproductiveness; fruitlessness; (*inutilità*) pointlessness, futility **4** (*med.*: *asepsi*) sterility.

sterilizzàre v. t. **1** to sterilize; (*vet.*, *anche*) to neuter, to doctor, (*una femmina*) to spay: **s. un gatto**, to sterilize (*o* to neuter, to doctor) a cat **2** (*chim.*, *biol.*) to sterilize: **s. un ago**, to sterilize a needle; **s. il latte**, to sterilize milk.

sterilizzàto a. **1** sterilized; (*di animale, anche*) neutered, doctored, (*di femmina*) spayed **2** (*chim.*, *biol.*) sterilized; sterile.

sterilizzatóre A a. sterilizing B m. (f. -**trice**) (*persona, apparecchio*) sterilizer.

sterilizzazióne f. **1** sterilization; (*vet.*, *anche*) neutering, doctoring, (*di femmina*) spaying **2** (*chim.*, *biol.*) sterilization.

sterlétto, **sterlàtto** m. (*zool.*, *Acipenser ruthenus*) sterlet.

sterlìna f. pound (sterling); (*il sistema monetario*) sterling ⏲: **s. britannica**, pound sterling; **s. d'oro**, sovereign; **s. irlandese**, Irish pound; *La s. continua a scendere*, the pound is still going down; **pagare in sterline**, to pay in pound (*o* in sterling); *Mi è costato 50 sterline*, it cost me 50 pounds (*fam.* 50 quid); **area della s.**, sterling area; **assegno in sterline**, cheque in sterling; **biglietto da venti sterline**, twenty-pound note; **il valore della s.**, the value of sterling.

sterlineàre v. t. (*tipogr.*) to unlead.

sterlineatùra f. (*tipogr.*) unleading.

sterminàbile a. exterminable.

sterminàre v. t. to exterminate; to kill off; to wipe out: **s. i topi**, to exterminate rats and mice; *Hanno sterminato tutti i cervi senza pietà*, they ruthlessly killed off all the deer; *L'intera popolazione fu sterminata*, the whole population was wiped out.

sterminatézza f. boundlessness; endlessness.

sterminàto a. boundless; unbounded; endless; immense; infinite: **oceano s.**, boundless ocean; **pazienza sterminata**, infinite (*o* endless) patience; **pianura sterminata**, endless plain.

sterminatóre A a. exterminating; destroying ● **l'angelo s.**, the angel of death B m. (f. -**trice**) exterminator; destroyer.

sterminio m. **1** (*annientamento*) extermination; (*strage*) slaughter, carnage, massacre, butchery: **lo s. di una specie**, the extermination of a species; *La battaglia finì in uno s.*, the battle ended in a massacre; **campi di s.**, death camps **2** (*fig. fam.*: *quantità immensa*) masses (pl.); heaps (pl.); loads (pl.): **uno s. di gente**, masses of people; a huge crowd.

stèrna f. (*zool.*, *Sterna*) tern: **s. comune** (*Sterna hirundo*), common tern.

sternàle a. (*anat.*) sternal.

stèrno m. (*anat.*) breastbone; sternum* (*scient.*).

sternocleidomastoidèo a. e m. (*anat.*) sternocleidomastoid.

sternutàre, **sternutìre** → **starnutire**.

sternùto → **starnuto**.

stèro m. (*unità di misura di capacità*) stere.

steròide m. (*biochim.*) steroid.

steroidèo a. (*biochim.*) steroidal.

steròlo m. (*chim.*) sterol.

sterpàglia f. brushwood; scrubwood; scrub.

sterpàia f., **sterpàio** m. brushwood; scrub; scrubland.

sterpàme m. brushwood; scrubwood; scrub.

sterpàzzola f. (*zool.*, *Sylvia communis*) (common) whitethroat.

sterpéto → **sterpaia**

stèrpo m. 1 (*ramoscello secco*) (dry) twig; stick; dry branch; (al pl., anche) brushwood Ⓤ: **fuoco di sterpi**, fire of twigs 2 (*arbusto spinoso*) thornbush; bramble 3 (*ceppo*) (tree) stump.

sterpóso a. 1 (*pieno di sterpi*) scrubby; scrub-covered; covered in brushwood: **terreno s.**, scrubland 2 (*spinoso*) prickly; brambly.

sterraménto m. excavation; digging out; earthwork.

sterràre v. t. a to dig* out; to excavate: **s. un canale**, to dig out a channel.

sterràto Ⓐ a. 1 dug up; excavated 2 (*senza massicciata*) unsurfaced; unmetalled: **strada sterrata**, unsurfaced road; dirt road Ⓑ m. (*terreno*) dirt patch; excavation; dirt.

sterratóre m. digger; navvy.

stèrro m. 1 (*lo sterrare*) digging out (o up); excavation: **lavori di s.**, diggings; excavations; earthworks 2 (*terra scavata*) dug (o excavated) earth; loose earth 3 (*luogo sterrato*) excavation; diggings (pl.).

stertóre m. (*med.*) stertor.

stertoróso a. (*med.*) stertorous.

sterzànte a. (*autom.*) steering: **asse s.**, steering head (o axle).

sterzàre v. t. e i. 1 (*autom.*) to steer; to turn the wheel; to swerve: **s. a destra**, to steer (o turn the wheel) to the right; *Sterzò di colpo per evitarmi*, he swerved suddenly to avoid me 2 (*fig.*) to swerve; to swing*; to veer; to shift suddenly.

sterzàta f. 1 (*autom.*: *manovra*) steering; turn of the wheel; (*effetto*) swerve: **brusca s.**, sudden swerve; **leggera s.**, slight turn of the wheel; **fare una s. improvvisa**, to swerve suddenly; **fare una s. a destra**, to swerve to the right; *Con una s. si infilò nel vicolo*, he swung into the lane; **angolo di s.**, lock; **raggio di s.**, turning radius 2 (*fig.*) swerve; swing; veer; sudden shift: **una s. a destra nella direzione del partito**, a sudden shift to the right in the party leadership; **dare una s. a qc.**, to change the direction (o the course) of st.

sterzatùra f. (*autom.*) steering: **avere una buona s.**, to steer well; **angolo di s.**, lock; **raggio di s.**, turning radius.

stèrzo m. 1 (*autom.*: *dispositivo*) steering gear; steering; (*volante*) (steering) wheel: **s. duro [dolce]**, stiff [easy] steering; **rispondere bene [male] allo s.**, to steer well [badly]; **colpo di s.**, swerve; (*leggero*) turn of the wheel; **meccanismo di s.**, steering system; **piantone dello s.**, steering column; **scatola dello s.**, steering box 2 (*di bicicletta, motocicletta: manubrio*) handlebar.

stésa f. 1 (*lo stendere*) spreading 2 (*cose stese*) display.

stéso a. 1 (*disteso, spiegato*) spread (out), laid; (*allungato*) stretched out; (*teso*) outstretched; (*sdraiato*) lying: **braccia stese**, outstretched arms; *I giornali erano stesi sul tavolo*, the newspapers were spread out on the table; **la tovaglia stesa sul tavolo**, the tablecloth laid on the table; *L'uomo era s. sul letto*, the man was lying on the bed 2 (*appeso*) hanging: *Le lenzuola erano stese alle finestre*, the sheets were hanging from the windows 3 (*spalmato*) spread: **colori**

stesi male, unevenly spread colours 4 (*redatto*) drawn up; written; (*abbozzato*) drafted.

stèssi 1ª e 2ª pers. sing. congiunt. imperf. di **stare**.

♦**stésso** Ⓐ a. 1 (*uguale, identico*) same: *Abbiamo gli stessi amici*, we have the same friends; *Non parliamo la stessa lingua*, we do not speak the same language; *Abitano in dieci nello s. appartamento*, there are ten of them living in the same (o in one) flat; *Io agirei nello s. modo*, I would act in the same way; I would do the same; *La situazione è più o meno la stessa di un anno fa*, the situation is much the same as a year ago; *Siamo allo s. punto di prima*, we are back to where we were before (o, fam. back to square one); *Siamo dello s. parere*, we agree; we hold the same opinion; *È lo s. identico colore del tuo golf*, it's the very same colour as your jumper; *Suo marito e lo sconosciuto erano la stessa persona*, her husband and the mysterious man were one and the same person; **un libro utile e al tempo s. divertente**, a useful and at the same time entertaining book 2 (*pari*) equal; same: **della stessa età**, of the same age; **gli stessi diritti**, equal rights 3 (*rafforzativo di sost., con valore di «proprio»*) itself (sing.); themselves (pl.); (*in persona*) himself, herself, themselves, in person; (con agg. poss.) own, very: *Non solo lo stile, ma la trama stessa lasciavano molto a desiderare*, not only the style, but the plot itself left much to be desired; *La nostra stessa vita è in pericolo*, our very life is in danger; *Lo feci con queste stesse mani*, I did it with these very hands; *Lo udii coi miei stessi orecchi*, I heard it with my own ears; **oggi s.**, today; this very day; *Ci andrò oggi s.*, I'll go there today; **in quel momento s.**, at that very moment; **per ciò s.**, for this very reason; precisely because of this; *Sua madre stessa non l'avrebbe riconosciuto*, his own mother wouldn't have recognized him; *Il maestro s. non avrebbe potuto fare meglio*, the teacher himself could not have done better; *Ci fecero parlare con lo s. amministratore delegato*, we were able to speak to the managing director in person (o himself) 4 (*rafforzativo dei pron. pers. sogg.*) myself; yourself; himself; herself; itself; (al pl.) ourselves, (pl. di maestà) ourself, yourselves, themselves: *Io s. lo vidi partire*, I myself saw him leave; *Lo farò io s.*, I'll do it myself; *Guarda tu s.*, have a look yourself; *Dovreste andarci voi stessi*, you should go there yourselves; *Cominciamo noi stessi a dare il buon esempio*, we should begin to set the example ourselves 5 (*rafforzativo dei pron. pers. ogg.*) -self* (suff.): *Sono furioso con me s.*, I am furious with myself; *Ama il prossimo tuo come te s.*, love your neighbour as yourself; *Conosci te s.*, know thyself; *Deve solo prendersela con sé s.*, he has only himself to blame; *Gli egoisti pensano sempre a sé stessi*, selfish people always think of themselves; **essere in pace con sé stessi**, to be at peace with oneself; **di per sé s.**, in itself 6 (*con valore di «questo»*) – *Per trarre beneficio dalla cura, bisogna che la cura stessa sia seguita scrupolosamente*, for the treatment to be effective, it should be scrupulously followed Ⓑ pron. 1 (*la stessa persona*) same; same person: *Sei sempre lo s.!*, you are always the same!; *È sempre lo s., lo chef?*, is the chef still the same?; *Sono gli stessi dell'altra volta*, they are the same (people) as before; *Non era più lo s. dopo quell'incidente*, he was not the same man after that accident; *È lo s. che ha telefonato prima*, it's the same man that phoned earlier 2 (*la stessa cosa*) same: *Per me è lo s.*, it's (all) the same to me; *Anche lui ti dirà lo s.*, he'll tell you the same; *Giorgio si alzò e io feci lo s.*, Giorgio

stood up and I did likewise (o the same); *Che venga o non venga, fa lo s.*, it's (all) the same (o it does not make any difference) whether she comes or not; *Si è rotto? Fa lo s., tanto non mi serviva*, did it break? never mind, I didn't really need it; **e lo s. dicasi per...**, and the same is true of (o goes for)... 3 (*con valore di «questo, costui»*) – *Svitare il tappo del radiatore e controllare se lo s. è pieno*, unscrew the radiator cap and check if the radiator is full; *Dopo un colloquio col leader della maggioranza, il presidente ha incaricato lo s. di formare il nuovo governo*, after meeting the leader of the majority, the president asked him to form the new government Ⓒ **lo stésso** loc. avv. 1 (*comunque*) all (o just) the same; anyway: *Andremo a vederlo lo s.*, we'll go and see him all the same (o anyway) 2 (*in modo o quantità uguale*) the same: *Costa più o meno lo s.*, it costs much the same.

stesùra f. 1 (*compilazione, scrittura*) drawing; writing up: **la s. d'un contratto**, the drawing up of a contract 2 (*formulazione, testo*) wording, text; (*redazione*) version; (*abbozzo*) draft: **prima s.**, first draft; **s. finale**, final version; *Questa poesia esiste in due stesure*, there are two versions of this poem; *Fece cinque stesure del suo primo romanzo*, she rewrote her first novel five times; **scrivere in prima s.**, to write the first draft of; to draft 3 (*di colore, vernice*) laying; spreading; (*mano*) coat.

stetoscopìa f. (*med.*) stethoscopy.

stetoscòpico a. (*med.*) stethoscopic.

stetoscòpio m. (*med.*) stethoscope.

stètti 1ª pers. sing. pass. rem. di **stare**.

Stettino f. (*geogr.*) Stettin.

stévola → **stegola**.

steward (*ingl.*) m. inv. (*aeron. ed estens.*) steward.

stìa ① 1ª, 2ª e 3ª pers. sing. congiunt. pres. di **stare**.

stìa ② f. (*agric.*) hen-coop; hutch.

stiacciàto m. (*scult.*) stiacciato.

stiaccìno m. (*zool.*, *Saxicola rubetra*) whinchat.

stiància f. (*bot.*, *Typha latifolia*) reed mace; cat's-tail; bulrush.

stibnìte f. (*miner.*) stibnite.

stick (*ingl.*) m. inv. stick: **s. deodorante**, deodorant stick; **s. di rossetto**, lipstick; **in s.**, stick (attr.).

sticometrìa f. (*letter.*) stichometry.

sticòmetro m. (*tipogr.*) type (o line) gauge.

sticomitìa f. (*letter.*) stichomythia.

stiffèlius, **stifèlius** m. (*redingote*) frock coat.

Stìge m. (*mitol.*) Styx.

stìgio a. (*mitol.*) Stygian.

stigliàre v. t. (*ind. tess.*) to scutch; to swingle.

stigliatrìce f. (*mecc.*) scutcher; swingle.

stigliatùra f. (*ind. tess.*) scutching; swingling.

stìglio m. (*ind. tess.*) scutcher; swingle.

stigma m. 1 (*bot.*) stigma* 2 (*zool.*) spiracle 3 (*marchio*) brand 4 (*fig.*) stigma; brand; mark.

stìgmate f. pl. 1 (*relig.*) stigmata 2 (*med.*) stigma (sing.) 3 (*fig.*) brand (sing.); stigma (sing.).

stigmàtico a. 1 (*bot.*) stigmatic 2 (*fis.*) anastigmatic; stigmatic.

stigmatìsmo m. (*fis.*) stigmatism.

stigmatizzàre v. t. (*fig.*) to stigmatize; to censure; to denounce.

stigmatizzazióne f. (*fig.*) stigmatization; censure; denouncement.

stigmòmetro m. (*fotogr.*) stigmometer.

stilàre v. t. (*bur.*) to draw* up; to write*: **s. un contratto**, to draw up a contract; **s. una lettera**, to write a letter.

stilàta f. (*archit.*) pier.

stilb m. (*fis.*) stilb.

stilbìte f. (*miner.*) stilbite.

stìlbo m. (*zool.*, *Stilbum splendidum*) golden wasp.

♦**stìle** m. **1** (*letter.*, *mus.*, *arte*) style: **s. ampolloso** [**sobrio, ricercato**], bombastic [sober, refined] style; **s. comico** [**tragico, romantico**], comic [tragic, romantic] style; **s. gotico** [**romanico**], Gothic [Romanesque] style; **s. Impero** [**Luigi XV**], Empire [Louis XV] style; **bello s.**, fine writing; **in s. gotico**, in the Gothic style; Gothic; **di vecchio s.**, old-style (*attr.*); **nello s. di**, in (*o* after) the manner of; **comò s. Impero**, Empire chest of drawers; **mobili in s.**, reproduction (*o* period) furniture **2** (*modo di fare qc.*, *tecnica*) style; (*modo di essere*, *di comportarsi*) style, manner, way, fashion, habit: **s. da manuale**, textbook style; **s. di vita**, lifestyle; **s. impeccabile**, perfect style; **s. personale**, individual style; **di s. italiano**, Italian-style (*attr.*); **cambiare s.**, to change one's style; *È nel suo s.*, it's typical of him; it's like him; *Non è nel mio s. criticare un collega*, it is not my style to criticize a colleague; **fare qc. in grande s.**, to do st. on a large scale (*o* lavishly); not to spare expenses doing st.; **ricevimento in grande s.**, lavish reception **3** (*eleganza*, *raffinatezza*) style; class; flair; panache (*franc.*): **avere s.**, to have style (*o* class); to be stylish; **non avere s.**, to lack style (*o* class); **avere s. nel vestire** (*o* **vestirsi con s.**), to dress stylishly; **avere un certo s.**, to have a certain style; *Ha un suo s.*, he has a style of his own; he has his own individual style; *È una donna di s.*, she has style (*o* class); **fare qc. con s.**, to do st. in style; **mancare di s.**, to lack style (*o* class); **un tocco di s.**, a touch of style **4** (*sport*) technique: **s. di nuoto**, stroke; **s. libero**, freestyle; **gara a s. libero**, freestyle contest; (*nuoto*) freestyle swimming race; **nuotare a s. libero**, to swim freestyle **5** (*computo del tempo*) style: **s. giuliano**, Old Style; **s. gregoriano**, New Style **6** → **stilo**.

stilé a. stylish; smart; chic; classy.

stilèma m. **1** (*ling.*) stylistic element **2** (*letter.*) stylistic feature.

stilettàta f. **1** (*colpo di stiletto*) stab (with a stiletto) **2** (*fig.*) sharp pain; shooting pain; stab; spasm: **s. al fianco**, sharp pain in the side; stitch in the side; *La scoperta fu per lei una s. al cuore*, that discovery came to her as a blow.

stilétto m. stiletto*; dagger.

stilìsmo m. (*letter.*, *arte*) stylism.

stilìsta① m. e f. (*letter.*, *arte*) stylist.

stilìsta② m. e f. (*moda*, *arredamento*) designer; stylist: **s. di moda**, fashion designer; couturier (*franc.*).

stilìstica f. stylistics (pl. col verbo al sing.).

stilìstico a. stylistic.

stilìta, **stilìte** m. (*relig.*) stylite.

stilizzàre v. t. to stylize.

stilizzàto a. stylized.

stilizzazióne f. stylization.

stìlla f. (*lett.*) drop; droplet; bead: **s. di sangue**, drop of blood; **s. di rugiada**, dewdrop; **stille di sudore**, beads of sweat; **a stille**, in drops; **a s. a s.**, drop by drop; **bere fino all'ultima s.**, to drink to the last drop.

stillàre ⒶⒶ v. t. to drip; (*trasudare*) to ooze, to exude: *La ferita stillava sangue*, blood was trickling from the wound; *Il pino stilla resina*, the pine tree exudes resin Ⓑ v. i. to drip; to trickle; (*trasudare*) to seep, to ooze, to exude: *Dal soffitto stillava un po' d'ac-*

---

qua, water dripped from the ceiling; *Il sangue stillava dalla ferita*, blood was trickling from the wound.

stilliberìsta m. e f. (*sport*) freestyle swimmer.

stillicìdio m. **1** dripping; drip, drip, drip; ooze: *Lo s. del rubinetto mi faceva impazzire*, the incessant drip, drip, drip of the tap was driving me mad **2** (*fig.*) steady trickle; endless stream: **uno s. di notizie**, news coming in dribs and drabs; **uno s. di telefonate**, an endless stream of phonecalls.

stilnovìsmo m. (*letter.*) stil novo style; adherence to the stil novo.

stilnovìsta (*letter.*) Ⓐ m. stil novo poet Ⓑ a. stil novo (*attr.*).

stilnovìstico a. (*letter.*) stil novo (*attr.*).

stilnòvo m. (*letter.*) stil novo.

stilo① m. **1** (*stor.*) stylus*; style **2** (*di stadera*) beam; (*di bilancia*) needle; (*di gnomone*) style; (*di giradischi*) stylus **3** (*pugnale*) stiletto*; dagger **4** (*zool.*, *bot.*) style.

stilo② f. inv. fountain pen; (*di palmare*, *ecc.*) stylus.

stilòbate m. (*archit.*) stylobate.

stilòforo Ⓐ a. (*archit.*) column-bearing Ⓑ m. **1** (*archit.*) column-bearing figure **2** (*portapenna*) penholder.

stilogràfica f. fountain pen.

stilogràfico a. stylographic; fountain pen (*attr.*): **inchiostro s.**, fountain pen ink; **penna stilografica**, fountain pen.

stilòide a. (*anat.*) styloid.

stiloioidèo a. (*anat.*) stylohyoid.

stìma f. **1** (*valutazione*) estimate, evaluation, valuation; assessment; appraisal; (*perizia*) survey; (*prezzo stimato*) valuation, estimate: **s. catastale**, cadastral estimate (*o* survey); **s. dei costi**, estimate of costs; **s. di un gioiello**, valuation of a piece of jewellery; **s. di un patrimonio**, estimate of an estate; **s. eccessiva**, overestimate; **s. approssimata**, rough estimate; **s. prudenziale**, conservative estimate; **secondo una s. approssimata**, at a rough estimate; **fare la s. di qc.**, to make an estimate of st.; to assess the value of st.; to estimate st.; to appraise st.; **fare una s. dei danni**, to make an assessment of damage; to assess damage; **prezzo di s.**, valuation; estimated price; **valore di s.**, estimated value **2** (al pl.) (*agric.*) stock (sing.): **stime morte**, dead stock; **stime vive**, livestock **3** (*calcolo*) estimate; calculation: **s. della distanza**, calculation of the distance; **secondo le nostre stime**, according to our estimates (*o* calculations) **4** (*naut.*) reckoning: **s. della posizione**, dead reckoning; **fare la s. della propria posizione**, to calculate one's position by dead reckoning; **errore di s.**, error in dead reckoning; **punto di s.**, estimated position **5** (*considerazione*) esteem; estimation; regard; high opinion; respect; credit; consideration: **s. di sé**, self-esteem; self-respect; **avere molta s. di q.**, to think highly of sb.; to have a high opinion of sb.; to hold sb. in high esteem; **avere poca s. di q.**, to have a poor opinion of sb.; **crescere nella s. di q.**, to go up in sb.'s estimation; **guadagnarsi la s. dei colleghi**, to win the respect of one's colleagues; **godere la s. di tutti**, to be generally esteemed; to enjoy general respect; to be generally appreciated; **perdere la s. di q.**, to lower oneself (*o* to go down) in sb.'s estimation; **degno di s.**, worthy; respectable; **manifestazione di s.**, expression of regard; appreciation; **successo di s.**, succès d'estime (*franc.*).

stimàbile a. **1** (*valutabile*) assessable; appraisable; valuable **2** (*rispettabile*) respectable; worthy; estimable; praiseworthy.

♦**stimàre** Ⓐ v. t. **1** (*valutare*) to estimate; to value; to appraise; to rate; to assess; (*perizia-re*) to survey: **s. i danni**, to assess damage;

---

s. un anello [**una proprietà**], to value a ring [an estate]; **s. il valore di qc.**, to estimate (*o* to appraise, to assess) the value of st.; to put (*o* to set) a value to st.; **s. qc. al di sopra** [**al di sotto**] **del suo valore**, to overestimate [to underestimate] the value of val.; *L'incendio ha causato danni stimati a un milione di euro*, the fire caused damage estimated at one million euros; **fare s. qc.**, to have st. valued **2** (*calcolare*) to estimate; to calculate: **s. una distanza**, to estimate (*o* to calculate) a distance **3** (*naut.*) to calculate by dead reckoning **4** (*giudicare*, *ritenere*) to consider; to think*; to judge; to repute; to regard: *Stimo che la miglior cosa sia di non cedere*, I think the best thing to do is not to give in; *Lo stimo molto intelligente*, I consider him (to be) very intelligent; I regard him as very intelligent **5** (*apprezzare*) to value; to think* highly of; to esteem: *Tutti lo stimano*, he is esteemed by everyone; *I suoi superiori lo stimano molto*, his superiors think highly of him; *Lo stimo molto come economista*, I rate him highly as an economist; *Come compositore era poco stimato*, as a composer he was not much thought of Ⓑ **stimàrsi** v. rifl. to consider oneself; to think* oneself: **stimarsi fortunato**, to consider (*o* to think) oneself lucky; **stimarsi moltissimo**, to have a very high opinion of oneself; *Non si stima capace di riuscire*, she doesn't consider herself capable of succeeding.

stimatìva f. (*lett.*) critical judgment.

stimàto a. **1** (*valutato*) estimated; valued; assessed; appraised: **prezzo s.**, valued price; **valore s.**, estimated value **2** (*apprezzato*) highly considered; highly regarded; well-thought-of; esteemed; reputed; of good repute: **un cardiologo molto s.**, a highly considered cardiologist; a cardiologist of high repute; (*nelle lettere*) **la stimata vostra del...**, your letter of the... **3** (*naut.*) by dead reckoning: **punto s.**, position by dead reckoning; dead reckoning position.

stimatóre m. (f. *-trice*) **1** (*chi compie una valutazione*) appraiser; estimator; valuer; valuator; (*ass.*) assessor **2** (*estimatore*) appreciator; admirer; connoisseur.

stìmma, **stìmmate** → **stigma**, **stigmate**.

stimmatizzàre → **stigmatizzare**.

stimolànte Ⓐ a. **1** stimulating; stirring; attractive; challenging: **esempio s.**, stimulating (*o* stirring) example; **esperienza s.**, stimulating experience; **idea s.**, attractive idea; **problema s.**, challenging problem; **proposta s.**, attractive proposal **2** (*med.*, *farm.*) stimulating; stimulant Ⓑ m. (*farm.*) stimulant.

stimolàre v. t. **1** (*incitare*, *spronare*) to stimulate, to incite, to spur; (*pungolare*) to goad, to prod: (*econ.*) **s. la domanda**, to stimulate demand; **s. q. ad agire**, to spur (*o* to goad) sb. into action; **s. la fantasia**, to stimulate the imagination **2** (*eccitare*) to stir up; to rouse; to whet; (*suscitare*) to provoke, to trigger: **s. l'appetito**, to whet sb.'s appetite; **s. la curiosità di q.**, to rouse (*o* to stir up) sb.'s curiosity **3** (*med.*) to stimulate. **4** (*usare il pungolo*) to goad: **s. i buoi**, to goad oxen.

stimolatóre Ⓐ a. stimulating; stirring; inciting Ⓑ m. (f. *-trice*) stimulator; inciter ● (*med.*) **s. cardiaco**, pacemaker.

stimolazióne f. **1** stimulation; incitement **2** (*med.*) stimulation.

stìmolo m. **1** (*incitamento*) stimulus*; incitement; incentive; urge; spur; drive; goad; (*assillo*) prick, pang, sting: **s. sessuale**, sexual urge; **lo s. della fame**, the pangs (pl.) of hunger; *L'emulazione è per lui un forte s.*, emulation is a powerful stimulus for him; **decidere sotto lo s. dell'urgenza**, to decide

under pressure; **provare uno s.**, to feel an impulse (*o* an urge) **2** (*fisiol.*) stimulus*: **stimoli nervosi**, nerve stimuli; (*psic.*) **s. condizionato**, conditioned stimulus **3** (*lett.: pungolo*) goad.

stincàta f. blow on the shin.

stinco m. **1** shin; (*osso*) shinbone, tibia* **2** (*zool.*) cannon-bone **3** (*cucina*) shin: **s. di vitello**, shin of veal ● (*fig.*) **non essere uno s. di santo**, to be far from being a saint; to be no angel.

stingere A v. t. to fade; to discolour: *Il sole aveva stinto il tappeto*, the sun had faded the carpet B v. i. to fade; (*in acqua*) to run*: *La camicetta ha stinto su tutto il bucato*, the colour of the blouse ran and stained all the washing; **colori che non stingono**, fast colours; **stoffa che non stinge**, material that does not fade; colourfast material C **stingersi** v. i pron. to fade; to discolour.

stinto a. faded; discoloured.

stipàre A v. t. to crowd; to cram; to pack; (*solo cose*) to stuff: **s. gente in una stanza**, to crowd (*o* to pack) people into a room; **s. abiti in un baule**, to cram (*o* to pack) clothes into a trunk; *Il pubblico stipava il cinema*, the audience packed the cinema; the cinema was packed (with people); *Stipò in fretta le carte nel cassetto*, he hurriedly stuffed (*o* crammed) the papers into the drawer B **stiparsi** v. i. pron. (*accalcarsi*) to crowd, to throng, to be pressed together; (*riempirsi*) to fill up: *Ci stipammo sotto la pensilina*, we crowded under the shelter; *Il teatro andava stipandosi*, the theatre was filling up.

stipàto a. crowded; crammed; packed; jam-packed; packed full; stuffed; chock-full (*fam.*); chock-a-block (*fam.*): **s. di gente**, crowded (*o* thronged, jam-packed) with people; *Eravamo stipati in sei per cabina*, we were packed six to a cabin; *I mezzi erano stipati*, buses and trams were crammed (*o* chock-a-block) with people; **stadio s.**, packed stadium; **una stanza stipata di mobili**, a room stuffed with furniture; **oggetti stipati in un cassetto**, things crammed in a drawer.

stipe f. (*archeol.*) votive offerings (pl.).

stipendiàre v. t. **1** (*assumere*) to employ; to take* on; to hire **2** (*retribuire con uno stipendio*) to pay* a salary to.

stipendiàto A a. salaried; (*al servizio di*) paid (by), on (sb.'s) payroll: **impiegati stipendiati**, salaried employees; **lavoro s.**, paid job; **essere s.**, to be paid a salary; **essere s. dal comune**, to be on the town council payroll B m. (f. **-a**) salaried person; employee.

◆**stipèndio** m. salary; pay: **s. arretrato**, back pay; **s. base**, basic salary; **s. fisso**, regular salary; **s. lordo**, gross salary; **s. mensile**, monthly pay; **s. netto**, net salary; take-home pay; **s. ridotto**, half-pay; **aumentare gli stipendi**, to raise (*o* to put up) salaries; **avere un buono s.**, to be well paid; to get a good salary; **congelare gli stipendi**, to freeze salaries; **percepire uno s.**, to draw a salary; **ritirare lo s.**, to draw one's salary; **aumento di s.**, pay rise (*GB*); pay raise (*USA*); salary increase.

stipettàio m. cabinet maker.

stipetteria f. cabinet-making.

stipétto m. **1** cabinet **2** (*naut.*) locker.

stìpite A m. (*bot.: fusto di palma*) trunk; (*gambo di fungo*) stipe **2** (*archit.*) jamb; post: **s. di finestra**, window jamb; **s. di porta**, door jamb; doorpost **3** (*ling.*) stock; family B a. inv. – (*biol.*) **cellula s.**, germinal cell.

stìpo m. cabinet.

stìpola f. (*bot.*) stipule.

stipolàto a. (*bot.*) stipulate.

stìpsi f. (*med.*) constipation; costiveness.

stìpula → **stipulazione**.

stipulànte (*leg.*) A a. contracting B m. e f. contracting party.

stipulàre v. t. **1** (*impegnarsi in*) to enter into, to contract; (*redigere*) to draw* up: **s. un accordo**, to enter into an agreement; **s. un contratto**, to enter into a contract; (*redigerlo*) to draw up a contract; **s. una polizza di assicurazione**, to take out an insurance policy **2** (*concordare*) to agree; to agree on: **s. un prezzo**, to agree on a price; *Stipularono che...*, they agreed that... ● FALSI AMICI ● stipulare *non si traduce con* to stipulate.

stipulàto a. (*redatto*) drawn up; (*concordato*) agreed, agreed upon: **i patti stipulati**, the terms agreed upon; the agreed terms; **prezzo s.**, agreed price.

stipulazióne f. (*stesura*) drawing-up; (*accordo*) agreement; (*contratto*) contract: **la s. d'un contratto**, the drawing up of a contract.

stiracalzóni m. inv. trouser press.

stiracchiaménto m. **1** (*l'allungare distendendo*) stretching; stretch **2** (*fig. fam.: mercanteggiamento*) haggling; bargaining **3** (*fig. fam.: forzatura*) forcing; straining.

stiracchiàre A v. t. **1** (*allungare distendendo*) to stretch: **s. le gambe**, to stretch one's legs **2** (*tirare in lungo*) to draw* out **3** (*anche assol.: risparmiare*) to eke out; to stint (on); to economize (on) B v. t. e i. **1** (*fam.: mercanteggiare*) to haggle (over); to bargain (for, over): **s. il (***o* **sul) prezzo di qc.**, to haggle over the price of st. **2** (*fam.: forzare*) to strain; to stretch; to force: **s. il (***o* **sul) significato d'una frase**, to strain the meaning of a sentence C **stiracchiàrsi** v. rifl. to stretch.

stiracchiàto a. (*forzato*) forced, strained; (*lambiccato*) far-fetched.

stiracchiatùra f. (*interpretazione forzata*) straining ▯; forced (*o* strained) interpretation; far-fetched conclusion.

stiràggio m. stretching.

stiramàniche m. inv. sleeve board.

stiraménto m. **1** (*il distendere*) stretching; stretch, extension **2** (*med.*) straining; spraining; sprain; pulling: **s. muscolare**, muscle sprain; **procurarsi uno s. muscolare**, to pull a muscle **3** (*tecn.*) stretching; expansion.

stirapantalóni m. inv. trouser press.

◆**stiràre** A v. t. **1** (*allungare distendendo*) to stretch: **s. le braccia [le gambe]**, to stretch one's arms [one's legs] **2** (*con ferro da stiro*) to iron; to press: **s. a vapore**, to steam-iron; **s. una camicia**, to iron a shirt; *Oggi devo s.*, I have to do the ironing today; **cose da s.**, ironing ▯; **indumento che non si stira**, drip-dry (*o* wash-and-wear) garment; **stoffa che non si stira**, non-iron material **3** (*lisciare*) to smooth down: *Si stirò la gonna per coprire le ginocchia*, she smoothed her skirt down over her knees **4** (*i capelli*) to straighten **5** (*med.*) to pull; to strain: **stirarsi un muscolo**, to pull a muscle **6** (*tecn.*) to stretch; to expand B **stiràrsi** v. rifl. to stretch (out).

stiràta f. (*con ferro da stiro*) quick press.

stiràto a. **1** ironed; pressed: **camicie stirate**, ironed shirts; **roba stirata**, (freshly) ironed things (pl.) **2** (*med.*) pulled; strained **3** (*tecn.*) stretched; expanded.

stiratóio m. **1** (*ind. tess.*) drawing frame **2** (*panno per stirare*) ironing blanket; ironing board cover.

stiratóre m. (*ind. tess.*) drawer.

stiratrìce f. **1** ironer **2** (*macchina per stirare*) ironing machine **3** (*ind. tess.*) drawing frame.

stiratùra f. **1** (*di tessuto, indumento*) ironing; pressing: **s. a vapore**, steam-ironing;

che non necessita di s., non-iron (attr.); (*di indumento*) wash-and-wear (attr.), drip-dry (attr.) **2** (*dei capelli*) straightening **3** (*med.*) straining; strain; pulling **4** (*ind. tess.*) drawing **5** (*tecn.*) stretching; expansion.

stirène m. (*chim.*) styrene.

stirènico a. (*chim.*) styrene (attr.).

stirerìa f. **1** (*laboratorio*) ironing establishment; laundry **2** (*locale*) ironing room.

Stìria f. (*geogr.*) Styria.

stirizzìre A v. t. to warm: **s. le mani**, to warm one's hands B **stirizzìrsi** v. rifl. to warm oneself.

stìro m. **1** ironing; pressing: **asse da s.**, ironing board; **ferro da s.**, iron **2** (*tecn.*) stretching; expansion **3** (*ind. tess.*) drawing.

stìrolo → **stirene**.

stìrpe f. (*lignaggio, casata*) line, lineage, stock, ancestry, descent; (*nascita*) birth, origin, extraction, descent; (*famiglia, anche fig.*) stock, family; (*razza*) race: **la s. dei Plantageneti**, the Plantagenet line; **una s. di eroi**, a race of heroes; **di nobile s.**, of noble birth (*o* stock, descent, extraction); **di s. reale**, of royal descent; *Fu l'ultimo della sua s.*, he was the last of his line; **lingue della stessa s.**, languages belonging to the same family **2** (*discendenza, progenie*) issue; progeny.

stitichézza f. constipation; costiveness.

stìtico A a. **1** suffering from constipation; constipated; costive **2** (*fig.: misero, striminzito*) scanty; poor **3** (*fig.: taccagno*) stingy; niggardly; mean B m. (f. **-a**) person suffering from constipation; costive person.

stìva f. **1** (*naut.*) hold: **s. di poppa [di prua]**, after [fore] hold; **ponte di s.**, orlop (deck); **mettere nella s.**, to stow (in the hold) **2** (*aeron.*) (cargo) hold.

stivàggio m. (*naut.*) stowage: **s. alla rinfusa**, stowage in bulk; **spese di s.**, stowage (charges).

stivalàio m. **1** (*fabbricante*) boot maker; boot manufacturer **2** (*venditore*) boot seller.

stivalàta f. blow with a boot; (*calcio*) kick.

stivalàto a. booted; wearing boots; with boots on.

◆**stivàle** m. **1** boot: **stivali al ginocchio**, knee-high boots; **stivali al polpaccio**, half-boots; **stivali all'inglese**, top boots; **stivali alla moschettiera**, thigh boots; **stivali alla scudiera**, jackboots; **stivali da equitazione**, riding boots; **stivali da pesca**, waders; **stivali di gomma**, gumboots; wellington boots; wellingtons; wellies (*fam. GB*); **gli stivali delle sette leghe**, the seven-leagued boots **2** – lo S., the Italian peninsula; Italy ● (*spreg.*) **dei miei stivali**, third-rate; worthless: **quell'avvocato dei miei stivali!**, that third-rate (*o* pettifogging) lawyer!; **quel dottore dei miei stivali!**, that quack! □ il Gatto con gli stivali, Puss in Boots □ (*fig.*) lustrare gli stivali a q., to lick sb.'s boots.

stivalerìa f. boot factory.

stivalétto m. **1** (ankle) boot: **stivaletti anfibi**, army-issue rubber boots; **stivaletti con l'elastico ai lati**, elastic-sided boots; gaiters (*USA*) **2** (*stor.*) – s. malese, boot.

stivalóne m. high boot; (*di gomma*) wellington boot; (*per la pesca*) hip-boot, wader.

stivàre v. t. **1** (*naut.*) to stow: **s. alla rinfusa**, to stow in bulk **2** (*caricare*) to load **3** (*pigiare*) to cram; to pack; to stuff.

stivatóre m. (*naut.*) stevedore; longshoreman* (*USA*).

stìzza f. irritation; annoyance; vexation; anger; huff: **gesto di s.**, irritated gesture; **momento di s.**, fit of temper (*o* ill-temper); moment of anger; **moto di s.**, angry reaction; **farsi prendere dalla s.**, to react angrily; to get into a huff.

stizzìre A v. t. to irritate; to annoy; to vex;

to make* (sb.) cross; to peeve (*fam.*); to rile (*fam.*); to bug (*fam.*) **B** v. i. e **stizzirsi** v. i. pron. to get* cross; to get* into a huff.

stizzito a. irritated; annoyed; vexed; cross; in a huff (pred.): **gesto s.**, irritated gesture; **occhiata stizzita**, cross look; *Se ne andò tutto s.*, he left in a huff; *«Potevi dirmelo!» esclamò s.*, «you could have told me!» he snapped.

stizzosaménte avv. angrily; testily; with annoyance; huffily; in a huff.

stizzóso a. **1** (*che si stizzisce facilmente*) irritable; easily offended; testy; tetchy; fractious: **carattere s.**, irritable temper; tetchiness; peevishness **2** (*indispettito*) irritated; cross; huffy; testy; peevish; petulant: **parole stizzose**, testy words; **voce stizzosa**, petulant voice **3** (*insistente*) persistent: **tosse stizzosa**, persistent cough.

sto 1ª pers. sing. indic. pres. di **stare**.

'sto, stò a. dimostr. (*pop.*) → **questo**, A.

stòa f. **1** (*archit.*) stoa; portico **2** (*filos.*) – **la S.**, the Stoa.

stocàstica f. stochastics (pl. col verbo al sing.).

stocàstico a. (*stat.*) stochastic; random: **musica stocastica**, stochastic music; **variabile stocastica**, stochastic (*o* random) variable.

stoccafisso m. **1** stockfish; dried cod **2** (*fig. pop.*) thin person; person as thin as a rake (*fam.*) • **rigido come uno s.**, as stiff as a poker.

stoccàggio m. **1** (*accumulo*) stockpiling **2** (*magazzinaggio*) storage; warehousing.

stoccàre v. t. **1** (*accumulare*) to stockpile **2** (*acquistare in blocco*) to buy* in bulk.

stoccàta f. **1** (*colpo di stocco*) (rapier) thrust; stab: **vibrare una s. a q.**, to aim a thrust at sb. **2** (*scherma*) straight thrust; hit: **mettere a segno una s.**, to score a hit **3** (*calcio*) shot at the goal **4** (*fig.: battuta pungente*) gibe; dig; (home) thrust **5** (*fig.: richiesta di denaro*) touch: *Mi ha dato una s. di cinquanta euro*, he touched me for fifty euros.

stoccatóre m. (f. **-trice**) **1** (*fig.: chi dice battute pungenti*) giber **2** (*fig.: chi chiede denaro*) cadger; sponger **3** (*calcio*) striker; top scorer.

stocchìsta → **stockista**.

stòcco① m. **1** (*arma*) rapier **2** (*anche* **bastone da s.**) swordstick.

stòcco② m. (*stelo del mais*) maize stalk; cornstalk.

Stoccólma f. (*geogr.*) Stockholm.

stock (*ingl.*) m. inv. (*comm.*) **1** (*giacenza*) stock; inventory: **comprare uno s. di merce**, to buy a stock of goods **2** (*assortimento*) selection; choice **3** (*disponibilità*) supply; stock.

stockista m. e f. (*comm.*) **1** discount dealer **2** (*grossista*) wholesaler.

♦**stòffa** f. **1** (*tessuto*) cloth; material; fabric: **s. di lana** [**di seta**], woollen [silk] cloth (*o* material, fabric); **s. leggera** [**pesante**], light [heavy] cloth (*o* material, fabric); **s. fantasia**, fancy cloth; **s. per abiti**, (*da donna*) dress material; (*da uomo*) suiting; **negozio di stoffe**, draper's shop; drapery store (*USA*); **taglio di s.**, cut (*o* length) of material **2** (*fig. fam.: capacità*) stuff; makings (pl.); what it takes; (*talento*) talent: **avere la s. del politico**, to have the makings of a politician; **avere la s. per riuscire**, to have what it takes to succeed; *Non ho la s. dell'eroe*, I'm not the stuff heroes are made of; *Il ragazzo ha della s., bisogna farlo studiare*, the boy has got talent, he should go on with his studies; *Lui è di tutt'altra s.*, he is completely different.

stoicaménte avv. stoically; with stoicism.

stoicìsmo m. **1** (*filos.*) Stoicism **2** (*fig.*)

stoicism; fortitude: **sopportare qc. con s.**, to endure st. with stoicism (*o* stoically).

stòico **A** a. **1** (*filos.*) Stoic **2** (*fig.*) stoic, stoical **B** m. (f. **-a**) **1** (*filos.*) Stoic **2** (*fig.*) stoic.

stoino → **stuoino**.

stòla f. **1** (*di pelliccia*) stole: **s. di visone**, mink stole **2** (*eccles.*) stole **3** (*stor.*) stole.

stolidézza, **stolidità** f. dullness; obtuseness; slow wit.

stòlido **A** a. obtuse; dull; slow-witted; (*sciocco*) foolish, stupid **B** m. (f. **-a**) stupid; blockhead; fool ❶ **FALSI AMICI** • stolido *non si traduce con* stolid.

stóllo m. (*agric.*) haystack pole.

stolóne① m. (*eccles.*) orphrey.

stolóne② m. **1** (*bot.*) stolon; runner **2** (*zool.*) stolon.

stolonìfero a. (*bot.*) stoloniferous.

stoltézza f. **1** foolishness; stupidity **2** (*azione stolta*) foolish (*o* stupid) act, folly, stupidity; (*parole stolte*) nonsense Ⓤ, foolish words (pl.).

stólto **A** a. foolish; stupid: **s. orgoglio**, foolish pride; **parlare da s.**, to speak foolishly (*o* like a fool) **B** m. (f. **-a**) fool; idiot.

stòma m. (*bot., zool., chir.*) stoma*.

stomacàle → **stomachico**.

stomacànte → **stomachevole**.

stomacàre **A** v. t. (*anche fig.*) to nauseate; to revolt; to turn sb.'s stomach; to make* sick; to sicken; to revolt: **cibo che stomaca**, nauseating food; *Quella visita mi stomacò*, the sight (of it) turned my stomach (*o* made me sick) **B** **stomacàrsi** v. i. pron. to be nauseated; to be revolted.

stomacàto a. (*anche fig.*) nauseated; revolted; disgusted.

stomachévole a. (*anche fig.*) nauseating; revolting; sickening: **cibo s.**, nauseating (*o* revolting) food; **odore s.**, revolting smell; **vista s.**, nauseating sight.

stomàchico a. e m. (*farm.*) stomachic.

♦**stòmaco** m. **1** (*anat.*) stomach: **s. debole**, weak stomach; **s. gonfio**, distended stomach; **a s. pieno** [**vuoto**], on a full [an empty] stomach; **avere uno s. di ferro**, to have a cast-iron stomach; **avere lo s. in disordine**, to have an upset stomach; **essere delicato di s.**, to have a weak digestion; (*fig.*) to be squeamish; **riempirsi lo s.**, to fill one's stomach; **rimettere a posto lo s.**, to settle one's stomach; **rovinarsi lo s.**, to ruin (*o* to spoil) one's stomach; **sistemare lo s.**, to settle sb.'s stomach; **bocca dello s.**, pit of the stomach; solar plexus; **bruciore allo s.**, heartburn; **crampi allo s.**, stomach cramps; **imbarazzo di s.**, stomach upset; **mal di s.**, stomach-ache **2** (*fig. fam.: coraggio*) strong stomach, nerve, guts (pl., *fam.*); (*sfacciataggine*) nerve, gall (*fam.*): *Ci vuole un bello s. per guardare film simili*, it takes a strong stomach to watch such films; *Ha avuto lo s. di chiedermi un aumento*, she had the gall to ask for a rise • (*fig.*) **avere sullo s.**, (*non sopportare*) to stand □ **Quelle parole ce le ho ancora sullo s.**, those words have stuck in my throat □ **avere un vuoto allo s.**, to feel faint with hunger □ **dare allo s.**, to turn sb.'s stomach; to nauseate; to sicken □ **dare di s.**, to vomit; to throw up; to be sick (*GB*) □ **rimanere sullo s.**, to give indigestion; (*fig.*) to stick in sb.'s throat □ (*anche fig.*) **rivoltare lo s.**, to turn sb.'s stomach; to sicken: **sentirsi rivoltare lo s.**, to feel one's stomach turn; *Mi si rivoltò lo s. a quella vista*, the sight (of it) turned my stomach (*o* sickened me) □ (*fig.*) **togliersi un peso dallo s.**, to take a load off one's mind.

stomacóso → **stomachevole**.

stomàtico a. **1** (*med.*) for stomatitis **2** (*bot.*) stomatal **3** → **stomachico**.

stomatìte f. (*med.*) stomatitis.

stomatologìa f. (*med.*) stomatology.

stomatològico a. (*med.*) stomatological.

stomatòlogo m. (f. **-a**) (*med.*) stomatologist.

stomatòpode m. (*zool.*) stomatopod; (al pl., *scient.*) Stomatopoda.

stomìa f. (*chir.*) neostomy; tubal surgery.

stomizzàre v. t. (*chir.*) to perform a neostomy on.

stonacàre **A** v. t. to remove plaster from; to unplaster **B** **sonacàrsi** v. i. pron. to peel off; to flake off.

stonàre① **A** v. i. **1** (*mus.: suonando*) to play (*o* to be) out of tune; (*cantando*) to sing* (*o* to be) out of tune (*o* off key, off pitch); (*fare una stecca*) to play [to sing*] a false note, to miss a note: *Il violino sta stonando*, the violin is playing out of tune; *Il tenore stonò nella prima romanza*, the tenor sang a false note (*o* missed a few notes) during the first aria **2** (*fig.: stridere*) to clash, to jar; (*non essere in sintonia*) to be out of keeping; (*essere inopportuno*) to strike* a false note, to be out of place: *Il colore del divano stona con la tappezzeria*, the colour of the sofa clashes with the wallpaper; *Le sue parole stonavano con le sue maniere*, his words were out of keeping with his manners; **un commento che stona**, a jarring comment **B** v. t. – *Hai stonato il si*, you missed that B; that B was too flat.

stonàre② v. t. (*confondere*) to upset*; to unsettle.

stonàta f. false note; missed note.

stonàto① a. **1** (*mus., di strumento, voce*) out of tune; (*di nota*) false, flat; (*di suono*) jarring, unpleasant; (*di persona*) unable to hit the notes (*o* to sing in tune), tone-deaf: **pianoforte s.**, out-of-tune piano; *La campana diede un suono s.*, the bell gave out a jarring sound; *È s. come una campana*, he sings atrociously; he cannot carry a tune **2** (*fig.: inopportuno*) out of place; out of keeping; out of key; jarring: *Il suo intervento fu una nota stonata*, his remark was out of place (*o* struck a false note).

stonàto② a. (*stordito*) out of sorts; dizzy; upset.

stonatùra f. **1** (*mus.: lo stonare*) singing (*o* playing, being) out of tune; (*nota stonata*) false note, missed note, clinker (*fam. USA*): **fare una s.**, to sing (*o* to play, to hit) a false note, to miss a note **2** (*fig.*) jarring note; false note: **essere una s.**, (*stridere*) to be a jarring note, to clash; (*essere inopportuno*) to strike a false note, to be out of place.

stop (*ingl.*) m. inv. **1** (*autom.*) brake-light; stop-light **2** (*segnale stradale*) stop sign: **fermarsi allo s.** (*o* rispettare lo s.), to stop at the stop sign **3** (*arresto, cessazione*) halt; end; (*l'ordine*) stop: **dare lo s. a qc.**, (*bloccare, interrompere*) to call a halt to st.; (*mettere fine a*) to put an end to st.; **intimare lo s. a q.**, to order sb. to stop; to halt sb.; *S., basta!*, stop, that's enough! **4** (*calcio*) killing (*o* trapping) the ball; stop: **fare uno s.**, to kill to trap, to stop) the ball **5** (*boxe*) stop; (*l'ordine*) break **6** (*naut., nelle osservazioni astron.*) mark **7** (*telegr.*) stop.

stóppa f. tow; (*da calafato*) oakum; (*imbottitura*) stuffing: **s. di lino**, flax tow; **color s.**, tow-coloured; flaxen • **avere la s. nel cervello**, to have sawdust in one's brain □ **bistecca che sembra s.**, tough (*o* stringy) steak □ **capelli di s.** (*dritti*), stringy hair.

stoppàccio m. wad.

stoppàre① v. t. (*turare con stoppa*) to stop up with tow; (*calafatare*) to caulk.

stoppàre② v. t. **1** (*fermare*) to stop; to halt **2** (*calcio*) to kill; to trap; to stop.

stoppàta f. (*calcio*) killing (*o* trapping, stopping) the ball.

stoppatóre ① m. (*calcio*) stopper.

stoppatóre ② m. (*naut.*) caulker.

stòpper (*ingl.*) m. inv. (*calcio, naut.*) stopper.

stóppia f. (*agric.*) stubble Ⓤ.

stoppino m. **1** (*di candela, ecc.*) wick **2** (*miccia*) touchpaper **3** (*ind. tess.*) rove; sliver.

stoppióne m. (*bot., Cirsium arvense*) Canada thistle.

stoppóso a. **1** (*simile a stoppa*) towy; tow-like **2** (*tiglioso*) tough, stringy; (*senza sugo*) dry: **carne stopposa**, tough meat; **arance stoppose**, dry oranges **3** (*di capelli*) stringy.

storàce m. e f. **1** (*bot., Liquidambar*) liquidambar **2** (*bot., Styrax officinalis*) storax; styrax **3** (*resina*) storax (resin) **4** (*balsamo*) (Levant o liquid) storax.

stòrcere Ⓐ v. t. **1** (*torcere*) to twist; to wrench: **s. la bocca**, to twist one's mouth; (*fare una smorfia*) to make a (wry) face, to curl up one's lips; **s. un braccio a q.**, to twist sb.'s arm; (*fig.*) **s. il naso**, to turn up one's nose; **s. gli occhi**, to roll one's eyes **2** (*piegare*) to bend*; (*deformare*) to warp, to buckle: **s. un chiodo**, to bend a nail; *Il calore ha storto le sbarre*, the heat warped the bars **3** (*slogare*) to sprain; to wrench; to twist: **storcersi una caviglia**, to sprain (o to twist, to wrench) one's ankle; **storcersi un polso**, to twist (o to wrench) one's wrist **4** (*fig.: alterare*) to twist; to distort; to alter: **s. il significato delle parole di q.**, to twist sb.'s words Ⓑ **stòrcersi** v. rifl. e i. pron. **1** (*contorcersi*) to twist; to writhe: *Si storceva in preda al dolore*, he writhed in pain **2** (*piegarsi*) to get* bent; to twist; to warp; to buckle: *La chiave si è storta tutta*, the key got badly bent; *Mi si storse la caviglia*, my ankle twisted under me.

storcicòllo m. (*pop.*) stiff neck; wryneck; crick in the neck.

storcimén to m. twisting; twist; wrenching; wrench.

stordimén to m. **1** daze; dizziness; stupor: **avere un attimo di s.**, to feel momentarily dizzy; to have a dizzy spell; **riprendersi dallo s.**, to come out of a daze; *Il suo s. durò qualche minuto*, she felt dazed for several minutes; **in stato di s.**, in a daze; in a stupor; dazed; stunned **2** (*sbalordimento*) stupefaction; bewilderment.

stordire Ⓐ v. t. **1** (*tramortire*) to stun; (*intontire*) to daze, to stun, to stupefy, to befuddle; (*frastornare*) to bewilder, to confuse, to distract; (*assordare*) to deafen: **s. q. con un colpo alla testa**, to stun sb. with a blow on the head; *Il colpo mi aveva un po' stordito*, the blow had dazed me; *La notizia l'ha stordita*, the news stunned her; **fracasso che stordisce**, deafening noise; *Basta un bicchiere per stordirlo*, one glass is enough to befuddle him **2** (*fig.: sbalordire*) to stun; to astound; to astonish; to bowl over Ⓑ **stordirsi** v. rifl. to stupefy oneself; to dull one's senses: **stordirsi con l'alcol**, to drink oneself into a stupor; **stordirsi col lavoro**, to dull one's senses with work.

storditàggine f. **1** (*disattenzione*) carelessness; thoughtlessness **2** (*stupidità*) foolishness; silliness; stupidity **3** (*azione stordita, errore*) foolish act, foolish mistake, blunder; (*parole sciocche*) foolish remark.

storditézza → **storditàggine**, def. 1.

stordito Ⓐ a. **1** (*intontito*) stunned, stupefied, dazed, (*dall'alcol*) befuddled; (*frastornato*) bewildered, woozy, giddy, light-headed; (*assordato*) deafened: **s. dal dolore**, stunned with grief; **s. dai tranquillanti**, stupefied by drugs; in a drug-induced stupor; **s. dal successo**, giddy (o light-headed) with success; *Era s. dalla botta in testa*, the knock on the head had left him stunned (o dazed); *Si*

---

guardò attorno s., he looked round in bewilderment (o in a daze); **sentirsi s.**, to feel dazed **2** (*sbadato, sventato*) careless; silly; scatterbrained: *Che s., mi sono chiuso fuori casa!*, how silly (o careless) of me! I've locked myself out Ⓑ m. (f. **-a**) careless person; silly person; scatterbrain.

◆**stòria** f. **1** history: **s. antica [medievale, moderna]**, ancient [medieval, modern] history; **la s. greca**, Greek history; **s. dell'arte [della scienza, del cinema]**, history of art [of science, of cinema]; **s. delle idee**, history of ideas; **la s. di una città**, the history of a town; **la s. d'Italia**, the history of Italy; **s. naturale**, natural history; **s. orale**, oral history; **la s. umana**, human history; **la s. sacra**, sacred history; **imparare dalla s.**, to learn from history; **insegnare s.**, to teach history; **studiare la s.**, to study history; **una data importante nella s. italiana**, an important date in Italian history; **il corso della s.**, the course of history; **esame di s.**, history exam; **il giudizio della s.**, the verdict of history; **lezione di s.**, history lesson; **libro di s.**, history book; **professore di s.**, (*all'università*) professor of history, history professor; (*nella scuola*) history teacher **2** (*racconto, narrazione*) story; tale; (*resoconto*) account: **la s. della mia vita**, the story of my life; **la s. di Biancaneve**, the story of Snow-White; **s. di fantasmi**, ghost story; **s. di fate**, fairy tale (o story); **storie di avventure**, tales of adventure; adventure stories; *È una s. lunga*, it's a long story; *Mi fece la s. del suo matrimonio*, she gave me an account of her marriage; **raccontare una s.**, to tell a story; *C'è dietro tutta una s.*, there's a whole story behind it; (*scherz.*) thereby hangs a tale; **libro di storie**, book of tales **3** (*vicenda narrata, faccenda, cosa*) story; affair; thing; business; matter; question: **brutta s.**, nasty (o ugly) story (o business); **s. sporca**, nasty affair; **una s. di soldi**, a question of money; *Questa è un'altra s.*, that is another story (o matter); *Bisogna finirla con questa s.*, this story must stop; it's time to put an end to this thing; *C'entra lui in questa s.?*, is he involved in this matter (o thing)?; *È sempre la stessa s.*, it's always the same old story; *Dunque, la s. è questa*, now then, here's the whole story (o this is how it went); *Che s.! Ma tu ci credi?*, what a story! do you really believe it?; *Hai sentito la s. del nuovo contratto?*, did you hear about the new contract?; *Basta con questa s.!*, enough of this!; I won't hear any more of this! **4** (*relazione sentimentale*) affair: **s. d'amore**, love affair; love story; **avere una s. con q.**, to have an affair with sb. **5** (*diceria*) story, tale, rumour, gossip Ⓤ; (*frottola*) tale, lie, fib (*fam.*); (*sciocchezza*) nonsense Ⓤ: *Ho sentito un sacco di storie sul loro matrimonio*, I've heard all sorts of stories (o tales) about their marriage; *Circolano molte storie su di loro*, rumours are rife about them; **raccontare storie**, to tell tales; to spin yarns; *Non raccontare storie!*, don't tell tales (o fibs); *Sono tutte storie*, it's all nonsense **6** (*al pl.*) (*obiezioni, difficoltà*) objections, fuss (*sing.*); (*pretesto*) excuses, pretexts: **fare (delle) storie**, to raise objections; **fare un sacco di storie**, to make a fuss; to kick up a fuss; *Ci segua senza fare storie*, come with us without making a fuss; *Poche storie!*, don't make a fuss!; *Quante storie!*, what a fuss! *Tutte quelle storie per un po' di ritardo!*, all that fuss for a slight delay!; **senza tante storie**, without any fuss; without objecting ● **Storie!**, rubbish!; nonsense!; (*ma va'!*) go on!, get away with you! (*giorn.*) **s. di copertina**, cover story □ (*fig.*) *È s. vecchia*, it's ancient history; it's old hat (*fam.*) □ **appartenere alla s.**, to belong to history; (*al passato*) to belong to the past □ *Che storie sono queste?*, what's going on

---

here?; what's this nonsense?; what's the big idea? (*fam.*) □ **È s. autentica, ti dico!**, it's absolutely true, I promise you! □ **fare s.**, to make history: **una decisione che ha fatto s.**, a decision that made history □ (*fig.*) **non avere più s.**, to be as good as over □ **passare alla s.**, to go down in history □ (*fig.*) **per la s.**, for the record □ **La s. è maestra di vita**, the past is a great teacher ❶ Nota: *history o story?* → **history**.

storicaménte avv. historically; (*realmente*) really, actually: **s. fondato**, based on history; **personaggio s. esistito**, person who really existed; historical character.

storicìsmo m. historicism.

storicìsta m. e f. historicist.

storicìstico a. historicist (attr.).

storicità f. historicity.

storicizzàre v. t. to historicize; to view in a historical perspective.

storicizzazióne f. historicization.

◆**stòrico** Ⓐ a. **1** (*della storia o relativo alla storia*) historical: **avvenimenti storici**, historical events; **critica storica**, historical criticism; **fatto s.**, historical event; **grammatica storica**, historical grammar; **materialismo s.**, historical materialism; **metodo s.**, historical method; **personaggio s.**, historical character; **romanzo s.**, historical novel; **studi storici**, historical studies **2** (*che risale al passato, che ha importanza storica*) historic: **centro s.**, old town; historic centre; **edificio s.**, historic building; **luogo s.**, historic site **3** (*gramm.*) historic: **presente s.**, historic present **4** (*memorabile*) historic; memorable; momentous; epoch-making: **discorso s.**, memorable speech; **decisione storica**, momentous (o epoch-making) decision; **giornata storica**, historic day; day to remember; **minimo s.**, all-time low Ⓑ m. (f. **-a**) historian; historiographer.

storièlla f. **1** (*breve storia*) anecdote; brief story **2** (*barzelletta*) joke; funny story **3** (*frottola*) lie; fib (*fam.*); (*pretesto*) pretext, excuse.

storiografìa f. historiography.

storiogràfico a. historiographic.

storiògrafo m. (f. **-a**) historiographer; historian.

storióne m. (*zool., Acipenser sturio*) sturgeon.

stormìre Ⓐ v. i. to rustle Ⓑ m. rustling; rustle.

stórmo m. **1** (*di uccelli*) flight, flock; (*di insetti*) swarm: **s. di rondini**, flight of swallows; **s. d'oche selvatiche**, flock of wild geese; **s. di zanzare**, swarm of mosquitoes **2** (*frotta*) flock; swarm; bevy: **uno s. di bambini**, a swarm of children; **uno s. di ragazze ridacchianti**, a bevy of giggling girls; **arrivare a stormi**, to arrive in droves; to flock in **3** (*aeron.*) wing; (*formazione*) formation ● **suonare a s.**, to ring the tocsin.

stornàre v. t. **1** (*allontanare*) to ward off; to stave off; to turn aside; to avert; to avoid: **s. un colpo**, to ward off (o to turn aside) a blow; **s. il pericolo**, to avert danger **2** (*fig.: distogliere*) to divert; (*dissuadere*) to dissuade, to turn (sb. from st.), to put* off: **s. l'attenzione di q. da qc.**, to divert sb.'s attention from st.; **s. q. dal suo proposito**, to dissuade sb.; to turn sb. from his purpose; to talk sb. out of doing st. **3** (*rag.: rettificare*) to reverse, to write* off; (*trasferire*) to transfer, to divert, (*illecitamente*) to siphon off: **s. una scrittura**, to reverse an entry; **s. una somma**, to transfer an amount **4** (*comm.: annullare*) to cancel: **s. un'ordinazione**, to cancel an order.

stornellàre v. i. to sing* stornelli.

stornellàta f. singing of stornelli.

stornellatóre m. singer of stornelli.

stornèllo① m. (*mus., letter.*) stornello*; ditty.

stornèllo② → **storno**①.

stórno① m. (*zool., Sturnus vulgaris*) starling.

stórno② a. (*zool.*) dapple-grey: **cavallo s.**, dapple-grey (horse).

stórno③ m. 1 (*rag.: rettifica*) reversal, write-off; (*trasferimento*) transfer, diversion: **s. di scrittura**, reversal of entry; **s. di fondi**, diversion of funds 2 (*comm.: annullamento*) cancellation. **s. di un'ordinazione**, cancellation of an order.

storpiaménto m.→ **storpiatura**, def. 1 e 2.

storpiàre Ⓐ v. t. 1 (*rendere storpio*) to cripple; to deform; to maim: *L'incidente l'ha storpiato per sempre*, the accident crippled him permanently; *L'artrite mi ha storpiato le mani*, arthritis has deformed (o crippled) my hands 2 (*fig.: pronunciare male*) to mispronounce, to mangle; (*scrivere con errori*) to misspell*: **s. un nome**, to mispronounce a name; to misspell a name; **s. le parole**, to mangle (o to mispronounce) words 3 (*eseguire male*) to bungle; to botch Ⓑ **storpiàrsi** v. i. pron. to be crippled (o maimed); to become* a cripple.

storpiàto a. 1 (*deforme*) crippled; maimed 2 (*fig.: pronunciare male*) mispronounced, mangled; (*scritto con errori*) misspelt: **parole storpiate**, mispronounced words 3 (*eseguito male*) bungled; botched.

storpiatùra f. 1 (*di membra*) crippling; maiming 2 (*fig., di parola, ecc., nella pronuncia*) mispronouncing, mispronunciation; mangling; (*nella grafia*) misspelling 3 (*l'eseguire male*) bungling; botching 4 (*cosa mal fatta*) bungled (o botched) job; botch 5 (*fig.: distorsione*) distorsion; misrepresentation.

stòrpio Ⓐ a. crippled; maimed; (*zoppo*) lame: *Era nato s.*, he was born a cripple; **rimanere s.**, to be crippled Ⓑ m. (f. -**a**) cripple.

stòrta① f. 1 (*torsione*) twist; wrench: *Mi dette una s. al braccio*, he gave my arm a twist; he twisted my arm 2 (*fam.*) (*distorsione*) wrench; twist; sprain: *Ho preso una brutta s. al piede*, I gave my ankle a bad wrench; I've twisted my ankle badly.

stòrta② f. (*chim.*) retort.

stortàre (*fam.*) → **storcere**.

stortignàccolo (*fam.*) Ⓐ a. lopsided; crooked; crippled Ⓑ m. (f. -**a**) cripple.

◆**stòrto** Ⓐ a. 1 (*piegato*) twisted, crooked; (*sbilenco, sbieco*) crooked, lopsided, askew (pred.), awry (pred.): **bastone s.**, crooked (o bent) stick; **bocca storta**, twisted (o lopsided) mouth; (*fig.*) **fare la bocca** (o **la faccia**) **storta**, to pull a face; to make a wry face; **gambe storte**, crooked (o bandy, bow) legs; **avere le gambe storte**, to be bandy-legged (o bow-legged); **linea storta**, crooked line; **naso s.**, crooked nose; **occhi storti**, cross eyes; squint (sing.); **avere gli occhi storti**, to be cross-eyed; to have a squint; **avere un occhio s.**, to have a cast in one eye; **sorriso s.**, strained (o twisted) smile; *Quel quadro è s.*, that picture is hung crooked (o askew); *Hai la cravatta storta*, your tie is askew (o awry) 2 (*fig.: sbagliato*) wrong; false; mistaken: **idee storte**, wrong ideas 3 (*sfortunato, sfavorevole*) bad; wrong; awry: **giornata storta**, bad day Ⓑ avv. crookedly; lopsidedly; slantingly; aslant: **camminare s.**, to walk crookedly (o lopsidedly); (*fig.*) **guardare s. q.**, to look askance at sb.; to give sb. a nasty look; *Oggi mi è andato tutto s.*, everything went wrong today.

stortùra f. 1 (*deformità*) crookedness; deformity 2 (*cosa storta*) crooked thing 3 (*fig.: deformazione*) twist; (*idea errata*) wrong idea (o notion), error, twisted logic Ⓤ.

◆**stovìglie** f. pl. crockery Ⓤ; tableware Ⓤ; dinnerware Ⓤ; (*piatti*) dishes: **lavare le s.**, to do the dishes; to do the washing up; to wash up.

stozzàre v. t. (*mecc.*) to slot.

stozzatóre m. (*mecc.*) slotter.

stozzatrice f. (*mecc.*) slotting machine; slotter.

stozzatùra f. (*mecc.*) slotting.

stòzzo m. (*mecc.*) slotter.

strabenedìre v. t. (*fam.*) 1 to shower blessings upon; to bless with all one's heart 2 (*antifrastico*) to curse; to send* to hell.

strabére v. i. to drink* too much; to drink* heavily; to booze (*fam.*).

stràbico Ⓐ a. squint-eyed; cross-eyed; cock-eyed; (*med.*) strabismic: **essere s.**, to have a squint; **guardare s.**, to squint Ⓑ m. (f. -**a**) squint-eyed person; (*med.*) strabismic person.

strabiliànte a. amazing; astounding; astonishing; breath-taking; stunning.

strabiliàre Ⓐ v. i. to be amazed; to be astonished; to be stunned: **cose da far s.**, amazing things Ⓑ v. t. to amaze; to astound; to astonish; to stun.

strabiliàto a. amazed; astounded; astonished: **lasciare s.** → **strabiliare, B; restare s.**, to be amazed.

strabìsmo m. squint; (*med.*) strabismus; (*leggero*) cast (in an eye): **s. convergente**, convergent squint; **s. divergente**, divergent squint; walleye; **un lieve s. all'occhio destro**, a cast in the right eye; **essere affetto da s.**, to have a squint; to be squint-eyed.

straboccàre v. i. (*pop.*) to overflow.

strabocchévole a. huge; enormous; vast; exorbitant; overflowing: **folla s.**, huge crowd; **quantità s.**, exorbitant amount.

strabometria f. (*med.*) strabometry.

strabòmetro m. (*med.*) strabometer.

strabuzzaménto m. rolling (*one's eyes*); goggling.

strabuzzàre v. t. to roll (*one's eyes*); to goggle: *Strabuzzò gli occhi e svenne*, she rolled her eyes and fainted; *Strabuzzò gli occhi incredulo*, he goggled in amazement; he looked goggle-eyed; his eyes popped.

stracannàggio m. (*ind. tess.*) rewinding.

stracannàre v. t. (*ind. tess.*) to rewind*.

stracannatùra f. (*ind. tess.*) rewinding.

stracàrico a. overloaded; overburdened; weighed down; loaded down; (*strapieno*) packed, chock-full (*fam.*): *L'auto è stracarica*, the car is overloaded; *Il pesco è s. di frutti*, the peach-tree is weighed down with fruit; *Sono tornata dalla spesa stracarica di sacchetti*, I came back from the shops loaded down with bags; **essere s. di lavoro**, to be overburdened with work; to be up to one's ears in work; *Il treno era s. oggi*, the train was packed today.

stràcca → **stracchezza**.

straccàle m. (*di bestia da soma*) breeching strap.

straccàre Ⓐ v. t. to tire out; to exhaust; to fag out (*fam.*); to poop (*fam. USA*) Ⓑ **straccàrsi** v. i. pron. to exhaust oneself; to wear oneself out: *Mi sono proprio straccato*, I wore myself out; (*sono esausto*) I'm really exhausted.

straccerìa f. rags (pl.).

stracchézza f. 1 (*stanchezza*) tiredness; exhaustion 2 (*svogliatezza*) indolence; sluggishness.

stracchìno m. stracchino (a mild, soft Italian cheese).

stracciàbile a. that can be torn; tearable.

stracciaiòlo m. ragman*; rag-and-bone man*.

stracciàre Ⓐ v. t. 1 (*lacerare*) to tear*; to rip; to rend* (*form.*); (*fare a pezzi*) to tear* up, to rip up: **s. un lenzuolo**, to tear (o to rip) a sheet; **s. una lettera**, to tear up a letter; **stracciarsi le vesti**, to rend one's garments; (*fig.*) to cry shame, to fling up one's arms in horror; **s. in pezzettini**, to tear into small pieces 2 (*ind. tess.*) to comb 3 (*fig. fam.*) to lick; to thrash; to beat* hollow; to cream (*slang USA*): **s. gli avversari**, to lick (o to thrash) the opposing team; *Ha stracciato tutti nelle ultime elezioni*, he won by a landslide in the last election Ⓑ **stracciàrsi** v. i. pron. to tear*; to get* torn; to rip.

stracciaròlo → **stracciaiolo**.

stracciatèlla f. (*cucina*) 1 (*minestra*) stracciatella (broth with egg, semolina and Parmesan cheese) 2 (*gelato*) ice cream with chocolate flakes.

stracciàto a. 1 (*strappato*) torn; ripped up; rent; (*a brandelli*) ragged, tattered, in tatters 2 (*vestito di stracci*) (dressed) in rags; ragged 3 (*fig., di prezzo*) bargain (attr.); giveaway (attr.); knockdown (attr.): **comprare qc. a un prezzo s.**, to buy st. at bargain price; **vendere a prezzi stracciati**, to sell at giveaway (o knockdown) prices.

stracciatùra f. (*ind. tess.*) combing.

stràccio① a. – **carta straccia**, waste-paper; **roba straccia**, rags (pl.).

◆**stràccio**② m. 1 (*cencio*) rag; (*per pulire*) cloth: **s. per pavimenti**, floor cloth; **s. per la polvere**, duster (*GB*); dust cloth (*USA*); **s. per le scarpe**, shoe cloth; **commerciare in stracci**, to deal in rags; **essere vestito di stracci**, to be dressed in rags; **pulirsi le mani in uno s.**, to wipe one's hands on a rag; **commercio degli stracci**, rag trade 2 (al pl., *spreg.: vestiti*) shabby clothes; (*cose personali*) junk Ⓤ: *Prendi i tuoi stracci e sparisci!*, take your junk and clear out! 3 (*fig.*) – **uno s. di**, a shred of; a scrap of; *Non abbiamo uno s. di prova*, we haven't got a shred (o a scrap) of evidence; *Non ho uno s. (di vestito) da mettermi stasera*, I haven't got a thing to wear tonight; *Non ha trovato uno s. di ragazza*, he couldn't find a girlfriend at any price; **non uno s. di amico**, not a single friend; **non uno s. di lavoro**, no job whatsoever 4 (*ind. tess.*) combings (pl.). ● **ridotto uno s.**, (*di vestito*) filthy; (*di persona*) worn out, worn to a frazzle □ **sentirsi uno s.**, to feel like a wet rag; to feel like death warmed up; to be worn to a frazzle.

straccióne m. (f. -**a**) (*persona cenciosa*) ragged person; (*di bambino*) ragamuffin; (*barbone*) tramp, bag lady (f.).

straccivéndolo m. ragman*; rag-and-bone man*.

stràcco a. (*pop.*) 1 (*anche* **s. morto**) dog-tired (*fam.*); fagged out (*fam. GB*); whacked (*fam.*); pooped (out) (*fam. USA*) 2 (*stanco, svogliato*) tired, listless, indolent; (*debole*) weak, feeble: **con passo s.**, with tired steps 3 (*fig.: logorato*) worn out; clapped out 4 (*fig.: blando*) feeble; tepid; lukewarm; half-hearted ● **alla stracca**, indolently; lazily; sluggishly.

stracólmo a. 1 (*pieno fino all'orlo*) heaped; loaded 2 (*zeppo*) crammed; packed; jam-packed; chock-a-block.

stracontènto a. (*fam.*) overjoyed; beside oneself with joy; as pleased as Punch (*fam.*).

stracòtto Ⓐ a. 1 (*cotto troppo*) over-cooked; overdone 2 (*fig., scherz.*) head over heels in love (with) Ⓑ m. (*cucina*) pot roast.

stracuòcere v. t. to overcook; to overdo*.

◆**stràda** f. 1 road, (*con edifici*) street: **s. a doppia carreggiata**, dual carriageway; divided highway (*USA*); **s. a doppio senso**, two-way street; **s. a due corsie**, two-lane road; **s. a pedaggio**, toll road; **s. a senso unico**, one-way street; **s. asfaltata**, asphalt road; **s. carrozzabile**, road suitable for ve-

hicles; **s. chiusa**, cul-de-sac (*franc.*); (*cartello*) «no through road»; **s. consolare**, consular road; **s. d'accesso**, service road; frontage road (*USA*). **s. di campagna**, country road; **s. di circonvallazione**, bypass; **s. del centro**, street in the city centre; downtown street (*USA*). **s. di collegamento**, link road; **s. di grande comunicazione**, arterial road; **s. di grande traffico**, causeway; **s. di montagna**, mountain road; **s. di negozi**, street with shops; shopping street; **s. di scorrimento veloce**, freeway; clearway; throughway; **s. ferrata**, railway; **s. in costruzione**, road under construction; **s. maestra**, main road; highway; **s. nazionale**, arterial road; trunk road (*GB*); **la s. per Monza**, the Monza road; **s. panoramica**, scenic road; **s. piena di traffico**, busy street; **s. principale**, main road; (*di città*) thoroughfare; (*di paese*) high street (*GB*), main street (*USA*); **s. privata**, private street; private road; **s. residenziale**, residential street; **s. romana**, Roman road; **s. sbarrata**, blocked road; (*cartello*) «road closed»; **s. secondaria**, secondary (*o minor*) road; byway; back road; **s. selciata** (*o lastricata*), paved road; **s. senza uscita**, cul-de-sac (*franc.*); **s. statale**, main road; highway (*USA*); (*in GB*) A-road; (*in USA*) state route; **s. sterrata**, dirt road; unsurfaced road; **s. traversa**, (*secondaria*) byroad; byway, side-street; (*scorciatoia*) shortcut; **s. vicinale**, local road; **all'angolo della s.**, at the street corner; **in mezzo alla s.**, in the middle of the road; **in s.**, in the street (*GB*); on the street (*USA*); **per (la) s.**, in the street (*GB*); on the street (*USA*); (*rif. a movimento*) down the street, along the road; **sull'altro lato della s.**, on the other side of (*o across*) the street (*o the road*); **andare fuori s.**, to drive off the road; **aprire una s.**, to open a road; **attraversare la s.**, to cross the street (*o the road*); **costruire strade**, to build roads; **tenere i ragazzi lontano dalla s.**, to keep youngsters off the streets; (*di veicolo*) **uscire di s.**, to go off the road; *In che s. abitate?*, which street do you live in?; **ciglio della s.**, edge of the road; **codice della s.**, rules of the road; highway code; (*ciclismo*) **corsa su s.**, road race; **manutenzione delle strade**, road maintenance; (*autom.*) **prova su s.**, road test; **trasporti su s.**, road haulage **2** (*percorso, cammino, via*) way; path; (*direzione*) direction: **la s. più breve per il centro**, the shortest way to the city centre; **s. facendo**, on the (*o on one's*) way; **per s.** (*o lungo la s.*), on the way; along the road; en route (*franc.*); *C'è molta s. per arrivare al lago*, it's a long way to the lake; *È a un'ora di s. da qui*, (*a piedi*) it's an hour's walk from here; (*in auto*) it's an hour's drive from here; *Non c'è più molta s.*, it isn't much further now; it isn't far now; *Abbiamo ancora molta s. da fare*, we have a long way to go yet; *Ci sono tre chilometri di s.*, it is three kilometres; *Sono due ore di s.*, (*a piedi*) it's a two-hour walk; (*in auto*) it's a two-hour drive; *Che s. si fa per andare in piazza Ascoli?*, how do you get to Piazza Ascoli?; which way to Piazza Ascoli?; *Ho dormito per tutta la s.*, I slept all the way; *La posta è sulla mia s.*, the post office is on my way; **a metà s.**, half-way; midway; **allungare la s.**, to go the long way; **andare per la propria s.**, to go one's own way; *Ciascuno andò per la sua s.*, they went their separate ways; **aprirsi una s. nella neve**, to clear a way through the snow; **aprirsi una s. nella giungla**, to cut a path through the jungle; **cambiare s.**, to change direction; **chiedere la s.**, to ask the way; **conoscere la s.**, to know the way; *Grazie, conosco la s.* (*per uscire*), I'll see (*o let*) myself out, thanks; (*autom.*) **dare s.**, to give way; **essere per s.**, to be on one's way; **fare la s. a piedi**, to walk; **fare la s. con q.**, to go with sb.; *Faremo un pezzo di s. insieme*,

we'll go part of the way together; *Che s. fai?*, which way are you going?; **fare s. a q.** (*precederlo*), to lead the way; to show sb. the way; **farsi s. tra la folla**, to push one's way through the crowd; **farsi s. a gomitate**, to elbow one's way; **fermarsi lungo la s.**, to stop on the way; **mettersi in** (*o per*) **s.**, to set off; to be on one's way; **mostrare la s.**, to show the way; **prendere la s. di casa**, to head home; **prendere la s. più corta**, to take (*o to go*) the shortest way; **sbagliare s.**, to take (*o to go*) the wrong way; to take the wrong turning; (*anche fig.*) to go wrong; **smarrire** (*o perdere*) **la s.**, to lose the (*o one's*) way; **trovare la s. di casa**, to find one's way home; **un intralcio sulla propria s.**, an obstacle on one's way (*o path*) **3** (*fig., rif. a comportamento, linea di condotta*) way; path; road; track; course; route: **la s. della perdizione** [**della virtù, del vizio**], the road to perdition [to virtue, to vice]; **la sola s. che mi rimane**, the only course left to me (*o open to me*); **essere fuori s.**, to be on the wrong track, *Siete completamente fuori s.*, you're wide out; you're wide of the mark; you're barking up the wrong tree (*fam.*); **essere sulla buona s.** (*o sulla s. giusta*), to be on the right track; **essere su una cattiva s.**, to be going to the bad; to have taken an evil course; **essere sulla s. sbagliata**, to be on the wrong track; **fare s.**, to go far; to get on (*o ahead*) in life: **una ragazza che farà s.**, a girl that will go far; *Se continui così, farai poca s.*, if you go on like this, you won't go very far; *Ne ha fatta di s., da allora!*, he's come quite a long way since!; **mettere q. sulla buona s.**, to put sb. on the right track; **mettersi su** (*o prendere*) **una cattiva s.**, to go wrong; to go to the bad; **portare fuori s.**, to lead astray; **spianare la s. a q.**, to smooth the way for sb.; **tentare ogni s.**, to try all possibilities; to leave no stone unturned; to explore every avenue; **trovare la propria s.**, to find one's way ● (*fig.*) **a ogni angolo di s.**, at every street corner ▢ (*fig.*) **aprire la s.**, to open (*o to pave*) the way: **una scoperta che apre la s. a ulteriori ricerche**, a discovery that paves the way for further research; *Ha aperto una nuova s. nella ricerca sul cancro*, he has blazed a trail in cancer research; **aprire nuove strade** (*fig.*), to break fresh (*o new*) ground; **una laurea che apre molte strade**, a degree that opens many doors ▢ **darsi alla s.**, (*darsi alla prostituzione*) to become a prostitute; (*diventare bandito*) to become a highwayman ▢ (*fig.*) **divorare la s.**, to eat up the miles ▢ **donna di s.**, streetwalker; hooker (*USA*) ▢ (*fig.*) **farsi s.** (*apparire*) to become manifest; (*nella mente*) to dawn: *La verità si fece s. a poco a poco*, the truth slowly became manifest; *Cominciò a farsi s. in me un sospetto*, a suspicion was growing in my mind ▢ (*sport*) **fuori s.** → **fuoristrada** ▢ **ladro di s.**, common robber; (*stor.*) highwayman ▢ **linguaggio da s.**, coarse language ▢ **mettere q. in mezzo alla s.**, to turn sb. out of doors; (*sfrattarlo*) to put sb. on the street ▢ **ragazzo di s.**, street urchin ▢ (*fig.*) **ritrovarsi per s.**, to find oneself turned out on the streets ▢ **tagliare la s. a q.**, to cut across sb.'s path; (*autom.*) to cut in on sb.; (*fig.*) to get in sb.'s way ▢ (*autom.*) **tenere la s.**, to hold the road ▢ (*autom.*) **tenuta di s.** → **tenuta** ▢ (*fig.*) **togliere q. dalla s.**, to pick sb. up from the street; to take sb. out of the gutter ▢ (*fig.*) **l'uomo della s.**, the man in the street ▢ (*fig.*) **Mi vedo chiusa ogni s.**, I see every door closed on me ▢ (*prov.*) **Chi lascia la s. vecchia per la nuova sa quel che lascia, non sa quel che trova**, better the devil you know than the devil you don't know ▢ (*prov.*) **La s. dell'inferno è lastricata di buone intenzioni**, the road to hell is paved with good intentions ▢ (*prov.*) **Tutte le strade condu-**

cono a Roma, all roads lead to Rome.

♦**stradàle** **A** a. road (attr.); of the road; street (attr.); traffic (attr.): **carta s.**, road map; (*di città*) street map; **cartello s.**, road sign; **fondo s.**, roadbed; **incidente s.**, road accident; **lavori stradali**, road works; **manutenzione s.**, upkeep of the roads; road maintenance; **nodo s.**, road junction; **piano s.**, roadway; **polizia s.**, traffic police; highway police; **regolamento s.**, traffic regulation; rules of the road **B** f. (*polizia s.*) traffic police; highway police.

stradàrio m. street directory; street guide.

stradicciòla, **stradina** f. lane; (*vicolo*) alley; (*sentiero*) path.

stradino m. roadman*; road mender.

stradista m. (*ciclismo*) roadman*; road-racing cyclist.

stradivàrio m. (*mus.*) Stradivarius; Strad (*fam.*).

stradóne m. wide road; main road; (*viale*) avenue.

strafalcióne m. gross mistake; howler (*fam.*).

strafàre v. i. to overdo* it (*o things*); to do* too much; to exaggerate.

strafàtto a. **1** (*troppo maturo*) overripe **2** **-fatto e s.**, (*finito*) over and done with, long since done; (*ripetuto*) done over and over again, done again and again **3** (*gergo della droga*) doped up to one's eyeballs; stoned out of one's mind; whacked out (*GB fam.*).

stràfico, **stràfigo** (*gergale*) **A** a. supercool; mean **B** m. (f. **-a**) total babe; studmuffin (m.); great piece of ass (f.).

strafilàggio m. (*naut.*) **1** (*l'operazione*) lacing **2** (*cordicella*) lashing.

strafilàre v. i. (*naut.*) to lace.

strafogàrsi v. i. pron. (*pop.*) to stuff oneself (with); to gorge oneself (with); to scoff (*st.*).

strafóro m. – **di s.**, (*segretamente*) secretly, on the quiet; (*di soppiatto*) on the sly; (*di sfuggita*) briefly.

strafottènte (*fam.*) **A** a. careless; indifferent; arrogant; (*sfacciato*) insolent, cheeky **B** m. e f. arrogant person; insolent person.

strafottènza f. (*fam.*) carelessness; arrogance; couldn't-care-less attitude; (*insolenza*) insolence, impudence, cheek.

strafóttere (*volg.*) **A** v. i. – **a s.**, in plenty; galore: **avere soldi a s.**, to be filthy rich **B** **strafóttersi** v. i. pron. not to give a shit (*o a fuck*) (about): *Me ne strafotto di tutti*, I don't give a shit about anybody; *E chi se ne strafotte?*, I don't give a shit.

strafregàrsi → **strafottersi**.

stràge f. **1** (*massacro*) slaughter; massacre; carnage; butchery; (*leg.*) mass murder: **la s. degli innocenti**, the slaughter (*o the massacre*) of the innocents; **s. di Stato**, state-organized killings (pl.); *La ribellione finì in una s.*, the revolt ended in a carnage; *La bomba fece una s.*, the bomb caused a massacre; **fare s. di**, to slaughter; to massacre; (*di epidemia, ecc.*) to kill off; *I bracconieri hanno fatto s. di stambecchi*, poachers slaughtered a large number of ibexes; (*leg.*) **delitto di s.**, mass murder **2** (*distruzione, rovina*) destruction; havoc; (*esito rovinoso*) disaster: **fare s. di**, to destroy; to lay waste; to wreak havoc; *Le piogge fecero s. dei raccolti*, the rains destroyed all the crops; *Il gelo ha fatto s. degli ulivi*, the frost killed off many olive trees; **fare s. di cuori**, to break many hearts; *Agli esami è stata una s.*, the exams were a disaster **3** (*pop.: grande quantità*) heaps (pl.); loads (pl.); masses (pl.).

stragismo m. strategy of terrorist bombings; terrorism.

stragista **A** a. bombing; terrorist: **gruppo s.**, terrorist group; **terrorismo stragista**,

bombing terrorism B **m. e f.** terrorist.

stragiudiziàle a. (*leg.*) extrajudicial; out--of-court (attr.): **accordo s.**, out-of-court settlement.

stràglio → **strallo**.

stragodére v. i. (*fam.*) to be overjoyed; to be on cloud nine (*fam.*).

stragónfio a. (*fam.*) overinflated; bloated; bursting.

stragrànde a. exceptionally large; huge; vast; enormous; overwhelming: **numero s.**, enormous (*o* huge) number; **la s. maggioranza dei nostri lettori**, the vast majority of our readers; **a s. maggioranza**, with an overwhelming majority; (*di vittoria elettorale*) landslide (attr.).

stralciàre v. t. **1** (*togliere, estrarre*) to remove; to take* out; to strike* out; to extract; to excerpt: **s. un nome da un elenco**, to strike a name off a list; **s. una partita da un conto**, to remove an item from an account; **s. un passo da un libro**, to take a passage out of a book; to extract (*o* to excerpt) a passage from a book **2** (*rag.*) to write* off: **s. un credito**, to write off a debt **3** (*liquidare*) to wind* up; to liquidate: **s. un'azienda**, to wind up a company.

stralciatùra f. (*agric.*) pruning.

stràlcio A m. **1** (*lo stralciare*) removing; removal; taking out; extracting; excerpting **2** (*brano, passo stralciato*) extract; excerpt **3** (*rag.*) write-off **4** (*liquidazione*) selling off; clearing; (*di azienda*) winding up, liquidation: **vendere a s.**, to sell off; to clear; **vendita a s.**, clearance sale B a. **– legge s.** → **legge**.

stràle m. (*poet.*) **1** dart; arrow; (*fig., anche*) barb: **gli strali di Cupido**, Cupid's darts; **gli strali della critica**, the barbs of criticism.

strallàre v. t. (*edil.*) to guy.

stràllo m. **1** (*naut.*) stay: **s. di maestra**, mainstay; **s. di mezzana**, mizzen stay; **s. di trinchetto**, forestay; **vela di s.**, staysail **2** (*edil.*) guy; steel cable.

stralodàre v. t. to overpraise; to extol.

stralunàre v. t. – **s. gli occhi**, to roll one's eyes; (*spalancarli*) to goggle.

stralunàto a. **1** (*di occhi*) goggling; staring: **con gli occhi stralunati**, with staring eyes, goggle-eyed; **con gli occhi stralunati dal terrore**, staring in terror; *Mi guardò con occhi stralunati*, he goggled at me; he gawped at me (*fam. GB*) **2** (*sconvolto*) wild; upset; distraught **3** (*strambo*) crazy; wacky (*fam.*); spaced out (*slang*).

stramaledétto a. (*fam.*) cursed; blasted; damned; bloody (*GB*).

stramaledire v. t. (*fam.*) to curse; to damn: *Che Dio li stramaledica!*, damn and blast them!

stramangiàre v. i. to overeat*; to eat* too much; to gorge oneself.

stramatùro a. (*fam.*) overripe.

stramazzàre v. i. to fall* heavily; to collapse; to slump: **s. a terra**, to fall heavily (*o* to collapse; to slump) to the ground; **s. lungo disteso**, to fall full length to the ground; **s. senza vita**, to drop dead; *Il mulo stramazzò sotto il peso*, the mule collapsed under the weight.

stramazzàta f. heavy fall; collapse.

stramàzzo ① m. **1** heavy fall; collapse: **dare uno s.** (*o cadere di s.*), to fall heavily (*o* to collapse; to slump) to the ground **2** (*idraul.*) spillway; overflow: **sfioratore a s.**, drop spillway **3** (*alle carte*) small (*o* little) slam: **fare** (*o dare*) **s.**, to make a small slam.

stramàzzo ② m. (*region.*: *pagliericcio*) pallet; palliasse.

stramazzóne m. heavy fall; collapse: **dare uno s. in terra**, to fall heavily (*o* to collapse; to slump) to the ground.

strambàre v. i. (*naut.*) to gybe.

strambàta f. (*naut.*) gybing; gybe.

stramberìa f. **1** (*l'essere strambo*) oddity; eccentricity; queerness; weirdness; freakishness **2** (*parola o idea stramba*) quirk; vagary; foible; fantasy: **le stramberie della moda**, the vagaries of fashion **3** (*comportamento strambo*) quirk; oddity; eccentricity: *Ognuno ha le sue stramberie*, we all have our little quirks; *È noto per le sue stramberie*, he is well-known for his eccentricities; **fare stramberie**, to behave oddly; to do strange things.

stràmbo a. (*bizzarro, stravagante*) odd; peculiar; bizarre; quirky; weird; funny; wacky (*fam.*): **comportamento s.**, odd (*o* weird) behaviour; **idee strambe**, funny ideas; weird notions; **tipo s.**, funny character; oddball (*fam.*); weirdo (*fam.*); *È un po' s. ma simpatico*, he's a bit wacky, but nice.

strambòtto m. (*letter.*) strambotto* (eight-line verse).

stràme m. (*agric.*) **1** (*lettiera*) straw; litter **2** (*foraggio*) fodder; hay; straw.

strameritàre v. t. richly (*o* amply) to deserve: *Si è strameritato il successo*, his success is richly deserved.

stramònio m. (*bot.*, *Datura stramonium*) thorn-apple; jimson weed (*USA*).

strampalàto a. (*fam.*) bizarre; crazy; weird; absurd; cockeyed (*fam.*): **discorso s.**, incoherent speech; **idee strampalate**, crazy (*o* weird) notions; **progetto s.**, cockeyed scheme; **tipo s.**, weird type; oddball (*fam.*).

strampalerìa f. eccentricity; absurdity; bizarreness; weirdness **2** (*atto, parole*) oddity; eccentricity; absurdity.

stranaménte avv. strangely; oddly.

stranézza f. **1** (*l'essere strano*) strangeness; oddity; bizarreness; peculiarity; curiousness; (*l'essere insolito*) unusualness, singularity, unfamiliarity **2** (*atto, parole*) oddity; odd thing; eccentricity: **dire stranezze**, to say odd things; **fare stranezze**, to behave oddly; to do odd things **3** (*fis.*) strangeness.

strangolaménto m. strangulation; strangling; throttling; (*strozzamento*) choking: **morte per s.**, death by strangulation.

strangolàre A v. t. **1** to strangle; to throttle; (*strozzare*) to choke: *Fu strangolato nel sonno*, he was strangled in his sleep; *Morì strangolato da un chicco di riso*, he choked to death on a grain of rice; *Questo colletto mi strangola*, this collar is choking (*o* strangling) me **2** (*fig.*) to strangle; to stifle: **s. l'economia di un Paese**, to strangle a country's economy B **strangolàrsi** v. i. pron. to choke to death; to suffocate.

strangolatóre m. (f. **-trìce**) strangler.

stranguglióne m. **1** (*vet.*) strangles (pl.) **2** (*generalm. al pl.*) (*singhiozzo*) hiccup, hiccough.

stranguria f. (*med.*) strangury.

straniaménto m. estrangement; alienation.

straniànte a. estranging; alienating.

straniàre A v. t. to estrange; to alienate: **s. q. dalla famiglia**, to estrange sb. from his family B **straniàrsi** v. rifl. to become* estranged; to drift apart.

♦**stranièro** A a. **1** foreign; alien: **accento s.**, foreign accent; **cultura straniera**, foreign (*o* alien) culture; **esercito s.**, foreign army; **lingua straniera**, foreign language; **terra straniera**, foreign land; **turista s.**, foreign tourist; **sentirsi s.**, to feel a stranger **2** (*esotico*) outlandish; exotic **3** (*nemico*) enemy (attr.); (*invasore*) invading B m. (f. **-a**) **1** foreigner; (*bur.*) alien; (*sconosciuto*) stranger **2** (*popolo nemico*) enemy; (*invasore*) invader: **cacciare lo s.**, to drive away the enemy; **essere oppressi dallo s.**, to be un-

der foreign occupation.

stranire v. t. to upset*; to trouble.

stranito a. (*intontito*) dazed, stupid; (*confuso*) confused, bewildered.

♦**stràno** a. strange; odd; curious; peculiar; singular; queer; weird; unusual; funny: **contegno s.**, strange (*o* odd) behaviour; **strana coincidenza**, curious (*o* odd) coincidence; **strani fenomeni**, odd phenomena; **strana sensazione**, odd sensation; funny feeling; **tipo s.**, odd sort; oddball (*fam.*); **dall'aspetto s.**, strange-looking; odd-looking; **in modo s.**, in a strange manner; strangely; oddly; queerly; *È successo un fatto s.*, something odd (*o* strange, curious) has happened; *Aveva l'aria strana*, she looked odd (*o* peculiar); *Mi diede un'occhiata molto strana*, he gave me the oddest look; *Non c'è nulla di s.*, there's nothing strange (*o* odd, unusual, remarkable) about that; **sentirsi s.**, to feel funny; *S. che non te l'abbia detto*, strange (*o* odd, funny) he didn't mention it; **s. a dirsi**, strange to say; oddly (*o* strangely) enough; **s., ma vero**, strange but true.

straordinariaménte avv. **1** extraordinarily; uncommonly; exceptionally **2** (*estremamente*) extremely; very.

straordinariàto m. (*bur.*) probationary period; probation.

straordinarietà f. extraordinariness; exceptionality.

♦**straordinàrio** A a. **1** (*fuori dell'ordinario, speciale*) extraordinary; exceptional; special: **assemblea straordinaria**, extraordinary meeting; **edizione straordinaria**, special edition; **misure straordinarie**, extraordinary (*o* exceptional) measures; **spese straordinarie**, extraordinary expenses; **vendita straordinaria**, special (*o* bumper) sale; **treno s.**, special (*o* relief) train; *Non crederti tanto s.*, don't think you are so special; *Non ci vedo nulla di s., saprei farlo anch'io*, I don't see anything particularly clever in that; I could do it too **2** (*bur.*: *aggiuntivo*) temporary; supernumerary: **impiegato s.**, temporary clerk; **lavoro s.**, overtime **3** (*eccezionale*) extraordinary; uncommon; unusual; exceptional; tremendous; fabulous (*fam.*); terrific (*fam.*); (*singolare*) singular, remarkable, outstanding, unique; (*eccellente*) excellent, first-class: **bellezza straordinaria**, singular (*o* striking) beauty; **cuoco s.**, first-class cook; **straordinaria intelligenza**, uncommon intelligence; **s. interesse**, tremendous interest; **occasione straordinaria**, unique opportunity; **persona straordinaria**, remarkable (*o* exceptional) person; **scoperta straordinaria**, extraordinary discovery; **successo s.**, outstanding success; **tempo s.**, fabulous weather: **vista straordinaria**, spectacular view B m. **1** (*lavoro*) overtime; (*compenso*) overtime pay, extra pay: **fare lo s.**, to be on overtime; **fare gli straordinari**, to work overtime; **pagare lo s.**, to pay overtime **2** (f. **-a**: *impiegato s.*) temporary clerk **3** (*cosa straordinaria*) extraordinary thing: *Lo s. è che...*, the extraordinary thing is that...

straordinariò Also see columns.

straorzàre v. i. (*naut.*) to yaw; to broach to.

straorzàta f. (*naut.*) yaw.

strapagàre v. t. to overpay*.

straparlàre v. i. **1** (*dire sciocchezze*) to talk nonsense; to blather; to drivel **2** (*farneticare*) to rave; to be delirious; to talk wildly.

strapazzaménto m. **1** (*lo strapazzare*) ill-treatment; rough handling; mishandling **2** → **strapazzo**.

strapazzàre A v. t. **1** (*maltrattare*) to ill--treat; to maltreat **2** (*usare senza riguardi*) to be careless with; to take* no care of; to knock about; to handle roughly: **s. un'auto**, to handle a car roughly; **s. i giocattoli**, to

knock one's toys about **3** (*un testo, una musica*) to mangle; to murder: **s. un pezzo di musica**, to mangle a piece of music **4** (*rimproverare*) to scold, to berate, to tell* off, to haul (sb.) over the coals (*fam.*); (*criticare con violenza*) to slate, to pan **5** (*affaticare eccessivamente*) to overwork; to strain **B strapazzàrsi** v. rifl. to overexert oneself; to tire oneself out; (*col troppo lavoro*) to overwork oneself.

strapazzàta f. **1** (*sgridata*) scolding; berating; telling-off; tongue-lashing: **dare** (*o fare*) **una s. a q.** → **strapazzare**, def. 4 **2** (*fatica eccessiva*) strain; overexertion; period of overwork.

strapazzàto a. **1** (*malconcio*) battered; knocked-about **2** (*affaticato*) tired out; exhausted; overworked **3** (*pieno di fatiche*) hard; tough: **vita strapazzata**, hard life **4** (*cucina*) – **uova strapazzate**, scrambled eggs.

strapàzzo m. overwork ⓤ; strain ⓤ; exertion; (*sregolatezza*) excess: **gli strapazzi del viaggio**, the strain of the journey; **evitare gli strapazzi**, to avoid exertion; **fare strapazzi**, to overstrain oneself; to overdo things; **vita di strapazzi**, life full of excesses ● **da s.** (*resistente*), heavy-duty; knock-about: **abiti da s.**, heavy-duty (*o knock-about*) clothes □ (*spreg.*) **da s.**, third-rate; inferior; worthless: **avvocato da s.**, third-rate lawyer; shyster; **dongiovanni da s.**, pathetic, would-be Don Juan; **medico da s.**, quack; **poeta da s.**, poetaster; **pittore da s.**, dauber; **scrittore da s.**, scribbler; hack.

strapazzóne m. (f. -**a**) (*sciupone*) careless person.

strapazzóso a. tiring; exhausting; hard: **viaggio s.**, tiring journey; **vita strapazzosa**, a hard life.

strapèrdere v. i. **1** (*perdere molto*) to lose* heavily **2** (*essere sconfitto pesantemente*) to lose* badly; to be thrashed.

strapièno a. crammed; packed; jam--packed; bursting (with); chock-full (*fam.*); (*traboccante*) overflowing (with): **un armadio s. di vestiti**, a wardrobe crammed (*o bursting*) with clothes; **autobus strapieni**, jam-packed buses; *Il cinema era s.*, the cinema was packed (*o full to capacity*); *Sono s., non mangio altro*, I'm bloated, I can't eat any more.

strapiombànte a. (*sporgente*) overhanging: **parete s.**, overhanging rock-face.

strapiombàre v. i. **1** (*non essere a piombo*) to be out of plumb; to lean* on one side: **s. a sinistra**, to lean to the left **2** (*sporgere*) to overhang*; to jut out.

strapiómbo m. **1** (*luogo scosceso*) (sheer) cliff, (*precipizio*) precipice, drop: **uno s. di duecento metri**, a two-hundred-metre cliff; **affacciarsi sullo s.**, to lean out over the precipice; **cadere da uno s.**, to fall off a cliff; **scogliere a s. sulla spiaggia**, cliff falling sheer to the beach **2** (*alpinismo*) overhang: **parete a s.**, overhanging rock-face.

strapoggiàre v. i. (*naut.*) to pay* off.

strapoggiàta f. (*naut.*) paying off.

strapotènte a. excessively powerful; too powerful.

strapotènza f. great power; excessive power.

strapotère m. excessive power.

strappàbile a. tearable.

strappacuòre a. inv. heart-breaking; heart-rending.

strappalàcrime a. inv. very sad; weepy (*fam.*) ● **romanzo [film, canzone] s.**, tear--jerker (*fam.*); weepie (*fam.*) □ **storia s.**, sob story; hard-luck story.

strappalàna f. (*bot.*, *Xathium italicum*) cocklebur; clotbur.

strappaménto m. (*med.*) wrenching; pulling; strain.

◆**strappàre** **A** v. t. **1** (*tirar via*) to pull out; to pull away; to pluck; (*con forza, anche fig.*) to wrench, to rip off (*o out*); (*staccare*) to strip, to tear* out (*o off*); (*sradicare*) to pull up; (*ghermire*) to snatch: **s. un affresco da una parete**, to strip a fresco off a wall; **s. un dente**, to pull out a tooth; **s. la carta da un pacco**, to rip the wrapper off a parcel; **s. le erbacce**, to pull up weeds; **s. un fiore**, to pluck a flower; **s. una pagina da un libro**, to tear a page out of a book; **s. le penne a un uccello**, to pluck a bird; **s. la tappezzeria dal muro**, to strip the wallpaper off a wall; **s. q. alla morte**, to rescue sb. from death; (*enfat.*) to snatch sb. from the jaws of death; **strapparsi i capelli**, to tear out one's hair; **strapparsi le sopracciglia**, to pluck one's eyebrows; **strapparsi i vestiti di dosso**, to tear off one's clothes; *Me lo strappò di mano*, he tore it out of my hands; he snatched it from me; *Il ladro le strappò la borsetta*, the thief snatched her handbag; *Si strappavano di mano la foto*, they were fighting over the photo; *Qualcuno ha strappato il filo del telefono*, someone ripped out the telephone chord; *Mi strappò il bambino dalle braccia*, she snatched the baby from my arms **2** (*fig.*: *allontanare*) to tear*; (*portare via di peso*) to carry away: *La guerra lo strappò alla famiglia*, war tore him from his family **3** (*lacerare*) to tear; to rip; to rend* (*form.*); (*fare a pezzi*) to tear* up, to rip up: **s. un lenzuolo**, to tear a sheet; **s. in mille pezzi**, to tear up into little pieces; **strapparsi la manica su un chiodo**, to rip one's sleeve on a nail; *Attenta a non s. le pagine*, be careful not to tear (*o to rip*) the pages; *Letta la lettera, la strappò*, he read the letter and tore it up; **una scena che strappa il cuore**, a heart-rending scene **4** (*fig.*: *riuscire a ottenere*) to secure; to get* out; to extract; to snatch; (*carpire*) to worm; (*estorcere*) to extort, to wring*: **s. applausi**, to draw applause; **s. una confessione a q.**, to wring a confession out of sb.; **s. un favore a q.**, to get a favour out of sb.; **s. le lacrime a q.**, to bring tears to sb.'s eyes; **s. una parola di bocca a q.**, to get a word out of sb.; **s. una promessa a q.**, to secure (*o to extract*) a promise from sb.; to extort a promise from sb.; **s. un segreto a q.**, (*con la forza*) to wring a secret from sb.; (*con l'astuzia*) to worm a secret out of sb.; **s. la vittoria**, to snatch a victory **B strappàrsi** v. i. pron. **1** (*allontanarsi*) to tear* oneself away: *Si strappò dal suo abbraccio*, he tore himself from her arms (*lacerarsi*) to tear*; to get* torn: *Questa carta si strappa facilmente*, this paper tears easily; *Mi si è strappata la giacca*, my jacket got torn; *La fune si strappò con uno schiocco*, the rope snapped.

strappàta f. **1** pull; tug; wrench; yank (*fam.*): *Diede una s. alla corda*, he gave the rope a tug; he yanked at the rope **2** → **strappo**, def. 6.

strappàto a. (*lacerato*) torn*, ripped; (*tolto da qc.*) torn-off.

strappatrìce f. (*ind. tess.*) stripping machine.

strappìsta m. (*sport*: *sollevamento pesi*) snatch lifter.

◆**stràppo** m. **1** (*strappata*) pull; tug; (*strattone*) jerk, wrench, yank (*fam.*): *Uno s. e lo spago si spezzò*, one pull (*o tug*) and the string broke; **dare uno s. a qc.**, to give st. a pull (*o a tug*); to yank at st.; *Diedi uno s. e il cassetto venne fuori*, I gave a pull and the drawer came out; **tirar via con uno s.**, to pull out; to tear out; to wrench out; to yank out **2** (*fig.*: *separazione*): *La partenza da casa fu per lui un grande s.*, leaving home was a great wrench for him **3** (*lacera-*

zione*) tear; rip; (*squarcio*) rent: **uno s. nei calzoni**, a tear in one's trousers; **farsi uno s. nella giacca**, to tear one's jacket; **aggiustare uno s.**, to mend (*o to sew up*) a tear **4** (*fig.*: *infrazione*) breach; infringement; (*eccezione*) exception: **fare uno s.**, to make an exception; **fare uno s. a una dieta**, to forget about one's diet for once; **fare uno s. alla regola**, to bend a rule; to stretch a point **5** (*fig.*: *rottura*) rift; split: **uno s. all'interno del partito**, a split within the party; **ricucire uno s.**, to heal a rift **6** (*med.*, *anche* **s. muscolare**) sprain; pulled muscle: **procurarsi uno s.**, to pull a muscle **7** (*fig. fam.*: *passaggio in macchina*) lift: *Mi dai uno s. in centro?*, can you give me a lift into town? **8** (*sport*: *sollevamento pesi*) snatch; (*ciclismo*) spurt **9** (*rif. ad affresco*) stripping off; (*il metodo*) strappo method ● (*fig.*) **a strappi**, in fits and starts; jerkily □ **lattina** (**con apertura**) **a s.**, ring-pull can; pop-top can (*USA*).

strapuggiàre e *deriv.* → **strapoggiare**, *deriv.*

strapuntìno m. **1** folding seat **2** (*naut.*) hammock mattress.

straricco a. immensely rich; rolling in money (*pred.*, *fam.*).

straripaménto m. overflowing.

straripànte a. (*fig.*) (*pieno, traboccante*) overflowing; bursting: **s. di gente**, overflowing with people; **s. di gioia**, bursting with joy **2** (*incontenibile*) uncontainable, irrepressible; (*esuberante*) exuberant, ebullient; (*debordante*) bulging: **entusiasmo s.**, uncontainable enthusiasm; **personalità s.**, ebullient personality; **stomaco s.**, bulging stomach; beer belly (*fam.*).

straripàre v. i. **1** to overflow* its banks; to burst its banks: *Il Po è straripato*, the Po has burst its banks **2** (*fig.*) to overflow.

Strasbùrgo f. (*geogr.*) Strasbourg.

strascicaménto m. **1** dragging; trailing; scuffling; (*di piedi*) shuffling, shuffle **2** (*fig.*, *di parole*) drawl.

strascicàre **A** v. t. **1** to drag; (*un indumento, ecc.*) to trail; (*i piedi*) to shuffle: **s. un baule**, to drag a trunk; **s. la gonna per terra**, to trail one's skirt on the ground; **s. le gambe**, to drag one's feet; **camminare strascicando i piedi**, to shuffle **2** (*fig.*: *tirare per le lunghe*) to drag out; to draw* out; to drag one's feet (*o one's heels*) over: **s. il lavoro**, to drag out one's work; **s. una questione**, to drag one's feet over a matter **3** (*fig.*: *pronunciare lentamente*) to drawl: **s. le parole**, to drawl one's words; **parlare strascicando le parole**, to speak with a drawl **B strascicàrsi** v. rifl. to drag one's feet; to drag oneself along; to shuffle along **C** v. i. **1** to drag; to trail: *La coperta strascica sul pavimento*, the blanket is trailing on the floor.

strascicàto a. trailing; (*di passo*) shuffling; (*di parole*) drawled: **passi strascicati**, shuffling steps; **pronuncia strascicata**, drawl.

strascichìo m. dragging; shuffling; shuffle: **uno s. di passi**, a shuffling of steps; a shuffle of feet.

stràscico m. **1** (*lo strascicare*) dragging; trailing; (*di pronuncia*) drawl; (*pesca*) trawling: **caccia con lo s.**, drag hunt; **pesca a s.**, trawling; **rete a s.**, trawl-net; dragnet **2** (*di abito*) train: **abito da sposa con lo s.**, wedding dress with a train; **reggere la s. a q.**, to hold up sb.'s train; (*fig.*) to toady to sb.; **persona che regge lo s.**, train-bearer **3** (*codazzo, corteo*) train **4** (*traccia di lumaca*) trail **5** (*fig.*: *conseguenza, postumo*) after-effects (pl.); sequel; aftermath (sing.); backwash (sing.); (*retaggio*) legacy; (*med.*) sequela*: **lo s. d'odio e sospetto lasciato dal regime**, the legacy of hatred and suspicion left by the regime; **gli strascichi della guerra**, the

aftermath of war; **gli strascichi del tifo**, the after-effects (o the sequelae) of typhus; *La cosa ebbe uno s. antipatico*, the episode had an unpleasant sequel.

strasciçóni avv. **1** (*trascinandosi*) dragging oneself; (*trascinando i piedi*) dragging one's feet, shuffling: **camminare (a) s.**, to shuffle along; **percorrere la strada s.**, to drag oneself along **2** (*trascinando per terra*) trailing on the ground: **portare una sciarpa s.**, to trail a scarf.

strascinàre → **trascinare**.

strascinìo m. dragging; trailing; (*di piedi*) shuffling, shuffle.

stràscino m. **1** (*pesca*) trawl-net; dragnet **2** (*caccia*) dragnet.

strass m. inv. rhinestone; paste ⓤ.

stratagèmma m. stratagem; scheme; device; ploy; ruse; trick; dodge (*fam.*): **uno s. per fare soldi**, a scheme to make money; **uno s. per guadagnare tempo**, a ploy to gain time; **uno s. per ingannare in nemico**, a stratagem (o a ruse) to deceive the enemy; **escogitare uno s.**, to devise (o to think up) a stratagem; **ricorrere a uno s.**, to resort to a stratagem.

stratèga m. **1** (*mil.*, *polit.*) strategist: **s. da tavolino**, armchair (*USA* closet) strategist **2** → **stratego**.

strategìa f. **1** (*mil.*) strategy; strategics (pl. con verbo al sing.) **2** (*fig.*) strategy: (*org. az.*) **s. aziendale**, corporate strategy; business strategy.

stratègico a. **1** (*mil. e fig.*) strategic: **importanza strategica**, strategic importance; **linea strategica**, strategy; **posizione strategica**, strategic position; **punto s.**, strategic point; vantage point; **ritirata strategica**, strategic retreat **2** (*fig.*: *astuto*) shrewd; clever: **trovata strategica**, shrewd (o clever) idea.

stratègo m. (*stor.*) strategus*, strategos*.

stratificàre Ⓐ v. t. (*anche geol.*, *stat.*) to stratify; to form (o to arrange) in strata (o layers) Ⓑ **stratificàrsi** v. i. pron. to form strata (o layers); to become* stratified.

stratificàto a. stratified; in strata; in layers; (*geol.*) stratified: **rocce stratificate**, stratified rocks.

stratificazióne f. **1** stratification (*anche stat.*): **s. sociale**, social stratification **2** (*geol.*) stratification; bedding: **s. incrociata**, cross-bedding; **piano di s.**, stratification (o bedding) plane.

stratifórme a. (*geol.*, *meteor.*) stratiform.

stratigrafìa f. **1** (*geol.*) stratigraphy **2** (*med.*) tomography.

stratigràfico a. **1** (*geol.*) stratigraphic **2** (*med.*) tomographic; **esame s.**, tomography.

stratìgrafo m. (*med.*) tomograph.

stratigràmma m. (*med.*) tomogram.

stratimetrìa f. (*geol.*) measurement of strata.

♦**stràto** m. **1** layer; bed; stratum*; (*di legno o tessuto*) ply; (*rivestimento*) sheet, coat, coating: **s. di foglie**, bed of leaves; **s. di ghiaccio**, layer (o sheet) of ice; **s. di mattoni**, layer of bricks; **s. di neve**, blanket of snow; **s. di polvere**, layer of dust; **s. di vernice**, coat of paint; **s. laminare**, laminar layer; (*fotogr.*) **s. sensibile**, sensitive layer; **s. sottile**, thin layer; film; **s. superficiale**, surface layer; film; coat; (*di terreno*) topsoil; **gli strati dell'aria**, the strata of the air; **strati di argilla**, strata of clay; **spalmare uno s. di burro**, to spread some butter; **alternare strati di formaggio e di polenta**, alternate layers of cheese and polenta; **a strati**, in layers; layered (agg.); **disporre a strati**, to arrange in layers; to layer; **compensato a quattro strati**, four-ply wood; **fazzoletto di carta a due strati**, two-ply tissue; **torta a strati**,

layer cake **2** (*geol.*) stratum*; bed; layer; (*miner.*) seam, ledge: **s. acquifero**, water-bearing stratum; aquifer; **s. carbonifero**, coal bed; **s. di carbone**, seam of coal; (*edil.*) **s. filtrante**, filter bed; **s. sabbioso**, sand bed; **s. solido**, pan, hardpan **3** (*archeol.*) layer **4** (*meteor.*) stratus*; layer: **s. d'inversione**, inversion layer **5** (*fis.*) shell: **s. elettronico**, electron shell **6** (*fig.*: *ceto*, *classe*) stratum*; class: **strati di popolazione**, strata of population.

stratocrazìa f. stratocracy; military rule.

stratocùmulo m. (*meteor.*) stratocumulus*.

stratofortézza f. (*aeron.*) strato-fortress.

stratonémbo m. (*meteor.*) nimbostratus*.

stratopàuṣa f. (*meteor.*) stratopause.

stratoreattóre m. (*aeron.*) stratojet.

stratoṣfèra f. (*meteor.*) stratosphere.

stratoṣfèrico a. **1** (*meteor.*) stratospheric **2** (*fig.*: *astruso*) rarefied; abstruse **3** (*fig.*: *esagerato*) exorbitant; astronomical.

stratoviṣióne f. (*tel.*) stratovision.

strattonàre v. t. to tug; to jerk; to yank (*fam.*); (*sport*) to pull, to tug at.

strattonàta f. jerk; yank (*fam.*).

strattóne m. tug; jerk; pull; yank (*fam.*): **dare strattoni a qc.**, to tug (o to pull) at st.; to yank at st.; **liberarsi con uno s.**, to free oneself with a jerk.

stravaccàrsi v. i. pron. (*fam.*) to sprawl.

stravaccàto a. (*fam.*) sprawling; sprawled out: **s. in poltrona**, sprawling in an armchair.

stravagànte Ⓐ a. **1** (*letter.*) – **rime stravaganti**, uncollected poems **2** (*eccentrico*) eccentric; whimsical; bizarre; odd; peculiar; weird; quirky: **abbigliamento s.**, eccentric clothes; **condotta s.**, odd (o peculiar) behaviour; **idea s.**, bizarre notion; **tipo s.**, eccentric (o odd, weird) character; oddball (*fam.*); weirdo (*fam.*) **3** (*mutevole*) changeable; erratic; freakish: **tempo s.**, changeable weather Ⓑ m. e f. eccentric (o odd, weird) character; oddball (*fam.*); weirdo (*fam.*). ❶ **FALSI AMICI** • stravagante *non si traduce con* extravagant.

stravagànza f. **1** eccentricity; whimsicality; oddness; oddity; weirdness: **vestire con s.**, to dress eccentrically **2** (*comportamento*) eccentricity; eccentric ways (pl.); peculiarity; quirk **3** (*mutevolezza*) vagary: **le stravaganze del tempo [della moda]**, the vagaries of the weather [of fashion] ❶ **FALSI AMICI** • stravaganza *non si traduce con* extravagance.

stravècchio a. **1** very old; ancient: **cappotto s.**, ancient coat; **barzelletta stravecchia**, ancient joke **2** (*stagionato*) mature; aged: **formaggio [vino] s.**, mature cheese [wine].

stravedére v. i. **1** (*avere allucinazioni visive*) to see* things: *Tu stravedi, non c'è nessuno!*, you are seeing things, there's no one there **2** (*fig.*) – **s. per q.**, to dote on sb.; to be crazy about sb. (*fam.*).

stravéro a. (*fam.*) absolutely true: *È s., ti dico!*, it's absolutely true (o it's the gospel truth), I tell you!

stravìncere v. i. **1** (*sconfiggere*) to crush; to trounce; to walk over; to beat* hollow; to cream (*slang USA*) **2** (*assol.*: *riportare la vittoria*) to triumph; to win* hands down (o all along the line); to sweep* the board; to run* away with a prize [a medal, etc.]: **s. alle elezioni**, to win by a landslide.

straviziàre v. i. to be intemperate; to overindulge in st.; to eat* and drink* too much.

stravìzio m. intemperance ⓤ; excess ⓤ;

debauchery ⓤ; (*rif. al cibo*) overeating ⓤ; (*rif. al bere*) overdrinking ⓤ: **stravizi di gioventù**, youthful excess; **fare stravizi** → **straviziare**; **darsi agli stravizi**, to give oneself over to a life of debauchery; (*scherz.*) to indulge oneself; **vita di stravizi**, life of debauchery; debauched lifestyle.

stravòlgere Ⓐ v. t. **1** (*distorcere*) to twist, to distort; (*stralunare*) to roll: **s. i lineamenti**, to distort (o to twist) sb.'s features **2** (*fig.*: *turbare*, *agitare*) to upset* badly: *La notizia lo stravolse*, the news upset him badly **3** (*fig.*: *travisare*, *snaturare*) to twist; to distort: **s. le parole di q.**, to distort sb.'s words; **s. la verità**, to distort the truth Ⓑ **stravòlgersi** v. i. pron. to twist; (*di occhi*) to roll about.

stravolgiménto m. **1** (*lo storcere*) twisting; (*di occhi*) rolling **2** (*travisamento*) twisting; distortion: **s. della verità**, distortion of the truth.

stravòlto a. **1** (*distorto*) twisted; contorted; convulsed; (*di occhi*) rolling, wild: **lineamenti stravolti dall'ira**, features contorted with anger; **occhi stravolti**, rolling eyes; wild eyes; **viso s. dal dolore [dalla fatica]**, face contorted with pain [haggard with fatigue] **2** (*fig.*: *sconvolto*) badly upset, distraught, incoherent; (*squilibrato*) deranged, unhinged: **s. dal dolore**, distraught with grief; **s. dall'ira**, incoherent with rage; **mente stravolta**, deranged mind **3** (*fig.*: *esausto*) exhausted; all in (*fam.*); worn to a frazzle (*fam.*) **4** (*travisato*) twisted; distorted.

straziànte a. **1** (*fisicamente*) agonizing, excruciating, racking; (*psicologicamente*) heart-rending, harrowing: **dolore s.**, agonizing (o excruciating) pain; **grido s.**, piercing shriek; **spettacolo s.**, heart-rending sight; **storia s.**, harrowing story **2** (*scherz.*: *orribile*) ghastly; appalling; excruciating.

straziàre v. t. **1** (*tormentare*, *torturare*) to torture; to harrow; to rack; to torment: **s. il cuore a q.**, to break sb.'s heart; to be heart-rending; **s. gli orecchi**, to grate (o to jar) upon one's ears; to be excruciating; **essere straziato dal rimorso**, to be tortured by remorse; **musica che strazia gli orecchi**, excruciating music **2** (*dilaniare*) to tear* to pieces; to tear* apart (*anche fig.*); to mutilate: **s. un corpo**, to tear a body to pieces; *Fu straziato da una granata*, he was torn to pieces (o horribly mutilated) by a grenade; *La guerra straziava il paese*, the country was torn apart by war **3** (*fig.*: *malmenare*, *sconciare*) to mangle; to spoil*; to murder: **s. un pezzo di musica**, to murder a piece of music.

straziàto a. **1** (*tormentato*, *torturato*) tortured; harrowed; racked; tormented: **s. dai rimorsi**, tortured by remorse; **s. dal dolore**, racked with grief **2** (*dilaniato*) torn to pieces; torn apart (*anche fig.*); mangled: **un paese s. dalla guerra**, a country torn apart by war.

stràẓio m. **1** (*supplizio*, *tormento*) torment; torture; (*sofferenze*) suffering, agony: **lo s. del rimorso**, the torture of remorse; **morire fra gli strazi**, to die in torment; **mettere fine allo s. di q.**, to put an end to sb.'s suffering **2** (*scempio*) tearing to pieces; tearing apart; mutilation; mangling: **fare s. d'un cadavere**, to tear a body to pieces; to mangle (o to mutilate) a body **3** (*fam.*: *cosa noiosa*) boring thing, drag; (*seccatura*) nuisance, bother, drag: *Questo film è uno s., andiamocene*, this film is too boring, let's leave **4** (*fam.*: *persona noiosa*) bore; nuisance; pain in the neck (*fam.*): *Piantala, sei uno s.*, do stop being such a nuisance! **5** (*fig.*: *sciupìo*) waste; wastage.

stràẓẓa f. (*ind. tess.*) silk waste; floss.

strecciàre v. t. to unplait.

♦**strèga** f. **1** witch; sorceress: (*anche fig.*) **caccia alle streghe**, witch-hunt **2** (*donna bisbetica*) shrew, nagging woman*; (*donna odiosa*) bitch: *Sua moglie è una vera s.*, his wife is a regular shrew; *Quella s. di Alice è andata a spifferargli tutto*, Alice has gone and told him everything, the bitch! **3** (*megera*) hag; old crone: *Va in giro conciata come una s.*, she goes around dressed like an old hag ● **brutta come una s.**, as ugly as sin □ **prendersi il colpo della s.**, to put one's back out.

♦**stregàre** v. t. **1** (*fare un incantesimo*) to bewitch; to cast* a spell on; to hex (*USA*) **2** (*fig.*) to bewitch; to enchant; to fascinate.

stregàto a. **1** bewitched; under a spell (pred.) **2** (*fig.: sfortunato*) jinxed; hexed (*USA*) **3** (*fig.: ammaliato*) bewitched; spellbound.

strégghia e deriv. → **striglia**, e deriv.

♦**stregóne** m. **1** (*antrop.*) witch doctor; medicine man* **2** (*mago*) wizard; sorcerer; enchanter **3** (*fig.: guaritore*) faith-healer.

stregonerìa f. **1** witchcraft; sorcery; wizardry **2** (*incantesimo*) spell: **fare una s.**, to cast a spell.

stregonésco a. (*di stregone*) wizard (attr.); (*di strega*) witch (attr.), witchlike.

strégua f. standard; way; manner: **alla s. di un criminale**, like a criminal; **alla stessa s.**, in the same way; alike; **trattare tutti alla stessa s.**, to treat everybody alike; **giudicare tutti alla stessa s.**, to judge everybody with the same yardstick; **a questa s.**, like this; (*di questo passo*) at this rate.

strelìtzia f. (*bot.*, *Strelitzia reginae*) strelitzia; bird-of-paradise flower.

stremàre v. t. to exhaust; to tire out.

stremàto a. exhausted; tired out; spent: **s. dal caldo**, exhausted by the heat; **s. dalla fatica**, exhausted by the effort [the strain, the hard work]; **s. dal lavoro**, overworked.

strèmo m. extreme limit; very end: **lo s. della vita**, the end of one's life; **essere allo s. delle forze**, to have no strength left; to be on one's last legs (*fam.*); **ridurre q. allo s.**, (*logorare*) to wear sb. down; (*rovinare finanziariamente*) almost to ruin sb.; **essere (ridotto) allo s.** (*finanziariamente*) to have hit rock-bottom.

strènna A f. gift; present: **strenne natalizie**, Christmas presents B a. inv. gift (attr.): **libro s.**, gift-book.

strenuità f. (*lett.*) bravery; valour; valiantness; courage; gallantry.

strènuo a. **1** (*coraggioso*) brave; valiant; courageous; gallant: **opporre una strenua resistenza**, to put up a gallant resistance **2** (*accanito*) strenuous; stubborn; dogged; determined: **uno s. difensore dei diritti delle minoranze**, a strenuous defender of minority rights **3** (*infaticabile*) tireless; untiring: **s. lavoratore**, tireless worker.

strepitàre v. i. to make* a din; (*vociferare*) to clamour, to vociferate; (*protestare*) to protest loudly, to be in an uproar; (*urlare*) to shout, to yell.

strepitìo m. din; clatter; rattle.

strèpito m. (*forte rumore*) din; (great) noise; racket; (*di cose sbatacchiate*) clatter, rattle; (*di cose metalliche*) clank, clang, clash; (*di ruote*) rumble, rumbling; (*di voci*) clamour, uproar, din, yelling: **lo s. delle onde** [**del vento**], the roar of the waves [of the wind]; **lo s. del treno**, the rumbling of the train; **uno s. di catene**, a clanking of chains; **uno s. di ruote sull'acciottolato**, a rumble of wheels on the paving stones; **uno s. di voci furiose**, a clamour of angry voices; *I cani affamati facevano grande s.*, the dogs were clamouring for food; *Non fate tanto s., ragazzi!*, don't make such a racket, children! ● (*fig.*) **fare s.**, to cause a sensation; (*ottene-*

re successo) to be a hit, to be all the rage.

strepitóso a. **1** (*fragoroso*) uproarious; roaring; clamorous; thunderous: **applausi strepitosi**, thunderous applause **2** (*fig.*) sensational; resounding; outstanding; (*stupendo*) striking, stunning (*fam.*), smashing (*fam.*): **partita strepitosa**, smashing game; **ragazza strepitosa**, stunning girl; **successo s.**, outstanding success; runaway success; (*di film, ecc.*) smash hit (*fam.*); **vittoria strepitosa**, overwhelming victory; (*elettorale*) landslide victory; **riportare una vittoria strepitosa alle elezioni**, (*to win*) a landslide victory; to win by a landslide; **di una bellezza strepitosa**, stunningly beautiful.

strepsìttero m. (*zool.*) strepsitteran; (al pl., *scient.*) Strepsittera.

streptococcemìa f. (*med.*) streptococcaemia.

streptocòcco m. streptococcus*.

streptomicète m. (*biol.*) streptomycete.

streptomicìna f. (*farm.*) streptomycin.

stress (*ingl.*) m. inv. **1** stress (*med.*); (*nervous*) strain; pressure: **lo s. degli esami**, the pressure of examinations; **gli s. del lavoro**, the stresses and strains of work; **essere sotto s.**, to be under a lot of stress; **essere sottoposto a troppi s.**, to be placed under too much stress; **malattia da s.**, stress-related illness; **periodo di s.**, stressful period **2** (*fis.*) stress.

stressànte a. stressful; tiring; high-pressure: **esperienza s.**, stressful experience; **lavoro s.**, stressful (*o* high-pressure) work; **vita s.**, stressful life; (*fam.*) *Non essere s.!*, don't be such a pain in the neck!

stressàre A v. t. to put* under stress; to be stressful: *Guidare in città mi stressa*, I find driving in town very stressful B **stressàrsi** v. i. pron. to be under stress (*o* pressure); to feel* the stress (of): *Si stressa troppo col suo nuovo lavoro*, she is under too much pressure in (*o* is feeling the stress of) her new job.

stressàto a. stressed; under stress (pred.); stressed out (*fam.*).

stretch (*ingl.*) A a. inv. stretch (attr.): **gonna s.**, stretch skirt B m. inv. stretch material.

stretching (*ingl.*) m. stretching exercises (pl.).

strétta f. **1** (*atto, effetto dello stringere*) hold; grasp; grip; clasp; clutch; squeeze; (*abbraccio*) embrace, hug: **s. alla gola**, stranglehold; **la s. del gelo**, the grip of frost; **s. di mano**, handshake; **allentare la s.**, to release one's hold (*o* grip); **dare una s. di mano a q.**, to shake hands with sb.; to shake sb.'s hand; (*con energia*) to wring (*o* to pump*) sb.'s hand; **dare una s. a un bullone**, to tighten a bolt; (*fig.*) **dare una s. alla cinghia**, to tighten one's belt; **liberarsi dalla s. dell'avversario**, to break free from one's opponent's hold; *Mi sciolsi dalla sua s.*, I freed myself from his embrace (*o* from his arms) **2** (*inasprimento*) squeeze; tightening; crunch; (*restrizione*) clampdown: **s. creditizia**, credit squeeze (*o* crunch); **s. fiscale**, fiscal tightening; **s. monetaria**, monetary squeeze **3** (*fig.: turbamento, angoscia*) pang; stab: **s. al cuore**, pang in one's heart; *Provai una s. al cuore alla vista di...*, it was heartbreaking to see... **4** (*calca, mischia*) crush; press: **sottrarsi alla s. della folla**, to get away from the crush of the crowd **5** (*momento culminante*) climax, culmination; critical point; height; (*fase risolutiva*) final stage: *La campagna elettorale è alla s. finale*, the electoral campaign is now in the final rush; **venire alle strette**, to come to the crunch; to come to a head **6** (*geogr.*) (mountain) pass; narrows (pl.); (*strozzatura*)

bottleneck **7** (*anche al pl.*) (*situazione difficile*) predicament; tight corner; fix (*fam.*); tight spot (*fam.*); straits (pl.): **essere alle strette**, to be in a tight corner (*o* in a tight spot); to be in dire straits; to have one's back to the wall; (*finanziariamente*) to be in financial straits; **mettere q. alle strette**, to bring pressure to bear on sb.; to put sb. on the spot; to put sb. with his back to the wall; *Messo alle strette, confessò tutto*, under pressure, he admitted everything; **trovarsi finanziariamente alle strette**, to find oneself in financial straits **8** (*mus.*) stretto*.

strettaménte avv. **1** tight, tightly; fast: **legare qc. s.**, to bind st. tightly **2** (*fig.: in modo ravvicinato*) closely: **s. connesso**, closely related **3** (*rigorosamente, scrupolosamente*) strictly, closely; (*puramente*) purely: **s. confidenziale**, strictly confidential; **in via s. confidenziale**, in the strictest confidence; **s. necessario**, strictly necessary; **s. sorvegliato**, closely watched; **su basi s. finanziarie**, on purely financial grounds.

strettézza f. **1** narrowness; (*rif. a misura*) tightness: **la s. della strada**, the narrowness of the road; **la s. di una giacca**, the tightness of a jacket; **s. di mente**, narrow-mindedness **2** (*fig.: scarsezza*) scarcity; shortage: **s. di tempo**, shortage of time **3** (al pl.) (*fig.: ristrettezza*) straitened circumstances; financial difficulties: **vivere nelle strettezze**, to live in straitened circumstances; to struggle to make ends meet; **un periodo di strettezze**, a period of financial difficulties.

♦**strétto** ① A a. **1** (*serrato*) tight; fast; (*di denti, pugni*) clenched; (*legato*) tied, bound: **labbra strette**, tight (*o* compressed) lips; **nodo s.**, tight knot; **s. nelle catene**, bound in chains; **s. nel pugno**, clenched in one's hand; held tight; **a denti stretti**, with clenched teeth; **coi pugni stretti**, with clenched fists; **tenere s.**, to hold tight; to clutch; to hold on to; **tenere q. s. per la mano**, to hold sb.'s hand tightly; *Si teneva s. alla mia mano*, he held on tight to my hand; **tenere s. fra le braccia**, to hold tight; to hug **2** (*addossato*) close, huddled; (*pigiato*) packed, squeezed, pressed, cramped; (*racchiuso, bloccato*) hemmed in: **stretti assieme**, close together; **stretti come sardine**, packed like sardines; **stretti stretti**, holding each other tight; **camminare** (*o* **tenersi**) **s. al muro**, to walk close to the wall; *Eravamo stretti al muro*, we were right against (*o* pressed against) the wall; (*anche fig.*) **essere s. da ogni parte**, to be hemmed in on all sides; **tenersi s. a q.**, to keep close to sb.; **tenersi stretti assieme** (*di due*), to hold each other tight; **tenersi stretti gli uni agli altri**, to keep close together; (*addossarsi*) to huddle together; *Sedevano stretti l'uno all'altro sulla panchina*, they sat huddled together on the bench; *Qui si sta troppo stretti*, we are (*o* it's) cramped in here **3** (*fig.: vincolato*) tied; bound: *Erano stretti da una lunga amicizia*, they were bound by a close friendship; they had been close friends for years **4** (*fig.: intimo, prossimo*) close; near: **amici stretti**, close friends; **amicizia stretta**, close friendship; **stretta collaborazione**, close collaboration; **stretti legami**, close ties (*o* links); **stretta parentela**, close relationship (*o* kinship); **parente s.**, close relative; close (*o* near) relative; next of kin (*bur.*); **stretta somiglianza**, close resemblance; **essere in stretti rapporti con q.**, (*essere intimo con*) to be close to sb.; (*essere in contatto*) to be in close contact with sb.; **essere in s. contatto con q.**, to be in close contact with sb. **5** (*costretto*) driven; compelled: **s. dal bisogno**, driven by necessity **6** (*impellente*) urgent; pressing: **s. bisogno**, urgent need; **di stretta necessità**, basic; essential; **trovarsi nella stretta necessità di**

fare qc., to find oneself obliged to do st. **7** (*avaro*) tight-fisted; tight (*fam.*); stingy: **tenersi s.**, to be tight-fisted; **un insegnante s. nei voti**, a teacher who is stingy with his marks **8** (*angusto*) narrow; tight; (*di curva, angolo*) tight, sharp; (*di locale*) cramped, poky; (*di indumento, ecc.*) tight; (*aderente*) tight-fitting: **corridoio s.**, narrow corridor; **curva stretta**, tight (*o* sharp) bend **prendere una curva stretta**, to take a bend too sharply; **fare una curva stretta**, to make a sharp turn; to go round a tight bend; **scarpe strette**, tight shoes; shoes that pinch; *La scarpa destra è stretta in punta*, the right shoe is too tight across the toes; **spalle strette**, narrow shoulders; **strada stretta**, narrow road; **vestito s.**, tight dress; *Questa giacca è stretta di spalle*, this jacket is tight around the shoulders; **andare s.**, (*di abito*) to be too tight (on sb.); (*di calzatura*) to pinch; **stare stretti** (*o* **allo s.**), to be cramped for space **9** (*esiguo, ristretto*) narrow; close: **stretta maggioranza**, narrow majority; **margine s.**, narrow margin; **di stretta misura**, narrow (agg.); by a narrow margin **10** (*rigoroso, severo*) strict; tight; close; firm; rigorous: **digiuno s.**, strict fast; **stretta disciplina**, strict discipline; **lutto s.**, deep mourning; **s. obbligo**, firm obligation; **stretta osservanza delle regole**, strict observance of the rules; **regola stretta**, strict (*o* tight) rule; **stretta sorveglianza**, close surveillance (*o* watch); **vegetariano s.**, strict vegetarian; vegan; **la stretta verità**, the strict truth; **di stretta osservanza**, strict (agg.); **essere a dieta stretta**, to be on a strict diet **11** (*preciso*) exact; precise; strict: **attenersi allo s. significato delle parole**, to stick to the exact (*o* strict) meaning of each word; **nel senso s. del termine**, in the strict sense of the word **12** (*fon.*) close: **vocale stretta**, closed vowel **13** (*di lingua o dialetto*) pure; genuine: **parlare un napoletano s.**, to speak in pure Neapolitan dialect ● (*fig.*) **s. in una morsa**, held (*o* caught) in a vice; hemmed in on all sides □ **lo s. necessario**, the bare minimum: *Presi con me lo s. necessario*, I took the bare minimum with me; **fare lo s. necessario**, to do the bare minimum; **lo s. necessario per vivere**, the bare necessities of life □ **avere il cuore s.**, to have a heavy heart □ **avere la gola stretta dalla commozione**, to feel a tightness in one's throat; to be choking with emotion □ **avere lo stomaco s.**, to feel a tightness in one's stomach □ (*fig.*) **Quel lavoro gli va s.**, he feels shackled in that job □ (*fig.*) **La definizione di giornalista gli sta stretta**, he considers himself more than just a journalist □ (*fig.*) **tenere q. s. in pugno**, to have sb. in the palm of one's hand; to have sb. over a barrel (*fam.*) □ (*fig.*) **tenere stretti i cordoni della borsa**, to be tight-fisted □ **tenersi s. ai fatti**, to stick to facts; to keep strictly to facts **B** avv. tight; tightly; fast: **legare qc. ben s.**, to tie st. (up) tight; *Non avvolgerlo troppo s.!*, don't wrap it too tight; *Avvitate ben s. il coperchio*, screw the lid on tightly; *Mi abbracciò s.*, she hugged me tight (*o* tightly) ❶ **FALSI AMICI** • stretto *non si traduce con* straight.

♦**strétto** ② m. **1** (*geogr.*) strait; straits (pl.); narrows (pl.): **lo S. di Gibilterra**, the Straits (*o* the Strait) of Gibraltar; **lo S. di Magellano**, the Strait (*o* the Straits) of Magellan **2** (*mus.*) stretto*.

strettóia f. **1** narrow passage; bottleneck: *Più avanti c'è una s.*, the road narrows further up **2** (*fig.*) difficulty; tight spot (*fam.*).

strettóio m. **1** (*torchio*) press **2** (*morsetto*) clamp.

stria f. **1** (*archit., geol., bot.*) stria* **2** (*riga sottile*) stripe; bar; streak; vein **3** (*anat.*) stria*; (*smagliatura*) stretch mark.

striàre v. t. to streak; to stripe; to striate; (*graffiare*) to scratch, to score.

striàto a. **1** streaked; striped; veined; barred: **il mantello s. di un animale**, the striped (*o* barred) coat of an animal; **marmo s.**, veined (*o* streaked) marble; **capelli striati di grigio**, hair streaked with grey; **penne di uccello striate di azzurro**, bird's feathers barred with blue **2** (*graffiato*) scratched; scored **3** (*anat.*) striate, striated: **corpo s.**, corpus striatum; **corteccia striata**, striate cortex; **muscolo s.**, striated muscle.

striatùra f. **1** (*insieme di strie*) streaking; striping; streaks (pl.); stripes (pl.) **2** (*stria*) streak; stripe; vein; bar: **un giglio bianco con striature rosse**, a white lily with red streaks; **marmo con striature verdi**, marble with green veins (*o* streaks); marble veined (*o* streaked) with green **3** (*graffio*) scratch; score **4** (*geol.*) stria*; striation **5** (*bot., zool.*) stria*.

stricco m. (*naut.*) runner and tackle.

stricnìna f. (*chim.*) strychnine: **avvelenamento da s.**, strychnine poisoning.

stridènte a. **1** (*acuto*) strident, shrill, screechy, squeaking; (*aspro*) harsh, rasping, grating, jarring: **porta s.**, squeaky door; **ruote stridenti**, screeching wheels; **voce s.**, shrill voice; grating voice **2** (*fig.*: *contrastante*) clashing; jarring: **colori stridenti**, jarring (*o* clashing) colours; **contraddizione s.**, glaring contradiction; **contrasto s.**, sharp contrast; **nota s.**, jarring note.

strìdere v. i. **1** (*emettere un suono acuto*) to screech; (*cigolare*) to creak; (*scricchiolare*) to scrape, to scratch; (*di liquido o metallo caldo*) to hiss; (*emettere un suono aspro*) to rasp, to scratch, to crunch: **una porta che stride sui cardini**, a door that creaks on its hinges; *Il treno si arrestò stridendo*, the train screeched to a halt; *Il ferro rovente stridette nell'acqua*, the red-hot iron hissed as it met the water; *Il pennino strideva sul foglio*, the nib scraped on the paper; **ruote che stridono sulla ghiaia**, wheels crunching on the gravel **2** (*di animale*) to squeal; to screech; to shriek; (*di insetto*) to chirp, to chirr: *Una civetta stridette lontano*, an owl screeched in the distance **3** (*fig.*) to clash; to jar: *Quel rosa stride col viola*, that pink clashes with purple.

stridìo m. shrieking; screeching; screech; squealing; squeal; creaking; creak; (*di insetto*) chirping, chirring.

strìdo m. (pl. **strida**, f.) shriek; screech; squeal; shrill cry; scream: **strida di bambini**, shrieks of children; **strida di gabbiani**, shrill cries of seagulls; **dare** (*o* **emettere**) **uno s.**, to give a screech (*o* a shriek); to screech; to shriek; to squeak.

stridóre m. screeching; screech; shrieking; squealing; (*cigolio*) creaking, creak; (*scricchiolio*) scraping, scratching; (*di denti*) gnashing; (*di insetto*) chirping, chirring: **s. di denti**, gnashing of teeth; **s. di freni**, screeching (*o* squealing) of brakes; **arrestarsi con uno s. di gomme**, to come to a screeching halt.

stridulàre v. i. (*zool.*) to stridulate.

stridulàto a. (*zool.*) stridulating: **organo s.**, stridulating organ.

stridulazióne f. (*zool.*) stridulation.

strìdulo a. shrill; strident; grating: **il canto s. delle cicale**, the strident notes of cicadas; **risata stridula**, shrill laugh; **voce stridula**, shrill (*o* grating, strident) voice.

strige f. (*pop.*: *gufo*) screech owl.

strigile m. (*archeol.*) strigil.

striglia f. currycomb.

strigliàre ▲ v. t. **1** (*pulire con la striglia*) to curry; to groom; to rub down: **s. un cavallo**, to curry (*o* to groom, to rub down) a horse

2 (*fig.*: *rimproverare*) to reprimand; to give (sb.) a dressing-down (*fam.*); to haul over the coals (*fam.*) **B** **strigliàrsi** v. rifl. (*scherz.*) to spruce oneself up.

strigliàta f. **1** (*passata di striglia*) currying; grooming; rub-down **2** (*fig.*) reprimand; dressing-down (*fam.*); tongue-lashing (*fam.*): **dare una s. a q.**, to give sb. a dressing-down; to come down on sb.; to haul sb. over the coals; **prendersi una s.**, to be given a dressing-down; to be hauled over the coals; to get the sharp edge of sb.'s tongue.

strigliatóre m. groom.

strigliatùra f. currying; grooming; rub-down.

♦**strillàre** ▲ v. i. **1** to scream; to shriek; to cry: **s. di dolore**, to scream with pain; **s. di paura**, to shriek with fear **2** (*parlare a voce molto alta*) to shout; to yell; to shriek: *Non s., non sono sorda*, don't yell, I'm not deaf **3** (*fig.*: *risentirsi, protestare*) to make* (*o* to kick up) a fuss: *Cominciò a s. che gli avevamo rovinato la macchina*, he kicked up a fuss, saying we had ruined his car **B** v. t. **1** (*dire a voce molto alta*) to shout (out); to yell (out): *Strillò un «ciao!» e corse via*, she yelled out good-bye and ran off **2** (*fam.*: *rimproverare*) to scold.

strillàta f. **1** → **strillo 2** (*rabbuffo*) scolding.

strillo m. scream; shriek; (shrill, piercing) cry; screech: **cacciare uno s.**, to let out a shriek (*o* a screech); **fare uno s.**, to scream; to shriek.

strillonàggio m. (*sistema di vendita*) selling newspapers in the streets through newsvendors; (*mestiere di strillone*) job as a newsvendor.

strillóne m. (f. **-a**) **1** (*fam.*: *chi strilla*) screamer; (*chi parla a voce molto alta*) shouter **2** (*giorn.*) newsvendor; newsboy.

strillòzzo m. (*zool.*, *Emberiza calandra*) corn bunting.

striminzire ▲ v. t. (*smagrire*) to make* (sb., st.) look thinner **B** **striminzirsi** v. rifl. e i. pron. **1** (*fasciarsi di indumenti stretti*) to lace oneself tightly **2** (*dimagrire*) to grow* thin.

striminzìto a. **1** (*minuscolo*) skimpy; (*scarso, misero*) scanty, meagre; (*sottile, poco consistente*) thin; (*stento*) stunted: **abitino s.**, skimpy dress; **articolo s.**, thin article; **gruppetto s.**, small group; **libretto s.**, thin book; **pianta striminzita**, stunted plant **2** (*magro*) thin; skinny: **braccia striminzite**, thin arms; **ragazzino s.**, skinny boy.

strimpellaménto m. (*su strumento a tasti*) pounding, banging; (*sulla chitarra, ecc.*) strumming; (*sul violino, ecc.*) scraping.

strimpellàre v. t. (*suonare mediocremente*) to play (an instrument) clumsily; (*uno strumento a tasti*) to pound on; (*la chitarra, ecc.*) to strum on; (*il violino, ecc.*) to scrape: **s. il mandolino**, to strum on the mandolin; **s. un motivetto al pianoforte**, to pick out a tune on the piano.

strimpellàta f. (*su strumento a tasti*) pounding; (*di chitarra, ecc.*) strumming; (*di violino, ecc.*) scraping.

strimpellatóre m. (f. **-trìce**) clumsy player; (*di chitarra, ecc.*) strummer.

strimpellìo → **strimpellamento**.

strinàre ▲ v. t. **1** (*cucina*) to singe **2** (*stirando*) to singe; to scorch **B** **strinàrsi** v. i. pron. to scorch.

strinàto a. singed; scorched: **pollo s.**, singed chicken; **odore di s.**, smell of singeing.

strinatùra f. singeing; scorching; (*segno*) singe, scorch mark.

stringa f. **1** lace; string: **stringhe per scarpe**, shoelaces; shoestrings **2** (*comput.*,

ling.) string: **s. di caratteri**, character string.

stringàre v. t. **1** to lace up; to fasten with a string **2** (*fig.*) to condense; to make* concise.

stringatézza f. conciseness; concision; succinctness; terseness.

stringàto a. **1** laced up; lace-up (attr.): **scarpe stringate**, lace-up shoes; lace-ups **2** (*fig.*) concise; succinct; terse.

stringèndo m. inv. (*mus.*) stringendo.

stringènte a. **1** (*persuasivo*) convincing; cogent; forcible: **logica s.**, cogent logic; cogency; **ragioni stringenti**, convincing reasons **2** (*impellente*) urgent; pressing: **bisogni stringenti**, pressing needs.

♦**stringere** Ⓐ v. t. **1** (*serrare*) to tighten; to clench; (*chiudere*) to shut*, to close: (*anche fig.*) **s. i cordoni della borsa**, to tighten the purse strings; **s. la cintura**, to tighten one's belt; **s. i denti**, to clench one's teeth; **s. i freni**, to tighten the brakes; **s. le labbra**, to tighten (*o* to compress) one's lips; **s. un morsetto**, to tighten a clamp; **s. un nodo**, to tighten a knot; **s. gli occhi**, (*chiuderli*) to close one's eyes; (*socchiuderli*) to screw up one's eyes; **s. il pugno**, to clench (*o* to double) one's fist; **s. una vite**, to tighten a screw; *Il ladro le strinse la calza intorno al collo*, the burglar tightened the stocking round her neck **2** (*afferrare*) to clasp, to grasp, to grip, to clench, to tighten; (*tenere stretto*) to hold* (tight), to be clasping; (*premere, strizzare*) to press, to squeeze; (*abbracciare*) to hug: **s. una fune**, (*afferrarla*) to grasp a rope; (*reggerla*) to hold a rope; **s. la mano a q.**, (*afferrarla*) to clasp (*o* to grip) sb.'s hand; (*come saluto*) to shake sb.'s hand, to shake hands with sb.; (*in segno di affetto*) to squeeze (*o* to press) sb.'s hand; **s. il braccio a q.**, to clasp (*o* to grip, to squeeze) sb.'s arm; **s. a sé** (*o* **al petto, al seno**), to hug; to hold tight; (*abbracciare, anche*) to clasp in one's arms; **s. fra le braccia**, to hug; **s. fra i denti**, to hold between one's teeth; **stringersi la testa fra le mani**, to hold one's head in one's hands; *L'uomo stringeva nella mano un coltello*, the man was clasping a knife in his hand; *Si stringeva le mani disperato*, he was wringing his hands in despair; *La notizia mi strinse il cuore*, the news wrung my heart; *Mi sentivo s. la gola*, I felt a tightness in my throat; (*per il pianto*) I had a lump in my throat, my tears were choking me; *Il terrore mi stringeva la gola*, I was choking with fear **3** (*circondare*) to surround; to close in on; to hem in: **s. d'assedio una città**, to lay siege to a town; **s. il nemico da vicino**, to close in on the enemy **4** (*spingere, premere*) to push; to crush; to squeeze; (*autom.*) to cut* in on, to carve up (*fam.*): *La folla lo strinse contro il parapetto*, the crowd pushed (*o* crushed) him against the parapet; *La macchina mi superò e mi strinse*, the car overtook me and cut in in front of me **5** (*stipulare, concludere*) to make*; to form; to enter into; to clinch: **s. un accordo**, to enter into (*o* to make) an agreement; to clinch a deal; **s. un'alleanza**, to make (*o* to form) an alliance; **s. amicizia con q.**, to strike up a friendship with sb.; **s. un patto**, to make a pact; **s. una relazione**, to form a relationship; **s. un trattato**, to draw up a treaty **6** (*anche assol.*: *comprimere, di scarpa*) to pinch; (*di indumento*) to be tight; (*intorno al collo*) to choke, to strangle, to suffocate: *Queste scarpe (mi) stringono in punta*, these shoes pinch my toes; *La gonna (mi) stringe un po' sui fianchi*, the skirt is a bit tight around the hips; *Questo colletto mi stringe*, this collar is choking (*o* strangling) me **7** (*restringere, ridurre*) to restrict; to reduce: **s. il credito**, to restrict credit **8** (*sartoria*) to take* in: **s. un vestito in vita**, to take in a dress at the waist **9** (*abbreviare, sintetizzare*) to condense, to compress, to shorten, to cut* short; (*riassumere*) to summarize, to sum up; (*concludere*) to make* it brief, to come* (*o* to get*) to the point: *Vidi qualcuno sbadigliare tra il pubblico e decisi di s.*, I noticed some people yawning in the audience so I decided to cut my talk short; *Su, stringi!*, do get to the point! **10** (*accelerare*) to quicken; to speed* up; to step up: **s. i tempi**, to step up the pace; to speed things up; (*mus.*) **s. il tempo**, to quicken the tempo **11** (*assol.*: *essere astringente*) to cause constipation ● (*naut.*) **s. il vento**, to haul up; to sail close to the wind □ **stringi stringi**, in the end; in conclusion; all in all: *Stringi stringi, non si è concluso niente*, we didn't get anywhere in the end; *Stringi stringi, non è granché*, it is nothing special, all in all □ (*prov.*) **Chi troppo vuole nulla stringe**, grasp all, lose all Ⓑ v. i. **1** (*incalzare, urgere*) to press: *Il tempo stringe*, time presses **2** (*calcio*) – **s. a rete**, to press on towards the goal Ⓒ **stringersi** v. rifl. e i. pron. **1** (*accostarsi*) to draw* close (to); to press (against); to cling* (to): **stringersi al muro**, to draw close to the wall; **stringersi gli uni agli altri**, to huddle together; *Il bimbo si stringeva alla mamma*, the child clung to his mother **2** (*circondare*) to gather round; to surround; to cluster round; (*fig.*: *sostenere, appoggiare*) to rally around: *Ci stringemmo intorno alla guida*, we gathered round our guide; *Una folla in tripudio si strinse intorno al vincitore*, a cheering crowd surrounded the winner; *Si strinsero intorno al fuoco*, they clustered round the camp fire; *Il partito si strinse intorno a lui*, his party rallied around him **3** (*avvolgersi*) to wrap (st.) around one: *La vecchietta si strinse nello scialle*, the old woman wrapped her shawl around her **4** (*spostarsi per fare posto*) to move over; to squeeze up: *Stringetevi un po' e fatemi sedere*, move over and let me sit down **5** (*serrarsi*) to tighten; (*contrarsi*) to knot: **stringersi nelle spalle**, to shrug (one's shoulders); *Mi si strinse lo stomaco*, my stomach knotted; *A quelle parole mi si strinse il cuore*, (*per la pena*) those words wrung my heart; (*per lo scoramento*) at those words my heart sank **6** (*restringersi*) to shrink*; (*diventare più stretto*) to narrow: *una stoffa che non si stringe*, a material that does not shrink; *Più avanti la valle si stringeva*, the valley narrowed further up.

stringilàbbro m. inv. (*per cavallo*) barnacles (pl.).

stringimént m. (*il serrare fortemente*) grasping; gripping; clenching; (*avvitando, legando*) tightening ● (*fig.*) **s. di cuore**, pang in one's heart; heavy heart.

stringinàso m. inv. **1** (*anche*) **occhiali a s.**, pince-nez (*franc.*) **2** (*sport*) nose-clip **3** (*per cavallo*) barnacles (pl.).

strip① (*ingl.*) m. inv. strip-tease; strip: **fare uno s.**, to do a strip.

strip② (*ingl.*) m. inv. (*striscia a fumetti*) (comic) strip; strip cartoon.

strip③ (*ingl.*) m. inv. (*Borsa*) strip; strap.

strippàggio m. (*chim.*) stripping.

strippapèlle vc. – (*fam.*) **mangiare a s.**, to eat to bursting point; to gorge oneself.

strippàre v. i., **strippàrsi** v. i. pron. (*pop.*) to stuff oneself; to gorge oneself; to pig oneself; to have a nosh-up (*slang GB*).

strippàta f. (*pop.*) big feed; binge eating Ⓤ; nosh-up (*slang GB*): **farsi una s. di qc.**, to stuff oneself with st.; to pig oneself on st. (*fam.*).

strippóne m. (f. **-a**) big eater; greedy eater.

♦**striscia** f. **1** (*lista*) strip, slip; (*nastro*) ribbon, band: **s. di carta**, strip (*o* slip) of paper;

s. di cuoio, strip (*o* strap) of leather; thong; (*coramella*) strop; **s. di pelle**, (*o* ribbon) of skin; **s. di stoffa**, strip of cloth; **tagliare a strisce**, to cut into strips **2** (*riga*) stripe, band, streak, bar; (*bordo*) border; (*traccia, scia*) trail: **s. di fumo**, trail of smoke; **s. di luce**, streak (*o* bar) of light; **s. di sangue**, trail of blood; **s. di sporco**, streak of dirt; **le strisce della zebra**, a zebra's stripes; **rosso a striscie bianche**, red with white stripes; **stoffa a strisce bianche e nere**, back-and-white striped material; **tappezzeria a strisce**, striped wallpaper; *Un sergente ha tre strisce sulla manica*, a sergeant has three stripes on his sleeve **3** (*fumetto*) (comic) strip **4** (*di territorio*) strip; belt: **s. di terra**, strip of land **5** (*aeron.*) strip **6** (*segnaletica stradale*) line; (al pl., *anche* **strisce pedonali**) zebra (*o* pedestrian) crossing (sing.): **s. continua**, unbroken line; **doppia s.**, double line; **s. tratteggiata**, broken (*o* discontinuous) line; **attraversare sulle strisce**, to cross at the zebra crossing ● (*geogr.*) **S. di Gaza**, Gaza Strip.

strisciamént m. **1** (*il passare sopra o rasente*) crawling; creeping; sliding; stealing **2** (*il trascinare*) dragging; scraping; (*di piedi*) shuffling **3** (*fig.*) fawning; toadying.

strisciànte a. **1** (*che striscia*) crawling; creeping **2** (*fig.*: *viscido*) unctuous, oily, slimy, creepy; (*servile*) fawning, servile, toadying: **adulazione s.**, servile flattery; **individuo s.**, slimy individual; creep (*fam.*); (*adulatore*) crawler (*fam.*); **modi striscianti**, unctuous ways **3** (*furtivo*) creeping; sneaking: **inflazione s.**, creeping inflation; *C'è in giro un'influenza s.*, there is a flu about **4** (*bot.*) creeping; trailing: **pianta s.**, creeping (*o* trailing) plant; creeper **5** (*zool.*) creeping.

♦**strisciàre** Ⓐ v. t. **1** (*muovere sfregando*) to scrape; (*strascicare*) to drag, (*i piedi*) to shuffle: **s. una sedia**, to scrape a chair on the floor; to drag a chair; **s. i piedi**, to shuffle (*o* to drag) one's feet **2** (*sfiorare*) to brush; to graze; (*graffiare*) to scratch; (*lasciare un segno*) to scuff: *La pallottola gli strisciò la guancia*, the bullet grazed his cheek; *Mi ha strisciato tutta la fiancata*, she scratched the whole side of my car Ⓑ v. i. **1** (*muoversi sul ventre*) to creep*; to crawl, (*di serpente, anche*) to slither: **s. per terra**, to crawl on the ground; *La lumaca strisciava lungo il tronco*, the snail was creeping along the trunk; *Strisciammo verso il nemico*, we crept towards the enemy; *Il serpente s'infilò strisciando in un buco*, the snake slithered into a hole **2** (*muoversi sfiorando, passare rasente*) to creep*, to brush (st.); (*strascicare*) to trail; (*fig.*: *sfregare*) to scrape against: **s. lungo il muro**, to creep close by the wall; *Hai la vestaglia che striscia per terra*, your dressing-gown is trailing on the floor; **rami che strisciano al suolo**, trailing branches; *La macchina strisciò contro il guardrail*, the car scraped against the guardrail **3** (*bot.*) to creep* **4** (*fig.*: *essere umile*) to crawl; to cringe Ⓒ **strisciàrsi** v. rifl. **1** (*sfregarsi*) to rub oneself: *L'orso si strisciava contro l'albero*, the bear was rubbing itself against the tree **2** (*fig.*: *adulare*) to fawn (on); to toady (to).

strisciàta f. **1** (*lo strisciare*) grazing; scraping **2** (*graffio*) scratch; graze; (*segno*) scuff (mark); (*sbaffo*) smear, smudge: **una s. sul parafango**, a scratch on the mudguard; **pavimento pieno di strisciate**, badly scuffed floor **3** (*tipogr.*) galley (proof) **4** (*di calcolatrice*) paper strip **5** (*fotogr.*) flight strip.

strisciatùra f. → **strisciata**, def. 1, 2.

striscio m. **1** (*lo strisciare*) grazing; (*di piedi*) shuffle: **ballo con lo s.**, shuffle; **colpo di s.**, glancing blow; **ferita di s.**, superficial wound; scratch; **colpire di s.**, to graze; to

scratch; (*e deviare*) to glance off **2** (*med.*) smear **3** (*graffio*) graze; scratch; (*segno*) scuff (mark): **fare uno s. su**, to graze; to scratch; to scuff; **pavimento pieno di strisci**, badly scuffed floor.

strisciòne m. **1** banner: **s. pubblicitario**, advertising banner; **gli striscioni di una manifestazione**, the banners at a rally **2** (*sport*) – **s. d'arrivo**, finishing line.

striscióni avv. crawling; creeping: **avanzare s.**, to creep*; to crawl; **avvicinarsi s. a qc.**, to creep up to st.

stritolàbile a. grindable; crushable.

stritolaménto m. grinding; crushing.

stritolàre v. t. to grind*; to crush; to crunch: **s. una gamba a q.**, to crush sb.'s leg; *Il cane stritolava un osso*, the dog was crunching a bone **2** (*fig.*: *annientare*) to crush; to demolish; to make* mincemeat of: **argomenti per s. l'avversario**, arguments to crush one's opponent; (*fam.*) *Se lo piglio, lo stritolo!*, if I catch him, I'll make mincemeat of him!

stritolatóre A a. grinding; crushing; crunching B m. (f. **-trice**) grinder; crusher.

stritolìo m. crunching sound; grinding sound.

strizióne f. (*mecc.*) neck-in; neck-down.

strìzza f. (*fam.*) scare; funk: **avere s.**, to be scared; **prendersi una s.**, to get scared; (*riguardo a una decisione*) *All'ultimo momento gli è venuta s.*, at the last moment he got cold feet; *Che s.!*, how scaring!

strizzacervèlli m. e f. (*fam.*) shrink; headshrinker.

strizzàre v. t. to squeeze; (*torcere*) to wring*: **s. il braccio a q.**, to squeeze sb.'s arm; **s. un limone**, to squeeze a lemon; **s. un panno bagnato**, to wring a wet cloth; **s. gli occhi**, to screw up one's eyes; to peer; **s. l'occhio (a q.)**, to wink (at sb.).

strizzàta f. squeeze; (*torsione*) wring: *Mi diede una s. al braccio*, he gave my arm a squeeze; he squeezed my arm; **dare una s. al fazzoletto**, to wring the handkerchief; **s. d'occhio**, wink; **dare una s. d'occhio a q.**, to wink at sb.

strizzatóio m. wringer; mangle.

strizzatùra f. squeezing; (*torcitura*) wringing.

strizzóne m. **1** (*strizzata*) powerful squeeze **2** (*fam.*: *fitta*) sharp (*o* shooting) pain; stab (of pain); twinge.

strobilazióne f. (*zool.*) strobilation.

stròbilo m. **1** (*bot.*) strobilus*; strobile **2** (*zool.*) strobila*.

strobofotografìa f. stroboscopic photography.

stroboscopìa f. (*fis.*) stroboscopy.

stroboscòpico a. (*fis.*) stroboscopic; strobe (*attr.*): **effetto s.**, stroboscopic effect; **luci stroboscopiche**, strobe lights.

stroboscòpio m. (*fis.*) stroboscope; strobe.

stròfa f. → **strofe**.

strofantìna f. (*chim.*) strophanthin.

strofànto, **stròfanto** m. (*bot.*, *Strophanthus*) strophanthus.

stròfe f. (pl. **strofe**) verse; stanza; (*nella poesia greca*) strophe.

stròfico a. (*poesia*) verse (*attr.*); stanza (*attr.*); (*rif. alla poesia greca*) strophic.

♦**strofinàccio** m. cloth; wiper (*USA*): **s. per asciugare stoviglie**, tea towel (*GB*); dishtowel (*USA*); **s. per pavimenti**, floor cloth; **s. per spolverare**, duster.

strofinaménto m. (*sfregamento*) friction, rubbing; (*per pulire*) scrubbing, scouring; (*per lucidare*) polishing.

♦**strofinàre** A v. t. (*fregare*) to rub; (*per pulire*) to scrub; to scour; (*per lucidare*) to pol-

ish; (*per asciugare*) to wipe; (*per riscaldare*) to rub, to chafe: **s. l'argenteria con un panno morbido**, to polish the silver with a soft cloth; **s. un fiammifero**, to strike a match; **s. le pentole con la paglietta**, to scour the saucepans with iron wool; **s. un pavimento**, to scrub a floor; **strofinarsi le mani [gli occhi]**, to rub one's hands [one's eyes]; *Il cane mi strofinò il muso contro la gamba*, the dog rubbed his nose against my leg; *Questa macchia andrà via strofinando*, this stain will rub off B **strofinàrsi** v. rifl. **1** to rub oneself: **strofinarsi contro qc.**, to rub oneself against st. **2** (*fig.*: *adulare*) to fawn (on); to toady (to).

strofinàta f. rub; (*per pulire*) scrub, scouring; (*per lucidare*) polish: **dare una s. a qc.**, to give st. a rub (*o* a scrub).

strofinìo m. **1** continuous rubbing; friction **2** (*fis.*) friction.

stròlaga f. (*zool.*, *Gavia*) diver; loon (*USA*): **s. maggiore**, great norther diver; (common) loon (*USA*).

stròlago, **stròlogo** → **astrologo**.

strologàre A v. t. (*profetizzare*) to foretell*; to prophesy B v. i. (*almanaccare*) to rack one's brains; to puzzle over st.; (*assol.*) to stargaze.

stròma m. (*biol.*) stroma*.

stromàtico a. (*biol.*) stromal; stromatic.

strombàre v. t. (*archit.*) to splay.

strombàto a. embrasured; splayed.

strombatùra f. (*archit.*) embrasure; splay.

strombazzaménto m. **1** (*di clacson*) tooting Ⓤ; honking Ⓤ **2** (*fig.*) puffing Ⓤ; ballyhoo Ⓤ; hype Ⓤ (*fam.*).

strombazzàre A v. t. **1** (*riferire*) to trumpet; to shout from the rooftops: *Strombazzarono il fatto per tutto il paese*, they trumpeted the story all over the town; *È andata a strombazzarlo ai quattro venti*, she shouted it from the rooftops **2** (*vantare*, *pubblicizzare*) to trumpet; to puff; to hype (*fam.*): **s. le proprie conquiste**, to trumpet one's conquests; **s. la bontà (o le qualità) di qc.**, to puff (*o* to hype) st.; **s. le proprie virtù**, to blow one's own trumpet B v. i. (*suonare il clacson*) to toot; to honk.

strombazzàta f. **1** (*di tromba*) blast; blare **2** (*di clacson*) tooting Ⓤ; honking Ⓤ **3** (*fig.*) puff; ballyhoo Ⓤ; hype Ⓤ (*fam.*).

strombazzatóre m. (f. **-trice**) **1** (*divulgatore*) trumpeter **2** (*millantatore*) boaster; braggart **3** (*elogiatore*) trumpeter; glorifier **4** (*chi suona forte il clacson*) tooter; honker.

strombettàre v. i. **1** to blow* a trumpet; to trumpet **2** (*suonare il clacson*) to toot; to honk.

strombettàta f. **1** (*di tromba*) trumpet blasts (pl.) **2** (*di clacson*) toot; honk.

strombettìo m. **1** (*di tromba*) trumpet blasts (pl.); blare of trumpets **2** (*di clacson*) tooting; honking.

stròmbo ① m. (*zool.*, *Strombus gigas*) conch; wing shell.

stròmbo ② m. → **strombatura**.

stromboliàno a. (*geol.*) Strombolian.

stroncaménto m. **1** (*il troncare*) breaking off **2** (*fig.*: *repressione*) crushing; putting down.

stroncàre v. t. **1** (*troncare*) to break* off; to cut* off: **s. un ramo**, to break* off (*o* to cut off) a branch **2** (*fig.*: *uccidere*) to cut* down; to strike* down: *Fu stroncato da un infarto*, he was struck down by a heart attack; *Fu stroncato nel fiore degli anni*, he was struck down in his prime; his life was cut short; (*fam.*) *Se mi capita a tiro, lo stronco!*, if I set my hands on him, I'll tear him apart! **3** (*fig.*: *porre fine a*) to cut* short; (*sopprimere*) to stamp out; (*reprimere*) to crush, to put*

down: **s. la carriera di qc.**, to cut short sb.'s career; **s. una diceria**, to scotch a rumour; to put an end to gossip; **s. la febbre**, to bring down the temperature; **s. un raffreddore**, to fight off a cold; **s. una rivolta**, to crush (*o* to put down) a revolt; **s. il traffico di droga**, to stamp out drug trafficking; **s. una vita**, to cut short a life; **s. sul nascere**, to scotch; to nip in the bud **4** (*fam.*: *spossare*) to wear* out; to exhaust: *Stare dietro al bambino mi stronca*, looking after the child wears me out (*o* is exhausting) **5** (*fig.*: *criticare*) to attack; to rubbish; (*un libro*, *ecc.*) to slate; to pan: **s. un autore**, to attack an author; **s. un progetto**, to rubbish a plan; *Il suo film fu stroncato dalla critica*, his film was slated by critics; *Fu stroncato senza pietà*, the critics tore him [it] to bits (*o* did a hatchet job on him [it]).

stroncatóre A a. (*di critica*) highly critical; crushing; savage B m. (f. **-trice**) (*critico severo*) harsh critic; detractor.

stroncatòrio a. highly critical.

stroncatùra f. **1** (*il troncare*) breaking off; cutting off **2** (*fig.*) devastating critique; slating Ⓤ; panning Ⓤ; hatchet job.

stròngilo m. (*zool.*) strongyle.

stronzàggine f. (*volg.*) **1** (*comportamento da stronzo*) shittiness; (*generalm. rif. a donna*) bitchiness (*fam.*) **2** → **stronzata**.

stronzàta f. (*volg.*) **1** (*azione odiosa*) dirty trick; shitty thing (*volg.*): *Bella s.!*, that was a shitty thing to do [to say]!; *È stata una s. la sua di non aiutarmi*, he was a shit not to help me **2** (*scemenza*) bullshit Ⓤ; shit Ⓤ; crap Ⓤ: **dire stronzate**, to talk crap; to be full of shit.

strònzio m. (*chim.*) strontium.

strónzo m. (*volg.*) **1** (*escremento*) turd; shit Ⓤ **2** (*fig.*: *persona odiosa*) bastard (m.); bitch (f.); shit: *Non fare lo s.!*, don't be a shit!

stropicciaménto m. rubbing; (*di piedi*) shuffling.

stropicciàre A v. t. **1** (*fregare*) to rub; to massage; (*i piedi*) to shuffle: **stropicciarsi le mani [gli occhi]**, to rub one's hands [one's eyes] **2** (*fam.*: *sgualcire*) to crumple; to crease: **stropicciarsi gli abiti**, to crumple one's clothes B **stropicciàrsi** v. i. pron. **1** (*sgualcirsi*) to crumple; to crease; to get* crumples (*o* creased) **2** (*pop.*) not to give* a damn (about); not to give* a hoot (about): *Me ne stropiccio di lui!*, I don't give a damn about him!

stropicciàta f. rub; rubbing: **dare una bella s. a qc.**, to give st. a good rub; **darsi una s. alle mani**, to rub one's hands.

stropicciàto a. (*sgualcito*) crumpled; creased.

stropicciatùra f. **1** (*sfregamento*) rubbing; (*di piedi*) shuffling, scuffling **2** (*sgualcitura*) crumpling; creasing.

stropiccìo m. rubbing; (*di piedi*) shuffling, shuffle, scuffling.

stroppàre v. t. (*naut.*) to strop.

stroppiàre v. t. (*fam.*) to cripple ● (*prov.*) *Il troppo stroppia*, you can have too much of a good thing; too much breaks the bag.

stròppo m. (*naut.*) strop; (*di remo*) grommet.

stròzza f. (*fam.*) throat; gullet; windpipe: **afferrare q. per la s.**, to seize sb. by the throat; *La parola gli rimase nella s.*, the word stuck in his throat; *La lisca gli si è piantata nella s.*, the fish bone got stuck in his throat (*o* windpipe); *Urlava con quanto fiato aveva nella s.*, he was shouting at the top of his voice.

strozzalino m. (*bot.*, *Cuscuta epilium*) flax dodder.

strozzaménto m. **1** (*lo strangolare*) strangling; throttling; (*soffocamento*) chok-

a
b
c
d
e
f
g
h
i
j
k
l
m
n
o
p
q
r
s
t
u
v
w
x
y
z

ing (to death) **2** (*med.*) strangulation: **s. erniario**, hernia strangulation **3** (*mecc.*) throttling; choking.

strozzaprèti m. pl. flour dumplings; potato dumplings.

strozzàre Ⓐ v. t. **1** (*uccidere strangolando*) to throttle; to strangle; to choke: **s. q. con una calza**, to strangle sb. with a stocking; *Se lo vedo lo strozzo!*, if I meet him, I'll strangle him! **2** (*fig.: soffocare*) to choke (to death): to strangle: *La lisca quasi lo strozzava*, he nearly choked on that fishbone; *Questa cravatta mi strozza*, this tie is choking (o strangling) me **3** (*occludere*) to block, to choke, to clog; (*comprimere*) to constrict, to pinch **4** (*fig.: far pagare molto*) to squeeze; to fleece **5** (*fig.: troncare*) to cut* short **6** (*naut.*) to strop Ⓑ **strozzàrsi** i. pron. **1** (*morire per soffocamento*) to choke to death: *Si è strozzato con nocciolo di ciliegia*, he choked to death on a cherry stone **2** (*restringersi*) to narrow; to become* narrower Ⓒ **strozzàrsi** v. rifl. to strangle oneself.

strozzascòtte m. inv. (*naut.*) clam cleat.

strozzàto a. **1** strangled; (*soffocato*) choked to death: **morire s.**, to be strangled; to choke to death **2** (*med.*) strangulated: **ernia strozzata**, strangulated hernia **2** (*fig., di suono*) choked; stifled: **grido s.**, stifled cry; **voce strozzata**, choked (o choking) voice **4** (*fig.: ostruito*) blocked; clogged **5** (*che si restringe*) narrowing; (*di collo di recipiente*) narrow-necked.

strozzatóio m. (*naut.*) cable stopper; compressor.

strozzatóre Ⓐ a. strangling; choking Ⓑ m. (f. **-trice**) strangler; choker.

strozzatùra f. **1** → **strozzamento**, def. 1 e 2 **2** (*restringimento*) narrowing; (*tratto più stretto*) narrow passage; (*blocco*) blockage; (*di oggetto, recipiente*) waist; (*stradale*) bottleneck: **la s. di un tubo**, a narrowing in a pipe; **la s. di una clessidra**, the waist of an hour-glass; *La strada ha una s. a un kilometro da qui*, one kilometre from here there is a bottleneck (o the road narrows) **3** (*econ.*) bottleneck.

strozzinàggio m. usury; loan-sharking (*fam.*).

strozzinésco a. usurious.

strozzino m. (f. **-a**) **1** (*usuraio*) usurer; loan shark (*fam.*); (*estens.: persona avida*) money-grubber; bloodsucker.

stròzzo m. (*pop.*) usury; loan-sharking (*fam.*): **prestare soldi a s.**, to lend money on usury; to be a loan-shark.

struccàre Ⓐ v. t. to remove the make-up of: **struccarsi gli occhi**, to remove one's eye make-up Ⓑ **struccàrsi** v. rifl. to take* off one's make-up.

struccàto a. without make-up.

struccatùra f., **strùcco** m. removal of make-up; make-up removal.

strùdel (*ted.*) m. inv. (*cucina*) strudel.

struggènte a. (*pieno di desiderio*) longing; yearning; (*commovente*) poignant, moving; distressing; (*doloroso*) aching, tormenting: **desiderio s.**, longing; yearning; **melodia s.**, poignant tune; **nostalgia s.**, aching nostalgia; **pena s.**, distressing grief; **ricordi struggenti**, poignant memories; **s. tenerezza**, immense tenderness.

strùggere Ⓐ v. t. **1** (*liquefare*) to melt; to liquefy; (*neve, ghiaccio, anche*) to thaw: **s. la cera**, to melt (o to liquefy) wax **2** (*fig.: consumare*) to consume, to eat* up; (*angosciare*) to distress, to torment: *Un desiderio ardente lo struggeva*, a burning desire was consuming him; *Il rimorso lo strugge*, he is tormented by remorse; *Quel pensiero lo struggeva*, that thought distressed me Ⓑ **struggersi** v. i. pron. **1** (*liquefarsi*) to melt; to liquefy; (*di neve, ghiaccio, anche*) to thaw: *La ne-*

ve si strusse al sole, the snow melted away in the sun; **un bignè che si strugge in bocca**, a cream puff that melts in your mouth; (*fig.*) **struggersi in lacrime**, to melt into tears **2** (*fig.: languire*) to waste away; to pine away; to be consumed (with); to be eaten up (by); (*di desiderio*) to pine, to long, to yearn: **struggersi dal dolore**, to be consumed with grief; **struggersi dal desiderio [dalla curiosità]**, to be consumed with desire [with curiosity]; *Si struggeva dal desiderio di rivederla*, he was pining for her; he was consumed with the desire to see her again; **struggersi nel ricordo di q.**, to pine away for sb.; **struggersi di invidia**, to be consumed (o eaten up) with envy; to eat one's heart out; **struggersi dalla voglia di fare qc.**, to be longing (o yearning) to do st.

struggicuòre m. heartache.

struggiménto m. **1** (*liquefazione*) melting; thawing **2** (*fig.: tormento*) heart-breaking pain; anguish; torment: **s. di cuore**, heartache; *È uno s. vedere i suoi sforzi per camminare*, it is heart-breaking to see his efforts to walk; *Provai un grande s. a quella vista*, my heart ached at the sight; *È uno s. avere i figli lontani*, it's painful when your children are away **3** (*desiderio intenso*) longing; yearning.

strùma m. (*med.*) **1** (*gozzo*) goitre; struma* **2** (*tumefazione*) swelling.

strumentàle Ⓐ a. **1** (*mus., ling., tecn., econ.*) instrumental: (*econ.*) **beni strumentali**, instrumental (o producer, auxiliary) goods; (*gramm.*) **caso s.**, instrumental case; **causa s.**, instrumental cause; **dati strumentali**, instrumental data; **musica s.**, instrumental music; **osservazione s.**, instrumental observation **2** (*aeron.*) instrument (attr.): **atterraggio s.**, instrument landing; **volo [navigazione] s.**, instrument (o blind) flight **3** (*fig.*) having an end in view; serving as a means; exploitable: **fare un uso s. di qc.**, to exploit st.; **avere una concezione s. di qc.**, to see st. as something to be used (o exploited); to see st. purely as a means to get something; **una decisione puramente s. volta a ottenere nuovi vantaggi**, a purely pragmatic decision to obtain further advantages Ⓑ m. (*gramm.*) instrumental case.

strumentalìsmo m. (*filos.*) instrumentalism.

strumentalità f. instrumentality.

strumentalizzàre v. t. (*usare come puro strumento*) to exploit; to use: **s. una notizia**, to exploit (o to use) a piece of news; **s. la protesta studentesca**, to exploit the students' protest; *Mi ha semplicemente strumentalizzato*, she simply used me.

strumentalizzazióne f. exploitation.

strumentàre v. t. (*mus.*) to orchestrate; to instrument.

strumentàrio m. instruments (pl.); tools (pl.).

strumentatóre m. (f. **-trice**) (*mus.*) orchestrator.

strumentatùra f. (*mus.*) instrumentation.

strumentazióne f. **1** (*mus.*) instrumentation **2** (*complesso di strumenti*) instruments (pl.); instrumentation: (*aeron.*) **s. di bordo**, flight instruments.

strumentìni m. pl. (*mus.*) wind instruments; (collett.) woodwind (verbo al sing. o al pl.).

strumentìsta m. e f. **1** (*mus.*) instrumentalist **2** (*tecn.: progettatore*) instrument designer; (*montatore*) instrument fitter.

♦**struménto** m. **1** (*attrezzo*) instrument; tool; implement: **s. a quadrante**, dial instrument; (*anche fig.*) **s. di lavoro**, (work) tool; **s. di misurazione**, measuring instrument; meter; **s. di precisione**, precision in-

strument (*o* tool); **s. di tortura**, instrument of torture; **s. indicatore** (*o* **a indice**), indicator; **s. registratore**, recorder; **s. topografico**, surveying instrument; **gli strumenti del falegname**, a carpenter's tools; (*fig.*) **gli strumenti del mestiere**, the tools of the trade; (*aeron.*) **strumenti di bordo**, flight instruments; **strumenti ottici [chirurgici]**, optical [surgical] instruments; **strumenti scientifici**, scientific instruments **2** (*mus.*, anche **s. musicale**) (musical) instrument: **strumenti ad ancia**, reed instruments; reeds; **strumenti a corda**, stringed instruments; strings; **strumenti a fiato**, wind instruments; **strumenti a percussione**, percussion instruments; **strumenti a pizzico**, plucked instruments; **strumenti a tastiera**, keyboard instruments **3** (*fig.: mezzo*) instrument; tool; means: **s. di pace**, instrument of peace; **s. della provvidenza**, instrument of providence; *Fu lo s. involontario di un disastro*, she was the unwitting cause of a disaster; *È uno s. nelle loro mani*, he is a tool in their hands; *Si sono serviti di te come di uno s.*, they made a tool of you **4** (*leg.*) instrument; deed: **redigere uno s.**, to draw up a deed **5** (*fin.*) instrument.

strusciaménto m. rubbing; (*di piedi*) shuffling.

strusciàre Ⓐ v. t. **1** (*strofinare*) to rub; (*sfregare*) to scrape: **s. la manica su della vernice fresca**, to rub one's sleeve against wet paint; **s. il parafango contro il muro**, to scrape the mudguard against the wall; **s. i piedi**, to shuffle one's feet **2** (*gualcire*) to crease, to crumple; (*logorare*) to wear* out Ⓑ **strusciàrsi** v. rifl. **1** to rub oneself **2** (*fig.: adulare*) to fawn (on); to toady (to).

strusciàta f. **1** (*lo strusciare*) rub; rubbing **2** (*graffio*) scrape; (*segno*) mark.

struscìo① m. rubbing; (*di piedi*) shuffling.

strùscio② m. (*region.: passeggio domenicale*) Sunday stroll (along the main street).

struscióne m. (f. **-a**) (*fam. spreg.*) **1** careless person; (*chi sciupa gli abiti*) person careless about his clothes **2** (*adulatore*) fawner; toady.

strùtto m. lard.

♦**struttùra** f. **1** (*intelaiatura, ossatura*) structure; framework; frame; (*edil.*) shell, fabric: **la s. d'un edificio**, the shell of a building; **la s. d'un ponte**, the structure of a bridge; **s. di sostegno**, supporting structure; **s. in cemento armato**, reinforced-concrete structure; **s. portante**, framework; *L'edificio ha subito danni alla s.*, the building suffered structural damage **2** (*costruzione*) structure; construction; building; edifice: **una s. cadente**, a ramshackle building **3** (*impianto, attrezzatura*) facility: **strutture sportive [sanitarie]**, sports [health] facilities **4** (*corporatura*) build; frame; physique: **s. robusta**, strong build **5** (*composizione, organizzazione*) structure; organization; construction; fabric; system; frame; framework; make-up: (*fin.*) **s. del capitale** (*di una società*), capital structure; **s. di pensiero**, framework of thought; **la s. di una pianta**, the structure of a plant; **la s. di un romanzo**, the structure of a novel; **la s. della società**, the structure (o the framework) of society; **la s. dell'universo**, the structure of the universe; **s. mentale**, mental make-up; **s. narrativa**, narrative structure; **s. sociale**, social structure (o organization; fabric) **6** (*scient., ling.*) structure: (*chim.*) **s. ad anello**, ring structure; (*fis.*) **s. atomica**, atomic structure; (*biol.*) **s. cellulare**, cellular structure; (*chim.*) **s. cristallina**, crystalline structure; (*geol.*) **s. lamellare**, sheeting; (*fis.*) **s. molecolare**, molecular structure; (*ling.*) **s. profonda**, deep structure; (*ling.*) **s. superficiale**, surface structure; (*chim.*) **formula di s.**, structural formula **7** (*linea, forma*) structure; frame-

work: **la s. ardita di un grattacielo**, the daring structure of a skyscraper; **un edificio dalla s. pesante**, a heavy-looking building.

strutturàbile a. that can be structured.

strutturàle a. structural; constructional: (*geol.*) **carta s.**, structural contour map; **debolezza s.**, structural weakness; (*econ.*) **disoccupazione s.**, structural unemployment; **linguistica s.**, structural linguistics; **mutamento s.**, structural change.

strutturalìsmo m. (*ling., psic., antrop., letter.*) structuralism.

strutturalìsta **A** m. e f. (*ling., psic., antrop., letter.*) structuralist; (*ling., anche*) structural linguist **B** a. structuralist.

strutturalìstico a. (*ling., psic., antrop., letter.*) structuralist.

strutturàre **A** v. t. to structure; to organize **B** **strutturàrsi** v. i. pron. to be structured; to be organized.

strutturàto **A** a. structured; organized; (*formulato*) formulated: **un complesso di elementi ben strutturati**, a set of well-structured elements **B** m. structured soyabean product.

strutturazióne f. **1** (*lo strutturare*) structuring; organizing; design **2** (*struttura*) structure; organization.

strutturìsta **A** m. e f. (*tecn.*) structural engineer **B** a. structural.

strutturìstica f. (*chim.*) structural chemistry; (*fis.*) structural physics.

♦**strùzzo** m. (*zool.*) **1** (*Struthio camelus*) ostrich: **penne di s.**, ostrich feathers **2 – s. americano** (*Rhea americana*) rhea; **s. australiano** (*Dromiceius novae-hollandiae*) emu ● **fare uno s. o fare la politica dello s.**), to bury one's head in the sand.

stuàrdo a. (*stor.*) Stuart ● **colletto alla stuarda**, whisk.

stuccaménto m. → **stuccatura**, def. 1.

stuccàre ① v. t. **1** (*riempire di stucco*) to fill (with filler); (*una finestra, ecc.*) to putty: **s. un foro**, to fill a hole (with filler); **s. i vetri di una finestra**, to putty the panes of a window **2** (*decorare a stucco*) to stucco.

stuccàre ② **A** v. t. **1** (*nauseare*) to cloy; to nauseate; to sicken: *I cioccolatini mi stuccano*, I soon get sick of chocolates **2** (*annoiare*) to bore **B** **stuccàrsi** v. i. pron. (*annoiarsi*) to get* bored (with); to be fed up (with).

stuccatóre m. (f. -**trìce**) stucco decorator.

stuccatùra f. **1** (*lo stuccare*) filling with filler; (*una finestra, ecc.*) puttying, filling with putty; (*per decorazione*) stuccoing **2** (*stucco*) putty; filler; (*decorativo*) stucco, stucco-work ⓤ: *È venuta via la s.*, the putty has come off; **mobili con stuccature dorate**, furniture with gilt stuccoes (*o* the stucco-work).

stucchévole a. **1** (*nauseante*) sickly; cloying; sickly-sweet **2** (*sdolcinato*) cloying; mawkish; sickly; sickly-sweet; saccharine (attr.) **3** (*noioso*) boring; tiresome; tedious.

stucchevolézza f. **1** (*l'essere nauseante*) sickliness; cloyingness **2** (*sdolcinatura*) cloyingness; mawkishness; sickliness **3** (*l'essere noioso*) tiresomeness; tediousness.

stùcco ① m. **1** (*materiale riempitivo*) filler; (*per finestre, ecc.*) putty: **s. da vetrai**, glaziers' putty; **s. per legno**, wood filler; **riempire con lo s.**, to fill with filler; putty **2** (*rilievo ornamentale*) stucco: **gli stucchi di un soffitto**, the stuccoes (*o* the stucco-work) on a ceiling; **decorare a s.**, to stucco; **decorazioni a s.**, stuccoes; stucco-work ⓤ; **sala degli stucchi**, hall of stuccoes ● (*fig.*) **lasciare di s.**, to leave speechless; to dumbfound; to floor (*fam.*) □ (*fig.*) **rimanere di s.**, to be left speechless; to be dumbfounded.

stùcco ② a. **1** (*nauseato*) cloyed; nause-

ated; sick **2** (*annoiato*) fed up (with).

stuccóso → **stucchevole**.

studentàto m. **1** (*periodo*) studentship **2** (*edificio*) students' residence; hall of residence (*GB*); dormitory (*USA*).

♦**studènte** m. (f. -**tèssa**) student; (*di scuola media*) schoolboy (f. schoolgirl); (*alunno, alunna*) pupil: **s. di biologia [di legge]**, biology [law] student; **s. di medicina**, medical student; **s. di scuola superiore**, secondary-school (*USA* high-school) student; **s. del primo anno** (*all'università*), first-year student; freshman; fresher (*GB*); **s. del secondo anno** (*all'università*), second-year student; sophomore (*USA*); **s. universitario**, university student; undergraduate; **casa dello s.**, student's residence; hall of residence (*GB*); dormitory (*USA*).

studentésco a. student (attr.); students' (attr.): **manifestazione studentesca**, student demonstration; **movimento s.**, students' movement.

studentéssa f. → **studente**.

studiacchiàre v. t. e i. to study fitfully; to study without enthusiasm.

♦**studiàre** **A** v. t. **1** (*una disciplina*) to study; (*all'università, anche*) to read* (*GB*): **s. fisica [legge, il violino]**, to study physics [law, the violin]; **s. da medico [da avvocato]**, to study medicine [law]; *Ha studiato francese e storia a Oxford*, she studied (*o* read) French and history at Oxford **2** (*imparare*) to study; to learn*: **s. una lezione**, to learn (*o* to do) a lesson; (*teatr.*) **s. la parte**, to study one's part; **s. qc. a memoria**, to learn a st. by heart; to memorize st.; **s. molto poco [sodo]**, to study (*o* to work) very little [hard]; **s. per un esame**, to study for an exam; to cram; to mug up (*fam. GB*); **s. tutta la notte**, to stay up all night on one's books; *Devo s. per domani*, I must do some work for tomorrow; *Non ha voglia di s.*, he's a lazy student; he's reluctant to study **3** (*assol.: frequentare*) to go* (*to*), to study (at), to attend (st.); (*essere studente, andare a scuola*) to be a student, to go* to school; (*esercitarsi*) to practise: *Ha studiato alla Bocconi*, he went to (*o* studied at) Bocconi University; **s. dai preti**, to go to (*o* to attend) a Catholic school; *Ha studiato con Menuhin*, he studied with Menuhin; *Sta studiando per il dottorato*, she is studying for her doctorate; she is doing a doctorate; *Studia piano cinque ore al giorno*, he practises on the piano for five hours each day; *Tu studi o lavori?*, are you a student or do you work?; *Non ha deciso se vuole continuare a s. o andare a lavorare*, she hasn't made up her mind whether she wants to go on with her studies or get a job; *I suoi non hanno potuto farlo s.*, his family couldn't afford to let him continue his education (*o* to let him go on with his studies); **smettere di s.**, to interrupt one's studies; to drop out of school **4** (*esaminare*) to examine; to study; to inspect; to look at; to look into; to investigate; (*leggere attentamente*) to peruse, to pore over; (*investigare scientificamente*) to research into, to do research on: **s. un avversario**, to study (*o* to size up) an opponent; **s. i comportamenti della folla**, to study crowd behaviour; **s. un manoscritto**, to examine (*o* to peruse) a manuscript; **s. una questione [una possibilità]**, to examine (*o* to look into, to consider) a problem [a possibility]; **s. la struttura della famiglia nella Roma antica**, to study (*o* to research into) family structure in ancient Rome; *Si studiava le sopracciglia allo specchio*, he was examining (*o* inspecting) his eyebrows in the mirror; *Bisogna s. bene la cosa*, we must look into the matter carefully **5** (*progettare, mettere a punto*) to plan; to work out; to figure out: **s. il modo di fare qc.**, to work out how to do st.; **s. un piano di fuga**, to

work out an escape plan; *Ho studiato un sistema che dovrebbe funzionare*, I've figured out a system that should work **6** (*meditare*) to ponder; (*soppesare*) to weigh: **s. la prossima mossa**, to ponder one's next move ● **studiarle tutte**, to try everything: *Le ho studiate tutte, ma non riesco a farlo funzionare*, I tried everything, but I cannot get it to work □ **Le studia proprio tutte!**, he's always got a trick up his sleeve! **B** v. i., **studiàrsi** v. i. (*ingegnarsi*) to try; to endeavour: *Si studiava di contentarlo*, he tried (*o* he endeavoured) to please him **C** **studiàrsi** v. rifl. (*osservarsi*) to study oneself; to examine oneself: **studiarsi allo specchio**, to study oneself in the mirror.

studiataménte avv. **1** (*di proposito*) deliberately; on purpose; intentionally **2** (*in modo ricercato*) with affectation.

studiàto a. **1** (*meditato*) studied; calculated; deliberate; pondered **2** (*affettato*) studied; self-conscious; affected: **studiata indifferenza [trasandatezza]**, studied indifference [scruffiness].

♦**stùdio** m. **1** study; studying; (al pl.: *istruzione*) studies, education (sing.): **lo s. della storia [delle lingue]**, the study of history [of languages]; **studi classici [scientifici]**, classical [scientific] studies; **studi irregolari**, irregular studies; **studi superiori**, advanced studies; **studi universitari**, university education; **amare lo s.**, to be fond of studying; **dedicare il proprio tempo allo s.**, to devote one's time to studying; **essere dedito allo s.**, to be studious; **essere frutto di lungo s.**, to be the result of lengthy study; *Ha fatto i suoi studi a Torino*, he was educated (*o* he studied) in Turin; *Ha fatto studi di violoncello con Casals*, he studied the cello with (*o* under) Casals; *Ha fatto studi classici [scientifici]*, she studied classics [science]; she has a classical [scientific] education; **fare studi regolari**, to pursue a course of regular studies; **interrompere gli studi**, to interrupt one's studies; to drop out of school; **terminare gli studi**, to finish (*o* to complete) one's studies; **borsa di s.**, scholarship; grant; **compagno di studi**, schoolfriend; schoolmate; **corso di studi**, course of studies; **programma di studi**, curriculum*; syllabus; **uomo di s.**, scholar; **vacanza di s.**, study holiday; summer course **2** (*ricerca*) research; (*analisi*) analysis, survey; (*esame*) examination, study, scrutiny, consideration: **s. di fattibilità**, feasibility study; **svolgere uno s. di fattibilità**, to carry out (*o* to conduct) a feasibility study; **s. di mercato**, market analysis; **secondo gli studi più recenti**, according to the latest studies; *La proposta è allo s.*, the proposal is under consideration (*o* is being considered) **3** (*saggio critico, monografia*) critical study; essay: **uno s. sul Leopardi**, a critical study on Leopardi **4** (*mus.*) study; étude (*franc.*): **s. per pianoforte**, study for piano; **gli studi di Chopin**, Chopin's studies (*o* études) **5** (*progetto*) plan: **lo s. per un ponte**, the plan for a bridge **6** (*arte*) study: **s. dal vero**, study from life; **s. di nudo**, study from the nude; **studi per un ritratto**, studies for a portrait **7** (*lett.: cura, diligenza*) care; attention; pains (pl.): **mettere s. in ciò che si fa**, to do things with the utmost care; to take great pains in what one does; **a bello s.**, deliberately; on purpose **8** (*stanza da studio*) study **9** (*mobili*) study furniture **10** (*ufficio di professionista*) office; (*di medico*) consulting room, surgery; (*ditta*) firm, practice; (*agenzia*) agency: **s. dentistico**, dentist's surgery; **s. legale**, law firm; legal practice; **s. medico**, consulting room; surgery; **s. notarile**, notary's chambers (pl.); **aprire uno s. medico [legale]**, to set up a medical [legal] practice **11** (*pitt., fotogr.*) studio*: **s. di pittore**, painter's stu-

dio; **s. fotografico**, photographer's studio **12** (*cinem.*, *TV*) studio*: **s. di registrazione**, recording studio; **gli studi di Cinecittà**, the Cinecittà studios **13** (*stor.*: *università*) university: **lo s. bolognese**, the University of Bologna.

studiòlo m. **1** small study; small office **2** (*stor.*) cabinet; private room.

studiosaménte avv. **1** (*diligentemente*) studiously; diligently **2** (*a bella posta*) deliberately; on purpose.

♦**studióso** A a. **1** (*diligente*) studious; diligent; hardworking **2** (*lett.*: *premuroso*) studious, attentive, caring; (*zelante*) zealous; (*desideroso*) eager: **s. del bene altrui**, caring for other people's welfare; **s. di compiacere**, eager to please B m. (f. **-a**) (*dotto*) scholar, learned man* (f. woman*); (*esperto*) expert; (*ricercatore*) student, researcher; (*scienziato*) scientist; **s. dei classici**, classical scholar; classicist; **s. di cose orientali**, Orientalist; **s. di letteratura** [**di storia antica**], student of literature [of ancient history]; **s. di Machiavelli**, Machiavelli scholar (o expert); **s. di statistica**, statistician; **insigne s.**, eminent scholar; great scientist; **secondo gli studiosi**, according to experts.

stuellàre v. t. (*med.*) to tampon; to tent.

stuèllo m. (*med.*) tampon; tent.

♦**stùfa** f. **1** (*per cucinare*) (cooking) stove; (*per riscaldamento*) stove, heater, radiator: **s. a carbone**, coal stove; **s. a gas**, gas stove; gas fire (o heater); **s. a legna**, wood (o wood-burning) stove; **s. di ghisa**, cast-iron stove; **s. economica**, kitchen range; cooker (*GB*); stove (*USA*); **s. elettrica**, electric heater (o radiator); **tubo da s.**, stove pipe **2** (*geol.*) steam vent; stufa*.

stufaiòla f. (*cucina*) casserole.

♦**stufàre** A v. t. **1** (*scaldare in una stufa*) to warm up (in a stove) **2** (*cucina*) to stew **3** (*fam.*: *annoiare*) to bore, to tire; (*perdere attrattiva*) to wear: Cominci a s., you're beginning to bore me; Questo disco mi ha un po' stufato, I've become rather bored with this record; Mi hanno stufato con tutte le loro discussioni, I'm sick and tired of their endless arguing; Le vacanze in campeggio hanno cominciato a stufarmi, camping holidays have begun to wear on me **4** (*bozzoli*) to stifle (*cocoons*) B stufàrsi v. i. pron. (*fam.*) to get* bored (o tired) (of); to get* fed up (with); (*averne abbastanza*) to have had enough (of), to be fed up (with): **stufarsi di aspettare**, to get fed up with waiting; **stufarsi a morte**, to be bored to death (o to tears); Non ti stufi mai del tuo lavoro?, do you never get tired of your job?; Ci siamo stufati di ascoltarli, we've had enough of listening to them; Si è stufata di lui e l'ha piantato, she got fed up with him (o she had enough of him) and left him; Basta! Mi sono stufato!, that's it! I've had enough.

stufàto (*cucina*) A a. stewed: **carne stufata**, stewed meat B m. stew; (*al forno*) casserole: **s. di coniglio**, rabbit stew; **s. di verdure**, vegetable stew; **carne per s.**, stewing meat.

stufatùra f. (*dei bozzoli*) stifling (of cocoons).

♦**stùfo** a. (*fam.*) tired (of); fed up (with, of); sick and tired (of); (*annoiato*) bored (with): Sono s. di mangiare carne, I'm tired of meat; Sono s. di dover sempre aspettare, I'm fed up of always having to wait; Sono s. delle tue lamentele, I'm fed up with (o I've had enough of) your complaints; Non sei ancora s. di quel CD?, haven't you had enough of that CD?; Basta, sono s.!, that's it! I've had enough; **s. da morire**, bored to death (o to tears); (*fam.*) **s. marcio**, sick and tired; fed up to one's back teeth (*fam.*).

stuòia f. (*materiale*) matting; (*tappeti*-

---

no) mat.

stuoino m. **1** (*zerbino*) doormat **2** (*tenda*) sun blind.

stuòlo m. (*moltitudine*) multitude, host; (*folla*) crowd; (*nugolo*) swarm, flock: **s. di ammiratori**, host of admirers; **s. di tifosi**, crowd of supporters; **s. di mosche**, swarm of flies; **s. di rondini**, flock of swallows.

stùpa m. inv. (*archit.*) stupa.

stupefacènte A a. **1** (*che stupisce*) amazing; astonishing; astounding; stunning **2** (*farm.*) narcotic; stupefacient: **sostanza s.**, narcotic; drug B m. drug; narcotic: **fare uso di stupefacenti**, to take drugs; **traffico degli stupefacenti**, drug traffic; narcotraffic.

stupefàre A v. t. to amaze; to astonish; to astound; to stun B **stupefàrsi** v. i. pron. to be amazed (o astounded, astonished).

stupefàtto a. amazed; astonished; stunned; thunderstruck; dumbfounded: **lasciare s.**, to amaze; to astonish; to leave dumbfounded; **rimanere s.**, to be astounded (o amazed, thunderstruck); to be greatly taken aback.

stupefazióne f. **1** (*stupore, meraviglia*) amazement; astonishment; wonder **2** (*med.*) stupor; stupefaction.

♦**stupèndo** a. wonderful; marvellous; magnificent; splendid; stupendous; superb; glorious; stunning (*fam.*); terrific (*fam.*); fantastic (*fam.*); fabulous (*fam.*): **giornata stupenda**, wonderful (o marvellous) day; (*rif. al tempo*) glorious day; **panorama s.**, stupendous (o superb) view; **quadro s.**, marvellous picture; **ragazza stupenda**, stunningly beautiful girl; **tempo s.**, glorious weather.

stupidàggine f. **1** (*l'essere stupido*) stupidity; foolishness; idiocy: La sua s. non ha limiti, there is no limit to his stupidity; his foolishness knows no bounds **2** (*azione stupida*) stupid (o silly, foolish) thing; daft (o dumb) thing (*fam.*); (*errore stupido*) stupid mistake; (*frase stupida*) inanity, (piece of) nonsense; rubbish ▣; rot ▣ (*fam.*): È stata una s. dargli la macchina, it was foolish to let him take the car; **dire una s.**, to say something stupid; **dire stupidaggini**, to talk nonsense (o rot); Ma non dire stupidaggini!, don't talk nonsense!; don't be silly!; **fare stupidaggini**, to do stupid things; to behave foolishly; Hai fatto una s. a non comprarlo, it was stupid of you not to buy it; Hai fatto una bella s., that was a really stupid (o dumb) thing to do; Stupidaggini!, nonsense!; rubbish!; rot! **3** (*cosa da nulla*) trifle; (*cosa facile*) child's play ▣, cinch (*fam.*), doddle (*fam. GB*); breeze (*fam. USA*); (*inconveniente da nulla*) nothing to worry about.

stupidaménte avv. stupidly; foolishly; like a fool.

stupidàrio m. (*scherz.*) collection of stupid jokes or stupid remarks.

stupidàta → **stupidaggine**, def. 2 e 3.

stupidìre → **istupidire**.

stupidità f. **1** (*l'essere stupido*) stupidity; foolishness; idiocy **2** (*parola, osservazione stupida*) stupidity; stupid remark; idiocy.

stupidìto → **istupidito**.

♦**stùpido** A a. **1** (*tardo di mente*) stupid, dumb (*fam.*), thick, dense, dim, dimwitted; (*sciocco*) silly, foolish, daft (*fam.*): Non essere s.!, don't be stupid (o silly, daft)!; don't be a fool (o an ass)! **2** (*di cosa: sciocco*) stupid; foolish; idiotic; nonsensical; inane; daft (*fam.*); dumb (*fam.*) B m. (f. **-a**) idiot; fool; thickhead; dimwit (*fam.*); twit (*fam.*); twerp (*fam.*); jerk (*fam. USA*): Non fare lo s.!, don't be a fool!; stop playing the fool!

♦**stupire** A v. t. to surprise; to amaze; to astonish; to astound: La sua reazione non mi stupisce affatto, his reaction does not sur-

---

prise me at all; I'm not at all suprised by (o at) his reaction; Mi stupisce che abbiano accettato condizioni simili, I'm surprised (o amazed) that they should have agreed to such conditions; Non finisci mai di stupirmi, you never cease to amaze me; Non mi stupirebbe trovarcelo, I wouldn't be surprised to find him there B v. i. e **stupìrsi** v. i. pron. to be surprised; to be amazed (o astonished, astounded); to wonder; to marvel: Si stupirono di vederlo ricomparire, they were amazed to see him reappear; Mi stupisco di te, I am surprised at you; Non mi stupirei di scoprire che hai ragione tu, I wouldn't be surprised to find out you are right; Non mi stupisco più di nulla, nothing surprises me any longer.

♦**stupìto** a. surprised; amazed; astonished: Aveva l'aria stupita, she looked surprised; Mi guardò s., he looked at me in surprise; Sono s. di vederti qui, I'm surprised to see you here; **restare s.**, to be amazed (o astonished).

♦**stupóre** m. **1** amazement; astonishment; wonder; (great) surprise: **esclamazione di s.**, cry of surprise; exclamation of astonishment; **con mio grande s.**, to my great astonishment; **essere preso da s.**, to be astonished (o amazed); to be filled with wonder; to be greatly surprised; **riempire di s.**, to astonish; to fill with wonder **2** (*med.*) stupor.

stuporóso a. **1** (*lett.*) stupefying **2** (*med.*) stuporous.

stupràre v. t. to rape.

stupratóre m. rapist.

stùpro m. rape: **s. di gruppo**, gang rape.

stùra f. (*di bottiglia*) uncorking, opening; (*di barile, botte*) broaching, unbunging: **dare la s. a una bottiglia**, to uncork a bottle; **dare la s. a un barile**, to broach (o to unbung) a cask ● (*fig.*) **dare la s. a**, to open the floodgates of; to start (doing st.); (*rif. a emozioni*) to give vent to: **dare la s. alle critiche**, to give vent to criticism; **dare la s. ai pettegolezzi**, to spark off gossip; to set tongues wagging; **dare la s. alla propria rabbia**, to give vent to one's anger; **dare la s. ai ricordi**, to open the floodgates of one's memories.

sturabottiglie m. inv. bottle opener; (*cavatappi*) corkscrew.

sturalavandini m. inv. plunger; plumber's friend (o helper).

sturaménto m. **1** → **stura 2** (*disotturazione*) unblocking; unplugging; unclogging.

sturàre A v. t. **1** (*una bottiglia*) to uncork, to open; (*un barile, una botte*) to broach, to unbung **2** (*disotturare*) to clear; to unblock; to unplug; to unclog: **s. un condotto**, to unclog a pipe; **s. un lavandino**, to unblock (o to clear) a sink; **s. uno scarico intasato**, to clear a blocked drain; **s. gli orecchi a q.**, to clear sb.'s ear of wax ● (*fig.*) Sturati bene gli orecchi!, listen very carefully!; pin back your ears! (*fam.*) B **sturàrsi** v. i. pron. (*disotturarsi*) to clear; to get* unblocked; (*di orecchi*) to pop.

stuzzicadènti m. inv. toothpick ● **gambe come s.**, spindly legs ▣ **magro come uno s.**, as thin as a rake.

stuzzicaménto m. **1** (*il punzecchiare*) prodding; poking; picking **2** (*il provocare*) teasing; provoking; vexing **3** (*l'invogliare*) exciting; stirring; whetting.

stuzzicànte a. **1** (*invogliante, eccitante*) exciting; stirring; stimulating; challenging; intriguing; piquant; tempting; tantalizing **2** (*appetitoso*) appetizing; mouth-watering.

stuzzicàre v. t. **1** (*punzecchiare*) to prod, to poke, to pick, to jab; (*solleticare*) to tickle; (*toccare continuamente*) to finger, to touch; (*strofinare*) to rub: **s.** (o **stuzzicarsi**) **i denti**,

to pick one's teeth; *Lo stuzzicai con la matita*, I poked (*o* pricked, jabbed) him with the pencil; *Mi stuzzicava con una piuma*, he kept tickling me with a feather; *Smetti di s. quella crosta!*, stop picking at that scab! **2** (*fig.*: *provocare, molestare*) to tease; to needle; to provoke: **s. il gatto**, to tease the cat; *Se mi stuzzicano, io reagisco*, if I am provoked, I react **3** (*fig.*: *eccitare, stimolare*) to excite; to whet; to stir: **s. l'appetito**, to whet sb.'s appetite; to give (sb.) an appetite; (*far venire l'acquolina*) to make sb.'s mouth water; **s. l'attenzione di q.**, to excite sb.'s attention; **s. la curiosità di q.**, to excite (*o* to whet) sb.'s curiosity; to intrigue sb.; **s. un vespaio**, to stir up a hornets' nest.

stuzzichino m. **1** (f. *-a*) (*fam.*: *chi stuzzica*) teaser; tease **2** (*region.*: *spuntino*) snack **3** (al pl.) (*per aperitivi*) nibbles; munchies.

♦**su** **A** prep. **1** (*sovrapposizione con contatto, anche fig.*) on; upon; (*moto*) onto, on (*o* on to), up; (*in cima a*) on top of: **su un lato**, on one side; (*moto*) to one side; **sull'orlo del burrone**, on the edge of the ravine; **il francobollo sulla busta**, the stamp on the envelope; **il libro sul tavolo**, the book on the table; **arrampicarsi su un albero**, to climb up a tree; **naufragare su un'isola deserta**, to be shipwrecked on a desert island; **portare la lana sulla pelle**, to wear wool next to your skin; **sedere sull'erba**, to sit on the grass; **salire in piedi sulla sedia**, to climb onto the chair; **salire sul treno**, to get on (*o* onto) the train; **sdraiarsi sul letto**, to lie down on the bed; **tornare su un argomento**, to go back to a topic; **tornare su una decisione**, to go back on a decision; *Hai un capello sulla spalla*, you've got a hair on your shoulder; *Le fondamenta poggiano sulla roccia*, the foundations rest on rock; *Sull'armadio c'è una valigia*, there is a suitcase on (*o* on top of) the wardrobe; *Le cassette erano state messe una sull'altra*, the crates had been piled one on top of the other; *Io mi baso su quello che sento*, I go on what I hear **2** (*sovrapposizione senza contatto; contatto con l'idea di protezione, rivestimento, ecc.; movimento al di sopra, anche fig.*) over: **un ponte su un fiume**, a bridge over a river; **chinarsi su qc.**, to bend over st.; **essere sospeso sull'abisso**, to be suspended over the abyss; **mettersi qualcosa sulle spalle**, to put something over one's shoulders; **passare l'aspirapolvere sul pavimento**, to pass the vacuum cleaner over the floor; **portare i capelli sciolti sulle spalle**, to wore one's hair loose over one's shoulders; **spalmarsi crema sul viso**, to spread cream over one's face; **tirarsi il cappello sugli occhi**, to pull one's hat over one's eyes; **vegliare su q.**, to watch over sb.; **volare sull'Australia**, to fly over Australia **3** (*al di sopra di, più in alto di*) above: **duemila metri sul mare**, two thousand metres above sea level **4** (*lungo*) on, (*moto*) along; (*affacciato su*) on to (*o* onto): **una casa sul lungomare**, a house on the seafront; **passeggiare sul lungomare**, to stroll along the seafront; **un negozio sul corso**, a shop on the main street; *Parigi è sulla Senna*, Paris is on the Seine; *La finestra si apriva su un giardino*, the window opened onto a garden **5** (*fig., rif. a dominio, superiorità, ecc.*) over: **una vittoria sul nemico**, a victory over the enemy; **avere un vantaggio su q.**, to have an advantage over sb.; to have the edge on (*o* over) sb.; **regnare su un paese**, to rule over a country; **torreggiare su tutti**, to tower over everyone **6** (*direzione: verso*) towards; to; (*contro*) on, at: **marciare sulla capitale**, to march on the capital; **puntare il fucile su q.**, to aim a gun at sb.; **sparare sulla folla**, to fire on the crowd; *Avevo gli occhi di tutti puntati su di me*, all eyes were upon me **7** (*argomento: intorno a*) on; about: **un libro sulla vecchiaia**,

a book on old age **8** (*approssimazione: verso, intorno a*) about; around; towards; roughly (avv.): **sul fare dell'alba**, about dawn; **sul finire del secolo**, towards the end of the century; **sul mezzodì**, about noon; **sul presto**, early; **sul tardi**, late; **un uomo sulla sessantina**, a man about (*o* around) sixty; **costare sui 200 euro**, to cost around (*o* roughly) 200 euros; *Avremo fatto sui duecento kilometri*, we must have covered roughly two hundred kilometres; *La stoffa è sul rosso*, the material is reddish (*o* sort of red); *Sono un po' sul perplesso*, I'm sort of perplexed **9** (*per indicare successione*) after; on; upon: **commettere errori su errori**, to make mistake after mistake; **fare promesse su promesse**, to make one promise after another; **costruire qc. pietra su pietra**, to build st. stone upon stone; **bere birra sul whisky**, to drink beer after (*o* on top of) whisky **10** (*per indicare una proporzione*) out of: **sette su dieci**, seven out of ten; **due giorni su tre**, two days out of three **11** (*modo, maniera*) by; to: **su campione**, by sample; **su consiglio di**, on the advice of; **fatto su misura**, made to measure; tailor-made; custom-built; **su ordinazione**, to order; **su richiesta**, on request ● **sui due piedi**, there and then □ **sull'istante**, immediately □ **sul momento**, at first □ **sul punto di fare qc.**, about to do st.; on the point of doing st. □ (*fig.*) **dormirci su**, to sleep on it □ **pensarci su**, to think about it; to think it over □ **riderci su**, to laugh about it **B** avv. **1** (*in alto, verso l'alto*) up, upwards; (*al piano di sopra*) upstairs: **su e giù** (*avanti e indietro*), up and down; to and fro; back and forth; **su sul tetto**, up on the roof; **su su fino in cima**, up to the top; **là su**, up there; **più su**, (*più in alto*) higher up; (*più oltre*) (further) up, further up; *Spostalo più su*, move it higher up; **tre piani più su**, ten floors up; **tre isolati più su**, three blocks further; **qui su**, up here; **una torta con su dieci candeline**, a cake with ten candles on it; *La serranda è su*, the shutter is up; *Su ci sono due camere da letto e il bagno*, upstairs there are two bedrooms and the bathroom; *Su le mani!*, hands up!; **dalla dattilografa su su fino al direttore**, from the typist up to the director; **andare su**, to go up; (*al piano di sopra*) to go upstairs; *Non va né su né giù*, it won't go up or down; **saltare su**, to jump up; **stare su**, to stay up; **stare su fino a tardi**, to stay (*o* to sit) up until late; *Lo tirarono su dal pozzo*, they hauled him out of the well **2** (*indosso*) on: *Aveva su un cappottino leggero*, she had a light coat on; she wore a light coat; *Metti su il golf*, put on your jumper **3** (*esclam.*) come on!; there!: *Su, fa' presto!*, come on, hurry!; get a move on! (*fam.*); *Su, dimmi tutto*, come on, tell me all; *Su, su, non piangere!*, there, there, don't cry!; *Su, coraggio!*, cheer up!; *Su, da bravo*, there's a good boy! **4** – **da** (*o* di) **su**, from above; (*dal piano di sopra*) from upstairs **5** – **in su** (*verso l'alto*) up, upwards; (*in avanti*) up, onwards; **andare in su**, to go up; **guardare in su**, to look up (*o* upwards); **a faccia in su**, face upwards; looking up; **dalla vita in su**, from the waist up; **da dieci sterline in su**, from ten pounds upwards; **bambini dai sei anni in su**, children of six and over; **da Roma in su**, north of Rome; *Da Chiusi in su il treno fa tutte le fermate*, from Chiusi onwards the train stops at every station; **di sotto in su**, from underneath; up; **guardare q. di sotto in su**, to look up at sb. **6** – **su per**, up; **su per le scale**, up the stairs; **su per il vicolo**, up the alley ● **Su con la vita!**, cheer up! □ **su e giù** (*viavai*) → **su e giù** □ **su per giù**, more or less; about; roughly; approximately: **su per giù cinque sterline**, about (*o* roughly) five pounds; five pounds, more or less □ **essere su**, (*alzato*) to be up; (*di morale*)

to be in good spirits □ **gente molto (in) su**, very important people □ **mettere su la minestra**, to put on the soup □ **mettere su arie**, to put on airs ■ **mettere su casa**, to set up house □ *Lo ha messo su contro di me*, she has turned him against me □ **venire su** (*crescere*), to grow.

SU sigla (**Stati Uniti**) United States (US).

SUA sigla (**Stati Uniti d'America**) United States of America (USA).

suaccennàto → **sopraccennato**.

suàcia f. (*zool.*, *Arnoglossus laterna*) scaldfish; megrim.

suadènte a. (*che persuade*) persuasive, winning, (*di persona*) smooth-spoken; (*carezzevole*) smooth, suave, silken; (*allettante*) inviting, alluring: **modo di fare s.**, smooth manners; suave manners; **parole suadenti**, persuasive words; **persona dai modi suadenti**, smooth-spoken person; **voce s.**, smooth (*o* silken) voice.

suasìvo → **suadente**.

suàsso → **svasso**.

sub m. e f. inv. (*sport*: *in apnea*) skin-diver; (*con autorespiratore*) scuba diver.

subaccollàre v. t. (*leg.*) to subcontract.

subaccollatàrio m. (*leg.*) subcontractor.

subaccòllo m. (*leg.*) subcontract.

subàcido a. (*chim.*) subacid.

subàcqueo **A** a. underwater; submarine; subaqueous; subaquatic: **cavo s.**, submarine cable; **fotografia subacquea**, underwater photography; **fucile s.**, spear gun; **maschera subacquea**, goggles (pl.); **nuoto s.**, skin diving; (*con autorespiratore*) scuba diving; **orologio s.**, waterproof watch; **pesca subacquea**, underwater fishing; **piante subacquee**, subaqueous plants **B** m. (f. *-a*) (*sport*) skin-diver; (*con autorespiratore*) scuba diver.

subacùto a. (*med.*) subacute.

subaèreo a. subaerial.

subaffittànte **A** a. subleasing; subletting **B** m. e f. sublessor.

subaffittàre v. t. to sublease; to sublet*.

subaffitto m. sublease; subtenancy: **dare in s.**, to sublet; to sublease; **prendere in s.**, to sublease.

subaffittuàrio m. (f. *-a*) subtenant; (*leg.*) sublessee.

subaffluènte m. subtributary.

subagènte m. subagent; under-agent.

subagenzìa f. subagency.

subalpino a. **1** subalpine **2** (*estens.*) Piedmontese.

subalternànte (*logica*) **A** a. subaltern **B** f. subaltern proposition.

subalternazióne f. (*logica*) subalternation.

subalternità f. subordination; subservience.

subaltèrno **A** a. **1** (*inferiore, dipendente*) subordinate; junior; inferior; lower: **grado s.**, inferior (*o* lower) rank; **personale s.**, subordinate staff; **posizione subalterna**, subordinate position; **ufficiale s.**, junior officer; subaltern **2** (*secondario*) subordinate; secondary: **ruolo s.**, subordinate role **3** (*logica*) subaltern **B** m. (f. *-a*) **1** subordinate; underling (*spreg.*) **2** (*mil.*) subaltern.

subantàrtico a. (*geogr.*) subantarctic.

subappaltàre v. t. to subcontract.

subappaltatóre **A** a. subcontracting **B** m. (f. *-trice*) subcontractor.

subappàlto m. subcontract: **dare i lavori di idraulica in s. a q.**, to subcontract the plumbing out to sb.; **ottenere in s.**, to be awarded the subcontract for; **lavoro in s.**, subcontract work.

subappenninico a. (*geogr.*) subapennine (attr.).

subaracnoidàle, subaracnoidèo a. (*anat.*) subarachnoid.

subàrtico a. (*geogr.*) subarctic.

subàsta f. auction.

subatlàntico agg. (*geogr.*) Sub-Atlantic.

subatòmico a. (*fis.*) subatomic.

sùbbia f. stone-cutter's chisel.

subbiàre v. t. to chisel.

sùbbio m. 1 (*ind. tess.*) beam: **s. dell'ordito**, warp beam 2 **s. del tessuto**, cloth beam 2 (*tecn.*) cylinder; barrel.

subbollìre → **sobbollire**.

subbùglio m. (*scompiglio, confusione*) confusion; commotion; turmoil; unrest; (*agitazione*) fuss, fluster, flurry; (*disordine*) mess, chaos: **s. nelle strade**, commotion in the streets; **s. in Borsa**, unrest on the Stock Exchange; *Ci fu un gran s. per il loro arrivo*, there was a great fuss over their arrival; *Il paese è in s.*, the country is in turmoil; *Siamo in pieno s. per il trasloco*, we are in a total mess because of the move; **mettere in s. la casa**, to turn the house upside-down; **mettersi in s. per nulla**, to make a great fuss over nothing; **avere lo stomaco in s.**, to have an upset stomach.

subcellulàre a. (*biol.*) subcellular.

subcònscio → **subcosciente**.

subcontinènte m. (*geogr.*) subcontinent.

subcontrarietà f. (*logica*) subcontrariety.

subcontràrio a. (*logica*) subcontrary.

subcontràtto m. (*leg.*) subcontract.

subcorticàle a. (*bot.*) subcortical.

subcosciènte (*psic.*) **A** a. subconscious **B** m. subconscious; subconscious mind; subconsciousness: **un ricordo nascosto nel s.**, a memory hidden in one's subconscious.

subcosciènza f. → **subcosciente, B**.

subcultùra f. subculture.

subdelegàre v. t. (*leg.*) to subdelegate.

subdesèrtico a. (*geogr.*) semi-arid; semi-desert (attr.).

sùbdolo a. (*ambiguo, ingannevole*) devious, sly, deceitful, underhand, shifty, sneaky; (*losco*) shady; (*insinuante*) insinuating; (*sfuggente, viscido*) slippery, slimy; (*insidioso, sottile*) insidious, subtle, surreptitious: **domanda subdola**, insidious question; **malattia subdola**, insidious disease; **maniere subdole**, shifty (o sneaky) ways; **mente subdola**, devious mind; **mezzi subdoli**, devious (o underhand) means; **proposta subdola**, shady proposal.

subduzióne f. (*geol.*) subduction.

subeconomàto m. vice-treasureship; (*di università*) assistant-bursarship.

subecònomo m. vice-treasurer; (*di università*) assistant bursar.

subecumène f. (*geogr.*) non-ecumene.

subenfitèusi f. (*leg.*) subemphyteusis.

subentrànte A a. 1 incoming; new: **direttore s.**, incoming manager; **inquilino s.**, new tenant 2 (*med.*) subintrant: **coliche subentranti**, subintrant colics **B** m. e f. successor; replacement.

subentràre v. i. 1 (*prendere il posto di*) to take* the place (of); to take* over (st. from sb.); to replace; to succeed (to); (*assol., anche*) to step in, to move in: **s. alla direzione**, to succeed as general manager; to take over the general management; **s. all'inquilino precedente**, to take the place of the previous tenant; **s. a q. in un lavoro**, to take over sb. else's job; *Alla morte del padre è subentrato il figlio*, the son stepped in after his father's death; *Al mio posto subentrerà una persona più giovane*, a younger person will replace me; *Alla sorpresa subentrò a delusione*, surprise was replaced by disappoint-

ment 2 (*insorgere*) to arise*; to occur; to supervene (*form.*); to set* in; (*far seguito*) to follow: *Se non subentrano complicazioni è salvo*, if no complications arise (o set in) he is out of danger.

subéntro m. replacement; taking over; stepping in; succession: **s. in una carica**, taking over an office; **s. in un contratto**, taking over a contract; **s. in un diritto**, succession to a right.

subequatoriàle a. (*geogr.*) subequatorial.

subèrico a. (*chim.*) suberic.

subericoltùra e deriv. → **sughericoltura**, e deriv.

suberificàre (*bot.*) **A** v. t. to suberize **B** **suberificàrsi** v. i. pron. to be suberized.

suberificazióne f. (*bot.*) suberization.

suberina f. (*chim.*) suberin.

suberizzàto a. (*bot.*) suberized.

suberóso a. (*bot.*) suberose; suberous.

subfornitóre m. (f. **-trìce**) subcontractor.

subfornitùra f. subcontract.

subglaciàle a. (*geol.*) subglacial.

subiettìvo e deriv. → **soggettivo**, e deriv.

subinfeudàre v. t. (*stor.*) to subinfeudate.

subingrèsso m. (*leg.*) succession.

subinquilino m. (f. **-a**) subtenant.

♦**subìre** v. t. 1 (*patire*) to suffer; to sustain; to meet* with; to be subjected to; to undergo*; to experience; (*ricevere*) to receive; (*sopportare*) to bear*, to endure, to put* up with: **s. un affronto**, to receive an affront; to be insulted; (*leg.*) **s. una condanna**, to be sentenced; **s. le conseguenze di qc.**, to suffer the consequences of st.; to pay for st.; to face the music (*fam.*); **s. un danno**, to suffer (o to sustain) damage; to be damaged; **s. il fascino di q.**, to be fascinated by sb.; **s. un incidente**, to have an accident; to meet with an accident; **s. un'offesa**, to be offended; **s. una perdita**, to experience a loss; **s. forti perdite**, to suffer (o to sustain) heavy losses; **s. un rifiuto**, to meet with a refusal; **s. uno scacco**, to suffer a setback; **s. una sconfitta**, to suffer a defeat; to be defeated; **s. un torto**, to suffer a wrong; to be wronged; **s. passivamente qc.**, to take st. lying down (*fam.*); **dover s. le prepotenze di q.**, to have to submit to sb.'s bullying 2 (*sottostare a, sottoporsi a*) to undergo*; to go* through: **s. un'operazione (chirurgica)**, to undergo an operation; to be operated on; **s. modifiche**, to undergo alterations (o modifications); to be altered (o modified); (*leg.*) **s. un processo**, to stand trial; **s. un ritardo**, to be delayed; **s. forti ritardi**, to be greatly delayed; **s. una trasformazione**, to undergo a transformation; *Il programma subirà qualche variazione*, there will be some changes to the programme.

subirrigazióne f. (*agric.*) subirrigation.

subissàre A v. t. 1 (*lett.: sprofondare*) to sink* 2 (*lett.: mandare in rovina*) to ruin 3 (*fig.: colmare*) to overwhelm; to swamp; to inundate; to snow under: **s. q. di lodi**, to overwhelm sb. with praise; **essere subissato di lettere [di lavoro]**, to be snowed under with letters [with work]; **essere subissato di telefonate [di richieste]**, to be swamped (o inundated) with phone calls [with requests]; *L'oratore fu subissato di fischi*, the speaker was booed **B** v. i. (*lett.: sprofondare*) to sink*; (*crollare*) to collapse.

subisso m. 1 (*lett.: sfacelo, rovina*) utter ruin; destruction 2 (*fig. fam.*) shower; flood; stream; deluge; heaps (pl.): **un s. di applausi**, a storm of applause; **un s. di gente**, a huge crowd; **un s. di lodi**, a shower of praise; **un s. di regali**, a shower (o heaps)

of presents; **un s. di telefonate**, a flood of phone calls.

subitaménte, subitaneaménte avv. suddenly; all of a sudden; abruptly; unexpectedly.

subitaneità f. suddenness; abruptness; unexpectedness.

subitàneo a. sudden; abrupt; unexpected: **morte subitanea**, sudden death; **moto s.**, sudden (o abrupt) movement.

subitissimo avv. (*fam.*) immediately; this minute.

♦**sùbito** ① avv. 1 (*immediatamente, senza indugio*) at once; immediately; straightaway; straight; right now [then]: *Sono partiti s.*, they left at once; *Andai s. da lui*, I went to him straightaway; I went straight to him; *La polizia arrivò s.*, the police arrived immediately; *Dovetti decidere s.*, I had to decide right then; **mettersi s. all'opera**, to set down to work at once (o right away); *Vieni qui s.!*, come here immediately (o at once!); *Va' a prenderlo, s. anche!*, go and fetch it this instant!; *Cento euro s. e il resto in sei rate*, one hundred euros down and the rest in six instalments 2 (*molto presto*) in a moment; in no time; right away (o off) (*fam.*); (*in breve*) soon: *Aspettami, ho s. finito*, wait for me, I'll be finished in a moment; *Lo farò subitissimo*, I'll do it in less than no time; *Mi stanco s.*, I soon get tired; *Torno s.*, I'll be right back; *Arrivo s.!*, I'll be right over!; *Lo faccio s.*, I'll do it right now (o straightaway); *Capii s. che qualcosa non andava*, I knew right away that something was wrong; *È s. fatto*, it's soon done; «*Mi dai una mano?*» «*S.*», «can you give me a hand?» «coming» 3 (*poco, appena*) immediately; right; soon; just **s. dietro**, right (o close) behind; right after; **s. dopo**, immediately (o soon, just) after (prep.); soon (o just) afterwards (avv.); next (avv.); **s. dopo le dieci**, just (o soon) after ten; **s. prima**, just before; **s. fuori città**, just out of town.

sùbito ② a. (*lett.*) 1 (*improvviso*) sudden; abrupt 2 (*pronto*) prompt; immediate; ready; (*rapido*) swift.

subito ③ a. suffered; sustained (*posposti*): **il danno s.**, the damage suffered.

subittero m. (*med.*) latent jaundice.

sublacùstre a. (*geol.*) sublacustrine.

sublimàre A v. t. 1 (*lett.: elevare, innalzare*) to raise; to elevate 2 (*fig.*) to exalt; to sublimate; to sublime 3 (*psic.*) to sublimate 4 (*chim.*) to sublimate; to sublime **B** v. i. (*chim.*) to sublime **C** **sublimàrsi** v. i. pron. 1 to elevate oneself; to make* oneself sublime 2 (*psic.*) to sublimate.

sublimàto m. (*chim.*) sublimate: **s. corrosivo**, corrosive sublimate.

sublimazióne f. (*anche psic., chim.*) sublimation.

sublìme A a. 1 sublime; elevated; lofty: **bellezza s.**, sublime beauty; **eroismo s.**, sublime heroism; **musica s.**, sublime music; **stile s.**, sublime (o lofty) style 2 (*eccellente*) peerless; matchless; nonpareil; **artista s.**, peerless artist 3 (*iron.*) sublime; total: **s. idiozia**, sublime idiocy; **s. indifferenza**, sublime (o total) indifference **B** m. sublime: **dal s. al ridicolo**, from the sublime to the ridiculous.

subliminàle a. (*psic., fisiol.*) subliminal.

sublimità f. sublimity; sublimeness.

sublinguàle a. (*anat.*) sublingual: **ghiandole sublinguali**, sublingual glands.

sublitoràle, sublitoràneo a. (*geogr.*) sublittoral.

sublocàre v. t. (*leg.*) to sublet*; to sublease.

sublocatàrio m. (f. **-a**) (*leg.*) subtenant; (*leg.*) sublessee.

sublocatóre m. (f. *-tríce*) (*leg.*) sublessor.

sublocazióne f. (*leg.*) subtenancy; sublease: **dare in s.**, to sublet; to sublease; **prendere in s.**, to sublease.

sublunàre a. sublunary; (*astron.*) sublunar: **mondo s.**, sublunary world.

sublussazióne f. (*med.*) subluxation.

submarginàle a. (*econ.*) submarginal.

submicroscòpico a. submicroscopic.

submontàno a. (*geogr.*) submontane.

subnormàle (*psic.*) **A** a. subnormal **B** m. e f. subnormal person.

subnormalità f. subnormality.

subnucleàre a. (*fis.*) subnuclear.

suboceànico a. suboceanic; submarine.

subodoràre v. t. to suspect; to sense; to scent; to smell*: **s. un complotto**, to suspect a plot; **s. un pericolo [un trucco]**, to scent danger [some trick]; *Subodoravo qualcosa*, I sensed something underneath; I smelled a rat (*fam.*).

suborbitàle a. (*aeron.*) suborbital.

subordinaménto m. subordination.

subordinànte a. (*gramm.*) subordinating.

subordinàre v. t. to subordinate: **s. ogni cosa al proprio interesse**, to subordinate everything to one's own interests; *Ha subordinato il proprio assenso al parere della moglie*, he will only accept if his wife agrees; he will hear his wife's opinion before agreeing.

subordinàta f. (*gramm.*) subordinate clause.

subordinataménte avv. **1** subordinately **2** – **s. a**, subject to; depending on.

subordinativo a. (*anche gramm.*) subordinating: **congiunzione subordinativa**, subordinating conjunction.

subordinàto **A** a. **1** (*condizionato*) subject; subordinate; depending: *L'acquisto è s. alla loro approvazione*, the purchase is subject to their approval; **scelte subordinate all'interesse generale**, choices that are subordinate to common interest **2** (*subalterno, dipendente*) subordinate; dependent: **lavoratore s.**, subordinate worker; employee; **lavoro s.**, subordinate job; **in posizione subordinata**, in a subordinate position; **essere s. a q.**, to be subordinate to sb.; to be under sb. **3** (*gramm.*) subordinate: **proposizione subordinata**, subordinate clause **B** m. (f. *-a*) subordinate; junior; inferior.

subordinazióne f. subordination (*anche mil., gramm.*); subjection; dependence (*soggezione*) subservience.

subórdine m. – **in s.**, subordinate (agg.); in a subordinate position; subordinately (avv.): **lavoro in s.**, subordinate work [job]; **ruolo in s.**, subordinate role; **essere in s.**, to be in a subordinate position; to be subordinate (to sb.).

subornàre v. t. (*leg.*) to suborn: **s. un testimone**, to suborn a witness.

subornatóre (*leg.*) **A** a. suborning **B** m. (f. *-tríce*) suborner.

subornazióne f. (*leg.*) subornation: **s. di testimone**, subornation of perjury.

subpolàre a. (*geogr.*) subpolar.

subregióne f. (*geogr.*) subregion.

subrettìna f. (*teatr.*) soubrette (*franc.*).

subroutine f. (*comput.*) subroutine.

subsahariàno a. (*geogr.*) Sub-Saharan.

subsatèllite m. (*astron.*) satellite projection.

subsfèrico a. subspherical.

subsidènza f. (*geol.*) subsidence.

subsònico a. (*aeron.*) subsonic.

substràto m. **1** (*biol., chim.*) substrate **2** (*geol.*) substratum* **3** → **sostrato**.

subtotàle **A** a. (*chir.*) subtotal **B** m. subtotal.

subtropicàle a. (*geogr.*) subtropical: **clima s.**, subtropical climate; **regioni subtropicali**, subtropical regions; subtropics.

submàno a. subhuman.

subunità f. (*biol.*) subunit.

suburbàno a. suburban.

subùrbio m. suburbs (pl.); suburbia Ⓤ: **abitare nel s.**, to live in the suburbs (*o* in suburbia).

subùrra f. (*lett.*) rough district; slums (pl.).

subvedènte a., m. e f. (person) with limited eyesight; sight-impaired (person).

succedaneità f. substitutability.

succedàneo **A** a. substitutive; ersatz; (*farm.*) succedaneous: **bene s.**, substitute **B** m. substitute; (*farm.*) succedaneum*: **s. del caffè [dello zucchero]**, coffee [sugar] substitute.

◆**succèdere** **A** v. i. **1** (*subentrare*) to succeed (sb., st.); to come* after (sb., st.): *È succeduto a suo zio alla testa dell'azienda*, he succeeded his uncle at the head of the firm **2** (*seguire*) to follow (st.): *Al lampo succede il tuono*, thunder follows lightning **3** (*accadere*) to happen; to occur; to befall* (*form.*): *È successo due anni fa*, it happened two years ago; *È successo un disastro*, there has been a disaster; *Che cosa è successo alla riunione?*, what happened at the meeting?; *Sta succedendo qualcosa*, something's happening; something's up; *Che sta succedendo qui?*, what's going on here?; *Può s. di tutto*, anything can happen; *Qualsiasi cosa succeda, voi non muovetevi*, whatever happens, don't move; *È successo così: io stavo camminando...*, it happened like this: I was walking...; *Chissà che cosa sarebbe potuto s. in altre circostanze*, who knows what might have happened in different circumstances; (*Sono*) *cose che succedono* (*o Succede*), these things will happen; *Succederà il finimondo!*, there'll be hell to pay!; **succeda quel che succeda**, come what may; whatever happens; no matter what happens; *Mi è successo di incontrarlo a Parigi*, I happened to meet him in Paris; *Che cosa ti succede?*, what's the matter with you; what's wrong with you?; *Gli è successa una disgrazia*, something terrible happened to him; *Ma guarda che cosa doveva succedermi!*, of all the things that could have happened to me!; *Succedono tutte a me*, it always happens to me **B** **succèdersi** v. rifl. recipr. to follow each other [one another]; to follow one upon the other; (*trascorrere*) to pass, to go* by: *I lampi si succedevano ininterrottamente*, flashes of lightning followed one upon the other without a break; *Le giornate si succedevano tutte uguali*, the days passed unvaryingly.

succèdersi m. sequence; series*; course; cycle: **il s. degli avvenimenti**, the sequence (*o* course) of events; **un s. di incidenti**, a series of accidents; **il s. delle stagioni**, the cycle of the seasons; **col s. delle stagioni**, with the passing of the seasons.

succeditrice f. → **successore**.

successìbile (*leg.*) **A** a. entitled to succeed **B** m. e f. person entitled to succeed.

successióne f. **1** succession: **s. al trono**, succession to the throne; **s. ereditaria [testamentaria]**, hereditary [testamentary] succession; (*stor.*) **le guerre di s.**, the Wars of Succession; **imposta di s.**, inheritance tax; estate tax; **linea di s. diretta [collaterale]**, direct [collateral] line of succession **2** (*seguito, serie*) course, succession, sequence, series*, chain, run, train; (*progressione*) sequence, order: **la s. degli avveni-**

menti, the sequence (*o* course) of events; **una s. di gravi errori**, a succession of bad mistakes; **s. rapida**, in quick succession; **disporre in s.**, to order in a sequence **3** (*mat.*) sequence.

successivaménte avv. **1** (*in ordine successivo*) successively **2** (*in seguito*) subsequently; (*poi*) then; (*in un momento successivo*) afterwards; (*più tardi*) later.

◆**successìvo** a. **1** following; next; subsequent; ensuing; later: **il giorno s.**, the following day; the next day; the day after; **il giovedì s.**, on the following Thursday; *Gli anni successivi alla guerra furono duri*, the years ensuing the war were hard; *Scesi alla fermata successiva*, I got off at the next stop; *Le settimane successive furono calmissime*, the subsequent (*o* following, next few) weeks were very calm; **in un momento s.**, afterwards; at a later time; later on **2** (*in successione*) successive; consecutive: **in quattro giorni successivi**, on four consecutive days; **a ondate successive**, one wave after another.

◆**successo** m. **1** (*buon esito*) success; (*vittoria*) victory: **il s. di uno spettacolo**, the success of a show; (*teatr., cinem.*) **s. di cassetta**, box-office success; **s. di stima**, succès d'estime (*franc.*); **s. elettorale**, electoral victory; **di s.**, successful; hit (attr.); popular; **canzone di s.**, popular song; musical hit; **film di s.**, successful film; **scrittore di s.**, successful (*o* popular, bestselling) author; **tentativo senza s.**, unsuccessful attempt; *Fece un altro tentativo, ma senza s.*, he made another attempt but without (*o* with no) success; **avere s.**, (*riuscire*) to be successful; to succeed; to meet with success; (*essere popolare*) to be popular; **avere un s. strepitoso** (*o* un successone), to meet with huge (*o* resounding, roaring, thundering) success; (*di spettacolo, ecc.*) to be a smash hit (*fam.*); **avere un immediato s.**, to meet with instant success; to be an overnight success; **avere s. con le donne**, to be popular with women; **avere s. negli affari**, to be successful in business; **avere s. nella vita**, to be successful (*o* to succeed) in life; **avere s. presso il pubblico**, to be [to become] very popular; **avere una grande s. di pubblico**, to be a hit; **non avere s.**, not to succeed; to fail; to be unsuccessful; *Questo tuo progetto non avrà mai s.*, this plan of yours will never succeed; **concludersi con s.**, to conclude successfully; **essere coronato dal s.**, to be successful; **inseguire il s.**, to chase success; **portare una squadra al s.**, to lead a team to victory; **la chiave del s.**, the key to success **2** (*cosa di successo*) success; (*canzone, film, ecc.*) hit: **un s. discografico**, a musical hit; **un s. editoriale**, a bestseller; *Il nuovo musical fu il s. della stagione*, the new musical was the hit of the season ● (*prov.*) **Un s. ne chiama un altro**, nothing succeeds like success.

successóre m. (f. *succeditrice*) successor; (*erede*) heir, inheritor.

successòrio a. (*leg.*) succession (attr.); inheritance (attr.): **diritto s.**, law of succession; **imposta successoria**, inheritance tax; estate tax.

succhiaménto m. sucking; suction.

◆**succhiàre** v. t. **1** to suck; to suck in (*o* up): **s. il biberon**, to suck the bottle; **s. una caramella**, to suck a sweet; **s. il latte materno**, to suck one's mother's breast; **s. la pipa**, to suck at one's pipe; **s. il sangue da una ferita**, to suck blood from a wound; **s. un uovo**, to suck an egg; **succhiarsi il pollice**, to suck (on) one's thumb; **s. qc. fino all'ultima goccia**, to suck st. dry **2** (*assorbire*) to absorb; to soak up; to suck up: *La spugna succhia l'acqua*, a sponge absorbs (*o* soaks up) water; *Le piante succhiano l'umidità dal suolo*,

plants suck up moisture from the soil ● (*ciclismo*) **s. la ruota di q.**, to slipstream □ (*fig.*) **s. il sangue a q.**, to suck the lifeblood out of sb.; (*estorcere denaro*) to bleed sb. white □ (*fig.*) **avere succhiato qc. col latte materno**, to have learnt st. at one's mother's knee.

succhiaruòte m. e f. inv. (*sport*) slipstreamer.

succhiàta f. suck.

succhiatóio m. (*zool.*) sucker.

succhiatóre **A** a. sucking **B** m. (f. **-trice**) sucker.

succhiellaménto m. (*falegn.*) gimleting; wimbling.

succhiellàre v. t. (*falegn.*) to gimlet; to wimble.

succhièllo m. (*falegn.*) gimlet; wimble.

succhiétto → **succhiotto**.

sùcchio m. (*bot.*) sap.

succhióne m. **1** (*agric.*) sucker **2** (*fig. fam.*) sponger; parasite.

succhiòtto m. **1** (*ciuccio*) (baby's) dummy (*GB*); pacifier (*USA*) **2** (*segno di bacio*) love bite; hickey (*USA*).

succiacàpre m. inv. (*zool.*, *Caprimulgus europaeus*) goatsucker; nightjar.

succiamèle m. inv. (*bot.*, *Orobanche*) broomrape.

succinàto m. (*chim.*) succinate: **s. di sodio**, sodium succinate.

succìngere v. t. (*lett.*) to gird (up).

succìnico a. (*chim.*) succinic.

sùccino m. (*miner.*) amber.

succintaménte avv. **1** (*concisamente*) succinctly; concisely; briefly **2** scantily: **s. vestito**, scantily dressed.

succintézza f. (*fig.*) succinctness; conciseness; brevity.

succinto a. **1** (*di indumento: rialzato in vita*) girded up, tucked up; (*estens.: corto*) scanty, short: **in abiti succinti**, scantily dressed **2** (*fig.: breve*) succinct; concise; brief.

succintòrio m. (*eccles.*) succinctorium*; succinctory.

succitàto a. above-mentioned; above-said; aforementioned; aforesaid.

succlàvio a. (*anat.*) subclavian: **arteria [vena] succlavia**, subclavian artery [vein]; **muscolo s.**, subclavian muscle.

◆**sùcco** m. **1** juice: **il s. d'un limone**, the juice of a lemon; **s. d'arancia**, orange juice; **s. di frutta**, fruit juice **2** (*fisiol.*) juice: **s. gastrico**, gastric juice **3** (*fig.: sostanza*) gist; pith; essence; (*nocciolo*) point, crux: **il s. d'un discorso**, the gist of a speech; **il s. di una faccenda**, the crux of a matter; *Non ripetermi tutto, dammene solo il s.*, don't repeat every word of it, just give me the gist.

succosità f. **1** juiciness; succulence **2** (*fig.*) pithiness.

succóso a. **1** juicy; succulent: **limone s.**, juicy lemon **2** (*fig.*) pithy: **discorso s.**, pithy speech.

succubànza f. (*psic.*) subjection; enslavement.

sùccube m. e f. **1** (*demonologia*) succubus* **2** (*estens.*) slave; captive: **essere s. di q.**, to be dominated by sb.

sùccubo m. (f. **-a**) → **succube**.

succulènto a. **1** (*succoso*) succulent; juicy: **frutta succulenta**, succulent fruit **2** (*gustoso*) tasty; succulent: **pranzo s.**, tasty meal **3** (*bot.*) succulent.

succulènza f. succulence.

succursàle **A** a. (*eccles.*) succursal **B** f. branch; branch office: **s. postale**, branch post office; **aprire una s.**, to open a branch office; **avere succursali in tutto il mondo**, to have branches all over the world; **direttore di s.**, branch manager.

sùcido a. – **lana sucida**, grease wool; grease.

◆**sud** **A** m. south: **il Sud dell'Europa**, the south of Europe; **il profondo Sud**, the deep south; **sud-est** → **sudest**; **sud-ovest** → **sudovest**; **a sud**, south; in the south; to the south (of); **andare a sud**, to go south; *Salerno è a sud di Napoli*, Salerno is (to the) south of Naples; **diretto a sud**, southbound; **esposto a sud**, facing south; **la città più a sud dell'emisfero australe**, the southernmost town in the southern hemisphere; **del sud**, southern; south (attr.); (*astron.*) **la Croce del Sud**, the Southern Cross; **la Francia del Sud**, Southern France; **l'America del Sud**, South America; **i mari del Sud**, the South Seas; **paesi del Sud**, southern countries; **vento del sud**, south wind; **vivere nel Sud**, to live in the south; **verso sud**, south; southwards; **viaggiare [navigare] verso sud**, to travel [to sail] south; **muoversi verso sud**, to move south (*o* southwards, in a southerly direction); **dirigersi verso sud**, to head south; to be southbound **B** a. inv. south; southern; southerly: **il lato sud della casa**, the southern side of the house; the side of the house facing south; **il Polo Sud**, the South Pole; **in direzione sud**, in a southerly direction.

sudafricàno a. e m. (f. **-a**) South African.

sudamericàno a. e m. (f. **-a**) South American.

sudàmina f. (*med.*) sudamen*.

sudanése a., m. e f. Sudanese.

◆**sudàre** **A** v. i. **1** to sweat; to perspire (*scient. o eufem.*): **s. abbondantemente**, to sweat profusely; **s. freddo**, to be in a cold sweat; **s. per il caldo**, to sweat with the heat; **s. per l'emozione**, to sweat from (*o* with) excitement; *La pelle suda*, the skin perspires; *Mi sudavano le mani*, my hands were sweating (*o* sweaty); **far s.**, to make (st.) sweat; to sweat; **far s. freddo**, to bring (sb.) out in a cold sweat **2** (*fig.: faticare*) to work hard; to sweat (*fam.*); to have a hard job (doing st.): **s. sui libri**, to study hard; to sweat over one's books; *Ho sudato per fargli cambiare idea*, I had a hard job making him change his mind **3** (*trasudare*) to sweat; to drip; to ooze **B** v. t. **1** (*trasudare*) to sweat; to ooze; to exude: (*anche fig.*) **s. sangue**, to sweat blood; *Il vaso suda acqua*, the vase is oozing water **2** (*fig.*) to toil (for); to earn (st.) the hard way: **s. il pane**, to toil for one's bread; *Tutti questi soldi li ho sudati*, I have earned all this money the hard way; *L'ho sudata la mia vittoria*, I had to work really hard to win ● **s. sette camicie**, to work very hard; to slave away; to sweat blood; to have a hard job (doing st.).

sudàrio m. **1** (*stor. romana*) sudarium* **2** (*velo funebre*) face veil; napkin **3** (*lenzuolo funebre*) shroud.

sudàta f. **1** sweat: **una bella s.**, a good sweat; **fare una s.**, to come out in a sweat; to work out a sweat; **mandar via la febbre con una s.**, to sweat out a fever **2** (*fig.: fatica*) hard work (*u*); sweat (*fam.*); grind (*fam.*); slog (*fam. GB*): *È stata una s., ma ce l'ho fatta*, it was a sweat, but I made it.

sudaticcio **A** a. sweaty; clammy: **mani sudaticce**, sweaty (*o* clammy) hands **B** m. sweat; perspiration: **odore di s.**, smell of sweat; sweaty smell.

◆**sudàto** a. **1** sweaty; sweating; perspiring heavily; in a sweat (pred.); wet with perspiration (pred.): **facce sudate**, sweaty faces; faces wet with perspiration; *Sei tutto s.*, you're sweating; you're in a sweat; **sentirsi s.**, to feel sweaty **2** (*fig.*) hard-earned; hard-won: **sudati risparmi**, hard-earned savings; **vittoria sudata**, hard-won victory.

sudatòrio **A** a. sudorific; sudatory **B** m.

(*archeol.*) sudatorium*.

sudcoreàno a. e m. (f. **-a**) South Korean.

suddelegàre → **subdelegare**.

suddétto a. aforesaid; aforementioned; above-named; above-stated: **per le suddette ragioni**, for the above-stated reasons; **nel luogo s.**, in the aforementioned place.

suddiaconàto m. (*eccles.*) subdiaconate.

suddiàcono m. (*eccles.*) subdeacon.

suddistìnguere v. t. to distinguish into subcategories.

suddità́nza f. subjection.

sùddito m. (f. **-a**) subject: **s. britannico**, British subject.

◆**suddivìdere** v. t. to subdivide; to divide; (*con tramezzo*) to partition; (*ripartire*) to share out, to split*, to apportion: **s. un capitolo in paragrafi**, to subdivide a chapter into sections; **s. i profitti**, to split profits; **s. un salone in séparé**, to partition a room into cubicles; **s. le spese**, to share expenses.

suddivisìbile a. subdivisible; divisible.

suddivisióne f. **1** (*il suddividere*) subdivision; division; (*ripartizione*) sharing, splitting up: **s. dei costi**, splitting up of costs; **s. delle responsabilità**, sharing of responsibilities **2** (*settore*) subdivision; branch.

sudequatoriàle a. south of the Equator (pred.); in the southern hemisphere.

sudèst, **sud-èst** m. south-east: **il s. della Francia**, the south-east of France; **a s.**, (to the) south-east of; **rivolto a s.**, facing south-east; **da s.**, from the south-east; south-easterly (agg.); **vento da** (*o* **di**) **s.**, south-easterly wind; south-easter; **di s.**, south-east (attr.); south-eastern; south-easterly; **verso s.**, south-eastward (*o* south-eastwards); in a south-easterly direction; **dirigersi verso s.**, to head south-east.

sudiceria f. **1** (*l'essere sudicio*) dirtiness; filthiness; griminess **2** (*fig.: atto indecente*) indecency; (*discorso, ecc.*, oscenità) obscenity, filth (*u*), smut (*u*): **dire sudicerie**, to talk smut; to be foul-mouthed; **libro pieno di sudicerie**, obscene book **3** (*sudiciume*) dirt; filth; grime; muck (*fam.*).

sùdicio **A** a. **1** dirty; filthy; grimy: **faccia sudicia**, dirty face; **mani sudicie**, dirty (*o* filthy, grimy) hands; **mestiere s.**, dirty work; **strade sudicie**, filthy streets; **vestiti sudici**, dirty (*o* filthy) clothes **2** (*fig.: indecente*) dirty; filthy; obscene; smutty: **discorsi sudici**, dirty talk (*u*); smut (*u*) **3** (*fig.: spregevole*) dirty; filthy; mean; rotten **B** m. **1** (*sudiciume*) dirt; filth; grime; muck (*fam.*) **2** (*fig.*) dirt; filth; muck.

sudicióna f. **1** dirty (*o* filthy) woman*; slattern; slut **2** (*fig.*) slut; tart.

sudicióne m. **1** dirty (*o* filthy) man*; pig **2** (*fig.*) lewd man*; lecher.

sudiciùme m. **1** dirt; filth; grime; muck (*fam.*) **2** (*fig.: disonestà*) dishonesty; (*immoralità*) immorality; (*oscenità*) dirt, filth, smut.

sudìsta e m. (f. **-a**) (*stor. USA*) Confederate.

sudoccidentàle, **sud-occidentàle** a. (*geogr.*) south-west (attr.); south-western; south-westerly.

sudoràle a. (*med.*) sudoral ● (*med.*) **febbre s.**, undulant fever.

sudorazióne f. sweating; perspiration.

sudóre m. **1** sweat; sweating; perspiration (*scient. o eufem.*): *Il s. gli colava lungo le guance*, sweat was running down his cheeks; **avere i sudori freddi**, to come (*o* to break) out in a cold sweat; **far venire i sudori freddi**, to bring (sb.) out in a cold sweat; **asciugarsi il s. dalla fronte**, to wipe the sweat off one's forehead; **essere in un bagno di s.**, to be dripping with sweat; **essere madido** (*o* **molle**) **di s.**, to be dripping with sweat; **grondare di s.**, to be sweating profusely; to be dripping

with sweat; **provocare il s.**, to induce (*o* to bring on) sweating (*o* perspiration); **gocce di s.**, beads of sweat; **fronte imperlata di s.**, forehead covered with beads of sweat; (*fig.*) **col s. della fronte**, by the sweat of one's brow (*fig.*: *lavoro, fatica*) hard work; toil; labour; sweat (*fam.*): *Questa casa mi è costata s.*, I had to sweat to be able to buy this house.

sudorientàle, sud-orientàle a. (*geogr.*) south-east (attr.); south-eastern; south-easterly.

sudorìfero, sudorìfico a. e m. sudorific.

sudorìparo a. sudoriparous: (*anat.*) **ghiandole sudorìpare**, sudoriferous glands; sweat glands.

sudòvest, sud-òvest m. **1** south-west: **il s. della Germania**, the south-west of Germany; **a s.**, (to the) south-west; **rivolto a s.**, facing south-west; **da s.**, from the south-west; south-westerly (agg.); **vento da** (*o* **di**) **s.**, south-westerly wind; south-wester; **di s.**, south-west (attr.); south-western; south-westerly; **verso s.**, south-westward (*o* south-westwards); in a south-westerly direction; **dirigersi verso s.**, to head south-west **2** (*cappello*) sou'wester.

sudtirolése a., m. e f. South Tyrolean.

sudvietnamìta a., m. e f. South Vietnamese.

su e giù loc. m. inv. **1** (*movimento verticale*) up-and-down motion **2** (*viavai*) coming and going; toing and froing: *C'era un continuo su e giù di gente*, there was an endless coming and going; people were coming and going **3** (*fig.: fluttuazione*) fluctuation; see-saw: **il s. e giù della Borsa**, the fluctuation of the Stock Exchange.

suespósto a. (*bur.*) above-mentioned; aforementioned; above-stated.

♦**sufficiènte** ☒ a. **1** (*bastevole*) sufficient; enough; adequate (*adatto*) suitable: **cibo s.**, enough food; **denaro s.**, enough money; **prove sufficienti**, sufficient evidence; **quantità s.**, sufficient quantity; **tempo s. per fare qc.**, enough time (*o* time enough) to do st.; **risorse sufficienti ai nostri bisogni**, resources adequate for our needs; **viveri sufficienti per un mese**, enough (*o* adequate) food supplies for a month; *Credi che venti euro siano sufficienti?*, do you think twenty euros will be enough?; *È appena s. per tre*, there is barely (*o* just) enough for three; *Ho appena il tempo s. per fare le valigie*, I have just enough time to pack; **stipendio appena s.**, barely adequate salary; *Un kilo è più che s.*, one kilo is more than enough (*o* is plenty, is ample); **entrate più che sufficienti**, more than adequate income **2** (*filos., mat.*) sufficient: **ragione s.**, sufficient reason **3** (*borioso*) self-important; supercilious; haughty; patronizing: **con aria s.**, self-importantly; haughtily; condescendingly; **con tono s.**, in a self-important tone; self-importantly; in a condescending tone ☒ m. **1** enough; (the) necessary: **il s. per vivere**, enough to live on **2** (*antiq.: voto scolastico*) pass (mark): **prendere s. in matematica**, to get a pass in maths **3** (*persona boriosa*) self-important (*o* haughty) person.

sufficienteménte avv. sufficiently; enough; adequately: **s. pulito**, sufficiently clean; clean enough; **s. riscaldato**, adequately heated.

sufficiènza f. **1** sufficiency: **a s.**, sufficiently; enough; (*in abbondanza*) plenty of; **cibo a s.**, enough food; *Hai mangiato a s.?*, have you eaten enough?; did you have enough to eat?; *Ne ho a s. di voi!*, I've had enough of you! **2** (*boria*) self-importance; superciliousness; haughtiness; condescension: **avere un'aria di s.**, to look self-important; to have a haughtiness about one; **trat-**

tare q. con s., to treat sb. condescendingly; **tono di s.**, condescending tone **3** (*antiq.: voto scolastico*) pass (mark): *Ha avuto la s. scarsa in latino*, she just scraped a pass in Latin.

suffissàle a. (*ling.*) suffixal.

suffissàre v. t. (*ling.*) to append a suffix to.

suffissàto (*ling.*) ☒ a. with a suffix ☒ m. word formed by appending a suffix.

suffissazióne f. (*ling.*) suffixation.

suffìsso m. (*ling.*) suffix.

suffissòide m. (*ling.*) second element of a compound.

sufflè → soufflé.

suffragàneo a. (*eccles.*) suffragan: **vescovo s.**, bishop suffragan; suffragan (bishop).

suffragàre v. t. **1** (*lett.: sostenere*) to support; to substantiate; to corroborate; to bear* out: **s. un'affermazione con prove**, to support (*o* to substantiate) a statement with evidence; **le ragioni che suffragano la mia tesi**, the reasons that bear out my opinion **2** (*relig.*) to pray for; to intercede for: **s. le anime dei defunti**, to pray for the souls of the dead.

suffragazióne f. **1** support; substantiation; corroboration **2** (*relig.*) intercessory prayers (pl.); intercession: **la s. dei defunti**, prayers for the departed.

suffragétta f. suffragette.

suffràgio m. **1** (*voto*) suffrage; franchise: **s. universale**, universal suffrage; (*come sistema elettorale*) one man one vote; **diritto di s.**, right to vote; suffrage; franchise **2** (*estens.: appoggio*) support ⓤ, backing ⓤ; (*approvazione*) approval ⓤ: **portare argomentazioni a s. di una tesi**, to bring arguments in support of a theory; **ottenere molti suffragi**, to win widespread approval **3** (*relig.*) intercession; suffrages (pl.): *Messa di s. per q.*, mass for the repose of sb.'s soul.

suffragìsmo m. suffragism.

suffragìsta m. e f. suffragist.

suffruticóso a. (*bot.*) suffruticose.

suffumicaménto m. fumigating; fumigation.

suffumicàre v. t. to fumigate.

suffumicazióne f. fumigation.

suffumìgio m. **1** (*di ambiente*) fumigation **2** (*inalazione*) inhalation.

sùfi m. inv. (*relig.*) Sufi.

sùfico a. (*relig.*) Sufic.

sufìsmo m. (*relig.*) Sufism.

sufìta (*relig.*) ☒ a. Sufic ☒ m. Sufi.

sugànte a. – **carta s.**, blotting-paper.

suggellaménto m. sealing.

suggellàre v. t. (*anche fig.*) to seal: **s. una lettera**, to seal a letter; **s. un accordo con una stretta di mano**, to seal an agreement with a handshake.

suggellatóre ☒ a. sealing ☒ m. (f. **-trice**) sealer.

suggellazióne f. sealing.

suggèllo m. (*anche fig.*) seal: **s. regale**, royal seal; *Si scambiarono doni a s. della rinnovata amicizia*, they exchanged gifts to seal their renewed friendship.

sùggere (*poet.*) → **succhiare**.

suggeriménto m. **1** (*il suggerire*) prompting **2** (*idea suggerita*) suggestion, idea; (*proposta*) proposal; (*consiglio*) advice ⓤ, hint, tip (*fam.*); (*indicazione, indizio*) indication, pointer, clue, lead: **suggerimenti utili**, useful advice; useful indication; useful tips; **avanzare un s.**, to make a suggestion; **chiedere un s. a q.**, to ask sb. for advice; **dare un buon s. a q.**, to give sb. good advice (*o* a good piece of advice); to give sb. a good tip; *Dammi un s. su come risolvere la que-*

stione, give me a lead on how to solve this problem; *Non so proprio che altro s. darti*, I really don't know what else to suggest to you; **seguire un s.**, to follow sb.'s advice; **dietro** (*o* **su**) **s. di q.**, on sb.'s advice; as suggested by sb. **3** (*a teatro, a scuola*) prompt.

♦**suggerìre** v. t. **1** (*rammentare, anche assol.*) to prompt: **s. a un compagno**, to prompt a schoolmate; **s. a un attore**, to prompt an actor; to give an actor a prompt; *Che nessuno suggerisca!*, no prompting! **2** (*far pensare a*) to suggest; to be suggestive of; to bring* to mind; (*ricordare*) to remind (sb. of st.) **3** (*consigliare*) to suggest; to advise; to recommend; (*proporre*) to propose; (*avvertire*) to warn; (*dire*) to tell*: **s. un piano**, to suggest a plan; **s. la prudenza**, to recommend caution; to advise (*o* to warn) sb. to be prudent; *Che cosa mi suggerisci?*, what do you suggest I (should) do?; what do you advise me to do?; *Hanno suggerito il tuo nome come possibile direttore*, your name has been suggested as a possible director; *Mi suggerì di rivolgermi a un avvocato*, she advised me to go to a lawyer; *Mi hanno suggerito di scrivere subito*, they suggested that I (should) write at once; I was advised to write at once. ❶ **NOTA: to suggest → to suggest**.

suggeritóre m. (f. **-trice**) (*teatr.*) prompter: **buca del s.**, prompt box.

suggestionàbile a. (*impressionabile*) impressionable; (*influenzabile*) easily influenced, easily persuaded.

suggestionabilità f. (*impressionabilità*) impressionability; (*influenzabilità*) liability to be influenced (*o* persuaded).

suggestionàre ☒ v. t. **1** (*influenzare*) to influence; to persuade: **lasciarsi s.**, to let oneself be influenced **2** (*impressionare*) to make* an impression on; (*affascinare*) to fascinate: *Quel film lo suggestionò tanto che gli tolse il sonno*, that film made such an impression on him that he could not get to sleep ☒ **suggestionàrsi** v. i. pron. to convince oneself; to begin* to imagine things; to work oneself up: *Si suggestionò al punto di rifiutare di mangiare*, she worked herself up to such a state that she refused to eat; **facile a suggestionarsi**, very impressionable.

suggestionàto a. **1** (*influenzato*) (strongly) influenced **2** (*colpito*) impressed, struck; (*affascinato*) fascinated, carried away: **rimanere s. da qc.**, to be impressed by st.

suggestióne f. **1** (*psic.*) suggestion: **s. ipnotica**, hypnotic suggestion; **guarire q. con la s.**, to cure sb. by suggestion **2** (*istigazione*) instigation; urging; suggestion: **fare qc. per s. di q.**, to do st. at sb.'s instigation **3** (*fig.: viva impressione*) strong impression; (*fascino*) fascination, evocative power, charm, beauty; (*grandiosità*) awesomeness: **la s. di un paesaggio**, the beauty of a landscape; **esercitare una forte s. su**, to exert a strong fascination on; **subire la s. della musica**, to be sensitive to the beauty of music; to feel the power of music; **un quadro carico di suggestioni romantiche**, a powerfully romantic painting.

suggestività f. (*fascino*) fascination, charm, evocative power, atmosphere; (*grandiosità*) awesomeness, impressiveness.

suggestìvo a. **1** (*leg.*) leading: **domande suggestive**, leading questions **2** (*che suggerisce idee*) stimulating, suggesting (st.); (*attraente*) attracting, tempting; (*che evoca ricordi*) evocative: **ipotesi suggestive**, hypotheses suggesting interesting possibilities; **proposta suggestiva**, stimulating proposal **3** (*fig.: pieno di fascino, pittoresco*) full of charm; picturesque; full of character; full of atmosphere ❶ **FALSI AMICI** • suggestivo *non si traduce con* suggestive.

sùghera f. (*bot.*, *Quercus suber*) cork oak.

sugheràio m. cork worker.

sugherèllo m. (*zool.*, *Trachurus trachurus*) scad.

sugheréta f., **sugheréto** m. cork plantation; cork forest.

sugherìcolo a. cork-growing (attr.); cork (attr.).

sughericoltóre m. cork grower.

sughericoltùra f. cork-growing.

sugherifìcio m. cork mill.

sùghero m. **1** (*bot.*) cork; phellem: **s. granulato**, granulated cork; **s. femmina [maschio]**, female [male] cork; **quercia da s.**, (*Quercus suber*) cork oak; **tappo di s.**, cork; **scarpe con la suola di s.**, cork-soled shoes **2** (*turacciolo*) cork; stopper **3** (*galleggiante*) float; (*di lenza*) bob **4** (*bot.*, *Quercus suber*) cork oak.

sugheróne m. (*bot.*) male cork.

sugheróso a. **1** cork (attr.) cork (attr.); corky **2** (*simile a sughero*) cork-like; corky.

sùgna f. **1** suet; (*strutto*) lard **2** (*morchia*) grease.

sugnóso a. **1** suety; lardy **2** (*untuoso*) fat; greasy.

sùgo m. **1** (*succo*) juice: **s. d'arancia**, orange juice; **pomodori senza s.**, juiceless tomatoes **2** (*anche* **s. di cottura**) juice; (*di carne*, *anche*) gravy: **s. d'arrosto**, gravy (from the roast) **3** (*condimento*) sauce: **s. di pomodoro [di noci]**, tomato [walnut] sauce; **spaghetti al s.**, spaghetti with tomato sauce **4** (*fig.*: *sostanza*, *essenza*) gist, essence, point; (*gusto*, *divertimento*) fun: **il s. d'un discorso**, the gist of a speech; **discorso senza s.**, empty speech; *Non c'è s.*, (*è inutile*) there isn't any point; (*non diverte*) there is no fun in it; *Che s. c'è?*, what's the good of it?; where's the fun in it?

sugosità f. juiciness; succulence.

sugóso a. **1** juicy: **frutta sugosa**, juicy fruit **2** (*fig.*) meaty; full of substance: **articolo s.**, meaty article.

suicida Ⓐ a. suicidal; suicide (attr.): **attacco s.**, suicide attack; **manie suicide**, suicidal manias; **missione s.**, suicide mission; **patto s.**, suicide pact; **politica s.**, suicidal policy; **propositi suicidi**, suicidal intentions; suicidal thoughts; **nutrire propositi suicidi**, to meditate suicide; to be suicidal Ⓑ m. e f. suicide: **morire s.**, to commit suicide; to kill oneself; *È da suicidi firmare un contratto del genere*, it would be suicide to sign such a contract.

suicidàrsi v. rifl. to commit suicide (*anche fig.*); to suicide; to kill oneself: *Ha cercato di s.*, he tried to commit suicide; he attempted suicide; **s. con un colpo di pistola**, to shoot oneself; **s. col gas**, to kill oneself with gas; to gas oneself; *Decidere in questo senso significa s.*, this decision means suicide; *Guidare a quella velocità è un modo per s.*, driving at that speed is tantamount to trying to kill oneself.

suicìdio m. suicide (*anche fig.*); self-murder: **s. di massa**, mass suicide; **s. politico [professionale]**, political [professional] suicide; **tentato s.**, attempted suicide; **tentare il s.**, to attempt suicide; **spingere (o portare) q. al s.**, to drive sb. to suicide; *È un s. partire con un tempo simile*, it is sheer suicide to leave in this weather.

sui gèneris (*lat.*) loc. agg. singular; peculiar; unique; sui generis.

suindicàto → **sopraindicato**.

suinicolo a. pig-breeding (attr.); pig-farming (attr.); pig (attr.).

suinicoltóre m. pig breeder; pig farmer.

suinicoltùra f. pig-breeding; pig-farming.

suino (*zool.*) Ⓐ a. pig (attr.); swine (attr.):

carne suina, pork Ⓑ m. pig; swine*: **allevamento di suini**, pig-farm; **carne di s.**, pork (meat); **mandria di suini**, swine herd; *Sei un s.!*, you're a pig (o a swine)!

suite (*franc.*) f. inv. **1** (*mus.*) suite **2** (*appartamento*) suite: **s. di tre stanze**, three-room suite; **s. matrimoniale**, bridal suite **3** (*comput.*) suite.

suk m. inv. (*mercato arabo*) souk, suq.

sùla f. (*zool.*, *Sula*) gannet; **s. bassana** (*Sula bassana*), solan goose.

sulfamìdico (*farm.*) Ⓐ a. sulphonamide (attr.); sulpha (attr.) Ⓑ m. sulphonamide; sulfa drug.

sulfanilammìde f. (*chim.*) sulphanilamide.

sulfanìlico a. (*chim.*) sulphanilic.

sulfoemoglobìna f. (*chim.*) sulphaemoglobin.

sulfóne → **solfone**.

sulfùreo a. sulphurous; sulphureous; sulphur (attr.): **sorgente sulfurea**, sulphur spring; **vapori sulfurei**, sulphureous vapours.

sùlla f. (*bot.*, *Hedysarum coronarium*) sulla (clover); French honeysuckle.

sullodàto → **summenzionato**.

sultàna f. **1** (*moglie di sultano*) sultana **2** (*divano*) ottoman.

sultanàle a. sultanic; sultan's (attr.).

sultanàto m. sultanate.

sultaniàle → **sultanale**.

sultanìna a. – uva s., sultana.

sultàno m. sultan ● (*scherz.*) **fare vita da s.**, to live like a lord.

sumèrico a. Sumerian.

sumèro a. e m. Sumerian.

sumerologìa f. Sumerology.

sumeròlogo m. (f. **-a**) Sumerologist.

sùmma (*lat.*) f. **1** summa* **2** (*fig.*) summation.

summentovàto → **summenzionato**.

summenzionàto a. above-mentioned; above-named; aforesaid; mentioned above (pred.).

summit (*ingl.*) m. inv. summit.

sumo (*giapponese*) m. (*sport*) sumo (wrestling).

sùnna f. (*relig.*) Sunna.

sunnìsmo m. (*relig.*) Sunni.

sunnita a. m. e f. (*relig.*) Sunnite; Sunni.

sunnominàto a. above-named; above-mentioned; aforementioned; mentioned above (pred.).

sunnotàto a. aforesaid; above-mentioned; aforementioned; mentioned above (pred.).

sunteggiàre v. t. to summarize; to sum up; to make* a precis of.

sùnto m. summary; résumé; precis; outline; abstract: **fare il s. di qc.**, to make a summary (o a precis) of st.; to summarize st.; **dire qc. in s.**, to give a summary of st.; to give the gist of st.; **in s.**, in brief.

suntuàrio a. (*stor.*) sumptuary: **legge suntuaria**, sumptuary law.

suntuóso e deriv. → **sontuoso**, e deriv.

♦**sùo** Ⓐ a. poss. **1** (*di lui*) his; (*di lei*) her; (*di cosa o animale*) its; (*suo proprio*) his [her, its] own; (come pred. nominale: *di lui*) his; (*di lei*) hers: **suo padre**, (*di lui*) his father; (*di lei*) her father; **suo marito**, her husband; **sua moglie**, his wife; **le sue sorelle**, (*di lui*) his sisters; (*di lei*) her sisters; **i suoi amici**, (*di lui*) his friends; (*di lei*) her friends; **la campagna e i suoi svantaggi**, the countryside and its disadvantages; *Il cucciolo sta giocando con la sua pallina*, the puppy is playing with its ball; **un suo amico**, a friend of his [hers]; **alcuni suoi parenti**, some of his

[her] relatives; **due sue zie**, two of his [her] aunts; *Ho saputo da Paola che sei sua amica*, I've heard from Paola you are a friend of hers; *È andato in Francia con quei suoi colleghi*, he has gone to France with those colleagues of his; *L'ha fatto Carla con le sue mani*, Carla made it with her own hands; *Vuol sempre fare a modo suo*, he [she] always wants to have his [her] own way; *Sono parole sue*, these are his [her] own words; *Mio marito ha le sue opinioni su come crescere un figlio*, my husband has his own ideas on how to bring up a child; *Tua moglie ha un'automobile sua?*, does your wife have a car of her own?; *Non è affar suo*, it's none of his [her] business; it's no business of his [hers]; *Il posto ha un suo fascino*, the place has a charm of its own; *La casa che ti vuol vendere non è sua, è di suo padre*, the house he [she] wants to sell you isn't his [hers], it's his [her] father's; *Qui c'è il barattolo ma questo coperchio non è suo*, here's the jar, but this lid doesn't belong to it (o this is not its lid) **2** (*forma di cortesia*) your; (come pred. nominale) yours: *Desidero ringraziarla della sua gentilezza*, I want to thank you for your kindness; *in seguito alla sua lettera del 10 c.m.*, with regard to your letter of the 10th of this month; *Scusi, è sua questa rivista?* excuse me, is this magazine yours? ● **Sua Eminenza**, His Eminence □ **Sua Grazia**, His [Her] Grace □ **Sua Maestà**, His [Her] Majesty □ **Sua Santità**, His Holiness □ (*nelle lettere*) **Suo John Smith**, yours sincerely, John Smith □ **Lo voglio fare per amor suo**, I want to do it for her [his] sake □ **Deve avere i suoi annetti**, he must be well on in years; he is rather long in the tooth (*fam.*) □ **per conto suo** → **conto** □ **Ogni cosa a suo tempo**, there is a time for everything Ⓑ pron. poss. **1** (*di lui*) his; (*di lei*) hers; (*di cosa o animale*) its own (*raro*); (*di cortesia*) yours: *Dammi il tuo libro e il suo*, give me your book and his [hers]; *Il cane ha mangiato la zuppa del gatto e ha lasciato la sua*, the dog ate the cat's food and left its own; *Il suo è un marito ideale*, hers is an ideal husband; *Ho provato con questa chiave ma non mi pare la sua*, I tried this key, but I don't think it fits **2** (in espressioni ellittiche) – *Lei ha del suo*, she has money of her own; *Vive del suo*, he [she] lives on his [her] income; *Mio marito ci ha rimesso del suo*, my husband lost his own money; *Ha costruito sul suo*, he [she] built a house on his [her] own land; **a ciascuno il suo**, give every man his due; *In questo tema non c'è niente di suo*, this essay is not his own work; *Ne ha fatta un'altra delle sue*, he has been up to his usual tricks; (*di bambino*) he has been up to mischief again; *Io sto dalla sua*, I am on his [her] side; *Vuole sempre dire la sua*, he [she] always wants to have his [her] say; *Ecco Mario, brindiamo alla sua*, here's Mario, let's drink his health; *Alla sua, dottore!*, here's wishing you health, doctor!; *Sta sulle sue*, (*è riservato*) he is very reserved, he keeps himself to himself; (*è borioso*) he is standoffish, he is stuck-up (*fam.*); **i suoi**, (*genitori*) his [her, your] parents (o people); (*parenti*) his [her, your] relatives; (*famiglia*) his [her, your] family, his [her, your] folk; (*sostenitori, seguaci*) his [her, your] supporters (o followers).

♦**suòcera** f. **1** mother-in-law **2** (*fig.*) nagging woman*; scold: **fare la s.**, to nag (at) sb.; **essere come s. e nuora**, to fight like cat and dog.

♦**suòcero** m. **1** father-in-law **2** (al pl., collett.) parents-in-law; in-laws: **i miei suoceri**, my in-laws.

suòla f. **1** (*di scarpa*) sole: **s. a carrarmato**, lug sole; cleated sole; **s. chiodata**, hob-

-nailed sole; **s. doppia**, double sole; **s. di gomma** [di cuoio, di corda], rubber [leather, rope] sole; **s. interna**, inner sole; **mezza s.**, half-sole; **rifare le suole a un paio di scarpe**, to put new soles on (o to resole) a pair of shoes; **far rifare le suole**, to have one's shoes resoled; **scarpe con s. di gomma**, rubber-soled shoes; **scarpe con la s. di corda**, espadrilles (*franc.*) **2** (*zool.*) sole **3** (*di sci, aratro, pialla*) sole **4** (*di freno*) lining **5** (*metall.*) hearth; sole; bottom; (*di forno a riverbero*) laboratory **6** (*ferr., di rotaia*) flange **7** (*naut.*) sole **8** (*ind. min.*) floor; pad.

suolàre v. t. to sole.

suolatùra f. soling.

♦**suòlo** m. ground; soil; land: **s. agricolo**, agricultural land; **s. edificabile**, building ground; **s. fertile**, fertile soil; **il s. nativo**, one's native soil (o land); **s. pubblico**, public property; **a livello del s.**, at ground level; **su s. straniero**, in a foreign land; **cadere al s.**, to fall to the ground; **radere al s.**, to raze to the ground.

♦**suonàre** A v. t. **1** (*produrre suono da*) to sound; (*soffiando*) to blow*; (*una campana, un campanello, anche assol.*) to ring*; (*un disco*) to play: **s. le campane**, to ring the bells; **s. il campanello per chiamare q.**, to ring for sb.; **s. il clacson**, to sound (o to toot) the horn; **s. un fischietto**, to blow a whistle; **s. il gong**, to sound the gong; **s. per il pranzo**, to ring for dinner; **L'araldo suonò la tromba**, the herald blew his trumpet; *Il signore ha suonato?*, did you ring, sir?; *Suonano alla porta*, someone's ringing at the door **2** (*uno strumento mus.*) to play: **s. la batteria** [la chitarra, il flauto, il piano, la tromba], to play the drums [the guitar, the flute, the piano, the trumpet]; **s. a orecchio**, to play by ear; **s. a quattro mani**, to play piano duets **3** (*eseguire suonando*) to play; to perform: **s. Chopin**, to play Chopin; **s. un motivo al piano**, to play a tune on the piano; **s. un valzer**, to play a waltz; **s. a memoria**, to play from memory (o without music); **s. a prima vista**, to sight-read; **s. in pubblico**, to play (o to perform) in public; *La radio suonava un motivetto*, a light tune was playing on the radio **4** (*di orologio*) to strike*; to chime: *La pendola suonò le sei*, the grandfather clock struck (o chimed) six **5** (*annunciare col suono*) to sound: **s. l'allarme**, to sound the alarm; (*mil.*) **s. la ritirata** (o **il silenzio**), to sound the retreat; (*mil.*) **s. il silenzio**, to sound lights-out (*USA* taps); (*mil.*) **s. la sveglia**, to sound reveille **6** (*fam.: picchiare, battere*) to beat*: **suonarle a q.**, (*picchiarlo*) to give sb. a sound thrashing, to tan sb.'s hide; (*sconfiggerlo*) to thrash sb., to trounce sb.; **suonarle di santa ragione a q.**, (*picchiarlo*) to beat sb. black and blue, to beat the living daylights out of sb.; (*sconfiggerlo*) to beat the stuffing out of sb. **7** (*lett.: significare*) to signify; to mean*; to be: **parole che suonano rimprovero**, words signifying a reproach; *«Corpo» in greco suona «soma»*, «body» is «soma» in Greek B v. i. **1** (*emettere un suono*) to sound; (*di campanello, campana*) to ring*, to chime; (*di sveglia, allarme, ecc.*) to ring*, to go* off; (*di strumento, radio, disco, ecc.*) to play: **s. a distesa**, to peal; **s. a festa**, to chime; to peal; **s. a doppio**, to ring a full peal; **s. a martello** (o **a stormo**), to ring the tocsin; **s. a morto**, to toll; to knell; **s. a raccolta**, to beat to arms; to sound the rally; **s. a tutto volume**, to blare out; *Suonò un gong*, a gong rang; *È suonata la campanella*, the school-bell has just gone (o rung); *Suona il telefono*, the phone is ringing; *La sveglia suonerà alle sei*, the alarm clock will ring (o will go off) at six; *L'allarme non ha suonato*, the alarm didn't go off; *Il mio flauto non suona bene*, my flute does not play well **2** (*delle ore*) to strike*: *Erano ap-*

pena suonate le nove, the clock had just struck nine; it was nine o'clock; *Come suonarono le due*, la porta si aprì, on the stroke of two the door opened **3** (*risuonare*) to ring*; to resound: *Le tue parole ancora mi suonano nell'orecchio*, your words are still ringing in my ears; *Mi suonano le orecchie*, my ears are ringing **4** (*essere suonatore*) to play: **s. in un'orchestra**, to play in an orchestra **5** (*sembrare, dare un'impressione di*) to sound; to ring*; (*di parole lette*) to read*: **s. dolcemente** [**sinistramente**], to have a sweet [a sinister] sound; **s. familiare**, to sound familiar; to ring a bell; **s. vero** [**falso**], to sound (o to ring) true [false]; *Questa frase suona male*, this sentence does not sound right; *Mi suona nuovo*, it sounds new to me; it's news to me; *So che ti suonerà molto strano*, I know it will sound very strange to you; **parole che suonarono come una condanna**, words that sounded (o rang) like a sentence.

suonàta f. **1** (*atto ed effetto del suonare*) ring; ringing: **una s. di campanello**, a ring at the door: *Udii una s. di campanello*, I heard the doorbell ring; there was a ring at the door; **una s. di clacson**, a toot on the horn **2** (*fam.: botte*) beating, thrashing; (*sconfitta*) beating, thrashing, licking, trouncing: *Gli ho dato una s. di quelle*, I gave him a sound beating **3** (*fam., di prezzo*) steep (o stiff) price; (*di conto*) steep (o stiff) bill: *È stata una bella s. al ristorante*, the restaurant bill was really steep **4** (*fam.: imbroglio*) rip-off: **prendersi una s.**, to be ripped off.

suonàto a. **1** (*compiuto, scoccato*) past: *Sono le quattro suonate*, it's past four o'clock; **avere quarant'anni suonati**, to be past forty **2** (*di pugile*) punch-drunk; groggy **3** (*intontito*) groggy; dopey **4** (*matto*) crazy; off one's head; nuts (*fam.*); cuckoo (*fam.*): *Ma tu sei s.!*, you must be crazy!

suonatóre m. (f. *-trice*) player; musician: **s. ambulante**, street musician; **s. di cornamusa**, piper; **s. di corno**, horn player; **s. di jazz**, jazzman; **s. di violino**, violin player; violinist ● (*fam.*) **Buona notte (ai) suonatori!**, that's that!

suonerìa f. (*di orologio, sveglia*) striking mechanism; (*congegno di segnalazione*) ringer, bell; (*di telefonino*) ringtone: **s. d'allarme**, alarm bell; **s. elettrica**, electric bell; **s. telefonica**, telephone ringer (o bell); **caricare la s. della sveglia**, to wind up the alarm.

♦**suòno** m. **1** (*fis.*) sound: **barriera** (o **muro**) **del s.**, sound barrier; **fisica del s.**, physics of sound; **tecnico del s.**, sound engineer; **velocità del s.**, speed of sound; sonic speed **2** (*anche mus.*) sound; tone; note; (*di campana, campanello*) ringing Ⓤ, chiming Ⓤ, ring: **s. discordante**, discordant sound; jarring sound; **s. gradevole**, pleasant sound; **il s. delle campane**, the ringing (o the chiming) of the bells; **s. di campanello**, ring of a bell; **s. di clacson**, toot on the horn; **il s. di molte voci**, the sound of many voices; **un s. di risate**, a ring of laughter; **s. di pifferi** [**di cornamuse**], piping; **s. metallico**, metallic sound (o note); clang; **suoni e canti**, music and songs; *La sua voce ha un s. noto*, her voice has a familiar ring to it; **mandare un s.**, to make (o to give out, to emit) a sound (o a ring, a note); **riconoscere q. al s. della voce**, to recognize sb. by the sound of his voice; **senza s.**, soundless **3** (*fon.*) sound: **s. aperto** [**chiuso**], open [close] sound; **s. nasale**, nasal sound; twang; **suoni vocalici**, vocalic (o vowel) sounds **4** (*impressione*) sound; ring ● **al s. di**, to the sound (o music) of: *Mi svegliai al s. del telefono*, I woke up to the sound of the telephone □ (*anche fig.*) **a suon di**, with; by; to: **marciare a suon di musica**, to march to music; *Fu accolto a*

suon di fischi, he was welcomed with loud boos; *L'hanno convinto a suon di bigliettoni*, he was bribed into doing it; *Te lo farò capire a suon di sberle*, I'll knock it into you.

♦**suòra** f. **1** (*relig.*) nun; sister (*anche come titolo*): **suore della Misericordia**, Sisters of Mercy; *Suor Maria*, Sister Mary; **farsi s.**, to become a nun **2** (*poet.*) sister.

sup. abbr. (**superiore**) superior (sup.).

♦**sùper** A a. (*eccellente*) excellent; superior; top (attr.); (*fam.: stupendo, fantastico*) super, fantastic, fabulous, fab: **benzina s.**, high-octane petrol; four-star petrol (*GB*); premium gasoline (*USA*); **qualità s.**, top quality; **vacanza s.**, super (o fabulous) holiday B f. four-star (petrol) (*GB*); premium gasoline (*USA*).

superàbile a. surmountable; superable.

superabilità f. superability.

superaccessoriàto a. heavily accessorized.

superaffollaménto m. overcrowding.

superaffollàto a. overcrowded; jam-packed (*fam.*).

superalcòlico A a. high-proof; strong B m. strong drink; liquor (*USA*); (al pl., anche) spirits (*GB*).

superalimentazióne f. supernutrition.

superallenaménto m. (*sport*) overtraining: **sottoporre** [**sottoporsi**] **a s.**, to overtrain.

superaménto m. **1** (*di difficoltà, ecc.*) overcoming; surmounting; getting over; (*di esame*) getting through **2** (*di cosa antiquata*) outgrowing; growing out **3** (*autom.*) overtaking.

♦**superàre** v. t. **1** (*essere superiore a*) to exceed; to be over (st.); (*rif. a peso, anche fig.*) to outweigh; (*rif. a somma, punteggio, ecc.*) to top: **s. il fabbisogno**, to exceed requirements; **s. i due milioni di dollari**, to be over two million dollars; to top two million dollars; **s. i sei metri di larghezza**, to be more than six metres wide; to be over six metres in length; **s. in altezza**, to be taller than; to overtop; **s. in numero**, to outnumber; **s. in velocità**, to be faster than; *I vantaggi superano gli svantaggi*, the advantages outweigh the disadvantages **2** (*essere al di sopra di, al di là di*) to be beyond (o past); (*andare oltre*) to pass, to exceed, to go* beyond, (*rif. a somma, punteggio, ecc.*) to top; (*fin.*) to overrun*, to overshoot*: **s. ogni aspettativa**, to exceed all expectations; **s. la comprensione di q.**, to pass sb.'s understanding; to be beyond sb.; **s. ogni immaginazione**, to be beyond one's wildest imaginings; **s. i 200 km orari**, to exceed (o to do more than) 200 km an hour; **s. il limite di sopportazione**, to be past bearing; **s. il limite di velocità**, to exceed the speed limit; **s. ogni limite**, to pass the limit (o all limits); **s. il preventivo**, to overrun one's budget; **s. un record**, to break a record; **aver superato l'età consentita**, to have exceeded (o to be beyond) the age limit; **aver superato (abbondantemente) i trent'anni**, to be (well) over thirty; to be in one's (late) thirties; *Il debito pubblico ha superato il prodotto nazionale lordo*, the national debt topped the country's gross national product **3** (*oltrepassare*) to get* past; to get* over; (*con un salto*) to clear; (*arrampicandosi*) to climb over; (*attraversare*) to cross, (*di ponte, ecc.*) to span; (*percorrere*) to cover: **s. un confine**, to cross a border; **s. grandi distanze**, to cover long distances; **s. un fiume**, to cross a river; (*di ponte*) to span a river; **s. un muro**, to get (o to climb) over a wall; **s. il traguardo**, to pass the finishing line; *Una volta superato l'incrocio, prendi la seconda a destra*, once (you are) past the crossing, take the second on the right; *Il cavallo supe-*

a b c d e f g h i j k l m n o p q r s t u v w x y z

rò il primo ostacolo, the horse cleared the first hurdle **4** (*sorpassare*) to pass; to overtake*; to get* ahead of; to outstrip; to outpace; (*autom.*) to pass, to overtake*: **s. un avversario**, to outstrip (*o* to outpace) an opponent; **s. a sinistra**, to overtake on the left; **s. in curva**, to overtake (*o* to pass) on a bend; *Mi superò mentre rallentavo*, she passed (*o* she overtook) me as I was slowing down; *Non farti s. da quel pirata*, don't let that cowboy driver overtake you **5** (*fig.*: *dimostrarsi migliore*) to surpass; to excel; to outdo*; to outstrip; to do* better than; to beat*: **s. il proprio maestro**, to surpass one's teacher; **s. sé stesso**, to excel (*o* to surpass) oneself; **s. q. di dieci punti**, (*durante una partita*) to be ten points ahead of sb.; (*alla fine di una partita*) to have scored ten points more than sb.; **s. in astuzia**, to be more cunning than; to outsmart; **s. in intelligenza**, to surpass in intelligence; to be more intelligent than; to be brighter than; **s. in coraggio**, to be braver than; to surpass in courage; *Ha superato tutti i compagni nell'esame*, he did better than any other student in the exam; *Ha trovato chi lo supera*, he has found his better; *Nessuno lo supera in facciatosta*, no one can beat him for cheek; *Ti sei fatto s. da un ragazzino*, you've let a mere schoolboy beat you **6** (*fig.*: *sormontare*) to overcome*; to surmount; (*un periodo difficile*) to get* over, to weather, to recover from; (*perché si è maturati*) to outgrow*; (*una prova, un esame*) to pass, to get* through: **s. una crisi**, to get over a critical phase; to weather a crisis; **s. una difficoltà**, to overcome (*o* to get over) a difficulty; **s. un esame**, to pass (*o* to get through) an exam; **s. una malattia**, to get over (*o* to recover from) an illness; **s. un ostacolo**, to overcome (*o* to get over) an obstacle; **s. le proprie paure**, to overcome one's fears; **s. un pregiudizio**, to overcome a prejudice; **s. la prova**, to pass the test; **s. le semifinali**, to win (*o* to get through) the semifinals; **s. un test**, to pass a test.

superàto a. (*antiquato*) old-fashioned; outmoded; (*obsoleto*) obsolete: **credenze superate**, outdated beliefs; **idee superate**, old-fashioned ideas; **metodo s.**, obsolete method; **modello s.**, obsolete model.

superàttico m. penthouse.

superattìvo a. overactive.

superbaménte avv. **1** (*con superbia*) proudly; haughtily; arrogantly **2** (*magnificamente*) superbly; magnificently; splendidly.

supèrbia f. pride (*anche teol.*); haughtiness; arrogance: **gonfio di s.**, swollen with pride; swollen-headed; **mettere su s.**, to be a swollen head; to put on airs ● (*prov.*) **La s. andò a cavallo e tornò a piedi**, pride goes before a fall.

superbióso a. haughty; arrogant; stuck-up (*fam.*); uppity (*fam.*).

supèrbo **A** a. **1** (*borioso, arrogante*) haughty, arrogant, proud; (*tronfio*) self-important, puffed up, swollen-headed: *È troppo s. per accettare il nostro invito*, he is too haughty to accept our invitation **2** (*fiero*) proud: **andare s. di q.**, to be proud of sb. **3** (*magnifico*) superb, magnificent, splendid; (*nobile*) noble: **esecuzione superba**, splendid performance; **palazzo s.**, magnificent building; **tesori d'arte superbi**, superb treasures of art; *Quel cavallo è un s. animale*, that horse is a noble (*o* superb) animal **4** (*eccelso*) lofty: **vette superbe**, lofty peaks ❶ **FALSI AMICI** ▪ superbo nel senso di borioso, arrogante non si traduce con superb **B** m. (f. **-a**) proud person; haughty person.

superbóllo m. (*autom.*) additional road tax.

superbómba f. blockbuster; (*bomba all'idrogeno*) H-bomb.

superburòcrate m. top civil servant; top government official; mandarin (*GB*).

supercarburànte m. high-octane (*o* high-grade) petrol (*USA* gasoline).

supercàrcere m. maximum (*o* top) security prison.

superceménto m. high-resistance concrete.

supercentrìfuga f. ultracentrifuge.

supercilióso a. (*lett.*) supercilious.

superclàsse f. (*biol.*) superclass.

superclorazióne f. overchlorination.

supercollaudàto a. (*fig.*) fully tested; well-tried; solid.

supercolòsso m. (*cinem.*) mammoth production; super spectacular.

supercompùter m. inv. (*comput.*) supercomputer.

superconduttività f. (*fis.*) superconductivity.

superconduttìvo a. (*fis.*) superconductive.

superconduttóre m. (*fis.*) superconductor.

superconduzióne f. (*fis.*) superconduction.

supercrìtico a. (*chim.*) supercritical.

superdecoràto **A** a. multidecorated **B** m. (f. **-a**) multidecorated person.

superdònna f. (*iron.*) grand lady; Lady Muck (*GB*): **darsi arie da s.**, to give oneself airs; *Si crede una s.*, she thinks she is a cut above everyone else.

superdòse f. overdose.

superdotàto **A** a. **1** highly gifted; highly talented **2** (*scherz.*, *rif. a doti fisiche*) well-endowed; (*di uomo, anche*) well-hung **B** m. (f. **-a**) **1** highly gifted person **2** (*scherz.*) well-endowed person.

Super-Ègo → **Super-Io**.

supereròe m. (f. **-eroìna**) superhero, super-hero.

supererogatòrio a. (*teol.*) supererogatory.

supererogazióne f. (*teol.*) supererogation.

supereterodìna f. (*radio*) superheterodyne; superhet (*fam.*): **s. a doppia conversione di frequenza**, double superheterodyne; **s. a segnale unico**, single-signal superheterodyne.

superette (*ingl.*) m. o f. inv. small supermarket; superette (*USA*).

superfamìglia f. (*biol.*) superfamily.

superfecondazióne f. (*biol.*) superfecundation.

superfémmina f. (*genetica*) metafemale; superfemale.

superfetazióne f. (*scient.* e *fig.*) superfetation.

superfìce → **superficie**.

superficiàle **A** a. **1** (*relativo alla superficie*) surface (attr.); superficial: **acque superficiali**, surface waters; **strato s.**, surface (*o* superficial) layer; (*fis.*) **tensione s.**, surface tension **2** (*poco profondo*) superficial; surface (attr.); skin-deep: **ferita s.**, superficial (*o* skin-deep) wound **3** (*fig.*, *di persona: che non approfondisce*) superficial: **osservatore s.**, superficial observer **4** (*fig.*, *di cosa: non approfondito*) superficial, surface (attr.); sketchy; (*sbrigativo*) superficial, perfunctory, desultory, casual; (*frettoloso*) hasty, cursory: **conoscenza s.**, superficial knowledge; smattering; **cultura s.**, superficial education; **esame s.**, superficial examination; **impressioni superficiali**, surface impressions; **lettura s.**, hasty read; **occhiata s.**, cursory glance; **pulizia s.**, perfunctory cleaning; **somiglianza s.**, superficial resemblance **B** m. e f. superficial person.

superficialità f. (*anche fig.*) superficiality; shallowness: **con s.**, superficially; in a superficial way.

superficialménte avv. **1** (*in superficie*) on the surface **2** (*senza approfondimento*) superficially.

superficiàrio (*leg.*) **A** a. relative to a building lease: **proprietà superficiaria**, ownership of a building lease **B** m. (f. **-a**) owner of a building lease.

♦**superfìcie** f. **1** (*lato esterno, piano*) surface; **s. di lavoro**, work (*o* working) surface; (*mecc.*) **s. di scorrimento**, sliding surface; **la s. interna di un tubo**, the inner surface of a pipe; **s. levigata [scabrosa]**, smooth [rough] surface; **s. piana**, plane; **s. stradale**, road surface; **s. terrestre**, surface of the earth; **in s.**, on the surface; (*sopra la terra*) above ground; **navigare in s.**, to sail on the surface; **risalire alla s.**, to come to the surface; to surface; **navigazione in s.**, surface sailing; **trasporti di s.**, above-ground transport **2** (*fig.*: *esteriorità*) surface; exterior; outer appearance: **in s.**, on the surface; outwardly; **andare oltre la s. delle cose**, to go beyond appearances; to go below the surface of things; **fermarsi alla s.**, to stay on the surface; **cortesia che non va oltre la s.**, surface politeness **3** (*strato superficiale*) layer; coat; film: **s. d'intonaco**, layer of plaster **4** (*area*) area; (*di locale, anche*) floor space: (*aeron.*) **s. alare**, wing area; **una s. di cinquanta metri quadrati**, an area of fifty square metres; **la s. di un appartamento**, the area of a flat; (*mecc.*) **s. di attrito**, rubbing area; **la s. d'un quadrato**, the (surface) area of a square; (*edil.*) **s. edificabile**, buildable area; (*geol.*) **s. freatica**, water table; **s. in acri**, acreage; **s.** (*misurata*) **in piedi**, square footage; (*aeron.*) **s. inferiore dell'ala**, wing underside; **s. portante**, (*tecn.*) bearing surface; (*aeron.*) aerofoil; (*naut.*) **s. velica**, sail area; **misure di s.**, square measures; (*leg.*) **diritto di s.**, building right; building lease **5** (*mat.*) area; surface: **s. algebrica**, algebraic area; **s. sferica**, spherical.

superficie-ària loc. a. inv. (*mil.*) surface-to-air.

superficie-superficie loc. a. inv. (*mil.*) surface-to-surface.

superfìno a. superfine.

superfluidità f. (*fis.*) superfluidity.

superflùido a. (*fis.*) superfluid.

superfluità f. **1** superfluousness; superfluity **2** (*cosa superflua*) superfluity.

supèrfluo **A** a. **1** (*non necessario*) superfluous; unnecessary; needless; dispensable: **parole superflue**, superfluous words; **spese superflue**, superfluous (*o* unnecessary) expenses; *È s. dire che la faccenda...*, needless to say, the matter...; it goes without saying that the matter...; *Ogni ulteriore commento sarebbe s.*, any further comment would be superfluous **2** (*in eccesso*) redundant; excess (attr.): **peli superflui**, unwanted hair; **personale s.**, redundant staff; **peso s.**, excess weight **B** m. superfluous things (pl.); unnecessaries (pl.).

superfortézza f. (*aeron.*) superfortress.

superfosfàto m. (*chim.*) superphosphate.

supergalàssia f. (*astron.*) supergalaxy.

supergàllo m. e a. inv. (*sport*) junior featherweight.

supergigànte **A** a. e f. (*astron.*) supergiant **B** m. (*sci*) super giant slalom.

superinfezióne f. (*med.*) superinfection.

Super-Ìo m. (*psic.*) superego.

superióra f. (*eccles.*) Mother Superior.

superioràto m. (*eccles.*) office of a Father [Mother] Superior.

◆superióre Ⓐ a. **1** (*posto sopra, più in alto*) upper: **arti superiori**, upper limbs; arms; **il corso s. di un fiume**, the upper reaches of a river; **labbro [mascella] s.**, upper lip [jaw]; (*naut.*) **ponte s.**, upper deck; **strato s.**, upper layer; **i piani superiori di una casa**, the upper floors of a house; *Abito al piano s.*, (*di una casa a due piani*) I live on the upper floor (*o* upstairs); (*di una casa a diversi piani*) I live on the floor above (*o* upstairs); **salire al piano s.**, to go upstairs **2** (*maggiore per quantità, dimensione*) higher; greater; larger: **altezza s.**, greater height; **prezzo [temperatura, velocità] s.**, higher price [temperature, speed]; **somma s.**, higher sum; larger amount; **s. a**, higher (*o* greater) than; over (*prep.*); above (*prep.*); exceeding; in excess of; **s. alla media**, above average; above-average (attr.); **di età s. ai trent'anni**, aged over thirty; **quantità s. al 20%**, quantity exceeding 20%; **velocità s. al limite consentito**, speed exceeding (*o* over) the permitted limit; **s. di numero**, superior in number; **essere s. di numero a**, to outnumber **3** (*più elevato per qualità, doti, ecc.*) higher; superior; (*migliore*) better: **animali superiori**, higher animals; **essere s.**, superior (*o* higher) being; **grado s.**, higher degree; **il s. interesse della nazione**, the higher interest of the country; **mente s.**, higher (*o* superior) mind; **qualità s.**, superior (*o* higher) quality; **essere s. per durata (a)**, to be longer-lasting (than); to last longer (than); **essere s. per forza [intelligenza] (a)**, to be superior (to sb.) in strength [intelligence]; to be stronger [more intelligent] (than); *Questa stoffa è s. a quella*, this cloth is better than that; *Il film è di gran lunga s. al libro*, the film is vastly superior to the book; **sentirsi s. a tutti**, to feel above (*o* superior to) everyone; *Gli sono s. in tutto*, I outmatch (*o* excel) him in everything **4** (*in un ordinamento gerarchico*) senior; higher; upper: **le classi superiori di una scuola**, the senior classes of a school; **dirigente s.**, senior manager; **ordini superiori**, orders from above; (*eccles.*) *Padre s.*, Father Superior; **scuola media s.**, secondary school; high school; **ufficiale s.**, senior officer **5** (*più avanzato*) higher; advanced: **istruzione s.**, higher education; **matematica s.**, advanced mathematics; **studi superiori**, advanced studies **6** (*che va oltre*) beyond (prep.); (*che è al di sopra*) above (prep.): **s. alle aspettative**, beyond expectations; **s. alle mie capacità**, beyond my abilities; beyond me; **s. alle mie forze**, beyond (*o above*) my strength; **s. alle mie possibilità** (*troppo caro*), beyond (*o* above) my possibilities (*o* means, purse); **condurre una vita s. ai propri mezzi**, to live above (*o* beyond) one's means **7** (*fig.*: *noncurante, distaccato*) superior; above (prep.); indifferent: **atteggiamento s.**, airs (pl.) of superiority; **essere s. alle critiche**, to rise above criticism; to be indifferent to criticism; *Si crede s. a queste cose*, he thinks himself above these things; **sentirsi s.**, to feel superior **8** (*geol., geogr.*) Upper: *Cretaceo S.*, Upper Cretaceous Ⓑ m. **1** superior; (*mil.*) superior officer: **immediato s.**, immediate superior; **ubbidire ai superiori**, to obey one's superiors **2** (*eccles.*) Father Superior.

superiorità f. superiority; (*vantaggio*) advantage; (*eccellenza*) excellence: **s. di grado**, superiority of rank; seniority; **s. di forze**, superior strength; **s. indiscussa**, undisputed superiority; **s. intellettuale [morale]**, intellectual [moral] superiority; **s. numerica**, superiority in numbers; superior numbers (pl.); **far sentire la propria s.**, to make one's superiority felt; **vantare la s. di qc.**, to boast of the excellence of st.; **arie di s.**, airs of superiority; **complesso di s.**, superiority complex; **in condizioni di s.**, at an advantage.

superiorménte avv. (*nella parte superiore*) on the upper part; above; at the top.

superlativaménte avv. superlatively; in the highest degree.

superlativo Ⓐ a. **1** (*sommo, eccellente*) superlative; superb; outstanding: **bellezza superlativa**, superlative beauty; **in modo s.**, superlatively; in the highest degree **2** (*gramm.*) superlative: **grado s.**, superlative degree Ⓑ m. (*gramm.*) superlative: **s. assoluto**, absolute superlative; **s. relativo**, relative superlative; **al s.**, in the superlative. ❶ Nota: *comparative* → **comparative**.

superlavóro m. overwork: **il peso del s.**, the strain of overwork; **sottoporre [sottoporsi] a s.**, to overwork.

superléga f. (*metall.*) superalloy.

superleggèro m. e a. (*boxe*) light welterweight; junior welterweight.

supermàschio m. (*genetica*) metamale; supermale.

supermàssimo m. e a. (*boxe*) super heavyweight.

◆supermercàto m. supermarket.

supermetanièra f. (*naut.*) methane supertanker.

superminimo m. supplement to minimum pay; (*per produttività*) productivity bonus; (*per meriti personali*) personal bonus.

supermùlta f. heavy fine.

supèrno a. (*lett.*) **1** supernal; supreme **2** (*celeste*) supernal; celestial: **la grazia superna**, supernal grace; **le cose superne**, celestial things.

supernòva f. (*astron.*) supernova*.

supernutrizióne f. (*med.*) supernutrition.

sùpero① Ⓐ a. **1** (*lett.*: *divino*) supernal; divine **2** (*bot.*) superior Ⓑ m. (al pl.) (*mitol.*) (the) gods.

sùpero② m. (*eccedenza*) surplus; excess.

superomìsmo m. **1** (*dottrina*) doctrine of the superman (*o* overman) **2** (*atteggiamento*) superman behaviour.

superordinàto m. (*ling.*) superordinate.

superórdine m. (*biol.*) superorder.

superottìsta m. e f. (*cinem.*) Super 8 film-maker.

superòtto a. e m. inv. (*cinem.*) Super Eight; Super 8.

superpagàto a. highly-paid; well-paid.

superparassìta m. (*biol.*) superparasite.

superparassitìsmo m. (*biol.*) superparasitism.

sùper pàrtes (*lat.*) loc. agg. inv. impartial.

superpentìto m. (f. **-a**) (*gergo giorn.*) supergrass.

superperìto m. (*leg.*) expert appointed to give opinion on previous expert's reports.

superperizia f. (*leg.*) expert's report on previous expert's reports.

superpetrolièra f. (*naut.*) supertanker.

superpiùma m. (*sport*) junior lightweight.

superplasticità f. (*fis.*) superplasticity.

superplàstico a. (*fis.*) superplastic.

superpotènza f. superpower.

superprefètto m. prefect having special powers.

superprocùra f. (*leg.*) public prosecutor's office specially charged with investigation into organized crime.

superproduzióne f. (*econ.*) overproduction.

superprofìtto m. surplus profit; extra profit.

supersfìda f. (*sport*) supermatch.

supersimmetrìa f. (*fis.*) supersymmetry.

supersònico a. supersonic.

supèrstite Ⓐ a. surviving Ⓑ m. e f. survivor: *È l'unico s. del naufragio*, he is the sole survivor of the shipwreck.

superstizióne f. superstition.

superstiziosità f. superstitiousness.

superstizióso Ⓐ a. superstitious Ⓑ m. (f. **-a**) superstitious person.

superstràda f. clearway (*GB*); freeway (*USA*); expressway (*USA*).

superstràto m. (*ling.*) superstratum*.

superstrìnga f. (*fis.*) superstring.

supertàssa f. additional tax; extra tax.

supertèste, **supertestimòne** m. e f. key witness.

superumàno a. superhuman.

superuòmo m. **1** superman*; overman* **2** (*iron.*) great man*: **darsi arie da s.**, to give oneself airs; to throw one's weight about.

supervacàneo a. (*lett.*) superfluous; unnecessary; needless.

supervalutàre v. t. to overvalue: (*autom.*) **s. l'usato**, to overvalue old cars.

supervalutazióne f. overvaluation.

supervisionàre v. t. to supervise; to oversee*.

supervisióne f. supervision.

supervisóre m. (f. **-a**) supervisor; overseer.

superwèlter m. (*sport*) junior middleweight.

supinatóre m. (anche agg.: **muscolo s.**) (*anat.*) supinator.

supinazióne f. (*anat.*) supination.

supìno① a. **1** supine; (lying) on one's back; face upwards; (*di mano, piede*) supinated: **posizione supina**, supine position; **cadere s.**, to fall on one's back; **dormire s.**, to sleep lying on one's back; **mettere s.**, to lay on sb.'s back; (*mano, piede*) to supinate, to turn upward **2** (*fig.*) supine: **accettazione supina**, supine resignation; **ignoranza supina**, crass (*o* gross) ignorance.

supìno② m. (*gramm.*) supine.

suppedàneo m. (*di altare*) altar step; predella*.

suppellèttile f. **1** (spec. al pl.) (*arredamento*) furnishings (pl.), furniture Ⓤ; (*attrezzatura*) equipment Ⓤ: **suppellettili di casa**, house furniture; **suppellettili sacre**, church furnishings; **suppellettili scolastiche**, school furnishings **2** (*archeol.*) grave goods (pl.).

suppergiù avv. (*fam.*) about; nearly; approximately; roughly; more or less: **s. cento persone**, about (*o* roughly) a hundred people; *È s. lo stesso*, it's roughly (*o* practically) the same; *Abbiamo s. la stessa età*, we are about the same age.

suppl. abbr. (**supplemento**) supplement.

supplementàre a. **1** additional; extra; further; supplementary; accessory; supplemental; (*rif. a mezzo di trasporto*) relief (attr.): (*econ.*) **bene s.**, substitute good; **costi supplementari**, additional (*o* extra) costs; **indagini supplementari**, further investigations; **ore supplementari di lavoro**, overtime Ⓤ; **razioni supplementari**, extra food rations; **tariffa s.**, additional (*o* extra) charge; (*sport*) **tempi supplementari**, extra time Ⓤ (*GB*); overtime Ⓤ (*USA*); **treno s.**, relief train **2** (*geom.*) supplementary: **angolo s.**, supplementary angle.

suppleménto m. **1** (*aggiunta, integrazione*) supplement; (*giorn.*) **s. di ferie**, extra holidays (pl.); **un s. di indagini**, further investigations (pl.); **s. di spesa**, additional expense **2** (*sovrapprezzo*) supplement; extra (*o* additional) charge; (*ferr.*) extra fare: **un s. di dieci euro**, an additional charge (*o* a

a b c d e f g h i j k l m n o p q r **s** t u v w x y z

supplement) of ten euros; (*in albergo*) **s. per camera singola**, single room supplement; (*ferr.*) **s. rapido**, intercity train supplement **3** (*giorn.*) supplement: **s. letterario [domenicale]**, literary [Sunday] supplement **4** (*geom.*) supplement.

supplentato m. temporary substitute post; (*di insegnante*) supply teaching, temporary teaching job; **Ho fatto tre mesi di s.**, I was (*o* I worked as) a supply teacher for three months.

supplènte **A** a. temporary; substitute (attr.); deputy (attr.); (*di insegnante*) temporary, supply (attr.) **B** m. e f. temporary substitute; sub (*fam.*); deputy; (*insegnante s.*) supply teacher, temporary teacher: **fungere da s. per q.**, to act as a temporary substitute for sb.; to substitute for sb.; to sub for sb.

supplènza f. post as a temporary substitute; (*di insegnante*) temporary teaching job, supply teaching ⓤ **una s. di un anno**, a year-long appointment as a substitute; a year's supply teaching; **fare una s.**, to act as a substitute; (*di insegnante*) to have a temporary teaching job, to do supply teaching, to work as a supply teacher.

suppletivismo m. (*ling.*) suppletion.

suppletivo, **suppletòrio** a. **1** supplementary; additional: **esami suppletivi**, supplementary examinations; **elezioni suppletive**, by-elections; (*leg.*) **norme suppletive**, supplementary norms; **sessione suppletiva di esami**, special examination session **2** (*ling.*) suppletive.

supplì m. inv. (*cucina*) rice croquette.

sùpplica f. plea; supplication; entreaty; (*petizione*) petition: **cedere alle suppliche di q.**, to yield to sb.'s pleas (*o* pleading); **presentare una s. a q.**, to present a petition to sb.; **rivolgere una s. a**, to implore; to beseech; to beg; **tono di s.**, pleading tone.

supplicànte **A** a. pleading; imploring; beseeching; entreating **B** m. e f. supplicant; petitioner; suppliant.

♦**supplicàre** v. t. to implore; to beseech*; to beg; to plead with; to entreat: **s. Iddio**, to beseech God; **s. q. per ottenere qc.**, to plead with sb. for st.; **s. misericordia**, to beg for mercy; *Lo supplicai di ripensarci*, I implored (*o* begged) him to think again; *Non farlo, ti supplico!*, don't do it, I beg you!

supplicatòrio a. supplicatory.

sùpplice (*lett.*) → **supplicante**.

supplichévole a. imploring; beseeching; pleading; appealing; entreating: **atteggiamento s.**, pleading attitude; **sguardo s.**, imploring (*o* pleading, beseeching) look; *Mi rivolse un'occhiata s.*, she looked at me beseechingly.

supplire **A** v. i. (*compensare*) to make* up (for); to compensate (for): **s. alla mancanza di qc.**, to make up for the lack of st.; *Non è molto intelligente ma supplisce con l'applicazione*, she is not very clever but she makes up for it with application **B** v. t. to stand* in for; to take* the place of; to substitute for; to sub for (*fam.*); (*di cosa*) to do* duty for: **s. un professore**, to stand in for a teacher; *L'ha supplito il dottor Bianchi*, Dr. Bianchi substituted for him.

suppliziàre v. t. to torture; to torment.

supplizio m. **1** (*pena, castigo corporale*) torture; torment: **il s. della ruota**, (the torture of) the wheel; (*mitol. e fig.*) **il s. di Tantalo**, the torment of Tantalus; (*fig.*) **far patire il s. di Tantalo**, to tantalize; **sottoporre a s.**, to subject to torture; to torture **2** (*anche estremo s., ultimo s.*) death penalty; death; (*esecuzione*) execution: **condurre q. al s.**, to lead sb. to death (*o* to his execution) **3** (*tormento*) torture; torment; agony; anguish: **il s. della fame**, the torment of hunger; *Ascoltarla suonare è un s.*, it's agony to

hear her playing; *Queste scarpe sono un s.*, these shoes are killing me.

supponènte a. (*altezzoso*) haughty; supercilious; disdainful; snooty; uppity (*fam.*); stuck-up (*fam.*); toffee-nosed (*fam. GB*).

supponènza f. (*altezzosità*) haughtiness; superciliousness; snootiness; stuck-up manners (pl., *fam.*): **con aria di s.**, haughtily; superciliously, disdainfully.

supponìbile a. imaginable; presumable; assumable.

suppórre v. t. to suppose; to think*; to guess (*USA*); (*immaginare*) to imagine; (*presumere*) to expect, to presume; (*ritenere*) to assume: *Le cose stavano molto peggio di quanto io non supponessi*, things were far worse than I supposed (*o* thought); *Supponiamo che sia vero*, let's suppose it's true; *Supponi di trovarti in un'isola deserta*, imagine yourself (to be) on a desert island; *Il dottor Livingstone, suppongo*, Doctor Livingstone, I presume; *Ti troverai anche tu là, suppongo*, I expect you'll be there too; you'll be there too, I presume; *«Verrà?» «Suppongo di sì»*, «will he come?» «I imagine so (*o* I guess so)»; *Suppongo di no*, I suppose not; I don't expect so; I don't think so; *Tutti supposero che io lo conoscessi perché eravamo entrati insieme*, as we had come in together, everyone assumed I knew him; **lasciar s. qc. a q.**, to lead sb. to believe st.

supportàre v. t. **1** (*sostanziare*) to support; to back **2** (*comput.*) to support.

suppòrto m. **1** (*mecc.*) bearing; support; rest; carrier: **s. a T**, T-rest; **s. a muro**, wall bearing; **s. di banco**, main bearing; **s. del perno**, journal bearing; **s. di spinta**, step bearing; **s. per tubi**, pipe stand; **cappello del s.**, bearing cap **2** (*sostegno*) support; rest; prop; stand; (*base*) base; (*mensola*) bracket **3** (*fig.*) aiuto, sostegno) support; backing; help: **col s. della famiglia**, with the backing of one's family **4** (*comput.*) medium*: **s. di memorizzazione**, storage medium.

suppositivo a. (*lett.*) suppositious; suppositional; hypothetical.

suppositòrio m. (*farm.*) suppository.

supposizione f. (*ipotesi*) supposition, hypothesis*, assumption; (*congettura*) conjecture, surmise, guess (*fam.*): **s. infondata**, groundless assumption; *L'articolo si basava solo su supposizioni*, the article was based on mere suppositions; *La loro s. che la guerra sarebbe finita in sei mesi risultò errata*, their assumption that the war would end in six months proved wrong; *La mia è solo una s.*, mine is just a guess; **fare una s.**, to make an assumption.

suppòsta f. (*farm.*) suppository.

suppòsto a. supposed; reputed; (*in base a dichiarazioni, accuse, ecc.*) alleged; (*ipotizzato*) assumed: **un s. criminale di guerra**, an alleged war criminal; *Era insieme al suo s. fidanzato*, she was with her reputed fiancé; *La mia supposta fortuna è in realtà poca cosa*, my supposed fortune doesn't really amount to much; **s. che**, supposing; suppose.

suppuràre v. i. to suppurate; to fester.

suppurativo a. suppurative.

suppurazione f. suppuration: **venire a s.**, to suppurate; to fester.

suprèma → **suprème**.

suprematismo m. (*arte*) suprematism.

suprematista m. (f. **-a**) (*arte*) suprematist.

supremazìa f. supremacy; dominance; (*primato*) primacy; (*posizione preminente*) leadership: **s. militare**, military supremacy; **avere la s. su**, to have supremacy over; **avere la s. in un campo d'attività**, to have

the leadership in a field of activity.

suprême (*franc.*) f. inv. (*cucina*) supreme, suprême.

suprèmo a. **1** (*massimo*) supreme; highest: **autorità suprema**, supreme (*o* highest) authority; **capo s.**, supreme head; (*mil.*) *Comandante S.*, Commander-in-Chief; (*mil.*) *Comando s.*, General Headquarters (abbr. GHQ); *Corte Suprema*, Supreme Court; **l'Ente S.**, the Supreme Being; **il s. sacrificio**, the supreme sacrifice **2** (*grandissimo, sommo*) supreme; greatest; highest; utmost; paramount; (*eccezionale*) exceptional, extraordinary: **con uno sforzo s.**, with a supreme effort; **con mia suprema soddisfazione**, to my utmost satisfaction; **di suprema importanza**, of the utmost (*o* of the highest, of paramount) importance; **in grado s.**, in the highest degree **3** (*ultimo, estremo*) last: **il Giudizio S.**, the Last Judgment; **l'ora suprema**, one's last hour.

sùra ① f. (*relig.*) sura.

sùra ② f. (*anat.*) calf.

surah m. inv. (*ind. tess.*) surah.

suràle a. (*anat.*) sural.

suralimentazióne → **superalimentazione**.

surclassàre v. t. (*anche sport*) to outclass.

surcompressióne f. (*autom.*) supercompression.

surcomprèsso a. (*autom.*) supercompressed.

surcontràre v. t. (*bridge*) to redouble.

surcontre (*franc.*) m. inv. (*bridge*) redouble: **dichiarare il s.**, to redouble.

surf (*ingl.*) m. inv. **1** (*ballo*) surf **2** (*sport: tavola*) surfboard; (*sport*) surfing: **fare s.**, to surf; to go surfing.

surfactànte (*chim.*) **A** a. surface-active **B** m. surfactant.

surfàre v. i. **1** (*sport*) (*sull'acqua*) to surf; to windsurf; (*sulla neve*) to snowboard **2** (*Internet*) to surf (the Internet).

surfing (*ingl.*) m. (*sport*) surfing: **fare s.**, to surf; to go surfing.

surfista m. e f. (*sport*) surfer.

surgelaménto m. deep-freezing.

surgelàre v. t. to deep-freeze*.

surgelàto **A** a. deep-frozen **B** m. deep-frozen food.

surgelatóre **A** a. deep-freezing **B** m. deep-freezer; deep-freeze.

surgelazióne f. deep-freezing.

suriettivo a. (*mat.*) surjective.

suriezióne f. (*mat.*) surjection.

surmenage (*franc.*) m. inv. **1** overwork; overstrain; overexertion **2** (*sport*) overtraining.

surmolòtto m. (*zool.*, *Rattus norvegicus*) Norway rat; brown rat; sewer rat.

surplace (*franc.*) m. inv. (*ciclismo*) balancing on the bicycle; surplace.

surplus (*franc.*) m. inv. (*econ. ed estens.*) surplus: **s. agricoli**, farm surpluses; **s. del consumatore**, consumer (*o* consumer's) surplus.

sùrra f. (*vet.*) surra.

surreàle a. surreal; surrealistic: **atmosfera s.**, surreal atmosphere.

surrealismo m. (*letter., arte*) surrealism.

surrealista (*arte, letter.*) **A** m. e f. surrealist **B** a. surrealist; surrealistic: **il movimento s.**, the surrealist movement.

surrealìstico a. (*arte, letter.*) surrealistic.

surrenàle a. (*anat.*) suprarenal; adrenal: **ghiandole surrenali**, suprarenal (*o* adrenal) glands.

surrène m. (*anat.*) suprarenal (*o* adrenal) gland.

surrettìzio a. surreptitious.

surrezióne f. (*leg.*) subreption.

surricordàto, **surriferito** → **summenzionato**.

surriscaldaménto m. **1** (*fis.*) superheating **2** (*anche fig.*) overheating.

surriscaldàre Ⓐ v. t. **1** (*fis.*) to superheat **2** (*anche fig.*) to overheat Ⓑ **surriscaldàrsi** v. i. pron. (*anche fig.*) to get* overheated; to overheat.

surriscaldàto a. **1** (*fis.*) superheated: **vapore s.**, superheated steam **2** (*anche fig.*) overheated: **motore s.**, overheated engine.

surriscaldatóre m. (*tecn.*) superheater.

sùrroga → **surrogazione**.

surrogàbile a. replaceable; substitutable.

surrogaménto m. → **surrogazione**.

surrogàre v. t. **1** (*mettere in luogo d'un altro*) to replace; to substitute: **s. un bene con un altro**, to replace a commodity with another one **2** (*subentrare a*) to replace; to substitute for **3** (*leg.*) to subrogate.

surrogàto Ⓐ a. substitutional; substitute (attr.); ersatz (attr.) Ⓑ m. substitute; ersatz: *La margarina è un s. del burro*, margarine is a substitute for butter; **s. di caffè**, ersatz coffee ❶ **FALSI AMICI** • surrogato *non si traduce con* surrogate.

surrogatòrio a. (*leg.*) subrogating; subrogation (attr.).

surrogazióne f. (*leg.*) subrogation.

survival (*ingl.*) m. (*sport*) survivalism; survival skills (pl.): **corso di s.**, survival course.

survivalìsmo m. (*sport*) survivalism; survival skills (pl.).

survivalìsta m. e f. survivalist.

survivalìstico a. survivalist (attr.).

survoltàre v. t. (*elettr.*) to boost.

survoltóre m. (*elettr.*) (voltage) booster.

Susànna f. Susan ● (*fig.*) **fare la casta S.**, to play the innocent.

suscettànza f. (*elettr.*) susceptance.

suscettìbile a. **1** (*capace di subire modificazioni*) susceptible (of); capable (of); open (to); liable (to): **s. di miglioramento**, susceptible of improvement; **s. di modifiche**, liable to changes **2** (*permaloso*) susceptible; touchy (*fam.*); prickly (*fam.*).

suscettibilità f. susceptibility; touchiness (*fam.*); prickliness (*fam.*): **ferire la s. di q.**, to offend sb.'s susceptibilities; to hurt sb.'s feelings.

suscettività f. **1** susceptibility; receptivity **2** (*fis.*) susceptibility: **s. magnetica**, magnetic susceptibility.

suscettìvo a. (*filos.*) susceptible; receptive.

♦**suscitàre** v. t. to arouse; to excite; to provoke; to give* rise to; to stir up; to spark off; to kindle: **s. l'ammirazione di tutti**, to excite general admiration; **s. compassione**, to arouse pity; **s. curiosità**, to excite curiosity; **s. l'indignazione generale**, to cause widespread indignation (*o* an outcry); **s. interesse**, to arouse interest; **s. invidia**, to excite envy; **s. odio [malumori]**, to arouse hatred [ill-will]; **s. una passione in q.**, to kindle (*o* to wake) a passion in sb.; **s. pettegolezzi**, to set tongues wagging; **s. una polemica**, to give rise to a controversy; **s. il riso**, to provoke laughter; to raise a laugh; **s. una rivolta**, to stir up (*o* to spark off) a revolt; **s. uno scandalo**, to provoke (*o* to cause) a scandal; **s. un vespaio**, to stir up a hornets' nest.

suscitatóre Ⓐ a. exciting; arousing; provoking Ⓑ m. (f. **-trice**) exciter; provoker.

susìna f. (*bot.*) plum: **s. damaschina**, damson; **s. di macchia**, sloe; **s. regina Claudia**, greengage; **s. scura**, mussel plum.

susìno m. (*bot.*) **1** (*Prunus domestica*) plum; plum-tree **2 – s. di macchia** (*Prunus spinosa*), sloe; **s. selvatico** (*Prunus insititia*), dam-

---

son; bullace.

suspense (*ingl.*) f. inv. suspense: **pieno di s.**, full of suspense; (*di film, ecc., anche*) cliff-hanging (attr.).

suspicióne → **legitima suspicione**, loc. f.

susseguènte a. subsequent; following; (*generalm. come conseguenza*) ensuing: **l'indagine s. a un delitto**, the investigations following a crime; **negli anni susseguenti**, in the following (*o* subsequent) years.

susseguenteménte avv. subsequently; after, afterwards.

susseguìre Ⓐ v. t. e i. to follow; to come* after; (*generalm. come conseguenza*) to ensue: *Al lampo susseguе il tuono*, thunder follows lightning; **la discussione che ne susseguì**, the debate that ensued; the ensuing debate Ⓑ **susseguirsi** v. rifl. recipr. to follow one another: *I treni si susseguono a breve distanza*, trains follow one another at short intervals; *I giorni si susseguirono senza mutamenti*, the days passed unchangingly Ⓒ **susseguirsi** m. succession; series*; stream: **un susseguirsi di sventure**, a succession of disasters; **un continuo susseguirsi di telefonate**, a stream of phone calls.

sussidiàre v. t. to subsidize: **s. la ricerca scientifica**, to subsidize scientific research.

sussidiarietà f. (*polit.*) subsidiarity.

sussidiàrio Ⓐ a. (*di aiuto, accessorio*) subsidiary; auxiliary; ancillary; (*supplementare*) supplementary, additional: **fermata sussidiaria**, additional (bus) stop; **mezzi sussidiari**, subsidiary means; **nave sussidiaria**, supply ship; **società sussidiaria**, subsidiary (company) Ⓑ m. (*libro di testo*) primary textbook; primer.

sussidiatóre Ⓐ a. subsidizing Ⓑ m. (f. **-trice**) subsidizer.

sussìdio m. **1** (*soccorso, aiuto*) aid; help: **sussidi audiovisivi**, audiovisual aids; **sussidi didattici**, educational (*o* teaching) aids; **col s. del vocabolario**, with the help of a dictionary; **fondo di s.**, relief fund **2** (*sovvenzione*) subsidy; grant; (*a persone bisognose*) benefit, welfare Ⓤ (*USA*), dole (*fam. GB*); (*indennità*) allowance: **s. di disoccupazione**, unemployment benefit; dole (*fam.*); **s. d'invalidità**, disability benefit; **s. familiare**, family allowance; **s. (per) malattia**, sickness benefit; sick pay; **s. statale**, state subsidy (*o* grant); state benefit; **sussidi all'agricoltura [all'edilizia]**, agricultural [housing] subsidies; **ricevere il s. di disoccupazione**, to get unemployment benefit; to be on benefit; to be on welfare; to be on the dole.

sussiègo m. self-importance; pomposity; airs (pl.); (*altezzosità*) haughtiness, hauteur (*franc.*); (*condiscendenza*) superciliousness, condescension: **aria di s.**, air of self-importance; **trattare q. con s.**, to treat sb. condescendingly; to look down on sb.

sussiegóso a. self-important, pompous; (*altezzoso*) haughty; (*condiscendente*) supercilious, condescending.

sussistènte a. **1** (*esistente*) existing **2** (*valido*) valid; sound: **ragioni sussistenti**, valid reasons.

sussistènza f. **1** (*esistenza*) existence **2** (*sopravvivenza, sostentamento*) subsistence; sustenance; support; livelihood: **economia di s.**, subsistence economy; **livello di s.**, subsistence level; **mezzi di s.**, means of subsistence (*o* support); livelihood **3** (*mil.*) provisioning, victualling; (*l'ufficio*) Army Catering Corps, Army Ordnance Corps; (*le provvigioni*) supplies (pl.), provisions (pl.).

sussìstere v. i. **1** (*esistere*) to exist; (there) to be; (*sopravvivere*) to survive: *Non sussistono più dubbi sulla sua colpevolez-*

---

za, there are no more doubts about his guilt; (*leg.*) *Il fatto non sussiste*, no offence was committed; *Sussistono ancora superstizioni millenarie*, age-old superstitions still survive **2** (*avere fondamento*) to be valid; to hold* good (*o* true): **ragioni che non sussistono**, invalid reasons.

sussultàre v. i. **1** (*trasalire*) to start; (*sobbalzare*) to jump, to leap*: **s. per lo spavento**, to start in fear; *Sussultò* (*o Il suo cuore sussultò*) *di felicità*, his heart jumped for joy; **far s.**, to startle; to give (sb.) a start; to make (sb.) jump **2** (*essere scosso, tremare*) to shake*; to jolt; **s. dalle risa [dai singhiozzi]**, to shake with laughter [with sobs]; **Il pavimento cominciò a s.**, the floor began to shake under our feet; **L'auto procedeva sussultando sulla strada sterrata**, the car jolted along the dirt road.

sussùlto m. **1** (*trasalimento*) start; jump: **avere** (*o* **dare**) **un s.**, to give a start; *Ebbe un s. di gioia*, her heart jumped for joy; *Si risvegliò con un s.*, he woke up with a start; he was started out of his sleep **2** (*scossa*) shake; jolt; (*della terra*) shake, shock, tremor: *La corriera si fermò con un s.*, the bus jolted to a halt.

sussultòrio a. (*geol.*) sussultatory: **scosse sussultorie**, sussultatory earthquake shocks.

sussùmere v. t. (*filos.*) to subsume.

sussunzióne f. (*filos.*) subsumption.

♦**sussurràre** Ⓐ v. t. **1** to whisper; to murmur: **s. qc. all'orecchio di q.**, to whisper st. in sb.'s ear **2** (*fig.: dire in segreto*) to whisper: *Si sussurra che non siano sposati*, it is whispered they are not married Ⓑ v. i. **1** to whisper; to murmur **2** (*fig., di vento*) to whisper; (*di foglie*) to rustle; (*di acqua*) to babble **3** (*fig.: sparlare*) to murmur; to spread* rumours: **s. contro q.**, to murmur against sb.

sussurratóre Ⓐ a. whispering; murmuring Ⓑ m. (f. **-trice**) whisperer; murmurer.

sussurrìo m. whispering; murmuring.

sussùrro m. **1** whisper; murmur: **parlare in un s.**, to speak in a whisper; *La sua voce era poco più che un s.*, her voice was little more than a whisper **2** (*fig., di vento*) whisper, whispering; (*di foglie*) rustle, rustling; (*di acqua*) babble, babbling.

sùsta f. (*di occhiali*) side, side-piece; arm (*GB*); temple (*USA*).

sùtra m. inv. sutra.

sutùra f. (*anat., chir.*) suture: **s. cranica**, cranial suture; **punti di s.**, (suturing) stitches.

suturàle a. (*anat., chir.*) sutural.

suturàre v. t. (*chir.*) to suture.

suv m. inv. (*autom.*) SUV.

suvvìa inter. come on!; there, there!; now then!: *S., deciditi!*, come on, make up your mind!; *S., prendilo!*, come on, take it!; here, do take it!; *S., non piangere*, there, there, don't cry; *S., ora basta*, now then, that's enough.

suzióne f. suction; sucking.

SV abbr. **1** (**Savona**) **2** (**Signoria Vostra**) Your Lordship.

s.v. sigla **1** (*mus.*, **sotto voce**) sotto voce (in an undertone, with subdued sound) **2** (*lat.: sub voce*) (**sotto la voce**) (*nei rimandi*), under the word.

svaccàre (*pop.*) Ⓐ v. i. **1** (*agire con sciatteria*) to become* sloppy **2** (*scadere, degenerare*) to degenerate; to sink* Ⓑ **svaccàrsi** v. i. pron. (*perdere la voglia*) to become* demotivated; to lose* interest; (*arrendersi*) to give* up.

svaccàto a. (*pop.*) (*demotivato*) demotivated, apathetic; (*sciatto*) sloppy.

svàcco m. (*pop.*: *demotivazione*) demotiva-

tion; loss of interest; (*sciatteria*) sloppiness; (*resa*) surrender: *Siamo allo s. totale*, everyone has given up.

svagàre 🅰 v. t. 1 (*distrarre*) to take* (sb.'s) mind (off st.); to distract: **s. q. dal lavoro**, to distract sb. from his work; to take sb.'s mind off work 2 (*ricreare*) to keep* (sb.) amused; to entertain: **s. un bambino con dei giocattoli**, to keep a child amused with some toys; *I gialli mi svagano*, detective novels are an entertainment for me; I read detective novels for entertainment 🅱 **svagàrsi** v. i. pron. 1 (*distrarsi*) to be distracted; to let* one's mind wander; (*da un pensiero, una preoccupazione*) to take* one's mind (off st.): **svagarsi facilmente**, to be easily distracted 2 (*divertirsi*) to enjoy oneself; to have fun; to relax: *Dopo tanto lavoro ha bisogno di svagarsi*, after so much work she needs a bit of fun (o a bit of relaxation).

svagatàggine, **svagatézza** f. inattentiveness; absent-mindedness; dreaminess.

svagàto 🅰 a. inattentive; distracted; absent-minded; dreamy; wool-gathering; day-dreaming: **studente s.**, inattentive student; **con aria svagata**, with a dreamy expression on one's face; absent-mindedly 🅱 m. (f. **-a**) absent-minded person.

svàgo m. 1 (*distrazione piacevole*) recreation; distraction; relaxation: *Hai bisogno di un po' di s.*, you need some relaxation; *Quali sono i tuoi svaghi?*, what do you do for relaxation?; **prenderti un po' di s.**, to relax 2 (*ciò che svaga*) amusement; entertainment; distraction; diversion; pastime: *Non mancano gli svaghi in questo posto*, there are plenty of amusements (o distractions) here.

svaligiaménto m. (*di banca, negozio*) robbing; (*di casa*) burglary, ransacking.

svaligiàre v. t. (*una banca, un negozio*) to rob; (*depredare*) to loot; (*una casa*) to burgle, to burgle (*USA*), to ransack, to clean out (*fam.*); (*fig. scherz.*) to clean out: *Gli hanno svaligiato l'appartamento*, his flat has been burgled; *burglars cleaned out his flat; I ragazzi hanno svaligiato il frigo*, the kids cleaned out the fridge.

svaligiatóre m. (f. **-trice**) robber; (*di casa*) burglar.

svalorizzàre v. t. to depreciate; to cheapen; to belittle.

svalutàbile a. (*econ.*) depreciable.

svalutàre 🅰 v. t. 1 (*econ.*) to devalue: **s. un credito**, to devalue a credit; **s. la moneta**, to devalue one's currency; *La lira fu svalutata del 10%*, the lira was devalued by 10% 2 (*fig.*: *sminuire, svilire*) to belittle; to depreciate; to disparage; to cry down 🅱 **svalutàrsi** v. i. pron. (*econ.*) to fall* in value: *Molti titoli si stanno svalutando*, many securities are falling in value 🅲 **svalutàrsi** v. rifl. to belittle oneself; to run* oneself down.

svalutazióne f. 1 (*econ.*) devaluation; (*deprezzamento*) debasement: **s. valutaria** (*in regime di cambi fissi*), currency devaluation; **subire una s. del 20%**, to undergo a devaluation of 20%; *La svalutazione del peso diede il via alla crisi argentina*, the devaluation of the peso sparked the economic crisis in Argentina; **fondo s. crediti**, reserve account for bad debts, **tasso di s.**, devaluation rate 2 (*comm., rag.*) markdown; write-down 3 (*fig.*) belittlement; disparagement; depreciation.

svampàre v. i. 1 (*uscire fuori a vampate*) to blaze; to burst* 2 (*fig.*) to die down; to cool down (o off).

svampìre v. i. (*region.*) 1 to evaporate 2 (*fig.*) to evaporate; to die down; to cool down (o off).

svampìto (*fam.*) 🅰 a. 1 (*svanito*) foolish; daft; silly; addle-brained; barmy (*fam. GB*).

2 (*leggero, fatuo*) flighty; giddy; dizzy; light-headed; scatterbrained 🅱 m. (f. **-a**) 1 (*persona svanita*) foolish person 2 (*persona leggera*) scatterbrain.

svaniménto m. (*lett.*) vanishing; disappearance; (*di luce, suono*) fading away, dying away.

svanìre v. i. 1 (*disperdersi*) to disperse; to dissipate 2 (*scomparire, dileguarsi*) to vanish; to disappear; to melt (into st.): *Di colpo la visione svanì*, suddenly the vision vanished; *È svanito nel nulla*, it vanished into thin air; *Così dicendo svanì nella nebbia*, with these words she disappeared (o melted) into the fog; *I soldi della lotteria svanirono nel giro di un mese*, the lottery money vanished within a month 3 (*fig.*: *venir meno, sfumare*) to disappear; to evaporate; to dissolve; (*gradatamente*) to fade; (*di suono*) to die away: *Ogni speranza è svanita*, all hopes have vanished; *Le mie paure ben presto svanirono*, my fears soon dissolved; *L'eco delle risa a poco a poco svanì*, the echo of laughter gradually died away; *La luce ormai svaniva*, the light was fading 4 (*di profumo*) to evaporate; (*perdere l'aroma*) to lose* (its) aroma 5 (*fig.*: *placarsi*) to die down; to cool down; (*di dolore fisico*) to abate: *Gli è svanita l'ira*, his anger has cooled down.

svanìto a. 1 (*scomparso*) vanished; disappeared 2 (*venuto meno, sfumato*) disappeared; vanished; faded; evaporated: **speranze svanite**, vanished hopes 3 (*senza più profumo, aroma*) faded; stale; vapid: **profumo s.**, faded scent; **vino s.**, stale wine 4 (*smemorato, confuso*) forgetful; addle-brained; (*di anziano: rimbambito*) senile, doddering, gaga (*fam.*): *Suo nonno è completamente s.*, his grandfather is completely gaga 5 (*leggero, sciocchino*) flighty; giddy; dotty; light-headed.

svantaggiàre v. t. (*sfavorire*) to disadvantage, to penalize; (*mettere in posizione di svantaggio*) to put* at a disadvantage.

svantaggiàto 🅰 a. 1 (*in posizione di svantaggio*) at a disadvantage (pred.); penalized: **partire s.**, to start at a disadvantage; *I ragazzi di famiglie meno abbienti si trovano svantaggiati*, children from less well-off families are at a disadvantage (o are penalized) 2 (*in condizione di inferiorità*) disadvantaged; underprivileged; **i bambini più svantaggiati**, the more underprivileged children 🅱 m. (f. **-a**) disadvantaged (o underprivileged) person.

svantàggio m. 1 (*situazione sfavorevole*) disadvantage; handicap; (*inconveniente*) drawback; (*ostacolo*) obstacle, impediment, snag (*fam.*); (*danno*) detriment: **gli svantaggi del lavoro a metà tempo**, the drawbacks of a part-time job; **vantaggi e svantaggi**, advantages and disadvantages; pros and cons; *Ha lo s. dell'età*, his age is a handicap; **andare a s. di**, (*essere svantaggioso per*) to work to (sb.'s) disadvantage; (*essere dannoso per*) to be detrimental to; (*sfavorire, penalizzare*) to disadvantage, to penalize; **colmare uno s.**, to make up the leeway; **essere in (condizioni di) s.**, to be at a disadvantage; **mettere in condizione di s.**, to put (sb.) at a disadvantage; to handicap; **superare uno s.**, to overcome a disadvantage (o a handicap); *L'affare si concluse a loro s.*, the deal turned out badly for them 2 (*sport*) deficit: **uno s. di 4 a 1**, a 4-1 deficit; **andare in s.**, to lose a point [points]; **avere tre punti di s.**, to be three points behind; to be three down; to be trailing by three points; **essere in s.**, to be losing; **essere in s. di due reti**, to be two goals down; **recuperare lo s.**, to recover the deficit; to make up the leeway; to make a recovery.

svantaggiosaménte avv. disadvantageously; unfavourably; to one's disadvant-

age; badly.

svantaggióso a. (*sfavorevole*) disadvantageous, unfavourable, poor, bad; (*dannoso*) detrimental, prejudicial: **affare s.**, poor bargain; **cambio s.**, unfavourable (rate of) exchange; **condizioni svantaggiose**, unfavourable terms; **posizione svantaggiosa**, disadvantageous (o unfavourable) position.

svànzica f. 1 (*fam. stor.*) Zwanziger 2 (al pl.) (*fam.*: *denaro*) spondulicks; lolly Ⓤ (*GB*); moolah Ⓤ (*slang*); shekels (*USA*); dough Ⓤ (*slang USA*); simoleons (*slang USA*).

svaporaménto m. evaporation.

svaporàre v. i. 1 to epavorate; (*perdere l'aroma*) to lose* the aroma 2 (*fig.*: *raffreddarsi, sbollire*) to blow* over; to wane; to melt away; to die down: *Aspettiamo che gli svapori l'ira*, let's wait till his anger blows over (o till he cools down); *Gli è svaporato tutto l'entusiasmo*, all his enthusiasm has melted away.

svaporàto → **svanito**.

svaporazióne f. evaporation.

svariàre 🅰 v. t. 1 (*rendere vario*) to vary; to diversify 2 (*svagare*) to amuse; to entertain 🅱 v. i. to vary; to be varied; to vary.

svariataménte avv. variously; in various (o different) ways.

svariatézza f. variousness; variety.

svariàto a. 1 (*vario*) varied; different; mixed; assorted; miscellaneous: **abiti di fogge svariate**, clothes of different styles; **offerta svariata**, varied offer 2 (al pl.) (*molti e diversi*) many; several; a number of: *Svariate persone gli fecero i complimenti*, several (o a number of) people complimented him; *Gliel'ho detto svariate volte*, I have told him several (o a number of, many) times.

svarióne m. bad mistake; howler (*fam.*): **s. tipografico**, misprint; typo (*fam.*).

svasaménto m. → **svasatura**.

svasàre v. t. 1 (*cambiare di vaso*) to repot 2 (*scampanare*) to flare: **s. una gonna**, to flare a skirt 3 (*mecc.*) to flare; (*un foro*) to ream, to countersink* 4 (*archit.*) to splay.

svasàto a. 1 (*scampanato*) flared 2 (*mecc.*) flared; (*di foro*) countersunk 3 (*archit.*) splayed; embrasured.

svasatùra f. 1 (*il cambiare di vaso*) repotting 2 (*scampanatura*) flaring; flare 3 (*mecc.*) flaring; flare; (*di foro*) countersinking 4 (*archit.*) splaying; embrasure.

svàso m. (*archit.*) splaying; embrasure.

svàsso m. (*zool., Podiceps*) grebe: **s. maggiore** (*Podiceps cristatus*), great crested grebe; **s. piccolo** (o **turco**) (*Podiceps nigricollis*), black-necked grebe; eared grebe (*USA*).

svàstica f. swastika; fylfot.

svecchiaménto m. modernization; renewal; rejuvenation; (*estetico*) facelift, makeover; (*aggiornamento*) updating.

svecchiàre v. t. to modernize; to renew; to rejuvenate; (*nell'aspetto*) to give* (st.) a facelift, to make* over; (*aggiornare*) to update, to bring* up-to-date: **s. un'azienda**, to modernize a firm; **s. il guardaroba**, to renew one's wardrobe; **s. la lingua di un testo**, to update the language of a text; **s. i programmi scolastici**, to update the school syllabus; to bring the school syllabus up-to-date.

svecciàre v. t. (*agric.*) to separate (*wheat, barley, etc.*) from vetch.

svecciatóio, **svecciatóre** m. (*agric.*) separator.

svedése 🅰 a. Swedish 🅱 m. e f. (*abitante*) Swede 🅲 m. 1 (*lingua*) Swedish 2 (*fiammifero*) safety match.

♦**svéglia** 🅰 f. 1 (*lo svegliare, lo svegliarsi*) waking up; (*ora*) waking-up time, time to get up: *S. alle sei domani*, tomorrow everybody

up at six **2** (*segnale*) (*wake-up*) call: **s. telefonica**, telephone wake-up service; *La s. è alle cinque*, the call is for five o'clock; *A che ora è la s. domani?*, what time do we have to get up tomorrow?; **dare la s. a q.**, to wake sb. up; (*to call sb.*) **servizio s.**, wake-up service **3** (*orologio*) alarm clock; (*suoneria*) alarm: *La s. non ha suonato stamattina*, the alarm didn't go off this morning; **caricare la s.**, to wind up the alarm-clock; **mettere la s. alle sei**, to set the alarm (clock) for six; **spegnere la s.**, to switch off the alarm; **radio s.**, clock radio **4** (*mil.*) reveille: **suonare la s.**, to sound the reveille **B inter.** wake up!: *S.!*, wake up!; (*scherz.*) wakey wakey!; (*fig., anche*) look sharp!, look alive!; *S., sono le sette!*, wake up, it's seven!; it's seven, time to wake up! **❶ NOTA:** *alarm / allarme →* **alarm**

◆**svegliàre A v. t. 1** to wake* (up); to awake*; to rouse (generalm. al passivo): *Il vento mi ha svegliato stanotte*, the wind woke me (up) last night; *Svegliami presto domattina*, wake me early tomorrow morning; *Non si riesce a svegliarlo*, he can't be roused; it's impossible to wake him up; *Il rumore della perforatrice lo svegliò d'un tratto*, the noise of the drill suddenly awoke him; *Non lo sveglierebbero nemmeno le cannonate*, it would take a bomb to wake him up; he is dead to the world; **un fracasso da s. i morti**, a din that would raise the dead **2** (*fig.: animare, scuotere*) to wake* up, to rouse, to liven up; (*scaltrire*) to wake* up, to teach* (sb.) a thing or two: *Lo svegliai dal suo torpore*, I roused him from his torpor; *L'esercito l'ha un po' svegliato*, being in the army has woken him up a bit **3** (*fig.: eccitare, suscitare*) to stimulate; to awaken; to arouse; to stir (up): **s. l'appetito di q.**, to stimulate sb.'s appetite; **s. la curiosità di q.**, to arouse sb.'s curiosity; **s. l'interesse di q.**, to awaken sb.'s interest; **s. l'invidia [il sospetto]**, to arouse envy [suspicion] ● (*prov.*) **Non s. il can che dorme**, let sleeping dogs lie **B svegliàrsi v. i. pron. 1** to wake* (up); to awake*: **svegliarsi da un brutto sogno**, to wake from a bad dream; **svegliarsi dal letargo**, to reawaken; **svegliarsi di soprassalto**, to awake (o to wake up) with a start; **non svegliarsi in tempo**, not to wake up in time; to oversleep; *Mi sono svegliato tre volte stanotte*, I woke three times last night; *Non si sveglia mai prima delle otto*, she never wakes up before eight o'clock; *Svegliati!*, wake up!; (*fig., anche*) look sharp!, look alive! **2** (*fig.: scaltrirsi*) to wake* up: *Si è finalmente svegliato alla realtà*, he's woken up to reality at last **3** (*fig.: ridestarsi*) to reawaken; to rekindle; to revive; to stir; to come* back: *La natura si sveglia in primavera*, nature reawakens in spring; *Mi si è svegliato il dolore*, my pain has come back; *Gli si è svegliato l'appetito*, he has found his appetite **4** (*fig., di vento*) to rise*: *Si svegliò una tramontana gelida*, an icy north wind rose.

svegliarino m. 1 alarm dial **2** (*fig. fam.: stimolo*) spur, prodding ⓤ; (*promemoria*) reminder; (*rimprovero*) ticking-off.

◆**svéglio a. 1** (*desto*) awake (pred.): **completamente s.**, wide-awake; *Alle cinque ero già sveglissimo*, I was already wide-awake at five; *Appena s. guardai fuori della finestra*, as soon as I woke up (o as soon as I was awake) I looked out of the window; **restare s.**, to stay awake; **tener s. q.**, to keep sb. awake; *Mi hanno operato da s.*, I was conscious during the operation; **a mente sveglia**, once awake; when awake **2** (*fig.: pronto*) bright; quick, quick-witted; alert; sharp; observant; on the ball (*fam.*): **mente sveglia**, quick (o sharp) mind; **ragazzino s.**, bright kid **3** (*furbo*) clever; wide-awake;

smart; streetwise (*fam.*).

svelaménto m. disclosure; revelation; unveiling.

svelàre A v. t. (*rivelare*) to reveal; to disclose; to unveil; to uncover; to lay* bare; (*involontariamente*) to betray: **s. le proprie intenzioni**, to reveal (o to disclose) one's intentions; **s. il nome di q.**, to reveal (o to disclose) sb.'s name; **s. un mistero**, to unveil a mystery; **s. un segreto**, to reveal a secret; *La sua voce svelava una certa preoccupazione*, her voice revealed (o betrayed) a certain anxiety **B svelàrsi v. rifl.** to reveal oneself; to show* oneself: **svelarsi in tutto il proprio egoismo**, to show oneself in all one's selfishness; **svelarsi per quello che si è**, to show one's true character; *Si è svelato per quell'invidioso che è*, he has revealed himself for the envious man he is.

svelatùra f. (*pitt.*) removal of the glaze; glaze removal.

svelenàre, svelenire A v. t. 1 (*togliere il veleno*) to unpoison; to remove the poison from **2** (*fig.*) to take* the bitterness (o the acrimony) from; to mollify; to smooth: **s. i rapporti**, to smooth relations **B svelenàrsi, svelenirsi v. i. pron.** to give* vent to one's bitterness (o bitter feelings); to let* off steam.

svèllere v. t. (*anche fig.*) to uproot; to eradicate; to extirpate.

sveltaménte avv. quickly; fast.

sveltézza f. 1 (*rapidità*) quickness; swiftness; speediness; speed; (*prontezza*) quickness, readiness; promptness: **s. di mente**, quickness (o readiness) of mind; *La sua s. alla tastiera è incredibile*, his speed at the keyboard is incredible; **fare qc. con s.**, to do st. quickly **2** (*forma slanciata*) trimness; slimness.

sveltiménto m. speeding up; (*semplificazione*) streamlining, simplification: **s. delle procedure**, streamlining (o simplification) of procedures; (*bur.*) **lo s. di una pratica**, cutting through the red tape; **lo s. del traffico**, the speeding up of traffic.

sveltina f. (*volg.*) quickie.

◆**sveltire A v. t. 1** (*rendere spigliato*) to wake* up; to give* (sb.) more self-confidence: *Ha bisogno di essere sveltito*, he needs wakening up **2** (*rendere più rapido*) to quicken; (*accelerare*) to speed* up; (*abbreviare*) to shorten; (*semplificare*) to simplify, to streamline: **s. la mente**, to quicken the mind; **s. il passo**, to quicken one's pace; to hurry up; **s. il lavoro**, to speed up work; **s. una procedura**, to simplify a procedure; **s. un processo produttivo**, to streamline a manufacturing process; **s. il traffico**, to speed up traffic **3** (*rendere più snello*) to slim, to make* (sb.) look slimmer; (*rendere più slanciato*) to streamline: **un abito che ti sveltisce**, a dress that makes you look slimmer **B sveltirsi v. i. pron. 1** (*diventare più spigliato*) to wake* up; to become* more self-confident **2** (*diventare più veloce*) to speed* up; to accelerate; (*nel fare qc.*) to become* quicker (at st.).

◆**svèlto a. 1** (*rapido, pronto*) quick, swift, speedy, prompt; (*efficiente*) brisk, efficient; (*abile*) deft; (*agile*) nimble: **s. a capire**, quick at grasping things; quick on the uptake (*fam.*); **s. a reagire**, quick to react; **un cameriere s. a servire**, a waiter that is quick at serving; **dita svelte**, nimble fingers; deft fingers; **segretaria svelta**, brisk (o efficient) secretary; a secretary that is quick at her job; **passo s.**, quick (o fast, brisk, smart) pace: **camminare con passo s.**, to go at a brisk pace; *S.!*, quick!; hurry up! **2** (*slanciato*) slim; slender; svelte; streamlined: **colonne svelte**, slender columns; **figura svelta**, trim (o svelte) figure; **dalle linee svelte**,

streamlined **3** (*intelligente*) quick, quick-witted; bright; lively; smart ● **s. di mano**, (*che ruba*) light-fingered, nimble-fingered; (*manesco*) free with one's fists □ **essere s. di lingua**, to have a quick tongue; to be always ready with an answer □ **alla svelta**, quickly: **fare le cose alla svelta**, to do things quickly; *Cerca di fare alla svelta*, try and be quick about it; **un lavoro fatto un po' troppo alla svelta**, a job done a bit too quicky; a hurried job □ (*prov.*) **Chi è s. a mangiare è s. a lavorare**, quick at meat, quick at work.

svenàre A v. t. 1 to open (o to cut*) (sb.'s) veins **2** (*fig.*) to ruin; to fleece; (*spec. del fisco*) to bleed* (sb.) dry (o white) **B svenàrsi v. rifl. 1** to open (o to cut*) one's veins; to slash one's wrists: *Si è svenato con una lametta da barba*, he slashed his wrists with a razor-blade **2** (*fig.*) to spend* one's last penny; to ruin oneself.

svéndere v. t. (*comm.: liquidare*) to sell* off; (*vendere in perdita*) to sell* at a loss, to sell* below cost.

svéndita f. (*comm.*) selling-off; (clearance) sale: **s. di fine stagione**, end-of-season sale; **s. di liquidazione**, winding-up sale; **mettere in s.**, to sell off; **prezzo di s.**, sell-off price.

svenévole a. mawkish; oversentimental; soppy (*fam.*).

svenevolézza f. 1 mawkishness; sentimentality; soppiness (*fam.*) **2** (al pl.: *modi svenevoli*) sentimental behaviour ⓤ.

sveniménto m. faint; fainting fit; (*momentaneo*) blackout: **avere uno s. (o essere colto da s.)**, to have a fainting fit; to faint; to black out.

◆**svenire v. i.** to faint; (*brevemente*) to black out: **s. dalla fame [dalla paura]**, to faint from hunger [from fright]; **sentirsi s.**, to feel faint; *Qui c'è un caldo da s.*, it's stifling hot in here.

sventagliàre A v. t. 1 (*fare vento*) to fan: **sventagliarsi la faccia col giornale**, to fan oneself with a newspaper **2** (*agitare come un ventaglio*) to wave; to shake*; to flourish: **s. un giornale**, to wave a newspaper; *Mi sventagliò davanti il contratto*, she waved the contract under my nose **3** (*aprire a ventaglio*) to fan out; to spread* **4** (*sparare a ventaglio*) to fan (*a gun*); to spray (*bullets*); to let* off: **s. una raffica di mitra**, to let off a round **B sventagliàrsi v. rifl.** to fan oneself.

sventagliàta f. 1 fanning **2** (*raffica*) spray (of bullets); burst (of fire): **s. di mitra**, burst of sub-machine gun fire.

sventàre ① v. t. (*una mina*) to disarm (*a mine*).

sventàre ② v. t. 1 (*far fallire*) to foil; to thwart; to frustrate: **s. un attacco**, to foil an attack; **s. i piani di q.**, to thwart (o to foil o to frustrate) sb.'s plans; **s. una rapina**, to foil a robbery **2** (*allontanare*) to avert; to ward off: **s. un pericolo**, to ward off a danger **3** (*naut.*) to spill*: **s. una vela**, to spill a sail.

sventatàggine → sventatezza

sventataménte avv. heedlessly; thoughtlessly; recklessly; rashly.

sventatézza f. 1 (*sconsideratezza*) heedlessness; thoughtlessness; recklessness **2** (*sbadataggine*) carelessness; thoughtlessness **3** (*atto sconsiderato*) thoughtless (o reckless) action **4** (*atto sbadato*) oversight; blunder.

sventàto A a. 1 (*sconsiderato*) heedless; thoughtless; reckless **2** (*sbadato*) careless; silly; scatterbrained **B m. (f. -a) 1** thoughtless (o reckless) person **2** careless person; silly person; scatterbrain.

svèntola f. 1 (*ventola*) fire-fan **2** (*fam.: scapaccione*) slap, clout (*fam.*); (*pugno*) cuff, haymaker (*fam.*), roundhouse (*fam.*); (*boxe*) swing: **mollare una s. a q.**, to slap sb.'s face; to give sb. a clout; to fetch (o to land)

sb. one (*fam.*) ● (*fig.*) **orecchie a s.**, sticking-out ears.

sventolaménto → **sventolio**.

sventolàre A v. t. **1** (*agitare*) to wave; to shake*; to flourish: **s. il fazzoletto**, to wave one's handkerchief; **s. le lenzuola**, to shake the sheets; *Il vento faceva s. le vele*, the wind flapped the sails **2** (*fare vento a*) to fan: **s. il fuoco**, to fan the fire; **s. il viso a q.**, to fan sb.'s face **3** (*arieggiare*) to air; (*grano, ecc.*) to winnow B **sventolàrsi** v. rifl. to fan oneself C v. i. to wave; to flutter; (*sbatacchiando*) to flap: *La bandiera sventola sulla torre*, the flag is waving on the tower.

sventolàta f. **1** (*lo sventolare*) waving; flapping **2** (*lo sventolarsi*) fanning.

sventolìo m. waving; fluttering; flapping: **s. di bandiere**, waving of flags; flag-waving.

sventraménto m. **1** disembowelment; drawing; gutting; evisceration; (*di cervo e sim.*) gralloching **2** (*fig.*: *demolizione*) demolition, tearing down, knocking down; (*svuotamento*) gutting.

sventràre v. t. **1** (*togliere le interiora*) to disembowel; to eviscerate; (*un volatile*) to draw*; (*un pesce*) to gut; (*un cervo e sim.*) to gralloch: **s. un pollo**, to draw a chicken; **s. una trota**, to gut a trout **2** (*ferire al ventre*) to stab in the stomach; to rip (*o* to slash) sb. open **3** (*fig.*: *demolire*) to demolish, to knock down, to tear* down; (*svuotare*) to gut: *Hanno sventrato interi quartieri per far passare la sopraelevata*, they tore down whole areas to make room for the overpass; *L'esplosione sventrò il palazzo*, the explosion gutted the building.

sventùra f. **1** (*sorte avversa*) misfortune; bad (*o* ill) luck: *La s. si accaniva su di noi*, we were dogged by misfortune; *S. volle che noi...* (*o Fu una s. che noi...*), as (ill) luck would have it, we...; **portare s.**, to bring bad luck; **predire la s.**, to predict bad luck; to foretell misfortune; **perseguitato dalla s.**, dogged by misfortune; **per colmo di s.**, to crown (*o* to cap) it all; **per mia [tua, ecc.] s.**, unfortunately **2** (*avvenimento doloroso*) misfortune; mishap; tragedy; (*calamità*) disaster, calamity; (*incidente*) accident: **raccontare le proprie sventure**, to relate one's woes; **accorrere sul luogo della s.**, to rush to the scene of the accident; **compagno di s.**, fellow-sufferer; companion in misfortune; **profeta di s.**, prophet of doom; **una vita piena di sventure**, a life full of misfortunes.

sventurataménte avv. unluckily; unfortunately.

sventuràto A a. **1** (*sfortunato*) unlucky; luckless; unfortunate; ill-fated; star-crossed; hapless (*lett.*): **amanti sventurati**, star-crossed lovers; **s. giorno**, unlucky (*o* ill-fated) day **2** (*sciagurato*) wretched B m. (f. *-a*) unlucky person; wretch.

svenùto a. unconscious; senseless; out (pred.): **cadere s.**, to fall unconscious; to faint; **rimanere s.**, to remain unconscious.

svergàre v. t. **1** (*ridurre in verghe*) to make* into bars **2** (*naut.*) to unbend*.

sverginaménto m. defloration; deflowering.

sverginàre v. t. **1** to deflower **2** (*fig. scherz.*) to use for the first time; to christen (*fam.*).

svergognaménto m. putting to shame; shaming.

svergognàre v. t. **1** to put* to shame; to shame; (*smascherare*) to expose: *Lo svergognai davanti a tutti*, I exposed him in front of everybody.

svergognatézza f. shamelessness; impudence.

svergognàto A a. (*spudorato*) shameless; impudent: **uno s. bugiardo**, a shameless liar B m. (f. *-a*) shameless person: *Sei una svergognata!*, you are totally without shame!

svergolaménto m. (*mecc.*) twist; twisting; warp: (*aeron.*) **s. alare**, wing twist; (*aeron.*) **s. negativo**, washout; **s. positivo**, washin.

svergolàre v. t., **svergolàrsi** v. i. pron. (*mecc.*) to twist; to warp.

svernaménto m. **1** wintering **2** (*biol.*) hibernating.

svernàre v. i. to winter: **s. in Riviera**, to winter on the Riviera.

sverniciàre v. t. to remove paint from; to strip (st.) of paint.

sverniciatóre m. (f. *-trìce*) paint remover; stripper.

sverniciatùra f. removal of paint; paint-stripping.

sversaménto m. dumping (*of liquid waste*).

svèrza f. splinter.

sverzàre v. t. to splinter.

sverzìno m. **1** (*spago ritorto*) whipcord **2** (*cordicella della frusta*) lash.

svescicàre v. t., **svescicàrsi** v. i. pron. (*fam.*) to blister.

svestìre A v. t. **1** to undress; to strip: **s. un bambino**, to undress a child; *Lo svestirono completamente*, they stripped him of all his clothes **2** (*fig.*: *togliere il rivestimento da*) to take* (st.) off; to strip: **s. un divano**, to strip a sofa **3** (*fig.*: *privare*) to divest B **svestìrsi** v. rifl. **1** to undress; to take* off one's clothes; to strip: *Si svestì e si infilò nel letto*, he undressed (*o* took off his clothes) and slipped into bed **2** (*fig.*: *abbandonare*) to lay* aside; (*liberarsi*) to rid* oneself (of), to divest oneself (of); (*rinunciare*) to renounce: *svestirsi della superbia*, to lay aside one's pride C **svestìrsi** v. i. pron. (*perdere*) to shed*: *Il bosco si era svestito delle foglie*, the wood had shed its leaves.

svestìto a. undressed: without one's clothes on; naked: **mezzo s.**, half naked.

Svetònio m. (*stor. letter.*) Suetonius.

svettaménto m. → **svettatura**.

svettànte a. towering; soaring: **le svettanti guglie del duomo**, the towering spires of the cathedral.

svettàre ① v. t. (*agric.*) to poll; to lop.

svettàre ② v. i. **1** (*di albero*) to wave its top **2** (*estens.*: *ergersi*) to rise*; to soar.

svettatóio m. lopping shears (pl.).

svettatùra f. (*agric.*) polling; lopping.

Svèvia f. (*geogr.*) Swabia.

svèvo a. e m. (f. *-a*) Swabian.

Svèzia f. (*geogr.*) Sweden.

svezzaménto m. **1** (*il disabituare*) breaking of a habit; weaning **2** (*di bambino*) weaning.

svezzàre A v. t. **1** (*disabituare*) to wean (sb. from st.); to cure (sb. of st.) **2** (*un bambino*) to wean B **svezzàrsi** v. rifl. to get* rid (of); to give* up.

SVI sigla (**Servizio valanghe italiano**) Italian Avalanche Service.

sviaménto m. **1** (*il far deviare*) diversion; sidetracking; (*di un colpo*) warding off: **s. dell'attenzione**, diversion of attention; **s. delle indagini**, sidetracking of the investigations **2** (*fig.*: *traviamento*) leading astray; (*il traviarsi*) going astray, straying, lapse **3** (*ferr.*) derailment.

sviànte a. distracting; sidetracking.

sviàre A v. t. **1** (*volgere altrove*) to divert; to deflect; to ward off; to avert: **s. un colpo**, to deflect a blow; **s. il discorso**, to change the subject; **s. un pericolo**, to avert (*o* to ward off) a danger; **s. le ricerche**, to divert the search; **s. i sospetti**, to divert suspicions

2 (*distrarre*) to divert; to distract; to sidetrack: **s. l'attenzione di q. da qc.**, to divert sb.'s attention from st.; **s. q. dallo studio**, to distract sb. from his studies **3** (*mettere fuori strada*) to lead* astray; to misdirect **4** (*fig.*: *traviare*) to lead* astray: *Fu sviato dai compagni*, he was led astray by his friends B v. i. e **sviàrsi** v. i. pron. to stray; to go* astray.

sviàto a. (*traviato*) led astray (pred.).

sviatòio m. (*ferr.*) derailer.

svicolàre v. i. **1** (*scantonare in un vicolo*) to take* (o to slip into) a side-street (*o* an alley) **2** (*fam.*: *svignarsela*) to slip away; to sneak off; to slink* off **3** (*fig.*: *eludere un argomento*) to be evasive; to equivocate; to quibble.

svignàre v. i. e **svignàrsela** v. i. pron. to slink* away (*o* off); to slip away; to sneak off; to decamp (*fam.*); to do* a bunk (*slang*).

svigorimento m. enfeeblement; weakening; debilitation.

svigorìre A v. t. to enfeeble; to weaken; to debilitate B **svigorìrsi** v. i. pron. to lose* one's vigour; to grow* weak.

sviliménto m. **1** debasement; degradation **2** (*deprezzamento*) debasement; depreciation.

svilìre v. t. **1** to debase; to degrade **2** (*deprezzare*) to debase; to depreciate.

svillaneggiaménto m. insulting; abusing.

svillaneggiàre A v. t. to insult; to abuse B **svillaneggiàrsi** v. rifl. recipr. to abuse each other [one another].

sviluppàbile a. developable.

◆**sviluppàre** A v. t. **1** (*lett.*: *disfare*) to untie; to undo*; (*sciogliere*) to loosen; (*srotolare*) to unfold, to unroll: **s. un nodo**, to untie (*o* to undo, to loosen) a knot **2** (*svolgere, trattare*) to develop; to expand on; (*discutere*) to discuss, to go* into; (*elaborare*) to work out; (*ampliare*) to enlarge, to amplify: **s. un argomento**, to expand on a topic; **s. un'idea**, to develop an idea; **s. un piano d'attacco**, to work out a plan of attack; **s. un tema**, to write [to speak] at length on a subject **3** (*far crescere, potenziare*) to develop; to expand; to increase; to improve; to build* up; to grow* (*USA*); (*rafforzare*) to strengthen, to build* up: **s. un'azienda**, to develop (*o* to expand) a business; **s. la mente**, to develop (*o* to improve) one's mind; (*econ.*) **s. un mercato**, to grow a market; **s. i muscoli**, to build up the muscles; **s. la rete autostradale**, to expand the motorway network **4** (*produrre*) to generate; (*emettere, sprigionare*) to emit, to give* off, to discharge, to release; (*provocare*) to cause, to start, to set* off: **s. calore**, to generate (*o* to release) heat; **s. gas tossici**, to generates toxic gases; **s. un incendio**, to start a fire **5** (*fotogr.*) to develop; to process **6** (*mat.*) to develop; to expand; (*geom.*) to develop B v. i. e **svilupparsi** v. i. pron. **1** (*maturare*) to develop; (*crescere*) to grow*: *La farfalla si sviluppa nel bozzolo*, butterflies develop inside a cocoon; *Il bambino si sviluppa bene*, the child is growing well **2** (*raggiungere la pubertà*) to reach puberty, (*mestruarsi*) to menstruate: *La bambina si è sviluppata tardi*, the little girl menstruated late C **svilupparsi** v. i. pron. **1** (*aumentare, progredire*) to develop; (*rafforzarsi*) to strengthen; (*espandersi*) to expand, to develop, to grow*: *L'altezza media della popolazione si è notevolmente sviluppata in questo secolo*, the average height of the population has grown considerably in this century; *I muscoli si sviluppano con l'esercizio*, muscles strengthen (*o* are strengthened, are built up) with exercise; *Questo ramo dell'industria si svilupperà presto*, this branch of industry will soon develop **2** (*manifestarsi*) to break* out; (*diffondersi*) to spread*; (*avere inizio*) to begin*, to start: *Si è sviluppata*

un'epidemia, an epidemic has broken out; *Si sviluppò un incendio*, a fire broke out **3** (*svolgersi*) – *Il racconto si sviluppa lungo due trame*, the story has a double plot; *Il percorso si sviluppa su un terreno misto*, the course covers a mixed terrain **4** (*venire emesso*) to issue; to be emitted; to be discharged **5** (*lett.*: *svincolarsi*) to break* free (*o* loose): **svilupparsi da una stretta**, to break free (*o* loose) from a grip.

sviluppàto a. **1** (*evoluto, progredito*) developed; advanced: **economicamente s.**, economically developed; **paesi sviluppati**, developed countries **2** (*cresciuto*) developed; grown; (*robusto*) strong, robust, sturdy: **fisico ben s.**, well-built body; **poco s.**, underdeveloped **3** (*pubere*) pubescent.

sviluppatóre m. **1** (f. **-trice**) developer **2** (*fotogr., chim.*) developer.

sviluppatrìce f. (*cinem., fotogr.*) developing tank.

♦**svilùppo** m. **1** (*espansione, incremento*) expansion; development; growth; (*promozione*) promotion: **lo s. di una città [del commercio]**, the expansion (*o* the growth) of a city [of trade]; **lo s. di un'azienda**, the growth of a business; (*comm.*) **s. delle vendite**, sales promotion; **s. sostenibile**, sustainable development; **in pieno s.**, thriving; booming; **in via di s.**, developing; **attraversare un periodo di rapido s.**, to go through a phase of rapid growth; **area di s.**, development area **2** (*svolgimento, trattazione*) working out; development: **lo s. di un'idea**, the development of an idea; **lo s. di un piano d'attacco**, the working out of a plan of attack; **dare più s. alle parti descrittive**, to expand the descriptive parts **3** (*estensione*) length; extent; expanse: **lo s. della rete autostradale**, the total length of the motorway network **4** (*biol.*) development; (*crescita*) growth; (*rafforzamento*) strengthening: **s. embrionale**, embryo development; **s. insufficiente**, underdevelopment; **s. psicofisico**, physical and psychic development; **s. ritardato**, retarded growth; **arrestare lo s. di qc.**, to check the development of st.; **raggiungere il pieno s.**, to reach full growth (*o* development); to be fully developed; **età dello s.**, age of development; puberty **5** (*evoluzione*) development: **gli sviluppi di una situazione [di una crisi]**, the developments of a situation [of a crisis] **6** (*emissione*) generation: **lo s. di gas [d'elettricità]**, the generation of gas [of electricity] **7** (*fotogr.*) development; processing: **bagno di s.**, developing bath **8** (*mat.*) development; expansion; (*geom.*) development **9** (*mus.*) development.

SVIMEZ abbr. (**Associazione per lo sviluppo dell'industria nel mezzogiorno**) Association for the Development of Industry in Southern Italy.

svinàre v. t. (*enologia*) to rack off wine from (*a vat*).

svinatùra f. (*enologia*) racking off (of wine).

svincolaménto m. **1** (*il liberare da un vincolo*) releasing; release; freeing **2** (*leg.*) redemption **3** (*comm.*) customs clearance; clearing.

svincolàre v. t. **1** (*liberare da un vincolo*) to release; to free **2** (*leg.*) to release; to redeem; (*un oggetto impegnato*) to take* out of pawn; to redeem: **s. una proprietà da ipoteca**, to redeem a mortgaged property **3** (*comm.: sdoganare*) to clear: **s. merci dalla dogana**, to clear goods through customs ⓑ **svincolàrsi** v. rifl. to free oneself; to disengage oneself.

svincolo m. **1** (*comm.*) customs clearance; clearing; **certificato di s.**, clearance certificate **2** (*autostradale*) junction; interchange: **s. a quadrifoglio**, cloverleaf junction; **s. a**

rotatoria, traffic circle; **s. a trombetta**, trumpet interchange **3** (*leg.*: *riscatto*) release; redemption: **s. di oggetti impegnati**, redemption of pawned articles.

sviolinàre v. t. (*fam.*) to flatter; to sweet-talk.

sviolinàta, sviolinatùra f. (*fam.*) flattery ⓤ; sweet-talk ⓤ: **fare sviolinate a q.**, to flatter sb.; to sweet-talk sb.

svìrgola f. (*pop.*) heavy blow.

svirgolàre v. t. (*pop.*) **1** to hit* violently **2** (*calcio*) to slice.

svirgolàta f. (*calcio*) sliced ball.

svirilizzàre v. t. **1** to emasculate; to unman **2** (*fig.*) to emasculate; to enfeeble; to enervate.

svisaménto m. distortion; misrepresentation; misinterpretation; twisting.

svisàre v. t. to distort; to misrepresent; to misinterpret; to twist: **s. i fatti**, to misrepresent the facts; **s. le parole di q.**, to misinterpret (*o* to twist) sb.'s words; **s. la verità**, to distort the truth.

svisceraménto m. **1** disembowelling; evisceration; (*di volatile*) drawing; (*di pesce*) gutting **2** (*fig.*) thorough examination; in-depth analysis.

svisceràre v. t. **1** (*sventrare*) to disembowel; to eviscerate; (*un volatile*) to draw*; (*un pesce*) to gut **2** (*fig.*) to examine thoroughly (*o* in depth); to dissect: **s. un argomento**, to examine a subject in depth ⓑ **svisceràrsi** v. rifl. to dote (on).

sviscerataménte avv. passionately; ardently; heart and soul: **amare s.**, to love passionately; to dote on; to be passionately fond of; *Ama s. il teatro*, she is passionately fond of theatre.

svisceratézza f. ardour; intensity.

svisceràto a. **1** (*appassionato*) passionate; ardent: **ammirazione sviscerata**, ardent admiration; **amore s.**, passionate love **2** (*esagerato*) excessive; fulsome: **lodi sviscerate**, extravagant praise.

svìsta f. oversight; slip; mistake: **commettere una s.**, to make a slip; **per una s.**, through an oversight; by mistake; inadvertently.

svitaménto m. unscrewing.

svitàre v. t. to unscrew; to twist off ⓑ **svitàrsi** v. i. pron. to unscrew; to come* unscrewed; to work loose.

svitàto Ⓐ a. **1** (*mecc.*) unscrewed **2** (*fam.*: *strambo*) daft; dotty; screwy; wacky (*USA*) Ⓑ m. (f. **-a**) (*fam.*) crackpot; screwball (*fam. USA*).

svitatùra f. (*mecc.*) unscrewing.

svìzzera f. (*cucina*) hamburger.

Svìzzera f. (*geogr.*) Switzerland.

svìzzero Ⓐ a. Swiss: **coltello s.**, Swiss army knife; **il confine s.**, the Swiss border; **le guardie svizzere**, the Swiss Guards Ⓑ m. **1** (f. **-a**) (*abitante della Svizzera*) Swiss **2** (*soldato del Papa*) Swiss Guard.

svogliàrsi v. i. pron. to lose* interest (in).

svogliatàggine f. laziness; indolence.

svogliataménte avv. listlessly; unwillingly; (*indolentemente*) indolently, lazily.

svogliatézza f. (*fiacchezza*) listlessness; (*indolenza*) indolence, laziness, (*apatia*) apathy.

svogliàto Ⓐ a. (*fiacco*) listless; (*indolente*) indolent, lazy Ⓑ m. (f. **-a**) indolent person; lazybones (*fam.*).

svolazzaménto m. fluttering; flitting.

svolazzànte a. **1** flying about; fluttering; flitting **2** (*agitato dal vento*) flapping; fluttering; (*di capelli, ecc.*) streaming: **bandiere svolazzanti**, flapping flags; **capelli svolazzanti**, streaming hair **3** (*con svolazzi*) ornate; embellished: **firma s.**, ornate signa-

ture; signature with a flourish.

♦**svolazzàre** v. i. **1** to flutter; to fly* about; to flit: *L'uccello svolazzava nella gabbia*, the bird was fluttering (its wings) in the cage; *Le farfalle svolazzavano tra i fiori*, butterflies were flitting among the flowers **2** (*essere agitato dal vento*) to flap; to flutter; (*di capelli, ecc.*) to stream **3** (*fig.*: *essere incostante*) to flit: *Svolazza da una ragazza all'altra*, he flits from one girl to the next.

svolàzzo m. **1** (*lo svolazzare*) fluttering; flitting **2** (*nella scrittura*) flourish; curlicue: **firmare con lo s.**, to sign with a flourish **3** (*fig.*: *ornamento retorico*) embellishment; flourish **4** (*arald.*) lambrequin.

♦**svòlgere** Ⓐ v. t. **1** to unwind*; to uncoil; (*srotolare*) to unroll, (*da rocchetto, ecc.*) to unreel, to reel off; (*distendere*) to unfold; (*scartare, ecc.*) to unwrap: **s. una fune**, to uncoil a rope; **s. un gomitolo di lana**, to unwind a ball of wool; **s. un pacco**, to unwrap a parcel; **s. una pellicola [una pezza di stoffa]**, to unroll a film [a roll of cloth] **2** (*sviluppare*) to develop; (*trattare*) to treat; (*scrivere*) to write*: **s. un argomento in modo esauriente**, to treat a subject thoroughly; **s. un tema**, to write an essay **3** (*attuare, eseguire*) to carry out; to perform; to conduct; to do*: **s. un compito**, to carry out a task; **s. le funzioni di direttore**, to act as director; **s. un'inchiesta**, to conduct an inquiry; **s. un lavoro**, to do a job; **s. una missione**, to carry out a mission; **s. un programma**, to carry out a programme; *Che attività svolgi?*, what do you do?; what is your profession? Ⓑ **svòlgersi** v. rifl. (*liberarsi, sciogliersi*) to free oneself (from); to get* out (of) Ⓒ **svòlgersi** v. i. pron. **1** (*srotolarsi*) to unwind*; to uncoil; to unroll; to unreel: *La pellicola si svolge automaticamente*, the film unwinds automatically **2** (*dispiegarsi*) to unfold: *Sotto di noi si svolgeva una vista impressionante*, an impressive view unfolded below us **3** (*accadere*) to happen; to occur; (*procedere*) to go* on; (*avere luogo*) to take* place, to go* off; (*di gara, ecc.*) to be held: *Come si sono svolti i fatti?*, what happened?; how did it take place?; *La manifestazione si è svolta ordinatamente*, the demonstration took place without incident; *La partita si svolgerà a Firenze*, the match will be played in Florence; *La cerimonia si è svolta senza intoppi*, the ceremony went off smoothly **4** (*essere ambientato*) to be set: *La vicenda si svolge nella Roma del Seicento*, the story is set in seventeenth-century Rome.

svolgiménto m. **1** (*srotolamento*) unwinding, unrolling; (*dispiegamento*) unfolding **2** (*sviluppo*) development; (*andamento*) course, progress; (*esecuzione*) carrying out, execution; (*sequenza*) sequence, order: **ricostruire lo s. dei fatti**, to reconstruct the order of events; **durante lo s. della cerimonia**, while (*o* as) the ceremony was taking place; **essere in (corso di) s.**, to be under way; to be in progress; **nello s. delle proprie funzioni**, in the course of one's duty; *La cerimonia ha avuto regolare s.*, the ceremony took place as scheduled; *La manifestazione ha avuto uno s. regolare*, the demonstration went off without incident **3** (*trattazione*) treatment; development: **lo s. di un argomento**, the treatment of a subject; **lo s. di un'idea**, the development of an idea; (*a scuola*) *Lo s. del tema è un po' superficiale*, the essay (*USA* the theme) is rather superficial **4** (*mus.*) development.

svòlta f. **1** (*curva*) bend; turn; turning; corner: **s. pericolosa**, dangerous bend; *La strada fa una s. a destra*, the road turns right; *Fermati dopo la seconda s.*, stop after the second turning; *Attento alla s.*, take care at the corner; take care when you turn

a b c d e f g h i j k l m n o p q r **s** t u v w x y z

2 (*manovra*) turning: **fare una s. improvvisa**, to turn suddenly; (*autom.*) **divieto di s.** (*cartello*), ahead only; (*autom.*) **divieto di s. a destra [a sinistra]** (*cartello*), no right [left] turn **3** (*fig.*: *mutamento*) change; shift; swing; change of tack; (*decisivo*) turning point, watershed: **una s. a destra nell'elettorato**, a swing to the right in the electorate; **una s. nel partito**, a shift in the party; **una s. nella politica economica**, a change in economic policy; **una s. nella propria vita**, a turning point in one's life; **s. storica**, turning point in history; **segnare una s.**, to mark a turning point; to be epoch-making.

svoltàre v. i. to turn: **s. a sinistra [a destra]**, to turn (to the) left [right]; **s. all'angolo**, to turn the corner; **s. in un vicolo**, to turn into an alley.

svoltàta f. **1** (*lo svoltare*) turning **2** → **svolta**.

svòlto a. **1** unwound; uncoiled; (*srotolato*) unrolled; (*spiegato*) unfolded; (*scartato*, *ecc.*) unwrapped **2** (*sviluppato*) developed; (*eseguito*) carried out **3** (*trattato*) dealt with; treated.

svoltolàre v. t. to unwrap.

SVP sigla (*polit.*, *ted.*: *Südtiroler VolksPartei*) (**Partito popolare sud tirolese**) South Tyrol Peoples Party.

svuotaménto m. emptying (out); draining; (*evacuazione*) evacuation: **lo s. di un bacino**, the draining of a reservoir.

svuotàre Ⓐ v. t. **1** (*vuotare*) to empty (out); to drain; (*fisiol.*) to void: **s. una bottiglia**, to empty a bottle; **s. una cassaforte**, to empty (*di ladro*, *anche* to clear out) a safe; **s. l'intestino**, to void the bowels; **s. un serbatoio**, to drain a tank; **s. le tasche** (*borseggia-*

re), to pick sb.'s pockets; **svuotarsi le tasche**, to empty out one's pockets **2** (*rendere cavo*) to hollow out **3** (*fig.*) to empty; to deprive: **s. una frase d'ogni significato**, to empty a phrase of all meaning Ⓑ **svuotàrsi** v. i. pron. to empty (out).

svuotàto a. **1** emptied; empty; drained **2** (*fig.*: *privato*) empty; devoid (of): **s. di ogni contenuto**, devoid of its content **3** (*fig.*: *esausto*) drained; exhausted; spent.

swahili a. e m. (*ling.*) Swahili.

swap m. inv. (*fin.*) swap.

swattàre v. t. (*elettr.*) to make* wattless.

swing (*ingl.*) m. inv. (*mus.*, *boxe*) swing.

switch (*ingl.*) m. inv. (*tecn.*, *banca*, *comput.*) switch.

Sx abbr. (**sinistro**, **sinistra**) left.

sympòsium m. inv. symposium*.

t, T

T ① , **t** f. o m. (*diciottesima lettera dell'alfabeto ital.*) T, t ● (*telef.*) **t come Torino**, t for Tango □ **a forma di T**, T-shaped □ **incrocio a T**, T-junction □ **squadra a T**, T-square; tee-square.

T ② sigla **1** (*insegna*, **tabacchi**, **tabaccaio**) tobacconists **2** (**telefono**) telephone **3** (**Terra**) Earth **4** (*ascensore*, (**piano**) **terreno**) ground floor (*GB*); first floor (*USA*) **5** (*scacchi*, **torre**) rook (R) **6** (*traforo* (*o tunnel*)) tunnel.

t sigla **1** (*comm.*, **tara**) tare (t.) **2** (*fis.*, **tempo**) time (t).

TA abbr. (**Taranto**).

tab. abbr. (**tabella**) table.

tabaccàio m. (f. **-a**) **1** (*negoziante*) tobacconist **2** (*negozio*) tobacconist's.

tabaccàre v. i. to take* snuff.

tabaccàto a. tobacco-coloured; tobacco (attr.).

tabaccherìa f. tobacconist's (shop).

tabacchicoltóre m. (f. **-trìce**) tobacco grower.

tabacchicoltùra f. tobacco-growing.

tabacchièra f. snuffbox ● **t. per sigarette**, cigarette case.

tabacchifìcio m. tobacco factory (*o* mill).

tabacchìno m. (f. **-a**) **1** tobacco worker **2** (*region.*) → **tabaccaio**.

♦**tabàcco** Ⓐ m. **1** (*bot.*, *Nicotiana tabacum*) tobacco (plant) **2** (*il prodotto*) tobacco: **t. da fiuto** (*o da naso*), snuff; **t. da fumo**, smoking tobacco; **t. da masticare**, chewing tobacco; **t. da pipa**, pipe tobacco; **t. biondo**, light-coloured tobacco; **t. dolce**, mild tobacco; **t. forte**, strong tobacco; **t. grossolano**, shag; **t. in foglie**, leaf tobacco; **t. trinciato**, cut tobacco; **fiutare t.**, to take snuff; **masticare t.**, to chew tobacco; **borsa del t.**, tobacco pouch; **manifattura di tabacchi**, tobacco factory (*o* mill); **miscela di t.** (*per pipa*), smoking mixture; **presa di t.**, pinch of snuff; **rivendita di tabacchi**, tobacconist's (shop) Ⓑ a. inv. tobacco brown; tobacco-coloured; tobacco (attr.).

tabaccóne m. heavy snuff-taker.

tabaccóso a. (*macchiato di tabacco*) tobacco-stained; (*che odora di tabacco*) smelling of tobacco.

tabacósi f. (*med.*) tobaccosis.

tabàgico a. tobacco (attr.).

tabagìsmo m. (*med.*) nicotinism; nicotine poisoning.

tabagìsta m. e f. habitual (*o* heavy) smoker.

tabarin (*franc.*) m. inv. nightclub.

tabàrro m. **1** (*stor.*) heavy cloak; tabard **2** (*scherz.*) overcoat.

tabàsco m. Tabasco (sauce).

tàbe f. **1** (*med.*) tabes: **t. dorsale**, tabes dorsalis (*lat.*) **2** (*fig.*) rot; corruption.

♦**tabèlla** f. **1** (*prospetto*) table; schedule; chart; (*lista*) list: **t. di conversione**, conversion table; **t. di marcia**, schedule; (*fig.*, *anche*) timetable, work schedule; **rispettare la t. di marcia**, to stick to the timetable; **in anticipo** [**in ritardo**] **sulla t. di marcia**, ahead of [behind] schedule; (*naut.*) **t. dei noli**,

schedule of freight rates; **t. degli orari**, timetable; **t. dei prezzi**, price list; **t. retributiva**, salary [wage] scale **2** (*tabellone*) (notice) board.

tabellàre a. **1** (*di tavoletta*) table (attr.) **2** (*di una tabella*, *basato di una tabella*) schedule (attr.); tabular: **dati tabellari**, tabular data; (*ass.*) **tariffa t.**, schedule rate; specific rate **3** (*disposto in tabella*) tabular: **disposizione t.**, tabulation; **in forma t.**, in tabular form.

tabellàto a. tabular; schedule (attr.).

tabellazióne f. schedule; list.

tabellìna f. **1** table; chart. **2** (*tavola pitagorica*) (multiplication) table: **la t. del sei**, the six times table; **imparare le tabelline**, to learn one's tables.

tabellionàto m. (*stor.*) profession of notary public.

tabellóne m. **1** board; (*per punteggio*) scoreboard; (*per avvisi*) notice board, bulletin board (*USA*); (*in stazione, aeroporto, ecc.*) indicator **2** (*per affissioni*) hoarding; billboard (*USA*): **t. pubblicitario**, advertising hoarding; billboard **3** (*basket*) backboard.

tabernàcolo m. **1** (*cappella*) shrine; (*ciborio*) tabernacle, ciborium* **2** (*ebraismo*) tabernacle **3** (*mil. stor.*) tent; marquee.

tabètico a. (*med.*) tabetic; tabescent.

tabì m. (*tessuto*) tabby.

tàbico a. (*med.*) tabetic.

tabla f. pl. (*mus.*) tabla.

tableau (*franc.*) m. inv. **1** roulette table **2** (*quadro*) table; schedule; chart.

tablìno m. (*archeol.*) tablinum*.

tabloid (*ingl.*) m. e a. inv. (*giorn.*) tabloid: **formato t.**, tabloid format.

tablòide m. (*farm.*) tabloid; tablet.

tabù a. e m. taboo: **t. linguistico** [**religioso**], linguistic [religious] taboo; **argomento t.**, taboo subject; **dichiarare t.**, to taboo; to place under a taboo.

tabuàto a. (*ling.*) taboo (attr.).

tabuizzàre v. t. to taboo.

tàbula ràsa (*lat.*) loc. f. inv. tabula rasa; blank sheet ● **fare tabula rasa di qc.**, to make a clean sweep of st.; to strip st. bare.

tabulàre ① a. (*in tutti i sensi*) tabular: (*miner.*) **cristallo t.**, tabular crystal; (*mat.*) **differenza t.**, tabular difference; **presentazione t.**, tabular presentation; **disporre in forma t.**, to tabulate.

tabulàre ② v. t. to tabulate: **t. dati statistici**, to tabulate statistics.

tabulàrio m. (*archeol.*) tabularium*; tabulary.

tabulàto Ⓐ a. tabulated Ⓑ m. (*comput.*) printout; hard copy.

tabulatóre m. tabulator; tab; (*il tasto*) tab key.

tabulatrìce f. tabulating machine; tabulator.

tabulazióne f. tabulation; tabulating.

tac inter. **1** (*rumore*) click; clack **2** (*fig.: per sottolineare qc. di improvviso*) lo and behold, bang; (*per sottolineare qc. di difficile compiuto con successo*) hey presto!: *Entro nel negozio e tac!, ecco Paola*, I went into the shop and lo and behold, there was Paola; *Premi questo*

pulsante e tac!, si apre la porta, you press this button and, hey presto! the door opens.

TAC sigla (*med.*, **tomografia assiale computerizzata**) computerized axial tomography (CAT).

tàcca f. **1** (*incisione*) notch; (*ammaccatura*) dent; (*su una lama*) nick: **t. su un bastone**, notch in a stick; (*leg.*) **t. di contrassegno**, tally mark; **t. di mira**, backsight; **t. sul tavolo**, dent in the table; **coltello pieno di tacche**, knifeblade full of nicks; **fare una t. su qc.**, (*incidere*) to cut a notch in st.; to notch st.; (*ammaccare*) to make a dent in st., to nick st. **2** (*tipogr.*) nick **3** (*fig.: statura, levatura*) degree; level: **di mezza t.**, insignificant; small-time (attr.); **ladro di mezza t.**, small-time thief; **uomo di mezza t.**, mediocrity; pipsqueak **4** (*macchia*) spot; mark **5** (*fig.: difetto*) fault; flaw; blemish **6** (*alpinismo: appiglio per la mano*) hold, handhold; (*per il piede*) foothold.

taccagnerìa f. stinginess; niggardliness; cheeseparing.

taccàgno Ⓐ a. stingy; niggardly; cheeseparing; mean; tight (with one's money); tight-fisted Ⓑ m. (f. **-a**) miser; niggard; skinflint; cheapskate (*fam.*); tightwad (*fam. USA*): *Non fare il t.!*, don't be so mean!; don't be such a skinflint!

taccamàcca f. tacamahac; American elemi.

taccàta f. (*naut.*) keel-block; (*al pl. anche*) stocks.

taccheggiàre ① v. t. (*tipogr.*) to interlay*; to underlay*.

taccheggiàre ② v. t. e i. to shoplift.

taccheggiatóre m. (f. **-trìce**) shoplifter.

tacchéggio ① m. (*tipogr.*) interlaying; underlaying; make-ready.

tacchéggio ② m. shoplifting.

tàcchete → **tac**.

tacchettàre v. i. (*fam.*) to tap (*o* to clack) one's heels.

tacchettìo m. tapping (*o* clacking) of heels.

tacchétto m. **1** (*di scarpa femm.*) high heel **2** (*di scarpa sportiva*) stud; (*chiodo*) spike: **scarpe coi tacchetti**, spiked shoes; spikes **3** (*naut.*) cleat **4** (*ind. tess.*) picker.

tacchìna f. (*zool.*) turkey hen.

tacchinàre v. t. (*gergo giov.*) to make* up to; to chat up.

♦**tacchìno** m. (*zool.*, *Meleagris gallopavo*) turkey; (*il maschio*) turkey cock: **arrosto di t.**, roast turkey ● **diventare rosso come un t.**, to go as red as a beetroot □ *Pare un t. quando fa la ruota*, (*si pavoneggia*) he's as proud as a peacock; (*è soddisfattissimo*) he's as pleased as Punch.

tacchinòtto m. young turkey; (turkey) poult.

tàccia f. (bad) reputation: **avere la t. di bugiardo**, to have a reputation for lying (*o* for being a liar).

tacciàbile a. chargeable (with); liable to be accused (of).

tacciàre v. t. to accuse (sb. of st.); to charge (sb. with st.): **t. q. di tradimento**, to accuse sb. of treason; **t. q. di essere bugiar-**

do, to accuse sb. of lying; to call sb. a liar.

♦**tàcco** m. **1** heel: **t. alto** [**basso**], high [low] heel; **scarpe coi tacchi** (**alti**), high-heeled shoes; heels; **scarpe coi tacchi bassi**, low-heeled (*o* flat-heeled) shoes; **t. a spillo**, stiletto (heel); spike (heel); **scarpe col t. a spillo**, stilettos; spikes; **senza tacchi**, flat-heeled; (*sport*) **colpire di t.**, to heel; **rifare i tacchi a**, to re-heel; **sbattere i tacchi**, to click one's heels; (*sport*) **colpo di t.**, heel **2** (*cuneo*) wedge; chock **3** (*tipogr.*) interlay; underlay • (*fig.*) **alzare** (*o* **battere**) **i tacchi**, to take to one's heels; to show a clean pair of heels □ **girare i** (*o* **sui**) **tacchi**, to turn (*o* to spin) on one's heels.

tàccola ① f. (*zool., Corvus monedula*) jackdaw.

tàccola ② f. (*bot., region.*) mangetout; sugar pea.

tàccola ③ f. (*magagna*) flaw; blemish; fault.

taccóne m. **1** (*region.*: *toppa*) patch **2** (*bulletta*) hobnail.

♦**taccuìno** m. notebook; pocket-book.

♦**tacére** Ⓐ v. i. **1** (*non parlare*) to be silent; (*rimanere in silenzio, non dire nulla*) to keep* silent (*o* quiet), to say* nothing, to hold* one's tongue; (*smettere di parlare*) to fall* silent, to hush, to shut* up: **t. per la vergogna** [**per la paura**], to be too ashamed [afraid] to speak; **t. su qc.**, to keep quiet about st.; *Taci!*, hush!; be quiet!; hold your tongue! (*fam.*); shut up! (*fam.*); *Tacque per qualche secondo e poi riprese*, he was silent for a few seconds, and then went on; *Ti conviene t., se non vuoi guai*, you'd better hold your tongue, if you don't want to get into trouble; *Finora ho taciuto, ma adesso...*, I've kept silent (*o* I've said nothing) so far, but now...; *Quand'è così, taccio*, if things are like that, I've nothing more to say; *La legge tace su questo*, the law is silent on this point; **far t.**, to silence; (*zittire*) to hush; **far t. la voce della coscienza**, to silence one's conscience; **far t. un bambino con una caramella**, to hush a child with a sweet; *Fa' t. i bambini!*, do keep those children quiet!; *Fate t. quella radio!*, turn off that radio!; **mettere a t. uno scandalo**, to hush up a scandal; **mettere a t. una voce**, to spike a rumour; **saper t.**, to know when to keep silent; (*saper tenere un segreto*) to know how to keep a secret; **per t. di...**, not to mention...; to say nothing of... **2** (*non fare rumore, essere silenzioso*) to be silent, to be still; (*smettere di far rumore*) to go* silent; (*di rumore, suono: cessare*) to stop, to cease, to die (down); (*di strumento musicale: non suonare*) to be silent; (*smettere di suonare*) to stop playing: *La città taceva*, the city was silent (*o* still); *Tace ogni rumore*, all is silent; *Tutto taceva*, everything was still; *Il telefono tacque di colpo*, the telephone suddenly went silent • (*prov.*) *Chi tace acconsente*, silence gives consent Ⓑ v. t. (*non dire, non rivelare*) to keep* quiet about, to say* nothing about, not to reveal, to hold* back, to withhold*; (*non menzionare*) not to mention; (*celare*) to hide*, to suppress; (*omettere, tralasciare*) to omit, to leave* out: **t. un fatto importante**, not to mention (*o* to keep quiet about) an important fact; **t. il nome di q.**, (*non citarlo*) not to mention sb.'s name; (*non rivelarlo*) not to give a name, to refuse to name sb.; *La persona di cui tacerò il nome*, the person whose name I shall not mention (*o* who shall be nameless); **t. i propri meriti**, to keep quiet (*o* to hide) one's merits; **t. la verità**, to hold back the truth; *Tu mi stai tacendo qualcosa*, you are keeping something back from me, *Non posso t. che...*, I cannot avoid saying that...; *I particolari sono stati volutamente taciuti*, the details have been suppressed Ⓒ m. silence; (*prov.*) *Un bel tacer non fu mai scritto*, silence is golden.

tacheomètrico a. tacheometric; tachymetric.

tacheòmetro m. tacheometer.

tachicardìa f. (*med.*) tachycardia.

tachicàrdico a. e m. (*med.*) tachycardiac.

tachigrafìa f. tachygraphy.

tachigràfico a. tachygraphic.

tachìgrafo m. (*autom.*) tachograph.

tachilalìa f. (*psic.*) tachylalia.

tachimètrico a. tachymetric.

tachìmetro m. speedometer; speed indicator; tachometer: **t. registratore**, tachograph.

tachìone m. (*fis. nucl.*) tachyon.

tachipèssi, tachipessìa f. deep-freezing.

tachipnèa f. (*med.*) tachypnea.

tachipsichìsmo m. (*psic.*) tachypsychism.

tachisme (*franc.*) m. inv., **tachìsmo** m. (*pitt.*) tachisme.

tachìsta m. e f. (*pitt.*) tachist (painter).

tachistoscòpio m. (*psic.*) tachystoscope.

tacitaménto m. **1** (*di un creditore*) stalling **2** (*di uno scandalo, ecc.*) hushing up; covering up.

tacitàre v. t. **1** (*un creditore*) to stall **2** (*mettere a tacere*) to silence; (*uno scandalo, ecc.*) to hush up, to cover up.

tacitiàno a. **1** (*letter.*) Tacitean **2** (*fig.*) concise; lapidary.

tàcito a. **1** (*silenzioso*) silent; quiet: **tacita preghiera**, silent prayer; **t. rimprovero**, silent reproach **2** (*non espresso, implicito*) tacit: **t. accordo**, tacit agreement; **t. consenso**, implied (*o* implicit) consent.

Tàcito m. (*stor. letter.*) Tacitus.

taciturnità f. taciturnity; uncommunicativeness.

tacitùrno a. **1** (*silenzioso per natura*) taciturn; reserved; uncommunicative; quiet **2** (*che tace*) silent **3** (*lett.: di cosa*) noiseless; quiet; silent.

taciùto a. unsaid; unspoken.

tackle (*ingl.*) m. inv. (*calcio*) tackle; tackling: **t. scivolato**, sliding tackle; **bravo nel t.**, good at tackling; **entrare in t.**, to tackle.

tactìsmo → **tattismo**.

Taddèo m. Thaddeus.

tadórna f. (*zool., Tadorna tadorna*) shelduck.

TAEG sigla (*banca*, **tasso annuo effettivo globale**) annual percentage rate (of charge) (APR).

TAF sigla (*ferr.*, **treno ad alta frequentazione**) high-capacity (commuter) train.

taf → **taffete**.

tafanàrio m. (*scherz.*) backside (*fam.*); bum (*slang GB*); ass (*slang USA*).

tafàno m. **1** (*zool., Tabanus*) horsefly; gadfly **2** (*fig.*) pest; gadfly.

tafferùglio m. brawl; brawling Ⓤ; scuffle; scuffling Ⓤ: **un t. all'uscita del bar**, a brawl outside a bar; **tafferugli con la polizia**, scuffles with the police; **essere coinvolto in un t.**, to get drawn into a brawl; *Ne nacque un t.*, a scuffle broke out.

taffetà → **taffettà**.

tàffete inter. (*rumore*) bang!; crash! → **tac**, *def. 2*.

taffettà m. (*ind. tess.*) taffeta.

tafofobìa f. (*psic.*) taphephobia.

tafonomìa f. taphonomy.

tafònomo m. (f. **-a**) taphonomist.

tagàl m. (*ling.*) Tagalog.

tagète m. (*bot., Tagetes*) French marigold; tagetes.

tagìcco, tagico a. e m. Tajik.

tàglia ① f. **1** (*legnetto di contrassegno*) tally **2** (*statura*) height; (*corporatura*) build, frame: **di t. robusta**, well-built (agg.) **3** (*sartoria*) size: **t. forte**, large size; **t. unica**, single size; one size only; *Che t. hai?*, what size do you take?; **portare la t. 46**, to wear (*o* to take) size 46; **camicetta t. 42**, size 42 blouse **4** (*altezza di animale*) size: (*di animale*) size: **cane di t. media** [**piccola**], medium-sized [small-sized] dog **5** (*stor.: tributo di guerra*) tribute: **imporre una t. su q.**, to levy a tribute on sb. **6** (*premio di cattura*) price; reward; head money; bounty (*USA*): **mettere una t. su q.**, to put (*o* to set) a price on sb.'s head; **riscuotere la t.**, to collect the reward; *Gli pende sul capo una t. di 4000 dollari*, he's got a 4,000-dollar reward on his head; **cacciatore di taglie**, bounty hunter.

tàglia ② f. (*paranco*) four-fold tackle.

tagliabórdi, tagliabórdo m. edger.

tagliabórse m. e f. inv. (*stor.*) cutpurse; pickpocket.

tagliabòschi m. inv. woodcutter; logger; lumberjack (*USA*).

tagliacàlli m. corn-cutting knife.

tagliacàrte m. inv. **1** paperknife*; letter opener **2** (*macchina*) paper cutter.

tagliacèdole m. inv. coupon clipper.

tagliàcque m. inv. (*edil.*) cutwater.

tagliacùci f. overlocking machine; overlock; serger.

tagliaèrba m. inv. lawn-mower.

tagliafiàmma m. inv. (*mecc.*) flame-trap.

tagliafièno m. inv. (*agric.*) hay cutter.

tagliafìli m. inv. wire-cutter.

tagliafuòco Ⓐ m. inv. **1** (*edil.*) fire-stop; fire-barrier **2** (*teatr.*) safety curtain **3** (*agric.*) firebreak Ⓑ a. inv. fire-breaking; fire (*attr.*): **portello t.**, fire door; **sipario t.**, safety curtain.

♦**taglialégna** m. inv. woodcutter; logger; lumberjack (*USA*).

tagliamàre m. inv. (*naut.*) cutwater.

tagliàndo m. (*cedola*) coupon; (*scontrino*) slip, check, ticket • (*autom.*) **fare il t.**, to have one's car serviced.

tagliapàsta m. inv. (*cucina*) pastry cutter; pastry wheel.

tagliapiètre m. inv. stonecutter; (*scalpellino*) stonemason.

♦**tagliàre** Ⓐ v. t. **1** to cut*; to slit*; to slash: **t. un diamante**, to cut a diamond; **t. la gola a q.**, to cut (*o* to slit) sb.'s throat; **t. le gomme di un'auto**, to slash the tyres of a car; **t. le pagine di un libro**, to cut the pages of a book; **tagliarsi un dito**, to cut one's finger; **tagliarsi le vene**, to cut (*o* to slash) one's wrists **2** (*falciare*) to mow, to scythe; (*abbattere*) to cut* down, to fell; (*con cesoie*) to clip: **t. un albero**, to cut down (*o* to fell) a tree; **t. alberi** (*per farne legname*), to log; **t. un bosco**, to cut down a wood; **t. l'erba del prato**, to cut the grass; to mow the lawn; **t. il fieno**, to mow the hay; **t. il grano**, to reap (*o* to cut) the wheat; **t. una siepe**, to clip a hedge **3** (*fare a pezzi*) to cut*, to cut* up, to chop; (*affettare*) to slice; (*trinciare*) to carve: **t. a dadini**, to dice; to cube; **t. a metà**, to cut in half (*o* in halves); to halve; **t. a pezzi**, to cut into pieces (*o* into bits); to cut up; to chop; (*con violenza*) to hack to pieces; **t. a strisce**, to cut into strips; **t. in due**, to cut in two; to bisect; **t. in quattro**, to cut into four; to quarter; **t. legna**, to chop wood; **t. un pollo**, to carve a chicken; **t. un salame**, to slice a salami **4** (*staccare tagliando, tagliar via*) to cut* off; to chop off; to lop off; (*con forbici*) to snip off, to clip; (*pareggiare*) to trim: **t. la barba** [**i capelli**] **a q.**, to cut sb.'s beard [hair]; (*accorciarli*) to trim sb.'s beard [hair]; **t. la coda a un animale**, to dock an animal's tail; **t. una rosa da un cespuglio**, to

snip off a rose; **t. i rami di un albero**, to lop off the branches of a tree; **t. la testa a q.**, to cut sb.'s head off; **tagliarsi i capelli**, (*da soli*) to cut one's hair; (*dal parrucchiere*) to have one's hair cut, to get a haircut; **tagliarsi la barba**, (*accorciarla*) to trim one's beard; (*raderla*) to shave off one's beard; **tagliarsi le unghie**, to clip (*o* to cut, to pare) one's nails **5** (*ritagliare*) to cut* out: **t. una gonna da un pezzo di stoffa**, to cut a skirt out of a length of material; **t. un vestito**, to cut out a dress; **t. su misura**, to cut to measure; to tailor; **vestito tagliato su misura**, tailored suit; *La mia sarta taglia bene*, my dressmaker cuts very well **6** (*interrompere*) to cut* off; to stop: **t. la luce [il gas]**, to cut off the electricity [the gas] supply; **t. i rifornimenti al nemico**, to cut off the enemy's supplies; **t. il telefono**, to disconnect (*o* to cut off) the phone; **t. i viveri**, to cut off supplies; (*fig.*) to cut off (sb.'s) allowance **7** (*eliminare, cancellare*) to cut* out: **t. una scena da un film**, to cut a scene from a film **8** (*ridurre*) to cut*; to cut* down; to cut* down on: **t. un articolo**, to cut down (*o* to shorten) an article; **t. le spese**, to cut down on expenses **9** (*passare attaverso*) to cut* through, to cut* across; (*intersecare*) to cross, to cut* across, to intersect: **t. una curva**, to cut a corner; (*naut.*) **t. la rotta a q.**, to cut across sb.'s bows; **t. la strada a q.**, to cut across sb.'s path; (*autom.*) to cut in on sb.; (*fig.*) to get in sb.'s way; *Il sentiero tagliava il bosco*, the path cut through the wood; **una strada che ne taglia un'altra**, a road that crosses another **10** (*med.*: *amputare*) to cut* off, to amputate; (*incidere*) to lance, to cut* into: **t. un ascesso**, to lance (*o* to cut into) an abscess **11** (*enologia*) to mix: **t. un vino**, to mix two wines **12** (*droga*) to cut* **13** (*sport*: *tennis, ecc.*) to cut*; to slice; (*verso il basso*) to chop **14** (*nei giochi di carte*: *il mazzo*) to cut*; (*con un atout*) to trump: **t. le carte** (*o* **il mazzo**), to cut the pack; **t. una donna con il due di briscola**, to trump a queen with a two ● (*Per espressioni come* **t. la corda**, **t. il traguardo**, *ecc.* → **corda**, **traguardo**, *ecc.*) □ (*fig.*) **t. qc. alla radice**, to nip st. in the bud □ (*fig.*) **t. corto**, to come to the point; to cut a long story short □ (*fig.*) **t. di netto con q.**, to break off with sb.; to sever all relations with sb. □ (*comput.*) **taglia e incolla**, cut and paste □ **t. fuori q.** (*escludere*) to cut sb. out; to leave out sb.: *L'hanno tagliato fuori in quell'affare*, he was cut out on that deal □ **t. fuori una città** (*non attraversarla*), to bypass a town □ **nebbia da t. col coltello**, fog that you could cut with a knife; pea-souper (*fam.*) **B** v. i. **1** to cut*; (*essere affilato*) to be sharp: *Questo coltello taglia*, this knife cuts well (*o* is sharp); **forbici che non tagliano**, blunt scissors; *Attento, taglia!*, be careful, it's sharp! **2** (*prendere una scorciatoia*) to cut* across: **t. diritto**, to cut straight across; **t. per i campi**, to cut across the fields **C tagliàrsi** v. rifl. to cut* oneself: *Mi sono tagliato facendomi la barba*, I cut myself (*o* my face) while shaving **D** v. i. pron. (*dividersi, lacerarsi*) to split*; to tear*: *La seta si taglia facilmente nelle pieghe*, silk splits easily along the folds.

tagliaréte m. inv. (*naut.*) net cutter.

tagliasfòglia m. inv. pastry cutter; pastry wheel.

tagliasièpi m. inv. hedge shears (pl.); (*elettrico*) hedge trimmer, hedge cutter.

tagliasìgari m. inv. cigar cutter.

tagliastràcci m. inv. (*ind. cartaria*) rag chopper.

tagliàta f. **1** (*taglio*) cut, cutting; (*spuntatura*) trim, trimming: **una t. ai capelli**, a haircut; **dare una t. alla barba**, to give one's beard a trim **2** (*d'erba, di fieno*) mowing; (*di grano*) reaping **3** (*abbattuta d'alberi*) felling (of trees); clearing **4** (*cucina*) thinly sliced raw meat.

tagliatartùfi m. inv. truffle slicer.

tagliatèlle f. pl. (*cucina*) noodles; tagliatelle.

tagliàto a. **1** cut; cropped; (*staccato*) cut-off: **capelli tagliati a zero**, close-cropped hair; **capelli tagliati corti**, short hair; **diamante t.**, cut diamond; **rami tagliati**, cut-off (*o* lopped) branches **2** (*ridotto*) cut; abridged; **edizione tagliata**, cut (*o* abridged) edition; **film t.**, film with cuts; **non t.**, uncut; unabridged **3** (*fig.*: *portato*) cut out (for); with a talent (for): **t. per gli affari**, with a talent for business; **t. per far l'avvocato**, cut out to be a lawyer; *Non ci sono t.*, I'm not cut out for it **4** (*adatto*) tailor-made; made to measure; ideal: **un lavoro t. per q.**, a job tailor-made for sb.; **un marito t. apposta per lei**, an ideal husband for her **5** (*di vino*) blended; mixed **6** (*di droga*) cut **7** (*arald.*) per bend sinister ● (*fig.*) **t. all'antica**, old-fashioned; of the old school □ (*fig.*) **t. con l'accetta**, rough-hewn □ (*fig.*) **t. fuori**, (*escluso*) cut out; left out; (*isolato*) cut off; (*fuori posto*) out of place: *Mi sento un po' t. fuori in questo paesino*, I feel rather cut off from things in this village; *Mi sentivo t. fuori in quell'ambiente*, I felt out of place in the milieu □ (*sport*) **palla tagliata**, cut (*o* sliced) ball □ **roccia tagliata a picco**, sheer cliff.

tagliatóre m. (f. **-trìce**) **1** cutter **2** (*di gemme*) gem-cutter; lapidary.

tagliatrice f. (*mecc.*) cutting-machine; cutter.

tagliatùra f. **1** cutting **2** (*punto tagliato*) cut **3** (*ritaglio*) cutting; cut piece.

tagliaùnghie m. inv. nail clippers (pl.).

tagliauòva m. inv. egg slicer.

tagliavènto m. inv. **1** (*naut.*) storm sail **2** (*mil.*) nose cap.

tagliazòlle m. inv. turf spade; lawn aerator.

taglieggiaménto m. extortion; racketeering.

taglieggiàre v. t. **1** (*lett.*: *tassare*) to levy taxes from; to tax **2** (*estorcere denaro*) to extort money from; to shake* down (*fam. USA*): **essere taglieggiato**, to pay protection.

taglieggiatóre m. (f. **-trìce**) extortioner; racketeer.

tagliènte **A** a. **1** (*affilato*) sharp; sharp-edged: **coltello t.**, sharp knife; **lama t.**, sharp blade; **strumento t.**, sharp-edged tool **2** (*fig.*; *mordace*) sharp; cutting; biting; caustic: **battuta t.**, caustic remark; **lingua t.**, sharp (*o* cutting) tongue; **parole taglienti**, biting words; **voce t.**, sharp (*o* harsh) voice **3** (*fig.*: *netto*) sharp: **profilo t.**, sharp profile **4** (*fig.*: *aspro*) biting; cutting; bitter: **vento t.**, biting wind **B** m. (*filo di lama*) (cutting) edge; bit.

taglière m. chopping board; trencher; (*per pane*) bread board.

taglierìna f. **1** (*mecc.*) cutting machine; cutter; slasher; slitter **2** (*ind. cartaria*) (paper) cutter; (*a ghigliottina*) guillotine **3** (*fotogr.*) trimmer.

taglierìni m. pl. (*cucina*) fine noodles; taglierini.

taglierìno m. box cutter.

tagliétto m. **1** (*piccola ferita*) small cut; nick **2** (*mecc.*) wire cutter **3** (*della lettera t*) stroke: **mettere il t. alle t**, to cross one's t's.

♦**tàglio** m. **1** (*il tagliare*) cutting, chopping, slashing; (*pareggiamento*) trimming; (*dei capelli*) haircutting, haircut; (*di erba*) mowing; (*di raccolto*) reaping; (*di salame, ecc.*) slicing; (*di arrosto, ecc.*) carving: **il t. della barba**, the trimming of the beard; **il t. della testa**, beheading; **essere condannato al t. della testa**, to be sentenced to being beheaded; **il t. del vetro**, glass-cutting; **t. di alberi** (*per farne legname*), logging; **fare il t. di un bosco**, to cut down a wood; **arma da t.**, cutting (*o* sharp) weapon; **bosco da t.**, copse, copsewood; **ferita (di arma) da t.**, slash; **legna da t.**, timber; **maestro di t.** (*sarto*), cutter; (*edil.*) **pietra da t.**, freestone; **pizza [torte] al t.**, pizza [cakes] sold by the slice; **scuola di t.**, dressmaking school; tailoring school; **strumento da t.**, cutting (*o* sharp) tool **2** (*di strada, ecc.*: *apertura*) opening: **il t. di un istmo**, the opening of an isthmus **3** (*fig.*: *eliminazione*) cut; cutting; (*riduzione*) cutback, (*di prezzi*) slashing: **tagli alle spese**, spending cuts; cuts (*o* cutbacks) in expenditure; **tagli in un film**, cuts in a film; **fare ampi tagli a qc.**, to cut st. drastically; to slash st.; *Il programma subirà qualche t.*, there will be some cuts to the programme; **un «Amleto» senza tagli**, the uncut version of «Hamlet» **4** (*fig.*: *interruzione*) break; (*fine*) end: **t. netto**, clean break; **dare un t. al passato**, to make a break with the past; **dare un t. alla discussione**, to put an end to the discussion; **dare un t. a una relazione**, to break off a relationship; (*fam.*) *Dacci un t.!*, stop it!; cut it out! **5** (*incisione, ferita*) cut; slash; slit; incision: **un t. nella stoffa**, a slit in the fabric; **un t. in faccia**, a cut on one's face; **t. netto**, clean cut; slash; **un t. profondo in una gamba**, a deep cut in a leg; **t. superficiale**, slight cut; **t. vivo**, sharp cut; **un tavolo pieno di tagli**, a table full of cuts; **farsi un t. a un dito**, to cut one's finger; **praticare un t.**, to make an incision; to cut **6** (*med.*: *incisione*) incision, section; (*amputazione*) amputation: **t. cesareo**, Caesarean (section); **il t. di un braccio**, the amputation of an arm; **praticare un t. nell'ascesso**, to make an incision in the abscess **7** (*macelleria*) cut (of meat): **t. grasso [magro]**, fatty [lean] cut of meat; **t. nella lombata**, loin cut; cut off the loin; **t. per spezzatino [per lesso]**, cut of meat for stewing [boiling] **8** (*pezzo di stoffa*) length (of material): **t. d'abito**, (*da uomo*) suit-length; (*da donna*) dress-length **9** (*parte tagliente, filo*) (cutting) edge: **t. affilato [smussato]**, sharp [blunt] edge; **il t. di un rasoio**, the edge of a razor; **un rasoio col t. smussato**, a blunt razor; **a doppio t.**, double-edged (agg.); **dalla parte del t.**, on the cutting side **10** (*costa, lato*) edge: **il t. dorato di un libro**, the gilt edge of a book; **di t.**, edgeways; edgewise (*USA*); on edge; edge-on; **mettere di t.**, to place edge-on (*o* edgewise, edgeways); **colpo di t.**, (*con la mano*) chop; (*a una palla*) slice, cut, chop; **mattoni di t.**, bricks laid on edge **11** (*foggia, stile*) cut; style; (*di capelli*) hairstyle: **il t. di una giacca**, the cut of a jacket; **di t. inglese**, English-style (agg.); **di t. sportivo**, casual (agg.); **di t. classico**, with a classical cut; **di buon t.**, well-cut (agg.); well-tailored (agg.); *Ti sta bene questo t.* (*di capelli*), that hairstyle suits you **12** (*fig.*: *impostazione*) approach; slant; tone: **dare un t. nuovo a un argomento**, to put a new slant on a subject; **articolo di t. divulgativo**, popular article **13** (*di titoli, banconote*) denomination: **banconote di grosso [di piccolo] t.**, high-denomination [low-denomination] notes **14** (*formato*) size **15** (*tennis, ecc.*) cut **16** (*mecc.*) shear; shearing stress: **resistenza al t.**, resistance to shearing stress; **sforzo di t.**, shearing stress **17** (*oreficeria*) cut: **t. a smeraldo [a rosetta]**, emerald [rose] cut **18** (*geol.*) shear **19** (*di vini*) blending; mixing: **vino da t.**, blending wine **20** (*trattino di lettera*) stroke: **il t. della t**, the stroke of the t **21** (*mus.*: *lineetta*) ledger-line ● (*giorn.*) **articolo di t.**, centrally placed article □ (*giorn.*) **articolo di t. alto [basso]**, top-page [down-page] article □ (*fig.*) **cadere** (*o* **venire**) **a t.**, to come at the right moment □ **colpire di t.**, to hit edgeways; (*con una spada*,

ecc.) to slash; (*una palla*) to slice, to cut □ (*fig.*) **essere a doppio t.**, (*di frase, ecc.*) to be double-edged; (*di azione, misura*) to cut both ways.

tagliòla f. **1** (metal) leghold trap: **essere preso in una t.**, to be caught in a trap; **preparare una t.**, to set a trap **2** (*fig.*) trap; snare.

tagliolìni → **taglierini**.

tagliòlo m. chisel: **t. a freddo**, cold chisel.

taglióne ① m. retaliation; talion: **legge del t.**, lex talionis (*lat.*); law of retaliation; **applicare la legge del t. (a)**, to retaliate (on).

taglióne ② m. (*idraul.*) cut-off wall.

tagliuzzaménto m. cutting up; chopping; shredding; whittling.

tagliuzzàre v. t. to cut* up; (*in pezzetti*) to cut* into small pieces, to chop (finely); (*fare a brandelli*) to shred; (*ridurre togliendo strati*) to whittle: **t. un nastro**, to cut up a ribbon; **t. un pezzo di legno**, to whittle a piece of wood; **t. le verdure**, to chop the vegetables.

tagmèma m. (*ling.*) tagmeme.

tagmèmico a. (*ling.*) tagmemic: **analisi tagmemica**, tagmemic analysis; tagmemics.

Tàgo m. (*geogr.*) Tagus.

taguàn m. (*zool., Petaurista petaurista*) flying squirrel.

tahitiàno a. e m. (f. **-a**) Tahitian.

tai → **thai**.

tàiga, taigà f. taiga.

tailandése → **thailandese**.

tailleur (*franc.*) m. inv. skirt and jacket; suit: **t. pantalone**, trouser suit (*GB*); pantsuit (*USA*).

tàit → **tight**.

taitiàno → **tahitiano**.

talàltro A pron. indef. **1** (correl. di «taluno») some (pl.); others (pl.): *Taluno dice una cosa, t. ne dice un'altra*, some say one thing, some (o others) say another **2** (**talaltra**) correl. di «talvolta» other times; sometimes: *Talvolta saluta, talaltra no*, sometimes he says hello, sometimes he doesn't ● **il tale e il t.**, so and so and such and such B agg. indef. some other; another: **nella tale o talaltra circostanza**, in this or some other (o in another) occasion; **la tale o talaltra persona** [**cosa**], such and such a person [thing].

tàlamo m. **1** (*lett.*: *camera nuziale*) bridal chamber; bridal room **2** (*lett.*: *letto nuziale*) nuptial bed; (*estens.*: *letto*) bed **3** (*bot., anat.*) thalamus*: **t. ottico**, optic thalamus ● (*lett.*) **condurre al t.**, to marry; to wed (*form.*).

talàre a. – **veste** (*o abito*) **t.**, cassock; soutane; **indossare la veste t.**, to take holy orders; to become a priest; **lasciare la veste t.**, to leave the priesthood.

talàri m. pl. (*mitol.*) talaria.

talassemìa f. (*med.*) thalassaemia.

talassèmico A a. (*med.*) thalassaemic; thalassaemia (attr.) B m. (f. **-a**) sufferer from thalassaemia; thalassaemic patient.

talàssico a. (*geogr.*) thalassic.

talassobiologìa f. biological oceanography.

talassòcrate m. (*lett.*) thalassocrat; thalattocrat.

talassocrazìa f. (*lett.*) thalassocracy; thalattocracy.

talassofilìa f. (*bot., zool.*) thalassophilia.

talassografìa f. oceanography.

talassogràfico a. oceanographic.

talassògrafo m. oceanographer; thalassographer.

talassologìa f. oceanology; oceanography.

talassoterapìa f. (*med.*) thalassotherapy.

talassoteràpico a. (*med.*) thalassotherapeutic.

talassòtoco a. (*zool.*) catadromous.

talché cong. (*lett.*) so that.

tàlco m. **1** (*miner.*) talc **2** (*per cosmesi*) talcum powder; talc (*fam.*).

talcoscisto m. (*geol.*) talc schist.

talcòsi f. (*med.*) talcosis.

talcóso a. talcy; (*miner.*) talcose.

♦**tàle** A a. **1** (*simile, siffatto*) such (a, an): **una t. povertà**, such poverty; **un t. effetto**, such an effect; **tali cose**, such things; *Mi presi un t. spavento!*, I got such a fright!; *Suo marito è di una t. noia!*, her husband is such a bore!; *Ho una t. paura!*, I am so frightened! **2** (*in correl. con «che», «da»*) such (…that); such (…as): *Il rumore era t. da impedirci di parlare*, such was the noise that we couldn't speak; the noise was such as to make it impossible to speak; *Il freddo fu t. che gelò il laghetto*, it was so cold (o such was the cold) that the pond froze; *Non è t. da piacere a tutti*, it isn't such that everyone will like it; it isn't such as to please everyone **3** (*in correl. con «quale»*) just as; exactly (o just) like; exactly (o just) the same: **t. e quale il mio**, just like mine; **t. e quale suo fratello**, (*nel carattere*) exactly like his brother; (*nell'aspetto*) the spitting image of his brother; *Sei rimasta t. e quale*, you are just the same; *Ne ho vista una t. e quale al mercato*, I saw just such a one (o an identical one) at the market; *Ne voglio uno t. e quale*, I want one exactly like it; *Lo rivoglio t. e quale*, I want it back in the same condition; *Queste sono state le sue parole tali e quali*, those were his very words **4** (*preceduto da art. determ., per indicare persona o cosa che non si vuole specificare*) such and such a: **il t. giorno, alla t. ora**, on such and such a day, at such and such a time **5** (*questo, quello*) this; that; such: **in tal modo**, in that way; **in tal caso**, in that case; **dopo t. data**, after that date; *Tali cose non sono successe per caso*, those things did not happen by chance; *Tali furono le sue parole*, those were his words; that's what he said **6** (*così, uguale*) such: *Erano tutte promesse e tali sono rimaste*, they were all promises and such they have remained; *La sua salute un tempo così eccellente non è più t.*, his health is no longer as excellent as it once was **7** (*preceduto da agg. dimostrativo*) – **quella t. signora**, that lady; **quella t. villa dopo l'incrocio**, that big house past the crossroads; **quel t. Marconi**, that man, Marconi **8** (*un certo*) a, an; certain; one: **un t. signor Rossi**, a certain Mr Rossi; **un t. Aldo Verri**, one Aldo Verri ● **tali e tanti** [**tante**], so many □ **come t.** (*o in quanto t.*), as such □ **di tal fatta**, such (*prov.*) **T. padre, t. figlio**, like father, like son B pron. dimostr. m. e f. man* (m.); fellow (m.); woman* (f.); girl (f.); bloke (m., *fam. GB*); guy (m., *fam. USA*): **quel t. del negozio**, that man in the shop; *Se torna quella t. dite che non ci sono*, if that woman comes back, tell her I'm out; *Hai visto quel t. che sai?*, did you see you-know-who? C pron. indef. m. e f. someone; man* (m.); woman* (f.); girl (f.); bloke (m., *fam. GB*); guy (m., *fam. USA*): **un t. che conosco**, someone I know; *C'è un t. che ti cerca*, there's a man looking for you; *Ha telefonato una t.*, a woman phoned ● **il** [**la**] **tal dei tali**, so-and-so; you-know-who: **il signor** [**la signora**] **Tal dei tali**, Mr [Mrs] So-and-so.

talèa f. (*bot.*) cutting; piping.

taleàggio m. (*bot.*) reproduction from a cutting.

talebàno m. Taliban.

talèd m. inv. (*relig.*) tallith.

talentàccio m. (*fam.*) rough-and-ready talent.

talentàre v. i. (*lett.*) to please; to like (pers.).

talènto ① m. (*antica moneta*) talent: **la parabola dei talenti**, the parable of the talents.

talènto ② m. **1** (*lett.: piacere, fantasia*) liking; fancy: **seguire il proprio t.**, to follow one's fancy; **a proprio t.**, to one's liking; as one likes **2** (*ingegno, inclinazione*) talent, gift, bent; (*abilità*) flair: **t. naturale**, unschooled talent; **t. sprecato**, wasted talent; **avere t.**, to be talented (o gifted); **avere t. musicale**, to have a talent (o a gift) for music; to be musical; **avere t. per il disegno**, to have a talent for drawing; **di t.**, talented; gifted; **un giovane pianista di grande t.**, a very talented young pianist; **pieno di t.**, full of talent; talented; **privo di t.**, untalented; ungifted **3** (*persona dotata di t.*) talented person: **un giovane t.**, a talented young man; a whizz-kid (*fam.*); **un nuovo t. della lirica**, a talented young singer; **scopritore di talenti**, talent scout; talent-spotter.

Talète m. (*stor.*) Thales.

Talìa f. (*mitol.*) Thalia.

taliban m. inv. Taliban.

talidomide m. (*farm.*) thalidomide.

talìpede (*med.*) A a. club-footed; having a club foot B m. e f. club-footed person.

talismànico a. talismanic.

talismàno m. **1** talisman **2** (*portafortuna*) amulet; charm.

talìsmo m. (*med.*) talipes; club foot.

tallèd → **taled**.

tàllero m. (*numism. stor.*) thaler; dollar.

tàllico a. (*chim.*) thallic.

tàllio m. (*chim.*) thallium.

tallìre v. i. (*bot.*) to germinate; to tiller.

tallìto a. (*bot.*) germinated: **orzo t.**, germinated barley.

tallitùra f. (*bot.*) germination; tillering.

tàllo m. (*bot.*) **1** thallus* **2** (*germoglio*) sprout.

tallòfita f. (*bot.*) thallophyte.

tallòlio m. (*chim.*) tall oil.

tallonàggio m. (*rugby*) heeling; hooking.

tallonaménto m. **1** (*inseguimento*) close (o hot) pursuit; (*pedinamento*) shadowing, tailing (*fam.*) **2** → **tallonaggio**.

tallonàre v. t. **1** (*seguire da vicino*) to be hot on sb.'s heels, to be in hot pursuit of; (*pedinare*) to shadow, to tail (*fam.*) **2** (*rugby*) to heel; to hook.

tallonàta f. **1** kick with the heel **2** (*rugby*) heeling; hooking.

tallonatóre m. (*rugby*) hooker.

talloncìno m. **1** (*cedola staccabile*) stub; counterfoil; coupon **2** (*di scatola di medicinale*) price ticket **3** (*scontrino*) slip; receipt **4** (*breve inserzione pubblicitaria*) ad.

tallóne ① m. **1** (*anat. e di calza*) heel: (*anche fig.*) **il t. d'Achille**, Achilles' heel; **essere sotto il t. di q.**, to be under sb.'s heel **2** (*di coltello*) tang **3** (*di vomere*) landside **4** (*di copertone*) bead ❶ **FALSI AMICI** • *tallone non si traduce con* talon.

tallóne ② m. (*cedola*) stub; counterfoil; coupon.

tallóne ③ m. (*econ.*) (monetary) standard: **t. aureo** [**argenteo**], gold [silver] standard.

tallóso ① a. (*bot.*) thalloid.

tallóso ② a. (*chim.*) thallous.

talménte avv. (*con agg. o avv.*) so; (*con verbo*) so much: *È t. piccolo che non riesco a vederlo*, it's so tiny that I can't see it; *Era t. furioso che non riusciva a parlare*, he was so angry that he couldn't speak; he couldn't speak, he was so angry (*fam.*); *Il libro mi*

piacque t. che lo rilessi tre volte, I enjoyed the book so much that I read it three times again; *Sono talmente simpatici!*, they are such nice people!; *Ho mangiato t. tanto che...*, I've eaten so much that...

talmùd m. Talmud.

talmùdico a. Talmudic.

talmudìsta m. Talmudist.

talóra avv. sometimes; at times.

♦**tàlpa** Ⓐ f. **1** (*zool.*, *Talpa europaea*) mole **2** (*pelliccia*) moleskin **3** (*ind. tess.*) – *Talpa®*, moleskin **4** (*fig.*: *persona ottusa*) dullard; blockhead **5** (*fig.*: *infiltrato*) mole **6** (*ing. civile*) tunnelling machine; excavator **7** (*agric.*) – **aratro t.**, mole plough ● **cieco come una t.**, as blind as a bat Ⓑ a. inv. mole (attr.): **color t.**, mole grey.

talpóne m. (f. *-a*) (*fam.*) couch potato.

talùno Ⓐ a. indef. (al pl.) some; certain: *Ci sono taluni errori*, there are some mistakes; **in taluni casi**, in some (o certain) cases Ⓑ pron. indef. (f. *-a*) somebody; someone; (al pl.) some, some people: *T. potrebbe dire che...*, someone might say that...; **t... talaltro...**, some... others...; **taluni dei presenti**, some of those present; *Vi sono taluni che...*, there are some people who...

♦**talvòlta** avv. sometimes; at times; occasionally: *Mi è successo t. di incontrarlo*, I sometimes (o occasionally) happened to meet him; *Questa medicina può t. causare mal di testa*, this medicine may occasionally cause headaches.

tamandùa m. (*zool.*, *Tamandua*) tamandua; lesser anteater.

tamarìce → **tamerice**.

tamarìndo m. **1** (*bot.*, *Tamarindus indica*; *il frutto*) tamarind **2** (*la bevanda*) tamarind drink.

tamarìsco m. → **tamerice**.

tàmaro m. (*bot.*, *Tamus communis*) black bryony.

tamàrro m. **1** (*region.*: *zotico*) yokel; country bumpkin **2** (*spreg.*) boor; yob.

tambarèllo m. (*zool.*, *Auxis thazard*) frigate mackerel; plain bonito*.

tambùcio, **tambùgio** m. (*naut.*) companion hatch.

tamburaménto m. (*falegn.*) double-panelling.

tamburàre Ⓐ v. t. **1** (*battere*) to beat* **2** (*falegn.*) to double-panel Ⓑ v. i. to beat* the drum; to drum.

tamburàto m. (anche agg.: **pannello t.**) (*falegn.*) double panel.

tambureggiaménto m. **1** drumming; roll of drums; tattoo **2** (*colpi di arma da fuoco*) drumfire; pounding **3** (*fig.*) quick succession: **t. di domande**, quick-fire (o rapid-fire) questions **4** (*calcio*) quick-fire goal shots (pl.).

tambureggiànte a. **1** drumming **2** (*fig.*: *battente*) drumming; beating; hammering; pounding: (*mil.*) **fuoco t.**, drumfire; pounding; **pioggia t.**, beating rain.

tambureggiàre Ⓐ v. i. **1** to drum **2** (*fig.*) to drum; to beat*; to hammer; to pound Ⓑ v. t. (*mil.*) to pound.

tamburellàre Ⓐ v. i. to beat* on the drum Ⓑ v. i. e t. (*fig.*) to drum (on); to beat* a tattoo (on): **t. con le dita sul tavolo**, to drum one's fingers on the table; **t. con impazienza**, to beat the devil's tattoo; *La pioggia tamburellava sul tetto*, the rain was drumming on the roof.

tamburèllio m. drumming; (*insistente*) (devil's) tattoo.

tamburellìsta m. e f. tambourine player.

tamburèllo m. **1** small drum **2** (*mus.*) tambourine; (*stor.*) timbrel, tabor **3** (*sport*) tamburello **4** (*ricamo*) tambour; tabouret.

tamburìno m. **1** (*suonatore di tamburo*) drummer; drum **2** (*giorn.*) entertainments guide.

♦**tambùro** m. **1** (*mus.*) drum: **battere su** (o **suonare**) **un t.**, to beat a drum; **suonare il t.**, to play the drum; **a suon di t.**, to the sound of drums; **pelle del t.**, drumhead; **il rullo del t.**, the roll of the drum; **suono di t.**, drumbeat **2** (*suonatore*) drummer; drum: (*mil.*) **t. maggiore**, drum-major **3** (*archit.*, *di cupola*, *di colonna*) drum; tambour **4** (*mecc.*) drum; reel; cylinder: **t. di avvolgimento**, winding drum; **freno a t.**, drum brake **5** (*di orologio*) barrel **6** (*di rivoltella*) revolving chambers (pl.); cylinder: **pistola a t.**, revolver **7** (*naut.*) – **t. del timone**, rudder head; **t. delle ruote**, paddle-box **8** (*comput.*) drum **9** (*ricamo*) tambour; tabouret **10** (*giorn.*) subscription ad ● (*fig.*) **a t. battente**, immediately; on the double; in double-quick time □ (*fig.*) **battere il t.**, to blow one's trumpet.

tamerìce f. (*bot.*, *Tamarix africana*) tamarisk.

Tamerlàno m. (*stor.*) Tamerlane; Tamburlaine.

tàmia m. (*zool.*, *Tamias striatus*) chipmunk.

Tamìgi m. (*geogr.*) Thames.

tàmil a. m. e f. inv. Tamil.

tamìlico a. Tamil; Tamilian.

tampinàre v. t. (*region. fam.*) **1** (*seguire*) to follow **2** (*infastidire*) to pester.

tampòco avv. (*scherz.*) – **né t.**, nor; let alone: *Non conosco lui né t. i suoi libri*, I don't know him, nor do I know his books; I don't know him, let alone his books.

tamponaménto m. **1** plugging; stopping **2** (*med.*) tamponage; tamponade; plugging **3** (*autom.*) bumper-to-bumper crash; nose-to-tail crash: **t. a catena**, pile-up **4** (*comput.*) buffering.

tamponàre v. t. **1** to plug; to stop: **t. una perdita**, to stop a leak; (*fig.*) to fill (o to plug) a gap **2** (*med.*) to tampon; to pack; to plug: **t. un'emorragia**, to tampon a haemorrhage; **t. una ferita**, to pack a wound **3** (*autom.*) to bump (o to run*, to crash) into the back of **4** (*chim.*) to buffer.

tamponatùra f. **1** (*di falla*, *ecc.*) plugging; stopping **2** (*med.*) tamponage; tamponade; plugging **3** → **tampone**, def. *1* e *4*.

tampóne Ⓐ m. **1** (*materiale per tamponare*) plug; stopper; wad **2** (*cuscinetto*) pad; (*per timbri*) ink-pad: **t. di carta assorbente**, blotting pad; blotter **3** (*assorbente interno*) tampon **4** (*med.*) tampon; plug; pack **5** (*ferr.*, *chim.*, *elettr.*, *comput.*) buffer: **t. a molla**, spring buffer **6** (*fig.*) buffer: **fare da t.**, to act as a buffer Ⓑ a. inv. **1** (*chim.*, *elettr.*, *comput.*) buffer (attr.): (*elettr.*) **batteria [circuito] t.**, buffer battery [circuit]; (*chim.*) **soluzione t.**, buffer solution; (*comput.*) **zona t.**, buffer area **2** (*fig.*) stopgap: **legge t.**, stopgap law; **misure t.**, stopgap measures.

tamtàm, **tam-tàm** m. inv. **1** tom-tom **2** (*fig.*) bush (o jungle) telegraph; grapevine; (*le voci*) grapevine gossip: *L'ho saputo dal t. della società*, I got it through the company grapevine; *Secondo il t. dell'ufficio lo faranno dirigente*, office gossip has it he is going to be made manager.

TAN sigla (*banca*, **tasso annuo nominale**) annual net interest rate.

♦**tàna** f. **1** lair; den; (*di coniglio*) burrow; (*di topo*, *talpa*) hole; (*di cuscinetto*) earth; (*di conigli*, *a cunicolo*) warren: **t. di lupo**, wolf's lair; (*fig.*) lion's den; *La volpe si cacciò nella t.*, the fox ran to earth **2** (*fig.*: *nascondiglio*) den; hide-out; **una t. di ladri**, a den of thieves **3** (*fig.*: *stamberga*) dog-hole; hovel **4** (*fig.*: *nei giochi infantili*) home: **fare t.**, to get home.

tanacéto m. (*bot.*, *Tanacetum vulgare*) tansy; costmary.

tanàglia → **tenaglia**.

tanàgra ① f. (*zool.*, *Tanagra*) tanager.

tanàgra ② f. (*archeol.*) Tanagra (statuette).

tananài m. (*pop.*) confusion; hullaballoo; bedlam.

tanatofobìa f. (*psic.*) thanatophobia.

tanatòfobo a. (*psic.*) thanatophobic.

tanatologìa f. (*med.*) thanatology: **esperto di t.**, thanatologist.

tanatològico a. (*med.*) thanatological.

tanatopràssi f. embalment.

tanatoscopìa f. (*med.*) necroscopy.

tànca f. **1** (*naut.*) tank **2** → **tanica**.

tàndem m. inv. **1** (*bicicletta*) tandem **2** (*estens.*) tandem; duo; twosome; team: *I due soci sono un t. eccezionale*, the partners make a great team; **lavorare in t.**, to work in tandem; **un libro scritto in t.**, a book written in tandem.

tanè m. chestnut brown.

tanfàta f. whiff (of bad smell).

tànfo m. stench; stink; pong (*fam. GB*); (*odore di muffa*) musty smell, fustiness; (*odore di chiuso*) stale smell.

tànga m. tanga; tanga briefs (pl.).

tàngelo m. (*bot.*) tangelo.

tangènte Ⓐ a. (*geom.*) tangent Ⓑ f. **1** (*geom.*) tangent (line) **2** (*bustarella*) bribe; kickback (*fam.*); rake-off (*slang*); payola (*slang USA*): **prendere tangenti**, to take kickbacks; to be on the take (*slang*) **3** (*pizzo*) protection money: **racket delle tangenti**, protection racket ● (*fig.*) **partire per la t.**, to go off at a tangent.

tangentière m. (f. *-a*) person who demands kickbacks.

tangentìsmo m. generalized bribe-taking; widespread corruption.

tangentìsta m. e f. briber.

tangentìzio a. bribe (attr.); kickback (attr.).

tangentocràtico a. (*polit.*) corrupt; bribe-taking (attr.).

tangentocrazìa f. (*polit.*) political power based on bribe-taking; corrupt administration; kickback rule (*fam.*).

tangentòpoli f. (*giorn.*) Bribesville; Kickback City.

tangènza f. **1** (*geom.*) tangency: **punto di t.**, tangential point **2** (*aeron.*) ceiling: **quota di t.**, ceiling quota.

tangenziàle Ⓐ a. **1** (*geom.*) tangential **2** (*di strada*) orbital **3** (*fig.*: *marginale*) tangential; marginal; peripheral Ⓑ f. **1** (*geom.*) tangent (line) **2** (*strada*) bypass; ring road; orbital road.

tàngere v. t. (*lett.*) **1** (*toccare*) to touch **2** (*riguardare*) to concern.

Tàngeri f. (*geogr.*) Tangier.

tànghero m. (*spreg.*) oaf; boor; lout.

tangìbile a. **1** tangible; touchable **2** (*fig.*) tangible; palpable; concrete: **prova t.**, tangible proof (o evidence); **vantaggio t.**, tangible (o concrete) benefit.

tangibilità f. tangibility.

tàngo Ⓐ m. (*mus.*) tango*: **ballare il t.**, to dance the tango; to tango Ⓑ a. inv. tangerine; tango: **rosso t.**, tangerine (red).

tangóne m. (*naut.*: *asta di posta*) lower boom; riding boom; boat boom: **t. di fiocco**, jib boom.

tàngram m. inv. tangram.

tanguìno m. (*bot.*, *Cerbera venenifera*) ordeal tree.

tànica f. **1** can; jerry-can **2** (*aeron.*) drop-tank.

tankìsta m. tanker.

tannànte (*conceria*) Ⓐ a. tanning Ⓑ m. tanning agent.

tannàre v. t. (*conceria*) to tan.

tannàto m. (*chim.*) tannate.

tànnico a. (*chim.*) tannic: **acido t.**, tannic acid.

tannìno m. (*chim.*) tannin.

tantàlico a. (*chim.*) tantalic: **acido t.**, tantalic acid.

tantàlio m. (*chim.*) tantalum.

tàntalo m. (*zool.*, *Ibis ibis*) wood ibis*.

Tàntalo m. (*mitol.*) Tantalus: (*anche fig.*) **il supplizio di T.**, the torments (pl.) of Tantalus.

tantìno Ⓐ pron. indef. little (*o* tiny) bit; touch; fraction; tad (*fam.*); (*rif. a liquido*) drop, dash, touch, spot: *Adesso guadagno un t. di più*, I'm earning a fraction more now; *un t. d'acqua*, a drop of water; *Mettici anche un t. di vodka*, add a dash (*o* a spot) of vodka as well Ⓑ **un tantino** loc. avv. **1** a little (bit); a fraction; a shade; a tad (*fam.*): *Mi sono annoiato un t.*, I got a little (bit) bored; *Sta un t. meglio*, she feels a little bit (*o* a tad) better; **un t. più in alto**, a fraction higher; **un t. troppo scuro**, a shade too dark **2** (*rif. a grado*) a bit; a moment; a sec (*fam.*).

♦**tànto** ① Ⓐ a. **1** (*così grande*) so much; such a lot of; so great; (*al pl.*: *così numerosi*) so many, such a lot of; (*tale*) such (a); (*abbastanza*) enough: *Gliel'ho detto tante volte!*, I told him so many times!; *A che serve t. spazio?*, what's the use of so much space?; *Non mi aspettavo tanta eleganza*, I wasn't expecting such elegance; *Ha t. denaro da poter fare ciò che vuole*, she has such a lot of (*o* so much) money that she can do what she likes; *Non fare tante storie*, don't make such a fuss; *Perché hai tanta fretta?*, why are you in such a hurry?; *Ci vuole t. tempo!*, it takes such a long time (*o* so long)!; *Ho t. di quel lavoro da fare!*, I have so much (*o* such a lot of) work to do!; *C'era tanta di quella gente*, there were so many people; *Da t. tempo aspettavo questo momento*, I had been waiting for this moment for so long; *Tanta è la sua invidia, che non sopporta di vedermi*, such (*o* so great) is her envy, that she cannot stand the sight of me; *C'è t. cibo da sfamare un esercito*, there is enough food to feed an army **2** (*molto*) much (pl. many): *Ci vuole tanta pazienza*, it takes a lot of patience; *Ho tante cose da dirti*, I have a lot of things to tell you; *C'è ancora tanta strada da fare*, there is still a long way to go; *Ho visto tanta miseria*, I saw a lot of poverty; *Dieci giorni sono tanti*, ten days are a lot; *Non ho t. denaro con me*, I haven't got much money on me; *Non conosco tanta gente in questa città*, I don't know many people in this town **3** (*nei compar. di uguaglianza*, in correl. con «quanto») as much (pl. as many); (*in frasi neg.*, anche) so much (pl. so many): *Ho t. diritto quanto te*, I have as much right as you (have); *Non abbiamo t. lavoro quanto voi*, we have not as (*o* so) much work as you (have); *Ci sono tante sedie quanti sono gli invitati*, there as many chairs as there are guests **4** (*in costr. compar. con «più»*) the more (*o* agg. al compar.); (*con «meno»*) the less (pl. the fewer): *Quante più lezioni salterai, tanta più fatica farai a recuperare*, the more classes you miss, the harder it'll be to catch up; *Quanto più ha successo nel lavoro, t. meno tempo dedica alla famiglia*, the more successful he is in his job, the less time he has for his family; *Tanti meno sbagli, tanti più punti*, the fewer the mistakes, the higher the score **5** (*altrettanto*, a volte in correl. con «tanto») so much (pl. so many); as much (pl. as many): *Erano immobili come tante statue*, they were as still as so many statues; *Tante teste, tanti pareri*, so many heads, so many points of view; *Tanti soldi guadagna, tanti ne spende*, she spends as much money as she

earns **6** (*un certo numero o quantità non specificati*) so much (pl. so many): **ogni tante ore [pagine]**, every so many hours [pages]; *Per t. lavoro fatto riceverai tanti soldi*, for so much work done, you'll get paid so much **7** (*con valore moltiplicativo*) as much (pl. as many): *Gli uomini erano sei volte tanti*, the men were six times as many Ⓑ pron. **1** (*molto, parecchio*) a lot; lots; (spec. in frasi neg.) much (pl. many): *Non ne voglio t.*, I don't want much (*o* a lot); *Trenta euro non è poi t.*, thirty euros is not much, really (*o* isn't not all that much); *Sei pagine non sono tante*, six pages are not many (*o* a lot); *Eravamo in tanti*, there were a lot of us; *Non c'è voluto t. per convincerlo*, it didn't take much to convince him; *Non credevo che sarebbe arrivato a t.*, I didn't think he would go that far; *Sarà t. se riuscirò a finire per venerdì*, it'll be already something if I manage to finish by Friday; *Dieci uomini non sono tanti per fare quel lavoro*, ten men aren't a lot for that job; *L'hanno sentito in tanti*, lots of people heard it **2** (*al pl.*) (*molte persone*) many people; a lot of people: *Tanti dicono che non è vero*, many (*o* many people, a lot of people) say that it isn't true **3** (*quantità indeterminata*) so much (pl. so many); such a lot (*fam.*); that much: *Bisogna calcolare t. per la benzina, t. per l'autostrada, ecc.*, we must allow so much for petrol, so much for the motorway, etc.; **tanti dei nostri e tanti dei loro**, so many of our men, so many of theirs; *Non faccio come tanti*, I don't do as so many do **4** (*quantità specifica indicata da un gesto*) so much; this much; as much as this: *Dammene t. così*, give me so (*o* this) much; *Sono più alta di lei di t. così*, I am taller than she is by this much; *Devo stringere il vestito ancora di t. così*, I must take in the dress by this much more **5** (*ellittico: molto o abbastanza denaro, spazio, tempo, ecc.*) – *Ne ha t. da fare il signore*, he has enough money to live like a lord; *Non ha t. da vivere*, she hasn't got much to live; *È t. che se n'è andato?*, has he been gone for long?; *Gliene ho date tante che se lo ricorderà*, I gave him such a thrashing that he will remember it; *Me ne ha fatte tante!*, I had to put up with so much from him!; *Ne ho viste tante in vita mia*, I've seen so many things in my life; *Gliene ho dette tante che non lo farà più*, I gave him a piece of my mind and he won't do it again **6** (*in correl. con «quanto»*) as much (pl. as many); (in frasi neg., anche) so much (pl. so many): *Ne ho t. quanto mi basta*, I have as much as I need; *Non ce n'erano tanti quanti speravamo*, there weren't as many as we had hoped ● **t. di** (*in qualche loc.*; è idiom.; per es.:) *Era vestito da diavolo, con t. di coda e forcone*, he was dressed up as a devil, complete with tail and pitchfork; **un omone con t. di baffi**, a big man with a fine moustache; *Mi guardò con t. d'occhi*, he stared at me □ **t. di guadagnato**, so much the better □ **tant'è** (*è inutile*), what's the good?; it makes no difference: *Gliel'ho detto e ridetto, ma tant'è!*, I told him a hundred times, but it makes no difference; *Tant'è, ha deciso di partire e partirà*, he's got it into his head to leave and there's an end to it □ **T. ha detto e t. ha fatto che...**, he insisted so much that...; by dint of insisting, he... □ **T. vale che** → **valere** □ **a dir t.**, at the most □ **di t. in t.** (*o* **ogni t.**), every now and then; occasionally; from time to time □ ... **e t. basta**, ... and that's that □ **cento e tanti**, about one hundred; one hundred something; **Nel 1700 e tanti**, in 1700 and something □ **Se fa t. di muovere un dito...**, if he so much as stirs a finger...; **Se fai t. di aprire bocca...**, if you so much as utter one word... □ (*fig.*) **fare t. di cappello a q.**, to take one's hat off to sb. □ *Fece t. d'occhi*, his (*o* her) eyes popped □

non più di t., not particularly; (*non eccessivamente*) not overmuch, not overly, not unduly: *Non me ci feci caso più di tanto*, I didn't pay it particular attention; **non preoccuparsi più di tanto**, not to worry overmuch (*o* unduly) □ **Poco o t.**, dovrai fartelo bastare, you'll have to make do with it, whether you like it or not □ **se t. mi dà t.**, if that is the result; if I have to go by that Ⓒ m. – **un t.**, so much: **un t. al kilo**, so much per kilo; **un t. al mese**, so much a month; **un t. per cento**, so much per cent; a percentage; *Mi passa un t. al mese*, he gives me a fixed sum each month; **solo quel t. che mi serve**, only as much as I need; **solo quel t. che basta per vivere**, just enough to live on; *Mi bastò quel t. per capire*, that little was enough for me to understand.

♦**tànto** ② Ⓐ avv. **1** (con agg. e avv.: *così, talmente*) so; (con sost. e agg.) such: *È t. bravo!*, he is so clever!; *Sono vicini t. gentili*, they are such nice neighbours; *Si stava t. bene qui!*, it was so pleasant here!; *Parlava t. piano che stentavo a capirlo*, he spoke so quietly I could hardly understand him; *Sono t. stanco che non riesco ad addormentarmi*, I am so tired that I cannot go to sleep; *Sia t. cortese da lasciarci soli*, be so kind as to leave us alone; *Non può essere t. stupido da non capire*, he can't be so stupid as not to understand; *È t. matto da provarcisi*, he's mad enough to give it a try **2** (con verbi) so much; (*così intensamente*) so hard; (*così a lungo*) so long: *L'amava t.!*, he loved her so much!; *L'ho cercato t.!*, I looked so hard for it!; *Lavora t.!*, she works so hard!; *Ha lavorato t. ieri che dorme ancora*, he worked so much yesterday that he is still asleep; *Ti ho aspettato t.*, I waited for you for so long; *Ho mangiato t. da bastarmi fino a domani*, I have eaten enough to last me until tomorrow **3** (*molto*: con agg. e avv.) very; (con verbi) very much, a lot; (*troppo*) too much, (in frasi neg., con agg. e avv.) so, very, all that (*fam.*); (*molto tempo*) (for) long, a long time: *Mi sembra t. pallido*, he looks very pale; *Sono t. contento per te*, I'm very happy for you; *Mi piace t.*, I like it very much; *Starai via t.?*, will you be away long?; *Non bere t.*, don't drink too much; *Non è t. lontano*, it isn't so (*o* all that, very) far; *Non è poi t. caro questo ristorante, no?*, this restaurant is not so (*o* all that) expensive, is it?; *Vorrei t. che fosse tutto finito*, how I wish it were all over!; *Scusi t.!*, I'm terribly sorry; I do beg your pardon **4** (nei compar. di uguaglianza, in correl. con «quanto»: con agg. e avv.) as; (in frasi neg., anche) so: *È t. largo quanto lungo*, it is as wide as it is long; *Non è t. in gamba quanto il suo socio*, he isn't as clever as his partner; *Sarà lungo t.* (*così*) (*facendo il gesto*), it is about so long (*o* as long as this, this long) **5** (nei compar. di uguaglianza, in correl. con «quanto»: con verbi) as much [long, hard, etc.]: *Lavora t. quanto può*, she works as much as she can; *Non s'è fermato t. quanto aveva promesso*, he didn't stop for as long as he had promised; *Tu non studi t. quanto dovresti*, you don't study as (*o* so) hard as you should; *T. lavori, t. guadagni*, you get paid for what you do **6** (in costruz. compar. con «più» *o* «meno»: con agg. e avv.) the + compar.: *Quanto più costoso è il materiale, t. più alto deve essere il prezzo*, the more expensive the material, the higher the price; *I jeans sono t. più ricercati quanto più sono sbiaditi*, jeans are all the more sought after the more faded they are **7** (in costruz. compar. con verbi: con «più») the more; (con «meno») the less: *Quanto più insisti, t. meno mi convinci*, the more you insist, the less you convince me; *Quanto più studi, t. più impari*, the more you study, the more you learn; *Quanti più errori faceva, t. più si arrabbiava*, the more mistakes she

made, the angrier she got **8** (in correl. con «quanto» o «che», con sost. e pron.) both... (and): **t. da noi quanto all'estero**, both here and abroad; *Quello che dirò riguarda t. voi quanto me*, what I am going to say concerns both you and me (*o* you as well as me) **9** (in frasi neg., in correl. con «quanto») so much: *Non è t. avaro, quanto piuttosto prudente nello spendere*, he is not so much mean as very careful with his money; *Piangeva non t. di dolore, quanto di rabbia*, she was crying not so much out of pain as out of frustration; *Non si tratta t. di costi, quanto di qualità*, it is not so much a matter of costs as of quality **10** (*con valore moltiplicativo*) as much (pl. as many); as big [long, wide, etc.]: **due [tre] volte t.**, twice [three times] as much; **grosso dieci volte t.**, ten times as big; **lungo sei volte t.**, six times as long **11** (*soltanto*) just: **t. per cambiare**, just for a change; **t. per farti piacere**, just to please you; **t. per (il gusto di) fare**, just for the hell of it (*fam.*); just for kicks (*slang*); *L'ho detto t. per dire*, I said it just to say something; *Parla t. per parlare*, he speaks just for the sake of speaking ● **t. che**, so much so that: *Mi caricavano di lavoro, t. che alla fine me ne sono andata*, they overworked me so much that in the end I left □ **t. è vero che...**, so much so that... □ **t. meglio**, so much the better □ **t. meno**, least of all: *Nessuno gli ha creduto, t. meno io*, nobody believed him, least of all I (*fam.* me); *Se tu non ci vai, t. meno (andrò) io*, if you don't go, I certainly won't go either □ **t. peggio**, so much the worse □ **t. per cominciare**, for a start; for one thing □ **t. per dirne una**, for one thing □ **t. più che**, all the more so because (*o* as) □ **né t. né poco** (*o* quanto), not a (*o* one) bit; not at all; not in the least: *Non mi interessa né t. né poco*, I'm not interested in the least; I'm not at all interested □ **per una volta t.**, for once; just for once in a while □ **una volta t.**, once in a while **B** cong. – *T. è lo stesso*, it makes no difference; (*non c'è niente da fare*) it can't be helped; *T. ormai è fatta*, it's too late to do anything about it; *Ma sì, che venga, t. c'è posto*, all right, let him come, there's room after all; *Strappa pure la foto, t. io ho il negativo*, tear up the photo if you want, I still have the negative.

tàntra m. (*relig.*) tantra.

tàntrico a. (*relig.*) tantric.

tantrìsmo m. (*relig.*) tantrism; tantra: **seguace del t.**, tantrist.

tanzaniàno a. e m. (f. **-a**) Tanzanian.

tanzanìte f. (*miner.*) tanzanite.

tào m. (*relig.*) Tao.

taoìsmo m. (*relig.*) Taoism.

taoìsta a., m. e f. (*relig.*) Taoist.

taoìstico a. (*relig.*) Taoistic.

tapìno A a. wretched; miserable; pitiful **B** m. (f. **-a**) wretch ● (*scherz.*) **Me t.!**, woe is me!

tapiòca f. (*cucina*) tapioca.

tapìro m. (*zool., Tapirus*) tapir.

tapis roulant (*franc.*) loc. m. inv. **1** (*ind.*) conveyor belt **2** (*per persone*) moving pavement; moving walkway; travelator, travolator **3** (*nelle palestre*) treadmill.

◆**tàppa** f. **1** (*luogo di sosta*) stopping place; stop: *La prossima t. è Roma*, our next stop is Rome **2** (*sosta*) stop; stopover: **fare t.**, to stop; to stop off; to break off one's journey; **fare t. a Genova**, to stop off in Genoa; **fare tre tappe**, to stop in three places; to break off one's journey three times; **viaggio senza tappe**, journey without stops **3** (*tratto di percorso*) stage; leg: **la prima t. di un viaggio**, the first leg of a journey; **a piccole tappe**, by (*o* in) easy stages; **in tre tappe**, in three stages **4** (*fig.*) phase; stage: **t. fondamentale**, milestone; major advance; **le tappe della civiltà**, the phases of civilization; **a tappe**, by stages; **procedere per tappe**, to progress in stages **5** (*sport*) stage; leg: **t. a cronometro**, timed stage; **le tappe del giro d'Italia**, the stages in the Tour of Italy; **vincere la prima t.**, to win the first leg; **corsa a tappe**, race in stages ● (*fig.*) **bruciare le tappe**, to shoot ahead; to forge ahead: *Ha bruciato le tappe nella carriera*, he made rapid progress in his career; he shot to the top.

tappabùchi A m. inv. (*persona*) fill-in; (*cosa*) stopgap: **fare da t.**, to act as a stopgap **B** a. inv. stopgap (attr.): **soluzione t.**, stopgap (solution); temporary fix (*fam.*).

tappabùco m. (*gergo giorn.*) filler.

◆**tappàre A** v. t. **1** (*chiudere con un tappo*) to bung; to cork: **t. una botte**, to bung a cask; **t. una bottiglia**, to cork a bottle **2** (*otturare*) to stop (up); to plug; to fill; to block up; (*sigillare*) to seal (up): **t. un buco**, to stop (*o* to plug) a hole; (*fig.: pagare un debito*) to pay off a debt; **t. una falla**, to stop a leak **3** (*chiudere*) to stop; to close: **t. la bocca a q.**, to stop sb.'s mouth; (*zittire*) to shut sb. up, to silence sb.; (*eufem.: uccidere*) to silence sb. forever; **tapparsi la bocca**, to cover one's mouth; (*fig.*) to shut up; (*anche fig.*) **tapparsi il naso**, to hold one's nose; (*anche fig.*) **tapparsi gli occhi**, to close one's eyes; **tapparsi gli orecchi**, to stop one's ears; (*con le mani*) to put one's hands over one's ears; (*fig.*) to refuse to listen **B tappàrsi** v. i. pron. **1** (*rinchiudersi*) to shut* oneself up: **tapparsi in casa**, to shut oneself up (in one's house) **2** (*occludersi*) to get* blocked (up); to get* stopped up: *Nella discesa mi si tapparono gli orecchi*, during the descent my ears got blocked.

tapparèlla f. rolling shutter; roll-up shutter.

tapparellìsta m. e f. (*installatore*) rolling shutter fitter; (*riparatore*) rolling shutter repairer.

tappatrìce f. (*tecn.*) corking machine.

tappetìno m. **1** rug; (*da bagno*) (bath) mat **2** (*autom.*) mat **3** (*comput.*) mouse pad ● (*fig.*) **fare il t. di q.**, to be at sb.'s beck and call; to kowtow to sb.

◆**tappéto** m. **1** carpet; rug: **t. alto**, thick (*o* long-pile) carpet; **t. di lana**, wool carpet (*o* rug); **t. di preghiera**, prayer rug; **t. persiano**, Persian carpet (*o* rug); **t. rasato**, short-pile carpet; **battere i tappeti**, to beat the carpets; **stendere un t. sul pavimento**, to lay a carpet on the floor; *Pare di camminare su un t.*, it's like walking on a carpet **2** (*fig.*) carpet: **t. di fiori**, carpet of flowers; **t. erboso**, lawn; turf **3** (*sport*) mat; (*boxe*) canvas: (*boxe*) **andare al t.**, to go down; *È andato al t. per cinque secondi*, he was down for a count of five seconds; (*boxe*) **mettere** (*o* **mandare**) **al t.**, to have (sb.) on the canvas; (*estens.: abbattere con un pugno*) to floor, to knock down **4** (*copertura di tavolo*) cover: **t. da tavolo**, table cover ● (*ginnastica*) **t. elastico**, trampoline □ **t. verde**, green baize; (*estens.: tavolo da gioco*) gambling table: **perdere al t. verde**, to lose at the gambling table □ **t. volante**, magic carpet □ **a t.**, thoroughly; completely; thorough (agg.): **fare ricerche a t.**, to make a thorough search (*mil.*) **bombardamento a t.**, carpet (*o* saturation) bombing □ (*fig.*) **mettere qc. sul t.**, to bring up st.

tappezzàre v. t. **1** (*le pareti, con carta*) to paper; (*con stoffa*) to hang* (with tapestry) **2** (*mobili*) to upholster; to cover **3** (*fig.: ricoprire*) to cover; to plaster: *Grandi manifesti tappezzavano i muri*, huge posters covered the walls; **un muro tappezzato d'edera**, an ivy-covered wall; **una parete tappezzata di foto**, a wall plastered over with photos.

tappezzerìa f. **1** (*di carta*) wallpaper; (*di stoffa*) tapestry **2** (*rivestimento*) upholstery **3** (*arte del tappezziere*) upholstering **4** (*laboratorio di tappezziere*) upholsterer's shop ● (*fig.*) **fare t.**, to be a wallflower.

tappezzière m. (f. **-a**) **1** (*di pareti*) paperhanger; decorator (*GB*) **2** (*di mobili*) upholsterer.

◆**tàppo** m. **1** stopper; (*di sughero*) cork; (*metallico*) cap; (*di botte, barile*) bung; (*di lavandino, ecc.*) plug; (*cappuccio*) cover, cap: **t. a corona**, crown cap; **t. a vite**, screw cap (*o* top); (*mecc.*) screw plug; **t. da champagne**, champagne cork; (*autom.*) **t. del radiatore**, radiator cap; **t. di legno**, wooden bung; **t. di vetro**, glass stopper; **tappi per le orecchie**, earplugs; **mettere il t. a una bottiglia**, to cork a bottle; **togliere il t. a una bottiglia**, to uncork a bottle; to uncap a bottle; (*di vino*) **sapere di t.**, to be corked **2** (*materiale ostruente*) plug: **t. di cerume**, plug of wax; **t. di fuliggine**, plug of soot; **il t. di un vulcano**, the plug of a volcano **3** (*fam., di persona*) shorty; squirt.

tappóne m. (*ciclismo*) long stage.

tàpsia f. (*bot., Thapsia garganica*) thapsia.

tapùm inter. bang.

TAR sigla (*leg.*, **Tribunale amministrativo regionale**) regional administrative court of law.

tàra① f. (*comm.*) tare: **t. d'uso**, customary tare; **t. media**, average tare; **al netto di t.**, net (of tare); **al lordo della t.**, including tare ● (*fig.*) **fare la t. a qc.**, to take st. with a grain of salt.

tàra② f. **1** (*med.*) hereditary defect **2** (*fig. difetto*) taint; flaw; blemish.

tarabùgio → **tarabuso**.

tarabusìno m. (*zool., Ixobrychus minutus*) little bittern.

tarabùso m. (*zool., Botaurus stellaris*) great bittern.

taràllo m. (*alim.*) tarallo; dry bagel.

tarallùccio m. → **tarallo** ● (*fig.*) **finire a tarallucci e vino**, to make it up before a glass of wine; to end up good friends.

tarantèlla f. (*musica e danza*) tarantella.

tarantìno A a. of Taranto; from Taranto **B** m. (f. **-a**) native [inhabitant] of Taranto.

tarantìsmo m. (*med.*) tarantism.

taràntola f. (*zool., Lycosa tarentula*) tarantula; bird-eating spider.

tarantolàto a. (*med.*) affected with tarantism.

tarantolìno m. (*zool.*) gecko.

tarantolìsmo m. (*med.*) tarantism.

taràra f. (*agric.*) winnower.

taràre v. t. **1** (*comm.: sottrarre la tara*) to subtract the tare from; (*determinare la tara*) to tare **2** (*mecc.*) to set*; to adjust.

taràssaco m. (*bot., Taraxacum officinale*) taraxacum; dandelion.

taràto① a. **1** (*comm., di merce*) tared; (*di peso*) net **2** (*mecc.*) set; adjusted; calibrated.

taràto② a. **1** (*med.*) with a hereditary defect **2** (*fig.*) corrupted; tainted.

taratùra f. **1** (*mecc.*) setting; calibration **2** (*aggiustamento*) correction; adjusting.

tàrchia f. (*naut.*) spritsail.

tarchiàto a. square-built; thickset; sturdy; stocky.

◆**tardàre A** v. i. **1** (*essere in ritardo*) to be late: **t. a un appuntamento**, to be late for an appointment; **t. due gorni**, to be two days late; **t. nei pagamenti**, to be late in paying **2** (*indugiare*) to be late (*o* long); to delay; to take* (a long) time; to put* off: **t. a venire**, to be late in coming; **t. a capire**, to be slow in understanding; *Tardò due settimane a rispondere alla lettera*, she was two weeks late in answering the letter; she put off answering the letter for two weeks; *Non tardai*

a capire le sue intenzioni, it didn't take me long to realize what he had in mind **B** v. t. to delay; to defer; to put* off: **t. la consegna della merce**, to delay the delivery of the goods.

tardèzza f. **1** (*lentezza*) slowness **2** (*fig., di mente*) dullness (of mind); denseness.

◆**tàrdi** avv. late: *È già così t.?*, is it already as late as that?; *Ormai è t.*, it's too late now; **alzarsi t.**, to get up late; **arrivare t. (a qc.)**, to be late (for st.); **fare t.**, (*essere in ritardo*) to be late; (*metterci più del previsto*) to be longer than expected; (*tornare a casa tardi*) to come home late at night; *Doveva arrivare alle quattro, ma ha fatto t.*, he should have been here at four o'clock, but he was late; **fare t. in ufficio**, to stay in the office until late; *Si sta facendo t.*, it's getting late; **far fare t. a q.**, to keep sb.; **lavorare fino a t.**, to work until late; **restare alzato fino a t.**, to stay up late; **più t.**, later; later on; *Ci vediamo più t.*, see you later; **qualche giorno più t.**, a few days later; **non più t. di**, no later than ● **A più t.!**, see you later □ **al più t.**, at the latest: *Tornerò al più t. domenica*, I'll come back on Sunday at the latest □ **presto o t.**, sooner or later □ **sul** (*o* **verso il**) **t.**, latish □ (*prov.*) **Chi t. arriva male alloggia**, first come, first served □ (*prov.*) **Meglio t. che mai**, better late than never.

tardigrado m. (*zool.*) tardigrade; water--bear; (al pl., *scient.*) Tardigrada.

tardivaménte avv. belatedly; (too) late.

tardività f. lateness; tardiness.

tardivo a. **1** (*di fenomeno stagionale*) late: **inverno t.**, late winter; **pesche tardive**, late peaches **2** (*che avviene in ritardo*) belated; overdue; tardy: **pentimento t.**, tardy repentance; belated remorse; **rimedio t.**, belated remedy; **scuse tardive**, belated (*o* tardy) apologies; *Le loro scuse sono un po' tardive*, their apology has come rather late **3** (*fig., di persona*) tardy; backward; retarded.

◆**tàrdo** a. **1** (*lett.*: *pigro*) sluggish; lazy **2** (*lento*) slow; tardy: **t. nel prendere decisioni**, slow in making up one's mind **3** (*inoltrato nel tempo*) late: **a ora tarda**, at a late hour; **a tarda sera**, late at night; **nel t. pomeriggio**, in the late afternoon; late in the afternoon; **in tarda mattinata**, in the morning **4** (*di età*) advanced; old: **tarda età**, advanced (*o* old) age; **in tarda età**, at an advanced (*o* old) age; **morire in tarda età**, to die very old (*o* at an advanced age) **5** (*rif. a periodo storico*) late: **il t. Rinascimento**, the late Renaissance **6** (*che giunge tardi*) tardy; belated: **confessione tarda**, tardy confession **7** (*fig., rif. a sviluppo mentale*) slow; slow-witted; obtuse; dull; dense; backward: **studente t.**, dull student; **t. di mente**, slow; backward; **t. di comprendonio**, slow on the uptake (*fam.*).

tardocrazia f. (*scherz.*) bureaucratic delays (pl.); red tape.

tardogòtico m. (*arte*) late Gothic.

tardóna f. (*scherz.*) mutton dressed as a lamb.

tardóne m. (f. **-a**) (*fam.*) slowcoach.

tardorinascimentàle a. late-Renaissance (attr.).

◆**tàrga** f. **1** plate; plate; (*col nome*) nameplate; (*commemorativa*) plaque: **t. d'ottone**, brass plate; **t. stradale**, street sign; **t. votiva**, votive tablet **2** (*premio, trofeo*) shield **3** (*autom.*) number plate, numberplate (*GB*); license plate (*USA*); registration plate (*Austral.*): **t. provvisoria**, temporary number plate; **numero di t.**, registration (*o* licence) number (*GB*); plate number **4** (*di macchina*) plate **5** (*stor.*) target; shield.

targàre v. t. (*autom.*) to provide with a number plate (*USA* license plate).

targàto a. **1** (*autom.*) provided with a number plate (*USA* license plate): **un veicolo t. N809 SMT**, a car with the number plate N809 SMT **2** (*fig.*) labelled; made by.

targatùra f. (*autom.*) issuing of a number plate (*USA* license plate).

tàrget (*ingl.*) m. inv. (*comm.*) target.

targhétta f. (*sulla porta*) nameplate; (*piastrina, cartellino*) tag.

targhettatrìce f. addressing machine.

targóne m. (*bot., Artemisia dracunculus*) tarragon.

tari m. (*numism.*) tari.

◆**tariffa** f. (*insieme di prezzi*) tariff, rate; (*prezzo*) price, charge, (*trasp.*) fare: **t. alberghiera**, hotel rate (*o* price); **t. assicurativa**, insurance rate; **t. daziaria**, municipal customs rate; **t. differenziale**, differential tariff; **t. doganale**, customs tariff; **t. fissa** (*o* **forfettaria**), flat rate; standard charge; **t. intera**, full (*o* adult) rate; (*trasp.*) full fare; **t. oraria**, hourly rate; **t. ridotta**, reduced (*o* cut) rate; (*trasp.*) concessionary (*o* reduced, cheap) fare; **t. salariale**, wage rate; **t. scalare**, scale rate; **t. sindacale**, union scale; **t. supplementare**, additional charge; (*ass.*) **t. tabellare**, schedule rate; specific rate; **t. tutto compreso**, inclusive rate; package deal (*o* offer); **tariffe ferroviarie**, railway fares; (*per merci*) railway charges; **tariffe postali**, postal rates; postal charges; **tariffe professionali**, professional fees; **tariffe telefoniche**, telephone rates; (*trasp.*) **biglietto a t. intera** [**ridotta**], full-fare [reduced--fare] ticket.

tariffàle a. tariff (attr.); rate (attr.).

tariffàre v. t. to put* a tariff on; to tariff; to fix the price of.

tariffàrio A a. tariff (attr.); rate (attr.); price (attr.): **aumento t.**, rate increase; **liste tariffarie**, price lists; **norme tariffarie**, tariff regulations; standard tariffs **B** m. tariff; rate table; price list: **t. doganale**, customs tariff.

tariffazióne f. rating; rate making.

tarlàre A v. t. **1** to eat* **2** (*fig.*) to corrode; to eat* into **B** v. i. e **tarlàrsi** v. i. pron. to get* worm-eaten.

tarlatàna f. (*ind. tess.*) tarlatan.

tarlàto a. worm-eaten; worm-holed.

tarlatùra f. **1** (*foro*) worm-hole **2** (*polvere*) dust from worm-eaten wood.

tàrlo m. **1** (*zool.*) woodworm; worm: **foro di t.**, worm-hole; **disinfestazione dai tarli**, woodworm control; **roso dai tarli**, worm-eaten **2** (*fig.*) worm; pangs (pl.): gnawings (pl.): **il t. del dubbio**, the worm of doubt; **il t. del rimorso**, the pangs of remorse.

tàrma f. (*zool.*) (clothes) moth.

tarmàre A v. t. to eat*; to damage **B** v. i. e **tarmàrsi** v. i. pron. to become* (*o* to get*) moth-eaten: *Il maglione si è tarmato*, the jumper is moth-eaten; the moths have been at the jumper.

tarmàto a. moth-eaten.

tarmatùra f. moth-hole, moth-holes.

tàrmica f. (*bot., Achillea ptarmica*) sneezewort.

tarmicìda A a. moth-killing **B** m. moth--killer.

taroccàre v. t. (*gergale*) to fake; to knock off (*fam.*).

taroccàto a. (*gergale*) fake (attr.); knock--off (attr. *fam.*).

tarocco① m. **1** (*carta da gioco*) tarot (card); (al pl., collett.) tarot □: **mazzo di tarocchi**, tarot pack (*o* deck); **fare i tarocchi**, to read the tarot; to read tarot cards; **giocare a tarocchi**, to play tarot **2** (*gergale*) fake; knock-off (*fam.*).

tarocco② m. (*varietà di arancio*) Sicilian

blood orange.

taròzzo m. (*naut.*) **1** (*di sartie*) sheer batten **2** (*di biscaglina*) rung.

tarpàn m. inv. (*zool., Equus gmelinii*) tarpan.

tarpàre v. t. to clip; to pinion: **t. le ali a un uccello**, to clip (*o* to pinion) a bird's wings; to pinion a bird ● (*fig.*) **t. le ali a q.**, to clip (sb.'s) wings.

Tarpèo a. (*stor.*) Tarpeian: **la Rupe Tarpea**, the Tarpeian Rock.

Tarquìnio m. (*stor.*) Tarquin; Tarquinius.

tarsàle a. (*anat.*) tarsal: **osso t.**, tarsal (bone).

tarsalgìa f. (*med.*) tarsalgia.

tarsìa f. (*arte*) intarsia □; tarsia; inlay; marquetry □: **t. in pietre dure**, intarsia of semi-precious stones; **decorato a t.**, with intarsia decorations; inlaid.

tàrsio m. (*zool., Tarsius*) tarsier.

tàrso m. (*anat., zool.*) tarsus*.

TARSU abbr. (*tassa per lo smaltimento dei rifiuti solidi urbani*) solid waste management tax.

tartàglia m. e f. inv. → **tartaglione**.

tartagliaménto m. stuttering; stutter; stammering; stammer.

tartagliàre A v. i. to stutter; to stammer **B** v. t. to stutter out; to stammer out; (*borbottare*) to mutter: *Tartagliò qualcosa e se ne andò*, he muttered something and went off.

tartaglióne A m. (f. **-a**) stutterer; stammerer **B** a. stammering; stuttering.

tartàna f. **1** (*naut.*) tartan **2** (*rete a strascico*) (small) trawl-net.

tartàreo a. (*lett.*) Tartarean; infernal.

tartarésco a. (*stor.*) Tartarian; Tatar (attr.); Tartar (attr.).

tartàrico① a. (*chim.*) tartaric: **acido t.**, tartaric acid.

tartàrico② a. → **tartaresco**.

tàrtaro① m. **1** (*mitol.*) Tartarus **2** (*estens. lett.*) hell; underworld.

tàrtaro② m. **1** (*gromma*) tartar; argol **2** (*miner.*) limescale; scale; fur **3** (*med.*) tartar; scale **4** (*chim.*) – t. **emetico**, tartar emetic; **cremore di t.**, cream of tartar.

tàrtaro③ a. e m. (f. **-a**) Tatar; Tartar ● (*cucina*) **bistecca alla tartara**, steak tartare □ (*cucina*) **salsa tartara**, tartar sauce; tartare.

◆**tartarùga** f. **1** (*zool., di terra*) tortoise; (*di mare*) turtle; (*d'acqua dolce*) terrapin: **t. azzannatrice** (*Chelydra serpentina*), snapping turtle; snapper; **t. d'acqua dolce**, terrapin; water tortoise; **t. embricata** (*Eretmochelys imbricata*), hawksbill (turtle); **t. verde** (*o* **franca**) (*Chelonia mydas*), green turtle; **guscio di t.**, tortoise shell; (*cucina*) **brodo di t.**, turtle soup **2** (*il materiale*) tortoiseshell: **pettine di t.**, tortoiseshell comb **3** (*fig.: persona lenta*) snail; slowcoach; slowpoke (*USA*) ● **a passo di t.**, at a snail's pace.

tartassaménto m. harrassment; (*di domande*) grilling.

tartassàre v. t. **1** (*strapazzare*) to harass, to give* (sb.) a hard time; (*maltrattare*) to ill--treat, to manhandle; (*fig.*) to torture **2** (*fig., rif. a denaro*) to bleed* dry; to soak: (*fig.*) **essere tartassati dal fisco**, to be bled dry by the taxman **3** (*anche* **t. di domande**) to pester with questions; to grill; to give* (sb.) the third degree: **t. q. a un esame**, to grill sb. in an exam; *La polizia l'ha tartassato di domande*, the police gave him the third degree.

tartelétta f. (*cucina*) tartlet.

tartìna f. (*cucina*) canapé.

tartràto m. (*chim.*) tartrate: **t. acido**, hydrogen tartrate; bitartrate; **t. di antimonio e potassio**, potassium antimony tartrate; tartar emetic.

tartrazina f. (*chim.*) tartrazine.

tartufàia f. truffle-ground.

tartufàio m. (*venditore*) truffle seller; (*cavatore*) truffle hunter.

tartufàre v. t. (*decorare*) to garnish with truffles; (*insaporire*) to flavour with truffles.

tartufàta f. (*cucina*) cake with a whipped cream filling, topped with chocolate flakes.

tartufàto a. (*cucina*) truffled.

tartuferìa f. Tartufferie, Tartuffery.

tartufésco a. hypocritical; pharisaic.

tartufìcolo a. truffle (attr.): **zona tartufìcola**, truffle region.

tartuficoltóre m. truffle grower.

tartuficoltùra f. truffle-growing.

tartùfo① m. **1** (*bot.*) truffle: **t. bianco** (*o* **d'Alba**) (*Tuber magnatum*), white truffle; **t. d'America**, topinambour; Jerusalem artichoke; **t. nero** (*Tuber melanosporum*), black (*o* French) truffle; **cane da t.**, truffle-dog **2** (*cucina*) truffle **3** – (*zool.*) **t. di mare** (*Venus verrucosa*), warty (*o* wart) venus **4** (*naso del cane*) nose.

tartùfo② m. (*ipocrita*) Tartuffe (*franc.*); hypocrite.

TAS sigla (*sport*, **Tribunale arbitrale dello sport**) Court of Arbitration for Sport (CAS).

♦**tàsca** f. **1** (*sartoria*) pocket: **t. ad aletta** (*o* **con pattina**), flap pocket; **t. applicata** (*o a* **toppa**), patch pocket; **t. dei calzoni** [**della giacca**], trouser [jacket] pocket; **t. finta**, false pocket; **t. interna** (*esterna*), inside [outside] pocket; **t. posteriore** (*dei calzoni*), hip pocket; **t. profilata**, welt pocket; **t. tagliata**, slit pocket; **una t. piena di spiccioli**, a pocketful of small change; (*fig.*) **tasche ben fornite**, well-lined pockets; **con la mani in t.**, with one's hands in one's pockets; **da t.**, pocket (attr.); **coltello da t.**, pocket knife; *È troppo caro per le mie tasche*, it's too expensive for my pocket; **frugarsi in t.**, to search one's pockets; **mettersi qc. in t.**, to put st. into one's pocket; to pocket st.; **riempirsi le tasche di qc.**, to fill (*o* to stuff) one's pockets with st.; **rivoltare** (*o* **rovesciare**) **le tasche**, to turn out one's pockets; **vuotare** (*o* **vuotarsi**) **le tasche**, to empty (*o* to turn out) one's pockets **2** (*di valigia, borsa, ecc.*) compartment; pocket **3** (*cucina*) pastry bag **4** (*anat.*) pouch **5** (*geol., ind. min.*) nest; pocket ● (*zool.*) **t. del nero**, ink-bag □ **a portata delle** (*o* **per le**) **proprie tasche**, affordable: *Non è cosa per le mie tasche*, I can't afford it □ **a portata di tutte le tasche**, reasonably priced; accessible □ (*fig.*) **avere le tasche vuote**, to be out of pocket; to be penniless; to be broke (*fam.*) □ (*fig.*) **averne le tasche piene di**, to be fed up with; to be sick and tired of; to have had one's fill of; to have had a bellyful of (*slang*) □ (*fig.*) **avere qc. in t.**, to be sure of st.: **avere il successo in t.**, to be sure of success; *Abbiamo la vittoria in t.!*, it's in the bag! □ **I soldi gli bruciano in t.**, money is burning a hole in his pocket □ **conoscere qc. come le proprie tasche**, to know st. like the back of one's hand; to know st. inside out □ **di t. propria**, out of one's own pocket: **pagare di t. propria**, (*anche fig.*) to pay out of one's own pocket; (*fig.*) to pay for it; **rimetterci di t. propria**, to end up out of pocket; to stand to lose □ (*fig.*) **mettere mano alla t.**, to put one's hand in one's pocket; to pay up □ (*fig.*) **mettersi in t. un bel po' di soldi**, to pocket a tidy sum; (*disonestamente*) to line one's pocket □ (*fig.*) **per tutte le tasche**, to suit all pockets □ (*fig.*) **riempirsi le tasche**, to make a fortune; (*disonestamente*) to line one's pockets □ (*fig.*) **ripulire** (*o* **vuotare**) **le tasche a q.**, to clean sb. out □ (*fig.*) **rompere le tasche a q.**, (*infastidire*) to bother; to pester; to aggravate (*fam.*); (*essere noioso*) to

be a pain in the neck (*fam.*), to be aggravating (*fam.*) □ (*fig.*) **starsene con le mani in t.**, to remain idle; to loaf around □ **A me non ne viene nulla in t.**, I'm not getting anything out of it.

tascàbile Ⓐ a. pocket (attr.); (*in miniatura*) tiny, miniature: **dizionario t.**, pocket dictionary; (*naut.*) **corazzata t.**, pocket battleship; **edizione t.**, paperback (*o* pocket) edition; **formato t.**, pocket size; (*in*) **formato t.**, pocket-size (attr.); **lampadina t.**, pocket flashlight; (*naut.*) **sottomarino t.**, midget submarine; *Venere t.*, pocket Venus Ⓑ m. pocket book; paperback.

tascapàne m. inv. haversack.

tascàta f. pocketful.

taschina f. (*filatelia*) stamp envelope.

taschìno m. **1** (small) pocket; (*della giacca*) breast-pocket; (*del panciotto*) waistcoat (*USA* vest) pocket; **orologio da t.**, pocket watch **2** (*di borsa, valigia, ecc.*) pocket; compartment.

TASCO abbr. (**tassa per i servizi comunali**) council tax.

taşmaniàno a. e m. (f. *-a*) Tasmanian.

♦**tàssa** f. **1** (*imposta, tributo*) tax, (*locale*) rate; (*econ., comm.*) duty, dues (pl.), charge; (*di iscrizione, registrazione, ecc.*) fee: **t. di ammissione**, admission fee; (*naut.*) **t. d'ancoraggio**, anchorage (charges); **t. di bollo**, stamp duty; **t. di circolazione**, road tax; **t. di consumo**, excise duty; **t. d'esame**, examination fee; **t. d'esercizio**, trade-licence tax; **t. di frequenza**, tuition fee; **t. d'iscrizione**, registration fee; (*a un club, ecc.*) membership fee; (*a un sindacato*) union dues; **t. di pedaggio**, toll; **t. di registro**, registration fee; **t. di soggiorno**, tourist tax; visitors' tax; **t. di successione**, inheritance tax; estate tax; **t. fondiaria**, land duty; **t. postale a carico**, postage unpaid; **t. sugli alcolici**, tax on spirits; **t. sui cani**, dog licence; **t. sulle importazioni**, import duty; (*giorn.*) **t. sulla salute**, contribution to the national health service; **tasse aeroportuali**, airport taxes; **tasse scolastiche**, school (*o* tuition) fees; **esente da tasse**, exempt from tax; tax-free; (*di merce*) duty-free; **imporre una t. su**, to levy a tax on; to tax **2** (*al pl.: imposte*) taxation; taxes: **aumentare le tasse**, to step up taxation; **evadere le tasse**, to evade taxes; **pagare le tasse**, to pay (one's) taxes; **pagare due milioni di tasse**, to pay two million in taxes; *Su queste entrate non si pagano tasse*, no tax is payable on these earnings; **ridurre le tasse**, to reduce taxation; to cut taxes (*fam.*); **agente delle tasse**, tax inspector; **esattore delle tasse**, tax collector; taxman.

tassàbile a. taxable; assessable: **reddito t.**, taxable income.

tassabilità f. taxability.

tassàmetro m. taximeter; meter (*fam.*): **t. di parcheggio**, parking meter.

tassàre Ⓐ v. t. to tax; to levy a tax on: **t. gli alcolici**, to tax spirits; **t. un reddito**, to tax an income; **t. alla fonte**, to tax at source; **t. eccessivamente**, to overtax Ⓑ **tassàrsi** v. rifl. to agree to pay; to contribute (st.): *Ci siamo tassati tutti di cento euro*, we all contributed one hundred euros towards it.

tassativaménte avv. strictly; absolutely; peremptorily: **t. vietato**, strictly forbidden; *Si è opposto al progetto*, he declared himself absolutely against the plan.

tassatività f. peremptoriness; finality.

tassatìvo a. strict; absolute; peremptory; imperative: **necessità tassativa**, absolute necessity; imperative need; **un no t.**, a definite no; **ordine t.**, strict (*o* express) order; **termine t. di consegna**, final deadline.

tassàto a. **1** taxed **2** (*posta*) carrying a surcharge.

tassazióne f. taxation: **t. alla fonte**, taxation at source; **t. doppia**, double taxation; **t. eccessiva**, overtaxation; **t. separata**, separate taxation; **soggetto a t.**, taxable; **non soggetto a t.**, non-taxable.

tassellàre v. t. **1** (*ornare con tasselli*) to tessellate **2** (*turare, ecc., con tasselli*) to plug **3** (*prelevare un tassello*) to cut* out a wedge from; to plug: **t. un'anguria**, to plug a water-melon.

tassellàto Ⓐ a. **1** (*formato da tasselli*) tessellated **2** (*turare con tasselli*) plugged Ⓑ m. parquet.

tassellatùra f. **1** tessellation **2** (*otturazione*) plugging.

tassèllo m. **1** (*ornamentale*) tessera* **2** (*per turare*) plug; (*a cuneo*) wedge **3** – **t. a espansione**, screw (*o* wall) anchor **4** (*sartoria*) gusset **5** (*prelievo per assaggio*) (sample) plug; wedge **6** (*fig.*) element; piece; detail.

tassèma m. (*ling.*) taxeme.

tassì m. → **taxi**.

tàssi, tassìa f. **1** (*bot.*) arrangement; -taxis (suff.): **t. fogliare**, phyllotaxis **2** (*biol.*) taxis.

tassidermìa f. taxidermy.

tassidermìsta m. e f. taxidermist.

tassinàro (*region.*) → **tassista**.

tassinomìa e *deriv.* → **tassonomia**, e *deriv.*

tassìsta m. e f. taxi driver; cab driver (*USA*); cabby (*fam.*).

tàsso① m. (*zool., Meles meles*) badger: **pelo di t.**, badger's hair; **pennello di t.**, badger's-hair brush ● (*zool.*) **t. fetente** (*Mydaus javanensis*), teledu.

tàsso② m. (*bot., Taxus baccata*) yew (tree): **legno di t.**, yew (wood) ● **t. barbasso** → **tassobarbasso**.

tàsso③ m. **1** (*stat.*) rate: **t. di crescita**, rate of growth; growth rate; **t. di criminalità**, crime rate; **t. di disoccupazione**, jobless (*o* unemployment) rate; **t. di mortalità** [**di natalità, di sopravvivenza**], death [birth, survival] rate **2** (*banca, econ.*) rate: **t. attivo** (*o* **d'impiego**), lending rate; **t. bancario di riferimento**, prime rate; base rate (*GB*); **t. di cambio**, exchange rate; **t. di capitalizzazione**, yield; **t. d'interesse**, rate of interest; interest rate; **t. di liquidità**, liquidity ratio; **t. di produzione**, turnover rate; **t. di sconto**, rate of discount; discount rate; **t. fluttuante**, floating rate; (*leg.*) **t. di usura**, usurious rate; **t. interbancario**, interbank rate; **t. legale di interesse**, official rate of interest; **t. primario**, prime rate; **t. ufficiale di sconto**, bank rate; minimum lending rate **3** (*med.*) rate; level: **t. di colesterolo** [**di emoglobina**], cholesterol [haemoglobin] level.

tàsso④ m. (*incudine*) stake.

tassobarbàsso m. (*bot.*, *Verbascum thapsus*) mullein; Aaron's rod.

tassòdio m. (*bot.*, *Taxodium*) Taxodium.

tassonomìa f. taxonomy.

tassonòmico a. taxonomic.

tassonomìsta m. e f. taxonomist.

tastàre v. t. **1** (*palpare*) to feel*; to touch; (*con le dita*) to finger: **t. un oggetto**, to feel an object; **t. il polso a q.**, (*med.*) to feel sb.'s pulse; (*fig.*) to sound sb. out, (*rif. a un gruppo, ecc.*) to feel the pulse of; *Tastai il muro in cerca dell'interruttore*, I felt about for the switch; *Avanzai nel corridoio tastando la parete*, I felt my way down the corridor **2** (*saggiare*) to try; to test; (*fig.*) to sound out: **t. il fondo di un fiume**, to try the bottom of a river; **t. il terreno**, to test the ground; to feel one's way; (*fig., presso q.*) to sound sb. out; *Tastalo un po' su questa faccenda*, sound him out on this matter ❶ **FALSI AMICI** • tastare *non si traduce con* to taste.

tastàta f. feel; touch: **dare una t. a qc.**, to

feel st.

tastatóre m. (*tecn.*) feeler pin.

tasteggiàre v. t. **1** to feel* briefly; to touch lightly **2** (*mus.*: *un pianoforte, ecc.*) to run one's fingers over the keys of; (*un flauto, ecc.*) to finger.

tastièra f. **1** (*mus., di pianoforte, ecc.*) keyboard; (*di violino, ecc.*) fingerboard; (*di chitarra, ecc.*) fretboard: **t. elettronica**, electronic keyboard; **t. muta**, dumb piano (*o* keyboard); **genio della t.**, keyboard genius; **strumento a t.**, keyboard instrument **2** (*tecn., comput.*) keyboard; (*di dimensioni ridotte, telef.*) keypad: **inserire con la t.**, to key in; to type in; **telefono a t.**, push-button telephone.

tastierino m. keypad: (*comput.*) **t. numerico**, number keypad.

tastierista m. e f. **1** (*mus.*) keyboard player; keyboardist **2** (*tecn.*) keyboard operator; keyboarder.

tàsto m. **1** (*tatto*) touch; feel: **al t.**, by touch; to the touch: (*anche fig.*) **andare a t.**, to feel one's way; to grope one's way; **riconoscere qc. al t.**, to recognize st. by touch (*o* by the feel of it) **2** (*mus., di pianoforte, ecc.*) key; (*di strumento a corde*) fret **3** (*fig.*: *argomento*) subject; matter; note: **t. delicato**, delicate subject; tender (*o* sensitive) spot; **t. doloroso**, painful subject; sore point; **battere sullo stesso t.**, to keep on about st.; to keep harping on st.; **toccare un t. delicato**, to mention a delicate subject; to touch a sensitive spot; **toccare il t. giusto** [**un t. sbagliato**], to strike (*o* to hit) the right [a false] note; *È meglio non toccare quel t.*, you'd better keep off that subject **4** (*di macchina per scrivere, comput.*) key: **t. di funzione**, function key; **t. d'immissione** (*o* **d'invio**), return (key); **t. delle maiuscole**, shift key; **t. di ritorno del carrello**, carriage return; return (key); **t. spaziatore**, spacebar; **t. tabulatore**, tab key; **battere sui tasti**, to tap (*o* to hit) the keys **5** (*pulsante*) button: **t. di registrazione** [**di riavvolgimento**], record [rewind] button **6** (*telegr.*) tapper **7** (*tassello, prelievo*) sample; (*di formaggio*) wedge ❶**FALSI AMICI** • **tasto** non si traduce con **taste**.

tastóni avv. gropingly: **avanzare (a) t.**, to grope one's way; **cercare qc. a t.**, to grope about for st.

TAT sigla (*telef.*, **tariffa a tempo**) metered billing rate.

tàta f. (*infant.*) nanny.

tatàmi m. (*sport*) tatami; tatami mat.

tàtaro → **tartaro** ③.

tàttica f. **1** (*mil.*) tactics (pl. col verbo al sing.): **t. navale**, naval tactics; **errore di t.**, tactical error **2** (*fig.*: *stratagemma*) tactic; (*linea d'azione*) tactics (pl.): **t. della sorpresa**, surprise tactics; (*sport*) **t. di gioco**, playing tactics; (*sport*) **t. di gara**, game plan; **t. difensiva**, defensive tactics; **t. dilatoria**, delaying tactic; **t. vincente**, winning tactic; *La tua t. è tutta sbagliata*, your tactics are all wrong; *Con lui quella t. non serve*, that tactic doesn't work with him; **mutare t.**, to change tactics **3** (*fig.*: *accortezza*) shrewdness; (*diplomazia*) diplomacy.

tatticìsmo m. use of tactics; (*spreg.*) chicanery; deviousness; devious ways (pl.).

tàttico ① **A** a. (*mil.* e *fig.*) tactical: **armi tattiche**, tactical weapons; **bombardamento t.**, tactical bombing; **errore t.**, tactical error; **mossa tattica**, tactical move; **posizione tattica**, tactical position; **schieramento t.**, tactical formation **B** m. (f. **-a**) tactician.

tàttico ② a. **1** (*biol.*) taxic **2** (*chim.*) tactic: **polimero t.**, tactic polymer.

tatticóne m. (f. **-a**) (*fam.*) shrewd person; sly fox.

tàttile a. tactile: **organi tattili**, tactile or-

gans; **sensazione t.**, tactile sensation; feel; **avere una grande sensibilità t.**, to have a very fine sense of touch.

tattilità f. tactility.

tattìsmo m. (*biol.*) taxis*.

tàtto m. **1** touch; feel: **senso del t.**, sense of touch; **morbido al t.**, soft to the touch; **riconoscere qc. al t.**, to recognize st. by touch (*o* by the feel of it) **2** (*fig.*) tact; tactfulness: **agire con t.**, to act tactfully; **avere t.**, to be tactful; **mancare di t.**, to be tactless; **pieno di t.**, tactful; discreet; **privo di t.**, tactless; (*goffo*) clumsy; maladroit; **mancanza di t.**, lack of tact; tactlessness; (*goffaggine*) clumsiness; maladroitness; *Che mancanza di t., la sua!*, how tactless of him!

tatù m. (*zool.*) armadillo.

tatuàggio m. tattoo; (*la pratica*) tattooing.

tatuàre **A** v. t. to tattoo: **farsi t. un polso**, to have one's wrist tattooed **B tatuàrsi** v. rifl. to have oneself tattooed.

tatuàto a. tattooed.

tatuatóre m. (f. **-trìce**) tattoer; tattooist; tattoo artist.

tatzebào → **dazebao**.

tàu m. o f. (*diciannovesima lettera dell'alfabeto greco*) tau.

taumaturgìa f. thaumaturgy.

taumatùrgico a. thaumaturgic.

taumatùrgo m. thaumaturge; thaumaturgist.

taurifórme a. bull-shaped; in the shape of a bull; taurine.

taurìna f. (*biochim.*) taurine.

taurìno a. **1** taurine; bull (attr.): **razza taurina**, taurine breed **2** (*fig.*) taurine; bull-like; bull (attr.): **collo t.**, bull neck; **forza taurina**, bull-like strength; **un uomo dal fisico t.**, a bull of a man.

tauromachìa f. **1** tauromachy; bullfighting **2** (*corrida*) bullfight.

tauròtrago m. (*zool., Taurotragus oryx*) eland.

tautòcrona f. (*mat.*) tautochrone.

tautologìa f. tautology.

tautològico a. tautological.

tautomerìa f. (*chim.*) tautomerism.

tautòmero a. (*chìm.*) tautomeric • **composto t.**, tautomer.

tautosillàbico a. (*ling.*) tautosyllabic.

tav. abbr. (**tavola**) table.

TAV sigla (*ferr.*, **treno ad alta velocità**) high speed train (HST).

tavèlla f. (*edil.*) hollow tile; perforated block.

tavellàto, tavellonàto a. (*edil.*) made of hollow tiles.

tavellóne m. (*edil.*) hollow flooring block.

tavèrna f. **1** (*osteria*) wine-shop, inn, tavern (*stor.*); (*bettola*) joint, low dive (*slang*) **2** (*ristorante in stile rustico*) country-style restaurant **3** (*in una villa*) basement games room; rumpus room (*USA*) • **discorsi da t.**, vulgar (*o* low) talk.

tavernétta f. → **taverna**, *def. 1 e 2*.

tavernière m. (f. **-a**) inn-keeper; landlord (f. landlady); tavern-keeper (*stor.*).

◆**tàvola** f. **1** (*asse*) plank; board; (*pannello*) panel: **t. del pavimento**, floorboard; **le tavole del palcoscenico**, the boards of the stage; **calcare le tavole del palcoscenico**, to tread the boards; **dipinto su t.**, painting on wood; **pavimento di tavole**, wooden floor **2** (*lastra*) slab: **t. di marmo**, marble slab **3** (*pezzo rettangolare*) block; bar: **t. di cioccolato**, block of chocolate **4** (*mobile*) table: **alzarsi da t.**, to get up from (*o* to leave) the table; **apparecchiare la t.** (*o* **mettere t.**), to lay (*o* to set) the table; **essere a t.**, to be having a meal; to be having lunch

[breakfast, etc.]; to be at table; **portare in t.**, to serve; **sparecchiare la t.** (*o* **togliere t.**), to clear the table; **sedersi** (*o* **mettersi**) **a t.**, to sit down to lunch [to dinner, etc.]; to sit down to eat; **servire a t.**, to wait (at table); **saper** [**non saper**] **stare a t.**, to have good [poor] table manners; **a capo t.**, at the head of the table; *A t.!*, lunch [dinner] is ready!; *La minestra è in t.*, the soup is on the table; *Il pranzo è in t.*, dinner is served; **biancheria da t.**, table linen; **servizio da t.**, dinner service (*o* set); **vino da t.**, table wine; **i piaceri della t.**, the pleasures of the table **5** (*banco da lavoro*) bench: **t. del falegname**, carpenter's bench **6** (*superficie scrittoria*) table: (*Bibbia*) **le Tavole della Legge**, the Tables of the Law; (*stor. romana*) **le Dodici Tavole**, the Twelve Tables **7** (*dipinto*) painting: **una t. del Guercino**, a painting by Guercino **8** (*illustrazione*) plate: **t. a colori**, coloured plate; **t. fuori testo**, plate **9** (*tabella, prospetto*) table: **t. genealogica**, genealogical tree; (*chim.*) **t. periodica**, periodic table; (*mat.*) **t. pitagorica**, multiplication table; (*med.*) **tavole anatomiche**, anatomical tables; **tavole astronomiche**, astronomical ephemerides; (*mat.*) **tavole logaritmiche**, logarithm tables; **tavole dei pesi e delle misure**, tables of weights and measures; **tavole di mortalità**, mortality tables; **tavole sinottiche**, synoptic tables • **t. a vela**, (*lo sport*) windsurfing; (*la tavola*) sailboard **2** (*mus.*) **t. armonica**, sounding board □ **t. calda**, (*i piatti*) hot dishes (pl.), hot food; (*il locale*) lunch bar, snack bar, luncheonette (*USA*) □ **t. di salvezza**, safety plank □ (*mil.*) **t. di tiro**, firing table □ **t. fredda**, (*i piatti*) cold dishes (pl.), buffet; (*il banco*) cold counter □ **t. geografica**, map □ (*gioco*) **t. reale**, backgammon □ **t. rotonda**, (*convegno*) round-table conference; (*dibattito*) forum, panel □ (*letter.*) **la T. Rotonda**, the Round Table □ **amare la buona t.**, to be a gourmet; to love good food (*o* good cuisine) □ (*fig.*) **tenere t. imbandita**, to keep open house.

tavolàccio m. plank-bed.

tavolàme m. planking; planks (pl.); boarding; boards (pl.).

tavolàre v. t. to plank; to cover with planks.

tavolàta f. table: **una t. di dieci persone**, a table of ten people.

tavolàto m. **1** (*parete*) boarding Ⓤ; wooden partition; (*di rivestimento*) wainscot, wainscotting Ⓤ **2** (*pavimento*) planking Ⓤ; wooden floor **3** (*geogr.*) tableland; plateau* (*franc.*).

tavolétta f. **1** (*assicella*) small board; (*per pavimenti*) batten; (*per tetti*) batten, shingle **2** (*pezzo rettangolare*) bar; (*farm.*) tablet: **t. di cioccolata**, bar of chocolate **3** (*per scrivere*) tablet: **t. cuneiforme**, cuneiform tablet; **t. di cera** (*per scrivere*), wax tablet • (*geodesia*) **t. pretoriana**, plane-table □ (*comput.*) **t. grafica**, graphics tablet □ (*autom.*) **a t.**, flat out; full blast: **andare a t.**, to drive flat out (*o* full blast); to step on the gas (*USA*); to bomb; **lanciare l'auto a t.**, to floor one's car □ **gioco delle tre tavolette**, three-card monte.

tavolière ① m. (*per giochi*) board; (*scacchiera*) chessboard; (*damiera*) draughtboard (*GB*); checkerboard (*USA*): **giochi da t.**, board games.

tavolière ② m. (*geogr.*) tableland; plateau* (*franc.*).

◆**tavolino** m. **1** (small) table: **t. a tre gambe**, three-legged table; **t. da gioco**, card table; **t. da notte**, bedside table; **t. da toeletta**, dressing table; **tavolini a incastro**, nest (sing.) of tables **2** (*scrittoio*) writing table; desk: **lavoro da t.**, deskwork **3** (*di microscopio*) stage • (*fig.*) **a t.** (*in modo astratto*), theoretically; in theory; theoretical (agg.) □ **stratega da t.**, armchair (*USA* closet) strate-

gist □ (*fig.*) **stare a t.**, to sit at one's desk; to pore over one's books [papers] □ (*sport*) **vincere [perdere] a t.**, to win [to lose] by arbitration □ **vittoria a t.**, victory awarded by arbitration.

♦**tàvolo** m. **1** table; board; (*scrivania*) desk, writing table: **t. allungabile**, extendable (*o* extensible) table; **t. anatomico**, dissecting table; **t. da biliardo**, billiard table; **t. da cucina**, kitchen table; **t. da disegno**, drawing board; **t. da gioco**, gambling table; (*piccolo*, *per le carte*) card table; **t. da lavoro**, work-table; (*tecn.*) workbench; **t. da ping-pong**, ping-pong table; **t. da pranzo**, dining table; **t. da stiro**, ironing-table; ironing-board; (*comput.*) **t. di comando**, (control) console; (*telef.*) **t. di commutazione**, switchboard; **t. di marmo**, marble (*o* marble-topped) table; (*cinem.*) **t. di montaggio**, splicing table; (*chir.*) **t. operatorio**, operating table; **t. pieghevole**, folding (*o* collapsible) table; **t. ribaltabile**, drop table; **t. verde**, green table; **lampada da t.**, table lamp; **piano del t.**, table top **2** (*estens.*) table: **t. dei negoziati**, negotiating table; **t. delle trattative**, bargaining table; **mettere** (*o* **porre) sul t.**, to lay on the table; to table (*GB*).

tavolóne m. **1** large table **2** (*grosso asse*) thick board; batten.

tavolòzza f. (*pitt.* e *estens.*) palette.

♦**tàxi** m. inv. taxi; taxicab; cab (*USA*) ● **t. aereo**, air taxi; taxi plane.

tàxis m. (*biol.*) taxis* (*chir.*) taxis*.

taxìsta → **tassista**.

taxòdio → **tassodio**.

taylorìsmo m. (*econ.*) Taylorism.

taylorìstico a. Taylorist; Taylor (attr.).

tazebào → **dazebao**.

♦**tàzza** f. **1** cup; (*alta*) mug; (*ciotola*) bowl: **t. da brodo**, consommé bowl; **t. da tè**, teacup; **t. da caffè**, coffee-cup; coffee mug; **tazze e piattini**, cups and saucers **2** (*il contenuto*) cup; cupful: **una t. di tè [di caffè]**, a cup of tea [of coffee] **3** (*di gabinetto*) (toilet) bowl; pan **4** (*di fontana*) basin **5** (*mecc.*) bucket; scoop; ladle **6** (*ind. min.*) skip.

tazzétta f. (*bot.*, *Narcissus tazetta*) polyanthus narcissus.

tazzìna f. **1** small cup; (*da caffè*) coffee-cup **2** (*contenuto*) cup.

T/B sigla (*comm.*, **tratte su banche**) drafts drawn on banks.

tbc f. (*med.*, *fam.*) tuberculosis; TB.

TC sigla **1** (*mil.*, **tenente colonnello**) lieutenant colonel (Lt-Col) **2** (*med.*, **tomografia computerizzata**) computerized tomography (CT).

TCI sigla (**Touring club italiano**) Italian Touring Club.

♦**te** pron. pers. 2ª pers. sing. m. e f. **1** (compl.) you; (*te stesso*) yourself: *Cercano te*, they are looking for you; *Te l'avevo detto*, I told you so; *Voglio dartelo io*, I want to give it to you personally; *Tocca a te*, (*è il tuo turno*) it's your turn; (*spetta a te*) it's up to you; *Parlo con te*, I am talking to you; *Parlano tutti di te*, they are all talking about you; *Devi farlo da te*, you must do it by yourself; *Devi decidere da te*, you must decide for yourself; *Lo sai da te come si fa*, you know yourself (*o* you already know) how to do it; *Possiamo venire da te ora?*, can we come over (to your place) now?; **se fossi in te**, if I were you; **(in) quanto a te**, as for you; *Pensa per te!*, mind your own business! **2** (in funzione di sogg.) you: **io e te**, you and I; *È ricco come te*, he is as rich as you are; *Ne sappiamo quanto te*, we know as much as you do; *Pareva proprio te*, she really looked like you; *Io non sono te*, I am not you **3** (in frasi escl.) you: *Beato te!*, lucky you!; you lucky thing!; *Contento te!*, suit yourself!; as long as you

are satisfied...; *Povero te!*, you poor thing!; (*iron.*) you'll be in for it, you'll catch it, you'll regret it.

TE abbr. (**Teramo**).

♦**tè** m. **1** (*bot.*, *Thea sinensis*) tea-plant **2** (*bevanda*) tea: **tè al limone**, tea with lemon; lemon tea; **tè col latte**, tea with milk; **tè cinese**, China tea; **tè forte** (*o* **carico**), strong tea; **tè leggero**, weak tea; **tè verde**, green tea; **tè in bustine**, teabags (pl.); **tè indiano**, Indian tea; **fare il tè**, to make (*o* to brew) some tea; **prendere il tè**, to have tea; **bustina di tè**, teabag; **casa da tè**, teahouse; **l'ora del tè**, teatime; **servizio da tè**, tea set (*o* service); **tazza di tè**, cup of tea; **tazza da tè**, teacup **3** (*ricevimento*) tea; (*mondano*) tea party: **il tè delle cinque**, five-o'clock tea; **tè danzante**, thé dansant; tea dance; **dare un tè**, to invite people to tea; to give a tea party (*form.*); **invitare a un tè**, to invite to tea; **sala da tè**, tearoom.

te' inter. **1** (*ecco*, *prendi*) here; take (it): *Te' i soldi*, here's the money; *Ecco, te'*, here it is; here, take it **2** (*esclam. di sorpresa*) well!

tèa a. e f. – **rosa tea**, tea rose.

teak → **tek**.

teantropìa f. (*teol.*) theanthropy.

teatìno m. (*eccles.*) Theatine.

teatràbile a. suitable for the stage.

teatràle a. **1** theatrical; theatre, theater (*USA*) (attr.); (*rif. ai lavori teatrali*, *anche*) dramatic, drama (attr.); (*rif. al recitare*, *anche*) acting: **compagnia t.**, theatrical (*o* theatre) company; **critico t.**, drama critic; **lavoro t.**, play; **prima t.**, first night; **produzione t.**, dramatic production; **la professione t.**, the acting profession; acting; **scrittura t.**, theatrical engagement; **spettacolo t.**, theatrical performance **2** (*fig.*: *istrionico*, *enfatico*) theatrical; histrionic; melodramatic: **gesto t.**, theatrical gesture; **pose teatrali**, dramatics; histrionics; theatrics.

teatralità f. theatricality; theatrics (pl.).

teatralizzàre v. t. to overdramatize; to exaggerate.

teatralizzazióne f. overdramatization; exaggeration.

teatrànte m. e f. **1** (*teatr.*) actor (m.); actress (f.); comedian; Thespian; (*spreg.*) second-rate actor [actress] ham **2** (*fig. spreg.*) theatrical (*o* histrionic) person.

teatrìno m. **1** (*giocattolo*) toy theatre **2** (*di burattini*) puppet theatre **3** (*fig. spreg.*: *gioco delle parti*) role-playing 🔟; (*recita*, *finzione*) play-acting 🔟.

♦**teàtro** m. **1** (*edificio*, *sala*) theatre, theater (*USA*); theatre-house, house: **t. a pianta circolare**, theatre-in-the-round; **t. all'aperto**, open-air theatre; **t. dell'opera** (*o* **lirico**), opera house; **t. esaurito** [*mezzo vuoto*], full [half-empty] house; **il T. alla Scala**, the Scala Theatre; La Scala; **i teatri di Londra**, London theatres; **posto a t.**, theatre seat; **sala del t.**, auditorium; *Il t. era gremito*, the theatre was packed; there was a full house **2** (*il pubblico*) audience; house; theatre: *Fu un delirio di tutto il t.*, the audience went wild; *Il suo gesto suscitò l'ilarità di tutto il t.*, his gesture brought the house down **3** (*attività*) theatre; stage: **t. stabile**, repertory theatre; **t. sperimentale**, experimental theatre; **darsi al t.** (*diventare attore*), to go on the stage; **fare del t.**, to work in the theatre; (*essere attore*) to act; **scrivere per il t.**, to write for the theatre (*o* the stage); **adattamento per il t.**, adaptation for the stage; stage adaptation; **gente di t.**, theatre people (pl.); theatre professionals (pl.) **4** (*genere letter.*) theatre; drama; plays (pl.): **il t. dell'assurdo**, the theatre of the absurd; **il t. di Shakespeare**, Shakespeare's plays; Shakespearean drama; **t. comico**, comedy; **t. dialettale**, vernacular theatre; **il t. greco**,

Greek theatre (*o* drama); **t. tragico**, tragedy; **t. popolare**, popular theatre **5** (*genere di spettacolo*) theatre: **t. dei burattini**, puppet theatre; **t. di prosa**, prose theatre; **t. di varietà**, variety theatre; music hall (*GB*); vaudeville (*USA*); **t. d'opera** (*o* **lirico**), opera; **t. d'operetta**, operetta; **t. delle marionette**, puppet shows (pl.); **andare a t.**, to go to the theatre; to go to see a play [a show, etc.]; **preferire il t. al cinema**, to prefer the theatre to the cinema; *Ho visto Olivier a t.*, I saw Olivier on stage; **frequentatore dei teatri**, regular theatre-goer **6** (*fig.*: *luogo d'azione*) scene; site; stage; theatre: **t. di guerra**, theatre of war; *Il castello fu t. di un feroce delitto*, the castle was the scene of a gruesome murder **7** (*mil.*) theatre: **t. delle operazioni**, theatre of operations; **missili di t.**, theatre missiles ● (*med.*) **t. anatomico**, anatomical theatre □ **il t. del mondo**, the world's stage □ (*cinem.*) **t. di posa**, studio □ **il t. della storia**, the stage of history □ **eroe da t.**, stage hero □ **Tutto il mondo è t.**, all the world is a stage.

tebàide f. (*fig.*) **1** hermitage **2** desert; solitude.

Tebàide f. (*geogr.*, *stor.*) Thebaid.

tebaìna f. (*chim.*) thebaine.

tebaìsmo m. (*med.*) opiumism.

Tebàldo m. Theobald.

tebàno a. e m. (f. **-a**) Theban.

Tèbe f. (*geogr.*, *stor.*) Thebes.

TEC sigla (**tonnellata equivalente di carbone**) ton of coal equivalent (t.c.e.).

tèca f. **1** (*vetrina*) showcase; glass case **2** (*per reliquie*) reliquary; shrine **3** (*bot.*, *anat.*) theca* **t. cranica**, brain case; cranium*.

Technicolor® m. (*cinem.*) Technicolor: **in T.**, in Technicolor; (*fig.*) in bright colours; technicolor (attr.).

teck → **tek**.

Tècla f. Thecla.

tecnèto, **tecnèzio** m. (*chim.*) technetium.

♦**tècnica** f. **1** (*serie di norme*) technique: **t. aziendale**, business administration technique; business management; **t. bancaria**, banking; **t. del disegno**, drawing technique; draughtsmanship; **t. di vendita**, sales technique; selling; salesmanship; **t. pittorica**, painting technique; brushwork; **t. teatrale**, stagecraft; **tecniche di direzione aziendale**, management techniques **2** (*modo di lavorare*, *procedura*) technique: **una nuova t. per raffinare lo zucchero**, a new technique for refining sugar **3** (*fig.*: *sistema*) way; method; technique **4** (*metodo di produrre*) technology; technics (pl. col verbo al sing.); engineering: **le antiche tecniche di costruzione**, ancient building technologies; **t. mineraria**, mining engineering; **t. elettronica**, electronics (pl. col verbo al sing.) **5** (*abilità*) technique: *Suona con passione, ma la sua t. è scadente*, he plays with passion, but his technique is poor; **un pittore di grande t.**, a painter of extraordinary technique.

tecnicalità f. → **tecnicismo**, def. 1.

tecnicaménte avv. technically.

tecnicìsmo m. **1** technicality: **perdersi nei tecnicismi**, to get lost in technicalities **2** (*ling.*) technical term.

tecnicìsta m. e f. technicist.

tecnicìstico a. technicist.

tecnicità f. technicalness; technicality.

tecnicizzàre v. t. to technicalize.

tecnicizzazióne f. technicalization.

♦**tècnico** **A** a. technical: **cognizioni tecniche**, technical knowledge; **direttore t.**, technical manager; (*boxe*) *KO t.*, technical knock-out; **linguaggio t.**, technical jargon; **motivi di ordine t.**, technical reasons; **particolari tecnici**, technical details; (*spreg.*) technicalities; **scuola tecnica** (*o* **istituto t.**),

technical school; (*comput.*) **supporto t.**, technical support; **termine t.**, technical term; **ufficio t.**, technical office; engineering department **B** m. (f. *-a*) **1** engineer; technician: **t. del collaudo**, test engineer; **t. di laboratorio**, laboratory technician; (*cinem.*) **t. delle luci**, light technician; **t. della manutenzione degli ascensori**, lift engineer; (*cinem.*) **t. del suono**, sound engineer; **t. specializzato**, engineer; **t. della televisione**, television engineer; *L'industria ha bisogno di tecnici*, industry needs specialized people ❶ **NOTA:** *engineer* → **engineer 2** (*riparatore*) repairman*; repairer: **chiamare il t. per riparare il frigo**, to call a repairman to fix the fridge **3** (*esperto*) expert; specialist: **il parere di un t.**, the opinion of an expert **4** (*sport*) coach **C** m. (*sport: fallo*) technical foul.

tecnicòlor → **Technicolor**.

tecnificàre v. t. to technicize.

tecnìgrafo m. (*mecc.*) drafting machine.

tècno **A** f. (*mus.*) techno **B** a. inv. **1** technological **2** (*mus.*) techno (attr.).

tecnòcrate m. e f. technocrat.

tecnocràtico a. technocratic.

tecnocrazìa f. technocracy.

tecnofibra f. (*ind. tess.*) man-made fibre; artificial fibre; synthetic fibre.

tecnofobìa f. technophobia.

tecnofòbico a. technophobic.

tecnòfobo m. (f. *-a*) technophobe.

tecnogràfico a. technographic.

tecnologìa f. technology: **t. informatica**, computer technology; **t. meccanica**, mechanical technology; **tecnologie all'avanguardia**, cutting-edge technologies; **alta t.**, high technology; *Sono molto avanti nella t.*, they are far advanced in technology.

tecnològico a. technological: **conquiste tecnologiche**, technological advances; **ad alto contenuto t.**, high-technology (attr.); high-tech (attr., *fam.*).

tecnologizzàre v. t. to technologize.

tecnòlogo m. (f. *-a*) technologist.

tecnopatìa f. (*med.*) occupational disease.

tecnopolìmero m. (*chim.*, *ind.*) thermoplastic substance; (al pl., anche) thermoplastics.

tecnostruttùra f. (*econ.*) technostructure.

tecnotrònica f. technotronics (pl. col verbo al sing.).

tecnotrònico a. technotronic.

téco forma pron. (*lett.*) with you.

tecodónte a. (*zool.*) thecodont (attr.).

tectìte f. (*miner.*) tektite.

tectònica → **tettonica**.

tèda f. (*lett.*) torch.

tedescheggiàre v. i. to imitate the Germans; to follow German ways.

tedescherìa f. (*scherz.* o *spreg.*) **1** (the) Germans (pl.); (the) Krauts (*fam.*) **2** Germany.

tedeschìsmo m. (*ling.*) Germanism.

tedeschizzàre v. t. to Germanize.

tedésco **A** a. German ● **alla tedesca**, in the German way; German-style (attr.) **B** m. **1** (f. *-a*) German **2** (*lingua*) German: **alto t.**, High German; **antico alto t.**, Old High German; **basso t.**, Low German.

tedescòfilo a. e m. (f. *-a*) Germanophile.

tedescofobìa f. Germanophobia.

tedescòfobo **A** a. Germanophobic **B** m. (f. *-a*) Germanophobe.

tedescòfono **A** a. German-speaking **B** m. (f. *-a*) German speaker.

tedescùme m. (*spreg.*) German rubbish.

tediàre **A** v. t. (*annoiare*) to bore, (*stancare*) to tire, to weary, to be wearisome; (*infastidire*) to bother, to annoy **B** tediàrsi v. i. pron. to get* bored; to tire; to get* weary.

tèdio m. boredom; tedium: **t. della vita**, tedium vitae (*lat.*); ennui (*franc.*); **provare t. per qc.**, to be weary of st.; **venire a t. a q.**, to weary sb.

tediosità f. tediousness; boringness; dreariness; dullness; monotony; (*fastidio*) bother, annoyance.

tedióso a. tedious; boring; dreary; dull; monotonous; wearying; wearisome; (*fastidioso*) bothersome, irksome.

tedòforo (*lett.*) **A** a. torch-bearing **B** m. (f. *-a*) torch-bearer.

teflon ® m. Teflon®.

teflonàre v. t. to coat with Teflon.

tefrìte f. (*miner.*) tephrite.

tegamàta f. panful.

tegàme m. **1** pan; saucepan; skillet: **pentole e tegami**, pots and pans; **cuocere in** (*o* **al**) **t.**, to cook in a pan; **uova al t.**, fried eggs **2** (*contenuto*) panful.

tegamìno m. (small) frying pan; skillet: **uova al t.**, fried eggs.

tegenària f. (*zool.*, *Tegenaria domestica*) house spider.

téglia f. (*per torte, ecc.*) baking-tin, pie-dish; (*per arrosti*) roasting pan.

◆ **tégola** f. **1** (roof) tile: **t. alla fiamminga**, pantile; **t. comune** (*o* **piana**), plain tile; **t. curva**, curved tile; **t. di ardesia**, slate; **t. di colmo**, ridge tile; **t. marsigliese** (*o* **a incastro**), interlocking tile; **rivestire di tegole**, to tile; **copertura con tegole**, tile covering; tiling; **tetto di tegole**, tile (*o* tiled) roof **2** (*fig.*) blow; shock: **ricevere una t. in testa**, to suffer a blow.

tegumentàle a. (*biol.*) integumental.

tegumentàrio a. (*biol.*) integumentary.

teguménto m. (*biol.*) integument.

teicoltóre m. (f. *-trìce*) tea grower.

teicoltùra f. tea-growing.

teièra f. tea-pot.

teìna f. (*chim.*) theine.

teìsmo m. (*filos.*) theism.

teìsta m. e f. (*filos.*) theist.

teìstico a. (*filos.*) theistic.

tek m. (*bot.*, *Tectona grandis*) teak; (*il legno*) teak, teakwood.

◆ **téla** f. **1** (*ind. tess.*: *il tessuto*) cloth: **t. batista**, cambric; **t. cachi**, khaki; **t. canapina**, hempen cloth; **t. cerata**, oilcloth; waxcloth; oilskin; **t. d'Olanda**, Holland cloth; **t. da asciugamani**, towelling; **t. da camicie**, shirting; **t. da imballaggio**, packing cloth (*o* material); **t. da lenzuola**, sheeting; **t. da materassi**, ticking; **t. da sacco**, sackcloth; sacking; burlap; jute; **t. da vele**, canvas; sail-cloth; **t. di canapa**, canvas; hemp cloth; burlap; **t. di cotone**, cotton cloth; (*grezza*) dungaree; **t. di Fiandra**, Flanders linen; **t. di iuta**, jute (canvas); (*grezza*) hessian, gunny; **t. di lino**, linen; **t. gommata**, rubberized canvas; **t. grezza**, rough cloth; canvas; (*di iuta*) hessian, gunny; **t. impermeabile**, waterproof cloth; **t. olona**, duck; canvas; **t. smeriglio**, emery cloth; **t. stampata**, print; **t. per borse** (*o* **valigie**), bagging; **tessere a t.**, to weave cloth; **rilegato in t.**, cloth-bound; **borsa di t.**, canvas bag; **rilegatura in t. [in mezza t.]**, cloth [half--cloth] binding; **scarpe di t.**, canvas shoes **2** (*ind. tess.*: *l'armatura*) plain weave; tabby: **tessere a t.**, to do plain weaving: **tessuto a t.**, plain woven **3** (*pitt.*) canvas; (*dipinto*) canvas, painting: **dipingere su t.**, to paint on canvas; **una t. di Raffaello**, a painting by Raphael **4** (*sipario*) curtain: **alzare [calare] la t.**, to raise [to lower] the curtain; *Si alza* [*Cala*] *la t.*, the curtain rises [drops] **5** (*autom.*, *di pneumatico*) ply; warp **6** (*fig.*,

(*lett.*: *trama*) plot; (*trappola*) trap: **cadere nella t.**, to fall into the trap; **ordire una t. contro q.**, to plot against sb. ● (*fig.*) **la t. di Penelope**, a never-ending job □ (*zool.*) **t. di ragno**, spider's web; cobweb.

telàggio m. **1** weaving; weave **2** (*tele*) drapery.

telaìno m. (*di alveare*) (beehive) frame.

telàio m. **1** (*ind. tess.*) loom: **t. a mano**, handloom; **t. a pedali**, treadle loom; **t. da ricamo**, embroidery frame; tambour; **t. meccanico**, power loom; **t. per maglieria**, knitting loom; knitter **2** (*struttura*, *armatura*) frame: **t. di finestra**, window frame; casement; **t. di letto**, bed frame; **t. di porta**, door frame **3** (*autom.*) chassis*; undercarriage **4** (*di bicicletta*) frame **5** (*tipogr.*) chase **6** (*fotogr.*) frame; mount.

telamóne m. (*archit.*) telamon*.

telangettasìa → **teleangectasia**.

telangettàsico a. (*med.*) telangiectatic.

telàre v. i. (*pop.*) to make* oneself scarce; to scarper (*slang*); to beat* it (*slang*); to scram (*slang*).

telàto a. reinforced with canvas; canvas (attr.); linen (attr.): **carta telata**, linen paper.

tèle (*fam.*) **A** f. TV; telly (*fam.*) **B** m. inv. (*fotogr.*) telephoto (lens).

teleabbonàto m. (f. *-a*) television licence-holder.

teleacquisti m. pl. teleshopping Ⓤ; home shopping (attr.).

teleallàrme m. remote alarm system.

teleangectasìa f. (*med.*) telangiectasia; teleangiectasis.

teleannunciatóre m. (f. *-trìce*) television announcer; (*di telegiornale*) newsreader, newscaster (*USA*).

teleàrma f. (*mil.*) guided weapon.

teleàsta f. TV auction.

teleaudioconferènza f. audio teleconference.

teleaudiovisìvo **A** a. teleaudio-visual **B** m. teleaudio-visual aid.

teleautografìa f. teleautography.

teleautogràfico a. teleautographic.

teleautògrafo m. Teleautograph®.

teleavvìso m. beeper message.

telebànca f. home banking Ⓤ.

telebómba f. (*mil.*) guided bomb; smart bomb (*fam.*).

telebórsa f. (*Borsa*) stock ticker.

telebùssola f. (*naut.*) remote-indicating compass.

telecabìna f. cable car.

telecàmera f. television camera; camera: **davanti alle telecamere**, before the cameras; **fuori portata delle** (*o* **lontano dalle**) **telecamere**, off camera; **ripreso dalle telecamere**, on camera.

telecàrta f. telephone card.

telecettóre m. (*fisiol.*) teleceptor.

telecìnema m. inv. telecine.

telecinèsi f. (*parapsicologia*) telekinesis.

telecinètico a. (*parapsicologia*) telekinetic.

telecomandàre v. t. to operate by remote control.

telecomandàto a. remote-controlled; (*di missile, ecc., anche*) guided.

◆ **telecomàndo** m. **1** remote control **2** (*il dispositivo*) remote control (*o* controller); remote (*fam.*).

telecomunicàre v. t. to communicate by radio, television, wire, etc.; to broadcast*.

telecomunicazióne f. **1** telecommunication: **l'industria delle telecomunicazioni**, the telecommunications industry; **satel-

lite per telecomunicazioni, telecommunications satellite **2** communication by telephone and telegraph.

teleconferènza f. teleconference; (al pl., collett.) teleconferencing.

telecontrollàre e *deriv.* → **telecomandare**, e *deriv.*

telecòpia f. **1** facsimile copy (sent by Telecopier) **2** telefax.

telecopiatóre m. **1** Telecopier® **2** fax machine.

telecopiatrìce f. fax machine.

telecopiatùra f. facsimile transmission; telefaxing.

telecrazìa f. TV dominance.

telecrònaca f. (*il servizio*) television coverage, television report; (*il commento*) running commentary: **t. diretta [differita]**, live [pre-recorded] television report; *Ci sarà una t. diretta della cerimonia*, there will be a live television coverage of the ceremony; the ceremony will be televised live; **fare la t. di una partita**, to give a running commentary of a match.

telecronista m. e f. (television) commentator: **t. sportivo**, sports commentator; sportscaster.

telecuòre m. (*med.*) telecardiogram.

telediàgnosi f. (*med.*) telediagnosis*.

teledidàttica f. teleteaching.

telediffóndere v. t. to telecast*; to televise.

telediffusióne f. television broadcasting; telecasting.

teledipendènte Ⓐ a. addicted to TV (pred.) Ⓑ m. e f. TV addict; telly addict (*fam.*); vidiot (*fam.* USA); (*di chi sta stravaccato in poltrona*) couch potato (*fam.*).

teledipendènza f. TV addiction.

teledocumentazióne f. (*comput.*) teledocumentation.

teledràmma m. television play.

Teledrìn® m. (*telef.*) beeper; pager; bleeper (*GB*).

teleelaborazióne f. (*comput.*) teleprocessing.

tèlefax m. inv. **1** (*la macchina*) telefax; fax machine **2** (*il documento*) telefax; fax.

telefèrica f. **1** telferage; telpher line; telpher, e *deriv.*; cableway: **t. a va e vieni**, jig-back; **carrello vagoncino di t.**, cable car; telpher, telfer; **trasportare per t.**, to telpher **2** (*funivia*) cableway; cable car.

telefèrico a. telpher, telfer (attr.); cableway (attr.): **linea teleferica**, telpher line.

teleferista m. telpher (o telfer) operator; cableway operator.

telefìlm m. inv. Tv film; TV movie; (*episodio di serie televisiva*) episode.

◆**telefonàre** Ⓐ v. t. to telephone; to phone: **t. i risultati**, to phone the results Ⓑ v. i. to telephone; to phone; to call (*USA*); to ring* up (*fam.*): **t. a q.**, to phone sb. (up); to call sb.; to ring sb. up; to give sb. a ring (*fam.*); **t. a carico del destinatario**, to phone reverse-charge (*GB*); to call collect (*USA*); **t. in teleselezione**, to phone long-distance; to dial direct; *Ha telefonato che verrà*, she phoned to say that she will come; *Telefonami domani*, phone me (o call me, give me a ring) tomorrow; *Sto telefonando*, I'm on the phone; *Ho provato a telefonarti, ma era sempre occupato*, I tried to get you on the phone, but the line was engaged (o busy) Ⓒ **telefonàrsi** v. rifl. recipr. to speak* on the phone to each other; to be on the phone with each other: *Non fanno che telefonarsi*, they are constantly on the phone (with each other).

◆**telefonàta** f. telephone call; phone call; call: **t. a carico del destinatario**, reverse-charge call (*GB*); collect call (*USA*); **t. interurbana**, long-distance call; toll call (*USA*); **t. urbana**, local call; **fare una t.**, to make a (telephone) call; **passare una t. a**, to put a call through to; **prendere una t.**, to take a call; **fare un giro di telefonate**, to ring round.

telefonìa f. telephony: **t. cellulare**, cellular telephony; **t. senza fili**, wireless telephony.

telefonicaménte avv. by telephone; by phone; on (*o* over) the phone.

◆**telefònico** Ⓐ a. telephone (attr.); phone (attr.): **apparecchio t.**, telephone set; **cabina telefonica**, telephone kiosk (*o* box, *USA* booth); call-box (*GB*); **centralino t.**, telephone exchange; switchboard; **chiamata telefonica**, telephone call; phone call; **distretto t.**, telephone area; **elenco t.**, telephone directory (*o* book); phone book; **impianto t.**, telephone installation; **intercettazioni telefoniche**, phone-tapping; **linea telefonica**, telephone line; **rete telefonica**, telephone system; **scheda telefonica**, telephone card; phonecard; **servizio t.**, telephone service Ⓑ m. e f. telephone worker.

◆**telefonìno** m. (*fam.*) mobile phone; mobile (*fam.*); cellphone.

telefonìsta m. e f. (*di centrale telefonica*) (telephone) operator; (*in un ufficio*) switchboard operator, telephonist.

◆**telèfono** m. **1** telephone; phone: **t. a gettoni**, token-operated phone; **t. a monete**, coin-operated phone; **t. a muro**, wall-mounted telephone; **t. a scheda**, cardphone; **t. a tastiera**, push-button telephone; **t. automatico**, automatic telephone; (*fig.*) **t. caldo**, hot line; **t. cellulare**, mobile telephone; cellphone; **t. da campo**, field telephone; **t. duplex**, party line; **t. interno**, interphone; intercom; **t. fisso**, fixed telephone; **t. portatile**, mobile telephone; **t. pubblico**, public telephone; payphone; **t. satellitare**, satellite telephone; satphone; **t. sotto controllo**, bugged (*o* tapped) telephone; *Il t. dà libero*, the telephone is ringing; *Il t. dà occupato*, the line is engaged (*USA* busy); *Suonò il t.*, the telephone rang; **al t.**, on the phone; *Sono al t.*, I'm on the phone; **parlare con q. al t.**, to speak to sb. over (*o* on) the phone; to be on the phone with sb.; **sentirsi al t. con q.**, to speak to sb. on the phone; **per t.**, over the phone; by telephone; *Ne abbiamo parlato per t.*, we talked about it over the phone; **ordinare qc. per t.**, to phone for st.; **prendere ordinazioni per t.**, to take orders over the phone; **alzare il t.**, to pick up the phone; **buttare giù il t. a q.**, to hang up on sb.; to slam the phone down on sb.; **chiamare q. al t.**, to phone sb. (up); to call sb.; to ring sb. up; to give sb. a ring (*fam.*); **mettere giù il t.**, to hang up; to put the phone down; *Rimanga al t., per favore*, please hold the line (o hold on); **rispondere al t.**, to answer the phone; *La vogliono al t.*, you are wanted on the phone; **abbonato al t.**, telephone subscriber; **colpo di t.**, call; ring (*fam.*); buzz (*fam.*); tinkle (*fam. GB*); **fare un colpo di t. a q.**, to give sb. a ring; **filo del t.** (*dell'apparecchio*), telephone cord; **fili del t.** (*dell'impianto*), telephone wires; **numero di t.**, telephone number; phone number **2** (*servizio telefonico*) telephone service; (*di soccorso*) helpline: **t. amico**, helpline; **t. azzurro**, children helpline; ChildLine (*GB*); **t. rosa**, women's helpline **3** (al pl.) telephone company: **impiegato dei telefoni**, telephone employee; **società dei telefoni**, telephone company.

telèforo m. cableway.

telefotografìa f. **1** (*il sistema*) telephotography **2** (*l'immagine trasmessa*) telephoto.

telefotogràfico a. telephotographic.

telefotometrìa f. (*ottica*) telephotome-

try.

telefotòmetro m. telephotometer.

telegenìa f. telegenic quality.

telegènico a. telegenic.

◆**telegiornàle** m. (the) television news Ⓤ; (the) news Ⓤ; newscast: *L'hanno detto al t.*, it was on the news.

telegiornalìsta m. e f. television reporter.

◆**telegrafàre** v. t. e i. to telegraph; to wire (*USA*); (*per cavo sottomarino*) to cable.

telegrafìa f. telegraphy: **t. senza fili**, wireless telegraphy.

telegraficaménte avv. **1** by telegram; by wire; telegraphically; (*per cavo sottomarino*) by cable **2** (*fig.*) briefly; concisely.

◆**telegràfico** a. **1** telegraphic; telegraph (attr.); wire (attr., *USA*): **cavo t.**, telegraph cable; **dispaccio t.**, telegram; **filo t.**, telegraph wire; **messaggio t.**, telegraphic message; **modulo t.**, telegraph form; **servizio t.**, telegraph service **2** (*fig.*) telegraphic; concise; brief: **stile t.**, concise style.

telegrafìsta m. e f. **1** telegraph operator; telegraphist **2** (*mil.*) signaller.

telègrafo m. **1** telegraph: **t. campale**, field telegraph; **t. Morse**, Morse telegraph; **t. senza fili**, wireless telegraph; **per t.**, by telegraph; **fili del t.**, telegraph wires; **pali del t.**, telegraph poles **2** (*ufficio*) telegraph office **3** (*naut.*) – **t. di macchina**, engine-room telegraph.

◆**telegràmma** m. telegram; wire (*USA*); (*per cavo sottomarino*) cable: **t. con risposta pagata**, reply-paid (o prepaid) telegram; **t. lettera**, night letter (*USA*); **t. ordinario**, ordinary-rate telegram; **mandare un t.**, to send a telegram; to wire (*USA*); to cable.

teleguìda f. → **telecomando**.

teleguidàre e *deriv.* → **telecomandare**, e *deriv.*

teleinformàtica f. telematics (pl. col verbo al sing.).

teleinseritóre m. remote-control switch (*o* starter).

telelavoratóre m. (f. **-trice**) teleworker; telecommuter.

telelavóro m. teleworking Ⓤ; telecommuting Ⓤ.

Telèmaco m. (*letter.*) Telemachus.

telemanipolatóre m. telechiric device.

telemark m. inv. (*sci*) telemark.

telemarketing (*ingl.*) m. inv. (*comm., market.*) telemarketing.

telemàtica f. telematics (pl. col verbo al sing.).

telemàtico a. computer (attr.); computerized: **l'era telematica**, the computer age; (*Borsa*) **mercato t.**, computerized trading.

telematizzàre v. t. to computerize.

telemeccànica f. telemechanics (pl. col verbo al sing.).

telemeccànico a. telemechanic.

telemedicìna f. (*med.*) telemedicine.

telemessàggio m. (*TV*) televised speech.

telemetràggio m. telemetering.

telemetràre v. t. to telemeter.

telemetrìa f. telemetry; range-finding.

telemètrico a. telemetric; range-finding.

telemetrìsta m. rangefinder operator; range-taker.

telèmetro m. telemeter; rangefinder.

telemisùra f. telemetry.

telemisurazióne f. telemetry; range finding.

telencèfalo m. (*anat.*) telencephalon.

telenovèla (*portoghese*) f. (television) soap opera; soap (*fam.*).

teleobiettivo m. (*fotogr.*) telephoto lens.

teleologìa f. (*filos.*) teleology.

teleològico a. (*filos.*) teleological.

teleonomìa f. (*biol.*) teleonomy.

teleòsteo m. (*zool.*) teleost; (al pl., *scient.*) Teleostei.

Telepàss® m. inv. electronic motorway toll collection.

telepatìa f. telepathy.

telepàtico a. telepathic: **avere poteri telepatic**, to have telepathic powers; to be a telepath.

telepilotàre e *deriv.* → **telecomandare**, e *deriv.*

telepredicatóre m. (f. *-trice*) televangelist.

teleprogràmma m. television programme (*USA* program).

teleproiètto m. (*mil.*) guided missile; guided weapon.

telepromozióne f. TV advertising.

telequiz m. TV quiz show.

teleradiografìa f. (*med.*) teleradiography.

teleradiotrasméttere v. t. to broadcast* simultaneously on radio and television; to simulcast*.

teleregolàre v. t. to telecontrol.

telerìa f. linen goods (pl.); drapery; fabrics (pl.): **negozio di t.**, draper's shop.

telericevènte ◮ a. television receiving ◮ f. television receiving station.

telericévere v. t. to receive distant signals; (*TV*) to receive television signals.

telericezióne f. reception of distant signals; (*TV*) reception of television signals.

telerilevaménto m. (*geol.*) remote sensing.

teleriprésa f. 1 (*cinem.*) telephoto shot 2 (*TV*) television shot.

teleriscaldaménto m. district heating.

teleriscaldàre v. t. to heat (a group of buildings) from one source of heating.

telèro m. (*pitt. stor.*) large canvas.

teleromànzo m. novel serialized on television.

teleruttóre m. (*elettr.*) remote-control switch; contactor.

teleschérmo m. 1 television screen 2 (*estens.*) television; TV; small screen: **divo del t.**, TV star.

telescopìa f. telescopy.

telescòpico a. (*in tutti i sensi*) telescopic: **antenna telescopica**, telescopic aerial; **mirino t.**, telescopic sight; (*astron.*) **stelle telescopiche**, telescopic stars.

telescòpio m. telescope: **t. a rifrazione**, refracting telescope; **t. astronomico**, astronomic telescope; **t. equatoriale**, equatorial; **t. zenitale**, zenith telescope; **chiudersi** (*o* **rientrare**) **a t.**, to telescope; (*mecc.*) **giunto a t.**, telescopic joint.

telescritto a. sent by teleprinter; teletyped.

telescrivènte f. teleprinter (*GB*); teletype®; teletypewriter (*USA*).

telescriventista m. e f. teleprinter operator; teletypist.

telescuòla f. educational TV programmes (pl.).

telesegnalazióne f. (*elettr.*) remote signal.

teleselettivo a. (*telef.*) subscriber trunk dialling (abbr. STD) (attr., *GB*); direct distance dialing (abbr. DDD) (attr., *USA*): **prefisso t.**, STD code.

teleselezióne f. (*telef.*) subscriber trunk dialling (*GB*; abbr. STD); direct distance dialing (*USA*; abbr. DDD): **t. passante**, direct dialling; **telefonata in t.**, STD call; direct-dialling call; **prefisso di t.**, STD code; **chiamare**

in t., to call STD; to dial direct.

telesìna → **teresina**.

telesìsmo m. (*geofisica*) teleseism.

telesoccórso m. helpline.

telesónda f. (*meteor.*) radiosonde.

telesorvegliànza f. closed-circuit monitoring system.

telespettatóre m. (f. *-trice*) television viewer, televiewer; (al pl., collett.) viewing public (sing.), TV audiences.

telespìa f. (*telef.*) tapping device; tap; bug.

telestàmpa f. telexed news service.

telestampànte → **telescrivente**.

telestesìa f. telesthesia.

telestruménto m. remote indicator.

teletàxe® m. inv. (*telef.*) consumption monitoring device; pulses-for-unit counter.

teletècnico m. television engineer.

teletermografìa f. (*med.*) telethermography.

teletèx® m. inv. (*tel.*) teletex®.

teletèxt m. inv. (*TV*) teletext.

teletrasméttere v. t. 1 (*trasmettere a distanza*) to transmit over a long distance 2 (*TV*) to televise; to broadcast* on television; to telecast*: **t. una partita**, to broadcast a match on television.

teletrasmettitóre m. television transmitter; telecaster.

teletrasmissióne f. 1 (*trasmissione a distanza*) long-distance transmission 2 (*TV: il trasmettere*) television broadcasting, telecasting; (*la trasmissione*) television broadcast; telecast.

teletrasmittènte (*TV*) ◮ a. television broadcasting (attr.) ◮ f. television broadcasting station.

teletrasportàre v. t. (*fantascienza*) to teleport.

teletraspòrto m. (*fantascienza*) teleporting; teleport.

telétta f. 1 (*sartoria*) interfacing; interlining 2 (*ind. tess.*) sliver.

teleutènte m. e f. television licence-holder; (*telespettatore*) (television) viewer.

televéndita f. TV sale; home shopping Ⓤ.

televenditóre m. (f. *-trice*) TV salesman* (f. saleswoman*).

televìdeo m. (*TV*) teletext®.

♦**televisióne** f. 1 (*il sistema*) television: **t. a colori**, colour television; **t. a circuito chiuso**, closed-circuit television; **t. in bianco e nero**, black-and-white television; **t. via cavo**, cable television; **trasmettere per t.**, to broadcast on television; to televise 2 (*l'ente*) television; TV station; television (*o* TV) company: **t. locale**, local TV station; **t. privata**, commercial television; **t. pubblica** (*o* **di Stato**), public (*o* state) television 3 (*il servizio, i programmi*) television; TV; (the) telly (*fam.*); (the) box (*fam.*); (the) tube (*fam. USA*): **guardare la t.**, to watch television; **vedere qc. alla t.**, to see st. on TV (*fam.* on the telly, on the tube); **comparire in t.**, to appear on television; *Che cosa danno alla t. stasera?*, what's on television tonight?; **lavorare alla t.**, to work in television; **parlare alla t.**, to speak on television 4 → **televisore**.

♦**televisivo** a. television (attr.); TV (attr.): **apparecchio t.**, television (*o* TV) set; **programma t.**, television programme; **trasmissione televisiva**, telecast; TV programme.

♦**televisóre** m. television set; TV (set); television: **t. a colori**, colour TV set; **accendere [spegnere] il t.**, to switch on [to switch off] the television.

televóto m. phone-in voting; phone-in vote.

tèlex m. inv. telex: **apparecchio t.**, telex; **mandare un t.**, to send a telex; **trasmette-**

re a mezzo t., to telex.

tellìna f. (*zool.*) tellin.

tellùrico① a. (*geol.*) telluric: **movimenti tellurici**, telluric movements.

tellùrico② a. (*chim.*) telluric.

tellùrio m. (*chim.*) tellurium.

tèlo m. 1 (*pezza di stoffa*) length of cloth; piece of material: **un t. di lino**, a length of linen 2 (*riquadro di stoffa*) sheet; (*di spugna*) towel: **t. da bagno**, bath towel; **t. da spiaggia**, beach towel; **t. di salvataggio** (*o* **da salto**) (*dei pompieri*), jumping sheet; **t. impermeabile**, tarpaulin; **t. mimetico**, camouflage sheet.

telofàse f. (*biol.*) telophase.

telolecìtico a. (*biol.*) telolecithal.

telomeràsi f. inv. (*biol.*) telomerase.

telonàto ◮ a. tarpaulin-covered; tarp-covered ◮ m. tarpaulin-covered trailer; tarp trailer.

telóne m. 1 (*riquadro di stoffa*) large sheet; (large piece of) canvas; (*impermeabile*) tarpaulin 2 (*teatr.*) drop curtain.

teloslìtta f. (*dei pompieri*) canvas chute.

tèlson m. (*zool.*) telson.

♦**tèma**① m. 1 (*argomento*) subject; topic; theme: **t. di attualità**, topical subject; **t. di conversazione**, conversation topic; **a t.**, theme (attr.); **fuori t.**, off the subject; **andare fuori t.**, to wander off the subject; to digress; **in t. di**, concerning; about; **decisioni in t. di sicurezza**, decisions concerning security; **stare** (*o* **attenersi**) **al t.**, to keep to the subject (*o* point); to stick to one's text 2 (*letter., arte*) theme; motif; motive: **il t. del dolore in Pascoli**, the theme of suffering in Pascoli; **t. ricorrente**, leitmotiv; leitmotif 3 (*mus.*) theme; motive; (*di sonata, di fuga*) subject: **t. e variazioni**, theme with variations; **t. melodico**, motive; **il t. musicale di un film**, the theme song of a film; **variazioni su un t.**, variations on a theme 4 (*a scuola: composizione*) essay, composition, theme (*USA*); (*in un esame*) paper; (*traduzione*) translation: **t. in classe**, essay written in class; **dare un t.**, to set an essay; **svolgere un t.**, to write an essay 5 (*ling.: parte di parola*) theme; stem 6 (*ling.: parte di enunciato*) theme 7 (*astrol.*) – **t. di nascita**, birth chart.

tèma② f. (*lett.: timore*) fear: **per t. di**, for fear that; lest; **per t. di essere scoperti**, for fear of being found out; lest they should be found out; **senza t. di**, unafraid of; without fear of.

temàtica f. (main) themes (pl.).

temàtico a. 1 (*letter., mus.*) thematic; theme (attr.); (*mus.*) **guida tematica**, thematic catalogue; **variazione tematica**, thematic variation 2 (*ling.*) thematic: **vocale tematica**, thematic vowel.

tematìsmo m. (*mus.*) thematic character.

tematizzàre v. t. (*ling.*) to thematize.

tematizzazióne f. (*ling.*) thematization.

temerariaménte avv. 1 (*audacemente*) with daring 2 (*avventatamente*) rashly; recklessly 3 (*sfrontatamente*) impudently; brazenly.

temerarietà f. 1 (*audacia*) temerity; daring; bravado 2 (*avventatezza*) rashness; recklessness; foolhardiness 3 (*sfrontatezza*) impudence; effrontery.

temeràrio ◮ a. 1 (*audace*) daring; bold; dare-devil (attr.); (*stor.*) **Carlo il T.**, Charles the Bold 2 (*avventato*) rash; reckless; foolhardy: **giudizio t.**, rash judgment 3 (*sfrontato*) impudent; brazen-faced ◮ m. (f. *-a*) rash person; dare-devil.

♦**temére** ◮ v. t. 1 (*aver paura di*) to fear; to be afraid of: **t. la morte**, to fear death; **t. di affrontare qc.**, to be afraid of facing st.; *Non vi temo*, I'm not afraid of you; **non t. nulla**, to fear nothing; *Non c'è nulla da t.*,

there is nothing to be afraid of; *Non hai nulla da t.*, you have nothing to worry about **2** *(attendersi con apprensione)* to fear; to be afraid of; to dread: **t. brutte notizie**, to fear bad news; **t. il peggio**, to fear the worst; *Temevo la sua collera*, I dreaded his anger; *Temevo di sbagliare*, I was afraid of making a mistake; *Temo di non riuscire*, I'm afraid I might not succeed; *Temo che ne vedremo di peggio*, I fear there is worse to come; *Temevo che avrebbe parlato*, I was afraid she might speak; *Temevo che avrei peggiorato le cose*, I was afraid I would make things worse; *Ha seriamente temuto di non farcela*, he was seriously afraid he would not make it; *Temevo di disturbarvi*, I was afraid I might disturb you; *Non mi avvicinai, temendo di svegliarlo*, I didn't get close to him, fearing to wake him up; *Si temono nuovi scoppi di violenza*, new outbreaks of violence are being feared **3** *(pensare, ritenere)* to fear; *(eufem.: essere spiacente)* to be afraid: *Temo che non ci sia niente da fare*, I fear there is nothing we can do; *Temo che sia già partito*, I fear he may have already left; *Temo proprio che questo articolo sia esaurito*, I'm afraid this article is out of stock at the moment; *Temo di sì*, *(credo di sì)* I fear so; *(purtroppo sì)* I am afraid so; *Temo di no*, *(non credo)* I don't think so; *(purtroppo no)* I am afraid not **4** *(provare riverenza verso)* to fear; to stand* in awe of; *(rispettare)* to respect: **t. Dio**, to fear God; **t. i genitori**, to respect one's parents; *Temeva i colleghi più anziani*, he stood in awe of his older colleagues; *Sa farsi t.*, she commands respect **5** *(patire)* not to stand; to suffer from: **piante che temono il freddo**, plants that do not stand (o do not like) the cold; *(su bottiglie, ecc.)* *Teme il calore*, store in a cool place; *(su bottiglie, ecc.)* *Teme la luce*, do not expose to light; *(su scatole, ecc.)* *Teme l'umidità*, store in a dry place **6** *(al neg.: sfidare)* to stand* up to; to stand* the test of: **non t. confronti**, to stand up to comparisons; to be unrivalled; **non t. la concorrenza**, to be highly competitive **B** v. i. **1** *(aver paura)* to fear, to be afraid; *(essere preoccupato)* to worry: **t. per la salvezza di q.**, to fear for sb.'s safety; **t. per la propria vita**, to fear for one's life; *Non t., siamo amici!*, don't we are friends!; *Non t., arriveremo in tempo!*, don't worry (o never fear), we'll get there in time; *Abbi fiducia in lui e non t.*, trust him and do not fear (o and fear not); *Come temevo, abbiamo perso il contratto*, we lost the contract, as I feared **2** *(nutrire dubbi)* to doubt: **t. del buon esito di qc.**, to doubt st. will succeed.

temerità f. temerity.

Tèmi f. *(mitol.)* Themis.

temìbile a. **1** *(che incute timore)* formidable; redoubtable; fearsome; daunting; to be feared: **avversario t.**, formidable (o redoubtable) opponent **2** *(terribile, pericoloso)* fearful; dangerous: **temibili conseguenze**, fearful consequences.

Temìstocle m. *(stor.)* Themistocles.

tèmolo m. *(zool., Thymallus thymallus)* grayling.

tempàccio m. nasty (o foul) weather.

tempàrio m. *(ind.)* time-and-motion manual.

tèmpera f. **1** *(pitt.: tecnica)* tempera: dipingere a t., to paint with tempera; colori a t., tempera colours; ritratto a t., tempera portrait **2** *(pitt.: dipinto)* tempera painting **3** → **tempra**.

temperalàpis, **temperamatite** m. inv. pencil-sharpener.

temperamentàle a. **1** temperamental: **differenze temperamentali**, temperamental differences **2** *(umorale)* temperamental; moody; unpredictable: **essere un tipo t.**, to

be temperamental (o unpredictable).

temperaménto m. **1** *(lett.: mitigazione)* mitigation; alleviation; relief **2** *(accomodamento, compromesso)* compromise; arrangement **3** *(indole, carattere)* temperament; (natural) disposition; nature; temper; character: **t. allegro**, cheerful nature; **t. artistico**, artistic temperament; **t. focoso**, fiery temper; **t. nervoso**, nervous temperament; **essere di t. generoso**, to have a generous nature; to be generous; *Siamo due temperamenti diversi*, we have different characters **4** *(carattere forte)* character; personality: **una persona di t.**, a person of character **5** *(mus.)* temperament.

temperamìne m. inv. lead sharpener.

temperànte a. temperate; moderate; frugal; abstemious: **temperarsi nel bere**, moderate in one's drinking.

temperànza f. temperance; moderation; measure; frugality; abstemiousness: **t. nel mangiare [nel bere]**, moderation in eating [in drinking]; **con t.**, in moderation.

temperàre **A** v. t. **1** *(addolcire, mitigare)* to temper; to mitigate; to soften: **t. un castigo**, to mitigate a punishment; **t. la severità**, to temper one's severity; *Temperò il rimprovero con un sorriso*, he softened his reproach with a smile **2** *(frenare)* to moderate; to control; to curb; to restrain **3** *(affilare)* to sharpen: **t. una matita**, to sharpen a pencil **4** *(mus.)* to temper **5** → **temprare** **B** *(mus.)* **temperàrsi** v. rifl. **1** *(contenersi)* to restrain oneself; to be moderate; to be temperate: **temperarsi nel bere**, to be moderate in drinking; to drink in moderation **2** → **temprarsi**.

temperàto a. **1** *(mite)* temperate; mild: **clima t.**, temperate (o mild) climate; *(geogr.)* **zona temperata**, temperate zone **2** *(contenuto, prudente)* moderate; temperate; controlled: **entusiasmo t.**, moderate enthusiasm **3** *(moderato, sobrio)* moderate; sober: **t. nel mangiare**, moderate in eating; **vita temperata**, sober life **4** *(appuntito)* sharpened **5** *(mus.)* tempered: **scala temperata**, equal temperament **6** → **temprato**.

◆**temperatùra** f. temperature: **t. alta [bassa]**, high [low] temperature; **t. ambiente**, room (o ambient) temperature; *(chim., fis.)* **t. assoluta**, absolute temperature; *(chim., fis.)* **t. critica**, critical temperature; *(fis.)* **t. di congelamento [di ebollizione]**, freezing [boiling] temperature; *(fis.)* **t. di fusione**, melting point; **t. massima [minima]**, maximum [minimum] temperature; **abbassamento [rialzo] di t.**, fall [rise] in temperature; **regolatore della t.**, heat regulator; **sbalzo di t.**, sudden change in temperature; *La t. è in aumento [in diminuzione]*, the temperature is rising [falling]; **misurare la t. a q.**, to take sb.'s temperature.

tempèrie f. inv. **1** climate **2** *(fig.)* climate; atmosphere.

temperino m. **1** *(coltellino)* penknife*; pocket-knife* **2** *(temperamatite)* pencil-sharpener.

◆**tempèsta** f. **1** storm; tempest: **t. di grandine**, hailstorm; **t. di mare**, seastorm; storm at sea; **t. di neve**, snowstorm; blizzard; **t. di sabbia**, sandstorm; **t. di vento**, windstorm; gale; **t. elettromagnetica**, electric storm; **t. magnetica**, magnetic storm; *Si scatenò la t.*, the storm broke out; *Infuriava una t.*, a storm was raging; *La t. si è calmata*, the storm has blown over; **bloccato dalla t.**, storm-bound; **sbattuto dalla t.**, storm-tossed; tempest-tossed; *(naut.)* **fuggire la t.**, to run before the storm; to scud; *Il tempo minaccia t.*, the weather looks stormy (o threatening); **avviso di t.**, storm warning; **mare in t.**, stormy sea; **nubi di t.**, storm clouds; **vento di t.**, gale; squall **2** *(fig.: tumulto, scompiglio)* tumult; storm; turmoil: **t.**

di sentimenti, inner turmoil; **t. politica [finanziaria]**, political [financial] turmoil; **avere il cuore in t.**, to be in a state of turmoil; *L'annuncio scatenò una t.*, the announcement caused a storm of protest **3** *(fig.: grande quantità)* storm; shower; barrage; hail: **una t. di fischi**, a storm of hissing and booing; **una t. di domande**, a shower (o a barrage) of questions; **una t. di sassi [di pugni]**, a shower of stones [of blows] ● *(fig.)* **una t. in un bicchiere d'acqua**, a storm in a teacup □ **la quiete che precede la t.**, the calm before the storm □ *(fig.)* **Oggi tira aria di t.!**, watch out for squalls! □ *(prov.)* **Chi semina vento raccoglie t.**, sow the wind and reap the whirlwind.

tempestàre **A** v. t. **1** *(di colpi)* to batter; to pound; to hammer at: **t. di colpi l'avversario**, to pound one's opponent; to shower (o to rain down) blows on one's opponent; **t. di pugni una porta**, to batter a door; to hammer at a door (with one's fists); *Le nostre batterie tempestavano di colpi il nemico*, our troops were pounding the enemy **2** *(subissare, inondare)* to bombard; to inundate; to deluge: **t. q. di domande**, to bombard sb. with questions; to fire questions at sb.; **t. q. di lettere**, to inundate (o to deluge) sb. with letters **3** *(ornare fittamente)* to stud; to encrust **B** v. i. **1** *(rumoreggiare)* to rage; to storm **2** *(fig.: dare in escandescenze)* to rage; to go* [to be] on a rampage: *Quando si accorse dell'errore il direttore prese a t.*, when the director discovered the mistake, he went on a rampage **C** v. i. impers. to be stormy: *Tempestò tutta la notte*, a storm raged all night.

tempestàto a. *(ornato fittamente)* studded; *(cosparso)* strewn: **t. di brillanti**, studded with diamonds; diamond-studded; **t. di stelle**, star-studded; **un prato t. di margherite**, a lawn strewn with daisies.

tempestìo m. *(fig.)* shower; hail; storm; barrage: **un t. di domande**, a storm (o a barrage) of questions; **un t. di pugni**, a shower of blows.

tempestivaménte avv. **1** *(al momento giusto)* at the right time; timely: **decidere t.**, to take a timely decision **2** *(sollecitamente)* promptly: **intervenire t.**, to intervene promptly.

tempestività f. timeliness; opportuneness; seasonableness: **la t. di una decisione**, the timeliness of a decision; **agire con t.**, to act promptly.

tempestivo a. **1** *(al momento opportuno)* timely, opportune; seasonable; *(al momento migliore)* well-timed: **rimedio t.**, timely remedy; prompt remedy; *Il suo intervento è stato t.*, his intervention was most opportune (o came at the right time) **2** *(sollecito)* prompt: **il t. arrivo della polizia**, the prompt arrival of the police.

tempestóso a. **1** *(burrascoso)* stormy; raging; wild; *(rumoreggiante)* roaring: **cielo t.**, stormy sky; **mare t.**, stormy (o raging) sea; **notte tempestosa**, stormy night; **vento t.**, roaring wind **2** *(fig.)* stormy; tempestuous; wild: **passione tempestosa**, stormy (o wild) passion; **riunione tempestosa**, stormy meeting; **vita tempestosa**, stormy life.

tèmpia f. *(anat.)* temple: *Gli battevano le tempie*, his temples were throbbing; **avere le tempie grigie**, to be grey at the temples; **spararsi alla t.**, to shoot oneself in the head.

tempiale m. *(ind. tess.)* temple.

tempificàre v. t. to time; to schedule.

◆**tèmpio** m. **1** temple; *(fig., anche)* shrine; sanctuary: **il t. di Giove**, the temple of Jove; **il t. della giustizia**, the temple (o the shrine) of justice **2** *(chiesa)* church; temple

3 (*sinagoga*) synagogue; temple.

tempìsmo m. (sense of) timing: **intervenire con t.**, to intervene with perfect timing; *Che t.!*, how timely!

tempista m. e f. **1** (*mus.*) good timekeeper **2** (*chi sa agire al momento giusto*) person with a good sense of timing: **saper essere t.**, to know when to act **3** (*ind.*) time recorder; timer.

tempìstica f. (*org. az.*) time recording; timing.

tempìstico a. well-timed; timely.

templàre a. e m. (*stor.*) Templar: **cavaliere t.**, Knight Templar.

♦**tèmpo** m. **1** (*assoluto, misurabile, astron.*) time: **t. assoluto**, absolute time; **t. di Greenwich** (*o* **universale**), Greenwich Mean Time (abbr. GMT); **il t. futuro**, the future; (*astron.*) **t. medio**, mean time; **il t. passato**, the past; **il t. presente**, the present; (*astron.*) **t. siderale**, sidereal time; (*astron.*) **t. solare**, solar time; (*astron.*) **t. vero**, apparent time; **lo spazio e il t.**, space and time; **nel t.**, in time; **senza t.**, timeless; *Il t. si fermò*, time stood still; *Il t. passa*, time goes by (*o* passes); *Il t. passava lentamente* (*o non passava mai*), time was dragging; *Il t. stringe*, time is running out; *Il t. vola*, time flies; **misurare il t.**, to measure time; **perdere la nozione del t.**, to lose the notion of time; (*di orologio*) **segnare il t.**, to tell the time; **il trascorrere del t.**, the passing of time; **intervallo di t.**, interval of time; time interval; **la misurazione del t.**, the measuring of time; time-measuring; **spazio di t.**, space (*o* amount) of time; period; **unità di t.**, unit of time **2** (*periodo per un'azione, un fenomeno, ecc.*) time; period: **t. breve**, short time; (*comput.*) **t. di accesso**, access time; **t. di cottura**, cooking time; (*fotogr.*) **t. di posa**, exposure time; speed; (*ind.*) **t. improduttivo**, downtime; **t. libero**, spare (*o* free) time; leisure; (*comput.*) **t. reale**, real time; **in t. reale**, in real time; real-time (attr.); **tempi di lavorazione**, production time; **tempi morti**, downtime; idle time; **tempi stretti**, very little time; (*scadenza rigida*) a tight deadline; **tempi tecnici**, time requirement; *Il t. è scaduto*, time is up; **molto t.**, a long time; quite a while; ages; *È passato molto t. da allora*, a long time has passed since then; **molto t. prima** [**dopo**], long before [after]; much earlier [later]; **poco t. dopo**, shortly (*o* soon) after; a little later; **qualche t. dopo**, some time later; **a t.**, (*di meccanismo*) time (attr.); (*di attività*) on a time basis, time (attr.); **bomba a t.**, time bomb; **contratto a t.**, contract on a time basis; time contract; **lavoro pagato a t.**, timework; **retribuzione a t.**, payment on a time basis; **serratura a t.**, time lock; **da t.**, for a long time; **da un certo tempo**, for some time; *Sono qui da t.*, I have been here for a long time; *È tornato da poco t.*, he came back a short while ago; *È da qualche t. che non lo vedo*, I haven't seen him for some time; it's some time since I last saw him; *Da quanto t. siete qui* [*state aspettando*]*?*, how long have you been here [have you been waiting]?; *Ci conosciamo da un sacco* (*o da un'infinità*) *di t.*, we've known each other for ages (*fam.* for donkey's years, for yonks); **dopo molto t.**, after a long time; **fra qualche t.**, in a while; shortly; **in metà t.**, in half the time; **in poco t.**, in a short time; soon; before long; **in t.**, in time; **arrivare in t.**, to arrive in time; **in tutto quel t.**, all that time; **nel più breve t. possibile**, as quickly as possible; *Ne avrò per molto t.*, it'll take me a long time; **per qualche t.**, for some time; **per tutto il t.**, all the time; the whole time; non-stop; *Dormii per tutto il t.*, I slept all the time; *Per tutto il t. non ha fatto che bere*, he drank non-stop; **per tutto il t. di**, for the whole length (*o* duration) of; *Per tutto il t. della conferenza non fece che guardare l'orologio*, for the whole duration of the lecture she kept looking at her watch; *Dove sei stata tutto questo t.?*, where have you been all this time?; *Hai bisogno di molto t. per prepararti?*, do you need much time to get ready?; **calcolare il t. che ci vuole per...**, to calculate the time it takes to...; *Datemi solo il t. necessario per fare la valigia*, just give me time to pack; *C'è t.*, there is plenty of time; *Quanto t. c'è a Natale?*, how long is it until Christmas?; **un lavoro che richiede t.**, a time--consuming job; *Ci vuole* (*molto*) *t.*, it takes (a long) time; *Ci vuole tanto di quel t.!*, it takes such a long time (*o* so long)!; *Quanto t. ci vuole per andarci?*, how long does it take to get there?; *È solo questione di t.*, it's only a matter (*o* a question) of time; *T. un anno se lo sarà dimenticato*, he'll have forgotten it before the year is out **3** (*epoca, età*) time (spesso al pl.); days (pl.); age; period: **t. di guerra**, wartime; time of war; **t. di pace**, peacetime; time of peace; **il buon t. antico** (*o* **andato**), the good old days; **il nostro t.**, our time (*o* times); **tempi antichi** [**moderni**], ancient [modern] times; **tempi difficili**, hard (*o* difficult) times; **tempi d'oro**, golden days; **questi ultimi tempi**, these last few weeks [months]; **al t. di Dante**, in Dante's times; **a quel t.**, at that (*o* the) time; **a quei tempi**, in those times; (back) in those days; back then; **ai tempi della regina Elisabetta**, in the days of Queen Elizabeth; in Elizabethan times; **ai miei tempi**, in my time (*o* day); *Fu un grande attore ai suoi tempi*, he was a great actor in his time; *È come ai vecchi tempi*, it's like in the old days; **del t. antico**, of ancient times; of old; **d'altri tempi**, of the past; of bygone times; **di questi tempi**, these days; **in questi ultimi tempi**, lately; recently; of late; **nei tempi a venire**, in times to come; **nei tempi andati**, in the old days; in the past; **nei tempi antichi**, in ancient times; **nel t. che fu**, in times gone by; in days of old; long ago; **un t.**, once; at one time; long ago; **come si faceva un t.**, as was once the fashion; **t. fa** (*o* **addietro**), some time ago; a while back; **molto t. fa**, a long time ago; a long while back; way back (*fam.*); *Ci fu un t. in cui...*, there was a time when...; time was when...; **i miei amici di un t.**, my friends of old; my one-time (*o* former) friends; **adattarsi ai tempi** (*o* **andare con i tempi**), to move with the times; **aver visto tempi migliori**, to have seen better days; **essere figlio del proprio t.**, to be a child of one's time; **parlare dei vecchi tempi**, to talk about old times; *Altri tempi!*, things were different then; *Bei tempi* (*o Quelli eran tempi*)*!*, those were the days!; *Che tempi!*, (*rif. al presente*) what times we live in!; (*rif. al passato: belli*) those were the days!, (*brutti*) those were hard times! **4** (*età di uomo o di animale*) age: *Quanto t. ha il bambino?*, how old is the child?; **lineamenti senza t.**, ageless features **5** (*periodo dell'anno, stagione, epoca*) season; time: **il t. delle piogge**, the rainy season; **il t. della nidificazione** [**della mietitura, della caccia**], the nesting [harvest, hunting] season; **t. d'estate**, summertime; **t. d'inverno**, wintertime; **t. di Natale**, Christmastime; **t. di Quaresima**, Lent; **t. pasquale**, Eastertime; Eastertide; **al t. delle rose**, when the roses are in bloom **6** (*periodo o momento disponibile, periodo di attività*) time: **t. perduto**, lost time; **rifarsi del** (*o* **recuperare il**) **t. perduto**, to make up for lost time; **t. perso** (*o* **sprecato**), wasted time; *È solo t. perso*, it's just a waste of time; *Il t. non mi manca*, I have plenty of time; **avere un anno** [**un mese**] **di t.**, to have a year [a month]; *Hai un minuto di t.?*, have you got a moment to spare?; could you spare me a moment?; *Ho appena il t. di prendere un caffè*, I have just time for a cup of coffee; *Abbiamo un'infinità* (*o un sacco*) *di t.*, we've got loads (*o* heaps) of time; *Abbiamo tutto il t.*, we have all the time in the world; *Non ho t. di rispondergli*, I've no time to answer him; *Non abbiamo più t.*, we've got no time left; we've run out of time; **buttare via il t.**, to waste one's time; **dedicare un po' del proprio t. a**, to devote a little of one's time to; **distribuire il proprio t.**, to divide (*o* to apportion) one's time; *È t. di andare*, it's time to go; it's time we went; *È t. di finirla con questa storia*, it's time to put an end to it; *È t. che tu parta*, it's time you left; *È tempo che tu ti dia una regolata*, it's high time you pulled your socks up; *Era t.!*, at long last!; *Non è t. di scherzare*, this is no time to joke; *Non c'è* (*più*) *t.*, there is no time (left); *Non c'è il t. materiale per avvertirlo*, there isn't time to warn him; **fare buon uso del proprio t.**, to make good use of one's time; **guadagnare t.**, to gain time; **cercare di guadagnare t.**, to play for time; **passare il t. a fare qc.**, to pass (*o* to spend) one's time doing st.; **perdere t.**, to waste one's time; **far perdere t. a q.**, to waste sb.'s time; *Non ha perso t. a stabilire contatti utili*, he wasted no time in establishing useful connections; **avere t. da perdere**, to have time on one's hands; to have time to spare; *Non ho t. da perdere in chiacchiere*, I can't waste time chatting; *Mi ha fatto perdere t. prezioso*, she made me waste precious time; *Non c'è t. da perdere*, there is no time to lose (*o* to be lost); **portare via del t.**, to take time; to be time-consuming; **prendere t.**, (*temporeggiare*) to play for time, to stall for time; (*richiedere tempo*) to take time; **rimandare ad altro t.** [**a miglior t.**], to put off to another time (*o* until some other time) [to a more convenient time]; *Posso rubarti un attimo di t.?*, can I take just a moment of your time?; could you spare me just a second?; **sprecare il proprio t.**, to waste one's time; **trovare il t. di fare qc.**, to find time to do st.; **una perdita di t.**, time wasted; a waste of time **7** (*mus.: ritmo*) time, tempo; (*battuta*) beat; (*movimento*) movement: **t. binario**, duple time; **t. di marcia**, march; alla marcia (*ital.*); **t. di minuetto**, minuet time; (*movimento*) tempo di minuetto; **t. di quattro quarti**, four-four time; **t. di valzer**, waltz time; **t. esatto**, strict time; **t. in levare** (*o* **debole**), upbeat; **t. in battere** (*o* **forte**), downbeat; **t. ternario**, triple time; **i tempi di una sinfonia**, the movements of a symphony; **a t.**, in time; on the beat; **a t. di musica**, in time with the music; **fuori t.**, out of time; **contro t.**, off the beat; **allargare** (*o* **allentare**) **il t.**, to slacken the beat (*o* the tempo); **andare a t.** (*o* **tenere il t.**), to keep time; **non andare a t.**, to be out of time; **battere il t.**, to beat time; **battere il t. col piede**, to tap one's foot to the music; **battere in quattro tempi**, to beat four to the bar; **entrare a t.**, to come in on the beat; **entrare fuori t.**, to miss the entrance; **segnare il t.**, to beat time; **stringere il t.**, to quicken the beat (*o* the tempo); **indicazione del t.**, time signature; **passo di danza a quattro tempi**, dance step in four movements; **sonata in tre tempi**, sonata in three movements **8** (*parte*) part: **spettacolo in due tempi**, show in two parts; **il secondo t. di un film**, the second part of a film **9** (*sport, di partita*) time; (*di calcio, rugby, ecc.*) half; (*di basket, football americano, ecc.*) quarter: **t. di gioco**, playing time; (*USA*) overtime; (*calcio, ecc.*) **t. massimo**, time limit; **dentro il** [**fuori**] **t. massimo**, within [after] the time limit; **t. scaduto**, full time; **tempi supplementari**, extra time (sing.); **primo** [**secondo**] **t.**, first [second] half; **fine del primo t.**, half-time; **a due minuti dall'inizio del 2° t.**, two minutes into the 2nd half

(*o* from half-time); **cronometrare i tempi di un atleta**, to time an athlete; **migliorare il proprio t.**, to improve (*o* to better) one's time; **realizzare un buon t.**, to record (*o* to achieve) a good time; **corsa contro il t.**, race against time **10** (*fase*) stage; phase: *L'operazione fu eseguita in due tempi*, the operation was performed in two stages; **fare qc. in più tempi**, to do st. in stages **11** (*mecc.*) stroke: **motore a due [a quattro] tempi**, two-stroke [four-stroke] engine **12** (*gramm.*) tense: **t. presente [passato]**, present [past] tense; **tempi semplici [composti]**, simple [compound] tenses; **avverbi di t.**, adverbs of time; time adverbs; **complemento di t.**, prepositional phrase of time **13** (*anche* **t. atmosferico**) weather: **t. bello [piovoso, sereno]**, good [rainy, clear] weather; **t. costante [variabile]**, stationary [changeable] weather; **t. infernale** (*o* **da lupi, da cani**), filthy (*o* foul, lousy) weather; *Com'è il t.* (*o Che t. fa*)?, what's the weather like?; *Il t. regge* (*o si mantiene*), the weather is holding; *Oggi c'è un t. primaverile*, it feels like spring today; *Se il t. lo permette* (*o t. permettendo*), weather permitting; *Esci con questo t.?*, are you going out in this weather?; **sentire il t.**, to feel the weather; **cambiamento del t.**, change (*o* turn) in the weather; **previsioni del t.**, weather forecast (sing.) ● (*scient.*) **t. di dimezzamento**, half-life □ **tempi lunghi**, plenty of time □ **t. pieno**, full-time job: **fare il t. pieno**, to have a full-time job; to work full-time □ **t. utile**, time allowed; time limit: **arrivare in t. utile**, to arrive within the time limit (*o* in time) □ **a far t. da**, as from; starting from □ **a mezzo t.**, part-time (agg. e avv.): **lavorare a mezzo t.**, to work part-time; **lavoro a mezzo t.**, part-time job □ **a suo t.**, in due time □ **a t. debito**, in due time; at the proper time □ **a t. determinato**, fixed-time (agg.); temporary (agg.): **incarico a t. determinato**, temporary appointment □ **a t. di primato**, in record time □ **a t. e luogo**, at the proper time and place; at the right time □ **a t. indeterminato**, indefinite (agg.); indefinitely (avv.) □ **a t. perso**, in one's spare time; (*come passatempo*) as a pastime □ **affrettare i tempi**, to speed things up; to hurry things; to quicken the pace □ **a t. pieno**, full-time (agg. e avv.) □ **a un t.**, at the same time □ **Al t.!**, hold it! □ **al t. che Berta filava** (*o al t. dei tempi*), in days of old; in times gone by; in bygone times (*o* days); long long ago; once upon a time □ **al t. stesso** (*o a un t.*, **nello stesso t.**), at the same time; simultaneously; all at once: **ridere e piangere al t. stesso**, to laugh and cry at the same time; *Risposero tutti a un t.*, they all answered at once (*o* together) □ **l'alba dei tempi**, the dawn (*o* the beginning) of time; when time began □ **all'altezza dei tempi**, up to date □ **ammazzare il t.**, to kill time □ **aver fatto il proprio t.**, to have had one's day; to be out of date □ **battere q. sul t.**, to get in before sb.; to forestall sb. □ **col t.** (*o* **con l'andare del t.**), with time; in time, as time goes by; eventually: *Col t. capii che aveva ragione lui*, in time I came to understand he was right; *Col t. ti ci abituerai*, you'll get used in time (*o* eventually) □ **con i tempi che corrono**, the way things are now; these days; in this day and age □ **da t. immemorabile**, from (*o* since) time immemorial; from time out of mind □ **dare** (*o* **lasciare**) **t. al t.**, to let things take their course; not to rush it: *Calma, calma, da' t. al t.!*, easy, all in good time! □ **darsi al bel** (*o* **al buon**) **t.**, to have a good time □ **di notte t.**, at night; by night □ **di t. in t.**, from time to time; every now and then □ **fare il bello e il cattivo t.**, to lay down the law; to lord it over everyone □ **fare a** (*o* **in**) **t. a** (*o* **essere in t. per**), to be in time to; to make it in time

for: *Vieni, fai ancora in t. a vederlo*, come in, you're still in time to see him; *Sono ancora in t. per quel lavoro?*, am I still in time for that job?; *Non farò a t. a prendere il treno delle sette e un quarto*, I won't make it in time for the seven-fifteen train □ **I tempi sono maturi**, the time is ripe □ **in anticipo sui tempi**, ahead of time □ **in arretrato coi tempi**, (*antiquato*) behind the times; (*in ritardo*) behind time (*o* schedule) □ **in ordine di t.**, in chronological order □ **in un primo t.**, at first; initially □ **in un secondo t.**, later on; subsequently □ **in tempi brevi**, quickly; as soon as possible □ **ingannare il t.**, to kill time; to while away time □ **che lascia il t. che trova**, ineffectual; feeble; bland; empty: *una misura economica che lascia il t. che trova*, an ineffectual economic measure □ **lottare contro il t.**, to race against time (*o* against the clock) □ **nella notte dei tempi**, in the mists of time □ **nello stesso t.**, at the same time □ **ogni cosa a suo t.**, all in good time □ **per t.**, early; in time; (*in anticipo*) beforehand, early: **alzarsi per t.**, to get up early □ (*comput.*) **partizione del t.**, time-sharing □ **il più… di tutti i tempi**, the most… of all time □ **precorrere i tempi**, to be ahead (*o* in advance) of one's time □ **prima del t.**, ahead of time; early □ **ritagli di t.**, one's spare time □ **senza por t. in mezzo**, without wasting (*o* losing) time; without delay; promptly □ **stare al passo coi tempi**, to keep up with (*o* abreast of) the times; to move (*o* to march) with the times □ **stringere i tempi**, to quicken the pace □ (*prov.*) **Chi ha t. non aspetti t.**, there is no time like the present; make hay while the sun shines □ (*prov.*) **Il t. è denaro**, time is money □ (*prov.*) **Il t. è galantuomo**, time will tell □ (*prov.*) **Il t. guarisce tutti i mali**, time is a great healer (*o* heals all wounds) □ (*prov.*) **Il t. viene per chi sa aspettare**, everything comes to him who waits.

tèmpora f. pl. (*relig.*) Ember days.

temporàle① Ⓐ a. **1** (*mondano*) temporal; secular; worldly: **beni temporali**, temporal goods; temporalities; **potere t. e spirituale**, temporal and spiritual powers **2** (*gramm.*) temporal; of time; time (attr.): **avverbio t.**, temporal adverb; adverb of time; **proposizione t.**, time clause **3** (*scient.*) temporal; time (attr.): **dimensione t.**, temporal dimension; **limiti temporali**, time limits Ⓑ f. (*gramm.*) time clause.

temporàle② a. (*anat.*) temporal: **osso t.**, temporal bone; **regione t.**, temporal region.

♦**temporàle**③ m. **1** rainstorm; thunderstorm; thundery: **t. estivo**, summer storm; *Scoppiò un t.*, a storm broke; *Minaccia un t.*, a storm is threatening; **essere sorpreso da un t.**, to be caught in a storm; **cielo da t.**, stormy sky **2** (*fig.*) storm; squall: **far scoppiare un t.**, to cause a storm; *T. in vista!*, watch out for squalls!; *Oggi tira aria di t.!* there is a storm brewing today!

temporalésco a. stormy; storm (attr.): **cielo t.**, stormy sky; **nubi temporalesche**, storm clouds.

temporalìsmo m. (*polit.*) (advocacy of the) temporal power of the Church.

temporalità f. **1** wordliness; earthliness **2** (al pl.) (*eccles.*) temporalities.

temporaneamènte avv. temporarily; provisionally; for the time being.

temporaneità f. temporariness; transitoriness; fleetingness.

temporàneo a. **1** (*non definitivo*) temporary; (*provvisorio*) provisional, interim, makeshift: **beneficio t.**, temporary benefit; **impiego t.**, temporary job; **misura temporanea**, interim measure **2** (*passeggero*) passing; transitory; fleeting; transient; impermanent.

temporeggiamènto m. playing for time; temporizing; waiting game (*fam.*).

temporeggiàre v. i. to play for time; to stall (for time); to temporize; to play a waiting game (*fam.*).

temporeggiatóre Ⓐ a. temporizing Ⓑ m. (f. **-trice**) temporizer ● (*stor.*) Fabio Massimo il T., Fabius Maximus Cunctator.

tempòribus íllis (*lat.*) loc. avv. (*generalm. scherz.*) long long ago; ages ago; in bygone days; in days of yore.

temporizzàre v. t. (*tecn.*) to time.

temporizzatóre m. (*elettr.*) timer; time-switch: **regolare il t.**, to set the timer.

temporizzazióne f. (*tecn.*) timing.

temporomandibolàre a. (*anat.*) temporomandibular: **articolazione t.**, temporomandibular joint.

tèmpra f. **1** (*tecn.*: *proprietà*) temper: **acciaio di buona t.**, steel of good temper; well-tempered steel; **dare la t.**, to temper; to harden **2** (*tecn.*: *trattamento*) tempering; hardening; (*con liquido*) quenching: **t. in acqua**, water quenching; **t. in bianco**, bright hardening; **bagno di t.**, quenching bath **3** (*fig.*: *carattere*) temper; mettle; fibre, fiber (*USA*); **t. morale**, moral fibre; *Ha la t. del lavoratore*, he is a strenuous worker; **mostrare di che t. si è fatti**, to show one's mettle **4** (*fig.*: *costituzione fisica*) constitution; build: **t. robusta**, strong constitution **5** (*di voce, di strumento*) timbre.

compràre Ⓐ v. t. **1** (*tecn.*) to temper; to harden; (*con liquido*) to quench: **t. l'acciaio**, to temper (*o* to quench) steel **2** (*fig.*) to strengthen; to harden; to toughen: **t. il fisico**, to strengthen (*o* to harden) the body; *La vita lo ha temprato*, life has toughened him Ⓑ **tempràrsi** v. rifl. **1** (*nel fisico*) to strengthen; to toughen (up); to harden: **temprarsi col sport**, to strengthen with sport **2** (*nel carattere*) to strengthen one's character Ⓒ **tempràrsi** v. i. pron. to be strengthened; to toughen (up): *Il suo carattere si è temprato nell'esercito*, his character was strengthened in the army.

compràto a. **1** (*tecn.*) tempered; hardened: **acciaio t.**, tempered steel **2** (*fig.*) tempered; hardened; toughened; (*resistente*) inured: **t. a tutte le fatiche**, inured to hardships; **t. dalle sofferenze**, toughened by suffering.

tempùra (*giapponese*) m. o f. inv. (*cucina*) tempura.

tempùscolo m. (*scient.*) infinitesimal time interval.

Ten. abbr. (*mil.*, **tenente**) lieutenant (Lieut.).

tenàce a. **1** (*robusto*) tough, hard, strong, sturdy; (*fortemente adesivo*) adhesive, tenacious: **colla t.**, strong glue; **filo t.**, strong thread **2** (*fig.*: *saldo*) firm, tenacious, steadfast; (*perseverante*) persevering; (*persistente*) steady, persistent, persevering, unflagging; (*instancabile*) strenuous, untiring; (*incrollabile*) stubborn, dogged, die-hard: **lavoratore t.**, strenuous worker; **memoria t.**, retentive memory; **odio t.**, undying hatred; **t. ottimista**, die-hard optimist; **proposito t.**, stubborn resolve; **t. rifiuto**, persistent refusal; stubborn refusal; **sforzi tenaci**, strenuous (*o* untiring) efforts; **opporre una t. resistenza**, to put up a dogged (*o* strenuous) resistance; *Conservava la speranza t. di rivederla*, he clung fast to the hope of seeing her again; **essere t. nelle proprie convinzioni**, to be set in one's beliefs.

tenàcia f. tenacity; tenaciousness; firmness; steadfastness; (*perseveranza*) perseverance; (*persistenza*) persistence; (*ostinazione*) stubbornness, doggedness: **t. di propositi**, firmness of purpose; **la t. di un ricordo**, the persistence of a memory; **sostenere con t.**

le proprie ragioni, to defend one's point tenaciously.

tenacità f. toughness.

tenàglia f. **1** (spec. al pl.) tongs (pl.); pincers (pl.); nippers (pl.); (per piegare) pliers (pl.): **t. da fabbro**, blacksmith's tongs; **t. per metallo**, wire tongs; **t. di sospensione**, girder tongs; **un paio di tenaglie**, a pair of pincers (o tongs) **2** (med.) extraction forceps (pl.) **3** (mil.: fortificazione) tenaille **4** (al pl.) (pop.: chele) claws; pincers; nippers ● **a t.**, pincer-shaped; pincer-like □ (mil.) **manovra a t.**, pincer movement □ **Ci sono volute le tenaglie per levargli le parole di bocca**, I had to drag every word out of him.

tenalgìa f. (med.) tenalgia; pain in a tendon.

tènar, **tènare** a. (anat.) – **eminenza t.**, thenar eminence.

♦**tènda** f. **1** (esterna) awning; sunshade: **t. di negozio**, (shop) awning; **riparare un terrazzo con tende**, to protect a terrace with awnings **2** (di finestra, ecc.) curtain; (pesante) drapes (pl., USA), draperies (pl., USA); (da sollevare) blind, shade (USA): **t. a pacchetto**, Roman shade; **t. alla veneziana**, Venetian blind; **t. avvolgibile**, roller blind; shade (USA); **t. per doccia**, shower curtain; **abbassare le tende**, to pull down the blinds; **aprire (o tirare) le tende**, to draw (o to pull) the curtains; **scostare una t.**, to pull back a curtain; **bastone da t.**, curtain pole **3** (ricovero) tent; (a padiglione) marquee: **t. a campana (o conica)**, bell tent; **t. a casetta**, frame tent; **t. a due posti**, two-person tent; **t. a igloo**, pop-up tent; **t. canadese**, ridge tent; pup tent; (mil.) **t. da campo** (con pareti verticali), frame tent; wall tent (USA); **t. del circo**, circus tent; big top; **t. dei pellirosse**, tepee; **dormire in t.**, to sleep in a tent (o under canvas); **levare le tende**, to strike tents; (fig. fam.) to decamp, to clear out, to pack up and leave, to make tracks; **piantare una t.**, to pitch a tent; **piantare le tende**, to make camp; (fig.) to settle down, to set up home; **smontare una t.**, to take down a tent **4** (med.) – **t. a ossigeno**, oxygen-tent.

tendàggio m. **1** (di finestra, letto, ecc.) curtains (pl.); drapes (pl., USA); drapery **2** (ornamentale) drapery; hangings (pl.); tapestries (pl.).

tendàle m. awning.

tendàme m. curtains (pl.); drapes (pl., USA).

♦**tendènza** f. **1** (disposizione, attitudine) bent; inclination; tendency: **tendenze artistiche**, artistic tendencies; **avere t. per la pittura**, to have a bent for painting **2** (orientamento, andamento, anche econ., fin.) trend; tendency: **t. al rialzo**, (econ.) upward (o rising) trend, uptrend, upturn; (Borsa) bullish tendency, bullishness; **t. al ribasso**, (econ.) downward (o falling) trend, downtrend, downturn; (Borsa) bearish tendency, bearishness **t. di mercato**, market trend; **la t. dell'opinione pubblica**, the trend of public opinion; **le tendenze della moda**, fashion trends; **una crescente t. a scegliere vacanze esotiche**, a growing tendency to choose exotic resorts for one's holidays; **di t.**, (che riflette una t.) trendy; (che orienta) trend-setting; **fare t.**, to set a trend; **invertire una tendenza**, to reverse a trend **3** (polit.) leaning; sympathy; colour; (fazione) faction, camp; (partito) party: **tendenze centriste**, centrist leanings; **tendenze opposte**, rival camps (o parties); **Al congresso ha prevalso la t. moderata**, the moderate faction prevailed at the party congress; **Quali sono le sue tendenze politiche?**, what are his political leanings? **4** (propensione, inclinazione) tendency; propension; proneness; inclination; leaning: **t. alla pinguedine**, tendency to plumpness; **t. alla malinconia**, prone-ness to melancholy; **t. a esagerare**, propensity to exaggerate; **tendenze omicide**, homicidal tendencies; **avere t. a**, to be prone to (st.); to tend to (do st.); **avere t. ai raffreddori**, to be prone to colds; **Ha (la) t. a minimizzare le cose**, he tends to make light of things; **un tessuto che ha t. a restringersi**, a material that tends to shrink; **mostrare cattive tendenze**, to show bad leanings.

tendenziàle a. tendential.

tendenzialménte avv. basically; by and large: **È t. sincero**, he is basically sincere; **un mercato t. stabile**, a basically stable market; **Sono t. favorevole a questa politica**, I am by and large in agreement with this policy.

tendenziosità f. tendentiousness; partiality; bias; prejudice.

tendenzióso a. tendentious; partial; biased; prejudiced; (di domanda) loaded, leading: **giudizio t.**, biased judgment; **interpretazione tendenziosa**, tendentious interpretation.

tènder (ingl.) m. inv. (naut., ferr.) tender.

♦**tèndere** Ⓐ v. t. **1** (mettere in tensione) to stretch; to tighten; to pull* tight; to make* taut; to strain: **t. un arco**, to bend a bow; **t. una corda**, to tighten a rope; to pull a rope tight; to make a rope taut; **t. una corda fra due alberi**, to stretch a rope between two trees; **t. le corde di un violino**, to tighten the strings of a violin; **t. una fune al massimo**, to strain a rope to breaking point; **t. un elastico**, to stretch a rubber band; **t. una molla**, to stretch a spring; **t. i muscoli**, to bulge one's muscles; **t. le redini**, to tighten the reins **2** (distendere) to lay*; to spread*: **t. le ali**, to spread one's wings; **t. un telo sopra qc.**, to spread a cloth over st.; **t. la pelle di un tamburo**, to brace a drum; **t. le vele**, (scioglierle) to spread (o to unfurl) the sails, to make sail; (del vento) to fill the sails **3** (preparare) to lay*; to set*; to prepare: **t. un'imboscata**, to lay an ambush; to wait in ambush; **t. le reti**, (per pescare) to lay the nets; (fig.) to set a trap; (anche fig.) **t. una trappola (o un tranello, un trabocchetto)**, to lay (o to set) a trap **4** (stendere, allungare) to stretch (out); to hold* out; to extend; (porgere) to hold* out, to hand: **t. un braccio**, to stretch out an arm; **t. le braccia a qc.**, to hold out one's arms to sb.; **t. il collo**, to stretch (o to crane) one's neck; **t. la mano**, to stretch out one's hand; (porgere, anche per mendicare) to hold out one's hand; (fig.: aiutare) to offer a helping hand; **Tese una gamba per farlo inciampare**, he stuck out a leg to trip him up; **Gli tesi la lettera**, I handed him the letter ● (fig.) **t. l'orecchio**, (sforzarsi di sentire) to strain one's ears; (mettersi in ascolto) to prick up one's ears □ **t. lo sguardo**, to screw up one's eyes Ⓑ v. i. **1** (aspirare, mirare) to aim; to aspire; to strive*; to be intended: **t. alla perfezione**, to aim at perfection; **t. a una meta**, to have an aim (o a goal); **La sua mossa tendeva a sbloccare la situazione**, his move was intended to overcome the deadlock **2** (essere incline, propendere) to tend; to be prone, to be inclined, to incline, to lean*; (accennare, mostrare una tendenza a) to tend, to trend: **t. all'esagerazione**, to tend to exaggerate; **t. alla faciloneria**, to be prone to carelessness; **t. a ingrassare**, to tend (o to have a tendency) to put on weight; **t. al misticismo**, to lean towards mysticism; (polit.) **t. a sinistra [a destra]**, to lean to the left [to the right]; to have leanings towards the left [the right]; (econ.) **t. al rialzo [al ribasso]**, to trend upwards [downwards]; to show an upward [a downward] tendency; **un materiale che tende a deformarsi**, a material that tends (o that is likely) to warp; **Tendo a non credere a quel che dice**, I am inclined not to believe what she says; **Il tempo tende al brutto [al bello]**, the weather is getting worse [is improving]; **I prezzi tendono a salire**, prices are trending upwards; **L'industria tende ad accentrarsi in questa regione**, industry tends to be concentrated in this region **3** (avvicinarsi) to verge: **un azzurro che tende al verde**, a blue verging on green; **Questo vino tende al dolce**, this wine is on the sweet side **4** (dirigersi) to move; to turn: **un sentiero che tende verso ovest**, a path turning to the west Ⓒ **tèndersi** v. i. pron. to stretch; to tighten; to tauten; to become* taut; to stiffen: **Il cavo si era teso**, the cable had grown taut; **Gli si tesero i muscoli del collo**, his neck muscles tautened (o stiffened); **pelle che si tende**, skin that becomes (o feels) taut.

tenderòmetro m. (agric.) tenderometer.

tendicatèna m. inv. (mecc.) chain tensioner; chain tightener.

tendicinghia m. inv. (mecc.) belt tightener.

tendicòllo m. inv. collar-stiffener.

tendifìlo m. inv. (ind. tess.) thread-tensioner.

♦**tendìna** f. curtain; (da sollevare) blind, shade (USA): **t. avvolgibile**, roller blind; shade (USA) **tendine di pizzo**, lace curtains; **abbassare le tendine**, to pull down the blinds; **tirare le tendine**, to draw the curtains ● (comput.) **menu a t.**, pull-down (o drop-down) menu □ (fotogr.) **otturatore a t.**, focal-plane shutter.

tèndine m. (anat.) tendon; sinew: **t. d'Achille**, Achilles tendon; (vet.) **t. del garretto**, hamstring; **t. del ginocchio**, hamstring; **guaina del t.**, tendon sheath.

tendìneo a. (anat.) tendinous; tendon (attr.).

tendinìte f. (med.) tendinitis, tendonitis.

tendiscàrpe m. inv. shoe-tree.

tenditóio m. **1** (locale) drying room **2** (strumento) stretcher; tensioner.

tenditóre m. tensioner; (a vite) turnbuckle.

tendóne m. **1** (di negozio) awning; (da sole) awning, sunblind; (all'ingresso di un albergo, un teatro, ecc.) canopy, marquee (USA) **2** (padiglione) big tent; marquee: **t. del circo**, circus tent; big top (fam.); **I rinfreschi erano serviti sotto un t.**, the buffet was laid out in a marquee.

tendòpoli f. tent city; (per rifugiati) refugee camp.

tènebra f. (spec. al pl.) **1** (oscurità) darkness Ⓤ; dark Ⓤ; shadows (pl.): **folta (o fitta) t.**, thick darkness; deep shadows; **le tenebre della notte**, the darkness of the night; **Le tenebre scesero sulla terra**, darkness fell on the earth; **Calarono le tenebre**, night fell; **al calar delle tenebre**, at nightfall; **col favore delle tenebre**, under cover of darkness; **essere avvolto nelle tenebre**, to be shrouded in darkness; **piombare nelle tenebre**, to be plunged into darkness **2** (fig.) darkness; night; (mistero) mystery: **le tenebre dell'ignoranza**, the darkness (o night) of ignorance; **un episodio avvolto nelle tenebre**, an episode shrouded in mystery; **vivere nelle tenebre**, to live in darkness; **le potenze delle tenebre**, the powers of darkness; **il Principe delle tenebre**, the Prince of Darkness **3** (eccles.) – **ufficio delle tenebre**, Tenebrae.

tenebrióne m. (zool., Tenebrio molitor) mealworm.

tenebriònide m. (zool.) tenebrionid; (al pl., scient.) Tenebrionidae.

tenebrosità f. **1** darkness; murkiness; blackness **2** (fig.) darkness; obscurity; (mistero) mystery.

tenebroso | **tenere** 2563

tenebróso **A** a. **1** dark; murky: **luogo t.**, dark place; **notte tenebrosa**, dark (*o* murky) night **2** (*fig.*: *cupo*) dark; gloomy; somber; (*misterioso*) dark, obscure, mysterious; (*sinistro*) sinister: **intrigo t.**, dark intrigue; **pensieri tenebrosi**, dark thoughts **B** m. – (*scherz.*) **bel t.**, man with dark good looks.

♦**tenènte** m. (*mil.*) (*in GB*) lieutenant; (*in USA*) first lieutenant; **t. colonnello**, lieutenant-colonel; (*aeron.*, *in GB*) wing commander; (*naut.*) **t. di vascello**, lieutenant; (*aeron.*) **t. pilota**, (*in GB*) flying officer; (*in USA*) first lieutenant ❶ **Falsi amici** • tenente *non si traduce con* tenant.

tenènza f. lieutenancy.

♦**tenére** **A** v. t. **1** (*stringere*, *reggere*) to hold*; (*sostenere*) to support: **t. il cappello in mano**, to hold one's hat in one's hand; **t. q. per mano** [**per un braccio**], to hold sb. by the hand [by the arm]; **t. un bambino in braccio**, to hold a baby in one's arms; **t. la penna con la sinistra**, to hold the pen with one's left hand; **t. stretto** (*o* **forte**) **qc.**, to hold st. tight (*o* tightly); *Tienimi la borsa*, hold my bag, please; *Tienimi la scala*, hold (*o* steady) the ladder for me; *Si teneva la testa fra le mani*, he was holding his head in his hands; *La corda non ti terrà*, the rope won't hold you; *Tenetelo, non fatevelo scappare!*, hold him, don't let him run off!; **il gancio che tiene il quadro**, the hook supporting the picture **2** (*mantenere*, *far rimanere*, *trattenere*) to hold*; to keep*: **t. q. a letto**, to keep sb. in bed; **t. aperta la porta**, to keep the door open; (*per far passare q.*) to hold the door open (for sb.); **t. accesa la luce**, to keep the light on; **t. dentro la pancia**, to hold in one's stomach; **t. fermo q.**, to hold sb.; to restrain sb.; **t. ferma una scala**, to hold a ladder steady; **t. q. fuori da un affare**, to keep sb. out of a deal; **t. giù la testa**, to keep one's head down; **t. in caldo del cibo**, to keep food hot; **t. qc. in fresco**, to keep st. cool (*o* in a cool place); **t. qc. in equilibrio**, to keep st. balanced; **t. qc. in ordine**, to keep st. tidy (*o* in order); **t. le mani in tasca**, to keep one's hands in one's pockets; **t. in tasca pochi soldi**, to have little money on one; **t. in testa il cappello**, to keep one's hat on; **t. insieme**, to hold together; **t. lontano**, to keep away; to keep off; **t. le braccia lungo i fianchi**, to keep one's arms by one's sides; **t. nascosto qc. a q.**, to keep st. from sb.; **t. premuto un pulsante**, to keep one's finger on a button; **t. qc. pronto**, to keep st. ready; **t. q. prigioniero**, to hold sb. prisoner; **t. q. tranquillo**, to keep sb. quiet; **t. su**, (*sorreggere*, *sostenere*) to hold up, to prop up, to support; (*non togliersi di dosso*) to keep on; (*tenere sveglio*) to keep up; (*fig.*, *fare coraggio a*) to keep (sb.'s spirits) up, to cheer up; **i pilastri che tengono su il soffitto**, the pillars that hold up (*o* support, prop up) the ceiling; **t. su la giacca**, to keep one's jacket on; **t. su la testa**, to keep up one's head; *Mi tenne su fino alle due*, he kept me up until two; *Tenne a casa il figlio*, he kept his son at home (*o* in); *Tenete in alto le mani!*, hold your hands up!; *La polizia teneva indietro la folla*, the police held (*o* kept) back the crowd; *Vollero tenermi a colazione*, they wanted me to stay for lunch; **un lume da t. sulla scrivania**, a lamp to keep on a desk; a desk-lamp **3** (*trattenere*, *reprimere*) to hold*; to hold* back; to restrain; to stop: **t. il fiato**, to hold one's breath; **t. le lacrime**, to hold back one's tears; *Chi lo tiene più?*, who can stop him now?; *Fa' pure, nessuno ti tiene*, go on, no one's keeping (*o* stopping) you; *Non so chi mi tiene dal dargli un pugno*, I don't know what's keeping me from punching him; *Non riesco a t. quel bambino!*, I can't keep that child under control **4** (*conservare*, *serbare*) to keep*; to hold* on to; to save; (*tenere in proprio possesso*) to keep, to keep* back; (*avere in proprio possesso*) to have, to hold*: **t. qc. per dopo**, to keep (*o* to save) st. for later; **t. qc. per ricordo**, to keep st. as a souvenir; **t. il posto a q.**, to keep a seat for sb.; *Vi ho tenuto un po' di torta*, I've kept some of the cake for you; *Tieni il biglietto e non perderlo*, hold on to your ticket; *Tenne quella lettera per vent'anni*, she held on to that letter for twenty years; *Tenga il resto*, keep the change; *Si è tenuto metà della somma*, he kept half the amount **5** (*mantanere*, *non rivelare*) to keep*; to honour: **t. fede a un impegno**, to honour a commitment; **t. la parola**, to keep one's word; **t. un segreto**, to keep a secret **6** (*comm.*) to keep*; to stock; to carry (*USA*): *Non teniamo questo articolo*, we don't keep (*o* stock, carry) this article **7** (*all'imper.*: *prendere*) to take*: *Tieni questo cioccolatino*, take this chocolate; have a chocolate; *Ecco, tieni!*, here, take it! **8** (*badare a*) to look after; to mind: **t. i bambini**, to look after the children **9** (*occupare*) to hold*: **t. una posizione** [**una carica**], to hold a position [an office]; *La guarnigione tenne il forte per tre mesi*, the garrison held the fort for three months **10** (*avere in mano*, *gestire*, *amministrare*) to keep*, to run*, to manage; (*governare*) to rule: **t. la casa a q.**, to keep house for sb.; **t. una scuola** [**un negozio**], to run a school [a shop] **11** (*dare*, *offrire*, *riunire*, *organizzare*) to hold*; to give*: **t. una conferenza stampa** [**un consiglio di guerra**], to hold a press conference [a council of war]; **t. un corso**, to give (*o* to run) a course; **t. un discorso**, to make (*o* to give) a speech; **t. una festa**, to hold (*o* to give, to throw) a party; **t. una lezione**, to give a lecture; to lecture; **t. una riunione**, to hold a meeting **12** (*contenere*) to hold*; to contain; (*in posti a sedere*) to seat: *La brocca tiene un litro*, the jug holds one litre; *Lo stadio tiene cinquantamila spettatori*, the stadium holds (*o* can seat) fifty thousand spectators **13** (*avere tenuta*) to hold*; (*trattenere*, *conservare*) to preserve: **t. l'acqua**, to hold water; (*essere impermeabile*) to be waterproof; **non t.** (*perdere*), to leak; **t. il caldo**, to preserve the heat **14** (*occupare spazio*) to take* up; to occupy: *Il camion teneva quasi tutta la strada*, the lorry took up almost the whole width of the road **15** (*seguire*, *attenersi a*) to hold*; to keep* to; to follow: **t. la rotta**, to hold one's course; **t. la strada maestra**, to keep to the main road; (*fig.*) *Non so che strada t.*, I don't know which course to take (*o* to follow); **t. una cattiva condotta**, to behave badly **16** (*impiegare*, *dare lavoro a*) to keep*: *Tiene un cuoco e un segretario*, she keeps a cook and a secretary **17** (*considerare*, *ritenere*) to hold*; to regard; to think*: **t. caro q.**, to hold sb. dear; **t. qc. per buono**, to regard st. as true; to believe st.; **t. qc. per certo**, to consider (*o* to regard) st. certain; to hold st. as a fact; **t. q. in gran conto**, to think highly of sb.; to hold sb. in high regard; **t. in dispregio**, to despise. **18** (*mus.*) to hold*; to sustain: **t. una nota**, to hold a note ● **t. a bada**, to hold off; to keep at bay □ **t. a bada i creditori**, to stall one's creditors □ **t. a battesimo**, to stand godfather [godmother] for □ **t. q. a dieta**, to keep sb. on a diet □ **t. q. a distanza**, to keep sb. at a distance □ **t. a freno** → **freno** □ (*anche fig.*) **t. a galla**, to keep afloat □ **t. a mente**, to keep in mind □ **t. a posto la lingua**, to hold one's tongue; (*non essere impertinente*) to keep a civil tongue in one's head (*fam.*) □ (*eufem.*) **t. a posto le mani**, to keep one's hands to oneself □ (*aeron.*) **t. a terra**, to ground □ **t. q. all'oscuro di qc.**, to keep sb. in the dark about st.; to hold out on sb. (*fam.*) □ **t. allegra la compagnia**, to be the life and soul of the party □ **t. buono**, (*tenere calmo*) to keep under control; (*rabbonire*) to mollify, to placate □ **tenersi buono q.**, to keep on good terms with sb. □ **t. caldo**, to keep warm: *La pelliccia mi terrà caldo*, my fur coat will keep me warm □ **t. i conti** (*o* **la contabilità**), to keep accounts; to keep the books □ **t. conto**, (*considerare*) to consider; (*ricordare*) to remember, to keep (*o* to bear) in mind; (*calcolare*) to calculate, to allow for: *Tieni conto che è sposato*, remember he is a married man; *Nel tagliare la stoffa tieni conto dell'orlo*, when cutting the fabric you must allow for the hem; *Non tenne conto dei miei consigli*, he ignored (*o* disregarded) my advice; *Non tener conto dell'ultima frase*, disregard the last sentence □ **t. da conto**, to take care of; to look after □ **t. d'occhio**, to keep an eye on □ **t. desta l'attenzione di q.**, to hold sb.'s attention □ **t. la destra** [**la sinistra**], to keep to the right [to the left] □ (*fig.*) **t. dentro** (*non manifestare*), to keep (st.) bottled up inside □ **t. in ansia**, to keep in a state of anxiety; to worry; to keep in suspense (*o* on tenterhooks) □ **t. q. in piedi**, (*non lasciarlo sedere*) to keep sb. standing; (*tenerlo alzato fino a tardi*) to keep sb. up □ **t. in serbo**, to keep by; to put aside □ **t. q. in sospeso**, to keep sb. in suspense □ **t. qc. in sospeso**, to hold st. over; to hold st. in abeyance □ **t. q. in vita**, to keep sb. alive □ **t. un linguaggio sconveniente**, to use unseemly language □ **t. mano**, to aid and abet □ (*naut.*) **t. il mare**, to be seaworthy □ (*fam.*) **tenersi la pancia** (**dal ridere**), to hold one's sides (with laughter) □ **t. il passo**, to keep in step □ **t. un buon passo**, to keep up a good pace □ **t. qc. per sé**, (*non divulgarlo*) to keep st. for oneself; (*essere reticente*) to hold st. back □ **t. presente qc.**, to keep (*o* to bear) st. in mind □ (*autom.*) **t. la strada**, to hold the road □ **t. testa a** → **testa** □ (*fig.*) **t. vivo**, to keep alive: **t. vivo l'interesse di q.** [**un ricordo**], to keep sb.'s interest [a memory] alive □ (*fig.*) **saper t. in mano la penna** [**i pennelli**], to be a good writer [painter] □ **Ah! ti tengo!**, I've got you! □ **imparare a t. la spada**, to learn to fence **B** v. i. **1** (*resistere*, *reggere*) to hold* (out, up); (*durare*) to last: *Speriamo che il motore tenga fino al garage*, let's hope the engine holds out as far as the garage; *Il nemico attaccò, ma la prima linea tenne*, the enemy attacked but the front line held firm; *Il partito ha tenuto bene alle ultime elezioni*, the party held up well in the last election; *Terrà la corda?*, will the rope hold?; *Il mercato tiene*, the market is holding up well; *Terrà il tempo?*, will this weather hold?; *Il loro matrimonio sembra t.*, their marriage seems to be lasting; (*fig.*) **t. duro**, to hold on; to grit one's teeth; (*continuare nonostante tutto*) to soldier on; (*sopportare*) to grin and bear it (*fam.*) **2** (*essere tenace*) to hold*: **mastice che tiene**, putty that holds; *La molla non tiene più*, the spring won't hold any more; **una lampo che non tiene**, a zipper that won't stay up; **colori che tengono**, fast colours **3** (*avere tenuta*) not to leak: *Il rubinetto* [*Il secchio*] *non tiene*, the tap [the bucket] is leaking **4** (*essere credibile*) to stand* up; to hold* water: *La sua versione dei fatti non terrà in tribunale*, his version of the facts won't stand up in court; *La sua scusa non tiene*, his excuse doesn't hold water; *Non c'è scusa che tenga*, there is no excuse for it **5** (*parteggiare*) to side (with); to be (on sb.'s side); to support (sb.); to back (sb.); to root (for) (*fam.*): **t. per il Genoa**, to be a Genoa supporter; *Per chi tieni?*, whose side are you on; who do you support?; *Per che squadra tieni?*, what's your favourite team?; which team do you root for? **6** (*spesso* **tenerci**: *dare importanza a*) to value (st.), to care (about), to be keen (on), to attach (*o* to give*) importance (to); (*essere fiero*) to be

a b c d e f g h i j k l m n o p q r s **t** u v w x y z

proud (of); (*volere*) to want (st.), to like (st.); (*ambire*) to be set (on): **t. alla casa**, to be house-proud; **t. al proprio lavoro**, to be keen on one's job; **t. alla pelle**, to value one's life; **t. alla salute**, to take one's health seriously; *Ci tengo al tuo parere*, I value (*o* I care about) your opinion; *Tiene molto alla puntualità*, he is a stickler for punctuality; *Tiene molto alla sua bellezza*, she values her beauty very much; *Ci tengo ad andare a quella riunione*, I don't want to miss it that meeting; *Ci terrei a conoscerlo*, I would very much like to meet him; *Non ci tiene ad avere bei vestiti*, she does not care about fine clothes; *Ci tengo a dirlo*, I want to say it quite clearly; *Non ci tengo*, I don't care about it; I'm not particularly keen on it); *Se proprio ci tenete*, if you really want to **7** (*procedere, seguire*) to keep*; to follow: **t. a sinistra**, to keep to the left; **t. dietro a**, to follow; (*fig.*) to keep up with **8** (*prendere da*) to take* after; (*somigliare*) to be like: *Tiene dalla madre*, she takes after her mother **C tenérsi** v. rifl. **1** (*aggrapparsi*) to hold* (oneself); to hold* on (to); (*appoggiarsi*) to lean*: **tenersi stretto a una corda**, to hold on tightly to a rope; *Tienti a me*, hold on to me; *Si tenne al muro per non cadere*, she leaned against the wall so as not to fall **2** (*mantenersi*) to keep*; to be; to stand*: **tenersi a galla**, to keep afloat; to float; **tenersi caldo**, to keep warm; **tenersi fermo**, to keep still; **tenersi fuori dai guai**, to keep out of trouble; **tenersi in contatto con q.**, to keep in touch with sb.; **tenersi in disparte**, to hold oneself apart; to keep oneself to oneself; **tenersi in equilibrio**, to keep one's balance; to balance; **tenersi in esercizio**, to practise; to keep one's hand in; to keep up (st.); **tenersi in guardia**, to be on the lookout; to watch out; **tenersi in sella**, to sit in the saddle; **tenersi in piedi**, to stand; **tenersi indietro**, to stand back; **tenersi lontano da**, to keep away from; (*evitare*) to avoid; **tenersi pronto**, to be ready; *Tenetevi vicino a me*, keep close to me **3** (*considerarsi*) to hold* oneself; to consider oneself: **tenersi responsabile di qc.**, to hold oneself responsible for st. **4** (*trattenersi*) to keep*; to refrain; (solo in frase neg.) to help (+ gerundio) *Mi tenni dal rispondere*, I refrained from answering; *Non potei tenermi dal ridere*, I couldn't help laughing **5** (*attenersi*) to keep* (to); to stick* (to); (*seguire*) to follow (st.); (*ricordare*) to remember (at.): **tenersi ai fatti [all'argomento]**, to keep (*o* to stick) to the facts [to the point]; **tenersi alle regole**, to follow the rules; to play by the book ● **Si è tenuto sulle sue**, (*ha detto poco*) he was very noncommittal, he gave very little away; (*era distaccato*) he was very reserved (*o* stiff, distant) **D tenérsi** v. rifl. recipr. to hold* (each other): **tenersi per mano**, to hold by the hand; **tenersi stretti**, to hold each other tight.

♦**tenerézza** f. **1** (*morbidezza*) tenderness; softness: **la t. di una bistecca**, the tenderness of a steak; **la t. di un legno**, the softness of a wood **2** (*fig.: affetto*) tenderness; fondness; affection: **slancio di t.**, surge of affection; **sguardo di t.**, loving (*o* affectionate, fond) glance; **fare t.**, (*essere tenero*) to be sweet; (*commuovere*) to be touching; *Non ti fanno t. questi cuccioli?*, aren't these puppies sweet?; **provare t. per q.**, to feel tenderness for sb.; *Mi parlò con grande t.*, he spoke to me with great affection (*o* very affectionately); *Che t.!*, how sweet!; how touching! **3** (*indulgenza*) lenience; softness: *Con lui non ci vogliono troppe tenerezze*, one shouldn't be too lenient with him **4** (al pl.) (*parole affettuose*) endearments, sweet nothings; (*coccole*) cuddles: **scambiarsi tenerezze**, to whisper sweet nothings to each other; to bill and coo (*fam.*).

tenerizzatóre m. (*macelleria*) tenderizer.

♦**tènero A** a. **1** (*morbido*) tender; soft: **carne tenera**, tender meat; **insalatina tenera**, tender lettuce; **legno t.**, soft wood; **t. come il burro**, as soft as butter **2** (*fig.: affettuoso*) tender, fond, affectionate; (*amoroso*) loving; (*sentimentale*) sentimental, fond: **cuore t.**, soft (*o* tender) heart; **avere il cuore t.**, to be tender-hearted; **padre t.**, loving father; **parole tenere**, fond words; (*tenerezze*) endearments **3** (*fig.: delicato*) tender; soft; delicate; gentle; (*che fa tenerezza*) sweet, cuddly: **colori teneri**, soft colours; **t. cucciolo**, sweet puppy; **teneri germogli**, tender buds; **una tenera pianticella**, a delicate little plant; **tenera età**, tender age; **un bambino in tenera età**, a child of tender age; *Si è sposato alla tenera età di settant'anni*, he got married at the tender age of seventy; **fin dalla più tenera età**, from one's earliest childhood **4** (*fig.: indulgente*) kind; tender; lenient: *Non essere troppo t. con lui*, don't be too soft on him; *I critici non sono stati teneri col suo nuovo romanzo*, the critics have not been kind to his new novel ● (*di cavallo*) **t. di bocca**, soft-mouthed **B** m. **1** (*parte tenera*) tender (*o* soft) part: *Si mangia il t.*, one eats the tender part; **colpire nel t.**, to hit a soft spot **2** (*fig.*) – **avere del t. per q.**, to be keen on sb.; *C'è del t. tra di loro*, they are sweet on each other; they are more than just good friends.

tenerùme m. **1** (*parte tenera*) tender (*o* soft) part; soft spot **2** (*fig.: sdolcinatezza, smancerie*) mawkishness; soppiness **3** (*alim.*) cartilage; gristle.

tenèsmo m. (*med.*) tenesmus.

tènia f. **1** (*zool., Taenia solium*) tapeworm; taenia* **2** (*archit.*) taenia*.

teniasi f. (*med.*) taeniasis.

tenibile a. tenable; maintanable: **posizione t.** [**non t.**], tenable [untenable] position.

tenifugo a. e m. (*farm.*) taeniafuge.

tenitóre m. (f. **-trice**) (*gestore*) keeper; manager.

♦**tènnis** m. inv. **1** (*sport*) tennis: **t. da tavolo**, table tennis; ping-pong; **t. su prato**, lawn tennis; **giocare a [fare del] t.**, to play tennis; **campo da t.**, tennis court; **maestro di t.**, tennis teacher (*o* coach); **racchetta da t.**, tennis racket; **scarpe da t.**, trainers; plimsolls; tennis shoes **2** (*impianto sportivo*) tennis club.

tennista m. e f. tennis player.

tennistico a. tennis (attr.): **incontro t.**, tennis match.

tènno (*giapponese*) m. Tenno*.

tenonatrìce f. (*tecn.*) tenoner.

tenóne m. (*tecn.*) tenon: **congiungere mediante t.**, to tenon.

tenoplàstica f. (*chir.*) tenoplastics (pl. col verbo al sing.); ligamentoplastics (pl. col verbo al sing.).

tènor m. inv. (*mus.*) tenor.

tenóre **A** m. **1** (*modo, maniera*) way, tenor; (*standard*) standard: **t. di vita**, standard of living; **avere un t. di vita al di sopra dei propri mezzi**, to live beyond one's means; **cambiare t.**, to change one's ways **2** (*forma, tono, senso*) tone; tenor; drift: **il t. della lettera**, the tone of the letter; *Parlò in questo t.*, she said words to that effect **3** (*percentuale di sostanza contenuta in qc.*) content; level: **ad alto [basso] t. alcolico**, with a high [low] alcoholic content **4** (*mus.*) tenor: **t. di grazia** (*o* leggero), light-lyric tenor; **tenore di grazia**, t. **drammatico [lirico]**, dramatic [lyric] tenor; **cantare da t.**, to sing tenor; **chiave di t.**, tenor clef; **voce da t.**, tenor (voice) ● (*bur., leg.*) **a t. di**, in accordance with; according to; by: **a t. dell'art. 7**, according to article 7; **a t. di legge**, in accordance with the law; under the law **B** a. inv. (*mus.*) tenor (attr.): **sax t.**, tenor sax.

tenoreggiàre v. i. **1** (*mus.*) to sing* tenor **2** (*scherz.*) to play the tenor.

tenorìle a. (*mus.*) tenor (attr.): **voce t.**, tenor voice.

tenorino m. (*mus.*) high tenor; tenorino*.

tenorrafìa f. (*chir.*) tenorraphy.

tenosinovìte f. (*med.*) tenosynovitis.

tenotomìa f. (*chir.*) tenotomy.

tenovaginìte f. (*med.*) tenovaginitis.

tensioattività f. (*chim., fis.*) surface activity.

tensioattìvo A a. (*chim., fis.*) surface-active **B** m. surface-active agent; surfactant.

tensiògrafo m. (*fis., ing.*) recording tensiometer.

tensiometrìa f. (*scient.*) tensiometry.

tensiomètrico a. (*scient.*) tensiometric.

tensiòmetro m. (*scient., tecn.*) tensiometer.

tensióne f. **1** (*il tendere*) tension, stretching; (*l'essere teso*) tension, tenseness, tautness: **la t. delle corde**, the tension of the strings; **t. muscolare**, muscular tension; **una molla sotto t.**, a spring under tension; **mettere sotto t. un cavo**, to subject a cable to tension **2** (*fig.: stato di eccitazione nervosa*) tension; tenseness; strain; stress: **t. drammatica**, drama; **t. mentale**, mental strain; **t. nervosa**, nervous tension; tenseness; **carico di t.**, very tense; **essere in t.**, to be tense; to be under strain; **mettere in t.**, to make (sb.) tense (*o* nervous); to agitate; **vivere in t.**, to live in a state of tension; to live under a lot of strain **3** (*fig.: contrasto*) tension; strained relations (pl.): **t. internazionale**, international tension; **tensioni in famiglia**, family tensions; **tensioni razziali**, racial tensions; *C'è molta t. al summit di pace*, there is great tension at the peace summit; *C'è una certa t. tra le due nazioni*, relations between the two countries are rather strained **4** (*fis.*) tension; strain: **t. superficiale**, surface tension **5** (*elettr.*) tension; voltage: **t. di carico**, load voltage; **t. di griglia**, grid voltage; **t. di linea**, line voltage; **bassa [alta] t.**, low [high] tension; **elevare la t. di qc.**, to boost st.; **mettere in t.**, to energize; **caduta di t.**, voltage drop; **filo sotto t.**, live wire; **linea dell'alta t.**, high-tension line; **regolatore di t.**, voltage regulator **6** (*med.*) pressure: **t. arteriosa**, blood pressure.

tensivo a. (*med.*) tensive.

tensóre A a. **1** tension (attr.) **2** (*anat.*) tensor: **muscolo t.**, tensor muscle **B** m. **1** (*anat.*) tensor **2** (*mat.*) tensor: **t. di ordine zero**, tensor of zero rank; **t. di ordine uno**, tensor of rank one.

tensoriàle a. (*mat.*) tensorial; tensor (attr.).

tensorialità f. (*mat.*) tensorial property.

tensostruttùra f. (*ing.*) tensile structure.

tentàbile A a. **1** (*che si può tentare*) attemptable; open to trial **2** (*che si può indurre in tentazione*) temptable; open to temptation **B** m. everything possible: **tentare il t.**, to try everything possible (*o* every possible way); to try one's utmost; to leave no stone unturned (*fam.*).

tentacolàre a. **1** tentacular **2** (*fig.*) tentacular; sprawling; pervasive: **città t.**, sprawling city; **organizzazione t.**, ubiquitous organization.

tentacolàto (*zool.*) a. tentacled.

tentàcolo m. (*zool.* e *fig.*) tentacle.

♦**tentàre** v. t. e i. **1** (*lett.: toccare lievemente*) to touch: **t. le corde di un liuto**, to touch the strings of a lute **2** (*tastare, saggiare*) to try; to test; to feel*: **t. il terreno**, to try (*o* to feel) the ground; **t. il fondo del fiume con un bastone**, to test the depth of a river with a

stick ● **NOTA**: *to try* → **to try** 3 (*mettere alla prova*) to try; to test; to put* to the test: **t. la fedeltà di q.**, to put sb.'s loyalty; to put sb.'s loyalty to the test 4 (*indurre in tentazione*) to tempt; (*allettare*) to tempt, to attract, to lure, to entice: *È il diavolo che ti tenta*, it is the devil that is tempting you; *È un'idea che mi tenta*, I am rather tempted; *Il progetto mi tenta*, the plan is tempting; *Andiamo, lasciati t.!*, go on, be a devil! (*fam.*) 5 (*provare*) to try; to attempt; to make* an attempt: **t. la fuga**, to try to escape; to attempt an escape; **t. ogni mezzo**, to try everything possible; to try one's hardest; **t. una scalata**, to attempt a climb; **t. un sorpasso**, to try to overtake; **t. il suicidio**, to attempt suicide; **t. di parlare a q.**, to try to speak to sb; *Tenterò in ogni modo di dissuaderlo*, I'll try everything (*o* my hardest) to make him change his mind; *L'atleta tenterà ora i sette metri*, the athlete will now attempt a seven-metre jump; *È inutile t.*, it's no use trying; there's no point in trying; *Vale la pena di t.*, it's worth a try; *Tentiamo!*, let's try; let's have a try; let's give it a try (*fam.*); *Tenta e ritenta...*, by dint of trying; *T. non nuoce*, (there is) no harm in trying 6 (*sperimentare*) to try out: **t. una nuova cura**, to try out a new cure ● (*fam.*) **t. il colpo con q.**, to try it out on sb.; to try to pull a fast one on sb. □ **t. l'impossibile**, (*fare di tutto*) to do everything in one's power, to do one's utmost; (*tentare un'impresa impossibile*) to attempt the impossible, to attempt impossibilities □ **t. il tutto per tutto**, to make an all-out attempt (*o* effort, bid) □ **t. la fortuna** (*o* **la sorte**), to try one's luck □ **t. tutte le strade** (*o* **tentarle tutte**), to explore every avenue; to leave no stone unturned (*fam.*).

◆**tentativo** m. 1 attempt; try; shot (*fam.*); go (*fam.*); crack (*fam.*); (*per conquistare o raggiungere qc.*) bid: **t. di evasione**, escape attempt; attempted evasion; bid for freedom; **t. di resistenza**, attempt at resistance; **t. di riconciliazione**, attempt at reconciliation; **t. di suicidio**, suicide attempt; **un t. per ottenere il controllo della società**, a bid to gain control of the company; **t. andato a vuoto**, failed (*o* fruitless) attempt; **t. disperato**, desperate (*o* last-ditch) attempt; **t. destinato a fallire**, doomed attempt; **t. inutile** [**riuscito**], useless [successful] attempt; **timido t.**, feeble attempt; **nel t. di**, in an attempt to; **andare per tentativi**, to proceed by trial and error; *Tutti i tentativi fallirono*, all attempts failed; **fare un t.**, to make an attempt; to have a try (*o*, *fam.*, a shot, a go); *Farò un t. in banca per vedere se ho lasciato lì le chiavi*, I'll try the bank to see if I left my keys there; **riuscire al primo t.**, to succeed at the first attempt (*o* try); to succeed the first time; *Ha saltato sedici metri al secondo t.*, he jumped sixteen metres at the second try 2 (*leg.*) – **t. di reato**, attempted crime; attempt.

tentàto a. 1 (*allettato*, *attratto*) tempted; **Sono t. di scrivergli una letteraccia**, I'm tempted (*o* I have half a mind) to write him a stiff letter; **fortemente t.**, sorely tempted 2 (*leg.*) attempted: **t. omicidio**, attempted murder; **t. suicidio**, attempted suicide; **tentata violenza carnale**, indecent assault.

tentatóre Ⓐ m. (f. **-trìce**) tempter (f. temptress) Ⓑ a. tempting; enticing; seductive: *È un diavolo t.*, he can tempt like the devil himself.

tentazióne f. temptation: **le tentazioni della grande città**, the temptations of a big city; **le tentazioni della gola**, culinary delights; **avere la (forte) t. di**, to be (sorely) tempted to; **cadere in t.**, to fall into temptation; **cedere a una t.**, to give in (*o* to succumb) to a temptation; **indurre in t.**, to lead into temptation; (*nel «Padre nostro»*) *Non ci*

indurre in t., lead us not into temptation; **resistere alla t.**, to resist temptation; *Non resistei alla t. di sbirciare attraverso le tende*, I couldn't resist the temptation to peer through the curtains; **vincere una t.**, to conquer a temptation; *Che t. questa torta*, what a temptation (*o* how tempting) this cake is!

tenténna m. e f. inv. ditherer; silly-shallyer; waverer.

tentennaménto m. 1 (*oscillazione*, *traballìo*) wobbling; shaking; tottering 2 (*fig.*: *esitazione*) hesitation; wavering Ⓤ; vacillation; irresolution; dithering Ⓤ; shilly-shallying Ⓤ; humming and hawing Ⓤ (*fam.*): *Dopo molti tentennamenti decise per il sì*, after much dithering (*o* a good deal of shilly-shallying, of humming and hawing), she agreed.

tentennànte a. 1 (*traballante*) wobbly; shaky; tottering; unsteady 2 (*fig.*: *esitante*) hesitant; wavering; vacillating; irresolute; dithering; shilly-shallying (*fam.*): **comportamento t.** → **tentennamento**, def. 2.

tentennàre Ⓐ v. t. to shake*: **t. il capo**, to shake one's head Ⓑ v. i. 1 (*traballare*) to shake*; to wobble; to totter: **un dente che tentenna**, a wobbly tooth; *La lampada tentennò e cadde*, the lamp tottered and fell 2 (*fig.*: *esitare*) to hesitate; to waver; to vacillate; to dither; to shilly-shally (*fam.*); to keep* humming and hawing (*fam.*): **t. tra una linea di condotta e l'altra**, to hesitate (*o* to waver) between two lines of conduct; *Ho cercato di persuaderlo, ma tentenna sempre*, I tried to persuade him, but he's still undecided (*o* he's still hesitating, he keeps hemming and hawing).

tentennàta f. 1 (*oscillazione*) shake 2 (*scossa*) shake; jolt.

tentennìo m. 1 continued shaking 2 (*fig.*) hesitation; wavering; vacillating; dithering Ⓤ; shilly-shallying Ⓤ; humming and hawing Ⓤ (*fam.*).

tentennóne m. (f. **-a**) → **tentenna**.

tentennóni avv. wobbling; tottering: **camminare t.**, to totter along.

tentóni avv. (*anche* **a t.**) gropingly: **andare (a) t.**, to grope (*o* to feel) one's way; **cercare qc. a t.**, to feel about for st.; (*anche fig.*) to grope for st.; *Scese (a) t. in cantina*, he groped his way down to the cellar.

tentòrio m. (*anat.*) tentorium*.

tentrèdine f. (*zool.*, *Hoplocampa*) sawfly.

tènue Ⓐ a. 1 (*sottile*, *esile*) slender; thin 2 (*rado*, *impalpabile*) thin, tenuous; (*lieve*) slight, light, gentle: **t. nebbiolina**, thin mist; **t. miglioramento**, slight improvement; **un t. velo di vernice**, a thin layer of paint; **t. venticello**, gentle breeze 3 (*delicato*) delicate, soft, subdued; (*pallido*) pale: **colori tenui**, delicate (*o* soft, pale) colours; **luce t.**, pale light 4 (*debole*) slender, slim, tenuous; faint, weak; (*vago*) vague, tenuous, flimsy: **t. bagliore**, faint glimmer of light; **t. indizio**, vague clue; **t. possibilità**, vague possibility; off chance; **t. speranza**, slender (*o* slim, tenuous) hope 5 (*esiguo*, *poco consistente*) slight; insubstantial; meagre 6 (*fon.*) – **consonante t.**, tenuis* 7 (*anat.*) – **intestino t.**, small intestine Ⓑ m. (*anat.*) small intestine.

tenuità f. 1 (*sottigliezza*) slenderness; thinness 2 (*impalpabilità*) thinness, slightness 3 (*delicatezza*) delicacy; softness 4 (*debolezza*) slenderness, tenuity, tenuousness, slightness, flimsiness; (*vaghezza*) vagueness, tenuousness 5 (*esiguità*) slightness; insubstantiality; meagreness.

tenùta f. 1 (*capacità di tenere*, *di reggere*) holding; (*solidità*) solidity, strength; (*fin.*) **la t. dell'euro**, the strength of the euro 2 (*aderenza*, *presa*) holding; grip; purchase: (*autom.*) **t. di strada**, roadholding; grip; **avere una buona t. di strada**, to have good roadholding (*o* a good grip); (*autom.*) **t. sul**

bagnato, grip on wet surfaces 3 (*capacità di trattenere*) tightness; seal: **la t. di un tubo**, the tightness of a pipe; **t. a liquido** [**a secco**], wet [dry] seal; **t. di olio**, oil seal; **t. idraulica**, wet seal; **t. stagna**, watertightness, tightness; **t. ermetica**, hermetic seal; **a t. ermetica**, hermetically sealed; **a t. d'acqua**, waterproof (agg.); watertight (agg.); **a t. d'aria**, airtight (agg.); **a t. di gas**, gasproof (agg.); **anello di t.**, grommet; **dispositivo [guarnizione] di t.**, seal; **muro a t.**, watertight wall 4 (*capacità*) capacity: **un serbatoio della t. di dodici litri**, a tank holding (*o* with a capacity of) twelve litres; *Che t. ha quella tanica?*, how much can that hold? 5 (*modo di tenere*) keeping: (*rag.*) **t. dei libri**, book-keeping 6 (*resistenza*) stamina*; staying power 7 (*mus.*) holding (of a note) 8 (*proprietà terriera*) estate; land; holding; (*agricola*) farm: **piccola t.**, small holding; small farm; **una vasta t. nel meridione**, a vast estate in the South 9 (*abbigliamento*) clothes (pl.); costume; outfit; gear (*fam.*); rig (*fam.*); (*mil.*) uniform, dress, kit: **t. da casa**, casual clothes; **t. da equitazione**, riding outfit; **t. da sci**, skiing outfit; **t. di fatica** (*o* **da lavoro**), working clothes; **t. di gala**, (*mil.*) gala uniform; (*estens.*) gala dress; (*scherz.*) finery, glad rags (pl.); (*mil.*) **t. di guerra**, battle-kit; (*mil.*) **t. di marcia**, battle-dress; (*mil.*) **t. di ordinanza**, regimentals (pl.); (*mil.*) **t. di servizio**, fatigue-dress; fatigues (pl.); **t. sportiva**, sports clothes; sports gear (*fam.*); (*abbigliamento non formale*) casual clothes; **alta t.**, (*mil.*) full dress (*o* uniform); (*estens.*, *scherz.*) full rig (*fam.*); (*mil.*) **bassa t.**, undress uniform; **in gran t.**, very elegant (agg.); all dressed up; in full rig (*fam.*); (*fam.*) *Che ci fai in quella t.?*, what are you dressed like that for?; what have you got into that gear for?

tenutària f. (*di bordello*) brothel-keeper; madam.

tenutàrio m. (f. **-a**) 1 (*proprietario*) owner 2 (*gestore*) keeper; manager: **t. di un bordello**, brothel-keeper; **t. di una casa da gioco**, manager of a gambling-house.

tenùto Ⓐ a. 1 (*mantenuto*, *curato*) kept: **ben t.**, well-kept; neat; **appartamentino molto ben t.**, a neat little flat; **giardino ben t.**, well-kept garden; **t. male**, not looked after; neglected 2 (*di terreno*) kept (for); planted (with): **t. a grano**, planted with wheat; **terra tenuta a pascolo**, land kept for grazing; pastoral land 3 (*mus.*) sustained; held; tenuto: **nota tenuta**, sustained (*o* tenuto) note 4 (*in dovere*) obliged; bound; required: **essere t. a pagare**, to be obliged to pay; to have to pay; **essere t. per legge**, to be legally bound; *Lei non è t. a rispondere*, you are not bound to answer; you don't have to answer; *La società non è tenuta al risarcimento*, the company is not liable for damages; *Gli ammessi al cantiere sono tenuti a indossare il casco di protezione*, people admitted to the building-site are required to wear safety helmets; *Nessuno di voi è t. a fare l'impossibile*, none of you is expected to do the impossible Ⓑ m. (*mus.*) tenuto.

tenzonàre v. i. 1 to contend; to combat; to fight 2 (*fig.*: *disputare*) to dispute; to fight.

tenzóne f. 1 (*stor.*, *letter.*) tenson; poetic contest 2 (*lett.*: *disputa*) dispute; argument; hot debate 3 (*lett.*: *combattimento*) combat; contest: **singolar t.**, single combat; (*scherz.*) duel; **affrontarsi in singolar t.**, to join in single combat; to fight a duel; **sfidare a singolar t.**, to challenge to a duel.

teobròma m. (*bot.*, *Theobroma cacao*) cacao.

teobromina f. (*chim.*) theobromine.

teocàlli m. (*archeol.*) teocalli.

teocèntrico a. theocentric.

teocentrismo m. theocentrism; theocentricism.

teocòn (*polit.*) **A** a. Theocon (attr.) **B** m. e f. inv. Theocon.

teocrasìa f. theocrasy.

teocràtico a. theocratic: **governo t.**, theocratic rule.

teocrazìa f. theocracy.

Teòcrito m. (*letter.*) Theocritus.

teodèm, teo dèm (*polit.*) **A** a. theocon (attr.) **B** m. e f. inv. (Italian) theocon; conservative Italian catholic.

teodìa f. theody.

teodicèa f. (*teol.*) theodicy.

teodolite m. (*topogr.*) theodolite.

Teodòra f. Theodora.

Teodorìco m. (*stor.*) Theodoric.

Teodòro m. Theodore.

Teodòsia f. (*stor.*) Theodosia.

teodosiàno a. Theodosian: **il codice t.**, the Theodosian Code.

Teodòsio m. (*stor.*) Theodosius.

teofagìa f. theophagy.

teofanìa f. theophany.

teofillìna f. (*chim.*) theophylline.

teofillìnico a. (*chim.*) theophylline (attr.).

Teòfilo m. Theophilus.

teofòrico, teòforo a. theophoric; theophorous.

Teofràsto m. (*filos.*) Theophrastus.

teogonìa f. theogony.

teologàle a. theological: **le virtù teologali**, the theological virtues.

teologàre v. i. to theologize.

teologìa f. theology; divinity: **t. della liberazione**, liberation theology; **t. dogmatica**, dogmatic theology; **t. naturale**, natural theology; **t. pastorale**, pastoral theology; **studi di t.**, theological studies; divinity studies.

teològico a. theological.

teologizzàre v. i. to theologize.

teòlogo m. (f. *-a*) theologian.

teorèma m. theorem: **il t. di Pitagora**, Pythagoras' theorem.

teoremàtico a. theorematic.

teorèsi f. cognitive activity; speculation.

teorèta m. e f. theoretician; theorist.

teorètica f. theoretical philosophy; theoretics (pl. col verbo al sing.).

teoreticaménte avv. theoretically.

teorètico a. (*filos.*) theoretic; speculative.

♦**teorìa** f. **1** theory: (*astron.*) **t. del big bang**, big bang theory; (*econ.*) **t. dei contratti**, contract theory; **t. del complotto**, conspiracy theory; (*econ.*) **t. dell'equilibrio**, equilibrium theory; **la t. dell'evoluzione**, the theory of evolution; (*mat.*, *econ.*) **t. dei giochi**, theory of games; games theory; (*fisc.*) **t. delle prestazioni e controprestazioni**, benefit theory of taxation; (*fis.*) **la t. dei quanti**, quantum theory; (*econ.*) **t. quantitativa della moneta**, quantity theory of money; (*fis.*) **t. della relatività**, theory of relativity; (*mat.*) **t. della ricorsività**, recursive theory; **t. screditata**, exploded theory; **avanzare una t.**, to put forward a theory; **confutare una t.**, to confute a theory; **enunciare una t.**, to enunciate a theory; **smontare una t.**, to demolish a theory **2** (*complesso di precetti*) theory: **la t. e la pratica**, theory and practice; **in t.**, in theory; theoretically; **conoscere qc. solo in t.**, to have a purely theoretical knowledge of st. **3** (*modo di pensare*) theory; notion; idea: *Ha delle teorie curiose sull'educazione dei figli*, she has some strange notions (*o* ideas) on how to bring up children **4** (*lett.*: *corteo*) procession; (*fila*) string, long line: **una lunga t. di sacerdoti**, a long procession of priests.

teorica f. theoretics (pl. col verbo al sing.).

teoricaménte avv. theoretically; in theory.

teoricità f. theoretical nature.

teòrico **A** a. **1** (*relativo alla teoria*) theoretical, theoretic: **fisico t.**, theoretical physicist; **problema t.**, theoretical problem; **corso t.-pratico**, theoretical and practical course **2** (*conoscitivo*) cognitive **3** (*nominale*) theoretical; nominal; notional **4** (*ipotetico*) theoretical; hypothetical **B** m. (f. *-a*) theoretician; theorist: **t. marxista**, Marxist theoretician; **t. della dieta mediterranea**, theorist of the Mediterranean diet.

teorizzàre v. t. to theorize.

teorizzatóre m. (f. *-trice*) theorizer; theorist.

teorizzazióne f. theorization.

teosofìa f. theosophy.

teosòfico a. theosophical.

teòsofo m. (f. *-a*) theosopher; theosophist.

TEP sigla (**tonnellata equivalente di petrolio**) ton of oil equivalent (t.o.e.).

tèpalo m. (*bot.*) tepal.

tepidàrio m. **1** (*archeol.*) tepidarium* **2** (*serra*) greenhouse.

tèpido → **tiepido**.

tepóre m. warmth: **i primi tepori della primavera**, the first warmth of spring.

tèppa f. **1** (*bot.*, *Sedum acre*) stonecrop **2** (*region.*) rabble; riff raff; (bunch of) hooligans; (bunch of) yobs (*GB*).

teppàglia → **teppa**, def. 2.

teppìsmo m. **1** hooliganism; thuggery; yobbery (*GB*) **2** (*malavita*) underworld; low life.

teppìsta m. e f. hooligan; hoodlum; thug; bully-boy; yob (*GB*); punk (*USA*).

teppìstico a. hooligan (attr.); hoodlum (attr.); thuggish.

tequila f. inv. tequila.

tèra a. third.

terapèuta m. e f. (*med.*) therapist; therapeutist.

terapèutica f. (*med.*) therapeutics (pl. col verbo al sing.).

terapèutico a. (*med.*) therapeutic; curative: **effetto t.**, therapeutic effect; **ginnastica terapeutica**, therapeutic exercises (pl.).

terapìa f. **1** threapeutics (pl. col verbo al sing.) **2** (*cura*) therapy; treatment: **t. chirurgica**, surgical therapy; **t. del dolore**, pain therapy; **t. d'urto**, drastic (*o* aggressive) therapy; (*fig.*) shock therapy; **t. di rinforzo**, reinforcement therapy; **t. intensiva**, intensive care; **t. ormonale**, hormone treatment; **sottoporsi a t.**, to undergo treatment **3** (*psic.*) psychotherapy; (counselling) therapy: **t. comportamentale**, behaviour therapy; **t. di coppia**, marriage counselling (*o* guidance); **t. di gruppo**, group therapy; **t. occupazionale**, occupational therapy; **essere in t.**, to be in thrapy.

teràpico a. (*med.*) therapeutic.

terapìsta m. e f. therapist.

teratogènesi f. (*biol.*) teratogenesis.

teratògeno a. (*biol.*, *med.*) teratogenic: **agente t.**, teratogen: **malattia teratogena**, teratogenic illness.

teratologìa f. (*biol.*) teratology.

teratològico a. (*biol.*) teratological.

teratòma m. (*med.*) teratoma*.

tèrbio m. (*chim.*) terbium.

terebìnto m. (*bot.*, *Pistacia terebinthus*) terebinth.

tèrebra f. (*mil. stor.*, *zool.*) terebra*.

terebrànte **A** a. **1** (*zool.*) boring; terebrant **2** (*med.*) piercing **B** m. (*zool.*) terebrant insect.

terebrazióne f. (*ind. min.*, *edil.*) boring; drilling.

terèdine f. (*zool.*, *Teredo navalis*) shipworm; teredo.

tereftalàto m. (*chim.*) terephthalate.

tereftàlico a. (*chim.*) terephthalic.

Terènzio m. Terence.

Terèsa f. Theresa.

teresiàno a. **1** (*eccles.*) Teresian; Theresian **2** (*stor.*: *di Maria Teresa d'Austria*) of Maria Theresa.

teresìna f. (*gioco di carte*) stud poker.

terfèzia f. (*bot.*) Terfezia.

tèrgere v. t. (*lett.*) **1** to wipe (off, away); to dry: **t. il sudore**, to wipe off one's sweat; **tergersi le lacrime**, to dry one's tears **2** (*pulire*) to clean: **t. una ferita**, to clean a wound.

tergicristàllo m. (*autom.*) windscreen wiper; windshield wiper (*USA*); wiper: **braccio [spatola] del t.**, wiper arm [blade].

tergifàri m. (*autom.*) headlight wiper.

tergilavacristàllo → **tergicristallo**.

tergilavalunòtto → **tergilunotto**.

tergilunòtto m. (*autom.*) rear window wiper.

tergìte m. (*zool.*) tergite.

tergiversàre v. i. to prevaricate; to tergiversate; to hum and haw (*fam.*); to pussyfoot (around).

tergiversatóre m. (f. *-trice*) prevaricator; tergiversator.

tergiversazióne f. prevarication; tergiversation; humming and hawing (*fam.*).

tèrgo m. (pl. **tèrga**, f., *nella def. 1*) **1** (*lett.*) (*dorso, schiena*) back; rear: **dare** (*o* **voltare**) **il t.** (*o* **le terga**) **a q.**, to turn one's back on sb.; **venire da t.**, to come from behind (*o* the rear) **2** (*di foglio, ecc.*) back; (*di moneta, ecc.*) verso: **a t.**, on the back; overleaf; **scrivere a t.**, to write on the back; *Vedi a t.*, see overleaf; please turn over (abbr. P.T.O.).

Terilène ® m. inv. Terylene® (*GB*); Dacron® (*USA*).

teriomorfìsmo m. theriomorphism.

teriomòrfo a. theriomorphic; theriomorphous.

Tèrital ® m. inv. Terital.

termàle a. thermal; spa (attr.): **acque termali**, thermal (*o* spa) waters; **città t.**, spa; **sorgente t.**, thermal (*o* hot) spring; **stazione t.**, spa; watering place.

tèrme f. pl. **1** thermal baths; hot springs; (*stazione termale*) spa (sing.) **2** (*archeol.*) thermae; baths: **le t. di Diocleziano**, Diocletian's baths.

tèrmico a. thermal; thermic; temperature (attr.); heat (attr.): **capacità termica**, thermal capacity; **condizioni termiche**, heat conditions; **barriera termica**, thermal barrier; **energia termica**, thermal energy; **motore t.**, heat engine; **proprietà termiche**, thermal properties; **raggi termici**, thermic rays; **bottiglia termica**, thermos flask; **escursione termica**, temperature range; **isolamento t.**, heat insulation; (*fis. nucl.*) **neutrone t.**, thermal neutron; **scudo t.**, thermal shield; **tuta termica**, thermal suit.

termidoriàno a. e m. (*stor. franc.*) Thermidorian.

Termidòro m. (*stor. franc.*) Thermidor (*franc.*).

terminàbile a. terminable; that can be finished.

tèrminal (*ingl.*) m. inv. **1** (*capolinea*) terminal; terminus* **2** (*aeron.*) (air) terminal.

terminàle **A** a. **1** (*di confine*) boundary (attr.): **pietra t.**, boundary stone **2** (*finale*) final; terminal; end (attr.): **la fase t. di un progetto**, the final stages of a plan; **sezione t.**, final section; **stazione t.**, terminus; **il tratto t. di un'autostrada**, the final stretch of a motorway **3** (*bot.*) terminal: **gemma t.**,

terminal bud **4** (*med.*) terminal; (*di paziente*) terminally ill: **cancro t.**, terminal cancer; **malato t.**, terminally ill patient ◩ m. (*comm.*, *comput.*, *tel.*) terminal: **t. di cavo**, cable terminal; **t. bancario**, bank terminal; **t. video**, video terminal (*o* display).

terminalista m. e f. (*comput.*) terminal operator.

♦**terminàre** ◰ v. t. to end; to finish; (*completare*) to complete; (*cessare*) to stop, to cease: **t. la discussione**, to end the discussion; **t. un lavoro**, to finish a job; **t. di fare qc.**, to finish doing st. ◳ v. i. to end; to finish; to terminate; to come* to an end; (al passato, anche) to be over; (*cessare*) to cease: *Là termina la strada*, the road ends (*o* comes to an end) there; *La riunione terminò alle undici*, the meeting ended (*o* came to an end) at eleven o'clock; *Il film termina in modo triste*, the film has a sad ending: **parole che terminano in consonante**, words ending (*o* terminating) in a consonant; *Il bastone termina in un puntale*, the stick ends in a ferule; *La lezione è terminata*, the lesson is over.

terminatóre m. (*astron.*) terminator.

terminazióne f. **1** (*estremità, tratto terminale*) end; ending; termination: **terminazioni nervose**, nerve endings **2** (*gramm.*) ending; termination.

♦**tèrmine** m. **1** (*confine*) boundary; (*segno di confine*) boundary mark, landmark: *Il fosso segna il t. del podere*, the ditch marks the boundary of the farm **2** (*cessazione, scadenza, anche leg.*) expiry; expiration; (*inizio*) start; (*limite di tempo*) (time) limit, term, date; (*periodo*) time, (given) period: **il t. di una cambiale**, the expiry date of a bill; **t. di consegna**, delivery term (*o* date); **t. di un contratto**, expiry of a contract; (*leg.*) **t. di preavviso**, period of notice; (*leg.*) **t. di prescrizione**, period of limitation; **t. iniziale**, start; **t. finale**, expiry date; final date; **t. ultimo** (*o* **massimo, di scadenza**), deadline; **termini legali** (*periodo di tempo*), prescribed times; *Il t. è scaduto*, the time has expired; *Non ci sono termini*, there are no time limits; **a breve t.**, short-term; short-dated; short; (*comm.*) **cambiale a breve t.**, short-dated bill; (*fin.*) **obbligazioni a breve t.**, short bonds; **prestito a breve t.**, short-term loan; **a lungo t.**, long-term; long-dated; long; **a t.**, time (attr.); forward; **consegna a t.**, forward delivery; (*leg.*) **contratto a t.**, time contract; (*fin.*) **mercato a t.**, futures market; (*med.*) **parto a t.**, full-term delivery; (*ass.*) **polizza a t.**, time policy; **vendita a t.**, forward sale; **entro il** (*o* **nel**) **t. di due mesi**, within (the space of) two months; **entro il** (*o* **nel**) **più breve t. possibile**, within the shortest possible time; as soon as possible; **nel t. stabilito**, within the prescribed time; **trascorso questo t.**, at the end of this period; **fissare un t.**, to fix a date (*o* a deadline); **porre un t. a qc.**, to set a limit to st.; **prolungare il t.**, to extend the time (limit); **decorrenza dei termini**, expiration of time **3** (*fine*) end; close: **al t. della riunione**, at the end (*o* close) of the meeting; **il t. della strada**, the end of the road; **il t. della vita**, the end (*o* the close) of life; *Mancano venti minuti al t. della partita*, there are twenty minutes to go to the end of the match; **aver t.**, to end; to finish; to be over; to come to an end; **mettere** (*o* **porre**) **t.**, to put an end to; **portare** (*o* **condurre**) **a t.**, to carry out; to complete; to conclude; to bring to an end; **condurre a t. un affare**, to conclude (*o* to pull off) a deal; to strike a bargain; **portare a t. un lavoro**, to carry out a job; **portare a t. le indagini**, to complete an investigation; **volgere al t.**, to draw to an end (*o* to a close) **4** (*elemento*) term (*anche mat.*, *logica*); main point: **t. di confronto**, term of comparison;

standard; **i termini di un contratto**, the terms of a contract; **i due termini di una frazione**, the two terms of a fraction; **i termini di un paragone**, the terms of a comparison; **i termini di una questione**, the main points of a question; **i termini di un sillogismo**, the terms of a syllogism; **ridurre una frazione ai minimi termini**, to reduce a fraction to its lowest terms **5** (*ambito, limite*) bound: **rimanere nei termini della cortesia**, to keep within the bounds of courtesy **6** (*fine, scopo*) aim; goal; object: **il t. dei nostri sforzi**, the aim (*o* goal) of our efforts **7** (*locuzione, parola*) term; word: **il t. giusto**, the right term (*o* word); **t. improprio**, wrong term; misnomer; **t. scientifico** [**tecnico, letterario**] scientific [technical, literary] term; **in altri termini**, in other words; to put it differently; **in termini astratti**, in abstract terms; *Si è espresso in questi termini*, he spoke in those terms; that is what he said; *Non la metterei in questi termini*, I wouldn't put it in those terms (*o* that way); *Parlò di me in termini molto lusinghieri*, she spoke about me in glowing terms; *Parliamoci in termini chiari*, let's be frank (*o* straight) with each other; let's use plain words (*o* language); *Gli ho scritto in questi termini...*, I wrote to him as follows... **8** (al pl.) (*punto di vista, angolatura*) terms: **in termini di**, in terms of; in... terms; **in termini di profitto**, in terms of profits; **in termini reali**, in real terms ● **a rigor di termini**, strictly speaking □ **a termini di legge**, according to the law; under the law □ (*gramm.*) **complemento di t.**, indirect object □ **contraddizione in termini**, contradiction in terms □ **essere a buon t.**, to be progressing well; to be making good progress □ **essere in buoni termini con q.**, to be on good terms with sb. □ **mezzi termini**, vague words; equivocations: **senza mezzi termini**, in no uncertain terms; plainly; without mincing one's words; straight from the shoulder (*fam.*); **per dirla senza mezzi termini**, to put it plainly □ **misurare** (*o* **pesare**) **i termini**, to weigh one's words □ **moderare i termini**, to moderate one's language; to mind one's words (*o* how one speaks) □ (*fig.*) **ridurre qc. ai minimi termini**, to reduce st. to next to nothing □ *Le cose stanno in questi termini*, this is how things stand; the situation is as follows.

terminìsmo m. (*filos.*) terminism.

terminìstico a. (*filos.*) terministic.

terminologìa f. terminology; vocabulary; terms (pl.).

terminològico a. terminological.

termistóre m. (*fis.*) thermistor.

termitàio m. termitarium*; termitary.

tèrmite① f. (*zool.*) termite; white ant.

termite② f. (*chim.*) thermite.

termoadesióne f. (*tecn.*) thermoadhesion.

termoadesivo a. iron-on (attr.): **decorazioni termoadesive**, iron-on decorations.

termoanestesìa f. (*med.*) thermoanaesthesia.

termobattèrio m. (*biol.*) thermobacterium*.

termocettóre m. (*fisiol.*) thermoreceptor.

termochìmica f. thermochemistry.

termochìmico a. thermochemical.

termocinètica f. (*fis.*) thermokinetics (pl. col verbo al sing.).

termocinètico a. (*fis.*) thermokinetic.

termocoagulazióne f. (*chir.*) thermocoagulation.

termocoibènte a. heat insulating.

termocoibènza f. heat insulation.

termocompressióne f. (*fis.*) thermal

compression; thermocompression.

termocompressóre m. (*fis.*) thermal compressor.

termoconvettóre m. (*fis.*) convector.

termocopèrta® f. electric blanket.

termocòppia f. (*fis.*) thermocouple.

termocùlla f. incubator.

termodiffusióne f. (*fis.*) thermal diffusion.

termodinàmica f. (*fis.*) thermodynamics (pl. col verbo al sing.).

termodinàmico a. (*fis.*) thermodynamic.

termodistruzióne f. (*tecn.*) incineration.

termoelasticità f. thermoelasticity.

termoelemènto m. (*fis.*) thermoelement.

termoelettricità f. (*fis.*) thermoelectricity.

termoelèttrico a. (*fis.*) thermoelectric: **coppia** (*o* **pinza**) **termoelettrica**, thermocouple; **centrale termoelettrica**, thermal power station; thermoelectric power plant.

termoelettróne m. (*fis.*) thermoelectron.

termoelettrònica f. (*fis.*) thermoelectronics (pl. col verbo al sing.).

termoelettrònico a. (*fis.*) thermoelectronic.

termoestesìa f. (*med.*) thermesthesia.

termoestesiòmetro m. (*med.*) thermesthesiometer.

termofilìa f. (*biol.*) thermophily.

termòfilo a. (*biol.*) thermophilic; thermophilous: **organismo t.**, thermophile.

termofìsica f. thermophysics (pl. col verbo al sing.).

termofobìa f. (*psic.*) thermophobia.

termoformatùra f. (*tecn.*) thermoforming.

termòforo m. electric heating-pad.

termogènesi f. (*biol.*) thermogenesis.

termògeno a. thermogenic.

termogiunzióne f. (*elettr.*) thermocouple.

termografìa f. (*fis.*) thermography; thermal imaging.

termogràfico a. thermographic.

termògrafo m. thermograph.

termogràmma m. thermogram.

termoidràulico a. thermohydraulic; plumbing and heating (attr.): **impianto t.** (*di edificio*), plumbing and heating system.

termoigrògrafo m. hygrothermograph.

termoindurènte a. (*chim.*) thermosetting: **sostanza t.**, thermosetting substance; thermoset.

termoinduriménto m. (*chim.*) thermosetting process.

termoióne m. (*fis.*) thermion.

termoiònica f. (*fis.*) thermionics.

termoiònico a. (*fis.*) thermionic: **corrente termoionica**, thermionic current; **valvola termoionica**, thermionic valve (*USA* tube).

termoisolànte (*fis.*) ◰ a. heat insulating ◳ m. heat insulation.

termolàbile a. (*fis.*) thermolabile.

termòlisi f. **1** (*chim.*) thermolysis **2** (*fisiol.*) loss of heat; thermolysis.

termologìa f. (*fis.*) thermology.

termològico a. (*fis.*) thermological.

termoluminescènza f. (*fis.*) thermoluminescence.

termomagnètico a. (*fis.*) thermomagnetic.

termomagnetìsmo m. (*fis.*) thermomagnetism.

termomanòmetro m. (*fis.*) thermal pressure gauge.

termomeccànico a. thermomechanical.

termometrìa f. (*fis.*) thermometry.

termomètrico a. thermometric.

♦**termòmetro** m. **1** thermometer; (*estens.*: *temperatura*) temperature: **t. a màssima [a minima]**, maximum [minimum] thermometer; **t. ad alcol**, spirit thermometer; **t. a rovesciamento**, reversion thermometer; **t. centigrado**, centigrade thermometer; **t. clinico**, clinical thermometer; **t. da bagno**, bath thermometer; **t. elettrico**, electric thermometer; *Il t. segna* (o *indica*) *20°*, the thermometer reads 20°; *Il t. sale* [*scende*], the temperature is rising [dropping] **2** (*fig.*: *indice*) barometer; indicator; sign.

termominerale a. thermal; naturally hot; hot-spring (attr.): **acqua t.**, naturally hot (o hot-spring) water; **sorgente t.**, thermal (o hot) spring.

termonucleàre a. (*fis.*) thermonuclear.

termopìla f. (*fis.*) thermopile.

Termòpili f. pl. (*stor.*) Thermopylae.

termoplàstica f. (*tecn.*) thermoplastic.

termoplasticità f. thermoplasticity.

termoplàstico a. thermoplastic.

termoreattóre m. **1** (*aeron.*) thermojet **2** (*scient.*) thermoreactor.

termoregolàre v. t. **1** (*fisiol.*) to thermoregulate **2** (*tecn.*) to regulate the temperature of.

termoregolatóre A m. (*tecn.*) thermostat B a. **1** (*fisiol.*) thermoregulatory **2** (*tecn.*) heat-regulating; thermostatic.

termoregolazióne f. **1** (*fisiol.*) thermoregulation **2** (*tecn.*) heat regulation.

termoresistènte a. (*tecn.*) heat-resistant.

termoresistènza f. (*fis.*, *elettr.*) **1** (*resistenza termica*) heat resistance; thermal resistance **2** (*conduttore*) thermistor.

termoretràibile a. heat-shrinking.

tèrmos → **thermos**.

termosaldàre v. t. to weld.

termosaldatrìce f. welding machine; welder.

termosaldatùra f. welding.

termoscòpio m. (*fis.*) thermoscope.

termosensìbile a. thermosensitive.

termosfèra f. (*scient.*) thermosphere.

♦**termosifóne** m. **1** (*sistema di riscaldamento*) central heating **2** (*radiatore*) radiator.

termostàbile a. thermostable.

termostabiliẓẓàre v. t. to thermostabilize.

termostabiliẓẓazióne f. (*tecn.*) thermostabilization.

termostatàre v. t. (*tecn.*) to thermostat.

termostàtica f. (*fis.*) thermostatics (pl. col verbo al sing.).

termostàtico a. thermostatic.

termòstato m. thermostat.

termotècnica f. thermotechnics (pl. col verbo al sing.).

termotropìsmo m. (*bot.*) thermotropism.

termoventilatóre m. fan heater.

termoventilazióne f. air-heating.

termovettóre a. heat-carrying.

termovisióne f. thermal imaging.

termovisóre m. thermal imaging system; thermal imaging camera.

tèrna f. **1** (*gruppo di tre*) set of three; triplet; trio*; (*elettr.*) triad: (*calcio*) **t. arbitrale**, referee and (two) linesmen **2** (*lista di tre nomi*) short list; list of three: **entrare nella t.**, to be short-listed; **includere in una t.**, to short-list **3** (*mecc.*) wheel loader.

ternàre v. t. to short-list.

ternàrio A a. ternary (*anche chim.*, *mat.*); triad (attr.); threefold; triple: (*miner.*) **asse t.**, triad axis; (*chim.*) **composto t.**, ternary compound; (*mus.*) **forma ternaria**, ternary form; (*poesia*) **metro t.**, tercet; (*mus.*) **ritmo t.**, triple time; (*poesia*) **verso t.**, three-syllable line B m. (*poesia*: *terza rima*) terza rima; (*trisillabo*) trisyllable.

ternàto a. (*bot.*) ternate.

tèrno m. (*tombola*, *lotto*) three winning numbers; winning triplet: **fare t.**, to get three winning numbers ● (*fig.*) **un t. al lotto**, a real stroke of luck □ (*fig.*) **vìncere un t. al lotto**, to strike lucky; to hit the jackpot.

teromòrfico a. theriomorphic.

terotecnologìa f. terotechnology.

terotecnòlogo m. (f. **-a**) terotechnologist.

terpène m. (*chim.*) terpene.

terpènico a. (*chim.*) terpene (attr.).

terpìna f. (*chim.*) terpin.

terpinèolo m. (*chim.*) terpineol.

♦**tèrra** A f. **1** (*il pianeta*) earth: **la rotazione della t.**, the rotation of the earth; **le vìscere della t.**, the bowels of the earth; **la vita sulla t.**, life on earth **2** (*il mondo*) world; earth: **in cielo e in t.**, in heaven and on earth; **su questa t.**, in this world; on earth; **lasciare questa t.**, to leave this world; **la pace sulla t.**, peace on earth **3** (*terraferma*) land; (*rispetto al cielo*, *anche*) ground; (*rispetto al mare*, *anche*) shore: **le terre emerse**, the land masses of the globe; (*naut.*) **per t. e per mare**, by land and sea; (*naut.*) *T. in vista!*, land ho!; (*naut.*) **avvistare t.**, to sight land; to make a landfall; **lasciare a t.**, (*naut.*) to leave behind; (*aeron.*: *non far volare*) to ground; **prèndere t.**, to land; **scéndere a t.**, (*da una nave*) to go ashore, to disembark; (*da un aereo*) to disembark; (*atterrare*) to land; **toccare t.**, (*naut.*) to land; (*aeron.*) to touch down, to land; (*geogr.*) **braccio di t.**, promontory; (*mil.*) **forze di t.**, land forces; (*geogr.*) **lìngua di t.**, landspit; (*aeron.*) **personale di t.**, ground staff; **vento di t.**, land wind; **via di t.**, land route; **per via di t.**, by land; (attr.); (*rif. a posta*) surface (attr.) **4** (*paese*, *regione*, *territorio*) land, region, territory; (*nazione*, *patria*) country, homeland: **t. di confine**, borderland; **t. d'elezione**, (country chosen as one's) second homeland; (*geogr.*) *T. del Fuoco*, Tierra del Fuego; **t. natale**, native land; homeland; **la T. Promessa**, the Promised Land; **t. sconosciuta**, unknown land (o region); **la T. Santa**, the Holy Land; **t. straniera**, foreign soil; foreign land; foreign territory; **t. vèrgine**, virgin territory; **terre abitate**, inhabited lands (o territories); **terre alte**, highlands; **terre basse**, lowlands; **terre incolte**, wilderness (sing.); **terre sconosciute**, unknown regions; **terre selvagge**, wastes; **in t. italiana**, on Italian soil; on Italian territory **5** (*suolo*, *terreno*) ground, earth; (*pavimento*) floor: **t. buona**, good soil; **t. consacrata**, consecrated (o holy) ground; **t. ricca di minerali**, soil rich in minerals; **terre alluvionali**, alluvial soil; *La t. tremò per dieci secondi*, the earth shook for ten seconds; **a sei metri da [sotto] t.**, six metres above [under, below] (the) ground; **per t.**, (con verbi di stato) on the ground [floor]; (con verbi di moto) to the ground [floor]; **sotto t.**, underground: below ground; **nascóndere [seppellire] qc. sotto t.**, to hide [to bury] st. underground; **alzarsi da t.**, to get up (from the ground, from the floor); (*in volo*) to take off; **cadere a t.**, to fall (to the ground); *È caduto in t. e si è rotto*, it fell and broke; *Cadde a t. privo di sensi*, he fell senseless to the ground; **dormire per t.**, to sleep on the ground (*in casa* on the floor); **guardare per t.**, to look down; **méttere piede a t.**, to set foot on the ground; **scavare la t.**, to dig the ground; **sedersi in t.**, to sit down on the ground (*in casa* on the floor) **6** (*elettr.*) earth (*GB*); ground (*USA*): **méttere a t.**, to earth; to ground; **filo della t.**, earth wire; ground wire; **messa a t.**, earthing; grounding; **scaricare a t.**, to discharge to earth [to ground] **7** (*terriccio*) earth; soil; dirt; (*fango*) mud: **t. battuta**, packed earth; dirt; (*tennis*) clay; **pavimento di t. battuta**, earthen floor; **strada di t. battuta**, dirt road; **t. di riporto**, filling earth; made ground; **t. grassa**, rich soil; **t. grìgia**, podzol, podsol; **t. nera**, chernozem; **t. smossa**, loose earth; **sporco di t.**, earth-stained; (*di fango*) muddy, covered in mud, mud-caked; **giocare con la t.**, to play in the dirt; **riempire un buco di t.**, to fill a hole with earth; **strappare radici dalla t.**, to pull roots from the earth; **manciata di t.**, handful of earth; **macchine per muòvere la t.**, earth-moving machines; **movimenti di t.**, earth-moving; earthworks; **odore di t.**, earthy smell; **zolla di t.**, clod of earth **8** (*terreno da sfruttare*) land; earth: **t. bonificata**, reclaimed land; **t. coltivata**, land under crop; tilled land; **t. da pàscolo**, grazing land; **lavorare la t.**, to till the land; (*fig.*) **ritornare alla t.**, to go back to the land; **lavoratore della t.**, (*coltivatore*) farmer; (*bracciante*) farm labourer; **prodotti della t.**, agricultural produce **9** (*proprietà terriera*) land; (landed) estate: **possédere terre**, to own land; to be a landowner; **sulle mie terre**, on my land; on my estate; **véndere una terra**, to sell a piece of land; **pezzo di t.**, piece of land; (*fabbricabile*) plot of land; **proprietario di terre**, landowner **10** (*sostanza estratta dalla terra*) earth; (*argilla*) earth, clay: **t. colorante**, colouring earth; **t. da follone**, fuller's earth; **t. da pipe**, pipeclay; **t. da porcellana**, kaolin; **t. d'ombra**, umber; **t. d'ombra bruciata** (*naturale*), burnt [raw] umber; **t. di Siena**, sienna; **t. di Siena bruciata**, burnt sienna; **t. refrattaria**, fireclay **11** (*archeol.*) – **t. sigillata**, terra sigillata; Samian ware **12** (*chim.*) – **terre rare**, rare earths ● (*mil.*) **t. bruciata**, scorched earth: **fare t. bruciata**, to employ a scorched-earth policy; (*fig.*) **fare t. bruciata di qc.**, to destroy st.; to lay st. waste □ (*mil.*) **t. di nessuno**, no man's land □ **t. t.**, close to the ground; at ground level; (*fig.*, *di persona*) unexceptional, uncultivated, rough; (*di cosa*) prosaic, uninspired, banal, dull □ **a fior di t.**, at ground level □ (*fig.*) **èssere a t.**, (*moralmente*) to be in low spirits, to be depressed, to be low; (*fisicamente*) to be run-down, to be in bad shape; (*finanziariamente*) to be badly off, to have hit rock bottom □ **avere il morale a t.**, to feel very low □ **avere terre al sole**, to own land □ (*fig.*) **buttare a t.**, to get down; to depress □ (*fig.*) **coi piedi per t.**, with one's feet (firmly) on the ground; down-to-earth; practical; no-nonsense □ **gomma a t.**, flat tyre; puncture □ **la Madre t.**, Mother Earth □ (*fig.*) **méttere a t.**, (*fisicamente*) to weaken; (*finanziariamente*) to leave broke: *L'influenza l'ha messo a t.*, he still feels very weak after the flu □ (*fig.*) **muòvere cielo e t.**, to move heaven and earth □ (*fig.*) *Mi sarei voluto nascóndere sotto t.* (*dalla vergogna*, *ecc.*), I wished the earth would open and swallow me up; I could have curled up and died (*fam.*) □ (*fig.*) **non stare né in cielo né in t.**, to be totally absurd (o ridiculous, ludicrous) □ (*fig.*) **non toccare t. dalla gioia**, to be beside oneself with joy; to be on cloud nine (*fam.*) □ (*fig.*) **per mare e per t.**, everywhere; high and low □ **raso t.**, close to the ground; at ground level: **volare raso t.**, to fly close to the ground; to skim the ground; **restare a t.**, to be left behind; (*perdere un mezzo*) to miss (a bus, a plane, etc.); (*non im-*

barcarsi) to be left ashore; (*aeron., di aereo, pilota*) to be grounded □ (*fig.*) **rimettere i piedi per t.**, to come down to earth □ (*astrol.*) **segno di t.**, earth sign □ (*fig.*) **sentirsi mancare la t. sotto i piedi**, to feel lost □ (*fig.*) **sotto t.** (*morto*), dead and buried □ (*anche fig.*) **tenere i piedi per t.**, to keep one's feet (firmly) on the ground □ (*fig.*) **tornare sulla t.**, to come down to earth **B a. inv. 1** (*al livello del suolo*) ground (attr.): **piano t.**, ground floor (*GB*); first floor (*USA*) **2** (*colore*) earth (attr.): **color t.**, earth-coloured.

tèrra-ària a. inv. (*mil.*) ground-to-air.

terracòtta f. **1** (*il materiale*) baked clay; terracotta; earthenware: **di t.**, earthenware (attr.); earthen; terracotta (attr.); **vaso di t.**, earthenware pot; terracotta vase; **vasellame di t.**, earthenware; **color della t.**, terracotta (attr.) **2** (*oggetto*) terracotta.

terràcqueo → **terraqueo.**

terraférma f. (*continente*) mainland; (*opposto al mare*) (dry) land, terra firma (*lat.*): **città di t.**, mainland city; **sbarcare sulla t.**, to set foot on land.

terràglia f. **1** earthenware; pottery **2** (al pl.) (*vasellame, ecc.*) earthenware Ⓤ; pottery Ⓤ.

terràgnolo a. (*bot., zool.*) terrestrial; terricolous.

terramàra f. (*archeol.*) terramare*.

terramicìna ® f. (*farm.*) Terramycin.

terràneo a. at street level; street-level (attr.).

terranòva m. inv. (*cane*) Newfoundland (dog).

Terranòva f. (*geogr.*) Newfoundland.

terrapièno m. **1** embankment; bank **2** (*mil.*) terreplein; earthwork; rampart.

terràqueo a. terraqueous: **il globo t.**, the globe.

terràrio m. terrarium*.

tèrra-tèrra a. inv. (*mil.*) ground-to--ground.

◆**terràzza** f. **1** (*edil.*) terrace **2** (*di terreno*) terrace: **coltivazione a terrazze**, terrace cultivation; **giardino a terrazze**, terraced garden.

terrazzaménto m. terracing.

terrazzàre v. t. to terrace.

terrazzière m. **1** (*sterratore*) navvy **2** (*edil.*) layer of terrazzo flooring.

terrazzìno m. **1** (*edil.*) balcony **2** (*alpinismo*) ledge.

◆**terràzzo** m. **1** (*edil.*) terrace; (*balcone*) balcony **2** (*geol.*) terrace; bench **3** (*agric.*) terrace **4** (*edil., anche* **pavimentazione a t.**) terrazzo flooring.

terremotàre v. t. (*fig.*) to throw* into chaos; to create havoc in; to disrupt.

terremotàto A a. 1 (*di regione, ecc.*) devastated by an earthquake **2** (*di persona*) made homeless by an earthquake: **famiglie terremotate**, families made homeless by an earthquake **B** m. (f. **-a**) earthquake victim.

◆**terremòto** m. **1** earthquake; (*non grave*) earth tremor: **un t. del 6° grado della scala Richter**, an earthquake measuring 6 on the Richter scale; **t. stellare**, starquake; **scossa di t.**, earthquake shock; tremor; **zona soggetta a terremoti**, area subject to earthquakes; seismic area **2** (*fig.: sconvolgimento*) earthquake; disruption; havoc □ **t. politico**, political earthquake; **provocare un t.**, to cause disruption; to create havoc **3** (*fig., di persona*) live wire; (*di bambino*) handful.

◆**terréno** ① a. **1** (*relativo alla terra*) earth (attr.) **2** (*mondano*) earthly; worldly: **beni terreni**, worldly goods; **gioie terrene**, earthly joys; **vita terrena**, earthly life; life on this earth **3** (*a livello del suolo*) ground (attr.); (*a pianterreno*) ground-floor (*GB*),

first-floor (*USA*): **piano t.**, ground floor (*GB*); first floor (*USA*); **stanza terrena**, ground--floor (*USA* first-floor) room.

◆**terréno** ② m. **1** (*estensione di terra*) ground; land; country; terrain: **t. accidentato**, rough (o rugged) ground (o terrain); **t. boscoso**, woodland; **t. brullo**, barren land; wasteland; **t. collinoso**, hilly ground (o country); **t. coltivabile**, arable land; **t. demaniale**, public land; **t. di caccia**, hunting ground; **t. di gioco** (*per bambini*), playground; **t. erboso**, grassland; **t. incolto**, wild country; wilderness; **t. ondulato** [**pianeggiante**], undulating [level] ground; **t. paludoso**, marshy ground; marshland; swamp; **t. roccioso**, rocky ground (o country); **le irregolarità del t.**, the unevenness of the ground (o of the terrain) **2** (*terra sfruttata*) land; (*campo*) field; (*appezzamento*) piece (o plot) of land, site, lot (*USA*): **t. agricolo**, agricultural land; farmland; **t. da pascolo**, pasture (o grazing) land; **t. da vigna**, vine land; **un t. fabbricabile**, a building site (o lot); *Questo è tutto t. fabbricabile*, this is all building (o buildable) land; **vendere un t.**, to sell a piece of land; **proprietario di terreni**, landowner **3** (*suolo*) soil; ground: **t. argilloso**, clayey soil; **t. fertile**, fertile soil; **t. magro**, poor soil; **t. sabbioso**, sandy soil; **un t. poco adatto per le rose**, a soil ill suited to growing roses; **dissodare il t.**, to break up the ground; **piantare un palo nel t.**, to drive a pole into the ground **4** (*zona, area, territorio, anche mil.*) ground; land; terrain; area; field: **t. minato** (*anche fig.*) minefield; (*fig.*) dangerous ground, thin ice; **t. nemico**, enemy terrain; **conoscere bene il t.**, to know the area (o the region, the ground) very well; (*anche fig.*) **contendere il t. palmo a palmo**, to fight for every inch of ground; (*anche fig.*) **guadagnare t.**, to gain ground; **incontrarsi in t. neutro**, to meet on neutral ground; (*anche fig.*) **perdere t.**, to lose ground **5** (*fig.: campo d'azione, ambito*) ground; field; arena: **il t. di uno scontro**, the battlefield; the arena; **muoversi su un t. poco noto**, to tread on unfamiliar ground; **trovarsi sul proprio t.**, to be on home ground; *Lo scontro deve restare sul t. politico*, the clash must be confined to the political arena **6** (*mil.: campo di battaglia*) battlefield: **scendere sul t.**, to go into battle **7** (*sport*) (*sports*) ground; (*campo da gioco*) field, pitch: **il t. avversario**, the opponent's ground; **t. di gioco**, field; pitch; **t. di gara** (*arena*), course; **t. pesante**, heavy (o slow, soggy) pitch; **giocare sul proprio t.**, to play on home ground ● (*fig.*) **t. fertile**, fertile ground; good breeding ground □ (*fig.*) **preparare il t.**, to prepare the ground; to pave the way □ **riguadagnare t.**, to catch up; (*fig.*) to make up for lost ground □ (*fig.*) **sentirsi mancare il t. sotto i piedi**, to feel lost □ (*fig.*) **studiare il t.**, to study the ground □ **tastare il t.**, to test (o to explore) the ground; to feel one's way; (*fig.*) to see the lie of the land, to see which way the wind is blowing, to put out a feeler, to fly a kite (*fam.*) □ (*fig.*) **tastare il t. con q.**, to sound sb. out. □ (*fig.*) **trovare il t. adatto**, to find fertile ground.

tèrreo a. ashen; wan; sallow; pasty: **colorito t.**, sallow (o pasty) complexion; **faccia terrea**, ashen face.

◆**terrèstre A a. 1** (*della terra*) terrestrial; the earth's (attr.); earth (attr.): **la crosta t.**, the earth's crust; **il diametro t.**, the earth's diameter; **magnetismo t.**, terrestrial magnetism **2** (*che vive sulla terra*) terrestrial: **animali terrestri**, terrestrial animals **3** (*di terra*) land (attr.): (*mil.*) **forze terrestri**, land forces; **mina t.**, landmine **4** (*mondano*) earthly; wordly: **paradiso t.**, earthly paradise **B** m. e f. (*spec. nella fantascienza*) earth-

man* (m.); earthwoman* (f.); earthling; terrestrial.

◆**terrìbile** a. **1** (*che incute terrore*) terrible; terrifying; fearful; fearsome; frightful: **minaccia t.**, terrible threat; **mostro t.**, terrifying monster **2** (*orribile, tremendo*) horrible; terrible; dreadful; awful; vile; nasty: **un anno t. per la campagna**, a horrible (o an awful) year for the countryside; **bambino t.**, dreadful (o awful) child; little terror (*scherz.*); **puzzo t.**, terrible (o vile) stench; **sapore t.**, horrible taste; **scenata t.**, dreadful scene; *Sei proprio t.!*, you are dreadful! **3** (*con valore rafforzativo*) terrible; awful; tremendous; terrific: **esplosione t.**, tremendous (o terrific) bang; **fretta t.**, terrible hurry; **mal di testa t.**, splitting headache; *Fa un freddo t.*, it's terribly (o awfully, bitterly) cold; *Ho una fame t.*, I'm starving.

terribilità f. terribleness; fearfulness; awfulness; dreadfulness; (*che incute reverenza*) awesomeness.

terricciàto m. (*agric.*) compost.

terrìccio m. **1** (*agric.*) soil; topsoil; mould; (*per coltivazione in vaso*) compost **2** (*terra*) soil; dirt.

terrìcolo a. (*zool., bot.*) terricolous; terrestrial.

terrier m. inv. (*cane*) terrier: **t. irlandese**, Irish terrier; **t. scozzese**, Scotch terrier.

terrièro a. landed; land (attr.): **proprietà terriera**, landed property; landed estate; **proprietario t.**, landowner.

terrificànte a. terrifying; horrifying; appalling; dreadful; hair-raising: **quantità t.**, terrifying amount; **scena t.**, appalling sight.

terrìfico a. (*lett.*) terrifying; frightening.

terrìgeno a. **1** (*lett.*) earth-born **2** (*geol.*) terrigenous.

terrìgno a. earth-like; earth-coloured.

terrìna f. **1** (*cucina*) bowl; (*per cottura*) terrine; (*la preparazione*) terrine; (*region.: zuppiera*) toureen; (*insalatiera*) salad bowl **2** (*agric.*) seedling box.

territoriàle a. territorial: **acque territoriali**, territorial waters; (*leg.*) **competenza t.**, territorial jurisdiction; **difesa t.**, internal defence; **ingrandimenti territoriali**, territorial expansion; (*mil.*) **milizia t.**, Territorial Army; (*calcio*) **superiorità t.**, midfield superiority.

territorialìsmo m. (*biol.*) territoriality.

territorialìstico a. territorial; territory (attr.).

territorialità f. territoriality.

◆**territòrio** m. **1** territory; ground; (*area*) area, region: **t. collinoso**, hilly ground; **t. costiero**, coastal territory (o region, area); **t. del comune**, municipal territory; **t. dello Stato**, state territory; **t. francese**, French territory; **t. nemico**, enemy territory; hostile territory; **t. neutro**, neutral ground; **territori d'oltremare**, overseas territories; (*leg.*) **competenza del t.**, territorial jurisdiction; **ingrandimento del t.**, territorial expansion **2** (*sport*) territory **3** (*ecol., biol.*) territory; (*estens.: ambiente*) environment **4** (*fig.*) territory; field; beat (*fam.*); turf (*slang*).

terróne m. (f. **-a**) (*spreg.*) native (o inhabitant) of Southern Italy; southerner.

◆**terróre** m. **1** terror; dread: **t. della morte**, terror of death; (*fig.*) **sacro t.**, mortal terror; **equilibrio del t.**, balance of terror; **in preda al t.**, terror-stricken (agg.); **avere il t. di**, to have a terror of; to be terrified by (o of); *Ha il t. di ammalarsi*, she has a terror of getting ill; *Ho il t. del vuoto*, I am terrified of heights; **incutere t. in q.**, to strike terror into sb.; **urlare di t.**, to scream with terror; **vivere nel t. di essere scoperto**, to live in terror of being found out; **racconti del t.**, tales of terror; **regno del t.**, reign of terror **2** (*per-*

sona o cosa che terrorizza) terror; (spauracchio) bugbear: La banda era il t. del quartiere, the gang was the terror of the neighbourhood; Il mio t. è l'esame orale, my bugbear is the oral exam 3 (stor. francese) (the) Terror.

terrorismo m. terrorism: **t. di destra [di sinistra]**, right-wing [left-wing] terrorism; **t. internazionale**, international terrorism.

terrorista Ⓐ m. e f. terrorist Ⓑ a. terrorist (attr.): **base terrorista**, terrorist base.

terroristico a. 1 terrorist (attr.): **attacco t.**, terrorist attack; **attentato t.**, terrorist bombing; **attività terroristiche**, terrorist activities; **regime t.**, terrorist regime 2 (che mira a terrorizzare) terror (attr.); terroristic: **campagna terroristica**, terror campaign.

terrorizzare v. t. to terrorize; to terrify.

terrorizzato a. terrified; terror-stricken; scared stiff (fam.) (pred.).

terróso a. 1 (simile a terra) earthy; earth-like: **materiale t.**, earthy material 2 (sporco di terra) earth-encrusted; (fangoso) muddy: **acqua terrosa**, muddy water; **mani terrose**, earth-encrusted hands.

Tersicore f. (mitol.) Terpsichore.

tersicorèo a. (lett.) Terpsichorean; dancing (attr.).

Tersite m. (letter.) Thersites.

tèrso a. 1 (pulito) very clean; neat 2 (limpido) clear; limpid: **acqua tersa**, clear water; **cielo t.**, clear (o cloudless) sky; **vetro t.**, clear glass 3 (fig.) crisp; concise; terse: **stile t.**, terse style.

Tertulliàno m. (letter.) Tertullian.

tèrza f. 1 (scuola) third year; third form (GB); third grade (USA): **la t. elementare [liceo]**, the third year at elementary [high] school; **essere in t.**, to be in third form 2 (autom.) third (gear): **mettere la t.**, to change (o to shift) into third (gear) 3 (mus.) third: **t. maggiore [minore]**, major [minor] third 4 (danza) third position 5 (eccles.) terce; tierce 6 (scherma) tierce 7 (ferr.) third class; third (fam.) 8 (terza volta) third time 9 (mat.) power of three: **quattro alla t.**, four to the power of three.

terzàna f. (med.) tertian (fever).

terzarolàre v. t. (naut.) to reef.

terzaròlo m. (naut.) reef: **far t.**, to reef; **mollare i terzaroli**, to let out (o to turn out) the reefs; **prendere [sciogliere] una mano di terzaroli**, to take in [to let out] a reef; **mano di terzaroli**, reef.

terzàvola f. great-great-grandmother.

terzàvolo m. great-great-grandfather.

terzèra f. (edil.) purlin.

terzétto m. 1 (mus.) trio*; terzetto 2 (letter.) tercet 3 (gruppo di tre) trio*; threesome: Bel t.!, a fine trio they are!

terziàrio Ⓐ a. (chim., econ., geol.) tertiary: **alcol t.**, tertiary alcohol; **l'era terziaria**, the Tertiary period; **settore t.**, tertiary sector Ⓑ m. 1 (eccles.) tertiary: **t. francescano**, Franciscan tertiary 2 (geol.) (the) Tertiary 3 (econ.) tertiary industry; tertiary sector: service industry; service: **il t. avanzato**, high-tech service industry; **addetti al t.**, people employed in the service industry; service workers.

terziarizzàre Ⓐ v. t. 1 (econ.) to expand into the service industry 2 (di azienda) to outsource Ⓑ **terziarizzàrsi** v. i. pron. (econ.) to expand the service industry.

terziarizzazióne f. 1 (econ.) expansion of the service industry 2 (di azienda) outsourcing.

terziatùra f. (agric.) third ploughing.

terzietà f. (leg.) condition of being a third party.

terzìglia f. team of three.

terzìna f. 1 (poesia) tercet: **t. dantesca**, terza rima; **in terzine**, in terza rima 2 (mus.) triplet 3 (roulette) line.

terzinàre v. t. (mus.) to write* in triplets; to perform in triplets.

terzìno m. 1 (calcio) (full) back: **t. destro [sinistro]**, right [left] back 2 (fiasco) small flask (containing one third of a regular one).

terzìsta Ⓐ a. contracting Ⓑ m. e f. contractor.

♦**tèrzo** Ⓐ a. num. ord. third: **t. anniversario**, third anniversary; **il t. atto**, the third act; act three; **atto terzo, scena prima**, act three, scene one (scritto Act 3, Scene 1); **il t. capitolo**, the third chapter; chapter three; **t. centenario**, tercentenary; tricentenary; **la terza fila**, the third row; **il t. giorno del mese**, the third day of the month; Enrico T., Henry the Third (scritto Henry III); **la terza persona singolare**, the third person singular; **decimo t.**, thirteenth; **ustioni di t. grado**, third-degree burns ● (leg.) **t. arbitro**, umpire □ **terza copia**, triplicate □ (leg.) **t. di buona fede**, bona fide holder □ **terza età**, old age; third age □ (gli anziani) elderly people (pl.); senior citizens (pl.): **facilitazioni per la terza età**, special terms for senior citizens; **università della terza età**, further education for senior citizens; University of the Third Age □ **t. grado**, third degree: **interrogatorio di t. grado**, third degree (questioning); **fare il t. grado a q.**, to give sb. the third degree; to grill sb. □ (stor.) **la Terza Italia**, modern Italy □ **il T. Mondo**, the Third World: **paese del T. Mondo**, Third-World country □ (induismo) **t. occhio**, third eye □ (eccles.) **T. Ordine**, tertiary order □ (giorn.) **terza pagina**, literary page: **scrittore di terza pagina**, literary contributor (to a newspaper) □ **il T. Reich**, the Third Reich □ (poesia) **terza rima**, terza rima □ **il t. sesso**, the third sex □ (polit.) **il T. Stato**, the Third Estate □ (autom.) **terza velocità**, third gear □ **di terz'ordine**, third-rate (attr.); cheap □ **in t. luogo**, in the third place; thirdly; third Ⓑ m. 1 (terza parte) third; **un t.**, one third; a third; the third part; **due terzi**, two thirds; **aumento di un t.**, increase of one third; **pieno per due terzi**, two-thirds full; **dormire un t. della notte**, to sleep a third of the night 2 (leg.) third party: **t. acquirente**, subsequent buyer; **in possesso di terzi**, in (the) possession of a third party; **assicurazione contro terzi**, third-party insurance; **danno contro terzi**, third-party damages 3 (terza persona) third (person); (estraneo) third party, outsider, stranger: **il parere di un t.**, the opinion of a third person (o party); an outside opinion; **a danno di terzi**, to the detriment of third parties; **per conto terzi**, on somebody else's behalf; for somebody else; (su commissione) on commission; L'ha saputo da terzi, she had it from a third party (o from a third person, from someone else); **vendere a terzi**, to sell to a third party; **in presenza di terzi**, before stangers; in the presence of a third party 4 (persona o cosa che viene al terzo posto) **il t. di cinque fratelli**, the third brother of five; **arrivare t.**, to come third; Fui il t. a entrare, I was the third person to go in; I went in third; Ci serve un t. per poter giocare, we need a third person to play; **fare da t.**, to be the third; to make up the third ● (logica) **t. escluso**, excluded middle □ **t. incomodo**, unwanted third party: **fare da t. incomodo**, to play the unwanted third party; to play gooseberry (GB) □ **fare il t.** (in un gioco), to make a third Ⓒ avv. (in t. luogo) thirdly; in the third place; third: T., perché non è tornato?, thirdly, why didn't he come back?

terzodècimo a. (lett.) thirteenth.

terzogènito a. e m. (f. -a) third-born.

terzomondìsmo m. Third Worldism.

terzomondìsta a., m. e f. Third-World-ist.

terzomondìstico a. Third-World (attr.).

terzóne m. (ind. tess.) sackcloth.

terzùltimo a. e m. last but two (pred.); third last; antepenultimate.

terzuòlo① m. (zool.) tercel, tiercel.

terzuòlo② m. (agric.) third cutting of hay.

tèsa f. 1 (di cappello) brim; (visiera) peak, visor: **cappello a t. larga**, broad-brimmed hat 2 (caccia) laying (of nets); (le reti) nets (pl.); (il luogo) bird trap 3 (stor.: misura di lunghezza) arm's length.

tesafìli m. (elettr.) wire-stretcher.

tesàggio m. (tecn.) stretching.

tesàre v. t. 1 (tecn.) to stretch 2 (naut.) to haul taut.

tesatùra f. (tecn.) stretching.

tesaurizzàre v. t. e i. (econ.) to hoard.

tesaurizzatóre m. (f. -trice) (econ.) hoarder.

tesaurizzazióne f. (econ.) hoarding.

tèschio m. skull; (come simbolo) death's head: **t. e tibie incrociate**, skull and crossbones.

Tesèo m. (mitol.) Theseus.

tèsi f. 1 (enunciato) thesis*, proposition; (teoria) theory, thesis*, argument, point, contention: (filos.) **t. e antitesi**, thesis and antithesis; **t. di fondo**, main (o central) thesis; **t. insostenibile**, untenable argument: **t. sballata**, preposterous theory; La sua t. è che non c'è stato reato, her theory is that (o she believes that) no offence was committed; **esporre una t.**, to state an theory; **sostenere una t.**, to uphold a thesis; Gli investigatori sostengono la t. dell'omicidio, the investigators think it is a case of murder; A sostegno della sua t. mi fece vedere le lettere, to prove his point he showed me the letters; **romanzo a t.**, novel of ideas 2 (dissertazione) thesis*; dissertation: **t. di dottorato**, doctoral thesis (o dissertation); **t. di laurea**, degree (o graduation) thesis (o dissertation); **discutere la t.**, to discuss (o to defend) one's thesis; to have one's thesis viva (voce) 3 (mus., poesia) thesis*.

tesìna f. short dissertation; paper.

tesìsta m. e f. student writing a graduation thesis (o dissertation).

tèsla m. (fis.) tesla.

Tesmofòrie f. pl. (stor. greca) Thesmophoria.

tèso a. 1 (in tensione) taut; tight; stretched; (contratto) tense: **fune tesa**, taut (o stretched) rope; **muscoli tesi**, tense (o taut) muscles 2 (disteso) outstretched; (proteso) held out (pred.): **a braccia tese**, with outstretched arms; **con la mano tesa**, with one's hand held out 3 (fig.) tense; strained; (di persona) tense, on edge (pred.), nervous: **atmosfera tesa**, tense (o strained) atmosphere; **faccia tesa**, drawn face; **nervi tesi**, nerves on edge; strained nerves; **avere i nervi tesi**, to be tense; to be on edge; **rapporti tesi**, strained relations; **essere in rapporti tesi con q.**, to be on strained terms with sb.; **situazione tesa**, tense (o strained) situation; **avere l'aria tesa**, to look strained 4 (volto, mirante) intent (on); bent (on); striving (for); aimed (at): **t. al profitto**, intent on making a profit; **t. al successo**, bent on success; **t. alla vittoria**, striving for victory; **misure tese a ridurre l'inflazione**, measures for curbing inflation ● (naut.) **brezza tesa**, fresh breeze □ **orecchie tese → orecchio**.

tesoreggiàre v. t. to hoard (up).

tesorerìa f. treasury; teasurer's office.

tesorière m. (f. -a) treasurer.

♦**tesòro** m. 1 treasure: **t. nascosto**, hidden treasure; **tesori d'arte**, art treasures; (anche

leg.) **t. trovato**, treasure trove; **caccia al t.**, treasure hunt; *La libertà è il t. più prezioso*, freedom is the most precious treasure **2** (*somma enorme, patrimonio*) fortune **3** (*tesoreria*) treasury: **buoni del T.**, Treasury bonds (*USA*); *Ministero del T.* → **ministero**; *Ministro del T.* → **ministro** **4** (*fig.*, *di persona*) treasure; gem; (*come appellativo*) darling, dear, love, honey (*USA*): **una moglie che è un t.** (*o* **un t. di moglie**), a treasure of a wife; **un t. di figlio**, a wonderful son!; *Sei stato un t.!*, you've been a real treasure (*o* a dear)!; *Che t. di bambina!*, what a dear little girl!; *T. mio!*, my darling! **5** (*letter. stor.*) thesaurus ● **far t. di qc.**, to treasure st.; to bear st. in mind □ **Un buon amico vale un t.**, a good friend is worth his weight in gold.

Tèspi m. (*stor.*) Thespis ● (*teatr.*) **carro di T.**, travelling theatre.

Tessàglia f. (*geogr.*) Thessaly.

tessàlico a. Thessalian.

tèssalo a. e m. (f. *-a*) Thessalian.

tessellàto a. tessellated.

tèssera f. **1** card; ticket; pass: **t. annonaria**, ration card; **t. di giornalista**, press card; **t. d'ingresso**, admission (*o* entrance) card; pass; **t. di partito**, party membership card; **t. di riconoscimento**, identification card; **t. di sindacato**, union card; **t. di socio**, membership card; **t. ferroviaria**, railway season ticket; railway pass; **t. magnetica**, magnetic card; **presentare la t. all'ingresso**, to show one's card at the entrance **2** (*di mosaico*) tessera* **3** (*del domino*) domino*.

tesseraménto m. **1** (*iscrizione*) enrolment; registration: **campagna di t. di un partito**, (party) membership campaign **2** (*razionamento*) rationing.

tesseràre **A** v. t. **1** (*iscrivere*) to give* a membership card to; to enrol **2** (*razionare*) to ration **B** **tesseràrsi** v. i. pron. to get* a membership card; to join: **tesserarsi a un partito**, to join a party.

tesseràto **A** a. **1** (*iscritto*) holding a membership card, (*polit.*) card-carrying; (*abbonato*) holding a season ticket: **spettatori tesserati**, spectators holding a season ticket **2** (*razionato*) rationed **B** m. (f. *-a*) (*iscritto*) holder of a membership card; member; (*polit.*) card-carrying member; (*abbonato*) holder of a season ticket.

tèssere v. t. **1** to weave*: **t. cotone [lana, seta]**, to weave cotton [wool, silk]; **t. un tappeto**, to weave a rug **2** (*di ragno*) to spin: *Il ragno tesseva la sua tela*, the spider was spinning its web **3** (*fig.*: *inventare*) to make* up; to spin* out: **t. un lungo racconto**, to make up (*o* to spin out) a long story **4** (*fig.*: *ordire*) to plot; to scheme; to hatch: **t. una congiura**, to hatch a plot; **t. frodi**, to scheme ● **t. ghirlande di fiori**, to wreathe garlands of flowers □ **t. le lodi di q.**, to sing sb.'s praises □ **t. le proprie lodi**, to blow one's own trumpet.

tesserìno m. card; ticket; pass; (*di associazione*) membership card; (*di identificazione*) identification card; (*del treno, dell'autobus*) season ticket, weekly ticket.

♦**tèssile** **A** a. textile: **fibre tessili**, textile fibres; **industria t.**, textile industry; **prodotti tessili**, textiles; soft goods (*GB*) **B** m. **1** (f. *-a*) textile worker **2** (al pl.) (*prodotti*) textiles; soft goods (*GB*): **fabbrica di tessili**, textile factory; **negozio di tessili**, draper's (shop).

tessitóre m. (f. *-trice*) **1** weaver: **t. di lana**, wool weaver **2** (*fig.*) plotter; schemer.

tessitùra f. **1** (*il tessere*) weaving: **t. a mano**, hand-weaving; **la t. della seta**, silk weaving; **t. meccanica**, power-loom weaving **2** (*tipo di tessitura*) weave: **t. fitta [rada]**, tight [loose] weave **3** (*stabilimento tessile*) textile factory; weaving mill **4** (*fig.*: *struttura*) structure; composition; texture: **la t. di un romanzo**, the structure of a novel **5** (*mus.*) tessitura* **6** (*geol.*) texture.

tessutàle a. (*biol.*) tissue (attr.).

tessùto m. **1** fabric; material; cloth; (al pl., collett.) fabrics, textiles, soft goods (*GB*): **t. a maglia**, knitted fabric; **t. a quadretti [a righe]**, checked [striped] fabric; **t. di cotone [di lana, di seta]**, cotton [woollen, silk] fabric (*o* material, cloth); **t. diagonale**, twill; **t. fantasia**, patterned fabric; **t. fatto a mano**, hand-woven material; **t. impermeabile**, waterproof cloth; **t. ingualcibile**, crease-resistant (*o* non-crease) fabric; **t. misto**, union; **t. non t.**, disposable fabric; **t. pettinato**, worsted; **t. spigato**, herringbone cloth; **due metri di t.**, two metres of material; **fabbrica di tessuti**, textile factory; **negozio di tessuti**, draper's (shop) **2** (*fig.*) web; tissue; fabric: **il t. della società**, the fabric of society; **il t. urbano**, the fabric of a city **3** (*biol.*) tissue: **t. connettivo [epiteliale, muscolare]**, connective [epithelial, muscular] tissue.

test (*ingl.*) m. inv. test: **t. a scelte multiple**, multiple-choice (test); **t. attitudinale**, aptitude (*o* ability) test; **t. caratteriologico**, personality test; **t. di associazione**, association test; **t. di assunzione**, employment test; **t. di intelligenza**, intelligence test; **t. di rendimento**, performance test; (*med.*) **t. cutaneo**, patch test.

♦**tèsta** f. **1** (*anat.*) head: **t. bionda**, blond head; **t. calva**, bald head; **t. di vitello**, calf's head; **t. pesante**, thick head; **avere la t. pesante**, to have a thick head; to feel woozy; **scolpire una t.**, to carve a head; **a t. bassa**, with one's head down; **a t. nuda** (*o* **scoperta**), bareheaded; **a due teste**, two-headed; **più alto di mezza t.**, half a head taller; **senza t.**, headless; (*di vino, successo, ecc.*) **andare** (*o* **dare**) **alla t.**, to go to one's head; to be heady; **colpire q. alla t.**, to hit sb. on the head; **fare un cenno con la t.**, to nod one's head; **girare la t.**, to turn one's head; (*per non vedere*) to look the other way; **mettersi in t. il cappello**, to put one's hat on; **scuotere la t.**, to shake one's head; **sentirsi girare la t.**, to feel dizzy (*o* giddy); to feel my head going round (*o* spinning); **sollevare la t.**, to raise (*o* to lift) one's head; **tagliare la t. a q.**, to cut sb.'s head off; to behead sb.; **tenere la t. alta**, to hold one's head up (*o* high); **tenere la t. bassa**, to hang (*o* to bow) one's head; (*anche fig.*) **cacciatore di teste**, head-hunter; **mal di t.** → **male**②, *def.* **2** **2** (*sport*) head: **mezza t.**, short head; **arrivare primo per mezza t.**, to arrive first by a short head; **vincere [perdere] per una t.**, to win [to lose] by a head; **correre t. a t.**, to run neck and neck (*USA* nip and tuck); (*fig.*) *È stato un t. a t. fino all'ultimo voto*, it was neck and neck (*USA* nip and tuck) down to the last vote **3** (*vita*) life; (*anche fig.*) head: (*anche fig.*) **chiedere la t. di q.**, to want sb.'s head; **pagare con la t.**, to pay with one's life; **rischiare la t.**, to risk one's life; to put one's life at stake; **rimetterci la t.**, to lose one's life; **pena la t.**, on pain of death **4** (*sede dell'intelletto; ingegno*) head; mind; brain: **avere la t. a posto**, to be sensible (*o* level-headed, well-balanced); **non avere la t. a posto**, not to be right in the head; to be unbalanced; **avere qc. in t.**, to have st. in mind; **avere qc. per la t.**, to have st. on one's mind; *Ho ben altro per la t.*, (*altri problemi*) I have other things on my mind; (*altri progetti*) I have other fish to fry; **avere la t. altrove**, to be thinking of something else; to be miles away; *Dove hai la t.?*, what were you thinking of?; **avere t. per gli affari**, to have a good business brain; *Non mi entra in t.*, I can't get it into my head; **ficcare un'idea in t. a q.**, to drill (*o* to drum, to hammer) an idea into sb.'s head; **levarsi** (*o* **togliersi**) **qc. dalla t.**, to get st. out of one's head; to forget st.; to put st. out of one's mind; **mettere in t. qc. a q.**, to convince sb. of st.; **mettersi in t. qc.**, to get st. into one's head: *Si è messo in t. idee strane*, he got strange notions into his head; *Si è messo in t. di andare a vivere in campagna*, he's taken it into his head to go and live in the country; *Mi ero messo in t. di comprare quell'azienda*, I had set my mind on buying that business; **passare di t.**, to slip one's mind; *Non mi è mai passato per la t.*, it never crossed my mind; *Ma che cosa ti passa per la t.?*, what on earth are you thinking of?; **ragionare con la propria t.**, to use one's head; **usare la t.**, to use one's head (*o* brain); **lavoro di t.**, brain-work **5** (*persona di ingegno*) mind; head; brains (pl.); wits (pl.): *È una bella t.*, she's got good brains **6** (*persona, individuo*) person: (*fam.*) **t. dura**, stubborn person; **t. fina**, shrewd person; **t. matta**, madcap; screwball; **t. vuota**, empty-headed person; fool; **t. quadra**, (*persona decisa*) steady (*o* well-balanced) person; (*persona ostinata*) stubborn person; *Ci sono troppo teste in quel progetto*, too many people are involved in that plan **7** (*fam.*: *persona testarda*) stubborn person: *Che t. sei!*, you are stubborn! **8** (*parte avanzata, posizione iniziale o preminente*) head; front; (*cima*) top; (*comando*) lead: **la t. di una colonna**, the head of a column; **t. del treno**, front of the train; **alla t. di un corteo**, at the head of a procession; leading a procession; **alla t. di un'impresa commerciale**, at the head of a business; **essere alla t. di un partito**, to lead (*o* to be the leader of) a party; **mettersi alla t. di**, to take the lead of; **essere in t.**, (*essere primo, essere al comando*) to be in the lead, to be leading; (*essere in cima*) to be at the top; **in t. alla classifica dei bestseller**, at the top of the bestseller list; **in t. alla pagina**, at the head (*o* top) of the page; **in t. a tutti**, ahead of everybody; *Siamo in t. nella produzione casearia*, we are leading the field in cheese production; *Il suo nome era in t. alla lista*, his name was at the top of (*o* topped, headed) the list; **marciare in t. alla colonna**, to march at the head of the column; to lead the column; **passare in t.**, to take the lead; (*in una classifica*) to move to the top; (*ferr.*) **vettura di t.**, first carriage; (*ferr.*) **stazione di t.**, terminal station **9** (*estremità di un oggetto, parte arrotondata*) head: (*naut.*) **t. d'albero**, masthead; (*mecc.*) **t. di biella**, big end (of the connecting rod); **t. di un chiodo**, head of a nail; (*mecc.*) **t. del cilindro**, cylinder head; (*anat.*) **t. del femore**, head of the femur; **t. del letto**, head of the bed; **t. del martello**, hammer head; (*naut.*) **t. del timone**, rudder head **10** (*bot.*) bulb; head; (*cappello*) cap: **t. d'aglio**, garlic bulb; head of garlic; **t. di fungo**, mushroom cap **11** (*chim.*, *nella distillazione*) forerun; fronts (pl.) ● (*fig.*) **t. calda**, hothead □ (*autom.*) **t. coda** → **testa-coda**, loc. m. □ **t. coronata**, crowned head □ (*fam.*) **t. di cavolo**, idiot; dimwit; jerk (*USA*) □ (*volg.*) **t. di cazzo**, dickhead; asshole (*USA*) □ (*fam.*) **t. di legno** (*o* **di rapa**), thickhead; blockhead; chump □ **t. di moro**, (*colore*) dark brown; (*naut.*) cap; (*arald.*) Saracen's head □ **t. di morto**, death's head; (*con tibie incrociate*) skull and crossbones; (*zool.*, *Acherontia atropos*) death's head hawknoth □ **t. o croce**, heads or tails: **fare a t. o croce**, to toss a coin; *Giochiamocela a t. o croce*, let's toss a coin; I'll toss (*o* flip) you for it; **vincere a t. o croce**, to win the toss □ (*mil.*) **t. di ponte**, bridgehead □ (*mil.*) **t. di sbarco**, beachhead □ (*tennis*) **t. di serie**, seed; seeded player □ **t. di turco**, (*bersaglio, zimbello*) butt, target; (*capro espiatorio*) scapegoat, whipping boy □ **t. d'uovo**, egghead □ (*mil.*) **teste di cuoio**,

shock troops; commando □ **a t.** (*per ciascuno*), each; per head; per person: **un tanto a t.**, so much per head; **pagare un milione a t.**, to pay one million each □ (*fig.*) **a t. alta**, with one's head held high; proudly: **andare a t. alta**, to hold one's head high; to walk tall □ (*fig.*) **a t. bassa**, (*abbattuto*) crestfallen (agg.), hanging one's head, with one's head hung low; (*a precipizio*) headlong; (*a capofitto*) head-first: *Se ne andò a t. bassa*, he went away crestfallen (*o* hanging his head) □ **a t. in giù**, (*capovolto*) head down, upside down; (*a capofitto*) head-first □ **avere debiti** [**lavoro**] **fin sopra la t.**, to be up to one's ears (*o* eyes) in debts [work] □ (*fig.*) **avere la t. dura**, to be stubborn □ (*fig.*) **avere la t. fra le nuvole**, to have one's head in the clouds; to be woolgathering □ (*fig.*) **avere la t. sul collo** (*o* **sulle spalle**), to be a sensible (*o* level-headed); to have one's head screwed on (*fam.*) □ (*fig.*) **averne fin sopra la t. di**, to have had more than enough (*o* all one can take) of; to be sick and tired (*o* sick to death) of (*fam.*); to be fed up with (*fam.*) □ (*mecc.*) **battere in t.**, to knock; to ping □ (*fig.*) **chinare la t.**, to submit; to yield □ (*sport*) **colpire la palla di t.**, to head the ball □ **colpo di t.**, (*sport*) header; (*fig.*) rash act, impulse □ (*fig.*) **con la t. nel sacco**, (*senza riflettere*) like a fool, bumblingly; (*incoscientemente*) thoughtlessly, recklessly □ **dalla t. ai piedi**, from head to foot (*o* to toe): **fradicio dalla t. ai piedi**, soaking wet; wet through; **squadrare q. dalla t. ai piedi**, to look sb. up and down □ **di t. propria**, without consulting anyone; off one's own bat (*fam.*) □ (*fig.*) **far girare la t. a q.**, to make sb.'s head spin; (*far innamorare*) to make sb. lose his head □ (*fam.*) **fare una t. così** (*o* **come un pallone**) **a q.**, to talk sb.'s head off; to bend sb.'s ear □ (*fig.*) **fasciarsi la t. prima d'essersela rotta**, to cross one's bridges before one comes to them □ (*fam.*) **essere fuori** (*o* **giù**) **di t.** (*o* **non esserci con la t.**), to be off one's head □ **giurare sulla t. di q.**, to swear on sb.'s head □ (*fig.*) **lavata di t.** = **lavata di capo** → **lavata** □ (*fig.*) **mettere la t. a partito**, (*emendarsi*) to turn over a new leaf, to mend one's ways; (*sistemarsi*) to settle down □ **montare la t. a q.**, to put ideas into sb.'s head □ **montarsi la t.**, to get ideas into one's head; to get above oneself; to get a swollen head □ (*fig.*) **perdere la t.**, to lose one's head; to panic □ **perdere la t. per q.**, to fall head over heels in love with sb. □ (*fig.*) **piegare la t.**, to submit; to yield □ (*fig.*) **rompersi la t.**, to rack one's brains □ **Che ti è saltato in t.?**, what was big idea?; what possessed you? □ (*fig.*) **non sapere dove sbattere la t.**, not to know which way to turn; to be at one's wits' end □ **Ci scommetto** (*o* **gioco**) **la t. che non si fa vedere**, I bet you anything he won't show up □ (*calcio*) **segnare di t.**, to head the ball in □ (*fig.*) **senza t.** (*scervellato*), mindless; brainless: **fare le cose senza t.**, to do things without reflecting (*o* without thinking first); to rush into things □ (*fig.*) **tagliare la t. al toro**, to settle the question once and for all □ (*fig.*) **tenere la t. a posto**, to keep one's head; to keep a cool head □ **tenere t. a q.**, to stand up to sb.; to be a match for sb. □ (*sport*) **tiro di t.**, header □ (*fig.*) **uscirne con la t. rotta**, to come off badly; to have the worst of it □ **Ero via con la t.**, I wasn't thinking □ **Non c'ero con la t.**, I did it without thinking □ (*prov.*) **Chi non ha t. abbia gambe**, a forgetful head makes a weary pair of heels.

testàbile a. **1** (*leg.*) that can be bequeathed **2** (*scient.*) testable.

testabilità f. **1** (*leg.*) quality of what can be bequeathed **2** (*scient.*) testability.

testàceo a. (*zool.*) **1** (*munito di conchiglia*) shelled: **molluschi testacei**, shelled mol-

luscs **2** (*rif. a colore*) testaceous.

tèsta-códa loc. m. inv. (*autom.*) 180° spin: **fare un testa-coda**, to spin through 180°; to spin round; to end up facing the other way; **far fare un testa-coda a un'auto**, to send a car into a spin.

testamentàrio a. (*leg.*) testamentary: **capacità testamentaria**, testamentary power; **clausola testamentaria**, clause of will; **disposizione testamentaria**, disposition by will; testamentary provision; **per disposizione testamentaria**, by will; **erede t.**, testamentary heir; **esecutore t.**, executor; **successione testamentaria**, testamentary succession.

testaménto m. **1** (*leg.*) will: **t. biologico**, living will; **t. congiuntivo e reciproco**, double will; **t. nullo**, invalid will; **t. nuncupativo**, nuncupative will; **t. olografo**, holographic will; holograph; **t. pubblico**, solemn will; **t. segreto**, sealed will; **t. spirituale**, spiritual testament; **disporre per t.**, to dispose (of st.) by will; **escludere q. dal t.**, to cut sb. out of one's will; **fare t.**, to make one's will; **impugnare un t.**, to contest a will; **lasciare qc. a q. per t.**, to leave st. to sb. in one's will; to bequeath st. to sb.; **morire lasciando** [**senza lasciare**] **un testamento**, to die testate [intestate]; **omologare un t.**, to prove (*USA* to probate) a will; to grant probate; **copia autenticata di t.**, probate copy; **erede per t.**, heir according to the will; **omologazione di un t.**, probate **2** (*relig.*) Testament: **l'Antico e il Nuovo T.**, the Old and New Testaments.

testànte (*leg.*) m. e f. testator (m.); testatrix* (f.).

testardàggine f. stubbornness; obstinacy; mulishness; pig-headedness; cussedness (*fam.*).

testàrdo A a. stubborn; obstinate; headstrong; mulish; pig-headed; cussed (*fam.*): **t. come un mulo**, as stubborn as a mule; mulish **B** m. (f. **-a**) stubborn person.

testàre① v. i. (*leg.*) to make* one's will: **capacità di t.**, testamentary capacity.

testàre② v. t. (*sottoporre a test*) to test.

testàta f. **1** (*estremità*) head: **t. di una colonna**, head of a column; **t. del letto**, headboard; head of the bed; (*autom.*) **t. del motore**, cylinder head; **t. d'un ponte**, bridge-head; **t. d'una valle**, head of a valley **2** (*giorn.: intestazione col nome*) masthead, flag; (*il nome del giornale*) newspaper name; (*estens.: il giornale*) newspaper: **t. indipendente**, independent newspaper **3** (*tipogr.*) headpiece **4** (*mecc.*) cylinder **5** (*mil.*) warhead: **t. nucleare**, nuclear warhead; **missile a t. nucleare**, nuclear missile **6** (*colpo involontario*) knock (with the head); (*volontario*) butt, head-butt: **dare una t. contro il tavolo**, to knock one's head against the table; **dare una t. a q.**, to butt (*o* to head-butt) sb.; (*fig.*) **dare testate contro il muro**, to bang one's head against a wall.

testàtico m. (*leg.*) poll tax; head tax.

testatìna f. (*tipogr.*) running head; running title.

testatóre m. (f. **-trice**) testator (f. testatrix*); testate.

♦tèste → testimone.

testé avv. (*lett.*) just now: **t. arrivato**, just now arrived.

tèster (*ingl.*) m. inv. (*elettr.*) multimeter.

testicolàre a. (*anat.*) testicular.

testìcolo m. (*anat.*) testicle; testis*.

testièra f. **1** (*di finimenti*) head piece; headstall **2** (*di letto*) headboard **3** (*di poltrona*) headrest **4** (*modisteria*) dummy head; block **5** (*armatura di cavallo*) chamfron;

chamfrain **6** (*naut.*, *di vela*) forward leech; head.

testificàre v. t. (*attestare*) to testify; to certify; to state.

♦testimòne A m. e f. **1** (*leg. ed estens.*) witness: **t. a carico** [**a discarico**], witness for the prosecution [for the defence]; **t. auricolare**, ear-witness; **t. di nozze**, witness at a wedding; **t. dello sposo**, best man; **t. giurato**, sworn witness; **t. oculare**, eyewitness; **davanti** (*o* **in presenza di**) **a testimoni**, in front of witnesses; *Aspettai che non vi fossero testimoni per dargli la busta*, I waited until there was no one around to give him the envelope; **citare come t.**, to call as a witness; **essere t. di qc.**, to witness st.; to be witness to st.; *Mi sei t. che...*, you can bear witness that...; *Dio m'è t. che io...*, as God is my witness, I...; **fare da t. a qc.**, to witness st.; **fare da t. alle nozze di q.**, to be a witness at sb.'s wedding; (*dello sposo*) to be sb.'s best man; **produrre dei testimoni**, to bring forward witnesses; to call evidence; **banco dei testimoni**, witness box; witness stand (*USA*) **2** (*relig.*) – **T. di Geova**, Jehovah's Witness **B** m. **1** (*sport*) baton **2** (*geol.*) core sample ● (*fig.*) **passare il t. a q.**, to step down in favour of sb.

testimonial (*ingl.*) m. inv. **1** (*il messaggio*) advertising testimonial **2** (*il personaggio*) endorser.

testimoniàle A a. (*leg.*) witness (attr.); of a witness; of witnesses; testimonial: **esame t.**, examination of witnesses; **prova t.**, parol (*o* witness) evidence; **scrittura t.**, written evidence **B** m. witnesses (pl.); evidence.

testimonìanza f. **1** (*leg.*: *deposizione*) giving evidence; (*contenuto della deposizione*) evidence Ⓤ, testimony: **t. giurata**, sworn evidence; **t. orale**, verbal evidence; oral testimony; **falsa t.**, perjury; false testimony; **ascoltare la t. di q.**, to hear sb. as witness; **rendere** (*o* **prestare**) **t.**, to testify; to give evidence; **rendere falsa t.**, to commit perjury; to perjure oneself **2** (*fig.*) evidence Ⓤ; testimony; (*dimostrazione*, *prova*) proof; (*segno*) token; (*dichiarazione*) declaration, assurance: **la t. dei contemporanei**, contemporary evidence; **t. di solidarietà**, declaration of solidarity; **testimonianze di un'antica civiltà**, vestiges of an ancient civilization; **a t. del fatto che**, as a proof (*o* as evidence) of the fact that; as (a) testimony to the fact that ● (*relig.*) **Non dire falsa t.**, thou shalt not bear false witness.

testimoniàre A v. t. **1** (*leg.*) to testify; to witness to: **t. il falso**, to commit perjury; *Testimoniò che il collega era rimasto in ufficio*, she testified that her colleague had remained in the office **2** (*far fede*) to testify; (*comprovare*) to be evidence of, to bear* witness to: *Posso t. che è vero*, I can testify that it is true; *Quel gesto testimonia la sua generosità*, that gesture is evidence of (*o* bears witness to) his generosity **B** v. i. **1** (*deporre*) to give* evidence; to give* witness; to testify: **t. a favore di** [**contro**] **q.**, to give evidence for [against] sb.; **t. contro i propri complici**, (*in GB*) to turn King's (*o* Queen's) evidence; (*in USA*) to turn state evidence; **convocare q. a t.**, to summon sb. as a witness **2** (*attestare*) to attest (to); to bear* witness (to): **t. sull'innocenza di q.**, to attest to sb.'s innocence.

testimònio m. (*fam.*) → **testimone**.

testìna f. **1** small head **2** (*fig.*: *persona capricciosa*) erratic person **3** (*cucina*) head: **t. di vitello**, calf's head; **t. di maiale**, pigs' head **4** (*elettron.*) head: **t. di cancellazione**, erase head; **t. di lettura**, read head; **t. d'incisione**, cutter; **t. di registrazione**, recording head; **t. del sonoro**, sound head; **t. di stampa**, print head; **t. laser**, laser head; **t.**

magnetica, magnetic head.

testista m. e f. (*psic.*) tester.

♦**tèsto** ① m. **1** (*insieme di parole*) text; (*le parole esatte*) wording; (*di canzone*) lyrics (pl.); (*da stampare*) copy ⓤ: **t. a fronte**, parallel text; **t. annotato**, annotated text; **il t. di una canzone**, the lyrics of a song; **il t. di una conferenza**, the text of a lecture; **il t. di una legge**, the wording of a law; (*tipogr.*) **t. di stampa**, copy; **t. integrale**, full (*o* unabridged) text; **t. originale**, original text; **t. pubblicitario**, (advertising) copy; **t. scritto**, text; script; **attenersi al t.**, to stick to the text; **allontanarsi dal t.**, to stray from the text; (*filol.*) **critica del t.**, textual criticism; **errore di** (*o* **nel**) **t.**, textual error **2** (*libro*) book; (*opera*) work; (*anche* **libro di t.**) textbook: **t. di consultazione**, reference book; **t. di storia**, history book (*o* textbook); **t. scolastico**, schoolbook; (*leg.*) **t. unico**, consolidation act; **testi classici**, classical texts; **testi sacri**, sacred texts; holy books (*o* scriptures); (*la Bibbia*) the Holy Scriptures **3** (*tipogr.*, *di contro a illustrazioni*) letterpress ● (*tipogr.*) **caratteri di t.**, body types □ **fare t.**, to be authoritative; to carry authority (*o* weight); to count: *Quello che dice lui non fa t.*, his opinion is not authoritative (*o* does not count); *In fatto di lingua quell'autore fa t.*, that author is an authority on language; **edizione che fa t.**, standard edition □ **illustrazione** (*o* **tavola**) **fuori t.**, plate.

tèsto ② m. (*cucina*) cast-iron baking tray.

testolìna f. **1** little head **2** (*fig.*) scatterbrain.

testologìa f. (*filol.*) textology.

testóne m. **1** big head **2** (f. **-a**) (*fig.*: *zuccone*) blockhead, chump; (*testardo*) pig-headed person **3** (*pop.*: *un milione*) one million lire.

testosteróne m. (*biol.*) testosterone.

testuàle a. **1** (*del testo*) textual; text (attr.): **analisi t.**, textual analysis; **critica t.**, textual criticism; **linguistica t.**, text linguistics **2** (*letterale*) word-for-word, verbatim; (*preciso*) exact, precise, very: **citazione t.**, word-for-word quotation; **resoconto t.**, verbatim account; **le sue testuali parole**, his precise (*o* very) words.

testualità f. (*ling.*) textuality.

testualménte avv. (*alla lettera*) verbatim, word for word; (*esattamente*) exactly, precisely: **citare qc. t.**, to quote st. verbatim.

testùggine f. **1** (*zool.*) tortoise; (*di mare*) turtle **2** (*mil. stor.*) testudo*.

testùra f. **1** (*lett.*) structure; fabric **2** (*ling.*) texture.

testurizzàre v. t. (*ind. tess.*) to texturize.

testurizzazióne f. (*ind. tess.*) texturizing.

tèta m. e f. (*ottava lettera dell'alfabeto greco*) theta.

tetanìa f. (*med.*) tetany.

tetànico a. (*med.*) tetanic; tetanus (attr.): **contrazione tetanica**, tetanic contraction; **infezione tetanica**, tetanic infection.

tètano m. (*med.*) tetanus.

tête-à-tête (*franc.*) m. e a. inv. avv. tête--à-tête: *Abbiamo avuto un tête-a-tête*, we had a tête-à-tête; **conversazione tête-a-tête**, tête-à-tête conversation.

Tèti f. (*mitol.*) Thetis.

tètico a. (*mus.*, *poesia*) thetic.

tetraboràto m. (*chim.*) tetraborate: **t. sodico**, sodium tetraborate; borax.

tetrabòrico a. tetraboric: (*chim.*) **acido t.**, tetraboric acid.

tetrabromùro m. (*chim.*) tetrabromide.

tetraciclìna f. (*farm.*) tetracycline.

tetraciṣeṣaèdro m. (*miner.*) tetrahexa-

hedron*.

tetraclorometàno m. (*chim.*) tetra-chloromethane.

tetraclorùro m. (*chim.*) tetrachloride: **t. di carbonio**, carbon tetrachloride.

tetracoràllo m. (*zool.*) tetracoral.

tetracòrdo m. (*mus.*) tetrachord.

tetracromìa f. (*tipogr.*) four-colour process; four-colour reproduction.

tètrade f. tetrad.

tetradimensionàle a. four-dimensional.

tetradràmma m. (*numism.*) tetra-drachm.

tetraèdrico a. (*geom.*) tetrahedral.

tetraedrìte f. (*miner.*) tetrahedrite.

tetraèdro m. (*geom.*) tetrahedron*.

tetraetìle a. (*chim.*) tetraethyl: **piombo t.**, tetraethyl lead.

tetrafluoroetilène m. (*chim.*) tetra-fluoroethylene.

tetràggine f. **1** (*aspetto tetro*) gloominess; dismalness; dreariness; bleakness **2** (*umore tetro*) gloom; dark mood; moroseness; sullenness.

tetraginìa f. (*bot.*) tetragynia.

tetragnàta f. (*zool.*, *Tetragnatha*) long--jawed orb weaver.

tetragonàle a. (*geom.*, *geol.*) tetragonal.

tetragònia f. (*bot.*, *Tetragonia expansa*) New Zealand spinach.

tetràgono Ⓐ a. **1** (*geom.*) tetragonal **2** (*fig.*) steadfast; four-square; unyielding Ⓑ m. (*geom.*) tetragon.

tetragràmma ① m. **1** (*parola di quattro lettere*) tetragram **2** (*Bibbia*) Tetragrammaton*.

tetragràmma ② m. (*mus. stor.*) four-line stave (*USA* staff).

tetralìna f. (*chim.*) tetrahydronaphthalene; Tetralin®.

tetralìneo a. four-line (attr.).

tetralogìa f. **1** (*letter.*, *mus.*) tetralogy: **la t. wagneriana**, Wagner's tetralogy **2** (*med.*) tetralogy: **t. di Fallot**, tetralogy of Fallot.

tetràmero a. (*biol.*) tetramerous.

tetràmetro m. (*poesia*) tetrameter.

tetrandrìa f. (*bot.*) tetrandria.

tetraodónte m. (*zool.*, *Ephippion maculatum*), globefish; puffer.

tetraóne m. (*zool.*, *Tympanuchus cupidus*) greater prairie chicken.

tetraparèṣi f. (*med.*) tetraparesis.

tetràpilo m. (*archeol.*) tetrapylon.

tetraplegìa f. (*med.*) quadriplegia; tetraplegia.

tetraplègico a. e m. (f. **-a**) (*med.*) quadriplegic; tetraplegic.

tetràpode m. (*zool.*, *tecn.*) tetrapod.

tetràrca m. (*stor.*) tetrarch.

tetrarchìa f. (*stor.*) tetrarchy.

tetràrchico a. (*stor.*) tetrarchic.

tetràstilo a. (*archit.*) tetrastyle.

tetratòmico a. (*fis.*) tetratomic.

tetravalènte a. (*chim.*) tetravalent; quadrivalent.

tetravalènza f. (*chim.*) tetravalence.

tètro a. **1** (*scuro*) gloomy; dark: **sotterraneo t.**, dark underground passage **2** (*fosco*, *cupo*) gloomy; sombre; grim; dark; dismal: **futuro t.**, grim future; **sguardo t.**, gloomy look; **umore t.**, gloom; dark mood **3** (*triste*, *squallido*) gloomy; grim; dismal; bleak; cheerless; lugubrious.

tètrodo m. (*radio*) tetrode.

tetròssido m. (*chim.*) tetroxide.

tétta f. (*fam.*) tit; boob: **un gran bel paio di tette**, a great pair of tits; **rifarsi le tette**, to

have a boob job.

tettàle a. (*anat.*) tectal.

tettarèlla f. **1** (*di poppatoio*) teat; nipple (*USA*) **2** (*ciuccio*) dummy (*GB*); pacifier (*USA*).

♦**tètto** m. **1** (*di edificio*) roof: **t. a capanna** (*o* **a due spioventi**, **a doppia falda**), saddle roof; gable roof; **t. a uno spiovente** (*o* **una falda**) pent roof; shed roof; lean-to roof; **t. a guglia**, spire roof; **t. a mansarda**, mansard (roof); gambrel roof (*USA*); **t. a padiglione**, hip (*o* hipped) roof; **t. a punta**, steep roof; **t. a terrazza**, flat roof; **t. di paglia**, thatched roof; **t. di tegole**, tiled roof; **rifare il t. a una casa**, to put a new roof on (*o* to redo the roof of) a house; **riparare il t.**, to mend (*o* to fix) the roof; **togliere il t. a un edificio**, to unroof a building; **finestra a** (*o* **sotto il**) **t.**, window under the eaves (*o* roof) **2** (*estens.*: *casa*) roof; home: **t. natio** (*o* **paterno**), family home; birthplace; **sotto lo stesso t.**, under one (*o* the same) roof; **non avere un t.**, not to have a roof over one's head; **dare un t. a q.**, to house sb.; **essere senza t.**, to be homeless; **i senza t.**, the homeless; (*leg.*) **abbandono del t. coniugale**, desertion **3** (*di veicolo*) roof; top: **t. apribile**, sunroof; sliding roof; **t. rigido**, hard top; **t. scorrevole**, sliding top **4** (*fig.*: *limite massimo*) ceiling; upper limit: **t. del credito bancario**, lending ceiling; **t. salariale**, wage ceiling; **mettere un t. alle spese sanitarie**, to fix a ceiling for health expenditure; *I tassi sono volati al t. record del 15%*, rates have soared to a record 15% ● (*geogr.*) **il t. del mondo**, the roof of the world.

tettòia f. **1** canopy; shelter; roofing; (*contro un muro*) lean-to roof: **t. di fermata d'autobus**, bus shelter; **t. di stazione**, station canopy **2** (*riparo*) shelter: **t. di frasche**, covering made of branches.

tettóna f. (*fam.*) **1** (*grosso seno*) big tit; big boob **2** (*donna*) big-chested (*o* busty) woman*.

tettònica f. (*geol.*) tectonics (pl. col verbo al sing.): **t. a placche** (*o* **a zolle**), plate tectonics.

tettònico a. (*geol.*) tectonic.

tettonìte f. (*geol.*) tectonite.

tettùccio m. **1** (*autom.*) → **tetto**, def. 3 **2** (*aeron.*) canopy.

tèucrio m. (*bot.*, *Teucrium*) germander.

teurgìa f. (*filos.*, *relig.*) theurgy.

teùrgico a. (*filos.*, *relig.*) theurgic.

teùrgo m. (*filos.*, *relig.*) theurgist.

tèutone m. (*stor.*) Teuton.

teutònico a. Teutonic: **i cavalieri teutonici**, the Teutonic Knights; **precisione teutonica**, Teutonic precision; **l'ordine t.**, the Teutonic Order.

Tévere m. (*geogr.*) (the) Tiber.

texàno a. e m. (f. **-a**) Texan.

texturizzàre v. t. (*tecn.*) to texturize.

texturizzazióne f. (*tecn.*) texturization.

TFR sigla (**trattamento di fine rapporto**) severance pay; retirement allowance.

TG sigla (**telegiornale**) television news.

TGR sigla (**telegiornale regionale**) local television news.

TGS sigla (**telegiornale testata sportiva**) television sports news.

thài m. inv. (*ling.*) Thai.

thailandése a., m. e f. (*anche ling.*) Thai.

Thailàndia f. (*geogr.*) Thailand.

the → **tè**

thèrmos m. inv. thermos (bottle); thermos flask.

thesàurus m. inv. (*comput.*) thesaurus.

thòlos f. inv. (*archeol.*) tholos.

thriller m. inv. (*ingl.*) m. inv. thriller.

thrilling (*ingl.*) Ⓐ a. inv. (*di film, romanzo, ecc.*) exciting; full of suspense Ⓑ m. inv.

thriller.

thyratron ® m. inv. (*elettron.*) thyratron.

♦**ti** ① pron. pers. 2ª pers. sing. m. e f. **1** (*compl. ogg.*) you, (*poet.*, *relig.*) thee; (*compl. di termine*) (to, for) you, (*poet.*, *relig.*) (to, for) thee: *Ti hanno visto*, they saw you; *Ti racconterò ogni cosa*, I'll tell you everything; *Ti ho pensato*, I thought of you; *Ti ho comprato una cravatta*, I've bought you a tie; *Lavati le mani!*, wash your hands!; *Ti vuoi togliere la giacca?*, do you want to take off your coat?; *Ti ho messo le camicie nel primo cassetto*, I've put your shirts in the top drawer; *Eccoti il libro*, here's your [the] book **2** (*coi verbi rifl.*) yourself (o idiom.); (*poet.*, *relig.*) thyself: *Spiegati meglio*, explain yourself better; *Non ti diverti?*, aren't you enjoying yourself?; *Ti sei sporcato tutto*, you've got all dirty; *Ti devi lavare prima di pranzo*, you must wash before dinner **3** (*coi verbi i. pron.*) – *Ti ricordi di loro?*, do you remember them?; *Ti sei dimenticato?*, have you forgotten? **4** (*dativo etico, valore rafforzativo*) – *Ti sei bevuto tutta la Coca*, you drank all the Coke; *Che ti aspettavi?*, what did you expect?; *Chi ti credi d'essere?*, who do you think you are?

ti ② f. o m. (*lettera*) (letter) t.

tìade f. (*stor.*) Thyiad; Bacchante.

tiamìna f. (*biol.*, *chim.*) thiamine.

tiàra f. (*stor.*, *relig.*) tiara.

tiazìna f. (*chim.*) thiazine.

tiazòlo m. (*chim.*) thiazole.

Tiberìade f. (*geogr.*) Tiberias.

tiberìno a. of the Tiber; Tiber (attr.).

Tibèrio m. (*stor.*) Tiberius.

tibetàno a. e m. (f. **-a**) (*anche ling.*) Tibetan.

tibeto-birmàno a. (*ling.*) Tibeto-Burman.

tibeto-himalaiàno a. Tibeto-Himalayan.

tìbia f. **1** (*anat.*) tibia*; shinbone **2** (*mus.*, *stor.*) tibia* ● **teschio e tibie incrociate**, skull and crossbones.

tibiàle a. (*anat.*) tibial: **muscolo t.**, tibial muscle; tibialis.

tibicìne m. (f. **-a**) tibicinist; flute player.

tibioastragàlico a. (*anat.*) astragalotibial; tibiotalar.

tibiotàrsico a. (*anat.*) tibiotarsal.

Tibùllo m. (*letter.*) Tibullus.

tibùrio m. (*archit.*) dome lantern; segmental (o polygonal) dome.

tiburtìno a. of Tivoli ● **pietra tiburtina**, travertine.

♦**tic** Ⓐinter. e m. click; tick; (*di goccia*) drip: **il tic tic del rubinetto**, the drip drip drip of the tap; **tic tac → tic tac**, inter. e m. Ⓑm. **1** (*med.*) tic **2** (*mania*) whim; little mania.

ticche tàcche, **ticchete → tic**, **A**.

ticchete tàcchete → tic tac.

ticchettàre v. i. (*di orologio*) to tick; to tick-tock; (*di tacchi*) to click, to tap; (*di pioggia*) to tap, to patter; (*di macchina per scrivere, ecc.*) to clack, to tap.

♦**ticchettìo** m. (*di orologio*) ticking, tick-tocking; (*di tacchi*) clicking, tapping; (*di pioggia*) tapping, patter, pitter-patter; (*di macchina per scrivere, ecc.*) tapping, clacking.

ticchio ① m. **1** (*med.*) tic **2** (*fig.*) whim; fancy; notion: *Le è saltato il t. di studiare il cinese*, she's taken a notion to study Chinese; **secondo come gli salta il t.**, following his whim; at whim.

tìcchio ② m. (*macchiolina*) speck; speckle.

ticchiolàto a. speckled.

ticchiolatùra f. (*bot.*) scab.

ticinése Ⓐa. of Ticino; from Ticino Ⓑm. e f. native [inhabitant] of Ticino.

tick (*ingl.*) m. inv. (*econ.*) tick.

ticket (*ingl.*) m. inv. **1** (*med.*, anche **t. sui medicinali**) prescription charge **2** (*buono pasto*) luncheon voucher ❶ FALSI AMICI • ticket *non si traduce con* ticket.

tic tac, **tictàc**, **tic toc**, **tictòc** Ⓐ inter. tick-tock Ⓑ m. inv. (*di orologio*) tick-tock, ticking; (*del cuore*) ticking: **fare tic tac**, to go tick-tock.

tiè inter. **1 → te'** **2** (*esclam. di sfida*) that'll teach you!; so there!

tientibène m. inv. (*naut.*) manrope.

tiepidaménte avv. tepidly; lukewarmly; half-heartedly.

tiepidézza f. (*anche fig.*) tepidity; lukewarmness.

♦**tièpido** a. **1** lukewarm; tepid: **bagno t.**, tepid bath; **caffè t.**, lukewarm coffee **2** (*fig.*) tepid; lukewarm; half-hearted, unenthusiastic: **accoglienza tiepida**, unenthusiastic reception; **successo t.**, lukewarm success.

Tièste m. (*letter.*) Thyestes.

tìfa f. (*bot.*, *Typha latifolia*) reed mace; cat's-tail; bulrush.

♦**tifàre** v. i. (*fam.*) to support (st.); to back (st.); to be a fan (of); to root (for) (*fam.*): **t. per il Verona**, to support Verona; to be a Verona fan; to root for Verona; **t. per un candidato**, to back (o to support) a candidate; *Tiferemo per te*, we'll be rooting for you.

tìfico a. (*med.*) typhous.

tiflìte f. (*med.*) typhlitis.

tiflografìa f. embossed (o raised) printing.

tiflògrafo m. typhlograph.

tiflologìa f. typhlology.

tiflòpe m. (*zool.*) blind snake; worm snake.

tìfo m. **1** (*med.*) typhus (fever): **t. addominale**, typhoid (fever); enteric fever; **t. esantematico** (o petecchiale o classico), typhus (fever); spotted fever; tick fever; **t. murrino**, murine thyphus **2** (*fam.*) support; enthusiasm; cheering; rooting (*fam.*): *Il t. era alle stelle*, supporters were cheering madly; **fare il t. → tifare**.

tifòide a. (*med.*) typhoid: **febbre t.**, typhoid fever.

tifoidèa f. (*med.*) typhoid (fever).

tifoidèo → tifoide.

tifóne m. typhoon: **il t. Lidia**, Typhoon Lidia.

tifoserìa f. (*fam.*) supporters (pl.); fans (pl.); fan base; rooters (pl.) (*fam.*): **la t. locale**, home supporters.

tifòsi f. (*med.*, *vet.*) typhosis: **t. aviaria**, avian (o fowl) thyphosis.

♦**tifóso** Ⓐa. **1** (*med.*) typhous; typhoid **2** (*fam.*) supporting; rooting (*fam.*) Ⓑ m. (f. **-a**) **1** (*med.*) sufferer from typhus **2** (*fam.*) supporter; fan: **t. del rugby**, rugby supporter (o fan).

tiggì → tigì.

tight (*ingl.*) m. inv. morning dress: **giacca del t.**, morning coat; tailcoat ❶ FALSI AMICI • tight *non si traduce con* tight.

tigì m. (*fam.*) TV news Ⓤ; newscast.

tiglio m. **1** (*bot.*, *Tilia*) lime (tree), linden; (*Tilia cordata*) small-leaved lime: **t. americano** (*Tilia americana*), bass-wood, bass: **infuso di t.**, lime tea **2** (*fibra*) fibre; bass; bast.

tiglióso a. **1** fibrous **2** (*di carne*) stringy; tough.

tigmotassìa, **tigmotàssi** f., **tigmotattìsmo** m. (*biol.*) thigmotaxis.

tìgna f. **1** (*med.*) tinea; ringworm **2** (*fig.*: *fastidio*) bother; trouble; hassle.

tignàmica f. (*bot.*, *Helichrysum stoechas*), common shrubby everlasting; everlasting flower.

tignòla f. (*zool.*) moth: **t. degli alveari**, wax moth; **t. del grano**, grain moth; **t. dei panni**, clothes moth.

tignósa f. (*bot.*, *Amanita*) Amanita.

tignóso Ⓐa. **1** (*med.*) affected with ringworm **2** (*fig.*: *meschino*) mean; narrow-minded **3** (*region.*: *avaro*) mean; stingy **4** (*region.*: *ostinato*) stubborn Ⓑ m. (f. **-a**) **1** (*med.*) sufferer from ringworm **2** (*region.*: *avaro*) miser; skinflint **3** (*region.*: *ostinato*) stubborn person.

tigóne m. (*zool.*) tigon.

tigràrsi v. i. pron. to get* striped (o streaky).

tigràto a. striped; streaked; stripy: **gatto t.**, tabby (cat); **mantello t.**, striped (o streaked) coat.

tigratùra f. stripes (pl.); streaks (pl.).

♦**tigre** f. **1** (*zool.*, *Panthera tigris*) tiger; (*femmina*) tigress: **t. americana** (*Panthera onca*) jaguar; **t. del Bengala**, Bengal tiger; **t. dai denti a sciabola**, sabre-tooth tiger; **feroce come una t.**, as fierce as a tiger **2** (*fig.*) tiger; (*donna*) tigress ● (*fig.*, *polit.*) **t. di carta**, paper tiger □ (*fig.*) **cavalcare la t.**, to ride the tiger □ (*fig.*) **cuore di t.**, cruel heart.

tigrésco a. tiger-like; tigerish.

Tìgri m. (*geogr.*) Tigris.

tigròtto m. tiger cub.

tilacìno m. (*zool.*, *Thylacinus cynocephalus*) thylacine; Tasmanian wolf*; Tasmanian tiger.

tilacòide m. (*bot.*) thylakoid.

tilde m. o f. (*ling.*) tilde.

tilòma m. (*med.*) callus; corn.

tilt (*ingl.*) m. inv. **1** (*nei flipper*) tilt mechanism; tilt: **fare t.**, to cause the game to tilt **2** (*fam.*) – **andare in t.**, to seize up; to go haywire (*fam.*); (*di persona*) to be out of it, to freak out; *Il computer è andato in t.*, the computer has gone haywire; *Il traffico era in t.*, the traffic had seized up; *Alla fine della giornata sono in t.*, at the end of the day I'm completely out of it ❶ FALSI AMICI • tilt *nel senso di guasto tecnico o perdita di controllo non si traduce con* tilt.

timbàllo m. **1** (*mus.*) timbal; kettledrum **2** (*cucina*) timbale; flan.

timbràre v. t. to stamp; to rubber-stamp; (*una lettera*) to postmark: **t. a secco**, to emboss; **t. un documento**, to rubber-stamp a document; **t. il cartellino**, to punch one's timecard; (*all'entrata*) to clock in, to punch in (USA); (*all'uscita*) to clock out (o off), to punch out (USA); **t.: avere un posto fisso**, to have a nine-to-five job.

timbratrice f. (*mecc.*) stamping-machine; stamper.

timbratùra f. stamping; (*di lettera*) postmarking; (*il timbro*) stamp, postmark.

timbrico a. (*mus.*) timbre (attr.).

timbro m. **1** (*strumento*) stamp: **t. a secco**, embossing stamp; **t. di gomma**, rubber stamp; **t. per data**, date stamp **2** (*bollo*) stamp; (*postale*) postmark: **t. di convalida**, validation stamp; **t. postale**, postmark; **mettere** (o **apporre**) **un t. su**, to stamp; (*a secco*) to emboss; (*una lettera*) to postmark; **data del t. postale**, date of the postmark **3** (*mus.*) timbre; tone-colour **4** (*tono*, *accento*) tone; ring: **t. sarcastico**, sarcastic tone **5** (*fon.*) colour.

timelèa f. (*bot.*, *Daphne mezereum*) mezereon.

timer (*ingl.*) m. inv. (*tecn.*) timer.

tìmico a. (*anat.*) thymic; thymus (attr.).

timidézza f. shyness; timidity; (*ritrosia*, *impaccio*) self-consciousness, bashfulness, shamefacedness.

♦**tìmido** Ⓐa. **1** shy; timid; (*ritroso*, *impacciato*) self-conscious, bashful, shamefaced: **t.**

come un coniglio, as timid as a rabbit; **t. sorriso**, shy smile **2** (*fig.*: *debole, vago*) faint; feeble; vague: **un t. raggio di sole**, a faint (*o* pale) ray of sunshine; **timidi segnali di ripresa**, first hints of recovery **B** m. (f. **-a**) shy person.

timina f. (*chim.*) thymine.

timo ① m. (*bot.*, *Thymus vulgaris*) thyme.

timo ② m. (*anat.*) thymus*; thymus gland.

timocita, timocito m. (*biol.*) thymocyte.

timocràtico a. (*polit.*) timocratic.

timocrazìa f. (*polit.*) timocracy.

timòlo m. (*chim.*) thymol.

timologìa f. (*filos.*) axiology.

timòma m. (*med.*) thymoma*.

timonàre v. t. (*naut.*) to steer.

timóne m. **1** (*naut.*) rudder; helm: **t. a vento**, wind rudder; **t. compensato**, balance (*o* balanced) rudder; **t. di profondità** (*di sommergibile*), diving plane (*o* rudder); hydroplane; **essere al t.**, to steer; to be at the helm; **mettersi al** (*o* **prendere il**) **t.**, to take the helm (*o* the wheel, the tiller); **rispondere al** (*o* **sentire il**) **t.**, to answer to the helm; *T. a dritta!*, right rudder!; starboard!; *T. a sinistra!*, left rudder!; port!; *T. in mezzo!*, helm amidships!; *T. alla banda!*, helm hard over!; **barra del t.**, tiller; **dritto del t.**, rudderpost; **ruota del t.**, wheel; helm **2** (*aeron.*) rudder: **t. di direzione**, (vertical) rudder; **t. di profondità** (*o* **di quota**), elevator **3** (*di carro*) shaft **4** (*di aratro*) beam **5** (*di rimorchio*) drawbar **6** (*fig.*) helm: **essere al [prendere il] t. di una ditta**, to be at [to take over] the helm of a firm.

Timóne m. (*stor.*) Timon.

timonèlla f. (*region.*) buggy.

timonerìa f. (*autom., aeron., naut.*) steering gear.

timonièra f. (*naut.*) steering compartment; wheelhouse.

timonière m. (*naut.*) helmsman*; steersman*; (*di scialuppa, nel canottaggio*) coxswain, cox.

timonièro a. **1** (*naut., aeron.*) rudder (attr.); helm (attr.) **2** (*zool.*) **– penne timoniere**, rectrices (sing. rectrix).

timoràto a. respectful; scrupulous: **t. delle leggi**, respectful of the law; **t. di Dio**, God-fearing; **coscienza timorata**, scrupulous conscience.

♦**timóre** m. **1** (*paura*) fear, dread; (*apprensione*) worry, misgiving, alarm: **t. infondato**, groundless fear; **t. irragionevole**, unreasonable fear; **timor panico**, panic (fear); **avere t. di**, to fear; to dread; to be afraid of; *Avevo t. che mi avrebbe criticato*, I was afraid she would criticize me; *Avevo t. di annoiarti*, I was afraid of boring you; *Non abbiate t.!*, don't be afraid!; (*non preoccupatevi!*) never fear!, don't worry!; **tacere per t. di fare sbagli**, to keep silent for fear of making mistakes; *Gli stava vicino per t. che cadesse*, he kept close to him for fear (*o, form.*, lest) he might fall; **nutrire timori per il futuro**, to fear for the future; to be worried about the future; **essere presi da improvviso t.**, to be seized (*o* overcome) by a sudden fear; **vivere in continuo t.**, to live in constant fear **2** (*soggezione*) fear; awe: **timor di Dio**, fear of God; **t. reverenziale**, awe; **incutere t.**, to inspire awe; to be awesome; *Il preside mi incuteva molto t.*, I stood in awe of the headmaster.

timorése a., m. e f. Timorese.

timoróso a. fearful; timorous; timid; afraid (pred.): **domanda timorosa**, timorous (*o* timid) question; **persona timorosa**, timid person; **t. di sbagliare**, fearful (*o* afraid) of making mistakes; **essere t. di**, to fear; to be afraid of.

Timòteo m. Timothy.

timpanàto a. (*arch.*) gabled.

timpànico a. **1** (*anat.*) tympanic **2** (*med.*) tympanitic.

timpanìsmo m. (*med., vet.*) tympanites; tympany.

timpanìsta m. e f. (*mus.*) kettledrummer.

timpanìte f. **1** (*med.*: *infiammazione dell'orecchio*) tympanitis; otitis media **2** (*med., vet.*) → **timpanismo**.

tìmpano m. **1** (*anat.*) tympanum*; eardrum: **t. perforato**, perforated eardrum; **rompere i timpani a q.**, to burst sb.'s eardrums; (*fig.*) to deafen sb.; **duro di timpani**, hard of hearing; **rumore che spacca i timpani**, ear-splitting (*o* ear-shattering) noise **2** (al pl.) (*mus.*) kettledrums; timpani **3** (*archit.*) tympanum*; tympan; gable.

tinàia f. vat room; wine cellar.

tìnca f. (*zool.*, *Tinca tinca*) tench.

tinèlla f. olive vat.

tinèllo m. **1** (small) dining room; breakfast room; dinette **2** (*soggiorno*) living room.

tìngere **A** v. t. **1** (*con tintura*) to dye; (*dipingere*) to paint: **t. una maglietta**, to dye a T-shirt; **t. le pareti**, to paint the walls; **t. qc. di rosso**, to dye st. red; to paint st. red; **tingersi i capelli**, to dye one's hair; **tingersi le labbra**, to paint one's lips; to use lipstick; **tingersi le unghie**, to paint one's nails **2** (*macchiare*) to stain; to spot; (*insudiciare*) to dirty: **tingersi le mani d'erba**, to stain one's hands with grass **3** (*lett.*: *colorare*) to colour; to tint; (*leggermente*) to tinge: *Un delicato rossore le tinse il viso*, a faint blush coloured her cheeks; *Il sole tingeva i monti di rosa*, the sun tinged the mountains pink **B** **tingersi** v. rifl. (*tingersi i capelli*) to dye one's hair; (*truccarsi*) to use (*o* to wear*) make-up: *È bionda, ma si tinge*, she is blonde, but she dyes her hair **C** **tingersi** v. i. pron. **1** (*colorarsi, anche fig.*) to be tinged; to become* tinged; to take* on a... hue; to turn (+ agg.): **tingersi di azzurro**, to become tinged with blue; **tingersi di rosa**, to take on a rosy hue; **tingersi di rosso**, to turn red; **tingersi di rossore**, to blush; **tingersi di malinconia**, to become [to be] tinged with melancholy **2** (*macchiarsi*) to be stained: **tingersi di sangue**, to be stained with blood; to become red with blood.

tingitùra f. dyeing.

tinnìre v. i. (*lett.*) to tinkle; to jingle.

tinnìto m. (*lett.*) tinkle; tinkling; jingle; jingling.

tìnnulo a. (*lett.*) tinkling; jingling; jingly.

♦**tìno** m. **1** vat (*anche ind.*); tun; (*tinozza*) tub: **t. di fermentazione**, fermenting vat; (*per la birra*) tun; **t. di tintura**, dyeing vat; **tintura al t.**, vat dyeing **2** (*metall.*) **– forno a t.**, shaft furnace.

tinòzza f. tub; vat; (*per il bucato*) washtub; (*per il bagno*) bathtub.

tìnta f. **1** (*materia colorante*) dye; dyestuff; (*pitt.*) colour, color (*USA*); (*per legno*) stain; (*vernice*) paint: **t. ad acqua**, colourwash; distemper; (*pitt.*) **t. a colla**, size-colour; **t. per capelli**, dye; (*leggera*) rinse; **t. per stoffa**, fabric dye; **tinte e pennelli**, paints and brushes; **farsi la t.** (*ai capelli*), to have one's hair dyed (*o* tinted); **mescolare due tinte**, to mix two dyes; **prendere bene la t.**, to dye well; **mano di t.**, coat of paint **2** (*colore, anche fig.*) colour, color (*USA*); hue; (*delicato*) tint, tinge; (*sfumatura*) shade: **t. calda [morbida, scura]**, warm [soft, dark] hue (*o* colour); **t. perlacea**, pearly hue; **t. smorta**, dead (*o* dull) colour; **t. sfumata**, soft shade; **t. solida**, fast colour; **t. unita**, plain colour; one colour; **in t. unita**, plain, plain-coloured; self-coloured; **una bella t. di verde**, a lovely shade of green; **fusione di tinte**, blend of colours; **perdere la t.**, to lose colour; to fade ● (*fig.*) **a fosche tinte**, in dark

colours: **vedere tutto a fosche tinte**, to look on the dark side of things □ (*fig.*) **a forti tinte**, sensational; lurid: **dramma a forti tinte**, sensational play; **a melodrama** (*fig.*) **caricare le tinte**, to exaggerate □ (*moda*) **in t.**, matching: **un tailleur con scarpe e borsetta in t.**, a jacket and skirt with matching handbag and shoes □ **mezza t.**, half-tone; half shade; (*pitt.*) → **mezzatinta** □ (*fig.*) **smorzare le tinte**, to play (*o* to tone) st. down □ (*fig.*) **vedere tutto a tinte rosee**, to see things through rose-coloured spectacles (*o* rose-tinted glasses).

tintarèlla f. suntan; tan: **prendere la t.**, to get a tan.

tinteggiàre v. t. **1** (*dipingere*) to paint: **t. la facciata di una casa**, to paint the front of a house; **t. a calce**, to whitewash; **t. a tempera**, to colourwash; to distemper **2** (*tingere qua e là*) to dab colour onto.

tinteggiatóre m. painter.

tinteggiatùra f. painting; paintwork; paint job: **t. a calce**, whitewash; **t. a tempera**, colourwashing; distempering; *La t. non è stata fatta bene*, the paint job wasn't done well; the paintwork isn't good.

tin tin inter. e m. ting; ping; ting-a-ling: **fare tin tin**, to go ting-a-ling.

tintinnàbolo m. tintinnabulum*; bell.

tintinnaménto m. tinkling; tinkle; jingling; clinking; clattering; clatter.

tintinnàre v. i. (*di campanello*) to tinkle, to go* ting-a-ling (*fam.*); (*di monete, chiavi*) to jingle; (*di vetro, metallo*) to clink; (*di piatti, ecc.*) to clatter: **far t.**, to tinkle; to jingle; to clink; **far t. i bicchieri**, to clink the glasses; *Il suo pugno sul tavolo fece t. i piatti*, the plates clattered when he struck his fist on the table.

tintinnìo m. tinkling; tinkle; ting-a-ling; jingling; jingle; clinking; clink.

tintinnìre → **tintinnare**.

tìnto a. **1** (*colorato*) dyed; coloured, colored (*USA*); (*lievemente*) tinged: **capelli tinti**, dyed hair; **capelli neri tinti**, black dyed hair; **t. di giallo**, dyed yellow; yellow-dyed; **cielo t. di rosso**, sky tinged with red; red-tinged sky; **t. e ritinto**, dyed many times **2** (*tinteggiato*) painted **3** (*macchiato*) stained: **t. di inchiostro**, stained with ink; ink-stained **4** (*truccato*) painted: **faccia tinta**, painted face; **unghie tinte**, painted nails **5** (*fig.*) tinged.

tintóre m. (f. **-a**) **1** dyer **2** (*gestore di lavanderia*) cleaner, dry-cleaner.

tintorìa f. **1** (*stabilimento*) dyeworks **2** (*negozio*) dry-cleaner's (shop); cleaner's **3** (*tecnica e attività*) dyeing.

tintoriàle a. dyeing; tinctorial.

tintòrio a. tinctorial.

tintùra f. **1** (*il tingere*) dyeing; (*di mobili*) staining, painting; (*di capelli*) dyeing **2** (*materia colorante*) dye: **t. per i capelli**, hair dye; tint; (*leggera*) rinse **3** (*chim.*) tincture: **t. di iodio**, (tincture of) iodine **4** (*colore*) tint; colour, color (*USA*).

tiofène m. (*chim.*) thiophene.

tiògeno a. (*chim.*) thiogenic.

tiòrba f. (*mus.*) theorbo.

tiorbìsta m. e f. (*mus.*) theorbist.

tiosolfàto m. (*chim.*) thiosulphate: **t. di sodio**, sodium thiosulphate; hypo.

tiourèa f. (*chim.*) thiourea.

tiourèico a. (*chim.*) thiourea (attr.).

tipàccio m. **1** (*mascalzone*) nasty character; bad lot **2** (*individuo losco*) mean-looking type; ugly customer (*slang*).

tipì m. (*antrop.*) teepee.

tipicità f. typicalness; typicality.

♦**tìpico** a. **1** typical; classic; (*caratteristico*) characteristic; (*di luogo*) local: **esempio t.**, classic example; **un t. villaggio inglese**, a

typically English village; **i tipici sintomi dell'influenza**, the classic symptoms of flu; **cucina tipica**, local cuisine; **prodotti tipici**, local products; **stile t. degli anni '50**, style that is typical of (o peculiar to) the 1950s; **una sua frase tipica**, one of his typical phrases; *È t. di lui dimenticarsene*, it's typical of him (o it's just like him) to forget; (*iron.*) *T.!*, typical!; that's him [her, etc.] all over!

tipiżżàre v. t. **1** to typify **2** (*standardizzare*) to standardize.

tipiżżazióne f. **1** typification **2** (*standardizzazione*) standardization.

◆**tipo** Ⓐ m. **1** (*conio*) type **2** (*esemplare, campione*) type; standard; pattern; (*modello*) type, model, style; (*marca*) make, brand; (*genere, varietà*) type, kind, sort; (*qualità*) quality: **il t. longilineo**, the tall, slender type; **il classico t. di bellezza mediterranea**, the classic type of (o the typical) Mediterranean beauty; **un t. di riscaldamento**, a type of heating; **un t. di formaggio**, a kind of cheese; **t. unificato**, standard type; (*teatr.*) **i tipi della commedia dell'arte**, the masks of the commedia dell'arte; **adatto a tutti i tipi di auto**, suitable for all makes of cars; *Che t. di persona è?*, what sort (o kind) of person is she?; what's she like?; *Non sei il mio t.*, you're not my type; *Che t. di lavoro fa?*, what kind of job does he do?; *L'altro t. mi sembra più funzionale*, the other model looks more practical; *Non è il t. dell'imbroglione*, he's not the cheating type (*fam.*); *Va solo con gente del suo t.*, he only mixes with people of his own kind; **di ogni t.**, of all sorts (o kinds); of every description; **gente di ogni t.**, people of all sorts; all sorts of people; **sigarette di t. turco**, Turkish-type cigarettes; **governo di t. presidenziale**, presidential government; **auto di t. sportivo**, sports car; **un cappello t. sombrero**, a sombrero-type hat; **una stoffa t. velluto**, a velvety kind of material; **un dolce t. crostata**, a sort of tart; *Hai qualcosa t. aspirina?*, have you got something like an aspirin (o an aspirin or something)?; *Il mio cappello è sul t. del tuo*, my hat is rather like yours; **un attore t. di John Wayne**, a John Wayne-type actor **3** (*fam.*: *persona*) type; person; (*uomo*) man*, fellow, guy (*USA*), character, chap, (*fam. GB*), bloke (*fam. GB* e *Austral.*); (*donna*) woman*, girl: **un t. alla Bogart**, a Bogart type; **un t. bonario**, an easy-going sort of person; (*scherz.*) **t. da spiaggia**, beach bum (*slang*); **un t. equivoco**, a dubious character; **un t. simpatico**, a likeable person; *Chi è quel t.?*, who is that fellow (o man, guy, bloke)?; *C'è un t. che ti cerca*, there's a man (*USA* a guy) looking for you; *La sua ragazza è un t. sportivo*, his girlfriend is the outdoor type; *È il t. ideale per questo lavoro*, she's the right type for this job; *Non riesco a capire che t. è*, I can't make out what sort of man he is [of woman she is]; I can't make (*USA* figure) him [her] out; *Non è t. da lasciarsi imbrogliare facilmente*, he is not one to be taken in easily; *Sei un bel t.!*, you are a one!; you are really something! (*slang*); *Non è bella ma è un t.*, she's no beauty, but she's got something **4** (al pl.) (*tipogr.*) type (sing.): **i tipi del Bodoni**, Bodoni type; **uscito per i tipi della casa editrice...**, published by... (o under the imprint of...) **5** (*bot.*, *zool.*) phylum* **6** (*teol.*) type **7** (*numism.*) type Ⓑ a. inv. (*che può fungere da campione*) standard, model, average (agg.); (*tipico*) typical: **impianto t.**, standard installation; **formato t.**, standard size; **la famiglia t.**, the average family; **una giornata t.**, a typical day; **l'italiano t.**, the typical Italian; **una risposta t.**, standard reply.

tipocomposizióne f. typesetting.

tipòfono m. (*mus.*) celesta.

tipografìa f. **1** (*procedimento*) typography **2** (*stabilimento*) printing works (pl. col verbo al sing. o al pl.), printery (*USA*); (*stamperia*) print shop.

tipogràfico Ⓐ a. typographical; printing (attr.): **carattere t.**, type (character); **inchiostro t.**, printing ink; **industria tipografica**, typographical industry; **stabilimento t.**, printing works (pl. col verbo al sing. o al pl.); printery (*USA*); **norme tipografiche**, house style (sing.) Ⓑ m. printing industry; printing sector.

◆**tipografo** m. (f. **-a**) printer; typographer.

tipolitografìa f. small lithographic and printing works.

tipologìa f. typology.

tipològico a. typological.

tipometrìa f. (*tipogr.*) type measurements (pl.).

tipòmetro m. (*tipogr.*) line gauge.

tip tap Ⓐ inter. tap-tap Ⓑ m. **1** (*suono*) tap-tapping **2** (*ballo*) tap dance; tap dancing: **ballare il tip tap**, to tap dance; **ballerino di tip tap**, tap dancer.

tiptologìa f. **1** (*occultismo*) typtology; spirit-rapping **2** (*codice di colpi*) tapped code.

tiptològico a. tapped: **linguaggio t.**, tapped code.

tipula f. (*zool.*, *Tipula*) daddy-long-legs; crane-fly.

TIR, Tir m. inv. articulated lorry (*GB*); trailer truck (*USA*); rig (*USA*).

tirabàci m. inv. kiss-curl (*GB*); spit curl (*USA*).

tirabòzze (*tipogr.*) Ⓐ m. inv. proof press Ⓑ m. e f. inv. (*operaio*) proof press operator.

tirabràce m. baker's rake; oven rake.

tirabusciò m. (*slang*) corkscrew.

tiracampanèllo m. bell-rope.

tiracaténa m. inv. (*mecc.*) chain stretcher.

tira e mòlla → **tiremmolla**.

tirafìlo m. thread puller.

tirafóndo m. set screw.

tiràggio m. **1** draught, draft (*USA*): **t. forzato**, forced draught; **t. indotto**, induced draught; **avere poco t.**, to have little draught; **avere un buon t.**, to draw well; **valvola di t.**, damper **2** (*naut.*) discharge money **3** (*econ.*) drawing.

tiralàtte m. inv. breast-pump.

tiralìnee m. ruling pen.

tiralòro m. inv. wire (o gold-wire) drawer.

tiramisù m. (*cucina*) tiramisu.

tira mòlla, tiramòlla → **tiremmolla**.

tiranneggiaménto m. tyrannizing.

tiranneggiàre Ⓐ v. t. **1** to tyrannize over **2** (*estens.*) to tyrannize; to bully; to order about: **t. la famiglia**, to tyrannize one's family; **t. i sottoposti**, to bully the people under one Ⓑ v. i. **1** (*di governante*) to rule despotically; to be a tyrant; to tyrannize over one's subjects **2** (*estens.*) to be tyrannical (o despotic); to play the tyrant; to be a bully; to order people about: *Ha sempre tiranneggiato*, he has always played the tyrant.

tirannèllo m. petty tyrant.

tirannésco a. tyrannical; tyrannous; despotic.

tirannìa f. **1** tyranny **2** (*estens.*: *dispotismo*) tyranny; despotism; oppression: *Questa è una t.!*, this is tyranny! **3** (*fig.*) tyranny: **la t. della lontananza**, the tyranny of distance.

tirannicìda Ⓐ m. e f. tyrannicide Ⓑ a. tyrannicidal.

tirannicìdio m. tyrannicide.

tirànnico a. **1** tyrannical; tyrannous; oppressive; despotic **2** (*autoritario, dispotico*) tyrannical, despotic, domineering, over-

bearing, bossy (*fam.*); (*prepotente*) bullying.

tirànnide f. **1** tyranny **2** (*estens.*) tyranny; despotism; oppression.

tirànno Ⓐ m. (f. **-a**) **1** tyrant; despot: **soffrire sotto un t.**, to suffer under a tyrant **2** (*estens.*, *di persona*) tyrant; despot; oppressor; taskmaster: **un professore che è un t.**, a tyrant of a teacher; *È un t. in famiglia*, he is a tyrant (o a dictator) at home; he is a domestic tyrant; **comportarsi da t.**, to play the tyrant; to be tyrannical (o despotic, dictatorial); to order people about **3** (*fig.*, *di cosa*) tyrannical force **4** (*zool.*, *Tyrannus tyrannus*) tyrant (flycatcher); kingbird Ⓑ a. **1** (*di persona*) tyrannical; tyrannous; dictatorial; domineering: **padre t.**, dictatorial father **2** (*di cosa*) tyrannical; enslaving: **passione tiranna**, tyrannical passion.

tirannosàuro m. (*paleont.*, *Tyrannosaurus rex*) tyrannosaurus; tyrannosaur.

tirànte m. **1** (*mecc.*) tie rod (o bar); tension rod (o bar); pull rod; (*cavo*) stay wire: **t. del freno**, brake rod **2** (*archit.*) tie beam **3** (*di chiusura lampo*) tab **4** (*di tamburo*) tensioning screw **5** (*naut.*) fall **6** (*di stivale*) bootstrap.

tiranterìa f. (*mecc.*) linkage.

tirapièdi Ⓐ m. inv. (*stor.*) hangman's assistant Ⓑ m. e f. inv. (*spreg.*) underling; dogbody; (*seguace servile*) hanger-on, yes-man*, henchman*

tirapròve → **tirabozze**.

tirapùgni m. inv. knuckle-duster.

◆**tiràre** Ⓐ v. t. **1** (*tendere, muovere verso di sé*) to pull; to draw*; to haul; (*dando strattoni*) to tug (at), to yank: **t. i capelli a q.**, to pull sb.'s hair; **t. un cassetto**, to pull out a drawer; **t. una corda**, to pull a rope; **t. un filo** (*di una calza, di un golf*), to pull a thread; (*autom.*) **t. il freno a mano**, to pull the handbrake; **t. il grilletto**, to pull the trigger; **t. una linea**, to draw a line; **t. le tende**, to draw the curtains; **t. le reti**, to haul in the nets; **t. a secco una barca**, to haul a boat ashore; to beach a boat; **t. q. per la manica**, to pull sb. by the sleeve; to pull (o to pluck) sb.'s sleeve; **t. in dentro lo stomaco**, to draw in one's stomach; *Tiravano uno di qua e uno di là*, one was pulling one way and one the other; *Tirai un capo della corda e il nodo si sfece*, I tugged at one end of the rope and the knot came undone; **tirarsi il cappello sugli occhi**, to draw (o to pull down) one's hat over one's eyes; **tirarsi addosso un armadio**, to pull a wardrobe down on top of oneself; *Si tirò dietro la porta*, she pulled the door to after her; *Se lo tirarono dietro legato*, they dragged him tied up behind them **2** (*far avanzare, far muovere*) to pull; to haul; (*trascinare*) to drag, to trail; (*a strattoni*) to tug, to yank; (*a rimorchio*) to tow: *I buoi tiravano il carro*, the oxen pulled the cart; **una carrozza tirata da quattro cavalli**, a coach drawn by four horses; **un cavallo che non tira**, a horse that doesn't pull; *Il bambino entrò tirandosi dietro un trenino*, the child came in trailing a toy train **3** (*spostare*) to pull; to draw*; to move; to take*; to drag: **t. da parte**, to move aside; **t. fuori**, (*estrarre*) to pull out; to take out; (*fig.*) to produce, to come up with; **t. fuori un fazzoletto**, to pull out a handkerchief; **t. fuori la lingua**, to pull (o to stick) out one's tongue; **t. fuori le mani di tasca**, to pull one's hands out of one's pocket; **t. fuori i soldi**, (*fam.*: *sborsare*) to pay up, to cough up, to fork out, to stump up; **t. fuori una scusa**, to come up with an excuse; **t. fuori la verità**, to come out with the truth; **t. q. fuori dai guai**, to get sb. out of trouble; **t. fuori q. di prigione**, to get sb. out (of prison); *Tirò fuori la valigia da sotto il letto*, he dragged out the suitcase from under the bed; *Hanno dovuto tirarlo fuori dal suo nascondiglio*, they had to drag

him out of his hiding-place; *Abbiamo fame, tira fuori i panini!*, we're starving! make with the rolls!; **t. giù un libro dallo scaffale**, to take (*o* to get) a book from the shelf; **t. giù i prezzi**, to lower (*o* to reduce, to bring down) prices; **t. giù il sipario**, to bring down the curtain; **t. giù le tendine**, to let down the blinds; **t. q. giù dal letto**, to drag sb. out of bed; **t. q. in disparte**, to draw (*o* to take) sb. to one side; **t. in là la sedia**, to move the chair over; **t. indietro**, (*ritrarre*) to pull back, to withdraw; (*scostare*) to draw back; **t. su**, to pull up; (*raccogliere*) to pick up; (*erigere*) to put up; (*estrarre*) to draw; **t. su da terra**, to pick up (from the floor); **t. su il finestrino**, (*spingendolo*) to push up the window; (*con manovella e sim.*) to roll up the window; **t. su un muro**, to put up a wall; **t. su i prezzi**, to put up prices; **t. su il secchio dal pozzo**, to pull (*o* to draw) up the well-bucket; **t. su la testa**, to raise (*o* to lift) one's head; **t. su le tapparelle**, to pull (*o* to draw) up the blinds; **tirarsi su le calze**, to pull up one's socks; **tirarsi su i capelli**, to put up (*o* to pin up) one's hair; **tirarsi su le maniche**, to roll up one's sleeves; *Si tirò su i pantaloni e si sedette*, he hitched up his trousers and sat down; **t. via un chiodo da un muro**, to pull a nail out of a wall; **t. via un dente**, to pull (out) a tooth; **t. via la mano**, to take one's hand off; to withdraw one's hand; *Tira via il tavolino*, pull the table out of the way **4** (*fig.*: *attirare*) to attract; to invite; to bring* down: **tirarsi addosso le critiche di tutti**, to attract widespread criticism; **tirarsi addosso maledizioni**, to bring down curses on one's head; **un faccino che tira baci**, a pretty face that wants to be kissed **5** (*lanciare*) to throw*; to toss: **t. i dadi**, to throw (*o* to cast, to shoot) (the) dice; **t. frecce**, to shoot arrows; **t. una granata**, to throw a hand-grenade; **t. la palla a q.**, to throw (*o* to toss) the ball to sb.; (*sport*) **t. (la palla) a rete**, to shoot; **t. sassi a q.**, to throw stones at sb. **6** (*assestare*) to give*; to throw*; to land: **t. un calcio a q.**, to kick sb.; to give sb. a kick; **t. calci**, to kick; **t. un pugno a q.**, to punch sb.; to give sb. a punch; **tirare pugni**, to throw punches; **t. uno schiaffo a q.**, to slap sb.'s face; to box sb.'s ear **7** (*sparare*) to shoot*; to fire: **t. un colpo**, to fire a shot; **t. una fucilata a q.**, to fire a shot at sb.; to shoot at sb. **8** (*estrarre*) to draw*; to get* out; to extract: **t. il vino da una botte**, to draw wine from a barrel; *Non riesco a tirargli di bocca una parola*, I can't get a word out of him **9** (*tendere*) to stretch; to extend: **t. un elastico**, to stretch an elastic **10** (*stampare*) to print; (*bozze*) to pull; (*copie*) to run* off: **t. diecimila copie di un libro**, to print ten thousand copies of a book; **t. una bozza**, to pull a proof **11** (*volg.*: *eccitare*) to turn on (*fam.*); to give* the hots to (*slang*) • **t. a cera**, to wax □ **t. a lucido**, to polish □ **t. avanti la baracca**, to make both ends meet; (*con difficoltà*) to scrape a living □ **t. una boccata di sigaretta**, to pull (*o* to take a drag) at a cigarette □ (*fig.*) **t. la cinghia**, to tighten one's belt; to stint oneself □ **t. il collo a un pollo**, to wring a chicken's neck □ (*fig.*) **Se arriva in ritardo gli tiro il collo**, if he is late, I'm going to wring his neck □ **t. una conclusione**, to draw a conclusion □ (*fig.*) **t. troppo la corda**, to go too far □ (*fam.*) **t. le cuoia**, to kick the bucket (*slang*); to croak (*slang*) □ **t. q. dalla propria parte**, to bring sb. round; to win sb. over (to one's side) □ (*fig.*) **t. dentro**, to drag: **t. q. dentro a un affare**, to drag sb. into a deal □ (*anche fig.*) **t. dentro le unghie**, to draw in one's claws □ **Si tira sempre dietro la moglie**, he always drags his wife around with him □ **t. giù bestemmie**, to swear; to blaspheme □ **t. il fiato**, to draw breath; to get back one's breath; (*fig.*) to breathe again □ (*fig.*) **t. i fili** (*o* **le fila**), to pull the strings □ **t. un frego su qc.**, to score out st.; to cross out st.; (*fig. fam.*) to forget about st., to let bygones be bygones □ (*sport* e *fig.*) **t. il gruppo**, to take the lead; to set the pace □ (*fig. fam.*) **t. in ballo**, to drag in: *Non è il caso di t. in ballo sua moglie*, (there's) no need to drag in his wife; *Perché t. sempre in ballo la politica?*, why drag politics into everything? □ **t. qc. in lungo** (*o* **per le lunghe**), to draw (*o* to spin) st. out; (*ritardare*) to drag one's feet (*o* heels) over st.: **t. per le lunghe una questione**, to drag one's heels over a matter □ **t. indietro le lancette dell'orologio**, to set (*o* to put) back (the hands of) one's watch □ **t. il latte**, to suck milk □ **t. gli orecchi a q.**, to pull (*o* to tweak) sb.'s ears; (*fig.*) to scold sb., to pull sb. up, to tell sb. off □ (*fam.*) **t. la paga**, to draw (*o* to collect) one's pay □ (*fig.*) **t. q. per la giacchetta**, to put pressure on sb. □ **t. la sfoglia**, to roll out the dough □ **t. le somme**, to cast up accounts; to add up; (*fig.*) to sum up st., to reach a conclusion □ **t. un sospiro**, to heave (*o* to give) a sigh □ (*fig.*) **t. su**, (*allevare*) to bring up; (*rincuorare*) to cheer up; (*rianimare*) to make (sb.) feel better; (*dare energia*) to pick up; (*fam.*, *anche assol.*: *vomitare.*) to throw up, to bring up □ (*fig. fam.*) **t. via qc.**, (*farlo in fretta*) to do st. in a hurry; (*farlo male*) to do st. any old how; (*farlo al risparmio*) to cut corners □ **t. la volata a q.**, (*sport*) to set the pace; (*fig.*) to smooth sb.'s way (*o* path) □ **tirarla in lungo**, (*essere prolisso*) to spin it out; (*tergiversare*) to drag one's feet; (*per guadagnare tempo*) to play for time □ (*autom.*, *sport*) **farsi t.**, to draft □ **Una ciliegia tira l'altra**, cherries are very moreish □ **Una parola tira l'altra**, one thing leads to another **B** v. i. **1** (*avanzare, procedere*) to go* on: **t. avanti**, (*continuare*) to go on, to carry on; (*nonostante le avversità*) to struggle on; (*alla meglio*) to scrape along, to plod on; (*durare*) to last; (*procedere senza scosse*) to manage, to tick over (*GB*); **t. avanti a stento**, to struggle to make both ends meet; *Tiriamo avanti per un'altra ora*, let's go on for one more hour; *Non ce la faccio più a t. avanti*, I can't go on like this; *In quelle condizioni non tirerà avanti per molto*, she can't last long in that condition; *«Come va?» «Si tira avanti»*, «how are you getting on?» «we're managing» (*o* «ticking over»); **t. diritto**, to keep going; **t. diritto fino in piazza**, to keep going until one comes to a square; **t. diritto per la propria strada**, to go one's way; **t. diritto senza salutare**, to go past without saying hello **2** (*tendere, mirare*) to aim (at); to be (after); to have an eye (on); (*cercare*) to try: **t. a un'eredità**, to be after (*o* to have an eye on) an inheritance; **t. a finire presto qc.**, to try to get st. over with quickly; *Non è innamorato di lei, tira solo ai suoi quattrini*, he isn't in love with her, he is just after her money **3** (*tendere*) to verge (on); to border (on): **un rosso che tira al marrone**, a red verging on brown; a brownish red **4** (*somigliare*) to look (like); to take* (after) **5** (*minacciare*) to threaten; to look like: *Tira a piovere*, it looks like rain **6** (*deviare*) to pull; to veer: **t. a destra**, to pull to the right **7** (*soffiare*) to blow*: *Tirava un vento di tramontana*, the wind was blowing from the north; (*anche fig.*) *Da che parte tira il vento?*, which way is the wind blowing?; *Non tira vento*, there is no wind **8** (*avere tiraggio*) to draw*: *Il camino non tira*, the chimney doesn't draw well; *La pipa tirava bene*, the pipe drew well **9** (*di motore, ecc.*) to respond: **un motore che tira bene**, an engine that responds well; *La mia automobile non tira in salita*, my car is sluggish uphill **10** (*essere in salita*) to be steep: **sentiero che tira**, steep path **11** (*volg.*: *provare eccitazione sessuale*) to have [to get*] a hard-on **12** (*econ.*: *essere fiorente*) to do* well, to be thriving; (*vendere*) to sell*: *Il mercato delle utilitarie tira bene*, the economy car market is thriving (*o* is doing well); *È un prodotto che non tira*, this product doesn't sell **13** (*di indumento*) to be tight: **t. in vita** [**sui fianchi**], to be tight at the waist [round the hips] **14** (*essere teso*) to feel* tight: *Mi tira la pelle*, my skin feels tight **15** (*risparmiare*) to economize; to cut* down (on); (*mercanteggiare*) to haggle: **t. sul prezzo**, to haggle about the price; **t. sulle spese**, to cut down on expenses **16** (*usare un'arma con proiettili*) to shoot*; (*arma da fuoco, anche*) to fire: **t. al bersaglio**, to fire at the target; **t. a una lepre**, to shoot at a hare; **t. con l'arco**, to shoot with a bow; **t. col fucile**, to shoot with a rifle; **dare ordine di t.**, to give order to shoot (*o* to fire) • **t. a campare**, to get by; to amble along; to take things easy; to be very laid-back □ **t. a indovinare**, to venture (*o* to hazard) a guess; to guess □ **t. a sorte**, to draw lots: *Tiriamo a sorte per chi deve montare la tenda*, let's draw for who puts up the tent □ (*anche fig.*) **Tira aria di tempesta**, a storm is in the air (*o* is brewing) □ **t. di boxe**, to box □ **t. di scherma**, to fence □ **tira e molla** → **tiremmolla** □ **t. su col naso**, to sniff □ **t. tardi** (*o* **giorno**, **mattina**), to stay up late □ **t. via sui particolari**, to gloss over the details **C** **tiràrsi** v. rifl. to draw*: **tirarsi da parte** (*o* **in disparte**, **in là**), to draw aside (*o* to one side); to stand aside; to step to one side; **tirarsi indietro**, (*anche fig.*) to draw back, to stand back; (*rinunciare*) to back out (of), (*per paura*) to get cold feet, to chicken out (*fam.*); *All'ultimo momento ebbe paura e si tirò indietro*, she got cold feet (*o* she chickened out) at the last moment; **tirarsi su**, (*raddrizzarsi*) to draw oneself up, (*da seduto*) to sit up straight; (*alzarsi*) to stand up, to get up; (*di morale*) to cheer up; (*riprendersi*) to recover, to pick up; **tirarsi su a sedere**, to sit up; **tirarsi via**, to get away (from somewhere); to move off.

tirasségno m. = **tiro a segno** → **tiro**, *def. 3*.

tirastivàli m. inv. boot-jack.

tiràta f. **1** pull; tug; (*strappo*) wrench, yank: **una t. di redini**, a tug at the reins; **una t. di capelli**, a tug (*o* a pull) at sb.'s hair; **t. d'orecchi**, ear-pulling; (*fig.*) telling off, talking-to; **dare una t. alla fune**, to give a rope a pull; to tug at a rope; **dare una t. d'orecchi a q.**, to pull sb.'s ears; (*fig.*) to pull sb. up, to tell sb. off **2** (*boccata di fumo*) puff; pull; drag (*fam.*): *Spense la sigaretta dopo qualche t.*, she put out her cigarette after a few puffs; **dare una t. di pipa**, to pull at one's pipe **3** (*fam.*: *sorsata*) pull; swig **4** *discorso polemico*, tirade; harangue: *Fece una t. contro i politicanti*, he delivered a tirade against petty politicians **5** (*fig.*: *attività ininterrotta*) go; stretch; stint; haul: **fare una t. di sedici ore di lavoro**, to do a sixteen-hour stint; to work for sixteen hours at a stretch; **fare una t. unica da Monaco a Firenze**, to drive from Munich to Florence in one go (*o* non-stop).

tiratàrdi m. e f. inv. (*fam.*) **1** (*chi ama fare tardi*) night owl **2** (*persona lenta*) dawdler; slowcoach; slowpoke.

tiràto a. **1** (*in tensione*) (drawn) tight; taut: **corda tirata**, taut rope; **pelle tirata**, tight skin **2** (*stanco, preoccupato*) drawn; haggard; pinched: **faccia tirata**, drawn (*o* haggard) face **3** (*sforzato*) forced; strained: **sorriso t.**, strained smile **4** (*avaro*) tight-fisted; stingy; close; mean **5** (*di stretta misura*) narrow; neck-and-neck (*fam.*); nip-and-tuck (*fam. USA*): **vittoria tirata**, narrow (*o* neck-and-neck) victory **6** (*forzato, lambiccato*) improbable; far-fetched • **t. a lucido**, (*pulito*) shining, spick-and-span, squeaky clean; (*elegante*) smart, dressed up to the nines

(*fam.*) □ (*fig.*) t. **coi denti**, far-fetched □ t. **per le lunghe** (*o in lungo*), drawn-out; spun out □ (*fam.*) t. **via** (*malfatto*), shoddy; slovenly.

tiratóre m. (f. **-trìce**) shot: **bravo** [**cattivo**] **t.**, good [bad] shot; **ottimo t.**, crack shot; dead shot; t. **scelto**, marksman; sharpshooter (*mil.*); t. **d'arco**, archer; t. **di scherma**, fencer ● **franco t.**, (*mil.*) sniper; (*polit.*) member of parliament who votes secretly against his own party.

tiratrón m. (*elettron.*) thyratron.

tiratùra f. (*numero di copie stampate*) (print) run; edition; (*di periodico*) circulation: **una t. di 6000 copie**, a run (*o* an edition) of 6,000 copies; t. **limitata**, limited edition; **nuova t.**, reissue; new impression; **un giornale con una t. di 600 000 copie**, a newspaper with a circulation of 600,000 copies; **rivista ad alta t.**, high-circulation magazine; *La prima t. si è esaurita in due giorni*, the first run sold out in two days.

tiravolista m. trapshooter.

tirchierìa f. tight-fistedness; stinginess; miserliness; niggardliness; meanness.

tìrchio Ⓐ a. tight-fisted; stingy; miserly; niggard; mean Ⓑ m. (f. **-a**) miser; skinflint; niggard; cheapskate (*fam.*); tightwad (*fam. USA*).

tirèlla f. trace.

tiremmòlla (*fam.*) Ⓐ m. inv. (*altalena*) see-saw; (*indecisione*) wavering Ⓤ, dithering Ⓤ, shilly-shallying Ⓤ (*fam.*): **un t. di dichiarazioni e smentite**, a see-saw of statements and denials; **i t. del governo sulla riforma**, the government's dithering (*o* shilly-shallying) over the reform; **fare a t.**, to dither; to shilly-shally; to blow hot and cold Ⓑ m. e f. inv. (*persona indecisa*) ditherer; shilly-shallyer (*fam.*).

tireòsi f. (*med.*) thyroid affection.

tireotòssico a. (*med.*) thyrotoxic; hyperthyroidic.

tireotossicòsi f. (*med.*) thyrotoxicosis: hyperthyroidism.

tireotropìna f. (*biol.*) thyrotropin; thyrotrophin; thyroid-stimulating hormone.

tireòtropo a. (*biol.*) thryrotropic; thyroid-stimulating: **ormone t.**,; thyroid-stimulating hormone; thyrotropin; thyrotrophin.

Tirèsia m. (*mitol.*) Tiresias.

tirétto m. drawer.

tiristóre m. (*elettron.*) thyristor.

tiritèra f. 1 (*filastrocca*) nursery rhyme 2 (*estens.*) rigmarole; patter; spiel (*fam.*); same old story: *Attaccò la sua t. sulla bontà dei suoi prodotti*, he started his usual spiel on how good his products were; *È la solita t.*, it's the same old story.

tirlindàna f. paternoster line.

♦**tìro** m. 1 (*trazione*) pull; tug; draught: t. **alla fune**, pull at the rope; (*gioco*) tug-of-war; **animale da t.**, draught animal; **cavallo da t.**, draught-horse; workhorse 2 (*animali che tirano*) team: t. **di buoi**, team of oxen; t. **a due**, two-in-hand; t. **a quattro**, four-in--hand; coach and four; **t. a sei**, coach and six 3 (*il tirare con arma da fuoco*) shooting Ⓤ, firing; (*fuoco*) fire; (*sparo*) shot; (*colpo di arma da getto*) shot, throw; (*mira*) aim; (*portata*) range: **t. a zero**, point-blank firing; **t. a vuoto**, wide (*o* wild) shot; **t. al piattello**, clay-pigeon shooting; trapshooting; **t. al piccione**, pigeon shooting; **t. a segno**, target shooting; (*il luogo*) shooting range; (*in un luna park*) shooting gallery; (*caccia*) **t. a volo**, wing shooting; wing shot; (*sport*) **tiro ad arma libera**, free-rifle (range); (*sport*) **t. con l'arco**, archery; **t. d'appoggio**, supporting fire; **t. da lontano**, long shot; **t. di sbarramento**, barrage (fire); **t. in bianco**, blank fire; (*anche fig.*) **t. incrociato**, crossfire; **t. radente**,

grazing fire; **a t.**, within range; (*fig.*) within reach; **a t. di fucile**, within rifle-shot; within shooting distance; **a un t. di pistola**, within pistol shot; **fuori t.**, out of range; (*fig.*) out of reach; (*anche fig.*) **sotto t.**, under *Mi restano pochi tiri*, I have few shots left; *Con un t. prese due quaglie*, he got two quails with a single shot; (*anche fig.*) **correggere il t.**, to adjust the aim; **regolare il t.**, to adjust fire; **sbagliare il t.**, to miss the target; to be off-target; **venire a t.**, to come into range; **tenere q. sotto t.**, to have sb. covered; (*mil.*) **centrale di t.**, sighting station; central control; **esercitazione di t.**, target practice; **gara di t.**, shooting contest; **poligono di t.**, shooting range; **scuola di t.**, firing-school 4 (*lancio*) throw; cast; (*sport*) shot, throw; (*basket*) **t. a canestro**, shot; (*calcio*) **t. a rete**, shot at goal; (*calcio*) **t. da fermo**, set piece; (*basket*) **t. libero**, free throw; **t. di dadi**, throw at dice; (*calcio*) **t. di testa**, header; **t. deviato**, deflected shot; *Di chi è il t.?*, whose throw is it?; **sbagliare il t.**, to miss the shot [the throw] 5 (*scherzo*) trick; turn: **bel t.**, clever trick; **brutto t.**, dirty (*o* shabby) trick; **t. mancino** (*o* birbone), dirty (*o* nasty) trick; **giocare un t. a q.**, to play a trick on sb. 6 (*fam.: boccata di sigaretta*) puff; pull; drag: **fare** (*o dare*) **un t. a**, to take a puff at; *Mi fai fare un t.?*, can I have a drag? 7 (*fam.: annusata*) sniff: **t. di coca**, sniff of coke; snort ● **a un t. di schioppo** (*o di sasso*), within a stone's throw □ **a t. di voce**, within calling distance; within earshot □ **in t.** (*fam.: elegante*), snazzy; spiffy (*USA*) □ (*fig.*) **venire a t.**, to come to hand: *Se mi viene a t...*, if I get my hands on him...

Tiro f. (*geogr., stor.*) Tyre.

tirocinànte Ⓐ a. training; trainee (attr.) Ⓑ m. e f. trainee; apprentice; novice.

tirocìnio m. apprenticeship; training; training period; practice; (*spec. di medico*) traineeship: **t. didattico**, teaching practice; **t. legale**, legal training; **un t. di sei mesi**, a six-month training period; **fare t.**, to do one's training; to serve one's apprenticeship; **fare t. legale**, to be articled to a lawyer; **corso di t.**, training course.

tiròide f. (*anat.*) thyroid.

tiroidectomìa f. (*chir.*) thyroidectomy.

tiroidectomizzàre v. t. (*chir.*) to thyroidectomize.

tiroidèo a. (*anat.*) thyroid (attr.); thyroidal: **ghiandola tiroidea**, thyroid gland.

tiroidìna f. (*farm.*) thyroid extract.

tiroidìsmo m. (*med.*) thyroidism.

tiroidìte f. (*med.*) thyroiditis.

tirolése Ⓐ a., m. e f. Tyrolese; Tyrolean: **cappello alla t.**, Tyrolese hat Ⓑ f. (*mus.*) Tyrolienne (*franc.*).

Tiròlo m. (*geogr.*) Tyrol; Tirol.

tironiàno a. Tironian: **note tironiane**, Tironian notes.

tirosìna f. (*chim.*) tyrosine.

tirossina → **tiroxina**.

tirotropìna → **tireotropina**.

tiroxina f. (*fisiol.*) thyroxine.

tirrènico a. Tyrrhenian.

tirrèno Ⓐ a. 1 (*stor.*) Tyrrhene 2 (*geogr.*) Tyrrhenian: **il Mar T.**, the Tyrrhenian Sea Ⓑ m. 1 (*stor.*) Tyrrhene 2 (*geogr.*) Tyrrhenian Sea.

tirso m. 1 (*mitol.*) thyrsus* 2 (*bot.*) thyrsus; thyrse.

Tirtèo m. (*letter.*) Tyrtaeus.

tisàna f. infusion; herb tea; tisane.

tisanòttero m. (*zool.*) thysanopteran; (al pl., *scient.*) Thysanoptera.

tisanùro m. (*zool.*) thysanuran; (al pl., *scient.*) Thysanura.

Tìsbe f. (*mitol.*) Thisbe.

tìsi f. (*med.*) tuberculosis (abbr. TB); consumption; phthisis.

tisiàtra m. e f. → **tisiologo**.

tisiatrìa → **tisiologìa**.

tisichézza f. 1 (*med.*) tubercular condition; consumption 2 (*fig.*) extreme thinness; emaciation.

tìsico Ⓐ a. 1 (*med.*) consumptive; phthisical: **morire t.**, to die of consumption (*o* of TB) 2 (*fig.: gracile*) stunted: **alberello t.**, stunted tree 3 (*fig.: misero, stentato*) meagre; poor; paltry Ⓑ m. (f. **-a**) (*med.*) TB sufferer; consumptive.

tisiologìa f. (*med.*) phthisiology.

tisiològico a. phthisiological.

tisiòlogo m. (f. **-a**) phthisiologist.

tissotropìa e *deriv.* → **tixotropìa**, e *deriv.*

tissulàre a. (*biol.*) tissue (attr.).

tissutàle → **tessutale**.

tit. abbr. 1 (*titolare*) (*detentore*) holder; (*proprietario*) owner. 2 (*bibl.*, **titolo**) title.

titanàto m. (*chim.*) titanate.

titànico① a. titanic; gigantic; colossal; enormous: **impresa titanica**, colossal undertaking; **sforzi titanici**, titanic efforts.

titànico② a. (*chim.*) titanic: **acido t.**, titanic acid.

titànio① a. (*lett.*) Titanian; Titanic.

titànio② m. (*chim.*) titanium.

titanìsmo m. (*letter.*) Titanism.

titàno m. 1 (*mitol.*) Titan 2 (*fig.*) titan; giant; colossus.

titanomachìa f. (*mitol., letter.*) Titanomachy.

titillaménto m. titillation; tickling.

titillàre v. t. 1 to tickle 2 (*fig.*) to titillate; to tickle: **t. la fantasia**, to tickle one's fancy.

titìno a. (*polit., stor.*) Titoist.

Tìto m. Titus.

titoìsmo m. (*polit., stor.*) Titoism.

titoìsta a., m. e f. (*polit. stor.*) Titoist.

titolàre① Ⓐ a. 1 (*che ha titolo*) regular; official; appointed: **professore t.**, regular professor 2 (*lett. o eccles.: che ha solo il titolo*) titular: **vescovo t.**, titular bishop 3 (*eccles.*) titular: **santo t.**, titular saint Ⓑ m. e f. 1 (*di ufficio, posto, ecc.*) occupant, incumbent, holder; (*responsabile*) person in charge: **t. di cattedra**, (*all'università*) holder of a chair, full professor; (*nella scuola*) regular teacher; **il t. di un ufficio**, the person in charge of an office 2 (*detentore, portatore*) holder; (*beneficiario*) recipient; **t. di conto**, account holder; **t. di brevetto**, patent holder; **t. di carta di credito**, credit card holder; **t. di pensione**, recipient of a pension; pensioner 3 (*proprietario*) owner; proprietor (m.); proprietress (f.): **t. di diritti d'autore**, copyright owner; **t. di negozio**, owner (*o* proprietor) of a shop 4 (*eccles.*) titular 5 (*sport*) regular player ❶ **FALSI AMICI** • titolare **nei sensi di** occupante, detentore, proprietario **e nel senso sportivo non si traduce con** titular.

titolàre② Ⓐ v. t. 1 (*scherz.: chiamare*) to style; to call 2 (*chim.*) to titrate 3 (*mettere un titolo a*) to title; to entitle; (*giorn.*) to headline; (*cinem., TV*) to title, to insert titles Ⓑ v. i. (*giorn.*) to lead*; (*recare un titolo*) to carry a headline: **t. sul vertice energetico**, to lead with the summit on energy; **t. a piena pagina**, to carry banner headlines.

titolarità f. (*leg.*) title; legal ownership; (*di ufficio, posto*) incumbency.

titolarizzàre v. t. (*econ.*) to securitize.

titolàto Ⓐ a. 1 titled 2 (*nobile*) titled; coroneted 3 (*chim.*) titrated Ⓑ m. (f. **-a**) titled person; nobleman* (f. noblewoman*).

titolatrìce f. (*cinem., TV*) titler.

titolatùra f. 1 titling 2 (*insieme di titoli*) titles (pl.); (*giorn.*) headlines (pl.).

titolazióne f. 1 (*chim.*) titration 2 (*ind. tess.*) count 3 (*giorn.*) headlining; headline writing.

titolétto m. (*tipogr.*) running head (*o* headline); header.

titolìsta m. e f. 1 (*giorn.*) headline writer; (*tipogr.*) headline setter 2 (*cinem.*, *TV*) title designer.

♦**tìtolo** m. 1 (*di libro, film, quadro, ecc.*) title; (*di capitolo, ecc., intestazione*) heading, head; (*giorn.*) headline; (al pl., *cinem.*, *TV*) credits, credits and titles: **il t. di un romanzo** [di una commedia], the title of a novel [of a play]; (*giorn.*) **t. a tutta pagina**, banner headline; screamer; (*tipogr.*) **t. corrente**, running head (*o* headline); header; (*giorn.*) **t. sensazionale**, splash headline; screamer; (*giorn.*) **t. su quattro colonne**, headline on four columns; (*di telegiornale*) **titoli di apertura**, news headlines; (*cinem.*, *TV*) **titoli di coda**, end credits (*o* titles); closing credits (*o* titles); (*cinem.*, *TV*) **titoli di testa**, opening (*o* front) credits; (*cinem.*, *TV*) **titoli che scorrono**, rolling titles; (*giorn.*) **t. a tre colonne**, headline on three columns; (*giorn.*) **a titoli cubitali**, in banner headlines; **senza t.**, untitled; **portare un t.**, to bear a title 2 (*leg.*) title; (*strumento*) title, deed, instrument, writ: **t. di proprietà**, title; (*l'atto*) title deed; **t. esecutivo**, writ of execution; **t. legittimo**, just title; **non avere t. a qc.**, to have no title to st.; **successore a t. universale** [particolare], universal [singular] successor 3 (*dignità*) title: **t. accademico**, academic title; **t. baronale**, baronial title; **t. di cavaliere**, knighthood; **t. di conte**, title of count; **t. ereditario**, hereditary title; **t. nobiliare**, title of rank; aristocratic title; **conferire a q. il t. di cavaliere**, to knight; to confer a knighthood on sb.; **conferire a q. il t. di duca**, to make sb. a duke 4 (*qualifica*) qualification: **t. di studio**, certificate; diploma; degree; educational qualifications (pl.); **titoli accademici** [**professionali**], academic [professional] qualifications; **avere i titoli per un posto**, to have the right qualifications for a position; **concorso per titoli**, competition based on qualifications; **elenco dei titoli allegati**, list of enclosed documents 5 (*sport*) title: **t. di campione del mondo**, world (championship) title; **combattere** [**gareggiare**] **per il t.**, to fight [to compete] for the title; **detentore del t.**, title holder; **partita per il t.**, title match 6 (*appellativo, epiteto*) name; style: **il t. d'eroe**, the name of hero; **Gli diede tutti i titoli possibili**, he called him all possible names 7 (*diritto acquisito*) title; right; claim: **non avere nessun t. per qc.**, to have no right (*o* claim) to st.; not to be entitled to st.; **A che t. me lo chiedi?**, by what right are you asking me?; **a giusto t.**, with every right; **a pieno t.**, with full rights; legitimately 8 (*ragione, motivo*) reason; motive; grounds (pl.): **t. sufficiente**, good enough reason 9 (*documento*) certificate; instrument; paper: **titoli di credito**, certificates of credit; credit instruments 10 (*fin.*) security; (*azione*) share, stock ⓤ; (*obbligazione*) debenture, bond: **titoli al portatore**, stock to bearer; bearer bonds; **titoli a reddito fisso**, fixed-interest securities; **titoli azionari**, shares; **titoli del debito pubblico**, state securities; **titoli di rendita**, annuity bonds; **titoli di Stato**, government (*o* state) securities (*o* bonds); Treasury bills (abbr. **T-bills**); **titoli differiti**, deferred shares; **titoli nominativi**, registered securities; registered stock; **titoli obbligazionari**, bonds; debentures; **titoli ordinari**, common stock; **titoli privilegiati**, preference (*o* preferred) stock (*o* shares); **titoli pubblici**, government securities; government stock; **titoli quotati**, listed securities (*o* stock); **mercato dei titoli**, securities market; **movimento di titoli**, transfer of securities 11 (*chim.*) titre, titer (*USA*); strength: (*autom.*) **t. della miscela**, mixture strength; (*meteor.*) **t. di umidità dell'aria**, water vapour ratio 12 (*metall.*) content; percentage; (*dell'oro, ecc.*) fineness 13 (*ind. tess.*) count 14 (*eccles.*) title ● **a t. di**, as; by way of: **a t. confidenziale**, in confidence; confidentially; (*comm.*) **a t. di acconto**, by way of advance; **a t. d'amicizia**, as a friend; **a t. di curiosità**, out of curiosity; **a t. di esempio**, by way of example; (*fisc.*) **a t. d'imposta**, as a tax; **a t. d'informazione**, by way of information; **a t. di prestito**, as a loan; **a t. di prova**, on trial; **a t. gratuito**, free of charge; voluntary; without consideration; **a t. oneroso**, for a money consideration; **a t. personale**, in a personal capacity; **a t. privato**, in a private capacity; privately; **a t. puramente indicativo**, purely as an indication.

titolóne m. (*giorn.*) banner headline; streamer; screamer.

titubànte a. hesitant; hesitating; doubtful; uncertain; wavering; vacillating; dithering; shilly-shallying (*fam.*): **sorriso t.**, uncertain smile; **voce t.**, hesitant voice; **essere t.**, to hesitate; to waver; to vacillate; to be undecided; to dither; *Mi è sembrato piuttosto t.*, he looked rather uncertain; *Si mostrò t. ad accettare l'impiego*, she was undecided whether to accept the job.

titubànza f. hesitation; hesitancy; indecision; irresolution; wavering; dithering; shilly-shallying (*fam.*): **parlare con t.**, to speak hesitatingly; **dopo molte titubanze**, after much hesitation; after much dithering.

titubàre v. i. to hesitate; to vacillate; to be undecided; to waver; to dither; to shilly-shally (*fam.*).

tivù f. inv. (*fam.*) → **televisione**.

tixotropìa f. (*chim.*) thixotropy.

tixotròpico a. (*chim.*) thixotropic.

tìzia f. woman*; girl; someone: **la t. della cassa**, the woman (*o* the girl) at the cashier's desk; *È venuta una t. a chiedere di te*, a woman came looking for you.

tizianésco a. 1 (*pitt.*) Titian's (attr.) 2 (*di capelli*) Titian; auburn.

Tiziàno Ⓐ m. Titian Ⓑ a. inv. Titian: **capelli color t.**, Titian (*o* auburn) hair; **rosso t.**, Titian red.

tìzio m. man*; fellow; someone; guy (*USA*); chap (*fam. GB*); bloke (*fam. GB e Austral.*): **il t. della lavapiatti**, the dishwasher man; *Conosci quel t. laggiù?*, do you know that man (*o* bloke, guy) over there?; *C'è fuori un t. che ti cerca*, there's someone outside looking for you; *Si è messa con un t. che non conosco*, she's having an affair with someone I don't know ● **T., Caio e Sempronio**, Tom, Dick and Harry.

tizzo, **tizzóne** m. ember; brand (*lett.*); (*di carbone*) coal: **t. ardente**, ember; (*di carbone*) live coal; **t. spento**, dead coal; **nero come un t.**, as black as coal; coal-black ● (*fig.*) **t. d'inferno**, fiend.

tlàspi m. (*bot.*, *Thlapsia arvense*) pennycress.

tlc abbr. (**telecomunicazioni**) telecommunications.

TMEC sigla (**tempo medio dell'Europa centrale**) Central European Time (CET).

tmèsi f. (*ling.*) tmesis*.

TN abbr. (**Trento**).

TNT sigla (*chim.*, **trinitrotuoluolo**) trinitrotoluene (TNT).

TO abbr. (**Torino**) Turin.

to' inter. (*fam.*) 1 (*prendi!*) here!; take it!; here you are!: *To', piglia*, here, take this; *To' i soldi per il giornale*, here's the money for the paper; *Lo vuoi? To'*, do you want it? here you are; *To', questo libro è per te*, here, take this book, it's for you 2 (*escl. di stupore*) hey!; well!; well!: *To', chi si vede!*, hey! look who's here!; hello, stranger! (*iron.*); *To', non ci avevo pensato*, well! I hadn't thought of that.

toast (*ingl.*) m. inv. 1 (*fetta tostata*) slice (*o* piece) of toast 2 (*sandwich tostato*) toasted sandwich.

Tobìa m. Tobias; Tobiah.

tobòga m. inv. 1 (*sport*) toboggan 2 (*scivolo*) slide; chute; (*con acqua*) water chute.

toc inter. knock: «*Toc toc*» «*Chi è?*», «knock knock» «who's there?».

tocàrio m. (*ling.*) Tocharian.

tòcca f. (*metall.*) touch needles (pl.).

toccàbile a. 1 touchable 2 (*fig.*, anche **t. con mano**) tangible; palpable.

toccànte a. (*commovente*) touching; moving; affecting.

♦**toccàre** Ⓐ v. t. 1 to touch; (*tastare, saggiare*) to feel*; to finger; (*maneggiare*) to handle: **t. la fronte a q.**, to touch sb.'s forehead; (*sport*) **t. la palla con le mani**, to handle the ball; *Mi toccò col gomito e ridacchiò*, she nudged me and chuckled; *Lo toccò sulla spalla per avvertirlo*, he tapped him on the shoulder to warn him; *Si sbriciola solo a toccarlo*, it crumbles at the touch; *Non l'ho toccata neanche con un dito*, I never laid a finger on her; *Si prega di non t. la merce*, please do not handle the goods 2 (*spostare, manomettere*) to move; to touch; to tamper with; (*modificare*) to change: **t. le carte di q.**, to touch sb.'s papers; **non t. una virgola**, not to change a word; *La traduzione è fatta e non intendo toccarla più*, the translation is ready and I do not intend to make any more changes 3 (*essere a contatto con*) to touch: *Lo schienale della sedia tocca il muro*, the back of the chair touches the wall 4 (*raggiungere*) to reach; to touch; to hit*; (*assol., in acqua*) to touch bottom: **t. il fondo**, (*in acqua*) to touch bottom; (*fig.*) to hit the bottom, to reach rock-bottom; **t. livelli record**, to hit record levels; **t. la meta**, to reach one's goal; **t. il minimo**, to reach rock bottom; (*Borsa*) to drop to a low; **t. il punto massimo**, to reach a peak; **t. terra**, (*sfiorare il suolo*) to reach the ground; to sweep the ground; (*naut.*) to land; (*aeron.*) to land, to touch down; **t. i trecento all'ora**, to touch 300 km an hour; **t. la velocità del suono**, to reach the speed of sound; *La sua testa quasi toccava il soffitto*, his head almost touched the ceiling; *Le cime dei monti sembravano t. il cielo*, the mountain tops seemed to touch the sky; *Si tocca lì?*, can you touch bottom over there? 5 (*usare*) to touch: **non t. cibo per tre giorni**, not to touch food for three days; *Non tocco il violino da sei anni*, I haven't touched the violin for six years; *Non ha mai toccato un libro*, she has never opened a book 6 (*passare da un luogo*) to pass through; (*visitare*) to visit; (*fare scalo*) to call at: *Abbiamo toccato le principali città*, we visited the main cities; *La nave toccherà Atene e Istanbul*, the ship will call at Athens and Istanbul 7 (*offendere, ferire*) to touch, to hurt*; to harm; (*criticare*) to criticize: **t. q. nell'onore**, to offend sb.'s honour; **t. q. nell'orgoglio**, to hurt sb.'s pride; *Le loro critiche non lo toccano*, their criticism doesn't trouble me; *Guai a toccarle suo figlio!*, you dare not criticize her son; *Non bisogna toccarlo nei suoi principi religiosi*, you mustn't offend his religious principles 8 (*commuovere*) to touch; to move; to affect: *Le sue parole ci hanno toccato profondamente*, her words affected (*o* moved) us deeply 9 (*riguardare*) to concern; to affect; to touch; to regard: *Mi tocca da vicino*, it concerns me closely; *La cosa non mi tocca personalmente*, it down's affect me personally 10 (*accennare a, sfiorare*) to touch on (*o*

upon); to mention: **t. un argomento**, to touch on a subject; **t. qc. sfuggita**, to mention st. in passing **11** (*fam.*: *prendere, buscare*) to get*: *Stasera le tocchi!*, you'll get a beating tonight! **12** (*scherma*) to touch, • **t. i bicchieri** (*per brindare*), to clink (*o* to touch) glasses □ (*fig.*) **t. il cielo con un dito**, to be in the seventh heaven; to walk on air; to be on cloud nine (*fam.*) □ (*fig.*) **t. qc.** (*con mano*), to see st. with one's own eyes (*o* for oneself); to have proof of st. □ (*fig.*) **t.** **la corda giusta**, to strike the right chord □ **t. il cuore a q.**, to move sb. □ (*fig.*) **t. ferro**, to touch wood □ (*fig.*) **t. nel segno**, to hit the mark □ (*fig.*) **t. sempre lo stesso tasto**, to harp on the same string □ (*fig.*) **t. q. sul vivo**, to touch sb. on the quick (*o* on the raw) □ (*fig.*) **t. un tasto delicato**, to touch on a sore point (*o* a tender spot) (with sb.) □ *Non lo toccherei neanche con le molle*, I wouldn't touch it with a barge pole **B v. i. 1** (*accadere, capitare*) to happen; (*toccare in sorte*) to be (sb.'s) lot, to fall* to (sb.'s) lot, to befall* (sb.) (*lett.*) *Mi spiace per quel che gli è toccato*, I'm sorry for what happened to him; *A chi tocca, tocca*, that's fate; it's the luck of the draw **2** (*ricadere*) to fall* (to); to fall* (on, upon); (*dovere, essere costretto*) to have (pers.), to be obliged (*personale*): *Toccò a me dargli la notizia*, it fell to me to break the news to him; *La maggior parte del lavoro tocca a me*, most of the work falls upon me; *Mi toccò tornare indietro*, I had to go back; *Tocca sempre a me pagare*, I'm the one who always has to fork out the money; *Gli tocca fare il lavoro più ingrato*, he's been lumbered with the worst job; *Cosa mi tocca sentire!*, I can't believe my ears! **3** (*spettare*) to be (sb.'s) duty (*o* job); to be for (sb. to do st.): *Non toccava a te giustificarlo*, it was not your job to justify him; *Non tocca a me decidere*, it's not for me to decide **4** (*andare di diritto*) to be entitled (pers.); to have a right (pers.); (*essere assegnato*) to go* (to); (*essere dovuto*) to be (sb.'s) due; (*ottenere*) to get* (pers.): *Mi toccano dieci giorni di congedo*, I am entitled to ten days' leave; *Voglio solo quel che mi tocca*, I only want my due (*o* what's mine by right); *L'eredità è toccata interamente al nipote*, the inheritance went entirely to his nephew; *Mi toccò solo un quinto*, I only got one fifth **5** (*essere il turno*) to be (sb.'s) turn; to be next (*personale*): (*in un gioco*) *Tocca a te*, it's your turn to play; (*a dama, a scacchi*) it's your move; (*in una coda*) you are next; *A chi tocca muovere?*, whose move is it?; *Tocca a te fare le carte*, it's your turn to deal; it's your deal; *A chi toccano i piatti?*, whose turn is it to do the dishes?; *Sotto a chi tocca!*, who's next? **C toccàrsi** v. rifl. (*eufem.*: *masturbarsi*) to abuse oneself **D toccàrsi** v. rifl. recipr. to touch (each other, one another); to meet*: *Le loro schiene si toccavano*, their backs touched; *Gli estremi si toccano*, extremes meet.

toccasàna m. inv. (*anche fig.*) cure-all; panacea; universal remedy.

toccàta f. **1** touch; (*palpata*) feel: **una t. di mano**, a touch of the hand; *Da' una t. a questo velluto*, feel (*o* have a feel of) this velvet **2** (*mus.*) toccata*.

toccatìna f. **1** light touch; brush; (*palpata*) quick feel; (*eufem.*) quick grope **2** (*mus.*) toccatina; short sonata prelude.

toccàto a. **1** (*scherma e fig.*) touché (*franc.*) **2** (*trattato, affrontato*) touched on; dealt with **3** (*commosso*) touched; moved **4** → **tocco** ①.

toccatùre f. (*med.*) dabbing.

toccatùtto m. e f. (*scherz.*) – *È un t.*, he can't keep his hands off things; he has to touch everything he sees.

tòcchete → **toc**.

tócco ① a. (*mattoide*) touched; funny (in the head); weird; cracked (*slang*); screwy (*slang*); loopy (*slang*).

tócco ② m. **1** (*atto di toccare*) touch; (*sfioramento*) stroke; (*palpata*) feel: **il t. di una mano sudata**, the touch of a sweaty hand; **un t. di bacchetta magica**, a touch of the magic wand; **t. di pennello**, stroke of the brush; brush stroke; (*anche fig.*) **il t. finale**, the finishing touch (*o* stroke) (*anche fig.*) **gli ultimi tocchi**, the finishing touches; *Basta il minimo t. per mandarlo in frantumi*, the slightest touch is enough to shatter it; **avere il t. leggero**, to have a light touch; **riconoscere qc. al t.**, to recognize st. by the feel of it **2** (*di pianista, artista e fig.*) touch: **il t. dell'artista [del maestro]**, the touch of the artist [of the master]; **il t. raffaellesco**, the Raphael touch; **t. personale**, personal touch **3** (*colpo battuto*) knock; rap; tap; (*rintocco*) stroke; (*rintocco funebre*) knell, toll: **due tocchi all'uscio**, two knocks at the door; **due tocchi di campana**, two strokes of the bell; **un t. di orologio**, a stroke of the clock **4** (*l'una*) one pm; one o' clock: **al t.**, at one o'clock **5** (*accenno, un poco*) touch, dab; (*sfumatura*) shade, hint, tinge: **un t. di colore [di allegria]**, a touch of colour [of gaiety] **un t. di rossetto**, a dab of lipstick; **darsi un t. di cipria**, to dab one's face with powder; *C'era un t. di delusione nella voce*, there was a hint of disappointment in his voice.

tòcco ③ m. (*pezzo*) piece; chunk; hunk: **un t. di carne [di formaggio]**, a chunk of meat [of cheese]; (*fam.*) **un t. d'uomo**, a big hunk of a man; (*fam.*) **un bel t. di ragazza**, a gorgeous girl.

tòcco ④ m. **1** (*copricapo di magistrato, professore, ecc.: rotondo senza tesa*) cap, toque; (*con tesa quadrata*) square cap, mortarboard: **in t. e toga**, in cap and gown **2** (*cappello femminile*) toque.

tocoferòlo m. (*biol.*) tocopherol.

toelètta → **toilette**.

tòfo m. (*med.*) tophus*; chalkstone.

tofu m. (*alim.*) tofu; bean curd.

tòga f. **1** (*stor.*) toga: **t. virile**, toga virilis **2** (*di magistrato, ecc.*) robe; gown: **in tocco e t.**, in cap and gown **3** (*estens.: la magistratura*) (the) judiciary; (*la professione legale*) (the) legal profession; (the) Bar.

togàto a. **1** (*stor.*) togaed; clad in a toga **2** (*di magistrato, ecc.*) gowned; robed; (*estens., di giudice*) stipendiary: **giudice t.**, stipendiary magistrate **3** (*fig.: ampolloso*) dignified; solemn; pompous.

♦tògliere A v. t. 1 (*rimuovere spostando*) to take* (away, off, down, out); to remove; (*indumenti*) to take* off; (*estrarre*) to extract, to take* out, to pull out, to get* out; (*rimuovere strofinando*) to rub off; (*spazzolando*) to brush off; (*tirando*) to pull out; (*con due dita*) to pick; (*con un colpetto*) to flick off; (*sgomberare*) to clear: **t. le bende**, to remove the bandages; **t. un chiodo dal muro**, to pull a nail out of the wall; **t. il cibo di bocca a q.**, to take the food out of sb.'s mouth; **t. un dente**, to take out (*o* to pull out, to extract) a tooth; **t. un libro dallo scaffale**, to take (*o* to get) a book off the shelf; **t. una macchia da un vestito**, to remove a stain from a dress; **t. le mani di dosso a q.**, to take one's hands off sb.; **t. un quadro dalla parete**, to take down a picture; **t. i sigilli**, to remove (*o* to break) the seals; **t. qc. di mano a q.**, to take st. from sb.; **togliersi la giacca**, to take off one's jacket; **togliersi i guanti**, to take (*o* to pull) off one's gloves; **togliersi di dosso i vestiti**, to take off one's clothes; to strip; *Togliete di lì quella roba*, take that stuff away from there; *Togli il cappotto al bambino*, take the child's coat off; *Togli le mani di tasca*, take

your hands out of your pockets; *Lei gli tolse un capello dalla manica*, she picked a hair off his sleeve; *L'hanno tolto da quella scuola*, they took him away from that school; *Mi hanno tolto le tonsille*, I had my tonsils out **2** (*revocare*) to lift; (*eliminare*) to cut*, to strike*: **t. un divieto**, to lift a ban; **t. l'embargo**, to lift the embargo; **t. una frase da un articolo**, to cut a sentence out of an article; **t. un nome da un elenco**, to strike a name off a list; *Gli hanno tolto l'incarico*, they removed him from office **3** (*dedurre, sottrarre*) to take* away; to subtract; to deduct: **t. cinque da sette**, to take five from seven; **t. il venti per cento dal prezzo**, to deduct twenty per cent from the price **4** (*liberare*) to free; to relieve; to rescue; to get* out: **t. q. dai pasticci**, to get sb. out of trouble **5** (*sottrarre*) to take*; to steal*; to lift; to pinch (*fam.*): **t. ore allo studio**, to steal hours from one's studies; *La morte gli ha tolto due figli*, death took (off) two of his children • (*mil.*) **t. l'assedio [il blocco]**, to raise the siege [the blockade] □ **togliersi un capriccio**, to satisfy (*o* to indulge) a whim □ (*mecc.*) **t. il carico da una molla**, to relieve a spring □ **t. il contatto**, to break contact □ **t. la corrente**, to cut off the electricity □ **t. una curiosità a q.**, to satisfy sb.'s curiosity: *Toglimi una curiosità, quanti anni ha sua moglie?*, tell me something, how old is his wife? □ (*fig.*) **t. q. dalla strada**, to pick sb. up out of the gutter □ **togliersi qc. dalla testa**, to get st. out of one's head; to forget st.: *Toglitelo dalla testa!*, forget it! □ **t. di mezzo qc.**, to get rid of st.; to clear away st.; to do away with st.: *Togli di mezzo quella sedia*, take that chair out of the way □ **t. di mezzo q.**, to get rid of sb.; (*uccidere o imprigionare*) to put sb. out of the way, to dispose of sb. □ **t. il disturbo** (*andarsene*), to take one's leave □ **t. un dubbio a q.**, to clear up a doubt for sb.: *Toglimi un dubbio: arrivano domenica o lunedì?*, tell me something, are they coming on Sunday or on Monday? □ **t. la fame a q.**, to appease sb.'s hunger □ **t. il fiato a q.**, to take sb.'s breath away; (*assillare*) to pester □ **t. il freno**, to release the brake □ (*naut.*) **t. gli ormeggi**, to unmoor □ **t. la parola a q.**, not to allow sb. to speak any further; to cut somebody short □ **t. le parole di bocca a q.**, to take the words out of sb.'s mouth □ **togliersi il pensiero**, to get st. off one's mind □ **t. il saluto a q.**, to cut sb. □ **t. la seduta**, to adjourn the meeting □ **t. la sete**, to quench (sb.'s) thirst □ **t. il sonno a q.**, to keep sb. awake □ (*naut.*) **t. il vento a**, to blanket □ **t. la vita a q.**, to take sb.'s life □ **togliersi il gusto di**, to give oneself the satisfaction of □ **togliersi di torno** (*o* **dai piedi**) **q.** [**qc.**], to get sb. [st.] out of one's way; to get rid of sb. [st.] □ **togliersi un peso dalla coscienza**, to relieve (*o* to get a weight off) one's conscience □ **togliersi un peso dal cuore**, to get a load off one's chest, to be relieved; (*rivelando qc.*) to get st. off one's chest □ **togliersi la vita**, to take one's own life □ **togliersi un vizio**, to break a habit □ **togliersi la voglia di**, to satisfy one's desire for □ *Ciò non toglie che loro siano...*, the fact remains that they are...; that doesn't mean that they aren't... **B tògliersi** v. rifl. (*allontanarsi*) to get* away [off, out, etc.]; to go* away: *Toglietevi di lì*, get away from (*o* out of) there; *Togliti!*, move over!; get out of the way!; *Togliti dalla mia sedia!*, get off my chair; **togliersi dai piedi** (*o* **togliersi di mezzo**), to get out of the way; (*andarsene*) to clear off (*o* out); **togliersi da un impiccio**, to get out of a scrape.

togolése a., m. e f. Togolese.

♦toh → **to'**.

toilette (*franc.*) f. inv. **1** (*il mobile*) dressing table; toilet table **2** (*camerino*) dressing

room **3** (*gabinetto*) toilet; rest room (*USA*): **t. per signore**, ladies' (room); **t. per uomini**, men's toilet; gents'; **andare alla t.**, to go to the toilet **4** (*cura della persona*) toilet: **fare t.**, to be at one's toilet; **passare ore a far t.**, to spend hours over her one's toilet. **5** (*abito elegante*) dress; outfit; costume: **t. da sera**, evening dress; evening gown.

toiletteria f. toiletries (pl.).

tokàj m. (*enologia*) Tokay.

tokamak m. inv. (*fis.*) tokamak.

Tòkio f. (*geogr.*) Tokyo.

tòlda f. (*naut. stor.*) main deck.

tolemàico a. Ptolemaic: **il sistema t.**, the Ptolemaic system.

tolétta → **toilette**.

tolettàre (*zool.*) **A** v. t. to groom **B** **tolettàrsi** v. i. pron. to groom oneself.

tolettatùra f. (*zool.*) grooming.

tòlla f. (*region.*) tin; tinplate ● **faccia di t.**, face, nerve, gall; cheek.

tolleràbile a. **1** (*sopportabile*) tolerable; endurable; bearable **2** (*passabile*) tolerable; passable; fairly good.

tollerabilità f. tolerability; tolerableness; bearableness.

tollerabilménte avv. tolerably; reasonably; fairly.

tolleSelf a. **1** (*che sopporta*) enduring; (*paziente*) patient, forbearing **2** (*comprensivo*) understanding; (*indulgente*) indulgent; easy-going **3** (*aperto, rispettoso*) tolerant; broadminded.

tollerànza f. **1** (*sopportazione, resistenza*) tolerance; endurance: **avere t. per il freddo**, to tolerate (*o* to be able to stand) the cold; **avere t. per il dolore**, to be able to endure pain; **avere poca t. per qc.**, to have a limited tolerance to st.; **limite di t.**, limit to (sb.'s) endurance **2** (*comprensione*) understanding; (*indulgenza*) indulgence **3** (*accettazione, rispetto*) tolerance; toleration; broadmindedness: **t. del culto**, religious toleration; **t. politica** [**religiosa**], political [religious] tolerance; **avere spirito di t.**, to be tolerant **4** (*margine, scarto*) tolerance; margin; leeway: **una t. di dieci minuti sull'orario stabilito**, a ten-minute margin on the fixed time; **lasciare un certo margine di t.**, to leave some leeway **5** (*comm.*) allowance: **t. sul peso**, weight allowance; allowance on weight **6** (*mecc.*) tolerance **7** (*med.*) tolerance: **t. a un farmaco**, drug tolerance; **dose di t.**, tolerance dose ● (*polit.*) **t. zero**, zero tolerance □ **casa di t.**, brothel.

tolleràre v. t. **1** (*sopportare*) to bear*; to endure; to stand*; to tolerate; to put* up with; to stomach: **t. un insulto**, to endure an insult; *Non tollero quell'individuo*, I can't stand (*o* abide) that man; *Devo tollerarla anche se mi è antipatica*, much as I dislike her, I have to put up with her **2** (*ammettere, permettere, accettare*) to tolerate; to allow; to stand* for (solo al neg.); to stomach; to countenance: **t. i capricci di q.**, to tolerate sb.'s whims; **t. che un'azione resti impunita**, to allow a deed to go unpunished; **non t. sprechi**, not to tolerate waste; *Non tollero la sua volgarità*, I cannot stomach his coarseness; *Non intendo t. che ci si comporti così*, I won't stand for (*o* tolerate) that sort of behaviour; *Non tollero che tu risponda così a tua madre*, I won't have you answer back to your mother **3** (*sopportare fisicamente*) to bear*; to endure; to stand*; (*anche med.*) to tolerate; (*rif. a cibo*) to stomach: **t. il dolore**, to bear (*o* to endure) pain; **t. il freddo**, to stand (*o* to tolerate) the cold; **t. una medicina**, to tolerate a medicine; *Non tollero i latticini*, I cannot stomach milk products; milk products upset my stomach; *Non tollero l'odore di benzina*, I cannot stand the smell of petrol **4** (*consentire, concedere*) to allow; to

accept: **t. qualche minuto di ritardo**, to allow a few minutes' delay.

Tolomèo m. (*stor.*) Ptolemy.

Tolóne f. (*geogr.*) Toulon.

Tolósa f. (*geogr.*) Toulouse.

toltèco a. e m. (f. **-a**) Toltec.

tòlto **A** a. (*eccetto*) except for; with the exception of; bar **B** m. – **mal t.** → **maltolto**.

tolù m. (*bot.*, *Toluifera balsamum*) tolu (balsam).

toluène m. (*chim.*) toluene.

tolùico a. (*chim.*) toluic.

toluidìna f. (*chim.*) toluidine: **blu di t.**, toluidine blue.

toluòlo m. (*chim.*) toluene.

tomàia f., **tomàio** m. upper; vamp.

tomaifìcio m. uppers factory.

tomàre v. t. (*naut.*) to gybe, to gibe.

tomatillo m. (*bot.*, *Physalis ixocarpa*; *la bacca*) tomatillo.

◆**tómba** f. **1** tomb; grave; vault: **t. di famiglia**, family vault; family plot; **le tombe dei re di Francia**, the tombs of the kings of France; **dalla culla alla t.**, from the cradle to the grave; **avere un piede nella t.**, to have one foot in the grave; **portare q. alla t.**, to be the death of sb.; to kill sb.; **portare un segreto nella t.**, to carry a secret to the grave; (*fig.*) *Sarò una t.*, my lips are sealed; **muto come una t.**, as silent as the grave; **silenzio di t.**, deathly silence; **voce di t.**, sepulchral voice **2** (*fig.*, *di luogo*) tomb; gloomy place.

tombàcco m. (*metall.*) tombac.

tombàle a. tomb (attr.); grave (attr.): **pietra t.**, tombstone; gravestone ● **silenzio t.**, deathly silence.

tombaménto m. (*edil.*) filling.

tombarèllo m. (*trasp.*) tipper.

tombaròlo m. (*gergale*) grave-robber.

tombìno m. **1** (*coperchio*) manhole cover; drain cover **2** (*pozzetto*) manhole; gully-hole.

◆**tómbola**① f. (*gioco*) bingo; lotto: **giocare a t.**, to play bingo; **fare t.**, to win; *T.!*, bingo!; house!

tómbola② **A** f. (*fam.*) fall; tumble: **fare una t.**, to take a tumble; to come a cropper (*fam.*) **B** inter. oops!; oops-a-daisy!

tombolàre **A** v. i. (*fam.*, *anche fig.*) to tumble; to come* tumbling down: **t. giù da cavallo**, to tumble off one's horse; **t. dalle scale**, to tumble down the stairs **B** v. t. (*fam.*) to tumble down.

tombolàta f. (a) game of bingo (*o* of lotto).

tómbolo① m. (*capitombolo*) fall; tumble: **fare un t.**, to take a tumble; to come a cropper (*fam.*).

tómbolo② m. **1** (*cuscino cilindrico*) bolster **2** (*cuscino per merletti*) lace pillow: **lavorare al t.**, to make lace on a lace pillow; **merletto al t.**, pillow lace; bobbin lace **3** (*fam. scherz.*: *persona grassoccia*) tubby person; roly-poly person; podge (*fam.*).

tómbolo③ m. (*geogr.*) tombolo; sand bar.

tombolóne m. (*fam.*) headlong tumble.

toménto m. (*bot.*) tomentum*.

tomentóso a. (*bot.*) tomentose; tomentous.

tomìsmo m. (*filos.*) Thomism.

tomìsta m. e f. (*filos.*) Thomist.

tomìstico a. (*filos.*) Thomistic.

Tommàso m. Thomas ● **San T. d'Aquino**, St Thomas Aquinas □ (*fam.*) **essere come San T.**, to be a Doubting Thomas.

tòmo① m. **1** (*parte di opera a stampa*) volume; tome: **un vocabolario in otto tomi**, a dictionary in eight volumes **2** (*antiq. o*

scherz.) tome.

tòmo② m. (*fam.*) character; card; customer: **bel t.**, funny character; funny one; oddball; queer customer.

tomografia f. (*med.*: *la tecnica*) tomography; (*l'esame*) (tomographic) scan: **t. assiale computerizzata** (abbr. TAC), computerized axial tomography (abbr. CAT); (*l'esame*) CAT scan.

tomogràfico a. (*med.*) tomographic.

tomògrafo m. (*med.*) tomograph.

tomogràmma m. (*med.*) tomogram.

tomtòm m. inv. (*mus.*) tom-tom.

ton inter. dong.

tònaca f. **1** (*di frate*) frock, habit; (*di monaca*) habit; (*di prete*) cassock, soutane (*franc.*): **gettare la t.**, to give up the frock; **gettare la t. alle ortiche**, to leave the priesthood; **vestire la t.**, to take the habit; (*di monaca*) to take the veil **2** (*anat.*) tunic; tunica **3** (*metall.*) loam mould.

tonacèlla f. (*eccles.*) tunicle; dalmatic.

tonàle a. (*ling.*, *mus.*, *pitt.*) tonal; tone (attr.): **accordo t.**, tonal chord; **elementi tonali**, tonal elements; **lingue tonali**, tone languages; **pittura t.**, tone painting; (*mus.*) **serie t.**, tone row.

tonalìsmo m. (*mus.*, *pitt.*) tonalism.

tonalità f. **1** (*sfumatura*) shade; tone: **una t. di rosso**, a shade of red; **nelle t. del verde**, in shades of green; *Non mi piacciono le t. che hai scelto per il salotto*, I don't like your colour scheme for the lounge **2** (*pitt.*) tonality **3** (*mus.*) tonality: **la t. di re minore**, the tonality of D minor.

tonànte a. thundering; thunderous; booming; resounding: **voce t.**, thundering (*o* booming) voice ● **Giove T.**, Jove the Thunderer.

tonàre → **tuonare**.

tónchio m. (*zool.*) weevil; beetle: **t. dei piselli**, pea beetle.

tonchióso a. infested with weevils; weevily.

tondeggiaménto m. (*rotondità*) roundness; rounded shape.

tondeggiànte a. rounded; roundish; round: **alture tondeggianti**, rounded hills; **fianchi tondeggianti**, rounded hips; **forma t.**, rounded shape; **viso t.**, roundish face.

tondeggiàre v. i. to be roundish.

tondèllo m. **1** round; disc **2** (*numism.*) flan; planchet.

tondìno m. **1** (*dischetto*) round; disc **2** (*piattino*) saucer **3** (*sottobicchiere*) coaster **4** (*profilato di ferro*) iron rod; (*edil.*) reinforcement rod **5** (*archit.*) astragal.

◆**tóndo** **A** a. **1** round: **ballo t.**, round dance; **cappello t.**, round hat; **parentesi tonda**, parenthesis; round bracket; **viso t.**, round face **2** (*grassoccio*) chubby; plump **3** (*fig.*: *preciso*) round; full; exact: **cifra tonda**, round figure; **il totale in cifra tonda**, the total in round figures; the round figure; **fare cifra tonda**, to round up [down] a figure; to make it a round figure; **un mese t.**, a full month; **due settimane tonde**, a full two weeks; *Sono diecimila tonde tonde*, it's ten thousand exactly **4** (*tipogr.*, *di carattere*) Roman **B** m. **1** (*cerchio*) circle; ring; (*sfera*) globe, sphere: **disegnare un t.**, to draw a circle; **danzare in t.**, to dance in a ring; **girare in t.**, to go round and round; to go round in circles **2** (*pitt.*, *scult.*: *medaglione*) tondo*; roundel; medallion: **t. di terracotta**, terracotta roundel **3** (*disco*) round; disc **4** (*piatto*) (round) plate **5** (*sottocoppa*) coaster **6** (*tipogr.*) Roman (type) ● **a tutto t.**, (*scult.*) in full relief, in the round; (*fig.*) drawn in the round: **scultura a tutto t.**, full-relief sculpture □ **chiaro e t.** → **chiaro**.

tondóne m. round beam.

tonèma m. (*ling.*) toneme.

toner (*ingl.*) m. inv. (*tecn.*) toner.

tonfàno m. (*di fiume*) pool.

tónfete inter. thud; plonk; (*in acqua*) splash, plop.

tónfo m. 1 (*rumore*) thud; plonk; (*in acqua*) splash, (*lieve*) plop: **il t. misurato dei remi**, the steady splash of the oars; **t. sordo**, dull thud; **cadere con un t.**, to fall with a thud; to thud (onto st.); to splash (into st.) 2 (*caduta*) fall; tumble 3 (*fig.*: *crollo*) crash, nose-dive; (*sconfitta*) defeat, cropper (*slang*): **il t. della Borsa**, the crash on the Stock Exchange; **subire un t.**, to crash; to come a cropper (*slang*).

tòni m. inv. circus clown.

tònica f. 1 (*ling.*) tonic (syllable) 2 (*mus.*) tonic; keynote.

tonicità f. tonicity.

tònico A a. 1 (*ling.*) tonic; stressed; accented: **accento t.**, tonic accent; stress accent; **sillaba tonica**, tonic syllable 2 (*mus.*) tonic 3 (*med.*) tonic: **spasmo t.**, tonic spasm 4 (*stimolante*) tonic: **acqua tonica**, tonic (water); **amaro t.**, (tonic) bitter B m. 1 (*ricostituente, stimolante*) tonic; cordial; pick-me-up (*fam.*) 2 (*cosmesi*) toner: **t. per la pelle**, skin toner.

tonificànte A a. tonic; invigorating; (*spec. di aria*) bracing B m. (*cosmesi*) tonic; toner.

tonificàre v. t. to tone up; to tonify; to invigorate; to brace: **t. i muscoli**, to tone up the muscles; *Una doccia ti tonificherà*, you'll find a shower invigorating.

tonificazióne f. toning up; tonification.

tonitruànte a. 1 thundering; booming 2 (*fig.*) booming; stentorian.

tonnàra f. tunny-fishing nets (pl.).

tonnaròtto m. tuna fisherman*.

tonnàto a. (*cucina*) tuna (attr.); tunny (attr.); with tuna sauce: **salsa tonnata**, tuna (o tunny) sauce; **vitello t.**, veal with tuna sauce.

tonneau (*franc.*) m. inv. 1 (*autom.*) tonneau cover 2 (*aeron.*) snap roll.

tonneggiàre v. t., **tonneggiàrsi** v. rifl. (*naut.*) to warp; to kedge.

tonnéggio m. (*naut.*) 1 (*manovra*) warping; kedging: **ancora di t.**, kedge (anchor); **cavo di t.**, warp; kedge rope 2 (*cavo*) warp; kedge rope.

tonnellàggio m. (*naut.*) tonnage: **t. di dislocamento**, displacement tonnage; **t. di registro**, register tonnage; **t. di stazza**, tonnage; **t. lordo** [**netto**], gross [net] tonnage.

♦**tonnellàta** f. 1 ton: **t. metrica**, metric ton; tonne; **t. americana**, short (o net) ton (*907,18 kg*); **t. inglese**, long ton (*1016 kg*) 2 (*naut.*) ton: **t. di dislocamento**, displacement ton; **t. d'ingombro**, measurement (o shipping) ton; **t. di noleggio**, freight ton; **t. di stazza** (o di registro), register ton; ton capacity; **portata in tonnellate**, ton burden.

tonnétto m. 1 (*zool., Euthynnus alleteratus*) little tunny; little tuna; false albacore; mackerel tuna 2 (*cucina*) tuna in brine; pickled tuna.

tonnìna f. (*cucina*) tuna in brine; pickled tuna.

♦**tónno** m. 1 (*zool., Thunnus thynnus*) tuna; tunny (fish) 2 (*la carne*) tuna: **t. al naturale**, tuna in brine; pickled tuna; **t. sott'olio**, tuna in oil; **spaghetti al t.**, spaghetti with tuna.

♦**tòno** m. 1 (*fis.*) tone 2 (*mus.*) tone; (*intonazione*) tune; (*altezza*) pitch; (*chiave*) key; (*nota*) note: **t. di do**, key of C; **t. maggiore** [**minore**], major [minor] key; **il dolce t. di una viola**, the sweet tone of a viola; **intervallo di tre toni**, three-tone interval; **quarti di t.**,

quarter-tones; **calare di t.**, to fall in pitch; **calare** [**salire**] **di un t.**, to fall [to rise] by a tone; **dare il t.**, to give the note; **dare il t. a uno strumento**, to tune an instrument; **essere in t.** [**fuori t.**], to be in tune [out of tune] 3 (*ling.*) tone 4 (*inflessione*) tone; (*timbro*) timbre; (*altezza*) pitch; (*accento*) accent, strain: **il t. della voce**, the tone of sb.'s voice; **t. acuto**, high-pitched tone; **t. aspro** [**dolce, alto, basso**], harsh [sweet, high, low] tone; **t. canzonatorio** [**altezzoso, imperioso, di preghiera**], mocking [haughty, commanding, pleading] tone; **in t. altezzoso**, in a haughty tone; **t. sommesso**, subdued tone; undertone; **in** (o con) **t. sommesso**, in an undertone; softly; quietly; **abbassare** [**alzare**] **il t. della voce**, to lower [to raise] one's voice; **cambiar t.**, to use a different tone; (*fig.*: *cambiar musica*) to change one's tune; *Non rispondermi con quel t.* (*di voce*)*!*, don't answer me in that tone (of voice)!; **regolatore del t.**, tone-control 5 (*di colore*) tone; hue; shade: **toni scuri** [**accesi**], dark [bright] tones; **toni freddi** [**caldi**], cold [warm] tones (o hues); **i toni del verde**, shades of green; **toni sfumati**, subtle tones 6 (*med.*) tone; tonus*: **t. cardiaco**, heartbeat; **t. muscolare**, muscle tone; tonus; **dare t. ai muscoli**, to tone up the muscles 7 (*carattere, stile, tenore*) tone; style; tenor; (*aria*) air, airs (pl.): **il t. di un articolo**, the tone of an article; **t. di vita**, life style; **in t. dimesso**, simply; unobtrusively; **dare un certo t. a qc.**, to lend a certain tone to st.; **dare il t. a qc.**, to set the tone of st.; **darsi t.**, to put on airs; to make oneself important; **darsi un t. da intellettuale**, to affect an intellectual air ● (*fig.*) **calare di t.**, to go down; to deteriorate; **giù di t.** (*non in forma*), out of sorts; off □ **in t. con**, in keeping with; (*intonato*) matching: **guanti in t. col cappello**, gloves matching the hat □ **non in t. con**, out of keeping with; not in accord with; at odds with: *Le sue parole non erano in t. con la sua espressione*, his words were not in accord with his expression □ (*fig.*) **in t. minore**, subdued; low-key (attr.) □ **rispondere a t.**, (*a proposito*) to answer to the point; (*per le rime*) to answer back □ **sotto t.**, (*giù di forma*) below par, off; (*dimesso*) quiet, subdued, low-key (attr.) □ **su di t.**, (*in forma*) very fit, in high spirits; (*raffinato*) stylish, classy (*fam.*) □ **Se la metti su questo t...**, if that's your attitude...

tonofilaménto m. (*biol.*) tonofilament.

tonometrìa f. (*fis., chim., med.*) tonometry.

tonòmetro m. (*mus., chim., med.*) tonometer.

tonsìlla f. (*anat.*) tonsil: **farsi togliere le tonsille**, to have one's tonsils out.

tonsillàre a. (*anat.*) tonsillar.

tonsillectomìa f. (*chir.*) tonsillectomy.

tonsillìte f. (*med.*) tonsillitis.

tonsillòtomo m. (*chir.*) tonsillotome.

tonsùra f. (*eccles.*) tonsure.

tonsuràre v. t. (*eccles.*) to tonsure.

tonsuràto (*eccles.*) A a. tonsured B m. tonsured person.

tontìna f. (*stor.*) tontine.

tónto A a. dull; slow; dense; thick-headed B m. (f. **-a**) idiot; blockhead; lump; (*sempliciotto*) simpleton ● **fare il finto t.**, to pretend not to understand; to play dumb.

tontolóne m. (*fam.*) → **tonto**.

top (*ingl.*) m. inv. 1 (*indumento*) sleeveless top 2 (*culmine*) peak; top; height 3 (*fis.*) top.

tòpa f. (*region. volg.*) pussy.

topàia f. 1 rats' nest; mouse-nest 2 (*fig.*) hovel; dump; pigsty.

topàto a. mouse-coloured; mouse-grey.

topàzio m. 1 (*miner.*) topaz 2 (*zool., Topaza pella*) topaz.

topiàrio a. – **arte topiaria**, topiary art.

tòpica ① f. (*retor.*) topic.

tòpica ② f. (*fam.*) gaffe; blunder; faux pas (*franc.*): **fare una t.**, to make a gaffe; to blunder; to put one's foot in it (*fam.*).

topicìda A m. rat-poison; rat-killer B a. rat-destroying.

tòpico a. 1 (*retor.*) topical 2 (*del luogo*) local 3 (*med., farm.*) topical; local.

topinambùr m. (*bot., Helianthus tuberosus*) Jerusalem artichoke.

topino m. 1 (*piccolo topo*) little mouse*; young mouse* 2 (f. **-a**) (*di bambino*) imp; little monkey; scamp 3 (*zool., Riparia riparia*) sand martin.

topless (*ingl.*) m. inv. topless costume; topless swimsuit: **in t.**, topless (agg.).

♦**tòpo** m. (*zool., Mus*) mouse*; (*ratto*) rat: **t. campagnolo** (*Microtus arvalis*), field mouse; (bank) vole; **t. d'acqua** (*Arvicola amphibius*), water rat; **t. delle case** (*Mus musculus*), house mouse; **t. delle piramidi** (*Jaculus jaculus*), jerboa; **t. di chiavica**, trench rat; **t. di fogna**, water rat; sewer rat; **t. gigante** (*Mus malabaricus*), bandicoot; **t. muschiato** (*Ondatra zibethica*), muskrat; musquash; **infestato dai topi**, mice-infested; rat-infested; **veleno per topi**, rat poison ● (*fig.*) **t. d'appartamento**, burglar □ (*fig.*) **t. d'albergo**, hotel thief □ (*fig.*) **t. d'auto**, car burglar □ (*fig.*) **t. di biblioteca**, bookworm □ **color t.**, mouse-coloured; mousey, mousy □ **grigio t.**, mouse-grey □ (*fig.*) **fare la fine del t.**, to be caught like a rat in a trap □ (*prov.*) **Quando non c'è la gatta i topi ballano**, when the cat is away, the mice will play.

topofilìa f. topophilia.

topofobìa f. (*psic.*) topophobia.

topografìa f. topography.

topogràfico a. topographic: **carta topografica**, map; **caratteri topografici**, topographic features.

topògrafo m. topographer.

topolìno m. 1 little mouse*; young mouse* 2 (*fig.*) lively child*; imp.

Topolìno m. Mickey Mouse.

topologìa f. topology.

topològico a. topological.

toponimìa f. toponymy.

toponìmico a. toponymic.

topònimo m. place-name; toponym.

toponomàstica f. toponymy.

toponomàstico a. toponymic.

toporàgno m. (*zool., Sorex araneus*) shrew.

tòpos m. (pl. **topoi**) (*retor., letter.*) topos*.

tòppa f. 1 (*pezzo di stoffa*) patch: **cucire una t. su qc.**, to sew a patch on st.; **giacca con le toppe**, jacket with patches on the elbows 2 (*fig.*: *rimedio*) patch; quick fix (*fam.*): band-aid (*fam.*): **mettere una t. a qc.**, to patch up st. 3 (*buco della serratura*) keyhole; (*serratura*) lock: **girare la chiave nella t.**, to turn the key in the lock.

toppàre v. i. (*gergale*) to blow* it; to botch it up; to goof up (*USA*).

toppàta f. (*gergale*) boo-boo; goof (*USA*); goof-up (*USA*).

tòppo m. 1 (*ceppo*) stump 2 (*mecc.*) block; stock.

toppóne m. 1 (*sartoria*) (inner-leg) reinforcement 2 (*calzoleria*) heel stiffener 3 (*coperta*) patchwork blanket.

Torà f. (*relig.*) Torah.

toràce m. 1 (*anat.*) thorax*; chest: **t. atletico**, muscular chest 2 (*zool.*) thorax*; chest; (*di insetto*) thorax*.

toràcico a. (*anat.*) thoracic; chest (attr.).

toracotomìa f. (*chir.*) thoracotomy.

Torah → **Torà**.

tórba f. peat.

tórbida f. **1** suspension **2** (*min.*) ore pulp.

torbidézza, **torbidità** f. (*anche fig.*) turbidity; turbidness; cloudiness; muddiness: **t. atmosferica**, atmospheric turbidity.

torbidimetria e *deriv.* → **turbidimetria**, e *deriv.*

tórbido A a. **1** turbid; cloudy; muddy: **acqua torbida**, cloudy (*o* turbid) water; **caffè t.**, muddy coffee; **vino t.**, cloudy (*o* turbid) wine **2** (*fig.*: *fosco*) turbid; dark; grim; murky: **fantasia torbida**, turbid imagination; **pensieri torbidi**, dark thoughts; **sguardo t.**, grim look **3** (*fig.*: *inquieto*) troubled: **tempi torbidi**, troubled times B m. **1** shady situation; fishy affair: *C'è del t. in questa faccenda*, there's something fishy about this; **pescare nel t.**, to fish in troubled waters **2** (al pl.) (*tumulti*) riots; disturbances; trouble U.

torbidùme m. turbid (*o* cloudy) liquid.

torbièra f. peat-bog.

torbóso a. peaty; peat (attr.): **terreno t.**, peat soil.

torcènte a. – (*fis.*) **momento t.**, twisting moment; torque.

♦**tòrcere** A v. t. **1** to twist; to wring* : **t. un braccio a q.**, to twist sb.'s arm; **t. il bucato**, to wring out the washing; **t. il collo a una gallina**, to wring a hen's neck; **t. un filo di ferro**, to twist a wire; **torcersi le mani**, to wring one's hands **2** (*incurvare*) to bend* : **t. una sbarra di ferro**, to bend an iron bar ● **t. la bocca**, to make a wry face; to grimace □ **t. il naso**, to turn up one's nose □ **t. lo sguardo**, to avert one's eyes; to look away □ (*fig.*) **dare del filo da t.** → **filo** □ (*fig.*) **non t. un capello a q.**, not to touch a hair of sb.'s head B v. i. (*voltare*) to turn; to bend* : *La strada torce a sinistra*, the road turns (*o* twists) to the left C **tòrcersi** v. rifl. **1** (*contorcersi*) to writhe: **torcersi di dolore**, to writhe in pain; **torcersi dalle risa**, to split one's sides laughing **2** (*voltarsi*) to turn D **tòrcersi** v. i. pron. (*piegarsi*) to twist; (*incurvarsi*) to bend* : **un metallo che si torce facilmente**, a metal that bends easily.

torchiàre v. t. **1** to press **2** (*fam.*: *interrogare*) to grill; to give* (sb.) the third degree.

torchiàta f. (*fam.*) grilling; (the) third degree.

torchiatóre m. presser.

torchiatùra f. pressing.

torchiétto m. **1** (*legatoria*) binding press **2** (*fotogr.*) printing frame.

tórchio m. **1** press: (*tipogr.*) **t. a mano**, hand press; **t. a vite**, screw press; **t. idraulico**, hydraulic press; **t. per olio**, olive press; **t. per uva**, winepress; **t. tipografico**, printing press **2** (*anat.*) – **t. addominale**, prelum abdominale ● (*fig.*) **essere sotto il t.**, (*essere interrogato*) to be grilled; (*essere sotto pressione*) to be under pressure □ (*fig.*) **mettere q. sotto t.**, (*interrogarlo*) to grill sb.; to give sb. the third degree; (*far faticare*) to put sb. through the mill.

torchon (*franc.*) m. inv. choker.

♦**tòrcia** f. **1** torch; flambeau (*franc.*): **t. a vento**, windproof torch; **t. elettrica**, electric torch (*GB*); flashlight (*USA*) **2** (*fotogr.*) flashlight.

torcibudèlla m. inv. (*pop.*) rotgut.

torcicòllo m. **1** (*med.*) wryneck, torticollis; (*com.*) stiff neck, crick in the neck: **avere il t.**, to have a stiff neck (*o* a crick in the neck) **2** (*zool.*, *Jynx torquilla*) wryneck.

torcièra f. torch holder.

torcière m. **1** (*portatore di torcia*) torch-bearer **2** → **torciera**.

torciglióne m. **1** (*cercine*) head-ring; pad **2** (*torcinaso*) barnacles (pl.).

torciménto m. twisting; wringing.

torcìmetro m. (*ind. tess.*) twist counter.

torcinàso m. barnacles (pl.).

torcitóio m. (*ind. tess.*) twister.

torcitóre m. (f. **-trice**) (*ind. tess.*) twister; (*della seta*) throwster.

torcitrìce f. (*ind. tess.*: *macchina*) twister; (*della seta*) throwing-machine.

torcitùra f. **1** twisting; wringing **2** (*ind. tess.*) slubbing; twisting; (*della seta*) throwing, silk-throwing.

torcolière m. (*tipogr.*) pressman* .

tòrcolo m. (*mus.*) torculus.

tordèla, **tordèlla** f. (*zool.*, *Turdus viscivorus*) mistle thrush; storm-cock.

tórdo m. (*zool.*, *Turdus*) (song) thrush: **t. americano** (*Turdus migratorius*), robin; **t. beffeggiatore** (*Mimus polyglottus*), (northern) mocking-bird; **t. sassello** (*Turdus musicus*), redwing ● **grasso come un t.**, as fat as a goose; as plump as a dumpling.

toreador (*spagn.*) → **torero**.

toreàre v. i. to fight* bulls; to do* bullfighting.

torèllo ① m. **1** (*zool.*) young bull; bullock **2** (*fig.*) sturdy boy; strong young man* .

torèllo ② m. (*naut.*) garboard: **corso dei torelli**, garboard strake.

torèro m. bullfighter.

torèutica f. toreutics (pl. col verbo al sing.).

tòrico a. (*mat.*) toric.

torinése A a. of Turin; from Turin; Turin (attr.); Turinese B m. e f. native [inhabitant] of Turin.

Torino f. (*geogr.*) Turin.

tòrio m. (*chim.*) thorium.

tórlo → **tuorlo**.

tórma f. **1** (*di persone*) crowd; swarm; throng; troop: **a torme**, in swarms **2** (*di animali*) herd; flock.

tormalina f. (*miner.*) tourmaline ● **t. nera**, schorl.

torménta f. snowstorm; blizzard: **sorpreso dalla t.**, caught in a snowstorm.

♦**tormentàre** A v. t. (*torturare*, *affliggere*) to torment, to torture, to rack, to plague; (*angustiare*) to worry; (*stuzzicare*) to torment, to tease; (*assillare*) to beleaguer, to pester, to badger, to nag: **essere tormentato dalla gelosia**, to be tormented (*o* racked) by jealousy; *I reumatismi lo tormentano*, he is plagued with rheumatism; *Eravamo tormentati da sciami di zanzare*, swarms of mosquitoes pestered us; we were plagued by swarms of mosquitoes; *Mi tormentava un dubbio atroce*, a terrible doubt was nagging me; *Mi tormenta per un prestito*, she's been pestering me for a loan; *Non t. il gatto!*, stop teasing the cat!; *Che cosa ti tormenta?*, what's worrying (*o* eating) you? B **tormentàrsi** v. rifl. to worry; to torment oneself; to agonize; to be in anguish: **tormentarsi pensando al futuro**, to worry about the future; *Mi ci sono tormentato per mesi*, I agonized over it for months.

tormentàto a. **1** (*angosciato*, *afflitto*) tormented; tortured; anguished; racked: **anima tormentata**, tormented (*o* anguished) spirit; **t. dai sospetti**, tortured by suspicions **2** (*travagliato*) troubled, hard; (*sofferto*) agonizing, painful; (*inquieto*) restless: **decisione tormentata**, painful decision; **rapporto t.**, troubled relationship **3** (*accidentato*) uneven; rough; bumpy: **percorso t.**, rough road; (*autom.*) bumpy ride **4** (*discusso*) vexed; much discussed: **questione tormentata**, vexed issue (*o* question).

tormentatóre m. (f. **-trice**) tormentor; torturer.

tormentìlla f. (*bot.*, *Potentilla tormentilla*) common tormentil.

tormentina f. (*naut.*) storm jib; spitfire jib.

torménto m. **1** (*tortura*) torture: **il t. del cavalletto**, the torture of the rack **2** (*dolore fisico*) torment; torture; excruciating pain; agony; (*fastidio fisico*) torment, plague, pangs (pl.): **il t. della fame**, the pangs (pl.) of hunger; **i tormenti dell'inferno**, the torments of hell; *Abbiamo avuto il t. delle zanzare*, we were plagued by mosquitoes; *Queste scarpe sono un vero t.*, these shoes are killing me; **morire fra i tormenti**, to die in torment **3** (*sofferenza spirituale*) suffering; affliction; (*tribolazione*) tribulation, trial, ordeal; (*cruccio*) worry, cross: **i tormenti della gelosia**, the torments of jealousy; **subire tormenti**, to be in torment; *Il pranzo è stato un t.*, the dinner was an ordeal; *Quel figlio è il suo t.*, that son of hers is a constant worry for her; **vita di tormenti**, life full of suffering (*o* trials); tormented existence **4** (*persona o cosa molesta*) nuisance; pest: *Quel bambino è un t.*, that child is a real pest.

tormentóne m. **1** (*forte passione*) racking passion **2** (*gergo teatr.*) frequently repeated joke (*o* gag) **3** (*estens.*: *frase*, *concetto ripetuti*) catchphrase; mantra; (*argomento riproposto*) constantly revived topic; (*canzone o motivetto ossessivo*) annoyingly catchy tune: **il t. dell'estate scorsa**, last summer's annoyingly catchy hit.

tormentóso a. **1** (*che dà dolore fisico*) agonizing; excruciating; painful: **mal di testa t.**, excruciating headache **2** (*che dà dolore spirituale*) tormenting; distressful; agonizing; (*angoscioso*, *molesto*) nagging, worrying; troublesome: **attesa tormentosa**, agonizing wait; **dubbio t.**, tormenting (*o* nagging) doubt; **pensieri tormentosi**, tormenting thoughts **3** (*travagliato*) tormented; troubled: **esistenza tormentosa**, tormented existence.

tornacónto m. personal advantage; personal gain; profit; personal interest; self-interest: *Non c'è t.*, there is no profit in it; it doesn't pay; **pensare al proprio t.**, to think of one's own interest; to do things for personal gain; *Se ci sta, avrà il suo t.*, if he agrees, it's because he stands to gain by it.

tornàdo m. tornado; twister (*USA*).

tornànte ① m. sharp U-bend; hairpin bend (*GB*); switchback (curve) (*USA*): **strada piena di tornanti**, road full of sharp U-bends; winding road; switchback road; (*di strada*) **salire a tornanti**, to wind up; to twist up; to zigzag up.

tornànte ② m. (anche agg.: **ala t.**) (*calcio*) linkman* .

♦**tornàre** v. i. **1** (*fare ritorno*) to return; to go* back; to come* back; to get* back; (*essere di ritorno*) to be back; (*riprendere uno stato precedente*) to revert: (**a tornarsene**) **a casa**, to go [to come] (back) home; **t. a letto**, to go back to bed; **t. a nuoto**, to swim back; **t. a piedi**, to walk back; to return on foot; **t. alla normalità**, to get back to normal; to revert to normality; **t. alle vecchie abitudini**, to revert (*o* to go back) to one's old habits; **t. da scuola**, to come home from school; **t. da Firenze**, to return (*o* to get back, to come back) from Florence; **t. di corsa**, to run back; **t. in casa**, to go [to come] back in; **t. in aereo**, to fly back; **t. in autobus**, to return by bus; **t. in auto**, to drive back; to return by car; **t. in treno**, to return by train; to take a train back; **t. in possesso di qc.**, to regain possession of st.; to recover st.; **t. in vita**, to come back to life; **t. indietro**, to go back; to get back; to turn back; (*fig.*: **t. sulla parola**) to go back on one's word; *Ne sono tornati la metà*, only half of them came back; *È tornato al suo paese*, he has gone back home; *Tornerà tra una settimana*, she'll be back in a week's time; **partire per non t.**

più, to leave never to return; *Torna a tro- varci!*, come and see us again!; *Tornate pre- sto!*, come back soon!; (*non fate tardi*) don't be late!; *Torno subito*, I'll be right back; (*su un cartello*) back soon; *Vado e torno*, I'll be right back; I won't be a second **2** (*ricompari- re, ripresentarsi*) to come* back; to reappear; to be back; (*ricorrere*) to recur: *È tornata la primavera*, spring is here again; *È tornata la corrente*, the power is back; *Gli è tornata la febbre*, he's running a temperature again; *È un'occasione che non tornerà più*, it's an opportunity that won't come again (*o* won't be repeated); *Il tema della lontananza tor- na spesso nei suoi romanzi*, distance is a re- curring theme in his novels; *Mi tornò in mente che...*, it came back to me that...; I re- membered that...; *I biscotti mi faranno t. la sete*, the biscuits will make me thirsty again; *Lo spavento gli fece t. la parola*, the fright brought his voice back; **far t. qc. alla mente di q.**, to remind sb. of st.; to bring back st. to sb. **3** (*riprendere, ricominciare*) to go* back; to resume (st.); to... again: **t. a di- re**, to repeat; to say again; to tell again; **t. a fare lo stesso errore**, to repeat the same mistake; **t. a insegnare**, to go back to teach- ing; **t. al lavoro** (*o* **a lavorare**), to go back to work; to resume work; **t. a sorridere**, to smile again; to cheer up; *Si torna a parlare di...*, the subject of... has come up again; *È tornato a piovere*, it has started raining again **4** (*ridiventare*) to be... again; to be back to: **t. di moda**, to become fashionable again; to come back into fashion; **t. giova- ne**, to regain one's youth; to feel young again; **t. povero**, to become poor again; **t. sano** (*o* **in salute**), to recover; to be restored to health; **t. tranquillo**, to become quiet again; (*calmarsi*) to calm down; *Tornerà co- me nuovo*, it'll be as good as new; *È tornato quello di prima*, (*di cosa*) it's back to what it was before; (*di persona*) he is his former self again; *Tornò ad essere il solito indifferente di sempre*, he went back to being his old in- different self **5** (*essere, risultare*) to be: **t. a danno di q.**, to be detrimental to sb.; to backfire on sb.; **t. a svantaggio di q.**, to work against sb.; **t. a vantaggio di q.**, to be to sb.'s advantage; **t. comodo**, to be conven- ient (for sb.); **t. utile**, to come in useful (*o* handy); *Questo mi torna nuovo*, that's news to me **6** (*essere esatto, quadrare*) to be right (*o* correct), to add up, to balance; (*essere con- vincente*) to make* sense, to sound right; (*an- dare a posto*) to work out: *Il totale torna*, the total is right; *I conti non tornano*, the ac- counts do not balance; (*fig.*) something doesn't add up, there's something wrong here; **far t. i conti**, to balance the accounts; *C'è qualcosa che non torna qui*, (*qualcosa di sbagliato*) there's something wrong here, something doesn't add up here; (*qualcosa di sospetto*) there's something fishy here; *Ti torna?*, does it sound right to you?; does it make sense to you?; *Non mi torna*, it doesn't make sense to me; I'm not convinced; *Tutto torna come previsto*, it's exactly as we ex- pected; everything has worked out to plan **7** (*di vestito*) to fit: *La giacca ti torna bene*, the jacket fits you perfectly ● **t. a bomba**, to get back to the point □ **t. a galla**, to resur- face; to come to the surface; (*fig.*) to come up again □ **t. a posto**, to go back into place; (*con uno scatto*) to click (*o* to spring) back in- to place; (*fig.: aggiustarsi*) to work out; to sort itself out □ **t. al passato**, to put the clock back □ **t. al punto di partenza**, to go back to one's starting-point (*o* to where one was be- fore); (*ricominciare daccapo*) to go back to square one □ (*fam.*) **essere tornato al punto di partenza**, to be back to square one □ **t. alla carica**, to insist; to make a fresh at- tempt; to have another go (*fam.*) □ **t. col pensiero a qc.**, to think back on st.; to recall

st. □ **t. in sé**, to come to one's senses; (*rinve- nire*) to come round, to come to □ **t. indietro col pensiero**, to cast one's mind back (to st.); to think back (on st.) □ **t. su qc.**, (*ripren- derlo, riesaminarlo*) to go back to st., to take up st. again; (*avere un ripensamento*) to have second thoughts about st.: *Voglio t. sulla questione del pagamento*, I want to take up the question of payment again □ (*di cibo*) **t. su**, to repeat (on st.) □ **t. sulle proprie de- cisioni**, to go back on one's decisions; to change one's mind □ **t. sui propri passi**, to turn back; to retrace one's steps; (*fig.*) to change one's mind □ **Torniamo a noi**, let's get back to the point.

tornasóle m. inv. (*chim.*) litmus: **cartina al** (*o* **di**) **t.**, litmus paper; **prova con la car- tina di t.**, litmus test.

tornàta f. **1** (*seduta di assemblea*) sitting; session **2** (*turno*) round: **t. di consultazioni**, round of talks; **t. elettorale**, ballot; round of voting **3** (*poesia*) envoy; envoi.

torneàre v. i. (*stor.*) to tourney; to joust; to tilt.

tornéggio m. turning; turnery.

tornèlla f., **tornèllo** m. turnstile.

tornèo m. **1** (*stor.*) tournament; tourney; joust **2** (*sport, giochi*) tournament: **t. di scherma [di scacchi]**, fencing [chess] tour- nament; **t. a eliminazione diretta**, knock- out; **t. all'italiana**, round robin.

tornése m. (*numism.*) livre tournois (*franc.*).

tórnio m. (*mecc.*) lathe: **t. a copiare**, dupli- cating (*o* copying) lathe; **t. a pedale**, treadle wheel; **t. a revolver**, turret lathe; **t. automa- tico**, automatic lathe; **t.** (*automatico*) **da vi- teria**, screw machine; **t. da banco**, bench lathe; **t. da legno**, wood-turning lathe; **t. da vasaio**, potter's wheel; **t. frontale**, end (*o* face) lathe; **t. verticale**, boring mill; **lavora- re al t.**, to turn; to lathe; **fatto al t.**, turned; (*di vaso, ecc.*) made on a wheel, thrown.

tornire v. t. **1** (*mecc.*) to turn; to lathe **2** (*fig.*) to polish; to turn; to hone: **t. i propri versi**, to polish one's verses; **t. una frase**, to turn a sentence.

tornito a. **1** (*mecc.*) turned **2** (*fig., anche* **ben t.:** *tondeggiare*) shapely; well-shaped: **braccia ben tornite**, shapely arms; **mem- bra tornite**, shapely limbs **3** (*fig., anche* **ben t.:** *rifinito*) polished; well-turned: **versi torniti**, polished lines; **frase ben tornita**, well-turned sentence.

tornitóre m. (f. **-trìce**) turner; (*di cerami- ca*) thrower: **t. in legno**, wood-turner.

tornitùra f. (*mecc.*) **1** turning; turnery; (*di ceramica*) throwing **2** (*residui di lavorazione*) turnings (pl.).

tórno ❶ m. – **in quel t. di tempo**, at about that time; **levarsi** (*o* **togliersi**) **q. di t.**, to get rid of sb.; *Levati di t.!*, go away; clear off! (*slang*); scram! (*slang*); get lost! (*slang*) ❷ **tórno tórno** loc. avv. all around.

tòro ❶ m. **1** (*zool.*) bull: **forte come un t.**, as strong as a bull; *Pareva un t. inferocito*, he looked like a mad bull **2** (*Borsa*) bull ● (*fig.*) **prendere il t. per le corna**, to take the bull by the horns □ (*fig.*) **tagliare la testa al t.**, to settle the matter once and for all □ **ar- gomento che taglia la testa al t.**, clinching argument; clincher (*fam.*).

tòro ❷ m. (*archit., geom., bot.*) torus*.

tòro ❸ → **toron**.

Tòro m. **1** (*astron., astrol.*) Taurus; (the) Bull **2** (*astrol., persona*) Taurus.

toroidàle a. (*geom.*) toroidal.

toròide f. (*geom.*) toroid.

tòron m. (*fis. nucl.*) thoron.

torpèdine ❶ f. (*zool., Torpedo*) torpedo (ray); electric ray.

torpèdine ❷ f. (*mina subacquea*) submar-

ine mine; (*siluro*) torpedo.

torpedinièra f. (*naut.*) torpedo-boat.

torpediniére (*naut.*) **A** a. torpedo (attr.) **B** m. torpedoman*.

torpèdo f. inv. (*autom.*) torpedo phaeton; torpedo.

torpedóne m. coach; motorcoach; bus.

torpidézza f. **1** (*intorpidimento*) numb- ness **2** (*fig.: torpore*) torpor; torpidity; leth- argy; sluggishness.

tòrpido a. **1** (*intorpidito*) numb **2** (*fig.*) torpid; sluggish; lethargic; dozy.

torpóre m. **1** torpor; stupor; (*sonnolenza*) sleepiness; (*intorpidimento*) numbness **2** (*fig.*) torpor; sluggishness; lethargy.

tòrque f. (*stor.*) torque; torc.

torr m. inv. (*fis.*) torr*.

torracchióne m. old dilapidated tower.

torraiòlo a. – **colombo t.**, rock dove.

♦**tórre** f. **1** tower: **t. campanaria**, bell tow- er; belfry; (*fig.*) **t. d'avorio**, ivory tower; (*an- che fig.*) **la t. di Babele**, the tower of Babel; **t. del faro**, lighthouse; **t. di guardia** (*o* **di vedetta**), watch-tower; **la t. di Londra**, the Tower (of London); **la t. di Pisa**, the (lean- ing) Tower of Pisa; (*stor.*) **t. martello**, Mar- tello tower; **t. merlata**, crenellated tower; **t. pendente**, leaning tower; **saldo come una t.**, as solid as a tower **2** (*aeron., mil.*) tower; turret; (*naut.*) **t. corazzata**, armoured tur- ret; (*naut.*) **t. di comando**, conning tower; (*aeron.*) **t. di controllo**, control tower; (*miss.*) **t. di lancio**, launching tower **3** (*ind., mecc.*) tower: **t. di perforazione**, derrick; **t. di raffreddamento**, cooling-tower; **t. di tri- vellazione petrolifera**, oil derrick **4** (*di cd*) spindle **5** (*scacchi*) rook; castle **6** (*tarocchi*) Falling Tower.

torrefàre v. t. to roast; to torrefy: **t. il caf- fè**, to roast coffee beans.

torrefàtto a. roasted: **caffè t.**, roasted coffee.

torrefazióne f. **1** roasting; torrefaction: **la t. del caffè**, coffee roasting **2** (*negozio*) coffee-shop.

torreggiànte a. towering.

torreggiàre v. i. (*anche fig.*) to tower: **t. su tutti gli altri**, to tower above all the oth- ers.

♦**torrènte** m. **1** (*corso d'acqua*) stream; tor- rent; creek (*USA*): **t. in piena**, flooding tor- rent (*o* stream); **t. montano**, mountain stream **2** (*sostanza che scorre o precipita*) tor- rent; river, stream; flood: **un t. di lacrime**, a flood of tears; **un t. di lava**, a stream of lava; **un t. di fuoco**, a stream of fire; **un t. di san- gue**, a stream (*o* a river) of blood; **piovere [scorrere] a torrenti**, to rain [to flow] in torrents **3** (*fig.*) torrent; stream; flood: **un t. di improperi**, a torrent (*o* stream) of abuse; **un t. di parole**, a flood (*o* torrent) of words.

torrentìsmo m. (*sport*) canyoning.

torrentìzio a. torrential; torrent-like: **corso d'acqua a regime t.**, torrential stream.

torrenziàle a. torrential: **pioggia t.**, tor- rential rain; pouring rain.

torrétta f. **1** (*archit., tecn., mil., aeron.*) turret **2** (*di sommergibile*) tower: **t. di co- mando**, conning tower.

torricelliàno a. of Torricelli; Torricellian: **vuoto t.**, Torricellian vacuum.

tòrrido a. torrid; scorching; sweltering: **clima t.**, torrid climate; **giornate torride**, scorching days; **zona torrida**, torrid zone.

torrióne m. **1** (*archit.*) tower; keep (*stor.*) **2** (*naut.*) turret **3** (*alpinismo*) gendarme (*franc.*).

torróne m. nougat.

torsèllo m. **1** (*puntaspilli*) pincushion **2** (*cercine*) pad **3** (*conio*) minting die.

torsiòmetro m. **1** (*mecc.*) torsion meter; torquemeter **2** (*ind. tess.*) twist counter.

torsionàle a. torsional; torsion (attr.).

torsióne f. **1** torsion; twisting; twist; (*rotazione*) rotation, turn: **la t. del busto**, the rotation of the trunk; **la t. del collo**, the twisting of the neck; **la t. dei muscoli**, muscle torsion; **t. violenta**, wrenching; wrench **2** (*ind. tess.*) twisting; twist **3** (*mecc., fis.*) torsion: **barra di t.**, torsion bar; **bilancia di t.**, torsion balance; **sollecitazione di t.**, torsional (*o torque*) stress **4** (*med.*) torsion **5** (*mat.*) torsion; second curvature.

tórso m. **1** (*torsolo*) core **2** (*tronco*) trunk; (*anche di statua*) torso*: **a t. nudo**, bare-chested; **mettersi a t. nudo**, to strip to the waist.

tórsolo m. core: **t. di mela**, apple core.

♦**tòrta** f. **1** cake; pie; (*crostata*) tart: **t. a strati**, layer cake; **t. di compleanno**, birthday cake; **t. di frutta**, fruit cake; **t. di mele**, apple-pie; apple-tart; **t. di spinaci**, spinach-pie; **t. gelato**, ice-cream cake; **t. margherita**, sponge cake; **t. nuziale**, wedding cake; **t. rustica**, savoury pie; **t. salata**, quiche (*franc.*) **2** (*fig.*) (the) cake; (*guadagno illecito*) loot: **una fetta della t.**, a slice of the cake; **spartirsi la t.**, to cut (up) the cake ● **comicità delle torte in faccia**, custard-pie humour; slapstick comedy □ (*fig.*) **finire a torte in faccia**, to degenerate into a slanging match □ **diagramma a t.**, pie chart.

tortellino m. (*cucina*) ring-shaped pasta parcel with a savoury filling; (al pl.) tortellini.

tortèllo m. (*cucina*) **1** square pasta parcel with a savoury filling; (al pl.) tortelli **2** – **t. dolce**, fritter.

tortìccio (*naut.*) **A** agg. cable-laid; hawser-laid **B** m. cable-laid rope.

tortièra f. cake tin; baking tin; pie dish.

tortìglia f. twine; cord.

tortiglióne m. spiral: **a t.**, spiral; twisted; spirally (avv.); **baffi a t.**, twisted (*o* twirled) moustache; **colonna a t.**, spiral column.

tòrtile a. spiral; twisted: **colonna t.**, spiral column.

tortino m. (*cucina*) pie; quiche (*franc.*): **t. di carciofi**, artichoke-pie.

tòrto ① a. (*ritorto*) twisted; (*incurvato*) bent; (*storto*) crooked.

♦**tòrto** ② m. **1** (*ingiustizia*) wrong; injustice: **torti ricevuti**, wrongs one has suffered; **fare un t. a q.**, to do sb. a wrong; **fare t. a q.**, to wrong sb.; to be unjust with sb.; *Mi fai t. se pensi che non m'importi*, you are being unjust to me if you think I don't care; *Ciò fa t. alla tua intelligenza*, this doesn't do justice to your intelligence; **raddrizzare i torti**, to right wrongs; **subire un t.**, to be wronged **2** (*errore*) wrong; (*colpa*) fault: *Il t. è mio*, it's my fault; the fault is mine; **avere t.**, (*sbagliare*) to be wrong; (*aver agito male*) to be in the wrong; **avere t. marcio**, to be completely wrong; *Hai t. a non volerle parlare*, you are wrong to refuse to speak to her; *Non hai tutti i torti*, you have a point; there's something in what you say; (*non sei da biasimare*) you can't be entirely blamed (*o* faulted); *Chi perde ha sempre t.*, the loser is always wrong; **avere dei torti**, to have one's faults; *Anch'io ho i miei torti*, I am to blame too; **dare t. a q.**, (*accusare di errore*) to say sb. is wrong; (*rimproverare*) to blame sb.; (*confutare*) to prove (*o* to show) that sb. is wrong; *Io gli ho sempre dato t.*, I've always said he was wrong; *Perché dai sempre t. a me?*, why must you always blame me?; *Non posso darle t.*, I can't blame her; *Spero che i fatti mi diano t.*, I hope the facts will prove me wrong; **essere dalla parte del t.**, to be in the wrong; **mettersi (*o* passare) dalla parte del t.**, to put oneself in the wrong; **ri-conoscere di avere t.**, to admit one is wrong; **riconoscere i propri torti**, to acknowledge one's faults; **non saper distinguere tra la ragione e il t.**, not to know right from wrong ● **a t.**, wrongly; (*ingiustamente*) wrongfully, unjustly; **accusare q. a t.**, to accuse sb. wrongfully □ **a t. o a ragione**, rightly or wrongly; right or wrong □ (*prov.*) **Due torti non fanno una ragione**, two wrongs don't make a right.

tórtora **A** f. **1** (*zool.*, *Streptopelia turtur*) turtle dove: **t. domestica** (*Streptopelia risoria*) ringdove **2** (*colore*) dove grey **B** a. inv. dove (attr.); dove-grey: **grigio t.**, dove grey.

tortoreggiaménto m. (*scherz.*) billing and cooing.

tortoreggiàre v. i. (*scherz.*) to bill and coo.

tortrice f. (*zool.*, *Tortrix*) tortrix* (moth); tortricid.

tortuosità f. **1** tortuosity; tortuousness; circuitousness; convolutedness; (al pl., anche) intricacies, convolutions, meanderings, twists and turns **2** (al pl.: *curve*) bends; twists and turns; meanderings.

tortuóso a. **1** winding; tortuous; meandering: **fiume t.**, meandering river; **strada tortuosa**, winding road **2** (*fig.*: *involuto*) tortuous, circuitous, convoluted; (*subdolo*) devious.

tortùra f. **1** torture: **mettere alla t.**, to put to torture; **morire sotto la t.**, to die under torture; **subire la t.**, to undergo torture; **camera di t.**, torture chamber; **strumento di t.**, instrument of torture **2** (*tormento*) torture; torment; agony; (*dura prova*) ordeal: **la t. della sete**, the torments of thirst; *Queste scarpe sono una t.*, these shoes are murder to wear; these shoes are killing me; *Gli esami sono stati una t.*, the exams were a real torment.

torturàre **A** v. t. **1** to torture **2** (*tormentare*) to torture; to torment; to rack: *La gelosia lo torturava*, he was tormented by jealousy; *C'è un dubbio che mi tortura*, there is one doubt gnawing at me; I'm tormented by a doubt; **torturarsi il cervello**, to rack (*o* to cudgel) one's brains **B** **torturàrsi** v. rifl. (*fig.*) to torment oneself.

torturatóre m. (f. **-trìce**) torturer.

tórvo a. grim; black; glowering; (*minaccioso*) threatening: **occhiata torva**, glowering look; scowl; **guardare q. con occhio t.**, to give sb. a grim look; to scowl at sb; to glower at sb.

tóşa → tosatura.

toşacàni m. inv. **1** dog-clipper **2** (*spreg.*) incompetent barber.

toşaèrba m. o f. inv. lawnmower.

toşàre v. t. **1** (*un animale*) to shear*; to clip: **t. un cane**, to clip a dog; **t. il gregge**, to shear the flock **2** (*potare, pareggiare*) to clip; to trim: **t. una siepe**, to clip a hedge **3** (*scherz.*: *rapare*) to crop: **t. i capelli a q.**, to crop sb.'s hair; **farsi t.**, to have one's hair cropped **4** (*fig.*) to fleece; to soak.

toşasièpi m. o f. inv. hedge shears (pl.); (*elettrico*) hedge cutter.

toşatóre **A** a. shearing; clipping **B** m. (f. **-trìce**) shearer; clipper.

toşatrìce f. **1** (*macchina, per pecore*) sheep-shearing machine; (*per cani*) clippers (pl.) **2** (*toşaerba*) lawnmower.

toşatùra f. **1** shearing; clipping: **la t. delle pecore**, sheepshearing; (*fin., stor.*) **t. delle monete**, coin clipping **2** (*spuntatura*) clipping; trimming **3** (*taglio di capelli*) haircut; crop **4** (*ciò che si leva tosando*) clippings (pl.).

Toşcàna f. (*geogr.*) Tuscany.

toşcaneggiàre v. i. to affect the Tuscan manner (in speaking, in writing).

toşcaniṣmo m. **1** (*parlata toscana*) Tuscan speech **2** (*espressione toscana*) Tuscan idiom.

toşcanità f. Tuscan character; Tuscan nature.

toşcanizzàre v. t. to Tuscanize.

toşcàno **A** a. Tuscan **B** m. **1** (f. **-a**) Tuscan **2** (*ling.*) Tuscan **3** (*sigaro*) kind of strong cigar; toscano.

tòsco ① a. e m. (*lett.*) Tuscan.

tòsco ② a. e m. (*ling.*) Tosk.

toşóne m. fleece: **il Toson d'oro**, the Golden Fleece.

♦**tòsse** f. cough: **t. convulsa** (*o asinina, canina*), whooping cough; (*med.*) pertussis; **t. di petto**, chesty cough; **t. secca**, dry (*o* hacking) cough; **t. stizzosa**, persistent cough; **avere la t.**, to have a cough; **accesso di t.**, coughing fit; fit of coughing; **colpo di t.**, cough; **sciroppo per la t.**, cough mixture.

tossialimentàre a. food-poisoning (attr.).

tossicària f. (*bot.*, *Gratiola officinalis*) hedge hyssop.

tossicchiàre v. i. to cough slightly; to give* a little cough; to clear one's throat.

tossicità f. toxicity.

♦**tòssico** ① **A** a. toxic; poisonous: **gas t.**, toxic gas; **dose tossica**, toxic dose; **rifiuti tossici**, toxic waste **B** m. (*veleno*) poison.

tòssico ② m. (f. **-a**) (*pop.*) drug addict; junkie (*slang*).

tossicodipendènte **A** a. drug-addicted **B** m. e f. drug addict.

tossicodipendènza f. drug addiction.

tossicofobìa f. (*med.*) toxiphobia; toxophobia.

tossicologìa f. toxicology.

tossicològico a. toxicological.

tossicòlogo m. (f. **-a**) toxicologist.

tossicolóso a. having a persistent cough.

tossicòmane m. e f. drug addict.

tossicomanìa f. (*med.*) toxicomania.

tossicòși f. (*med.*) toxicosis.

tossiemìa f. (*med.*) toxaemia: **t. gravidica**, toxaemia of pregnancy; pre-eclampsia.

tossìfugo (*farm.*) **A** a. cough-relieving; antitussive; cough (attr.) **B** m. cough remedy; cough mixture.

tossìna f. (*biol.*) toxin.

tossinfettìvo a. (*med.*) toxinfectant.

tossinfezióne f. (*med.*) toxic infection.

♦**tossìre** v. i. **1** to cough: **t. sangue**, to cough (*o* to spit) up blood **2** (*per segnalare*) to cough; to give a cough; to clear one's throat **3** (*fig.*, *di motore, ecc.*) to splutter; to cough.

tossòide m. (*med.*) toxoid.

tostacaffè m. coffee-roaster.

tostapàne m. inv. toaster.

tostàre v. t. **1** to toast: **t. il pane**, to toast bread **2** (*abbrustolire, torrefare*) to roast: **t. il caffè**, to roast coffee; **t. le mandorle**, to roast almonds.

tostàto a. **1** (*di pane, ecc.*) toasted **2** (*abbrustolito, torrefatto*) roasted: **caffè t.**, roasted coffee; **mandorle tostate**, roasted almonds.

tostatrìce f. (*tecn.*) toaster.

tostatùra f. toasting; (*torrefazione*) roasting.

tostìno m. coffee-roaster.

tòsto ① **A** avv. (*lett.*: *subito*) at once, promptly; (*presto*) soon, quickly: *Fu t. fatto*, it was soon done; *Uscì t.*, he went out quickly; **ben t.**, very soon; **t. o tardi**, sooner or later **B** **tòsto che** loc., prep. as soon as.

tòsto ② a. **1** (*region.*: *duro*) hard: **pane t.**, hard bread **2** (*pop.*: *deciso*) tough; hard-bitten **3** (*pop.*: *eccezionale*) fabulous; great ● **faccia tosta**, cheek; gall; nerve.

tòsto ③ m. (*toast*) toasted sandwich.

tot **A** a. indef. inv. **1** (con sost. pl.) so many: **tot giorni**, so many days **2** (con sost. sing.) such and such: **il giorno tot**, on such and such a day **B** pron. indef. so much: **un tot a testa**, so much each (o per head); **spendere tot per il vitto**, to spend so much on food.

◆**totàle** **A** a. (completo) total, complete, wholesale, full; (complessivo) total, overall, aggregate; (assoluto) total, complete, absolute, utter, out-and-out: **anestesia t.**, general anaesthesia; **distruzione t.**, wholesale destruction; **eclissi t.**, total eclipse; **t. fallimento**, complete failure; absolute fiasco; **guerra t.**, total (o out-and-out) war; **l'importo t.**, the total amount; **invalidità t.**, total disability; **t. mancanza d'interesse**, total (o complete) lack of interest; **resa t.**, complete surrender; **rimborso t.**, full reimbursement; **rovina t.**, complete (o utter) ruin; **spesa t.**, total (o overall, aggregate) expenditure; **la calma più t.**, absolute calm; **nel più t. silenzio**, in total (o utter) silence **B** m. total; sum (total): **il t. di un'addizione**, the total of an addition; **t. complessivo**, grand total; **t. parziale**, subtotal; **fare il t.**, to add up the total; to total; *Quanto fa in t.?*, what's the total?; what does it come to?; *Eravamo trenta in t.*, there were thirty of us in all (o altogether) **C** f. (med.) general anaesthesia.

totalità f. **1** (interezza) totality; entirety; whole: **la t. del personale**, the whole of the staff; the whole staff; **preso nella sua t.**, taken as a whole; in its totality **2** (numero complessivo) (sum) total: **la t. dei presenti**, all those present; **nella t. dei casi**, in all cases.

totalitàrio a. **1** (totale, assoluto) absolute; total; complete: **approvazione totalitaria**, complete approval **2** (polit.) totalitarian: **regime t.**, totalitarian regime.

totalitarìsmo m. (polit.) totalitarianism.

totalitarìstico a. (polit.) totalitarian.

totalizzànte a. (coinvolgente) all-absorbing; highly demanding: **esperienza t.**, all-absorbing experience.

totalizzàre v. t. **1** (calcolare il totale) to add up; to total **2** (ottenere un totale) to reach a total, to total; (sport) to score: **t. dieci vittorie**, to score ten victories; **t. quaranta punti**, to score twenty points; **t. un buon punteggio**, to make a good score.

totalizzatóre m. **1** (per scommesse) totalizator; totalizer; tote (fam.); pari-mutuel (USA); (estens.: il negozio) betting shop **2** (di calcolatrice) totalizator.

totalizzazióne f. totalization.

totalménte avv. completely; totally; absolutely; thoroughly: **t. incapace**, totally incompetent; **t. nuovo**, completely new; *Sono t. d'accordo*, I thoroughly agree.

tòtano ① m. (zool., Loligo vulgaris) squid.

tòtano ② m. (zool., Tringa totanus) redshank.

tòtem m. inv. (etnol.) totem.

totèmico a. (etnol.) totemic; totem (attr.): **gruppo t.**, totemic group; **palo t.**, totem pole.

totemìsmo m. (etnol.) totemism.

Totìp ® m. horse-racing pools (pl.).

totipotènte a. (biol.) totipotent.

totipotènza f. (biol.) totipotency.

totocàlcio m. football pools (pl.): **giocare al t.**, to do the pools; **vincere al t.**, to win the pools; *Ha vinto dieci milioni al t.*, he won ten million in the pools; **schedina del t.**, football pools coupon.

Totogol m. inv. football pools (genericamente).

totonéro m. (fam.) illegal betting on football matches.

totoscommèssa f. (fam.) illegal bet on football matches.

tottavìlla f. (zool., Lullula arborea) woodlark.

touche (franc.) f. inv. (rugby) line-out.

touché (franc.) inter. touché.

touch screen loc. m. inv. (ingl., comput.) touch screen.

toupet (franc.) m. inv. **1** hairpiece; toupee **2** (fig.) effrontery; cheek.

toupie (franc.) f. inv. (mecc.) router.

tour (franc.) m. inv. tour: **fare un t. in Alsazia**, to tour Alsace; to go touring in Alsace.

tourbillon (franc.) m. inv. **1** (calcio) whirlwind attack **2** (rapido susseguirsi) whirlwind; flurry.

tour de force (franc.) loc. m. inv. **1** (sport) tour de force **2** (impresa faticosa) tour de force; feat; ordeal.

tournée (franc.) f. inv. (teatr., sport) tour: **andare in t.**, to tour; **fare una t. in Francia**, to tour France; **essere in t.**, to be on tour; to be on the road.

tourniquet (franc.) m. inv. **1** (tornante) hairpin bend (GB); switchback (USA) **2** (tornello) turnstile **3** (laccio emostatico) tourniquet.

tout court (franc.) loc. avv. tout court; simply; briefly.

tovàglia f. **1** tablecloth: **tovaglie e tovaglioli**, table linen ⓤ; **mettere (o stendere) la t.**, to lay (o to spread) the tablecloth **2** (d'altare) altar-cloth.

tovagliàto m. **1** table linen; napery **2** (tipo di tessuto) material for table linen.

tovagliétta f. – **t. all'americana**, placemat.

tovagliòlo m. (table) napkin; serviette (GB).

toxiemìa → **tossiemìa**.

toxoplàsma m. toxoplasma.

toxoplasmòsi f. (med.) toxoplasmosis.

tozzétto m. (edil.) small-sized tile.

tòzzo ① a. stocky; squat; stumpy; chunky; thickset; stubby: **corporatura tozza**, stocky build; **dita tozze**, stubby fingers; **edificio t.**, squat building; **individuo t.**, stocky (o chunky, thickset) individual.

tòzzo ② m. piece; morsel: **t. di pane**, piece (o crust) of bread ● **L'ha venduto per un t. di pane**, he sold it for next to nothing □ **L'ho avuto per un t. di pane**, I bought it for a song □ **Lavora tanto per un t. di pane**, she works so hard for a mere pittance.

TP abbr. (**Trapani**).

TPA sigla (Carabinieri, (**Nucleo**) **Tutela patrimonio artistico**) artistic heritage protection (task force).

tpl sigla (**tonnellate di portata lorda**) deadweight tonnage (d.w.t.).

Tr. abbr. (comm., **tratta**) draft (dft.).

TR abbr. (**Terni**).

◆**tra** prep. **1** (luogo, relazione, spec. tra due) between; (spec. tra più di due) among; (reciprocità) (with) each other: **una strada tra due siepi**, a road between two hedges; *La proprietà è divisa tra noi due* [tra noi tre], the property is divided between (the two of) us [among the three of us]; *C'è poco da scegliere tra l'uno e l'altro* [tra tutti], there isn't much to choose between them [among them]; **un gusto tra il dolce e il salato**, a flavour somewhere between sweet and salty; **tra le sette e le otto**, between seven and eight; *Si assomigliano tra loro*, they look like each other; *Sono in lite tra loro*, they are on bad terms with each other **2** (in mezzo a) among, in, amid, amidst; (attraverso) through: **una serata tra amici**, an evening among friends; **tra gli applausi della folla**, amidst the cheering of the crowd; **tra le braccia**, in one's arms; **preso tra due fuochi**, caught between two fires; **di tra gli alberi**, from among the trees; **farsi largo tra la folla**, to make one's way through the crowd; **perso tra la folla**, lost in the crowd; **scomparire tra le onde**, to vanish amid the waves; **rovistare tra vecchie foto**, to rummage through old photos; **passare tutto il tempo tra i libri**, to spend all one's time among one's books **3** (tempo, distanza) in; within: **tra due giorni**, in two days' time; within two days; **tra sei anni**, in six years; six years hence; **tra poco**, in a little while; shortly; **tra un paio d'ore**, in a couple of hours; **tra una settimana**, in a week's time; **tra una ventina di minuti**, in about twenty minutes; *La merce sarà qui tra un mese*, the goods will be here within a month; *Tra due kilometri c'è il distributore*, the petrol station is two kilometres from here **4** (partitivo) of; among: **il migliore tra tutti**, the best of all; **primo tra tutti**, first of all; **uno tra tanti**, one of (o among) many; **alcuni tra i miei colleghi**, some of my colleagues; **un esempio tra tanti**, one example among many; **con la testa tra le nuvole**, with one's head in the clouds; **uno tra mille**, one in a thousand; *Fu tra i primi ad arrivare*, he was among the first to arrive; he arrived with the first; *Tra le due sorelle preferisco la più giovane*, I prefer the younger of the two sisters; *Chi tra (di) voi?*, which of you?; *Chi c'è tra voi che vuol parlare?*, who is there among you that would like to speak?; *Tra tutti quanti non ce n'è uno che mi piaccia*, there isn't one among them that I like **5** (per indicare una fascia di valori, di tempo, ecc.) – *Può costare tra i 30 e i 40 euro*, it can cost anything between 30 and 40 euros; **tra trenta e le quaranta persone**, about thirty or forty people; thirty to forty people; *Il pacco dovrebbe arrivare tra oggi e domani* [tra il 5 e il 6, tra il 10 e il 20], the parcel should arrive today or tomorrow [about the 5th or 6th, sometime between the 10th and the 20th]; *Dobbiamo decidere tra oggi e domani*, we must make a decision within the next twenty-four hours (o before tomorrow night); **ragazzi tra i 10 e i 15 anni**, boys and girls aged 10 to 15; *Avrà tra i venti e i trent'anni*, she must be in her twenties ● **tra l'altro**, among other things; (inoltre) besides □ **Tra l'andare e il tornare ci vogliono due ore**, it takes two hours there and back □ **tra una cosa e l'altra**, what with one thing and another (o the other) □ (fig.) **tra i piedi**, in the way; under sb.'s feet; underfoot □ **tra il riso e il pianto**, half laughing and half crying □ **tra sé**, to oneself: **parlare tra sé**, to talk to oneself □ **tra il sì e il no**, uncertain; undecided □ **tra la vita e la morte**, between life and death □ **Tra casa, marito e figli ho sempre le giornate piene**, what with the housework, my husband and the children, my days are full □ **detto tra noi** (o **resti tra noi**), between ourselves; between you and me (and the lamp-post).

trabàccolo m. (naut.) lugger.

traballaménto m. tottering; wobbling; staggering; (di veicolo) jolting, bumping.

traballànte a. **1** (vacillante) tottering, wobbling, staggering, shaky, unsteady; (malfermo) wobbly, rickety, wonky (fam. GB); (sussultante) jolting, shaking: **dente t.**, wobbly tooth; **sedia t.**, rickety chair; wonky chair; **camminare con passo t.**, to totter; to stagger **2** (fig.) shaky; tottering; lame: **argomentazione t.**, shaky argument; **governo t.**, shaky (o tottering) government; **matrimonio t.**, shaky marriage; **scusa t.**, lame excuse.

traballàre v. i. **1** (vacillare) to totter, to stagger; (essere malfermo) to wobble, to be wobbly, to be unsteady, to be rickety, to be wonky (fam. GB); (sussultare) to jolt, to

shake*, to bump along: *Si diresse traballando verso la porta*, he staggered (*o* lurched, reeled) towards the door; *Fa' attenzione con quella sedia: traballa*, it's a rickety chair, be careful; *La vecchia automobile traballava*, the old car was bumping along; *Si sentì un brontolio e la terra cominciò a t.*, there was a low rumble and the earth began to shake **2** (*fig.*) to totter; to be shaky; to teeter: *Il governo traballa*, the government is tottering.

traballìo m. (*serie di sobbalzi*) tottering; staggering; shaking; jolting.

traballóne m. shake; tremor; (*scossone*) bump, jolt: *L'autobus si arrestò con un t.*, the bus jolted to a halt; **camminare a traballoni**, to stagger along; **procedere a traballoni**, to bump (*o* to jolt) along.

trabattèllo m. (*edil.*) builders' staging.

trabàtto m. (*agric.*) sieve.

tràbea f. (*archeol.*) trabea*.

trabeazióne f. (*archit.*) trabeation; entablature.

trabècola f. (*anat.*, *zool.*) trabecula*.

trabecolàre a. (*anat.*, *zool.*) trabecular.

trabìccolo m. **1** (*per scaldaletto*) bed-warmer frame **2** (*fam.*: *vecchio veicolo*) rickety old car; old crock; crate; banger **3** (*fam.*: *mobile traballante*) rickety piece of furniture **4** (*fam.*: *aggeggio*) contraption; arrangement.

traboccànte a. (*anche fig.*) overflowing; brimming (over): **bicchiere t.**, brimming glass; **t. di entusiasmo**, brimming with enthusiasm; **t. di gioia**, overflowing with joy.

traboccàre v. i. **1** to overflow*; to run* over; to brim over; to spill* over; (*di liquido che bolle*) to boil over; (*di fiume, ecc.*) to overflow* its banks: *Il grano traboccava dal sacco*, the corn was overflowing from the sack; *Il latte è traboccato*, the milk has boiled over; **lasciar t. l'acqua della vasca**, to let the water in the bath run over; *Non far t. la birra*, don't spill the beer **2** (*fig.*) to overflow*; to brim (over); to burst*: **t. di entusiasmo**, to brim over with excitement; *Il mio cuore traboccava di gioia*, my heart was overflowing with joy; *Le strade traboccavano di folla*, the streets were overflowing with people **3** (*di bilancia*) to turn: *La bilancia traboccò*, the scales turned; **far t. la bilancia**, to tip the scales ● **la goccia che fa t. il vaso**, the straw that breaks the camel's back.

trabocchétto Ⓐ m. **1** (*nel pavimento*) trapdoor; (*teatr.*, *anche*) vampire; (*scavato nel suolo*) trap, pitfall **2** (*fig.*) snare; trap; pitfall: **cadere in un t.**, to fall into a trap; **tendere un t.**, to lay a trap; **tendere un t. a q.**, to set a trap to catch sb. Ⓑ a. inv. trick (attr.): **domanda t.**, trick question.

trabocchévole a. overflowing; superabundant.

trabòcco① m. overflow; overflowing; spillover.

trabócco②, **trabùcco** m. (*mil. stor.*) trebuchet.

trac Ⓐ inter. crack; snap; bang Ⓑ m. inv. stage fright; panic.

tracagnòtto Ⓐ a. squat; stocky; stockily built Ⓑ m. (f. **-a**) squat (*o* stocky) person.

tracannàre v. t. to gulp down; to knock back; to swig: **t. un bicchiere di vino**, to gulp down a glass of wine.

traccagnòtto → **tracagnotto**.

traccheggiàre Ⓐ v. i. **1** (*temporeggiare*) to play for time; to stall (for time); to play a waiting game (*fam.*); to drag one's feet; to pussyfoot (around) **2** (*scherma*) to feint Ⓑ v. t. (*tenere a bada, ritardare*) to delay; to postpone; to hold* back.

traccheggiatóre m. (f. **-trice**) tempo-

rizer.

tracchéggio m. **1** (*indugio*) playing for time; stalling; delay **2** (*scherma*) feint.

tràcchete inter. crack; snap; bang.

♦**tràccia** f. **1** (*impronta*) track; (*scia*) trail; (*orma, anche*) footstep, footprint, footmark; (*caccia, anche*) scent, spoor: **le tracce di un'auto**, the tracks of a car; **t. di fumo**, trail of smoke; **la t. di una lumaca**, the trail of a snail; **la t. di una volpe**, the scent of a fox; **t. fresca**, fresh tracks (pl.); fresh (*o* hot) scent; **t. luminosa**, luminous trail; **tracce fresche sulla neve**, fresh tracks in the snow; **tracce di passi sulla sabbia**, footprints on the sand; **una t. di sangue sul pavimento**, a trail of blood on the floor; **essere sulle tracce di q.**, to be on sb.'s trail; **nascondere le proprie tracce**, to hide one's tracks; (*caccia*) **perdere la t.**, to lose the scent; **perdere le tracce di q.**, to lose sb.'s trail; (*fig.*) to lose all trace (*o* track) of sb.; **far perdere le proprie tracce**, (*in un inseguimento*) to shake off (sb.), to give (sb.) the slip; (*scomparire*) to disappear; **seguire le tracce di q.**, to follow sb.'s tracks; (*fig.*) to follow in sb.'s footsteps; (*caccia*) **trovare la t.**, to pick up the scent **2** (*segno, indizio*) trace; sign; evidence Ⓤ; mark: **una t. lasciata dal ladro**, a trace left by the thief; *Non c'era t. umana*, there was no sign of human beings; *Non c'è t. di scasso*, there is no sign (*o* evidence) of a break-in; *Il tempo ha lasciato tracce sul suo volto*, time has left its marks on his face; **scomparire senza lasciare t. (di sé)**, to disappear without a trace **3** (*resto, residuo*) trace (*anche med., chim.*), remnant; (*vestigio*) vestige, evidence Ⓤ; (*accenno, barlume*) trace, hint, glimpse: **tracce di albumina nelle urine**, traces of albumin in the urine; **tracce di sangue sui vestiti**, traces of blood on the clothes; **le tracce di un'antica bellezza**, the remnants of former beauty; **tracce di un'antica civiltà**, traces (*o* vestiges) of an ancient civilization; *Non c'è t. di polvere*, there's no trace of dust; *Il palazzo conservava tracce di un antico splendore*, the building still showed evidence of past splendours; (*chim.*) **elemento in tracce**, trace element **4** (*schema, abbozzo*) outline; general plan; layout; rough: **la t. di un discorso**, the outline of a speech; **la t. di un romanzo**, the general plan of a novel **5** (*indicazione*) guidelines (pl.); (*suggerimento*) hint, lead: **una t. su cui agire**, guidelines to follow; *Non so da dove cominciare, dammi una t.*, I don't know where to start, give me a lead **6** (*fis., elettron., comput.*) track: **t. d'impulso**, pip; (*TV*) **t. luminosa**, scan; **t. magnetica**, track **7** (*mat.*) trace **8** (*edil.*) → sotto t. in chase; chased (agg.); (*fig.*) → **sottotraccia**; **mettere sotto t.**, to chase.

tracciàbile a. traceable.

tracciabilità f. traceability.

traccialìnee m. inv. (*ind.*) tracer.

tracciaménto m. **1** tracing **2** (*ing.*) layout.

tracciànte Ⓐ a. **1** tracing **2** – (*chim.*) **elemento t.**, tracer; **proiettile t.**, tracer (bullet) Ⓑ m. (*chim., mil.*) tracer.

♦**tracciàre** v. t. **1** (*segnare, indicare*) to trace (out); to mark out; to lay* out; to draw*; (*su una mappa*) to map out, to plot: **t. le fondamenta**, to mark out the foundations; **t. un itinerario**, to map out a route; **t. la pianta di una casa**, to trace out the plan of a house; **t. la pianta di un giardino**, to lay out a garden; (*naut.*) **t. la rotta di una nave**, to plot a ship's course; **t. uno schema**, to draw up a scheme; **t. una strada**, (*progettarla*) to plan a new road; (*costruirla*) to build a new road; (*fig.*) **t. la via**, to lead the way **2** (*disegnare*) to draw*; to plot; (*di corpo in movimento*) to describe: **t. una curva**, to plot a curve; to describe a curve; **t. un diagramma**, to plot

a diagram; **t. una linea**, to draw a line **3** (*abbozzare*) to outline; to sketch out: **t. il quadro della situazione**, to outline the situation; **t. lo schema di un romanzo**, to sketch out a novel.

tracciàto m. **1** (*grafico, diagramma*) graph; plot; (*elettron., fis.*) trace, tracing: **t. radar**, radar trace **2** (*ing.*) layout **3** (*percorso*) plotted course; route: **il t. di un fiume**, the course of a river; (*sport*) **t. di gara**, (marked) course; (*naut., aeron.*) **t. di rotta**, plotted course **4** (*descrizione schematica*) layout; (*abbozzo*) sketch, outline.

tracciatóio m. scriber.

tracciatóre Ⓐ m. **1** (f. **-trice**) (*operaio*) tracer, marker **2** (*sci*) piste designer **3** (*naut.*) – **t. di rotta**, (course) plotter **4** (*elettron.*) – **t. di grafici**, plotter **5** (*mil.*) tracer Ⓑ a. tracing; marking.

tracciatrice f. (*mecc.*) jig borer.

tracciatùra f. **1** tracing; drawing **2** (*legatoria*) notching **3** (*naut.*) scribing; marking.

tràce a., m. e f. Thracian.

trachèa f. **1** (*anat.*) windpipe; trachea* **2** (*zool., di insetto*) trachea* **3** (*bot.*) trachea*.

trachèale a. (*anat., zool., bot.*) tracheal.

trachèide f. (*bot.*) tracheid*.

tracheite f. (*med.*) tracheitis.

tracheobronchìte f. **1** (*med.*) tracheobronchitis **2** (*vet.*) – **t. canina**, canine tracheobronchitis; kennel cough.

tracheoscopìa f. (*med.*) tracheoscopy.

tracheotomìa f. (*chir.*) tracheotomy.

tracheotomizzàre v. t. (*chir.*) to perform a tracheotomy on; to tracheotomize.

tracheotomizzàto (*chir.*) Ⓐ a. tracheotomized Ⓑ m. (f. **-a**) tracheotomized patient.

trachìno m. (*zool., Trachinus draco*) greater weever.

trachìte f. (*miner.*) trachyte.

Tràcia f. (*geogr.*) Thrace.

tràcico a. Thracian.

tracimàre v. i. to overflow*; to spill* over; (*di fiume, anche*) to burst* its banks.

tracimazióne f. overflowing; spilling over.

tràcina f. (*zool., Trachinus*) weaver (fish).

tràcio a. e m. (f. **-a**) Thracian.

tracodónte m. (*paleont.*) thracodon.

tracòlla f. **1** shoulder strap; neckstrap; (*di fucile*) sling: **a t.**, (slung) over one's shoulder; **mettersi qc. a t.**, to sling st. over one's shoulder **2** (*anche* **borsa a t.**) shoulder bag.

tracollàre v. i. **1** (*perdere l'equilibrio*) to overbalance; to tip over; to keel over: (*anche fig.*) **far t. la bilancia**, to tip the scales **2** (*crollare, anche fig.*) to collapse; to crash.

tracòllo m. (*crollo*) collapse, crash; (*disastro*) disaster, ruin, downfall: **t. finanziario**, financial collapse; crash; **t. dell'economia**, collapse of the economy; **il t. di una società**, the collapse of a company; **t. in Borsa**, crash (*o* collapse) in the Stock Exchange; **il t. di una valuta**, the collapse of a currency; *Ieri il mercato dei titoli ha subito un forte t.*, the bottom fell out of the stock-market yesterday; *La sua salute ha avuto un t.*, she suffered a breakdown in her health; **sull'orlo del t.**, on the verge of collapse [of disaster, etc.]; **portare q. al t.**, to bring sb. to ruin ● (*fig.*) **dare il t. alla bilancia**, to tip the scales.

tracòma m. (*med.*) trachoma.

tracomatóso (*med.*) Ⓐ a. trachomatous Ⓑ m. (f. **-a**) trachoma sufferer.

tracotànte Ⓐ a. arrogant; overbearing; haughty Ⓑ m. e f. arrogant person.

tracotànza f. arrogance; haughtiness.

tracùro m. (*zool., Trachurus trachurus*) horse

mackerel; scad.

trad. abbr. **1** (**traduttore**) translator (tr.) **2** (**traduzione**) translation (tr.).

tradescànzia f. (*bot.*, *Tradescantia*) spiderwort.

tradiménto m. **1** betrayal; (*leg.*, *polit.*) treason; (*slealtà*) treachery: **alto t.**, high treason; **commettere un t. contro q.**, to betray sb.; **a t.**, treacherously; by treachery; (*fig.*: *improvvisamente*) unexpectedly, by surprise; **attacco a t.**, treacherous attack; **domanda a t.**, unexpected question; **cogliere q. a t.**, to catch sb. unawares; (*fig.*) to take sb. by surprise **2** (*infedeltà*) infidelity; adultery; (*relazione*, *anche*) liaison, affair.

◆**tradìre** A v. t. **1** (*ingannare*) to betray; (*denunciare*) to inform against: **t. una causa**, to betray a cause; **t. la fiducia di q.**, to betray sb.'s trust; **t. gli interessi di q.**, to betray sb.'s interests; **t. la patria**, to betray one's country; to turn traitor; *È stato tradito dal suo complice*, his accomplice informed against him (*fam.* grassed on him) **2** (*essere infedele*) to be unfaithful to; to cheat on; to two-time (*fam.*): **t. la moglie**, to be unfaithful to (*o* to cheat on) one's wife **3** (*infrangere*) to break*; (*venire meno a*) to fail in (st.), to deceive, to fail (sb.): **t. un giuramento**, to break an oath; **t. l'ospitalità**, to fail one's duty as a host (*o* as a guest); *Se la memoria non mi tradisce*, if my memory doesn't deceive me; *Le forze lo tradivano*, his strength was failing him **4** (*non rendere giustizia a*) to misinterpret; to misrepresent; to distort: **t. un autore [un testo]**, to misinterpret an author [a text]; **t. il pensiero di q.**, to misrepresent sb.'s ideas; **t. la verità**, to distort the truth **5** (*deludere*) to fail (sb.); to let* down (sb.); to disappoint; (*non essere all'altezza di*) not to come* up to: *Sono sicuro che non mi tradirai*, I'm sure you won't let me down; **t. le speranze di q.**, to fail to come up to sb.'s expectations **6** (*rivelare*) to betray; to reveal; to give* away: **t. un segreto**, to betray a secret; *Il pallore tradiva la sua commozione*, his pallor betrayed his emotion; *Fu tradito dalla sua pronuncia*, his accent gave him away B **tradìrsi** v. rifl. to give* oneself away.

tradìto ① a. betrayed: **fiducia tradìta**, betrayed trust; **moglie tradìta**, betrayed wife.

tràdito ② a. (*lett.*) transmitted; handed down.

traditóre A m. (f. **-trìce**) **1** traitor (f. traitress); betrayer: **t. della patria**, traitor to one's country; **diventare un t.**, to turn traitor; (*scherz.*) *Perché non sei venuto, t.?*, you traitor, why didn't you come? **2** (*ingannatore*) deceiver B a. **1** (*che tradisce*, *ingannatore*) betraying; deceiving **2** (*ingannevole*) treacherous; deceptive; false: **ghiaccio t.**, treacherous ice; **vino t.**, deceptively strong wine **3** (*infedele*) unfaithful; adulterous: **marito t.**, unfaithful husband.

tradizionàle a. **1** (*della tradizione*) traditional; customary: **feste [usi] tradizionali**, traditional celebrations [customs] **2** (*convenzionale*) conventional **3** (*abituale*) traditional; customary; usual.

tradizionalìsmo m. traditionalism.

tradizionalìsta m. e f. traditionalist.

tradizionalìstico a. traditionalistic.

◆**tradizióne** f. **1** tradition: **t. antichìssima**, immemorial tradition; **t. orale**, oral tradition; **t. scritta**, written tradition; records (pl.); **le tradizioni di un popolo**, a people's traditions; **fondato sulla t.**, based on tradition; traditional; **mantenere una t.**, to keep up with a tradition; **rompere la t.**, to break with tradition; *La t. vuole che...*, tradition has it that... **2** (*consuetudine*, *uso*) tradition; custom: **una t. di famiglia**, a family tradition; **tradizioni popolari**, folk customs;

folklore (sing.); *È t. da noi...*, it is a tradition with us...; we have a tradition of...; **per t.**, by tradition; traditionally; *Ci andiamo ogni anno per t.*, it's a tradition with us to go there every year **3** (*leg.*) tradition; delivery; transfer: **la t. di una proprietà**, the transfer of an estate.

tradótta f. (*mil.*) troop train.

tradótto a. translated; in translation.

traducènte m. (*ling.*) (semantic) equivalent.

traducìbile a. **1** translatable; that can be translated: **non t.**, untranslatable **2** (*fig.*) that can be put (into st.): **t. in fatti**, that can be put into practice (*o* into effect); **non t. in parole**, that cannot be put into words; that cannot be expressed.

traducibilità f. translatability.

tradunionìsmo m. trade unionism.

tradunionìsta m. e f. trade unionist.

tradunionìstico a. trade-union (attr.).

◆**tradùrre** A v. t. **1** to translate; to turn; to render: **t. alla lettera**, to translate literally; **t. a senso**, to translate freely; to paraphrase; **t. a prima vista** (*o* all'impronta), to translate at sight; **t. dal latino in italiano**, to translate from Latin into Italian; **t. male**, to mistranslate; **t. parola per parola**, to translate word for word **2** (*fig.*) to put* (into); (*esprimere*) to express: **t. in atto un'idea**, to put an idea into practice (*o* into effect); to carry out an idea; **t. qc. in cifre**, to put st. into figures; **t. in parole chiare**, to put into simple words; to put simply **3** (*bur.*) to take*; (*trasferire*) to transfer: **t. davanti al giudice**, to take to court; **t. in carcere**, to take to prison B **tradùrsi** v. i. pron. (*manifestarsi*) to manifest itself; (*diventare*, *risolversi*) to become*, to turn (into): *Il progetto si tradusse in un affare lucroso*, the plan turned into a profitable business; **tradursi in realtà**, to come true.

traduttìvo a. translation (attr.); translating (attr.); translational.

traduttologìa f. traductology.

traduttóre A a. translating B m. **1** (f. **-trìce**) translator; (*interprete*) interpreter **2** (*testo*) crib; pony (*USA*) **3** (*bur.*) escort.

traduzióne f. **1** translation; version: **t. dal francese in italiano**, translation from French into Italian; **una t. dell'«Eneide»**, a translation (*o* a version) of the «Aeneid»; **t. a prima vista**, sight translation; **t. approssimativa**, loose (*o* rough) translation; (*comput.*) **t. automatica**, computer-aided translation; **t. col testo a fronte**, translation with parallel text; **t. consecutiva**, consecutive translation; **t. fedele**, close (*o* faithful) translation; **t. improvvisata**, extempore translation; **t. interlineare**, interlinear translation; **t. letterale [libera]**, literal [free] translation; **t. sbagliata**, mistranslation; **dare una t. sbagliata di qc.**, to mistranslate st.; **t. simultanea**, simultaneous translation; **fare una t. in tedesco**, to do a translation into German; **leggere qc. in t.**, to read st. in translation **2** (*bur.*) transfer (of prisoners) **3** (*biol.*) translation.

traènte A a. **1** drawing; pulling; hauling: **cavo t.**, hauling cable; pull-rope **2** (*fig.*) driving; leading: **forza t.**, driving force; (*econ.*) **settore t.**, driving (*o* leading) sector B m. e f. (*comm.*) drawer.

traènza f. (*comm.*) drawing.

trafelàto a. breathless; out of breath (pred.); panting: *Arrivò tutto t.*, he arrived quite out of breath.

traférro m. (*elettr.*) air gap.

trafficànte m. e f. **1** (*mercante*) dealer; (*in attività illecita*) trafficker: **t. d'armi**, arms dealer; trafficker in arms; **t. di bestiame**, cattle dealer; **t. di droga**, drug trafficker **2**

(*faccendiere*) wheeler-dealer (*fam.*).

trafficàre A v. i. **1** (*commerciare*) to trade; to deal*; (*illecitamente*) to traffic: **t. in valuta straniera**, to deal in foreign currency; **t. in stupefacenti**, to traffic in drugs **2** (*affaccendarsi*) to bustle about; to busy oneself **3** (*armeggiare*) to tinker; to fiddle B v. t. (*vendere*, *spec. spreg.*) to traffic (in); (*barattare*) to barter (st.).

trafficàto a. busy; traffic-congested.

traffichìno m. (f. **-a**) (*fam.*) schemer; smooth operator; finagler.

◆**tràffico** m. **1** (*comm.*) trade Ⓤ; trading Ⓤ; (*illecito*) illicit trade Ⓤ, traffic Ⓤ, trafficking Ⓤ: **il t. del grano**, the corn trade; **t. d'armi**, traffic in arms; **t. di droga**, drug traffic; drug trafficking; **t. di sigarette**, traffic in contraband cigarettes; **t. di valuta**, traffic in currency; **traffici con l'estero**, foreign trade **2** (*movimento di veicoli e persone*) traffic: **t. a senso unico**, one-way traffic; **t. aereo [automobilìstico]**, air [car] traffic; **t. di pendolari**, commuter traffic; **t. in entrata [in uscita]**, incoming [outbound] traffic; **t. intenso**, heavy traffic; **t. marìttimo**, maritime (*o* sea) traffic; **un gran t.**, a lot of traffic: **bloccare il t.**, to hold up the traffic; **chiudere al t.**, to close traffic; **deviare il t.**, to divert traffic; **dirigere il t.**, to direct the traffic; **ingegneria del t.**, traffic engineering; **regolazione del t.**, traffic control; **strada di grande t.**, busy road **3** (*trasmissione di messaggi*) traffic **4** (*fam.*: *gran movimento*, *attività*) activity, bustling about; (*daffare*, *fatica*) hard work, job; (*confusione*) fuss, to-do: *C'era un gran t. stamattina in ufficio*, there were a lot of people coming and going (*o* there was plenty of activity) in the office this morning.

trafficóne m. (f. **-a**) intriguer; schemer; slick operator; (*faccendiere*) wheeler-dealer (*fam.*), spiv (*fam. GB*).

trafìggere v. t. **1** to transfix; to pierce through; (*con una spada*) to run* through; (*pugnalare*) to stab; (*con una lancia*) to spear; (*ferire*) to wound **2** (*fig.*) to pierce; to shoot* through: *Le sue parole mi trafissero il cuore*, his words pierced my heart; *L'urlo mi trafisse le orecchie*, the shriek pierced my ears; *Un dolore gli trafisse la gamba*, a pain shot through his leg.

trafila f. **1** (*metall.*) draw-plate; die-plate **2** (*procedura*, *iter*) procedure; (*serie di operazioni*) series, routine: **t. burocràtica**, bureaucratic procedures (pl.); red tape Ⓤ (*fam.*); *Ho dovuto fare la solita t. burocràtica*, I had to go through the usual red tape; **una t. di collaudi**, a series of tests; **la solita t. delle cose da fare**, the usual routine; **conoscere la t.**, to know what needs to be done; **seguire la normale t.**, to go through the usual channels; to follow the standard procedure, (*in una carriera*) to follow the usual pattern of promotion.

trafilàre v. t. (*mecc.*) to draw*; to wire-draw*: **t. a caldo**, to hot-draw; **t. a freddo**, to cold-draw.

trafilàto (*metall.*) A a. drawn: **t. a caldo**, hot-drawn; **t. a freddo**, cold-drawn; **t. al banco**, bench-drawn B m. drawn piece; (*filo*) drawn wire; (*tubo*) drawn tube: **trafilati metàllici**, drawn products.

trafilatóre m. (f. **-trìce**) wireworker.

trafilatrìce f. (*mecc.*) drawbench; drawing bench.

trafilatùra f. (*mecc.*) drawing, wire-drawing: **t. a caldo [a freddo]**, hot-drawing [cold-drawing]; **banco di t.**, draw-bench.

trafilerìa f. (*mecc.*) drawing mill.

trafilétto m. (*giorn.*) paragraph; short article.

trafìtta → **trafittura**, def. 2.

trafittùra f. **1** (*il trafiggere*) piercing

through; stabbing; running through; transfixion **2** (*fitta*) piercing pain; shooting pain; stab.

traforàre v. t. **1** to pierce; to perforate; (*trivellare*) to bore, to drill; (*aprire una galleria*) to tunnel through: *La pallottola gli traforò la coscia*, the bullet pierced his thigh; **t. il metallo**, to perforate metal; **t. una montagna**, to bore a tunnel through a mountain **2** (*su legno*) to do* fretwork on; (*su cuoio*) to do* openwork on **3** (*ricamo*) to decorate with cut-work (*o* openwork).

traforàto a. **1** (*lavorato a traforo*) fretworked; fretted; openwork (attr.) **2** (*di tessuto, ecc.*) cut-work (attr.); openwork (attr.): **camicetta traforata**, cut-work blouse; **punto t.**, cut-work stitch.

traforatrice f. fretsaw.

traforazióne f. → **traforo**, def. 1.

tràforo m. **1** (*l'operazione*) perforation; (*trivellatura*) boring, drilling; (*l'aprire una galleria*) tunnelling **2** (*galleria*) tunnel: **il t. del Sempione**, the Simplon tunnel **3** (*intaglio su legno*) fretwork; (*gioco*) fretwork kit: **seghetto da t.**, fretsaw; jigsaw **4** (*intaglio su cuoio*) openwork **5** (*su stoffa*) cut-work; openwork: **ricamo a t.**, cut-work embroidery.

trafugaménto m. stealing; purloining; theft.

trafugàre v. t. to steal*; to purloin: *Mi trafugò un anello*, she stole a ring from me.

tragèda (*lett.*) → **tragediografo**, B, def. 1.

♦**tragèdia** f. **1** (*letter.: genere e opera*) tragedy: **la t. greca**, Greek tragedy; **le tragedie di Shakespeare**, Shakespeare's tragedies **2** (*fig.: fatto drammatico*) tragedy; tragic event; (*sciagura*) disaster; (*incidente*) accident: **t. mineraria**, mining disaster; **il luogo della t.**, the scene of the accident (*o* of the disaster) **3** (*fig. fam.: dramma*) fuss; (*scenata*) scene: **farne una t.** (*o* **fare tragedie**), to make (*o* to kick up) a fuss; to get worked up; to make a scene; *Quante tragedie per una macchiolina!*, all that fuss for a tiny stain!; *Quando ha detto in casa che era incinta è scoppiata una t.*, when she told her family she was pregnant all hell broke loose.

tragediògrafo m. (f. **-a**) tragedian; dramatist.

traghettaménto m. ferrying (across).

traghettàre v. t. **1** (*trasportare*) to ferry: **t. q. al di là del fiume**, to ferry sb. across the river; **t. le macchine sull'altra riva**, to ferry the cars across **2** (*attraversare*) to cross (by boat): **t. un fiume**, to cross a river **3** (*fig.*) to lead*.

traghettatóre m. ferryman*.

traghétto Ⓐ m. **1** (*tragitto*) crossing; ferrying **2** (*luogo d'imbarco*) ferry **3** (*imbarcazione*) ferry; ferry-boat: **t. ferroviario**, train ferry; **t. per automobili**, car ferry: **salire sul t.**, to board the ferry; **servizio di t.**, ferry service Ⓑ a. inv. – **nave t.**, ferry, ferry-boat.

tragicità f. (*anche fig.*) tragic nature.

♦**tràgico** Ⓐ a. **1** (*letter.*) tragic: **attore t.**, tragic actor; tragedian; **attrice tragica**, tragic actress; tragedienne (*franc.*); **parti tragiche**, tragic roles; **stile t.**, tragic style **2** (*luttuoso*) tragic; mournful; grievous; tragical: **avvenimento t.**, tragic event; **morte tragica**, tragic death Ⓑ m. **1** (*tragediografo*) tragedian; dramatist: **i tragici greci**, the Greek tragedians **2** (*attore*) tragic actor; tragedian **3** (*tragicità*) tragedy: *Il t. fu che...*, the tragedy of it was that... **4** (*letter.*) tragedy: **la teoria del t. in Aristotele**, Aristotle's theory of tragedy ● (*fam.*) **fare il t.**, to dramatize things; to get worked up (about st.) □ (*fam.*) **metterla sul t.**, to overdramatize st.; to treat st. as a disaster.

tragicòmico a. (*anche fig.*) tragicomic.

tragicommèdia f. (*anche fig.*) tragicomedy.

♦**tragitto** m. **1** (*percorso*) way; route: **il t. più breve**, the shortest way (*o* route); *Una parte del t. l'abbiamo fatta in aereo*, we flew part of the way; **lungo il t.**, on the way **2** (*viaggio*) journey; trip; (*in auto*) drive; (*in aereo*) flight; (*a cavallo, in autobus, treno*) ride; (*per mare*) passage, crossing: **t. in macchina**, journey by car; drive; **t. a piedi**, walk.

tràgo m. (*anat.*) tragus*.

tràgolo, tràgulo m. (*zool.*, *Tragulus*) chevrotain.

traguardàre v. t. **1** to sight **2** (*guardare di sottecchi*) to look furtively at; to cast* a furtive (*o* covert, sidelong) glance at.

traguàrdo m. **1** (*sport*) finishing line; winning post: **tagliare il t.**, to cross the finishing line first; (*nella corsa*) to breast the tape; **arrivare primo al t.**, to come in first; **linea del t.**, finishing line; **nastro del t.**, tape **2** (*strumento ottico*) level; back-sight; vane **3** (*di arma*) sight; sights (pl.) **4** (*fig.: meta, obiettivo*) goal; target: (*econ.*) **t. produttivo**, production target; **raggiungere il proprio t.**, to achieve one's goal.

tràgulo → **tragolo**.

Traiàno m. (*stor.*) Trajan.

traiettòria f. **1** (*geom.*) trajectory **2** (*di proiettile*) trajectory, flight; (*di missile, ecc.*) path, trajectory; (*di astro*) path, course, track: **la t. di una freccia**, the flight of an arrow; **la t. di una meteora**, the track (*o* the path) of a meteor; **la t. di una pallottola**, the trajectory of a bullet.

tràina f. tow-rope; tow-line ● **pesca a (*o* alla) t.**, troll □ **pescare a t.**, to troll.

trainànte a. **1** drawing; pulling; hauling **2** (*fig.*) driving; leading: **paese t.**, leading country; **settore t.**, driving sector; engine.

trainàre v. t. **1** to draw*; to pull; to haul; (*rimorchiare*) to tow: *La locomotiva traina dieci vagoni*, the engine draws ten carriages; **un carro trainato da due buoi**, a cart drawn by two oxen; **farsi t.**, to have oneself pulled along; (*in auto*) to have one's car towed, to be taken on tow **2** (*fig.*) to drive*; to motivate; to spur.

trainer (*ingl.*) m. e f. inv. **1** (*sport*) trainer; coach **2** (*org. az.*) training director.

training (*ingl.*) m. inv. **1** (*org. az.*) training; apprenticeship: **fare il proprio t.**, to do training; to train; **periodo di t.**, training period **2** (*sport*) training **3** (*psic.*) – **t. autogeno**, autogenous training.

tràino m. **1** (*il trainare*) drawing, pulling, haulage; (*il rimorchiare*) towing, tow: **al t.**, on tow; **avere qc. al t.**, to have st. on tow; **gancio da t.**, tow hook; hitch; **fune da t.**, tow-line; tow-rope **2** (*veicolo trainato*) trailer **3** (*carico trainato*) load; train **4** (*treggia*) sled; sledge **5** (*fig.*) driving force; puller: **fare da t. all'economia**, to be the driving force behind the economy.

trait d'union (*franc.*) loc. m. inv. **1** (*trattino*) hyphen **2** (*fig.*) link; (*intermediario*) intermediary: **fare da trait d'union**, to be a link; to act as an intermediary.

tralasciàre v. t. **1** (*interrompere*) to stop; to interrupt; to abandon: **t. gli studi**, to interrupt one's studies **2** (*omettere*) to leave* out, to omit, to skip; (*trascurare*) to neglect, to pass over, to fail (to do st.): **t. una frase**, to leave out a sentence; **t. un particolare**, to leave out (*o* to omit) a detail; **t. di informare q.**, to neglect to inform sb.; **t. di dire qc.**, to fail to mention st.; **tralasciando il fatto che...**, not to mention that...; to say nothing of the fact that...

tràlcio m. shoot; (*di rampicante*) spray: **t. d'edera**, spray of ivy; **t. di vite**, vine-shoot.

tralicciatùra f. lattice-work; lattice.

tralìccio m. **1** (*tela grossa*) ticking; tick **2** (*struttura di sostegno*) lattice, lattice-work; frame, frame-work; trellis, trellis-work; (*di ponte*) trestle, trestle-work; (*elettr.*) pylon: **t. dell'alta tensione**, (electricity) pylon; **t. di gru**, tower mast; **ponte a t.**, trestle-bridge.

tralice vc. – **in t.**, slantingly; slantwise; sideways: **guardare q. in t.**, to look sideways at sb.; (*con sospetto*) to look askance at sb.; **occhiata in t.**, sideways glance; look out of the corner of one's eye.

tralignaménto m. degeneration; deviation.

tralignàre v. i. to degenerate; to deviate; to stray; to go* astray.

trallalà, trallallèra inter. tra-la-la.

tralucènte a. translucent; transparent; pellucid: **alabastro t.**, translucent alabaster.

tralucère v. i. **1** (*brillare, anche fig.*) to shine* **2** (*essere trasparente*) to be transparent; to be pellucid: **vetro che traluce**, transparent glass.

♦**tram** m. inv. tram; tramcar (*GB*); street car (*USA*); trolley (car) (*USA*): **binari del t.**, tram-lines; streetcar tracks (*USA*) ● (*fig.*) **perdere il t.**, to miss the boat.

tràma f. **1** (*ind. tess.*) weft; woof: **t. lanciata**, overshot weft; **filo di t.**, weft thread; pick **2** (*estens.: intreccio*) weave; texture: **a t. fitta**, tight-woven; close-woven; **a t. rada**, open.weave (attr.); loose-textured **3** (*fig.: macchinazione*) plot; scheme; (*congiura*) conspiracy: **ordire una t.**, to hatch a plot **4** (*fig., di opera narrativa*) plot; story, story-line: **t. avvincente**, gripping story; **t. secondaria**, subplot; counterplot; **la t. di un romanzo**, the plot of a novel; **raccontare la t. di un film**, to tell the story of a film.

tramàcchio, tramàglio m. (*pesca, caccia*) trammel (net).

tramagnìno m. solo mine.

tramandàre v. t. to hand down (*o* on); to pass down (*o* on); to transmit: **t. un'usanza [un ricordo]**, to hand down a custom [a memory]; **t. di padre in figlio**, to hand down from father to son; **t. ai posteri**, to hand down to posterity; **essere tramandato**, to be handed on; to come down.

tramàre v. t. **1** (*ind. tess.*) to weave* **2** (*fig.*) to plot; (*assol.*) to plot, to scheme, to intrigue; (*cospirare*) to conspire: **t. una congiura**, to hatch a plot; to plot a conspiracy; **t. contro q.**, to plot against sb.

trambùsto m. confusion; bustle; hubbub; (*tumulto*) commotion, stir, turmoil: **il t. della partenza**, the bustle of leaving; *Nel paese c'era un gran t. per i risultati elettorali*, the country was in a stir (*o* in a turmoil) over the electoral results.

tramenàre v. i. (*rovistare*) to rummage (about).

tramenìo m. **1** (*il rovistare*) rummaging about **2** (*agitazione, andirivieni*) bustle; moving about **3** (*rumore di cosa smossa*) scraping noise.

tramestàre Ⓐ v. t. (*rovistare*) to rummage Ⓑ v. i. **1** (*rovistare*) to rummage (about) **2** (*armeggiare*) to fiddle (with); to tinker (with).

tramestìo m. (*agitazione, andirivieni*) bustle; moving about, scurrying; (*confusione*) confusion, noise.

tramezza f. **1** (*di calzatura*) slip-sole; inner sole **2** → **tramezzo**.

tramezzàre v. t. **1** (*frammezzare*) to interpose; to insert; (*interfogliare*) to interleave **2** (*separare con tramezzo*) to partition (off); to put* up a partition in.

tramezzìno m. sandwich.

tramèzzo Ⓐ avv. in between; in the middle Ⓑ **tramèzzo a** loc. prep. in the middle of; among; (*rif. a due*) between Ⓒ m. **1** (*diaframma*) diaphragm **2** (*edil.*) partition (wall)

3 (*sartoria*) (lace) insertion; (lace) insert; entredeux (*franc.*).

traminer (*ted.*) m. inv. (*enologia*) Traminer.

tràmite Ⓐ m. **1** (*lett.: via, passaggio*) passage; path **2** (*via, mezzo*) way, means, medium, vehicle; (*intermediario*) intermediary, go-between: **fare** (*o* **agire**) **da t.**, to act as an intermediary; **col t. di**, by means of; through; **per il t. di**, through Ⓑ prep. (*per mezzo di*) through; by; via: **t. banca**, through a bank; **t. fax**, via fax; **t. la posta**, by post; **t. telefonata**, by phone; *Te lo farò sapere t. mio fratello*, I'll let you know through my brother.

tramòggia Ⓐ f. hopper: **catena di tramogge**, hopper chain; **finestra a t.**, hopper-frame window Ⓑ a. inv. – (*ferr.*) **carro t.**, hopper car.

tramontàna f. **1** (*anche* **vento di t.**) north wind: *Oggi tira la t.*, today the north wind is blowing **2** (*settentrione*) north: **rivolto a t.**, facing north • (*fig.*) **perdere la t.**, to lose one's bearings; not to know whether one is coming or going (*fam.*).

♦**tramontàre** Ⓐ v. i. **1** to set*; to go* down: **appena tramonta il sole**, as soon as the sun sets; *La luna è tramontata prima di mezzanotte*, the moon went down before midnight; (*fig.*) *La sua stella sta tramontando* [*è tramontata*], his star is on the wane [has set] **2** (*fig.*) to fade; to wane; to pass away: *Le mie speranze tramontarono presto*, my hopes soon waned Ⓑ m. → **tramonto**.

♦**tramónto** m. **1** setting; (*del sole*) sunset, sundown: **al t.**, at sunset; at dusk; **dall'alba al t.**, from dawn to dusk **2** (*fig.*) decline; fading; waning; wane: **il t. di una moda**, the decline of a fashion; **il t. della vita**, the end (*o* the decline, the evening) of life; **essere al t.**, to be on the wane; (*essere anziano*) to be in one's declining years; **sul viale** (*o* **sulla via**) **del t.**, on the decline; on one's way out; waning.

tramortiménto m. (*svenimento*) fainting (fit); passing out.

tramortìre Ⓐ v. i. to faint; to pass out Ⓑ v. t. to stun; to knock senseless.

tramortìto a. **1** (*privo di sensi*) senseless; unconscious **2** (*fig.*) stunned; knocked out.

trampolière Ⓐ m. **1** (*zool.*) wader; wading bird **2** (*scherz.*) long-shanks Ⓑ a. wading.

trampolíno m. **1** (*la struttura, per tuffi*) springboard, diving-board; (*sci*) ski-jump; (*atletica, anche* **t. elastico**) trampoline: **tuffarsi dal t.**, to dive from a springboard; **tuffi dal t.** (*come specialità*), springboard diving **2** (*specialità sportiva: tuffi*) springboard diving; (*sci*) ski jumping; (*atletica*) trampolining **3** (*fig.*) springboard; launching pad; stepping stone: *Quel film fu il t. del suo successo*, that film was the springboard to success; **fare da t.** (**di lancio**), to be a stepping-stone.

tràmpolo m. **1** stilt: **camminare sui trampoli**, to walk on stilts; **reggersi sui trampoli**, to balance on stilts; (*fig.*) to be shaky, (*di ragionamento*) not to hold water **2** (al pl.) (*fig.: gambe lunghe*) spindly legs; spindle-shanks.

tramutaménto m. **1** transformation; change **2** (*trasferimento*) transfer **3** (*travaso*) decanting.

tramutàre Ⓐ v. t. **1** to transform; to change; to turn; to convert: **t. l'elettricità in calore**, to transform (*o* to convert) electricity into heat; *Il principe fu tramutato in un rospo*, the prince was changed (*o* turned) into a toad **2** (*trasferire*) to transfer **3** (*travasare*) to decant **4** (*trapiantare*) to transplant Ⓑ **tramutàrsi** v. rifl. e i. pron. **1** to change

(*o* to turn) oneself: *Giove si tramutò in toro*, Jupiter turned himself into a bull **2** to be transformed; to be turned; (*diventare*) to turn, to change: *La zucca si tramutò in carrozza*, the pumpkin was turned into a coach; *La sua cordialità si tramutò in sostenutezza*, his warmth turned to aloofness.

tramutazióne f. transformation; change.

tramvài, **tramvìa** → **tranvai**, **tranvìa**.

trance (*ingl.*) f. inv. **1** trance: **t. spiritica** (*o* **medianica**) trance; **cadere in t.**, to fall into a trance; **entrare in t.**, to go into a trance; **essere in t.**, to be in a trance; **uscire dalla t.**, to come out of the trance; **in** (**stato di**) **t.**, in a (state of) trance **2** (*fig.: astrazione*) trance: **andare in t.**, to fall into a (sort of) trance; **to space out** (*fam.*) **3** (*fig.: estasi*) ecstasy; state of bliss: **mandare in t.**, to bliss out (*fam.*); to send (*fam.*).

trancerìa f. shearing workshop.

tranchant (*franc.*) a. inv. trenchant.

tranche (*franc.*) f. inv. **1** (*cucina*) slice **2** (*banca, fin.*) tranche.

trància f. **1** (*cesoia*) shears (pl.); (*taglierina*) cutter: **t. a ghigliottina**, guillotine shears; **t. da banco**, bench shears **2** (*fetta*) slice; (*di pesce*) steak: **t. di tonno**, tunny steak.

tranciàre v. t. **1** (*tecn.*) to shear* (off) **2** (*tagliare di netto*) to cut* off; to sever.

tranciatóre m. (f. **-trice**) shearer.

tranciatrìce → **trancia**, def. 1.

tranciatùra f. (*tecn.*) shearing.

tràncio m. (*fetta*) slice: **pizza al t.**, pizza sold by the slice.

trancìsta → **tranciatore**.

tranèllo m. **1** (*trappola*) trap; snare; (*imbroglio, raggiro*) trick, catch, trickery Ⓤ **attirare in un t.**, to lure into a trap; to trap; to snare; **cadere in un t.**, to fall into a trap; to be caught in a snare; **far cadere in un t.**, to trap; to snare; **preparare** (*o* **tendere**) **un t.**, to lay (*o* to set) a trap; **sospettare qualche t.**, to suspect trickery; *Ti giuro che non c'è nessun t.*, there is no catch, I swear it; **domanda a t.**, trick question **2** (*difficoltà nascosta*) trap; catch; pitfall: **una traduzione piena di tranelli**, a translation full of traps (*o* catches).

trangugiàre v. t. **1** to swallow; to gulp down; (*mangiare in fretta*) to bolt down, to gobble: **t. una medicina**, to gulp down a medicine; **t. il pranzo**, to bolt down one's dinner **2** (*fig.*) to swallow: **t. un boccone amaro**, to swallow a bitter pill.

♦**trànne** prep. except; save; but; bar; apart from: **tutti t. lui**, all except (*o* but) him; **tutti i giorni t. il martedì**, all days, except Tuesday (*o* Tuesday excepted); **con tutti t. che con me**, with everybody except me; *T. che per qualche imprecisione, il lavoro era ben fatto*, the job was well done, apart from a few minor imperfections; *Di lui non so niente t. che fa il biologo*, I know nothing about him except that he is a biologist; *È tutto t. che un bravo pittore*, he is anything but a good painter.

tranquillaménte avv. **1** (*con tranquillità*) quietly, peacefully, tranquilly; (*con calma*) calmly; (*senza fretta*) leisurely: **dormire t.**, to sleep peacefully; **passeggiare t.**, to walk leisurely; **prendere le cose t.**, to take things calmly; *Fa' pure t.*, take your time **2** (*senza preoccuparsi*) without hesitation; without qualms: *Gli dissi t. quello che pensavo*, I told him what I thought without any qualms **3** (*senza rischi*) safely; without running any risk: *Potete fare t. il bagno qui*, you can safely swim here **4** (*facilmente, comodamente*) easily: **una macchina che fa t. i 200**, a car that can easily do 200 km per hour **5** (*con disinvoltura*) happily; airily: *Parlano t. di spendere altri cinque miliardi*, they talk air-

ily of spending another five billion.

tranquillànte Ⓐ a. tranquillizing: **effetto t.**, tranquillizing effect Ⓑ m. (*farm.*) tranquilizer: **t. maggiore** [**minore**], major [minor] tranquillizer.

tranquillàre → **tranquillizzare**.

♦**tranquillità** f. **1** (*pace, calma*) calm, quiet, peace, tranquillity; (*immobilità, silenzio*) stillness, calmness; (*riposo*) rest, quiet: **la t. della notte**, the peace (*o* the stillness) of the night; **la t. del mare**, the calmness of the sea; *Ho bisogno di t.*, I need some peace and quiet; **riportare la t. nel paese**, to restore calm in the country; (*astron.*) **il Mare della T.**, the Sea of Tranquillity **2** (*serenità*) calm, peace; (*agio*) leisure; (*sicurezza di sé, fiducia*) confidence, ease; (*senso di sicurezza*) (feeling of, sense of) security: **t. di spirito**, peace of mind; **la t. del posto fisso**, the security of a regular job; *Riparliamone domani con più t.*, let's talk about it more calmly tomorrow; **esaminare la situazione con t.**, to examine the situation calmly; *Faccia pure con t.*, do it in your own time (*o* at your leisure); take your time.

tranquillizzànte a. reassuring; calming: **parole tranquillizzanti**, reassuring words.

tranquillizzàre Ⓐ v. t. to calm (down); (*rassicurare*) to reassure, to set* (sb.'s) mind at rest: **t. la popolazione**, to calm the people down Ⓑ **tranquillizzàrsi** v. i. pron. to calm oneself; to calm down; (*rassicurarsi*) to be reassured.

♦**tranquìllo** a. **1** (*calmo, non disturbato*) calm, quiet, peaceful, tranquil; (*pacifico*) peaceful; (*che non disturba*) quiet; (*fatto con agio, senza fretta*) leisurely: **angolino t.**, quiet corner; **ragazzo t.**, quiet boy; **gente tranquilla**, quiet people; **mare t.**, calm sea; **notte tranquilla**, peaceful night; **sonno t.**, peaceful sleep; **dormire sonni tranquilli**, to sleep peacefully; (*fig.*) to sleep easy; **passeggiata tranquilla**, leisurely walk; **vita tranquilla**, peaceful life; quiet life; **voce tranquilla**, calm voice; *Lasciatelo t.!*, leave him alone!; let him be!; *Bambini, state tranquilli!*, do be quiet, children! **2** (*non preoccupato*) calm; unworried; (*sereno*) calm, easy; (*fiducioso*) confident: *Stia t., ci penso io*, don't worry, I'll take care of it; *Sono t. sul futuro*, I am confident about the future; *Ho la coscienza tranquilla*, my conscience is easy (*o* clear); (*fig.*) **dormire t.**, to sleep easy.

trans m. e f. inv. (abbr. di **transessuale**) transsexual.

transahariàno a. trans-Saharan.

transalpìno a. transalpine.

transamazzònico a. trans-Amazonian.

transaminàsi f. (*biochim.*) transaminase.

transappennìnico a. trans-Apennine (attr.).

transaràbico a. trans-Arabian.

transàre v. t. **1** (*leg., bur.*) to settle; (*assol.*) to reach a settlement, to effect a compromise **2** (*comm.*) to agree on; (*trattare*) to deal* with; (*assol.*) to carry out a deal.

transatlàntico Ⓐ a. transatlantic Ⓑ m. (*naut.*) (transatlantic) liner.

transattìvo a. (*leg.*) compromise (attr.); composition (attr.): **accordo t.**, compromise agreement.

transàtto a. (*leg.*) settled; composed.

transavanguàrdia f. (*pitt.*) transavanguard.

transazionàle a. **1** transactional **2** (*psic.*) - **analisi t.**, transactional analysis.

transazionalìsmo m. (*psic.*) transactionalism.

transazióne f. **1** (*compromesso*) compro-

mise; agreement; arrangement: **accettare una t.**, to agree to a compromise; **venire a una t.**, to come to (*o* to reach) a compromise 2 (*leg.*) settlement; composition: **t. amichevole**, friendly settlement; **t. extragiudiziale**, out-of-court settlement; **addivenire a una t.**, to settle out of court; to compound a case 3 (*comm.*) transaction; deal 4 (*Borsa*) transaction.

transcodìfica f. (*elettron.*, *comput.*) transcoding.

transcodificàre v. t. (*elettron.*, *comput.*) to transcode.

transcodificatóre m. (*elettron.*, *comput.*) transcoder.

transcodificazióne f. (*elettron.*, *comput.*) transcoding.

transcontinentàle a. transcontinental.

transcriptàsi f. (*biol.*) transcriptase: **t. inversa**, reverse transcriptase.

transculturazióne f. cross-cultural shift.

transcutàneo a. (*med.*) transcutaneous; endermic.

transdanubiàno a. transdanubian; across the Danube.

transdèrmico a. (*farm.*) transdermal.

trànseat (*lat.*) inter. let it pass; let it go.

transelevatóre m. (*tecn.*) overhead transport system.

transènna f. 1 (*archit.*) screen 2 (*barriera*) barrier; (*per una folla*) crush barrier.

transennaménto m. blocking off; closure.

transennàre v. t. to put* barriers around; to fence off.

transennatùra f. 1 → **transennamento** 2 (*barriera*) barriers (pl.).

transessuàle, m. e f. transsexual.

transessualìsmo m. transsexualism.

transessualità f. transexuality.

transètto m. (*archit.*) transept.

transeùnte a. (*lett.*) transient; transitory; ephemeral.

transèx m. e f. transexual.

trànsfer (*ingl.*) **A** a. inv. (*tecn.*) – **macchina t.**, transfer machine **B** m. inv. 1 (*trasferimento*) transfer; transport; **t. aeroportuale**, transport between the airport and the hotel 2 (*tecn.*) transfer machine 3 (*psic.*) transference.

transferàsi f. (*biochim.*) transferase.

transferrìna f. (*biochim.*) transferrin.

trànsfert (*franc.*) m. inv. 1 (*psic.*) transference 2 (*banca*) transfer.

transfezióne f. (*biol.*, *med.*) transfection.

transfinìto a. (*mat.*) transfinite.

transfluènza f. (*geogr.*) transfluence.

transfluìre v. i. (*geogr.*) to branch out by transfluence.

transfràstico a. (*ling.*) across-sentence (attr.).

transfrontalièro a. across-the-border (attr.).

trànsfuga m. e f. (*lett.*) deserter; defector; (*polit.*) turncoat.

transgender (*ingl.*) m. e f. inv. transgender.

transgènico a. (*biochim.*) transgenic.

transiberiàna f. Trans-Siberian Railway.

transiberiàno a. trans-Siberian.

transiènte a. (*fis.*) transient.

transìgere **A** v. t. (*leg.*) to settle; to compound **B** v. i. 1 (*comm.*, *leg.*) to settle; to compound: **t. con i creditori**, to settle (*o* to compound) with one's creditors 2 (*venire a patti*) to come* to (*o* to reach) an agreement; to come* to terms; to compromise: **t. con la propria coscienza**, to compromise with

one's conscience 3 (*cedere*) to compromise; to give* in: *È una cosa su cui non transigo*, I am not willing to compromise over this; *In fatto di puntualità non transige*, he is a stickler for punctuality.

transilvànico a. Transylvanian.

transìstor m. inv. 1 (*elettron.*) transistor: **radio a t.**, transistor (radio) 2 (*radio*) transistor; tranny (*fam. GB*).

transistóre → **transistor**.

transistorizzàre v. t. to transistorize.

transistorizzazióne f. transistorization.

transitàbile a. passable; practicable; negotiable: **strade transitabili**, passable (*o* practicable) roads; **strada t. con catene**, road passable only with snow chains; road impassable except with snow chains; *Il valico non è t.*, the pass is unnegotiable (*o* impassable); *Il ponte non è t. per i veicoli*, the bridge is not open to vehicles.

transitabilità f. practicability; negotiability; conditions (pl.): **t. delle strade**, road conditions (pl.); **stato di t. di una strada**, condition of a road; **bollettino di t. delle strade**, road condition bulletin; road report.

transitàre v. i. to pass; to drive*; to travel; (*di mezzo pubblico*) to run*: **lasciar t. il treno**, to let the train pass; *È proibito t. per quella strada*, there is no transit through that street.

transitività f. transitivity; transitiveness.

transitìvo a. (*gramm.*, *mat.*) transitive: **proprietà transitiva**, transitive property; **verbo t.**, transitive verb.

trànsito m. 1 transit; (*passaggio*) way: «**T. interrotto**», «road closed to traffic»; «**T. riservato ai pedoni**», «pedestrians only»; «**T. vietato**», «no thoroughfare»; **essere in t.**, to be in transit; to be passing through; **impedire il t.**, to block the way; **diritto di t.**, right of way; (*autom.*) «*Divieto di t.*», «no thoroughfare»; **merci in t.**, goods in transit; **passeggeri in t.**, passengers in transit; transit passengers; **porto di t.**, port of transit; **sala transiti** (*in un aeroporto*), transit lounge; **stazione di t.**, intermediate station; **uccelli di t.**, birds of passage; **visto di t.**, transit visa 2 (*astron.*) transit 3 (*lett.*: *morte*) passing away; death.

transitorietà f. 1 transitoriness; impermanence; transience 2 (*provvisorietà*) temporariness.

transitòrio a. 1 (*passeggero*) transitory, passing; (*fugace*) transient, fleeting: **fenomeno t.**, transitory (*o* passing) phenomenon; **felicità transitoria**, fleeting happiness; *In questo mondo tutto è t.*, everything is transient in this world 2 (*provvisorio*) temporary; provisional: (*leg.*) **disposizioni transitorie**, temporary laws; **provvedimento t.**, provisional measure; **sistemazione transitoria**, temporary arrangement.

transizióne f. 1 transition: **di t.**, transitional; **periodo di t.**, period of transition; transitional phase; **governo di t.**, stop-gap (*o* caretaker) government 2 (*mus.*, *fis.*) transition.

translagunàre a. across the lagoon (pred.).

translitteràre e *deriv.* → **traslitterare**, e *deriv.*

translùcido e *deriv.* → **traslucido**, e *deriv.*

translunàre a. translunar.

transnazionàle a. transnational.

transoceànico a. transoceanic.

transònico a. (*aeron.*) transonic.

transpacìfico a. trans-Pacific.

transpadàno a. transpadane.

transpartìtico a. cross-party (attr.).

transplacentàre a. (*med.*) transplacental.

transpolàre a. transpolar; polar: **rotta t.**, polar route.

transponder (*ingl.*) m. inv. (*elettron.*) transponder.

transporter (*ingl.*) m. inv. (*veicolo*) transporter.

transrazziàle a. transracial.

transubstanziàrsi e *deriv.* → **transustanziarsi**, e *deriv.*

transumanàre e *deriv.* → **trasumanare**, e *deriv.*

transumànte a. transhumant.

transumànza f. transhumance.

transumàre v. i. to be moved to different pastures.

transurànico a. (*chim.*) transuranic: **elemento t.**, transuranic element.

transuretràle a. (*anat.*) transurethral.

transustanziàrsi v. i. pron. (*teol.*) to transubstantiate.

transustanziazióne f. (*teol.*) transubstantiation.

transvolàre → **trasvolare**.

trantràn, **tran tran** m. (*fam.*) routine; drudgery; grind: **t. quotidiano**, daily routine; daily grind; **il solito t.**, the same day--to-day routine; the usual daily grind; **restare preso nel solito t.**, to get into a groove (*o* a rut).

tranvài m. inv. tram (*GB*); tramcar (*GB*); streetcar (*USA*); trolley (car) (*USA*).

tranvìa f. tramline; tramway; streetcar line (*USA*).

tranvìario a. tram (attr. *GB*); streetcar (attr. *USA*): **linea tranviaria**, tramline; **servizio t.**, tram service.

tranvière m. 1 tram driver (*GB*); streetcar operator (*USA*) 2 (*bigliettaio*) (tram) conductor.

tràpa f. (*bot.*, *Trapa natans*) water chestnut; water caltrop.

trapanaménto m. → **trapanatura**.

trapanàre v. t. 1 (*tecn.*) to drill; to bore: **t. un'asse**, to drill a hole through a plank 2 (*chir.*) to trepan, to trephine; (*odontoiatria*) to drill ● (*fig.*, *di rumore*) **t. il cervello**, to go right through sb.'s head.

trapanatóre m. (f. **-trìce**) (*operaio*) driller.

trapanatrìce f. (*tecn.*) drilling machine; drill; boring machine.

trapanatùra, **trapanazióne** f. 1 (*tecn.*) drilling; boring 2 (*chir.*) trepanning, trephination; (*odontoiatria*) drilling.

trapanése **A** a. of Trapani; from Trapani **B** m. e f. nativer [inhabitant] of Trapani.

trapanìsta m. e f. drill operator.

tràpano m. 1 (*tecn.*) drill: **t. ad aria compressa**, air drill; **t. a colonna**, drill press; pillar drill; **t. a mano**, hand drill; brace and bit; **t. a percussione**, percussion (*o* hammer) drill; **t. a punta elicoidale**, twist drill; **t. a vite**, spiral drill; **t. da petto**, breast drill; **t. elettrico**, electric (*o* power) drill; **t. fisso**, drilling machine 2 (*chir.*) trepan, trephine; (*odontoiatria*) drill: **t. indolore**, high-speed drill.

trapassàbile a. pierceable; penetrable.

trapassàre **A** v. t. 1 (*passare da parte a parte*) to pierce; to penetrate; to go* through; (*trafiggere*) to run* through, to transfix; (*perforare*) to bore through: *La pallottola trapassò il muro*, the bullet pierced (*o* bored through) the wall; *Il chiodo gli trapassò la mano*, the nail pierced (*o* ran through) his hand; *Gli trapassò il petto con la spada*, he ran through him with his sword 2 (*andare oltre*) to go* beyond; to exceed **B** v. i. 1 (*penetrare*) to penetrate; to pass through 2 (*morire*) to die; to pass away **❶ FALSI AMICI** • trapassare *non si traduce con*

to trespass.

trapassàto m. 1 (*gramm.*) – t. prossimo, pluperfect; **t. remoto**, past anterior 2 (al pl.) (the) dead; (the) deceased.

trapàsso m. 1 transition; passing; passage: **il t. dalla veglia al sonno**, the transition from wakefulness to sleep; **epoca di t.**, period of transition 2 (*leg.*) transfer; (*di immobile*) conveyance: **t. di proprietà**, transfer of title 3 (*morte*) death; passing: *Ebbe un t. sereno*, she had a quiet death; she passed away peacefully; **l'ora del t.**, the time of death.

trapelàre v. i. 1 (*di liquido*) to leak, to ooze, to seep; (*di luce*) to filter: *Dalle imposte trapelava un po' di luce*, a faint light filtered through the shutters 2 (*fig.*) to leak out; to transpire; to filter through: *La notizia è trapelata*, the news has leaked out; *È trapelato che…*, it transpired that…; the news filtered through that…; *Dalle sue parole trapelava l'imbarazzo*, his words revealed his embarrassment; **far t. una notizia**, to leak a piece of news; **lasciar t. un segreto**, to let a secret out; **senza lasciar t. nulla di quello che faceva**, without letting out anything about what he was doing.

trapèlo m. trace horse.

trapestio → **trepestio**.

trapèzio m. 1 (*geom.*) trapezium* (*GB*); trapezoid (*USA*) 2 (*attrezzo ginnico*) (flying) trapeze 3 (*anat.: osso*) trapezium*; (*muscolo*) trapezius*.

trapezìsta m. e f. trapeze artist; aerialist (*USA*).

trapezoèdro m. (*geom.*) trapezohedron*.

trapezoidàle a. trapezoidal.

trapezòide Ⓐ a. trapezoidal Ⓑ m. 1 (*geom.*) trapezoid (*GB*); trapezium* (*USA*) 2 (*anat.*) trapezoid (bone).

trapiantàbile a. transplantable.

trapiantàre v. t. 1 (*orticultura*) to transplant; to bed out; to replant; (*rinvasare*) to repot 2 (*fig.*) to transplant; (*introdurre*) to introduce: **t. una moda**, to introduce a fashion 3 (*chir.*) to transplant; (*un tessuto, anche*) to graft; to implant Ⓑ **trapiantàrsi** v. rifl. (*emigrare*) to move, to migrate; (*stabilirsi*) to settle.

trapiantàto Ⓐ a. transplanted Ⓑ m. (f. -a) (*chir.*) transplant patient; transplant receiver.

trapiantatóio m. gardener's trowel.

trapiantatrìce f. (*mecc.*) transplanting machine.

trapiantìsta m. e f. (*chir.*) transplant surgeon; transplanter.

trapiànto m. 1 transplanting; transplantation; replantation 2 (*chir.: il trapiantare*) transplantation; (*di tessuto, anche*) grafting, implantation; (*l'operazione*) transplant, graft, implant: **t. cutaneo**, skin graft; **t. della cornea**, corneal graft; **t. del cuore**, heart transplant; **t. di rene**, kidney transplant; **t. osseo**, bone graft; **organo disponibile per il t.**, organ available for transplantation (o transplant).

trapiantologìa f. (*chir.*) transplant surgery; implant surgery.

tràppa f. (*relig.*) Trappist monastery.

trappìsta m. 1 (*relig.*) Trappist (monk) 2 (*fig.*) hermit: **fare vita da t.**, to live like a hermit; to live in seclusion.

♦**tràppola** f. 1 trap; (*con laccio*) snare; (*a buca*) pitfall; (*con peso che cade*) deadfall: **t. per conigli**, rabbit snare; **t. per topi**, mousetrap; rat-trap; **t. esplosiva**, booby-trap; **far scattare una t.**, to spring a trap; **prendere in t.**, to catch in a trap (o in a snare); to trap; to snare; **tendere trappole**, to set (o to lay) traps; (*fig.: tranello*) trap; snare; (*per incastrare*) set-up, frame-up; (*insi-*

dia) trap, catch, pitfall: **t. della polizia**, police trap; **t. mortale**, death trap; *Attenti, è una t.!*, watch out! it's a trap!; **una traduzione piena di trappole**, a translation full of traps (o catches); **cadere in (una) t.**, to fall into a trap; (*fig.*) **essere in t.**, to be trapped; **essere vittima di una t.** (*essere incolpato ingiustamente*), to be framed; **far scattare una t.**, to spring a trap (on sb.); **prendere in t.**, to catch in a trap; to trap; to snare; to entrap; **tendere una t. a q.**, to set a trap for sb.; to lay a snare for sb. 3 (*fam.: frottola*) lie; fib; whopper 4 (*fam.: arnese malfunzionante*) contraption; contrivance; (*veicolo*) old crock, crate, heap, jalopy.

trappolerìa f. (*fam.*) trick; trickery Ⓤ.

trappolóne m. (*fam.*) trickster; rogue; cheat.

trapùnta f. quilt; duvet; (*spec. di piume*) eiderdown (*GB*).

trapuntàre v. t. 1 to quilt 2 (*ricamare*) to embroider; to stitch.

trapùnto Ⓐ a. 1 quilted 2 (*ricamato*) embroidered; stitched 3 (*cosparso*) dotted; studded: **t. di stelle**, star-studded Ⓑ m. (*ricamo*) quilted embroidery.

♦**tràrre** Ⓐ v. t. 1 (*lett.: tirare*) to pull; to draw*; (*trascinare*) to drag: **t. a riva**, to pull (o to drag) ashore; **t. a sé uno sgabello**, to draw up a stool; **t. a sorte**, to draw lots; **t. in disparte**, to draw aside 2 (*condurre*) to lead*; (*portare*) to bring*: **t. in arresto**, to arrest; **t. in errore**, to lead into error; to mislead; **t. in inganno**, to deceive; to mislead; **t. in rovina**, to lead to ruin; **t. in salvo**, to rescue; **t. in tentazione**, to lead into temptation 3 (*indurre*) to induce; to persuade 4 (*attirare*) to attract; to draw*; to win* over: **t. q. dalla propria parte**, to win sb. over 5 (*estrarre, far uscire*) to extract; to take* out; to draw* out; to get* out: **t. q. da un impiccio**, to get sb. out of trouble; **t. dalla miseria** (*dal pericolo*), to rescue from poverty [from danger]; **t. d'inganno**, to undeceive; to open (sb.'s) eyes; **t. di tasca**, to take (o to pull) out of one's pocket; **t. il fiato**, to draw breath; **t. un sospiro**, to heave a sigh; **t. la spada dal fodero**, to draw one's sword (from its sheath); to unsheath one's sword 6 (*ricavare, derivare, ottenere*) to derive; to draw*; to take*; to get*; to obtain; to make*: **t. beneficio** (*o giovamento*), to derive (o to gain, to get) benefit; **t. una conclusione**, to draw a conclusion; **t. conclusioni avventate**, to jump to conclusions; **t. le conseguenze**, to draw one's conclusions; **t. esempio da q.**, to draw one's example from sb.; to follow sb.'s example; *Gli esempi sono tratti da scrittori viventi*, the examples are taken (o drawn) from living authors; **t. un film da un romanzo**, to make a film (out) of a novel; **t. ispirazione**, to draw (o to derive) inspiration; **t. la morale**, to draw the moral; **t. origine da**, to originate from (o in st.) [from, with sb.]; **t. partito da**, to take advantage of; **t. piacere da**, to take pleasure from (o in); **t. profitto da**, to profit by; to capitalize on; **t. vantaggio da**, to benefit from; *Che vantaggio ne hai tratto?*, what did you get out of it? 7 (*banca, fin.*) to draw*: **t. una cambiale**, to draw (o to issue) a bill of exchange; **t. una cambiale su q.**, to draw on sb. Ⓑ v. i. (*banca, fin.*) to draw*: **t. a vista**, to draw on sight; **t. allo scoperto**, to overdraw Ⓒ **tràrsi** v. rifl. 1 to draw*: **trarsi da parte**, to draw (o to step) aside; to move to one side; **trarsi indietro**, to draw back; to step back; to pull back; *Si trasse vicino al portone*, she drew close to the door 2 (*levarsi fuori*) to get* out (of): **trarsi d'impaccio**, to get out of a fix.

trasaliménto m. (*per paura, sorpresa*) start, jump; (*per dolore*) wince.

trasalìre v. i. (*per paura, sorpresa*) to start,

to jump; (*per dolore*) to wince: **t. per lo spavento**, to start with fright; **far t.**, to make (sb.) jump; to startle.

trasandatézza f. untidiness; shabbiness; scruffiness; sloppiness.

trasandàto a. 1 (*disordinato, trascurato*) untidy; shabby; scruffy; unkempt: **vestiti trasandati**, shabby clothes; **essere t. nel vestire**, to dress shabbily 2 (*fatto con negligenza*) careless; sloppy; slipshod; slapdash.

trasbordàre Ⓐ v. t. to transfer; (*di merci*) to tranship, to transship, to handle, (*su altra nave*) to reship Ⓑ v. i. (*cambiare treno, aereo, ecc.*) to change (to another train, plane, etc.); to transfer: *Si deve t. a Firenze*, you have to change at Florence.

trasbordatóre m. (*naut.*) transporter; travelling gantry; transfer bridge (*USA*).

trasbórdo m. transfer; (*di merci*) transhipment, transshipment, handling.

trascégliere v. t. to pick out; to select; to choose*; to cull.

trascendentàle a. 1 (*filos.*) transcendental 2 (*estens.*) exceptional; extraordinary; (*fam.*) special, memorable, earth-shattering: *Non è niente di t.*, there's nothing special (o earth-shattering) about it; it's nothing to write home about (*fam.*).

trascendentalìsmo m. (*filos.*) transcendentalism.

trascendentalìsta m. e f. (*filos.*) transcendentalist.

trascendentalità f. transcendental nature; transcendentality.

trascendènte a. 1 (*filos.*) transcendent 2 (*mat.*) transcendental: **numero t.**, transcendental number.

trascendentìsmo m. (*filos.*) transcendentalism.

trascendentìsta m. e f. (*filos.*) transcendentalist.

trascendentìstico a. (*filos.*) transcendentalistic.

trascendènza f. (*filos., mat.*) transcendence; transcendency.

trascéndere Ⓐ v. t. to transcend; to surpass; to be (o to go*) beyond: **t. i propri limiti**, to transcend one's limitations; **t. la mente umana**, to surpass human understanding; *Questo compito trascende le sue capacità*, this task is beyond his abilities (o beyond him) Ⓑ v. i. (*passare i limiti*) to go* too far, to get* out of hand; (*perdere il controllo di sé*) to lose* one's self-control, to lose* one's temper, to get* carried away: **t. a vie di fatto**, to come to blows; *La discussione trascese*, the discussion got out of hand; *Si scusò per aver trasceso*, he apologized for having lost his temper.

trascinaménto m. 1 (*anche fig.*) dragging; pulling 2 (*mecc. dei fluidi*) drag 3 (*tecn.*) transport; feed: **t. a trattore**, tractor feed; **fori di t.** (*di pellicola*) sprocket holes; (*di modulo continuo*) feed holes.

trascinànte a. 1 dragging; pulling 2 (*fig.: entusiasmante*) enthralling; infectious; rousing; overwhelming: **oratoria t.**, rousing oratory; **ritmo t.**, infectious rhythm; **spettacolo t.**, enthralling (o rousing) performance.

♦**trascinàre** Ⓐ v. t. 1 (*tirare*) to drag; to lug; to pull along: **t. un baule**, to drag (o to lug) a trunk; **t. una gamba**, to drag a leg; **t. i piedi**, to drag one's feet; to shuffle; **t. una rete**, to trawl a net; **t. una sedia**, to drag a chair; **t. una vita di stenti**, to drag out a wretched existence; (*anche fig.*) **t. nel fango**, to drag through mud 2 (*condurre, portare*) to drag; to haul: **t. q. in tribunale** [**davanti al direttore**], to haul sb. before a court [before the director]; *Ci trascinerà tutti con sé nella rovina*, she'll drag us all with him to ruin 3 (*trasportare*) to carry; to

sweep*: *La barca fu trascinata via dalla corrente*, the boat was carried (*o* swept) away by the current; *Fu trascinato dalla passione*, he was carried away by passion **4** (*fig.*: *entusiasmare*) to carry away; to rouse: **lasciarsi t. dall'entusiasmo**, to get carried away with excitement; **musica che trascina**, enthralling music; **oratore che trascina**, rousing speaker **B trascinàrsi** v. rifl. (*muoversi a fatica*) to drag oneself; to pull oneself; (*strisciando, anche*) to crawl; (*camminare pesantemente*) to trudge: **trascinarsi fino al telefono**, to drag oneself to the phone; **trascinarsi per terra**, to crawl; *Riusciva appena a trascinarsi*, he could scarcely drag himself along **C trascinàrsi** v. i. pron. to drag (on): *La faccenda si trascina da anni*, the matter has been dragging on for years; *La conversazione si trascinava*, the conversation dragged; *Le ore si trascinavano*, the hours dragged by.

trascinatóre **A** m. (f. **-trice**) (*chi incita*) driving force; (*chi entusiasma*) motivator, swayer, rouser; (*chi affascina*) spellbinder **B a.** enthralling; rousing; overwhelming: **discorso t.**, rousing speech.

trascinìo m. continuous dragging; (*rumore*) noise of dragging, scraping noise.

trascoloraménto m. discoloration.

trascoloràre v. i., **trascolorarsi** v. i. pron. to change colour; (*impallidire*) to grow* pale, to lose* colour; (*arrossire*) to flush, (*solo per vergogna, ecc.*) to blush.

◆**trascórrere** **A** v. t. **1** (*scorrere con gli occhi*) to glance through; to run* one's eyes through; to skim **2** (*passare*) to spend*; to pass: **t. il tempo chiacchierando**, to pass one's time chatting; **t. le vacanze all'estero**, to spend one's holidays abroad **B** v. i. **1** (*muoversi, passare*) to move; to pass **2** (*del tempo*) to pass; to go* by; to elapse: *È trascorso un anno*, a year has passed (*o* gone by).

trascórso **A** a. past: **gli anni trascorsi**, the past years; **la settimana appena trascorsa**, the past week; last week **B** m. **1** (*errore*) past error (*o* lapse, fault); (*scappatella*) escapade: **trascorsi di gioventù**, errors of one's youth; youthful escapades **2** (*al pl.*) past record (sing.); past (sing.): **trascorsi pochi chiari**, ambiguous past; **avere trascorsi penali**, to have a criminal record; *Nonostante i suoi trascorsi, è stato rieletto*, he has been re-elected, despite his past record.

trascrittàsi → **transcriptasi**.

trascritto a. transcribed: **documento t.**, transcribed document; transcript.

trascrittóre m. (f. **-trice**) transcriber.

trascrivere v. t. **1** (*copiare*) to transcribe, to copy; (*mettere per iscritto*) to write* out: **t. un codice**, to transcribe a codex; **t. una frase**, to copy a sentence; **t. in bella qc.**, to make a fair copy of st.; *Trascrissi le sue risposte*, I wrote out his answers **2** (*leg.*: *registrare*) to register; to record: **t. una legge**, to register a law **3** (*in altro sistema grafico*) to transcribe; (*traslitterare*) to transliterate **4** (*mus.*) to transcribe.

trascrizióne f. **1** (*il trascrivere*) transcription, copying; (*la copia*) transcript, copy: **errore di t.**, mistake in copying **2** (*leg.*) registration; recording **3** (*in altro sistema grafico*) transcription; (*traslitterazione*) transliteration; **t. fonetica**, phonetic transcription **4** (*mus.*) transcription **5** (*biol.*) transcription.

trascuràbile a. negligible; minimal; minor; trifling; (*insignificante*) unimportant, marginal: **differenza t.**, negligible difference; **particolare t.**, minor detail.

trascuràre **A** v. t. **1** (*non curarsi di*) to neglect: **t. i propri doveri**, to neglect (*o* to be neglectful of) one's duties; to shirk one's du-

ties; **t. il lavoro [la moglie]**, to neglect one's work [one's wife] **2** (*omettere*) to omit; to leave* out; to fail (+ verbo); (*dimenticare*) to forget*: **t. un particolare**, to omit (*o* to leave out) a detail; *Trascurò di avvertirmi*, she failed to warn me; *Ho trascurato di dire che la riunione è stata rimandata*, I forgot to say the meeting has been postponed **3** (*non tener conto di*) to disregard; to ignore; (*passar sopra*) to overlook; (*non calcolare*) not to count, to leave* out: **t. un consiglio**, to disregard sb.'s advice; **t. i decimali**, to leave out the decimals **B trascuràrsi** v. rifl. to neglect oneself; to let* oneself go.

trascuratàggine, **trascuratézza** f. **1** (*negligenza*) carelessness; negligence **2** (*sciatteria*) untidiness; shabbiness; sloppiness.

trascuratézza f. **1** carelessness, negligence Ⓤ **2** untidiness, shabbiness, sloppiness Ⓤ.

trascuràto a. **1** (*negligente*) careless; negligent; remiss; slack: **t. nel fare il proprio dovere**, negligent (*o* remiss, slack) in doing one's duty; *Sei t. in tutto quello che fai*, you are careless in everything you do **2** (*trasandato*) untidy, shabby, unkempt; (*sciatto, malfatto*) careless, sloppy, slipshod: **t. nel vestire**, shabbily dressed; careless in one's clothes; **stile t.**, careless (*o* slipshod, sloppy) style **3** (*che non riceve cure*) neglected; (*non amato*) uncared for: **bambino t.**, neglected child; uncared for child; **raffreddore t.**, neglected cold; *Si sentiva t. dai genitori*, he felt neglected by his parents.

trasdùrre v. t. (*fis., fisiol.*) to transduce.

trasduttóre m. (*fis.*) transducer.

trasduzióne f. (*fis., biol., fisiol.*) transduction.

trasecolaménto m. amazement; astonishment.

trasecolàre v. i. to be amazed; to be astonished; to be flabbergasted; to be left speechless: *Ma davvero? Io trasecolo!*, really? I am astonished!; **far t.**, to amaze; to astonish; **cose da far t.**, amazing (*o* astonishing) things; *C'è da t.!*, the mind boggles!

trasecolàto a. amazed; astonished; flabbergasted.

trasferèllo® m. transfer; decal.

trasferìbile **A** a. **1** (*spostabile*) movable; transferable **2** (*cedibile*) transferable; conveyable; (*di assegno, ecc.*) negotiable: **assegno non t.**, non-negotiable cheque (*USA* check); **biglietto non t.**, non-transferable ticket; **voto t.**, transferable vote **3 – carattere t.**, transfer **B** m. transfer; decal.

trasferibilità f. transferability; (*di assegno*) negotiability.

trasferiménto m. **1** (*spostamento*) transfer; reassignment; shift; (*cambiamento di sede*) relocation: **il t. della sede centrale a Milano**, the transfer of the head office to Milan; **t. di domicilio**, change of address; move; **chiedere il [fare domanda di] t.**, to ask for [to apply for] a transfer **2** (*trasloco*) move; removal: **dopo il nostro t. a Roma**, after we moved to Rome **3** (*passaggio*) transference: **t. di poteri**, transference of power **4** (*sport*) transfer **5** (*leg.*) transfer; conveyance; assignment: **t. del diritto di proprietà**, transfer (*o* conveyance) of ownership **6** (*fin.*) transfer: **t. di azioni [di capitali]**, transfer of shares [of capital] **7** (*tecn.*) – **stampaggio a t.**, transfer-moulding.

◆**trasferìre** **A** v. t. **1** (*far cambiare luogo, sede*) to transfer; to move; to remove: **t. il proprio domicilio**, to move; to change address; **t. un impiegato**, to transfer an employee; **t. un processo ad altra sede**, to move a trial to a different place; **t. truppe**, to move troops; **t. un ufficio**, to move an office **2** (*spostare, anche fin.*) to transfer; to shift; to

switch: **t. una somma su un conto**, to transfer a sum into an account **3** (*trasmettere, cedere*) to transfer; to hand over; (*al passivo, anche*) to devolve (on): **t. pieni poteri a**, to hand over full powers to; *L'autorità in materia sanitaria sarà trasferita alle regioni*, authority on health matters will devolve on the regions **4** (*leg.*) to transfer; to convey; to assign; to make* over: **t. un diritto [una proprietà]**, to convey a title [an estate]; *Trasferì la proprietà dell'appartamento alla figlia*, he made the flat over to his daughter **5** (*eccles.*) to translate **B trasferìrsi** v. i. pron. to move; to go* to live (in); (*cambiare sede*) to move, to relocate: **trasferirsi a Roma**, to move to Rome; **trasferirsi in campagna [in Brasile]**, to go to live in the country [in Brasil]; *L'agenzia si è trasferita in via Mazzini*, the branch office has moved to via Mazzini; *Trasferiamoci in salotto*, let's move to the sitting room.

trasfèrta f. **1** (*missione*) mission; (*viaggio di lavoro*) business trip: **essere in t.**, to be on a mission **2** (*anche* **indennità di t.**) travelling expenses (pl.); travelling allowance **3** (*sport, anche* **partita in t.**) away match; away game: **in t.**, away; **giocare in t.**, to play away; **vittoria in t.**, away win **4** (*tecn.*) – **macchina a t.**, transfer machine.

trasfezióne f. (*biol., med.*) transfection.

trasfiguràre **A** v. t. to transfigure; to transform; to metamorphose: *La sua faccia era trasfigurata dalla gioia*, his face was transfigured with joy **B trasfiguràrsi** v. i. pron. to become* transfigured; to be transformed.

trasfigurazióne f. **1** transfiguration; metamorphosis* **2** (*relig.*) Transfiguration.

trasfocatóre m. (*fotogr.*) zoom (lens).

trasfóndere v. t. **1** to transfuse **2** (*fig.*) to infuse; to instil.

trasformàbile a. **1** (*mutabile, modificabile*) transformable; changeable **2** (*di oggetto multiuso, autom.*) convertible: **un divano t. in un letto**, a sofa that converts (*o* turns) into a bed.

trasformabilità f. transformability; changeability; convertibility.

◆**trasformàre** **A** v. t. **1** (*mutare di forma, di aspetto*) to change; to turn; to transform; to metamorphose; (*in modo magico o sorprendente*) to transmogrify; (*modificare*) to alter: **t. il proprio aspetto**, to change one's appearance; *Aretusa fu trasformata in fonte*, Arethusa was changed (*o* turned) into a spring; *Il matrimonio l'ha trasformato*, marriage has changed him **2** (*convertire*) to change; to turn; to transform; to convert; (*lavorare*) to process: **t. l'acqua in vapore**, to transform water into steam; **t. una camera da letto in studio**, to turn (*o* to convert) a bedroom into a study; **t. materie prime**, to process raw materials; **t. titoli in liquido**, to convert bonds into cash; **t. in legge un disegno di legge**, to pass a bill **3** (*sport*) to convert: (*calcio*) **t. un rigore**, to convert a penalty kick **B trasformàrsi** v. i. pron. to be transformed; to change (to, into); to turn (into); to become*: *Il bruco si trasformò in farfalla*, the caterpillar changed (*o* turned) into a butterfly; *La sua impresa si è trasformata in leggenda*, his feat has become a legend; *Quando è tra amici si trasforma*, he is a different man when he is with his friends.

trasformàta f. (*mat.*) transform.

trasformàto a. **1** transformed; changed; altered **2** (*rugby*) converted **3** (*calcio*) – **rigore t.**, goal scored from a penalty.

trasformatóre **A** a. transforming; changing; altering **B** m. **1** (f. **-trice**) transformer; changer **2** (*elettr.*) transformer: **t. bifase**, two-phase transformer; **t. elevatore** (*o* **in salita**), step-up transformer; **t. di alta**

a b c d e f g h i j k l m n o p q r s **t** u v w x y z

[**bassa**] **frequenza**, high-frequency [low-frequency] transformer; **t. di corrente**, current transformer; **t. di fase**, phase transformer; **t. di tensione**, voltage transformer; **t. di uscita**, output transformer; **t. riduttore** (*o* **in discesa**), step-down transformer **3** (*tecn.*) – **t. termico**, heat exchanger.

trasformatòrico a. (*elettr.*) transformer (*attr.*).

trasformazionàle a. (*ling.*) transformational: **grammatica t.**, transformational grammar.

trasformazionalista m. e f. (*ling.*) transformationalist.

♦**trasformazióne** f. **1** (*mutamento*) transformation; change; alteration; metamorphosis: **t. radicale**, radical transformation; **operare una t.**, to work a change; **subire una t.**, to undergo a transformation; *Quante trasformazioni!*, what a lot of changes! **2** (*conversione*) conversion; (*lavorazione*) processing, transformation: **la t. delle materie prime**, the processing of raw materials; **la t. del solaio in appartamento**, the conversion of attic into a flat **3** (*elettr.*, *fis.*, *biol.*, *mat.*, *ling.*) transformation: **la t. dello zucchero in alcol**, the transformation of sugar into alcohol **4** (*sport*) conversion.

trasfórme a. (*geol.*) - **faglia t.**, transform fault.

trasformìsmo m. **1** (*polit.*) trasformismo; policy of forming opportunistic alliances in order to retain power and weaken the opposition; (*estens.*: *opportunismo*) opportunism, timeserving **2** (*biol.*) transformism; evolutionism.

trasformista m. e f. **1** (*polit.*) practitioner of «trasformismo» (*V.*); (*estens.*: *opportunista*) opportunist, timeserver; (*banderuola*) weathercock **2** (*teatr.*) quick-change actor.

trasformìstico a. (*polit.*) relative to «trasformismo» (*V.*).

trasfusionàle a. (*med.*) transfusion (*attr.*): **centro t.**, transfusion centre.

trasfusióne f. (*med.*) transfusion: **t. di sangue**, blood transfusion; **fare una t. a q.**, to give sb. a blood transfusion.

trasfùso A a. transfused; (*di persona*) subjected to a blood transfusion B m. (f. **-a**) patient who has been given a blood transfusion.

trasgredìre v. t. e i. to transgress; to violate; (*una legge*, *ecc.*) to infringe, to break*, to violate; (*disobbedire*) to disobey, to contravene: **t. un comandamento**, to disobey a commandment; **t. (a) una legge**, to break (*o* to infringe) a law; **t. le** (*o* **alle**) **norme di sicurezza**, to contravene (*o* to violate) safety regulations; **t. (a) un ordine**, to contravene (*o* to disobey) an order; **t. (a) una regola**, to contravene (*o* to break, to transgress) a rule; **t. (a) un patto**, to violate an agreement; **t. (a) un principio morale**, to transgress a moral principle.

trasgreditrice → **trasgressore**.

trasgressióne f. **1** transgression; violation; (*di legge*, *ecc.*) infringement, breaking, violation: **t. della legge**, infringement (*o* breaking) of the law; **t. delle norme**, violation (*o* contravention) of rules; *Ogni t. sarà punita*, offenders will be prosecuted **2** (*geol.*) transgression.

trasgressività f. transgressiveness; (*anticonvenzionalità*) unconventionality, outrageousness.

trasgressivo a. **1** transgressive; offending; (*anticonvenzionale*) unconventional, outrageous **2** (*geol.*) transgressive.

trasgressóre m. (f. **trasgreditrìce**) transgressor; offender: **t. della legge**, offender; law-breaker; *I trasgressori saranno puniti*, offenders will be prosecuted.

trash a. e m. inv. (*ingl.*) trash.

traslàre A v. t. to transfer; to move; to transport B v. i. to move; to travel.

traslativo a. **1** (*leg.*) of transfer; of conveyance **2** (*aeron.*) translational **3** (*ling.*) translative.

traslàto A a. **1** (*trasferito*) moved; transferred **2** (*metaforico*) figurative; metaphorical: **in senso t.**, in a figurative sense B m. (*metafors*) figure of speech; metaphor: **per t.**, figuratively; metaphorically.

traslatóre A m. **1** (*comput.*) translator **2** (*tecn.*) conveyor **3** - **t. a navetta**, shuttle B a. translational; travelling: **tavolino t.** (*di microscopio*), mechanical stage.

traslatòrio a. (*fis.*) translational; translatory: **moto t.**, translational motion.

traslazióne f. **1** (*trasferimento*, *trasporto*) transfer: **la t. di una salma**, the transfer of a body **2** (*fig.*: *spostamento*, *passaggio*) transfer; shift: **t. d'imposta**, tax shifting **3** (*fis.*, *mat.*, *astron.*) translation: **moto di t.**, translatory motion **4** (*mecc.*) translation; traverse **5** (*eccles.*) translation **6** (*psic.*) transference.

traslitteràre v. t. (*ling.*) to transliterate; **t. secondo l'alfabeto latino**, to transliterate into Roman characters.

traslitterazióne f. (*ling.*) transliteration: **t. secondo l'alfabeto latino**, transliteration into Roman characters.

♦**traslocàre** A v. t. to move; to relocate: **t. mobili**, to move furniture; **t. un ufficio**, to move (*o* to relocate) an office B v. i. (*cambiare casa*) to move (house); (*cambiare sede*) to move (premises), to be relocated: **t. in una casa più grande**, to move into a larger house; *L'ufficio ha traslocato in centro*, the office has moved (*o* has been relocated) to the centre of town.

traslocatóre m. (f. **-trìce**) removal man* (m.) (*GB*); mover (*USA*); removalist (*Austral.*).

traslocazióne f. (*biol.*) translocation.

traslòco m. removal; move: **t. in un'altra città**, move to another town; **fare t.**, to move (house); **camion per traslochi**, removal van (*USA* truck); **impresa di traslochi**, removal company; removers (pl.); **spese di t.**, removal expenses.

traslucidità f. translucence; translucency.

traslùcido a. translucent; translucid.

♦**trasméttere** A v. t. **1** (*far passare*) to pass on; (*tramandare*) to hand down (*o* on): **t. ai figli la passione per la musica**, to pass on to one's children one's love of music; **t. un'usanza**, to hand on a custom; **conoscenze trasmesse di padre in figlio**, knowledge that is handed down from father to son **2** (*leg.*: *trasferire*) to transfer; to convey: **t. un diritto**, to transfer a right; **t. una proprietà**, to convey property; **t. titoli di credito**, to transfer negotiable instruments **3** (*diffondere*) to spread*; (*per contagio*) to transmit: **t. una malattia**, to transmit a disease; *Ti ho trasmesso il raffreddore*, I've given you my cold; *Ha trasmesso a tutti il suo ottimismo*, she infected everyone with her optimism **4** (*comunicare*) to pass on; to convey; to transmit; to give *: **t. istruzioni** [**informazioni**], to pass on instructions [information]; **t. un'impressione**, to convey an impression **5** (*inviare*) to send*; to pass; (*inoltrare*) to forward: **t. un messaggio**, to send a message; **t. una richiesta al Ministero**, to forward a request to the Ministry; **t. un telegramma**, to send a telegram; **t. con segnali**, to signal; **t. per fax**, to fax; **t. per telegrafo**, to wire; to telegraph; to cable; **t. per telescrivente**, to teletype **6** (*radio*, *TV*) to transmit; to broadcast*; (*per radio*, *anche*) to radio, to air; (*per televisione*, *anche*) to show; to televise: **t. un messaggio per radio**, to transmit a mes-

sage by radio; to radio a message; **t. segnali**, to send out signals; **t. sull'intera rete**, to network; **t. a puntate**, to serialize; **t. in diretta**, to broadcast live; **t. in simultanea**, to simulcast; **t. musica**, to play music; **t. notizie**, to broadcast news; *Il programma è stato trasmesso ieri*, the programme was broadcast (*o*, *TV*, was shown) yesterday; *Stanno trasmettendo un film*, there is a film on **7** (*fis.*) to transmit; to convey B **trasméttersi** v. i. pron. **1** to be passed on; (*tramandarsi*) to be handed down (*o* on): **usanze che si trasmettono da padre in figlio**, customs handed down from father to son **2** (*propagarsi*) to spread*; (*per contagio*) to be transmitted *La malattia si trasmette per contatto diretto*, the disease is transmitted by direct physical contact.

trasmettitóre A a. (*tel.*, *fis.*) transmitting; (*radio*, *TV*, *anche*) broadcasting B m. **1** (f. **-trice**) transmitter; sender **2** (*tel.*, *scient.*) transmitter: **t. chimico**, neurotransmitter; **t. radio**, radio transmitter; (*naut.*) **t. di ordini**, speaking-tube.

trasmigràre v. i. **1** (*migrare*) to migrate **2** (*fig.*: *trasmettersi*, *passare*) to pass on **3** (*di anima*) to transmigrate.

trasmigrazióne f. **1** (*migrazione*) migration **2** - **t. delle anime**, transmigration of souls.

trasmissibile a. **1** (*leg.*) transferable; conveyable; assignable **2** transmittable; (*med.*) transmissible: **malattia t. per via sessuale**, sexually transmissible disease (abbr. STD).

trasmissibilità f. **1** (*leg.*) transferability; assignability **2** transmittability; (*med.*) transmissibility.

♦**trasmissióne** f. **1** (*passaggio*) transmission (*anche biol.*); transfer; transference: **la t. dei poteri**, the transference of powers; **la t. del pensiero**, thought transference **2** (*leg.*) transmission; conveyance; transfer: **la t. di un diritto**, the transmission of a right; **t. di proprietà**, transfer (*o* conveyance) of property; **t. per successione**, transmission by descent **3** (*diffusione*, *propagazione*) transmission; spreading: **la t. di una malattia**, the transmission of a disease **4** (*comunicazione*) transmission; communication; relay: (*comput.*) **t. dati**, data communication; **la t. di un messaggio** [**di un ordine**], the transmission of a message [of an order] **5** (*radio*, *TV*: *il trasmettere*) broadcasting, transmission; (*programma*) broadcast, programme, program (*USA*), (*spettacolo*) show: **t. in diretta**, live broadcast; **t. in differita**, recorded broadcast; **t. via satellite**, satellite broadcasting; **le trasmissioni televisive**, television programmes; **essere in t.**, to be on air; **sala di t.**, broadcasting room **6** (*fis.*) transmission; conduction: **t. di calore**, transmission of heat; **t. dell'energia**, energy transmission **7** (*mecc.*) transmission; drive; (*il meccanismo*) (transmission) gear: **t. ad alberi**, shafting; **t. a catena**, chain drive; **t. a cinghia**, belt drive; **t. a ruote dentate**, gearing; (*autom.*) **t. anteriore**, front-wheel drive; **t. idraulica**, hydraulic drive; **cinghia di t.**, driving (*o* transmission) belt; (*autom.*) **albero di t.**, driving shaft **8** (al pl.) (*mil.*) signals.

trasmissivo a. transmissive.

trasmittènte (*radio*, *TV*) A a. transmitting: **apparecchio t.**, transmitter B f. (*la stazione*) transmitting station; (*l'apparecchio*) transmitter.

trasmodàre v. i. to exaggerate; to exceed the limit.

trasmutàbile a. (*lett.*) transmutable.

trasmutàre (*lett.*) A v. t. to transmute; to change; to transform B trasmutàrsi v. i. pron. to transmute; to change; to be trans-

formed.

traṣmutazióne f. (*lett.*, *scient.*) transmutation.

trasognatézza f. dreaminess.

trasognàto a. **1** (*assorto in fantasie*) dreamy; day-dreaming; faraway; lost in thought (pred.): **sguardo t.**, dreamy (*o* faraway) look **2** (*stupefatto*) dumbfounded; stunned.

traspadàno a. transpadane.

♦**trasparènte** A a. **1** (*fis.*) transparent: **corpo t.**, transparent body **2** (*limpido, anche fig.*) transparent; clear; limpid: **acqua t.**, clear water; **cielo t.**, perfectly clear sky; **prosa t.**, limpid style **3** (*che lascia vedere o intravedere*) transparent; see-through; gauzy; (*di calze*) sheer: **camicetta t.**, see-through blouse; **collant trasparenti**, sheer tights (*GB*); sheer pantyhose (*USA*); **stoffa t.**, transparent fabric **4** (*molto sottile*) very thin; wafer-thin: **fettina t.**, wafer-thin slice **5** (*fig.*: *intuibile*) transparent, clear, obvious; (*chiaro, non ambiguo*) transparent, open: **allusione t.**, clear (*o* transparent) allusion; **bilancio t.**, transparent budget; **significato t.**, transparent meaning **6** (*fig.*: *schietto*) transparent; sincere; candid; open B m. **1** (*pubblicità*) transparency **2** (*TV, cinem., teatr.*) scrim **3** (*tessuto posto sotto un merletto*) backing **4** (*pellicola*) transparency.

trasparènza f. **1** transparency; (*di tessuto, anche*) see-through effect: **guardare qc. in t.**, to look at st. against the light **2** (*fig.*: *chiarezza*) transparency **3** (*fig.*: *schiettezza*) transparency; sincerity; openness.

trasparìre v. i. **1** to shine* (through); to show (through): *Dai vetri traspariva una luce*, a light was shining through the window; *Attraverso il tessuto sottile traspariva il reggiseno*, her bra was showing through the thin material **2** (*fig.*: *essere visibile*) to be visible; (*palesarsi*) to show itself: *La paura le traspariva dagli occhi*, fear was visible (*o* showed itself) in her eyes; **lasciar t.**, (*rivelare*) to reveal; (*tradire*) to betray: *Il suo viso non lasciava t. emozioni*, his face betrayed no emotion **3** (*essere trasparente*) to be transparent.

traspiràre A v. i. **1** (*fisiol.*) to perspire; to sweat: **lasciar t. (la pelle)**, to let the skin breathe; (*di indumento, accessori*) to wick moisture away from the skin **2** (*bot.*) to transpire **3** (*fig.*: *trapelare*) to transpire B v. t. (*emanare, anche fig.*) to exude; to give* off.

traspiratòrio a. **1** (*fisiol.*) perspiratory; perspiration (attr.) **2** (*bot.*) transpiration (attr.).

traspirazióne f. **1** (*fisiol.*) perspiration; sweating; sweat: **prodotto contro la t.**, antiperspirant **2** (*bot.*) transpiration.

traspórre v. t. **1** to transpose; to shift around **2** (*mus.*) to transpose.

trasportàbile a. transportable; portable; conveyable; **il paziente non è t.**, the patient cannot be moved.

♦**trasportàre** A v. t. **1** (*portare*) to transport; to take*; to carry; (*con un servizio regolare*) to ferry; (*merci, anche*) to freight: **t. un baule**, to carry a trunk; **t. un carico**, to carry freight; **t. merci**, to freight (*o* to carry) goods; **t. truppe**, to move troops; (*per nave*) to ship troops; **t. passeggeri all'aeroporto**, to take (*o* to transport, to transfer) passengers to the airport; **t. q. all'ospedale**, to take sb. to hospital; **t. a forza**, to drag; **t. di peso**, to carry bodily; **t. d'urgenza**, to rush; **t. in aereo**, to fly; **t. per ferrovia**, to transport (*o* to freight) by rail; **t. per mare**, to ship; **t. su camion**, to haul; *La barca ci trasporterà all'altra riva*, the boat will carry us to the other bank **2** (*trasferire*) to move; to transfer: *La capitale fu trasportata da Firenze a Roma*, the capital was transferred

from Florence to Rome **3** (*sospingere, trascinare*) to drive*; to carry: *La corrente ci trasportava verso il largo*, the current was carrying us out to sea **4** (*fig.*, *con la fantasia*) to transport; to take*: **un romanzo che ci trasporta in pieno Medioevo**, a novel that takes us back to the high Middle Ages **5** (*fig.*, *di emozione*) to carry away: **lasciarsi t. dall'ira**, to be carried away by anger; to fly into a rage **6** (*copiare, riportare*) to transfer **7** (*mus.*) to transpose **8** (*nel restauro*) to transfer B **trasportàrsi** v. i. pron. (*fig.*) to project oneself; to imagine oneself.

trasportàto m. passenger.

trasportatóre A a. transporting; transport (attr.); conveying; conveyor (attr.): **nastro t.**, conveyor belt B m. **1** (*vettore*) transporter; carrier; (*su strada*) haulier, hauler (*USA*), haulage contractor, teamster (*USA*) **2** (*mecc.*) conveyor; carrier: **t. a catena**, chain conveyor; **t. a nastro**, belt conveyor; **t. a rulli**, roller conveyor; **t. a tazze**, bucket conveyor; skip hoist; **t. trasversale**, cross conveyor **3** (*di macchina per cucire*) feed dog.

♦**traspòrto** m. **1** (*di merci, passeggeri*) transport; transportation; transit; conveyance; carriage; (*di merci, anche*) freight, shipment, (*su strada*) haulage: **t. di passeggeri**, passenger transport; transport of passengers; passenger transit (*USA*); **t. d'urgenza**, rush; (*di merci*) urgent shipment; **t. funebre**, funeral; **t. per via aerea**, transport by air; air freight; **t. per via mare**, transport by sea; sea freight; shipment; **t. per via di terra**, transport by land; overland transport; **t. interno**, handling; **t. su strada** (*o* **su gomma**), road haulage; *Il t. sarà a vostro carico*, carriage shall be to your charge; *Il t. dei feriti fu ostacolato dalle condizioni del tempo*, weather conditions made it difficult to transfer the wounded; *Le ferrovie effettuano circa la metà dei trasporti di merci*, railways handle about half the freight; **durante il t.**, in transit; **franco di t.**, carriage paid (*o* free); **aereo da t.**, freighter; (*mil.*) troop carrier; troop transport; **compagnia di trasporti marittimi**, shipping company; (*comm.*) **contratto di t. marittimo**, affreightment; **impresa di trasporti**, haulage contractors (pl.); **mezzo di t.**, means of transport; (*al pl.*, collett.) transport U; **nave da t.**, freighter; cargo boat; **spese di t.**, transport charges; carriage (sing.); freight charges; freight (sing.) **2** (*costo*) carriage; freight; shipping cost; delivery: **t. a carico del destinatario**, carriage forward; freight forward; **t. pagato**, carriage free **3** (*insieme dei mezzi di trasporto*) transport U; transportation U: **t. pesante (su strada)**, heavy goods traffic; **t. pubblico** (*o* **trasporti pubblici**), public transport; **trasporti urbani**, local transport; **trasporti stradali [marittimi, aerei, ferroviari]**, transport by road [by sea, by air, by rail]; *I trasporti erano paralizzati da uno sciopero*, transport was paralysed by a strike; *Ministero dei trasporti*, Ministry of Transport **4** (*naut.*: *nave*) freighter; cargo ship; (*mil.*) troopship, troop carrier, (troop) transport **5** (*trasferimento*) transfer; move **6** (*nel disegno, tipogr.*) transfer **7** (*mus.*) transposition **8** (*nel restauro*) transfer **9** (*geol.*) transportation **10** (*pelliceria*) stranding **11** (*fig.*: *impeto*) surge, transport, rush; (*entusiasmo*) rapture, passion, enthusiasm: **in un t. di gioia**, in a surge of delight; **in un t. d'ira**, in a rush of anger; **con t.**, with great enthusiasm; enthusiastically; **baciare q. con t.**, to kiss sb. passionately.

traspoṣitóre (*mus.*) A a. transposing: **strumento t.**, transposing instrument B m. (f. **-trice**) transposer.

traspoṣizióne f. (*anche med., mus.*) transposition.

trassàto A a. paying: **banca trassata**, paying bank B m. drawee.

trasteverino A a. of Trastevere; from Trastevere B e m. (f. **-a**) native [inhabitant] of Trastevere.

trastullàre A v. t. **1** (*far divertire*) to amuse; to entertain; (*giocando*) to play with **2** (*illudere*) to delude; to deceive; to fool B **trastullàrsi** v. rifl. **1** (*divertirsi*) to amuse oneself; (*giocare*) to play, to toy **2** (*perdere tempo*) to waste time; to trifle; to dawdle.

trastùllo m. **1** (*svago*) amusement; (*passatempo*) pastime, sport **2** (*giocattolo*) toy; (*anche fig.*) plaything: **il t. della fortuna**, the plaything of Fate.

trasudaménto m. oozing; weeping; sweating; (*infiltrazione*) seepage.

trasudàre A v. i. to ooze; to weep*; to seep; to trickle; to discharge: *Dai muri trasudava l'umidità*, the damp oozed from the walls B v. t. (*anche fig.*) to ooze with.

trasudativo, **trasudatizio** a. (*med.*) transudative; transudatory.

trasudàto m. (*med.*) transudate.

trasudazióne f. **1** → **trasudamento 2** (*fisiol.*) perspiration; sweat.

traṣumanàre v. i., **traṣumanàrsi** v. i. pron. (*lett.*) to transcend human nature; to be transhumanized.

traṣumanazióne f. (*lett.*) transhumanation.

traṣversàle A a. **1** transverse; transversal; diagonal; cross (attr.); (*naut.*) athwartship: **linea t.**, transversal line; (*fis.*) **onda t.**, transverse wave; (*naut.*) **piano t.**, athwartship plane; **sezione t.**, cross-section; **strada t.**, side street; **trave t.**, cross girder; **in senso t.**, crosswise; transversally **2** (*fig. polit.*) cross-party: **alleanza t.**, cross-party alliance; **partito t.**, political grouping that cuts across party lines **3** (*fig.*: *indiretto*) indirect: **vendetta t.**, indirect revenge; revenge wreaked upon a close relative of one's enemy B f. **1** (*geom.*) transversal **2** (*strada*) side street: **la seconda t. a destra**, the second street (*o* turning) on the right **3** (*roulette*) – **t. semplice**, six-line.

traṣversaliṣmo m. (*polit.*) cross-party convergence.

traṣversalità f. transversality.

traṣversalménte avv. transversely; diagonally; crosswise; across; (*naut.*) athwartship: **tagliare t. per i campi**, to cut across the fields.

traṣvèrso A a. transverse; transversal: (*anat.*) **muscolo t.**, transverse muscle B m. (*edil.*) crossbeam.

traṣvolàre A v. t. to fly* across: **t. l'Atlantico**, to fly across the Atlantic B v. i. (*fig.*) to pass quickly (over); to gloss (over): **t. su un argomento**, to pass quickly over a subject.

traṣvolàta f. (long-distance) flight: **t. dell'Atlantico**, flight across the Atlantic; Atlantic flight.

traṣvolatóre m. (f. **-trice**) (long-distance) flyer.

tràtta f. **1** (*percorso*) distance; (*di viaggio*) leg, stage; (*con un mezzo pubblico*) section, (fare) stage **2** (*traffico illegale*) trade: **t. delle bianche**, white-slave trade; **t. dei negri** (*o* **degli schiavi**), slave trade **3** (*fin.*) draft; bill (of exchange): **t. a vista**, draft on demand; sight draft; **t. allo scoperto**, overdraft; **t. bancaria**, banker's (*o* bank) draft; **t. scaduta**, overdue draft; **cambiale t.**, bill of exchange; **girare una t.**, to endorse a draft; **pagare** (*o* **onorare**) **una t.**, to pay (*o* to honour) a draft; **non pagare** (*o* **disonorare una t.**), to dishonour a draft; **spiccare** (*o* **emettere**) **una t.**, to issue a draft; to draw a bill; **spiccare t. su q.**, to draw a bill on sb.

a b c d e f g h i j k l m n o p q r s **t** u v w x y z

trattàbile a. **1** (*di argomento*) that can be dealt with; easy to deal with; tractable: **non facilmente t.**, not easily dealt with **2** (*contrattabile*) negotiable; (*nelle inserzioni*) o.n.o. (*GB*, abbr. di or nearest offer): *Il prezzo è t.*, the price is negotiable; **600 sterline trattabili**, £600 o.n.o. **3** (*tecn.*) treatable; (*malleabile*) pliable **4** (*di persona*) tractable; amenable; reasonable; manageable.

trattabilità f. **1** (*tecn.*) treatableness **2** (*di persona*) tractability; amenability; manageableness.

trattaménto m. **1** (*modo di trattare*) treatment; handling: **t. di favore**, special treatment; **t. di riguardo**, preferential treatment; **t. duro**, harsh treatment; rough handling; punishment; **t. equo**, fair treatment; square deal (*fam.*); **t. ingiusto**, unfair treatment; raw deal (*fam.*); *Ha avuto il t. che si meritava*, he got what he deserved; he got his comeuppance (*fam.*); **ricevere un buon t.**, to be treated well; **ricevere un t. con i fiocchi**, to be treated like royalty; **riservare a q. un t. speciale**, to reserve sb. special treatment **2** (*maniera di accogliere*) hospitality; (*in albergo, ecc.*) service **3** (*tecn.*) treatment; processing [U]; dressing [U]: **t. delle acque luride**, sewage disposal; (*comput.*) **t. dei dati**, data processing; **t. del minerale**, ore dressing; **t. dei rifiuti**, waste processing; **t. limite**, threshold treatment; **t. termico**, heat treatment; **sottoporre a t.**, to treat; to process **4** (*cinem.*) treatment **5** (*med.*) treatment: **t. postoperatorio**, postoperative treatment **6** (*cosmesi*) treatment; care: **t. del viso**, facial (treatment) **7** (*anche* **t. economico**) pay; (*stipendio*) salary; (*salario*) wages (pl.): **t. di fine rapporto**, severance pay; **t. di quiescenza**, retirement pension; **t. pensionistico**, pension.

♦**trattàre** Ⓐ v. t. **1** (*esporre, svolgere*) to deal* with; to treat; to cover; to discuss: **t. qc. a fondo**, to deal with st. in depth; **t. qc. in modo superficiale** (*o di sfuggita*), to touch upon st.; to mention st. in passing; *Tratterò per primo il problema dell'inquinamento*, I shall deal with the pollution problem first; *Tratterò un tema poco noto*, I shall discuss a little known subject **2** (*una persona*) to treat; to handle; to deal* with; (*in un albergo, ecc.*) to serve; to look after: **t. q. come un figlio**, to treat sb. as (*o* like) a son; **t. q. come spazzatura**, to treat sb. like dirt; **t. q. con bontà**, to be kind to sb.; **t. q. con condiscendenza**, to treat sb. condescendingly; to patronize sb.; **t. q. con equità**, to be fair to sb.; **t. q. con i guanti**, to handle sb. with kid gloves; **t. q. con sufficienza**, to look down on sb.; **t. q. da amico**, to treat sb. as a friend; **t. q. duramente**, to treat sb. harshly; to be harsh with sb.; **t. male q.**, to treat sb. badly; to ill-treat sb.; *Mi ha trattato da imbroglione*, she treated me as if I were a cheat; **saper t. i bambini**, to know how to deal with children; to have a way with children; **saper t. la gente**, to be good at dealing with people; *So io come t. tipi simili*, I know how to handle such people; *La vita l'ha trattato male*, life has treated him unkindly; he has had a poor deal out of life (*fam.*); *Noi trattiamo bene i nostri clienti*, we look after our customers; *In questo albergo ti trattano benissimo*, the service is excellent in this hotel **3** (*occuparsi di*) to look after; to take* care of; to deal* with; to handle: **t. gli interessi di q.**, to look after sb.'s interests; **t. una pratica**, to deal with a case **4** (*discutere di*) to deal*, to handle, to conduct, to transact; (*contrattare, negoziare*) to negotiate: **t. l'acquisto di un appartamento**, to negotiate the purchase of a flat; **t. un affare**, to negotiate a deal; **t. affari**, to transact business; **t. la pace** [**un prestito**], to negotiate peace [a loan]; **t. la resa**, to

discuss the terms of surrender **5** (*lavorare*) to treat; to cure; to process: **t. il cuoio**, to cure leather; **t. il tabacco**, to cure tobacco; **t. con acido**, to treat with acid; **t. con vapore**, to steam; **t. galvanicamente**, to plate; **t. termicamente**, to heat-treat **6** (*maneggiare*) to handle; to treat; (*usare*) to use: **t. con cura**, to treat (*o* to handle) carefully; **t. male**, to mishandle; to be careless with; to handle roughly **7** (*commerciare in*) to deal* in; to handle: **t. un articolo**, to handle an article; **t. articoli di lana**, to deal in woollens; **t. un ramo**, to deal in a line **8** (*med., cosmesi*) to treat: **t. un'influenza con antibiotici**, to treat a flu with antibiotics; **t. la pelle con creme**, to treat the skin with creams Ⓑ v. i. **1** (*discutere, ragionare*) to discuss (st.); to talk (about): *Tratteremo di questa faccenda domani*, we'll discuss this matter tomorrow; *il problema di cui si tratta*, the problem in hand **2** (*avere per argomento*) to deal* (with); to be (about): *L'articolo tratta del problema dell'adozione*, the article deals with the problem of adoption; *Di che cosa tratta questo libro?*, what is this book about? **3** (*fare trattative*) to negotiate; (*accordarsi*) to come* to an agreement: **t. col nemico per fare la pace**, to negotiate with the enemy for peace; **t. sul prezzo**, to negotiate a price; to haggle over the price; *Sul prezzo possiamo t.*, we can come to an agreement about the price; *Le parti sono pronte a t.*, the parties are ready to negotiate **4** (*con uso impers.*) to be a question (of); to be a matter (of); to have to do (with); to be: *Si tratta di qualche giorno di più*, it is a question of a few more days; *Si tratta di vita o di morte*, it is a matter of life or death; *Si tratta di decidere che cosa vogliamo*, it's a question of deciding what we want; *Si tratta di polmonite*, it's a case of pneumonia; *Si tratta di mio zio*, (*riguarda lui*) it concerns (*o* it's about) my uncle, it has to do with my uncle; (*è lui*) it's my uncle; *Si tratta del tuo futuro*, your future is at stake; *Si tratta dei miei interessi*, my own interests are involved; *Di che si tratta?*, (*che cos'è?*) what is it about?; (*che succede?*) what is the matter?; *Di che film si tratta?*, what film is it?; *Quando si tratta di aiutare, lui sparisce*, when it comes to giving a hand, he vanishes; *Si tratta solo di schiacciare un pulsante*, you only have to press a button **5** (*avere a che fare*) to deal*; to have dealings; (*parlare*) to discuss: **t. direttamente con q.**, to deal with sb. personally; *Non intendo t. con loro*, I won't have any dealings with them **6** (*fare affari*) to trade: *Tratta con tutti i paesi orientali*, he trades with all Asian countries Ⓒ **trattàrsi** v. rifl. to treat oneself: **trattarsi bene**, to treat (*o* to do) oneself well; to indulge oneself in everything; **trattarsi da signore**, to live like a lord.

trattàrio m. (*econ.*) drawee.

trattatista m. e f. writer of treatises.

trattatìstica f. treatise writing; (*i trattati*) treatises (pl.).

trattatìstico a. treatise (attr.).

trattativa f. negotiation; bargaining; talks (pl.): **t. privata**, private contract (*o* treaty); **t. sindacale**, labour negotiation; bargaining; **trattative commerciali**, business negotiations; **trattative di pace**, peace talks; *Le trattative sono fallite*, the negotiations have fallen through; *Sono in corso trattative*, negotiations are under way; **iniziare le trattative con q.**, to enter into negotiations with sb.; **essere in trattative con q.**, to be negotiating with sb.; **riprendere le trattative**, to resume talks; **sbloccare la t.**, to break the deadlock in the talks; **tavolo delle trattative**, negotiating table.

trattativìsmo m. tendency to resolve controversies through talks.

trattàto① a. treated: (*di frutta, ecc.*) **non t.**, organic.

trattàto② m. **1** (*esposizione*) treatise: **t. di filosofia**, philosophical treatise **2** (*accordo*) treaty; agreement: **t. commerciale**, trade agreement; commercial treaty; **t. di pace**, peace treaty; **il T. di Maastricht**, the Maastricht Treaty; **il T. di Versailles**, the Treaty of Versailles; **firmare un t.**, to sign a treaty; **rompere un t.**, to break (*o* to violate) a treaty; **stipulare un t.**, to draw up a treaty.

trattazióne f. (*esposizione*) treatment: **una t. succinta ma chiara**, a brief but clear treatment.

trattéggiaménto m. **1** (*disegno*) hatching **2** (*fig.*) outlining; sketching.

trattéggiàre v. t. **1** (*disegno*) to hatch **2** (*disegnare con una linea tratteggiata*) to trace (with a broken line): **t. una linea**, to draw a broken line; **t. un percorso sulla cartina**, to trace a route on the map (with a broken line) **3** (*fig.: delineare*) to outline, to sketch; (*descrivere*) to draw*, to describe.

trattéggiàto a. **1** (*segnato con tratti*) broken; (*con puntini*) dotted: **linea tratteggiata**, broken line **2** (*disegno*) hatched **3** (*fig.*) drawn; described: **un personaggio ben t.**, a well-drawn character.

trattéggio m. **1** (*disegno*) hatching; (*su una carta geogr.*) hachures (pl.): **t. incrociato**, cross-hatching **2** (*linea tratteggiata*) broken line.

♦**trattenére** Ⓐ v. t. **1** (*far restare, non lasciare andare*) to keep*; to detain; (*con un invito*) to persuade (sb.) to stay: **t. q. a cena**, to persuade sb. to stay for dinner; **t. q. fino a tardi**, to keep sb. till late; (*leg.*) **t. in stato di fermo**, to detain; *Sono stato trattenuto in ufficio*, I was detained (*o* kept) in the office **2** (*far perdere tempo*) to keep*; to detain: *Non voglio trattenervi*, I don't want to keep you **3** (*intrattenere*) to entertain **4** (*tenere*) to keep*; (*sport*) **t. la palla**, to keep possession **5** (*tenere a bada*) to hold* back; to hold* in check; to fend off; (*arginare*) to keep* back, to retain: **t. un cavallo**, to rein in a horse; **t. gli invasori**, to hold back the invaders; **t. la folla**, to hold back the crowd; **una diga per t. le acque**, a dam to retain the water **6** (*tenere per sé, non consegnare*) to keep*; to hold* back; to withhold*; to stop: **t. lo stipendio a q.**, to stop sb.'s pay; *Trattenne per sé l'originale*, he kept the original for himself; *Gli fu trattenuta parte della paga*, part of his pay was withheld **7** (*sottrarre, dedurre*) to retain; to deduct; (*su stipendio*) to dock: **t. il 2% sulla paga**, to retain 2% out of sb.'s pay; to dock 2% from sb.'s pay; **t. la propria provvigione**, to deduct one's commission; **t. le tasse dallo stipendio**, to deduct taxes from sb.'s salary; **t. alla fonte**, to deduct at source **8** (*frenare*) to restrain; to keep*; to stop; (*afferrando*) to catch* hold of: *Lo trattenne la paura*, fear held him back; *Mi trattenne per un braccio*, she caught hold of my arm; *Non so che cosa mi trattiene dall'andarmene*, I don't know what's keeping me from leaving; *Chi ti trattiene?*, who's keeping you? **9** (*tenere dentro di sé*) to contain; to restrain; to hold* (back); to suppress; to repress: **t. la propria gioia**, to contain one's joy; **t. l'ira**, to check (*o* to restrain) one's anger; **t. le lacrime**, to hold back one's tears; **t. il respiro**, to hold (*o* to catch) one's breath; **t. il riso**, to suppress laughter; **t. uno sbadiglio**, to stifle a yawn; **t. un sorriso**, to suppress a smile; **t. un sospiro**, to repress a sigh Ⓑ **trattenérsi** v. rifl. (*astenersi*) to refrain; to keep* oneself; (*frenarsi*) to contain oneself, to restrain oneself, to check oneself; (*controllarsi*) to control oneself, to get* a hold on oneself: **trattenersi dal dire qc.**, to refrain from saying st.; **trattenersi dal ridere**, to refrain from laughing; to keep

a straight face; **trattenersi nelle spese**, to keep down expenses; *Volevo chiedergli se era sua moglie, ma mi trattenni*, I wanted to ask him if she was his wife, but I checked myself; *Non potei trattenermi dal commentare*, I couldn't keep myself from commenting on it; *Non poté trattenersi dal ridere*, he couldn't help laughing; *Non riuscii a trattenermi e scoppiai in lacrime*, I couldn't contain myself and I burst into tears; *Cerca di trattenerti!*, try and control (*o* get a hold over, contain) yourself! **C trattenérsi v. i. pron.** (*restare*) to stay; (*fermarsi*) to stop: **trattenersi a pranzo**, to stay for lunch; *Trattenetevi ancora un po'*, stay a little longer; *Mi tratterrò a Milano una settimana*, I shall stop in Milan for a week.

trattenimén to m. 1 (*intrattenimento*) entertainment: **t. musicale**, musical entertainment **2** (*ricevimento*) reception; party: **t. danzante**, ball.

trattenùta f. deduction; withholding: (*fin.*) **t. alla fonte**, deduction at source; withholding tax; **t. fiscale**, withholding tax; **t. sindacale**, check-off; **t. sullo stipendio**, deduction from salary; salary deduction; stoppage (*GB*); **operare una t. su**, to make a deduction from; (*su stipendio*) to dock.

trattino m. (*di unione*) hyphen; (*di separazione*) dash: **unire con un t.**, to hyphenate; (*tipogr.*) **t. medio**, en dash; (*tipogr.*) **t. lungo**, em dash.

♦**tràtto m. 1** (*di penna, ecc.*) stroke; (*linea*) line: **t. di penna**, stroke of the pen; **t. di pennello**, brushstroke; **t. fermo**, firm stroke; **cancellare con un t.**, to cross out (with a stroke of the pen); to strike out; (*fig.*) **a grandi tratti**, in outline; summarily; (*fig.*) **disegnare a grandi tratti**, to outline; (*anche fig.*) **disegnare con pochi tratti**, to sketch with a few strokes **2** (*tipogr.*) → **trattino 3** (*modo di comportarsi*) manners (pl.); behaviour; address: **t. piacevole** [**brusco**], amiable [abrupt, curt] manners; **un t. da gran signore**, the manners of a gentleman; **amabilità di t.**, amiable manners **4** (*moto, impulso*) gesture; impulse **5** (*sezione, segmento*) piece, length, section, segment; (*parte, pezzo*) part; (*brano*) passage; (*tappa*) stage, leg; (*distanza*) distance: **t. di binario**, track section; **t. di costa**, stretch of coast; **t. di fiume**, stretch of river; (*tra due anse*) reach; **t. di strada**, stretch of road; **fare un t. di strada a piedi**, to walk part of the way; **t. di tubo**, length (*o* section) of pipe; **un t. non percorribile**, an impassable stretch of road; **un bel t.**, quite a distance; **l'ultimo t. del viaggio**, the last leg (*o* stage) of the journey; *Li seguii per un lungo t.*, I followed them a long way **6** (*distesa*) stretch; tract; expanse: **t. di cielo**, expanse of sky; **t. di mare**, stretch (*o* expanse) of sea; **t. di terra**, tract of land **7** (*spazio di tempo*) period (of time); interval; while: **a tratti**, at times; at intervals; (every) now and then; from time to time; **a un t.** (*o* **d'un t.**), suddenly; all of a sudden; all at once; **per un certo t.**, for some time; for a while **8** (*liturgia*) tract **9** (al pl.) (*lineamenti*) features; traits: **tratti regolari**, regular features **10** (*fig.*: *caratteristica*) feature; trait: **t. caratteriale**, character trait; **tratti salienti**, salient features **11** (*antiq.*: *tirata*) pull; jerk; tug: (*stor.*) **tratti di corda** (*tortura*), strappado (sing.).

trattóre① m. (f. -**trìce**) (*ind. tess.*) silk thrower.

♦**trattóre② m.** (*mecc.*) tractor: **t. a cingoli** (*o* **cingolato**), caterpillar (tractor); crawler; **t. agricolo**, farm tractor.

trattóre③ m. (f. -**trìce**) (*gestore di trattoria*) inn-keeper; landlord (f. landlady).

trattorìa① f. (*ind. tess.*) silk-throwing mill.

trattorìa② f. trattoria; small restaurant;

eating place; eatery (*fam.*).

trattorìsta m. e f. tractor driver.

trattrìce① f. (*mecc.*) tractor.

trattrìce② f. → **trattore①**.

trattrìce③ f. (*mat.*) tractrix*.

trattùra f. (*ind. tess.*) silk-throwing.

trattùro m. sheep-track.

traudìre v. t. e i. (*lett.*) not to hear* (st.) properly.

tràuma m. 1 (*med.*) trauma*: **t. cranico**, concussion **2** (*psic.*) trauma*; shock: **t. psichico**, psychic trauma; *La morte della moglie fu un t. per lui*, his wife's death was a terrible shock for him **3** (*estens.*: *sconvolgimento*) trauma*; upheaval.

traumàtico a. 1 (*med.*) traumatic: **febbre traumatica**, traumatic fever **2** (*sconvolgente*) traumatic; distressing; shocking; devastating: **esperienza traumatica**, traumatic experience.

traumatìsmo m. (*med.*) traumatism.

traumatizzànte a. 1 (*med., psic.*) traumatizing **2** (*sconvolgente*) traumatic; shocking; distressing; devastating.

traumatizzàre v. t. 1 (*med., psic.*) to traumatize **2** (*sconvolgere*) to traumatize; to leave* in a state of shock.

traumatizzàto A a. 1 (*med., psic.*) traumatized **2** (*sconvolto*) traumatized; shocked; devastated **B m.** (f. -**a**) traumatized person.

traumatologìa f. (*med.*) **1** traumatology; orthopaedic and accident surgery **2** (*anche* **reparto di t.**) traumatology department.

traumatològico a. traumatology (attr.): **centro t.**, traumatology clinic; **reparto t.**, traumatology (*o* casualty) ward; traumatology department.

traumatòlogo m. (f. -**a**) traumatologist.

travagliàre A v. t. 1 (*tormentare*) to trouble; to torment **2** (*di vento, mare: scuotere*) to toss **B travagliàrsi v. rifl.** (*lett.*) to torment oneself; to worry.

travagliàto a. 1 (*tormentato*) tormented; (*preoccupato*) troubled; (*infelice*) unhappy: **infanzia travagliata**, unhappy (*o* troubled) childhood; **relazione travagliata**, troubled relationship **2** (*difficile*) hard; difficult: **vita travagliata**, hard life.

travàglio① m. 1 (*lavoro faticoso*) toil; labour; travail **2** (*lett.*: *angoscia, patimento*) torment; anguish; suffering; sorrow; travail; affliction; trial **3** (*sofferenza fisica*) pain: **t. di stomaco**, stomach upset; **avere t. di stomaco**, to have an upset stomach; to feel sick **4** (*anche* **t. di parto**) labour, labor (*USA*); travail: **in t.**, in labour; in travail; **entrare in t.**, to go into (*o* to start) labour.

travàglio② m. (*vet.*) trave.

travalicàre A v. t. (*lett.*) to cross; to pass (over). **t. i limiti**, to pass the limit; to go too far; **t. monti**, to cross mountains **B v. i. 1** (*passare*) to pass **2** (*fig.*: *esagerare*) to pass the limit; to go* too far; to overstep the mark.

travasàre A v. t. 1 to pour; (*un liquido con sedimento*) to decant; (*con sifone*) to syphon: **t. l'acqua dal secchio in un catino**, to pour the water from the bucket into a bowl; **t. il vino**, to decant wine **2** (*fig.*) to pour **B travasàrsi v. i. pron.** to spill*; to overflow.

travasatóre A a. pouring; decanting **B m.** (f. -**trìce**) pourer; decanter.

travasatrìce f. (*enologia*) transfer pump.

travàso m. 1 pouring off; (*di liquido con sedimento*) decanting, decantation: **t. del vino**, wine decanting **2** (*med.*) effusion; extravasation: **t. di bile**, bileous attack; (*fig.*) fit of anger; **t. di sangue**, extravasation of blood.

travàta f. (*edil.*) **1** (*trave principale*) girder **2** → **travatura**, def. 1.

travàto a. 1 (*edil.*) trussed: **soffitto t.**, trussed ceiling **2** (*di cavallo*) with two socks (*o* stockings) on the same side.

travatùra f. (*edil.*) **1** (*operazione*) girding; trussing **2** (*complesso di travi*) beams (pl.); truss: **t. reticolare**, truss; **t. semplice**, king (*o* king-post) truss.

tràve f. 1 (*costr.*) beam; joist; (*spec. di acciaio*) girder: **t. a sbalzo**, cantilever; **t. armata**, reinforced beam; **t. composta**, built-up beam; (*edil.*) **t. del tetto**, roof beam; (*puntone*) rafter; (*naut.*) **t. di chiglia**, bar keel; (*aeron.*) **t. di coda**, tail boom (*o* girder); (*edil.*) **t. di colmo**, ridge-pole; roof-tree; **t. in aggetto**, overhanging beam; (*edil.*) **t. maestra**, crossbeam; main beam; main joist; main girder; (*edil.*) **t. portante**, ceiling joist; main beam; summer beam; **t. reticolare**, truss; **soffitto con travi a vista**, raftered ceiling; ceiling with the beams showing **2** (*ginnastica*) balance beam ● (*fig.*) **non vedere la t. nel proprio occhio**, not to see the beam in one's eye.

travedére v. i. 1 not to see* (st.) properly **2** (*fig.*) to be misled (by); to be led astray (by).

travéggole f. pl. – (*fam.*) **avere le t.**, to be seeing things; to hallucinate: *Credevo di avere le t., e invece era proprio lui*, I thought I was seeing things, but it was him all right.

travèrsa f. 1 (*edil.*) transverse beam; cross-beam; cross-girder; crossbar; (*di porta o finestra*) transom: **t. di colmo**, ridge beam **2** (*sbarra*) bar; crossbar; (*di sbarramento*) crossbar, barrier; (*stecca*) lath, slat; (*piolo*) rung **3** (*ferr.*) sleeper; tie (*USA*) **4** (*calcio*) crossbar; bar: **cima della t.**, top of the bar **5** (*mil.*) traverse **6** (*strada*) side street; side road: **la seconda t. a sinistra**, the second street (*o* turning) on the left; **svoltare in una t.**, to turn into a side street **7** (*di letto*) drawsheet.

traversàre A v. t. 1 to cross; to go* across: **t. un campo**, to cross a field; **t. un fiume**, to cross a river; (*di ponte, anche*) to span a river; **t. a nuoto**, to swim across **2** (*naut.*) – **t. l'ancora**, to fish the anchor; **t. una vela**, to flatten in a sail **3** (*calcio*) – **t. al centro**, to cross **4** (*alpinismo*) to traverse **B traversàrsi v. i. pron.** (*naut.*) to broach to.

traversàta f. 1 (*attraversamento*) crossing; journey across; (*di mare, fiume*) crossing, (*a nuoto*) swim (across st.); (*viaggio per mare*) crossing, passage: **t. del deserto**, crossing of the desert; journey across a desert; **t. della Manica**, Channel crossing; **t. a nuoto della Manica**, swim across the Channel; cross-Channel swim; **una t. di sei ore da Le Havre**, a six-hour crossing (*o* passage) from Le Havre; **pagarsi la t.**, to pay one's passage **2** (*alpinismo*) traverse.

traversìa f. 1 (*naut.*) on-shore wind: **settore di t.**, direction of exposure **2** (*disavventura*) misfortune, accident, mishap; (al pl.: *avversità*) trials, tribulations, (*vicissitudini*) vicissitudes.

traversìna f. (*ferr.*) sleeper; tie (*USA*).

traversìno m. 1 (*naut.*) breast line (*o* rope); spring (line) **2** (*capezzale*) bolster.

travèrso A a. transversal; transverse; cross; diagonal; (*obliquo*) oblique, slanting, slanted, crosswise (attr.), askew (pred.): **flauto t.**, (transverse) flute; **vento t.**, cross-wind; **via traversa**, side street; side road; (*scorciatoia*) shortcut; (*fig.*) underhand means, devious means; (*fig.*) **procedere per vie traverse**, to use underhand means **B m. 1** (*larghezza*) width: **di t.**, obliquely; across (prep.); askew; at an angle; (*di lato*) sideways, sidelong (agg. e avv.); (*in modo storto*) crooked (agg.), crookedly (avv.); (*in modo sbagliato*) wrong: **di t. sul letto**, across

the bed; **di t. davanti alla porta**, across the entrance; *L'auto si arrestò di t. sulla corsia del sorpasso*, the car came to a halt across the overtaking lane; **andare di t.**, (*di cibo*) to go down the wrong way; (*fig.: andare storto*) to go amiss, to go wrong; **camminare di t.**, to walk sideways; **guardare di t.**, to look askance at; (*con malevolenza*) to give (st.) a nasty look; **portare il berretto di t.**, to wear one's cap at an angle; **occhiata di t.**, sidelong glance; **per il t.**, on the width; widthwise **2** (*naut.*) beam; side: **al t.**, on the beam; abeam; abreast; athwart; **al t. a sinistra [a dritta]**, on the port [starboard] beam; **al t. sopravvento [sottovento]**, on the weather [lee] beam; **a poppavia [proravia] del t.**, abaft [before] the beam; **essere al t. di**, to be abeam (o abreast) of; *Avevamo il faro al t.*, the lighthouse was abeam of us; **vento al t.**, wind on the beam; beam wind; **per il t.**, athwart.

traversóne m. **1** (*edil.*) crosspiece; girder **2** (*calcio*) cross **3** (*boxe*) cross.

travertìno m. (*miner.*) travertine; calcsinter.

travesti (*franc.*) m. inv. **1** (*attore*) actor in drag **2** (*parte*) drag role ● **en t.**, in drag.

travestiménto m. **1** disguise; camouflage; (*in maschera*) dressing-up, wearing fancy dress; (*con abiti del sesso opposto*) cross-dressing **2** (*ciò con cui ci si traveste*) disguise; (*costume in maschera*) fancy dress; (*abiti dell'altro sesso*, spec. femm.) drag **3** (*parodia*) parody; travesty.

♦**travestìre** A v. t. **1** to disguise; (*in maschera*) to dress up **2** (*fig.: nascondere*) to disguise, to hide*; (*mutare, alterare*) to alter, to transform B **travestìrsi** v. rifl. **1** to disguise oneself; (*in maschera*) to dress up, to wear* fancy dress: **travestìrsi da soldato**, to disguise oneself as a soldier; **travestìrsi da Arlecchino**, to dress up as Harlequin; **travestìrsi da uomo [da donna]**, to dress up as a man [as a woman]; to cross-dress; (*spec. teatr.*) to wear drag **2** (*fig.*) to disguise oneself; to hide*.

travestitìsmo m. transvestism; cross-dressing.

travestìto A a. **1** disguised; in disguise; (*in maschera*) dressed up, wearing francy dress; (*con abiti del sesso opposto*) cross-dressed, (*spec. teatr.*) in drag: **poliziotto t.**, policeman in disguise; undercover agent; **t. da donna**, disguised as a woman; (*teatr.*) in drag; **lupo t. da agnello**, wolf in sheep's clothing **2** (*fig.*) disguised; hidden B m. transvestite; cross-dresser.

travèt m. inv. petty clerk; pen-pusher (*fam.*).

travétto m. (*edil.*) common joist.

traviaménto m. **1** (*l'essere traviato*) straying; going astray; depravation **2** (*il traviare*) leading astray; corruption.

traviàre A v. t. to lead* astray; to corrupt; to deprave: *Fu traviato dai cattivi compagni*, he was led astray by bad companions B **traviàrsi** v. i. pron. to go* astray; to become* corrupt.

traviàto a. led astray (pred.); (*corrotto*) debauched, corrupted.

travicèllo m. (*edil.*) joist ● **Re T.**, King Log.

travisaménto m. **1** distortion; misrepresentation; twisting ◍; **t. dei fatti**, misrepresentation of facts; **t. delle parole altrui**, distortion (o misrepresentation, twisting) of sb.'s words; **t. della verità**, distortion of truth (*leg.*) disguise; concealment of identity.

travisàre A v. t. to distort; to misrepresent; to twist: **i fatti**, to misrepresent the facts; **t. le parole di q.**, to distort (o to twist) sb.'s words; **t. la verità**, to distort the truth

B **travisàrsi** v. rifl. to disguise oneself.

travolgènte a. **1** overwhelming; overpowering: **la t. furia degli elementi**, the overwhelming fury of the elements **2** (*fig.*) violent; passionante; irresistible; sweeping: **amore t.**, passionate love; **fascino t.**, irresistible charm; **passione t.**, violent passion; **successo t.**, roaring success; runaway success; **vittoria t.**, sweeping victory; (*elettorale*) landslide.

travòlgere v. t. **1** (*trascinare via*) to sweep* away, to carry away; (*abbattere*) to knock down; (*investire*) to run* over: **t. ogni ostacolo**, to sweep away all obstacles; (*fig., di persona*) to carry all before one; *Il vento travolse tutto*, the wind swept everything away; *Le auto furono travolte dalla piena*, the cars were carried away by the flood; *Fu travolto da un camion*, he was run over by a lorry **2** (*fig.: rovinare*) to ruin; to wreck: *Il crack della società travolse molte piccole imprese*, the company's bankruptcy wrecked many small businesses **3** (*fig.: sopraffare*) to overcome*; to overwhelm; (*sbaragliare*) to rout, to crush: **t. ogni resistenza**, to overcome all resistance; **essere travolto dagli avvenimenti**, to be overcome by events; **essere travolto dalla passione**, to be carried away by passion.

trazióne f. **1** (*il trarre, il trascinare*) traction, pull, haul; (*traino*) draught, draft (*USA*): **t. meccanica [a vapore, elettrica]**, mechanical [steam, electric] traction; **a t. elettrica**, electrically powered; **esercitare una t.**, to exert traction; **forza di t.**, force of traction; **veicolo a t. animale**, animal-drawn vehicle **2** (*autom.*) drive: **t. anteriore**, front-wheel drive; **t. diretta**, gearless drive; **t. integrale** (*o sulle quattro ruote*), four-wheel drive; **t. posteriore**, rear drive **3** (*med.*) traction; extension: **gamba in t.**, leg in traction.

♦**tre** A a. num. card. inv. three: **le tre Grazie**, the three Graces; **tre quarti**, three quarters; **pieno per tre quarti**, three quarters full; **tre volte tanto [tanti]**, three times as much [many]; **capitolo tre**, chapter three; **il numero tre**, number three; **avere tre anni**, to be three (years old); **ogni tre ore**, every third hour; every three hours; **tutti e tre**, all three; **in fila per tre**, lined up three abreast; *Siamo in tre*, there are three of us; *Si gioca in tre*, three can play; *In tre ce la faremo*, the three of us will manage B m. o f. inv. three; number three; (*nelle date*) third: **tre per tre**, three times three; **tre più tre fa sei**, three and three is six; **il tre giugno**, the third of June; June the third; **il tre del prossimo mese**, on the third of next month; **il tre per cento**, three per cent; **il tre di picche**, the three of spades; *Abito al tre*, I live at number three; *Sono le tre*, it is three o'clock; *Oggi ne abbiamo tre*, today is the third; *Prendiamo il tre*, let's take bus [tram] number three; *È stato estratto il tre*, number three has been drawn; **puntare sul tre**, to bet on three; **tagliare [piegare] qc. in tre**, to cut [to fold] st. in three; (*mat.*) **la regola del tre**, the rule of three ● **E tre!**, that's the third time!; not again! □ (*fig.*) **fare tre**, to finish: *Hai fatto due, fa' anche tre*, you might as well finish □ **gioco delle tre carte**, three-card trick; three-card monte; (*fig. anche*) shell game (*USA*) □ (*prov.*) **Chi fa da sé fa per tre**, if you want a thing done, do it yourself.

treàlberi m. (*naut.*) three-master; three-masted ship.

trébbia ① f. **1** (*trebbiatrice*) threshing machine; thresher **2** (*trebbiatura*) threshing.

trébbia ② f. (generalm. al pl.) distillation residue.

trebbiàre v. t. (*agric.*) to thresh.

trebbiatóre m. (f. **-trìce**) (*agric.*) thresher.

trebbiatrìce f. (*macchina*) threshing machine; thresher.

trebbiatùra f. (*agric.: l'operazione*) threshing; (*la stagione*) threshing time.

trebisónda f. – (*fam.*) **perdere la t.**, (*perdere la calma*) to lose control; (*confondersi*) to become confused.

Trebisónda f. (*geogr., stor.*) Trabzon; Trebizond.

tréccia f. **1** (*di capelli*) plait; braid; tress (*lett.*); (*treccina*) pigtail: **una ragazzina con le trecce**, a little girl with plaits; **farsi le trecce**, to plait one's hair; **portare** (*o avere*) **le trecce**, to wear one's hair in plaits; **sciogliersi le trecce**, to undo one's plaits **2** (*estens.: fili, ecc., intrecciati*) plait; (*anche per guarnizioni*) braid: **t. di paglia**, straw plait; (*elettr.*) **t. di rame**, copper plait; **a t.**, plaited; **fare trecce di qc.**, to plait st.; to braid st. **3** (*elettr.*) stranded wire **4** (*lavoro a maglia*) cable: **punto a t.**, cable stitch **5** (*anche* **t. di pane**), braided loaf; twist **6** (*filza*) string: **t. d'agli [di fichi]**, string of garlic [of figs].

trecciaiòlo m. (f. **-a**) braider.

trecciatùra f. braiding.

trecentésco a. fourteenth-century (attr.); (*arte e letter. ital.*, anche) of the Trecento, Trecento (attr.): **chiesa trecentesca**, fourteenth-century church.

trecentèsimo a. num. ord. e m. three-hundredth.

trecentìsta m. e f. **1** (*arte, letter.*) fourteenth-century writer [artist, etc.]; (*rif. all'Italia*, anche) Trecento writer [artist, etc.] **2** (*specialista del Trecento*) fourteenth-century specialist.

trecentìstico → **trecentesco**.

trecènto A a. num. card. inv. three hundred B m. inv. **1** (*il numero*) three hundred **2** (*il secolo*) (the) fourteenth century; (*arte e letter. ital.*, anche) (the) Trecento: **pittore del T.**, fourteenth-century painter; Trecento painter.

tredicènne A a. thirteen years old (pred.); thirteen-year-old (attr.) B m. e f. thirteen-year-old boy (m.); thirteen-year-old girl (f.); thirteen-year-old.

tredicèsima f. (*tredicesima mensilità*) thirteenth month's salary; year-end bonus.

tredicèsimo A a. num. ord. thirteenth: **la tredicesima parte**, the thirteenth part; **il capitolo t.**, the thirteenth chapter; chapter thirteen; *Luigi t.*, Louis the Thirteenth (*scritto* Louis XIII) B m. one thirteenth.

♦**trédici** A a. num. card. inv. thirteen: **t. volumi**, thirteen volumes; **il numero t.**, number thirteen; *Avevo t. anni*, I was thirteen; *Siamo in t.*, there are thirteen of us B m. e f. inv. thirteen; number thirteen; (*nelle date*) thirteenth: **il tredici maggio**, the thirteenth of May; May the thirteenth; *Il t. porta sfortuna* (*fortuna*), thirteen is an unlucky [a lucky] number; **alle t.**, at one o'clock; at one p.m.; at thirteen hundred hours (*tecn.*); **il treno delle t.**, the one-p.m. train; **nel '13**, in the year '13; **fare (un) t. al totocalcio**, to win (on) the (Italian football) pools; *È uscito il t.*, number thirteen was drawn.

tredicìsta m. e f. winner in the (Italian football) pools.

tréfolo m. strand.

tregènda f. **1** (*sabba*) witches' sabbath **2** (*fig.*) pandemonium; chaos ● **notte di t.**, Walpurgis Night; (*fig.*) stormy night.

trégua f. **1** truce; (*cessate il fuoco*) ceasefire: **t. d'armi**, truce; armistice; ceasefire; **t. di Dio**, truce of God; **accordare una t.**, to grant a truce; **chiedere una t.**, to ask for a truce; **rompere la t.**, to break the truce; **stabilire una t.**, to agree on a truce **2** (*fig., in*

rivendicazioni, lotte, ecc.) pause: **t. salariale**, wage (o pay) pause **3** (fig.: pausa, sosta) pause; break; lull; rest; respite: **una t. nella bufera**, a lull in the storm; **dare t. a q.**, to give sb. respite; to let up; **non dare t.**, to give no respite; not to give a moment's peace; **senza (dar) t.**, without a pause; relentlessly; non-stop; **inseguire q. senza dargli t.**, to pursue sb. relentlessly; **lavorare senza t.**, to work without a break (o non-stop, without letting up); Piove senza t. da quattro giorni, it's been raining non-stop for four days; the rain hasn't let up for four days now.

trekking m. inv. trekking ⓤ; trek: **fare t.**, to go trekking; to go for a trek.

tremànte a. trembling; shaking; shaky; quivering; (di freddo o febbre, anche) shivering; (tremulo) tremulous: **mano t.**, trembling (o shaky) hand; **voce t.**, trembling (o quavering) voice; **t. di paura**, trembling (o shaking) with fear.

♦**tremàre** v. i. **1** (del corpo) to tremble; to shake*; (di freddo o febbre, anche) to shiver; (di orrore) to shudder: **t. come una foglia**, to tremble (o to shake) like a leaf; **t. di paura**, to tremble (o to shake) with fear; **t. di rabbia**, to shake with rage; **t. per tutto il corpo**, to shake all over; Mi tremavano le mani, my hands were shaking; my hands shook; È vecchio e gli trema la mano, he's old and his hands shake (o are unsteady); Mi tremano le gambe, my legs are shaking; Le tremavano le labbra, her lips were quivering **2** (di cosa) to tremble; to shake*; (vibrare) to vibrate, to quiver, to rattle; (del terreno) to shake*: Le canne tremano al vento, the reeds shake in the wind; La casa tremò, the house shook; L'esplosione fece t. la casa, the blast shook (o rocked) the house; **far t. i vetri**, to rattle the windowpanes; **sentir t. la terra sotto i piedi**, to feel the ground shake under one's feet **3** (fig.: repidare) to shudder; to tremble; (temere) to dread, to fear, to be afraid: **t. al pensiero**, to tremble (o to shudder) at the thought; to dread the tought; **non t. dinanzi a nessuno**, not to be afraid of anybody **4** (fig., di suono) to tremble; to quaver; to shake: Gli tremò la voce, his voice quavered (o shook) **5** (fig., di luce) to twinkle; (di fiamma) to flicker.

tremarèlla f. (fam.) (the) shivers (pl.); (the) heebie-jeebies (pl., fam.); (paura del pubblico) stage fright: **avere la t.**, to have the shivers; to shake in one's shoes; **far venire la t. a q.**, to give sb. the shivers; Mi viene la t. al solo pensiero, it gives me the shivers only to think of it; the mere thought gives me the shivers.

trematòde m. (zool.) trematode; (al pl., scient.) Trematoda.

tremebóndo a. (lett.) trembling; quaking; (pauroso) fearful, timid; (esitante) hesitant.

♦**tremèndo** a. **1** (che mette paura) terrible; frightening: **esperienza tremenda**, frightening experience; **professore t.**, martinet **2** (spaventoso, terribile, disastroso) terrible; frightful; dreadful; awful; ghastly: **momento t.**, terrible (o awful) moment; **t. pericolo**, terrible risk; **sciagura tremenda**, terrible accident; **sofferenze tremende**, terrible sufferings; **spettacolo t.**, fearful (o ghastly) sight **3** (fam.: straordinario, grandissimo, fortissimo) terrible; terrific; tremendous; dreadful; awful: **freddo t.**, terrible cold; **t. seccatore**, terrible (o awful) tremendous) bore; **sete tremenda**, terrible (o dreadful) thirst **4** (fam.: pessimo) terrible; dreadful; awful; ghastly: **bambino t.**, little terror; pest; **avere un aspetto t.**, to look awful (o dreadful, ghastly); Oggi fa un caldo t., it's awfully hot today; Portava una giacca tremenda, he was wearing a ghastly jacket

trementìna f. (chim.) turpentine: **essenza di t.**, oil of turpentine; **t. grezza**, crude (o gum) turpentine; galipot.

tremila Ⓐ a. num. card. inv. three thousand Ⓑ m. inv. **1** (il numero) three thousand **2** (al pl.) (alpinismo) (altitude of) three thousand metres **3** (al pl.) (atletica) – **i t. siepi**, the 3000-metre steeplechase.

tremillèsimo a. num. ord. e m. three thousandth.

trèmito m. **1** (del corpo) tremor; shaking; (brivido) shiver, shivering; (di orrore) shudder: **t. convulso**, convulsive shaking (o tremor); the shakes (pl.) (fam.); Per il suo corpo passò un t., a shiver ran through his body; **essere scosso da un t.**, to shake **2** (vibrazione) tremor; quiver; shake; shaking: **un t. nella voce**, a tremor (o quiver) in sb.'s voice.

trèmola → **tremula**.

tremolàndo m. inv. (mus.) tremolando*.

tremolànte a. **1** (oscillante) trembling; quivering; shivering; tremulous: **gelatina t.**, quivering jelly; **mano t.**, trembling hand **2** (di luce) flickering; glimmering; (di stella) twinkling: **fiamma t.**, flickering flame **3** (di suono) trembling; quivering; tremulous: **voce t.**, quivering (o tremulous) voice **4** (molle, flaccido) flaccid; flabby **5** (fig.: incerto) shaky; unsteady; (ondeggiante) wavering: **grafia t.**, shaky handwriting; **riga t.**, wavering line.

tremolàre Ⓐ v. i. **1** (oscillare, vibrare, anche di suono) to tremble; to quiver **2** (di luce) to flicker; to glimmer; (di stella) to twinkle Ⓑ v. t. (mus.) to play with a tremolo effect Ⓒ m. → **tremolio**.

tremolio m. **1** (oscillazione, vibrazione, anche di suono) trembling; quivering; quiver **2** (di luce) flickering; glimmering; glimmer; (di stella) twinkling, twinkle.

trèmolo → **tremulo**.

tremóre m. **1** tremor; shaking **2** (med.) tremor **3** (tremito) trembling; (brivido) shiver, shivering, shudder **4** (fig.) trepidation; anxiety; (di preoccupazione) worry, misgivings (pl.).

trèmula f. (bot., Populus tremula) aspen; trembling poplar.

trèmulo Ⓐ a. **1** trembling; quivering; tremulous; (di luce) flickering; (di stella) twinkling: **fiammella tremula**, flickering flame; **voce tremula**, tremulous voice **2** (bot.) – **pioppo t.** (Populus tremula), aspen; trembling poplar Ⓑ m. **1** (mus.) tremolo **2** (registro di organo) tremolo **3** (bot.) → **A**, def. 2 **4** (fis.) flutter.

trenàggio m. (ind. min.) transport (of ore) by train.

trench (ingl.) m. inv. trench-coat.

trend (ingl.) m. inv. (spec. econ., fin.) trend; course; progress: **t. dei prezzi**, price trend; **t. del mercato azionario**, stock market trend, **i t. della moda**, fashion trends.

trendy (ingl.) a. inv. very fashionable; very up-to-date.

trenètico a. (letter.) threnodic; threnodial.

trenìno m. **1** (giocattolo) toy train; train set **2** (modellino) model (o miniature) train.

♦**trèno**① m. **1** (ferr.) train: **t. a carrozze intercomunicanti**, corridor train; **t. a vapore**, steam train; **t. ad alta velocità**, high-speed train; **t. ad assetto variabile**, tilting train; **t. accelerato**, slow train; **t. bestiame**, cattle train; **t. blindato**, armoured train; **il t. delle due**, the two o'clock train; **il t. delle sei e mezza**, the six-thirty train; **t. di lusso**, Pullman train; **t. di pendolari**, commuter train;

t. diretto, through train; **t. feriale**, weekday train; **t. festivo**, train running only on Sunday; **t. in arrivo [in partenza]**, in [out] train; **t. in ritardo**, delayed train; **t. intercity**, intercity train; **t. locale**, local (o slow) train; **t. merci**, goods train; **t. militare**, troop train; **t. misto**, goods and passenger train; **t. navetta**, shuttle train; **t. postale**, mail train; **t. rapido**, intercity train; express train; non-stop train; **t. straordinario**, relief train; **t. viaggiatori**, passenger train; **andare in t.**, to go by train; **arrivare col t. delle due e mezzo**, I'll arrive by the two-thirty train; **cambiare t.**, to change train; **dare via libera a un t.**, to let a train (run) through; **perdere il t.**, to miss one's train; **prendere il t.**, to catch a [the] train; **salire in t.**, to get on the train; **scendere dal t.**, to get off (o out of) the train; **viaggiare in t.**, to travel by train; **arrivo [partenza] di un t.**, arrival [departure] of a train; train arrival [departure]; **movimento dei treni**, train traffic; **viaggio in t.**, train journey **2** (rif. a mezzo di trasporto) train; convoy: **t. di chiatte**, barge convoy; **t. stradale**, articulated vehicle **3** (fig.: tenore) train; standard: **t. di vita**, tenor of life; standard of living **4** (lett.: seguito) train; retinue **5** (fig.: successione, serie) train; set: (autom.) **t. di gomme**, set of tyres; (mecc.) **t. d'ingranaggi**, gear train; (fis.) **t. d'onde**, wave train **6** (mecc.) mill: **t. continuo**, continuous mill; **t. di laminazione**, rolling mill; **t. per rotaie**, rail rolling mill **7** (di animale) quarters (pl.): **t. anteriore**, forequarters; **t. posteriore**, hind quarters **8** (di veicolo) carriage: **t. anteriore**, forecarriage; **t. posteriore**, rear carriage.

trèno② m. → **trenodia**.

trenodia f. (letter.) threnody; dirge.

♦**trénta** Ⓐ a. num. card. inv. thirty: **t. giorni**, thirty days; Eravamo in t., there were thirty of us; **le sei e t.**, six-thirty; half past six; **compiere trent'anni**, to be thirty; **gli anni t.**, the thirties; the 30s; **la guerra dei Trent'anni**, the Thirty Years' War Ⓑ m. inv. thirty; number thirty; (nelle date) thirtieth: (tennis) **t. a zero**, thirty love; **il t. di aprile**, the thirtieth of April; April the thirtieth; (tennis) **t. pari**, thirty all; **il t. per cento**, thirty per cent; È uscito il t., number thirty has been drawn; **aver passato i t.**, to be over thirty; Ci sono andato col t., I took bus [tram] number thirty there • (fig.) **Visto che hai fatto t., fa' trentuno**, you might as well finish.

trentaduèsimo Ⓐ a. num. ord. e m. thirty-second Ⓑ m. (tipogr.) thirty-twomo (abbr. 32mo, 32°).

trentamila a. num. card. e m. inv. thirty thousand • Te l'ho detto t. volte!, I've told you a million times!

trentatré a. num. card. e m. thirty-three • **un t. giri**, an LP □ (dal dottore) **Dica t.!**, say ninety-nine.

trentennàle Ⓐ a. **1** (che dura 30 anni) thirty-year (attr.): **accordo t.**, thirty-year agreement **2** (che dura da 30 anni) thirty-year-old; thirty-year-long: **amicizia t.**, thirty-year-old friendship; **disputa t.**, thirty-year-long debate **3** (che avviene ogni 30 anni) occurring every thirty years; held every thirty years Ⓑ m. **1** (ricorrenza) thirtieth anniversary **2** (celebrazione) thirtieth anniversary celebration.

trentènne Ⓐ a. thirty years old (pred.); thirty-year-old (attr.) Ⓑ m. e f. thirty-year-old man* (m.); thirty-year-old woman* (f.); (sulla trentina) man* (m.) in his thirties, woman* (f.) in her thirties, thirtysomething (fam.).

trentènnio m. thirty-year period; period of thirty years; thirty years (pl.).

trentèsimo a. num. ord. e m. thirtieth.

trentina f. **1** (*circa trenta*) about thirty: **una t. di persone**, about (*o* some) thirty people; *Erano una t.*, they were about thirty; **a una t. di kilometri**, about thirty kilometres away **2** (*30 anni di età*) (age of) thirty: **aver passato la t.**, to be in one's thirties; **essere sulla t.**, to be about thirty; to be thirtyish; (*tra i 30 e i 40*) to be in one's thirties; **una donna sulla t.**, a woman of about thirty; a woman in her thirties; **vicino alla t.**, approaching thirty; pushing thirty (*fam.*).

trentino A a. of Trento; from Trento B m. (f. *-a*) native [inhabitant] of Trento.

treonina f. (*chim.*) threonine.

trèpang m. trepang; bêche-de-mer (*franc.*).

trepestìo m. (*region.*) trampling.

trepidànte a. anxious: **attesa t.**, anxious wait; **aspettare t.**, to wait anxiously.

trepidàre v. i. to be anxious (about st.); to worry (about): **t. per il futuro**, to be anxious about the future; **t. per i figli**, to be worried about one's children; *Trepidavo in attesa della sua telefonata*, I was anxiously waiting for his phone call.

trepidazióne f. anxiety; trepidation: *Aspettammo le notizie con t.*, we waited for the news in trepidation; **stare in t.**, to be anxious.

trèpido a. (*lett.*) → **trepidante**.

treponèma m. (*biol.*) treponeme; treponema*.

trepónti → **trepponti**.

treppiède, **treppièdi** m. **1** (*anche fotogr.*) tripod **2** (*arnese da cucina*) trivet **3** (*sgabello*) three-legged stool.

treppónti m. inv. (*naut.*) three-decker.

trequàrti m. **1** (*giacca*) three-quarter--length coat **2** (*chir.*) trocar **3** (*rugby*) three--quarter.

trequartista m. e f. (*sport*) attacking midfielder.

treruòte m. inv. three-wheeler.

trésca f. **1** plot; intrigue **2** (*relazione illecita*) affair: *Aveva una t. con la cognata*, he was having an affair (*o* he was carrying on) with his sister-in-law.

trescàre v. i. **1** to plot; to intrigue **2** (*avere una relazione illecita*) to have an affair; to carry on.

trescóne m. (*ballo*) trescone; country dance.

tresétte → **tressette**.

trespìno m. (*bot., Berberis vulgaris*) berberry, barberry.

tréspolo m. **1** (*sostegno*) trestle; stand; (*per uccelli*) perch **2** (*sgabello*) three-legged stool **3** (*fig, scherz.*) old crock; old banger; crate.

tressètte m. tressette (Italian card game).

Trèviri f. (*geogr.*) Trier.

trèvo m. (*naut.*) course: **t. di maestra [mezzana, trinchetto]**, main [mizzen, fore] course.

trìa f. (*gioco*) merels; nine men's morris.

triàca f. (*farm. stor.*) theriac.

triacànto m. (*bot., Gleditsia triacanthos*) honey locust.

triaccessoriàto a. (*giorn.*) having three bathrooms.

trìade f. (*in tutti i sensi*) triad.

triàdico a. triadic.

triage m. inv. (*franc., med., comput.*) triage.

trial (*ingl.*) m. inv. **1** (*motociclismo, atletica*) trials (pl.) **2** (*motocicletta*) trial motorcycle.

trialìsmo m. triadism.

trialìsta m. e f. (*sport*) trialist, triallist.

triandrìa f. (*bot.*) triandry.

triàndro a. (*bot.*) triandrous.

triangolàre ① A a. **1** (*geom.*) triangular

2 (*a forma di triangolo*) triangular; three-cornered **3** (*fig.: che interessa tre parti*) triangular; trilateral; three-way: **accordo t.**, triangular (*o* trilateral) agreement; **incontro t.**, (*polit.*) trilateral meeting; (*sport*) three-way (*o* triangular) event B m. (*sport*) three-way (*o* triangular) event.

triangolàre ② v. t. **1** (*geodesia*) to triangulate **2** (*sport*) to make* a triangular pass.

triangolarità f. triangularity.

triangolazióne f. **1** (*geodesia*) triangulation **2** (*econ.*) triangular trade **3** (*sport*) triangular pass; one-two.

♦**triàngolo** m. **1** (*geom.*) triangle: (*fis.*) **il t. delle forze**, the triangle of forces; **t. equilatero**, equilateral triangle; **t. isoscele**, isosceles triangle; **t. ottusangolo**, obtuse-angled triangle; **t. rettangolo**, right-angled triangle; **t. scaleno**, scalene (triangle); **t. sferico**, spherical triangle **2** (*oggetto o struttura triangolare*) triangle; triangular piece: **il t. delle Bermude**, the Bermuda triangle; **un t. di stoffa**, a triangular piece of material; **l'eterno** (*o* **il classico**) **t.**, the eternal triangle; **a t.**, triangle-shaped; three-cornered **3** (*mus.*) triangle **4** (*astron.*) – **il T.**, Triangulum **5** (*per neonati*) nappy; diaper (*USA*) **6** (*autom.*) warning triangle **7** (*calcio*) triangular pass; one-two.

triarchìa f. triarchy.

triàrio m. (*stor.*) triarius* (*lat.*).

Trìas m. (*geol.*) Trias.

triàssico (*geol.*) A a. Triassic B m. Trias; Triassic.

triathlon m. inv. (*sport*) triathlon.

triatlèta m. e f. triathlete.

triatòmico a. (*chim.*) triatomic.

triazìna f. (*chim.*) triazine.

triazòlo m. (*chim.*) triazole.

trìbade f. tribade; lesbian.

tribadìsmo m. tribadism; lesbianism.

tribàle a. tribal.

tribalìsmo m. tribalism.

tribàsico a. (*chim.*) tribasic.

triboelettricità f. (*fis.*) triboelectricity.

triboelèttrico a. (*fis.*) triboelectric.

tribolàre A v. t. to afflict; to torment; to trouble B v. i. **1** (*soffrire*) to suffer; to be tormented; to be afflicted: *Ha tribolato tutta la vita*, he has suffered all his life; **far t.**, (*far soffrire*) to torment; to cause pains to; (*dare preoccupazioni*) to be a sore trial to; *La lombaggine lo fa t.*, his lumbago is causing him great pains; *Ha sempre fatto t. sua madre*, she has always been a sore trial to her mother; *Ha finito di t.* (*è morto*), his sufferings are over **2** (*faticare*) to have a lot of trouble (doing st.): *Ho tribolato per trovarvi*, I had a lot of trouble finding you.

tribolàto a. tormented; troubled; unhappy: **vita tribolata**, life full of troubles; hard life; unhappy life.

tribolazióne f. **1** (*patimento*) tribulation; suffering; (*privazione*) hardship: **vita di tribolazioni**, hard life; life full of hardships **2** (*preoccupazione*) worry; trouble 🄤: *I figli gli danno solo tribolazioni*, his children give him nothing but worries **3** (*di persona o cosa*) (sore) trial; cross.

trìbolo ① m. **1** (*bot.*) thorny bush; thorn **2** (*bot., Melilotus officinalis*) melilot; sweet clover.

trìbolo ② m. → **tribolazione**.

tribologìa f. (*fis.*) tribology.

triboluminescènza f. (*fis.*) triboluminescence.

tribórdo m. → **dritta, def. 3**.

♦**tribù** f. **1** tribe: **membro di t.**, tribesman (m.); tribeswoman (f.) **2** (*fig. scherz.*) crowd; (*famiglia numerosa*) tribe, clan; (*figli*) brood.

tribùna f. **1** (*palco*) tribune; rostrum*; stand: **t. delle autorità**, tribune; **parlare dalla t.**, to speak from the rostrum **2** (*spazio riservato*) gallery: **t. del pubblico**, public gallery; **t. della stampa**, (*in parlamento, ecc.*) press gallery; (*in uno stadio*) press box **3** (*fig.: dibattito*) forum: debate: **t. aperta**, open forum; **t. elettorale** (*o* **politica**), party political broadcast **4** (*sport*) stand: **t. centrale**, grandstand; **t. d'onore**, VIP stand; **la t. sud**, the south stand **5** (*archit.*) apse; tribune.

♦**tribunàle** m. **1** (*organo giudiziario*) court of law; (*law*) court; tribunal: **t. arbitrale**, arbitration court; **t. civile**, civil court; court of equity; **t. competente**, competent court; court having jurisdiction; **t. del lavoro**, industrial tribunal; labour court; **t. dei minori**, juvenile court, **t. di prima istanza**, court of first instance; trial court; **t. di seconda istanza**, court of appeal; **t. di ultima istanza**, court of last resort; **t. ecclesiastico**, spiritual court; **t. fallimentare**, bankruptcy court; **t. internazionale**, international court; **t. irregolare**, kangaroo court; **t. militare**, court martial; **t. minorile**, juvenile court; **t. penale**, criminal court; **t. per i crimini di guerra**, war crimes tribunal; **t. supremo**, supreme court; **citare q. in t.**, (*leg.*) to summon sb. to appear in court; (*denunciare*) to sue sb.; **comparire in t.**, to come before a court; to appear in court; **portare q. in t.**, to take sb. to court; **presentarsi in t.**, to appear in court; **ricorrere al t.**, to appeal to the court; **aula del t.**, courtroom; **presidente del t.**, presiding judge **2** (*luogo*) courthouse **3** (*fig.*) tribunal; judgment: **il t. della propria coscienza**, the judgment of one's conscience; **il t. di Dio**, God's tribunal; **il t. dell'opinione pubblica**, the forum of public opinion.

tribunalésco a. (*spreg.*) legalistic: **linguaggio t.**, legal jargon; legalese.

tribunàto m. (*stor.*) tribunate; tribuneship.

tribunésco a. (*spreg.*) bombastic; demagogic; rabble-rousing.

tribunétta f. (*sport*) stand.

tribunìzio a. **1** (*stor.*) tribunicial; tribunician **2** → **tribunesco**.

tribùno m. **1** (*stor.*) tribune: **t. della plebe**, tribune of the people **2** (*fig.*) tribune; champion of the people; (*spreg.*) demagogue, rabble-rouser.

tributàre v. t. to render; to give*; to pay*: **t. grazie**, to give thanks; **t. obbedienza**, to render obedience; **t. omaggio**, to pay homage (*o* tribute); **t. onori a q.**, to render honours to sb.

tributària f. inland revenue police.

tributàrio a. **1** (*che dà tributo*) that pays tribute: **i popoli tributari di Roma**, the peoples that paid tribute to Rome **2** (*fisc.*) taxation (attr.); tax (attr.); fiscal: **accertamento t.**, tax assessment; **anagrafe tributaria**, tax registry; **diritto t.**, taxation law; **elusione tributaria**, tax avoidance; tax dodging (*fam.*); **ordinamento t.**, tax (*o* taxation) system; **polizia tributaria**, inland revenue police; **reato t.**, tax offence; **regime t.**, tax regime; tax regulations (pl.); **riforma tributaria**, tax reform **3** (*geogr.*) – **fiume t.**, tributary.

tributarìsta m. e f. **1** (*esperto di diritto tributario*) expert in taxation law **2** (*esperto fiscale*) tax consultant; tax adviser.

tribùto m. **1** (*stor.*) tribute: **imporre un t. a una città**, to lay a town under tribute; **pagare un t.**, to pay a tribute **2** (*fisc.*) tax; levy; duty; rate: **tributi locali**, rates; local taxes; **esentare da un t.**, to exempt from a tax; **imporre un t. a q.**, to levy a tax on sb.; **imporre un t. su qc.**, to tax st. **3** (*fig.: omag-*

gio) tribute; homage: **t. di fiori**, floral tribute; **t. di lodi**, praise **4** (*fig.*: *contributo*) toll: **t. di vite umane**, toll in human lives; **t. di sangue**, bloodshed; deaths (pl.).

tricàmere A a. three-roomed B m. three-roomed flat.

tricche tràcche → **tric trac**.

tricèfalo a. three-headed; triple-headed.

triceràtopo m. (*paleontol.*) triceratops*.

trichèco m. (*zool.*, *Odobenus rosmarus*) walrus.

trichiasi f. (*med.*) trichiasis.

trichina f. (*zool.*, *Trichinella spiralis*) trichina*.

trichinòsi f. (*med.*) trichinosis.

trichomònas m. inv. (*biol.*) trichomonad.

triciclo m. **1** tricycle; trike (*fam.*) **2** (*auto a tre ruote*) three-wheeler.

tricìpite A a. **1** (*lett.*) three-headed; triple-headed **2** (*anat.*) tricipital; triceps (attr.) B m. (*anat.*) triceps.

triclìnio m. (*archeol.*) triclinium*.

triclìno (*miner.*) A a. triclinic B m. triclinic system.

tricloroetilène m. (*chim.*) trichloroethylene.

triclorofenòlo m. (*chim.*) trichlorophenol.

triclorometàno m. (*chim.*) trichloromethane; chloroform.

triclorùro m. (*chim.*) trichloride.

tricocèfalo m. (*zool.*, *Trichocephalus dispar*) whipworm.

tricofizia a. (*med.*) ringworm.

tricofobìa f. (*med.*) trichophobia.

tricògeno a. (*biol.*) trichogenous; hair (attr.).

tricoglòsso m. (*zool.*, *Trichoglossus*) lorikeet.

tricologìa f. (*med.*) trichology.

tricològico a. (*med.*) trichological; (*rif. alla cura dei capelli*) hair-care (attr.).

tricòlogo m. (f. **-a**) trichologist.

tricolóre A a. three-coloured; tricolour; tricoloured: **bandiera t.**, tricolour flag B m. **1** (*bandiera*) tricolour: **il t.** (**italiano**), the Italian flag (*o tricolour*) **2** (*polit.*) three-party government.

tricòma m. **1** (*zool.*: *setola*) hair; bristle **2** (*bot.*) trichome.

tricomoniàsi f. (*med.*) trichomoniasis.

triconsonàntico a. (*ling.*) triconsonantal.

tricooptilòsi f. (*med.*) trichoptilosis.

tricòrde, **tricòrdo** A a. (*lett.*) trichord; three-stringed B m. (*mus.*) bandura; bandure.

tricòrno m. cocked hat; three-cornered hat; tricorn.

tricorpòreo a. having three bodies; three-bodied.

tricòsi f. (*med.*) trichosis.

tricot (*franc.*) m. **1** (*stoffa*) tricot **2** (*indumento*) knitted garment **3** (*lavoro a maglia*) knitting.

tricotomìa ① f. (*chir.*, *med.*) hair shaving.

tricotomìa ② f. (*tripartizione*) trichotomy.

tricòttero m. (*zool.*) trichopter; caddis-fly; (al pl., *scient.*) Trichoptera.

tricròico a. (*miner.*) trichroic.

tricromasìa f., **tricromatìsmo** m. trichromatism.

tricromìa f. (*fotogr.*) **1** (*procedimento*) three-colour process **2** (*riproduzione*) three-colour printing.

tric trac A inter. click-clack B m. inv. **1** (*rumore*) clicking sound; click-clack **2** (*gioco*) backgammon; tric-trac **3** (*mortaretto*) squib; banger.

tricuspidàle a. (*anche anat.*) tricuspid.

tricuspidàto a. tricuspid.

tricùspide a. tricuspid; tricuspidal: (*anat.*) **valvola t.**, tricuspid valve.

tridàcna f. (*zool.*, *Tridacna gigas*) tridacna; giant clam.

tridàttilo a. (*zool.*) three-toed; tridactyl.

tridentàto a. tridentate.

tridènte m. **1** three-pronged fork; (*agric.*) hay-fork **2** (*mitol.*) trident.

tridentìno a. (*stor.*) Tridentine: **il Concilio t.**, the Tridentine Council; the Council of Trent; **decreti tridentini**, Tridentine decrees; **messa tridentina**, Tridentine Mass.

tridimensionàle a. three-dimensional; tridimensional.

tridimensionalità f. three-dimensionality; tridimensionality.

triduàrio a. (*eccles.*) triduum (attr.).

trìduo m. (*eccl.*) triduum: **celebrare un t.**, to observe a triduum.

trièdrico a. (*geom.*) trihedral.

trièdro m. (*geom.*) trihedron*.

trielìna ® f. (*chim.*) trichloroethylene.

triennàle A a. **1** (*che dura tre anni*) three-year (attr.); triennial: **corso t.**, three-year course; **nomina t.**, three-year appointment **2** (*che ricorre ogni tre anni*) triennial; three-yearly (attr.): **incontri triennali**, triennial meetings; **a cadenza t.**, falling every three years; with a three-yearly occurrence B f. triennial exhibition.

triennalità f. three-yearly occurrence.

triènnio m. three-year period; three years (pl.); triennium*.

triestìno A a. of Trieste; from Trieste; Triestine B m. (f. **-a**) native [inhabitant] of Trieste.

trietilamìna f. (*chim.*) triethylamine.

trifàse a. (*elettr.*) three-phase (attr.): **circuito t.**, three-phase circuit; **convertitore t.**, three-phase converter; **corrente t.**, three-phase current; **sistema t.**, three-phase system.

trifàsico a. three-phase (attr.).

trifenilmetàno m. (*chim.*) triphenylmethane.

trìfido a. (*bot.*) trifid.

trifogliàio m. field of clover.

trifogliàto a. (*bot.*) trifoliate.

trifoglìna f. (*bot.*, *Lotus corniculatus*) lotus; bird's-foot trefoil.

trifòglio m. (*bot.*) clover; trefoil; trifolium: **t. bianco** (*Trifolium repens*), white clover; **t. dei campi** (*Trifolium arvense*), hare's foot; **t. incarnato** (*Trifolium incarnatum*), (crimson) clover; **t. d'acqua** (*Menyanthes trefoliata*), buck-bean; **t. pratense** (*Trifolium pratense*), red clover; **t. nero** (*Trifolium hybridum*), alsike (clover) **2** (*simbolo dell'Irlanda*) shamrock.

trìfola f. (*region.*) truffle.

trifolàre v. t. (*cucina*) **1** to slice and cook in oil, with garlic and parsley **2** (*condire con tartufo*) to flavour with truffle.

trifolàto a. (*cucina*) **1** sliced and cooked in oil, with garlic and parsley **2** (*condito con tartufo*) truffled.

trìfora f. (*archit.*) window with three lights; triple lancet window.

triforcàrsi v. i. pron. to branch into three; to divide into three branches; to trifurcate.

triforcazióne f. trifurcation.

triforcùto a. trifurcate; three-forked; three-pronged.

trifòrio m. (*archit.*) triforium*.

trifórme a. (*lett.*) triform.

trigamìa f. trigamy.

trìgamo A a. trigamous B m. trigamist.

trigèmino A a. **1** (*relativo alla gravidanza*, al parto) triplet (attr.): **parto t.**, triplet birth; birth of triplets; **fratello t.**, triplet **2** (*anat.*) trigeminal: **nervo t.**, trigeminal nerve; trigeminus B m. (*anat.*) trigeminus*; trigeminal nerve.

trigèsimo A a. num. ord. thirtieth B m. (*eccles.*: *il giorno*) thirtieth day (after sb.'s death); (*la funzione*) month's mind.

trìglia f. (*zool.*, *Mullus*) mullet: **t. di fango** (*Mullus barbatus*), red mullet; **t. di scoglio** (*Mullus surmuletus*) red mullet • (*fig.*) **fare l'occhio di t. a q.**, to make sheep's eyes at sb.; to give sb. the glad eye.

triglicèride m. (*biochim.*) triglyceride.

trìglifo m. (*archit.*) triglyph.

trigonàle a. (*geom.*, *miner.*) trigonal.

trigonèlla f. (*bot.*, *Trigonella foenum graecum*) fenugreek.

trìgono A a. trigonal B m. **1** (*anat.*) trigone **2** (*astron.*) trine **3** (*mus.*) trigon.

trigonometrìa f. (*mat.*) trigonometry: **t. piana [sferica]**, plane [spherical] trigonometry.

trigonomètrico a. (*mat.*) trigonometric.

trigràmma m. (*ling.*) trigraph.

trilateràle a. (*fig.*) trilateral.

trilàtero a. e m. (*geom.*) trilateral.

trilèttere → **trilittero**.

trilineàre a. (*geom.*) trilinear.

trilingàggio m. (*naut. stor.*) cat-harping.

trilìngue a. trilingual.

trilinguìsmo m. trilingualism.

trilióne m. (*mat.*) **1** (*mille miliardi*, 10^{12}) trillion **2** (*in passato*: *un miliardo di milioni*, 10^{18}) trillion (*GB*); quintillion (*USA*).

trilionèsimo a. e m. trillionth.

trìlite m. (*archit.*) trilithon; trilith.

trilìttero a. e m. (*ling.*) triliteral.

trillàre v. i. **1** to trill; (*di campanello*) to ring* **2** (*di uccello*) to trill; to sing*; to warble.

trìllo m. **1** (*mus.*) trill: **eseguire un t.**, to trill **2** trill; (*di campanello*) ring **3** (*di uccello*) trill; warbling ꙮ.

trilobàto a. **1** (*bot.*) trilobate **2** (*archit.*) trefoil (attr.).

trilobìte f. (*paleont.*) trilobite.

trìlobo a. **1** (*biol.*) trilobate **2** (*archit.*) trefoil (attr.).

triloculàre a. (*bot.*) trilocular.

trilogìa f. trilogy.

trilùstre a. (*lett.*) fifteen years old (pred.); fifteen-year-old (attr.).

trim (*ingl.*) m. inv. **1** (*naut.*, *in un sottomarino*) trimming tank; auxiliary ballast tank **2** (*naut.*, *aeron.*) trimming gear **3** (*esercizio fisico*) exercise.

trim. abbr. **1** (**trimestrale**) quarterly **2** (**trimestre**) (*scuola*) term; (*in genere*) quarter.

trimaràno m. (*naut.*) trimaran.

trimèmbre a. (*lett.*) three-limbed.

trimestràle A a. **1** (*che dura tre mesi*) three-month (attr.); **corso t.**, three-month course **2** (*che ricorre ogni tre mesi*) quarterly; three-monthly; term (attr.): **rata t.**, quarterly payment; three-monthly instalment; (*di affitto*) quarter's rent; **rivista t.**, quarterly (review); **scrutini trimestrali**, average term marks; **con scadenza t.**, every three months; on a three-monthly basis B m. (*periodico*) quarterly.

trimestralìsta m. e f. worker on a three-month contract.

trimestralizzàre v. t. (*rendere trimestrale*) to make* quarterly; (*di pagamento*) to arrange in three-monthly (*o* quarterly) instalments.

trimestralizzazióne f. arranging in three-monthly (*o* quarterly) instalments.

trimestralménte avv. quarterly; every three months.

trimèstre m. 1 (*periodo di tre mesi*) quarter; three-month period; (*scolastico*) term; (*universitario*) term, trimester (*USA*): **lo stipendio di un t.**, a quarter's pay 2 (*pagamento*) quarterly payment; (*rata*) quarterly instalment: **un t. di affitto**, a quarter's rent.

trimetallismo m. (*fin.*) trimetallism.

trimètrico a. (*miner.*) trimetric.

trimetro m. (*poesia*) trimeter: **t. trocaico [giambico]**, trochaic [iambic] trimeter.

trimorfismo m. (*miner.*) trimorphism.

trimotóre (*aeron.*) Ⓐ a. three-engined Ⓑ m. three-engined aircraft.

trimùrti f. (*relig.*) Trimurti.

trìna f. lace Ⓤ.

Trinàcria f. (*lett., stor.*) Trinacria; Sicily.

trinàcrio a. (*lett., stor.*) Trinacrian; Sicilian.

trinariciùto m. (f. **-a**) (*spreg.*) party-liner.

trinàto ① a. (*guarnito di trine*) trimmed with lace.

trinàto ② a. triple; arranged in three: (*naut.*) **torre trinata**, triple turret.

trìnca f. (*naut.*) lashing; frapping; (*del bompresso*) gammon lashing, (*bowsprit*) gammoning ● (*fig.*) **nuovo di t.**, brand-new.

trincàre ① v. t. (*naut.*) to lash; to frap; (*il bompresso*) to gammon.

trincàre ② v. t. (*fam.*) to knock back; to swill: **trincarsi un fiasco**, to knock back a flask; *Hanno trincato ieri sera*, they knocked back a few last night.

trincarìno m. (*naut.*) waterway; (*metallico*) stringer (plate).

trincàta f. (*fam.*) 1 (*forte bevuta*) drinking bout; binge; bender 2 (*sorsata*) swig; swill.

trincatóre m. (f. **-trìce**) (*fam.*) heavy drinker; boozer; swiller.

trincatùra f. (*naut.*) lashing; frapping; (*del bompresso*) gammoning.

trincèa f. 1 (*mil.*) trench: **t. coperta**, dug-out; **t. d'appoggio**, sap; **t. scoperta**, open trench; **combattere in t.**, to fight in the trenches; **guerra di t.**, trench warfare 2 (*edil.*) trench; ditch: **scavare una t. in qc.**, to trench st. 3 (*ferr.*) cut; cutting.

trinceraménto m. (*mil.*) entrenchment; (*insieme di trincee*) trenches (pl.).

trinceràre Ⓐ v. t. (*mil.*) to entrench: **t. una posizione**, to entrench a position; **t. i propri uomini**, to order one's men to dig themselves in Ⓑ **trinceràrsi** v. rifl. 1 (*mil.*) to entrench oneself; to dig* oneself in 2 (*fig.*) to withdraw*; to take* refuge: **trincerarsi dietro il segreto d'ufficio**, to withdraw (*o* to take refuge) behind professional secrecy; **trincerarsi nel silenzio**, to take refuge in silence; **trincerarsi nelle proprie posizioni**, to dig oneself in.

trincerìsta m. (*mil.*) fighter in the trenches.

trincétto m. skiving knife*; skiver; shoemaker's knife*.

trinchettìna f. (*naut.*) fore staysail; (*di cutter*) foresail.

trinchétto m. (*naut.*) 1 (*albero*) foremast 2 (*pennone*) foreyard 3 (*vela*) foresail.

trinciaforàggi m. inv. (*agric.*) fodder-chopper.

trinciànte Ⓐ a. carving Ⓑ m. carver; carving-knife*.

trinciapàglia m. inv. (*agric.*) straw-chopper.

trinciapóllo, **trinciapólli** m. inv. poultry shears (pl.).

trinciàre Ⓐ v. t. (*in pezzetti*) to cut* up, to chop; (*in striscioline*) to shred; (*carne*) to carve: **t. l'arrosto**, to carve the roast; **t. tabacco**, to shred tobacco Ⓑ **trinciàrsi** v. i.

pron. to split*.

trinciàto Ⓐ a. 1 cut up; chopped; (*a striscioline*) cut into shreds, shredded; (*di carne*) carved 2 (*arald.*) per bend Ⓑ m. (*tabacco*) shag: **t. forte**, strong shag.

trinciatóre Ⓐ a. cutting; chopping; shredding; (*rif. a carne*) carving Ⓑ m. (f. **-trìce**) cutter; shredder; (*per carne*) carver.

trinciatrice f. (*tecn.*) shredder.

trinciatùberi m. inv. (*agric.*) root-chopper.

trinciatùra f. 1 cutting; chopping; shredding; (*di carne*) carving 2 (*minuzzoli*) cuttings (pl.); shreds (pl.).

trincóne m. (f. **-a**) (*fam.*) heavy drinker; boozer; swiller.

trinità f. (*teol.*) trinity: **la Santissima T.**, the Holy (*o* the Blessed) Trinity.

trinitàrio a. e m. (*teol.*) Trinitarian.

trinitarìsmo m. (*teol.*) Trinitarianism.

trinitrotoluène, **trinitrotoluòlo** m. (*chim.*) trinitroluene.

trìno a. 1 triple; trine: (*astrol.*) **aspetto t.**, trine (aspect) 2 (*teol.*) – **uno e t.**, triune.

trinomiàle a. (*mat.*) trinomial.

trinòmio m. 1 (*mat.*) trinomial 2 (*fig.*) trio; threesome.

trìo m. 1 (*mus.*: *composizione e complesso*) trio*: **t. d'archi**, string trio; **t. con pianoforte**, piano trio 2 (*gruppo di tre*) trio*; threesome.

triòdo m. (*elettron.*) triode.

trionfàle a. triumphal: **accoglienze trionfali**, triumphal welcome; **arco t.**, triumphal arch; **carro t.**, triumphal car (*o* chariot); **marcia t.**, triumphal march; **successo t.**, triumph; **fare un'entrata t.**, to make a triumphal entry.

trionfalìsmo m. triumphalism.

trionfalìsta m. e f. triumphalist.

trionfalìstico a. triumphalist (attr.).

trionfànte a. 1 triumphant; in triumph; exultant: **sorriso t.**, triumphant smile; **essere t.**, to be exultant; *Entrò tutto t.*, he came in triumphantly; *«Ce l'ho fatta!» esclamò t.*, «I've made it!» she exclaimed in triumph; (*fam.*) **glorioso e t.**, as pleased as Punch 2 (*teol.*) – **la Chiesa t.**, the Church Triumphant.

trionfàre v. i. 1 (*stor.*) to triumph; to celebrate a triumph 2 (*vincere, prevalere, anche fig.*) to triumph; to prevail: **t. sulle difficoltà**, to triumph over difficulties; *La giustizia trionfò*, justice prevailed; **far t. la giustizia**, to make justice prevail 3 (*avere un grande successo*) to be a great success; to be a hit; (*di moda*) to be all the rage (*fam.*): *Il nuovo musical sta trionfando a Londra*, the new musical is a hit in London.

trionfatóre Ⓐ a. triumphant; victorious Ⓑ m. (f. **-trìce**) victor.

♦**triónfo** m. 1 (*stor.*) triumph: **celebrare il t.**, to celebrate a triumph; (*archit.*) **arco di t.**, triumphal arch 2 (*vittoria*) triumph; victory; (*l'essere vittorioso*) triumph: **il t. del bene sul male**, the triumph of good over evil; **il t. del consumismo**, the triumph of consumerism; **accogliere in t.**, to welcome in triumph; **festeggiare il t. di una squadra**, to celebrate a team's victory; **portare q. in t.**, to bear sb. shoulder-high; **con aria di t.**, triumphantly; **sorriso di t.**, triumphant smile 3 (*successo*) triumph; (*di spettacolo*) big success, hit (*fam.*): *Il suo concerto fu un t.*, his concert was a big success 4 (*esultanza*) triumph; exultation 5 (*teol.*) glory: **il t. dei santi**, the glory of the saints in Heaven 6 (*anche* **t. da tavola**) centrepiece; épergne (*franc.*) 7 (*sovrabbondanza*) superabundance; profusion 8 (*nei tarocchi*) trump.

triònice f. (*zool.*, *Tryonyx punctatus*) soft-shell (turtle).

triòssido m. (*chim.*) trioxide.

trip (*ingl.*) m. inv. 1 (*gergo della droga*) trip; high: **farsi un t.**, to trip; to get high; to get off 2 (*fig.*, *gergale*) fixation; hang-up (*fam.*); thing (*fam.*).

tripanosòma m. (*zool.*, *Trypanosoma*) trypanosome.

tripanosomiàsi f. (*med.*) trypanosomiasis.

tripartìre v. t. to divide into three (parts).

tripartìtico a. (*polit.*) three-party (attr.); tripartite.

tripartitìsmo m. (*polit.*) three-party system.

tripartìto ① a. tripartite; divided into three (parts): **accordo t.**, tripartite agreement.

tripartìto ② Ⓐ a. (*polit.*) three-party (attr.); tripartite Ⓑ m. (*polit.*) three-party government; tripartite coalition government.

tripartizióne f. tripartition.

trìpla f. (*mus.*) triple time.

triplàno m. (*aeron.*) triplane.

triplétta f. 1 (*fucile*) three-barrelled shot-gun 2 (*giochi*, *sport*) triple win, triple hit; (*calcio*) hat-trick 3 (*bicicletta*) three-seater bicycle 4 (*biochim.*) codon.

triplicàre Ⓐ v. t. 1 to triple; to treble; to triplicate: **t. il salario**, to triple wages; **t. i profitti**, to treble one's profits 2 (*aumentare*) to multiply Ⓑ **triplicàrsi** v. i. pron. to triple; to treble: *Si prevede che i costi triplicheranno*, costs are expected to triple; *I profitti si sono triplicati*, profits have trebled.

triplicatóre Ⓐ a. triplicating; trebling Ⓑ m. (f. **-trìce**) triplicator.

triplicazióne f. triplication; trebling.

trìplice Ⓐ a. 1 (*che ha tre parti*) triple; threefold: **t. scopo**, triple (*o* threefold) goal; **in t. copia**, in triplicate 2 (*che avviene tra tre parti*) triple; three-party (attr.): (*stor.*) **la T. Alleanza**, the Triple Alliance Ⓑ f. 1 (*equit.*) triple bars (pl.) 2 (*sci*) triple poles (pl.).

triplìsta m. e f. (*sport*) triple jumper.

trìplo Ⓐ a. 1 (*tre volte maggiore*) triple; treble: **paga tripla**, triple (*o* treble) wages; **whisky t.**, triple whisky 2 (*triplice*) triple; treble; threefold: **filo t.**, three ply; (*chim.*) **punto t.**, triple point; **stella tripla**, triple star 3 (*ripetuto tre volte*) triple: (*sport*) **salto t.**, triple jump Ⓑ m. 1 triple; triple the amount [size, time, etc.] of; three times (pl.) as (+ agg. *o* avv.): **il t. di due**, three times two; **il t. del tempo**, three times as much time; *È il t. del nostro budget*, it is three times our budget; *Erano il t. di noi*, they were three times as many as we were; **aumentare del t.**, to treble; to increase threefold; *Lavoro il t. di te*, I work three times as hard as you do; **mangiare il t.**, to eat three times as much; **percorrere il t. dei chilometri**, to drive triple the amount of kilometres; *La mia stanza è grande il t. della tua*, my room is three times as big as yours (*o* is triple the size of yours) 2 (*sport*) triple jump.

triplòmetro m. (*topogr.*) three-metre rod.

trìpode m. tripod.

tripòdico a. (*poesia*) tripodic.

tripolàre a. 1 (*elettr.*) three-pole 2 (*polit.*) three-party (attr.); three-sided; tripartite.

tripolarìsmo m. (*polit.*) three-way system; (*tripartitismo*) three-party system.

trìpoli m. (*miner.*) tripoli; rottenstone.

tripolìno a. e m. (f. **-a**) Tripoline.

tripòsto a. inv. three-seater (attr.).

trìppa f. 1 (*cucina*) tripe 2 (*fam. scherz.*) fat; (*pancia*) paunch, fat belly: **mettere su t.**, to put on weight; to get flabby.

trippàio m. (f. *-a*) tripe-seller.

trippóne m. (*fam.*) **1** (*grossa pancia*) fat belly; big fat stomach; beer belly **2** (f. *-a*) fatty (*fam.*).

tripsìna f. (*biochim.*) trypsin.

triptòfano m. (*biochim.*) tryptophan.

tripudiànte a. exultant; jubilant; rejoicing.

tripudiàre v. i. to exult; to be exultant; to rejoice: **t. per una vittoria**, to exult at a victory; to rejoice in a victory.

tripùdio m. **1** (*esultanza*) exultation; jubilation; rejoicing: *La notizia fu accolta con t.*, the news was greeted with jubilation; **folla in t.**, jubilant crowd **2** (*fig.*) galaxy; blaze; riot: **t. di colori**, riot of colour; **t. di luci**, blaze of lights.

triquètra f. triskelion.

trireattóre a. e m. (*aeron.*) trijet.

trirégno m. (*eccles.*) papal tiara; triple crown.

trirème f. (*naut. stor.*) trireme.

tris m. (*al poker, ecc.*) three of a kind; (*in alcuni altri giochi*) pair royal: **t. d'assi**, three aces; **fare t.**, to have three of a kind.

trisàva, trisàvo → **trisavola, trisavolo**.

trisàvola f. great-great-grandmother.

trisàvolo m. great-great-grandfather.

trisdrùcciolo a. (*ling.*) stressed on the fourth-from-last syllable.

trisecàre v. t. (*geom.*) to trisect.

trisezióne f. (*geom.*) trisection.

trisillàbico a. trisyllabic.

trisìllabo **A** a. trisyllabic **B** m. trisyllable.

trìsma m. (*med.*) trismus; (*com.*) lockjaw.

Trismegìsto m. (*mitol.*) Trismegistus.

trìsmo → **trisma**.

trisnònna f. great-great-grandmother.

trisnònno m. great-great-grandfather.

trisolfùro m. (*chim.*) trisulphide.

trisomìa f. (*biol.*) trisomy: **t. 21**, trisomy-21; Down's syndrome.

trisòmico a. (*biol.*) trisomic.

Tristàno m. Tristram.

tristanzuòlo a. mischievous; malicious; nasty.

♦**trìste** a. **1** (*mesto, infelice*) sad; unhappy: **occhi tristi**, sad eyes; **tristi ricordi**, sad memories; **t. sorriso**, sad (o sorrowful) smile; **t. occasione**, unhappy occasion; **rendere t.**, to sadden; **sentirsi t.**, to feel sad; **avere l'aria t.**, to look sad; to look unhappy **2** (*deprimente, cupo*) gloomy; dismal; bleak; cheerless: **paesaggio t.**, bleak landscape; **tristi previsioni**, gloomy (o dismal) forecasts; **t. prospettiva**, cheerless prospect **3** (*penoso, negativo, amaro*) sad; sorrowful; (*contristante*) saddening: **tristi notizie**, sad (o saddening) news; *È t. andare via*, it's sad to leave.

tristeménte avv. sadly; unhappily ● **t. famoso**, notorious; infamous.

♦**tristézza** f. **1** (*infelicità*) sadness; unhappiness; misery: **occhi velati di t.**, eyes veiled with sadness; **gioia mista a t.**, joy mingled with sadness; *Che t. vedere il giardino così ridotto!*, how sad to see the garden in such a state! **2** (*l'essere deprimente, cupo*) gloominess; gloom; bleakness; cheerlessness; joylessness: **la t. di una casa**, the gloominess of a house **3** (*situazione, evento tristi*) sorrow; affliction; misery; trouble; **vita piena di tristezze**, life full of sorrows.

tristìzia f. (*lett.*) **1** → **tristezza 2** (*malvagità*) wickedness; malice.

tristo a. (*lett.*) **1** (*sventurato*) wretched; unhappy; ill-fated **2** (*cattivo*) bad, nasty, villanous (*malvagio*) wicked, evil **3** (*misero, stento*) poor; meagre; mean.

tritàbile a. grindable; crushable.

tritacàrne m. inv. mincer; meat grinder.

tritaghiàccio m. inv. ice crusher.

tritagonìsta m. (*teatr. stor.*) tritagonist.

tritaimballàggi m. inv. (*tecn.*) triturator.

tritàme → **tritume**.

tritanopìa f. (*med.*) tritanopia: **persona affetta da t.**, tritanope.

tritaòssa m. inv. (*zootecnia*) bone crusher; bone grinder.

tritaprezzémolo m. inv. parsley chopper.

tritàre v. t. (*sminuzzare*) to mince, to chop (up); (*triturare*) to grind*, to crush: **t. la carne**, to mince meat; **t. il ghiaccio**, to crush ice; **t. il pepe**, to grind pepper; **t. il prezzemolo** [**le verdure**], to chop parsley [vegetables].

tritarifiùti m. inv. waste disposal unit; garbage disposal unit (*USA*).

tritatùra f. mincing; chopping; grinding; crushing.

tritatùtto m. inv. food processor.

triteìsmo m. (*relig.*) tritheism.

triteìsta m. (*relig.*) tritheist.

tritèllo m. fine bran; sharps (pl.).

trìtico m. (*bot.*) triticum; wheat.

trìtio → **trizio**.

trito **A** a. **1** (*tritato*) minced, chopped; (*sbriciolato*) ground, pounded: **carne trita**, minced meat; mince (*GB*); hamburger meat (*USA*); **pane t.**, ground bread; breadcrumbs (pl.); **roccia trita**, pounded rock **2** (*fig.: abusato, risaputo*) trite; commonplace; stale; hackneyed: **argomento t.**, trite subject; **espressione trita**, hackneyed phrase; **t. e ritrito**, hackneyed; hoary; fly-blown; old-hat (pred.) **B** m. (*cucina*) chopped ingredients (pl.); (*di verdure*) mirepoix (*franc.*): **un t. di cipolla**, chopped onion.

tritòlo m. (*chim.*) TNT; trinitrotoluene.

tritóne① m. (*mitol.*) Triton; merman*.

tritóne② m. (*zool.*) **1** (*Triturus*) newt **2** (*mollusco*) triton.

tritóne③ m. (*fis.*) triton.

tritono m. (*mus.*) tritone.

trìttico m. (*arte*) triptych **2** (*estens.*) set of three; trio* **3** (*documento doganale*) tryptique (*franc.*); customs pass.

trittòngo m. (*fon.*) triphthong.

tritùme m. **1** crumbs (pl.); shreds (pl.) **2** (*fig.: particolari senza importanza*) trifles (pl.); trivialities (pl.); trivia (pl.) **3** (*fig.: cose risapute*) hackneyed stuff.

trituràbile a. grindable; crushable.

trituràre v. t. to grind*; to crush; to pound; to triturate: **t. grano**, to grind corn; **t. minerali**, to pulverize ore; *I denti triturano il cibo*, teeth triturate food.

trituratóre **A** a. grinding; crushing; pounding; triturating **B** m. grinder; crusher; pounder; (*per rifiuti, ecc.*) triturator.

triturazióne f. grinding; crushing; pounding; trituration.

triùmviro e deriv. → **triunviro**, e deriv.

triunvirale a. (*stor.*) triumviral.

triunviràto m. (*stor.*) triumvirate.

triùnviro m. (*stor.*) triumvir*.

trivalènte **A** a. **1** (*chim.*) trivalent; tervalent **2** (*logica*) three-valued **3** (*che ha tre funzioni*) triple: **vaccino t.**, triple vaccine; measles, mumps and rubella vaccine **B** f. (*med.*) measles, mumps, and rubella vaccination (abbr. MMR).

trivalènza f. (*chim.*) trivalence.

trivèlla f. **1** (*tecn.*) drill; auger; borer: **t. a graniglia**, shot drill; **t. a percussione**, percussion (o churn) drill; jumper **2** (*falegn.*) gimlet; auger **3** (*per saggiare formaggi*) taster.

trivellaménto m. → **trivellazione**.

trivellàre v. t. **1** to drill; to bore through:

t. la roccia, to drill through rock; **t. il terreno**, to drill (in) the ground **2** (*fig.*) to torment; to nag.

trivellatóre m. **1** (f. *-trice*) driller; borer **2** (*trivella*) drill; auger.

trivellatùra → **trivellazione**.

trivellazióne f. drilling; boring: **t. a rotazione**, rotary drilling; **t. sottomarina**, offshore (o submarine) drilling; **impianto di t.**, drilling rig; **torre di t.**, derrick; **fare trivellazioni alla ricerca di**, to drill for.

trivèllo m. (*falegn.*) gimlet; auger.

triviàle a. **1** (*volgare*) coarse; vulgar; low; scurrilous: **linguaggio t.**, coarse (o vulgar) language; **maniere triviali**, coarse manners; **persona t.**, coarse (o vulgar) person **2** (*lett.: ovvio, banale*) banal; obvious; commonplace; trivial ❶ FALSI AMICI • triviale *nel senso di volgare non si traduce con* trivial.

trivialità f. **1** (*volgarità*) coarseness; vulgarity; scurrilousness; scurrility **2** (*espressione triviale*) vulgarity; coarse remark; scurrility: **dire t.**, to use coarse language **3** (*lett.: banalità*) banality; triviality ❶ FALSI AMICI • trivialità *nel senso di volgarità non si traduce con* triviality.

trivializzazióne f. banalization; trivialization.

trivialóne m. (f. *-a*) coarse (o vulgar) person.

trivio m. **1** (*incrocio*) crossroads (pl. col verbo al sing.) **2** (*stor.*) trivium ● (*fig.*) **da t.**, coarse; vulgar; low.

trìzio m. (*chim.*) tritium.

trobadòrico → **trovadorico**.

trocàico a. (*poesia*) trochaic.

trocantère m. (*anat., zool.*) trochanter.

trocantèrico a. (*anat.*) trochanteric.

trocheifórme a. trochoid.

trochèo m. (*poesia*) trochee.

trochìlia f. (*zool., Sesia*) clearwing (moth).

tròchilo m. (*archit.*) scotia.

tròclea f. (*anat.*) trochlea*.

trocleàre a. (*anat.*) trochlear.

tròco m. (*zool., Trochus granulatus*) top shell.

trofèo m. (*anche fig.*) trophy: **t. di caccia**, hunting trophy; **t. di guerra**, war trophy; **t. sportivo**, sports trophy **2** (*mil.*) badge; shield.

tròfico a. (*biol., med.*) trophic.

trofìsmo m. (*biol., med.*) trophism.

trofoblàsto m. (*biol.*) trophoblast.

trofologìa f. trophology; food science.

trofoneuròsi f. (*med.*) trophoneurosis.

trofoneuròtico a. (*med.*) trophoneurotic.

trofozòite m. (*biol.*) trophozoite.

troglodìta m. e f. troglodyte (*anche fig.*); cave-dweller.

troglodìtico a. troglodytic (*anche fig.*); cave-dwelling (attr.).

trogloditìsmo m. troglodytism (*anche fig.*); cave dwelling.

trògolo m. **1** trough **2** (*itticoltura*) – **t. d'incubazione**, hatchery **3** (*geogr.*) – **t. glaciale**, glacial trough; U-valley.

trogóne m. (*zool.*) – **t. di Cuba** (*Priotelus temnurus*), Cuban trogon.

tròia f. **1** (*zool. fam.*) sow **2** (*volg.*) whore; slut.

Tròia f. (*geogr.*) Troy.

troiàio m. (*volg.*) **1** (*posto sporco*) pigsty; sty **2** (*bordello*) whore-house; fuck-house (*volg.*) **3** (*locale di infimo ordine*) sleazy joint (*slang*); low dive (*slang*).

troiàno a. e m. (f. *-a*) Trojan.

troiàta f. (*volg.*) **1** (*cosa sudicia*) filth; muck; crap (*volg.*); shit (*volg.*) **2** (*azione vergognosa*) shitty trick (*volg.*) **3** (*cosa malfatta*) botch; lousy job; crap (*volg.*).

a
b
c
d
e
f
g
h
i
j
k
l
m
n
o
p
q
r
s
t
u
v
w
x
y
z

tròica, **tròika** f. (anche fig.) troika.

Tròilo m. (letter.) Troilus.

trolley (ingl.) m. inv. **1** (di filobus, ecc.) trolley (wheel) **2** roller case; trolley case.

♦**trómba** f. **1** (mus.) trumpet; (mil.) bugle: **la t. del Giudizio**, the last trump; (stor.) **t. marina**, tromba marina; marine trumpet; **dare fiato alle trombe**, to sound the trumpets; **suonare la t.**, to play the trumpet; (mil.) to blow the bugle; **squillo di t.**, trumpet blast; bugle call **2** (suonatore) trumpet player; trumpet; (mil.) trumpeter **3** (fig.) gossip: **la t. del vicinato**, the local gossip **4** (fis.) trumpet **5** (autom.) horn **6** (idraul.) pump: **t. idraulica**, hydraulic pump; **t. d'incendio**, fire pump; (naut.) **t. di sentina**, bilge pump **7** (oggetto a forma di tromba) – (naut.) **t. d'aria**, ventilator; **t. del grammofono**, gramophone horn; **la t. dello stivale**, the leg (of a boot) **8** (pozzo) shaft; well: **t. dell'ascensore**, lift shaft; **t. delle scale**, stairwell **9** (zool.: proboscide) trunk; proboscis* **10** (meteor.) – **t. d'aria**, whirlwind; tornado; **t. marina**, waterspout **11** (anat.) tube: **t. d'Eustachio**, Eustachian tube; **t. di Falloppio**, Fallopian tube • (fig. fam.) **partire in t.**, to throw oneself into st.

trombàre v. t. **1** (volg.: possedere carnalmente) to screw; to bang; to fuck **2** (scherz.: bocciare) to fail; to flunk (USA); to reject.

trombàta f. **1** (volg.) screw; bang; fuck **2** (scherz.) failure.

trombétta A f. **1** small trumpet **2** (giocattolo) toy trumpet **3** (bot.) – **t. dei morti** (Craterellus cornucupioides), horn of plenty B a. inv. – (zool.) **pesce t.** (Macrorhamphus scolopax), snipe fish; trumpet fish.

trombettière m. **1** (mil.) trumpeter; bugler: **primo t.**, trumpet major **2** (zool., Bucanetes githagineus) trumpeter finch **3** (zool., Psophia crepitans) grey-winged trumpeter.

trombettista m. e f. (mus.) trumpet player.

trombìna f. (biochim.) thrombin.

trómbo m. (med.) thrombus*.

tromboangioìte f. (med.) thromboangiitis: **t. obliterante**, thromboangiitis obliterans; Buerger's disease.

trombocita, **trombocito** m. (biol.) thrombocyte.

trombocitopenìa f. (med.) thrombocytopenia.

trombocitòsi f. (med.) thrombocytosis.

tromboembolìa f. (med.) thromboembolism.

tromboflebìte f. (med.) thrombophlebitis.

trombonàta f. **1** blunderbuss shot **2** (fam.) bluster Ⓤ; hot air Ⓤ: **una gran t.**, a lot of hot air.

tromboncino m. **1** (di fucile) launcher; grenade launcher **2** → **trombone**, def. 4.

trombóne m. **1** (mus.) trombone: **t. a coulisse** (o **a tiro**), slide trombone; **russare come un t.**, to snore like a trombone; **suonatore di t.**, trombonist **2** (suonatore) trombonist **3** (schioppo) blunderbuss **4** (bot., Narcissus pseudo-narcissus) daffodil; lent-lily **5** (fig. fam.) windbag; stuffed shirt.

trombonista m. e f. (mus.) trombonist.

trombòsi f. (med.) thrombosis.

trombòtico a. (med.) thrombotic.

troncàbile a. that can be cut off.

troncaménto m. **1** cutting off; breaking off; truncation **2** (ling.) apocope **3** (comput., mat.) truncation.

troncàre v. t. **1** (mozzare) to cut* (off); to chop off; to sever; to truncate; (spezzare) to break* off: **t. un ramo**, to break off a branch; La lama gli troncò un braccio, the blade cut off (o severed) his arm **2** (mutilare) to lop off; to truncate **3** (ling.) to apoco-

pate **4** (fig.: stroncare) to tire; to wear* out; to exhaust: **t. le gambe a q.**, to wear sb. out; to do sb. in **5** (fig.: interrompere) to interrupt; to break*; (mettere fine a) to break* off, to sever, to cut* short: **t. un'amicizia**, to break off a friendship; **t. la carriera di q.**, to cut short sb.'s career; **t. una conversazione**, to break off a conversation; **t. una discussione**, to cut a discussion short; **t. un fidanzamento**, to break off an engagement; **t. ogni rapporto con q.**, to sever all connections with sb.; to break off all relations with sb.; **t. le relazioni politiche**, to break off political relations; **t. qc. sul nascere**, to nip st. in the bud.

troncàto a. **1** truncated **2** (biol.) truncate **3** (arald.) per fess.

troncatrice f. (tecn.) cropper.

troncatùra f. **1** cutting off; breaking off; truncation **2** (il punto) cut; break.

tronchése m. e f. (tecn.) nippers (pl.).

tronchesina f., **tronchesino** m. **1** nippers (pl.); cutter: **t. tagliafili**, wire cutter **2** (per manicure) nail clippers (pl.).

tronchétto① m. **1** (tecn.) nippers (pl.) **2** (al pl.) (mezzi stivali) half boots.

tronchétto② m. **1** slender trunk **2** – **t. della felicità** (Dracaena fragrans), corn plant; fragrant dracaena.

♦**trónco**① A a. **1** (mozzo) cut off; broken (off); (mutilato) mutilated: **braccio t.**, mutilated arm; **rami tronchi**, cut-off branches **2** (geom.) truncated: **cono t.**, truncated cone **3** (fig.) apocopated; (accentato sull'ultima sillaba) stressed on the last syllable **4** (fig.: mutilo, incompleto) broken; incompete; unfinished: **frasi tronche**, broken sentences B m. – t. (incompiuto) unfinished, cut short; (senza preavviso) without notice, on the spot: **lasciare un lavoro in t.**, to leave a job unfinished; **licenziare in t.**, to dismiss without notice; to fire on the spot; **rompere in t. il fidanzamento**, to break off the engagement; **licenziamento in t.**, instant dismissal; dismissal without notice.

♦**trónco**② m. **1** (fusto d'albero) trunk; bole; (abbattuto) log; (ceppo nel terreno) stump: **t. di quercia**, oak trunk; **t. cavo**, hollow trunk; **t. scavato**, hollowed-out log; **capanna di tronchi**, log hut; log cabin (USA); **catasta di tronchi**, pile of logs **2** (fig.: ceppo, stirpe) stock **3** (archit.) shaft; trunk: **il t. di una colonna**, the shaft of a column **4** (anat.: torace e addome) trunk; (anche scult.) torso* **5** (anat., di nervo o vaso) trunk **6** (tratto, segmento) section, stretch; (diramazione) branch: (aeron.) **t. centrale** (della fusoliera), centre section; **t. di strada**, road section; **t. ferroviario**, railway section **7** (geom.) truncated figure; frustum*: **t. di piramide**, truncated pyramid; frustum of a pyramid **8** (naut.) – **t. maggiore**, lower mast; **t. maggiore di maestra**, lower mainmast.

troncocònico a. having the shape of a truncated cone.

troncóne m. **1** (di albero) stump **2** (moncherino) stump **3** (pezzo) stump; stub; piece.

troncopiramidàle a. having the shape of a truncated pyramid.

troneggiàre v. i. **1** (di persona) to sit* enthroned; to sit* like a king [a queen]; to dominate: A capotavola troneggiava il nonno, Grandfather dominated from the head of the table **2** (fig.: dominare) to dominate; (fare bella mostra di sé) to make* a fine show; (sovrastare) to tower: Una grossa poltrona troneggiava al centro della stanza, a large armchair dominated the centre of the room; Sulla tavola troneggiava la torta, the cake made a fine show in the middle of the table.

tronfiàre v. i. to strut; to swagger.

trónfio a. **1** (di persona) puffed up (with pride); self-important; conceited; inflated;

swollen-headed: **aria tronfia**, self-important air; **t. come un pavone**, as proud as a peacock; **t. e pettoruto**, all puffed up; **camminare tutto t.**, to strut **2** (ampolloso) pompous; bombastic; inflated.

♦**tròno** m. **1** (seggio e dignità) throne: **t. imperiale** [**pontificio**], imperial [papal] throne; **ascendere** (o **salire**) **al t.**, to ascend (o to mount) the throne; **aspirare al t.**, to aspire to the throne; **rinunciare al t.**, to renounce (o to abdicate) the throne; **succedere al t.**, to succeed to the throne; **erede al t.**, heir to the throne; **sala del t.**, throne room **2** (al pl.) (teol.) Thrones.

tropèolo m. (bot., Tropaeolum) tropaeolum; nasturtium.

tropicàle a. **1** (geogr.) tropical: **clima t.**, tropical climate; **foresta t.**, tropical forest; **malattia t.**, tropical diesease **2** (caldissimo) tropical; torrid; sweltering: **caldo t.**, tropical (o sweltering) heat.

tropicalizzàre v. t. to tropicalize.

tropicalizzazióne f. tropicalization.

tròpico A m. **1** (astron.) tropic: **t. del Cancro**, Tropic of Cancer; **t. del Capricorno**, Tropic of Capricorn **2** (al pl.) (geogr.) tropics: **vivere ai tropici**, to live in the tropics B a. (astron.) – **anno t.**, tropical year.

tropìna f. (chim.) tropine.

tropìsmo m. (biol.) tropism.

tròpo m. **1** (retor.) trope; metaphor; figure of speech **2** (filos.) trope **3** (mus.) trope.

tropologìa f. tropology.

tropològico a. tropological.

tropopàusa f. (meteor.) tropopause.

troposfèra f. (meteor.) troposphere.

troposfèrico a. (meteor.) tropospheric.

♦**tròppo** A a. indef. too much (pl. too many): **troppa differenza**, too much difference; too great a difference; **t. inchiostro**, too much ink; **t. potere**, too much power; **troppa folla**, too large a crowd; **troppe cose da fare**, too many things to do; **troppe persone**, too many people; Ci vuole t. tempo, it takes too long; Ti voglio t. bene, I love you too much; Di occasioni ne ha avute fin troppe, she's had more than her fair share of opportunities B pron. indef. too much (pl. too many; rif. a persone too many people): È t. per lui, it's too much for him; Troppi lo sanno, too many people know about it; Chiedi t., you want too much; Questo è t.!, that's too much!; Hai detto anche t., you've already said too much; Me ne hai date troppe, you've given me too many; Sono in troppi, there are too many of them; Ne ho fin troppi, I have (far) too many already (o as it is); (prov.) A chi t., a chi niente, some get too much, some nothing; Quel che è t. è t.!, enough is enough! C avv. **1** (con agg. e avv.) too; (molto) too, so, very: **t. caldo**, too hot; **t. facilmente**, too easily; **t. presto**, too early; **t. bello per essere vero**, too good to be true; È t. buono per arrabbiarsi, he's too good to get angry; È un paese t. freddo per le nostre vacanze, it's too cold a country for our holidays; Lei è t. buono!, you are so very kind; so very kind of you; Non avertela a male, don't take it too badly; Non mi sento t. bene, I'm don't feel too well; Non ne sarei t. sicuro, I wouldn't be so sure; La conosco anche t. bene, I know her only (o all) too well; Era fin t. vero, it was only too true; È fin t. facile, deve esserci qualcosa sotto, it's almost too easy, there has to be a catch somewhere; Il film era davvero t. lungo, the film was far (o much) too long **2** (con verbi) too much: **dormire t.**, to sleep too much; **ingrassare t.**, to grow too fat; to put on too much weight; **lavorare t.**, to work too hard; to overwork oneself; **mangiare t.**, to eat too much; to overeat; Il suo guaio è che l'ama t., his trouble is that he loves her too much **3**

(*troppo tempo*) too long: *È t. che aspetto*, I've been waiting too long; *C'è t. da aspettare*, it's too long to wait • **di t.**, too much; too many; in excess: **tre euro di t.**, three euros in excess; **dieci chili di t.**, ten kilos in excess; ten kilos overweight; **qualche parola di t.**, a few words too many; **una volta di t.**, once too many; *Ha bevuto un bicchiere di t.*, he has had a drop too much (*o* one too many) (*fam.*) □ **essere di t.**, (*di persona*) to be in the way, not to be wanted; (*di cosa*) to be superfluous, not to be needed: *È chiaro che qui non mi vuole, io sono di t.*, it is clear I am not wanted here **D** m. – (*prov.*) *Il t. stroppia*, you can have too much of a good thing; too much breaks the bag.

❶ NOTA: *troppo*

troppo si traduce con too davanti ad aggettivi e avverbi: *Queste scarpe sono troppo grandi per me*, these shoes are too big for me; *La polizia arrivò troppo tardi*, the police arrived too late.

Davanti ai nomi, **troppo** si traduce con too much (al singolare) e too many (al plurale): *Ho messo troppo burro nella torta*, I've put too much butter in the cake (non ~~I've put too butter in the cake~~); *Hai fatto troppi errori*, you've made too many mistakes (non ~~you've made too mistakes~~).

Per tradurre **davvero troppo, fin troppo, decisamente troppo** ecc. si pone davanti a too, a too much o a too many un modificatore come much, far, all, a lot (colloquiale); non si usa invece very: *È davvero troppo vecchio per giocare a tennis*, he's much too old to play tennis (non ~~he's very too old...~~, ~~he's too much old~~...); *Alla festa è venuta decisamente troppa gente*, far too many people came to the party; *fin troppo spesso*, all too often.

troppopièno m. inv. **1** (*idraul.*) overflow **2** (*econ.*) overbought market.

tròta f. (*zool., Salmo truta*) trout*: **t. arcobaleno**, rainbow trout; **t. di lago**, lake trout; **t. di mare**, sea trout; bull trout (*GB*); **t. fario**, brown trout; **t. salmonata**, salmon trout; **pescare trote**, to fish for trout; **fiume ricco di trote**, river teeming with trout; **pesca alla t.**, trout fishing.

troticoltóre m. (f. **-trice**) trout breeder.

troticoltùra f. trout-breeding.

trotinatùra f. reddish speckles (pl.).

trotìno a. fleabitten grey.

trottapiàno m. e f. inv. (*scherz.*) slowcoach; slowpoke (*USA*).

trottàre v. i. **1** (*di cavallo*) to trot: **far t. un cavallo**, to trot a horse; **mettersi a t.**, to break into a trot **2** (*estens.: camminare a passetti veloci*) to trot, to scamper; (*camminare con passo spedito*) to walk briskly; (*affrettarsi*) to hurry, to put* one's skates on (*fam.*); (*girare, darsi da fare*) to run* around, to rush about, to be on the trot: *Siamo in ritardo, ci toccherà t.*, we are late, we'll have to put our skates on; *È tutto il giorno che trotto*, I've been on the trot all day.

trottàta f. **1** (*di cavallo*) trot: **fare una t.**, to go for a trot **2** (*estens.*) trot; brisk walk; (*con premura*) rush, run.

trottatóio m. (*ipp.*) trotting track; harness racing track.

trottatóre m. (anche agg.: **cavallo t.**) trotter.

trotterellàre v. i. **1** (*di cavallo*) to jogtrot **2** (*estens.*) to trot (along); to scamper; (*di bambino piccolo*) to toddle: *Il cane mi trotterellava dietro*, the dog was trotting after me.

tròtto m. **1** (*andatura di cavallo*) trot: **piccolo t.**, jog trot; **t. serrato**, fast trot; **t. sostenuto**, steady trot; **andare al t.**, to trot; **andare al piccolo t.**, to jogtrot; **andare al t. serrato**, to go at a steady trot; **mettere un**

---

cavallo al t., to trot a horse; **rompere il t.**, to break into a canter; **corsa al t.**, trotting race **2** (*sport, anche* **corsa al t.**) trotting; harness racing **3** (*estens.*) trot; jogtrot; brisk pace: **di buon t.**, at a brisk pace.

tròttola f. **1** (*giocattolo*) (spinning) top; whirligig: **far girare una t.**, to spin a top; **girare come una t.**, to spin like a top; to spin (*o* to whirl) around; (*fig.*: *essere indaffarato*) to be on the trot, to run* around, to rush about **2** (*pattinaggio*) spin **3** (*zool., Trochus granulatus*) top shell.

trottolàre v. i. **1** to spin* around; to whirl around **2** (*di bambino*) to be very lively; to be like a frisky pup.

trottolino m. (f. **-a**) **1** (*piccola trottola*) small top **2** (*fig.*: *bambino piccolo*) toddler **3** (*fig.*: *bambino vivace*) lively child.

trotzkìsmo m. (*polit.*) Trotskyism.

trotzkìsta m. e f. (*polit.*) Trotskyist; (*spreg.*) Trotskyite.

troupe (*franc.*) f. inv. **1** (*teatr.*) company; troupe; players (pl.) **2** (*cinem., TV: gli attori*) cast; (*i tecnici*) crew.

trousse (*franc.*) f. inv. **1** (*astuccio*) (utility) case; kit: **t. della manicure**, manicure case **2** (*borsetta da sera*) evening clutch bag.

trovàbile a. that can be found; findable: **non facilmente t.**, not easily found; hard to find.

trovadóre → **trovatore**.

trovadòrico a. (*stor. letter.*) troubadour (attr.).

trovànte m. (*geogr.*) erratic (block, boulder).

♦**trovàre** **A** v. t. **1** to find*: **t. un borsellino**, to find a purse; **t. casa**, to find a house; **t. da dormire**, to find somewhere to sleep; **t. da mangiare**, to find something to eat; **t. lavoro**, to find a job; **t. marito**, to find a husband; **t. per caso**, to find by chance; to come across; to stumble on; **t. la porta chiusa**, to find the door closed; **trovarsi in tasca dei soldi**, to find money in one's pocket; *Non trovo gli occhiali*, I can't find my glasses; *Finalmente ti trovo*, at last I've found you; *La trovai che dormiva*, I found her sleeping; (*fig.*) *È un uomo come non se ne trovano più*, they don't make them like him any more; (*prov.*) *Chi cerca trova*, nothing seek nothing find; (*prov.*) *La roba è di chi la trova*, finders keepers **2** (*visitare*) to visit; to see*: **andare** [**venire**] **a t.**, to visit; to go [to come] to see; to call on; to look up; *Sono andato a t. un amico*, I went to see (*o* called on) a friend; *Siamo andati a trovarlo in ospedale*, we visited him in hospital; *Vieni a trovarci quando sei in città*, look us up when you are in town **3** (*riuscire ad avere, ricevere*) to find*; to get*; to meet* with; (*ricavare*) to get*, to draw*; to derive: **t. accoglienza**, to be welcome; **t. aiuto**, to find help; **t. i biglietti per il concerto**, to get tickets for the concert; **t. conforto**, to find solace; **t. giovamento**, to get some relief; **t. il momento di**, to find an opportunity to; to get a chance to; **t. la morte**, to be killed; to meet one's death (*lett.*); **t. (la) pace**, to find peace; **t. successo**, to meet with success; to be successful; **t. il tempo di fare qc.**, to find time to do st. **4** (*scoprire*) to find*; to discover; (*individuare*) to spot, to track down: (*fig.*) **t. l'America**, to strike it rich; **t. il colpevole**, to find the culprit; **t. la soluzione**, to find the solution; *Il dottore gli trovò un soffio al cuore*, the doctor found he had a heart murmur; *Dopo lunghe ricerche lo trovarono in Australia*, after a long search they tracked him down in Australia **5** (*escogitare*) to find*; to come* up with: **t. modo di fare q.c**, to manage to do st.; to find a way to do st.; **t. un rimedio**, to find a remedy; **t. una scusa**, to find an excuse; *Trova sempre scuse*,

---

she is always coming up with some excuse **6** (*cogliere, sorprendere*) to find*; to catch*: *L'hanno trovato che rubava*, they caught him stealing; *L'alba lo trovò ancora sveglio*, dawn found him still awake; *Mi trovi impreparato su questo argomento*, you have caught me unprepared on this subject **7** (*incontrare, imbattersi in*) to meet* with; to come* across (*o* upon); to run* into: **t. molti ostacoli**, to meet with many obstacles; **trovarsi davanti qc.**, to be confronted by st.; to come face to face with st.; *Trovò un carro che sbarrava la strada*, he came upon a cart that was blocking the way; *Arrivo e chi ti trovo?*, who should I run into when I got there? **8** (*riscontrare*) to find*; (*vedere*) to see*: **t. qc. troppo salato**, to find st. too salty; **t. da ridire su qc.**, to find fault with st.; to fault st.; **t. difficile fare amicizia**, to find it difficult to make friends; *Trovo impossibile non darti ragione*, I find it impossible not to agree with you; *Ti trovo un po' pallido*, you look a bit pale; *Come mi trovi?*, how do I look?; *Non ci trovo niente di strano*, I can't see anything odd in it; *Che cosa ci trovi di strano?*, what's so strange about it?; *Che cosa ci trova in lei?*, what does he see in her? **9** (*pensare*) to think*; (*giudicare, reputare*) to find*; to consider: *Trovo che abbia ragione lui*, I think he is right; *Trovo giusto informare anche loro*, I think we should let them know too; *Come lo trovi?*, (*che ne pensi?*) what do you think of it?; (*ti piace?*) how do you like it?; *È strano, non trovi?*, it's odd, don't you think?; «*Marta è proprio simpatica*» «*Trovi?*», «Marta is a really nice girl» «do you think so?» **10** (*accorgersi*) to realize; to find*: *Trovai di aver vinto*, I realized I had won **B trovàrsi** v. rifl. recipr. (*incontrarsi*) to meet*; (*riunirsi*) to get* together: **trovarsi ai giardini**, to meet in the park; **trovarsi per caso**, to meet by chance; *Dobbiamo trovarci per mettere a punto il programma*, we must get together to decide about the programme **C trovàrsi** v. i. pron. **1** (*essere*) to be; (*essere situato*) to be situated, to lie*: **trovarsi a sud di**, to be (*o* to lie) to the south of; **trovarsi d'accordo**, to agree; **trovarsi in miseria**, to be destitute; **trovarsi in pericolo**, to be in danger; *Mi trovo all'aeroporto*, I am at the airport; *Sarzana si trova in Liguria*, Sarzana is in Liguria; *Mi sono trovato davanti a un grosso problema*, I was confronted by a big problem; *Il prodotto si trova in vendita nei migliori negozi*, the product is on sale in the best shops **2** (*capitare*) to happen; (*ritrovarsi*) to find* oneself; (*arrivare per caso*) to end up, to arrive: *Mi trovavo a passare di là*, I happened to be going that way; *Si trovò di fronte alla chiesa*, she found herself in front of the church **3** (*essere reperibile*) to be found; to be available: *Non si trovano più i ricambi*, spare parts are no longer available **4** (*sentirsi*) to feel*; to be: **trovarsi a proprio agio**, to be (*o* to feel) at (one's) ease; **trovarsi bene** [**male**] **con q.**, to get on well [not to get on] with sb.; *Mi trovo bene qui*, I feel comfortable here; I'm happy here; *Come ti trovi a Parigi?*, how do you like it in Paris?; *Come ti trovi in questo albergo?*, how do you find this hotel?

trovaròbe m. e f. inv. (*teatr.*) property man* (m.); propman* (m.); property mistress (f.).

trovàta f. **1** (*idea*) idea; notion; (*idea felice*) good (*o* bright) idea, inspiration; (*trucco*) trick, gimmick; **t. infelice**, bad idea; **t. pubblicitaria**, publicity gimmick; *È una delle sue solite trovate*, it's one of his usual clever ideas (*o* notions); *Che bella t.!*, what a great idea!; (*iron.*) what a clever idea!, very clever! **2** (*battuta*) witty remark; witticism; quip.

a b c d e f g h i j k l m n o p q r s **t** u v w x y z

trovatèllo m. (f. -a) foundling.

trovàto a. – **ben t.**, (escogitato) well thought out, well-devised, clever; (ben detto) well said; (come formula di saluto) Ben t.!, well met!; good to see you!

trovatóre m. (stor. letter.) troubadour.

trovièro m. (stor. letter.) trouvère; trouveur.

trozkìsmo, **trozkìsta** → **trotzkismo**, **trotzkista**.

tròzza f. (naut.) parrel.

trùca f. (cinem.) optical printer.

◆**truccàre** Ⓐ v. t. **1** (alterare, manipolare) to fix; to rig; to fiddle; (autom.) to soup up: **t. le carte**, to mark (o to fix) the cards; **t. i dadi**, to load the dice; **t. le elezioni**, to rig an election; **t. un incontro di pugilato**, to fix a boxing match; **t. i libri contabili**, to cook the books; **t. un motore**, to soup up an engine **2** (mascherare) to dress up; (travestire) to disguise; (camuffare) to camouflage: L'ho truccato da spazzacamino, I dressed him up as a chimney-sweep **3** (applicare il trucco) to make* up: **t. un attore**, to make up an actor; **truccarsi gli occhi**, to make up one's eyes Ⓑ **truccàrsi** v. rifl. **1** (mettersi del trucco) to put* on make-up; to wear* make-up; (spec. di attore) to make* up: **truccarsi prima di uscire**, to put on some make-up before going out; **truccarsi poco**, not to wear a lot of make-up; Non sa truccarsi, she does know how to put on (o use) make-up; È in camerino a truccarsi, he's in his dressing-room making up **2** (mascherarsi) to dress up; (travestirsi) to disguise oneself: **truccarsi da diavolo**, to dress up as a devil.

truccàto a. **1** (alterato, manipolato) fixed; rigged; (autom.) souped up: **carte truccate**, marked cards; **dadi truccati**, loaded dice; **elezioni truccate**, rigged election; **foto truccata**, trick photograph; (sport) **incontro t.**, fixed match; **auto truccata**, souped-up car **2** (mascherato) dressed up; (travestito) disguised; (camuffato) camouflaged **3** (rif. al viso) made up: **occhi truccati**, made-up eyes.

truccatóre m. (f. -trìce) make-up artist.

truccatùra f. **1** (alterazione, manipolazione) fixing; rigging; (autom.) souping up **2** (applicazione di trucco) making up **3** (cosmetici) make-up; cosmetics (pl.) **4** (travestimento) disguise; (camuffamento) camouflage.

◆**trùcco** m. **1** (artificio illusorio) trick; effect: **t. cinematografico**, special effect; **t. di prestigiatore**, conjurer's trick; **t. fotografico**, photographic trick (o effect); **t. scenico**, stage effect; Dov'è il t.?, where's the trick?; È tutto un t., it's all a trick; Ci deve essere un t.!, there must be a trick in it somewhere!; (scherz.) Il t. c'è ma non si vede!, that's my secret! **2** (stratagemma) trick; gimmick; dodge: **i trucchi del mestiere**, the tricks of the trade; È solo un t. per guadagnare tempo, it's just a trick to gain time; Ha provato tutti i trucchi per non fare il militare, he tried all sorts of dodges to avoid doing his military service **3** (raggiro) trick, trickery Ⓤ; (inghippo) catch: **sporco t.**, dirty trick; Mi hanno fatto firmare quel documento con un t., I was tricked into signing that paper; Niente trucchi!, no tricks!; Lo danno gratis? Deve esserci qualche t., they're giving it away for free? there must be some catch somewhere **4** (truccatura) make-up; (cosmetici) make-up, cosmetics (pl.), paint: **t. pesante**, heavy make-up; **t. teatrale**, stage make-up; **farsi il t.**, to put on make-up; to make oneself up; **togliersi il t.**, to remove one's make-up; **usare molto t.**, to wear a lot of make-up.

trùce a. **1** (minaccioso) threatening, baleful; (torvo) fierce, grim, black; (irato) glaring, angry: **viso t.**, grim face; **fare la faccia t.**, to look grim; **guardare q. con occhi truci**, to give sb. a black look; to look daggers at sb. **2** (crudele) cruel, brutal; (feroce) savage, grim, gruesome: **t. delitto**, gruesome murder.

trucidàre v. t. to slaughter; to massacre; to slay*; (assassinare) to kill, to murder.

trùcido a. (region.) rough; grungy.

truciolàre Ⓐ a. chipboard (attr.): **pannello t.**, chipboard panel Ⓑ m. chipboard; particle board.

truciolàto m. chipboard; particle board.

truciolatóre m. (tecn.) chipper.

truciolatrìce f. (tecn.) shredder.

trùciolo m. chip; shaving: **t. di legno**, wood shaving (o chip); **trucioli di carta**, paper shavings.

truculènto a. **1** (feroce, minaccioso) truculent; ferocious; grim-looking; menacing **2** (estens.) gruesome; grisly: **scene truculente**, gruesome scenes.

trùffa f. **1** (leg.) fraud (spesso Ⓤ): **commettere una t.**, to commit fraud; **condannato per t.**, convicted of fraud **2** (imbroglio, raggiro) fraud (spesso Ⓤ); sharp practice Ⓤ; swindle; con (fam.): **t. all'americana**, confidence game; con game (fam.); **essere vittima di una t.**, to be cheated (o swindled); **sottrarre soldi a q. con una t.**, to con sb. out of his money; **vivere di truffe**, to live by fraud (o by sharp practice); Mille euro? Ma è una t.!, a thousand euros? that's daylight robbery (o a rip-off)!

truffaldìno Ⓐ a. fraudulent; cheating; swindling; crooked: **attività truffaldine**, fraudulent activities Ⓑ m. → **truffatore**.

truffàre v. t. **1** (raggirare) to cheat; to swindle; to take* in; to defraud (anche leg.); to con (fam.): Il suo socio l'ha truffato, he has been cheated by his partner; Vive truffando gli ingenui, she makes a living by conning dupes out of their money **2** (sottrarre con un raggiro) to obtain fraudulently; to steal*; to cheat (sb. out of st.); to defraud (sb. of st.): Gli hanno truffato una grossa somma, he was cheated out of a large sum; he was defrauded of a large sum.

truffatóre m. (f. -trìce) swindler; cheat; con man* (fam.); (imbroglione) cheat, fraud, crook ● (fig.) **il t. truffato**, the biter bit.

truìsmo m. truism; self-evident truth.

trùka → **truca**.

trùllo m. (abitazione rurale pugliese) trullo*; small round stone house with a conical roof.

trumeau (franc.) m. inv. **1** (archit.) trumeau **2** (mobile) secretary.

truògolo → **trogolo**.

◆**trùppa** f. **1** (mil.) troops (pl.); force: **t. di rinforzo**, reinforcements (pl.); **t. mercenaria**, mercenary troops; **le truppe alleate**, the allied troops (o forces); **truppe d'assalto**, storm troops; **truppe da sbarco**, landing force (o forces); **truppe di rincalzo**, supporting troops; **truppe irregolari**, irregulars **2** (i soldati) men (pl.); privates (pl.); ranks (pl.): **gli ufficiali e la t.**, officers and men; **uomini di t.**, ranks **3** (fig.) troop; band; gang; crowd: **t. di ragazzotti**, troop (o band) of youngsters; **t. di figli**, brood of children; **in t.**, (in gruppo) in a group; (tutti insieme) in a body; **entrare in t.**, to flock in.

truschìno m. (tecn.) surface gauge.

trust (ingl.) m. inv. (econ. e fig.) trust: **t. bancario**, bank (o banking) trust; **t. di cervelli**, brains (USA brain) trust; **legislazione anti-t.**, anti-trust legislation.

TS abbr. (Trieste).

tsar (ingl.) → **zar**, e deriv.

tse-tse loc. a. – **mosca tse-tse** (zool., Glossina palpalis) tsetse-fly.

T-shirt (ingl.) f. inv. T-shirt, tee-shirt.

TSL sigla (**tonnellate di stazza lorda**) gross tonnage.

TSN sigla (**tonnellate di stazza netta**) net tonnage.

TSO sigla (med., **trattamento sanitario obbligatorio**) compulsory treatment.

◆**tu** Ⓐ pron. pers. 2ª pers. sing. m. e f. you; (poet., relig.) thou: **tu ed io**, you and I; Ehi, tu!, hey, you there!; Tu, vattene!, you, go away!; Sei tu?, is that you?; Ah, sei tu, oh, it's you; Così sei stato tu!, so it was you!; Sei stato tu a dirlo, it was you who said so; Entra prima tu, you go in first; Non lo so, dimmelo tu, I don't know – you tell me; L'hai voluto tu, you asked for it; Io vado e tu?, I'm going, how about you?; Perché tu sì e lei no?, why you and not she?; why him and not her?; Né tu né io ne sapevamo nulla, neither you nor I knew anything about it; Partito tu, le cose migliorarono, after you left (o with you gone), things improved; L'hai detto tu stesso, you said so yourself; Te ne accorgerai tu stesso, you'll see (for) yourself; Non sei (o Non sembri) più tu, you are not the man [woman] you once were; Aiutarmi tu?, you help me?; Lo dici tu!, that's what you say; Contento tu..., as long as you are happy...; suit yourself (fam.). ⓘ NOTA: thou → thou ① Ⓑ m. «tu» form: **dare del tu a q.**, to address sb. as «tu»; to call sb. by his first name; **darsi del tu**, to be on first-name terms with sb.; **a tu per tu**, (faccia a faccia) face to face; (in privato) in private; **parlarsi a tu per tu**, to speak face to face; to speak in private; **trovarsi a tu per tu con q.**, to come face to face with sb.; **trovarsi a tu per tu con la morte**, to look death in the face.

TU sigla **1** (fis., **tempo universale**) Universal Time (UT) **2** (leg., **testo unico**) consolidation act.

tuàreg m., f. e a. inv. Tuareg*.

tùba f. **1** (stor.) war trumpet; (estens.: tromba) trumpet **2** (mus.) tuba: **t. bassa** (o basso t.), bass tuba; **t. tenore**, euphonium **3** (anat.) tube: **t. uditiva** (o di Eustachio), Eustachian tube; **t. uterina** (o di Falloppio), uterine (o Fallopian) tube; **farsi chiudere le tube**, to have one's tubes ligated; to have tubal ligation **4** (cappello a cilindro) top hat: **in t.**, wearing a top hat; **mezza t.** → **tubino** ① **5** (gergo mil.) raw recruit; rookie (fam.).

tubàggio m. (med.) intubation.

tubàre ① v. i. **1** to coo **2** (fig.) to coo; to bill and coo.

tubàre ② v. t. (ind. min.) to fit with tubes.

tubàrico a. (anat.) tubal: **gravidanza tubarica**, tubal pregnancy; **occlusione tubarica**, tubal block.

tubatùra f. **1** piping Ⓤ; pipes (pl.): **t. del gas**, gas pipes (pl.) **2** (tubo) pipe: **t. principale**, main.

tubazióne f. piping; pipes (pl.); pipe-line: **distribuire mediante tubazioni**, to pipe; **rete di tubazioni**, piping system.

tubeless (ingl.) m. inv. (autom.) tubeless tyre.

tubercolàre a. (med.) tubercular.

tubercolàto a. (bot.) tuberculate.

tubercolìna f. (med.) tuberculin.

tubercolizzazióne f. (bot.) tuberculation.

tubèrcolo m. (anat., med., bot.) tubercle.

tubercolòma m. (med.) tuberculoma.

tubercolosàrio m. (med.) sanatorium*; sanitarium* (USA).

tubercolòsi f. (med.) tuberculosis; TB: **t. miliare**, miliary tuberculosis; **t. polmonare**, pulmonary tuberculosis.

tubercolóso, **tubercolòtico** (med.) Ⓐ a. tuberculous; tubercular; consumptive Ⓑ m. (f. -a) tubercular patient; consumptive.

tuberìa f. (*mecc.*) tubing.

tùbero m. (*bot.*) tuber.

tuberòsa f. (*bot.*, *Polianthes tuberosa*) tuberose.

tuberosità f. (*protuberanza*) tuberosity; protuberance; swelling.

tuberóso a. tuberous; tuberose: **radice tuberosa**, tuberous root.

tubettificio m. tube factory.

tubétto m. **1** tube: **t. di dentifricio**, tube of toothpaste; **colori in t.**, tube colours **2** (*ind. tess.*) quill.

tubièra f. (*tecn.*) tube sheet.

tubièro a. tube (attr.): **fascio t.**, tube bundle; **piastra tubiera**, tube sheet.

tubifórme a. tubular.

tubino ① m. (*cappello*) bowler (hat); derby (hat) (*USA*).

tubino ② m. (*abito femm.*) sheath dress.

tubìsta m. **1** pipe maker **2** (*installatore*) pipe layer; (*edil.*) pipe fitter **3** (*idraulico*) plumber.

♦**tùbo** m. **1** tube; pipe; (*di camino*) flue: (*fis.*) **t. a raggi catodici**, cathode-ray tube; (*elettron.*) **t. a vuoto**, vacuum tube; **t. dell'acqua [del gas]**, water [gas] pipe; **t. di aspirazione**, suction pipe; (*med.*) **t. di drenaggio**, drain tube; (*fis.*) **t. di forza**, tube of force; **t. di gomma**, hose; hosepipe; (*naut.*) **t. di lancio** (o **lanciasiluri**), torpedo tube; (*autom.*) **t. di scappamento**, exhaust pipe; **t. di scarico**, waste pipe; drain; **t. della stufa**, stove pipe; smoke tube; **t. di Venturi**, Venturi tube; **tubi fluorescenti**, fluorescent lighting **2** (*anat. zool.*) duct; canal: **t. digerente**, alimentary tube (o tract) **3** (*bot.*) tube **4** (*fam.*: *niente*) nothing; not a (damn) thing: *Non sa un t.*, he doesn't know a thing; *Non vedo un t.*, I can't see a (damn) thing; *Non me ne importa un t.*, I don't care one bit; I don't give a damn.

tubolàre Ⓐ a. tubular Ⓑ m. (*pneumatico*) tubular tyre.

tubolatùra f. (boiler) tubing.

tùbolo → **tubulo**.

tubolóso a. (*bot.*) tubulous.

tùbulo m. (*anche anat.*, *bot.*) tubule.

tubulóso a. (*bot.*) tubulous.

tucàno m. (*zool.*, *Ramphastos*) toucan.

Tucìdide m. (*stor.*) Thucydides.

tufàceo a. (*miner.*, *di tufo vulcanico*) tuffaceous, tuff (attr.); (*di tufo calcareo*) tufaceous, tufa (attr.).

tufèllo m. (*edil.*) tuff block; tufa block.

tuff inter. **1** (*rumore di caduta in un liquido*) splash **2** (*rumore del treno*) – **t. t.**, chuffing; choo choo.

♦**tuffàre** Ⓐ v. t. to plunge; to dunk; (*brevemente*) to dip: **t. la testa nell'acqua**, to plunge one's head into the water; **t. una penna nell'inchiostro**, to dip a pen in ink; **t. i biscotti nel tè**, to dunk biscuits in tea; *Tuffò la mano nella borsa*, she dived into the bag Ⓑ **tuffàrsi** v. rifl. **1** (*in acqua*, *ecc.*) to dive; to plunge: **tuffarsi nel lago**, to dive (o to plunge) into the lake; **tuffarsi dal trampolino**, to dive from the diving-board; **tuffarsi in cerca di perle**, to dive for pearls **2** (*gettarsi verso il basso*) to dive*; to plummet; (*aeron.*) to nose-dive* **3** (*fig.*: *immergersi di scatto*) to plunge: *Si tuffò nella nebbia e scomparve*, he plunged into the fog and disappeared **4** (*del sole*, *ecc.*) to sink*; to dip: *Il sole si tuffò nel mare*, the sun sank (o dipped, disappeared) into the sea **5** (*estens.*: *lanciarsi*, *precipitarsi*) to dive*; to leap*; to jump: **tuffarsi nel vuoto**, to leap into space; **tuffarsi tra le fiamme**, to dive (o to leap) into the fire; *Si tuffò ad acchiappare la palla*, he dived to catch the ball **6** (*fig.*: *dedicarsi*) to throw* oneself; to immerse oneself: (*fig.*) **tuffarsi nella mischia**, to enter the fray;

tuffarsi nello studio, to immerse oneself in one's studies; *Si tuffò nelle lotte politiche*, she joined the political fray.

tuffàta f. dive; plunge.

tuffatóre m. **1** (f. **-trice**) (*sport*) diver **2** (*aeron.*) dive-bomber **3** (*zool.*) → **tuffetto**.

tùffete inter. splash.

tuffétto m. (*zool.*, *Podicipes ruficollis*) little grebe; dabchick.

tuffìsmo m. (*sport*) diving.

tuffìsta m. e f. diver.

tuffìstica f. (*sport*) diving.

♦**tùffo** m. **1** dive; plunge; (*breve immersione*) dip; (*il rumore*) splash, plunge: **t. in acqua**, dive into the water; **fare un t. in acqua**, to take a dive (o a plunge) into the water; to dive into the water; **il t. dei remi**, the splash of the oars; **un t. prima di cena**, a dip before dinner; **far fare un t. a q.**, to throw sb. in **2** (*sport*) dive; (al pl.: *la specialità*) diving (sing.): **t. ad angelo**, swallow dive; **t. avvitato** (o **con avvitamento**), twist dive; **t. all'indietro**, backward dive; **t. di testa**, header; **fare un t. di testa**, to take a header; **t. in avanti**, forward dive; **t. carpiato**, jackknife (dive); pike (dive); **tuffi dal trampolino**, dives from the springboard; (*la specialità*) springboard diving; **campione di tuffi**, diving champion **3** (*caduta verso il basso*) dive; plunge; leap; (*aeron.*) nose-dive; **t. nel vuoto**, leap into space **4** (*fig.*: *salto*, *slancio*) dive; plunge; leap; jump: **buttarsi a t. su qc.**, to make a dive for st.; **fare un t. per afferrare qc.**, to dive for st.; *Con un t. gli fu addosso*, he dived upon him; *Rivederlo è stato un t. nel passato*, to see him again plunged me back into the past; (*calcio*) **parare in t.**, to make a diving save; (*calcio*) **parata in t.**, diving save **5** (*fig.*, *del cuore*, *ecc.*) leap (of the heart); shock: *Ho avuto un t. al cuore* (o *Il sangue mi fece un t.*), (*di gioia*, *ecc.*) my heart leapt; (*di paura*, *ecc.*) my heart skipped a beat.

tuffolino → **tuffetto**.

tùffolo m. (*zool.*, *Podiceps nigricollis*) back-necked grebe; eared grebe (*USA*).

tufo m. (*miner.*) tuff: **t. calcareo**, tufa.

tufóso → **tufaceo**.

tùga f. (*naut.*) deckhouse; wheelhouse.

tugùrio m. hovel; hole; shanty.

tùia f. (*bot.*, *Thuja occidentalis*) thuja; arbor vitae.

TUIR sigla (*leg.*, **testo unico delle imposte sui redditi**) consolidated tax act.

tularemìa f. (*med.*) tularemia.

tùlio m. (*chim.*) thulium.

♦**tulipàno** m. (*bot.*, *Tulipa gesneriana*) tulip.

tulipìfera f., **tulipìfero** m. (*bot.*, *Liriodendron tulipifera*) tulip-tree.

tùlle m. inv. (*ind. tess.*) tulle.

tulliàno a. (*letter.*) Ciceronian.

Tùllio m. Tully; Tullius.

tumefàre Ⓐ v. t. to tumefy; to cause (st.) to swell Ⓑ **tumefàrsi** v. i. pron. to tumefy; to become* swollen; to swell* up.

tumefàtto a. tumefied; swollen.

tumefazióne f. (*med.*) tumefaction; swelling.

tumescènte a. tumescent.

tumescènza f. tumescence.

tumidézza, **tumidità** f. **1** tumidity; tumidness; swollenness **2** (*fig. lett.*) tumidity; turgidity; pomposity; bombast.

tùmido a. **1** (*gonfio*) tumid; turgid; swollen: **ventre t.**, swollen belly **2** (*carnoso*) fleshy; full: **labbra tumide**, full lips **3** (*fig. lett.*) tumid; turgid; inflated; pompous.

tùmolo → **tumulo**.

tumoràle a. (*med.*) tumorous; tumoral.

tumóre m. (*med.*) tumour, tumor (*USA*): **t.**

benigno [maligno], benign [malignant] tumour.

tumulàre v. t. to bury; to inter; to entomb.

tumulazióne f. burial; interment.

tùmulo m. **1** (*cumulo*) mound **2** (*archeol.*, **anche t. sepolcrale**) tumulus*; barrow; burial mound **3** (*lett.*: *tomba*) tomb; grave.

tumùlto m. **1** (*rumore di folla*) tumult; commotion; (*protesta*) clamour, uproar, furore: **t. per le strade**, commotion in the streets; *Nell'aula si levò un t.*, there was an uproar in the house; **folla in t.**, clamouring crowd **2** (*frastuono*) loud noise; roar **3** (*agitazione*) tumult, commotion; (*sommossa*) riot, disorder: **tumulti per il pane**, food riots; *Ci sono stati tumulti in diverse città*, riots broke out in various cities; *La città è in t.*, the town is in a state of tumult; *La piazza è in t.*, the people are clamouring; there is a big commotion in town; **reprimere un t.**, to put down a riot **4** (*fig.*) turmoil; confusion: **un t. di pensieri**, confused thoughts (pl.); *Aveva l'anima in t.*, his mind was in (a) turmoil.

tumultuànte Ⓐ a. rioting; disorderly: **folla t.**, rioting crowd Ⓑ m. e f. rioter.

tumultuàre v. i. **1** (*fare tumulto*) to stir up a tumult; to riot **2** (*di acqua*, *ecc.*) to race; to rush **3** (*fig.*, *di emozioni*, *ecc.*) to crowd; to race.

tumultuosità f. tumultuousness; confusion.

tumultuóso a. **1** (*che si agita*, *si ribella*) tumultuous, riotous, rioting; (*turbolento*) turbulent, disorderly, boisterous, rowdy: **folla tumultuosa**, riotous crowd; **scolaresca tumultuosa**, disorderly class **2** (*agitato*, *tempestoso*) turbulent; riotous; tempestuous: **adunanza tumultuosa**, tempestuous meeting **3** (*impetuoso*) turbulent; rushing: **acque tumultuose**, turbulent (o rushing) waters **4** (*fig.*: *confuso e agitato*) turbulent: **mesi tumultuosi**, turbulent months; **sentimenti tumultuosi**, turbulent feelings.

tùndra f. (*geogr.*) tundra.

tùnfete → **tonfete**.

tungstèno m. (*chim.*) tungsten; wolfram.

tungùso Ⓐ a. Tungusic Ⓑ m. **1** (f. **-a**) Tungus* **2** (*lingua*) Tungusic; Tungus; Evenki.

tùnica f. **1** (*stor.*) tunic **2** (*moda*) tunic dress **3** (*anat.*, *bot.*) tunic; tunica*.

tunicàto Ⓐ m. (*zool.*) tunicate Ⓑ a. (*bot.*) tunicated.

Tùnisi f. (*geogr.*) Tunis.

tunisìno a. e m. (f. **-a**) Tunisian.

♦**tùnnel** Ⓐ m. inv. **1** (*galleria*, *traforo*) tunnel: **t. aerodinamico** (o **del vento**), wind tunnel; **il t. della Manica**, the Channel tunnel; **il t. del Monte Bianco**, the Mont Blanc tunnel; (*autom.*) **t. della trasmissione**, transmission hump; **scavare un t.**, to dig a tunnel; (*anche fig.*) **la luce in fondo al t.**, the light at the end of the tunnel **2** (*fig.*) ordeal; desperate situation; nightmare: **entrare nel t. della droga**, to get hooked on drugs; **uscire dal t.**, to come through; to surface; to recover; **uscire dal t. di una malattia**, to come through an illness; **uscire dal t. della recessione**, to recover from economic recession **3** (*calcio*) nutmeg: **fare un tunnel**, to nutmeg Ⓑ a. inv. tunnel (attr.): (*fis.*) **effetto t.**, tunnel effect.

♦**tùo** Ⓐ a. poss. your; (*poet.*, *relig.*) thy; (*tuo proprio*) your own; (*come pred. nominale*) yours, (*poet.*, *relig.*) thine: **il tuo cane**, your dog; **la tua casa**, your house; **tuo padre e tua madre**, your father and mother; **i tuoi amici**, your friends; **le tue sorelle**, your sisters; **un tuo amico**, a friend of yours; one of your friends; **due tuoi colleghi**, two colleagues of yours; **questo tuo figlio**, this son of yours; *L'hai visto coi tuoi occhi?*, did you

see it with your own eyes?; «*Venga il Tuo regno*», «Thy Kingdom come»; *Bada ai fatti tuoi!*, mind your own business!; *Hai una casa tua?*, have you got a house of your own?; *Va' a casa tua!*, go home!; *Non è opera tua*, it isn't your handiwork; *Questo libro è tuo*, this book is yours; *Questa bicicletta è tua*, this bicycle is yours; (*in fine di lettera*) (*Affettuosi saluti dalla*) *tua Michela*, yours (affectionately), Michela; love, Michela (*fam.*) **B** **pron. poss. 1** yours; (*poet.*, *relig.*) thine: *È tuo questo libro?*, is this book yours?; **i miei amici e i tuoi**, my friends and yours; *Mia madre sta parlando con la tua*, my mother is talking to yours; *Tua è la gloria, o Signore*, Thine is the glory, O Lord; **qualcosa [niente] di tuo**, something [nothing] of your own **2** (*in espressioni ellittiche*) – *Ci hai rimesso del tuo?*, did you lose on it?; *Sta' contento del tuo*, be happy with what you've got; *Come mi scrivi nell'ultima tua*, as you wrote in your last letter; *Siamo tutti dalla tua*, we are all on your side; (*brindisi*) *Alla tua!*, your health; here's to you; *Tocca a te dire la tua*, it's your turn to say something; *Devi dire sempre la tua*, you must always have your say; *Tu sei sempre della tua, vero?*, you are sticking to your opinion, aren't you?; *Anche tu hai passato le tue*, you've had your own troubles (*o* your share) too; *Non stare così sulle tue*, don't be so standoffish; *Tienti sulle tue*, be noncommittal; give away as little as possible; *Ne hai fatta un'altra delle tue*, you've been up to your usual tricks again; **i tuoi**, (*genitori*) your parents; (*parenti*) your relations, your relatives; (*famiglia*) your family, your folk; (*seguaci, sostenitori*) your followers, your supporters; your friends; *Tanti saluti ai tuoi*, regards to your family; *Tieni calmi i tuoi e poi discuteremo*, calm down your friends, and then we can talk.

tuonàre **A** **v. i. 1** (*rimbombare*) to thunder; to boom: *Il cannone tuonava*, the cannon thundered **2** (*fig.*: *gridare*) to thunder, to bellow; (*inveire*) to thunder (against), to fulminate (against), to inveigh (against): *«Fuori di qui!» tuonò*, «get out!» he thundered; *Il ministro ha tuonato contro gli evasori*, the minister fulminated against tax evaders **B** **v. i. impers.** to thunder: *Tuonò tutta la notte*, it thundered all night; *Tuonava e lampeggiava*, there was thunder and lightning; *Si sentiva t. lontano*, distant thunder could be heard ● (*scherz.*) **Tanto tuonò che piovve!**, it had to happen!

♦**tuòno** m. **1** thunder: *Si sentiva brontolare il t.*, the rumble of thunder could be heard; **lampi e tuoni**, thunder and lightning (sing.); **scoppio di t.**, clap of thunder; (*anche fig.*) thunderclap **2** (*fig.*: *rombo*) thunder; boom; rumble; roar: **il t. dei cannoni**, the rumble of guns.

tuòrlo m. **1** (*biol.*) yolk **2** (*cucina*) yolk (of an egg); egg-yolk: *Per la torta mi servono sei tuorli (d'uovo)*, I need six egg-yolks for the cake; **separare il t. dalla chiara**, to separate an egg.

tupàia f. (*zool.*, *Tupaia*) tree shrew.
tupè → **toupet**.
tùpi **A** a. Tipi; Tupian **B** m. (f. **-a**) Tupi.
tùpla f. (*mat.*) tuple.
tuppertù avv. – **a t.**, face to face.
tùra f. (*tecn.*, *naut.*) cofferdam.
turabottiglie m. inv. corking machine.
turabùchi → **tappabuchi**.
turàcciolo m. stopper; (*di sughero*) cork; (*di botte*) bung: **mettere il t. a una bottiglia**, to cork a bottle.
turafàlle m. inv. (*naut.*) stopwater.
♦**turàre** **A** **v. t. 1** (*chiudere*) to plug; to stop (up); to block up; to fill; (*con sughero*) to cork: **t. una bottiglia**, to cork a bottle; **t. la bocca**

a q., to stop sb.'s mouth; (*zittire*) to silence sb., to shut sb. up; **t. un buco**, to fill (*o* to stop up, to plug) a hole; **t. una falla**, to stop up a leak; **turarsi la bocca**, to stop one's mouth; (*fig.*) to shut up; **t. il naso**, to hold one's nose; **t. gli orecchi**, to stop one's ears; to plug one's ears; (*fig.*) to refuse to listen **2** (*intasare*) to block up; to clog **B** **turàrsi** v. i. **pron.** (*occludersi*) to get* blocked (up); to block up; to get clogged: *Mi si è turato il naso*, my nose is blocked up.

tùrba ① f. **1** crowd; horde; swarm; multitude: **una t. di monelli**, a crowd of kids **2** (spec. al pl.) (*folla*) crowd; multitude.

tùrba ② f. (*med.*) disorder: **turba nervosa**, nervous disorder; **t. psichica**, mental disorder; derangement.

turbaménto m. **1** (*disturbo, sovvertimento*) disturbance; perturbation; disruption: **t. dell'ordine**, disturbance of the existing order; (*leg.*) **t. dell'ordine pubblico**, breach of the peace **2** (*agitazione*) agitation; (*inquietudine*) anxiety, perturbation, uneasiness; (*emozione*) emotion: *La notizia causò molto t.*, the news caused great agitation; **essere in preda a un profondo t.**, to be deeply upset (*o* disturbed).

turbànte m. **1** turban **2** (*bot.*) – **t. di turco** (*Lilium martagon*) martagon lily; Turk's-cap lily.

♦**turbàre** **A** v. t. **1** (*mettere in disordine*) to disrupt; to disarrange; to upset*; (*scompigliare*) to ruffle: **t. le acque**, to ruffle the waters; **t. la digestione**, to upset one's digestion **2** (*disturbare, impedire*) to disturb; to upset*, to disrupt; (*infrangere*) to break*: **t. una cerimonia**, to disturb a ceremony; **t. la pace in famiglia**, to upset the whole family; **t. la quiete pubblica**, to cause a disturbance; to disturb the peace; **t. il sonno di q.**, to trouble sb.'s sleep **2** (*gettare un'ombra su*) to cloud; to cast* a shadow on; (*inquinare*) to taint: **t. un'amicizia**, to cloud a friendship **4** (*agitare*) to disturb; to upset*; to trouble, to worry; to eat* (*fam.*): **t. la mente di q.**, to upset sb.; to unhinge sb.'s mind; *È un pensiero che mi turba molto*, it's a thought that disturbs (*o* troubles) me deeply; *La notizia lo turbò*, the news upset him; *C'è qualcosa che ti turba?*, is something worrying (*o* eating) you?; **un film che può t. i bambini**, a film that may upset young children; (*iron.*) *La cosa non mi turba affatto*, that doesn't faze me in the slightest **B** **turbàrsi** v. i. **pron.** to get* upset; (*agitarsi*) to become* worried (over st.).

turbatìva f. (*leg.*) disturbance; nuisance: **t. d'asta**, collusive tendering; **t. dell'ordine pubblico**, public nuisance; **t. del possesso**, disturbance of property.

turbàto a. (*sconvolto*) disturbed, upset, shaken; (*agitato*) agitated; (*preoccupato*) troubled, worried, uneasy: **espressione turbata**, troubled expression; **con l'animo t.**, with a troubled (*o* an uneasy) mind; **avere l'aria turbata**, to look worried; *La sua mente è ancora turbata*, his mind is still unsettled; *Sentendo questo rimase t.*, he was disturbed to hear that.

turbellàrio m. (*zool.*) turbellarian; (al pl., *scient.*) Turbellaria.
turbidimetrìa f. (*chim.*) turbidimetry.
turbidimètrico a. (*chim.*) turbidimetric.
turbìna f. (*mecc.*) turbine: **t. a gas**, gas turbine; **t. a vapore**, steam turbine; **t. a reazione**, reaction turbine; **t. idraulica**, hydraulic turbine; **t. radiale**, radial-flow turbine.
turbinàre v. i. to whirl (*anche fig.*); to swirl; to eddy: *Una nuvola di polvere turbinava nella piazza*, a cloud of dust was swirling in the square; *I pensieri turbinavano nella sua mente*, thoughts were whirling

through his head; **far t.**, to whirl.

turbinàto **A** a. (*bot.*, *zool.*) turbinate **B** m. (*anat.*) turbinal; turbinate bone.

tùrbine m. **1** whirl; storm; (*di vento*) whirlwind: **t. di neve**, snowstorm; **t. di polvere**, dust whirl; dust storm; **t. di sabbia**, sandstorm; **piante divelte dal t.**, plants uprooted by the whirlwind **2** (*fig.*) whirl; whirlwind; vortex; storm; turmoil; flurry; bustle: **un t. di attività**, a flurry (*o* a whirlwind) of activity; **un t. di parole**, a flurry of words; **il t. delle passioni**, the storm (*o* the turmoil) of passions; **un t. di ricordi**, a flurry of memories; **il t. della vita moderna**, the whirl (*o* the bustle) of modern life; **nel t. della danza**, in the vortex of the dance ❶ **FALSI AMICI** • turbine *non si traduce con* turbine.

turbìnio m. **1** swirling; swirl: **un t. di sabbia**, a swirl of sand **2** (*fig.*) whirl; flurry; bustle; turmoil: **un t. di attività**, a flurry of activity.
turbinìsta m. (f. **-a**) turbine operator.
turbinóso a. **1** whirling; swirling: **vento t.**, stormy wind; **acque turbinose**, swirling waters **2** (*fig.*) whirling; turbulent; (*tempestoso*) stormy: **passioni turbinose**, stormy passions.
turbìtto m. (*bot.*, *Thapsia garganica*) thapsia.
tùrbo **A** m. inv. **1** → **turbocompressore** **2** (*motore*) turbocharged engine **3** (*veicolo*) turbocharged vehicle **B** f. inv. turbocharged car; turbo **C** a. inv. turbocharged.
turboalternatóre m. (*elettr.*) turbogenerator.
turbocistèrna f. (*naut.*) turbine tanker.
turbocomprèsso a. (*mecc.*) turbocharged.
turbocompressóre m. (*mecc.*) turbocharger; turbosupercharger.
turbodiesel **A** a. inv. (*autom.*) turbo-diesel **B** m. inv. **1** (*motore*) turbo-diesel engine; turbo diesel **2** (*veicolo*) turbo diesel.
turbodìnamo f. (*mecc.*) turbogenerator.
turboelèttrico a. (*mecc.*) turbo-electric: **trazione turboelettrica**, turbo-electric drive.
turboèlica (*aeron.*) **A** f. turboprop (engine); prop jet **B** m. inv. turboprop; prop jet.
turbogeneratóre m. (*mecc.*) turbogenerator.
turbogètto m. (*aeron.*) turbojet (engine).
turbolènto a. **1** (*sfrenato*) unruly, wild, disorderly, rowdy; (*ribelle*) rebellious, wild: **ragazzo t.**, unruly (*o* wild) boy **2** (*agitato*, *burrascoso*) turbulent; tumultuous; stormy; rough: **acque turbolente**, tumultuous waters; **tempi turbolenti**, turbulent (*o* stormy) times; **vita turbolenta**, stormy life **3** (*fis.*, *meteor.*) turbulent.
turbolènza f. **1** (*sfrenatezza*) unruliness; wildness; disorderliness; rowdiness **2** (*di situazione*, *periodo*, *ecc.*) turbulence; unrest; storminess **3** (*fis.*, *meteor.*) disturbance.
turbolocomotiva f. (*ferr.*) turbine locomotive.
turbomàcchina f. turbomachine; turbine engine.
turbomotóre m. **1** (*turbina*) turbine **2** (*turbina a gas*) gas turbine **3** (*turboelica*) turboprop.
turbomotrice f. turbine engine.
turbonàve f. (*naut.*) turbine ship; turbine steamer.
turboperforatrice f. (*ind. min.*) turbodrill.
turbopómpa f. (*mecc.*) turbopump.
turbopropulsóre m. **1** gas-turbine propulsion system **2** (*aeron.*, *improprio*) turboprop; prop jet.

turboràzzo m. (*aeron.*) rocket engine.

turboreattóre m. (*aeron.*) turbojet (engine).

turbosónda f. (*ind. min.*) turbodrill.

turbotràpano m. high-speed dentist's drill.

turbotrèno m. (*ferr.*) turbine train; turbotrain.

turboventilatóre m. (*mecc.*) turbofan.

tùrca f. **1** (*divano*) ottoman; divan **2** (*veste*) Turkish robe; long robe **3** (*gabinetto*) squat toilet.

turcàsso m. quiver.

turchése a., m. e f. turquoise.

Turchìa f. (*geogr.*) Turkey.

turchinétto A a. bluish B m. blueing.

turchinìccio a. bluish.

turchino a. e m. deep blue.

turcimànno m. **1** dragoman* **2** (*scherz.*) interpreter.

tùrco A a. Turkish: **bagno t.**, Turkish bath; **lira turca**, Turkish pound: **l'Impero t.**, the Turkish Empire ● **alla turca**, Turkish; in the Turkish manner; (*rif. a posizione*) cross-legged: **caffè alla turca**, Turkish coffee; **calzoni alla turca**, Turkish trousers; **gabinetto alla turca**, squat toilet; **letto alla turca**, divan; ottoman; **sedere** (*o* **sedersi**) **alla turca**, to sit cross-legged □ (*fam.*) **cose turche**, unbelievable things B m. **1** (f. **-a**) Turk **2** (*lingua*) Turkish ● (*fig.*) **bestemmiare come un t.**, to swear like a trooper □ (*fig.*) **fumare come un t.**, to smoke like a chimney □ (*stor.*) **Giovani turchi**, Young Turks □ (*fig.*) **parlare t.**, to speak in double-Dutch □ (*fig.*) **testa di t.**, (*bersaglio, zimbello*) butt, target; (*capro espiatorio*) scapegoat, whipping boy.

turcologìa f. Turkish studies (pl.).

turcòlogo m. (f. **-a**) Turkish scholar.

turcomànno → **turkmeno**.

Turènna f. (*geogr.*) Touraine.

turgescènte a. (*med.*) turgescent.

turgescènza f. (*med.*) turgescence.

turgidézza, turgidità f. **1** turgidity **2** (*fig.*) turgidity; inflatedness; bombast.

tùrgido a. **1** turgid; swollen: **occhi turgidi di lacrime**, eyes swollen with tears; **seni turgidi**, turgid (*o* swollen) breasts **2** (*fig.*) turgid; inflated; bombastic.

turgóre m. **1** (*lett.*) turgidity; swelling **2** (*bot.*) turgor.

turibolo m. (*eccles.*) censer; thurible.

turiferàrio m. (*eccles.*) censer-bearer; thurifer.

Turìngia f. (*geogr.*) Thuringia.

turióne m. (*bot.*) turion.

turismàtica f. information technology applied to tourism.

◆**turismo** m. tourism; tourist trade; touring: **t. di massa**, mass tourism; *Il t. è la principale risorsa del paese*, tourism (*o* the tourist trade) is the main resource of the country; **viaggiare per t.**, to tour; to go touring; **vivere di t.**, to live off tourism (*o* the tourist trade); *Ente per il T.*, Tourist Board; Tourist Information Centre; **industria del t.**, tourist trade; **ufficio del t.**, tourist bureau; **vettura da t.**, touring car.

◆**turista** m. e f. tourist; (*vacanziere*) holiday-maker; (*gitante*) sightseer, tripper: **t. della domenica**, Sunday tripper; **t. mordi-e-fuggi**, day-tripper.

turisticaménte avv. – **t. attrezzato**, having tourist facilities; **t. parlando**, from the point of view of tourism.

turisticizzàre v. t. to provide with tourist facilities; to develop for tourism.

turisticizzazióne f. provision of tourist facilities; tourist development.

turìstico a. (*relativo al turismo e ai turisti*)

tourist (attr.); tour (attr.); holiday (attr.); sightseeing (attr.); travel (attr.); (*frequentato da turisti, spec. spreg.*) touristy: **accompagnatore t.**, tour leader; **agenzia turistica**, travel agency; **attrezzature turistiche**, tourist facilities; (*ferr.*) **biglietto t.**, tourist ticket; **classe turistica**, tourist class; **guida turistica**, tour guide; **prezzo t.**, special tourist price; **operatore t.**, tour operator; **ufficio t.**, tourist bureau; **villaggio t.**, holiday village; **visita turistica**, sightseeing tour; tour; **visto t.**, tourist visa.

turkmèno A a. Turkmen; Turkoman B m. **1** (f. **-a**) Turkmen; Turkoman **2** (*lingua*) Turkmen.

turlupinàre v. t. to cheat; to swindle; to take* in (*fam.*); to diddle (*fam.*).

turlupinatóre m. (f. **-trice**) cheat; swindler; con man* (m., *fam.*).

turlupinatùra f. **1** (*il turlupinare*) cheating; swindling **2** (*imbroglio, raggiro*) swindle; take-in (*fam.*); con (*fam.*).

turnàre v. i. to work shifts (at); to operate in shifts.

turnazióne f. shift working; shifts (pl.).

turnista A a. shift (attr.) B m. e f. shift worker.

◆**tùrno** m. **1** (*avvicendamento*) turn; (*di servizio*) duty: **il t. dei piatti**, sb.'s turn to wash the dishes; (*sport*) **t. eliminatorio**, qualifier; preliminary heat; *È il mio t.*, it's my turn; **a t.**, in turn; in turns; (*a rotazione*) rotating, on a rotating basis; **fare qc. a t.**, to take it in turns to do st.; to do st. in turns; *Facciamo a t.*, let's take turns; let's take it in turns; *Laveremo i piatti a t.*, we'll take turns washing up; *Abbiamo guidato a t.*, we took shifts (*o* we alternated; *USA* we spelled each other) at the wheel; *Parlò a t. con tutti i presenti*, he spoke in turn to all the people present; *Vegliammo a t. tre ore ciascuno*, we kept watch three hours each; *Sono di t.*, (*tocca a me*) it's my turn; (*sono di servizio*) I'm on duty; *Chi è di t.?*, whose turn is it?; **farmacia di t.**, chemist's on duty; **medico di t.**, doctor on duty; **presidenza a t.**, rotating chairmanship **2** (*di lavoro*) shift, workshift: **t. di notte [di giorno, di pomeriggio]**, night [day, afternoon] shift; **t. in terza** (*o* **pendolare**), swing shift; **turni a rotazione**, rotating shifts; **fare il t. di notte**, to work the night shift; *Questa settimana sono di t. dalle 9 alle 14*, I'm taking the 9 to 2 shift this week; **lavorare a turni**, to work shifts; **stabilire il t. dei servizi**, to settle the work shift **3** (*mil.*) guard; duty; (*naut.*) watch: **t. di guardia**, watch **4** (*di elezioni*) ballot; round **5** (*al ristorante*) sitting.

turnover m. inv. **1** (*econ., org. az., chim.*) turnover **2** (*sport*) squad rotation; rotation policy.

tùrpe a. **1** (*infame*) base; vile; foul; infamous: **azioni turpi**, base (*o* vile) actions; **t. delitto**, foul (*o* heinous) crime **2** (*osceno*) obscene; filthy.

turpilòquio m. scurrilous (*o* coarse, obscene) language.

turpitùdine f. **1** turpitude; baseness; foulness **2** (*azione o parole turpi*) depravity; obscenity; filth 🔊.

turricolàto a. turreted.

turrìto a. towered; many-towered; (*archit.*) turreted: **castello t.**, many-towered castle; **città turrita**, towered city.

tursìope m. (*zool., Tursiops truncatus*) bottle-nose (*o* bottle-nosed) dolphin.

TUS sigla (**tasso ufficiale di sconto**) official discount rate; bank rate.

tuscànico a. (*archit.*) Tuscan: **ordine t.**, Tuscan order.

tussah f. (anche agg.: **seta t.**) (*ind. tess.*) tussore (silk); tussah.

tussilàgine f., **tussilàgo** f. inv. (*bot., Tussilago farfara*) coltsfoot.

tùssor m. inv. (*ind. tess.*) tussore (silk); tussah.

TUT sigla (*tel.*, **tariffa urbana a tempo**) local call rate.

◆**tùta** f. **1** suit (*spesso in composizione*); (*anche* **t. da lavoro**) overalls (pl.), overall (*USA*), boiler suit (*GB*), (*con pettorina*) dungarees (pl.), overalls (pl., *USA*): (*aeron.*) **t. antigravitazionale**, anti-G suit; **t. blu**, blue overalls; (*estens.: operaio*) blue-collar worker; **t. da ginnastica**, tracksuit; sweatsuit (*USA*); warm-up suit; **t. da sci**, snowsuit; (*mil.*) **t. mimetica**, camouflage combat clothing; **t. pressurizzata**, pressure suit; **t. spaziale**, spacesuit; **t. subacquea**, wet suit **2** (*moda*) jumpsuit.

tutània f. (*chim.*) tutania.

tutèla f. **1** (*leg.*) guardianship; tutelage; **bambino sotto t.**, child in ward; **esercitare la t. su un minore**, to have the guardianship of a minor; **porre sotto la t. di q.**, to place under sb.'s guardianship; **essere posto sotto la t. del tribunale dei minori**, to be made ward of court **2** (*protezione*) protection, safeguard; (*difesa*) defence; (*conservazione*) preservation: **t. dell'ambiente**, protection of the environment; **t. del consumatore**, consumer protection; **t. dei propri interessi**, safeguarding of one's interests; **t. del lavoratore**, labour protection; **t. dei monumenti**, monument preservation; **t. dell'ordine pubblico**, maintenance of law and order; **t. della pace**, defence of peace; peacekeeping; **a t. di**, in defence of; **sotto la t. della legge**, under the protection of the law; **prendere q. sotto la propria t.**, to take sb. under one's wing; **misure di t.**, protective measures.

tutelàre① A v. t. to protect; to preserve; to defend; to safeguard: **t. l'ambiente**, to protect the environment; **t. il buon nome della famiglia**, to defend the good name of one's family; **t. un diritto**, to defend a right; **t. i propri interessi**, to safeguard one's interests; **t. l'ordine pubblico**, to keep the peace; *La legge tutela il cittadino*, the law protects the citizen B **tutelàrsi** v. rifl. to protect oneself; (*prendere precauzioni*) to take* precautions.

tutelàre② a. guardian (attr.); tutelar; (*anche leg.*) tutelary: **angelo t.**, guardian angel; **divinità tutelari**, guardian deities; **giudice t.**, tutelary judge.

tutelàto a. protected: **sentirsi t.**, to feel protected.

tutìna f. **1** (*per bambino*) rompers (pl.); romper suit; crawlers (pl.): **t. per neonato**, infant rompers **2** (*da donna*) leotard.

tùtolo m. (*bot.*) corncob.

tutor (*ingl.*) m. e f. inv. tutor.

tutoràggio m. tutoring.

tutoràto m. tutorship.

tutóre m. (f. **-trice**) **1** (*leg.*) (legal) guardian; warden: **nominare un t.**, to appoint a guardian **2** (*protettore*) protector; defender; guardian: **t. dell'ordine**, policeman **3** (*agric.*) stake; prop **4** (*med., anche* **t. ortopedico**) orthosis*; brace; splint; (*per deambulazione*) walking frame, walker, Zimmer frame® ⓘ FALSI AMICI ● tutore *non si traduce con* tutor.

tutoriàle m. tutorial.

tutòrio a. (*leg.*) tutelary: **autorità tutoria**, tutelary authority.

tùtsi a., m. e f. Tutsi*.

tuttàla m. inv. (*aeron.*) tailless aircraft.

tutt'al più loc. avv. (*al massimo*) at (the) most, max (*fam.*); (*nel peggiore dei casi*) at worst: *Costerà tutt'al più trenta euro*, it should cost thirty euros at (the) most; *Tut-*

t'al più si arrabbierà, at worst she'll get angry.

♦**tuttavia** cong. but; yet; still; nevertheless; however: *Non dovrebbero esserci errori, t. preferisco ricontrollare*, there shouldn't be any errors, but I'd rather check again; *Non si sentiva bene, t. voleva partire*, he didn't feel well, yet he wanted to leave; *Mi sono proprio antipatici, t. credo che accetterò l'invito*, I don't like them at all; still, I think I'll accept their invitation; *Non è una decisione facile; siamo certi t. che...*, it is not an easy decision to make; we are however confident that...

♦**tùtto** A a. **1** all; (*intero*) whole: **t. il giorno**, all (the) day; the whole day; **t. il libro**, the whole book; **tutta la notte**, all night; the whole night; **tutta l'Italia**, all Italy; the whole of Italy; **in** (o **per**) **tutta Italia**, all over Italy; throughout Italy; **con t. il cuore**, with all one's heart; **noto in t. il mondo**, known all over the world; *Passai t. quell'anno a Parigi*, I spent all (of) that year (o the whole of that year) in Paris; **lungo tutta la strada**, all along the road; **per tutta una serie di ragioni**, for a whole series of reasons **2** (*assoluto, completo*) all; total: **in tutta serietà**, in all seriousness; **con t. il rispetto**, with all due respect; **con tutta franchezza**, quite frankly **3** (premesso a un pron. dimostr.) all; everything: **t. quello che c'era**, everything that was there; *T. quello che conta è che...*, all that matters is that...; *Mi ha dato t. ciò che aveva*, she gave me everything (o all) she had **4** (al pl.) all; (*ogni*) every; (*ciascuno*) each; (*qualsiasi*) any: *Tutti gli uomini sono uguali*, all men are equal; *Tutti gli studenti devono presentarsi domani*, all the pupils must be present tomorrow; **tutti i giorni**, every day; **tutti i presenti**, everybody present; **tutti e cinque i fratelli**, all five brothers; **tutte e due le mani**, both hands; **tutti e tre**, all three of them; *Guardai tutti i quadri uno per uno*, I looked at each picture in turn; *Sono tutte bugie*, it's all lies; *Sono tutte chiacchiere*, it's nothing but gossip; **tutte quante le opere di Shakespeare**, all (of) Shakespeare's works; *Tutte le volte che esce sbatte la porta*, every time he goes out, he slams the door; **tutte le volte che lo vedo**, every time I see him; whenever I see him; *Vieni tutte le volte che vuoi*, come whenever (o any time) you wish; **a tutti i costi**, at all costs; at any cost; **a tutte le età**, at all ages; at any age; **a tutte le ore**, at all hours; at any hour; **in tutti i luoghi**, in every place; everywhere; **una volta per tutte**, once (and) for all **5** (al pl.) (con un pron. pers.) all: **noi tutti**, all of us; we all (sogg.); us all (compl.); **voi tutti**, all of you; you all; **tutti loro**, all of them; they all (sogg.); them all (compl.) **6** (con valore avv.) all; (*completamente*) completely, entirely, quite: **t. di legno**, all wood; **t. felice**, very happy; **t. pensoso**, deep (o lost) in thought; **t. pieno**, com-

pletely full; full up; **t. pulito**, all clean; nice and clean (*fam.*); **t. solo**, all alone; quite alone; **t. sudato**, all in a sweat; *È t. tuo*, it's all yours; *È tutta colpa sua*, it's all his fault; **con le mani tutte scorticate**, with his hands all scratched ● **tutt'a un tratto**, all at once; all of a sudden; out of the blue □ **tut-t'al più** → **tutt'al più**, loc. avv. □ **Tutt'altro!**, (*anzi*) quite the opposite (o the reverse)!, far from it!; (*niente affatto*) not at all! □ **tutt'altro che**, anything but; far from: **tutt'altro che stupido**, far from (being) stupid; **tutt'altro che onesto**, anything but honest; **un compito tutt'altro che facile**, a far from easy task; no easy task □ **t. chiesa**, very devout □ **tutt'intero**, whole □ **tutt'intorno**, all around □ **tutt'occhi**, all eyes □ **tutt'orecchi**, all ears □ **tutt'uno**, one and the same; all one: *In certi casi tacere o mentire è tutt'uno*, in some cases it makes no difference whether one lies or keeps silent; *È tutt'uno con il padrone*, he's hand in glove with the boss □ **a t. andare**, at full speed; all out □ **a tutt'oggi**, up to now; up to the present □ **a tutta prova**, quite safe; well tried □ **con t.** (*nonostante*), for all: *Con t. il tuo denaro, non sei felice*, for all your money, you're not happy □ **con t. questo** (*tuttavia*), despite all that; and yet □ **di t. punto**, fully; completely; thoroughly: **vestito di t. punto**, fully dressed □ **in tutta fretta**, in a great hurry; in great haste □ (*fig.*) **un uomo t. d'un pezzo**, a man of sterling character □ **Le pensa tutte**, he knows all the tricks B pron. **1** all; (*ogni cosa*) everything; (*qualsiasi cosa*) anything: *T. è vanità*, all is vanity; *T. cambia*, everything changes; *T. dipende da questo*, everything depends on that; *T. è finito bene*, everything ended up well; *T., piuttosto che cedere*, anything rather than give in; **t. compreso**, inclusive of everything; (*comm.*) all in; **t. compreso**, inclusive of everything; (*comm.*) all in; *Ecco t.*, that's all; *È t. a posto!*, all is well; *È t. qui*, that is all; *E non è t.*, and that's not all; *Mio marito mangia di t.*, my husband will eat anything; *Ha fatto di t., ma non è riuscito*, he did all he could, but without success; *Fa di t. per avere quel posto*, she is doing all she can to get that job; *Prima di diventare attore ha fatto di t.*, he did all sorts of jobs before becoming an actor; *Penserà lui a t.*, he will take care of everything **2** (al pl.) all; (*ognuno*) everybody, everyone; (*ciascuno*) each (one): *Lo sanno tutti*, everybody knows; *Dicono tutti la stessa cosa*, everybody says the same thing; they all say the same thing; *Nei paesi tutti si conoscono*, in a village everyone knows everyone else; *Li guardai tutti uno per uno*, I looked at each (one) in turn; *Zitti tutti!*, quiet, everyone! **3** (al pl.) (*noi tutti*) all of us, we all (sogg.); us all (compl.); (*voi tutti*) all of you, you all; (*tutti loro*) all of them, they all (sogg.); them all (compl.): *Ci saremo tutti*, all of us will be there; we will all be there; *Se ne*

andarono tutti, all of them (o they all) left; *Prendili tutti*, take all (of them) **4** (*la cosa più importante*) everything; the most important thing: *La bellezza non è t.*, beauty is not everything; *In questo lavoro la pazienza è t.*, patience is the most important thing in this job ● **t. il contrario**, quite the opposite (o the contrary) □ **T. fa** (o **serve**), every little helps □ **t. quanto**, everything; all of it; the lot (*fam.*) □ **t. sommato**, all things considered; all in all □ **t. t.**, absolutely everything □ **con t. che** (*sebbene*), although; though □ **del t.**, quite; entirely; completely: *Non è del t. cattivo*, he is not altogether bad; *Non ne sono del t. sicuro*, I'm not entirely sure □ **È t. dire!**, and that's saying something (o a lot)! □ (*naut.*) **fuori t.**, overall □ **in t.**, in all; altogether: *Ce n'erano cinque in t.*, there were five in all; *Quanto fa in t.?*, how much is it altogether? □ **in t. e per t.**, entirely; complete (agg.); through and through: **fidato in t. e per t.**, entirely trustworthy; **un galantuomo in t. e per t.**, an honest man through and through □ (*prov.*) **T. è bene quel che finisce bene**, all's well that ends well □ **t. vale** (*ogni cosa*) everything: *Il t. è più della somma delle parti*, the whole is more than the sum of its parts; *Il t. vi sarà dato domani*, everything will be given you tomorrow; **formare un t.**, to constitute a whole; **giocare il t. per il t.**, to risk one's all; to go for broke (*fam.*).

tuttofàre A a. inv. **1** general: **domestica t.**, general maid; maid of all work; **uomo t.**, handyman*; odd-jobman* **2** (*di oggetto*) multi-purpose B m. e f. inv. factotum; dogsbody (*fam.*).

tuttologìa f. know-all attitude.

tuttòlogo m. (f. **-a**) (*fam.*) all-round expert; polymath; (*iron.*) know-all, know-it-all.

tuttopónte a. inv. (*naut.*) full-deck (attr.).

♦**tuttòra** avv. still: *Credo che sia t. in Marocco*, I think she is still in Morocco.

tuttotóndo m. – (*scult.*) **a t.**, in the round.

tutù m. inv. tutu.

tùzia f. (*chim.*) tutty.

tuziorìsmo m. (*filos.*) tutiorism.

tuziorìsta (*filos.*) m. e f. tutiorist.

tuziorìstico a. (*filos.*) tutiorist (attr.).

♦**tv** A f. inv. → **televisione**; **televisore** B a. inv. → **televisivo** C m. inv. – tv color, colour TV.

TV abbr. (**Treviso**).

TVB sigla (*fam.*, **ti voglio bene**) I am fond of you, I love you.

TVC sigla (**televisione a colori**) colour TV.

tweed (*ingl.*) m. inv. (*ind. tess.*) tweed: **giacca di t.**, tweed jacket.

twist (*ingl.*) m. inv. (*ballo*) twist: **ballare il t.**, to twist.

twistóre m. inv. (*fis.*) twistor.

tze-tze → **tse-tse**.

tzigàno → **zigano**.

u, U

U, u f. o m. (*diciannovesima lettera dell'alfabeto ital.*) U, u ● (*telef.*) **u come Udine**, u for Uniform □ **a U**, U-; U-shaped: **curva a U**, hairpin bend; **inversione a U**, U-turn; **valle a U**, U-shaped valley; U-valley.

uàdi m. (*geogr.*) wadi, wady.

UAI sigla (**Unione astrofili italiani**) Italian Amateur Astronomers Union.

ubbìa f. (*pregiudizio*) prejudice; (*fissazione*) fixation, crotchet, fancy notion, fancy; (*paura*) groundless fear.

♦**ubbidiènte** a. **1** obedient; dutiful; (*osservante*) observant, compliant: **bambino u.**, obedient child; (*cittadino*) a., law-abiding citizen; **figlia u.**, dutiful daughter **2** (*docile*) docile; submissive; biddable.

ubbidiènza f. **1** (*l'ubbidire*) obedience; (*osservanza*) observance, compliance: **u. alla legge [alle regole]**, observance of the law [of rules]; **u. a un ordine**, compliance with an order **u. assoluta**, total obedience; **u. cieca [passiva, pronta, assoluta]**, blind [passive, prompt, unquestioning] obedience; **dovere o. a q.**, to owe obedience to sb.; **esigere u.**, to demand obedience; **imporre l'u.**, to enforce obedience **2** (*l'essere ubbidiente*) dutifulness; (*docilità*) docility, submissiveness; (*sottomissione*) submission: **ridurre all'u.**, to reduce (o to bring) into submission **3** → **obbedienza**.

♦**ubbidire** v. i. e t. **1** to obey (sb., st.); (*assol., anche*) to do* as one is told; (*essere osservante di*) to obey (st.), to observe (st.), to comply with (st.); (*seguire, attenersi a*) to follow (st.), to abide by: **u. ai genitori**, to obey one's parents; **u. alle leggi**, to obey (o to abide by) the law; **u. a un ordine**, to obey an order; **u. alla voce della coscienza**, to follow one's conscience; *Ubbidisci!*, do as you are told!; *Ubbidisci al papà!*, do as your father says!; **farsi u.**, exact obedience: to make (sb.) obey one; *Sa farsi u.*, she commands obedience; *Non riesco a farmi u. dal cane*, I can't make the dog obey me; **rifiutarsi di u.**, to refuse to obey **2** (*di macchina e sim.: rispondere*) to respond; to answer; to obey: **u. allo sterzo**, to respond to the steering wheel; **u. al timone**, to answer the helm; *L'auto non ubbidiva più ai comandi*, the car was out of control; *Non mi ubbidisce la gamba*, my leg won't obey me **3** (*fig.: cedere, rassegnarsi*) to yield; to submit; to bow; to give* in: **u. alla necessità**, to bow to necessity **4** (*essere soggetto*) to be under (sb.'s) rule; to be subject to.

ubèro a. skewbald.

ubertà f. (*lett.*) fertility; fruitfulness.

Ubèrto m. Hubert.

ubertosità → **ubertà**.

ubertóso a. (*lett.*) fertile; fruitful.

ubicàre v. t. to locate; to situate; (*al passivo, anche*) to be sited, (*essere rivolto*) to face.

ubicàto a. located; situated; (*rivolto*) facing (*north, south, etc.*).

ubicazióne f. location; site; situation; position: **l'u. di un palazzo**, the location (o the site) of a building; **l'u. di un terreno**, the position of a piece of land; *Non ne conosco l'esatta u.*, I don't know its exact location (o where it is exactly).

ùbi consìstam (*lat.*) loc. m. inv. **1** (*punto d'appoggio*) fixed point, foothold; (*punto di partenza*) starting point; (*punto di riferimento*) point of reference **2** (*fondamento*) foundation; basis*.

ubiquìsta A m. e f. (*relig.*) ubiquitarian B a. **1** (*relig.*) ubiquitarian **2** (*ecol.*) ubiquitous.

ubiquità f. ubiquity; ubiquitousness; omnipresence: **avere il dono dell'u.**, to have the gift of ubiquity; (*fig.*) to be omnipresent; (*fam.*) *Non ho mica il dono dell'u.!*, I can't be in two places at once!

ubiquitàrio A m. (f. **-a**) (*relig.*) ubiquitarian B a. **1** (*relig.*) ubiquitarian **2** (*presente ovunque*) ubiquitous **3** (*ecol.*) ubiquitous.

ubriacaménto m. → **ubriacatura**.

ubriacàre A v. t. **1** to make* drunk; to get* drunk; to intoxicate; to inebriate: *Basta un bicchiere per ubriacarlo*, one glass is enough to get him drunk; **un vino che ubriaca subito**, a wine that goes to your head immediately **2** (*fig.*) to intoxicate; to inebriate; to dazzle; to make* (sb.'s) head spin; (*di profumo e fig.*) to be heady: **u. di lodi**, to intoxicate with praise **u. di promesse**, to dazzle with promises; *Il successo l'ha ubriacato*, success has gone to his head B **ubriacàrsi** v. i. pron. **1** to get* drunk; to become* intoxicated (o inebriated): **ubriacarsi facilmente**, to get drunk easily; **ubriacarsi di whisky**, to get drunk on whisky; **ubriacarsi per dimenticare**, to get drunk to forget; **bere fino a ubriacarsi**, to get drunk **2** (*fig.*) to become* intoxicated (o inebriated) (by); to let* (st.) go to one's head; (*infatuarsi*) to become* infatuated (with), to fall* madly in love (with): **ubriacarsi di potere**, to let power go to one's head.

ubriacatùra f. **1** intoxication; inebriation; getting drunk: **prendersi un'u.**, to get drunk; **prendersi un'u. solenne**, to get roaring drunk; to drink oneself under the table **2** (*fig.*) intoxication; inebriation; (*infatuazione*) infatuation: **prendersi un'u. per q.**, to become infatuated with sb.

ubriachézza f. drunkenness; intoxication: **in stato di u.**, in a state of intoxication; in a drunken state; (*leg.*) drunk and incapable; **guida in stato di u.**, drink driving (*GB*); drunk driving (*USA*); **arrestare q. per u. molesta**, to arrest sb. for being drunk and disorderly; **smaltire l'u.**, to sober up; **intontimento da u.**, drunken stupor.

♦**ubriàco** A a. **1** drunk (generalm. pred.); drunken (attr.); intoxicated; inebriated: **u. di birra**, drunk on beer; **un vecchio u.**, a drunken old man; **u. fradicio**, dead (o blind, roaring) drunk; soaked (*fam.*); plastered (*slang*); pissed (*volg. slang*); **tornare a casa u.**, to come home drunk **2** (*fig.: inebriato*) drunk, intoxicated, inebriated; (*infatuato*) infatuated, besotted; (*stordito*) dazed, befuddled: **u. d'amore**, intoxicated (o besotted) with love; **u. di suoni e di luci**, dazed by the lights and the noise; **u. di stanchezza**, dead tired; **u. di sonno**, half asleep B m. (f. **-a**) drunken person; drunk: **rissa tra ubriachi**, drunken brawl; **sonno da u.**, drunken sleep.

ubriacóne m. (f. **-a**) drunkard; drunk; soak (*fam.*); sot (*fam.*); boozer (*fam.*).

ucàse → **ukase**.

uccellagióne f. **1** (*la cattura*) bird-catching **2** (*gli uccelli catturati*) bag.

uccellàia f. **1** multitude of birds; birds (pl.) **2** → **uccellanda**.

uccellàio m. (*allevatore*) songbird breeder; (*venditore*) songbird seller.

uccellàme m. bag.

uccellànda f. bird trap; bird-catching place.

uccellàre A v. i. to catch* birds; (*con trappole*) to snare birds; to go* bird-catching: **u. col falcone**, to hawk B v. t. (*lett.*) to fool; to hoodwink.

uccellatóio m. → **uccellanda**.

uccellatóre m. (f. **-trice**) bird catcher.

uccellétto m. **1** little bird; small bird **2** (*cucina*) – **uccelletti scappati**, slices of veal with stuffing; **fagioli all'u.**, beans cooked in oil with sage and tomato sauce.

uccellièra f. aviary.

uccellino m. **1** small bird; little bird; birdie (*fam.*); dicky bird (*infant*); (*nel nido*) nestling; (*che ha appena messo le penne*) fledgeling **2** (al pl.) (*cucina*) small birds ● (*fig.*) **mangiare come un u.**, to eat like a bird □ (*scherz.*) **Me l'ha detto un u.**, a little bird told me.

♦**uccèllo** m. **1** bird; fowl*: **u. acquatico**, aquatic bird; (al pl., collett.) waterfowl; **u. canoro**, songbird; warbler; **u. corridore**, runner; **u. da gabbia**, cage bird; **u. da richiamo**, decoy; **u. di nido**, nestling; **u. di passo**, bird of passage; **u. fischiatore**, whistler; **u. marino**, sea bird; **u. migratore**, migratory bird; migrant; **u. notturno**, nocturnal (o night) bird; **u. palustre**, wader; **u. rapace** (o **di rapina**, **predatore**), bird of prey; raptor; **andare a caccia di uccelli**, to go bird-shooting; (*di uccelli acquatici*) to go fowling; **nido di u.**, bird's nest; **osservazione degli uccelli**, bird-watching **2** (*zool.*) – **u. azzurro** (*Sialia*), bluebird; **u. del paradiso** (*Paradisea*), bird of paradise; **u. delle tempeste** (*Hydrobates pelagicus*), storm (o stormy) petrel; Mother Carey's chicken; **u. gatto** (*Dumetella carolinensis*), catbird; **u. lira** (*Menura superba*), lyrebird; **u. mosca**, hummingbird; **u. parasole** (*Cephalopterus ornatus*), umbrella bird; **u. sarto** (*Orthotomus sutorius*), tailor bird; **u. serpente** (*Anhinga*), darter; snakebird **3** (*volg.*) prick; dick; willy; pecker ● (*fig.*) **u. del malaugurio**, bird of ill omen □ (*fig.*) **uccel di bosco**, escapee; runaway: **essere u. di bosco**, to be on the run □ (*fig.*) **a volo d'u.**, (*dall'alto*) bird's-eye (attr.); (*rapidamente*) cursorily (avv.), cursory (agg.) □ (*prov.*) **A ogni u. il suo nido è bello**, there's no place like home.

♦**uccidere** A v. t. **1** to kill; to slay* (*lett.*); (*con arma da fuoco, anche*) to shoot*; (*assassinare*) to murder, (*una figura politica*) to assassinate; (*un animale ferito o malato*) to destroy, to put* down: **u. a botte [a sassate, a cornate]**, to beat [to stone, to gore] to death; **u. a sangue freddo**, to kill in cold blood; **u. con una pugnalata**, to stab to death; **u. con la spada**, to kill with a sword; **u. in batta-**

glia [**in duello**], to kill in battle [in a duel]; **u. il maiale**, to kill the pig; *Fu ucciso da una pallottola al cuore*, he was shot through the heart; *Fu ucciso da un cecchino*, he was shot by a sniper; *Gli hanno ucciso il padre*, his father was murdered; *San Giorgio uccise il drago*, St George slayed the dragon; (*Bibbia*) *Non u.*, thou shalt not kill; **farsi u.**, to get oneself killed **2** (*condurre alla morte*) to kill: *La polmonite lo uccise in due settimane*, pneumonia killed him in two weeks; *Lo hanno ucciso i dispiaceri*, he died of a broken heart **3** (*fig.*: *prostrare*) to kill: *Questo caldo mi uccide*, this heat is killing me; *La noia mi uccide*, I am bored to death **4** (*distruggere*) to kill; to destroy; to shatter; (*eliminare*) to kill off; (*mandare in rovina*) to ruin: **u. ogni entusiasmo**, to destroy (o to kill) all enthusiasm; **u. una pianta**, to kill a plant; **i raccolti**, to ruin the crops; **u. un sapore**, to kill a flavour; **u. una speranza**, to shatter a hope **B uccidersi v. rifl.** (*suicidarsi*) to kill oneself; to commit suicide: **uccidersi col gas**, to kill oneself with gas; to gas oneself; **uccidersi sparandosi**, to shoot oneself **C uccidersi v. rifl. recipr.** to kill each other [one another] **D uccidersi v. i. pron.** (*perdere la vita*) to get* killed; to be killed: *Si è ucciso cadendo dal tetto*, he fell from the roof and was killed; he was killed when he fell from the roof; **uccidersi col bere**, to drink oneself to death.

uccisióne f. killing; slaying (*lett.*); (*con arma da fuoco, anche*) shooting; (*omicidio, assassinio*) murder, killing, (*di figura politica*) assassination; (*di animale, anche*) kill.

ucciso A a. killed; dead; slain (*lett.*); (*con arma da fuoco, anche*) shot (pred.); (*assassinato*) murdered, (*di figura politica*) assassinated: **i nemici uccisi**, the dead enemies; **restare u.**, to get killed **B** m. (f. **-a**) dead person; victim: *L'u. era un noto avvocato*, the victim was a well-known lawyer; **gli uccisi**, the victims; (*in battaglia*) the dead, the slain.

uccisóre m. killer; slayer (*lett.*); (*omicida, assassino*) murderer, (*di figura politica*) assassin.

Ucràina f. (*geogr.*) Ukraine.

ucraino a. e m. (f. **-a**) Ukrainian.

ucrònico a. uchronic.

UD abbr. (*Udine*).

UDC sigla (*polit.*, **Unione dei Democratici Cristiani e di Centro**) Union of Christian and Centre Democrats.

udènte A a. hearing; (*eufem.*) **non u.**, hearing-impaired; deaf **B** m. e f. hearing person; (*eufem.*) **non u.**, hearing-impaired person; deaf person; **sottotitolato per i non udenti**, subtitled for the hearing impaired.

UDEUR abbr. (*polit.*, **Unione democratici per l'Europa**) Union of Democrats for Europe.

UDI sigla (**Unione donne italiane**) Italian Women's Association.

udibile a. audible; that can be heard: **appena u.**, barely audible; **uno scoppio u. a grande distanza**, an explosion that can be heard at a great distance.

udibilità f. audibility: **soglia di u.**, audibility threshold.

udiènza f. **1** (*ascolto*) hearing: **dare u. a q.**, to give sb. a hearing; to listen to sb.; **trovare u. presso q.**, to get a hearing with sb. **2** (*incontro*) audience; (*colloquio*) interview: **u. papale** (o **pontificia**), audience with the Pope; **u. privata**, private audience; **chiedere** [**concedere, ottenere**] **u.**, to request [to grant, to be granted] an audience **3** (*leg.*) hearing; sitting; session: **u. a porte chiuse**, (*civile*) hearing in chambers; (*penale*) trial in camera; **u. in tribunale**, hearing in court; **u. pubblica**, hearing in open court; *L'u. è fissata per domani*, the case will be heard (o

comes up) tomorrow; **in pubblica u.**, in open court; **giorno di u.**, day of hearing; **ruolo delle udienze**, cause list; court calendar (*USA*) **4** (*pubblico*) audience: **u. televisiva**, TV audience.

udinése A a. of Udine; from Udine **B** m. e f. native [inhabitant] of Udine.

♦**udìre** v. t. **1** to hear*: *Udii un tonfo*, I heard a thud; *Si udì un grido*, a cry was heard; *Non odo nulla*, I can't hear a thing; *Non ne ho mai udito parlare*, I've never heard of it; *Ho udito male, oppure...?*, did I mishear, or...? **2** (*ascoltare*) to hear*; to listen to; to follow: **u. la Messa**, to hear mass; **u. le lezioni di q.**, to attend sb.'s classes, to follow sb.'s lectures; **u. le preghiere di q.**, to hear sb.'s prayers; (*leg.*) **u. i testimoni**, to hear the witnesses; *Udite!*, listen all!; hear ye! (*stor.* o *scherz.*) **3** (*venire a sapere*) to hear*; to learn*: *Ho udito che...*, I've heard that...

uditivo a. auditory; auditive: **campo u.**, range of audibility; **organo [nervo] u.**, auditory organ [nerve]; **potenza uditiva**, auditory power.

udito m. hearing: **u. fine**, acute (o keen) hearing; (*iron.*) sharp ears (pl.); **u. debole**, poor hearing; **perdere l'u.**, to lose one's hearing; **duro di u.**, hard of hearing; **privo di u.**, deaf; **disturbi dell'u.**, hearing complaints (o troubles); **senso dell'u.**, sense of hearing.

uditòfono m. hearing aid; earphone.

uditóre m. (f. **-trìce**) **1** hearer; (*ascoltatore*) listener **2** (*a scuola*) student sitting in on a class; auditor (*USA*): **essere u.**, to sit in on a class; to audit (*USA*) **3** (*leg.*) auditor.

uditòrio m. audience; listeners (pl.); (*seguito*) following: **u. attento**, attentive audience; **vasto u.**, large audience; vast following; **parlare a un folto u.**, to address a large audience.

udometria f. (*meteor.*) udometry.

udomètrico a. (*meteor.*) udometric.

udòmetro m. (*meteor.*) udometer; rain gauge.

UE sigla (**Unione europea**) European Union (EU).

uè inter. (*pianto di neonato*) waa!

ué inter. (*escl. di richiamo, meraviglia*) hey!

UEM sigla (**Unione economica e monetaria**) Economic and Monetary Union (EMU).

UEO sigla (**Unione dell'Europa occidentale**) Western European Union (WEU).

UER sigla (**Unione europea di radiodiffusione**) European Broadcasting Union (EBU).

uff, ùffa inter. phew!; ooh!: *Uff, che caldo!*, phew, it's hot!; *Uff, come sei seccante!*, what a nuisance you are!; *Uff, il treno è di nuovo in ritardo*, the damn train is late again!

uff. abbr. **1** (**ufficiale**) official **2** (*mil.*, **ufficiale**) officer **3** (**ufficio**) office, bureau.

♦**ufficiàle** ① a. **1** official; for the record (pred.): **dichiarazione u.**, official statement; **notizia u.**, official news; **non u.**, unofficial; off the record; **in veste u.**, in an official capacity; **in via u.**, officially; **rendere u.**, to make official **2** (*formale*) formal; official: **cerimonia u.**, official ceremony; **visita u.**, formal (o official) visit; **non u.**, informal.

♦**ufficiàle** ② m. **1** (*funzionario*) official; officer: **u. di dogana**, customs officer; (*sport*) **u. di gara**, official; referee; umpire; (*naut.*) **u. di macchina**, engine-room officer; engineer; **u. di polizia**, police officer; **u. di stato civile**, registrar (of births, marriages and deaths); (*leg.*) **u. giudiziario**, bailiff; process-server; **u. postale**, postmaster (m.); postmistress (f.); **u. sanitario**, health offi-

cer; medical officer; (*naut.*) **primo u.**, first mate; **pubblico u.**, public official **2** (*mil.*) officer: **u. comandante**, commanding officer; **u. dell'esercito [di aviazione, di marina]**, army [air force, naval] officer; **u. del genio**, engineer officer; **u. di collegamento**, liaison officer; **u. di complemento**, reserve officer; **u. di guardia**, officer on watch; **u. di picchetto** (o **di servizio, di giornata**), officer of the day; orderly officer; (*naut., aeron.*) **u. di rotta**, navigation officer; **u. di stato maggiore**, staff officer; (*naut.*) **u. di vascello**, commissioned officer; **u. effettivo**, regular officer; **u. medico**, medical officer; **u. pagatore**, paymaster; **u. subalterno**, junior officer; subaltern; **u. superiore**, senior officer; field officer; **alto u.**, high-ranking officer.

ufficialéssa f. → **ufficiale** ②.

ufficialétto m. young officer.

ufficialità ① f. official character (o nature).

ufficialità ② f. (*mil.*) officers (pl.).

ufficializzàre v. t. to make* official; to officialize.

ufficializzazióne f. making official; officialization.

ufficialménte avv. officially; (*in veste ufficiale*) in an official capacity.

ufficiànte (*eccles.*) **A** a. officiating **B** m. officiant.

ufficiàre **A** v. i. (*eccles.*) to officiate **B** v. t. **1** (*eccles.*) to serve (a church) **2** (*bur.*) to invite.

ufficiatùra f. (*eccles.*) officiation.

♦**ufficio** m. **1** (*dovere*) duty, office, obligation; (*compito*) task: **u. di madre [di insegnante]**, a mother's [a teacher's] duty **2** (al pl.) (*servigi, aiuto*) offices: **grazie ai buoni uffici di q.**, through sb.'s good offices **3** (*incarico, incombenza*) assignment; task; brief: *Fu mandato con l'u. di arbitro*, he was sent to act as an arbitrator **4** (*funzione*) function, office; duty; (*carica*) office, -ship (suff.); (*posizione*) position: **u. di giudice**, office of judge; judgeship; **u. di tesoriere**, office of treasurer; treasurership; **esercitare l'u. di presidente**, to hold the office of chairman; **ricoprire un u. importante**, to hold an important office (o position); **d'u.**, official; (*leg.*) issued [appointed, etc.] by the court; (*leg.*) **difesa d'u.**, legal aid; (*leg.*) **difensore d'u.**, counsel for the defence appointed by the court; public defender (*USA*); (*leg.*) **nominato d'u.**, appointed by the court; (*leg.*) **perseguibile d'u.**, indictable; (*leg.*) **provvedimento d'u.**, court decision; **provvedere d'u.**, to act on one's own motion; **ragioni d'u.**, official reasons; **scrivere d'u.**, to write officially; **segreto d'u.**, official secret **5** (*org. az.: compito*) job; post; position; (*posto di lavoro*) office; (*i locali, anche*) (office) premises (pl.): **l'u. del direttore**, the director's office; **u. centrale**, central office; headquarters (pl.); **arrivare in u.**, to get to the office; **essere in u.** [**nel proprio u.**], to be at the office [in one's office]; *Lo sa tutto l'u.*, the whole office knows about it; **traslocare in nuovi uffici**, to move to new premises; **forniture per u.**, office supplies; **indirizzo d'u.**, business address; **lavoro d'u.**, clerical work; office job; **mansioni di u.**, clerical duties; **orario d'u.**, office hours (pl.); business hours (pl.); **palazzo di uffici**, office block; **personale d'u.**, clerical staff **6** (*reparto*) department, office; (*filiale*) branch; (*agenzia*) agency, bureau*: (*di istituti di credito, società finanziarie, ecc.*) **uffici amministrativi**, back-office; **u. cassa**, cash department (o office); **u. commerciale**, sales department; **u. contabilità**, accounts department; **u. crediti** (o **fidi**), credit department; **u. del catasto**, land (registry) office; **u. delle imposte**, tax (o revenue) office; **u. del perso-**

nale, personnel (department); **u. di stato civile**, register's office; registry; **u. di collocamento**, employment (*o* labour) exchange; jobcentre; **u. distaccato**, branch office; **u. estero**, overseas office; **u. informazioni**, inquiry office; information bureau; (*per turisti*) visitors bureau; (*in albergo, aeroporto, ecc.*) information desk; **u. legale**, legal department; **u. oggetti smarriti**, lost-property (office); **u. (del) personale**, personnel department; **u. postale**, post office; **u. prenotazioni**, booking office; **u. spedizioni**, shipping department; (*comm.*) **u. vendite**, sales department **7** (*eccles.*) office; service: **u. divino**, divine office; **u. funebre**, funeral service; office of the dead; **dire l'u.**, to say office.

ufficiosaménte *avv.* unofficially; off the record.

ufficiosità *f.* unofficial character.

ufficióso *a.* **1** unofficial; off the record (pred.); off-the-record (attr.): **comunicazione [fonte] ufficiosa**, unofficial statement [source]; **in via ufficiosa**, unofficially; off the record; *Quello che ti dico è del tutto u.*, what I'm telling you is strictly off the record **2** – **bugia ufficiosa**, white lie.

uffizio *m.* **1** → **ufficio 2** (*eccles.*) – **il Sant'U.**, the Holy Office.

ùfo *vc.* – **a ufo**, without paying; for nothing; **mangiare a ufo**, to scrounge a meal; **vivere a ufo**, to live off others; to scrounge.

ÙFO, Ùfo *m. inv.* UFO*; Unidentified Flying Object.

ufologìa *f.* ufology.

ufològico *a.* ufological.

ufòlogo *m.* (f. *-a*) ufologist.

ugandése *a., m. e f.* Ugandan.

ugèllo *m.* (*mecc.*) nozzle; (*di altoforno*) tuyère (*franc.*).

ùggia *f.* **1** (*noia*) tedium; boredom: *Questa pioggia ti mette l'u. addosso*, this rain gets you down; *Mi è venuto in u.*, I've grown tired of it; it has become tedious **2** (*antipatia*) dislike: **avere in u. q.**, to dislike sb.; **prendere in u. q.**, to take a dislike to sb.

uggiaménto *m.* whining; whimpering.

uggiolàre *v. i.* to whine; to whimper.

uggiolìna *f.* – **u. allo stomaco**, vague sensation of hunger; **sentire una certa u. allo stomaco**, to feel peckish.

uggiolìo *m.* whining; whimpering.

uggiosità *f.* **1** (*rif. al tempo*) gloominess; dullness **2** (*noiosità*) tediousness; dreariness; dullness **3** (*molestia*) tiresomeness; irksomeness.

uggióso *a.* **1** (*del tempo*) grey; dull **2** (*noioso*) boring; tedious; dreary; dull **3** (*irritante*) tiresome; irritating **4** (*inquieto, irritabile*) irritable; fretful: *Il brutto tempo mi rende u.*, bad weather makes me irritable (*o* gets me down).

UGL *sigla* (**Unione generale del lavoro**) General Labour Union.

ugnatùra *f.* (*tecn.*) chamfer; bevel.

ugnèlla → **unghiella**.

ugnétto *m.* burin; chisel.

Ùgo *m.* Hugh.

ùgola *f.* **1** (*anat.*) uvula* **2** (*estens.: voce*) voice; (*gola*) throat: **u. d'oro**, wonderful voice; (*scherz.*) **rinfrescarsi l'u.**, to have a drink; to wet one's whistle.

ugonòtto *a., m.* (f. *-a*) (*stor.*) Huguenot.

ùgrico *a.* (*ling.*) Ugric; Ugrian.

ùgro-fìnnico *a. e m.* Finno-Ugric.

uguagliaménto *m.* equalization; equalizing; (*livellamento*) levelling off.

♦**uguaglianza** *f.* **1** (*identità*) identity, sameness; (*uniformità*) uniformity, sameness: **u. di vedute**, identity of opinions; *Il romanzo ha una certa u. di stile*, there is a certain sameness of style in the novel **2** (*pa-*

rità) parity; equivalence **3** (*tra gli esseri umani*) equality: **u. dei diritti**, equality of rights; equal rights (pl.); **u. tra i sessi**, equality of the sexes; **u. tra gli uomini**, equality among men; **su una base di u. con**, on an equal footing with **4** (*mat.*) equality; (*equazione*) equation: **segno d'u.**, equal (*o* equals) sign.

uguagliàre **A** *v. t.* **1** (*rendere uguale*) to equalize; to make* equal; to level: **u. redditi [imposte]**, to equalize incomes [taxes]; *La morte uguaglia tutti*, death makes all men equal; death is the great leveller **2** (*pareggiare*) to even out; (*tagliando*) to trim; (*livellare*) to level (out, off): **u. le differenze sociali**, to even out social differences; **u. una siepe**, to trim a hedge; **u. il terreno**, to level off the ground **3** (*essere uguale a*) to equal; to be equal to; to match: **u. q. in bravura**, to equal sb. in skill; **u. il proprio maestro**, to equal one's teacher; (*sport*) **u. un record**, to equal a record; *La sua forza uguaglia la tua*, his strength matches yours; he is your equal (*o* match) in strength; *Nessuno lo uguaglia in egoismo*, he has no equal for selfishness **4** (*considerare uguale*) to consider equal; (*paragonare*) to compare; to equal: *Non lo si può u. al predecessore*, he cannot be compared (*o* equalled) to his predecessor; (*è inferiore*) he doesn't compare with his predecessor **B uguagliàrsi** *v. rifl.* to consider oneself equal; (*paragonarsi*) to compare oneself **C uguagliàrsi** *v. i. pron.* to be equal; to be even; to level out.

♦**uguàle** **A** *a.* **1** (*pari*) equal: **u. vantaggio**, equal advantage; **uguali diritti**, equal rights; **parti uguali**, equal parts; **uguali davanti alla legge**, equal before the law; **di u. peso [grandezza]**, the same weight [size]; **uguali di statura**, the same height; **in ugual grado**, to an equal degree; equally; to the same extent; *Non ce n'è un altro u. a lui*, he has no equal; *Per me è u.* (*non fa differenza*), it's all the same to me **2** (*simile*) like; alike (pred.); (*identico*) the same, identical: (*comm.*) **u. al campione**, up to sample; (*fam.*) **u. identico**, identical; a perfect match; **uguali come due gocce d'acqua**, as like as two peas in a pod; **uguali tra loro**, like each other; *Questo vestito è u. a quello*, this dress is the same as that; *Voglio un bottone u. a questo*, I want a button like this one; *È u. al mio*, it is like (*o* the same as, identical to) mine; *Sono proprio uguali*, they are exactly the same; they are identical; **quasi uguali**, almost the same; very close; very similar **3** (*piano, liscio, regolare*) even; smooth: **superficie u.**, even (*o* flat) surface; *L'orlo non è u.*, the edge is not even (*o* is uneven) **4** (*che non cambia*) unchanged, the same; (*uniforme*) even, regular, unvaried, equable; **clima sempre u.**, equable climate; **paesaggio sempre u.**, unvaried landscape; **voce u.**, even voice; **camminare con passo u.**, to walk at a regular pace; *La temperatura era sempre u.*, the temperature was unchanged (*o* had not changed); **essere u. a sé stesso**, to be consistent; *Io sono u. con tutti*, I treat everyone in the same way **5** (*mat.*) equal: **espressioni [figure] uguali**, equal expressions [figures]; **tre più quattro (è) u. a sette**, three and four equals (*o* is, makes) seven; *Sia x u. a y*, let x be the equal of y; *Sia x u. a zero*, let x equal zero **B** *avv.* the same; alike: *Costano u.*, they cost the same; **alti u.**, the same height **C** *m. e f.* equal; match: **non avere u.** (*o* **uguali**), to have no equal; to be unrivalled (*o* matchless), **D** *m.* (*mat.*) equal (*o* equals) sign.

ugualitàrio → **egalitario**.

ugualitarìsmo → **egalitarismo**.

ugualménte *avv.* **1** (*allo stesso modo*) equally; alike: *Vi ringrazio u. entrambi*, I thank you both equally **2** (*malgrado tutto*) all the same; nevertheless: *Ci riuscirà u.*, she'll

manage all the same; *L'ho fatto u.*, I've done it all the same.

♦**uh** *inter.* **1** (*escl. di disgusto*) ugh! **2** (*escl. di dolore*) ouch! **3** (*escl. di sorpresa*) oh!

♦**uhm** *inter.* **1** (*escl. di incertezza*) hum!; hmmm... **2** (*escl. di scetticismo*) humph!

UIC *sigla* **1** (**Ufficio italiano cambi**) Italian Exchange Bureau **2** (**Unione italiana ciechi**) Italian Institute for the Blind.

UICC *sigla* **1** (**Unione italiana circoli del cinema**) Italian Cinema Clubs Association **2** (**Unione internazionale contro il cancro**) International Association Against Cancer.

UIL *sigla* **1** (*ONU*, **Ufficio internazionale del lavoro**) International Labour Organization **2** (**Unione italiana del lavoro**) Italian Federation of Trade Unions.

UILDM *sigla* (**Unione italiana lotta alla distrofia muscolare**) Italian Muscular Dystrophy Association.

UISP *sigla* (*sport*, **Unione italiana sport per tutti** (*ora* **sport popolare**)) Italian Sport For All Association.

uistitì *m.* (*zool.*, *Callithrix jacchus*) marmoset.

UITS *sigla* (*CONI*, **Unione italiana tiro a segno**) Italian Rifle Association.

ukàse *m. inv.* (*stor. e fig.*) ukase.

ukulèle *m. o f.* (*mus.*) ukulele.

ulàno *m.* (*mil. stor.*) uhlan.

ùlcera *f.* (*med.*) **1** ulcer; (*della pelle, anche*) sore: **u. gastrica [duodenale]**, gastric [duodenal] ulcer; **u. molle** (*o* **venerea**), chancroid; **u. perforata**, perforated ulcer; **u. varicosa**, varicose ulcer **2** (*com.: ulcera gastrica*) stomach ulcer: **avere l'u.**, to have a stomach ulcer.

ulceràrte *a.* (*med.*) ulcerating.

ulceràre *v. t. e v. i.*, **ulceràrsi** *v. i. pron.* (*med.*) to ulcerate.

ulcerativo *a.* (*med.*) ulcerous; (*che provoca ulcere*) ulcerative: **processo u.**, ulcerous process; **sostanza ulcerativa**, ulcerative substance.

ulcerazióne *f.* (*med.*) ulceration; (*della pelle, anche*) sore.

ulceróso (*med.*) **A** *a.* ulcerous **B** *m.* (f. *-a*) sufferer from a gastric or duodenal ulcer.

ùlema *m. inv.* (*relig.*) ulema; ulama.

uliganìsmo *m.* hooliganism.

uligàno *m.* hooligan.

Ulìsse *m.* Ulysses.

ulìte *f.* (*med.*) gingivitis.

ulivèlla *f.* **1** (*cuneo*) olive-shaped wedge **2** (*edil.*) lewis.

ulivista (*polit.*) **A** *a.* related to the Ulivo coalition: **candidato u.**, Ulivo candidate **B** *m. e f.* member or supporter of the Ulivo coalition.

ulìvo e *deriv.* → **olivo**, e *deriv.*

ULM *sigla* (*aeron.*, **ultraleggero a motore**) motorized ultralight

ulmària *f.* (*bot.*, *Filipendula ulmaria*) meadowsweet.

ùlmico → **umico**.

ùlna *f.* (*anat.*) ulna*.

ulnàre *a.* (*anat.*) ulnar.

ulòtrico *a.* ulotrichous.

ulterióre *a.* **1** (*lett.: più lontano*) further: *Gallia U.*, Further Gaul **2** (*nuovo*) new, fresh; (*successivo*) further, subsequent: **ulteriori istruzioni**, further instructions; **ulteriori prove**, further (*o* fresh) evidence; **fino a u. avviso**, until further notice ▶ **FALSI AMICI** ▪ ulteriore *non si traduce con* ulterior.

ulteriorménte *avv.* **1** (*ancor più*) further (on); still further **2** (*in seguito*) later (on); subsequently.

ùltima *f.* (*fam.*) **1** (*notizia, novità*) (the) lat-

est; (*barzelletta*) (the) latest joke: *Hai sentito l'u. di Gianni [su Gianni]?*, have you heard Gianni's latest [the latest on Gianni]?; *La sai l'u.? (barzelletta)*, have you heard the latest joke? **2** (*malefatta*) – *Questa è l'u. che mi fa!*, this is the last straw!; this is the limit!; (*non mi imbroglia più*) he won't catch me out again!

ultimàbile a. that can be completed (*o* finished).

ultimaménte avv. lately; of late; recently: *U. non sta bene*, she hasn't been feeling well lately; *Ci siamo visti u.*, we met recently.

ultimàre v. t. to complete; to finish; to bring* to an end: **u. un lavoro**, to complete a job; **u. i preparativi**, to complete preparations.

ultimatìvo a. final; last; peremptory.

ultimàtum m. inv. (*polit. ed estens.*) ultimatum*: **consegnare un u.**, to deliver an ultimatum; (*fig.*) **dare l'u. a q.**, to give sb. an ultimatum; **inviare un u.**, to issue an ultimatum.

ultimazióne f. completion; conclusion.

ultimìssima f. (*giorn.*) **1** (*ultima edizione*) latest edition **2** (al pl.) (*ultime notizie*) latest news Ⓤ; stop-press news Ⓤ.

◆ **ùltimo Ⓐ a. 1** (*finale*) last; (*definitivo, conclusivo*) final, finishing: **u. avviso**, final warning; **ultima chiamata**, final call; **l'u. giorno della settimana**, the last day of the week; (*telef.*) **u. miglio**, last mile; **l'u. romanzo di Verga**, Verga's last novel; **ultime parole famose**, famous last words; **ultima possibilità**, last chance; **un u. sforzo**, one last (*o* final) effort; **l'u. treno**, the last train; (*leg.*) **ultime volontà**, last will and testament; **sino all'ultimo centesimo**, down to the last cent; **arrivare u.**, to arrive last; **avere l'ultima parola**, to have the last word; **dare gli ultimi tocchi a qc.**, to give (*o* to put) the final (*o* finishing) touches to st. **2** (*il più recente*) latest, last; (*il più nuovo*) newest; (*il più moderno*) most up-to-date; (*il più giovane*) youngest; (*appena trascorso*) last, past: **l'u. film di Moretti**, Moretti's latest film; **l'ultima moda**, the latest fashion; **l'u. nato**, the youngest born; **le ultime notizie**, the latest news; **le ultime notizie che ho di lui**, the last I heard about him; **l'u. ritrovato in fatto di...**, the latest thing in...; **l'ultima volta che ci siamo visti**, the last time we met; **nella mia ultima lettera**, in my last letter; **in questi ultimi anni**, in the last few years; **nell'ultima guerra**, in the last (*o* past) war **3** (*il più lontano nello spazio*) farthest, farthermost; (*nel tempo*) remote, distant: **l'u. orizzonte**, the farthest horizon **4** (*che è all'estremità*) last; (*che è in fondo*) back (attr.); (*il più in basso*) bottom (attr.), lowest; (*il più in alto*) top (attr.), topmost, uppermost: **l'ultima casa della strada**, the last house in the street; **l'u. lembo di terra**, the last strip of land; **l'u. cassetto**, the bottom drawer; **le ultime file** (*di posti*), the back rows; **l'u. piano**, the top floor; **essere all'u. posto**, to be at the bottom of the list; (*fig.*) to rank lowest **5** (*il meno probabile, il meno indicato, ecc.*) last; (*il meno importante*) least: *Era l'ultima cosa da dirgli*, it was the last thing to say to him; *È l'ultima delle mie preoccupazioni*, it's the least of my worries; *È l'u. libro che vorrei leggere*, it's the last book I would like to read; **non u.**, not least **6** (*massimo, sommo*) supreme; highest: **le ultime vette della poesia**, the highest poetical achievements **7** (*primario, fondamentale*) ultimate: **l'ultima perfezione**, ultimate perfection; **scopo u.**, ultimate goal ● **l'u. arrivato** (*o* venuto), the last to arrive; (*fig.*) a mere nobody □ **gli ultimi arrivati** (*o* venuti), the newcomers, the new arrivals; (*in ritardo*) the latecomers □ **l'u. desiderio**, (sb.'s) dying wish □ **u. prezzo**, bottom price

□ (*comm.*) **u. scorso**, last: *La vostra del 19 u. scorso*, your letter of the 19th last □ **dell'ultim'ora**, latest (agg.): **notizie dell'ultim'ora**, latest news; breaking news; stop-press news □ **fino all'u. uomo**, to the last man; to a man: *Furono tutti d'accordo fino all'u. uomo*, they agreed to a man (*o* down to the last man, in a body) □ **in u. luogo**, finally □ **negli ultimi tempi**, lately; of late **Ⓑ** m. **1** (f. *-a*) (*di persona, nello spazio e nel tempo*) last: *L'u. chiuda la porta*, the last in [out] close the door; *Fu l'u. a uscire*, he was the last to leave; *Entrò con gli ultimi*, he came in with the last; *Parlò per u.*, he spoke last; **quest'u.** (*di due*), the latter **2** (f. *-a*) (*persona meno importante, di minor merito*) least: **l'u. della classe**, the student at the bottom of the class; **l'u. dei pittori**, the least of painters; (*nel Vangelo*) *Gli ultimi saranno i primi*, the first shall be last **3** (*ciò che chiude una successione*) last day: (*ultimo giorno*) last day: **l'u. che ho comprato**, the last one I bought; **l'u. dell'anno**, the last day of the year; (*la festività*) New Year's Eve; **l'u. del mese**, the last day of the month; **gli ultimi del mese**, the end of the month; **dal primo all'u.**, from first to last; (*tutti quanti*) every last one; **lasciare qc. per u.**, to leave st. till last (*o* for the end); **tutti fino all'u.**, every last one of them **4** (*momento finale, conclusivo*) end: **all'u.**, in the end; at the end; eventually: *All'u. sembrava convinto*, in the end he seemed convinced; **da u.**, finally; eventually; **fino all'u.**, till the end; to the last; **in u.**, in the end; eventually.

ultimogènito Ⓐ a. last-born (attr.); youngest **Ⓑ** m. (f. *-a*) last-born (child*); youngest.

ultóre m. (f. *-trice*) (*poet.*) avenger.

ùltra ① m. inv. (*stor.*) Ultra.

ultrà, ùltra ② Ⓐ a. (*polit.*) extreme; ultra: **la destra [la sinistra] u.**, the extreme Right [Left]; **esponente u.**, extremist; ultra **Ⓑ** m. e f. **1** (*polit.*) extremist; ultra; **gli u. di destra [di sinistra]**, (the) right-wing [left-wing] extremists **2** (*sport*) rowdy fan; hooligan.

ultracellulàre a. (*biol.*) ultracellular.

ultracentenàrio Ⓐ a. over a hundred years old; ultracentenarian **Ⓑ** m. (f. *-a*) ultracentenarian.

ultracentrìfuga f. (*tecn.*) ultracentrifuge.

ultracentrifugazióne f. (*tecn.*) ultracentrifugation.

ultracompàtto a. miniature (attr.); mini: **impianto stereo u.**, mini stereo set.

ultracórto a. ultrashort: (*fis.*) **onde ultracorte**, ultrashort waves.

ultracùstica f. ultrasonics (pl. col verbo al sing.); supersonics (pl. col verbo al sing.).

ultracùstico a. ultrasonic; supersonic.

ultradèstra f. (*polit.*) extreme Right.

ultrafiltrazióne f. ultrafiltration.

ultrafiltro m. ultrafilter.

ultraleggèro Ⓐ a. ultralight **Ⓑ** m. (*aeron.*) microlight; ultralight (*USA*).

ultramarino → oltremarino.

ultramicrofotografìa f. ultramicrophotography.

ultramicròmetro m. (*fis.*) ultramicrometer.

ultramicroscopìa f. (*fis.*) ultramicroscopy.

ultramicroscòpico a. (*fis.*) ultramicroscopic.

ultramicroscòpio m. (*fis.*) ultramicroscope.

ultramicròtomo m. (*scient.*) ultramicrotome.

ultramodèrno a. ultramodern.

ultramondàno → oltremondano.

ultramontanìsmo m. (*relig.*) ultramontanism.

ultramontàno ① → oltramontano.

ultramontàno ② a. (*relig.*) ultramontane.

ultrapastorizzàto a. ultra-heat treated; UHT.

ultrapastorizzazióne f. ultra-heat treatment; UHT.

ultrapiàtto a. ultrathin.

ultrapotènte a. **1** highly powerful **2** (*radio, mecc.*) high-power (attr.).

ultrarallentatóre m. (*cinem.*) ultra-slow-motion camera.

ultraràpido a. extremely fast; (*anche fotogr.*) high-speed (attr.).

ultraridótto a. miniature (attr.).

ultrarósso a. e m. (*fis.*) ultrared; infrared.

ultrasensìbile a. ultrasensitive; hypersensitive.

ultrasinistra f. (*polit.*) extreme Left.

ultrasònico a. (*fis.*) **1** ultrasonic: **onde ultrasoniche**, supersonic waves **2** (*supersonico*) supersonic: **velocità ultrasonica**, supersonic speed.

ultrasonografìa f. (*med.*) ultrasonography; ultrasound scanning.

ultrasonòro → ultrasonico.

ultrasottile a. ultrathin.

ultrastruttùra f. (*biol.*) ultrastructure.

ultrastrutturàle a. (*biol.*) ultrastructural.

ultrastrutturìstica f. (*biol., fis.*) study of ultrastructures.

ultrasuòno m. (*fis.*) ultrasound: **a ultrasuoni**, ultrasonic; ultrasound (attr.).

ultrasuonoterapìa f. (*med.*) ultrasound treatment.

ultratecnològico a. high-technology (attr.); high-tech (attr.).

ultraterréno a. ultramundane; supermundane; beyond this world (pred.): **mondo u.**, afterworld; **vita ultraterrena**, afterlife.

◆ **ultraviolétto** (*fis.*) **Ⓐ** m. ultraviolet (radiation): **u. lontano [vicino, estremo]**, far [near, extreme] ultraviolet; **fotografia all'u.**, ultraviolet photography **Ⓑ** a. ultraviolet: **raggi ultravioletti**, ultraviolet rays; **lampada a raggi ultravioletti**, ultraviolet lamp.

ultravirus → virus.

ultravuòto m. (*fis.*) ultrahigh vacuum.

ultròneo a. **1** (*lett.*) spontaneous; voluntary **2** (*leg.*) irrelevant; excessive.

ùlula f. (*zool., Surnia ulula*) hawk owl.

◆ **ululàre** v. i. **1** (*di animale*) to howl **2** (*estens.: emettere lamenti*) to howl; to ululate; to wail **3** (*del vento*) to howl **4** (*di sirena, ecc.*) to wail.

ululàto, ùlulo m. **1** (*di animale*) howl **2** (*estens.: lamento*) howl; ululation; wail **3** (*di vento*) howl; howling Ⓤ **4** (*di sirena*) wail; wailing Ⓤ.

ululóne m. (*zool., Bombina variegata*) yellow-bellied toad.

ùlva f. (*bot., Ulva lactuca*) ulva*; sea lettuce.

ulvìte f. (*miner.*) ulvospinel.

umanaménte avv. **1** (*per ciò che riguarda l'uomo*) humanly; physically: **u. possibile**, humanly possible; *Mi è u. impossibile farlo*, it's physically impossible for me to do it **2** (*con umanità*) humanely.

umanàrsi v. rifl. (*teol.*) to become* incarnate; to be made flesh.

umanazióne f. (*teol.*) incarnation.

umanèsimo m. **1** (*stor.*) Humanism **2** humanism.

umanìsta m. e f. humanist.

umanìstico a. **1** (*rif. all'umanesimo*) hu-

manistic **2** (*rif. alle lingue classiche*) classical: **studi umanistici**, classical studies **3** (*letterario*) humane; liberal; arts (attr.): **discipline umanistiche**, liberal (*o* humane) studies; humanities; **educazione umanistica**, liberal education; **facoltà umanistiche**, arts faculties.

◆**umanità** f. **1** (*natura umana*) humanity; human nature **2** (*bontà, benevolenza*) humanity; human kindness; (*qualità umane*) humaneness: **di grande u.**, deeply humane; **essere privo di u.**, to lack humanity; **trattare con u.**, to treat humanely **3** (*genere umano*) humanity; mankind; humankind: **benefattore dell'u.**, benefactors of mankind; **crimine contro l'u.**, crime against humanity **4** (*studi letterari*) (the) humanities (pl.); liberal studies (pl.).

umanitàrio A a. humanitarian; philanthropic: **aiuti umanitari**, humanitarian assistance (sing.); **dottrine umanitarie**, humanitarian doctrines B m. (f. **-a**) humanitarian; philanthropist.

umanitarìsmo m. humanitarianism.
umanitàrio a. humanitarian.
umanizzàre A v. t. **1** (*rendere più umano*) to humanize; to make* more humane **2** (*civilizzare*) to humanize; to civilize B **umanizzàrsi** v. rifl. → **umanarsi** C **umanizzàrsi** v. i. pron. **1** to become* humanized **2** (*incivilirsi*) to become* civilized.

umanizzazióne f. **1** humanization **2** (*teol.*) incarnation.

◆**umàno** A a. **1** (*di uomo, proprio dell'uomo*) human: **la condizione umana**, the human condition; **il corpo u.**, the human body; **dignità umana**, human dignity; **errore u.**, human error; **essere u.**, human being; **specie umana**, human race; **tracce di vita umana**, traces of human life **2** (*proprio della natura umana*) human; natural: **la debolezza umana**, human weakness; *È u. che voglia restare con i figli*, it's only natural that she should want to stay with her children; **sbagliare è u.**, to err is human **3** (*pieno di umanità*) human; humane; (*buono*) kind, considerate; (*comprensivo*) understanding, sympathetic: **padrone u.**, humane master; **trattamento u.**, humane treatment; *Si comportò in modo molto u. con me*, he was very understanding (*o* considerate) with me; **adoperarsi per una società più umana**, to work for a more humane society **4** (*intensamente espressivo*) humane; soulful: **lo sguardo u. di un cane**, a dog's soulful look ● (*fig.*) **la bestia umana**, the beast within (us) □ **rispetto u.**, respect for public opinion □ **scienze umane**, behavioural sciences B m. **1** (the) human: **l'u. e il divino**, the human and the divine; **non avere più nulla di u.**, to be no longer human; to have become inhuman **2** (al pl.) (*esseri umani*) human beings; humans.

umanòide a. e m. humanoid.
umàto m. (*chim.*) humate.
umbellàto a. (*bot.*) umbellate.
umbèrta vc. – **capelli all'u.**, short back and sides.
umbertino a. of the time of Umberto I.
Umbèrto m. Humbert.
umbìlico e deriv. → **ombelico**, e deriv.
umbonàto a. (*in ogni senso*) umbonate.
umbóne m. (*in ogni senso*) umbo*.
umbràtico a. (*bot, zool.*) living in the shade.
umbràtile a. (*lett.*) **1** (*in ombra*) shady; shaded **2** (*fig., di persona*) withdrawn; reserved **3** (*fig.: indefinito*) indefinable; vague; subtle.
ùmbro a. e m. (f. **-a**) Umbrian.
umettànte m. (*chim.*) humectant.
umettàre v. t. to moisten: **umettarsi le**

labbra, to moisten one's lips.
umettazióne f. moistening.
UMI sigla **1** (**Unione matematica italiana**) Italian Mathematics Union **2** (*stor.*, **Unione monarchica italiana**) Italian Royalist Union.
ùmico a. (*biol.*, *chim.*) humic: **acido u.**, humic acid.
umidézza f. dampness; moistness; humidity.
umidìccio a. dampish; moist; clammy: **clima u.**, dampish climate; **mani umidicce**, moist (*o* clammy) hands; **stanze umidicce**, dampish rooms.
umidificàre v. t. to humidify.
umidificatóre m. humidifier.
umidificazióne f. humidification.
◆**umidità** f. **1** (*l'essere umido*) humidity; dampness; (*piovosità*) wetness: **l'u. di una casa**, the dampness of a house; **l'u. di una regione**, the humidity of a region **2** (*quantità di acqua o vapore acqueo*) humidity; moisture; damp: **u. atmosferica assoluta** [*relativa*] absolute [relative] humidity; **u. dell'aria**, humidity in the air; **impregnato di u.**, damp; moist; **pieno di u.**, very damp; **macchie d'u.**, damp stains; **piante che vogliono l'u.**, plants that need a moist environment; *C'è molta u. stasera*, it is very damp tonight; **guardarsi dall'u.**, to protect oneself from the damp; (*su una confezione*) *Teme l'u.*, keep (*o* store) in a dry place.
◆**ùmido** A a. damp; moist; (*anche meteor.*) humid; (*piovoso*) wet, rainy; (*di tempo atmosferico: pesante*) sticky, muggy: **aria umida**, humid air; **capelli umidi**, damp hair; **giornata umida**, humid day; **mani umide di sudore**, hands that are moist (*o* damp) with sweat; (*fredde e appiccicose*) clammy hands; **muri umidi**, damp walls; **occhi umidi di pianto**, eyes moist with tears; **regione umida**, humid region; wet region; **straccio u.**, damp cloth; **terreno u.**, moist ground B m. **1** → **umidità**, *def. 2* **2** (*cucina*) stew: in u., stewed; **carne in u.**, stewed meat; **cuocere in u.**, to stew.
umidóre m. (*lett.*) dampness; moisture.
umìfero a. rich in humus.
umificazióne f. (*biol.*) humification.
◆**ùmile** A a. **1** (*poco elevato socialmente*) humble; lowly; modest: **umili natali**, humble birth; **provenire da una famiglia umile**, to come from a humble family (*o* a humble background) **2** (*povero, dimesso*) humble; modest: **casa u.**, modest house **3** (*inferiore, meschino*) lowly; menial: **lavoro u.**, menial task **4** (*improntato a umiltà*) humble; (*modesto*) modest: **contegno u.**, humble manners (pl.); **u. preghiera**, humble request **5** (*sottomesso*) humble; meek; submissive: **suo servo umilissimo**, your most humble servant; **mostrarsi u.**, to show submission; **rendere u.**, to humble B m. e f. humble person: **gli umili di cuore**, the humble in heart.
umiliànte a. humiliating; (*degradante*) demeaning, degrading: **compito u.**, degrading task; **offerta u.**, humiliating offer; **sconfitta u.**, humiliating defeat.
◆**umiliàre** A v. t. **1** (*lett.: chinare*) to lower **2** (*lett.: sottomettere, reprimere*) to mortify; (*rendere umile*) to humble, to bring* down; (*estens.: sconfiggere*) to humble, to crush: **u. la carne**, to mortify the flesh; **u. l'orgoglio di q.**, to humble sb.'s pride **3** (*indurre vergogna o imbarazzo in*) to humiliate; to mortify; to demean; to degrade: **u. q. davanti a tutti**, to humiliate sb. in front of everybody; *Mi umilia dover chiedere aiuto*, I feel humiliated to have to ask for help B **umiliàrsi** v. rifl. **1** (*riconoscersi inferiore*) to humble oneself; to abase oneself; (*per servilismo, anche*) to cringe, to grovel: **umiliarsi davanti a Dio**, to humble oneself before God **2** (*abbas-*

sarsi) to lower oneself; to debase oneself; to demean oneself: **umiliarsi a chiedere scusa**, to swallow one's pride (*o* to eat humble pie) and apologize; **umiliarsi a fare di tutto**, to lower oneself to doing anything.
umiliàto a. humiliated; mortified.
umiliazióne f. **1** (*mortificazione*) humiliation; mortification; (*degradazione*) degradation: **un atto di u.**, an act of humiliation **2** (*cosa umiliante*) humiliation; indignity: **patire umiliazioni**, to bear humiliations; to suffer indignities; **subire un'u.**, to suffer humiliation; *Che u.!*, what a humiliation!; how humiliating! **3** (*lett.: sottomissione*) abasement: **fare atto di u.**, to abase oneself.
umiltà f. **1** (*l'essere umile*) humbleness; (*l'essere modesto, poco elevato, anche*) lowliness: **l'u. di un lavoro**, the lowliness of a job; **u. di natali**, humbleness (*o* lowliness) of birth; humble birth **2** (*consapevolezza dei propri limiti*) humility: **finta u.**, false humility; **predicare l'u.**, to preach humility; **con u.**, humbly; **in tutta u.**, with all humility **3** (*deferenza, reverenza*) humility; (*sottomissione*) submission, meekness.
Umlaut (*ted.*) m. inv. **1** (*ling.*) umlaut; vowel mutation **2** (*segno grafico*) umlaut.
ùmma f. (*relig.*) umma, ummah.
ùmo → **humus**.
umoràle A a. **1** (*med. stor.*) humoral **2** (*mutevole*) changeable; temperamental; erratic B m. e f. temperamental person.
◆**umóre** m. **1** (*lett.: sostanza liquida*) fluid, liquid; (*linfa*) sap: *Dai muri colava un u. appiccicaticcio*, a sticky liquid was oozing from the walls **2** (*liquido biologico, anche stor.*) humour, humor (*USA*): **u. acqueo**, aqueous humour; **u. vitreo**, viteous humour; (*stor.*) **la teoria degli umori**, the theory of humours **3** (*psic.: indole*) temper; nature **4** (*stato d'animo*) mood; temper; frame of mind; humour, humor (*USA*); spirits (pl.): **buon u.**, good mood; good humour; **di buon u.**, in a good mood; good humour; **con buon u.**, cheerfully; **mettere di (*o* il) buon u.**, to put in a good mood; **cattivo u.**, bad mood; temper, ill-temper; **di cattivo u.**, (*imbronciato*) in a bad mood, morose, out of humour, out of sorts; (*irritato*) annoyed, cross; **di ottimo u.**, in excellent mood; in high spirits; **u. instabile**, moody; **di u. instabile**, moody; **u. nero**, black mood; *Non sono dell'u. giusto*, I'm not in the right mood (*o* frame of mind); **andare soggetto a sbalzi d'u.**, to be moody; **assecondare l'u. di q.**, to humour sb.; to indulge sb.; **instabilità** (*o* **sbalzi**) **di u.**, moodiness **5** (al pl.) (*tendenze*) mood (sing.); feelings; opinions; (*gusti*) tastes: **gli umori dell'elettorato**, the mood of the electorate.
umorésca f. (*mus.*) humoresque.
umorìsmo ① m. (*med. stor.*) theory of humours.
umorìsmo ② m. humour, humor (*USA*); sense of humour; (*arguzia*) wit: **l'u. di una situazione**, the humour of a situation; **u. caustico**, biting wit; **l'u. inglese**, the English sense of humour; **u. macabro**, gallows humour; **u. volgare**, vulgar (*o* coarse) humour; **u. nero**, black humour; **avere il senso dell'u.**, to have a sense of humour; (*essere arguto*) to be witty; **essere ricco di u.**, to be full of humour; **fare dell'u.**, to be funny (*o* facetious); to joke about st.; **mancare di u.**, to have no sense of humour; to be humourless; **prendere qc. con u.**, to see the humorous side of st.
umorìsta m. e f. (*persona dotata di umorismo*) person with a sense of humour; (*persona che fa battute*) facetious person, witty person, wit (*scrittore*) humorist **3** (*vignettista*) cartoonist.
umoristicaménte avv. humorously.

umoristico a. **1** (*proprio dell'umorismo*) of humour; (*comico*) funny, comic: **lato u.**, funny side; **spirito u.**, sense of humour; **vena umoristica**, comic vein; comedy **2** (*detto o fatto con umorismo*) humorous; funny; (*arguto*) witty; (*comico*) comic; (*satirico*) satirical: **battuta umoristica**, funny joke; witty remark; **rivista umoristica**, humorous magazine; satirical magazine; **scrittore u.**, humorist; **storiella umoristica**, funny story **3** (*spreg.*) ridiculous; grotesque.

umpappà inter. oompah-pah.

un, ùna → **uno**.

unànime a. **1** (*concorde*) unanimous; at one; of one mind: **decisione u.**, unanimous decision; **con voto u.**, with a unanimous vote; **decidere unanimi**, to decide unanimously (*o* with one accord); *Il popolo u. ha scelto di...*, the people unanimously chose to...; *Furono unanimi nella scelta*, they were unanimous in their choice **2** (*generale*) universal: **cordoglio u.**, universal mourning.

unanimemènte avv. unanimously; with one accord.

unanimìsmo m. unanimism.

unanimità f. unanimity; unanimous consent: **u. di voti**, unanimity; **all'u.**, unanimously; with one accord; *L'assemblea ha approvato la nomina all'u.*, the assembly unanimously endorsed the nomination; **ottenere l'u.**, to be unanimously approved; **raggiungere l'u.**, to reach unanimous consent.

unanimitàrio a. unanimous.

ùna tàntum (*lat.*) **A** loc. agg. single; one-off (*GB*): **pagamento una tantum**, single (*o* one-off) payment **B** loc. avv. only once **C** loc. f. **1** (*gratifica*) single allowance; one-off bonus (*GB*) **2** (*imposta*) non-recurring (*GB* one-off) tax.

unciàle a. uncial.

uncinàre v. t. **1** (*modellare a uncino*) to hook **2** (*afferrare con un uncino*) to hook; to grapple (with a hook).

uncinàto a. hooked; hook-shaped; (*biol.*) uncinate; (*anat., zool.*) uncinate, unciform: **croce uncinata**, swastika; **ferro u.**, hooked iron; **naso u.**, hooked nose; **osso u.**, hamate bone; unciform (bone); **parentesi uncinate**, angled brackets.

uncinèllo m. (*sartoria*) hook.

uncinètto m. **1** (*lo strumento*) crochet hook **2** (*il lavoro*) crocheting; crochet: **lavorare all'u.**, to crochet; **un lavoro all'u.**, a piece of crochet; (**fatto**) **all'u.**, crocheted.

uncìno m. **1** hook; **u.**, hooked; hook-shaped; **afferrare con un u.**, to hook **2** (*scherz.*: *scarabocchio*) pothook **3** (*fig.*: *pretesto*) pretext, excuse; (*cavillo*) cavil, quibble **4** (*boxe*) hook **5** (*basket*) – **tiro a u.**, hook shot **6** (*zool.*) hook.

undazióne f. (*geol.*) crustal motion.

undecennàle a. **1** (*che dura 11 anni*) lasting eleven years **2** (*che ricorre ogni 11 anni*) occurring every eleven years.

undècimo a. num. ord. e m. eleventh.

under (*ingl.*) (*sport*) **A** a. inv. under: **giocatore u. 21**, under-21 player **B** m. inv. – **gli u. 21**, the under-21 players **C** f. inv. – **la u. 21**, the under-21 team.

underground (*ingl.*) a. e m. inv. underground: **cultura u.**, underground culture; **l'u. degli anni sessanta**, the sixties underground; **l'u. musicale**, underground music.

undicènne **A** a. eleven years old (pred.); eleven-year-old (attr.) **B** m. e f. eleven-year-old boy (m.); eleven-year-old girl (f.); eleven-year-old.

undicèsima f. (*mus.*) eleventh chord.

undicèsimo a. num. ord. e m. eleventh.

♦**ùndici** **A** a. num. card. inv. eleven: **u. volu-**mi, eleven volumes; **il giorno u.**, the eleventh; **il numero u.**, number eleven; **avere u. anni**, to be eleven years old **B** m. e f. inv. eleven; (*nelle date*) eleventh: **u. meno tre fa otto**, eleven minus three is eight; **l'u. aprile**, the eleventh of April; April the eleventh; **l'u. juventino**, the Juventus eleven; *Abitiamo all'u.*, we live at number eleven; *Sono le u.*, it's eleven o'clock; **nell'11**, in the year '11.

ungàrico a. (*lett.*) Hungarian.

ùngaro a. e m. Hungarian.

ùngere **A** v. t. **1** (*spalmare di sostanza grassa*) to grease; to oil: **u. i cardini**, to oil the hinges; **u. una ruota**, to grease a wheel; **u. una teglia**, to grease a pan; **u. di burro**, to butter; **ungersi il viso di crema**, to rub cream on one's face **2** (*sporcare di unto*) to stain with grease; to leave* grease marks on; to get* grease on: **u. una pagina**, to leave greasy marks on a page; *Mi sono unto la manica*, I've got grease on my sleeve; **uno sciampo che non unge i capelli**, a shampoo that doesn't leave your hair greasy; *Attento, unge!*, be careful, it's greasy! **3** (*eccles.*) to anoint: *Fu unto re*, he was anointed King **4** (*fig.*: *adulare*) to flatter; to butter up (*fam.*) **5** (*fig.*: *corrompere*) to bribe; to grease (sb.'s) palm; to square ● (*fig.*) **u. le ruote**, to bribe; to grease sb.'s palm **B** **ùngersi** v. rifl. to grease oneself; to rub on (st.): **ungersi di abbronzante**, to rub on suntan cream **C** **ùngersi** v. i. pron. (*macchiarsi di unto*) to get* grease on oneself: *Ti sei tutto unto*, you've got grease all over yourself; you're covered in grease.

ungherése a., m. e f. Hungarian.

Ungherìa f. (*geogr.*) Hungary.

♦**ùnghia** f. **1** (*anat.*) nail: **u. delle mani**, fingernail; **u. dei piedi**, toenail; **u. del pollice**, thumbnail; **u. incarnita**, ingrowing (*o* ingrown) nail; (*scherz.*) **unghie a lutto**, dirty fingernails; black-rimmed nails; **unghie laccate**, varnished nails; **mangiarsi le unghie**, to bite one's nails; **tagliarsi le unghie**, to pare one's nails; **limetta [forbicine] per unghie**, nail file [scissors] **2** (*zool.*: *artiglio*) claw; (*di rapace*) talon; (*zoccolo*) hoof*: **u. fessa**, cloven hoof; **le unghie del gatto**, the cat's claws; **le unghie dell'aquila**, the eagle's talons; (*anche fig.*) **tirare fuori [ritrarre] le unghie**, to put out [to draw in] one's claws **3** (*al pl.*) (*fig.*: *grinfie*) claws; clutches: **cadere tra le unghie di**, to fall into the clutches of; *Se mi capita sotto le unghie!*, if I get to lay my hands on him! **4** (*fig.*: *quantità minima*) tiny bit; (*distanza minima*) hair's breadth, whisker, fraction: *C'è mancata un'u.!*, it was close (*o* a near miss)! **5** (*estremità affilata*) (sharp) edge **6** (*intaccatura*) groove; notch **7** (*archit.*) groin **8** (*naut., dell'ancora*) bill ● (*fig.*) **con le unghie e coi denti**, tooth and nail □ **pagare sull'u.**, to pay cash on the nail □ (*fig.*) **tagliare le unghie a q.**, to draw sb.'s teeth; to clip sb.'s claws.

unghiàta f. **1** (*colpo*) scratch: **dare un'u. a q.**, to scratch sb. **2** (*ferita*) scratch; claw-mark.

unghiàto a. (*lett.*) clawed; (*di rapace*) taloned.

unghiatùra f. **1** (*di orologio*) nail-grip **2** (*linguetta sporgente*) tab; finger-grip **3** (*archit.*) bevel; chamfer **4** (*legatoria*) square **5** (*med. leg.*) nail-scratch.

unghièlla f. **1** (*cesello*) graver; burin **2** (*vet.*) chestnut.

unghièllo, unghìolo m. claw.

unghióne m. **1** (*artiglio*) claw; talon **2** (*pop.*: *zoccolo*) hoof*.

unghiùto a. **1** (*zool.*) clawed **2** (*scherz.*) long-nailed.

ungitùra f. greasing; oiling.

ungueàle a. (*anat.*) nail (attr.); ungual.

unguentàrio a. unguentary: **vaso u.**, unguentary vase.

unguènto m. **1** ointment; unguent; salve **2** (*balsamo*) balsam.

unguìcola f. (*zool.*) claw; nail.

unguicolàto a. (*bot., zool.*) unguiculate.

ùngula f. (*zool.*) hoof*.

ungulàto **A** a. (*zool.*) ungulate; hoofed **B** m. ungulate.

unguìgrado a. (*zool.*) unguligrade.

UNI sigla **1** (**Unione naturalisti italiani**) Italian Naturalists Association **2** (**Unione naturisti italiana**) Italian Naturist Association **3** (**Ente nazionale italiano di unificazione**) Italian National Standards Institute.

uniàsse a. (*bot.*) uniaxial.

uniàssico a. (*miner.*) uniaxial.

uniàte a., m. e f. (*relig.*) Uniate.

unibile a. that can be united; unitable; joinable; attachable.

unibilità f. unitability; joinability.

unicaménte avv. only; solely; exclusively.

unicameràle a. (*polit.*) unicameral.

unicameralìsmo m. (*polit.*) unicameralism.

unicellulàre a. (*biol.*) unicellular; single-cell (attr.).

unicellulàto (*biol.*) **A** a. unicellular; single-cell (attr.) **B** m. unicellular organism.

unicità f. **1** (*l'essere uno*) oneness; singleness **2** (*l'essere unico*) singularity, uniqueness, individuality.

♦**ùnico** **A** a. **1** (*solo*) only, one, one and only; (*singolo*) single; (*esclusivo*) unique, sole, exclusive, one-off (*fam. GB*): **il mio u. amico**, my only friend; (*teatr.*) **atto u.**, one-act play; **binario u.**, single track; **l'u. concorrente**, the only (*o* sole) candidate; (*autom.*) **corsia unica**, single lane; **l'unica cosa che non volevo**, the one thing I didn't want; **il mio u. desiderio**, my one (and only) wish; my sole wish; **u. erede**, sole heir; **esemplare u.**, unique specimen; only copy; **figlio u.** [**figlia unica**], only child; **essere figlio u.**, to be an only child; **fronte u.**, united front; **individuo u.**, unique individual; **mercato u.**, single market; **modello u.**, exclusive model; (*giorn.*) **numero u.**, single issue; **pezzo u.**, unique specimen; one-off; **prezzo u.**, one price; **u. rappresentante**, sole agent; (*autom.*) **senso u.**, one way; **la mia unica speranza**, my only (*o* my one) hope; **taglia unica**, one size; **tariffa unica**, flat rate; (*leg.*) **testo u.**, consolidation act; **u. nel suo genere**, unique of its kind **2** (*senza pari*) unique; unrivalled; unparalleled; matchless; one-off (*fam. GB*): **un'occasione unica**, a unique (*o* an unrivalled) opportunity; the chance of a lifetime; *Come attore comico, oggi è u.*, as a comedian, he is unrivalled today; **di una bravura unica**, outstanding; extraordinary; **di una bellezza unica**, of unrivalled beauty; stunningly beautiful ● **più u. che raro**, rare to the point of being unique; in a class of its own; (*al pl.*) few and far between □ **solo e u.**, one and only □ **È l'unica!**, it's the only thing to do (*o* the only solution, the only way out); there's no other way □ **L'unica è aspettare**, the only thing to do is (to) wait; there is nothing for it but to wait □ (*fam.*) **Carlo è u.!**, Carlo's a real character!; Carlo's really something; Carlo's a one-off! **B** m. (f. **-a**) only one; only person: *Sei l'u. a saperlo*, you're the only one to know; *Siamo stati gli unici a farlo*, we were the only people that did it; *È l'u. che ho*, it's the only one I have.

unicolóre a. monochrome; single-color (attr.).

uniconcettuàle a. one-idea (attr.); sin-

gle-theme (attr.).

unicòrno Ⓐ a. (*zool.*) one-horned Ⓑ m. **1** (*mitol.*) unicorn **2** (*zool.*) narwhal.

ùnicum (*lat.*) m. inv. **1** (*esemplare unico*) unique specimen **2** (*caso unico*) unique example.

unidimensionàle a. one-dimensional; unidimensional.

unidirezionàle a. **1** (*elettr., tecn.*) unidirectional; one-way **2** (*di traffico*) one-way (attr.).

unidòse a. single-dose (attr.).

unifamiliàre a. one-family (attr.); (*di abitazione*) detached: **villetta u.**, detached house.

unìfero a. (*bot.*) bearing fruit once a year.

unificàbile a. **1** unifiable **2** (*combinabile, congiungibile*) joinable **3** (*che si può standardizzare*) standardizable.

unificabilità f. ability to be unified.

unificànte a. unifying: **fattore u.**, unifying element; unifying force.

unificàre Ⓐ v. t. **1** to unify: **u. l'Europa**, to unify Europe **2** (*combinare*) to unite; (*congiungere*) to join; (*mettere in comune*) to combine, to pool: **u. gli sforzi**, to unite efforts **3** (*uniformare, standardizzare*) to standardize; to unify: **u. le procedure**, to standardize procedures **4** (*fin., econ.*) to consolidate; to merge; to amalgamate Ⓑ **unificàrsi** v. rifl. recipr. to merge; to fuse; to combine.

unificativo a. unifying.

unificàto a. **1** unified: **nazione unificata**, unified nation **2** (*standardizzato*) unified; standardized **3** (*fin., econ.*) consolidated; merged; amalgamated.

unificatóre Ⓐ a. unifying Ⓑ m. (f. *-trice*) unifier.

unificazióne f. **1** unification: **l'u. d'Italia**, the unification of Italy **2** (*standardizzazione*) standardization; unification **3** (*fin., econ.*) consolidation; merging; merger; amalgamating; amalgamation **4** (*tecn.*) integration.

unifilàre a. (*elettr.*) single-wire (attr.).

unifiòro a. (*bot.*) single-flower (attr.).

unifoliàto a. (*bot.*) unifoliate.

uniformàre Ⓐ v. t. **1** (*rendere uniforme*) to make* uniform; (*livellare*) to level, to smooth out **2** (*adattare*) to adapt; to conform: **u. la moda ai propri gusti**, to adapt fashion to one's taste; **u. la propria condotta alle regole**, to conform one's behaviour to rules **3** (*standardizzare*) to standardize; to unify Ⓑ **uniformàrsi** v. rifl. (*conformarsi*) to conform (to); to comply (with); to abide (by): **uniformarsi agli ordini**, to comply with the orders; **uniformarsi alle regole**, to abide by the rules Ⓒ **uniformàrsi** v. i. pron. to become* even; to become* level.

uniformazióne f. **1** (*il rendere uniforme*) making uniform; (*livellamento*) levelling **2** (*adattamento*) adapting; adaptation; conforming **3** (*standardizzazione*) standardization; unification.

unifórme① a. **1** (*uguale, regolare*) uniform; even; smooth; level; (*che non cambia*) unvarying, unvaried, uniform, steady; (*rif. a prezzo, ecc.*) flat, standard; (*standardizzato*) uniform, standard: **colore u.**, uniform colour; **passo u.**, steady pace; **superficie u.**, level (*o* smooth) surface; **tasso u.**, even rate; **distendere la vernice in modo u.**, to spread the paint evenly; **rendere u.**, to make uniform; (*livellare*) to level, to smooth out; (*standardizzare*) to standardize, to uniform **2** (*invariato, monotono*) unvarying; monotonous; flat: **paesaggio u.**, unchanging (*o* unvarying) landscape; **voce u.**, flat voice; monotone **3** (*fis., mat.*) uniform: **distribuzione u.**, uniform distribution; **moto [temperatura] u.**, uniform motion [tempera-

unifórme② f. **1** (*mil.*) uniform; dress: **u. cachi**, khaki; **u. da campagna**, battledress; **u. di fatica**, fatigue dress; fatigues (pl.); **u. ordinaria** (*o* bassa u.), undress; **alta u.**, full dress; **essere in u.**, to wear a uniform; to be in uniform; **poliziotto in u.**, uniformed policeman; **indossare l'u.** (*arruolarsi*), to become a soldier; to enlist; to join up (*fam.*) **2** (*abito uguale*) uniform: **u. collegiale**, school uniform.

uniformità f. **1** uniformity; (*regolarità*) regularity, evenness, smoothness; (*uguaglianza*) sameness **2** (*monotonia*) uniformity; sameness; monotony **3** (*conformità*) accordance, agreement, conformity, compliance; (*accordo*) unanimity, consensus: **u. di scelte**, unanimity of choice; **in piena u. con**, in full accordance to; in full agreement with.

unigènito (*teol.*) Ⓐ a. only-begotten Ⓑ m. (the) Only-Begotten Son.

unilabiàto a. (*bot.*) unilabiate.

unilateràle a. **1** (*che riguarda un solo lato*) unilateral **2** (*di azione, anche leg.*) unilateral: **contratto u.**, unilateral contract; **decisione u.**, unilateral decision; **disarmo u.**, unilateral disarmament **3** (*che considera un solo aspetto*) one-sided; biased; unfair: **giudizio u.**, biased judgment; **visione u. delle cose**, one-sided vision of things.

unilateralìsmo m. unilateralism.

unilateralità f. unilaterality; one-sidedness.

unilateralménte avv. unilaterally; one-sidedly; **decidere u.**, to decide unilaterally.

unilineàre a. unilinear; unilineal.

unimandatàrio m. (*comm.*) sole agent.

unimodàle a. (*stat.*) unimodal.

uninominàle a. (*polit., amm.*) single-member (attr.); uninominal: **collegio u.**, single-member constituency; **sistema elettorale u.**, uninominal electoral system; (*sistema*) **u. a un turno** (*o* secco), simple-majority electoral system; first-past-the-post (electoral system) (*GB*); (*sistema*) **u. a due turni**, second-ballot electoral system.

Unioncamere abbr. (**Unione italiana delle camere di commercio, industria, artigianato e agricoltura**) Union of Italian Chambers of Commerce, Industry, Craft and Agriculture.

♦**unióne** f. **1** union; (*combinazione*) combination, blend; (*accoppiamento, congiungimento*) connecting, coupling, joining: **un'u. di più elementi**, a combination of different elements; **l'u. delle forze**, the joining of forces **2** (*legame*) bond; tie: *C'è una forte u. tra di loro*, there is a strong bond between them **3** (*relazione di convivenza*) union; match: **u. matrimoniale**, marriage; **un'u. molto riuscita**, a very successful match; *Dalla loro u. nacquero due figli*, two children were born from their union **4** (*fig.: accordo, intesa, armonia*) unity; harmony; concord; (*coesione*) unity, cohesion, cohesiveness: **u. in famiglia**, harmony in the family **5** (*associazione*) union; association; league; alliance; (*polit.*) federation, union: **u. dei consumatori**, consumers' union; **u. doganale**, customs (*o* tariff) union; **u. economica**, economic union; **l'U. Europea**, the European Community (abbr. EC); **u. sindacale**, trade union association; **l'U. Sudafricana**, the Union of South Africa **6** (*leg.: commistione*) commingling **7** (*di società*) consolidation; amalgamation; merger **8** (*mat.*) union; join ● (*prov.*) **L'u. fa la forza**, unity is strength; united we stand, divided we fall.

unionìsmo m. **1** (*polit., relig.*) unionism **2** (*sindacalismo*) trade unionism.

unionìsta m. e f. (*polit., relig.*) unionist.

uniovulàre a. (*biol.*) monovular; uniovular.

unìparo a. (*biol.*) uniparous.

unipersonàle a. one-man (attr.): **società u.**, one-man company.

unipolàre a. (*elettr.*) unipolar.

unipotènte a. (*biol. e mat.*) unipotent.

♦**unìre** Ⓐ v. t. **1** (*fondere, unificare*) to unite; (*congiungere*) to join; (*combinare*) to combine; (*associare*) to combine, to merge; (*amalgamare*) to blend: **u. due assi**, to join two boards together; **u. la bellezza all'intelligenza**, to combine beauty and intelligence; **u. le forze**, to join forces; **u. in matrimonio**, to join in matrimony; to marry; **u. gli ingredienti di una torta**, to blend the ingredients; **u. gli sforzi**, to combine efforts; to unite one's efforts; **u. due società**, to merge two companies; **u. l'utile al dilettevole**, to combine duty and pleasure; **u. con colla**, to glue together; **u. con un fermaglio**, to clip together; **u. con graffette**, to staple **2** (*mettere insieme, vicino*) to put* together, to draw* together; (*raccogliere*) to gather, to put* together; (*aggiungere*) to add; (*accludere, allegare*) to enclose, to attach: **u. una fattura a una lettera**, to enclose an invoice in a letter; **u. due tavoli**, to draw two tables together; **u. un uovo all'impasto**, to add an egg to the mix **3** (*collegare*) to connect; to link; to join (up): **u. un'isola alla terraferma con un ponte**, to join an island to the mainland with a bridge; **u. con una ferrovia**, to link by rail **4** (*creare un legame di affinità, solidarietà, ecc.*) to unite; (*legare*) to bind; to bind*: *Furono uniti dalla sventura*, they were united by misfortune; *Li unisce una vecchia amicizia*, they are linked by an old friendship; *Le due nazioni sono unite da legami secolari*, the two countries are bound by century-old ties; **essere uniti da interessi comuni**, to be bound by common interests Ⓑ **unìrsi** v. rifl. recipr. **1** (*formare un'unione*) to unite: **unirsi in matrimonio**, to unite in marriage (*form.*); to get married; *L'Inghilterra e la Scozia si unirono nel 1706*, England and Scotland were united in 1706 **2** (*fare causa comune*) to unite: to group together: **unirsi contro l'invasore**, to unite against the invader **3** (*associarsi*) to associate; to combine; to amalgamate; to merge: **unirsi in federazione**, to form a federation; **unirsi in società**, to form a partnership; *Le due società si sono unite*, the two companies have merged **4** (*congiungersi*) to join up; to merge: *Le due strade si uniscono più avanti*, the two roads join up further on; **il punto dove si uniscono i due fiumi**, the point where the two rivers merge their waters **5** (*amalgamarsi*) to fuse; to blend Ⓒ v. i. pron. **1** to join (st., in st.); to mingle (with); to merge (with): **unirsi alla conversazione**, to join in the conversation; **unirsi al gioco**, to join in the game; **unirsi a un gruppo**, to join a group; *Posso unirmi a voi?*, may I join you? **2** (*accompagnarsi*) to go* together; to be combined; to be matched: *In lui l'astuzia si unisce alla cattiveria*, cunning and malice go together in him; *All'interesse della trama si unisce uno stile vivace*, an interesting plot is matched by a lively style.

UNIRE sigla (**Unione nazionale incremento razze equine**) Italian Horse Breeders Association.

unisessuàle a. (*biol.*) unisexual.

unisessualità f. (*biol.*) unisexuality.

unisessuàto → **unisessuale**.

ùnisex Ⓐ a. inv. unisex Ⓑ m. inv. **1** (*prodotti di abbigliamento*) unisex clothing **2** (*stile*) unisex.

unìsono Ⓐ a. **1** (*mus.*) unisonous; unison (attr.): **strumenti unisoni**, unisonous instruments **2** (*ling.*) homophonous **3** (*fig.*) concordant; unanimous; with one voice (pred.) Ⓑ m. **1** (*mus.*) unison: **suonare all'u.**, to play in unison **2** (*estens.: contempora-

a b c d e f g h i j k l m n o p q r s t **u** v w x y z

neità) unison: **all'u.**, in unison; with one voice; **rispondere all'u.**, to answer in unison 3 (*fig.*: *armonia*) unison; agreement; harmony: **agire all'u.**, to act in unison; **essere in perfetto u.**, to be in perfect unison.

♦**unità** f. 1 (*l'essere uno*) oneness; singleness: **l'u. di Dio**, the oneness of God 2 (*caratteristica di ciò che è uno, il formare una cosa sola*) unity: **l'u. della famiglia**, the family unity; **l'u. d'Italia**, the unity of Italy; (*letter.*) **le u. di tempo, luogo e azione**, the unities of time, place and action; **u. politica**, political unity (*o* union) 3 (*convergenza, concordia*) unity; unanimity: **u. di intenti** [di opinioni], unity of purpose [of opinion] 4 (*organicità*) unity; coherence; cohesiveness: **u. di stile**, unity of style; **mancare di u.**, to lack (in) unity 5 (*elemento singolo*) unit: **u. didattica**, teaching unit; **la frase come u. grammaticale**, the sentence as a unit of grammar 6 (*mat.*) unit; unity: **u. frazionaria**, unit fraction; **la colonna delle u.**, the units column; **aumentare di un'u.**, to raise by one unit; **ridurre all'u.**, to reduce to unity 7 (*fis., chim.*) unit: **u. assoluta**, absolute unit; **u. Curie**, Curie; **u. di calore**, thermal unit 8 (*grandezza di paragone*) unit: **u. di lunghezza** [di peso], unit of length [of weight]; **u. monetaria**, monetary unit 9 (*mil.*) unit; (al pl., collett.) force (sing.): **u. aviotrasportata**, airborne unit; **u. operativa**, task force; **u. tattica**, tactical unit; **le u. da sbarco**, the landing force 10 (*naut.*) unit; craft*; ship; vessel: **u. di scorta**, convoy ship; **u. di superficie**, surface vessel; **u. navale**, naval unit; **affondare tre u. nemiche**, to sink three enemy ships 11 (*aeron.*) aircraft*; aeroplane 12 (*mar.*) unit: **u. coronarica**, coronary unit 13 (*comput.*) unit; drive: **u. centrale**, central processing unit (abbr. CPU); **u. di uscita**, output drive; **u. disco**, disk drive; **u. video**, display unit ● **u. di crisi**, emergency team; task force □ **u. d'abitazione**, service flats (pl.) □ (*org. az.*) **u. operativa**, business unit □ **U. Sanitaria Locale**, local health authority.

unitaménte **A** avv. unitedly; together; jointly **B** **unitaménte a** loc. prep. together with; along with.

unitarianísmo m. (*relig.*) Unitarianism.

unitariàno a. e m. (f. *-a*) (*relig.*) Unitarian.

unitarietà f. unitariness.

unitàrio **A** a. 1 (*che costituisce un'unità*) unitary: **complesso u.**, unitary whole; unit; *Stato u.*, unitary state 2 (*relativo a un singolo elemento*) unit (attr.): **prezzo u.**, unit price 3 (*che si ispira all'unità*) unitary: **politica unitaria**, unitary policy 4 (*congiunto*) joint; united; common: **programma u.**, common programme; **sforzi unitari**, joint efforts 5 (*organico, armonico*) unified; harmonious; coherent; organic: **soluzione unitaria**, organic solution; **struttura unitaria**, coherent (*o* organic) structure 6 (*relig.*) Unitarian **B** m. (f. *-a*) (*relig.*) Unitarian.

unitarísmo m. 1 unitarism 2 (*relig.*) Unitarianism.

unitézza f. 1 (*uniformità*) uniformity 2 (*compattezza*) compactness; close-woven texture.

unitizzazióne f. (*trasp.*) unitization.

♦**unito** a. 1 (*congiunto*) united; joint; combined: **i nostri sforzi uniti**, our united (*o* joint, combined) efforts; *Tieni unite le ginocchia*, keep your knees together; **a piedi uniti**, with feet close together 2 (*polit.*) united: **le Nazioni Unite**, the United Nations; **il Regno U.**, the United Kingdom 3 (*compatto, fitto*) compact; dense; close-woven: **tessuto u.**, close-woven fabric 4 (*solidale*) united; close; close-knit: **famiglia unita**, united (*o* close) family; *Sono molto uniti*, they are very close; **restare uniti**, to stick together;

---

to hang together 5 (*di colore, ecc.*) plain; one: **tinta unita**, plain colour; one colour; **in tinta unita**, plain, plain-coloured; self-coloured 6 (*ininterrotto*) continuous; unbroken; solid 7 (*aggiunto*) added; (*accluso*) enclosed, attached.

univalènte a. (*chim.*) univalent; monovalent.

univalve a. (*zool.*) univalve.

universàle **A** a. 1 (*dell'universo*) universal: **attrazione u.**, universal attraction; **gravitazione u.**, gravitation 2 (*relativo a tutte le cose e gli esseri*) universal: **legge u.**, universal law 3 (*filos.*) universal 4 (*che riguarda tutto il mondo*) world (attr.); worldwide; (*dell'umanità*) universal: **pace u.**, world peace; **storia u.**, world history 5 (*generale*) general; universal; global: **consenso u.**, general approval; consensus; **grammatica u.**, universal grammar; (*polit.*) **suffragio u.**, universal suffrage (*o* franchise); (*leg.*) **successione a titolo u.**, universal succession; **validità u.**, universal validity 6 (*tecn.*) universal; (*multiuso*) general purpose (attr.): **chiave u.**, skeleton key; **giunto u.**, universal joint; (*elettr.*) **motore u.**, universal motor; **pinze universali**, cutting pliers ● **Biblioteca u.**, World Library □ (*med.*) **donatore u.**, universal donor □ (*relig.*) **erede u.**, sole heir □ **genio u.**, universal genius □ (*relig.*) **il Giudizio u.**, the Last Judgment □ (*med.*) **recettore u.**, universal recipient **B** m. 1 (*filos., ling.*) universal 2 (*lett.*: *totalità*) whole; total number.

universalísmo m. universalism.

universalista m. e f. universalist.

universalístico a. universalistic; universalist (attr.).

universalità f. 1 universality: **l'u. d'un concetto**, the universality of a concept 2 (*totalità*) totality; sum total: **l'u. degli uomini**, the totality of men 3 (*leg.*) – **u. di diritto**, universitas juris (*lat.*); **u. di fatto**, universitas rerum (*lat.*).

universalizzàre **A** v. t. 1 to universalize; to make* universal 2 (*diffondere*) to universalize; to generalize; to diffuse **B** **universalizzàrsi** v. i. pron. 1 (*filos.*) to become* universal 2 (*diffondersi*) to become* universal; to become* generalized.

universalizzazióne f. 1 universalization 2 (*diffusione*) universalization; generalization; diffusion.

universalménte avv. universally; generally.

universíade f. (*sport*, spec. al pl.) world university games (pl.).

♦**università** f. university: **l'u. di Bologna**, the University of Bologna; Bologna University; **l'u. di Oxford**, Oxford University; **u. della terza età**, University of the Third Age; **u. statale**, state university; **andare all'u.**, to go to university; **frequentare l'u.**, to be at university; **iscriversi all'u.**, to enrol at a university; to matriculate; **aver studiato all'u.** (*o* fatto l'u.), to have been to university; to have a university education.

universitàrio **A** a. university (attr.); academic: **cattedra universitaria**, university chair; **clinica universitaria**, teaching hospital; **docente u.**, university teacher; academic; **formazione universitaria**, university education; **lezione universitaria**, (university) lecture; **professore u.**, (university) professor; **ricercatore u.**, university (*o* academic) researcher; **studente u.**, university student; undergraduate **B** m. (f. *-a*) 1 (*studente*) university student; undergraduate 2 (*docente*) academic.

univèrso① a. (*lett.*) whole; entire: **l'u. mondo**, the whole world.

♦**univèrso**② m. 1 (*cosmo*) universe: **l'u. in espansione**, the expanding universe; **l'ori-**

---

gine dell'u., the origin of the universe 2 (*estens.*) universe; (*mondo, anche fig.*) world: **la bellezza dell'u.**, the beauty of the universe; *Vive in un u. tutto suo*, she lives in a world of her own 3 (*stat.*) universe; population 4 (*fig.*) universe: (*ling.*) **u. del discorso**, universe of discourse ● (*fig.*) **credersi padrone dell'u.**, to think one can order people about as one pleases.

univocità f. univocity.

univoco a. 1 (*filos., ling.*) univocal 2 (*estens.*) unambiguous; unequivocal.

univoltinísmo m. (*biol.*) univoltine property.

univoltino a. (*biol.*) univoltine.

Ùnno **A** m. (*stor.*) Hun **B** a. Hunnish.

♦**úno** **A** a. num. card. 1 one; (*solo, singolo, unico, anche*) a single: **un cioccolatino dopo l'altro**, one chocolate after another; **un giorno di tempo**, one day; **una mano di vernice**, one (*o* a single) coat of paint; **il numero uno**, number one; **una persona su mille**, one person in a thousand; **una settimana e due giorni**, one week and two days; **un terzo**, one third; **lungo un anno**, one year long; *La verità è una*, there is only one truth; *Ci ho messo un giorno*, it took me one day; **non capire una (sola) parola**, not to understand one (*o* a single) word; **tre utensili in uno**, three tools in one; *Non possiede che un vestito*, he has only one suit 2 (*unico, stesso*) one; the same: **a un modo**, in the same way; similarly; **a una voce**, together; with one voice; **tutti a un tempo**, all at the same time; all together 3 (*unito*) united: *L'Italia una*, united Italy **B** m. 1 one; (*il numero uno*) number one: **l'uno e il molteplice**, the one and the many; **l'uno per cento**, one per cent; **tre uno**, three ones; *Sette più uno fa otto*, seven and one is eight; **aggiungere uno**, to add one; **estrarre l'uno**, to draw number one; **la stanza (numero) uno**, room (number) one 2 (*nelle date*) first: **l'uno di gennaio**, (on) the first of January 3 (*il primo anno di un secolo*) (the) year one: **nato nell'uno**, born in the year one 4 (*voto scolastico*) one out of ten 5 (f. **úna**) (*una persona*) one: *Non ci fu uno che protestasse*, not one complained; **dieci contro uno**, ten against one; **contare per uno**, to count as one; **marciare per uno**, to march in single file ● **uno alla volta** (*o* a uno a uno), one at a time; one by one; in ones; singly; individually □ **uno che è** (*o* che sia, che fosse) uno, a single one □ **uno di troppo**, one too many □ (*nella marcia*) **Un, due, un due!** left, right, left, right! □ **uno dopo l'altro**, one after the other □ (*teol.*) **uno e trino**, triune □ **Uno per tutti, tutti per uno**, all for one and one for all □ **uno su due**, one in two; every second (*o* other) one □ **uno su tre**, one in three; every third one □ **Uno, due, tre..., via!**, ready, steady..., go! □ (*nei giochi*) **andare** (*o* stare) **per uno**, to need one to win □ **delle due una**, it's either one or the other □ (*fig.*) **È tutt'uno**, it's all the same; it makes no difference □ **Vederlo e scappare fu tutt'uno**, the moment he saw him he ran away; no sooner did he see him that he ran away □ **un tutt'uno**, an organic whole **C** **úna** f. (*ora*) one (o'clock): **l'una di notte** [di pomeriggio], one a.m. [p.m.]; **l'una e un quarto**, a quarter past one; **all'una**, at one (o'clock) **D** art. indeterm. 1 (f. **úna**) a, an: **un anno**, a year; **un giorno feriale**, a week-day; **un giornale**, a newspaper; **uno zio**, an uncle; **una donna**, a woman; **un erede**, an heir; **un'erede**, an heiress; **un'attrice**, an actress; **un europeo**, a European; **un'università**, a university; **uno studente pigro**, a lazy student; **un uomo onesto**, an honest man; **una persona anziana**, an elderly person; **una seconda volta**, a second time; **una strada a senso unico**, a one-way street; **un**

giorno o l'altro, one of these days; one day or another; *Un giorno, un contadino...*, one day, a peasant...; **un sabato mattina**, one (*o* on a) Saturday morning; *È un bravo ragazzo*, he's a good boy; *Soffiava un vento gelido*, an icy wind was blowing **2** (*circa*) about; around; some: **un cento euro**, about one hundred euros; **un venti o trenta persone**, some thirty or forty people; **un tre chili**, about three kilos **3** (*nelle escl.*, con valore di «un tale, una tale», o «un vero, una vera») – *Fa un caldo là dentro!*, it's so hot in there!; *C'era una vista!*, the view was fantastic!; *Ho una fame!*, I'm starving!; *Ha una macchina!*, you should see his car! **E** pron. indef. (f. *ùna*) **1** (*qualcuno, una persona*) somebody, someone; (*un tale*) a man*, a fellow; (*una tale*) a girl, a woman*: **uno della polizia**, a policeman; **uno del posto**, one of the locals; a local; **uno di città**, a city-dweller; a townie (*fam.*); **uno che ho già visto**, a man I have already seen; **una che ti conosce**, a woman (*o a girl*) who knows you; *C'è uno che ti vuole*, there's someone (*o a man*) asking for you; **dir male di uno**, to speak ill of somebody; *Ho incontrato uno*, I met a man; *È uno [una] che non mi piace*, I don't like him [her]; *È uno [una] che non saluta mai*, he [she] never says hello **2** (*in frasi impers.*) one; you: **quando uno è morto**, when one is dead; when you are dead; *Uno potrebbe pensare che...*, one (*o* you) might think that... **3** (*partitivo*) one: **uno di noi [di voi, di loro]**, one of us [of you, of them]; **uno qualsiasi dei due**, either; **uno di questi giorni**, one of these days; **non uno di loro**, none (*o* not one) of them; *È una delle migliori cantanti*, she's one of the best singers; *Ne vorrei uno*, I'd like one **4** (in correl. con «altro») – **l'uno..., l'altro...**, the one..., the other...; (*fra due, anche*) the former..., the latter...); **gli uni..., gli altri**, some..., some (*o* others); **l'uno e l'altro**, both; *Vorrei l'uno e l'altro*, I'd like both (of them); **gli uni e gli altri**, all of them; they all (*sogg.*); them all (*compl.*); *Conosco bene gli uni e gli altri*, I know all of them (*o* them all) well; **l'uno o l'altro**, either one or the other; either; **né l'uno né l'altro**, neither one nor the other; neither; (in presenza di neg.) either; *Non mi piace né l'uno né l'altro*, I don't like either (of them); **sia l'uno sia l'altro**, both; **l'un l'altro**, one another; *Sparlano l'uno dell'altro*, they run each other down; *S'aiutano l'un l'altro*, they help each other (*o* one another); **gli uni con gli altri**, one another **5** (*uno qualunque*) one: **uno di questi giorni**, one of these days; **uno dei tanti**, one of the many **6** (*rif. a cosa*) one: **uno come quello**, one like that; **uno più grande**, a bigger one; **uno qualsiasi**, anyone **7** (*ciascuno*) each: **tre euro l'uno**, three euros each; **sei per uno**, six each; **un po' per uno**, a little each; (*a turno*) in turns; **pagare metà per uno**, to pay half each; to go fifty-fifty (*o* halves) (with sb.) **8** (al f.) (*qualcosa*) something; (*una cosa*) a thing: *Volete saperne una?*, shall I tell you something funny?; *Non gliene va bene una*, nothing seems to go right for him; (*nulla lo soddisfa*) nothing seems to please him; *Ne ha fatta una delle sue*, she's been up to one of her tricks; **per dirne una**, to mention just one thing; *Una ne fa e cento ne pensa*, he's always up to something ● (*eufem.*) **una di quelle**, a prostitute; one of them □ **uno vale l'altro**, there is little (*o* nothing) to choose between them; it's six of one and a half a dozen of the other.

uno-dùe m. inv. (*boxe*) one-two.

unòppi inter. (*gergale*) left-right!

unplugged (*ingl.*) a. inv. (*mus.*) unplugged.

unticcio **A** a. greasy; oily **B** m. grease; greasy (*o* oily) stuff.

ùnto① **A** a. **1** (*cosparso di grasso, oliato*) greased; oiled: **teglia unta**, greased baking tin **2** (*sporco di grasso*) greasy; dirty: **straccio u.**, oily rag; **dita unte**, greasy fingers; **u. e bisunto**, covered in grease; filthy **3** (*relig.*) anointed **B** m. (*relig.*) anointed: **l'U. del Signore**, the Lord's Anointed.

ùnto② m. **1** (*sostanza grassa*) grease; oil: **macchia d'u.**, grease spot; grease stain **2** (*alim.*) fat.

untóre m. (f. **-trìce**) (*stor.*) plague-spreader.

untorèllo m. cipher; nonentity.

untùme m. **1** grease; greasy stuff **2** (*alim.*) fat.

untuosità f. **1** greasiness; oiliness **2** (*materia untuosa*) grease; greasy stuff **3** (*fig.*) unctuousness.

untuóso a. **1** greasy; oily **2** (*fig.*) unctuous; slimy.

UNUCI sigla (**Unione nazionale ufficiali in congedo d'Italia**) National Association of Italian Reserve Officers.

unzióne f. **1** greasing; oiling **2** (*relig.*) unction; anointment: *Estrema U.*, Extreme Unction; Last Rites (pl.) **3** (*fig.: ipocrisia*) unction; unctuousness.

◆**uòmo** m. (pl. **uòmini**) **1** (*mammifero degli Ominidi*) man*: **u. delle caverne**, caveman; cave-dweller; **u. di Cro-Magnon**, Cro-Magnon man; **l'U. di Neandertal**, Neanderthal man; **l'u. preistorico**, prehistoric man; **lo scheletro dell'u.**, the human skeleton **2** (*specie umana*) man*; mankind; humankind: **la comparsa dell'u. sulla terra**, the appearance of man on the earth; **l'origine dell'u.**, the origin of man **3** (*essere umano*) man*; human being: **l'u. del Medioevo**, Medieval man; **l'u. della strada**, the man in the street (*USA* on the street); the common man; **l'u. qualunque**, the man in the street; John Doe (*USA*); **l'u. Shakespeare [Dante]**, Shakespeare [Dante] the man; **tutti gli uomini**, all men; mankind (sing.); humankind (sing.); *L'u. non vive di solo pane*, man cannot live on bread alone; (*relig.*) *Dio si fece u.*, God became a man; **i diritti dell'u.**, human rights; **l'uguaglianza tra gli uomini**, equality among men **4** (*maschio*) man*; male: **un u. alto e robusto**, a tall, well-built man; **un bell'u.**, a good-looking man; **u. fatto**, grown man; **gli uomini e le donne**, men and women; **tutti gli uomini adulti**, all adult males; **comportarsi (*o* agire) da u.**, to behave (*o* to act) like a man; *Sii (o Comportati da) u.!*, be a man!; **farsi u.**, to become a man; to reach manhood; to grow up; *Lui sì che è un u.!*, he is a real man!; *Si vesti da u.*, she dressed up as a man; **abiti da u.**, men's suits; men's wear 🖫; **una voce d'u.**, a man's voice **5** (*persona di sesso maschile*) man*; (al pl. collett., anche) menfolk: **u. d'azione**, man of action; **u. di campagna**, country-man; **u. di chiesa** (*che va in chiesa*), church-goer; **u. di città**, townsman; **u. di corte**, courtier; gentleman; **u. di fiducia**, right-hand man; **l'u. del giorno**, the man of the hour (*o* of the moment); **u. di lettere**, man of letters; scholar; **u. di mondo** (*navigato*) man of the world; (*di società*) man about town; **u. d'onore**, man of honour; gentleman; **u. di parola**, man of his word; **u. di scienza**, scientist; (*u. colto*) learned man; **u. di società**, man about town; socialite; **u. sportivo**, sporting man; outdoor man; **per soli uomini**, for men only; (*fig.*) *Da allora è un altro u.*, he has been a different man ever since; *Non è u. capace di tanto*, he would never go that far; (*non è abbastanza coraggioso*) he is not man enough for it; *Gli uomini sono tutti emigrati*, the menfolk have all migrated **6** (*uomo che svolge un lavoro o un'attività*) man*: **u. d'affari**, businessman; (*stor.*) **u. d'arme**, man-at-arms; **l'u. del gas**, the gasman; **u. di chiesa**, churchman; **u. di fatica**, man employed to do heavy work; drudge; **u. di governo**, statesman; **u. di legge**, man of law; **u. di mare**, seaman; sailor; **u. delle pulizie**, cleaner; **u. di spettacolo**, artist; performer; man in show business; **u. di Stato**, statesman; **u. di studio**, scholar; **u. di toga**, magistrate; **u. politico**, politician **7** (*soldato*) man*; (*marinaio*) man*, hand: **il sergente e i sei uomini**, the sergeant and six men; **gli uomini dell'equipaggio**, the members of the crew; the crew; the hands; *Tutti gli uomini in coperta!*, all hands on deck! **8** (*tipo, tale, l'uomo di cui o a cui si parla*) man*; fellow; chap (*fam. GB*); bloke (*fam. GB* e *Austral.*); guy (*USA*): **un u. che non mi piace**, a man I don't like; **l'u. che ci vuole**, the right man; the man for us; our man; **il nostro u.**, our man; *È venuto un u. a cercarti*, a man came looking for you; *Caro il mio u.!*, my dear man (*o* fellow)!; *Furbo, l'u.!*, crafty fellow!; he's a smart one!; *Senta, buon u.*, look here, my good man; *Ehi, quell'u.!*, hey, you there! **9** (*fam.: compagno*) partner; (*marito*) husband; (*amico*) boyfriend; (*amante*) man*, lover ● **u. di paglia**, man of straw, straw man; (*comm.*) figure-head, dummy (*o* relig.) **l'U. Dio**, God incarnate (*o* naut.) U. **a** (*o* in) **mare!**, man overboard! □ **u. morto**, (*spacciato*) dead man, goner (*slang*); (*attaccapanni*) clothes-stand; (*ferr.*, anche **dispositivo di u. morto**) dead-man control: *Fermati o sei un u. morto*, stop or you're a dead man □ **u. nero**, (*spauracchio*) bogey, bogeyman; (*nei giochi di carte*) jack of spades □ (*sport*) **u. partita**, match winner □ (*aeron.*) **u. radar**, air traffic controller □ **u. rana**, frogman □ **u. sandwich**, sandwich man □ **u. scimmia**, ape-man □ **a memoria d'u.**, within (*o* in) living memory □ **a passo d'u.**, at a walking pace: *Il traffico si muoveva a passo d'u.*, the traffic was moving at a crawl (*o* was crawling along) □ **come un sol u.**, as one; all together □ **da u. a u.**, man to man (avv.); man-to-man (attr.); **parlarsi da u. a u.**, to talk man to man; **discussione da u. a u.**, man-to-man discussion □ **fino all'ultimo u.**, to the last man; to a man: *Furono tutti d'accordo fino all'ultimo u.*, they agreed to a man (*o* down to the last man) □ **mezzo u.**, half a man □ (*prov.*) *U. avvisato, mezzo salvato*, forewarned is forearmed □ (*prov.*) *L'u. propone e Dio dispone*, man proposes, God disposes.

uòpo m. (*lett.*) need; necessity: **all'u.**, in case of need; if necessary; **fare all'u.**, to be suited to the purpose; **essere (*o* fare) d'u.**, to be necessary.

uòsa f. (*ghetta*) gaiter.

◆**uòvo** m. (pl. **uòva** f.) **1** (*biol.*) egg; egg cell; ovum* **2** (*di volatile, pesce, rettile*) egg: **u. di gallina**, hen's egg; **u. di giornata** (*o* fresco), new-laid egg; **u. gallato**, fertilized egg; **uova di pesce**, roe 🖫; **uova di rana**, frogspawn 🖫; **a forma d'u.**, egg-shaped; **grosso come un u.**, the size of an egg; **bere un u.**, to suck an egg; **deporre** (*o* fare) **un u.**, to lay an egg; **deporre uova**, to lay eggs; (*di pesci*) to spawn; (*di pulcino*) **uscire dall'u.**, to hatch **3** (*alim.*) egg: **u. affogato** (*o* in camicia), poached egg; **u. all'occhio di bue** (*o* al tegame), egg fried on one side; egg sunny side up (*USA*); **u. à la coque**, soft-boiled egg; **u. all'ostrica**, prairie-oyster; **u. bazzotto**, coddled egg; **u. in padella**, fried egg; **u. sodo**, hard-boiled egg; **uova al prosciutto**, egg and ham; **uova strapazzate**, scrambled eggs; **sbattere un u.**, to beat an egg; **chiara** (*o* bianco) **d'u.**, egg white; **pasta all'u.**, egg pasta; egg noodles (pl.) ● (*fig.*) **l'u. di Colombo**, the obvious solution: *È l'u. di Colombo!*, it's so obvious! □ **u. di Pasqua**, Easter egg □ (*fig.*) **camminare sulle uova**, to tread

a b c d e f g h i j k l m n o p q r s t **u** v w x y z

warily □ (*fig.*) **cercare il pelo nell'u.**, to split hairs; to be nitpicking □ **pieno come un u.**, packed; chock-a-block; (*sazio*) full up □ (*fig.*) **rompere le uova nel paniere a q.**, to upset sb.'s apple-cart; to queer sb.'s pitch (*fam. GB*) □ **È la solita storia dell'u. e della gallina**, it's a chicken-and-egg situation □ (*prov.*) **Meglio un u. oggi che una gallina domani**, a bird in hand is worth two in the bush.

ùpas m. **1** (*bot.*, *Amtiaris toxicaria*) upas (tree) **2** (*sostanza*) upas.

uperizzàre v. t. (*tecn.*) to subject to ultra--heat treatment.

uperizzatóre a. ultra-heat treatment (attr.).

uperizzazióne f. ultra-heat treatment.

UPI sigla (**Unione delle province d'Italia**) Association of Italian Provinces.

UPLMO sigla (**Ufficio provinciale del lavoro e della massima occupazione**) (*detto* **Ufficio di collocamento**) provincial employment office.

upload m. inv. (*ingl.*, *comput.*) upload.

uppercut (*ingl.*) m. inv. (*boxe*) uppercut.

UPU sigla (*ONU*, **Unione postale universale**) Universal Postal Union (UPU).

ùpupa f. (*zool.*, *Upupa epops*) hoopoe.

UQ sigla (**ultimo quarto** (**di luna**)) last quarter (of the moon).

uracile m. (*chim.*) uracil.

uragàno m. **1** (*meteor.*, *nelle Antille*) hurricane; (*estens.*: *ciclone tropicale*) tropical cyclone **2** (*fig.*) storm: **un u. di applausi**, a storm of applause.

Uràli m. pl. (*geogr.*) Ural Mountains; Urals.

uràlico Ⓐ a. (*geogr.*, *ling.*) Uralic Ⓑ m. (*ling.*) Uralic.

uràlo-altàico a. e m. (*ling.*) Uralo-Altaic.

uràngo → orango.

uraniàno a. e m. Uranian.

urànico ① a. (*chim.*) uranic.

urànico ② a. (*mitol.*) celestial.

urànide m. (*chim.*, anche agg.: **elemento u.**) uranide.

uranífero a. (*miner.*) uraniferous.

uranìle m. (*chim.*) uranyl.

uraninite f. (*miner.*) uraninite.

♦**urànio** m. (*chim.*) uranium: **u. arricchito [impoverito]**, enriched [depleted] uranium.

Uràno m. (*mitol.*, *astron.*) Uranus.

uranografìa f. (*astron.*) uranography.

uranogràfico a. (*astron.*) uranographic.

uranògrafo m. (f. **-a**) (*astron.*) uranographer.

uranometrìa f. (*astron.*) uranometry.

uranomètrico a. (*astron.*) uranometric.

uranoscopìa f. (*astron.*) uranoscopy.

uranoscòpico a. (*astron.*) uranoscopic.

uranòscopo m. (*zool.*, *Uranoscopus scaber*) stargazer.

URAR-TV sigla (**Ufficio registro abbonamenti radio e televisione**) radio and TV licensing office.

uràto m. (*chim.*) urate.

urbanèsimo m. urbanization.

urbanìsta m. e f. town planner; city planner (*USA*).

urbanìstica f. town planning; city planning (*USA*).

urbanìstico a. town planning (attr.); city planning (attr.) (*USA*): **complesso u.**, urban complex; **consulente u.**, town planning consultant; **patrimonio u.**, urban assets (pl.); **progetto u.**, town planning scheme.

urbanità f. politeness; courtesy; urbanity: **u. di modi**, courteous manners; **trattare q.**

con u., to be polite with sb.; to treat sb. with courtesy.

urbanizzàre Ⓐ v. t. **1** (*rendere cortese*) to refine; to polish **2** to urbanize Ⓑ **urbanizzàrsi** v. i. pron. to become* urbanized.

urbanizzatìvo a. urbanization (attr.).

urbanizzazióne f. urbanization.

♦**urbàno** a. **1** (*della città*) urban; city (attr.); town (attr.); local: **area urbana**, urban area; **centro u.**, town (*o* city) centre; **crescita urbana**, urban growth; **polizia urbana**, city (*o* local) police; **telefonata urbana**, local call **2** (*stor.*) Roman **3** (*fig.*) polite; courteous; urbane: **modi urbani**, polite (*o* courteous) manners.

Urbàno m. Urban.

ùrbe f. (*lett.*) **1** city **2** – l'U., Rome.

ùrbi et òrbi (*lat.*) loc. avv. e agg. **1** (*eccles.*) to the city and the world **2** (*scherz.*) to everyone; generally: **noto urbi et orbi**, known to everyone; generally known.

urbinàte Ⓐ a. of Urbino; from Urbino Ⓑ m. **1** (f. **-a**) native [inhabitant] of Urbino **2** – l'U., Raphael.

ùrca inter. (*region.*) wow!; coo! (*GB*); gee! (*USA*).

ùrdu a. e m. (*ling.*) Urdu.

urèa f. (*chim.*) urea.

ureàsi f. (*biochim.*) urease.

urèico a. (*chim.*) urea (attr.): **resina ureica**, urea resin.

uremìa f. (*med.*) uraemia.

urèmico (*med.*) Ⓐ a. uraemic Ⓑ m. (f. **-a**) person suffering from uraemia.

urènte Ⓐ a. (*lett.*) burning Ⓑ m. (*bot.*) stinging hair.

uretàno m. (*chim.*) urethane.

ureteràle a. (*anat.*, *med.*) ureteral; ureteric.

uretère m. (*anat.*) ureter; urinary duct.

ureterite f. (*med.*) ureteritis.

urètra f. (*anat.*) urethra*.

uretràle a. (*anat.*) urethral.

uretrite f. (*med.*) urethritis.

uretroscopìa f. (*med.*) urethroscopy.

♦**urgènte** a. urgent; pressing: **affari urgenti**, urgent (*o* pressing) business; **bisogno u.**, urgent need; **avere u. bisogno di qc.**, to be in urgent need of st.; to need st. urgently; **chiamata u.**, urgent call; **impegno u.**, pressing engagement; **lettera u.**, urgent letter.

urgenteménte avv. urgently; with urgency; as a matter of urgency.

urgènza f. **1** (*impellenza*) urgency; urgent (*o* pressing) need; (*premura*, *fretta*) haste, hurry: **C'è u. di riforme**, there is an urgent need of reforms; reforms are urgently needed; **Ho u. di contante**, I am in urgent need of (*o* I badly need) cash; **Ho u. di partire**, I must leave as soon as possible; **Ho una certa u.**, I am rather pressed for time; I'm in a bit of a hurry (*fam.*); **Non c'è u.**, there is no urgency; there is no hurry; **con u.**, as a matter of urgency; **della massima u.**, of the utmost urgency; **in caso di u.**, if it is urgent; in case of urgency; **fare u. a q.**, to urge (*o* to press) sb. **2** (*emergenza*) emergency: **chiamare d'u. un'ambulanza**, to make an emergency call for an ambulance; **operare d'u.**, to operate immediately (*o* as a matter of urgency); **ricoverare q. d'u.**, to admit sb. as an emergency patient; to rush sb. to hospital (*fam.*); (*med.*) **intervento d'u.**, emergency operation; **chirurgia d'u.**, emergency surgery; **soccorso d'u.**, first-aid.

urgenzàre v. t. (*bur.*) to speed up; to expedite; to hurry.

ùrgere Ⓐ v. i. **1** (*essere necessario con urgenza*) to be urgently required; to be urgently (*o*

badly) needed: **Urgono aiuti**, help is urgently required; **Urge farlo subito**, it must be done immediately; **Mi urgono soldi**, I need some money badly **2** (*essere pressante*) to be urgent; to be pressing: **È una questione che urge**, the matter is urgent; **Urge una risposta**, an answer is urgent Ⓑ v. t. (*lett.*) to urge; to press.

urì f. (*relig.*) houri.

ùria f. (*zool.*, *Uria aalge*) guillemot.

Uria m. (*Bibbia*) Uriah.

uricemìa f. (*med.*) hyperuricaemia.

uricèmico (*med.*) Ⓐ a. hyperuricaemic Ⓑ m. (f. **-a**) person suffering from hyperuricaemia.

ùrico a. (*chim.*) uric: **acido u.**, uric acid.

uricosùria f. (*med.*) uricosuria.

urìna f. urine: **analisi delle urine**, urine test; urinalysis.

urinàle → orinale.

urinàre → orinare.

urinàrio a. urinary: **apparato u.**, urinary system.

urinífero a. (*anat.*) uriniferous.

urinocoltùra f. (*med.*) urine culture.

urinóso a. urinous.

urlànte a. screaming; vociferous: **folla u.**, screaming crowd.

♦**urlàre** Ⓐ v. i. **1** (*emettere urla*) to shout; to yell, (*in modo stridulo*) to scream, to shriek; (*ululare*) to howl; (*del vento*) to howl: **u. a più non posso**, to shout (*o* to yell) one's head off; **u. come un ossesso**, to shout (*o* to yell) like a madman; **u. di dolore**, to scream (*o* to howl) with pain; **u. di paura**, to scream (*o* to shriek) with fright; **Il bambino urla a u.**, the baby started to scream **2** (*dire a voce molto alta*) to shout, to yell, to bellow, to bark; (*alzare la voce*) to raise one's voice; to shout at sb.: «*Per di qua!*» urlò la guida, «this way!» the guide shouted; «*Piantala!*» urlò, «stop it!» he yelled; «*In riga!*» urlò il sergente, «fall in!» the sergeant barked; *Non u. con me!*, don't raise your voice with me!; don't shout at me! Ⓑ v. t. **1** to shout; to yell; to scream; to bawl (out); to bark: **u. imprecazioni**, to bawl out curses; **u. istruzioni**, to bawl instructions; **u. il nome di q.**, to shout sb.'s name; **u. ordini**, to shout (*o* to bark) orders **2** (*cantare a voce altissima*) to bawl (out); **u. una canzone**, to bawl (out) a song.

urlàta f. **1** (*di disapprovazione*) shouts (pl.); hoots (pl.); boos (pl.) **2** (*di rimprovero*) tongue-lashing; (*spec. di genitore*) yelling: *Mi ha fatto un'u.*, she gave me a tongue-lashing; she bawled me out; she gave me hell (*fam.*).

urlàto a. (*enfatico*, *aggressivo*) screaming; aggressive.

urlatóre Ⓐ a. howling; shouting; screaming; bawling: **scimmia urlatrice**, howler (monkey) Ⓑ m. (f. **-trice**) **1** howler; shouter; screamer; bawler **2** (*cantante degli anni '60*) pop-singer.

urlìo m. shouting; screaming; yelling; (*spec. di animale o del vento*) howling.

♦**urlo** m. **1** (*grido di animale*) howl; howling; ululation; (*stridulo*) screech: **l'u. del lupo**, the howl of the wolf (*del vento*, *ecc.*) howl; (*di sirena*) hoot, wailing **3** (*fragore*) roar; roaring; thunder: **l'u. del mare in tempesta**, the roar of a stormy sea **4** (al pl., collett., *anche* **urla**, f.) (*grido umano*) shout; cry; yell; (*stridulo*) cream, shriek; (*ululante*) howl; (al pl., *anche* shouting ⓤ, screaming ⓤ, yelling ⓤ, (*clamore*) clamour ⓤ: **un u. di dolore**, a scream of pain; **un u. di paura**, a scream (*o* a shriek) of fright; **urla di gioia**, shouts of joy; **urla di scherno**, howls of derision; **le urla dei tifosi**, the shouts (*o* the shouting) of supporters; **urli** (*o* **urla**) **d'indignazione**,

cries (*o* a clamour) of indignation; an uproar; **lanciare** (*o* **mandare**) **un u.**, to let out a scream; *Sentirai gli urli, quando torni a casa!*, you'll get a good yelling when you get home! ● (*gergale*) **da u.**, mind-blowing.

ùrna f. **1** urn: **u. cineraria**, cinerary urn **2** (*anche* **u. elettorale**) ballot box; **sigillare le urne**, to seal the ballot boxes **3** (*al pl.*) (*votazione, consultazione elettorale*) ballot box; polls; polling Ⓤ: *Le urne si apriranno alle sette*, polling will begin at seven; **andare alle urne**, to go to the polls; **chiamare i cittadini alle urne**, to call a general election; **presentarsi alle urne**, to turn out; **affluenza alle urne**, voter turn-out; **il responso delle urne**, the election returns (pl.); the result of the polling.

ùro m. (*zool.*, *Bos primigenius*) aurochs; urus*.

urobilìna f. (*biol.*) urobilin.

urobilinùria f. (*med.*) urobilinuria.

urochinàṣi f. (*biol.*) urokinase.

urocordàto m. (*zool.*) urochordate; (*al pl.*, *scient.*) Urochordata.

urocròmo m. (*fisiol.*) urochrome.

urodèlo m. (*zool.*) urodele; (*al pl.*, *scient.*) Urodela.

urogàllo m. (*zool.*, *Tetrao urogallus*) capercaillie; capercailzie; wood grouse*.

urogèneṣi f. (*chim.*, *biol.*) uropoiesis.

urogenitàle a. (*anat.*) urogenital; urinogenital.

urografìa f. (*med.*) urography.

urogràmma m. (*med.*) urograph.

urolitìaṣi f. (*med.*) urolithiasis.

uròlito m. (*med.*) urinary calculus; urolith.

urologìa f. (*med.*) urology.

uròlogico a. (*med.*) urologic.

uròlogo m. (f. **-a**) urologist.

uromàstice m. (*zool.*, *Uromastix*) uromastix.

uroniàno a. (*geol.*) Huronian.

urònico a. (*chim.*) uronic.

uropigèo a. (*zool.*) uropygial.

uropìgio m. (*zool.*) uropygial gland.

uropoièṣi f. (*fisiol.*) uropoiesis.

uropoiètico a. (*fisiol.*) uropoietic.

uroscopìa f. (*med.*, *stor.*) uroscopy.

uròstilo m. (*zool.*) urostyle.

urotropìna® f. (*chim.*) urotropine.

URP sigla (**Ufficio Relazioni con il Pubblico**) Public Relations Office.

urrà Ⓐ inter. hurrah; hurray; hooray: *Hip hip hip, urrà!*, hip hip hooray! Ⓑ m. cheer: *Tre u. per il vincitore!*, three cheers for the winner!

ùrside m. (*zool.*) bear; (*al pl.*, *scient.*) Ursidae.

ursóne m. (*zool.*, *Erethizon dorsatum*) Canada porcupine.

URSS sigla (*stor.*, **Unione delle Repubbliche Socialiste Sovietiche**) Union of Soviet Socialist Republics (USSR).

urtànte Ⓐ a. (*fig.*) irritating; annoying; irksome: **comportamento u.**, irritating behaviour Ⓑ m. (*naut.*, *di mina*) contact horn; prong.

urtàre Ⓐ v. t. **1** (*colpire, scontrare*) to knock (against); to bang against; to strike*; to hit*; (*anche rif. a persona*) to bump into: **u. un paracarro**, to hit a kerbstone; **u. i passanti**, to bump into passers-by; **u. il tavolo con una sedia**, to bang a chair against the table; **u. un vaso col gomito**, to knock a vase with one's elbow; **u. violentemente**, to crash into; to cannon against; *Lo urtai mentre stava scrivendo*, I jogged him while he was writing; *Il mio piede urtò una radice*, my foot struck against a root **2** (*sbattere*) to knock; to bang: **u. il capo contro qc.**, to knock (*o* to

bang) one's head against st. **3** (*fig.*, *anche assol.*: *irritare, indisporre*) to irritate, to annoy; (*offendere*) to hurt*, to upset*: **u. i nervi a q.**, to get on sb.'s nerves; **u. la suscettibilità di q.**, to hurt sb.'s feelings; *Cerca di non urtarlo*, try not to irritate him; **un modo di fare che urta**, irritating ways Ⓑ v. i. **1** (*andare addosso, andare a sbattere*) to hit* (st.); to collide (with); to bump (into); to crash (into); to run* (into): **u. contro un muro**, to hit a wall; to crash into a wall; **u. contro qc. facendo retromarcia**, to back into st.; *La locomotiva urtò contro un treno merci fermo*, the engine crashed into a stationary goods train; *La nave urtò contro uno scoglio*, the ship hit a rock; *Girato l'angolo, andai a u. contro un poliziotto*, I turned the corner and bumped into (*o* collided with) a policeman **2** (*fig.*: *imbattersi, incappare*) to come* up (against); to run (into); to meet* (with); to strike* (st.): **u. contro un muro di incomprensione**, to meet with complete incomprehension; **u. in un ostacolo**, to run into an obstacle Ⓒ **urtàrsi** v. rifl. recipr. **1** (*scontrarsi*) to bump (*o* to run*, to crash) into each other (*o* one another); to collide: **urtarsi frontalmente**, to collide head-on; *Ci urtammo sulla soglia*, we bumped into each other (*o* we collided) on the threshold; *I due camion si urtarono nella nebbia*, the two lorries collided in the fog **2** (*spingersi*) to push; to shove; to jostle: *La gente si urtava per uscire*, people were pushing and shoving (*o* were jostling) to get out **3** (*essere in contrasto*) to clash **4** (*venire a contrasto*) to quarrel; to fall* out (*fam.*): *Si sono urtati per una questione di denaro*, they quarrelled (*o* fell out) over a money matter Ⓓ **urtàrsi** v. i. pron. (*litigare*) to quarrel; to fall* out (*fam.*); (*irritarsi*) to get* irritated; (*offendersi*) to take* offence: **urtarsi con q.**, to quarrel with sb.; **urtarsi per un nonnulla**, to take offence at the slightest thing.

urtàta f. → **urto**.

urtàto a. (*irritato, seccato*) irritated; annoyed; (*offeso*) upset.

urticànte a. urticating; stinging.

ùrto Ⓐ m. **1** (*spinta*) push, shove, jostle (*cozzo*) knock, bang, bump: *Nonostante l'u., il vetro non si ruppe*, the glass didn't break, despite the knock; *Con un u. lo fece cadere*, she pushed it and knocked it down **2** (*collisione*) collision; crash; impact: **u. frontale**, head-on collision: **l'u. dell'aereo contro il suolo**, the impact of the plane with the ground; *Nell'u. l'auto prese fuoco*, the car burst into flames upon impact; **entrare in u.**, to collide **3** (*fis.*) collision; shock: **u. anelastico [elastico]**, inelastic [elastic] collision; **onda d'u.**, shock wave; **sezione d'u.**, cross section **4** (*mil.*: *attacco*) attack; (*scontro*) clash: **l'u. del nemico**, the attack of the enemy; the enemy attack; **sostenere il primo u.**, to bear the brunt of the attack; **massa d'u.**, shock troops (pl.) **5** (*fig.*: *contrasto*) clash; conflict; collision: **l'u. fra due tesi opposte**, the clash between two contrasting theses; **essere in u. con q.**, to be at odds (*o* at loggerheads) with sb.; (*avere rapporti tesi*) to be on bad terms with sb.; **essere in u. con qc.**, to be at odds (*o* to clash) with st.; **mettersi in u. con q.**, to come into conflict with sb.; to fall out with sb. (*fam.*) **6** – **u. di vomito**, retch Ⓑ a. inv. massive; massive-dose; aggressive: (*med.*) **dose u.**, massive dose; **terapia u.**, massive-dose (*o* aggressive) therapy.

urtóne m. (*spintone*) hard push, hard shove; (*cozzo violento*) violent knock.

urtoterapìa f. (*med.*) massive-dose (*o* aggressive) therapy.

urubù m. (*zool.*, *Coragyps atratus*) black vulture.

uruguaiàno a. e m. (f. **-a**) Uruguayan.

US sigla **1** (**ufficio stampa**) press office **2** (**Unione sportiva**) sports association **3** (**uscita di sicurezza**) emergency exit.

u.s. sigla (**ultimo scorso**) last month (ult.).

uṣàbile a. usable; that can be used.

uṣabilità f. (*spec. comput.*) usability.

ùṣa e gètta loc. a. inv. **1** disposable; throwaway (attr.): **siringa usa e getta**, disposable syringe **2** (*fig.*) passing; ephemeral; fleeting.

uṣànza f. **1** (*costume, consuetudine*) custom; tradition; (*al pl.*, *anche*) ways: **l'u. del baciamano**, the custom of handkissing; **u. locale**, local custom (*o* tradition); **usanze popolari**, folk traditions; *C'è l'u. di scambiarsi regali a Natale*, it is the custom to exchange presents at Christmas; **perpetuare un'u.**, to perpetuate a custom (*o* a tradition); **secondo l'u.**, according to custom; as is customary **2** (*moda*) fashion; vogue: **u. del momento**, current fashion (*o* vogue); **u. passeggera**, passing fashion **3** (*abitudine*) habit; custom; wont: **avere l'u. di**, to be in the habit of; **prendere l'u. di**, to get onto the habit of; **com'è sua u.**, as is his habit (*o* wont) **4** (*leg.*) usance; custom ● (*prov.*) **Paese che vai, u. che trovi**, when in Rome do as the Romans do.

♦**uṣàre** Ⓐ v. t. **1** (*adoperare, servirsi di*) to use, to make* use of; (*maneggiare*) to handle; (*impiegare*) to employ; (*consumare*) to use up: **u. il martello**, to use a hammer; **u. bene il proprio denaro**, to make good use of one's money; **u. la macchina**, to use one's car; **u. la testa [gli occhi]**, to use one's head [one's eyes]; **u. termini scientifici**, to use scientific terms; **saper u. qc.**, to know how to use (*o* to handle) st.; *Posso u. il suo telefono?*, may I use your phone?; *Come si usa questo affare?*, how do you use this contraption?; *Ti hanno usato*, you have been used; *Abbiamo usato molto carbone quest'inverno*, we used up a lot of coal last winter; *L'ho comprato per usarlo, non per ornamento*, I bought it for use, not for decoration; *Non si usa molto il cappotto con questo clima*, you don't use coats much in this climate; *Sta' attento quando usi i miei libri*, be careful while handling my books **2** (*esercitare*) to use, to exercise; (*mettere in atto*) to use, to resort to: **u. le maniere forti**, to use strong-arm tactics; **u. minacce**, to use threats; **u. il proprio potere**, to use one's power **3** (*agire con*) to use; to act with; to be + agg.): **u. delicatezza**, to use care; to be careful; **u. la massima cura in qc.**, to take the greatest care in st.; **u. parsimonia**, to be thrifty; **u. pietà**, to be merciful; **u. prudenza**, to be prudent; **u. la violenza**, to use (*o* to resort to) violence; **u. violenza a q.**, to do violence to sb.; to lay one's hands on sb.; (*violentare*) to rape sb. **4** (*fare*) to do*: **u. una cortesia a q.**, to do sb. a favour; **usare premure verso q.**, to be kind (*o* solicitous) to sb. **5** (*essere solito*) to be in the habit of; to be used to; (*al pass.*) used to, would: *Usano alzarsi di buon'ora*, they are in the habit of getting up early; *Non uso dimenticare i favori*, I am not in the habit of forgetting favours; *Io non uso fare così*, I am not accustomed (*o* used) to doing that; *Come usa dire mio padre*, as my father is in the habit of saying; *Come usava dire mia nonna*, as my grandmother used to (*o* would) say Ⓑ v. i. **1** (*servirsi*) to make* use (of); to avail oneself (of): **u. delle proprie capacità**, to make use of one's own abilities; **u. dei propri diritti**, to avail oneself of one's rights **2** (*essere di moda*) to be fashionable; to be in fashion; to be in (*fam.*): *Quest'anno usa il beige*, beige is fashionable (*o* is in fashion) this year; beige is in this year (*fam.*); *Anni fa usavano gli zoccoloni*, clogs were in fashion years ago; *Non usa più*, it's no longer fashionable (*o* not fash-

ionable any more); it's out of fashion; it's out (*fam.*) **C** e **usàrsi** **v. i. impers.** to be the custom; to be customary: *Qui usa dare la mancia ai camerieri*, it is customary to tip waiters here; we usually tip waiters here; *Da noi s'usa così*, that is the custom with us; that is what we do; *Il giorno dopo, come s'usa, le mandai dei fiori*, the next day, as is the custom, I sent her some flowers; *Un tempo si usava andare a passeggio sul lungomare*, it was once customary to promenade along the seafront.

◆**usàto** **A** a. **1** (*in uso*) used; in use (pred.): **i metodi usati in una scuola**, the methods in use in a school; **parole poco usate**, little-used words; words not much in use **2** (*sfruttato*) used: **sentirsi usato**, to feel one has been used **3** (*non più nuovo*) used; (*di seconda mano*) second-hand: **automobili usate**, used (*o* second-hand) cars; **busta usata**, used envelope; **fiammifero usato**, spent match; burnt matchstick; **mobili usati**, second-hand furniture **4** (*lett.*: *abituato*) accustomed (to); used (to): **gente usata alla fatica**, people used to hard work **5** (*lett.*: *abituale*) usual, habitual, customary; (*familiare*) well-known, familiar **B** m. **1** (the) ordinary: **fuori dell'u.**, out of the ordinary; unusual **2** (*roba usata*) second-hand things (pl.); second-hand goods (pl.): **mercato dell'u.**, second-hand market.

usbèco a. e m. (f. *-a*) Uzbek.

usbèrgo m. **1** (*stor.*) hauberk **2** (*fig.*) protection; shield; defence.

uscènte a. **1** (*gramm.*) ending: **verbi uscenti in -are**, verbs ending in -are **2** (*che sta per finire*) closing; expiring: **l'anno u.**, the closing year **3** (*che lascia un ufficio*) outgoing: **il sindaco u.**, the outgoing mayor.

uscière m. **1** attendant; (*di tribunale*) usher **2** (*fam.*: *ufficiale giudiziario*) bailiff; process-server **3** (*portiere*) porter; janitor.

ùscio m. door: **l'u. di casa**, the front door; **affacciarsi all'u.**, to come to the door; **farsi sull'u.**, to come to the door; **stare sull'u.**, to stand at the door (*o* in the doorway). (*Per altri esempi d'uso →* **porta**, **A**, *def. 1*) ● **abitare u. a u. con q.**, to live next door to sb. □ **infilare l'u.**, to slip in [out] □ (*fig.*) **mettere q. all'u.**, to show sb. the door □ (*fig.*) **tra l'u. e il muro**, between a rock and a hard place; with one's back to the wall.

◆**uscìre** v. i. **1** (*andare fuori*) to go* out; (*venire fuori*) to come* out; (*andare o venire fuori*) to get* out, to leave* (st.); (*salire*) to come* up, to surface; (*emergere*) to come* out, to emerge; (*andar via*) to leave*: (*autom.*) **u. a marcia indietro**, to back out; (*naut.*) **u. al largo** (*o* **in mare**), to put out to sea; **u. all'aperto**, to go out [to come out] in the open; **u. allo scoperto**, to come out into the open; **u. dall'autostrada**, to leave the motorway; **u. dalla cantina**, to come up from the cellar; **u. dalla gabbia**, to get out of the cage; **u. da una galleria**, to come out of (*o* to emerge from) a tunnel; **u. dalla finestra**, to get out through the window; **u. dal letto**, to get out of bed; **u. dalla macchina**, to get out of the car; (*naut.*) **u. dal porto**, to leave port; **u. dalla porta principale**, to leave by the main door; **u. da una stanza**, to go [to come] out of a room; to leave a room; **u. da sotto il letto**, to get out from under the bed; **u. di corsa**, to run out; **u. di soppiatto**, to slip out; to steal out; to sneak out; **u. in giardino**, to go out into the garden; **u. in** (*o* **per**) **strada**, to go out into the street; **u. precipitosamente**, to rush out; **u. senza dare nell'occhio**, to make a quiet exit; to slip out; **u. sul balcone**, to go out onto the balcony; **fare u. q.**, (*lasciarlo u.*) to let sb. out; (*mandarlo fuori*) to send sb. out; (*accompagnarlo fuori*) to show sb. out; *Il dottore è già uscito*, the doctor has already left; *Esci con noi?*, are you coming out with us?; *Uscite di là!*, come out of there!; *Stavo per u.*, I was on my way out; I was about to leave; *Il treno esce dalla stazione*, the train is leaving (*o* pulling out of) the station; *A che ora esci da scuola?*, what time do you come out of school?; *Come si esce di qui?*, how do you get out of here?; which (*o* where) is the way out? **2** (*teatr.*) – **u. di scena**, to go off; to exit; to leave the stage; (*fig.*) to leave the scene, (*ritirarsi*) to bow out; *Esce Amleto*, exit Hamlet; *Escono tutti*, exeunt all **3** (*andare fuori per divertimento*) to go* out; to get* out: **u. con q.**, to go out with sb.; to date sb. (*USA*); (*abitualmente*) to be going out with sb.; to be dating sb. (*USA*); **u. ogni sera**, to go out every night; *Non esce mai*, she never gets out; *Usciamo spesso*, we go (*o* get) out a lot; *Usciamo insieme da qualche mese*, we've been going out together (*USA* we've been dating) for some months; *Mi ha invitato a u. con lui*, he has asked me out **4** (*andare a fare un giro*) to go*: **u. a passeggio**, to go (out) for a walk; **u. a cavallo**, to go riding; **u. in auto**, to go for a drive; **u. in barca**, to go sailing; **u. in bicicletta**, to go cycling **5** (*lasciare una posizione, una condizione, ecc.*) to leave* (st.); to drop out (of); (*ritirarsi da*) to pull out, to withdraw*: **u. dall'adolescenza**, to leave one's adolescence behind; **u. dal coma**, to come out of a coma; **u. dalla fila**, to leave one's place in the queue; to drop out of the queue; **u. da una malattia**, to recover from (*o* to get over) an illness; **u. dalla neutralità**, to end one's neutrality; **u. dall'ospedale**, to come out of (*o* to leave) hospital; **u. dal partito**, to leave the party; **u. dai ranghi**, to fall out of line; **u. dal riserbo**, to abandon one's reserve; (*di tram, ecc.*) **u. dalle rotaie**, to run off the rails (*o* the tracks); to derail; **u. di casa**, to leave one's house; to leave home; **u. di prigione**, to come out of prison; **u. di strada**, to go off the road; **uscirne indenne**, to come out alive; **far u. di nascosto da**, to smuggle out of **6** (*venir fuori, provenire*) to come* out (of); to come* (from); (*sfuggire*) to escape, to slip: **u. di bocca**, to come out of sb.'s mouth; *Non gli uscì di bocca una sillaba*, not a syllable came out of his mouth; *Gli uscì di bocca una parolaccia*, he let slip a rude word; *Che non t'esca una parola di bocca!*, don't breathe a word about it!; **u. di mente a q.**, to slip sb.'s memory; *Il suo nome mi è uscito di mente*, his name has slipped my memory; *Mi è proprio uscito di mente*, it went clean out of my mind; *Di lì esce un gran puzzo*, there is an awful smell coming from there; **un «sì» che gli usciva dal cuore**, a «yes» which came from his heart; a heartfelt yes **7** (*di liquido*) to come* out; to run* out; (*per perdita*) to leak; (*traboccare*) to overflow, to spill: **u. a fiotti**, to pump out; to gush out; **u. a getti**, to spurt out; **u. da un rubinetto**, to come out of a tap; *Gli usciva sangue dal naso*, blood was running from his nose; *Da questo catino esce l'acqua*, this bowl is leaking **8** (*di gas, ecc.*) to come* out; to escape; (*per perdita*) to leak: *Dal camino usciva del fumo*, smoke was coming out of the chimney; *Un getto di vapore uscì dal fumaiolo*, a jet of steam escaped (*o* rose) from the ship's funnel; *Da questo tubo esce gas*, this gaspipe is leaking; **far u. l'aria**, to let out the air **9** (*comparire, apparire*) to come* out; to come* up; to appear; to emerge; to surface: **u. dall'ombra**, to come out of (*o* to emerge from) the shadows; (*fam.*) **u. fuori** (*essere ritrovato*), to turn up; **u. sulla scena mondiale**, to appear on the world scene: *E tu da dove esci?*, where have you come out from? **10** (*fig.*: *sbottare, anche* **uscirsene**) to come* out: **u.** (*o* **uscirsene**) **a dire**, to come out saying; **uscirsene (fuori) con una proposta**, to come out with a proposal; **u. in una risata**, to burst into laughter; to burst out laughing **11** (*sporgere*) to come* out; to stick* out; to protrude: *Ti esce il fazzoletto dalla tasca*, your handkerchief is coming out of your pocket; *Il chiodo usciva di poco dal muro*, the nail stuck out (*o* protruded) slightly from the wall **12** (*essere sorteggiato*) to be drawn; to come* out: *Per primo uscì il numero venti*, number twenty was drawn first **13** (*fig.*: *emergere, distinguersi*) to stand* out; (*risultare*) to come* out: **u. dalla massa**, to stand out; **u. vincitore**, to come out the winner; to come out on top **14** (*essere prodotto*) to come* out; to be turned out; to be produced: *Dalla fabbrica escono mille pezzi al giorno*, the factory turns out one thousand pieces a day **15** (*essere pubblicato*) to come* out, to be published; (*essere messo in circolazione*) to be released: *Il primo numero uscirà il mese prossimo*, the first issue is coming out next month; *Quanti libri escono ogni anno?*, how many books are published (*o* come out) each year?; *È appena uscito*, it's just out **16** (*di strada*: *sboccare*) to lead*: *Questa strada esce sulla piazza*, this street leads to the square; **le strade che escono da Roma**, the roads leading out of Rome **17** (*nei giochi di carte*) to lead*: **u. a quadri**, to lead diamonds **18** (*anche* **uscirne**: *cavarsela*) to come* off (*o* out, through); to get* off: **u. dai guai**, to get out of trouble; **u. incolume**, to come out unscathed; **uscirne bene [male]**, to come off well [badly]; **uscirne a buon mercato**, to get off cheaply **19** (*gramm.*: *terminare*) to end: **verbi che escono in -are**, verbs ending in -are ● **u. dall'argomento**, to get off the subject (*o* the point); to digress □ (*fig.*) **u. dai gangheri**, to fly off the handle □ (*di un fiume*) **u. dal letto**, to overflow (one's banks) □ (*di lavoro*) **u. dalle mani di q.**, to be made by sb.; to be sb.'s work □ (*del sole*) **u. dalle nuvole**, to break through the clouds □ **u. dall'ordinario**, to be out of the ordinary □ (*fig.*) **u. dalla retta via**, to leave the straight and narrow path; to go astray □ (*fig.*) **u. dal seminato**, to wander from the subject (*o* point) □ **u. dalla vista**, to disappear from view □ (*fig.*) **u. di cervello** (*o* **di senno**), to go out of one's mind □ **u. di sentimento**, to be beside oneself; to go mad □ (*fig.*) **Mi esce dagli occhi**, I'm fed up with it □ (*fig.*) **Gli occhi gli uscivano dalla testa**, his eyes were popping out of his head □ **Di qui non si esce: o è un ladro o uno stupido**, there are no two ways about it: either he's a thief or a fool □ **Con tre metri un vestito ci esce**, you can get a dress out of three metres; three metres will do for a dress □ **Mi uscì detto che...**, I let slip that...

◆**uscìta** f. **1** (*l'uscire*) getting out; going out; coming out; walking out; exit; (*il lasciare*) leaving, exit (ma spesso si usa una costruz. verbale): (*teatr.*) **u. di scena**, exit; **u. dalla scena politica**, exit from the political scene; *È la mia prima u. dopo l'influenza*, this is the first time I've been out after the flu; *A che ora è l'u.?*, when do we [you, etc.] go out?; (*dal lavoro*) when do we [you, etc.] leave work?; *È l'ora dell'u. dalla scuola*, it's the time children come out of school; **anticipare l'u. dall'ufficio**, to leave the office early; **all'u. dalla scuola**, on coming out of school; *All'u. dall'ufficio lo trovai che mi aspettava*, when I left (*o* on leaving) the office I found him waiting for me; *Vediamoci all'u. dello spettacolo*, let's meet at the end of the show; *Lo riprendo all'u.*, I'll collect it on my way out; *Spera nell'u. del numero sette*, he hopes number seven will come out (*o* will be drawn); *Vietata l'u.*, no exit **2** (*liberazione*) release: **u. dal carcere**, release from prison **3** (*mil.*: *sortita*) sortie; sally **4** (*teatr.*: *entrata in scena*) entrance **5** (*fuoriuscita, di liquido*) outflow, flowing out; (*di gas*) outlet, escape **6** (*pubblicazione*) publication,

issue; (*distribuzione*) release: **l'u. di un film**, the release of a film; **l'u. di un romanzo**, the publication of a novel; *La rivista ha un'u. settimanale*, the magazine is published weekly **7** (*sport: calcio*) coming out (of goal), running out; (*ginnastica*) dismount; (*scherma*) thrust **8** (*passaggio per cui si esce*) exit; (*anche fig.*) way out; (*di aeroporto*) gate: **u. antincendio**, fire exit (*o* escape); **u. di sicurezza**, emergency exit; (*di edificio, anche*) fire exit (*o* escape); **u. principale**, main exit; **u. secondaria**, side exit; *Dov'è l'u.?*, where is the exit (*o* the way out, the door)?; *Di qui non c'è u.*, there is no way out; **una casa con due uscite**, a house with two exits; **segnale d'u.** (*d'autostrada*), exit sign; (*anche fig.*) **strada senza u.**, dead end; blind alley; cul-de-sac (*franc.*) **9** (*sbocco*) outlet; vent; channel; hole; opening **10** (*fig.: scappatoia, soluzione*) way out: *Questa è l'unica u. ragionevole*, this is the only reasonable way out **11** (*gramm.: desinenza*) ending: **l'u. del dativo**, the dative ending; **u. in vocale**, vowel ending; **parole che hanno l'u. in -a**, words ending in -a **12** (*rag., fin.*) outflow; disbursement; (*spesa*) expenditure, expense, outlay: **u. di capitali**, capital outflow; **uscite di cassa**, cash disbursements; cash outflows; **entrate e uscite**, income and expenditure **13** (*fig.: frase detta*) remark; words (pl.); (*battuta*) joke, quip, crack (*fam.*): **un'u. infelice**, an unfortunate remark; *Ha certe uscite bizzarre*, she can come out with some really odd things; *Mi fa sbellicare con le sue uscite*, he has me in stitches with the things he says **14** (*nei giochi di carte*) lead **15** (*elettr., comput.*) output: **l'u. di un amplificatore**, the output of an amplifier ● **buon'u.** → **buonuscita** □ (*comm.*) **dazio d'u.**, export duty □ (*comm.*) **dichiarazione d'u.**, declaration outwards □ **giorno di libera u.**, day off □ **in libera u.**, off duty; (*mil. anche*) on a pass □ **in u.**, outgoing: **posta in u.**, outgoing mail □ **permesso d'u.**, exit permit; (*comm.*) clearance permit □ (*fig.*) **situazione senza u.** (*o* senza vie d'u.*), deadlock; impasse; situation of stall □ **via d'u.**, way out.

usignòlo m. (*zool., Luscinia megarhyncha*) nightingale.

usitàto a. (*lett.*) used; common; habitual.

USL sigla (*med.*, **Unità sanitaria locale**) local health authority.

ùso ① a. (*lett.*) used (to st., to doing st.); accustomed (to st., to doing st.); wont (to do st.): **uso alla fatica**, used to hard work; *Non sono uso a essere trattato così*, I'm not used (*o* accustomed) to being treated like that; **com'era uso fare**, as he was wont to do.

◆**ùso** ② m. **1** (*impiego, utilizzazione*) use: **l'uso delle auto** [**delle armi**], the use of cars [of weapons]; **uso errato**, wrong use; misuse; **uso improprio**, misuse; unlawful use; **uso smodato**, excessive use; abuse; **a doppio uso**, dual-purpose (attr.); **a più usi**, with several uses; multipurpose (attr.); **a proprio uso e consumo**, at one's own disposal; **a uso di**, for use; for the use of; **a uso dei bambini**, for the use of children; **a uso delle scuole**, for use in schools; **con uso cucina**, with use of kitchen; **d'uso comune**, commonly used; (*di oggetto*) **d'uso corrente**, of everyday use; **in uso**, (*in funzione*) in use, operative; **fuori uso**, (*non più usabile*) unserviceable; (*antiquato*) no longer used, old-fashioned; (*guasto*) out of order, not working; **mettere qc. fuori uso**, to render unserviceable; to put st. out of action; to neutralize; (*med.*) **per uso esterno**, to be applied externally; for external use only; (*med.*) **per uso interno**, to be taken internally; **per uso personale**, for one's own personal use; **per tutti gli usi**, all-purpose (attr.); **pronto per l'uso**, ready for use;

ready-to-use (attr.); **essere ancora in uso**, to be still in use (*o* used); **fare uso di qc.**, to make use of st.; to use st.; (*impiegare, servirsi di*) to employ st.; (*ricorrere a*) to resort to st.; **fare uso di sonniferi**, to take sleeping pills; **fare uso della forza**, to resort to force; **fare buon uso di qc.**, to make good use of st.; to put st. to good use; **fare cattivo uso di qc.**, to make bad use of st.; to misuse st.; **fare modico uso di qc.**, to use st. sparingly; **logorarsi con l'uso**, to wear out; **non essere più in uso**, to be no longer used (*o* in use); **pagare per l'uso di qc.**, to pay for the use of (*o* to use) st.; **servire a molti usi**, to have several uses; *Non ne conosco l'uso*, I don't know what it's for; *Si è deformato con l'uso*, it has lost its shape with use; **confezione uso famiglia**, family-size pack; **istruzioni per l'uso**, instructions; directions **2** (*capacità di usare*) use; (*facoltà*) power: **l'uso della parola**, the power of speech; **avere l'uso di qc.**, to have the use of st.; **avere l'uso della ragione**, to be in one's right mind; **perdere l'uso di un braccio**, to lose the use of an arm; **perdere l'uso della ragione**, to lose one's reason **3** (*leg.*) use: **diritto d'uso**, right of use **4** (*usanza*) custom, usage, use; (*abitudine*) habit, custom; (*maniera*) style, way, fashion; (*moda*) fashion: **gli usi di un paese**, the usages (*o* customs) of a country; **usi e costumi**, usages and customs; customs and traditions; **all'uso francese**, in the French style; French-style (attr.); **in** (*o* after) **the French way** (*o* fashion); **come d'uso**, as is the custom; as is usual; **d'uso** (*abituale*), usual; customary; habitual; conventional; **fuori uso** (*antiquato*), no longer used; old-fashioned; **consacrato dall'uso**, time-honoured; sanctified by custom; **secondo gli usi locali**, according to the local custom; *Così vuole l'uso*, that is the custom; *È uso* (*o* È d'uso) *mangiare il tacchino a Natale*, it is customary (*o* it is a tradition) to eat turkey at Christmas; *Non è mio uso di…*, it is not my habit to…; **entrare nell'uso**, to come in to use; **fare l'uso a qc.** (*abituarsi*), to get used to st.; **seguire l'uso**, to follow the custom (*o* the fashion); **tornare in uso**, to come back into use (*o* fashion); **uso pelle**, imitation-leather (attr.); **uso seta**, imitation-silk, silk-type (attr.) **5** (*pratica*) practice; exercise: *Conosce il francese ma gli manca l'uso*, he knows French but he needs practice; **imparare con l'uso**, to learn with practice **6** (*rif. alla lingua*) usage; (*modo di impiego*) use; (*significato*) use, sense: **uso comune**, common usage; **uso figurato**, figurative usage; **uso letterario**, literary usage; **d'uso antiquato**, obsolete; **d'uso comune**, commonly used; **d'uso corrente** (attr.); current; **d'uso dialettale**, dialectal; dialect (attr.); **d'uso attuale**, current; currently used; *Non capisco l'uso di questo termine*, I don't understand the use of this term.

USPI sigla (**Unione della stampa periodica italiana**) Italian Periodicals Association.

ùssaro, ùssero m. (*mil.*) hussar.

ussìta a., m. e f. (*stor. relig.*) Hussite.

ussitìsmo m. (*stor. relig.*) Hussitism; Hussism.

ùsta f. scent; trail.

ùstascia a., m. e f. (*polit.*) Ustashe; Ustashi.

ustilàgine f. (*bot., Ustilago*) smut.

ustionàre Ⓐ v. t. to burn*; (*con vapore, liquido*) to scald Ⓑ **ustionàrsi** v. rifl. to burn* oneself; (*con vapore, liquido*) to scald oneself.

ustionàto Ⓐ a. burnt; (*con vapore, liquido*) scalded Ⓑ m. (f. -**a**) person suffering from burns: **centro ustionati**, burns unit; **grande u.**, person with severe burns.

ustióne f. burn; (*da vapore, liquido*) scald: **u. di primo grado**, first-degree burn; *È morto per le ustioni riportate*, he died as a result of his burns; **riportare ustioni**, to suffer from burns.

ùsto ① a. (*chim.*) calcined.

ùsto ② m. (*naut. stor.*) warp.

ustòrio a. burning: **specchio u.**, burning glass.

usuàle Ⓐ a. **1** (*dell'uso comune*) common; ordinary; everyday (attr.): **percorso u.**, usual route; **termine u.**, common word **2** (*solito*) usual; habitual; customary; common; standard: **cibi usuali**, usual food; **pratica u.**, standard practice Ⓑ m. ordinary; usual practice: **fuori dell'u.**, out of the ordinary; **meglio dell'u.**, better than usual; **per l'u.**, usually; as a rule.

usualità f. usualness; customariness; commonness.

usuàrio m. (f. -**a**) (*leg.*) user.

usucapióne f. (*leg.*) usucapion; (*acquisitive*) prescription.

usucapìre v. t. (*leg.*) to acquire by prescription.

◆**usufruìre** v. i. **1** (*leg.*) to enjoy (st.) in usufruct; to have the use (of) **2** (*valersi di*) to take* advantage (of); to avail oneself (of); to make* use (of); to benefit (from); to enjoy (st.): **u. di un'occasione**, to avail oneself (*o* to make use) of an opportunity; **u. dello sconto del 20%**, to benefit from a 20% discount; **u. di un vantaggio**, to make use of an advantage; to enjoy an advantage.

usufrùtto m. (*leg.*) usufruct: **avere in u.**, to hold in usufruct.

usufruttuàrio a. e m. (f. -**a**) (*leg.*) usufructuary; beneficial owner: **u. a vita**, life tenant.

usùra ① f. **1** (*interesse esorbitante*) exorbitant interest; usury: **dare** (*o* prestare) **a u.**, to lend on usury; **prendere denaro a u.**, to borrow money at exorbitant interest **2** (*l'attività*) usury ● (*fig.*) **a u.**, a hundredfold; with interest.

usùra ② f. **1** (*logoramento*) wear and tear; wear: **l'u. di una macchina**, the wear and tear of a machine; **l'u. dei pneumatici**, the wear of tyres; tyre wear; **l'u. del tempo**, the wear and tear of time; **dare segni d'u.**, to show signs of wear; (*mecc.*) **resistenza all'u.**, wear resistance **2** (*fig.*) strain; stress ● (*mil.*) **guerra di u.**, war of attrition.

usuràbile a. subject to wear and tear; (*facile a usurarsi*) easily worn out.

usuràio Ⓐ m. (f. -**a**) **1** usurer; (loan) shark (*fam.*) **2** (*estens.: avaro*) miser; skinflint Ⓑ a. → **usurario**.

usurànte a. (*fig.*) taxing; strenuous; exhausting.

usuràre v. t., **usuràrsi** v. i. pron. to wear* out.

usuràrio a. usurious: **interessi usurari**, usurious interest Ⓤ; **negozio giuridico u.**, usurious contract.

usuràto ① m. (f. -**a**) (*leg.*) victim of a loan shark.

usuràto ② a. worn.

usurpàre v. t. **1** (*impadronirsi di*) to usurp; (*un diritto*) to encroach on (*o* upon): **u. i diritti di q.**, to encroach on (*o* upon) sb.'s rights; **u. un titolo** [**il trono**], to usurp a title [the throne] **2** (*fig.*) to usurp; to appropriate; to steal*.

usurpatìvo a. usurpative.

usurpatóre m. (f. -**trice**) usurper; (*di un diritto*) encroacher.

usurpazióne f. usurpation; (*di un diritto*) encroachment.

utensìle Ⓐ m. tool; utensil; implement: **u. da taglio**, cutting tool; **u. per filettare**, threading tool; **utensili agricoli**, agricultur-

al implements; **utensili da cucina**, (kitchen) utensils; **utensili da falegname**, carpenter's tools **B** a. – **macchina u.**, machine tool.

utensileria f. **1** (*reparto d'officina*) toolroom **2** (*negozio*) hardware shop **3** (*insieme di utensili*) set of tools; tools (pl.).

utensilista m. e f. tool-maker.

utènte m. e f. user; (*consumatore*) consumer; (*abbonato*) subscriber, licence-holder: **u. del gas**, gas consumer; **u. della strada**, road user; **u. del telefono**, telephone subscriber; **u. della televisione**, television licence-holder; (*comput.*) **u. finale**, end user.

utènza f. **1** (*uso di un servizio*) use; (*consumo*) consumption: **l'u. del gas**, gas consumption; **canone di u.**, consumption rate **2** (*l'insieme degli utenti*) users (pl.); (*consumatori*) consumers (pl.); (*abbonati*) subscribers (pl.), (*radio, TV*) licence-holders (pl.): **u. telefonica**, telephone subscribers; **u. televisiva**, television licence-holders.

uterino a. **1** (*anat.*) uterine **2** (*nato dalla stessa madre*) uterine: **fratello u.**, uterine brother; half-brother on the mother's side **3** (*fig. spreg.: emotivo, irrazionale*) emotional; irrational; hysterical.

ùtero m. (*anat.*) uterus*; womb.

UTF sigla (**Ufficio tecnico di finanza**) Customs and Excise technical office.

◆**ùtile** **A** a. **1** (*che serve*) useful; handy; practical; (*utilizzabile*) usable; (*disponibile*) available: **conoscenze utili**, (*nozioni*) useful knowledge (sing.); (*persone*) useful contacts; **consigli utili**, useful (o helpful) advice ◎; **locali utili**, usable rooms; **regalo u.**, useful (o practical) present; **spazio u.**, available space; **strumento u.**, useful (o handy) tool **2** (*che è d'aiuto*) helpful, of help (pred.); (*efficace*) effective, beneficial; (*vantaggioso*) profitable: **investimento u.**, profitable investment; **un rimedio u. contro il mal di gola**, an effective remedy against sore throat; **u. alla salute**, good for one's health; *Mi sei stato molto u.*, you've been a great help to me; *Se posso essere u. in qualcosa...*, if I can be of any help...; if I can help in any way...; **rendersi u.**, to make oneself useful; **tornare u.**, to come in handy (o useful) **3** (*consigliabile*) advisable: *Sarebbe u. informarsi prima*, it would be advisable to get some information first; it would be a good idea to find out first ● **tempo u.**, term; time limit; window (of opportunity): **il tempo u. per la presentazione delle domande**, the term for sending in applications; **in tempo u.**, in time; within the deadline □ (*mecc.*) **lunghezza u.**, working length □ (*sport*) **partita u.**, win or even match **B** m. **1** (*vantaggio*) advantage; benefit; (*bene*) good; (*tornaconto*) interest: **pensare solo al proprio u.**,

to look after one's own interest; only to think of oneself; **trarre un u. da qc.**, to gain an advantage (o a profit) from st.; to benefit from st. **2** (*econ., fin., rag.*) profit; income; gain: **un u. del 10%**, a 10% profit; **u. d'esercizio** (o **di gestione**), operating income (o profit); **u. netto** [**lordo**], net [gross] profit; **utili imponibili**, taxable profits (o gains); **utili di capitale**, capital gains; **utili non distribuiti**, retained earnings; **avere un u.**, to make a profit; **dividersi gli utili**, to divide up profits; **partecipare agli utili**, to share (the) profits; **vendere qc. con un u.**, to sell st. at a profit; **partecipazione agli utili**, profit-sharing ● **unire l'u. al dilettevole**, to combine duty with pleasure.

◆**utilità** f. **1** (*l'essere utile*) utility; usefulness; use: **l'u. dell'esperienza**, the usefulness of experience; **di poca u.**, of little use; **di nessuna u.**, useless; **senza u. pratica**, without any practical use **2** (*econ.*) utility: **u. marginale**, marginal utility **2** (*vantaggio*) advantage; benefit; (*aiuto*) help: *Il manuale non mi fu di molta u.*, the handbook wasn't of much help to me; **trarre u. da qc.**, to benefit from st.

utilitària f. (*autom.*) small (o economy) car; runabout; compact car (*USA*).

utilitàrio **A** a. **1** (*filos.*) utilitarian **2** (*pratico*) utilitarian; functional **3** (*economico*) economy (attr.) **B** m. (f. **-a**) utilitarian.

utilitarismo m. (*filos.*) utilitarianism.

utilitarista a., m. e f. (*filos. ed estens.*) utilitarian.

utilitaristico a. (*filos. ed estens.*) utilitarian.

utility (*ingl.*) f. inv. **1** (*comp.*) utility (program) **2** (*econ.*) (public) utility.

utilizzàbile a. usable; useful; utilizable; exploitable; (*disponibile*) available: **avanzi utilizzabili**, remnants (*di cibo* leftovers) that can be used; **manodopera u.**, exploitable labour; *Questo sacchetto è ancora u.*, this bag is still serviceable (o can still be used).

utilizzabilità f. usability; usableness; (*disponibilità*) availability.

◆**utilizzàre** v. t. (*usare*) to use; to utilize; to make* use of (*sfruttare*) to exploit: **u. gli avanzi**, to use leftovers; *Ho dovuto u. i miei risparmi*, I had to use my savings; **u. le risorse del Paese**, to exploit the country's resources; **u. i tempi morti**, to utilize idle periods; **u. al meglio**, to make the best use of.

utilizzatóre m. (f. **-trice**) **1** utilizer; user **2** (*elettr.*) electric appliance.

utilizzazióne f., **utilizzo** m. (*uso*) use; utilization; employment; (*sfruttamento*) exploitation: (*econ.*) **u. della capacità produttiva**, capacity utilization.

utopìa f. utopia.

utòpico a. utopian.

utopista m. e f. utopian; visionary.

utopistico a. utopian; visionary: **socialismo u.**, utopian socialism.

utraquismo m. (*relig. stor.*) Utraquism.

utraquista m. (*relig. stor.*) Utraquist.

utraquistico a. (*relig. stor.*) Utraquistic.

utricolàre, **utricolo** → **otricolare**, **otricolo**.

utriculària f. (*bot.*, *Utricularia vulgaris*) bladderwort.

UV abbr. **1** (o *Uv*) (**ultravioletto**) ultraviolet (UV) **2** (*fr.*: *Union valdôtaine*) (**Unione valdostana**) Aosta Valley Union (*political party*).

◆**ùva** f. **1** grapes (pl.); (nei composti) grape: **uva da tavola**, eating grapes; **uva bianca** [**nera**], white [black] grapes; **uva moscata**, muscat grapes; **uva passa**, raisins (pl.); currants (pl.); **uva sultanina**, sultana; **cogliere l'uva**, to pick grapes; to harvest grapes, **pigiare l'uva**, to tread the grapes; **chicco d'uva**, grape; **festa dell'uva**, grape-harvest festival; **grappolo d'uva**, bunch of grapes; **raccolta dell'uva**, grape harvesting; **succo d'uva**, grape-juice **2** (*bot.*) – **uva di mare** (*Sargassum bacciferum*), sargasso; gulfweed; **uva spina** (*Ribes grossularia*), gooseberry; **uva ursina** (*Arctostaphylos uva-ursi*), bearberry.

uvàceo a. grape-like.

uvàggio m. (*enologia*) grape blend.

uvàla f. (*geogr.*) uvala; carsic valley.

ùvea f. (*anat.*) uvea.

uveàle a. (*anat.*) uveal.

uveìte f. (*med.*) uveitis.

uvétta f. raisins (pl.); currants (pl.).

uvifero a. (*lett.*) grape-bearing.

uvulàre a. (*anat.*, *fon.*) uvular.

uvulìte f. (*med.*) uvulitis.

uxoricida **A** m. uxoricide **B** f. wife that has killed her husband **C** a. (*di uomo*) uxoricidal; (*di donna*) that has killed her husband.

uxoricidio m. (*uccisione della moglie*) uxoricide; (*uccisione del marito*) killing of one's husband.

uxorilocàle a. (*etnol.*) matrilocal.

uxorilocalità f. (*etnol.*) matrilocality.

uxòrio a. (*spec. leg.*) uxorial: **diritti uxorii**, uxorial rights; **more u.** → **more uxorio**, (loc.).

uzbèco → **usbeco**.

ùzzolo m. (*fam. region.*) whim; fancy: **levarsi l'u.**, to indulge a whim; *Gli è venuto l'u. di viaggiare*, he has taken a fancy to travelling.

v, V

V① , v f. o m. (*ventesima lettera dell'alfabeto ital.*) V, v ● (*telef.*) **v come Venezia**, v for Victor □ **a v**, V-shaped □ **collo a V**, V-neck.

V② sigla **1** (*num. romano*, **cinque**) five **2** (**venerdì**) Friday (Fr.).

v. abbr. **1** (*poesia*, **verso**) verse, line **2** (*bibl.*, **verso**) verso **3** (*negli indirizzi*, **via**) Street (St.) **4** (**visto**) approval; OK.

VA abbr. (**Varese**).

va' inter. look!; hey!: *Va' quell'uomo!*, look at that man!; *Va' che bello!*, hey, that's beautiful!; *Ma va'!*, (*non ci credo*), go on!; come off it!; *Ma va'?*, really?; no kidding? (*fam. USA*).

va 3ª pers. sing. indic. pres. di **andare**.

vacànte a. vacant: **cattedra v.**, vacant chair; (*leg.*) **eredità v.**, vacant succession; **posto [carica] v.**, vacancy; *Il posto è ancora v.*, the job is still open (*o vacant*).

◆**vacànza** f. **1** (*l'essere vacante*) vacancy **2** (*periodo di interruzione*) time off; break; holiday; vacation (*in GB solo di università e tribunali, in USA anche scolastica*); (*del Parlamento*) recess; (*giorno*) holiday: **v. di studio**, educational holiday; **vacanze di Natale**, Christmas holidays; **vacanze estive**, summer holidays; (*all'università*) long vacation; **vacanze scolastiche**, school holidays; *Martedì è (giorno di) v.*, Tuesday is a holiday; **andare in v.**, to go on holiday; *Sono andato in v. a Creta*, I went to Crete for my holidays (*o on holiday*); **essere in v.**, to be on holiday; to be holidaying (*GB*); to be vacationing; (*USA*); *Oggi faccio v.*, I'm taking a day off today; **fare un mese di v.**, to have (*o to take*) a month's holiday; **passare le vacanze al mare**, to spend one's holidays at the seaside; **prendersi una v.**, to take some time off; to have a break; to take a holiday; **prendersi un giorno [una settimana] di v.**, to take a day [a week] off; **tornare dalle vacanze**, to come back from one's holidays.

vacanzière m. (f. **-a**) (*fam.*) holiday-maker; vacationer (*USA*); vacationist (*USA*).

vacanzièro a. **1** (*che è in vacanza*) holiday-making **2** (*festivo*) holiday (attr.); festive.

vacàre v. i. to be vacant.

vacazióne f. **1** (*leg.*) period between the publication of a law and its coming into force; vacatio legis (*lat.*) **2** (*di perito: il periodo*) period of service; (*la retribuzione*) (expert's) fee.

vàcca f. **1** cow: **v. da latte**, milch-cow; **v. che dà molto [poco] latte**, good [poor] milker; **latte di v.**, cow milk **2** (*fig. spreg.*: *donnaccia*) slut; whore **3** (*fig. spreg.*: *persona sformata*) fat slob; tub of lard ● (*fig.*) **andare in v.**, to go badly; to be spoilt; to flop □ (*fig.*) **tempi di vacche grasse**, period of prosperity; times of plenty □ (*fig.*) **tempi di vacche magre**, lean years.

vaccàio, vaccàro m. cowherd; cowman*; cowboy; cowhand.

vaccàta f. **1** (*cosa malfatta*) botch-up; cock-up; (*schifezza*) rubbish Ⓤ, trash Ⓤ; (*di cibo*) yucky food (*o thing*) ● **2** (*sciocchezza*) crap Ⓤ (*volg.*); bullshit Ⓤ (*volg.*): **dire vaccate**, to talk crap.

vaccherìa f. **1** (*stalla*) cowshed **2** (*latteria*) dairy-farm.

vacchétta f. cowhide.

vacchìno m. cheese made from cow's milk.

vaccìna f. **1** (*vacca*) cow **2** (*carne*) beef **3** (*sterco*) cow-dung.

vaccinàbile a. (*med.*) that can be vaccinated.

◆**vaccinàre** Ⓐ v. t. **1** (*med.*) to vaccinate; to inoculate: **v. contro il tetano**, to vaccinate against tetanus **2** (*fig.*) to harden (against); to inure (to) Ⓑ **vaccinàrsi** v. rifl. (*fig.*) to harden oneself (against); to become* inured (to).

vaccinàto a. **1** (*med.*) vaccinated; inoculated **2** (*fig.*) immune (from); inured (to); hardened (against): **v. contro le delusioni**, inured to disappointment.

vaccinazióne f. (*med.*) vaccination; inoculation; shot (*fam.*): **v. di richiamo**, booster (shot); **fare la v. antipolio**, to be vaccinated against polio.

vaccìnico a. (*med.*) vaccinal; vaccine (attr.).

◆**vaccìno** Ⓐ a. **1** (*di vacca*) cow's (attr.); cow (attr.): **latte v.**, cow's milk **2** (*bovino*) bovine; cattle (attr.): **bestiame v.**, cattle; **carne vaccina**, beef Ⓑ m. (*med.*) vaccine: **v. antimalarico**, anti-malaria (*o malaria*) vaccine; **v. antipolio**, polio vaccine; **v. polivalente**, polyvalent (*o multivalent*) vaccine.

vaccinoprofilàssi f. (*med.*) vaccine prophylaxis.

vaccinostìlo m. (*med.*) vaccinostyle.

vaccinoterapìa f. (*med.*) vaccine therapy.

vacillaménto m. **1** tottering; staggering; wobbling **2** (*fig.*) hesitation; vacillation; wavering.

vacillànte a. **1** (*traballante*) tottering; wobbling; (*malfermo*) staggering, unsteady: **con passo v.**, with unsteady steps **2** (*di fiamma, luce*) flickering **3** (*fig.: instabile, in crisi*) tottering: **regime v.**, tottering regime **4** (*fig.: incerto*) vacillating, shaky; (*indeciso*) wavering, dithering, irresolute: **fama v.**, shaky reputation; **fede v.**, wavering faith.

vacillàre v. i. **1** (*traballare*) to totter; to stagger; to wobble; to be shaky: *La pila di libri vacillò e cadde*, the pile of books tottered and fell; **entrare vacillando**, to stagger in **2** (*di fiamma, luce*) to flicker **3** (*fig.: essere instabile, in crisi*) to be shaky; to be shaky: *Il governo vacilla*, the government is shaky (*o is tottering*) **4** (*fig.: essere malsicuro*) to waver, to be failing; (*essere indeciso*) to vacillate, to waver, to dither, to shilly-shally: *La sua fede vacillava*, his faith was wavering; *La sua mente vacilla*, his mind is failing; **volontà che non vacilla**, unshakeable determination.

vacuità f. vacuity; vacuousness; emptiness; inanity.

vàcuo Ⓐ a. empty; hollow; vacuous; inane; (*rif. a occhi*) vacant, blank: **discorsi vacui**, empty words; **parole vacue**, vacuous (*o inane*) remarks; **mente vacua**, vacuous mind; **empty head**; **promesse vacue**, empty (*o hollow*) promises; **sguardo v.**, vacant (*o blank*) stare Ⓑ m. vacuum.

vacuolàre a. (*biol.*) vacuolar.

vacuolizzàto a. (*biol.*) vacuolate.

vacuolizzazióne f. (*biol.*) vacuolation.

vacùolo m. (*biol.*) vacuole.

vacuòma m. (*biol.*) vacuome.

vacuòmetro m. (*fis.*) vacuum gauge.

vacuoscòpio m. (*fis.*) vacuum scope.

vacuostàto m. (*tecn.*) vacuostat.

vacuumterapìa f. (*med.*) vacuum therapy.

vàda 1ª, 2ª e 3ª pers. sing. congiunt. pres. di **andare**.

vademècum Ⓐ m. inv. vade mecum; handbook; guide Ⓑ a. inv. – (*banca*) **assegno v.**, certified cheque.

vàde rètro (*lat.*) loc. inter. (*spec. scherz.*) don't tempt me!

vàdo 1ª pers. sing. indic. pres. di **andare**.

vadóso a. (*geol.*) vadose.

va e vièni loc. m. **1** (*viavai*) coming and going; to and fro; toing and froing **2** (*naut.*: *teleferica*) breeches buoy.

vaffancùlo inter. (*volg.*) fuck you!; up yours!; fuck off!; sod off!

vagabondàggine f. vagabondage.

vagabondàggio m. **1** (*vita vagabonda*) vagabondage; wandering life: **darsi al v.**, to become a vagabond (*o a vagrant*) **2** (*come fenomeno sociale*) vagrancy: **arresto per v.**, arrest for vagrancy **3** (*giro senza meta*) roaming Ⓤ; (*al pl., anche*) wanderings: **vagabondaggi artistici**, artistic wanderings; **dopo molti vagabondaggi**, after much roaming.

vagabondàre v. i. **1** (*vivere da vagabondo*) to lead* a vagabond life; to be a drifter **2** (*girovagare*) to wander about; to roam about; to stroll about: **v. per una cittadina**, to wander (*o to stroll*) about a town; **v. per una regione**, to roam about a region; *Nelle vacanze mi piace v.*, I like to roam about during my holidays **3** (*fig.*) to wander: **v. col pensiero**, to let one's thoughts wander.

vagabóndo Ⓐ a. **1** (*girovago*) vagabond; wandering; vagrant; roving; drifting: **vita vagabonda**, vagabond life **2** (*fannullone*) idle; layabout (attr.) **3** (*di animale*) stray **4** (*estens.: che si muove*) wandering; drifting: **nuvole vagabonde**, drifting clouds **5** (*fig.*) wandering; roaming: **spirito v.**, roaming spirit; wanderlust (*ted.*) Ⓑ m. **1** (*girovago*) wanderer; drifter **2** (*persona senza fissa dimora*) vagrant; vagabond; tramp; hobo (m.) (*USA*) **3** (*fannullone*) loafer; layabout; bum (*slang USA*).

vagàle a. (*anat.*) vagal.

vagaménte avv. **1** (*in modo indeterminato*) vaguely: **accennare v. a qc.**, to mention st. vaguely **2** (*indistintamente*) vaguely; dimly: *Ricordo v. che...*, I vaguely (*o dimly*) remember that...; I have a vague (*o dim*) memory that...

vagànte a. wandering; rambling; roaming; roving; drifting; stray: (*med.*) **dolore v.**, rheumatism; **mina v.**, drifting mine; (*fig.*) loose cannon; unguided missile; **nubi vaganti**, drifting clouds; **pallottola v.**, stray bullet.

vagàre v. i. to wander; to ramble; to roam;

to rove; to drift; to range: **v. con la mente**, to let one's thoughts wander; **v. per i boschi**, to wander through the woods; **v. per il mondo**, to roam (around) the world; **v. per le strade**, to wander about the streets; to rove (about) the streets; **v. senza meta**, to wander aimlessly; to ramble; **v. per terra e per mare**, to rove over sea and land; *Nella foresta vagavano i lupi*, wolves ranged the forest; *Le nuvole vagavano per il cielo*, clouds were drifting across the sky.

vagheggiaménto m. **1** (*lett.: contemplazione*) loving contemplation; fond gazing **2** (*desiderio intenso*) longing, yearning; (*sogno*) dream.

vagheggiàre v. t. **1** (*lett.: contemplare*) to contemplate lovingly; to gaze at (sb., st.) fondly **2** (*desiderare intensamente*) to long (*o* to yearn) for; to cherish; (*sognare*) to dream* of; (*fantasticare*) to fantasize; (*baloccarsi con*) to toy with: **v. la fama**, to long for fame; to dream of fame; **v. una speranza**, to cherish a hope; *Vagheggiavo l'idea di...*, I was toying with the idea of...

vagheggiàto a. longed-for; yearned-for; cherished.

vagheggiatóre m. (f. **-trìce**) (*lett.*) **1** yearner; cherisher **2** (*corteggiatore*) suitor; wooer.

vagheggìno m. gallant; ladies' man*; flirt; beau (*franc.*).

vaghézza f. **1** (*indeterminatezza*) vagueness; haziness **2** (*lett.: bellezza*) beauty; charm; grace **3** (*lett.: piacere*) delight; pleasure **4** (*lett.: desiderio*) longing; yen; fancy: **sentire v. per qc.**, to long for st.; to have a yen for; *Gli punse v. di...*, he felt a sudden yen to...; he decided on an impulse to...; (*scherz.*) *Mi punge v. di un po' di champagne*, I'd fancy some champagne.

vàgile a. (*biol.*) vagile.

vagìna f. **1** (*anat.*) vagina* **2** (*lett.: guaina*) sheath.

vaginàle a. (*anat.*) vaginal.

vaginalìte f. (*med.*) vaginalitis.

vaginìsmo m. (*med.*) vaginismus.

vaginìte f. (*med.*) vaginitis.

vagìre v. i. to cry; to wail.

vagìto m. **1** cry; wail; (*med.*) vagitus **2** (*fig.*) beginning; dawning; stirring.

vàglia ① f. (*pregio, merito*) merit; worth; (*abilità*) skill: **di v.**, outstanding; eminent; highly skilled; great.

vàglia ② m. inv. **1** (*titolo di credito*) credit instrument: **v. bancario**, bank draft; **v. cambiario**, promissory note **2** (*anche* **v. postale**) money order; postal order (*GB*) **v. internazionale**, international money order; **v. telegrafico**, telegraphic money order; **fare un v.**, to make out a money order.

vagliàre v. t. **1** to sift; to sieve; to riddle; (*agric.*) to winnow: **v. il grano**, to winnow wheat; **v. la sabbia**, to sieve sand **2** (*fig.: passare in rassegna*) to go* through; to screen; to sift; (*esaminare*) to examine; (*soppesare*) to weigh (up): **v. i candidati**, to screen the candidates; **v. le domande**, to screen the applications; **v. le prove**, to sift the evidence; **v. una proposta**, to weigh up a proposal; **v. i pro e i contro**, to weigh the pros and cons.

vagliatrìce f. (*mecc.*) sifting machine; (*agric.*) winnowing fan.

vagliatùra f. **1** sifting; sieving; riddling; (*agric.*) winnowing **2** (*mondiglia*) siftings (pl.); winnowings (pl.).

♦**vàglio** m. **1** sieve; screen; riddle; (*ind. min.*) **v. a scosse**, vanner; (*ind. min.*) **v. a tamburo**, trommel; **v. ventilatore**, winnowing fan; **passare al v.**, to sift; to screen; to riddle **2** (*fig.: esame*) close examination, scrutiny; (*cernita*) screening, sifting: **il v. dei critici**, the scrutiny of critics; critical scru-

tiny; *La proposta è al v. della commissione*, the proposal is being examined by the committee; **passare al v. qc.**, to sift through st.; to go through st. (with a fine-tooth comb).

♦**vàgo** ① Ⓐ a. **1** (*incerto*) vague, faint, indefinite; (*nebuloso*) nebulous, hazy, dim; (*evasivo*) vague, evasive, non-committal: **vaga conoscenza dei fatti**, hazy knowledge of the facts; **idea vaga**, vague idea; **vaghe promesse**, vague promises; **proposito v.**, vague intention; **v. ricordo**, dim memory; **risposta vaga**, vague (*o* evasive) answer; **vaga somiglianza**, faint resemblance; **v. sospetto**, vague (*fam.* sneaking) suspicion; **vaga speranza**, faint hope; **in un v. futuro**, in the dim and distant future; **fare discorsi vaghi**, to be vague; to be non-committal; *Non ne ho la più vaga idea*, I haven't the faintest idea **2** (*lett.: grazioso*) pretty; fair; lovely; charming **3** (*lett.: desideroso*) eager (for) **4** (*anat.*) vagal: **nervo v.**, vagal nerve; vagus* Ⓑ m. **1** (*incertezza, indeterminatezza*) vagueness: **tenersi nel v.**, to be vague about st.; to be non-committal; to hedge; to stick to generalities **2** (*anat.*) vagus*; vagus nerve.

vàgo ② m. (*region.*) **1** (*chicco*) bean; (*d'uva*) grape **2** (*grano di collana*) bead.

vagolàre v. i. to wander about.

vagolìtico a. (*farm.*) vagolytic.

vagomimètico a. (*farm.*) vagomimetic; parasympathomimetic.

vagonàta f. **1** wagonload; carload **2** (*fig. fam.*) load; heap; raft (*USA*).

vagoncìno m. **1** (*ind. min.*) mine-car; tram; tub **2** (*di teleferica*) cable car.

♦**vagóne** m. **1** (*ferr., per merci*) van (*GB*), wagon (*GB*), car (*USA*); (*per passeggeri*) carriage (*GB*), coach (*GB*), car (*USA*): **v. merci**, (*scoperto*) goods wagon (*GB*), freight car (*USA*); (*chiuso*) (covered) goods van, boxwagon (*USA*); **v. frigorifero**, refrigerator van (*GB*); refrigerator car (*USA*); **v. letto**, sleeping car; sleeper; **v. trasporto auto**, car carrier; **v. postale**, mailcoach; mailcar (*USA*); **v. ristorante**, dining car; diner **2** (*vagonata*) wagonload; carload **3** (*fam.: persona molto grassa*) mound of flesh; tub of lard.

vagonétto m. **1** (*ind. min.*) mine-car; tram; tub.

vagonìsta m. (*ind. min.*) carman*.

vagotomìa f. (*chir.*) vagotomy.

vagotonìa f. (*med.*) vagotonia; vagotony.

vagotònico a. (*med.*) vagotonic.

vài 2ª pers. sing. indic. pres. di **andare**.

vaiàto a. (*arald.*) vairy.

vainìglia → **vaniglia**.

vàio ① a. **1** blackish **2** bluish grey **3** black-speckled.

vàio ② m. (*pelliccia e arald.*) vair.

vaiolàre v. i., **vaiolàrsi** v. i. pron. (*bot.*) to become* dark.

vaiolàto a. **1** speckled; mottled **2** (*metall.*) pitted.

vaiolatùra f. (*metall.*) pitting.

vaiòlo m. **1** (*med.*) smallpox; variola **2** (*agric.*) anthracnose **3** (*vet.*) – **v. aviario**, fowlpox; **v. bovino**, vaccinia; cowpox; **v. equino**, horsepox; **v. suino**, swinepox.

vaiolòide f. (*med.*) varioloid.

vaiolóso a. Ⓐ a. smallpox (attr.); variolous: **pustola vaiolosa**, smallpox pustule Ⓑ m. (f. **-a**) smallpox patient.

vairóne m. (*zool., Leuciscus souffia*) dace.

val. abbr. (*comm.*, **valuta**) currency (cur., cy.).

valàcco a. e m. (f. **-a**) Vlach; Wallachian.

Valàlla → **Walhalla**.

♦**valànga** Ⓐ f. **1** avalanche: *Fu travolto da una v.*, he was swept away by an avalanche **2** (*fig.*) avalanche; shower; flood; (*di cosa neg.*) storm, torrent, deluge: **una v. di do-**

mande, an avalanche of applications; **una v. di posta**, an avalanche of letters; **una v. di proteste**, a storm of protests; **una v. di regali**, a shower of presents; **riversarsi a v.**, to pour **3** (*fis.*) avalanche Ⓑ a. inv. – (*elettr.*) **effetto v.**, avalanche effect; domino effect.

valchìria f. **1** (*mitol.*) Valkyrie **2** (*scherz.: donna nordica*) Nordic woman*; (*estens.*) strapping blonde.

valdése (*relig.*) a., m. e f. Waldensian; (pl. collett.) Waldenses; (*stor.*) Vaudois.

valdìsmo m. (*relig.*) Waldensian movement.

valdostàno Ⓐ a. of the Valle d'Aosta; from the Valle d'Aosta Ⓑ m. **1** (f. **-a**) inhabitant [native] of the Valle d'Aosta **2** (*dialetto*) dialect of the Valle d'Aosta.

vàle m. (*lett.*) farewell.

valenciennes (*franc.*) m. inv. (anche agg.: **pizzo v.**) Valenciennes.

valènte a. **1** (*abile*) skilful; able; capable; expert **2** (*di talento*) talented; gifted.

valentìa f. skill; ability; capability; prowess.

Valentinìàno m. (*stor.*) Valentinian.

Valentìno m. Valentine.

valentuòmo m. (pl. **valentuòmini**) worthy man*; (*spec. scherz.*) worthy.

valènza f. **1** (*valore, importanza*) value; significance; importance; import **2** (*chim.*) valence; valency: **legame di v.**, valence bond.

♦**valére** Ⓐ v. i. **1** (*avere autorità*) to count; to carry weight: *Una sua parola vale moltissimo*, a word from him carries a lot of weight; *Vale più lei di suo marito*, she counts more than her husband; **far v. i propri diritti**, to assert one's rights; **far v. le proprie ragioni**, to make oneself heard; to assert oneself; **farsi v.**, to assert oneself **2** (*avere abilità*) to be good: **un attore che vale [che non vale niente]**, a good [a hopeless] actor; *Come pittore non vale molto*, he isn't much of a painter, *Non valgo molto alle carte*, I'm no great shakes at card games **3** (*avere pregio, rilevanza*) to be good; to be of value; to be valuable: **un libro che vale**, a good book; **un uomo che vale**, a very valuable man; **non v. niente**, to be worthless **4** (*essere valido, riconosciuto*) to be valid, to be good; (*contare*) to count; (*essere in vigore*) to be in force: *Vale questo documento?*, is this document valid (o good)?; *Quel lancio non vale*, that throw is not valid; **anni che valgono per la pensione**, years of employment that count towards one's pension; *Questa legge vale tuttora*, this law is still in force; *Non vale!*, it isn't fair! **5** (*riguardare*) to apply (to); to go* (for): **una regola che vale per tutti**, a rule that applies to everyone; *Quanto ho detto vale anche per voi*, what I said goes for you too **6** (*servire, giovare*) to be of use, (al neg., anche) to be of no avail; (*essere sufficiente*) to be sufficient; (*riuscire*) to succeed: *A che vale?*, what's the use?; *Le mie proteste non valsero nulla*, my protests were of no use (o were useless, were of no avail); *Che gli è valso aver taciuto?*, what good did it do to him to keep silent?; *Il tuo esempio valse a incoraggiarlo*, your example succeeded in encouraging him; *Un esempio varrà per tutti*, one example will be sufficient (*fam.* will do); *Che ti valga da esempio!*, let that be an example to you! ● **Tanto vale che ti dica tutto**, I may as well tell you everything; *Tanto valeva restarcene a casa*, we might as well have stayed at home; *Tanto valeva che non ne parlasse*, she might as well not have mentioned it Ⓑ v. i. e t. **1** (*avere un dato valore*) to be worth: **v. molto [poco, qualcosa, duemila euro]**, to be worth a lot [little, something, two thousand euros]; **non v. un gran che**, not to be worth much; **non v.**

niente, to be worthless; *La sterlina vale più dell'euro*, the pound is worth more than the euro; **un braccialetto che vale parecchio**, a very valuable bracelet; *La città vale una visita*, the city is worth a visit **2** (*avere lo stesso valore, equivalere*) to be worth; to be equal to: *Una sillaba lunga vale due brevi*, a long syllable is worth two short ones; *Marco vale per tre*, Marco is worth three; **una ragione che vale per mille**, an irresistible (*o* a compelling) argument **3** (*significare*) to mean*; to stand* for **4** (*rendere, fruttare*) to produce; to yield; to bring* in ● **vale a dire**, (*cioè*) that is to say; (*è come dire*) it is as much as to say, (*specificamente*) namely □ **l. la pena**, to be worth the effort; to be worth it: *Il viaggio vale la pena*, the trip is worth it; **un rischio che vale la pena correre**, a risk (that is) worth taking; *Non vale la pena di vedere quel film*, that film isn't worth seeing □ **Vale tant'oro quanto pesa**, he is worth his weight in gold □ **v. un occhio** (*o* **un Perù, un tesoro**), to be worth a fortune □ **non v. un soldo** (*o* **uno zero, un fico secco**), not to be worth a penny (*o* a pin, a fig, a bean) □ **Te la do per quel che vale**, I'm telling you for what it's worth □ **Uno vale l'altro**, the one is as good (*spreg.* as bad) as the other; there is little to choose between them; they are much of a muchness (*fam.*) **C** v. t. (*procurare*) to bring*; to win*; to earn*: *Il contratto gli valse la promozione*, the contract earned him his promotion; **un film che gli ha valso l'Oscar**, a film that won him an Oscar **D** **valérsi** v. i. pron. to make* use (of); to take* advantage (of); to avail oneself (of): **valersi di ogni opportunità**, to take advantage (*o* to avail oneself) of every opportunity; *Si è valso di me come mediatore*, he used my services as intermediary.

valeriàna f. **1** (*bot.*, *Valeriana officinalis*) valerian **2** (*farm.*) valerian.

valerianàto m. (*chim.*) valerate.

valerianèlla f. (*bot.*, *Valerianella olitoria*) corn salad.

valeriànico a. (*chim.*) valeric: **acido v.**, valeric acid.

Valèrio m. Valerius.

valetudinàrio a. e m. (f. **-a**) (*lett.*) valetudinarian; valetudinary.

valévole a. valid: **un biglietto v. per tre giorni**, a ticket valid for three days; **un incontro v. per il titolo mondiale**, a match valid for the world title.

valgìsmo m. (*med.*) valgus.

vàlgo a. (*med.*) valgus (attr.); in valgus (pred.): **alluce v.**, valgus big toe; hallux valgus (*lat.*); **ginocchio v.**, valgus knee; genu valgus (*lat.*).

valicàbile a. that can be crossed; negotiable; passable.

valicabilità f. condition of being passable; negotiability.

valicàre v. t. to cross: **v. le Alpi [un fiume]**, to cross the Alps [a river].

vàlico m. **1** (*attraversamento*) crossing; passage **2** (*il luogo*) pass; gap: **il v. del Sempione**, the Simplon Pass; **v. di frontiera**, mountain border post; **v. di montagna**, mountain pass.

validàre v. t. to validate.

validazióne f. validation.

validità f. **1** (*l'essere valido*) validity: **la v. di un documento [di un matrimonio]**, the validity of a document (of a marriage): **privo di v.**, invalid; **impugnare la v. di un contratto**, to impugn the validity of a contract **2** (*durata della validità*) validity; (*fin., ass.*) currency: **avere v. mensile**, to be valid for one month; **biglietto con v. di tre giorni**, ticket valid for three days **3** (*fondatezza*) soundness; validity: **la v. di un'asserzione**, the validity of a statement **4** (*valore*) value;

vàlido a. **1** (*forte, vigoroso*) strong; able-bodied: **tutti gli uomini validi**, all able-bodied men **2** (*valevole, in vigore*) valid; (*fin., ass.*) current: **matrimonio [passaporto, testamento] v.**, valid marriage [passport, will]; **orario v.**, valid timetable; (*sport*) **tiro v.**, valid shot; *L'invito è v. per due persone*, the invitation is for (*o* admits) two; *Questa regola non è valida per tutti*, this rule does not apply to everyone; *Le mie condizioni sono sempre valide*, my conditions still stand (*o* hold); (*leg.*) **non v.**, invalid; void **3** (*efficace*) effective; efficacious; effectual; substantial: **v. contributo**, substantial contribution; **essere di v. aiuto**, to prove very helpful (*o* a great help) **4** (*fondato*) sound; well-grounded: **argomento v.**, sound argument; **obiezioni valide**, valid (*o* sound, well-grounded) objections **5** (*di valore, di pregio*) good; fine; valuable: **un'opera molto valida**, a very fine work; **v. collaboratore**, valuable collaborator.

valigeria f. **1** (*fabbrica*) leather goods factory **2** (*negozio*) leather goods shop **3** (*assortimento di valigie*) leather goods (pl.).

valigétta f. small suitcase; (*per documenti, ecc.*) briefcase, attaché case: **v. ventiquattrore**, overnight bag.

valìgia f. **1** suitcase; case (*fam.*): **v. a soffietto**, expanding suitcase; **v. di pelle**, leather suitcase; **disfare [fare] la v.**, to unpack [to pack] one's suitcase; **disfare le valigie**, to unpack; **fare le valigie**, to pack; (*fig.*) to pack one's things; **mettere in v.**, to pack **2** – **v. diplomatica**, diplomatic bag.

valigiàio m. (f. **-a**) **1** (*fabbricante*) leather goods manufacturer **2** (*venditore*) leather goods seller.

valìna f. (*biochim.*) valine.

valkiria → **valchiria**.

vallàta f. → **valley**.

vàlle f. **1** (*geogr.*) valley: **la v. del Po**, the Po valley; **la V. dei Re**, the Valley of the Kings; **v. fluviale [glaciale]**, river [glacier] valley; **v. sospesa**, hanging valley; **lo sbocco di una v.**, the mouth of a valley **2** (*fig.*) valley; vale: **v. di lacrime**, vale of tears **3** (*geogr.: zona lagunare*) lagoon; marsh: **le valli di Comacchio**, the marshes of Comacchio ● a v., below; downhill; down; (*rif. a un fiume*) downstream; (*fig.: che segue*) following (from), downstream (attr.); (*in seguito*) afterwards, subsequently: **il villaggio più a v.**, the village further down (*o* down below); **scendere a v.**, to go downhill; to go down; **terreno portato a v.** (*dal fiume*), soil washed downstream; **il Tevere a v. di Roma**, the Tiber downstream from Rome; (*fig.*) **un problema a v. della questione principale**, a problem following from the main question; **effetti a v.**, downstream effects □ (*fig.*) **per monti e per valli**, up hill and down dale.

vallècola f. (*anat.*) vallecula*.

vallétta f. **1** (*geogr.*) small valley; dell; hollow **2** (*TV*) (female) assistant.

vallétto m. **1** valet; footman*; (*paggio*) page **2** (*mil. stor.*) – v. **d'arme**, squire **3** (*TV*) (male) assistant.

vallicoltùra f. lagoon fish farming.

valligiàno **A** a. valley (attr.); (*che abita in una valle*) valley-dwelling **B** m. (f. **-a**) inhabitant of a valley; valley-dweller.

vallisnèria f. (*bot.*, *Vallisneria spiralis*) tape grass; ribbon grass; eelgrass (*USA*).

vallìvo a. (*attr.*).

vàllo m. **1** (*mil.*) rampart; wall: **v. atlantico**, Atlantic Wall; **il v. di Adriano**, Hadrian's wall **2** (*anat.*) vallum*.

vallóne ① m. (*geogr.*) deep, narrow valley; (*gola*) gorge.

vallóne ② a., m. e f. Walloon.

vallonèa f. (*bot.*, *Quercus aegilops*) valonia (oak).

◆**valóre** m. **1** (*rif. a persona*) value; worth; (*merito*) merit: **di v.**, of worth; (*abile*) skilful; (*eccellente*) outstanding, first-class (attr.); **persona di v.**, person of worth; **pianista di v.**, outstanding pianist; **scienziato di v.**, first-class scientist; **aver coscienza del proprio v.**, to be conscious of one's worth **2** (*coraggio*) bravery; courage; valour, valor (*USA*); **atti di v.**, acts of bravery; **combattere con v.**, to fight bravely (*o* gallantly); **medaglia al v. militare**, medal for military valour; **medaglia al v. civile**, medal for bravery in peacetime **3** (*prezzo, costo*) value; cost; price: **il v. di un terreno**, the value of a piece of land; **v. commerciale** (*o* **venale**), selling value (*o* price); **v. di mercato**, market value; (*ass.*) **v. di riscatto**, surrender value; **v. di rottame**, scrap value; **v. locativo**, letting (*o* rental) value; (*per il fisco*) rateable value; **aumentare di v.**, to rise in value; to appreciate; **diminuire di v.**, to diminish in value; to depreciate; *Che v. ha questo dipinto?*, what is this painting worth?; **di v. inestimabile**, priceless; **di poco v.**, worth little; cheap; **di nessun v.**, worthless; (*comm.*) **campione senza v.**, free sample; **spedire qc. come campione senza v.**, to send st. by sample post; **gioielli di grande v.**, very valuable jewels; **oggetti di v.**, valuables; **merce per il v. di mille dollari**, one thousand dollars' worth of goods **4** (*econ.*) value: **v. aggiunto**, value added; **v. contabile**, book value; (*USA*) carrying value; **imposta sul v. aggiunto**, value-added tax (abbr. VAT); (*rag.*) **v. dell'attivo**, assets (pl.); (*rag.*) **v. del passivo**, liabilities (pl.); **v. di scambio**, exchange value; **v. d'uso**, use value; **v. intrinseco [estrinseco]**, intrinsic [extrinsic] value; **v. monetario**, monetary value; **v. nominale**, face value; nominal value; **v. patrimoniale**, asset value; **v. reale**, real value **5** (*al pl.*) (*oggetti preziosi*) valuables **6** (*al pl.*) (*Borsa: titoli*) securities; stocks and shares: **valori azionari**, shares; **valori mobiliari**, securities; stocks and shares; **la Borsa Valori**, the Stock Exchange; (*le quotazioni*) Stock Exchange quotations **7** (*al pl.*) – **valori bollati**, stamps, revenue stamps and stamped paper **8** (*pregio*) value, worth; (*importanza*) value, importance, significance; (*peso*) weight: **v. artistico**, artistic value; **il v. della vita umana [dell'amicizia]**, the value of human life [of friendship]; **v. sentimentale** (*o* **affettivo**), sentimental value; **di gran v.**, valuable; of great value; **di nessun v.**, valueless; worthless; **privo di v.** (*o* **senza v.**), worthless; valueless; of no account; **avere [non avere] v.**, to be of value (of no value]; (*avere peso*) to carry weight [no weight]; **dare molto v. a qc.**, to set (*o* to place) a high value on st.; to value st. greatly; **dare poco v. a qc.**, to value st. little; **dare troppo v. a qc.**, to overestimate st.; **giudizio di v.**, value judgment; **opera di v.**, work of value; valuable work **9** (*efficacia*) effectiveness; efficacy: **il v. di un metodo**, the effectiveness of a method **10** (*validità*) validity; value: **v. legale**, legal value; value in law; **privo di v.**, invalid; *Le sue parole hanno v. di promessa*, his words are as good as a promise **11** (*principio*) value: **valori estetici [morali]**, aesthetic [moral] values; **valori umani**, human values; **un rovesciamento dei valori**, a subversion of all values; **scala di valori**, scale of values **12** (*scient.*) value: (*nelle misurazioni*) reading, figure: **i valori massimi [minimi] della temperatura**, highest [lowest] temperature readings **13** (*mus.*) value: **il v. di una nota**, the value of a note **14** (*rif. a un'equivalenza, una funzione*) – **aggettivo con v. di avverbio**, adjective functioning as an adverb; adjective used adverbially; *Il suo silenzio ha v. di risposta*, his silence is to be

taken as an answer **15** (*significato*) value; meaning; sense: **v. semantico**, semantic value **16** (*pitt.*) value.

valòrem → **ad valorem**.

valoriẓẓàre Ⓐ v. t. **1** (*far aumentare di valore*) to increase the value of; to appreciate **2** (*mettere in risalto*) to set* off; to enhance: *Questo trucco ti valorizza gli occhi*, this make-up sets your eyes off **3** (*sfruttare al meglio*) to exploit, to make* the most of; (*ottimizzare*) to optimize; (*promuovere*) to promote; (*fare migliorie in*) to develop, to upgrade: **v. le risorse naturali**, to exploit natural resources **4** (*rif. a una persona*) to give* an opportunity to: **v. un giovane promettente**, to give an opportunity to a promising young man Ⓑ **valoriẓẓàrsi** v. i. pron. (*crescere di valore, acquistare pregio*) to increase in value.

valoriẓẓazióne f. **1** (*aumento di valore*) increase in value; appreciation **2** (*il mettere in risalto*) enhancement **3** (*sfruttamento, utilizzazione*) exploitation, utilization; (*ottimizzazione*) optimization; (*promozione*) promotion; (*miglioramento*) improvement, upgrading; (*sviluppo*) development.

valoróso a. brave; valiant; gallant; courageous.

valùta f. **1** (*moneta circolante*) currency; money Ⓤ: **v. cartacea**, paper currency (*o* money); **v. chiave**, key currency; **v. convertibile**, convertible currency; **v. debole**, soft currency; **v. estera**, foreign currency; **v. forte**, hard currency; **v. (a corso) legale**, legal tender; **v. di scambio**, trading currency; **v. locale** (*complementare alla valuta ufficiale*), community currency; **v. metallica**, coin money; specie; **v. nazionale**, domestic currency; **v. non convertibile**, blocked (*o* nonconvertible) currency; **v. pregiata**, hard currency; **pagare in v.**, to pay (in) cash; **in v. aurea [argentea]**, in gold [in silver]; **corso delle valute**, exchange rates **2** (*banca*) value: **v. in conto**, value in (*o* on) account; **v. retrodatata**, backdated value; **con v. 1° gennaio**, interest to run (*o* running) from January 1st; **perdita di v.**, loss of interest.

valutàbile a. valuable; assessable; computable; measurable; quantifiable.

valutàre v. t. **1** (*attribuire un valore*) to value; to estimate; to appraise; to assess: **v. un appartamento**, to assess the value of a flat; **v. un braccialetto mille euro**, to value (*o* to put the value of) a bracelet at one thousand euros; **v. i danni**, to assess damages; **v. una fortuna a 30 milioni di dollari**, to estimate sb.'s fortune at 30 million dollars; **v. poco**, to undervalue; **v. troppo**, to overvalue **2** (*calcolare*) to calculate; to reckon, to estimate; (*misurare*) to gauge; (*conteggiare*) to take* into account: **v. le possibilità di riuscita**, to estimate one's chances; **v. una distanza**, to gauge a distance; *Valutammo che ci sarebbero voluti due mesi*, we calculated (*o* reckoned, estimated) it would take two months; *La perdita fu valutata intorno al milione di dollari*, the loss was estimated at around one million dollars; *Valutando gli arretrati, mi devono dieci milioni*, taking the arrears into account, I am owed ten million **3** (*stimare, apprezzare*) to value; to count: **v. l'onore più della vita**, to value honour more than life; **v. poco**, to underestimate; to underrate; **v. troppo**, to overvalue; to overestimate; to overrate; to think too highly of **4** (*tenere presente, considerare*) to take* into account; to allow for; to consider **5** (*soppesare*) to weigh; to consider: **v. un'offerta**, to consider an offer; **v. i pro e i contro**, to weigh the pros and cons; **v. le prove**, to weigh evidence **6** (*dare un giudizio su*) to evaluate; to assess **7** (*classificare*) to assess; (*un elaborato*) to mark, to grade (*USA*): **v. gli**

studenti, to assess students.

valutàrio a. (*fin.*) monetary; currency (attr.); money (attr.): **accordo v.**, monetary agreement; **allineamento v.**, currency alignment; **norme valutarie**, monetary (*o* currency) regulations.

valutativo a. evaluative; evaluation (attr.): **criteri valutativi**, evaluation criteria.

valutatóre Ⓐ a. evaluating; assessing Ⓑ m. (f. **-trice**) estimator; (*controllore*) auditor: **v. della qualità**, quality auditor.

valutazióne f. **1** (*determinazione del valore*) evaluation; assessment; estimation; estimate; appraisal; (*stima*) valuation: (*org. az.*) **v. approssimativa**, rough estimate; **v. di un immobile**, valuation of a property; **v. delle scorte**, inventory pricing; **v. eccessiva**, overestimate; **v. inadeguata**, underestimate **2** (*accertamento*) assessment: **v. dei danni**, assessment of damage **3** (*calcolo*) reckoning; calculation; computation **4** (*giudizio*) evaluation; judgment; consideration; weighing: **v. personale**, personal judgment **5** (*classificazione*) rating; assessment; (*di elaborato*) marking, grading (*USA*): **v. dei candidati**, assessment of applicants; **v. del lavoro** (*o* **delle mansioni**), job rating; (*org. az.*) **v. di merito**, merit rating; (*a scuola*) **scheda di v.**, school report.

vàlva f. (*zool.*, *bot.*) valve.

valvàre a. (*zool.*, *bot.*) valve (attr.).

valvassino m. (*stor.*) vavasour's vassal.

valvassóre m. (*stor.*) vavasour; vassal.

vàlvola f. **1** (*mecc.*) valve: **v. a cerniera**, flap valve; **v. a due vie**, two-way valve; **v. a farfalla**, butterfly (*o* throttle) valve; **v. a saracinesca**, gate (*o* sluice) valve; **v. a spillo** (*o* **ad ago**), needle valve; **v. d'aspirazione**, intake valve; **v. del carburante**, fuel nozzle (*o* jet); (*autom.*) **v. dell'aria**, choke; **v. di scarico**, exhaust valve; **v. di sfiato**, air valve; (*anche fig.*) **v. di sicurezza**, safety valve; **v. di tiraggio**, damper; (*autom.*) **valvole in testa**, overhead valves **2** (*fig., anche* **v. di sfogo**) safety valve; outlet **3** (*elettr.: fusibile*) fuse: **v. termostatica**, thermostat; *È saltata una v.*, a fuse has blown **4** (*radio, TV*) valve; tube (*USA*): **v. elettronica** (*o* **termoionica**), thermionic valve (*USA* tube); **apparecchio a cinque valvole**, five-valve (*USA* five-tube) set **5** (*anat.*) valve: **v. bicuspide** (*o* **mitrale**), bicuspid (*o* mitral) valve.

valvolàme m. (*tecn.*) valves (pl.).

valvolàre a. **1** (*radio, TV*) valve (attr.) **2** (*med.*) valvular.

valvulíte f. (*med.*) valvulitis.

valvuloplàstica f. (*chir.*) valvuloplasty.

vàlzer m. waltz: **ballare il v.**, to waltz; **fare un giro di v.**, to do a waltz; (*fig., polit.*) to flirt.

vamp (*ingl.*) f. inv. vamp; femme fatale (*franc.*).

vàmpa f. **1** (*fiammata*) flame; blaze: **le vampe di un incendio**, the flames of a fire **2** (*intenso calore*) fierce heat; (*folata calda*) hot blast: **la v. del sole**, the fierce heat of the sun; **sotto la v. del sole**, under a blazing sun **3** (*mil., di bocca da fuoco*) flash: **v. di ritorno**, blowback; **riduttore di v.**, flash hider **4** (*calore al viso*) sudden flush; (*per vergogna*) blush; (*in menopausa*) hot flush (*GB*), hot flash (*USA*): **far venire le vampe al viso**, to bring a flush to (sb.'s) face; to make sb. flush (*o* blush) **5** (*fig., di sentimento*) burst; outburst.

vampàta f. **1** (*di calore*) burst of heat; blast: **una v. di aria calda**, a blast of hot air **2** (*fiammata*) blaze; flame **3** (*al viso*) sudden flush; (*per vergogna*) blush: **una v. di rossore**, a sudden blush **4** (*fig.: manifestazione improvvisa*) burst; outburst; flare-up: **v. d'ira**, burst of anger.

vampirésco a. **1** vampiric; vampire-like **2** (*fig.*) extortionate; blood-sucking.

vampiríṣmo m. **1** vampirism **2** (*med.*) necrophilism.

vampiriẓẓàre v. t. (*fig.*) **1** (*dissanguare*) to bleed* **2** (*monopolizzare l'attenzione*) to mesmerize **3** (*appropriarsi di*) to steal*.

vampiro m. **1** vampire **2** (*zool.*) vampire (bat) **3** (*fig.*) vampire; (*strozzino*) bloodsucker, shark **4** (*scherz.*) – **donna v.**, vamp; seductress.

van (*ingl.*) m. inv. (*per cavalli da corsa*) horsebox.

vanadàto m. (*chim.*) vanadate.

vanàdico a. (*chim.*) vanadic.

vanàdio m. (*chim.*) vanadium.

vanaglòria f. vainglory; boastfulness; conceit.

vanagloriàrsi v. i. pron. to boast; to brag.

vanaglorióso a. vainglorious; boastful; conceited.

vanaménte avv. vainly; (*invano*) in vain, to no avail.

vandàlico a. **1** (*stor.*) Vandalic **2** (*fig.*) vandalistic.

vandalíṣmo m. vandalism.

vàndalo m. **1** (*stor.*) Vandal **2** (*fig.*) vandal.

Vandèa f. (*geogr.*) Vendée.

vandeàno a. e m. (f. **-a**) (*geogr.*) Vendean.

vaneggiaménto m. raving.

vaneggiàre v. i. to rave (*anche fig.*); to be delirious.

vanerèllo a. vain; conceited; (*sciocco*) silly.

vanèṣio Ⓐ a. vain; conceited; foppish Ⓑ m. (f. **-a**) vain person; fop (m.).

vanéssa f. (*zool., Vanessa*) vanessa: **v. atalanta** (*Vanessa atalanta*), red admiral; **v. del cardo** (*Vanessa cardui*), painted lady.

vànga f. spade.

vangàre v. t. to dig*; to spade.

vangàta f. **1** (*il vangare*) digging over; spading **2** (*quantità raccolta*) spadeful **3** (*colpo di vanga*) blow with a spade.

vangatóre m. (f. **-trice**) digger.

vangatrìce f. (*agric. mecc.*) digger.

vangatùra f. digging over.

Vangèlo m. **1** (*relig.*) Gospel: **il V. di oggi**, the Gospel for today; **il V. secondo S. Matteo**, the Gospel according to St Matthew; St Matthew's Gospel; **Vangeli apocrifi**, Apocrypha; apocryphal Gospels; **Vangeli canonici**, canonical Gospels; **predicare il V.**, to preach the Gospel **2** (*parte della Messa*) Gospel reading: **durante il V.**, during the Gospel reading **3** (*fig.: credo*) gospel; creed: **v. rivoluzionario**, revolutionary gospel **4** (*fig.: verità sacrosanta*) gospel (truth): *È v. per lui*, it's gospel for him; **prendere qc. per v.**, to take st. as gospel.

vanghéggia f. (*agric.*) spading fork.

vangheggiàre v. t. (*agric.*) to turn (*the soil*) with a spading fork.

vanghétta f. **1** small spade **2** (*mil.*) spade.

vangile m. (*agric.*) footrest (of a spade).

vanificàre v. t. to frustrate; to thwart.

vanificazióne f. frustration; thwarting.

vaniglia f. **1** (*bot., Vanilla planifolia*) vanilla **2** (*essenza*) vanilla (essence): **gelato alla v.**, vanilla ice cream.

vanigliàto a. vanilla (attr.); vanilla-flavoured: **zucchero v.**, vanilla sugar.

vaniglìna, vanillìna f. (*chim.*) vanillin.

vanilòquio m. **1** (*delirio*) raving **2** (*fig.: chiacchiere vuote*) idle talk Ⓤ; empty nonsense Ⓤ; twaddle Ⓤ (*fam.*).

vanità f. **1** (*fatuità*) vanity; conceit; (*debolezza*) vanity: *Lo fa per pura v.*, she does it

out of sheer vanity: **lusingare la v. di q.**, to pander to sb.'s vanity **2** (*inutilità*) vainness; uselessness: **la v. di uno sforzo**, the vainness of an effort **3** (*caducità*) vanity; perishability: **la v. dei beni terreni**, the vanity of wordly goods **4** (*cosa caduca*) vanity: **le v. del mondo**, wordly vanities: **la fiera delle v.**, Vanity Fair.

vanitóso A a. vain; conceited **B** m. (f. **-a**) vain person.

vànno 3ª pers. pl. indic. pres. di **andare**.

♦**vàno A** a. **1** (*incorporeo*) insubstantial; immaterial: **ombra vana**, insubstantial shadow **2** (*inconsistente, futile*) vain; idle; empty; hollow: **discorsi vani**, empty (*o* idle) talk Ⓤ; **vane promesse**, idle promises; **vane speranze**, vain (*o* idle) hopes **3** (*inutile*) vain; useless; idle: **fatica vana**, useless toil; **vane lacrime**, idle tears; **v. tentativo**, vain attempt; *Tutte le ricerche furono vane*, the search proved useless **4** (*vanitoso*) vain; conceited **B** m. **1** (*spazio vuoto*) space: **v. dell'ascensore**, lift-shaft; **v. delle scale**, stairwell; **un v. per l'armadio delle scope**, a space for the broom cupboard (*apertura*) opening: **v. della finestra [della porta]**, window [door] opening **3** (*stanza*) room: **appartamento di quattro vani**, four-room (*o* four-roomed) flat **4** (*scomparto, alloggiamento*) compartment; box; (*autom.*) **v. motore**, engine compartment; (*autom.*) **v. portabagagli**, boot (*GB*); trunk (*USA*); (*autom.*) **v. portaoggetti**, glovebox; glove compartment.

♦**vantàggio** m. **1** (*ciò che mette in condizione favorevole*) advantage; head start; edge; asset: **il v. dell'età**, the advantage of being younger; **il v. del numero [della sorpresa]**, the advantage of numbers [of surprise]; (*org. az.*) **v. competitivo**, competitive advantage; (*naut.*) **v. del vento**, wind gauge; **vantaggi e svantaggi**, advantages and disadvantages; pros and cons; *È un v. sapere l'inglese*, knowing English is an advantage (*o* an asset); *Il tuo piano ha un v. rispetto al mio*, your plan has one advantage over mine; *La sua origine sociale la pone in v. rispetto agli altri* (*o* le dà un v. sugli altri), her social background gives her an edge over the others; **una professione che dà molti vantaggi**, a profession that has many advantages; **margine di v.**, advantage; lead; edge; **posizione di v.**, vantage point; advantageous position **2** (*profitto*) advantage; profit; (*interesse*) interest: **v. reciproco**, advantage to both (parties); **v. personale**, personal interest; self-interest; **andare a v. di q.**, to be to sb.'s advantage; **cercare il proprio v.**, to think of one's own interest; **trarre v. da qc.**, to profit by st.; to capitalize on st.; to turn st. to advantage (*o* to account); **volgere qc. a proprio v.**, to turn st. to one's own advantage **3** (*beneficio*) benefit: **avere v. da una cura**, to derive benefit from a treatment; **spendere la propria vita a v. degli altri**, to devote one's life to the service of others **4** (*sport*) lead; (*alla partenza*) (head) start; (*tennis*) advantage: (*tennis*) **v. alla battuta [alla rimessa]**, advantage in [out]; (*tennis*) **v. pari**, deuce; **avere tre metri di v. su q.**, to have a three metres' lead over sb.; **dare a q. un'ora di v.**, to give sb. an hour's start; **essere in v. di sei punti**, to lead by six points; **portarsi in v.**, to take the lead; (*calcio*) **regola del v.**, advantage rule **5** (*privilegio, prerogativa*) privilege; prerogative **6** (*tipogr.*) galley.

vantaggióso a. advantageous; (*favorevole*) favourable; (*remunerativo*) profitable: **affare v.**, profitable deal; **condizioni vantaggiose**, advantageous conditions; (*comm.*) favourable terms; (*di mutuo, ecc.*) easy terms; **offerta vantaggiosa**, favourable offer; *Sarà v. per tutti*, it will be to everybody's advant-

age.

♦**vantàre A** v. t. **1** (*lodare*) to extol, to praise; (*millantare*) to boast of: *Vantò l'intelligenza dei suoi allievi*, he praised the intelligence of his pupils; *Non fa che v. i propri successi*, she is always boasting of her successes **2** (*andare fiero di*) to boast (*of*): *La città vanta un famoso teatro*, the city boasts a famous theatre **3** (*rivendicare*) to have a claim to: **v. un diritto su qc.**, to have a claim to st. **B vantàrsi** v. rifl. **1** (*gloriarsi*) to be proud (of): *L'ho fatto e me ne vanto*, I did it and I'm proud of it **2** (*millantarsi*) to boast; to brag: *Si vanta delle sue imprese*, he boasts of his exploits; *È sempre pronto a vantarsi*, he is always ready to brag; *Hai poco di cui vantarti*, you have little to boast about; *Non (faccio) per vantarmi, ma...*, I don't want to sound boastful, but...

vanterìa f. boast; boasting Ⓤ; bragging Ⓤ: *È una pura v.*, it's mere boasting.

vànto m. **1** (*il vantarsi*) boast; boasting: **menare v. di qc.**, to boast about (*o* of) st. **2** (*orgoglio*) pride: *È il v. della famiglia*, he is the pride of his family; *La piazza è il v. della città*, the square is the pride of the town; **essere motivo di v. per q.**, to be a source of pride for sb. **3** (*merito*) merit, credit; (*gloria*) glory; (*onore*) honour: **dare v. a q. di qc.**, to give sb. credit for st.; **portare v. a**, to bring credit [glory, honour] to; (*iron.*) *Bel v.!*, that's hardly something to boast about!

vànvera f. – **a v.**, haphazardly; without reflecting, without thinking: **fare le cose a v.**, to do things haphazardly; **parlare a v.**, to talk nonsense; to talk through one's hat (*fam.*).

vàpiti → **wapiti**.

vapofórno m. steam oven.

♦**vapóre A** m. **1** (*fis.*) vapour, vapor (*USA*); fume: **v. acqueo**, water vapour, steam; **v. saturo [surriscaldato]**, saturated [superheated] vapour **2** (*vapore acqueo*) steam: **v. di scarico**, exhaust steam; **bagno a v.**, steam bath; **caldaia a v.**, steam-boiler; **ferro a v.**, steam iron; **macchina a v.**, steam engine; **nave a v.** → *def. 3*; **cuocere a v.**, to steam; (*anche fig.*) **a tutto v.**, full steam ahead; at full speed **3** (*naut.*) steamship; steamer: **v. postale**, mail-steamer **4** (al pl.: *effluvii*) fumes; vapours; exhalations: **vapori di benzina**, petrol fumes; (*anche fig.*) **i vapori del vino**, wine fumes; **vapori mefitici**, mephitic exhalations ● (*fig.*) **il padrone del v.**, the big boss **B** a. inv. – (*mecc.*) **cavallo v.**, horsepower.

vaporétto m. (*naut.*) **1** steamboat; steamer **2** (*mezzo di trasporto locale*) vaporetto; water-bus.

vaporièra f. steam locomotive; steam-engine.

vaporìmetro m. (*fis.*) vaporimeter.

vaporizzàbile a. (*fis.*) vaporizable.

vaporizzàre A v. t. e i. **1** (*far evaporare*) to vaporize; to evaporate **2** (*trattare con vapore*) to steam **B vaporizzàrsi** v. i. pron. v. vaporize; to evaporate.

vaporizzatóre A m. **1** (*evaporatore*) evaporator **2** (*nebulizzatore*) vaporizer; atomizer **B** a. vaporizing; evaporator (attr.).

vaporizzatùra f. (*ind. tess.*) steam treatment.

vaporizzazióne f. **1** (*fis.*) vaporization; evaporation **2** (*nebulizzazione*) vaporization; atomization.

vaporosità f. **1** flimsiness; gauziness; (*di capelli*) lightness, softness **2** (*fig.*: *indeterminatezza*) haziness; nebulousness; vagueness.

vaporóso a. **1** flimsy; gauzy; frothy; (*di capelli*) light, soft: **camicia da notte vaporosa**, flimsy night-dress **2** (*fig.*: *indeterminato*)

hazy; nebulous; vague.

var m. (*elettr.*) VAR.

var. abbr. **1** (**variabile**) variable **2** (**varietà**) variety.

varàno m. (*zool.*, *Varanus*) monitor (lizard).

varàre A v. t. **1** (*naut.*) to launch **2** (*fig.*) to launch; (*approvare*) to pass: **v. una nuova commedia** [**un progetto**], to launch a new comedy [a plan]; **v. una legge**, to pass a law **3** (*sport*: *formare*) to form; to draw* up: **v. la nazionale**, to draw up the national team **B varàrsi** v. i. pron. (*naut.*) – **vararsi in costa** (*o* **in secca**), to run* aground; to become* stranded.

varàta f. (*ind. min.*) blasting.

varcàre v. t. **1** (*attraversare, oltrepassare*) to cross; to pass: **v. la soglia**, to cross the threshold **2** (*fig.*: *superare*) to go* beyond; to overstep; to exceed: **v. i limiti della decenza**, to overstep the bounds of decency; **v. tutti i limiti**, to go too far; to go over the top; **aver varcato la cinquantina**, to be over fifty; to be in one's (early) fifties.

vàrco m. opening; passage; gap; way: **un v. tra due rupi**, a passage (*o* a gap) between two rocks; **aprirsi un v. nella boscaglia**, to cut one's way through the undergrowth; **aprirsi un v. tra la folla**, to force a passage (*o* to push one's way) through the crowd; **aspettare q. al v.**, (*tendergli un'imboscata*) to lie in wait for sb.; (*fig.*) to bide one's time; **cogliere q. al v.**, to waylay* sb.; (*fig.*) to catch sb. out.

varèa f. (*naut.*) yardarm.

varèch, **varècchi** m. inv. (*bot.*) varec.

varechìna f. bleach.

varesino A a. of Varese; from Varese **B** m. (f. **-a**) native [inhabitant] of Varese.

vària ① f. pl. miscellanea; miscellany (sing.).

vària ② f. (*editoria*) light non-fiction.

variàbile A a. **1** variable; (*mutevole*) changeable; (*instabile*) unsteady, fluctuating, volatile: **costo v.**, variable cost; **prezzi variabili**, fluctuating prices; **tempo v.**, changeable (*o* unsettled) weather; **umore v.**, changeable mood; **venti variabili**, variable (*o* shifting) winds **2** (*astron., bot., gramm., mat.*) variable **B** f. **1** (*mat., stat.*) variable: **v. casuale**, random variable; **v. dipendente** [**indipendente**], dependent [independent] variable **2** (*estens.*) variable: *Ci sono troppe variabili in gioco*, too many variables are involved.

variabilità f. **1** variability; variableness; (*mutevolezza*) changeableness; (*instabilità*) instability, unsettledness, precariousness, volatility: **la v. dei prezzi**, the instability of prices; **v. d'umore**, changeability of mood **2** (*biol.*) variation **3** (*stat.*) – **indice di v.**, variance.

variaménte avv. variously; in various ways; (*in modi diversi*) in different ways: **una frase v. interpretata**, a sentence interpreted in different ways.

variànte A a. **1** varying; changing; (*diverso*) different **2** (*filol.*) – **lezione v.**, variant reading **B** f. **1** (*modificazione, versione*) version; variant; (*modello*) model: **una v. della ricetta**, another version (*o* a variant) of the recipe; **la v. senza maniche di un vestito**, the sleeveless model of a dress; **un'auto prodotta in più varianti**, a car produced in different models **2** (*ling.*) variant: **v. ortografica**, spelling variant; different (*o* variant) spelling **3** (*filol.*) variant (reading) **4** (*alpinismo ed estens.*) alternative route **5** (*cambiamento, modifica*) change; alteration; variation: **una v. nel progetto**, an alteration to the plan; **apportare una v. al programma**, to make a change in the programme.

variantìstica f. (*filol.*) study of variant

readings.

variànza f. (*fis.*, *stat.*) variance.

◆**variàre** Ⓐ v. t. 1 (*cambiare*) to vary; to change; (*modificare*) to alter: **v. la disposizione dei mobili**, to change the arrangement of the furniture; **v. l'orario**, to change (*o* to alter) the timetable; **tanto per v.**, just for a change 2 (*rendere vario*) to vary: **v. una dieta**, to vary a diet Ⓑ v. i. 1 (*cambiare*) to vary; to change; (*modificarsi*) to alter: **v. di colore**, to change in colour; **v. da un anno all'altro**, to change from one year to the next; *Le sue abitudini non variano mai*, his habits never vary (*o* change) 2 (*essere differente*) to vary; to differ: *La pena varia secondo il delitto*, the punishment varies according to the crime; *I pareri variano da persona a persona*, opinions differ 3 (*fluttuare*) to fluctuate 4 (*disporsi all'interno di una gamma*) to range: **prezzi che variano dai cinquanta ai mille euro**, prices ranging from fifty to one thousand euros.

variàto a. 1 (*vario*) varied 2 (*diversificato*) varied; diversified: **dieta variata**, varied diet.

variatóre m. (*tecn.*) variator; changer: (*elettr.*) **v. di fase**, phase transformer; (*elettr.*) **v. di frequenza**, frequency changer; **v. di velocità**, speed variator.

variazionàle a. (*fis.*, *mat.*) variational.

variazióne f. 1 variation; change; (*modifica*) alteration; (*oscillazione*) fluctuation; (*naut.*) variation: **v. della bussola**, compass variation; **v. di colore**, variation in colour; (*elettr.*) **v. di frequenza**, frequency change; **v. d'itinerario**, change of route; **v. d'orario**, alteration in the timetable; **v. di prezzo**, variation in price; price change; (*econ.*) **v. della domanda**, change in demand; **variazioni barometriche**, barometric variations; (*econ.*) **variazioni congiunturali**, cyclical fluctuations; *I prezzi potranno subire variazioni*, prices may vary; *C'è stata una v. al programma*, there has been a change in the programme; **apportare variazioni a**, to vary; to alter; to make changes in 2 (*mat.*) variation: **calcolo delle variazioni**, calculus of variations 3 (*mus.*) variation: **variazioni su un tema di Bach**, variations on a theme by Bach; (*fig.*) **variazioni sul tema**, variations on a theme.

varìce f. (*med.*) varix*; varicose vein.

varicèlla f. (*med.*) chickenpox; varicella.

varichìna → **varechina**.

varicocèle m. (*med.*) varicocele.

varicóso a. (*med.*) varicose: **vene varicose**, varicose veins.

variegàto a. 1 variegated; parti-coloured; multicoloured; mottled; (*venato*) veined; (*striato*) streaked: **camelia variegata**, variegated camellia; **marmo giallo v. di nero**, yellow marble veined with black 2 (*fig.*) varied; diversified; variegated; chequered: **ambiente v.**, variegated milieu; **carriera variegata**, chequered career.

variegatùra f. variegation.

◆**varietà**① f. 1 (*l'essere vario, molteplice*) variety; diversity; (*gamma, scelta*) variety, range, assortment: **una grande v. di colori**, a wide variety (*o* range) of colours; **v. di gusti**, variety (*o* diversity) of tastes 2 (*l'essere variato*) variedness: **la v. del paesaggio**, the variedness of the landscape 3 (*differenza, diversità*) diversity; difference: **v. di opinioni**, diversity of opinions 4 (*qualità, tipo*) variety; type; kind: **una nuova v. di arance**, a new variety of oranges; *Ce n'è di tutte le v.*, they come in a wide variety (*o* in all shapes and sizes) 5 (*biol.*) variety 6 (*mat.*) manifold.

varietà② m. (*teatr.*) 1 (*spettacolo*) variety show: **andare al v.**, to go to a variety show; **numero di v.**, variety number; act 2 (*genere*) variety; vaudeville (*USA*): **lavorare nel v.**, to work in variety; **artista del v.**, artiste;

spettacolo di v., variety show; **teatro di v.**, variety theatre; music-hall (*GB*); vaudeville (theater) (*USA*).

varietàle a. (*enologia*) varietal.

varifocàle a. (*fotogr.*, *ottica*) varifocal: **lente v.**, varifocal lens; **occhiali con lenti varifocali**, varifocal glasses; varifocals.

◆**vàrio** Ⓐ a. 1 (*variato*) varied: **paesaggio v.**, varied landscape (*o* scenery); **stile v.**, varied style 2 (*differente, svariato*) various; diverse; different; sundry; miscellaneous: **articoli vari**, sundry articles; sundries; (*comm.*) **generi vari**, sundries; **interessi vari**, diverse interests; **oggetti vari**, various (*o* miscellaneous) objects; **spese varie**, sundry expenses; sundries; **abiti di varie taglie**, clothes in different sizes; **le persone più varie**, all sorts of people; **in vari modi**, in various (*o* several, different) ways; **in varie occasioni**, on various occasions 3 (*al pl.*) (*parecchi*) various; several; a number of: **varie persone**, various (*o* a number of) people; **varie volte**, several times; **per varie ragioni**, for several reasons 4 (*mutevole*) changeable: **tempo [umore] v.**, changeable weather [mood] ● (*prov.*) **Il mondo è bello perché è v.**, variety is the spice of life Ⓑ pron. indef. (al pl.) 1 (*diverse persone*) various (*o* several) people 2 — **varie**, (*in titoli di libri, scritti, ecc.*) miscellaneous items (*o* matters); (*comm.*) sundry items, sundries; (*in un ordine del giorno*) **varie ed eventuali**, any other business (abbr. AOB).

variolàto a. speckled; mottled.

variòmetro m. 1 (*fis.*) variometer 2 (*aeron.*) variometer; rate-of-climb indicator 3 (*elettr.*) variometer.

◆**variopìnto** a. 1 many-coloured; multicoloured; gaily-coloured: **fiori variopinti**, many-coloured flowers; **farfalla variopinta**, gaily-coloured butterfly 2 (*fig.*) colourful: **folla variopinta**, colourful crowd.

varìscico a. (*geol.*) Variscan.

varìsmo m. (*med.*) varus.

varistóre m. (*elettr.*) varistor.

vàrmetro m. (*fis.*) varmeter.

vàro① m. 1 (*naut.*) launch; launching 2 (*fig.*) launch; (*di legge*) passing: **il v. di un progetto**, the launch of a project; **il v. di una legge**, the passing of a bill 3 (*sport*) formation.

vàro② a. (*med.*) varus (attr.); in varus (pred.): **ginocchio v.**, varus knee; genu varum (*lat.*).

varòra m. inv. (*elettr.*) VAR-hour.

Varróne m. (*stor.*) Varro.

Varsàvia f. (*geogr.*) Warsaw.

vàrva f. (*geol.*) varve.

vasàio m. (f. *-a*) potter.

vasàle a. (*anat.*) vasal.

◆**vàsca** f. 1 basin; tank; (*tinozza*) tub: **v. del bucato**, washtub; **v. della fontana**, fountain basin; **v. per i pesci**, fish-pond 2 (*da bagno*) bath; bathtub (*USA*) 3 (*tecn.*) tank; vat: **v. di lavaggio**, swilling tank; **v. di recupero**, backwater tank; **v. di sedimentazione**, settling tank; (*fotogr.*) **v. di sviluppo**, developing tank; (*ind. tess.*) **v. per il candeggio**, bleaching vat; (*naut.*) **v. navale**, test tank 4 (*piscina*) pool, swimming-pool; (*come percorso*) length: **fare sei vasche**, to swim six lengths ● (*fig.*) **fare una v.**, to stroll along the main street.

vascèllo m. (*naut.*) vessel; ship: **v. a tre ponti**, three-decker; **v. da guerra**, warship; **v. di linea**, ship-of-the-line; line-of-battle ship; **v. mercantile**, merchantman*; trading vessel ● **il V. Fantasma**, the Flying Dutchman □ **capitano di v.**, captain □ **sottotenente di v.**, (*in GB*) sub-lieutenant; (*in USA*) lieutenant junior grade □ **tenente di v.**, lieutenant □ **ufficiale di v.**, commissioned offi-

cer.

vaschétta f. 1 (*piccola vasca*) (small) basin; tank 2 (*raccoglitore*) pan; (*per documenti, ecc.*) tray 3 (*per gelato, burro*) tub 4 (*di carburatore*) float chamber 5 (*di barometro*) reservoir.

vascolàre a. 1 (*anat.*, *bot.*) vascular: **sistema v.**, vascular system 2 (*arte*) vase (attr.): **pittura v.**, vase painting.

vascolarizzàto a. (*anat.*) vascularized.

vascolarizzazióne f. (*anat.*) vascularization.

vàscolo m. (*bot.*) vasculum*.

vascolopatìa f. (*med.*) vascular disease.

vascolóso a. (*anat.*) vascular.

vasculìte f. (*med.*) vasculitis.

vasectomìa f. (*chir.*) vasectomy.

vasectomizzàre v. t. (*chir.*) to vasectomize.

vaselìna f. vaseline.

vasellàme m. crockery and glassware; (nei composti, anche) -ware; (*di metallo prezioso*) plate: **v. d'argento**, silverware; silver plate; **v. di maiolica**, majolica; **v. d'oro**, gold plate; **v. di peltro**, pewter; **v. di porcellana**, china; **v. di terracotta**, earthenware; **v. di vetro** (*o* di cristallo), glassware; **v. per cucina**, kitchenware; **v. per forno**, ovenware.

vasellìna → **vaselina**.

vasétto m. jar; pot: **v. di crema**, jar of cream; **v. di miele**, jar of honey; **v. della senape**, mustard-pot.

vasìno m. (*infant.*) potty: **mettere sul v.**, to set on a potty; to pot (*GB*); **insegnare a usare il v.**, to potty-train; **saper usare il v.**, to be potty-trained.

vasistas (*franc.*) m. inv. (*edil.*) transom; transom-window; fanlight.

◆**vàso** m. 1 (*per pianta*) pot; (*per fiori recisi o ornamentale*) vase; (*per conservare*) jar: **v. da fiori**, flowerpot; **v. da notte**, chamber pot; **v. di basilico**, pot of basil; **v. di miele**, pot (*o* jar) of honey; **v. etrusco**, Etruscan vase; **un v. (pieno) di fiori**, a vase (full) of flowers; **vasi sacri**, holy vessels; **mettere in v.**, (una pianta) to pot; (una conserva) to put in a jar 2 (*tecn.*) vessel; bowl; container; tank; (*fis.*) **v. Dewar**, Dewar vessel (*o* flask); **v. di espansione**, expansion tank 3 (*anat.*, *bot.*) vessel: **v. sanguigno**, blood vessel 4 (*parte della latrina*) bowl; lavatory pan (*GB*) 5 (*fis.*) – **vasi comunicanti**, communicating vessels 6 (*eccles.*) vessel ● (*relig.*) **v. d'elezione**, chosen vessel □ (*mitol.*) **v. di Pandora**, Pandora's box □ (*fig.*) **essere un v. di coccio tra vasi di ferro**, to be defenceless; to be vulnerable □ (*fig.*) **far traboccare il v.**, to be the straw that breaks the camel's back □ (*fig.*) **portare vasi a Samo**, to carry coals to Newcastle.

vasocostrittóre (*farm.*) Ⓐ a. vasoconstrictive Ⓑ m. vasoconstrictor.

vasocostrizióne f. (*med.*) vasoconstriction.

vasodilatatóre (*farm.*) Ⓐ a. vasodilatory Ⓑ m. vasodilator.

vasodilatazióne f. (*med.*) vasodilatation; vasodilation.

vasomotilità f. (*anat.*) vasomotion.

vasomotòre a. (*anat.*, *farm.*) vasomotor.

vasomotòrio a. (*anat.*) vasomotor.

vasopressìna f. (*biol.*) vasopressin.

vasoresezióne f. (*chir.*) vasectomy.

vasospàsmo m. (*med.*) vasospasm.

vasotonìna f. (*biochim.*) vasotonin.

vassallàggio m. 1 (*stor.*) vassalage 2 (*fig.*) subjection; servitude; vassalage.

vassallàtico a. (*stor.*) vassal (attr.).

vassàllo Ⓐ m. 1 (*stor.*) vassal: **v. diretto**, great vassal 2 (*soggetto, suddito*) subject, subordinate, (*stor.*) liegeman*; (*servo*) servant Ⓑ a. vassal; subordinate; dependent:

Stato v., vassal state.

vassoiàta f. trayful.

♦**vassóio** m. **1** tray: **v. da tè**, tea-tray; **v. dei formaggi**, cheese-board; **un v. di paste**, a trayful of cakes; **v. girevole**, dumbwaiter (*GB*); lazy Susan (*USA*); **far passare il v.**, to hand the tray round **2** (*vassoiata*) trayful **3** (*edil.*) mortarboard; hawk.

vastità f. vastness; great extent; expanse: **la v. di un argomento**, the vastness of a subject; **la v. degli oceani**, the vastness of the oceans; **la v. della sua cultura**, the great extent of her learning.

♦**vàsto** **A** a. vast; wide; large; extended; extensive; wide-reaching: **v. assortimento**, wide assortment; **vaste conoscenze**, extensive (*o* vast) knowledge ⓤ; **vasti interessi commerciali**, wide-reaching business interests; **vasti restauri**, extensive repairs; **vasta superficie**, vast (*o* wide) area; **v. territorio**, wide territory; **di vasta portata**, far-reaching; **di vaste proporzioni**, enormous; huge; **su vasta scala**, on a large scale; large-scale (attr.) **B** m. (*anat.*) vastus: **v. laterale [mediale]**, vastus lateralis [medialis].

vàte m. (*lett.*) **1** (*indovino*) prophet; seer **2** (*poeta*) poet; bard.

vaticanista m. e f. **1** (*giorn.*) Vatican correspondent **2** (*polit.*) supporter of Vatican policy.

vaticàno a. e m. Vatican: **la Città del V.**, the Vatican City; **musei vaticani**, Vatican Museums.

vaticinàre v. t. to vaticinate; to prophesy; to predict.

vaticinatóre **A** m. (f. *-trice*) vaticinator; prophet (f. prophetess) **B** a. prophetic.

vaticinio m. vaticination; prophecy; prediction.

vattelappésca avv. (*fam.*) who knows?; goodness knows; your guess is as good as mine: «*Dov'è...?*» « *V.!*», «Where is...?» «who knows?»; **v. come si chiama**, goodness knows what his name is.

vauchèria f. (*bot.*, *Vaucheria*) vaucheria.

vaudeville (*franc.*) m. inv. (*teatr.*) **1** (*canzone satirica*) satirical song; vaudeville **2** (*genere teatr.*) vaudeville **3** (*in USA*) vaudeville.

VB abbr. (**Verbano-Cusio-Ossola**).

VC sigla **1** (**valor civile**) civic valour **2** (**Vercelli**).

♦**ve** **A** pron. pers. 2ª pers. pl. m. e f. **1** (*compl.*) you: *Ve lo dissi*, I told you; *Ve ne prego*, I beg you; please; *Voglio mostrarvelo*, I want to show it to you; *Ve ne pentirete*, you'll regret it **2** (*pleonastico*) – *Ve lo immaginate?*, can you imagine?; *Ve ne potete andare*, you can leave **B** avv. there: *Ve ne sono pochi*, there are only a few; *Ve li misi*, I put them there.

VE abbr. (**Venezia**).

ve' inter. **1** (*bada!*) mind it!: *Attento, ve'!*, (*avvertimento*) careful!, watch out!; (*ammonizione*) watch it!; *Non cadere, ve'*, mind you don't fall **2** (*guarda!*) see!; look!: *Ve' che grande!*, how big it is!; *Ve' che strano!*, that's odd!

vècchia f. old woman*; old lady; (*spreg.*) old hag; old crone: **una v. tutta curva**, a crooked old woman; *V. pazza!*, silly old woman!; (*fam.*, *di madre, moglie*) **la mia v.**, my old woman.

♦**vecchiàia** f. **1** old age: **v. inoltrata**, advanced old age; **v. precoce**, early ageing; **morire di v.**, to die of old age; **pensione di v.**, old-age pension; **sulla soglia della v.**, on the threshold of old age **2** (*i vecchi*) the aged (pl.); (the) elderly (pl.).

vecchièzza f. old age; great age.

♦**vècchio** **A** a. **1** (*che ha molti anni*) old: **un v. cavallo**, an old horse; **un v. soldato**, an old soldier; **rami vecchi**, dead branches; **di**-

ventare v., to grow old; **sentirsi v.**, to feel old **2** – **più v.**, (*che ha più anni, maggiore di età*) older (compar.), oldest (superl.); (*tra fratelli*) elder (compar.), eldest (superl.): **l'albero più v. del giardino**, the oldest tree in the garden; *È più v. del socio di dieci anni*, he is ten years older than his partner; *È molto più v. di me*, he is much older than I am; he is my elder (*o* senior) by several years; *Qual è il più v. dei due fratelli?*, which is the elder of the two brothers?; *Ho tre maschi e lui è il più v.*, I have three sons, and he is the eldest **3** (*più anziano di due*) elder: *Plinio il V.*, Pliny the Elder **4** (*stagionato*) old; aged; seasoned; matured: **legno v.**, seasoned wood; **vino v.**, mature (*o* aged) wine; **v. di tre anni**, three years old (pred.); three-year-old (attr.) **5** (*non nuovo*) old; (*antiquato*) old-fashioned; (*stantio*) stale: **abiti vecchi**, old clothes; **il v. mondo**, the old world; **notizie vecchie**, stale news; **pane v.**, stale bread; **di v. stampo**, old-style (attr.) **6** (*di un tempo, precedente*) old; former; past; (*antico*) ancient: **una vecchia fiamma**, an old flame; **il mio v. professore**, my old (*o* former) teacher; **i vecchi tempi**, the old days; (*relig.*) **il V. Testamento**, the Old Testament; *È una storia vecchia*, it's an old story; it's past history **7** (*che esiste da tempo, di vecchia data*) old; long-standing: **un v. amico**, an old friend; **un v. cliente**, an old client; (*fig.*) **la vecchia guardia**, the old guard; **un v. rancore**, an old (*o* a long-standing) grudge; **una vecchia usanza**, an old (*o* a long.standing) custom • **v. come il cucco** (*o* **come Matusalemme**), as old as the hills; ancient; (*spreg.*) decrepit □ (*fig.*) **vecchia volpe**, cunning old fox □ **l'anno v.**, the old year □ **essere v. del mestiere**, to have been a long time in the trade; to be an old hand (at the job) **B** m. **1** (*uomo anziano*) old man*: **un bel v.**, a fine old man; (*fam.*) **il mio v.** (*mio padre*), my old man; (*fig.*) **grande v.**, elder statesman; (*spreg.*) mastermind (*behind illegal or terrorist activity*); *Di che umore è oggi il v.?*, what sort of a mood is the old man in today?; *Ciao, v. mio!*, hello, old man (*o* old boy)! **2** (*anziano di una comunità*) elder: **i vecchi del villaggio**, the village elders **3** (*chi ha anzianità professionale, ecc.*) senior employee [member, etc.] **4** (al pl., collett.) (*persone anziane*) old people (*o* folks); (the) old; (the) aged: **i vecchi e i malati**, the old and the infirm; (*fam.*) **i nostri vecchi**, (*i genitori*) our parents; our folks (*USA*); (*i nonni, gli antenati*) our grandfathers; **rispettare i vecchi**, to respect the aged (*o* the elderly) **5** (*ciò che è vecchio*) (the) old; what is old: **sostituire il v. col nuovo**, to substitute what is old with what is new; **sapere di v.**, to taste stale; to smell musty.

vecchiòtto a. **1** oldish; rather old; (*di persona, anche*) rather long in the tooth (*scherz.*) **2** (*antiquato*) dated; old-fashioned; superseded; (*stantio*) stale.

vecchiùme m. (*spreg.*) old stuff; junk; (*idee antiquate*) old-fashioned ideas (pl.).

véccia f. (*bot.*, *Vicia sativa*) (common) vetch; tare.

vecciarino m. (*bot.*, *Coronilla varia*) crown vetch.

veccióne m. (*bot.*, *Lathyrus sylvestris*) wild pea; flat pea.

véce f. **1** (*lett.*: *mutazione*) change; vicissitude **2** (*funzione, mansione*) place; stead; lieu (*franc.*): **fare le veci di q.**, to stand in for sb.; to act as sb.'s deputy; to deputize for sb.; **firma del genitore o di chi ne fa le veci**, signature of a parent or guardian (*meno form.* or someone else in authority); **in mia v.**, in my place (*o* stead); instead of me.

Vèda m. inv. (*relig.*) Veda (sing. *o* pl.).

vedènte **A** a. seeing; (*dotato di vista*) sighted: (*eufem.*) **non v.**, sightless; blind **B** m. e f. sighted person; (*eufem.*) **un non v.**, a vis-

ually handicapped person; a sightless person; a blind person; **i non vedenti**, the visually handicapped; the sightless; the blind.

♦**vedére** ① **A** v. t. e i. **1** (*percepire con gli occhi, anche assol.*) to see*: **v. il sole**, to see the sun; **v. con i propri occhi**, to see with one's own eyes; **v. di sfuggita**, to catch a glimpse of; to glimpse; **v. doppio**, to see double; **vederci bene [male]**, to have good [poor] sight; **non vederci**, to be unable to see; (*essere cieco*) to be blind; *Ho visto un bel paio di scarpe*, I saw a nice pair of shoes; *Hai visto i miei occhiali?*, have you seen my glasses?; *Di qui non vedo niente*, I can't see a thing from here; *I ciechi non vedono*, the blind cannot see; *Il nonno non ci vede più*, Grandfather has gone blind; *Ci vede solo da un occhio*, he can only see with one eye; *Ci vedi con questa luce?*, can you see in this light?; *Vidi arrestare il ladro*, I saw the thief being arrested; *Vieni a v.*, come and see; *L'ho visto passare*, I saw him go by; *L'ho visto correre verso la stazione*, I saw him running towards the station; *Fu visto entrare in una farmacia*, he was seen going into a chemist's; *Non si vedeva anima viva*, there wasn't a living soul to be seen; *Di qui si vede il mare*, from here you can see the sea; *Vediamo di che si tratta!*, let's see what all this is about; *Vedessi in che condizioni vivono*, you should see how they live! *Vorrei v. te al mio posto!*, I'd like to see you in my shoes!; **far v.** (*mostrare*) to show; to let see; *Gli feci v. la pistola*, I showed him the gun; *Fammi v.*, let me see **2** (*guardare*) to look at; (*uno spettacolo, un film, ecc.*) to see*; (*la televisione*) to watch: *Adesso vedi quest'altra foto*, now look at this other photo; *Vedi, io farei così*, look, this is what I'd do; *Sei stato a v. la «Carmen»?*, did you go and see «Carmen»?; *Stasera voglio v. la partita*, I want to watch the football match tonight; *L'ho visto alla tv*, I saw it on TV; **un film da v.**, a film worth seeing **3** (*esaminare*) to look at; to have a look at; to examine; to look through; (*controllare*) to go* through: *Ho visto il tuo progetto e mi piace*, I've looked at your project, and I like it; *Vediamo un po' questi conti*, let's have a look at (*o* go through) these accounts; *Il medico ti ha visto?*, has the doctor seen you?; *Dovresti far v. quella caviglia*, you should have that ankle of yours looked at (*o* examined) **4** (*incontrare*) to see*; to meet*: *L'ho visto in centro*, I saw (*o* met) him in town; *Non vede mai nessuno*, she never sees anyone; *Il direttore oggi non vuole v. nessuno*, the director is not seeing anyone today; *Lieto di vederla!*, nice to meet you! **5** (*visitare*) to see*; to visit: *Non ho mai visto la Sicilia*, I have never visited (*o* been to) Sicily; *L'accompagnai a v. la città*, I showed him round the town **6** (*consultare*) to see*; to consult: *Prima voglio v. il mio avvocato*, I want to see my lawyer first; *È meglio v. un esperto*, it's better to consult an expert **7** (*immaginare, raffigurarsi*) to imagine; to see*; to picture; to visualize: *Lo vedo benissimo come padre*, I can just imagine him as a father; *Non ti ci vedo a fare quel lavoro*, I can't see you in that job; *Vedo già come andrà a finire*, I can already see how it's going to end **8** (*capire*) to see*; to understand*: *Lo vedrebbe anche un cieco*, even a blind man could see that; *Non vedo che difficoltà ci sia*, I can't see what the problem is (*o* what's so difficult about it); *Non vedo come sia possibile*, I don't see how it is possible; *Non vedo che cosa ci troti in lui*, I can't understand what you see in him; *Non vedi che scherza?*, can't you see he's joking?; *Non ne vedo il perché*, I can't see why **9** (*pensare*) to think*; to see*: *Be', vedremo*, well, we shall see; **vederla allo stesso modo**, to be like-minded; **a mio modo di v.**, in my opinion; the way I see it (*fam.*) **10**

(*procurare, fare in modo*) to see*; (*cercare*) to try: *Vedi che tutto sia pronto*, see that everything is ready; *Vedi se riesci a trovarmi quell'indirizzo*, see if you can find that address for me; *Vediamo se mi riesce*, let's see if I can manage it; *Vedi di non usare troppo il braccio*, try not to use that arm too much **11** (*ricevere*) to see*; to get*; to have: *Non abbiamo ancora visto un soldo*, we haven't seen a penny so far; *In due partite non ho visto una carta buona*, I haven't had one good card in two games **12** (*registrare*) to see*; to witness: *L'ultimo trimestre ha visto un aumento delle vendite*, the last term saw an increase in sales; *Gli anni '90 hanno visto l'esplosione di Internet*, the '90s witnessed the Internet boom **13** (*assol.*) (*poker*) to see*: *Vedo!*, I'll see you; **andare a v.**, to call sb.'s bluff ● (*fig.*) **v. chiaro in qc.** (*o vederci chiaro*), to get to the bottom of st. □ **v. con l'occhio della mente**, to see in one's mind's eye □ **v. di buon occhio [di mal occhio]**, to approve [to disapprove] of □ **v. la luce** (*nascere*) to be born; (*fig.*, *di cosa*) to see the light of day □ **v. per credere**, seeing is believing □ (*fig.*) **v. rosso**, to see red □ (*fig.*) **v. tutto nero**, to look on the dark side of things □ (*fig.*) **v. tutto rosa**, to see things through rose-coloured glasses □ **vedersela brutta**, (*passare dei guai*) to have a terrible time; (*essere rimproverato, ecc.*) to catch it (*fam.*): *La vedo brutta*, I don't like the look of this; the outlook is grim; I fear the worst; *Me la sono vista brutta* (*me ne sono cavata per un pelo*), I thought I was done for, I had a narrow escape □ **vedersi la morte vicina**, to look death in the face □ **avere a che v.**, to have to do with: *Questo non ha nulla a che v. con voi*, this has nothing to do with you □ **...e chi s'è visto s'è visto**, (*e basta*) and there's an end to it, and that's it; (*ed è finita così*) and that was the end of it □ **Chi si vede!**, look who's here! □ **cose mai viste**, things unheard of; unbelievable things; things you wouldn't credit □ **dare a v.**, to show: **non dare a v. la propria soddisfazione**, not to show one's satisfaction; *Era seccato, ma non voleva darlo a v.*, he was annoyed, but didn't want to show it (*o want it to show*) □ **È tutto da v.**, that remains to be seen □ **Gliela farò v.!**, I'll show him! □ **farsi v.** (*mostrarsi*), to show oneself (*o one's face*); to show up: *Si vergogna di farsi v. in giro*, he is ashamed to show his face in public; *Non si fece v. alla festa*, she didn't show up at the party; *Guai a te se ti fai ancora v.!*, don't show your face around here any more!; *Fatti v. quando torni* (*vieni a trovarci*), look us up when you get back; *Si fa v. in giro con gente che non mi piace*, he associates with people I don't like; **senza farsi v.**, without being seen; (*di nascosto*) secretly □ **Lo** (*o* **La**) **vedremo!**, we'll see about that! □ **L'ho visto nascere**, I was there when he was born; (*fig.*) I've known him since the day he was born □ **il proprio modo di v. le cose**, one's own way of looking at things □ **Non ci vedo chiaro qui**, there is something fishy here □ (*fig.*) **Non lo posso v.** (*non lo sopporto*), I can't stand him (*o the sight of him*) □ **Non vedo l'ora di finire**, I can't wait to finish □ **Non vede più in là del suo naso**, he cannot see further than the end of his nose □ **Non l'ho mai visto né conosciuto**, (I've) never heard of him; I don't know him from Adam (*fam.*) □ **non vederci più** (*dalla rabbia*), (*essere furioso*) to be furious, to be livid (*fam.*); (*infuriarsi*) to see red, to blow one's top (*fam.*) □ **non vederci più dalla fame**, to be starving □ **non vederci più dalla sete**, to be dying for something to drink □ **Si vede ancora il segno?**, does the mark still show? □ **Si vede che me ne ero ingannato**, I must have been mistaken □ **Si vede che aveva da fare**, she must have been busy □ **Si vede**

che non gli interessa, (*è chiaro*) he's obviously not interested; (*è probabile*) he's probably not interested □ **Come si vede che non è di queste parti!**, you can tell immediately he is not from around here □ **stare a v.**, (*osservare*) to stand there watching, to watch; (*vedere*) to see; (*attendere*) to wait and see: *Staremo a v. come andrà a finire*, we'll see how it ends; *Stiamo a v.!*, let's wait and see; time will tell; *Sta' a v. che non c'è a casa nessuno*, I bet you there's no one in □ **Ti vedo bene [stanco, un po' pallido]**, you look well [tired, a bit pale] □ **To', chi si vede!**, look who is here! □ (*nei rimandi*) **Vedi** (*o* **Si veda**) **a p. 30**, see p. 30: *Vedi sotto* [*sopra*], see below [above] □ **Vedi tu**, (*decidi tu*) it's up to you; (*fa' come vuoi*) suit yourself □ **Veditela con lui**, sort it out with him □ **Veditela tu**, see about it yourself □ **Te la vedrai con tuo padre!**, you'll have your father to deal with! □ **Viste le circostanze...**, in view of the circumstances... □ **visto che**, considering that; since □ **Vorrei v. che non mi pagasse!**, you bet he's going to pay me! □ **Vuoi v. che ci rimette dei soldi?**, I bet you he will lose money on it □ (*prov.*) **Chi vivrà vedrà**, time will tell **B vedersi v. rifl. 1** (*anche fig.*) to see* oneself: **vedersi allo specchio**, to see oneself in the mirror; *Non mi ci vedo a fare una cosa simile*, I can't see myself doing a thing like that □ (*trovarsi*) to find* oneself; (*sentirsi*) to feel*: **vedersi costretto a fare qc.**, to find oneself obliged to do st.; *Si vide perduto*, he thought he was lost; he thought all was lost **C vedersi v. rifl. recipr.** to see* each other; (*incontrarsi*) to meet*: *Non ci vediamo molto spesso*, we don't see each other very often ● **Ci vediamo!** (*saluto*), see you! ❶ NOTA: *to see* → **to see**.

♦**vedére ②** m. **1** (*atto del vedere*) seeing; (*vista*) sight: *Al v. quella scena*, on seeing that; at that sight **2** (*apparenza*) appearance, aspect, look; (*impressione*) impression, show; (*panorama*) view: **fare un bel v.**, to make a very good impression; (*essere bello*) to be a fine sight; *Di qui si gode un bel v.*, you get a fine view from here **3** (*opinione*) opinion; view: **a mio v.**, in my opinion.

vedétta f. **1** (*mil.*: *luogo*) lookout: (*fig.*) **stare di v.**, to be on the lookout **2** (*mil.*: *guardia*) lookout, sentry; vedette (*stor.*) **3** (*naut.*) patrol boat.

vedette (*franc.*) f. inv. **1** (*cinem., teatr.*) star; vedette (*USA*) **2** (*celebrità*) celebrity, star.

vèdico a. e m. Vedic.

♦**védova** f. **1** widow: **v. bianca**, grass widow; **v. di guerra**, war widow; **rimanere v.**, to be left a widow **2** (*zool., Vidua*) whydah; widow-bird **3** (*zool.*) – **v. nera** (*Latrodectes mactans*), black widow □ (*bot.*) **fiore della v.** (*Knautia arvensis*) scabious; devil's bit.

vedovànza f. widowhood.

vedovèlla f. **1** young widow **2** (*zool., Calicebus torquatus*) titi (monkey).

vedovìle A a. widowed; (*di vedova*) widow's (attr.); (*di vedovo*) widower's (attr.): **abito v.**, widow's weeds (pl.); **pensione v.**, widow's pension; **stato v.**, widowed state; widowhood B m. dower.

♦**védovo** A a. **1** widowed: **madre vedova**, widowed mother; **regina vedova**, queen dowager; **rimanere v.** [**vedova**], to be left a widower [a widow]; *È v.* [*vedova*] *con due figli*, he [she] is a widower [widow] with two children **2** (*fig., lett.*) deprived; bereft B m. widower.

vedrétta f. (*geol.*) hanging glacier; cirque glacier.

vedùta f. **1** (*lett.*: *capacità di vedere*) sight **2** (*panorama*) view, vista, prospect; (*luogo turistico*) sight: **una v. di campi e colline**, a view (*o vista*) of fields and hills; **le vedute di Ro-**

ma, the sights of Rome **3** (*leg.: apertura*) opening; light **4** (*arte, fotogr.*) view: **v. dall'alto** (*o a volo d'uccello*), bird's-eye view; aerial view; **v. aerea**, aerial view; **una v. di Napoli**, a view of Naples; **v. laterale**, side view; **v. prospettica**, prospect **5** (*fig., lett.*: *capacità di comprendere*) understanding; intelligence; grasp **6** (*al pl.*) (*fig.: opinioni, idee*) views; opinions: **di larghe** (*o ampie*) **vedute**, open-minded; broad-minded (agg.); **di vedute ristrette**, narrow-minded (agg.).

vedutìsmo m. (*pitt.*) landscape painting; vedutismo.

vedutìsta m. e f. (*pitt.*) landscape painter; vedutista*.

veejay (*ingl.*) m. e f. inv. (*TV*) veejay, VJ.

veemènte a. vehement; impetuous; passionate; (*violento*) violent: **critiche veementi**, vehement criticism; **invettiva v.**, vehement abuse; **passione v.**, violent passion.

veemènza f. vehemence; impetus; (*violenza*) violence: **la v. dell'attacco**, the vehemence of the attack; **con v.**, vehemently.

vègan, vegàno a. e m. (f. *-a*) vegan.

♦**vegetàle** A a. vegetable: **burro v.**, vegetable butter; **carbone v.**, charcoal; **fibra v.**, vegetable fibre; **olio v.**, vegetable oil; **il regno v.**, the vegetable kingdom B m. **1** vegetable; plant **2** (*di cerebroleso*) vegetable; cabbage (*GB fam.*).

vegetaliàno a. e m. (f. *-a*) vegan.

vegetalìsmo m. veganism.

vegetalìsta m. e f. vegan.

vegetàre v. i. **1** (*di pianta*) to grow*; to sprout **2** (*di paziente in coma, ecc.*) to be a vegetable **3** (*fig. di vita vegetativa*) to vegetate: *Vegeta e basta*, he just vegetates.

vegetarianìsmo m. vegetarianism.

vegetariàno a. e m. (f. *-a*) vegetarian: **regime v.**, vegetarian diet.

vegetarìsmo → **vegetarianismo**.

vegetatìvo a. (*anche fig.*) vegetative.

♦**vegetazióne** f. **1** (*bot.*) (*il vegetare*) vegetation; (*le piante*) vegetation, plants (pl.): **v. spontanea**, self-sown vegetation; **v. tropicale**, tropical vegetation; **limite della v.**, tree (*o timber*) line **2** (*med.*) vegetation; growth.

vègeto a. **1** (*di pianta*) thriving; flourishing **2** (*di persona*) strong; vigorous; hale and hearty ● **vivo e v.**, alive and well; alive and kicking.

vegetomineràle a. – **acqua v.**, vegeto--mineral water.

veggènte m. e f. **1** (*profeta*) seer; prophet (m.); prophetess (f.) **2** (*indovino, chiaroveggente*) clairvoyant.

véglia f. **1** (*il vegliare*) vigil; (*stor.*) **v. d'armi**, vigil at arms; **v. di preghiera**, prayer vigil; **v. funebre**, wake; **v. per la pace**, vigil for peace; **fare la v. a un malato**, to keep (a) vigil (*o to sit up*) by a sick person's bedside **2** (*l'essere sveglio*) wakefulness; being awake: **ore di v.**, waking hours; **stato di v.**, state of wakefulness; **tra la v. e il sonno**, between waking and sleeping; half asleep (pred.) **3** (*trattenimento*) (evening) party: **v. danzante**, ball; dance.

vegliàrda f. (*venerable*) old woman*.

vegliàrdo m. (*venerable*) old man*; ancient.

vegliàre A v. i. **1** (*stare sveglio*) to stay* awake; (*restare alzato*) to stay* up, to sit* up: **v. al letto di un malato**, to keep (a) vigil (*o to sit up*) by a sick person's bedside **2** (*vigilare*) to be on the alert; to watch out; to be careful **3** (*proteggere, prendersi cura di*) to watch over; to look after: **v. sulla sicurezza della nazione**, to watch over the safety of the country B v. t. to sit* (up) with; to watch over: **v. un malato**, to sit up by a sick

person's bedside; **v. un morto**, to keep vigil beside sb. who has died; to hold a wake for sb.; *La salma è stata vegliata dai colleghi*, the dead man's colleagues kept vigil over his body.

veglióne m. (might-long) party; ball; dance; (*in maschera*) masked ball: **v. di carnevale**, carnival party; **v. di fine d'anno**, New Year's Eve dance; (*in Scozia*) Hogmanay dance.

veglionissimo m. (*fam.*) New Year's Eve dance.

veicolàre① a. **1** (*relativo a veicoli*) vehicular; vehicle (attr.): **circolazione v.**, vehicle (*o* vehicular) traffic **2** (*ling.*) – **lingua v.**, lingua franca.

veicolàre② v. t. **1** (*scient.*) to carry; to transmit; to spread*: *Gli insetti possono v. malattie infettive*, insects may carry infectious diseases **2** (*fig.*) to spread*; to diffuse: **v. idee**, to spread ideas.

veicolazióne f. **1** (*scient.*) spreading; carrying **2** (*fig.*) spreading; diffusion.

♦**veicolo** m. **1** (*mezzo di trasporto*) vehicle; conveyance: **v. a cuscino d'aria**, hovercraft; air-cushion vehicle; **v. a motore**, motor vehicle; **v. a tre ruote**, three-wheeled vehicle; **v. militare**, military vehicle; **v. spaziale**, spacecraft; spaceship; **v. stradale**, road vehicle **2** (*fig.*) vehicle; carrier; medium*: **un v. di idee nuove**, a vehicle of (*o* for) new ideas; **v. pubblicitario**, advertising medium; **veicoli di informazione**, vehicles of information; media **3** (*med.*) carrier: **v. di malattie infettive**, carrier of infectious diseases **4** (*chim., farm.*) vehicle.

veilleuse (*franc.*) f. inv. **1** (*lume*) night-light; shaded night-lamp **2** (*divano*) méridienne (*franc.*).

♦**vèla** f. **1** (*naut.*) sail: **v. a tarchia**, spritsail; **v. al quarto** [**al terzo**], lugsail; **v. aurica**, fore-and-aft sail; **v. di civada**, spritsail; **v. di gabbia**, topsail; **v. di maestra**, mainsail; **v. di mezzana**, mizzen sail; **v. di straglio**, staysail; **v. di taglio**, fore-and-aft sail; **v. di trinchetto**, foresail; **v. di fortuna**, storm-sail; **v. latina**, lateen sail; **v. quadra**, square sail; **vele alte**, topsails; **vele basse**, courses; **essere sotto v.**, to be under sail; **far v.**, to sail; to set sail; to get under sail; **issare** [**serrare, spiegare**] **le vele**, to hoist [to furl, to unfurl] the sails; **barca a v.**, sailing boat; sailboat (*USA*); **nave a v.**, sailing ship **2** (*lo sport*) sailing; yachting **3** (*archit.*) web: **volta a v.**, ribbed vault ● (*fig.*) **andare a gonfie vele**, to go very well; to make good progress; (*di affari. ecc.*) to be booming.

velaccìno m. (*naut.*) fore-topgallant (sail): **v. fisso** (*o* **basso v.**), lower fore-topgallant sail; **v. volante**, upper fore-topgallant sail.

velàccio m. (*naut.*) topgallant (sail): **v. fisso**, lower topgallant sail; **v. volante**, upper topgallant sail; **albero di v.**, topgallant mast.

velàda f. (*moda*) justaucorps.

velàio m. (*naut.*) sailmaker.

velàme① m. (*naut.*) sails (pl.).

velàme② m. (*lett., per lo più fig.*) veil.

velàre① A v. t. **1** (*coprire con un velo*) to veil, to cover with a veil; (*schermare*) to shade: **v. una luce**, to shade a light; **v. un quadro**, to veil a picture; **velarsi il viso**, to veil one's face **2** (*fig.: coprire con uno strato sottile*) to veil: *La nebbia velava il sole*, mist veiled the sun; *Le lacrime le velarono gli occhi*, her eyes misted over; tears veiled her eyes **3** (*fig.: offuscare*) to dim; (*attutire*) to muffle: **v. un suono**, to muffle a sound **4** (*fig.: nascondere*) to conceal; to hide*: **v. le proprie intenzioni**, to conceal one's intentions B **velàrsi** v. rifl. (*coprirsi con un velo*) to veil oneself; (*portare il velo*) to wear* the veil, to veil one's face C **velàrsi** v. pron. **1** (*ricoprirsi*) to mist (over); (*rannuvolarsi*) to

cloud over: *Il cielo si velò di nuvole*, the sky clouded over; *I suoi occhi si velarono di lacrime*, his eyes misted over **2** (*appannarsi, offuscarsi*) to grow* dim; (*di voce*) to grow* husky.

velàre② A a. **1** (*anat.*) velar **2** (*fon.*) velar; back B f. (*fon.*) velar.

velàrio m. (*teatr.*) **1** (*stor.*) velarium*; awning **2** (*sipario*) curtain.

velarizzàto a. (*ling.*) velarized.

velarizzazióne f. (*ling.*) velarization.

velataménte avv. in a veiled manner: **accennare v. a qc.**, to make a veiled hint at st.

velatìno m. **1** rubberized fabric **2** (*fotogr., cinem.*) gauze; scrim.

velàto① a. **1** (*coperto da un velo*) veiled: **donna velata**, veiled woman; **quadro v.**, veiled picture **2** (*coperto da uno strato sottile*) filmed over; misted up; (*rannuvolato*) clouded, overcast: **cielo velato**, clouded (*o* overcast) sky; **occhi velati**, misty eyes **3** (*trasparente*) gauzy; filmy; see-through: **collant velati**, sheer tights (*GB*); sheer pantyhose (*USA*) **4** (*fig.: non chiaro, non esplicito*) veiled: **allusione velata**, veiled hint; **linguaggio v.**, veiled language; **velata ipocrisia**, veiled hypocrisy **5** (*fig.: offuscato*) dim; (*sfocato*) hazy (*di suono*) muffled: **luce velata**, dim light; **voce velata**, husky voice.

velàto② a. (*naut.*) fitted with sails.

velatùra① f. **1** (*il velare*) veiling **2** (*strato sottile*) veil; film; sprinkling: **una v. di zucchero**, a sprinkling of sugar **3** (*offuscamento*) dimming; haze **4** (*fotogr.*) fog **5** (*pitt.*) (veil of) glaze; glazing.

velatùra② f. **1** (*naut.*) sails (pl.); canvas: **v. di cappa**, storm sail; **una nuova v.**, a new set of sails; **aumentare** [**ridurre**] **la v.**, to make [to shorten] sail **2** (*aeron.*) lifting surface.

vélcro® m. inv. Velcro®: **chiudere col v.**, to Velcro; **chiusura col v.**, Velcro fastener.

veleggiaménto m. **1** (*naut.*) sailing **2** (*aeron.*) soaring; gliding.

veleggiàre A v. i. **1** (*naut.*) to sail **2** (*aeron.*) to soar; to glide B v. t. (*lett.*) to sail: **v. l'Adriatico**, to sail the Adriatic.

veleggiàta f. (*naut.*) sail.

veleggiàto a. (*aeron.*) – **volo v.**, soaring; gliding.

veleggiatóre A a. **1** (*naut.*) sailing **2** (*aeron.*) gliding B m. **1** (*aeron.: aliante*) glider; sailplane **2** (*pilota*) glider (*o* sailplane) pilot.

velenìfero a. poisonous; poison (attr.); venomous: **ghiandola velenifera**, poison sac.

♦**velèno** m. **1** poison; (*di animale*) venom: **il v. della vipera**, the venom of an adder; **v. mortale**, deadly poison; **v. per topi**, rat poison; **i veleni dell'atmosfera**, poisons in the air; **amaro come il v.**, as bitter as gall; *Mangialo, non è mica v.*, eat it up, it won't do you any harm **2** (*fig.*) poison; venom: **il v. della gelosia**, the poison of jealousy; **il v. dell'invidia**, the venom of envy; *Per lui il vino è v.*, wine is poison to him (*o* is like poison for him) **3** (*fig.: odio*) venom, malice; (*astio*) resentment, rancour, spite: **avere il v. in corpo**, to be filled with rancour; **masticare v.**, to nurse one's resentment; **schizzare v. da tutti i pori**, to exude malice; **sputare v.**, to be venomous; to talk spitefully; **parole piene di v.**, words full of spite.

velenosità f. (*tossicità*) poisonousness; toxicity; (*rif. ad animale*) venomousness **2** (*fig.: perfidia*) venom; malice; (*astiosità*) spitefulness.

♦**velenóso** a. **1** (*tossico*) poisonous; toxic; (*rif. ad animale*) poisonous, venomous: **erba velenosa**, poisonous grass; **fungo v.**, poi-

sonous mushroom; **serpente v.**, poisonous (*o* venomous) snake **2** (*fig.: nocivo*) poisonous **3** (*fig.: perfido*) venomous, malignant; (*astioso*) spiteful: **lingua velenosa**, venomous (*o* spiteful) tongue.

veleria f. (*naut.*) sail-loft.

velétta① f. (*di cappello*) veil, hat-veil.

velétta② → **vedetta**.

vèlia f. (*zool., Lanius*) shrike; butcher-bird.

vèlico a. sail (attr.); sailing (attr.): **gare veliche**, sailing competitions; **navigazione velica**, sailing; **piano v.**, sail plan; **superficie velica**, sail surface.

velièro m. sailing ship; sailing vessel; tall ship; sailer: **v. a tre ponti**, three-decker; **v. corsaro**, corsair; privateer; **v. da carico**, cargo sailer.

velifìcio m. sail loft.

velìna A a. – **carta v.**, tissue-paper B f. **1** (*carta velina*) tissue-paper **2** (*foglio*) flimsy **3** (*copia di lettera*) carbon copy; flimsy **4** (*TV, fam.*) scantily-clad female dancer **5** (*giorn.*) press release; handout (*fam.*).

velìsmo m. sailing.

velìsta m. e f. sailor.

velìstico a. sail (attr.); sailing; yacht (attr.).

vèliti m. pl. (*stor. romana*) velites.

velìvolo m. (*aeron.*) aircraft*; aeroplane; airplane (*USA*).

velleità f. mere wish; fancy; fanciful ambition; pipedream; wishful thinking ꊨ: **v. senili**, senile fancies; **avere v. letterarie**, to have fanciful literary ambitions; to fancy oneself as an author; *Sono pure v.*, they are just pipedreams; it's mere wishful thinking.

velleitàrio A a. unrealistic; fanciful; absurd B m. (f. **-a**) wishful thinker; dreamer.

velleitarìsmo m. wishful thinking.

vellicaménto m. **1** tickling **2** (*fig.*) tickling; titillation.

vellicàre v. t. **1** to tickle **2** (*fig.*) to tickle; to titillate.

vellicazióne f. → **vellicamento**.

vèllo m. **1** (*di ovino, ecc.*) fleece **2** (*pelliccia*) pelt; fur ● (*mitol.*) **il v. d'oro**, the Golden Fleece.

vellóso → **villoso**.

vellutàre v. t. **1** (*ind. tess.*) to give* a velvet finish to **2** (*carta, ecc.*) to flock; to flock-print.

vellutàto a. **1** (*ind. tess.*) velvety **2** (*fig.*) velvety; velvet-like; velvet (attr.): **nero v.**, velvety black; **pelle vellutata**, velvety skin; **voce vellutata**, velvety voice **3** (*cucina*) – **salsa vellutata**, velouté (*franc.*) **4** (*enologia*) smooth **5** (*di colore*) warm; rich **6** (*di suono*) sweet; honeyed, mellow.

vellutatrìce f. **1** (*ind. tess.*) velvet-pile machine **2** (*per carta, ecc.*) flocking machine; flock-printing machine.

vellutatùra f. **1** (*ind. tess.*) napping **2** (*di carta, ecc.*) flocking; flock-printing.

vellutìno m. **1** fine velvet **2** (*nastrino*) velvet ribbon **3** (*bot., Aristolochia clematis*) birthwort.

♦**vellùto** m. velvet: **v. a coste**, corduroy; (*a coste sottili*) needlecord; **v. di cotone**, velveteen; **v. di seta**, silk velvet; **giacca di v.**, velvet jacket; **morbido come il v.**, as soft as velvet ● **È stato come andare sul v.**, it was all plain sailing □ (*fig.*) **guanto di v.**, velvet glove □ (*fig.*) **passi di v.**, catlike tread (sing.) □ (*fig.*) **pelle di v.**, velvety skin.

♦**vélo** m. **1** (*tessuto*) gauze; voile **2** (*da indossare*) veil; (*di donna musulmana*) headscarf: **v. da sposa**, bridal veil; **la danza dei sette veli**, the dance of the seven veils; **coprire con un v.**, to veil; (*eccles.*) **prendere il v.**, to take the veil; **togliersi il velo**, to unveil **3** (*tenda*) curtain; veil **4** (*fig.: strato sottile*) film; thin

layer; coating; dusting: **v. di cipria**, fine layer of powder; **v. di ghiaccio**, film of ice; **v. di lacrime**, veil (o film) of tears; **v. di polvere**, thin layer of dust; **v. di zucchero**, coating of sugar **5** (*fig.: accenno*) veil; touch: *C'era un v. di tristezza nella sua voce*, there was a veil of sadness in his voice **6** (*fig.: ciò che nasconde*) veil; (*apparenza ingannevole*) cloak, mask: **un v. di mistero**, a veil (o a shroud) of mystery; **sotto il v. della metafora**, under the veil of metaphor; *Gli cadde il v. dagli occhi*, the scales fell from his eyes; *Le nuvole fanno v. al sole*, the clouds are hiding the sun; **parlare senza veli**, to speak plainly; to use plain language; **stendere un v.** (**pietoso**) **su qc.**, to draw a veil over st. **7** (*bot.*) skin; membrane; outer layer: **v. palatino** (*o* **pendulo**), soft palate; velum; **v. virginale**, hymen **9** (*fotogr.*) fog **10** (*basket*) pick; screen **11** (*rugby*) obstruction; crossing.

♦**velóce** a. **1** fast; quick; swift; speedy; rapid: **auto v.**, fast car; **cavallo v.**, fast (o swift) horse; **corridore v.**, fast runner; **gesto v.**, quick (o swift) movement; (*autom.*) **guida v.**, fast driving; **mente v.**, quick mind; **passi veloci**, quick steps; **pasto v.**, quick meal; **v. a fare i calcoli**, quick in calculating; **v. come un fulmine** (*o* **come il lampo**), as quick as lightning; **più v. del pensiero**, quicker than thought; *Gli anni fuggono veloci*, the years slip by; *Il tempo scorre v.*, time passes quickly; time flies **2** (*mus.*) veloce.

velocemente avv. quickly; swiftly; fast.

velocìmetro m. velocimeter.

velocìpede m. **1** velocipede **2** (*scherz.: bicicletta*) bicycle.

velocipedìsta m. e f. **1** velocipedist **2** (*scherz.: ciclista*) cyclist.

velocipedìstico a. cycling (attr.); cycle (attr.); bicycle-racing (attr.).

velociràptor m. (*paleont.*) velociraptor.

velocìsta m. e f. (*sport*) sprinter.

♦**velocità** f. **1** (*anche fis.*) speed; velocity; (*velocità di variazione*) rate; (*ritmo*) pace: (*fis.*) **v. angolare**, angular velocity (o speed); (*aeron.*) **v. ascensionale**, rate of climb; (*naut., aeron.*) **v. di crociera**, cruising speed; (*astron.*) **v. di fuga**, escape velocity; (*naut.*) **v. d'immersione**, diving speed; **v. della luce**, speed (o velocity) of light; **v. di marcia**, running speed; (*comput.*) **v. di trasferimento**, transfer rate; (*elettr.*) **v. di trasmissione**, transmission speed; **v. del vento**, wind velocity; (*fis.*) **v. iniziale**, initial velocity; **v. massima**, top speed; **v. ridotta**, reduced speed; **alta v.**, high speed; **a una v. di 300 km all'ora**, at a speed of 300 km per hour; **a v. folle**, at breakneck speed; **a grande v.**, at high speed; (*ferr.*) by fast train; **a piccola v.**, at low speed; (*ferr.*) by goods train; **a tutta v.**, at full (o at top) speed; *Che v. tenevi?*, what speed were you doing?; how fast were you going?; **acquistare v.**, to pick up (o to gather, to gain) speed; **aumentare** [**rallentare**] **la v.**, to increase [to reduce] speed; (*autom.*) **controllo della v. di crociera**, cruise control; (*autom.*) **eccesso di v.**, speeding; (*sport*) **gara di v.**, race; **indicatore di v.**, speedometer; **limite di v.**, speed limit; **il minimo** [**il massimo**] **di v.**, the lowest [the greatest] possible speed **2** (*rapidità*) rapidity; swiftness: **v. di pensiero**, quickness (o rapidity) of thought; **v. nel capire**, quickness in understanding **3** (*autom.: marcia*) gear: **prima v.**, first (o bottom) gear; **quarta v.**, fourth (o top) gear; **cambiare v.**, to change (o to shift) gear.

velocizzàre v. t., **velocizzàrsi** v. i. pron. to speed* up; to accelerate; to quicken.

velocizzazióne f. speeding up; acceleration; quickening.

velocréspo m. chiffon.

velòdromo m. (*sport*) velodrome.

velopèndulo m. (*anat.*) soft palate; velum*.

velours (*franc.*) m. inv. (*ind. tess.*) velour.

vèltro m. (*lett.*) greyhound.

Ven. abbr. **1** (*massoneria*, **venerabile**) venerable (Ven.) **2** (**venerdì**) Friday (Fr.).

vèna f. **1** (*anat.*) vein: **v. cava**, vena cava; **v. femorale**, femoral vein; **v. porta**, portal vein; **vene varicose**, varicose veins; **tagliarsi le vene** (*dei polsi*), to cut (o to slash) one's wrists **2** (*venatura*) vein; streak; (*del legno*) grain **3** (*fig.: traccia*) vein; streak: **una v. di ironia**, a vein of irony; **una v. di pazzia**, a streak of insanity; **una v. d'umorismo**, a streak of humour **4** (*geogr., d'acqua*) spring **5** (*geol., ind. min.*) vein; lode; (*di carbone*) seam: **v. d'oro**, vein of gold; gold vein; (*fig.*) gold mine; (*anche fig.*) **trovare una v. d'oro**, to strike gold; **v. secondaria**, leader **6** (*fig.: estro*) vein; inspiration: **v. poetica**, poetic vein; **avere la v. poetica**, to have a gift for poetry; *La sua v. musicale si sta esaurendo*, his musical vein (o inspiration) is drying up **7** (*disposizione*) disposition; inclination; (*umore*) mood: **in v. di generosità** [**di scherzi**], in a generous [a joking] mood; **essere in v. di fare qc.**, to feel like doing st.; to be in the mood for st.; *Oggi non sono in v.*, I'm not in the mood today; **di buona v.**, willingly.

venàle a. **1** (*vendibile*) salable, saleable; for sale: **beni venali**, saleable goods **2** (*di vendita*) sale (attr.); selling: **prezzo v.**, sale (o selling) price; **valore v.**, selling value **3** (*mercenario*) mercenary: **motivi venali**, mercenary motives **4** (*che agisce per denaro*) mercenary; (*corrotto*) venal: **funzionario v.**, venal official.

venalità f. (*fig.*) mercenariness; venality.

venàre A v. t. **1** to vein **2** (*fig.*) to tinge: *Il rimpianto le venava la voce*, her voice was tinged with regret B **venàrsi** v. i. pron. **1** to become* veined **2** (*fig.*) to be tinged (with); to take* on a hint (of).

venàto a. **1** veined; streaked; (*di legno*) grained: **v. di piccole crepe**, veined with fine cracks; **v. di verde**, streaked with green; with green veins; green-veined **2** (*fig.*) tinged: **v. di tristezza**, tinged with sadness.

venatòrio a. hunting (attr.); game (attr.): **arte venatoria**, hunting; **leggi venatorie**, game laws; **stagione venatoria**, hunting season.

venatùra f. **1** (*striatura*) vein; streak; (*di legno, pelle*) grain: **marmo con venature rosse**, marble with red veins; red-veined marble **2** (*fig.*) trace; hint: **una v. di ironia**, a hint of irony **3** (*bot., zool.*) venation; veins (pl.).

Venceslào m. Wenceslas; Wenceslaus.

♦**vendèmmia** f. **1** (*la raccolta*) grape harvest; grape-picking; vintage: **fare la v.**, to harvest grapes **2** (*l'epoca*) harvest (o grape-harvest) (time) **3** (*il raccolto*) (grape) harvest, yield, vintage; (*il vino ottenuto*) vintage: **una v. abbondante**, a good grape harvest **4** (*fig.*) harvest; crop.

vendemmiàbile a. ready for harvesting.

vendemmiàio m. (*stor. franc.*) Vendémiaire (*franc.*).

♦**vendemmiàre** A v. t. **1** to harvest (o to gather) (*grapes*) **2** (*fig.*) to harvest; to reap B v. i. to harvest (o to gather) grapes.

vendemmiatóre m. (f. **-trìce**) grape harvester (o gatherer); vintager.

vendemmiatrice f. (*agric.*) grape-gathering machine.

♦**véndere** A v. t. **1** (*concludere una vendita; mettere, offrire in vendita*) to sell*: **v. un appartamento**, to sell a flat; **v. all'asta** (o all'incanto), to auction (off); **v. a buon mercato**, to sell cheaply; **v. a caro prezzo**, to sell at a high price; (*fig.*) to sell dearly; **v. a credito**, to sell on credit; **v. al metro**, to sell by the metre; **v. a peso**, to sell by weight; **v. a prezzo di liquidazione**, to sell off; to clear; **v. a rate**, to sell on hire-purchase (*GB*); to sell on the installment plan (*USA*); (*Borsa*) **v. al ribasso**, to sell off; (*Borsa*) **v. allo scoperto**, to sell short; (*Borsa*) **v. a termine**, to sell forward; **v. con facilitazioni di pagamento**, to sell on easy terms; **v. contro assegno**, to sell cash on delivery (abbr. COD); **v. di seconda mano**, to sell second-hand; **v. in blocco**, to sell in bulk; **v. in perdita**, to sell at a loss; **v. per conto terzi**, to sell on commission; **v. per v.**, to sell at any price; **v. sotto** (**il prezzo di**) **mercato**, to undersell; (*all'estero*) to dump; **v. sottobanco**, to sell under the counter; **v. sottocosto** (*o* **sotto prezzo**), to sell below cost price; *Ho deciso di non v.*, I've decided not to sell; *Vendette tutto e partì per l'Australia*, he sold up and left for Australia; **l'arte di v.**, salesmanship; **casa da v.**, house for sale **2** – **vendersi**, (*essere venduto*) to sell*; (*costare*) to cost*: **vendersi bene**, to sell well; **vendersi molto**, to sell very well; (*di libro, ecc.*) to be a bestseller; *Questo articolo non si vende*, (*non è in vendita*) this article is not for sale; (*si vende male*) this article doesn't sell **3** (*commerciare*) to sell*; to deal* in; to trade in: **v. libri usati**, to deal in second-hand books; **v. pellicce**, to trade in furs; **v. a domicilio**, to sell door-to-door; **v. all'ingrosso**, to sell wholesale; **v. a mercato nero**, to sell on the black market; **v. al minuto** (*o* **al dettaglio**), to sell retail; to retail **4** (*fig.: cedere*) to sell*; (*prostituire*) to prostitute: **v. l'anima al diavolo**, to sell one's soul to the devil; **v. il proprio corpo**, to sell one's body; to prostitute oneself; **v. la propria libertà**, to sell one's liberty; **v. la propria penna**, to prostitute one's pen **5** (*tradire*) to sell* out; to betray: **v. i propri complici**, to sell out one's accomplices; **v. la patria**, to betray one's country ● (*fig.*) **vendersi anche la camicia**, to sell the shirt off one's back □ (*fig.*) **v. cara la propria vita**, to sell one's life dearly □ (*fig.*) **v. fumo**, to be full of hot air; to bluff □ **avere intelligenza da v.**, to be extremely intelligent □ **aver pazienza da v.**, to have the patience of a saint □ **aver ragione da v.**, to be absolutely right; to be dead right □ **Di frutta ce n'è da v.**, there's more than enough fruit; there are masses of fruit □ (*fig. fam.*) **Questa non me la vendi**, you won't make me swallow that; I won't buy that □ **saper v. la propria merce**, to be a good salesman; (*anche fig.*) to know how to sell one's wares; (*fig.*) to be good at selling oneself □ (*fig.*) **Te la vendo come l'ho comprata**, I'm only repeating what I was told □ **Vendesi appartamento**, flat for sale B v. i. to sell*: **v. bene**, to sell well; **v. molto**, to sell very well; to be a bestseller C **véndersi** v. rifl. **1** (*lasciarsi corrompere*) to sell* oneself: **vendersi anima e corpo**, to sell oneself body and soul; **vendersi al nemico**, to sell oneself (o to sell out) to the enemy; **saper vendersi**, to be good at selling oneself **2** (*prostituirsi*) to sell* oneself; to prostitute oneself **3** (*spacciarsi*) to pass oneself off (as).

venderéccio a. **1** salable, saleable; marketable **2** (*fig.: venale*) venal; mercenary.

♦**vendétta** f. revenge; vengeance; (*fig.*) **v. di sangue**, blood feud; vendetta; **v. trasversale**, indirect revenge; revenge wreaked upon a close relative of one's enemy; **per v.**, in (o out of) revenge; **assetato di v.**, thirsting for revenge; **cercare v.**, to seek revenge; **giurare v.**, to swear to revenge oneself; **gridare v.**, to cry out for vengeance; (*fig.: essere scandaloso*) to be outrageous; to be a disgrace; **nutrire propositi di v.**, to harbour thoughts

of revenge; to contemplate revenge; **prendersi la propria v. su q.**, to take revenge on sb.; **volere v.**, to want vengeance; **sete di v.**, thirst for revenge.

vendeuse (*franc.*) f. inv. shop assistant; sales girl.

vendìbile a. salable, saleable; marketable: **facilmente v.**, easy to sell.

vendicàbile a. that can be avenged.

♦**vendicàre** Ⓐ v. t. to avenge: **v. il padre**, to avenge one's father; **v. un torto**, to avenge a wrong Ⓑ **vendicàrsi** v. rifl. to take* revenge; to avenge (*o* to revenge) oneself; to get one's revenge: **vendicarsi di un'ingiuria**, to take revenge for an insult; **vendicarsi su q.**, to revenge oneself (*o* to take revenge) on sb.

vendicatività f. vengefulness; vindictiveness.

vendicativo Ⓐ a. revengeful; vindictive Ⓑ m. (f. **-a**) vindictive person.

vendicatóre Ⓐ a. avenging Ⓑ m. (f. **-trìce**) avenger.

vendicchiàre v. t. to sell* little of; (*assol.*) to do* poor business.

vendifùmo m. e f. inv. **1** (*fanfarone*) boaster; person full of hot air **2** (*imbroglione*) swindler; humbug; crook.

♦**véndita** f. **1** (*compravendita*) sale; (*l'attività*) selling: **v. all'asta**, auction (sale); **v. a credito**, credit sale; **v. a domicilio**, door-to-door selling; **v. all'ingrosso**, wholesale; **v. al minuto**, retail (sale); (*Borsa*) **v. a premio**, put option; **v. al ribasso**, selling off; (*Borsa*) **v. allo scoperto**, short sale; bear sale; (*econ., market.*) **v. a pacchetto**, bundling; (*leg.*) **v. coatta**, forced sale; **v. con patto di riscatto**, sale with right of redemption; **v. di beneficenza**, jumble sale; rummage sale (*GB*); (*USA*); (*stor.*) **v. delle indulgenze**, sale of indulgences; (*Borsa*) **v. fittizia**, fictitious sale; wash sale (*USA*); **v. frazionata** (*di appartamenti*); sale of individual flats; (*leg.*) **v. giudiziale**, judicial sale; **v. per contanti**, cash sale; **v. per corrispondenza**, mail-order selling; **v. porta a porta**, door-to-door selling; **v. rateale**, hire-purchase (*GB*); installment plan (*USA*); **v. sottocosto**, underselling; (*all'estero*) dumping; **v. su campione**, selling by sample; **v. totale**, selling-out; sell-out; (*leg.*) **v. volontaria**, voluntary sale; **vendite all'estero**, foreign sales; *Alla v. della casa ci pensa mia moglie*, my wife is looking after the sale of the house; **in v.**, on sale, on the market; (*fra privati*) for sale; **casa in v.**, house for sale; **mettere qc. in v.**, to put st. up for sale; (*comm.*) to put st. on the market; **addetta alle vendite**, saleswoman; salesgirl; **addetto alle vendite**, salesman; **atto di v.**, bill of sale; **condizioni di v.**, conditions (*o* terms) of sale; **conto vendite**, sales account; **contratto di v.**, sale contract; **prezzo di v.**, selling price; **reparto vendite**, sales department **2** (*smercio*) sale: *Le vendite sono aumentate*, sales have risen; **avere un grosso successo di v.**, to sell extremely well; to be a bestseller **3** (*bottega*) shop; store **4** (*stor.: dei Carbonari*) lodge.

♦**venditóre** Ⓐ a. selling Ⓑ m. (f. **-trice**) seller (*anche in Borsa*); (*leg.*) vendor; vender; (*negoziante*) shopkeeper; (*commesso*) shop assistant; (*addetto alle vendite, rappresentante*) salesman* (f. saleswoman*): **v. al dettaglio**, retailer; **v. all'ingrosso**, wholesaler; **v. a domicilio**, door-to-door salesman; **v. ambulante**, street vendor; pedlar ● (*fig.*) **v. di fumo** → **vendifumo**.

vendùto Ⓐ a. **1** sold: **merci vendute**, sold goods **2** (*fig.: corrotto*) corrupt; bought; bent (*fam.*): **arbitro v.**, corrupt referee Ⓑ m. **1** (*comm.*) goods (pl.) sold; sales (pl.) **2** (*persona*) corrupt individual.

veneficio m. poisoning.

venèfico a. **1** poisonous; toxic: **gas v.**, poisonous (*o* toxic) gas; **erbe venefiche**, poisonous herbs **2** (*fig.*) poisonous: **dottrine venefiche**, poisonous doctrines.

veneràbile Ⓐ a. **1** venerable: **età v.**, venerable old age **2** (*relig.*) Venerable **3** (*come titolo*) worshipful: (*nella massoneria*) V **Maestro**, Worshipful Master Ⓑ m. **1** (*relig.*) Venerable **2** (*massoneria*) Worshipful Master.

venerabilità f. venerability; venerableness.

veneràndo a. venerable: **alla veneranda età di ottant'anni**, at the venerable age of eighty.

veneràre v. t. **1** to revere; to venerate: **v. i genitori**, to revere one's parents; **v. la memoria di q.**, to venerate (*o* to revere) sb.'s memory **2** (*relig.*) to venerate; to worship: **v. i Santi**, to venerate the Saints.

venerazióne f. **1** reverence; veneration; worship: **avere della v. per q.**, to feel reverence for sb.; **degno di v.**, worthy of reverence; venerable **2** (*relig.*) veneration; worship: **la v. dei Santi**, the veneration of the Saints; **avere v. per S. Antonio**, to venerate St Anthony.

♦**venerdì** m. Friday: **v. nero**, Black Friday; (*relig.*) **il V. Santo**, Good Friday. (*Per altri esempi d'uso* → **martedì**) ● (*scherz.*) **Gli manca un** (*o* **qualche**) **v.**, he has got a screw loose.

Vènere f. **1** (*mitol., astron.*) Venus **2** (*fig.: donna bella*) Venus; beauty: *Non è una v.*, she's no beauty; **bella come una v.**, as beautiful as a goddess **3** (*fig.: amore fisico*) sexual love ● (*arte*) **la V. di Milo**, the Venus de Milo □ (*anat.*) **monte di V.**, mons veneris (*lat.*).

venèreo a. venereal: (*med.*) **malattie veneree**, venereal diseases.

venereologìa, venerologìa f. (*med.*) venereology.

venètico a. e m. Venetic.

vèneto Ⓐ a. of Veneto; from Veneto Ⓑ m. (f. **-a**) native [inhabitant] of Veneto.

Venèzia f. (*geogr.*) Venice.

veneziàna f. (*tenda*) Venetian blind.

veneziàno Ⓐ a. e m. (f. **-a**) Venetian: **alla veneziana**, in the Venetian manner (*o* style, way) Ⓑ m. (*dialetto*) Venetian (dialect).

venezuelàno a. e m. (f. **-a**) Venezuelan.

vènia f. (*lett.*) pardon: **chiedere v. a q.**, to beg (sb.'s) pardon; **con vostra v.**, begging your pardon.

veniàle a. venial (*anche relig.*); excusable; forgivable: **peccato v.**, venial sin.

venialità f. veniality.

veniènte a. coming; (*seguente*) next, following.

♦**venìre** Ⓐ v. i. **1** to come*: **v. alla porta**, to come to the door; **v. dentro**, to come in; *Chi viene con me?*, who is coming with me?; *Vengo!*, I'm coming!; coming! (*fam.*); *Vieni a casa mia*, come over to my place; *Vengo a chiederti un favore*, I've come to ask you a favour; *Sono venuti a stare a Milano*, they have just moved to Milan; *Verrò a trovarti*, I'll come and see you; *Verrò a prenderti alle sei*, I'll come and pick you up (*o* I'll call for you) at six; *Sono venuto a prendere il pacco*, I've come for the parcel; *Stasera vengono a cena i Bianchi*, the Bianchis are coming to dinner tonight; *Sono venuto a piedi* [*in auto, in bici, a cavallo*], I walked [drove, cycled, rode] (here); I came (here) on foot [by car, by bike, on horseback]; *Sono venuto col treno*, I came by train; *Venite* (*per*) *di qua*, come this way; **il primo che viene**, the first one to come; **andare e v.**, to come and go; **far v. q.** (*mandare a chiamare*), to send for

sb.; to call sb.; **far v. il medico**, to send for the doctor **2** (*giungere, arrivare*) to arrive; to come*: *È venuto l'inverno*, winter has arrived; *Venne la notte* [*la sera*], night [evening] fell; *Dopo marzo viene aprile*, April comes after March; *È venuto il momento di pagare* [*di parlare*], the time has come for payment [to speak]; *Venne il giorno tanto desiderato*, the long-awaited day arrived; *Mi sta venendo il raffreddore*, I feel a cold coming on; *Verrà la sua ora*, his time will come; *Ora viene il bello*, the best part is coming now; you haven't heard [seen] the best yet **3** (*provenire*) to come*; (*derivare*) to derive: **v. da una buona famiglia**, to come from a good family; **v. da buona fonte**, to come from a reliable source; *Viene da Roma* (*è di Roma*), she comes from Rome; *Questa stoffa viene dall'Italia*, this material comes from Italy; **guadagni che gli vengono dalla professione**, the earnings from his profession; **una parola che viene dal latino**, a word that comes (*o* derives) from Latin; *Da dove ti vengono queste informazioni?*, where did you get this information?; **far v.**, (*far arrivare*) to have (st.) sent; (*ordinare*) to order; *Si fa v. i sigari da Cuba*, he has his cigars sent from Cuba **4** (*nascere, sorgere, insorgere*) to come*; to rise*; to arise*: *Gli vennero le lacrime agli occhi*, tears rose (*o* came) to his eyes; **far v. le lacrime agli occhi**, to bring tears to sb.'s eyes; *Gliene parlerò quando verrà l'occasione*, I'll mention it to him when I get the chance (*o* when the opportunity arises); *Mi viene un dubbio: e se...?*, a doubt has just crossed my mind: what if...?; *Mi è venuta fame* [*sete*], I'm feeling hungry [thirsty]; *Gli è venuta la febbre*, he's got a temperature; *Mi venne un giramento di capo*, I suddenly felt dizzy; *Mi venne un'idea*, an idea came to me; I had an idea; *Gli è venuta la paura che...*, he is afraid that...; *Mi viene voglia di dirgli la verità*, I am tempted to tell him the truth; *Non mi viene la parola esatta*, I can't think of the right word; **far v. l'acquolina in bocca a q.**, to make sb.'s mouth water; **far v. i brividi a q.**, to make sb. shiver; to give sb. the shivers; **far v. la nausea a q.**, to make sb. feel sick; (*fig.*) to make sb. sick **5** (*crescere*) to grow*; (*spuntare*) to come* up: *I piselli non sono ancora venuti*, the peas have not come up yet; *Queste rose vengono male*, these roses are doing badly **6** (*passare*) to move on; to pass: *Veniamo ad altro*, let's move on (*o* pass on) to something else; *Veniamo ai fatti*, let's get down to (the) facts **7** (*riuscire*) to come* off, to come* out; to turn out; (*progredire*) to come* on: *L'esperimento non è venuto*, the experiment didn't come off (*o* didn't work); *La torta non è venuta bene*, the cake has not come out well; *Il flan mi è venuto benissimo*, my flan was a success; *Tu vieni sempre bene* (*in fotografia*), you always come out well (*o* look good); *Mi pare che stia venendo bene*, I think it's coming on nicely **8** (*ammontare a*) to come* to; to come* out at: *Ho fatto la somma e mi viene 1256*, I've added it up and it comes to 1256; *Il totale viene 650*, the total comes out at 650 **9** (*costare*) to cost*: *Quanto viene?*, how much does it cost?; how much is it? **10** (*di festa: cadere*) to fall*: *Natale quest'anno viene di domenica*, Christmas falls on a Sunday this year **11** (*di numero: essere estratto*) to come* out; to be drawn: *È venuto il venti*, number twenty has come out **12** (*fam: raggiungere l'orgasmo*) to come* **13** (*fam.: spettare*) to be owed (pers.); to be due (pers.): *Mi vengono ancora dieci euro*, I am still owed ten euros; I've still got ten euros coming to me **14** (*rif. a reazioni fisiche o emotive*) **– v. da** (+ inf.) to feel* (+ agg.) (pers.); to feel* like (+ gerundio) (pers.): *Mi sta venendo sonno*, I feel sleepy; *Mi viene*

a b c d e f g h i j k l m n o p q r s t u **v** w x y z

da ridere, I feel like laughing; it makes me want to laugh; *Mi fece v. da piangere*, it make me want to cry; *Mi fa v. da starnutire*, it makes me sneeze **15** (+ gerundio) to be; to begin* to: *Mi vengo sempre più persuadendo che...*, I am increasingly convinced that...; *Mi vengo accorgendo che...*, I am beginning to realize that... **16** (ausiliare del passivo) to be: **v. ammirato da tutti**, to be admired by everyone; **v. ingannato**, to be deceived ● **v. a capo di un mistero**, to get to the bottom of a mystery □ **v. a capo di un problema**, to solve a problem □ **v. a conoscenza di qc.**, to learn of st.: (*form.*) *Siamo venuti a conoscenza del fatto che...*, it has come to our knowledge that... □ **v. addosso a**, (*avanzare verso*) to rush towards; (*aggredire*) to go for, to rush at; (*cadere e travolgere*) to fall on top of; (*investire*) to run over: *L'autobus mi stava venendo addosso*, the bus was rushing towards me (*o* was almost upon me) □ **v. a dire**, to come and tell: *Non venirmi a dire che non vi conoscete!*, don't come and tell me you don't know each other! □ **v. al dunque** → **v. al sodo** □ (*in una parentela*) **v. a essere**, to be; to become: *Sposando Graziella, viene a esserti cognato*, by marrying Graziella he becomes your brother-in-law □ **v. a galla**, to come (*o* to rise) to the surface; to surface; (*fig.*) to come to light, to emerge: (*fig.*) *Prima o poi la verità viene a galla*, truth will out □ **v. alla luce**, (*nascere*) to be born; (*essere rivelato*) to come to light □ **v. alle mani**, to come to blows □ **v. al mondo**, to be born □ **v. a noia**, to get fed up with (pers.); to get tired of (pers.): *Quella musica m'è venuta a noia*, I'm fed up with that music □ **v. agli orecchi** (*o* **alle orecchie**), to come to one's ears □ **v. a parole per qc.**, to have words over st. □ **v. a sapere**, to find out; (*sentire*) to hear: *Come sei venuto a sapere dove abita?*, how did you find out where she lives? □ **v. al sodo**, to come to the point; to get down to brass tacks □ **v. a una transazione**, to compound; to compromise □ **v. avanti**, (*avanzare*) to come forward; (*entrare*) to come in □ (*fam.*) **v. bene** (*essere comodo*), to be convenient □ (*fam.*) **v. buono**, to come in handy (*o* useful) □ **v. dal niente**, to be a self-made man [woman] □ **v. davanti a q.**, to come before sb.: *Se mi viene ancora davanti...*, if I catch sight of him again... □ **v. di moda**, to become fashionable; to come into fashion □ **v. dietro**, to follow; to come behind □ **v. fatto (di)**, to happen (pers.); to chance (pers.): *Mi venne fatto di nominarlo*, I happened to mention his name □ **v. fuori** (*essere rivelato*), to come out: *Venne fuori che era stato in prigione*, it came out that he had been in prison □ **v. fuori con qc.** (*dire*), to come out with st. □ **venirne fuori bene**, to come off well □ **v. giù**, to come down; (*per le scale*) to come downstairs: *Vieni giù tu o vengo su io?*, are you coming down or shall I come up?; *Veniva giù un diluvio*, the rain came down in torrents □ **v. incontro a**, to come towards; to (come to) meet; (*fig.*) to meet (st.), to meet (sb.) halfway: *Abbiamo deciso di venirti incontro*, we've decided to meet you halfway; **v. incontro ai desideri di q.**, to meet sb.'s wishes □ **v. in mente** → **mente** □ **v. in odio**, to become hateful: *Mi è venuto in odio*, I've come to hate it; I have taken a dislike to it; I can't stand it any longer □ **v. meno**, (*svenire*) to faint; (*svanire, cessare*) to disappear, to cease □ **v. meno a**, (*abbandonare*) to fail; (*non mantenere*) to fail to keep, to break; (*trascurare*) to neglect; (*restare senza*) to run short of: **v. meno a un amico nel bisogno**, to fail a friend in need; *Le forze mi vennero meno*, my strength failed me; **venir meno alle promesse**, to fail to keep one's promises; **v. meno a un impegno [alla parola data]**, to break an engagement [one's word]; **v. meno al proprio do-**

vere, to fail in (*o* to neglect) one's duty; *Ci vennero meno le munizioni*, we ran short of ammunition □ **v. su**, to come up; (*per le scale*) to come upstairs; (*crescere, di pianta*) to come up, (*di bambino*) to grow (up) □ **v. via**, (*allontanarsi*) to come away; (*staccarsi*) to come off (*o* unstuck); (*di macchia, colore*) to come out □ **a v.** (*o che verrà, che verranno*), to come; future (agg.): **le generazioni che verranno**, the generations to come; future generations; **negli anni a v.**, in years to come; **i tempi che verranno**, future times □ **il mese che viene**, the coming month; next month □ **fare qc. come viene**, to do st. anyhow □ **dire le cose come vengono**, to say things as they come into one's head □ **di là da v.**, in the distant future; a long way off □ *Che ti venga un accidente!*, damn you!; drop dead! **B venirsene** v. i. pron. to come*: *Se ne veniva pian piano*, he was coming along slowly; *Invece di venirsene via, rimase a guardare*, instead of coming away (*o* leaving), she stayed to watch; *Se ne venne fuori con un progetto sballato*, he came out with a hare-brained scheme **C venirsi** v. rifl. recipr. – (*fig.*) **venirsi incontro**, to meet halfway.

venóso a. venous: **sangue v.**, venous blood.

ventàglia f. (*stor.*) ventail.

ventàglio m. **1** fan: **agitare il v.**, to wave one's fan **2** (*fig.: gamma*) range: **un v. di proposte**, a range of proposals; **il v. dei prezzi**, the price range **3** (*zool., Pecten jacobaeus*) Jacob's scallop ● **a v.**, fan-shaped (attr.); fanwise (avv.) □ **aprirsi [aprirsi] a v.**, to fan out □ (*mil.*) **disporsi a v.**, to fan out.

ventaròla f. (*region.*) weathervane.

ventàta f. **1** gust of wind; blast of wind **2** (*fig.*) wave; surge: **v. di ottimismo**, wave of optimism.

ventennàle A a. **1** (*che dura 20 anni*) twenty-year (attr.): **dittatura v.**, twenty-year dictatorship **2** (*che dura da 20 anni*) twenty-year-old; twenty-year-long: **amicizia v.**, twenty-year-old friendship **3** (*che ricorre ogni 20 anni*) occurring every twenty years; held every twenty years **B** m. **1** (*ricorrenza*) twentieth anniversary **2** (*celebrazione*) twentieth anniversary celebration.

ventènne A a. twenty-year-old (attr.); twenty years old (pred.) **B** m. e f. twenty-year-old (youth, boy, m., girl, f.); (*sulla ventina*) young man* [woman*] in his [her] twenties.

ventènnio m. twenty-year period; twenty years (pl.); two decades (pl.): **il prossimo v.**, the next twenty years; the next two decades ● (*stor.*) **il V. (fascista)**, the Fascist period.

ventèsimo a. num. ord. e m. twentieth.

♦ **vénti** a. num. card. e m. inv. twenty; (*il numero*) number twenty; (*nelle date*) (the) twentieth: **v. mesi**, twenty months; **le dieci e v.**, twenty past ten; **alle (ore) v.**, at eight p.m; **gli anni v.**, the twenties; the 1920s; (*di bus, ecc.*) *Il v. è appena passato*, number twenty has just gone past; *Abito al v.*, I live at number twenty; **avere vent'anni**, to be twenty; **aver passato i v. anni**, to be over twenty; *Siamo in v.*, there are twenty of us; *È stato estratto il v.*, number twenty was drawn; *Torno il v. giugno*, I'm coming back on the twentieth of June (*o* on June the twentieth).

venticèllo m. gentle (*o* light) breeze.

venticìnque a. num. card. e m. inv. twenty-five; (*nelle date*) twenty-fifth; (*il numero*) number twenty-five.

venticinquennàle A a. **1** (*che dura 25 anni*) twenty-five-year (attr.) **2** (*che dura da 25 anni*) twenty-five-year-old; twenty-five-year-long **3** (*che ricorre ogni 25 anni*) occurring every twenty-five years; held every

twenty-five years **B** m. **1** (*ricorrenza*) twenty-fifth anniversary **2** (*celebrazione*) twenty-fifth anniversary celebration.

venticinquènne A a. twenty-five-year-old (attr.); twenty-five years old (pred.) **B** m. (f. **-a**) twenty-five-year-old (person).

venticinquènnio m. twenty-five year period; twenty five years (pl.).

venticinquèsimo A a. num. ord. twenty-fifth **B** m. **1** twenty-fifth **2** (*anniversario*) twenty-fifth anniversary.

ventilàbro m. **1** (*agric.*) winnowing basket; winnowing fan **2** (*mus.*) pallet.

ventilàre v. t. **1** (*agric.*) to winnow **2** (*fig.: proporre*) to air, to ventilate; (*prospettare*) to suggest, to mention: **v. un'idea [una proposta]**, to air an idea [a proposal]; *Si è ventilata la possibilità di un rimpasto governativo*, the possibility of a Cabinet reshuffle has been suggested; suggestions have been made about a possible Cabinet reshuffle **3** (*dare aria a*) to air; to ventilate: **v. una stanza**, to air (*o* to ventilate) a room **4** (*med.*) to ventilate **5** (*sventagliare*) to fan: **ventilarsi la faccia**, to fan one's face.

ventilàto a. airy; (*ventoso*) windy: **stanza ventilata**, airy room; **zona ventilata**, windy area.

ventilatóre m. **1** (*mecc.*) fan: **v. da soffitto [da muro, da tavolo]**, ceiling [wall, desk] fan; **v. elettrico**, electric fan; **pala di v.**, fan-blade **2** (*agric.*) winnowing fan **3** (*edil.*) ventilator **4** (*med.*) ventilator; respirator.

ventilazióne f. **1** (*agric.*) winnowing **2** (*ricambio dell'aria*) ventilation: **impianto di v.**, ventilation system **3** (*med.*) breathing; ventilation: **v. assistita**, ventilation **4** (*movimento dell'aria*) breeze.

ventilconvettóre m. fan-coil; fan coil unit.

ventimìla a. num. card. e m. twenty thousand.

ventimillèsimo a. num. ord. e m. twenty-thousandth.

ventìna f. **1** (*gruppo di 20*) score; twenty **2** (*circa 20*) about twenty: **una v. d'anni**, about twenty years; **una v. di persone**, about (*o* some) twenty people; *Siamo una v.*, there are about twenty of us **3** (*età di vent'anni*) (age of) twenty: **avere passato la v.**, to be over twenty; to be in one's twenties; **essere sulla v.**, to be about twenty; to be twentyish; (*tra i 20 e i 30 anni*) to be in one's twenties.

ventìno m. **1** (*moneta da 20 centesimi*) twenty-cent coin (*o* piece) **2** (*estens.*) penny; cent.

ventiquattrèsimo A a. num. ord. twenty-fourth **B** m. (*tipogr.*) twentyfourmo (*scritto* 24mo).

ventiquàttro a. num. card. e m. inv. twenty-four; (*nelle date*) twenty-fourth: **alle v.**, at midnight; *Parto il v.*, I'm leaving on the twenty-fourth.

ventiquattróre, ventiquattr'óre A f. pl. twenty-four hours: **ventiquatt'óre su v.**, twenty-four hours a day; around the clock; **entro le prossime ventiquatt'óre**, within the next twenty-four hours **B** f. inv. **1** (*valigetta da viaggio*) overnight bag; (*borsa per documenti*) briefcase, attaché case **2** (*sport*) twenty-four-hour race.

ventisètte A a. num. card. e m. inv. twenty-seven **B** m. (*fam.: giorno di paga*) payday.

ventitré a. num. card. e m. inv. twenty-three; (*nelle date*) twenty-third: **le (ore) v.**, eleven p.m. ● **mettersi il cappello sulle v.**, to tilt one's hat at a rakish (*o* jaunty) angle; to give a rakish tilt to one's hat □ **portare il cappello sulle ventitré**, to wear one's hat at a rakish (*o* jaunty) angle.

V

a
b
c
d
e
f
g
h
i
j
k
l
m
n
o
p
q
r
s
t
u
v
w
x
y
z

♦**vènto** m. **1** (*meteor.*) wind; breeze: **v. a raffiche**, squally (*o* gusty) wind; (*naut.*) **v. al giardinetto**, quarter wind; **v. al traverso**, (*naut.*) wind on the beam; beam wind; (*aeron.*) crosswind; **v. che taglia la faccia**, biting wind; (*naut., aeron.*) **v. contrario**, contrary wind; headwind; (*anche fig.*) **avere il v. contrario**, to have the wind against one; **v. costante**, steady wind; **v. debole**, light breeze; **v. da sud**, south wind; **v. di burrasca**, gale; (*aeron.*) **v. di coda**, tailwind; **v. di levante**, levanter; east wind; **v. di mare**, sea breeze; onshore wind; **v. di ponente**, west wind; (*naut.*) **v. di (o in) poppa**, aft (*o* stern) wind; following wind; **col v. in poppa**, with the wind right astern; before the wind; (*naut., aeron.*) **v. di (o in) prua**, headwind; **col v. in prua**, with the wind right ahead; against the wind; **v. di sud-ovest**, south-west (*o* south-westerly) wind; (*molto forte*) southwester; **v. di terra**, land breeze; offshore wind; **v. di tramontana**, north wind; (*naut.*) **v. dominante**, prevailing wind; **v. favorevole (o in favore)**, favourable wind; (*anche fig.*) **avere il v. favorevole**, to have a favourable wind; **v. forte**, strong (*o* high) wind; (*naut.*) moderate gale; (*naut.*) **v. fresco**, strong breeze; (*naut.*) **v. largo**, free wind; quarter wind; (*naut.*) **v. moderato**, moderate breeze; (*naut.*) **v. teso**, fresh breeze; **v. variabile**, variable wind; **venti a regime di burrasca**, gale winds; **venti occidentali**, westerlies; **venti periodici**, periodical winds; **venti principali**, planetary winds; (*naut.*) **buon v.**, fair wind; *Il v. è calato*, the wind has fallen (*o* dropped, died down); *C'è v.*, there is a wind blowing; *È mutato il v.*, the wind has changed (*o* shifted); *Soffia il v.*, the wind is blowing; *Oggi tira v.*, it's windy today; *Tirava un forte v.*, there was a strong wind blowing; **andare come il v.**, to go like the wind; **correre come il v.**, to run like the wind; **stormire al v.**, to rustle in the wind; (*naut.*) **stringere (o serrare) il v.**, to haul the wind; to sail close to the wind; (*naut.*) **tenersi al v.**, to keep the wind; to keep the luff; (*naut.*) **togliere il v. a q.**, to take the wind out of sb.'s sails; (*naut.*) **venire al v.**, to luff; **bandiere al v.**, flags flying in the wind; **capelli al v.**, windswept (*o* windblown) hair; **agitato dal v.**, wind-tossed; **battuto dal v.**, windswept; **esposto al v.**, windy; **portato dal v.**, windborne; carried by (*o* on) the wind; **contro il v.**, against the wind; **senza v.**, windless; **alito (o filo) di v.**, breath of wind; **bava di v.**, breath of wind; (*naut.*) light airs (pl.); **bufera di v.**, windstorm; **colpo (o folata) di v.**, gust of wind; **groppo di v.**, squall; **lato da cui soffia il v.**, windward side; (*naut.*) **letto (o occhio) del v.**, eye of the wind; teeth (pl.) of the wind; **nodo di v.**, whirlwind; **raffica di v.**, windblast; **salto di v.**, shift of wind; **soffio (o buffo) di v.**, puff of wind; **turbine di v.**, whirlwind; (*naut.*) **vantaggio del v.**, weather gauge (*o* gage) **2** (*estens.: aria, corrente*) air; draught, draft (*USA*): **fare v. a q.**, to fan sb.; **farsi v.**, to fan oneself **3** (*fig.: tendenza*) wind; (*segno*) sign (in the air): **il v. del cambiamento**, the wind of change; **v. di fronda**, spirit of opposition; sign of rebellion; **venti di guerra**, signs of war; threats of war **4** (*fig.: parole vuote*) empty words (pl.); wind; hot air: **essere pieno di v.**, to be wull of wind; to be a windbag; **pascersi di v.**, to feed on empty words **5** (*eufem.: peto*) wind; gas **6** (*mecc.: fune*) guy; stay **7** (*naut.: manovra*) guy; stay ● (*elettr.*) **v. elettrico**, electric breeze □ (*astron.*) **v. solare**, solar wind □ (*fig.*) **andare col il v. in poppa**, to be doing fine; to be successful □ (*fig.*) **fiutare il v.**, to see how the wind is blowing □ (*fig.*) **gettare al v.**, to throw to the winds □ **gridare ai quattro venti**, to shout from the rooftops; to make known abroad (*o* far and wide); to

trumpet □ (*fig.*) **parlare al v.**, to talk to a brick wall; to waste one's breath □ **Qual buon v. ti porta?**, what brings you here? □ (*fig.*) **spargere ai quattro venti**, to spread to the four winds; to spread far and wide □ (*fig.*) **vedere da che parte tira il v.**, to see which way the wind is blowing □ (*fig.*) **Tira cattivo v. per loro**, things are shaping up badly for them □ (*prov.*) **Chi semina v. raccoglie tempesta**, sow the wind and reap the whirlwind.

vèntola f. **1** (*per fuoco*) fire-fan **2** (*mecc.*) fan; rotor; impeller **3** (*portalampade*) (wall) sconce **4** (*idraul.*) floodgate; sluice ● **muro a v.**, partition wall.

ventolàna f. (*bot., Bromus arvensis*) brome.

ventósa f. **1** sucker; suction cup **2** (*zool.*) sucker **3** (*med.*) cupping glass.

ventosità f. **1** (*anche fig.*) windiness **2** (*med.*) flatulence.

ventóso① a. **1** windy; breezy; blustery; gusty: **colle v.**, windy hill; **giornata ventosa**, windy (*o* blustery, gusty) day **2** (*med.*) flatulent **3** (*fig.: ampolloso*) full of wind; full of hot air **4** (*fig.: borioso*) inflated; puffed up.

ventóso② m. (*stor. franc.*) Ventôse (*franc.*).

ventràle a. (*anat., solo bot.*) ventral: **pinna v.**, ventral fin.

vèntre m. **1** (*anat.*) abdomen*; (*com.*) stomach, belly (*fam.*): **basso v.**, lower belly; **mal di v.**, stomach-ache; **mettersi v. a terra**, to lie on one's stomach; **riempirsi il v.**, to fill one's stomach; **colpo al basso v.**, blow below the belt; **danza del v.**, belly dance **2** (*zool.*) abdomen*; venter **3** (*lett.: utero*) womb **4** (*fig.: parte rigonfia*) belly: **il v. di una botte**, the belly (*o* the bulge) of a barrel **5** (*fig.: cavità*) belly, trough; (*viscere*) bowels (pl.): **il v. di una nave**, the belly of a ship; **il v. di un'onda**, the trough of a wave; **nel v. della terra**, in the bowels of the earth **6** (*aeron.*) belly **7** (*fis.*) antinode ● (*fig.*) **v. a terra**, at breakneck speed; flat out; hell for leather; (*di cavallo*) at full gallop □ (*fig.*) **v. molle**, soft underbelly.

ventrésca f. (*alim.*) tuna steak in oil.

ventricolàre a. (*anat.*) ventricular.

ventrìcolo m. (*anat.*) ventricle.

ventrièra f. **1** (*panciera*) body-belt; girdle **2** (*per attrezzi*) pouch.

ventrìglio m. gizzard.

ventrilòquio m. ventriloquism; ventriloquy.

ventriloquo Ⓐ a. ventriloquial Ⓑ m. ventriloquist.

ventunènne Ⓐ a. twenty-one-year-old (attr.); twenty one years old (pred.) Ⓑ m. e f. twenty-one-year-old (youth, boy, m., girl, f.).

ventunèsimo a. num. ord. twenty-first.

ventùno Ⓐ a. num. card. e m. inv. twenty-one; (*nelle date*) twenty-first: **ventun colpi di cannone**, twenty-one cannon shots; (*come saluto*) twenty-one gun salute; **ventun giorni**, twenty-one days; **il v. maggio**, the twenty-first of May; May the twenty-first; **le (ore)**, nine p.m; **abitare al (numero) v.**, to live at number twenty-one; **compire ventun anni**, to be twenty-one; **estrarre il v.**, to draw number twenty-one Ⓑ m. (*gioco di carte*) pontoon (GB); blackjack; twenty-one.

ventùra f. **1** (*lett.: sorte, destino*) destiny; fortune; luck: **la buona [la mala] v.**, good [bad] luck; **per buona v.**, luckily **2** (*buona sorte*) fortune; (good) luck: **andare in cerca di v.**, to seek one's fortune **3** (*caso*) chance: **andare alla v.**, to take one's chance; to trust to luck; **per v.**, by chance **4** (*stor.*) – **capitano di v.**, leader of a troop of mercenaries; condottiere (*ital.*); **compagnia di v.**, free

company; troop of mercenaries; **soldato di v.**, soldier of fortune; mercenary.

venturìmetro m. (*fis.*) Venturi (tube).

venturina f. (*miner.*) venturine.

ventùro a. **1** (*lett.: che sta per venire*) coming; to come (*posposto*): **negli anni venturi**, in the years to come **2** (*prossimo*) next: **l'anno v.**, next year; **la settimana ventura**, next week.

venturóne m. (*zool., Carduelis citrinella*) citril finch.

venturóso a. (*poet.*) lucky; fortunate; happy.

vènula f. **1** (*anat.*) venule; veinlet **2** (*med.*) syringe (for taking blood samples).

venusiàno a. e m. (f. **-a**) Venusian.

venustà f. (*lett.*) beauty; grace.

venùsto a. (*lett.*) beautiful; graceful.

venùta f. coming; (*arrivo*) arrival: **la v. del Messia**, the coming of the Messiah; **alla mia v.**, when I arrived; on my arrival; **aspettare la v. di q.**, to wait for sb.'s arrival.

venùto Ⓐ a. pred. coming; that has come; that came: **l'uomo v. dal sud**, the man (coming, that came) from the south Ⓑ m. (f. **-a**) comer: **nuovo v.**, newcomer; **il primo v.**, (*chi arriva per primo*) the first comer; (*persona qualsiasi*) the first person who happens to pass by; (*fig.*) *Non è il primo v.*, he's not just anybody.

venùzza f. veinlet; venule.

véra f. **1** (*anello matrimoniale*) wedding ring **2** (*di pozzo*) (well) curb.

veràce a. **1** (*lett.: vero*) true: **v. amicizia**, true friendship **2** (*veritiero, sincero*) truthful; veracious: **testimone v.**, truthful witness **3** (*region.: autentico, genuino*) genuine; real; true-born; born and bred (*posposto*): **un napoletano v.**, a genuine (*o* true-born) Neapolitan; a Neapolitan born and bred.

veracità f. truthfulness; veracity: **la v. della testimonianza**, the truthfulness of the evidence.

veraménte avv. **1** (*realmente, davvero*) truly; really; indeed: *Sono v. belli*, they are really (*o* truly) beautiful; **un uomo v. dotto**, a very learned man indeed; «*Il progetto è andato a monte*» «*V.?* », «the plan has fallen through» «(has it) really?» **2** (*a dire il vero*) as a matter of fact; to tell the truth; truth to tell; to be quite honest; to be frank; actually: *A me v. non sembra*, as a matter of fact I don't think so; *Io v. non l'avrei invitato*, to be quite honest, I wouldn't have invited him; *V. non ce n'era bisogno*, it wasn't actually necessary; there was no need, really; «*Lo conosci?*» «*Ma, v...*», «do you know him?» «well, actually...».

verànda f. veranda; porch (USA); (*chiusa e con piante*) conservatory.

veratrina f. (*chim., med.*) veratrine.

veràtro m. (*bot., Veratrum album*) white veratrum.

verbàle Ⓐ a. **1** (*costituito da parole, di parole*) verbal; (*orale*) oral, spoken: **attacco v.**, verbal attack; **contratto v.**, oral contract; **ordine v.**, verbal order; (*leg.*) **processo v.**, court record; **promessa v.**, verbal promise; **sottigliezze verbali**, verbal niceties **2** (*fatto solo di parole, privo di sostanza*) purely verbal; nominal **3** (*gramm.*) verbal: **sostantivi verbali**, verbal nouns Ⓑ m. (*di riunione*) minutes (pl.); (*leg.*) record; (*trascrizione*) transcript, text: **v. di un interrogatorio**, transcript of an interrogation; **v. di una riunione**, minutes of a meeting; *Fu fatto un v. della discussione*, the discussion was minuted; **mettere a v.**, to enter in the minutes; (*leg.*) to put on record; **redigere il v.**, to take minutes; to minute (st.); (*leg.*) to record; **libro dei verbali**, minute book.

verbalìsmo m. verbalism.

verbalistico a. verbalistic.

verbalizzànte A a. minute-taking; recording B m. e f. minute-taker.

verbalizzàre A v. t. to enter in the minutes; to minute; (*leg.*) to record, to put* on record B v. i. to take* minutes.

verbalizzazióne f. recording in the minutes; putting on record.

verbalménte avv. verbally; orally; in words.

verbàsco m. (*bot.*, *Verbascum thapsus*) mullein; Aaron's rod.

verbatim avv. (*lat.*) verbatim; word for word; literally.

verbèna f. (*bot.*, *Verbena officinalis*) vervain; verbena ● (*bot.*) **v. odorosa** (*Lippia citriodora*), lemon verbena.

verbigerazióne f. (*psic.*) verbigeration.

verbigràzia avv. (*lett.* o *scherz.*) for example; for instance; e.g. (abbr. di *exempli gratia*, *lat.*).

♦**vèrbo** m. **1** (*lett.*: *parola*) word: **il v. divino**, the word of God; **non dire v.**, not to say a word **2** (*teol.*) **il V. incarnato**, the Word made flesh **3** (*gramm.*) verb: **v. attivo** [**passivo, intransitivo, transitivo**], active [passive, intransitive, transitive] verb; **v. di moto**, verb of motion; **v. modale**, modal verb; **la coniugazione del v.**, verbal conjugation.

verbosità f. verbosity; wordiness; long-windedness.

verbóso a. verbose; wordy; long-winded.

verdàstro A a. greenish; greeny B m. greenish colour (*o* hue).

verdazzùrro a. e m. blue-green; bluish-green.

♦**vérde** A a. **1** green: **v. bottiglia**, bottle-green; **v. chiaro**, light green; **v. mare**, sea-green; **v. oliva**, olive-green; **v. pallido**, pale green; **v. pisello**, pea-green; **v. scuro**, dark green **2** (*ricco di vegetazione*) green **3** (*livido*) green; pale: **v. di bile**, pale with fury; **v. d'invidia**, green with envy **4** (*non maturo*) green; unripe: **uva v.**, green (*o* unripe) grapes **5** (*fresco*) green; **legna v.**, green wood **6** (*fig.*: *giovane*, *giovanile*) young; youthful; green; early: **anni verdi**, green years; youth; **v. età**, early youth **7** (*agric.*, *econ.*) green: **lira v.**, green lira; **pollice v.**, green fingers (pl.) (*GB*); green thumb (*USA*) **8** (*ecol.*) green: **benzina v.**, unleaded petrol B m. **1** (*colore*) green: **v. bandiera**, bright green; **v. bottiglia**, bottle green; **v. muschio** (*o* sottobosco), moss green; **v. oliva**, olive green; **i verdi di un dipinto**, the greens of a painting; *Il v. è il colore della speranza*, green is the colour of hope; **dipingere qc. di v.**, to paint st. green **2** (*abiti verdi*) green: **vestire di v.**, to dress in (*o* to wear) green **3** (*parte verde*) green part: *Si mangia solo il v.*, you only eat the green part **4** (*vegetazione*) greenness; vegetation; green; greenery; (*area con vegetazione*) parkland, open spaces (pl.), (*in città*, *anche* **v. pubblico**) parks and gardens (pl.): **il v. dei boschi**, the greenness of the woods; **immerso nel v.**, surrounded by vegetation; set in a park (*o* in parkland); *La regione è ricca di v.*, the region is rich in vegetation; **fascia di v.**, green belt; **la tutela del v.**, the protection of open spaces (*o* of parkland) **5** (*di semaforo*) green (light): **passare col v.**, to cross with the green light **6** (*geol.*) green stone **7** (*polit.*) Green: **il partito dei Verdi**, the Green Party; the Greens **8** (*arald.*) vert ● **v. antico** (*marmo*), verd-antique ◻ (*fig.*) **al v.**, penniless; hard up; broke: **ridursi al v.**, to become penniless ◻ **nel v. degli anni**, in one's green years (*o* early youth).

verdeazzùrro → **verdazzurro**.

verdeggiànte a. verdant.

verdeggiàre v. i. **1** (*essere verde*) to be green; to be verdant: *Sotto di noi verdeggiava la valle*, the green valley stretched below us **2** (*diventare verde*) to turn green **3** (*tendere al verde*) to be greenish.

verdèllo m. **1** → **verdone**, **B**, *def. 2* **2** (*bot.*) summer lemon.

verdemàre A a. sea-green B m. sea green.

verderàme A m. **1** (*patina*) verdigris **2** (*pitt.*, *vet.*, *agric.*) verdigris; basic copper acetate B a. verdigris (attr.).

verdésca f. (*zool.*, *Prionace glauca*) blue shark.

verdétto m. **1** (*leg.*) verdict; findings (pl.): **v. di assoluzione** [**di condanna**], verdict of not guilty [of guilty]; **emettere** (*o* **pronunciare**) **il v.**, to return (*o* to bring in) one's verdict **2** (*sport*) decision: **v. ai punti**, decision on points **3** (*fig.*: *giudizio*) verdict; judgment; opinion: **il v. dell'opinione pubblica**, the verdict of public opinion; *Il v. spetta alla storia*, the verdict is left to posterity; *Mi rimetto al v. della posterità*, posterity shall be my judge.

verdézza f. greenness; green colour.

verdiccio A a. greenish; pale green B m. greenish colour; pale green.

verdino → **verdolino**.

verdógnolo a. greenish; greeny.

verdolino A a. pale (*o* light) green B m. **1** pale (*o* light) geen **2** (*zool.*, *Serinus canarius serinus*) serin (finch).

verdóne A a. deep green B m. **1** deep green **2** (*zool.*, *Chloris chloris*) greenfinch **3** → **verdesca**.

♦**verdùra** f. **1** (*lett.*) greenery; verdure **2** (*ortaggi*) vegetables (pl.); (*verdi*) greens (pl.): **verdure a foglie**, green leafy vegetables; greens; **minestra di v.**, vegetable soup; **negozio di frutta e v.**, greengrocer's.

verduràio m. (f. **-a**) (*region.*) greengrocer (*il negozio*) greengrocer's.

verecóndia f. (*lett.*) modesty; bashfulness.

verecóndo a. (*lett.*) modest; bashful.

vèrga f. **1** (*lett.*: *ramoscello*) twig; stick **2** (*bacchetta*) rod, wand; (*per fustigare*, *anche*) cane: (*Bibbia*) **la v. di Aronne**, Aaron's rod; **v. del rabdomante**, dowsing (*o* divining) rod **3** (*bastone*) staff; (*ricurvo*) crook **4** (*segno di autorità*) staff; (*scettro*) sceptre, scepter (*USA*); verge: **v. pastorale**, bishop's staff; crozier; **v. regale**, royal sceptre **5** (*di metallo*) bar; rod; (*lingotto*) ingot: **v. di ferro**, iron bar (*o* rod); **v. d'oro**, gold bar **6** (*ind. tess.*, *anche* **v. d'incrocio**) lease rod; lease stick **7** (*anat.*, *pop.*) penis ● **v. d'oro**, (*zool.*, *Polyommatus virgaurea*) goldenrod; (*bot.*, *Solidago virga-aurea*) goldenrod.

vergàre v. t. **1** (*rigare*) to draw* (*o* to rule) lines on; to stripe **2** (*scrivere*) to write*; to draw* up: **v. una lettera**, to write a letter; **v. un rapporto**, to draw up a report.

vergàta f. blow with a cane (*o* a rod); (al pl., *anche*) caning (sing.): *Si prese trenta vergate*, she got thirty strokes of the cane; **una buona dose di vergate**, a good caning.

vergàta f. (*ind. cartaria*) manifold paper; flimsy.

vergatino m. (*ind. tess.*) striped cloth.

vergàto a. **1** striped; ruled: **carta vergata**, laid paper **2** (*scritto*) written; handwritten; drawn up.

vergatùra f. **1** (*ind. tess.*: *l'operazione*) striping; (*le righe*) stripes **2** (*ind. cartaria*) lineation.

vergèlla f. **1** (*metall.*) (wire) rod **2** (*ind. cartaria*) laid wire.

vergènza f. (*geol.*) vergence.

verginàle a. **1** virginal; maidenly; virgin (attr.); (*pudore*) maidenly modesty; **purezza v.**, virgin purity **2** (*fig.*) virginal; pure.

vèrgine A f. **1** virgin; virgo intacta (*leg.*): (*relig.*) **la (Beata) V.**, the (Blessed) Virgin **2** (*estens.*: *ragazza non sposata*) vergin; maiden (*lett.*); **le vergini savie [stolte]**, the wise [foolish] virgins ● (*stor.*) **v. di Norimberga**, iron maiden B m. virgin C a. **1** (*di persona*) virgin (attr.) **2** (*integro*, *naturale*, *puro*) virgin: **foresta v.**, virgin forest; **lana v.**, virgin wool; **olio v. d'oliva**, virgin olive oil **3** (*tecn.*) blank; new; fresh: **cassetta v.**, blank cassette; **pellicola v.**, new roll of film; film stock Ⓤ.

Vèrgine f. **1** (*astron.*, *astrol.*) Virgo; (the) Virgin **2** (*astrol.*, *di persona*) Virgo.

verginèlla f. (*iron.*) innocent-looking girl; goody-goody (*fam.*): **avere l'aria da v.**, to look as if butter wouldn't melt in one's mouth.

vergineo → **virgineo**.

verginità f. virginity ● (*fig.*) **rifarsi una v.**, to start again with a clean slate.

♦**vergógna** f. **1** (*sentimento di colpevolezza*) shame: **con mia (grande) v.**, (much) to my shame; **pieno di v.**, deeply ashamed; **senza v.**, shameless; **arrossire di v.**, to blush with shame; **avere** (*o* **sentire**, **provare**) **v. di qc.**, to be ashamed of st.; to feel shame for st.; **non conoscere la v.**, to have no (sense of) shame; to be shameless **2** (*imbarazzo*, *soggezione*) embarrassment, confusion; (*timidezza*) shyness, bashfulness: **rosso di v.**, red with embarrassment; **avere v. di parlare**, to be too shy to speak; **vincere la v.**, to overcome one's embarrassment (*o* shyness); *Che v.!*, how embarrassing! **3** (*onta*, *disonore*) shame; dishonour; ignominy: **coprirsi di v.**, to bring shame upon oneself; *V.!*, shame on you!; for shame!; *Che v.!*, how shameful! **4** (*cosa che arreca vergogna*) disgrace: *È la v. della sua famiglia*, he is the disgrace of his family; *Questo parco è una v.!*, this park is a disgrace!; *Che v.!*, how disgraceful! **5** (al pl.) (*organi genitali*) private parts.

♦**vergognàrsi** v. i. pron. **1** to be ashamed; to feel* ashamed: *Mi vergogno di averlo detto*, I'm ashamed of having said that; *Si vergogna di ammetterlo*, she is ashamed to admit it; *Mi vergogno di te*, I am ashamed of you; *Mi vergogno per loro*, I am ashamed for their sake; *Vergognati!*, you ought to be ashamed of yourself!; shame on you!; **v. come un ladro**, to be terribly ashamed; *Non devi* (*o non hai nulla di cui*) *vergognarti*, you have nothing to be ashamed of **2** (*provare imbarazzo*) to be embarrassed; (*essere timido*) to be shy; to be bashful: **v. del dottore**, to be embarrassed in front of one's doctor.

♦**vergognóso** a. **1** (*che prova vergogna*) ashamed (pred.); shamefaced: **sorrisetto v.**, shamefaced little smile; **avere l'aria vergognosa**, to look ashamed; to wear a shamefaced expression **2** (*timido*) shy; bashful: *È una ragazza molto vergognosa*, she is a very shy girl **3** (*riprovevole*) shameful, disgraceful; (*spudorato*) outrageous: **comportamento v.**, disgraceful behaviour; **fortuna vergognosa**, outrageous good luck.

vèrgola f. (*ind. tess.*) silk twist.

veridicità f. truthfulness; veracity.

verìdico a. truthful; veracious; veridical.

veridizióne f. (*ling.*) veridiction.

♦**verìfica** f. **1** verification; (*controllo*) checking; check; (*rag.*) auditing, audit; (*ispezione*) inspection; (*prova*, *collaudo*) test; (*accertamento*) search, inquiry; (*spunta*) tally: **v. catastale**, cadastral search; (*rag.*) **v. contabile**, audit; (*rag.*) **v. di cassa**, cash inspection; **v. dei documenti**, examination (*o* checking) of papers; verification of documents; (*autom.*) **v. dei freni**, brakes test; **v. del macchinario**, inspection of the machinery; (*leg.*) **v. dei po-**

teri, check of electoral returns; **v. dei voti**, recount; **v. fiscale**, tax inspection; **v. scolastica**, school test; **fare la v. della merce**, to check the goods; **fare la v. di una somma**, to check a sum; (*comm.*) **salvo v.**, on approval; **giro di v.**, inspection round; tour of inspection.

verificàbile a. verifiable.

verificabilità f. verifiability: (*filos.*) **principio di v.**, verification principle.

♦**verificàre** A v. t. **1** (*controllare*) to check; (*rag.*) to audit; (*ispezionare*) to inspect; (*sottoporre a prova, collaudare*) to test; (*accertare*) to establish; (*fare la spunta*) to tally, to check; (*assicurarsi*) to make* sure, to check: (*rag.*) **v. i conti** (*o* **la contabilità**), to audit (the accounts); **v. il funzionamento d'una macchina**, to test the working of a machine; **v. la sicurezza di un impianto**, to test a plant for safety; **v. che tutto sia pronto**, to check that everything is ready **2** (*confermare con prova sperimentale*) to verify: **v. una dichiarazione**, to verify a statement B **verificàrsi** v. i. pron. **1** (*avverarsi*) to come* true; to prove correct: *Si è verificata la profezia*, the prophecy has come true **2** (*accadere*) to happen; to occur; to take* place: *Si è verificato un fatto strano*, a strange thing happened; *Se dovesse verificarsi qualche problema...*, should any problem occur...

verificatóre A a. verifying; checking; testing B m. (f. **-trice**) verifier; (*controllore*) checker, examiner; (*collaudatore*) tester; (*ispettore*) inspector; (*spuntatore*) tallyman*: (*rag.*) **v. dei conti**, auditor; **v. dei pesi e delle misure**, inspector of weights and measures; (*ferr.*) **v. di linea**, track inspector.

verificazióne → **verifica**.

verisìmile e deriv. → **verosìmile**, e deriv.

verìsmo m. **1** (*arte, letter.*) verism; (*rif. all'opera ital.*) verismo **2** (*realismo*) crude realism.

verìsta A a. (*arte, letter.*) veristic B m. e f. (*arte, letter.*) verist.

verìstico a. (*arte, letter.*) veristic.

♦**verità** f. **1** (*condizione di ciò che è vero*) truth; verity: **la v. di un'affermazione**, the truth of a statement; (*logica*) **valore di v.**, truth value **2** (*ciò che corrisponde a realtà*) truth: **la v.**, **tutta la v., niente altro che la v.**, the truth, the whole truth and nothing but the truth; **la v. pura e semplice**, the plain truth; **v. sgradevoli**, home truths; bitter truths; **mezza v.**, half-truth; **accertare la v. di qc.**, to verify the truth of st.; **appurare la v.**, to find out the truth; **cercare la v.**, to seek the truth; **dire la v.**, to tell the truth; **raccontare la propria v.**, to give one's version of events; *È la v. sacrosanta*, it's gospel truth; *Ciò che ho detto è la pura v.*, what I said is absolutely true; *Di' la v., non ne hai voglia*, be honest, you don't feel like it; *Diciamoci la v.*, let's be honest about it; let's face it; **per dire la v.**, to tell the truth; truth to tell; if truth be told; to be honest; **un fondo di v.**, a kernel of truth; **macchina della v.**, lie detector; **siero della v.**, truth serum (*o* drug) **3** (*fatto, principio vero*) truth; verity: **v. di fede** (*o* **rivelata**), revealed truth; **le v. eterne**, eternal verities; **le v. fondamentali**, ultimate truths; **le v. scientifiche**, scientific truths **4** (*sincerità*) sincerity; truthfulness; veracity ● (*fig.*) **in v.** (*davvero*), truly; really; in truth (*lett.*) □ (*nei Vangeli*) **In v., in v. vi dico**, verily I tell you □ (*prov.*) **La v. vien sempre a galla**, truth will out.

veritièro a. **1** (*che dice il vero*) truthful: **testimone v.**, truthful witness **2** (*che corrisponde a verità*) true: **racconto v.**, true account.

vèrla f. (*zool., Lanius*) shrike; butcher bird.

♦**vèrme** m. **1** worm; maggot: **v. del formaggio**, cheese maggot; **v. di terra** (*lombrico*), earthworm; **v. solitario** (*Taenia solium*), tae-

nia; tapeworm; **avere i vermi**, to have worms; **fare i vermi**, to become maggoty **2** (*fig.: cosa che rode*) worm: **il v. dell'invidia**, the worm of envy **3** (*fig., di persona*) worm; (*farabutto*) heel, stinker: *Sei un v.!*, you are a worm!; **sentirsi un v.**, (*sentirsi inferiore*) to feel like a worm; (*sentirsi spregevole*) to feel like a complete heel ● **nudo come un v.**, stark naked; mother-naked; in the altogether (*fam.*).

vermeil (*franc.*) m. inv. vermeil.

vermicèlli m. pl. (*alim.*) vermicelli.

vermicìda m. vermicide.

vermicolàre a. vermicular; vermiform: (*anat.*) **appendice v.**, vermiform appendix.

vermiculìte f. (*miner.*) vermiculite.

vermifórme a. vermiform; wormlike: (*anat.*) **appendice v.**, vermiform appendix.

vermìfugo (*farm.*) A a. vermifugal; vermifuge B m. vermifuge.

vermìglio a. e m. vermilion.

vermiglióne m. (*chim.*) vermilion.

verminazióne f. (*med.*) vermination.

verminòsi f. (*vet.*) verminosis.

verminòso a. infested by worms; worm-ridden; maggoty.

vèrmouth, vèrmut m. vermouth: **v. secco**, dry vermouth.

vernacolàre a. vernacular.

vernàcolo a. e m. vernacular: **poeta v.**, vernacular poet; **in v.**, in the vernacular.

vernalizzàre v. t. (*bot.*) to vernalize.

vernalizzazióne f. (*bot.*) vernalization.

vernazióne f. (*bot.*) vernation.

♦**vernìce**① f. **1** paint; varnish: **v. a fuoco**, stove enamel; **v. a olio**, oil paint; oil varnish; **v. a smalto**, enamel paint; **v. a spirito**, spirit varnish; **v. a spruzzo**, spray paint; **v. bituminosa**, bituminous paint; **v. fosforescente**, luminous paint; **v. fresca**, wet paint; **v. grassa**, oil paint; **v. isolante**, insulating varnish; **v. lucida**, gloss paint; **v. opaca**, matt paint; **mano di v.**, coat of paint **2** (*pellame*) patent leather: **borsa di v.**, patent-leather bag **3** (*patina*) film; patina **4** (*fig.: apparenza superficiale*) veneer; gloss; polish: **una v. di buona creanza**, a veneer of good manners.

vernìce② f. → **vernissage**.

verniceria f. (*ind.*) paint shop.

verniciàre v. t. to paint; to varnish: **v. a smalto**, to enamel; to lacquer; **v. a spruzzo**, to spray-paint; **v. a tampone**, to pad; to French-polish; **v. qc. di rosso**, to paint st. red; **v. un tavolo**, to varnish a table.

verniciàta f. quick paint; (quick) coat of paint.

verniciatóre m. **1** (f. **-trice**) painter; varnisher **2** (*dispositivo*) varnishing machine: **v. a spruzzo**, paint gun; (paint) sprayer.

verniciatùra f. **1** (*l'operazione*) painting; varnishing: **v. a fuoco**, oven-baked painting; **v. a immersione**, dipping; **v. a mano**, brush painting; **v. a rullo**, roller coating; **v. a smalto**, enamelling; **v. a spruzzo**, spray painting; **v. a tampone**, French-polishing; **lavoro di v.**, paint job; varnishing job; (*ind.*) **reparto v.**, paint shop **2** (*il lavoro fatto*) paint job; varnishing job **3** (*strato di vernice*) coat of paint; coat of varnish; paintwork; paint: *La v. si sta scrostando*, the paint is peeling off **4** (*fig.: apparenza superficiale*) veneer; gloss; polish.

vernissage (*franc.*) m. inv. vernissage; preview.

♦**vèro** A a. **1** true; real: **il v. colpevole**, the real culprit; **il v. Dio**, the true God; **v. erede**, rightful heir; **il v. padre del ragazzo**, the boy's true father **2** (*effettivo, reale*) real; true; actual: **un fatto v.**, a true episode; **il**

suo v. nome, his real name; **la ragione vera**, the real reason **3** (*giusto, esatto*) real; right; proper: **chiamare una cosa col suo v. nome**, to give st. it's real name **4** (*corrispondente a realtà, ai fatti*) true; truthful: **storia vera**, true story; *È v.!*, (*proprio così!*) exactly!, quite so!; (*ma sicuro!*) of course!; *È vero?*, is that true?; is that so?; *È v. che...?*, is it true that...; *È v. che..., però...*, true (*o* to be sure)..., but...; *È proprio v.?*, is that true?; is that really so?; *È v. o no?*, is it true or not?; *È v. o non è v. che...?*, is it or is it not true that...?; *Non è forse v.?*, isn't that so?; isn't that the case?; **dare qc. per v.**, to report st. as true; **sembrare v.**, to look real; (*di ritratto, ecc.*) to be lifelike; **suonare v.**, to ring true **5** (*genuino, autentico*) genuine; real: **un v. affare**, a real (*o* a genuine) bargain; **un v. artista**, a real artist; **v. cuoio**, real leather; **perle vere**, real pearls; **vera seta**, real silk; **una vera signora**, a real lady **6** (*sincero, profondo*) true; real; genuine: **v. affetto**, real (*o* true) affection; **un v. amico**, a real (*o* a true) friend; **v. piacere**, real (*o* genuine) pleasure **7** (*anche* **v. e proprio**) *perfetto, completo*) real; downright; regular; complete; proper; veritable; thorough; sheer; utter: **un v.** (**e proprio**) **disastro**, a proper disaster; **una vera follia**, sheer madness; utter foolishness; **un v. idiota**, a complete (*o* a proper) fool; **un v.** (**e proprio**) **mascalzone**, a proper (*o* a real) scoundrel; **un v. peccato**, a real (*o* a crying) shame; **una vera vergogna**, a positive disgrace; *È stata una vera fortuna*, it was really lucky ● **com'è v. che io sono qui**, as true as I'm standing here □ **com'è v. Dio**, as God is my witness; I swear: *Me la pagherà, com'è v. Dio!*, he's going to pay for it, I swear! □ **Vieni anche tu, (è) v.?**, you are coming too, aren't you?; **Lui lo sa, non è v.?**, he knows, doesn't he?; **Tu non c'eri, (è) v.?**, you weren't there, were you?; **Non vi conoscete, v.?**, you don't know each other, do you?; **Dovrebbe tornare fra poco, v.?**, she would be back soon, shouldn't she? □ **Fosse v.!**, if only it were true!; (*scettico*) I wish it were so!, I wish it [he, etc.]...: «*Hai avuto un aumento?*» **Fosse v.!**,« *wish I had!* you get a rise?» «I wish I had!» □ **Niente di più v.!**, nothing could be more true; it's absolutely true □ **Non mi par v.**, I can hardly believe it □ **Non mi parrebbe**, it would be too good to be true □ **tant'è v. che**, so much so that; in fact B m. **1** (*verità*) truth: **il v. assoluto**, the absolute truth; **il v. e il falso**, truth and falsehood; *C'è un po' di v. in questo*, there is some truth in this; **dire il v.**, to tell the truth; **essere nel v.**, to be right; **a dire il v.**, to tell the truth; truth to tell; as a matter of fact; actually; **a onor del v.**, to be honest; truth to tell; **per amor del v.**, for the sake of truth; **salvo il v.**, if I'm not mistaken **2** (*pitt., scult.*) life: **disegnare dal v.**, to draw from life; **ritrarre dal v.**, to represent life; **fedele al v.**, true to life; **grande al v.**, life-size.

vèronal® m. (*farm.*) veronal; barbitone; barbital (*USA*).

veronalìsmo m. (*med.*) veronal poisoning.

veróne m. (*lett.*) balcony.

veronése A a. Veronese; of Verona B m. **1** (f. **-a**) native [inhabitant] of Verona **2** (*dialetto*) Verona dialect.

verònica f. (*bot., Veronica officinalis*) speedwell; veronica: **v. maggiore** (*Veronica chamaedrys*), germander speedwell; bird's eye; **v. querciola** (*Veronica persica*) common field speedwell.

Verònica f. (*eccles.*) Veronica.

verosimigliànte → **verosimile**.

verosimigliànza f. verisimilitude; likelihood.

verosìmile a. likely; probable; credible;

plausible: **un racconto v.**, a plausible story; a story that rings true; *È v. che non lo sapesse*, very likely she didn't know; she probably didn't know; **poco v.**, (highly) unlikely; improbable.

verosimilménte avv. probably; most likely; in all likelihood.

verricellista m. windlass operator; winch operator; winchman*.

verricèllo m. (*mecc.*, *naut.*) windlass; winch: **issare con un v.**, to hoist with a winch; to windlass; to winch.

verrina f. (*falegn.*) gimlet; auger.

vèrro m. (*zool.*) male pig; boar.

verrùca f. (*med.*, *bot.*) wart; verruca*.

verrucóso a. (*med.*, *bot.*) verrucose; verrucous; warty.

vers. abbr. **1** (*comm.*, **versamento**) payment (payt.) **2** (**versione**) version (ver.).

versàccio m. **1** (*grido di scherno*) rude noise, catcall; (*pernacchia*) raspberry: **fare un v.**, to make a rude noise; to blow a raspberry **2** (*smorfia*) grimace; face: **fare un v.**, to pull a face.

versaménto m. **1** (*il versare*) pouring **2** (*fuoriuscita*) spilling; (*spargimento*) shedding: **v. di sangue**, shedding (*o* spilling) of blood **3** (*med.*) effusion; **v. ematico**, effusion of blood; **v. pleurico**, pleuric effusion **4** (*banca*) deposit; lodgment: **v. in banca**, deposit into a bank; bank deposit; **effettuare un v. in banca**, to make a deposit into a bank; **distinta di v.**, paying-in slip; **ricevuta di v.**, deposit receipt; credit slip **5** (*pagamento*) payment: **v. in acconto**, down payment.

versante ① m. e f. **1** (*chi esegue un pagamento*) payer **2** (*chi esegue un deposito*) depositor.

versante ② m. (*geogr.*) side; slope; versant: **il v. italiano delle Alpi**, the Italian side of the Alps **2** (*fig.*) front: **sul v. politico**, on the political front; as regards politics.

♦**versàre** ① Ⓐ v. t. **1** (*anche fig.*) to pour (out); (*con mestolo*) to ladle (out); (*travasare*) to decant; (*assol.*, *di recipiente*) to leak: **v. la farina in una terrina**, to pour the flour into a bowl; **v. la minestra nei piatti**, to ladle out the soup; **v. il vino nei bicchieri**, to pour wine into the glasses; (*cucina*) **v. a pioggia**, to add slowly; **v. da bere a q.**, to pour sb. a drink; **versarsi da bere**, to pour oneself a drink **2** (*spargere*) to shed*: **v. lacrime**, to shed tears; **v. il sangue di q.** (*uccidere*), to spill sb.'s blood; **v. il sangue per la patria**, to shed one's blood for one's country **3** (*rovesciare*) to spill*: **v. il caffè [il sale] sulla tovaglia**, to spill coffee [salt] on the tablecloth; **versarsi addosso del vino**, to spill wine over oneself **4** (*scaricare*, *immettere*) to empty: *Il Po versa le sue acque nell'Adriatico*, the Po empties its waters (*o* flows) into the Adriatic **5** (*depositare in banca*) to deposit; to pay* in; to lodge: **v. un assegno sul conto**, to pay a cheque into one's account **6** (*pagare*) to pay*: **v. una caparra**, to pay a deposit; **v. la prima rata**, to pay the first instalment; **v. mille euro a q.**, to pay one thousand euros to sb.; **v. una somma in deposito**, to make a deposit ● (*fig.*) **v. acqua sul fuoco**, to pour oil on troubled waters □ (*fig.*) **v. fiumi d'inchiostro**, to write reams Ⓑ **versàrsi** v. i. pron. **1** (*rovesciarsi*) to spill* (out): *Dalla botte si versava il vino*, wine was spilling out of the barrel **2** (*fig.*: *riversarsi*) to pour out; to spill* **3** (*sfociare*) to flow; to empty: *La Dora si versa nel Po*, the Dora flows into the Po.

versàre ② v. i. **1** (*trovarsi*) to be; to live: **v. in miseria**, to live in poverty; **v. in difficoltà finanziarie**, to be in financial straits; **v. in pericolo di vita**, to be in danger of death **2** (*vertere*) to deal* (with).

versàtile a. versatile.

versatilità f. versatility.

versàto ① a. **1** poured; (*sparso*) spilt, shed (pred.): **piangere sul latte v.**, to cry over spilt milk **2** (*depositato in banca*) paid-in, deposited; (*pagato*) paid-up: **capitale v.**, paid-up capital.

versàto ② a. (*esperto*) well-versed; (*abile*) skilled, practised.

verseggiàre Ⓐ v. i. to write* verse Ⓑ v. t. to versify; to put* into verse.

verseggiatóre m. (f. **-trice**) **1** versifier **2** (*spreg.*) rhymester; verse-monger.

verseggiatùra f. versifying; versification.

versétto m. **1** (*di libro sacro*) verse **2** (*di canto liturgico*) versicle.

versificàre, **versificatóre** → **verseggiare**, **verseggiatore**.

versificazióne f. versification.

versiliberista Ⓐ m. e f. writer of free verse Ⓑ a. free-verse (attr.).

versióne f. **1** (*traduzione*) translation; version: **v. dal latino in italiano**, translation from Latin into Italian; **esercizio di v.**, translation exercise **2** (*trasposizione*, *adattamento*) version; adaptation: **la v. cinematografica di un romanzo**, the film version of a novel **3** (*variante linguistica*) version: **v. originale**, original (version); **vedere un film in v. originale**, to see a film in the original (version) **4** (*redazione*, *esposizione*, *interpretazione*) version; (*racconto*) account: *La leggenda esiste in molte versioni*, the legend exists in several versions; **dare la propria v. dei fatti**, to give one's version of the facts **5** (*tipo*, *modello*) version; model: **v. di lusso [economica]**, luxury [cheaper] version; *Quest'auto esiste in due versioni*, this car is available in two versions.

vèrso ① m. (*retro*, *rovescio*) back; reverse; verso*: **il v. di una busta**, the back of an envelope; **il v. di una medaglia**, the reverse o (the verso) of a medal.

♦**vèrso** ② m. **1** (*riga di poesia*) line (of verse); (al pl.: *struttura metrica*) verse Ⓤ: **un v. di dieci sillabe**, a ten-syllable line; **un v. di Keats**, a line by Keats; **un v. latino**, a line of Latin verse; **versi liberi**, free verse; vers libre (*franc.*); **versi rimati**, rhymed lines; **versi sciolti**, blank verse; **strofa di sei versi**, six-line verse **2** (al pl.) (*poesia*, *di contro a prosa*) verse Ⓤ; poetry Ⓤ: **mettere in versi**, to put into verse; **scrivere versi**, to write verse (*o* poetry); **scrivere in versi**, to write in verse; **satira in versi**, satire in verse; **traduzione in versi**, verse translation **3** (al pl.) (*composizioni poetiche*) poems; verses; (*singola poesia*) poem (sing.): *Lessi alcuni versi di Luzi*, I read a poem (o a few poems) by Luzi; **quaderno di versi**, notebook of verses (o poems) **4** (*richiamo di animale*) cry; (*di uccello*, *anche*) call, song: **il v. di un animale ferito**, the cry of a wounded animal; **il v. dell'anitra selvatica**, the call of the wild duck; **il v. del pavone**, the peacock's cry; **fare il v. del gatto**, to mew like a cat **5** (*grido inarticolato*) cry; (*suono*, *rumore*) sound, noise: *Dalla bocca gli sfuggì un v. strano*, a strange sound escaped from his mouth; *Smettila di fare versi*, stop crying; *Ci furono versi di disapprovazione tra il pubblico*, there were catcalls (o boos) from the audience; *Il motore fa uno strano v.*, the engine is making a strange noise **6** (*gesto caratteristico*) (peculiar) gesture, trick; (*smorfia*) face, grimace: **fare un v.**, to make (o to pull) a face **7** (*scient.*: *direzione*) direction **8** (*del legno*) grain; (*di stoffa*) nap; (*di pelo*, *ecc.*) lie: **piallare il legno per il suo v.**, to plane wood with the grain; **spazzolare una stoffa contro il suo v.**, to brush a cloth against the nap **9** (*senso*, *direzione*) direction, way; (*lato*, *anche fig.*) side, angle: *Il vento soffiava da*

ogni v., the wind was blowing from all directions; **considerare una faccenda da tutti i versi**, to consider a matter from all sides (o angles) **10** (*maniera*, *mezzo*) manner; way; means: *Non c'è v. di convincerlo*, there's no way of convincing him; *Non c'è v.!*, it's all useless!; **tentare per ogni v.**, to try everything possible ● **lasciare andare le cose per il loro v.**, to let things take their course □ **per altri versi**, in other ways; otherwise □ **per certi versi**, in a sense; in a way; in some ways □ **per molti versi**, in many ways □ **per un v. o per un altro**, (*in qualche modo*) one way or another; (*per un qualche motivo*) for one reason or another □ **Chi per un v. e chi per un altro**, some for one reason, some for another □ (*fig.*) **prendere q. per il v. sbagliato**, to rub sb. up the wrong way □ **prendere le cose per il loro v.**, to take things as they come □ (*fig.*) **saper prendere q. per il suo v.**, to know how to handle (o to deal with) sb. □ **fare** (*o* **rifare**) **il v. a q.**, to mimic sb.; to take sb. off (*fam.*).

♦**vèrso** ③ prep. **1** (*in direzione di*) toward; to; in the direction of; -ward, -wards (suff.); (*contro*) against: **v. l'alto**, upward, upwards; **v. il basso**, downward, downwards; **v. est**, east; eastward, eastwards; towards the east; in an easterly direction; **v. l'esterno**, outward, outwards; **v. l'interno**, inward, inwards; **andare v. q.** [*qc.*], to go towards sb. [st.]; **andare v. casa**, to go homeward, homewards; **girarsi v. q.**, to turn towards sb.; (*per parlare*) to turn to sb.; **guardare v. q.**, to look in sb.'s direction; **guardare v. qc.**, to look towards (o in the direction of) st.; (*di edificio*, *finestra*, *ecc.*) to face st.; **voltarsi v. destra**, to turn (to the) right **2** (*dalle parti di*, *nei pressi di*) near: *Abito v. lo stadio*, I live near the stadium **3** (*tempo*) toward, towards; (*circa*) about, around: **v. l'alba**, towards dawn; **v. sera**, towards evening; **v. la metà del mese**, towards the middle of the month; **v. le undici**, at about eleven o'clock **4** (*rif. all'età*) about: *Sono venuto a Milano v. i trent'anni*, I moved to Milan when I was about thirty **5** (*nei confronti di*) toward, towards; to; with: *È sempre gentile v. di me*, she's always kind to me; *Sei troppo indulgente v. di lei*, you are too lenient with her; *V. di voi non ho alcun debito*, I owe you nothing **6** (*lett.*: *a paragone di*) compared to; in comparison with: *È nulla v. quello che ho sentito*, it is nothing compared to what I heard **7** (*comm.*: *contro*, *dietro*) against: **consegna v. pagamento immediato**, delivery against immediate payment.

versóio m. (*agric.*) mouldboard.

versóre m. (*fis.*, *mat.*) versor.

vèrsta f. (*stor.*: *unità di misura russa*) verst.

vèrsus prep. (*lett.*) versus (abbr. v., vs); against.

vèrtebra f. (*anat.*) vertebra*.

vertebràle a. (*anat.*) vertebral: **arteria v.**, vertebral artery; **colonna v.**, spinal (o vertebral) column; backbone.

vertebràto a. e m. vertebrate; (al pl., *scient.*) Vertebrata.

vertènte a. (*leg.*) pending.

vertènza f. controversy; dispute: **v. diplomatica**, diplomatic controversy; **v. giudiziaria**, judicial controversy; (*causa*) lawsuit; **v. sindacale**, labour dispute; industrial dispute; **comporre una v.**, to settle a dispute.

vertenziàle a. of a labour dispute: **situazione v.**, labour dispute.

vertenzialità f. industrial unrest; labour disputes (pl.).

vèrtere v. i. **1** (*essere in corso*) to be; to be pending: *Tra di loro verte un'antica questione*, there is an old dispute between them **2** (*riguardare*) to be (about); to concern (st.);

to regard (st.): *Su che cosa verteva la discussione?*, what was the debate about?; *La controversia verte sui confini*, the controversy regards boundaries.

◆**verticàle** **A** a. **1** vertical; perpendicular; upright; (*nella parole incrociate*) down: **caduta v.**, perpendicular fall; **decollo v.**, vertical take-off; **linea v.**, vertical line; **palo v.**, upright post; **pianoforte v.**, upright piano; **posizione v.**, upright position; *Il sei v. è di otto lettere*, six down is an eight-letter word; **in posizione v.**, in an upright position; upright; vertically; on end; **mettersi in posizione v.**, to stand upright **2** (*econ.*, *org. az.*) vertical: **concentrazione v.**, vertical integration; **organizzazione v.**, vertical organization **B** f. **1** vertical; perpendicular: **essere sulla v. di qc.**, to be located directly above st.; **in v.**, along the perpendicular; perpendicularly; vertically **2** (*ginnastica*, *sulle mani*) handstand; (*sulla testa*) headstand: **fare la v.**, to do a handstand [a headstand] **3** (*nelle parole incrociate*) down clue.

verticalismo m. (*archit.*) verticalism.

verticalità f. verticality; verticalness.

verticalizzàre v. t. **1** to arrange vertically; to verticalize **2** (*sport*) – **v. il gioco**, to play a long ball (*o* through-ball).

verticalizzazióne f. **1** verticalization **2** (*calcio*) through-ball.

verticalménte avv. vertically; perpendicularly; upright: **mettere qc. v.**, to place st. upright (*o* on end); **salire v.**, to climb vertically.

vèrtice m. **1** (*cima*, *sommità*) top; summit; peak: **il v. di un monte**, the top (*o* the summit) of a mountain **2** (*fig.*: *culmine*) peak; summit; height; apex: **il v. della carriera**, the peak (*o* the summit) of sb.'s career; **il v. della scala sociale**, the highest (*o* the topmost) rung of the social ladder; **essere al v. della gloria**, to be at the height of one's glory **3** (*polit.*) leaders (pl.); (*org. az.*) top management: **il v. del partito**, the party leaders; **i vertici dello Stato**, the country's highest authorities; **colloqui al v.**, summit talks; **incontro al v.**, summit (meeting) **4** (*incontro al vertice*) summit (meeting) **5** (*geom.*) vertex*; apex*: **il v. di un angolo**, the vertex of an angle.

verticillàto a. (*bot.*) verticillate; whorled.

verticillo m. (*bot.*) verticil; whorl.

verticismo m. oligarchic structure.

verticista **A** a. oligarchic **B** m. e f. supporter of an oligarchic structure.

verticistico a. oligarchic; top-down: **approccio v.**, top-down approach; **decisione verticistica**, decision made at the top; **struttura verticistica**, oligarchic structure.

vertigine f. **1** dizziness; giddiness; (*med.*) vertigo: **attacco di vertigini**, fit of giddiness; dizzy spell; **avere le vertigini**, to feel dizzy; **dare le vertigini a q.**, to give sb. vertigo; to make sb. dizzy; (*anche fig.*) to make sb.'s head spin; **soffrire di vertigini**, to suffer from vertigo; to have no head for heights **2** (*fig.*) vertigo.

vertiginóso a. **1** (*med. ed estens.*) dizzy; giddy; vertiginous: **altezza vertiginosa**, dizzy height **2** (*fig.*: *esagerato*, *estremo*) dizzy; giddy; staggering: **cifre vertiginose**, staggering figures; **scollatura vertiginosa**, plunging neckline; **velocità vertiginosa**, dizzy speed **3** (*fig.*: *frenetico*, *turbinoso*) hectic; frenetic; frenzied; whirling: **danza vertiginosa**, whirling dance; **ritmo v.**, frenzied rhythm; (*andamento*) hectic pace.

verùno a. (*lett.*) → **alcuno**; **nessuno**.

vérve f. (*franc.*) f. inv. verve; spirit; sparkle.

vérza f. (*bot.*, *Brassica oleracea sabauda*) savoy (cabbage).

verzellino m. (*zool.*, *Serinus canarius seri-*

---

nus) serin (finch).

verzière m. (*lett.*) garden; (*orto*) vegetable garden.

verzùra f. (*lett.*) verdure; greenery.

VES sigla (*med.*, **velocità di eritrosedimentazione**) erythrocyte sedimentation rate (ESR).

véscia f. (*bot.*, *Lycoperdon*) puffball.

vescica f. **1** (*anat.*) bladder: **v. biliare**, gall bladder; **v. natatoria**, air bladder; swim bladder; **v. urinaria**, urinary bladder **2** (*med.*) blister **3** (*bollicina*) bubble; blister.

vescicàle a. (*anat.*) vesical.

vescicànte **A** a. vesicant; blistering; blister (attr.): **gas v.**, blister gas **B** m. vesicant.

vescicària f. (*bot.*, *Colutea arborescens*) bladder senna.

vescicatòrio → **vescicante**.

vescicazióne f. (*med.*) blistering; vesication.

vescichétta f. **1** (*anat.*) vesicle; bladder: **v. biliare**, gall bladder **2** (*med.*) blister.

vescìcola f. (*anat.*, *med.*, *biol.*) vesicle: **v. seminale**, seminal vesicle.

vescicolàre a. (*anat.*, *med.*, *biol.*) vesicular.

vescicóne m. (*vet.*) thoroughpin; windgall.

vescicóso a. (*med.*) **1** (*pieno di vesciche*) blistered **2** (*simile a vescica*) blister-like; vesiculate.

vescovàdo, **vescovàto** m. **1** (*dignità*, *ufficio*) bishopric; episcopate **2** (*durata*) episcopate **3** (*diocesi*) diocese; bishopric **4** (*residenza*) bishop's palace.

vescovile a. episcopal; bishop's; diocesan: **anello v.**, bishop's ring; **curia v.**, diocesan administration; **dignità v.**, episcopal dignity; **sede v.**, bishop's see.

véscovo m. bishop: (*stor.*) **v. conte**, earl-bishop; **v. diocesano**, diocesan bishop; **v. titolare**, titular bishop.

◆**vèspa** f. **1** (*zool.*) wasp: **nido di vespe**, wasps' nest; **puntura di v.**, wasp sting **2** (*zool.*) – **v. della sabbia** (*Ammophila*), sand wasp; Ammophila; **v. d'oro**, (*Stilbum splendidum*) golden wasp.

Vèspa® f. Vespa; motor scooter.

vespàio m. **1** wasps' nest; vespiary **2** (*med.*) favus **3** (*edil.*) loose stone foundation **4** (*fig.*) hornets' nest: **suscitare** (*o* **stuzzicare**) **un v.**, to stir up a hornets' nest.

vespasiàno m. (public) urinal.

Vespasiàno m. (*stor.*) Vespasian.

vèspero m. **1** → **vespro 2** (*astron.*) Vesper; Hesperus; evening star.

vespertilióne m. (*zool.*, *Vespertilio*) vespertilio; frosted bat.

vespertiliónide m. (*zool.*) vespertilionid; (*al pl.*, *scient.*) Vespertilionidae.

vespertino a. evening (attr.); vespertine: **ore vespertine**, evening hours.

vespista m. e f. Vespa-rider; scooterist.

vèspro m. **1** (*l'ora*) late afternoon; evening **2** (*eccles.*) Vespers (pl.); evensong: (*stor.*) **i Vespri Siciliani**, the Sicilian Vespers; **dire il v.**, to say Vespers.

vessàre v. t. to oppress; to tyrannize over; to harass; to persecute; to torment: **v. il popolo**, to oppress the people; **v. i sottoposti**, to tyrannize over one's subordinates.

vessatóre **A** a. oppressive; despotic; harassing **B** m. (f. **-trice**) oppressor; despot; harasser.

vessatòrio a. **1** oppressive; harassing: **sistema fiscale v.**, oppressive tax system **2** (*leg.*) vexatious; unconscionable: **azione vessatoria**, vexatious action; **clausola vessatoria**, unconscionable clause.

vessazióne f. oppression; persecution;

---

harassment: **vessazioni fiscali**, oppressive taxation; **essere sottoposto a continue vessazioni**, to be subject to constant persecution, to be continually harassed.

vessel (*ingl.*) m. inv. (*fis. nucl.*) reactor vessel.

vessillàrio m. (*stor.*) vexillary.

vessillìfero m. **1** (*stor.*) standard-bearer **2** (*fig.*) precursor; forerunner.

vessillo m. **1** (*stor.*) vexillum* **2** (*insegna*) standard, banner; (*bandiera*) flag: **v. tricolore**, tricolour (flag) **3** (*fig.*) banner; flag: **il v. della libertà**, the banner of liberty; **tenere alto il v. di qc.**, to keep the flag flying for st. **4** (*bot.*) vexillum*; standard **5** (*zool.*) vexillum*.

vessillologia f. vexillology.

vessillòlogo m. (f. **-a**) vexillologist.

vestàglia f. dressing gown; bathrobe (*USA*); robe (*USA*).

vestagliétta f. coat, house-coat.

vestàle f. **1** (*stor.*) vestal virgin; vestal **2** (*fig.*: *donna austera*) vestal virgin **3** (*fig.*: *custode*, *difensore*) guardian; protector; repository.

◆**vèste** f. **1** (*abito*) dress; garment; (*lungo*) gown; (*da cerimonia*) robes (pl.): **v. cardinalizia**, cardinal's robes; **v. da camera**, dressing gown; **v. da sposa**, bridal gown; **v. sacerdotale**, priest's robe; **v. talare**, cassock; *La toga era la v. dei Romani*, the toga was the Roman dress **2** (*al pl.*) (*indumenti*) clothing Ⓤ; clothes; garments; apparel (sing., *form.*); attire (sing., *form.*): **vesti estive**, summer clothes; **vesti femminili [maschili]**, women's [men's] clothing (*o* clothes); **povere vesti**, poor clothes; **in ricche vesti**, in rich clothes (*o* attire, apparel); richly dressed; **indossare [togliersi] le vesti**, to put on [to take off] one's clothes; **stracciarsi le vesti**, to rend one's garments; (*fig.*) to cry shame, to be indignant, to fling up one's arms in horror **3** (*fig.*: *rivestimento*) casing; covering; cover jacket: **la v. di paglia di un fiasco**, the straw jacket (*o* covering) of a flask **4** (*fig.*: *aspetto*) look; appearance; format: **v. editoriale**, format of a book; **v. tipografica**, typography; layout **5** (*fig.*: *guisa*) external appearance, guise; (*travestimento*) disguise: **una v. di semplicità**, the appearance of simplicity; **un traditore in v. d'amico**, a traitor disguised as a friend **6** (*qualità*) capacity; role: **in v. ufficiale**, in an official capacity; **nella mia v. di insegnante**, in my capacity as a teacher; *Sono qui in v. di arbitro*, I am here to act as (*o* in the role of) arbitrator **7** (*fig.*: *autorità*, *diritto*) authority; right: *Non ho v. per agire*, I have no authority to act **8** (*forma*) form: **v. poetica**, poetic form; **in una nuova v.**, in a different form
❶ FALSI AMICI • **veste** *non si traduce con* vest.

Vestfàlia f. Westphalia.

vestiàrio m. **1** clothing Ⓤ; clothes (pl.); (*guardaroba*) wardrobe: **ricco v.**, fine wardrobe; **capo di v.**, item (*o* article) of clothing; garment; **rinnovare il v.**, to renew one's wardrobe; **spendere per il v.**, to spend on clothes **2** (*teatr.*) costumes (pl.).

vestiarista m. e f. **1** (*teatr.*) costumier **2** (*di sfilata di moda*) dresser.

vestibilità f. wearability.

vestibolàre a. (*anat.*) vestibular.

vestìbolo m. **1** hall; lobby; (*archeol.*) vestibule; (*teatr.*) foyer, lobby (*USA*) **2** (*anat.*) vestibule.

vestigiàle a. (*biol.*) vestigial.

vestigio m. (pl. **vestigi**, m., *o* **vestigia**, f.) **1** (*lett.*: *orma*) footprint **2** (*traccia*, *resto*) trace; vestige; remnant: **vestigia di un'antica gloria**, traces (*o* vestiges) of ancient glory **3** (*al pl.*) (*ruderi*) remains: **le vestigia della Roma imperiale**, the remains of imperi-

al Rome.

vestiménto m. (*lett.*) clothing Ⓤ; clothes (pl.).

vestìna f. baby's garment.

♦**vestìre** ① Ⓐ v. t. **1** to dress (up); to get* dressed: *Alla madre piace vestirla di rosa*, her mother likes to dress her up in pink; *Vesti i bambini*, get the children dressed **2** (*fornire di vestiti*) to clothe: **v. gli ignudi**, to clothe the naked; **nutrire e v. la famiglia**, to feed and clothe one's family **3** (*fare vestiti a*) to make* clothes for: *Veste dive famose*, he makes clothes for famous stars; *Veste i figli da sola*, she makes all her children's clothes; *La veste una bravissima sarta*, she has a wonderful dressmaker **4** (*avere indosso*) to wear*, to have on; (*mettere indosso*) to put* on: *Veste sempre capi firmati*, he always wears designer clothes **5** (*di abito: stare bene indosso*) to fit; to hang* well on: **una giacca che veste bene**, a jacket that hangs well **6** (*fig.: ricoprire*) to cover; to clothe: *La neve vestì di bianco i campi*, the snow covered the fields with a white mantle **7** (*fig.: adobbare, decorare*) to decorate; to dress up; to deck out ● (*fig.*) **v. l'àbito talare**, to become a priest □ (*fig.*) **v. la divisa**, to join the army; to become a soldier □ (*fig.*) **v. la toga**, to become a lawyer Ⓑ v. i. to dress; to be dressed; to wear* (*st.*): **v. a lutto**, to wear (*o* to be in) mourning; **v. bene**, to dress well; to be well dressed; **v. di nero**, to wear black; **il suo modo di v.**, the way she dresses; **saper v.**, to dress with taste; to dress stilishly Ⓒ **vestìrsi** v. rifl. **1** (*mettersi gli indumenti*) to get* dressed, to dress; (*essere vestito, indossare un vestito*) to be dressed, to dress, to wear* (*st.*); (*abbigliarsi*) to put* on (*st.*); (*agghindarsi*) to dress up: **vestirsi a festa**, to put on one's best clothes (*o* one's Sunday best); **vestirsi con abiti pesanti**, to put on heavy clothes; **vestirsi da solo**, to get dressed by oneself; **vestirsi di lana**, to wear wool; to put on wollen clothes; **vestirsi di bianco**, to wear white; to be dressed in white; to put on a white dress [a white suit, white clothes, etc.]; **vestirsi in maschera**, to wear fancy dress; to put on a fancy-dress costume; **vestirsi per cena**, to dress for dinner; *Hai finito di vestirti?*, have you finished dressing?; *Si stanno vestendo*, they're getting dressed; *Vestitevi bene, fa freddo*, wrap up well, it's cold; *Bisogna vestirsi bene stasera?*, should we dress up for tonight?; *Si veste sempre bene*, he is always well dressed; *Non sa vestirsi*, she doesn't to know how to dress **2** (*provvedersi dei vestiti*) to clothe oneself; to buy* one's clothes; (*farsi fare i vestiti*) to have one's clothes made (by sb.): *Si veste dalla sarta*, she has her clothes made by a dressmaker; **vestirsi ai grandi magazzini**, to buy one's clothes in department stores **3** (*mascherarsi*) to dress up: **vestirsi da pirata [da Cenerentola]**, to dress up as a pirate [as Cinderella] **4** (*fig.: ricoprirsi*) to be covered (with): *I campi si vestono di fiori*, the fields are covered with flowers.

vestìre ② m. **1** (*vestiario*) clothes (pl.) **2** (*modo di vestire*) way of dressing.

♦**vestìto** ① a. **1** dressed (in); clothed (in); wearing (st.); with one's clothes on: **v. a festa**, in one's best clothes; in one's Sunday best; **v. da casa**, wearing (*o* in) casual clothes; **v. da estate**, dressed for the summer; **v. di bianco**, dressed in white; **v. di lana**, dressed in wool; **v. di tutto punto**, all dressed up; immaculately dressed; **ben v.**, well dressed; **mal v.**, badly dressed; **dormire v.**, to sleep in one's clothes; **essere v. pesante**, to be warmly dressed; **rimanere v.**, to keep one's clothes on; **tuffarsi in acqua v.**, to dive into the water fully dressed (*o* without taking ones clothes off) **2** (*fig.*) clothed (in); covered (in); clad (*lett.*): **muro**

v. d'edera, ivy-clad wall **3** (*mascherato*) dressed up: **v. da mago [da Pierrot]**, dressed up as a wizard [as Pierrot] **4** (*bot.*) in the husk; unhusked; unhulled: **riso v.**, rice in the husk; paddy; **seme v.**, unhulled seed.

♦**vestìto** ② m. **1** (*da uomo*) suit; (*da donna*) dress, frock; (*per occasioni formali*) dress: **v. a giacca**, coat and skirt; **v. a sacco**, sack; **v. alla marinara**, sailor suit; **v. da cerimonia**, formal dress; **v. da mezza sera**, cocktail dress; **v. da sera**, evening dress; **il v. della domenica**, one's Sunday best; **v. di cotone**, cotton dress; **v. estivo**, summer dress; **v. lungo**, gown **2** (al pl.) (*indumenti, vestiario*) clothes; clothing Ⓤ: **vestiti da lavoro**, working clothes; **vestiti da strapazzo**, clothes for casual wear; casuals (*fam.*); **infilarsi [togliersi] i vestiti**, to put on [to take off] one's clothes; *Deve pensare da sé ai vestiti*, she must provide her own clothing.

vestizióne f. **1** (*di cavaliere, ecc.*) investiture **2** (*relig.*) clothing ceremony; (*anche, di frate*) ceremony of taking the habit; (*di monaca*) ceremony of taking the veil.

vesuviàna f. (*miner.*) vesuvianite; idrocase; vesuvian.

vesuviàno a. of Vesuvius; Vesuvian.

vesuviatùra f. (*autom.*) compressed-air lubrication.

Vesùvio m. (*geogr.*) Vesuvius.

veteràno Ⓐ m. (f. **-a**) **1** (*mil.*) veteran; wet (*fam. USA*); ex-serviceman* (f. ex-servicewoman*); old campaigner: **v. del Vietnam**, Vietnam veteran **2** (*fig.*) veteran; old hand (at st.); old-timer (*fam.*); **v. del mestiere**, old hand at the job; old-timer (*USA*); **v. del palcoscenico**, veteran of the stage; **v. della politica**, veteran politician Ⓑ a. veteran (attr.); experienced; practised.

veterinària f. **1** (*scienza*) veterinary science **2** (*pratica, professione*) veterinary practice.

♦**veterinàrio** Ⓐ a. veterinary Ⓑ m. (f. **-a**) veterinary (surgeon) (*GB*); vet (*fam. GB*); veterinarian (*USA*).

veterocomunìsmo m. die-hard communism.

veterocomunìsta m. e f. die-hard communist.

veterotestamentàrio a. (*Bibbia*) Old Testament (attr.): **libro v.**, Old Testament book.

vetivèr m. vetiver; vetivert.

vèto m. veto: **diritto di v.**, (right of) veto; **potere di v.**, power of veto; **avere diritto di v. su qc.**, to have a veto on st.; **esercitare il diritto di v.**, to exercise one's right of veto; to use one's veto; **mettere (*o* opporre) il v. a qc.**, to put a veto on st.; to veto st.

vetràio m. **1** (*fabbricante*) glass-maker; (*operaio*) glassworker **2** (*installatore*) glazier **3** (*venditore*) glass dealer.

vetràme m. glassware.

vetràrio a. glass (attr.): **arte vetraria**, glass-making; **industria vetraria**, glass industry.

vetràta f. **1** (*finestra*) large window; (*con vetri colorati*) stained-glass window **2** (*porta a vetri*) glass door **3** (*parete a vetri*) glass wall (*o* partition) **4** (*aeron.*) canopy.

vetràto Ⓐ a. glass (attr.); glazed: **porta vetrata**, glass door; **carta vetrata**, glasspaper; sandpaper Ⓑ m. (*patina di ghiaccio*) glazed frost; verglas; glaze (*USA*); (*sull'asfalto*) black ice.

vetrerìa f. **1** (*ind.*) glassworks (pl. col verbo al sing.) **2** (*negozio*) glassware shop; (*di vetraio*) glazier's shop **3** (al pl.) glassware Ⓤ.

vetriàta → **vetrata**.

vetriàto a. glazed.

vétrice f. e m. (*bot.*, *Salix viminalis*) (com-

mon) osier.

vetrièra f. (*region*) glass cupboard; glass cabinet.

vetrificàbile a. (*ind.*) vitrifiable: **composizione v.**, frit.

vetrificànte (*ind.*) Ⓐ a. vitrifying Ⓑ m. vitrifying substance.

vetrificàre v. t. e i., **vetrificàrsi** v. i. pron. to vitrify.

vetrificazióne f. (*ind.*) vitrification; vitrifaction.

vetrìgno m. (*edil.*) glazed brick.

vetrìna ① f. (ceramic) glaze.

♦**vetrìna** ② f. **1** (*di negozio*) (shop) window: *È in v. dal gioielliere*, it's in the jeweller's window; **allestire una v.**, to dress a window; **andare in giro a guardare le vetrine**, to go window-shopping; **mettere in v.**, to put on display (in a shop window) **2** (*fig.: luogo di esibizione*) showcase **3** (*mobile*) glass cabinet **4** (*bacheca*) showcase; display case (*o* cabinet); vitrine: **oggetti esposti in v.**, objects displayed in showcases **5** (al pl.) (*scherz.*) glasses ● (*fig.*) **mettersi in v.**, to show off.

vetrinàre v. t. (*ind.*) to glaze; to give* lustre to.

vetrinàto a. glazed; lustred.

vetrinatùra f. (*nd.*) glazing.

vetrinìsta m. e f. window-dresser.

vetrinìstica f. window-dressing.

vetrìno m. (*per microscopio*) slide.

vetriòla f. (*bot.*, *Parietaria officinalis*) pellitory of the wall.

vetriòlo m. (*chim.*) vitriol: **v. bianco [azzurro, verde]**, white [blue, green] vitriol; **olio di v.**, oil of vitriol; **trattare con v.**, to vitriol; to vitriolize ● (*fig.*) **al v.**, vitriolic (agg.).

♦**vétro** m. (*materiale*) glass: **v. antiproiettile**, bulletproof glass; **v. blindato**, armoured glass; **v. colorato**, stained glass; **v. di sicurezza**, safety glass; (*autom.*) **vetri elettrici**, electrically-operated windows; **v. infrangibile**, shatterproof glass; **v. opaco**, opaque glass; **v. opalino**, opal (*o* milk) glass; **v. retinato**, wired glass; **v. smerigliato**, frosted glass; **v. soffiato**, blown glass; **v. stampato**, moulded glass; **v. temperato**, tempered glass; **soffiare il v.**, to blow glass; **arte del v.**, glass-making; **bicchiere di v.**, glass; **fibra di v.**, fibreglass; **lastra di v.**, sheet (*o* pane) of glass; **oggetti di v.**, glassware **2** (*lastra*) sheet of glass; (*per finestra, porta*) pane: **v. di finestra**, (window) pane; **doppi vetri** (*di finestra*), double glazing Ⓤ; **mettere i vetri [i doppi vetri] a una finestra**, to glaze [to double-glaze] a window; **pulire i vetri**, to clean the windows; **sfondare un v.**, to smash a pane **3** (*pezzo di vetro*) piece of glass: **vetri rotti**, broken glass; **tagliarsi con un vetro**, to cut oneself on a piece of glass **4** (*oggetto di vetro*) glass object [vase, etc.]; (al pl., collett.) glassware Ⓤ: **vetri di Murano**, Venetian glassware **5** (*lente*) lens **6** (*di orologio, ecc.*) crystal **7** (*geol.*) v. **vulcanico**, obsidian **8** (*fis.*) – **v. di spin**, spin glass ● **v. a specchio**, two-way mirror ○ (*fig.*) **essere (fatto) di v.**, (*essere trasparente*) to be transparent; (*essere delicato*) to be very delicate.

vetrocàmera f. (*edil.*) double-glazing.

vetrocemènto m. (*chim.*, *edil.*) reinforced concrete and glass blocks (pl.); glass block structure.

vetrocheràmica f. glass ceramic; pyroceram®.

vetrocromìa f. (*pitt.*) glass painting.

vetrofanìa f. film transfer; sticker.

vetroflèx® m. inv. (*tecn.*) insulating glass wool.

vetróne m. (*patina di ghiaccio*) glazed frost; verglas; glaze (*USA*); (*sull'asfalto*) black ice.

vetrorèṣina f. fibreglass, fiberglass (*USA*).

vetróṣo a. vitreous; glassy.

◆**vétta** f. **1** top; summit; (*estens.*: *cima montuosa*) mountaintop, peak: **la v. di un monte**, the top of a mountain; a mountaintop; **vette degli alberi**, treetops; **in v.**, at the top; on top; **arrivare in v.**, to reach the top (*o* the summit); **scalare una v.**, to climb a peak **2** (*fig.*) top; height; pinnacle; peak: **la v. della fama**, the height (*o* the pinnacle) of fame; **la v. di una carriera**, the top of a career; **in v. alla classifica**, at the top of the result list [of the bestseller list, etc.]; **raggiungere nuove vette**, to reach new peaks **3** (*naut.*) fall.

vettóre Ⓐ m. **1** (*mat.*, *fis.*) vector: **v. applicato**, located vector; **v. base**, base vector; **v. libero**, free vector; **v. riga**, row vector **2** (*miss.*) – **v. spaziale**, launch vehicle; launcher **3** (*leg.*: *trasportatore*) carrier: **v. fluviale**, water carrier; **v. marittimo**, marine carrier; **v. privato**, private carrier; **v. stradale**, road carrier; road haulier; **responsabilità del v.**, carrier's liability **4** (*biol.*, *med.*) vector; carrier Ⓑ a. **1** carrier (attr.): (*miss.*) **razzo v.**, carrier rocket **2** (*mat.*, *fis.*) vector (attr.): **raggio v.**, radius vector.

vettoriàle a. (*mat.*, *fis.*) vector (attr.); vectorial: **calcolo v.**, vector calculus; **funzione v.**, vector function; **grandezza v.**, vector; **spazio v.**, vector space.

vettovàglia f. (*spec. al pl.*) victuals (pl.); provisions (pl.); food supplies (pl.).

vettovagliaménto m. victualling; provisioning.

vettovagliàre v. t. to victual; to provision.

vettùra f. **1** (*carrozza*) coach; cab: **v. di piazza**, hackney cab **2** (*auto*) (motor) car: **v. da corsa**, racing car; **v. d'epoca**, vintage car; **v. di piazza** (*taxi*), taxi; cab **3** (*ferr.*) (railway) carriage (*GB*), coach (*GB*), car (*USA*); (*di tram*) tram, streetcar (*USA*): **v. di prima classe**, first-class carriage; **v. di testa**, first carriage; **v. letto**, sleeper; **v. ristorante**, restaurant car; **In v.!**, all aboard! **4** (*comm.*) – **lettera di v.**, consignment note; waybill.

vetturàle m. carter; driver.

vetturétta f. (*autom.*) runabout.

vetturìna f. (*bot.*, *Melilotus officinalis*) melilot; sweet clover.

vetturìno m. coachman*; cabman*.

vetustà f. (*lett.*) ancientness; antiquity; (old) age.

vetùsto a. (*lett.*) ancient; very old.

vexàta quaèstio (*lat.*) loc. f. inv. long-standing controversial issue.

vezzeggiaménto m. cosseting Ⓤ; coddling Ⓤ; pampering Ⓤ; (*con carezze, ecc.*) fondling Ⓤ, petting Ⓤ.

vezzeggiàre v. t. to cosset; to coddle; to pamper; (*accarezzare, ecc.*) to fondle, to pet.

vezzeggiativo Ⓐ a. (*gramm.*) of endearment (pred.); hypocoristic: **suffisso v.**, suffix of endearment Ⓑ m. **1** (*gramm.*) term of endearment; hypocoristic **2** (*nomignolo*) pet name. ● **Nota:** *diminutive, pejorative, terms of endearment → diminutive.*

vézzo m. **1** habit; trick; quirk; (*cattiva abitudine*) bad habit: *Ha il v. di grattarsi l'orecchio*, he has a habit of scratching his ear; *Lo fa per v.*, it's a habit (*o* trick) of his **2** (*al pl.*) (*leziosità*) affectation (sing.), affected ways; (*smancerie*) mincing ways **3** (*al pl.*) (*grazia*) charm (sing.) **4** (*collana*) necklace: **v. di perle**, string of pearls.

vezzosità f. **1** (*grazia*) charm; cuteness (*fam.*) **2** (*leziosità*) affectedness; tweeness.

vezzóṣo a. **1** (*grazioso*) charming; cute (*fam.*): **ragazza vezzosa**, charming girl; **cappellino v.**, cute little hat **2** (*lezioso*) affec-

ted; simpering; mincing; twee: **fare la vezzosa**, to simper.

V.F. sigla (*o* **V.d.F.**) (**vigili del fuoco**) fire brigade (*targa autom.*) (FB).

VG sigla **1** (**Venezia Giulia**) **2** (**Vostra Grazia**) Your Grace.

◆**vi** Ⓐ pron. pers. 2ª pers. pl. m. e f. **1** (compl. ogg.) you; (compl. di termine) (to) you: *Non vi ho visto*, I didn't see you; *Vi cercano*, they are looking for you; *Vorrei parlarvi*, I'd like to talk to you; *Vi manderò quel libro*, I'll send you that book; *Vi siete lavati le mani?* have you washed your hands?; *Guardatevi intorno!*, take a look around!; *Fate come vi pare*, do as you please; suit yourselves; *Eccovi i soldi*, here's the [your] money **2** (coi verbi rifl.) yourselves (o idiom.): *Non stancatevi troppo*, don't tire yourselves out too much; *Vi siete stancati?*, did you get tired?; *Vi siete feriti?*, are you hurt? **3** (coi verbi i. pron.) – *Vi pentirete di ciò*, you'll regret it; *Non vi sentite bene?*, don't you feel well? **4** (coi verbi rifl. recipr.: *fra due*) each other; (*fra più di due*) one another: *Vi somigliate come due gocce d'acqua*, you are exactly like each other; *Non vi conoscete?*, don't you know each another? **5** (con valore rafforzativo) – *Vi prenderete un raffreddore!*, you'll catch a cold!; *Chi vi crede di essere?*, who do you think you are? **6** (*dativo etico*) – *Fumatevi una sigaretta*, have a cigarette Ⓑ pron. dimostrativo (on, of, about) it: *Non voglio pensarvi più*, I don't want to think about it any more; *Non vi ho fatto caso*, I didn't take any notice Ⓒ avv. (*di luogo*: *qui*) here; (*lì, là*) there: **v'è**, there is; **vi sono**, there are; *Per strada non v'era anima viva*, there wasn't a living soul in the street; *Non vi trovai nessuno*, I didn't find anybody there; *Vi passo tutti i giorni*, I go that way every day.

VI abbr. (**Vicenza**).

◆**via** ① f. **1** (*strada*) road; (*con edifici*) street: **via maestra**, main road; **via principale** (*di città*), main street; **la Via Appia**, the Appian Way; **via Verdi**, via Verdi; **la prima via a destra**, the first street on the right; **la via per Castelfranco**, the road to Castelfranco; (*anche fig.*) **via senza uscita**, dead end; blind alley; **le vie di Napoli**, the streets of Naples; **vie di città e di campagna**, town and country roads **2** (*passaggio*) way; way through; path: **via di scampo**, way out; **via d'uscita**, way out; exit; means of egress; (*fig.*) way out, escape; **aprirsi una via nella foresta**, to open up a path through the forest; **aprirsi la via a forza**, to force one's way **3** (*anat.*) duct; tract: **vie biliari**, biliary ducts; **vie respiratorie**, respiratory tract **4** (*percorso, tragitto, itinerario*) way; path; track; route: **via d'accesso**, approach (route); **via d'acqua**, waterway; **la via di casa**, the (o one's) way home; **via di comunicazione**, communication route; **la via della droga**, the drug route; **via di fuga**, escape route; **la via della seta**, the Silk Route; **la via più breve**, the shortest way (o route); **a mezza via**, halfway; **sulla via di casa**, on one's way home; (*anche fig.*) **sulla via giusta**, on the right track **5** (*fig.*: *cammino morale, ecc.*) road; path: **la via della gloria**, the path of glory; **la via della perdizione**, the road to ruin; **la retta via**, the straight and narrow path **6** (*alpinismo*) route: **alta via**, high route; **via ferrata**, route with fixed ropes, iron steps, etc.; **aprire una nuova via**, to open a new route; (*fig.*) to blaze a trail **7** (*cammino, viaggio*) way; journey: **essere per via**, to be on one's way; **mettersi per via**, to start on one's way; to set out (o off); **riprendere la via**, to resume one's way (o journey) **8** (*fig.*: *corso, processo*) – **in via di ultimazione**, nearing completion; **in via di costruzione**, under construction; **in via d'estinzione**, endangered (agg.); **in via di guarigione**, on

the way to recovery; recovering; (*di ferita*) healing **9** (*fig.*: *carriera*) career: **una laurea che apre molte vie**, a degree opening many careers **10** (*lato, parte*) side: *È mio parente per via di madre*, he's related to me on my mother's side **11** (*fig.*: *modo, mezzo*) way: **la via migliore**, the best way; **via radio**, by radio; **via satellite**, by satellite; **vie traverse**, (*metodi indiretti*) indirect ways, roundabout methods; (*sistemi poco onesti*) devious means, underhand ways; **in via amichevole** (*da amico*), as a friend; **in via confidenziale**, in confidence; **in via eccezionale**, exceptionally; by way of exception; **in via provvisoria**, provisionally; temporarily; ad interim; **in via sperimentale**, as an experiment; by way of experiment; **per via aerea**, by air; (*rif. a posta*) by air mail; **per via (di) terra**, by land; overland; *Non c'è altra via*, there is no other way (o nothing else for it); **tentare tutte le vie**, to try everything possible; to explore every avenue **12** (*causa*) – **per via di**, because of; owing to; through: *Tutto per via della tua sbadataggine*, all because of your carelessness; *Lo spettacolo fu rimandato per via della pioggia*, the show was put off owing to (o because of) rain; *Lo conosco per via di mio fratello*, I met him through my brother **13** (*procedimento, iter*) – (*leg.*) **in via amichevole**, out of court; **in via ufficiosa**, unofficially; off the record; **per via diplomatica [gerarchica]**, through diplomatic [official] channels; **adire le vie legali**, to take legal steps; to have recourse to legal action ● **Via Crucis** (*relig.*) (the) Way of the Cross, Via Crucis; (*fig.*) calvary; Via Crucis; ordeal □ **via di fatto**, violence: **passare [scendere] alle vie di fatto**, to resort to violence; to come to blows □ (*astron.*) **la Via Lattea**, the Milky Way □ **via di mezzo**, middle course; (*compromesso*) compromise □ **via libera**, (*segnale*) all-clear sign; go-ahead; (*fig.*: *autorizzazione*) go-ahead, green light; (*fig.*: *sfogo*) free rein, vent: *Via libera!*, all clear!; **dare il via libera**, to give the all-clear; **dare il via libera a un progetto**, to give a plan the go-ahead; **dare via libera a qc.**, (*far passare*) to let st. through; (*non opporsi*) to give free rein (o vent) to st.; **dare libera via alle proprie emozioni**, to give free rein (o vent) to one's feelings □ (*leg.*) **in via di diritto**, by right □ (*med.*) **per via esterna**, externally □ (*med.*) **per via orale**, orally □ (*prov.*) **Le vie del Signore sono infinite**, God's ways are infinite □ (*prov.*) **Chi lascia la via vecchia per la nuova sa quel che lascia, non sa quel che trova**, better the devil you know than the devil you don't □ (*prov.*) **La via dell'inferno è lastricata di buone intenzioni**, (the road to) hell is paved with good intentions.

◆**via** ② Ⓐ avv. **1** away; off: **andare via**, to go away; to be off; to leave; **andare via da un luogo**, to leave a place; **buttare via**, to throw away; **correre via**, to run away (o off); **mandare via q.**, to send sb. away; **mettere via**, to put away; **portare via qc.**, to take st. away; *Il vento gli portò via il cappello*, the wind blew his hat away; **venire via**, to come away; (*di macchia*) to come out; (*staccarsi*) to come off: *Vieni via di lì*, come away from there; **volare via**, to fly away; *Scappò via come un fulmine*, she was off like a shot; *Starò via due giorni*, I'll be away for two days; *Volevo vederlo, ma era via*, I wanted to see him, but he was away **2** (*assol.*) – *Afferrò un panino e via di corsa*, he grabbed a roll and off he went; *Via il cappello!*, with your hat!; off with your hat; *Via di lì!*, (*vattene*) get away from there!; (*esci*) get out of there!; *Via da quella poltrona!*, get out of that armchair! ● **via via** (*sempre più*), gradually; increasingly: **via via più caldo**, increasingly hot □ **via via che**, as: **via via che arrivavano i risultati**, as the results

came in □ **e così via** (*o* **e via dicendo**), and so on **B** inter. **1** (*per scacciare*) go away!; be off!; (*con animali*) shoo!: *Via! ho detto*, go away, I said! **2** (*per far partire*) go!: *Pronti Via!*, (are you) ready? go!; *Uno, due, tre, via!*, ready, steady, go!; *Via con l'orchestra!*, strike up the band! **3** (*per sollecitare, incitare, incoraggiare, rimproverare*) come on!: *Via, coraggio!*, come on, cheer up!; *Via, sbrigati!*, come on, hurry up!; *Via, smettila!*, come on, stop it!; *Ma sì, via, facciamolo!*, all right, let's do it!; *Non è andata poi così male, via!*, well, it didn't go so badly after all; *Eh, via! sono cose a dirsi?*, oh, come now! you shouldn't say such things! **C** m. **1** (*sport: segnale di partenza*) starting-signal; signal to start: **dare il via a una gara**, to start a race; (*anche fig.*) **pronto al via**, ready to start; under starter's orders; **prendere il via**, (*anche fig.*) to start; to be off; (*fig.*) to kick off **2** (*fig.*) word; OK; (*autorizzazione*) go-ahead, green light: *Devi solo dare il via*, you only have to say the word (*o* to give the OK); **dare il via al progetto**, to give the plan the go-ahead; **dare il via a una discussione**, (*iniziarla*) to open a debate; (*suscitarla*) to touch (*o* to trigger) off a discussion.

VIA sigla (**valutazione d'impatto ambientale**) environmental impact assessment (EIA).

viàbile a. practicable; passable; clear **❶** **Falsi amici** • *viabile non si traduce con viable.*

viabilista, viabilìstico a. (road) traffic (attr.); road (attr.).

viabilità f. **1** (*percorribilità*) practicability: **interrompere la v. di una strada**, to make a road impracticable; to close a road to traffic **2** (*condizione delle strade*) road conditions (pl.): **informazioni sulla v.**, information on road conditions **3** (*rete stradale*) road system (*o* network); roads (pl.): *Il paese è dotato di ottima v.*, the country has an excellent road system **4** (*norme sul traffico*) traffic regulations (pl.) **❶** **Falsi amici** • *viability non si traduce con viability.*

viàdo m. inv. transvestite prostitute (of Brazilian origin).

viadòtto m. viaduct.

viaggiànte a. travelling; itinerant; (*in transito*) in transit: (*ferr.*) **personale v.**, train crew.

♦**viaggiàre A** v. i. **1** to travel; to journey; to make* a trip; (*per turismo*) to tour: **v. all'estero**, to travel abroad; **v. avanti e indietro**, to commute; **v. con pochi bagagli**, to travel light; **v. in aereo**, to travel by plane; to fly; **v. in auto [treno, nave]**, to travel by car [train, boat]; **v. in prima classe**, to travel first class; **v. nello spazio**, to travel through space; **v. per l'Europa**, to travel around Europe; to tour Europe; **v. per divertimento [per lavoro]**, to travel for pleasure [on business]; **v. per mare**, to sail; **v. per molti kilometri**, to travel many kilometres; **v. su un autobus**, to ride a bus; *Mi piace v.*, I like travelling; *È uno che ha viaggiato molto*, he has travelled a lot; he is a well-travelled man; he has been around a lot **2** (*comm.: fare il rappresentante*) to travel: **v. per conto di una ditta**, to travel for a firm **3** (*di veicolo*) to run*; to go*; (*ad alta velocità, anche*) to travel: **v. in orario**, to be running running on time; **v. su rotaie**, to run on rails; **v. con 40 minuti di ritardo**, to be (*o* to be running) 40 minutes late; *Il treno viaggiava alla velocità di 250 km all'ora*, the train was travelling a 250 kph **4** (*di merci*) to travel; to be carried: *La merce viaggia a rischio del mittente*, the goods travel at the sender's risk **5** (*della luce, ecc.*) to travel **6** (*fig.: aggirarsi*) to be: *I prezzi viaggiano intorno ai 100-200 euro*, prices are in the region of 100 to 200 euros **B** v. t. to travel (over, round); (*per tu-*

rismo) to tour (st.): **v. il mondo**, to travel (round) the world; **v. tutta l'Italia**, to travel all over Italy; to tour the whole of Italy.

♦**viaggiatóre A** a. travelling, traveling (*USA*): **commesso v.**, travelling salesman; commercial traveller; **piccione v.**, carrier pigeon; homing pigeon **B** m. (f. **-trice**) **1** traveller, traveler (*USA*); (*passeggero*) passenger: **v. di prima classe**, first-class passenger **2** (*esploratore*) explorer; (*per mare, nello spazio*) voyager **3** (*comm., anche* **v. di commercio**) travelling salesman; commercial traveller.

♦**viàggio** m. **1** journey; (*breve o di piacere*) trip; (*turistico*) tour; (*per mare*) voyage; (*volo*) flight; (*nello spazio*) voyage; (*pellegrinaggio*) pilgrimage; (al pl.: *i viaggi fatti*) travels: **v. aereo**, journey by plane; flight; **v. di andata**, outward journey (*o* voyage); journey (*o* voyage) out; **un v. di due giorni**, a two days' journey; **v. d'esplorazione**, exploration; **v. di lavoro**, business trip; **v. di nozze**, honeymoon (trip); **essere in v. di nozze**, to be on one's honeymoon; to be honeymooning; **v. di piacere**, pleasure trip; (*naut.*) **v. di prova**, trial trip; **v. di ritorno**, return journey; journey home; **v. di studio**, study tour; **v. in auto**, car journey; drive; (*naut.*) **v. inaugurale**, maiden voyage; **v. interplanetario**, interplanetary voyage; **v. intorno al mondo**, round-the-world tour (*o* trip); **v. organizzato**, package tour; **v. per mare**, journey by sea; voyage; **v. per terra**, journey by land; **v. senza ritorno**, one-way journey; **viaggi all'estero**, foreign travels; «*I viaggi di Gulliver*», «Gulliver's Travels»; **un viaggetto nel fine settimana**, a week-end trip; **durante il v.**, during the journey [trip, voyage, etc.]; on one's way to...; en route (*franc.*); **nel corso dei miei viaggi**, during my travels; **essere in v.**, to be on a journey; (*stare viaggiando*) to be travelling; (*essere per strada*) to be on one's way; **fare un v.**, to go on (*o* to make) a journey; to go on (*o* to take) a trip; **fare un viaggio in Terra Santa**, to go on a pilgrimage to the Holy Land; **intraprendere un v.**, to set out on a journey; **mettersi in v.**, to set out on a journey; (*partire*) to set out, to start off; *Buon v.!*, have a good (*o* pleasant) journey!; have a nice trip!; bon voyage! (*franc.*); **abiti da v.**, travelling clothes; **agenzia di viaggi**, travel agency; **borsa da v.**, travelling bag; **compagno di v.**, travelling companion; (*persona incontrata in v.*) fellow-traveller; **libro di viaggi**, travel book; **spese di v.**, travelling expenses **2** (*fig.*) journey; trip: **il v. della vita**, life's journey; **v. nel tempo**, journey through time **3** (*tragitto*) trip: *Per portare le scatole dovrò fare due viaggi*, I'll have to make two trips to carry the boxes **4** (*gergo della droga*) trip: **farsi un v.**, to trip out; to get high; **in v.**, tripped out; high ♦ (*fig.*) **fare un v. a vuoto**, to return empty-handed; to go on a fool's errand □ (*fig.*) **fare un v. e due servizi**, to kill two birds with one stone.

♦**viàle** m. **1** (*di città*) avenue; boulevard; parkway (*USA*); (*di accesso*) private road, drive (*GB*), driveway (*USA*) **2** (*di parco, ecc.*) path, walk ♦ (*fig.*) **v. del tramonto**, decline: **sul v. del tramonto**, on the wane; on one's way out.

vialétto m. **1** (*di parco, ecc.*) path; footpath; lane; walk **2** (*di accesso*) path; (*carrabile*) drive (*GB*), driveway (*USA*).

viandànte m. e f. **1** wayfarer **2** (*passante*) passer-by.

viàrio a. road (attr.): **rete viaria**, road system (*o* network).

viàtico m. **1** (*relig.*) viaticum* **2** (*fig.*) word of advice (to sb. leaving); encouragement; moral support.

viavài m. **1** (*andirivieni*) comings and goings (pl.); scurrying about; bustle: **un**

gran v. di gente, lots of people coming and going; **il v. dei treni**, the arrivals and departures of trains **2** (*movimento alternato: verticale*) up-and-down motion; (*orizzontale*) to-and-fro motion: **v. dello stantuffo**, piston motion.

vibrafonìsta m. e f. (*mus.*) vibraphonist.

vibràfono m. (*mus.*) vibraphone.

vibram® f. inv. Vibram®.

vibrànte A a. **1** (*che vibra*) vibrating: **nota v.**, vibrating note **2** (*ling.*) trilled **3** (*sonoro, energico*) vibrant: **voce v.**, vibrant voice **4** (*fremente*) vibrating, quivering; (*palpitante*) throbbing, palpitating: **v. d'ira**, vibrating with anger **B** f. (*ling.*) vibrant; trilled sound.

vibràre A v. t. **1** (*agitare*) to brandish; to wield: **v. la spada**, to brandish one's sword **2** (*scagliare*) to hurl; to fling*: **v. una lancia**, to hurl a spear **3** (*assestare con forza*) to strike*; to deliver; to let* fly: **v. un colpo**, to strike (*o* to deliver) a blow; **v. una pugnalata a q.**, to stab sb.; **v. un pugno**, to let fly a punch **4** (*tecn.*) to vibrate: **v. il calcestruzzo**, to vibrate concrete **B** v. i. **1** (*essere in vibrazione*) to vibrate: **far v. una corda**, to make a string vibrate; to cause a string to vibrate **2** (*fremere*) to vibrate; to quiver; (*palpitare*) to throb, to palpitate: **v. di emozione [di sdegno]**, to quiver with emotion [with anger]; **v. di passione**, to palpitate with passion **3** (*risuonare*) to vibrate; to resonate; to ring*: *Un grido vibrò nell'aria*, a cry rang in the air.

vibràtile a. vibratile; (*bot.*) **ciglia vibratili**, vibratile cilia.

vibràto A a. **1** (*vigoroso*) strong; vigorous; forceful; vehement: **vibrata protesta**, vigorous protest **2** (*edil.*) – **calcestruzzo v.**, vibrated concrete **B** m. (*mus.*) vibrato.

vibratóre m. (*fis., tecn., edil., med.*) vibrator.

vibratòrio a. vibratory: **moto v.**, vibratory motion.

vibratùra f. (*edil.*) (concrete) vibration.

vibrazionàle a. (*fis.*) vibrational: **numero quantico v.**, vibrational quantum number.

vibrazióne f. **1** vibration (*fis.*); tremor (*fis.*): **v. acustica**, sound vibration; **v. sismica**, seismic tremor **2** (*mecc.*) vibration; chatter; flutter **3** (*fig.: fremito*) tremor; quiver; thrill **4** (*fig.: risonanza, eco*) stirring; echo **5** (*massaggio*) vibratory massage.

vibrióne m. (*biol.*) vibrio*.

vibrìssa f. (*anat., zool.*) vibrissa*.

vibrocoltivatóre m. (*agric.*) vibrocultivator.

vibrofinitrìce f. (*tecn.*) vibratory finishing machine; vibratory polisher.

vibrògrafo m. (*fis.*) vibrograph.

vibromassaggiatóre m. vibrator.

vibromassàggio m. vibratory massage.

vibròmetro m. vibrograph; vibrometer.

vibroscòpio m. (*tecn.*) vibroscope.

vibroterapìa f. (*med.*) vibration treatment.

vibrotrasportatóre m. (*ind.*) vibrating conveyor.

vibùrno m. (*bot.*) **1** (*Viburnum lantana*) wayfaring tree **2** (*Viburnum opulus*) guelder rose; snowball bush (*o* tree).

vicària f. vicariate; vicarship.

vicariàle a. of a vicar; vicar's (attr.).

vicariànte a. (*biol., med.*) vicarious.

vicariànza f. (*chim.*) diadochy.

vicariàre v. t. (*biol., med.*) to substitute for.

vicariàto m. (*eccles.*) **1** (*ufficio*) vicariate; vicarship **2** (*circoscrizione*) vicariate.

vicàrio A m. **1** substitute; deputy **2** (*ec-*

cles.) vicar: **v. apostolico**, vicar apostolic; **il V. di Cristo**, the Vicar of Christ; **v. foraneo**, vicar forane; **v. vescovile**, vicar general **B** **a.** 1 deputy (attr.); substitute (attr.); vicarious: (*eccles.*) **cardinal v.**, cardinal vicar; **madre vicaria**, substitute mother 2 (*biol.*, *med.*) vicarious.

vice m. e f. inv. deputy; substitute; sub (*fam.*); (*assistente*) assistant: **il v. del direttore**, the director's deputy.

viceammiràglio m. (*naut.*) vice-admiral.

vicebrigadière m. (*mil.*) sergeant.

vicecomitàle a. of a viscount.

vicecommissàrio m. vice-commissioner; (*polizia ital.*) deputy inspector.

vicecònsole m. vice-consul.

vicedirettóre m. assistant (*o* deputy) director; (*di azienda*) assistant (*o* deputy) manager; (*di scuola*) assistant headmaster (f. headmistress); (*di giornale*) assistant editor: **v. generale**, deputy general manager.

vicegovernatóre m. vice-governor.

vicemàdre f. (*antiq.*) foster mother.

♦**vicènda** f. 1 (*lett.: serie*) sequence; series; (*successione*) succession; (*ciclo*) cycle: **la v. delle stagioni**, the cycle of seasons; **una v. di vittorie e sconfitte**, a succession of victories and defeats 2 (*agric.*) crop rotation 3 (*evento*) event; occurrence; vicissitude; (*faccenda*) matter; (*avventura*) adventure: **una v. curiosa**, a curious occurrence; **v. ingarbugliata**, complicated matter; **le vicende della mia vita**, the vicissitudes of my life; **le loro vicende in Africa**, their adventures in Africa; **vicende storiche**, historical events; **alterne vicende**, changing fortunes 4 – **a v.**, (*l'un l'altro*) each other, one another, mutually; (*a turno*) in turn: **complimentarsi a v.**, to compliment each other; **fare la guardia a v.**, to take it in turns (*o* to take turns) to watch.

vicendévole a. reciprocal; mutual: **amore v.**, reciprocal love; **rispetto v.**, mutual respect.

vicendevolménte avv. reciprocally; mutually; each other; one another: **aiutarsi v.**, to help one other.

vicentino A a. of Vicenza; from Vicenza **B** m. 1 (f. **-a**) native of Vicenza [inhabitant] of Vicenza 2 (*dialetto*) dialect of Vicenza.

vicepàdre m. (*antiq.*) foster father.

vicepàrroco m. (*eccles*) curate.

viceprefètto m. subprefect.

viceprèside m. e f. assistant principal; assistant headmaster (m.); assistant headmistress (f.).

vicepresidènte m. e f. vice-president; (*di assemblea, ecc.*) vice-chairman* (m.), vice-chairwoman* (f.).

vicepresidènza f. vice-presidency; (*di assemblea, ecc.*) vice-chairmanship.

vicepretóre m. (*antiq.*) assistant magistrate.

vicepretùra f. office of assistant magistrate.

vicequestóre m. deputy police superintendent.

viceré m. viceroy.

vicereàle a. viceregal; viceroyal.

vicereàme m. viceroyalty.

vicereina f. vicereine.

vicerettóre m. 1 (*di università, in Italia*) vice-rector, (*in GB*) assistant vice-chancellor; (*in USA*) vice-president 2 (*di collegio*) deputy warden; deputy master.

vicesegretàrio m. assistant secretary; undersecretary.

vicesìndaco m. deputy mayor.

♦**vicevèrsa A** avv. vice versa; the other way around: *Le mogli possono portare i mariti e v.*, wives may bring their husbands and vice versa; **riflettere prima di agire e non v.**, to think before acting and not the other way around; **da Napoli a Roma e v.**, from Naples to Rome and back **B** cong. (*fam.: invece*) but; instead: *Aveva promesso di scrivere, v. non l'ha fatto*, she promised to write, but she never did.

vichinga f. 1 (*stor.*) Viking woman* 2 (*fam. scherz.*) Scandinavian woman*; (*estens.*) strapping blonde.

vichingo A a. 1 (*stor.*) Viking 2 (*fam. scherz.*) Scandinavian **B** m. 1 (*stor.*) Viking 2 (*fam. scherz.*) Scandinavian; (*estens.*) big fair-haired man.

vicinàle a. local: **ferrovia [strada] v.**, local railway [road].

vicinàme m. (*spreg.*) (gossipy) neighbours (pl.).

♦**vicinànza** f. 1 (*l'essere vicino*) closeness; nearness; proximity: **la v. del cinema**, the closeness of the cinema; **la v. degli esami**, the closeness of the exams; **in v. di Roma**, near Rome; in the vicinity of Rome; **in v. e in lontananza**, far and near; **in stretta v.**, in close proximity; *Il clima mite è dovuto alla v. del mare*, the mild climate is due to the proximity of the sea; *La sua v. mi mise a disagio*, his nearness made me feel uneasy 2 (*fig.: affinità*) affinity: **v. di gusti**, affinity in tastes 3 (*al pl.*) (*dintorni*) vicinity (sing.); neighbourhood, neighborhood (*USA*) (sing.); surroundings; environs (*franc.*): **nelle v. del museo**, in the vicinity of the museum; **in queste vicinanze**, in this neighbourhood; around here; *Conosce un ristorante nelle vicinanze?*, do you know of a restaurant around here (*o* nearby)?; *Abitiamo nelle vicinanze*, we live nearby (*o* in this neighbourhood); *Sta nelle vicinanze di Milano*, she lives just outside Milan; *Conosce tutti nelle vicinanze*, he knows everybody in the neighbourhood.

vicinàto m. 1 (*vicini*) neighbours, neighbors (*USA*) (pl.) neighbourhood, neighborhood (*USA*) (sing.): **essere in buoni rapporti con il v.**, to be on good terms with one's neighbours; **far parlare tutto il v.**, to set all the neighbours gossiping; **rapporti di buon v.**, good neighbourly terms; good neighbourliness (sing.) 2 (*rapporti tra vicini*) neighbourliness.

viciniòre a. (*bur.*) neighbouring, neighboring (*USA*).

♦**vicino A** a. 1 (*nello spazio*) nearby; near at hand (pred.); close (pred.); (*confinante*) neighbouring (attr.), neighboring (*USA*) (attr.); (*attiguo*) near, next: **il paese v.**, the neighbouring village; **la vicina piazza**, the nearby square; **la stanza vicina**, the next room; **l'albergo più v.**, the nearest hotel; **nazioni vicine**, neighbouring countries; *La Posta è vicinissima*, the post office is close at hand (*o* quite near); *La nave era vicina al porto*, the ship was near the port; *Abitano nella casa vicina*, they live next door; *Abitano in case vicine (porta a porta)*, they live next door to each other; *Ci trovammo vicini a tavola*, we were neighbours at table; *Statemi vicini*, keep close to me 2 (*nel tempo*) near (pred.); close (pred.); coming: **la vicina Pasqua**, the coming Easter; *Natale è v.*, Christmas is near (at hand); *La fine è vicina*, the end is near; *Gli esami sono ormai vicini*, the exams are very close; *Siamo vicini alle elezioni*, we are getting close to the election; *È v. ai cinquant'anni*, he is nearing fifty (*o*, *fam.*, going for fifty); *È più v. ai quaranta che ai cinquanta*, he is nearer forty than fifty; *Siamo vicini di età*, we are much of the same age; *Era vicina al parto*, she was approaching childbirth; *Sono v. a perdere la pazienza*, I am about to lose my temper; *È v.*

alla fine, (*di persona*) he is near his end; (*di cosa*) it is nearly finished; *Si era vicini alla mezzanotte*, it was close to midnight 3 (*fig., per parentela, amicizia*) close; near: **parente v.**, near relation; close relative; *È molto v. al presidente*, he is very close to the president; *Mi fu v. in quel periodo*, he was close to (*o* very supportive) to me during that period; (*a chi ha subito un lutto*) *Ti sono molto v.*, my thoughts are with you; my heart goes out to you 4 (*fig.: affine*) close; near; similar: **un colore più v. al rosso che al giallo**, a colour nearer (*o* closer) to red than to yellow; **idee vicine alle mie**, ideas similar to mine **B** m. (f. **-a**) neighbour, neighbor (*USA*); (*della porta accanto*) next-door neighbour, person next door: **v. di banco**, deskmate; **v. di casa**, next-door neighbour; **il mio v. di scrivania**, the person at the desk next to mine; **il mio v. di sinistra**, the person on my left; **il mio v. di tavola**, the person next to me at table; *Era il mio v. di posto*, he had the seat next to mine; he was sitting next to me; *I vicini sono molto rumorosi*, the people next door (*o* our next-door neighbours) are very noisy; *Non conosco i vicini*, I don't know my neighbours; **il gatto dei nostri vicini**, our neighbours' cat; the cat next door **C** avv. near; nearby; near at hand; close at hand; close by: *La casa è qui v.*, the house is near here; *Abita qui v.*, he lives nearby; *Vieni più v.!*, come nearer (*o* closer); *Mi venne v.*, he came up to me **D** vicino a loc. prep. near; close to; (*accanto*) next to, beside; (*presso a*) by; (*nelle vicinanze di*) in the neighbourhood of: **v. a Milano**, near Milan; **un posto v. al fiume**, a spot by the river; **la sedia v. alla lampada**, the chair next to the lamp; **v. v.**, very (*o* quite) near; *Sta' v. a me*, keep close to me; *Abita v. alla chiesa*, he lives near (*o* close by) the church; *Vieni a sederti v. a me*, come and sit next to (*o* beside) me; *Mi è passato v. senza una parola*, he passed by me without a word; *Tenetevi v. al muro*, keep close to the wall; *Ci sei andato v. (hai quasi indovinato)*, you were close; **da v.**, (*dappresso*) close to; close up; at close quarters: **quando lo vidi da v.**, when I saw him close to; **esaminare qc. più da v.**, to have a closer look at st.; **sparare a q. da v.**, to shoot sb. at close range; **vederci bene da v.**, to see well from close up.

vicissitùdini f. pl. vicissitudes; ups and downs: **le vicissitudini della vita**, the vicissitudes (*o* the ups and downs) of life.

♦**vicolo** m. alley; alleyway; lane: (*anche fig.*) **v. cieco**, blind alley; dead end.

victòria f. (*carrozza*) Victoria, victoria.

victòria règia loc. f. inv. (*bot.*, *Victoria regia*) victoria.

videàta f. (*comput.*) (visual) display.

♦**video A** m. inv. 1 video 2 (*comput.: videoterminale*) video display unit; video terminal 3 → **videoclip B** a. video (attr.).

videoamatóre m. (f. **-trice**) amateur video camera user.

videoamplificatóre m. (*elettron.*) video amplifier.

videocàmera f. video camera: **v. portatile**, camcorder.

videocassétta f. (*TV*) video cassette; videotape; video.

videochiamàre v. t. to video call.

videochiamàta f. video call.

videocitòfono m. video intercom; Video Entryphone®.

videoclip m. inv. (*music*) video.

videoconferènza f. videoconference.

videocontròllo m. closed-circuit television control.

videocrazìa f. TV dominance.

a b c d e f g h i j k l m n o p q r s t u v w x y z

videodipendènte **A** a. addicted to TV **B** m. e f. TV addict; vidiot (*fam. USA*).

videodipendènza f. TV addiction.

videodìsco m. videodisc.

videofìlm m. inv. film on videocassette.

videofonìno m. video mobile phone.

videofòno → **videotelefono**.

videofrequènza f. (*TV*) video frequency.

videogiòco m. video game.

videografìa f. videotape catalogue; videotape list.

videogràfica f. videographics (pl.); computer graphics (pl.).

videogràfico a. videographic.

videoimpaginazióne f. computer typesetting.

videolèso **A** a. visually handicapped **B** m. (f. **-a**) visually handicapped person.

videolettóre m. video cassette player.

videolìbro m. electronic book; e-book.

videolùdico a. video-game (attr.).

videomagnètico a. videotape (attr.).

videomùsica f. videomusic.

videomusicàle a. videomusic (attr.).

videonàstro m. videotape; video.

videonolèggio m. video rental.

videopoker m. inv. video poker; (*estens.*) video slot machine.

videoregistràre v. t. to videotape; to video.

videoregistratóre m. video cassette recorder; videotape recorder.

videoregistrazióne f. **1** videotape recording; video recording **2** (*programma*) videotape; video.

videoriprésa f. television filming; (*ripresa singola*) television shot.

videoriproduttóre m. video player.

videoriproduzióne f. video playing.

videoschèrmo m. TV screen.

videoscrittùra f. word processing: **sistema di** v., word processor.

videosegnàle m. video signal.

videosistèma m. video system.

videosorveglriànza f. video surveillance.

videotèca f. video library.

Videotèl® m. inv. videotex.

videotelefonìa f. videophone system; videotelephony.

videotelefònico a. videophone (attr.).

videotelèfono m. videophone.

videoterminàle m. visual display unit; video terminal.

videotrasméttere v. t. to broadcast* on television; to telecast*.

videotrasmissióne f. television broadcast; telecast.

vidicon, **vidiconoscòpio** m. vidicon.

vidimàre v. t. to authenticate; to certify; to visa.

vidimazióne f. authentication; certification; endorsement; (*visto*) visa.

vièlla f. (*mus.*) vielle.

viennése a., m. e f. Viennese.

viepiù, **vieppiù** avv. (*lett.*) more and more; increasingly.

vietàbile a. that can be forbidden.

♦**vietàre** v. t. to forbid*; (*per regolamento*) to prohibit; (*spec. per legge*) to ban; (*impedire*) to prevent, to stop: **v. ai dipendenti l'uso dell'ascensore**, to prohibit employees from using the lift; **v. l'ingresso a q.**, to forbid sb. to go in; to prevent sb. from going in; **v. la vendita di un prodotto**, to ban the sale of a product; **v. un film ai minori di 18 anni**, to give a film an 18 certificate (*GB*); to give a film a NC-17 rating (*USA*); *La legge vieta il*

commercio degli stupefacenti, the law prohibits the traffic of drugs; *Il medico mi ha vietato di fumare*, the doctor has forbidden me to smoke; *Hanno vietato il fumo sui treni*, smoking has been banned on trains; *Gli fu vietato di parlare*, he was forbidden to speak; *Chi te lo vieta?*, who is stopping (o preventing) you?; *Nulla vieta che tu lo faccia*, there's nothing to prevent you from doing it. **❶ NOTA: *to allow* → *to allow*.**

vietàto a. **1** forbidden; (*per regolamento*) prohibited; (*per legge*) illegal: **piaceri vietati**, forbidden pleasures; *È v. fumare*, smoking is prohibited; **film v. (ai minori di 18 anni**), film carrying an 18 certificate (*GB*); 18 (*GB*); NC-17 (film) (*USA*) **2** (*in cartelli, ecc.*) – *Vietata l'affissione*, stick (o post) no bills; *V. ai minori di 14 anni*, children under 14 not admitted; *V. calpestare le aiuole*, please keep off the grass; *V. fumare*, no smoking; *V. l'ingresso*, no admittance; keep out; *V. introdurre cani*, no dogs allowed; *V. il passaggio*, no thoroughfare; *Senso v.*, no entry; *Sosta vietata*, no parking.

vietcòng a., m. e f. inv. Vietcong.

vietnamìta a., m. e f. Vietnamese*.

vièto a. trite; outworn; outdated; out of date; obsolete: **idee viete**, outdated notions; **parole viete**, trite words.

vigènte a. in force (pred.); effective; current: **leggi vigenti**, laws in force; **norme vigenti**, current regulations; **uso v.**, current use.

vigènza f. force; effectiveness.

vigère v. i. (*di regola, ecc.*) to be in force, to be effective, to apply; (*di usanza, ecc.*) to be in use, to be current: *Vige il principio della irretroattività*, the principle of non-retroactivity is in force (o applies); *Vigeva allora l'usanza di...*, it was then the custom to...; it was customary in those days to...

vigesimàle a. vigesimal.

vigèsimo a. num. ord. (*lett.*) twentieth.

vigilànte **A** a. vigilant; watchful; alert **B** m. e f. (*sorvegliante*) security guard; watchman* **2** (pl. *vigilantes*) vigilante **3** (*ferr.*) dead-man control.

vigilantìsmo m. vigilantism.

vigilànza f. **1** (*sorveglianza*) surveillance; guard; watch; supervision: **v. notturna**, night-watchman service; **v. speciale**, police surveillance; **eludere la v. di q.**, to escape sb.'s surveillance; **tenere q. sotto stretta v.**, to keep sb. under close watch; *I bambini giocavano sotto la v. della maestra*, the children were playing under the teacher's supervision; **comitato di v.**, watch committee; **commissione di v.**, committee of inspection; supervisory board; **servizio di v.**, watch; security service **2** (*stato di attenzione*) vigilance; watchfulness; alertness: **allentare la v.**, to relax one's watchfulness; to lower one's guard.

vigilàre **A** v. t. (*sorvegliare*) to watch over, to guard; (*tenere d'occhio*) to keep* an eye on; (*sovrintendere*) to supervise: **v. i lavori**, to supervise work; **v. gli scolari durante la ricreazione**, to supervise (the) pupils during the break **B** v. i. **1** (*stare all'erta*) to keep* watch; to be on the alert; to be on guard **2** (*sorvegliare*) to watch (over), to take* care (of); (*assicurarsi*) to see* (that), to ensure (that): **v. sui figli**, to take care of one's children; *Vigila che siano eseguiti gli ordini*, see that the orders are carried out **3** (*lett.*: *stare sveglio*) to stay awake.

vigilàto **A** a. **1** watched; (*leg.*) under surveillance (pred.) **2** (*leg.*) – **libertà vigilata**, probation **B** m. (f. **-a**) (*leg.*) person on probation ● (*leg.*) **v. speciale**, person under police surveillance.

vigilatóre **A** a. watching; supervising **B** m. overseer; supervisor.

vigilatrìce f. **1** overseer; supervisor **2** – **v. d'infanzia**, nursery nurse; nursery assistant; **v. scolastica**, school nurse; school matron.

♦**vigile** **A** a. vigilant; watchful; alert: **sguardo v.**, watchful eye; eagle eye (*fam.*); **occhio v.**, watchful eye; **stare con l'orecchio v.**, to be on the alert (for st.) **B** m. e f. **1** – **v. urbano**, (local) policeman* (m.); (local) policewoman* (f.); (*addetto al traffico*) traffic warden, traffic policeman* (m.), traffic policewoman* (f.) **2** – **v. del fuoco**, fireman (m.); **i Vigili del Fuoco**, the fire brigade (*GB*); the fire department (*USA*).

vigìlia f. **1** (*lett.*: *veglia*) watch; vigil: (*stor.*) **v. d'armi**, vigil at arms **2** (*giorno, periodo precedente*) eve: **la v. di Natale**, Christmas Eve; **alla v. delle elezioni**, on the eve of the election; **alla v. della nostra partenza**, the day before we left; on the eve of our departure (*form.*) **3** (*eccles.*: *digiuno*) fast: **fare v.**, to fast; **osservare la v.**, to observe a fast; **giorno di v.**, fast day; day of fast and abstinence.

vigliaccaménte avv. like a coward; in a cowardly way; cravenly.

vigliaccàta f. → **vigliaccheria**, def 2.

vigliaccherìa f. **1** (*l'essere vigliacco*) cowardice; cowardliness **2** (*azione da vigliacco*) cowardly (o base) act; mean act (*USA*): *È stata una v. andarsene*, it was cowardly to go away; *Che v.!*, what a cowardly thing to do!; how cowardly of him [her, etc.]!

♦**vigliàcco** **A** a. **1** (*pusillanime*) cowardly; craven **2** (*spregevole*) base; mean; despicable; contemptible **B** m. (f. **-a**) coward.

♦**vigna** f. vineyard: **lavorare la v.**, to work in the vineyard; **piantare un terreno a v.**, to plant a vineyard.

vignaiòlo m. vine-dresser.

vignéto m. vineyard: *La zona è coltivata a vigneti*, the region is all vineyards.

vignétta f. **1** (*illustrazione*) vignette **2** (*umoristica, satirica*) cartoon **3** (*di francobollo*) design.

vignettatùra f. (*ottica, fotogr.*) vignetting.

vignettìsta m. e f. (*disegnatore umoristico*) cartoonist.

vignettìstica f. **1** (*arte*) art of cartoon making; (*attività*) cartooning **2** (*vignette*) cartoons (pl.).

vigógna f. **1** (*zool.*, *Lama vicugna*) vicuña **2** (*il tessuto*) vicuña.

vigóre m. **1** (*forza vitale*) vigour, vigor (*USA*); strength: **nel pieno v. delle proprie forze**, at the height of one's strength; **dare v.**, to give strength; **perdere v.**, to lose one's strength; **riprendere v.**, to recover one's strength **2** (*energia*) vigour, energy, force; (*foga*) ardour, heat, passion: **protestare con v.**, to protest vigorously **3** (*validità*) force; effectiveness: **entrare in v.**, to come into force; to become effective; to take effect; **essere in v.**, (*di norma, ecc.*) to be in force; (*essere in uso*) to be in use, to be current.

vigorìa f. vigour, vigor (*USA*); strength; energy.

vigorosità f. vigorousness; vigour, vigor (*USA*); strength.

♦**vigoróso** a. **1** (*forte, gagliardo*) vigorous; strong; lusty; powerful: **cavallo v.**, strong horse; **giovanotto v.**, vigorous (o lusty) young man **2** (*energico*) vigorous; forceful; determined: **azione vigorosa**, determined action; **protesta vigorosa**, vigorous protest.

vìle **A** a. **1** (*senza valore*) base; cheap; worthless: **metalli vili**, base metals **2** (*misero, meschino*) paltry; pitiful; mean: **per la v. somma di...**, for the paltry sum of... **3** (*ignobile, spregevole*) base; mean; despicable; contemptible: **v. adulazione**, base flattery; **il v. denaro**, filthy lucre; **v. menzogna**, con-

temptible lie; **sentimenti vili**, base feelings **4** (*lett.*: *di nascita umile*) humble; low: **di vili natali**, of humble birth; baseborn (agg.) **5** (*codardo*) cowardly **B** m. e f. coward: **azione da v.**, cowardly act ❶ **FALSI AMICI** • vile *nel senso di codardo non si traduce con* vile.

vilipèndere v. t. to vilify; to revile; to defame: **essere vilipeso da tutti**, to be universally reviled (*o* vilified); **v. le istituzioni**, to defame institutions.

vilipèndio m. **1** contempt; scorn; vilification **2** (*leg.*) public defamation; contempt: **v. alla bandiera**, public insult to the flag.

♦**vìlla** f. **1** (*stor.*: *casa signorile*) residence; (*in campagna*) country residence, country house, rural residence; (*in un paese mediterraneo*) villa: **v. palladiana**, Palladian villa; **v. settecentesca**, eighteenth-century country residence; **le ville medicee**, the Medici villas **2** (*abitazione con giardino*) (large) house; (*in un paese mediterraneo*) villa: **v. al mare** [**in campagna**], house on the coast [in the country]; **v. in Riviera**, villa on the Italian Riviera; **farsi la v.**, to build oneself a house in the country; (*fig.*) to make a fortune **3** (*lett.*: *campagna*) countryside; country.

♦**villàggio** m. village; (*piccolo*) hamlet: **v. alpino**, alpine village; **il v. globale**, the global village; **v. turistico**, holiday village; **v. olimpico**, Olympic village; **lo scemo del v.**, the village idiot.

villàna f. **1** (*lett.*: *contadina*) peasant (woman*) **2** (*donna maleducata*) rude woman*; ill-bred woman*: *È una bella v.!*, how rude of her! ❶ **FALSI AMICI** • villana *non si traduce con* villain.

villanàta f. (*azione*) act of rudeness; rude thing, incivility; (*parola*) rude word: *È stata una v.*, it was a rude thing to do [to say]; *Sono stanco delle sue villanate*, I'm tired of his rudeness.

villanèlla f. **1** (*lett.*) country girl; country lass **2** (*poesia*) villanelle **3** (*mus.*) villanella*.

villanèllo m. (*lett.*) country boy; country lad.

villanésca f. **1** (*poesia*) villanelle **2** (*mus.*) villanella*

villanésco a. **1** (*contadinesco*) rustic; country (attr.); peasant (attr.) **2** → **villano**.

villanìa f. **1** rudeness; incivility; boorishness **2** → **villanata** ❶ **FALSI AMICI** • villania *non si traduce con* villainy.

villàno A m. **1** (*lett.*: *contadino*) peasant; (*stor.*) villein **2** (*uomo maleducato*) rude man*; (*uomo zotico*) boor, lout: **comportarsi da v.**, to behave like a boor ● (*spreg.*) **v. rifatto** (*o rivestito*), nouveau riche (*franc.*); upstart **B** a. **1** (*maleducato*) rude, ill-mannered, uncivil; (*zotico*) boorish, loutish: **gesto v.**, rude gesture; **modi villani**, rude manners; **parole villane**, rude words; **essere v. con q.**, to be rude to sb. **2** (*insultante, offensivo*) insulting; abusive ❶ **FALSI AMICI** • villano *non si traduce con* villain.

villanoviàno a. e m. (*archeol.*) Villanovan.

villanzóna f. → **villana**, def. 2.

villanzóne m. → **villano**, def. 2.

villeggiànte m. e f. holiday-maker; vacationer (*USA*).

villeggiàre v. i. to spend* one's holidays; to holiday; to vacation (*USA*).

♦**villeggiatùra** f. **1** holiday; holidays (pl.); vacation (*USA*): **andare in v.**, to go on holiday; **tornare dalla v.**, to come back from one's holidays; *Dove siete stati in v.?*, where did you spend your holidays?; **luogo di v.**, holiday resort; **periodo di v.**, holiday (period); holidays (pl.); **stazione di v. invernale** [**estiva**], winter [summer] resort **2** (*luogo*) place for one's holidays; holiday re-

sort: **scegliere la v.**, to choose where to go on holiday; to choose a holiday resort.

villeréccio a. (*lett.*) rustic; country (attr.).

villétta f. (*in città*) (small) house; (*in campagna*) cottage; (*da affittare, spec. in un paese mediterraneo*) small villa: **v. a schiera**, terraced house; **B**) row house (*USA*); **v. bifamiliare**, semi-detached house; semi (*fam. GB*); **v. monofamiliare**, detached house.

vìllico m. (f. **-a**) peasant; countryman* (f. countrywoman*).

villìno m. → **villetta**.

vìllo m. (*anat., bot.*) villus*: **v. coriale**, chorionic villus.

villocentèsi, villocentèsi f. (*med.*) chorionic villus sampling (abbr. CVS).

villosità f. **1** hairiness; hirsuteness **2** (*anat., bot.*) villosity.

villóso a. **1** (*zool.*) fleecy; hairy: **pecore villose**, fleecy sheep **2** (*irsuto*) hairy; hirsute: **petto v.**, hairy chest; **sopracciglia villose**, bushy eyebrows **3** (*anat., bot.*) villous.

villòtta f. (*mus.*) villotta*.

viltà f. **1** (*codardia*) cowardice **2** (*azione da codardo*) act of cowardice, cowardly act; (*azione meschina*) base (*o* mean) act, base thing: *Fu una v. non restare*, it was cowardly not to stay; **commettere una v.**, to do a base thing **3** (*lett.*: *bassezza, abiezione*) baseness; vileness.

vilùcchio m. (*bot., Convolvulus arvensis*) field bindweed.

vilucchióne f. (*bot., Convolvulus sepium*) hedge bindweed.

vilùppo m. (*anche fig.*) tangle; knot: **v. di fili**, tangle of threads; **v. di idee**, tangle of ideas.

vìmine m. wicker; osier: **cesto di vimini**, wicker basket; **oggetti in vimini**, wickerwork Ⓤ; **sedia di vimini**, wicker chair.

vinàccia A f. marc **B** a. inv. wine-coloured.

vinacciòlo m. grape-seed; grape-pip.

vinaigrette (*franc.*) f. vinaigrette.

vinàio m. (f. **-a**) wine-seller; vintner.

vinàrio a. wine (attr.): **industria vinaria**, wine industry.

vinavil ® m. polyvinyl acetate glue.

vìnca f. (*bot., Vinca minor*) periwinkle; vinca.

vincapervìnca f. (*bot., Vinca maior*) greater periwinkle.

vincàstro m. (*lett.*) cane; switch.

vincènte A a. **1** winning: **biglietto** [**numero**] **v.**, winning ticket [number]; **partito v.**, winning party; **dare v. un cavallo**, to tip a horse to win; (*anche fig.*) **puntare sul cavallo v.**, to pick a winner **2** (*che ha successo*) successful: **strategia v.**, successful strategy; **dimostrarsi v.**, to prove successful (*o* a winner); (*di azione, decisione, ecc.*) to pay off **B** m. e f. winner.

Vincènzo m. Vincent.

♦**vìncere A** v. t. **1** (*battere*) to beat*; (*sconfiggere*) to defeat, to conquer, to vanquish, to overcome*: **v. il nemico**, to beat (*o* to defeat, to overcome) the enemy; *Li vinsi tutti a carte*, I beat them all at cards **2** (*riportare la vittoria in*) to win*: **v. una battaglia**, to win a battle; **v. una causa**, to win a case; **v. una corsa**, to win a race; **v. le elezioni**, to win the election; **v. la partita**, (*anche fig.*) to win the game; (*fig.*) to be the winner, to come out on top; (*fam.*) **vincerla** (**con q.**), to get the upper hand (on sb.); to get the better (of sb.) **3** (*ottenere, aggiudicarsi*) to win*; to carry off: **v. un appalto**, to win a contract; **v. un premio**, to win (*o* to carry off) a prize; *Gli vinsi cento euro a carte*, I won a hundred euros off him at cards **4** (*fig.*: *domare, sopraffare*) to overcome*, to overwhelm, to get*

the better of; (*dominare*) to master; (*far breccia in*) to break* through: **v. ogni opposizione**, to overcome all opposition; **v. le passioni**, to master one's passions; **v. la paura**, to overcome one's fear; **v. il ritegno di q.**, to break through sb.'s reserve; **v. sé stesso**, to master (*o* to control) oneself; **essere vinto dall'emozione**, to be overcome (*o* overwhelmed) by emotion; *Il sonno lo vinse*, sleep overcame him; **lasciarsi v. dall'ira**, to let anger get the better of one; **lasciarsi v. dalla tentazione**, to yield to temptation **5** (*fig.*: *sorpassare*) to surpass; to outdo*: **v. q. in astuzia**, to outwit sb.; **v. q. in bontà** [**in bellezza**], to surpass sb. in goodness [in beauty]; **v. q. in generosità**, to outdo sb. in generosity; *La luce del sole vince quella della luna*, the light of the sun is brighter than that of the moon **6** (*persuadere*) to win* over: *Fu vinto dalle sue preghiere*, he was won over by her prayers ● (*prov.*) **Chi la dura la vince**, slow and steady wins the race **B** v. i. to win*; to carry the day: **v. a mani basse**, to win hands down; **v. a tombola**, to win at bingo; **v. ai punti**, to win on points; **v. alle elezioni**, to win the election; **v. di stretta misura**, to win by a narrow margin; to win by a short head; **v. in una gara**, to win a competition; **v. in scioltezza**, to win hands down; **v. per pochi voti**, to win by a few votes; **v. tre a zero**, to win three-nil; *Chi ha vinto?*, who won?; *Hanno vinto i democratici*, the democrats won (*o* carried the day); *Vinse la proposta di far costruire il ponte*, the motion to build the bridge won (*o* carried the day); *Vinca il migliore!*, may the best man win!; *V. o morire!*, victory or death! **C** vincersi v. rifl. (*dominarsi*) to master oneself; to control oneself.

vincetòssico m. (*bot., Cynanchum vincetoxycum*) swallow-wort.

vinchéto m. osier-bed.

vìnci m. (*naut.*) winch.

vincìbile a. that can be defeated; vanquishable.

vincibòsco m. (*bot., Lonicera caprifolium*) honeysuckle; woodbine.

vinciglio m. osier; wicker.

vincita f. **1** (*vittoria*) win: **v. al gioco**, gambling win; **v. al lotto** [**al totocalcio**], win in the lottery [in the pools] **2** (*ciò che si vince*) winnings (pl.): **intascare la v.**, to pocket one's winnings.

♦**vincitóre A** m. (f. **-trìce**) winner; (*di premio*) prize-winner; (*in guerra*) victor, conqueror: **v. assoluto**, overall winner; **v. di Premio Nobel**, Nobel Prize winner; Nobel laureate; **il v. di Trafalgar**, the victor at Trafalgar; **probabile v.**, probable winner; front-runner; **i vincitori e i vinti**, the victors and the vanquished **B** a. winning; successful; (*in guerra*) victorious, conquering: **esercito v.**, conquering army; **squadra vincitrice**, winning team; **candidato v.**, successful candidate; **ritornare v.**, to return victorious (*o* triumphant); **uscire v.**, to be the winner; to be successful.

vinco m. osier; wicker.

vincolànte a. (*anche leg.*) binding; mandatory; **accordo v.**, binding agreement; **parere v.**, mandatory advice.

vincolàre ① a. (*mecc.*) constraining.

vincolàre ② v. t. **1** (*costringere*) to bind*; to restrict; (*impacciare*) to hamper; (*essere di impaccio*) to tie down: *Avere un cane ti vincola*, having a dog ties you down; **un vestito che vincola nei movimenti**, a garment that hampers movements **2** (*fin.*) to tie up; to lock up: **v. il capitale**, to tie up one's capital **3** (*obbligare*) to bind*; to oblige: *Il giuramento mi vincola al silenzio*, my oath binds me to silence; **essere vincolato da contratto**, to be bound by contract **4** (*mecc.*) to con-

a b c d e f g h i j k l m n o p q r s t u v w x y z

strain.

vincolativo a. (*leg.*) binding.

vincolàto a. **1** (*da accordo, ecc.*) bound: **v. al segreto**, bound to secrecy; **v. da una promessa**, bound by a promise; **v. per contratto**, bound by contract; under contractual obligation; **v. per legge**, legally bound **2** (*sottoposto a restrizioni*) restricted: **area vincolata**, restricted area **3** (*fin.*) tied-up; locked-up: **deposito v.**, time deposit; deposit account; **deposito v. a un anno**, one-year time deposit; **in conto v.**, on deposit **4** (*econ.*) captive: **cliente v.**, captive client; **mercato v.**, captive market.

vincolismo m. restrictionism.

vincolistico a. (*leg.*) restrictionist; restriction (attr.); control (attr.): **regime v.**, restriction system.

vincolo m. **1** (*lett.: laccio, costrizione, anche fig.*) bond; tie; link; (*catena*) chain, fetter **2** (*mecc.*) constraint **3** (*restrizione per norma, legge*) binding force; obligation; restriction: **v. contrattuale**, contractual obligation; **v. ipotecario**, mortgage; **vincoli di legge**, legal obligations; **vincoli urbanistici**, planning restrictions; **libero da ogni v.**, free from encumbrances **4** (*fig.: obbligo morale o giuridico*) bond; obligation; binding force: **il v. della legge**, the binding force of law; **essere sotto il v. del giuramento**, to be bound under oath **5** (*fig.: relazione, legame*) bond; tie: **v. d'amicizia**, bond of friendship; **v. matrimoniale**, bond of matrimony; marriage tie; (*lo stato*) wedlock; **vincoli di parentela**, family connection; kinship (sing.); **essere legati da vincoli di parentela**, to be related; **vincoli di sangue**, blood ties; **spezzare ogni v.**, to break all bonds (*o* ties).

vindice (*lett.*) **A** a. avenging **B** m. e f. avenger.

vinèllo m. light wine; (*spreg.*) thin wine.

vinicolo a. wine (attr.): **industria vinicola**, wine industry.

vinifero a. wine-producing (attr.).

vinificàre v. i. to make* wine; to vintage wine.

vinificatóre m. (f. **-trice**) wine-maker.

vinificazióne f. wine-making; vinification.

vinilcloruro m. (*chim.*) vinyl chloride.

vinìle m. (*chim.*) vinyl: **cloruro di v.**, vinyl chloride.

vinìlico a. (*chim.*) vinyl (attr.): **resina vinilica**, vinyl resin.

vinìlite® f. (*chim.*) Vinilyte®.

vinilpèlle® f. imitation leather (made of vinyl resins).

♦**vino** **A** m. wine: **v. bianco**, white wine; **v. brûlé**, mulled wine; **v. comune**, cheap wine; plonk (*fam. GB*); **v. da pasto**, table wine; **v. da taglio**, blending wine; **v. d'annata**, vintage wine; **v. della casa**, house wine; **v. di marca**, vintage wine; **v. di mele**, cider; **v. del Reno**, Rhine wine; hock (*GB*); **v. di sambuco**, elderberry wine; **v. dolce**, sweet wine; **v. frizzante** (*o* spumante), sparkling wine; **v. non spumante**, still wine; **v. nuovo** (*o* novello), new wine; **v. rosato**, rosé (wine); **v. rosso**, red wine; **v. secco**, dry wine; **v. scadente**, cheap wine; vino (*fam. GB*); **v. sincero**, genuine wine; **v. tagliato**, adulterated wine; **vini tipici**, local wines; **reggere il v.**, to hold one's wine; **travasare il v.**, to decant wine; **carta dei vini**, wine list; **commerciante di vini**, vintner; wine-merchant; **due dita di v.**, a drop of wine; **produttore di v.**, wine grower; **uva da v.**, wine grapes **B** a. inv. wine (attr.): **rosso v.**, wide red; wine-red (agg.).

vinolènto a. (*lett.*) vinous.

vinosità f. vinosity.

vinóso a. **1** wine (attr.); vinous **2** (*che sa di vino*) vinous; winy.

vinsànto m. vinsanto (sweet white Italian wine).

vintage (*ingl.*) **A** m. inv. **1** (*enol.*) vintage **2** vintage clothing; (*per estens.*) vintage fashion **B** a. vintage.

vinto **A** a. **1** won (pred.): **denaro v.**, money won; winnings (pl.); **guerra vinta**, victorious war **2** (*sconfitto*) beaten; defeated; vanquished: **il nemico v.**, the beaten enemy; **v. in battaglia**, beaten (*o* defeated) in battle; **v. al biliardo**, beaten at billiards **3** (*sopraffatto*) overcome: **v. dalla stanchezza**, overcome with tiredness • **v. ma non domo**, bloody but unbowed □ **averla vinta**, to have (*o* to get) one's way □ (*fig.*) **darla vinta a q.**, to let sb. have his way □ **darle tutte vinte a q.**, to indulge in sb.'s every whim □ (*anche fig.*) **darsi per v.**, to give in (*o* up); to quit □ **volerla sempre vinta**, always to want to have one's way **B** m. (*in una gara o contesa*) loser; (*in guerra*) person on the losing side: **i vinti**, the vanquished; the defeated; *Guai ai vinti!*, woe to the vanquished!

♦**viòla** ① **A** f. (*bot.*, *Viola*) viola: **v. del pensiero** (*Viola tricolor*), pansy; heart's ease; love-in-idleness; **v. mammola** (*Viola odorata*), violet; **mazzolino di viole**, bunch (*o* posy) of violets **B** a. e m. (*il colore*) purple; violet.

♦**viòla** ② f. (*mus.*) viola; (*stor.*) viol: **v. bastarda**, division viol; **v. d'amore**, viola d'amore; **v. da braccio**, viola da braccio; **v. da gamba**, viola (*o* viol) da gamba; gamba; bass viol.

violàbile a. violable.

violacciòcca f. (*bot.*, *Matthiola incana*) stock; gillyflower • (*bot.*) **v. gialla** (*Cheiranthus cheiri*), wallflower.

violàceo **A** a. purple; purplish; purplish blue: **v. dal freddo**, blue (*o* livid) with cold **B** m. purple; purplish blue.

violàre v. t. **1** (*non osservare, trasgredire*) to break*; to violate; to transgress; to infringe: **v. un accordo**, to violate an agreement; **v. un giuramento**, to violate an oath; **v. la legge**, to break the law; to offend against the law; **v. un patto**, to break a pact; **v. una promessa**, to break a promise; **v. un segreto**, to break a secret; **v. il segreto epistolare**, to violate the secrecy of correspondence **2** (*entrare a forza in, forzare, anche fig.*) to violate; to break* into; to trespass (*mil.*) **v. il blocco**, to run the blockade; **v. il domicilio di q.**, to break into sb.'s house; **v. l'intimità di q.**, to violate sb.'s privacy; **v. la neutralità di un Paese**, to violate the neutrality of a country; (*calcio*) **v. la rete avversaria**, to score a goal; **v. un sigillo**, to break a seal **3** (*ledere*) to violate; to trespass upon (*o* on); to encroach upon (*o* on): **v. i diritti di q.**, to trespass (*o* to encroach) upon sb.'s rights; **v. i diritti umani**, to violate human rights **4** (*profanare*) to profane; to desecrate; to violate: **v. una chiesa [una tomba]**, to profane a church [a tomb] **5** (*violentare*) to rape; to violate.

violatóre m. (f. **-trice**) **1** breaker; violator; infringer: **v. della legge**, offender; lawbreaker **2** (*profanatore*) profaner; desecrator; violator.

violazióne f. **1** (*trasgressione*) violation; transgression; infringement; breach: **v. di brevetto**, infringement of patent; **v. di contratto**, breach of contract; **v. di corrispondenza**, violation of the secrecy of correspondence; **v. del diritto di autore**, infringement of copyright; **v. della legge**, breach (*o* transgression, infringement) of the law; offence; lawbreaking **2** (*penetrazione indebita*) violation; breaking: **v. dei confini**, violation of boundaries; **v. di domicilio**, unlawful entry; (*con effrazione*) housebreak-

ing, breaking and entering; **v. di proprietà privata**, trespass: trespassing; **v. dei sigilli**, breaking of seals **3** (*profanazione*) profanation; desecration; violation **4** (*lesione*) violation; encroachment: **v. dei diritti di q.**, encroachment on sb.'s rights; **v. dei diritti civili**, violation of civil rights.

violentàre v. t. **1** to do* violence to; to force; to coerce **2** (*stuprare*) to rape; to violate.

violentatóre **A** a. forcing; coercing **B** m. rapist.

♦**violènto** **A** a. **1** (*aggressivo, brutale*) violent; brutal; nasty; rough; physical (*fam.*): **carattere v.**, violent temper; **individuo v.**, violent individual; **quartiere v.**, rough area; **sport violenti**, physical sports; **diventare v.**, to get physical (*fam.*) **2** (*fondato sulla violenza*) violent; brutal; rough; heavy-handed: **mezzi violenti**, violent means; violence; **non v.**, non-violent **3** (*impetuoso, furioso, distruttivo*) violent; impetuous; vehement; raging; rough; fierce; tempestuous: **discussione violenta**, tempestuous discussion; **febbre violenta**, very high (*o* raging) temperature; **morte violenta**, violent death; **passione violenta**, violent passion; **piogge violente**, heavy rains; **tempesta violenta**, violent (*o* raging) storm **4** (*forte, intenso*) violent; heavy; harsh; vivid: **colpo v.**, violent (*o* heavy) blow; **luce violenta**, harsh light; **v. scossone**, violent jolt **B** m. (f. **-a**) violent person; (*prepotente*) bully.

♦**violènza** f. **1** (*l'essere violento*) violence: **la v. di un uragano** [**di una passione**], the violence of a hurricane [of a passion]; **la v. dell'urto**, the violence of the impact **2** (*comportamento violento*) violence Ⓤ; force: **la v. negli stadi**, terrace violence; **dolce v.**, gentle force (*o* firmness); **non v.**, nonviolence; **costringere con la v.**, to force; **fare v. a q.**, to do violence to sb.; **ricorrere alla v.**, to resort to violence; **usare v. a una donna**, to rape a woman; **atto di v.**, act of violence **3** (*leg.*) – **v. carnale**, rape; sexual assault; **v. morale**, undue influence; **v. personale**, assault and battery; **v. privata**, coercion; duress.

♦**violétta** f. **1** (*bot.*, *Viola odorata*, anche **v. di Parma**) violet **2** (*profumo*) violet **3** (*bot.*) – **v. africana** (*Saintpaulia jonantha*), African violet.

♦**violétto** **A** m. **1** violet **2** (*chim.*) violet (dye): **v. di genziana**, gentian violet **B** a. violet.

violinàio m. violin-maker.

violinista m. e f. (*mus.*) violinist; fiddler (*fam.*).

violinistico a. (*mus.*) **1** (*di, per violino*) violin (attr.); for (the) violin **2** (*di, per violinista*) violinist's (attr.); for violinists.

♦**violino** m. (*mus.*) **1** violin; fiddle (*fam.*): **suonatore di v.**, violin player; fiddler (*fam.*) **2** (*suonatore*) violinist; (*in un'orchestra*) violin: **v. di fila**, rank-and-file violinist; **v. di spalla** → **primo v.**; (*fig.*) partner; **v. solista**, solo violin; **primo v.**, first violin; leader (*GB*); concertmaster (*USA*).

violìsta m. e f. (*mus.*) viola player.

violìstico a. (*mus.*) **1** (*di, per viola*) viola (attr.); for (the) viola **2** (*di, per violista*) of [for] a viola player.

violoncellista m. e f. (*mus.*) cello player; cellist; violoncellist.

violoncellistico a. (*mus.*) **1** (*di, per violoncello*) cello (attr.); for (the) cello **2** (*di, per violoncellista*) of [for] a cello player.

violoncèllo m. (*mus.*) cello*; violoncello*.

violóne m. (*mus.*) violone.

viòttola f., **viòttolo** m. path; lane.

vip m. e f. inv. VIP.

vìpera f. **1** (*zool.*, *Vipera*) viper; adder: **v.**

comune (*Vipera aspis*), asp (viper) **2** (*zool.*) – **v. cornuta** (*Cerastes cornutus*), cerastes*; horned (o sand) viper; **v. della morte** (*Acanthophis antarcticus*), death adder; **v. soffiante** (*Bitis arientans*), puff adder **3** (*fig.*) viper: **lingua di v.**, viperish (o venomous) tongue; **nido di vipere**, nest of vipers; **razza di vipere**, breed of vipers.

viperàio m. **1** viper hunter **2** place infested with vipers.

viperina f. (*bot.*, *Echium vulgare*) viper's bugloss.

viperino a. **1** viper's (attr.); viperine **2** (*fig.*) viperous; viperish; venomous: **lingua viperina**, viperish tongue.

viràggio m. **1** (*chim.*) colour change **2** (*fotogr.*) toning.

viràgo f. (*lett.*) virago.

viràle a. (*med.*) viral: **infezione v.**, viral infection.

viraménto m. → **virata**.

viràre Ⓐ v. i. **1** (*naut.*) to tack; to change tack: **v. di bordo**, to come (o to go) about; to veer; **v. in poppa**, to wear (*aeron.*) to turn **3** (*nuoto*) to turn **4** (*chim.*) to change colour **5** (*fotogr.*) to tone Ⓑ v. t. (*naut.*) to haul: **v. un cavo**, to haul a cable.

viràta f. (*naut.*) tacking; veer: **v. in poppa**, wearing **2** (*aeron.*) turn; turning: *L'aeroplano fece una brusca v.*, the aeroplane made a sudden turn **3** (*nuoto*) turn: **v. a capriola**, flip turn **4** (*fig.*) turnabout; sudden change of tack.

virelài m. (*mus.*) virelay.

viremìa f. (*med.*) viremia.

virescènte a. (*bot.*) virescent.

virescènza f. (*bot.*) virescence.

vìrga f. (*meteor.*) virga*.

virgiliàno a. (*letter.*) Virgilian.

Virgìlio m. Virgil.

virginàle① → **verginale**.

virginàle② m. (*mus.*) virginal.

virginalista m. e f. (*mus.*) virginalist.

virgìneo a. (*lett.*) virginal; maidenly.

virgìnia Ⓐ m. **1** (*tabacco*) Virginia (tobacco) **2** (*sigaro*) Virginia cigar Ⓑ f. Virginia (cigarette).

♦**vìrgola** Ⓐf. **1** comma: **doppie virgole**, inverted commas; **punto e v.**, semicolon **2** (*mat.*) (decimal) point: **due v. quattro**, two point four; **zero v. otto**, point eight; (*comput.*) **v. fissa [mobile]**, fixed [floating] point **3** (*ciocca di capelli*) kiss-curl ● (*fig.*) **guardare a tutte le virgole**, to be a nit-picker □ (*fig.*) **Non cambiare una v.**, not to change a word Ⓑ a. inv. – (*med.*) **bacillo v.**, comma bacillus.

virgolatùra f. **1** insertion of commas **2** → **virgolettatura**.

virgolétta → **virgolette**.

virgolettàre v. t. to put* in quotation marks (o in inverted commas, in quotes).

virgolettàto Ⓐ a. **1** in quotation marks; in quotes **2** (*estens.*: *citato alla lettera*) quoted verbatim; verbatim: **dichiarazione virgolettata**, verbatim quote Ⓑ m. verbatim quote.

virgolettatùra f. **1** insertion of quotation marks (o of inverted commas); quoting **2** (*virgolette*) inverted commas (pl.); quotation marks (pl.); quotes (pl.).

virgolétte f. pl. quotation marks; inverted commas; quotes: **v. a caporale** (o **basse**), French quotation marks; **v. doppie**, double quotes; **v. inglesi**, single quotes; **aprire [chiudere] le v.**, to open [to close] inverted commas; **aperte [chiuse] le v.**, quote [unquote]; **tra v.**, in inverted commas; in quotes.

virgùlto m. **1** (*germoglio*) shoot; (*arboscello*) sapling **2** (*fig. lett.*) offspring; scion.

viriàle m. (*fis.*) virial.

viridàrio m. (*archeol.*) viridarium*.

virìle a. **1** (*proprio del maschio, mascolino*) male (attr.); man*'s (attr.); masculine; manly: **bellezza v.**, male beauty; **membro v.**, male member; **donna (di aspetto) v.**, masculine (o mannish) woman **2** (*proprio dell'uomo adulto*) man's (attr.); manly; adult: **età v.**, manhood; **forza v.**, manly strength; **voce v.**, man's voice; (*maschia*) manly voice **3** (*estens., fig.*) virile; manly; (*vigoroso*) vigorous, virile; **animo v.**, manliness; **portamento v.**, manly bearing.

virilìsmo m. (*med.*) virilism.

virilità f. **1** (*mascolinità*) virility; masculinity; manliness; manhood: **dimostrare la propria v.**, to prove one's virility (o manliness); **privare della v.**, to emasculate; to unman **2** (*età virile*) manhood **3** (*fig.*) virility; firmness; strength: **v. di propositi**, strength of purpose.

virilizzàre Ⓐ v. t. to make* virile; to virilize Ⓑ **virilizzàrsi** v. i. pron. to become* virile.

virilizzazióne f. virilization.

virilménte avv. manfully; in a manly way.

virilocàle a. (*antrop.*) virilocal; patrilocal.

virilocalità f. (*antrop.*) virilocality; patrilocality.

virilòide a. masculine; mannish; butch.

virióne m. (*biol.*) virion.

virogènesi f. (*biol.*) virus reproduction.

viròide m. (*biol.*) viroid.

virologìa f. (*biol.*) virology.

virològico a. (*biol.*) virological.

viròlogo m. (f. **-a**) virologist.

viròsi f. (*med.*) virosis.

virtù f. **1** (*anche teol.*) virtue: **la v. del perdono**, the virtue of forgiveness; **v. civili**, civil virtues; (*teol.*) **le v. cardinali [teologali]**, the cardinal [theological] virtues; *La v. è premio a sé stessa*, virtue is its own reward; **praticare la v.**, to practise virtue; **la via della v.**, the path of virtue **2** (*qualità positiva*) virtue; good quality: **la v. della discrezione**, the virtue of discretion; **avere molte v.**, to have many good qualities; **modello di v.**, model (o paragon) of virtue **3** (*facoltà, proprietà*) faculty; property; virtue; power: **la v. immaginativa**, the power of imagination; **v. percettiva**, perceptive faculty; **v. curative**, healing properties; **per v. della preghiera**, by virtue of prayer; **per v. dello Spirito Santo**, by the power (o the intervention) of the Holy Ghost **4** (*castità*) chastity; virtue: **donna di facile v.**, woman of easy virtue **5** (al pl.) (*teol.: gerarchie angeliche*) Virtues ● **fare di necessità v.**, to make a virtue of necessity □ **in v. di**, in (o by) virtue of: **in v. delle proprie conoscenze**, by virtue of one's knowledge; **in v. di una legge**, in virtue of a law; **in v. di questo accordo**, under this agreement; **in v. dei poteri conferitimi**, under the powers conferred to me.

virtuàle a. **1** (*filos., fis.*) virtual: **immagine v.**, virtual image; (*fis.*) **inerzia v.**, virtual inertia; **realtà v.**, virtual reality **2** (*quasi effettivo*) virtual **3** (*teorico*) theoretical; hypothetical.

virtualità f. virtuality.

virtuosìsmo m. virtuosity; bravura; bravura performance; virtuoso display.

virtuosìstico a. virtuoso (attr.); bravura (attr.).

virtuóso Ⓐ a. virtuous Ⓑ m. (f. **-a**) **1** virtuous person **2** (*arte, mus.*) virtuoso*: **v. del violino**, violin virtuoso.

virulènto a. (*anche fig.*) virulent.

virulènza f. (*anche fig.*) virulence.

vìrus m. **1** (*biol.*) virus **2** (*comput.*) (computer) virus.

visagìsta m. e f. cosmetologist; beautician.

vis-à-vis (*franc.*) Ⓐ loc. avv. face to face: **incontrarsi vis-à-vis**, to meet face to face; **incontro vis-à-vis**, face-to-face meeting Ⓑ m. inv. **1** (*persona*) vis-à-vis **2** (*carrozza*) vis--à-vis.

viscàccia f. (*zool.*, *Lagostomus maximus*) viscacha.

visceràle a. **1** (*anat.*) visceral **2** (*fig.*) visceral; deep-rooted; gut (attr.): **paura v.**, visceral fear; **odio v.**, deep-rooted hatred; **reazione v.**, gut reaction.

visceralità f. visceral quality; deep-rootedness.

vìscere m. (pl. **visceri**, m., *nelle def. 1 e 2*; **viscere**, f., *nelle def. 3 e 4*) **1** (*anat.*) viscus*; (al pl.: *intestini*) bowels, intestines: *Il cuore, i polmoni e gli intestini sono visceri*, the heart, the lungs and the intestines are viscera **2** (al pl.) (*di animale*) entrails; innards; offals **3** (al pl.) (*grembo materno*) womb (sing.) **4** (al pl.) (*fig.: sentimenti*) feelings **5** (al pl.) (*fig.: profondità*) bowels: **le v. della terra**, the bowels of the earth.

vìschio m. **1** (*bot.*, *Viscum album*) mistletoe **2** (*pania*) birdlime **3** (*fig.*) trap.

vischiosità f. **1** (*anche fig.*) stickiness: (*econ.*) **v. dei prezzi**, price stickiness **2** → **viscosità**.

vischióso a. **1** (*appiccicoso*) sticky; gluey **2** → **viscoso**.

viscidità f. **1** viscidity; sliminess; slipperiness **2** (*fig.*) sliminess; unctuousness.

vìscido a. **1** viscid; slimy; (*scivoloso*) slippery: **fanghiglia viscida**, slippery mud; slime; **sostanza viscida**, viscid substance; **strada viscida**, slippery road **2** (*fig.*) slimy; oily; unctuous: **individuo v.**, slimy individual; **maniere viscide**, oily manners.

viscidùme m. slimy stuff.

vìsciola f. sour cherry.

vìsciolo m. (*bot.*, *Prunus cerasus*) sour cherry tree.

viscoelasticità f. (*fis.*) viscoelasticity.

vis còmica (*lat.*) f. comic vein.

viscontàdo m. **1** (*titolo, dignità*) viscountship **2** → **viscontea**.

viscónte m. viscount.

viscontèa f. viscounty.

viscontèo① a. of a viscount.

viscontèo② a. Visconti (attr.); of the Viscontis: **lo stemma v.**, the Visconti coat of arms.

viscontéssa f. viscountess.

viscontino m. viscount's son.

♦**viscósa** f. (*chim., ind. tess.*) viscose.

viscosimetrìa f. (*fis.*) viscometry.

viscosìmetro m. viscometer; viscosimeter.

viscosità f. **1** (*fis., chim.*) viscosity **2** (*fig.*) stickiness.

viscóso a. **1** (*fis., chim.*) viscous **2** (*attaccaticcio*) sticky, gluey; (*denso*) viscous, thick.

♦**visìbile** Ⓐ a. **1** (*percepibile*) visible: **effetto v.**, visible effect; **v. a occhio nudo**, visible to the naked eye **2** (*evidente*) evident; clear; apparent: **v. angoscia**, evident distress; **segni visibili di effrazione**, clear signs of burglary; **per nessuna ragione v.**, for no apparent reason **3** (*aperto al pubblico*) open to the public, on show; (*che è permesso vedere*) suitable: **v. al pubblico**, open to the public; **v. a tutti**, suitable for all; **v. ai soli adulti**, for adults only; adult (attr.): **v. la mostra sarà v. da lunedì**, the exhibition opens next Monday **4** (*di persona*) available: *Il direttore è v. dalle quattro alle cinque*, the manager is available from four to five Ⓑ m. (the) visible.

visìbilio m. **1** (*grande quantità*) multitude;

masses (pl.); crowds (pl.): **un v. di gente**, crowds of people; **un v. di cose**, masses of things 2 – **andare [mandare] in v.**, to go [to throw] into ecstasies (o raptures) (over st.).

visibilità f. visibility: **scarsa v.**, poor visibility; **una v. di 50 metri**, 50 metres' visibility.

visièra f. 1 (di elmo, casco) visor, vizor 2 (di berretto) peak; visor (USA): **berretto con v.**, peaked cap 3 (autom.) – v. **parasole**, glare-shield; **v. termica**, defroster.

visigòtico a. (stor.) Visigothic.

Visigòto (stor.) Ⓐ a. Visigothic Ⓑ m. (f. -a) Visigoth.

visionàre v. t. 1 (un film, ecc.) to preview 2 (esaminare) to examine; to inspect.

visionàrio Ⓐ a. visionary; (di cosa, anche) unrealistic, impractical Ⓑ m. (f. -a) visionary; day-dreamer.

visióne f. 1 (fisiol.) vision: **v. binoculare [periferica]**, binocular [peripheral] vision; **campo di v.**, field of vision 2 (atto del vedere, vista, esame) view; vision: **in v.**, for inspection; (comm.) on approval; **mandare qc. in v.**, to send st. on approval; **prendere v. di qc.**, to examine st.; to look over st. 3 (idea, concetto) picture; outlook; idea: **v. realistica dei fatti**, realistic view of the facts; **v. pessimistica della vita**, pessimistic outlook on life 4 (cinem., TV) showing; screening; release; run: **durante la v. del film**, during the screening of the film; **prima v.**, first showing; premiere; first release (o run); **cinema di prima v.**, first-release (o first-run) cinema 5 (scena, vista) sight; scene: **una v. orribile**, a horrid sight 6 (relig. e fig.) vision: **v. in sogno**, vision in a dream; **visioni di gloria**, visions of glory; **avere una v.**, to have a vision 7 (allucinazione) hallucination: **soffrire di visioni**, to suffer from hallucinations; to see things (fam.).

visìr m. inv. vizier: **Gran V.**, Grand Vizier.

visiràto m. (stor.) vizierate; viziership.

♦**visìta** f. 1 (a persona) visit; visitation (form. o scherz.); (breve, anche ufficiale o professionale) call; (a un luogo) visit, tour; (eccles.) visitation: **v. a un amico**, visit to a friend; call on a friend; **v. a un museo**, visit (o tour) of a museum; **la v. di un amico**, a visit (o a call) from a friend; **v. della città**, tour of the town; **v. di congedo**, farewell visit; **v. di convenienza**, duty call; **v. di cortesia**, courtesy visit (o call); **v. di Stato**, state visit; **v. pastorale**, pastoral visitation; **v. turistica**, sight-seeing ⓘ; **v. ufficiale**, official (o state) visit; **essere in v. da q.**, to be visiting sb.; Sono qui in v., I am here on a visit; I'm visiting here; **fare v. a q.**, to pay sb. a visit (o a call); to visit sb.; to call on sb.; **fare v. a q. in ospedale**, to visit sb. in hospital; **fare molte visite**, to do a lot of visiting; **restituire una v.**, to return a visit (o a call); **venire in v.**, to visit; to come on a visit; **biglietto da v.**, (visiting) card; business card; **diritto di v.** (di genitore divorziato), visitation rights (pl.); visitation (USA); **ore di v.** (in ospedale, ecc.), visiting hours 2 (visitatore) visitor; caller: Abbiamo visite, we have a visitor [visitors]; somebody has come to see us 3 (anche v. medica) (medical) examination: **v. a domicilio**, home visit; house call; **v. di controllo**, check-up; medical; physical; (mil.) **v. di leva**, army medical; **v. generale**, check-up; **v. specialistica**, specialist examination; **essere in giro per visite**, to be doing one's rounds; **fare visite a domicilio**, to make (house) calls; (gergo mil.) **marcare v.**, to report sick; **passare la v.** (di leva), to pass one's army medical; **sottoporre a v.**, to examine; **sottoporsi a v. medica**, to undergo medical examination; **to be examined (o seen) by a doctor; giro di visite**, rounds 4 (ispezione) inspection; check; (perquisizione)

(visit and) search: **v. di controllo**, inspection **v. doganale**, customs inspection; **v. fiscale**, official medical check; **v. sanitaria**, sanitary inspection; (naut.) **diritto di v.**, right of search.

visitàbile a. visitable.

visitabilità f. (archit.) visitability.

♦**visitàre** v. t. 1 (una persona) to visit; to call on; to go* and see*; to pay* a visit to: **v. gli infermi**, to visit the sick; Viene a visitarla ogni tanto, she visits her occasionally; she pays her occasional visits 2 (med.) to examine; to see*; (assol.) to see* patients, (a domicilio) to make* house calls: Il dottore lo sta visitando, the doctor is examining (o seeing) him; **farsi v. da un medico**, to have a medical examination; to see a doctor (fam.) 3 (un luogo) to visit; to tour: **v. una città**, to visit (o to tour) a city; **v. una chiesa [un museo]**, to visit a church [a museum]; Ho visitato tutto il centro, I've been all round the town centre; **far v. un posto a q.**, to show sb. round a place 4 (ispezionare) to inspect; (perquisire) to search.

visitatóre m. (f. -trìce) 1 (chi va in visita a q.) visitor; caller: **v. assiduo**, frequent visitor frequent caller; **v. indesiderato**, unwelcome visitor 2 (di luogo) visitor: **i visitatori di un museo**, the visitors to a museum; **registro dei visitatori**, visitors' book 3 (eccles.) – v. **apostolico**, Apostolic Visitor.

visitatrìce f. 1 → **visitatore**, def. 1 e 2 2 (per incarico di ente assistenziale) visitress; (di infermi) visiting nurse.

visitazióne f. (relig.) Visitation.

visìvo a. visual: **campo v.**, visual field; field of vision; **organi visivi**, visual organs; **memoria visiva**, visual memory; **sussidi visivi**, visual aids.

Visnù m. (relig.) Vishnu.

visnuìsmo m. (relig.) Vishnuism.

visnuìta m. e f. (relig.) Vishnuite.

visnuìtico a. (relig.) Vishnuite.

♦**vìso** m. 1 face: **v. noto**, familiar face; **v. magro**, thin face; lean face; **v. pallido**, pale face; (uomo bianco) paleface; Il suo v. non mi è nuovo, I've seen his face before; **diventare rosso in v.**, (per emozione, rabbia) to go red in the face, to flush; (per imbarazzo) to turn red, to blush; **guardare q. in v.**, to look sb. in the face; **guardarsi in v.**, to stare at one another; Si illuminò in v., her face (o she) lit up; **sbiancarsi in v.**, to turn pale; **storcere il v.**, to make a wry face 2 (espressione) face; look; countenance: **v. onesto**, honest face; **v. sorridente**, smiling face; **v. triste**, sad look; Cambiò v. al vedermi, his expression changed when he saw me; **fare il v. dell'arme**, to look threatening; **fare il v. di ferro e v. duro**, to look grim; **fare il v. lungo**, to pull a long face; Te lo leggo in v., I can read it in your face ♦ **v.**, a face; face to face □ a **v. aperto**, openly; frankly □ a **v. scoperto**, open-faced □ **fare buon v. a**, to welcome □ **fare buon v. a cattivo gioco** (o a cattiva sorte), to make the best of a bad job; to grin and bear it □ (fig.) **in** (o sul) **v.**, in sb.'s face, to sb.'s face: **spiattellare qc. sul v. a q.**, to say st. straight to sb.'s face.

visóne m. 1 (zool., Mustela vison) mink 2 (la pelliccia) mink: **cappotto** (o **pelliccia**) **di v.**, mink coat; **stola di v.**, mink stole; **farsi la pelliccia di v.** (o il **v.**), to buy a mink coat.

visonétto m. imitation mink.

visóre m. 1 (fotogr.) viewer 2 (mirino di telecamera) view-finder 3 (microlettore) (microfilm) reader; microreader.

♦**vìspo** a. lively; sprightly; chirpy; bright: **bambino v.**, lively child; **occhietti vispi**, bright eyes; **vecchietto v.**, sprightly old man; **v. come un uccello**, as lively as a cricket; as chirpy as a bird.

vissùto Ⓐ a. (ricco di esperienze) experi-

enced; worldly-wise: **uomo v.**, experienced man; man of the world ● (di cosa) **avere l'aria vissuta**, to have a well-worn look □ **vita vissuta**, real life Ⓑ m. 1 (psic.) experience 2 (estens.: esperienze passate) past experiences.

♦**vìsta** f. 1 (facoltà visiva) sight; eyesight; vision: **v. acuta**, keen (o sharp) sight; **v. annebbiata**, clouded vision; **avere la v. buona [cattiva]**, to have good [poor] eyesight; (anche fig.) **avere la v. corta**, to be short-sighted; **avere la v. lunga**, to be long-sighted; (fig.) to have great foresight; **avere una v. d'aquila**, to be eagle-eyed; **essere privo della v.**, to be sightless; to be blind; **farsi misurare la v.**, to have one's eyes tested; **perdere la v.**, to lose one's sight; **rendere la v. a q.**, to restore sb.'s sight; **riacquistare la v.**, to regain one's sight; **abbassamento della vista**, deterioration of sight; **esame della v.**, eye test; **occhiali da v.**, spectacles; **organi della v.**, organs of sight; **perdita della v.**, loss of sight 2 (occhi) eyes (pl.); sight: Mi si annebbiò la v., my eyes dimmed (o misted over); everything swam before my eyes (o in front of me); **offendere la v.**, to offend (sb.'s) sight; **malattie della v.**, eye diseases 3 (capacità di vedere) sight; eye; (atto del vedere, veduta) sight: La sua v. mi irrita, the sight of him irritates me; **alla v. di quello spettacolo**, at the sight of (o on seeing) that spectacle; **fin dove arriva** (o si spinge) la v., as far as the eye can see; **sfuggire alla v. di q.**, to escape sb.'s sight; to pass unobserved; **svenire alla v. del sangue**, to faint at the sight of blood 4 (veduta, panorama) view; prospect: **la v. dalla torre**, the view from the tower; **v. dall'alto**, bird's-eye view; **v. dal basso**, view from below; **v. d'insieme**, overall view; Di qui si gode una bella v., there is a fine view from here; La collina ci toglie la v. del mare, the hill blocks out the view of the sea 5 (cosa vista, scena) sight: Quella v. lo turbò, that sight disturbed him ● **a prima v.**, at first sight; at first glance; at sight: Mi pare giusto a prima v., at first sight (o glance) I'd say it's right; **innamorarsi a prima v.**, to fall in love at first sight; **suonare [cantare] a (prima) v.**, to sight-read; **tradurre a (prima) v.**, to translate at sight □ (comm.) **a v.**, at sight; on demand; sight (attr.); demand (attr.); call (attr.): **pagabile a v.**, payable at sight (o on demand); **prestito a v.**, demand loan; call loan (USA); **tratta a v.**, sight draft; **a trenta giorni v.**, thirty days after sight □ a **v. d'occhio** (rapidamente), before one's (very) eyes; visibly □ **avere in v. qc.**, to have st. in view; to have st. coming up □ **conoscere q. di v.**, to know sb. by sight; to have a nodding acquaintance with sb. □ **fare bella v. di sé**, to be displayed; to be shown to advantage □ **guardare q. a v.**, to watch sb. closely; to keep sb. under close surveillance □ **in v.**, (visibile) in (o within) sight, in view; (imminente) in (o within) sight, imminent, coming up; (noto) well-known, in the public eye: **bene in v.**, in full view (o sight); in evidence; fully visible; La promozione è ormai in v., promotion is within sight now; Sono in v. grossi cambiamenti, big changes are imminent; **una personalità molto in v.**, a very well-known person; **mettere qc. in v.**, to put st. where one can see it (o where it can be seen); **mettere qc. in bella v.**, to display st. to advantage; to show off st.; **mettersi in v.**, to call attention to oneself; to show off; **tenere qc. in v.**, to keep st. in view □ **in v. di**, (in prossimità di) within (o in) sight of; (prima di) before, prior to: **in v. di Genova**, in sight of Genoa; **in v. del loro arrivo**, before (o prior to) their arrival □ **offrirsi alla v. di q.**, to show oneself to sb. □ **perdere di v.**, to lose sight (of); (perdere i contatti con) to lose touch with: Ha perso di v. la cosa principale, he has lost sight of

the main thing; *Dopo l'università, ci siamo persi di v.*, we lost touch with each other after university □ **presentarsi alla v. di q.**, to come into sb.'s sight (*o* view); (*al cospetto di q.*) to come before sb. □ **punto di v.**, point of view; viewpoint □ **seconda v.**, second sight □ **sparare a v.**, to shoot on sight □ **Terra in v.!**, land ho! □ (*aeron.*) **volo a v.**, contact flying.

vistàre v. t. (*convalidare*) to endorse; to stamp; (*un passaporto*) to visa.

visto A a. seen: **le tante cose viste**, the many things seen; **non v.**, unseen; unnoticed ● **v. e rivisto**, seen again and again; seen a hundred times □ **v. e stravisto**, old hat (pred.) □ **v. si stampi**, ready for press □ **ben v.**, well-liked; popular □ **mai v.**, (*nuovo*) unheard of, unprecedented; (*straordinario*) extraordinary □ **mal v.**, unpopular **B** **visto che loc. cong.** since; seeing that: **v. che non piove**, since it's not raining **C m. 1** (*convalida*) endorsement, stamp; (*firma d'approvazione*) approval, OK (*fam.*): **v. di controllo** (*spunta*) tick; check (*USA*); **apporre il v. a**, to endorse; to approve; to OK (*fam.*) **2** (*anche* **v. consolare**) visa: **v. d'entrata**, entry visa; **v. di transito**, transit visa; **v. d'uscita**, exit visa; **v. turistico**, tourist visa; **chiedere [concedere] un v.**, to apply for [to grant] a visa; **mettere il v. su un passaporto**, to visa a passport; **domanda di v.**, visa application; **rinnovo di un v.**, visa renewal.

Vistola f. (*geogr.*) Vistula.

vistosaménte avv. 1 (*in modo appariscente*) showily; gaudily; loudly **2** (*accentuatamente*) very noticeably, markedly.

vistosità f. 1 (*appariscenza*) showiness; flashiness; gaudiness; loudness; garishness **2** (*cospicuità*) conspicuousness; impressiveness.

vistóso a. 1 (*appariscente*) showy; flashy; gaudy; loud; garish: **bellezza vistosa**, showy kind of beauty; **colori vistosi**, gaudy (*o* garish) colours; **cravatta vistosa**, loud tie; **vestito v.**, showy dress **2** (*cospicuo*) considerable; impressive; large: **un v. patrimonio**, a considerable patrimony.

visuàle A a. visual: **angolo v.**, visual angle **B f. 1** (*veduta*) view; (*campo visivo*) view, field of vision: **bella v.**, beautiful view; **togliere la v. a q.**, to block sb.'s view **2** (*fis.*) line of vision.

visualità f. visual quality.

visualizzàbile a. (*comput.*) viewable; displayable.

visualizzàre v. t. 1 (*rendere visibile*) to make* visible; to visualize; (*elettron., comput.*) to display: **v. un organo**, to visualize an organ **2** (*rappresentare visibilmente*) to show; to represent **3** (*immaginare*) to visualize; to picture.

visualizzatóre m. 1 visualizer **2** (*elettron., comput.*) display: **v. di dati**, data display.

visualizzazióne f. 1 visualization; (*elettron., comput.*) display **2** (*rappresentazione*) representation.

visùra f. (*bur.*) **1** (*verifica*) search: **v. catastale**, cadastral search **2** (*esame, controllo*) inspection; survey.

vìsus (*lat.*) **m. inv.** (*fisiol.*) visual acuity.

♦**vita** ① **f. 1** life*: **la v. degli insetti**, insect life; **la v. su Marte**, life on Mars; **tra la v. e la morte**, between life and death; **privo di** (*o senza*) **v.**, lifeless; *Ne va della loro vita*, their lives are at stake; **aver cara la v.**, to value one's life; **aver v.**, to be alive; *Ti può costare la v.*, it might cost you your life; (*anche fig.*) **non dare segno di v.**, to give no sign of life; **dare la v. a q.**, to give life to sb.; **dare la v. per la patria**, to give one's life for one's country; **dovere la** (*o* **essere debitore della**) **v. a q.**, to owe sb.'s life; **essere in**

fin di v., to be dying; **essere in v.**, to be alive; **lottare per la v.**, to fight for one's life; **mantenere** (*o* **tenere**) **q. in v.**, to keep sb. alive; **mantenersi** (*o* **tenersi**) **in v.**, to keep alive; **perdere la v.**, to lose one's life; **rimanere in v.**, to stay alive; to survive; **riportare in v. q.**, to bring sb. back to life; **rischiare la v.**, to risk one's life; to take one's life into one's hands; **salvare la v. a q.**, to save sb.'s life; **togliere la v. a q.**, to take sb.'s life; **togliersi la v.**, to take one's life; **tornare in v.**, to come back to life; **assicurazione sulla v.**, life insurance; **una questione di v. o di morte**, a matter of life and death **2** (*periodo di vita*) life*; (*durata di una vita*) lifetime, life span: **v. dopo la morte**, life after death; afterlife; **la v. eterna**, eternal life; **la v. futura**, future life; **v. lavorativa**, working life; **v. media**, average lifetime (*o* life span, life expectancy); **v. natural durante**, for the rest of one's life; as long as one lives; **v. presunta**, expected life; **la v. terrena**, life on earth; (*relig.*) **l'altra v.**, the afterlife; **questa v.**, this life; **a v.**, for life; life (attr.); **condanna a v.**, life sentence; **condannato a v.**, sentenced to life imprisonment; **presidente a v.**, president for life; **senatore a v.**, life senator; **socio a v.**, life member; **per (tutta) la v.**, for life; as long as one lives; lifelong (agg.); *Ti amerò per tutta la v.*, I'll love you as long as I live; **avere v. breve [lunga]**, to be short--lived [long-lived]; *Ho passato una v. in affari*, I have spent a lifetime in business; **durata massima della v.**, life span; **durata media della v.**, life expectancy; **il lavoro di tutta una v.**, the work of a lifetime; **un'occasione che capita una sola volta nella v.**, the chance of a lifetime; **la passione di una v.**, a lifelong passion; **una volta nella v.**, once in a lifetime **3** (*modo di vivere*) life*; living; lifestyle: **v. agiata**, comfortable life; good life (*fam.*); **v. da cani**, dog's life; **la v. dell'insegnante**, a teacher's life; **v. di campagna [di città]**, country [town] life; **v. di collegio**, boarding-school life; **v. di ogni giorno**, everyday life; **v. di relazione**, social life; **v. di società**, social life; **fare v. di società**, to lead an active social life; **v. in comune**, life together; **fare v. in comune**, to live together; **v. matrimoniale**, married life; **v. mondana**, active social life; **v. pubblica [privata]**, public [private] life; **v. sregolata**, disorderly life; **bella v.**, high life; **darsi alla bella v.**, to live it up; *Come (ti) va la v.?*, how's life?; **avere una doppia v.**, to lead a double life; **cambiare v.**, to change one's way of living (*o* one's lifestyle); (*ravvedersi*) to mend one's ways, to turn over a new leaf; **fare la v. del gran signore**, to live like a lord; **fare v. da principi** (*o da re, da pascià*), to live in the lap of luxury; to lead the life of Riley (*fam.*); **fare v. semplice [ritirata, grama]**, to lead a simple [quiet, wretched] life; **rendere la v. difficile a q.**, to make life difficult (*o* hard) for sb.; to give sb. a hard time; **rifarsi una v.**, to make a new life for oneself; **le comodità della v.**, the comforts of life; life's comforts; **condizioni di v.**, living conditions; **modo di v.**, one's way of living **4** (*fig.: durata*) life; lifespan: **la v. di un edificio**, the lifespan of a building; (*tecn.*) **v. utile**, service life; **aver v.**, to last; **avere v. breve**, to be short-lived **5** (*vigore, energia*) life; energy; vitality **6** (*animazione*) life*, animation; (*vivacità*) life*, liveliness; (*vitalità*) vitality: *C'è poca v. in questa cittadina*, there isn't much life in this little town; *I bambini sono pieni di v.*, the children are full of life; **dar v. alla festa**, to liven up the party; **mancare di v.**, to be lifeless; to be dull; **traboccare di v.**, to be bubbling over with vitality; **città piena di v.**, lively town; **strade piene di v.**, streets full of life **7** (*ciò che dà vita*) lifeblood: *La luce è v. per le piante*, light is vital for plants; *Il credito è la v.*

del commercio, credit is the lifeblood of commerce **8** (*essere vivente*) living being; life: **traccia** (*o* **segno**) **di v.**, sign of life; *Non ci sono state perdite di vite umane*, no lives were lost **9** (*il necessario per vivere*) living; livelihood: **guadagnarsi la v. insegnando**, to earn (*o* to make) one's living by teaching; **guadagnarsi la v. a stento**, to scrape a living; **guadagnarsi la v. onestamente**, to earn one's living honestly; **il costo della v.**, the cost of living **10** (*biografia*) life*; life story: **le Vite di Plutarco**, Plutarch's Lives; **raccontare la propria v.**, to tell one's life story **11** (*le cose del mondo*) life; world: **v. reale** (*o* **vissuta**), real life; **avere esperienza della v.**, to have seen the world; *Così è la v.!*, that's life! ● **V. mia!**, darling! □ **conoscere v., morte e miracoli di q.**, to know all that there is to know about sb. □ **Ci conosciamo da una v.**, we've known each other for years (*o* for ages) □ **dare v. a qc.**, (*iniziare*) to start st., to set up st.; (*fondare*) to found st. □ **dolce v.**, dolce vita □ **fare la gran v.**, to lead a life of luxury □ (*eufem.*) **fare la v.**, to work the streets; to be on the game (*slang GB*) □ **in v. mia**, in my whole life; in all my life: *Non avevo mai visto niente di simile in v. mia*, I had never seen anything like it in my whole life □ (*eufem.*) **passare a miglior v.**, to pass away □ **pena la v.**, on pain of death □ **più cara della v.**, dearer than life itself □ **Questa sì che è v.!**, this is the life! □ **ragazza di v.**, prostitute; streetwalker □ (*fig.*) **ridare v. a**, to breathe new life into □ **vendere cara** (*o a caro prezzo*) **la v.**, to sell one's life dearly □ (*prov.*) **Finché c'è v. c'è speranza**, while there's life there's hope.

♦**vita** ② **f.** waist; (*circonferenza*) waistline: **v. abbondante**, generous waistline; **v. alta [bassa]**, long [short] waist; **avere la v. snella**, to have a slim waist; to be slim-waisted; **afferrare q. per la v.**, to seize sb. by the waist; **legarsi qc. alla** (*o* **in**) **v.**, to tie st. round one's waist; **stretto in v.**, tight at the waist; tight-waisted; *Quanto hai di v.?*, what's your waist measurement?; **circonferenza** (*o giro*) **di v.**, waistline; **punto di v.**, waist ● **v. di vespa**, wasp waist □ **Su con la v.!**, keep your shoulders back!; hold yourself straight!; (*fig.*) cheer up!, chin up!

vitàccia f. hard life; miserable life; dog's life.

vitaiòlo m. bon viveur (*franc.*); free-liver.

vitàlba f. (*bot., Clematis vitalba*) traveller's--joy; old-man's beard.

vitàle a. 1 vital; life (attr.): **ciclo v.**, life cycle; **forza v.**, vital force; **organo v.**, vital organ; **spazio v.**, vital space; lebensraum (*ted.*); (*bot.*) **umore v.**, vital fluid **2** (*fig.: fondamentale*) vital; crucial; essential: **interessi vitali**, vital interests; **di v. importanza**, vital; crucial **3** (*biol., med.*) viable: **vivo e v.**, alive and viable; **seme v.**, viable seed **4** (*che ha vitalità*) vital; dynamic; (*fiorente*) thriving, flourishing.

vitalìsmo m. (*biol.*) vitalism.

vitalìsta m. e f. vitalist.

vitalità f. 1 (*anche fig.*) vitality; life; energy **2** (*med.*) viability.

vitaliziànte m. e f. annuitant.

vitaliziàre v. t. to settle an annuity on.

vitaliziàto m. (f. **-a**) annuitant.

vitalizio A a. life (attr.); for life: **assegno v.**, life allowance; **rendita vitalizia**, life annuity; **socio v.**, life member **B m.** life annuity.

vitàme m. assortment of screws; screws (pl.).

♦**vitamìna f.** vitamin: **v. A**, vitamin A.

vitamìnico a. vitaminic.

vitaminizzàre v. t. to vitaminize.

vitaminizzazióne f. vitaminization.

vitaminologìa f. (*biochim.*) vitaminology.

vitàto a. planted with vines.

♦**vite** ① f. 1 (*bot.*, *Vitis vinifera*) vine; grape-vine: **v. americana** (*Vitis labrusca*), fox grape; **coltivazione della vite**, viticulture 2 (*bot.*) – **v. bianca** (*Bryonia alba*), white bryony; **v. nera** (*Tamus communis*), black bryony; **v. vergine** (*o* **del Canadà**) (*Parthenocissus quinquefolia*), Virginia creeper; woodbine (*USA*).

♦**vite** ② f. 1 (*mecc.*) screw: **v. autofilettante**, self-tapping screw; **v. d'arresto**, set screw; **v. da legno**, wood screw; **v. di Archimede**, Archimedean screw; **v. di avanzamento**, feeding screw; **v. di collegamento**, fixing screw; **v. femmina**, female screw; **v. madre**, lead screw; **v. maschio**, male screw; **v. perpetua** (*o* **senza fine**), worm; **v. prigioniera**, stud; **v. senza testa**, grub-screw; **coperchio [tappo] a v.**, screw cap [top]; **allentare una v.**, to loosen a screw; **fissare con viti**, to screw (in, down, etc.); **stringere una v.**, to tighten a screw; **passo della v.**, lead 2 (*aeron.*) spin: **v. piatta**, flat spin; **v. orizzontale**, roll; **cadere a** (*o* **in**) **v.**, to go into a spin ● (*fig.*) **giro di v.**, tightening; clampdown: **dare un giro di v. a q.c.**, to tighten st.; to clamp down on st. 3 (*tuffi*) twist.

vite-chiòdo m. screwnail.

vitèlla f. 1 (*zool.*) heifer 2 (*alim.*) veal.

vitellìno ① a. calf (attr.): **cuoio v.**, calfskin.

vitellìno ② a. (*biol.*) vitelline: **membrana vitellina**, vitelline membrane; **sacco v.**, yolk sac.

♦**vitèllo** ① m. 1 (*zool.*) calf*: **v. da latte**, sucking calf 2 (*alim.*, *anche* **carne di v.**) veal: **arrosto di v.**, roast veal; **cotolette di v.**, veal cutlets 3 (*anche* **pelle di v.**) calfskin: **scarpe di v.**, calf shoes; **rilegato in v.**, calf-bound 4 (*zool.*) – **v. marino** (*Phoca vitulina*), harbour seal; sea-calf ● (*Bibbia e fig.*) **il v. d'oro**, the golden calf □ (*fig.*) **uccidere il v. grasso**, to kill the fatted calf.

vitèllo ② m. (*biol.*) vitellus; yolk.

vitellóne m. 1 (*zool.*) bullock 2 (*alim.*) tender (*o* young) beef 3 (*fig.*) layabout; loafer.

viterìa f. assortment of screws; screws (pl.).

vitìcchio m. (*region.*) → **vilucchio**; **vitalba**.

vitìccio m. (*bot.*) tendril; cirrus*.

vitìcolo a. 1 (*relativo alla vite*) vine (attr.) 2 (*relativo alla viticoltura*) wine-growing (attr.); viticultural.

viticoltóre m. (f. **-trice**) wine grower.

viticoltùra f. 1 (*la coltivazione*) wine-growing 2 (*la scienza*) viticulture.

vitìfero a. (*lett.*) vine-bearing.

vitìgno m. (species of) vine: **v. nostrano**, local vine.

vitilìgine f. (*med.*) vitiligo; leucoderma.

vitìno m. narrow (*o* slender) waist: **v. di vespa**, wasp waist; **dal v. di vespa**, wasp-waisted.

vitivinìcolo a. wine-growing and producing (attr.); wine (attr.): **azienda vitivinicola**, wine growers and producers (pl.).

vitivinicoltóre m. (f. **-trice**) wine grower and producer.

vitivinicoltùra f. wine-growing and producing.

vìtreo Ⓐ a. 1 (*vetroso*) glass (attr.); vitreous 2 (*simile a vetro*) glassy; vitreous: (*anat.*) **corpo v.**, vitreous body; (*anat.*) **umor v.**, vitreous humour 3 (*fig.*: *inespressivo*) glassy; glazed: **occhi vitrei**, glassy eyes; **diventare v.** (*di sguardo*, *ecc.*), to glaze over Ⓑ m. (*anat.*) vitreous body.

♦**vittima** f. 1 (*relig.*) victim: **immolare una v.**, to offer up a victim 2 (*fig.*) victim; (*di incidente*, *calamità*, *anche*) casualty: **v. delle circostanze**, victim of circumstance; (*iron.*)

v. del dovere, martyr to duty; **v. di rapimento**, kidnap victim; **le vittime di un terremoto**, the victims of an earthquake; quake victims; **le vittime della strada**, road casualties; *Il numero delle vittime è stato alto*, many people died; (*rif. a incidente*, *calamità*, *ecc.*) there were many casualties, the death toll was high; *L'uragano ha fatto molte vittime*, the hurricane caused many casualties; **fare la v.**, to play the victim (*o* the martyr); to pile on the agony (*fam.*); **essere v. di**, to fall victim to; (*uno scherzo*, *ecc.*) to be the victim of; (*iron.*) *Povera v.!*, you poor thing! 3 (*preda*) victim; prey: **facile v.**, easy victim (*o* prey); **cadere v. di**, to fall victim (*o* prey) of.

vittimìsmo m. self-pity.

vittimìsta m. e f. self-pitying person.

vittimìstico a. self-pitying: **atteggiamento v.**, self-pitying attitude.

vittimizzàre v. t. to victimize.

vittimizzazióne f. victimization.

vitto m. 1 (*cibo*, *alimentazione*) food; diet: **fare: v. sano**, healthy diet; **v. abbondante**, plenty of food; plentiful fare 2 (*pasti*) meals (pl.); board: **v. e alloggio**, board and lodging.

♦**vittòria** f. 1 victory; (*sport*, *anche*) win: (*boxe*) **v. ai punti**, win on points; **v. a tavolino**, win decided by arbitration; **v. campale**, victory in the open field; (*sport*) **v. fuori casa**, away win; **v. elettorale**, election victory; **v. facile**, easy victory; walkover (*fam.*); (*sport*) **v. in casa**, home win; **v. incerta**, doubtful victory; **v. militare**, military victory; **v. morale**, moral victory; **v. navale**, naval victory; **v. risicata**, narrow victory; **v. sofferta**, hard-won victory; **v. schiacciante**, overwhelming (*o* crushing) victory; (*elettorale*, *anche*) landslide victory; **riportare la v.**, to win; to triumph; to carry the day; **riportare una v. sul nemico**, to win a victory over the enemy 2 (*fig.*: *trionfo*, *successo*) triumph; success; achievement: **una v. della scienza**, a scientific achievement (*o* breakthrough); **grida di v.**, shouts of victory; triumphant shouts ● **v. di Pirro**, Pyrrhic victory ○ (*fig.*) **avere la v. in pugno**, to have victory within one's grasp □ **cantare v.**, to exult; to cheer; to crow (over st.): *È troppo presto per cantare v.*, it's too early to cheer; it's too early to tell; *Non cantare v. prima del tempo*, don't count your chickens before they are hatched □ **il lauro della v.**, the laurels (pl.) of victory □ **la palma della v.**, the palm of victory.

Vittòria f. Victoria.

vittoriàno a. Victorian: **l'età vittoriana**, the Victorian Age.

Vittòrio m. Victor.

vittorióso a. 1 (*di vittoria*, *di chi ha vinto*) victorious; triumphant; (*riuscito*) successful: **esito v.**, victory; triumph; success; **ritorno v.**, triumphant return; **operazione vittoriosa**, successful operation; **sorriso [tono] v.**, triumphant smile [tone] 2 (*che ha vinto*) victorious; (*sport*, *anche*) winning: **esercito v.**, victorious army; **squadra vittoriosa**, winning team.

vituperàbile a. censurable; blameworthy.

vituperàndo → **vituperevole**.

vituperàre v. t. to vituperate; to revile; to vilify; to abuse.

vituperatìvo a. vituperative; abusive.

vituperatóre Ⓐ a. vituperative; abusive Ⓑ m. (f. **-trice**) vituperator.

vituperévole a. shameful; despicable; contemptible; vile; infamous.

vitupèrio m. 1 vituperation; abuse Ⓤ; (*ingiuria*) insult: **coprire q. di vituperi**, to cover sb. with insults (*o* with abuse) 2 (*causa di*

disonore) disgrace; shame: *Sei il v. della famiglia*, you are a disgrace to your family.

vituperóso a. shameful; disgraceful; ignominious; infamous.

viùzza f. narrow street; lane; alley.

♦**viva** Ⓐ inter. long live (st.); hurrah (*o* hurray) for; up with (st.): *V. la libertà!*, long live freedom!; *V. la pace!*, three cheers for peace!; *V. il Re!*, long live the King!; *V. il Napoli!*, up with Napoli!; *V. i vincitori!*, hurrah for the winners! ● (*scherz.*) *V. la (faccia della) sincerità!*, there's plain speaking for you!; that's what I call plain speaking! Ⓑ m. inv. cheer; cheering Ⓤ; hurrah.

vivacchiàre v. i. 1 (*tirare avanti*) to get* along; to manage: «*Come va?*» «*Si vivacchia*», «how are things?» «I'm [we're] getting along» 2 (*vivere stentatamente*) to scrape a living.

♦**vivàce** a. 1 (*pieno di vita*) lively; vivacious; high-spirited: **cittadina v.**, lively town; **ragazzo v.**, lively boy 2 (*che brilla di vita*, *pronto*, *sveglio*) bright; keen; alert: **intelligenza v.**, lively (*o* keen) intelligence; **occhi vivaci**, bright eyes 3 (*brioso*) lively; cheerful; sparkling 4 (*mus.*) vivace 5 (*animato*) lively, animated, spirited, heated; (*focoso*) fiery: **caratterino v.**, fiery temper; **discussione v.**, lively discussion; **v. scambio di opinioni**, heated exchange 6 (*vivido*, *brillante*) bright; vivid: **colore v.**, bright colour; **fiamma v.**, bright flame 7 (*di attività economica*, *scambi*, *ecc.*) lively; brisk: **commerci vivaci**, brisk trade; **mercato v.**, lively market.

vivacità f. 1 liveliness; vivacity 2 (*prontezza*) brightness; alertness; quickness 3 (*animazione*) liveliness; animation; vivacity 4 (*vividezza*) brightness; vividness.

vivacizzàre v. t. to liven up; to brighten (up).

vivaddìo inter. by God!; by Jove!

vivàgno m. 1 (*cimosa*) selvage; selvedge 2 (*lett.*: *orlo*) edge; border.

vivàio m. 1 (*di pesci*) (fish) farm; hatchery: **v. di ostriche**, oyster farm (*o* park); **v. di trote**, trout farm 2 (*di piante*) nursery: **v. forestale**, forest nursery 3 (*fig.*) breeding-ground; (*anche sport*) nursery: **un v. di scienziati**, a breeding-ground for scientists.

vivaìsmo m. 1 (*piscicoltura*) fish-farming; fish-breeding 2 (*agric.*) plant-growing.

vivaìsta m. e f. 1 (*piscicoltura*) fish breeder; fish farmer 2 (*agric.*) nurseryman* (m.).

vivaìstico a. 1 (*piscicoltura*) fish-farming (attr.); fish-breeding (attr.) 2 (*agric.*) nursery (attr.).

vivaménte avv. (*con calore*) warmly, heartily; (*profondamente*) deeply, profoundly; (*con interesse*) keenly; (*con forza*) strongly: **v. commosso**, deeply moved; **v. interessato**, keenly interested; *Mi consigliò v. di accettare*, she strongly recommended me to accept; **ringraziare v.**, to thank warmly.

vivànda f. 1 (*cibo*) food Ⓤ; (*pietanza*) dish: **servire le vivande**, to serve food 2 (*portata*) dish.

vivandièra f. (*mil.*) female sutler; vivandière (*franc.*).

vivandière m. (*mil.*) sutler.

viva vóce, **vivavóce** (*telef.*) Ⓐ m. inv. speakerphone Ⓑ a. inv. – **telefono viva voce**, speakerphone.

♦**vivènte** Ⓐ a. living; alive (pred.): **essere v.**, living being; creature; **il più grande attore v.**, the greatest living actor; *È l'immagine v. del padre*, he's the living image of his father Ⓑ m. living being; creature; (al pl., collett.) (the) living.

vivènza f. (*leg.*) living.

♦**vìvere** ① Ⓐ v. i. 1 (*essere vivo*, *esistere*) to live; to be alive: **v. a lungo**, to live long; to be long-lived; **v. fino a tarda età**, to live to a

great age; **v. fìno a cent'anni**, to live to be a hundred; **v. nell'acqua**, to live in water; **v. più a lungo di q.**, to outlive sb.; *Vive ancora*, he is still alive (*o* living); *I dottori dicono che vivrà*, the doctors say she will live; *Visse al tempo di Augusto*, he lived at the time of Augustus; *Vive per i figli*, she lives for her children; *Viveva in quei tempi un uomo...*, there lived at that time a man...; *Si vive una volta sola*, you only live once; **stanco di v.**, tired of life (*o* of living); **cessare di v.**, to die; to pass away; **continuare a v.**, to live on; **il tempo che ancora mi rimane da v.**, what I have left of life; **la volontà di v.**, the will to live **2** (*trascorrere l'esistenza*) to live: **v. a modo proprio**, to lead one's own life; **v. alla giornata**, to drift along; (*per povertà*) to live from hand to mouth; **v. alle spalle di q.**, to live off sb.; to sponge on sb. (*fam.*); **v. col sudore della fronte**, to live by the sweat of one's brow; **v. come un eremita**, to lead the life of a hermit; **v. da gran signore**, to live like a lord; **v. di espedienti**, to live by one's wits; **v. felice**, to live happily; **v. libero**, to live in freedom; to be free; **v. more uxorio**, to live together as man and wife; **v. nell'attesa di**, to live for the time when; **v. nel peccato**, to live in sin; **v. onestamente**, to live honestly; to lead an honest life **3** (*abitare*) to live: **v. a Venezia**, to live in Venice; **v. con q.**, to live with sb.; **v. da solo**, to live alone; **v. in campagna**, to live in the country; **v. insieme [separati]**, to live together [apart]; **v. presso parenti**, to live with relatives; (*di coppia*) **andare a v. con q.**, to move in with sb.; **andare a v. da solo**, to leave home; **andare a v. in città [in un appartamento]**, to move to town [into a flat] **4** (*sostentarsi, nutrirsi*) to live (on); to live (by); (*fig.*) to live (on), to feed* (on): **v. con lo stipendio**, to live on one's salary; **v. con poco**, to get by on little; **v. di caccia e pesca**, to live by hunting and fishing; **v. di carne**, to live on meat; **v. dei frutti della terra**, to live off the land; **v. del proprio lavoro**, to live by one's work; **v. d'odio**, to feed on hatred; **v. di rendita**, to live on one's private income; to have private means; **v. di ricordi**, to live on memories; *Solo un milione e mezzo? Ma riesci a viverci?*, just one and a half million? how can you live on that?; *L'uomo non vive di solo pane*, man cannot live on bread alone; *Vive solo di sport*, he lives and breathes sport; **avere di che v.**, to have enough to live on; **guadagnarsi da v.**, to earn a (*o* one's) living; **lavorare per v.**, to work for a living **5** (*conoscere, godere la vita*) to live; to see* life: **v. intensamente**, to live life to the full; **cominciare a v.**, to start living; *Ho voglia di v.!*, I want to see some life!; **una persona che ha vissuto**, a person who has seen life **6** (*fig.: comportarsi*) to behave; to live: **insegnare a q. a v.**, to teach sb. to behave; **saper v.**, to know how to live; (*conoscere il galateo*) to know how to behave, to have good manners **7** (*fig.: durare*) to last; to survive; to endure; (*rif. a ricordo, ecc.*) to live on: **v. nella memoria di q.**, to live on in sb.'s memory; **v. nei secoli**, to live on through the centuries; **tradizioni che vivono ancora**, traditions that still survive; **non v. a lungo**, to be short-lived **8** (*tipogr.*) – *Vive*, stet (*lat.*) ● **chi vive → chi vive**, loc. m. □ (*fig.*) **far v. il commercio [l'industria]**, to foster commerce [industry] □ (*fig.*) **Lasciami v.!**, give me some respite!; give me a break! (*fam.*) □ **«Come va?» «Si vive»**, «how are you?» «we're getting by» □ (*eufem.*) **È uno che ha vissuto da giovane**, he sowed his wild oats in his youth □ **...e vissero felici e contenti**, ...and (so) they lived happily ever after □ (*prov.*) **Chi vivrà vedrà**, time will tell □ (*prov.*) **Vivendo s'impara**, live and learn; you learn by experience □ (*prov.*) **Vivi e lascia v.**, live and let live ◻ **v. t. 1** (*trascorrere*)

to live; to lead*; to spend*: **v. anni lieti**, to spend happy years; **v. la propria vita**, to live one's own life; **v. una vita serena**, to lead a peaceful life; **v. una vita di menzogne**, to live a lie; *Visse i suoi ultimi anni a Parigi*, she lived out (*o* spent) her last years in Paris **2** (*passare, attraversare*) to experience; to have; (*rif. a esperienza neg., anche*) to go* through: **v. un dramma**, to go through a terrible experience; **v. grandi cambiamenti**, to experience great changes; **v. giorni felici**, to have (*o* to know) happy days; **v. momenti di angoscia**, to go through a terrible time **3** (*sentire intimamente*) to live; (*identificarsi*) to identify with; (*condividere*) to share: **v. la propria fede**, to live one's faith.

♦**vìvere** ② m. **1** (*la vita*) life: **il v. umano**, human life; **il quieto v.**, a quiet life; peace and quiet: **per amore del quieto v.**, for the sake of peace and quiet; to avoid disputes; *Questo non è v.*, this is not life; *Questo sì che è v.!*, this is the life! **2** (*modo di vivere*) way of life; way of living **3** (*necessario per vivere*) life; living.

♦**vìveri** m. pl. food ⓤ; victuals; provisions; supplies: **v. di prima necessità**, basic supplies; (*mil.*) **v. di riserva**, iron rations; **restare senza v.**, to run short of provisions; **tagliare i v. a q.**, (*mil.*) to cut off sb.'s supplies; (*fig.*) to stop sb.'s allowance; **rifornire di v. un esercito**, to victual an army; (*mil.*) **foraggi e v.**, forage and victuals; **penuria di v.**, food shortage; shortage of supplies; **razionamento dei v.**, food rationing; **trasporto dei v.**, food transport.

vivèrra f. (*zool.*, *Viverra civetta*) civet.

viverrìcola f. (*zool.*, *Viverricula indica*) rasse.

viveur (*franc.*) m. inv. bon viveur; man*-about-town; pleasure-seeker.

vivézza f. **1** vividness; lifelike quality; graphic quality: **la v. di una descrizione**, the vividness (*o* the graphic quality) of a description; **v. d'immagini**, vividness of images; **un ritratto di grande v.**, a very lifelike portrait; **descrivere qc. con v. d'immagini**, to describe st. in vivid images **2** (*brillantezza*) brightness; vividness **3** (*vivacità*) liveliness; vivaciousness; **v. d'ingegno**, liveliness of mind.

Viviàna f. Vivian.

vivìbile a. **1** liveable, livable (*USA*); (*sostenibile*) bearable: **città v.**, liveable city; *Non è più una situazione v.*, this situation is no longer bearable **2** (*piacevole*) enjoyable; pleasant: **atmosfera v.**, pleasant atmosphere.

vivibilità f. liveability, livability (*USA*).

vividézza f. vividness; brilliance; (*di colore, anche*) brightness.

vìvido a. **1** (*intenso, brillante*) vivid; brilliant; (*di colore, anche*) bright **2** (*acuto, penetrante*) vivid; (*di descrizione, ecc., anche*) graphic: **vivida immaginazione**, vivid imagination; **particolare v.**, graphic detail.

vivificànte a. **1** (*che dà vita*) life-giving; enlivening; quickening **2** (*che dà vigore*) invigorating; bracing.

vivificàre v. t. **1** (*dare vita a*) to give* life to; to quicken **2** (*fig.: dare vitalità*) to enliven; to vivify; (*dare vigore*) to invigorate (*stimolare, incoraggiare*) to revive; to revitalize.

vivificatìvo a. (*lett.*) vivifying; enlivening.

vivificatóre Ⓐ a. → **vivificante** Ⓑ m. (f. **-trice**) vivifier.

vivificazióne f. vivification; quickening; invigoration; revitalization.

vivìfico a. (*lett.*) life-giving; quickening.

vivinatalità f. (*stat.*) live births (pl.).

viviparìsmo m. (*zool.*) viviparous reproduction; viviparims.

viviparità f. (*zool.*) viviparity; viviparous-

ness.

vivìparo (*zool.*) Ⓐ a. viviparous Ⓑ m. viviparous animal.

vivisettòrio a. vivisectional; vivisection (attr.).

vivisezionàre v. t. **1** to vivisect **2** (*fig.*) to examine minutely; to dissect.

vivisezióne f. **1** vivisection **2** (*fig.*) minute examination; dissection.

♦**vìvo** Ⓐ a. **1** (*vivente*) living; live (attr.); alive (pred.): **albero v.**, living tree; **pesci vivi**, live fish; **un topo v.**, a live mouse; **prendere un topo v.**, to catch a mouse alive; **nato v.**, born alive; **sepolto v.**, buried alive; **v. o morto**, dead or alive; **più morto che v.**, more dead than alive; *Tuo padre è ancora v.?*, is your father still alive (*o* living)?; **l'anno prossimo, se sarò v.**, next year if I'm still alive; **finché sarò v.**, as long as I live; *Questo ciliegio è ancora v.*, this cherry tree is still alive; *Sarà sempre v. nel nostro cuore*, he will always have a place in our hearts **2** (*tuttora in uso, attuale*) alive (pred.); **lingua viva**, living language; spoken language; **usi ancora vivi**, traditions that are still alive (*o* that survive); **l'uso v. di una lingua**, the living use of a language **3** (*vivace, animato*) lively, animated, brisk; (*acuto*) keen, quick, sharp: **città viva**, lively town; **commercio v.**, brisk trade; **viva discussione**, lively debate; **intelligenza viva**, keen intelligence; quick (*o* sharp, bright) mind; **sguardo v.**, lively expression **4** (*vivido*) vivid; clear; sharp; graphic; (*di colore, ecc.*) bright, vivid: **descrizione viva**, vivid (*o* graphic) description; **fiamma viva**, bright flame; **una luce troppo viva**, a glaring light; **occhio v.**, bright eye; **v. ricordo**, vivid memory; **serbare un v. ricordo di q.**, to remember sb. vividly; we cherish his memory; **tener v. il ricordo di q.**, to keep sb.'s memory alive; **rosso v.**, bright red **5** (*intenso*) intense, keen, strong, burning; (*acuto*) sharp; (*urgente*) urgent; (*profondo*) deep; (*sentito*) heart-felt, deep-felt: **v. bisogno**, great (*o* urgent) need; **calore v.**, burning heat; **viva curiosità**, keen curiosity; **v. desiderio**, strong desire; **v. dolore**, (*fisico*) sharp pain; (*morale*) deep sorrow; **viva impressione**, deep impression; **v. interesse**, keen interest; **viva pietà**, deep pity; **vivi ringraziamenti**, heart-felt thanks; **viva speranza**, strong hope; **vivissimi auguri**, very best wishes **6** (*fresco*) fresh: **acqua viva**, spring (*o* running) water; **aria viva**, fresh air; **fonte viva**, fresh spring **7** (*acuminato, tagliente*) sharp: **spigolo v.**, sharp edge; **taglio v.**, sharp cut ● **v. e vegeto**, alive and well; alive and kicking □ **Non c'era anima viva**, there wasn't a living soul around □ **argento v.**, quicksilver □ **calce viva**, quicklime □ **carne viva**, (living) flesh; quick □ **farsi v.**, (*farsi vedere*) to turn up; (*venire a far visita*) to go [to come] and see (sb.), to look (sb.) up; (*dare notizie di sé*) to be in touch; (*scrivendo*) to drop a line: *Fatti v. ogni tanto*, come and see me every now and then; drop me a line every now and then; *Con me non s'è fatto v.*, I've heard nothing from him; he hasn't been in touch with me □ (*fig.*) **le forze vive del paese**, the vital forces of the country □ (*fam.*) **Se non finisce in tempo lo mangio v.**, I'm going to kill him if he doesn't finish in time □ **peso v.**, live weight □ **roccia viva**, living rock □ **siepe viva**, quickset hedge □ **spese vive**, actual expenses; out-of-pocket expenses □ **tener viva la conversazione**, to keep the conversation going □ **tener viva la fiamma**, to keep the fire going (*o* burning) Ⓑ m. **1** (*persona vivente*) living person; (*al pl., collett.*) (the) living: **i vivi e i morti**, the living and the dead; **non essere più tra i vivi**, to be no longer living; to be dead; **il mondo dei vivi**, the land of the living **2** (*parte viva*) quick: **mordersi le un-**

ghie fino al v., to bite one's nails to the quick 3 (*fig.*: *punto sensibile*) quick; raw; sore point: **ferire q. sul vivo**, to wound sb. to the quick; (*fig.*) **toccare q. nel** (*o* **sul**) **v.**, to touch sb. on the raw; to touch a raw nerve with sb. 4 (*fig.*: *parte essenziale*) heart; root; core: **il v. del combattimento**, the thick of the fighting; **il v. di una questione**, the heart (*o* the root) of a matter; **entrare nel v. di qc.**, to get to the heart of st. ● (*archit.*) **il v. della colonna**, the shaft of the column □ **al v.**, (*arte*) to the life; (*con realismo*) in a lifelike manner, realistically: **descrivere qc. al v.**, to give a graphic description of st.; to describe st. realistically; **ritrarre qc. al v.**, to portray st. to the life □ **dal v.**, (*arte*) from life, life (attr.); (*di registrazione*, *ecc.*) live: **ritratto dal v.**, life portrait; **concerto dal v.**, live concert.

vivucchiàre → **vivacchiare**.

viziàre v. t. 1 (*rovinare*) to spoil, to ruin, to mar; (*invalidare*, *anche leg.*) to vitiate; (*inquinare*) to pollute: **v. un contratto**, to vitiate a contract 2 (*abituare male*, *diseducare*) to spoil*; to pamper: **v. i figli**, to spoil one's children 3 (*corrompere*) to corrupt.

viziàto a. 1 (*invalido*, *anche leg.*) vitiated: **contratto v.**, vitiated contract 2 (*inquinato*) polluted; stale: **aria viziata**, stale air 3 spoilt; pampered: **ragazzo v.**, spoilt boy 4 (*corrotto*) corrupt; depraved.

♦**vizio** m. 1 (*difetto morale*) vice: **il v. della gola**, the vice of gluttony; **il v. di mentire**, the vice of lying; (*teol.*) **i sette vizi capitali**, the seven deadly sins; **essere pieno di vizi**, to have many vices; **senza vizi**, viceless; **vivere nel v.**, to live in vice 2 (*abitudine inveterata*) vice; addiction: *Il mio unico v. è il fumo*, my only vice is smoking; **avere il v. del gioco**, to be addicted to gambling 3 (*cattiva abitudine*) bad habit: **il v. di mangiarsi le unghie**, nail-biting; **avere il v. di fare sempre tardi**, to have a bad habit of always arriving late; **togliere un v. a q.**, to cure sb. of (*o* to wean sb. off) a bad habit; **togliersi un v.**, to break a habit 4 (*med.*) defect: **v. cardiaco**, heart (*o* valvular) defect 5 (*vet.*) defect; fault; (*cattiva abitudine*) bad habit 6 (*difetto*, *irregolarità*) defect; flaw: **v. d'origine**, congenital defect; **v. di pronuncia**, speech defect 7 (*leg.*) defect; error: **v. di consenso**, invalid consent; **v. di forma**, error of form; **v. di procedura**, procedural flaw; **v. di sostanza**, error of substance; **v. intrinseco**, inherent vice; **v. occulto**, latent defect (*o* fault).

viziosità f. 1 (*depravazione*) depravation; debauchery 2 (*l'essere difettoso*) defectiveness; faultiness 3 (*di ragionamento*) circularity.

vizióso A a. 1 (*depravato*) dissolute; depraved; immoral; corrupt: **vita viziosa**, dissolute (*o* depraved) life 2 (*difettoso*) defective; faulty 3 – **circolo v.**, vicious circle B m. (f. -**a**) depraved person; debauchee; pervert ❶ **FALSI AMICI** • vizioso *non si traduce con* vicious.

vizzo a. 1 (*avvizzito*) withered; wrinkled; (*rif. a persona*, *anche*) wizened: **fiori vizzi**, withered flowers; **guance vizze**, withered (*o* wrinkled, wizened) cheeks; **mela vizza**, wrinkled apple 2 (*floscio*) flabby.

V.le abbr. (*negli indirizzi*, **Viale**) Avenue (Ave.); Boulevard (Blvd.).

VM sigla 1 (**valor militare**) military valour 2 (**vietato ai minori**) restricted audience 3 **Vostra** (**Maestà**) Your Majesty.

♦**vocabolàrio** m. 1 (*dizionario*) dictionary: **v. inglese-italiano**, English-Italian dictionary; **ricorrere al v.**, to resort to a dictionary 2 (*lessico*) vocabulary; lexicon: **v. ricco** [**limitato**, **essenziale**], rich [limited, basic] vocabulary; **arricchire il proprio v.**, to build up (*o* to extend) one's vocabulary ● (*fig.*) **«Scusa» è una parola che non esiste**

nel suo v., he doesn't even know the meaning of the word «sorry».

vocabolarista m. e f. lexicographer.

vocabolarizzàre v. t. to include in a dictionary.

vocabolarizzióne f. inclusion in a dictionary.

♦**vocàbolo** m. word; term: **v. tecnico**, technical term; **il significato di un v.**, the meaning of a word.

vocàle① a. vocal: (*mus.*) **concerto v. e strumentale**, vocal and instrumental concert; (*anat.*) **corde vocali**, vocal chords.

vocàle② f. (*fon.*) vowel: **v. aperta**, open vowel; **v. atona**, unstressed vowel; **v. chiusa**, closed vowel; **v. tonica**, stressed vowel.

vocalése m. (*mus. jazz*) vocalese.

vocàlico a. (*fon.*) vocalic; vowel (attr.): **sistema v.**, vowel system; system of vowels; vocalism; **suono v.**, vowel sound.

vocalìsmo m. (*ling.*) vocalism; vowel system.

vocalìsta m. e f. (*mus.*) vocalist.

vocalità f. (*mus.*) vocalism; vocal style.

vocalizzàre v. t. e i., **vocalizzàrsi** v. i. pron. to vocalize.

vocalizzazióne f. 1 (*mus.*) vocalise 2 (*ling.*) vocalization.

vocalìzzo m. (*mus.*) vocalise.

vocativo a. e m. (*gramm.*) vocative: **al v.**, in the vocative (case).

vocazionàle a. vocational.

vocazióne f. 1 vocation; calling; call: **v. per l'insegnamento**, vocation for teaching; **v. per la medicina**, vocation to be a doctor; **v. sacerdotale**, vocation to the priesthood; **fare qc. per v.**, to do st. as a vocation; **sentire la v.**, to feel called 2 (*attitudine*, *dote innata*) gift; bent; talent: **avere v. per la musica**, to have a gift for music.

♦**vóce** f. 1 (*anche fig.*) voice: **v. aspra**, harsh voice; **v. calda**, rich voice; **v. di donna**, woman's voice; **v. di gola**, throaty voice; **v. dolce**, sweet voice; **v. dura**, harsh voice; (*cinem.*, *TV*) **v. fuori campo**, off-screen voice, voice off; (*che commenta*) voice-over; (*cinem.*) **voci fuori campo**, off-camera dialogue; **v. impastata**, thick voice; **v. in falsetto**, falsetto voice; **v. sommessa**, quiet voice; **v. squillante**, ringing voice; **v. tonante**, booming voice; *V.!*, louder!; speak up!; **ad alta v.**, (*non sottovoce*) aloud, out loud; (*con voce forte*) loudly, in a loud voice; **a piena v.** (*o* **a v. spiegata**), full-throated (agg.); full-thoatedly (avv.), lustily (avv.); **parlare ad alta v.**, to speak loudly (*o* in a loud voice); **pensare ad alta v.**, to think aloud; **a bassa v.**, in a low voice; quietly; **a mezza voce**, in a mumble; **dire qc. a mezza v.**, to mumble st.; **a gran v.**, in a loud voice; loudly; **chiedere a gran v.**, to clamour for; **a portata di v.**, within hearing; within shouting distance; **con quanta v. si ha in corpo**, at the top of one's voice; with all one's breath; **con v. sommessa**, in a low voice; quietly; softly; **senza v.**, voiceless; (*rauco*) hoarse; **sotto v.**, under one's breath; low; (*mus.*) sotto voce; **abbassare la v.**, to lower one's voice; *Abbassa la v.!*, keep your voice down; **alzare la v.**, (*parlare più forte*) to raise one's voice, to speak up; (*arrabbiarsi*) to raise one's voice; **avere poca v.** (*essere rauco*), to be hoarse; **coprire la v. di q.**, to cover the sound of sb.'s voice; **essere giù di v.**, to be hoarse; (*di cantante*) not to be in good voice; (*di ragazzo*) *Sta mutando v.*, his voice is breaking; **non avere v.**, to have lost one's voice; **perdere la v.**, to lose one's voice; **un filo di v.**, a small (*o* thin) voice; **tono di v.**, tone of voice 2 (*fig.*) voice; (*richiamo*) call: **la v. della coscienza**, the voice of one's conscience; the still small voice; **la v. del cuore**, the voice of the heart;

la v. del popolo, the voice of the people; **la v. del sangue**, the call of the blood 3 (*di animale*) call; cry; (*canto*) song 4 (*di strumento mus.*) tone; sound: **la v. di un violino**, the tone of a violin 5 (*fig.*: *suono*, *rumore*) sound: **la v. del vento**, the voice of the wind 6 (*opinione*) **la v. pubblica**, public opinion 7 (*diceria*) rumour, rumor (*USA*); hearsay Ⓤ; (*pettegolezzo*) gossip Ⓤ: **voci contraddittorie**, conflicting rumours; **voci di corridoio**, backstairs gossip; **voci infondate**, groundless rumours; **voci non confermate**, unconfirmed rumours; *Corre v. che...*, it is rumoured that...; *Corrono voci strane*, there are strange rumours going about; **spargere** (*o* **mettere in giro**) **una v.**, to spread a rumour; *Si è sparsa la v. che...*, there is a rumour going about that... 8 (*gramm.*: *forma del verbo*) voice; (*parte del verbo*) part: **v. attiva** [**passiva**], active [passive] voice; **le voci di un verbo**, the parts of the verb 9 (*vocabolo*) word; term: **v. antiquata** [**dialettale**], dated [dialect] word; **v. tecnica**, technical term; **cercare una v. nel dizionario** to look up a word in the dictionary 10 (*lemma*) entry, headword; (*articolo di enciclopedia*) entry: **una v. molto lunga**, a long entry; **una v. con due significati**, a headword with two meanings; *Vedi sotto la v...*, see under... 11 (*intestazione*) heading: *Questa merce è compresa sotto la v. «bevande»*, these goods come under the heading «drinks» 12 (*elemento di elenco*, *articolo*) item: **v. di bilancio**, balance-sheet item; **v. di spesa**, item of expenditure; expense item 13 (*mus.*) voice: **v. bianca**, treble (voice); **v. di basso**, bass (voice); **v. di contralto**, contralto (voice); **v. di petto**, chest voice; **v. di testa**, head voice; **seconda v.**, countermelody; **canto a più voci**, part singing; **canzone a più voci**, part song; **madrigale a quattro voci**, four-part madrigal; **avere poca v.**, not to have a strong voice; **avere una bella v.**, to have a beautiful voice; **essere in v.**, to be in (good) voice ● (*fig.*) **a una v.**, with one voice; unanimously □ **a v.**, verbally; (*di persona*) in person: **ordine dato a v.**, order given verbally; *Glielo spiegherò a v.*, I'll explain to him when we meet □ **a viva v.**, personally; face-to-face □ (*fig.*) **avere v.** (**in capitolo**) **in qc.**, to have a voice (*o* a say) in st. □ **dare una v. a q.**, to call sb. □ **dar v. a qc.**, to give voice to st.; to voice st. □ (*fig.*) **darsi la v.**, to pass the word round □ **dare sulla v. a q.**, (*contraddire*) to contradict sb.; (*zittire*) to shut sb. up □ **fare la v. grossa**, to raise one's voice; to speak threateningly □ **rifare la v. di q.**, to imitate sb.'s voice □ (*mil.*) **saluto alla v.**, cheer □ **sentire voci** (*avere allucinazioni*), to hear voices □ *L'ho sentito dalla sua viva voce*, I heard it from his own lips.

vociànte a. shouting; noisy; (*che protesta*) vociferous, clamouring.

vociàre A v. i. 1 (*gridare*) to shout; to bawl 2 (*chiacchierare*) to gossip B m. 1 (*il gridare*) shouting; noisy voices (pl.) 2 (*chiacchiere*) gossip.

vociferànte a. vociferous, clamorous; clamouring; shouting.

vociferàre A v. i. to vociferate; to clamour; to shout B v. t. to rumour: *Si vocifera che...*, it is rumoured that...

vociferatóre A a. → **vociferante** B m. (f. -**trice**) 1 shouter 2 (*chi sparge notizie*) rumour-monger; gossipmonger.

vociferazióne f. 1 vociferation; shouting Ⓤ 2 (*diceria*) rumour; gossip Ⓤ.

vocìo m. shouting; clamour; confused sound of voices; buzz..

vocoder (*ingl.*) m. inv. (*elettron.*) vocoder.

vocòide m. (*ling.*) vocoid.

vòdka f. vodka.

vòga f. 1 (*il vogare*) rowing, pulling; (*spinta*

con i remi) stroke, pull: **v. a bratto**, sculling; **v. arrancata**, fast stroke; **v. di coppia**, double banking; **v. di punta**, single banking; **v. corta [lunga]**, short [long] stroke; **ritmo di v.**, stroke rhythm **2** (insieme dei vogatori) oarsman*; oar: **capo v.**, first oar **3** (entusiasmo, slancio) enthusiasm; eagerness; will; keenness: **fare qc. con v.**, to do st. with eagerness (o with a will) **4** (moda) fashion, vogue; (popolarità) popularity; (mania) fad, craze: **in v.**, in fashion; fashionable; in vogue; popular; in; **in gran v.**, very popular; all the rage; **tornare in v.**, to come back (into fashion).

vogàre v. i. to row; to pull; to oar; to ply the oars; (dando il ritmo) to keep* stroke: **v. a bratto**, to scull; **v. con forza**, to pull hard; **v. con pagaia**, to paddle.

vogàta f. (il vogare) row; rowing; (spinta data coi remi) stroke, pull: **v. regolare**, steady rowing; steady stroke; **fare una v.**, to have a row.

vogatóre m. **1** (f. **-trice**) rower; oarsman* (m.): **v. di punta**, bowman **2** (attrezzo ginnico) rowing machine **3** (canottiera) singlet (GB); undershirt (USA).

◆**vòglia** f. **1** (volontà) will; willingness: **v. di aiutare**, willingness to help; **v. di studiare**, will to study; **di buona v.**, willingly; with pleasure; (con entusiasmo) with a will; **lavorare di buona v.**, to work with a will; to work hard; **di mala v.**, unwillingly; reluctantly; **aver v. di lavorare**, to want to work; **non aver v. di studiare**, not to want to study; **non avere più v. di vivere**, to have lost the will to live; **fare qc. contro v.**, to do st. against one's will **2** (desiderio) wish, desire, (forte) longing, yen, itch; (brama) lust; (capriccio) fancy, whim; (impulso) urge: **v. di dormire**, wish to sleep; **v. di sposarsi**, desire to get married; **gran v.**, longing; yen; itch; **una mezza v. (di)**, half a mind (to); **avere v. di camminare**, to feel like walking; **aver v. di una birra**, to feel like a glass of beer; Hai v. di andare al cinema?, do you feel like going to the cinema?; Ho proprio v. di rivederla, I'm really looking forward to seeing her again; Avrei proprio v. di una sigaretta, I could do with a cigarette; **avere una gran v. di qc. [di fare qc.]**, to be longing for st. [to do st.]; **avere una v. matta di qc. [di fare qc.]**, to be dying for st. [to do st.]; Non ho v. di (fare) colazione, I don't feel like (having) breakfast; Non ho v. di vedere gente, I'm in no mood to see people; Non ho v. di scherzare, I'm not in the mood for joking; Non ho nessuna v. di vederli, I have no wish to see them; Possiamo uscire, se ne hai v., we can go out, if you feel like it; **far passare la v. di qc.**, to put one off st.; **far venire la v. di fare qc.**, to make sb. want to do st.; **morire dalla v. di**, to be dying (o itching) to; Muoio dalla v. di bere un tè, I'm dying for a cup of tea; Me ne è passata la v., I don't feel like it any more; **piegarsi alle voglie altrui**, to bow to the wishes of others; Resistetti alla v. di dargli un pugno, I resisted the urge to punch him; **togliersi una v.**, to indulge a whim; Mi vien v. (o Mi fa venir v.) di piantare tutto, I feel like chucking everything in **3** (eufem.: desiderio sessuale) craving; lust **4** (di donna incinta) craving: **v. di insalata**, craving for salads **5** (fam.: macchia della pelle) birthmark: **v. di fragole**, strawberry mark ● **Hai v.!** (certamente sì), you bet! □ **Sì, hai v.!** (macché), are you kidding? □ **Hai v. che sia finito!**, it'll be ages before it's done! □ **Hai voglia di gridare!** Non ti ascoltano nemmeno**, you can shout until you are blue in the face, they just won't listen to you □ **levarsi la v.** (la soddisfazione) **di fare qc.**, to give oneself the satisfaction of doing st.

vòglio 1ª pers. sing. indic. pres. di **volere**.

vogliosità f. eagerness; longing; craving.

voglióso a. (desideroso) eager, keen, desirous; (bramoso) longing, yearning, craving; (cupido) greedy, covetous.

◆**vói** Ⓐ pron. pers. 2ª pers. pl. m. e f. (sogg. e compl.) you: Lo avete detto voi, you said so; Eravate voi?, was it you?; Fatelo voi!, you do it!; Hanno parlato con voi (o È con voi che hanno parlato), they spoke to you; it's you they spoke to; Veniamo con voi, we are coming with you; **se io fossi (in) voi**, if I were you; **voi due**, the two of you; (entrambi) both of you, you both: C'eravate solo voi due, there were just the two of you; Voi due sarete puniti, you shall both be punished; **voi stessi** (o proprio voi), yourselves; you... yourselves; L'avete visto voi stessi, you saw it yourselves; Pensate solo a voi stessi, you only think of yourselves; **voi tre [quattro, ecc.]**, the three [the four, etc.] of you; you three [four, etc.]; **voi tutti**, all of you; you all ● **A voi!** (tocca a voi) it's your turn!; (alla vostra salute) here's to you! □ **Eccomi a voi!**, here I am! □ **Beati voi!**, lucky you! □ **da voi**, (a casa vostra) at [to] your place (o house); (nel vostro paese) in your country, where you come from; (nella vostra regione) in your part of the country; (nella vostra famiglia) in your family □ **da voi** (da soli), by yourselves □ **Ehi, voi!**, hey, you there! Ⓑ m. inv. «voi» form: **dare del voi**, to use the «voi» form (o the formal form of address); **dare del voi a q.**, to address sb. as «voi»; **passare dal voi al tu**, to shift to first names.

voiàltri pron. pers. 2ª pers. pl. m. (f. **voiàltre**) you; you people; you lot (o folks) (fam.); you-all (fam. USA).

voilà (franc.) inter. (ecco qua) there you are!, voilà; (rif. a trucco di magia ed estens.) hey presto; (mostrando qc. di straordinario) ta-da!, shazam!

voile (franc.) m. inv. (ind. tess.) voile.

voivòda m. (stor.) voivode.

voivodàto m. voivodeship.

vol. abbr. (**volume**) volume (vol.).

volandièro a. tramp (attr.): **nave volandiera**, tramp (ship).

volàno m. **1** (sport: la palla) shuttlecock; (il gioco) badminton, battledore and shuttlecock **2** (mecc.) flywheel **3** (fig.) engine; driving force: **fare da v.**, to act as a driving force.

volant (franc.) m. inv. (moda) flounce; (di tenda, copriletto, ecc.) valence, valency.

◆**volànte**① Ⓐ a. **1** (che vola) flying: **disco v.**, flying saucer; (aeron.) **fortezza v.**, flying fortress; **pesce v.**, flying fish **2** (fig.: veloce) flying: **squadra v.**, flying squad **3** (fig., rif. a lavoro: non stabile) free-lance: **indossatrice v.**, free-lance model; **lavori volanti**, free-lance jobs **4** (mobile) free; movable; loose: **foglio v.**, loose leaf (o sheet); (elettr.) **presa v.**, movable socket Ⓑ f. **1** (polizia) flying squad; (estens.: auto) police car **2** (indossatrice) free-lance model.

◆**volànte**② m. (autom.) steering-wheel; wheel: **al v.**, at the wheel; behind the wheel; **mettersi al v.** (o prendere il v.), to take the wheel; **asso del v.**, ace driver; **auto col v. a destra**, car with right-hand drive; **cambio al v.**, gearshift on the steering column.

volantàggio m. distribution of leaflets; leafleting: **fare del v.**, to distribute leaflets; to leaflet (st.).

volantinàre v. t. to distribute leaflets; to leaflet.

volantino① m. (mecc.) handwheel.

volantino② m. (manifestino) leaflet; handbill.

◆**volàre**① v. i. **1** to fly*; (sotto la spinta del vento) to blow*, to be blown; (di cosa lanciata, anche fig.) to fly*: Gli uccelli volano, birds fly; Volavano le frecce, arrows were flying; Volavano le foglie secche, dead

leaves were blowing about; Mi volò via il foulard, my scarf was blown away; Cominciarono a v. insulti, insults began to fly; Sono volate parole grosse tra di loro, they hurled insults at each other; Volarono gli schiaffi, there was an exchange of blows; **far v.**, to fly; (del vento) to blow away (o off); (scagliare) to fling*, to throw; **far v. un aquilone**, to fly a kite; Il vento gli fece v. via il cappello, the wind blew his hat off; **far v. i piatti dalla finestra**, to throw the dishes out of the window **2** (aeron.) to fly*: **v. ad alta [a bassa] quota**, to fly high [low]; (di elicottero) **v. a punto fisso**, to hover; **v. a velocità di crociera**, to cruise; **v. (a volo) librato**, to glide; **v. da solo**, to solo; **v. in picchiata**, to dive; **v. in spirale**, to spiral; **v. su Milano**, to fly over Milan **3** (cadere) to fall*: **v. giù dal terzo piano**, to fall from the third floor **4** (fig.: correre) to fly*; to rush; to race; to speed*: **v. alla stazione**, to rush to the station; **v. giù per le scale**, to fly down the stairs; **v. incontro a q.**, to rush to meet sb. **5** (fig., di pensiero, ricordo) to fly*; to go*: Il mio pensiero vola a te, my thoughts fly to you; La sua mente volò agli anni di scuola, his mind went back to his school years **6** (sollevarsi) to rise*; to go* up: **v. in cielo**, to rise into the air; (fig.) to go to Heaven **7** (fig.: propagarsi) to fly* (around); to travel; to spread: **v. di bocca in bocca**, to fly from lips to lips; La fama vola, fame has wings **8** (fig.: passare, trascorrere) to fly* (by, past); to pass quicky: Il tempo vola, time flies; Volano gli anni, the years fly by; L'estate è volata in un lampo, summer has just flown by.

volàre② a. (anat.) volar.

volàta f. **1** (volo, anche fig.) flight **2** (stormo) flight; flock **3** (corsa) race; rush; (breve viaggio) hop: **di v.**, quickly; in a rush; in a flash; **andare di v.**, to rush; to dash; **partire di v.**, to dash off; to rush off; **scendere le scale di v.**, to rush downstairs; **tornare di v.**, to be back in a flash **4** (sport) (final) sprint: **superare q. in v.**, to sprint past sb.; **vincere in v.**, to sprint home to win **5** (caduta) fall **6** (mil., di cannone) muzzle; chase (mus.) run **8** (ind. min.) volley ● (fig.) **tirare la v. a q.**, to smooth the way for sb.

volàtile Ⓐ a. **1** (chim.) volatile **2** (lett.: instabile) volatile; unstable **3** (comput.) - **memoria v.**, votatile memory Ⓑ m. bird.

volatilità f. **1** (chim.) volatility **2** (econ.) volatility; instability.

volatilizzàbile a. (chim.) volatilizable.

volatilizzàre Ⓐ v. t. e i. (chim.) to volatilize Ⓑ **volatilizzàrsi** v. i. pron. **1** (chim.) to volatilize **2** (fig. fam.) to disappear; to vanish (into thin air).

volatilizzazióne f. (chim.) volatilization.

vol-au-vent (franc.) m. inv. (cucina) vol-au-vent.

volée (franc.) f. inv. (tennis) volée; volley: **v. di dritto [di rovescio]**, forehand [backhand] volley.

volèmia f. (fisiol.) total blood volume.

volènte a. willing ● **v. o nolente**, whether one likes it or not; like it or not; willy-nilly.

volenteróso a. willing; eager; keen.

◆**volentièri** avv. willingly; gladly; with pleasure: **lavorare v.**, to be a willing worker; to enjoy one's job; Lo vedrò v., I'll see him with pleasure; I'll be glad to see him; «Vuoi venire anche tu?» «V.», would you like to come too?» «I'd love to»; «Un whisky?» «V.», «whisky?» «I'd love one»; «Me lo puoi prestare?» «V.», «could I borrow it?» «certainly!» (o «of course!»); **ben v.**, with great pleasure ● **spesso e v.**, very often.

◆**volére**① Ⓐ v. t. **1** (+ sost. o pron.) to want; (volontà forte) will have: Voglio i miei soldi, I want my money; Il direttore ti vuole, the director wants you; Ti vogliono al telefono,

you are wanted on the phone; *C'è uno che ti vuole*, there's someone who wants to see you; there's someone to see you; *Non voglio nessuno*, I don't want anyone; *Non voglio scuse*, I will have no excuses; *Volete altro?*, is there anything else you want?; *Sa quello che vuole*, she knows what she wants; *Mi vollero con loro*, they wanted me to go with them; *Mi vogliono morto*, they want (to see) me dead; *I genitori lo vollero prete*, his parents wanted him to become a priest **2** (+ inf. o proposizione oggettiva) to want; (*volontà forte*) will (pres. indic.), would (pass. indic. e congiunt., condiz.), will (would) have (+ sost. o proposizione oggettiva): *Vuole partire ora*, he wants to leave now; *Vuole farsi frate*, he wants to become a monk; *Vuole fare a modo suo*, she will have her own way; *Vuoi venire con me?*, do you want to come with me?; *Voglio essere ubbidito*, I will be obeyed; *Voglio fare come mi piace*, I will do as I like; *Vuole che le cose siano fatte bene*, he wants things to be done well; *Non voglio che si sciupi*, I don't want it to get spoiled; *Non voglio che tu usi quel tono con me*, I won't have you use that tone with me; *Non volevo che lo scoprisse*, I didn't want him to find out; *Non voglio farlo!*, I will not (o won't) do it!; *Volevano picchiarlo*, they wanted to beat him; *Potrebbe aiutarci se volesse*, he could help us, if he wanted to; *Non vollero aiutarci*, they would not help us; they refused to help us **3** (*gradire*) to like; to wish; to please; would like (condiz. pres.): *Come volete voi*, as you like (o wish, please); *Quando vuoi*, whenever you like (o wish); *Se vuoi, possiamo restare*, we can stay if you like (o wish); *Vorrei un consiglio*, I'd like some advice; *Vorrei più ordine*, I'd like more tidiness; *Voglia o no, così dev'essere*, whether he likes it or not, that's the way it has to be **4** (*desiderare*) to wish; to wish for; would like (+ inf. o prop. oggettiva); (*qualcosa di irrealizzabile*) to wish (+ congiunt.), to desire: *Vogliono fare una passeggiata*, they would like to go for a walk; *Ha tutto quello che si può v.*, she has everything one can wish for; *Che altro può v.?*, what more could he wish for?; *Vorrei conoscerli*, I'd like to meet them; *Vorrei vederti felice*, I'd like to see you happy; *Vorrei poterti aiutare*, I wish I could help you; *Vorrei che tu fossi qui con me*, I wish you were here with me; *Vorrei che le cose non stessero così*, I wish things were otherwise; *Vorrei essere una rondine*, I wish I were a swallow; *Vorrei che si rompesse il collo!*, I hope he breaks his neck!; *Ti vorrei più attento*, I wish you paid (o you would pay) more attention; *Vorrei tanto che tornasse*, how I wish he would come back; *Vorrei proprio sapere quel che sta succedendo*, I'd really like to know what's going on here; *Avrei voluto vedere quel film*, I would have liked to see that film; *Avrebbe voluto essere rimasta a casa*, she wished she had stayed at home; *Avrebbe voluto essere già di ritorno*, he wished himself already home again; *Tutti vogliono la felicità*, everyone desires (o wishes) to be happy; *Dicano pure quel che vogliono, io...*, I don't care what they say, I... ❶ NOTA: *to wish* → **to wish 5** (*preferire*) to prefer, would rather (condiz. pres.); (*scegliere, decidere*) to choose*: *Vorrei che tu non ci andassi da sola*, I'd rather you didn't go there alone; *Vorrei piuttosto andare a Parigi*, I would rather go to Paris; *Vorrei non incontrarlo, se non ti spiace*, I'd rather not meet him, if you don't mind; *Mi diedero della birra, ma avrei voluto del vino*, I was given beer, but I would have preferred to drink wine; *Fa' un po' come vuoi*, do as you choose; suit yourself; *Vollero restare a casa*, they chose to stay at home **6** (*nelle richieste*) will; (*nelle offerte*) will have, would like: *Volete accomodarvi?*,

won't you sit down?; *Vuoi una tazza di tè?*, will you have a cup of tea?; *Volete un po' di gelato?*, would you like some ice cream?; *Non volete restare a cena?*, won't you stay for dinner?; *Volete tacere?*, will you be quiet?; *Vuoi deciderti?*, will you make up your mind?; *Vuoi farmi il piacere di chiudere la porta?*, would you please shut the door? **7** (*nelle offerte di fare qc.*) – *Vuoi che apra la porta?*, shall I open the door?; *Volete che chiuda la finestra?*, shall I shut the window?; *Andiamocene, vuoi?*, let's go away, shall we? **8** (*decretare, disporre*) to will; (*concedere*) to grant: *Dio lo vuole*, God wills it; it's God's will; *Dio ha voluto così*, it was God's will; *Il destino ha voluto altrimenti*, fate willed it otherwise; it was not to be; *Fortuna volle che quel giorno...*, that day, as luck would have it...; **quando Dio vorrà**, when it pleases God; **se Dio vorrà**, God willing; *Se Dio vuole, è finita!*, it's all over now, thank God! **9** (*nelle esclamazioni augurali*) would; please: *Dio voglia che...!*, please God that...!; God grant that...!; may God...!; *Dio voglia che torni sano e salvo!*, may God bring him back safe and sound!; *Dio non voglia!*, God forbid! **10** (*avere intenzione di*) to intend; to mean*; to be going to: *E adesso che cosa vuoi fare?*, what do you intend to do now?; *Non vorrai lasciarli fare, vero?*, you do not mean to let them do as they please, do you?; *Che cosa vuoi fare oggi?*, what are you going to do today?; *Volevo partire alle cinque, ma ho dovuto cambiare i miei piani*, I was going to leave at five, but I had to change my plans; *Vuoi smetterla o no?*, are you going to stop it or not? **11** (*permettere*) to let*; to allow; (*essere d'accordo*) to agree: *Verrò, se mia madre vuole*, I'll come, if my mother lets me (o agrees); *Non voglio che tu sperperi il tuo denaro*, I won't let you waste your money **12** (*pretendere, aspettarsi*) to expect: *Vogliono che lavori il sabato*, they expect me to work on Saturday; *Tu vuoi troppo da lei*, you're expecting too much from her; *Voglio che siate puntuali*, I expect you to be punctual; *Che cosa vorreste che facessi?*, what do you expect me to do?; what would you have me do?; *Come vuoi che faccia?*, what can I do?; *Che vuoi che ti dica?*, what can I say?; *Che vuole, sono ragazzi!*, they are young, what do you expect?; boys will be boys! **13** (*esigere un prezzo*) to want; to charge; (*chiederlo*) to ask: *Quanto vuoi per la macchina?*, how much are you asking (o do you want) for your car? **14** (*sostenere, asserire, anche impers.*) to say*; to have it: *Vuole un'antica leggenda che...*, an old legend has it that...; according to an old legend...; *Si vuole sia stato avvelenato*, he is said to have been poisoned **15** (*al neg., di cosa: rifiutarsi di*) will not, won't; to refuse: *Il motore non vuole partire*, the engine won't start; *Il chiodo non vuole entrare*, the nail won't go in; *Il cane non voleva smettere di abbaiare*, the dog wouldn't stop barking **16** (*esigere, necessitare di*) to require; to need; to call for: *Queste piante vogliono la luce*, these plants require light **17** (**volerci**: *essere necessario*) to take*; to be needed; to be required: *Quanto ci vuole per andare da Bologna a Roma?*, how long does it take to go from Bologna to Rome?; *Mi ci volle un'ora buona per arrivare a casa*, it took me a full hour to get home; *Ci vuole molta pazienza*, it takes (o you need) a lot of patience; *Ci vollero quattro ore per quel lavoro*, the job took four hours; *Ci volle tre mesi perché la ferita rimarginasse*, the wound took three months to heal; *Quanta stoffa ci vuole per un vestito?*, how much material is required (o do you need) for a dress?; *Qui ci vuole un tappo*, this needs a cork; *Ce n'è voluto per arrivare qui!*, it took ages to get here!; *L'ho persuaso, ma ce n'è*

voluto!, I convinced him, but it took some doing!; *Ci vorrebbe uno come te*, what we need is someone like you; *Qui ti ci vorrebbe un divano*, what you need here is a sofa; *Proprio quel che ci vuole!*, just what is needed; just the job! **18** (*richiedere, reggere*) to take*: *Questo verbo vuole il congiuntivo*, this verb requires (o takes) the subjunctive **19** (*di fenomeno atmosferico: stare per*) to be going; to be about; to look like (o as if): *Secondo me vuol piovere*, I think it's going to (o about to) rain; it looks like rain; *Sembra che il tempo voglia rimettersi*, it looks as if the weather is going to clear up ● **v. bene a q.**, to be fond of sb.; to love sb.: *Si vogliono molto bene*, they are very fond of each other; (*si amano*) they love each other; *Il cane vuol bene al padrone*, the dog loves his master □ **v. dire** (*significare*), to mean: *Che vuol dire questa parola?*, what does this word mean?; *Questo vuol dire che non ti fidi di me*, this means you don't trust me; *Gianni..., voglio dire Tito*, Gianni..., I mean Tito; *Non sa nemmeno che cosa vuol dire lavorare*, he hasn't the faintest notion of what it means to work; *Be', vuol dire che tornerò dopo*, all right, I'll just come back later □ **v. in moglie q.**, to want to marry sb. □ **v. indietro qc.**, to want sb. back □ **v. male a q.**, to wish sb. ill; to hate sb. □ (*fam.*) **v. o volare**, like it or not; whether one likes it or not □ **volerne a q.**, to bear sb. a grudge; to bear sb. ill will; to harbour hard feelings against sb.: *Non volermene*, don't be angry with me □ **L'hai voluto tu** (*o* **Te lo sei voluto**)!, you asked for it! □ **Non mi volevo persuadere**, I couldn't persuade myself □ **non volendo** (*o senza v.*), unintentionally; unwittingly; involuntarily □ **Qui ti voglio!** (*ecco il problema!*), here's the rub! □ **Volendo, si potrebbe provare**, we could try, if it looks like it'll work □ **Volevo ben dire!**, I thought as much! □ **Vorrei morire se non è così**, may I drop dead if it isn't so □ **Vorrei sbagliarmi, ma...**, I may be wrong, but... □ **Vorrei vedere che non venisse!**, you bet he's coming! □ **vuoi... vuoi** (*sia... sia*), both... and; (*o... o*) either... or □ **Vuoi che non ci abbia pensato anch'io?**, do you think it didn't occur to me too? □ **Vuoi vedere che telefona**, do you want to bet she's going to ring? □ **Vuoi scherzare?**, are you joking (o kidding)?; you must be joking (o kidding)! □ (*fig.*) **Chi la vuol cruda, chi la vuol cotta**, one man's meat is another man's poison □ (*prov.*) **Chi troppo vuole, nulla stringe**, grasp all, lose all □ (*prov.*) **Chi vuole vada e chi non vuole mandi**, if you want something done, do it yourself □ (*prov.*) **V. è potere**, where there's a will, there's a way □ (*Bibbia*) **Non fare agli altri quello che non vorresti fosse fatto a te**, do unto others as you would be done by B **volérsi** v. rifl. – **volersi bene**, to be fond of each other; to love each other; *Non si vogliono più bene*, they don't love each other any more; (*non sono più innamorati*) they are no longer in love.

❶ NOTA: *volere*

volere che q. faccia (**qc.**) si traduce in inglese con la costruzione to want sb. to do (st.): *Voglio che James riscriva il suo articolo*, I want James to rewrite his article (non ~~I want that James rewrites his article~~); *Voleva che i suoi allievi si esercitassero di più*, she wanted her students to practise more (non ~~she wanted that her students practise more~~). Quando il soggetto della proposizione subordinata è un pronome, questo in inglese compare nella forma complemento: *Voglio che lui si eserciti di più*, I want him to practise more.

♦**volère**② m. **1** (*volontà*) will: **il v. della maggioranza**, the will of the majority; **buon v.**, good will; **di buon v.**, with a good will;

contro il v. di q., against sb.'s will; *Sia fatto il v. di Dio*, God's will be done; **a mio [tuo, ecc.] v.**, according to my [your, etc.] will; **di mio [tuo, ecc.] v.**, of my [your, etc.] own free will **2** (al pl.) (*desideri*) wishes.

volfràmio → **wolframio**.

♦**volgàre** **A** a. **1** (*del volgo*) common; popular; (*di forma linguistica, ecc.*) vernacular, vulgar; (*scient.*) popular, common, trivial: **detto [credenza] v.**, popular saying [belief]; **latino v.**, vulgar Latin; **il nome v. di una pianta**, the popular (*o* common) name of a plant; **poesia v.**, vernacular poetry **2** (*comune*) common; ordinary; cheap: **un v. ladro**, a common thief; **una v. imitazione**, a cheap imitation **3** (*grossolano*) vulgar, common; (*triviale*) coarse, rude: **gente v.**, common people; **gesto v.**, coarse (*o* rude) gesture; **gusti volgari**, common (*o* vulgar) tastes; **modi volgari**, vulgar manners; **parole volgari**, coarse words; **cadere nel v.**, to lapse into coarse language; **to become vulgar B** m. vernacular; vulgar tongue: **i volgari d'Italia**, the Italian vernaculars; **opere in v.**, works in the vulgar tongue.

volgarìsmo m. (*ling.*) vulgarism; vernacularism.

volgarità f. **1** (*grossolanità*) vulgarity, commonness; (*trivialità*) coarseness, rudeness: *Quell'uomo è d'una v.!*, that man is so vulgar! **2** (*linguaggio volgare*) filthy (*o* foul) language: **dire una v.**, to say something vulgar; **dire v.**, to use foul language.

volgarizzaménto m. translation into the vernacular; vernacularization.

volgarizzàre v. t. **1** (*tradurre in volgare*) to translate into the vernacular; to vernacularize **2** (*divulgare*) to popularize; to vulgarize.

volgarizzatóre m. (f. **-trìce**) **1** (*traduttore*) translator (into the vernacular) **2** (*divulgatore*) popularizer.

volgarizzazióne f. (*divulgazione*) popularization; vulgarization.

volgarménte avv. **1** (*in lingua volgare*) in the vernacular **2** (*comunemente*) popularly; commonly **3** (*in modo volgare*) vulgarly; coarsely.

Volgàta → **Vulgata**.

♦**vòlgere** ① **A** v. t. **1** (*dirigere, anche fig.*) to turn; to direct; to bend*: **v. la propria attenzione su qc.**, to turn (*o* to direct) one's attention to st.; **v. la propria ira contro q.**, to pour (*o* to vent) one's anger on sb.; **v. la mente a qc.**, to bend one's mind to st.; **v. gli occhi** (*o* **lo sguardo**) **su qc.**, to turn one's eyes towards st; **v. i passi verso casa**, to turn (*o* to direct) one's steps homewards; **v. il pensiero a qc.**, to turn one's thoughts to st.; **v. le spalle a q.**, (*girare le spalle*) to turn one's back on sb.; (*dare le spalle*) to have one's back to sb.; (*fig.: non salutare*) to give sb. the cold shoulder; (*fig.: fuggire*) to flee from sb. **2** (*mutare, trasformare*) to turn: **v. qc. in burla**, to turn st. into a joke; to make a joke of st.; to laugh off; **v. qc. a proprio profitto**, to turn st. to advantage; to capitalize on st. **3** (*tradurre*) to turn; to translate: **v. un brano in greco**, to translate a passage into Greek; **v. le armi contro q.**, to take up arms against sb. □ **v. in fuga il nemico**, to put the enemy to flight **B** v. i. **1** (*piegare*) to turn; to bend*; to veer: *La strada volge a sinistra*, the road bends (*o* veers) to the left **2** (*tendere*) to verge; to border; (*avvicinarsi*) to draw*: **v. al rosso**, to verge on red; **v. al termine**, to draw to a close; to come to an end; *Il giorno volgeva al termine*, the day was drawing to a close; *Il nostro tempo volge al termine*, our time is coming to an end (*o* is almost up); *Il sole volgeva al tramonto*, the sun was setting; *Il giorno volgeva alla sera*, evening was approaching **3** (*mutare*) to change; to take* a turn (for): **v. al meglio**, to

take a turn for the better; to improve; **v. al peggio**, to take a turn for the worse; to deteriorate; *Il tempo volge al bello*, the weather is changing for the better (*o* is improving) **C** vòlgersi v. rifl. **1** (*girarsi*) to turn; to turn round: *Si volse verso me*, she turned towards me; **da qualunque lato mi volga**, whichever way I turn **2** (*fig.: dedicarsi*) to turn; to take* up (st.): **volgersi agli studi classici**, to take up classical studies; *Per consolarsi si volse alla musica*, to console himself he turned to music **D** vòlgersi v. i. pron. **1** (*trasformarsi*) to turn (to); to change (into): *Il suo amore si volse in odio*, his love turned to hatred **2** (*fig.: riversarsi*) to be turned; to be directed; to be vented: *Il suo odio si volse contro di noi*, his hatred was directed against us.

♦**vòlgere** ② m. passing; course: **il v. degli eventi**, the course of events; **col v. degli anni**, with the passing of years; **nel v. di tre anni**, in the course (*o* space) of three years.

vólgo m. **1** (*ceto popolare*) common people (pl.); lower classes (pl.); masses (pl.); (*spreg.*) populace, plebs (pl.) **2** (*fig. spreg.*): *massa indistinta*) common herd; hoi polloi: **il v. dei letterati**, the common herd of writers; **uscire dal v.**, to emerge from the herd.

volièra f. aviary.

volitàre v. i. to flutter about.

volitività f. determination; resoluteness.

volitìvo **A** a. **1** (*della volontà*) volitional; of the will; will (attr.): **atto v.**, volitive action; **forza volitiva**, willpower **2** (*dotato di forte volontà*) strong-willed; wilful **3** (*ling.*) desiderative **B** m. (f. **-a**) strong-willed person.

volizióne f. volition.

volley m. inv. (*sport*) volleyball ❶ **Falsi Amici** • volley *non si traduce con* volley.

vòlli 1ª pers. sing. pass. rem. di **volere**.

♦**vólo** m. **1** (*di uccello*) flight: **il v. dell'aquila**, the flight of the eagle; **in v.**, in flight; on the wing; **colpire un uccello in v.**, to shoot a bird on the wing; **alzare** (*o* **prendere, spiccare**) **il v.**, to take flight; to take wing **2** (*aeron.*) flight; (*il volare*) flying: **v. a punto fisso**, hovering; **v. a rovescio**, inverted flight; **v. a vela** (*o* **librato**), gliding; sailplaning; **v. a vista**, contact flying; **il v. delle due e trenta**, the two-thirty flight; **v. di collaudo**, test flight; **v. in picchiata**, dive; diving; **v. notturno**, night flight; **v. planato**, volplane; **v. senza scalo**, non-stop flight; **v. spaziale**, space flight; **v. strumentale**, instrument flight; **primo v.**, maiden flight; **atto al v.**, airworthy; **alzarsi in v.**, to take off; **essere in volo**, to be flying; to be airborne; **fare un v.**, to fly; **perdere il v.**, to miss one's flight; **prendere il v. della sera per New York**, to take the night flight to New York; **prenotare un v.**, to book a flight; **assistente di v.**, cabin attendant, steward (m.); air-hostess (f.); stewardess (f.); **durata del v.**, flight (*o* flying) time; **incidente di v.**, flying accident; air crash; **piano di v.**, flight plan; **rifornimento in v.**, in-flight refuelling; **scuola di v.**, flying school **3** (*stormo*) flight; flock **4** (*traiettoria*) flight: **il v. di una freccia**, the flight of an arrow; **afferrare qc. al v.**, to catch st. in full flight; (*perché non cada*) to grab st., to catch st.; (*sport*) **colpire al v. una palla**, to volley a ball; **far fare un v. a qc.**, to send st. flying; (*rugby*) **calcio al v.**, punt **5** (*salto, slancio*) leap; dive; flier (*fam.*): *Con un v. afferrò la palla*, he caught the ball with a leap; he made a flying catch **6** (*caduta*) fall: **un v. dal quarto piano**, a fall from the fourth floor; **fare un v.**, to fall; to go flying: **fare un v. dal tetto [per le scale]**, to fall from the roof [down the stairs] **7** (*fig.*) flight: **v. della fantasia**, flight of fancy; **v. poetico**, poetic flight of fancy ● **a v. d'uccello**, (*in linea retta*) as the crow flies; (*dall'alto*) bird's-eye (attr.): **vedere qc. a v. d'uccello**,

to get a bird's-eye view of st. □ **al v.**, (*di premura*) in a hurry; (*subito*) at once, straightaway, in a flash □ (*fig.*) **capire qc. al v.**, to grasp st. at once; to catch on to st. at once; (*un'allusione*) to take the hint □ **capire le cose al v.**, to be quick on the mark (*o* on the ball) □ **cogliere al v. un'occasione**, to leap at (*o* to grasp) an opportunity □ **prendere un treno al v.**, to catch a train in the nick of time □ **Lo prenderei al v. se me l'offrissero**, if they offered it to me, I'd take it like a shot □ (*fig.*) **prendere il v.**, (*scappare*) to flee; (*sparire*) to disappear, to vanish into thin air: *Il prigioniero ha preso il v.*, the prisoner has fled; *Ha preso il v. con la cassa*, he has run away with the contents of the till; *I gioielli hanno preso il v.*, the jewels have disappeared.

♦**volontà** f. **1** will; volition; (*forza di volontà*) willpower: **v. debole**, weak will; **v. di ferro**, iron will; **v. ferma**, determined will; **libera v.**, free will; **forzare la v. di q.**, to force sb.'s will; **cause indipendenti dalla propria v.**, reasons beyond one's control; **forza di v.**, willpower; **sforzo di v.**, effort of will; **essere privo di v.**, to lack willpower **2** (*disposizione a fare*) will: **v. politica**, political goodwill; **buona v.**, goodwill; willingness; *Con tutta la sua buona v., non ha potuto far niente*, with the best will in the world, she was not able to do anything; *Ha v. d'imparare*, she is willing to learn; *Ci ho messo tutta la mia buona v.*, I did (*o* I tried) my best; **uomini di buona v.**, men of goodwill **3** (*ciò che si vuole, desiderio*) wish: (*leg.*) **ultime v.**, last will and testament (sing.); **contro la propria v.**, against one's will; **di mia spontanea v.**, of my own free will; of my own volition (*form.*); *Sia fatta la v. di Dio*, God's will be done; **imporre la propria v.**, to impose one's will; **rispettare le v. di q.**, to respect sb.'s wishes ● **a v.**, at will; as much as one likes: *Puoi prenderne a v.*, you can take as much [as many] as you like □ **mangiare a v.**, to eat as much as one likes; to eat one's fill (*fam.*) □ (*gramm.*) **verbi di v.**, volitive verbs.

volontariaménte avv. voluntarily; of one's own free will.

volontariàto m. **1** (*mil.*) voluntary service **2** (*a scopo professionale*) unpaid apprenticeship **3** (*impegno sociale gratuito*) voluntarism, volunteerism (*USA*), voluntary work; (*di soccorso*) (*i servizi*) voluntary services (pl.); (*i volontari*) voluntary workers (pl.), aid workers (pl.): **impegnarsi nel v.**, to do voluntary work; to be a voluntary worker; **organizzazione di v.**, voluntary organization.

volontarietà f. voluntariness.

volontàrio **A** a. **1** (*fisiol.*) voluntary: **muscolo v.**, voluntary muscle **2** (*intenzionale, liberamente scelto*) voluntary; intentional; (*deliberato*) deliberate, wilful: **esilio v.**, self-imposed exile; **omicidio v.**, wilful murder; **servizio v.**, voluntary service **3** (*spontaneo*) voluntary; spontaneous: **contributi volontari**, voluntary contributions; **offerta volontaria**, spontaneous offer **4** (*rif. a un lavoro: non remunerato*) voluntary; **assistenza volontaria**, voluntary help **5** (*mil.*) volunteer **B** m. (f. **-a**) **1** (*chi si offre, anche mil.*) volunteer: **offrirsi v.**, to volunteer; **esercito di volontari**, army of volunteers; **squadra di volontari**, team of volunteers **2** (*chi collabora gratuitamente*) voluntary worker: (*prestando soccorso*) aid worker: **organizzazione di volontari**, voluntary organization.

volontarìsmo m. **1** (*filos.*) voluntarism **2** (*mil.*) volunteering **3** → **volontariato**, def. 3.

volontarìstico a. (*filos.*) voluntaristic.

volonteróso → **volenteroso**.

volovelìsmo m. (*sport*) sailplaning; gliding.

volovelìsta m. e f. (*sport*) sailplaner; glider.

volpacchiòtto m. 1 (*zool.*) fox-cub 2 (*fig.*) sly fox.

volpàccia f. (*fig.*) sly (o wily) old fox.

volpàre v. i. (*agric.*) to smut.

♦**vólpe** ① f. 1 (*zool.*) fox; (*la femmina*) vixen: **v. argentata** (*Vulpes fulva*), silver fox; **v. artica** (o **bianca**) (*Alopex lagopus*), arctic (o white) fox; **v. azzurra**, blue fox; **v. rossa** (*Vulpes vulpes*), red fox; **caccia alla v.** (*lo sport*), fox-hunting; (*partita de*) **caccia alla v.**, fox hunt; **coda di v.**, fox brush; **pelliccia di v.**, fox fur; **tana di v.**, earth 2 (*pelliccia*) fox fur; (*fox collar*) **collo di v.**, fox-fur collar 3 (*fig.*) sly fox: **vecchia v.**, sly (o wily) old fox 4 (*zool.*) – **v. di mare** (*Alopias vulpinus*), sea-fox.

vólpe ② f. (*agric.*) smut.

volpìno Ⓐ a. 1 fox's (attr.); fox (attr.); (*simile a volpe*) foxlike 2 (*fig.*: *astuto*) foxy; cunning; sly: **astuzia volpina**, cunning Ⓑ m. (*zool.*) Pomeranian dog.

volpòca f. (*zool.*, *Tadorna tadorna*) sheldrake; (*la femmina*) shelduck.

volpóne m. (*fig.*) sly (o wily) old fox; sly fox.

vòlsco a. e m. Voscian.

volt m. inv. (*elettr.*) volt.

♦**vòlta** ① f. 1 (*giro*) turn: **due volte di chiave**, two turns of the key 2 (*naut.*, *di cavo*) turn; hitch: **v. doppia**, two round turns; **v. semplice**, hitch; **v. tonda**, round turn; **dar v.**, to belay; to take a turn; to make fast; **dare v. a una cima**, to belay a line; to take a turn of a line; to make a line fast 3 (*aeron.*) – **gran v.**, loop, looping the loop; **fare la gran v.**, to loop the loop 4 (*sport*: *equit.*, *scherma*) volte; (*pattinaggio*) counter; (*ginnastica*) circle: (*ginnastica*) giant circle 5 (*tipogr.*) reverse; verso*: **bianca e v.**, recto and verso 6 (*danza stor.*) volta 7 (*direzione*) direction: **alla v. di**, toward; towards; in the direction of; for; **partire alla v. di Torino**, to leave (o to set out) for Turin 8 (*turno*) turn: *È la v. di Gino*, it's Gino's turn; **quando venne la v. mia**, when my turn came; **a mia [tua, ecc.] v.**, in turn 9 (*circostanza*, *occasione*) time; occasion; (*il ripetersi di qc.*) time: **una v.**, once; (*un tempo*, *anche*) once upon a time; (*un giorno*) once, one day; (*in un'occasione*) on one occasion, at one time; *L'ho visto solo una v.*, I only saw him once; *Una v. presa una decisione, è fatta*, once you have made up your mind there's no going back; **una v.**, **quando ero giovane**, once, when I was young; *Una v. accennò a sua moglie*, on one occasion he mentioned his wife; *Ricordo una v. che...*, I remember once, when...; *Una v. qui c'era solo campagna*, there used to be just fields here once; *C'era una v. un re*, once upon a time there was a king; **i bei tempi di una v.**, the good old days; **due volte**, twice; **tre [quattro, ecc.] volte**, three [four, etc.] times; **una v. o due**, once or twice; **due o tre volte**, two or three times; *Tre volte tre fa nove*, three times three is nine; **ancora una v.**, once again; once more; **certe** (o **delle**) **volte**, at times; **l'altra v.**, last time; **un'altra v.**, (*la prossima*) next time; (*in un'altra occasione*) another time, some other time; (*in passato*) before; (*di nuovo*) again, a second time; **un paio di volte**, a couple of times; **molte volte**, many times; **la prossima v.**, next time; **qualche v.**, sometimes; **poche volte**, seldom; **più volte**, repeatedly; at various times; **rare volte**, rarely; **spesse volte**, often; **tutte le volte**, every time; **tutte le volte che lo vedo**, every time (o whenever) I see him; **l'ultima v.**, the last time; *Questa v. sono contento*, this time I'm pleased; *Ricordi quella v. che...*, do you remember the (o that) time when...; *Non è la*

prima v. che lo vedo, it's not the first time I've seen him; *Non ci sarà una prossima v.*, there won't be a second time; *Ora è la v. che mi arrabbio!*, this time I'm really going to get angry!; *Che sia la prima e l'ultima v.!*, let this be the first and last time; *Per questa v. passi*, I'll let it go this time (o for this once); *Mai una v. che si ricordi del mio compleanno!*, never once does he remember my birthday; *Quante volte te l'ho detto?*, how many times (o how often) have I told you?; **non so quante volte**, I don't know how many times; time after time; many a time; time and time again; *Tante di quelle volte!*, so many times!; **a volte**, sometimes; at times; occasionally; **uno [due, ecc.] alla v.**, one [two, etc.] at a time; **una cosa alla** (o **per**) **v.**, one thing at a time; **in una v.**, at once; at the same time; at (o in) one go; **fare troppe cose in una v.**, to do too many things at the same time (o at once); **parlare tutti in una v.**, to speak all at the same time; **tutto in una v.**, all at once; in one go; **per la seconda [terza, ecc.] v.**, for the second [third, etc.] time; **per ben cinque volte**, a good five times; **v. per v.**, each time; **tre volte al giorno**, three times a day; **una v. [tre volte] per ciascuno**, once [three times] each; **due volte più grande (di)**, twice as big (of); twice the size (of); **lungo una v. e mezza l'altro**, one and a half times the length of the other; **nove volte su dieci**, nine times out of ten; **due [tre] volte tanto**, twice [three times] as much ● **la v. buona**, (*momento giusto*) the right moment (o time); (*turno*) one's turn: *Questa è la v. buona!*, this is it! □ **una buona v.**, for once: *Sta' zitto una buona v.*, be quiet for once, will you? *Dammi retta una buona v.!*, listen to me for once!; *Smettila una buona v.!*, for heaven's sake, stop it! □ **a v. di corriere**, by return of mail □ **Gli ha dato di v. il cervello**, he's gone off his head □ **di v. in v.**, each time □ **l'ennesima v.**, the umpteenth time □ **ogni qual v.** → **ogniqualvolta** □ **pensarci due volte**, to think twice (about st.): **senza pensarci due volte**, without thinking twice; without a second thought □ **Smettila per una v.**, leave off for once □ **il più delle volte**, more often than not □ **Sono più le volte che vince che quelle che perde**, he wins more often than he loses □ **tre volte buono**, too good □ **una v. o l'altra**, some time or other; one of these days; (*prima o poi*) sooner or later: *Una v. o l'altra gli rompo il muso*, I'm going smash his face in one of these days □ **una v. (ogni) tanto**, once in a while; every now and then; occasionally: *Viene una v. ogni tanto*, he comes every now and then □ **una v. per tutte**, once and for all □ **una v. tanto** (*per una v.*), for once; for a change: *Una v. tanto hai ragione*, for once you're right □ **un po' alla v.**, a little [pl. a few] at a time; (*a poco a poco*) little by little.

♦**vòlta** ② f. 1 (*archit.*) vault; vaulting: **v. a botte**, barrel vault; **v. a crociera**, cross vault; **v. a cupola**, dome vault; **v. a padiglione**, cloister vault; trough vault; **v. a vela**, cap vault; **v. a ventaglio**, fan vault; **chiave di v.**, keystone; **passaggio a v.**, archway; **soffitto a v.**, vaulted ceiling 2 (*estens.*) vault; arch; canopy: **la v. celeste**, the vault of heaven; the sky; **una v. di rami**, a canopy of branches 3 (*anat.*) vault; arch: **v. cranica**, cranial vault; **v. del palato**, palatal arch.

voltafàccia m. inv. (*anche fig.*) about--turn; about-face; U-turn; volte-face (*franc.*): **fare un v.**, to do an about-turn (o an about-face, a U-turn); to about-turn; to about-face.

voltafièno m. inv. (*agric.*) (hay) tedder.

voltagabbàna m. e f. inv. time-server; weathercock; (*traditore*) turncoat.

voltàggio m. (*elettr.*) voltage.

voltàico ① a. (*elettr.*) voltaic: **arco v.**, electric arc; **pila voltaica**, voltaic pile.

voltàico ② a. (*ling.*) Voltaic; Gur.

voltaìsmo m. (*elettr.*) galvanism.

voltamàschio m. wrench; spanner.

voltàmetro m. (*elettr.*) voltameter.

voltàmpere m. (*elettr.*) volt-ampere.

voltamperomètrico a. (*elettr.*) multimetric.

voltamperòmetro m. (*elettr.*) multimeter; voltammeter.

voltamperóra m. inv. (*elettr.*) volt-ampere-hour.

voltapiètre m. inv. (*zool.*, *Arenaria interpres*) turnstone.

♦**voltàre** Ⓐ v. t. 1 (*volgere*, *dirigere*) to turn: **v. il capo**, to turn one's head; **v. la faccia verso q.**, to turn one's face towards sb.; **v. gli occhi verso qc.**, to turn one's gaze on st.; to look at st.; **v. le spalle a q.**, (*anche fig.*) to turn one's back on sb.; (*dare le spalle a*) to have one's back turned to sb. 2 (*rigirare*, *mettere all'inverso*) to turn round: **v. la barca [il cavallo]**, to turn the boat [one's horse] round; *Il vento ha voltato la banderuola*, the wind has turned the weathercock round 3 (*capovolgere*) to turn over; **v. la braciola**, to turn the chop over; **v. una moneta**, to turn a coin over; **v. e rivoltare qc.**, to turn st. over and over 4 (*girare*) to turn (over): **v. le pagine di un libro**, to turn the pages of a book; **v. pagina**, to turn over the page; (*fig.*) to turn over a new leaf 5 (*svoltare*) to turn: **v. l'angolo**, to turn the corner 6 (*distogliere*) to turn away; to avert: **v. il viso**, to turn away (o to avert) one's face 7 (*lett.*: *tradurre*) to translate; to turn ● (*fig.*) **v. gabbana** (o **casacca**), to be a turncoat □ **v. qc. in burla**, to make a joke of st.; to laugh st. off Ⓑ v. i. (*cambiare direzione*) to turn; to bend*: **v. all'angolo**, to turn at the corner; *La strada volta a sinistra*, the road turns to the left Ⓒ **voltàrsi** v. rifl. 1 (*girarsi*) to turn: **voltarsi a destra**, to turn right; **voltarsi a guardare**, to look back; **voltarsi di scatto**, to spin round; to swing round; **voltarsi verso q.**, to turn to sb.; *Come lo chiamai si voltò*, the moment I called him he turned round; *Voltati!*, turn round!; (*fig.*) **non sapere da che parte voltarsi**, not to know which way to turn 2 (*rivoltarsi*) to turn over: **voltarsi nel letto**, to turn over in bed; *Si voltò e rivoltò tutta notte*, she tossed and turned the whole night long Ⓓ **voltàrsi** v. i. pron. (*cambiare*) to turn; to change; (*del vento*) to shift: *Il vento si è voltato a tramontana*, the wind has shifted to the north.

voltastòmaco m. inv. (*fam.*, *anche fig.*) nausea: **avere il v.**, to feel sick; (*anche fig.*) **dare il v. a q.**, to make sb. sick; to turn sb.'s stomach; to make sb.'s stomach turn; to make sb.'s gorge rise: *A pensarci mi viene il v.*, it makes me sick to think about it.

voltàta f. 1 turn; turning: **dare una v. all'arrosto**, to turn the roast over; *Basta una v. di spalle perché combini qualcosa*, you just have to turn your back and he's already up to something 2 (*curva*) turn; turning; bend.

volteggiaménto m. (*di uccelli*, *aerei*) circling; wheeling.

volteggiàre v. i. 1 (*di uccello*, *ecc.*) to circle, to wheel; (*di aereo*) to circle; (*di cosa sollevata da vento*, *ecc.*) to swirl: *Un falco volteggiava sulla pianura*, a falcon was circling (o wheeling) above the plain 2 (*muoversi con giravolte*) to whirl; to twirl: *I ballerini volteggiavano sulla pista*, the dancers twirled on the floor 3 (*equit.*, *ginnastica*) to vault.

volteggiatóre m. (f. **-trìce**) (*equit.*, *ginnastica*) vaulter.

voltéggio m. 1 (*giravolta*) whirl; twirl 2 (*equit.*, *ginnastica*) vault; vaulting.

voltelettróne m. (*elettr.*) electronvolt.

volterriàno (*letter.*) **A** a. Voltaire's; Voltairean; Voltairian **B** m. Voltairean; Voltairian.

voltiàno a. Volta's.

voltimètrico a. (*elettr.*) voltmeter (attr.).

vòltmetro, voltimetro m. (*elettr.*) voltmeter.

vòlto① a. **1** (*rivolto*) turned: **v. in su** [**in giù**], turned up [down]; **naso v. all'insù**, upturned nose; **finestra volta a sud**, window looking south **2** (*diretto*) directed (to); (*mirante*) aiming (at): **misure volte a frenare le spese**, measures aiming at curbing expenditure **3** (*dedito*) devoted (to).

◆**vólto**② m. **1** face; (*espressione*) expression; look (on sb.'s face): **v. espressivo**, expressive face; **v. lieto**, happy face; **un v. nuovo**, a new face; **guardare q. in v.**, to look sb. in the face; **acceso in v.**, red in the face; **essere triste in v.**, to look sad; to have a sad look on one's face; *Era cambiato in v.*, he looked changed (o different); *A quelle parole mutò v.*, his expression changed at those words **2** (*fig.: aspetto*) aspect; facet: **i mille volti della realtà**, the thousand facets of reality ● (*fig.*) **mostrare il proprio vero v.**, to show one's real face (o true colours).

voltoàre **A** v. t. to roll: **v. un sasso**, to roll a stone **B voltolàrsi** v. rifl. to roll about; (*sguazzare*) to wallow: **voltolarsi nel letto**, to toss and turn in bed; **voltolarsi nella mota**, to wallow in mud; **voltolarsi per terra**, to roll about on the ground.

voltolino m. (*zool.*, *Porzana porzana*) spotted rail; spotted crake.

voltolóni avv. rolling about.

vòltòmetro → **voltmetro**.

voltùra f. **1** (*leg.*) registration of a transfer deed: **v. catastale**, cadastral registration **2** (*rif. a servizio pubblico*) transfer: **v. del telefono**, transfer of the telephone subscription **3** (*rag.*) virement.

volturàre v. t. **1** (*leg.*) to register **2** (*trasferire*) to transfer.

volùbile a. **1** (*bot.*) twining **2** (*mutevole*) unstable; changeable; (*del tempo*) changeable, unsettled **3** (*incostante*) fickle; inconstant; volatile; flighty: **carattere v.**, fickle nature ❶ **FALSI AMICI** • volubile *non si traduce con* voluble.

volubilità f. (*incostanza*) fickleness; inconstancy; flightiness ❶ **FALSI AMICI** • volubilità *non si traduce con* volubility.

volubilménte avv. in a fickle manner; inconstantly.

◆**volùme** m. **1** (*scient.*) volume: **il v. d'un corpo**, the volume of a body; **v. molecolare**, molecular volume; **unità di v.**, unit of volume; cubic measure **2** (*massa, ingombro*) volume, size, bulk; (*capienza*) (cubic) capacity; (*spazio*) space: **il v. di un baule**, the size of a trunk; **un gran v. di capelli**, a mass of hair; **un collo di grosso v.**, a bulky piece of luggage; **far v.**, to be voluminous; to be bulky; **occupare molto v.**, to take up a lot of space; to be bulky; (*autom.*) **auto a due** [**tre**] **volumi**, two-box [three-box] car **3** (*quantità*) amount; volume: **v. d'acqua**, amount of water; **il v. delle esportazioni**, the volume of exports; (*mil.*) **v. di fuoco**, volume of fire; **v. di mercato**, turnover; **v. degli scambi**, amount of trade; **v. delle vendite**, volume of sales; **aumentare il v. degli affari**, to increase business **4** (*intensità di suono*) volume: **alzare** [**abbassare, regolare**] **il v.**, to turn up [to turn down, to adjust] the volume; **a tutto v.**, at full volume; at full blast **5** (*arte*) volume; mass: **il gioco dei volumi**, the interplay of volumes (o of masses and void); massing **6** (*libro*) volume; book: **v. rilegato**, bound volume; **opera in sei volumi**, work in six volumes.

volumenòmetro m. (*fis.*) volumenometer.

volumetria f. **1** volumetry; measurement of volume **2** (*chim.*) volumetric analysis.

volumètrico a. volumetric.

volùmico a. (*fis.*) voluminal: **massa volumica**, (*chim.*) absolute gravity; (*mecc.*) density.

voluminizzàre v. t. (*tecn.*) to bulk.

voluminizzàto a. (*tecn.*) bulked.

voluminizzazióne f. (*tecn.*) bulking.

voluminosità f. voluminosity; voluminousness; bulkiness.

voluminóso a. voluminous; bulky; big; massive: **gonne voluminose**, voluminous skirts; **mobile v.**, bulky piece of furniture; **pacco v.**, bulky parcel.

volùta f. **1** (*spira*) spiral; whorl; curl; (*di fumo, ecc., anche*) wreath: **le volute di una conchiglia**, the whorls of a shell; **volute di nebbia**, spirals (o wreaths) of mist **2** (*archit.*) scroll; volute.

volutaménte avv. deliberately; intentionally; on purpose.

volùto a. **1** (*desiderato*) desired; wished for: **l'effetto v.**, the desired effect **2** (*intenzionale*) intentional; deliberate; wilful: **incidente v.**, intentional accident **3** (*commissionato*) commissioned **4** (*artificioso*) contrived; self-conscious; studied; affected.

voluttà f. **1** (*intenso godimento*) intense pleasure; delight; rapture **2** (*piacere sensuale*) voluptuousness; sensual pleasure: **la v. dei sensi**, sensual pleasure; **pieno di v.**, voluptuous.

voluttuàrio a. (*di lusso*) luxury (attr.); (*superfluo*) unnecessary, non-essential: **beni voluttuari**, luxury goods; **spese voluttuarie**, unnecessary expenses.

voluttuosità f. voluptuousness; lusciousness; sensuousness.

voluttuóso a. voluptuous; luscious; sensual; sensuous: **forme voluttuose**, voluptuous figure (sing.); **labbra voluttuose**, sensual lips; **sguardo v.**, voluptuous look.

vòlva f. (*bot.*) volva.

volvènte a. (*mecc., fis.*) rolling: **attrito v.**, rolling friction.

volvòce m. (*bot.*, *Volvox*) volvox.

vòlvolo m. (*med.*) volvulus*.

vombàto m. (*zool.*, *Phascolomys ursinus*) wombat.

vomeràia f. (*agric.*) share-beam.

vòmere m. **1** (*agric.*) ploughshare; share **2** (*ferr.*) track clearer **3** (*anat.*) vomer.

vòmica f. (*med.*) vomica*.

vòmico a. vomitory; emetic ● (*bot.*) **noce vomica**, nux vomica.

vomitàre **A** v. t. e i. to vomit; to be sick (*GB*) to throw* up (*fam.*); to bring* up (*fam.*); to puke (*fam.*); to barf (*slang*): **v. sangue**, to vomit blood; **v. per il mal di mare**, to be seasick; (*fam.*) *Ho vomitato l'anima*, I was as sick as a dog; I threw up my guts; *Mi viene da v.*, I think I'm going to be sick (o to throw up); **far v. q.**, to make sb. sick; to make sb. throw up; (*fig.*) to make sb. (want to) throw up (*fam.* puke) **B** v. t. **1** (*emettere, lanciare fuori*) to vomit; to belch out (o forth): **v. fiamme**, to vomit flames; **v. lava**, to belch out lava **2** (*fig.*) to vomit; to pour out; to spit* out: **v. insulti**, to pour out abuse.

vomitativo, vomitatòrio a. e m. (*farm.*) emetic.

vomitévole a. nauseating; sickening; yucky (*fam.*).

vòmito m. **1** (*il vomitare*) vomiting; puking (*fam.*): **dare il v. a q.**, to make sb. vomit; (*anche fig.*) to make sb. sick (*GB*), to make sb.

throw up; (*fig.*) to make sb. feel like throwing up, to make sb. (want to) throw up (*fam.* puke); **provocare** (o **muovere**) **il v.**, to cause vomiting; *Mi viene il v. all'idea*, the whole idea makes me sick (o makes me want to puke); **conato di v.**, retch: **avere conati di v.**, to retch **2** (*materia vomitata*) vomit; sick (*fam.*); puke (*fam.*).

vomitòrio① a. (*farm.*) emetic.

vomitòrio② m. (*stor.*) vomitorium*.

vomizióne f. (*med.*) vomition; vomiting.

vóngola f. (*zool.*) (Venus) clam.

voràce a. **1** voracious; ravenous; (*ingordo*) greedy: **fame v.**, voracious appetite; ravenous hunger; **lupo v.**, ravenous wolf; *Non essere così v.!*, don't be so greedy! **2** (*fig.*) voracious: **lettore v.**, voracious reader.

voracità f. voracity; voraciousness; ravenousness; (*ingordigia*) greed: **la v. del lupo**, the voracity of the wolf; **mangiare con v.**, to eat greedily.

voràgine f. **1** chasm; gulf; abyss; pit: **v. senza fondo**, bottomless pit; *Il terremoto ha aperto una v.*, the earthquake has opened a chasm **2** (*gorgo*) whirlpool; vortex* **3** (*geol.*) pothole **4** (*fig.*) bottomless pit.

vorrò 1ª pers. sing. indic. fut. di **volere**.

vortàle m. (*comput.*) vortal.

vorticàle a. vortical.

vorticàre v. i. to whirl; to swirl; to eddy.

vòrtice m. **1** (*d'acqua*) whirlpool, eddy, vortex*; (*d'aria, ecc.*) whirlwind, vortex*: **un v. di fiamme**, a vortex of flames; **un v. di fumo** [**di polvere**], a vortex (o whirl) of smoke [of dust]; *Annegò in un v.*, she drowned in a whirlpool **2** (*moto turbinoso*) whirling; whirling **3** (*fig.*) whirl; whirlwind; vortex*; frenzy: **v. di emozioni**, vortex of emotions; **un v. di passione**, a frenzy of passion; **il v. della vita moderna**, the whirl of modern life **4** (*fis.*) vortex*.

vorticèlla f. (*zool.*, *Vorticella*) vorticella*.

vorticìsmo m. (*arte*) vorticism.

vorticosaménte avv. in a whirl; in whirls; dizzily.

vorticóso a. **1** (*che vortica*) vorticose; vortical; whirling: **acqua vorticosa**, vorticose water; **moto v.**, vortical (o whirling) motion **2** (*veloce e turbinoso*) whirling; whirlwind (attr.); (*incalzante*) dizzy; giddy: **danza vorticosa**, whirling dance; **giro d'affari v.**, whirlwind turnover; **ritmo v.**, dizzy rhythm; (*rif. a velocità*) whirlwind pace.

voscènza pron. pers. m. e f. 2ª pers. pl. (*region.*) Your Excellency.

vossignoria pron. pers. 2ª pers. pl. m. e f. (*antiq.*) Your Lordship (m.); Your Ladyship (f.).

◆**vòstro** **A** a. poss. your; (*vostro proprio*) your own; (*come pred. nominale*) yours: **v. zio**, your uncle; **la vostra casa**, your house; **i vostri genitori**, your parents; *Vostra Maestà* [*Eccellenza*], Your Majesty [Excellency]; **un v. amico**, a friend of yours; one of your friends; **al v. servizio**, at your service; *Avete già una casa vostra?*, have you already your own house (o a house of your own)?; **quel v. cane**, that dog of yours; **qualcosa** [**niente**] **di v.**, something [nothing] of your own (o of yours); *Prendetelo, è v.*, take it, it's yours; *Questi libri sono vostri*, these books are yours; (*in fine di lettera*) **saluti dal v. Carlo**, yours, Carlo; love, Carlo (*fam.*) **B** pron. pers. **1** yours: *Il nostro caso è diverso dal v.*, our case is different from yours; *Questi non sono i miei, sono i vostri*, these are not mine, they're yours **2** (*in espressioni ellittiche*) – *Abbiamo ricevuto la vostra del 21 settembre*, we have received your letter of the 21st September; *Sono dalla vostra*, I am on your side; *Dite la vostra*, speak out; have your say; *Nessuno toccherà il v.*, nobody

will touch your property; *Ci avete rimesso del v.?*, did you lose out on it?; (*brindisi*) *Alla vostra!*, your health!; cheers!; **i vostri**, (*genitori*) your parents; (*parenti*) your relatives, your relatives, (*famiglia*) your family, your folk; (*seguaci, sostenitori*) your followers, your supporters, your friends.

votànte **A** a. (*che vota*) voting; (*che ha diritto al voto*) eligible to vote **B** m. e f. (*chi vota*) voter; (*chi ha diritto al voto, elettore*) person eligible to vote, elector: **un'alta [bassa] percentuale di votanti**, a high [low] turnout of voters; a heavy [poor] poll.

♦**votàre** **A** v. t. **1** (*sottoporre a votazione*) to put* to the vote; to take* a vote on: *La mozione fu votata subito*, the motion was immediately put to the vote **2** (*approvare*) to pass; to vote (st.) through: **v. la fiducia [sfiducia]**, to pass a vote of confidence [no confidence]; *La Camera ha votato il disegno di legge*, the House passed the bill (*o* voted the bill through); *Fu votato che...*, it was decided that... **3** (*esprimere il proprio voto per*) to vote for; to give* one's vote to: **v. un candidato**, to vote for a candidate; **v. un partito**, to vote for a party; *Ti ho votato*, I gave you my vote **4** (*consacrare*) to consecrate; to devote; to dedicate; to vow: **v. la propria vita a Dio**, to consecrate one's life to God; **v. un tempio ad Apollo**, to vow a temple to Apollo; **v. tutte le proprie energie a un fine**, to devote all one's energies to an end **B** v. t. to vote; to have a vote; to take* a vote (*o* a ballot): **v. a favore di qc.**, to vote for (*o* in favour of) st.; **v. a scrutinio segreto**, to vote by ballot; to have a ballot; **v. contro qc.**, to vote against st.; **v. per alzata di mano**, to vote by show of hands; **v. per appello nominale**, to vote by roll call; **v. per delega**, to vote by proxy; **v. per la continuazione dello sciopero**, to vote to continue the strike; **andare a v.**, to go to vote; to go to the polls; **v. repubblicano (o per i repubblicani)**, to vote Republican; **v. «sì» [«no»]**, to vote «yes» [«no»]; **v. scheda bianca**, to cast a blank vote; *Ha votato l'85% degli elettori*, 85% of the electors went to the polls; *Votiamo!*, let's have a vote; *Si voterà in aprile*, there will be a general election in April; we [they] will go to the polls in April **C** **votàrsi** v. rifl. **1** (*obbligarsi con un voto*) to take* a vote (of): **votarsi al celibato**, to take a vote of celibacy **2** (*dedicarsi*) to devote oneself (to): **votarsi a Dio**, to devote oneself to God; **votarsi alla scienza**, to devote oneself to science ● (*fig.*) **Non sapere a che santo votarsi**, not to know which way to turn; to be at one's wits' end.

votàto a. **1** (*dedito*) devoted; consecrated: **v. alla causa della libertà**, devoted to the cause of freedom **2** (*destinato*) bound; doomed: **v. al fallimento**, bound to fail; doomed to failure; doomed.

votazióne f. **1** (*l'atto*) voting, vote; (*l'operazione*) polling: **v. a doppio turno**, two--round ballot; **v. a scrutinio segreto**, balloting; (secret) ballot; **v. nulla**, void ballot; **v. palese**, open voting; **v. per acclamazione**, voting by acclamation; **v. per alzata di mano**, voting by show of hands; **v. per appello nominale**, voting by roll call; **passare alla v.**, to proceed to a (*o* the vote (*o* ballot); **modalità di v.**, voting procedure; **risultato della v.**, returns (pl.) of the voting (*o* polling); **scheda di v.**, voting (*o* ballot) paper **2** (*il risultato*) vote: **v. contraria**, unfavourable vote; **v. favorevole**, favourable vote; **v. unanime**, unanimous vote: **con v. unanime**, by a unanimous vote; unanimously **3** (*a scuola*) marks (pl., *GB*); grades (pl., *USA*): **riportare (o ottenere) una buona v.**, to get good marks (*o* grades).

votivo a. votive: **statua [messa, offerta] votiva**, votive statue [mass, offering].

♦**vóto** m. **1** (*promessa*) vow: **v. di povertà**, vow of poverty; (*relig.*) **voti semplici [solenni]**, simple [solemn] vows; **fare un v.**, to make (*o* to take) a vow; **aver fatto un v.**, to be under a vow; **fare v. di castità**, to take the vow of celibacy; *Feci v. di di smettere di bere*, I vowed I would give up drinking; **mancare al v.**, to break one's vow; **mantenere un v.**, to keep one's vow; (*relig.*) **prendere (o pronunciare) i voti**, to take vows; **sciogliere un v.**, to fulfil a vow; **sciogliere q. da un v.**, to release sb. from a vow **2** (*offerta*) votive offering: **offrire [portare] qc. in v.**, to offer [to bring] st. as a votive offering **3** (*desiderio, augurio*) wish: **formulare voti**, to express one's good wishes **4** (*elettorale*) vote; ballot: **v. consultivo**, advisory vote; **v. contrario**, nay; no; **v. deliberativo**, effective vote; **v. di fiducia [sfiducia]**, vote of confidence [no confidence]; **v. di lista**, straight ticket (*USA*); **v. di preferenza**, preferential ballot; **v. di scambio**, vote in exchange for favours; vote-buying; **v. diviso**, split ticket (*USA*); **v. favorevole**, aye; yes; **v. nullo**, invalid vote; **v. palese**, open vote; **v. per alzata e seduta**, rising vote; **v. per corrispondenza**, postal vote; **v. per delega**, vote by proxy; **v. (per scrutinio) segreto**, ballot; **v. plurimo**, block vote; **v. unanime**, unanimous (*o* solid) vote; **i voti delle minoranze**, the minority vote; **voti fluttuanti**, swing (*o* floating) votes; *I voti dei laburisti sono aumentati*, the Labour vote has increased; **a maggioranza di voti**, by a majority vote; **a unanimità di voti**, by a unanimous vote; unanimously; *La mozione fu approvata con venti voti contro sei*, the motion was passed by twenty votes to six; **dare il v.**, to cast one's vote; **dare il proprio v. a q.**, to give one's vote to sb.; **mettere ai voti**, to put to the vote; to take a vote on; to call a ballot on; **ottenere molti voti**, to poll a lot of votes; **scrutinare i voti**, to count the votes; **diritto di v.**, right to vote; vote; franchise; **scheda di v.**, ballot (*o* voting) paper; **scrutinio dei voti**, vote count **5** (*diritto di voto*) vote; franchise; suffrage: **il v. alle donne**, female suffrage **6** (*a scuola, ecc.*) mark (*GB*); grade (*USA*): **bel (o buon) v.**, good mark; **brutto (o cattivo) v.**, bad mark; **a pieni voti**, with full marks; **prendere buoni voti**, to get good marks.

voucher (*ingl.*) m. inv. voucher.

voyeur (*franc.*) m. inv. voyeur; Peeping Tom (*fam.*).

voyeurìsmo m. voyeurism.

voyeurìstico a. voyeuristic.

VQPRD sigla (*enol.*, **vino di qualità prodotto in regione determinata**) quality wine produced in a specified region.

VR abbr. (**Verona**).

v.r. sigla (**vedi retro**) please turn over (p.t.o., PTO).

vrièsia f. (*bot.*, *Vriesia splendens*) flaming sword.

vroom inter. vroom.

vs., V/s abbr. (*comm.*, **vostro**) your; yours (yr.).

V.S. sigla **1** (*relig.*, **Vostra Santità**) Your Holiness **2** (**Vostra Signoria**) Your Lordship

v.s. sigla (**vedi sopra**) see above.

VT sigla **1** (**Vecchio Testamento**) Old Testament (O.T.) **2** (**Viterbo**).

vu f. o m. (*lettera*) v; V ● **vu doppio**, double--u.

VU sigla (**vigile urbano**) traffic warden.

vu cumprà, vucumprà loc. m. inv. (*fam.*) non-EU street seller.

vudù m. e a. inv. (*relig.*) voodoo.

vuduìsmo m. voodooism.

vuduìsta m. e f. voodooist.

vuduìstico a. voodoo (attr.).

vulcanésimo → **vulcanismo**.

vulcànico a. **1** volcanic: **fenomeno v.**, volcanic phenomenon; **pietra vulcanica**, volcanic stone **2** (*fig.*: *brillante, inventivo*) inventive; creative; brilliant: **ingegno (o cervello) v.**, inventive (*o* brilliant) mind **3** (*fig.*: *dinamico*) dynamic; ebullient: **temperamento v.**, ebullient temper; **tipo v.**, dynamic person.

vulcanìsmo m. (*geol.*) volcanism; vulcanism.

vulcanìte f. (*geol.*) volcanic rock.

vulcanizzànte (*ind.*) **A** a. vulcanizing **B** m. vulcanizing agent.

vulcanizzàre v. t. (*ind.*) to vulcanize.

vulcanizzatóre m. vulcanizer.

vulcanizzazióne f. (*ind.*) vulcanization.

♦**vulcàno** m. volcano*: **v. attivo**, active volcano; **v. di fango**, mud volcano; **v. quiescente (o inattivo)**, dormant volcano; **v. spento**, extinct volcano; **vulcani lunari**, moon craters ● (*fig.*) **essere seduti su un v.**, to be sitting on the edge of a volcano □ (*fig.*) **essere un v.**, to be bursting with energy; to be a dynamo.

Vulcàno m. (*mitol.*) Vulcan.

vulcanologìa f. volcanology; vulcanology.

vulcanològico a. volcanological; vulcanological.

vulcanòlogo m. (f. **-a**) volcanologist; vulcanologist.

Vulgàta f. (*relig.*) Vulgate.

vùlgo (*lat.*) avv. also known as (abbr. aka); (*rif. a pianta, animale*) common name.

vulneràbile a. vulnerable: (*fig.*) **punto v.**, vulnerable (*o* weak) spot; **sentirsi v.**, to feel vulnerable.

vulnerabilità f. vulnerability.

vulneràre v. t. **1** (*lett.*: *ferire*) to wound **2** (*fig.*) to violate.

vulnerària f. (*bot.*, *Anthyllis vulneraria*) kidney vetch; ladies' finger.

vulneràrio a. e m. (*farm.*) of use in the healing of wounds; vulnerary (*arc.*).

vùlnus (*lat.*) m. inv. (*leg.*) violation; breach.

vùlture m. (*lett.*) vulture.

vùlva f. (*anat.*) vulva.

vulvàre a. (*anat.*) vulvar; vulval.

vulvària f. (*bot.*, *Chenopodium vulvaria*) stinking goosefoot.

vulvìte f. (*med.*) vulvitis.

vulvovaginàle a. (*anat.*) vulvovaginal.

vulvovaginìte f. (*med.*) vulvovaginitis.

vuòi 2ª pers. sing. indic. pres. di **volere**.

vuòle 3ª pers. sing. indic. pres. di **volere**.

vuotacèssi m. inv. (*antiq.*) cesspit cleaner; cesspool cleaner.

vuotàggine f. **1** emptiness; vacuity **2** (*cosa insulsa*) (piece of) nonsense; inanity.

♦**vuotàre** **A** v. t. **1** to empty; (*sgombrare*) to clear out; (*prosciugare*) to drain: **v. una botte**, to empty a cask; **v. la cantina**, to empty (*o* to clear out) the cellar; **v. la casa a q.** (*svaligiarla*), to clean out sb.'s house; **v. i cassetti**, to empty (out) the drawers; **v. il piatto**, to empty one's plate; **v. un pozzo**, to drain a well; **v. una stanza di tutti i mobili**, to empty (*o* to clear) a room of all furniture; **v. d'un fiato il bicchiere**, to drain one's glass; **vuotarsi le tasche**, to empty (*o* to turn out) one's pockets **2** (*naut.*) to bail; to pump out: **v. una barca**, to bail (out) a boat; **v. il bacino**, to pump out the dock; **v. la sentina**, to dry out the bilge ● (*fig. fam.*) **v. il sacco**, (*confessare*) to talk, to come clean, to spill the beans (*fam.*); (*sfogarsi*) to speak one's mind, to tell what's on one's mind □ (*fig.*) **v. le ta-**

sche a q., to clean sb. out □ (*naut., aeron.*) **v. la zavorra**, to unballast **B** **vuotàrsi v. i. pron.** to empty; to be emptied: *La sala si vuota*, the hall is emptying; *D'estate la città si vuota*, the city is empty in the summer.

vuotàta f. emptying out: **dare una v. a qc.**, to empty st. out.

vuotatùra f. emptying out.

vuotézza f. emptiness; vacuity; void.

♦**vuòto A** a. **1** empty; (*non occupato*) empty, free, vacant, unoccupied: **appartamento v.**, (*senza mobili*) empty flat; (*libero*) vacant flat; **fiasco v.**, empty flask; **negozio v.**, empty shop; **posto v.**, (*a sedere*) empty (*o vacant*) seat; (*impiego*) vacant job (*o post*); (*teatr.*) **scena vuota**, empty stage; **tasche vuote**, empty pockets; **mezzo v.**, half-empty; (*anche fig.*) **a mani vuote**, empty-handed; (*fig.*) **avere la testa vuota** (*essere sciocco*), to be empty-headed; (*fig.*) *Ho la testa vuota*, my mind is a complete blank **2** (*privo, sprovvisto*) devoid (of); empty (of); lacking (in); (*spoglio*) bare (of): **v. di senso**, devoid of sense; empty of meaning; meaningless; **sentirsi v. di forze** [**di idee**], to feel drained of strength [of ideas] **3** (*fig.: vano*) empty; vain; idle: **parole** [**promesse**] **vuote**, empty words [promises]; **vuote proteste**, idle protests **4** (*futile, senza scopo*) empty; aimless; meaningless: **esistenza vuota**, empty life **5** (*non scritto*) blank **6** (*arald.*) voided **7** (*mat.*) empty **B** m. **1** (*fis.*) vacuum: **v. assoluto**, absolute vacuum; **creare il v.**, to create a vacuum; **confezionato sotto v.**, vacuum--packed; *La natura aborrisce il v.*, Nature abhors a vacuum **2** (*spazio, aria*) void; air; space: **fissare il v.**, to stare into space; **lanciarsi nel v.**, to jump into space; **penzolare nel v.**, to dangle in the air (*o in mid-air*) **3** (*spazio vuoto*) space; (*intervallo, lacuna*) gap; (*cavità*) cavity, hollow; (*spazio in bianco*) blank: **il v. tra il muro e la libreria**, the gap between the wall and the bookcase; **un v. di dieci anni**, a ten-year gap; **i vuoti di un modulo**, the blanks in a form; **vuoti in platea**, empty seats in the stalls **4** (*recipiente vuoto*) empty: **v. a perdere**, non-returnable (*o disposable*) container; **v. a rendere**, returnable container; **restituire i vuoti**, to return the empties **5** (*fig.: senso di vuoto, mancanza*) vacuum; void: *C'era un v. nella sua vita*, there was a vacuum in her life; *La sua morte ha lasciato un v. nella famiglia*, his death has left a void in the family **6** (*fig.: vacuità*) emptiness; vacuity ● **v. culturale**, cultural wasteland □ (*aeron.*) **v. d'aria**, air pocket □ **v. di cassa**, cash deficit □ **v. di memoria**, memory lapse; blank (*fam.*) □ **v. di potere**, power vacuum □ (*comm., naut.*) **v. per pieno**, dead freight □ (*fig.*) **a v.**, in vain; uselessly; to no purpose; fruitless (agg.); useless (agg.): **parlare a v.**, to speak in vain; **tentativo a v.**, fruitless (*o vain*) attempt □ **andare a v.**, (*di tiro e fig.*) to be wide of the mark; (*fallire*) to fail, to come to nothing, to miscarry □ **assegno a v.**, bad cheque; dud cheque (*fam.*) □ (*fig.*) **cadere nel v.**, to fall on deaf ears □ (*fig.*) **fare il v. intorno a sé**, (*isolarsi*) to isolate oneself; (*rendersi impopolare*) to make oneself very unpopular; (*distanziarsi*) to leave everyone behind □ (*mecc.*) **funzionamento** (*o marcia*) **a v.**, idling □ **girare a v.**, (*mecc.*) to idle; (*di chiave*) not to catch; (*di ruota, ecc.*) to fail to grip, not to grip □ **mandare a v.**, to thwart □ **un senso di v. allo stomaco**, a hollow feeling in one's stomach □ (*mil.*) **tirare a v.**, to miss the target □ (*di mezzo di trasporto*) **viaggiare a v.**, to run empty; to deadhead (*USA*).

vuotòmetro m. (*fis.*) vacuum gauge.

VV sigla (**Vibo Valentia**).

w, W

W①, w f. o m. W, w • (*telef.*) **w come Washington**, w for Whiskey.

W② sigla (**evviva**) long live!

wad m. inv. (*miner.*) wad.

wàfer (*ingl.*) m. inv. **1** (*biscotto*) wafer **2** (*elettr.*) wafer.

wagneriàno a. e m. (f. **-a**) (*mus.*) Wagnerian.

wagon-lit (*franc.*) loc. m. inv. (*ferr.*) sleeping car; sleeper.

wagon-restaurant (*franc.*) loc. m. inv. restaurant car; dining car.

wahabìsmo m. (*relig.*) Wahabism.

wahabìta m. e f. (*relig.*) Wahabi.

walchìria → **valchiria**.

Walhalla m. (*mitol.*) Valhalla.

walkie-talkie (*ingl.*) loc. m. inv. walkie-talkie.

walkìria → **valchiria**.

Walkman® (*ingl.*) m. inv. Walkman.

wàlzer (*ted.*) → **valzer**.

wàpiti m. (*zool.*, *Cervus canadensis*) wapiti*; American elk*.

warrant (*ingl.*) m. inv. (*Borsa*) warrant.

Wassermann f. (anche agg.: **reazione W.**) (*med.*) Wasserman test.

wàter (*ingl.*) m. inv. **1** → **water closet 2** flush toilet; (*la tazza*) toilet bowl ❶ **FALSI AMICI** • water *non si traduce con* water.

water closet (*ingl.*) loc. m. inv. toilet; lav-atory.

Waterloo f. inv. Waterloo: **trovare la propria W.**, to meet one's Waterloo.

waterpolìsta m. (*sport*) water-polo player.

watt m. inv. (*elettr.*) watt: **lampadina da 100 watt**, 100-watt light bulb.

wàttmetro, **wattòmetro** m. (*elettr.*) wattmeter.

wattóra f. inv. (*fis.*) watt-hour.

wattoràmetro m. (*elettr.*) watt-hour meter.

wattsecóndo m. (*elettr.*) watt-second.

watùsso Ⓐ a. **1** Watutsi; Watusi **2** (*fig.*) very tall and slim Ⓑ m. (f. **-a**) Watutsi; Watusi.

wàwa f. inv. (*mus.*) wah-wah; wa-wa.

webcam f. inv. (*ingl.*, *comput.*) webcam.

wèber (*ted.*) m. inv. (*fis.*) weber.

weekend, **week-end** (*ingl.*) m. inv. weekend.

welfare (*ingl.*) m. **1** (*econ.*: *stato sociale*) welfare state **2** (*previdenza sociale*) social security; social services (pl.); welfare.

welfarìsmo m. (*polit.*, *econ.*) welfarism.

wellerìsmo m. (*letter.*) Wellerism.

wellingtònia f. (*Sequoia gigantea*) giant redwood; wellingtonia.

wèlter (*ingl.*) m. inv. (anche agg.: **peso w.**) (*boxe*) welterweight; welter.

wertherìsmo m. (*letter.*) Wertherism.

wesleyàno a. e m. (*relig.*) Wesleyan; Methodist.

wèstern (*ingl.*) a. e m. inv. (*cinem.*) western: **w. all'italiana**, spaghetti western.

whisky (*ingl.*) m. inv. whisky: **w. con ghiaccio**, whisky on the rocks; **w. americano**, bourbon; American whiskey; **w. irlandese**, Irish whiskey; **w. liscio**, neat (*o* straight) whisky.

widia m. inv. (*metall.*) widia.

willemìte f. (*miner.*) willemite.

winchester (*ingl.*) m. inv. (*carabina*) Winchester (rifle).

windsurf (*ingl.*) m. inv. **1** (*la tavola*) windsurf board **2** (*lo sport*) windsurfing: **fare del w.**, to windsurf.

windsurfìsta m. e f. windsurfer.

wok m. inv. (*cucina cinese*) wok.

wolfràmio m. (*chim.*) wolfram; tungsten.

wolframìte f. (*miner.*) wolframite.

Wotan m. (*mitol.*) Woden; Odin.

wow m. inv. (*fis.*) wow.

wrestling m. inv. (*ingl.*, *sport*) wrestling.

writer (*ingl.*) m. e f. inv. (graffiti) writer; graffitist; graffiti artist.

würstel (*ted.*) m. inv. frankfurter; Vienna sausage; wurst (*ted.*).

wurtzìte f. (*miner.*) wurtzite.

x, X

X ①, x **A** f. o m. **1** X, x **2** (*mat.*) x: **asse delle x**, x-axis ● (*telef.*) **x come xeres**, x for X-ray □ **a X**, X-shaped □ **gambe a X**, knock knees **B** a. inv. **1** (*indeterminato, sconosciuto*) X; unspecified: **quantità x**, X amount; unspecified amount; **il signor X**, Mr X **2** (*rif. a evento cruciale: si usa l'iniziale del sostantivo*) – **giorno X**, D-day; **ora x**, H-hour.

X ② sigla **1** (**Cristo**) Christ (X, X.) **2** (*num. romano*, **dieci**) ten **3** (*sport*, **pareggio**) draw **4** (**sconosciuto**) unknown.

xantàto m. (*chim.*) xantate.

xantelàsma m. (*med.*) xanthelasma.

xantène m. (*chim.*) xanthene.

xantènico a. (*chim.*) xanthene (attr.).

xàntico a. (*chim.*) xanthic.

xantìna f. (*chim.*) xanthine.

xantofìlla f. (*chim.*) xanthophyll.

xantòma m. (*med.*) xanthoma*.

xantomatóso a. (*med.*) xanthomatous.

xantóne m. (*chim.*) xanthone.

xantopsìa f. (*med.*) xanthopsia.

xenàrtro m. (*zool.*) xenarthran; (al pl., *scient.*) Xenarthra.

xenìa f. (*bot.*) xenia.

xèno m. (*chim.*) xenon.

xenòbio a. (*zool.*) xenobiotic.

xenobiòsi f. (*zool.*) xenobiosis.

xenobiòtico a. xenobiotic.

xenodòchio m. (*stor.*) xenodochium*.

xenoecologìa f. xenoecology.

xenofilìa f. **1** love of foreign things **2** (*zool.*) xenophilia.

xenòfilo (*anche zool.*) **A** a. xenophilous **B** m. (f. **-a**) xenophile.

xenofobìa f. xenophobia.

xenofòbico a. xenophobic.

xenòfobo A a. xenophobic **B** m. (f. **-a**) xenophobe.

xenogamìa f. (*bot.*) xenogamy.

xenogènesi f. (*bot.*) xenogenesis.

xenoglossìa f. (*parapsicologia*) xenoglossia; zenoglossy.

xenologìa f. xenology.

xenoparassìta A m. xenoparasite **B** a. xenoparasitic.

xenòpo m. (*zool., Xenopus*) Xenopus: **x. liscio** (*Xenopus laevis*) Xenopus; African clawed toad.

xenotrapiànto m. (*chir.*) xenotransplant.

xères (*spagn.*) m. (*vino*) sherry.

xeròbio a. (*biol.*) xerophilous.

xerocòpia f. xerographic copy; Xerox.

xerocopiàre v. t. to xerox.

xerocopiatrìce f. xerographic copier; Xerox machine.

xerodèrma f. (*med.*) xeroderma: **x. pigmentoso**, xeroderma pigmentosum.

xerodermìa f. (*med.*) xerodermia.

xeròfilo (*bot.*) **A** a. xerophilous **B** m. (f. **-a**) xerophile.

xeròfito (*bot.*) **A** a. xerophytic **B** m. (f. **-a**) xerophyte.

xeroftalmìa f. (*med.*) xerophthalmia.

xeroftàlmico a. (*med.*) xerophthalmic.

xeroftàlmo m. → **xeroftalmia**.

xerografìa f. xerography.

xerogràfico a. xerographic.

xeroradiografìa f. (*med.*) xeroradiography.

xeroradiogràmma m. (*med.*) xeroradiograph.

xerosfèra f. xerosphere.

xeròsi f. (*med.*) xerosis.

xerostomìa f. (*med.*) xerostomia.

xerotèrmo (*bot.*) a. xerothermic: **pianta xeroterma**, xerotherm.

xi m. o f. (*quattordicesima lettera dell'alfabeto greco*) xi.

xifòforo m. (*zool., Xiphophorus helleri*) swordtail.

xifòide m. o f. (*anat.*, anche agg.: **apofisi x.**) xiphoid process (*o* cartilage); xiphisternum*.

xifosùro m. (*zool.*) xiphosuran; (al pl., *scient.*) Xiphosura.

xilàno m. (*chim.*) xylan.

xilèma m. (*bot.*) xylem.

xilemàtico a. (*bot.*) xylem (attr.).

xilène m. (*chim.*) xylene.

xilòfago a. (*zool.*) xylophagous.

xilofonìsta m. e f. (*mus.*) xylophonist.

xilòfono m. (*mus.*) xylophone.

xilografìa f. **1** (*tecnica*) xylography; wood-engraving **2** (*copia a stampa*) woodcut: xylograph.

xilogràfico a. xylographic.

xilògrafo m. (f. **-a**) xylographer; xylographist; wood-engraver.

xilòlo m. (*chim.*) xylol; xylene.

xilologìa e *deriv.* → **silologia**, e *deriv.*

xilòsio m. (*chim.*) xylose.

xilotèca → **siloteca**.

xòanon (*greco*) m. inv. (*archeol.*) xoanon*.

xografìa f. xography.

a b c d e f g h i j k l m n o p q r s t u v w x y z

Y, Y

Y, y f. o m. **1** Y, y **2** (*mat.*) y: **asse delle y**, y-axis ● (*telef.*) **y come York**, y for Yankee □ **a y**, Y-shaped.

yacht (*ingl.*) m. inv. yacht: **y. a vela**, sailing yacht; **y. da regata**, racing yacht.

yàk (*ingl.*) m. inv. (*zool.*, *Bos grunniensis*) yak*.

yakùşa, yakùza f. yakuza.

yamatologìa → **iamatologia**.

yang m. (*filos.*) yang.

yankee① (*ingl.*) a., m. e f. inv. Yankee.

yankee② (*ingl.*) m. inv. (*naut.*) Yankee (jib).

yard m. inv. yard.

yatagàn m. inv. yataghan.

yawl (*ingl.*) f. inv. (*naut.*) yawl.

YCI sigla (*sport*, **Yacht club Italia**) Italian Yacht Club.

yearling (*ingl.*) m. inv. yearling.

yemenita Ⓐ m. e f. Yemenite; Yemeni Ⓑ a. Yemeni.

yen m. inv. yen.

yèti m. inv. yeti.

yiddish a. e m. inv. Yiddish.

yin m. (*filos.*) yin.

ylang-ylàng m. inv. (*bot.*, *Cananga odorata*) ylang-ylang.

yòga Ⓐ m. inv. (*filos.*) yoga Ⓑ a. inv. yoga (attr.); yogic: **maestro y.**, yoga teacher; yogi.

yòghin → **yogin**.

yògico a. yogic.

yògin m. yogi*.

yògurt m. inv. (*alim.*) yoghurt, yogurt, yoghourt.

yogurtièra f. yoghurt-maker.

yòle → **iole**.

Yorkshire (*ingl.*) m. inv. (*zool.*) **1** (*razza suina*) Yorkshire breed **2** (*cane*) Yorkshire terrier.

yo-yo m. inv. yo-yo.

yprite → **iprite**.

ỳpsilon → **ipsilon**.

ỳttrio → **ittrio**.

yuan m. inv. yuan.

yùcca f. (*bot.*, *Yucca*) yucca.

yùppie (*ingl.*) m. e f. inv. yuppie.

yuppìşmo m. yuppie culture; yuppiedom.

yùrta → **iurta**.

z, Z

z, z f. o m. (*ventunesima lettera dell'alfabeto ital.*) Z, z • (*telef.*) **z come Zara**, z for Zulu □ **dall'a alla z**, from A to Z.

zabaióne, zabaglióne m. zabaglione; egg flip; eggnog.

zàbro m. (*zool.*, *Zabrus tenebrioides*) darkling ground beetle.

zac inter. zing!; (*rif. a colpo*) wham!; (*rif. a taglio*) snip!

Zaccaria m. Zachariah; Zacharias; Zachary.

zàcchera f. (*schizzo di fango*) splash of mud; mudsplash; spatter.

zaccheróso a. mud-splattered; muddy.

zàcchete → zac.

zaff inter. zap!

zaffàra → zaffera.

zaffàre v. t. 1 (*med.*) to plug; to tampon 2 (*una botte*) to bung.

zaffàta f. 1 (*tanfo*) strong whiff: **z. d'aglio**, strong whiff of garlic 2 (*spruzzo*) spurt, splash; (*di aria*) blast; (*di gas*) cloud.

zaffatùra f. 1 (*med.*) plugging; tamponing 2 (*di botte*) bunging.

zàffera f. zaffre, zaffer.

zafferanàto a. 1 (*condito con zafferano*) saffroned; flavoured with saffron (pred.) 2 (*di color zafferano*) saffron-coloured; saffron (attr.).

zafferàno A m. 1 (*bot.*, *Crocus sativus*) saffron (crocus) 2 (*droga*) saffron: **risotto con lo z.**, risotto with saffron 3 (*bot.*) – z. **bastardo** (*Colchicum autumnale*) autumn crocus; meadow saffron, naked ladies (pl.); **z. falso** (*Carthamus tinctorius*) safflower B a. inv. saffron (attr.): **giallo z.**, saffron yellow.

zafferanóne m. (*bot.*, *Carthamus tinctorius*) safflower.

zàffiro → zaff.

zaffirino a. sapphirine; sapphire (attr.).

zaffiro m. sapphire: **anello di zaffiri**, sapphire ring; (*fig.*) **cielo di z.**, sapphire sky.

zàffo m. 1 (*di botte*) bung: **chiudere con lo z.**, to bung 2 (*med.*) plug; tampon 3 (*naut.*) plug.

Zagàbria f. Zagreb.

zagàglia f. (*stor.*) assegai, assagai.

zàgara f. orange-blossom.

zaglòsso m. (*zool.*, *Zaglossus*) zaglossus; spiny anteater.

zainétto m. school-bag.

♦**zàino** m. rucksack; knapsack; backpack (*USA*); pack (*USA*); (*di scuola*) school-bag: **mettersi lo z. in spalla**, to shoulder one's rucksack; **preparare lo z.**, to pack one's rucksack.

zaire m. inv. (*unità monetaria*) zaire.

zairése a., m. e f. → **zairiano**.

zairiàno a. e m. (f. **-a**) Zairian, Zairean.

zalòfo m. (*zool.*, *Zalophus*) sea lion.

zambiàno a. e m. (f. **-a**) Zambian.

zàmbo m. inv. sambo.

♦**zàmpa** f. 1 (*arto di animale*) leg; (*parte terminale dell'arto, di cane, felino*) paw; (*zoccolo*) hoof*; (*di uccello*) claw; (*di insetto*) leg, foot*: **z. anteriore**, foreleg; forepaw; **z. posteriore**, hind leg; hind paw; **animali a quattro**

zampe, four-legged animals 2 (*alim.*) leg; (*di maiale*) trotter: **z. di vitello**, leg of veal; **z. di maiale**, pig's trotter 3 (*fam.*, *dell'uomo: mano*) hand, paw (*fam.*), claw (*fam.*); (*piede*) foot*, trotter (*fam.*), hoof* (*fam.*); (*gamba*) leg, shank: **Giù le zampe!**, hands off!; get your paws off!; **Qua la z.!**, let's shake on it!; **a quattro zampe**, on all fours; **camminare a quattro zampe**, to crawl; to go on all fours • (*ferr.*) **z. di lepre**, wing rail □ (*naut.*) **z. d'oca**, crowfoot □ (*mecc.*) **z. di ragno**, oil groove □ (*fig.*) **zampe di gallina**, (*rughe*) crow's feet; (*scritto indecifrabile*) scrawl (sing.) □ **pantaloni a z. d'elefante**, bell-bottom trousers; bell-bottoms; flared trousers; flares (*fam.*).

zampàre v. i. to paw the ground.

zampàta f. 1 blow with a paw 2 (*calcio dato da una persona*) kick; (*manata*) slap, shove 3 (*impronta*) paw-mark; claw-mark; hoof-mark; (*generico*) track 4 (*fig.: segno inconfondibile*) hand; stamp.

zampettàre v. i. 1 (*di animale*) to trot; to scurry; to scamper; (*saltellare*) to hop 2 (*di persona*) to patter; to scamper; (*di bambino piccolo*) to toddle.

zampétto m. (*alim.*, *di maiale*) trotter; (*di agnello, vitello*) leg.

zampillàre v. i. to gush; to spurt; to spout.

zampillìo m. gushing; spurting; spouting.

zampillo m. jet; spurt; gush; **z. di sangue**, spurt of blood; **gli zampilli di una fontana**, the jets of a fountain.

zampino m. 1 (*fig.*) paw; hand; finger; (*grinfia*) hand, claw: **mettere lo z. in una faccenda**, to have a hand in a matter; to have a finger in the pie (*fam.*); **Chi ci ha messo lo z.?**, who's had a hand in it?; **Qui c'è lo z. del diavolo**, the devil's had a hand in it; **Qui ci vedo lo z. di tuo fratello**, I can see your brother's had a hand in it 2 → **zampetto**.

zampiróne m. 1 (mosquito) fumigator 2 (*scherz.: sigaretta scadente*) cheap sigarette; gasper (*fam.*); coffin nail (*fam.*).

zampógna f. 1 bagpipe; bagpipes (pl.); zampogna (*lett.: siringa*) pan-pipes (pl.).

zampognàro m. piper.

zampóne m. (*alim.*) stuffed pig's trotter.

zàna f. 1 (*cesta*) oval basket 2 (*culla*) cradle.

zànca f. 1 (*tecn.*) cramp; clamp; dog 2 (*lett.*) leg.

zanèlla f. (*cunetta*) gutter.

zàngola f. churn.

zangolatóre m. churner.

zangolatùra f. churning.

zànna f. 1 (*di elefante, cinghiale, tricheco*) tusk; (*di carnivoro e serpente*) fang 2 (*scherz. o spreg., di persona*) tooth*; fang: **mostrare le zanne**, to show one's teeth.

zannàta f. 1 (*colpo di zanna*) thrust (with a tusk) 2 (*morso*) bite 3 (*il segno*) tooth mark; fang mark.

zànni m. 1 (*teatr.*) zany 2 (*fig.: buffone*) clown; buffoon; fool.

zannichèllia f. (*bot.*, *Zannichellia palustris*) horned pondweed.

zannùto a. 1 (*di elefante, cinghiale, tricheco*)

co) tusked; (*di carnivoro e serpente*) fanged 2 (*spreg., di persona*) fanged.

Zànte f. (*geogr.*) Zakinthos; Zante.

zànza m. inv. (*region. gergale*) swindler; conman*.

zanzàra f. 1 (*zool.*, *Culex mosquito*) mosquito*; gnat (*USA*): **puntura di z.**, mosquito bite 2 (*fig.*) nuisance; pest 3 (*zool.*) – z. **anofele** (*Anopheles maculipennis*), anopheles; **z. tigre** (*Aedes albopictus*) Asian tiger mosquito.

zanzaricida A m. mosquito-killing substance B a. mosquito-killing.

zanzarièra f. (*per letto*) mosquito net; (*per finestra*) fly screen; (*porta*) screen door.

zanzarifugo A m. mosquito repellent B a. mosquito-repelling.

zanzaróne m. 1 big mosquito 2 (*anche z. dei boschi*) daddy-longlegs.

zanzàta f. (*region. gergale*) swindle; con.

zapatista m. e f. Zapatist.

♦**zàppa** f. 1 hoe: **z. meccanica**, hoeing machine; Rotavator® 2 (*mil.: fosso*) trench; sap • (*fig.*) **darsi la z. sui piedi**, to shoot oneself in the foot; to cut one's own throat.

zappàre v. t. 1 to hoe; to dig*: **z. l'orto**, to hoe the garden; **z. la terra**, to work the land; (*fig.*) to live in the country 2 (*mil.*) to sap.

zappàta f. 1 (*colpo di zappa*) blow with a hoe 2 (*lo zappare*) hoeing; digging: **Dai una z. all'orto**, give the garden a little hoeing.

zappatèrra m. inv. (*spreg.*) 1 (*contadino*) peasant 2 (*fig.*) clodhopper; bumpkin; hick (*USA*).

zappatóre m. 1 (f. **-trice**) hoer; digger 2 (*contadino*) peasant; farm-labourer 3 (*mil.*) sapper.

zappatrice f. (*mecc.*) hoeing-machine; Rotavator®.

zappatùra f. hoeing; digging.

zappétta f. weeding hoe; (*a rebbi*) hoe-fork.

zappettàre v. t. to hoe.

zappettatùra f. hoeing.

zapping (*ingl.*) m. inv. channel-hopping; channel-surfing: **fare lo z.**, to channel-hop; to channel surf.

zapponàre v. t. to dig (with a mattock).

zapponatùra f. digging (with a mattock).

zappóne m. mattock.

zar m. tsar; czar.

zarèvic m. tsarevitch, czarevitch.

zarina f. tsarina, czarina.

zarìsmo m. tsarism; czarism.

zarista a., m. e f. tsarist; czarist.

zàtta f. (*region.*) cantaloupe; rock melon.

zàttera f. 1 raft; float: **z. di salvataggio**, life raft 2 (*naut.: chiatta*) lighter; barge 3 (*edil.*) raft.

zatteràggio m. (*edil.*) lighterage.

zatterière m. raftsman*; rafter.

zatterino m. (*naut.*) punt.

zatteróne m. 1 large raft 2 (*mil.*) landing craft 3 (*edil.*) raft 4 (*calzatura*) platform sandal.

zavòrra f. 1 (*naut.*) ballast: **caricare**

[**scaricare**] **la z.**, to take in [to jettison] ballast; **fare da z.**, to act as ballast; **in z.**, in ballast; **senza z.**, unballasted **2** (*aeron.*) ballast **3** (*fig.*: *roba inutile*) junk; rubbish; trash (*USA*) **4** (*fig.*: *riempitivo*) makeweight; padding **5** (*fig. spreg.*, *di persona*) dead weight.

zavorraménto m. (*naut.*) ballasting.

zavorràre v. t. (*naut.*) to ballast.

zavorratóre m. ballastman*; ballast heaver.

zavorratùra f. ballasting.

zàzzera f. (*capelli lunghi*) long hair, mane (of hair); (*capelli incolti*) mop (of hair), thatch of hair.

zazzerùto a. long-haired; mop-headed.

zdanovìsmo m. Zdanovism.

zebedèi m. pl. (*pop. eufem.*) nuts; bollocks; rocks ● **rompere gli z.**, to be a pain in the arse (*USA* ass).

♦**zèbra** f. **1** (*zool.*, *Equus zebra*) zebra **2** (al pl.) (*passaggio pedonale*) zebra crossing (sing.).

zebràto a. with black and white stripes; striped; zebra (attr.): **passaggio z.**, zebra crossing.

zebratùra f. **1** (*zool.*) zebra stripes (pl.) **2** (*estens.*) black and white stripes (pl.): **z. stradale**, (stripes on a) zebra crossing.

zebù m. (*zool.*, *Bos indicus*) zebu.

zécca ① f. (*zool.*) tick.

zécca ② f. mint ● (*fig.*) **nuovo di z.**, brand-new.

zecchinétta f., **zecchinétto** m. (*gioco di carte*) lansquenet.

zecchino m. (*stor.*) sequin: **z. gigliato**, Florentine sequin ● **oro (di) z.**, pure gold.

zèffiro → **zefiro**.

zefìr m. (*ind. tess.*) zephyr.

zèfiro m. **1** (*vento di ponente*) west wind **2** (*estens.*: *brezza*) zephyr; gentle breeze.

Zèfiro m. (*mitol.*) Zephyrus.

Zelànda f. (*geogr.*) Zeeland.

zelànte a. (*coscienzioso*) conscientious, scrupulous, painstaking; (*pieno di impegno*, *ardente*) eager, keen, zealous: **essere z. sul lavoro**, to be a conscientious (o painstaking) worker; **troppo z.**, too eager (o zealous).

zelanterìa f. eccessive zeal.

zèlo m. **1** (*impegno*, *fervore*) zeal; eagerness; fervour; ardour: **z. religioso**, religious zeal; **eccesso di z.**, excess of zeal **2** (*coscienziosità*) conscientiousness; diligence: **lavorare con z.**, to work with zeal; **col massimo z.**, with the utmost diligence.

zelòta m. (*stor.*) Zealot.

zelotìsmo m. (*stor.*) Zealotry.

zémbro → **cembro**.

zen (*filos.*, *relig.*) **A** m. Zen (Buddhism) **B** a. inv. Zen (attr.).

zenàna f. (*gineceo*) zenana.

zendàdo, **zendàle** m. (*stor.*) sendal.

zenìsmo m. (*filos.*, *relig.*) Zen (Buddhism).

zenìsta (*filos.*, *relig.*) **A** a. Zen (attr.) **B** m. e f. Zen Buddhist.

zènit m. **1** (*astron.*) zenith **2** (*fig.*) zenith; height; peak: *Era allo z. della fama*, she was at the height of her fame; her fame was at its peak (o zenith).

zenitàle a. (*astron.*) zenithal; zenith (attr.): **distanza z.**, zenith distance (o angle); **pioggia z.**, zenithal rain; **telescopio z.**, zenith telescope.

Zenóne m. Zeno.

zènzero m. (*bot.*, *Zingiber officinale*) ginger.

zeolite f. (*miner.*) zeolite.

zeolìtico a. (*miner.*) zeolitic.

zeotròpico a. (*chim.*) – **miscela zeotropica**, zeotrope.

---

zeòtropo m. (*chim.*) zeotrope.

zéphyr → **zefir**.

zéppa f. **1** wedge; chock; (*mecc.*) shim **2** (*rialzo*) wedge; lift; (*di scarpa*) wedge heel: **scarpe con la z.**, wedge-heeled shoes **3** (*tipogr.*) slug **4** (*fig.*: *rimedio*) patch: **mettere una z. a qc.**, to put a patch on st. **5** (*fig.*: *riempitivo*) pad; padding **6** (*giorn.*) space filler.

zeppàre v. t. to wedge.

Zeppelin (*ted.*) m. inv. (*aeron.*) Zeppelin.

zéppo a. full (of); crammed (with); stuffed (with); (*gremito*) packed, jam-packed, crowded: **un cassetto z. di cianfrusaglie**, a drawer stuffed with odds and ends; **un libro z. d'errori**, a book full of mistakes; **z. di gente**, crammed with people; *Il cinema era z.*, the cinema was packed; **pieno z.**, packed full (o solid); chock-a-block; chock-full; *Il treno era pieno z.*, the train was chock-a-block with people.

zéppola ① f. wedge; chock.

zéppola ② f. (*region.*, *alim.*) doughnut.

zerbino m. (*stuoia*) doormat.

zerbinòtto m. dandy; fop; coxcomb.

♦**zèro** **A** a. num. card. inv. zero*: **crescita z.**, zero growth; (*ling.*) **grado z.**, zero degree; **l'ora z.**, zero hour; (*mil.*) **punto z.**, ground zero; **z. punti**, nil; *Il termometro segna z. gradi*, the thermometer shows zero; **a interessi z.**, at zero interest **B** m. **1** (*mat.*) zero*; nought; (*nell'enunciazione*) zero, nought, o: **z. virgola sei**, nought point six; **z. virgola z. due**, point zero two; point nought two (*GB*); **un uno seguito da dieci zeri**, a one followed by ten noughts (o zeroes); **una scala che va da z. a cinquanta**, a scale going from zero to fifty **2** (*fis.*) zero; freezing point: **z. assoluto**, absolute zero; *Il termometro segna z.*, the thermometer reads zero; **dieci gradi sotto [sopra] z.**, ten degrees below [above] zero (o freezing point) **3** (*telef.*) o (*GB*); zero (*USA*): *Il mio interno è 2700*, my extension is two seven double o (o zero zero) **4** (*in un punteggio*) nil; (*tennis*) love: **z. a z.**, nil-nil; nil-all; (*tennis*) **zero-quindici**, love-fifteen; (*calcio*) **chiudersi sullo z. a z.**, to end in a goalless (o scoreless, nil-nil) draw; **vincere (per) tre a z.**, to win three-nil **5** (*fig.*: *nullità*) nonentity; zero; cipher **6** (*niente*) nothing; not a thing; nil; zip (*slang USA*); zilch (*slang USA*): **non contare uno z.**, to count for nothing; to be a nonentity; *Il contratto non vale uno z.*, the contract is worthless; *La sua vita vale z.*, his life is worth zero; *Come insegnante non vale z.*, he's a hopeless teacher; **ridurre le spese a z.**, to cut expenses to nil; **ridursi a z.**, to be down to zero; (*di persona*) to have nothing left; *Quanto a informazioni, z.!*, as for information, nothing! ● (*fig.*) **z. via z.**, less than nothing □ **da z.** (*dall'inizio*), from scratch: **cominciare da z.**, to start from scratch; **ricominciare da z.**, to do st. all over again; to go back to square one □ **raparsi a z.**, to shave one's head □ **sparare a z.**, (*mil.*) to fire at zero elevation, to fire point blank; (*fig.*) to launch an attack (on), to lash out (at).

zèro zèro sètte loc. m. inv. secret agent; spy.

zèta f. o m. **1** (*lettera*) zed (*GB*); zee (*USA*); z; Z **2** (*sesta lettera dell'alfabeto greco*) zeta.

zetacìsmo m. **1** (*ling.*) zeta shift **2** (*med.*) zetacism; faulty pronunciation of Z.

zetètica f. (*filos.*) zetetics.

zetètico a. (*filos.*) zetetic.

zèugma m. (*gramm.*) zeugma.

zeugmàtico a. (*gramm.*) zeugmatic.

zeuzèra f. (*zool.*, *Zeuzera pyrina*) leopard moth.

♦**zìa** f. aunt: **la zia Laura**, Aunt Laura; **zia**

---

materna [paterna], maternal [paternal] aunt.

zibaldóne m. **1** (*mescolanza*) miscellany; pot-pourri **2** (*letter.*) commonplace book; notebook **3** (*spreg.*) jumble; hotchpotch, hodgepodge (*USA*).

zibellino m. (*zool.*, *Martes zibellina*; *la pelliccia*) sable.

zibétto m. **1** (*zool.*, *Viverra civetta*) civet (cat) **2** (*profumeria*) civet.

zibìbbo m. **1** (*uva*) kind of muscatel grape **2** (*vino*) kind of muscatel.

zìcchete inter. snip!: **z. zàcchete**, snip snip!

ziétta f. (*fam.*) auntie, aunty.

zìfio m. (*zool.*, *Ziphius cavirostris*) Cuvier's whale.

zigàno a. e m. (f. **-a**) Tzigane; gypsy: **musica zigana**, Tzigane music.

zigèna m. (*zool.*, *Zygaena filipendula*) forester.

ziggurat m. inv. (*archeol.*) ziggurat.

zigodàttilo a. (*zool.*) zygodactyl; zygodactylous.

zìgolo m. (*zool.*, *Emberiza*) bunting: **z. delle nevi** (*Plectrophenax nivalis*), snow-bird; **z. giallo** (*Emberiza citrinella*), yellowhammer; **z. nero** (*Emberiza cirlus*), cirl bunting.

zigomàtico a. (*anat.*) zygomatic.

zìgomo m. (*anat.*) cheekbone; (*scient.*) zygoma*.

zigomorfìa f. zygomorphy.

zigomòrfo a. (*bot.*) zygomorphic; zygomorphous.

zigòsi f. (*biol.*) zygosis*.

zigospòra f. (*bot.*) zygospore.

zigòte m. (*biol.*) zygote.

zigòtico a. (*biol.*) zygotic; zygote (attr.).

zigrinàre v. t. **1** (*una pelle*) to grain; to pebble **2** (*mecc.*) to knurl **3** (*una moneta*) to mill; to reed.

zigrinatùra f. **1** (*di pelle*) graining; pebbling **2** (*mecc.*) knurling **3** (*di moneta*) milling; reeding.

zigrino m. **1** (*pelle di squalo*) shagreen; sharkskin **2** (*pelle zigrinata*) shagreen **3** (*mecc.*) knurling tool.

zigzàg m. inv. zigzag: **a z.**, in a zigzag; in zigzags; zigzag (attr.); meandering (attr.); **linea a z.**, zigzag line; **percorso a z.**, zigzag course; **strada a z.**, zigzag; **andare a z.**, to zigzag **2** (*di macchina per cucire*) overcasting stitch: **fare lo z.**, to overcast; to serge.

zigzagaménto m. zigzagging; zigzag course; (*di strada*) twists and turns (pl.); (*di fiume*) meanderings (pl.).

zigzagànte a. zigzagging; twisting; (*di fiume*) meandering.

zigzagàre v. i. to zigzag; (*di strada, anche*) to twist and turn; (*di fiume*) to meander; (*in una folla, ecc.*) to weave* in and out, to weave* through: **z. nel traffico**, to zigzag through the traffic; to weave in and out of (o through) the traffic; *Il sentiero saliva zigzagando*, the path zigzagged up the hill; the path climbed in twists and turns.

zimàrra f. **1** long robe **2** (*scherz.*: *cappotto lungo*) long coat.

zimàsi f. (*biol.*) zymase.

zimbalom m. (*mus.*) cimbalom.

zimbellàre v. t. **1** (*caccia*) to decoy **2** (*fig.*) to entice; to allure.

zimbellatóre m. (f. **trìce**) **1** (*caccia*) bird catcher who uses a decoy **2** (*fig.*) enticer.

zimbèllo m. **1** (*caccia*) decoy (*anche fig.*) **2** (*oggetto di scherno*) laughing-stock; figure of fun.

zimògeno (*biochim.*) **A** m. zymogen **B** a. zymogenic.

zimologìa f. zymology.

zimòtico a. (*biochim.*) zymotic.

zincàggio m. (*ind. min.*) Parkes process.

zincàre v. t. (*metall.*) to zinc; to coat with zinc; to galvanize: **z. a caldo**, to hot-galvanize.

zincàto A a. (*metall.*) zinc-coated; galvanized B m. (*chim.*) zincate.

zincatùra f. (*metall.*) zinc-coating; galvanization.

zincografìa f. (*tipogr.*) zincography.

zincogràfico a. (*tipogr.*) zincographic.

zincògrafo m. (*tipogr.*) zincographer.

zincotipìa f. (*tipogr.*) **1** (*procedimento*) zincography **2** (*copia stampata*) zincotype; zincograph.

zincotipìsta m. e f. (*tipogr.*) zincographer.

zingaràta f. practical joke; prank.

zingarésca f. (*mus.*) gypsy song.

zingarésco A a. gypsy (attr.) B m. → **zingarico**.

zingàrico a. e m. (*ling.*) Romany.

♦**zingaro** m. (f. **-a**) gypsy; Romany: **campo di zingari**, gypsy camp; **fare una vita da z.**, to lead a wandering life; to live like a gypsy.

zinna f. (*region.*) tit; boob.

zìnnia f. (*bot.*, *Zinnia*) zinnia.

zinzino m. (*fam.*) tiny bit; scrap; tad; (*pizzico*) pinch; (*di liquido*) spot, drop: **uno z. di pazienza**, a scrap of patience; **uno z. di pepe**, a pinch of pepper; **uno z. di whisky**, a drop (o a spot) of whisky.

♦**zio** m. uncle: **lo zio Gino**, Uncle Gino; **zio materno [paterno]**, maternal [paternal] uncle; **lo zio d'America**, a rich uncle; **gli zii** (*lo zio e la zia*), uncle and aunt.

zip m. inv. (*chiusura lampo*) zip (fastener); zipper.

zipolàre v. t. to bung; to peg.

zìpolo m. bung; spigot; peg.

zippàre v. t. (*comput.*) to zip.

ziqqurat → **ziggurat**.

zirconàto m. (*chim.*) zirconate.

zircóne m. (*miner.*) zircon.

zircònico a. zirconium (attr.).

zircònio m. (*chim.*) zirconium.

zirlàre v. i. **1** (*di tordo*) to whistle **2** (*di topo*) to squeak.

zìrlo m. (thrush's) whistle.

zitèlla f. spinster; (*spreg.*) old maid.

zitellàggio m. spinsterhood.

zitellésco a. spinsterish; old-maidish.

zitellìsmo m. old-maidish ways (pl.).

zitellóna f. (*spreg.*) old maid.

zitellóne m. (*scherz.*) old bachelor; confirmed bachelor.

Zither (*ted.*) m. inv. (*mus.*) zither.

zìttio m. (*per far tacere*) hushing, silencing; (*per disapprovazione*) hissing, booing.

zittìre A v. i. **1** (*tacere di colpo*) to stop speaking; to fall* silent; to shut* up (*fam.*): *Come mi vide zittì*, when she saw me, she fell silent **2** (*per interrompere*) to hiss; to boo B v. t. (*fare tacere*) to hush; to silence; to shut* up; (*per disapprovazione*) to hiss; to boo: **z. un bambino**, to hush a baby; *La mia risposta li zittì*, my answer silenced them; *Il tenore fu zittito*, the tenor was booed.

♦**zitto** A a. silent; quiet: **rimanere z.** to be silent; not to say a word; **stare z.**, to keep silent; to be quiet; to hold one's tongue; *Sta' z.!*, be quiet!; shut up! (*fam.*); *Non possiamo pretendere che stia z.*, we can't expect him to keep his mouth shut (o to keep quiet about it); **far stare z.**, to hush (up); to shut up; to silence; *Per farlo stare z. gli diede una caramella*, she gave him a sweet to keep him quiet; **z. z.**, quietly; *Se ne uscì z. z.*, he tiptoed out B inter. hush!; quiet!; (*brusco*) be quiet!, shut up!: *Z., sveglierai il bambino*, hush, you'll wake the child; *Z. tu!*, (you) shut up!; **Zitti tutti!**, quiet, everybody!; *Z. su tutto, mi raccomando!*, remember, mum's the word! (*fam.*).

zizània f. (*bot.*, *Zizania aquatica*) Indian (o wild) rice.

zìzza → **zinna**.

zizzània f. **1** (*bot.*, *Lolium temulentum*) (bearded) darnel **2** (*fig.*) discord: **seminare** (o **spargere**) **z.**, to sow discord; to make mischief; to stir up trouble.

zòccola f. (*volg. spreg.*) whore; slut.

zoccolàio m. (*fabbricante*) clog-maker; (*venditore*) clog-seller.

zoccolàre v. i. to clatter about (in clogs).

zoccolàro → **zoccolaio**.

zoccolàta f. blow with a clog.

zoccolatùra f. (*archit.*) wainscot; wainscoting.

zoccolìo m. clattering (of clogs).

♦**zòccolo** m. **1** clog; sabot **2** (*zool.*) hoof*: **z. fesso**, cloven hoof **3** (*archit.*) base; (*di colonna*) plinth; (*piedistallo*) socle **4** (*di parete*) wainscot, wainscoting; (*battiscopa*) skirting board (*GB*), baseboard (*USA*), mopboard (*USA*) **5** (*agric.*) sod **6** (*fig.*, base, fondamento) basis; core; foundation: **z. duro**, hard core **7** (*geol.*) shelf: **z. continentale**, continental shelf **8** (*elettr.*) base.

zodiacàle a. (*astron.*) zodiacal: **costellazioni zodiacali**, zodiacal constellations; **luce z.**, zodiacal light; **segno z.**, sign of the zodiac; zodiacal signs.

zodìaco m. (*astron.*) zodiac: **segni dello z.**, signs of the zodiac; zodiacal sign.

zoidiofilìa f. (*bot.*) animal pollination.

zoidiòfilo a. (*bot.*) zoidiophilous; zoophilous.

zoisìte f. (*miner.*) zoisite.

zolfanèllo m. **1** sulphur match; vesta **2** (*fig.*, persona irascibile) tinderbox: **pigliare fuoco come uno z.**, to be a tinderbox; to flare up.

zolfàra f. sulphur-mine.

zolfatàra f. (*geol.*) solfatara; sulphurous volcano.

zolfatàro m. sulphur miner.

zólfo m. (*chim.*) sulphur, sulfur (*USA*): **bagno di z.**, sulphur bath; **fiori di z.**, flowers of sulphur; **miniera di z.**; sulphur mine; **dare lo z. alle viti**, to sulphur vines ● (*fig.*) **puzzare di z.**, to have a whiff of brimstone about one.

zòlla f. **1** clod; (*erbosa*) sod, turf **2** (*al pl.*) land ▢: **avere un po' di zolle di terra**, to have a bit of land **3** (*geol.*) plate.

zollétta f. lump; cube: **z. di zucchero**, lump of sugar; sugar cube; **zucchero in zollette**, cube sugar.

zómbi, **zómbie** m. inv. **1** (*relig.*) zombie **2** (*fig.*) zombie; automaton*.

♦**zòna** f. **1** (*striscia, fascia*) band; zone **2** (*spazio delimitato*) patch; space; ground; area: **z. d'ombra**, patch of shade; shaded corner; (*in una stanza*) dark corner; (*autom.*) **z. disco**, restricted parking area; **z. fieristica**, fairground; (*autom.*) **z. per parcheggio**, parking space; parking-lot (*USA*) **3** (*geogr.*, geol.) zone: **z. glaciale**, glacial zone; **z. sismica**, earthquake zone; seismic area; **z. torrida**, torrid zone **4** (*territorio*, regione) region; area; district; zone; (*fascia*) belt: **z. boschiva**, wooded country; woodland; **z. depressa**, depressed area; (*radio*) **z. d'ascolto**, service area; (*aeron.*) **z. di atterraggio**, landing area; **z. di confine**, border zone; frontier territory; (*anche fig.*) borderland; (*radar*) **z. d'ombra**, blind area; (*radio*) **z. di silenzio**, blind (o dead) spot; **z. di vendita**, sales area (o territory); **z. montuosa**, mountainous region; (*org. az.*) **direttore di z.**, area manager **5** (*in una città*) area; precinct; part of (the) town; (*dogana*) district, neighbourhood: **z. di negozi**, shopping area (o precinct); (*dogana*) **z. franca**, duty-free zone; bonded area; (*in periferia*) industrial estate (o site); **z. pedonale**, pedestrian precinct; **z. residenziale**, residential area; **z. verde**, parks and gardens area; green belt; **la z. dove abito**, the part of town where I live; my neighbourhood; my district; **essere fuori z.** (*non essere vicino*), to be out of the way; to be inconvenient; *Già che siamo in z.*, since we are so close...; *Il negozio dovrebbe essere qui in z.*, the shop should be somewhere around here **6** (*mil.*) zone; area; ground: **z. di combattimento**, combat zone; **z. di guerra**, war zone; **z. delle operazioni**, war zone; **z. morta** (o **defilata**), dead ground; **z. neutra**, neutral zone; **z. proibita**, no-go area; **z. smilitarizzata**, demilitarized zone **7** (*di abitazione*) area: **z. giorno**, living area; **z. pranzo**, dinette; **z. notte**, sleeping area **8** (*del telegrafo*) tape **9** (*sport*) zone: **difesa [gioco] a z.**, zone defence [play] **10** (*comput.*) zone; area ● (*fig.*) **z. calda**, hot spot ▢ (*fig.*) **z. grigia**, grey area ▢ (*mat.*) **z. sferica**, zone ▢ **dividere in zone**, to zone ▢ (*nel gioco del bridge*) **in z.**, vulnerable ▢ **in z. Cesarini**, (*calcio*) in the last minutes of the match; (*fig.*) at the eleventh hour, in the nick of time.

zonàle a. zonal; local; zone (attr.); area (attr.); district (attr.).

zonàto a. zoned.

zonatùra f. division into zones; zonation.

zonizzàre v. t. to zone.

zonizzazióne f. zoning.

zònula f. zonule: (*anat.*) **z. di Zinn**, zonule of Zinn.

zónzo vc. – **andare a z.**, to wander about; to saunter; to stroll; (*per divertirsi*) to gallivant; (*bighellonare*) to loaf about.

♦**zòo** m. inv. (*fam.*) zoo*.

zoocenòsi f. (*zool.*) zoocoenosis.

zoochìmica f. animal biochemistry.

zoocida A m. pesticide, B a. pesticidal.

zoocoltùra f. zooculture.

zoocorìa f. zoochory.

zoocòro a. (*bot.*) zoochorous: **pianta zoocora**, zoochore.

zoocultùra → **zoocoltura**.

zoofagìa f. zoophagy.

zoòfago a. zoophagous.

zoofilìa f. **1** love for animals **2** (*psic.*) zoophilia **3** → **zoidiofilia**.

zoòfilo A a. **1** zoophilous: **società zoofila**, animal lovers' association **2** → **zoidiofilo** B m. animal lover; zoophilist.

zoòfito m. zoophyte.

zoofobìa f. (*psic.*) zoophobia.

zoòfobo a. (*bot.*) zoophobous.

zoòforo m. (*arch.*) zoophorus*.

zoogamète m. (*biol.*) zoogamete.

zoogamìa e deriv. → **zoidiofilia**, e deriv.

zoogènico a. (*geol.*) zoogenic.

zoogeografìa f. zoogeography.

zooglèa f. (*biol.*) zooglea*.

zoografìa f. zoography.

zoolàtra m. e f. worshipper of animals; zoolatrist.

zoolatrìa f. zoolatry.

zoologìa f. zoology.

zoològico a. zoological: **giardino z.**, zoological gardens (pl.); zoo (*fam.*).

zoologìsta m. e f. dealer in wild animals for zoological gardens.

zoòlogo m. (f. **-a**) zoologist.

zoom (*ingl.*) m. inv. (*fotogr.*, *TV*) zoom lens.

zoomàre e *deriv.* → **zumare**, e *deriv.*

zoometrìa f. zoometry.

zoomorfìsmo m. zoomorphism.

zoomòrfo a. zoomorphic.

zoònimo m. (*ling.*) animal name.

zoonòsi f. (*med.*, *vet.*) zoonosis.

zooparassìta m. zooparasite.

zoopatologìa f. zoopathology.

zooplàncton m. (*biol.*) zooplankton.

zoopsìa f. (*psic.*) zooscopy.

zoosafàri m. inv. safari park.

zoosemiòtica f. animal communication science.

zoospòra f. (*biol.*) zoospore.

zootecnìa f. zootechnics (pl. col verbo al sing.).

zootècnico **A** a. zootechnical; livestock (attr.) **B** m. (f. **-a**) zootechnician.

zoòtoca f. (*zool.*, *Lacerta zootoca vivipara*) viviparous lizard.

zootossìna f. (*biol.*) zootoxin.

zooxantèlla f. (*bot.*) zooxanthella*.

zoppìa f. lameness; limp.

zoppicànte a. **1** limping; hobbling: **uomo z.**, limping man; man with a limp; **andatura z.**, limping gait; limp; hobble **2** (*estens.*: *instabile*) wobbly; unsteady; unstable; shaky; rickety: **tavolo z.**, wobbly table **3** (*fig.*: *insicuro*) lame; (*debole*) weak: **risposta z.**, lame answer; *È un po' z. in chimica*, he's a bit weak in chemistry ● **verso z.**, halting line.

zoppicàre v. i. **1** (*claudicare*) to limp; to walk with (*o* to have) a limp; to hobble: **z. con la gamba destra**, to be lame in one's right leg; **z. un poco [molto]**, to have a slight [a bad] limp; **camminare zoppicando**, to limp; to walk with a limp **2** (*estens.*: *essere instabile*) to be unsteady (*o* shaky, wobbly, rickety): *Questo tavolo zoppica*, this table is unsteady **3** (*fig.*: *ottenere scarsi risultati*) to be weak: **z. in latino**, to be weak in Latin **4** (*fig.*: *essere difettoso*) to be unsound (*o* shaky): **ragionamento che zoppica**, unsound argument.

zoppicatùra f. (*fig.*: *inciampo*) snag, hitch; (*difetto*) flaw.

zoppicóni avv. haltingly; with a limp.

zoppìna f. (*vet.*) foot-rot; (*afta epizootica*) foot-and-mouth disease.

zòppo **A** a. **1** lame; (*zoppicante*) limping: **gamba zoppa**, lame leg; *È z. dalla gamba sinistra*, he is lame in his left leg; **essere leggermente [molto] z.**, to have a slight [a bad] limp; **rimanere z.**, to be lamed **2** (*estens.*: *instabile*) unsteady; shaky; wobbly; rickety: **sedia zoppa**, rickety chair **3** (*fig.*: *difettoso*) unsound, faulty; (*incompleto*) unfinished, incomplete, hanging: **rima zoppa**, faulty rhyme **B** m. (f. **-a**) lame person; cripple ● (*prov.*) **Chi va con lo z. impara a zoppicare**, if you lie down with dogs, you will get up with fleas.

zorìlla m. (*zool.*, *Zorilla*) zorilla; zoril.

zoroastrìano, **zooroàstrico** a. Zoroastrian.

zoroastrìsmo m. Zoroastrianism.

Zoroàstro m. Zoroaster.

zòster (*lat.*) a. inv. – (*med.*) herpes z., herpes zoster; shingles (pl. col verbo al sing.).

zòstera f. (*bot.*, *Zostera marina*) eelgrass.

zoticàggine, **zotichézza** f. (*spreg.*) roughness; boorishness; loutishness; (*villania*) rudeness.

zòtico **A** a. rough; boorish; loutish; ill-mannered; (*villano*) rude: **maniere zotiche**, rough manners; (*villane*) rude manners **B** m. (f. **-a**) boorish person; ill-mannered person; boor (m.); lout (m.).

zoticóne m. (f. **-a**) oaf; lout; yob.

zózzo e *deriv.* → **sozzo**, e *deriv.*

ZPS sigla (*ecol.*, *amm.*, **Zona di protezione speciale**) Special Protection Area (SPA).

ZTL sigla (**zona a traffico limitato**) limited traffic area.

zuàvo m. (*mil.*) Zouave ● **pantaloni alla zuava**, plus fours; knickerbockers.

♦**zùcca** f. **1** (*bot.*, *Cucurbita maxima*) pumpkin; gourd: **fiori di z.**, courgette flowers; **semi di z.**, pumpkin seeds **2** (*fig. fam*: *testa*) head; nut (*fam.*); pate (*fam.*): **z. pelata**, bald pate; **z. vuota**, blockhead; **battere la z.**, to bang one's head; *Cerca di fartelo entrare nella z.!*, try to get that into your fat head!; *Non ha proprio niente in z.*, she's dead from the neck up.

zuccàia f. pumpkin bed.

zuccaiòla f. (*zool.*, *Gryllotalpa gryllotalpa*) mole cricket.

zuccàta f. (*involontaria*) knock (*o* bang) with the head; (*volontaria*) butt: **dare (*o* prendere) una z. in qc.**, to knock (*o* to bang) one's head against st.; **prendere qc. a zuccate**, to butt into st.

zuccheràggio m. (*enologia*) sugar enrichment.

zuccheràre v. t. to sugar; to sweeten.

zuccheràto a. **1** sugared; sweetened; (*dolce*) sweet, sugary: *Il caffè mi piace ben z.*, I like coffee with a lot of sugar **2** (*fig.*) sugary; honeyed: **parole zuccherate**, honeyed words; **tono z.**, sugary tone.

zuccherièra f. sugar bowl; sugar basin.

zuccherière m. **1** (*produttore*) sugar manufacturer **2** (*operaio*) worker in a sugar refinery.

zuccherièro a. sugar (attr.): **industria zuccheriera**, sugar industry.

zuccherifìcio m. sugar mill; sugar refinery.

zuccherìno **A** a. sugary; sweet: **sostanze zuccherine**, sugary substances **B** m. **1** (*dolce*) sweet, sweetmeat, sugarplum; (*zolletta di zucchero*) lump of sugar, sugar cube **2** (*fig.*: *favore*) sweetener; (*contentino*) sop **3** (*fig.*: *cosa facile*) trifle; child's play.

♦**zùcchero** m. **1** (*chim.*) sugar: **z. di piombo**, lead sugar; **z. d'uva**, grape sugar; **z. invertito**, invert sugar **2** (*alim.*) sugar: **z. a quadretti (*o* a zollette)**, lump sugar; lumps of sugar (pl.); **z. a velo (*o* vanigliato)**, icing sugar (*GB*); confectioner's sugar (*USA*); **z. candito**, (sugar) candy; rock candy (*USA*); **z. caramellato**, caramel; **z. cristallizzato**, granulated sugar; **z. di barbabietola**, beet sugar; **z. di canna**, cane sugar; demerara; **z. d'orzo**, barley sugar; **z. filato**, candy floss (*GB*); cotton candy (*USA*); **z. greggio**, raw sugar; **z. in pani**, loaf sugar; **z. in polvere (*o* fino)**, caster (*o* castor) sugar (*GB*); powdered sugar (*USA*); **z. scuro**, brown sugar; **barbabietola da z.**, sugar beet; **canna da z.**, sugarcane; sugar cane; **pan di z.**, sugar loaf; **rivestito di z.**, sugar-coated; **pinze da z.**, sugar tongs; **zolletta di z.**, lump of sugar; sugar cube **3** (*fig.*: *persona dolce*) sweetie, darling; (*persona arrendevole*) lamb: *Sei uno z.!*, you are a sweetie (*o* a darling)!; *Oggi il bambino è stato uno z.*, the baby's been sweetness itself today ● (*fam.*) **caduta degli zuccheri**, drop in one's blood sugar count; (*estens.*) sudden faintness □ (*fig.*) **essere tutto z. e miele**, to be all sweetness and light □ **sorriso tutto z.**, saccharine smile.

zuccheróso a. **1** sugary; sweet **2** (*fig.*: *mielato*) sugary; honeyed **3** (*fig*: *sdolcinato*) sickly sweet; saccharine; mawkish.

zucchétto m. skullcap; (*eccles.*) zucchetto.

zucchìna f., **zucchìno** m. **1** (*bot.*, *Cucurbita pepo*) (vegetable) marrow **2** (*il frutto*) baby marrow; courgette (*GB*); zucchini* (*USA*).

zucconàggine f. **1** (*ottusità*) denseness; dimness; thickheadedness **2** (*caparbietà*) stubbornness; pig-headedness; mulishness; cussedness.

zuccóne **A** m. **1** (*pop.*: *testa grossa*) big head **2** (f. **-a**) (*fig.*: *persona ottusa*) blockhead; thickhead; dunce; chump **3** (f. **-a**) (*fig.*: *persona caparbia*) stubborn person; pig-headed person **B** a. **1** (*ottuso*) dense; thick; dim **2** (*caparbio*) stubborn; pig-headed; mulish.

zùffa f. **1** fight; scuffle; brawl; punch-up (*fam.*): **z. di ubriachi**, drunken brawl; **gettarsi nella z.**, to join the fight; *Fuori del bar scoppiò una z.*, a scuffle broke out outside the bar **2** (*fig.*: *diverbio*) argument; squabble; spat: **z. generale**, free-for-all (*fam.*).

zufolàre **A** v. i. **1** (*mus.*) to pipe **2** (*fischiare*) to whistle **B** v. t. (*fischiettare*) to whistle.

zufolàta f. **1** (*mus.*) piping **2** (*fischio*) whistle; whistling.

zufolìo m. piping; whistling.

zùfolo m. **1** (*mus.*) flageolet; pipe **2** (*fischio*) whistle.

zùlu, **zulù** **A** m. e f. **1** Zulu **2** (*fig. spreg.*) boorish person; boor (m.); lout (m.) **B** a. Zulu.

zumàre v. t. e i. (*cinem.*, *TV*) to zoom: **zumare su qc.**, to zoom in on st.

zumàta f. (*cinem.*, *TV*) zoom: **fare una z.**, to zoom.

zumpappà inter. e m. oompah; oompah-pah.

♦**zùppa** f. **1** (*cucina*) (thick) soup: **z. di fagioli**, bean soup; **z. di pesce**, fish soup; **z. di verdura**, vegetable soup **2** (*fig.*: *miscuglio*) mess; hotchpotch, hodgepodge (*USA*) **3** (*fig.*: *cosa noiosa*) bore; drag (*fam.*): **la solita z.**, the same old drag ● (*cucina*) **z. inglese**, trifle □ **fare la z. nel latte**, to dunk bread or biscuits in milk □ **Se non è z. è pan bagnato**, it's six of one and half a dozen of the other; it's much of a muchness.

zuppétta f. – **fare (la) z.**, to dunk biscuits in milk; to dip bread in wine.

zuppièra f. soup tureen.

zùppo a. wet through; soaked; drenched: **z. di pioggia**, (*di persona*) drenched (*o* soaked) to the skin; (*di cosa*) rain-soaked; **z. di sudore**, drenched in sweat.

zurighése **A** a. of Zürich; from Zürich; Zürich (attr.) **B** m. e f. native [inhabitant] of Zürich.

Zurigo f. (*geogr.*) Zürich.

zuzzurellóne, **zuzzurullóne** m. (f. **-a**) (*fam.*) happy-go-lucky person.

zwinglianìsmo → **zwinglismo**.

zwinglìano a. (*relig.*) Zwinglian.

zwinglìsmo m. (*relig.*) Zwinglianism.

zwinglìsta m. e f. (*relig.*) Zwinglian.

Appendici
Appendices

FIRST NAMES - *NOMI DI PERSONA*

N.B. Non viene indicato il traducente quando ha la stessa grafia del lemma.
The Italian equivalent is not given when the spelling is identical to the English.

Aaron /'ɛərən/ m. Aronne
Abbie /'æbiː/ f. dim. *di* Abigail
Abdullah /æb'dʌlə/ m.
Abel /'eɪbl/ m. Abele
Abigail /'æbɪgeɪl/ f.
Abraham /'eɪbrəhæm/ m. Abramo
Absalom /'æbsələm/ m. Assalonne
Achilles /ə'kɪliːz/ m. Achille
Ada /'eɪdə/ f.
Adalbert /'ædəlbɜːt/ m. Adalberto
Adam /'ædəm/ m. Adamo
Adela /'ædɪlə/ f. Adele
Adelaide /'ædəleɪd/ f.
Adolph /'ædɒlf/ m. Adolfo
Adonais /ædəʊ'neɪɪs/ m.
Adonis /ə'dəʊnɪs/ m. Adone
Adrian /'eɪdrɪən/ m. Adriano
Adriana /eɪdri'ɑːnə/ f.
Aelfric /'ælfrɪk/ m.
Aeneas /ɪ'niːəs, iː'niːæs/ m. Enea
Aesop /'iːsɒp/ m. Esopo
Agamemnon /ægə'memnən/ m. Agamennone
Agatha /'ægəθə/ f. Agata
Agenor /'ædʒɪnə(r), 'æg-/ m. Agenore
Agnes /'ægnɪs/ f. Agnese
Agrippa /ə'grɪpə/ m.
Agrippina /ægrɪ'piːnə/ f.
Ahmed /'ɑːmed/ m.
Aidan /'eɪdn/ m.
Aiken /'eɪkn/ m.
Ainsley /'eɪnzliː/ m.
Aisha /aɪ'iːʃə/ f.
Ajax /eɪdʒæks/ m. Aiace
Aladdin /ə'lædɪn, USA -dn/ m. Aladino
Alana /ə'lɑːnə/ f.
Alanis /ə'lænɪs/ f.
Alaric /'ælərɪk/ m. Alarico
Alastor /ə'læstɔː(r)/ m.
Alban /'ɔːlbən/ m. Albano
Albert /'ælbət/ m. Alberto
Albertine /ælbə'tiːn/ f. Albertina
Alcaeus /æl'siːəs/ m. Alceo
Alcestis /æl'sestɪs/ f. Alcesti
Alcibiades /ælsɪ'baɪədiːz/ m. Alcibiade
Alcides /æl'saɪdiːz/ m. Alcide
Alden /'ɔːldn/ m. Aldo
Aldous /'ɔːldəs/ m. Aldo
Alec /'ælɪk, -lɛk/ m.
Alexander /ælɪg'zɑːndə(r), USA -æn-/ m. Alessandro
Alexandra /ælɪg'zɑːndrə, USA -æn-/ f. Alessandra
Alexis /ə'lɛksɪs/ m. Alessio
Alfie /'ælfiː/ m. Alfio
Alfred /'ælfrɪd/ m. Alfredo
Algernon /'ældʒənən/ m.
Ali /'ɑːliː/ m.
Alice /'ælɪs/ f.
Alicia /ə'lɪsiːə, -lɪʃə/ f. Alice, Alessia
Alison /'ælɪsn/ f.

Allan /'ælən/ m.
Allegra /ə'lɛgrə/ f.
Almayer /æl'meɪə(r)/ m.
Alphonso /æl'fɒnzəʊ, USA -ns-/ m. Alfonso
Althea /'ælθɪə, USA æl'θiː:ə/ f. Altea
Alvin /'ælvɪn/ m.
Alyssa /æl'ɪsə/ f.
Amabel /'æməbəl/ f.
Amadeus /æmə'deɪəs, USA ɒɪ-, -ʊs/ m. Amedeo
Aman /'ɑːmən/ m.
Amanda /ə'mændə/ f.
Amber /'æmbə(r)/ f. Ambra
Ambrose /'æmbrəʊz/ m. Ambrogio
Amelia /ə'miːlɪə/ f. Amalia, Amelia
Amir /ə'mɪr/ m.
Ammon /'æmən/ m. Ammone
Amos /'eɪmɒs, USA -əs/ m.
Amy /'eɪmɪ/ f. Amata
Amyas /'eɪmɪəs/ m.
Anastasia /ænə'steɪzɪə, -ʒə/ f.
Anchises /æŋ'kaɪsiːz/ m. Anchise
Andrea /'ændrɪə/ f.
Andreas /'ændriːəs, ən'dreɪəs/ m. Andrea
Andrew /'ændruː/ m. Andrea
Andromache /æn'drɒməkɪ/ f. Andromaca
Angela /'ændʒələ/ f.
Angelica /ən'dʒelɪkə/ f.
Angelina /ændʒəli:n/ f.
Angus /'æŋgəs/ m.
Anita /ə'niːtə/ f.
Ann /æn/ f. Anna
Annabel, Annabelle /ænə'bɛl/, Annabella /ænə'bɛlə/ f. Annabella
Anne /æn/ f. Anna
Annette /ə'nɛt/, Annie /'ænɪ/ f. Annetta
Anselm /'ænsɛlm/ m. Anselmo
Anthony /'æntənɪ, -θənɪ/ m. Antonio
Antoinette /æntwə'nɛt, USA ɑɪ-/ f. Antonietta
Antonia /æn'təʊnɪə/ f.
Antony /'æntənɪ/ m. Antonio
Anwar /'ənwɑː(r)/
Aphra /'ɑːfrə, 'æ-/ f.
Apollo /ə'pɒləʊ/ m.
Aphrodite /æfrə'daɪtɪ/ f. Afrodite
April /'eɪprl, -prɪl/ f.
Arabella /ærə'bɛlə/ f.
Archibald /'ɑːtʃɪbɔːld, -bld/ m. Arcibaldo
Archimedes /ɑːkɪ'miːdiːz/ m. Archimede
Ariadne /ærɪ'ædnɪ, USA -'ɑːd-/ f. Arianna
Ariel /'ɛərɪəl/ m. Ariele
Aristides /ærɪ'staɪdiːz/ m. Aristide
Aristotle /'ærɪstɒtl/ m. Aristotele
Arlene /'ɑːliːn/ f.

Arnold /'ɑːnld/ m. Arnoldo
Artemis /'ɑːtɪmɪs/ f. Artemide
Arthur /'ɑːθə(r)/ m. Arturo
Asa /'eɪsə, 'ɑː-/ m.
Ashanti /ə'ʃænti:, æʃ/ f.
Ashley, Ashlee /'æʃli/ m. e f.
Ashton /'æʃtn/ m.
Astarte /æ'stɑːtɪ/ f.
Astraea /æ'striːə/ f. Astrea
Astrophel /'æstrəfɛl/ m.
Athelstan /'æθəlstən/ m.
Athena /ə'θiːnə/, Athene /ə'θiːniː/ f. Atena
Atlas /'ætləs/ m. Atlante
Atreus /'eɪtrɪəs, -r(ɪ)uːs/ m. Atreo
Attila /'ætɪlə/ m.
Aubrey /'ɔːbrɪ/ m. Alberico
Audrey /'ɔːdrɪ/ f.
Augusta /ɔː'gʌstə/ f.
Augustin, Augustine /ɔː'gʌstɪn/ m. Agostino
Augustus /ɔː'gʌstəs/ m. Augusto
Aurora /ɔː'rɔːrə, ɒ-/ f.
Austin /'ɒstɪn, 'ɔːstɪn, USA ɑːstɪn, 'ɔː-/ m. Agostino
Ava /'ɑːvə, 'eɪ-/ f.
Avery /'eɪvrɪ/ f.
Avril /'ævrɪl, -rəl/ f.
Bacchus /'bækəs/ m. Bacco
Bailey /'beɪlɪ/ m.
Baldwin /'bɔːldwɪn/ m. Baldovino
Balthazar /bælθə'zɑː(r)/ m. Baldassarre
Banquo /'bæŋkwəʊ/ m. Banco
Barbara /'bɑːbrə, -bərə/ f.
Barnabas /'bɑːnəbəs/, Barnaby /'bɑːnəbɪ/ m. Barnaba
Barnard /'bɑːnəd/ m. Bernardo
Barney /'bɑːnɪ/ m.
Barry /'bærɪ, USA 'bɛr-, 'bær-/ m.
Bart /bɑːt/ m. dim. *di* Bartholomew
Bartholomew /bɑː'θɒləmjuː/ m. Bartolomeo
Basil /'bæzl/ m. Basilio
Bassanio /bə'sɑːnɪəʊ/ m.
Beatrice /'bɪətrɪs, USA 'biː:ə-/, Beatrix /'bɪətrɪks, USA 'biː:ə-/ f. Beatrice
Becky /'bɛkɪ/ f. dim. *di* Rebecca
Beelzebub /bɪ'ɛlzɪbʌb, 'biːl-/ m. Belzebù
Belinda /bə'lɪndə/ f.
Bella /'bɛlə/ f. dim. *di* Isabella
Benedict /'bɛnɪdɪkt/ m. Benedetto
Benjamin /'bɛndʒəmɪn/ m. Beniamino
Berenice /bɛrɪ'naɪsɪ/ f.
Bernadette /bɜːnə'dɛt/ f.
Bernard /'bɜːnəd, bə'nɑːd/ m. Bernardo
Bernardine /'bɜːnədiːn, -ɪn/ f. Bernardina
Bertha /'bɜːθə/ f. Berta
Bertram /'bɜːtrəm/ m. Bertrando
Beryl /'bɛrəl, -ɪl/ f.
Bessie /'bɛsɪ/, Beth /bɛθ/, Betsy

/'bɛtsɪ/, Betty /'bɛtɪ/ f. dim. *di* Elizabeth, Elisabeth
Bethany /'bɛθnɪ/ f.
Beverly /'bɛvliː/ f.
Bianca /bɪ'æŋkə, USA -'ɑːŋ-, -æŋ-/ f.
Bill /bɪl/, Billy /'bɪlɪ/ m. dim. *di* William
Blaise /bleɪz/ m. Biagio
Blake /bleɪk/ f.
Blanche /blɑːntʃ, USA blæntʃ/ f. Bianca
Boadicea /bəʊədɪ'siːə/ f.
Bob /bɒb/, Bobby /'bɒbɪ/ m. dim. *di* Robert
Boniface /'bɒnɪfeɪs/ m. Bonifacio
Boris /'bɒrɪs, USA 'bɔː-/ m.
Brabantio /brə'bænt ɪəʊ, -nʃɪəʊ/ m. Brabanzio
Brad /bræd/, Brady /'breɪdɪ/ m. dim. *di* Bradley
Bradley /'brædliː/ m.
Brandon /'brændən/ m.
Brandy /'brændɪ/ f.
Brent /brɛnt/ m.
Brenda /'brɛndə/ f.
Brian /'braɪən/ m.
Briana /briː'ænə/ f.
Bridget /'brɪdʒɪt/ f. Brigida
Britney /'brɪtniː/ f.
Brittany /'brɪtniː/ f.
Bruce /bruːs/ m.
Brutus /'bruːtəs/ m. Bruto
Bryce /braɪs/ m.
Burt /bɜːt/ m.
Buster /'bʌstə(r)/ m.
Byron /'baɪrən/ m.
Bysshe /bɪʃ/ m.
Caesar /'siːzə(r)/ m. Cesare
Cain /keɪn/ m. Caino
Caitlin /'keɪtlɪn/ f.
Caius /'kaɪəs, 'keɪəs/ m. Caio
Caleb /'keɪlɛb, USA -əb/ m.
Caliban /'kælɪbæn/ m. Calibano
Calpurnia /kæl'pɜːnɪə/ f.
Calvin /'kælvɪn/ m. Calvino
Cameron /'kæmrən/ f. e m.
Camilla /kə'mɪlə/ f.
Candice /kændɪs, -diːs/ f
Candida /'kændɪdə/ f.
Canute /kə'njuːt, USA -'nuːt/ m. Canuto
Carlos /'kɑːlɒs/ m. Carlo
Carmen /'kɑːmɛn/ f.
Carol /'kærəl, USA 'kɛr-,'kær/ f. Carola
Caroline /'kærəlaɪn/ f. Carolina
Carson /'kɑːsn/ m.
Cary /'kɛərɪ/ m.
Casey /'keɪsiː/ m.
Cassandra /kə'sændrə, -'sɑːn-/ f.
Cassidy /'kæsədɪ, -idiː/ f.
Cassius /'kæsɪəs, USA -ʃəs/ m. Cassio
Catherine /'kæθərɪn/ f. Caterina
Cecil /'sɛsl, 'sɪsl/ m. Cecilio

Cecile /'sɛsɪl, 'sɛsiːl/, Cecily /'sɪsɪlɪ, 'sɛsɪlɪ/ f. Cecilia
Cedric /'siːdrɪk/ m.
Celeste /sɪ'lɛst/ f.
Celestine /'sɛləstaɪn/ m. o f. Celestino, Celestina
Celia /'siːlɪə/ f.
Chad /tʃæd/ m.
Chandler /'tʃɑːndlə(r)/, USA -'tʃændlər/ m.
Charity /'tʃærɪtiː, -ətiː/ f.
Charles /tʃɑːlz/ m. Carlo
Chelsea /'tʃɛlsɪ/ f.
Cher /ʃɛə(r), USA ʃɛr/ f.
Chloe /'kləʊɪ, USA 'kloːʊ-/ f. Cloe
Charley, Charlie /'tʃɑːlɪ/ m. dim. di Charles
Charlotte /'ʃɑːlət/ f. Carlotta
Christabel /'krɪstəbɛl/ f.
Christian /'krɪstʃən, 'krɪʃ-, 'krɪstɪːən/ m. Cristiano
Christie /'krɪstɪ/ f. dim. di Christina
Christina /krɪ'stiːmə/, Christine /'krɪstiːn/ f. Cristina
Christopher /'krɪstəfə(r)/ m. Cristoforo
Claire/kleə(r), USA klɛr/ f. Clara
Clare /kleə(r)/ m.
Clare /kleə(r)/ f. Clara, Chiara
Clarence /'klærəns/ m.
Clarissa /klə'rɪsə/ f.
Claude /klɔːd/ m. Claudio
Claudia /'klɔːdɪə/ f.
Clemence /'klɛməns/ f. Clemenzia
Clement /'klɛmənt/ m. Clemente
Clementine /'klɛməntaɪn/ f. Clementina
Cleopatra /kliːə'pætrə, -'pɑː-/ f.
Cliff /klɪf/ m. dim. di Clifford
Clifford /'klɪfəd/ m.
Clifton /'klɪftn/ m.
Clio /'klaɪəʊ/ f.
Clive /klaɪv/ m.
Clyde /klaɪd/ m.
Clytaemnestra /klaɪtəm'niːstrə, USA -'nɛs-/ f. Clitennestra
Coleen /kɒ'liːn/ f.
Colin /'kɒlɪn, USA 'kɑːlɪn/ m.
Columbine /'kɒləmbaɪn/ f. Colombina
Connor /'kɒnə(r), USA 'kɑːn-/ m.
Conrad /'kɒnræd/ m. Corrado
Constance /'kɒnstəns/ f. Costanza
Constantine /'kɒnstəntaɪn/ m. Costantino
Cora /'kɔːrə/ f.
Cordelia /kɔː'diːlɪə/ f.
Cornelia /kɔː'niːlɪə/ f.
Cornelius /kɔː'niːlɪəs/ m. Cornelio
Courtney /'kɔːtnɪ/ f. e m.
Craig /kreɪg/ m.
Cressida /'krɛsɪdə/ f.
Crispin /'krɪspɪn/ m. Crispino
Croesus /'kriːsəs/ m. Creso
Crystal /'krɪstl/ f.
Cupid /'kjuːpɪd/ m. Cupido
Curtis /'kɜːtɪs/ m.
Cuthbert /'kʌθbət/ m.
Cynthia /'sɪnθɪə/ f. Cinzia
Cyril /'sɪrəl/ m. Cirillo
Dagobert /'dɑːgə(ʊ)bɜːt/ m. Dagoberto
Daisy /'deɪzɪ/ f. Margherita

Dakota /də'kəʊtə/ f.
Damian /'deɪmɪən/ m. Damiano
Damocles /'dæməkliːz/ m. Damocle
Dana /'dɑːnə, USA 'deɪnə/ f.
Daniel /'dænjəl/ m. Daniele
Danielle /dæniː'ɛl,dæn'jɛl/ f. Daniela
Dante /'dæntɪ/ m.
Daphne /'dæfnɪ/ f. Dafne
Darin /'dærɪn, USA 'dɛr-/ f.
Dario /'dɑːrɪəʊ/ m.
Darlene /'dɑːliːn/ f.
Dave /deɪv/ m. dim. di David
David /'deɪvɪd/ m. Davide
Dawn /dɔːn, USA dɑːn, dɔːn/ f.
Dean /diːn/ m. Dino
Deanna /diː'ænə, 'diːnə/ f. Diana
Deborah /'dɛbrə, -ərə/ f. Deborah, Debora
Deirdre /'dɪədrɪ, -ə/ f.
Delia /'diːlɪə/ f.
Delilah /dɪ'laɪlə/ f. Dalila
Demetrius /də'miːtrɪəs/ m. Demetrio
Dennis, Denis /'dɛnɪs/ m. Dionigi
Denise /də'niːz, dɛn'iːz, dɪ'niːz/ f.
Derek /'dɛrɪk, -ək/ m.
Derrick /'dɛrɪk/ m.
Desdemona /dɛzdɪ'məʊnə/ f.
Desiree /deɪ'zɪreɪ, dez'iə-, USA dezə'reɪ/ f.
Devon /'dɛvn/ m.
Dexter /'dɛkstə(r)/ m.
Diana /daɪ'ænə/ f.
Dick /dɪk/ m. dim. di Richard
Dido /'daɪdəʊ/ f. Didone
Dillon /'dɪlən/ m.
Diocletian /daɪə'kliːʃn/ m. Diocleziano
Diogenes /daɪ'ɒdʒəniːz/ m. Diogene
Diomedes /daɪə'miːdiːz/ m. Diomede
Dion /'daɪən/ m.
Dionysus /daɪə'naɪsəs/ m. Dioniso
Dirk /dɜːk/ m. dim. di Derrick
Dmitri /də'miːtriː/ m. Dimitri
Dobbin /'dɒbɪn/ m. dim. di Robert
Dolores /də'lɔːrɛs, -rɪs, -rəs/ f.
Dominic /'dɒmɪnɪk/ m. Domenico
Dominique /dɒmɪ'niːk/ f.
Donald /'dɒnld/ m.
Donna /'dɒnə/ f.
Dora /'dɔːrə/ f. dim. di Theodora
Dorian /'dɔːrɪən/ m.
Dorothy /'dɒrəθɪ, USA 'dɔːr-/ f. Dorotea
Douglas /'dʌɡləs/ m.
Duncan /'dʌŋkən/ m. Duncano
Dylan /'dɪlən/ m.
Dwayne /dweɪn/ m.
Earl /ɜːl/ m.
Eddy /'ɛdɪ/ m. dim. di Edward
Edgar /'ɛdɡə(r)/ m. Edgardo
Edith /'iːdɪθ, -əθ/ f. Editta
Edmond, Edmund /'ɛdmənd/ m. Edmondo
Edna /'ɛdnə/ f.
Edward /'ɛdwəd/ m. Edoardo
Edwin /'ɛdwɪn/ m.
Edwina /ɛd'wiːnə/ f.
Eileen /'aɪliːn, USA aɪ'liːn, eɪ-/ f. Elena
Elaine /ɪ'leɪn/ f. Elena

Eldred /'ɛldrɪd/ m.
Eleanor /'ɛlənə(r)/ f. Eleonora
Electra /ɪ'lɛktrə/ f. Elettra
Eli /'iːlaɪ/ m.
Elias /ɪ'laɪəs/ m. Elia
Elijah /ɪ'laɪdʒə/ m. Elia
Elisabeth /ɪ'lɪzəbəθ/ f. Elisabetta
Elisha /ɪ'laɪsə/ m. Eliseo
Eliza /ɪ'laɪzə/ f. Elisa
Elizabeth /ɪ'lɪzəbəθ/ f. Elisabetta
Ella /'ɛlə/ f. dim. di Eleanor
Ellen /'ɛlən, -ɪn/ f. Elena
Elliot /'ɛlɪət/ m.
Elmer /'ɛlmə(r)/ m.
Eloisa /ɛləʊ'iːzə/ f.
Elsa /'ɛlsə/ f.
Elsie /'ɛlsɪ/ f. dim. di Alice, Elizabeth, Elsa
Elvira /ɛl'vɪərə, -'vaɪə-/ f.
Elvis /'ɛlvɪs/ m.
Elyse /ɛl'iːz, USA ɪ'liːs/ f. Elisa
Emery /'ɛmərɪ/ m. Amerigo
Emil /ɛ'miːl, 'ɛmɪl, USA ɛ'-, 'iːml/ m. Emilio
Emilia /ɪ'mɪlɪə, -'jə, ɛm'iːliːə/ f.
Emily /'ɛmǝlɪ/ f. Emilia
Emma /'ɛmə/ f.
Emmanuel /ɪ'mænjʊəl/ m. Emanuele
Emmet /'ɛmɪt/ m.
Emmie, Emmy /'ɛmɪ/ f. dim. di Emily
Empedocles /ɛm'pɛdəkliːz/ m. Empedocle
Endymion /ɛn'dɪmɪən/ m. Endimione
Enid /'iːnɪd/ f.
Ennius /'ɛnɪəs/ m. Ennio
Enoch /'iːnɒk/ m.
Enya /'ɛnjə/ f.
Epictetus /ɛpɪk'tiːtəs/ m. Epitteto
Epicurus /ɛpɪ'kjʊərəs/ m. Epicuro
Erasmus /ɪ'ræzməs/ m. Erasmo
Eric /'ɛrɪk/ m.
Erica /'ɛrɪkə/ f.
Erin /'ɪərɪn, 'ɛrɪn, 'ɛərɪn/ f.
Ernest /'ɜːnɪst/ m. Ernesto
Eroll /'ɛrəl/ m.
Eros /'ɪərɒs, 'ɛ-, -əʊz/ m.
Erskine /'ɜːskɪn/ m.
Erwin /'ɜːwɪn/ m.
Esau /'iːsɔː/ m. Esaù
Esmeralda /ɛzmə'rældə/ f. Smeralda, Esmeralda
Estelle /ɪ'stɛl, ɛ'stɛl/ f. Stella
Esther /'ɛstə(r)/ f. Ester, Esther
Ethel /'ɛθl/ f.
Ethelbald /'ɛθlbɔːld/ m.
Ethelbert /'ɛθlbɜːt/ m.
Ethelred /'ɛθlrɛd/ m.
Ethelwulf /'ɛθlwʊlf/ m.
Euclid /'juːklɪd/ m. Euclide
Eudora /juː'dɔːrə/ f.
Eugene /juː'dʒiːn/ m. Eugenio
Eugenia /juː'dʒiːnɪə/ f.
Eulalia /juː'leɪlɪə/ f.
Eunice /'juːnɪs/ f.
Euphemia /jʊ'fiːmɪə/ f. Eufemia
Euphrosyne /juː'frɒzɪniː/ f. Eufrosine
Euphues /juː'fjʊiːz/ m.
Euripides /jʊ'rɪpɪdiz/ m. Euripide
Euterpe /juː'tɜːpɪ/ f.
Eva /'iːvə/ f.

Evan /'ɛvn/ m.
Evander /ɪ'vændə(r)/ m. Evandro
Evangeline /ɪ'vændʒɪliːn/ f. Evangelina
Eve /iːv/ f. Eva
Evelina /ɛvɪ'liːnə/ f.
Eveline /'iːvlɪn, 'ɛv-, -və-, -lən, -liːn/ f. Evelina
Evelyn /'iːvlɪn/ f. o m. Evelina, Evelino
Ewan /'juːən/ m.
Ezekiel /ɪ'ziːkiːəl, ɛ'ziː-/ m. Ezechiele
Ezra /'ɛzrə/ m.
Fabian /'feɪbɪən/ m. Fabiano, Fabio
Fabiola /fæbɪ'əʊlə, fɑː-/ f.
Fabius /'feɪbɪəs/ m. Fabio
Fabricius /fə'brɪʃ(ɪ)əs/ m. Fabrizio
Faith /'feɪθ/ f. Fede
Falstaff /'fɔːlstɑːf, 'fal-, USA -æf/ m.
Fannie, Fanny /'fænɪ/ f. dim. di Frances
Faust /faʊst/ m. Fausto
Faustina /fɔː'stiːnə/ f.
Fay /feɪ/ f.
Felicia /fɪ'lɪʃə, -sɪə, USA -ʃə, -'liː-/ f.
Felicity /fɪ'lɪsətiː, fə-, fɛ-/ f.
Felix /'fiːlɪks/ m. Felice
Ferdinand /'fɜːdɪnənd/ m. Ferdinando
Fergus /'fɜːɡəs/ m.
Ferguson /'fɜːɡəsn/ m.
Fidelia /fɪ'diːlɪə/ f.
Fingal /'fɪŋɡl/ m.
Finnegan /'fɪnɪɡən/ m.
Fiona /fɪ'əʊnə/ f.
Flavia /'fleɪvɪə/ f.
Fleance /'fliːəns/ m.
Flora /'flɔːrə/ f.
Florence /'flɒrəns, USA 'flɔː-/ f. Fiorenza
Floyd /flɔɪd/ m.
Fortinbras /'fɔːtɪnbræs/ m. Fortebraccio
Frances /'frɑːnsɪs, USA 'fræn-/ e f. Francesco, Francesca
Francesca /fræn'tʃeskə, frɑːn-/ f.
Francis /'frɑːnsɪs, USA 'fræn-/ m. Francesco
Francisco /fræn'sɪskəʊ/ m. Francesco
Frank /fræŋk/ m. Franco
Fred /frɛd/, Freddie, Freddy /'frɛdɪ/ m. dim. di Frederic(k)
Frederica /'frɛdrɪk, -dər-/ f. Federica
Frederick, Frederic /frɛdə'riːkə, -'dr-/ m. Federico
Fulvia /'fʌlvɪə/ f.
Fulke /fʊlk/ m.
Gabriel /'ɡeɪbrɪəl/ m. Gabriele
Gabriella /ɡæbrɪ'ɛlə, ɡeɪ-/ f.
Gail /ɡeɪl/ f.
Galatea /ɡælə'tiːə/ f.
Ganymede /'ɡænɪmiːd/ m. Ganimede
Garret /'ɡærət, -ɪt/ m.
Garrison /'ɡærɪsn/ m.
Garth /ɡɑːθ/ m.
Gary /'ɡærɪ, USA 'ɡɛr-/ m. dim. di Garret
Gavin /'ɡævɪn/ m.
Gawain, Gawaine /'ɡɑːweɪn,

'gæ-, -wɪn, gə'weɪn/ m.

Genevieve /ˈʒɛnvɪˈeɪv/ f. Genoveffa

Geoffrey /ˈdʒɛfrɪ/ m. Goffredo

George /dʒɔːdʒ/ m. Giorgio

Georgia /dʒɔːdʒə/ f. Giorgia

Georgina /dʒɔːˈdʒiːnə/ f. Giorgina

Gerald /ˈdʒɛrəld/ m. Geraldo

Geraldine /ˈdʒɛrəldiːn/ f. Geraldina

Gerard /ˈdʒɛrɑːd, USA dʒəˈrɑːd/ m. Gerardo, Gherardo

Gertrude /ˈgɜːtruːd/ f. Geltrude, Gertrude

Gervase /ˈdʒɜːv(e)ɪz, -vəs/ m. Gervasio

Gilbert /ˈgɪlbət/ m. Gilberto

Gilda /ˈdʒɪldə/ f.

Giles /ˈdʒaɪəlz/ m. Egidio

Gillespie /gɪˈlɛspiː, gə-/ m.

Gina /dʒiːnə/ f.

Ginger /ˈdʒɪndʒə(r)/ f. e m.

Giselle /ʒɪˈzɛl, dʒɪ-/ f. Gisella

Gladys /ˈglædɪs/ f.

Gloria /ˈglɔːrɪə/ f.

Gloriana /glɔːrɪˈɑːnə/ f.

Godfrey /ˈgɒdfrɪ/ m. Goffredo

Godiva /gəˈdaɪvə, gəʊ-/ f.

Godwin /ˈgɒdwɪn/ m.

Gog /gɒg, USA gɔːg/ m.

Goliath /gəˈlaɪəθ/ m. Golia

Gorboduc /ˈgɔːbədʌk/ m.

Gordon /ˈgɔːdn/ m.

Grace /greɪs/ f. Grazia

Graham /ˈgreɪəm/ m.

Grant /grɑːnt, USA grænt/ m.

Gratiano /græʃɪˈɑːnəʊ, grɑː-/ m. Graziano

Greg /grɛg/ m. dim. di **Gregory**

Gregory /ˈgregərɪ/ m. Gregorio

Greta /ˈgriːtə/ f.

Gretchen /ˈgrɛtʃn/ f.

Griffin /ˈgrɪfɪn/ m.

Griffith /ˈgrɪfɪθ/ m.

Griselda /grɪˈzɛldə/ f.

Guadaloupe /gwɑːdəˈluːp/ f.

Guinevere /ˈgwɪnɪvɪə(r)/ f. Ginevra

Gus /gʌs/, **Gussie** /ˈgʌsɪ/ m. dim. di **Gustavus**

Gustavus /gʊˈstɑːvəs, gʌ, gə-/ m. Gustavo

Guy /gaɪ/ m. Guido

Gwendolen, Gwendolyn /ˈgwendəlɪn/ f. Guendalina

Hadrian /ˈheɪdrɪən/ m. Adriano

Hal /hæl/ m. dim. di **Henry** o di **Harold**

Halle /ˈhælɪ/ f.

Halley /ˈhælɪ, ˈhɔːliː/ f.

Ham /hæm/ m. Cam.

Hamilcar /həˈmɪlkɑː, ˈhæmlkɑː/ m. Amilcare

Hamlet /ˈhæmlət/ m. Amleto

Hannah /ˈhænə/ f. Anna

Hannibal /ˈhænəbl/ m. Annibale

Hardicanute /ˈhɑːdɪkənjuːt, USA -nuːt/ m.

Harold /ˈhærəld/ m. Aroldo

Harriet /ˈhærɪət/ f. Enrichetta

Harrison /ˈhærɪsn/ m.

Harry /ˈhærɪ/ m. dim. di **Henry**

Harvey /ˈhɑːvɪ/ m.

Hassan /həˈsɑːn, hæsˈɑːn, ˈhʌs-/ m.

Heath /hiːθ/ m.

Hebe /ˈhiːbɪ/ f. Ebe

Hecate /ˈhɛkətɪ/ f. Ecate

Hector /ˈhɛktə(r)/ m. Ettore

Hecuba /ˈhɛkjʊbə/ f. Ecuba

Heidi /ˈhaɪdɪ/ f.

Helen /ˈhelən/, **Helena** /ˈhelənə/ f. Elena

Hengist /ˈhɛŋgɪst, -ndʒ-/ m.

Henrietta /hɛnrɪˈɛtə/ f. Enrichetta

Henry /ˈhɛnrɪ/ m. Enrico

Heraclitus /hɛrəˈklaɪtəs/ m. Eraclito

Herbert /ˈhɜːbət/ m. Erberto

Hercules /ˈhɜːkjʊliːz/ m. Ercole

Herman /ˈhɜːmən/ m. Ermanno, Armando

Hermes /ˈhɜːmiːz/ m. Ermes, Ermete

Hermione /həˈmaɪənɪ/ f. Ermione

Hero /ˈhɪərəʊ, ˈhɪr-, USA ˈhɪr-, ˈhiːr-/ f. Ero

Herod /ˈhɛrəd/ m. Erode

Herodias /heˈrəʊdɪæs/ f. Erodiade

Herodotus /hɛˈrɒdətəs/ m. Erodoto

Hesiod /ˈhiːsɪɒd/ m. Esiodo

Hilaria /hɪˈlɛərɪə/, **Hilary** /ˈhɪlərɪ/ f. Ilaria

Hilary /ˈhɪlərɪ/ m. e f. Ilario, Ilaria

Hilda /ˈhɪldə/ f. Ilda

Hippocrates /hɪˈpɒkrətiːz/ m. Ippocrate

Hippolyta /hɪˈpɒlɪtə/ f. Ippolita

Hiram /ˈhaɪərəm/ m.

Hodge /hɒdʒ/ m.

Holofernes /hɒləˈfɜːniːz/ m. Oloferne

Holly /ˈhɒlɪ, USA ˈhɑːliː/ m. e f.

Homer /ˈhəʊmə(r)/ m. Omero

Honorius /həʊˈnɔːrɪəs/ m. Onorio

Hope /həʊp/ f. Speranza

Horace /ˈhɒrəs, USA ˈhɔː-/ m. Orazio

Horsa /ˈhɔːsə/ m.

Howard /ˈhaʊəd/ m.

Hubert /ˈhjuːbɜːt/ m. Uberto

Huckleberry /ˈhʌklbrɪ, USA -berɪ/ m.

Hudibras /ˈhjuːdɪbræs/ m.

Hugh /hjuː/ m. Ugo

Humbert /ˈhʌmbɜːt/ m. Umberto

Humphrey, Humphry /ˈhʌmfrɪ/ m.

Hunter /ˈhʌntə(r)/ m.

Hygeia /haɪˈdʒiːə/ f. Igea

Hymen /ˈhaɪmən/ m. Imene

Hyperion /haɪˈpɪərɪən/ m. Iperione

Iago /ɪˈɑːgəʊ/ m.

Ian /ˈiːən/ m.

Icarus /ˈɪkərəs, ˈaɪ-/ m. Icaro

Ida /ˈaɪdə/ f.

Idris /ˈɪdrɪs, ˈaɪdrɪs/ m.

Ignatius /ɪgˈneɪʃəs/ m. Ignazio

Ike /aɪk/ m. dim. di **Isaac**

Imogen /ˈɪmədʒɛn, -ən/ f. Imogene

Ina /ˈaɪnə/ f.

Ingram /ˈɪŋgrəm/ m.

Ingrid /ˈɪŋgrɪd/ f.

Inigo /ˈɪnɪgəʊ/ m.

Iphigenia /ɪfɪdʒɪˈnaɪə, aɪ-, -ˈniːə, ɪfɪˈdʒiːnɪə/ f. Ifigenia

Irene /aɪˈriːn, -iː/ f.

Iris /ˈaɪərɪs/ f. Iride

Isaac /ˈaɪzək/ m. Isacco

Isabel /ˈɪzəbel/, **Isabella** /ɪzəˈbelə/ f. Isabella

Isaiah /aɪˈzaɪə/ m. Isaia

Iseult /iːˈzuːlt, ɪˈs-/ f. Isotta, Isolda

Ishmael /ˈɪʃmeɪl/ m. Ismaele

Isidor, Isidore /ˈɪzɪdɔː(r)/ m. Isidoro

Isis /ˈaɪsɪs/ f. Iside

Isolde /ɪˈzɒldə, USA ɪˈsəʊl-/ f. Isolda, Isotta

Israel /ˈɪzrɪəl, -eɪl/ m. Israele

Ivan /ˈaɪvn, USA ˈaɪvən/ m.

Ivanhoe /ˈaɪvənhəʊ/ m.

Ivy /ˈaɪvɪ/ f. Edera

Jabez /ˈdʒeɪbez, -ɪz/ m.

Jack /dʒæk/, **Jacky** /ˈdʒækɪ/ m. dim. di **John**

Jackson /ˈdʒæksn/ m.

Jacob /ˈdʒeɪkəb/ m. Giacobbe

Jacqueline /ˈdʒækliːn/ f. Giacomina

Jade /dʒeɪd/ f.

Jael /ˈdʒeɪəl, dʒɛl/ f.

Jake /dʒeɪk/ m. Giacomo

Jamal /dʒəˈmɑːl/ m.

James /dʒeɪmz/ m. Giacomo

Jan /dʒæn/ m. Giovanni

Jane /dʒeɪn/ f. Giovanna

Janet /ˈdʒænɪt/ f. dim. di **Jane**

Janice /ˈdʒænɪs/ f.

Janine /dʒəˈniːn/ f. Giannina

Japheth /ˈdʒeɪfɪθ/ m. Iafet

Jared /ˈdʒærəd, USA dʒɛ-/ m.

Jarvis /ˈdʒɑːvɪs/ m. Gervasio

Jasmine /ˈdʒæsmɪn/ f. Gelsomina

Jason /ˈdʒeɪsn/ m. Giasone

Jasper /ˈdʒæspə(r)/ m. Gaspare

Jay /dʒeɪ/ m.

Jean /dʒiːn/ f. Giovanna

Jeff /dʒɛf/ m. dim. di **Jeffrey**

Jeffrey /ˈdʒɛfrɪ/ m. Goffredo

Jehoshaphat /dʒɪˈhɒʃəfæt, USA -sə-/ m. Giosafat

Jemima /dʒɪˈmaɪmə/ f.

Jennifer /ˈdʒɛnɪfə(r)/ f.

Jenny /ˈdʒɛnɪ/ f. dim. di **Jane**

Jeremiah /dʒɛrɪˈmaɪə/ m. Geremia

Jeremy /ˈdʒɛrəmɪ/ m. Geremia

Jerome /dʒəˈrəʊm/ m. Gerolamo, Geronimo

Jerry /ˈdʒɛrɪ/ m. dim. di **Gerard** o **Jeremy**

Jervis /ˈdʒɜːvɪs, ˈdʒɑː-/ m. dim. di **Gervase**

Jessica /ˈdʒɛsɪkə/ f.

Jesus /ˈdʒiːzəs/ m. Gesù

Jill /dʒɪl/ f. dim. di **Gillian**

Jillian /ˈdʒɪliːən/ f.

Jim /dʒɪm/, **Jimmy** /ˈdʒɪmɪ/ m. dim. di **James**

Joan /dʒəʊn/, **Joanna** /dʒəʊˈænə/ f. Giovanna

Job /dʒəʊb/ m. Giobbe

Jocelyn /ˈdʒɒslɪn/ m.

Jody /ˈdʒəʊdiː/ f.

Joe /dʒəʊ/ m. dim. di **Joseph**

Joel /ˈdʒəʊəl, -ɛl/ m. Gioele

John /dʒɒn/ m. Giovanni

Johnnie, Johnny /ˈdʒɒnɪ/ m. dim. di **John**

Jonah /ˈdʒəʊnə/ m. Giona

Jonathan /ˈdʒɒnəθn/ m. Gionata

José /həʊˈzeɪ, -seɪ/ m.

Joseph /ˈdʒəʊzɪf/ m. Giuseppe

Josephine /ˈdʒəʊzɪfiːn/ f. Giuseppina

Joshua /ˈdʒɒʃʊə/ m. Giosuè

Jove /dʒəʊv/ m. Giove

Joyce /dʒɔɪs/ f.

Juan /hwɑːn, lett. ˈdʒuːən/ m. Giovanni

Judas /ˈdʒuːdəs/ m. Giuda

Judith /ˈdʒuːdɪθ/ f. Giuditta

Jude /dʒuːd/ m.

Judy /ˈdʒuːdɪ/ f. dim. di **Judith**

Jules /dʒuːl/ m. dim. di **Julian** e di **Julius**

Julia /ˈdʒuːlɪə/ f. Giulia

Julian /ˈdʒuːlɪən/ m. Giuliano

Juliana /dʒuːlɪˈɑːnə, USA -ænə/ f. Giuliana

Juliet /ˈdʒuːlɪət/ f. Giulietta

Julius /ˈdʒuːlɪəs/ m. Giulio

July /dʒʊˈlaɪ, dʒə-, dʒuː-/ f.

June /dʒuːn/ f.

Juno /ˈdʒuːnəʊ/ f. Giunone

Jupiter /ˈdʒuːpɪtə(r)/ m. Giove

Justin /ˈdʒʌstɪn/ m. Giustino

Justine /dʒʌˈstiːn/ f. Giustina

Justinian /dʒʌˈstɪnɪən/ m. Giustiniano

Kara /ˈkɑːrə/ f.

Karen /ˈkærən, ˈkɑːrən/, **Kate** /keɪt/ f. dim. di **Katharina**

Karl /kɑːl/ m.

Katharina /kæθəˈriːnə/, **Katharine** /ˈkæθərɪn/, **Katherine** /ˈkæθərɪn/, **Kathleen** /ˈkæθliːn/ f. Caterina

Katie /ˈkeɪtɪ/, **Kay** /keɪ/ f. dim. di **Katherine**

Kayla /ˈkeɪlə/ f.

Keira /ˈkɪərə/ f.

Keiran /ˈkɪərən/ m.

Keith /kiːθ/ m.

Kelly /ˈkɛlɪ/ f.

Kelsey /ˈkɛlsɪ, -ziː/ m.

Kenneth /ˈkɛnəθ/ m.

Kezia /kɪˈzaɪə/ f.

Kim /kɪm/ m. o f.

Kimberly /ˈkɪmblɪ/ f.

Kirk /kɜːk/ m.

Kirsten /ˈkɜːstɪn, ˈkɪə-, -stn/ f. Cristina

Kitty /ˈkɪtɪ/ f. dim. di **Katherine**

Kyle /kaɪl/ m.

Kylie /ˈkaɪlɪ/ f.

Lacy /ˈleɪsɪ/ f.

Laertes /leɪˈɜːtiːz/ m. Laerte

Lambert /ˈlæmbɜːt/ m. Lamberto

Lana /ˈlɑːnə, ˈlænə/ f.

Lance /lɑːns, USA læns/ m. dim. di **Lancelot**

Lancelot /ˈlɑːnslət, USA ˈlæn-/ m. Lancillotto

Landon /ˈlændən/ m.

Laocoon /leɪˈɒkəʊɒn, -ɒn/ m. Laocoonte

Lara /ˈlɑːrə/ f.

Larry /ˈlærɪ/ m. dim. di **Lawrence**

Latona /ləˈtəʊnə/ f. Latona, Leto

Launce /lɔːns, lɑːns/ m.

Laura /ˈlɔːrə/ f.

Laurence, Lawrence /ˈlɒrəns, USA ˈlɔː-/ m. Lorenzo

Lauren /ˈlɔːrən, lɒrən/ f. Lorena

Laurie /ˈlɔːrɪ, ˈlɒ-/ m. dim. di **Laurence**

Lavinia /ləˈvɪnɪə/ f.

Lazarus /ˈlæzərəs/ m. Lazzaro

Leah /ˈliːə, lɪə/ f.
Leander /liːˈændə(r)/ m. Leandro
Leanne /liːˈæn/ f. Liana
Lear /lɪə(r)/ m.
Leda /ˈliːdə/ f.
Lee /liː/ m.
Leigh /liː/ m.
Leila /ˈliːlə, ˈleɪ-/ f.
Lemuel /ˈlemjʊəl/ m. Lemuele
Lena /ˈliːnə/ f. dim. di **Helena** e di **Magdalene**
Leo /ˈliːəʊ/ m. Leone
Leonard /ˈlenəd/ m. Leonardo
Leonidas /liːˈɒnɪdæs/ m. Leonida
Leonora /liːəˈnɔːrə/ f.
Leopold /ˈliːəpəʊld/ m. Leopoldo
Leslie /ˈlezlɪ/ f.
Letitia /ləˈtɪʃ(ɪ)ə/ f. Letizia
Letty /ˈletɪ/ f. dim. di **Letitia**
Levi /ˈliːvaɪ/ m.
Lewis /ˈluːɪs/ m. Luigi
Lilian, Lillian /ˈlɪlɪən/ f. Liliana
Lilly, Lily /ˈlɪlɪ/ f. dim. di **Lilian**
Linda /ˈlɪndə/ f.
Lindsey /ˈlɪndzɪ/ f.
Lionel /ˈlaɪənl/ m. Lionello
Lisa /ˈliːsə, -zə/ f.
Livia /ˈlɪvɪə/ f.
Lizzie /ˈlɪzɪ/ f. dim. di **Elizabeth**
Llewellyn /luːˈelɪn/ m.
Lloyd /lɔɪd/ m.
Logan /ˈləʊɡən/ m.
Lois /ˈləʊɪs/ f. Luisa
Lorna /ˈlɔːnə/ f.
Lothario /ləʊˈθeərɪəʊ, -ɑːr-/ m. Lotario
Lottie /ˈlɒtɪ/ f. dim. di **Charlotte**
Louis /ˈluːɪ, ˈluɪ, -s/ m. Luigi
Louisa /luːˈiːzə, lʊ-/, Louise /luːˈiːz, lʊ-/ f. Luisa
Lucas /ˈluːkəs, ˈlj-/ m. Luca
Lucia /ˈluːsɪə, -ʃə/ f.
Lucian /ˈluːsɪən, ˈlj-/ m. Luciano
Luciana /luːsɪˈɑːnə/ f.
Lucifer /ˈluːsɪfə(r), ˈlj-/ m. Lucifero
Lucille /luːˈsiːl/ f. Lucilla
Lucius /ˈluːsɪəs/ m. Lucio
Lucrece /luːˈkriːs, lj-/, Lucretia /luːˈkriːʃə, lj-/ f. Lucrezia
Lucretius /luːˈkriːʃəs, lj-/ m. Lucrezio
Lucy /ˈluːsɪ/ f. Lucia
Ludwig /ˈlʊdvɪɡ, ˈluː- USA ˈlʌdwɪɡ/ m. Lodovico
Luke /luːk/ m. Luca
Luther /ˈluːθə(r), ˈlj-/ m. Lotario
Lycidas /ˈlɪsɪdæs/ m. Licida
Lydia /ˈlɪdɪə/ f. Lidia
Lynn /lɪn/ f.
Lysander /laɪˈsændə(r)/ m. Lisandro
Mabel /ˈmeɪbl/ f.
Macbeth /məkˈbeθ, mæ-/ m.
Macduff /məkˈdʌf, mæ-/ m.
Mackenzie /məˈkenzɪ/ m.
Maddalo /ˈmædələʊ/ m.
Madeleine /ˈmædlɪn, -eɪn/ f. Maddalena
Madge /mædʒ/ f. dim. di **Margaret**
Madison /ˈmædɪsən/ f.
Madoc /ˈmædək/ m.
Magdalen /ˈmæɡdəlɪn, Magdalene /ˈmæɡdəˈliːnɪ, ˈmæɡdəliːn, -lɪn/ f. Maddalena

Maggie /ˈmæɡɪ/ f. dim. di **Margaret**
Maida /ˈmeɪdə/ f.
Malachi /ˈmæləkaɪ/ m. Malachia
Malcolm /ˈmælkəm/ m.
Mallory /ˈmælrɪ/ m.
Malvolio /mælˈvəʊlɪəʊ/ m.
Mammon /ˈmæmən/ m. Mammona
Mandy /ˈmændɪ/ f.
Manfred /ˈmænfrɪd/ m. Manfredo, Manfredi
Manuel /mæn(j)ʊˈel, ˈmænjʊəl, USA mænˈwel/ m. Manuele
Marcellus /mɑːˈseləs/ m. Marcello
Marcus /ˈmɑːkəs/ m. Marco
Margaret /ˈmɑːɡərət/, Margery /ˈmɑːdʒərɪ/ f. Margherita
Margot /ˈmɑːɡəʊ/ f. dim. di **Margaret**
Marguerite /mɑːɡəˈriːt/ f. Margherita
Maria /məˈriːə/ f.
Mariah /məˈraɪə/ f.
Marian /ˈmeərɪən/ f. Marianna
Marigold /ˈmærɪɡəʊld/ f.
Marilyn /ˈmærɪlɪn/ f.
Marina /məˈriːnə/ f.
Mario /ˈmærɪəʊ, ˈmɑː-/ m.
Marion /ˈmeərɪən/ m. o f.
Marissa /məˈrɪsə/ f. Marisa
Marius /ˈmeərɪəs, ˈmæ-/ m. Mario
Marjorie, Marjory /ˈmɑːdʒərɪ/ f. dim. di **Margaret**
Mark /mɑːk/ m. Marco
Marlene /ˈmɑːliːn/ f.
Marlon /ˈmɑːlən/ m.
Marmion /ˈmɑːmɪən/ m.
Mars /mɑːz/ m. Marte
Marshall /ˈmɑːʃl/ m.
Martha /ˈmɑːθə/ f. Marta
Martial /ˈmɑːʃl/ m. Marziale
Martin /ˈmɑːtɪn, USA -tn/ m. Martino
Marvin /ˈmɑːvɪn/ m.
Mary /ˈmeərɪ/ f. Maria
Mat /mæt/ m. o f. dim. di **Matthew** e di **Matilda**
Matilda, Mathilda /məˈtɪldə/ f. Matilde, Matilda
Matthew /ˈmæθjuː, USA -θjuː, -θuː/ m. Matteo
Matthias /məˈθaɪəs/ m. Mattia
Maud, Maude /mɔːd/ f. dim. di **Magdalen** e di **Matilda**
Maura /ˈmɔːrə/ f.
Maureen /mɔːˈriːn, ˈm-/ f. dim. di **Maura**
Maurice /ˈmɒrɪs, USA ˈmɔːrɪs/ m. Maurizio
Mavis /ˈmeɪvɪs/ f.
Max /mæks/ m. dim. di **Maximilian**
Maximilian /mæksɪˈmɪljən/ m. Massimiliano
Maximus /ˈmæksɪməs/ m. Massimo
May /meɪ/ f.
Maya /ˈmaɪə, USA ˈmɑːjə/ f. Maia
Medea /mɪˈdiːə/ f.
Meg /meɡ/ f. dim. di **Margaret**
Megan /ˈmeɡən/ f.
Melanie /ˈmelənɪ/ f. Melania
Melchior /ˈmelkɪɔː(r)/ m. Melchiorre
Melissa /məˈlɪsə, melˈ-/ f.
Melpomene /melˈpɒmɪnɪ/ f.

Menander /məˈnændə(r)/ m. Menandro
Mephistopheles /mefɪˈstɒfəliːz/ m. Mefistofele
Mercedes /mɜːˈsɪdiːz/ f.
Mercury /ˈmɜːkjʊrɪ/ m. Mercurio
Mercutio /mɜːˈkjuːʃɪəʊ/ m. Mercuzio
Merle /mɜːl/ f.
Merlin /ˈmɜːlɪn/ m. Merlino
Messalina /mesəˈliːnə/ f.
Methuselah /məˈθjuːzələ, -ˈθu-/ m. Matusalemme
Mia /ˈmiːə/ f.
Michael /ˈmaɪkl/ m. Michele
Michelangelo /maɪkəlˈændʒələʊ/ m.
Michelle /mɪˈʃel, miː-/ f. Michela
Micky /ˈmɪkɪ/ m. dim. di **Michael**
Midas /ˈmaɪdəs/ m. Mida
Mike /maɪk/ m. dim. di **Michael**
Mildred /ˈmɪldrɪd/ f.
Miles /maɪlz/ m.
Millicent /ˈmɪlɪsnt/ f.
Minerva /mɪˈnɜːvə/ f.
Minnie /ˈmɪnɪ/ f. dim. di **Wilhelmina** e di **Mary**
Miranda /mɪˈrændə/ f.
Miriam /ˈmɪrɪəm/ f.
Mitchell /ˈmɪtʃl/ m.
Mohammed /məʊˈhæmɪd/ m. Maometto
Moira /ˈmɔɪərə/ f.
Moll /mɒl, USA mɔːl, mɒl/, Molly /ˈmɒlɪ, USA ˈmɔː-, ˈmɒ-/ f. dim. di **Mary**
Monica /ˈmɒnɪkə/ f.
Morgan /ˈmɔːɡən/ m. o f.
Morgana /mɔːˈɡɑːnə/ f.
Morpheus /ˈmɔːfɪəs/ m. Morfeo
Morris /ˈmɒrɪs, USA mɔːr-/ m. Maurizio
Mortimer /ˈmɔːtɪmə(r)/ m.
Moses /ˈməʊzɪz/ m. Mosè
Mowgli /ˈmaʊɡlɪ/ m.
Muriel /ˈmjʊərɪəl/ f.
Myrna /ˈmɜːnə/ f.
Myrrha /ˈmɜːrə/ f. Mirra
Myrtle /ˈmɜːtl/ f.
Nadia /ˈnɑːdiːə, neɪ-/ f.
Nahum /ˈneɪəm, -həm, -hʌm/ m.
Nancy /ˈnænsɪ/ f. forma fam. di **Ann**
Naomi /ˈneɪəmɪ, neɪˈəʊmɪ, USA -aɪ/ f. Noemi
Napoleon /nəˈpəʊlɪən/ m. Napoleone
Narcissus /nɑːˈsɪsəs/ m. Narciso
Natalia /nəˈtɑːlɪə/, Natalie /ˈnætəlɪ/ f. Natalia
Nathan /ˈneɪθn, -æn/ m.
Nathaniel /nəˈθænɪəl/ m. Nataniele
Nausicaa /nɔːˈsɪkɪə, -eɪə/ f.
Nebuchadnezzar /nebjʊkədˈnezə(r)/ m. Nabucodonosor
Ned /ned/, Neddy /ˈnedɪ/ m. dim. di **Edmund** e di **Edward**
Neil /niːl/ m.
Nell /nel/, Nellie, Nelly /ˈnelɪ/ f. dim. di **Ellen** e di **Eleanor**
Nelson /ˈnelsn/ m.
Neptune /ˈneptjuːn, USA -tuːn/ m. Nettuno
Nerissa /nɪˈrɪsə/ f.
Nero /ˈnɪərəʊ/ m. Nerone
Nestor /ˈnestɔː(r)/ m. Nestore

Nicholas /ˈnɪkələs/ m. Nicola, Niccolò
Nicole /nɪˈkəʊl, niː-/ f. Nicoletta
Nick /nɪk/ m. dim. di **Nicholas**
Nigel /ˈnaɪdʒl/ m.
Nina /ˈniːnə, USA ˈnaɪ-/ f.
Niobe /ˈnaɪəbɪ, -iː/ f.
Noah /ˈnəʊə/ m. Noè
Noel /ˈnəʊˈel/ m. Natale
Nora, Norah /ˈnɔːrə/ f. dim. di **Eleanor**
Norma /ˈnɔːmə/ f.
Norman /ˈnɔːmən/ m.
Oberon /ˈəʊbərn/ m.
Oceanus /əʊˈsiːənəs/ m. Oceano
Octavia /ɒkˈteɪvɪə/ f. Ottavia
Octavian /ɒkˈteɪvɪən/ m. Ottaviano
Octavius /ɒkˈteɪvɪəs/ m. Ottavio
Odin /ˈəʊdɪn/ m. Odino
Odysseus /əˈdɪsjuːs, ɒˈdɪs-, əʊ-ˈdɪs-, -iːəs/ m. Odisseo
Oedipus /ˈiːdɪpəs/ m. Edipo
Olaf /ˈəʊləf, ˈɒ-/ m.
Olga /ˈɒlɡə, USA ˈəʊ-/ f.
Olive /ˈɒlɪv/ f. Oliva, Olivia
Oliver /ˈɒlɪvə(r)/ m. Oliviero
Olivia /əˈlɪvɪə, ɒ-, əʊ-/ f.
Olympia /əʊˈlɪmpɪə/ f. Olimpia
Omar /ˈəʊmɑː(r)/ m.
Oona /ˈuːnə/ f.
Opal /ˈəʊpl/ f.
Ophelia /əˈfiːlɪə, əʊ-, ɒ-/ f. Ofelia
Orestes /ɒˈrestiːz, USA ɔːˈr-/ m. Oreste
Oriana /ɔːrɪˈɑːnə, ɒ-/ f.
Orion /əˈraɪən/ m. Orione
Orlando /ɔːˈlændəʊ/ m. Orlando, Rolando
Orpheus /ˈɔːfɪəs/ m. Orfeo
Orsino /ɔːˈsiːnəʊ/ m.
Orson /ˈɔːsn/ m.
Osama /əʊˈzɑːmə/ m.
Oscar /ˈɒskə(r)/ m.
Osiris /əʊˈsaɪrɪs/ m. Osiride
Oswald, Oswold /ˈɒzwəld/ m. Osvaldo
Othello /əʊˈθeləʊ/ m. Otello
Otho /ˈəʊθəʊ/, Otto /ˈɒtəʊ/ m. Ottone, Otto
Ovid /ˈɒvɪd/ m. Ovidio
Owen /ˈəʊɪn/ m.
Pablo /ˈpæbləʊ/ m. Paolo
Page /peɪdʒ/ f.
Pallas /ˈpæləs, -læs/ f. Pallade
Pamela /ˈpæmələ/ f.
Pancras /ˈpæŋkrəs/ m. Pancrazio
Pandora /pænˈdɔːrə/ f.
Paris /ˈpærɪs/ f.
Paris /ˈpærɪs/ m. Paride
Pat /pæt/ m. o f. dim. di **Patrick** e di **Patricia**
Patricia /pəˈtrɪʃə/ f. Patrizia
Patrick /ˈpætrɪk/ m. Patrizio
Paul /pɔːl/ m. Paolo
Paula /ˈpɔːlə/ f. Paola
Pauline /ˈpɔːliːn, USA pɔːˈliːn/ f. Paolina
Pedro /ˈpedrəʊ, ˈpiː-/ m. Pietro
Pearl /pɜːl/ f. Perla
Peg /peɡ/, Peggy /ˈpeɡɪ/ f. dim. di **Margaret**
Penelope /pɪˈneləpɪ/ f.
Percival /ˈpɜːsɪvl/ m. Parsifal
Percy /ˈpɜːsɪ/ m.

Perdita /'pɜːdɪtə, pə'di:-/ f.
Pericles /'perɪkliːz/ m. Pericle
Perry /'perɪ/ m.
Persephone /pɜːˈsɛfənɪ/ f. Persefone
Perseus /'pɜːsjuːs/ m. Perseo
Pete /piːt/ m. dim. di Peter
Peter /'piːtə(r)/ m. Pietro
Petruchio /pɪ'truːkɪəʊ/ m. Petruccio
Petula /pə'tjuːlə, USA -'tu:-/ f.
Phaedra /'fiːdrə/ f. Fedra
Phaethon /'feɪəθən/ m. Fetonte
Phidias /'fɪdɪæs/ m. Fidia
Philip /'fɪlɪp/ m. Filippo
Philomel /'fɪləməl/, Philomela /ˌfɪləʊˈmiːlə/ f. Filomela
Phineas, Phinehas /'fɪnɪæs/ m.
Phoebe /'fiːbɪ/ f. Febe
Phoebus /'fiːbəs/ m. Febo
Phryne /'fraɪnɪ/ f. Frine
Phyllis /'fɪlɪs/ f.
Pierre /piː'eə(r), USA pi:'er/ m. Piero
Pindar /'pɪndə(r)/ m. Pindaro
Pisistratus /paɪ'sɪstrətəs/ m. Pisistrato
Pius /'paɪəs/ m. Pio
Plato /'pleɪtəʊ/ m. Platone
Pliny /'plɪnɪ/ m. Plinio
Plutarch /'pluːtɑːk/ m. Plutarco
Pluto /'pluːtəʊ/ m. Plutone
Pollux /'pɒləks/ m. Polluce
Polly /'pɒlɪ/ f. dim. di Mary
Polonius /pə'ləʊnɪəs/ m. Polonio
Polycarp /'pɒlɪkɑːp/ m. Policarpo
Polyhymnia /ˌpɒlɪ'hɪmnɪə/ f. Polimnia
Polypheme /'pɒlɪfiːm/, Polyphemus /ˌpɒlɪ'fiːməs/ m. Polifemo
Pomona /pə'məʊnə/ f.
Pompey /'pɒmpɪ/ m. Pompeo
Portia /'pɔːʃɪə/ f. Porzia
Potiphar /'pɒtɪfə(r)/ m. Putifarre
Priam /'praɪəm/ m. Priamo
Priapus /praɪ'eɪpəs/ m. Priapo
Priscilla /prɪ'sɪlə/ f.
Prometheus /prə'miːθɪəs, -θjuːs/ m. Prometeo
Proserpine /prə'sɜːpɪnə/ f. Proserpina
Prospero /'prɒspərəʊ/ m.
Proteus /'prəʊtɪəs, -tjuːs, USA -tuːs/ m. Proteo
Psyche /'saɪkɪ/ f. Psiche
Ptolemy /'tɒləmɪ/ m. Tolomeo
Publius /'pʌblɪəs/ m. Publio
Pygmalion /pɪg'meɪlɪən/ m. Pigmalione
Pylades /'pɪlədiːz/ m. Pilade
Pyramus /'pɪrəməs/ m. Piramo
Pyrrhus /'pɪrəs/ m. Pirro
Pythagoras /paɪ'θægərəs, -æs, USA pɪ-/ m. Pitagora
Quentin /'kwentɪn, USA -tn/ m. Quintino
Quintilian /kwɪn'tɪlɪən/ m. Quintiliano
Quintin /'kwɪntɪn/ m. Quintino
Quintius /'kwɪnʃ(ɪ)əs, -tɪəs/ m. Quinzio
Quixote /'kwɪksət/ m. Chisciotte
Rachel /'reɪtʃəl/ f. Rachele
Ralph /rælf, reɪf/ m. Rodolfo
Rameses /'ræmɪsiːz/ m. Ramsete

Ramona /rə'məʊnə/ f.
Randall /'rændl/ m.
Randolph /'rændɒlf/ m. Randolfo
Raphael /'ræfeɪəl/ m. Raffaele, Raffaello
Rasselas /'ræsɪləs/ m.
Ray /reɪ/ m. dim. di Raymond
Raymond /'reɪmənd/ m. Raimondo
Rebecca /rɪ'bekə/ f.
Regan /'riːgən/ f. Regana
Reggie /'redʒɪ/ m. dim. di Reginald
Regina /rə'dʒaɪnə/ f.
Reginald /'redʒɪnld/ m. Reginaldo
Remus /'riːməs/ m. Remo
Renee /'reneɪ, rə'neɪ, 'riːnɪ/ f.
Rex /reks/ m. dim. di Reginald
Rhoda /'rəʊdə/ f.
Rhonda /'rɒndə, USA 'rɑːn-/ f.
Richard /'rɪtʃəd/ m. Riccardo
Riley /'raɪlɪ/ m.
Rita /'riːtə/ f.
Rob /rɒb/ m. dim. di Robert
Robert /'rɒbət/ m. Roberto
Robin /'rɒbɪn, USA -bn/ m. dim. di Robert
Robinson /'rɒbɪnsn/ m.
Roderic, Roderick /'rɒdərɪk/ m. Rodrigo
Roger /'rɒdʒə(r)/ m. Ruggero
Roland /'rəʊlənd/ m. Rolando, Orlando
Romeo /'rəʊmɪəʊ/ m.
Romulus /'rɒmələs/ m. Romolo
Ronald /'rɒnld/ m. Reginaldo, Rinaldo
Ronnie /'rɒnɪ/ m. dim. di Reginald
Rosalie /'rɒzəlɪ/ f. Rosalia
Rosalind /'rɒzəlɪnd/ f. Rosalinda
Rosaline /'rɒzəlɪn, -iːn, -aɪn/ f. Rosamond /'rɒzəmənd/ f. Rosmunda
Roscoe /'rɒskəʊ, USA 'rɑːskəʊ/ m.
Rose /rəʊz/ f. Rosa
Roseanne /rəʊ'zæn/ f. Rosanna
Rosemary /'rəʊzmərɪ, USA -merɪ/ f. Rosamaria
Rowena /rəʊ'iːnə/ f.
Roxana /rɒk'sɑːnə, USA -'sænə/ f. Rossana
Roxanne /rɒk'sæn, USA rɑːk-/ f. Rossana
Roy /rɔɪ/ m.
Ruby /'ruːbɪ/ f.
Rudolph /'ruːdɒlf/ m. Rodolfo
Rudy /'ruːdiː/ m. dim. di Rudyard
Rudyard /'rʌdjəd/ m.
Rufus /'ruːfəs/ m. Rufo
Rupert /'ruːpət/ m. Roberto
Russell /'rʌsl/ m.
Ruth /ruːθ/ f.
Ryan /'raɪən/ m.
Sabrina /sə'briːnə, -aɪnə/ f.
Saddam /sə'dæm, sæd'æm, 'sædəm/ m.
Sal /sæl/, Sally /'sælɪ/ f. dim. di Sarah
Salome /sə'ləʊmɪ/ f. Salomè
Sam /sæm/, Sammy /'sæmɪ/ m. e f. dim. di Samuel e Samantha
Samantha /sə'mænθə/ f.
Sampson /'sæmpsn/, Samson /'sæmsn/ m. Sansone
Samuel /'sæmjʊəl/ m. Samuele
Sandra /'sændrə, 'sɑːn-/ f.

Sappho /'sæfəʊ/ f. Saffo
Sarah /'seərə/ f. Sara
Sasha /'sæʃə, 'sɑːʃə/ m.
Satan /'seɪtn/ m. Satana
Saturn /'sætən, -tɜːn, -tn/ m. Saturno
Saul /sɔːl/ m.
Savage /'sævɪdʒ/ m.
Scott /skɒt, USA skɑːt/ m.
Seamas, Seamus /'ʃeɪməs/ m.
Sean /ʃɔːn/ m. Giovanni
Sebastian /sə'bæstɪən/ m. Sebastiano
Sejanus /sə'dʒeɪnəs/ m. Seiano
Selena /sɪ'liːnə/, Selene /sə'liːnɪ/ f. Selene
Semele /'seməlɪ/ f.
Semiramis /sə'mɪrəmɪs/ f. Semiramide
Seneca /'senɪkə/ m.
Serge /sɜːdʒ/ m. dim. di Sergius
Sergius /'sɜːdʒ(ɪ)əs/ m. Sergio
Seth /seθ/ m. Set, Seth.
Shane /ʃaɪn, ʃɔːn, ʃeɪn/ m.
Shannon /'ʃænən/ f.
Sharon /'ʃærən, 'ʃɑː-, 'ʃeə-, -rɒn/ f.
Sheila /'ʃiːlə/ f.
Shelley /'ʃelɪ/ f.
Shem /ʃem/ m. Sem
Sherlock /'ʃɜːlɒk/ m.
Sherman /'ʃɜːmən/ m.
Shirley /'ʃɜːlɪ/ f.
Shylock /'ʃaɪlɒk/ m.
Sibyl /'sɪbl, -bɪl/ f. Sibilla
Siegfried /'siːgfriːd/ m. Sigfrido
Siegmund /'siːgmənd/, Sigismund /'sɪgɪsmənd/ m. Sigismondo
Silas /'saɪləs/ m.
Silenus /saɪ'liːnəs/ m. Sileno
Silvanus /sɪl'veɪnəs/ m. Silvano
Silvester /sɪl'vestə(r)/ m. Silvestro
Silvia /'sɪlvɪə/ f.
Sim /sɪm/ m. dim. di Simeon e di Simon
Simeon /'sɪmɪən/ m. Simeone
Simon /'saɪmən/ m. Simone
Sinbad /'sɪnbæd, 'sɪm-/ m.
Sisyphus /'sɪsɪfəs/ m. Sisifo
Sixtus /'sɪkstəs/ m. Sisto
Socrates /'sɒkrətiːz/ m. Socrate
Solomon /'sɒləmən/ m. Salomone
Solon /'səʊlɒn/ m. Solone
Sonia /'sɒnjə, 'səʊnjə, USA 'sɑː-/ f.
Sophia /sə'faɪə, səʊ'fiːə/ f. Sofia
Sophie /'səʊfɪ/ f. dim. di Sophia
Sophocles /'sɒfəkliːz/ m. Sofocle
Spartacus /'spɑːtəkəs/ m. Spartaco
Stacey /'steɪsiː/ f.
Stanislaus /'stænɪslaʊs, -ɔːs/ m. Stanislao
Stella /'stelə/ f.
Stephanie /'stefənɪ/ f. Stefania
Stephen /'stiːvn/ m. Stefano
Steve /stiːv/ m. dim. di Stephen
Stewart /'stjʊət, 'stjuːət/ m.
Stuart /'stjʊət, 'stjuːət/ m.
Sue /suː, sjuː/ f. dim. di Susan
Sulla /'sʌlə, 'sʊ-/ m. Silla
Susan /'suːzn/, Susanna, Susannah /suː'zænə/ f. Susanna
Sybil /'sɪbɪl/ f. Sibilla

Sydney /'sɪdnɪ/ m. o f.
Sylvanus /sɪl'veɪnəs/ m. Silvano
Sylvester /sɪl'vestə(r)/ m. Silvestro
Sylvia /'sɪlvɪə/ f. Silvia
Tabitha /'tæbɪθə/ f.
Tamara /tə'mɑːrə, -'mærə, 'tæmrə/ f.
Tamerlane /'tæməleɪn/ m. Tamerlano
Tancred /'tæŋkred, -rɪd/ m. Tancredi
Tantalus /'tæntələs/ m. Tantalo
Tara /'tɑːrə/ f.
Tarquin /'tɑːkwɪn/ m. Tarquinio
Tatiana /tætɪ'ɑːnə/ f.
Taylor /'teɪlə(r)/ f. e m.
Ted /ted/, Teddy /'tedɪ/ m. dim. di Edward e di Theodore
Telemachus /tə'leməkəs/ m. Telemaco
Terence /'terəns/ m. Terenzio
Terpsichore /tɜːp'sɪkərɪ/ f. Tersicore
Terry /'terɪ/ f. dim. di Theresa e di Terence
Thaddeus /'θædɪəs, θæ'diːəs/ m. Taddeo
Thales /'θeɪliːz/ m. Talete
Thalia /θə'laɪə/ f. Talia
Thecla /'θeklə/ f. Tecla
Themis /'θemɪs/ f. Temi
Themistocles /θə'mɪstəkliːz/ m. Temistocle
Theobald /'θiːəbɔːld/ m. Teobaldo
Theocritus /θiː'ɒkrɪtəs/ m. Teocrito
Theodora /θiːə'dɔːrə/ f. Teodora
Theodore /'θiːədɔː(r)/ m. Teodoro
Theodoric /θɪ'ɒdərɪk/ m. Teodorico
Theodosia /θiːə'dəʊsɪə, USA -ʃə/ f. Teodosia
Theodosius /θiːə'dəʊsɪəs, USA -ʃəs/ m. Teodosio
Theophilus /θɪ'ɒfələs/ m. Teofilo
Theresa /tə'riːzə/ f. Teresa
Theseus /'θiːsɪəs, -sjuːs/ m. Teseo
Thespis /'θespɪs/ m. Tespi
Thisbe /'θɪzbɪ/ f. Tisbe
Thomas /'tɒməs/ m. Tommaso
Thucydides /θjuː'sɪdɪdiːz, USA θuː-/ m. Tucidide
Thyestes /θaɪ'estiːz/ m. Tieste
Tiberius /taɪ'bɪərɪəs/ m. Tiberio
Tiffany /'tɪfnɪ/ f.
Tim /tɪm/ m. dim. di Timothy
Timon /'taɪmən/ m. Timone
Timothy /'tɪməθɪ/ m. Timoteo
Tina /'tiːnə/ f. dim. di Christina
Titania /tɪ'teɪnɪə, -'tɑː-, taɪ-/ f.
Titian /'tɪʃn/ m. Tiziano
Titus /'taɪtəs/ m. Tito
Tobiah /tə'baɪə/, Tobias /tə'baɪəs/ m. Tobia
Toby /'təʊbɪ/ m. dim. di Tobiah e di Tobias
Todd /tɒd, USA tɑːd/ m.
Tom /tɒm/, Tommy /'tɒmɪ/ m. dim. di Thomas
Tony /'təʊnɪ/ m. o f. dim. di Anthony e di Antoniette
Tracey /'treɪsɪ/ f.
Tracy /'treɪsɪ/ m.
Trajan /'treɪdʒən/ m. Traiano
Trevor /'trevə(r)/ m.
Tristan /'trɪstən/, Tristam

/'trɪstəm/, **Tristram** /'trɪstrəm/ m. Tristano

Triton /'traɪtn/ m. Tritone

Troilus /'trɔɪləs/ m. Troilo

Tyler /'taɪlə(r)/ m.

Tyrone /tɪ'rəʊn, 'taɪrəʊn/ m.

Tyson /'taɪsn/ m.

Ulfilas /'ʊlfɪlæs/ m. Ulfila

Ulysses /jʊ'lɪsiːz, juː'l-, 'juːl-/ m. Ulisse

Uma /'uːmə/ f.

Una /'juːnə/ f.

Urania /jə'reɪnɪə, -ʊə-/ f.

Urban /'ɜːbən/ m. Urbano

Uriah /jə'raɪə, jʊə-/ m. Uria

Ursula /'ɜːsjʊlə, -ʃə-, sə-/ f. Orsola, Ursula

Uther /'juːθə(r)/ m.

Valentine /'væləntaɪn/ m. Valentino

Valeria /və'lɪərɪə/ f.

Valerie /'vælrɪ/ f. Valeria

Valerius /və'lɪərɪəs/ m. Valerio

Vanessa /və'nesə/ f.

Vathek /'væθek/ m.

Venus /'viːnəs/ f. Venere

Vera /'vɪərə/ f.

Vergil /'vɜːdʒɪl/ m. Virgilio

Vernon /'vɜːnən/ m.

Veronica /və'rɒnɪkə/ f.

Vespasian /ve'speɪʒn/ m. Vespasiano

Vesta /'vestə/ f.

Vester /'vestə(r)/ m. dim. di **Silvester, Sylvester**

Vic /vɪk/, **Vicky** /'vɪkɪ/ f. dim. di **Victoria**

Victor /'vɪktə(r)/ m. Vittorio

Victoria /vɪk'tɔːrɪə/ f. Vittoria

Vincent /'vɪnsənt/ m. Vincenzo

Viola /'vaɪələ, 'viːə-, v(a)ɪ'əʊ-/ f.

Violet /'vaɪələt/ f. Violetta

Virgil /'vɜːdʒɪl/ m. Virgilio

Virginia /və'dʒɪnɪə/ f.

Vivian /'vɪvɪən/ m. Viviano

Vivian, Vivien /'vɪvɪən/ f. Viviana

Vladimir /'vlædɪmɪə(r), -mə(r)/ m. Vladimiro

Vulcan /'vʌlkən/ m. Vulcano

Waldo /'wɔːldəʊ, 'wɒ-/ m.

Wallace /'wɒlɪs, -əs, USA 'wɑː-/ m.

Walt /wɔːlt, wɒlt/ m. dim. di **Walter**

Walter /'wɔːltə(r)/ m. Gualtiero, Walter, Valter

Wanda /'wɒndə/ f.

Warren /'wɒrn, -ɪn, USA wɔːrn, wɑːrn/ m.

Washigton /'wɒʃɪŋtən, USA 'wɔː-/ m.

Wayne /weɪn/ m.

Wendy /'wendɪ/ f.

Whitney /'wɪtnɪ/ f.

Wilfred /'wɪlfrɪd/ m. Vilfredo

Wilfrid /'wɪlfrɪd/ m. Vilfrido

Wilhelmina /wɪlhel'miːnə, wɪlə'-/ f. Guglielmina

Will /wɪl/ m. dim. di **William**

William /'wɪljəm/ m. Guglielmo

Willie, Willy /'wɪlɪ/ m. o f. dim. di **William** e di **Wilhelmina**

Wilma /'wɪlmə/ f. Wilma, Vilma

Wilmot /'wɪlmət, ɒt/ f. dim. di **Wilhelmina**

Winifred /'wɪnɪfrɪd/ f.

Winnie /'wɪnɪ/ f. dim. di **Winifred**

Winona /wɪ'nəʊnə/ f.

Winston /'wɪnstən/ m.

Woden /'wəʊdn/ m. Odino

Wulfstan /'wʊlfstən/ m.

Xanthippe /zæn'θɪpɪ/, **Xantippe** /(g)zæn'tɪpɪ/ f. Santippe

Xavier /'zeɪvɪə(r), 'zæ-/ m. Saverio

Xena /'ziːnə/ f.

Xenocrates /zə'nɒkrətiːz/ m. Senocrate

Xenophon /'zenəfən/ m. Senofonte

Xenon /'ziːnɒn, USA -nɑːn/ m.

Xerses /'zɜːksiːz/ m. Serse

Yasmin /'jæzmɪn/ f.

Yolanda /jəʊ'lændə, jəʊ'lɑːndə/ f. Iolanda

Yorick /'jɒrɪk, USA 'jɔː-/ m.

Yseult /ɪ'suːlt, -z-/ f. Isolda, Isotta

Yvette /ɪ'vet, iː'-/ f.

Yvonne /ɪ'vɒn, iː'-, iː'vɑːn/ f. Ivana

Zach /zæk/ m. dim. di **Zachariah**, **Zacharias, Zachary**

Zachariah /zækə'raɪə/, **Zacharias** /zækə'raɪəs/, **Zachary** /'zækərɪ/ m. Zaccaria

Zeno /'ziːnəʊ/ m. Zenone

Zenobia /zɪ'nəʊbɪə/ f.

Zeus /zuːs, zjuːs, 'ziːəs/ m.

Zoe /'zəʊɪ/ f.

SURNAMES - *COGNOMI*

Abbot /ˈæbət/
A Becket /əˈbɛkɪt/
Abercrombie /ˈæbəkrɒmbɪ, -ʌm-/
Abergavenny /æbəgəˈvɛnɪ, æbə-ˈgɛ-/
Acheson /ˈætʃɪsn/
Ackerman /ˈækəmən, -mæn/
Acton /ˈæktən/
Adam /ˈædəm/
Adams /ˈædəmz/
Addams /ˈædəmz/
Addington /ˈædɪŋtən/
Addison /ˈædɪsn/
Adrian /ˈeɪdrɪən/
Agnew /ˈægnjuː, USA -nuː/
Affleck /ˈæflɛk/
Aiken /ˈeɪkən, -ɪn/
Aikin /ˈeɪkɪn/
Ainsworth /ˈeɪnzwəθ, -ɜːθ/
Akenside /ˈeɪkənsaɪd/
Albermarle /ˈælbəmɑːl/
Alcock /ˈælkɒk, ˈɔːl-, ˈɒl-/
Alcott /ˈɔːlkət, ˈɒl-, ˈæl-, -ɒt/
Aldington /ˈɔːldɪŋtən, ˈɒl-/
Aldrich /ˈɔːldrɪdʒ, ˈɒl-/
Alexander /ælɪgˈzɑːndə(r), USA -ˈzæn-/
Allein, Alleine /ˈælɪn/
Allen /ˈælən/
Allenby /ˈælənbɪ/
Alleyn /æˈliːn/
Allingham /ˈælɪŋəm/
Allsop, Allsopp /ˈɔːlsɒp, ˈɒl-/
Allworthy /ˈɔːlwɜːðɪ/
Althorp /ˈɔːlθɔːp, ˈɒl-/
Alvarez /ælˈvɑːrez, ˈælvə-/
Amery /ˈeɪmərɪ/
Amory /ˈeɪmərɪ/
Amyot /ˈeɪmɪət/
Anderson /ˈændəsn/
Andow /ˈændaʊ/
Andrade /ˈændreɪd/
Andrews /ˈændruːz/
Angell /ˈeɪndʒəl/
Anstey /ˈænstɪ/
Anthony /ˈæntənɪ, USA ˈænθənɪ/
Appleby /ˈæplbɪ/
Appleton /ˈæpltn/
Aram /ˈɛərəm/
Arbuthnot, Arbuthnott /ɑː-ˈbʌθnət, ə-, -ɒt/
Archer /ˈɑːtʃə(r)/
Arkwright /ˈɑːkraɪt/
Armitage /ˈɑːmɪtɪdʒ/
Armstrong /ˈɑːmstrɒŋ, USA -ɔːŋ/
Arne /ɑːn/
Arnold /ˈɑːnld/
Arrowsmith /ˈærəʊsmɪθ/
Arthur /ˈɑːθə(r)/
Arundel /ˈærəndl/
Ashby /ˈæʃbɪ/
Ascham /ˈæskəm/
Ashley /ˈæʃlɪ/
Ashton /ˈæʃtn/
Ashwell /ˈæʃwl/
Ashworth /ˈæʃwəθ, -ɜːθ/
Asquith /ˈæskwɪθ/
Astaire /æˈstɛə(r)/
Aston /ˈæstn/

Astor /ˈæstə(r)/
Atkins /ˈætkɪnz/
Atkinson /ˈætkɪnsn/
Attlee /ˈætlɪ/
Auchinleck /ˈɔːkɪnˌlɛk, ɔːxɪ-/
Auden /ˈɔːdn/
Austen /ˈɔːstən, ˈɒ-/
Austin /ˈɔːstɪn, ˈɒ-/
Avebury /ˈeɪvbərɪ, USA -berɪ/
Avis /ˈeɪvɪs/
Aylmer /ˈeɪlmə(r)/
Babbitt /ˈbæbɪt/
Babington /ˈbæbɪŋtən/
Bagehot /ˈbædʒət, -gət/
Bailey /ˈbeɪlɪ/
Baker /ˈbeɪkə(r)/
Bakewell /ˈbeɪkwl/
Baldwin /ˈbɔːldwɪn, ˈbɒ-/
Bale /beɪl/
Balfour /ˈbælfʊə(r)/
Ball /bɔːl/
Ballantyne /ˈbæləntaɪn/
Balliol, Baliol /ˈbeɪlɪəl/
Bancroft /ˈbænkrɒft, USA -ɔːft/
Banks /bæŋks/
Banting /ˈbæntɪŋ/
Barber /ˈbɑːbə(r)/
Barbour /ˈbɑːbə(r)/
Barclay /ˈbɑːklɪ/
Baring /ˈbɛərɪŋ/
Barker /ˈbɑːkə(r)/
Barklay /ˈbɑːkleɪ/
Barkley /ˈbɑːklɪ/
Barlow /ˈbɑːləʊ/
Barnes /bɑːnz/
Barnett /ˈbɑːnɪt, USA bɑːrˈnet/
Barnfield /ˈbɑːnfiːld/
Barnum /ˈbɑːnəm/
Barrett /ˈbærət/
Barrie /ˈbærɪ/
Barrow /ˈbærəʊ/
Barry /ˈbærɪ/
Barrymore /ˈbærɪmɔː(r)/
Bartlett /ˈbɑːtlɪt/
Barton /ˈbɑːtn/
Bartram /ˈbɑːtrəm/
Bassett, Basset /ˈbæsɪt/
Bates /beɪts/
Bathurst /ˈbæθɜːst/
Baxter /ˈbækstə(r)/
Beadle /ˈbiːdl/
Beard /bɪəd/
Beardsley /ˈbɪədzlɪ/
Beattie /ˈbiːtɪ/
Beauchamp /ˈbiːtʃəm/
Beaufort /ˈbəʊfət, -ɔːt, ˈbjuː-/
Beaumont /ˈbəʊmənt, -ɒnt, bəʊ-ˈmɒnt/
Beaverbrook /ˈbiːvəbrʊk/
Beck /bɛk/
Becker /ˈbɛkə(r)/
Becket, Beckett /ˈbɛkɪt/
Beckford /ˈbɛkfəd/
Beddoes /ˈbɛdəʊz/
Beecham /ˈbiːtʃəm/
Beecher /ˈbiːtʃə(r)/
Beer /bɪə(r)/
Beerbohm /ˈbɪəbəʊm/
Beery /ˈbɪərɪ/

Behn /beɪn/
Bell /bɛl/
Bellamy /ˈbɛləmɪ/
Bellenden /ˈbɛləndən/
Belloc /ˈbɛlɒk/
Bellow /ˈbɛləʊ/
Bellows /ˈbɛləʊz/
Benedict /ˈbɛnɪdɪkt/
Benét /beˈneɪ/
Benlowes /ˈbɛnləʊz/
Bennett /ˈbɛnɪt/
Benson /ˈbɛnsn/
Bentham /ˈbɛnθəm, -ntəm/
Bentinck /ˈbɛntɪŋk/
Bentley /ˈbɛntlɪ/
Beresford /ˈbɛrɪzfəd/
Berkeley /ˈbɑːklɪ, USA ˈbɜːklɪ/
Berners /ˈbɜːnəz/
Berry /ˈbɛrɪ/
Besant /ˈbɛsənt/
Besier /ˈbɛzɪə(r)/
Betjeman /ˈbɛtʃəmən/
Betterton /ˈbɛtətn/
Bevan /ˈbɛvn/
Beveridge /ˈbɛvərɪdʒ/
Beverley /ˈbɛvəlɪ/
Bevin /ˈbɛvɪn/
Bickerstaff /ˈbɪkəstɑːf, USA -æf/
Biddle /ˈbɪdl/
Bierce /bɪəs/
Bigelow /ˈbɪgələʊ/
Binyon /ˈbɪnjən/
Birkbeck /ˈbɜːbɛk/
Birrell /ˈbɪrl/
Bishop /ˈbɪʃəp/
Black /blæk/
Blackett /ˈblækɪt/
Blackmore /ˈblækmɔː(r)/
Blackmur /ˈblækmʊə(r)/
Blackstone /ˈblækstən/
Blackwell /ˈblækwl/
Blackwood /ˈblækwʊd/
Blaine /bleɪn/
Blair /blɛə(r)/
Blake /bleɪk/
Blessington /ˈblɛsɪŋtən/
Bloch /blɒk/
Bloomfield /ˈbluːmfiːld/
Blount /blʌnt/
Blunden /ˈblʌndən/
Blunt /blʌnt/
Boas /ˈbəʊæz, -əz/
Bodley /ˈbɒdlɪ/
Bogan /ˈbəʊgən/
Bogart /ˈbəʊgɑːt/
Bolingbroke /ˈbɒlɪŋbrʊk, ˈbʊ-/
Bolinger /ˈbəʊlɪndʒə(r)/
Bollinger /ˈbɒlɪndʒə(r)/
Bond /bɒnd, USA bɑːnd/
Boone /buːn/
Boots /buːts/
Born /bɔːn/
Borrow /ˈbɒrəʊ, USA ˈbɔː-/
Boswell /ˈbɒzwl/
Bothwell /ˈbɒθwl, -ð-/
Bottomley /ˈbɒtəmlɪ/
Bottrall /ˈbɒtrl/
Bourne /bɜːn, bɔːn, bʊən/

Bowden /ˈbəʊdn, ˈbaʊ-/
Bowdler /ˈbaʊdlə(r)/
Bowen /ˈbəʊɪn/
Bowie /ˈbaʊɪ, ˈbəʊɪ, ˈbuːɪ/
Bowles /ˈbəʊlz/
Bowman /ˈbəʊmən/
Bowra /ˈbaʊrə/
Bowring /ˈbaʊrɪŋ/
Boyd /bɔɪd/
Boyle /bɔɪl/
Bradford /ˈbrædfəd/
Bradlaugh /ˈbrædlɔː/
Bradley /ˈbrædlɪ/
Bradshaw /ˈbrædʃɔː/
Bradstreet /ˈbrædstriːt/
Bragg /bræg/
Brando /ˈbrændəʊ/
Brattain /ˈbræteɪn, -tn/
Braun /brɔːn/
Brawne /brɔːn/
Brewer /ˈbruːə(r)/
Bridges /ˈbrɪdʒɪz/
Bridgewater, Bridgwater /ˈbrɪdʒwɔːtə(r), USA -wɒ-/
Bridgman /ˈbrɪdʒmən/
Bridie /ˈbraɪdɪ/
Briggs /brɪgz/
Brighouse /ˈbrɪghaʊs/
Bright /braɪt/
Brinsley /ˈbrɪnzlɪ/
Brittain /ˈbrɪtən/
Britten /ˈbrɪtən/
Brixton /ˈbrɪkstən/
Brome /brum/
Bromfield /ˈbrɒmfiːld/
Brontë /ˈbrɒntɪ, -eɪ/
Brooke /brʊk/
Brooks /brʊks/
Brougham /bruːm/
Broughton /ˈbrɔːtn/
Brown /braʊn/
Browne /braʊn/
Browning /ˈbraʊnɪŋ/
Bruce /bruːs/
Brummel /ˈbrʌml/
Bryan /ˈbraɪən/
Bryant /ˈbraɪənt/
Bryce /braɪs/
Brynner /ˈbrɪnə(r)/
Buchan /ˈbʌkən, -xən/
Buchanan /bjuːˈkænən, bə-/
Buck /bʌk/
Buckle /ˈbʌkl/
Buckley /ˈbʌklɪ/
Buell /ˈbjuːəl/
Buick /ˈbjuːɪk/
Bullock /ˈbʊlək, USA -ɒk/
Bullough /ˈbʊləʊ/
Bulwer /ˈbʊlwə(r)/
Bunyan /ˈbʌnjən/
Burbage /ˈbɜːbɪdʒ/
Burdett /ˈbɜːˈdet/
Burgess /ˈbɜːdʒɪs, -əs/
Burgh /ˈbʌrə, bɜːg, bɜː(r), USA -ˈbɜːrəʊ, bɜːg, bɜː(r)/
Burghley /ˈbɜːlɪ/
Burgoyne /ˈbɜːgɔɪn/
Burke /bɜːk/
Burleigh /ˈbɜːlɪ/

Burlington /'bɜːlɪŋtən/
Burnaby /'bɜːnəbɪ/
Burne-Jones /'bɜːn'dʒəʊnz/
Burnet /'bɜːnɪt/
Burnett /bɜː'net, bə-, 'bɜːnɪt/
Burney /'bɜːnɪ/
Burns /bɜːnz/
Burroughs /'bʌrəz, USA 'bɜːrəʊz/
Burton /'bɜːtn/
Bury /'bjʊərɪ/
Bush /bʊʃ/
Bushnell /'bʊʃnel/
Butler /'bʌtlə(r)/
Buxton /'bʌkstn/
Byles /baɪlz/
Byng /bɪŋ/
Byrd /bɜːd/
Byrom /'baɪərəm/
Byron /'baɪərən/
Cabell /'kæbl/
Cable /'keɪbl/
Cabot /'kæbət/
Cadbury /'kædbərɪ, USA -berɪ/
Cade /keɪd/
Cadillac /'kædɪlæk/
Cagney /'kægnɪ/
Caine /keɪn/
Caird /keəd/
Calamy /'kæləmɪ/
Calder /'kɔːldə(r), 'kɒ-/
Caldwell /'kɔːldwel, 'kɒ-/
Calhoun /kæl'huːn, kə-/
Callaghan /'kæləhən/
Calvin /'kælvɪn/
Camden /'kæmdən/
Campbell /'kæmbl/
Campion /'kæmpɪən/
Cannan /'kænən/
Canning /'kænɪŋ/
Cannon /'kænən/
Capell /'keɪpl/
Capote /kə'pəʊt/
Capra /'kæprə/
Carew /kə'ruː/
Carey /'keərɪ, USA keriː/
Carlton, Carleton /'kɑːltn/
Carlson /kɑːlsn/
Carlyle /kɑː'laɪl/
Carmichael /kɑː'maɪkl/
Carnegie /'kɑːnəgɪ, kɑː'ne-, -'neɪ-, -'niː-/
Carpenter /'kɑːpəntə(r)/
Carr /kɑː(r)/
Carrel /'kærl/
Carroll /'kærl/
Carson /'kɑːsn/
Carter /'kɑːtə(r)/
Carteret /'kɑːtəret/
Cartwright /'kɑːtraɪt/
Cary /'keərɪ/
Cassell, Cassel /'kæsl/
Castlemain /'kɑːslmeɪn, USA -'kæs-/
Castlereagh /'kɑːslreɪ, USA 'kæs-/
Castro /'kæstrəʊ/
Cather /'kæðə(r)/
Cavendish /'kævəndɪʃ/
Caxton /'kækstn/
Cecil /'sesl, 'sɪsl/
Chadwick /'tʃædwɪk/
Chamberlain /'tʃeɪmbəlɪn, -ən, -eɪn/
Chamberlayne /'tʃeɪmbəlɪn, -ən, -eɪn/

Chambers /'tʃeɪmbəz/
Chancellor /'tʃɑːnsələ(r), USA -æn-/
Chandler /'tʃɑːndlə(r), USA -æn-/
Channing /'tʃænɪŋ/
Chaplin /'tʃæplɪn/
Chapman /'tʃæpmən/
Charrington /'tʃærɪŋtən/
Chase /tʃeɪs/
Chatham /'tʃætəm/
Chatterton /'tʃætətn/
Chatto /'tʃætəʊ/
Chaucer /'tʃɔːsə(r)/
Chavez /'tʃæves, USA 'ʃɑːvez/
Cheney /'tʃeɪnɪ, 'tʃiːnɪ/
Chester /'tʃestə(r)/
Chesterfield /'tʃestəfiːld/
Chesterton /'tʃestətən/
Chettle /'tʃetl/
Cheyne /'tʃeɪn, -ɪ/
Cheyney /'tʃeɪnɪ/
Chippendale /'tʃɪpəndeɪl/
Chivas /'ʃɪvæs, 'ʃiːvəs/
Chivers /'tʃɪvəz/
Christie /'krɪstɪ/
Chrysler /'kraɪzlə(r)/
Church /tʃɜːtʃ/
Churchill /'tʃɜːtʃɪl/
Chuzzlewit /'tʃʌzlwɪt/
Cibber /'sɪbə(r)/
Clanvowe /'klænvəʊ/
Clare /kleə(r)/
Clarendon /'klærəndən/
Claridge /'klærɪdʒ/
Clarke, Clark /klɑːk/
Clay /kleɪ/
Cleland /'klelənd/
Clemens /'klemənz/
Cleveland /'kliːvlənd/
Clifford /'klɪfəd/
Clift /klɪft/
Clinton /'klɪntən/
Clive /klaɪv/
Clough /klʌf/
Cobbett /'kɒbɪt/
Cobden /'kɒbdən/
Cockcroft /'kɒkkrɒft, USA -ɔːft/
Codrington /'kɒdrɪŋtən/
Cody /'kəʊdɪ/
Cohen /'kəʊɪn/
Coke /kəʊk/
Cole /kəʊl/
Coleman /'kəʊlmən/
Coleridge /'kəʊlrɪdʒ/
Colet /'kɒlɪt, -ət/
Collier /'kɒlɪə(r)/
Collingwood /'kɒlɪŋwʊd/
Collins /'kɒlɪnz/
Colman /'kəʊlmən/
Colquhoun /kə'huːn/
Colum /'kɒləm/
Combe /kuːm/
Comfort /'kʌmfət/
Commager /'kɒmədʒə(r)/
Compton /'kɒmptən, 'kʌm-/
Compton Burnett /'kɒmptənbɜː-'net, -'bɜːnɪt/
Conan Doyle /'kəʊnən'dɔɪl, 'kɒ-/
Conant /'kɒnənt, 'kəʊ-/
Condell /kən'del/
Congreve /'kɒŋgriːv/
Connelly /'kɒnəlɪ/
Connolly /'kɒnəlɪ/
Connor /'kɒnə(r), USA 'kɑːnər/

Conrad /'kɒnræd/
Constable /'kʌnstəbl, 'kɒn-/
Conway /'kɒnweɪ/
Cook /kʊk/
Cooke /kʊk/
Coolidge /'kuːlɪdʒ/
Cooper /'kuːpə(r)/
Cornell /kɔː'nel/
Cornwallis /kɔːn'wɒlɪs/
Cosgrave /'kɒzgreɪv/
Cotton /'kɒtn/
Cournand /'kʊənənd/
Courtenay /'kɔːtnɪ/
Coverdale /'kʌvədeɪl/
Coward /'kaʊəd/
Cowley /'kaʊlɪ/
Cowper /'kuːpə(r), 'kaʊ-/
Cox /kɒks/
Cozzens, Cozens /'kʌzənz/
Crabbe /kræb/
Craig /kreɪg/
Crane /kreɪn/
Cranmer /'krænmə(r)/
Crashaw /'kræʃɔː/
Crawford /'krɔːfəd/
Creighton /'kraɪtn/
Cremer /'kriːmə(r)/
Crèvecoeur /'krevkɜː(r)/
Crichton /'kraɪtn/
Crick /krɪk/
Crockett /'krɒkɪt/
Crompton /'krʌmptən/
Cromwell /'krɒmwl/
Cronin /'krəʊnɪn/
Crosby /'krɒzbɪ/
Cross /krɒs, USA krɑːs/
Crowfoot-Hodgkin /'krəʊfʊt-'hɒdʒkɪn/
Cruickshank /'krʊkʃæŋk/
Crusoe /'kruːsəʊ/
Cudworth /'kʌdwəθ, -ɜːθ/
Cukor /'kjuːkə(r)/
Cullen /'kʌlən/
Cummings /'kʌmɪŋz/
Cunningham /'kʌnɪŋəm, USA -hæm/
Curry /'kʌriː, USA 'kɜːriː/
Curtis /'kɜːtɪs/
Curzon /'kɜːzn/
Custer /'kʌstə(r)/
Daimler /'deɪmlə(r)/
Dale /deɪl/
Dalton /'dɔːltn, 'dɒ-/
Dane /deɪn/
Daniel /'dænjəl/
Daniels /'dænjəlz/
Darcy, D'Arcy /'dɑːsɪ/
Darnley /'dɑːnlɪ/
Darwin /'dɑːwɪn/
Davenant /'dævɪnənt/
Davenport /'dævnpɔːt/
Davidson /'deɪvɪdsn/
Davies /'deɪvɪs, -iːz/
Davis /'deɪvɪs/
Davisson /'deɪvɪsən/
Dawes /dɔːz/
Dawson /'dɔːsn, USA 'dɑː-/
Day /deɪ/
Dean /diːn/
De Bourgh, De Burgh /də'bɜːg/
Defoe /də'fəʊ/
Dekker /'dekə(r)/
Delafield /'deləfiːld/
De la Mare /delə'meə(r)/

Delany /də'leɪnɪ/
Delgado /del'gɑːdəʊ/
Dell /del/
Deloney /də'ləʊnɪ/
De Mille /də'mɪl/
Denham /'denəm/
Dennie /'denɪ/
Dennis /'denɪs/
De Quincey /də'kwɪnsɪ/
Deronda /də'rɒndə/
de Valera /devə'leərə/
De Vere /də'vɪə(r)/
Devereux /'devəruː/
Deville /də'vɪl/
Dewey /'djuːɪ, USA 'duː-/
Diaz /'diːəs, - æs, -æθ, USA -ɑːs/
Dickens /'dɪkɪnz/
Dickinson /'dɪkɪnsn/
Dietrich /'diːtrɪk, 'dɪə-, -ɪx, -ɪʃ/
Digby /'dɪgbɪ/
Dillon /'dɪlən/
Dirac /dɪ'ræk/
Disney /'dɪznɪ/
Disraeli /dɪz'reɪlɪ/
Dixon /'dɪksn/
Dmytryk /'dmiːtrɪk/
Dobell /dəʊ'bel, 'dəʊbl/
Dobson /'dɒbsn/
Dodge /dɒdʒ/
Dodgson /'dɒdʒsn/
Doisy /'dɔɪzɪ/
Dombey /'dɒmbɪ/
Donald /'dɒnld/
Donaldson /'dɒnldsn/
Donne /dʌn, dɒn/
Dooley /'duːlɪ/
Doolittle /'duːlɪtl/
Dos Passos /dɒs'pæsɒs, USA dəʊs-'pæsəʊs, dɒs-, -əs/
Douglas /'dʌgləs/
Dowden /'daʊdn/
Dowland /'daʊlənd/
Dowson /'daʊsn/
Doyle /dɔɪl/
Drake /dreɪk/
Drayton /'dreɪtn/
Dreiser /'draɪzə(r)/
Drew /druː/
Drinkwater /'drɪŋkwɔːtə(r), USA -wɒ-/
Drummond /'drʌmənd/
Dryden /'draɪdn/
Dubois /duː'bwɑː, djuː-, -'bɔɪs, -'bɔɪz/
Duchesne /djuː'ʃeɪn, duː-/
Duckworth /'dʌkwəθ, -ɜːθ/
Duff /dʌf/
Dulles /'dʌlɪs/
Du Maurier /duː'mɒrɪeɪ, djuː-, USA duː'mɔː-/
Dunbar /dʌn'bɑː(r)/
Duncan /'dʌŋkən/
Dunn /dʌn/
Dunning /'dʌnɪŋ/
Duns /dʌnz/
Dunton /'dʌntn/
Dupont, Du Pont /dju:'pɒnt, 'djuːpɒnt, USA duː-, 'duː-/
Durrell /'dʌrl, USA 'dɜː-, 'dʊə-/
Dwight /dwaɪt/
Dyce /daɪs/
Dyer /'daɪə(r)/
Dylan /'dɪlən/
Earle /ɜːl/

Eastman /'iːstmən/
Eaton /'iːtn/
Eccles /'ɛklz/
Eddington /'ɛdɪŋtən/
Eddy /'ɛdɪ/
Eden /'iːdn/
Edgeworth /'ɛdʒwəθ, -ɜːθ/
Edison /'ɛdɪsn/
Edwards, Edwardes /'ɛdwədz/
Eggleston /'ɛglstən/
Einstein /'aɪnstaɪn/
Eisenhower /'aɪzənhaʊə(r)/
Elgar /'ɛlgə(r)/
Elgin /'ɛlgɪn/
Eliot /'ɛlɪət/
Elliott /'ɛlɪət/
Ellis /'ɛlɪs/
Elyot /'ɛlɪət/
Emerson /'ɛməsn/
Empson /'ɛmpsn/
Enders /'ɛndəz/
Erlanger /'ɜːlændʒə(r)/
Erskine /'ɜːskɪn/
Ervine /'ɜːvɪn/
Etherege /'ɛθərɪdʒ/
Evans /'ɛvanz/
Evelyn /'iːvlɪn/
Everett /'ɛvərɪt/
Ewald /'juːəld/
Faber /'feɪbə(r)/
Fagin /'feɪgɪn/
Fahrenheit /'færənhaɪt/
Fairbanks /'fɛəbæŋks/
Fairfax /'fɛəfæks/
Falstaff /'fɔːlstɑːf, 'fɒl-, USA -æf/
Fanshawe /'fænʃɔː/
Faraday /'færədeɪ/
Farmer /'fɑːmə(r)/
Farquhar /'fɑːkwə(r)/
Farrell /'færl/
Faulkes /'fɔːks/
Faulkner /'fɔːknə(r)/
Fawcett /'fɔːsɪt/
Fawkes /'fɔːks/
Fay /feɪ/
Felton /'fɛltn/
Fenton /'fɛntən/
Ferber /'fɜːbə(r)/
Ferdinand /'fɜːdɪn ænd/
Ferguson, Fergusson /'fɜːgəsn/
Fernandez /fɜːn ændez, fə-/
Ferrar /'fɛrə(r)/
Ferrier /'fɛrɪə(r)/
Feynman /'feɪnmən/
Fields /fiːldz/
Fillmore /'fɪlmɔː(r)/
Filmer /'fɪlmə(r)/
Finlay /'fɪnleɪ/
Fisher /'fɪʃə(r)/
Fitzgerald /fɪts'dʒɛrəld/
Fitzherbert /fɪts'hɜːbət/
Fitzjames /fɪts'dʒeɪmz/
Fitzpatrick /fɪts'pætrɪk/
Fitzroy /fɪts'rɔɪ/
Flaherty /'flɛətɪ/
Flanagan /'flænəgən/
Flaxman /'flæksmən/
Fleay /fleɪ/
Flecker /'flɛkə(r)/
Fleming /'flɛmɪŋ/
Fletcher /'flɛtʃə(r)/
Flint /flɪnt/
Flores /'flɔːrɪz, USA 'flɔːres/

Florey /'flɒrɪ, USA 'flɔː-/
Florio /'flɔːrɪəʊ/
Flynn /flɪn/
Folger /'fəʊldʒə(r), 'fɒl-/
Fonda /'fɒndə/
Foote /fʊt/
Forbes /fɔːbz, 'fɔːbɪs/
Ford /fɔːd/
Fordham /'fɔːdəm/
Forester /'fɒrɪstə(r), USA 'fɔː-/
Forster /'fɔːstə(r)/
Forsyte /'fɔːsaɪt/
Forsyth /fɔː'saɪθ, 'fɔːs-/
Fortescue /'fɔːtɪskjuː/
Fosbury /'fɒzbərɪ, USA -berɪ/
Foster /'fɒstə(r), USA fɑːstər/
Fowler /'faʊlə(r)/
Fowles /faʊlz/
Fox, Foxe /fɒks/
Foyle /fɔɪl/
Franklin /'fræŋklɪn/
Frazer /'freɪzə(r)/
Frederich /'frɛdrɪk/
Freeman /'friːmən/
Freneau /'frɪnəʊ/
Frere /frɪə(r)/
Frobisher /'frəʊbɪʃə(r)/
Frost /frɒst, USA frɔːst/
Froude /fruːd/
Fry /fraɪ/
Fuller /'fʊlə(r)/
Fulton /'fʊltn/
Furnivall /'fɜːnɪvl/
Fyfield /'faɪfiːld/
Gable /'geɪbl/
Gadsby /'gædzbɪ/
Gage /geɪdʒ/
Gainsborough /'geɪnzbrə, USA -bɜːrəʊ/
Gaitskell /'geɪtskɪl/
Gallup /'gæləp/
Galsworthy /'gɔːlzwɜːðɪ, 'gæl-/
Galt /gɔːlt, gɒlt/
Gandhi /'gændiː/
Garbo /'gɑːbəʊ/
Garcia /gɑːˈsiːə, gɑːˈʃiːə/
Gardiner /'gɑːdnə(r)/
Gardner /'gɑːdnə(r)/
Garfield /'gɑːfiːld/
Garland /'gɑːlənd/
Garner /'gɑːnə(r)/
Garnett /'gɑːnɪt/
Garrett /'gærət, -ɪt, USA 'gɛ/
Garrick /'gærɪk/
Garth /gɑːθ/
Garza /'gɑːzə/
Gascoigne /'gæskɔɪn/
Gascoyne /'gæskɔɪn/
Gaskell /'gæskl/
Gasser /'gæsə(r)/
Gates /geɪts/
Gatling /'gætlɪŋ/
Gaultier /'gɔːltɪə(r)/
Gaunt /gɔːnt/
Gaveston /'gævɪstən/
Gay /geɪ/
Geddes /'gɛdɪs/
Geiger /'gaɪgə(r)/
George /dʒɔːdʒ/
Gershwin /'gɜːʃwɪn/
Gibbon /'gɪbən/
Gibbs /gɪbz/
Gibson /'gɪbsn/

Gielgud /'giːlgʊd/
Giffard /'dʒɪfəd, 'gɪ-/
Gifford /'dʒɪfəd, 'gɪ-/
Gilbert /'gɪlbət/
Gilder /'gɪldə(r)/
Gillette /'dʒɪˈlɛt/
Gilman, Gillman /'gɪlmən/
Gilpin /'gɪlpɪn/
Gish /gɪʃ/
Gissing /'gɪsɪŋ/
Gladstone /'glædstən/
Glanvill /'glænvɪl, -vl/
Glaser /'gleɪzə(r)/
Glover /'glʌvə(r)/
Goddard /'gɒdəd/
Godfrey /'gɒdfrɪ/
Godwin /'gɒdwɪn/
Goepert-Mayer /'gɜːpət'maɪə(r)/
Golding /'gəʊldɪŋ/
Goldsmith /'gəʊldsmɪθ/
Gollancz /'gɒlənts/
Gomez /'gəʊmez/
Gonzales /gɒn'zɑːlɪs, gən-, -lez/
Gooch /guːtʃ/
Goodman /'gʊdmən/
Goodwin /'gʊdwɪn/
Googe /guːdʒ/
Gordon /'gɔːdn/
Gore /gɔː(r)/
Gosse /gɒs, USA gɔːs/
Gosson /'gɒsn/
Gough /gɒf, USA gɔːf/
Gower /'gaʊə(r), gɔː(r)/
Grafton /'grɑːftn, USA -æf-/
Graham, Grahame /'greɪəm/
Grainger /'greɪndʒə(r)/
Grandison /'grændɪsn/
Grant /grɑːnt, USA grænt/
Granville /'grænvɪl, -vl/
Graves /greɪvz/
Gray /greɪ/
Greeley /'griːlɪ/
Green /griːn/
Greene /griːn/
Gregory /'grɛgərɪ/
Gresham /'grɛʃəm/
Greville /'grɛvɪl, -vl/
Grey /greɪ/
Grierson /'grɪəsn/
Griffin /'grɪfɪn/
Griffith /'grɪfɪθ/
Grocyn /'grəʊsɪn/
Grosvenor /'grəʊvnə(r)/
Guedalla /gwɪ'dælə/
Guggenheim /'gʊgənhaɪm/
Guildenstern /'gɪldənstɜːn/
Guinness /'gɪnɪs/
Guthrie /'gʌθrɪ/
Gutierrez /guːˈtjerez/
Gwynne, Gwyn /gwɪn/
Habington /'hæbɪŋtən/
Hadley /'hædlɪ/
Haggard /'hægəd/
Haig, Haigh /heɪg/
Hakluyt /'hæklʊɪt, 'hæklwɪt/
Haldane /'hɔːldeɪn, 'hɒ-/
Hale /heɪl/
Hall /hɔːl/
Hallam /'hæləm/
Hamilton /'hæmltn/
Hammett /'hæmɪt/
Hammond /'hæmənd/
Hampden /'hæm(p)dən/

Hankin /'hæŋkɪn/
Hanmer /'hænmə(r)/
Hansen /'h ænsen/
Harcourt /'hɑːkɔːt, -ət/
Harden /'hɑːdn/
Harding /'hɑːdɪŋ/
Hardy /'hɑːdɪ/
Harewood /'hɑːwʊd/
Hargreaves /'hɑːgriːvz/
Harland /'hɑːlənd/
Harlow, Harlowe /'hɑːləʊ/
Harmon /'hɑːmən/
Harmsworth /'hɑːmzwəθ, -ɜːθ/
Harper /'hɑːpə(r)/
Harrap /'hærəp/
Harrington /'hærɪŋtən/
Harris /'hærɪs/
Harrison /'hærɪsn/
Harrow /'hærəʊ/
Hart /hɑːt/
Harte /hɑːt/
Hartington /'hɑːtɪŋtən/
Hartley /'hɑːtlɪ/
Harvey /'hɑːvɪ/
Hastings /'heɪstɪŋz/
Hathaway /'hæθəweɪ/
Havelock, Havelok /'hævlɒk/
Hawes /hɔːz/
Hawkins /'hɔːkɪnz/
Hawks /hɔːks/
Hawkwood /'hɔːkwʊd/
Haworth /'hɔːwəθ, -ɜːθ/
Hawthorne /'hɔːθɔːn/
Hay /heɪ/
Haydn /'haɪdn/
Hayes /heɪz/
Haynes /heɪnz/
Hayward /'heɪwəd/
Hayword /'heɪwəd/
Hazlitt /'hæzlɪt/
Healy, Healey /'hiːlɪ/
Hearn /hɜːn/
Hearst /hɜːst/
Heath /hiːθ/
Heathcliff /'hiːθklɪf/
Heathfield /'hiːθfiːld/
Hedge /hɛdʒ/
Heinemann /'haɪnəmən/
Hellman /'hɛlmən/
Heminges, Heminge /'hɛmɪŋ(z)/
Hemingway /'hɛmɪŋweɪ/
Hench /hɛntʃ/
Henderson /'hɛndəsn/
Henley /'hɛnlɪ/
Henry /'hɛnrɪ/
Henryson /'hɛnrɪsn/
Henslowe /'hɛnzləʊ/
Hepburn /'hɛbɜːn/
Herbert /'hɜːbət/
Hernandez /hɜːn ændez/
Herndon /'hɜːndən/
Herrick /'hɛrɪk/
Hewlett /'hjuːlɪt, USA 'juː-/
Heywood /'heɪwʊd/
Hichens /'hɪtʃɪnz/
Hicks /hɪks/
Higgins /'hɪgɪnz/
Highmore /'haɪmɔː(r)/
Hill /hɪl/
Hillary /'hɪlərɪ/
Hilliard /'hɪlɪəd, -lj-, -ɑːd/
Hillman /'hɪlmən/
Hillyard /'hɪljəd, -ɑːd/

Hilton /'hɪltən/
Hines /haɪnz/
Hinshelwood /'hɪnʃəlwʊd/
Hitchcock /'hɪtʃkɒk/
Hitchens /'hɪtʃɪnz/
Hoare /hɔː(r)/
Hobbes /hɒbz/
Hoby /'həʊbɪ/
Hoccleve /'hɒkliːv/
Hodgkin /'hɒdʒkɪn/
Hodgson /'hɒdʒsn/
Hoe /həʊ/
Hoffman /'hɒfmən, USA 'hɑːf-/
Hofstadter /'hɒfstaːdtə(r), USA -'hɔːfstæ-, 'hɒ-/
Hogan /'həʊgn/
Hogarth /'həʊgaːθ/
Hogg /hɒg, USA hɔːg/
Holden /'həʊldn/
Holinshed /'hɒlɪnʃed/
Holland /'hɒlənd/
Holles /'hɒlɪs/
Hollis /'hɒlɪs/
Holmes /'həʊmz/
Holt /həʊlt/
Home /həʊm, hjuːm/
Hood /hʊd/
Hooker /'hʊkə(r)/
Hoover /'huːvə(r)/
Hopkins /'hɒpkɪnz/
Horne /hɔːn/
Horton /'hɔːtn/
Hough /hʌf/
Houghton /'hɔːtn/
Housman /'haʊsmən/
Houston /'huːstən/
Howard /'haʊəd/
Howe /haʊ/
Howells /'haʊəlz/
Hubbard /'hʌbəd/
Hudson /'hʌdsn/
Huggins /'hʌgɪnz/
Hughes /hjuːz/
Hull /hʌl/
Hulme /hjuːm, hʌlm/
Hume /hjuːm/
Humphrey /'hʌmfrɪ/
Huneker /'hʌnɪkə(r)/
Hunt /hʌnt/
Hunter /'hʌntə(r)/
Hurd /hɜːd/
Huskisson /'hʌskɪsn/
Huston /'hjuːstən/
Hutcheson /'hʌtʃɪsn/
Hutchinson /'hʌtʃɪnsn/
Hutton /'hʌtn/
Huxley /'hʌkslɪ/
Huysmans /'haɪzmənz/
Hyde /haɪd/
Hyndman /'haɪndmən/
Inge /ɪŋ, USA ɪndʒ/
Ingram /'ɪŋgrəm/
Ireland /'aɪələnd/
Ireton /'aɪətn/
Irving /'ɜːvɪŋ/
Irwin /'ɜːwɪn/
Isaacs /'aɪzəks/
Isherwood /'ɪʃəwʊd/
Jackson /'dʒæksn/
Jacob /'dʒeɪkəb, -ʌb/
Jacobs /'dʒeɪkəbz, -ʌbz/
Jacuzzi /dʒə'kuːzɪ, dʒæ-/
James /dʒeɪmz/

Jameson /'dʒeɪmsn/
Jansen /'dʒænsn/
Jarrell /'dʒærəl/
Jarvis /'dʒaːvɪs/
Jay /dʒeɪ/
Jefferies /'dʒefrɪz/
Jeffers /'dʒefəz/
Jefferson /'dʒefəsn/
Jeffrey /'dʒefrɪ/
Jeffreys /'dʒefrɪz/
Jekyll /'dʒekl, 'dʒiː-, -kɪl/
Jenkins /'dʒenkɪnz/
Jenner /'dʒenə(r)/
Jennings /'dʒenɪŋz/
Jensen /'dʒensn/
Jerome /dʒe'rəʊm/
Jewett /'dʒuːɪt/
Johnson /'dʒɒnsn/
Johnston /'dʒɒnstn/
Jones /dʒəʊnz/
Jonson /'dʒɒnsn/
Jordan /'dʒɔːdn/
Josephson /'dʒəʊzɪfsn/
Joule /dʒaʊl, dʒuːl/
Jowett /'dʒaʊɪt, 'dʒəʊɪt/
Jowitt /'dʒaʊɪt, 'dʒəʊɪt/
Joyce /dʒɔɪs/
Kaufman /'kaʊfmən/
Kay /keɪ/
Kaye /keɪ/
Kaye-Smith /'keɪ'smɪθ/
Kazan /kə'zaːn, -æn/
Kazin /kə'zɪn/
Kean /kiːn/
Keaton /'kiːtn/
Keats /kiːts/
Keble /'kiːbl/
Kegan /'kiːgən/
Keith /kiːθ/
Keller /'kelə(r)/
Kellogg /'kelɒg, USA -ɔːg/
Kelly /'kelɪ/
Kelvin /'kelvɪn/
Kemble /'kembl/
Kendall /'kendl/
Kendrew /'kendruː/
Kennan /'kenən/
Kennedy /'kenədɪ/
Kerr /kɜː(r), kaː(r), keə(r)/
Key /kiː/
Keyes /kiːz/
Keynes /keɪnz/
Kidd /kɪd/
Killigrew /'kɪlɪgruː/
Kilpatrick /kɪl'pætrɪk/
Kim /kɪm/
King /kɪŋ/
Kinglake /'kɪŋleɪk/
Kingsley /'kɪŋzlɪ/
Kinney /'kɪnɪ/
Kinsey /'kɪnzɪ/
Kipling /'kɪplɪŋ/
Kirkland /'kɜːklənd/
Kirkpatrick /kɜːk'pætrɪk/
Kissinger /'kɪsɪndʒə(r)/
Kitchener /'kɪtʃənə(r)/
Kittredge /'kɪtrɪdʒ/
Kneller /'nelə(r)/
Knickerbocker /'nɪkəbɒkə(r)/
Knight /naɪt/
Knox /nɒks/
Kornberg /'kɔːnbɜːg/
Kramer /'kreɪmə(r)/

Krebs /krebz/
Kronin /'krəʊnɪn/
Kubrick /'kjuːbrɪk/
Kusch /kʊʃ/
Kyd /kɪd/
Ladd /læd/
Lafayette /laːfaɪ'et, -fer-, USA læ-/
    Inghilterra; /laːfɪ'et, USA læ-/
Lamb /læm/
Lambert /'læmbət/
Lancaster /'læŋkəstə(r), USA -kæs-/
Landon /'lændən/
Landor /'lændɔː(r)/
Lane /leɪn/
Lang /læŋ/
Langhorne /'læŋhɔːn/
Langland /'læŋlənd/
Langmuir /'læŋmjʊə(r)/
Langton /'læŋtən/
Lanier /'lænɪə(r)/
Lansdowne /'lænzdaʊn/
Lardner /'laːdnə(r)/
Larson /'laːsn/
Lascelles /'læslz, lə'selz/
Latimer /'lætɪmə(r)/
Laud /lɔːd/
Laughton /'lɔːtn/
Laurel /'lɒrl, USA 'lɔː-/
Law /lɔː/
Lawrence /'lɒrəns, USA 'lɔː-/
Lawson /'lɔːsn/
Lean /liːn/
Leavis /'liːvɪs/
Lederberg /'leɪdəbɜːg/
Ledwidge /'ledwɪdʒ/
Lee /liː/
Leech /liːtʃ/
Legge /leg/
Legros /lə'grəʊ/
Lehmann /'leɪmən/
Leigh /liː/
Leighton /'leɪtn/
Lely /'liːlɪ/
Lemmon /'lemən/
Lennon /'lenən/
Lennox, Lenox /'lenəks/
Leonard /'lenəd/
Leroy /lə'rɔɪ/
Le Roy /lə'rɔɪ/
L'Estrange /lə'streɪndʒ/
Lever /'liːvə(r)/
Leveson /'levɪsn/
Levy /'liːvɪ, 'le-/
Lewes /'luːɪs/
Lewis /'luːɪs/
Libby /'lɪbɪ/
Liddell /'lɪdl/
Liebig /'liːbɪg/
Lilburne /'lɪlbɜːn/
Lillo /'lɪləʊ/
Linacre /'lɪnəkə(r)/
Lincoln /'lɪŋkən/
Lindberg /'lɪndbɜːg/
Lindsay /'lɪndzɪ/
Linklater /'lɪŋkleɪtə(r)/
Lipmann /'lɪpmən/
Lipton /'lɪptən/
Lister /'lɪstə(r)/
Little /'lɪtl/
Littleton /'lɪtltn/
Livingstone /'lɪvɪŋstən/
Lloyd /lɔɪd/
Locke /lɒk/

Lockhart /'lɒkət, -khaːt/
Lockridge /'lɒkrɪdʒ/
Locksley /'lɒkslɪ/
Lodge /lɒdʒ/
Logan /'ləʊgən/
Logie Baird /'ləʊgɪ'beəd/
Lombard /'lɒmbəd, 'lʌm-, -aːd/
London /'lʌndən/
Long /lɒŋ, USA lɔːŋ/
Longfellow /'lɒŋfeləʊ, USA -ɔː-/
Longman /'lɒŋmən, USA 'lɔːŋ-/
Longstreet /'lɒŋstriːt, USA 'lɔːŋ-/
Lopez /'ləʊpez/
Lord /lɔːd/
Losey /'ləʊzɪ/
Lough /lɒk, -x, lʌf, ləʊ/
Loughton /'laʊtn/
Lovat /'lʌvət/
Love /lʌv/
Lovejoy /'lʌvdʒɔɪ/
Lovelace /'lʌvleɪs/
Lowell /'ləʊəl/
Lowes /ləʊz/
Lowry /'laʊərɪ, laʊ-/
Lubbock /'lʌbək/
Lubitsch /'luːbɪtʃ/
Lucas /'luːkəs/
Lucy /'luːsɪ/
Luhan /'luːən, 'luːhaːn/
Lumet /'luːmɪt/
Lundy /'lʌndɪ/
Lydgate /'lɪdgət/
Lyell /laɪl/
Lyly /'lɪlɪ/
Lynch /lɪntʃ/
Lyndsay /'lɪndzɪ/
Lyons /'laɪənz/
Lytton /'lɪtn/
MacArthur /mə'kaːθə(r)/
McCallum /mə'kæləm/
McCarthy /mə'kaːθɪ/
Macaulay /mə'kɔːlɪ/
McCormack /mə'kɔːmək/
McCoy /mə'kɔɪ/
McCullers /mə'kʌləz/
McDaniels /mək'dænjəlz/
MacDiarmid /mək'daɪəmɪd/
Macdonald /mək'dɒnəld/
MacDuff /mək'dʌf/
MacFarlane /mək'faːlɪn/
McFarland /mək'faːlənd/
McGee /mə'giː/
McGinnis /mə'gɪnɪs/
McIntosh /'mækɪntɒʃ/
Mackay, Mackaye /mə'keɪ/
McKenna /mə'kenə/
MacKenzie /mə'kenzɪ/
McKinley /mə'kɪnlɪ/
McKinney /mə'kɪnɪ/
MacLaglen /mə'klæglən/
Maclaine /mə'kleɪn/
Maclean /mə'kleɪn/
MacLeish /mə'kliːʃ/
Macleod /mə'klaʊd/
Macmillan /mək'mɪlən/
Macmorran /mək'mɒrən, USA -'mɔː-/
MacNeice /mək'niːs/
Macpherson /mək'fɜːsn/
McQueen /mə'kwiːn/
Macready /mə'kriːdɪ/
Madison /'mædɪsn/
Maguire /mə'gwaɪə(r)/

Mailer /'meɪlə(r)/
Major /'meɪdʒə(r)/
Malan /'mælən, mə'lɑːn, -'læn/
Mallock /'mælɒk/
Malone /mə'ləʊn/
Mallory, Malory /'mælərɪ/
Malthus /'mælθəs/
Mandeville /'mændəvɪl/
Mankiewicz /'mænkəwɪts/
Manley /'mænlɪ/
Mann /mæn/
Manning /'mænɪŋ/
Mannyng /'mænɪŋ/
Mansfield /'mænsfiːld/
Map /mæp/
March /mɑːtʃ/
Markham /'mɑːkəm/
Marlow, Marlowe /'mɑːləʊ/
Marquand /'mɑːkwənd/
Marryat /'mærɪət/
Marshall /'mɑːʃəl/
Marston /'mɑːstn/
Martin /'mɑːtɪn, USA -tn/
Martinez /mɑː'tiːnez, -nəs/
Martyn /'mɑːtɪn, USA -tn/
Marvell /'mɑːvl/
Masefield /'meɪsfiːld/
Mason /'meɪsn/
Massinger /'mæsɪndʒə(r)/
Masters /'mɑːstəz, USA 'mæs-/
Mather /'meɪðə(r)/
Mathews, Matthews /'mæθjuːz/
Matthiessen /'mæθɪsn/
Maugham /'mɔːm/
Maxwell /'mækswel, -wl/
May /meɪ/
Maynard /'meɪnəd/
Meade /miːd/
Medawar /'medəwə(r)/
Medwall /'medwɒl/
Melville /'melvɪl/
Mencken /'meŋkn/
Mendez /'mendez/
Mendoza /men'dəʊzə, -sɑː/
Menzies /'menzɪz/
Meredith /'merədɪθ/
Meres /mɪəz/
Merrill /'merɪl/
Merivale, Merrivale /'merɪveɪl/
Merton /'mɜːtn/
Methuen /'meθjʊɪn, mə'θjuːən/
Meyer /maɪə(r)/
Meynell /'menl, meɪ'nel/
Micawber /mɪ'kɔːbə(r)/
Michelson /'mɪkəlsn/
Middleton /'mɪdltən/
Miles /maɪlz/
Milestone /'maɪlstəʊn/
Milford /'mɪlfəd/
Mill /mɪl/
Millais /mɪ'leɪ, 'mɪleɪ/
Millay /'mɪleɪ/
Miller /'mɪlə(r)/
Milligan /'mɪlɪgən/
Mills /mɪlz/
Milne /mɪln, mɪl/
Milton /'mɪltən/
Minot /'maɪnət/
Minto /'mɪntəʊ/
Mitchell /'mɪtʃl/
Mitchum /'mɪtʃəm/
Mitford /'mɪtfəd/
Mix /mɪks/

Mondale /'mɒndeɪl/
Monk /mʌŋk/
Monkhouse /'mʌŋkhaʊs/
Monroe, Monro /mən'rəʊ/
Montagu, Montague /'mɒntəgjuː/
Montgomery /mən'gʌmrɪː, USA
ma:nt'gʌmri:/
Moody /'muːdɪ/
Moore /mʊə(r)/
Morales /mɒr'ɑːlez, -les, USA mə'r
ælɪs/
Moran /mə'ræn, 'mɔːrən, 'mɒ-/
More /mɔː(r)/
Moreno /mə'riːnəʊ, mɒr'iː-/
Morgan /'mɔːgən/
Morley /'mɔːlɪ/
Morrell /'mʌrəl, USA 'mɜː-/
Morris /'mɒrɪs, USA 'mɔː-/
Morrison /'mɒrɪsn, USA 'mɔː-/
Morse /mɔːs/
Mortimer /'mɔːtɪmə(r)/
Morton /'mɔːtn/
Moss /mɒs, USA mɑːs/
Motley /'mɒtlɪ/
Mott /mɒt/
Mottram /'mɒtrəm/
Mountbatten /maʊnt'bætn/
Muir /mjʊə(r)/
Muirhead /'mjʊəhed/
Muller /'mʌlə(r), 'mʊ-, 'muː-,
'mjuː-/
Mullins /'mʌlɪnz/
Mumford /'mʌmfəd/
Munday /'mʌndɪ/
Munro /mʌn'rəʊ/
Murdoch /'mɜːdɒk, -əx/
Murphy /'mɜːfɪ/
Murray /'mʌrɪ, USA 'mɜː-/
Murry /'mʌrɪ, USA 'mɜː-/
Myers /'maɪəz/
Napier /'neɪpɪə(r)/
Nash, Nashe /næʃ/
Nathan /'neɪθn/
Neal /niːl/
Nelson /'nelsn/
Nesbitt /'nezbɪt/
Neville /'nevl, -vɪl/
Newbolt /'njuːbəʊlt, USA 'nuː-/
Newbury /'njuːbərɪ, USA 'nuːberɪ/
Newell /'njuːəl, USA 'nuː-/
Newly /'njuːlɪ, USA 'nuː-/
Newman /'njuːmən, USA 'nuː-/
Newton /'njuːtn, USA 'nuː-/
Nichols /'nɪklz/
Nicholson /'nɪklsn/
Nickleby /'nɪklbɪ/
Nicolls /'nɪklz/
Nicolson /'nɪklsn/
Niebuhr /'niːbʊə(r)/
Nightingale /'naɪtɪŋgeɪl, USA -tn-/
Niven /'nɪvn/
Nixon /'nɪksn/
Noel-Baker /'nəʊəl'beɪkə(r)/
Norman /'nɔːmən/
Norris /'nɒrɪs, USA 'nɔː-/
Northrop /'nɔːθrəp/
Norton /'nɔːtn/
Noyes /nɔɪz/
Nye /naɪ/
Oakes /əʊks/
Oates /əʊts/
O'Brien /əʊ'braɪən/
O'Callaghan /əʊ'kæləhən/
O'Casey /əʊ'keɪsɪ/

Occam /'ɒkəm/
Occleve /'ɒkliːv/
Ochoa /ɒ'kəʊə/
Ockham /'ɒkəm/
O'Connell /əʊ'kɒnl/
O'Connor /əʊ'kɒnə(r)/
Odets /əʊ'dets/
O'Donnell /əʊ'dɒnl/
O'Flaherty /əʊ'fleətɪ, -'flɑːhə-/
Ogilvie /'əʊglvɪ/
O'Hara /əʊ'hɑːrə, ə-, USA -ærə/
O'Kelly /əʊ'kelɪ/
Oldham /'əʊldəm/
Oliphant /'ɒlɪfənt/
Oliver /'ɒlɪvə(r)/
Olivier /ə'lɪvɪeɪ, -ɪə(r), ɒ-, USA əʊ-/
Olson /'əʊlsn/
O'Malley /əʊ'm ælɪ, -meɪlɪ/
O'Neil, O'Neill /əʊ'niːl/
Onions /'ʌnjənz, əʊ'naɪənz/
Orczy /'ɔːtsɪ, -ksɪ/
Orr /ɔː(r)/
Ortiz /'ɔːtɪz, ɔː'tɪz, -tiːz, -tiːs/
Orwell /'ɔːwel, -wl/
Osborne /'ɒzbɔːn, -ən/
Osgood /'ɒzgʊd/
O'Sullivan /əʊ'sʌlɪvən/
Otis /'əʊtɪs/
Otway /'ɒtweɪ/
Overbury /'əʊvəbrɪ, USA -berɪ/
Owen /'əʊɪn/
Owens /'əʊɪnz/
Packard /'pækəd, -ɑːd/
Page /peɪdʒ/
Paget /'pædʒɪt/
Paine, Pain /peɪn/
Painter /'peɪntə(r)/
Palance /'pæləns/
Paley /'peɪlɪ/
Palgrave /'pælgreɪv/
Palmer /'pɑːmə(r)/
Palmerston, Palmerstone
/'pɑːməstn/
Pankhurst /'pæŋkhɜːst/
Parker /'pɑːkə(r)/
Parkinson /'pɑːkɪnsn/
Parkman /'pɑːkmən/
Parks /pɑːks/
Parnell /pɑː'nel/
Parr /pɑː(r)/
Parrington /'pærɪŋtən/
Parsons /'pɑːsnz/
Paston /'pæstən/
Pater /'peɪtə(r)/
Patericke /'peɪtərɪk/
Paterson /'pætəsn/
Patmore /'pætmɔː(r)/
Patterson /'pætəsn/
Pauling /'pɔːlɪŋ/
Payne /peɪn/
Peabody /'piːbɒdɪ, 'peɪ-, -bə-/
Peacock /'piːkɒk/
Pearse /pɪəs/
Pearson /'pɪəsn/
Peck /pek/
Pecock /'piːkɒk/
Peel, Peele /piːl/
Pelham /'peləm/
Penn /pen/
Pepys /'piːps, 'pepɪs, peps/
Percival /'pɜːsɪvl/
Percy /'pɜːsɪ/
Perez /'peres, USA 'perez/

Perkins /'pɜːkɪnz/
Perrers /'perəz/
Perry /'perɪ/
Pershing /'pɜːʃɪŋ/
Perutz /pə'ruːts/
Peters /'piːtəz/
Petry /'petrɪ/
Pettie /'petɪ/
Phelps /felps/
Philips /'fɪlɪps/
Phillips /'fɪlɪps/
Phillpotts /'fɪlpɒts/
Pickering /'pɪkərɪŋ/
Pickford /'pɪkfəd/
Pickwick /'pɪkwɪk/
Pierce /pɪəs/
Pinero /pɪ'nɪərəʊ/
Pitman /'pɪtmən/
Pitt /pɪt/
Plomer /'pləʊmə(r), 'pluː-/
Plunket, Plunkett /'plʌŋkɪt/
Poe /pəʊ/
Poitier /'pwɒtɪeɪ, 'pwɑː-/
Pole /pəʊl/
Polk /pəʊk/
Pollard /'pɒləd/
Pollock /'pɒlək/
Pomfret /'pɒmfrɪt, -ət, 'pʌ-/
Ponsonby /'pɒnsnbɪ/
Poole /puːl/
Pope /pəʊp/
Porter /'pɔːtə(r)/
Potter /'pɒtə(r)/
Pound /paʊnd/
Powell /'paʊəl, 'pəʊəl/
Powers /'paʊəs/
Powys /'pəʊɪs/
Praed /preɪd/
Pratt /præt/
Preminger /'premɪŋə(r)/
Prescott /'preskət/
Presley /'prezlɪ, -slɪ/
Preston /'prestn/
Price /praɪs/
Pride /praɪd/
Priestley /'priːstlɪ/
Prince /prɪns/
Pringle /'prɪŋgl/
Prior /'praɪə(r)/
Pritchard /'prɪtʃəd/
Pritchett /'prɪtʃɪt/
Procter /'prɒktə(r)/
Prowse /praʊs, -z/
Prynne /prɪn/
Pugin /'pjuːdʒɪn/
Pulitzer /'pʊlɪtsə(r), 'pjuː-/
Pullman /'pʊlmən/
Purcell /'pɜːsl/
Pusey /'pjuːzɪ/
Putnam /'pʌtnəm/
Puttenham /'pʌtənəm/
Pym /pɪm/
Pynson /'pɪnsn/
Quarles /kwɔːlz/
Quayle /kweɪl/
Queen /kwiːn/
Quiller-Couch /'kwɪlə'kuːtʃ/
Quinault /'kwɪnlt/
Quincy, Quincey /'kwɪnsɪ/
Quinn /kwɪn/
Rabin /'reɪbɪn/
Radcliffe /'rædklɪf/
Raeburn /'reɪbɜːn/

Raglan /'ræglən/
Raine /reɪn/
Raleigh /'rɔːlɪ, 'rɑː-, 'ræ-/
Ramirez /rə'mɪərez, USA -'mɪrez/
Ramos /'rɑːmɒs, 'reɪməʊs/
Ramsay /'ræmzɪ/
Ramsey /'ræmzɪ/
Randall /'rændl/
Randolph /'rændɒlf, -dlf/
Rank /ræŋk/
Ransom, Ransome /'rænsəm/
Ratcliffe /'rætklɪf/
Rathbone /'ræθbəʊn/
Rattigan /'rætɪgən/
Rawlings /'rɔːlɪŋz/
Rayleigh /'reɪlɪ/
Read, Reade /riːd/
Reading /'riːdɪŋ/
Reagan /'reɪgən/
Reed /riːd/
Rees, Reese /riːs/
Reeve /riːv/
Reid /riːd/
Remington /'remɪŋtən/
Reyes /'raɪz, reɪz/
Reynolds /'renldz/
Rhodes /rəʊdz/
Rhys /riːs, raɪs/
Ricardo /rɪ'kɑːdəʊ/
Rice /raɪs/
Rich /rɪtʃ/
Richards /'rɪtʃədz/
Richardson /'rɪtʃədsn/
Ridgway /'rɪdʒweɪ/
Ridler /'rɪdlə(r)/
Riggs /rɪgz/
Riley /'raɪlɪ/
Ripley /'rɪplɪ/
Rivera /rɪ'veərə/
Robbins /'rɒbɪnz/
Roberts /'rɒbəts/
Robertson /'rɒbətsn/
Robins /'rɒbɪnz, -əʊ-/
Robinson /'rɒbɪnsn/
Robynson /'rɒbɪnsn/
Rockefeller /'rɒkəfelə(r)/
Rodgers /'rɒdʒəz/
Rodriguez /rɒd'riːgez, USA rɑː-'driːgəs, -geɪs/
Roethke /'retkə, USA -ɪ/
Rogers /'rɒdʒəz/
Romero /rəʊ'meərəʊ/
Romney /'rɒmnɪ/
Rooney /'ruːnɪ/
Roosevelt /'rəʊzəvelt, -s-, -vlt, 'ruːs-/
Root /ruːt, rʊt/
Roper /'rəʊpə(r)/
Roscoe /'rɒskəʊ/
Rose /rəʊz/
Rosencrantz /'rəʊzənkrænts/
Ross /rɒs, USA rɔːs/
Rossen /'rɒsn, USA 'rɔː-/
Rossetti /rə'zetɪ, -'se-, rɒ-, USA rəʊ-/
Roth /rɒθ, rəʊθ, USA rɔːθ, rəʊθ/
Rothermere /'rɒðəmɪə(r)/
Rothschild /'rɒθ(s)tʃaɪld, USA 'rɔː-/
Rourke /rɔːk/
Routledge /'raʊtlɪdʒ, 'rʌ-, -edʒ/
Rowe /rəʊ/
Rowlandson /'rəʊləndsn/
Rowley /'rəʊlɪ/
Rowse /raʊs/

Roy /rɔɪ/
Ruiz /ru'iːθ, ru'iːs/
Rush /rʌʃ/
Ruskin /'rʌskɪn/
Russell /'rʌsl/
Rutherford /'rʌðəfəd/
Ryan /'raɪən/
Ryder /'raɪdə(r)/
Rymer /'raɪmə(r)/
Sacheverell /sə'ʃevərl/
Sackville /'sækvɪl, -vl/
Sackville-West /'sækvl'west, -vɪl-/
Saintsbury /'seɪntsbrɪ, USA -berɪ/
Salinger /'sælɪŋgə(r)/
Sanchez /'sæntʃez/
Sand /sænd/
Sanders /'sɑːndəz/
Sandburg /'sændbɜːg/
Sandford /'sænfəd/
Sandys /sændz/
Santiago /sæntɪ'ɑːgəʊ/
Sargeant, Sargant /'sɑːdʒənt/
Saroyan /sə'rɔɪən/
Sassoon /sə'suːn/
Savile /'sævɪl, -vl/
Sawyer /'sɔːjə(r), 'sɔɪə(r)/
Sayers /'seɪəz/
Scarborough /'skɑːbrə, USA -'skɑː-r-, -brəʊ/
Schmidt /ʃmɪt/
Schneider /'ʃnaɪdə(r)/
Schulz /ʃʊlts/
Schwartz /ʃvɔːts, -ɑːts/
Schwartzenegger /'ʃvɔːts(ə)negə(r)/
Schwinger /'ʃvɪŋdʒə(r)/
Scot, Scott /skɒt/
Scribner /'skrɪbnə(r)/
Seaborg /'siːbɔːg/
Sedgwick /'sedʒwɪk/
Sedley /'sedlɪ/
Selden /'seldn/
Seldes /'seldz/
Selfridge /'selfrɪdʒ/
Sellers /'seləz/
Seward /'siːwəd/
Sewell /'sjuːəl, 'suː-, -uːl/
Seymour /'siːmɔː(r)/
Shackleton /'ʃækltən/
Shadwell /'ʃædwl/
Shakespeare, Shakespear /'ʃeɪkspɪə(r)/
Shandy /'ʃændɪ/
Shanks /ʃæŋks/
Shapiro /ʃə'pɪərəʊ/
Sharp /ʃɑːp/
Shaw /ʃɔː/
Shelley /'ʃelɪ/
Shelton /'ʃeltən/
Sheppard /'ʃepəd/
Sheridan /'ʃerɪdn/
Sherman /'ʃɜːmən/
Sherriff /'ʃerɪf/
Sherrington /'ʃerɪŋtən/
Sherwood /'ʃɜːwʊd/
Shirley /'ʃɜːlɪ/
Shockley /'ʃɒklɪ/
Shorthouse /'ʃɔːthaʊs/
Siddons /'sɪdnz/
Sidney /'sɪdnɪ/
Sigourney /'sɪgənɪ, -'gɔː-/
Sillitoe /'sɪlɪtəʊ/
Silva /'sɪlvə/

Simmons /'sɪmənz/
Simms /sɪmz/
Simpson /'sɪmpsn/
Sinatra /sɪ'nɑːtrə/
Sinclair /'sɪŋkleə(r), -ŋ'k-/
Singer /'sɪŋə(r)/
Singleton /'sɪŋgltn/
Sitwell /'sɪtwl, -wel/
Skeat /skiːt/
Skelton /'skeltn/
Skinner /'skɪnə(r)/
Sloane, Sloan /sləʊn/
Smith /smɪθ/
Smollett /'smɒlɪt/
Smyth /smɪθ, -aɪθ, -aɪð/
Smythe /smaɪð, -aɪθ/
Snow /snəʊ/
Snyder /'snaɪdə(r)/
Soddy /'sɒdɪ/
Somerville /'sʌməvɪl/
Southerne /'sʌðən/
Southey /'sʌðɪ, 'saʊ-/
Southwell /'saʊθwl, -wel/
Sparks /spɑːks/
Spelman /'spelmən/
Spencer /'spensə(r)/
Spender /'spendə(r)/
Spenser /'spensə(r)/
Spillane /spɪ'leɪn/
Spring /sprɪŋ/
Spurgeon /'spɜːdʒn/
Squire /'skwaɪə(r)/
Stanford /'stænfəd/
Stanhope /'stænəp/
Stanley /'stænlɪ/
Stedman /'stedmən/
Steel, Steele /stiːl/
Steevens /'stiːvnz/
Steffens /'stefənz/
Stein /staɪn, stiːn/
Steinbeck /'staɪnbek/
Stephen /'stiːvn/
Stephens /'stiːvnz/
Stephenson /'stiːvnsn/
Stern /stɜːn/
Sterne /stɜːn/
Stevens /'stiːvnz/
Stevenson /'stiːvnsn/
Stewart /'stjuːət, USA 'stuː-/
Stickney /'stɪknɪ/
Stieglitz /'stɪglɪts/
Stokes /stəʊks/
Stone /stəʊn/
Stoughton /'stɔːtn/
Stowe /stəʊ/
Strachey /'streɪtʃɪ/
Stryker /'straɪkə(r)/
Stuart /'stjuːət, USA 'stuː-/
Stubbs /stʌbz/
Studebaker /'stuːdəbeɪkə(r), 'stjʊ-/
Studley /'stʌdlɪ/
Sturges /'stɜːdʒəs/
Sturgis /'stɜːdʒɪs/
Suckling /'sʌklɪŋ/
Sullivan /'sʌlɪvən/
Sumner /'sʌmnə(r)/
Surtees /'sɜːtiːz/
Sutro /'suːtrəʊ/
Sutton /'sʌtn/
Swan /swɒn/
Swanson /'swɒnsn/
Swift /swɪft/
Swinbourne /'swɪnbɔːn/

Swinburne /'swɪnbɜːn/
Swinnerton /'swɪnətn/
Sykes /saɪks/
Sylvester /sɪl'vestə(r)/
Symington /'saɪmɪŋtən, 'sɪmɪŋ-/
Symond /'saɪmənd/
Symonds /'saɪməndz/
Symons /'saɪmənz/
Synge /sɪŋ/
Taft /tæft, tɑːft/
Tagore /tə'gɔː(r)/
Tanner /'tænə(r)/
Tate /teɪt/
Tatum /'teɪtəm/
Taylor /'teɪlə(r)/
Temple /'templ/
Tennings /'tenɪŋz/
Tennyson /'tenɪsn/
Terry /'terɪ/
Thackeray /'θækərɪ/
Thatcher /'θætʃə(r)/
Theiler /'taɪlə(r)/
Thomas /'tɒməs/
Thompson /'tɒm(p)sn/
Thomson /'tɒmsn/
Thoreau /'θɔːrəʊ, USA θə'rəʊ/
Thornhill /'θɔːnhɪl, USA -nɪl/
Thornton /'θɔːntən/
Thorold /'θɒrəld, USA 'θɜː-/
Thorpe, Thorp /'θɔːp/
Thurber /'θɜːbə(r)/
Thynne /θɪn/
Tickell /'tɪkl/
Ticknor /'tɪknə(r)/
Tiller /'tɪlə(r)/
Tillotson /'tɪlətsn/
Timrod /'tɪmrəd/
Tindale /'tɪndl/
Tocqueville /'tɒkvɪl, -vl/
Todd /tɒd/
Toland /'təʊlənd/
Tomlinson /'tɒmlɪnsn/
Tompkins /'tɒmkɪnz/
Torres /'tɒtɪs, 'tɔːrɪs, -rɪz/
Tottel /'tɒtl/
Tourneur /'tɜːnə(r)/
Tovey /'təʊvɪ/
Townes /taʊnz/
Townsend /'taʊnzend/
Townshend /'taʊnzend/
Toynbee /'tɔɪnbɪ, -iː/
Tracy /'treɪsɪ/
Traherne /trə'hɜːn/
Treece /triːs/
Trelawny, Trelawney /trɪ'lɔːnɪ/
Trench /trentʃ/
Trenchard /'trentʃɑːd, -əd/
Trevelyan /trɪ'vɪljən, -'ve-/
Trilling /'trɪlɪŋ/
Trollope /'trɒləp/
Tromp /trɒmp, trʌmp, USA trɔːmp, trɒmp/
Truman /'truːmən/
Trumbull /'trʌmbəl/
Tucker /'tʌkə(r)/
Tuke /tjuːk, USA tuːk/
Tull /tʌl/
Tupper /'tʌpə(r)/
Turner /'tɜːnə(r)/
Twain /tweɪn/
Tyler /'taɪlə(r)/
Tynan /'taɪnən/
Tyndale /'tɪndl/

Tyson /'taɪsn/
Udall /'juːdl, -ɑːl, -æl, juːˈdæl, -'dɔːl, USA -dl, -ɑːl, -ɔːl, -'dɑːl, -'dɔːl/
Unwin /ˈʌnwɪn/
Upton /ˈʌptən/
Urey /ˈjʊərɪ/
Urquhart /ˈɜːkət/
Urry /ˈʌrɪ, USA ˈɜːrɪ/
Ustinov /ˈjuːstɪnɒf, ˈuː-, -v, USA -ɔːf/
Valdez /vælˈdiːz/
Vanbrugh /ˈvænbrə, USA vænˈbruː/
Van Buren /vænˈbjʊərən/
Vandenberg /ˈvændənbɜːg/
Vanderbilt /ˈvændəbɪlt/
Van Druten /vænˈdruːtən/
Vane /veɪn/
Vansittart /vænˈsɪtət/
Vaughan /vɔːn/
Vega /ˈveɪgə, viː-/
Vere /vɪə(r)/
Verney /ˈvɜːnɪ/
Vickers /ˈvɪkəz/
Vidal /vɪˈdæl/
Vidor /ˈvɪdɔː(r)/
Viereck /ˈvɪərek, -ək/
Vigneaud /ˈvɪnjəʊ/
Villiers /ˈvɪləz/
Wade /weɪd/
Wagner /ˈwægnə(r)/
Wainwright /ˈweɪnraɪt/
Waksman /ˈwæksmən/
Walford /ˈwɔːlfəd, ˈwɒ-/
Walker /ˈwɔːkə(r)/
Wallace /ˈwɒləs, USA ˈwɔː-/
Waller /ˈwɒlə(r), ˈwɔː-/
Walpole /ˈwɔːlpəʊl, ˈwɒ-/

Walsh /wɔːlʃ, wɒlʃ/
Walsingham /ˈwɔːlsɪŋəm, ˈwɒ-/
Walters /ˈwɔːltəz, ˈwɒ-/
Walton /ˈwɔːltn, ˈwɒ-/
Warbeck /ˈwɔːbek/
Warburton /ˈwɔːbətn/
Ward /wɔːd/
Warhol /ˈwɔːhəʊl, -hɒl/
Warner /ˈwɔːnə(r)/
Warren /ˈwɒrən, USA ˈwɔː-/
Warton /ˈwɔːtn/
Washington /ˈwɒʃɪŋtən, USA -ˈwɔː-/
Watkins /ˈwɒtkɪnz/
Watson /ˈwɒtsn/
Watson-Watt /ˈwɒtsnˈwɒt/
Watt /wɒt/
Watts /wɒts/
Waugh /wɔː/
Wavell /ˈweɪvl/
Wayne /weɪn/
Weaver /ˈwiːvə(r)/
Weber /ˈwebə(r), ˈweɪbə(r), ˈwiː-/
Webb /web/
Webster /ˈwebstə(r)/
Welch /welʃ/
Weller /ˈwelə(r)/
Welles /welz/
Wellesley /ˈwelzlɪ/
Wellington /ˈwelɪŋtən/
Wellmann /ˈwelmən/
Wells /welz/
Welty /ˈweltɪ/
Wendell /ˈwendl/
Wentworth /ˈwentwəθ, -ɜːθ/
Wesley /ˈwezlɪ/

West /west/
Weston /ˈwestən/
Wharton /ˈwɔːtn, USA ˈhw-/
Wheatley /ˈwiːtliː, USA ˈhw-/
Wheeler /ˈwiːlə(r), USA ˈhw-/
Whetstone /ˈwetstəʊn, USA ˈhw-/
Whichcote /ˈwɪtʃkəʊt, USA ˈhw-/
Whipple /ˈwɪpl, USA ˈhw-/
Whistler /ˈwɪslə(r), USA ˈhw-/
Whiston /ˈwɪstən, USA ˈhw-/
White /waɪt, USA hw-/
Whitefield /ˈwaɪtfiːld, USA ˈhw-/
Whitehead /ˈwaɪthed, USA ˈhw-/
Whitman /ˈwɪtmən, USA ˈhw-/
Whitney /ˈwɪtnɪ, USA ˈhw-/
Whittier /ˈwɪtɪə(r), USA ˈhw-/
Whittington /ˈwɪtɪŋtən, USA ˈhw-/
Whittle /ˈwɪtl, USA ˈhw-/
Wickliffe, Wicklife /ˈwɪklɪf/
Wigglesworth /ˈwɪglzwəθ, -ɜːθ/
Wigner /ˈwɪgnə(r)/
Wilberforce /ˈwɪlbəfɔːs/
Wilbur /ˈwɪlbə(r)/
Wilde /waɪld/
Wilder /ˈwaɪldə(r)/
Wilkes /wɪlks/
Wilkie /ˈwɪlkɪ/
Wilkins /ˈwɪlkɪnz/
Wilkinson /ˈwɪlkɪnsn/
Williams /ˈwɪljəmz/
Williamson /ˈwɪljəmsn/
Willis /ˈwɪlɪs/
Willoughby /ˈwɪləbɪ/
Wilmot /ˈwɪlmət/
Wilson /ˈwɪlsn/
Windsor /ˈwɪnzə(r)/

Winters /ˈwɪntəz/
Winthrop /ˈwɪnθrəp, -ɒp/
Wise /waɪz/
Wiseman /ˈwaɪzmən/
Wither /ˈwɪðə(r)/
Wittaker, Witaker /ˈwɪtəkə(r)/
Wodehouse /ˈwʊdhaʊs/
Wolfe /wʊlf/
Wollstonecraft /ˈwʊlstənkrɑːft, USA -æft/
Wolsey /ˈwʊlzɪ/
Woods /wʊdz/
Woodward /ˈwʊdwəd/
Woolf /wʊlf/
Woolner /ˈwʊlnə(r)/
Woolsey /ˈwʊlzɪ/
Woolworth /ˈwʊlwəθ, -ɜːθ/
Wordsworth /ˈwɜːdzwəθ, -ɜːθ/
Wotton /ˈwɒtn/
Wren /ren/
Wright /raɪt/
Wriothesley /ˈraɪəθslɪ/
Wyatt, Wyat /ˈwaɪət/
Wycherley /ˈwɪtʃəlɪ/
Wycliffe, Wyclif /ˈwɪklɪf/
Wyler /ˈwaɪlə(r)/
Wyndham /ˈwɪndəm/
Wythe /wɪθ/
Yates /jeɪts/
Yeats, Yeates /jeɪts/
Yerby /ˈjɜːbɪ/
Yonge /jʌŋ/
York /jɔːk/
Young /jʌŋ/
Zangwill /ˈzæŋwɪl, -wl/
Zinneman, Zinnemann /ˈzɪnəmən/

PLACE NAMES - *TOPONIMI*

N.B. Non viene indicato il traducente quando ha la stessa grafia del lemma.

The Italian equivalent is not given when the spelling is identical to the English.

Aberdeen /ˌæbəˈdiːn/

Abergavenny /ˌæbəgəˈvɛnɪ/

Abu Dhabi /ˌæbuːˈdɑːbiː/

Abuja /əˈbuːdʒə/

Aberystwyth /ˌæbəˈrɪs(t)wɪθ/

Abyssinia /ˌæbɪˈsɪnɪə/ Abissinia

Accra /əˈkrɑː/

Addis Ababa /ˌædɪsˈæbəbə/ Addis Abeba

Adelaide /ˈædəleɪd/

Aden /ˈeɪdn/

Adrianople /ˌeɪdrɪəˈnəʊpl/ Adrianopoli

Adriatic Sea (the) /ˌeɪdrɪˈætɪk ˈsiː/ (il Mare) Adriatico

Aegean Sea (the) /iːˈdʒiːən ˈsiː/ (il Mare) Egeo

Afghanistan /æfˈgænɪˈstɑːn, -æn, æfˈgˈ-/

Africa /ˈæfrɪkə/

Agincourt /ˈædʒɪnɔː(t)/

Agra /ˈɑːgrə/

Airedale /ˈɛədeɪl/

Akron /ˈækrɒn/

Alabama /ˌæləˈbæmə, -ˈbɑː-/

Alaska /əˈlæskə/

Albania /ælˈbeɪnɪə/

Albany /ˈɔːlbənɪ, ˈɒl-/

Alberta /ælˈbɜːtə/

Albury /ˈɔːlbərɪ, ˈɒl-, ˈɔːb-, USA -berɪ/

Alderney /ˈɔːldənɪ, ˈɒl-/

Aleppo /əˈlɛpəʊ/

Alexandria /ˌælɪgˈzɑːndrɪə, USA -æn-/ Alessandria (d'Egitto)

Algeria /ælˈdʒɪərɪə/

Algiers /ælˈdʒɪəz/ Algeri

Alps (the) /ælps/ (le) Alpi

Alsace /ælˈsæs/ Alsazia

Altrincham /ˈɔːltrɪŋəm, ˈɒl-/

Amazon (the) /ˈæməzən, USA -zɒn/ (il) Rio delle Amazzoni

America /əˈmɛrɪkə/

Amman /əˈmɑːn/

Amsterdam /ˈæmstədæm, -ˈdæm/

Anatolia /ˌænəˈtəʊlɪə/

Anchorage /ˈæŋkərɪdʒ/

Andalusia /ˌændəˈluːsɪə, -z-, -luˈsiːə, USA -ˈluːʒə/

Andes (the) /ˈændiːz/ (le) Ande

Andorra /ænˈdɒrə, USA -ɔːrə/

Anglesey /ˈæŋglsɪ/

Angola /æŋˈgəʊlə/

Angus /ˈæŋgəs/

Ankara /ˈæŋkərə, USA ˈɑː-/

Annapolis /əˈnæpəlɪs/

Antananarivo /ˌæntənænəˈriːvəʊ/

Antarctica /ænˈtɑːktɪk, ænt-, ˈæn-/ Antartide

Antigua and Barbuda /ænˈtiːgə əmbɑːˈb(j)uːdə/ Antigua e Barbuda

Antilles (the) /ænˈtɪliːz/ (le) Antille

Antrim /ˈæntrɪm/

Antwerp /ˈæntwɜːp/ Anversa

Aosta Valley /ɑːˈɒstəˈvælɪ/ Valle d'Aosta

Apennines (the) /ˈæpənaɪnz/ (gli) Appennini

Apia /ɑːˈpiːə/

Appleby /ˈæplbɪ/

Apulia /əˈpjuːliːə/ Puglia

Arabia /əˈreɪbɪə/

Aragon /ˈærəgən/ Aragona

Aran Islands (the) /ˈærən ˈaɪləndz/ (le) Isole Aran

Arcadia /ɑːˈkeɪdɪə/

Arctic /ˈɑːkeɪdɪk/ Artide

Argentina /ˌɑːdʒənˈtiːnə/

Argolis /ˈɑːgəlɪs/ Argolide

Argos /ˈɑːgɒs/ Argo

Argyll /ɑːˈgaɪl/

Arizona /ˌærɪˈzəʊnə/

Arkansas /ˈɑːkənsɔː/ (lo stato e la città); /ˈɑːkənsɔː, ɑːˈkænzəs/ (il fiume)

Armagh /ˈɑːmɑː/

Armenia /ɑːˈmiːnɪə/

Arran /ˈærən/

Aruba /əˈruːbə/

Ascension /əˈsɛnʃn/

Ascot /ˈæskət, USA -ɒt/

Ashbourne /ˈæʃbɔːn/

Ashkhabad /ɑːʃkəˈbɑːd/ Asgabat

Asia /ˈeɪʃə, -ʒə/

Asmara /æsˈmɑːrə/

Assam /æˈsæm, ˈæsæm/

Assyria /əˈsɪrɪə/ Assiria

Aston /ˈæstn/

Asturias (the) /æˈst(j)ʊərɪæs/ (le) Asturie

Asuncion /əˈsʊntsɪˈɒn/

Athabasca /ˌæθəˈbæskə/

Athens /ˈæθɪnz/ Atene

Athlone /æθˈləʊn/

Atlanta /ətˈlæntə, æ-/

Atlantic Ocean /ətˈlæntɪk ˈəʊʃn/ (l')Oceano Atlantico

Atlas /ˈætləs/ Atlante

Attica /ˈætɪk/

Auckland /ˈɔːklənd/

Augusta /ɔːˈgʌstə/

Austin /ˈɔːstɪn, ˈɒ-/

Australia /ɔːˈstreɪlɪə, ɒ-, ə-/

Austria /ˈɒstrɪə, ˈɔː-/

Avignon /ˈævɪˈnjɒn, USA æviːnˈjəʊn/ Avignone

Avon /ˈeɪvn, -ɒn/

Aylesbury /ˈeɪlzbərɪ, USA -berɪ/

Ayr /ɛə(r)/

Azerbaijan /ˌæzəbaɪˈ(d)ʒɑːn, USA ɑː-/ Azerbaigian

Azores (the) /əˈzɔːz, USA ˈeɪzɔːz/ (le) Azzorre

Babylon /ˈbæbɪlən, USA -lɒn/ Babilonia

Baghdad, Bagdad /bægˈdæd, bɑːgˈdɑːd, USA ˈ-/ Baghdād

Bahamas (the) /bəˈhɑːməz/ (le) Bahama

Bahrain /bɑːˈreɪn/

Baku /bækˈuː/

Balearic Islands (the) /ˌbælɪˈærɪk ˈaɪləndz/ (le) Baleari

Balkans (the) /ˈbɔːlkən/ (i) Balcani

Balmoral /bælˈmɒrl, USA -ˈmɔː-/

Baltic Sea (the) /ˈbɔːltɪk ˈsiː/ (il) Mar Baltico

Baltimore /ˈbɔːltɪmɔː(r)/ Baltimora

Banff /bæmf, -nf/

Bangalore /ˌbæŋgəˈlɔː(r)/

Bangkok /bæŋˈkɒk, USA ˈ-/

Bangladesh /ˌbæŋgləˈdɛʃ, -eɪʃ, USA bɑː-/

Bangor /ˈbæŋgə(r)/ (Galles); /ˈbæŋgɔː(r)/ (USA)

Banjul /bænˈdʒuːl/

Banks /bæŋks/

Barbados /bɑːˈbeɪdɒs, -əʊz, USA -əʊs/

Barcelona /ˌbɑːsəˈləʊnə/ Barcellona

Basel /ˈbɑːzl/ Basilea

Basseterre /bæsˈtɛə(r)/

Basutoland /bəˈsuːtəʊlænd/

Bath /bɑːθ, USA bæθ/

Bathurst /ˈbæθɜːst, USA ˈbæθ-/

Baton Rouge /ˈbætnˈruːʒ/

Bavaria /bəˈveərɪə/ Baviera

Beaumaris /bəʊˈmærɪs, bjuː-/

Bechuanaland /betʃʊˈɑːnəlænd/

Bedford /ˈbɛdfəd/

Bedfordshire /ˈbɛdfədʃə(r), -ʃɪə(r)/

Beijing /beɪˈdʒɪŋ/ Pechino

Beirut /beɪˈruːt/

Belarus /ˌbeləˈruːs/ Bielorussia

Belfast /bɛlˈfɑːst, USA ˈbɛlfæst/

Belgium /ˈbɛldʒəm/ Belgio

Belgrade /bɛlˈgreɪd/ Belgrado

Belize /bɛˈliːz/

Benares /bɪˈnɑːrɪz/

Bengal /bɛŋˈgɔːl/ Bengala

Benin /bɛˈniːn, -ɪn/

Ben Nevis /bɛnˈnɛvɪs, USA -ˈniː-/

Berkeley /ˈbɑːklɪ/ (GB); /ˈbɜːklɪ/ (USA)

Berkshire /ˈbɑːkʃə(r), -ʃɪə(r)/

Berlin /bɜːˈlɪn/ Berlino

Bermuda /bəˈmjuːdə/

Bermudas (the) /bəˈmjuːdəz/ (le) Bermuda

Bern /bɜːn/ Berna

Berwick /ˈbɛrɪk/

Bethlehem /ˈbɛθlɪhɛm/ Betlemme

Beverly /ˈbɛvəlɪ/

Bhutan /buːˈtɑːn, -æn/

Birkenhead /ˈbɜːkənhɛd/

Birmingham /ˈbɜːmɪŋəm, -həm, USA -hæm/

Bishkek /bɪʃˈkɛk/

Biscay /ˈbɪskeɪ/ Biscaglia

Bismarck /ˈbɪzmɑːk/

Blackburn /ˈblækbɜːn, -ən/

Blackpool /ˈblækpuːl/

Black Sea (the) /ˈblækˈsiː/ (il) Mar Nero

Blanc (Mont) /ˈmɔːn ˈblɑːŋ/ Monte Bianco

Boeotia /bɪˈəʊʃə/ Beozia

Bogota /ˌbəʊgəˈtɑː, bɒ-/ Bogotà

Bohemia /bəʊˈhiːmɪə/ Boemia

Boise /ˈbɔɪzɪ, -sɪ/

Bolivia /bəˈlɪvɪə/

Bolton /ˈbəʊltn/

Bombay /bɒmˈbeɪ/

Bordeaux /bɔːˈdəʊ/

Borneo /ˈbɔːnɪəʊ/

Bosnia /ˈbɒznɪə/

Bosporus (the) /ˈbɒspərəs/ (il) Bosforo

Boston /ˈbɒstn, USA ˈbɔːs-/

Botswana /bɒtˈswɑːnə/

Bournemouth /ˈbɔːnməθ/

Boyne /bɔɪn/

Bradford /ˈbrædfəd/

Bratislava /ˌbrætɪsˈlɑːvə, USA brɑː-/

Brazil /brəˈzɪl/ Brasile

Brazzaville /ˈbræzəvɪl/

Brecknockshire /ˈbrɛknɒkʃə(r), -ʃɪə(r)/

Brecon /ˈbrɛkən/

Breconshire /ˈbrɛkənʃə(r), -ʃɪə(r)/

Bremen /ˈbreɪmən/ Brema

Brentford /ˈbrɛntfəd/

Bridgeport /ˈbrɪdʒpɔːt/

Bridgetown /ˈbrɪdʒtaʊn/

Brighton /ˈbraɪtn/

Brisbane /ˈbrɪzbən, -eɪn/

Bristol /ˈbrɪstl/

Britain /ˈbrɪtn/ 1 (anche Great B.), Gran Bretagna 2 Britannia

Brittany /ˈbrɪtənɪ/ Bretagna

Brunei /ˈbruːnaɪ, bruːˈnaɪ/

Brussels /ˈbrʌslz/ Bruxelles

Bucharest /ˌbjuːkəˈrɛst/ Bucarest

Buckinghamshire /ˈbʌkɪŋəmʃə(r), -ʃɪə(r)/

Budapest /ˌbjuːdəˈpɛst/

Buenos Aires /ˌbweɪnɒsˈaɪərɛz/

Buffalo /ˈbʌfələʊ/

Bujumbura /buːdʒəmˈbʊərə/

Bulgaria /bʌlˈgeərɪə/

Burgundy /ˈbɜːgəndɪ/ Borgogna

Burkina Faso /bɜːˈkiːnə ˈfæsəʊ, USA ˈfɑː-/

Burma /ˈbɜːmə/ Birmania

Burundi /bʊˈrʊndɪ/

Bute /bjuːt/

Byzantium /bɪˈzæntɪəm, baɪ-, -nʃɪəm/ Bisanzio

Cadiz /kəˈdɪz/ Cadice

Caernarvon /kəˈnɑːvn/

Caernarvonshire /kəˈnɑːvnʃə(r), -ʃɪə(r)/

Cairo /ˈkaɪərəʊ/ Il Cairo

Caithness /ˈkeɪθnɛs/

Calabria /kəˈlæbrɪə/

Calcutta /kælˈkʌtə/

Calgary /ˈkælgrɪ/

California /ˌkælɪˈfɔːnɪə/

Cam (the) /kæm/

Cambodia /kæm'bəʊdɪə/ Cambogia

Cambrian Mountains (the) /'kæmbrɪən 'maʊntɪnz/ (i) Monti Cambrici

Cambridge /'keɪmbrɪdʒ/

Cambridgeshire /'keɪmbrɪdʒʃə(r), -ʃɪə(r)/

Camden /'kæmdən/

Cameroon /kæmə'ru:n, 'kæ-/ Camerun

Campania /kæm'pɑ:nɪə/

Canada /'kænədə/

Canary /kə'neərɪ/ Gran Canaria ● **the C. Islands** (o **the Canaries**), le Canarie

Canberra /'kænbərə, USA -berə/

Canterbury /'kæntəbrɪ, USA -berɪ/

Canton /kæn'ton, 'kæntɒn/

Cape of Good Hope (the) /'keɪp əv'gʊd 'həʊp/ (il) Capo di Buona Speranza

Cape Town /'keɪptaʊn/ Città del Capo

Cape Verde /'keɪp 'vɜ:d/ Capo Verde

Caracas /kə'rækəs/

Cardiff /'kɑ:dɪf/

Cardigan /'kɑ:dɪgən/

Cardiganshire /'kɑ:dɪgənʃə(r), -ʃɪə(r)/

Caribbean Sea (the) /kærə'bi:ən, kə'rɪbɪən 'si:/ (il) Mar dei Caraibi; (il) Mar Caribico

Carlisle /kɑ:'laɪl/

Carmarthen /kə'mɑ:ðn, kɑ:-/

Carmarthenshire /kə'mɑ:ðənʃə(r), -ʃɪə(r), kɑ:-/

Carnarvon /kə'nɑ:vn/

Carnarvonshire /kə'nɑ:vn/

Carolina /kærə'laɪnə/

Caroline Island (the) /'kærəlaɪn 'aɪləndz/ (le) Isole Caroline

Carpathians (the) /kɑ:'peɪθɪənz/ (i) Carpazi

Carson City /'kɑ:sn'sɪtɪ/

Carthage /'kɑ:θɪdʒ/ Cartagine

Caspian Sea (the) /'kæspɪən 'si:/ (il Mar) Caspio

Castile /kæ'sti:l/ Castiglia

Castries /kæs'tri:z/

Catalonia /kætə'ləʊnɪə/ Catalogna

Caucasus /'kɔ:kəsəs/ Caucaso

Cawnpore /kɔ:n'pɔ:(r), USA 'kɔ:npɔ:(r)/

Central African Republic /'sentrəl 'æfrɪkən rɪ'pʌblɪk/ Repubblica Centrafricana

Ceylon /sɪ'lɒn/

Chad /tʃæd/ Ciad

Channel, (the) English /'ɪŋlɪʃ 'tʃænəl/ (la) Manica

Charleston /'tʃɑ:lstən/

Charlotte /'ʃɑ:lət/

Charlottesville /'ʃɑ:lətsvɪl, -vl/

Chattanooga /tʃætə'nu:gə/

Chelmsford /'tʃelmzfəd/

Chesapeake /'tʃesəpi:k/

Cheshire /'tʃeʃə(r), -ʃɪə(r)/

Chester /'tʃestə(r)/

Cheviot, Cheviots /'tʃevɪət(s)/

Cheyenne /ʃaɪ'æn, -en/

Chicago /ʃɪ'kɑ:gəʊ/

Chichester /'tʃɪtʃɪstə(r)/

Chile /'tʃɪlɪ/ Cile

Chiltern Hills /'tʃɪltən'hɪlz/

China /'tʃaɪnə/ Cina

Christchurch /'kraɪs(t)tʃɜ:t/

Cincinnati /sɪnsɪ'nætɪ/

Cirencester /'saɪərənsestə(r), 'sɪsɪtə(r)/

Clackmannan /klæk'mænən/

Cleveland /'kli:vlənd/

Clifton /'klɪftn/

Clyde (the) /klaɪd/

Colchester /'kəʊltʃɪstə(r), USA -tʃes-/

Cologne /kə'ləʊn/ Colonia

Colombia /kə'lɒmbɪə, -'lʌ-/

Colombo /kə'lɒmbəʊ, -'lʌ-/

Colorado /kɒlə'rɑ:dəʊ, USA -'ræ-/

Columbia /kə'lʌmbɪə/

Columbus /kə'lʌmbəs/

Comoro, Comoros /'kɒmərəʊ(z)/ Comore

Conakry /kɒnə'kri:/

Concord /'kɒnkɔ:d/

Congo /'kɒŋgəʊ/

Connaught /'kɒnɔ:t/

Connecticut /kə'netɪkət/

Constantine /'kɒnstntaɪn, -ti:n/

Constantinople /kɒnstæntɪ'nəʊpl, USA -tn'əʊ-/ Costantinopoli

Cook Islands (the) /kʊk 'aɪləndz/ (le) Isole Cook

Cook Strait /'kʊk 'streɪt/ Stretto di Cook

Copenhagen /kəʊpn'heɪgən/ Copenaghen

Coral Sea (the) /'kɒrəl 'si:, USA 'kɔ:-/ (il) Mar dei Coralli

Cordova /'kɔ:dəvə/

Corinth /'kɒrɪnθ, USA 'kɔ:-/ Corinto

Cork /kɔ:k/

Cornwall /'kɔ:nwɔ:l/ Cornovaglia

Corsica /'kɔ:sɪkə/

Costa Rica /'kɒstə 'ri:kə, USA 'kəʊ-/

Cotswolds /'kɒtswəʊld, -wld/

Cottian Alps (the) /'kɒtɪən 'ælps/ (le) Alpi Cozie

Coventry /'kɒvəntrɪ, 'kʌv-/

Cracow /'krækaʊ, USA 'krɑ:-/ Cracovia

Crete /kri:t/ Creta

Crimea (the) /kraɪ'mɪən/ (la) Crimea

Croatia /krəʊ'eɪʃə/ Croazia

Cromarty /'krɒmətɪ/

Croydon /'krɔɪdn/

Cuba /'kju:bə/

Culloden /kə'lɒdn/

Cumberland /'kʌmbələnd/

Cyprus /'saɪprəs/ Cipro

Czechoslovakia /tʃekəsləʊ'vækɪə, USA -'vɑ:kɪə/ Cecoslovacchia

Czech Republic /'tʃek rɪ'pʌblɪk/ Repubblica ceca

Dacca /'dækə/

Dacia /'deɪsɪə, -ʃə/

Dahomey /də'həʊmɪ/

Dakar /'dækɑ:(r)/

Dakota /də'kəʊtə/

Dalkeith /dæl'ki:θ/

Dallas /'dæləs/

Dalmatia /dæl'meɪʃə/ Dalmazia

Damascus /də'mæskəs/ Damasco

Danube (the) /'dænju:b/ (il) Danubio

Danzig /'dæntsɪg/ Danzica

Dardanelles (the) /dɑ:də'nelz/ (i) Dardanelli

Dar es Salaam /'dɑ:ressə'lɑ:m/

Dartmoor /'dɑ:tmʊə(r)/

Darwin /'dɑ:wɪn/

Davenport /'dævnpɔ:t/

Dayton /'deɪtn/

Delaware /'deləweə(r)/

Delhi /'delɪ/

Delos /'di:lɒs/ Delo

Delphi /'delfaɪ, -fɪ/ Delfi

Denbigh /'denbɪ/

Denbighshire /'denbɪʃə(r), -ʃɪə(r)/

Denmark /'denmɑ:k/ Danimarca

Denver /'denvə(r)/

Derby /'dɑ:bɪ, USA 'dɜ:-/

Derbyshire /'dɑ:bɪʃə(r), -ʃɪə(r), USA 'dɜ:-/

Derwent /'dɜ:went/

Des Moines /dɪ'mɔɪn/

Detroit /dɪ'trɔɪt/

Devon /'devn/

Devonshire /'devnʃə(r), -ʃɪə(r)/

Dhaka /'dækə/

Dijon /'di:ʒɒn, USA di:'ʒɒn/ Digione

Dili /'dɪli:/

Dingwall /'dɪŋwɔ:l/

Djakarta /dʒə'kɑ:tə/ Giacarta

Djibouti /dʒə'bu:tɪ/ Gibuti

Doha /'dəʊhɑ:/

Dolgellau /dɒl'geθl(a)ɪ/

Dolgelley /dɒl'geθl(a)ɪ/

Dolomites (the) /'dɒləmaɪts, USA 'dəʊ-/ (le) Dolomiti

Dominica /dɒmə'ni:kə/

Dominican Republic /dəmə'ni:kən rɪ'pʌblɪk/ Repubblica Dominicana

Donegal /'dɒnɪgɔ:l, 'dʌn-/

Dorchester /'dɔ:tʃɪstə(r), USA -tʃes-/

Dornoch /'dɔ:nɒk, -ɒx/

Dornock /'dɔ:nɒk/

Dorset /'dɔ:sɪt/

Dorsetshire /'dɔ:sɪtʃə(r), -ʃɪə(r)/

Dortmund /'dɔ:tmənd, -mʊnd/

Douala /du:'ɑ:lə/

Douglas /'dʌgləs/

Dover /'dəʊvə(r)/

Down /daʊn/

Drogheda /'drɔ:ɪdə, 'drɔːɪ-/

Dublin /'dʌblɪn/ Dublino

Duluth /də'lu:θ, dʊ-, dju-/

Dumbarton /dʌm'bɑ:tən/

Dumfries /dʌm'fri:s, -z, də-/

Dundee /dʌn'di:/

Dunedin /dʌ'ni:dn, -ɪn/

Dungeness /dʌndʒ(ə)'nes/

Durban /'dɜ:bən/

Durham /'dʌrəm, USA 'dɜ:-/

Dushanbe /du:'ʃænbə/

Ealing /'i:lɪŋ/

Eaton /'i:tn/

Ecuador /ekwə'dɔ:(r)/

Edinburgh /'edɪnbrə, USA -dɪnbə:rə/ Edimburgo

Edmonton /'edməntn/

Egypt /'i:dʒɪpt/ Egitto

Eire /'eərə/ Eire, Repubblica d'Irlanda

Elba /'elbə/ Elba (isola)

Elbe (the) /elb/ (l')Elba (fiume)

Elgin /'elgɪn, USA 'eldʒɪn/

Elizabeth /ɪ'lɪzəbəθ/

El Paso /el'pæsəʊ/

El Salvador /el'sælvədɔ:(r)/

Ely /'i:lɪ/

Emilia /ɪ'mɪlɪə/

England /'ɪŋglənd/ Inghilterra

Ephesus /'efɪsəs/ Efeso

Epirus /ɪ'paɪrəs/ Epiro

Equatorial Guinea /'ekwətɔ:rɪəl 'gɪnɪ, 'i:-/ Guinea Equatoriale

Erie /'ɪərɪ/

Eritrea /erɪ'tri:ə/

Essen /'esn/

Essex /'esɪks/

Estonia /e'stəʊnɪə/

Ethiopia /i:θɪ'əʊpɪə/ Etiopia

Etna /'etnə/

Etruria /ɪ'trʊərɪə/

Euphrates (the) /ju:'freɪti:z/ (l')Eufrate

Eurasia /jʊə'reɪʃə, -ʒə/

Europe /'jʊərəp, 'jɔ:-, USA 'jʊərəp, 'jɜ:-/ Europa

Everest /'evərɪst, -əst, -est/

Exeter /'eksətə(r)/

Exton /'ekstən/

Eyre /eə(r)/

Falkland Island (the) /'fɔ:klənd 'aɪləndz/ (le) isole Falkland

Faroe Islands (the) /'feərəʊ'aɪləndz/ Isole F<oroyar

Fenwick /'fenɪk/

Fermanagh /fɜ:'mænə/

Fife /faɪf/

Fiji (the) /fi:'dʒi:, fi:'dʒi:/ (le) Isole Figi

Fitzroy /'fɪtsrɔɪ/

Finland /'fɪnlənd/ Finlandia

Flanders /'flɑ:ndəz, USA -æn-/ Fiandre

Flint /flɪnt/

Flintshire /'flɪntʃə(r), -ʃɪə(r)/

Florence /'flɒrəns, USA 'flɔ:-/ Firenze

Florida /'flɒrɪdə, USA 'flɔ:-/

Folkestone /'fəʊkstən/

Forfar /'fɔ:fə(r)/

Formosa /fɔ:'məʊsə/

Forth /fɔ:θ/

Fort Wayne /fɔ:t'weɪn/

Fort Worth /fɔ:t'wɜ:θ/

France /frɑ:ns, USA fræns/ Francia

Frankfurt /'fræŋkfət/ Francoforte

Freetown /'fri:taʊn/

Fresno /'freznəʊ/

Funafuti /fu:nə'fu:ti/

Gabon /'gæbɒn, USA gə'bəʊn/

Gaborone /gæbə'rəʊni:/

Galilee /'gælɪli:/ Galilea

Galway /'gɔ:lweɪ/

Gambia /'gæmbɪə/

Ganges (the) /'gændʒi:z/ (il) Gange

Gascony /'gæskənɪ/ Guascogna

Gateshead /'geɪtshed/

Gatesville /'geɪtsvɪl, -vl/

Gaul /gɔ:l/ Gallia

Gaza Strip (the) /'gɑ:zə'strɪp/ (la) Striscia di Gaza

Geneva /dʒə'ni:və/ Ginevra

Genoa /'dʒenəʊə/ Genova

Georgetown /'dʒɔ:dʒtaʊn/

Georgia /'dʒɔ:dʒə/

Germany /'dʒɜːmənɪ/ Germania
Ghana /'gɑːnə/
Ghent /gɛnt/ Gand
Gibraltar /dʒɪ'brɔːltə(r)/ Gibilterra
Glamorgan /glə'mɔːgən/
Glamorganshire /glə'mɔːgənʃə(r), -ʃɪə(r)/
Glasgow /'glɑːzgəʊ, -æz-, USA -æs-/
Glencoe /glɛn'kəʊ/
Glenmore /glɛn'mɔː(r)/
Gloucester /'glɒstə(r), -ɔːs-/
Gloucestershire /'glɒstəʃə(r), -ɔːs-, -ʃɪə(r)/
Gold Coast (the) /'gəʊldkəʊst/ (la) Costa d'Oro
Gozo /'gəʊzəʊ/
Graian Alps (the) /'greɪən 'ælps, 'graɪən/ (le) Alpi Graie
Grampians (the) /'græmpɪən(z)/ (i) Grampiani
Granada /grə'nɑːdə/
Grand Rapids /'grænd 'ræpɪdz/
Grasmere /'grɑːsmɪə(r), USA -æs-/
Great Britain /'greɪt 'brɪtn/ Gran Bretagna
Greece /griːs/ Grecia
Greenland /'griːnlənd/ Groenlandia
Greenwich /'grɛnɪdʒ, -ɪn-, -tʃ/
Grenada /grɪ'neɪdə/
Grenoble /grə'nəʊbl/
Grimsby /'grɪmzbɪ/
Guadalajara /gwɑːdələ'hɑːrə/
Guatemala /gwɑːtə'mɑːlə, gwæ-, gwʌ-/
Guernsey /'gɜːnzɪ/
Guiana /gɪ'ɑːnə, -'æ-, gaɪ-/
Guildford /'gɪlfəd/
Guinea /'gɪnɪ/
Guinea-Bissau /gaɪ'æn, -ɑːnə/
Guyana /gaɪ'ænə, -'ɑː-/
Haddington /'hædɪŋtən/
Hague (the) /heɪg/ L'Aia
Haiti /'heɪtɪ, 'haɪ-, hɑ'iː-/
Halifax /'hælɪfæks/
Hamburg /'hæmbɜːg/ Amburgo
Hamilton /'hæmltn/
Hampshire /'hæmpʃə(r), -ʃɪə(r)/
Hampton /'hæmptən/
Hanoi /hæn'ɔɪ/
Hanover /'hænəʊvə(r)/ Hannover
Harare /hə'rɑːrɪ/
Harrington /'hærɪŋtən/
Harris /'hærɪs/
Harrisburg /'hærɪsbɜːg/
Harrow /'hærəʊ/
Hartford /'hɑːtfəd/
Harwell /'hɑːwl, -wɛl/
Harwich /'hærɪdʒ, -tʃ/
Hastings /'heɪstɪŋz/
Havana /hə'vænə, -ɑːnə/ L'Avana
Hawaii (the) /hə'waɪɪ, -iː, hɑː-/ (le) Hawaii
Hebrides (the) /'hɛbrɪdiːz/ (le) Ebridi
Hecla /'hɛklə/
Helena /'hɛlɪnə/
Helicon /'hɛlɪkən/ Elicona
Hellas /'hɛlæs/ Ellade
Helsinki /hɛl'sɪŋkiː/
Hendon /'hɛndən/
Hereford /'hɛrɪfəd/
Herefordshire /'hɛrɪfədʃə(r), -ʃɪə(r)/

Hertford /'hɑːfəd/; /'hɜːtfəd/ (USA)
Hertfordshire /'hɑːfədʃə(r), -ʃɪə(r)/
Herzegovina /hɜːtsəgəʊ'viːnə, USA hɛə-/ Erzegovina
Hesse /'hɛsɪ/ Assia
Highlands (the) /'haɪləndz/ (le) Highlands, (la) regione montuosa della Scozia
Himalaya /hɪmə'leɪə/
Hindustan /hɪndʊ'stɑːn, USA -æn/ Indostan
Hiroshima /hɪ'rɒʃɪmə/
Hobart /'həʊbɑːt, -ət, 'hʌ-/
Holland /'hɒlənd/ Olanda
Hollywood /'hɒlɪwʊd/
Honduras /hɒn'djʊərəs, USA -'dʊə-/
Hong Kong /'hɒŋ'kɒŋ, USA 'hɔːŋ'kɔːŋ/
Honiara /həʊnɪ'ɑːrə/
Honolulu /hɒnə'luːluː/
Houston /'hjuːstən/ (USA)
Huddersfield /'hʌdəzfiːld/
Hudson /'hʌdsn/
Hull /hʌl/
Humber /'hʌmbə(r)/
Hungary /'hʌŋgərɪ/ Ungheria
Hunter (the) /'hʌntə(r)/
Huntingdon /'hʌntɪŋdən/
Huntingdonshire /'hʌntɪŋdənʃə(r), -ʃɪə(r)/
Huron /'hjʊərən/
Hyderabad /'haɪd(ə)rəbæd, -ɑːd/
Ibadan /ɪ'bædn/
Iberia /aɪ'bɪərɪə/
Iceland /'aɪslənd/ Islanda
Idaho /'aɪdəhəʊ/
Ilford /'ɪlfəd/
Ilfracombe /'ɪlfrəkuːm/
Illinois /ɪlə'nɔɪ, -z/
Illyria /ɪ'lɪərɪə/ Illiria
India /'ɪndɪə/
Indiana /ɪndɪ'ænə, -ɑːnə/
Indianapolis /ɪndɪə'næpəlɪs/
Indies (the) /'ɪndɪz/ le Indie ● the East I., le Indie Orientali; the West I., le Indie Occidentali
Indo-China /'ɪndəʊ'tʃaɪnə/ Indocina
Indonesia /ɪndəʊ'niːzɪə, -ʒə, -sɪə, -ʃə/
Indus (the) /'ɪndəs/ (l')Indo
Inverary /ɪnvə'rɛərɪ/
Inverness /ɪnvə'nɛs/
Ionian Islands (the) /aɪ'əʊnɪən 'aɪləndz/ (le) Isole Ionie
Ionian Sea (the) /aɪ'əʊnɪən 'siː/ (il) Mar Ionio
Iowa /'aɪəʊə/
Ipswich /'ɪpswɪtʃ/
Iran /ɪ'rɑːn, -æn/
Iraq /ɪ'rɑːk, -æk/
Ireland /'aɪələnd/ Irlanda
Irish Sea (the) /'aɪərɪʃ 'siː/ (il) Mar d'Irlanda
Islamabad /ɪz'lɑːməbæd/
Islington /'ɪzlɪŋtən/
Israel /'ɪzrɪəl, -eɪl/ Israele
Istanbul /ɪstæm'bʊl, -uːl, -ɑːm-/
Italy /'ɪtəlɪ/ Italia
Ithaca /'ɪθəkə/ Itaca
Ivory Coast (the) /'aɪvərɪkəʊst/ (la) Costa d'Avorio
Jackson /'dʒæksn/

Jacksonville /'dʒæksnvɪl/
Jakarta /dʒə'kɑːtə/ Giacarta
Jamaica /dʒə'meɪkə/ Giamaica
Jamestown /'dʒeɪmztaʊn/
Japan /dʒə'pæn/ Giappone
Java /'dʒɑːvə/ Giava
Jefferson /'dʒɛfəsn/
Jefferson City /'dʒɛfəsn 'sɪtɪ/
Jericho /'dʒɛrɪkəʊ/ Gerico
Jersey /'dʒɜːzɪ/
Jersey City /'dʒɜːzɪ 'sɪtɪ/
Jerusalem /dʒə'ruːsələm/ Gerusalemme
Jesselton /'dʒɛsltən/
Johannesburg /dʒəʊ'hænɪsbɜːg/
Jordan /'dʒɔːdn/ 1 Giordano 2 Giordania
Judaea, Judea /dʒuː'dɪə/ Giudea
Jugoslavia /juːgəʊ'slɑːvɪə/
Julian Alps (the) /'dʒuːlɪən 'ælps/ (le) Alpi Giulie
Juneau /'dʒuːnəʊ, dʒʊ'nəʊ/
Jura /'dʒʊərə/ Giura
Kabul /'kɑːbəl/
Kalahari (the) /kælə'hɑːrɪ, USA kɑ-/
Kampala /kæm'pɑːlə, USA kɑ-/
Kansas /'kænzəs, -ns-/
Kansas City /'kænzəs 'sɪtɪ, -ns-/
Karachi /kə'rɑːtʃɪ/
Kashmir /kæʃ'mɪə(r), USA 'kæ-/
Katanga /kə'tæŋgə, USA -ɑːŋ-/
Kathmandu /kætmæn'duː/
Katrine /'kætrɪn/
Kazakhstan /kæzæk'stɑːn, kɑ-, -zɑ:-, -æn, USA -'z-/ Kazakistan
Kendal, Kendall /'kɛndl/
Kenilworth /'kɛnɪlwəθ, -ɜːθ/
Kent /kɛnt/
Kentucky /kɛn'tʌkɪ/
Kenya /'kɛnjə, 'kiːn-/
Kerry /'kɛrɪ/
Kesteven /kɛ'stiːvn, 'kɛstəvn/
Keswick /'kɛzɪk/
Kew /kjuː/
Khartoum /kɑː'tuːm/ El-Khartum
Kiev /'kiːɛv/
Kigali /kɪ'gɑːliː/
Kildare /kɪl'dɛə(r)/
Kilimanjaro /kɪlɪmən'dʒɑːrəʊ/ Kilimangiaro
Kilkenny /kɪl'kɛnɪ/
Kilmarnock /kɪl'mɑːnək, -ɒk/
Kimberley /'kɪmbəlɪ/
Kincardine /kɪŋ'kɑːdɪn/
Kingston /'kɪŋstən/
Kingston upon Hull /'kɪŋstənəpɒn'hʌl, USA -pɔːn-, -pʌn-/
Kingstown /'kɪŋztaʊn/
Kinshasa /kɪn'ʃɑːsə/
Kinross /kɪn'rɒs, USA -ɔːs/
Kiribati /kɪrɪ'bæs/
Kirkwall /'kɜːkwɔːl/
Knoxville /'nɒksvɪl, -vl/
Korea /kə'rɪə/ Corea
Kosovo /'kɒsəvəʊ/
Kota Kinabalu /'kəʊtə kɪnəbə'luː/
Kuala Lumpur /'kwɑːlə'lʊmpʊə(r), 'kwɒ-, -'lʌm-/
Kuching /'kuːtʃɪŋ/
Kurdistan /kɜːdɪ'stæn, -ɑːn/
Kuwait /kʊ'weɪt, kjʊ-, kə-/
Kyrgyzstan /kɜːgɪ'stɑːn/ Kirghizistan

Labrador /'læbrədɔː(r)/
Lagos /'leɪgɒs/
Lahore /lə'hɔː(r)/
Lambeth /'læmbəθ/
Lanark /'lænək/
Lanarkshire /'lænəkʃə(r), -ʃɪə(r)/
Lancashire /'læŋkəʃə(r), -ʃɪə(r)/
Lancaster /'læŋkəstə(r), USA -kæs-/
Land's End /'lændz'ɛnd/
Lansing /'lɑːnsɪŋ, USA 'læn-/ (USA)
Laos /laʊs, -z, 'lɑːɒs, -əʊs, 'leɪ-, -əs/
La Paz /lɑː'pæz/
Lapland /'læplænd/ Lapponia
Latium /'leɪʃiːəm, 'lætɪ-/ Lazio
Latvia /'lætvɪə/ Lettonia
Launceston /'lɔːnstən, 'lɑː-/; /'lɔːnsəstən, 'lɑː-/
Lausanne /ləʊ'zæn/ Losanna
Lebanon /'lɛbənən/ Libano
Leeds /liːdz/
Leghorn /'lɛghɔːn/ Livorno
Leicester /'lɛstə(r)/
Leicestershire /'lɛstəʃə(r), -ʃɪə(r)/
Leiden /'laɪdn/ Leida
Leinster /'lɛnstə(r)/
Leipzig /'laɪpsɪg/ Lipsia
Leningrad /'lɛnɪngræd, -ɑːd/ Leningrado
Lerwick /'lɜːwɪk/
Lesotho /lə'səʊtəʊ/
Lewes /'luːɪs/
Lewis /'luːɪs/
Lexington /'lɛksɪŋtən/
Leyton /'leɪtn/
Liberia /laɪ'bɪərɪə/
Libreville /'liːbrəvɪ/
Libya /'lɪbɪə/ Libia
Liechtenstein /'lɪktənstaɪn/
Liege /liː'eɪʒ/ Liegi
Liffey (the) /'lɪfɪ/
Liguria /lɪ'gjʊərɪə/
Lille /liːl/ Lilla
Lilliput /'lɪlɪpʌt/
Lilongwe /lɪ'lɒŋweɪ/
Lima /'liːmə/
Limpopo (the) /lɪm'pəʊpəʊ/
Lincoln /'lɪŋkən/
Lincolnshire /'lɪŋkənʃə(r), -ʃɪə(r)/
Lindsey /'lɪn(d)zɪ/
Lisbon /'lɪzbən/ Lisbona
Lithuania /lɪθjuː'eɪnɪə, -θuː-/ Lituania
Little Rock /'lɪtl'rɒk/
Liverpool /'lɪvəpuːl/
Ljubljana /lʊbliː'ɑːnə/ Lubiana
Llandudno /læn'dɪdnəʊ, -'dʌd-, θlæ-/
Loch Katrine /lɒx'kætrɪn/
Loch Lomond /lɒx'ləʊmənd/
Loch Ness /lɒx'nɛs/
Lombardy /'lɒmbədɪ/ Lombardia
Lome /'ləʊmeɪ/
Lomond /'ləʊmənd/
London /'lʌndən/ Londra
Londonderry /lʌndən'dɛrɪ, 'lʌndəndɛrɪ/
Long Beach /'lɒŋbiːtʃ, USA 'lɔːŋ-/
Longford /'lɒŋfəd, USA 'lɔːŋ-/
Lorraine /lə'reɪn/ Lorena
Los Angeles /lɒs'ændʒɪliːz, -ɪs, USA lɔːs'ændʒələs, lɒs-, -ŋgə-, -iːz/

Lothian /ˈləʊðɪən/
Lough Neagh /ˌlɒxˈneɪ/
Louisiana /lʊɪˈzɪˈænə, luːɪ-, -ˈɑːnə/
Louisville /ˈluːɪvɪl, -vl, ˈluːɪsvɪl/
Louth /laʊð/ (Irlanda); /laʊθ/ (Lincolnshire)
Low Countries (the) /ˈləʊˈkʌntrɪz/ (i) Paesi Bassi
Lowlands (the) /ˈləʊləndz/ (le) pianure della Scozia
Luanda /luːˈændə/
Lübeck /ˈluːbek, ˈljuː-/ Lubecca
Lucerne /luːˈsɜːn, lj-/ Lucerna
Lucknow /ˈlʌknaʊ, lʌkˈn-/
Ludlow /ˈlʌdləʊ/
Lugano /ləˈgɑːnəʊ/
Lusaka /luːˈsɑːkə, -z-/
Luton /ˈluːtn/
Luxembourg /ˈlʌksəmbɜːg/ Lussemburgo
Lyons /ˈliːɒn, ˈlaɪənz, USA liːˈɒn, -ˈɔːn, -ˈəʊn, ˈlaɪənz/ Lione
Macao /məˈkaʊ/
Macedonia /mæsɪˈdəʊnɪə/
Mackenzie /məˈkenzɪ/
Madagascar /mædəˈgæskə(r)/
Madeira /məˈdɪərə, -eərə/ Madera
Madison /ˈmædɪsn/
Madras /məˈdrɑːs, -æs, USA ˈmædrəs/
Madrid /məˈdrɪd/
Mafeking /ˈmæfɪkɪŋ/
Maidstone /ˈmeɪdstən/
Main (the) /meɪn/ (il) Meno
Maine /meɪn/
Mainz /maɪnts/ Magonza
Majorca /məˈjɔːkə, -ˈdʒ-/ Maiorca
Malabo /məˈlɑːbəʊ/
Malacca /məˈlækə/
Malaga /ˈmæləgə/
Malawi /məˈlɑːwɪ/
Malaya /məˈleɪə, USA -ˈleɪə, ˈmeɪ-/ Malesia
Malaysia /məˈleɪzɪə, -ʒə, -ʃə/
Maldives /ˈmɔːldɪvz, ˈmɒ-, ˈmɑː-, ˈmæ-, -aɪvz/
Male /ˈmɑːliː/
Mali /ˈmɑːlɪ/
Malmesbury /ˈmɑːmzb(ə)rɪ, USA -berɪ/
Malmö /ˈmælməʊ/
Malta /ˈmɔːltə/
Malvern /ˈmɔːlvən, ˈmɔː-, ˈmɒl-/
Man /mæn/
Managua /məˈnægwə/
Manama /məˈnɑːmə/
Manchester /ˈmæntʃɪstə(r), USA -tʃes-/
Manhattan /mænˈhætn/
Manchuria /mænˈtʃʊərɪə/ Manciuria
Manila /məˈnɪlə/
Manitoba /mænɪˈtəʊbə/
Mantua /ˈmæntjʊə, USA -tʃʊə/ Mantova
Maputo /məˈpuːtəʊ/
Marathon /ˈmærəθn/ Maratona
Mariana Islands (the) /mærɪˈɑːnə ˈaɪləndz, USA -ˈæ-/ (le) Isole Marianne
Maritime Alps (the) /ˈmærɪtaɪm ˈælps/ (le) Alpi Marittime
Marlborough /ˈmɑːlbrə, ˈmɔːl-, -ərə, USA ˈmɑːlbɜːrəʊ/
Marquesas Islands (the)

/mɑːˈkeɪzəz ˈaɪləndz, -səs/ (le) Isole Marchesi
Marseilles /mɑːˈseɪ, -ˈseɪlz/ Marsiglia
Marshall Islands /ˈmɑːʃl ˈaɪləndz/ Isole Marshall
Marston Moor /ˈmɑːstnˈmʊə(r)/
Martinique /mɑːtəˈniːk/ Martinica
Maryland /ˈmeərɪlənd/
Maseru /məˈsɪəruː, -ˈseə-, USA ˈmæzəru:, ˈmɑːs-/
Massachusetts /mæsəˈtʃuːsɪts/
Matterhorn (the) /ˈmætəhɔːn/ Monte Cervino
Mauritania /mɒrɪˈteɪnɪə, USA mɔː-/
Mauritius /məˈrɪʃəs/ Mauritius, Maurizio
Mayo /ˈmeɪəʊ/
Mbabane /ˌembəˈbɑːn/
Meath /miːð/
Mecca /ˈmekə/ (la) Mecca
Mediterranean Sea (the) /ˈmedɪtəreɪnɪən ˈsiː/ (il Mar) Mediterraneo
Medway (the) /ˈmedweɪ/
Melanesia /meləˈniːzɪə, -ʒə, -sɪə, -ʃə/
Melbourne /ˈmelbən, -ɜːn/
Melrose /ˈmelrəʊz/
Memphis /ˈmemfɪs/ Menfi
Menai Strait /ˈmenaɪˈstreɪt/
Merioneth /merɪˈɒnəθ/
Merionethshire /merɪˈɒnəθʃə(r), -ʃɪə(r)/
Mersey /ˈmɜːzɪ/
Mesopotamia /mesəpəˈteɪmɪə/
Messina /mɪˈsiːnə/
Mexico /ˈmeksɪkəʊ/ 1 Messico 2 (anche M. City) Città del Messico
Miami /maɪˈæmɪ/
Michigan /ˈmɪʃɪgən/
Micronesia /maɪkrəˈniːzɪə, -ʒə, -sɪə, -ʃə/
Middlesbrough /ˈmɪdlzbrə/
Middlesex /ˈmɪdlseks/
Midlothian /mɪdˈləʊðɪən/
Midway /ˈmɪdweɪ/
Milan /mɪˈlæn/ Milano
Miletus /mɪˈliːtəs/ Mileto
Milwaukee /mɪlˈwɔːkɪ, -iː/
Minneapolis /mɪnɪˈæpəlɪs/
Minnesota /mɪnɪˈsəʊtə/
Minorca /mɪˈnɔːkə/
Minsk /mɪnsk/
Mississippi /mɪsɪˈsɪpɪ/
Missouri /mɪˈzʊərɪ, -s-, -ɜːrɪ, -ə/
Mitchell /ˈmɪtʃl/
Mobile /məʊˈbiːl, ˈm-/
Mogadishu /mɒgəˈdɪʃuː/ Mogadiscio
Moldova /mɒlˈdəʊvə/ Moldavia
Moluccas (the) /məˈlʌkəz/ (le) Molucche
Mombasa /mɒmˈbæsə/
Monaco /ˈmɒnəkəʊ/
Monaghan /ˈmɒnəhən, -xən/
Mongolia /mɒŋˈgəʊlɪə/
Monmouth /ˈmɒnməθ, ˈmʌn-/
Monmouthshire /ˈmɒnməθʃə(r), ˈmʌn-, -ʃɪə(r)/
Monrovia /mɒnˈrəʊvɪə/
Montana /mɒnˈtænə, -ˈtɑː-/
Montego Bay /mɒntiːgəʊˈbeɪ/
Montenegro /mɒntɪˈniːgrəʊ,

-ˈneɪ-, -ˈne-/
Monterrey /mɒntˈreɪ/
Montevideo /mɒntɪvɪˈdeɪəʊ/
Montgomery /mənˈ(t)ˈgʌmərɪ, mɒn-, -ˈgɒ-/
Montgomeryshire /mənˈ(t)ˈgʌmərɪʃə(r), mɒn-, -ˈgɒ-, -ʃɪə(r)/
Montpelier /mɒntˈpiːlɪə(r)/ (USA)
Montreal /mɒntrɪˈɔːl, mʌn-/
Moravia /məˈreɪvɪə/
Moray /ˈmʌrɪ, USA ˈmɜː-/
Morocco /məˈrɒkəʊ/ Marocco
Moroni /məˈrəʊniː/
Moscow /ˈmɒskəʊ, USA -aʊ, -əʊ/ Mosca
Moselle (the) /məʊˈzel/ (la) Mosella
Mozambique /məʊzæmˈbiːk/ Mozambico
Mumbai /mʊmˈbaɪ/
Munich /ˈmjuːnɪk/ Monaco (di Baviera)
Munster /ˈmʌnstə(r)/
Muscat /ˈmʌskət/
Myanmar /ˈmjænmɑː(r)/
Mysore /maɪˈsɔː(r)/
Nagasaki /nægəˈsɑːkiː/
Nairn /neən/
Nairobi /naɪˈrəʊbɪ/
Namibia /næˈmɪbɪə/
Nanking /nænˈkɪŋ/ Nanchino
Nantucket /nænˈtʌkɪt/
Naples /ˈneɪplz/ Napoli
Naseby /ˈneɪzbɪ/
Nashville /ˈnæʃvɪl, -vl/
Nassau /ˈnæsɔː/
Natal /nəˈtæl, -ɑːl/
Nauru /naʊˈruː, nɑː-/
Navarre /nəˈvɑː(r)/ Navarra
Nazareth /ˈnæzərɪθ/
Neagh /neɪ/
Nebraska /nɪˈbræskə/
Nelson /ˈnelsn/
Nepal /nɪˈpɔːl, -ɑːl, -æl/
Ness /nes/
Netherlands (the) /ˈneðələndz/ (i) Paesi Bassi, (l')Olanda
Nevada /nɪˈvɑːdə, USA -ˈvæ-/
Newark /ˈnjuːək, USA ˈnuː-/
New Bedford /njuːˈbedfəd, USA nuː-/
New Brighton /njuːˈbraɪtn, USA nuː-/
Newbury /ˈnjuːbərɪ, USA ˈnuːberɪ/
New Caledonia /njuːkælɪˈdəʊnɪə, USA nuː-/ Nuova Caledonia
Newcastle /ˈnjuːkɑːsl, USA ˈnuːkæsl/
New Dehli /njuːˈdelɪ/ Nuova Dehli
New England /njuːˈɪŋglənd, USA nuː-/
Newfoundland /ˈnjuːfənlənd, -ænd, USA ˈnuː-/ Terranova
New Guinea /njuːˈgɪnɪ, USA nuː-/ Nuova Guinea
New Hampshire /njuːˈhæmpʃə(r), -ʃɪə(r), USA nuː-/
Newhaven /njuːˈheɪvn, USA nuː-/
New Haven /njuːˈheɪvn, USA nuː-/
New Jersey /njuːˈdʒɜːzɪ, USA nuː-/
New Mexico /njuːˈmeksɪkəʊ, USA nuː-/
New Orleans /njuːˈɔːlɪənz,

-ˈɔːliːnz, USA nuː-, -ˈɔːlənz/
Newport /ˈnjuːpɔːt, USA ˈnuː-/
New York /njuːˈjɔːk, USA nuː-/
New Zealand /njuːˈziːlənd, USA nuː-/ Nuova Zelanda
Niagara (the) /naɪˈægərə/ (il) Niagara
Niagara Falls (the) /naɪˈægərəˈfɔːlz/ (le) Cascate del Niagara
Niamey /niːˈɑːmeɪ/
Nicaragua /nɪkəˈrægjʊə, USA -ˈrɑːgwə/
Nice /niːs/ Nizza
Nicosia /nɪkəˈsiːə/
Niger /ˈnaɪdʒə(r), niːˈʒeə(r)/
Nigeria /naɪˈdʒɪərɪə/
Nile (the) /naɪl/ (il) Nilo
Norfolk /ˈnɔːfək, USA -ək, -ɔːk/
Normandy /ˈnɔːməndɪ/ Normandia
Northampton /nɔːˈθæm(p)tən, -θ'h-, nə'θ-/
Northamptonshire /nɔːˈθæmptənʃə(r), -θ'h-, nə'θ-, -ʃɪə(r)/
North Carolina /ˈnɔːθkærəˈlaɪnə/ Carolina del Nord
North Dakota /ˈnɔːθdəˈkəʊtə/
North Korea /ˈnɔːθkəˈriːə/ Corea del Nord
North Sea (the) /ˈnɔːθˈsiː/ (il) Mare del Nord
Northumberland /nɔːˈθʌmbələnd/
Norway /ˈnɔːweɪ/ Norvegia
Norwich /ˈnɒrɪdʒ, -ɪtʃ, USA ˈnɔː-/
Nottingham /ˈnɒtɪŋəm/
Nottinghamshire /ˈnɒtɪŋəmʃə(r), -ʃɪə(r)/
Nouakchott /nuːˈɑːkʃɒt/
Nova Scotia /nəʊvəˈskəʊʃə/ Nuova Scozia
Nubia /ˈnjuːbɪə, USA ˈnuː-/
Nukualofa /nuːkuːəˈlɔːfə/
Numidia /njuːˈmɪdɪə, USA nuː-/
Nuremberg /ˈnjʊərəmbɜːg, ˈnjɔː-, USA ˈnʊə-/ Norimberga
Nyasaland /naɪˈæsəlænd, nɪ-/ Niassa
Nyasa, Nyassa /naɪˈæsə, nɪ-/ Niassa (lago)
Oakland /ˈəʊklənd/
Oceania /əʊʃɪˈeɪnɪə/
Offaly /ˈɒfəlɪ, USA ˈɔːf-/
Ohio /əʊˈhaɪəʊ/
Okeechobee Lake /ˈəʊkiːtʃəʊbiːleɪk/
Oklahoma /əʊkləˈhəʊmə/
Oklahoma City /ˈəʊkləhəʊməˈsɪtɪ/
Oldbury /ˈəʊl(d)brɪ, USA -berɪ/
Oldham /ˈəʊldəm/
Olympia /əʊˈlɪmpɪə/ Olimpia
Olympus /əˈlɪmpəs/ Olimpo
Omaha /ˈəʊməhɑː/
Oman /əʊˈmɑːn/
Ontario /ɒnˈteərɪəʊ/
Orange /ˈɒrɪndʒ, USA ˈɔː-/
Oregon /ˈɒrɪgən, USA ˈɔː-/
Orkney Islands (the) /ˈɔːknɪ ˈaɪləndz/ (le) Isole Orcadi
Orleans /ɔːˈliːənz/
Orlando /ɔːˈlændəʊ/
Osaka /ˈəʊsɑːkə/
Oslo /ˈɒzləʊ, ˈɒs-/
Ostend /ɒˈstend/ Ostenda

Otsego Lake /ɒt'si:gəʊ 'leɪk/

Ottawa /'ɒtəwə/

Ouse (the) /u:z/

Oxford /'ɒksfəd/

Oxfordshire /'ɒksfədʃə(r), -ʃɪə(r)/

Pacific Ocean (the) /pə'sɪfɪk 'əʊʃn/ (l')Oceano Pacifico

Padua /'pædjʊə, USA -dʒʊə/ Padova

Pakistan /pɑ:kɪ'stɑ:n, USA pækɪ'stæn/

Palestine /'pæləstaɪn/ Palestina

Panama /'pænəmɑ:, USA -'mɑ:, -ɔ:/

Papua New Guinea /'pæpʊə nju:'gɪnɪ, 'pɑ:-, -jʊə/ Papua Nuova Guinea

Paraguay /'pærəgwaɪ/

Paramaribo /pærə'mærɪbəʊ/

Paris /'pærɪs/ Parigi

Parnassus /pɑ:'næsəs/ Parnaso

Pasadena /pæsə'di:nə/

Patagonia /pætə'gəʊnɪə/

Paterson /'pætəsn/

Patras /pə'træs/ Patrasso

Peebles /'pi:blz/

Peking /'pi:'kɪŋ, 'peɪ-/ Pechino

Pemba /'pembə/

Pembroke /'pembrʊk/

Pembrokeshire /'pembrʊkʃə(r), -ʃɪə(r)/

Pennine Alps (the) /penaɪn 'ælps/ (le) Alpi Pennine

Pennines (the) /'penaɪnz/ (i) Pennini

Pennsylvania /pensl'veɪnɪə/

Penrith /'penrɪθ/

Pensacola /pensə'kəʊlə/

Penzance /pen'zæns, pə-/

Peoria /pɪ'ɔ:rɪə/

Persia /'pɜ:ʃə, -ʒə/ Persia

Perth /pɜ:θ/

Peru /pə'ru:/ Perù

Peterborough /'pi:təbrə, USA -bɜ:rəʊ/

Philadelphia /fɪlə'delfɪə/ Filadelfia

Philippi /fɪ'lɪpaɪ, '--/ Filippi

Philippines (the) /'fɪlɪpi:nz/ (le) Filippine

Phoenix /'fi:nɪks/

Picardy /'pɪkədɪ/ Piccardia

Piedmont /'pi:dmənt/ Piemonte

Pierre /pɪə(r)/

Pittsburgh /'pɪtsbɜ:g/

Plymouth /'plɪməθ/

Phnom Penh /nɒm'pen/

Poland /'pəʊlənd/ Polonia

Polynesia /pɒlɪ'ni:ʒə/ Polinesia

Port-au-Prince /pɔ:təʊ'prɪns/

Pompeii /pɒm'peɪɪ/ Pompei

Portland /'pɔ:tlənd/

Port Louis /pɔ:t'lu:i:/

Port Moresby /pɔ:t'mɒrɪsbɪ/

Portobello /pɔ:tə'beləʊ/

Port of Spain /pɔ:təʊ'speɪn/

Portonovo /pɔ:təʊ'nəʊvəʊ/

Portsmouth /'pɔ:tsməθ/

Portugal /'pɔ:tʃʊgl/ Portogallo

Port Vila /pɔ:t'vi:lə/

Potomac (the) /pə'təʊmæk, -ək/

Prague /prɑ:g/ Praga

Praia /'praɪə/

Preston /'prestn/

Pretoria /prɪ'tɔ:rɪə/

Provence /prə'vɑ:ns, prɒ-, USA prəʊ-, 'prɒvens/ Provenza

Providence /'prɒvɪdəns/

Prussia /'prʌʃə/

Puerto Rico /'pwɜ:təʊ'ri:kəʊ/ Puerto Rico, Portorico

Punjab /pʌn'dʒɑ:b, pʊn-/

Pyrenees (the) /pɪrə'ni:z, USA 'pɪ-/ (i) Pirenei

Qatar /'kætɑ:(r), 'kʌ-, 'kɑ:-, kə'tɑ:(r)/

Quebec /kwɪ'bek, kə-/

Queensland /'kwi:nzlənd/

Queenstown /'kwi:nztaʊn/

Quito /'ki:təʊ/

Rabat /rə'bɑ:t/

Radcliffe /'rædklɪf/

Radnor /'rædnə(r)/

Radnorshire /'rædnəʃə(r), -ʃɪə(r)/

Raleigh /'rɔ:lɪ, 'rɑ:-, 'ræ-/

Rangoon /ræŋ'gu:n/

Rangpur /'ræŋpʊə(r)/

Rawalpindi /rɔ:əl'pɪndɪ/

Reading /'redɪŋ/

Red Sea (the) /'red 'si:/ (il) Mar Rosso

Renfrew /'renfru:/

Reykjavik /'reɪkjəvɪk/

Rhaetian Alps (the) /'ri:ʃən 'ælps/ (le) Alpi Retiche

Rheims /ri:mz/ Reims

Rhine (the) /raɪn/ (il) Reno

Rhineland /'raɪnlænd/ Renania

Rhode Island /'rəʊdaɪlənd, USA rəʊd'aɪ-/

Rhodes /rəʊdz/ Rodi

Rhodesia /rəʊ'di:zɪə/

Rhondda /'rɒndə, -ðə/

Rhone (the) /rəʊn/ (il) Rodano

Richmond /'rɪtʃmənd/

Riga /'ri:gə/

Rio de Janeiro /'ri:əʊ dəʒə'nɪərəʊ, USA deɪʒə'neə-/

Rio Grande (the) /'ri:əʊ'grænd, -ɪ/

Riyadh /'ri:æd/

Rochester /'rɒtʃɪstə(r), USA -tʃes-/

Rocky Mountains (the) /'rɒkɪ 'maʊntɪnz/ (o Rockies (the)) /'rɒkɪz/ (le) Montagne Rocciose

Romania /rəʊ'meɪnɪə/

Rome /rəʊm/ Roma

Roscommon /rɒs'kɒmən/

Roseau /rəʊ'zəʊ/

Ross /rɒs, USA rɔ:s/

Roumania /ru:'meɪnɪə/ Romania

Roxburgh /'rɒksbrə, USA -bɜ:rəʊ/

Rumania → Romania

Russia /'rʌʃə/

Rutland /'rʌtlənd/

Rutlandshire /'rʌtləndʃə(r), -ʃɪə(r)/

Rwanda /rʊ'ændə, USA -'ɑ:n-/ Ruanda

Rye /raɪ/

Sacramento /sækrə'mentəʊ/

Sahara /sə'hɑ:rə, USA -ærə/

Salem /'seɪləm, -em/

Salford /'sɔ:lfəd, 'sɒl-/

Salisbury /'sɔ:lzbərɪ, 'sɒl-, USA -berɪ/

Salonica /sə'lɒnɪkə/ Salonicco

Salt Lake City /'sɔ:ltleɪk 'sɪtɪ, 'sɒl-/

Salvador /'sælvədɔ:(r)/

Salzburg /'sæltsbɜ:g, 'sɔ:l-, 'sɒl, USA -lz-/ Salisburgo

Samoa Islands (the) /sə'məʊə 'aɪləndz/ (le) Isole Samoa

Samos /'seɪmɒs, 'sæm-, USA 'sæməʊs/ Samo

Samothrace /'sæməθreɪs/ Samotracia

San Antonio /sænæn'təʊnɪəʊ/

Sandhurst /'sændhɜ:st/

San Diego /sændɪ'eɪgəʊ/

Sandringham /'sændrɪŋəm/

San Jose /sænhəʊ'zeɪ/

Sanford /'sænfəd/

San Francisco /sænfrən'sɪskəʊ/

San Marino /sænmə'ri:nəʊ/

San Salvador /sænsælvə'dɔ:(r)/

Santa Cruz /'sæntə'kru:z/

Santa Fé /'sæntə'feɪ/

Santiago /sæntɪ'ɑ:gəʊ/

São Tomé e Principe /'saʊ(n) tə'meɪ ɪ'prɪnsəp(e)ɪ/

Saragossa /særə'gɒsə/ Saragozza

Sarajevo /særə'jeɪvəʊ/

Saratoga /særə'təʊgə/

Sarawak /sə'rɑ:wə(k), -wɑ:(k), -wæk/

Sardinia /sɑ:'dɪnɪə/ Sardegna

Saskatchewan /sæ'skætʃəwən, sə-, -wɒn/

Saskatoon /sæskə'tu:n/

Saudi Arabia /'saʊdɪ ə'reɪbɪə, 'sɔ:-, sɑ:'u:-/

Savannah /sə'vænə/

Savoy /sə'vɔɪ/ Savoia

Saxony /'sæksənɪ/ Sassonia

Scafell /skɔ:'fel/

Scandinavia /skændɪ'neɪvɪə/

Scapa Flow /'skæpə'fləʊ, 'skɑ:-/

Scarborough /'skɑ:b(ə)rə, USA -bɜ:rəʊ/

Scheldt (the) /ʃelt, skelt/ (la) Schelda

Scilly Isles /'sɪlɪ'aɪlz/ (le) Isole Scilly

Scotland /'skɒtlənd/ Scozia

Seattle /sɪ'ætl/

Seine (the) /seɪn/ (la) Senna

Selkirk /'selkɜ:k/

Senegal /senɪ'gɔ:l, -ɑ:l/

Seoul /səʊl/

Serbia /'sɜ:bɪə/

Severn (the) /'sevən/

Seville /sə'vɪl/ Siviglia

Seychelles /seɪ'ʃel(z)/ Seychelles, Seicelle

Shaba /'ʃɑ:bə/

Shaftesbury /'ʃɑ:f(t)sb(ə)rɪ, USA 'ʃæf(t)sberɪ/

Shanghai /ʃæŋ'haɪ, '--/

Shannon /'ʃænən/

Sheffield /'ʃefi:ld/

Shetland Island (the) /'ʃetlənd 'aɪləndz/ (le) Isole Shetland

Shrewsbury /'ʃru:zbərɪ, 'ʃrəʊz-, USA -berɪ/

Shropshire /'ʃrɒpʃə(r), -ʃɪə(r)/

Siam /saɪ'æm, USA 'saɪæm/

Siberia /saɪ'bɪərɪə/

Sicily /'sɪsəlɪ/ Sicilia

Sidon /'saɪdn/ Sidone

Siena, Sienna /sɪe'nə/ Siena

Sierra Leone /sɪ'erəlɪ'əʊn, -ɪ/

Sierra Nevada /sɪ'erə'nevɑ:də, USA -'væ-/

Silesia /saɪ'li:zɪə, -ʒə/ Slesia

Simplon /'sɪmplən/ Sempione

Sinai /'saɪnaɪ, -ɪaɪ, -ɪeɪ/

Singapore /sɪŋgə'pɔ:(r)/

Skopje /'skɔ:pjeɪ/

Skye /skaɪ/

Slavonia /slə'vəʊnɪə/

Sligo /'slaɪgəʊ/

Slovakia /slə'vækɪə/ Slovacchia

Slovenia /slə'vi:nɪə/

Smyrna /'smɜ:nə/ Smirne

Snowdon /'snəʊdn/

Sofia /'səʊfɪə, 'sɒ-/

Solent (the) /'səʊlənt/

Solomon Islands (the) /'sɒləmən 'aɪləndz/ (le) Isole Salomone

Solway /'sɒlweɪ/

Somalia /sə'mɑ:lɪə, USA səʊ-/

Somaliland /sə'mɑ:lɪlænd, səʊ-/

Somerset /'sʌməset, -ɪt/

Somersetshire /'sʌməsetʃə(r), -sɪt-, -ʃɪə(r)/

Somerville /'sʌməvɪl/

South Africa /saʊθ'æfrɪkə/ Sudafrica

Southampton /saʊ'θæm(p)tən, -θ'h-, sə'θ-, sə'ð-/

South Carolina /'saʊθkærə'laɪnə/ Carolina del Sud

South Dakota /saʊθdə'kəʊtə/

Southend /saʊθ'end/

South Korea /'saʊθ kə'ri:ə/ Corea del Sud

Southport /'saʊθpɔ:t/

Spain /speɪn/ Spagna

Sparta /'spɑ:tə/

Spokane /spəʊ'kæn/

Sporades (the) /'spɒrədi:z, spə'rɑ:-, USA 'spɔ:-/ (le) Sporadi

Springfield /'sprɪŋfi:ld/

Sri Lanka /sri:'læŋkə, ʃr-, USA -'lɑ:-/

Stafford /'stæfəd/

Staffordshire /'stæfədʃə(r), -ʃɪə(r)/

St Albans /snt'ɔ:lbənz, -'ɒl-, USA seɪ-/

St Andrews /snt'ændru:z, USA seɪ-/

St Anne /snt'æn, USA seɪ-/

St Clair /sntkleə(r), USA seɪ-/

St George's /snt'dʒɔ:dʒɪz, USA seɪ-/

St Helena /sentɪ'li:nə, sən-, -'leɪ-, USA seɪntə'li:nə, -nthə-/ Sant'Elena

St Helens /snt'helɪnz, USA seɪ-/

St John's /snt'dʒɒnz, USA seɪ-/

St Kitts and Nevis /seɪnt'kɪts'ni:vɪs/ Saint Kitts e Nevis

St Lawrence /snt'lɒrəns, USA seɪnt'lɔ:-/

St Louis /snt'lu:ɪs, -u:ɪ, USA seɪ-/

St Lucia /sn'lu:ʃ(ɪ)ə, USA seɪn-/

St Paul /snt'pɔ:l, USA seɪ-/

St Peter /snt'pi:tə(r), USA seɪ-/

St Petersburg /sm'pi:təzbɜ:g, USA seɪm-/ San Pietroburgo

St Vincent and the Grenadines /sn'vɪnsnt əndə'grenədi:nz, USA seɪn-/ S. Vincent e Grenadine

Stirling /'stɜ:lɪŋ/

Stockholm /'stɒkhəʊm/ Stoccolma

Stockport /'stɒkpɔ:t/

Stoke on Trent /'stəʊkɒn'trent,

USA -ɔːn-/

Stonehenge /'stəʊn'hendʒ, USA -nh-/

Strasbourg /'stræzbɜːg, -ʊəg, USA 'strɑːs-/ Strasburgo

Stratford on Avon /'strætfədɒn'eɪvn, USA -ɔːn-/

Stuttgart /'ʃtʊtgɑːt/ Stoccarda

Styria /'stɪrɪə/ Stiria

Sudan /suː'dɑːn, USA -æn/ Sudan

Suez /'suːɪz, 'sj-, USA suː'ez, 'suːez/

Suffolk /'sʌfək/

Sunderland /'sʌndələnd/

Surinam /sʊərɪ'næm, USA -ɑːm/ Suriname

Surrey /'sʌrɪ, USA 'sɜː-/

Sussex /'sʌsɪks/

Sutherland /'sʌðələnd/

Sutton /'sʌtn/

Suva /'suːvə/

Swansea /'swɒnzɪ, USA -sɪ, -zɪ/

Swaziland /'swɑːzɪlænd/

Sweden /'swiːdn/ Svezia

Switzerland /'swɪtsələnd/ Svizzera

Sybaris /'sɪbərɪs/ Sibari

Sydney /'sɪdnɪ/

Syracuse /'saɪərəkjuːz/ USA /'sɪrəkjuːs/ Siracusa

Syria /'sɪrɪə/ Siria

Syrtis /'sɜːtɪs/ Sirte

Tabor (Mount) /'teɪbə(r)maʊnt, -ɔː(r)maʊnt/ Monte Tabor

Tacoma /tə'kəʊmə/

Tagus (the) /'teɪgəs/ (il) Tago

Tahiti /tə'hiːʃn/

Taiwan /taɪ'wɒːn/

Tajikistan /tɑː'dʒiːkɪstɑːn/ Tagikistan

Tallahassee /tælə'hæsɪ/

Tallinn /'tælɪn/

Tampa /'tæmpə/

Tanganyika /tæŋgə'njiːkə, -'niː-/ Tanganica

Tangier /tæn'dʒɪə/ Tangeri

Tanzania /tæn'zeɪnɪə, tænzə'niːə/

Tarawa /tə'rɑːwə/

Tashkent /tæʃ'kent/

Tasmania /tæz'meɪnɪə/

Taunton /'tɔːntən/

Tay (the) /teɪ/

Tbilisi /təbɪ'liːsiː/

Tees (the) /tiːz/

Tegucigalpa /tegʊːsɪ'gælpə/

Tehran /teə'rɑːn/

Tempe /'tempɪ/

Tenerife /tenə'riːf/

Tennessee /tenə'siː/

Teviot (the) /'tiːvɪət/

Tewkesbury /'tjuːksb(ə)rɪ, USA 'tuːksberɪ/

Texas /'teksəs/

Thailand /'taɪlænd/ Thailandia

Thames (the) /temz/ (il) Tamigi

Thebes /θiːbz/ Tebe

Thermopylae /θə'mɒpəliː/ Termopili

Thessaloniki /θɛsl'ɒnɪkɪ/ Salonicco

Thessaly /'θɛsəlɪ/ Tessaglia

Thimphu /'θɪmfuː/

Thrace /θreɪs/ Tracia

Thule /'θuːl, -lɪ, 'θjuː-/ Tule

Thuringia /θjʊə'rɪndʒɪə, USA θʊə-/ Turingia

Tiber (the) /'taɪbə(r)/ (il) Tevere

Tiberias /taɪ'bɪərɪəs/ Tiberiade

Tibet /tɪ'bet/

Tigris (the) /'taɪgrɪs/ (il) Tigri

Timor /'tiːmɔː(r)/

Tirana /tɪ'rɑːnə/

Tobago /təʊ'beɪgəʊ/

Togo /'təʊgəʊ/

Tokyo /təʊ'keɪ/

Toledo /tɒ'leɪdəʊ, tə'liː-, USA tə(ʊ)-/

Tonga /'tɒŋgə, -ŋə/

Tongking, Tonkin /'tɒŋ'kɪn/ Tonchino

Topeka /təʊ'piːkə/

Toronto /tə'rɒntəʊ/

Tottenham /'tɒtnəm, -tənəm/

Toulon /tuː'lɒŋ/ Tolone

Toulouse /tuː'luːz/ Tolosa

Transjordan /trænz'dʒɔːdn, -s-/ Transgiordania

Transylvania /trænsɪl'veɪnɪə/ Transilvania

Trent /trent/ 1 Trento 2 Trent (fiume inglese)

Trenton /'trentn/

Trieste /triː'est/

Trinidad /'trɪnɪdæd, -'dæd/

Trinidad and Tobago /'trɪnədæd əntə'beɪgəʊ, -'bɑː-/ Trinidad e Tobago

Tripoli /'trɪpəlɪ/

Trossachs /'trɒsæks, -əks/

Troy /trɔɪ/ Troia

Tucson /'tuːsɒn, tuː'sɒn/

Tulsa /'tʌlsə/

Tunis /'tjuːnɪs, USA 'tuː-/ Tunisi

Tunisia /tjuː'nɪzɪə, USA 'tuː'niːʒə/

Turin /tjʊə'rɪn, 'tjʊər-, USA (')tʊə-/ Torino

Turkey /'tɜːkɪ/ Turchia

Turkmenistan /tɜːkmenɪ'stɑːn, -æn, USA -'meː-/

Tuscany /'tʌskənɪ/ Toscana

Tuvalu /tʊ'vɑːluː, tuːvə'luː/

Tweed (the) /twiːd/

Tyne (the) /taɪn/

Tyre /'taɪə(r)/ Tiro

Tyrol /tɪ'rəʊl/ Tirolo

Tyrone /tɪ'rəʊn/

Tyrrhenian Sea (the) /tɪ'riːnɪən 'siː/ (il) Mar Tirreno

Uganda /juː'gændə, USA -'gɑːn-/

Ukraine /juː'kreɪn, USA -eɪn, -aɪn, 'juːkreɪn/ Ucraina

Ulan Bator /uːlɑːn'bɑːtɔː(r)/

Ullswater /'ʌlzwɔːtə(r), USA -wɒ-/

Ulster /'ʌlstə(r)/

Umbria /'ʌmbrɪə/

United Arab Emirates /juː'naɪtɪd 'ærəb 'emərət, USA ə'mɪə-/ Emirati Arabi Uniti

United Kingdom /juː'naɪtɪd 'kɪŋdəm/ Regno Unito

United States of America /juː'naɪtɪd 'steɪts əvə'merɪkə/ Stati Uniti d'America

Ural Mountains (the) /'jʊərəl 'maʊntɪnz, 'jɔː-/ (i) Monti Urali

Uruguay /jʊərə'gwaɪ, 'ʊə-/

Utah /'juːtɑː, -ɔː/

Utica /'juːtɪkə/

Uttar Pradesh /'ʊtəprə'deʃ, -eɪʃ/

Uzbekistan /ʊzbekɪ'stɑːn, -æn, ʌz-, USA ʊz'be-/

Vaduz /vɑː'duːts/

Valencia /və'lensɪə/

Valletta /və'letə/ La Valletta

Vancouver /væn'kuːvə(r)/

Vanuatu /vænʊ'ɑːtuː, -vɑː-, -'æ, -'-/

Vatican City /'vætɪkən 'sɪtɪ/ Città del Vaticano

Venezuela /venə'zweɪlə/

Venice /'venɪs/ Venezia

Vermont /və'mɒnt, vɜː-/

Versailles /veə'saɪ, vɜː-/

Vesuvius /və'suːvɪəs/ Vesuvio

Victoria /vɪk'tɔːrɪə/

Vienna /vɪ'enə/

Vientiane /vjen'tjɑːn/

Vietnam /viːɛt'næm, USA -ɑːm/

Vilnius /'vɪlniːəs/

Virginia /və'dʒɪnɪə, -jə/

Virgin Islands /'vɜːdʒɪn'aɪləndz/ (le) Isole Vergini

Vistula (the) /'vɪstjʊlə, USA -stʃʊ-/ (la) Vistola

Volta (the) /'vɒltə, USA 'vəʊl-/ (il) Volta

Vosges (the) /vəʊʒ/ (i) Vosgi

Wakefield /'weɪkfiːld/

Wallachia, Walachia /wɒ'leɪkɪə/ Valacchia

Wales /weɪlz/ Galles

Wallace /'wɒləs, USA 'wɔː-/

Waltham /'wɔːlθəm, 'wɒ-, -lt-/

Wapping /'wɒpɪŋ/

Warsaw /'wɔːsɔː/ Varsavia

Warwick /'wɒrɪk, USA 'wɔː-/

Warwickshire /'wɒrɪkʃə(r), -ʃɪə(r), USA 'wɔː-/

Washington /'wɒʃɪŋtən, USA 'wɔː-/

Waterbury /'wɔːtəbrɪ, USA 'wɒtəberɪ/

Waterford /'wɔːtəfəd, USA 'wɒ-/

Waterloo /wɔːtə'luː, USA wɒ-/

Waverley /'weɪvəlɪ/

Wellington /'welɪŋtən/

Westmoreland, Westmorland /'westmələnd, USA -mɔː-/

Westphalia /west'feɪlɪə/ Vestfalia

West Point /west'pɔɪnt/

West Bank /west'bæŋk/ Cisgiordania

West Virginia /'westvə'dʒɪnɪə, -jə/

Wexford /'weksfəd/

Whitney /'wɪtnɪ, USA 'hw-/

Wichita /'wɪtʃɪtə, -ɑː/

Wichita Falls /'wɪtʃɪtə 'fɔːlz, -tɑː-/

Wick /wɪk/

Wicklow /'wɪkləʊ/

Wight /waɪt/

Wigtown /'wɪgtaʊn, -tən/

Willington /'wɪlɪŋtən/

Wilmington /'wɪlmɪŋtən/

Wiltshire /'wɪltʃə(r), -ʃɪə(r)/

Wimbledon /'wɪmbldn/

Winchester /'wɪntʃɪstə(r)/

Windermere /'wɪndəmɪə(r)/

Windhoek /'wɪndhʊk/

Windsor /'wɪnzə(r)/

Winnipeg /'wɪnɪpeg/

Wisconsin /wɪ'skɒnsɪn/

Woburn /'wəʊbɜːn, 'wuː-, -ən/

Wollongong /'wʊləŋgɒŋ/

Wolverhampton /'wʊlvəhæm(p)tən, -ə'h-/

Woodstock /'wʊdstɒk/

Woolwich /'wʊlɪdʒ/

Worcester /'wʊstə(r)/

Worcestershire /'wʊstəʃə(r), -ʃɪə(r)/

Worthing /'wɜːðɪŋ/

Wyoming /waɪ'əʊmɪŋ/

Yarmouth /'jɑːməθ/

Yaundè /jɑː'ʊndeɪ/

Yellow Sea (the) /'jɛləʊ 'siː/ (il) Mar Giallo

Yellowstone /'jeləstəʊn, -ləʊ-/

Yemen /'jemən/

Yerevan /jerə'vɑːn/ Erevan

York /jɔːk/

Yorkshire /'jɔːkʃə(r), -ʃɪə(r)/

Yorktown /'jɔːktaʊn/

Yosemite Falls (the) /jəʊ'semɪtɪ 'fɔːlz/

Youngstown /'jʌŋztaʊn/

Yugoslavia /juːgəʊ'slɑːvɪə/ Jugoslavia

Yukon /'juːkɒn/

Zagreb /'zɑːgreb, 'zæ-, zɑː'g-/ Zagabria

Zaire /zɑː'ɪə(r), zaɪ'ɪə(r)/

Zambia /'zæmbɪə/

Zanzibar /'zænzɪbɑː(r), -'bɑː(r)/

Zeeland /'ziːlənd/ Zelanda

Zimbabwe /zɪm'bɑːbwɪ, -'bæ-, -weɪ/

Zomba /'zɒmbə/

Zululand /'zuːluːlænd/

Zurich /'zʊərɪk, 'zj-/ Zurigo

PRINCIPALI VERBI IRREGOLARI INGLESI
MAIN IRREGULAR VERBS IN ENGLISH

(La lettera (R), apposta accanto all'infinito, indica che il verbo può essere anche usato come regolare. Il segno † denota una forma arcaica o poetica. Non sono riportati tutti i verbi derivati, es. *to proofread, to override, to cablecast*, ecc.).

INFINITO	PASSATO	PARTICIPIO PASSATO
abide (R) /əˈbaɪd/	**abode** /əˈbəʊd/	**abode** /əˈbəʊd/
arise /əˈraɪz/	**arose** /əˈrəʊz/	**arisen** /əˈrɪzn/
awake (R) /əˈweɪk/	**awoke** /əˈwəʊk/	**awoken** /əˈwəʊkən/
be /biː, bɪ/	**was** /wɒz, wəz/, **were** /wɜː(r), wə(r)/	**been** /biːn/
bear /beə(r)/	**bore** /bɔː(r)/	**borne** /bɔːn/
beat /biːt/	**beat** /biːt/	**beaten** /ˈbiːtn/, **beat** /biːt/
become /bɪˈkʌm/	**became** /bɪˈkeɪm/	**become** /bɪˈkʌm/
befall /bɪˈfɔːl/	**befell** /bɪˈfɛl/	**befallen** /bɪˈfɔːlən/
beget /bɪˈɡet/	**begot** /bɪˈɡɒt/	**begotten** /bɪˈɡɒtn/, **begot** /bɪˈɡɒt/
begin /bɪˈɡɪn/	**began** /bɪˈɡæn/	**begun** /bɪˈɡʌn/
behold /bɪˈhəʊld/	**beheld** /bɪˈhɛld/	**beheld** /bɪˈhɛld/
bend /bɛnd/	**bent** /bɛnt/	**bent** /bɛnt/
beseech /bɪˈsiːtʃ/	**besought** /bɪˈsɔːt/	**besought** /bɪˈsɔːt/ (*USA anche* **beseeched** /bɪˈsiːtʃt/)
bet (R) /bɛt/	**bet** /bɛt/	**bet** /bɛt/
bid /bɪd/	**bid** /bɪd/, **bade** /beɪd/	**bid** /bɪd/, **bidden** /ˈbɪdn/
bind /baɪnd/	**bound** /baʊnd/	**bound** /baʊnd/
bite /baɪt/	**bit** /bɪt/	**bitten** /ˈbɪtn/, **bit** /bɪt/
bleed /bliːd/	**bled** /blɛd/	**bled** /blɛd/
bless (R) /blɛs/	**blest** /blɛst/	**blest** /blɛst/
blow /bləʊ/	**blew** /bluː/	**blown** /bləʊn/
break /breɪk/	**broke** /brəʊk/	**broken** /ˈbrəʊkən/
breed /briːd/	**bred** /brɛd/	**bred** /brɛd/
bring /brɪŋ/	**brought** /brɔːt/	**brought** /brɔːt/
broadcast /ˈbrɔːdkɑːst/	**broadcast** /ˈbrɔːdkɑːst/	**broadcast** /ˈbrɔːdkɑːst/
build /bɪld/	**built** /bɪlt/	**built** /bɪlt/
burn (R) /bɜːn/	**burnt** /bɜːnt/	**burnt** /bɜːnt/
burst /bɜːst/	**burst** /bɜːst/	**burst** /bɜːst/
buy /baɪ/	**bought** /bɔːt/	**bought** /bɔːt/
cast /kɑːst/	**cast** /kɑːst/	**cast** /kɑːst/
catch /kætʃ/	**caught** /kɔːt/	**caught** /kɔːt/
chide (R) /tʃaɪd/	**chid** /tʃɪd/	**chidden** /ˈtʃɪdn/, **chid** /tʃɪd/
choose /tʃuːz/	**chose** /tʃəʊz/	**chosen** /ˈtʃəʊzn/
cleave (R) /kliːv/	**cleft** /klɛft/, **clove** /ˈkləʊv/	**cleft** /klɛft/, **cloven** /ˈkləʊvn/
cling /klɪŋ/	**clung** /klʌŋ/	**clung** /klʌŋ/
come /kʌm/	**came** /keɪm/	**come** /kʌm/
cost /kɒst/	**cost** /kɒst/	**cost** /kɒst/
creep /kriːp/	**crept** /krɛpt/	**crept** /krɛpt/
crow (R) /krəʊ/	**crew** /kruː/	**crowed** /krəʊd/
cut /kʌt/	**cut** /kʌt/	**cut** /kʌt/
deal /diːl/	**dealt** /dɛlt/	**dealt** /dɛlt/
dig /dɪɡ/	**dug** /dʌɡ/	**dug** /dʌɡ/
do /duː, dʊ, də, dɪ, d/	**did** /dɪd, dəd, dd, d/	**done** /dʌn/
draw /drɔː/	**drew** /druː/	**drawn** /drɔːn/
dream /driːm/	**dreamt** /drɛmt/	**dreamt** /drɛmt/
drink /drɪŋk/	**drank** /dræŋk/	**drunk** /drʌŋk/
drive /draɪv/	**drove** /drəʊv/	**driven** /ˈdrɪvn/
dwell (R) /dwɛl/	**dwelt** /dwɛlt/	**dwelt** /dwɛlt/
eat /iːt/	**ate** /ɛt, eɪt/	**eaten** /ˈiːtn/
fall /fɔːl/	**fell** /fɛl/	**fallen** /ˈfɔːlən/
feed /fiːd/	**fed** /fɛd/	**fed** /fɛd/
feel /fiːl/	**felt** /fɛlt/	**felt** /fɛlt/
fight /faɪt/	**fought** /fɔːt/	**fought** /fɔːt/
find /faɪnd/	**found** /faʊnd/	**found** /faʊnd/
flee /fliː/	**fled** /flɛd/	**fled** /flɛd/
fling /flɪŋ/	**flung** /flʌŋ/	**flung** /flʌŋ/
fly /flaɪ/	**flew** /fluː/	**flown** /fləʊn/
forbear /fɔːˈbeə(r)/	**forbore** /fɔːˈbɔː(r)/	**forborne** /fɔːˈbɔːn/
forbid /fəˈbɪd/	**forbade** /fəˈbeɪd/, **forbad** /fəˈbæd/	**forbidden** /fəˈbɪdn/
forecast (R) /ˈfɔːkɑːst/	**forecast** /ˈfɔːkɑːst/	**forecast** /ˈfɔːkɑːst/
forget /fəˈɡet/	**forgot** /fəˈɡɒt/	**forgotten** /fəˈɡɒtn/
forgive /fəˈɡɪv/	**forgave** /fəˈɡeɪv/	**forgiven** /fəˈɡɪvn/
forsake /fəˈseɪk/	**forsook** /fəˈsʊk/	**forsaken** /fəˈseɪkən/
forswear /fɔːˈsweə(r)/	**forswore** /fɔːˈswɔː(r)/	**forsworn** /fɔːˈswɔːn/
freeze /friːz/	**froze** /frəʊz/	**frozen** /ˈfrəʊzn/

get /gɛt/	got /gɒt/	got /gɒt/, *USA* gotten /'gɒtn/
gild (R) /gɪld/	gilt /gɪlt/	gilt /gɪlt/
gird (R) /gɜːd/	girt /gɜːt/	girt /gɜːt/
give /gɪv/	gave /geɪv/	given /'gɪvn/
go /gəʊ/	went /wɛnt/	gone /gɒn/
grave (R) /greɪv/	graved /greɪvd/	graven /'greɪvn/
grind /graɪnd/	ground /graʊnd/	ground /graʊnd/
grow /grəʊ/	grew /gruː/	grown /grəʊn/
hang /hæŋ/	hung /hʌŋ/	hung /hʌŋ/
have /hæv, həv/	had /hæd, həd/	had /hæd, həd/
hear /hɪə(r)/	heard /hɜːd/	heard /hɜːd/
hew /hjuː/	hewed /hjuːd/	hewn /hjuːn/
hide /haɪd/	hid /hɪd/	hidden /'hɪdn/, hid /hɪd/
hit /hɪt/	hit /hɪt/	hit /hɪt/
hold /həʊld/	held /hɛld/	held /hɛld/, †holden /'həʊldn/
hurt /hɜːt/	hurt /hɜːt/	hurt /hɜːt/
keep /kiːp/	kept /kɛpt/	kept /kɛpt/
kneel /niːl/	knelt /nɛlt/	knelt /nɛlt/
knit (R) /nɪt/	knit /nɪt/	knit /nɪt/
know /nəʊ/	knew /njuː, *USA* nuː/	known /nəʊn/
lade /leɪd/	laded /'leɪdɪd/	laden /'leɪdn/
lay /leɪ/	laid /leɪd/	laid /leɪd/
lead /liːd/	led /lɛd/	led /lɛd/
lean (R) /liːn/	leant /lɛnt/	leant /lɛnt/
leap (R) /liːp/	leapt /liːpt/	leapt /liːpt/
learn (R) /lɜːn/	learnt /lɜːnt/	learnt /lɜːnt/
leave /liːv/	left /lɛft/	left /lɛft/
lend /lɛnd/	lent /lɛnt/	lent /lɛnt/
let /lɛt/	let /lɛt/	let /lɛt/
lie /laɪ/	lay /leɪ/	lain /leɪn/
light (R) /laɪt/	lit /lɪt/	lit /lɪt/
lose /luːz/	lost /lɒst/	lost /lɒst/
make /meɪk/	made /meɪd/	made /meɪd/
mean /miːn/	meant /mɛnt/	meant /mɛnt/
meet /miːt/	met /mɛt/	met /mɛt/
mistake /mɪ'steɪk/	mistook /mɪ'stʊk/	mistaken /mɪ'steɪkən/
misunderstand /mɪsʌndə'stænd/	misunderstood /mɪsʌndə'stʊd/	misunderstood /mɪsʌndə'stʊd/
mow (R) /məʊ/	mowed /məʊd/	mown /məʊn/
pay /peɪ/	paid /peɪd/	paid /peɪd/
prove (R) /pruːv/	proved /pruːvd/	proven /'pruːvn/
put /pʊt/	put /pʊt/	put /pʊt/
quit (R) /kwɪt/	quit /kwɪt/	quit /kwɪt/
read /riːd/	read /rɛd/	read /rɛd/
reave (R) /riːv/	reft /rɛft/	reft /rɛft/
rend /rɛnd/	rent /rɛnt/	rent /rɛnt/
rid (R) /rɪd/	rid /rɪd/	rid /rɪd/
ride /raɪd/	rode /rəʊd/	ridden /'rɪdn/
ring /rɪŋ/	rang /ræŋ/	rung /rʌŋ/
rise /raɪz/	rose /rəʊz/	risen /'rɪzn/
rive (R) /raɪv/	rived /raɪvd/	riven /'rɪvn/
run /rʌn/	ran /ræn/	run /rʌn/
saw (R) /sɔː/	sawed /sɔːd/	sawn /sɔːn/
say /seɪ/	said /sɛd/	said /sɛd/
see /siː/	saw /sɔː/	seen /siːn/
seek /siːk/	sought /sɔːt/	sought /sɔːt/
sell /sɛl/	sold /səʊld/	sold /səʊld/
send /sɛnd/	sent /sɛnt/	sent /sɛnt/
set /sɛt/	set /sɛt/	set /sɛt/
sew (R) /səʊ/	sewed /səʊd/	sewn /səʊn/
shake /ʃeɪk/	shook /ʃʊk/	shaken /'ʃeɪkən/
shave (R) /ʃeɪv/	shaved /ʃeɪvd/	shaven /'ʃeɪvn/
shear /ʃɪə(r)/	sheared /ʃɪəd/	shorn /ʃɔːn/
shed /ʃɛd/	shed /ʃɛd/	shed /ʃɛd/
shine /ʃaɪn/	shone /ʃɒn/	shone /ʃɒn/
shoe /ʃuː/	shod /ʃɒd/	shod /ʃɒd/
shoot /ʃuːt/	shot /ʃɒt/	shot /ʃɒt/
show (R) /ʃəʊ/	showed /ʃəʊd/	shown /ʃəʊn/
shrink /ʃrɪŋk/	shrank /ʃræŋk/	shrunk /ʃrʌŋk/
shrive (R) /ʃraɪv/	shrove /ʃrəʊv/	shriven /'ʃrɪvn/
shut /ʃʌt/	shut /ʃʌt/	shut /ʃʌt/
sing /sɪŋ/	sang /sæŋ/	sung /sʌŋ/
sink /sɪŋk/	sank /sæŋk/	sunk /sʌŋk/
sit /sɪt/	sat /sæt/	sat /sæt/
slay /sleɪ/	slew /sluː/	slain /sleɪn/
sleep /sliːp/	slept /slɛpt/	slept /slɛpt/
slide /slaɪd/	slid /slɪd/	slid /slɪd/
sling /slɪŋ/	slung /slʌŋ/	slung /slʌŋ/
slink /slɪŋk/	slunk /slʌŋk/	slunk /slʌŋk/
slit /slɪt/	slit /slɪt/	slit /slɪt/
smell (R) /smɛl/	smelt /smɛlt/	smelt /smɛlt/

smite /smaɪt/	**smote** /sməut/	**smitten** /ˈsmɪtn/, **smit** /ˈsmɪt/
sow (R) /səu/	**sowed** /səud/	**sown** /səun/
speak /spiːk/	**spoke** /spəuk/	**spoken** /ˈspəukən/
speed (R) /spiːd/	**sped** /spɛd/	**sped** /spɛd/
spell (R) /spɛl/	**spelt** /spɛlt/	**spelt** /spɛlt/
spend /spɛnd/	**spent** /spɛnt/	**spent** /spɛnt/
spill (R) /spɪl/	**spilt** /spɪlt/	**spilt** /spɪlt/
spin /spɪn/	**spun** /spʌn/, †**span** /spæn/	**spun** /spʌn/
spit /spɪt/	**spat** /spæt/, †**spit** /spɪt/	**spat** /spæt/, †**spit** /spɪt/
split /splɪt/	**split** /splɪt/	**split** /splɪt/
spoil (R) /spɔɪl/	**spoilt** /spɔɪlt/	**spoilt** /spɔɪlt/
spread /sprɛd/	**spread** /sprɛd/	**spread** /sprɛd/
spring /sprɪŋ/	**sprang** /spræŋ/	**sprung** /sprʌŋ/
stand /stænd/	**stood** /stud/	**stood** /stud/
stave /steɪv/	**stove** /stəuv/	**stove** /stəuv/
steal /stiːl/	**stole** /stəul/	**stolen** /ˈstəulən/
stick /stɪk/	**stuck** /stʌk/	**stuck** /stʌk/
sting /stɪŋ/	**stung** /stʌŋ/	**stung** /stʌŋ/
stink /stɪŋk/	**stank** /stæŋk/, **stunk** /stʌŋk/	**stunk** /stʌŋk/
strew (R) /struː/	**strewed** /struːd/	**strewn** /struːn/
stride /straɪd/	**strode** /strəud/	**stridden** /ˈstrɪdn/
strike /straɪk/	**struck** /strʌk/	**struck** /strʌk/, **stricken** /ˈstrɪkən/
string /strɪŋ/	**strung** /strʌŋ/	**strung** /strʌŋ/
strive /straɪv/	**strove** /strəuv/	**striven** /ˈstrɪvn/
swear /sweə(r)/	**swore** /swɔː(r)/	**sworn** /swɔːn/
sweat (R) /swɛt/	**sweat** /swɛt/	**sweat** /swɛt/
sweep /swiːp/	**swept** /swɛpt/	**swept** /swɛpt/
swell (R) /swɛl/	**swelled** /swɛld/	**swollen** /ˈswəulən/
swim /swɪm/	**swam** /swæm/	**swum** /swʌm/
swing /swɪŋ/	**swung** /swʌŋ/	**swung** /swʌŋ/
take /teɪk/	**took** /tuk/	**taken** /ˈteɪkən/
teach /tiːtʃ/	**taught** /tɔːt/	**taught** /tɔːt/
tear /teə(r)/	**tore** /tɔː(r)/	**torn** /tɔːn/
tell /tɛl/	**told** /təuld/	**told** /təuld/
think /θɪŋk/	**thought** /θɔːt/	**thought** /θɔːt/
thrive (R) /θraɪv/	**throve** /θrəuv/	**thriven** /ˈθrɪvn/
throw /θrəu/	**threw** /θruː/	**thrown** /θrəun/
thrust /θrʌst/	**thrust** /θrʌst/	**thrust** /θrʌst/
tread /trɛd/	**trod** /trɒd/	**trodden** /ˈtrɒdn/, **trod** /trɒd/
understand /ʌndəˈstænd/	**understood** /ʌndəˈstud/	**understood** /ʌndəˈstud/
wake /weɪk/	**woke** /wəuk/	**woken** /ˈwəukən/, **woke** /wəuk/
wear /weə(r)/	**wore** /wɔː(r)/	**worn** /wɔːn/
weave /wiːv/	**wove** /wəuv/	**woven** /ˈwəuvn/
wed (R) /wɛd/	**wed** /wɛd/	**wed** /wɛd/
weep /wiːp/	**wept** /wɛpt/	**wept** /wɛpt/
wet (R) /wɛt/	**wet** /wɛt/	**wet** /wɛt/
win /wɪn/	**won** /wʌn/	**won** /wʌn/
wind /waɪnd/	**wound** /waund/	**wound** /waund/
wring /rɪŋ/	**wrung** /rʌŋ/	**wrung** /rʌŋ/
write /raɪt/	**wrote** /rəut/, †**writ** /rɪt/	**written** /ˈrɪtn/, †**writ** /rɪt/

PRINCIPALI VERBI IRREGOLARI ITALIANI
MAIN IRREGULAR VERBS IN ITALIAN

(Il numero esponente indica la coniugazione cui appartiene il verbo. Per es. **andare**①, prima coniugazione sul modello di *amare*; **accendere**②, come *temere*; **apparire**③, terza coniugazione, come *servire*).

accendere②, *Pass. rem.*: accesi – *Part. pass.*: acceso.

accludere②, *Pass. rem.*: acclusi – *Part. pass.*: accluso.

accorgersi②, *Pass. rem.*: mi accorsi – *Part. pass.*: accortosi.

addurre②, (*da* addùcere, *tema* adduc-) – *Indic. pres.*: adduco, adduci, *ecc.* – *Pass. rem.*: addussi, adducesti, addusse, adducemmo, adduceste, addussero. – *Fut.*: addurrò, *ecc.* – *Condiz. pres.*: addurrei, *ecc.* – *Part. pass.*: addotto.

affiggere②, *Pass. rem.*: affissi – *Part. pass.*: affisso.

affliggere②, *Pass. rem.*: afflissi – *Part. pass.*: afflitto.

alludere②, *Pass. rem.*: allusi – *Part. pass.*: alluso.

andare①, *Indic. pres.*: vado (*o* vo), vai, va, andiamo, andate, vanno. – *Fut. semplice*: andrò, andrai, andremo, andrete, andranno. – *Cong. pres.*: vada, vada, vada, andiamo, andiate, vadano. – *Condiz. pres.*: andrei, andresti, andrebbe, andremmo, andreste, andrebbero. – *Imper. pres.*: va (*o* va'), vada, andiamo, andate, vadano. Gli altri tempi si formano regolarmente dal tema and- (*L'ausiliare è* essere).

annettere②, *Pass. rem.*: annettei (*o* annessi) – *Part. pass.*: annesso.

apparire③, *Indic. pres.*: appaio (*o* apparisco), appari (*o* apparisci), appare (*o* apparisce), appariamo, apparite, appaiono (*o* appariscono). – *Pass. rem.*: apparvi (*o* apparsi), apparisti, apparve (*o* apparse), apparimmo, appariste, apparirono, apparvero (*o* apparsero). – *Cong. pres.*: appaia (*o* apparisca) *per le tre persone singolari*, appariamo, appariate, appaiano (*o* appariscano). – *Imper. pres.*: appari (*o* apparisci), apparite. – *Part. pres.*: apparente – *Part. pass.*: apparso (*L'ausiliare è* essere).

appendere②, *Pass. rem.*: appesi – *Part. pass.*: appeso.

aprire③, *Pass. rem.*: aprii (*o* apersi), apristi, aprì (*o* aperse), aprimmo, apriste, aprirono (*o* apersero). – *Part. pass.*: aperto.

ardere②, *Pass. rem.*: arsi – *Part. pass.*: arso.

aspergere②, *Pass. rem.*: aspersi – *Part. pass.*: asperso.

assidersi②, *Pass. rem.*: mi assisi – *Part. pass.*: assiso.

assistere②, *Pass. rem.*: assistei (*o* assistetti) – *Part. pass.*: assistito.

assolvere②, *Pass. rem.*: assolsi (*o* assolvei) – *Part. pass.*: assolto.

assumere②, *Pass. rem.*: assunsi – *Part. pass.*: assunto.

attingere②, *Pass. rem.*: attinsi – *Part. pass.*: attinto.

bere②, (*da* bevere, *radice* bev-). – *Indic. pres.*: bevo, bevi, *ecc.* – *Imperf.*: bevevo, *ecc.* – *Pass. rem.*: bevvi, bevesti, bevve, bevemmo, beveste, bevvero. – *Fut.*: berrò, *ecc.* – *Cong. pres.*: beva, *ecc.* – *Condiz. pres.*: berrei, *ecc.* – *Part. pass.*: bevuto.

cadere②, *Pass. rem.*: caddi. – *Fut.*: cadrò, *ecc.* – *Condiz. pres.*: cadrei, *ecc.* – *Part. pass.*: caduto.

chiedere②, *Pass. rem.*: chiesi – *Part. pass.*: chiesto.

chiudere②, *Pass. rem.*: chiusi – *Part. pass.*: chiuso.

cingere②, *Pass. rem.*: cinsi – *Part. pass.*: cinto.

cogliere②, *Indic. pres.*: colgo, cogli, coglie, cogliamo, cogliete, colgono. – *Pass. rem.*: colsi – *Part. pass.*: colto.

coincidere②, *Pass. rem.*: coincisi – *Part. pass.*: coinciso.

comprimere②, *Pass. rem.*: compressi – *Part. pass.*: compresso.

concedere②, *Pass. rem.*: concessi (*o* concedei) – *Part. pass.*: concesso (*o* conceduto).

condurre②, (*da* condùcere, *tema* conduc-). – *Indic. pres.*: conduco, conduci, *ecc.* – *Pass. rem.*: condussi, conducesti, condusse, conducemmo, conduceste, condussero. – *Fut.*: condurrò, *ecc.* – *Condiz. pres.*: condurrei, *ecc.* – *Part. pass.*: condotto.

conoscere②, *Pass. rem.*: conobbi – *Part. pass.*: conosciuto.

conquidere②, *Pass. rem.*: conquisi – *Part. pass.*: conquiso.

contundere②, *Pass. rem.*: contusi – *Part. pass.*: contuso.

convergere②, *Pass. rem.*: conversi – *Part. pass.*: converso.

correre②, *Pass. rem.*: corsi – *Part. pass.*: corso.

costruire③, *Pass. rem.*: costruii, costruisti, costruì, costruimmo, costruiste, costruirono. – *Part. pass.*: costruito.

crescere②, *Pass. rem.*: crebbi – *Part. pass.*: cresciuto.

cuocere②, *Indic. pres.*: cuocio, cuoci, cuoce, cuociamo, cuocete, cuociono. – *Pass. rem.*: cossi, cuocesti, cosse, cuocemmo, cuoceste, cossero. – *Cong. pres.*: cuocia, cuocia, cuocia, cuociamo, cuociate, cuociano. – *Imper. pres.*: cuoci, cuocete.

dare①, *Indic. pres.*: do, dai, dà, diamo, date, dànno. – *Pass. rem.*: diedi (*o* detti), desti, diede (*o* diè *o* dette), demmo, deste, diedero (*o* dettero). – *Fut. semplice*: darò, darai, darà, *ecc.* – *Cong. pres.*: dia, dia, dia, diamo, diate, diano. – *Cong. imperf.*: dessi, dessi, desse, dessimo, deste, dessero. – *Condiz.*

pres.: darei, daresti, darebbe, daremmo, dareste, darebbero. – *Imper. pres.*: da' (*o* dai), dia, diamo, date, diano. – *Part. pass.*: dato (*L'ausiliare è* avere).

decidere②, *Pass. rem.*: decisi – *Part. pass.*: deciso.

devolvere②, *Pass. rem.*: devolvei – *Part. pass.*: devoluto.

difendere②, *Pass. rem.*: difesi – *Part. pass.*: difeso.

dipendere②, *Pass. rem.*: dipesi – *Part. pass.*: dipeso.

dipingere②, *Pass. rem.*: dipinsi – *Part. pass.*: dipinto.

dire③, (*da* dicere, *radice* dic-) – *Indic. pres.*: dico, dici, dice, diciamo, dite, dicono. – *Imperf.*: dicevo, *ecc.* – *Pass. rem.*: dissi, dicesti, disse, dicemmo, diceste, dissero. – *Fut.*: dirò, *ecc.* – *Cong. pres.*: dica, dica, dica, diciamo, diciate, dicano. – *Condiz. pres.*: direi, diresti, direbbe, diremmo, direste, direbbero. – *Imper. pres.*: di', dite – *Part. pass.*: detto. (*Allo stesso modo si coniugano i composti* **ridire, disdire, contraddire, benedire**, *ecc.*, *ma alla seconda persona sing. dell'imper. pres. hanno la desinenza in* -dici, disdici, maledici, benedici, *ecc.*, *eccetto* **ridire** *che fa* ridì *o* ridi').

dirigere②, *Pass. rem.*: diressi – *Part. pass.*: diretto.

discutere②, *Pass. rem.*: discussi – *Part. pass.*: discusso.

disperdere②, *Pass. rem.*: dispersi – *Part. pass.*: disperso.

dissuadere②, *Pass. rem.*: dissuasi – *Part. pass.*: dissuaso.

distinguere②, *Pass. rem.*: distinsi – *Part. pass.*: distinto.

divellere②, *Pass. rem.*: divelsi – *Part. pass.*: divelto.

dividere②, *Pass. rem.*: divisi – *Part. pass.*: diviso.

dolere o **dolersi**②, *Indic. pres.*: mi dolgo, ti duoli, si duole, ci doliamo (*o* ci dogliamo) vi dolete, si dolgono. – *Pass. rem.*: mi dolsi, ti dolesti, si dolse, ci dolemmo, vi doleste, si dolsero. – *Fut.*: mi dorrò, *ecc.* – *Cong. pres.*: mi dolga, ti dolga, si dolga, ci doliamo (*o* dogliamo), vi doliate (*o* dogliate), si dolgano. – *Condiz. pres.*: mi dorrei, *ecc.* – *Imper. pres.*: duoliti, doletevi. – *Part. pass.*: dolutosi.

dovere②, (*da* debère) – *Indic. pres.*: devo (*o* debbo), devi, deve, dobbiamo, dovete, devono (*o* debbono). – *Fut.*: dovrò, *ecc.* – *Condiz. pres.*: dovrei, *ecc.* – *Cong. pres.*: debba, debba, debba, dobbiamo, dobbiate, debbano.

eccellere②, *Pass. rem.*: eccelsi – *Part. pass.*: eccelso.

elidere②, *Pass. rem.*: elisi – *Part. pass.*: eliso.

emergere②, *Pass. rem.*: emersi – *Part. pass.*: emerso.

ergere②, *Pass. rem.*: ersi – *Part. pass.*: erto.

esigere②, *Pass. rem.*: esigei (*o* esigetti) – *Part. pass.*: esatto.

esistere②, *Pass. rem.*: esistei (*o* esistetti) – *Part. pass.*: esistito.

espellere②, *Pass. rem.*: espulsi – *Part. pass.*: espulso.

esplodere②, *Pass. rem.*: esplosi – *Part. pass.*: esploso.

evadere②, *Pass. rem.*: evasi – *Part. pass.*: evaso.

evolvere②, *Pass. rem.*: evolsi – *Part. pass.*: evoluto.

fare②, (*da* fàcere, *radice* fac-) – *Indic. pres.*: faccio (*o* fo), fai, fa, facciamo, fate, fanno. – *Cong. pres.*: faccia, *ecc.* – *Pass. rem.*: feci, facesti, fece, facemmo, faceste, fecero. – *Fut.*: farò, *ecc.* – *Condiz. pres.*: farei, *ecc.* – *Imper. pres.*: fa (*o* fa'), fate – *Part. pass.*: fatto. *Nei composti di fare la prima e la terza persona singolare dell'indic. pres. sono accentate:* assuefò, rarefò, *ecc.*, assuefà, rarefà, *ecc.*; *ma per la prima persona sing. è anche usata la forma in* -faccio: assuefaccio, rarefaccio, contraffaccio, *ecc.* Disfare *fa anche* disfo, disfa *e* soddisfare *può seguire la coniugazione regolare nell'indic. pres.* (soddisfo, soddisfi, *ecc.*) *e fut.* (soddisferò, *ecc.*) *e nel cong. pres.* (soddisfi, *ecc.*).

figgere②, *Pass. rem.*: fissi – *Part. pass.*: fitto (*o* fisso).

fingere②, *Pass. rem.*: finsi – *Part. pass.*: finto.

flettere②, *Pass. rem.*: flettei (*o* flessi) – *Part. pass.*: flesso.

fondere②, *Pass. rem.*: fusi – *Part. pass.*: fuso.

frangere②, *Pass. rem.*: fransi – *Part. pass.*: franto.

friggere②, *Pass. rem.*: frissi – *Part. pass.*: fritto.

fungere②, *Pass. rem.*: funsi – *Part. pass.*: funto.

giacere②, *Indic. pres.*: giaccio, giaci, giace, giaciamo, giacete, giacciono. – *Pass. rem.*: giacqui. – *Cong. pres.*: giaccia, giaccia, giaccia, giacciamo (*o* giaciamo), giacciate (*o* giaciate), giacciano.

giungere②, *Pass. rem.*: giunsi – *Part. pass.*: giunto.

godere②, *Fut. semplice*: godrò, godrai, *ecc.* – *Condiz. pres.*: godrei, godresti, *ecc.*

incidere②, *Pass. rem.*: incisi – *Part. pass.*: inciso.

incutere②, *Pass. rem.*: incussi *e* incutei – *Part. pass.*: incusso.

indulgere②, *Pass. rem.*: indulsi – *Part. pass.*: indulto.

infliggere②, *Pass. rem.*: inflissi – *Part. pass.*: inflitto.

intridere②, *Pass. rem.*: intrisi – *Part. pass.*: intriso.

intrudere②, *Pass. rem.*: intrusi – *Part. pass.*: intruso.

invadere②, *Pass. rem.*: invasi – *Part. pass.*: invaso.

ledere②, *Pass. rem.*: lesi – *Part. pass.*: leso.

leggere②, *Pass. rem.*: lessi – *Part. pass.*: letto.

mettere②, *Pass. rem.*: misi – *Part. pass.*: messo.

mordere②, *Pass. rem.*: morsi – *Part. pass.*: morso.

morire②, *Indic. pres.*: muoio, muori, muore, moriamo, morite, muoiono. – *Fut.*: morirò, (*o* morrò), morirai (*o* morrai), *ecc.* – *Cong. pres.*: muoia, muoia, muoia, moriamo, moriate, muoiano. – *Condiz. pres.*: morirei (*o* morrei), moriresti (*o* morresti), *ecc.* – *Part. pass.*: morto.

mungere②, *Pass. rem.*: munsi – *Part. pass.*: munto.

muovere②, *Indic. pres.*: muovo, muovi, muove, moviamo (*o* muoviamo), movete (*o* muovete), muovono. – *Pass. rem.*: mossi. – *Cong. pres.*: muova, muova, muova, moviamo (*o* muoviamo), moviate (*o* muoviate), muovano. – *Imper. pres.*: muovi, muova, moviamo (*o* muoviamo), movete (*o* muovete), muovano. – *Part. pass.*: mosso.

nascere②, *Pass. rem.*: nacqui – *Part. pass.*: nato.

nascondere②, *Pass. rem.*: nascosi – *Part. pass.*: nascosto.

nuocere②, *Indic. pres.*: noccio (*o* nuocio *e* nuoccio), nuoci, nuoce, nociamo, nocete, nocciono (*o* nuociono *e* nuocciono). – *Pass. rem.*: nocqui, nocesti, nocque, nocemmo, noceste, nocquero. – *Cong. pres.*: noccia (*o* nuocia *e* nuoccia), *per le tre persone singolari*, nociamo, nociate, nocciano (*o* nuociano *e* nuocciano). – *Imper. pres.*: nuoci, nocete. – *Part. pass.*: nociuto.

offendere②, *Pass. rem.*: offesi – *Part. pass.*: offeso.

offrire③, *Pass. rem.*: offrii (*o* offersi) – *Part. pass.*: offerto.

parere②, *Indic. pres.*: paio, pari, pare, paiamo (*o* pariamo), parete, paiono. – *Pass. rem.*: parvi, paresti, parve, paremmo, pareste, parvero. – *Fut.*: parrò, *ecc.* – *Condiz. pres.*: parrei, *ecc.* – *Cong. pres.*: paia, paia, paia, paiamo (*e* pariamo), paiate, paiano. – *Part. pass.*: parso.

percuotere②, *Pass. rem.*: percossi – *Part. pass.*: percosso.

perdere②, *Pass. rem.*: persi (*o* perdei, perdetti) – *Part. pass.*: perso, perduto.

persuadere②, *Pass. rem.*: persuasi – *Part. pass.*: persuaso.

piacere②, *Indic. pres.*: piaccio, paci, piace, piacciamo, piacete, piacciono. – *Pass. rem.*: piacqui. – *Cong. pres.*: piaccia, piaccia, piaccia, piacciamo (*o* piaciamo), piacciate, piacciano.

piangere②, *Pass. rem.*: piansi – *Part. pass.*: pianto.

piovere②, *Pass. rem.*: piovve – *Part. pass.*: piovuto.

porgere②, *Pass. rem.*: porsi – *Part. pass.*: porto.

porre②, (*da* ponere, *radice* pon-) – *Indic. pres.*: pongo, poni, pone, poniamo, ponete, pongono. – *Cong. pres.*: ponga, ponga, ponga, poniamo, poniate, pongano. – *Pass. rem.*: posi, ponesti, pose, ponemmo, poneste, posero. – *Fut.*: porrò, *ecc.* – *Condiz. pres.*: porrei, *ecc.* – *Imper. pres.*: poni, ponete. – *Part. pass.*: posto.

potere②, *Indic. pres.*: posso, puoi, può, possiamo, potete, possono. – *Fut.*: potrò, *ecc.* – *Condiz. pres.*: potrei, potresti, *ecc.* – *Cong. pres.*: possa, *ecc.* – *Imper. pres.*: (manca).

prediligere②, *Pass. rem.*: predilessi – *Part. pass.*: prediletto.

prefiggere②, *Pass. rem.*: prefissi – *Part. pass.*: prefisso.

prendere②, *Pass. rem.*: presi – *Part. pass.*: preso.

presumere②, *Pass. rem.*: presunsi – *Part. pass.*: presunto.

proteggere②, *Pass. rem.*: protessi – *Part. pass.*: protetto.

pungere②, *Pass. rem.*: punsi – *Part. pass.*: punto.

radere②, *Pass. rem.*: rasi – *Part. pass.*: raso.

redigere②, *Pass. rem.*: redassi – *Part. pass.*: redatto.

redimere②, *Pass. rem.*: redensi – *Part. pass.*: redento.

reggere②, *Pass. rem.*: ressi – *Part. pass.*: retto.

rendere②, *Pass. rem.*: resi (*o* rendei) – *Part. pass.*: reso.

ridere②, *Pass. rem.*: risi – *Part. pass.*: riso.

rifulgere②, *Pass. rem.*: rifulsi – *Part. pass.*: rifulso.

rimanere②, *Indic. pres.*: rimango, rimani, rimane, rimaniamo, rimanete, rimangono. – *Pass. rem.*: rimasi. – *Fut.*: rimarrò, *ecc.* – *Condiz. pres.*: rimarrei, *ecc.* – *Cong. pres.*: rimanga, rimanga, rimanga, rimaniamo, rimaniate, rimangano. – *Part. pass.*: rimasto.

rispondere③, *Pass. rem.*: risposi – *Part. pass.*: risposto.

rodere②, *Pass. rem.*: rosi – *Part. pass.*: roso.

rompere②, *Pass. rem.*: ruppi – *Part. pass.*: rotto.

salire②, *Indic. pres.*: salgo, sali, sale, saliamo, salite, salgono. – *Cong. pres.*: salga, salga, salga, saliamo, salite, salgano. – *Imper. pres.*: sali, salite. – (*L'ausiliare è* essere, *però se il verbo è usato transitivamente si coniuga nei tempi composti con l'ausiliare* avere).

sapere②, *Indic. pres.*: so, sai, sa, sappiamo, sapete, sanno. – *Pass. rem.*: seppi, sapesti, seppe, sapemmo, sapeste, seppero. – *Fut.*: saprò, *ecc.* – *Condiz. pres.*: saprei, *ecc.* – *Cong. pres.*: sappia, *ecc.* – *Imper. pres.*: sappi, sappiate.

scegliere②, *Indic. pres.*: scelgo, scegli, sceglie, scegliamo, scegliete, scelgono. – *Pass. rem.*: scelsi, scegliesti, scelse, scegliemmo, sceglieste, scelsero. – *Cong. pres.*: scelga, scelga, scelga, scegliamo, scegliate, scelgano. – *Imper. pres.*: scegli, scegliete.

scendere②, *Pass. rem.*: scesi – *Part. pass.*: sceso.

scindere②, *Pass. rem.*: scissi – *Part. pass.*: scisso.

sciogliere②, *Indic. pres.*: sciolgo, sciogli, scioglie, sciogliamo, sciogliete, sciolgono. – *Pass. rem.*: sciolsi, sciogliesti, sciolse, sciogliemmo, scioglieste, sciolsero. – *Cong. pres.*: sciolga, sciolga, sciolga, sciogliamo, sciogliate, sciolgano. – *Imper. pres.*: sciogli, sciogliete. – *Part. pass.*: sciolto.

scorgere②, *Pass. rem.*: scorsi – *Part. pass.*: scorto.

scrivere②, *Pass. rem.*: scrissi – *Part. pass.*: scritto.

scuotere②, *Pass. rem.*: scossi – *Part. pass.*: scosso.

sedere②, *Indic. pres.*: sièdo (o seggo), sièdi, sième, sediamo, sedete, sièdono (o seggono). – *Cong. pres.*: sieda, sieda, sieda (o segga, segga, segga) sediamo, sediate, sièdano (o seggano). – *Imper. pres.*: siedi, sedete. – *Come* **sedere** *si coniuga il composto* **possedére**. *Altri due composti,* **presièdere** *e* **risièdere**, *hanno coniugazione regolare e mantengono il dittongo* ie *anche quando non ha l'accento tonico:* presiediamo, presiedete, presiedevo, presiedendo, *ecc.*; risiediamo, risiedevo, risiedendo, *ecc.*

seppellire③, *Pass. rem.*: seppellito e sepolto.

soffrire③, *Pass. rem.*: soffersi e soffrii – *Part. pass.*: sofferto.

sorgere②, *Pass. rem.*: sorsi – *Part. pass.*: sorto.

spargere②, *Pass. rem.*: sparsi – *Part. pass.*: sparso.

spegnere②, *Pass. rem.*: spensi – *Part. pass.*: spento.

spendere②, *Pass. rem.*: spesi – *Part. pass.*: speso.

spingere②, *Pass. rem.*: spinsi – *Part. pass.*: spinto.

sporgere②, *Pass. rem.*: sporsi – *Part. pass.*: sporto.

stare②, *Indic. pres.*: sto, stai, sta, stiamo, state, stanno. – *Pass. rem.*: stretti, stesti, stette, stemmo, steste, stettero. – *Fut. semplice*: starò, starai, starà, staremo, starete, staranno. – *Cong. imperf.*: stessi, stessi, stesse, stessimo, steste, stessero. – *Condiz. pres.*: starei, staresti, starebbe, staremmo, stareste, starebbero. – *Imper.*: sta (o sta'), stia, stiamo, state, stiano. – (*L'ausiliare è essere*). – *I composti di* **stare** *hanno l'accento sulla prima e sulla terza persona sing. dell'indic. pres.* (ristò, soprastò, sottostò; ristà, soprastà, sottostà) e seguono la coniugazione di **stare**, eccetto **contrastare, restare, sovrastare**, ecc. che seguono la coniugazione regolare.

stringere②, *Pass. rem.*: strinsi – *Part. pass.*: stretto.

struggere②, *Pass. rem.*: strussi – *Part. pass.*: strutto.

svellere②, *Pass. rem.*: svelsi – *Part. pass.*: svelto.

tacere②, *Indic. pres.*: taccio, taci, tace, taciamo, tacete, tacciono. – *Pass. rem.*: tacqui. – *Cong. pres.*: taccia, taccia, taccia, tacciamo, tacciate, tacciano.

tendere②, *Pass. rem.*: tesi – *Part. pass.*: teso.

tenere②, *Indic. pres.*: tengo, tieni, tiene, teniamo, tenete, tengono. – *Pass. rem.*: tenni, tenesti, tenne, tenemmo, teneste, tennero. – *Fut.*: terrò, *ecc.* – *Cong. pres.*: tenga, tenga, tenga, teniamo, teniate, tengano. – *Imper.*: tieni, tenete.

tergere②, *Pass. rem.*: tersi – *Part. pass.*: terso.

tingere②, *Pass. rem.*: tinsi – *Part. pass.*: tinto.

togliere②, *Indic. pres.*: tolgo, togli, toglie, togliamo, togliete, tolgono. – *Pass. rem.*: tolsi – *Part. pass.*: tolto.

torcere②, *Pass. rem.*: torsi – *Part. pass.*: torto.

trarre②, (*da trahere*) *Indic. pres.*: traggo, trai, trae, traiamo, traete, traggono. – *Cong. pres.*: tragga, tragga, tragga, traiamo, traiate, traggano. – *Pass. rem.*: trassi, traesti, trasse, traemmo, traeste, trassero. – *Fut.*: trarrò, *ecc.* – *Condiz. pres.*: trarrei, *ecc.* – *Imper. pres.*: trai, traete. – *Part. pass.*: tratto. – *Tutti gli altri tempi si formano regolarmente dal tema* tra-: traevo, traessi, traendo, *ecc.*

uccidere②, *Pass. rem.*: uccisi – *Part. pass.*: ucciso.

udire③, *Indic. pres.*: odo, odi, ode, udiamo, udite, odono. – *Fut.*: udirò (o udrò), udirai (o udrai), *ecc.* – *Cong. pres.*: oda, oda, oda, udiamo, udiate, odano. – *Condiz. pres.*: udirei (o udrei), udiresti (o udresti), *ecc.* – *Imper. pres.*: odi, udite.

ungere②, *Pass. rem.*: unsi – *Part. pass.*: unto.

uscire③, *Indic. pres.*: esco, esci, esce, usciamo, uscite, escono. – *Imper. pres.*: esci, uscite.

valere②, *Indic. pres.*: valgo, vali, vale, valiamo, valete, valgono. – *Pass. rem.*: valsi, valesti, valse, valemmo, valeste, valsero. – *Fut.*: varrò, *ecc.* – *Condiz. pres.*: varrei, *ecc.* – *Part. pass.*: valso.

vedere②, *Indic. pres.*: vedo (o veggo), vedi, vede, vediamo, vedete, vedono (o veggono). – *Pass. rem.*: vidi, vedesti, vide, vedemmo, vedeste, videro. – *Fut.*: vedrò, *ecc.* – *Condiz. pres.*: vedrei, *ecc.* – *Cong. pres.*: veda (o vegga), *per le tre persone singolari* vediamo, vediate, vedano (o veggano). – *Part. pres.*: veggente. – *Part. pass.*: veduto o visto.

venire③, *Indic. pres.*: vengo, vieni, viene, veniamo, venite, vengono. – *Pass. rem.*: venni, venisti, venne, venimmo, veniste, vennero. – *Fut.*: verrò, *ecc.* – *Cong. pres.*: venga, venga, venga, veniamo, veniate, vengano. – *Condiz. pres.*: verrei, *ecc.* – *Imper. pres.*: vieni, venite. – *Part. pres.*: veniente. – *Part. pass.*: venuto.

vincere②, *Pass. rem.*: vinsi – *Part. pass.*: vinto.

vivere②, *Pass. rem.*: vissi, vivesti, visse, vivemmo, viveste, vissero. – *Fut.*: vivrò, *ecc.* – *Condiz. pres.*: vivrei, *ecc.* – *Part. pass.*: vissuto. – (*L'ausiliare è essere, però se il verbo è usato con significato transitivo, l'ausiliare è avere*).

volere②, *Indic. pres.*: voglio, vuoi, vuole, vogliamo, volete, vogliono. – *Pass. rem.*: volli, volesti, volle, volemmo, voleste, vollero. – *Fut.*: vorrò, *ecc.* – *Condiz. pres.*: vorrei. – *Cong. pres.*: voglia, voglia, voglia, vogliamo, vogliate, vogliano. – *Imper. pres.*: vogli, vogliate.

volgere②, *Pass. rem.*: volsi – *Part. pass.*: volto.

REPERTORI DI TERMINOLOGIA SISTEMATICA
TABLES OF SPECIALIST TERMINOLOGY

Cardinal numbers		Numeri cardinali
nought; zero	0	zero
one	1	uno
two	2	due
three	3	tre
four	4	quattro
five	5	cinque
six	6	sei
seven	7	sette
eight	8	otto
nine	9	nove
ten	10	dieci
eleven	11	undici
twelve	12	dodici
thirteen	13	tredici
fourteen	14	quattordici
fifteen	15	quindici
sixteen	16	sedici
seventeen	17	diciassette
eighteen	18	diciotto
nineteen	19	diciannove
twenty	20	venti
twenty-one	21	ventuno
twenty-two	22	ventidue
thirty	30	trenta
forty	40	quaranta
fifty	50	cinquanta
sixty	60	sessanta
seventy	70	settanta
eighty	80	ottanta
ninety	90	novanta
one hundred	100	cento
one hundred and one	101	centouno
two hundred	200	duecento
three hundred	300	trecento
one thousand	1000	mille
one thousand and one	1001	milleuno
one thousand and one hundred; eleven hundred	1100	millecento
one thousand and two hundred; twelve hundred	1200	milleduecento
two thousand	2000	duemila
ten thousand	10000	diecimila
one hundred thousand	100000	centomila
one million	1000000	un milione
one billion	10^9	un miliardo
one trillion	10^{12}	un trilione

Ordinal numbers		Numeri ordinali
first	1	primo
second	2	secondo
third	3	terzo
fourth	4	quarto
fifth	5	quinto
sixth	6	sesto
seventh	7	settimo
eighth	8	ottavo
ninth	9	nono
tenth	10	decimo
eleventh	11	undicesimo
twelfth	12	dodicesimo
thirteenth	13	tredicesimo
fourteenth	14	quattordicesimo
fifteenth	15	quindicesimo
sixteenth	16	sedicesimo
seventeenth	17	diciassettesimo
eighteenth	18	diciottesimo
nineteenth	19	diciannovesimo
twentieth	20	ventesimo
twenty-first	21	ventunesimo
twenty-second	22	ventiduesimo
thirtieth	30	trentesimo
fortieth	40	quarantesimo
fiftieth	50	cinquantesimo
sixtieth	60	sessantesimo
seventieth	70	settantesimo
eightieth	80	ottantesimo
ninetieth	90	novantesimo
hundredth	100	centesimo
hundred and first	101	centounesimo
hundred and tenth	110	centodecimo
two hundredth	200	duecentesimo
three hundredth	300	trecentesimo
thousandth	1000	millesimo
two thousandth	2000	duemillesimo
millionth	1000000	milionesimo

Mathematical signs		Segni matematici
+	plus	più
−	minus	meno
±	plus or minus	più o meno
×	multiplied by	(moltiplicato) per
÷	divided by	diviso (per)
=	is equal to	uguale a
≡	is identically equal to	è identicamente uguale a
≅	is approximately equal to	è circa uguale a
≠	is not equal to	è diverso da
>	is greater than	è maggiore di
≫	is much greater than	è molto maggiore di
<	is less than	è minore di
≪	is much less than	è molto minore di
≥	is greater than or equal to	è maggiore o uguale a
≤	is less than or equal to	è minore o uguale a
∩	intersection	intersezione
∪	union	unione
∈	is an element of	appartiene a
⇔	is equivalent to	è equivalente a
⇒	implies	implica
( )	parentheses	parentesi (tonde)
[ ]	brackets	parentesi quadre
{ }	braces	graffe
∞	infinity	infinito
√	(square) root of	radice (quadrata) di
∛	cube root of	radice cubica di
‖	parallel to	parallelo a
⊥	perpendicular to	perpendicolare a
°	degrees	gradi
′	minutes	minuti
″	seconds	secondi
dx	differential of x	differenziale di x
dy/dx	derivative of y with respect to x	derivata di y rispetto a x
$\delta u/\delta x$	partial derivative of u with respect to x	derivata parziale di u rispetto a x
$|x|$	absolute value of x	valore assoluto di x; modulo di x
$\bar{x}$	mean value of x	valor medio di x
$\int$	integral of	integrale (indefinito) di
$\int_b^a$	integral of, between limits b and a	integrale (definito) di, fra i limiti b e a
$n!$	factorial n	n fattoriale
$\mathbf{A} \times \mathbf{B}$	vector product of $\mathbf{A}$ and $\mathbf{B}$	prodotto vettoriale di $\mathbf{A}$ e $\mathbf{B}$
$\mathbf{A} \cdot \mathbf{B}$	scalar product of $\mathbf{A}$ and $\mathbf{B}$	prodotto scalare di $\mathbf{A}$ e $\mathbf{B}$
∇	del; nabla	(operatore) nabla
∇^2	Laplacian operator	laplaciano
Σ	summation of	sommatoria di

Punctuation marks and special characters	Segni di punteggiatura e altri caratteri
, comma	virgola
; semi-colon	punto e virgola
: colon	due punti
. full stop; (USA) period	punto
? question mark	punto interrogativo
! exclamation mark; (USA) exclamation point	punto esclamativo
' apostrophe	apostrofo
" " quotation marks; quotes; inverted commas	virgolette
( ) brackets; parentheses	parentesi
- hyphen	trattino
– en dash	trattino medio
— em dash	trattone; lineato
/ solidus; slash; slant; virgule	barra (obliqua)
* asterisk	asterisco
% per cent	percento
& ampersand	e commerciale
´ acute accent	accento acuto
` grave accent	accento grave
¨ di(a)eresis; umlaut	dieresi; umlaut
^ circumflex	accento circonflesso
~ tilde	tilde
¸ cedilla	cediglia

Chemical elements	Elementi chimici
Ac actinium	attinio
Ag silver	argento
Al aluminium, USA aluminum	alluminio
Am americium	americio
Ar argon	argo(n)
As arsenic	arsenico
At astatine	astato
Au gold	oro
B boron	boro
Ba barium	bario
Be beryllium	berillio
Bh bohrium	bohrio
Bi bismuth	bismuto
Bk berkelium	berchelio, berkelio
Br bromine	bromo
C carbon	carbonio
Ca calcium	calcio
Cd cadmium	cadmio
Ce cerium	cerio
Cf californium	californio
Cl chlorine	cloro
Cm curium	curio
Co cobalt	cobalto
Cr chromium	cromo
Cs caesium, USA cesium	cesio
Cu copper	rame
Db dubnium	dubnio
Dy dysprosium	disprosio
Er erbium	erbio
Es einsteinium	einstenio
Eu europium	europio
F fluorine	fluoro
Fe iron	ferro
Fm fermium	fermio
Fr francium	francio
Ga gallium	gallio
Gd gadolinium	gadolinio
Ge germanium	germanio
H hydrogen	idrogeno
He helium	elio
Hf hafnium	afnio
Hg mercury	mercurio
Ho holmium	(h)olmio
Hs hassium	hassio
I iodine	iodio
In indium	indio
Ir iridium	iridio
K potassium	potassio
Kr krypton	cripto(n), krypton
La lanthanum	lantanio
Li lithium	litio
Lr lawrencium	laurenzio, lawrencio
Lu lutetium	lutezio
Md mendelevium	mendelevio
Mg magnesium	magnesio
Mn manganese	manganese
Mo molybdenum	molibdeno
Mt meitnerium	meitnerio
N nitrogen	azoto
Na sodium	sodio
Nb niobium	niobio
Nd neodymium	neodimio
Ne neon	neo(n)
Ni nickel	nichel(io)
No nobelium	nobelio
Np neptunium	nettunio
O oxygen	ossigeno
Os osmium	osmio
P phosphorus	fosforo
Pa protactinium	protoattinio
Pb lead	piombo
Pd palladium	palladio
Pm promethium	prometeo, promezio
Po polonium	polonio
Pr praseodymium	praseodimio
Pt platinum	platino
Pu plutonium	plutonio
Ra radium	radio, radium
Rb rubidium	rubidio
Re rhenium	renio
Rf rutherfordium	rutherfordio
Rh rhodium	rodio
Rn radon	rado(n)
Ru ruthenium	rutenio
S sulphur	zolfo
Sb antimony	antimonio
Sc scandium	scandio
Se selenium	selenio
Sg seaborgium	seaborgio
Si silicon	silicio
Sm samarium	samario
Sn tin	stagno
Sr strontium	stronzio
Ta tantalum	tantalio
Tb terbium	terbio
Tc technetium	tecnezio, tecnet(i)o
Te tellurium	tellurio
Th thorium	torio
Ti titanium	titanio
Tl thallium	tallio
Tm thulium	tulio
U uranium	uranio
V vanadium	vanadio
W tungsten	tungsteno; wolframio
Xe xenon	xeno(n)
Y yttrium	ittrio
Yb ytterbium	itterbio
Zn zinc	zinco
Zr zirconium	zirconio

British monetary system
Sistema monetario britannico
(*unità base:* **pound (sterling)**, *sterlina*)

Bronze coins:
(new) penny (1p), un penny
twopence (2p), due pence

Cupro-nickel coins:
fivepence (piece) (5p), cinque pence
tenpence (piece) (10p), dieci pence
twenty-pence (piece) (20p), venti pence
fifty-pence (piece) (50p, £ 0.50), cinquanta pence
one pound (£ 1), una sterlina
two pound (coin) (£ 2), due sterline

Banknotes:
five-pound note (£ 5), cinque sterline
ten-pound note (£ 10), dieci sterline
twenty-pound note (£ 20), venti sterline
fifty-pound note (£ 50), cinquanta sterline

Prima del 15 febbraio 1971, la sterlina era divisa in venti **shillings** (scellini) e lo scellino in dodici **pennies**. Erano in circolazione le seguenti monete:

Copper coins (*fam.:* **coppers**):
halfpenny (l/2d.), mezzo penny
penny (1d.), penny (dodicesima parte dello scellino)
threepence, threepenny bit (3d.), tre pence

Silver coins:
sixpence (6d.), sei pence (*mezzo scellino*)
shilling (1s., 1/-), scellino (*ventesima parte della sterlina*)
florin, two-shilling piece (2 s., 2/-), due scellini
half-crown (2s.6d., 2/6), mezza corona (*due scellini e sei pence*)
crown (5s., 5/-), corona (*cinque scellini*)

Nominal coins:
guinea (£ 1.1s., 21s.), ghinea (ventun scellini)

American monetary system
Sistema monetario americano
(**unità base: dollar**, *dollaro*)

Copper coins:
cent (1c.), un centesimo di dollaro
nickel (5c.), cinque centesimi di dollaro

Silver coins:
dime (10c.), dieci centesimi di dollaro
quarter (25c.), venticinque centesimi di dollaro, un quarto di dollaro
half dollar (50c), mezzo dollaro

Banknotes:
Si stampano banconote di $ 1, 5, 10, 20, 50, 100. Si hanno anche tagli speciali di $ 1000, 5000, 10.000

Weights and measures - Pesi e misure

Units of length - Unità di lunghezza

Name	Symbol	Equivalent to	Nome italiano	Equivalente metrico
inch	in		pollice	2,54 cm
mil		1/1000 in	millesimo di pollice	25,4 μm
hand		4 in	palmo inglese	10,16 cm
span		9 in	spanna inglese	22,86 cm
foot	ft	12 in	piede	30,48 cm
cubit		18 in	cubito inglese	45,72 cm
yard	yd	3 ft = 36 in	yarda	0,9144 m
fathom	fm	2 yd	braccio inglese	1,8288 m
rod; pole; perch	rd; po	5,5 yd = 1/320 mi	pertica inglese	5,0292 m
(Gunter's) chain	ch	22 yd = 1/80 mi	catena inglese	20,1168 m
furlong	fur	220 yd = 1/8 mi	miglio (terrestre)	201,168 m
(statute) mile	mi	1760 yd	miglio (terrestre)	1609,344 m
(Admiralty) nautical mile	naut mi	6080 ft	miglio marino	1853,184 m
international nautical mile	int naut mi	6076,11 ft	miglio marino internazionale	1852 m
league	lea	3 mi	lega inglese	4828,032 m

Units of area - Unità di superficie

Name	Symbol	Equivalent to	Nome italiano	Equivalente metrico
square inch	sq in		pollice quadrato	6,4516 cm^2
square foot	sq ft	144 sq in	piede quadrato	929,0304 cm^2
square yard	sq yd	9 sq ft	yarda quadrata	0,836127 m^2
rood	ro	1210 sq yd		1011,714 m^2
acre	a	4 ro	acro	4046,86 m^2
square mile	sq mi	640 a	miglio quadrato	2,59 km^2
township		36 sq mi		93,24 km^2

Units of volume - Unità di volume

Name	Symbol	Equivalent to	Nome italiano	Equivalente metrico
cubic inch	cu in		pollice cubo	16,387 cm^3
cubic foot	cu ft	1728 cu in	piede cubo	28,317 dm^3
cubic yard	cu yd	27 cu ft	yarda cuba	0,76455 m^3
cord foot		16 cu ft		0,45307 m^3
cord		128 cu ft		3,62456 m^3

Units of capacity: Imperial Standard (UK) - Unità di capacità: Imperial Standard

Name	Symbol	Equivalent to	Nome italiano	Equivalente metrico
fluid ounce	fl oz	1/160 gal	oncia fluida (UK)	28,413 cm³
gill	gi	5 fl oz = 1/32 gal		142,065 cm³
pint	pt	4 gi = 1/8 gal	pinta (UK)	568,261 cm³
quart	qt	2 pt=1/4 gal		1,13652 dm³
gallon	gal	277,42 cu in	gallone (UK)	4,54609 dm³
peck	pk	2 gal		9,09218 dm³
bushel	bu	4 pk = 8 gal		36,369 dm³
quarter		8 bu = 64 gal		290,950 dm³

Units of capacity for liquid commodities (USA) - Unità di capacità per liquidi (USA)

Name	Symbol	Equivalent to	Nome italiano	Equivalente metrico
fluid ounce	fl oz	1/128 gal	oncia fluida (USA)	29,5736 cm³
gill	gi	4 fl oz = 1/32 gal		118,294 cm³
(liquid) pint	pt	4 gi = 1/8 gal		473,176 cm³
(liquid) quart	qt	2 pt = 1/4 gal		946,353 cm³
gallon	gal	231 cu in	gallone (USA)	3,78541 dm³
barrel		31,5 gal		119,240 dm³
oil barrel		42 gal		158,987 dm³

Units of capacity for dry commodities (USA) - Misure di capacità per aridi (USA)

Name	Symbol	Equivalent to	Nome italiano	Equivalente metrico
(dry) pint	pt	1/64 bu		0,55061 dm³
(dry) quart	qt	2 pt = 1/32 bu		1,10122 dm³
bushel	bu	2150,42 cu in		35,239 dm³
dry barrel	bbl	105 qt		115,628 dm³

Units of weight or mass: avoirdupois system
Unità di peso o massa: sistema avoirdupois

Name	Symbol	Equivalent to	Nome italiano	Equivalente metrico
grain	gr	1/7000	grano	64,79891 mg
dram	drm	1/16 oz = 1/256 lb		1,771845 g
ounce	oz	1/16 lb	oncia	28,34953 g
pound	lb		libbra	0,4535924 kg
stone	st	14 lb		6,350294 kg
quarter	qr	2 st = 28 lb		12,70059 kg
cental; short hundredweight	ctl	100 lb		45,35924 kg
long hundredweight	cwt	112 lb		50,80235 kg
short ton	s tn	20 ctl = 2000 lb		907,1848 kg
long ton	tn	20 cwt = 2240 lb		1016,047 kg

Units of weight or mass: troy and apothecaries' systems
Unità di peso o di massa: sistemi troy e apothecaries

Name	Symbol	Equivalent to	Nome italiano	Equivalente metrico
grain	gr	1/5760 lb tr	grano	64,79891 mg.
pennyweight	dwt	24 gr = 1/240 lb tr		1,55517 g
ounce	oz tr	480 gr=1/12 lb tr	oncia	31,1035 g
pound	lb tr	5760 gr	libbra troy	373,242 g

Scales of temperature - Scale di temperatura

Name	Symbol	Nome italiano	Equivalenze
degree Fahrenheit	°F	grado Fahrenheit	$T(°F) = (9/5) \times T(°C) + 32$
degree Celsius	°C	grado centigrado	$T(°C) = (5/9) \times (T(°F) - 32)$

Gradi delle Forze Armate - *Ranks of the Armed Forces* (non sempre esiste corrispondenza)

AERONAUTICA MILITARE AIR FORCE	Aeronautica militare	Royal Air Force (RAF)	US Air Force (USAF)
	Ufficiali	*Officers*	*Officers*
		Marshal of the Royal Air Force	General of the Airforce
	Generale di Sq. Aerea con incarichi speciali	Air Chief Marshal	General
	Generale di Squadra Aerea	Air Marshal	Lieutenant General
	Generale di Divisione Aerea	Air Vice Marshal	Major General
	Generale di Brigata Aerea	Air Commodore	Brigadier General
	Colonnello	Group Captain	Colonel
	Tenente Colonnello	Wing Commander	Lieutenant Colonel
	Maggiore	Squadron Leader	Major
	Primo Capitano		
	Capitano	Flight Lieutenant	Captain
	Tenente	Flying Officer	First Lieutenant
	Sottotenente	Pilot Officer	Second Lieutenant
	Sottufficiali	*Non-commissioned Officers*	*Non-commissioned Officers*
	Aiutante		Chief Warrant Officer
	Maresciallo di 1ª	Warrant Officer	Chief Master Sergeant
	Maresciallo di 2ª		Senior Master Sergeant
	Maresciallo di 3ª	Flight Sergeant	Master Sergeant
	Sergente Maggiore	Chief Technician	Technical Sergeant
	Sergente	Sergeant	Staff Sergeant
	Avieri	*Airmen*	*Airmen*
	Aviere Capo	Corporal	Airman 1st Class
	Primo Aviere	Junior Technician	
		Senior Aircraftman	Airman 2nd Class
	Aviere scelto	Leading Aircraftman	Airman 3rd Class
	Aviere semplice	Aircraftman	Airman Basic

ESERCITO ARMY	Esercito Italiano (EI)	British Army	US Army
	Ufficiali	*Officers*	*Officers*
	Generale d'Armata (termine storico)	Field Marshal	General of the Army
	Tenente Generale con incarichi speciali	General	General
	Tenente Generale	Lieutenant General	Lieutenant General
	Maggior Generale	Major General	Major General
	Brigadier Generale	Brigadier	Brigadier General
	Colonnello	Colonel	Colonel
	Tenente Colonnello	Lieutenant Colonel	Lieutenant Colonel
	Maggiore	Major	Major
	Capitano	Captain	Captain
	Tenente	Lieutenant	1st Lieutenant
	Sottotenente	2nd Lieutenant	2nd Lieutenant
	Sottufficiali	*Non-commissioned Officers*	*Non-commissioned Officers*
	Aiutante di battaglia		
	Aiutante		
	Maresciallo Maggiore	Warrant Officer 1st Class	Chief Warrant Officer
	Maresciallo Capo	Warrant Officer 2nd Class	Warrant Officer
	Maresciallo Ordinario		Sergeant Major
	Maresciallo		Master Sergeant
			1st Sergeant
	Sergente Maggiore Capo		Sergeant 1st Class
	Sergente Maggiore	Staff Sergeant	Staff Sergeant
	Sergente	Sergeant	Sergeant
	Truppa	*Soldiers*	*Soldiers*
	Caporalmaggiore		
	Caporale	Corporal	Corporal
	Soldato scelto	Lance Corporal	Private 1st Class
	Soldato semplice	Private	Private

MARINA MILITARE NAVY	Marina Militare (MM)	Royal Navy	US Navy
	Ufficiali	*Officers*	*Officers*
	Ammiraglio di Sq. con incarichi speciali	Admiral of the Fleet	Fleet Admiral
	Ammiraglio di Squadra	Admiral	Admiral
	Ammiraglio di Divisione	Vice Admiral	Vice Admiral
	Contrammiraglio	Rear Admiral	Rear Admiral
		Commodore	Commodore
	Capitano di Vascello	Captain	Captain
	Capitano di Fregata	Commander	Commander
	Capitano di Corvetta	Lieutenant Commander	Lieutenant Commander
	Primo Tenente di Vascello		
	Tenente di Vascello	Lieutenant	Lieutenant
	Sottotenente di Vascello	Sub-Lieutenant	Lieutenant Junior Grade
	Guardiamarina	Midshipman	Ensign
	Aspirante Guardiamarina		
	Sottufficiali	*Non-commissioned Officers*	*Non-commissioned Officers*
			Chief Warrant Officer
	Aiutante	Fleet Chief Petty Officer	Warrant Officer
			Master Chief Petty Officer
			Senior Chief Petty Officer
		Chief Petty Officer	Chief Petty Officer
	Capo F.R. di 1ª Classe	Petty Officer	Petty Officer 1st Class
	Capo R.T. di 2ª Classe		Petty Officer 2nd Class
	Capo di 3ª Classe		Petty Officer 3rd Class
	Secondo Capo		
	Sergente		
	Bassa forza	*Seamen*	*Seamen*
	Sottocapo	Leading Seaman	
	Comune di 1ª Classe	Able Seaman	Seaman
	Comune di 2ª Classe	Ordinary Seaman	Seaman Apprentice
		Junior Seaman	Seaman Recruit

La città
The city

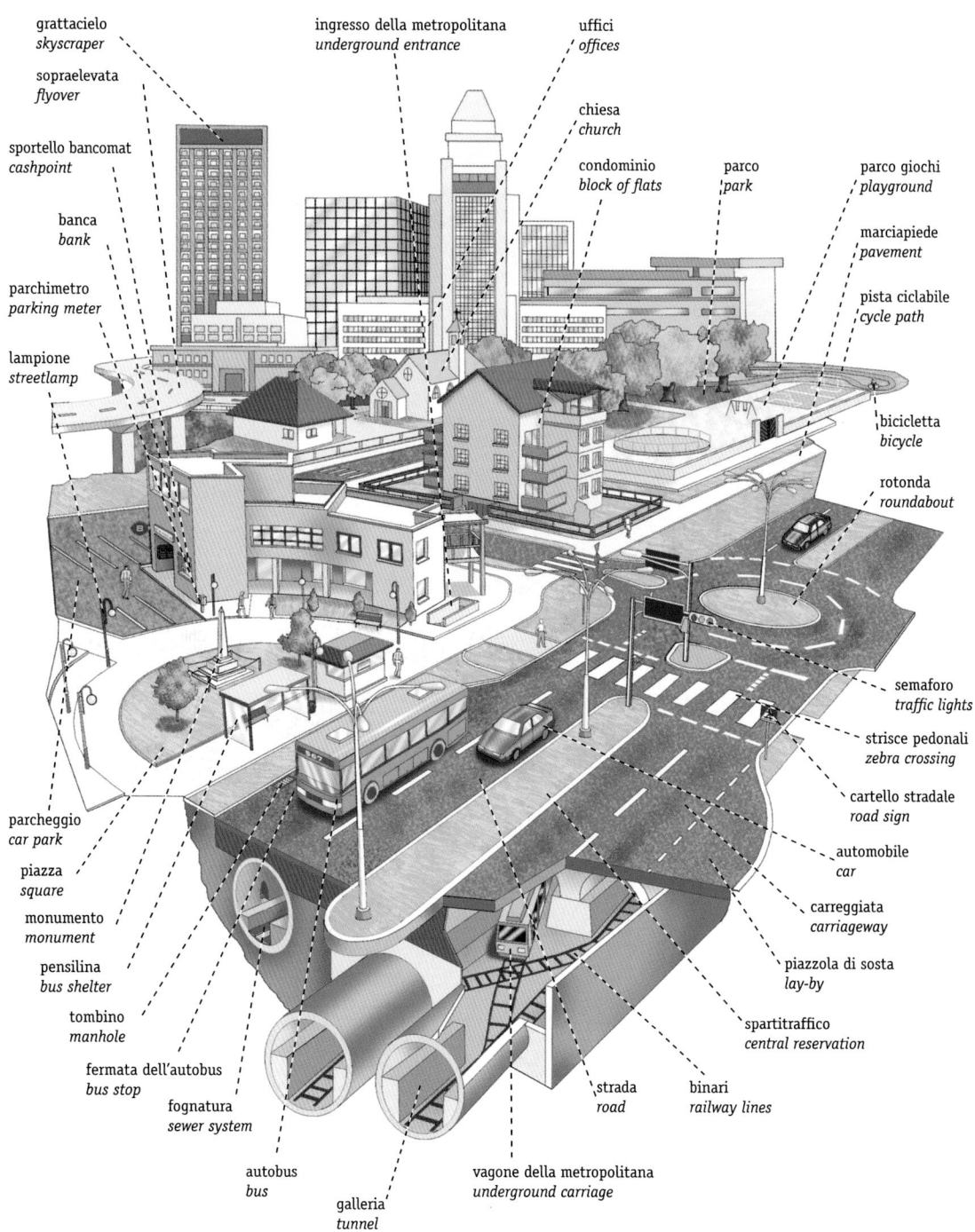

grattacielo
skyscraper

soapraelevata
flyover

sportello bancomat
cashpoint

banca
bank

parchimetro
parking meter

lampione
streetlamp

ingresso della metropolitana
underground entrance

uffici
offices

chiesa
church

condominio
block of flats

parco
park

parco giochi
playground

marciapiede
pavement

pista ciclabile
cycle path

bicicletta
bicycle

rotonda
roundabout

semaforo
traffic lights

strisce pedonali
zebra crossing

cartello stradale
road sign

automobile
car

carreggiata
carriageway

piazzola di sosta
lay-by

spartitraffico
central reservation

parcheggio
car park

piazza
square

monumento
monument

pensilina
bus shelter

tombino
manhole

fermata dell'autobus
bus stop

fognatura
sewer system

autobus
bus

galleria
tunnel

vagone della metropolitana
underground carriage

strada
road

binari
railway lines

La scuola
The school

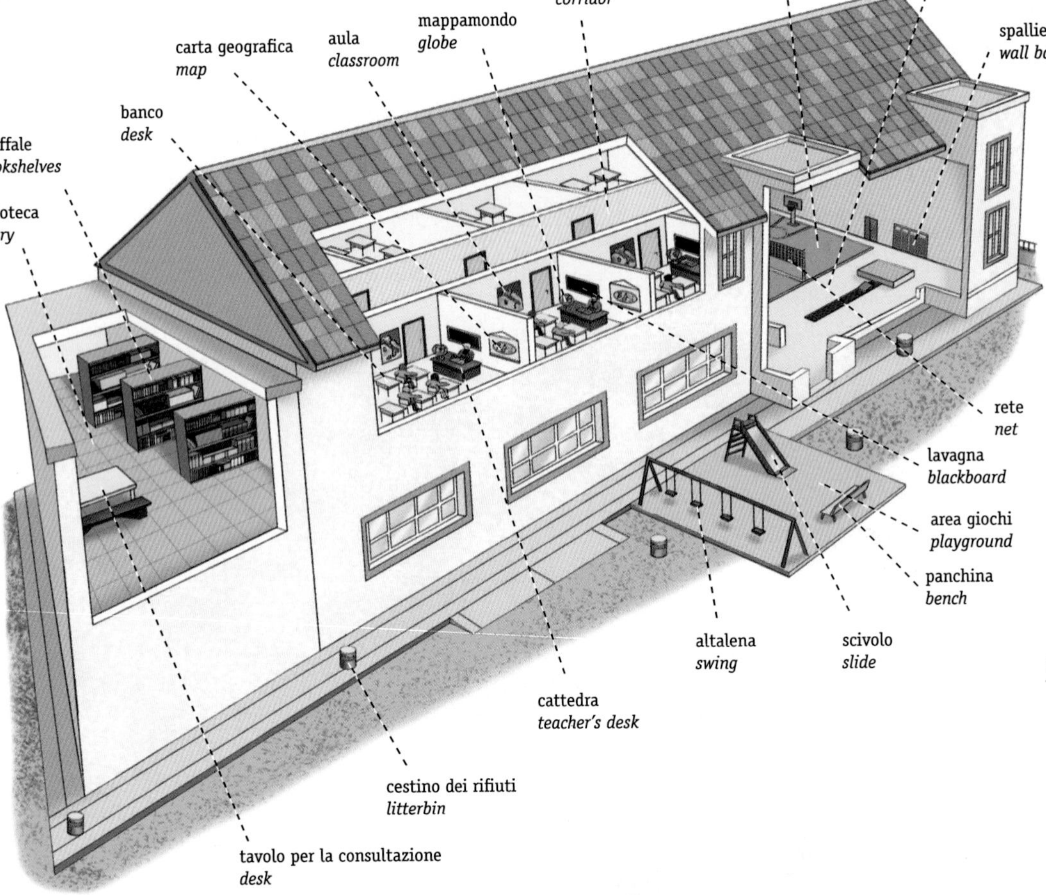

campo da pallavolo e pallacanestro
volleyball and basketball court

palestra
gym

corridoio
corridor

spalliera
wall bars

mappamondo
globe

aula
classroom

carta geografica
map

banco
desk

scaffale
bookshelves

biblioteca
library

rete
net

lavagna
blackboard

area giochi
playground

panchina
bench

altalena
swing

scivolo
slide

cattedra
teacher's desk

cestino dei rifiuti
litterbin

tavolo per la consultazione
desk

L'aula d'informatica
The computer lab

stampante
printer

scanner
scanner

monitor
monitor

L'aula di scienze
The science lab

scheletro
skeleton

microscopio
microscope

modelli di anatomia
anatomy models

spruzzetta
wash bottle

mouse
mouse

tastiera
keyboard

computer
computer

capsule Petri
Petri dishes

pipetta
pipette

beuta
Erlenmeyer flask

becco Bunsen
Bunsen burner

becher
beaker

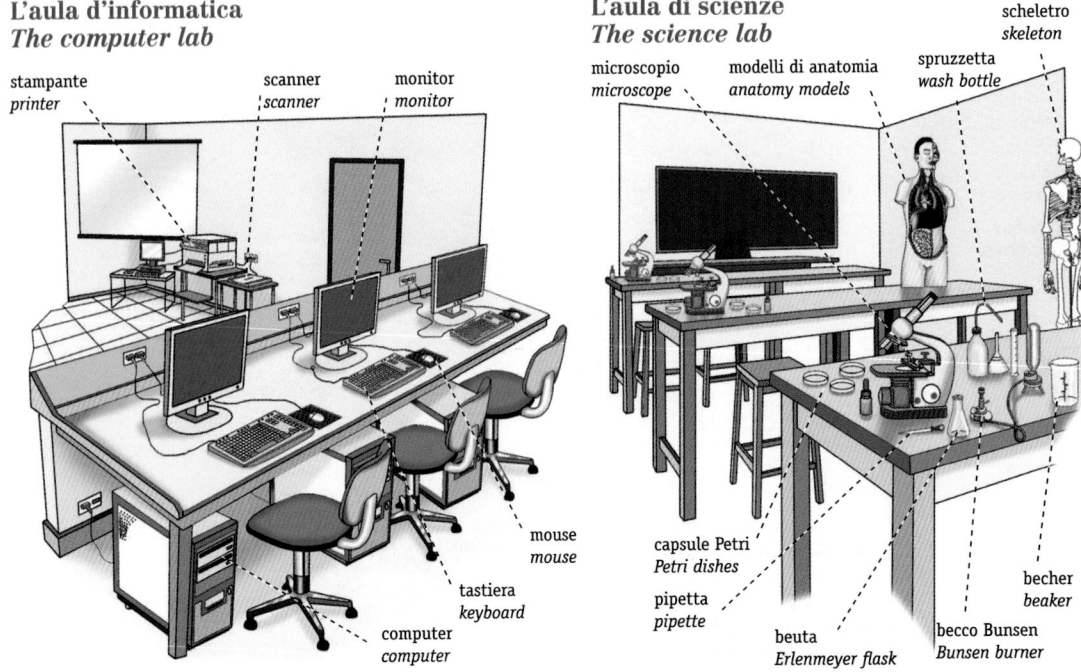

Elementi libro
Parts of a book

sovraccoperta
dust cover
bandella
flap
risguardo
flyleaf
occhiello
half-title
titolo
title
unghiatura
square
spessore della cartella
board thickness
copertina
cover
dorso
spine
frontespizio
title page
taglio
edge

canalino
groove
garza di rinforzo
binding gauze
piatto della copertina
front cover
rivestimento
cover material
tondo
rounded
blocco libro
book block
segnature
signatures
capitello
headband

Elementi giornale
Sections of a newspaper

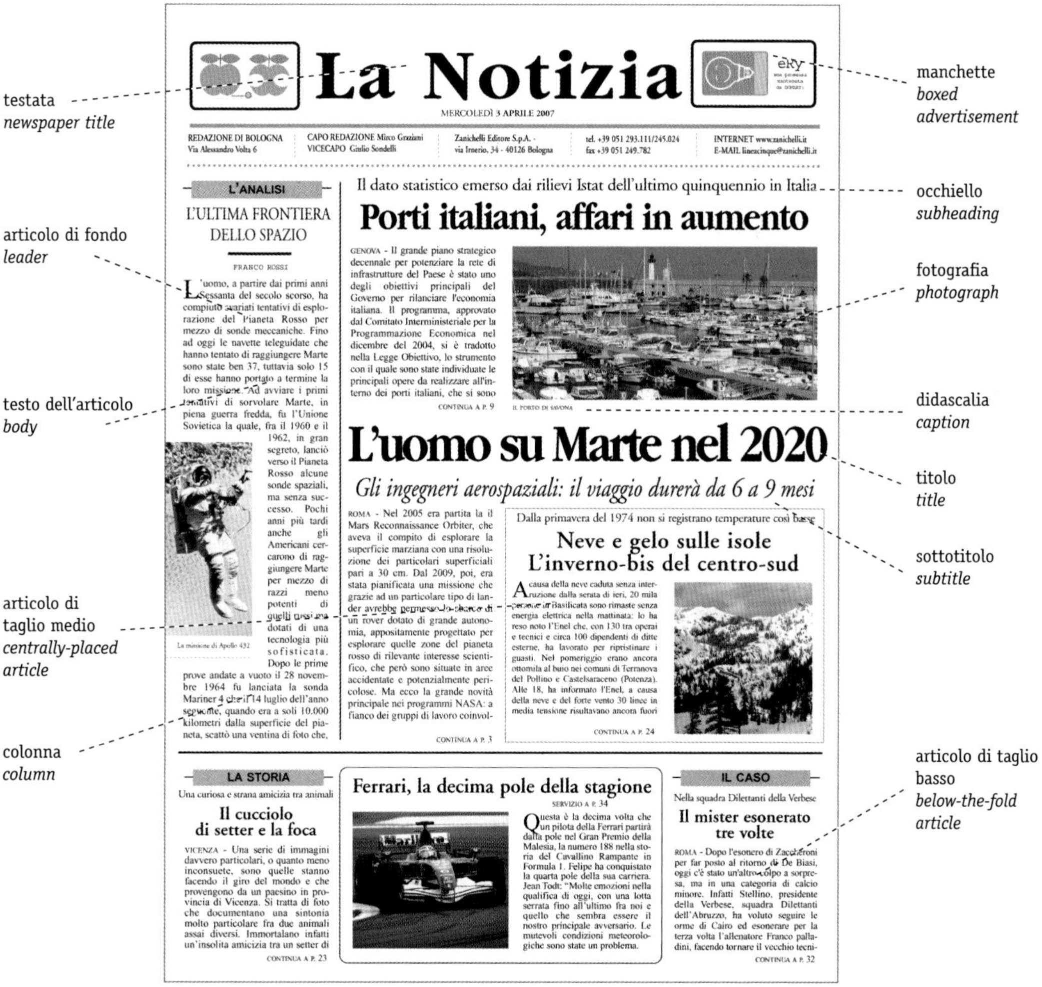

testata
newspaper title
manchette
boxed advertisement
occhiello
subheading
articolo di fondo
leader
fotografia
photograph
testo dell'articolo
body
didascalia
caption
titolo
title
sottotitolo
subtitle
articolo di taglio medio
centrally-placed article
colonna
column
articolo di taglio basso
below-the-fold article

La Notizia

MERCOLEDÌ 3 APRILE 2007

REDAZIONE DI BOLOGNA Via Alessandro Volta 6 | CAPO REDAZIONE Mirco Graziani VICECAPO Giulio Sondelli | Zanichelli Editore S.p.A. - via Irnerio, 34 - 40126 Bologna | tel. +39 051 293.111/245.024 fax +39 051 249.782 | INTERNET www.zanichelli.it E-MAIL lineacinque@zanichelli.it

L'ANALISI

L'ULTIMA FRONTIERA DELLO SPAZIO

FRANCO ROSSI

L'uomo, a partire dai primi anni Sessanta del secolo scorso, ha compiuto svariati tentativi di esplorazione del Pianeta Rosso per mezzo di sonde meccaniche. Fino ad oggi le navette teleguidate che hanno tentato di raggiungere Marte sono state ben 37, tuttavia solo 15 di esse hanno portato a termine la loro missione. Ad avviare i primi tentativi di sorvolare Marte, in piena guerra fredda, fu l'Unione Sovietica la quale, fra il 1960 e il 1962, in gran segreto, lanciò verso il Pianeta Rosso alcune sonde spaziali, ma senza successo. Pochi anni più tardi anche gli Americani cercarono di raggiungere Marte per mezzo di razzi meno potenti di quelli russi ma dotati di una tecnologia più sofisticata. Dopo le prime prove andate a vuoto il 28 novembre 1964 fu lanciata la sonda Mariner 4 che il 14 luglio dell'anno seguente, quando era a soli 10.000 kilometri dalla superficie del pianeta, scattò una ventina di foto che,

La missione di Apollo 432

Il dato statistico emerso dai rilievi Istat dell'ultimo quinquennio in Italia

Porti italiani, affari in aumento

GENOVA - Il grande piano strategico decennale per potenziare la rete di infrastrutture del Paese è stato uno degli obiettivi principali del Governo per rilanciare l'economia italiana. Il programma, approvato dal Comitato Interministeriale per la Programmazione Economica nel dicembre del 2004, si è tradotto nella Legge Obiettivo, lo strumento con il quale sono state individuate le principali opere da realizzare all'interno dei porti italiani, che si sono

CONTINUA A P. 9

IL PORTO DI SAVONA

L'uomo su Marte nel 2020

Gli ingegneri aerospaziali: il viaggio durerà da 6 a 9 mesi

ROMA - Nel 2005 era partita la il Mars Reconnaissance Orbiter, che aveva il compito di esplorare la superficie marziana con una risoluzione dei particolari superficiali pari a 30 cm. Dal 2009, poi, era stata pianificata una missione che grazie ad un particolare tipo di lander avrebbe permesso lo sbarco di un rover dotato di grande autonomia, appositamente progettato per esplorare quelle zone del pianeta rosso di rilevante interesse scientifico, che però sono situate in aree accidentate e potenzialmente pericolose. Ma ecco la grande novità principale nei programmi NASA: a fianco dei gruppi di lavoro coinvol-

CONTINUA A P. 3

Dalla primavera del 1974 non si registrano temperature così basse

Neve e gelo sulle isole L'inverno-bis del centro-sud

A causa della neve caduta senza interruzione dalla serata di ieri, 20 mila persone in Basilicata sono rimaste senza energia elettrica nella mattinata: lo ha reso noto l'Enel che, con 130 tra operai e tecnici e circa 100 dipendenti di ditte esterne, ha lavorato per ripristinare i guasti. Nel pomeriggio erano ancora ottomila al buio nei comuni di Terranova del Pollino e Castelsaraceno (Potenza). Alle 18, ha informato l'Enel, a causa della neve e del forte vento 30 linee in media tensione risultavano ancora fuori

CONTINUA A P. 24

LA STORIA

Una curiosa e strana amicizia tra animali

Il cucciolo di setter e la foca

VICENZA - Una serie di immagini davvero particolari, o quanto meno inconsuete, sono quelle stanno facendo il giro del mondo e che provengono da un paesino in provincia di Vicenza. Si tratta di foto che documentano una sintonia molto particolare fra due animali assai diversi. Immortalano infatti un'insolita amicizia tra un setter di

CONTINUA A P. 23

Ferrari, la decima pole della stagione

SERVIZIO A P. 34

Questa è la decima volta che un pilota della Ferrari partirà dalla pole nel Gran Premio della Malesia, la numero 188 nella storia del Cavallino Rampante in Formula 1. Felipe ha conquistato la quarta pole della sua carriera. Jean Todt: "Molte emozioni nella qualifica di oggi, con una lotta serrata fino all'ultimo fra noi e quello che sembra essere il nostro principale avversario. Le mutevoli condizioni meteorologiche sono state un problema.

IL CASO

Nella squadra Dilettanti della Verbese

Il mister esonerato tre volte

ROMA - Dopo l'esonero di Zaccheroni per far posto al ritorno di De Biasi, oggi c'è stato un'altro colpo a sorpresa, ma in una categoria di calcio minore. Infatti Stellino, presidente della Verbese, squadra Dilettanti dell'Abruzzo, ha voluto seguire le orme di Cairo ed esonerare per la terza volta l'allenatore Franco palladini, facendo tornare il vecchio tecni-

CONTINUA A P. 32

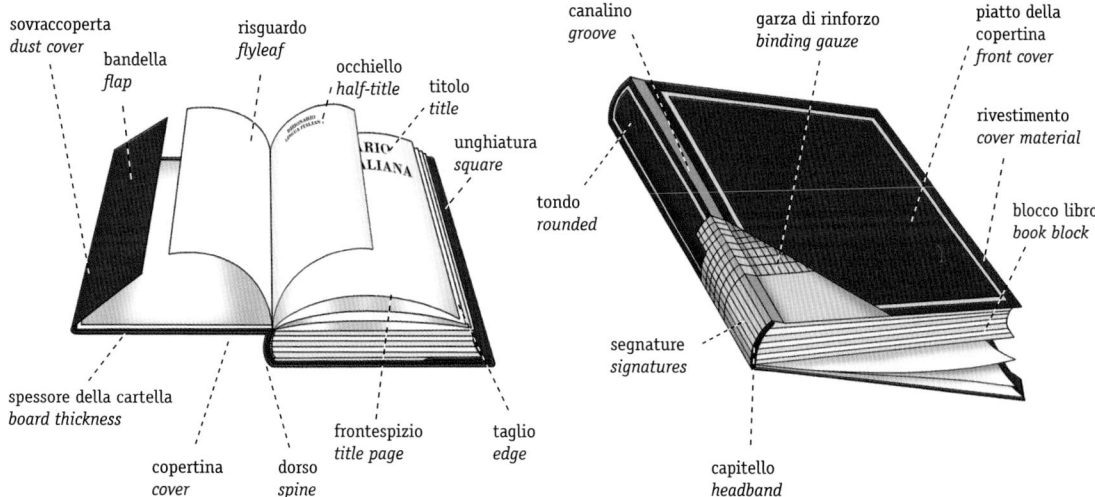

La casa
The house

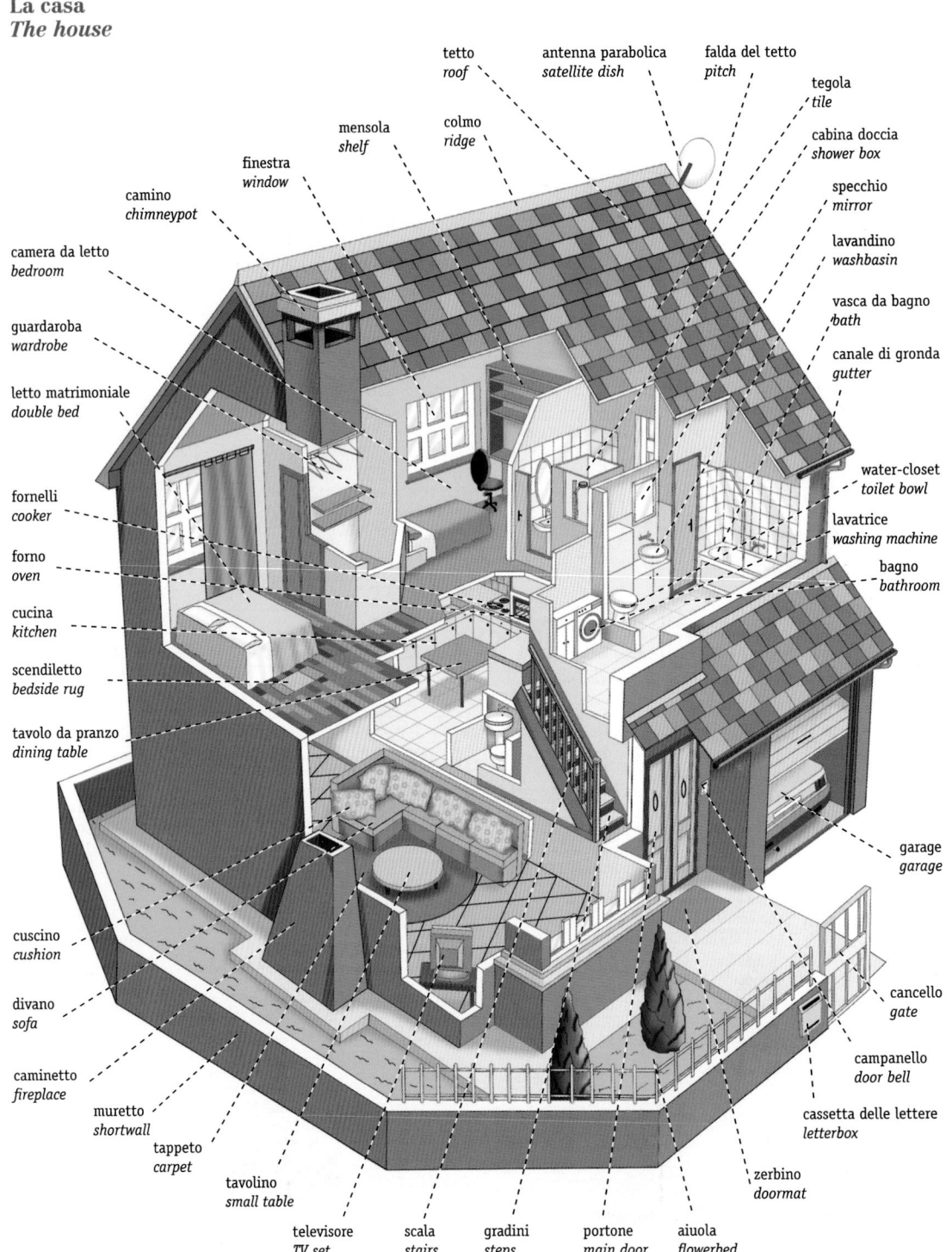

tetto
roof

antenna parabolica
satellite dish

falda del tetto
pitch

tegola
tile

mensola
shelf

colmo
ridge

cabina doccia
shower box

finestra
window

specchio
mirror

camino
chimneypot

lavandino
washbasin

camera da letto
bedroom

vasca da bagno
bath

guardaroba
wardrobe

canale di gronda
gutter

letto matrimoniale
double bed

water-closet
toilet bowl

fornelli
cooker

lavatrice
washing machine

forno
oven

bagno
bathroom

cucina
kitchen

scendiletto
bedside rug

tavolo da pranzo
dining table

garage
garage

cuscino
cushion

divano
sofa

cancello
gate

caminetto
fireplace

campanello
door bell

muretto
shortwall

cassetta delle lettere
letterbox

tappeto
carpet

tavolino
small table

zerbino
doormat

televisore
TV set

scala
stairs

gradini
steps

portone
main door

aiuola
flowerbed

Il supermercato
The supermarket

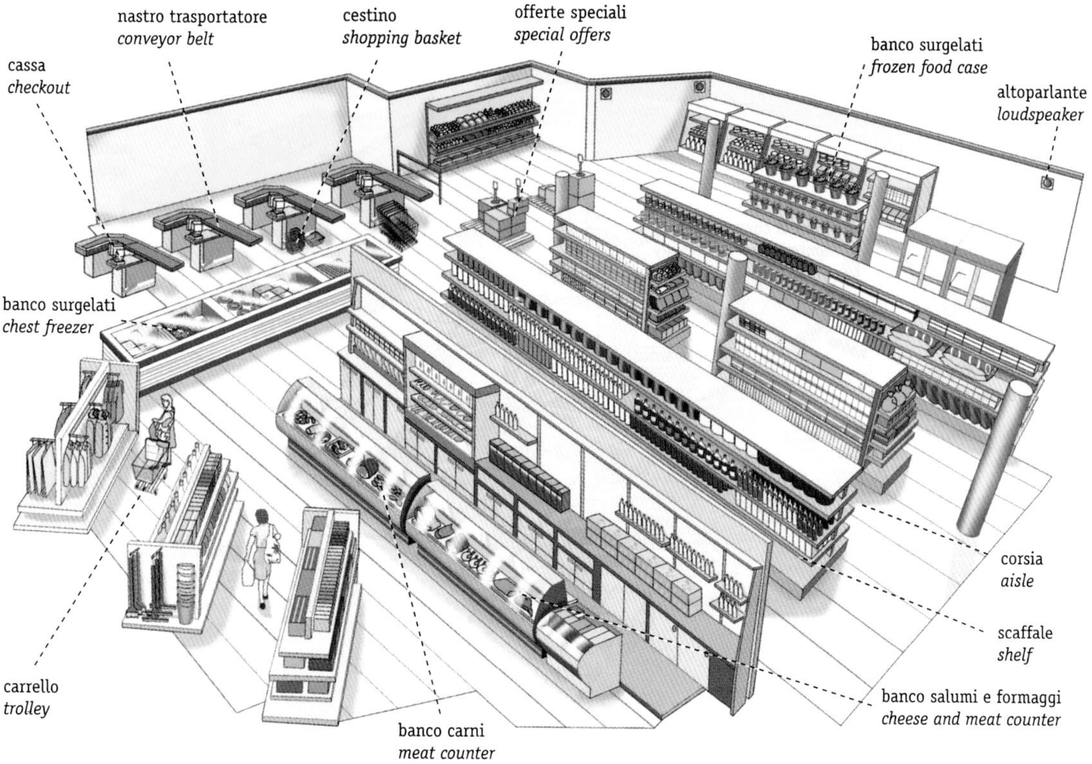

nastro trasportatore
conveyor belt

cestino
shopping basket

offerte speciali
special offers

banco surgelati
frozen food case

cassa
checkout

altoparlante
loudspeaker

banco surgelati
chest freezer

corsia
aisle

scaffale
shelf

carrello
trolley

banco salumi e formaggi
cheese and meat counter

banco carni
meat counter

Il mercato rionale
The local market

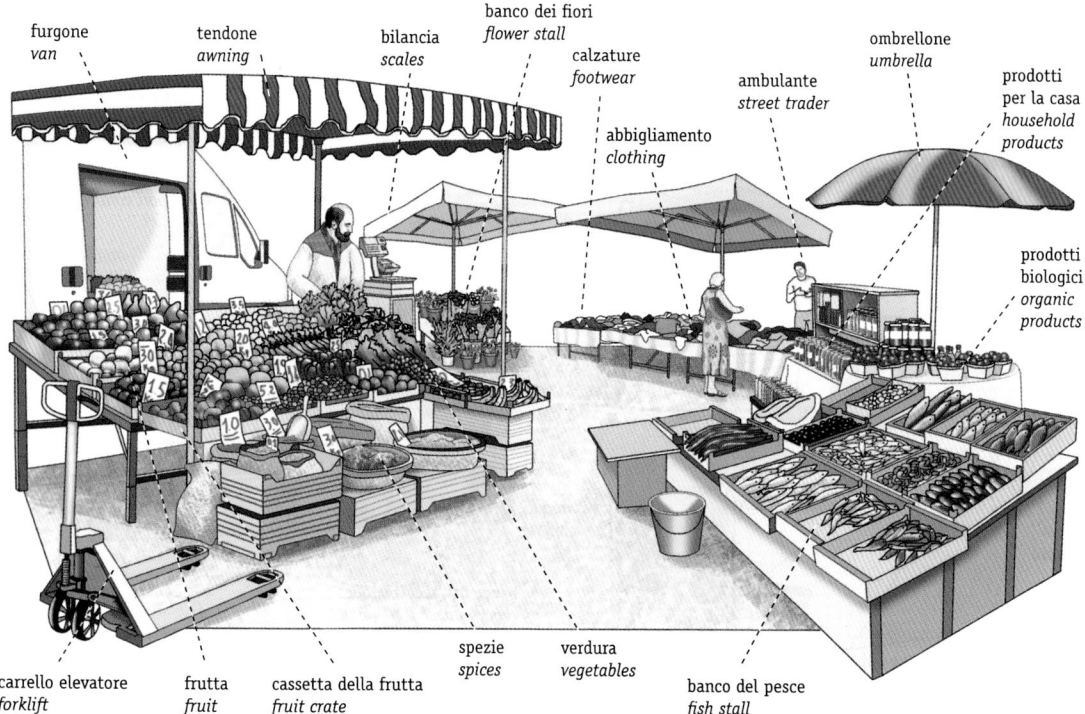

furgone
van

tendone
awning

bilancia
scales

banco dei fiori
flower stall

calzature
footwear

abbigliamento
clothing

ambulante
street trader

ombrellone
umbrella

prodotti
per la casa
*household
products*

prodotti
biologici
*organic
products*

carrello elevatore
forklift

frutta
fruit

cassetta della frutta
fruit crate

spezie
spices

verdura
vegetables

banco del pesce
fish stall

La stazione
The station

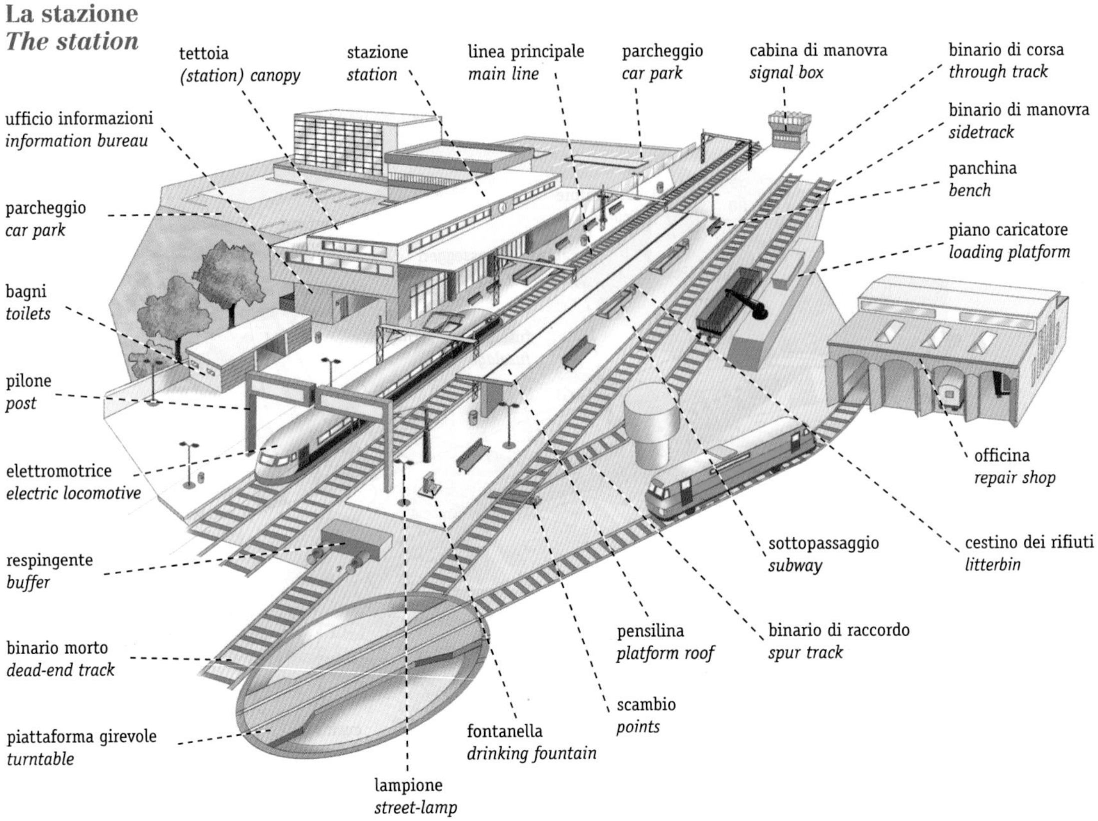

tettoia
(station) canopy

stazione
station

linea principale
main line

parcheggio
car park

cabina di manovra
signal box

binario di corsa
through track

ufficio informazioni
information bureau

binario di manovra
sidetrack

panchina
bench

parcheggio
car park

piano caricatore
loading platform

bagni
toilets

pilone
post

elettromotrice
electric locomotive

officina
repair shop

respingente
buffer

cestino dei rifiuti
litterbin

sottopassaggio
subway

binario morto
dead-end track

pensilina
platform roof

binario di raccordo
spur track

piattaforma girevole
turntable

fontanella
drinking fountain

scambio
points

lampione
street-lamp

Il treno
The train

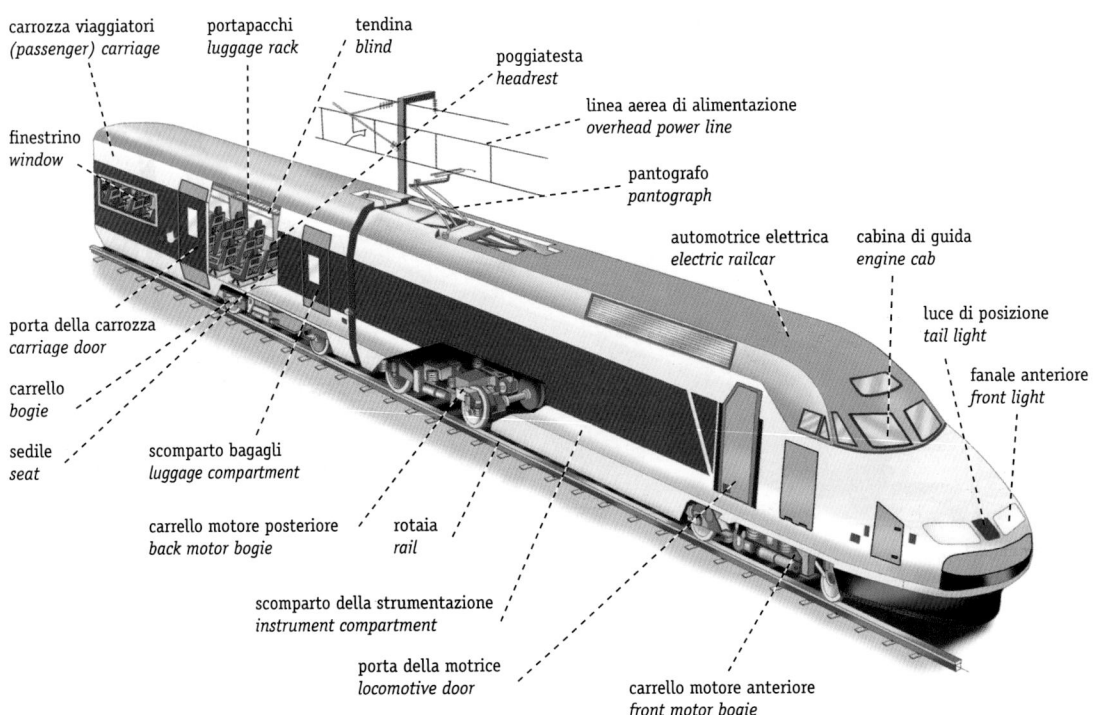

carrozza viaggiatori
(passenger) carriage

portapacchi
luggage rack

tendina
blind

poggiatesta
headrest

linea aerea di alimentazione
overhead power line

finestrino
window

pantografo
pantograph

automotrice elettrica
electric railcar

cabina di guida
engine cab

porta della carrozza
carriage door

luce di posizione
tail light

carrello
bogie

fanale anteriore
front light

sedile
seat

scomparto bagagli
luggage compartment

carrello motore posteriore
back motor bogie

rotaia
rail

scomparto della strumentazione
instrument compartment

porta della motrice
locomotive door

carrello motore anteriore
front motor bogie

Il porto
The harbour

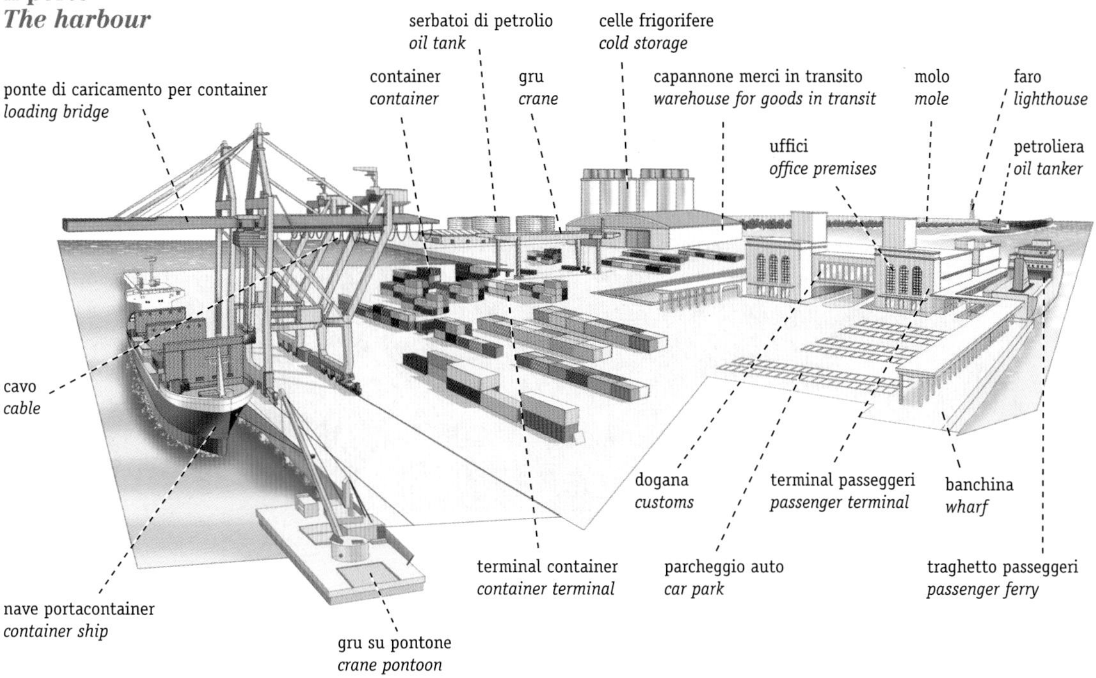

serbatoi di petrolio
oil tank

celle frigorifere
cold storage

container
container

gru
crane

capannone merci in transito
warehouse for goods in transit

molo
mole

faro
lighthouse

ponte di caricamento per container
loading bridge

uffici
office premises

petroliera
oil tanker

cavo
cable

dogana
customs

terminal passeggeri
passenger terminal

banchina
wharf

terminal container
container terminal

parcheggio auto
car park

traghetto passeggeri
passenger ferry

nave portacontainer
container ship

gru su pontone
crane pontoon

Il transatlantico
The transatlantic liner

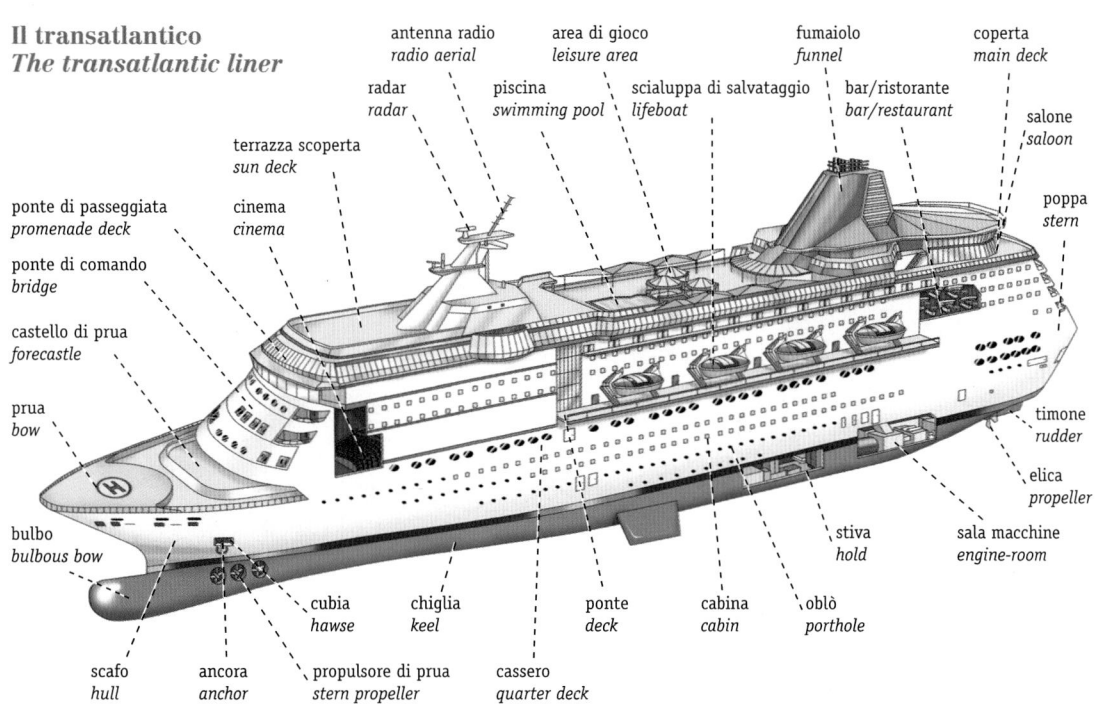

antenna radio
radio aerial

area di gioco
leisure area

fumaiolo
funnel

coperta
main deck

radar
radar

piscina
swimming pool

scialuppa di salvataggio
lifeboat

bar/ristorante
bar/restaurant

salone
saloon

terrazza scoperta
sun deck

poppa
stern

ponte di passeggiata
promenade deck

cinema
cinema

ponte di comando
bridge

castello di prua
forecastle

prua
bow

timone
rudder

elica
propeller

bulbo
bulbous bow

stiva
hold

sala macchine
engine-room

cubia
hawse

chiglia
keel

ponte
deck

cabina
cabin

oblò
porthole

scafo
hull

ancora
anchor

propulsore di prua
stern propeller

cassero
quarter deck

La bicicletta
The bicycle

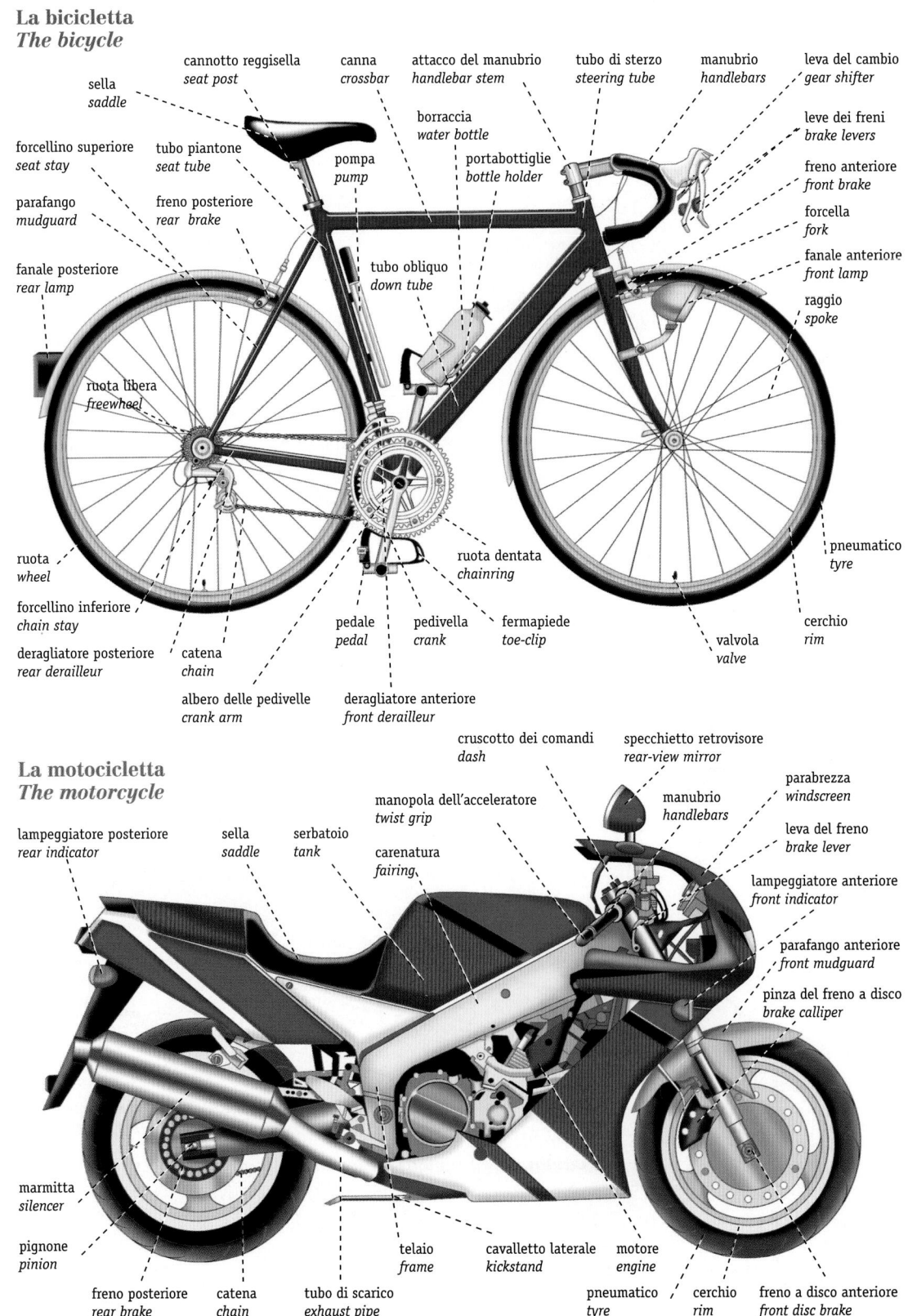

cannotto reggisella
seat post

canna
crossbar

attacco del manubrio
handlebar stem

tubo di sterzo
steering tube

manubrio
handlebars

leva del cambio
gear shifter

sella
saddle

borraccia
water bottle

leve dei freni
brake levers

forcellino superiore
seat stay

tubo piantone
seat tube

pompa
pump

portabottiglie
bottle holder

freno anteriore
front brake

parafango
mudguard

freno posteriore
rear brake

forcella
fork

fanale posteriore
rear lamp

tubo obliquo
down tube

fanale anteriore
front lamp

raggio
spoke

ruota libera
freewheel

ruota
wheel

ruota dentata
chainring

pneumatico
tyre

forcellino inferiore
chain stay

pedale
pedal

pedivella
crank

fermapiede
toe-clip

cerchio
rim

deragliatore posteriore
rear derailleur

catena
chain

valvola
valve

albero delle pedivelle
crank arm

deragliatore anteriore
front derailleur

cruscotto dei comandi
dash

specchietto retrovisore
rear-view mirror

La motocicletta
The motorcycle

manopola dell'acceleratore
twist grip

manubrio
handlebars

parabrezza
windscreen

lampeggiatore posteriore
rear indicator

sella
saddle

serbatoio
tank

carenatura
fairing

leva del freno
brake lever

lampeggiatore anteriore
front indicator

parafango anteriore
front mudguard

pinza del freno a disco
brake calliper

marmitta
silencer

pignone
pinion

telaio
frame

cavalletto laterale
kickstand

motore
engine

pneumatico
tyre

cerchio
rim

freno a disco anteriore
front disc brake

freno posteriore
rear brake

catena
chain

tubo di scarico
exhaust pipe

L'automobile
The car

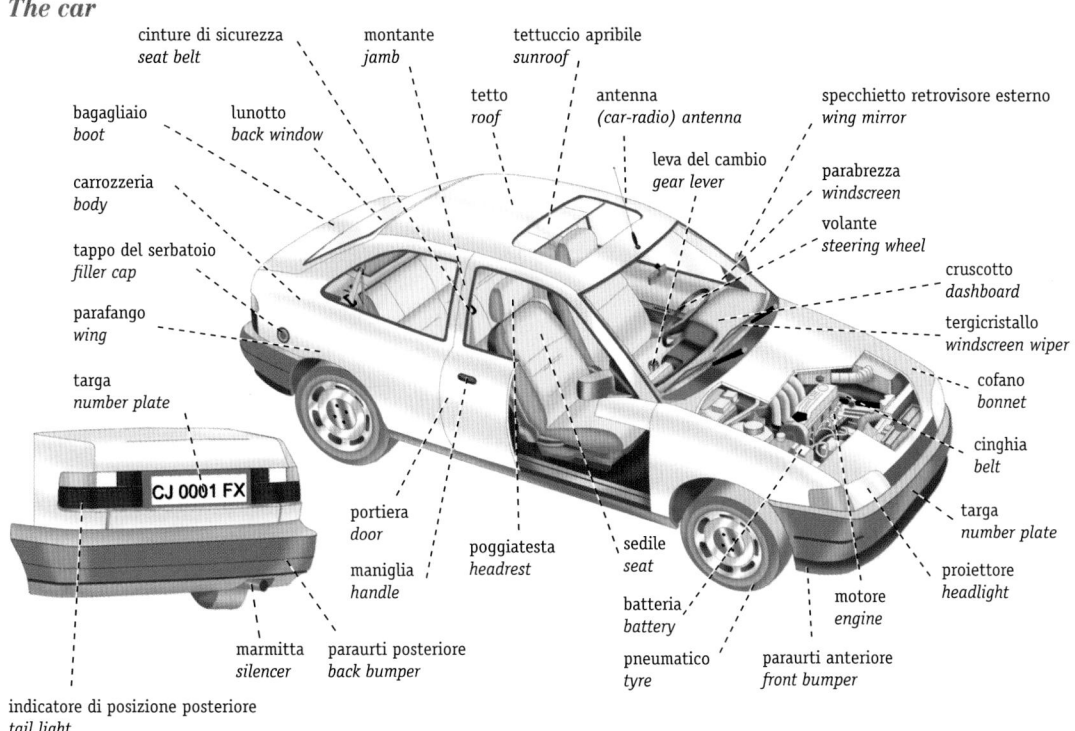

cinture di sicurezza
seat belt

montante
jamb

tettuccio apribile
sunroof

bagagliaio
boot

lunotto
back window

tetto
roof

antenna
(car-radio) antenna

specchietto retrovisore esterno
wing mirror

carrozzeria
body

leva del cambio
gear lever

parabrezza
windscreen

tappo del serbatoio
filler cap

volante
steering wheel

cruscotto
dashboard

parafango
wing

tergicristallo
windscreen wiper

targa
number plate

cofano
bonnet

cinghia
belt

CJ 0001 FX

portiera
door

sedile
seat

targa
number plate

poggiatesta
headrest

maniglia
handle

proiettore
headlight

batteria
battery

motore
engine

marmitta
silencer

paraurti posteriore
back bumper

pneumatico
tyre

paraurti anteriore
front bumper

indicatore di posizione posteriore
tail light

Il clipper
The clipper

drizza
halyard

maestra
mainsail

controvelaccio
main royal (sail)

albero di maestra
mainmast

albero di trinchetto
foremast

velaccio
topgallant (sail)

velaccino
fore topgallant sail

vela di belvedere
mizzen topgallant sail

parrocchetto
fore topsail

albero di belvedere
mizzen topgallant mast

strallo
stay

albero di mezzana
mizzenmast

vela di strallo
foresail

fiocco
jib

contromezzana volante
mizzen topsail

bompresso
bowsprit

mezzana
mizzensail

poppa
stern

trinchetto
foresail

timone
rudder

prua
bow

sartia
shroud

camerata
crew quarters

stiva
hold

chiglia
keel

Il tempio greco
The Greek temple

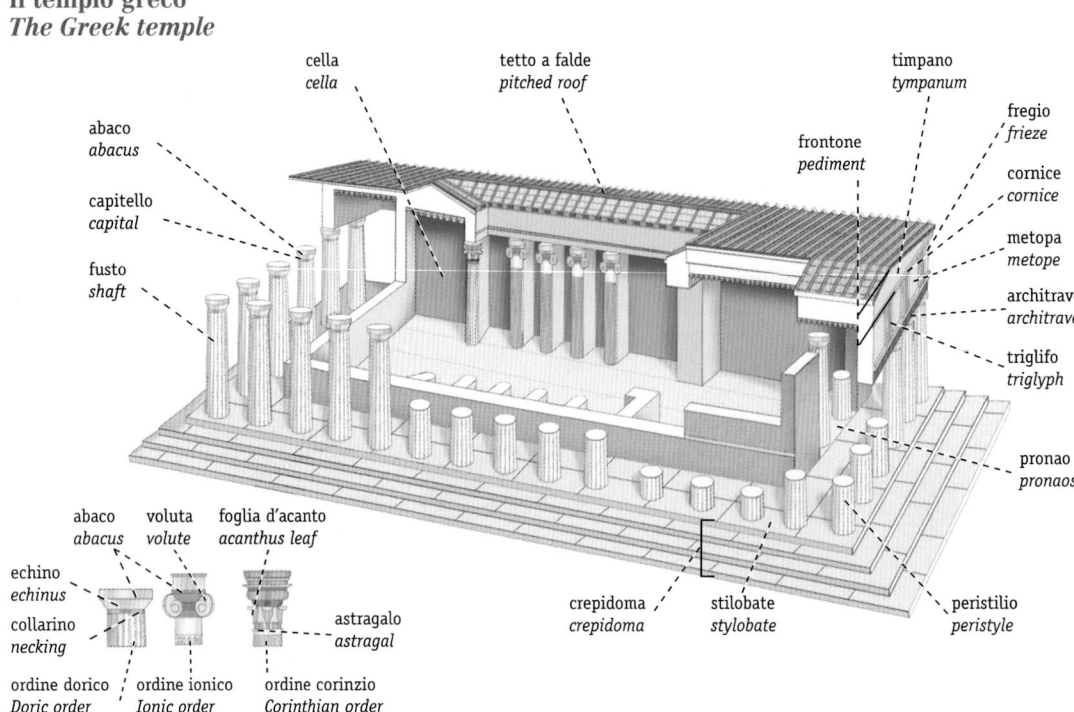

abaco
abacus

capitello
capital

fusto
shaft

cella
cella

tetto a falde
pitched roof

timpano
tympanum

frontone
pediment

fregio
frieze

cornice
cornice

metopa
metope

architrave
architrave

triglifo
triglyph

pronao
pronaos

peristilio
peristyle

stilobate
stylobate

crepidoma
crepidoma

abaco
abacus

voluta
volute

foglia d'acanto
acanthus leaf

echino
echinus

collarino
necking

astragalo
astragal

ordine dorico
Doric order

ordine ionico
Ionic order

ordine corinzio
Corinthian order

La cattedrale
The cathedral

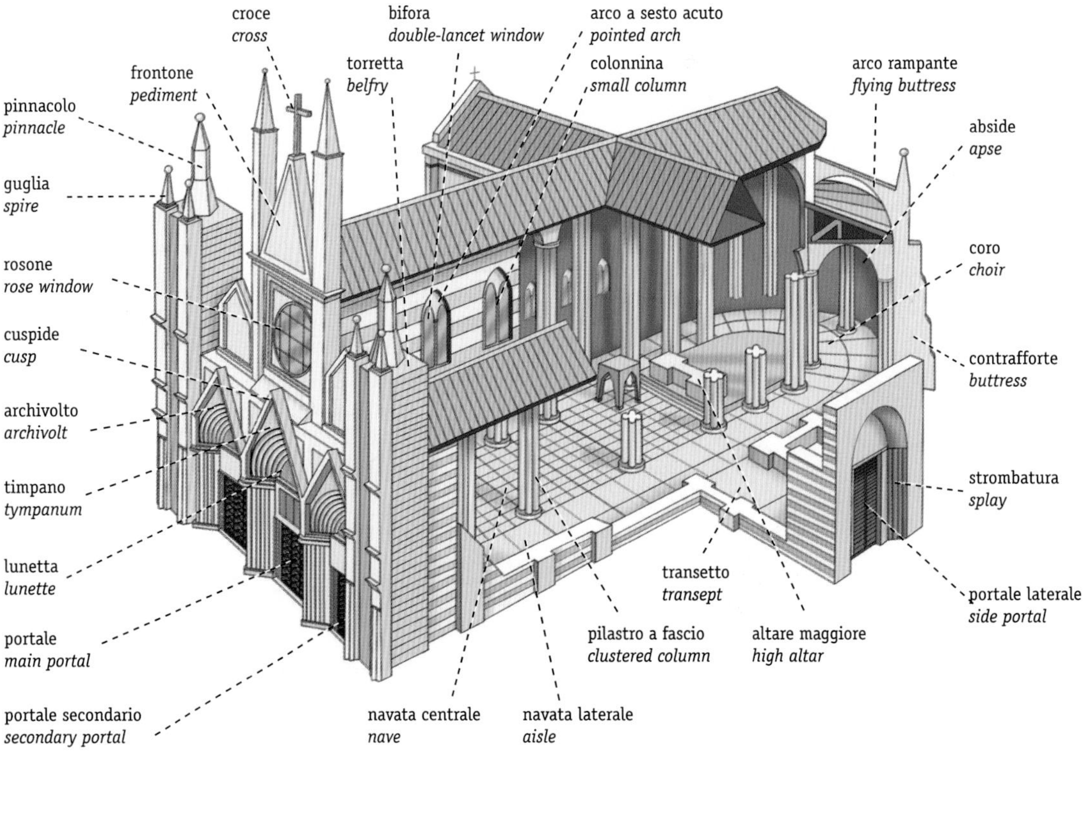

croce
cross

bifora
double-lancet window

arco a sesto acuto
pointed arch

torretta
belfry

colonnina
small column

arco rampante
flying buttress

frontone
pediment

pinnacolo
pinnacle

abside
apse

guglia
spire

coro
choir

rosone
rose window

cuspide
cusp

contrafforte
buttress

archivolto
archivolt

timpano
tympanum

strombatura
splay

lunetta
lunette

transetto
transept

portale laterale
side portal

portale
main portal

pilastro a fascio
clustered column

altare maggiore
high altar

portale secondario
secondary portal

navata centrale
nave

navata laterale
aisle

Il castello
The castle

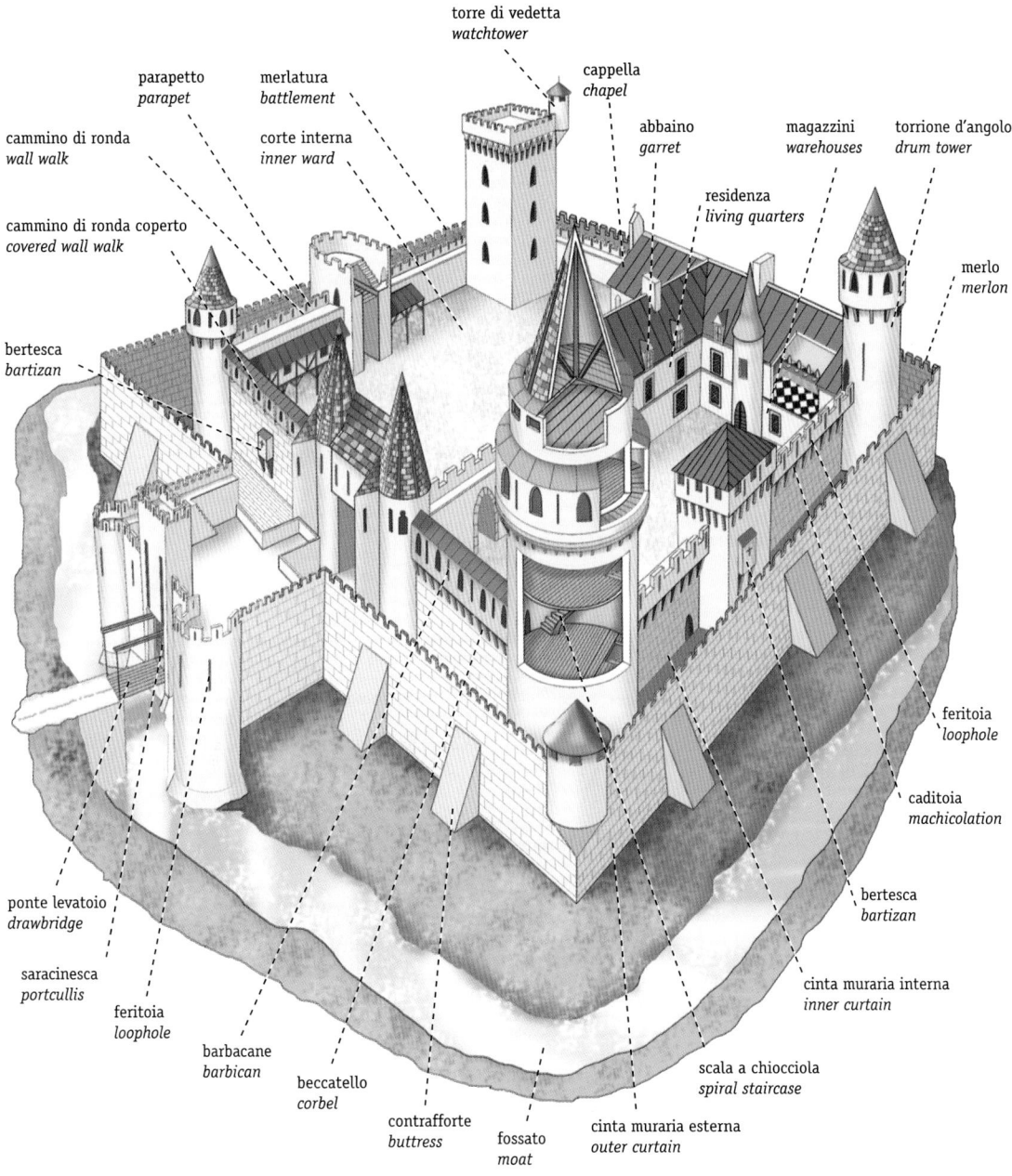

torre di vedetta
watchtower

parapetto
parapet

merlatura
battlement

cappella
chapel

cammino di ronda
wall walk

corte interna
inner ward

abbaino
garret

magazzini
warehouses

torrione d'angolo
drum tower

residenza
living quarters

cammino di ronda coperto
covered wall walk

merlo
merlon

bertesca
bartizan

feritoia
loophole

caditoia
machicolation

bertesca
bartizan

ponte levatoio
drawbridge

cinta muraria interna
inner curtain

saracinesca
portcullis

feritoia
loophole

barbacane
barbican

beccatello
corbel

scala a chiocciola
spiral staircase

contrafforte
buttress

fossato
moat

cinta muraria esterna
outer curtain

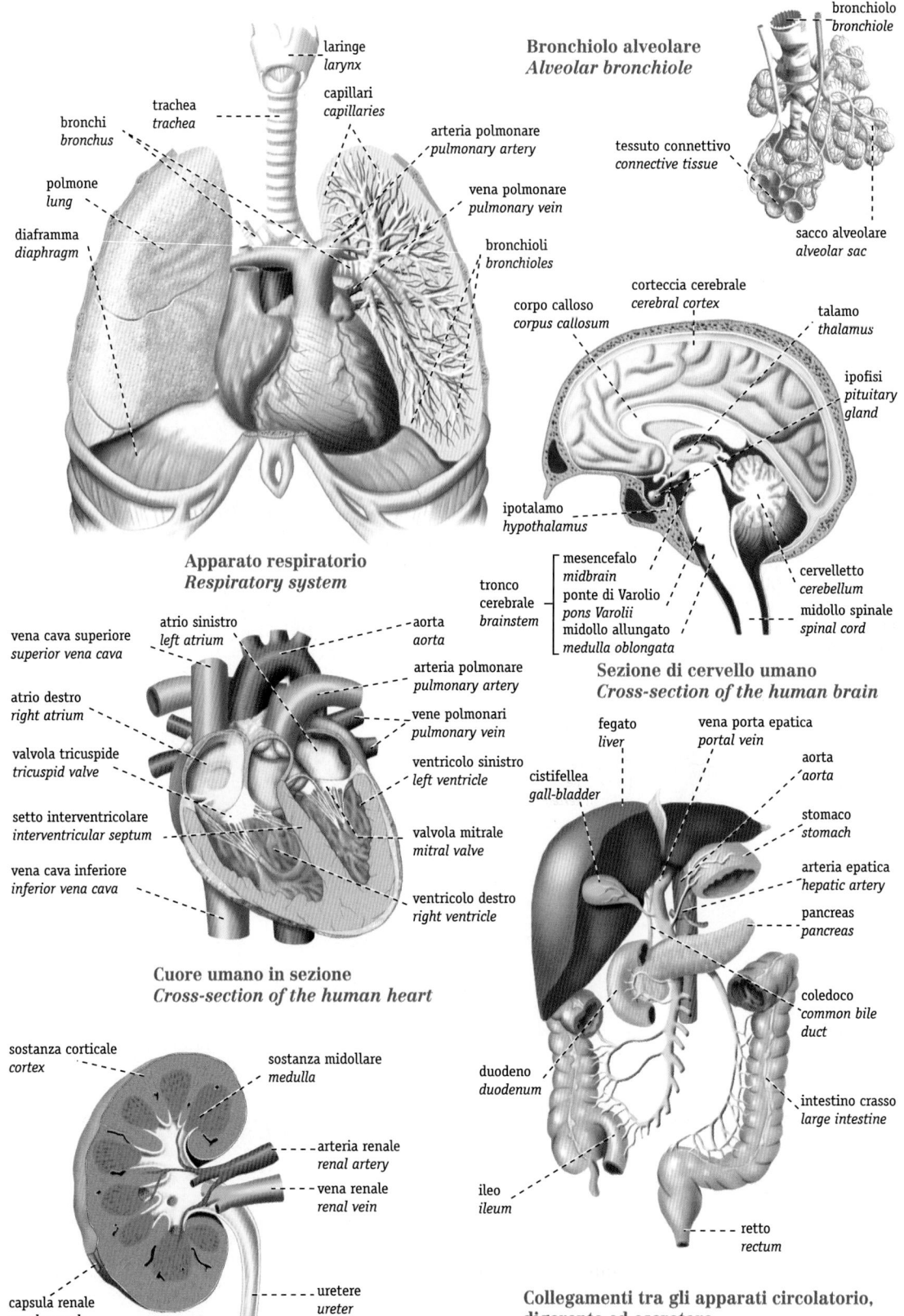

bronchiolo
bronchiole

laringe
larynx

capillari
capillaries

trachea
trachea

bronchi
bronchus

arteria polmonare
pulmonary artery

polmone
lung

vena polmonare
pulmonary vein

diaframma
diaphragm

bronchioli
bronchioles

tessuto connettivo
connective tissue

sacco alveolare
alveolar sac

Bronchiolo alveolare
Alveolar bronchiole

corteccia cerebrale
cerebral cortex

talamo
thalamus

corpo calloso
corpus callosum

ipofisi
pituitary gland

ipotalamo
hypothalamus

mesencefalo
midbrain

tronco cerebrale
brainstem

ponte di Varolio
pons Varolii

midollo allungato
medulla oblongata

cervelletto
cerebellum

midollo spinale
spinal cord

Apparato respiratorio
Respiratory system

Sezione di cervello umano
Cross-section of the human brain

atrio sinistro
left atrium

aorta
aorta

vena cava superiore
superior vena cava

arteria polmonare
pulmonary artery

atrio destro
right atrium

vene polmonari
pulmonary vein

valvola tricuspide
tricuspid valve

ventricolo sinistro
left ventricle

setto interventricolare
interventricular septum

valvola mitrale
mitral valve

vena cava inferiore
inferior vena cava

ventricolo destro
right ventricle

fegato
liver

vena porta epatica
portal vein

cistifellea
gall-bladder

aorta
aorta

stomaco
stomach

arteria epatica
hepatic artery

pancreas
pancreas

coledoco
common bile duct

Cuore umano in sezione
Cross-section of the human heart

sostanza corticale
cortex

sostanza midollare
medulla

duodeno
duodenum

intestino crasso
large intestine

arteria renale
renal artery

vena renale
renal vein

ileo
ileum

retto
rectum

capsula renale
renal capsule

uretere
ureter

Rene in sezione
Cross-section of a kidney

Collegamenti tra gli apparati circolatorio, digerente ed escretore
Connections between the cardiovascular, digestive and excretory systems

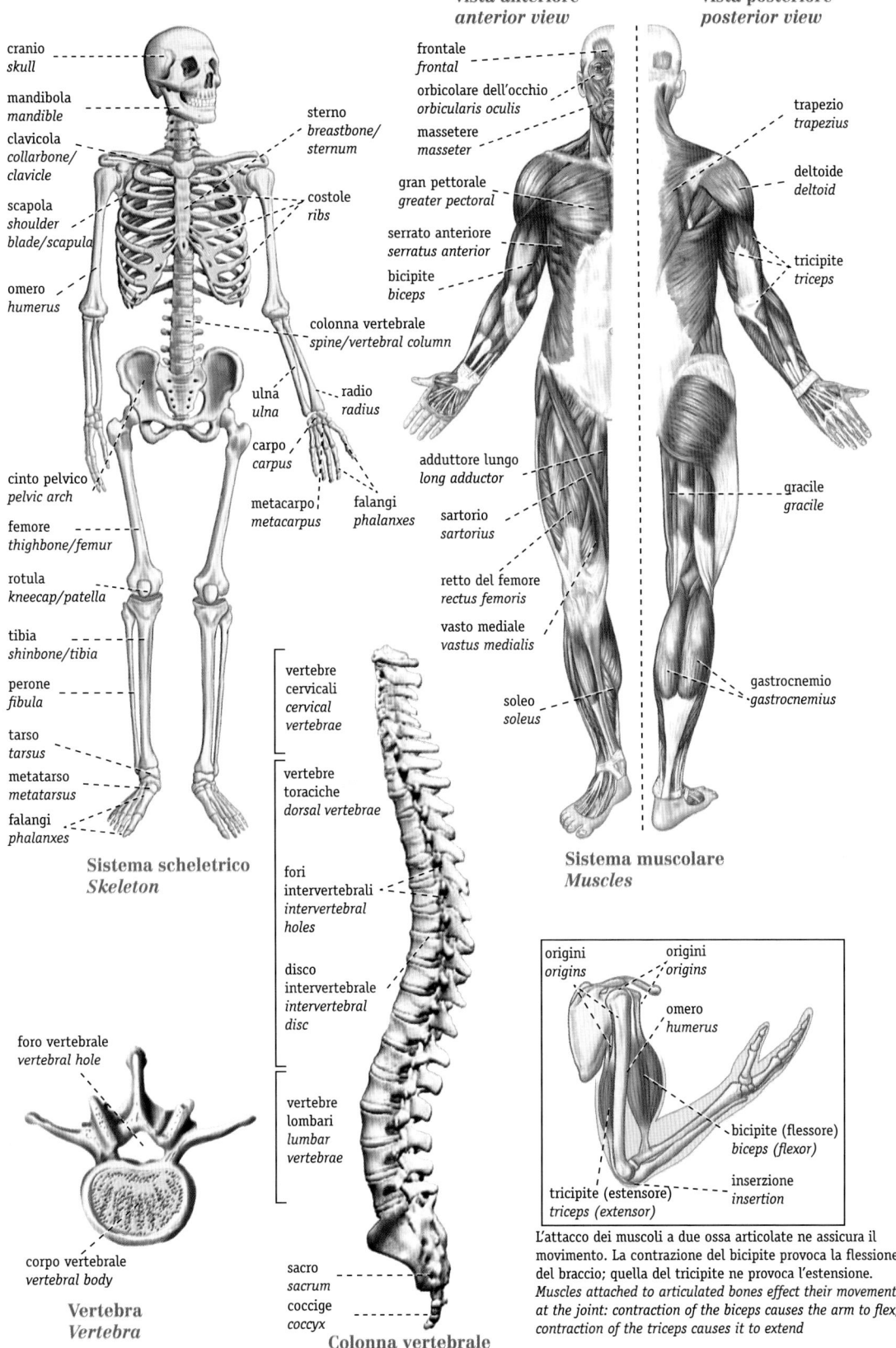

vista anteriore
anterior view

vista posteriore
posterior view

cranio
skull

mandibola
mandible

clavicola
*collarbone/
clavicle*

scapola
*shoulder
blade/scapula*

omero
humerus

cinto pelvico
pelvic arch

femore
thighbone/femur

rotula
kneecap/patella

tibia
shinbone/tibia

perone
fibula

tarso
tarsus

metatarso
metatarsus

falangi
phalanxes

sterno
*breastbone/
sternum*

costole
ribs

colonna vertebrale
spine/vertebral column

ulna   radio
ulna   *radius*

carpo
carpus

metacarpo   falangi
metacarpus   *phalanxes*

Sistema scheletrico
Skeleton

frontale
frontal

orbicolare dell'occhio
orbicularis oculi

massetere
masseter

gran pettorale
greater pectoral

serrato anteriore
serratus anterior

bicipite
biceps

adduttore lungo
long adductor

sartorio
sartorius

retto del femore
rectus femoris

vasto mediale
vastus medialis

soleo
soleus

trapezio
trapezius

deltoide
deltoid

tricipite
triceps

gracile
gracile

gastrocnemio
gastrocnemius

Sistema muscolare
Muscles

foro vertebrale
vertebral hole

corpo vertebrale
vertebral body

Vertebra
Vertebra

vertebre
cervicali
*cervical
vertebrae*

vertebre
toraciche
dorsal vertebrae

fori
intervertebrali
*intervertebral
holes*

disco
intervertebrale
*intervertebral
disc*

vertebre
lombari
*lumbar
vertebrae*

sacro
sacrum

coccige
coccyx

Colonna vertebrale
Vertebral column

origini   origini
origins   *origins*

omero
humerus

bicipite (flessore)
biceps (flexor)

inserzione
insertion

tricipite (estensore)
triceps (extensor)

L'attacco dei muscoli a due ossa articolate ne assicura il
movimento. La contrazione del bicipite provoca la flessione
del braccio; quella del tricipite ne provoca l'estensione.
*Muscles attached to articulated bones effect their movement
at the joint: contraction of the biceps causes the arm to flex;
contraction of the triceps causes it to extend*

Lo stadio di calcio
The football stadium

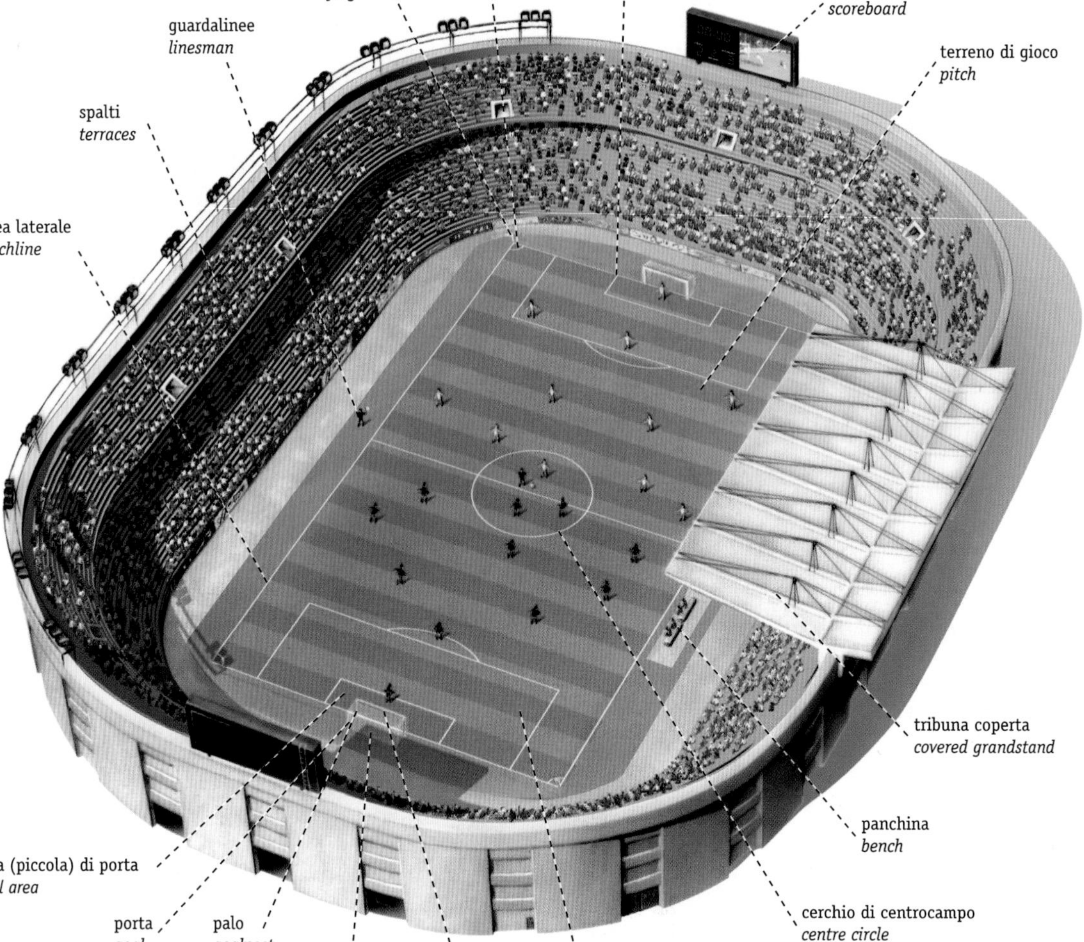

area d'angolo
corner arc

bandierina
flag

linea di fondo
dead-ball line

tabellone luminoso
scoreboard

guardalinee
linesman

terreno di gioco
pitch

spalti
terraces

linea laterale
touchline

tribuna coperta
covered grandstand

panchina
bench

area (piccola) di porta
goal area

porta
goal

palo
goalpost

rete
net

traversa
crossbar

area di rigore
penalty area

cerchio di centrocampo
centre circle

Il calcio
Football

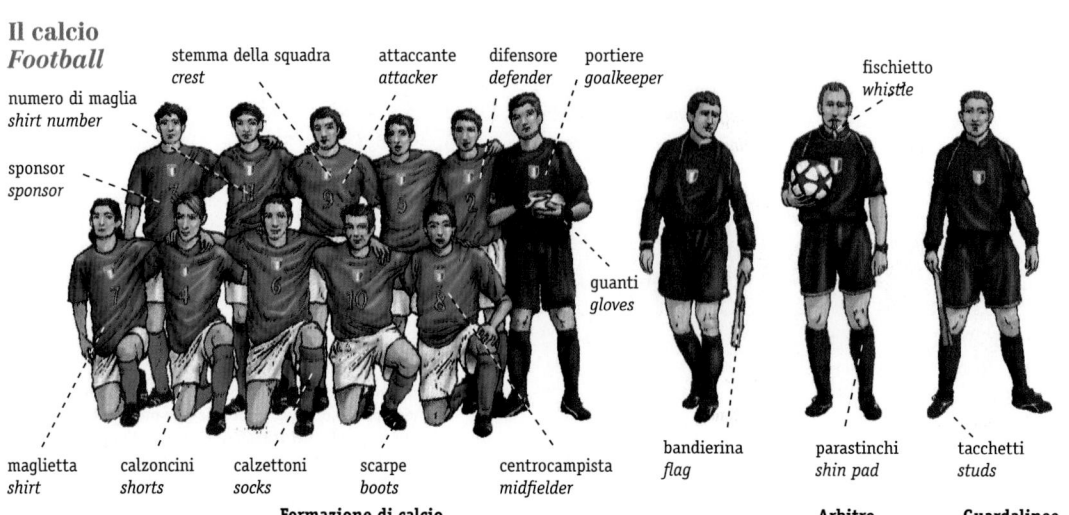

numero di maglia
shirt number

stemma della squadra
crest

attaccante
attacker

difensore
defender

portiere
goalkeeper

fischietto
whistle

sponsor
sponsor

guanti
gloves

maglietta
shirt

calzoncini
shorts

calzettoni
socks

scarpe
boots

centrocampista
midfielder

bandierina
flag

parastinchi
shin pad

tacchetti
studs

Formazione di calcio
Football team

Arbitro
Referee

Guardalinee
Linesman

La palestra
The gym

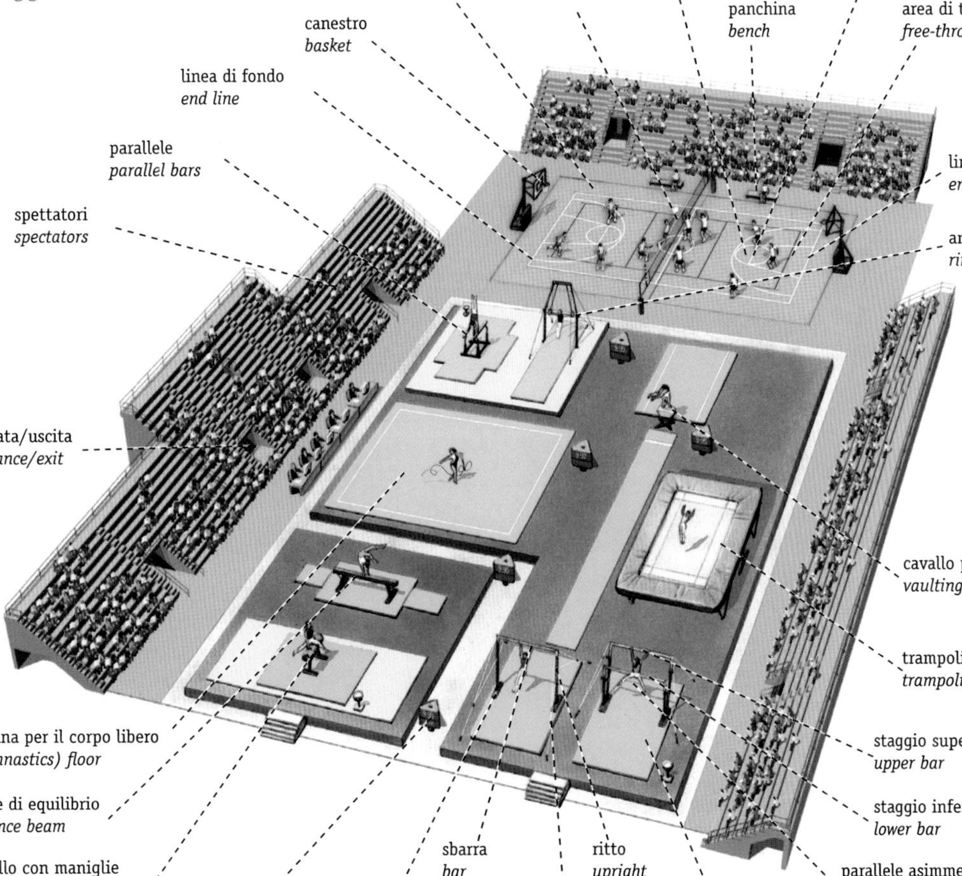

campo polivalente
multipurpose court

rete
net

lunetta
semicircle

linea di tiro libero
free-throw line

canestro
basket

panchina
bench

area di tiro libero
free-throw area

linea di fondo
end line

parallele
parallel bars

linea di fondo
end line

spettatori
spectators

anelli
rings

entrata/uscita
entrance/exit

cavallo per volteggi
vaulting horse

trampolino elastico
trampoline

pedana per il corpo libero
(gymnastics) floor

staggio superiore
upper bar

trave di equilibrio
balance beam

staggio inferiore
lower bar

cavallo con maniglie
pommel horse

sbarra
bar

ritto
upright

parallele asimmetriche
uneven bars

tabellone della prova in corso
scoreboard for the performance in progress

sostegno della sbarra
bar support

tirante
stay wire

materasso
mat

Il tennis
Tennis

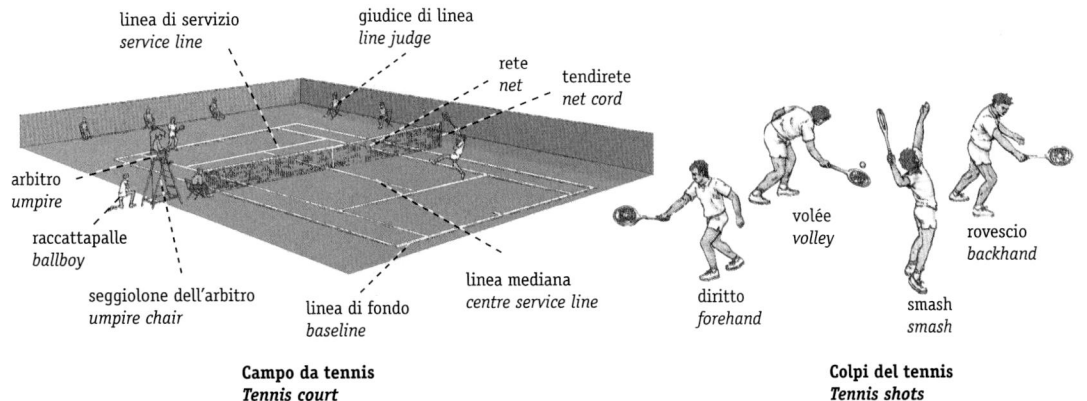

linea di servizio
service line

giudice di linea
line judge

rete
net

tendirete
net cord

arbitro
umpire

volée
volley

rovescio
backhand

raccattapalle
ballboy

seggiolone dell'arbitro
umpire chair

linea di fondo
baseline

linea mediana
centre service line

diritto
forehand

smash
smash

Campo da tennis
Tennis court

Colpi del tennis
Tennis shots

Lo stadio d'atletica
The athletics stadium

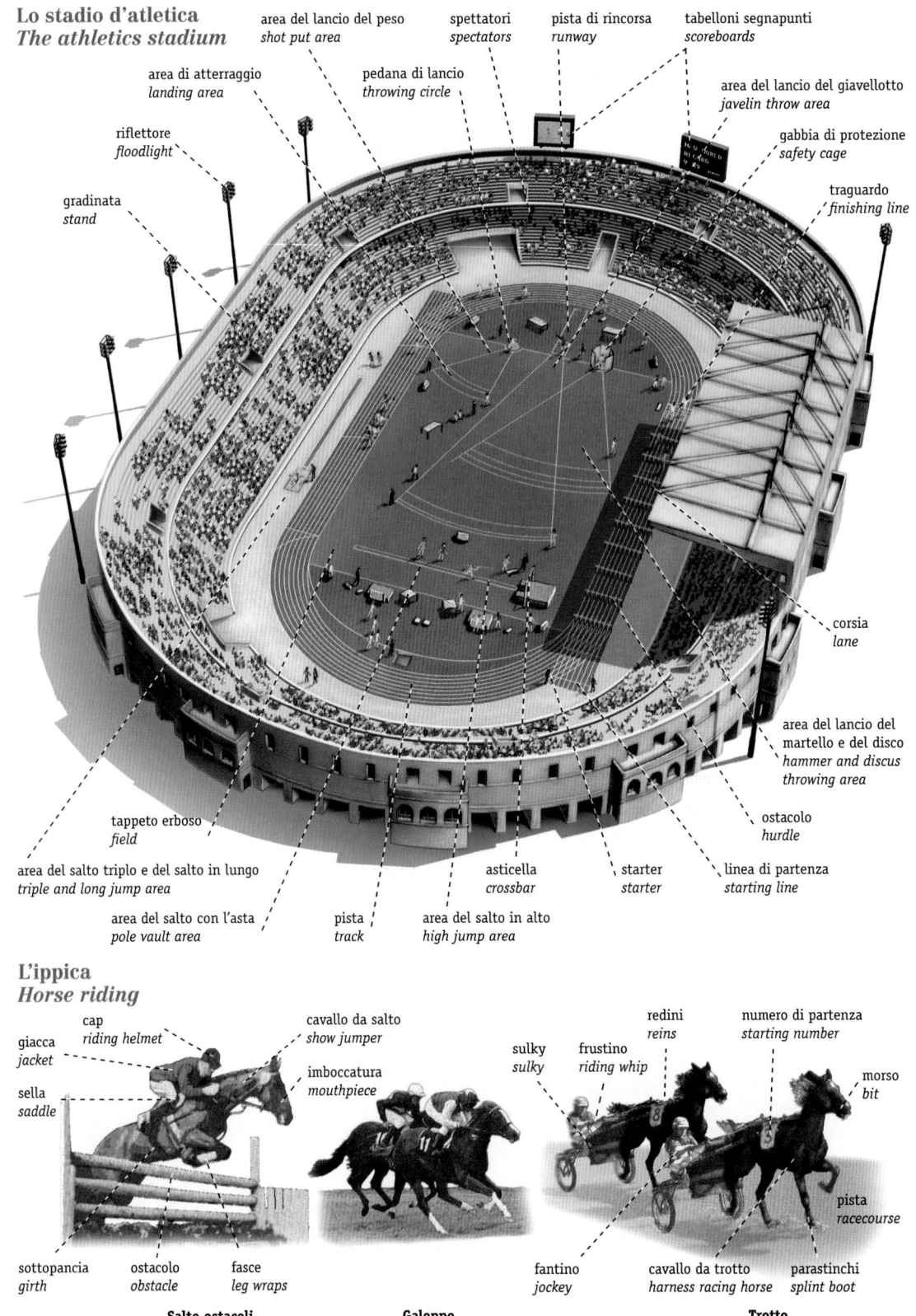

area del lancio del peso
shot put area

spettatori
spectators

pista di rincorsa
runway

tabelloni segnapunti
scoreboards

area di atterraggio
landing area

pedana di lancio
throwing circle

area del lancio del giavellotto
javelin throw area

riflettore
floodlight

gabbia di protezione
safety cage

gradinata
stand

traguardo
finishing line

corsia
lane

area del lancio del
martello e del disco
*hammer and discus
throwing area*

tappeto erboso
field

ostacolo
hurdle

area del salto triplo e del salto in lungo
triple and long jump area

asticella
crossbar

starter
starter

linea di partenza
starting line

area del salto con l'asta
pole vault area

pista
track

area del salto in alto
high jump area

L'ippica
Horse riding

cap
riding helmet

cavallo da salto
show jumper

redini
reins

numero di partenza
starting number

giacca
jacket

sulky
sulky

frustino
riding whip

sella
saddle

imboccatura
mouthpiece

morso
bit

sottopancia
girth

ostacolo
obstacle

fasce
leg wraps

fantino
jockey

cavallo da trotto
harness racing horse

parastinchi
splint boot

pista
racecourse

Salto ostacoli
Show-jumping

Galoppo
Gallop

Trotto
Harness racing

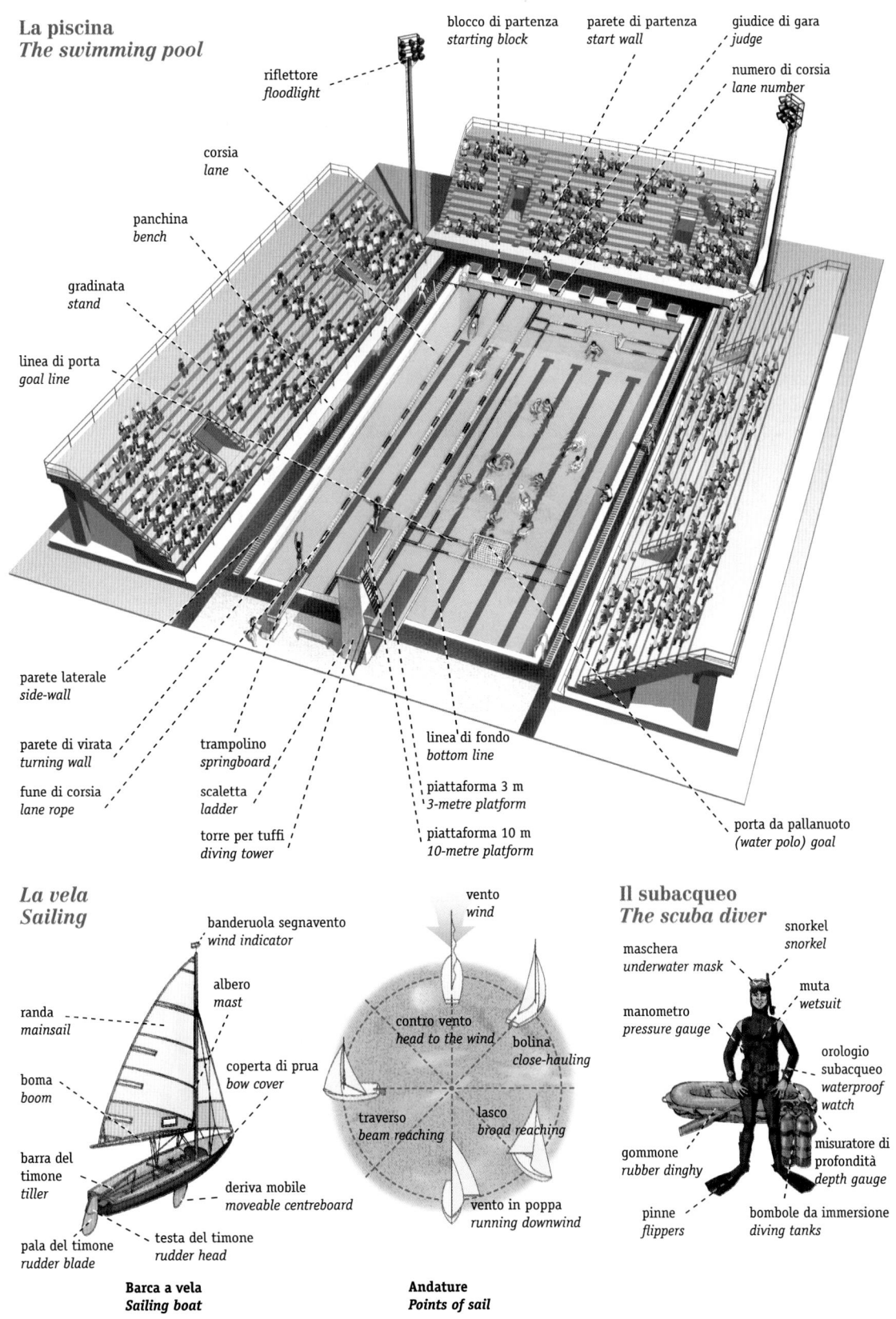

La piscina
The swimming pool

riflettore
floodlight

blocco di partenza
starting block

parete di partenza
start wall

giudice di gara
judge

numero di corsia
lane number

corsia
lane

panchina
bench

gradinata
stand

linea di porta
goal line

parete laterale
side-wall

parete di virata
turning wall

fune di corsia
lane rope

trampolino
springboard

scaletta
ladder

torre per tuffi
diving tower

linea di fondo
bottom line

piattaforma 3 m
3-metre platform

piattaforma 10 m
10-metre platform

porta da pallanuoto
(water polo) goal

La vela
Sailing

banderuola segnavento
wind indicator

albero
mast

randa
mainsail

boma
boom

coperta di prua
bow cover

barra del
timone
tiller

deriva mobile
moveable centreboard

pala del timone
rudder blade

testa del timone
rudder head

Barca a vela
Sailing boat

vento
wind

contro vento
head to the wind

bolina
close-hauling

traverso
beam reaching

lasco
broad reaching

vento in poppa
running downwind

Andature
Points of sail

Il subacqueo
The scuba diver

maschera
underwater mask

snorkel
snorkel

muta
wetsuit

manometro
pressure gauge

orologio
subacqueo
*waterproof
watch*

gommone
rubber dinghy

misuratore di
profondità
depth gauge

pinne
flippers

bombole da immersione
diving tanks

Gli sport invernali
Winter sports

discesa libera
downhill

slalom gigante
giant slalom

slalom speciale
special slalom

pattinaggio su ghiaccio
ice-skating

salto dal trampolino
ski jumping

snowboard
snowboarding

biathlon
biathlon

bob
bobsleigh

curling
curling

hockey su ghiaccio
ice hockey

sci di fondo
cross-country skiing

La casa colonica
The farmhouse

laghetto (riserva d'acqua)
reservoir

canale d'irrigazione
irrigation channel

ponte
bridge

siepe frangivento
wind break

ovile
sheepfold

arnia
beehive

fiume
river

aratro
plough

trattore
tractor

strada di campagna
country lane

campi
fields

bordo del campo
verge

pascolo
pasture

silo per i cereali
grain silo

recinto
fence

orto
vegetable garden

aia
farmyard

pollaio
poultry pen

steccato
stockade

zappa
hoe

stalle dei bovini
cattleshed

stalla dei cavalli
stable

rastrello
rake

porcile
pigsty

La centrale termoelettrica a carbone
The coal-burning power plant

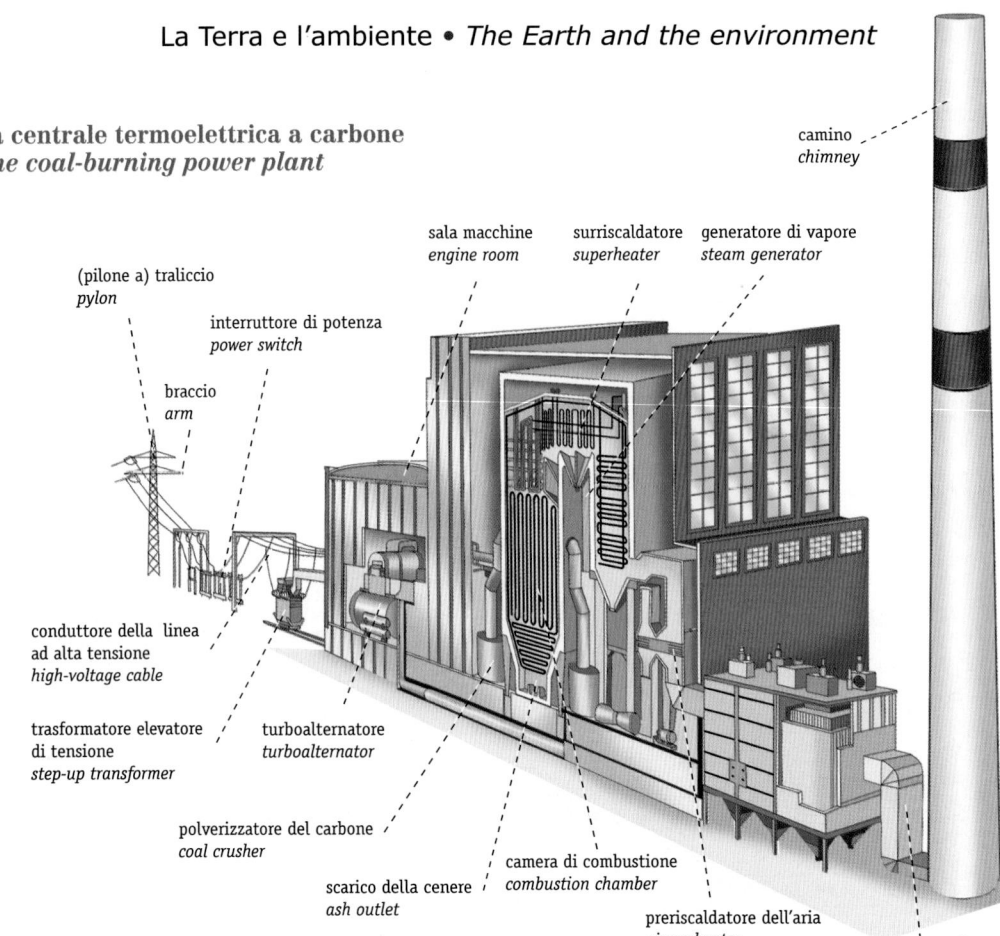

camino
chimney

sala macchine
engine room

surriscaldatore
superheater

generatore di vapore
steam generator

(pilone a) traliccio
pylon

interruttore di potenza
power switch

braccio
arm

conduttore della linea
ad alta tensione
high-voltage cable

trasformatore elevatore
di tensione
step-up transformer

turboalternatore
turboalternator

polverizzatore del carbone
coal crusher

scarico della cenere
ash outlet

camera di combustione
combustion chamber

preriscaldatore dell'aria
air preheater

condotto di
scarico dei gas di
combustione
exhaust duct

La centrale nucleare
The nuclear power plant

torre di raffreddamento
cooling tower

rivestimento in calcestruzzo
concrete coating

generatore
generator

turbina
turbine

rivestimento di sicurezza in acciaio
steel shielding

condensatore
condenser

macchina carico combustibile
charge machine

vasca deposito
combustibile
fuel tank

edificio turbine
turbine building

reattore
reactor

nocciolo del reattore
reactor core

tubatura acqua alimentazione
feedwater pipe

pressurizzatore
pressurizer

uscita del vapore
steam outlet

pompa di ricircolo
recycling pump

generatore di vapore
steam generator

L'energia eolica
Wind power

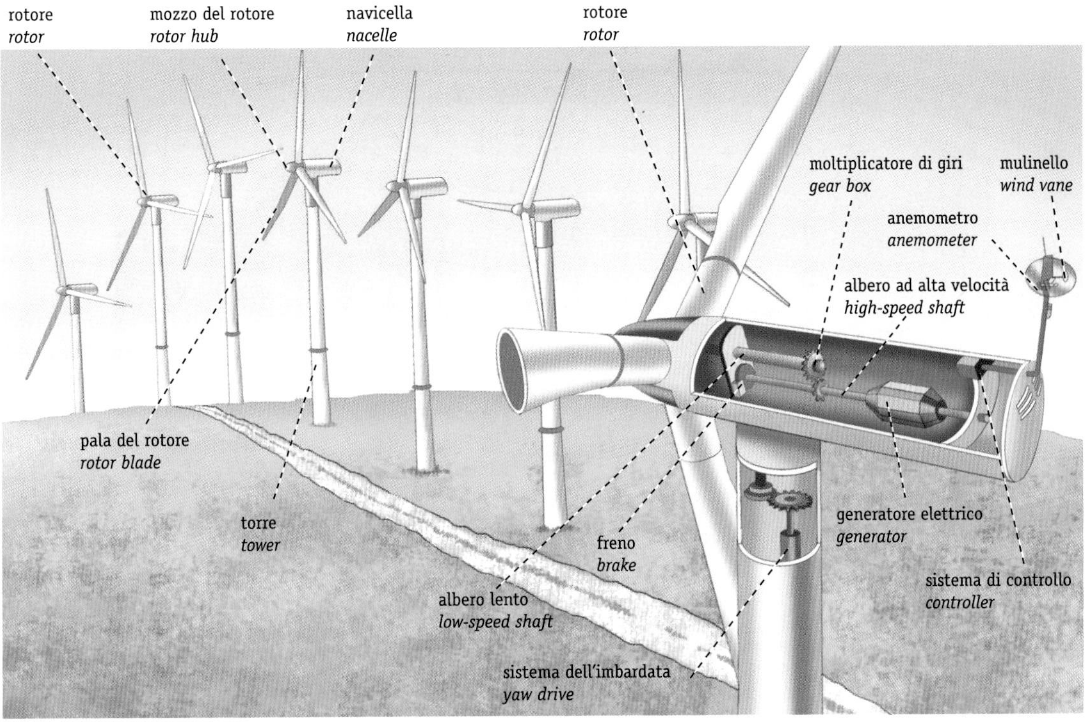

rotore
rotor

mozzo del rotore
rotor hub

navicella
nacelle

rotore
rotor

moltiplicatore di giri
gear box

mulinello
wind vane

anemometro
anemometer

albero ad alta velocità
high-speed shaft

pala del rotore
rotor blade

torre
tower

freno
brake

generatore elettrico
generator

sistema di controllo
controller

albero lento
low-speed shaft

sistema dell'imbardata
yaw drive

La diga
The dam

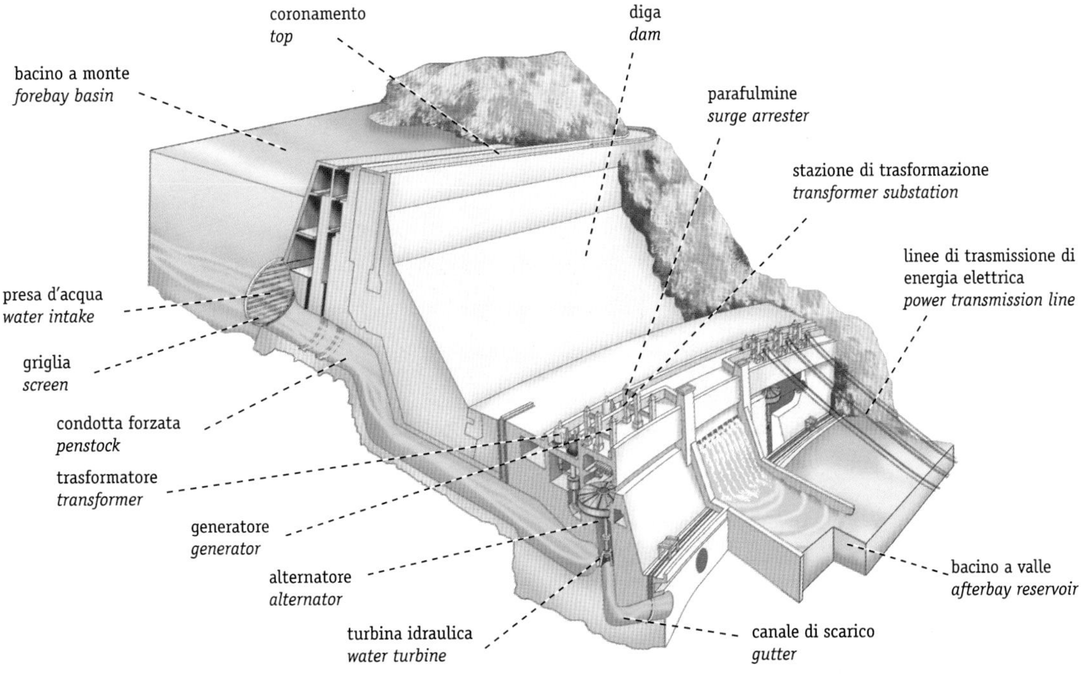

coronamento
top

diga
dam

parafulmine
surge arrester

bacino a monte
forebay basin

stazione di trasformazione
transformer substation

linee di trasmissione di
energia elettrica
power transmission line

presa d'acqua
water intake

griglia
screen

condotta forzata
penstock

trasformatore
transformer

generatore
generator

bacino a valle
afterbay reservoir

alternatore
alternator

turbina idraulica
water turbine

canale di scarico
gutter

La miniera
The mine

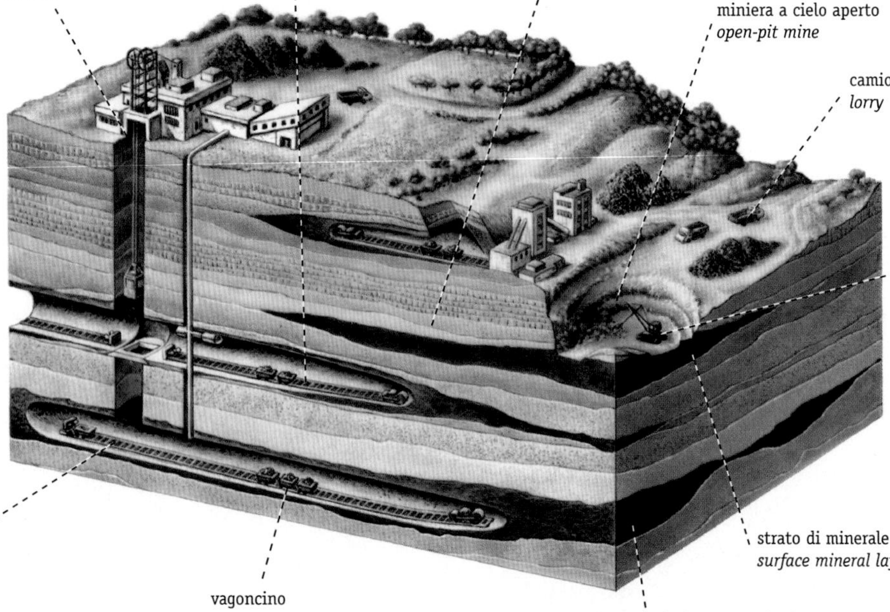

accesso al pozzo
shaft entrance

galleria orizzontale
drift

strato roccioso
rock layer

miniera a cielo aperto
open-pit mine

camion
lorry

gru
crane

rotaie
tracks

vagoncino
tram

giacimento profondo
deep deposits

strato di minerale superficiale
surface mineral layer

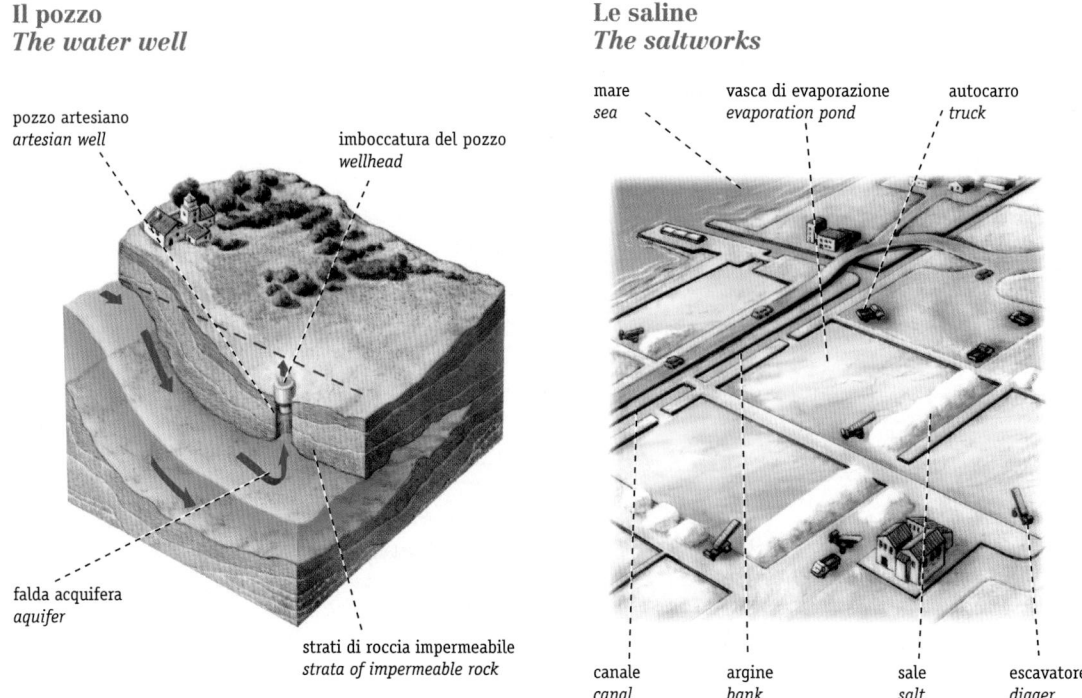

Il pozzo
The water well

pozzo artesiano
artesian well

imboccatura del pozzo
wellhead

falda acquifera
aquifer

strati di roccia impermeabile
strata of impermeable rock

Le saline
The saltworks

mare
sea

vasca di evaporazione
evaporation pond

autocarro
truck

canale
canal

argine
bank

sale
salt

escavatore
digger

L'inquinamento
Pollution

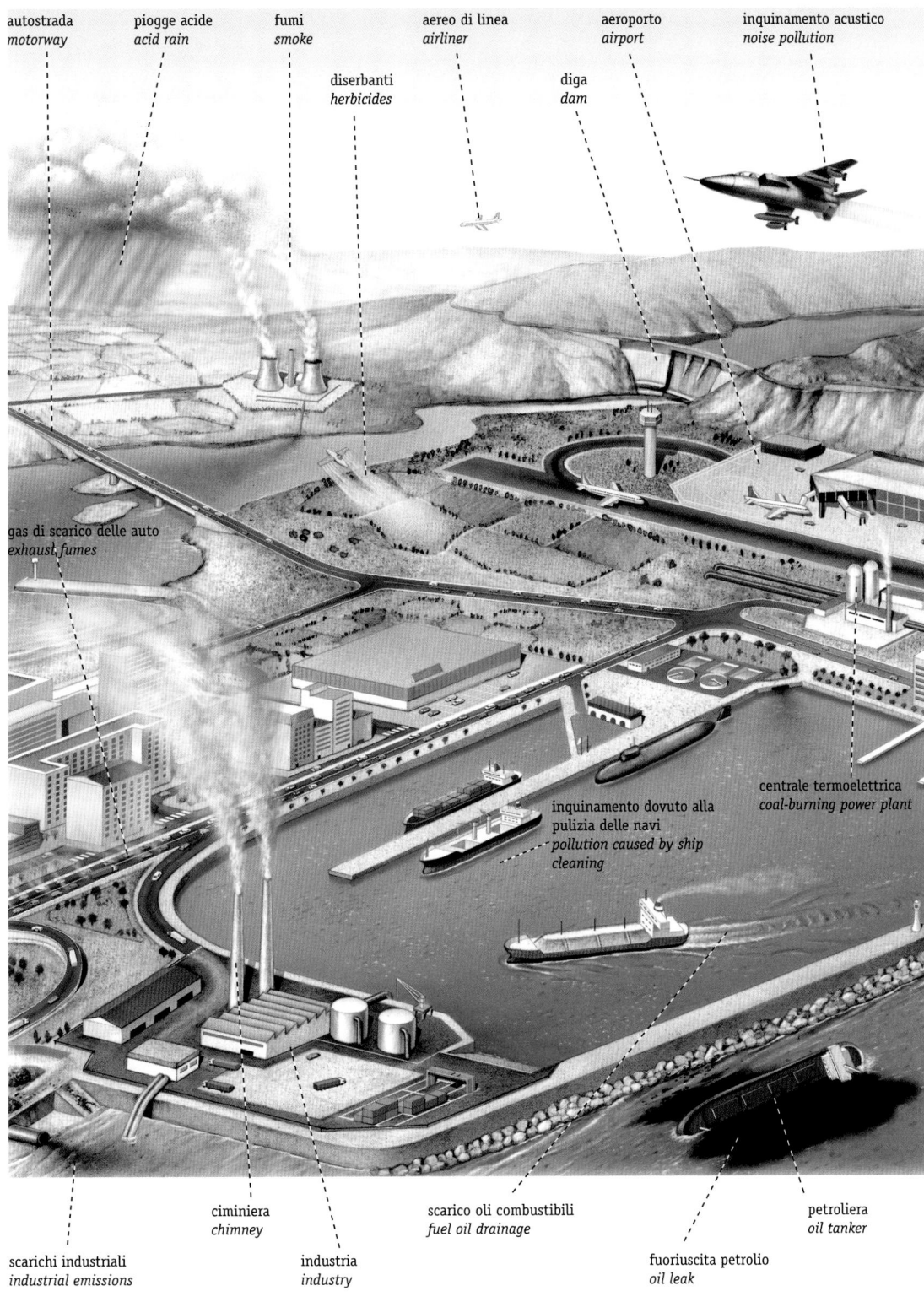

autostrada
motorway

piogge acide
acid rain

fumi
smoke

aereo di linea
airliner

aeroporto
airport

inquinamento acustico
noise pollution

diserbanti
herbicides

diga
dam

gas di scarico delle auto
exhaust fumes

inquinamento dovuto alla
pulizia delle navi
*pollution caused by ship
cleaning*

centrale termoelettrica
coal-burning power plant

ciminiera
chimney

scarico oli combustibili
fuel oil drainage

petroliera
oil tanker

scarichi industriali
industrial emissions

industria
industry

fuoriuscita petrolio
oil leak

L'isola, la penisola, il promontorio e l'atollo
The island, the peninsula, the promontory and the atoll

costa frastagliata
indented coastline

istmo
isthmus

atollo
atoll

arcipelago
archipelago

penisola
peninsula

capo
cape

faraglione
stack

promontorio
promontory

isola
island

costa alta
cliffs

stretto
strait

baia
bay

laguna
lagoon

spiaggia
beach

costa bassa
low-lying coastline

golfo
gulf

scoglio
rock

I fondali marini
The seabed

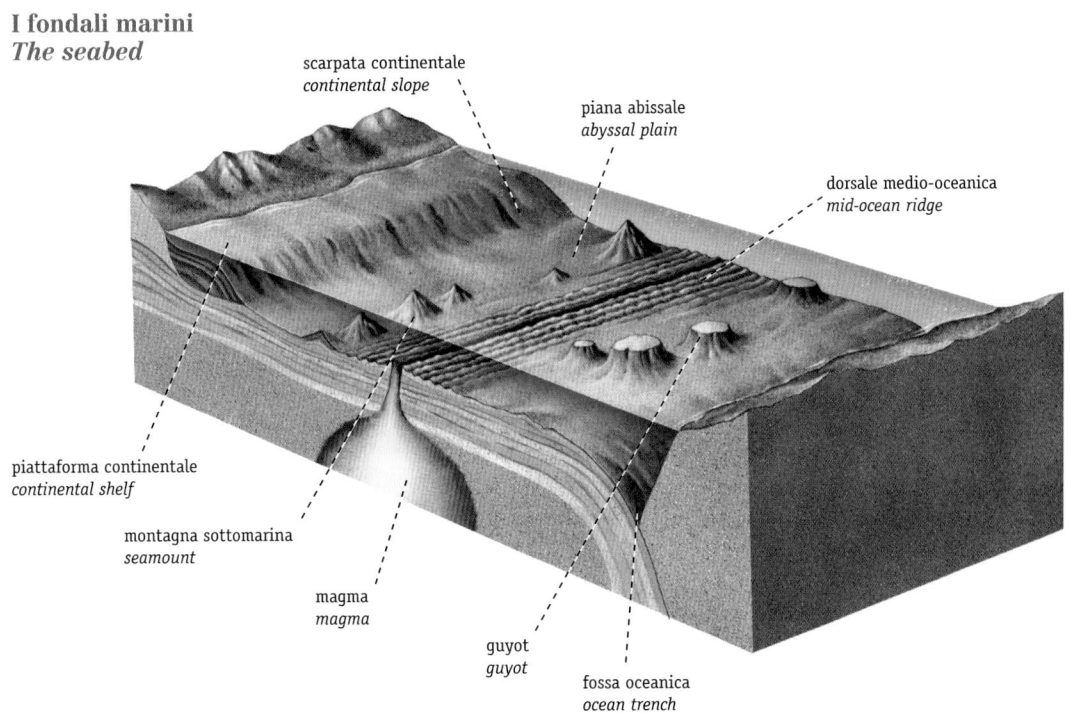

scarpata continentale
continental slope

piana abissale
abyssal plain

dorsale medio-oceanica
mid-ocean ridge

piattaforma continentale
continental shelf

montagna sottomarina
seamount

magma
magma

guyot
guyot

fossa oceanica
ocean trench

Il ciclo dell'acqua
The water cycle

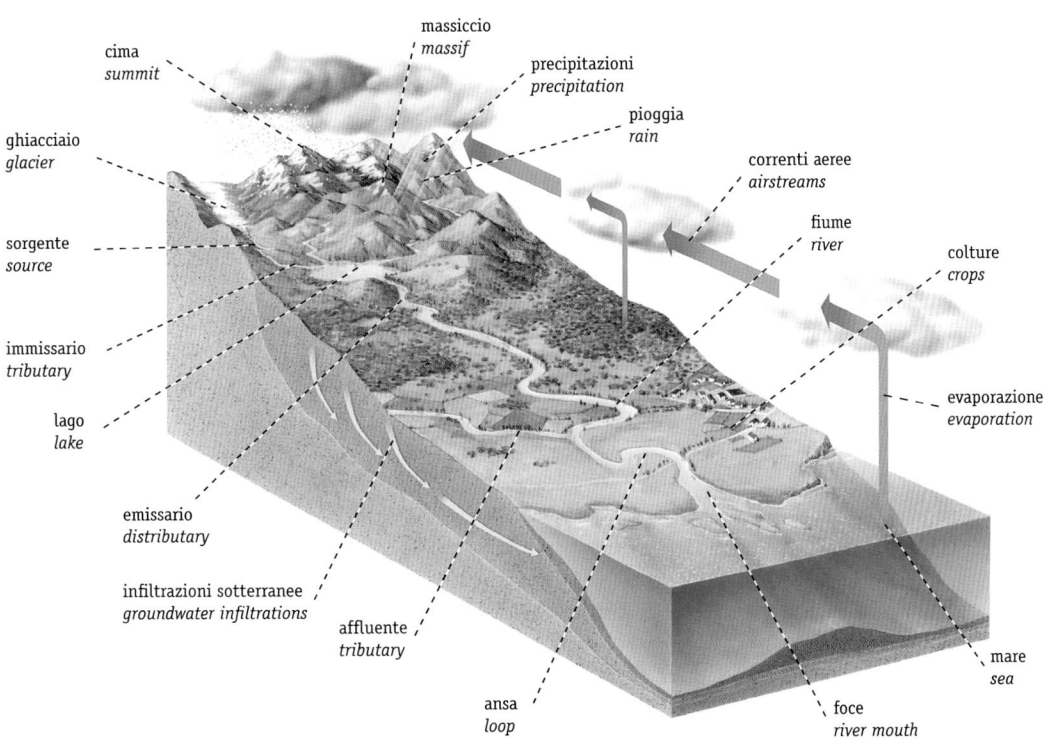

massiccio
massif

cima
summit

precipitazioni
precipitation

pioggia
rain

ghiacciaio
glacier

correnti aeree
airstreams

fiume
river

colture
crops

sorgente
source

immissario
tributary

lago
lake

evaporazione
evaporation

emissario
distributary

infiltrazioni sotterranee
groundwater infiltrations

affluente
tributary

ansa
loop

foce
river mouth

mare
sea

La montagna e il fiume
The mountain and the river

versante
slope

emissario
distributary

massiccio
massif

ghiacciaio
glacier

cascata
waterfall

valico
mountain pass

lago
lake

immissario
tributary

altopiano
plateau

vetta
mountaintop

meandro
meander

affluente di destra
right tributary

foce a delta
delta

ansa
loop

confluenza
confluence

sponda
river bank

fondovalle
valley floor

foce a estuario
estuary mouth

Il vulcano
The volcano

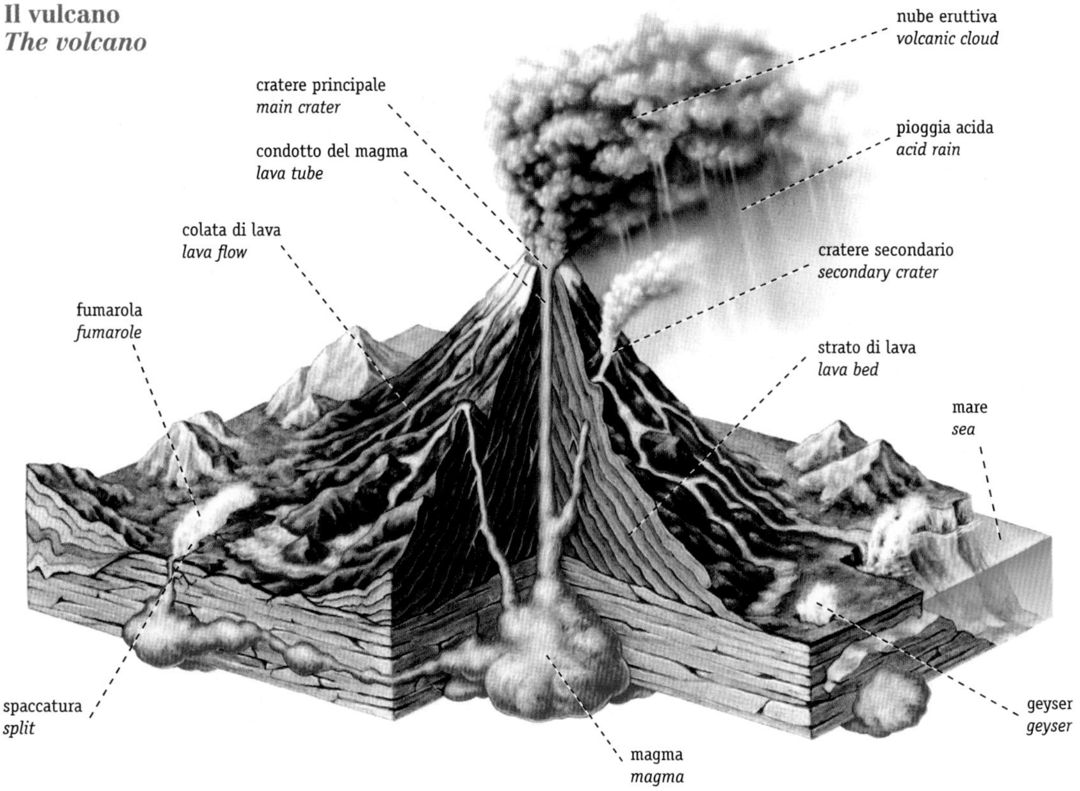

nube eruttiva
volcanic cloud

cratere principale
main crater

pioggia acida
acid rain

condotto del magma
lava tube

colata di lava
lava flow

cratere secondario
secondary crater

fumarola
fumarole

strato di lava
lava bed

mare
sea

spaccatura
split

geyser
geyser

magma
magma

La struttura della Terra
The structure of the Earth

La crosta terrestre
The Earth's crust

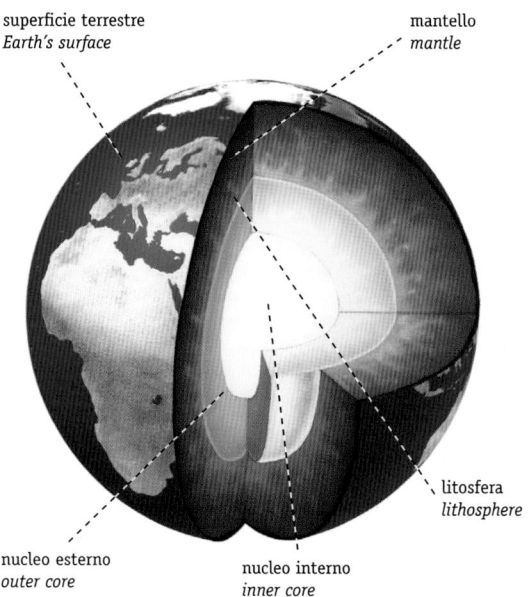

superficie terrestre
Earth's surface

mantello
mantle

litosfera
lithosphere

nucleo esterno
outer core

nucleo interno
inner core

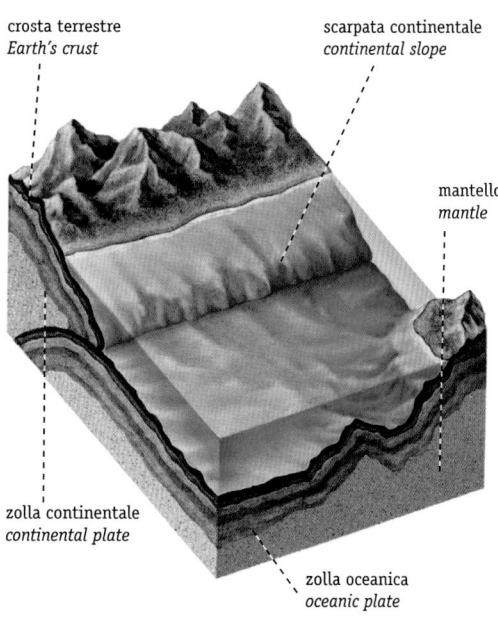

crosta terrestre
Earth's crust

scarpata continentale
continental slope

mantello
mantle

zolla continentale
continental plate

zolla oceanica
oceanic plate

Il sistema solare
The solar system

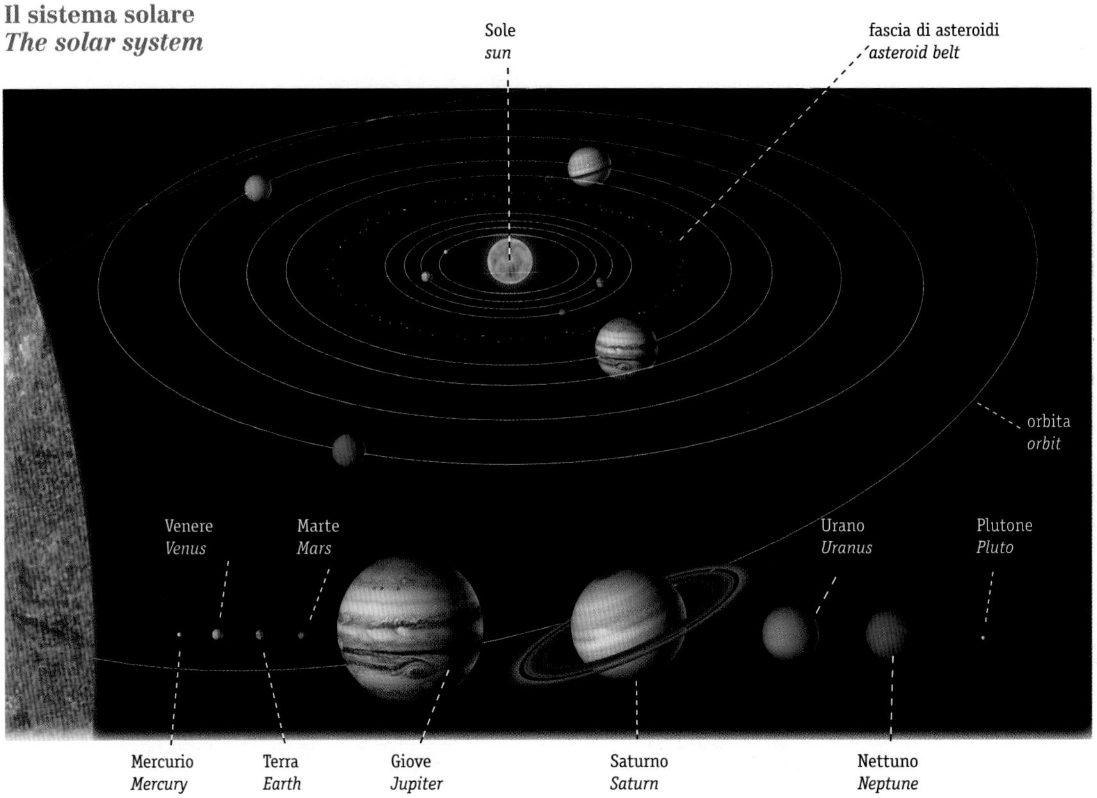

Sole
sun

fascia di asteroidi
asteroid belt

orbita
orbit

Venere
Venus

Marte
Mars

Urano
Uranus

Plutone
Pluto

Mercurio
Mercury

Terra
Earth

Giove
Jupiter

Saturno
Saturn

Nettuno
Neptune

Il telescopio
The telescope

cupola dell'osservatorio
(observatory) dome

apertura per l'osservazione
observation aperture

montatura
mount

specchio primario
primary mirror

telescopio
telescope

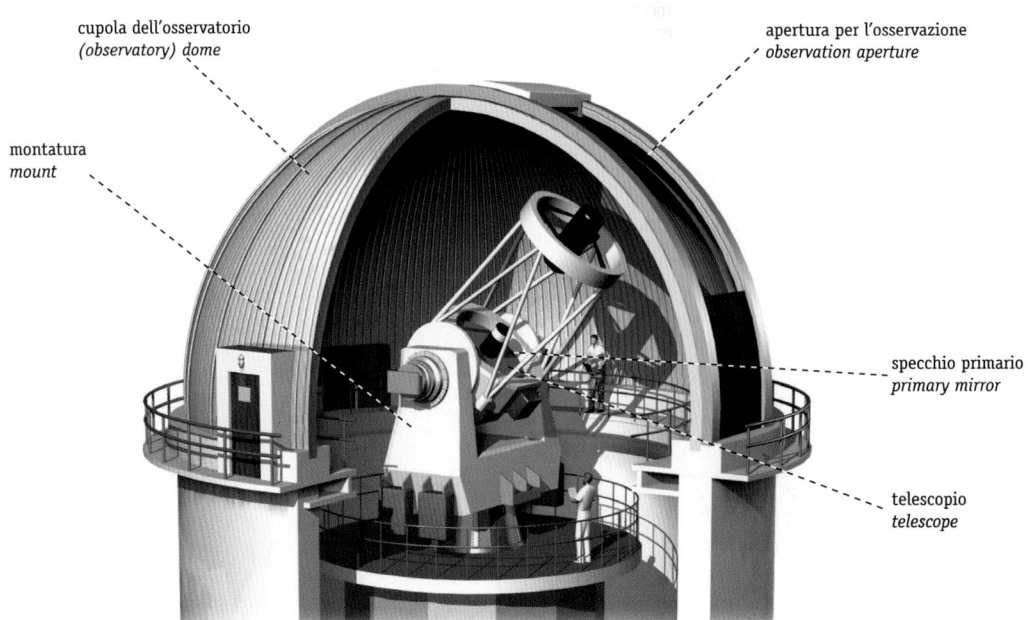

Lo shuttle
The space shuttle

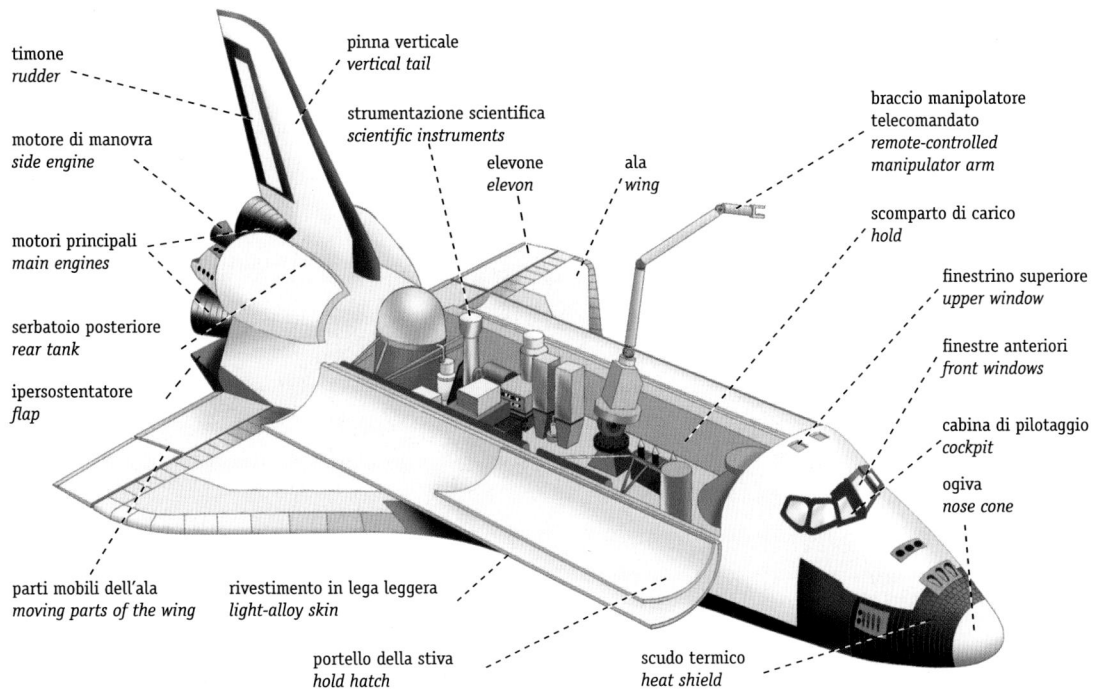

timone
rudder

pinna verticale
vertical tail

motore di manovra
side engine

strumentazione scientifica
scientific instruments

elevone
elevon

ala
wing

braccio manipolatore
telecomandato
*remote-controlled
manipulator arm*

motori principali
main engines

scomparto di carico
hold

serbatoio posteriore
rear tank

finestrino superiore
upper window

ipersostentatore
flap

finestre anteriori
front windows

cabina di pilotaggio
cockpit

ogiva
nose cone

parti mobili dell'ala
moving parts of the wing

rivestimento in lega leggera
light-alloy skin

portello della stiva
hold hatch

scudo termico
heat shield

Il telescopio spaziale Hubble
The Hubble space telescope

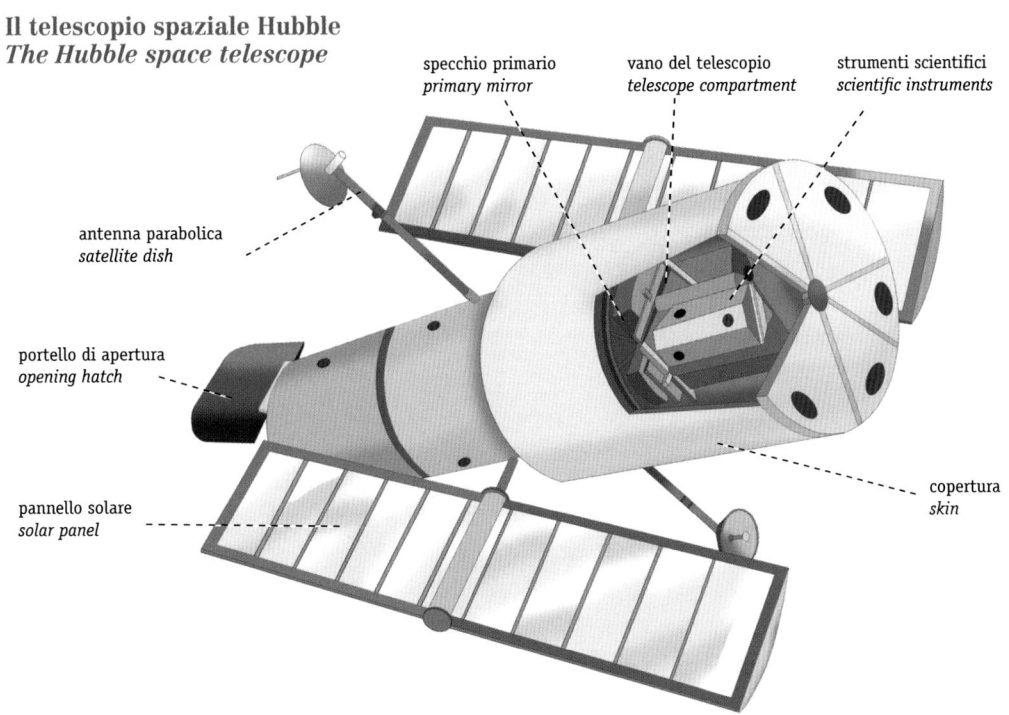

specchio primario
primary mirror

vano del telescopio
telescope compartment

strumenti scientifici
scientific instruments

antenna parabolica
satellite dish

portello di apertura
opening hatch

copertura
skin

pannello solare
solar panel

Le fasi lunari
The phases of the moon

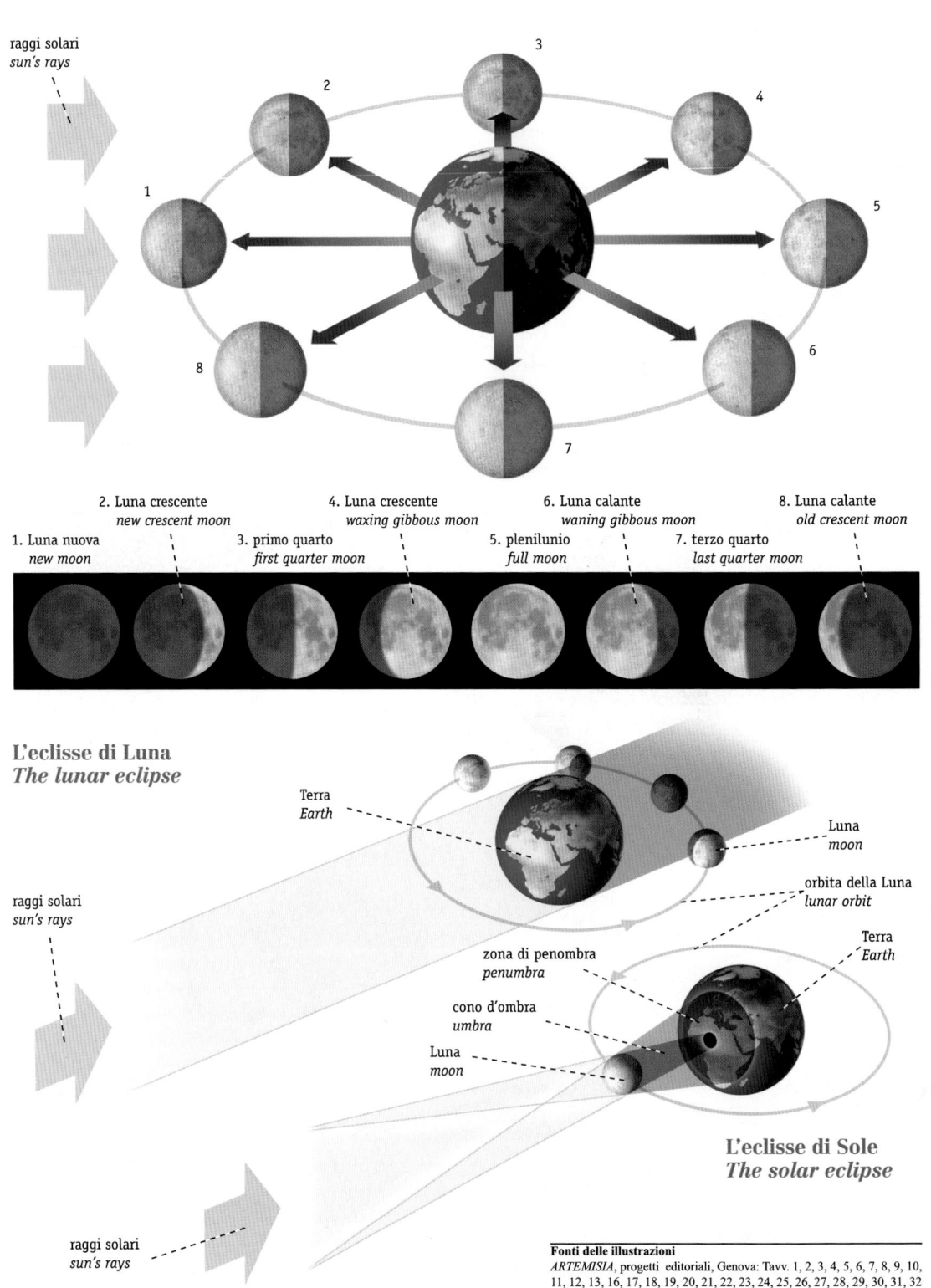

raggi solari
sun's rays

3

2

4

1

5

8

6

7

2. Luna crescente
new crescent moon

4. Luna crescente
waxing gibbous moon

6. Luna calante
waning gibbous moon

8. Luna calante
old crescent moon

1. Luna nuova
new moon

3. primo quarto
first quarter moon

5. plenilunio
full moon

7. terzo quarto
last quarter moon

L'eclisse di Luna
The lunar eclipse

Terra
Earth

Luna
moon

orbita della Luna
lunar orbit

raggi solari
sun's rays

Terra
Earth

zona di penombra
penumbra

cono d'ombra
umbra

Luna
moon

L'eclisse di Sole
The solar eclipse

raggi solari
sun's rays

Fonti delle illustrazioni
ARTEMISIA, progetti editoriali, Genova: Tavv. 1, 2, 3, 4, 5, 6, 7, 8, 9, 10, 11, 12, 13, 16, 17, 18, 19, 20, 21, 22, 23, 24, 25, 26, 27, 28, 29, 30, 31, 32
CAPOVERSO, Torino: Tavv. 14, 15

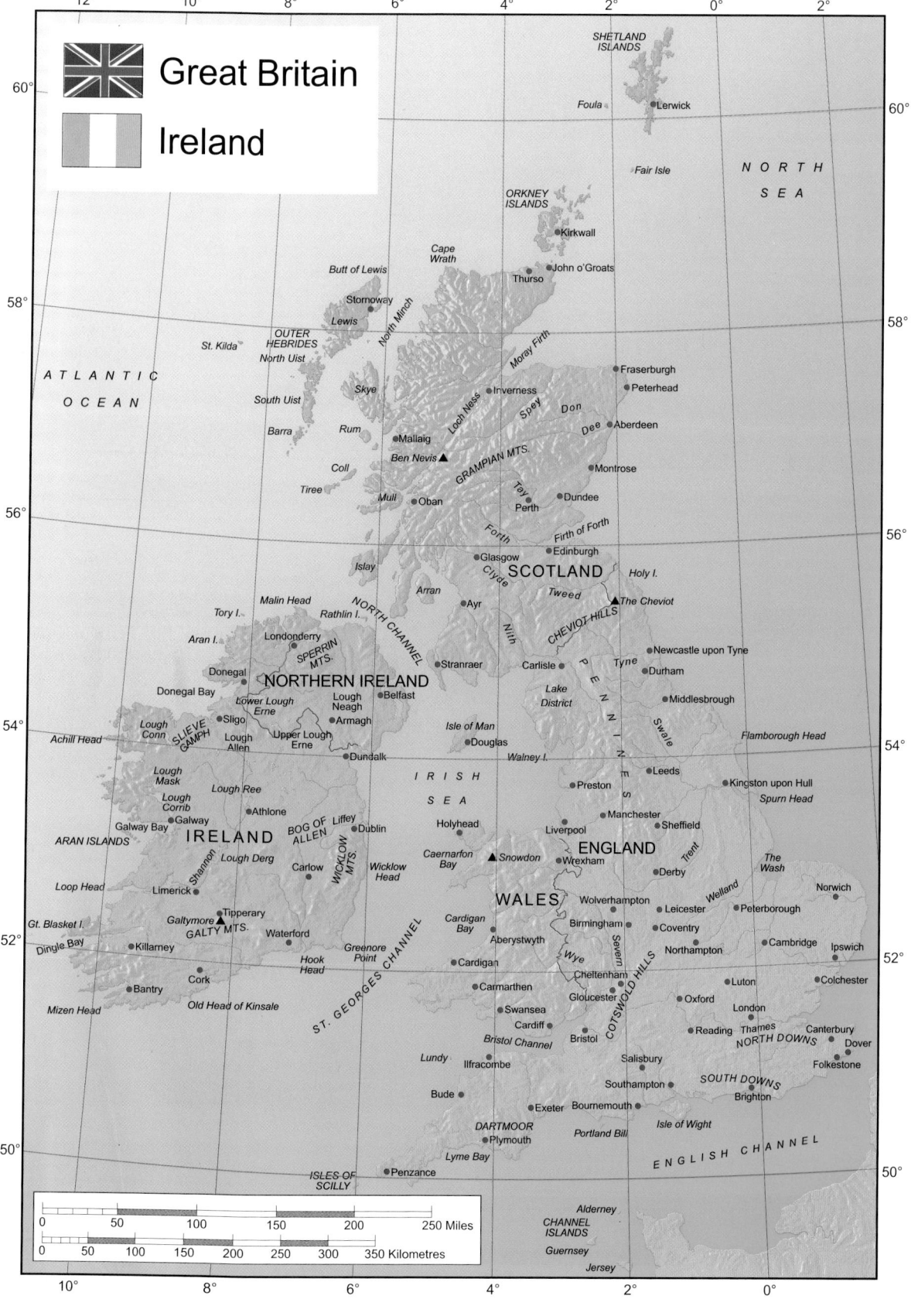

Great Britain

Ireland

12° 10° 8° 6° 4° 2° 0° 2°

60°

SHETLAND ISLANDS

Foula • Lerwick

Fair Isle

58°

Butt of Lewis

Cape Wrath

ORKNEY ISLANDS

• Kirkwall

NORTH SEA

Stornoway

Lewis

North Minch

John o'Groats
• Thurso

Moray Firth

• Fraserburgh
• Peterhead

OUTER HEBRIDES

St. Kilda

North Uist

Skye • Inverness

Spey

Don

ATLANTIC OCEAN

South Uist

Loch Ness

Dee • Aberdeen

Barra

Rum

• Mallaig

GRAMPIAN MTS.

Ben Nevis ▲

Coll

Montrose

Tay

Tiree

Mull • Oban

Perth
• Dundee

56°

Forth

Firth of Forth

Islay

• Glasgow

Clyde

Edinburgh

SCOTLAND

Holy I.

Malin Head

Arran

• Ayr

Tweed

The Cheviot ▲

Tory I.

Rathlin I.

NORTH CHANNEL

CHEVIOT HILLS

Aran I.

Londonderry

SPERRIN MTS.

• Stranraer

Carlisle •

Tyne

• Newcastle upon Tyne
• Durham

Donegal •

NORTHERN IRELAND

Lough Neagh

Lake District

P

• Middlesbrough

Donegal Bay

Lower Lough Erne

• Belfast

• Armagh

Isle of Man

• Douglas

E

Swale

Flamborough Head

54°

Achill Head

Lough Conn

SLIEVE GAMPH

• Sligo

Lough Allen

Upper Lough Erne

• Dundalk

Walney I.

N

• Leeds

• Kingston upon Hull

Lough Mask

Lough Ree

I R I S H S E A

N

• Preston

Spurn Head

Lough Corrib

• Athlone

Liffey

• Manchester

I

• Sheffield

Galway Bay

• Galway

BOG OF ALLEN

• Dublin

Holyhead •

Liverpool •

ARAN ISLANDS

IRELAND

Lough Derg

WICKLOW MTS.

Wicklow Head

Caernarfon Bay

▲ Snowdon

ENGLAND

Trent

The Wash

Shannon

• Carlow

Wrexham •

• Derby

• Norwich

Loop Head

• Limerick

Welland

52°

Gt. Blasket I.

• Tipperary

Galtymore ▲

GALTY MTS.

• Waterford

WALES

Cardigan Bay

Wolverhampton •

Severn

Leicester •

• Peterborough

Dingle Bay

• Killarney

Hook Head

Greenore Point

Aberystwyth •

Birmingham •

• Coventry

Northampton •

• Cambridge

• Ipswich

Wye

• Cardigan

COTSWOLD HILLS

Cheltenham •

• Colchester

• Bantry

• Cork

Old Head of Kinsale

ST. GEORGES CHANNEL

• Carmarthen

Gloucester •

Luton •

• Oxford

London

Mizen Head

• Swansea

• Cardiff

• Bristol

Reading •

Thames

NORTH DOWNS

• Canterbury

• Dover

• Folkestone

Bristol Channel

Salisbury •

SOUTH DOWNS

Lundy

• Ilfracombe

Southampton •

• Brighton

Bournemouth •

• Bude

• Exeter

Isle of Wight

Lyme Bay

DARTMOOR

• Plymouth

Portland Bill

ENGLISH CHANNEL

50°

ISLES OF SCILLY

• Penzance

Alderney

CHANNEL ISLANDS

Guernsey

Jersey

| 0 | 50 | 100 | 150 | 200 | 250 Miles |

| 0 | 50 | 100 | 150 | 200 | 250 | 300 | 350 Kilometres |

10° 8° 6° 4° 2° 0°

UNITED STATES